LANGENSCHEIDTS
HANDWÖRTERBÜCHER

LANGENSCHEIDTS
HANDWÖRTERBUCH
SPANISCH

Teil I
Spanisch-Deutsch

Von

Dr. Heinz Müller

und

Prof. Dr. Günther Haensch

LANGENSCHEIDT

BERLIN · MÜNCHEN · WIEN · ZÜRICH

Die Nennung von Waren erfolgt in diesem Werk, wie in Nachschlagewerken üblich, ohne Erwähnung etwa bestehender Patente, Gebrauchsmuster oder Warenzeichen. Das Fehlen eines solchen Hinweises begründet also nicht die Annahme, eine Ware sei frei.

Auflage:	*12.*	*11.*	*10.*		*Letzte Zahlen*
Jahr:	*1982*	*81*	*80*	*79*	*maßgeblich*

Druck: Druckhaus Langenscheidt, Berlin-Schöneberg

Printed in Germany | ISBN 3-468-04340-6

Vorwort

In der Reihe „Langenscheidts Handwörterbücher" legen Verlag und Verfasser hiermit ein spanisch-deutsches Wörterbuch vor, das vorwiegend nach drei Gesichtspunkten zusammengestellt wurde: modern in der Auffassung, praktisch in der Auswahl und zuverlässig im Gebrauch.

Entsprechend ihrer heutigen Bedeutung sind die Bereiche der Wirtschaft, des Verkehrs und der Technik, des Rechtswesens, der Verwaltung und der Politik besonders eingehend dargestellt. So wurden z. B. auch die Gebiete der Atomphysik, der Elektronik und der Raumschiffahrt in einem dem Ganzen entsprechenden Rahmen aufgenommen. Ebenso erhielten die Naturwissenschaften einschließlich der Medizin und nicht zuletzt auch der Sport die ihnen zukommende Beachtung. Hierbei wurde eine Fülle von Neologismen eingearbeitet, die im Verlauf der raschen und ständigen Entwicklung der letzten Jahrzehnte außerordentlich an Bedeutung gewonnen haben. Um nur einige zu nennen: *alunizaje (Mondlandung), módulo lunar (Mondfähre), botella de un solo uso (Einwegflasche), fuga en caso de accidente (Verkehrsunfallflucht), laboratorio lingüístico (Sprachlabor), cibernética (Kybernetik), cosmovisión Am. (Weltanschauung), computador (Computer), mercadotecnia Am. (Marktforschung), aerobús (Airbus)* u.a.m.

Angesichts der ständig wachsenden Bedeutung der wirtschaftlichen und kulturellen Beziehungen zwischen den südamerikanischen Staaten und den deutschsprachigen Ländern ist der lateinamerikanische Wortschatz in einem entsprechend großen Umfang aufgenommen worden. Der Benutzer findet also u. a. Ausdrücke wie *parada Méj., P.Ri. (Aufmarsch, Kundgebung), Cu., Chi. (Busstation), Ven. (Gasthaus); presidente municipal Méj. (Bürgermeister); pulpería Am.Mer., P.Ri. (Kramladen mit Alkoholausschank); refaccionar Col., Méj. (reparieren); registro Arg., Bol. (Großhandlung in Textilien)* u.a.m.

Besondere Beachtung erfuhren auch die Ausdrücke und Wendungen der Umgangssprache, wobei in jedem Falle größte Genauigkeit in der Abgrenzung der Sprachgebrauchsebene (F = lenguaje familiar, P = lenguaje popular, V = vulgar) angestrebt wurde. Als Beispiele seien genannt: *estar con la boca a la pared (auf dem letzten Loch pfeifen), atizarse un trago (einen hinter die Binde gießen), sacar el bulto (abhauen, verduften), apoquinar (berappen, blechen), bombear (angeben), dar la birria a alg. (j-m auf den Wecker fallen), pistonudo (prima, toll)* u.a.m.

Für die sorgfältige Bearbeitung und abschließende Redaktion des gesamten Manuskriptes sind die Verfasser Fräulein Dora Heltmann vom Langenscheidt-Verlag zu besonderem Dank verpflichtet. Die Kapitel zur Aussprache und Schreibung des Spanischen sowie die in den Anhang aufgenommenen Sonderverzeichnisse hat Herr Dr. Hermann Willers, Leiter der Romanistischen Abteilung der Langenscheidt-Redaktion, zusammengestellt.

Ferner danken die Verfasser den Herren Prof. Dr. Rafael Carrillo, Dr. José Luis Barrios und Licenciado José María Domínguez für zahlreiche Verbesserungs- und Ergänzungsvorschläge sowie Herrn Bernhard Lechner für das Mitlesen der Korrekturen.

Wir hoffen, daß das Wörterbuch dazu beitragen wird, die zwischen den Ländern spanischer Sprache und den deutschsprachigen Gebieten bestehenden wirtschaftlichen, kulturellen und wissenschaftlichen Beziehungen zu stärken und zu festigen.

Verfasser und Verlag

Prefacio

En la serie "Langenscheidts Handwörterbücher", la Casa Editora y los autores presentan con esta parte español-alemán un diccionario que ha sido concebido ateniéndose a tres principios fundamentales: moderno en la concepción, práctico en la selección y seguro en el uso.

Habida cuenta de las necesidades actuales, se ha prestado especial atención a los sectores de la economía, las comunicaciones y la técnica, el derecho, la administración y la política. Así, por ejemplo, se les ha reservado un margen adecuado a campos especiales de la física nuclear, la electrónica y la astronáutica. De igual manera, a las ciencias naturales, incluida la medicina, y no en lugar postrero a los deportes, se les ha prestado la atención que merecen. A tal propósito, se ha dado acogida a una gran copia de neologismos, que han adquirido ya carta de naturaleza lingüística, con la marcha vertiginosa e incontenible del progreso en las últimas décadas. Citemos algunos botones de muestra: *alunizaje (Mondlandung), módulo lunar (Mondfähre), botella de un solo uso (Einwegflasche), fuga en caso de accidente (Verkehrsunfallflucht), laboratorio lingüístico (Sprachlabor), cibernética (Kybernetik), cosmovisión Am. (Weltanschauung), computador (Computer), mercadotecnia Am. (Marktforschung), aerobús (Airbus)* e incontables más.

Teniendo presente la importancia, cada vez mayor, de las relaciones económicas y culturales entre los Estados centro y sudamericanos y los países de lengua alemana, se han incluido muchísimas voces del español americano. El usuario se encontrará entre otras con expresiones como *parada Méj., P.Ri. (Aufmarsch, Kundgebung), Cu., Chi. (Busstation), Ven. (Gasthaus); presidente municipal Méj. (Bürgermeister); pulpería Am.Mer., P.Ri. (Kramladen mit Alkoholausschank); refaccionar Col., Méj. (reparieren); registro Arg., Bol. (Großhandlung in Textilien)* y muchísimas más.

Especial atención se ha prestado a las expresiones y dichos del lenguaje corriente y familiar, y se ha tratado de delimitar en cada caso, con la mayor exactitud posible, el nivel lingüístico impuesto por el uso (F = lenguaje familiar o coloquial, P = lenguaje popular, V = vulgar). Citemos a título de ejemplo: *estar con la boca a la pared (auf dem letzten Loch pfeifen), atizarse un trago (einen hinter die Binde gießen), sacar el bulto (abhauen, verduften), apoquinar (berappen, blechen), bombear (angeben), dar la birria a alg. (j-m auf den Wecker fallen), pistonudo (prima, toll)*, etc.

Los autores tienen una deuda de especial gratitud a la labor incansable de la señorita Dora Heltmann, de la Casa Editora Langenscheidt, en la redacción definitiva de la totalidad del manuscrito. Los capítulos sobre la pronunciación y la ortografía del español, así como los apéndices, fueron redactados por el Dr. Hermann Willers, director de la sección de Romanística de la Editorial Langenscheidt.

Además, los autores expresan su agradecimiento a los señores Prof. Dr. Rafael Carrillo, Dr. José Luis Barrios y Lic. José María Domínguez por la gran cantidad de acertadas propuestas para mejorar y completar el diccionario. Están agradecidos también al señor Bernhard Lechner por su ayuda en el trabajo de corregir las pruebas.

Esperamos que este diccionario ha de contribuir a intensificar y consolidar las relaciones económicas, culturales y científicas existentes entre los países de habla española y los de lengua alemana.

Los autores y la Editorial

Inhaltsverzeichnis

Índice

Vorwort 5
Prefacio 6

Bemerkungen über die Einrichtung des Wörterbuches
Advertencias referentes a la organización del diccionario 9

Erklärung der im Wörterbuch angewendeten Zeichen und Abkürzungen
Explicación de los signos y abreviaturas empleados en el diccionario 11

Zur Aussprache des Spanischen 14

Zur Schreibung des Spanischen 16

Alphabetisches Wörterverzeichnis
Vocabulario alfabético 17

Spanische Eigennamen
Nombres propios españoles 629

Spanische Abkürzungen
Abreviaturas españolas 632

Konjugation der spanischen Verben 635

Zahlwörter
Numerales 639

Spanische Maße und Gewichte
Medidas y pesos españoles 640

Bemerkungen über die Einrichtung des Wörterbuches

Advertencias referentes a la organización del diccionario

I. Die alphabetische Reihenfolge ist überall streng eingehalten. An alphabetischer Stelle sind auch angegeben:

a) die wichtigsten unregelmäßigen Formen der Verben sowie des Komparativs und Superlativs;

b) die verschiedenen Formen der Fürwörter.

II. Rechtschreibung. Für die Schreibung der spanischen Wörter dienten als Norm die Regeln der Real Academia Española, für die deutschen Wörter der „Duden".

III. Das Wiederholungszeichen oder die Tilde (**~**, ~, **≈**, ≈) dient dazu, zusammengehörige oder verwandte Wörter zu Gruppen zu vereinigen. **Die fette Tilde** (**~**) vertritt das ganze Stichwort oder den vor dem senkrechten Strich (|) stehenden Teil dieses Stichwortes, z. B. **aire** *m*; **~ar** (= **airear**) *v/t.* usw.; **acen|to** *m*; **~tuar** (= **acentuar**) *v/t.* usw.

Die einfache Tilde (~) vertritt bei den in Gill-Schrift gesetzten Anwendungsbeispielen das unmittelbar vorhergehende Stichwort, das selbst schon mit Hilfe der Tilde gebildet sein kann, z. B. **alcance** *m*; ~ de tiro (= alcance de tiro) usw.; **bara|tísimo** *adj.*; **~to** *adj.*; dar de ~ (= dar de barato) usw.

Die Tilde mit Kreis (**≈**, ≈) wird verwendet, wenn sich der Anfangsbuchstabe ändert (groß in klein oder umgekehrt), z. B. **Medusa** *f*; *Zo.* ≈ (= **medusa**) usw.; **balanza** *f*; *Astr.* ≈ (= **Balanza**) usw.; **cámara** *f*; ≈ Alta (= Cámara Alta) usw.

IV. Wenn in einem spanischen Wort einzelne Buchstaben **in runden Klammern** stehen, so handelt es sich um zwei unterschiedslos ge-

I. El orden alfabético se ha observado rigurosamente. También se encuentran en el lugar alfabético correspondiente:

a) las formas irregulares más importantes de los verbos, así como del comparativo y del superlativo;

b) las diversas formas pronominales.

II. Ortografía. Las voces españolas han sido transcritas de acuerdo con las normas vigentes de la Real Academia Española; las palabras alemanas, según las normas oficiales (Duden).

III. El signo de repetición o tilde (**~**, ~, **≈**, ≈) sirve para agrupar palabras análogas o de la misma familia. **La tilde gruesa** (**~**) remplaza la voz guía entera o la parte de dicha voz que precede a la raya vertical (|), p. ej. **aire** *m*; **~ar** (= **airear**) *v/t.*, etc.; **acen|to** *m*; **~tuar** (= **acentuar**) *v/t.*, etc.

La tilde sencilla (~) remplaza, en los ejemplos que van en tipo "Gill", la voz guía inmediatamente precedente, la cual puede estar tal vez ya formada por una tilde; p. ej. **alcance** *m*; ~ de tiro (= alcance de tiro), etc.; **bara|tísimo** *adj.*; **~to** *adj.*; dar de ~ (= dar de barato), etc.

La tilde con un circulito (**≈**, ≈) se emplea para modificar la letra inicial (mayúscula en minúscula o al revés); p. ej. **Medusa** *f*; *Zo.* ≈ (= **medusa**), etc; **balanza** *f*; *Astr.* ≈ (= **Balanza**), etc.; **cámara** *f*; ≈ Alta (= Cámara Alta), etc.

IV. Cuando en una palabra española van algunas letras **entre paréntesis**, significa que se trata de dos formas de uso indiferente; p. ej. **secre-**

bräuchliche Formen, z. B. **secretor(io)** = **secretor** oder **secretorio** ⚕ absondernd.

V. Unterteilung der Stichwortartikel. Die arabischen Ziffern bezeichnen die verschiedenen Bedeutungen eines spanischen Stichwortes. Sie stehen fortlaufend und unabhängig von den römischen Ziffern. Bei weiteren Bedeutungsdifferenzierungen innerhalb der arabischen Ziffern werden einzelne Buchstaben verwendet.

Die römischen Ziffern kennzeichnen die verschiedenen Wortarten, denen ein Stichwort angehört. Sie werden zur Unterscheidung von Verb und Adjektiv bzw. Verb und Substantiv verwendet, die die gleiche Form haben und von gleicher Abstammung sind. Sie werden außerdem verwendet, um Substantive, die sowohl männlichen wie weiblichen Geschlechts sind, deutlich voneinander zu trennen, und sie dienen schließlich der Unterteilung bei Verben in *v/i.*, *v/t.*, *v/r.*

Wörter gleicher Schreibung, aber verschiedener Abstammung werden getrennt aufgeführt und sind in solchem Falle mit [1], [2] usw. bezeichnet worden, z. B. **balsa**[1] *f* Tümpel *m*; (neuer Titelkopf:) **balsa**[2] *f* Floß *n*.

VI. Das grammatische Geschlecht (*m*, *f*, *n*) ist bei allen spanischen und deutschen Substantiven angegeben, z. B. **argucia** *f* Spitzfindigkeit *f*, Sophismus *m*. Diejenigen Substantive, die für das Maskulinum und das Femininum die gleiche Form aufweisen, sowie Adjektive, die keine besondere Form für das Femininum haben, werden mit *c* bezeichnet, z. B. **artista** *c* **1.** Künstler *m*; **amable** *adj. c* liebenswürdig; **belga** *adj.-su. c* belgisch; *m* Belgier *m*.

VII. Hinter unregelmäßig konjugierten spanischen Verben weisen die in eckigen Klammern stehenden Zahlen und Buchstaben auf das entsprechende **Konjugationsmuster** hin (s. S. 635 ff.), z. B. **aplicar** [1g], **acoger** [2c], **advertir** [3i].

VIII. Die Rektion der Verben ist nur da angegeben, wo sie in beiden Sprachen verschieden ist. Deutsche Präpositionen sind überall mit der Kasusangabe versehen, z. B. **abusar** *de a/c.* (*de alg.*) et. (j-n) mißbrauchen, et. (j-n) ausnutzen; **aplicar** anwenden (auf *ac. a*).

IX. Die Bedeutungsunterschiede der verschiedenen Übersetzungen sind durch vorgesetzte bildliche Zeichen oder Abkürzungen bzw. durch vorgesetzte deutsche Objekte oder nachgesetzte deutsche Subjekte gekennzeichnet, z. B. **alienación** *f* Veräußerung *f*; ⚕ Geisteskrankheit *f*; **aherrojar** *v/t.* anketten, fesseln; *fig.* einsperren; *fig.* unterdrücken; **afinar** *Metalle* läutern, *Instrumente* stimmen; **adusto** *adj.* **1.** finster, mürrisch (*Person*); düster (*Sachen*); **2.** heiß (*Landstrich*).

tor(io) = **secretor** o bien **secretorio** ⚕ absondernd.

V. Subdivisión de las voces guía. Las cifras árabes significan los distintos significados de una voz guía española. Van seguidas, independientemente de los números romanos. Para establecer diferencias más especificadas dentro de las cifras árabes, se emplean letras aisladas.

Los números romanos especifican las diversas partes de la oración que puede constituir una misma voz guía. Se utilizan para diferenciar el verbo y el adjetivo o bien el verbo y el sustantivo, que presentan la misma forma y derivación. Además, se emplean para separar más claramente sustantivos que a la vez pueden ser masculinos o femeninos, y finalmente, para la subdivisión de los verbos en *v/i.*, *v/t.*, *v/r.*

Las palabras que ofrecen idéntica grafía pero son de distinta derivación, aparecen por separado, y en tales casos son diferenciadas mediante cifras [1], [2] etc.; p. ej. **balsa**[1] *f* Tümpel *m*; (nuevo artículo) **balsa**[2] *f* Floß *n*.

VI. El género gramatical (*m*, *f*, *n*) acompaña a cada palabra española y alemana; p. ej. **argucia** *f* Spitzfindigkeit *f*, Sophismus *m*. Los sustantivos que presentan idéntica forma en masculino que en femenino, así como los adjetivos que no tienen forma especial femenina, se especifican con una *c*; p. ej. **artista** *c* **1.** Künstler *m*; **amable** *adj. c* liebenswürdig; **belga** *adj.-su. c* belgisch; *m* Belgier *m*.

VII. A continuación de los verbos de conjugación irregular, se indica entre corchetes una referencia al **correspondiente paradigma de conjugación** (véase pág. 635 y sig.); p. ej. **aplicar** [1g], **acoger** [2c], **advertir** [3i].

VIII. El régimen de los verbos se especifica solamente en los casos en que ambas lenguas difieren. Las preposiciones alemanas van acompañadas de la indicación del caso que rigen; p. ej. **abusar** *de a/c.* (*de alg.*) et. (j-n) mißbrauchen, et. (j-n) ausnutzen; **aplicar** anwenden (auf *ac. a*).

IX. Las diferencias de significado de las distintas traducciones van precedidas de un símbolo o abreviatura al caso, o bien de sus complementos directos alemanes antepuestos o sujetos alemanes pospuestos; p. ej. **alienación** *f* Veräußerung *f*; ⚕ Geisteskrankheit *f*; **aherrojar** *v/t.* anketten, fesseln; *fig.* einsperren; *fig.* unterdrücken; **afinar** *Metalle* läutern, *Instrumente* stimmen; **adusto** *adj.* **1.** finster, mürrisch (*Person*); düster (*Sachen*); **2.** heiß (*Landstrich*).

Erklärung der im Wörterbuch angewendeten Zeichen und Abkürzungen

Explicación de los signos y abreviaturas empleados en el diccionario

I. Bildliche Zeichen — Signos

F	familiär, *lenguaje familiar*
P	populär, *lenguaje popular*
V	vulgär, *vulgar*
⚒	selten, *raro*
†	veraltet, *arcaísmo*
☤	Handel, Wirtschaft, *comercio, economía*
⚓	Schiffahrt, *navegación*
⚔	Militär, *milicia*
⊕	Technik, Handwerk, *tecnología, artesanía*
⚒	Bergbau, *minería*
🚂	Eisenbahn, *ferrocarriles*
✈	Flugwesen, *aviación*
📯	Post, *correos*
♪	Musik, *música*
⛏	Acker-, Gartenbau, *agricultura, horticultura*
⚘	Botanik, *botánica*
⌂	Baukunst, *arquitectura*
∡	Mathematik, *matemáticas*
⚗	Chemie, *química*
⚡	Elektrotechnik, *electrotecnia*
⚕	Medizin, *medicina*
⚖	Rechtswissenschaft, *jurisprudencia, derecho*
📖	wissenschaftlich, *científico*
⛉	Wappenkunde, *heráldica*
□	Gaunersprache, *lenguaje de los bajos fondos*
→	siehe auch, *véase*
=	gleich, *igual o equivalente a*
<	kommt von, wird aus, *derívase de*
~, ≈	siehe Bemerkungen auf S. 9, *véanse Advertencias, p. 9*

II. Abkürzungen — Abreviaturas

a.	auch, *también*
Abk.	Abkürzung, *abreviatura*
Abl.	Ableitung(en), *derivación (-ones)*
abs.	absolut, *absoluto*
a/c.	etwas, *algo, alguna cosa*
ac.	Akkusativ, *acusativo*
adj.	Adjektiv, *adjetivo*
adv.	Adverb, *adverbio*
Al.	Álava, *álava*
alg.	jemand, *alguien, alguno*
allg.	allgemein, *generalmente*
Am.	Amerika(nismus), *Hispanoamérica, americanismo*
Am.Cent.	Mittelamerika, *América Central*
Am.Mer.	Südamerika, *América Meridional*
amt.	amtlich, *oficial*
Am.trop.	tropisches Amerika, *América tropical*
Anat.	Anatomie, *anatomía*
And.	Anden, *Andes*
Andal.	Andalusien, *Andalucía*
Angl.	Anglizismus, *anglicismo*
Anm.	Anmerkung, *anotación*
Ant.	Antillen, *Antillas*
Ar.	Aragonien, *Aragón*
arab.	arabisch, *árabe*
arauk.	araukanisch, *araucano*
Arch.	Archäologie, *arqueología*
Arg.	Argentinien, *Argentina*
Arith.	Arithmetik, *aritmética*
Art.	Artillerie, *artillería*
art.	Artikel, *artículo*
Ast.	Asturien, *Asturias*
Astr.	Astronomie, *astronomía*
Astrol.	Astrologie, *astrología*
Atom.	Atomistik, *ciencia atómica*
attr.	attributiv, *atributivo*
augm.	augmentativ, *aumentativo*
b.	bei(m), *en; al*
Bankw.	Bankwesen, *banca*
barb.	Sprachwidrigkeit, *barbarismo*
bask.	baskisch, *vasco*
best.	bestimmt, *determinado*
Bew.	Bewässerungswesen, *riego*
bez.	bezüglich, *referente*
bibl.	biblisch, *bíblico*
Biol.	Biologie, *biología*
Bol.	Bolivien, *Bolivia*
bsd.	besonders, *especialmente*
Buchb.	Buchbinderei, *encuadernación*
burl.	burlesk, *burlesco*
bzw.	beziehungsweise, *o bien*
c	beiderlei Geschlechts, [*género*] *común*
ca.	zirka, *aproximadamente*
Cast.	Kastilien, *Castilla*
Cat.	Katalonien, *Cataluña*
Chi.	Chile, *Chile*
Chir.	Chirurgie, *cirugía*
cj.	Konjunktion, *conjunción*
cm	Zentimeter, *centímetro*
comp.	Komparativ, *comparativo*
Col.	Kolumbien, *Colombia*
concr.	konkret, *concreto*

C.Ri.	Kostarika, *Costa Rica*
Cu.	Kuba, *Cuba*
dat.	Dativ, *dativo*
def.	defektives Verb, *verbo defectivo*
desp.	verächtlich, *despectivo*
d.h.	das heißt, *es decir*
dim.	Diminutiv, *diminutivo*
dipl., *Dipl.*	Diplomatie, *diplomacia*
d-m, *d-m*	deinem, *a tu (dat.)*
d-n, *d-n*	deinen, *tu, a tu (ac.)*
d-r, *d-r*	deiner, *de tu, de tus*
d-s, *d-s*	deines, *de tu*
dt.	deutsch, *alemán*
Dtl.	Deutschland, *Alemania*
ea., *ea.*	einander, *uno(s) a otro(s)*
Ec.	Ekuador, *Ecuador*
ecl.	kirchlich, *eclesiástico*
e-e, *e-e*	eine, *una*
ehm.	ehemals, *antiguamente*
e-m, *e-m*	einem, *a uno*
e-n, *e-n*	einen, *uno, a uno (ac.)*
engl.	englisch, *inglés*
e-r, *e-r*	einer, *de una, a una*
Ent.	Entomologie, *entomología*
entspr.	entsprechend, entspricht, *correspondiente*
Equ.	Reitkunst, *equitación*
et., *et.*	etwas, *algo, alguna cosa*
Ethn.	Völkerkunde, *etnología*
euph.	euphemistisch, *eufemismo*
Extr.	Extremadura, *Extremadura*
f	Femininum, *femenino*
Fechtk.	Fechtkunst, *esgrima*
Fi.	Fisch, *pez*
fig.	figürlich, *en sentido figurado*
Fil.	Philippinen, *Filipinas*
Fmw.	Fernmeldewesen, *telecomunicación*
Folk.	Folklore, *folklore*
fort.	Befestigungswesen, *fortificación*
f/pl.	Femininum im Plural, *femenino plural*
frz.	französisch, *francés*
gal.	Gallizismus, *galicismo*
Gal.	Galicien, *Galicia*
gan.	Viehzucht, *ganadería*
gelegl.	gelegentlich, *ocasional*
gen.	Genitiv, *genitivo*
Geogr.	Geographie, *geografía*
Geol.	Geologie, *geología*
Geom.	Geometrie, *geometría*
ger.	Gerundium, *gerundio*
Ggs.	Gegensatz, *contrario*
gg.(-)	gegen(-), *contra(-)*
gr.	groß, *gran(de)*
Gram.	Grammatik, *gramática*
griech.	griechisch, *griego*
Gua.	Guarani, *Guaraní*
Guat.	Guatemala, *Guatemala*
Guay.	Guayana, *Guayana*
hebr.	hebräisch, *hebreo*
HF	Hochfrequenz u. Elektronik, *alta frecuencia y electrónica*
hist.	historisch, *histórico*
Hk.	Hahnenkampf, *riña de gallos*
hl.	heilig, *santo*
Hond.	Honduras, *Honduras*
Hydr.	Wasserbau, *hidráulica*
ib.	ibidem, ebendort, *ibídem, allí mismo*
id.	idem, derselbe bzw. dasselbe, *ídem, el (lo) mismo*
i.e.S.	im engeren Sinne, *en sentido más estricto*
i.weit.S.	im weiteren Sinne, *en sentido más amplio*
imp.	Imperativ, *imperativo*
impf.	Imperfekt, *imperfecto*
inc.	inkorrekt, *incorrecto*
ind.	Indikativ, *(modo) indicativo*
indef.	unbestimmt, *indefinido*
indekl.	indeklinabel, *indeclinable*
inf.	Infinitiv, *(modo) infinitivo*
inf.pt.	Infinitiv des Perfekts, *infinitivo perfecto*
int.	Interjektion, *interjección*
intern.	international, *internacional*
interr.	Interrogativum, *interrogativo*
inv.	unveränderlich, *invariable*
iron.	ironisch, *irónico*
irr.	unregelmäßig, *irregular*
it., *ital.*	italienisch, *italiano*
j., *j.*	jemand, *alguien*
Jgdw.	Jagdwesen, *montería, caza*
Jh.	Jahrhundert, *siglo*
j-m, *j-m*	jemandem, *a alguien (dat.)*
j-n, *j-n*	jemanden, *a alguien (ac.)*
j-s, *j-s*	jemandes, *de alguien (gen.)*
K	klassischer Sprachgebrauch, *uso clásico*
Kart.	Kartenspiel, *juego de cartas*
kath.	katholisch, *católico*
Kchk.	Kochkunst, *arte culinario*
Kdspr.	Kindersprache, *lenguaje infantil, media lengua*
Ke.	Ketschua, *quechua*
Kfz.	Kraftfahrzeug(wesen), *automóvil, automovilismo*
kgl.	königlich, *real*
kl.	klein, *pequeño*
k-n, *k-n*	keinen, *ninguno, a ninguno (ac.)*
koll.	kollektiv, *colectivo*
k-r, *k-r*	keiner } *de ninguno (gen.)*
k-s, *k-s*	keines } *de ninguno (gen.)*
Ku.	Kunst(geschichte), *(historia del) arte*
Li.	Linguistik, *lingüística*
Lit.	Literatur(geschichte u. -wissenschaft) *(historia y ciencia de la) literatura*
lit.	literarisch(er Sprachgebrauch), *(uso) literario*

Log. Logik, *lógica*
lt. lateinisch, *latino*

M Militärargot, *jerga militar*
m Maskulinum, *masculino*
Ma. Mittelalter, *Edad Media*
ma. mittelalterlich, *medieval*
Mal. Malerei, *pintura*
Mál. Málaga, *Málaga*
Mall. Mallorca, *Mallorca*
Map. Mapuche, *araucano*
Marr. Marokko, *Marruecos*
m-e, *m-e* meine, *mi, mis*
Mech. Mechanik, *mecánica*
Méj. Mexiko, *Méjico, mejicanismo*
Met. Meteorologie, *meteorología*
Min. Mineralogie, *mineralogía*
m-m, *m-m* meinem, *a mi (dat.)*
m-n, *m-n* meinen, *mi, a mi (ac.)*
mor. moralisch, *moral*
mot. Motorenbau, *construcción de motores*
m/pl. Maskulinum im Plural, *masculino plural*
m-r, *m-r* meiner, *de mi; a mi (dat.)*
m-s, *m-s* meines, *de mi*
mst. meistens, *generalmente, las más de las veces*
Murc. Murcia, *Murcia*
Myst. Mystik, *mística*
Myth. Mythologie, *mitología*

n Neutrum, *neutro*
Na. Nahuatl, *nahuatl*
Nav. Navarra, *Navarra*
nd. norddeutsch, *alemán del Norte*
neol. Neologismus, *neologismo*
Nic. Nikaragua, *Nicaragua*
nom. Nominativ, *nominativo*
n/pl. Neutrum im Plural, *neutro plural*
npr. Eigenname, *nombre propio*
num. Zahlwort, *numeral*

obsz. obszön, *obsceno*
od., *od.* oder, *o*
öffentl. öffentlich, *público*
onom. onomatopoetisch, *onomatopéyico*
Opt. Optik, *óptica*
örtl. örtlich, *local*
öst. österreichisch, *austríaco*

Pan. Panama, *Panamá*
Par. Paraguay, *Paraguay*
Parl. Parlament, *parlamento*
part. Partizip, *participio*
pas. Passiv, *pasivo, voz pasiva*
Pe. Peru, *Perú*
p.ext. im weiteren Sinne, *por extensión*
Pfl. Pflanzen, *plantas*
pej. pejorativ, *peyorativo*
pharm. Pharmakologie, *farmacología*
Phil. Philosophie, *filosofía*
Phon. Phonetik, *fonética*
Phono. Tontechnik, *fonotecnia*
Phot. Photographie, *fotografía*
Phys. Physik, *física*
Physiol. Physiologie, *fisiología*
pl. Plural, *plural*
poet. poetisch, *poético*
Pol. Politik, *política*
port. portugiesisch, *portugués*
pred. prädikativ, *predicativo*
pref. Präfix, *prefijo*
prehist. Vorgeschichte, *prehistoria*
pret. Vergangenheit, *pretérito*
P.Ri. Puerto Rico, *Puerto Rico*
pron. Pronomen, *pronombre*
pron. dem. hinweisendes Fürwort, *pronombre demostrativo*
pron.indef. unbestimmtes Fürwort, *pronombre indefinido*
prot. protestantisch, *protestante*
prov. provinziell, *provinciano*
prp. Präposition, *preposición*
prs. Präsens, *presente*
Psych. Psychologie, *psicología*

Raumf. Raumfahrt, *astronáutica*
rd. rund, *más o menos*
refl. reflexiv, *reflexivo*
Reg. Regionalismus, *regionalismo*
Rel. Religion, *religión*
rel. relativ, *relativo*
Repro. Repro(duktions)technik, *reproducción*
Rf. Rundfunk, *radio*
Rhet. Rhetorik, *retórica*
Rpl. Rio-de-la-Plata-Staaten, *rioplatense*

s. sich, *se (refl.)*
S. Seite, *página*
Sal. Salamanca, *Salamanca*
Salv. El Salvador, *El Salvador*
Sant. Santander, *Santander*
Sch. Schüler-, Studentensprache, *lenguaje escolar y estudiantil*
Schulw. Schulwesen, *enseñanza*
schweiz. schweizerisch, *suizo*
sdd. süddeutsch, *alemán del Sur*
S.Dgo. Santo Domingo, *Santo Domingo*
s-e, *s-e* seine, *su, sus (pl.)*
sg. Singular, *singular*
sid. Eisenhüttenkunde; Hüttenwesen, *siderurgia*
silv. Forstwirtschaft, *silvicultura*
s-m, *s-m* seinem, *a su (dat.)*
s-n, *s-n* seinen, *su, a su (ac.)*
sol. Sprachschnitzer, *solecismo*
Soz. Soziologie, *sociología*
Sp. Spiel und Sport, *juegos y deportes*
span. spanisch, *español*
Span. Spanien, *España*
Spinn. Spinnerei, *hilandería*

Spr.	Sprichwort, *proverbio*
s-r, *s-r*	seiner, *de su; de sus*
s-s, *s-s*	seines, *de su*
Stk.	Stierkampf, *tauromaquia*
stud.	Studentensprache, *lenguaje estudiantil*
su.	Substantiv, *sustantivo*
subj.	Konjunktiv, *subjuntivo*
substant.	substantivisch, *(usado como) sustantivo*
suf., suff.	Suffix, *sufijo*
sup.	Superlativ, *superlativo*
s.v.	(siehe) unter dem Stichwort, *sub voce*
Tel.	Telefon, Telegraphie, *teléfono, telegrafía*
tex.	Textilien, *textiles*
Thea.	Theater, *teatro*
Theol.	Theologie, *teología*
trop.	tropisch, *tropical*
turc.	türkisch, *turco*
TV	Fernsehen, *televisión*
Typ.	Typographie, *tipografía*
u., *u.*	und, *y*
u. ä.	und ähnliches, *y otras cosas por el estilo*
unprs.	unpersönlich, *impersonal*
untr.	untrennbar, *inseparable*
Univ.	Hochschulwesen, *enseñanza superior*
Ur.	Uruguay, *Uruguay*
urb.	Städtebau, Städteplanung, *urbanismo*
urspr.	ursprünglich, *original*
usw.	und so weiter, *etcétera*
u.U.	unter Umständen, *tal vez*
v.	von, vom *de, del, de la*
Val.	Valencia, *Valencia*
Vbdg(n)	Verbindung(en), *palabra(s) compuesta(s)*
Ven.	Venezuela, *Venezuela*
verallg.	verallgemeinernd, *generalizando*
Vers.	Versicherungswesen, *seguro*
versch.	verschieden(e), *diferente(s)*
Verw.	Verwaltung, *administración*
vet.	Tierheilkunde, *veterinaria*
vgl.	vergleiche, *véase, compárese*
v/i.	intransitives Verb, *verbo intransitivo*
Viz.	Vizcaya, *Vizcaya*
v/impers.	unpersönliches Verb, *verbo impersonal*
v/r.	reflexives Verb, *verbo reflexivo*
v/t.	transitives Verb, *verbo transitivo*
vt/i.	transitives und intransitives Verb, *verbo transitivo e intransitivo*
Vkw.	Verkehrswesen, *transportes*
Vmed.	in der Volksmedizin verwendet, *utilizado en la medicina popular*
Vo.	Vogel, *ave*
W.	Wendungen, *locuciones, modismos*
Wkz.	Werkzeug, *herramienta*
Wkzm.	Werkzeugmaschine, *máquina-herramienta*
Wz.	Warenzeichen, *marca registrada*
Zahnhlk.	Zahnheilkunde, *odontología*
z.B.	zum Beispiel, *por ejemplo*
zeitl.	zeitlich, *temporal*
Zim.	Zimmermannskunst und Schreinerei, *carpintería y ebanistería*
Zo.	Zoologie, *zoología*
zs., *zs.*	zusammen, *juntos*
Zssg(n)	Zusammensetzung(en), *palabra(s) compuesta(s)*

Zur Aussprache des Spanischen

A. Die Vokale

Die spanischen Vokale werden weder extrem offen noch extrem geschlossen, weder sehr lang noch sehr kurz gesprochen. Sie sind von mittlerer Dauer, also **halblang** zu sprechen. Unbetonte Vokale haben dieselbe Klangfarbe wie die betonten, nur ist die Tonstärke geringer; das e in tonlosen Endsilben darf also nicht dumpf gesprochen werden wie das deutsche e in „bitte, badet".

B. Die Diphthonge

Bei den Diphthongen **ai, ay, au, ei, ey, eu, oi, oy** und **ou** behält jeder Vokal seinen vollen Lautwert. Sie werden wie zwei getrennte Vokale, jedoch dabei verschliffen, nicht abgehackt gesprochen. Das i bzw. y und das u bilden den unbetonten Teil des Diphthongs; der Ton liegt auf den Vokalen a, e und o *(fallender Diphthong)*: **bai**le *Tanz*, **hay** *es gibt*, **cau**sa *Ursache*, **pei**ne *Kamm*, **ley** *Gesetz*, **deu**da *Schuld*, **boi**na *Baskenmütze*, **soy** *ich bin*, Port **Bou** *(Ort in Katalonien)*.

Bei den Diphthongen **ia, ie, io, ua, ue, uo, iu** und **ui** wird der zweite Teil des Diphthongs betont, während i und u unbetont bleiben *(steigender Diphthong)*: **piar** *piepen*, **pie**za *Stück*, **pio**jo *Laus*, **cua**dro *Bild*, **cue**nca *Becken*, **cuo**ta *Quote*, **miu**ra *Kampfstier*, **cui**da *er besorgt*.

C. Die Konsonanten

b wird im absoluten Anlaut sowie nach m wie deutsches **b** in „Baum" gesprochen: **b**ueno *gut*, **b**lanco *weiß*, tam**b**ién *auch*. Zwischen Vokalen sowie vor und nach Konsonanten (außer m) wird b als stimmhafter, mit beiden Lippen gebildeter (bilabialer) Reibelaut gesprochen: escri**b**ir *schreiben*, a**b**uelo *Großvater*, cu**b**rir *bedecken*, ár**b**ol *Baum*.

c wird im absoluten Anlaut vor den dunklen Vokalen **a, o, u** sowie vor **Konsonanten** wie deutsches **k** in „Käfig" (jedoch ohne Behauchung!) gesprochen: **c**asa *Haus*, **c**ola *Schwanz*, **c**uña *Keil*, **c**lavo *Nagel*, **c**ruz *Kreuz*. Vor den hellen Vokalen **e** und **i** dagegen wird c als stimmloser Lispellaut etwa wie englisches stimmloses **th** in „thing" gesprochen: **c**entro *Mitte*, **c**inco *fünf*.

ch wird wie **tsch** in „Pritsche" gesprochen: **ch**ico *Junge*, mu**ch**o *viel*.

d wird im absoluten Anlaut sowie nach l und n wie deutsches **d** in „Dorf" gesprochen: **d**ólar *Dollar*, **d**roga *Droge*, cal**d**era *Kessel*, cuan**d**o *als*. In allen übrigen Fällen — besonders zwischen Vokalen — wird d als stimmhafter Reibelaut ähnlich dem englischen stimmhaften th in „other" gesprochen: na**d**a *nichts*, pa**d**re *Vater*. Im Wortauslaut wird d nur schwach artikuliert, oder es verstummt ganz: Madri**d**, amabilida**d** *Liebenswürdigkeit*.

g wird im absoluten Anlaut vor den dunklen Vokalen **a, o, u,** vor **Konsonanten** sowie nach **n** wie deutsches **g** in „Gast" (jedoch ohne Behauchung!) gesprochen: **g**anancia *Gewinn*, **g**olpe *Schlag*, **g**usto *Geschmack*, **g**loria *Ruhm*, **g**rado *Grad*, ten**g**o *ich habe*. Zwischen den dunklen Vokalen **a, o, u** sowie vor Konsonanten wird g als stimmhafter Reibelaut wie das deutsche g in „Pegel" gesprochen: a**g**ua *Wasser*, si**g**no *Zeichen*, ale**g**re *fröhlich*. Vor den hellen Vokalen **e** und **i** wird g wie **ch** in „Dach" gesprochen: **g**ente *Leute*, **g**iro *Kreislauf*.

h ist immer **stumm.**

j wird wie g vor den hellen Vokalen e und i gesprochen, also wie **ch** in „Dach": **j**abón *Seife*, **j**efe *Chef*, Mé**j**ico, Don Qui**j**ote, **j**unta *Versammlung*.

ll stellt eine Verschmelzung von **l** + **j** zu einem Einheitslaut dar, ähnlich den deutschen Endungen -lie, -nie in „Fami**lie**", „Li**nie**": ca**ll**e *Straße*, Ma**ll**orca, Sevi**ll**a.

n wird meist wie deutsches **n** gesprochen (**n**adie *niemand*, ma**n**o *Hand*), vor den Lippenlauten b, p, f, v dagegen wie **m**: u**n** balón *ein Ball*, u**n** pié *ein Fuß*, e**n**fermo *krank*, tra**n**vía *Straßenbahn*.

ñ wird wie die französische Konsonantenverbindung **gn** in „Champagner" gesprochen: Espa**ñ**a, ni**ñ**o *Kind*.

qu kommt nur vor den hellen Vokalen e und i vor und wird wie deutsches **k** in „Keim" (jedoch ohne Behauchung!) gesprochen: **qu**edar *bleiben*, **qu**inta *Landhaus*.

r ist im absoluten Anlaut sowie nach l, n und s ein **stark gerolltes Zungenspitzen-r** (**r**ascar *kratzen*, al**r**ededor *ringsherum*, hon**r**a *Ehre*, is**r**aelí *Israeli*); ebenso **rr** (pe**rr**o *Hund*). In allen übrigen Fällen ist **r** ein **einmalig gerolltes Zungenspitzen-r**: seño**r** *Herr*, t**r**es *drei*, cuat**r**o *vier*.

s wird in der Regel, vor allem zwischen Vokalen, **scharf** (stimmlos) wie in „Messer" gesprochen: ca**s**a *Haus*, **s**ol *Sonne*, a**s**í *so*. Vor den stimmhaften Konsonanten b, d, g, l, m, n, r und v dagegen wird s **weich** (stimmhaft) gesprochen: Li**s**boa *Lissabon*, de**s**de *seit*, mi**s**mo *selbst*.

v wird im absoluten Anlaut wie deutsches **b** in „Baum" gesprochen: **v**ino *Wein*, **v**oz *Stimme*. Zwischen Vokalen sowie nach Konsonanten wird v als stimmhafter, mit beiden Lippen gebildeter (bilabialer) Reibelaut gesprochen: gra**v**e *schwer*, cal**v**a *Glatze*, Cer**v**antes.

x wird vor Vokalen meist wie **gs** gesprochen (é**x**ito *Ausgang*, e**x**amen *Prüfung*), vor Konsonanten meist als **stimmloses s**: e**x**clamar *ausrufen*, e**x**tremo *äußerst*.

y wird am Wortende wie **i** gesprochen (ha**y** *es gibt*, re**y** *König*), in allen übrigen Fällen als Konsonant wie **j**: a**y**er *gestern*, **y**ugo *Joch*.

z wird vor stimmhaften Konsonanten als stimmhafter Lispellaut ähnlich dem englischen stimmhaften th in „other" gesprochen: ju**z**gado *Gerichtshof*. In allen anderen Fällen wird z wie c vor den hellen Vokalen e und i gesprochen, also als stimmloser Lispellaut wie englisches stimmloses th in „thing": **Z**arago**z**a, Aranjue**z**, Velá**z**que**z**.

Zur Schreibung des Spanischen

I. Betonung

1. Mehrsilbige Wörter, die auf einen **Vokal, n** oder **s** enden, werden auf der **vorletzten** Silbe betont (porque *weil*, joven *jung*, Carmen, naciones *Völker*, Carlos).
2. Mehrsilbige Wörter, die auf einen **Konsonanten** (außer n und s) oder auf **y** enden, werden auf der **letzten** Silbe betont (españo**l** *spanisch*, ciuda**d** *Stadt*, seño**r** *Herr*, esto**y** *ich bin*).
3. Ausnahmen von diesen beiden Regeln (somit auch alle auf der **drittletzten** Silbe betonten Wörter) werden durch einen **Akzent** (´) gekennzeichnet (est**á** *er ist*, naci**ó**n *Volk*, franc**é**s *französisch*, Vel**á**zquez, f**á**brica *Fabrik*, **é**poca *Zeit*, M**á**laga, C**ó**rdoba, L**é**rida).
4. Eine Anzahl einsilbiger Wörter wird mit Akzent geschrieben, um sie von gleichlautenden Wörtern mit anderer Bedeutung zu unterscheiden (tú *du* — tu *dein*, él *er* — el *der*, sí *ja* — si *wenn*).
5. Fragewörter werden mit Akzent geschrieben (¿cómo? *wie?*, ¿cuándo? *wann?*, ¿dónde? *wo?*, ¿quién? *wer?*).

II. Groß- und Kleinschreibung

Grundsätzlich werden im Spanischen alle Wörter mit **kleinen** Anfangsbuchstaben geschrieben. Mit **großen** Anfangsbuchstaben werden geschrieben:

Das erste Wort eines Satzes, Eigennamen sowie die ihnen vorangestellten Titel (José, Don Alfonso, el Emperador Guillermo Segundo *Kaiser Wilhelm II.*, Asia *Asien*, Bélgica *Belgien*), Bezeichnungen von Behörden, öffentlichen Gebäuden, Plätzen usw. (Biblioteca Nacional *Staatsbibliothek*, la Bolsa *die Börse*, la Puerta del Sol, Calle de Atocha, Avenida Calvo Sotelo), Bezeichnungen für Gott und verwandte Begriffe (Dios *Gott*, la Virgen *die Jungfrau Maria*, la Providencia *die Vorsehung*) sowie Haupt- und Eigenschaftswörter in Überschriften und Buchtiteln (Diccionario Manual de la Lengua Española).

III. Silbentrennung

Für die Silbentrennung gelten im Spanischen folgende Regeln:

1. **Ein einfacher Konsonant** zwischen zwei Vokalen gehört zur folgenden Silbe (di-ne-ro, Gra-na-da).
2. **Zwei Konsonanten** werden getrennt (miér-co-les, dis-cur-so). Ist der zweite Konsonant jedoch ein l oder r, so gehören beide zur folgenden Silbe (re-gla, nie-bla; po-bre, ca-bra). Auch ch, ll und rr gehören zur folgenden Silbe (te-cho, ca-lle, pe-rro).
3. Bei **drei Konsonanten** gehören die beiden letzten (meist l oder r) zur folgenden Silbe (ejem-plo, siem-pre). Ist der zweite Konsonant jedoch ein s, so wird hinter dem s getrennt (cons-tan-te, ins-ti-tu-to).
4. Bei **vier Konsonanten** — der zweite ist meist ein s — wird in der Mitte getrennt (ins-tru-men-to).
5. **Diphthonge** (Doppellaute) und **Triphthonge** (Dreilaute) dürfen nicht getrennt werden (bien, buey); getrennt dagegen werden Vokale, die verschiedenen Silben angehören (frí-o, acre-e-dor).
6. **Zusammengesetzte Wörter** — auch mit Vorsilben gebildete — werden entsprechend ihrer Herkunft getrennt (nos-otros, des-ali-ño, dis-cul-pa).

IV. Zeichensetzung

Das **Komma** *steht* im Spanischen häufig nach adverbiellen Ausdrücken, die einen Satz einleiten (sin embargo, todos los esfuerzos eran inútiles *alle Bemühungen jedoch waren vergeblich*). Dagegen *fehlt* es — im Gegensatz zum Deutschen — vor que *daß*, si *ob* und vor Relativsätzen, die zum Verständnis des Hauptsatzes unentbehrlich sind (esperamos que nos conteste pronto *wir hoffen, daß er uns bald antwortet*; no sabemos si os gustará *wir wissen nicht, ob es euch gefallen wird*; dudo que lo haga *ich bezweifele, daß er es tut*).

Voranstehende Nebensätze werden durch ein Komma getrennt: si tengo tiempo, lo haré *ich mache es, wenn ich Zeit habe*; aber: lo haré si tengo tiempo *wenn ich Zeit habe, mache ich es.*

Frage- und Ausrufesätze werden mit den umgekehrten Satzzeichen eingeleitet, die dort stehen, wo Frage bzw. Ausruf beginnen. (Dispense usted, ¿está en casa el señor Pérez? *Entschuldigen Sie, ist Herr Pérez zu Hause?*; ¡Qué lástima! *Wie schade!*)

A

A, a *f* A, a *n*; ~ *por* ~ *y be por be* der Reihe nach, eins nach dem andern; im einzelnen, ausführlich; *por A o por B* aus dem einen od. andern Grunde.

a *prp.* **1.** *lokal*: **a)** *Nähe*: ~ *la puerta* an der Tür; ~ *la izquierda* zur Linken, links; ~ *la mesa* bei Tisch; am Tisch; **b)** *Entfernung bzw. Abstand*: ~ *veinte kilómetros de Madrid* zwanzig km von Madrid (entfernt); *als Vergleichspartikel nach Komparativen auf -ior*: *precios m/pl. superiores* ~ *cien pesetas* Preise *m/pl.* über hundert Peseten; **c)** *Richtung u. Ziel*: *al este* nach Osten; *¿~ qué?* wozu?; ~ *beneficio de* zugunsten (*gen.*); *bsd. bei Verben der Bewegung*: *vamos* ~ *España* wir fahren nach Spanien; *venía* ~ *preguntar* ich möchte (*od.* wollte) fragen; *voy* ~ *abrir* ich will öffnen (*sog. periphrastische Konjugation*); *bei manchen Verben wird differenziert*: *caer al suelo* zu Boden fallen (*die Bewegung wird betont*); *caer en el suelo* (*das Ziel wird bsd. ins Auge gefaßt*); **2.** *temporal*: *¿~ qué hora?* wann?; ~ *las dos* um zwei (Uhr); *de seis* ~ *ocho* von sechs bis acht; ~ *siete de junio* am 7. Juni; ~ *los treinta años* mit dreißig Jahren; nach dreißig Jahren; *al día siguiente* am folgenden Tag; ~ *la muerte* beim Tode; **3.** *modal*: **a)** *Art u. Weise*: ~ *la española* auf spanische Art; ~ *la perfección* vollkommen; ~ *modo de* nach Art von (*dat.*); ~ *lo que parece* anscheinend; ~ *mi juicio* meines Erachtens; ~ *ciegas* blindlings; *paso* ~ *paso* allmählich, Schritt für Schritt; **b)** *Mittel, Werkzeug; begleitender Umstand od. Ursache*: *escribir* ~ *mano* mit der Hand schreiben; ~ *fuego* mit Hilfe des Feuers; *in der Technik und Gastronomie übliche Verbindung*: *acero m al níquel* Nickelstahl *m*; *madera f al hilo* Langholz *n*; *avión m* ~ *reacción* Düsenflugzeug *n*; *zu dem Gebrauch von a statt de vgl.* de[2]1; *Preisangaben*: ~ *20 pesetas el kilo* je Kilo 20 Peseten; *¿~ cómo?, ¿~ cuánto (está)?* wie teuer ist das?; *Ursache u. Begründung*: ~ *ruegos de su padre* auf Bitten s-s Vaters; ~ *causa del frío* wegen der Kälte; **4.** *Verbindung mit Infinitiv* (*zum Ausdruck der Bedingung, meist bei negativen Fügungen; positiv meist mit* de): ~ *no ser así* andernfalls, sonst; ~ *no decirlo usted, lo dudaría* wenn Sie es nicht sagten, würde ich daran zweifeln; *mit substantiviertem Infinitiv* (*Ausdruck der Gleichzeitigkeit*): *al llegar los amigos* bei Ankunft der Freunde; *al firmar la carta* als er den Brief unterschrieb; **5.** *elliptisch*: *¡~ callar!* still!, Ruhe!; ~ *que no lo sabes* wetten, daß du es nicht weißt; *¡~ su salud!* Prost!, auf Ihre Gesundheit!; ~ *ver etwa*: nun; *¿~ ver el Sr. X?* nun, Herr X? (*zu e-r Antwort u. ä. auffordernd*); ~ *ver lo que pasa* ich bin gespannt, was es gibt; *beim Anpreisen von Waren*: *¡al rico helado!* kauft prima Eis!; **6.** *Dativobjekt*: *dalo a tu hermano* gib es deinem Bruder; *der präpositionale Akkusativ bezeichnet e-e bestimmte Person od. bedeutet so etwas wie e-e Verpersönlichung des direkten Objekts*: *he visto* ~ *su secretaria* ich habe Ihre Sekretärin gesehen; *busco una secretaria* ich suche (*irgend*)eine Sekretärin; *desbarataron al enemigo* sie schlugen den Feind; *mató al toro* er tötete den Stier; *desafío* ~ *la tormenta* ich trotze dem Sturm; *el fumar afecta al estómago* Rauchen schadet dem Magen; **7.** *nach vielen Verben, Substantiven u. Adjektiven steht a*: *jugar al tenis* Tennis spielen; *aprender* ~ *leer* lesen lernen; *decidirse* ~ *hacerlo* s. entschließen es zu tun; (*bei den reflexiven Verben der Entscheidung a; bei nicht reflexiven Verben steht der reine Infinitiv*: *decidió hacer* ... er beschloß, ... zu tun); *amenaza f* ~ *la paz* Friedensbedrohung *f* (*aber amenaza de muerte* tödliche Bedrohung); *amor m* ~ *la patria* Vaterlandsliebe *f*; *derecho m al trabajo* Recht *n* auf Arbeit; *decidido* ~ entschlossen zu; *aficionado al fútbol* fußballbegeistert; *propenso* ~ *la amistad* zur Freundschaft neigend; **8.** *Im populären Sprachgebrauch, bsd. in Lateinamerika, erscheinen viele Verben u. Nomina, die im korrekten Sprachgebrauch kein a haben, z. B. afusilar, aprensar, asacar für die Normalform fusilar, prensar, sacar.*

aba|ba *f*, **~bol** *m* ⚘ Klatschmohn *m*.

abacá *m* Manilahanf *m*.

abace|ría *f* Kramladen *m* (*Lebensmittel*); **~ro** *m* Krämer *m*.

abacial *adj. c* äbtlich, Abt(s)...; Abtei...

ábaco *m* Rechenbrett *n* (*mit Kugeln*); Δ Kapitellplatte *f*.

abacorar *v/t. Ant., Ven.* hetzen, angreifen.

abad *m* Abt *m*; *prov. a.* Pfarrer *m*.

abadejo *m* **1.** *Fi.* Kabeljau *m*; *getrocknet u. gepreßt*: Stockfisch *m*; **2.** *Vo.* Zaunkönig *m*; **3.** *Ent.* spanische Fliege *f*.

aba|dengo *adj.* Abt(s)...; **~desa** *f* Äbtissin *f*; P *Chi.* Puffmutter *f* P; **~día** *f* Abtei *f*; Amtswürde *f* des Abtes; *Reg.* Pfarrei *f*.

aba|jadero *m* Abhang *m*; **~jeño** *m Méj.* Tieflandbewohner *m*; **~jera** *f Rpl.* Satteldecke *f*; **~jino** *adj.-su. Chi.* aus Nordchile.

abajo *adv.* **1.** herunter, hinunter, hinab; *véase más* ~ siehe weiter unten; *de arriba* ~ von oben nach (*od.* bis) unten; vollständig; *el* ~ *firmante* der Unterzeichnete; *cuesta* ~ bergab; *de diez para* ~ unter zehn; **2.** *int.* *¡~ los traidores!* nieder mit den Verrätern!; *¡~ las armas!* die Waffen nieder!

abalanzar I. *v/t.* **1.** in die Waage bringen; ausgleichen; **2.** stoßen, schleudern; **II.** *v/r.* ~*se* **3.** s. stürzen (auf j-n *sobre alg.*); ~*se a la ventana* zum Fenster stürzen; ~*se a los peligros* s. in die Gefahr stürzen; **4.** *Rpl.* s. bäumen, bocken (*Pferd*).

aba|ldonar *v/t.* schmähen; **~lear** *v/t. die Spreu nach dem Worfeln* wegkehren; **~leo** *m* ⚒ Worfelbesen *m*; ⚘ Besenginster *m u. ä. Pfl.*

abalizar ⚓ **I.** *v/t.* betonnen, durch Baken *od.* Bojen kennzeichnen; **II.** *v/r.* ~*se* peilen.

abalorio *m* Glasperle(n) *f*(/*pl.*).

aballestar ⚓ *v/t. Trosse* spannen, anziehen.

abande|rado *m* Fahnenträger *m*; **~rar** *v/t.* **1.** mit Fahnen schmücken; **2.** *ein fremdes Schiff* unter der Flagge des eigenen Landes registrieren; *Schiff* mit Flaggenpapieren versehen; **~rizar I.** *v/t.* in (feindliche) Gruppen spalten; **II.** *v/t.* ~*se* s. zu e-r Gruppe zs.-schließen, s. abspalten.

abando|nado *adj.* **1.** (*estar*) verlassen, einsam; *niño m* ~ Findelkind *n*; **2.** (*ser*) nachlässig; haltlos; *tener* ~ *a/c.* et. vernachlässigen; **~nar I.** *v/t.* **1.** verlassen; aufgeben; im Stich lassen; ~ *las reglas de la buena educación* die üblichen Höflichkeitsformen nicht beachten; **2.** *Zoll*: abandonnieren; **II.** *v/r.* ~*se* **3.** *abs.* s. gehen lassen; den Mut verlieren; ~*se a las drogas* dem Rauschgift verfallen; ~*se a la desesperación* s. der Verzweiflung überlassen; **~nismo** *m* Hang *m od.* Neigung *f* zur Aufgabe e-r Sache; **~nista** *adj. c*: *política f* ~ Politik *f* des Verzichts; **~no** *m* **1.** *a.* ⚖ Verlassen *n*; Aufgabe *f*, Verzicht *m*; ⚖ Eigentumsaufgabe *f*; Verzichtleistung *f*, -erklärung *f*; ~ *culpable* schuldhaftes (*od.* böswilliges) Verlassen *n*; ~ *de servicio* (*sin excusa*) (unentschuldigtes) Fernbleiben *n* von der Arbeit; ~ *de la víctima (por parte del conductor)* Fahrerflucht *f*; **2.** Hingabe *f*; **3.** Mutlosigkeit *f*; **4.** Verwahrlosung *f*.

abani|car [1g] *vt/i.* fächeln; **~cazo** *m* Schlag *m* mit dem Fächer; **~co** *m* **1.** Fächer *m* (*a. fig.*); Ofenschirm *m*; Pfauenschwanz *m*; *abrir el* ~ ein Rad schlagen (*Pfau*); *en* ~ fächerförmig; **2.** ⚓ Gillung *f*, Hebezeug *n*; **3.** P *altes* Gefängnis *n in Madrid*; **4.** F Säbel *m*; **~queo** *m* Fächeln *n*; **~quero** *m* Fächer-macher *m*; -verkäufer *m*.

abanto I. *adj.* schreckhaft (*Stier*); ungeschickt, fahrig (*Person*); **II.** *m* *Vo.* → *alimoche.*

abaratа|miento *m* Verbilligung *f*; **~r I.** *v/t.* verbilligen; billig verkaufen; **II.** *v/i. u.* **~se** *v/r.* billiger werden.

abarca *f* Bundschuh *m*; grobe Sandale *f*.

abarcar [1g] *v/t.* **1.** umfassen, umschließen; enthalten; ~ *con la vista* überblicken; *Spr. quien mucho abarca, poco aprieta* wer viel beginnt, zu nichts es bringt; **2.** *Treibjagd*: umstellen; **3.** *Méj.* horten, hamstern.

abarloar ⚓ *v/t.* längsseit(s) legen; festmachen.

abarquillarse *v/r.* schrumpfen (*Blätter, Pergament*); s. werfen (*Holz*).

abarraganarse *v/r.* → *amancebarse.*

abarrajar I. *v/t.* über-rennen, -fahren; **II.** *v/r.* **~se** *Pe.* verlottern, verkommen.

abarranca|dero *m* → *atascadero*; **~miento** *Geol. m* Rillenerosion *f*; **~r** [1g] **I.** *v/t.* Schluchten bilden in (*dat.*); auswaschen (*Regen*); *fig.* in e-e schwierige Lage bringen; **II.** *v/i. u.* **~se** *v/r.* ⚓ auf Sand laufen, stranden; *fig.* in Schwierigkeiten kommen.

abarrar *v/t.* schleudern, werfen.

abarro|tar *v/t.* verstauen; *a. fig.* vollstopfen (mit *dat.* de); *el tranvía está -ado de gente* die Bahn ist gestopft voll; **~te** *m* ⚓ *kl.* Staugut *n*; *Am. tienda f de* **~s** (*bsd.* Lebensmittel-)Geschäft *n*; **~tero** *m Am.* (Lebensmittel-)Händler *m*, Krämer *m*.

abas|tar *v/t.* → *abastecer*; **~tardar** *v/i.* → *bastardear*; **~tecedor** *m* Lieferant *m*; **~tecer** [2d] **I.** *v/t.* beliefern, versorgen (mit *dat.* con, de); **~tecimiento** *m* Lieferung *f*; Versorgung *f*; Verproviantierung *f*; **~tero** *m Cu., Chi.* Vieh- u. Landesproduktenhändler *m*; **~to** *m* **1.** Versorgung *f bsd. mit Lebensmitteln*; *inspección f de* **~s** Lebensmittelüberwachung(sstelle) *f*; **2.** Fülle *f*; *dar* ~ Genüge tun; *no doy* ~ *abs.* ich schaffe es nicht; ich werde nicht fertig (mit *dat.* a).

abatanar *v/t. tex. Tuch* walken; *fig.* durchwalken, verprügeln.

abate *m* Abbé *m* (*Weltgeistlicher*); nichtspan. Geistliche(r) *m*, *bsd. it. u. frz.*

abati|do *adj.* **1.** niedergeschlagen; mutlos; **2.** verächtlich; minderwertig (*Ware*); **~miento** *m* **1.** Niedergeschlagenheit *f*; Hinfälligkeit *f*; **2.** Nieder-schlagen *n*, -reißen *n*; **3.** ⚓ Abtrift *f*; **~r I.** *v/t.* **1.** niederreißen, -werfen, -schlagen; *Flugwild* schießen; ✈ abschießen; *Baum* fällen; ~ *vela* die Segel streichen; *fig.* ~ *el pabellón a alg.* j-m den Wind aus den Segeln nehmen; **2.** entmutigen; **II.** *v/i.* **3.** ⚓ vom Kurs abfallen; **III.** *v/r.* **~se 4.** *fig.* mutlos werden; **5.** **~se** (*sobre*) (herab)stoßen (auf *ac.*) (*Raubvogel*); **6.** nachgeben; **7.** abstürzen (*Flugzeug*).

abazón *m* Backentasche *f der Affen.*

abdica|ción *f* Abdankung *f*; Verzicht *m*, Aufgabe *f*; *a.* Abdankungsurkunde *f*; **~r** [1g] *vt/i.* **1.** abdanken; *el rey abdicó (la corona) en su sucesor* der König dankte zugunsten s-s Nachfolgers ab; **2.** ~ (de) *et.* aufgeben, auf *et.* (*ac.*) verzichten.

abdo|men *m* Bauch *m*, Unterleib *m*; *Ent.* Hinterleib *m*; **~minal** *adj.c* Bauch..., Unterleibs...; *aleta f* ~ Bauchflosse *f*.

abduc|ción *Physiol. f* Abziehen *n*; **~tor** *Anat. adj.*: *músculo m* ~ Abduktor *m*.

abe|cé *m* Abc *n* (*a. fig.*), Alphabet *n*; *fig.* Anfangsgründe *m/pl.*; *no saber el* ~ (sehr) unwissend sein; **~cedario** *m* **1.** Alphabet *n*; **2.** Fibel *f*.

abedul ⚘ *m* Birke *f*; Birkenholz *n*.

abe|ja *f* Biene *f*; ~ *reina*, ~ *machiega*, ~ *maes(tr)a* Bienenkönigin *f*; ~ *obrera*, ~ *neutra* Arbeitsbiene *f*; *fig. estar como* ~ *en flor* s. sehr wohl fühlen; s. wie der Fisch im Wasser fühlen; **~jar** *m* Bienen-stock *m*, -korb *m*; **~jarrón** *m* Hummel *f*; **~jaruco** *Vo. m* Bienenfresser *m*; **~jera** *f* **1.** Bienenstock *m*; **2.** ⚘ Melisse *f*; **~jero** *m* **1.** Imker *m*; **2.** → *abejaruco*; **~jón** *m* **1.** Drohne *f*; **2.** Hummel *f*; **~jorreo** *m* Bienensummen *n*; *fig.* Stimmengewirr *n*; **~jorro** *m* **1.** Hummel *f*; **2.** Maikäfer *m*; **~juno** *adj.* Bienen...

abelmosco ⚘ *m* Moschusstrauch *m*.

abellacado *adj.* gaunerhaft; → *a. bellaco.*

abemolar *v/t.* ♪ um e-n halben Ton erniedrigen; *fig. Stimme* dämpfen.

aberenjenado *adj.* dunkelviolett.

aberra|ción *f Opt. u. fig.* Abweichung *f*; *Astr.* Aberration *f*; *fig.* Verwirrung *f*; ~ *cromática* Farbabweichung *f*; ~ *mental* Sinnesstörung *f*; **~r** *v/i.* s. (ver)irren; umherirren.

abertal *adj. c*: *terreno m* ~ Gelände, das in der Trockenzeit rissig wird; *a.* offenes Feld *n*.

abertura *f* **1.** Öffnung *f*; Riß *m*, Spalt *m*; ~ *de manga* Ärmelloch *n*; ⊕ ~ *de inspección* Guckloch *n*, Beobachtungsfenster *n*; ⚔ ~ *visual* Sehschlitz *m*; **2.** (enges) Tal *n*; Bucht *f*; **3.** Offenherzigkeit *f*; ~ *a a/c.* Aufgeschlossenheit *f* für et. (*ac.*); → *a. apertura.*

abe|tal *m* Tannenwald *m*; **~te** *m* → *abeto*; **~tinote** *m* Tannenharz *n*; **~to** *m* Tanne *f*; ~ *rojo*, ~ *falso* Fichte *f*; ~ *blanco* Silbertanne *f*.

abierto *adj.* **1.** offen (*a.* ⚔, *Gelände u. fig.*), frei; *Phon.* offen (*Laut*), frei (*Silbe*); ✝ *cuenta f* **~a** offenes Konto; *cheque m* ~ Barscheck *m*; (*man*)*tener* ~ auf-, offen-halten; **2.** ehrlich, offenherzig; ~ *a a/c.* aufgeschlossen für et. (*ac.*).

abietáceas ⚘ *f/pl.* Nadelhölzer *n/pl.*

abigarra|do *adj.* bunt(scheckig) (*a. fig.*); **~miento** *m* Buntheit *f*; *fig.* Durcheinander *n*.

abige|ato ⚖ *m* Viehdiebstahl *m*; **~o** *m* Viehdieb *m*.

abintestato ⚖ *adj.* ohne Testament; *heredero m* ~ gesetzlicher Erbe *m*.

abis|(m)al *adj. c* abgrundtief; *fauna f* ~ Tiefseefauna *f*; **~mar I.** *v/t.* in e-n Abgrundstürzen; *fig.* verwirren; **II.** *v/r.* **~se** *en fig.* versinken (*od.* s. versenken) in (*dat.*); **~se** *en el dolor* s. ganz dem Schmerz hingeben; **~ado** *en sus pensamientos* in Gedanken versunken; **~mo** *m* Abgrund *m*, Kluft *f* (*a. fig.*); *fig.* Hölle *f*.

abi|tar ⚓ *v/t.* mit der Ankerbeting festmachen; **~tón** ⚓ *m* Poller *m*.

abjura|ción *f* Abschwören *n*; Widerruf *m*; **~r** *v/t.* (*a. v/i.* ~ de) widerrufen (*ac.*), abschwören (*ac. od. dat.*).

ablación *f* **1.** ⚕ Amputation *f*, Ablation *f*; **2.** *Geol.* Abtragung *f*; Abschmelzung *f* (*Gletscher*).

ablan|dar I. *v/t.* **1.** aufweichen, weich machen; mildern; **2.** *fig.* besänftigen, beschwichtigen; verweichlichen; **3.** ⚕ ~ *el vientre* abführend wirken; **II.** *v/i. u.* **~se** *v/r.* **4.** nachlassen, schwächer werden (*Wind, Kälte usw.*); *a. fig.* weich werden; **~decer** [2d] *v/t.* weich (*od.* geschmeidig) machen.

ablativo *Gram. m* Ablativ *m*.

ablución *f* (Ab-)Waschung *f*; rituelle Waschungen *f/pl.* (*Judentum, Islam*); *kath.* Ablution *f* (*Liturgik*); *-ones f/pl.* Wasser u. Wein für die Ablution.

abnega|ción *f* Selbstverleugnung *f*, Entsagung *f*; Opferwilligkeit *f*; **~do** *adj.* opferbereit; selbstlos; **~r** [1h *u.* 1k] **I.** *v/t.* entsagen (*dat.*), verzichten auf (*ac.*); **II.** *v/r.* **~se** s. aufopfern (für *ac. por, en favor de*).

aboba|do *adj.* dumm; **~miento** *m* Verdummung *f*; **~r** *v/t.* verdummen, dumm machen.

aboca|do *adj.* süffig (*Wein*); **~r I.** *v/t.* **1.** mit dem Mund ergreifen; mit dem Maul packen; **2.** umfüllen, umgießen (*Gefäß, Sack*); **3.** ⚔ *Geschütz* richten; **4.** ⚓ *Hafen usw.* ansteuern; **5.** *fig.* **~ado** *al fracaso* zum Scheitern verurteilt; *verse* **~ado** *a un peligro* vor e-r Gefahr stehen; **II.** *v/r.* **~se 6.** **~se** *con* s. mit (*dat.*) besprechen, mit (*dat.*) verhandeln.

abocardar ⊕ *v/t. Öffnung, Mündung u. ä.* ausweiten.

abocetar *v/t.* skizzieren.

abocina|do *adj.* **1.** trompetenförmig; ausgeweitet; **2.** *Equ. caballo m* ~ „Kopfhänger" *m*.

abochorna|do *adj.* **1.** beschämt; **2.** schwül; **~r I.** *v/t.* **1.** erhitzen; *fig.* beschämen; **II.** *v/r.* **~se 2.** **~se** *de a/c.* (*por alg.*) s. schämen (*gen.*) (für j-n); **3.** schwül werden; **4.** ✓ versengen (*v/i.*).

abofetear *v/t.* ohrfeigen.

aboga|cía *f* Anwalts-beruf *m*, -laufbahn *f*; Anwaltschaft *f*; **~da** *f* F Frau *f* e-s Rechtsanwalts; *fig.* Fürsprecherin *f*; **~deras** *f/pl. Am.* verschlagene Beweisführung *f*, Kniffe *m/pl.*; **~dillo** *m* Winkeladvokat *m*; **~dismo** *desp. m* Advokatenübereifer *m*; **~do I.** *m* (Rechts-)Anwalt *m*; *fig.* Fürsprecher *m*; ~ *criminalista* Strafverteidiger *m*; ~ *del diablo* Advocatus Diaboli *m*; ~ *de pobres* Armenanwalt *m*; ~ *de secano* Winkeladvokat *m*; j., der von Dingen redet, von denen er nichts versteht; *Span.* ~ *del Estado* Rechtsvertreter *m* des Staates; **II.** *f* Rechtsanwältin *f*; **~r** *v/i.* **1.** *abs.* e-e Partei vor Gericht vertreten; **2.** *fig.* eintreten, s. einsetzen (für *ac. por, en pro de*); ~ *por* sprechen für (*ac.*) (*Gründe*).

abolengo *m* **1.** Abstammung *f*; *de rancio* ~ von altem Adel; **2.** Familienbesitz *m*.

aboli|ción *f* Abschaffung *f*; **~cionismo** *m* Bewegung *f* zur Abschaffung von et. (*bsd. der Sklaverei*); **~cionista** *adj. -su. c* Abolitionist *m*, Gegner *m* der Sklaverei; Gegner *m* bestehender Gesetze *usw.*; **~r** *v/t.* [*def., nur Formen mit -i- in der Endung gebräuchlich*] abschaffen.

abolsarse *v/r.* s. bauschen, s. (auf-)wölben.

abo|llado *adj.* zer-, ver-beult; **~lladura** *f* Beule *f*; Ausbeulung *f*; ⊕ getriebene Arbeit *f*; **~llar** *v/t.* verbeulen; → **~llonar** *v/t. Metall* treiben.

abomaso *m* Labmagen *m*.

abomba|do *adj.* **1.** gewölbt; **2.** F *Am.* beschwipst; benommen; **~r I.** *v/t.* **1.** wölben, ausbauchen; **2.** *fig.* F betäuben; **II.** *v/r.* ~*se* **3.** *Am.* (ver)faulen; **4.** F s. beschwipsen.

abomina|ble *adj. c* abscheulich, greulich, scheußlich; **~ción** *f* **1.** Abscheu *m*; Verabscheuung *f*; Verfluchung *f*; **2.** Greuel *m*; Abscheulichkeit *f*; **~r** *v/t.* (*a. v/i.* ~ *de*) verabscheuen; verwünschen, verfluchen.

abona|ble ✝ *adj. c* zahlbar; fällig (*Wechsel*); *día m* ~ freier Tag *m*, *für den Arbeitsvergütung gezahlt werden muß*; **~do I.** *adj.* **1.** glaub-, vertrauens-würdig; **2.** abonniert; **II.** *m* **3.** Abonnent *m*; ~ (*al teatro*) Theaterabonnent *m*; **4.** Abnehmer *m* (*Strom, Gas usw.*); *lista f de* ~*s* Bezieherliste *f*; Teilnehmerverzeichnis *n*; Gästeverzeichnis *n* (*Mittagstisch, Klub usw.*); **5.** ⚒ Düngung *f*; **~dor** *m* Bürge *m*.

abonanzar [1f] *v/i.* s. aufheitern (*Wetter*); s. beruhigen (*Sturm, a. fig.*).

abona|r I. *v/t.* **1.** (be-, ein-)zahlen, begleichen; ✝ ~ *en cuenta* gutschreiben (*e-m Konto*); **2.** billigen, gutheißen; bürgen für (*ac.*); verbürgen; für j-n (gut)sprechen; **3.** verbessern; ⚒ düngen; **4.** ~ *a alg. a una revista* für j-n e-e Zeitschrift abonnieren; j-n für den Bezug e-r Zeitschrift werben; **II.** *v/r.* ~*se* **5.** ~*se al teatro* ein Theaterabonnement nehmen; ~*se a un periódico* e-e Zeitung abonnieren (*od.* bestellen); **~ré** *m* Schuldschein *m*.

abono¹ *m* Düngen *n*; Düngemittel *n*, Dünger *m*; ~ *químico* Kunstdünger *m*; ~ *verde* Gründünger *m*.

abono² *m* **1.** ⚖ Gewähr *f*, Bürgschaft *f*; **2.** Vergütung *f*, (Be-)Zahlung *f*; ~ (*en cuenta*) Gutschrift *f*; **3.** ~ *al teléfono* Fernsprechanschluß *m*; 🚆 (*tarjeta f de*) ~ Zeitkarte *f*; **4.** *Thea.* Platzmiete *f*.

aboquillar *v/t.* mit e-m Mundstück versehen; ⊕ mit e-r keilförmigen Öffnung versehen; ⌂ ausschweifen.

aborda|ble *adj. c* **1.** ⚓ zum Anlegen geeignet; **2.** *a. fig.* zugänglich; **~je** ⚓ *m* **1.** Entern *n*; *entrar* (*saltar, tomar*) *al* ~ entern; **2.** Zusammenstoß *m*; **~r I.** *v/t.* **1.** ⚓ rammen; entern; ⚔ (er)stürmen; **2.** *fig. j-n* ansprechen; *Angelegenheit* anschneiden, zur Sprache bringen; **II.** *v/i.* **3.** ⚓ anlegen; einlaufen.

abordo *m* → *abordaje*.

aborigen *adj.-su. c* bodenständig; *m* Ureinwohner *m*.

aborrascarse [1g] *v/r.* stürmisch werden (*Wetter*).

aborre|cer [2d] *v/t.* **1.** verabscheuen, hassen; **2.** *Zo. das Gelege* verlassen; **3.** *fig.* F auf die Nerven gehen (*dat.*); **~cible** *adj. c* abscheulich, verabscheuenswert; **~cimiento** *m* Abscheu *m*; Abneigung *f*.

abo|rregarse *v/r.* s. mit Schäfchenwolken überziehen (*Himmel*); *fig.* im Herdengeist aufgehen; verdummen; **~rricarse** *v/r.* verdummen.

abor|tar *v/i.* e-e Fehlgeburt haben, abortieren; verwerfen (*Vieh*); verkürzt verlaufen (*Krankheit*); *fig.* mißlingen, scheitern; **~tivo** *adj. -su.* zu früh geboren; abtreibend; *m* Abtreibungsmittel *n*; **~to** *m* **1.** Fehlgeburt *f*, Abort *m*; Verwerfen *n* (*Tiere*); ~ *provocado* Schwangerschaftsunterbrechung *f*; ~ *criminal* Abtreibung *f*; **2.** *fig.* Ausgeburt *f*; *es un* ~ *del diablo* er (sie) ist häßlich wie die Sünde (*od.* wie die Nacht); **~tón** *m* **1.** zu früh geborenes Tier *n*; **2.** Breitschwanz *m* (*Lammfell*).

abota(r)ga|miento *m* Anschwellen *n*; Geschwulst *f*; **~rse** *v/r.* anschwellen (*Leib, Gesicht*); *fig.* stumpf werden, abstumpfen.

abotona|dor *m* (Schuh- *usw.*) Knöpfer *m*; **~r I.** *v/t.* (zu)knöpfen; **II.** *v/i.* ⚘ knospen, Knospen treiben.

abovedar ⌂ *v/t.* (über)wölben.

aboyar ⚓ *v/t.* aufbojen.

abozalar *v/t.* e-n Maulkorb anlegen (*dat.*).

abra *f* **1.** Bucht *f*; **2.** Engpaß *m*; Schlucht *f*; **3.** Erdspalte *f*; **4.** *Rpl.* Lichtung *f*; **5.** ⚓ Mastenabstand *m*; **6.** *Col.* Tür-, Fenster-flügel *m*.

abracada|bra *m* Abrakadabra *n* (*a. fig.*); **~brante** F *adj. c* „toll"; *escena f* ~ rätselhaftes (*od.* schleierhaftes) Geschehen *n*.

abracar *v/t. Am.* → *abarcar*.

abrasa|dor *adj.* sengend; *fig.* verzehrend; **~miento** *m* Brennen *n*; Brand *m*; **~r I.** *v/t.* **1.** verbrennen; ausdörren, versengen; *fig.* verzehren **2.** *fig.* vergeuden; **3.** beschämen; **II.** *v/i.* **4.** brennen (*Sonne, scharfe Speise*); **III.** *v/r.* ~*se* **5.** verbrennen; völlig niederbrennen; *fig.* ~*se de sed* (*en ira*) vor Durst (vor Zorn) vergehen.

abra|sión *f Geol.* Abrasion *f*; ⚕ Ausschabung *f*; ⊕ Abrieb *m*, Verschleiß *m*; **~sivo** *adj.-su.* (ab-)schleifend; ⊕ *m* Schleifmittel *n*.

abra|zadera *f* **1.** ⊕ Klammer *f*, Zwinge *f*, Ring *m* (*a. Gewehr*); Rohrschelle *f*, Muffe *f*; **2.** Kreissäge *f*; **3.** *Typ.* eckige Klammer *f*; **~zamiento** *m* Umarmung *f*; **~zar** [1f] **I.** *v/t.* umarmen; *a. fig.* umfassen; *Beruf* ergreifen; ~ *el estado religioso* in ein (*od.* ins) Kloster eintreten; ~ *un partido* s. einer Partei anschließen; ~ *la religión católica* katholisch werden; ~ *de una ojeada* mit e-m Blick übersehen; **II.** *v/r.* ~*se a* s. an *j-n od. et.* klammern (*a. fig.*); **~zo** *m* Umarmung *f*; *dar un* ~ *a alg.* j-n umarmen; *Briefschluß*: *un (fuerte)* ~ *etwa*: herzlichst.

abre|cartas *m* (*pl. inv.*) Brieföffner *m*; **~coches** *m* (*pl. inv.*) Bedienstete(r) *m*, *der die Türen vorfahrender Wagen öffnet*.

ábrego *m* Süd(west)wind *m* (*Südspan.*).

abre|latas *m* (*pl.inv.*) Büchsenöffner *m*; **~ostras** *m* (*pl.inv.*) Austernmesser *n*.

abreva|dero, **~dor** *m* Tränke *f*; **~r** *v/t. Vieh* tränken; *Felle* einweichen; ⚒ *Rasen usw.* sprengen.

abrevia|ción *f* **1.** Kürzung *f*; **2.** Kurzfassung *f*, Kompendium *n*; **~damente** *adv.* kurzgefaßt; **~do** *adj.*: *Li. forma f* ~*a* Kurzform *f*; **~dor** *adj.-su.* zusammenfassend; **~r** *v/t.* (ab-, ver-)kürzen; zs.-fassen; **~tura** *f* Abkürzung *f*.

abri|dero I. *adj.* leicht zu öffnen (*Früchte*); **II.** *m* ⚘ Frühpfirsich *m*; **~dor** *m* **1.** (Flaschen-)Öffner *m*; ⊕ ~ *de lana* Reißwolf *m*; **2.** ⚒ Pfropfmesser *n*; **3.** → *abridero*.

abri|gadero *m* windgeschützte Stelle *f*; **~gado** *adj.* **1.** windstill; **2.** warm angezogen; **~gador I.** *adj.* warm (*Kleidung*); **II.** *m Am.* Hehler *m*; **~gar** [1h] **I.** *v/t.* **1.** schützen (*bsd. vor Wind, Kälte*) (vor *dat.* de); zudecken; **2.** *fig.* (be)schützen; **3.** *fig. Hoffnungen usw.* hegen; *Pläne* schmieden; **II.** *vt/i.* **4.** warm halten; **III.** *v/r.* ~*se* **5.** s. zudecken; s. schützen; s. warm anziehen; ⚔ ¡~*se*! Deckung!; **~go** *m* **1.** Obdach *n*; *a. fig.* Schutz *m*; *al* ~ *de* geschützt durch (*ac.*), im (*od.* in den) Schutz (*gen. od.* von *dat.*); *ropa f de* ~ warme Wäsche *f*; **2.** ⚔ Deckung *f*; Unterstand *m*; **3.** Mantel *m*; Wintermantel *m*; ~ *de entretiempo* (*de noche*) Übergangs-(Abend-)mantel *m*; **4.** *fig.* F *este tío es de* ~ bei dem Kerl ist Vorsicht am Platz; **5.** geschützter Ankerplatz *m*.

abri|l *m* April *m*; *fig.* ~*es m/pl.* Jugend(jahre *n/pl.*) *f*; *una muchacha de diecisiete* ~*es* ein Mädchen von siebzehn Lenzen (*lit.*); **~leño** *adj.* April...

abrillanta|dor *m* Diamantenschleifer *m*; **~r** *v/t. Steine* schleifen; auf Hochglanz bringen.

abrimiento *m* → *abertura*.

abrir [*part. abierto*] **I.** *v/t.* **1.** öffnen; auf-machen, -drehen, -schlagen; F

~le *la cabeza a alg.* j-m den Schädel einschlagen F; ~ *el apetito* den Appetit anregen; ~ *los brazos a alg.* j-n herzlich aufnehmen; *a. fig.* ~ *brecha* e-e Bresche schlagen; ~ *camino* einen Weg bahnen (*fig.* et. anbahnen *a a/c.*); ~ *los ojos* die Augen öffnen; die Augen aufreißen, staunen, große Augen machen F; *fig. a.* sehend werden, s-e Augen der Wirklichkeit öffnen; *fig.* ~*le a uno los ojos* j-m die Augen öffnen; *fig.* ~ *la mano* bestechlich sein; ~ *paso* (*od. calle od. Chi., Arg. cancha*) Platz machen; ⚒ ~ *pozos* (ab)teufen; ~ *un túnel* e-n Tunnel bauen; *häufig mit adv., ger. u. prp.*: ~ *súbitamente* aufreißen; ~ *cortando* aufschneiden; ~ *a golpes* auf-, einschlagen; **2.** *fig.* eröffnen, beginnen; anfangen; *Konto, Kredit* eröffnen; ~ *la lista* an der Spitze des Verzeichnisses stehen; ~ *un certamen* e-n Wettbewerb ausschreiben; **II.** *v/i.* **3.** aufklaren (*Wetter*); *abre el día* es wird Tag; **4.** *las ventanas abren al patio* die Fenster gehen zum Hof; *la puerta no abre bien* die Tür schließt nicht gut; *en un* ~ *y cerrar de ojos* im Nu; *a medio* ~ halb geöffnet; **III.** *v/r.* ~*se* **5.** aufblühen (*Blume*); s. öffnen, aufgehen (*Tür u. ä.*); **6.** *fig.* ~*se a* (*od. con*) *alg.* s. j-m eröffnen, s. j-m anvertrauen; ~*se paso* (*od. salida od. calle, Am. cancha*) s. durchdrängen, s. freie Bahn schaffen; *fig.* die Ellbogen gebrauchen; *Jgdw.* ~*se en mano* ausschwärmen (*Jäger*).

abrocha|dor *m* Knöpfer *m*; ~**dura** *f*, ~**miento** *m* Zuknöpfen *n*; ~**r** *v/t.* **1.** zu-knöpfen, -haken, -schnallen; **2.** *Am.* packen.

abroga|ción ⚖ *f* Aufhebung *f*; ~**r** [1h] ⚖ *v/t.* aufheben, außer Kraft setzen; ~**tivo**, ~**torio** *adj.*: *cláusula f* ~*a* aufhebende Bestimmung *f*.

abro|jal *m* Distelfeld *n*; ~**jo** *m* **1.** ⚘ Sterndistel *f*; ~ *acuático* Stachelnuß *f*; **2.** *fort.* Fußangel *f*; **3.** *fig.* Geißelstachel *m der Büßer*; **4.** ~**s** *m/pl.* ⚓ blinde Klippen *f/pl.*; P Kummer *m*, Schmerzen *m/pl.*, Mühsal *f*.

abroma ⚘ *m tropische* Malvenart *f* (*in der Seilerei verwendet*).

abromarse ⚓ *v/r.* vom Seewurm befallen werden (*Schiff*).

abroncar F *v/t.* peinlich sein (*dat.*); anwidern; anpfeifen F; → *abuchear.*

abroquela|do *bsd.* ⚘ *adj.* schildförmig; ~**rse** *v/r.* s. mit e-m Schilde decken; *fig.* s. verschanzen (hinter *dat. con, en, tras*).

abrótano ⚘ *m* Stabwurz *m*, Eberraute *f*.

abruma|do *adj.* dunstig, neblig; ~**dor** *adj. a. fig.* schwer, drückend; ~**r I.** *v/t. a. fig.* bedrücken, belasten; *fig.* über-häufen, -schütten (mit *dat. con, de*); **II.** *v/r.* ~*se* neblig werden (*Wetter*).

abrupto *adj.* steil, jäh; heftig (*Wesen*).

abrutado *adj.* roh, brutal; vertiert.

abs|ceso ⚕ *m* Abszeß *m*; ~**cisa** ∡ *f* Abszisse *f*; ~**cisión** ⚕ *f* Ab-, Heraus-lösung *f*.

absentismo *m* Absentismus *m* (*Fernbleiben der Großgrundbesitzer von ihren Gütern*).

ábside △ *m* Apsis *f*.

absidiola △ *f* Apsiskapelle *f*.

absin|tio *m* Absinth *m*; ~**tismo** ⚕ *m* Absinthismus *m*.

absolución *f Rel.* Lossprechung *f*, Absolution *f*; ⚖ Freispruch *m*; ~ *general Rel.* Generalabsolution *f*; *a. fig.* volle Los-, Frei-sprechung *f*.

absolu|ta *f* kategorische Behauptung *f*; ⚔ *tomar la* (*licencia*) ~ s-n Abschied nehmen; ~**tamente** *adv.* absolut, durchaus; F *a.* keineswegs, gar nicht; ~**tismo** *m* Absolutismus *m*; ~**tista** *adj.-su. c* absolutistisch; *m* Absolutist *m*; ~**to** *adj.* absolut (*a.* ∡); unumschränkt; unbedingt; *fig.* eigenmächtig, gebieterisch; *adv.* en ~ **a)** ganz u. gar, rundweg; **b)** durchaus nicht; ~**torio** *adj.* **1.** ⚖ *excusa f* ~*a* Strafausschließungsgrund *m*; *sentencia f* ~*a* Freispruch *m*; **2.** *Rel. poder m* ~ Schlüsselgewalt *f der Kirche*.

absolve|deras F *f/pl.*: *tener buenas* ~ ein (allzu) nachsichtiger Beichtvater sein; zu viel durchgehen lassen; ~**r** [2h; *part. absuelto*] *v/t.* **1.** ~ de entbinden von (*dat.*) (*Verpflichtung*); **2.** ⚖ freisprechen; *Rel.* lossprechen; **3.** *Zweifel* lösen.

absor|bente *adj. c* ⚗ absorbierend; ⊕ dämpfend; *fig.* sehr in Anspruch nehmend; ~**ber I.** *v/t.* ein-, aufsaugen; ⚗ *u. fig.* absorbieren; ⊕ dämpfen, abfangen; ⚡ abschirmen; *fig.* in Anspruch nehmen; fesseln; ✝ aufnehmen (*Markt*); **II.** *v/r.* ~*se en* s. vertiefen in (*ac.*), s. verlieren in (*ac.*); ~**bimiento** *m*, ~**ción** *f Phys.*, ⚗ Aufnahme *f*, Absorption *f*; ~ *del calor* Wärmeaufnahme *f*; ⊕ ~ *del retroceso* Rückstoßdämpfung *f*; ~**to** *adj. fig.* hingerissen; versonnen; ~ (*en sus pensamientos*) (in Gedanken) versunken.

abstemio *adj.-su.* enthaltsam; *m* Abstinenzler *m*.

absten|ción *f* Verzicht *m* (auf *ac.* de); Enthaltung *f*, *bsd. Pol.* Stimmenthaltung *f*; ~**cionismo** *Pol. m* Sich-Heraushalten *n*; Stimmenthaltung *f*; ~**cionista** *Pol. adj.-su. c* j., der s. politisch nicht festlegen will (*bsd. durch Stimmenthaltung*), Nichtwähler *m*.

abstenerse [2l] *v/r. abs.* verzichten; Abstinenz üben; ~ de s. enthalten (*gen.*); Verzicht leisten auf (*ac.*), entsagen (*dat.*).

abster|gente *adj.c-su. m* wundreinigend(es Mittel *n*); ~**ger** ⚕ *v/t.* *Wunden* reinigen.

abstinen|cia *f* Enthaltung *f*; Mäßigung *f*; *Rel.* Abstinenz *f*; ~**te** *adj. c* enthaltsam, mäßig.

abstrac|ción *f* **1.** Abstraktion *f*; Abstrahierung *f*; *gal.* ~*hecha de* abgesehen von (*dat.*); **2.** Zerstreutheit *f*; Gedankenverlorenheit *f*; ~**to** *adj.* abstrakt; abgesondert; *en* ~ abstrakt genommen; *lo* ~ *y lo concreto* das Abstrakte u. das Konkrete.

abstra|er [2p] **I.** *vt/i.* abziehen, abstrahieren; **II.** *v/r.* ~*se* abgelenkt werden (von *dat. de*); zerstreut sein; meditieren; ~**ído** *adj.* **1.** gedankenvoll, weltentrückt; **2.** zerstreut.

abstruso *adj.* schwer verständlich, dunkel, abstrus, verwickelt.

absuelto *part. zu absolver*; frei; *salir* ~ frei ausgehen; *quedar* ~ *Rel.* die Absolution erhalten; ⚖ freigesprochen werden.

absurdo I. *adj.* ungereimt, widersinnig, vernunftwidrig, absurd; **II.** *m* Unsinn *m*, Widersinn *m*.

abubilla *Vo. f* Wiedehopf *m*.

abuche|ar *v/t.* niederschreien, auspfeifen, -zischen; ~**o** *m* Niederschreien *n*, Auszischen *n*; Ausbuhen *n* F.

abue|la *f* Großmutter *f*; F alte Frau *f*; F *¡cuénteselo a su* ~*!* machen Sie das e-m andern weis!; P *ese tío no necesita* ~ der Kerl streicht s. nicht schlecht heraus!; F *se ve que no tienes* ~ wer angibt, hat's nötig F; ~**lo** *m* **1.** Großvater *m*; F alter Mann *m*; ~*s m/pl.* Großeltern *pl.*; Vorfahren *m/pl.*; **2.** *Lotto*: die Zahl 90; **3.** F ~*s m/pl.* Nackenhaare *n/pl.*

abulense *adj.-su. c* aus Avila.

abulia *f* Willenlosigkeit *f*, Willensschwäche *f*.

abúlico *adj.* willensschwach.

abulta|do *adj.* dick, massig; aufgeworfen (*Lippen*); ~**r I.** *v/t.* vergrößern (*Umfang*); *fig.* aufbauschen, übertreiben; ~ *una estatua* e-e Statue aus dem Rauhen arbeiten; **II.** *v/i.* viel Raum einnehmen; auftragen.

abun|damiento *m* **1.** *a mayor* ~ noch dazu; mit umso größerer Berechtigung; **2.** → ~**dancia** *f* Überfluß *m*, Fülle *f*, Reichtum *m*; *en* ~ in Hülle und Fülle; *vive en la* ~ er hat alles im Überfluß; *Spr. de la* ~ *del corazón habla la boca* wes das Herz voll ist, des geht der Mund über; ~**dancial** *Gram. adj. c*: *adjetivo m* ~ Adjektiv *n* der Fülle; ~**dante** *adj. c* reich(lich), reichhaltig; *mesa f* ~ reich gedeckter Tisch *m*; ~**dar** *v/i.* reichlich vorhanden sein; *aquí abunda el vino* Wein gibt es hier reichlich; ~ *en* ... reich an ... (*dat.*) sein; *fig.* ~ *en la opinión de alg.* s. j-s Meinung anschließen; ~**doso** *lit. adj.* → *abundante*.

abuñolar [1m] *v/t.* schaumig (u. goldgelb) backen; F zerknüllen.

¡abur! F *int.* ade!, leb wohl!

aburguesa|do *adj.* bürgerlich (geworden), spießig; ~**miento** *desp. m* Verbürgerlichung *f*; ~**rse** *v/r.* verbürgerlichen, verspießern (*v/i.*).

aburrado *adj.* eselhaft; *fig.* dumm, flegelhaft.

aburri|ción P *f* → *aburrimiento*; ~**do** *adj.* (*estar*) verdrießlich, mißvergnügt; (*ser*) langweilig; ~**miento** *m* Überdruß *m*, Verdruß *m*; Langeweile *f*; ~**r I.** *v/t.* **1.** langweilen; belästigen; **2.** *Zeit, Geld* vertun, verplempern; **3.** → *aborrecer* 2; **II.** *v/r.* ~*se* **4.** s. langweilen; ~*se de et.* satt bekommen, überdrüssig werden (*gen.*); ~*se con* s. langweilen bei (*dat.*); *se aburre con* (*od. de*) *todo* ihm geht alles auf die Nerven; F *se aburre más que una ostra* er mopst sich fürchterlich F.

abu|sar *v/i. abs.* Mißbrauch treiben, zu weit gehen; ~ *de a/c.* (*de alg.*) et. (j-n) mißbrauchen, et. (j-n) ausnützen; ~ *de una mujer* e-e Frau vergewaltigen; **~sión** *f* → *abuso*; **~sivo** *adj.* mißbräuchlich; ⚖ widerrechtlich; **~so** *m* **1.** Mißbrauch *m*; Unsitte *f*; **2.** ⚖ ~ *de autoridad* Amts- *od.* Ermessens-mißbrauch *m*; ~ *de confianza* ⚖ Untreue *f*, Veruntreuung *f*; *allg.* Vertrauensbruch *m*; **~s** *m/pl. deshonestos* unzüchtige Handlungen *f/pl.*; **~són** F *m* Nassauer *m* F, Schmarotzer *m*.

abyec|ción *f* **1.** Verworfenheit *f*, Niederträchtigkeit *f*, Verkommenheit *f*; **2.** Schande *f*; **~to** *adj.* **1.** verworfen, niederträchtig, verkommen; **2.** ⚒ niedrig, gemein (*Stand*).

acá *adv.* (*unbestimmter als aquí*) hier(her); *¡ven ~!* komm her!; *más ~* ein bißchen näher, näher zu mir; *de ~ para a(cu)llá* hin u. her; *~ y a(cu)llá* hier u. da; dahin u. dorthin; hin u. wieder; hüben u. drüben.

acaba|ble *adj. c* **1.** vollendbar; **2.** vergänglich; hinfällig; **~do I.** *adj.* **1.** fertig, vollendet (*a. fig.*); Erz... (*fig.*); vollkommen; ✝ *productos m/pl.* ~*s* Fertigwaren *f/pl.*; *habitación ~a de empapelar* neu tapeziertes Zimmer *n*; **2.** erledigt (*a. fig.*), am Ende (*fig.*); kraftlos, schwach; **II.** *m* **3.** ⊕ Zurichtung *f*; Endverarbeitung *f*, Finishing *n*; Nachbehandlung *f*; *tex.* Appretur *f*; **~dora** ⊕ *f*: *~ de firmes* Straßenfertiger *m*.

acaballa|dero *m* **1.** Gestüt *n*; **2.** Beschälplatz *m*; **3.** Beschälzeit *f*; **~do** *adj.* pferdeartig; *fig. cara f ~a* Pferdegesicht *n*; *nariz f ~a* Habichtsnase *f*; **~r** *v/t.* decken, beschälen (*Pferd, Esel*).

acaba|miento *m* Ende *n*, Abschluß *m*; Vollendung *f*; **~r I.** *v/t.* **1.** beenden, abschließen; vollenden, fertigstellen; ⊕ nachbehandeln; **2.** *fig.* (die) letzte Hand an *et.* (*ac.*) legen; töten (*ac.*), den Gnadenstoß geben (*dat.*); *fig.* erschöpfen, ruinieren; **II.** *v/i.* **3.** enden, (ab-)schließen; sterben; vergehen; *~ bien (mal)* gut ausgehen (ein schlimmes Ende nehmen); *¡acabáramos! iron.* das hätten Sie auch gleich sagen können!; ach so!; so was!; *asunto m de nunca ~* e-e endlose Geschichte; ein Faß ohne Boden; *es el cuento de nunca ~* das ist e-e endlose Geschichte; **4.** *mit prp. u. ger.* **a)** *mit* de: *~ de hacer a/c.* et. soeben getan haben; et. zu Ende tun; *~ de llegar* soeben angekommen sein; *no ~ de explicárselo* es s. nicht erklären können; **b)** *mit* en: *~ en punta* spitz zulaufen; *~ en consonante* auf Konsonant enden; **c)** *mit* con: *~ con alg. (con a/c.)* j-n (et.) erschöpfen; j-n töten; j-n (et.) zugrunde richten; j-n (et.) ruinieren; **d)** *mit por u. ger.*: *~ por hacer a/c. od. ~ haciendo a/c.* schließlich et. tun; *este pleito ~á por arruinarnos* dieser Prozeß wird uns noch (*od.* vollends) ruinieren; *acabó diciendo* er schloß mit den Worten; F *acaba uno volviéndose loco* man wird noch verrückt dabei; **III.** *v/r.* **~se 5.** enden, aufhören, zu Ende gehen; *se ha acabado el dinero* das Geld ist alle F; F *¡es el acabóse!* das ist doch die Höhe!; F *¡y San se acabó!* Schluß damit!, punktum! F, (u. damit) basta! F.

acabestrar *v/t.* anhalftern.

acabildar *v/t.* (zu e-m bestimmten Zweck) versammeln.

acacia ⚘ *f* Akazie *f*; *~ de tres espinas* Christusdorn *m*.

acacoyo(t)l ⚘ *m Méj.* Hiobsträne *f*.

acachetear *v/t.* ohrfeigen.

aca|demia *f* **1.** Akademie *f*; Privatlehranstalt *f*; *Real* ♀ *Española* Kgl. Spanische Akademie *f*; *~ militar* Kriegs-akademie *f*, -schule *f*; *~ de baile* Tanzschule *f*; **2.** *Mal.* Akt *m*; **~demicismo** *Ku. m* akademische (*od.* schulgerechte) Art *f*; **~démico I.** *adj.* akademisch (*a. desp.*); *Mal. figura f ~a* Aktfigur *f*; **II.** *m* Mitglied *n* e-r Akademie; *Anm.*: *dt.* Akademiker *mst. universitario*; **~demista** *c* Lehrer *m* (*od.* Schüler *m*) *e-r academia*.

acae|cedero *adj.* **1.** möglich, wahrscheinlich; **2.** zufällig; **~cer** [2d] *v/i.* (*a. v/impers.*) vorkommen, s. ereignen, geschehen; **~cimiento** *m* Ereignis *n*, Vorkommnis *n*, Geschehnis *n*, Begebenheit *f*.

acahual *m Méj.* Gestrüpp *n*, Unkraut *n auf e-m Brachfeld*.

acalambrarse *v/r.* Muskelkrämpfe bekommen.

acalefo *Zo. m* Qualle *f*.

acalenturarse *v/r. bsd. Am.* Fieber bekommen.

acalo|rado *adj.* hitzig, erhitzt; gereizt; **~ramiento** *m* Aufwallung *f*; Eifer *m*; **~rar I.** *v/t.* erwärmen, erhitzen; *fig.* erregen; anfeuern; **II.** *v/r.* ~se warm werden; *a. fig.* s. erhitzen, s. ereifern, s. hineinsteigern; in Wut geraten; **~ro** F *m* → *acaloramiento*.

acallar I. *v/t.* zum Schweigen bringen; beschwichtigen; **II.** *v/r.* ~se s. beruhigen.

acamar ⚒ *v/t.* *Saaten* umlegen (*Regen od. Wind*).

acampa|da *f* **1.** Lagern *n*; Zelten *n*; **2.** Zeltlager *n*; **~dor** *m* Zelt(l)er *m*.

acampanado *adj.* glockenförmig; *falda f -a* Glockenrock *m*.

acampar I. *v/t.* ⚔ lagern lassen; **II.** *v/i. a.* ⚔ lagern; kampieren, zelten.

acanala|do I. *adj.* ⊕ gerieft, rinnenförmig, ausgekehlt; gerippt; **II.** *m* Rips *m* (*Tuch*); **~dor** ⊕ *m* Kehlhobel *m*; **~dura** *f* Rille *f*, Rinne *f*, Auskehlung *f*; △ Kannelierung *f*; **~r** *v/t.* auskehlen, riefeln; *Tuch* riffeln.

acanallado *adj.* pöbelhaft; niederträchtig.

acanelado *adj.* zimtfarben, Zimt...

acanillado *adj.* streifig (*Web- od. Farbfehler*); gerippt (*Papier*).

acanta *neol.* ⚘ *f* Stachel *m*, Dorn *m*.

acantáceas ⚘ *f/pl.* Akanthusgewächse *n/pl.*

acantilado I. *adj.* steil, abschüssig; felsig (*Küste*); **II.** *m* Steilküste *f*; steile (Fels-)Wand *f*.

acan|tio ⚘ *m* Wolldistel *f*; **~to** *m* **1.** ⚘ Bärenklau *m, f*; **2.** △ Akanthusblatt *n*.

acanto... *Zo. in Zssgn.* Stachel..., *z. B.* ~*céfalo* stachelköpfig.

acantona|miento ⚔ *m* Belegung *f*; Quartier *n*, Unterkunft *f*; **~r** ⚔ **I.** *v/t.* einquartieren, unterbringen; **II.** *v/r.* ~se Quartier beziehen, ins Quartier rücken.

acapara|dor *adj.-su.* Aufkäufer *m*; Hamsterer *m*; **~miento** *m* Hamstern *n*; **~r** *v/t.* **1.** aufkaufen, hamstern; **2.** *fig.* an s. reißen; für s. (allein) in Anspruch nehmen; *~ la palabra* k-n andern zu Wort kommen lassen; *~ la atención* die Aufmerksamkeit auf s. lenken.

acápite *lt. m Am.* Absatz *m*.

acaponado *adj.* Kastraten...; *voz f -a* Kastraten-, Fistel-stimme *f*.

acara|colado *adj.* schneckenförmig; **~melado** *adj.* mit Karamel überzogen; *fig.* zuckersüß; übertrieben höflich; F verliebt; **~melarse** F *v/r.* zuckersüß tun; Süßholz raspeln.

acardenalar I. *v/t.* blaue Flecken verursachen (*dat.*); **II.** *v/r.* ~se s. verfärben, Flecken bekommen (*Haut*).

acarea|miento *m a.* ⚖ Gegenüberstellung *f*, Konfrontierung *f*; **~r** *v/t.* trotzen (*dat.*); ⚖ ea. gegenüberstellen.

acari|ciador *adj.-su.* schmeichelnd; **~ciante** *adj. c* schmeichlerisch; *fig.* mild; **~ciar** *v/t.* **1.** liebkosen, streicheln; hätscheln; **2.** *fig. Plan, Gedanken, Hoffnung usw.* hegen; **~ñar** *v/t. Am.* → *acariciar*.

ácaro *Zo. m* Milbe *f*; *~ de la sarna (del queso)* Krätz- (Käse-)milbe *f*.

acarpo ⚘ *adj.* ohne Frucht.

acarralarse *v/r.* einlaufen (*Gewebe*); verkümmern (*Trauben durch Frost*).

acarre|ador *adj.-su.* Fracht...; *m* Fuhrmann *m*; **~amiento** *m* → *acarreo*; **~ar** *v/t.* **1.** anfahren; befördern, transportieren; ⚒ einfahren; ✝ anliefern; *Geol.* anschwemmen; **2.** *fig. Schaden* verursachen; **~o** *m* **1.** Beförderung *f*, Transport *m*; ⚒ Einfahren *n*; ✝ Rollfuhrdienst *m*; Anlieferung *f*, Zufuhr *f*; (*derechos m/pl. od. gastos m/pl.* de) ~ Rollgeld *n*; **2.** ⚔ Nachschub *m*; **3.** *Geol. terreno m de ~* Schwemmland *n*.

acartonarse *v/r.* einschrumpfen; *fig.* hager werden.

acaserarse *v/r. Am.* Kunde werden; *fig. ~ con alg.* mit j-m auf vertrauten Fuß kommen.

acaso I. *m* Zufall *m*; *adv. al ~* aufs Geratewohl; **II.** *adv.* vielleicht, möglicherweise; etwa; *por (si) ~* **a)** *cj.* falls (etwa); **b)** *adv.* für alle Fälle; *por ~* zufällig.

acata|léctico, ~lecto *Metrik*: *adj.* akatalektisch.

acata|miento *m* **1.** Ehrfurcht *f*, Hochachtung *f*; **2.** Befolgung *f v. Gesetzen*; **~r** *v/t.* **1.** (ver)ehren (*ac.*), huldigen (*dat.*); **2.** *Gesetze usw.* befolgen, achten; **3.** *Am. Cent., Col.* wahrnehmen, bemerken.

acatarrarse *v/r.* s. erkälten, e-n Schnupfen bekommen; P s. beschwipsen.

acato *m* → *acatamiento*.

acatólico *adj.-su.* nicht katholisch; *m* Nichtkatholik *m*.

acaudala|do *adj.* reich, begütert; **~r** *Reichtümer* (*a. fig.*) sammeln.

acaudillar *v/t.* anführen, befehligen.

acaule ⚘ *adj. c* stengellos.
acce|dente *adj. c* beitretend; **~der** *v/i.* zustimmen; nachgeben; *Pol.* beitreten (*e-m Vertrag a*); ~ *a* willfahren (*dat.*), entsprechen (*dat.*) (*e-r Bitte*); einwilligen in (*ac.*) *od.* zu + *inf.*; **~sibilidad** *f* Zugänglichkeit *f*; **~sible** *adj. c* zugänglich (*a. fig.*); umgänglich; erschwinglich (für *ac. a*); **~sión** *f* **1.** *Pol.* ~ *a un convenio* Beitritt *m* zu e-m Abkommen; **2.** ⚖ **a)** Zuwachs *m*; **b)** Nebensache *f*; **3.** Beischlaf *m*; **4.** ⚕ (*bsd.* Wechselfieber-)Anfall *m.*
accésit *m* Neben-, Trost-preis *m bei Wettbewerben.*
acce|so *m* **1.** Zu-tritt *m*, -gang *m* (zu *dat. a*) (*a. fig.*); *Vkw.* Zufahrt(s-straße) *f*; Zubringerstraße *f*; Auffahrt *f* (*zu e-m Schloß u. ä.*); *de difícil* ~ schwer zugänglich; ~ *prohibido* Zutritt verboten; **2.** ⚕ *u. fig.* Anfall *m*; ~ *de rabia* Tobsuchtsanfall *m*; **~sorio I.** *adj.* **1.** zugehörig, Neben...; ⚖ *cláusula f ~a* Zusatzklausel *f*; *cosa f ~a* Nebensache *f*; *gastos m/pl. ~s* Sonderspesen *pl.*; **II.** *m* **2.** Zubehörteil *n*; **3.** *~s m/pl.* Zubehör *n* (*a. Auto*); *Mode*: Accessoires *n/pl.*; ⊕ *a.* Gerät *n*; *Thea.* Requisiten *n/pl.*; **4.** Nebenumstand *m.*
acciden|tado *adj.* **1.** verunglückt; *a.* bewußtlos; **2.** uneben, hügelig (*Gelände*); *fig. vida f ~a* bewegtes Leben *n*; **~tal I.** *adj.c* **1.** unwesentlich; zufällig; *director m* ~ amtierender (*od.* kommissarischer) Direktor *m*; **2.** *Phil.*, *Theol.*, ⚕ akzidentell; **II.** *m* **3.** ♪ Vorzeichen *n*; **~tar I.** *v/t.* e-n Unfall verursachen (*dat.*); **II.** *v/r.* *~se* verunglücken; **~te** *m* Ereignis *n*; Zufall *m*; *adv. por* ~ zufällig; **2.** Unglück *n*, Unfall *m*; ~ *del trabajo* Betriebsunfall *m*; ~ *del tráfico* Verkehrsunfall *m*; *~s m/pl. en cadena* Auffahrunfälle *m/pl.*, Massenkarambolage *f*; **3.** *Geogr.* *~s m/pl. del terreno* Geländeunebenheiten *f/pl.*; **4.** *Li.* *~s m/pl.* (*gramaticales*) Akzidentien *n/pl.*; **5.** *Phil.* Akzidens *n*, zufällige Erscheinung *f*; **6.** ♪ Vorzeichen *n.*
acción *f* **1.** Handlung *f* (*a. Lit.*); Tat *f*, Werk *n*; *Pol.* ~ *directa* direkte Aktion *f*; *unir la ~ a la palabra* den Worten Taten folgen lassen; *kath.* ~ *de gracias* Dankkundgebung *f*; Dankgottesdienst *m*; *hombre m de* ~ Mann *m* der Tat; *entrar en* ~ beginnen; losschlagen, eingreifen, in Aktion treten; *poner en* ~ aktivieren, in Betrieb (*od.* in Tätigkeit) setzen; **2.** *allg.*, *Phys.*, ⚗, ⊕ Wirkung *f*, Einwirkung *f*; ~ *física* physikalische Einwirkung *f* (*od.* Reaktion *f*); ~ *de los rayos solares a.* Sonnenbestrahlung *f*; ~ *recíproca* Wechselwirkung *f*; *de* ~ *rápida* rasch wirkend (*Heilmittel*, *Gift*); **3.** ⚔ Gefecht *n*, Treffen *n*; ~ *de conjunto* Zusammenwirken *n der Waffen*; **4.** ✝ Aktie *f*; ~ *de fundador* Gründeraktie *f*; ~ *nominativa* Namensaktie *f*; ~ *ordinaria* Stammaktie *f*; ~ *popular* (*al portador*, *preferente*) Volks- (Inhaber-, Vorzugs-)aktie *f*; **5.** ⚖ Klage *f*; ~ *de nulidad* Nichtigkeitsklage *f*; ~ *posesoria* Besitz(schutz)klage *f*; ~ *privada* Privatklage *f*; *formar* (*od. presentar la*) ~ *pública* Anklage erheben.
acciona|miento ⊕ *m* Antrieb *m*; ~ *individual* Einzelantrieb *m*; **~r I.** *v/i.* gestikulieren; ~ *sobre* einwirken auf (*ac.*); **II.** *v/t.* ⊕ antreiben; betätigen; ⚖ *Antrag* stellen (bei *dat. ante*).
accio|nariado *koll. m* Aktionäre *m/pl.*; **~nista** ✝ *m* Aktionär *m.*
ace|bal *m*, **~beda** *f*, **~bedo** *m* mit *acebos* bewachsener Ort *m*; **~bo** ⚘ *m* Stechpalme *f*; **~buche** ⚘ *m* wilder Ölbaum *m*; **~buchina** ⚘ *f* Wildolive *f.*
acecinar I. *v/t. Fleisch* selchen (*salzen u. trocknen od. räuchern*); **II.** *v/r.* *~se* ausdorren; mager werden.
acecha|dero *m* Anstand *m* (*Jgdw.*); Hinterhalt *m*; **~dor** *adj.-su.* lauernd, spähend; *m* Späher *m*; Aufpasser *m*; Jäger *m* auf dem Anstand; **~nza** *f* → *asechanza*; **~r** *v/t.* auflauern (*dat.*), aus-spähen, -spionieren (*ac.*), nachstellen (*dat.*); *Gelegenheit* ab-passen, -warten.
aceche *m* Vitriol *n.*
ace|cho *m* Hinterhalt *m*; Auflauern *n*; *adv. al* ~, *en* ~ auf der Lauer; *Jgdw. estar de* ~ auf dem Anstand (*od.* Ansitz) sein; **~chón** *m* Horcher *m*, Späher *m*; Spion *m.*
ace|dar I. *v/t.* säuern; *fig.* (v)erbittern; **II.** *v/r.* *~se* sauer werden; gelb werden (*Pfl.*); **~dera** ⚘ *f* Sauerampfer *m*; **~derilla** ⚘ *f* Sauerklee *m*; **~día** *f* **1.** Säure *f*; Sodbrennen *n*; **2.** *fig.* Bitterkeit *f*; unfreundliches Wesen *n*; **3.** *Fi.* Scholle *f*; **~do** *adj.* sauer; *fig.* barsch, mürrisch.
acefa|lía *f*, **~lismo** *m Anat.* Kopflosigkeit *f.*
acéfalo *adj. Anat.* kopflos; *Soz.* führerlos.
acei|tada *f* **1.** Öllache *f*; **2.** Ölgebäck *n*; **~tado** *m* Ölen *n*, Schmierung *f*; → *a. lubrificación*; **~tar** *v/t.* (ein)ölen; schmieren; **~te** *m* **1.** *allg.* Öl *n*; ölige Substanz *f*; ~ *de anís* Anislikör *m*; ~ *de coco* Kokosöl *n*; ~ *de colza*, ~ *de nabina* Rüböl *n*; ~ *comestible* Speiseöl *n*; ~ *de girasol* Sonnenblumenöl *n*; ~ *de linaza* Leinöl *n*; ~ *de palma* Palm(kern)öl *n*; ~ *vegetal* Pflanzenöl *n*; **2.** ⊕ ~ *combustible* (*crudo*) Heiz- (Roh-)öl *n*; ~ *esencial*, ~ *volátil* ätherisches Öl *n*; ~ *espeso*, ~ *fijo* schwerflüssiges Öl *n*; ~ *para maquinaria* Maschinenöl *n*; ~ *mineral* Mineralöl *n*; ~ *pesado* Schweröl *n*; *temple m al* ~ Ölhärtung *f*; **3.** ⚗, ⚕ ~ *de Aparicio* Johanniskrautbalsam *m*; ~ *de ballena*, ~ *de pescado* Fischtran *m*; ~ *de hígado de bacalao* Lebertran *m*; ~ *de madera*, ~ *de palo* Kopaivabalsam *m*; ~ *serpentino* Wurmöl *n*; **~tera** *f* **1.** Ölkrug *m*; Öl-, Schmierkanne *f*; **2.** Ölhändlerin *f*; **3.** *~s f/pl.* Essig- u. Öl-gestell *n*; **~tero I.** *adj.* **1.** Öl...; *molino m* ~ Ölmühle *f*; **II.** *m* **2.** Ölhändler *m*; **3.** Ölhorn *n* (*Behälter*); **~tillo** ⚘ *m And.*, *Am. verschiedene am. Baumarten, z. B.* Kopal *m*; **~tón** *m* **1.** dickes, trübes Öl; **2.** ↗ *Krankheit der Oliven*; **~toso** *adj.* ölhaltig, ölig.
aceitu|na *f* Olive *f*; **~nado** *adj.* olivfarben; **~nero** *m* **1.** Olivenpflücker *m*; -händler *m*; **2.** Olivenkammer *f*; **~nil** *adj. c* → *aceitunado*; **~no** ⚘ Ölbaum *m.*
acelajado *adj.* bewölkt.
acelera|ción *f* Beschleunigung *f* (*a.* ⊕); ~ *negativa* (*allg.*, *Phys.*), ~ *retardatriz* (*bsd.* ⚔) Verzögerung *f*; ~ *terrestre* Erdbeschleunigung *f*; **~da** *Kfz. f* Hochjagen *n des Motors*; **~damente** *adv.* schnell; **~do** *adj.* rasch, flott; *paso m* ~ Geschwindschritt *m*; **~dor I.** *adj.* beschleunigend; *potencia f ~a* Beschleunigungsvermögen *n*; **II.** *m Kfz.* Gas-hebel *m*, -pedal *n*; *Phys.* ~ *de partículas* Beschleuniger *m*; **~miento** *m* Eile *f*; → *aceleración*; **~r** *v/t.* beschleunigen; *fig.* vorantreiben; **~triz** *adj. f*: *fuerza f* ~ Beschleunigungskraft *f.*
acelerómetro *m* Beschleunigungsmesser *m.*
acelga ⚘ *f* Mangold *m* (*Kchk. mst.* *~s f/pl.*); *fig. cara f de* ~ fahles (*od.* leichenblasses) Gesicht *n.*
acémila *f* Saum-, Last-tier *n*; *fig.* Dummkopf *m*, Esel *m.*
acemilero *adj.-su. m* Maultierführer *m*, -treiber *m.*
acemi|ta *f* Kleienbrot *n*; **~te** *m* Kleienmehl *n*; Grießmehlsuppe *f.*
acendra|do *adj.* geläutert (*Metalle u. fig.*); *fig.* lauter; **~r** *v/t.* läutern, reinigen.
acens(u)ar ⚖ *v/t.* besteuern; mit e-m Erbzins belasten.
acen|to *m* **1.** Akzent *m*, Ton(zeichen *n*) *m*, Betonung *f*; Tonfall *m*; ~ *agudo* Akut *m*; ~ *dinámico*, ~ *de intensidad* Tonstärke *f*, Druckakzent *m*; ~ *principal* (*secundario*) Haupt- (Neben-)ton *m*; ~ *tónico*, ~ *musical* Tonhöhe *f*; **2.** Akzent *m*, fremdartige *od.* regionale Aussprache *f*; *no tiene* ~ er hat k-n (fremden) Akzent, er spricht akzentfrei; **3.** *fig.* Betonung *f*; *poner el* ~ *en* besonders betonen (*od.* hervorheben); **~tuación** *f* Betonung *f*; Akzentsetzung *f*; **~tuado** *adj. fig.* merklich, spürbar; stark; **~tuar** [1e] **I.** *v/t.* betonen, hervorheben; **II.** *v/r.* *~se* (stärker) zutage treten; s. verschärfen.
ace|ña *f* Flußmühle *f für Getreide*; Schöpfrad *n*; **~ñero** *m* (Wasser-)Müller *m*; Mühlenarbeiter *m*
acepar *v/i.* Wurzel schlagen.
acepción *f* **1.** Wortbedeutung *f*; **2.** *sin* ~ *de personas* ohne Ansehen der Person.
acepilla|dora ⊕ *f* Hobelmaschine *f*; **~dura** *f* Hobeln *n*; Hobelspäne *m/pl.*; **~r** *v/t.* (aus)bürsten; (ab-)hobeln; *fig.* F Schliff geben (*dat.*).
acep|table *adj. c* annehmbar; willkommen; **~tación** *f* **1.** Anerkennung *f*, Billigung *f*; **2.** *a.* ⚖ Annahme *f*; *no* ~ Nichtannahme *f*; **3.** ✝ Akzept *n* (*Bankw.*); ~ *por intervención* Ehrenakzept *n*; ~ (*pagadera*) *a tres meses* (*fecha*) Dreimonatsakzept *n*; **~tador** ✝ *m* Akzeptant *m*; **~tante** ✝ *m* (Wechsel-)Akzeptant *m*; **~tar** *v/t.* **1.** annehmen; billigen; akzeptieren, anerkennen; **2.** *Bankw.*: mit Akzept versehen; *Span. acepto* (*od. aceptamos*) *vorgeschriebener Akzeptver-*

merk (neben der Unterschrift); **~to** *adj.* angenehm, wohlgefällig (*dat. a*); *no* ~ unerwünscht (*Person*).
ace|quia *f* Bewässerungs-graben *m*, -kanal *m*; *Pe.* Bach *m*; **~quiero** *m* Grabenaufseher *m*; Kanalwärter *m*.
acera *f* Bürger-, Geh-steig *m*; Häuserreihe *f*; △ Verblendstein *m e-r Wand*; *fig.* F *de la otra* ~, *de la* ~ *de enfrente* **a**) von der andern Partei, von der Konkurrenz F; **b**) homosexuell.
acera|ción ⊕ *f* Verstählung *f*; **~do** *adj.* gestählt, stählern; *fig.* schneidend, beißend, scharf; **~r**[1] **I.** *v/t.* ⊕ verstählen; *fig.* stählen; **II.** *v/r.* ~*se lit., fig.* s. verhärten, hart werden.
acerar[2] *v/t.* Bürgersteige anlegen in (*dat.*).
acer|bidad *f* Herbheit *f*; *fig.* Strenge *f*; **~bo** *adj.* herb; *fig.* hart, streng, grausam.
acerca de *prp.* bezüglich (*gen.*), in bezug auf (*ac.*), über (*ac.*), hinsichtlich (*gen.*).
acerca|miento *m* Annäherung *f*; **~r** [1g] **I.** *v/t.* (näher) heranbringen (an *ac. a*), nähern (*dat. a*); **II.** *v/r.* ~*se* s. nähern, näherrücken; *Südspan.* kommen, bei j-m vorbeischauen.
ace|(re)ría ⊕ *f* Stahlwerk *n*; **~rista** *m* Stahlfachmann *m*; Stahlindustrielle(r) *m*.
aceri|co *m*, **~llo** *m* kl. Kissen *n*; Nadelkissen *n*.
acerina *Fi. f* Kaulbarsch *m*.
acerino *poet. adj.* stählern.
acero *m* **1.** ⊕ Stahl *m*; ~ *en barras* Stabstahl *m*; ~ *Bessemer* Bessemerstahl *m*; ~ *acorazado*, ~ *de blindaje*, ~ *blindado* Panzerstahl *m*; ~ *bruto* Rohstahl *m*; ~ *colado*, ~ *fundido* Stahlguß *m*; ~ *al crisol*, ~ *acrisolado* (Tiegel-)Gußstahl *m*; ~ *eléctrico* (*laminado*) Elektro- (Walz-)stahl *m*; ~ *de fusión* (*de grano argentino*) Fluß- (Silber-)stahl *m*; ~ *perfilado* (*rápido*) Form- (Schnell-)stahl *m*; ~ *soldado*, ~ *batido* Schweißstahl *m*; ~ *al tungsteno*, ~ *con wolframio* Wolframstahl *m*; *cable m de* ~ Stahlkabel *n*; *construcción f en* ~ *y hormigón* Stahlverbundbauweise *f*; **2.** *fig.* blanke Waffe *f*; *fig. tiene buenos* ~*s* er hat Mut.
acerolo ⚘ *m* Azerolbaum *m*.
acérrimo *adj. sup. v. acre*; *fig.* erbittert; hartnäckig; *un partidario* ~ ein entschiedener Anhänger.
acer|tado *adj.* geschickt, klug; richtig; treffend (*Bemerkung*); **~tar** [1k] **I.** *v/t.* **1.** erraten, richtig treffen; finden; **II.** *v/i.* **2.** *abs.* (*od.* ~ *a*) (das Ziel) treffen; *no acierto a hacerlo* es gelingt mir nicht, ich habe kein Glück damit; → *a.* **5.**; **3.** ~ *con* finden (*ac.*); das Richtige treffen (mit *dat.*); **4.** richtig handeln; ~ + *ger.* (*od.* ~ *en* + *inf.*) recht daran tun, zu + *inf.*; **5.** ~ *a* + *inf.* zufällig et. sein *od.* tun; *acertó a pasar* er kam gerade vorbei; **~tijo** *m* Rätsel *n*.
acervo *m* **1.** Haufen *m*; Sand *m in Flüssen u. Häfen*; **2.** gemeinsamer Besitz *m*, gemeinsames Erbe *n* (*a. fig.*); ⚖ Erb-masse *f*, -gut *n*; *fig.* Erbe *n*; Traditions-, Kultur-gut *n*.
acetato ⚗ *m* essigsaures Salz *n*, Azetat *n*; ~ *de alúmina* essigsaure Tonerde *f*; ~ *de plomo* Bleizucker *m*.
acético *adj.* Essig...; *ácido m* ~ Essigsäure *f*.
ace|tileno ⚗ *m* Azetylen *n*; **~tona** ⚗ *f* Azeton *n*; **~toso** *adj.* essigsauer.
acetre *m* Schöpfeimer *m*; kl. Weihwasserkessel *m*.
acezar [1f] *v/i.* keuchen.
aciago *adj.* unheilvoll; *día m* ~ Unglückstag *m*.
acial *m* Maulzwinge *f*; Ohrenklemme *f*; *Am. Cent.*, *Ec.* Peitsche *f*.
aciano ⚘ *m* Kornblume *f*; **~s** *m e-e Ginsterart*.
acíbar *m* Aloe *f*; Aloesaft *m*; *fig.* Bitternis *f*; Unannehmlichkeit *f*.
acibarar *v/t.* mit Aloe versetzen; *fig.* verbittern.
aciberar *v/t.* zermahlen.
acicala|do *adj.* geschniegelt, herausgeputzt; **~dura** *f*, **~miento** *m* Politur *f*, Schleifen *n*; *fig.* Eleganz *f*; **~r I.** *v/t. Degen usw.* blank putzen; *Wand* verputzen; *fig.* herausputzen, schniegeln; **II.** *v/r.* ~*se* s. zurechtmachen, s. herausputzen.
acicate *m Equ. maurischer* Sporn *m*; *fig.* Antrieb *m*, Anreiz *m*
acicular 🕮 *adj. c* nadelförmig.
acidalio *adj.* Venus...
aci|dez *f* Säure *f*; Säuregehalt *m*; **~dia** *f* Trägheit *f*, Faulheit *f*; **~dificar** [1g] ⚗ *v/t.* mit Säure versetzen, säuern; **~dímetro** ⚗ *m* Säuremesser *m*; **~dismo** ⚕ *m* (*bsd.* Super-)Azidität *f*.
ácido I. *adj.* sauer; **II.** *m* Säure *f*; ~ *carbónico* Kohlensäure *f*; ~ *clorhídrico* Salzsäure *f*; **~rresistente** *adj. c* säurebeständig (*Bakterien*).
acidular *v/t. Flüssigkeit* ansäuern; *agua f* ~*ada* → *acídulo*.
acídulo *adj.* säuerlich; *agua f* ~*a* Säuerling *m*, Sauerbrunnen *m*.
acierto *m* Treffen *n des Ziels*; *fig.* Geschicklichkeit *f*; Klugheit *f*; Erfolg *m*; Treffer *m* (*Lotterie*); *adv. con* ~ geschickt; treffend, richtig.
aciguatado *adj.-su.* an *ciguatera* leidend.
acije *m* Vitriol *n*.
ácimo *adj.* ungesäuert (*Brot*).
acimut *Astr. m* Azimut *m*, *n*.
ación *f* Steigbügelriemen *m*.
acirate *m* erhöhter Grenzrain *m*; Pfad *m* zwischen zwei Baumreihen.
acitara *f* **1.** Brückengeländer *n*; **2.** (Sattel-)Decke *f*; **3.** → *citara*.
acitrón *m* Zitronat *n*.
acivilarse *v/r. Chi.* s. standesamtlich trauen lassen.
aclama|ción *f* Beifall(srufen *n*) *m*; Zuruf *m*; *elección f por* ~ Wahl *f* durch Zuruf (*od.* per Akklamation); **~dor** *adj.-su.* Beifalls...; **~r** *v/t.* **1.** *j-m* zujubeln; *j-n* durch Zuruf ernennen; ~ (*por*) *presidente* durch Zuruf zum Präsidenten wählen; **2.** *Vogel* locken.
aclara|ción *f* Aufklärung *f*; Erläuterung *f*; Aufhellung *f*; **~r I.** *v/t.* (auf)klären; heller machen, aufhellen; *Flüssigkeit* verdünnen; *Wald, Reihen* lichten; *Flüssigkeit, Stimme* klären; *Wäsche* spülen; *Worte* erläutern; **II.** *v/impers. aclara* es wird hell, es wird Tag; **III.** *v/i. u.* ~*se v/r.* hell werden; aufklaren (*Wetter*); **~torio** *adj.* (auf)klärend, erläuternd.
aclarecer [2d] *v/t.* → *aclarar*.
aclimata|ción *f* Akklimatisierung *f*; Eingewöhnung *f*; **~r I.** *v/t.* akklimatisieren; heimisch machen; **II.** *v/r.* ~*se* s. eingewöhnen, heimisch werden; s. akklimatisieren.
aclocar [1g *u.* 1m] **I.** *v/i.* → *enclocar*; **II.** *v/r.* ~*se* sich's bequem machen, s. rekeln.
aclorhidria ⚕ *f* Achlorhydrie *f*.
acmé ⚕ *f* (*a. m*) Höhepunkt *m* e-r Krankheit *f*, Akme *f*.
acné ⚕ *f* Akne *f*.
acobarda|miento *m* Einschüchterung *f*; **~r I.** *v/t.* einschüchtern; ~*ado adj.* verzagt, kleinmütig; **II.** *v/r.* ~*se* verzagen, den Mut verlieren; ~*se de* eingeschüchtert werden von (*dat.*) *od.* durch (*ac.*); *se acobardó ante* (*od. por*) *el peligro* er schreckte vor der Gefahr zurück.
acobrado *adj.* kupferfarben.
acocear *v/t.* Fußtritte geben (*dat.*); ausschlagen nach (*dat.*).
acocil *Zo. m* mexikanische Süßwasserkrabbe *f*.
acochinar F *v/t.* abmurksen F; fertigmachen F.
acoda|do *adj.* gebogen; geknickt; ⊕ *tubo m* ~ Winkelstück *n*; **~lar** △ *v/t.* abstützen; **~r I.** *v/t.* **1.** ⚒ *Senker* stecken; **2.** ⊕ kröpfen; **II.** *v/r.* ~*se* **3.** die Ellbogen (auf-)stützen (auf *ac. en, sobre*).
acoderar ⚓ *v/t.* quer vor Anker legen.
aco|dillar *v/t.* knieförmig (um)biegen; **~do** *m* **1.** ⚒ **a**) Ableger *m*; **b**) Absenken *n*; **2.** △ *vorspringender* Schlußstein *m e-s Gewölbes*.
aco|gedizo *adj.* anlehnungsbedürftig (*Person*); **~gedor** *adj.* gastlich, gemütlich; liebenswürdig, gewinnend; **~ger** [2c] **I.** *v/t.* **1.** *Gast, Nachricht* aufnehmen; beschützen; ~ *con satisfacción* beifällig aufnehmen; **II.** *v/r.* ~*se* **2.** ~*se a alg.* s. an j-n halten; bei j-m Schutz (*od.* Hilfe) suchen; *hist.* ~*se a sagrado* s. an e-n geweihten Ort flüchten; ~*se a la barca* s. ins Boot retten; **3.** ⚖ ~*se a a/c.* s. auf et. (*ac.*) berufen; **~gida** *f* **1.** Aufnahme *f*, Empfang *m*; *dispensar buena* ~ (*a*) freundlich aufnehmen (*ac.*); *tener buena* ~ freundlich aufgenommen werden (*Personen*); Beifall finden, beim Publikum (gut) ankommen; günstig aufgenommen werden; **2.** ⚒ Honorierung *f e-s Wechsels*; **3.** Zuflucht(sort *m*) *f*; **~gido** *m* Armenhäusler *m*; **~gimiento** *m* → *acogida*.
acogollar I. *v/t. Pfl. mit Stroh usw.* abdecken; **II.** *v/i. u.* ~*se v/r.* s. schließen, Köpfe bilden (*Kohl, Salat usw.*).
acogotar *v/t.* durch e-n Schlag *od.* Stich ins Genick töten; beim Genick packen u. niederwerfen; *fig.* F kleinkriegen F, unterkriegen F.
acojinar *v/t.* **1.** polstern; **2.** durchsteppen.
acola|da *f* (Umarmung *f* nach dem)

Ritterschlag *m*, Akkolade *f*; **~r** ▨ *v/t. Wappen* vereinigen; *e-m Wappen* besondere Zeichen hinzufügen.
acolcha|do *m* Polster *n*; Steppzeug *n*; **~r**[1] polstern; steppen; wattieren; **~r**[2] ⚓ *v/t.* → *corchar.*
acolitado *kath. m* Akoluthenweihe *f*.
acólito *m* **1.** *kath.* Akoluth *m*; Ministrant *m*; **2.** *fig. iron.* getreuer Schatten *m*.
acolla|dor ⚓ *m* Sorrtau *n*; **~r** [1m] *v/t.* **1.** ⚘ *Pfl.* häufeln; **2.** ⚓ *Fugen* mit Werg verstopfen; sorren.
acollara|do *adj.* geringelt, Ringel... (*von Tieren, bsd. Vögeln*); **~r I.** *v/t. Tieren* ein Halsband anlegen (*dat.*); *Jagdhunde* koppeln; *Pferden* das Kummet anlegen (*dat.*); **II.** *v/r.* **~se** *Am.* **~se** *con alg.* mit j-m handgemein werden.
acomedi|do *adj. Am.* dienstbeflissen, gefällig; **~rse** [3l] *v/r. Am.* gefällig sein.
acome|tedor *adj.-su.* angriffslustig; *m* Angreifer *m*; **~ter I.** *v/t.* **1.** angreifen, anfallen; s. stürzen auf (*ac.*); befallen (*Schlaf, Krankheit usw.*); **2.** *fig. et.* in Angriff nehmen, an *e-e Sache* herangehen; **II.** *v/i.* **3.** ~ *contra a/c.* et. angreifen, schlagen gg. et. (*ac.*); ⊕ ~ (*en*) münden (in *dat. od. ac.*) (*z. B. Rohr*); **~tida** *f* **1.** Angriff *m*; *fig.* Anfall *m*; **2.** ⊕ Licht-, Wasser-, Gas-anschluß *m*; **~timiento** *m* **1.** Angriff *m*; Inangriffnahme *f*; **2.** ⊕ Rohrmündung *f* (*bsd. Kanalisation*); **~tividad** *f* Angriffslust *f*; Streitlust *f*; *fig.* Draufgängertum *n*.
acomo|dable *adj. c* anpassungsfähig; **~dación** *f* **1.** Anpassung *f*; Um-bau *m*, -gestaltung *f*; **2.** *Physiol.* Akkomodation *f*, Anpassung(sfähigkeit) *f des Auges*; **~dadizo** *adj.* fügsam; leicht zu befriedigen(d); leicht anzupassen(d); **~dado** *adj.* **1.** geeignet; **2.** bequem; wohlhabend; auskömmlich (*Leben*); wohlfeil (*Preis*); **~dador** *m* Platzanweiser *m*; *Thea.* Logenschließer *m*; **~damiento** *m* Anpassen *n*, Einrichten *n*; Abkommen *n*, Abmachung *f*; **~dar I.** *v/t.* **1.** einordnen; anpassen; in Einklang bringen; anwenden (auf *ac. a*); *Thea. usw. j-m* Platz anweisen; **2.** unterbringen; anstellen, *j-m* e-n Arbeitsplatz verschaffen; **II.** *v/i.* **3.** behagen, gefallen, passen (*j-m a*); **III.** *v/r.* **~se 4. ~se** (*a*). s. anpassen (*dat. od.* an *ac.*); **~se** *a la situación* s. in die Lage schicken; *todos se han acomodado bien* alle haben e-n guten Platz gefunden; **~daticio** *adj.* **1.** (*mst. desp.*) sehr anpassungsfähig, opportunistisch (*Person*); **2.** *fig.* dehnbar; **3.** → *acomodadizo*; **~do** *m* **1.** Unterkommen *n*, Anstellung *f*; **2.** Auskommen *n*; **3.** Kompromiß *m*, Modus vivendi *m*.
acompaña|do I. *adj.* **1.** belebt (*Straße*); **2.** beiliegend; **II.** *adj.-su. m* **3.** *perito m* ~ Hilfs-; Mit-sachverständige(r) *m*; **III.** *m* **4.** *Col.* Abzugsrinne *f* (*Kanalisation*); **~dor** *adj.-su.* Begleit...; *m* Begleiter *m*; **~miento** *m* Begleitung *f* (*a.* ♪); Gefolge *n*; **~nte** *adj.-su. c* begleitend; *m* Begleiter *m* (*a.* ♪); **~r I.** *v/t.* **1.** begleiten (*a.* ♪); *j-m* Gesellschaft leisten; ~ *a alg. en el sentimiento* j-m sein Beileid aussprechen; ~ *el pescado con vino* zum Fisch Wein trinken; **2.** *Papiere* bei-legen, -fügen (*dat. a*); **II.** *v/r.* **~se 3.** ♪ s. selbst begleiten; **~se** *de* (*od. con*) *buenos amigos* s. mit guten Freunden umgeben.
acompasa|damente *adv.* abgemessen, im Takt; **~do** *adj.* nach dem Takt; gemessen, langsam; *fig.* wohlgeordnet; **~r** *v/t.* rhythmisch *od.* gleichmäßig gestalten; ⚔ justieren, einstellen.
acomplejar *v/t. j-m* Komplexe verursachen.
acomunarse *v/r.* s. verbünden (mit *dat. con*).
aconcharse *v/r.* s. anlehnen; ⚓ auflaufen; F *Méj.* schmarotzen, nassauern F.
acondiciona|do *adj.*: *bien* (*mal*) ~ in guter (schlechter) Verfassung; (*instalación f de*) *aire m* ~ → **~dor** *m* (**de aire**) Klimaanlage *f*; **~miento** *m* Zubereitung *f*; Aufbereitung *f*; ~ *de aire* Klimaanlage *f*; **~r** *v/t.* bilden, gestalten; herrichten; zubereiten, -richten.
acongoja|do *adj.* bekümmert; verhärmt, vergrämt; **~r** *v/t.* bedrücken, bekümmern, ängstigen.
aconitina ⚗ *f* Akonitin *n*.
acónito ⚘ *m* Eisenhut *m*.
aconseja|ble *adj. c* ratsam, empfehlenswert; **~r I.** *v/t. j-m* raten, *j-n* beraten; ~ *a/c. a alg.* j-m et. (*ac.*) (an)raten; *le aconsejo que le escriba* ich rate Ihnen, ihr zu schreiben; **II.** *v/r.* **~se** *de* (*od. con*) s. (*dat.*) Rat holen bei (*dat.*).
aconsonantar I. *v/t.* in Reime bringen; **II.** *v/i.* (s.) reimen.
aconte|cer [2d] *v/i.* geschehen, s. ereignen, vorkommen; **~cimiento** *m* Ereignis *n*, Geschehnis *n*, Begebenheit *f*.
acopa|do *adj.* becherförmig; baumkronenförmig; **~r I.** *v/t.* die Kronenbildung (*z. B. beim Taxus*) künstlich beeinflussen; **II.** *v/i.* Kronen bilden.
aco|piamiento *m* → *acopio*; **~piar** [1b] *v/t.* anhäufen, ansammeln; *bsd. Vorräte* aufkaufen; **~pio** *m* Anhäufung *f*; Aufkauf *m*; Vorrat *m*; Fülle *f*.
acopla|do *m Chi.* Anhänger *m* (*Wagen*); **~dura** *f* Zusammenfügen *n* (*bsd. Zim.*); **~miento** ⊕ *m* Kopplung *f*, Kupplung *f*; Schaltung *f*; *árbol m de* ~ Kupplungswelle *f*; *Rf.* ~ *regenerativo* Rückkopplung *f*; **~r** *v/t.* **1.** zs.-fügen; anpassen; *fig.* versöhnen; **2.** ⊕ koppeln; kuppeln; ⚡ *Batterie* schalten; **3.** *Pferde* zs.-koppeln; *Tiere* belegen lassen; **II.** *v/r.* **~se 4.** F s. zs.-tun; s. liebgewinnen; s. paaren (*bsd. Tiere*).
acoquinarse F *v/r.* s. einschüchtern lassen.
acorarse *v/r.* welk werden (*Pfl.*).
acoraza|do I. *adj.* gepanzert, Panzer...; *división f* **~a** Panzerdivision *f*; *cámara f* **~a** Panzerschrank *m*; **II.** *adj.-su. m* (*crucero m*) ~ Panzerkreuzer *m*; ~ *de bolsillo* Taschenkreuzer *m*; **~r** [1f] **I.** *v/t.* panzern; **II.** *v/r. fig.* **~se** *contra* s. panzern gg. (*ac.*), s. wappnen gg. (*ac.*).
acorazonado *adj.* herzförmig.
acorcha|do *adj.* korkartig eingetrocknet, eingeschrumpft; **~miento** *m* Einschrumpfen *n*; **~rse** *v/r.* einschrumpfen; korkartig werden; *fig.* einschlafen, taub werden (*Glied*); abstumpfen (*Sinne, Gewissen*).
acorda|do *adj.* wohl erwogen; *lo* ~ ⚖ wie beschlossen; *allg.* die Vereinbarung; **~r** [1m] **I.** *v/t.* **1.** bestimmen, beschließen; vereinbaren; bewilligen; **2.** *Meinungen* auf e-n Nenner bringen; *Farben* aufeinander abstimmen; ♪ *Instrumente* stimmen; **II.** *v/i.* **3.** übereinstimmen; **III.** *v/r.* **~se 4.** s. erinnern; **~se** *de* s. an (*ac.*) erinnern, gedenken (*gen.*); *si mal no me acuerdo* wenn ich mich recht erinnere; **5.** s. einigen (mit *dat. con*).
acorde I. *adj. c* **1.** übereinstimmend; *estar* ~ *con* einig sein mit (*dat.*); **2.** ♪ harmonisch; **II.** *m* **3.** ♪ Akkord *m*; ~ *final* Schlußakkord *m*; *fig. entre los* **~s** *del himno nacional* unter den Klängen der Nationalhymne.
acordelar *v/t.* mit e-r Schnur abstecken.
acordemente *adv.* einmütig.
acorde|ón *m* Akkordeon *n*; Ziehharmonika *f*; **~onista** *c* Akkordeonspieler *m*.
acordona|do *adj.* schnurförmig; *Méj.* schmächtig (*Tiere*); **~miento** *m* Abschnürung *f*, Abriegelung *f* e-s Gebietes (*durch Militär od. Polizei*); Absperrung *f*, (Polizei-)Kordon *m*; **~r** *v/t.* **1.** ein-, verschnüren; ⚔, *Polizei*: abschnüren, ab-schließen, -sperren, -riegeln; **2.** *Münzen* rändeln.
acores ⚕ *m/pl.* Flechtenausschlag *m der Kinder.*
acornear [1m] *vt/i.* mit den Hörnern stoßen.
ácoro ⚘ *m* Kalmus *m*; ~ *bastardo*, ~ *falso*, ~ *palustre* Wasserlilie *f*.
acorrala|miento *m* Einpferchen *n*; *fig.* Einkreisung *f*; *política f de* ~ Einkreisungspolitik *f*; **~r** *v/t.* **1.** *Vieh* einpferchen; *Wild* eingattern; **2.** *fig.* einkreisen; einschüchtern; in die Enge treiben.
acorrer *v/i.* → *acudir.*
acorta|miento *m* Ab-, Ver-kürzung *f*; **~r I.** *v/t.* (ab-, ver-)kürzen; ~ *el camino* den Weg abschneiden; ~ *el paso*, ~ *la marcha* langsamer gehen; **II.** *v/i. u.* **~se** *v/r.* kürzer werden; **III.** *v/r.* **~se** stocken (*beim Reden*); verlegen werden.
acorvar *v/t.* → *encorvar.*
aco|sador *adj.-su.* aufdringlich; *m* (hartnäckiger) Verfolger *m*; **~samiento** *m* Verfolgung *f*; Anfeindung *f*; **~sar** *v/t.* verfolgen, hetzen; bedrängen; ~ *a alg. a preguntas* j-m mit Fragen zusetzen, j-n mit Fragen bestürmen (*od.* F löchern); **~so** *m* Hetze *f* (*bsd. Tiere*).
acosta|do *adj.* liegend, waagerecht; ▨ nebenstehend; *estar* ~ liegen; **~miento** *m* Niederlegen *n*; **~r I.** *v/t.* zu Bett bringen; ⚒ *et.* heranrücken; **II.** *v/i.* anlegen (*Schiff*); **III.** *v/i. u.* **~se** *v/r.* s. neigen (*a. Zünglein der Waage*); s. anlehnen; **IV.** *v/r.* **~se** s. niederlegen; ins Bett gehen (*a. fig.*), schlafen gehen; *fig.* **~se** *a* s. anlehnen an (*ac.*).

acostumbra|damente *adv.* üblicherweise, gewohntermaßen; **~do** *adj.* gewohnt, gewöhnlich; *estar ~ a a/c.* (*a hacer a/c.*) an et. gewöhnt sein (gewohnt sein, et. zu tun); *mal ~* verwöhnt (*Kind*); **~r** **I.** *v/t. ~ a alg. a* (*hacer*) *a/c.* j-n an et. (*ac.*) gewöhnen (j-n daran gewöhnen, et. zu tun); **II.** *v/i.* pflegen, gewohnt sein; *acostumbro* (*a*) *tomar té* ich trinke gewöhnlich Tee.
acota|ción *f* **1.** Randbemerkung *f*; *Thea.* Bühnenanweisung *f*; **2.** Höhenangabe *f bei topographischen Karten*; **3.** → *acotamiento*; **~da** *f* eingefriedeter Bezirk *m* (*bsd. Baumschule*); **~do** *Jgdw. m* Eigenjagd(revier *n*) *f*; **~miento** *m* Abgrenzung *f*; Vermarkung *f*; **~r** **I.** *v/t.* **1.** abgrenzen; einfried(ig)en; **2.** *Bäume* kappen; **3.** bestimmen, bezeichnen; auswählen; *Jgdw.* zur Eigenjagd erklären; **4.** mit Randbemerkungen versehen; *in e-e Karte* die Höhenziffern eintragen; **5.** *Angebot* annehmen; **II.** *v/r.* *~se* **6.** s. in Sicherheit bringen (*unter e-e fremde Gerichtsbarkeit*).
acotile|dóneas *f/pl.*, **~dones** *m/pl.* ⚘ Nacktsamer *m/pl.*
acotillo *m* Schmiedehammer *m.*
acoyundar *v/t. Ochsen* anjochen.
acracia *f* **1.** *Pol.* Akratie *f*; **2.** ⚕ → *astenia.*
ácrata *m* Anarchist *m.*
acre[1] *adj. c* scharf, herb; bitter; *fig.* schroff, rauh; ätzend, beißend.
acre[2] *m* Acre *n* (*engl. Landmaß = 40,46 Ar*).
acrecen|cia *f* Zuwachs *m* (*a.* ⚖), Vermehrung *f*; → **~tamiento** *m* Zunahme *f*; **~tar** [1k] **I.** *v/t.* vermehren, steigern, vergrößern; **II.** *v/r.* *~se* anwachsen; zunehmen, s. steigern.
acre|cer [2d] *v/t.* vermehren; ⚖ *derecho m de ~* Anwachsungsrecht *n*; **~cimiento** ⚖ *m* Anwachsung *f* (*Erbrecht*).
acredi|tado *adj.* **1.** geachtet, angesehen; bewährt; *restaurante m ~* geschätztes (*od.* vielbesuchtes) Restaurant *n*; **2.** beglaubigt; akkreditiert; *dipl. estar ~ cerca de* akkreditiert sein bei (*dat.*); **~tar** **I.** *v/t.* **1.** *j-m* Ansehen verleihen; verbürgen; rechtfertigen; bekräftigen; **2.** † *~* (*en cuenta*) gutschreiben; **3.** glaubhaft machen; *dipl. Gesandten* beglaubigen (bei *dat. cerca de*); **II.** *v/r.* *~se* **4.** s. ausweisen; s. bewähren; s. Ansehen erwerben; *~se* (*para*) *con alg.* s. j-s Vertrauen erwerben; *~se de necio* s. den Ruf e-s Toren zuziehen; **~tivo** *neol. m*: *~ de cheque* Kreditscheck *m.*
acreedor **I.** *adj.* anspruchsberechtigt; würdig (*gen. a*); *hacerse ~ a la confianza de la clientela* das Vertrauen der Kundschaft gewinnen; **II.** *m* Gläubiger *m*; *~ hipotecario* Hypothekengläubiger *m*; *ser ~ de una cantidad* e-e Summe guthaben; *junta f* (*general*) *de ~es* Gläubigerversammlung *f.*
acremente *adv.* scharf, herb.
acribar *v/t.* sieben; *fig.* sichten.
acribillar *v/t.* durchlöchern; *fig.* quälen, bedrängen (mit *dat. a*).
acriminar *v/t.* beschuldigen, bezichtigen (*gen.* de); ⚖ *~ la causa* die Schuld *des Angeklagten* schwerer machen *bzw.* erscheinen lassen.
acrimo|nia *f* Schärfe *f*; *fig.* Herbheit *f*, Bitterkeit *f*; **~nioso** *barb. adj.* scharf; *fig.* beißend.
acriollarse *v/r. Am.* die Lebensweise der Einheimischen annehmen.
acrisola|damente *adv.* rein; **~r** *v/t. Metalle u. fig.* läutern; *fig.* auf die Probe stellen.
acritud *f* Schärfe *f* (*a. fig.*); herber Geschmack *m.*
acristalar *v/t. a. Fenster* verglasen.
acróbata *m* Akrobat *m.*
acrobático *adj.* Akrobaten..., akrobatisch.
acromático ⚐ *adj.* achromatisch; farblos.
acroma|tismo *Opt. m* Achromatismus *m*; **~tizar** *Opt. v/t.* achromatisch machen; **~topsia** ⚕ *f* Farbenblindheit *f.*
acromio(n) *Anat. m* Schulterhöhe *f.*
acrópolis *f* Akropolis *f.*
acta *f* **1.** Urkunde *f*; Protokoll *n*; ⚖ *a.* Akt *m*, Akte *f*; *~ de acusación* Anklageerhebung *f*; *~ de una sesión* Sitzungs-protokoll *n*, -bericht *m*; *~ notarial* notarielle Urkunde *f*; *hacer constar en* (*el*) *~* ins Protokoll aufnehmen, im Protokoll vermerken, protokollieren; *levantar ~* (*de a/c.*) (et.) beurkunden; (et.) protokollieren; *secretario m de ~s* Protokollführer *m*; **2.** 2*s f/pl. zeitgenössische* Lebensbeschreibung *f der Heiligen.*
actinia *Zo. f* Seeanemone *f.*
actínico *Phys. adj.* aktinisch.
actinio ⚗ *m* Aktinium *n.*
actino|metría *f* Aktinometrie *f*, Strahlungsmessung *f*; **~micetos** ⚘ *m/pl.* Strahlenpilze *m/pl.*; **~micosis** ⚕ *f* Strahlenpilzkrankheit *f*; **~ta** *Min. f* Aktinolith *m.*
actitud *f* Stellung *f*, Haltung *f* (*a. fig.*); *fig.* Einstellung *f*; Benehmen *n*, Verhalten *n*; *tomar una ~ hostil contra* ... e-e feindliche Haltung gg. ... (*ac.*) annehmen.
acti|vamente *adv.* tatkräftig, aktiv, eifrig; **~var** *v/t.* beleben (*fig.*); beschleunigen, antreiben, aktivieren; **~vidad** *f* **1.** Tätigkeit *f*, Wirksamkeit *f*; *en ~* tätig, in Tätigkeit; *~ misional, ~ misionera* Missionstätigkeit *f*; **2.** Geschäftigkeit *f*, Betriebsamkeit *f*; Lebhaftigkeit *f*; **3.** *~es f/pl.* Gesamtbereich *m* der Tätigkeit e-r Person *od.* e-r Institution; *~es comerciales* (*docentes*) Geschäfts- (Lehr-)tätigkeit *f*; **~vista** *Pol. m* Aktivist *m*; **~vo** **I.** *adj.* **1.** tätig, wirksam; tatkräftig; *en ~* aktiv, im Dienst stehend (*Beamte*, ⚔); **2.** *Gram. voz f ~a* Aktiv *n*, Tätigkeitsform *f*; **II.** *m* **3.** † Aktivvermögen *n*, Aktiva *n/pl.*
acto *m* **1.** Tat *f*, Handlung *f*, Werk *n*; *en el ~* **a)** auf frischer Tat; **b)** auf der Stelle; sofort, unverzüglich; *~ carnal* Beischlaf *m*; *~ continuo, ~ seguido* sofort (danach), anschließend; F *quedarse en el ~* plötzlich sterben; *hacer ~ de presencia* (kurz) anwesend sein, s. (gerade mal) blicken lassen F; **2.** (öffentliche) Feier(lichkeit) *f*; **3.** *Thea.* Akt *m*, Aufzug *m*; **4.** ⚖ Handlung *f*, Akt *m*; *~ de conciliación* Sühnetermin *m*; *~ jurídico* Rechts-geschäft *n*; -handlung *f*; *~ oficial* Amtshandlung *f*; *en ~ de servicio* im Dienst (*Beamter*); in Erfüllung s-r Pflicht; **5.** *Phil.* Akt *m*; **6.** *Rel. ~ de contrición* Reueakt *m*, (vollkommene) Reue *f*; 2*s m/pl.* Konzilsakten *f/pl.*; **7.** ⚕ *~ reflejo* Reflexvorgang *m.*
actor *m* **1.** *Thea.* Schauspieler *m* (*a. fig.*), Darsteller *m*; *primer ~* Darsteller *m* der Titelrolle; *los ~es* die Truppe; **2.** ⚖ *m* (*~a f*) Kläger(in *f*) *m*; *~ civil* Nebenkläger *m*; **3.** *Li.* Träger *m* der Handlung.
actriz *f* (*pl. ~ices*) Schauspielerin *f.*
actua|ción *f* Tätigkeit *f*, Wirken *n*; Auftreten *n* (*a. Thea.*); Amtsführung *f*; ⚖ *~ones f/pl.* Prozeßführung *f*; Gerichtsverhandlung *f*; Schriftverkehr *m* mit dem Gericht; **~do** *adj.* gewöhnt; geübt; **~l** *adj. c* **1.** gegenwärtig, aktuell; reell; *Phil.* wirklich, aktuell; **2.** wirksam; **~lidad** *f* Gegenwart *f*; Aktualität *f*; *en la ~* gegenwärtig, zur Zeit; *de gran ~* sehr aktuell; † *artículo m de ~* Saisonartikel *m*; *Film*: *~es f/pl.* Wochenschau *f*; **~lizar** [1f] *v/t.* aktualisieren; auf den neuesten Stand bringen; **~lmente** *adv.* gegenwärtig; wirklich; **~nte** *adj.-su. c* wirksam; *m* Teilnehmer *m*, Mitwirkende(r) *m*; **~r** [1e] **I.** *v/i.* wirken; tätig sein; *a. Thea.* auftreten; ⚖ verhandeln; *~ de apoderado* als Bevollmächtigter auftreten; *~ en justicia* vor Gericht klagen, das Gericht anrufen, prozessieren; *~ sobre* einwirken auf (*ac.*); **II.** *v/t.* in Gang bringen; betätigen; ⊕ anlassen; **III.** *v/r.* *~se* zustande kommen; **~rio** *m* **1.** ⚖ Protokollführer *m*, Urkundsbeamter *m*; **2.** *~ de seguros* Versicherungsmathematiker *m.*
acuadrillar *v/t. e-e Bande* anführen; zu e-r Bande zs.-schließen; *Chi.* in Rotten überfallen.
acua|fortista *m* Ätzgraphiker *m*; **~rama** *m* Delphinarium *n*; **~rela** *f* Aquarell *n*; *caja f de ~s* Malkasten *m*; **~relista** *m* Aquarellmaler *m.*
acuario *m* Aquarium *n*; *Astr.* 2 Wassermann *m.*
acuartela|do ▨ *adj.* geviertelt; **~miento** ⚔ *m* **1.** Einquartierung *f*; Kasernierung *f*; **2.** Quartier *n*; **~r** **I.** *v/t.* **1.** einquartieren; kasernieren; in Garnison legen; **2.** ⚓ *Segel* in den Wind brassen; **3.** *Boden* parzellieren; **II.** *v/r.* *~se* **4.** e-e Unterkunft beziehen.
acuáti|co *adj.* im Wasser lebend; Wasser...; *deporte m ~* Wassersport *m*; **~l** *adj. c* → *acuático.*
acuatinta *f* Aquatinta *f.*
acuatiza|je ✈ *m* Wasserung *f*; **~r** *v/i.* wassern.
acuci|a *f* Eifer *m*; Begierde *f*; **~ador** *adj.-su. fig.* dringend, brennend; *m* Hetzer *m*; **~ante** *adj. c* → *acuciador*; **~ar** [1b] **I.** *v/t.* **1.** an-stacheln, -treiben; **2.** begehren; **II.** *v/impers.* **3.** *le acucia + inf.* er hat es (damit) eilig, zu + *inf.*, es drängt ihn, zu + *inf.*; **~osidad** *f Ven.* Eile *f*; Begierde *f*; **~oso** *adj.* gierig; eifrig; beflissen.
acuclillarse *v/r.* s. (nieder)hocken, s. (zs.-)kauern.

acucharado *adj.* löffelförmig.
acuchillar I. *v/t.* er-, nieder-stechen; *Ärmel* schlitzen; *Fußboden* spänen, *Parkett* abziehen; *Pflanzbeet* auslichten; *~ado adj. fig.* gewitzigt, abgebrüht; **II.** *v/r. ~se* mit Messern aufea. losgehen.
acudir *v/i.* **1.** herbeieilen, s. einfinden; *e-n Ort* gewohnheitsmäßig aufsuchen; *~ (a)* teilnehmen (an *dat.*); *~ a una cita* s. am verabredeten Ort einstellen; *~ en socorro de j-m* zu Hilfe eilen; *~ a las urnas* s. an der Wahl beteiligen, wählen; **2.** *~ a alg.* s. an j-n (*um Hilfe, um Schutz od. um Unterstützung*) wenden; *~ a un abogado* die Hilfe e-s Rechtsanwaltes in Anspruch nehmen; *~ a a/c.* zu et. (*dat.*) greifen; **3.** Frucht tragen (*Erde*); **4.** gehorchen (*Reittier*).
acueducto *m* Aquädukt *m.*
acuerdado *adj.* schnurgerade.
acuerdo *m* **1.** Übereinstimmung *f*; Übereinkunft *f*; Verständigung *f*; Abkommen *n*, Vereinbarung *f*; *~ comercial* Handelsabkommen *n*; *llegar a un ~, ponerse (od. quedar) de ~ (con)* s. einigen (mit *dat.*); *adv. de común ~* einmütig, in gg.-seitigem Einvernehmen; *prp. de ~ con* gemäß (*dat.*); *¡de ~!* einverstanden!; **2.** Beschluß *m*, Entschluß *m*; *tomar un ~* e-n (gemeinsamen) Beschluß fassen; **3.** Erinnerung *f*; Besinnung *f*; Bewußtsein *n.*
acuidad *f* Schärfe *f* (*der Sinne*); ⚕ akutes Stadium *n.*
acuífero 🕮 *adj.* wasserführend.
acuitar *v/t.* betrüben.
acular I. *v/t. fig.* F in die Enge treiben; **II.** *v/r. ~se* ⚓ achtern auflaufen (*Schiff*).
acullá *adv.* dort(hin); *acá y ~* hier u. dort.
acuminado ♀ *adj.* zugespitzt (*Blatt*).
acumula|ción *f* **1.** Anhäufung *f*; Speicherung *f*; *~ de calor* Wärmespeicherung *f*; *~ de nieve* Schneeverwehung *f*; **2.** ⚖ *~ de acciones* Klagehäufung *f*, Klagenverbindung *f*; *Pol. ~ de votos* Kumulieren *n*; **3.** ✝ Zinseszins *m*; *~dor adj.-su. m* Aufhäufer *m*; ⊕, ⚡ Sammler *m*, Speicher *m*; *~ (eléctrico)* Akkumulator *m*, Akku *m*; *~ hidráulico* Wasserkraftspeicher *m*; *cargar un ~* e-n Akkumulator aufladen; *~r* **I.** *v/t.* **1.** an-, auf-häufen; ⊕ speichern; **2.** *~ varias funciones* mehrere Ämter ausüben; **3.** ⚖ zs.-ziehen; ✝ *~ los intereses al capital* die Zinsen zum Kapital schlagen; ✝ *intereses m/pl. ~ados* aufgelaufene Zinsen *m/pl.*; **II.** *v/r. ~se* **4.** s. anhäufen; *~tiva* ⚖ *adj.-su. f*: (*jurisdicción f*) *~* Zs.-ziehung *f* von Verfahren; *~tivo adj.* anhäufend; ⚖ kumulativ.
acunar *v/t. Kind* wiegen.
acuña|ción *f* Prägung *f*; Münzen *n*, Prägen *n*; *~dor m* Präger *m*, Münzer *m*; *~r v/t.* **1.** münzen, prägen (*a. Wort*); **2.** ⊕ verkeilen.
acuo|sidad *f* Wässerigkeit *f*; Wasserreichtum *m*; *~so adj.* wässerig; wasserhaltig; saftig (*Obst*).
acupuntura ⚕ *f* Akupunktur *f.*
acurrucarse *v/r.* s. niederhocken; s. ducken.

acusa|ción *f* Anklage *f* (*a.* ⚖); *fig.* Beschuldigung *f*, Bezichtigung *f*; ⚖ (*escrito m de*) *~* Anklageschrift *f*; *~do* **I.** *adj. fig.* klar, ausgeprägt; **II.** *m* ⚖ Angeklagte(r) *m*; *allg. a.* Beschuldigte(r) *m*; *~dor* **I.** *adj.* anklagend; *autoridad f ~a* Anklagebehörde *f*; **II.** *m* Ankläger *m*; *~r v/t.* **1.** anklagen; beschuldigen, bezichtigen (*gen.* de); *Sch.* anzeigen; **2.** ✝ *~ recibo de una carta* den Empfang e-s Briefes bestätigen; **3.** *Kart.* anmelden, ansagen; **4.** *gal. e-n Zustand* (an)zeigen, verraten (*fig.*); auf-, aus-weisen; schließen lassen auf (*ac.*); *fig. ~ el golpe* s. getroffen (*od.* betroffen) zeigen; *~tivo Gram. m* Akkusativ *m*; *~torio adj.* anklägerisch; Anklage...; *acto m ~* Anklageerhebung *f.*
acu|se *m* **1.** *~ de recibo* Empfangsbestätigung *f*; **2.** *Kart.* Ansagen *n*; Reizen *n*; *~sete m Arg., Chi., Pe.* → *~són* F *adj.-su.* Petzer *m* F.
acústi|ca *f* Akustik *f*; *~co* **I.** *adj.* akustisch, auf Gehör *od.* Schall bezüglich; *nervio m ~* Gehörnerv *m*; *órgano m ~* Hörorgan *n*; *tubo m ~* Sprach-, Hör-rohr *n*; **II.** *m* ⚡ Klopfer *m*, Hammerunterbrecher *m.*
acutángulo ⦣ *adj.* spitzwinklig.
acutí *Zo. m Rpl.* → *agutí.*
achabacanar *v/t.* verpfuschen; *Geschmack usw.* verderben.
achaca|ble *adj. c* zuzuschreiben(d); *~r* [1g] *v/t.*: *~ (la culpa) a alg.* j-m (die Schuld) zuschieben, (die Schuld) auf j-n schieben; *me achacan todas estas mentiras* ich soll all(e) diese Lügen erzählt haben.
achacoso *adj.* anfällig, kränklich.
achachay I. *m Am. ein Kinderspiel*; **II.** *int. Col., Ec.* *¡~!* wunderschön!, bravo!
achaflanar ⊕ *v/t.* abschrägen.
¡achalay! *int. Arg.* wunderschön!
achampanado *adj.* → *champanado.*
achantarse F *v/r.* s. ducken, kuschen.
achaparra|do *adj.* untersetzt (*Person*); breit u. niedrig (*Gegenstände*); *árboles m/pl. ~s* Krüppelholz *n*; *~rse v/r.* verkrüppeln, verkümmern.
achaque *m* **1.** Kränklichkeit *f*; Unpäßlichkeit *f*; Anfall *m*; *euph.* Schwangerschaft *f*; Periode *f* (*der Frauen*); *~s de la edad* Altersbeschwerden *f/pl.*; **2.** üble Angewohnheit *f*; Vorwand *m*; F *con ~ de* unter dem Vorwand (*gen.*); **3.** † Geldstrafe *f.*
achares P *m/pl.* Eifersucht *f.*
acharola|do *adj.* lackartig; *~r v/t.* → *charolar.*
achata|do *adj.* platt, abgeflacht; *nariz f ~a* Stumpfnase *f*; *~r v/t.* plattdrücken; ⊕ abflachen.
achica|do *adj.* **1.** kindisch; **2.** verkleinert; **3.** eingeschüchtert; *~dor* ⚓ *m* Wasserschaufel *f*; *~dura f*, *~miento m* Verkleinerung *f*; *~r* [1g] **I.** *v/t.* **1.** kleiner machen, verkleinern; *fig.* einschüchtern, demütigen; **2.** ⚓, ⚒ auspumpen; **3.** P *Chi.* einlochen P; **4.** P *Col.* umlegen P; **II.** *v/r. ~se* **5.** kleiner werden; *fig.* F klein werden, klein beigeben.

achicoria ♀ *f* Zichorie *f*; *~ silvestre* Wegwarte *f.*
achicharra|dero *m* sehr heißer Ort *m*, Brutkasten *m* F; *~nte* F *adj. c* sehr heiß; *~r v/t.* (zu) stark braten, rösten; *fig. j-m* sehr zusetzen; *Am.* zerdrücken.
achichinque *m* ⚒ Pumpenarbeiter *m*; *Méj.* Speichellecker *m.*
achiguarse *v/r. Rpl., Chi.* s. wölben; e-n Bauch bekommen.
achime|ro *m Am. Cent.* → *buhonero*; *~s m/pl. Am. Cent.* → *buhonería.*
achinado *adj.* chinesenähnlich; *Rpl.* nach der Art e-s Farbigen; pöbelhaft.
achinelado *adj.* pantoffelförmig.
achinería *f Am. Cent.* → *buhonería.*
achiote ♀ *m* Orleansbaum *m.*
achique ⚓ *m* Auspumpen *n*; *bomba f de ~* Lenzpumpe *f.*
achiquillado *adj. Chi.* → *aniñado.*
achira ♀ *f* **1.** *Am. e-e Alismazee* (*rotblühend*); **2.** *Pe. eßbares Knollengewächs*; **3.** *Chi.* span. Rohr *n.*
achispa|do F *adj.* beschwipst; *~r(se) v/t.* (*v/r.*) in e-n leichten Rausch versetzen (s. beschwipsen).
achocharse *v/r.* kindisch werden (*im Alter*); P vertrotteln.
achoncharse *v/r. Col.* **1.** es s. bequem machen; **2.** Angst kriegen.
achote *m* → *achiote.*
achubascarse [1g] *v/r.* s. mit Schauergewölk überziehen (*Himmel*).
achucu|tarse, *~varse* F *v/r. Am.* klein u. häßlich werden (*fig.*); *Guat.* welken.
achu|char *v/t.* **1.** (auf)hetzen; **2.** zer-quetschen, -drücken; stoßen; *~charrar v/t.* **1.** *Am.* (auf)hetzen; **2.** *Col., Chi.* zer-drücken, -treten; *~chón* F *m* Stoß *m.*
achula(pa)do F *adj.* wie ein *chulo*, zuhälter-, ganoven-haft; angeberisch, großspurig.
achura *f Am.* Innereien *f/pl.*
achurruscar [1g] *v/t. Chi.* drücken.
adagio *m* **1.** Sprichwort *n*, Spruch *m*; **2.** ♪ Adagio *n.*
adalid *m* Anführer *m*, Heerführer *m*; *fig.* Vorkämpfer *m.*
adamado *adj.* zart; weibisch; wie e-e Dame.
adamantino *adj.* diamanten(-artig, -hart).
adamascado *adj.* damastartig.
Adán *m*: *hijos m/pl. de ~* Kinder *n/pl.* Adams, Menschengeschlecht *n*; *bocado m (od. nuez f) de ~* Adamsapfel *m*; *fig. como ~ en el paraíso* im Adamskostüm, splitternackt; *fig.* F ♀ abgerissener Mensch *m*; liederlicher Kerl *m*; Faulenzer *m.*
adapta|ble *adj. c* anpaßbar; *~ción f* **1.** Anpassung *f*, Angleichung *f*; *Thea., Film,* ♪ Bearbeitung *f*; *~ cinematográfica* Filmbearbeitung *f*; **2.** Umbau *m*; *~r* **I.** *v/t.* **1.** anpassen; einpassen; *~ a la pantalla* für den Film bearbeiten; *~ los medios al fin* zweckmäßige Mittel anwenden; **2.** ⚠ umbauen; **II.** *v/r. ~se* **3.** *~se a* s. anpassen an (*ac.*); fertig werden mit (*dat.*); *este hombre se adapta a todo* der Mann kommt überall zurecht.

adarga *f* (Leder-)Schild *m*; **~r** [1g] *v/t.* abdecken, schützen, schirmen (*a. fig.*).
adarme F *m*: *un* ~ (nur) e-e Spur, e-e winzige Menge.
adarve *m* Mauer-, Wehr-gang *m*; *fig.* Schutz *m.*
addenda *lt. m* (*ohne pl.*) Nachträge *m/pl.*
adecenar *v/t.* in Gruppen zu je zehn anordnen (*od.* einteilen).
adecentar *v/t.* (ordentlich) herrichten, zurechtmachen.
adecua|ción *f* Angemessenheit *f*; **~damente** *adv.* angemessen; **~do** *adj.* angemessen, zweckmäßig, geeignet; **~r** [1d] *v/t.* anpassen.
adefe|siero *adj. Am.* lächerlich; **~sio** F *m* Unsinn *m*, Albernheit *f*; lächerlicher Aufzug *m*; *estar hecho un* ~ die reinste Spottfigur sein.
adehala *f* Zugabe *f*; Trinkgeld *n*; Zulage *f.*
adelan|tadamente *adv.* im voraus; **~tado I.** *adj.* **1.** fortgeschritten; **2.** vorzeitig; *pago m* ~ Vorauszahlung *f*; *por* ~ im voraus; *ir* ~ vorgehen (*Uhr*); **3.** frühreif; **4.** vorlaut; **II.** *m* **5.** *hist.* Statthalter *m*; **~tamiento** *m* Vorrücken *n*; Fortschritt *m*, Aufschwung *m*; **~tar I.** *v/t.* **1.** vor-rücken, -schieben; *Uhr* vorstellen; *Geld* vorschießen; überholen (*a. Kfz.*); vorverlegen, beschleunigen; **2.** ~ *a/c. con* + *inf. od.* + *su.* mit (*dat.*) et. (*ac.*) erreichen; **II.** *v/i.* **3.** vorrücken; vorwärts-, voran-kommen; Fortschritte machen (in *dat. en*); vorgehen (*Uhr*); **III.** *v/r.* ~*se* **4.** vorangehen; überholen; ~*se a alg.* j-m zuvorkommen; j-n übertreffen; ~*se a los acontecimientos* den Ereignissen vorgreifen; **5.** früher (als erwartet) eintreffen; **~te** *adv.* vor(wärts); ¡~! **a)** los!, vorwärts!; **b)** herein!; (*de hoy, de aquí*) *en* ~ von jetzt an; *de allí en* ~ von da an; *más* ~ weiter vorn; weiter unten (*Buch*); später; *llevar* (*od. sacar*) ~ fördern; durchsetzen; **~to** *m* **1.** Vorsprung *m*; Fortschritt *m*; **2.** Vorgehen *n* (*Uhr*); **3.** Vorschuß *m.*
adel|fa ⚘ *f* Oleander *m*; **~fal** *m* Oleanderhain *m*; **~filla** ⚘ *f* Lorbeerkraut *n.*
adelgaza|dor *adj.* schlank machend; **~miento** *m* **1.** ⚠ Verjüngung *f*; **2.** Abmagern *n*; *cura f de* ~ Abmagerungskur *f*; **~r I.** *v/t.* dünner machen; **II.** *v/i.* dünner (*od.* schlank) werden, abmagern.
adema ⚒ *f* → *ademe.*
ademán *m* Gebärde *f*; Haltung *f*; *hizo* ~ *de huir* es sah so aus, als wollte er fliehen; *adv. en* ~ *de* bereit zu; *ademanes m/pl.* Manieren *f/pl.*
ademar ⚒ *v/t.* mit Verstrebungen abstützen.
además *adv.* auch, ferner, außerdem; *prp.* ~ *de* außer (*dat.*).
ademe ⚒ *m* Stempel *m*, Abstützung *f.*
adenitis ⚕ *f* (Lymph-)Drüsenentzündung *f*, Adenitis *f.*
adentellar *v/t.* zähnen; verzahnen.
adentrarse *v/r.* hineingehen; eindringen (*a. fig.*) (in *ac. en*).
adentro I. *adv.* darin; hinein; (nach) innen; ¡~! herein!; *mar* (*tierra*) ~ see- (landein-)wärts; **II.** *m/pl.* ~*s*: *decir para sus* ~*s* bei s. sagen; *en sus* ~*s* innerlich.
adepto *m* Adept *m*, Eingeweihte(r) *m*; Jünger *m*, Anhänger *m.*
adere|zar [1f] **I.** *v/t.* **1.** herrichten, zurechtmachen; *Speisen* würzen *od.* zubereiten; in Ordnung bringen, flicken; **2.** *tex.* appretieren; **3.** *fig.* führen, *j-m* den Weg weisen; **II.** *v/r.* ~*se* **4.** s. zurechtmachen; **~zo** *m* **1.** Zubereitung *f*; Anordnung *f*; **2.** Schmuck *m*; Garnitur *f* (*Juwelen*); Ausrüstung *f*, Zubehör *n*; ~*s m/pl.* Gerätschaften *f/pl.*; Schmucksachen *f/pl.*; **3.** *tex.* Appretur *f.*
adeu|dado *adj.* verschuldet; **~dar I.** *v/t.* schulden, schuldig sein; ✝ ~ *una suma en una cuenta* ein Konto mit e-r Summe belasten; *estas mercancías adeudan derechos elevados* für diese Waren ist ein hoher Zoll zu entrichten; **II.** *v/i.* s. verschwägern; **III.** *v/r.* ~*se* Schulden machen; **~do** *m* **1.** Schuld *f*; **2.** Zoll *m.*
adhe|rencia *f* **1.** Anhaften *n*, An-, Zs.-hängen *n*; *fig.* Anhänglichkeit *f*; *Phys.* Adhäsion *f*; ⚕ Verwachsung *f*; **2.** Beitritt(serklärung *f*) *m*; **3.** ⚠ Nebengebäude *n*; **~rente I.** *adj. c* (*a*) anhaftend, angewachsen, anklebend (an *dat.*); *fig. Pol. gobierno m* ~ beitretende Regierung *f* (*Vertrag*); **II.** *m* Anhänger *m*; ~*s m/pl.* Zubehör *n*; **~rido**: *fig. estar* ~ *a* Anhänger sein von (*dat.*); **~rir** [3i] **I.** *v/i.* (*a*) **1.** (an)haften (an *dat.*); **2.** zustimmen (*dat.*); **II.** *v/r.* ~*se* **3.** (an)kleben (*v/i.*) (an *dat. a*); **4.** ~*se* (*a*) s. anschließen (an *ac.*), beitreten (*dat.*); zustimmen (*dat.*); **~sión** *f* **1.** Anschluß *m*, Beitritt *m*; **2.** *Phys.* Adhäsion *f*; **~sivo I.** *adj.* anhaftend, Heft...; *parche m* ~ Heftpflaster *n*; **II.** *m* Klebstoff *m.*
adiabático *Phys. adj.* adiabatisch.
adiamantado *adj.* diamantartig.
adiar ⚔ *v/t. Tag* anberaumen.
adición[1] *f nur*: ~ *de la herencia* Erbschaftsannahme *f.*
adici|ón[2] *f* **1.** Zusatz *m*, Beifügung *f*; **2.** ⅍ Addition *f*, Addieren *n*; **3.** ⚖ Nachtrag *m zu e-m Testament*; **~onal** *adj. c* zusätzlich; **~onar** *v/t.* hinzufügen; addieren.
adicto I. *adj.* **1.** ergeben, zugetan (*dat. a*); ~ *al gobierno* regierungsfreundlich; **2.** zugeteilt (*e-r Behörde*); **II.** *m* **3.** Anhänger *m.*
adiestra|dor *adj.-su.* **1.** Unterweiser *m*; **2.** Dompteur *m*; **~miento** *m* **1.** Unterweisung *f*, Schulung *f*; **2.** Dressur *f*; **~r I.** *v/t.* **1.** abrichten, dressieren; *Pferd* zureiten; **2.** anleiten, schulen; **II.** *v/r.* ~*se* **3.** s. üben (in *dat. en*).
adinerado *adj.* reich, vermögend.
adintelado ⚠ *adj.* abgeflacht (*Bogen*).
adiós I. *int.* ¡~! Auf Wiedersehen! (*Reg. a. Begrüßung*: Grüß Gott!); *iron. etwa*: das wäre erledigt!; den hätten wir los!; das ist e-e schöne Bescherung!; ¡~ *mi dinero! etwa*: da war mein Geld weg!; ade, mein gutes Geld!; ~ *Madrid* (, *que te quedas sin gente*) *iron.* (*beim Weggehen e-s Unbedeutenden*) *etwa*: wie schade, daß Sie gehen (, jetzt haben wir niemand mehr); **II.** *m* Lebewohl *n*, Abschied *m*; *decir* ~ Abschied nehmen (von *dat. a*).
adipo|sidad *f* Fett(leibigkeit *f*) *n*; **~sis** ⚕ *f* Fettsucht *f*; **~so** *Anat. adj.* fetthaltig, Fett...; *tejido m* ~ Fettgewebe *n.*
adir ⚖ *v/t.* (*nur inf.*) *Erbschaft* annehmen.
adi|tamento *m* Zusatz *m*; Zulage *f*; Beilage *f* (*Speisen*); **~tivo** *adj.* zusätzlich, Zusatz...
adivi|na *f* Wahrsagerin *f*; **~nación** *f* Wahrsagung *f*; Ahnung *f*, Erraten *n*; **~nador** *adj.-su.* erratend; **~nanza** *f* Rätsel *n*; **~natorio** *adj.* seherisch, Wahrsage...; **~no** *m* Wahrsager *m*; Hellseher *m.*
adjeti|vación *f* Adjektivierung *f*; **~vadamente** *Gram. adv.* adjektivisch; **~val** *adj. c* adjektivisch; **~vamente** *adv.* **1.** → *adjetivadamente*; **2.** beiläufig; **~var** *v/t.* adjektivieren; mit e-m Adjektiv versehen; **~vo I.** *adj.* **1.**: *un problema* ~ e-e Nebenfrage; **2.** *Gram.* adjektivisch; **II.** *m* **3.** Adjektiv *n*, Eigenschaftswort *n.*
adjudica|ción *f* **1.** Zuschlag *m*; ~ *de una obra* Vergabe *f* e-s Baues; **2.** Zuerkennung *f*; **~r** [1g] **I.** *v/t.* (*bei Versteigerungen u. Ausschreibungen*) zuschlagen; *Preis* zuerkennen; ~ *al mejor postor* dem Meistbietenden zuschlagen; **II.** *v/r.* ~*se* s. *et.* aneignen; s. *et.* anmaßen; **~tario** *m* derjenige, der den Zuschlag erhält; Ersteigerer *m.*
adjun|ción *f* Hinzufügung *f*; ⅍, ⚖ Adjunktion *f*; *Rhet.* Zeugma *n*; **~tar** ✝ *v/t.* beiliegend senden; **~to I.** *adj.* **1.** angefügt; bei-, in-liegend; **2.** stellvertretend; Hilfs...; **II.** *adj.-su. m* **3.** (*profesor m*) ~ *etwa*: Assistent *m*; **III.** *m* **4.** ✝ An-, Bei-lage *f*; **5.** enger Mitarbeiter *m*; Stellvertreter *m*; Adlatus *m.*
adlátere *m* (*barb. für a látere*) Adlatus *m.*
adminículo *m* Hilfsmittel *n*; Behelf *m*; kl. Ding *n*, kl. Sache *f.*
administra|ble *adj. c* verabreichbar (*Medikament u. ä.*); **~ción** *f* **1.** Verwaltung *f*; ♀ *gelegl.* Regierung *f*; ~ *de justicia* Rechtspflege *f*, Rechtsprechung *f*; ~ *municipal* Gemeindeverwaltung *f*; *Pol.* ~ *pública* (öffentliche) Verwaltung *f*; ✝ *consejo m de* ~ Verwaltungsrat *m*; *régimen m de* ~ *fiduciaria* Treuhandsystem *n*; **2.** Verwaltung(sgebäude *n*) *f*; **3.** *Rel.* Spendung *f der Sakramente*; **4.** Verabreichung *f v. Medikamenten*; **~dor** *adj.-su. m* Verwalter *m*; Geschäftsführer *m*; ~ *de los bienes* Vermögensverwalter *m*; **~r** *v/t.* **1.** verwalten; *Amt* bekleiden; *Gut* bewirtschaften; ~ (*la*) *justicia* Recht sprechen; **2.** *Rel. Sakramente* spenden; *Arzneien* verabreichen; F *Fußtritt usw.* versetzen; **~tivamente** *adv.* im Verwaltungswege; **~tivo** *adj.* Verwaltungs...
admira|ble *adj. c* bewundernswert, wunderbar, ausgezeichnet; **~ción** *f* **1.** Bewunderung *f*; Gg.-stand *m* der Bewunderung; **2.** Verwunderung *f*, Staunen *n*; *no salir de su* ~ aus dem Staunen nicht heraus-

kommen; **3.** (*signo m de*) ~ Ausrufezeichen *n*; **~do** *adj.* (*estar*) erstaunt; **~dor** *adj.-su.* Bewunderer *m*, Verehrer *m*; **~r I.** *v/t.* **1.** bewundern, bestaunen; **2.** (ver)wundern, staunen machen; **II.** *v/r.* ~se **3.** s. wundern (darüber, daß + *ind.* [*de*] *que* + *subj.*); **~tivo** bewundernd.

admi|sibilidad *f* Zulässigkeit *f*; **~sible** *adj. c* zulässig, statthaft; **~sión** *f* Zulassung *f* (*a.* ⚖); Aufnahme *f* (*a.* ⊕); ⚖ *a.* Geständnis *n*; ⊕ *válvula f de* ~ Einlaßventil *n*; **~tancia** ⚡ *f* Scheinleitwert *m*, Admittanz *f*; **~tir** *v/t.* zulassen, dulden; aufnehmen; *Behauptungen* zugeben; anerkennen; *Bau* abnehmen (*amtl. Kommission*); ⚖ *der Klage* stattgeben; ~ *en pago* in Zahlung nehmen; *se admiten aprendices* (*reservas de mesa*) Lehrlinge gesucht (Tischbestellungen werden entgegengenommen).

admoni|ción *f* Ermahnung *f*; Verwarnung *f*; **~torio** *adj.* Mahn..., Warn...

adoba|do *Kchk. m* Sauerbraten *m*; Pökelfleisch *n*; **~r** *v/t.* **1.** *Kchk.* anrichten, zubereiten; pökeln; in Essigbeize einlegen, beizen; **2.** *Leder* gerben; **3.** *Wein* verschönen; **4.** *allg.* herrichten.

adobe *m* Luftziegel *m*; **~ra** *f* **1.** Luftziegelform *f*; **2.** *Chi., Méj.* Käse *m in Ziegelform*; **3.** → **~ría** *f* **1.** Gerberei *f*; **2.** Luftziegelei *f*.

adobo *m* **1.** Zubereitung *f*; **2.** Gerben *n*; **3.** Beize *f*; Pökelbrühe *f*; *Reg. u. Am.* Schmorbraten *m*; **4.** *tex.* Appreturmittel *n*.

adocena|do *adj.* Dutzend..., alltäglich; mittelmäßig; **~r** *v/t.* nach Dutzenden ordnen *bzw.* verkaufen; *fig.* geringschätzen, zu den Dutzendmenschen rechnen.

adoctrinar *v/t.* belehren, unterweisen; *Pol.* schulen.

adolecer [2d] *v/i.*: ~ *de* erkranken an (*dat.*), leiden an (*dat.*) (*a. fig.*); *fig.* kranken an (*dat.*); *Fehler usw.* haben.

adolescen|cia *f* Jugend *f*; Jünglingsalter *n*; **~te I.** *adj. c* halbwüchsig; **II.** *m* Jüngling *m*; ⚖ ~s *m/pl.* Jugendliche(n) *m/pl.*; **III.** *f* Mädchen *n*.

adonde *adv.* wohin; *adónde* (*fragend*) wohin?; **~quiera** *adv.* **1.** wohin auch immer; **2.** wo auch immer.

adonis *m* (*pl. inv.*) *fig.* Adonis *m*, schöner Mann *m*.

adop|ción *f* Adoption *f*, Annahme *f* an Kindes Statt; *Parl.* Verabschiedung *e-s Gesetzes*; **~table** *adj. c* annehmbar; **~tante** *adj.-su. c* Adoptiv-vater *m bzw.* -mutter *f*; **~tar** *v/t.* **1.** adoptieren, an Kindes Statt annehmen; **2.** s. zu eigen machen, annehmen; *Maßnahmen* ergreifen; *Beschluß* fassen; *Gesetz* annehmen; **~tivo** *adj.* Adoptiv...; Wahl...; *hijo m* ~ **a)** Adoptivkind *n*; **b)** Adoptivsohn *m*; **c)** Ehrenbürger *m*; *patria f* ~*a* Wahlheimat *f*.

ado|quín *m* Pflasterstein *m*; *fig.* Dummkopf *m*, Flegel *m*; **~quinado** *m* Pflaster *n*; **~quinar** *v/t.* pflastern; *sin* ~ ungepflastert.

adora|ble *adj. c* anbetungswürdig; *fig.* F *a.* göttlich F; **~ción** *f* Anbetung *f*; Verehrung *f*; leidenschaftliche Liebe *f*; **~dor** *adj.-su.* Anbeter *m*; Verehrer *m*; **~r I.** *v/t.* anbeten; verehren; vergöttern, abgöttisch lieben; **II.** *v/i.* in Anbetung verharren, beten; **~torio** *m* **1.** (tragbarer) Hausaltar *m*; **2.** Götzentempel *m*; **~triz** *f* Nonne *f* der "*Esclavas del Sacratísimo Sacramento*"; *Am.* Angehörige *f* der kath. Gemeinschaft von der „Ewigen Anbetung".

adorme|cedor *adj.* einschläfernd; **~cer** [2d] **I.** *v/t.* einschläfern; *Schmerzen* stillen; beschwichtigen; **II.** *v/r.* ~se einschlafen (*a. Glieder*); **~cimiento** *m* Einschläfern *n*; Schläfrigkeit *f*, Benommenheit *f*.

adormi|dera ⚘ *f* Schlafmohn *m* (*Pfl. u. Samen*); **~larse**, **~tarse** *v/r.* einnicken, halb einschlummern.

ador|nar *v/t.* (ver)zieren, (aus-) schmücken (mit *dat. con*): *fig.* ~*se con plumas ajenas* s. mit fremden Federn schmücken; **~nista** *m* Dekorationsmaler *m*; **~no** *m* **1.** Schmuck *m*, Zierat *m*; Verzierung *f*; Zierde *f* (*a. fig.*); Zierleiste *f*; *planta f de* ~ Zierpflanze *f*; **2.** ⚘ Balsamine *f*.

adosar *v/t.* anlehnen; ⚠ anbauen.

adqui|rente *adj.-su. c* Erwerber *m*; **~rible** *adj. c* erwerbbar; **~ridor** → *adquirente*; **~rir** [3i] *v/t.* erwerben; gewinnen, erlangen; **~sición** *f* Erwerb *m*; Erwerbung *f*; ✝ *gastos m/pl. de* ~ Anschaffungskosten *pl.*; *hacer una buena* ~ e-n guten Kauf machen (*a. fig.*); **~sidor** → *adquirente*; **~sitivo** *adj.* Erwerbs...; Kauf...; *poder m* ~ Kaufkraft *f*; **~sitorio** → *adquisitivo*.

adraganto ⚘ *m* Tragant *m*.

adrales *m/pl.* Leiter(wand) *f*; *carro m de* ~ Leiterwagen *m*.

adrede *adv.* absichtlich.

adrenalina ⚕ *f* Adrenalin *n*.

adrián *m* **1.** 🐦 Elsternest *n*; **2.** übermäßig vorspringender Knochen *m* der großen Zehe.

adriático *adj.-su.* adriatisch; *m* (*Mar m*) ♀ Adria *f*.

adscri|bir [*part. adscrito*] *v/t.* zuschreiben; *Beamten usw.* zu-teilen, -weisen; **~pción** *f* Zuteilung *f*, Zuweisung *f*; Zuschreibung *f*.

adsorción 🕮 *f* Adsorption *f*.

adstrato *Li. m* Adstrat *n*.

adstringir *u. Abl.* → *astringir*.

adua|na *f* **1.** Zoll *m*; Zollgebühr *f*; Zollamt *n*; *agencia f* (*agente m*) *de* ~*s* Zoll-agentur *f* (-agent *m*); *declaración f de* ~*s* Zoll(inhalts)erklärung *f*; *precinto m de* ~ Zoll-verschluß *m*, -plombe *f*; *resguardo m de* ~ Zollschein *m*; *sin pagar* ~ unverzollt; zollfrei; *fig. pasar por todas las* ~*s* sehr gerieben sein; **2.** *Art* Würfelspiel *n*; **~nar** *v/t.* verzollen; **~nero I.** *adj.* Zoll...; *arancel m* ~ Zolltarif *m*; *unión f* (*visita f*) ~*a* Zoll-union *f* (-kontrolle *f*); **II.** *m* Zollbeamte(r) *m*.

aduar *m* Zeltdorf *n*, Hüttendorf *n der Beduinen, Zigeuner od. Indianer.*

aducción *Anat. f* Anziehung *f*.

aducir [3o] *v/t.* **1.** *Beweise, Begründungen u. ä.* anführen; **2.** hinzufügen.

aductor *Anat. adj.-su. m* (*músculo m*) ~ Anziehmuskel *m*.

adueñarse *v/r.*: ~ *de* s. bemächtigen (*gen.*); meistern (*ac.*).

aduja ⚓ *f* Bucht *f e-r Leine*; **~r** ⚓ **I.** *v/t. ein Tau* aufschießen; **II.** *v/r.* ~se s. zs.-kauern.

adula *f* **1.** → *dula*; **2.** ↗ festgesetzte Berieselungszeit *f*.

adula|ción *f* Schmeichelei *f*, Lobhudelei *f*, Liebedienerei *f*; **~dor** *adj.-su.* Schmeichler *m*; **~r** *vt/i.* (*j-m*) schmeicheln; (*j-m*) schöntun, (*vor j-m*) katzbuckeln; **~torio** *adj.* schmeichlerisch (*Sachen, sonst adulador*).

adu|lete *adj. c Am.*, **~lón** *adj.-su.* Lobhudler *m*, Speichellecker *m*.

adulte|ración *f* Verfälschung *f* (*Lebensmittel u. fig.*); **~rado** *adj.* verfälscht; unecht; **~rador** *adj.-su.* verfälschend; *m* Fälscher *m*; **~rar I.** *v/t.* verfälschen; fälschen; *fig.* entstellen; **II.** *v/i.* die Ehe brechen; **III.** *v/r.* ~se verderben (*Lebensmittel*); umschlagen (*Wein*); **~rino** *adj.* ehebrecherisch; im Ehebruch gezeugt; **~rio** *m* Ehebruch *m*.

adúltero I. *adj.* **1.** ehebrecherisch; **2.** verfälscht; **II. 3.** *m* Ehebrecher *m*.

adulto I. *adj.* erwachsen (*Mensch*), ausgewachsen (*Tier*); *fig.* voll entwickelt, reif; **II.** *m* Erwachsene(r) *m*.

adulzar [1f] *v/t.* **1.** *Metall* geschmeidig *bzw.* hämmerbar machen; **2.** → *endulzar*.

adumbrar *Mal. v/t.* schattieren.

adunar *lit. v/t.* vereinigen; versammeln.

adus|tez *f* Barschheit *f*, finstere Wesensart *f*; **~to I.** *adj.* **1.** finster, mürrisch (*Person*); düster (*Sachen*); **2.** heiß (*Landstrich*); **II.** *m* **3.** *Fi.* gestreifter Schleimfisch *m*.

adve|nedizo I. *adj.* fremd, zugereist; hergelaufen; **II.** *m* Fremde(r) *m*; *desp.* Emporkömmling *m*; **~nimiento** *m* **1.** Ankunft *f*; **2.** Thronbesteigung *f*; Machtergreifung *f*; **3.** *Rel. el* ~ *del Señor* die Ankunft des Herrn.

adventicio *adj.* zufällig hinzukommend *od.* auftretend; fremd; ⚘ *raíces f/pl.* ~*as* Neben-, Adventivwurzeln *f/pl.*

adventis|mo *Rel. m* Sekte *f* u. Lehre *f* der Adventisten; **~ta** *Rel. c* Adventist *m*.

adverar ⚖ *v/t.* beglaubigen.

adver|bial *Gram. adj. c* adverbial, Adverbial..., Umstands...; **~bializar** *v/t.* adverbialisieren, als Adverb verwenden; **~bio** *m* Adverb *n*, Umstandswort *n*; ~ *de lugar* (*de tiempo, de modo*) Orts-, (Zeit-, Modal-)adverb *n*.

adver|samente *adv.* ungünstig; **~sario** *m* Gegner *m* (*a.* ⚖), Widersacher *m*; ⚔, ✝ ~*s m/pl.* einleitende Polemik *f*; **~sativo** *Gram. adj.* adversativ, entgegenstellend; **~sidad** *f* Widrigkeit *f*; Mißgeschick *n*, Unglück *n*; **~so** *adj.* **1.** widrig, feindlich; *suerte f* ~*a* Mißgeschick *n*; **2.** ⚔ gegenüberliegend.

adver|tencia *f* **1.** Bemerkung *f*; Hinweis *m*; **2.** Vorwort *n*, Vorbemerkung *f*; **3.** Warnung *f*, Mahnung *f*; **~tido** *adj.* erfahren, klug; **~tir** [3i] *v/t.* **1.** bemerken, wahrnehmen, feststellen; **2.** ~ *a/c. a alg.* j-m et. anzeigen; j-n warnen vor et. (*dat.*), j-n auf et. (*ac.*) aufmerksam machen; *te advierto que no lo hagas* ich warne dich davor (, es zu tun).

Adviento *Rel. m* Advent *m.*

advocación *f* Widmungsname *m*, Advokation *f e-r Kirche*; *poner bajo la* ~ *de San Pedro* auf den hl. Petrus weihen.

adyacente *adj. c* an-liegend, -grenzend; ⩓ *ángulos m/pl.* ~*s* Nebenwinkel *m/pl.*

aeración *f* (Be-, Ent-)Lüftung *f*; Luftzutritt *m.*

aéreo I. *adj.* **1.** Luft...; luftförmig; *navegación f* ~*a* Luftfahrt *f*; *tráfico m* ~ Luftverkehr *m*; *por vía* ~*a* auf dem Luftwege; **2.** ⚘, ⊕ oberirdisch; *línea f -a* Oberleitung *f*; **3.** *fig.* leicht; schwerelos; nichtig, phantastisch; **II.** *adj.-su.* **4.** *m* (*ferrocarril m*) ~ Schwebebahn *f.*

aerí|cola 📖 *adj. c* in der Luft lebend; ~**fero** *adj.* luftleitend.

aeri|ficar [1g] 📖 *v/t.* vergasen; ~**forme** ⚗ *adj. c* luftförmig.

aero|bios *Biol. m/pl.* Aerobier *pl.*; ~**bús** *m* Airbus *m*; ~**deslizador** *adj.-su. m*, ~**deslizante** *adj. c*: *vehículo m* ~ Luftkissen-boot *n*, -fahrzeug *n*; ~**dinámica** *f* Aerodynamik *f*; ~**dinámico** *adj.* stromlinienförmig.

aeródromo *m* Flugplatz *m.*

aerofagia ⚕ *f* Luftschlucken *n*, Aerophagie *f.*

aeróforo *adj.* → *aerífero.*

aero|foto *f* Luftbild *n*; ~**lito** *m* Meteorstein *m.*

aerómetro *m* Aerometer *n.*

aero|modelismo *m* Flugmodellbau *m*; ~**motor** *m* Luftmotor *m*; ~**moza** ✈ *f Am.* Stewardess *f*; ~**mozo** ✈ *m Am.* Steward *m*; ~**nauta** *m* Luftschiffer *m*; ~**náutica** *f* Luftfahrt *f*; ~**náutico** *adj.* Luftfahrt...; *ingeniero m* ~ Luftfahrtingenieur *m*; ~**nave** *f* Luftschiff *n*; ~**navegación** *f Am.* Luftfahrt *f*; ~**plano** *m* Flugzeug *n*, † Aeroplan *m*; ~**postal** *adj. c* Luftpost...; ~**puerto** *m* Flughafen *m*; ~**sol** ⚕ *m* Aerosol *n*; ~**stación** *f* Luftschiffahrt *f*; ~**stática** *f* Aerostatik *f*; ~**stático** *adj.*: *globo m* ~ Luftballon *m.*

aeróstato *m* Luftschiff *n*; Luftballon *m.*

aero|técnica *f* Luft(fahrt)-, Flugtechnik *f*; ~**técnico** *adj.* lufttechnisch; ~**terapia** ⚕ *f* Lufttherapie *f*; Luftkur *f*; ~**trópico** ⚘ *adj.* aerotropisch; ~**vía** *f* Fluglinie *f.*

afa|bilidad *f* Leutseligkeit *f*; Freundlichkeit *f*; ~**bilísimo** *sup. v.* → ~**ble** *adj. c* leutselig (gg. *ac. con, para con*); freundlich (gg. *ac.*, zu *dat. con, para con*).

afama|do *adj.* berühmt; ~**r** *v/t.* berühmt machen.

afán *m* Trachten *n*, Streben *n*; Eifer *m*, Drang *m*; Gier *f*, Sucht *f*; ~ *de aprender* Bildungsstreben *n*; ~ *de lucro* Gewinnsucht *f*; ~ *de notoriedad* Geltungsbedürfnis *n*; ~ *de viajar* Reiselust *f*; *poner todo su* ~ *en* alle Mühe verwenden auf (*ac.*).

afana|damente *adv.* → *afanosamente*; ~**dor** *m Méj.* Arbeiter *m* (*bsd. in Strafanstalten*), *für die schmutzigsten Arbeiten*; ~**r I.** *v/t.* **1.** F mausen, stibitzen; **2.** quälen, ermüden; **II.** *v/i.* **3.** ⚒ schwer arbeiten; **III.** *v/r.* ~*se* **4.** s. abrackern, schuften F; ~*se por* + *inf.* s. abmühen, um zu + *inf.*

afano|samente *adv.* **1.** mühevoll; **2.** eifrig; ~**so** *adj.* **1.** mühsam, beschwerlich; **2.** arbeitsam, strebsam.

afarolamiento *m Cu., Chi., Pe.* Ärger *m*, Zorn *m.*

afasia ⚕ *f* Aphasie *f*, Sprachlosigkeit *f.*

afásico[1] *adj.* ⚕ Sprachverlust...; aphasisch; ~[2] *adj.* phasenlos.

afea|miento *m* **1.** Verunstaltung *f*; **2.** Tadeln *n*; ~**r** *v/t.* **1.** verunstalten; verschandeln; **2.** tadeln; ~ *a alg. su conducta* j-m sein Verhalten vorwerfen.

afebril ⚕ *adj. c* fieberfrei.

afec|ción *f* **1.** ⚕ Leiden *n*; ~ *cardíaca* Herzleiden *n*; **2.** Stimmung *f*; Gefühlserregung *f*; **3.** Zuneigung *f*; ~**table** *adj. c* empfindlich; leicht erregbar; ~**tación** *f* Ziererei *f*; Geziertheit *f*, Geschraubtheit *f*; Heuchelei *f*, Getue *n*; ~**tado** *adj.* **1.** betroffen (von *dat. por*); behaftet (mit *dat. de*); **2.** affektiert, geziert, unnatürlich; ~**tar** *v/t.* **1.** betreffen, angehen, berühren; *esto le afecta mucho* das geht ihm sehr nahe; **2.** ⚕ befallen, angreifen; **3.** vorgeben, zur Schau tragen; ~ *ignorancia* s. unwissend stellen; **4.** ~ *a alg.* (*od. a/c.*) *a* ⚖, ✝ j-n (*od.* et.) zuweisen (*dat.*); ⚔ j-n abstellen zu (*dat.*); **5.** Abbruch tun (*dat.*); **6.** *bestimmte Form* annehmen; ~**tibilidad** *f* Empfindlichkeit *f*; ~**tísimo** *sup. adj.* sehr ergeben; (*Briefschluß*) hochachtungsvoll.

afec|tividad *f* Affektivität *f*, Gefühls-, Gemüts-erregbarkeit *f*; ~**tivo** *adj.* Gemüts...; empfindsam; sensibel; ~**to I.** *adj.* **1.** ~ *a alg.* j-m gewogen; **2.** ~ *a* zugeteilt (*e-r Behörde*); bestimmt für (*ac.*); **3.** ⚕ ~ *de* befallen von (*dat.*); **II.** *m* **4.** Affekt *m*; Gemütsbewegung *f*; **5.** Zuneigung *f*, Gewogenheit *f*; **6.** ⚕ Leiden *n*; Anfall *m.*

afectuo|samente *adv.* herzlich, liebevoll; ~**sidad** *f* Herzlichkeit *f*, Zärtlichkeit *f*; ~**so** *adj.* herzlich; zärtlich, liebevoll.

afei|tada *f Am. Reg.*, ~**tado** *m* Rasieren *n*, Rasur *f*; ~**tadora** *f* Trockenrasierer *m*; ~**tar I.** *v/t.* **1.** rasieren; *Pferdemähne, Stierhörner, Pfl.* stutzen; *fig.* streifen; *brocha f de* ~ Rasierpinsel *m*; *maquinilla f de* ~ Rasierapparat *m*; *fig.* F *hace un viento que afeita* es geht ein schneidender Wind; **2.** putzen; schminken; ~**te** *m* Putz *m*; Schminke *f*; Schönheitsmittel *n*; *sin* ~*(s)* ungeschminkt.

afelio *Astr. m* Sonnenferne *f*, Aphel(ium) *n.*

afelpado *adj.* plüschartig; *fig.* samt(art)ig, samten.

afemina|do I. *adj.* weibisch; weichlich; **II.** *m* Weichling *m*; ~**r I.** *v/t.* verweichlichen; **II.** *v/r.* ~*se* weibisch werden, verweichlichen.

aferente *Anat. adj. c* zuführend (*Gefäß*).

aféresis *Gram. f* (*pl. inv.*) Aphärese *f.*

aferra|do *adj.* halsstarrig, hartnäckig; zielbewußt; ~**miento** *m* Zupacken *n*; Hartnäckigkeit *f*, Verbissenheit *f*; ~ (*a*) Verranntheit *f in e-e Idee*; ~**r** [1a, † *a.* 1k] **I.** *v/t.* **1.** anpacken; festhalten; ⊕ sichern, verankern (in *od.* an *dat. en*); **2.** ⚓ *Anker* werfen; *Segel* bergen; entern; **II.** *v/i.* **3.** ⚓ ankern; **III.** *v/r.* ~*se* **4.** ~*se a* s. auf *et.* (*ac.*) versteifen, hartnäckig an *et.* (*dat.*) festhalten.

afga|no *adj.-su.* afghanisch; *m* Afghane *m*; *Zo.* (*perro m*) ~ *m* Afghane *m* (*Hund*).

afianza|miento *m* Stütze *f*; Sicherung *f*; *fig.* Bürgschaft *f*; ~**r** [1f] **I.** *v/t.* **1.** befestigen; (ab)stützen, sichern; ~ *con tornillos* anschrauben; **2.** ⚒ bürgen für (*ac.*); **II.** *v/r.* ~*se* **3.** s. stützen, s. sichern; **4.** *fig.* Wurzel fassen, s. verbreiten; s. festigen; ~*se en* bestärkt werden in (*dat.*).

afición *f* Zuneigung *f*, Liebe *f*; Liebhaberei *f*, Steckenpferd *n*; *koll.* Liebhaber *m/pl.*, Anhänger(schaft *f*) *m/pl.*; *tiene mucha* ~ *a la música* er ist ein Musikliebhaber; *de* ~ Liebhaber..., Amateur...; *por* ~ aus Liebhaberei.

aficiona|do I. *adj.*: ~ *a* zugetan (*dat.*); geneigt, (stets) aufgelegt zu (*dat.*); **II.** *m* Kunstfreund *m*; Sportfreund *m*; Liebhaber *m*, Amateur *m*; „Kenner" *m*; *teatro m de* ~*s* Liebhaberbühne *f*; ~ *a la música* Musikliebhaber *m*; ~**r I.** *v/t.*: ~ *a* geneigt machen für (*ac.*); Liebe einflößen zu (*dat.*); **II.** *v/r.* ~*se a* s. verlieben in (*ac.*); s. an *et.* (*ac.*) gewöhnen; *et.* gern betreiben; ~*se a* + *inf.* s. angewöhnen zu + *inf.*

afidávit ⚖ *m* (*ohne pl.*) Affidavit *n*, eidesstattliche Erklärung *f.*

afiebrarse *v/r. Am.* Fieber bekommen.

afijo *Gram. m* Affix *n.*

afila|dera *f* Wetzstein *m*; ~**do I.** *adj.* geschliffen; scharf, spitz (*a. fig.*); schmal (*Finger, Gesicht*); **II.** *m* Schliff *m e-r Schneide*; ~**dor** *adj.-su. m* **1.** Schleifer *m*; Scherenschleifer *m*; **2.** Streichriemen *m*; ~ (*de acero*) Wetzstahl *m*; **3.** *Rpl.* Schürzenjäger *m*; ~**dora** *f* Schleifmaschine *f*; ~**dura** *f* Schleifen *n*; Wetzen *n*; ~**lápices** *m* (*pl. inv.*) Bleistiftspitzer *m*; ~**miento** *m* Abmagern *n*, Spitzwerden *n* (*Gesicht, Nase*); ~**r I.** *v/t.* **1.** schärfen (*a. fig.*); schleifen; wetzen; spitzen; **2.** F *Rpl.* poussieren, schmeicheln (*dat.*); **II.** *v/r.* ~*se* **3.** *fig.* schmal werden (*Gesicht usw.*).

afilia|ción *f* Beitritt *m* (zu *dat. a*); Aufnahme *f* (*in ac. a*); Mitgliedschaft *f* (bei *dat. a*); ~**do I.** *adj.*: ~ (*a*) zugehörig (zu *dat.*); angeschlossen (an *ac.*); **II.** *m* Mitglied *n* (*gen. od.* bei *dat. a*); ~**r I.** *v/t.* aufnehmen (in *ac. a*); **II.** *v/r.* ~*se a* eintreten in (*ac.*), beitreten (*dat.*).

afiligrana|do *adj.* filigranartig; *fig.* fein, zierlich; ~**r** *v/t.* filigranartig arbeiten; gut ausarbeiten, ausfeilen.

afilón *m* Streichriemen *m*; Wetzstahl *m.*

afilosofado *desp. adj.* philosophisch (sein sollend *od.* wollend).

afín *adj. c* **1.** angrenzend; **2.** verwandt (*a.* ⚗ *u. fig.*); verschwägert; *ideas f/pl.* **~ines** verwandte Begriffe *m/pl.*
afina|ción *f* Verfeinerung *f*; ♪ Stimmen *n*; ⊕ Läuterung *f*; Veredelung *f der Metalle*; **~damente** *adv.* ♪ richtig, rein *singen usw.*; *fig.* fein, verfeinert; **~dor** *m* **1.** ♪ **a)** (Klavier-)Stimmer *m*; **b)** Stimmschlüssel *m*; **2.** ⊕ *sid.* Abtreiber *m*; **~dura** *f* → *afinación*; **~r I.** *v/t.* verfeinern, Schliff geben (*dat.*) (*a. fig.*); ⊕ *Metalle* läutern; *sid.* frischen, veredeln; ♪ *Instrumente* stimmen; **II.** *v/i.* tonrein singen *od.* spielen; **III.** *v/r.* **~se** feiner werden.
afincar I. *v/i.* Grundbesitz erwerben; → **II.** *v/r.* **~se** ansässig werden, s. niederlassen; *fig.* Wurzel schlagen.
afinidad *f* **1.** Verschwägerung *f*; Verwandtschaft *f* (*a. fig.*); **~ electiva** Wahlverwandtschaft *f*; **2.** ⚗ Affinität *f*, Verwandtschaft *f*.
afino *sid. m* Veredelung *f*, Frischen *n*; *horno m* de **~** Frischofen *m*.
afirma|ción *f* Bejahung *f*; Versicherung *f*, Behauptung *f*; Bestätigung *f*; **~do** *m* Befestigung *f*, Beschotterung *f* (*Straßen*); **~nte** *adj.-su. c* bejahend; **~** *de la vida* lebensbejahend; **~r I.** *v/t.* **1.** befestigen, festmachen; **2.** bejahen; behaupten; bestätigen; **3.** *Chi.* schlagen; **II.** *v/r.* **~se 4.** festen Fuß fassen; s. durchsetzen; auf e-r Aussage bestehen; **~se** *en* s. stützen auf (*ac.*); **~tiva** *f* Bejahung *f*; Zusage *f*; **~tivamente** *adv.* bejahend; bestimmt; **~tivo** *adj.* bejahend; *en caso* **~** bejahendenfalls; *respuesta f* **~a** *a.* Zusage *f*; *Gram. proposición f* **~a** Behauptungssatz *m*.
afistularse ⚕ *v/r.* Fisteln bilden, fisteln.
aflautado *adj.* Flöten...; *iron. desp. voz f* **~a** Flötenstimme *f* (*desp.*).
aflechado ✎ *adj.* pfeilförmig.
aflic|ción *f* Betrübnis *f*, Leid *n*, Kummer *m*; **~tivo** *adj.* betrübend; ⚖ *pena f* **~a** *etwa*: Freiheits-, Leibes-strafe *f*.
afligi|damente *adv.* betrübt; **~do** *adj.* bekümmert, bedrückt; **~miento** *m* → *aflicción*; **~r** [3c] **I.** *v/t.* betrüben; kränken; quälen, peinigen; heimsuchen; **II.** *v/r.* **~se** s. grämen (über *ac. con, de, por*).
afloja|miento *m* Lockerung *f*; Nachlassen *n*; **~r I.** *v/t.* **1.** lockern; abspannen; *fig.* F Geld(summe) locker machen F; *fig.* **~** *la mosca*, **~** *la bolsa* zahlen, das Geld (*od.* die Moneten) herausrücken F; **II.** *v/i.* **2.** nachlassen (in *dat. en*); erschlaffen; **3.** *Am.* → *ceder*; → *ventosear*; **III.** *v/r.* **~se 4.** abflauen (*a. fig.*); locker werden.
aflora|miento ⚒ *m* zutagetretendes Erz *n*; **~r** *v/i.* zutage treten (*Erze u. fig.*).
aflu|encia *f* Zu-fluß *m*, -strom *m*; Andrang *m*; *fig.* Redestrom *m*, Wortschwall *m*; *horas f/pl.* de **~** Haupt-verkehrs- (*bzw.* -geschäfts-) zeit *f*; **~ente I.** *adj. c* zuströmend, einmündend; ✎ redselig; **II.** *m* Nebenfluß *m*; **~ir** [3g] *v/i.* einmünden; zu-, herbei-strömen (*a. fig.*); **~jo** *m* Zufluß *m*; ⚕ **~** *de (la) sangre* Blutandrang *m*.
afofarse *v/r.* schwammig werden; quellen.
afollar I. *v/t.* mit dem Blasebalg anblasen; balgförmig falten; **II.** *v/r.* **~se** Ausbuchtungen bekommen (*Mauer*).
afondar(se) *v/t.* (*v/r.*) → *hundir(se)*.
afonía *f* Stimmlosigkeit *f*, Aphonie *f*.
áfono *adj.* tonlos.
afónico *adj.* stimmlos; stockheiser.
afora|do *adj.* bevorrechtet, privilegiert; **~dor** *m* Eichmeister *m*; amtlicher Schätzer *m*; Zollbeschauer *m*; **~r¹ I.** *v/t.* **1.** (zoll)amtlich taxieren; **2.** eichen; fließende Wassermenge abmessen; **II.** *v/i.* **3.** *Jgdw.* Spuren lesen; **~r²** [1m] *v/t.* Rechte (*fueros*) verleihen (*dat. od.* an *ac.*).
afo|rismo *m* Aphorismus *m*, Sinnspruch *m*; **~rístico** *adj.* aphoristisch.
aforo *m* **1.** Eichung *f*; Eichmaß *n*; **2.** Bemessung *f* der in der Zeiteinheit durchfließenden Wassermenge; **3.** Zollwertermittlung *f*; **4.** zugelassene Gesamtzahl *f* der Plätze *im Theater usw.*
aforrar I. P *v/t.* → *forrar*; **II.** *v/r.* **~se** P s. warm anziehen; *fig.* F kräftig einhauen F, tüchtig essen.
aforro *m* **1.** ⚓ Taubekleidung *f*; **2.** → *forro*.
afortuna|damente *adv.* glücklicherweise; **~do** *adj.* **1.** glücklich; vom Glück begünstigt; **2.** *Met.* stürmisch; **~r** *v/r.* glücklich machen, beglücken.
afoscarse [1g] ⚓ *v/r.* diesig werden; *fig.* verdrießlich werden.
afrailado *adj.* **1.** mönchisch; **2.** *Typ.* nicht ausgedruckte Stellen aufweisend.
afrancesa|do I. *adj.* französisch gesinnt; verwelscht; **II.** *m* Französling *m* (*bsd. die span. Anhänger Napoleons*); **~miento** *m* Nachahmung *f* französischer Art; **~r I.** *v/t.* verwelschen; **II.** *v/r.* **~se** französische Sitten *od.* Gesinnung annehmen.
afranelado *adj.* flanellartig.
afre|chero *Vo. m Am.* Kleienfink *m*; **~cho** *m* Kleie *f*.
afren|ta *f* **1.** Schimpf *m*, Schande *f*; **2.** Beschimpfung *f*, Beleidigung *f*; **~tar I.** *v/t.* beschimpfen, schmähen; **II.** *v/r.* **~se** s. schämen (*gen.* de); **~toso** *adj.* schimpflich, schändlich.
afreza *f* Köder *m für Fische*.
Africa *f*: **~** *negra* Schwarzafrika *n*.
africada *Phon. f* Affrikata *f*.
africa|na ⚘ *f Cu.* kaktusähnliche Zierpflanze *f*; **~nista** *adj.-su. c* Afrikaforscher *m*; Afrikanist *m*; **~no I.** *adj.* **1.** afrikanisch; **II.** *m* **2.** Afrikaner *m*; **3.** *Am. Cent.* süßes Eiergebäck *n*.
áfrico *m* Südwestwind *m*.
afrodisíaco *adj.-su. m* Aphrodisiakum *n*.
afrómetro *m* Schaum(wein)messer *m*.
afronitro *m* Mauersalpeter *m*.
afrontar I. *v/t.* **1.** ea. gegenüberstellen (*a. Zeugen*); **2.** trotzen (*dat.*); **~** *un peligro* e-r Gefahr ins Auge sehen; **II.** *v/i.* **3.** † gegenüberliegen (*dat. con*).
af|ta ⚕ *f* Mundfäule *f*; **~toso** *adj.*: *fiebre f* **~a** Maul- und Klauenseuche *f*.
afuera I. *adv.* draußen, außen; hinaus; heraus; *de* **~** von draußen; von auswärts; ¡**~**! hinaus!; **II.** **~s** *f/pl.* Umgebung *f*; äußeres Stadtgebiet *n*; ⚔ Festungsvorfeld *n*.
afufar(las) F *v/i.* verschwinden, verduften F.
afusión ⚕ *f* Guß *m*.
afuste ⚔ *m* Lafette *f ohne Räder*.
agacha|da F *f* List *f*, Kniff *m*; Ducken *n*; **~diza** *Vo. f* Bekassine *f*; **~r I.** *v/t.* *Kopf*, *Rumpf* beugen, ducken; **II.** *v/r.* **~se** s. ducken; s. bücken; s. kauern.
agalbanado *adj.* faul, träge.
agáloco ⚘ *m* Agalochholz *n*.
aga|lla *f* **1.** Gallapfel *m*; **2.** Kieme *f* (*Fische*); Schläfe(nbein *n*) *f der Vögel*; **3.** *Anat.* (Rachen-)Mandel *f*; ⚕ **~s** *f/pl.* Angina *f*; **4.** ⊕ Bohrgewinde *n der Bodensonde*; **5.** *tener* **~s** **a)** Mut haben; **b)** *Am.* gerissen *bzw.* knauserig sein; **~llado I.** *adj.* **1.** mit Galläpfeln gefärbt; **2.** *Chi.* stattlich; **II.** *m* **3.** Gallnußtinte *f*; **~llinarse** F *v/r.* Angst kriegen F; **~lludo** *adj.* *Am.* verwegen; *Col.* habgierig.
agama *f Ant.* Krebs(art *f*) *m*.
agamí *Vo. m Am.* Trompetenvogel *m*.
agamitar *Jgdw. v/i.* fiepen, blatten.
ágamo ⚘ *adj.* geschlechtslos.
agamuzado *adj.* → *gamuzado*.
ágape *m Rel.* Agape *f*, Liebesmahl *n*; *p. ext.* Festessen *n*.
agar-agar ⚕ *m* Agar-Agar *m*.
agarbillar ⚒ *v/t.* in Garben binden.
agareno *hist. adj.-su. m* Maure *m*; Mohammedaner *m*.
agárico ⚘ *m* Feuerschwamm *m*.
agarra|da F *f* Wortwechsel *m*, Zank *m*; **~dera** *f* Topflappen *m*; **~dero** *m* **1.** Griff *m*; Henkel *m*; Haltering *m*; **2.** ⚓ Ankergrund *m*; **3.** *fig.* gute Beziehung *f*; Ausflucht *f*; **~do** *fig.* F *adj.* geizig, knauserig F; **~dor** *m* **1.** Handschutz *m für das Bügeleisen*; **2.** F „Greifer" *m*; **~far** F *v/t.* derb anpacken (*bsd. b. Schlägerei*); **~r I.** *v/t.* **1.** (er)greifen; (an-)packen; F *Krankheit* erwischen F; F **~** *una borrachera* s. bedudeln F; **2.** *Am.* → *coger, tomar a/c.*; **II.** *v/i.* **3.** (an)wurzeln (*Pfl.*); ⚓ greifen (*Anker*); **III.** *v/r.* **~se 4.** s. raufen; **5.** **~se** *de* (*od. a*) s. (an)klammern an (*ac.*).
agarrapelos ⚘ *m* (*pl. inv.*) *Reg.* Klette *f*.
agarro *m* Ergreifen *n*, Zupacken *n*; **~chador** *Stk. m* Kämpfer *m*, der den Stier mit der *garrocha* angreift; **~char** *Stk. v/t.* mit der *garrocha* treffen.
agarrón *m Am.* derbes Zupacken *n*, Ziehen *n*; *fig.* Zank *m*, Streit *m*.
agarrotar I. *v/t.* **1.** fest zs.-binden; stark drücken; knebeln (*a. fig.*); *hist.* mit der Würgschraube erdrosseln; **II.** *v/r.* **~se 2.** ⊕ fressen, s. festfressen; **3.** *fig.* steif werden (*Glieder*).
agasa|jador *adj.* gastlich; **~jar** *v/t.* freundlich aufnehmen; bewirten; beschenken; *j-n* feiern; **~jo** *m* freundliche Aufnahme *f*; Bewirtung *f*; Geschenk *n*; Ehrung *f*.

ágata *f* Achat *m*.

agaucharse *v/r. Am.* wie ein Gaucho werden.

agavanzo ⚘ *m* Heckenrose *f*.

agave ⚘ *f* Agave *f*.

agavilla|dor *m* Garbenbinder *m*; **~r I.** *vt/i.* (in) Garben binden; schichten; **II.** *v/r.* ~se *fig.* s. zs.-rotten.

agazaparse *v/r.* s. ducken; s. klein machen; s. verstecken.

agen|cia *f* **1.** Agentur *f*; Vertretung *f*; Büro *n*, Stelle *f*; ~ *de informes* Auskunftei *f*; ~ *de informaciones*, ~ *de noticias* Nachrichtenagentur *f*; ~ *de transportes* Spedition(sfirma) *f*; ~ *de viajes* Reisebüro *n*; **2.** *intern.* ♀ *Judía* Jewish Agency *f* (*engl.*); ~ *de Seguridad Mutua* Amt *n* für gemeinsame Sicherheit; **3.** *Chi.* Pfandhaus *n*; **~ciar** [1b] **I.** *v/t.* besorgen, beschaffen; betreiben; **II.** F *v/r.* ~se *a/c.* s. et. be- *od.* ver-schaffen; ~se (*od. agenciárselas*) *para* + *inf.* es schaffen (*od.* hinkriegen F), zu + *inf.*; **~ciero** *m Chi.* Pfandleiher *m*; **~cioso** *adj.* betriebsam, rührig.

agenda *f* Terminkalender *m*; Notizbuch *n*; *Angl. Am.* Tagesordnung *f*.

agente I. *adj. c* **1.** wirkend; *Gram. persona f* ~ Träger *m* der Handlung; **II.** *m* **2.** Agent *m*, Vertreter *m*; ~ *comercial* (Handlungs-)Reisende(r) *m*, Vertreter *m*; ~ *de cambio* (*y bolsa*) Börsenmakler *m*; Kursmakler *m*; ~ *general* Generalvertreter *m*; ~ *local* Platzagent *m*, örtlicher Vertreter *m*; ~ *marítimo* (*de transportes*) Seespediteur *m*; ⚖ ~ *de la propiedad industrial* Patentanwalt *m*; ~ *de transportes* Spediteur *m*; ~ *de viajes* Reisevermittler *m*; **3.** ~ (*de policía*) Polizist *m*; ~ *de tráfico* Verkehrsschutzmann *m*; ~ *de la autoridad* (Staats-)Beamte(r) *m*, Vertreter *m* der Staatsgewalt; ~ *público* Staatsbedienstete(r) *m*; **4.** *Pol.* ~ *consular* Konsularagent *m*; ~ *diplomático* diplomatischer Vertreter *m*; ~ *provocador* Lockspitzel *m*; **5.** ⊕ Triebkraft *f*; **6.** ⚗, ⚕ Mittel *n*, Agens *n*; ~ *espumoso extintor* Schaumlöschmittel *n*; ~ *patógeno* Krankheitserreger *m*.

agermanado *adj.* in deutscher Manier.

agesta|do *adj.*: *bien* (*mal*) ~ schön (häßlich) aussehend.

agibílibus F *m* (*pl. inv.*) **1.** Geschicklichkeit *f*, (Lebens-)Gewandtheit *f*; **2.** Schlau-kopf *m*, -meier *m* F.

agiganta|do *adj.* riesenhaft, riesig; *con pasos* ~*s* mit Riesenschritten; **~r I.** *v/t.* riesengroß machen, ins Riesenhafte steigern; **II.** *v/r.* ~se ins Ungeheure wachsen.

ágil *adj. c* flink, gewandt, behend; agil, *geistig* beweglich.

agili|dad *f* Behendigkeit *f*, Geschwindigkeit *f*, Gewandtheit *f*; Beweglichkeit *f*; *Theol. u. fig.* Agilität *f*; **~tar, ~zar** [1f] *v/t.* erleichtern.

ágilmente *adv.* behend, flink; lebhaft.

agio ☿ *m* Agio *n*, Aufgeld *n*; → *agiotaje*; **~tador** *m* → *agiotista*; **~taje** *m* Agiotage *f*, Börsenspekulation *f*; **~tista** *m* (Börsen-)Spekulant *m*.

agita|ble *adj. c* bewegbar; **~ción** *f* heftige Bewegung *f*; Auf-, Er-regung *f*; *Pol.* Unruhe *f*; Agitation *f*; *fig.* Gärung *f*; **~do** *adj.* aufgeregt, erregt; bewegt, stürmisch; **~dor I.** *adj.* **1.** ⊕ Rühr...; **2.** *Pol.* agitatorisch, wühlerisch; **II.** *m* **3.** ⊕ Rührwerk *n*; ⚗ Schüttelbecher *m*; **4.** *Pol.* Agitator *m*; Unruhestifter *m*, Hetzer *m*.

agitanado *adj.* zigeuner-haft, -artig.

agi|tante *adj. c* aufregend; beunruhigend; **~tar I.** *v/t.* (hin- u. her-)bewegen, schwenken, schütteln; ~ *el pañuelo* mit dem Taschentuch winken; *agítese antes de usarlo* vor Gebrauch schütteln; *fig.* auf-, er-regen, beunruhigen; **II.** *v/r.* ~se s. (heftig) bewegen; zappeln; s. sträuben.

aglome|ración *f* **1.** Anhäufung *f*; Zs.-ballung *f*; Menschenmenge *f*, Gedränge *n*; **2.** Siedlung *f*, Ortschaft *f*; **3.** ⊕ Binden *n*; **~rado I.** *adj.* angehäuft; zs.-geballt; dicht anea.-sitzend (*Früchte*, *Blätter*); **II.** *m* Brikett *n*; *Geol.* Trümmergestein *n*; **~rante** ⊕ *adj. c -su. m* Bindemittel *n*; **~rar I.** *v/t.* anhäufen; ⊕ brikettieren; **II.** *v/r.* ~se s. zs.-ballen; ⊕ binden (*v/i.*).

agluti|nación *f* Kleben *n*, Verleimung *f*; ⊕ Sinterung *f*; Zs.-backen *n*; ⚕, *Li.* Agglutination *f*; *Chir.* Zusammenheilen *n*; **~nante I.** *adj. c* **1.** bindend, Binde..., Klebe...; **2.** *lengua f* ~ agglutinierende Sprache *f*; **II.** *m* **3.** Bindemittel *n*; Klebstoff *m*; Wundpflaster *n*; **~nar I.** *v/t.* verkleben; agglutinieren; **II.** *v/r.* ~se ⊕ sintern; *Chir.* zs.-wachsen; **~nina** ⚕ *f* Agglutinin *n* (*mst. pl.*).

agnado ⚖ *m* Agnat *m*.

ag|nosticismo *Phil. m* Agnostizismus *m*; **~nóstico** *Theol., Phil. adj. -su.* agnostisch; *m* Agnostiker *m*.

agnus(déi) *Rel. m* Agnus Dei *n*.

agobia|do *adj.* gebeugt, krumm (*Rücken*); *fig. estoy* ~ *de* (*od. con*) *trabajo* ich bin mit Arbeit überhäuft; **~dor** *adj.* drückend; **~r** [1b] **I.** *v/t.* **1.** beugen; überlasten; *fig.* (be-, nieder-)drücken; überhäufen (mit *dat.* de); **II.** *v/r.* ~se **2.** s. krümmen; ~se *con los años* vom Alter gebeugt sein; **3.** traurig sein (*od.* werden).

agobio *m* Druck *m e-r Last*; *fig.* Last *f*, Mühsal *f*; Angst *f*; Bedrükkung *f*.

agogía ⚒ *f* Abzugsrinne *f*.

agolpa|miento *m* Auflauf *m*; Andrang *m*; **~rse** *v/r.* s. dicht drängen, zs.-laufen; plötzlich (hin)strömen; *fig.* s. überstürzen (*Gedanken*).

agonía *f* **1.** Todeskampf *m*, Agonie *f*; (Todes-)Angst *f*; *toque m de* ~ Sterbeglocke *f*; **2.** *fig.* Untergang *m e-s Reiches usw.*; **3.** verzehrender Wunsch *m*.

agónico *adj.* mit dem Tode ringend; Todes(kampf)...

agonística *Sp. f* Agonistik *f*, Wettkampfkunde *f*.

agoni|zante I. *adj.-su. c* Sterbende(r) *m*; **II.** *m* Kamillianermönch *m*, *der den Sterbenden beisteht*; **~zar** [1f] **I.** *v/i.* **1.** im Sterben liegen; *fig.* ~ *por* **a)** leiden unter (*dat.*); **b)** *et.* (*ac.*) sehr wünschen; **2.** *fig. lit.* s. dem Ende zuneigen, dem Ende zugehen; **II.** *v/t.* **3.** *e-m Sterbenden* beistehen; **4.** *fig.* F *j-n* löchern F, *j-n* bedrängen.

ágora *hist. f* Agora *f*.

agora|dor *adj.-su.* → *agorero*; **~fobia** ⚕ *f* Platzangst *f*; **~r** [1n] *v/t. mst. Unheil* voraussagen.

agorero I. *adj.* unheilverkündend; *ave f* ~*a* Unglücksvogel *m*; **II.** *m* Zeichendeuter *m*; Schwarzseher *m*.

agorgojarse 🌾 *v/r.* vom Kornwurm befallen werden.

agos|tadero *m* Sommerweide *f*, Alm *f*; **~tar I.** *v/t.* austrocknen, verdorren lassen; **II.** *v/i.* auf den Stoppelfeldern weiden; **III.** *v/r.* ~se verdorren; *fig.* zunichte werden; **~tero** *m* Erntearbeiter *m*; **~tizo** *adj.* im August (*od.* im Herbst) geboren (*Tier*); *fig.* schwächlich (*Tier*); **~to** *m* August *m*; Ernte(zeit) *f*; *fig.* F *hacer su* ~ s-n Schnitt machen, sein Schäfchen ins Trockene bringen.

agota|ble *adj. c* versiegbar; **~do** *adj.* erschöpft (*a. fig.*); abgespannt; ausverkauft (*Waren*); vergriffen (*Buch*); leer (*Batterie*); ⚒ *filón m* ~ abgebautes Flöz *n*; **~dor** *adj.* erschöpfend, aufreibend; **~miento** *m* Erschöpfung *f* (*a.* ⊕); **~r I.** *v/t.* **1.** aus-, er-schöpfen (*a. fig.*); ~ *el orden del día* (*la paciencia*) die Tagesordnung (die Geduld) erschöpfen; **2.** *Waren* ausverkaufen; *Vorräte* aufbrauchen; ~ *todos los recursos* kein Mittel unversucht lassen; **II.** *v/r.* ~se **3.** versiegen; ausgehen (*Vorräte*); **4.** ~se *trabajando* s. abrackern.

agrace|jo ⚘ *m* **1.** Sauerdorn *m*; **2.** unreife Traube *f*, Herbling *m*; **~ño** *adj.* sauer; **~ro** *adj.* k-e reifen Früchte bringend (*Rebstock*).

agra|ciado *adj.* **1.** anmutig, zierlich; **2.** begnadet; begünstigt (*vom Glück*); *salir* ~ gewinnen (*Los*); **~ciar** [1b] *v/t.* ein gefälliges Aussehen geben (*dat.*); beschenken (mit *dat. con*); auszeichnen (mit *dat. con*).

agrada|bilísimo *sup. v.* → **~ble** *adj. c* **1.** angenehm; gefällig; anmutig; F nett, hübsch; ~ *al* (*od. para el*) *gusto* wohlschmeckend (*subjektiv*); ~ *de sabor* wohlschmeckend (*objektiv*); **2.** freundlich (zu *dat. con, para con*); **~blemente** *adv.* angenehm; **~r** *v/i.* gefallen, behagen (*dat. a*); zusagen (*dat. a*); angenehm sein (*dat. a*).

agrade|cer [2d] *v/t.* **1.** ~ *a/c. a alg.* j-m für et. (*ac.*) dankbar sein, j-m für et. danken; *a.* j-m et. verdanken; ~ *que* + *subj.* dafür danken, daß + *ind.*; *le* ~*ía que* (*od. si*) + *subj. impf.* ich wäre Ihnen dankbar, wenn + *subj. impf.*; **2.** *fig. el suelo agradece el trabajo del campesino* der Boden belohnt die Arbeit des Bauern; **~cido** *adj.* dankbar (für *ac. por*); ergiebig (*Boden*); **~cimiento** *m* Dank(barkeit *f*) *m*; Erkenntlichkeit *f*.

agrado *m* **1.** einnehmendes Wesen *n*; Anmut *f*; **2.** (Wohl-)Gefallen *n*; Belieben *n*; *ser del* ~ *de alg.* j-m zusagen; *haga usted lo que sea de su* ~ handeln Sie ganz nach Ihrem Belieben.

agrafía ⚕ *f* Agraphie *f*, Verlust *m* des Schreibvermögens.
agrama|dera *f* (Flachs-, Hanf-) Breche *f*; **~do** *m* Brechen *n*; **~r** *v/t. Flachs, Hanf* brechen.
agranda|miento *m* Vergrößerung *f*; **~r** *v/t.* vergrößern; erweitern; *fig.* erhöhen.
agranujado[1] *adj.* körnig.
agranujado[2] *adj.* wie Gesindel, Spitzbuben...
agrario *adj.* Agrar..., Boden...; *Estado m* ~ Agrarstaat *m*; *ley f ~a* Landwirtschaftsgesetz *n*; *medida f ~a* Feldmaß *n*; *reforma f ~a* Bodenreform *f*.
agrava|ción *f* Erschwerung *f*; Verschärfung *f*; ⚕ Verschlimmerung *f*; **~dor** *adj.* verschärfend; **~miento** *m* **1.** → *agravación*; **2.** ⚖ ~ *de pena* Strafverschärfung *f*; **~nte** *adj. c* erschwerend; ⚖ *circunstancia f* ~ erschwerender Umstand *m*; **~r I.** *v/t.* erschweren; verschlimmern, verschärfen; überlasten; **II.** *v/r.* ~*se* s. verschlimmern; **~torio** ⚖ *adj.* Mahn...; erschwerend, verschärfend.
agra|viador *adj.-su.* beleidigend; **~viamiento** *m* Unrecht *n*; Beleidigung *f*; **~viar** [1b] **I.** *v/t.* beleidigen, beschimpfen; benachteiligen, *j-m* Unrecht tun; **II.** *v/r.* ~*se* s. beleidigt fühlen (durch *j-n de*, durch *et. ac. por*); ~*se por et.* übelnehmen (*ac.*); **~vio** *m* **1.** Beleidigung *f*, Beschimpfung *f*; **2.** ⚖ Beschwerde *f*; † Berufung *f*; **~vión** *adj. Chi.* übelnehmerisch, empfindlich; **~vioso** *adj.* beleidigend.
agraz[1] *m* Sauerwein *m*, Agrest *m*; unreife Traube *f*; *fig.* Verdruß *m*; *en* ~ unreif (*a. fig.*); *fig.* in spe.
agraz[2] ♀ *m* Olivenmistel *f*.
agra|zada *f* Agrestgetränk *n*, gezuckerter Sauerwein *m*; **~zar** [1f] **I.** *v/i.* sauer schmecken; **II.** *v/t. fig.* ärgern; **~zón** *m* Wildtraube *f*; verkümmerte Traube *f*; *fig.* Ärger *m*.
agrecillo ♀ *m* Sauerdorn *m*.
agredir *vt/i.* (*ohne stammbetonte Formen*) angreifen, überfallen.
agrega|ción *f* Hinzufügung *f*; *Phys. estado m de* ~ Aggregatzustand *m*; **~do** *m* **1.** Zusatz *m*; Konglomerat *n*; **2.** *dipl.* ~ (*diplomático*) Attaché *m*; ~ *comercial* (*cultural*) Handels- (Kultur-)attaché *m*; ~ *militar* (*naval*) Militär- (Marine-)attaché *m*; **3.** ~ *de cátedra* außerordentlicher (*Abk.* a. o.) Professor *m*; **4.** Gemeindeexklave *f*; **5.** *Arg., Col.* Pächter *m* (*mit od. ohne Pachtzahlung*); **~duría** *f* (Plan-)Stelle *f e-s agregado de cátedra*; **~r** [1h] **I.** *v/t.* beigeben; hinzufügen; ⚖ *j-n e-r Dienststelle* zuteilen; **II.** *v/r.* ~*se* hinzukommen; s. anschließen (*dat. od.* an *ac. a*).
agremán *m* Besatz *m*, Posament(ierung *f*) *n*.
agremia|ción *f* Zs.-schluß *m*; *hist.* Zunftwesen *n*; ~ *forzosa* Zunftzwang *m*; **~do** *m* Mitglied *n* e-r Innung *bzw.* e-s Verbandes *usw.*; **~r(se)** [1b] *v/t.* (*v/r.*) (s.) in e-m Verband *bzw.* e-r Innung (*Handwerker*) *bzw. hist.* e-r Zunft zs.-schließen.
agre|sión *f* Angriff *m*, Überfall *m*; *Pol.* Aggression *f*; ~ *a mano armada* bewaffneter Überfall *m*; *acto m de* ~ Angriffshandlung *f*; **~sividad** *f* herausforderndes Wesen *n*; Feindseligkeit *f*; Aggressivität *f*; **~sivo I.** *adj.* herausfordernd, feindselig, aggressiv; **II.** ⚔ ~*s m/pl. químicos* Kampfstoffe *m/pl.*; **~sor** *adj.-su.* angreifend; *m* Angreifer *m*; *Pol.* Aggressor *m*.
agreste *adj. c* **1.** ⚒, † ländlich; **2.** ♀ wild(wachsend); **3.** *fig.* ungeschliffen, grob, roh.
agrete *adj. c* säuerlich.
agria|do *adj.* verbittert; **~mente** *adv. fig.* herb; hart; bitter; **~r** [1b] **I.** *v/t.* säuern; *fig.* er-, ver-bittern; **II.** *v/r.* ~*se* sauer werden; *fig.* s. ärgern; *su carácter se agrió* er wurde verbittert.
agrícola *adj. c* landwirtschaftlich; Acker..., Ackerbau...; *país m* ~ Agrarland *n*.
agricul|tor *m* Landwirt *m*; **~tura** *f* Landwirtschaft *f*, Ackerbau *m*; *Ministerio m de* ♀ Landwirtschaftsministerium *n*.
agridulce *adj. c a. fig.* süßsauer.
agrieta|do I. *adj.* rissig; schrundig, zerklüftet; **II.** *m* Reißen *n*; ⊕ Krakelierung *f*; → **~miento** *m* Spalten *n*; **~r I.** *v/t.* auf-spalten, -reißen; *Glas, Keramik* krakelieren; **II.** *v/r.* ~*se* aufspringen, rissig werden (*Wand, Hände*).
agrifolio ♀ *m* Stechpalme *f*.
agrilla *f* → *acedera*.
agrimen|sor *m* Feldmesser *m*; **~sura** *f* (Land-)Vermessung *f*, Feldmessung *f*.
agringarse *v/r. Am.* ausländische (*bsd.* nordamerikanische) Sitten nachahmen.
agrio I. *adj.* sauer; scharf; spröde (*Metall*); holprig u. steinig (*Weg, Gelände*); hart, grell (*Farben*); *fig.* unfreundlich; **II.** *m* saurer Fruchtsaft *m*; ~*s m/pl.* Zitrusfrüchte *f/pl.*
agri|ón *vet. m* Flußgalle *f*; **~palma** ♀ *f* Wolfsfuß *m*.
agrisa|do *adj.* gräulich; **~r** *v/t.* grau machen.
agro|nomía *f* Landwirtschaftskunde *f*; **~nómico** *adj.* Landwirtschafts..., landwirtschaftlich.
agrónomo *m* Agronom *m*; *ingeniero m* ~ Diplomlandwirt *m*; *perito m* ~ *etwa*: staatlich geprüfter Landwirt *m*.
agropecuario *adj.* Agrar..., Land-[wirtschafts...]
agróstide ♀ *f* Quecke *f*.
agrumarse *v/r.* klumpig werden (*Flüssigkeit*).
agrupa|ción *f* Gruppenbildung *f*, Gruppierung *f*; ⚔ Abteilung *f*; Zs.-schluß *m*; ~ *local etwa*: Ortsverband *m*; ~ *coral* Gesangverein *m*; ~ *política* politische Gruppe *f*; *por ~ones* gruppenweise; **~miento** *m* Gruppierung *f*, Zs.-stellung *f* (*a.* ⚔, ⊕); **~r I.** *v/t.* gruppieren; zs.-stellen; zs.-fassen; **II.** *v/r.* ~*se* s. zs.-schließen.
agrura *f* **1.** Säure *f*; **2.** *koll.* Zitrusbäume *m/pl.*; *koll.* Zitrusfrüchte *f/pl.*
agua *f* **1.** *allg.* Wasser *n*; → *bsd. a.* 6; ~*s f/pl.* Gewässer *n*(*/pl.*); ~(*s*) *abajo* stromab(wärts); ~(*s*) *arriba* stromauf(wärts); ~ *bendita* Weihwasser *n*; ~ *blanda*, ~ *delgada* (*dura, gorda*) weiches (hartes) Wasser *n*; ~ *dulce* (*estancada*) Süß- (Stau-)wasser *n*; ~ *estantía*, ~ *muerta* stehendes Gewässer *n*; ~ *fluvial* (*lluvia, pluvial*) Fluß- (Regen-)wasser *n*; ~*s interiores* (*jurisdiccionales, territoriales*) Binnen- (Hoheits-)gewässer *n/pl.*; ~ (*de*) *manantial*, ~ *pie* Quellwasser *n*; ~ *de mar* (*de riego*) See- (Riesel-)wasser *n*; ~*s residuales* Abwässer *n/pl.*; ~ *salada* (*subterránea*) Salz- (Grund-)wasser *n*; F ~ *sucia* Blümchenkaffee *m* F, Abspülwasser *n* F; *derecho m* (*od. legislación f*) *de* ~*s* Wasser-recht *n*, -gesetzgebung *f*; *falto de* ~ wasserarm; *resistente al* ~ wasserbeständig; *Tribunal m de las* ♀*s* Wassergericht *n in Valencia, das die Streitigkeiten bezüglich der Wassergerechtsame am Turia schlichtet*); *¡~ va!* Vorsicht!, Kopf weg!; *sin decir* ~ *va* mir nichts, dir nichts; (*tan*) *claro como el* ~ sonnenklar; *como el* ~ *de mayo* hochwillkommen; *fig. echar* ~ *en el mar* Eulen nach Athen tragen; *está con el* ~ *hasta el cuello* das Wasser steht ihm bis an den Hals, er ist in großen Schwierigkeiten; *estar* (*od. sentirse*) *como el pez en el* ~ s. (so wohl) wie ein Fisch im Wasser fühlen; *es una gota de* ~ *en el mar* das ist nur ein Tropfen Wasser auf e-n heißen Stein; *se me hace la boca* ~ das Wasser läuft mir im Mund zs.; *hacerse* ~ *en la boca* wie Butter im Munde zergehen (*Obst usw.*); *hacerse a/c.* ~ *de borrajas* (*od. de cerrajas*) zu Wasser (*od.* zu Essig) werden; *Spr.* ~ *pasada no mueve molino* was gewesen, ist gewesen; was weg ist, beißt nicht mehr; (*nadie puede decir*) *de esta* ~ *no beberé* man soll niemals „nie" sagen, man soll s. nicht im voraus festlegen; **2.** Regen *m*; **3.** ~ *bautismal* Taufwasser *n*; ~ *de socorro* Nottaufe *f*; **4.** ~ *mineral* Mineralwasser *n*; ~*s minerales* Mineralbrunnen *m*; Mineralbad *n*; ~*s termales* Thermalquelle *f*; Thermalbad *n*; *tomar las* ~*s* e-e Brunnenkur machen; **5.** ⚓ Kielwasser *n*; ~*s* (*del mar*) Meeresströmung *f*; *hacer* ~ Wasser ziehen, lecken; *¡hombre al ~!* Mann über Bord!; *sacar* ~ Wasser überbekommen; *sacar el* ~ lenzen, pumpen; *tomar el* ~ (ein) Leck stopfen; **6.** künstliches Wasser *n*, Wasser *n* mit Zusätzen; ~ *amarga* Bitterwasser *n*; ~ *amoniacal* Ammoniakwasser *n*; ~ *de Colonia* Kölnisch(es) Wasser *n*; ~ *fuerte* Scheidewasser *n*; ~ *madre* Mutterlauge *f*; ~ *regia* (*rosada*) Königs- (Rosen-)wasser *n*; ~ *de Seltz* Selterswasser *n*; ~ *pesada* schweres Wasser *n*; **7.** *Physiol.* ~(*s menores*) Urin *m*; ~*s mayores* Stuhl *m*; **8.** Neigung *f e-s Daches*; *tejado m a dos* ~*s* Satteldach *n*; **9.** Glanz *m*, Wasser *n e-s Edelsteins*; *de primer* ~ von reinstem Wasser (*a. fig.*); **10.** *tex.* Flammung *f*, Wässerung *f*; *con* (*od. de*) ~*s* geflammt, moiriert; **11.** Äderung *f* (*Holz*).
aguacal *m* Tünche *f*.
aguacate ♀ *m* Advokatenbirnbaum *m*; Advokatenbirne *f*.

agua|cero *m* Platzregen *m*, Regenguß *m*; **~cha** *f* Pfützenwasser *n*.

aguachar[1] *m* → *charco*.

agua|char[2] **I.** *v/t.* **1.** verwässern; *Gelände* ersäufen; Völlegefühl verursachen (*dat.*); **2.** *Am. Tiere* bändigen, zähmen; **II.** *v/r.* **~se 3.** *Rpl.* dickbäuchig werden (*Vieh*); **~chento** *adj. Am.* wässerig (*bsd. Obst*); **~chil** *m Méj.* wässerige Paprikabrühe *f*; **~chirle** *m* Tresterwein *m*; *fig.* Gesöff *n* F; *fig.* Firlefanz *m*, Schmarren *m* F; **~da** *f* **1.** Wasserstelle *f*; ⚓ Wasservorrat *m*; ⚒ Wassereinbruch *m*; *Ant.*, *Arg.*, *Chi.* Tränke *f*; ⚓, 🚂 *hacer* ~ Wasser einnehmen; **2.** farbige Tünche *f*; *Mal.* Wasserfarbe *f*; Gouachemalerei *f*; *color m a la* ~ Deckfarbe *f*, Gouachefarbe *f*; **~dera** *f* **1.** Handschwinge *f der Vögel*; **2.** **~s** *f/pl.* Traggestell *n für Esel zur Wasserbeförderung*; **~dero I.** *adj.* **1.** wasserdicht (*Kleidung*); **II.** *m* **2.** Tränke *f* (*bsd. Wild*); **3.** Flößstelle *f*, Flöße *f*; **~dija** ⚕ *f* Wundwasser *n*; **~do I.** *adj.* gewässert, wässerig; *fig.* gestört, verdorben; **II.** *m* → *abstemio*; **~dor** *m* Wasser-träger *m*, -verkäufer *m*; **~ducho** *m* **1.** Trinkbude *f*; **2.** Wasserschwall *m*; Platzregen *m*.

aguafiestas *m* (*pl. inv.*) Störenfried *m*, Spielverderber *m*.

aguafuer|te *m* **1.** Kupferstichplatte *f*; **2.** Radierung *f*; **~tista** *m* Kupferstecher *m*.

aguaitar *v/t.* belauern (*ac.*), auflauern (*dat.*).

aguaje *m* **1.** Wasserstelle *f*; Tränke *f*; ⚓ Wasservorrat *m*; **2.** ⚓ **a)** Gezeiten *f/pl.*; hoher Seegang *m*; Springflut *f*; **b)** Kielwasser *n*; **3.** *Guat.*, *Col.*, *Ec.* Platzregen *m*; **4.** *Am. Cent.* Rüge *f*, Tadel *m*.

agua|mala ⚘ *f* Seeanemone *f*; **~manil** *m* Aquamanile *n*, Wasserkrug *m* zum Händewaschen; (Hand-)Becken *n*; Waschgestell *n*; **~mar** *m* → *aguamala*; **~marina** *Min. f* Aquamarin *m*; **~miel** *m* Honigwasser *n*; Met *m*; *Am.* Agavensaft *m*; **~nieve** *f* Schnee-wasser *n*, -regen *m*; **~nieves** *f* (*pl. inv.*) → *aguzanieves*; **~noso** *adj.* wässerig; morastig.

aguan|table *adj. c* erträglich; **~taderas** F *f/pl.* Duldsamkeit *f*; Geduld *f*; **~tar I.** *v/t.* **1.** aus-, durchhalten; (er)dulden, durchmachen, ertragen; ~ *el aliento* den Atem anhalten; *no le puedo* ~ ich kann ihn nicht ausstehen; ~ *burlas* Spaß verstehen; **2.** tragen, stützen; *Seil* anspannen, (an)ziehen; **II.** *v/i.* **3.** ~ *con a/c.* et. ertragen (können); **4.** *Stk.* die Stellung beibehalten, *mit der man den Stier reizt, um ihn zu töten*; **5.** *Reg.* *¡aguanta!* los!, vorwärts!; **III.** *v/r.* **~se 6.** s. beherrschen, an s. halten; s. zufrieden geben; **~se** *contra viento y marea* Wind u. Wellen trotzen; **~se** *la sed* den Durst aushalten (müssen); **~te** *m* Ausdauer *f*; Widerstandsfähigkeit *f*; Geduld *f*; *ser hombre de mucho* ~ **a)** sehr widerstandsfähig sein; **b)** e-e Engelsgeduld haben.

aguapié *m* Tresterwein *m*; Quellwasser *n*.

aguaplana *Sp. f* Wellenreiten *n*.

aguar I. *v/t.* (ver)wässern; *fig.* ~ *la fiesta* das Spiel verderben, (ein) Spielverderber sein; **II.** *v/r.* **~se** *fig.* F zu Essig werden F, ins Wasser fallen (*fig.*).

aguará *Zo. m Am. Art* Mähnenwolf *m*.

aguaraibá ⚘ *m Am.* „falscher Pfefferbaum" *m*.

aguarda|dero *Jgdw. m* Anstand *m*; **~r I.** *v/t.* **1.** erwarten, warten auf (*ac.*), abwarten; **2.** *j-m* e-e Frist geben; **II.** *v/i.* **3.** warten; ~ *a que* + *subj.* warten bis (*od.* daß) + *ind.*; **III.** *v/r.* **~se 4.** warten; *¡aguárdate!* warte es ab!

aguar|dentoso *adj.* Branntwein...; *voz f* **~a** Säuferstimme *f*; **~diente** *m* Branntwein *m*, Schnaps *m* F; ~ *de arroz*, ~ *indio* Arrak *m*; ~ *de caña* Zuckerrohrbranntwein *m*, Rum *m*; *Am.* ~ *catalán* Weinbrand *m*; ~ *de cereales*, ~ *de trigo* Korn(branntwein) *m*; *macerar en* ~ ansetzen (*Rumtopf u. ä.*).

aguardillado *adj.* mansardenähnlich.

aguardo *Jgdw. m* Anstand *m*, Ansitz *m*.

aguarrás *m* Terpentin(öl) *n*.

aguasal *f* Salzlösung *f*.

aguatado *m* Wattierung *f*.

agua|tal *m Ec.* → *charco*; **~tar** *v/t.* → *enguatar*; **~te** *m* → *ahuate*.

aguatero[1] *m Arg.* Wasserträger *m*.

aguatero[2] *m Méj.* dornenbestandener Platz *m*.

aguatinta *f* Tuschezeichnung *f*.

agua|turma ⚘ *f* Erdbirne *f*; **~verde** *f* grüne Meduse *f* (*Meerstern*); **~viento** *m* Regensturm *m*; **~vientos** ⚘ *m* (*pl. inv.*) Windkraut *n*; **~villa** ⚘ *f* Bärentraube *f*.

aguay ⚘ *m Arg.* Baum *m mit breiapfelähnlichen Früchten*.

agua|zal *m* Wasserlache *f*; Morast *m*; **~zar** [1f] → *encharcar*; **~zo** *m* Gouache *f*, Wasserfarbenmalerei *f*; **~zul**, **~zur** ⚘ *m* → *algazul*.

agu|damente *adv.* scharf; *fig.* scharfsinnig; geistreich; **~deza** *f* **1.** Schärfe *f*; **2.** *fig.* Verstandesschärfe *f*, Scharfsinn *m*; Schärfe *f der Sinne*; ~ *auditiva* (*visual*) Hör-(Seh-)schärfe *f*; **3.** geistreicher (*od.* scharfsinniger) Ausspruch *m*; **~dizar** [1f] **I.** *v/t.* schärfen; verschärfen; **II.** *v/r.* **~se** schlimmer werden (*Krankheit*); s. zuspitzen (*Krise*); **~do** *adj.* **1.** *a. fig.* spitz; stechend (*a. Schmerz*), scharf (*a. Geruch, Geschmack*); schrill, gellend (*Stimme, Ton*); hoch (*Tonlage*); grell (*Farbe*); akut (*Krankheit*); ∡ spitz (*Winkel*); **2.** *Gram.* endbetont, oxyton; *acento m* ~ Akut *m*; **3.** *fig.* ~ (*de ingenio*) geistreich, scharfsinnig.

agüera ⚒ *f* Bewässerungsrinne *f*.

agüero *m* Vorbedeutung *f*; *de buen* (*mal*) ~ glück- (unheil-)verkündend.

aguerri|do *adj.* kriegserfahren; abgehärtet; **~r** *v/t.* (*stammbetonte Formen ungebräuchlich*) an den Krieg gewöhnen; abhärten.

agui|jada *f* Ochsenstachel *m*; **~jador** *adj.-su.* Viehtreiber *m*; **~jar I.** *v/t.* stacheln; *fig.* anspornen; **II.** *v/i.* schneller gehen; **~jón** *m* Stachel *m* (*a. Pfl. u. Insekten*); Sporn *m*; *fig.* Antrieb *m*, Ansporn *m*; **~jonada** *f*, **~jonazo** *m* Stachelstich *m*; **~jonear** *v/t.* stacheln; spornen; *fig.* anspornen, anstacheln; beunruhigen.

águila *f* **1.** *Vo.* Adler *m*, *poet.* Aar *m*; ~ *barbuda*, ~ *chivata* Bart-, Lämmer-geier *m*; ~ *blanca*, ~ *pesquera*, ~ *de río* Fischadler *m*; ~ *caudal(osa)*, ~ *real* Steinadler *m*; *mirada f* (*od. vista f*) *de* ~ Adlerblick *m*, -auge *n*; **2.** *Orden m del* 2 *negra preußischer* Schwarzer Adlerorden *m*; **3. a)** mexikanische Goldmünze *f*; **b)** Zehndollarstück *n in Gold*; **c)** span. Münze des 16. Jh.; **4.** *Astr.* 2 Adler *m*; **5.** *Fi.* Meerdrache *m*; **6.** *Chi. Art* Papierdrache *m*; **7.** *fig. bsd. Chi.* Betrüger *m*, Gauner *m*; **8.** F *ser un* ~ gerissen sein, mit allen Wassern gewaschen sein F.

aguile|ña ⚘ *f* Akelei *f*; **~ño** *adj.* Adler...; *nariz f* **~a** Adlernase *f*; *rostro m* ~ „Raubvogelgesicht" *n*, langes, hageres Gesicht *n*; **~ra** *f* Adlerhorst *m*; *M* Fliegerhorst *m*.

agui|lilla I. *m* F Gauner *m*; **II.** *adj. c Am.* schnell (*Pferd*); **~lita** *m Méj.* Polizist *m*; **~lón** *m* **1.** ⊕ Kranbaum *m*; **2.** Dachgiebel *m*; **3.** ▨ stilisierter Adler *m ohne Fänge u. Schnabel*; **~lucho** *m* **1.** Jungadler *m*; **2.** Zwergadler *m*.

aguín ⚘ *m* Barttanne *f*.

agüinado *adj. Cu.* gelblichbraun (*Vieh*).

aguinaldo(s) *m(/pl.)* **1.** Weihnachts- *od.* Neujahrs-geschenk *n*; Trinkgeld *n zu Weihnachten od. Neujahr*; Sonderzulage *f*; **2.** ⚘ *m Am.* Lianenart *f*, *die zu Weihnachten blüht*.

agüista *m* Bade-, Kur-gast *m*.

agüita *f Am.* Kräutertee *m*.

agu|ja *f* **1.** Nadel *f*; *a.* Hut-, Ansteck-nadel *f*; ~ (*de coser*) (Näh-)Nadel *f*; ~ *de embalar* (*de encuadernar*) Pack- (Heft-)nadel *f*; *mot.* ~ *de flotador* Schwimmernadel *f*; ~ *de gancho* Häkelnadel *f*; ~ *del grabador* Ätznadel *f*, Stichel *m*; ~ *iman(t)ada* Magnetnadel *f*; ~ *de* (*hacer*) *media* (*od. punto*) Stricknadel *f*; ~ *salmera*, ~ *saquera* Sacknadel *f*; ⚕ ~ *tubular*, ~ *hueca* Hohlnadel *f*; ~ *de zurcir* Stopfnadel *f*; *fig. alabar* (*Am. cada buhonero alaba*) *sus* **~s** s-e Ware herausstreichen; *fig. buscar una* ~ *en un pajar* e-e Nadel im Heu(schober) suchen, et. Aussichtsloses versuchen; *fig. meter* ~ *y sacar reja* mit der Wurst nach der Speckseite werfen; **2.** Zeiger *m*; Uhrzeiger *m*; Zünglein *n der Waage*; **3.** ⚓ Kompaß *m*; ~ *de bitácora*, ~ *de marear* Steuerkompaß *m*; ~ *giroscópica* Kreiselkompaß *m*; ~ *magnética* Kompaß(nadel *f*) *m*; ~ *de marcar* Peilkompaß *m*; *fig. entender la* ~ *de marear* den Rummel kennen F, den Bogen raus haben F; **4.** △ Fiale *f*; Obelisk *m*; (*Turmusw.*) Spitze *f*; **5.** 🚂 Weiche *f*; *entrar en* **~s** aufs Einfahrgleis fahren; *p. ext.* in den Bahnhof einfahren; **6.** *Kchk.* Vorderrippenstück *n* (*Schlachtvieh*); (Fleisch-)Pastete *f*; **7.** *Am.* Pfahl *m e-s Zauns*; **8.** *Fi.* Hornhecht *m*; **9.** ⚘ ~ *de pastor Art* Reiherschnabel *m*; **~jal**

⚠ *m* Rüstloch *n*; **~jazo** *m* Nadelstich *m*.
aguje|reado *adj.* löcherig; ⊕ *disco m ~* Lochscheibe *f*; **~r(e)ar I.** *v/t.* durchlöchern; lochen; ⊕ (ein-, durch-)bohren; **II.** *v/r.* ~se löcherig werden; **~ro** *m* **1.** Loch *n*, Öffnung *f*; Schlüsselloch *n*; *~ de limpieza* Einstieg *m* (*Kanalisation*); ⊕ *calibre m para ~s* Lochlehre *f*; **2.** Nadelmacher *m*; Nadelverkäufer *m*; **3.** Nadelbüchse *f*; Nadelkissen *n*; **~ta** *f* **1.** Schnürriemen *m*; **2.** *Cu., Ven.* Dorn *m e-r Schnalle*; *Ant.* Schusternadel *f*; *Ven.* Schmucknadel *f*; **3.** ⚔ Achselschnur *f*; **4.** † Trinkgeld *n für den Postillon*; **5.** *~s f/pl.* Muskelkater *m*; Seitenstechen *n*; **~tero** *m Am.* → *agujero 3.*
agu|jón *m* **1.** *Cu.* Fisch *m* (*geringgeschätzte Art*); **2.** Hutnadel *f*; **~juela** *f dim. v. aguja*; Nagel *m*, Pinne *f*.
aguosidad *f* Wässerigkeit *f*; ⚕ Gewebsflüssigkeit *f*.
¡agur! → *abur.*
agusanado *adj.* wurmstichig.
agusti|nianismo *m ältere Bezeichnung für* → **~nismo** *Theol.-Phil. m* Augustinismus *m*; **~no** *adj.-su.* Augustiner...; *m* Augustiner *m* (*Mönch*).
agutí *Zo. m Am.* Goldhase *m*.
aguza|dero *adj.* Wetz...; *piedra f ~a* Wetzstein *m*; **~do** zugespitzt; **~dor** *adj.-su.* Schleifer *m*; **~dura** *f* Schleifen *n*, Schärfen *n*; **~nieves** *Vo. m* (*pl. inv.*) Bachstelze *f*; **~r** *v/t.* schleifen, wetzen; (zu)spitzen; *fig.* ermuntern; schärfen (*fig.*); *Appetit* anregen; *fig. ~ el oído* die Ohren spitzen; *~ las pasiones* die Leidenschaften aufstacheln.
¡ah! *int.* ah!, ach!, oh! (*Schmerz, Bewunderung, Überraschung*); *¡~, sí!, entiendo* ach ja, ich verstehe!
ahebrado *adj.* faserig.
ahe|chaduras ✔ *f/pl.* Abfall *m beim Worfeln*; **~char** *v/t.* worfeln, (aus)sieben; **~cho** *m* Worfeln *n*, (Aus-)Sieben *n*.
ahelear I. *v/t.* vergällen; **II.** *v/i. a. fig.* gallenbitter sein.
ahembrado *adj.* → *afeminado.*
aherrojar *v/t.* anketten, fesseln; *fig.* einsperren; *fig.* unterdrücken, knebeln.
aherrumbrar I. *v/t. e-r Sache* Eisen-farbe *od.* -geschmack geben; **II.** *v/r.* ~se rosten, rostig werden; Eisen-farbe *od.* -geschmack annehmen.
ahí *adv.* da; dort(hin); *de ~* daher, hieraus; *de ~ que ...* (*mst. + subj.*) hieraus folgt, daß ..., daher ...; *me voy por ~ un rato* ich gehe e-n Augenblick weg (*bzw.* hin) (*unmittelbare Umgebung*); *por ~* dort(herum); *por ~, por ~* ungefähr; *por ~ vemos que ...* so sehen wir, daß ...; *¡hasta ~!* bis dahin; *¡~ va!* Vorsicht!; jetzt kommt's; sieh' da!; *~ voy yo* darauf wollte ich hinaus; *~ mismo, Arg. ~ no más* gerade dort; *¡~ está!* da haben wir's!; F *~ me las den todas* das läßt mich kalt, das ist mir wurscht P; *Anm.: ahí liegt nicht so weit wie allí; in Am. wird oft ahí statt allí gebraucht.*
ahidalgado *adj.* edel, ritterlich.
ahigadado *adj.* leberfarbig; ⚒ *fig.* tapfer.
ahija|do *m* Patenkind *n*; *fig.* Schützling *m*; **~r I.** *v/t.* adoptieren, an Kindes Statt annehmen; *fremde Jungtiere* säugen; *die eigenen od. fremden Jungtiere* dem Muttertier zur Aufzucht geben; *fig. ~ a/c. a alg.* j-m et. (fälschlich) zuschreiben, j-m et. unterstellen; **II.** *v/i.* Junge werfen; ⚘ Schößlinge treiben.
ahila|do *adj.* sanft u. stetig (*Wind*); **~r I.** *v/i.* in e-r Reihe gehen (*od.* stehen); **II.** *v/r.* ~se abmagern; vor Hunger schwach werden; Fäden ziehen (*Sauerteig, Wein*); spierig werden, schießen (*Pfl.*).
ahílo *m* **1.** Ohnmacht *f*; Entkräftung *f*; **2.** Schimmel *m am Brot.*
ahinca|do *adj.* nachdrücklich; eifrig, beflissen; **~r** [1g] **I.** *v/i.* nachdrücklich bitten; **II.** *v/r.* ~se s. beeilen.
ahínco *m* Eifer *m*; Nachdruck *m*; *adv. con ~* eifrig; nachdrücklich.
ahitar I. *v/t.* überfüttern; **II.** *v/r.* ~se s. überessen (an *dat.* de); *fig.* überdrüssig werden (*gen.* de).
ahíto I. *adj.* überdrüssig (*gen.* de); angeekelt (von *dat.* de); *estar ~* übersättigt sein; **II.** *m* Magenüberladung *f*.
ahobachonado F *adj.* faul.
ahocicar [1g] **I.** *v/t.* die Schnauze in den Dreck stecken (*dat.*) (*Strafe für nicht stubenreine Tiere*); *fig.* F *j-n* mit Argumenten fertigmachen; **II.** *v/i.* ⚓ buglastig sein; *Cu.* klein beigeben.
ahocinarse *v/r.* durch Schluchten fließen (*Fluß*).
aho|gadero *m* überfüllter Raum *m*; **~gadizo** *adj.* schwer zu schlucken (*bsd. Obst*); leicht sinkend (*Holz*); dumpf, stickig (*Zimmer*); **~gado I.** *adj.* eng, dumpf; unterdrückt (*Schrei*); **II.** *adj.-su.* ertrunken; erstickt; *m* Ertrunkene(r) *m*; Erstickte(r) *m*; **~gador** *adj.* erstickend; **~gamiento** *m* Ertränken *n*; Ertrinken *n*; **~gar** [1h] **I.** *v/t.* **1.** ertränken; erdrosseln, erwürgen; *fig.* quälen; **2.** (aus)löschen; ersticken; unterdrücken; **3.** ⊕ drosseln; **II.** *v/r.* ~se **4.** ersticken (*a. Getreide*), ertrinken; *fig.* s. sehr ängstigen; *mot.* s. verschlucken; absaufen (*Vergaser*); ⚓ Wasser über den Bug bekommen; untergehen; *fig. ~se en un vaso de agua* über jeden Strohhalm stolpern; **~go** *m* Ersticken *n*; Atemnot *f*; *fig.* Beklemmung *f*; *fig.* Bedrängnis *f*; **~guijo** *vet. m* → *angina*; **~guío** *m* → *ahogo.*
ahon|dar I. *v/t.* vertiefen; tief (aus)graben; ⊕ ausschachten; **II.** *v/i. ~ en* (tief) eindringen in (*ac.*) (*a. fig.*); grübeln über (*ac.*); **~de** *m* Aushöhlen *n*, Vertiefen *n*.
ahora *adv.* jetzt, nun; soeben; gleich; *~ bien* also, demnach; (nun) aber; *~ más* nun erst recht; *~ mismo* sofort; eben (erst); *~ pues* nun (aber); *~ como antes* nach wie vor; *~ ..., ~ ...* bald ..., bald ...; *~ ... o ...* sei es nun ... oder ...; *antes de ~* früher schon; *de ~* heutig, jetzig; *desde ~, de ~ en adelante* von nun an; *por ~* einstweilen, vorläufig; *~ que* (nun) aber, nur; *~ que me lo dice usted, lo creo* wenn Sie's freilich sagen, glaube ich's.
ahorca *f Ven.* → *cuelga.*
ahorca|do *m* **1.** Erhängte(r) *m*; Gehenkte(r) *m*; **2.** *~s m/pl. Am. Cent.* Schnürstiefel *m/pl.*; **~dora** *f Hond., Guat.* giftige Wespe *f*; **~dura** *f* Henken *n*; **~jarse** *v/r.* s. rittlings setzen (auf *dat.* en); **~miento** *m* Hängen *n*; **~r** [1g] **I.** *v/t.* (auf)hängen, henken; *fig. ~ los hábitos* die Kutte an den Nagel hängen; *p.ext.* umsatteln, den Beruf wechseln; *a la fuerza ahorcan* **a)** mit Gewalt geht alles; **b)** da ist nichts zu machen; **II.** *v/r.* ~se s. erhängen (an *dat.* de); F heiraten, die goldene Freiheit aufgeben F.
ahorita F *dim. v.* → *ahora.*
ahormar *v/t.* anpassen, die gehörige Form geben (*dat.*); über den Leisten schlagen; *Schuhe* austreten; *fig. j-m* den Kopf zurechtsetzen.
ahorna|garse [1h] *v/r.* ausdorren (*Getreide usw.*); **~r I.** *v/t.* → *enhornar*; **II.** *v/r.* ~se außen verbrennen u. innen teigig bleiben (*Brot*).
ahorquillar I. *v/t. Äste* mit Gabeln abstützen; gabelförmig biegen; **II.** *v/r.* ~se s. gabeln.
aho|rradamente *adv.* frei, unbehindert; **~rrado** *adj.* frei, zwanglos; **~rrador I.** *adj.* sparsam; einsparend; **II.** *m* Sparer *m*; **~rrar I.** *v/t.* **1.** (er)sparen (*a. fig.*); einsparen; *no ~ sacrificios* kein Opfer scheuen; **2.** schonen, schonend behandeln; **3.** *Sklaven* freilassen; **4.** *Vieh* als Deputat überlassen; **II.** *v/i.* **5.** *abs.* sparen; **III.** *v/r.* ~se **6.** ~se *a/c.* s. et. ersparen (*a. fig.*); **~rrativo** *adj.* sparsam; Spar...; geizig; **~rro** *m* Sparen *n*; † *a.* Spartätigkeit *f*; *~(s) m(/pl.)* Ersparnis(se) *f(/pl.)*.
ahoyar *v/t.* aushöhlen.
ahuate ⚘ *m Am. Cent., Méj.* feiner Dorn *m*.
ahuchar[1] *v/t.* in die Sparbüchse tun; *fig.* auf die hohe Kante legen F, sparen.
ahuchar[2] *v/t. Col., Méj.* → *azuzar.*
ahueca|miento *m* Aushöhlen *n*; **~r** [1g] **I.** *v/t.* **1.** aushöhlen; weiten, auflockern; ✔ *Erde* lockern; **2.** *~ la voz* mit tiefer (*od.* hohler) Stimme sprechen; F *~ el ala* s. davonmachen, ausrücken F; **II.** *v/r.* ~se **3.** s. aufblasen, angeben F.
ahuesa|do *adj.* knochenfarben; knochenhart; **~rse** *v/r. Chi., Pe.* zum Ladenhüter werden (*Ware*).
ahulado *m Am.* wasserdichtes Zeug *n*.
ahuma|da *f* Rauch-zeichen *n*, -signal *n* (geben *hacer*); **~do I.** *adj.* **1.** rauchig; rauchfarben; *cristal m ~* Rauchglas *n*; **2.** geräuchert, Rauch...; *carne f ~a* Rauchfleisch *n*; *arenque m ~* Bückling *m*; **II.** *m* **3.** Räuchern *n*; **~r I.** *v/t.* räuchern; ausräuchern; **II.** *v/i.* rauchen; **III.** *v/r.* ~se Rauchgeschmack annehmen; vom Rauch schwarz werden; F s. beschwipsen.
ahusado *adj.* spindelförmig.
ahuyentar I. *v/t.* verscheuchen, verjagen, vertreiben (*a. fig.*); **II.** *v/r.* ~se flüchten.

¡aijuna! *int. Rpl.* Donnerwetter!, verdammt! (*Zorn, Überraschung*).
ailanto ♀ *m* Götterbaum *m.*
aíllo *m* **1.** *And.* Wurfkugeln *f/pl. aus Kupfer*; **2.** indianische Dorfgemeinschaft *f.*
aimará *adj.-su. c* Aimara...; *m* Aimara *m* (*Indios am Titicacasee; deren Sprache*).
aína(s) † *adv.* rasch; leicht; beinahe; F *no tan* ~ nicht so einfach.
aindiado *adj. Am.* indianerähnlich.
aira|do *adj.* zornig; aufbrausend; liederlich (*Leben*); **~miento** *m* Erzürnen *n*; Zorn *m*; **~r I.** *v/t.* erzürnen, erbosen; **II.** *v/r.* ~se aufbrausen; zornig werden, in Zorn geraten (über *ac. de, por*).
aire *m* **1.** Luft *f*; Wind *m*; Luftzug *m*; ~ *caliente* Heißluft *f*; ~ *líquido* flüssige Luft *f*; ~ *de mar* Seeluft *f*; ~ *viciado*, ~ *enrarecido* verunreinigte (*od.* schlechte) Luft *f*; *al* ~ **a)** durchsichtig, à jour gefaßt (*Edelstein*); **b)** ⚠ freitragend; **c)** *fig.* unüberlegt, aufs Geratewohl; *adv. en el* ~ flugs, behend; *por el* ~ flugs; F angeschneit (*kommen*) F; *al* ~ *libre* im Freien; unter freiem Himmel; ¡~! Platz da!; *cambio de* ~*s* Luftveränderung *f*, Klimawechsel *m*; *corre* (*mucho*) ~ es zieht (sehr); *echar al* ~ entblößen, freimachen; *fig. estar en el* ~ in der Luft hängen, ungewiß sein; *perderse en el* ~ verfliegen; *tomar el* ~ frische Luft schöpfen; *tomar* ~*s* e-e Luftkur machen; *libre como (el pájaro en) el* ~ frei wie der Vogel in der Luft; **2.** Gestalt *f*, Aussehen *n*; Anmut *f*; ~ *de familia* Familienähnlichkeit *f*; ~ *de suficiencia* Selbstzufriedenheit *f*, anmaßendes Wesen *n*; *darse un* ~ *a alg.* j-m ähneln; *darse* ~(*s*) *de valiente* den starken Mann spielen; **3.** ♪ Tempo *n*; Arie *f*; Weise *f*, Lied *n*; *Arg.* Tanz *m*; ~ *popular* Volksweise *f*; *llevar el* ~ das Tempo halten; **4.** Gang *m der Pferde*; **5.** Nichtigkeit *f*; **6.** *prov.* Schlaganfall *m*; **~ación** *f* → *ventilación*; **~ado** *adj.* gelüftet; luftig; **~ar I.** *v/t.* **1.** an die Luft geben, lüften; **II.** *v/r.* ~se **2.** an die Luft gehen; **3.** erkalten; **4.** Zugluft bekommen; s. erkälten; **~o** *m* Lüftung *f.*
airón *m* **1.** *Vo.* Reiher *m*; **2.** Federbusch *m.*
airo|samente *adv.* anmutig; **~so** *adj.* **1.** luftig; **2.** anmutig; schmuck; *salir* ~ (*de una empresa*) glänzend abschneiden (bei e-m Unternehmen).
aisla|ble *adj. c* isolierbar; **~cionista** *Pol. adj.-su. c* isolationistisch; *m* Isolationist *m*; **~damente** *adv.* abgesondert; vereinzelt; **~do** *adj.* einzeln, vereinzelt; isoliert; **~dor** *adj.-su.* isolierend; *m* Isolator *m*; **~miento** *m* Abgeschiedenheit *f*; Einsamkeit *f*; Isolierung *f* (*a.* ⊕, ⚡, ✈); **~nte I.** *adj. c* isolierend; *material m* ~ Isoliermaterial *n*; **II.** *m* Isolierstoff *m*; Isolator *m*; ~ *acústico* Schall-schutz *m*, -dämpfung *f*; ~ *térmico* Wärmeisolator *m*; **~r** [1c] *v/t.* absondern; isolieren (*a.* ⚕, ⚡, ✈ *u. fig.*).
¡ajá! *int.* aha!; richtig! (*Zustimmung, Überraschung*).
ajada *f* Knoblauchsoße *f.*
¡ajajá! → *ajá.*
ajamiento *m* Welken *n usw.* → *ajar*[2].
ajamonarse F *v/r.* Fettpolster ansetzen, mollig werden.
ajaquecarse [1g] *v/r.* (die) Migräne bekommen.
ajar[1] *m* Knoblauchacker *m.*
ajar[2] **I.** *v/t.* zerknittern, zerknüllen; *fig.* herunter-machen, -putzen; **II.** *v/r.* ~se s. abnützen; faltig werden; verblühen, welken.
ajaraca *f* Schleife *f*, Schlingenverzierung *f* (*bsd.* ⚠).
ajaspajas *f/pl.* Lappalie *f.*
aje *m* Gebrechen *n*; *andar lleno de* ~*s* tausend Wehwehchen haben.
ajear *v/i.* ziepen, *ängstlich* schreien (*Rebhuhn*).
ajedrea ♀ *f* Bohnenkraut *n.*
ajedre|cista *c* Schachspieler *m*; **~z** *m* Schach(spiel) *n*; Schachfiguren *f/pl.*; **~zado** *adj.* schachbrettartig.
ajena|be, ~bo *m* † *u. Reg.* Senf *m.*
ajengibre → *jengibre.*
ajenjo *m* ♀ Wermut *m*; Absinth *m.*
ajeno *adj.* andern gehörig; fremd; ~ *a* widersprechend (*dat.*), nicht gemäß (*dat.*); nicht gehörig zu (*dat.*); ~ *de* frei von (*dat.*), ohne (*ac.*); ~ *de* + *inf.* weit davon entfernt, zu + *inf.*; *lo* ~ fremdes Gut *n*; *ser* ~ *a a/c.* in Unkenntnis e-r Sache sein; nicht beteiligt an et. (*dat.*) sein; mit et. (*dat.*) nichts zu tun haben.
ajenuz ♀ *m* Jungfer *f* im Grünen.
ajerezado *adj.* jerez-, sherry-ähnlich *od.* -artig.
ajete *m* **1.** ♀ *dim. v. ajo*; Wiesenlauch *m*; **2.** Knoblauchtunke *f.*
ajetre|arse *v/r.* s. plagen, s. schinden; *vida f* ~*ada* mühsames, gehetztes Leben *n*; **~o** *m* Mühe *f*, Plackerei *f.*
ají ♀ *m Am.* Ají *m*, *Art* Pfeffer *m od.* Paprika *m.*
ajiaceite *m* Soße *f* mit Knoblauch u. Öl; *Art* Mayonnaise *f* mit Knoblauch.
ajiaco *m Am.* Eintopf *m bzw.* Tunke *f* mit Ají.
ajicero *m Am.* Ajíverkäufer *m*; Ajíbehälter *m.*
ajili|moje, ~mójili F *m* Pfeffertunke *f*; F ~*s m/pl.* Drum u. Dran *n.*
ajillo: *al* ~ in Öl mit Knoblauch (gebraten).
ajimez ⚠ *m* geteiltes Bogenfenster *n.*
ajipuerro ♀ *m* Wiesenlauch *m.*
ajizal *m* Ajífeld *n.*
ajo *m* **1.** Knoblauch *m*; Knoblauchzehe *f*; ~ *blanco* weißer Lauch *m*; Knoblauchwürze *f*; *sopa(s) f(/pl.) de* ~ Knoblauchsuppe *f*; **2.** F Kraftausdruck *m*; *echar* ~*s* (*y cebollas*) fluchen; Gift u. Galle speien; **3.** F *quien se pica,* ~*s come* jeder zieht die Jacke an, die ihm paßt; wen's juckt, der kratze sich F; *andar* (*od. estar*) *en el* ~ Mitwisser sein; Komplize sein, s-e Hände (mit) im Spiel haben.
¡ajó! *od.* **¡ajo!** *int. Zuruf an Kleinkinder, um sie zum Sprechen zu ermuntern.*
ajo|bar *v/t.* auf dem Rücken tragen; **~bero** *m* Lastträger *m*; **~bo** *m* Bürde *f*, Last *f* (*a. fig.*).
ajolote *Zo. m Méj.* Schwanzlurch *m*, Axolotl *m.*
ajon|je *m* Vogelleim *m*; **~jolí** ♀ *m* Sesam *m.*
ajo|nuez *m Tunke aus Knoblauch u. Muskatnuß*; **~queso** *m Gericht mit Knoblauch u. Käse.*
ajorca *f* Armspange *f*; Fußring *m.*
ajornalar *v/t.* auf Tagelohn dingen.
ajotollo *m Am. Gericht aus e-r Welsart* (*Fi.*) *mit Knoblauch.*
ajuar *m* Hausrat *m*; Ausstattung *f*; Aussteuer *f.*
ajuiciar [1b] *v/i.* Verstand annehmen, vernünftig werden.
ajumarse F *v/r.* s. beschwipsen.
ajus|table *adj. c* einstellbar, regulierbar; **~tado** *adj.* **1.** gerecht, billig; **2.** ordentlich; passend; *está* ~ es sitzt wie angegossen; es liegt eng an (*Kleid*); **~tador** *m* **1.** Monteur *m*; Schlosser *m*; *Typ.* Metteur *m*; **2.** Vorsteckring *m am Finger*; **3.** † *u. Reg.* Mieder *n*, † Leibchen *n*; **~tamiento** *m* Angleichung *f*; Preisvereinbarung *f*; **~tar I.** *v/t.* **1.** ein-passen, -fügen; zurichten; *Typ.* ~ *la composición* justieren; *fig.* ~ *a/c. a otra* e-e Sache der anderen angleichen (*od.* anpassen); **2.** *Kleidung* eng anliegend machen; **3.** *Preis* vereinbaren; *Dienstboten* verpflichten, dingen; **4.** ~ *una cuenta* ein Konto ausgleichen; *a. fig.* ~ *cuentas* abrechnen; *fig.* ~*le las cuentas a alg.* mit j-m abrechnen, mit j-m ein Hühnchen zu rupfen haben; **II.** *v/i.* **5.** genau passen; **III.** *v/r.* ~se **6.** ~*se a* s. nach *j-m od. et.* richten; ~*se con* s. einigen mit (*dat.*); ✈ ~*se el cinturón* s. anschnallen; **~te** *m* **1.** Anpassung *f*, Angleichung *f*; ⊕ Montage *f*; Einstellung *f*; *a. Typ.* Justieren *n*; ~ *de precisión* Feineinstellung *f*; *palanca f de* ~ Stellhebel *m*; **2.** *fig.* ~ *de cuentas* Abrechnung *f* (*fig.*); **3.** Übereinkunft *f*, Vereinbarung *f*; Vergleich *m.*
ajusticia|do *m* Hingerichtete(r) *m*; **~miento** *m* Hinrichtung *f*; **~r** [1b] *v/t.* hinrichten.
al *Kontraktion v. a el*; *wenn El Bestandteil e-s Namens ist, nur in der Aussprache, nicht in der schriftlichen Wiedergabe üblich*: *a El Escorial.*
ala *f* **1.** Flügel *m* (*Vogel, Gebäude, Heer, Pol. Partei, Flugzeug*); *fig.* → 2; (Hut-)Krempe *f*; ⚔ *a.* Glied *n*; ⊕ ~ *de hélice* Propeller-, Schrauben-flügel *m*; ✈ ~ *delta* Dreieckflügel *m*; *Anat.* ~ *del hígado* Leberlappen *m*; ✈ ~ *giratoria* Drehflügel *m*; ~*s f/pl. de guía* Leitwerk *n*; **2.** *fig.* ~*s f/pl.* Schwung *m*; *a.* Frechheit *f*; F *arrastrar el* ~ den Hof machen; *caérsele a alg. las* ~*s* (*del corazón*) den Mut verlieren; *cortarle las* ~*s a alg.* j-m die Flügel stutzen, j-n kurz halten; *dar* ~*s a alg.* j-n (auch noch) dazu ermutigen (*, daß er et. tut*); *tomar* ~*s* Mut bekommen; Aufschwung bekommen; frech werden; *a. fig.* flügge werden; *volar con sus propias* ~*s* auf eigenen Füßen stehen; **3.** ⚓ Leesegel *n*; **4.** ♀ ~ *de loro* Tausendschön *n*; **5.** *fig.* Schutz *m.*

¡ala! *int.* **1.** *Span.* los!, vorwärts!; **2.** F *Col.* Tag!, Servus! (*Gruß*).

Alá *Rel. m* Allah *m.*

alabado *m* Lobgesang *m zu Ehren des Altarsakraments.*

alabancioso F *adj.* prahlerisch, angeberisch.

alabandina *Min. f* Hauerit *m*; Granat *m.*

alaba|nza *f* Lob *n*, Preis *m*; Lobrede *f*; **~r I.** *v/t.* loben, rühmen; **II.** *v/r.* ~*se de* sehr zufrieden sein mit (*dat.*); s. rühmen (*gen.*), mit et. (*dat.*) prahlen.

alabar|da *f* Hellebarde *f*; *Thea. koll.* Claque *f*; **~dero** *m* Hellebardier *m*; *Thea.* Claqueur *m*; **~s** *m/pl.* Claque *f.*

alabas|trina *f* Alabasterscheibe *f*; **~trino** *adj.* alabastern; **~trita** *f*, **~trites** *f* Kalkalabaster *m*; **~tro** *m* Alabaster *m*; *fig. poet.* blendende Weiße *f*; ~ *oriental* Onyxmarmor *m.*

álabe *m* **1.** Wasserrad-, Turbinenschaufel *f*; **2.** zur Erde hängender Ast *m*; **3.** Mattenverkleidung *f* (*Seite e-s Wagens*).

alabe|ado *adj.* krumm, gebogen; *a.* ⚒ windschief; **~arse** *v/r.* s. werfen (*Holz*); krumm werden; **~o** *m* (Ver-)Werfen *n*, Verziehen *n.*

alacena *f* Wandschrank *m*; *Am.* Speisekammer *f*; *Méj.* Verkaufsstand *m*; *Anat. Ec.* Schlüsselbeingegend *f.*

alaco *m Am. Cent.* Lumpen *m*; *fig.* Lump *m.*

alacrán *m* **1.** *Zo.* Skorpion *m*; *Fi.* ~ *marino* Flughahn *m*; *Ent.* ~ *cebollero* Maulwurfsgrille *f*; *fig.* es *un* ~ er hat ein giftiges Maul; **2.** Öse *f*; **3.** *Equ.* Kinnkettenhaken *m.*

alacra|ncillo ⚘ *m verschiedene am. Pfl., Helitropiumarten*; **~nera** ⚘ *f Art* Kronwicke *f*; **~nero** *m Am. Cent.* Ort *m*, wo es von Skorpionen wimmelt.

alacridad *f* Munterkeit *f*; Arbeitslust *f.*

alada *f* Flügelschlag *m*; **~res** *m/pl.* Schläfenlocken *f/pl.*

aladier|na *f*, **~no** *m* ⚘ immergrüner Wegedorn *m.*

alado *adj.* ge-, be-flügelt; *fig.* schnell; ⚘ flügelförmig.

aladroque *m* → *boquerón.*

alafia F *f*: *pedir* ~ um Gnade bitten, zu Kreuze kriechen F.

álaga ⚘ *f Art* Spelt *m.*

alagadizo *adj.* leicht zu überschwemmen(d); sumpfig.

alagartado *adj.* eidechsen-artig, -farbig.

alajú *m* (*pl.* ~*úes*) Lebkuchen *m.*

alalá *m* (*pl.* ~*aes*) nordspan. Volkslied *n.*

alalia ⚕ *f* → *afonía.*

alalimón *m Art* Kinderspiel *n*; *adv.* → *alimón.*

alamán *adj.-su.* alemannisch; *m* Alemanne *m.*

alamar *m* Schnüre *f/pl.*; Schnurschleife *f.*

alambi|cado *adj.* **1.** gekünstelt, gesucht; geziert; **2.** knapp; **~cador** *m Am.* Kleinigkeitskrämer *m*; **~camiento** *m* Destillation *f*; *fig.* Überfeinerung *f*; *fig.* Wortklauberei *f*; **~car** [1g] *v/t.* **1.** destillieren; **2.** *fig.* ausklügeln; *Stil* übermäßig feilen; **3.** scharf kalkulieren (*a.* ✝); **~que** *m* Destillier-, Brenn-kolben *m*; Destillierapparat *m*; *Col.* Schnapsbrennerei *f*; *fig. por* ~ kärglich, spärlich.

alambor ⚠ *m* **1.** → *falseo*; **2.** *fort.* Böschung *f.*

alam|brada *f* Drahtgitter *n*; ⚔ Drahtverhau *m*; ~ *baja* Stolperdraht *m*; **~brado I.** *adj.* Draht...; **II.** *m* Drahtgeflecht *n*; (Stachel-)Drahtzaun *m*; **~brar** *v/t.* mit Draht einzäunen; **~bre** *m* Draht *m*; ⊕, ⚡ ~ *conductor* Leitungsdraht *m*; Drahtleitung *f*; ~ *de malla* Maschendraht *m*; ~ *de púas* Stacheldraht *m*; ~ *recocido*, ~ *para atar* Bindedraht *m*; ⚔ ~ *de entorpecimiento*, ~ *para tropezar* Stolperdraht *m*; *trenza f de* ~ Drahtgeflecht *n*; **~brera** *f* Fliegenfenster *n*; Käse-, Fleisch-glocke *f*; Drahtkorb *m* (*für Glühlampen u. Kohlenbecken*); ⊕ ~ *protectora*, ~ *de seguridad* Schutzgitter *n*; **~brista** *c* Seiltänzer(in *f*) *m.*

alameda *f* (Pappel-)Allee *f*; Pappelpflanzung *f.*

álamo ⚘ *m* Pappel *f*; Pappelholz *n*; ~ *blanco* Silberpappel *f*; ~ *temblón* Zitterpappel *f.*

alam|parse *v/r.*: ~ *por beber* (*od. comer*) nach Trank (*od.* Speise) lechzen; **~po** *m* Brennen *n.*

alancea|dor *adj.-su. m* Lanzenkämpfer *m*; **~r** *v/t.* mit der Lanze angreifen *bzw.* verwunden.

alandrearse *v/r.* Kalksucht bekommen (*Seidenraupe*).

alano *m* **1.** *hist.* Alane *m* (*Volk*); **2.** *Zo.* Hetzhund *m.*

alanzar *v/t.* → *alancear*; *lanzar.*

alar *m* **1.** Traufdach *n*; **2.** *Col.* Gehsteig *m.*

alárabe *od.* **alarbe I.** † *adj. c* arabisch; **II.** *m* ⚒ *fig.* Unmensch *m*; grober Kerl *m.*

alar|de *m* **1.** Prahlerei *f*; Protzerei *f*; Renommierstück *n* F; *hacer* ~ *de* großtun mit (*dat.*), protzen mit (*dat.*); **2.** † Heerschau *f*; **~dear** *v/i.* protzen, großtun (mit *dat.* de); **~deo** *m* Prahlerei *f*, Angeberei *f* F; **~doso** *adj.* prahlerisch.

alarga|dera *f* Ansatz-röhre *f*, -stück *n*; Einsatzrohr *n*; Verlängerung *f für Zirkel*; **~do** *adj.* länglich; verlängert; schlank; **~miento** *m* Verlängerung *f*; Dehnung *f* (*a. Phon.*), Streckung *f*; ✈ Seitenverhältnis *n*; **~r** [1h] **I.** *v/t.* **1.** verlängern; *Kleidung* länger machen; (aus)dehnen; hinausschieben; ~ *el brazo* den Arm ausstrecken; ~ *el cuello* den Hals recken; ~ *un discurso* e-e Rede in die Länge ziehen; ~ *la mano* die Hand ausstrecken; nach et. (*dat.*) greifen; ~ *el paso* den Schritt beschleunigen; ⚔ ~ *el tiro* das Feuer vorverlegen; **2.** reichen; **3.** *Lohn* erhöhen; **II.** *v/r.* ~*se* **4.** länger werden (*räumlich u. zeitlich*); ~*se en una disertación* s. ausführlich verbreiten (bei e-m Vortrag); **5.** ⚓ umschlagen (*Wind*).

alaria *f* Glätteisen *n der Töpfer.*

alari|da *f* Geschrei *n*; **~do** *m* **1.** *hist.* Kriegsgeschrei *n* der Mauren; **2.** Geheul *n*; Geschrei *n*; *dar* ~*s* schreien; heulen.

alarife *m* Schachtmaurer *m*; *Rpl.* Schlauberger *m.*

alarije *adj.-su. c* → *arije.*

alar|ma *f* Alarm *m*; Notruf *m*; *fig.* starke Beunruhigung *f*; ⚔ ~ *aérea* Fliegeralarm *m*; *falsa* ~ blinder Alarm *m* (*a. fig.*); *señal f* (*od. toque m*) *de* ~ Alarmzeichen *n*; *grado m de* ~ Alarmbereitschaft *f*; *dar la* ~ Alarm schlagen (*a. fig.*); *tocar* ~ Alarm blasen; **~mante** *adj. c* beunruhigend, alarmierend; **~mar I.** *v/t.* alarmieren (*a. fig.*); beunruhigen, besorgt machen; **II.** *v/r.* ~*se* s. beunruhigen, besorgt werden (wegen *gen. por*); *estar* ~*ado* beunruhigt sein; **~mismo** *m* Gerüchtemacherei *f*; **~mista** *m* Gerüchtemacher *m.*

alastrarse *Jgdw. v/r.* s. an den Boden drücken (*Wild*).

a látere *m* **1.** *kath. legado m* ~ (*lt.*) Legatus *m* a latere; **2.** F Adlatus *m* F.

ala|vanco *m* → *lavanco.*

ala|zán → *alazano*; **~zana** *f* Ölpresse *f*; **~zano** *adj.-su.* rotbraun; *m* Fuchs *m* (*Pferd*).

alazo *m* → *aletazo.*

alazor ⚘ *m* Saflor *m*, Färberdistel *f.*

alba *f* **1.** Morgendämmerung *f*; *al rayar* (*od. romper od. clarear*) *el* ~ bei Tagesanbruch; **2.** *kath.* Albe *f*, Chorhemd *n.*

albace|a ⚖ *m* Testamentsvollstrecker *m*; **~azgo** *m* Amt *n* des Testamentsvollstreckers.

alba|cora *f* **1.** ⚘ Frühfeige *f*; **2.** *Fi.* (junger) Bonito *m* (*Art Thunfisch*); **~da** *f* → *alborada* 2.

albaha|ca ⚘ *f* Basilienkraut *n*; **~quero** *m* Blumentopf *m*; *Andal.* Blumenständer *m*; **~quilla** ⚘ *f* **1.** ~ *de río* → *parietaria*; **2.** ~ *de Chile Art* Leguminose *f.*

albaicín *arab. m* am Hang gelegener Stadtteil *m*; ♀ *ältester Stadtteil Granadas.*

albanega *f* Haarnetz *n*, Häubchen *n*; *Jgdw.* Kaninchenschlinge *f.*

alba|nés, ~no I. *adj.* alban(es)isch; **II.** *m* Alban(i)er *m*; *das* Albanische.

albañal *m* Abwasserkanal *m*, Kloake *f*; *fig.* P *salir por el* ~ in den Eimer gehen P, daneben gehen F.

albañi|l *m* Maurer *m*; **~lería** *f* Maurerhandwerk *n*; Mauerwerk *n.*

albar I. *adj. c* ⚒ weiß; ⚘ *tomillo m* ~ Majoran *m*; **II.** *m* unbewässertes Land *n*; *bsd.* trockene Fläche *f an e-m Hang*; *Jgdw.* Tier *n* mit hellem Gefieder *bzw.* Fell.

albarán *m* **1.** (Aushänge-)Zettel *m an Balkon od. Fenster, der besagt*: zu vermieten; **2.** ✝ Lieferschein *m.*

albara|zado I. *adj.* **1.** schwarzrot; bunt; **2.** aussätzig; **II.** *m Méj.* Mischling *m* aus *jenízaro* u. *china od. umgekehrt.*

albar|da *f* **1.** Packsattel *m*; *Am.* (Reit-)Sattel *m* aus ungegerbtem Leder; **2.** Speckschnitte *f*; **3.** *fig.* ~ *sobre* ~ Pleonasmus *m*, ein weißer Schimmel F; *poner dos* ~*s a un burro* e-n Pleonasmus gebrauchen; **~dado** *adj.* mit *von der sonstigen Körperfarbe verschiedener* Rückenzeichnung (*Tier*); **~dar** *v/t.* → *enalbardar*; **~dear** *v/t. Am. Cent.* belästigen; **~dela** *f* Sattel *m* zum Zureiten; **~dería** *f* Saumsattlerei *f*; **~dero** *m* (Saum-)Sattler *m*; **~dilla** *f* **1.** → *albardela*; **2.** Schutzpolster *n an Bügeleisen u. ä.*; Schulter-leder *n bzw.* -kissen *n der Wasserträger*; **3.** ⚠ Mauerabdeckung *f*; Gatter *n zwischen Gartenbeeten*; **4.** *Kchk.* Speckschnitte *f z. Braten v. Geflügel*; Mischung *f* aus Paniermehl u. Eiern; **~dín** ⚘ *m* Albardine *f*, falscher Esparto *m*; **~dón** *m* **1.** Reitsattel *m* in Saumsattelform; *Méj.* englischer Sattel *m*; **2.** *Rpl.* Anhöhe *f* im Überschwemmungsgebiet.

albare|jo *adj.-su.* → *candeal*; **~que** *m* Sardinennetz *n*.

albaricoque ⚘ *m* Aprikose *f*; **~ro** *m* Aprikosenbaum *m*.

albarillo[1] ♪ *m* Gitarrenbegleitung *f* in schnellem Tempo.

albarillo[2] ⚘ *m* kl. weiße Aprikose *f* (*a. Baum*).

albari|za *f* Salzwasserlagune *f*; **~zo** *adj.-su. m* weißlich; (*terreno m*) ~ Kreideboden *m*.

albarrada[1] *f* Trockenmauer *f*; durch Trockenmauer abgestütztes Terrassenbeet *n*; Erdwall *m*.

albarrada[2] *f* Kühlkrug *m*.

albarra|na, ~nilla ⚘ *f* Meerzwiebel *f*; **~z** ⚘ *m* Läusekraut *n*.

albatros *Vo. m* Albatros *m*.

albayalde *m* Blei-, Kremser-weiß *n*.

albazano *adj.* rotbraun (*Pferd*).

albazo *m* **1.** *Am.* Morgenständchen *n*; † Morgenrot *n*; **2.** *Rpl., Ec., Pe., Méj.* Frühaufstehn *n*; **3.** *fig. Méj.* (unangenehme) Überraschung *f*.

albear I. *v/i.* ins Weiße spielen; weiß schimmern; *Rpl.* → *madrugar*.

albedrío *m* Willkür *f*; Laune *f*; *adv. a mi (tu, su, etc.)* ~ nach meinem (d-m, s-m *usw.*) Belieben; nach m-r (d-r, s-r *usw.*) Laune; (*libre*) ~ freier Wille *m*; freies Ermessen *n* (*a.* ⚖).

albéitar *arab. m* Tierarzt *m* (*bsd. Tierheilkundiger in Dörfern*).

albellón *m* → *albañal*.

alben|da † *f* weißer Spitzenvorhang *m*; **~dera** *f* liederliches Frauenzimmer *n*.

albéntola *f* feines Netz *n zum Fischfang*.

alberca *f* gemauerter Wasserbehälter *m*; Zisterne *f*; Trog *m für Hanfröste*.

albérchi|ga *f*, **~go** *m* ⚘ Herzpfirsich *m* (*a. Baum*); *Reg. a.* Aprikose *f*.

alberchiguero ⚘ *m* Herzpfirsichbaum *m*; *Reg.* Aprikosenbaum *m*.

alber|gador *adj.-su.* Beherberger *m*; **~gar** [1h] **I.** *v/t.* beherbergen; **II.** *v/r.* ~se einkehren, s. einlogieren; **~gue** *m* Herberge *f*; Obdach *n*; Höhle *f e-s Tieres*; ~ *de carreteras* Rasthaus *n*; staatliches Hotel *n*; ~ *juvenil* Jugendherberge *f*; ~ *nocturno etwa*: Obdachlosenasyl *n*; *dar* ~ *a alg.* j-m Unterkunft gewähren, j-n beherbergen.

albero I. *adj.* **1.** weiß; **II.** *m* **2.** Kreideboden *m*; **3.** Geschirrtuch *n*.

alberquero *m* Brunnenmeister *m*.

albicante *adj. c* weißlich.

albigense *adj.-su. c* Albigenser *m*.

albillo ⚘ *m* Gutedeltraube *f*.

albín *m* → *hematites*.

albi|na *f* Salzkruste *f e-r Lagune*; Salzlagune *f*; **~nismo** *m* Albinismus *m*; **~no** *adj.-su.* Albino *m*; *Méj.* Mischling *m* aus *morisco* u. *europea od. umgekehrt*.

Albión *f* (*mst. burl.*): *la pérfida* ~ das perfide Albion.

albis *lt.* → *in albis*.

albita *Min. f* weißer Feldspat *m*.

albo *poet. adj.* weiß.

alboaire *m* maurisches Kachelwerk *n* im Kuppelinnern.

albo|gón ♪ *m* **1.** † Baßflöte *f*; **2.** *Art* Dudelsack *m*; **~gue** ♪ *m* Schalmei *f*.

albohol ⚘ *m* **1.** *Art* Frankenie *f*; **2.** *Art* Wundkraut *n*.

albóndiga *f* → *albondiguilla 1*.

albondiguilla *f* **1.** *Kchk.* (Fleisch- *od.* Fisch-)Kloß *m*; **2.** P (Nasen-)Popel *m* F.

alboquerón ⚘ *m* Blutlevkoje *f*.

albo|r *m* **1.** *poet.* Weiße *f*; **2.** Morgendämmerung *f*; *fig. mst.* ~es *m/pl.* Beginn *m*, Anbruch *m*; ~(*es*) *de la vida* Jugend *f*; **~rada** *f* **1.** Tagesanbruch *m*; **2.** Morgenständchen *n*; Morgenlied *n*, Aubade *f*; ⚔ Reveille *f*, feierliches Wecken *n*.

albórbola *f* (*mst.* ~*s pl.*) Beifallsgeschrei *n*, -lärm *m*.

alborear *v/i.* dämmern, Tag werden; *fig.* s. ankündigen (*Ereignis*).

albor|nía *f* Napf *m aus Steingut*; **~no** *m* → *alburno*; **~noz** *m* (*pl.* ~*oces*) **1.** Burnus *m*; **2.** Bademantel *m*.

alboro|nía *f* Gericht *n aus Auberginen, Tomaten, Kürbis u. Paprika*; **~que** *m* Vergütung *f für Vermittlerdienste*.

alboro|tadamente *adv.* wirr, durcheinander; **~tadizo** *adj.* leicht erregbar; **~tado** *adj.* aufgeregt; unbesonnen; aufgewühlt (*Meer*); **~tador I.** *adj.* aufwieglerisch; **II.** *m* Aufwiegler *m*, Unruhestifter *m*, Störenfried *m*, Ruhestörer *m*; **~tar I.** *v/t.* beunruhigen, aufscheuchen F; empören, aufwiegeln; **II.** *v/i.* lärmen, randalieren; **III.** *v/r.* ~se in Zorn geraten; stürmisch werden (*Meer*); *Am.* s. (auf)bäumen (*Pferd*); **~tero, ~tista** *m Am.* Lärmmacher *m*, Randalierer *m*; **~to** *m* Lärm *m*; Aufruhr *m*; (große) Unruhe *f*.

alboro|zado *adj.* freudig, vergnügt; **~zar** [1f] **I.** *v/t.* sehr erfreuen *od.* beglücken; **II.** *v/r.* ~se jubeln, jauchzen; **~zo** *m* Fröhlichkeit *f*, Jubel *m*.

albotín *m* → *terebinto*.

albricias *f/pl.* Botenlohn *m* für e-e Freudenbotschaft; *¡~!* gute Nachricht!

albufera *f* Salzwassersee *m*, Lagune *f* (*bsd. Val. u. Mallorca*).

albugo ⚕ *m* weißer Fleck *m* in der Hornhaut *des Auges*; Halbmond *m am Nagel*.

albuhera *f* **1.** → *albufera*; **2.** → *alberca*.

álbum *m* (*pl. álbumes*) Album *n*; Stammbuch *n*; ~ *de fotografías* Fotoalbum *n*; ~ *de sellos postales* Briefmarkenalbum *n*; ~ *de delincuentes* Verbrecheralbum *n*.

albumen ⚘ *m* Albumen *n*, Keimhülle *f*.

albúmina *f* Albumin *n*, Eiweiß *n*.

albumi|nado *adj.* Albumin..., Eiweiß...; **~noide** ⚗ *m* Gerüsteiweiß *n*, Albuminoid *n*; **~noso** *adj.* eiweißhaltig; **~nuria** ⚕ *f* Albuminurie *f*, Eiweißharnen *n*.

albur[1] *m Art* Weißfisch *m*.

albur[2] *m Kart.* („*Monte*"): die beiden ersten Karten für den Bankhalter; *fig. al* ~ auf gut Glück; *correr un* ~ s. e-m Risiko aussetzen, et. wagen; *Kart.* ~es *m/pl.* Alburesspiel *n*.

albur|a *f* **1.** *lit.* (blendende) Weiße *f*; **2.** Eiweiß *n*; **3.** ⚘ → **~no** *m* Splintholz *n*.

alcaba|la *hist. f* Verkaufssteuer *f*; **~lero** *hist. m* Einnehmer *m der alcabala*.

alca|cel, ~cer *m* grüne Gerste *f*; Gerstenfeld *n*.

alca|cí, ~cil ⚘ *m* wilde Artischocke *f*; **~chofa** *f* **1.** ⚘ **a)** Artischocke *f*; **b)** Distelkopf *m*; *fig. tiene corazón de* ~ er ist ein großer Schürzenjäger; **2.** Saugkorb *m* (*Pumpe*); Brause *f der Dusche, Gießkanne u. ä.*; **3.** *Art* Brötchen *n*; **4.** F *Chi.* Ohrfeige *f*; **~chofado I.** *adj.* artischockenförmig; **II.** *m* Artischokkengericht *n*; **~chofal** *m* Artischockenfeld *n*; **~chofera** *f* Artischocke *f*; **~chofero** *m* Artischokkenverkäufer *m*.

alcahaz *m* (*pl.* ~*aces*) Vogelhaus *n*, Voliere *f*.

alcahue|ta *f* Kupplerin *f*; **~te** *m* **1.** Kuppler *m*; Zuhälter *m*; *fig.* F Hehler *m*; F Zwischenträger *m* (*Person*); **2.** *Thea.* Zwischenaktvorhang *m*; **3.** *barb. für* → *cacahuete*; **~tear I.** *v/t.* verkuppeln; **II.** *v/i.* Kuppelei treiben; F herumtratschen F; **~tería** *f* Kuppelei *f*; *fig.* F Schliche *m/pl.*, Kniff *m*.

alcai|de *hist. m* **1.** Burgvogt *m*; **2.** Kerkermeister *m*; Leiter *m* e-r Strafanstalt; **~desa** *f* Frau *f* des *alcaide*; **~día** *f* Burgvogtei *f* (*Amt, Gebäude*).

alcal|dada *f* Übergriff *m*, Autoritätsmißbrauch *m*; **~de** *m* **1.** Bürgermeister *m*; ~ *de barrio* Bezirksbürgermeister *m*; ~ *mayor* Oberbürgermeister *m*; F ~ *de monterilla* Dorfschulze *m*; ~ *pedáneo etwa*: Gemeindevorsteher *m*; **2.** *hist.* Ortsrichter *m*; **3.** Vortänzer *m*; **4.** *Art* Kartenspiel *n*; **~desa** *f* Bürgermeisterin *f*; Frau *f* des Bürgermeisters; **~desco** *desp.* F *adj.* Dorfschulzen...; **~día** *f* Bürgermeisteramt *n*.

álcali ⚗ *m* Laugensalz *n*, Alkali *n*; ~ *mineral* Soda *f*; ~ *vegetal* Pottasche *f*; ~ *volátil* Ammoniak *n*.

alca|limetría ⚗ *f* Alkalimetrie *f*; **~lino** *adj.* alkalisch; **~lizar** [1f] *v/t.* alkalisieren; **~loide** ⚗ *m* Alkaloid *n*; **~loideo** *adj.* Alkaloid...

alcaller *m* Töpfer *m*.

alcamonías *f/pl.* Gewürzkörner *n/pl.*

alcance *m* **1.** Bereich *m* (*a. n*); Reich-, Seh-, Schuß-weite *f*; ⚔ ~ *de tiro* Feuerbereich *m*; ⊕ ~ *superior de revoluciones* oberer Drehzahlbereich *m*; *proyectiles m/pl.* (*od. cohetes m/pl.*) *de medio* ~ Mittelstreckenraketen *f/pl.*; *estar al* ~ *de* erreichbar (*od.* zugänglich) sein für (*ac.*); *al* ~ *de la mano* in Reichweite; greifbar, erreichbar;

al ~ de todos los bolsillos für jeden Geldbeutel erschwinglich; *haré todo lo que esté a mi ~* ich werde mein Möglichstes tun; *poner a/c. al ~ de alg.* j-m et. zugänglich machen; **2.** Einholen *n*, Erreichen *n*; *dar ~ a alg.* j-n einholen; *ir a los ~s de alg. od. irle a alg. a los ~s* j-m auf den Fersen sein; auf dem Fuße folgen; **3.** Bedeutung *f*, Tragweite *f*; *de gran* (*od. mucho*) *~* bedeutend, belangreich; *de poco ~* belanglos; **4.** ⚕ Sollsaldo *m*; **5.** letzte Meldung *f* (*Zeitung*); *Am.* Extrablatt *n*; **6.** ✉ Eilbote *m* (→ *a. buzón*); **7.** *~s m/pl.* Verstand *m* (*nur negativ*); *de pocos ~s* beschränkt, einfältig.

alcancía *f* Sparbüchse *f*; † Feuertopf *m* (*Waffe*).

alcandía ⚘ *f* Mohrenhirse *f*.

alcanfo|r *m* Kampfer *m*; **~rar** *v/t.* kampfern; *alcohol m ~ado* Kampferspiritus *m*; **~rero** ⚘ *m* Kampferbaum *m*.

Alcántara: *orden f de ~ span. Militärorden.*

alcantarilla *f* **1.** Steg *m*; **2.** Durchlaß *m*; überdeckter (Abwasser-)Kanal *m*; **3.** *Méj.* Trinkwasserzisterne *f*; **~do** *m* städtische Kanalisation *f*; **~r** *v/t.* entwässern, kanalisieren.

alcanza|dizo *adj.* leicht zu erreichen, leicht zugänglich; **~do** *adj.*: *~ (de dinero)* knapp bei Kasse; *a.* verschuldet; **~r** [1f] **I.** *v/t.* **1.** einholen (*a. fig.*); erreichen (*a. fig.*); finden; treffen (*Geschoß, Schicksal*); *~ a alg. fig. a.* es j-m gleichtun; *~ la cifra de* s. belaufen auf (*ac.*); **2.** *z. B. Dieb* erwischen F, ergreifen; *Vkw.* erfassen, anfahren; **3.** *et.* reichen, *et.* geben; *et.* herabnehmen; **4.** verstehen, begreifen; **5.** *Zeit, Ereignis* noch erlebt haben *bzw.* noch erleben werden; *~ la época de ...* die Zeit ... (*gen.*) erleben; **6.** ⚒ *~ a alg. en* j-n in (*dat.*) übertreffen; *~ a alg. en días* j-n überleben; **II.** *v/i.* **7.** *~ a* (*od. hasta*) *a/c.* reichen bis (*dat.*), et. erreichen; *~ con la mano hasta el techo* mit der Hand die Decke erreichen; *si alcanza no llega* das ist kaum (*od.* gerade noch) ausreichend; **8.** *~ a ver* (*a oír*) sehen (hören) können; *hasta donde alcanza la vista* so weit das Auge reicht; **III.** *v/r.* *~se* **9.** s. verfangen (*Pferd*); **10.** *lit. no se me alcanza* es will mir nicht in den Kopf.

alcapa|rra ⚘ *f* Kaper(nstrauch *m*) *f*; **~rral** *m* Kapernfeld *n*; **~rro** ⚘ *m* → **~rra**; **~rrón** ⚘ *m* gr., längliche Kaper *f*; **~rrosa** *f* → *caparrosa*.

alcaraván *Vo. m* Rohrdommel *f*.

alcaravea ⚘ *f* Dill *m*.

alcarra|cero *m* Kühlkruggestell *n*; Kühlkrugverkäufer *m*; **~za** *f* Kühlkrug *m*.

alcarria *f Reg.* dürres Hochland *n*.

alcatifa *f* **1.** Spargips *m der Fliesenleger*; **2.** † feiner maurischer Teppich *m*.

alcatraz[1] *Vo. m* (*pl. ~aces*) *Am.* Pelikan *m*, Kropfgans *f*.

alcatraz[2] *m* (*pl. ~aces*) Tüte *f*.

alcatraz[3] ⚘ *m* (*pl. ~ces*) Aronstab *m*, Zehrwurz *f*.

alcau|cí, ~cil ⚘ *m* wilde Artischocke *f*; *Reg.* Artischocke *f*.

alcaudón *Vo. m* Würger *m*.

alcayata *f* Hakennagel *m*; Wandhaken *m*.

alcazaba *f hist.* maurische Festung *f*; *Andal.* (befestigte) Oberstadt *f*.

alcázar *m* Burg *f*, Festung *f*; maurisches Schloß *n*; ⚓ Achterkastell *n*.

alcazuz ⚘ *m* (*pl. ~uces*) Süßholz *n*.

alce[1] *Zo. m* Elch *m*.

alce[2] *m* **1.** *Kart.* abgehobene Karten *f/pl.*; **2.** *Typ.* Abzug *m*; **3.** *Cu.* Verladen *n* des geernteten Zuckerrohrs.

alción *Vo. m* Eisvogel *m*.

alcista ⚕ **I.** *adj. c tendencia f ~* **a**) Preisauftrieb *m*; **b**) Haussetendenz *f* (*Börse*); **II.** *m Börse*: Haussespekulant *m*, Haussier *m*.

alcoba *f* **1.** Alkoven *m*; Schlafzimmer *n*; **2.** Schere *f der Waage*; **3.** *Art* Schleppnetz *n*.

alcocarra *f* Fratze *f*, Grimasse *f*; *hacer ~s* Fratzen schneiden.

alcoho|l *m* **1.** Alkohol *m*; *~ absoluto* reiner Alkohol *m*; *~ etílico* Äthylalkohol *m*; *~ metílico* Methylalkohol *m*; *~ de menta* Pfefferminztropfen *m/pl.*; *~ sólido* Hartspiritus *m*; *~ de quemar* Brennspiritus *m*; **2.** *Min.* Bleiglanz *m*; **3.** † dunkler Puder *m zum Schminken der Augenlider*; **~lado I.** *adj.* mit dunkel geränderten Augen (*Vieh*); **II.** *m* alkoholische Essenz *f*; **~lar** *v/t.* **1.** mit Alkohol versetzen; in Alkohol verwandeln; mit Alkohol abwaschen; **2.** † *Augenlider* mit dunklem Puder schminken; **3.** ⚓ teeren.

alco|holato *Pharm. m* Alkoholpräparat *n*; **~holero** *adj.* Alkohol...; *industria f ~a* Alkoholindustrie *f*; **~hólico I.** *adj.* **1.** alkoholisch; **2.** trunksüchtig; **3.** *Am.* → *alcoholero*; **II.** *m* **4.** Alkoholiker *m*; **~holificación** *f* alkoholische Gärung *f*; **~holímetro** *m* Alkoholmesser *m*; **~holismo** ⚕ *m* Alkoholismus *m*, Trunksucht *f*; Säuferwahnsinn *m*; **~holizado** *adj.* trunksüchtig; **~holizar** [1f] *v/t.* mit Alkohol versetzen.

alcor *lit. m* Anhöhe *f*, Hügel *m*.

alcorán *Rel. m* Koran *m*.

alcorno|cal *m* Korkeichenwald *m*; **~que** *m* ⚘ Korkeiche *f*; *fig.* F (*pedazo m de*) *~* Dussel *m* F, Dummkopf *m*; **~queño** *adj.* Korkeichen..., korkig.

alcorque[1] *m* Wassergrube *f* um die Pflanzen.

alcorque[2] *m* Schuh *m* mit Korksohle.

alcorza *f* Zuckerguß *m*; Zuckergebäck *n*; **~r** [1f] *v/t.* mit Zuckerguß überziehen; *fig. ~ado* süßlich, schleimig (*fig.* F).

alcotán *Vo. m* Lerchenfalke *m*.

alcotana *f* Maurerhammer *m*.

alcubilla *f* Wasser-turm *m*, -schloß *n*.

alcucero I. *adj.* naschhaft; **II.** *m* Ölkannen-macher *m*; -verkäufer *m*.

alcurnia *f* Geschlecht *n*, Abstammung *f*; *de rancia ~ y abolengo* von uraltem Adel.

alcuza *f* Ölkanne *f*; *Pe., Ec.* Menage *f*.

alcuzcuz *m* Kuskus *m*, Teig aus Mehl u. Honig.

alda|ba *f* **1.** Türklopfer *m*; **2.** Sicherheitsriegel *m*; **3.** Mauerring *m zum Anbinden der Reittiere*; **4.** *fig.* Protektion *f*; *agarrarse a* (*od. tener*) *buenas ~s* mächtige Gönner haben; **~bada** *f*, **~bazo** *m* Schlag *m* mit dem Türklopfer; *fig.* Schreck(-schuß) *m*; **~bear** *v/i.* anklopfen; **~beo** *m* Anklopfen *n*; **~bía** *f* Querbalken *m* e-r Zwischenwand; **~billa** *f* Riegel *m*, Schließhaken *m*; **~bón** *m* gr. Türklopfer *m*; gr. Griff *m e-r Truhe u. ä.*; **~bonazo** *m* → *aldabazo*.

aldea *f* (kleineres) Dorf *n*; Weiler *m*; **~niego** *adj.* dörflich, bäuerlich; **~no I.** *adj.* ländlich, bäuerlich, Dorf..., Bauern...; *fig.* bäuerisch; **II.** *m*, *~a f* Bauer *m*; Bäuerin *f*; Bauernmädchen *n*.

Aldebarán *Astr. m* Aldebaran *m*.

aldehído ⚗ *m* Aldehyd *n*.

alde|huela *f* Dörfchen *n*; **~orr(i)o** *m* elendes Dorf *n*, Kaff *n* F.

alderredor *adv.* → *alrededor*.

aldino *Typ. adj.* aldinisch; *edición f ~a* Aldine *f* (*mustergültiger Druck*).

¡ale! *int.* auf!, los!, vorwärts!

alea *f* → *aleya*.

aleación *f* Legierung *f*; Glockenmetall *n*; *~ de cobre* Kupferlegierung *f*.

alear[1] *v/t.* mischen, legieren.

alear[2] *v/i.* flattern; mit den Armen zappeln; *fig. ir aleando* s. erholen.

aleatorio *adj.* vom Zufall abhängig; ⚖ aleatorisch.

alebra(sta)rse *v/r.* s. an den Boden ducken (*wie ein Hase*); *fig.* verzagen.

alebrestarse *v/r.* **1.** → *alebrarse*; **2.** *Am.* s. aufregen; *Col.* unruhig werden (*Pferd*); *Méj., Ven.* s. begeistern.

alebronarse *v/r.* → *alebrarse*.

alecciona|dor *adj.* lehrreich; **~miento** *m* Unterweisung *f*; **~r** *v/t.* unterweisen, anleiten.

alecrín[1] *m Art* Haifisch *m*.

alecrín[2] ⚘ *m südam. Baum* (*mahagoniähnlich*).

alechugar *v/t.* kräuseln, fälteln.

aleda *f* Stopfwachs *n*, Bienenharz *n*.

aledaño I. *adj.* angrenzend, Grenz...; **II.** *m* Anlieger *m*; *~s m/pl.* Umgebung *f*.

alefriz ⚓ *m* Kielfalz *m*.

alega|ción *f* Behauptung *f*; Zitat *n*; ⚖ → *alegato*; *~ones f/pl.* Einwände *m/pl.*; *aducir ~ones* Vorstellungen erheben; **~dor** *adj. Am.* streitsüchtig; **~r** [1h] **I.** *v/t.* vorbringen, geltend machen, anführen, zitieren; *als Beweis* anführen; s. berufen auf (*ac.*); *Beweise* beibringen; *Am.* → *disputar*; **II.** *v/i.* ⚖ plädieren; **~tista** *adj. c Col.* streitsüchtig; **~to** ⚖ *m* Darlegung *f* (*a. allg.*); Schriftsatz *m*; Verteidigungsschrift *f*; *p. ext.* Plädoyer *n*; *Am.* Streit *m*, Wortwechsel *m*.

ale|goría *f* Allegorie *f*; **~góricamente** *adv.* allegorisch; **~górico** *adj.* allegorisch, sinnbildlich; **~gorizar** [1f] *v/t.* versinnbildlichen.

alegra|dor I. *adj.* **1.** erfreulich; **II.** *m* **2.** Spaßmacher *m*; **3.** Fidibus *m*; **~r**[1] **I.** *v/t.* **1.** erfreuen, erheitern; *fig.* beleben, verschönern; *Feuer* anfachen; *Licht* putzen; *Stk. Stier* reizen; **2.** ⚓ *Tau* abfieren; *Schiff* leichtern; **II.** *v/r.* ~se **3.** ~se (de *od.* con *od.* por) s. freuen (über *ac.*); me alegro (das) freut mich; me alegro de que hayas venido ich freue mich, daß du gekommen bist; **4.** F s. beschwipsen, s. andudeln F.

alegrar[2] *v/t.* **1.** ⚓ *Loch* erweitern **2.** *Chir.* (ab)schaben.

alegre *adj. c* lustig, fröhlich; froh; heiter (*Wetter, Gesicht, Gemüt*); freundlich (*Zimmer usw.*); F beschwipst, angeheitert; leichtsinnig (*Frau*); **~mente** *adv.* fröhlich, lustig; leichthin.

alegreto ♪ *m* Allegretto *n.*

alegría *f* **1.** Freude *f* (machen dar); Fröhlichkeit *f*, Frohsinn *m*; Leichtsinn *m*; F Schwips *m*; ~ de la vida Lebensfreude *f*; **2.** ⚘ Sesam *m*; **3.** Lebkuchen *m od.* Nußschnitte *f mit Sesam gewürzt*; **4.** ♪ *andal. Volks-lied u. -tanz*; **5.** ⚓ Stückpfortenweite *f.*

alegro ♪ *m* Allegro *n.*

alegrón I. *adj.* **1.** *Am.* angeheitert; **II.** *m* **2.** F (*a. iron.*) Riesenfreude *f*; llevarse un ~ s. riesig freuen; **3.** Flackerfeuer *n*; **4.** *Am. Cent., Méj.* Schürzenjäger *m.*

alejamiento *m* Entfernung *f*; Zurückgezogenheit *f.*

alejandrino *adj.-su.* alexandrinisch; *m* Alexandriner *m* (*Vers*).

alejar I. *v/t.* entfernen; fernhalten; **II.** *v/r.* ~se s. entfernen (*a. fig.* von *dat.* de).

alela|do *adj.* verblüfft; einfältig, blöde; **~miento** *m* Verblüffung *f*; Verblödung *f*; **~r I.** *v/t.* **1.** verblüffen; **2.** verdummen; **II.** *v/r.* ~se **3.** verdummen, verblöden; **4.** verblüfft sein.

alelí *m* → alhelí.

aleluya I. *m u. f* **1.** Halleluja *n*, Lobgesang *m*; ¡~! Halleluja!; **II.** *m* **2.** Osterzeit *f*; **III.** *f* **3.** Heiligenbildchen *n*; **4.** Bilderbogen *m*; **5.** *Art* Osterkuchen *m*; **6.** F Reimerei *f bzw.* Pinselei *f*; **7.** F mageres Tier *n*; Bohnenstange *f* F (*Person*); **8.** ⚘ Sauerklee *m*; *Am.* e-e Hibiskusart *f.*

alema *f* Wasserzuteilung *f b. Berieselung*; ~s *f/pl. Bol.* Flußbadeanstalt *f.*

alemán I. *adj.* deutsch; planchado *m* ~ Stärkebügeln *n*; Stärkebügelanstalt *f*; **II.** *m* Deutsche(r) *m*; *das* Deutsche; alto (bajo) ~ Hoch- (Nieder-)deutsch *n.*

aleman(d)a ♪ *f* Allemande *f* (*Tanz*).

alemánico ⚒ *adj.* deutsch.

alenta|da *f*: de (*od.* en) una ~ in e-m Atemzug; **~damente** *adv.* beherzt, kräftig; **~do** *adj.* tapfer, mutig; stolz, herausfordernd; *Am.* wieder wohlauf *nach e-r Krankheit*; **~dor** *adj.* ermutigend; **~r** [1k] **I.** *v/i.* atmen; **II.** *v/t.* ermutigen; ermuntern; **III.** *v/r.* ~se Mut fassen; *Am.* s. erholen.

alerce ⚘ *m* Lärche *f.*

alergia ⚕ *f* Allergie *f.*

alérgico ⚕ *adj.* allergisch (gegen *ac.* a).

ale|ro *m* Wetter-, Vor-dach *n*; *Kfz.* Kotflügel *m*; Schmutzblech *n über den Rädern*; *fig.* la pelota está en el ~ die Sache steht kurz vor der Entscheidung (*bzw.* Lösung); **~rón** ✈ *m* Querruder *n.*

aler|ta I. *adv.* wachsam, aufmerksam; estar (ojo) ~ wachsam sein, auf dem Quivive sein F; ¡~! Achtung!, vorgesehen!; **II.** *f* Alarm *m*; *a. fig.* dar la voz de ~ Alarm schlagen; **~tamente** *adv.* wachsam; **~tar I.** *v/t.* wachsam machen; alarmieren; **II.** *v/i.* wachsam sein; **~to** *adj.* wachsam, vorsichtig.

alerzal *m* Lärchenwald *m.*

alesna *f* → lezna.

aleta *f* **1.** Brückenrampe *f*; ⚠ Anbau *m*; **2.** Schaufel *f* (*Mühlrad, Turbine*); **3.** ⚓ Windvierung *f*; Bugsprietsbacken *f/pl.*; **4.** Windflügel *m* (*Fliegerbombe*); ~s estabilizadoras ✈ Schwanz-, *Kfz.* Heck-flossen *f/pl.*; ⊕ ~ del radiador Kühlrippe *f*; ✈ ~ de reglaje Hilfsruder *n*; **5.** Flosse *f der Fische*; *Sp.* ~s *f/pl.* Schwimmflossen *f/pl.*; ~ caudal Schwanzflosse *f*; ~s *f/pl.* dorsales (pectorales, ventrales) Rücken- (Brust-, Bauch-)flossen *f/pl.*; **~da** *f* Flügelschlag *m.*

aletarga|miento *m* Einschläfern *n*; Lethargie *f*; **~r** [1h] **I.** *v/t.* einschläfern; **II.** *v/r.* ~se erschlaffen; willenlos werden.

ale|tazo *m* Flügelschlag *m*; F *Cu., Chi.* Ohrfeige *f*; *Hond.* Diebstahl *m*; **~tear** *v/i.* flügelschlagen; mit den Flossen schlagen, zappeln; F mit den Armen zappeln; F va aleteando er ist wieder besser dran; **~teo** *m* Flügelschlagen *n*; *fig.* Herzflattern *n*; **~tón** ✈ *m* Querruder *n*; ~ones *m/pl.* auxiliares de aterrizaje Landeklappen *f/pl.*.

aleve *adj. c* falsch, treulos, heimtückisch, hinterlistig.

ale|vín, ~vino *m* Fischbrut *f.*

alevo|samente *adv.* heimtückisch; **~sía** *f* Hinterlist *f*, Heimtücke *f*; **~so** *adj.* hinterlistig, heimtückisch.

aleya *f* Koranvers *m.*

alfa *f* Alpha *n*; *fig.* ~ y omega Anfang u. Ende; *Phys.* partículas *f/pl.* (rayos *m/pl.*) ~ Alpha-teilchen *n/pl.* (-strahlen *m/pl.*).

alfa|bético *adj.* alphabetisch; por orden ~ in alphabetischer (Reihen-)Folge; **~betizado** *adj.* des Lesens u. Schreibens kundig; **~betizar** [1f] *v/t.* alphabetisch ordnen, alphabetisieren; bei ... (*dat.*) das Analphabetentum bekämpfen; **~beto** *m* Alphabet *n*; ~ de los ciegos (de los sordomudos) Blinden- (Taubstummen-)alphabet *n*; ~ Morse Morsealphabet *n.*

alfajor *m* Leb-, Pfeffer-kuchen *m.*

alfalfa ⚘ *f* Luzerne *f.*

alfandoque *m Am. Art* Gewürzkuchen *m.*

alfaneque *Vo. m* Berberfalke *m.*

alfanje *m* **1.** Krummsäbel *m*; **2.** *Fi.* Schwertfisch *m.*

alfaque *m* Sandbank *f.*

alfaquí *m* (*pl.* ~íes) mohammedanischer Gesetzeskundige(r) *m.*

alfar *m* **1.** → alfarería; **2.** → arcilla.

alfarda *f* Zug-, Binde-balken *m*; *Cu.* → alfarjía.

alfare|ría *f* Töpferei *f*; Töpferware *f*; **~ro** *m* Töpfer *m.*

alfar|je *m* **1.** Ölmühlpresse *f*; **2.** Täfelung *f*; **~jía** *f* Fenster- *od.* Tür-balken *m.*

alfazaque *Ent. m Art* (schwarzblauer) Käfer *m.*

alféizar *m* Tür-, Fenster-leibung *f*; Fensterbrett *n*; ⚠ Anschlag *m.*

alfeñi|carse [1g] *v/r.* sehr abnehmen, überschlank werden; *fig.* s. zieren; **~que** *m* **1.** Zuckermandelstange *f*; **2.** *fig.* schwächliche Person *f*; Zuckerpüppchen *n* F, Schwachmatikus *m* F; **3.** Ziererei *f*; **4.** Schminke *f.*

alfe|razgo *m*, **~recía**[1] *f* Leutnantsstelle *f.*

alferecía[2] P *f* Epilepsie *f.*

alférez *m* (*pl.* -eces) **1.** Leutnant *m*; *hist.* Fähnrich *m*, Fahnenträger *m*; ~ de fragata (de navío) Leutnant *m* (Oberleutnant *m*) zur See; ~ alumno Fähnrich *m* (*Offiziersanwärter*); *Span.* ~ provisional Leutnant *m* d. R. (= *der Reserve*); **2.** F *Am.* Gastgeber *m*, edler Spender *m* F *bei e-m Fest*; **3.** *And.* Stellvertreter *m* des Ortsältesten *in Indianergemeinden.*

alfil *m* Läufer *m* (*Schach*).

alfile|r *m* **1.** Stecknadel *f*; Anstecknadel *f*; ~ de corbata Krawattennadel *f*; *fig.* prendido con ~es unzuverlässig; mangelhaft; *fig.* de veinticinco ~es geschniegelt u. gebügelt, in vollem Staat; no cabe un ~ es ist (hier) überfüllt, es könnte keine Stecknadel zu Boden fallen; **2.** ⚘ Reiherschnabel *m*; kubanisches Hartholz(gewächs) *n*; **3.** ~es *m/pl.* Nadel-, Taschen-geld *n*; Trinkgeld *n für Zimmermädchen*; **~razo** *m* Nadelstich *m* (*a. fig.*); **~tero** *m* Nadelbüchse *f.*

alfom|bra *f* Teppich *m*; Bettvorleger *m*; Läufer *m*; ~ de nudo geknüpfter Teppich *m*; ~ de oratorio Gebetsteppich *m*; ~ de plásticos Kunststoffmatte *f*; **~brado** *m* Teppichbelag *m*; Verlegen *n* von Teppichen; **~brar** *vt/i.* (mit) Teppiche(n) (aus)legen; **~brero** *m* Teppichwirker *m*; **~brilla** *f* **1.** Bettvorleger *m*; **2.** ⚕ Masern *pl.*; **~brista** *m* Teppich-händler *m*; -leger *m.*

alfóncigo ⚘ *m* Pistazie *f.*

alfonsi|na *hist. f Universitätsfeier in Alcalá*; **~no I.** *adj.* auf König Alfons bezüglich, alfonsinisch; **II.** *m span.* Münze *f des XIII. Jh.*; **~smo** *m* Alfonsismus *m* (*monarchistische Bewegung, Ggs.* carlismo).

alforfón ⚘ *m* Buchweizen *m.*

alforja(s) *f* (*/pl.*) **1.** Quer-, Reisesack *m*; Satteltasche *f*; Mundvorrat *m*; *fig.* sacar los pies de las ~s s. machen F, frech werden; **2.** ⚓ Stropp *m.*

alforza *f* Querfalte *f bzw.* (breiter) Saum *m an Kleidern*; *fig.* Narbe *f.*

alfoz *m* (*a. f*) Vorstadt *f*; Gemeindeverband *m*, (Verwaltungs-)Gebiet *n* mehrerer Dörfer.

alga ⚘ *f* Alge *f*, Tang *m*; ~ marina Seetang *m.*

algaida[1] *f* Buschwald *m.*

algaida[2] *f* Sanddüne *f.*

algalia[1] *f* **1.** Zibet *m*, Bisam *m*; (gato *m* de) ~ Zibetkatze *f*; **2.** ⚘ Bisamblume *f.*

algalia[2] ⚕ *f* Katheter *m.*

algaliar [1b] *v/t.* mit Bisam parfümieren.

algara¹ *f* → *algarada*¹ *1.*
algara² *f* → *binza.*
algarabía *f* **1.** arabische Sprache *f*; Kauderwelsch *n*, Jargon *m*; *fig.* Gezeter *n*; **2.** ⚘ Besenheide *f*.
algarada¹ *f* **1.** *hist.* Reitertrupp *m*; Überfall *m bsd. zu Pferde*; **2.** Straßenauflauf *m*; Krawall *m*; Geschrei *n*, Spektakel *m* F.
algarada² *f* → *algarrada.*
algarrada *f* Stierkampf *m mit der Lanze* im Freien; Einstellen *n* der Kampfstiere in die Zwinger; Jungstierkampf *m*.
algarro|ba ⚘ *f* **1.** Johannisbrot *n*; **2.** Futterwicke *f*; **~bal** *m* Johannisbrotbaum- *bzw.* Wicken-pflanzung *f*; **~billa** *f* → *arveja*; **~bo** ⚘ *m* Johannisbrotbaum *m*.
algazara *f hist.* Kriegsgeschrei *n*, *bsd. der Mauren*; *fig.* Getöse *n*, Lärm *m*; Freudengeschrei *n*.
algazul ⚘ *m* Mittagsblume *f*.
álgebra *f* Algebra *f*; † Knocheneinrenken *n*.
alge|braico *adj.* algebraisch; **~brista** *m* **1.** Algebraiker *m*; **2.** † Bader *m*, Knocheneinrenker *m*.
algébrico → *algebraico.*
algidez ⚕ *f* Kälte *f*; ~ *(cadavérica)* Todeskälte *f*.
álgido *adj.* eisig; *punto m* ~ Gefrierpunkt *m*; *inc.* Höhepunkt *m*, Krise *f*; ⚕ *fiebre f* ~*a* Frostfieber *n*.
algo *pron.* etwas, ein wenig, ein bißchen; *falta* ~ *para llegar* noch sind wir nicht ganz da; *esto sí que es* ~ das läßt sich hören; *por* ~ *lo habrá dicho* aus gutem Grund (*od.* nicht umsonst) hat er das gesagt; ~ *es* ~ *od. más vale* ~ *que nada* besser etwas als nichts; *adv. anda* ~ *escaso de tiempo* er hat ziemlich wenig Zeit; *tiene su* ~ *de orgulloso* er hat s-n Stolz, er ist etwas überheblich.
algo|dón *m* **1.** ⚘ Baumwollstaude *f*; **2.** Baumwolle *f*; Watte *f*; ~ *en bruto* ungereinigte Baumwolle *f*; ~ *hidrófilo* Verbandswatte *f*; ~ *pólvora* Schießbaumwolle *f*; ~ *en rama* Rohbaumwolle *f*; ~*ones m/pl.* Tintenfaßbaumwolle *f*; Wattepfropfen *m/pl. für die Ohren*; *fig. estar criado entre* ~*ones* verhätschelt (erzogen) sein; **~donal** *m* Baumwollfeld *n*; **~donar** *v/t.* wattieren; **~donero I.** *adj.* Baumwoll-...; **II.** *m* Baumwollstaude *f*; Baumwoll-pflanzer *m*; -händler *m*; **~donita** *f* silberhaltiges Arsenkupfer *n aus den Minen von Algodón, Chi.*; **~donosa** ⚘ *f* Wiesenwolle *f*; **~donoso** *adj.* wollig, pelzig.
algorín *m* Olivenspeicher *m in Ölmühlen.*
algorit|mia *f* **1.** „Algorithmik" *f*, Rechenkunst *f* (*bsd. Arithmetik u. Algebra, Zahlentheorie*); **2.** → **~mo** 🕮 *m* Algorithmus *m*.
algoso *adj.* voll von Algen, voller Tang.
alguaci|l *m* **1.** Gerichts-, Amtsdiener *m*; Büttel *m*, Scherge *m*; Gerichtsvollzieher *m*; ~ *de(l) campo*, ~ *de la hoz* Feldhüter *m*; P *come más que un* ~ er frißt wie ein (Scheunen-)Drescher P; **2.** *hist.* Stadtgouverneur *m*; **3.** *Ent.* ~ *de moscas* Hausspinne *f*; **4.** *Stk.* → *alguacilillo*; **~lazgo** *m* Amt *n* e-s *alguacil*; **~lesa** *f* Frau *f* e-s *alguacil*; **~lillo** *Stk. m* Platzräumer *m* (*Bezeichnung für die beiden Reiter, die der cuadrilla voranreiten*).
alguate *m Méj.* → *aguate.*
alguien *pron. indef.* jemand, irgendwer.
alguno *adj.-pron.* (*vor su. m/sg. algún*) jemand; etwas; (irgend)einer; mancher; ~*a noche* e-s Abends; *algún día* e-s Tages; *algún tanto* etwas; ~*a vez* bisweilen, gelegentlich; ~ *que otro* der eine oder andere, einige, ein paar; *nachgestellt in negativen Sätzen, zur Verstärkung der Negation*: *de manera* ~*a* keineswegs; *pronominal*: *m/pl.* ~*s* etliche, einige.
alha|ja *f* Juwel *n* (*a. fig.*), Kleinod *n*, Geschmeide *n*; wertvoller Hausrat *m*; Pracht-stück *n*, -exemplar *n* (*a. fig.*); ~*s f/pl.* Pretiosen *pl.*; F *iron. ¡menuda* ~*!* ein sauberes Früchtchen F; **~jar** *v/t.* **1.** mit Juwelen schmücken; **2.** *Haus* ausstatten, einrichten; **~jera** *f*, **~jero** *m Am.* Schmuckkasten *m*.
alharaca *f* heftiger Gefühlsausbruch *m*, Gemütswallung *f*; Gezeter *n*; *sin* ~*s ni bambollas* ohne viel Wesens (zu machen).
al|hárgama, ~harma ⚘ *f* Harmelkraut *n*.
alhelí ⚘ *m* (*pl.* ~*íes*) Levkoje *f*; ~ *amarillo* Goldlack *m*.
alheña *f* **1.** ⚘ Rainweide *f*, Hartriegel *m*; **2.** ✓ Rost *m bzw.* Brand *m des Getreides*; **3.** Hartriegelpulver *n*, Henna *f*; **~r I.** *v/t.* mit Henna färben; **II.** *v/r.* ~*se* brandig werden (*Getreide*).
alhóndiga *f* öffentlicher Kornspeicher *m*; Getreidemarkt *m*.
alhorre ⚕ *m* Darmausscheidung *f* Neugeborener, Kindspech *n*; Schorf *m* der Neugeborenen.
alhuce|ma ⚘ *f* Lavendel *m*; **~milla** ⚘ *f* Speik *m*.
ali... *in Zssgn.* mit ... Flügeln, *z.B. alirrojo* mit roten Flügeln.
aliáceo *adj.* knoblauchartig.
alia|do I. *adj.* **1.** verbündet; *Pol.* alliiert; **2.** verwandt; **II.** *m* **3.** Verbündete(r) *m*; *Pol.* ~*s* Alliierte(n) *m/pl.* (*Weltkriege*); **4.** Verwandte(r) *m*; **5.** *Cu.* Droschke *f*; **~dófilo** *adj.-su.* alliiertenfreundlich (*Weltkrieg*); **~ga** ⚘ *f* → *aulaga.*
alian|cista *adj.-su. c Am.* Bündnispartner *m*; **~za** *f* **1.** Bündnis *n*, Bund *m*; Verbindung *f* (*a. eheliche od. verwandtschaftliche*); ~ *conyugal* Ehebund *m*; **2.** *Pol.* Bündnis *n*, Allianz *f*; ~ *defensiva* (*ofensiva*) Verteidigungs-, Defensiv- (Offensiv-)bündnis *n*; ~ *ofensiva y defensiva* Schutz- u. Trutzbündnis *n*; ~ *secreta* Geheimbund *m*; *hist. Santa* ~ Heilige Allianz *f*; *triple* ~ Dreibund *m*; **3.** *gal.* Ehering *m*.
aliar [1c] **I.** *v/t.* ✎ vereinen; **II.** *v/r.* ~*se* s. verbünden; s. anschließen (*dat. od.* an *ac. a*).
aliaria ⚘ *f* Knoblauchkraut *n*.
alias I. *adv.* sonst, auch; genannt, alias; **II.** *m* Spitzname *m*.
alibi *gal. m* Alibi *n* (→ *coartada*).
alible *adj. c* nahrhaft.
alicaído *adj.* flügellahm; *fig.* schwach, kraftlos; mutlos; heruntergekommen.
alicántara *f* → *alicante 1.*
alican|te *m* **1.** *Zo.* Sandviper *f*; **2.** Alicantewein *m*; **3.** *Art* N(o)ugat *n*; **~tina** *f* List *f*; Verschlagenheit *f*.
alicata|do *m* Fliesenbelag *m*; Kacheltäfelung *f im arab. Stil*; **~r** *vt/i.* mit Fliesen auslegen; Kacheln *od.* Fliesen einpassen (in *ac.*).
alicates *m/pl.* Flachzange *f*, Greifzange *f*; ~ *de corte* Beißzange *f*; ~ *de uñas* Nagelzange *f*; ~ *universales* Universal-, Kombi-zange *f*.
aliciente *m* Lockmittel *n*, Köder *m* (*a. fig.*); *fig.* Anreiz *m*.
alicortar *Jgdw. v/t.* flügeln.
alicuanta *Arith. adj. f*: *parte f* ~ mit Rest teilende (*od.* aliquante) Zahl *f*.
alícuota ⚹ *adj. c* **1.** *parte f* ~ aliquoter Teil *m*; *Arith.* ohne Rest teilende Zahl *f*, Aliquote *f*; ☤ Bruchteil *m des Kapitals*; **2.** proportional.
alicuz *m Hond.* lebhafter u. geschäftstüchtiger Mensch *m*.
alidada *f* Diopterlineal *n*.
aliena|ble *adj. c* → *enajenable*; **~ción** *f* Veräußerung *f*; ⚕ Geisteskrankheit *f*; **~do** *adj.-su.* geisteskrank; *m* Geisteskranke(r) *m*; **~r I.** *v/t.* veräußern; **II.** *v/r.* ~*se de* s. entäußern (*gen.*).
alienígena *adj. c* ortsfremd; nicht im Land geboren.
alienista *m* Irrenarzt *m*.
aliento *m* Atem *m*; Hauch *m*; *fig.* Kraft *f*, Mut *m*; *cobrar* ~ Mut schöpfen; *perder el* ~ außer Atem kommen; *quitar el* ~ den Atem benehmen (*a. fig.*); *tomar* ~ Atem holen; *adv. de un* ~ in e-m Zuge; ohne Unterbrechung; *sin* ~ atemlos, außer Atem.
alifafe *m* **1.** F → *achaque*; **2.** *vet.* (*mst.* ~*s m/pl.*) Gallen *f/pl.* (*b. Pferden*).
aligación *f* Mischung *f*, Verbindung *f*; ☤ *regla f de* ~ Alligationsrechnung *f*.
aligátor *Zo. m* Alligator *m*.
aligera|miento *m* Erleichterung *f*; **~r I.** *v/t.* **1.** erleichtern; lindern; mäßigen, abschwächen; *Schiff* löschen; **2.** beschleunigen; ~ *el paso* den Schritt beschleunigen; **II.** *v/i.* **3.** F s. beeilen; **III.** *v/r.* ~*se* **4.** s. freimachen *zur Untersuchung beim Arzt*; ~*se de ropa* s. leichter kleiden.
alígero *poet. adj.* beflügelt; rasch.
ali|gonero ⚘ *m* Zürgelbaum *m*; **~gustre** ⚘ *m* Liguster *m*.
alija|dor I. *adj.* **1.** erleichternd; **II.** *m* **2.** ⚓ **a)** Schauermann *m*; **b)** Leichter(schiff *n*) *m*; **3.** Baumwollreiniger *m*; **~r**¹ *v/t.* **1.** *Schiff(sladung)* löschen; *Schmuggelgut* an Land bringen; **2.** *Baumwolle* reinigen; **3.** schmirgeln, (ab)schleifen.
alija|r² *m* Brachland *n*.
alijo *m* **1.** Löschen *n*, Leichtern *n e-s Schiffes*; **2.** Schmuggel(ware *f*) *m*.
alilo ⚗ *m* einwertiger Kohlenwasserstoff *m*.
alimaña *f* Raubzeug *n*; *fig.* Ungeziefer *n*; elender Wicht *m*.
alimen|tación *f* **1.** Ernährung *f*, Verpflegung *f*; Fütterung *f*; **2.** ⊕

Speisung *f*, Beschickung *f*; ~ *con ácido* Säurezufuhr *f*; **~tador** *adj.-su.* Ernährer *m*; *m* ⚡ Speisekabel *n*; **~tante I.** *adj. c* ernährend; **II.** *c* Ernährer *m*; ⚖ *a.* Unterhaltspflichtige(r) *m*; **~tar I.** *v/t.* **1.** ernähren, beköstigen; ⊕ speisen, *Hochöfen* beschicken; ~ *con datos Computer* mit Daten füttern; **2.** *fig.* nähren; schüren; **II.** *v/i.* **3.** nähren, nahrhaft sein; **~tario** ⚖ *m* → *alimentista*; **~ticio** *adj.* Nähr...; *productos m/pl.* ~*s* Nahrungsmittel *n/pl.*; *su(b)stancia f* ~*a* Nährstoff *m*; **~tista** ⚖ *m* Unterhaltsberechtigte(r) *m*; **~to** *m* **1.** Nahrung *f*; ~*s m/pl.* Lebensmittel *n/pl.*; **2.** ~*s m/pl.* ⚖ Unterhalt *m*; Alimente *pl.*; *deber m de* ~*s* Unterhaltspflicht *f*; **3.** Heiz-, Brenn-stoff *m*; **4.** *fig.* Nährboden *m*, Begünstigung *f*; **~toso** *adj.* sehr nahrhaft.

álimo ♀ *m* Meermelde *f*.

alimoche *Vo. m* Aasgeier *m*.

alimón *adv.*: *al* ~ *Stk. wenn zwei Stierkämpfer s. e-r einzigen capa bedienen*; *allg.* mit vereinten Kräften, gemeinsam.

alimonarse *v/r.* gelb werden (*Erkrankung immergrüner Laubbäume*).

alinda|do *adj.* stutzerhaft; **~miento** *m* Abgrenzung *f*; **~r**[1] **I.** *v/t.* abgrenzen; **II.** *v/i.* ~ (*con*) angrenzen (an *ac.*); **~r**[2] *v/t.* verschönern, herausputzen.

alinea|ción *f* Ausrichtung *f*; *Sp.* Aufstellung *f e-r Mannschaft*; ⚠ Straßenflucht *f*, Fluchtlinie *f*; *Typ.* Schriftlinie *f*; Zeileneinstellung *f* (*Schreibmaschine*); ~*ones f/pl. montañosas* Gebirgszüge *m/pl.*; **~r I.** *v/t.* ausrichten; abmessen; *Sp. e-e Mannschaft* aufstellen; ⚔ *¡~!* richt' euch!; **II.** *v/r.* ~*se* Richtung nehmen (*a.* ⚔); *Pol. países m/pl. no* ~*ados* blockfreie Länder *n/pl.*

ali|ñado *adj.* **1.** zierlich; **2.** sauber; **~ñar** *v/t.* **1.** *Speisen* anrichten; **2.** in Beize legen; **3.** schmücken; **4.** *Chi. Knochen* einrenken; **~ño** *m* **1.** Schmuck *m*, Verzierung *f*; **2.** (Zu-)Bereitung *f*; **3.** Würze *f*; **4.** Geräte *n/pl.*

alioli *m* → *ajiaceite*.

alipego *m Am. Cent.* Zugabe *f für den Käufer*.

ali|quebrado ⸸ *adj.* niedergeschlagen, mutlos; **~rrojo** *adj.* mit roten Flügeln, rotgeflügelt.

alisa|dor *m* **1.** Polierer *m*, Schleifer *m*; **2.** Glätt-, Schlicht-holz *n*; **~dura** *f* Glätten *n*; ~*s f/pl.* Abfälle *m/pl. beim Polieren*; **~l, ~r**[1] *m* Erlengehölz *n*; **~r**[2] *v/t.* glätten, polieren; *Haar* glattstreichen.

aliseda *f* → *alisal*.

alisios *adj.-su. m/pl.* (*vientos m/pl.*) ~ Passat(winde *m/pl.*) *m*.

alisma ♀ *f* Froschlöffel *m*.

aliso ♀ *m* Erle *f*.

alista|do I. *adj.* gestreift; **II.** *m* ⚔ Ausgehobene(r) *m*; **~dor** *m* **1.** Listen-, Register-führer *m*; **2.** ⚔ Werber *m*; **~miento** *m* **1.** Einschreibung *f*; *allg.* Anwerbung *f*; **2.** ⚔ **a)** Aushebung *f*, Musterung *f*; **b)** Anwerbung *f*; ⚓ Anheuerung *f*; **~r I.** *v/t.* **1.** bereitstellen; **2.** einschreiben; **3.** ⚔ anwerben; *Wehrpflichtige* erfassen; **II.** *v/r.* ~*se* **4.** s. einschreiben lassen; **5.** ⚔ **a)** s. anwerben lassen; **b)** s. (freiwillig) melden; **6.** *Am.* fertig werden, s. fertig machen.

aliteración *f* Allitteration *f*, Stabreim *m*.

alitierno ♀ *m* → *aladierna*.

alivi|adero *m* Überlauf *m b. Kanälen*; **~ador** *adj.-su.* lindernd; **~ar** [1b] **I.** *v/t.* **1.** erleichtern; entlasten; lindern; *este medicamento me alivió* dieses Medikament hat mir gutgetan; **2.** beschleunigen; **3.** *fig.* F bestehlen, erleichtern F; **II.** *v/r.* ~*se* **4.** s. erholen; *¡que se alivie!* gute Besserung!; **~o** *m* Erleichterung *f*; Erholung *f*; ~ *de luto* Halbtrauer *f*.

alizarina ⚗ *f* Alizarin *n*, Krapprot *n*.

alja|ba *f* Köcher *m*; **~ma** *f* **1.** Mauren- *bzw.* Juden-versammlung *f*; *bzw.* -viertel *n*; **2.** Synagoge *f*; **3.** Moschee *f*; **~mía** *f alte Bezeichnung der Mauren für das* Spanische; *heute*: Schriften *f/pl.* in span. Sprache, aber arab. Schrift.

aljez *m* (*pl.* ~*eces*) Gipsstein *m*.

aljibe *m* **1.** Zisterne *f*; *Col.* Brunnen *m*; **2.** ⚓ Wassertank *m*; Tankschiff *n*.

aljofaina *f* → *jofaina*.

aljófar *m* kl. unregelmäßig geformte Perle(n) *f*(*/pl.*), Saatperlen *f/pl.*; *fig. poet.* Perle *f v. Tau, Tränen*: ~ *de rocío* Tauperlen *f/pl.*

aljofarar *v/t.* mit Perlen besticken.

aljonje *m* Vogelleim *m*.

alma *f* **1.** Seele *f*; *fig.* Gemüt *n*, Herz *n*; *fig.* Mut *m*, Energie *f*; *con el* ~ herzlich; aufrichtig, gerne; *con toda mi (su usw.)* ~ von ganzem Herzen; *con* ~ *y vida* mit Leib u. Seele, sehr; *adv. en el* ~ lebhaft, tief (*fig.*); herzlich; ~ *de Dios* guter Kerl *m*, treue Haut *f*; ~ *mía* mein Liebes, mein Liebling; ~ *en pena* Seele *f* im Fegefeuer, arme Seele *f*; *hijo m de mi* ~ mein (lieber) Junge; *como* ~ *que lleva el diablo* in aller Hast, mit Sturmeseile; (*andar*) *como* ~ *en pena* traurig, trübsinnig, melancholisch (sein); *arrancarle a uno el* ~ j-n zutiefst verwunden, j-m das Herz zerreißen; *caérsele a uno el* ~ *a los pies* mutlos werden; *me duele en el* ~ es tut mir in der Seele weh; *echar(se) el* ~ *a las espaldas* s-e Skrupel über Bord werfen, sein Gewissen einschläfern; *entregar el* ~ (*a Dios*) den Geist aufgeben, sterben; *írsele a uno el* ~ *tras a/c.* et. von Herzen herbeisehnen; et. sehnsüchtig erstreben; *llegarle a uno al* ~ j-m zu Herzen (*od.* sehr nahe) gehen; *llevar a uno en el* ~ j-n von Herzen lieben; *padecer como* ~ *en pena* unsäglich leiden; F *romperle a uno el* ~ j-m das Genick brechen, j-m den Schädel einschlagen F; *salir del* ~ von Herzen kommen; *tener el* ~ *bien puesta od. tener mucha* ~ **a)** vor nichts zurückschrecken; **b)** das Herz auf dem rechten Fleck haben; *tener el* ~ *en la mano* offen (-herzig) sein (*od.* handeln); *no tener* ~ herzlos (*od.* gewissenlos) sein; *tener el* ~ *en un hilo* sehr gespannt sein; (wie) auf glühenden Kohlen sitzen; Angst haben; **2.** *fig.* Seele *f*; *fulano es el* ~ *de la empresa* X ist die Seele des Unternehmens; *un pueblo de dos mil* ~*s* ein Ort von 2000 Seelen; *no se veía* ~ *viviente* kein Mensch (*od.* k-e Menschenseele) war zu sehen; **3.** Kern *m*; ⊕ Seele *f* (*Kabel, Lauf e-r Waffe*); **4.** ♪ Stimmstock *m*, Seele *f* (*Saiteninstrument*); **5.** ⚠ vertikale Stütze *f*; Stützbalken *m* (*z. B. e-s Gerüsts*).

alma|cén *m* **1.** Magazin *n*, Lager (-haus) *n*; ⚔ Kammer *f*; ✝ en ~ auf Lager, vorrätig; ab Lager; ~ *de la Aduana* Zollager *n*; *jefe m de* ~ Lagerist *m*, Lagerverwalter *m*; *depositar mercancías en los almacenes* (*de la Aduana*) Waren unter Zollverschluß legen; *sacar del* ~ auslagern; **2.** ⚓ Wassertank *m*; ~ *de carbón* Kohlenbunker *m*; **3.** *Rpl.* Kolonialwarenhandlung *f*; **4.** ✝ Niederlage *f*; Großhandlung *f*; (*grandes*) ~*enes m/pl.* Waren-, Kauf-haus *n*; **~cenaje** *m* Einlagerung *f*; Lagermiete *f*; (*derechos m/pl. de*) ~ Lager-geld *n*, -gebühr *f*; **~cenamiento** *m* (Ein-)Lagerung *f*; **~cenar** *v/t.* (ein)lagern; (auf)speichern; *estar* ~*ado* lagern (*v/i.*); *tener* ~*ado* auf Lager (*od.* eingelagert) haben; **~cenero** *m* Lagerist *m*, Magazinverwalter *m*; *Rpl.* Kolonialwarenhändler *m*; **~cenista** *c* Lagerhalter *m*; Grossist *m*.

almáci|ga *f* **1.** Mastix *m*; (Fenster-) Kitt *m*; **2.** Mist-, Treib-beet *n*; Baumschule *f*; **~go** ♀ *m* Mastixbaum *m*; *Am. Art* Terebinthe *f*.

almádena *f* Steinhammer *m*.

alma|día *f* **1.** Floß *n*; **2.** Boot *n der indischen Eingeborenen*; **~diar** *v/i.* *u.* ~*se v/r.* ⸸ → *marearse*; **~diero** *m* Flößer *m*; **~draba** *f* Thunfischerei *f*; Thunfisch-fanggründe *m/pl.*; -netz *n*.

almadreña *f* Holzschuh *m*.

almagesto *hist. m* Almagest *m*, Handbuch *n* der Sternkunde.

alma|gra *f* → *almagre*; **~grar** *v/t.* mit Ocker (*od.* Rötel) färben; **~gre** *m* Ocker *m*; Rötel *m*; **~grero** *adj.* ockerreich.

alma|izal, ~izar *m* Maurenschleier *m*; *Rel.* Humerale *n*, Schultertuch *n*; **~jal** *m* Salzkrautfeld *n*; **~naque** *m* Almanach *m*, Kalender *m*.

alman|dina *f* Almandin *m*, edler Granat *m*; **~ta** *f* Furchenrain *m*; → *entreliño*; *poner a* ~ *Weinstöcke* dicht u. unregelmäßig pflanzen.

almarada *f* dreikantiger Dolch *m*; gr. Sattlernadel *f*.

almarbatar *v/t.* *Holz* verfugen.

almar|jal *m* **1.** Salzkrautfeld *n*; **2.** → *marjal*; **~jo** ♀ *m* Salzkraut *n*.

almár|taga, ~tega ⚗ *f* Bleiglätte *f*.

almartigón *m* Krippenhalfter *m*.

almás|tec *m*, **~tiga** *f* Mastix *m*.

almatriche *m* Bewässerungsgraben *m*.

almaza|ra *f* Ölmühle *f*; **~rero** *m* Ölmüller *m*.

almea *f* Storaxbalsam *m*; Storaxrinde *f*.

almeja *f* Miesmuschel *f*; **~r** *m* Muschelbank *f*.

almena *f* (Mauer-)Zinne *f*; **~do I.** *adj.* mit Zinnen besetzt; zinnenförmig; ▨ gekerbt; **II.** *m* → **~je** *m* Zinnenwerk *n*, Mauerkrönung *f*;

~r[1] † *m* Fackelständer *m*; **~r**[2] *v/t.* mit Zinnen versehen; **~ra** † *f* 1. Feuerzeichen *n*; 2. Leuchter *m*
almen|dra *f* 1. Mandel *f*; Mandelkern *m*; Kern *m* (*Steinobst*); ~ *de cacao* Kakaobohne *f*; ~ *mollar* Krach-, Knack-mandel *f*; *aceite m de ~s (amargas)* (Bitter-)Mandelöl *n*; *pasta f de ~s* Mandelkleie *f* (*Kosmetik*); 2. mandelförmiger Zierat *m* (*Kristallbehänge usw.*); 3. F kl. Kiesel *m*; 4. F *~s f/pl.* Kugeln *f/pl.*, blaue Bohnen *f/pl.* F (*Geschoß*); 5. *Zo.* ~ *de mar* Sammetmuschel *f*; **~drada** *f* Mandelmilch *f mit Zukker*; **~drado I.** *adj.* mandelförmig; **II.** *m* Mandelteig *m*; Mandelgebäck *n*; **~dral** *m* 1. Mandelbaumpflanzung *f*; 2. → *almendro*; **~drera** *f*, **~drero** *m* 1. Mandelbaum *m*; 2. Mandel-schale *f*, -teller *m*; **~drilla** *f* 1. Schotter *m*; 2. Nußkohle *f*; 3. Schlosserfeile *f*; **~dro** ⚘ *m* Mandelbaum *m*; **~drón** *m* am. Mandelbaum *m*; **~druco** *m* grüne Mandel *f*.
alme|z ⚘ *m* Zürgel-, Elsbeer-baum *m*; **~za** *f* Elsbeere *f*; **~zo** *m* → *almez*.
almiar ⚒ *m* Feime *f*, Miete *f*.
almíbar *m* Sirup *m*.
almibara|do *adj.* zuckersüß (*a. fig.*); süßlich, liebedienerisch; **~r** *v/t. Früchte* in Sirup einkochen; mit Zuckerguß überziehen; *fig.* versüßen; *j-m* Honig ums Maul schmieren F.
almi|dón *m* Stärke *f*; Stärkemehl *n*; ~ *de brillo* Glanzstärke *f*; *dar ~ a et.* stärken; **~donado I.** *adj.* gestärkt (*Wäsche*); *fig.* herausgeputzt; **II.** *m* Stärken *n*; **~donar** *v/t. Wäsche* stärken; **~donería** *f* Stärkefabrik *f*.
almilla *f* 1. *Zim.* Zapfen *m*; 2. Bruststück *n vom Schwein*.
almi|mbar *m* Mimbar *m*, Kanzel *f e-r Moschee*; **~nar** *m* Minarett *n*.
almiran|ta *f* Frau *f* e-s Admirals; † Flaggschiff *n des zweiten Flottenkommandanten*; **~tazgo** *m* Admiralität *f*; Admiralsrang *m*; **~te** *m* Admiral *m*; *buque m* ~ Flaggschiff *n*; *insignia f de* ~ Admiralsflagge *f*.
almirez *m* Mörser *m* (*Küchengerät*).
almizcle *m* Moschus *m*; Bisam *m*; *cabra f de* ~ Moschustier *n*; **~ña** ⚘ *f* Moschusblume *f*; **~ño** *adj.* Moschus...; *manzana f ~a* Bisamapfel *m*; **~ra** *Zo. f* Bisamspitzmaus *f*; **~ro I.** *adj.* → *almizcleño*; **II.** *m Zo.* Moschustier *n*.
almo *poet. adj.* schaffend, nährend; ehrwürdig, heilig.
almocadén *hist. m* 1. Mukaddam *m*, Infanterieoberst *m*; 2. *Marr. Art* Bezirksbürgermeister *m*.
almo|cafre *m* Jäthacke *f*; **~cárabe, ~carbe** ⚠ *m* schleifenförmige Verzierung *f*; **~crí** *m* (*pl.* ~íes) Koranleser *m in Moscheen*.
almodrote *m* scharfe Tunke *f mit Knoblauch u. Käse*.
almogávar *hist. m* Soldat *m* e-r Truppe, die Streifzüge in Feindesland unternahm.
almoha|da *f* 1. Kissen *n*, Polster *n*; Kopfkissen *n*; Kopfkissenüberzug *m*; Kniepolster *n*; ~ *neumática* Luftkissen *n*; *fig. consultar (a/c.) con la* ~ e-e Sache überschlafen; *Spr. la mejor ~ es una conciencia tranquila* ein gutes Gewissen ist ein sanftes Ruhekissen; 2. ⚠ behauener Stein *m*, Bossage *f*; **~dilla** *f* 1. kleines Kissen *n*; Nähkissen *n*; Sattelkissen *n*; ~ *eléctrica* Heizkissen *n*; ~ *hidráulica* Wasserkissen *n* (*bsd.* ⚕); ~ *de tinta* Stempelkissen *n*; *servir de* ~ Druck, Schlag *usw.* abschwächen (*a. fig.*); 2. ⊕ ~ *de freno* Bremsklotz *m*; Bremsbacke *f*; 3. ⚠ Polster *n* (*b. jonischem Säulenkapitell*); Wulststein *m* (*im Mauerwerk*); **~dillado I.** *adj.* gepolstert, Polster...; **II.** *m* Polsterung *f*; ⊕ Futter *n*; ⚠ Bossage *f*; **~dón** *m* 1. Kissen *n*; Sofakissen *n*; 2. ⚠ Anfallstein *m e-s Bogens*.
almohaza *f* Striegel *m*; **~r** [1f] *v/t.* striegeln.
almojábana *Kchk. f* Käsekuchen *m*; *Art* Pfannkuchen *m*.
almóndiga *f* → *albóndiga*.
almone|da *f* 1. Versteigerung *f*; 2. Ausverkauf *m*; **~d(e)ar** *v/t.* versteigern.
almorávides *hist. m/pl.* Almoraviden *m/pl., islamische Sekte u. Dynastie in Spanien*.
almorejo ⚘ *m* Borstenhirse *f*.
almorrana(s) ⚕ *f(/pl.)* Hämorrhoiden *pl.*
almor|ta ⚘ *f* Platterbse *f*; **~zada** *f* 1. zwei Hände voll; 2. *Am.* → *almuerzo*; **~zar** [1f *u.* 1m] *vt/i.* frühstücken; *vengo ~ado* ich habe bereits gefrühstückt.
almotacén *m Span.* †, *heute Marr.* Eichmeister *m*; Marktaufseher *m*.
almud *m* Trockenmaß *n regional verschieden von 1,76 l in Navarra od. 4,625 l in Kastilien bis 27,25 l.*
almudí(n) *m* → *alhóndiga*.
almu|ecín, ~édano *m* Muezzin *m*, Gebetsausrufer *m* (*Islam*).
almuerzo *m* (kräftiges zweites) Frühstück *n*, Gabelfrühstück *n*; (*offiziell*) Mittagessen *n*, Diner *n*, Frühstück *n*; ~ *de trabajo* Besprechungs-, Arbeits-essen *n*.
alnado † *m* Stiefsohn *m*.
alobunado *adj.* wolfsähnlich (*Pelz*).
aloca|damente *adv.* töricht, unüberlegt; **~do I.** *adj.* verrückt; unüberlegt; **II.** *m* Wirrkopf *m*; **~rse** [1g] *v/r.* verrückt werden.
alocución *f* kurze Ansprache *f*; ~ *papal* Allokution *f*.
alodio *hist. m* Freigut *n*, Allod *n*.
áloe *od.* **aloe** ⚘, *pharm. m* Aloe *f*.
alófono *Phon. m* Allophon *n*.
aloja *f* 1. † *Art* gewürzter Met *m*; 2. *Arg., Bol.* → *chicha*.
aloja|do *m a.* ⚔ Quartiersgast *m*, Einquartierte(r) *m*; **~miento** *m* 1. Unterkunft *f*; Einquartierung *f*; 2. ⊕ Einbau *m*; Lager(ung *f*) *n*; **~r I.** *v/t.* 1. beherbergen; unterbringen, einquartieren; 2. ⊕ einbauen; lagern; **II.** *v/r.* ~*se* 3. Wohnung beziehen, logieren; absteigen (*Hotel*); ⚔ Quartier beziehen.
aloma|do *adj.* bucklig; mit hochgebogenem Kreuz (*Pferd*); **~r** ⚒ *v/t.* rigolen.
alón *m* Flügel *m* (*ohne Federn*).
alondra *Vo. f* Lerche *f*.
alongar [1h *u.* 1m] *lit. v/t.* verlängern.
alonso *adj.* 1. großkörnig (*Weizen*); 2. *fig.* dumm; faul.
alópata *m* Allopath *m*.
alo|patía *f* Allopathie *f*; **~pático** *adj.* allopathisch; **~pecia** ⚕ *f* Haarausfall *m*, Alopezie *f*.
aloque *adj.-su. m* hellroter Wein *m*; **~cerse** [2d] *v/r.* → *enloquecerse*.
alosa *Fi. f* Else *f*.
alotar ⚓ *v/t.* 1. reffen; trimmen; 2. *Fische an Bord* versteigern.
alo|tropía ⚗ *f* Allotropie *f*; **~trópico** *adj.* allotrop.
alpaca[1] *f* 1. *Zo.* Alpaka *n*; 2. Alpakawolle *f*.
alpaca[2] *f* Alpaka *n*, Neusilber *n*.
alpamato ⚘ *m* arg. Teestaude *f*.
alparga|ta *f*, *a.* **~te** *m* Hanfschuh *m*, Leinenschuh *m* mit Hanfsohle; Bade-, Lauf-, Camping-schuh *m*; **~tería** *f* Hanfschuhwerkstatt *f*; *koll.* Hanfschuhe *m/pl.*; **~tero** *m* Hanfschuh-macher *m*; -händler *m*; **~tilla** *c* Schmeichler *m*; **~tudo** *m Col.* armer Teufel *m*.
alpechín *m* Ölhefe *f*; *Am.* Pflanzen- *od.* Obst-saft *m*.
alpende *m* Schuppen *m*; Bauhütte *f*.
alpestre *adj. c* Alpen... (*bsd.* ⚘); bergig, rauh.
alpi|nismo *m* Bergsport *m*, Bergsteigen *n*; **~nista** *c* Bergsteiger *m*; **~no I.** *adj.* Alpen...; *club m* ~ Alpenverein *m*; **II.** *m* ⚔ Gebirgsjäger *m*.
alpiste *m* ⚘ Kanariengras *n*; Vogelfutter *n*; **~ra** *f* Kuchen *m aus Mehl, Eiern u. Sesam*.
alquequenje ⚘ *m* Judenkirsche *f*.
alquería *f* 1. Bauernhof *m*; Meierei *f*; *Val.* Landhaus *n*.
alquermes *m* → *quermes*.
alquibla *f* Richtpunkt *m* der Mohammedaner beim Beten (*Mekka*), Kibbla *f*.
alquice|l, ~r *m* maurischer Mantel *m*.
alquifol *m* Glasurmasse *f der Töpfer*.
alqui|lable *adj. c* miet- *bzw.* vermiet-bar; **~ladizo** *adj.* Miet...; *fig. desp.* käuflich, bestechlich; **~lador** *m* 1. Vermieter *m*; 2. Mieter *m*; **~lamiento** *m* → *alquiler*; **~lar I.** *v/t.* 1. vermieten; 2. mieten; 3. verleihen; **II.** *v/r.* ~*se* 4. s. verdingen (bei *dat. con*); **~ler** *m* 1. Vermieten *n*; 2. Miete *f*; Mietzins *m*; de ~ Miet(s)...; *casa f de* ~ Mietshaus *n*; 3. Verleih *m*; *coche m de* ~ (*sin chófer*) Leihwagen *m* (für Selbstfahrer).
alquimia *f* Alchimie *f*.
alquímico *adj.* alchimistisch.
alquimila ⚘ *f* Frauenmantel *m*.
alqui|mista *m* Alchimist *m*; **~tara** *f* Brennkolben *m*; *fig.* F *dar a/c. por* ~ et. nur spärlich (*od.* tropfenweise) geben; **~tarar** *v/t.* brennen, destillieren.
alquitira ⚘ *f* Tragant *m*.
alqui|trán *m* Teer *m*; ~ *mineral*, ~ *de hulla* Steinkohlenteer *m*; *colorantes m/pl. de* ~ Teerfarben *f/pl.*; *jabón m de* ~ Teerseife *f*; **~tranado I.** *adj.* teerig, Teer...; **II.** *m* Teerung *f*; Teerpflaster *n*; Teerdach *n*; **~tranadora** *f* Straßenteermaschine *f*; **~tranar** *v/t.* teeren.

alrededor I. *adv.* ringsherum; ~ de ungefähr; **II.** ~es *m/pl.* Umgebung *f*, Umgegend *f*.
alrota *f* → *arlota.*
alsaciano *adj.-su.* elsässisch; *m* Elsässer *m*.
alta *f* **1.** ⚕ Entlassungsschein *m*; *dar de* ~, *dar el* ~ (*a un enfermo*) (e-n Kranken) gesundschreiben; **2.** Anmeldung *f*; ⚔ Eintrittsschein *m*; *dar de* ~ ⚔ den Dienstantritt bescheinigen; *Verw.* anmelden (j-n *a alg.*); *darse de* ~ als Mitglied eintreten; *Verw.* s. anmelden; ⚔ *causar* (*od. ser*) ~ (wieder) in Dienst treten; **3.** (Formblatt *n* zur) Steueranmeldung *f*.
altaico *adj.-su.* altaisch.
altamente *adv.* höchst, äußerst.
altamisa ♀ *f* → *artemisa.*
altane|ría *f* **1.** Höhe *f*, obere Regionen *f/pl.*; **2.** Beiz-, Falken-jagd *f*; **3.** Hochmut *m*, hochfahrendes Wesen *n*; **~ro** *adj.* **1.** hochfliegend (*Raubvögel*); **2.** hochmütig, stolz.
altano(s) *m(/pl.)* abwechselnde See- und Landbrisen *f/pl.*
altar *m* **1.** Altar *m*; ~ *de campaña* Feldaltar *m*; ~ *mayor* Hochaltar *m*; **2.** ⚒ *Viz.* Erzader *f*.
altavoz *m* (*pl.* ~oces) Lautsprecher *m*; ~ *de bocina* Trichterlautsprecher *m*.
altea ♀ *f* Malve *f*.
altera|bilidad *f* Veränderungsfähigkeit *f*; **~ble** *adj. c* wandelbar, veränderlich; **~ción** *f* **1.** Veränderung *f*, Wechsel *m*; Störung *f*; Verfälschung *f*, Entstellung *f*; ~ *del orden* Unruhe(n) *f(/pl.)*; **2.** Aufregung *f*; Ärger *m*; Streit *m*; **3.** *Phil.* Selbstentfremdung *f*; **~dizo** *adj.* unstet, veränderlich; **~rado** *adj.* aufgeregt, verstört, durcheinander; **~dor** *adj.-su.* verändernd; **~nte** *adj. c* wandelnd; **~rar I.** *v/t.* **1.** (ver)ändern; entstellen; verfälschen; **2.** beunruhigen, aufregen; **II.** *v/r.* ~se **3.** verderben, sauer werden (*Milch u. ä.*); **4.** ~se *por* s. ärgern, s. aufregen über (*ac.*); **~tivo** *adj.* verändernd; Wandel bewirkend.
alterca|ción *f*, **~do** *m* Wortwechsel *m*, Streit *m*; **~dor** *adj.-su.* streitsüchtig; störend; **~r** [1g] *v/i.* s. (herum)streiten, (mitea.) zanken.
alter|nación *f* Abwechslung *f*; Wechsel *m*; **~nadamente** *adv.* → *alternativamente*; **~nado** *adj.* → *alternativo*; **~nador** *m* Wechselstromerzeuger *m*; **~nancia** *f* **1.** 🕮 Wechsel *m*, Abwechslung *f*; **2.** ⚡ ~ (*de polaridad*) Polwechsel *m*; **3.** *Li.* Abstufung *f*; ~ *vocálica* Umlaut *m*; **~nar I.** *vt/i.* **1.** (ab)wechseln; ~ *los ejercicios* mit den Übungen wechseln; ~ *el trabajo con el descanso* abwechselnd arbeiten u. ausruhen; ~ *entre* ... *y* ... wechseln zwischen ... (*dat.*) u. ... (*dat.*); **II.** *v/i.* **2.** (s.) abwechseln, s. ablösen (bei *dat.* en); **3.** ~ *con* mit *j-m* verkehren; **4.** *Stk.* ~ *un novillero* → *tomar la alternativa*; **~nativa** *f* **1.** Alternative *f*, (Doppel-)Wahl *f*; *estar* (*poner*) *ante la* ~ vor der Alternative stehen (vor die A. stellen); **2.** Schicht *f* (*im Dienst*); **3.** *Stk. dar la* ~ (*a un novillero*) als Matador zulassen (*ac.*); *tomar la* ~ als Matador zugelassen werden; **4.** *mst.* ~s *f/pl.* Wetter-umschlag *m*, -wechsel *m*; **~nativamente** *adv.* abwechselnd; schichtweise; **~nativo** *adj.* abwechselnd; ✓ *cultivo m* ~ Wechselwirtschaft *f*; **~no** *adj.* **1.** → *alternativo*; *a días* ~s e-n Tag um den andern; **2.** ♀ wechselständig; **3.** 🕮 Wechsel...; ⚡ *corriente f* ~a Wechselstrom *m*; ⩓ *ángulos m/pl.* ~s Wechselwinkel *m/pl.*
alteza *f* **1.** Hoheit *f*; Würde *f*; ♀ (*Titel*): Durchlaucht *f*; ♀ *Real* Königliche Hoheit *f*; **2.** *fig.* ~ *de miras* hoher (ethischer) Standpunkt *m*.
altibajo *m* **1.** *Fechtk.* Hochquart *f*; **2.** ~s *m/pl.* Unebenheiten *f/pl. im Gelände*; *fig.* F Auf u. Ab *n*, Wechselfälle *m/pl.* des Schicksals.
altilocuencia *f* → *grandilocuencia.*
altílocuo *adj.* → *grandílocuo.*
altillano *m Am.* → *altiplanicie.*
altillo *m* Anhöhe *f*; *Art* behelfsmäßiges Zwischenstockwerk *n in Geschäfts- u. Lagerräumen.*
altimetría *f* Höhenmessung *f*.
altímetro I. *adj.* Höhenmessungs...; **II.** *m* Höhenmesser *m*.
altipla|nicie *f Am.*, **~no** *m* Hochfläche *f*, -ebene *f*; Tafelland *n*.
altísimo *sup.* höchst; *el* ♀ Gott *m*.
altisonan|cia *f* hochtönender Stil *m*; **~te** *adj. c* hoch-tönend, -trabend.
altísono *adj.* → *altisonante.*
altitud *f* Höhe *f*; Höhe *f* über dem Meeresspiegel.
alti|vamente *adv.* hochmütig; **~vez** *f* Stolz *m*, Hochmut *m*; **~vo** *adj.* hochmütig, stolz.
alto[1] I. *adj.* **1.** *örtlich*: hoch; groß; *el* ~ *Ebro* der Oberlauf des Ebro; ~ *horno m* Hochofen *m*; *piso m* ~ oberes Stockwerk *n*; ~ *Rin m* Oberrhein *m*; *a lo* ~ nach oben; *de* ~*a estatura* von hohem Wuchs; *adv. en lo* ~ oben; *prp. en lo* (*más*) ~ *de la escala* (ganz) oben auf der Leiter; **2.** *zeitlich*: vorgerückt, spät; spät (fallend) (*bewegliche Feste*); *a* ~*as horas de la noche* spät in der Nacht; **3.** hochstehend; vortrefflich; vornehm; ~*a sociedad f* vornehme Gesellschaft *f*; ~ *funcionario m* hohe(r) Beamte(r) *m*; *por todo lo* ~ sehr gut, glänzend; **4.** wichtig, bedeutend; ~*a traición f* Hochverrat *m*; **5.** ⚓ *mar f* ~*a* hochgehende See *f*; *en* ~*a mar* auf hoher See; **6.** *en* ~*a voz* laut; **II.** *adv.* **7.** *hablar* ~ laut sprechen; *pasar por* ~ übergehen; **III.** *m* **8.** Höhe *f*; Anhöhe *f*; *diez metros de* ~ zehn Meter hoch; **9.** oberes Stockwerk *n*, Obergeschoß *n*; **10.** *Am.* Haufen *m*; **11.** ♪ **a)** † Alt *m*, Altstimme *f*; **b)** Bratsche *f*.
alto[2] *m* Halt *m*; Rast *f*; *hacer* ~ Halt machen; rasten; ¡~! halt!; ¡~ *ahí!* halt!, heda!; stopp!; ~ *el fuego* Feuereinstellung *f*; *fig.* Waffenstillstand *m*; ¡~ *el fuego!* Feuer einstellen!; ¡~! *¿Quién vive?* Halt! Wer da?; *bsd.* ⚔ *dar el* ~ Halt rufen; den Befehl zum Halten geben.
altoparlante *m Chi.* → *altavoz.*
altozanero *m Col.* Last-, Gepäckträger *m*.
altozano *m* Anhöhe *f*; † hochgelegener Teil *m* e-r Ortschaft; *Am.* Kirchenvorplatz *m*.
altramuz ♀ *m* (*pl.* -uces) Lupine *f*.
altruis|mo *m* Altruismus *m*, Selbstlosigkeit *f*; **~ta** *adj.-su. c* altruistisch, selbstlos; *m* Altruist *m*.
altura *f* **1.** Höhe *f* (*a. Astr., Geom,* ♪ *u. fig.*); Gipfel *m*, Spitze *f*; ~ *polar* Polhöhe *f*; *pesca f de* ~ Hochseefischerei *f*; *de 150 m de* ~ 150 m hoch; *fig. estar a la* ~ *de la situación* der Lage gewachsen sein; *a estas* ~s jetzt (, da es schon so weit ist); **2.** *fig.* Erhabenheit *f*, Vortrefflichkeit *f*; **3.** ✈ *timón m de* ~ Höhensteuer *n*; *vuelo m de* ~ Höhenflug *m*; *tomar* ~ steigen.
alu|ate *Zo. m Art* Brüllaffe *m*; **~bia** ♀ *f* (Brech-)Bohne *f*; *Kchk.* weiße Bohne *f*.
alucina|ción *f* Halluzination *f*, Sinnestäuschung *f*; **~do** *adj.-su.* an Halluzinationen leidend; **~dor** *adj.-su.* blendend; *m* Verblender *m*; **~r I.** *v/t.* blenden, täuschen; *fig.* bannen, fesseln; **II.** *v/i.* halluzinieren; **III.** *v/r.* ~se e-r Halluzination zum Opfer fallen.
alud *m* Lawine *f*.
aluda *f* geflügelte Ameise *f*.
aludir *v/i.* hinweisen, hindeuten, anspielen (auf *ac. a*); *el* ~*ido* der (Vor-)Erwähnte; *darse por* ~*ido* et. auf s. beziehen; *no darse por* ~*ido* s. nichts anmerken lassen; s. nicht betroffen fühlen.
alumaje *gal. mot. m* Zündung *f*.
alumbrado[1] I. *adj.* **1.** F beschwipst, angesäuselt; **II.** *m* **2.** Illuminate *m* (*Sektierer des XVI. Jh.*); **3.** Beleuchtung *f*; ~ *por gas* Gasbeleuchtung *f*; ~ *público* Straßenbeleuchtung *f*; *Kfz.* ~ *de estacionamiento* Parkleuchte *f*; ~ *intensivo* (~ *de posición*) Fern- (Stand-)licht *n*; *red f de* ~ Lichtnetz *n*; **4.** ⚓ Befeuerung *f der Schiffswege.*
alumbrado[2] I. *adj.* mit Alaun getränkt; **II.** *m* Alaunbad *n*.
alumbra|dor *adj.-su.* erleuchtend; **~miento** *m* **1.** Beleuchtung *f*, Erhellen *n*; **2.** ~ *de aguas* Quellenerschließung *f*; **3.** ⚕ Entbindung *f*; **~nte** *adj. c* erleuchtend; **~r[1] I.** *v/t.* **1.** er-, be-leuchten, erhellen; *j-m* leuchten; *fig.* aufklären; **2.** *unterirdische Gewässer, Mineralien* erschließen; **3.** F ver-hauen, -prügeln; **4.** *Jgdw.* ~ *candela* ein Stück Wild *beim Schießen* treffen; **II.** *v/i.* **5.** leuchten; **6.** ~ (*con bien*) (glücklich) entbinden (*od.* niederkommen); **III.** *v/r.* ~se **7.** F s. beschwipsen, s. (einen) ansäuseln F.
alum|brar[2] *v/t.* mit Alaun behandeln, imprägnieren; **~bre** *m* Alaun *m*; **~brera** *f* Alaun-grube *f*; -werk *n*; **~broso** *adj.* alaun-haltig; -artig.
alúmina *f* (reine) Tonerde *f*; *acetato m de* ~ essigsaure Tonerde *f*.
alumi|nífero *adj.* alaunhaltig; **~nio** *m* Aluminium *n*; **~nita** *Min. f* Aluminit *n*; **~noso** *adj.* tonerdehaltig.
alum|nado *m* **1.** *Am.* Internat *n*; **2.** Schülerschaft *f*; **~no** *m* Zögling *m*; Schüler *m*; Student *m*; ~ *externo* Externe(r) *m*; ~ *interno* Internatszögling *m*; ~ *piloto* Flugschüler *m*.

aluna|do *adj.* **1.** mondsüchtig; **2.** verdorben (*Speck*); **3.** *vet.* verschlagen (*Pferd*); **~rse** *v/r.* verderben (*Speck*).

alunita *f* → *aluminita*.

aluniza|je *m* (*suave*) (weiche) Mondlandung *f*; **~r** [1f] *v/i.* auf dem Mond landen.

alusi|ón *f* Anspielung *f* (auf *ac. a*); Andeutung *f*; Erwähnung *f* (*gen. od.* von *dat. a*); *hacer ~ a* anspielen auf (*ac.*), erwähnen (*ac.*); **~vo** *adj.* anzüglich; hindeutend, anspielend (auf *ac. a*).

aluvi|al *Geol. adj. c* angeschwemmt, Schwemm..., alluvial; **~ón** *m* Überschwemmung *f*; *Geol.* Alluvion *f*, Schwemmland *n*; Ablagerung *f*; *fig.* Schwall *m*; *fig.* Riesen-, Unmenge *f*; de ~ Schwemm(land)...; *fig.* zs.-gestoppelt, -gewürfelt.

alveario *Anat. m* äußerer Gehörgang *m*.

álveo 🕮 *m* Flußbett *n*.

alveolar *adj. c* zellenförmig, 🕮 (*a. Phon.*) alveolar.

alvéolo *m* **1.** *Anat.* Alveole *f*; **~s** *m/pl.* Zahn-wulst *m*, -damm *m*; **2.** Bienenzelle *f*; **3.** ⊕ Zelle *f*.

alver|ja *f Am. Mer.* grüne Bohne *f*; **~jilla** ⚘ *f Art* wohlriechende Wicke *f*; **~jón** ⚘ *m* Wicke *f*.

alza *f* **1.** ✝ Erhöhung *f*, Steigerung *f des Preises*; Hausse *f*; *jugar al ~* auf Hausse spekulieren; **2.** Aufsatz *m*, Visier *n* (*Feuerwaffen*); ~ *de bombardeo* Bombenzielgerät *n*; **3.** *Typ.* Ausgleichsbogen *m*; **4.** ⊕ Schleusentor *n*; Unterlage *f*, Keil *m*; **5.** *Schusterei*: Leistenaufschlag *m*; **~coches** *m* (*pl. inv.*) Wagenheber *m*; **~cuello** *m* Halsbinde *f der Geistlichen, prot.* Beffchen *n*, *kath.* Kollar *n*.

alzada *f* **1.** Faust(maß *n*) *f des Pferdes*; **2.** ⚖ Einspruch *m*, Beschwerde *f*.

alza|damente *adv.* pauschal, im großen u. ganzen; **~do I.** *adj.* **1.** Pauschal...; *fijar en un tanto ~* pauschalieren; **2.** in betrügerischer Absicht bankrott; **3.** *Am.* wild (*Tiere in der Brunstzeit*); verwildert (*Haustier*); **4.** *Col.* → *insolente*; **5.** *Méj.* → *tosco*, → *tímido*; **II.** *m* **6.** ⚠, ⊕ (Höhen-)Aufriß *m*; **7.** *Typ.* Aufhängen *n* der Druckbogen; **8.** Höhe *f*; *buque m de poco ~* Schiff *n* mit niedrigem Bord; **~dor** *Typ. m* **1.** Druckbogenordner *m*; **2.** Aufhängeraum *m*; **~dora** *f Bol.* → *niñera*; **~miento** *m* **1.** Emporheben *n*; **2.** Erhebung *f*, Aufstand *m*; **3.** ✝ **a)** Mehr-, Über-gebot *n* (*Versteigerung*); **b)** betrügerischer Bankrott *m*.

alza|paño *m* Vorhanghalter *m*; Gardinenschnur *f*; **~prima** *f* **1.** Hebebaum *m*, Hebel *m*; Brechstange *f*; Keil *m*; **2.** ♪ Steg *m* (*Saiteninstrumente*); **~primar** *v/t.* mit der Brechstange anheben; *fig.* an-spornen, -treiben.

alzar [1f] **I.** *v/t.* **1.** auf-, empor-, er-heben; hochhalten; (wieder) aufrichten; *Tisch* abdecken; *gerichtliche Maßnahmen, Belagerung* aufheben; *kath. die Hostie* erheben; F *~ el grito* (Zeter u. Mordio) schreien; klagen; *~ la mano* die Hand erheben (*a. fig.*); *~ velas* unter Segel gehen; *fig.* F abhauen F; *~ la vista*, *~ los ojos* emporsehen; *~ la voz* die Stimme erheben; **2.** mitnehmen, mitgehen heißen; aufheben, verbergen, beiseite schaffen; **3.** ⚒ *Ernte* einbringen; *Feld* brachen; **4.** ⚠ *Gebäude* errichten; anheben; beischaffen; **5.** ⊕ *Hebel usw.* unterlegen; **6.** *Typ.* *Druckbogen* sondern, ordnen, aufhängen; **II.** *v/i.* **7.** *abs.* abheben (*Karten*); F *¡alza!* steh' auf!, los! P, voran!; **8.** aufklaren (*Wetter*); **9.** *kath. al ~* bei der Wandlung; **III.** *v/r.* **~se** **10.** s. erheben; hervor-, empor-ragen (über *ac. sobre*) (*a. fig.*); **11.** *~se en armas* s. erheben (*Aufruhr*); **12.** s. *vor der Revanche* mit dem Gewinn zurückziehen (*Spieler*); **13.** ⚖ Beschwerde einlegen, Einspruch erheben; **14.** *Am.* verwildern (*Vieh*); **15.** *~se con el dinero* mit der Kasse durchgehen.

allá *adv.* dort(-hin; -herum), da; damals; *más ~* (de) weiter weg (von *dat.*); jenseits (*gen.*); *el más ~* das Jenseits; *muy ~* ganz weit weg; *~ en mi juventud* damals in meiner Jugend; *~ abajo* da hinten, da unten; *por ~* dorthin; *tan ~* so weit; *¡~ él (ellos)!* das ist seine (ihre) Sache; *~ en América* dort (irgendwo) in Amerika; *¡~ se las arregle od. ¡~ se las haya, ¡~ se las componga, ¡~ se las avenga!) (él)!* er soll sehen, wie er fertig wird! (*od.* wie er zurechtkommt!); *¡~ va eso!* da kommt's!, hier ist es!; *¿quién va ~?* wer da?; *¡~ voy!* (ich komme) gleich!

allana|miento *m* Einebnen *n*; Glättung *f*; Beseitigung *f von Hindernissen*; *fig.* ⚖ Anerkenntnis *f e-r richterlichen Entscheidung*; *~ de morada* Hausfriedensbruch *m*; **~r** **I.** *v/t.* **1.** (ein)ebnen, planieren; gleichmachen; schlichten (*a.* ⊕ *u. fig.*); *Haus* niederreißen; *Schwierigkeiten* beseitigen *od.* überwinden; **II.** *vt/i.* **2.** ⚖ *~ (una morada)* Hausfriedensbruch begehen; F *u.* † e-e Haussuchung vornehmen (lassen) (bei *dat.*); **III.** *v/r.* **~se** **3.** s. fügen (*dat. od.* in *ac.*) s. unterwerfen (*dat. a*); **4.** einstürzen; **5.** auf Standesvorrechte verzichten.

allega|dizo *adj.* wahllos zs.-gesucht; **~do I.** *adj.* **1.** nächstgelegen; **2.** *fig.* nahestehend; *círculos m/pl. ~s al gobierno* der Regierung nahestehende Kreise *m/pl.*; **II.** *m* **3.** Angehörige(r) *m*, Verwandte(r) *m*; Anhänger *m*; **~dor** *m hölzerner* Getreiderechen *m*; Schürhaken *m*; **~r** [1h] **I.** *v/t.* sammeln, zs.-tragen; *~ dinero* Geld aufbringen; *~ medios* Mittel auftreiben; **II.** *v/r.* **~se** (*a*) s. nähern (*dat.*), s. anschließen (*e-r Meinung*).

allende ✎ *adv.* auf der andern Seite; *prp.* jenseits (*gen.*); *de ~ los mares* von jenseits der Meere.

allí *adv.* da, dort(hin); damals; *~ detrás* dahinter; *~ mismo* ebendort, daselbst; *de ~* daher; *de ~ a poco* kurz darauf; *hasta ~* bis dahin; *hacia ~* da-, dort-hin; *por ~* dortherum; dahinaus; *aquí y ~* hie(r) u. dort; dann u. wann.

allo|za *f* grüne Mandel *f*; **~zo** *m* Mandelbaum *m*.

ama *f* Herrin *f*, Gebieterin *f*; Haushälterin *f*; *~ (de casa)* Hausfrau *f*, Wirtin *f*; *~ de cría*, *~ de leche* Amme *f*; *~ de huéspedes* Haus-, Pensions-wirtin *f*; *~ de gobierno*, *~ de llaves* Haushälterin *f*, Wirtschafterin *f*; *~ seca*, *Am. ~ de brazos* Kinderfrau *f*.

ama|bilidad *f* Liebenswürdigkeit *f*, Freundlichkeit *f*; Entgegenkommen *n*; **~bilísimo** *sup. v.* → **~ble** *adj. c* liebenswürdig; gütig, zuvorkommend (zu *j-m para con, con*); **~blemente** *adv.* freundlich.

amachinarse *v/r. Am.* → *amancebarse*.

amacho *adj. Am. Cent., Rpl.* hervorragend; männlich, tapfer.

amador *adj.-su. m* Liebhaber *m* (*bsd. fig.*).

amadrigar [1h] **I.** *v/t.* gut aufnehmen (*bsd. j-n, der es nicht verdient*); **II.** *v/r.* **~se** s. in s-m Bau verkriechen (*a. fig.*).

amadrinar *v/t.* **1.** *j-s* Patin werden (*od.* sein); *fig. j-n* bemuttern; **2.** *zwei Reittiere* nebeneinanderspannen; *Am. Reittier* daran gewöhnen, daß es in der *tropilla* der *yegua madrina* folgt; **3.** ⚓ *u. Am.* zwei Gegenstände *zur Verstärkung* mitea. verbinden.

amaestra|do *adj.* abgerichtet (*Tier*); erfahren, schlau, gerieben; **~miento** *m* Abrichten *n*, Dressur *f*; Unterweisung *f*; **~r** *v/t. Tiere* abrichten, dressieren (*desp. a. Personen*); *Pferd* zureiten.

ama|gar [1h] *v/i.* drohen, bevorstehen; drohen, e-e drohende Gebärde machen; *~ y no dar* drohen u. nicht zuschlagen; versprechen u. nicht halten; **~go** *m* drohende Gebärde *f*; Anzeichen *n*; *fig.* Finte *f*; *~ de una enfermedad* Vorbote *m* e-r Krankheit.

ámago *m* Bitterhonig *m*; *fig.* Ekel *m*.

amai|nar **I.** *v/t.* **1.** ⚓ *Segel* reffen, einziehen; **2.** ⚒ *Kübel* aufziehen; **3.** *Zorn* beschwichtigen; **II.** *v/i.* **4.** nachlassen (*Forderungen, Wünsche, Wind*); **~ne** *m* Streichen *n der Segel*; Nachlassen *n*; **~tinar** *v/t.* belauern, bespitzeln; **~zado** *adj. Col.* reich begütert.

amalgama *f* Amalgam *n*; Gemenge *n*, Gemisch *n* (*a.* ⚗ *u. fig.*); *fig.* Verquickung *f*; **~ción** *f* Amalgamierung *f*; (Ver-)Mischung *f* (*a. fig.*); **~r** **I.** *v/t.* amalgamieren, mit Quecksilber versetzen; verquicken; vermengen; **II.** *v/r.* **~se** verschmelzen.

amamanta|miento *m* Säugen *n*, Stillen *n*; **~r** *v/t.* säugen, stillen.

amanal *m Méj.* Zisterne *f*; Teich *m*.

amancay ⚘ *m* Goldamaryllis *f*.

amanceba|miento *m* wilde Ehe *f*; **~do**: *vivir ~* in wilder Ehe leben; **~r** **I.** *v/t.* verkuppeln; **II.** *v/r.* **~se** in wilder Ehe leben.

amancillar *v/t.* → *mancillar*.

amane|cer [2d] **I.** *v/impers.* **1.** tagen, Tag werden; *amanece (lit. Dios)* es wird hell, es tagt; **II.** *v/i.* **2.** bei Tagesanbruch *irgendwo* ankommen *od.* zum Vorschein kommen; s. zeigen, zum Vorschein

kommen; **3.** *fig. lit.* vorwärtsgehen, besser werden; **III.** *m* **4.** Tagesanbruch *m*, Morgen(grauen *n*) *m*; *al* ~ bei Tagesanbruch; **~cida** ⚒ *f*: *a la* ~ bei Tagesanbruch; **~ciente** *adj. c* tagend, Morgen...; *fig.* beginnend.
amanera|damente *adv.* geziert; **~do** *adj.* geziert, affektiert, geschraubt; manieriert; *artista m* ~ Manierist *m*; **~miento** *m* geziertes Wesen *n*, Affektiertheit *f*; Künstelei *f*; **~rse** *v/r.* gekünstelt schreiben; s. geschraubt ausdrücken; affektiert werden.
amanita ⚘ *f* Blätterschwamm *m*.
amanojar *v/t.* bündeln.
aman|sado *adj.* gezähmt, zahm; **~sador** *adj.-su.* Tierbändiger *m*, Dompteur *m*; *Am.* Zureiter *m*; **~saje** *m Am.* → **~samiento** *m* Zähmung *f*, Bändigung *f*; Besänftigung *f*; **~sar I.** *v/t.* zähmen, bändigen; besänftigen; **II.** *v/r.* **~se** zahm *od.* sanft werden; **~so** *m Am.* → *amansamiento*.
amante I. *adj. c* liebreich, liebevoll; ~ *de la paz* friedliebend; **II.** *c* Liebhaber(in *f*) *m*; Geliebte(r) *m*, Geliebte *f*; **~s** *m/pl.* Liebespaar *n*; **III.** *m* ⚓ Heißtau *n*; Segeltau *n*.
amanuense † *c* Schreiber *m*.
amanzanar *v/t. Am. etwa*: parzellieren.
ama|ñado *adj.* **1.** geschickt, gewandt; **2.** gefälscht; **~ñar I.** *v/t.* geschickt ausführen, deichseln F; *Rechnung, Bücher* fälschen; **II.** *v/r.* **~se** s. geschickt anstellen; s. leicht in et. (*ac.*) hineinfinden; **~se** *con alg.* mit j-m auskommen; **~ño** *m* **1.** Geschick(lichkeit *f*) *n*, Anstelligkeit *f*; **2. ~s** *m/pl.* Arbeits-zeug *n*, -gerät *n*; **3.** *fig.* Kniff *m*, Trick *m*.
amapola ⚘ *f* (Klatsch-)Mohn *m*; *más rojo que una* ~ knallrot.
amar *v/t.* lieben, liebhaben (*bsd. lit. u. abstr.*; *konkret mst. querer*); *hacerse* ~ s. beliebt machen.
amaraje ✈ *m* Wasserung *f*; ~ *forzado* Notwasserung *f*.
amaran|tina ⚘ *f* rote Immortelle *f*; **~to** ⚘ *m* Fuchsschwanz *m*, Amarant *m*.
amarar ✈ *v/i.* auf dem Wasser niedergehen, wassern.
amarchantarse *v/r. Am.* Stamm- *od.* Dauer-kunde werden.
amar|gamente *adv. fig.* bitter; bitterlich; **~gar** [1h] **I.** *v/t.* bitter machen; *fig.* verbittern; ~ *la vida a alg.* j-m das Leben schwer (*od.* sauer) machen; **II.** *v/i.* bitter sein *od.* schmecken; *la verdad amarga* Wahrheit tut weh; **~go I.** *adj.* **1.** *a. fig.* bitter; **II.** *m* **2.** Magenbitter *m*; **3.** *Rpl.* ungesüßter Mate *m*; **4.** → *amargor*; **~gón** ⚘ *m* Löwenzahn *m*; **~gor** *m* Bitterkeit *f*, bitterer Geschmack *m*; → *a. amargura*; **~goso I.** *adj.* → *amargo*; **II.** *m* ⚘ Eberesche *f*; **~guera** ⚘ *f* Bitterkraut *n*; **~guero** *adj.*: *espárrago m* ~ Bitterspargel *m*; **~guillo** *m* Bittermandelspeise *f*; **~gura** *f* Bitterkeit *f* (*a. fig.*); Verdruß *m*; Kummer *m*; *pasar* **~s** Bitteres erfahren.
amaricado P *adj.* homosexuell.
amarilis ⚘ *f* Amaryllis *f*.
amari|lla *f* **1.** F Goldfuchs *m* (*Goldmünze*); **2.** *vet.* Leberbrand *m*; **~llar** *Am.* → **~llear** *v/i.* gelb *od.* gelblich sein; gelb werden, vergilben, verbleichen; **~llecer** [2d] *v/i.* vergilben; **~llento** *adj.* gelblich; fahlgelb; **~lleo** *m* Vergilben *n*; Gelbwerden *n*; **~llez** *f* Gelb *n*; gelbe Gesichtsfarbe *f*; **~llo I.** *adj.* **1.** gelb; ~ *oscuro* (*claro*) dunkel- (hell-)gelb; ⚕ *fiebre f* **~a** Gelbfieber *n*; **II.** *m* **2.** Gelb *n*; ~ *dorado*, ~ *de oro* Goldgelb *n*; **3.** gelber Fleck *m der Netzhaut*; **4.** ⚘ (*a. palo m* ~) *Am. versch. Pfl. mit gelber Blüte.*
amariposado ⚘ *adj.* Schmetterlings...
amaro ⚘ *m* Haselwurz *f*.
amarra *f* **1.** ⚓ Ankertau *n*; Trosse *f*; **~s** *f/pl.* Ankervertäuung *f*; **2.** Sprungriemen *m* (*Pferde*); **3.** *fig. tener buenas* **~s** gute Beziehungen haben; **~dero** *m* Sorr-pfosten *m*; -ring *m*; Anlegeplatz *m*; **~dura** *f* Vertäuen *n*, Sorren *n*; **~je** ⚓ *m* Ankergeld *n*; **~r I.** *v/t.* **1.** befestigen; **2.** ⚓ vertäuen; *¡amarra!* fest!; **3.** die Volte schlagen (*Karten*); **II.** *v/i.* **4.** F büffeln F, pauken; **III.** *v/r.* **~se 5.** s. festschnallen.
amarre *m* **1.** Verankerung *f*; **2.** Volte *f* (*Karten*).
amarro *m* Befestigung *f*.
amartela|do *adj.* sehr verliebt; **~miento** *m* leidenschaftliche Verliebtheit *f*; **~r I.** *v/t.* **1.** eifersüchtig lieben; den Hof machen (*dat.*); **2.** verliebt machen; **II.** *v/r.* **~se 3.** s. sterblich verlieben (in *ac.* de).
amartillar *v/t.* **1.** (*Abzugsfeder e-r*) *Waffe* spannen; **2.** → *martillar*.
amasa|dera *m* Backtrog *m*; **~dero** *m* Backstube *f*; **~dor** *adj.-su.* Kneter *m*; *Am.* Bäcker *m*; **~dora** *f* (Teig-)Knetmaschine *f*; **~dura** *f* Kneten *n*; Teig *m*; **~miento** *m* Kneten *n*; ⚕ Massage *f*; **~ndería** *f Col., Chi.* Bäckerei *f*; **~r** *v/t.* **1.** einrühren; kneten; **2.** ⚒ ⚕ massieren; **3.** *fig.* F *Geschäft usw.* aushecken, schaukeln F.
amasijo *m* **1.** Teig *m*; Knetmasse *f*; **2.** Mörtel *m*; **3.** *fig.* Mischmasch *m*; F Machenschaften *f/pl.*
amate ⚘ *m* mexikanische Feige *f* (*Abführmittel*).
amatista *f* Amethyst *m*.
ama|tividad *f* Liebestrieb *m*; **~tivo** *adj.* zur Liebe neigend; liebesfähig; **~torio** *adj.* Liebes...; *cuentos m/pl.* **~s** Liebesgeschichten *f/pl.*
amaurosis ⚕ *f* schwarzer Star *m*.
amazacotado *adj.* schwerfällig, überladen, voll-gepfropft, -gestopft (*a. fig.*).
ama|zona *f* **1.** Amazone *f* (*a. fig.*); Reiterin *f*; *fig.* Mannweib *n*; **2.** Reitkleid *n*; **3.** *Vo. Papageienart*; **~zónico, ~zonio** *adj.* **1.** Amazonen...; **2.** *Geogr.* Amazonas...
amba|ges *m/pl.* Umschweife *pl. im Reden*; *sin* ~ unverhohlen.
ámbar *m* fossiles Harz *n*, Bernstein *m*; ~ *gris*, ~ *pardillo* Amber *m*, Ambra *f*; ~ *negro* Jett *m* (*a. n*), Gagat *m*.
ambari|na ⚘ *f* → *algalia*; *Am.* → *escabiosa*; **~no** *adj.* Bernstein...; Amber...
ambi|ción *f* Ehrgeiz *m*; Herrschsucht *f*; Streben *n*; *sin* ~ anspruchslos; **~cionar** *v/t.* erstreben; (sehnlich) wünschen; **~cioso** *adj.* (*ser*) strebsam; ehrgeizig; *estar* ~ *de et.* (*ac.*) (sehr) wünschen, begierig sein auf (*ac.*) (*od.* nach *dat.*).
ambidextro *adj.-su.* beidhändig geschickt; *m* Beidhänder *m*.
ambien|tación *f* Gewöhnung *f* an die Umwelt; **~tar** *bsd. Lit. v/t.* Milieu *od.* Lokalkolorit geben (*dat.*), in e-e bestimmte Umwelt hineinstellen; **~te I.** *adj. c* **1.** umgebend; *medio m* ~ Umwelt *f*; **II.** *m* **2.** die umgebende Luft; *fig.* Umwelt *f*, Umgebung *f*, Milieu *n*; *hacer buen* (*mal*) ~ *a* günstige (ungünstige) Stimmung *od.* Voraussetzungen schaffen für (*ac.*); *estar en su* ~ in s-m Element sein; **3.** *Mal.* Ambiente *n*.
ambi|gú *gal. m* kaltes Büfett *n* (*Thea. usw.*); **~guamente** *adv.* zweideutig; **~güedad** *f* Zweideutigkeit *f*; **~guo** *adj.* **1.** doppelsinnig, mehrdeutig; zweifelhaft, unsicher; **2.** *Gram.* doppelgeschlechtig (*Nomen*).
ámbito *m* Umkreis *m*; Bereich *m*; *dentro del* ~ *de esta conferencia* im Rahmen dieser Konferenz.
ambivalen|cia 🕮 *f* Ambivalenz *f*; **~te** 🕮 *adj. c* ambivalent.
ambla|dor *m* Zelter *m* (*Pferd*); **~dura** *f* Paßgang *m*; **~r** *v/i.* im Paßgang gehen.
ambo *m Lotto:* Ambe *f*, Doppeltreffer *m*.
ambón *m* Ambo(n) *m*, Lesepult *n*; Seitenkanzel *f*.
am|bos, ~bas *adj. pl.* beide; ~ *a dos* alle beide.
ambrosía *f* Ambrosia *f*, Götterspeise *f* (*a. fig.*).
am|brucia *f Cu., Méj.*, **~bucia** *f Chi.* (Heiß-)Hunger *m*.
ambu|lancia *f* **1.** Ambulanz *f*; Unfallstation *f*; **2.** ⚔ Feldlazarett *n*; ~ *volante* fliegendes Feldlazarett *n*; **3.** Krankenwagen *m*, Sanka *m* (*M*); **4.** ~ (*de correos*) Bahnpost *f*; **~lante I.** *adj. c* wandernd; umherziehend; Wander...; *hospital m* ~ Feldlazarett *n*; *músico m* ~ Straßenmusikant *m*; *vendedor m* ~ Hausierer *m*; Straßenverkäufer *m*; **II.** *m* ~ *de correos* Bahnpostschaffner *m*; **~latorio I.** *adj.* **1.** *Biol. órganos m/pl.* **~s** Bewegungsorgane *n/pl.*; **2.** ⚕ *tratamiento m* ~ ambulante Behandlung *f*; **II.** ⚕ *m* **3.** Ambulanz *f*.
ameba *f* Amöbe *f*.
amebeo *lit. m* Wechselgesang *m*.
amedrentar I. *v/t.* einschüchtern, erschrecken; **II.** *v/r.* **~se** ängstlich werden, verzagen.
amelga *f* Ackerbeet *n*; **~r** [1h] *v/t.* Saatfurchen ziehen in (*dat. od. ac.*).
amelo ⚘ *m* Aster *f*; **~nado** *adj.* melonenförmig; *fig.* dumm; *fig.* F verliebt, verschossen F.
amén[1] *m* Amen *n*; *en un decir* ~ im Nu; *decir a todo* ~ zu allem ja (u. amen) sagen.
amén[2] **de** *adv.* **1.** außer (*dat.*), ausgenommen (*ac.*); **2.** außer, neben (*dat.*).
amenaza *f* Drohung *f*; ~ (*a*) Bedrohung *f* (*gen.*); **~a** *la paz* Friedensbedrohung *f*; **~dor** *adj.* drohend; bedrohlich; *carta f* **~a** Drohbrief *m*; **~nte** *adj. c* drohend; **~r**

[1f] *v/t.* bedrohen (*ac.*); drohen (*dat.*) (mit *dat.* de, con); ~ *a alg. de muerte* j-m den Tod androhen; ~ *ruina* einzustürzen drohen; *amenaza tempestad* ein Gewitter droht.
amenguar [1i] *v/t.* beeinträchtigen, (ver)mindern; *fig.* beschimpfen, schmähen, entehren.
ame|nidad *f* Lieblichkeit *f*, Anmut *f*, Reiz *m*; Annehmlichkeit *f*; **~nizar** [1f] *v/t.* verschönern; anregend gestalten; **~no** *adj.* lieblich; ansprechend; anregend, unterhaltsam; *literatura ~a* Belletristik *f*.
amenorrea ⚕ *f* Amenorrhoe *f*, Ausbleiben *n* der Menstruation.
amento ⚘ *m* Kätzchen *n*.
amerarse *v/r.* Wasser anziehen (*Erde, Gebäude*).
amerengado *adj.* meringenartig; *fig.* zuckersüß.
america|na *f* **1.** Sakko *m*, Jackett *n*; ~ *sport* Sportjacke *f*; **2.** Amerikanerin *f*; **~nismo** *m* Amerikanismus *m*, (spanisch-)amerikanischer Ausdruck *m*; **~nista** *c* (Latein-)Amerikaforscher *m*; **~no I.** *adj.* **1.** (latein-)amerikanisch; **II.** *m* **2.** (Latein-)Amerikaner *m*; **3.** (Nord-)Amerikaner *m*.
amerindio *m* Indianer *m*.
ameritado *adj. Am.* verdienstvoll.
ameriza|je ✈ *m* Wasserung *f*; **~r** [1f] *v/i.* wassern.
amestizado *adj.* mestizen-ähnlich, -haft, -artig.
ametalado *adj.* metallisch.
ametralla|dora ⚔ *f* Maschinengewehr *n*, MG *n*; ~ *ligera* leichtes MG; ~ *pesada* schweres MG; **~r** *v/t.* unter (Maschinengewehr-)Feuer nehmen; niederkartätschen; niederschießen; *a.* (durch Geschoßsplitter) verwunden.
ametropía ⚕ *f* Ametropie *f*, Fehlsichtigkeit *f*.
amia *Fi. f* → *tiburón*.
amian|tina *f* Asbestgewebe *n*; **~to** *m* Asbest *m*; *plancha f* (*od. placa f*) de ~ Asbestplatte *f*.
amiba *f* → *ameba*.
amicísimo ✎ *sup. v. amigo*; *heute mst. amiguísimo*.
amiga *f* **1.** Freundin *f*; Geliebte *f*; **2.** ⚘ Tuberose *f*; **3.** † **a)** Mädchenschullehrerin *f*; **b)** Mädchenschule *f*; **~bilidad** *f* Freundschaftlichkeit *f*; **~ble** *adj. c* freundschaftlich; **~blemente** *adv.* freundschaftlich, gütlich; **~cho** *desp. m* Freund *m*, Kumpan *m*; **~rse** [1h] F *v/r.* in wilder Ehe leben.
amígdala *Anat. f* Mandel *f*.
amigdalitis ⚕ *f* Mandelentzündung *f*.
amigo I. *adj.* **1.** freundschaftlich; befreundet; **II.** *m* **2.** Freund *m*; *p. ext.* Bekannte(r) *m*; ~ *íntimo*, ~ *entrañable* Herzens-, Busen-freund *m*; ~ *de* (*la*) *casa* Hausfreund *m*, Freund *m* des Hauses; ~ *de la infancia* Jugendfreund *m*; ~ *de todo el mundo* Allerweltsfreund *m*; *ser* ~ *de a/c.* et. lieben, et. gern haben; *tener cara de pocos ~s* unfreundlich aussehen; **3.** Liebhaber *m*; **4.** ⚒ *Art* Aufzug *m*; **~te** F *m augm.* Spezi *m* F (*Reg.*), guter Freund *m*; *desp.* sauberer Freund *m*.
amiguísimo *sup. v. amigo*.
amiláceo 🕮 *adj.* stärkehaltig.
amilana|do *adj.* feig; **~miento** *m* Einschüchterung *f*; Schreck *m*; Verzagen *n*; **~r I.** *v/t.* einschüchtern; **II.** *v/r.* ~se verzagen.
amilasa ⚗ *f* Amylase *f*.
amílico I. *adj.*: *alcohol m* ~ Amylalkohol *m*; **II.** *m* F Fusel *m* F (*Schnaps*); F Krätzer *m* F (*saurer Wein*).
amiloideo *adj.* stärkeähnlich.
amillonado † *adj.* sehr reich.
aminoácidos ⚗ *m/pl.* Aminosäuren *f/pl.*
aminorar *v/t.* (ver)mindern; ~ *la marcha* langsamer fahren.
amis|tad *f* Freundschaft *f*; Zuneigung *f*; Gunst *f*; ~es *f/pl.* Bekannte(n) *m/pl.*, Bekanntenkreis *m*; *romper* (*las*) ~es s. verfeinden; *hacer* ~ s. befreunden; *hacer las ~es* s. aussöhnen; **~tar(se)** *v/t.* (*v/r.*) (s.) anfreunden; (s.) versöhnen; **~toso** *adj.* freund(schaft)lich; ⚖ gütlich.
amito *kath. m* Achseltuch *n*.
amnesia ⚕ *f* Amnesie *f*, Erinnerungsverlust *m*.
amni|os *Biol. m* (*pl. inv.*) Amnion *n*, Fruchtwasserhaut *f*; **~ótico** *adj.*: *líquido m* ~ Fruchtwasser *n*; *bolsa f ~a* Fruchtblase *f*.
amnis|tía *f* Amnestie *f*; **~tiar** [1c] *v/t.* amnestieren.
amo *m* Herr *m*; Gebieter *m*; Eigentümer *m*; Dienstherr *m*; ~ *de la casa* Hausherr *m*; *fig. ser el* ~ (*del cotarro*) das Regiment (*od.* das große Wort) führen.
amoblar [1m] *v/t.* → *amueblar*.
amodita *Zo. f* Sandviper *f*.
amodorra|do *adj.* schlaftrunken; benommen; **~miento** *m* **1.** Schlaftrunkenheit *f*; Benommenheit *f*; **2.** Katzenjammer *m*; **~rse** *v/r.* sehr schläfrig werden.
amófilo *Ent. m* Sandwespe *f*.
amohinar I. *v/t.* ärgern, verdrießen; **II.** *v/r.* ~se verdrießlich werden.
amojamar I. *v/t. Thunfische* einsalzen; **II.** *v/r.* ~se *fig.* mager werden.
amojona|miento *m* Vermarkung *f*; **~r** *v/t.* abgrenzen, vermarken.
amola|dera *f* (*a. piedra f* ~) Schleifstein *m*; **~do** *adj.-su. Am.* lästig; schlecht (*Charakter*); heruntergekommen; krank; **~dor** *m* Schleifer *m*; *fig.* aufdringlicher Kerl *m*; **~dura** *f* Schleifen *n*, Wetzen *n*; **~r** [1m] *v/t.* schleifen; *fig.* lästig fallen (*dat.*); *Reg. u. Am.* mißhandeln; töten.
amolda|dor *adj.-su.* Former *m*, Formgießer *m*; **~miento** *m* Formgebung *f*, Gestaltung *f*; **~r I.** *v/t.* formen, modellieren; gestalten; anpassen; **II.** *v/r.* ~se *a* s. anpassen an (*ac.*), s. bequemen zu (*dat. od. inf.*).
amomo ⚘ *m* Amom *n* (*Gewürz*).
amonarse F *v/r.* s. beschwipsen, s. einen ansäuseln F.
amoneda|ción *f* Münzprägung *f*; **~r** *v/t.* münzen, prägen.
amonesta|ción *f* **1.** Mahnung *f*, Ermahnung *f*; (Ver-)Warnung *f*; **2.** ~ones *f/pl.* (Heirats-)Aufgebot *n*; *correr las ~ones* (*a alg.*) aufgeboten werden (*nom.*); **~dor** *adj.-su.* warnend; *m* Mahner *m*; **~r I.** *v/t.* (er-)mahnen; verwarnen (*a. Sp.*), erinnern; *Brautpaar* aufbieten; **II.** *v/r.* ~se aufgeboten werden.
amo|niacal ⚗ *adj. c* ammoniakhaltig; **~níaco** ⚗ *m* Ammoniak *n*; *esencia f de* ~ Salmiakgeist *m*; *sal f* (*de*) ~ Salmiak *m*.
amónico *adj.* Ammon(ium)...
amonio *m* Ammonium *n*.
amonita[1] *bibl. m* Ammoniter *m*.
amoni|ta[2] *f*, **~tes** *m Min.* Ammonit *m*.
amontar I. *v/t.* vertreiben, verscheuchen; **II.** *v/i. u.* ~se *v/r.* in die Berge fliehen.
amontillado *adj.-su. m* Sherry *m nach der Art von Montilla*.
amontona|damente *adv.* haufenweise; **~dor** *adj.-su.* Stapler *m*; **~miento** *m* Anhäufung *f*, Ansammlung *f*; **~s** *m/pl. de nieve* Schneehaufen *m/pl.*, -verwehungen *f/pl.*; **~r I.** *v/t.* **1.** an-, auf-häufen; (auf-)stapeln; ⚒ in Haufen setzen (*Heu usw.*); ⚔ *Truppen* massieren; **II.** *v/r.* ~se **2.** s. häufen; zs.-laufen (*Leute*); **3.** *Méj.* s. zs.-rotten; **4.** P in wilder Ehe leben; **5.** F s. ärgern.
amor *m* **1.** Liebe *f*; Zuneigung *f*; ~es *m/pl.* Liebelei *f*; *por* ~ *de* (*od. a*) *alg.* j-m zuliebe; *¡por ~ de Dios!* um Gottes willen!; *de buen* ~, *con mil ~es* herzlich gern; *en* (*buen*) ~ *y compañ(í)a* in Friede(n) u. Eintracht; ~ *filial* Kindesliebe *f*; *fig. al* ~ *de la lumbre* am Feuer *od.* am Kamin; ~ *de madre*, ~ *materno* Mutterliebe *f*; ~ *libre* freie Liebe *f*; ~ *de las artes* Kunstbegeisterung *f*; ~ *de sí mismo* Eigenliebe *f*; ~ *propio* Selbst-bewußtsein *n*, -gefühl *n*; Ehrgeiz *m*; ~ *a los padres* Liebe *f* zu den Eltern; ~ *de* (*od. a*) *la patria* Vaterlandsliebe *f*; *hacer el* ~ *a* den Hof machen (*dat.*), flirten mit (*dat.*) F; F *neol.* koitieren; **2.** geliebte Person *f od.* Sache *f*; ~ *mío* mein Liebes, (mein) Liebling; **3.** *fig.* Sanftmut *f*; Sorgfalt *f*; *adv. con* ~ sanft, zart; liebevoll; sorgfältig; **4.** ⚘ *Art* Trichterlilie *f*; ~es *mil m/pl.* Spornblume *f*; ~ *de hortelano* Klette(nkraut *n*) *f*; ~ *al uso Art* Eibisch *m*.
amora|l *adj. c* amoralisch; **~lidad** *f* Amoralität *f*; **~lismo** *Phil. m* Amoralismus *m*.
amoratado *adj.* dunkelviolett, schwarzblau; ~ (*de frío*) blau vor Kälte.
amorci|llarse P *v/r.* s. verheddern *beim Sprechen*; **~llo** *m* Kupido *m*, Amorette *f*.
amordaza|miento *m* Knebeln *n*, Knebelung *f*; **~r** [1f] *v/t.* knebeln (*a.* ⊕ *u. fig.*); *fig.* e-n Maulkorb anlegen (*dat.*); *fig.* mundtot machen.
amor|fia *f*, **~fismo** *m* Formlosigkeit *f*; Mißbildung *f*; **~fo** *adj.* formlos, *a. Min.* amorph.
amorío *m* Liebelei *f*.
amoriscado *adj.* mit maurischen Zügen, maurisch beeinflußt.
amormado *vet. adj.* rotzig.
amoro|samente *adv.* liebevoll; **~so** *adj.* liebevoll, liebreich; Liebes...; freundlich (*Wetter*); weich, locker (*Stein, Erde*).
amorrar I. *v/i.* den Kopf hängen lassen; F schmollen; ⚓ buglastig sein; **II.** *v/t.* ⚓ auf Strand setzen.
amortaja|dor *m* Leichen-einklei-

der *m*, -wäscher *m*; **~dora** *f* Leichenfrau *f*; **~r** *v/t.* **1.** ins Leichentuch hüllen; *Leichen* waschen, einkleiden u. aufbahren; **2.** ⊕ → *encajar.*

amorte|cer [2d] **I.** *v/t.* abtöten; abschwächen, dämpfen; **II.** *v/r.* *~se* ohnmächtig werden; **~cimiento** *m* Abschwächung *f*; tiefe Ohnmacht *f*; Abtötung *f*.

amortigua|ción *f* Dämpfung *f* (*bsd.* ⊕); ~ *a* (*od. por*) *aceite* Öldämpfung *f*, -druckfederung *f*; **~do** *adj.* erstorben, erloschen; gedämpft; *no* ~ mit voller Lautstärke (*Radio*); **~dor** ⊕ *adj.-su. m* Dämpfer *m*; *Feuerwaffen*: Schalldämpfer *m*; *Auto*: ~ (*de choques*) Stoßdämpfer *m*; **~miento** *m* Abschwächung *f*; Dämpfung *f*; allmähliches Nachlassen; **~r** [1i] **I.** *v/t.* **1.** abschwächen, dämpfen; *Kfz.* ~ *los faros* (die Scheinwerfer) abblenden; **2.** lindern, mildern; **3.** ab-, ertöten; **4.** *Am.* schlaff machen; **5.** *Chi. Gemüse* abbrühen; **II.** *v/r.* *~se* **6.** *Phys.* abklingen (*Schwingungen*); verblassen, an Leuchtkraft verlieren (*Farben*).

amortiza|ble *adj.* *c* tilgbar; 𝕳 *préstamo m* ~ Tilgungsdarlehen *n*; **~ción** *f* **1.** Tilgung *f*, Ablösung *f*; 𝕳 ~ *de una deuda* Schuldentilgung *f*; **2.** Abschreibung *f*, Amortisierung *f*; **~r** [1f] **1.** tilgen, ablösen; **2.** 𝕳 ~ (*por desvalorización*) abschreiben, absetzen; **3.** *Beamte(nstellen)* abbauen.

amoscarse [1g] F *v/r.* **1.** böse werden, einschnappen F; **2.** *Méj., Ant.* verlegen werden.

amostazarse [1f] F *v/r.* ärgerlich werden.

amotina|do *adj.-su.* meuternd; *m* Meuterer *m*; **~dor** *adj.-su.* aufwieglerisch; *m* Aufwiegler *m*, Aufrührer *m*; **~miento** *m* Meuterei *f*, Aufruhr *m*; **~r** **I.** *v/t.* auf-wiegeln, -hetzen; **II.** *v/r.* *~se* s. zs.-rotten; meutern.

amo|vible *adj.* *c* absetzbar; widerruflich; **~vilidad** *f* (*Am. a. amovibilidad f*) Absetzbarkeit *f*; Widerruflichkeit *f*.

ampa|rador *adj.-su.* schützend; *m* Beschützer *m*, Gönner *m*; **~rar** **I.** *v/t.* (be)schützen, (be)schirmen (vor *dat.* *de, contra*); beistehen (*dat.*); *¡Dios nos ampare!* Gott steh' uns bei!; **II.** *v/r.* *~se* s. schützen; s. verteidigen (gg. *ac.* *de, contra*); *~se con* s. unter *j-s* Schutz stellen; s. mit *et.* (*dat.*) wehren; **~ro** *m* Schutz *m*, Hilfe *f*; Verteidigung *f*; *lit.* Schirm *m*; *al* ~ *de* unter dem Schutz von (*dat.*).

ampe|raje ⚡ *m* Amperezahl *f*, Stromstärke *f*; **~re** *m* → *amperio*; **~rímetro** ⚡ *m* Amperemeter *n*; **~rio** ⚡ *m* Ampere *n*.

amplia|ble *adj.* *c* dehnbar; vergrößerungsfähig; **~ción** *f* Ausdehnung *f*, Erweiterung *f*; *a. Phot.* Vergrößerung *f*; Ausbau *m*; **~dor** *m* Storchenschnabel *m*, Pantograph *m*; **~dora** *Phot. f* Vergrößerungsapparat *m*; **~mente** *adv.* weit; reichlich; eingehend, ausführlich; **~r** [1c] *v/t.* erweitern; ausbauen; *a. Phot.* vergrößern; **~tivo** *adj.* → *amplificativo.*

amplifica|ción *f* Erweiterung *f*; *Phono* Verstärkung *f*; *Rhet.* weitere Ausführung *f*, Amplificatio *f*; **~dor** *adj.-su.* erweiternd; *m Phono* Verstärker *m*; **~r** [1g] *v/t.* *Ton* verstärken; *Rhet.* *Gedachtes, Gesprochenes* erweitern, ausdehnen; **~tivo** *adj.* ausdehnend.

ampli|o *adj.* weit, geräumig; *fig.* weitläufig, ausführlich; reichlich; umfassend; **~tud** *f* Ausdehnung *f*, Weite *f*; *fig.* Breite *f*, Ausführlichkeit *f*; 🕮 Amplitude *f*, Schwingungsweite *f*; *Rf.* ~ *del sonido* Tonstärke *f*.

ampo *m* Schneeweiße *f*; Schneeflocke *f*.

ampo|lla *f* **1.** (*Wasser-, Haut-, Brand- usw.*) Blase *f*; **2.** ⚕ Ampulle *f*; Phiole *f*; **3.** *kath.* Meßkännchen *n*; **~llar**[1] *adj.* *c* blasenförmig; **~llar**[2] **I.** *v/t.* Blasen machen (*od.* entstehen lassen) in (*dat.*); **II.** *v/r.* *~se* Blasen ziehen (*Haut*); *ampollársele a alg. las manos* Blasen an den Händen bekommen; *fig.* s. abrackern, schuften; **~lleta** *f* Sand-, Eier-uhr *f*; ⚓ Stundenglas *n*; *Chi.* Glühbirne *f*.

ampulo|sidad *f* Schwülstigkeit *f* (*Sprache*); **~so** *adj.* schwülstig, bombastisch, hochtrabend.

amputa|ción *f* ⚕ Amputation *f*; *fig.* Verstümmelung *f*; **~do** *adj.-su.* amputiert; *m* Amputierte(r) *m*; **~r** *v/t.* amputieren; abnehmen; *fig.* verstümmeln; *fig.* beschneiden.

amuchachado *adj.* knabenhaft.

amueblar *v/t.* möblieren.

amujerado *adj.* weibisch.

amularse *v/r.* unfruchtbar werden (*Stute*); *Méj.* unbrauchbar werden; F *Am.* bocken, störrisch werden.

amulatado *adj.* mulattenhaft.

amuleto *m* Amulett *n*, Talisman *m*.

amuniciona|miento ⚔ *m* Munitionsversorgung *f*; **~r** *v/t.* → *municionar.*

amuñecado *adj.* puppenhaft.

amura ⚓ *f* Hals *m*; Backe *f e-s Segels*; **~da** ⚓ *f* Schanzkleid *n*; **~llar** *v/t.* mit Mauern umgeben; *fig. se amuralló en su negativa* er blieb bei s-r hartnäckigen Weigerung; **~r** ⚓ *v/t.* halsen, anluven.

amurriarse F *v/r.* *Reg.* e-n (*od.* den) Katzenjammer haben.

amusgar [1h] *vt/i.* die Ohren anlegen (*Angriffshaltung der Stiere, Pferde usw.*); mit zs.-gekniffenen Augen fixieren; F *Arg.* klein beigeben.

ana[1] *f* Elle *f* (*etwa 1 m*).

ana[2] ⚕ *adv.* von jedem gleichviel (*auf Rezepten*).

anabaptis|mo *Rel. m* Sekte *f* der Wiedertäufer; **~ta** *c* Wiedertäufer *m*.

anacardo ⚘ *m* **1.** Akajounuß *f*; **2.** Kaschubaum *m*.

anaco *m Ec., Pe.* Rock *m* der Indianerinnen; F *Am.* Schlitzrock *m*; *Col.* Fetzen *m*, Lumpen *m*.

anacoluto *Li. m* Anakoluth *n*.

anaconda *Zo. f* Anakonda *f*, *am. Riesenwasserschlange.*

anaco|reta *m* Einsiedler *m*, Anachoret *m*; **~rético** *adj.* Einsiedler...

anacreóntico *Lit. adj.* anakreontisch.

ana|crónico *adj.* anachronistisch; **~cronismo** *m* Anachronismus *m* (*a. fig.*).

ánade *Vo.*, 🕮 *u. poet. m u. f* Ente *f*

anadear *v/i.* watscheln.

anaerobios *Biol. m/pl.* Anaerobier *m/pl.*

anáfora *Rhet. f* Anapher *f*.

anaf(r)e *m* Kohlenbecken *n*; tragbarer Ofen *m*.

anafrodi|síaco: *medios m/pl.* *~s* Mittel *n/pl.* zur Herabsetzung des Geschlechtstriebs; **~ta** *adj.-su.* *c* frigid; enthaltsam.

anáglifo *m* **1.** groberhabene Arbeit *f*, Relief *n*; **2.** *Phys.* Raumbild *n*, Anaglyphe *f*; Stereophotographie *f*.

anagrama *m* († *u. Am. anágrama*) Anagramm *n*, Buchstabenversetzung *f*.

anal 🕮 *adj.* *c* After..., Anal..., anal; Steiß...

analectas *Lit. f/pl.* Analekten *pl.*

ana|lepsia ⚕ *f* → *convalescencia*; **~léptico** ⚕ *adj.* stärkend.

anales *m/pl.* Annalen *pl.* (*a. fig.*), Jahrbücher *n/pl.*

analfabe|tismo *m* Analphabetentum *n*; **~to** *adj.-su.* Analphabet *m*.

anal|gesia ⚕ *f* Schmerzunempfindlichkeit *f*; **~gésico** ⚕ *adj.-su.* *m* analgetisch, schmerzstillend(es Mittel *n*), Analgetikum *n*.

análisis *m* († *f*; *pl. inv.*) **1.** Analyse *f*; Zergliederung *f*; Zerlegung *f*; Untersuchung *f*; kritische Beurteilung *f*; ~ *de la sangre* Blutuntersuchung *f*; ~ *volumétrico* Maßanalyse *f*; **2.** ⚗ Analysis *f*.

analista *m* **1.** Annalist *m*, Chronist *m*; **2.** Analytiker *m*.

analíti|ca *Phil. f* Analytik *f*; **~camente** *adv.* analytisch; **~co** *adj.* analytisch (*a. Sprache u. Geom.*), zergliedernd.

analizar [1f] *v/t.* analysieren, zergliedern; untersuchen; *bsd.* ⚗ auflösen.

análogamente *adv.* analog, entsprechend, sinngemäß.

ana|logía *f* Analogie *f*, Entsprechung *f*, Ähnlichkeit *f*; **~lógicamente** *Gram. adv.* analog; → *análogamente*; **~lógico** *Gram. adj.* nach den Gesetzen der Analogie; → *análogo*; **~logista** *Li. m* Analogist *m*.

análogo *adj.* analog, entsprechend, übereinstimmend.

anamita *adj.-su.* *c* annamitisch.

anamnesia ⚕ *f* Anamnese *f*, Vorgeschichte *f*.

anamorfosis *Mal. f* Wandlungsbild *n*.

ananá(s) ⚘ *m* Ananas *f*.

anapelo ⚘ *m* Eisenhut *m*.

anapesto *m* Anapäst *m* (*Versfuß*).

anaptixis *Rhet. f* Anaptyxe *f*.

anaque|l *m* Fach(brett) *n*; Schrankbrett *n*; **~lería** *f* Regal *n*.

anaranjado *adj.* orange(nfarbig).

anarquía *f* Anarchie *f*, Gesetzlosigkeit *f*.

anárquico *adj.* anarchisch, gesetzlos.

anar|quismo *m* Anarchismus *m*; **~quista** *adj.-su.* *c* anarchistisch; *m* Anarchist *m*; **~quizante** *adj.-su.* *c* Anarchist *m*; *desp.* politischer Agitator *m*; **~quizar** [1f] *v/i.* den Anarchismus propagieren.

anastasia ⚘ *f* Beifuß *m*.
anastomosis ⚘, *Zo. f* Anastomose *f*.
anástrofe *Rhet. f* Wortversetzung *f*.
anata *f* Jahresertrag *m e-r Stelle, e-s Amtes*.
anatema *m, f* Bannfluch *m*, Anathem *n* (*a. fig.*); *lanzar* (*od. fulminar*) *el ~ contra alg.* den Bannfluch wider j-n schleudern (*a. fig.*); **~tizar** [1f] *v/t.* mit dem Kirchenbann belegen; *fig.* verfluchen; verdammen.
anatocismo 📖 *m* Zinseszins(en) [*m*(*/pl.*).]
ana|tomía *f* Anatomie *f*, Zergliederung *f*; *~ descriptiva* (*comparada*) deskriptive (vergleichende) Anatomie *f*; *pieza f de ~* anatomisches Präparat *n*; **~tómico** *adj.-su.* anatomisch; *m* → **~tomista** *m* Anatom *m*; **~tomizar** [1f] *v/t.* sezieren, zergliedern (*a. fig.*); *Mal.* anatomisch genau darstellen.
anaveaje ✈ *m* Landung *f* auf e-m Flugzeugträger.
anca *f* **1.** Hinterbacken *m e-s Tieres*; F Hintern *m* F; *Kchk. ~ de rana* Froschschenkel *m*; **2.** *Equ. ~s f/pl.* Kreuz *n*, Kruppe *f*; *Arg. en ~s* → *luego, después*; *ir a las ~s* hinten aufsitzen; F *no sufrir ~s* s. nichts gefallen lassen; **3.** *Pe.* gerösteter Mais *m*; **~do** *adj.* kreuzlahm (*Pferd*).
ancestral *gal. adj. c* → *atávico*.
ancia|nidad *f* (Greisen-)Alter *n*; **~no I.** *adj.* alt, (hoch)betagt, *poet.* greis; **II.** *m* Greis *m*.
ancla ⚓ *f* Anker *m*; *estar al ~* vor Anker liegen; *echar ~s* Anker werfen, ankern; *levar ~s* die Anker lichten; *¡~ arriba!* klar Anker!; **~dero** *m* Ankerplatz *m*; **~je** *m* Verankerung *f* (*a.* ⊕); Ankerplatz *m*; Ankergeld *n*; **~r I.** *v/t.* verankern (*a.* ⊕); **II.** *v/i. abs.* ankern.
an|cón *m*, **~conada** *f* kl. Bucht *f*.
áncora *f* Anker *m* (*Uhr u. fig.*); *fig. ~ (de salvación)* Hoffnungs-, Rettungs-anker *m*.
ancora|je ⚓ *m* Ankern *n*; **~r** ⚓ *v/i.* ankern.
ancorca *f* Ockergelb *n*.
ancuviñas *f/pl. Chi.* Gräber *n/pl. der Eingeborenen*.
ancheta *f* F Schnitt *m*, Profit *m*; *Am.* gutes (*od. iron.* schlechtes) Geschäft *n*; *Arg., Bol.* albernes Gerede *n*; F *Col.* Quatsch *m* F.
anchicorto *adj.* breit u. kurz.
ancho I. *adj.* breit; weit; klaffend (*Wunde*); F *ponerse muy ~* mächtig stolz sein, s. aufblähen; *me quedo tan ~* das macht mir nichts aus, das ist mir egal; *venir* (*od. ir, estar*) (*muy*) *~* zu weit sein (*Anzug, Schuhe usw.*); *fig. le viene muy ~ el cargo* er ist s-m Amt nicht recht gewachsen; *a lo ~* nach (*od.* in) der Breite; *fig. estar a sus ~as* s. wohl (*od.* behaglich) fühlen; **II.** *m* Breite *f*; *2 m de ~* 2 m breit; ⊕ *~ de boca* Maulweite *f* (*Wkz.*); 🚂 *~ de vía* Spurweite *f*.
anchoa *Fi. f* Anschovis *f*, Sardelle *f*.
anchor † *m* → *anchura*.
anchu|ra *f* **1.** Breite *f*; Weite *f*; Brustweite *f der Pferde*; Spannweite *f e-r Brücke*; **2.** *fig.* Ungeniertheit *f*, Zwanglosigkeit *f*; **~roso** *adj.* sehr weit (*od.* geräumig).
anda → *andar u. andas*.
anda|da *f* **1.** *Art* Knäckebrot *n*; **2.** *Am.* Gehen *n*; Wegstrecke *f*; **3.** *Jgdw. ~s f/pl.* Spur *f*; *fig. volver a las ~s* in e-e schlechte Gewohnheit zurückfallen, wieder sündigen F; **~dera** *f Am.* → **~deras** *f/pl. Art* Laufstühlchen *n*; **~dero** *adj.* gut begehbar; **~do**[1] **I.** *adj.* begangen (*Straße*); abgetragen (*Kleidung*); alltäglich, gewöhnlich; **II.** *m Am. Cent.* Gang(art *f*) *m*.
andado[2] F *m* Stiefsohn *m*.
anda|dor I. *adj.* **1.** leichtfüßig; **II.** *m* **2.** (guter) Fußgänger *m*; F Herumtreiber *m*; **3.** Laufkorb *m*; *~es m/pl.* Laufgeschirr *n*; **~dura** *f* Gang *m*; Gangart *f des Pferdes*; *paso m de ~* Paßgang *m*; **~lón** *adj. Méj., Am. Cent.* gut zu Fuß.
andalu|cismo *m* andalusische Ausdrucksweise *f*; **~z** *adj.-su.* (*pl. ~uces*) andalusisch; *m* Andalusier *m*; **~zada** *f* Übertreibung *f*, Aufschneiderei *f*.
anda|miada *f*, **~miaje** *m* (Bau-)Gerüst *n*; Tribüne *f*; **~mio** *m* **1.** (Bau-)Gerüst *n*; *hölzerne* Tribüne *f*; Ladebühne *f*; ⚓ Stelling *f*; *~ métalico, ~ tubular* Stahl(rohr)-gerüst *n*; F *flor f de ~* Knaster *m*, schlechter Tabak *m*; **2.** *fig.* Gerüst *n*; *~ óseo* Knochengerüst *n*.
andana[1] *f* Reihe *f*, Flucht *f*; ⚓ Breitseite *f*.
Andana[2] *f*: *me llamo ~* mein Name ist Hase (, ich weiß von nichts).
andanada *f* **1.** ⚓ Breitseite *f* (*Salve*) (*a. fig.*); *una ~ de insultos* e-e Schimpfkanonade *f*; *fig.* F *soltar a alg. la* (*od. una*) *~* j-m e-e (dicke) Zigarre verpassen F; **2.** *Reg.* Reihe *f von Dingen*; **3.** *Stk.* zweiter Rang *m* (*gedeckter Platz*).
andan|cia *f Am.*, **~cio** *m* leichte (epidemische) Krankheit *f*.
andan|te I. *adj. c* wandernd; unstet; **II.** ♪ *m* Andante *n*; **~tino** ♪ **I.** *m* Andantino *n*; **II.** *adv.* andantino; **~za** *f* Schicksal *n*, Zufall *m*.
andar I. [1q] *v/i.* **1.** gehen (*a. Uhr*); fahren; laufen (*Maschine*); verlaufen (*Zeit*); *andar bedeutet im Ggs. zu ir u. venir zunächst nicht zielstrebige Bewegung; oft bedeutet es* zu Fuß gehen; *vamos andando* gehen wir zu Fuß; *¡anda! int.* (*Freude, Überraschung, Bewunderung, Ironie*): aber geh!; sieh einer an!; so ist's recht!; nanu!; *imp.* nur zu!; los!; F *¡anda,* (*y*) *vete* (*a paseo*)! nun hau schon ab! F, scher dich weg!; *¡anda, di!* sag mal!; *¡anda, corre!* schnell, dalli! F; *¡anda con Dios!* **a)** ade!; **b)** so ist's schön!; **c)** ach, du meine Güte!; *~ de acá para allá* umher-, herum-gehen; *~ con alg.* mit j-m verkehren; F *~ en pies ajenos* fahren; *andan rumores de que ...* es heißt, daß ...; es geht das Gerücht, daß ...; *~ tras a/c.* et. eifrig verfolgen, hinter et. (*dat.*) her sein; *hacer ~* in Gang bringen; **2.** sein, s. befinden; *modal verwendet, berührt s. andar eng mit estar, ir, venir*; *~ triste* (*alegre*) traurig (fröhlich) sein; *~ bien de matemáticas* in (der) Mathematik gut stehen, gut Bescheid wissen; *~ en + inf.* darauf verfallen, zu + *inf.*; *~ en el cajón* im Schubfach herumkramen; *~ en ello* s-e Hand im Spiel haben; *~ en pleitos bei jeder Gelegenheit* prozessieren; *~ por* (*od.* en) *los 20 años* auf die 20 zugehen; etwa 20 Jahre alt sein; *~ a + inf.* s. bemühen, *et. zu erreichen*; *~ a golpes* s. (herum)prügeln; *~ a tiros* s. schießen; *~ a una* s. einig sein; *~ con pólvora* mit Pulver herumhantieren; *~ con rodeos* Umschweife machen; *~ con cuidado* vorsichtig zu Werk gehen; *~ mal de* nichts wissen von (*dat.*), nichts können in (*dat.*); *~ mal de dinero* blank sein; *~ por las nubes* unerschwinglich sein (*Preis*); *~ + ger.* dabei sein, *et. zu tun*, (gerade) *mit et.* (*dat.*) beschäftigt sein; *~ tropezando* Fehler machen; **II.** *v/t.* **3.** *Strecke* zurücklegen; **III.** *v/r.* *~se* **4.** *~se a* s. beschäftigen mit (*dat.*); *~se con bromas* scherzen; *no se anda con bromas* mit dem ist nicht zu spaßen; *~se en las narices* in der Nase bohren; *todo se ~á* es wird noch alles gut werden; es wird schon gehen; **IV.** *m* **5.** Gang *m*, Gangart *f* (*a. Equ.*); Gehen *n*; ⚓ Fahrt *f*; *fig. adv. a todo ~, a más ~* höchstens; *a todo ~* eiligen Schrittes; ⊕ mit voller Kraft, mit Volldampf.
anda|riego I. *adj.* gut zu Fuß, wanderlustig; **II.** *m* → **~rín** *adj.-su.* Wanderer *m*, (schneller) Fußgänger *m*; **~rivel** *m* Fährseil *n*; Fahrkorb *m zum Überqueren von Schluchten usw.*; ⚓ Geitau *n*; Gangseil *n*; **~rríos** *Vo. m* (*pl. inv.*) Bachstelze *f*; **~s** *f/pl.* Sänfte *f*; Traggestell *n*; (Toten-)Bahre *f*; *fig. llevar en ~ a alg.* j-n mit Samthandschuhen anfassen.
ande P *adv.* → (*a*)*dónde*.
andén *m* **1.** Gehweg *m*; 🚂 Bahnsteig *m*; *~ de transbordo* Verladerampe *f*; *billete m de ~* Bahnsteigkarte *f*; **2.** Fach *n*, Brett *n im Schrank usw.*; **3.** *Guat., Hond.* Bürgersteig *m*; **4.** ⚒ *~enes m/pl. And. für den Anbau angelegte* Terrassen *f/pl.*
andero *m* Sänftenträger *m*.
an|dinismo *m Am.* Hochgebirgssport *m*; **~dino** *adj.* Anden...
ándito *m* Umgang *m*, Galerie *f an e-m Haus*.
andorga F *f* Wanst *m*; *llenar la ~* s. den Wanst vollschlagen F.
andorina *f* → *golondrina*.
andorrano *adj.-su.* aus Andorra.
andorre|ar F *v/i.* herum-flanieren, -bummeln; **~ro** *m* Pflastertreter *m*.
andrajo *m* Lumpen *m*, Fetzen *m*; **~so** *adj.* abgerissen, zerlumpt.
androfobia *f* Männerscheu *f*.
andrógino *adj.-su.* androgyn, Zwitter...; ⚘ zweigeschlechtig.
andro|ide *m* Drahtpuppe *f*, Automat *m*; **~latría** *f* Anthropolatrie *f*, göttliche Verehrung *f* v. Menschen.
Andrómeda *Astr. f* Andromeda *f*.
andrómina F *f* List *f*, Bluff *m*; *~s f/pl.* Ausflüchte *f/pl.*
andullo *m* Tabakrolle *f*; *Cu., Méj.* Priem *m*.
andurriales *m/pl.* abgelegene Gegend *f*.
anea ⚘ *f* Rohrkolben *m*.

anear *v/t.* mit der Elle messen.
aneblar(se) [1k] *v/t.* (*v/r.*) einnebeln; (s.) verdunkeln.
anécdota *f* Anekdote *f.*
anec|dotario *m* Anekdotensammlung *f*; **~dótico** anekdotisch, anekdotenhaft.
anega|ción *f* Überschwemmen *n*; Ertränken *n*; **~dizo** *adj.* Überschwemmungen ausgesetzt (*Gelände*); **~do**: ~ *en llanto* in Tränen aufgelöst; tränenüberströmt; **~miento** *m* → *anegación*; **~r** [1h] **I.** *v/t.* ertränken; unter Wasser setzen, überschwemmen; *fig.* ~ *en sangre* blutig unterdrücken; **II.** *v/r.* **~se** ertrinken; ⚓ untergehen; *fig.* **~se** *en llanto* in Tränen zerfließen.
ane|jar *v/t.* zu-, an-fügen; **~jo I.** *adj.* **1.** angefügt, angeschlossen; zugehörig; beiliegend; *llevar* ~ *un derecho* mit e-m Recht verbunden sein; **II.** *adj.-su. m* **2.** (*edificio m*) ~ Anbau *m*, Nebengebäude *n*; Dependance *f* (*Hotel*); **III.** *m* **3.** Annex *m*, Anhang *m*; Beiheft *n* (*Zeitschrift*); **4.** Filial(kirch)e *f*; Ortsteil *m e-r Gemeinde*; **6.** ⚖ Nebensache *f.*
aneldo ⚘ *m* → *eneldo.*
anélidos *Zo. m/pl.* Ringelwürmer *m/pl.*
anemia ⚕ *f* Blutarmut *f*, Anämie *f.*
anémico ⚕ *adj.* blutarm, anämisch.
anemómetro *m* Windmesser *m.*
anemona (*a. anemone, anémona*) *f* ⚘ Anemone *f*; *Zo.* ~ *de mar* Seeanemone *f.*
anemoscopio *Phys. m* Anemoskop *n*, Wind(richtungs)zeiger *m.*
aneroide *adj.*: *barómetro m* ~ Aneroidbarometer *n.*
anes|tesia ⚕ *f* Unempfindlichkeit *f*; Anästhesie *f*; ~ *por conducción* (~ *local*) Leitungs- (Lokal-)anästhesie *f*; **~tesiar** *v/t.* unempfindlich machen; betäuben, narkotisieren; **~tésico** ⚕ *m* Betäubungsmittel *n*, Anästhetikum *n*; **~tesista** *c* Narkotiseur *m*, Anästhesist *m.*
aneurisma ⚕ *m* Aneurisma *n.*
anexar *v/t.* → *anexionar.*
anexión *f* Einverleibung *f*; Annektierung *f*, Angliederung *f.*
anexio|namiento *m Am.* → *anexión*; **~nar** *bsd. Pol. v/t.* annektieren, (gewaltsam) einverleiben; **~nismo** *Pol. m* Annexionismus *m*, *Theorie der* Gewaltpolitik *f*; **~nista** *adj.-su. c* Vertreter *m* der Gewaltpolitik; *política f* ~ Gewaltpolitik *f.*
anexo *adj.-su. m* **1.** ⚘ Anlage *f*; **2.** → *anejo.*
anfibio I. *adj.* **1.** amphibisch; ⊕ *vehículo m* ~ Amphibienfahrzeug *n*; **2.** *fig.* schwankend, zweifelhaft; **II.** *m* **3.** *Zo.* Amphibie *f*; **4.** Amphibienflugzeug *n.*
anfíbol *Min. m* Magnesiumsilikat *n.*
anfibo|logía *f* Zweideutigkeit *f*, Amphibolie *f*; **~lógico** *adj.* zweideutig.
anfictionía *hist.* Amphiktyonie *f*, kultischer Staatenbund *m.*
anfípodos *Zo. m* Krebstiere *n/pl.*
anfi|teatro *m* Amphitheater *n*; *Thea.* Rang *m*; ~ (*anatómico*) Seziersaal *m*; **~trión** *m* Gastgeber *m.*
ánfora *f* Amphora *f*; *Méj.* Wahlurne *f.*

anfractuosidad *f* Aushöhlung *f*, Vertiefung *f*; *Anat.* Gehirnfurche *f.*
angaria *f* **1.** † Frondienst *m*; **2.** ⚓ Angarie *f.*
angarillas *f/pl.* **1.** Trage *f für Lasten*; Traggestell *n* mit Tragkörbchen *für Lasttiere*; **2.** Essig- u. Ölgestell *n.*
ángel *m* Engel *m* (*a. fig.*); † *El* ♀ der Erzengel Gabriel; ~ *custodio*, ~ *de la guarda*, ~ *guardián* Schutzengel *m*; ~ *de tinieblas*, ~ *malo*, F ~ *patudo* Engel der Finsternis, Teufel *m*; F *tener* ~ Charme haben; *salto m de* ~ Kopfsprung *m beim Schwimmen.*
¡Angela María (Juana)! F *int.* na so was!, um Gottes willen!; (du) heiliger Bimbam! F.
angélica ⚘ *f* Engelwurz *f.*
angelical *adj. c* engelhaft, engelrein; *fig. cara f* ~ Engelsgesicht *n.*
angélico *Rel. adj.* engelhaft; *legiones f/pl.* **~as** himmlische Heerscharen *f/pl.*; *salutación f* **~a** Englischer Gruß *m.*
ange|lito *m* Engelchen *n*; *fig.* armes Kind; kl. Kind *n*; *fig. estar con los* ~ nicht bei der Sache sein; **~lón** F *m*: ~ *de retablo* Dickwanst *m*; **~lote** *m* Dickerchen *n* F.
ángelus *Rel. m* Angelus(läuten *n*) *m.*
angevino *hist. adj.* aus dem Hause Anjou.
angina ⚕ *f* (*mst.* **~s** *pl.*) Angina *f*, Halsentzündung *f*; ~ *de pecho* Angina *f* pectoris.
angio|ma ⚕ *m* Angiom *n*; **~spermas** ⚘ *f* Angiospermen *pl.*
anglesita *Min. f* Bleivitriol *n.*
angli|cado *adj.* englisch beeinflußt; **~canismo** *m* Anglikanismus *m*; **~cano** *adj.-su.* anglikanisch; *m* Anglikaner *m*; **~cismo** *m* Anglizismus *m*, engl. Spracheigentümlichkeit *f.*
anglo... *in Zssgn.* Anglo..., anglo...; **~americano** *adj.* angloamerikanisch.
angló|filo *adj.* englandfreundlich; **~fobo** *adj.* englandfeindlich.
anglo|manía *f* Anglomanie *f*, Vorliebe *f* für alles Englische; **~sajón** *adj.-su.* angelsächsisch; *m* Angelsachse *m.*
angora *f* **1.** *Zo.* Angorakatze *f*; Angorakaninchen *n*; Angoraziege *f*; **2.** Angorawolle *f.*
angos|tamente *adv.* knapp, spärlich; **~tar** *v/t.* verengen; **~to** *adj.* eng; knapp; *Andal.* schmächtig; **~tura** *f* Enge *f*, Verengung *f*; Engpaß *m*; Meerenge *f.*
angra *f* Bucht *f.*
angui|la *f* **1.** *Fi.* Aal *m*; ~ *ahumada* Räucher-, Spick-aal *m*; **2.** ⚓ Gleitbalken *m* (*Werft*); **3.** ⚒ ~ (*de cabo*) Zuchtpeitsche *f*; **~lero** *adj.* Aal...; **~lla** *f Am. Cent.* → *anguila.*
angula *f a. Kchk.* Glasaal *m.*
angular *adj. c* eckig, wink(e)lig, Winkel...; *piedra f* ~ Eckstein *m* (*a. fig.*); **~mente** *adv.* winkelförmig.
angulema *f* Hanfleinwand *f*; *fig.* F *hacer* **~s** *od. venir con* **~s** mit Schmeicheleien kommen.
ángulo *m* **1.** Winkel *m*; *Phot.* ~ *abarcador* Bildwinkel *m*; ~ *agudo* (*obtuso, recto*) spitzer (stumpfer, rechter) Winkel *m*; ~ *complementario* (*opuesto, suplementario*) Ergänzungs- (Gegen-, Neben-)winkel *m*; ~ *entrante* (*saliente*) einspringender (vorspringender) Winkel *m*; **~s** *m/pl. adyacentes* (*alternos, externos, internos, opuestos por el vértice*) Neben- (Wechsel-, Außen-, Innen-, Scheitel-)winkel *m/pl.*; ~ *de incidencia* (*de inclinación*) Einfalls- (Neigungs-)winkel *m*; ~ *muerto* toter Winkel *m*; ⊕ ~ *de torsión* Drehwinkel *m*, Verwindung *f*; 🕮 ~ *facial* (Huxleyscher) Gesichtswinkel *m*; ~ *óptico*, ~ *visual* (*de reflexión, de refracción*) Seh- (Reflexions-, Brechungs-)winkel *m*; ⚔ ~ *de alza*, ~ *de mira* Visierwinkel *m*; ~ *de tiro* Schußwinkel *m*; **2.** Ecke *f*, Winkel *m*; Kante *f*, Ecke *f*; *fig. desde este* ~ (*de vista*) aus dieser Sicht.
anguloso *adj.* (viel)wink(e)lig; eckig.
angus|tia *f* **1.** Angst *f*; Beklemmung *f*; Betrübnis *f*, Herzeleid *n*; *Phil.*, *Psych.* ~ *vital* Lebensangst *f*; **2.** □ **~s** *f/pl.* Galeeren(strafe *f*) *f/pl.*; **~tiadamente** *adv.* angstvoll; **~tiado** *adj.* be-, ge-ängstigt; ängstlich; F knauserig, filzig F; **~tiar(se)** *v/t.* (*v/r.*) (s.) ängstigen; (s.) quälen; **~tiosamente** *adv.* angstvoll; **~tioso** *adj.* **1.** beängstigend; **2.** angstvoll, ängstlich.
anhela|ción *f* Keuchen *n*; **~nte** *adj. c* **1.** keuchend; **2.** *fig.* sehnlich; sehnsüchtig; s. sehnend (nach *dat.* de); **~r I.** *v/i.* keuchen; **II.** *v/t.* (*a. v/i.* ~ *por*) wünschen, begehren, erstreben; ersehnen.
anhélito *m* Atem *m*, Hauch *m*; (*bsd.* schweres) Atmen *n.*
anhelo *m* Sehnsucht *f*; Verlangen *n*, Trachten *n* (nach *dat.* de); **~samente** *adv.* **1.** keuchend; **2.** sehnsuchtsvoll, sehnsüchtig; **~so** *adj.* **1.** keuchend, kurzatmig; **2.** sehnsüchtig.
anhídrido ⚗ *adj.-su. m* Anhydrid *n*; ~ *carbónico* Kohlendioxyd *n.*
anhidro ⚗ *adj.* wasserfrei.
anidar I. *v/t.* beherbergen, aufnehmen; **II.** *v/i. u.* **~se** *v/r.* nisten; horsten; *fig.* F wohnen, hausen; *caseta f de* ~ Nistkasten *m.*
anieblarse *v/r.* **1.** vom Meltau befallen werden; **2.** → *aneblarse.*
anilina *f* Anilin *n.*
anilla *f* Gardinenring *m*; ⊕ Ring *m*; *Sp.* **~s** *f/pl.* Ringe *m/pl.*; **~do I.** *adj.* geringelt; **II.** *m Zo.* Ringelwurm *m*; **~miento** *m* Beringung *f*; **~r** *v/t.* ringeln; mit Ringen versehen; *Vögel* beringen.
anillo *m* **1.** Ring *m* (*a.* ⊕); Kettenglied *n*, -ring *m*; ~ *de boda*, ~ *nupcial* Ehe-, Trau-ring *m*; ~ *de brillantes* Brillantring *m*; ~ *del émbolo* Kolbenring *m*; ~ *pastoral* Bischofsring *m*; ~ *del pescador* Fischerring *m*; ~ *de sello* Siegelring *m*; *fig. venir como* ~ *al dedo* **a)** wie gerufen kommen; **b)** wie angegossen sitzen (*od.* passen); **2.** ⚘ ~ *anual* Jahresring *m*; ~ *lunar* Ringfäule *f*; **3.** ~ *de solitaria* Bandwurmglied *n*; **4.** ⚓ ~ *de cabo* Bucht *f e-r Taurolle.*
ánima *f* **1.** *Rel.* Seele *f*; ~ *bendita*, ~ *del purgatorio* Seele *f* im Fegefeuer; *día m de las* **~s** Allerseelen *n*; (*toque*

m de) ~*s* Abendläuten *n*; *a las* ~*s fig. a.* abends; **2.** ⊕ Seele *f*, Bohrung *f*.
anima|ción *f* Beseelung *f*, Belebung *f*; Lebhaftigkeit *f*; lebhafter Verkehr *m*, bewegtes Treiben *n*; **~do** *adj.* **1.** lebendig; belebt (*a. fig.*); lebhaft, munter, angeregt (*Unterhaltung*); **2.** *estar* ~ *a* + *inf.* Lust haben, zu + *inf.*; entschlossen sein, zu + *inf.*; ~ *del deseo de* von dem Wunsche beseelt, zu; **~dor I.** *adj.* anregend, ermutigend; **II.** *m* Conférencier *m* (*Varieté*, *Rf.*); **~dora** *f* Alleinunterhalterin *f* (*Sängerin, Tänzerin*); Ansagerin *f b. bunten Abenden u. ä.*; Animierdame *f*.
animadversión *f* Abneigung *f*, Feindschaft *f*; † Rüge *f*.
anima|l I. *adj. c* **1.** tierisch, animalisch; *carbón m* ~ Tierkohle *f*; *reino m* ~ Tierreich *n*; **II.** *m* **2.** Tier *n*; *fig.* brutaler Kerl *m*; Dummkopf *m*; ~ *dañino* Schädling *m*; ~ *doméstico* Haustier *n*; ~ *útil* Nutztier *n*; ~ *de tiro* Zugtier *n*; ~*es m/pl. de sangre fría* (*caliente*) Kalt- (Warm-)blüter *m/pl.*; *sociedad f protectora de* ~*es* Tierschutzverein *m*; *maltra(tamien)to m* (*od. tortura f*) *de* ~*es* Tierquälerei *f*; **3.** Lebewesen *n*; ~ *racional* (*irracional*) (nicht) vernunftbegabtes Lebewesen *n*; **~lada** F *f* dummer (*od.* roher) Streich *m*, Eselei *f* F; **~lejo** *m* Tierchen *n*; **~lidad** *f*, **~lismo** *m* **1.** Beseelung *f*; Lebenskraft *f*; **2.** Tiernatur *f*; **~lización** *f* **1.** Umwandlung *f* in animalischen Stoff; **2.** Vertierung *f*; **~lizar** [1f] **I.** *v/t.* **1.** verdaulich machen; **2.** zum Lebewesen (*od.* zum Tier) machen; **II.** *v/r.* ~*se* **3.** vertieren; **~lucho** *m* häßliches Tier *n*, Biest *n* F, Viech *n* F.
animar I. *v/t.* **1.** beseelen, beleben; **2.** aufmuntern, ermutigen; anfeuern (zu *dat. a*); *j-m* (Trost) zusprechen; animieren; anregen; ~ *una reunión* Leben in e-e Gesellschaft bringen; e-e Gesellschaft aufmöbeln F; **II.** *v/r.* ~*se* **3.** s. (dazu) aufraffen, s. entschließen (zu + *inf. a, para* + *inf.*); Mut fassen; *a.* Lust bekommen; Leben bekommen, lebendig werden.
anime ⚘ *m Am.* Kurbaril *m*, Lokustenbaum *m*; Animeharz *n* (*gg. Rheuma*).
anímico 📖 *adj.* seelisch, psychisch.
animis|mo *Phil. m* Animismus *m*; **~ta** *c* Animist *m*.
ánimo *m* **1.** Seele *f*; Geist *m*; Gemüt *n*; *estado m de* ~ Gemütszustand *m*, (seelische) Verfassung *f*, Stimmung *f*; *presencia f de* ~ Geistesgegenwart *f*; **2.** Mut *m*; ¡~! nur Mut!, Kopf hoch!; *cobrar* ~ Mut fassen; *dar* (*od. infundir*) ~ (*a*) Mut einflößen (*dat.*), aufmuntern (*ac.*); *perder el* ~, *caer(se)* (*od. decaer*) *de* ~ den Mut verlieren; **3.** Lust *f*, Verlangen *n*; Absicht *f*, Wille *m*; *hacer* (*od. tener*) ~ *de* + *inf.* die Absicht haben, zu + *inf.*; *tener* ~*s para* fähig sein, zu (*inf. od. dat.*); *adv. con* ~ tatkräftig; *con* ~ *de* in der Absicht zu.
animo|samente *adv.* beherzt; **~sidad** *f* Abneigung *f*; Gereiztheit *f*; Groll *m*; *a. Pol.* feindselige Stimmung *f*, Animosität *f*; † → *ánimo* 3; **~so** *adj.* beherzt, tapfer; tatkräftig.
aniña|do *adj.* kindlich; kindisch; **~rse** *v/r.* s. kindisch betragen.
anión *Phys. m* Anion *n*.
aniquila|ción *f* Vernichtung *f*; **~dor** *adj.-su.* vernichtend; *m* Vernichter *m*; **~miento** *m* Vernichtung *f*; **~r I.** *v/t.* vernichten, zerstören; zugrunde richten; **II.** ~*se* zunichte werden; *fig.* s. tief demütigen.
anís *m* **1.** ⚘ Anis *m*; *Cu.* Anismagnolie *f*; **2.** Anis-konfekt *n*; -likör *m*; *fig. llegar a los anises* zu spät *zu e-m Fest* kommen; *Am. no valer un* ~ k-n Pfifferling taugen.
anisa|do I. *adj.* mit Anis versetzt, Anis...; **II.** *m* Anisbranntwein *m*; **~l** *m Chi.* → **~r**[1] *m* Anisfeld *n*; **~r**[2] *v/t.* mit Anis versetzen.
anisete *m* Anislikör *m*.
anisófilo ⚘ *adj.* ungleichblättrig.
anito *Fil. m* Hausgötze *m*.
aniversario I. *adj.* alljährlich; **II.** *m* Jahrestag *m*; Jubiläum *n*; Geburtstag *m*; Jahrgedächtnis *n* (*Seelenmesse*); ~ *de fundación* Stiftungsfest *n*; *el quinto* ~ *de la muerte* (de) der fünfte Todestag (*gen. od.* von *dat.*).
¡anjá! *int. Cu.* aha!, recht so!; jawohl!
ano *Anat. m* After *m*.
anoche *adv.* gestern abend; gestern nacht; *antes de* ~ vorgestern abend; **~cedor** *adj.-su.*: *ser* ~ spät zu Bett gehen; **~cer** [2d] **I.** *v/impers. anochece* es dämmert, es wird Nacht (*od.* dunkel); **II.** *v/i.* zur Abend- *od.* Nacht-zeit ankommen *od. irgendwo* sein; **III.** *m* Dunkelwerden *n*; Abendstunde *f*; Nachtzeit *f*; *al* ~ bei Einbruch der Nacht; **~cida** *f* → *anochecer III*.
anodi|nia ⚕ *f* Schmerzlosigkeit *f*; **~no I.** *adj.-su. m* schmerzstillend (-es Mittel *n*); **II.** *adj. fig.* harmlos; nichtssagend, fade.
ánodo ⚡ *m* Anode *f*.
anodoncia *f* Zahnlosigkeit *f*.
anofeles *Ent. adj.-su. m* (*pl. inv.*) Anopheles(mücke) *f*.
anolis *Zo. m Am.* Kletterechse *f*.
anomalía *f* Anomalie *f*, Regelwidrigkeit *f*.
anómalo *adj.* regelwidrig, abweichend, anomal.
anón *m* → *anona*[1].
anona[1] *f* **1.** ⚘ Flaschenbaum *m*; Honigapfel *m*; ~ *del Perú* → *chirimoyo*; ~ *de Méjico* → *guanábano*; **2.** *fig. Am. Cent.* Dummkopf *m*.
anona[2] *f* Proviant *m*.
anonada|ción *f*, **~miento** *m* Vernichtung *f*; Zerknirschung *f*; **~r** *v/t.* vernichten, niederschmettern (*a. fig.*); demütigen.
anónimo I. *adj.* **1.** namenlos, ungenannt, anonym; *carta f* ~*a* → 3; ⚒ *sociedad f* ~*a* (*S.A.*) Aktiengesellschaft (AG) *f*; **II.** *m* **2.** ungenannter Autor *m*, Anonymus *m*; **3.** anonymer Brief *m*; **4.** Anonymität *f*; *guardar el* ~ unbekannt *od.* anonym bleiben; den Namen verschweigen.
anorak *m* Anorak *m*.
anorexia ⚕ *f* Appetitmangel *m*, Anorexie *f*.
anorma|l 📖 *adj. c* abnorm(al); regelwidrig; krankhaft, ano(r)mal; **~lidad** *f* Abnormität *f*, Regelwidrigkeit *f*.
anorza ⚘ *f* Zaunrübe *f* (*Kletterpflanze*).
anota|ción *f* Anmerkung *f*, Notiz *f*; **~dor** *adj.-su.* verzeichnend; **~dora** *f* → *script-girl*; **~r** *v/t.* mit Anmerkungen versehen; auf-, ver-zeichnen, notieren; eintragen (*in Register u. ä.*).
anquear *v/i. Am.* → *amblar*.
anqueta *f dim. v. anca*; *estar de media* ~ nur auf dem halben Gesäß sitzen.
anquílope ⚕ *m* Gerstenkorn *n*.
anquilo|sarse *v/r.* ⚕ s. versteifen, verknöchern (*Gelenk u. fig.*); *fig. in der Entwicklung* steckenbleiben, verkümmern; **~sis** ⚕ *f* Ankylose *f*, Gelenkversteifung *f*.
Ansa *hist. f* Hanse *f*, Hansa *f*.
ánsar *m* Gans *f*; Wildgans *f*; *pluma f de* ~ Gänse-feder *f*, -kiel *m*.
ansarino I. *adj.* Gänse...; **II.** *m* Gänschen *n*, Junggans *f*.
anseático *adj.* hanseatisch; *ciudades f/pl.* ~*as* Hansestädte *f/pl*.
ansi|a *f* **1.** Begierde *f*, Sehnsucht *f*; ~ *de saber* Wißbegierde *f*; **2.** Beklemmung *f*; Pein *f*, Qual *f*; ~*s f/pl.* Übelkeit *f*; ~*s de la muerte* Todesangst *f*, Schrecken *m/pl.* des Todes; **~ar** *v/t.* ersehnen, s. nach *et.* (*dat.*) sehnen; **~edad** *f* (Seelen-) Angst *f*, innere Unruhe *f*; Beklemmung *f*, Unruhe *f* (*bsd.* ⚕); **~osamente** *adv.* begierig; **~oso** *adj.* **1.** sehnsüchtig; begierig; ~ *de* erpicht auf (*ac.*), gierig nach (*dat.*); **2.** beklommen.
anta[1] *Zo. f* Elch *m*; *Am.* Tapir *m*.
anta[2] *f* **1.** △ Eckpfeiler *m*; **2.** Menhir *m*.
anta|gónico *adj.* widerstreitend; gegnerisch, feindlich; **~gonismo** *m* Widerstreit *m*, Gegnerschaft *f*, Antagonismus *m*; **~gonista** *c* Gegner *m*, Widersacher *m*; Gegenspieler *m*.
antaño *adv. lit.* voriges Jahr; *p. ext.* einst, ehemals.
antár|(c)tico *adj.* antarktisch, Südpol...; *tierras f/pl.* ~*as* → **2tida** *f* Antarktis *f*.
ante[1] *m* **1.** *Zo.* **a)** Elen *n*; **b)** Büffel *m*; **2.** Sämisch-, Wild-leder *n*; **3.** *Arg.* Gelb *n*.
ante[2] *prp.* **1.** vor (*dat.*); in Gegenwart (*gen.*), im Beisein (*gen.*); angesichts (*gen.*); *b. Vergleich*: neben (*dat.*); vor (*dat.*); ~ *todo* zunächst, vor allem; **2.** ⚒ bezüglich (*gen.*); † → *antes*.
ante[3] *m Guat.* sirupartige Süßspeise *f*; *Pe.* Erfrischungsgetränk *n aus Wein, Mandeln, Früchten*; *Méj. Art* Biskuitchaudeau *m*, *n*.
anteado *adj.* blaßgelb.
ante|altar *m* Altar(vor)platz *m*; **~anoche** *adv.* vorgestern abend; **~anteayer** *adv.* vorvorgestern; **~ayer** *adv.* vorgestern.
ante|brazo *m* Unterarm *m*; Vorarm *m* (*Pferd*); **~burro** *Zo. m Méj.* Tapir *m*; **~cama** *f* Bettvorleger *m*; **~cámara** *f* Vorzimmer *n*.
antece|dencia *f* **1.** → *ascendencia*; **2.** → *antecedente II.*; **~dente I.** *adj. c* **1.** vorig, vorhergehend; **II.** *m* **2.** Vordersatz *m* (*Logik*); *Gram.*

Beziehungswort *n*; ⚕ Vorderglied *n*; **3.** Präzedenzfall *m*; ~*s m/pl.* voraufgegangene Umstände *m/pl.*; Vorgang *m*; *estar en ~s* im Bilde sein; *poner en ~s a alg.* j-n unterrichten, j-n ins Bild setzen; *sin ~* beispiellos; **4.** ~*s m/pl.* Vorleben *n*; ~*s (penales)* Vorstrafen *f/pl.*; *sin ~s (penales)* nicht vorbestraft; *tener malos ~s* e-n schlechten Ruf (*od.* Leumund) haben; **~der** *vt/i.* → *preceder*; **~sor I.** *adj.* vorhergehend; **II.** *m* Vorgänger *m*; Vorfahr *m*; ~*es m/pl.* Vorfahren *m/pl.*.

ante|co *Geogr. m* Antöke *m*; **~cocina** *f* Vorküche *f*; **~coger** [2c] *v/t.* vor s. hertreiben; **2cristo** *m* → *Anticristo*.

ante|data *f* Zurückdatierung *f*; *poner ~ a* → **~datar** *v/t.* zurückdatieren; **~decir** [3p] *v/t.* → *predecir*; **~día** *adv.* vor e-m bestimmten Tag; am Vortag; wenige Tage zuvor; **~dicho** *adj.* obengenannt, vorbenannt.

ante diem *lt. adv.* rechtzeitig (*vor e-m Termin*).

antediluviano *adj.* vorsintflutlich (*a. fig.*).

ante|firma *f* Nennung *f* des Titels des Adressaten *od.* des Schreibers vor der Unterschrift, *z. B. soy de Su Eminencia obediente hijo*; **~foso** ⚔ *m* Außengraben *m*; **~grada** ⚓ *f* Vorhelling *f*; **~guerra** *f* Vorkriegszeit *f*; **~iglesia** *f* Vorhof *m e-r Kirche*; **~islámico** *adj.* vorislamisch.

antelación *f*: *con la mayor ~ posible* möglichst früh(zeitig); *con ~* im voraus; vorzeitig; *con la debida ~* rechtzeitig; *con tres días de ~* drei Tage vorher, drei Tage vor (Beginn *usw.*).

antellevar *v/t. Méj.* an-, über-fahren (*bsd. Auto*).

antemano *adv.*: *de ~* im voraus.

antemural *m fig.* Hort *m*, Schutz (-wall) *m*.

antena *f* **1.** *Rf.* Antenne *f*; *~ aérea* Freiantenne *f*; *~ alta* (*~ de cuadro*) Hoch- (Rahmen-)antenne *f*; *~ colectiva* Gemeinschaftsantenne *f*; *~ emisora*, *~ de emisión* Sendeantenne *f*; *~ de haz*, *~ dirigida* Richtstrahler *m*; *~ horizontal* Bodenantenne *f*; *~ interior* Innen-, Zimmer-antenne *f*; *~ plegable de varilla* einziehbare Stabantenne *f*; *~ radiogoniométrica* Peilantenne *f*; *~ de recepción* Empfangsantenne *f*; *~ de televisión* Fernsehantenne *f*; **2.** *Zo.* Fühlhorn *n*, Fühler *m*; **3.** ⚓ Rahe *f* (*mst. entena*).

ante|noche *adv.* **1.** → *anteanoche*; **2.** am Spätnachmittag; **~nombre** *m* Benennung *f*, die dem Namen vorausgeht (*Don, San, Fray, Sor usw.*).

anteo|jeras *f/pl.* Scheuklappen *f/pl.*; **~jo** *m* **1.** Fernrohr *n*; *~ panorámico* Rundblickfernrohr *n*; *~ de puntería* Zielfernrohr *n*; *~ (de) tijera* Scherenfernrohr *n*; **2.** ~*s m/pl.* **a)** Opernglas *n*; **b)** Feldstecher *m*; **c)** Brille *f*; → *a. gafas*; *gemelos*, *prismáticos*.

ante|pagar [1h] *vt/i.* voraus(be)zahlen; **~palco** *Thea. m* Vorloge *f*; **~pasado I.** *adj.* vorhergegangen; **II.** ~*(s) m(/pl.)* Vorfahr(en) *m(/pl.)*, Ahn(en) *m(/pl.)*; **~pecho** *m* Brüstung *f*; Fensterbrett *n*; ⚓ Reling *f*, Schanzkleid *n*; ⚔ Brustwehr *f*.

ante|penúltimo *adj.* vorvorletzte(r, -s); **~poner** [2r] *v/t.* voranstellen, vorziehen; den Vorrang geben (*dat.*) (vor *dat. a*).

ante|portada *Typ. f* Schmutz-, Vor-titel *m*; **~posición** *f* Voranstellung *f*; Bevorzugung *f*; **~proyecto** *m* Vor-entwurf *m*, -projekt *n*; **~puerta** *f* Türvorhang *m*, Portiere *f*; ⚔ → *contrapuerta*; **~puerto** *m* Vor-, Felsen-paß *m vor dem Hochpaß*; ⚓ Außen-, Vor-hafen *m*.

antepuesto *part. v. anteponer.*

antera ♀ *f* Staubbeutel *m*.

anterio|r *adj. c* vorhergehende(r, -s), frühere(r, -s); *~ a* früher als (*nom.*); *~ a la fecha* unter e-m früheren Datum; *~ a mi viaje* vor m-r Reise; *el año ~* ein Jahr zuvor; *lo ~* Obige(s) *n*, wie oben; **~ridad** *f* Vorzeitigkeit *f*, Priorität *f*; *adv. con ~* früher, vorher; *prp. con ~ a* vor (*dat.*); **~rmente** *adv.* eher; weiter oben.

antes I. *adv.* **1.** *abs.*: früher; *cuanto ~*, *lo ~ posible*, F *~ con ~* baldmöglichst; *de ~* ehemalig, vorig; F → *anteriormente*; *desde mucho ~* seit langem; *eso viene ~* das geht vor; *la noche (el mes) ~* die Nacht (im Monat) zuvor; *lo he dicho ~* ich habe es vorher gesagt; *poco ~* kurz zuvor; **2.** *komparativisch od. adversativ bzw. korrigierend*: *ahora como ~* nach wie vor; *~ que* früher als (*nom.*), vor (*dat.*); *~ que nada* vor allem; *como ~* wie zuvor, wie früher; ✝ wie gehabt; *~ (bien) creo que* ... vielmehr (*od.* eher) glaube ich, daß ...; *~ querría marcharme que quedarme* ich möchte lieber abreisen (als bleiben); **II.** *~ de prp.* **3.** vor; *~ de ahora* früher; *~ de anoche* → *anteanoche*; *~ de ayer* → *anteayer*; *~ de tiempo*, *~ de hora* vorzeitig, vor der Zeit; *mit inf. od. part.*: *~ de llegar el tren* vor Ankunft des Zuges; *poco ~ de verla yo en la calle* kurz bevor ich sie auf der Straße sah; *~ de efectuado el trabajo* vor Beendigung der Arbeit; **III.** *cj.* **4.** *~* (*de* [*so heute zunehmend*]) *que* + *subj.* ehe, bevor + *ind.*; *~ (de) que salga el sol* ehe die Sonne aufgeht, vor Sonnenaufgang.

ante|sala *f* Vorzimmer *n*; *hacer ~* im Vorzimmer warten, antichambrieren; **~víspera** *f der* vorvorige Tag *e-s Ereignisses*.

anti... *in Zssgn.* Anti..., Gegen..., ...feind; anti..., feindlich; ...heilend.

antiácido ⚗ *adj.* säureneutralisierend.

antiaéreo I. *adj.* Luftschutz..., Fliegerabwehr..., Flak...; *defensa f ~a (civil)* (ziviler) Luftschutz *m*; **II.** *m* Flakgeschütz *n*.

anti|alcohólico I. *adj.* alkoholfeindlich; *liga f ~a* Abstinenzbewegung *f*; **II.** *m* Antialkoholiker *m*; **~artístico** *adj.* unkünstlerisch, geschmacklos; **~artrítico** *adj.-su. m* gichtheilend(es Mittel *n*); **~asmático** *adj.-su. m* Asthmamittel *n*.

antibiótico *m* Antibiotikum *n*.

anti|canceroso I. *adj.* krebsverhütend; *consultorio m ~* Krebsberatungsstelle *f*; *lucha f ~a* Krebsbekämpfung *f*; **II.** *m* Krebsbekämpfungsmittel *n*; **~carro** ⚔ *m* → *antitanque*; **~catarral** *adj. c* Schnupfen heilend (*od.* lindernd); **~cátodo** ⚡ *m* Antikathode *f*; **~católico** *adj.* antikatholisch; **~ciclón** *Met. m* Antizyklone *f*, Hoch(druckgebiet) *n*.

antici|pación *f* **1.** Vorausnahme *f*, Vorwegnahme *f*; 🕮 Antizipation *f*; *con ~* im voraus; *aviso m con un mes de ~* monatliche Kündigung; **2.** ♪ Vorschlag *m*; **3.** Voraus(be)zahlung *f*; **~pada** *f* Überfall *m*; † *Fechtk.* Ausfall *m*; **~pado** *adj.*: *con muchas gracias ~as* mit vielem Dank im voraus; *adv. por ~* im voraus; *pago m ~* → *anticipación 3*; **~pador** *adj.* vorwegnehmend, vorgreifend; **~pante** 🕮 *part.* antizipierend; **~par I.** *v/t.* **1.** voraus- (*od.* vorweg-)nehmen, -schicken; zuvorkommen (*dat.*); *Geld* vorschießen, e-n Vorschuß geben (auf *ac. sobre*); *~ las gracias* im voraus danken; **2.** früher ansetzen, vorverlegen; **II.** *v/r.* *~se* **3.** s. früher einstellen, vorzeitig kommen (*od.* eintreten); *~se a* zuvorkommen (*dat.*); vorgreifen (*dat.*); *~se a hacer a/c.* et. verfrüht tun, s. mit et. (*dat.*) übereilen; **~po** *m* **1.** Vorschuß *m*, Handgeld *n*; Vorauszahlung *f*; Anzahlung *f*; **2.** *zeitliches* Vorgreifen *n*.

anti|cívico *adj.* staats- *od.* ordnungsfeindlich; **~clerical** *adj. c* antiklerikal, kirchenfeindlich; **~clericalismo** *m* Antiklerikalismus *m*; **~comunismo** *m* Antikommunismus *m*; **~comunista** *adj.-su. c* antikommunistisch; *m* Antikommunist *m*; **~concepcional** *adj. c -su. m* Empfängnisverhütungsmittel *n*; **~concepcionismo** *m* Empfängnisverhütung *f*; **~conceptivo** *adj.-su. m* → *anticoncepcional*; **~conformista** *c* Nonkonformist *m*; **~congelante** *m* Frostschutzmittel *n*; **~constitucional** *adj. c* verfassungswidrig; **~corrosivo I.** *adj.* nicht rostend; **II.** *m* Rostschutzmittel *n*; **~cresis** ⚖ *f* Antichrese *f*, *Nutzungspfandrecht an Immobilien*; **~cristiano** *adj.* antichristlich; **~cristo** *m* Christus- *od.* Kirchenfeind *m*; 2 Antichrist *m*.

anticua|do *adj.* veraltet; **~rse** *v/r.* veralten; **~rio** *m* Antiquitätenkenner *m*; -händler *m*; † → *arqueólogo*.

anti|cuerpo ⚕ *m* Antikörper *m*; **~dáctilo** *m* → *anapesto*.

anti|democrático *adj.* undemokratisch; **~deportivo** *adj.* unsportlich, unfair; **~deslizante I.** *adj. c* ⊕ Gleitschutz...; **II.** *mot. adj. c -su. m* (*cadena f*) *~* Gleitschutz-, Schnee-kette *f*; **~detonante** *mot.* **I.** *adj. c* klopffrei; **II.** *m* Klopfzusatz *m*; **~diftérico** *adj.*: *vacunación f ~a* Diphtherieschutzimpfung *f*; **~dinástico** *adj.* dynastiefeindlich.

antídoto *m* Gegengift *n*; *fig.* Gegenmittel *n*.

anti|económico *adj.* unwirtschaftlich; **~emético** *adj.* den Brechreiz stillend; **~espasmódico** ⚕ *adj.-su.*

m krampflösend(es Mittel *n*); **~español** *adj.* spanienfeindlich; **~estético** *adj.* unästhetisch, häßlich; **~evangélico** *adj.* dem Evangelium zuwider, unevangelisch.

anti|fascista *adj.-su.* *c* antifaschistisch; *m* Antifaschist *m*; **~faz** *m* Larve *f*, Gesichtsmaske *f*; **~febril** ⚕ *adj.* *c* fieberdämpfend.

antífona *f* *Rel.* Antiphon *f*, Wechselgesang *m*; F (*a.* *~s pl.*) Hintern *m* F, Po(po) *m* F.

antifo|nal, ~nario *m* **1.** Chorgesangbuch *n*; **2.** F Hintern *m* F.

antífrasis *Rhet.* *f* Antiphrase *f*.

antigás *adj.* *c* Gas(schutz)...; *careta f ~* Gasmaske *f*.

antígeno ⚕ *m* Antigen *n*.

anti|gramatical *adj.* *c* grammat(ikal)isch falsch; **~grisú** ⚒ *adj.* *c* schlagwettersicher.

antigua|lla *desp.* *f* (*a.* *~s f/pl.*) alter Plunder *m*; *fig.* alte Scharteke *f* (*Buch*); alter Zopf *m*; olle Kamellen *f/pl.* F; **~mente** *adv.* einst, früher, in alter Zeit; **~miento** *m* Veralten *n*; **~r** [1i] *v/i.* Dienstalter erreichen, *im Amt* aufrücken.

antigubernamental *adj.* *c* regierungsfeindlich; oppositionell.

anti|güedad *f* **1.** Altertum *n*; ~ (*clásica*) Antike *f*, klassisches Altertum *n*; **2.** *~es f/pl.* Antiken *f/pl.*, Kunstaltertümer *n/pl.*; *tienda f de ~es* Antiquitätengeschäft *n*; **3.** Dienstalter *n*; *por ~* nach dem Dienstalter; **~guo I.** *adj.* **1.** alt, langjährig; althergebracht; altmodisch; *adv.* *de ~* von alters her; *un ~ amigo* ein alter Freund; *adv.* *a la ~a* nach alter Art, so wie früher; altmodisch; **2.** antik; *a la ~a* nach antiker Art; **3.** ehemalig; **II.** *m/pl.* **4.** *los ~s* die Alten *m/pl.*, *bsd. der Antike.*

anti|halo *Phot.* *adj.* *inv.* lichthoffrei; **~helmíntico** ⚕ *adj.-su.* *m* Wurmmittel *n*; **~higiénico** *adj.* unhygienisch; **~humanitario** *adj.* wider die Menschlichkeit; **~humano** *adj.* unmenschlich, grausam, herzlos.

antijurídico *adj.* rechtswidrig.

anti|legal *adj.* *c* gesetzwidrig; **~liberal** *Pol.* *adj.* *c* antiliberal; **~logía** *f* Widerspruch *m* (*Wortlaut*); **~lógico** *adj.* widerspruchsvoll.

antílope *Zo.* *m* Antilope *f*.

antillano *adj.-su.* von den Antillen.

antimilitaris|mo *m* Antimilitarismus *m*; **~ta** *adj.-su.* *c* antimilitarisch; *m* Antimilitarist *m*.

antimonárquico *adj.-su.* antimonarchistisch; *m* Antimonarchist *m*.

antimonio *Min.* *m* Antimon *n*.

antimoral *adj.* *c* → *inmoral*.

anti|nacional *adj.* *c* antinational; **~natural** *adj.* *c* widernatürlich; unnatürlich; **~neurálgico** ⚕ *adj.-su.* *m* schmerzstillend(es Mittel *n*).

antinomia 🕮 *f* Antinomie *f*, un(auf)lösbarer Widerspruch *m*.

antipa|pa *m* Gegenpapst *m*; **~pado** *m* Gegenpapsttum *n*; **~papista** *adj.-su.* *c* papstfeindlich; *m* Papstgegner *m*; **~ra** *f* Wandschirm *m*; *Art* Gamasche *f*; **~rasitario** *adj.-su.* *m* Schädlingsbekämpfungsmittel *n*; **~rásito** *HF* *adj.* entstörend, Entstörungs...

antiparlamentario *adj.-su.* unparlamentarisch; *m* Parlamentsgegner *m*.

antiparras F *f/pl.* Brille *f*.

anti|patía *f* Widerwille *m*, Abneigung *f*, Antipathie *f*; **~pático** *adj.* widerwärtig, abstoßend; unausstehlich; unsympathisch, antipathisch; **~patizar** [1f] *v/i.* *Am.* Widerwillen hervorrufen (*bzw.* empfinden); **~patriota** *Pol.* *c* Volksfeind *m*; **~patriótico** *adj.* unpatriotisch; **~pecas**: *crema f ~* Sommersprossencreme *f*; **~pirético** ⚕ *adj.-su.* fieberdämpfend; *m* Antipyretikum *n*; **~pirina** ⚕ *f* Antipyrin *n*.

antípoda I. *m* Antipode *m*; **II.** *adj.-su.* völlig entgegengesetzt.

anti|popular *adj.* *c* volksfeindlich; **~pútrido** *adj.* Fäulnis verhütend; **~quísimo** *adj.* uralt; **~quismo** *m* → *arcaísmo*.

anti|rrábico ⚕ *adj.*: *suero m ~* Tollwutserum *n*; **~rreglamentario** *adj.* dienstwidrig; vorschriftswidrig; verboten, unerlaubt; *Vkw.* verkehrswidrig; **~rreligioso** *adj.* religionsfeindlich; **~rreumático** *adj.* gegen Rheuma; **~rrepublicano** *adj.-su.* antirepublikanisch; **~rrevolucionario** *adj.-su.* gegenrevolutionär; **~rrobo** *m* Diebstahlschutz *m*.

anti|semita *adj.-su.* *c* antisemitisch; *m* Antisemit *m*; **~semítico** *adj.* antisemitisch; **~semitismo** *m* Antisemitismus *m*; **~sepsia** *f* Antisepsis *f*; **~séptico** *adj.* antiseptisch, keimtötend; **~sísmico** *adj.* erdbebensicher (*Gebäude usw.*); **~social** *adj.* *c* unsozial; asozial; **~strofa** *f* Antistrophe *f*, Gegenstrophe *f*.

anti|submarino *adj.*: *defensa f* (*lucha f*) *~a* U-Boot-Abwehr *f* (-Bekämpfung *f*); **~sudorífico** ⚕ *adj.* die Schweißabsonderung hemmend; **~tanque** ⚔ *adj.* *c* *-su.* *m* (*cañón m*) ~ Panzerabwehrkanone *f*, Pak *f*.

antítesis *f* (*pl. inv.*) Gegensatz *m*, Antithese *f*.

anti|tetánico *adj.*: *suero m ~* Tetanusserum *n*; **~tético** *adj.* antithetisch, gegensätzlich; **~toxina** ⚕ *f* Antitoxin *n*, Gegengift *n*; **~tuberculoso** *adj.*: *campaña f ~a* Tuberkulosebekämpfung *f*; **~variólico** *adj.* gegen die Blattern; **~venenoso** *adj.* Gegengift...; **~venéreo** *adj.* gegen venerische Krankheiten.

anto|jadizo *adj.* launenhaft, grillenhaft; lüstern; **~jarse** *v/r.*: *se me antoja* es fällt mir ein; *la tela se me antoja buena* der Stoff scheint gut zu sein, ich halte den Stoff für gut; *antojársele a alg. a/c.* (plötzlich) Lust auf et. (*ac.*) haben, et. haben wollen; j-m in die Augen stechen; *se me antoja + inf.* ich habe Lust, zu + *inf.*; *se me antoja que* es scheint mir, daß; es kommt mir so vor, als ob; ich glaube beinahe, daß; **~jera** *f* Scheuklappe *f*; **~jo** *m* **1.** Gelüst *n* (*a. von Schwangeren*); Laune *f*, Grille *f*; *a mi* (*tu usw.*) ~ nach Lust u. Laune; **2.** Muttermal *n*; **3.** □ Fesseln *f/pl.*

antología *f* Anthologie *f*.

antónimo *Gram.* *adj.-su.* von entgegengesetzter Bedeutung; *m* Antonym *n*.

antono|masia *Rhet.* *f* Antonomasie *f*, *Setzung e-s Eigennamens für e-n Gattungsnamen u. umgekehrt*; *por ~* → **~másticamente** *adv.* schlechthin; **~mástico** *adj.* antonomastisch.

antor|cha *f* Fackel *f* (*a. fig.*); *desfile m de ~s* Fackelzug *m*; **~chero** *m* Fackelständer *m*.

antozo(ari)os *m/pl.* Korallen-, Blumen-tiere *n/pl.*

antra|ceno ⚗ *m* Anthrazen *n*; **~cita** *f* Anthrazit *m*, Glanzkohle *f*; **~cosis** ⚕ *f* Anthrakose *f*.

ántrax ⚕ *m* Karbunkel *m*; Milzbrand *m*.

antro *m* **1.** Höhle *f*, Grotte *f*; P miese Bude *f*, Bruchbude *f* F; Kaschemme *f*; *~ de corrupción* Lasterhöhle *f*; **2.** ⚕ Antrum *n*.

antro|pofagia *f* Anthropophagie *f*, Kannibalismus *m*; **~pófago** *adj.-su.* Menschenfresser *m*; **~pófobo** *adj.* menschenscheu; **~poide I.** *adj.* *c* menschenähnlich; **II.** *m* Menschenaffe *m*; **~pología** *f* Anthropologie *f*, Menschenkunde *f*; **~pológico** *adj.* anthropologisch; **~pólogo** *m* Anthropologe *m*; **~pometría** *f* Anthropometrie *f*; ⚖ *a.* (polizeilicher) Erkennungsdienst *m*; **~pomorfismo** *m* Anthropomorphismus *m*; **~pomorfo** *adj.* anthropomorph; menschenähnlich; **~posofía** *Phil.* *f* Anthroposophie *f*.

antrue|jada *f* Karnevalspossen *m*; grober Scherz *m*; **~jo** *m* *Reg.* Karneval *m*.

antuvión *m* plötzlicher Schlag *m*; unerwartetes Ereignis *n*; F *de ~* plötzlich, überraschend.

anua|l *adj.* *c* (ein)jährig; jährlich, Jahres...; † *balance m ~* Jahresabschluß *m*, -bilanz *f*; **~lidad** *f* Jahres-betrag *m*, -ertrag *m*; Jahreseinkommen *n*; Annuität *f*; **~lmente** *adv.* jährlich.

anuario I. *adj.* → *anual*; **II.** *m* Jahrbuch *n*; Kalender *m*; Adreßbuch *n*; ⚔ *~ militar* jährliche Rangliste *f*; *~ de la nobleza* Adelskalender *m*; ⚓ *~ de mareas* Gezeitentafel *f*.

anuba(rra)do *adj.* bewölkt.

anubla|miento *m* Bewölkung *f*; **~r I.** *v/t.* bewölken; *fig.* verdunkeln; **II.** *v/r.* *~se* s. be- *od.* um-wölken; *fig.* s. trüben; dahinwelken; *fig.* [mißlingen.]

anublo *m* → *añublo*.

anuda|dura *f*, **~miento** *m* Verknotung *f*, Verknüpfung *f*; **~r I.** *v/t.* verknoten; anknüpfen (*a. fig.*); *fig.* verbinden; **II.** *v/r.* *~se* im Wachstum zurückbleiben; *fig.* versagen (*Stimme*).

anuen|cia *f* Einwilligung *f*, Zustimmung *f*; **~te** *lit.* *adj.* *c* zustimmend; willfährig.

anula|ble *adj.* *c* aufhebbar, rückgängig zu machen(d); **~ción** *f* Aufhebung *f*; Nichtigkeitserklärung *f*; Annullierung *f*; **~r**[1] **I.** *v/t.* streichen, tilgen, aufheben; rückgängig machen; annullieren, für null u. nichtig erklären; **II.** *v/r.* *~se* *fig.* s. demütigen.

anular[2] **I.** *adj.* *c* ringförmig; **II.** *adj.-su.* *m* (*dedo m*) ~ Ring-, Gold-finger *m*.

anulativo *adj.* aufhebend, annullierend.
anuloso *adj.* geringelt; ringförmig.
anun|ciación *f* Anzeige *f*, Verkündigung *f*; *Rel.* ♀ Mariä Verkündigung *f*; **~ciador** *adj.-su.* ver-, ankündigend; (*columna f*) *~a f* Litfaß-, Anschlag-säule *f*; **~ciante** *adj.-su. c* Inserent *m*; **~ciar I.** *v/t.* anzeigen, bekanntmachen; ankündigen; voraussagen; (an)melden; *¿a quién debo ~?* wen darf ich melden?; **II.** *v/i.* inserieren; **~cio** *m* Bekanntmachung *f*; Meldung *f*; Vorhersage *f*; Anzeige *f*; *~ luminoso* Lichtreklame *f*; *Zeitung*: *~s m/pl. económicos* Kleinanzeigen *f/pl.*; *sección f de ~s* **a)** Anzeigenabteilung *f*; **b)** Anzeigenteil *m e-r Zeitung*.
anuo *adj.* → *anual*.
anuria ⚕ *f* Harnverhaltung *f*.
anverso *m* Bildseite *f e-r Münze*; Vorderseite *f*.
anzuelo *m* Angelhaken *m*; *fig.* Lockmittel *n*; *fig. caer* (*od. picar*) *en el ~, morder* (*od. tragar*) *el ~* anbeißen, darauf hereinfallen; *echar el ~* die Angel auswerfen (*a. fig.*).
añada *f* (*bsd.* Ernte-)Jahr *n*; ⚘ Wechselfeld *n*.
añadi|do *m* Hinzugefügte(s) *n*; falsche Haare *n/pl.*, Haarteil *n*; *Typ.* Zusatz *m*, Nachtrag *m*; **~dura** *f* Beigabe *f*, Zusatz *m*; Zugabe *f beim Einkauf*; ⊕ Ansatz(stück *n*) *m*; *de ~* als Zugabe; *por ~* außerdem, (noch) obendrein; **~r** *v/t.* hinzufügen; -rechnen; vergrößern, erweitern, verlängern; *hay que ~ que* ... es muß noch bemerkt werden, daß ...
añagaza *f* Lockvogel *m*; *fig.* Lockmittel *n*, Köder *m*.
aña|l I. *adj. c* (ein)jährig (*Schafe, Ziegen*); → *anual*; **II.** *m* Opfer *n* zum Jahrgedächtnis der Verstorbenen; **~lejo** *m* (Kirchen-)Agende *f*.
¡añañay! *int. Chi.* bravo!, gut!
añapa *f And., Rpl.* Karobengetränk *n*; *Arg. hacer ~ a/c.* et. kurz u. klein schlagen, et. zerteppern F.
añascar [1g] F *v/t.* **1.** zs.-klauben; **2.** verwirren.
añe|jar I. *v/t.* ablagern lassen; **II.** *v/r.* *~se* altern, ablagern; mit dem Alter an Güte gewinnen *bzw.* verlieren (*Wein usw.*); **~jo** *adj.* (ein)jährig; alt; F längst überholt (*Nachricht*); alteingewurzelt (*Laster*); althergebracht (*Sitten*); *vino m ~* Firnewein *m*; überjähriger Wein *m*.
añicos *m/pl.* Scherben *f/pl.*, Splitter *m/pl.*, Fetzen *m/pl.*; F *hacer ~ a/c.* et. in Fetzen (zer)reißen; et. kurz u. klein schlagen.
añi|l *m* Indigo *m*; *azul m ~* Indigoblau *n*; **~lar** *v/t.* mit Indigo färben.
añinos *m/pl.* Lammwolle *f*; *piel f de ~* (polnisch) Lammfell *n*, Schmasche *f*.
año *m* **1.** Jahr *n*; *~ bisiesto* (*civil*) Schalt- (Kalender-)jahr *n*; *~ comercial, ~ económico* Geschäfts-, Rechnungs-jahr *n*; *~ escolar* (*eclesiástico, litúrgico*) Schul- (Kirchen-)jahr *n*; *~ de gracia* Jahr *n* des Heils; *~ lunar* (*luz*) Mond- (Licht-)jahr *n*; *~ natural* (ein) volles Jahr; (*día m de*) ♀ *Nuevo* Neujahr(stag *m*) *n*; *~ de Jubileo, ~ Santo* Heiliges Jahr *n*; *~s m/pl. de servicio* Dienstjahre *n/pl.*; F *el ~ de la nan(it)a, el ~ de cuarenta* Anno tobak F, Anno dazumal F; *a los veinte ~s* mit 20 Jahren; *¿cuántos ~s tienes?* wie alt bist du?; *del ~ pasado* vorjährig, vom vorigen Jahr; *de pocos ~s* wenige Jahre alt; klein (*Kind*); *de tres ~s* dreijährig, drei Jahre alt; *el ~ que viene* nächstes Jahr *n*; *en el ~ (de) 1958* im Jahre 1958; *entre ~* im Laufe des Jahres; (*durante*) *~s enteros* jahrelang; *~s ha* vor Jahren; *por aquellos ~s* damals; F *estar de buen ~* dick u. fett sein; *Sch. ganar ~* das Abschlußexamen bestehen; das Klassenziel erreichen; *entrado en ~s* bejahrt; *¡por muchos ~s!* meine Glückwünsche!; **2.** Jahrgang *m*; *mal ~* Miß-jahr *n*, -ernte *f*; **3.** *~s m/pl.* Geburtstag *m*; *hoy cumple 60 ~s* heute wird er 60 Jahre alt; *dar los ~s* (*a*) (j-n) zum Geburtstag beglückwünschen.
añojo *m* jähriges Rind *n*.
añora|nza *f* Sehnsucht *f* (nach *dat.* de); wehmütige Erinnerung *f* (an *ac.* de); **~r** *v/t.* s. sehnen nach (*dat.*); nachtrauern (*dat.*).
añoso *adj.* alt.
añublo ⚘ *m* Brand *m* (*Getreidekrankheit*).
añudar *v/t.* → *anudar*.
ao|jadura *f*, **~jamiento** *m* → *aojo*; **~jar** *v/t.* durch den bösen Blick behexen; *fig.* zugrunde richten; **~jo** *m der* „böse Blick".
aoristo *Gram. m* Aorist *m*.
aorta *Anat. f* Aorta *f*.
aova|do *adj.* oval; **~r** *v/i.* Eier legen.
aovillarse *v/r.* s. knäueln; s. zs.-kauern.
¡apa! *int. Méj.* nanu! (*Befremdung*).
apa *Ke. Chi.*: *al ~* auf dem (*bzw.* den) Rücken.
apabullar F *v/t.* zerknüllen, plattdrücken; *fig.* am Boden zerstören F, mit Beweisen erdrücken.
apacenta|dero *m* Weideplatz *m*; **~miento** *m* Weiden *n*; Hütung *f*; **~r** [1k] *v/t. Vieh* weiden, hüten; *fig.* schüren, nähren.
apaci|bilidad *f* Sanftmut *f*, Friedfertigkeit *f*; Leutseligkeit *f*; Milde *f* (*a. Met.*); **~ble** *adj. c* milde (*a. Wetter*), sanft (*a. Wind*), ruhig; leutselig; **~blemente** *adv.* freundlich; leutselig.
apacigua|dor *adj.-su.* beschwichtigend; *m* Friedensstifter *m*; **~miento** *m* Beschwichtigung *f*, Beruhigung *f*; *política f de ~* Beschwichtigungspolitik *f*, Appeasement *n* (*engl.*); **~r** [1i] *v/t.* beruhigen, besänftigen, dämpfen; Frieden stiften unter (*od.* zwischen) (*dat.*).
apache I. *adj.-su. c* Apatsche *m* (*Indianer*); **II.** *m fig.* Apache *m*, Messerheld *m*, Ganove *m*; **~ta** *Ke. And. f* Steinhaufen *m* als Zeichen des Dankes an die Gottheit *bei Paßübergängen*; *fig.* Notunterkunft *f*, Schutzhütte *f*.
apachurra|do *adj. Méj., Cu., Col.* untersetzt; **~r** *v/t.* plattdrücken; *fig.* den Mund stopfen (*dat.*).
apadrina|miento *m* Begönnern *n*, Bemuttern *n*; **~r** *v/t.* Patenstelle annehmen bei (*dat.*); (Trau- *usw.*) Zeuge sein bei (*dat.*); *fig.* verteidigen; fördern, begünstigen.
apaga|ble *adj. c* löschbar; **~broncas** P *m* (*pl. inv.*) Rausschmeißer *m* P; **~da** *f Am.* → *apagamiento*; **~dizo** *adj.* schwer brennbar; **~do** *adj.* erloschen; gedämpft (*Ton, Farbe*); dumpf (*Stimme*); verzagt (*Temperament*); **~dor** *adj.-su. m* Löschhorn *n*; ♪ Dämpfer *m* (*Klavier*); **~incendios** ⚓ *m* (*pl. inv.*) Feuerlöschpumpe *f*; **~miento** *m* Ver-, Aus-löschen *n*; **~penol** ⚓ *m* Nockgording *f*; **~r** [1h] **I.** *v/t.* (aus)löschen (*a. fig.*); *Licht* ausmachen; *Farben* mildern; *Ton u. fig.* dämpfen; *Kalk, Durst* löschen; ⚓ *Segel* reffen; **II.** *v/i. abs.* das Licht löschen; *fig.* F *apaga y vámonos* jetzt ist Schluß; jetzt reicht's F, jetzt langt's aber F; **III.** *v/r.* *~se* erlöschen; verklingen; **~velas** *m* (*pl. inv.*) Lösch-stock *m*, -horn *n*.
apagón I. *adj. Méj., Cu.* → *apagadizo*; **II.** *m* F Strom-ausfall *m*, -unterbrechung *f*.
apaisado *adj.* in Querformat (*Bild, Buch*).
apaisanarse *v/r. Rpl.* verbauern.
apalabrar I. *v/t.* absprechen, *mündlich* vereinbaren; *j-n zu e-r Zs.-kunft* bestellen; **II.** *v/r.* *~se* (*con*) s. verabreden (mit *dat.*).
apalancar [1g] *v/t.* mit Hebeln (*od.* Brechstangen) bewegen.
apalea|da *f Am.* → **~miento** *m* Schlagen *n*, Durchprügeln *n*; **~r** *v/t.* prügeln; *Teppiche* klopfen; *Kleider* ausklopfen; *Baum* mit Stangen schlagen, *um die Früchte zu ernten*; *Korn* worfeln; *fig.* F *~ oro* (*od. plata usw.*) (das) Geld scheffeln, sehr reich sein.
apancle *m* → *apantle*.
apancora *Zo. f Chi.* Seekrebs *m*.
apan|dar F *v/t.* stibitzen, klauen F; **~dillarse** *v/r.* s. zs.-rotten; *ladrones m/pl. ~ados* Räuberbande(n) *f*(*/pl.*).
apanojado ⚘ *adj.* rispenförmig.
apantle *m Méj.* Wasserrinne *f*.
apaña|do *adj.* **1.** tuchähnlich; **2.** *fig.* F anstellig, geschickt, fix F; brauchbar, zweckdienlich; F *estamos ~s* jetzt stecken wir in der Patsche; e-e schöne Bescherung F, wir sind aufgeschmissen F; **~dura** *f* **1.** → *apaño*; **2.** *~s f/pl.* Besatz *m*; **~r I.** *v/t.* **1.** flicken, ausbessern; **2.** zurechtmachen; schön anziehen; **3.** F stibitzen, mitgehen lassen; **4.** *Reg. u. Arg.* decken, in Schutz nehmen; **II.** *v/r.* *~se* **5.** s. geschickt anstellen; *apañárselas* zurechtkommen, s. zu helfen wissen; *no sé como se las apaña* ich weiß nicht, wie er es anstellt.
apaño *m* **1.** Flicken *n*; Flicken *m*; **2.** Zugreifen *n*; Stehlen *n*; **3.** Geschick *n*; **4.** P Liebhaber *m*; (Liebes-)Verhältnis *n*; **5.** P guter (bequemer) Job *m* F.
apapagayado *adj.* papageienähnlich.
apara|dor *m* **1.** Büffet *n*; Kredenz *f*, Anrichte *f*; Geschirrschrank *m*; **2.** Werkstatt *f*; **3.** ✝ Auslage *f*; Schaufenster *n*; **~r I.** *v/t.* zurecht-

machen; *Zim.*: *Balken usw.* schlichten; ↗ jäten; *Schuhmacher*: *Schäfte* nähen; **II.** *vt/i. Hände, Schürze od. ä.* aufhalten; ~ (*en od. con la mano*) auffangen (*fast nur imp. gebräuchlich*).

aparasolado *adj.* schirmförmig; ⚘ → *umbelífero*.

aparatarse *v/r. Reg. u. Col.* s. bewölken (*Himmel*).

aparato *m* **1.** Apparat *m* (*a. fig.*), Gerät *n*, Vorrichtung *f*; Telefon *n*; Flugzeug *n*; ~ *adicional* Zusatzgerät *n*; ~ *auxiliar* Hilfsgerät *n*; Nebenapparat *m*; ~ *basculante* Kippvorrichtung *f*; ~ *de alarma* Warngerät *n*, Alarmanlage *f*; ⊕ ~ *de mando* Steuergerät *n*; ~ *de mesa* Tisch-gerät *n*, -apparat *m*; *fig.* ~ *del* (*od. de un*) *partido* Parteiapparat *m*; ~ *de proyección* Projektionsapparat *m*, Projektor *m*; 🚂 ~ *de rodadura* Laufwerk *n*; ⚕ ~ *fisioterápico* Heilgerät *n*; → *a. 3*; ~ *de calcar* Lichtpausapparat *m*; ⚓ ~*s m/pl. para gobernar* Steuergerät *n*; ~ *de toma* (Bild-, Ton-)Aufnahmegerät *n*; *Tel.* (*estar*) *al* ~ am Apparat (sein); **2.** *Anat.* ~ *circulatorio* Kreislaufsystem *n*; ~ *digestivo* (*vocal*) Verdauungs- (Stimm-)apparat *m*; **3.** ⚕ Verband *m*; ~ *ortopédico* orthopädischer Verband *m bzw.* Apparat *m*; **4.** ⚕ Krankheitssymptome *n/pl.*; **5.** Prunk *m*, Gepränge *n*; **6.** *fig.* Geschrei *n*; Lärm *m*; Umstände *m/pl.*; ~**sidad** *f* Prunk *m*, Aufwand *m*, Übertreibung *f*; ~**so** *adj.* prunkhaft; auffallend; protzig; schrekken-, aufsehen-erregend.

aparca|dero *m* Parkplatz *m*; ~**miento** *m* Parken *n*; Parkplatz *m*; ~ *subterráneo* Tiefgarage *f*; ~**r** [1g] *vt/i.* parken.

aparce|ría ↗ *f* Halb-, Teil-pacht *f*; ~**ro** *m* ↗ Halb-, Teil-pächter *m*; P *Am.* Kumpan *m*; *Arg.* Kunde *m*.

aparea|miento *m* Paarung *f*; ~**r** *v/t.* paaren (*bsd. Tiere*); paarweise zs.-stellen.

apare|cer [2d] **I.** *v/i.* **1.** erscheinen, zum Vorschein kommen, zutage treten; auftreten; ~ *como* aussehen wie; *este título no aparece en el catálogo* dieser Titel steht nicht im Katalog; **2.** *gal.* erscheinen, veröffentlicht werden (*Buch*); **II.** *v/r.* ~*se* **3.** (unvermutet) erscheinen, auftauchen; ~**cido** *m* Geist *m*, Gespenst *n*, Erscheinung *f*.

apare|jado *adj.* zweckmäßig, passend; *llevar* (*od. traer*) ~ mit s. bringen, zur Folge haben; ~**jador** *m* △ Bau-meister *m*, -führer *m*; ⚓ Takelmeister *m*; ~**jar** *v/t.* zubereiten, herrichten; rüsten (*a. fig.*); *Pferd usw.* (an)schirren; ⚓ auftakeln; ⊕, *Mal.* grundieren; ~**jo** *m* **1.** Zurüstung *f*; **2.** ⊕ Hebezeug *n*, Flaschenzug *m*, ⚓ Talje *f*; **3.** ⚓ Segelwerk *n*, Takelage *f*; ~*s m/pl.* Schiffsgerät *n*; **4.** Pferdegeschirr *n*; *Am.* Pack- u. Reit-sattel *m aus Binsen*; **5.** △ Verband *m*; **6.** *Mal.* Grundierung *f*; **7.** ~*s m/pl.* Gerätschaften *f/pl.*; ~*s de pesca* Angel- od. Fischerei-gerät *n*.

aparen|tar *v/t.* vorspiegeln, vorgeben; ~ + *inf.* s. stellen, als ob, (so) tun, als ob + *subj.*; (*no*) *aparenta la edad que tiene* er sieht (nicht) so alt aus, wie er ist; ~**te** *adj. c* **1.** äußerlich, augenscheinlich; scheinbar; ⚖ offenkundig; *argumento m* ~ Schein-beweis *m*; -grund *m*; *muerte f* ~ Scheintod *m*; **2.** P passend, zweckmäßig; P hübsch, gut aussehend; ~**temente** *adv.* scheinbar; anscheinend.

aparición *f* **1.** Erscheinen *n*; *hacer su* ~ (auf der Bildfläche) erscheinen; **2.** Erscheinung *f*, Vision *f*; Gespenst *n*.

apariencia *f* äußerer Schein *m*, Anschein *m*; Wahrscheinlichkeit *f*; *adv. en* (*la*) ~ scheinbar; offensichtlich, offenbar; *las* ~*s engañan* der Schein trügt; *salvar* (*od. cubrir*) *las* ~*s* den Schein wahren; *según* (*todas*) *las* ~*s* allem Anschein nach, wahrscheinlich.

aparra|do *adj.* mit waagrecht gewachsenen Zweigen (*Baum*); *fig.* untersetzt, stämmig; ~**r** ↗ *v/t. Zweige* waagrecht ziehen.

aparroquiado *adj.* besucht (*Laden*); *ecl.* eingepfarrt.

apar|ta *f Am.* (Aus-)Sortierung *f v. Vieh beim rodeo*; ↗ *Col.* de ~ abgesetzt, entwöhnt; ~**tadamente** *adv.* getrennt; abseits; ~**tadero** *m* **1.** Ausweichstelle *f*; 🚂 Ausweichgleis *n*; ~ *particular* eigener Bahnanschluß *m* (*Werk*); **2.** Weidestreifen *m längs e-r Straße*; **3.** *Stk.* Platz *m*, auf dem die Kampfstiere getrennt werden; **4.** *Méj.* Aussonderung *f* von Vieh; ~**tadijo** *m* Häuflein *n*; ~**tadizo** *m* Nebenraum *m*; Verschlag *m*; ~**tado I.** *adj.* **1.** abgelegen; entfernt; ruhig gelegen; **II.** *m* **2.** Hinterzimmer *n*; Séparée *n*; **3.** *Stk.* Einstallung *f* der Stiere; **4.** ~ (*de correos*) Post(schließ)fach *n*; **5.** *Typ.* Absatz *m*; **6.** ⊕ Gold-Silber-Scheidung *f*; *Méj.* Scheideanstalt *f*; ~**tador** *m* **1.** Sortierer *m*; **2.** ⊕ Prüfgefäß *n* für Goldproben; Retorte *f* für Silbergewinnung; **3.** *Ec.* Ochsenstachel *m*; ~**tamento** *m* Appartement *n*; ~**tamiento** *m* **1.** Entfernung *f*; Trennung *f*; Aussonderung *f*; **2.** ⚖ Verzicht *m*; **3.** → *apartamento*; ~**tar I.** *v/t.* **1.** (aus)sondern, sortieren (*a. Vieh*); trennen; *Metalle* scheiden; **2.** entfernen; beiseite legen, zurücklegen (*a. Geld*); ~ *de* abbringen von (*dat.*); ~ *de sí* von s. weisen; ~ *la cara*, ~ *los ojos* das Gesicht abwenden; **II.** *v/r.* ~*se* **3.** s. entfernen; s. trennen; *fig.* s. zurückziehen; abweichen (von *dat.* de); Platz machen; ~*se del camino* vom Wege abkommen; *fig. no* ~*se de* nicht abgehen von (*dat.*); ~**te I.** *adv.* **1.** beiseite; abseits; für sich; ~ *de que* abgesehen davon, daß; ~ *de ello* abgesehen davon; außerdem; *Thea. hablar* ~ zur Seite sprechen; **2.** † *u. Am.* außer (*dat.*); **II.** *m* **3.** Absatz *m*; *punto y* (*párrafo*) ~ (Punkt u. neuer) Absatz; **4.** *Thea.* zur Seite Gesprochene(s) *n*; **5.** *Am.* Absonderung *f v. Vieh*; ~**tijo** *m* → *apartadijo*.

aparvar ↗ *v/t. Korn zum Dreschen* schichten; *fig.* anhäufen, sammeln.

apasiona|damente *adv.* leidenschaftlich; ~**do I.** *adj.* leidenschaftlich; begeistert; ~ *por el juego* spielbegeistert; *a. m* leidenschaftlicher Spieler *m*; **II.** *m fig.* Hitzkopf *m*; ~**miento** *m* leidenschaftliche Teilnahme *f*; Begeisterung *f*; ~**nte** *adj. c* mitreißend, begeisternd; ~**r I.** *v/t.* begeistern; für s. einnehmen; **II.** *v/r.* ~*se* in heftiger Leidenschaft entbrennen (zu j-m *por alg.*); ~*se por a/c.* s. für et. (*ac.*) begeistern; s. leidenschaftlich für et. (*ac.*) einsetzen.

apasote ⚘ *m* → *pasote*.

apaste *m Méj.* irdener (Henkel-)Topf *m*.

apatía *f* Apathie *f*, Gleichgültigkeit *f*, Teilnahmslosigkeit *f*.

apático *adj.* apathisch, teilnahmslos, gleichgültig, stumpf.

apátrida *adj.-su. c* staatenlos; heimatlos.

apatusco *desp.* F *m* **1.** Putz *m*, Schmuck *m*; **2.** Vogelscheuche *f* (*fig.*); widerliche Type *f* F.

apayasarse *v/r.* den Hanswurst spielen (*fig.*).

apea *Equ. f* Fessel *f*, Spannkette *f*; ~**dero** *m* Trittstein *m*; *fig.* Absteigequartier *n*; 🚂 Haltepunkt *m*; ~**dor** *m* Feldmesser *m*; ~**lar** *v/t. Am. dem Reittier* die Beine fesseln (*durch Lassowurf*); ~**r I.** *v/t. j-m* vom Pferd helfen; *Feld* vermessen u. abmarken; *Schwierigkeit* beheben; *Gebäude* (ab)stützen; *Wagen mit e-m Stein od. ä.* blockieren; *Pferd* fesseln; *Baum* fällen; *Am.* (*s-s Amtes*) entheben; ~ *de* von *e-r Meinung od. Absicht* abbringen; ~ *el tratamiento a alg.* j-m den ihm gebührenden Titel vorenthalten; **II.** *v/r.* ~*se* absitzen; aussteigen; F ~*se de algo* von et. (*dat.*) abkommen; ~*se por la cola*, ~*se por las orejas* dummes Zeug vorbringen; ins Fettnäpfchen treten.

ape|char *v/i. Reg. u. Am.* → ~**chugar** [1h] **I.** *v/i.* ~ *con a/c.* s. et. auf den Hals laden, et. über s. ergehen lassen, in den sauren Apfel beißen; ~ *con todo* s. mit allem abfinden; **II.** *v/t. Ec., Pe. j-n* beuteln, *j-n* schütteln.

apedre|ado *adj.* **1.** buntscheckig; **2.** blatternarbig; ~**amiento** *m* Steinigung *f*; ~**ar I.** *v/impers.* hageln; **II.** *v/t.* mit Steinen bewerfen; steinigen; **III.** *v/r.* ~*se* verhageln (*v/i. Getreide*); ~**o** *m* Steinigen *n*.

ape|gado *adj.*: ~ *a* verwachsen (*fig.*) mit (*dat.*), verbunden mit (*dat.*); *estar* ~ *a* ... an ... (*dat.*) hängen; ~ *al terruño* heimat-, erd-verbunden; ~**garse** [1h] *v/r.*: ~*se a* Zuneigung fassen zu (*dat.*); ~**go** *m* (*a*) Anhänglichkeit (an *ac.*), Zuneigung (zu *dat.*); *tener* ~ *a* an (*dat.*) hängen; *cobrar* ~ *a j-n od. et.* liebgewinnen.

apela|ble ⚖ *adj. c* berufungsfähig, anfechtbar; ~**ción** ⚖ *f* Berufung *f*; *procedimiento m de* ~ Berufungsverfahren *n*; *interponer* (*recurso de*) ~ Berufung einlegen; *a. fig. sin* ~ hoffnungslos; unwiderruflich; ... *es susceptible de* ~ *gegen* ... (*ac.*) kann Berufung eingelegt werden; ~**do** *m* Berufungsbeklagte(r) *m*.

apelambrar *v/t. Felle* enthaaren.

apela|nte ⚖ *m* Berufungskläger *m*; **⁓r** *v/i.* **1.** Berufung einlegen (gg. *ac.* de, bei *dat.* a); *passivisch a. als v/t. möglich*: la sentencia ha sido apelada gg. das Urteil wurde Berufung eingelegt; **2.** ⁓ a appellieren an (*ac.*); *Gericht* anrufen; s. berufen auf (*ac.*); ⁓ a alg. bei j-m Hilfe suchen; ⁓ a la fuga, ⁓ a los pies die Flucht ergreifen; ⁓ a un medio zu e-m Mittel greifen; **⁓tivo I.** *Gram. adj.-su. m* (nombre m) ⁓ Gattungsname *m*; **II.** *m Am.* Familienname *m*.

apelmaza|do *adj.* klumpig (*a. Brot*); *fig.* kompakt; kleingedruckt, schwer lesbar (*Buch*); **⁓r** [1f] **I.** *v/t.* feststampfen, zs.-pressen; **II.** *v/r.* ⁓se s. zs.-ballen (*Schnee*).

apelotonar I. *v/t.* zs.-knäueln, -ballen; **II.** *v/r.* ⁓se s. (zs.-)drängen; s. zs.-kauern; Knäuel *od.* Klumpen bilden.

apelli|damiento *m* (Be-)Nennung *f*; Zu-, An-ruf *m*; **⁓dar I.** *v/t.* (be-)nennen; anrufen; *hist.* ⚔ einberufen, aufrufen; **II.** *v/r.* ⁓se *mit Familiennamen* heißen; **⁓do** *m* **1.** Zu-, Familien-name *m*; *Span.* nombre *m* y ⁓s *m/pl.* Vorname u. *die in fast allen Ländern span. Sprache gebräuchlichen* Familiennamen *des Vaters u. der Mutter*; **2.** *hist.* Heerbann *m*.

apena|do *adj.* vergrämt, bekümmert; **⁓r I.** *v/t.* bekümmern, schmerzen; **II.** *v/r.* ⁓se s. sorgen (um *ac.* por); *Am.* s. schämen.

apenas *adv.* kaum; mit Mühe, mühsam; ⁓ terminada la reunión sofort nach Abschluß der Versammlung; ⁓ llegué a la ciudad, (cuando) ... ich war kaum in der Stadt, da ...; *gal.* ⁓ si = apenas.

apencar [1g] F *v/i.* → apechugar.

apéndice *m* **1.** Anhang *m*; Zusatz *m*; *fig.* (getreuer) Schatten *m* (*fig.*); ⁓s *m/pl.* Ergänzungsbände *m/pl.*; **2.** *Anat.* ⁓ (ileo)cecal, ⁓ vermiforme Wurmfortsatz *m des Blinddarms*.

apendi|cectomía ⚕ *f* Appendektomie *f*; **⁓citis** ⚕ *f* Blinddarmentzündung *f*, Appendizitis *f*.

apeo *m* **1.** ⚠ Unterfangen *n*, Abstützen *n*; Stützwerk *n*; **2.** Feldmessung *f*; Vermessungsurkunde *f*.

apeonar *v/i.* schnell laufen (*bsd. Rebhuhn*).

aperador *m* **1.** Stellmacher *m*; **2.** Oberknecht *m*; Gutsinspektor *m*; **3.** ⚒ Steiger *m*.

apercepción *Phil. f* Apperzeption *f*.

aperci|bimiento *m* Vorbereitung *f*; Warnung *f*; **⁓bir I.** *v/t.* **1.** vorbereiten; ⁓ido para bereit zu (*dat. od. inf.*); **2.** warnen (vor *dat.* de); mahnen, tadeln, verwarnen; **3.** ⚖ über die Rechtsfolgen belehren; **4.** *Am.* → percibir, cobrar; **II.** *v/r.* ⁓se **5.** ⁓se a (para, contra) s. zu (*dat.*) (für *ac.*, gg. *ac.*) rüsten; ⁓se de s. versehen mit (*dat.*); **6.** *gal.* → notar, observar, advertir; **⁓bo** † *m* → apercibimiento.

apercollar [1m] F *v/t.* **1.** am Kragen packen; den Hals umdrehen (*dat.*); **2.** stibitzen, entwenden.

apergamina|do *adj.* pergamentartig; lederartig (*Gesichtshaut*); **⁓rse** *v/r.* zs.-schrumpfen.

aperiódico ⚡ *adj.* aperiodisch.

aperitivo I. *adj.* **1.** appetitanregend; **II.** *m* **2.** Aperitif *m*; appetitanregende Speise *f*; kl. pikante Vorspeise *f*; **3.** ⚕ Aperitivum *n*.

apero *m* **1.** *mst.* ⁓s *m/pl.* Ackergerät(e) *n*(*/pl.*); ⚒ Handwerkszeug *n*; **2.** ⚒ Zugvieh *n*; Schafhürde *f*; **3.** *Am.* Pferdegeschirr *n*; Sattel *m*.

aperre|ado F *adj.* ermüdend, lästig; este trabajo me trae ⁓ hundemüde werde ich von dieser Arbeit; **⁓ar I.** *v/t.* mit Hunden hetzen; **II.** *v/r.* ⁓se s. abplacken, schuften; **⁓o** *m* Belästigung *f*; Ermüdung *f*.

apersonarse *v/r.* → personarse.

apertura *f* Öffnung *f*; Eröffnung *f*; Beginn *m* (*z. B. v. Kursen*); ⁓ del testamento Testamentseröffnung *f*; *Vkw.* ⁓ al tráfico Freigabe *f* für den Verkehr; *Pol.* ⁓ a la izquierda Öffnung *f* nach links.

apesa|dumbrado *adj.* bekümmert; **⁓(dumb)rarse** *v/r.* s. schweren Kummer machen, s. härmen (wegen *gen.*, um *ac.* con, por, de).

apes|tado *adj.* verpestet; *fig.* ⁓ de géneros mit Waren überfüllt; **⁓tar I.** *v/t.* verpesten; *fig.* belästigen, langweilen (*ac.*), auf die Nerven gehen (*dat.*); **II.** *v/i.* übel riechen, stinken (*a. v/impers.*) (nach *dat.* a); *Chi.* ¡apesta! (*verstärkend*) verdammt!; **III.** *v/r.* ⁓se *Col.* s. erkälten; **⁓toso** *adj.* stinkend; *fig.* widerlich.

apétalas ✿ *f/pl.* Blumenblattlose(n) *f/pl.*, Apetale(n) *f/pl.*

apete|cedor *adj.* **1.** erstrebend; **2.** verlockend, appetitlich; **⁓cer** [2d] **I.** *v/t.* begehren; trachten nach (*dat.*); **II.** *v/i.* zusagen; ¿qué te apetece? was sagt dir zu?, was möchtest du?, worauf hast du Lust?; **⁓cible** *adj. c* wünschens-, begehrens-wert; ⁓ (al gusto) schmackhaft; **⁓ncia** *f* Appetit *m*; Verlangen *n*, Streben *n*.

apeti|te *m* appetitanregende, pikante Soße *f*; *fig.* Ansporn *m*, Reiz *m*; **⁓tivo** *adj.*: facultad *f* ⁓a Begehren *n*; **⁓to** *m* Appetit *m* (auf *ac.* de); Verlangen *n* (nach *dat.* de), Gelüst *n*; Trieb *m*; Begierde *f* (*a. Phil. u. Psych.*); falta *f* de ⁓ Appetitlosigkeit *f*; **⁓toso** *adj.* appetitlich, einladend; poco ⁓ unappetitlich.

apiadar I. *v/t.* j-s Mitleid erregen; **II.** *v/r.* ⁓se (de) Mitleid haben (mit *dat.*); s. (*j-s*) erbarmen.

apianar ♪ *v/t.* *Lautstärke* dämpfen; ⁓ la voz leiser sprechen.

apical ✿, ⚕, *Phon. adj. c* apikal.

apicarado *adj.* durchtrieben.

ápice *m* **1.** Gipfel *m*; Spitze *f* (*a. Gebäude*); *lit.* en el ⁓ de la gloria auf dem Gipfel s-s Ruhms; **2.** *fig.* das Schwierigste *e-s Problems*; *fig.* Geringfügigkeit *f*, das Geringste; no falta un ⁓ kein Tüpfelchen fehlt; **3.** *Li.* Akzent *m*; *Phon.* Zungenspitze *f*; ⁓ silábico Schallgipfel *m*.

apícola *adj. c* Bienenzucht..., Imker...

apicul|tor *m* Imker *m*, Bienenzüchter *m*; **⁓tura** *f* Bienenzucht *f*, Imkerei *f*.

apilar *v/t.* häufen, schichten, stapeln; *Heu usw.* schobern.

apimpollarse ✿ *v/r.* Schößlinge *od.* Knospen treiben.

apin|tle, ⁓to ✿ *m Am.* Wildagave *f*.

api|ñado *adj.* dicht gedrängt; geschlossen (*Kohl, Salat*); **⁓ñamiento** *m* Gedränge *n*; **⁓ñar I.** *v/t.* zs.-drängen; **II.** *v/r.* ⁓se s. drängen; **⁓ñonado** *adj. Méj.* zartbraun (*Hautfarbe*).

apio ✿ *m* Sellerie *f*, *m*; ⁓ de ranas Hahnenfuß *m*.

apiolar F *v/t.* gefangennehmen, kaschen F; P totschlagen, umlegen P.

apiparse F *v/r.* s. den Bauch vollschlagen F; s. vollaufen lassen P.

apisona|dora *f* Straßenwalze *f*; **⁓r** *v/t.* fest-stampfen; -walzen.

apitonar I. *v/i.* ✿ sprießen; Knospen ansetzen; *Zo.* Hörner ansetzen; die Eierschale zerbrechen (*Vögel*); **II.** *v/r.* ⁓se F s. herumzanken, krakeelen F.

apizarrado *adj.* schieferfarben.

aplaca|ble *adj. c* versöhnlich; **⁓dor** *adj.* beschwichtigend, besänftigend; **⁓miento** *m* Besänftigung *f*; **⁓r** [1g] **I.** *v/t.* besänftigen; mildern; *Hunger, Durst* stillen; **II.** *v/r.* ⁓se s. legen (*Unwetter*).

apla|cer [2x; *def.*] *v/i.* gefallen; **⁓cerado** *adj.* seicht (*See*); **⁓cible** *adj. c* → agradable.

aplana|calles *m Am.* → azotacalles; **⁓dera** *f* Pflasterramme *f*; **⁓do** *adj.* platt, flach; **⁓dor** ⊕ **I.** *adj.* Planier...; **II.** *m* Planierhammer *m*; **⁓miento** *m* Einebnen *n*, Planieren *n*; Abplattung *f*; *fig.* Niedergeschlagenheit *f*; **⁓r I.** *v/t.* (ein)ebnen, planieren, glätten; *fig.* mutlos machen; schwächen, entkräften; bestürzen; **II.** *v/r.* ⁓se ⚠ einstürzen; *fig.* bestürzt werden; den Mut (*od.* die Kraft) verlieren; *fig.* verfallen.

aplas|tante *adj. c* überwältigend; vernichtend; **⁓tar** *v/t.* plattdrükken; zer-treten, -malmen; *fig.* F fertigmachen, erledigen F.

aplatanarse *v/r.* **1.** *Ant., Fil.* s. den einheimischen Sitten anpassen; **2.** s. gehen lassen, nachlässig werden; abstumpfen (*bsd. im Tropenklima*).

aplau|didor *adj.-su.* Beifall spendend; **⁓dir** *vt/i.* Beifall klatschen (*dat.*); *fig.* loben, billigen, begrüßen; **⁓so** *m* Beifall *m*; Zustimmung *f*; ⁓ ruidoso (estrepitoso) rauschender (tosender) Beifall *m*; digno de ⁓ lobenswert.

aplayar *v/i.* über die Ufer treten (*Fluß*).

apla|zable *adj. c* verlegbar; **⁓zamiento** *m* Vertagung *f*; Aufschub *m*; † Stundung *f*; **⁓zar** [1f] *v/t.* vertagen, ver-, auf-schieben (auf *ac.* para); *Wechsel* verlängern; *Arg. Prüfling* durchfallen lassen; **⁓zo** *m Arg.* → aplazamiento.

aplebeyamiento *m* Verpöbelung *f*, Plebejisierung *f*.

aplica|bilidad *f* An-, Ver-wendbarkeit *f*; **⁓ble** *adj. c* anwendbar (auf *ac.* a); ⚖ *a.* gültig (für *ac.* a); ser ⁓ para gelten (*od.* in Betracht kommen) für (*ac.*); **⁓ción** *f* **1.** An-, Ver-wendung *f*, Gebrauch *m*; **2.** Lerneifer *m*, Fleiß *m*; **3.** (Kleider-)Besatz *m*; **4.** ⚕ Anlegen *n e-s Verbandes usw.*; **~do** *adj.* fleißig; *ciencias f/pl.* *~as* angewandte Wissenschaften *f/pl.*; **~r** [1g] **I.** *v/t.* **1.** an-, auf-legen; anbringen; *Farbe, Salbe usw.* auftragen; *Schlag* versetzen; **2.** anwenden (auf *ac.* *a*); gebrauchen (für *ac.* *a*); *~ el oído* aufmerksam zuhören; **II.** *v/r.* *~se* **3.** *abs.* fleißig sein, *bsd.* fleißig lernen; *~se a* **a)** s. hingeben (*dat.*), s. widmen (*dat.*); **b)** gelten für (*ac.*), Anwendung finden auf (*ac.*); **c)** zur Bezeichnung von (*dat.*) dienen; *~se a + inf.* s. bemühen, zu + *inf.*; *~se el cuento* es auf s. beziehen; **~ta** ⚕ *f* Mittel *n* zum äußerlichen Gebrauch; **~tivo** *adj.* anwendbar; gebrauchsfähig.

aplique *m Thea.* Zusatzkulisse *f*; *gal.* Wand-leuchte *f*, -arm *m*.

aplo|mado *adj.* **1.** bleifarbig; **2.** lot-, senk-recht; **3.** *fig.* ernst; umsichtig; **~mar I.** *v/t.* loten; nach dem Lot errichten; **II.** *v/r.* *~se* einstürzen; *Chi.* s. schämen; **~mo** *m* **1.** Sicherheit *f*, Selbst-bewußtsein *n*, -sicherheit *f*; *tener (mucho) ~* (sehr) selbstbewußt sein; **2.** Ernst *m*; Umsicht *f*, Zuverlässigkeit *f*; **3.** Linienführung *f* (*Körperbau des Pferdes*).

apnea ⚕ *f* Apnoe *f*, Atemstillstand *m*.

apocado *adj.* **1.** kleinmütig, verzagt; **2.** niedrig, gemein (*Herkunft*).

Apoca|lipsis *f* Apokalypse *f*; *los cuatro jinetes del ~* die vier Apokalyptischen Reiter *m/pl.*; **⁂líptico** *adj.* apokalyptisch (*a. fig.*).

apoca|miento *m* Kleinmut *m*, Verzagtheit *f*; **~r** [1g] **I.** *v/t.* verkleinern; *fig.* herabsetzen; einschüchtern; **II.** *v/r.* *~se* verzagen; s. demütigen.

apocopar *Gram. v/t.* apokopieren.

apócope *Gram. f* Apokope *f*.

apócrifo *adj.* apokryph; *escritos m/pl.* *~s* Apokryphen *n/pl.*

apodar *v/t.* e-n Spitznamen geben (*dat.*), taufen F (*ac.*).

apodera|do *m* **1.** Bevollmächtigte(r) *m*; Prokurist *m*; *~ general* Generalbevollmächtigte(r) *m*; *constituir ~ a alg.* j-m Vollmacht (*od.* Prokura) erteilen; **2.** *Stk.*, ♪ Impresario *m*, Agent *m*, Manager *m*; **~r I.** *v/t.* bevollmächtigen; Prokura erteilen (*dat.*); **II.** *v/r.* *~se de* s. *e-r Sache* bemächtigen, *e-e Sache* an s. reißen.

apodíctico *adj.* apodiktisch, unwiderleglich.

apodo *m* Bei-, Spitz-name *m*.

ápodo *Zo. adj.-su.* fußlos; *~s m/pl.* Apoden *pl.*

apó|dosis *Gram., Rhet. f* Nachsatz *m*; **~fisis** *Anat. f* (Knochen-)Fortsatz *m*, Apophyse *f*.

apofonía *Li. f* Ablaut *m*.

apogeo *m Astr.* Erdferne *f*, Apogäum *n*; *fig.* Höhepunkt *m*; *fig. estar en su ~* den Gipfel erreicht haben.

apolilla|do *adj.* von Motten zerfressen; wurmstichig; **~dura** *f* Mottenfraß *m*; **~r¹** *v/i. Arg.*: *la está apolillando* er schläft; **~rse²** *v/r. von Motten* angefressen werden.

apolíneo *adj.* apollinisch.

apolisma|do *adj. Am.* traurig, schwermütig; *Méj., Col., P. Ri.* kränklich (*Kind*); *C. Ri.* faul; **~r** *v/t. Col., Cu., Méj., Pan., Pe., P. Ri.* → *magullar*.

apo|lítico *adj.* apolitisch, unpolitisch; **~litismo** *m* **1.** Parteilosigkeit *f*; **2.** Staatenlosigkeit *f*.

Apolo *m* Apoll(o) *m* (*a. fig.*).

apolo|gética *f* Apologetik *f*; **~gético** *adj.* rechtfertigend, apologetisch; **~gía** *f* Verteidigungs-rede *f*, -schrift *f*, Apologie *f*.

apológico *adj.* Fabel..., Gleichnis...

apologista *c* Apologet *m*, Verteidiger *m*; Ehrenretter *m*.

apólogo *m* (Lehr-)Fabel *f*, Gleichnis *n*.

apoltronarse *v/r.* träge werden; faulenzen; verlottern F.

aponeurosis *Anat. f* Sehnenhaut *f*.

apo|plejía ⚕ *f* Schlag(anfall) *m*, Gehirnschlag *m*; **~plético** ⚕ **I.** *adj.* apoplektisch; vom Schlag getroffen; *ataque m ~* Schlaganfall *m*; **II.** *m* Apoplektiker *m*.

apoquinar P *v/t.* berappen F, blechen P.

aporca *f Am.* → **~dura** ⚘ *f* (An-)Häufeln *n*; Abdecken *n mit Erde*; **~r** [1f] ⚘ *v/t.* (an)häufeln.

aporisma *m* Bluterguß *m*.

aporrar F **I.** *v/i.* kein Wort herausbringen (können); **II.** *v/r.* *~se* lästig werden.

aporre|ado F **I.** *adj.* arm(selig), elend; abgefeimt; **II.** *m Cu. Art* Gulasch *n*; **~ar** F **I.** *v/t.* (ver)prügeln (*Col. aporriar*); *fig.* belästigen; *~ las teclas, ~ el piano* auf dem Klavier herumstümpern; **II.** *v/r.* *~se* s. schinden, s. abplacken; **~o** *m* Prügeln *n*; Prügelei *f*; *fig.* Plackerei *f*.

apor|tación *f* **1.** ⚚ (Gesellschafts-)Einlage *f*; **2.** Anteil *m*; Beitrag *m*; *~ personal* persönliche Teilnahme *f*, Mitwirkung *f*; **3.** ⚖ *das in die Ehe* eingebrachte Gut; **~tar¹** *v/t.* **1.** bringen; *Gründe* vorbringen, anführen; *Belege* beibringen; **2.** *Artikel usw.* beisteuern; *Kapital* einzahlen; ⚖ *Gut in die Ehe* einbringen; **3.** verursachen; **~tar²** *v/i.* ⚓ einlaufen; *fig.* (irgendwohin) geraten, landen; **~te** *m Am.* → *aportación*.

aportillar I. *v/t.* e-e Bresche schlagen in (*ac.*); *et.* einreißen; **II.** *v/r.* *~se* bersten, einfallen (*Mauer*).

aposen|tador *m* Quartiermacher *m*; **~tamiento** *m* Einquartierung *f*; **~tar I.** *v/t.* beherbergen; einquartieren; ⚔ *~ tropas* Quartier machen; **II.** *v/r.* *~se* Wohnung nehmen; ⚔ Quartier beziehen; **~to** *m* Gemach *n*; Herberge *f*; ⚔ Quartier *n*; *dar ~ a a. j-n* bei s. aufnehmen.

aposi|ción *Gram. f* Apposition *f*, Beisatz *m*; **~tivo** *adj.* appositiv, als Apposition.

apósito ⚕ *m* Wundverband *m*; äußerlich angewendetes Heilmittel *n*; *~ higiénico* Damenbinde *f*; *material m de ~s* Verbandszeug *n*.

aposta(damente) *adv.* absichtlich.

apostadero *m* ⚔ Posten *m*, Wachstation *f*; ⚓ Marine-, Flottenstation *f*.

apostar¹ [1m] **I.** *vt/i.* **1.** wetten; *¿qué apostamos?* (um) was wollen wir wetten?; (*apuesto*) *a que no lo sabes* wetten, daß du es nicht weißt; *apuesto (a) que sí* ich wette, daß es s. so verhält; *apuesto la cabeza a que ...* ich wette (um) m-n Kopf, daß ...; **II.** *v/i.* **2.** *~ en el juego* im Spiel setzen; *~ por un caballo* auf ein Pferd setzen; **3.** ⚒ wetteifern.

apostar² I. *v/t.* aufstellen (*a.* ⚔); **II.** *v/r.* *~se* s. aufstellen; *Jgdw.* auf den Anstand gehen.

apostasía *f* Abtrünnigkeit *f*, Apostasie *f*.

apóstata *c* Abtrünnige(r) *m*, Apostat *m*.

apostatar *v/i.*: *~ (de)* abtrünnig werden (*dat.*); *vom Glauben* abfallen.

apostema ⚕ *m* → *postema*.

a posteriori *lt. adv.* aus der Erfahrung geschöpft; *fig.* hinterher.

apostilla *f* Erläuterung *f*, Randbemerkung *f*; *fig.* schriftliche Empfehlung *f*; **~r** *v/t.* erläutern, glossieren.

apóstol *m* Apostel *m* (*a. fig.*).

apos|tolado *m* Apostolat *n*, Apostelamt *n*; *fig.* heiliger Beruf *m*, Sendung *f*; *~ de los laicos, ~ seglar* Laienapostolat *n*; **~tólicamente** *adv.* apostolisch; F arm, bescheiden; **~tólico I.** *adj.* apostolisch; päpstlich; *bendición f ~a* apostolischer Segen *m*; *sede f ~a* Heiliger Stuhl *m*; **II.** *hist.* *~s m/pl.* ultrakonservative Gruppe *f in Spanien nach 1820*; **~tolicidad** *f* Apostolizität *f*.

apostrofar *v/t.* anreden; hart anfahren; *Gram.* apostrophieren.

apóstro|fe *f Rhet.* Apostrophe *f*, Anrede *f*; *fig.* Schmährede *f*, Invektive *f*; Verweis *m*; **~fo** *Gram. m* Apostroph *m*.

apostura *f* Anstand *m*; schmuckes Aussehen *n*; † → *pacto, concierto*.

apotegma *m* Denkspruch *m*, Sentenz *f*.

apotema ⩓ *f* Seitenachse *f*.

apote|ósico *adj. fig.* glänzend, grandios; **~osis** *f* (*pl. inv.*) Vergötterung *f*, Apotheose *f*; *fig.* Höhepunkt *m*; **~ótico** → *apoteósico*.

apotrerar *v/t. Am. Grundstück* in einzelne Viehweiden aufteilen.

apo|yadura *f* einschießende Milch *f bsd. der Kühe*; **~yar I.** *v/t.* **1.** stützen; *~ el codo en la mesa* den Ellbogen auf den Tisch aufstützen; **2.** *fig.* unterstützen; bestätigen; *~ con documentos* mit Dokumenten stützen; *~ en* stützen, (be)gründen auf (*ac.*); **3.** *Am. Kalb* anlegen; **II.** *v/i.* **4.** △ ruhen (auf *dat.* *sobre*); **III.** *v/r.* *~se* **5.** den Kopf hängen lassen (*Pferd*); **6.** *~se en* s. stützen auf (*ac.*); ⊕ *~se sobre* ruhen auf (*dat.*); *~se contra la pared* s. an die Wand lehnen; **~yatura** ♪ *f* Vorschlag *m*; **~yo** *m* **1.** Stütze *f*; Lehne *f*; ⊕ Stütz-, Wider-lager *n*; *punto m de ~* Stützpunkt *m*; *fig.* Anhaltspunkt *m*; *~ (de motocicleta)* Fußraste *f*; **2.** *fig.* Hilfe *f*, Unterstützung *f*, Rückhalt *m*; Anhaltspunkt *m*; *venir en ~ de j-m* zu Hilfe kommen.

apre|ciable *adj. c* schätzbar, berechenbar; wahrnehmbar; *fig.* achtbar, schätzenswert; beachtlich; **~ciación** *f* Preisbestimmung *f*; Wert-, Ab-schätzung *f*; **~ciado** *adj.* angesehen, geachtet; geschätzt; *Anrede in Briefen*: ~ ... (sehr) geehrte(r) ...; **~ciador** *adj.-su.* Schätzer *m*, Taxator *m*; **~ciar** *v/t.* schätzen, taxieren, den Preis bestimmen (*gen. od.* von *dat.*); *fig.* schätzen; ~ (en) *mucho* hochschätzen; ~ *por*, ~ *en* beurteilen nach (*dat.*); **~ciativo** *adj.* Schätz(ungs)-..., Wert...; **~cio** *m* Schätzung *f*, Wertbestimmung *f*; (Ein-)Schätzung *f*; Achtung *f*; *tener a alg. en gran* ~ j-n hochschätzen; *es persona de mi mayor* ~ ich achte ihn aufs höchste; *para hacer* ~ anstandshalber, um Ihnen (dir *usw.*) k-n Korb zu geben.

aprehen|der *v/t.* fassen; festnehmen, ertappen; *bsd. Schmuggelware* beschlagnahmen; *Phil.* wahrnehmen; *gal.* → *temer*; **~sible** *adj.* c faßlich, begreiflich; **~sión** *f* Ergreifung *f*, Festnahme *f*; Beschlagnahme *f*, Sicherstellung *f*; **~sivo** *adj.* verständig; Verstandes...; **~sor** *adj.-su.* Ergreifer *m*.

apre|miadamente *adv.* gezwungen; unter (Zeit-)Druck; **~miante** *adj.* c drückend; drängend, dringlich; *necesidad f* ~ dringende Notwendigkeit *f*; **~miar I.** *v/t.* (be-)drängen; zwingen; gerichtlich mahnen; **II.** *v/i.* eilig (*od.* dringlich) sein; *el tiempo apremia* die Zeit drängt; **~mio** *m* **1.** Druck *m*, Zwang *m*; Mahnung *f* (*bsd. Gericht*); Steuermahnung *f*; ⚖, *Verw. a.* Säumniszuschlag *m*; (*por vía* de) ~ (im) Zwangsverfahren *n*; **2.** *por* ~ *de tiempo* aus Zeitmangel.

aprender I. *v/t.* (er)lernen; erfahren; ~ *con* (de) bei (*dat.*) (von *dat.*) lernen; ~ *a escribir* schreiben lernen; ~ (*para*) *mecánico* Mechanikerlehrling sein, Mechaniker lernen F; ~ *que* ... begreifen, daß ...; *lengua f difícil de* ~ schwer erlernbare (*od.* schwere) Sprache *f*; **II.** *v/i.* lernen; **III.** *v/r.* ~se *a/c.* et. auswendig lernen.

aprendi|z *m* (*pl.* ~ices) Lehrling *m*, Stift *m* F; *fig.* Anfänger *m*, Neuling *m*; ~ *de panadero* Bäckerlehrling *m*; *entrar* (*tomar*) *de* ~ in die Lehre treten (nehmen); *estar de* ~ in der Lehre sein; **~za** *f* Lehrmädchen *n*; **~zaje** *m* Lehrzeit *f*, Lehre *f*; *contrato m de* ~ Lehrvertrag *m*.

apren|sar *v/t.* → *prensar*; *fig.* bedrücken; **~sión** *f* Besorgnis *f*; Angst(vorstellung) *f*; Mißtrauen *n*; **~sivo** *adj.* überängstlich, furchtsam.

apresa|dor *m* Kaper *m*; Seeräuber *m*; **~miento** ⚓ *m* Prise *f*; Kaperei *f*; **~r** *v/t.* ergreifen; fangen; gefangennehmen; ⚓ kapern, aufbringen.

apres|tar I. *v/t.* zubereiten; rüsten; *Stoff* appretieren; **II.** *v/r.* ~se *a* + *inf.* s. bereit machen, zu + *inf.*, s. anschicken, zu + *inf.*; **~to** *m* Vorbereitung *f*; Zurichten *n*; *tex.* Appretur *f*; ⚔ Bereitstellung *f*.

apresura|damente *adv.* eilig, überstürzt; **~do** *adj.* eilig; hastig; **~miento** *m* Eile *f*; Beschleunigung *f*; **~r I** *v/t.* (zur Eile) drängen, antreiben; beschleunigen; **II.** *v/r.* ~se s. beeilen; hasten.

apreta|dera *f* Riemen *m*, Schnur *f* (*bei Koffern u. ä.*); **~do** *adj.* eng, knapp; dichtgedrängt; fest, straff; F geizig; *asunto m* ~ schwieriger Fall *m*; *estar muy* ~ in großer Bedrängnis sein; *estar* ~ *de tiempo* k-e Zeit haben; **~dor** *m* Leibchen *n*; Leibbinde *f b. Säuglingen*; † Stirnband *n der Frauen*; **~dura** *f* Zs.-drücken *n*; **~r** [1k] **I.** *v/t.* **1.** (zs.-)drücken, (zs.-)pressen; einklemmen; *Bremse, Schraube* anziehen; ~ *el botón* auf den Knopf drücken; ~ *los dientes* die Zähne zs.-beißen; ~ *los puños* die Fäuste ballen; ~ *contra* herandrängen an (*ac.*); anklemmen an (*ac.*); **2.** *fig.* in die Enge treiben; *j-n* (be)drängen, *j-m* zusetzen; ängstigen; ~ *el paso* schneller gehen; **II.** *v/i.* **3.** eilig sein, drängen (*Sachen*); stärker werden (*Hitze, Schmerz, Regen, Sonne*); s. beeilen, intensiv arbeiten; mehr verlangen (*z. B. im Examen*); ~ *a correr* losrennen; *fig.* F *¡aprieta! anfeuernd*: los!, immer zu!; *Spr. Dios aprieta, pero no ahoga* Gott versucht den Schwachen nicht über die Kraft; **III.** *v/r.* ~se **4.** eng (-er) werden; dicht aufschließen (*Kolonnen*); **~zón** *f Am.* Gedränge *n*.

apretón *m* **1.** Druck *m*; ~ *de manos* Händedruck *m*; *un fuerte* ~ *de manos* (*Schlußformel in Briefen an Näherstehende*); **2.** ⚒ *fig.* Bedrängnis *f*; F Stuhldrang *m*; **3.** ⚒ kurzer Lauf *m*, Trab *m*; **4.** *Mal.* Hervorhebung *f durch dunklere Tönung*.

apretu|jar *v/t.* zer-knittern, -knautschen; *fig.* drängeln; **~jón** F *m* Drücken *n*; Drängeln *n*; **~ra** *f* **1.** Gedränge *n*; Enge *f*; Beengung *f*; **2.** Mangel *m*, Not *f*; ⚒ Eile *f*.

aprieto *m* **1.** Not(lage) *f*, Bedrängnis *f*, Klemme *f* F; *estar en un* ~ in der Klemme sein F; **2.** Gedränge *n*.

a priori *lt.* **I.** *Phil. conocimiento m* ~ Erkenntnis *f* a priori; **II.** *adv.* von vornherein, a priori.

aprisa *adv.* schnell.

apris|car [1g] *v/t.* einpferchen; **~co** *m* Pferch *m*.

aprisionar *v/t.* gefangennehmen; fesseln (*a. fig.*); einklemmen; ⊕ festklemmen.

aproba|ción *f* Billigung *f*, Zustimmung *f*; Genehmigung *f*; Druckerlaubnis *f*; Beifall *m*, günstige Aufnahme *f*; ✝ ~ (*de la gestión*) Entlastung *f*; **~do** *Sch.*: *salir* ~ durchkommen, die Prüfung bestehen; "~" „bestanden" (*Examensnote*); **~dor** *adj.-su.*, **~nte** *adj.-su.* c zustimmend; **~r** [1m] **I.** *v/t.* **1.** gutheißen, billigen, genehmigen; ~ *una cuenta* e-e Rechnung für richtig erkennen (*od.* befinden); ~ *una decisión* (*lit. por buena*) e-e Entscheidung billigen; **2.** *Prüfung* bestehen; *aprobó dos cursos* er absolvierte zwei Studienjahre; **3.** ~ *de ingeniero* (*en matemáticas*) *a alg.* j-n als Ingenieur (als Mathematiker) zulassen; **II.** *v/i.* **4.** ~ *con la cabeza* (zustimmend) nicken; **5.** *abs.* durchkommen, e-e Prüfung bestehen; sein Studium abschließen; **~torio** *adj.* beifällig; zustimmend.

aproches *m/pl.* ⚔ Belagerungsarbeiten *f/pl.*; *Bol.* → *inmediaciones*.

apron|tar I. *v/t.* bereitstellen; *Geld* erlegen; *Waren* sofort ausliefern; *Truppen* mobilmachen; *P. Ri.*, *Cu. Geld* vorstrecken; **II.** *v/i.* *Jgdw.* zu früh schießen; **~te** *m Arg.* → *preparativo*.

apropia|ción *f* **1.** Aneignung *f*; **2.** Anpassung *f*; **~do** *adj.* geeignet, angemessen, richtig; **~r I.** *v/t.* anpassen; zueignen; **II.** *v/r.* ~se (de) *a/c.* s. et. aneignen.

aprovecha|ble *adj.* c brauchbar, nutzbar, verwertbar; **~do** *adj.* **1.** fleißig (*Schüler*); wohlgeraten (*Kind*); haushälterisch (*Frau*); **2.** F findig, fix F; berechnend; F *es un* ~ er ist ein Nassauer F; **~miento** *m* **1.** Benutzung *f*, Ausnutzung *f*; Nutzen *m*, Vorteil *m*; ~ *de basuras* Müllverwertung *f*; ~ *del espacio* Raumausnutzung *f*; ~ *forestal* Waldnutzung *f*; ~ *pacífico de la energía nuclear* friedliche Nutzung *f* der Atomenergie; **2.** Erfolg *m*, Fortschritt *m*; **~r I.** *v/t.* **1.** benutzen, gebrauchen; ausnutzen, nützlich verwenden; *aprovecho la ocasión para* ... ich benutze die Gelegenheit, (um) zu ...; ~ *el tiempo* die Zeit nutzen; **II.** *v/i.* **2.** nützen; von Nutzen sein; *¡que aproveche!* guten Appetit!; wohl bekomm's!; *sus gestiones no aprovechan* s-e Bemühungen nützen nichts; **3.** weiter-, voran-kommen; **III.** *v/r.* ~se **4.** ~se *de* s. *et.* zunutze machen, *et.* ausnützen.

aprovisiona|miento *m* Verpflegung *f* (*bsd.* ⚔); **~r** *v/t.* verpflegen, verproviantieren, versorgen.

aproxima|ción *f* **1.** Annäherung *f* (*a. fig.*) (an *ac. a*); annähernde Berechnung *f* (*od.* Schätzung *f*); **2.** Trostprämie *f in der span. Lotterie*; **~damente** *adv.* ungefähr, rund; **~do** *adj.* annähernd; *cifra f* ~*a* annähernd genaue Zahl *f*; **~r I.** *v/t.* (an)nähern; näher (heran-) rücken; **II.** *v/r.* ~se s. nähern; nahen; anrücken (*Truppen*); ~se *a la verdad* der Wahrheit in die Nähe kommen; **~tivo** *adj.* annähernd; ⚕ *valor m* ~ Näherungswert *m*.

ápside *Astr. m* Wendepunkt *m*, Apside *f*.

áptero *adj.* flügellos, ungeflügelt (*Insekten*).

aptitud *f* Eignung *f*; Fähigkeit *f*; Geschick *n*; ~ *para las lenguas* Sprachbegabung *f*; ~ *para los negocios* Geschäftstüchtigkeit *f*; ⚔ ~ *para el servicio* Dienstfähigkeit *f*.

apto *adj.* **1.** fähig, geschickt (*Personen*); brauchbar, geeignet (für *ac. para*); *ser* ~ *para profesor* für den Lehrberuf geeignet sein; ~ *para la aviación* (*para navegar*) see- (luft-) tüchtig; **2.** *Examen*: (*no*) ~ (nicht) bestanden; **3.** (*no*) ~ *para menores* jugendfrei (für Jugendliche nicht zugelassen) (*Film*).

apuesta *f* Wette *f*; Wettbetrag *m*; Einsatz *m*; *corredor m de* ~*s* Buchmacher *m*; *por* (*od.* de) ~ um die Wette; *hacer una* ~ wetten; ~*s f/pl. mutuas* (*deportivas*) (Fußball- *usw.*) Toto *m*.

apuesto *adj.* stattlich, schmuck.

apunarse *v/r. Am. Mer.* die Höhenkrankheit bekommen, höhenkrank werden.

apunta|ción *f* **1.** Zielen *n*, Anschlag *m* (*Schußwaffe*); **2.** Anmerkung *f*, Notiz *f*; **3.** ♪ Einrichtung *f*, Arrangement *n*; Notenschrift *f*; **~deras** *f/pl. Jgdw.*: *tener buenas* ~ gut zielen, ein guter Schütze sein; **~do** *adj.* spitz; im Anschlag (*Waffe*); **~dor** *m* **1.** *Thea.* Souffleur *m*; *fig.* F *no se salva ni el* ~ ein Drama mit vielen Toten; *fig. etwa*: da bleibt kein Auge trocken F; das ist (*bzw.* war) ein Massaker (*z. B. in Examen*); **2.** ⚔ Richt-schütze *m*, -kanonier *m*.

apuntala|miento ⚠ *m* Abstützen *n*; **~r** ⚠ *v/t.* ab-stützen, -fangen.

apun|tamiento *m* Zielen *n*; ⚖ Aktenauszug *m*; **~tar I.** *v/t.* **1.** notieren, aufzeichnen, anmerken; skizzieren; ⚖ e-n Aktenauszug machen aus (*dat.*); **2.** zielen auf (*ac.*); *Waffe* anschlagen; *Ziel* anvisieren; ~ *con el dedo* mit dem Finger auf *et.* (*ac.*) zeigen; **3.** erwähnen; zu verstehen geben, andeuten; hinweisen auf (*ac.*); *como queda apuntado* wie gesagt; **4.** anspitzen; **5.** *mit Nägeln od. Faden* leicht anheften; F flicken, stopfen; **6.** *Thea.* soufflieren; *Sch.* vorsagen; **II.** *v/i.* **7.** anbrechen (*Tag*); aufbrechen (*Knospe*); sprießen (*Bart*); *fig.* s. zeigen, zum Vorschein kommen, beginnen; *este torero novel apunta* dieser Jungstierkämpfer hat Anlagen; **8.** ~ (*a*) zielen (auf *ac.*); ⚔ *¡apunten!* legt an!; ~ *y no dar* versprechen u. nicht halten; **III.** *v/r.* ~*se* **9.** e-n Stich bekommen (*Wein*); F s. beschwipsen; *Arg.* → *dirigirse*; **~te** *m* **1.** Zielen *n*; **2.** Anmerkung *f*; Aufzeichnung *f*, Notiz *f*; ~*s m/pl. a.* Skriptum *n*; *libro m de* ~*s* Notizbuch *n*; *tomar* ~*s* (s.) Notizen machen, mitschreiben; **3.** *Mal.* Skizze *f*; *tomar* ~*s* skizzieren; **4.** *Thea.* **a)** Souffleur *m*; **b)** Stichwort *n des Souffleurs*; Rollenbuch *n des Souffleurs*; **c)** Inspizient *m*; **5.** Einsatz *m der Spieler*; **6.** F Gauner *m*; Knilch *m* P; **7.** *Rpl., Chi.* (*no*) *llevarle a uno el* ~ (k-e) Notiz von j-m nehmen.

apuntillar *Stk. v/t.* den Genickstoß geben (*dat.*).

apuñala|do *adj.* dolchartig; **~r** *v/t.* erdolchen.

apu|ración *f* Erschöpfung *f*; Vollendung *f*; Ausnutzung *f*, Aufbrauchen *n*; **~rada** *f Arg.* → *apuro*; **~radamente** *adv.* gerade noch, soeben; **~rado** *adj.* **1.** leer, erschöpft (*a. fig.*); **2.** sorgfältig, genau; *aféiteme bastante* ~ rasieren Sie mich ziemlich scharf aus; **3.** heikel, schwierig (*Lage*); mittellos, arm; *fig.* gehemmt; **4.** *Am. estar* ~ es eilig haben; **~ramiento** *m* → *apuración*; **~ranieves** *f* → *aguzanieves*; **~rar I.** *v/t.* **1.** *Metall, Seele usw.* läutern; **2.** *Kraft, Geduld* erschöpfen; *Flasche, Teller* leeren; *Glas* austrinken; *Zigarette* zu Ende rauchen; **3.** *Problem usw.* ergründen, in allen Einzelheiten (*od.* erschöpfend) behandeln; **4.** (zur Eile) drängen; **5.** quälen; (ver)ärgern; **II.** *v/i.* **6.** drückend sein; eilig sein, drängen; **7.** scharf ausrasieren; **III.** *v/r.* ~*se* **8.** s. grämen; s. Sorgen machen (um *ac. por*); s. *et.* zu Herzen nehmen; **9.** *bsd. Am.* s. beeilen; **~ro** *m* **1.** Bedrängnis *f*; unangenehme Lage *f*; Mittellosigkeit *f*; Not *f*; *en caso de* ~ im Notfall; *estar en un* ~ in der Klemme sein F; *poner en un* ~ in e-e schwierige Lage bringen; *pasar grandes* ~*s* schwere Ungelegenheiten durchmachen; **2.** Gram *m*, Kummer *m*; **3.** Verlegenheit *f*; *me da* ~ ich schäme mich, es ist mir peinlich; **4.** *Am.* Eile *f*.

aquanauta *m* Aquanaut *m*.

aqueja|do *adj.*: ~ *de* bedrückt von (*dat.*); behaftet mit (*dat.*); **~r** *v/t.* quälen.

aquel, aquella, aquello I. *pron. dem.* der, die, das dort; jener, jene, jenes; der-, die-, das-jenige; dortig, dort befindlich; *auf den Besprochenen* (*das Besprochene*) *od. den Entfernteren* (*das Fernerliegende*) *bezogen*; *substantiviert erhält es den Akzent in m u. f*; *jedoch gelten für aquel die gleichen neuen Normen wie für este*; *vgl. dort*; *en aquel entonces* damals; *¡que no se lo olvide aquello!* vergessen Sie die (bewußte) Sache nicht!; *todo aquel que* jeder, der; *¡ya (a)pareció aquello!* da haben wir's (ja)!; *como aquello de* wie die Geschichte von (*dat.*); *por aquello de que* ... unter dem Vorwand, daß ...; **II.** *m* F Anmut *f*, *das* „gewisse Etwas" F.

aquelarre *m* Hexensabbat *m* (*a. fig.*).

aquende *lit. adv.*: (*de*) ~ *el mar* (von) diesseits des Meeres.

aquenio ♀ *m* Achäne *f*.

aqueren|ciado *adj. Méj.* verliebt; **~ciarse** *v/r.* s. (irgendwo) eingewöhnen; ~ *a* s. gewöhnen an (*ac.*) (*mst. an e-n Ort*); *Méj., Ur.* → *encariñarse*.

aqueste † *u. poet. pron.* → este.

aquí *adv.* hier; hierher; jetzt; ~ *bezeichnet den Ort beim Sprecher* (*acá ist nicht so präzis*); ~ es hier ist's; ~ *está* (*el quid*) das ist's; das ist der springende Punkt; ~ *y allí* hier u. dort; ~ *esto, allá lo otro* bald dies, bald das; *de* ~ *que* ... daher (kommt es, daß)...; *de* ~ *en adelante* von jetzt an; *de* ~ *a un mes* heute in vier Wochen; *de* ~ *allá* bis dahin; *de* ~ *para allí* hin u. her; *hacia* ~ hierher; *hasta* ~ bis hierher, bis jetzt; *¡he* ~*!* sieh(e) da!; *he* ~ hier ist, hier sind (*vgl. frz. voici*); *heme* ~ hier bin ich; *por* ~ hier; hierher; hierdurch; hier herum; *¡usted, por* ~*!* Sie hier!; *¡~ fue Troya!* hier begann das Unglück!; ~ *te cojo* (*od. te pillo*), ~ *te mato* die Gelegenheit nehme ich beim Schopf.

aquiescenc|ia *f* Zustimmung *f* (zu *dat.*), Einverständnis *n* (zu, mit *dat. a, en, para*); **~te** *adj. c* zustimmend.

aquieta|dor *adj.-su.* beruhigend; **~r** *v/t.* beruhigen, beschwichtigen; lindern.

aquifolio ♀ *adj.*: *acebo m* ~ Stechpalme *f*.

aquilatar I. *v/t. Gold* auf s-e Reinheit prüfen; *fig.* läutern, erproben, prüfen; **II.** ✝ *vt/i.* scharf kalkulieren.

Aquiles *m Myth.* Achill(es) *m*; *tendón m de* ~ *Anat.* Achillessehne *f*; *fig.* Achillesferse *f*.

aquilino *lit. adj.* → *aguileño*.

aquilón *m* Nordwind *m*; Norden *m*.

aquillado *adj.* kielförmig; ⚓ langkielig (*Schiff*).

Aqui|tania *hist. f* Aquitanien *n*; **ꝏtánico** *adj.* aquitanisch.

ara[1] *lit. f* Altar *m*; Altarstein *m*; *en* ~*s de* (*la amistad*) (der Freundschaft) zum Opfer; *lit. en* ~*s de la claridad* um der Klarheit willen.

ara[2] *m* Ara *m* (*Papagei*).

árabe *adj.-su. c* arabisch; *m* Araber *m*; *das* Arabische; (*caballo m*) ~ Araber *m* (*Pferd*).

arabesco I. *adj.* arabisch, araberhaft; *decoración f* ~*a* → **II.** *m* Arabeske *f*.

arábi|co, *mst.* **~go** *adj.* arabisch; *cifras f/pl.* ~*as* arabische Ziffern *f/pl.*; *goma f* ~*a* Gummiarabikum *n*.

arabis|mo *m* Arabismus *m*, arab. Ausdruck *m*; **~ta** *c* Arabist *m*.

arabizar [1f] *v/t.* arabisieren.

arable *adj. c*: *suelo m* ~, *tierra f* ~ Ackerboden *m*.

¡araca! □ *int. Arg.* Achtung!, aufgepaßt!

arácnidos *m/pl.* Spinnentiere *n/pl.*, Arachniden *f/pl.*

aracnoides *Anat. f* Arachnoidea *f*, Spinnwebenhaut *f*.

ara|da *f* **1.** Pflügen *n*, Ackern *n*; **2.** umgepflügtes Land *n*; **3.** Joch *n* (*Land*); **~do** *m* Pflug *m*; ~ *de motor* Motorpflug *m*; ~ *múltiple* Kultivator *m*; **~dor I.** *adj.-su.* Pflüger *m*; **II.** *m Ent.* ~ (*de la sarna*) Krätzmilbe *f*.

ara|gonés *adj.-su.* aragon(es)isch; *m* Aragonier *m*; **~gonesismo** *m* aragon(es)ischer Ausdruck *m*.

araguato *Zo. m Col., Ven. ein* Brüllaffe *m*, Kapuzineraffe *m*.

aralia ♀ *f* Aralie *f*.

arambel *m* † Behang *m*; *fig.* Fetzen *m an e-m Kleidungsstück*; Lumpen *m*.

arana *f* Betrug *m*, Schmu *m* F.

arance|l *m* (amtlicher, *bsd.* Zoll-) Tarif *m*; Gebührensatz *m*; Gebührenordnung *f für Rechtsanwälte*; ~(*es m/pl.*) *de aduanas* Zollsätze *m/pl.*; ~*es de exportación* (*de importación, de tránsito*) Ausfuhr- (Einfuhr-, Transit-)zoll *m*; ~*es fiscales* Steuersätze *m/pl.*; ~ *de doble tarifa* Doppeltarif *m*; ~ *por zonas* Zonentarif *m*; **~lar I.** *v/t. Am. Cent.* zahlen; **II.** *v/r.* ~*se Guat.* Kunde werden; **~lario** *adj.* Gebühren...; *bsd.* Zoll...; *tarifa f* ~*a* Zolltarif *m*.

arándano ♀ *m* Heidelbeerstrauch *m*; Heidel-, Blau-beere *f*; ~ *encarnado*, ~ *rojo* Preiselbeere *f*.

arandela *f* **1.** Leuchtermanschette *f*; Wandleuchter *m*; Tischleuchte *f*; **2.** Schutzring *m an Bäumen u. Lanzen*; **3.** ~ (*del blanco*) Ring *m* der Schießscheibe; **4.** ⊕ (Unterleg-) Scheibe *f*, Lamelle *f*; Beilagscheibe *f*; Flansch *m*; ~ (*de buje*) Nabenbuchse *f*; **5.** ⚓ Pfortluke *f*; **6.** *Am.* Halskrause *f*.

arandillo *Vo. m* Bachstelze *f*.

araña *f* **1.** Spinne *f*; ~ *de agua* Wasserspinne *f*; ~ *crucera* Kreuzspinne *f*; ~ *de mar* See-, Meerspinne *f* (*Krebs*); ~ *peluda* Vogelspinne *f*; **2.** Kronleuchter *m*, Lüster *m*; **3.** ⚘ → *arañuela*; *Cu., Méj.* wilde Hirse *f*; *versch. Pfl.*; **4.** *Min.* Verästelung *f im Gestein*; **~da** *f* **1.** Menge *f* Spinnen; **2.** → *arañazo*; **~r** *v/t.* **1.** (zer)kratzen; schrammen; (ein)ritzen; *le arañó el rostro (con las uñas)* sie zerkratzte ihm (mit den Fingernägeln) das Gesicht; **2.** *fig.* zs.-klauben, zs.-scharren; **~zo** *m* Kratzer *m*; Kratzwunde *f*, Schramme *f*.
arañue|la ⚘ *f* Frauenhaar *n*; **~lo** *Ent. m* **1.** Saatspinne *f*; **2.** Zecke *f*.
arapaima *Fi. m* Arapaima *m* (*größter Süßwasserfisch Brasiliens*).
aráquida ⚘ *f* Erdnuß *f*.
arar[1] ⚘ *m* afrikanische Lärche *f*.
arar[2] **I.** *v/t.* (be)ackern, umpflügen; Furchen ziehen in (*ac.*); F *no viene de* ~ er ist nicht dumm; **II.** *v/i.* ⚓ den Grund streifen (*Schiff*).
araticú ⚘ *m Rpl. Art* Chirimoyo *m*.
arau|cano *adj.-su.* araukanisch; *m* Araukaner *m*; **~caria** ⚘ *f* Araukarie *f*, Schuppentanne *f*; **~co** † *adj.-su.* → *araucano*; **~ja** ⚘ *f weiße duftende* Winde *f*.
aravico *m* Dichter *m der alten Peruaner*.
arbitra|ble *adj. c* willkürlich; schiedsrichterlicher Entscheidung unterliegend; **~dor** *adj.-su.* Schiedsmann *m*; *juez m* ~ Schiedsrichter *m*; **~je** *m* **1.** Schiedsspruch *m*; **2.** Schiedsverfahren *n*; *a. Pol. tribunal m de* ~ Schiedsgericht *n*; **3.** ☤ ~ *del cambio* Wechselarbitrage *f*; **~l** ⚖ *adj. c* schiedsrichterlich, Schieds(gerichts)...; *contrato m* ~ Schiedsvertrag *m*; *sentencia f (tribunal m)* ~ Schieds-urteil *n* (-gericht *n*); **~m(i)ento** ⚖ *m* Schiedsverfahren *n*; -spruch *m*; -richteramt *n*; **~nte** *part. v.* → **~r I.** *v/t.* **1.** frei entscheiden; **2.** schlichten; (als Schiedsrichter) entscheiden; **3.** *bsd. Geldmittel* bewilligen *bzw.* beibringen; **II.** *v/i.* **4.** e-n Schiedsspruch fällen; *Sp.* Schiedsrichter sein; **III.** *v/r.* ~*se* **5.** → *ingeniarse*; **~riamente** *adv.* willkürlich; **~riedad** *f* Willkür *f*; Eigenmächtigkeit *f*; Übergriff *m*; **~rio** *adj.* willkürlich; eigenmächtig; *poder m* ~ Willkürherrschaft *f*; **~rismo** *Phil. m* Lehre *f* von der Willensfreiheit; **~tivo** *adj.* **1.** freier Entscheidung unterliegend; **2.** schiedsrichterlich; **~torio** *adj.* → *arbitral*.
arbi|trio *m* **1.** freier Wille *m*; Gutdünken *n*; **2.** Hilfsquelle *f*, Mittel *n*, Ausweg *m*; **3.** *mst.* ~*s m/pl.* Abgabe *f*, Steuer *f*, Gebühren *f/pl. bsd. der Gemeinden*; **4.** † Schiedsspruch *m*; **~trista** *c* Projekten-, Pläne-macher *m*; Kursspekulant *m*.
árbitro *m* Schiedsrichter *m* (*a. Sp.*); *fig.* (unumschränkter) Herr *m*; ~ *de la moda* tonangebend in der Mode.
árbol *m* **1.** ⚘ Baum *m*; ~ *de adorno (de Navidad)* Zier- (Weihnachts-) baum *m*; ~ *frutal* Obstbaum *m*; ~ *del cielo* Ailanthus *m*; ~ *de María* Kalambukbaum *m*; ~ *del pan (de la vida)* Brot- (Lebens-)baum *m*; *Rel.* → *8*; *celebrar la Fiesta del* ~ den Tag des Baumes begehen; *Spr. del* ~ *caído todos hacen leña* wenn der Baum fällt, bricht jedermann Holz; *los* ~*es le impiden ver el bosque* er sieht den Wald vor lauter Bäumen nicht; **2.** ⊕ Achse *f*, Welle *f*; Spindel *f*; ~ *(de) cardán* Kardanwelle *f*; ~ *de dirección*, ~ *de mando* Lenk-, Steuer-säule *f*; ~ *de impulsión*, ~ *motor* Antriebs-, Getriebe-welle *f*, Triebachse *f*; ~ *de levas* Nockenwelle *f*; ~ *de berbiquí*, ~ *de manivela* Kurbelwelle *f*; **3.** Spindel *f e-r Wendeltreppe*; **4.** ~ *genealógico*, ~ *de costados* Stammbaum *m*; **5.** Stempel *m der Uhrmacher*; **6.** *Typ.* Kegelhöhe *f*; **7.** Registermechanik *f der Orgel*; **8.** *Rel.* ~ *de la vida* Baum *m* des Lebens; ~ *de la cruz* Kreuzesstamm *m*; ~ *de la ciencia del bien y del mal* Baum *m* der Erkenntnis; **9.** ⚓ Mast *m*; **10.** Stock *m e-s Hemdes*; **11.** *Chi.* Kleiderständer *m*.
arbo|lado I. *adj.* mit Bäumen bepflanzt; **II.** *m* Baumbestand *m*; Bewaldung *f*; Allee *f*, Baumgang *m*; **~ladura** ⚓ *f* Bemastung *f*; **~lar I.** *v/t.* **1.** *Fahne, Kreuz u. ä.* aufpflanzen, aufrichten; ⚓ *Flagge* hissen; **2.** ⚓ bemasten; **3.** anlehnen; ~ *escalas a la casa* Leitern am Hause anlegen; **II.** *v/r.* ~*se* **4.** → *encabritarse*; **~leda** *f* Baumgang *m*; Baumpflanzung *f*; **~lete** *m* Bäumchen *n*; *Jgdw.* Leimrutenzweig *m*; ⊕ kl. Welle *f*; **~lillo** *m* **1.** Bäumchen *n*; **2.** *Zo.* Seemoos *n*; **3.** ⚒ Seitenmauer *f e-s Schmelzofens*; **~lista** *c* Baum-züchter *m*; -händler *m*; **~lito** F *m Col.*: *estar en el* ~ auf der Palme sein F.
arbollón *m* Abfluß *m e-s Teiches*.
arbóreo *adj.* baumähnlich; Baum...
arbo|rescencia *f* Heranwachsen *n* zum Baum; baumähnlicher Wuchs *m*, Verästelung *f v. Kristallen u. ä.*; **~ricultor** *m* Baumzüchter *m*; **~ricultura** *f* Baumzucht *f*; **~riforme** *adj. c* baumartig; **~rización** *f* baumähnliche Maserung *f im Gestein*; *Anat.* Verästelung *f der Kapillaren*.
arbotante *m* △ Strebepfeiler *m*, Schwibbogen *m*; ⚓ Ausleger *m*; Baum *m*.
arbusto *m* Strauch *m*, Busch *m*; Staude *f*.
arca *f* **1.** Kasten *m*, Truhe *f*; Geldschrank *m*; ~*s m/pl.* Schatzkammer *f*; **2.** ~ *de agua* Wasser-speicher *m*, -turm *m*; **3.** *Rel.* ~ *de la alianza*, ~ *del testamento* Bundeslade *f*; ~ *de Noé*, ~ *del diluvio* Arche *f* Noah; **4.** *Anat.* Weiche *f*; ~ *del cuerpo* Rumpf *m*; F ~ *de pan* Bauch *m*.
arcabu|cero *hist. m* **1.** Arkebusier *m*; **2.** Büchsenmacher *m*; **~co** *m Am.* Dickicht *n*; **~z** *m* (*pl.* ~*uces*) Arkebuse *f*, Hakenbüchse *f*.
arcada *f* **1.** Säulen-, Bogen-gang *m*; Arkade *f*; **2.** Brückenbogen *m*; **3.** Aufstoßen *n* zum Erbrechen.
arcaduz *m* (*pl.* ~*uces*) Brunnenrohr *n*; Schöpfeimer *m am Wasserrad*; *fig.* F Trick *m*, Kniff *m*, Dreh *m* F.
arca|ico I. *adj.* altertümlich, veraltet, archaisch; **II.** *Geol. adj.-su. m* Archaikum *n*; **~ísmo** *m* veralteter Ausdruck *m*, Archaismus *m*; **~izante** *adj. c* archaisierend; **~izar** [1f] *v/i.* altertümliche Ausdrücke verwenden.
arcángel *m* Erzengel *m*.
arcano *m* Geheimnis *n*.
arce ⚘ *m* Ahorn *m*.
arcediano *m* Archi-, Erz-diakon *m*.
arcedo *m* Ahorn-wald *m*; -pflanzung *f*.
arcén *m* **1.** Rand *m*; **2.** Brüstung *f*.
arci|lla *f* Ton *m*, Tonerde *f*; ~ *(roja)* Lehm *m*; ~ *cocida*, ~ *calcinada* gebrannter Ton *m*; ~ *fangosa* Mergelton *m*; ~ *figulina*, ~ *plástica* Töpferton *m*; ~ *de porcelana* Porzellanerde *f*; **~lloso** *adj.* tonhaltig, lehmig; tonähnlich; *suelo m* ~ Lehmboden *m*.
arción *m Am.* → *ación*.
arcipres|tazgo *m* Würde *f* e-s Erzpriesters; **~te** *m* Erzpriester *m*.
arco *m* **1.** △ Bogen *m*; ~ *apuntado*, ~ *ojival (crucero)* Spitz- (Kreuz-) bogen *m*; ~ *de herradura*, ~ *árabe* Hufeisenbogen *m*; ~ *de puente (de medio punto)* Brücken- (Rund-) bogen *m*; ~ *triunfal*, ~ *de triunfo* Triumphbogen *m*; **2.** ♪ Bogen *m*; *golpe m de* ~ Bogen-strich *m*, -führung *f*; **3.** Faßreifen *m*; **4.** (Flitz-) Bogen *m*; *tender el* ~ den Bogen spannen; *tiro m de* ~ Bogenschießen *n*; **5.** ⊕ ~ *voltaico* Lichtbogen *m*; *lámpara f de* ~ Bogenlampe *f*; **6.** ~ *iris*, ~ *de San Juan*, ~ *de San Martín* Regenbogen *m*; **7.** *Anat.* Bogen *m*; ~ *ciliar* Augenbrauenbogen *m*; **8.** ⩘ ~ *de círculo* Kreisbogen *m*.
arcón *m* große Truhe *f*; ~ *congelador* Gefriertruhe *f*.
arcosa *f Art* Sandstein *m*.
archi... *pref.* Erz... (*a. fig.*).
archi|bribón *m* Erzschelm *m*; **~cofrade** *hist. m* Erzbruder *m*; **~cofradía** *hist. f* Erzbruderschaft *f*; **~diácono** *m* Erzdiakon *m*; **~diócesis** *f* Erzbistum *n*; **~ducado** *m* Erzherzogtum *n*; **~ducal** *adj. c* erzherzoglich; **~duque** *m* Erzherzog *m*; **~duquesa** *f* Erzherzogin *f*; **~fonema** *Phonologie m* Archiphonem *n*; **~mandrita** *Rel. m* Archimandrit *m*; **~millonario** *m* Multimillionär *m*; **~pámpano** F *m* hohes Tier *n* F (*Person*); **~piélago** *m* Archipel *n*, Inselgruppe *f*.
archi|vador *m* Aktenschrank *m*; Briefordner *m*; Kartothek *f*; ~*-fichero m* Karteischrank *m*; **~var** *v/t.* im Archiv aufbewahren; *Briefe, Akten* ablegen; *p. ext.* ad acta legen; F *Am.* zum alten Eisen werfen; **~vero** *m* Archivar *m*; Urkundsbeamte(r) *m*; **~vista** ✎ *c* → *archivero*; **~vo** *m* Archiv *n*; Registratur *f*; ☤ Ablage *f*; **~vología** *f* Archivkunde *f*.
archivolta △ *f* Archivolte *f*, Zierbogen *m*.
árdea *Vo. f* Rohrdommel *f*.
ardentía *f* **1.** Meeresleuchten *n*; **2.** ⚕ Sodbrennen *n*; **3.** ✎ → *ardor*.
arder I. *v/i.* **1.** brennen; in Flammen stehen; leuchten (*Berge, Meer*); lodern (*a. fig.*); ~ *de (od. en) amor (cólera, odio, pasión)* in Liebe (Zorn, Haß, Leidenschaft) entbrennen,

vor Liebe *usw.* brennen; ~ *de entusiasmo* vor Begeisterung glühen; ~ *por hacer a/c.* darauf brennen, et. zu tun; *el país arde en guerras* das Land liegt in mörderischem Krieg; *está que arde* er ist wütend; F *toma, y ve(s) que arde(s)* (da nimm,) und mehr gibt's nicht; **2.** verrotten (*Mist*); **II.** *v/t.* **3.** verbrennen; **III.** *v/r.* ~**se 4.** *in der Hitze* verbrennen (*Pfl.*).

ardi|d *m* List *f*; Kniff *m*, Trick *m*, Kunstgriff *m*; ~**do** † *u. poet. adj.* tapfer, kühn; *Am.* zornig.

ardien|do *ger.* brennend; *fig.* (glühend) heiß; ~**te** *adj. c* brennend, heiß (*a. fig.*); feurig (*a. fig.*); feuer-, hoch-rot; ~**temente** *adv. fig.* sehnlichst; heiß, leidenschaftlich.

ardilla *Zo. f* Eichhörnchen *n.*

ardimiento¹ *m* Kühnheit *f.*

ardimiento² *m* Brand *m*, Brennen *n.*

ardínculo *vet. m* brandiges Geschwür *n.*

ardita *f Col., Ven.* → *ardilla.*

ardite *m hist. Scheidemünze*; *fig. no importar* (*od. valer*) *un* ~ überhaupt nichts wert sein; *no me importa un* ~ das ist mir ganz egal.

ardo|r *m* Glut *f*, Hitze *f*; *fig.* Eifer *m*; ~ *del estómago* Sodbrennen *n*; *fig. en el* ~ *de la disputa* in der Hitze des Gefechts; ~**roso** *adj.* glühend; *fig.* feurig, hitzig.

ardu|amente *adv.* mühsam; ~**idad** *f* Schwierigkeit *f*; ~**o** *adj.* schwierig; mühselig.

área *f* **1.** (*Bau-, Acker-*)Fläche *f*; Gelände *n*; ~ *cubierta* überdachte Fläche *f*; ⩕ ~ *de círculo* (*de triángulo*) Kreis- (Dreiecks-)fläche *f*; **2.** ⟋ Ar *n, m*; **3.** Gebiet *n*, Raum *m*; *Sp.* ~ *de castigo*, ~ *de penalty* Strafraum *m*; ⚚ ~ *monetaria* (*del dólar*) Währungs- (Dollar-)gebiet *n*; *Met.* ~ *de baja presión* Tief *n.*

areca ⚘ *f* Betelpalme *f.*

arefacción *f* Trocknen *n*, Dörren *n.*

arel *m* Getreidesieb *n.*

are|na *f* **1.** Sand *m*; ~ *fina* (*gruesa*) Fein- (Grob-)sand *m*; ~ *movediza* Treib-, Flug-sand *m*; ~ *seca* Streusand *m*; *reloj m de* ~ Sanduhr *f*; *fig. edificar sobre* (*od. fundar en*) ~ auf Sand bauen; *Stk. oler* ~ „den Sand riechen" *v. Stier, der unruhig scharrt u. wittert*; **2.** Arena *f* (*a. Stk.*); Reitbahn *f*; **3.** ⚕ ~*s f/pl.* Harngrieß *m*; ~**nal** *m* Sandfläche *f*; Sandgrube *f*; ~**nar** *v/t.* mit Sand bestreuen; mit Sand fegen; ~**nero** *m* **1.** ⛟ Sandkasten *m*; ⊕ Sandstrahlgebläse *n*; **2.** *Stk.* Sandstreuer *m.*

arenga *f* Ansprache *f*; F langes Gerede *n*, Sermon *m* F; *Chi.* Streit *m*; ~**r** [1h] *vt/i.* e-e Ansprache halten (an *ac.*); abkanzeln (*v/t.*); palavern F (*v/i.*).

areni|lla *f* Streusand *m*; ⚕ Grieß *m*; ~**llero** *m* Streusandbüchse *f.*

are|nisca *Min. f* Sandstein *m*; ~ *abigarrada* Buntsandstein *m*; ~**nisco** ⛏ *adj.* sandig; ~**noso** *adj.* sandig, sandreich; Sand...

arenque *Fi. m* Hering *m*; ~ *ahumado* Bückling *m*; ~ *enrollado* Rollmops *m*; ~ *en salmuera* Brathering *m*; ~**ra** *f* Heringsnetz *n.*

areografía *f* Marsbeschreibung *f.*

aréola ⚕ *f* (Brust-)Warzenhof *m*; Ringbildung *f um Pusteln u. ä.*

areó|metro *m* Aräometer *m*, Senkwaage *f*; ~**pago** *m hist.* Areopag *m*; *fig.* Gruppe *f* kompetenter Persönlichkeiten.

arepa *f Am. versch. Arten* Maiskuchen *m*; *fig. Ven., Col.* tägliches Brot *n.*

ares|til, ~**tín** *m* **1.** ⚘ Disteldolde *f*; **2.** *vet.* Mauke *f*; *Arg.* Milchschorf *m.*

arete *m* Ring *m* (*Schmuck*); Ohrring *m.*

arévacos *hist. m/pl. Bewohner m/pl. der Hispania Tarraconensis.*

arfar ⚓ *v/i.* stampfen (*Schiff*).

argadi|jo, ~**llo** *m* Haspel *f*; *fig.* F Zappelphilipp *m.*

argalia ⚕ *f* Sonde *f.*

argamandijo *m* Kleinkram *m*; Kram *m*, Zeug *n.*

argama|sa *f* Mörtel *m*; ~**sar** *v/i.* Mörtel anmischen; ~**són** *herausgebrochenes* Mörtelstück *n.*

árgana *f* Hebekran *m*; ~*s f/pl.* → *árguenas.*

argavieso *m* Platzregen *m.*

argelino *adj.-su.* algerisch; *m* Algerier *m.*

argenta|r *v/t.* versilbern; silbernen Glanz geben (*dat.*); ~**rio** *m* **1.** Münzaufseher *m*; **2.** → *platero.*

argénteo *adj.* silbern; mit Silberauflage.

argen|tería *f* Silber-arbeit *f*; -stickerei *f*; ~**tero** *m* → *platero*; ~**tífero** *adj.* silber-haltig, -führend.

argenti|na *f* **1.** *Min.* Schieferspat *m*; **2.** ⚘ Silberkraut *n*; ~**nismo** *m* argentinischer Ausdruck *m*; ~**no**¹ **I.** *adj.* silbern, Silber...; **II.** *m alte arg. Goldmünze*; ~**no**² *adj.-su.* argentinisch; *m* Argentinier *m.*

argentoso *adj.* silberhaltig.

ar|go (~**gón**) ⚗ *m* Argon *n.*

argolla *f* **1.** metallener Ring *m*; ⊕ Schelle *f*, Klammer *f*; *And., Am. Cent.* Ehering *m*; F *le puso la* ~ sie hat ihn fest (*den Bräutigam*); **2.** Pranger *m* (*Strafe*); **3.** (*juego m de la*) ~ *versch. Arten Spiele, Art* Krocket *n*; **4.** *Ec.* Clique *f*; **5.** V *Arg.* Scheide *f*; **6.** *fig. echar a uno una* ~ s. j-n verpflichten.

árgoma ⚘ *f* Heideginster *m.*

argonauta *m* **1.** Argonaut *m*; **2.** *Zo.* Argonautenmuschel *f.*

Argos *m Myth.* Argos *m*, Argus *m*; *fig.* ♀ wachsamer Hüter *m.*

argot(e) *m* (*pl. argot[e]s*) Argot *n*; Gaunersprache *f*; Jargon *m.*

argucia *f* Spitzfindigkeit *f*, Sophismus *m.*

árgue|nas, ~**ñas** *f/pl.* Traggestell *n für Lastkörbe*; Satteltaschen *f/pl.*

argüir [3g] **I.** *v/t.* **1.** folgern, schließen auf (*ac.*); vorbringen, anführen; **2.** schließen lassen auf (*ac.*), hindeuten auf (*ac.*); ~ *a alg. de a/c.* j-m et. vorwerfen; **II.** *v/i.* **3.** streiten, argumentieren; ~ *contra a.* ankämpfen gg. (*ac.*); *fig.* ~ *con et.* anführen, *et.* ins Feld führen.

argumen|tación *f* Beweisführung *f*, Begründung *f*, Argumentation *f*; ~**tador** *adj.-su.* argumentierend; *m* Gegner *m*, Opponent *m*; ~**tante** *m* (Diskussions-)Gegner *m*; ~**tar** *v/i.* Schlüsse ziehen, folgern; argumentieren; ~**tista** *c* **1.** Diskutierer *m*, Widerspruchsgeist *m*; **2.** *Film*: ~ *es XY etwa*: nach e-r Idee von XY; ~**to** *m* **1.** Schluß *m*, Beweisgrund *m*, *a.* ⩕ Argument *n*; **2.** Inhaltsangabe *f e-s Stückes*, Handlung *f*; *Thea.* Text *m*; *Film*: Drehbuch *n.*

aria ♪ *f* Arie *f*; Lied *n.*

aridez *f* Dürre *f*, Trockenzeit *f* (*a. fig.*); Langweiligkeit *f.*

árido I. *adj.* dürr, unfruchtbar; *fig.* trocken; **II.** ~*s m/pl.*: *medida f para* ~*s* Trockenmaß *n.*

Aries *Astr. m* Widder *m.*

ariete *m* **1.** ⚔ *hist.* Sturmbock *m*, Widder *m*; **2.** ⊕ Rammbär *m*; **3.** ⚓ (Schiff *n* mit) Rammsporn *m.*

ari|je *adj. c* rotbeerig (*Traube*); ~**jo** *adj.* locker (*Ackererde*).

arimez *m* Vorbau *m*, Erker *m.*

ario *adj.-su.* arisch; *m* Arier *m.*

arisco *adj.* unbändig (*Tier*); barsch, widerborstig (*Mensch*).

arista *f* **1.** Granne *f*, Bart *m* (*Ähre*); **2.** Kante *f*, Schneide *f*; Grat *m* (*a. Gebirge u.* ⊕); Gebirgskamm *m*; ⩕ Schnittlinie *f* zweier Ebenen; *de* ~*(s) viva(s)* scharfkantig; **3.** ⩓ ~ (*de arco, de bóveda*) Gewölbeprofil *n*; *bóveda f por* ~ Rippengewölbe *n.*

aristarco *m fig.* strenger Kritiker *m.*

aris|tocracia *f* Aristokratie *f* (*a. fig.*); ~**tócrata** *c* Aristokrat *m*; ~**tocrático** *adj.* aristokratisch; ~**tocratizar** [1f] *v/t. a. fig.* adeln.

aristón ♪ *m* Ariston *n* (*mechanische Orgel*).

aristoso *adj.* **1.** voller Grannen; **2.** kantig.

aritméti|ca *f* Arithmetik *f*, Rechenkunst *f*; ~**camente** *adv.* arithmetisch; ~**co I.** *adj.* arithmetisch, Rechen...; *progresión f* ~*a* arithmetische Reihe *f*; **II.** *m* Arithmetiker *m*; Rechenkünstler *m.*

arle|quín *m* **1.** Harlekin *m* (*a. Maske*), Hanswurst *m* (*a. fig.*); **2.** *fig.* F gemischter Eisbecher *m u. ä.*; ~**quinada** *f* Harlekinade *f*; dummer Streich *m*; *fig.* Kasperltheater *n*; ~**quinesco** *adj.* possenreißerisch, -haft.

arlota *f* Wergabfall *m.*

arma *f* **1.** Waffe *f*; Gewehr *n*; ~*s f/pl. atómicas* Atomwaffen *f/pl.*; ~ *automática* automatische Waffe *f*; Selbstlader *m*; ~ *cortante*, ~ *de corte* Hiebwaffe *f*; ~ *defensiva* Schutz-, Verteidigungs-waffe *f*; *a. fig.* ~ *de dos filos* zweischneidiges Schwert *n*; ~ *de fuego* Schußwaffe *f*; *Am.* ~ *larga* Gewehr *n*, Karabiner *m*; ~ *ofensiva* Angriffswaffe *f*; ~ *portátil* Handfeuerwaffe *f*; ~ *punzante* Stichwaffe *f*; ~ *de puño* Stich- *od.* Hieb-waffe *f* mit festem Griff; ~ *de retrocarga* Hinterlader *m*; ~ *secreta* Geheimwaffe *f*; ~ *de tiro rápido* Schnellfeuerwaffe *f*; (*carrera f de*) ~*s* militärische Laufbahn *f*; *hecho m de* ~*s* Waffentat *f*; *hombre m de* ~*s* Soldat *m*, Militär *m*; *maestro m de* ~*s* Fecht-meister *m*, -lehrer *m*; *plaza f de* ~*s* Exerzierplatz *m*; *sala f de* ~*s* Fechtboden *m*; *alzarse en* ~*s* s. erheben, s. empören; *dejar las* ~*s* s-n Abschied nehmen; *estar sobre las* ~

unter (den) Waffen stehen; *pasar por las ~s* (standrechtlich) erschießen, über die Klinge springen lassen; V vergewaltigen; *presentar ~s* das Gewehr präsentieren; *probar las ~s* die Klingen kreuzen (*a. fig.*); *rendir el ~* Ehrenbezeigung machen vor dem Allerheiligsten; *rendir ~s* die Waffen strecken (*a. fig.*); *tomar las ~s* zu den Waffen greifen; F *mujer f de ~s tomar* Feldwebel *m* F (*fig.*), Dragoner *m* F (*fig.*), Xanthippe *f* F; F *es de ~s tomar* mit dem (*bzw.* der) ist nicht gut Kirschen essen, vor dem (*bzw.* der) muß man s. in acht nehmen; *¡a las ~s!* an die Gewehre!; *¡descansen — ar(mas)!* Gewehr ab!; *¡presenten — ar(mas)!* präsentiert das Gewehr!; **2.** Waffen-, Truppen-gattung *f*; *las tres ~s* die drei Waffengattungen *f/pl.*; **3.** *fig.* Waffe *f*; *fig.* Horn *n*; Krallen *f/pl. usw. der Tiere*; **4.** ▨ *~s f/pl.* Wappen *n*; **~da** *f* Kriegsflotte *f*; Kriegsmarine *f*.

armadía *f* Floß *n*.

armadi|jo *m* Falle *f*; Schlinge *f*; **~llo** *Zo. m* Gürteltier *n*.

arma|do I. *adj.* **1.** bewaffnet; *~ hasta los dientes* bis an die Zähne bewaffnet; **2.** ausgerüstet, ausgestattet (mit *dat.* de); ⊕ armiert; *hormigón m ~* Stahlbeton *m*; **II.** *m* **3.** *Fi.* Panzerhahn *m*; **4.** Geharnischte(r) *m in altrömischer Rüstung bei Karwochenprozessionen*; F *Méj.* Betuchte(r) *m*; **5.** Ausrüsten *n*; **~dor** *m* **1.** Reeder *m*; *~ temporal* Ausrüster *m e-s Schiffes*; **2.** ⚓ Heuerbaas *m für Wal- u. Dorschfänger*; **3.** *Chi.* Weste *f*; **~dura** *f* **1.** (Ritter-)Rüstung *f*; **2.** Gestell *n*; Gerüst *n*; (Brillen-)Fassung *f*; Armatur *f*; *~ de cama* Bettstelle *f*; *~ (de tejado)* Dachstuhl *m*; ⚡ *~ de condensador* Kondensatorbelag *m*; *~ de imán* Magnetanker *m*; **3.** *Stk.* → *cornamenta*.

arma|mento *m* **1.** Rüstung *f*; Kriegsausrüstung *f*; *Pol. limitación f de ~s* Rüstungsbeschränkung *f*; *reducción f de ~s* Teilabrüstung *f*; **2.** ⚓ Bestückung *f*; Schiffsgerät *n*; **~r I.** *v/t.* **1.** bewaffnen; ausrüsten (*a. fig. u.* ⚓); ⚓ bestücken; ⚓ bemannen; *Bett* aufschlagen; *Schlingen* legen; *Falle* stellen; *Maschine* aufstellen; *Tisch* her-, an-richten; *Feder* spannen; *Zelt* aufschlagen; *Schrauben* zudrehen; ⚔ *Zünder* scharf machen; ⚔ *~ la bayoneta* das Seitengewehr aufpflanzen; **2.** ♪ *~ la clave* Vorzeichen setzen; **3.** *fig.* veranstalten, verursachen; *~ bronca (camorra, cisco, jaleo), ~la* Streit suchen, Stunk machen P; *~la a.* Spielschulden machen; *~ cizaña* Zwietracht stiften; **4.** *~ caballero a alg.* j-n zum Ritter schlagen; **II.** *v/i.* **5.** liegen (*Erz*); **6.** passen; **III.** *v/r.* *~se* **7.** heraufziehen (*Gewitter*); *fig. la que se va a ~* das wird e-n gewaltigen Krach absetzen; F *se armó la de Dios es Cristo* es gab einen Mordskrach F (*od.* Mordsspektakel F); **8.** s. rüsten (*a. fig.*); s. versehen (mit *dat.* de); *~se de valor (de paciencia)* s. mit Mut (Geduld) wappnen; **9.** *Stk.* zum Todesstoß ansetzen; **10.** *Am.* reich werden; *Am. ~se de un buen negocio* ein gutgehendes Geschäft aufziehen; **11.** *Am.* bocken (*Tier*); **12.** V steif werden (*Penis*).

armario *m* Schrank *m*; *~ para libros* Bücherschrank *m*; *~ de documentos* Aktenschrank *m*; *~ de luna* Spiegelschrank *m*; *~ para ropa blanca (para medicamentos)* Wäsche- (Arznei-)schrank *m*; *~ ropero (rinconero)* Kleider (Eck-)schrank *m*; *~-vitrina* Glasschrank *m*.

armatoste *m* ungefüges Möbel *n*; *fig.* dicker u. unbeweglicher Mensch *m*, Klotz *m* F.

armazón *f* Gerüst *n*; Gestell *n*; Rahmen *m*; (Maschinen-)Ständer *m*; △ Zimmerwerk *n*; ⚓ Schiffsgerippe *n*; *~ ósea* Knochengerüst *n*; *~ de sierra* Sägebogen *m*.

arme|lina *f* Hermelinpelz *m*; **~lla** *f* Schrauböse *f*; Augenbolzen *m*.

armenio *adj.-su.* armenisch; *m* Armenier *m*.

arme|ría *f* **1.** Waffenhandlung *f*; ⚔ Zeughaus *n*; **2.** Waffenschmiede(kunst) *f*; **3.** → *heráldica*; **~ro** *m* **1.** Waffenschmied *m*; Waffenhändler *m*; *maestro m ~* Waffenmeister *m*; **2.** Gewehr-ständer *m*, -schrank *m*.

armilla 1. △ Schaftring *m bei Säulen*; **2.** *Art* Astrolabium *n*.

armi|ñado *adj.* mit Hermelin besetzt; hermelinweiß; **~ño** *m* Hermelin *n*; Hermelin(pelz) *m*.

armisticio *m* Waffenstillstand *m*.

armón ⚔ *m* Protze *f*; Scherbalken *m* (*Pioniere*).

armonía *f* Harmonie *f* (*a. fig.*); Wohllaut *m*; *fig.* Eintracht *f*; *fig.* Ausgeglichenheit *f*; *vivir en perfecta ~* in schönster Eintracht leben; *falta f de ~* Unausgeglichenheit *f*; Disharmonie *f*.

armóni|ca *f* Mundharmonika *f*; **~co I.** *adj.* harmonisch; *fig.* einträchtig; passend; **II.** *m* ♪ Oberton *m*, Flageoletton *m*.

armonio *m* Harmonium *n*; **~so** *adj.* harmonisch (*a. fig.*); wohlklingend.

armónium *m* Harmonium *n*.

armoniza|ble *adj. c* in Einklang zu bringen, harmonisierbar; **~r** [1f] **I.** *v/t.* harmonisieren; in Einklang bringen; ✝ angleichen; **II.** *v/i.* harmonieren, in Einklang stehen.

armorial *m* Wappenbuch *n*.

armuelle ✿ *m* Melde *f*.

arnés *m* Harnisch *m*; **~eses** *m/pl.* (Pferde-)Geschirr *n*; Reitzeug *n*; *hist. ~eses para cazar* Jagdgerät *n*.

árnica ✿ *f* Arnika *f*; *tintura f de ~* Arnikatinktur *f*.

aro[1] *m* **1.** Ring *m*; Bügel *m*; *Cu., Ven.* Fingerring *m*; *Arg., Chi.* Ohrring *m*; *~ de rueda* Radreif *m*; ⊕ *~ de émbolo* Kolbenring *m*; *~ de junta* Dichtungsring *m*; *fig. pasar por el ~* s. fügen, in den sauren Apfel beißen; *hacer pasar por el ~ a alg.* j-n zur Vernunft bringen; **2.** Zarge *f e-r Geige usw.*; **3.** Tischrahmen *m*; **4.** Schlagreifen *m*.

aro[2] ✿ *m* Aron(s)stab *m*.

¡aro! *int. Arg., Chi. Aufforderung an Vortragende od. Tanzende, zu unterbrechen u. e-n Trunk zu tun.*

aro|ma *m* **1.** Wohlgeruch *m*, Duft *m*, Aroma *n*; Blume *f*, Bukett *n des Weins*; **2.** ✿ Blüte *f* der Duftakazie; **~maticidad** *f* Würze *f*; Duft *m*; **~mático** *adj.* aromatisch, würzig; Kräuter...; **~matizar** [1f] *v/t.* würzen; durchduften; **~mo** ✿ *m* Duftakazie *f*.

arón ✿ *m* → *aro*[2].

arpa ♪ *f* Harfe *f*; **~do** *adj.* **1.** *poet.* lieblich singend (*Vogel*); **2.** ausgezackt; **~dura** *f* Kratzer *m*, Schramme *f*; **~r** *vt/i.* (zer)kratzen.

arpe|giar ♪ *vt/i.* arpeggieren; **~gio** *m* Arpeggio *n*.

arpella *Vo. f* Fischgeier *m*.

arpeo ⚓ *m* Enterhaken *m*.

arpía *f Myth.* Harpye *f*; *fig.* Hexe *f* (*fig.*), Drachen *m* (*fig.*).

arpi|llar *v/t.* in Sackleinwand einschlagen; **~llera** *f* Sackleinen *n*.

arpista I. *c* Harfenspieler *m*, Harfenist *m*; **II.** *m Méj.* Langfinger *m*, Dieb *m*.

arpón *m* Harpune *f*; *Stk.* Banderilla(spitze) *f*; △ Krampe *f*.

arpo|nado *adj.* harpunenförmig; **~n(e)ar** *v/t.* harpunieren; **~nero** *m* Harpunenfischer *m*; Harpunier *m*.

arquea|da *f* **1.** ♪ Bogenstrich *m*; **2.** Brechreiz *m*; **~do** *adj.* gewölbt; **~dor** *m* Eichmeister *m für Schiffe*; **~je**, **~miento** *m* → *arqueo*[2]; **~r**[1] **I.** *v/t.* wölben; rundbiegen; *Wolle* fachen; *Stk. Degen* durchbiegen *beim Todesstoß*; *~ las cejas* die Brauen hochziehen; große Augen machen; *~ el lomo* e-n Buckel machen (*Tier*); **II.** *v/i.* Brechreiz empfinden; **III.** *v/r.* *~se* s. krümmen, s. (ver)biegen.

arquear[2] **I.** *v/t. Schiff* vermessen *od.* eichen; **II.** *v/i.* ✝ *Am.* e-e Kassenprüfung vornehmen.

arqueo[1] *m* Wölben *n*; Wölbung *f*, Krümmung *f*.

arqueo[2] *m* **1.** Schiffsvermessung *f*; ⚓ *~ bruto (neto)* Brutto- (Netto-)tonnage *f*; **2.** ✝ Kassen-prüfung *f*, -sturz *m*.

arque|olítico *adj.* altsteinzeitlich; **~ología** *f* Archäologie *f*; **~ológico** *adj.* archäologisch; **~ólogo** *m* Archäologe *m*.

arquería *f* Bogenwerk *n*, Arkade *f*.

arquero[1] *m* **1.** Schatzmeister *m*; **2.** Truhenbauer *m*.

arquero[2] *m* Bogenschütze *m*.

arqueta *f* **1.** Schatulle *f*, Kästchen *n*; **2.** △ Brunnenstube *f*; Senk-, Sicker-kasten *m*.

arquetipo *m* Urbild *n*; Archetyp(us) *m*; Vorbild *n*.

arqui|banco *m* Kastenbank *f*; **~diócesis** *f* Erzdiözese *f*; **~episcopal** *adj. c* → *arzobispal*; **~fonema** *Li. m* Archiphonem *m*.

Arquímedes *m* Archimedes *m*; *principio m de ~* archimedisches Prinzip *n*; *rosca f de ~* archimedische Schraube *f*.

arquimesa *f* Schreibschrank *m*; Sekretär *m*.

arqui|tecto *m* Architekt *m*; Baumeister *m*; *~ decorador*, *~ de interiores* Innenarchitekt *m*; *~ paisajista* Gartenarchitekt *m*; **~tectónico** *adj.* architektonisch; **~tectura** *f* Architektur *f*, Baukunst *f*; Bauart *f*; *~ románica* romanischer Stil *m*; **~trabe** *m* Architrav *m*, Säulenbalken *m*.

arrabá *m* (*pl.* ~aes) maurische Bogenverzierung *f an Türen u. Fenstern.*

arraba|l *m* Vorstadt *f*; ~es *m/pl.* Umgebung *f e-r Stadt*; **~lero I.** *m* Vorstädter *m*; *fig.* ungeschliffener Mensch *m*; **II.** *adj.* vorstädtisch; vulgär.

arrabiatarse F *v/r. Am.* (j-m) blindlings folgen.

arracacha *f* **1.** ⚘ *Am. eßbares Knollengewächs*; **2.** → **~da** *f Col.* Albernheit *f.*

arracada *f* Ohrgehänge *n*; *Typ.* Aussparung *f im Satz.*

arracima|do *adj.* traubenförmig; dichtgedrängt; **~rse** *v/r.* s. (traubenförmig) zs.-drängen; schwärmen (*Bienen*).

arrai|gadamente *adv.* stetig; **~gado** *adj.* verwurzelt; bodenständig; ansässig; *fig.* eingewurzelt, unverbesserlich; **~gamiento** *m* → *arraigo*; **~gar** [1h] **I.** *v/t.* **1.** Wurzeln schlagen lassen (*a. fig.*); ⚖ *Ec., Guat., Méj., Pe.* unter Ortsarrest stellen; **II.** *v/i.* **2.** ⚖ Pfand *od.* Kaution hinterlegen; **3.** Wurzel schlagen; *fig.* → **III.** *v/r.* ~se **4.** ansässig werden; heimisch werden; *fig.* einreißen (*üble Gewohnheiten*); **~go** *m* **1.** Wurzelschlagen *n*; Eingewöhnung *f*; *persona f de* ~ Alteingesessene(r) *m*; *tener* ~ **a)** verwurzelt sein; **b)** Einfluß haben; **2.** Liegenschaften *f/pl.*

arramblar I. *v/t.* mit Schwemmsand bedecken (*Fluß*); **II.** *v/i. fig.* F ~ *con* an s. reißen (*ac.*); **III.** *v/r.* ~se versanden (*nach Überschwemmung*).

arrancaclavos *m* (*pl. inv.*) Nagelzieher *m.*

arranca|da *f* plötzliches (*bzw.* ruckweises) Anfahren *n bzw.* Antraben *n* (*Pferd*); ⚓ Ausreise *f*, Start *m*; **~dero** *Sp. m* Start(platz) *m*; **~do** *adj. fig.* verarmt; abgerissen; *Am.* abgebrannt (*fig.*); **~dor** *mot. m* Anlasser *m*; **~dora** ⚒ *f* Rodemaschine *f*; **~dura** *f*, **~miento** *m* Aus-, Ent-, Los-reißen *n*; **~r** [1g] **I.** *v/t.* **1.** ausreißen; *Zähne* ziehen; *Hackfrüchte* ausmachen; **2.** *Motor* anlassen; **3.** ent-, los-reißen; entlocken; abnötigen; *se lo he arrancado con violencia* ich habe es mit Gewalt aus ihm herausgeholt; ich habe es ihm gewaltsam entrissen; **II.** *v/i.* **4.** anziehen (*Zugtier*); losgehen (*Mensch*); starten (*Wagen*); anfahren (*Zug*); anlaufen (*Maschine*); schneller werden, losbrausen F; ausgehen *von e-m Punkt* (*a. fig.*); ~ *a* + *inf.* beginnen, zu + *inf.*

arranchar[1] ⚓ *v/t.* nahe vorbeifahren an (*dat.*); *Segel* brassen.

arranchar[2] *v/t. Am.* → *arrancar, arrebatar, quitar.*

arranque *m* **1.** Ausreißen *n*, Entwurzeln *n*; Entreißen *n*; **2.** ⚠ Gewölbe-, Bogen-anfang *m*; *Anat.* Ansatz *m*; **3.** *a. Sp.* Anlauf *m*; Start *m*; Anlaufen *n* (*Maschine*); *mot.* **a)** Anlassen *n*; **b)** Anlasser *m*; *Sp.* ~ *final* Endspurt *m*; ~ *de pie* Kickstarter *m*; ~ *automático* Startautomatik *f*; ~ *en frío* Kaltstart *m*; *allg. punto m de* ~ Ausgangspunkt *m*; **4.** *fig.* Entschlußkraft *f*; rascher Entschluß *m*; überraschender Einfall *m*; Anwandlung *f*, Anfall *m* (*fig.*), Aufwallung *f.*

arranquera F *f Am.* Geldmangel *m.*

arra|piezo F *m* Lausejunge *m*; **~po** *m* Lappalie *f*; Kleinigkeit *f.*

arras *f/pl.* **1.** Anzahlung *f*; Handgeld *n*; **2.** Brautgeld *n*; *hist. symbolische* Brautgabe *f von 13 Münzen.*

arrasa|do I. *adj. tex.* atlasähnlich; **II.** *part.* übervoll; *con los ojos* ~*s en* (*od. de*) *llanto* (*od. lágrimas*) mit den Augen voll Tränen; **~dura** *f* → *rasadura*; **~miento** *m* Abstreichen *n*; Schleifen *n*; **~r I.** *v/t. Acker* einebnen; *Festung* schleifen; *Maß* (*Getreide usw.*) abstreichen; bis zum Rande füllen; **II.** *v/i. u.* ~se *v/r.* s. aufheitern (*Himmel*); ~*se en* (*od. de*) *lágrimas* in Tränen zerfließen.

arras|trada *f* → *prostituta*; **~tradamente** F *adv.* **1.** schwer; **2.** elend; **~tradera** *f* Schleppseil *n* (*Ballon*); ⚓ Unterleesegel *n*; 🚂 Hemmschuh *m*; **~tradero** *m* Holzweg *m*; *Stk.* Abschleppweg *m für die toten Stiere*; **~trado I.** *adj.* **1.** *fig.* armselig, elend; **II.** *m* **2.** Spitzbube *m*, Rumtreiber *m* F; **3.** *Kart.* Ramsch *m*; **~trar I.** *v/t.* **1.** schleppen, schleifen, ziehen; ~ *los pies* schlurfen, latschen F; *fig.* ~ *por los suelos* mit Schmutz bewerfen; **2.** an Land schwemmen (*Meer*); **3.** *fig.* nach s. ziehen; mit s. fortreißen; mitreißen; ~ (*tras sí*) *en la caída* mit s. ins Verderben ziehen (*od.* reißen); **II.** *v/i.* **4.** *Kart.* Trumpf ausspielen; *Figur* ziehen; **5.** ⚒ *Méj.* eggen; **6.** kriechen; schleppen (*Kleider, Vorhang*); *venir arrastrando* angekrochen kommen (*a. fig.*); **III.** *v/r.* ~se **7.** kriechen (*a. fig.*); **~tre** *m* **1.** Fortschleppen *n*; Fortreißen *n*; Holzabfuhr *f* (*aus dem Wald*); *Stk.* Abschleppen *n der getöteten Tiere*; *fig.* F *ser del* ~ Plunder sein, nichts wert sein; *estar para el* ~ schrottreif sein (*Sache*); zum alten Eisen gehören (*Person*); **2.** Zugkraft *f*; **3.** angeschwemmte Erde *f*; **4.** ⚒ Schachtwandneigung *f*; **5.** *Méj.* Silbererzmühle *f*; **6.** *Ant., Méj.* Einfluß *m.*

arra|yán ⚘ *m* Myrte *f*; **~yana** ⚘ *f* mexikanische Myrte *f.*

arre I. *¡~! int.* hü!, vorwärts!; **II.** *m Andal.* Reittier *n* (*bsd. Esel*); **~ador** *m Rpl., Col., Pe.* Peitsche *f*; **~ar**[1] **I.** *v/t.* **1.** *Lasttiere* antreiben; *fig.* treiben; **2.** *Am. Cent., Rpl., Méj.* rauben; *Personen* entführen; *Am.* einziehen *zum Militär u. ä.* **3.** P *Schlag usw.* verpassen F, versetzen; **II.** *v/i.* **4.** s. beeilen; schnell gehen; *¡arrea!* **a)** schnell!, dalli! F; **b)** nanu!

arrear[2] ⚒ *v/t.* schmücken; ausrüsten.

arrebaña|duras *f/pl.* (Speise-) Reste *m/pl.*; Brosamen *m/pl.*; **~r** *v/t.* zs.-raffen *bis auf den letzten Rest*; aufessen; *Teller* leeressen.

arreba|tadamente *adv.* jäh, überstürzt; **~tadizo** *adj.* übereilt; impulsiv, unbesonnen; **~tado** *adj.* ungestüm, jäh, hastig; unbesonnen; *carácter m* ~, *hombre m* ~ Hitz-, Feuer-kopf *m*; **~tador** *adj.-su.* hinreißend, entzückend; **~tamiento** *m* **1.** Entreißen *n*; **2.** Ungestüm *n*; Verzückung *f*, Ekstase *f*; **~tar I.** *v/t.* **1.** entreißen, rauben; wegraffen; mit s. reißen (*a. fig.*); entzücken; **2.** *Am. oft* → *atropellar*; **II.** *v/r.* ~se **3.** außer s. geraten, aufbrausen, s. ereifern; **4.** verbrennen (*Frucht*); zu schnell gar werden (*od.* anbrennen) (*Gericht*); **~tiña** *f* Rauferei *f* (*um et.*); *andar a la* ~ (s.) um et. raufen; **~to** *m* **1.** Erregung *f*; Anwandlung *f*; ~ *de cólera* Jähzorn *m*; **2.** Entzücken *n*; Verzückung *f.*

arrebiatarse *v/r. Am.* → *arrabiatarse.*

arrebo|l *m* **1.** Morgen-; Abend-rot *n*; **2.** † rote Schminke *f*; **3.** *poet.* Röte *f*; **~larse** *v/r. poet.* s. röten; s. rot schminken.

arrebuja|damente *adv.* undeutlich; **~r I.** *v/t.* zer-knittern, -knautschen; **II.** *v/r.* ~se s. einmummeln, s. gut zudecken.

arreciar *v/i.* stärker werden, zunehmen (*Wind usw.*).

arrecife *m* Riff *n*, Feisbank *f.*

arrecirse [*def., nur Formen mit -i-*] *v/r. vor Kälte* erstarren; *arrecido* starr, klamm.

arre|cho *adj.* **1.** *Am.* geil; **2.** *Am. Cent.* mutig, energisch; **3.** *Reg.* → *tieso*; → *brioso*; **~chucho** F *m* **1.** Anwandlung *f*, Koller *m* F; **2.** plötzliche Übelkeit *f.*

arredrar I. *v/t.* zurück-werfen, -stoßen; erschrecken; **II.** *v/r.* ~se zurückscheuen; zurückweichen, Angst bekommen.

arregaza|do *adj.* umgestülpt; *nariz f* ~*a* Stupsnase *f*; **~r** [1f] *v/t. Rock* schürzen, raffen.

arregla|damente *adv.* ordnungsgemäß; **~do** *adj.* ordentlich; geregelt; mäßig (*Preis*); *eso está* (*od. quedó*) *ya* ~ (das ist) schon erledigt; **~dor** ♪ *m* Arrangeur *m*; **~r I.** *v/t.* **1.** regeln, ordnen; in Ordnung bringen; ausbessern, überholen; *Preis* festsetzen; *Rechnung* begleichen; *Zimmer* machen (*Hotel*); *Uhr* stellen; *Typ.* zurichten; *Maschine* reparieren; ♪ arrangieren; **II.** *v/r.* ~se **2.** s. schön machen, s. herrichten; ~*se el pelo* sein (*od.* s. das) Haar ordnen *od.* zurechtmachen; **3.** mitea. auskommen; ⚖ ~*se con alg.* s. mit j-m vergleichen; ~*se con a/c.* mit et. (*dat.*) zu Rande kommen; ~*se a* (*od. con*) *lo suyo* s. nach der Decke strecken; *¡arréglese!* helfen Sie sich selbst!; *arreglárselas* mit et. (*dat.*) fertig werden, s. zu helfen wissen, et. einzurichten wissen; *¿cómo se las arregla?* wie stellen Sie das bloß an?; wie kommen Sie zurecht? (mit *dat. con*).

arreglo *m* **1.** Regel *f*, Ordnung *f*, Anordnung *f*, Regelung *f*; Ausbesserung *f*; Bezahlung *f* (*Rechnung*); **2.** Einrichtung *f*; *Typ.* Zurichtung *f*; Bearbeitung *f* (*Buch*, ♪); ♪ Arrangement *n*; **3.** Abmachung *f*; Vereinbarung *f*; ⚖ Vergleich *m*; ~ *judicial* (*arbitral, pacífico*) *de controversias internacionales* gerichtliche (schiedsgerichtliche, friedliche) Beilegung *f* internationaler Streitfälle; *adv. con* ~ *a* gemäß (*dat.*); *llegar a un* ~ zu e-r Vereinbarung (*od.* e-m Kompromiß) gelangen; (*no*) *tener* ~ (nicht) wiedergutzumachen sein; **4.** ordentliches Verhalten *n*, Sittsamkeit *f*; **5.** F *a. arreglito m* wilde Ehe *f*.

arregostarse F *v/r.* ~ *a* Gefallen finden an (*dat.*).

arrejacar [1g] ⚒ *v/t.* rigolen.

arrelingarse [1h] F *v/r. Chi.* → *acicalarse*; *Arg.* → *resolverse*.

arrellanarse *v/r.* s. bequem zurechtsetzen; sich's bequem machen.

arreman|gado *adj.*: *nariz f* ~*a* Stülpnase *f*; **~gar** [1h] **I.** *v/t. Ärmel* aufstreifen; *Hosen* aufkrempeln; *Kleid* aufstecken, aufschürzen; **II.** *v/r.* ~*se* F s. aufraffen, s. zs.-reißen; **~go** *m* **1.** Hochstreifen *n*; **2.** Umgekrempelte(s) *n*; Schurz *m*.

arreme|tedero ⚔ *m* Angriffspunkt *m*; **~tedor** *adj.-su.* angreifend; *m* Angreifer *m*; **~ter I.** *v/t.* **1.** *Pferd* anrennen lassen; **2.** angreifen, anfallen; **II.** *v/i.* **3.** ~ *contra* (*od. con, para, a*) *alg.* über j-n herfallen, j-n angreifen; **4.** *fig.* verletzen(d wirken); unangenehm auffallen; **~tida** *f* Ansturm *m*; Angriff *m*, Überfall *m*.

arremolinarse *v/r.* aufwirbeln; s. (zs.-)drängen; zs.-laufen.

arrenda|ble *adj. c* verpachtbar; vermietbar; **~dor¹** *adj.-su.* Zureiter *m*; **~dor²** *m* **1.** Verpächter *m*; Vermieter *m*; **2.** → *arrendatario*.

arrendajo *m Vo.* Eichelhäher *m*; *fig.* F Nachäffer *m*.

arrendamiento *m* Pacht *f*; Verpachtung *f*; Vermietung *f*; Pacht-, Miet-zins *m*; (*contrato m de*) ~ Pacht-, Miet-vertrag *m*; ~ *de buque*, ~ *de avión* Chartervertrag *m*; *dar* (*od. ceder*) *en* ~ verpachten; vermieten; *tomar en* ~ pachten; mieten; *en* ~ pacht-, miets-weise.

arrendar¹ [1k] *v/t. Pferd* am Zügel festbinden; *Pferd* an den Zügel gewöhnen; *fig.* festhalten.

arrendar² [1k] *v/t.* verpachten; vermieten; pachten; mieten; *fig. no le arriendo la ganancia* ich möchte nicht in seiner Haut stecken; da war er schlecht beraten.

arrendar³ *v/t.* nachahmen.

arrenda|tario I. *adj.*: *compañía f* ~*a* (staatliche) Monopolgesellschaft *f*; **II.** *m* Pächter *m*; Mieter *m*; **~ticio** ⚖ *adj.* Pacht...; Miet...

arreo¹ *m* Putz *m*, Schmuck *m*; ~*s m/pl.* **a)** Geschirr *n*, Reitzeug *n*; **b)** *Rpl.*, *Chi.*, *Ven.* Koppel *f* Lasttiere; **c)** Zubehör *n*.

arreo² *adv.* nacheinander, schnell.

arrepápalo *m Art* Spritzgebackene(s) *n*.

arrepenti|da *f* reuige Sünderin *f*; **~do** *adj.* bußfertig; *estar* ~ *de a/c.* et. bereuen; **~miento** *m* Reue *f*; Buße *f*; *Mal.* Korrektur *f*; **~rse** [3i] *v/r.* Reue fühlen; ~ *de a/c.* et. bereuen.

arrequín *m Am.* Leittier *n*; *fig.* unzertrennlicher Begleiter *m*, Schatten *m* F.

arre|quintar *v/t. Am.* fest zs.-schnüren; **~quives** *m/pl.* F Putz *m*; Staat *m* F; † Umstände *m/pl.*

arres|tado I. *adj.* **1.** unerschrocken, schneidig; **2.** verhaftet; **II.** *m* **3.** Arrestant *m*; **~tar I.** *v/t.* verhaften; **II.** *v/r.* ~*se a* s. heranwagen an (*ac.*); **~to** *m* **1.** Arrest *m*; Haft *f*; Verhaftung *f*; ~ *mayor* Gefängnis(strafe *f*) *n* (*1—6 Monate*); ~ *menor* Haft(strafe) *f* (*1—30 Tage*); ~ *domiciliario* Hausarrest *m*; **2.** ~*s m/pl.* Schneid *m*, Mut *m*.

arrezafe ⚘ *m* Distel *f*.

arrezagar [1h] *v/t.* **1.** hochkrempeln, raffen; **2.** (er)heben.

arria *f* Koppel *f* Saumtiere.

arriada¹ *f* Überschwemmung *f*.

arriada² ⚓ *f* Streichen *n* der Segel.

arria|nismo *Rel. m* Arianismus *m*; **~no** *adj.-su.* arianisch; *m* Arianer *m*.

arriar¹ [1c] *v/t.* überschwemmen.

arriar² [1c] ⚓ *v/t.* fieren, niederlassen; *Segel* streichen; *Tau* nachlassen, lockern; *Boot* fieren (*od.* aussetzen); ~ (*la*) *bandera* die Flagge streichen; *¡arría!* fall ab!; fier weg!; werft los!

arria|ta *f, mst.* **~te** *m* **1.** (Blumen-) Rabatte *f*; Mauerbeet *n*; **2.** Blumengatter *n aus Rohr*.

arriaz *m* Degenheft *n*; Schwertkreuz *n*.

arriba *adv.* oben, obenan (*a. fig.*); hinauf; *¡~!* **a)** auf!, aufstehen!, los!; **b)** hoch!; *¡~ España!* es lebe Spanien!; **c)** trink aus!; ⚓ *¡~ todo el mundo!* alle Mann an Deck!; ~ *de* mehr als; (*el*) ~ *mencionado* (der) obenerwähnt(e); *como decíamos más* ~ wie weiter oben gesagt; *de doce años* (*para*) ~ über zwölf Jahre; von 12 Jahren an, ab 12 Jahren; *de* ~ von oben (*a. fig.*); vom Himmel, von Gott; *Rpl.*, *Cu.* umsonst; *en el piso de* ~ im oberen Stockwerk; *de* ~ *abajo* von oben bis (*bzw.* nach) unten; *fig.* ganz u. gar, völlig; *fig.* von oben herab; *volver lo de* ~ *abajo* das Unterste zuoberst kehren; *hacia* (*od. para*) ~ hinauf; nach oben; herauf; *llevar* (*traer*) ~ hin- (her-) aufbringen; *por* ~ oben; oberhalb; *por* ~ *y abajo* überall; nach allen Seiten.

arri|bada ⚓ *f* Einlaufen *n*; *derechos m/pl. de* ~ Landegebühren *f/pl.*; *entrar de* ~ (*forzosa*) *vom Sturm usw.* gezwungen (sein), e-n (Not-)Hafen anzulaufen; **~baje** ⚓ *m* → *arribada*; **~bano** *m Chi.* Südchilene *m*; *Pe.* Binnenländer *m*; *Arg.* Bewohner *m* der Andenprovinzen; **~bar** *v/i.* **1.** ⚓ **a)** einlaufen; **b)** abfallen, Abdrift haben; **2.** *fig.* s-n Zweck erreichen; **3.** *lit.* † ankommen; **4.** *Am.* gedeihen; **~bazón** *m* (andrängender) Fischschwarm *m*; *Am.* Andrang *m*; **~beño** *m Am.* Hochländer *m*; **~bismo** *gal. m* Strebertum *n*; **~bista** *gal. c* Emporkömmling *m*, Parvenü *m*; **~bo** *m* Ankunft *f*, ⚓ Einlaufen *n*.

arriendo *m* Pacht *f*; Verpachtung *f*; Pachtzins *m*; *ceder en* ~ verpachten; → *a. arrendamiento*.

arrie|raje *m Pe.* → **~ría** *f* Maultiertreiber-; Fuhrmanns-gewerbe *n*; **~ro** *m* Maultiertreiber *m*; Fuhrmann *m*.

arriesga|ble *adj. c* was man wagen *od.* aufs Spiel setzen kann; „riskierbar"; **~da** *f Am.* Wagemut *m*; Wagnis *n*; **~damente** *adv.* gewagt; **~do** *adj.* gefährlich, riskant; waghalsig, tollkühn; **~r** [1h] **I.** *v/t.* wagen, aufs Spiel setzen, riskieren; **II.** *v/r.* ~*se* s. e-r Gefahr aussetzen; ~*se a a/c.* (s. an) et. (heran)wagen.

arri|madero *m* Lehne *f*, Stütze *f*; Paneel *n*, Wandtäfelung *f*; **~madillo** *m* Wandverkleidung *f*; **~mador** *m* Stützscheit *n im Kamin*; **~mar I.** *v/t.* **1.** nähern, heranrücken; anlehnen; *¡~ el hombro!* alle mal anpacken!, los, helft mal mit!; **2.** F *Schlag usw.* versetzen; *Equ. Sporen* einsetzen; **3.** ⚓ stauen; **4.** beiseite legen, weglegen; zum alten Eisen werfen; *fig.* zurücksetzen, übergehen; *fig.* aufgeben; ~ *el empleo* die Beschäftigung aufgeben; **II.** *v/r.* ~*se* **5.** s. anlehnen; s. nähern; dicht herantreten (an *ac. a*); zs.-rücken; ~*se a alg.* s. j-m anschließen; j-s Gunst suchen, s. an j-n heranmachen F; **~mo** *m* **1.** Stütze *f*, Lehne *f*; *fig.* Schutz *m*, Gunst *f*, Hilfe *f*; **2.** Brandmauer *f*; *Am.* Grenzmauer *f zwischen zwei Grundstücken*; **3.** *Reg.* wilde Ehe *f*; **~món** F *m* Tagedieb *m*, Eckensteher *m*.

arrincona|do *adj.* abgelegen; vergessen (*Person*); **~miento** *m* Zurückgezogenheit *f*; **~r I.** *v/t.* **1.** in e-n Winkel stellen; *fig.* in die Enge treiben; **2.** beiseitelegen, zum alten Eisen werfen, ad acta legen; *fig.* beiseite-, zurück-drängen; vernachlässigen; **II.** *v/r.* ~*se* **3.** *fig.* s. zurückziehen.

arriñonado *adj.* nierenförmig.

arriostrar ⊕ *v/t.* ver-steifen, -spreizen.

arrisca|do *adj.* **1.** felsig, klippig; **2.** beherzt, verwegen; **3.** rüstig, stattlich; **4.** *Am.* → *arremangado*; **~miento** *m* Wagemut *m*; Tatkraft *f*; **~r** [1g] **I.** *v/t.* wagen; **II.** *v/r.* ~*se* abstürzen (*Vieh*); *fig.* wütend werden.

arritmia 🕮, ⚕ *f* Arrhythmie *f*.

arrivista *gal. c* → *arribista*.

arrizar [1f] ⚓ *v/t.* reffen; vertäuen (*an Bord*).

arroba *f* Arrobe *f*; **a)** Hohlmaß; **b)** Gewicht, *Reg. verschieden, z. B. in Kastilien* 11,502 kg; *fig. por* ~*s* scheffelweise; *echar por* ~*s* übertreiben; *Rpl. llevar la media* ~ gewinnen, profitieren.

arro|bador *adj.* entzückend; **~bamiento** *m* Verzückung *f*, Ekstase *f*; Entzücken *n*; Verwunderung *f*; **~bar I.** *v/t.* ent-, ver-zücken; **II.** *v/r.* ~*se* in Verzückung geraten; **~bo** *m* Verzückung *f*.

arroce|ría *f* Reispflanzung *f*; **~ro I.** *adj.* **1.** Reis...; *molino m* ~ Reismühle *f*; **II.** *m* **2.** Reisbauer *m*; **3.** *Am.* Reisfresser *m* (*versch. Vögel*).

arrocina|do *adj.* Schindmähren...; *Rpl.* zahm (*Füllen*); **~rse** F *v/r.* **1.** verblöden; **2.** s. verlieben, s. vernarren.

arrochelarse *v/r. Col.*, *Ven.* s. bäumen; bocken (*Pferd*).

arrodilla|do *adj.* **1.** kniend; **2.** geschmeidig; **~dura** *f*, **~miento** *m* Niederknien *n*; Kniefall *m*; **~r I.** *v/t.* niederknien lassen; **II.** *v/r.* ~*se* (nieder)knien; s. niederwerfen; ~*se a los pies de alg.* j-m zu Füßen fallen.

arrodri|gar [1h], **~gonar** ⚒ *v/t. Reben usw.* anpfählen.

arroga|ción ⚖ *f* Annahme *f* an Kindes Statt; Anmaßung *f*; ~ *de funciones* Amtsanmaßung *f*; **~ncia** *f* **1.** Anmaßung *f*, Dünkel *m*; **2.** Schneid *m* F; **~nte** *adj. c* **1.** anmaßend, arrogant, dünkelhaft, patzig F; **2.** forsch, schneidig; ~ *belleza* stattliche *od.* stolze Schönheit; **~r** [1h] **I.** *v/t.* ⚖ an Kindes Statt annehmen; **II.** *v/r.* ~se s. *Rechte, Befugnisse usw.* anmaßen.

arro|jadizo *adj.* Wurf..., Schleuder-...; *armas f/pl.* ~*as* Schleuderwaffen *f/pl.*; **~jado** *adj.* mutig, unternehmend; forsch F; **~jador** *adj.-su.* Werfer *m*, Schleuderer *m*; **~jamiento** *m* Schleudern *n*; ⚔ ~ *sin blanco* Blindabwurf *m*; **~jar I.** *v/t.* **1.** schleudern, werfen, schmeißen F; *Bomben* (ab)werfen; *fig.* hinauswerfen; ~ *por la boca* (aus)speien; ausspritzen; ~ *a la orilla* ans Ufer spülen; ⊕ ~ *a/c. contra et.* mit et. (*dat.*) besprühen (*od.* bewerfen); **2.** *Licht* ausstrahlen; *Geruch* verbreiten; *Blüten* hervorbringen, treiben; *fig. als Resultat* ergeben; aufweisen; *Nutzen, Zinsen* abwerfen; **II.** *v/i.* **3.** s. erbrechen; **III.** *v/r.* ~se **4.** s. stürzen (auf *od.* in *ac. mst. a*) (*a. fig.*); *fig.* s. erkühnen, s. erdreisten (zu + *inf. a*); ~*se de* (*od. por*) *la ventana* aus dem Fenster springen; s. aus dem Fenster stürzen; ~*se sobre alg.* über j-n herfallen; ~*se a* (*od. hacia*) *alg.* auf j-n zustürzen; **~jo** *m* Verwegenheit *f*, Schneid *m*.

arrolla|ble *adj. c* (auf)wickelbar; zs.-rollbar; **~do** *m Rpl., Chi., Pe.* Rindsroulade *f*; *Chi. Art* Rollfleisch *n*; **~dor** *m* ⊕ Wickler *m*; *tex.* Abzugswalze *f*; **~miento** ⊕, ⚡ *m* Wicklung *f*; **~r** *v/t.* **1.** (auf-, zs.-)rollen; aufwickeln; ~ *un resorte* e-e Feder aufziehen; **2.** (fort-)wälzen; **3.** nieder-werfen, -zwingen; überfahren (*a. fig.*); s. hinwegsetzen über (*ac.*) (*bsd. Gesetze usw.*).

arromadizarse [1f] *v/r.* (e-n) (Stock-)Schnupfen bekommen.

arromanza|do *Li. adj.* romanisiert, romanisch (*bsd. Ma.*); **~r** [1f] *v/t.* zu e-r Romanze machen; † ins Spanische übersetzen.

arronzar [1f] ⚓ *v/i.* **1.** die Anker lichten; **2.** ablaufen, s. nach der Windseite legen.

arropar¹ *v/t.* **1.** bekleiden; be-, zudecken; *fig. estar bien* ~*ado* gute Beziehungen haben; **2.** *Stier* mit zahmen Ochsen abdrängen *in s-n Stall usw.*

arro|par² *v/t.* *Wein* mit Mostsirup versetzen; **~pe** *m* Mostsirup *m*; Sirup *m*; **~pía** *f* eingedickter Honig *m*.

arrostra|do *adj.*: *bien* (*mal*) ~ schön (häßlich); **~r** *v/t.* **1.** Trotz bieten (*dat.*), trotzen (*dat.*); **2.** wagen (*ac.*).

arrow-root *engl. m* → *arrurruz.*

arroya|da *f*, **~dero** *m* Bachtal *n*; Bachbett *n*.

arroyarse *v/r.* vom Rost befallen werden (*Pfl.*).

arro|yo *m* **1.** Bach *m*; Bachbett *n*; *a. fig.* Gosse *f*, Rinnstein *m*; *fig.* ~*s de lágrimas y de sangre* Ströme *m/pl.* von Tränen u. Blut; *poner* (*od. plantar*) *a alg. en el* ~ j-n auf die Straße setzen; **2.** Fahrdamm *m*; **~yuelo** *m* Bächlein *n*, Rinnsal *n*.

arro|z *m* **1.** Reis *m*; ~ *con leche* Milchreis *m*, Reisbrei *m*; ~ *a la marinera* Fischgericht *n* mit Reis; *polvo m de* ~ Reispuder *m*; F (*hubo*) ~ *y gallo muerto* (es gab) ein wahres Schlemmer- *od.* Lukullus-mahl; *fig.* F ~ *con tenedor* ganz etepetete; sehr affektiert; **2.** *Ven.* häusliche Festlichkeit *f*; **~zal** *m* Reisfeld *n*.

arrufa|dura ⚓ *f* Sprung *m*; **~r I.** *v/i.* ⚓ Sprung haben; **II.** *v/r.* ~se e-n Buckel machen (*Katze*); *Andal., Ven.* wütend werden.

arrufianado *adj.* zuhälterisch; Zuhälter...

arrufo ⚓ *m* → *arrufadura.*

arruga *f* Runzel *f*; Falte *f*, zerknitterte Stelle *f* (*Stoff, Papier*); *hacer* ~*s* Falten werfen, knittrig werden, *surcado de* ~*s* faltenzerfurcht; **~do** *adj.* runzlig, faltig; verknittert; **~r** [1h] **I.** *v/t.* runzeln, falten; zerknittern, -knüllen; *Nase* rümpfen; ~ *la frente* (*el entrecejo*) die Stirn (die Brauen) runzeln; **II.** *v/r.* ~se runzlig werden; knittern; *fig.* F klein u. häßlich werden.

arruina|do *adj.* ruiniert, zugrundegerichtet; **~r I.** *v/t.* zerstören, verwüsten, verderben; zugrunde richten, ruinieren; *Thea.* ~ *el espectáculo* die Vorstellung schmeißen; **II.** *v/r.* ~se verfallen; s. zugrunde richten; ~*se la salud* s-e Gesundheit ruinieren.

arru|llador *adj. fig.* einschläfernd, einlullend; **~llar I.** *v/t.* **1.** *Kind* in den Schlummer singen (*od.* wiegen); **2.** *j-m* den Hof machen, mit *j-m* schäkern; F ~*se mitea.* schöntun; **II.** *v/i.* **3.** girren, gurren (*Tauben u. fig.*); **~llo** *m* Girren *n*, Gurren *n*; Wiegenliedchen *n*; *fig.* zärtliche Worte *n/pl.*

arruma ⚓ *f* Laderaum *m*.

arrumaco F *m* **1.** *mst.* ~*s pl.* Geschmuse *n*; *fig.* Getue *n*, Mätzchen *n/pl.* F; **2.** wertloser Schmuck *m*, Tinnef *m* F.

arruma|je ⚓ *m* Stauen *n*; **~r** ⚓ **I.** *v/t.* (ver)stauen; **II.** *v/r.* ~se s. bewölken; **~zón** ⚓ *m* **1.** (Ver-)Stauen *n*; **2.** Gewölk *n*.

arrumbar¹ *v/t.* wegräumen, abstellen; *fig.* abblitzen lassen.

arrumbar² ⚓ **I.** *v/i.* **1.** die Küste anpeilen; **2.** den Kurs festlegen; **II.** *v/r.* ~se **3.** die Position bestimmen.

arrurruz *m* indisches Stärkemehl *n*.

arrutinar I. *v/t.* zur Routine machen; **II.** *v/r.* ~se zur Routine werden.

arsenal *m* **1.** Arsenal *n*, Zeughaus *n*; **2.** Marinewerft *f*.

arseni|cal *adj. c* arsenikhaltig; **~cismo** ⚕ *m* Arsenvergiftung *f*.

arsénico ⚗ **I.** *m* Arsen(ik) *n*; **II.** *adj.*: *ácido* ~ Arsensäure *f*.

arseni|oso *adj.* arsenhaltig; **~to** *m* Arsenit *n*.

arta ✿ *f* Wegerich *m*.

arte *m* (*pl. f*) **1.** Kunst *f*; ~ *decorativo* dekorative Kunst *f*, Ausstattungskunst *f*; ~ *figurativo*, ~ *imitativo* gegenständliche Kunst *f*; ~ *militar* Kriegskunst *f*; ~*s f/pl. ehm.* Logik *f*, Physik *f* u. Metaphysik *f*; ~*s liberales* freie Künste *f/pl.*; ~*s industriales* Kunstgewerbe *n*; ~*s mecánicas* (Kunst-)Handwerk *n*; *versos m/pl. de* ~ *mayor* (*menor*) Verse *m/pl.* von mehr als 8 (von 8 u. weniger) Silben; *con* (*sin*) ~ kunst-voll (-los); **2.** Kunstfertigkeit *f*; Gewandtheit *f*; List *f*; *malas* ~*s* Ränke *pl.*, List *f* u. Tücke *f*; (*como*) *por* ~ *de magia* (wie) durch ein Wunder; *fig. saber el* ~ den Trick (*od.* Kniff) kennen; *tener buen* ~ gescheit (*od.* geschickt *od.* fähig) sein; *no tener* ~ *ni parte en* nichts zu tun haben mit (*dat.*); **3.** Art *f*, Weise *f*; **4.** ~(*s*) (*de pesca*) Fischereigerät *n*.

artefacto *m* Artefakt *n*; mechanisches Kunstwerk *n*; Gerät *n*, Apparat *m*; F *iron.* Möbel *n*.

artejo *m* **1.** Finger-knöchel *m*; -gelenk *n*; -glied *n*; **2.** ✿ Knoten *m* (*Stengel od. Rohr*); **3.** Segment *n der Gliederfüßer.*

artemis(i)a ✿ *f* Beifuß *m*, Mutterkraut *n*; *a.* Schafgarbe *f*.

arte|ramente *adv.* (hinter)listig; **~ría** *f* Hinterlist *f*.

arteri|a *f* **1.** *Anat.* Schlagader *f*, Arterie *f*; ~ *cervical* Halsschlagader *f*; ~ *coronaria* Kranzarterie *f*; **2.** Hauptverkehrsstraße *f*; **~al** *adj. c* arteriell, Schlagader...; **~ografía** *f* Arteriographie *f*; **~ología** *f* Arteriologie *f*; **~osclerosis** *f* Arteriosklerose *f*, Arterienverkalkung *f*; **~osclerótico** *adj.* arteriosklerotisch; **~oso** *adj.* arterienreich; arteriell.

artesa *f* (Back-, Knet- *usw.*) Trog *m*; Mulde *f*.

artesa|nado *m* Handwerker-schaft *f*; -stand *m*; **~nal** *adj. c* Handwerks..., handwerklich; **~nía** *f* → *artesanado*; *Span. Cámara f Oficial de* ♀ Handwerkskammer *f*; **~no** *m* Handwerker *m*; *fig.* Urheber *m*, Schöpfer *m*.

artesiano *adj.*: *pozo m* ~ artesischer Brunnen *m*.

arte|són *m* Scheuerfaß *n*; Kufe *f*, Bütte *f*, Trog *m*; ⛫ Felder-, Kassetten-decke *f*; **~sonado** *adj.-su.* mit Stuckarbeit verziert (*Zimmerdecke*); Kassetten...; *m* Täfelung *f*, Kassettierung *f*.

ártico *adj.* arktisch; nördlich, Nord...; *polo m* ~ Nordpol *m*; *regiones f/pl.* ~*as* Arktis *f*.

artícola *adj.-su. c* Arktisbewohner *m*.

articu|lación *f* **1.** *Anat.* Gelenk *n*; ~ *del codo* (*de la rodilla*) Ellbogen- (Knie-)gelenk *n*; **2.** ⊕ Gelenk *n*; ~ (*de*) *cardán*, ~ *universal*, ~ *en cruz* Kreuz-, Kardan-gelenk *n*; **3.** *Phon.* Artikulation *f*; ~ *artificial* Lippensprache *f* der Taubstummen; **4.** Gliederung *f*; **5.** ✿ Abzweigung *f*, Knie *n*; **~ladamente** *adv.* deutlich, klar; gegliedert; **~lado I.** *adj.* **1.** gegliedert; Glieder...; Gelenk...; 🚂 *tren m* ~ Gliederzug *m*; **2.** *lenguaje m* ~ artikulierte Sprache *f*; **II.** *m* **3.** *die* Artikel *m/pl.*; *die* Paragraphen *m/pl. e-s Gesetzes, Vertrages usw.*; ⚖ Beweismaterial *n*; **4.** *Zo.* ~*s m/pl.* Gliedertiere *n/pl.*; **~lar¹** *adj. c* Gelenk...; *reumatismo m* ~ Gelenkrheuma(tismus *m*) *n*; **~lar² I.** *v/t.* **1.** durch Gelenke inea.-fügen;

gliedern; **2.** ⚖ in Paragraphen aufgliedern; *Paragraphen* formulieren; *Beweismittel od. Fragen* vorlegen; **II.** *vt/i.* **3.** artikulieren; deutlich aussprechen; **~lista** *c* Artikelschreiber *m.*

artículo *m* **1.** *Anat.* Gelenk *n*; Glied *n*; **2.** *Gram.* Artikel *m*, Geschlechtswort *n*; ~ *(in)determinado* (un)bestimmter Artikel *m*; **3.** ⚖ Artikel *m*, Paragraph *m*; ~ *adicional* Zusatz- *od.* Schluß-artikel *m*, -paragraph *m*; *formar* ~ die Zwischenklage vorbringen; **4.** ✝ Ware *f*, Artikel *m*; ~ *de adorno y tocador* Putz(ware *f*) *m*; ~ *comercial*, ~ *de comercio* Handels-ware *f*, -artikel *m*; ~ *de moda* Modeartikel *m*; ~ *de primera necesidad* Artikel *m* des täglichen Bedarfs; ~ *de propaganda* Reklame-, Werbe-artikel *m*; ~ *de gran salida*, ~ *de gran consumo* Massenartikel *m*; *vgl.* → *bienes*; **5.** Aufsatz *m*, Artikel *m*; ~ *de fondo* Leitartikel *m*; ~ *de pago* Inserat *n*; ~ *demagócico*, ~ *difamatorio*, ~ *muy violento* Hetzartikel *m*; F *hacer el* ~ *de a/c.* et. sehr anpreisen; **6.** *Rel.* ~ *de fe* Glaubensartikel *m*; ~ *de la muerte* Sterbestunde *f*; Todeskampf *m.*

artífice *m* Künstler *m*; Kunsthandwerker *m*; *fig.* Urheber *m.*

artifi|cial *adj. c* künstlich, Kunst...; *fuegos m/pl.* **~es** Feuerwerk *n*; **~ciero** *m* Feuerwerker *m*; ⚔ *a.* Kanonier *m*; **~cio** *m* **1.** Maschine *f*; **2.** Kunstfertigkeit *f*; *fig.* Kunstgriff *m*, Kniff *m* F; Verstellung *f*; **~cioso** *adj.* **1.** unnatürlich, gekünstelt; gezwungen; **2.** arglistig; verschmitzt; **3.** kunstvoll.

artilugio *m* **1.** Machwerk *n*; *fig.* F Trick *m*, Kniff *m* F; **2.** Werkzeug *n.*

arti|llado ⚔ *m* (Artillerie-)Bestükkung *f*; **~llar** *v/t.* bestücken; **~llería** *f* Artillerie *f*; Geschütz(e) *n* (-*/pl.*); ~ *antiaérea* Flak(artillerie) *f*; ~ *antitanque* Pak(artillerie) *f*; ~ *de apoyo directo* Nahkampfartillerie *f*; ~ *a caballo* reitende Artillerie *f*; ~ *de campaña*, ~ *de batalla* Feldartillerie *f*; ~ *de costa* Küstenartillerie *f*; ~ *gruesa* schwerste Artillerie *f*; ~ *montada* (*volante*) fahrende (fliegende) Artillerie *f*; ~ *de montaña* Gebirgsartillerie *f*; ~ *naval*, ~ *de marina*, ~ *de a bordo* Schiffsartillerie *f*; ~ *pesada* (*ligera*, *Am. liviana*) schwere (leichte) Artillerie *f*; ~ *de a pie* Fußartillerie *f*; *parque m de* ~ Geschützpark *m*; **~llero** *m* Artillerist *m*; Kanonier *m.*

artimaña *f Jgdw.* Falle *f*; *fig.* Kniff *m*; Betrug *m*, Nepp *m* F.

artiodáctilos *Zo. m/pl.* Paarzeher *m/pl.*

artista *c* **1.** Künstler *m* (*a. fig.*); *Thea.* Darsteller *m*; *Zirkus usw.*: Artist *m*; **2.** *fig.* Lebenskünstler *m*, Bohemien *m.*

artístico *adj.* **1.** künstlerisch, Kunst...; *director m* ~ Spielleiter *m*, Regisseur *m*; **2.** artistisch.

artolas *f/pl.* Doppelsattel *m*; Packsattel *m.*

artrítico *adj.* arthritisch, gichtisch.

artritis ⚕ *f* Arthritis *f*, Gelenkentzündung *f*; **~mo** ⚕ *m* Arthritismus *m.*

artrópodos *Zo. m/pl.* Gliederfüß(l)er *m/pl.*

artrosis *f* **1.** ⚕ Arthrose *f*; **2.** *Anat.* Gelenk *n.*

Ar|turo *m* **1.** *Astr.* Arkturus *m*; **2.** → **~tús** *m* Artus *m* (*keltischer Sagenheld*).

arve|ja ⚘ *f* (Acker-, Saat-)Wicke *f*; *Am.* (Platt-)Erbse *f*; **~jal**, **~jar** *m* Wickenfeld *n*; **~jana** *f* → *arveja*; **~jera** *f* Futterwicke *f*; **~jo** *m* Erbse *f*; **~jón** *m* gelbe Wicke *f*; **~jona** *f* Wicke *f*; *Andal.* ~ *loca* Waldwicke *f.*

arvense ⚘ *adj. c* unter der Saat wachsend; Feld...

arzobis|pado *m* **1.** Erzbistum *n*; erzbischöfliches Amt *n*; **2.** erzbischöfliches Palais *n*; **~pal** *adj. c* erzbischöflich; **~po** *m* Erzbischof *m.*

arzolla ⚘ *f* **1.** Flockenblume *f*; **2.** Spitzklette *f*; **3.** Gänsedistel *f*; **4.** → *almendruco.*

arzón *m* Sattelbogen *m.*

as *m* **1.** *Kart.* As *n*; ~ *de oros etwa*: Karo-As *n*; *fig.* F Hintern *m* F; **2.** ein Auge *im Würfelspiel*; **3.** *fig.* Meister *m*; (*Sport-*, *Film- usw.*) Größe *f*, Kanone *f* F, As *n* F; *Sch.* Klassenbeste(r) *m*; **3.** As *n* (*altröm. Münze*); **4.** ~ *de guía* Pahlstek *m* (*Seemannsknoten*).

asa[1] *f* **1.** Henkel *m*, Griff *m*; *fig.* Vorwand *m*; *fig* F *tenerle por el* ~ *a alg* j-n in der Hand haben; **2.** *Anat* Schleife *f*, Bogen *m.*

asa[2] ⚘ *f* Asant *m*; ~ *fétida* Stinkasant *m.*

asá F *adv.*: *así o* ~, *así* (*que*) ~ so oder so; völlig gleich, ganz wurscht P.

asa|ción *f* Braten *n*; *pharm.* Abkochung *f* im eigenen Saft; **~dero** *adj.* zum Braten *od.* Backen geeignet, Back... (*mst. Birnen od. Käse*); **~do** *m* Braten *m*; ~ *a la parilla* Rostbraten *m*; ~ *de ternera* (*de buey*) Kalbs- (Rinder-)braten *m*; **~dor** *m* Bratspieß *m*; Grill *m*; ~ *infrarrojo* (*de pollos*) Infrarot-(Hühner-)grill *m*; **~dura** *f* **1.** Innereien *pl.*, *bsd. Leber, Herz, Lunge*; **2.** P Phlegma *n*, Lahmärschigkeit *f* P.

asaetea|dor *adj.-su. fig.* mörderisch, scheußlich; **~r** *v/t.* mit Pfeilen beschießen *od.* töten; *fig.* bombardieren, belästigen (mit *dat. con, a*).

asainetado *Thea. adj.*: *comedia f* **~a** Lustspiel *n* nach Art e-s volkstümlichen Schwanks.

asalaria|do *adj.-su.* Lohn-, Gehalts-empfänger *m*; Arbeitnehmer *m*; **~r** [1b] *v/t.* löhnen; besolden.

asal|tador *adj.-su.*, **~tante** *adj.-su. c* angreifend; *m* Angreifer *m*; **~tar** *v/t.* **1.** angreifen; überfallen; einbrechen in (*ac.*); anspringen (*Tier*); ⚔ stürmen; **2.** *fig.* bestürmen; befallen (*Krankheit*, *Zweifel*); **~to** *m* **1.** Angriff *m*, Überfall *m*; **2.** ⚔ (Sturm-)Angriff *m*; Einbruch *m*, Vorstoß *m*; *dar* ~ *a et.* stürmen; *tomar por* ~ im Sturm nehmen (*a. fig.*); **3.** Runde *f* (*Boxen*); *Fechtk.* Gang *m*, Ausfall *m*; **4.** *fig.* Ansturm *m* (auf *ac.* de); **5.** Überfall *m* (*mst. v. Karnevalsgruppen*) *in ein befreundetes Haus, um dort zu feiern.*

asamble|a *f* **1.** Versammlung *f*; *Pol.* ♀ *Consultiva* Beratende Versammlung *f*; ~ *general* Vollversammlung *f* (*UNO*); ~ *legislativa* gesetzgebende Versammlung *f*; ~ *nacional* National- (*od.* Volks-)versammlung *f*; ~ *plenaria* Vollversammlung *f*; → *a. junta*; **2.** ⚔ Sammeln *n* (*a. Signal*); **~ísta** *c* Versammlungs-mitglied *n*; -teilnehmer *m.*

asar **I.** *v/t.* **1.** braten; ~ *bien* durchbraten; ~ *a fuego lento* schmoren; ~ *ligeramente* anbraten; ~ *en* (*od. a*) *la parrilla* grillen; **2.** *fig.* F *nos asaron a preguntas* sie löcherten uns mit Fragen F; *estoy asado* ich weiß nicht mehr aus noch ein (vor Arbeit); **II.** *fig. v/r.* **~se** **3.** (F **~se** *vivo*) vor Hitze umkommen, schmoren F.

asargado *adj.* sergeartig (*Stoff*).

asarina ⚘ *f* Zimbelkraut *n.*

ásaro ⚘ *m* Haselwurz *f.*

asaz *poet. adj. c* → *bastante.*

asbesto *m* Asbest *m.*

ascalonia ⚘ *f* Schalotte *f.*

áscari *m* marokkanischer Soldat *m*, Askari *m.*

ascáride *f* Spulwurm *m.*

ascen|dencia *f* **1.** aufsteigende Verwandtschaftslinie *f*; Vorfahren *m/pl.*; **2.** Abstammung *f*; **~dente** *adj. c* aufsteigend; *movimiento m* ~ ansteigende Bewegung *f*; *tren m* ~ *von der Peripherie* nach Madrid fahrender Zug *m*; *Astr. nodo m* ~ aufsteigender Knoten *m*; **~der** [2g] **I.** *v/t.* **1.** hinaufbefördern; **2.** *im Amt* befördern; *fue ascendido a capitán* er wurde zum Hauptmann befördert; **II.** *v/i.* **3.** hinaufsteigen; ~ *a* besteigen (*ac.*), steigen auf (*ac.*); **4.** *im Amt* befördert werden (zu *dat. a*); **5.** ~ *a* s. belaufen auf (*ac.*), betragen (*ac.*); **~diente** **I.** *adj. c* **1.** → *ascendente*; **II.** *m* **2.** Verwandte(r) *m* in aufsteigender Linie; **~s** *m/pl.* Vorfahren *m/pl.*; **3.** *fig.* (moralischer) Einfluß *m* (auf *ac.*), Macht *f* (über *ac. sobre*); **~sión** *f* **1.** Besteigung *f e-s Berges*; Aufstieg *m* (*Ballon*); **2.** *fig.* Thronbesteigung *f* (*König, Papst*); ~ *al pontificado* Erhebung *f* zur Würde des Pontifikats; **3.** *Rel.* ♀ (*del Señor*) (Christi) Himmelfahrt *f*; **~sional** *adj. c* aufsteigend; Auftriebs...; *Phys. fuerza f* ~ Auftrieb *m*; **~sionista** *c* **1.** Bergsteiger *m*; Gipfelbesteiger *m*; **2.** Luftschiffer *m*; Ballonfahrer *m*; **~so** *m fig.* Beförderung *f*; Beförderungsstufe *f*; **~sor** *m* Aufzug *m*, Fahrstuhl *m*, Lift *m*; ⊕ Elevator *m*; **~sorista** *m* **1.** Liftboy *m*, Aufzugführer *m*; **2.** Aufzugsmechaniker *m.*

asceta *c* Asket *m.*

ascéti|ca *Rel. f* Aszetik *f*; **~co** *adj.-su.* asketisch, enthaltsam; *m* Asket *m*; Büßer *m.*

ascetismo *m* Askese *f*; *Rel. a.* Aszese *f.*

ascitis ⚕ *f* Bauchwassersucht *f*, Aszites *f.*

asco *m* Ekel *m*, Widerwille(n) *m*; Brechreiz *m*; *¡es un* ~*!* scheußlich!, ekelhaft!; *da* ~ es ekelt e-n an (*a. fig.*); *hacer* **~s** (*a a/c.*) zimperlich tun (bei et. *dat.*); *estar hecho un* ~ dreckig sein P; *fig.* scheußlich aussehen; *¡qué ~!* pfui Teufel!; *tomar ~ a* s. ekeln vor (*dat.*).

ascua *f* Glut *f* (*glühendes Eisen, Kohlenglut usw.*); *fig.* F *arrimar el ~ a su sardina* auf s-n Vorteil bedacht sein; *fig. estar en* (*od. sobre*) *~s* (wie) auf glühenden Kohlen sitzen; *fig. pasar como sobre ~s* rasch darüber hinweghuschen (*od.* hinweggehen); *fig. ser un ~ de oro* blitzsauber sein, glänzen, strahlen; *¡~s!* Donnerwetter!; *fig. tener a alg. en ~s* j-n auf die Folter spannen.

asea|do *adj.* sauber, reinlich (*a. fig.*); *fig.* niedlich, nett; **~r I.** *v/t.* putzen, säubern; *a.* herausstaffieren; **II.** *v/r.* *~se* s. fertig machen (*waschen, kämmen usw.*).

asecha|dor *adj.-su.* Verfolger *m*; **~miento** *m* → **~nza** *f* Falle *f*, Schlinge *f*; Hinterlist *f*, Ränke *pl.*; *tender ~s a* → **~r** *v/t.* *j-m* nachstellen.

asedado *adj.* seiden-ähnlich, -weich.

ase|diador *adj.-su.* Belagerer *m*; **~diar** *v/t.* belagern; *fig. ~ con ruegos* mit Bitten bestürmen; *~ a* (*od. con*) *preguntas a j-m* mit Fragen zusetzen; **~dio** *m* Belagerung *f*; *fig.* Verfolgung *f*.

asegundar *v/t.* wiederholen.

asegura|do *adj.-su.* versichert; *m* Versicherte(r) *m*; **~dor** *m* Versicherer *m*; **~miento** *m* **1.** Versicherung *f*, Behauptung *f*; **2.** Sicherung *f*; *a.* ⚖ Sicherheit *f*; **~r I.** *v/t.* **1.** sichern (*a.* ⚔, ⊕, ⚖); festmachen, befestigen; in Sicherheit bringen; ⚖ *~ los medios de prueba* die Beweismittel sichern; *~ un nudo* e-n Knoten festziehen; *~ al reo* den Angeklagten in Haft nehmen; **2.** versichern, behaupten; zusichern; *~ a alg. de su fidelidad* j-n s-r Treue versichern; *te aseguro que es así* ich versichere dir, es verhält s. so; **3.** *Vers.* versichern (gg. *ac. contra, de*); *~ un objeto contra* (*od. de*) *incendios y robo* ein Objekt gg. Brand u. Entwendung versichern; **II.** *v/r.* *~se* **4.** s. sichern (vor *dat. de*); e-e Versicherung abschließen; **5.** s. vergewissern (*gen. de*); **6.** beständig werden (*Wetter*).

asemejar I. *v/t.* **1.** ähnlich machen (*dat. a*); **2.** vergleichen (mit *dat. a*); **3.** ähnlich sein *bzw.* sehen (*dat.*); **II.** *v/r.* **4.** *~se a* ähnlich sehen (*dat.*), ähneln (*dat.*).

asenderea|do *adj.* **1.** ausgetreten (*Weg*); *fig.* geplagt (*Leben*); **2.** gewitzigt, erfahren; **~r** *v/t.* **1.** *im Walde* Wege bahnen; **2.** hetzen, verfolgen (*a. fig.*).

asenso *m* Zustimmung *f*, Beifall *m*; *dar ~* Glauben schenken, glauben.

asenta|da F *f*: *de una ~* auf e-n Sitz F, auf einmal; **~deras** F *f/pl.* Gesäß *n*, Po(po) *m* F; **~dillas**: *a ~* im Damensitz; **~do** *adj.* **1.** ruhig, gesetzt; vernünftig; **2.** (wohl)fundiert; **~dor** *m* **1.** ⚕ Verteiler *m*, Zwischenhändler *m auf Lebensmittelmärkten*; **2.** Abzieh-, Streichriemen *m*; **3.** Setzhammer *m der Schmiede*; **4.** 🚂 Strecken-, Rottenarbeiter *m*; **~miento** *m* **1.** *fig.* Vernunft *f*, Klugheit *f*; **2.** † *~ real* Heeresunterkunft *f*; **3.** † ⚖ *gerichtliche* Besitzübereignung *f*; **~r** [1k] **I.** *v/t.* **1.** setzen, stellen; aufbauen, errichten; *j-n* ansiedeln; *Ortschaft* gründen; *Fundament, Kabel* legen; *Lager* aufschlagen; *auf den Thron* setzen; *Regierung* festigen; *~ el pie* fest auftreten; **2.** *Unebenheiten* glätten; *Naht* glattbügeln; *Messer usw.* abziehen; F *Am. ~le a uno las costuras* j-m die Hosen strammziehen F; **3.** *Schlag* versetzen; **4.** *Meinungen* als wahr behaupten; *Thesen* aufstellen, setzen; **5.** ein-tragen, -schreiben; ⚕ buchen; **6.** ⚖ *Schuldnerbesitz* übereignen; **7.** ⚒ *Abkommen usw.* treffen; **II.** *v/i.* **8.** passen, gut stehen (*Kleid usw.*); fest stehen, nicht wackeln (*Möbel usw.*); **III.** *v/r.* *~se* **9.** s. niederlassen (*a. fig.*); s. setzen (*Vogel, Insekt, Flüssigkeit*); **10.** schwer im Magen liegen (*Speise*).

asenti|miento *m* Zustimmung *f*, Einwilligung *f*; Beifall *m*; **~r** [3i] *v/i.* (*a*) bei-stimmen, -pflichten (*dat.*), zustimmen (*dat.*); **~sta** *c* Lieferant *m* (*an Großabnehmer*); Heereslieferant *m*.

aseñorado *adj.* wer es den feinen Leuten nachtun will, hochfein (*iron.*).

aseo *m* **1.** Sauberkeit *f*; *~ personal* Körperpflege *f*; (*cuarto m de*) *~* Badezimmer *n*; **2.** Putz *m*.

asepsia ⚕ *f* Asepsis *f*.

aséptico ⚕ *adj.* aseptisch, keimfrei.

asequi|bilidad *f Am.* Erreichbarkeit *f*; **~ble** *adj. c* **1.** erreichbar, möglich; erschwinglich; verständlich; **2.** P → *tratable*.

aserción 🕮, *Lit. f* Behauptung *f*, Aussage *f*.

aserra|da *f Am.* Sägen *n*; Zuschnitt *m*; **~dero** *m* Säge-mühle *f*, -werk *n*.

ase|rrador, ~rrar, ~rrín → *serrador, serrar, serrín*.

aser|tar *neol. v/t.* behaupten, versichern; **~tivo** *adj.* behauptend, bejahend; *Gram. proposición f ~a* Aussagesatz *m*; **~to** *m* → *aserción*; **~tórico** *Phil. adj.* assertorisch; **~torio** 🕮 *adj.* bekräftigend; ⚖ *juramento m ~* assertorischer Eid *m*.

asesi|nar *v/t.* ermorden; sehr quälen, umbringen (*a. fig.*); **~nato** *m* Mord (*a.* ⚖); *~ con estupro* Lustmord *m*; *~ judicial* Justizmord *m*; *~ y robo* Raubmord *m*; **~no** *adj.-su.* mörderisch (*a. fig.*); *m* Mörder *m*; Attentäter *m*; *gritar "al ~"* Zeter u. Mordio schreien.

aseso|r *adj.-su.* beratend; *m* Berater *m*; *a.* ⚖ Beisitzer *m*; *~ jurídico* Justitiar *m*, Syndikus *m*, Rechtsberater *m*; *~ fiscal* Steuerberater *m*; *~ comercial e industrial* Betriebsberater *m*; **~ramiento** *m* Beratung *f*; **~rar I.** *v/t.* *j-n* beraten, *j-m* mit Rat beistehen; **II.** *v/r.* *~se con* (*od. de*) *alg.* s. bei j-m Rat holen; mit j-m beratschlagen; s. von j-m beraten lassen; **~ría** *f* Amt *n* u. Gehalt *n* e-s Beisitzers *od.* Beraters; Beratungsbüro *n*.

asestar *v/t.* *Waffe* richten (auf *ac. contra*); ⚔ anvisieren; *Schuß* abgeben; *Stein* werfen; *Schlag* versetzen.

asevera|ción *Lit. f* Versicherung *f*, Behauptung *f*; **~r** *v/t.* behaupten, versichern; **~tivo** *adj.* → *asertivo*.

asexua|do *adj., mst.* **~l** 🕮 *adj. c* ungeschlechtlich.

asfalta|do I. *adj.* **1.** asphaltiert; **II.** *m* **2.** Asphalt *m*; **3.** Asphaltierung *f*; **~r** *v/t.* asphaltieren.

asfáltico *adj.* Asphalt...; *riego m ~* Asphaltieren *n*.

asfalto *m* Asphalt *m*; *~ de apisonar* Walzasphalt *m*; *~ comprimido* Stampfasphalt *m*; F *estar en el ~* auf dem Pflaster (*od.* auf der Straße) liegen, arbeitslos sein.

asfíctico *adj.* Erstickungs...

asfixia *f* Ersticken *n*, Erstickung *f*, Asphyxie *f*, Atemstillstand *m*; *ataque m de ~* Erstickungsanfall *m*; *morir de ~* ersticken; **~nte** *adj. c* erstickend (*a. fig.*); *fig.* schwül; *gases m/pl. ~s* Giftgase *n/pl.*, ⚔ erstickende Kampfstoffe *m/pl.*; **~r I.** *v/t.* *j-n* ersticken; **II.** *v/r.* *~se* ersticken (*a. fig.*); *fig.* lahmgelegt sein (*fig.*).

asfíxico *adj.* → *asfíctico*.

asfódelo ⚘ *m* Asphodill *m*.

asgo → *asir*.

así I. *adv.* **1.** so; *~ ~, Arg., Col., Chi. ~ no más* so so, mittelmäßig; *por decirlo ~* sozusagen; *una piedra ~ de grande* ein so (*od.* so ein) großer Stein; *~ como ~* jedenfalls; sowieso; ohne weiteres; *~ o ~, ~ que ~*, F *~ o asá* (P *asado*) so oder so; ganz gleich, gehüpft wie gesprungen F; **2.** *adjektivisch*: *un hombre ~* ein solcher Mann; *~ sea* so sei es, Amen; **II.** *cj.* **3.** *kopulativ*: *~ tú como él* sowohl du als auch er; **4.** *komparativisch*: *~ como yo lo hago, también lo puedes hacer tú* so wie ich es tue, kannst du es auch tun; **5.** *konsekutiv*: *y ~ tuvo que ir* u. so (*od.* daher) mußte er gehen; *~ que* so daß; daher, also; *~ pues* somit; *tanto es ~ que quisiera verle* kurz u. gut, ich möchte ihn sehen; *~ es que* daher (*od.* so) kommt es, daß; **6.** *konzessiv, lit.*: *no lo hiciera, ~ le mataran* er täte es nicht, und wenn sie ihn umbrächten; **7.** *temporal*: *~ como* (*od. ~ que*) *entra* (*bzw. mit futurischem Hauptsatz entre*) sobald (*od.* sowie) er eintritt; **8.** *optativisch, mst. als int.* hoffentlich!, möge ...!; P *¡~ lo maten!* soll er doch verrecken P.

asiático I. *adj.* asiatisch; F *lujo m ~* orientalischer Prunk *m*; **II.** *m* Asiat *m*.

asidero *m* **1.** Griff *m*, Henkel *m*; **2.** *fig.* Handhabe *f*; Vorwand *m*; F *tener buenos ~s* einflußreiche Gönner haben.

asidu|amente *adv.* emsig, eifrig, beflissen; **~idad** *f* Emsigkeit *f*; Fleiß *m*; Pünktlichkeit *f*; **~o** *adj.* emsig, eifrig; strebsam, dienstbeflissen; häufig, ständig (*z. B. Besucher, Zuhörer*); *a. su.* (*parroquiano m*) *~ m* Stammgast *m*.

asiento *m* **1.** Sitz *m*; Sitz-gelegenheit *f*, -platz *m*; *a.* Gesäß *n*; *~ del conductor* (*del piloto*) Fahrer- (Piloten-)sitz *m*; *~ delantero* (*trasero*) Vorder- (Rück-)sitz *m*; ✈ *~ expulsor* Schleudersitz *m*; *~ plegable* Klappsitz *m*; ⚓ *~s m/pl. de popa* Sitzraum *m im Heck*; *de un ~* (*de *dos, de cuatro ~s)* ein- (zwei-, vier-) sitzig; *pegársele a alg. el ~* sitzen bleiben, (am Stuhl) kleben (bleiben) F, (einfach) nicht gehen wollen; *Equ. tener buen ~* e-n guten Schluß haben (*Reiter*); *tomar ~* s. setzen; *tome (usted) ~* nehmen Sie bitte Platz; **2.** Stelle *f*, Sitz *m*, Posten *m b. Behörden, Vereinigungen usw.*; **3.** Wohnsitz *m*, Aufenthaltsort *m*; *estar de ~, hacer ~* s. ständig aufhalten, ansässig sein; **4.** Lage *f*; *Am.* Minengelände *n*; Minenarbeitersiedlung *f*; **5.** ⊕ Sitz *m*; Lagerung *f*; Basis *f*, Fundament *n*; △ Schichtung *f der Steine usw.*; Bett *n beim Pflastern*; Mörtelschicht *f zwischen den Lagen*; *(base f de) ~* Unterlage *f*; *~ de un cable* Kabel(ver)legung *f*; *~ de válvula* Ventilsitz *m*; 🚂 *~ de vía* Bahn-planum *n*, -körper *m*; **6.** Boden *m e-s Gefäßes*; Bodensatz *m*; **7.** Stabilität *f*; richtige Lage *f*; **8.** Setzung *f*, (Ab-)Sackung *f (Bauwerk, Erdreich)*; Steuerlastigkeit *f e-s Schiffes*; **9.** † Eintragung *f*, Buchung *f*, Posten *m*; **10.** (Liefer-) Vertrag *m*; **11.** *fig.* Gesetztheit *f*, Reife *f*; Beständigkeit *f*; *de ~* gesetzt, vernünftig; verständig; **12.** Unverdaulichkeit *f*; Verstopfung *f*; **13.** *Pe. de ~* in wilder Ehe lebend; **14.** *Equ.* Gebiß *n (Zaum)*; Gebißlücke *f im Maul*; **15.** Fleischseite *f des Leders*; **16.** ⚘ *~ de pastor Art* Ginster *m*; **17.** ⚖ *~ de la pena* Straffestsetzung *f*.

asigna|ble *adj. c* anweisbar; **~ción** *f* **1.** Anweisung *f*; Bestimmung *f*; **2.** (Geld-)Bezüge *m/pl.*, Gehalt *n*; **~r** *v/t.* **1.** zuweisen, anweisen; *j-n od. et. e-r Behörde usw.* zuweisen; *~ competencias* Kompetenzen (*od.* Befugnisse) erteilen; **2.** *Gehalt* festsetzen; **~tario** ⚖ *m Cu., Chi.* gerichtlich anerkannter Erbe *m*; **~tura** *f* (Lehr-)Fach *n*; *~ accesoria, ~ secundaria* Nebenfach *n*; *~ facultativa (obligatoria)* Wahl- (Pflicht-) fach *n*; *~ principal (básica)* Haupt- (Kern-)fach *n*; *aprobar una ~* (die Prüfung) in e-m Fach bestehen.

asi|lado I. *m* Insasse *m* e-s Asyls, *bsd.* Armenhäusler *m*; **II.** *adj. Pol.* unter Asylschutz stehend; **~lar I.** *v/t.* **1.** in ein Heim aufnehmen; *Pol.* Asyl gewähren (*dat.*); **2.** *Arg.* ins Erziehungshaus (*für Dirnen*) bringen; **III.** *v/r.* *~se* **3.** Asyl suchen (bei *dat. en*), s. flüchten (in *ac. en*); **~lo**[1] *m* **1.** Asyl *n* (*a. Pol.*), Zufluchtsstätte *f*; *derecho m de ~* Asylrecht *n*; *pedir (dar) ~* um Asyl ersuchen (Asyl gewähren); **2.** Heim *n*; Armenhaus *n*; *~ de ancianos (de inválidos) etwa*: Alters- (Invaliden-) heim *n für Arme, Hilfsbedürftige*.

asilo[2] *Ent. m* Raub-, Asyl-fliege *f*.

asi|metría *f* Asymmetrie *f*, Spiegelungleichheit *f*; **~métrico** *adj.* asymmetrisch, unsymmetrisch.

asimila|bilidad *Physiol. f* Assimilierbarkeit *f*; **~ble** *adj. c* assimilierbar; angleichbar; **~ción** *f* Angleichung *f*; Gleichmachung *f*; 🕮, *Biol., Li.* Assimilation *f*; **~r I.** *v/t.* **1.** ähnlich machen; angleichen, gleichstellen; **2.** (geistig) verarbeiten, (in s.) aufnehmen; auf-, erfassen, begreifen; **3.** *Phon.* assimilieren; **4.** *Physiol. Nährstoffe* verarbeiten; **II.** *v/i.* **5.** auffassen, begreifen; **III.** *v/r.* *~se* **6.** ea. ähnlich sehen; **7.** *~se una idea* s. e-n Gedanken zu eigen machen, e-n Gedanken übernehmen.

a símili *lt.*: *argumento m ~* Analogieschluß *m*.

asimilista *adj. c*: *política f ~* Assimilationspolitik *f*.

asimismo *adv.* auch, ebenfalls, zugleich.

asimplado *adj.* einfältig, dumm aussehend.

asin|crónico 🕮, ⊕ *adj.* asynchron; **~cronismo** *m* asynchroner Ablauf *m*, asynchrone Bewegung *f*.

asíndeton *Gram. m* Asyndeton *n*.

asindético *adj.* asyndetisch.

asíntota ⩕ *f* Asymptote *f*.

asir [3a; *pres. asgo, ases etc.*] *lit.* **I.** *v/t.* **1.** (an)fassen, (er)greifen, packen (an, bei *dat. de, por*); **II.** *v/i.* **2.** ⚘ Wurzel schlagen; **III.** *v/r.* *~se* **3.** s. festhalten (an *dat. a, de*); ⚔ *~se al terreno* s. ans Gelände klammern; **4.** *fig.* in e-n Wortwechsel geraten, aneinandergeraten; *Anm.*: *nur die Formen mit -i- sind gebräuchlich; sonst verwendet man coger, agarrar, trabar.*

asísmico *adj.* erdbeben-fest, -sicher.

asis|tencia *f* **1.** Anwesenheit *f*; *die* Anwesenden *m/pl.*, *die* Teilnehmer *m/pl.*; *~ al trabajo* Anwesenheit *f* am Arbeitsplatz; **2.** Beistand *m*, Mitwirkung *f*, Hilfe *f*; Unterstützung *f*; *~ a los enfermos* Krankenpflege *f*; *~ a las embarazadas* Schwangerenfürsorge *f*; *~ espiritual* geistlicher Beistand *m*; *~ judicial* Rechtshilfe *f* (*intern.*); *~ judicial (gratuita)* Armenrecht *n*; *~ médica* ärztliche Behandlung *f od.* Betreuung *f*; *~ pública* **a)** öffentliche Fürsorge *f*; **b)** Unfallstation *f*; *~ social* (Sozial-)Fürsorge *f*; Fürsorgeamt *n*; ♀ *Pública Domiciliaria (APD)* beamtete Ärzteschaft *f*; **3.** *Stk.* Gehilfe *m*; **4.** *Méj., Col. (casa f de) ~* → *hostería*; **~tenta** *f* **1.** Zugeh-, Putz-frau *f*; **2.** Pflegerin *f*; *~ social* Fürsorgerin *f*; **~tente** *m* **1.** Anwesende(r) *m*, Teilnehmer *m*; *lista f de ~s* Anwesenheitsliste *f*; **2.** ⚔ Putzer *m*, (Offiziers-)Bursche *m*; **3.** assistierender Bischof *m*; Hilfspriester *m*; **4.** Krankenwärter *m*; **5.** *hist.* Verwaltungsbeamte(r) *m mit den Befugnissen e-s corregidor*; **~tir I.** *v/t.* **1.** *j-n* bedienen; *j-m* helfen, *j-m* beistehen; *Kranke* pflegen, betreuen; *¡Dios nos asista!* Gott steh' uns bei!; **II.** *v/i.* **2.** *Kart.* Farbe bekennen; **3.** *~ (a)* anwesend sein (bei *dat.*), teilnehmen (an *dat.*); *Schule, Vortrag usw.* besuchen (*ac.*).

asma ⚕ *f* Asthma *n*.

asmático *adj.* asthmatisch; dampfig (*Pferd*).

asna *f* Eselin *f*; **~cho** ⚘ *m* **1.** gelbes Eselskraut *n*; **2.** Hauhechel *f*; **~da** *f* Eselei *f*; **~l** *adj. c* esel-haft, -artig; Esel(s)...; *fig.* dumm.

asnería *f* Eselsherde *f*; *fig.* Eselei *f*.

asni|lla △ *f* Bock *m*, Gerüst *n*; Strebe *f*, Stütze *f*; **~no** F *adj.* → *asnal*.

asno *m* Esel *m* (*a. fig.*); *~ silvestre* Wildesel *m*; *fig. ~ cargado de letras* gelehrter Esel *m*, Hohlkopf *m*.

asocia|ble *adj. c* **1.** verbindbar; zs.-schließbar; **2.** assoziierbar; **~ción** *f* **1.** Vereinigung *f*; Verein *m*; Verband *m*; *Pol.* Assoziierung *f*; *~ profesional* Berufsverband *m*; *~ de profesores* Lehrerbund *m*; ♀ *Europea de Libre Cambio* Europäische Freihandelsvereinigung (EFTA); ♀ *Fonética Internacional* Weltlautschriftverein *m*; ♀ *Internacional de Universidades (AIU)* Internationaler Hochschulverband *m*; ♀ *de Transporte Aéreo Internacional* Internationaler Luftverkehrsverband *m* (IATA); *derecho m de ~* Vereinsrecht *n*; Recht *n* auf Vereinsbildung; *régimen m de ~ones* Vereinswesen *n*; → *a. unión*; **2.** 🕮 Assoziation *f*; *~ de ideas* Gedankenverbindung *f*; **~cionismo** *m* Vereinswesen *n*; **~do** *adj.-su. bsd. Pol.* assoziiert; *m* Teilhaber *m*, Partner *m*; Genosse *m*; **~miento** *m* Zusammenschluß *m*, Verbindung *f*; **~r I.** *v/t.* **1.** *~ a alg. a/c.* j-n an et. (*dat.*) teilnehmen lassen; **2.** vereinigen, verbinden; *asociaron sus esfuerzos* sie vereinten ihre Kräfte; **3.** in (Gedanken-)Verbindung bringen (mit *dat. a*); **II.** *v/r.* *~se* **4.** *~se a (od. con)* s. *j-m* anschließen, s. mit *j-m* zs.-tun; *~se a* teilnehmen an (*dat.*) (*Schmerz, Kummer*); *~se a (una tarea)* mitarbeiten, mithelfen (*abs. od.* bei *dat.*); **~tivo** 🕮 *adj.* Assoziations...; *Li. campo m ~ (de una palabra)* Wortfeld *n*.

asocio *m Am. Cent., Rpl., Col., Ec.* → *asociación*; *bsd.*: en *~ de* in Begleitung von (*dat.*), (zs.) mit (*dat.*).

asola|ción *f* → *asolamiento*; **~dor** *adj.-su.* verheerend, verwüstend; **~miento** *m* Zerstörung *f*, Verwüstung *f*, Verheerung *f*; **~nar** *v/t. Pfl.* austrocknen (*Ostwind*); **~par** *v/t. Dachziegel* übereinander legen; ⊕ überlappen; **~r**[1] [1m] **I.** *v/t.* zerstören, verwüsten, verheeren; **II.** *v/r.* *~se* veröden; ⚗ s. setzen (*Flüssigkeit*); **~r**[2] *v/t. Getreide usw.* ausdörren.

asoldar [1m] *v/t.* dingen; in Sold [nehmen.]

asolea|da *f Am. Cent., Col., Chi., Méj., Ven.* → *insolación*; **~r I.** *v/t.* der Sonne(nhitze) aussetzen; *Wäsche* in der Sonne trocknen; **II.** *v/r.* *~se* s. sonnen, ein Sonnenbad nehmen; verdorren (*Pfl.*); e-n Erstickungsanfall bekommen (*Vieh*).

asoma|da *f* Auftauchen *n*, Erscheinen *n für e-n Augenblick*; **~r I.** *v/t.* zeigen, sehen lassen; *~ la cabeza* den Kopf hinausstecken; **II.** *v/i.* zum Vorschein kommen, erscheinen; heraussehen; *asoma el sol* die Sonne kommt heraus; **III.** *v/r.* *~se* s. blicken lassen, s. zeigen; *~se por (od. a) la ventana* zum Fenster hinaussehen; *¡no ~se!* nicht hinauslehnen (🚂 *u. ä.*); *fig. asomado* angeheitert.

asom|bradizo *adj.* furchtsam, scheu; schreckhaft; **~brado** *adj.* erstaunt; bestürzt; **~brador** *adj.* bestürzend; erstaunlich; **~brar I.** *v/t.* **1.** beschatten, verdunkeln; *Farben* dunkler mischen; **2.** verwundern, in Erstaunen setzen; **3.** bestürzen; ⚡ erschrecken; **II.** *v/r.* ~se **4.** s. wundern, erstaunt sein (über *ac. con, de*); **~bro** *m* **1.** Erstaunen *n*, Staunen *n*; Bestürzung *f*; **2.** Gegenstand *m* der Bewunderung; **~broso** *adj.* erstaunlich, verblüffend; bestürzend.

asomo *m* Anschein *m*, (An-)Zeichen *n*; Andeutung *f*, Anflug *m*; Ahnung *f*; *ni por* ~ nicht die Spur, kein Gedanke daran, beileibe nicht.

asonada *f* Auflauf *m*, Zs.-rottung *f*.

asona|ncia *f* Assonanz *f*, vokalischer Gleichklang *m* (*Metrik, Rhet.*); *fig. tener* ~ *con* im Einklang stehen mit (*dat.*); **~ntar** *v/i.* Assonanzen bilden; **~nte** *adj. c* assonierend, vokalreimend; **~r** [1m] *v/i.* assonieren.

asordar *v/t.* → *ensordecer.*

asotanar *v/t.* unterkellern.

aspa *f* **1.** *tex.* Haspel *f* (*a. m*); **2.** Windmühlenflügel *m*; **3.** Propellerflügel *m*; **4.** liegendes Kreuz *n*; ⊠ ~ *de San Andrés* Andreaskreuz *n*; **5.** ⚒ Schnittpunkt *m* zweier Adern; **6.** ~*s f/pl. Am. Reg.* Hörner *n/pl.*; **~dera** *f* Haspel *f* (*a. m*); **~do I.** *adj.* andreaskreuzähnlich; **II.** *m* Haspeln *n*; **~dor** *m* Haspel *f* (*a. m*); **~r I.** *v/t.* **1.** haspeln; **2.** *fig.* F quälen, peinigen; **II.** *v/r.* ~se **3.** s. winden (*vor Schmerzen*), s. (so) anstellen F; ~*se a gritos* toben, zetern, Zeter u. Mordio schreien; **~ventero** *m* Faxenmacher *m*, Zeterer *m*; **~viento** *m* (*mst.* ~*s m/pl.*) Faxen *pl.*, aufgeregtes Getue *n*, Gezeter *n*, Wirbel *m* F.

aspearse *v/r.* → *despearse.*

aspecto *m* **1.** Anblick *m*; Aussehen *n*, Erscheinung *f*; *de buen* ~ gut aussehend; *tener* ~ *de* + *su. od.* + *inf.* (so) aussehen wie + *nom. od.* aussehen, als ob + *subj. impf.*; *tener buen* ~ gut aussehen (*a. fig.*); **2.** Gesichtspunkt *m*, Aspekt *m*, Seite *f e-r Sache*; **3.** *Gram., Astr.* Aspekt *m*; **4.** △ Orientierung *f*, Ausrichtung *f e-s Bauwerks.*

ásperamente *adv.* rauh, barsch.

aspere|ar *v/i.* herb schmecken; **~za** *f* **1.** Herbheit *f*; Rauheit *f* (*a. fig.*); **2.** Unebenheit *f* (*Gelände*); **3.** Derbheit *f*; derber Ausdruck *m*; **4.** spröder Stil *m*; **5.** Härte *f*, Strenge *f*.

asper|ger *v/t.* → *asperjar*; **~ges** *m* (*pl. inv.*) *Rel. Name der* Antiphon „*Asperges me* ..."; Besprengung *f* mit Weihwasser; Weihwedel *m*; F *quedarse* ~ das Nachsehen haben, in die Röhre (*od.* in den Mond) gucken F.

aspe|ridad *f* → *aspereza*; **~riego** ⚘ *adj.*: *manzana f* ~*a* Reinette *f* (*Apfelart*); **~rilla** ⚘ *f*: ~ (*olorosa*) Waldmeister *m*; **~rillo** *m* säuerlicher Geschmack *m*.

asperjar *v/t.* (be)sprengen; mit Weihwasser besprengen.

áspero *adj.* rauh (*Fläche*); uneben (*Gelände*); herb (*Frucht*); *fig.* hart (*Wort*); schroff, barsch; spröde (*Stil*).

asperón *m* kieseliger Sandstein *m*.

aspérrimo *sup. v. áspero.*

asper|sión *Rel. f* Besprengung *f*, Aspersion *f*; **~sor** *m* Rasensprenger *m*; **~sorio** *m* Weihwedel *m*.

aspérula *f* → *aspirilla.*

áspid *Zo. m* (Gift-)Natter *f*.

aspidistra ⚘ *f* Aspidistra *f*.

aspillera *f* ⚔ Schießscharte *f*; ⊕ Schürloch *n*.

aspira|ción *f* **1.** Atemholen *n*, Einatmen *n*; ♪ Atempause *f*; **2.** ⊕ Ein-, An-saugen *n*; *aire m de* ~ Saugluft *f*; *tubo m de* ~ Saugrohr *n*; **3.** *Gram.* Aspirieren *n*; **4.** *fig.* Trachten *n*, Sehnen *n*, Streben *n* (nach *dat. a*); ~ *a la unidad* Einheitsbestrebungen *f/pl.*; *fig. tener grandes* ~*ones* sehr ehrgeizig sein, hoch hinaus wollen; **~do** *Phon. adj.*: *sonido m* ~ Hauchlaut *m*; **~dor** *adj.-su. m*; **1.** Staubsauger *m*; ~ *sin electricidad* Teppichkehrmaschine *f*; **2.** ⊕ Sauger *m*, Sauggerät *n*; Exhaustor *m*; ~ *de aire* Luft(an)sauger *m*; **~nte I.** *adj. c* an-, ein-saugend; ⊕ *bomba f* ~ Saugpumpe *f*; **II.** *c* Bewerber(in *f*) *m*, Anwärter(in *f*) *m*, Aspirant *m*; *oficial m* ~, ~ *a oficial* Offiziersanwärter *m*; **~r I.** *v/t.* **1.** einatmen; ⊕ an-, ein-saugen; **2.** *Phon.* aspirieren; **II.** *v/i.* **3.** (ein-)atmen; **4.** ~ *a* trachten, streben nach (*dat.*); *no* ~ *a tanto* s-e Ansprüche nicht so hoch schrauben; **~torio** *adj.* Einatmungs...; Ansaug...; *movimiento m* ~ Bewegung *f* beim Einatmen.

aspirina *f* Aspirin *n*.

asque|ar I. *v/t.* anwidern, anekeln; **II.** *v/i.* Ekel empfinden; **~rosamente** *adv.* widerlich; **~rosidad** *f* Schmutz *m*, Schweinerei *f* F; **~roso** *adj.* **1.** ekelhaft, widerlich, scheußlich; **2.** unflätig, schweinisch.

asta *f* **1.** (Lanzen-)Schaft *m*; *ehm.* Lanze *f*, Speer *m*; **2.** Fahnen-stange *f*, -mast *m*; ⚓ Topp *m*; *a media* ~ halbmast (*Flagge*); **3.** *Mal.* Pinselstock *m*, -stiel *m*; **4.** Stange *f e-s Geweihs*; Horn *n des Stiers*; *fig. dejar a uno en las* ~*s del toro* j-n im Stich lassen; **5.** △ Binder *m* (*Ziegel*).

ástaco *Zo. m* Süßwasserkrebs *m*.

astado *adj.-su.* gehörnt; *m Stk.* Stier *m*.

astático *Phys. adj.* astatisch.

astenia ⚕ *f* Kraftlosigkeit *f*, Schwäche *f*, Asthenie *f* (*a. fig.*).

asténico *adj.* kraftlos, schwach; asthenisch.

aster ⚘ *m* Aster *f*.

aste|ria *f* **1.** *Min.* Sternstein *m*; **2.** *Zo.* Seestern *m*; **~risco** *Typ. m* Sternchen *n*; **~roide** *adj. c -su. m* sternförmig; *m* Asteroid *m*, Planetoid *m*.

astig|mático *Phys.*, ⚕ *adj.* astigmatisch; **~matismo** *m* Astigmatismus *m*.

astil *m* **1.** Stiel *m*; Pfeilschaft *m*; **2.** Waagebalken *m*; **3.** Federkiel *m*.

astilla *f* **1.** Splitter *m*, Span *m*; *hacer* ~*s* zersplittern (*v/t.*); kurz u. klein schlagen; (Holz) spalten; Brennholz machen; *a. v/i.* → *hacerse* ~*s* zersplittern, zerbrechen (*v/i.*); *fig. sacar* ~ *de a/c.* aus et. (*dat.*) Nutzen ziehen; *Spr. de tal palo tal* ~ der Apfel fällt nicht weit vom Stamm; **2.** □ falsche Karte *f*; Beuteanteil *m*; **~r I.** *v/t.* zersplittern; spalten; **II.** *v/r.* ~se s. spalten, springen (*Holz*); (ab)splittern; **~zo** *m* **1.** Splitterwunde *f*; **2.** Krachen *n des Holzes beim Springen.*

Astillejos *Astr. m/pl.* Zwillinge *m/pl.*

astillero[1] *m* **1.** (Schiffs-)Werft *f*; **2.** *Méj.* Holzschlag *m*; **3.** □ Falschspieler *m*.

astillero[2] *m* Lanzengestell *n*.

astilloso *adj.* splitterig, Splitter...

astra|cán *m* **1.** Astrachan *m* (*Fell u. Gewebe*); **2.** Persianer(mantel) *m*; **3.** *Thea.* → **~canada** *Thea. f* grober Witz *m*; Schmierenkomödie *f*.

astrágalo *m* **1.** ⚘ Tragant *m*; *café m de* ~ Stragelkaffee *m*; **2.** △ Säulenring *m*; **3.** *Anat.* Sprungbein *n*.

astral *adj. c* Sternen...

astreñir [3h *u.* 3l] → *astringir.*

astric|ción *f bsd.* ⚕ Zs.-ziehen *n*; **~tivo** *adj.* **1.** zs.-ziehend; **2.** verpflichtend; **~to** *part. v. astringir*; ~ *a un servicio* zu e-m Dienst verpflichtet.

astrin|gencia ⚕ *f* zs.-ziehende Eigenschaft *f*; → *astricción*; **~gente** ⚕ *adj. c -su. m* zs.-ziehend(es Mittel *n*), Adstringens *n*); **~gir** [3c] *v/t.* **1.** ⚕ zs.-ziehen; **2.** *fig.* nötigen, zwingen (zu *dat. a*).

astriñir [3h] *v/t.* → *astringir.*

astro *m* Gestirn *n*; Stern *m* (*a. fig.*), *fig.* Star *m*; ~ *rey* Sonne *f*; **~física** *f* Astrophysik *f*; **~labio** *m* Astrolabium *n*; **~logía** *f* Astrologie *f*; **~lógico** *adj.* astrologisch.

astrólogo *m* Astrologe *m*, Sterndeuter *m*.

astro|nauta *c* Astronaut *m*, (Welt-)Raumfahrer *m*; **~náutica** Raumfahrt *f*, Astronautik *f*; **~nave** *f* (Welt-)Raumschiff *n*; **~nomía** *f* Astronomie *f*, Sternkunde *f*; **~nómico** *adj.* astronomisch (*a. fig.*).

astrónomo *m* Astronom *m*.

astroso *adj.* verlottert, schlampig, schmutzig; *fig.* elend, schäbig.

astu|cia *f* List *f*, Schlauheit *f*, Verschlagenheit *f*; Arglist *f*, Tücke *f*; **~cioso** *adj.* → *astuto.*

astu|r *hist. u. lit. adj.-su. c* → *asturiano*; **~rianismo** *m* asturische Ausdrucksweise *f*, Asturianismus *m*; **~riano** *adj.-su.* asturisch; *m* Asturier *m*; **∽rias**: *Príncipe m de* ∽ *hist.* span. Kronprinz *m*.

astu|tamente *adv.* hinterlistig; **~to** schlau; verschlagen, hinterlistig.

asueto *m* Ferientag *m*; Ruhetag *m*; *bsd. día m* (*tarde f*) *de* ~ schulfreier Tag *m* (Nachmittag *m*); *dar* ~ frei geben.

asumir *v/t.* ergreifen; auf s. nehmen; übernehmen; ~ *deudas* Schulden übernehmen; ~ *la responsabilidad* die Verantwortung (⚖ die Haftung) übernehmen; ~ *grandes proporciones* große Ausmaße annehmen; *Pol.* ~ *el poder* die Macht übernehmen.

asunción *f* **1.** Übernahme *f*; ⚖ ~ *de deuda* Schuldübernahme *f*; **2.** *Rel.* ∽ Mariä Himmelfahrt *f*.

asunto *m* **1.** Angelegenheit *f*, Sache *f*; Geschäft *n*; "~" „Betreff" *in Briefen*; ~ *de honor* Ehrensache *f*; Ehrenhandel *m*; ~ *particular* Privatangelegenheit *f*; ~ *oficial*, ~ *del servicio* Dienstsache *f*, Amtsangelegenheit *f*; ~*s m/pl. de trámite* Routineangelegenheiten *f/pl.*; laufende Geschäfte *n/pl.*; ¡~ *concluido!*

Schluß damit!; eso es *otro* ~ das ist etwas ganz anderes; *no me gusta el* ~ das gefällt mir nicht, dahinter steckt etwas; *mal* ~ das ist schlecht; **2.** ⚖ Sache *f*, Verfahren *n*; ~ *civil* (*penal*) Zivil- (Straf-)sache *f*; ~ *judicial* Gerichtssache *f*; ~ *jurídico* Rechtssache *f*; **3.** *Pol. Span. Ministro m de* ♀*s Exteriores* Außenminister *m*; **4.** Stoff *m*, Gegenstand *m*; *Mal.* Vorwurf *m*, Motiv *n*, Sujet *n*; *Lit.* Thema *n*, Sujet *n*; *fig.* ~ *de meditación* Stoff *m* zum Nachdenken.

asurar I. *v/t. Speisen* anbrennen lassen; *Saat* verbrennen (*Hitze*); *fig.* sehr beunruhigen; **II.** *v/r.* ~*se* anbrennen (*Speise*); verdorren (*Saaten*).

asusta|dizo *adj.* schreckhaft, ängstlich; ~**do** *adj.* erschrocken; *Pe.* zurückgeblieben (*Kind*); ~**dor** *adj.* erschreckend; ~**r I.** *v/t.* erschrecken; ängstigen; **II.** *v/r.* ~*se* (*de, con, por*) erschrecken (vor *dat.*); s. fürchten (vor *dat.*).

atabacado *adj.* tabakfarben; *Bol.* → *empachado*.

ataba|l *m* (Kessel-)Pauke *f*; Paukenschläger *m*; ~**lear** *v/i.* stampfen (*Pferd*); mit den Fingern trommeln; ~**lero** *m* Paukenschläger *m*.

atabanado *adj.* weißgefleckt (*Pferd*).

atabernado *adj.*: *vino m* ~ Schankwein *m*.

ataca|ble *adj. c* angreifbar; ~**dera** ⚒ *f* Stopfer *m*; Pfropf *m zum Verstopfen des Bohrlochs*; ~**do** *adj.* **1.** verzagt, unentschlossen; **2.** knauserig, schäbig; ~**dor** *adj.-su. m* **1.** Angreifer *m*; **2.** Pfeifenbesteck *n*; ⊕ Stampfer *m*, Ramme *f*; **3.** ⚔ Ansetzer *m*, *ehm.* Kanonenstopfer *m*.

ataca|ma *f Pe. Art* Baumwollgewebe *n*; ~**mita** *Min. f* Atacamit *m* (*Kupfererz*).

ataca|nte *adj.-su. c bsd. Am.* Angreifer *m*; ~**r** [1g] **I.** *v/t.* **1.** angreifen (*a. fig.*); **2.** bekämpfen; ~ *el mal en su raíz* das Übel an der Wurzel packen; **3.** *fig.* befallen (*Krankheit, Schlaf*); **4.** ⚗ angreifen, anfressen; **5.** hineintreiben; *Bohrloch*, ⚔ *ehm. Kanone* stopfen; *Geschützladung* ansetzen; **6.** ♪ anstimmen; **7.** *fig.* F in Angriff nehmen, beginnen; **8.** *gal. Urteil* anfechten; **II.** *v/i.* **9.** *abs.* angreifen; **10.** *fig.* F einhauen (*tüchtig essen*).

atade|ras F *f/pl.* Strumpfbänder *n/pl.*; ~**ro** *m* **1.** Band *n*; **2.** Haken *m*, Ring *m usw. z. Festbinden*; **3.** *Méj.* Strumpfband *n*.

ata|dijo *m* unordentlich verschnürtes Päckchen *n*; ~**do I.** *adj.* verlegen, zaghaft, befangen; **II.** *m* Bündel *n*; *fig.* Tolpatsch *m*; Memme *f*, Feigling *m*; ~**dor** *adj.-su. m* Binder *m*; Garbenbinder *m*; ~**dora** *f* Binderin *f*; Garbenbinder *m* (*Maschine*); ~**dura** *f* **1.** Binden *n*; **2.** Band *n*; Bandeinfassung *f*; **3.** ⊕ (*a. Schi*) Bindung *f*; **4.** *fig.* ~*s f/pl.* Fesseln *f/pl.* (*fig.*), Gebundensein *n*.

atafagar [1h] *v/t.* betäuben, benebeln (*bsd. Geruch*); *fig.* F sehr belästigen, löchern F.

atafetanado *adj.* taftähnlich.

ataguía △ *f* Spundwand *f*; Fangdamm *m*.

ataharre *m* Schwanzriemen *m* (*Pferd*).

atahorma *Vo. f* Schlangenbussard *m*.

ataire *m* Gesims *n an Tür u. Fenster*.

ataja|caminos *m* (*pl. inv.*) *Rpl. ein Abendvogel*; *fig.* zudringlicher Mensch *m*; ~**dero** *m* Wasserverteiler *m*; ~**dizo** *m* **1.** Scheidewand *f*; **2.** abgetrennter Raum *m*; ~**dor** *m Méj.* Maultiertreiber *m*; † Kundschafter *m*; ~**primo** ♪ *m Cu. Art zapateado*; ~**r I.** *v/t.* **1.** *j-m* den Weg abschneiden (*od.* verlegen); **2.** abtrennen *durch Wand, Gitter, Damm usw.*; *Wasser* abdämmen; **3.** *Stellen in e-m Manuskript usw., die ausfallen sollen*, bezeichnen; **4.** *fig.* eindämmen, hemmen; *j-n* unterbrechen, *j-m* ins Wort fallen; *Fieber* coupieren; **II.** *v/i.* **5.** den kürzesten Weg nehmen; **III.** *v/r.* ~*se* **6.** verstummen, kleinlaut werden; **7.** *Andal.* s. betrinken.

atajo *m* Abkürzung(sweg *m*) *f*; *echar por el* ~ den kürzesten Weg nehmen (*a. fig.*); *Spr. no hay* ~ *sin trabajo etwa*: der kürzeste Weg ist nicht immer der schnellste (*a. fig.*).

atalaje *m* **1.** *bsd.* ⚔ Geschirr *n*, Bespannung *f*; **2.** *fig.* F Aussteuer *f*.

atalantar *v/i.* gefallen, zusagen.

atalaya I. *f* **1.** Wacht-, Wart-turm *m*; **2.** Aussichtsturm *m*; *fig.* Aussichtspunkt *m*; **II.** *m* **3.** Turmwächter *m*; ~**dor** *adj.-su. m* Türmer *m*; ~**r** *vt/i.* Ausschau halten (nach *dat.*), beobachten, erspähen (*v/t.*).

ataludar ⊕ *v/t.* böschen, abschrägen.

atamán *m* Kosakenhetman *m*.

atamiento *m fig.* Kleinmut *m*, Befangenheit *f*.

atanasia *f* **1.** ❀ Frauenminze *f*; **2.** *Typ.* Mittel *f*, *Schriftgrad von 14 Punkten*.

atanquía *f* **1.** Enthaarungssalbe *f*; **2.** *tex.* Flockseide *f*; Seidenwerg *n*.

atañer [2f; *nur 3. Person*]: *por lo que atañe a su padre* was s-n Vater betrifft; *esto no me atañe* das geht mich nichts an.

ataque *m* **1.** ⚔ Angriff *m*; ~ *aéreo* Luftangriff *m*; ✈ ~ *bajo* Tiefangriff *m*; ~ *de diversión* Ablenkungsangriff *m*; ~ *fingido*, ~ *simulado* Scheinangriff *m*; ~ *de flanco* Flankenangriff *m*; ~ *de (la) infantería* Infanterieangriff *m*; *expuesto a* ~*s aéreos* luftgefährdet; *dirigir* ~*s contra alg.* j-n angreifen; **2.** ⚕ *u. fig.* Anfall *m*; ~ *de fiebre* Fieberanfall *m*; ~ (*de nervios*) Nervenanfall *m*; **3.** ♪, *Phon.* Einsatz *m*; **4.** *Sp. línea f de* ~ Stürmerreihe *f*.

atar I. *v/t.* **1.** (an-, ver-, zu-, fest-) binden, schnüren; knüpfen; bündeln; ~ *a un árbol* an e-n Baum binden; ~ *de pies y manos* (*por el cuello*) an Händen u. Füßen (am Halse) binden; *ser (un) loco de* ~ total verrückt sein; *fig.* ~ *corto a alg.* j-n kurz halten; *tener atada la lengua* zum Schweigen verpflichtet sein, über et. nicht sprechen können; ~ *cabos* Daten zs.-tragen, um Schlüsse zu ziehen; Rückschlüsse ziehen, folgern, s. e-n Reim auf et. (*ac.*) machen; *atando cabos, se puede decir...* hieraus läßt sich schließen ...; *faltan (od. quedan) aún muchos cabos por* ~ da bleibt noch vieles unklar; *no ata ni desata* **a**) er redet völlig unzusammenhängend; **b**) er weiß s. keinen Rat; **c**) er hat nichts zu sagen; **2.** *fig.* hemmen, hindern; **II.** *v/r.* ~*se* **3.** verlegen werden; in Bestürzung geraten; **4.** ✈ *a.* s. anschnallen.

ataracea *f* Intarsie *f*, Einlegearbeit *f*.

ataranta|do *adj.* **1.** von der Tarantel gestochen; **2.** *fig.* unruhig, quecksilbrig; **3.** benommen; ~**r I.** *v/t.* betäuben; außer Fassung bringen; **II.** *v/r.* ~*se* in Bestürzung geraten; *Col., Chi.* → *precipitarse*; *Guat., Méj.* → *achisparse*.

ataraxia *Phil. f* Ataraxie *f*, Seelenruhe *f*.

atarazа|na *f* **1.** Arsenal *n*; **2.** Seilerwerkstatt *f*; ~**r** [1f] *v/t.* → *tarazar*.

atardecer I. [2d] *v/impers.* Abend werden; **II.** *m* Abenddämmerung *f*, Anbruch *m* der Nacht; *al* ~ gegen Abend.

atare|ado *adj.* geschäftig; vielbeschäftigt; ~**ar I.** *v/t. j-m* e-e Arbeit (auf)geben; **II.** *v/r.* ~*se* angestrengt arbeiten, schuften F, s. abrackern; ~**o** *m Cu.* → *ajetreo, trajín*.

atarjea *f* Abzugsrohr *n* (*Kanalisation*); Abzugsrinne *f*.

atarraya *f* Wurfgarn *n der Fischer*.

atarugar [1h] **I.** *v/t.* **1.** *Zim.* verpflöcken; **2.** spunden; **3.** *fig. j-m* den Mund stopfen; *j-n* mit Essen vollstopfen; **II.** *v/r.* ~*se* **4.** F s. verschlucken; *fig.* verlegen schweigen.

atasajado F *adj.* wie ein Sack auf dem Pferd liegend F.

atas|cadero *m* schlammige Wegstelle *f*; *fig.* Hindernis *n*; ~**camiento** *bsd.* ⊕ Hemmung *f*; Festfressen *n*; ⚔ Ladehemmung *f*; ~**car** [1g] **I.** *v/t.* **1.** *Ritzen* zustopfen; *Loch, Rohr usw.* verstopfen; *Schiffswand* abdichten; **2.** *fig.* hemmen, hindern; **II.** *v/r.* ~*se* **3.** s. verstopfen, verstopft sein (*Leitung*); F s. den Magen vollstopfen; **4.** *im Schlamm, beim Sprechen* steckenbleiben; s. festfahren (*a. fig.*); ⊕ e-e Hemmung haben, versagen, s. festfressen (*bewegliche Teile*); *se le atascaron las palabras* er verhaspelte sich; ~**co** *m* Hindernis *n* (*a. fig.*); Verstopfung *f* (*a. Magen*); Verkehrsstauung *f*; ⊕ Hemmung *f*; ~**coso** *adj. Méj.* nicht befahrbar (*Weg*).

ataúd *m* Sarg *m*; *poner en el* ~ einsargen.

atau|jía *f* Tauschierung *f*, Damaszierung *f*; ~**jiado** *adj.* tauschiert.

ataviar(se) [1c] *v/t.* (*v/r.*) (s.) putzen, (s.) schmücken.

atávico *adj.* atavistisch; *fig.* längst überholt.

atavío *m* Putz *m*, Schmuck *m*; Aufmachung *f*; ~*s m/pl.* Schmuck(sachen *f/pl.*) *m*.

atavismo *m* Atavismus *m*.

ataxia ⚕ *f* Ataxie *f*, Störung *f* der Bewegungskoordination.

atediante *adj. c* → *tedioso*.

ateís|mo *m* Atheismus *m*, Gottlosigkeit *f*; ~**ta** *c* Atheist *m*, Gottlose(r) *m*; ~**tico** *adj.* atheistisch.

atelaje *m bsd. Artillerie* Bespannung *f*, Gespann *n*.

atemorizar [1f] *v/t.* erschrecken, einschüchtern.

atempera|nte *adj.* *c* mäßigend; ⚕ *a.* *m* Kreislaufberuhigungsmittel *n*; **~r I.** *v/t.* **1.** mäßigen, mildern; **2.** anpassen (an *ac.* *a*); **II.** *v/r.* **~se 3.** s. anpassen (an *ac.* *a*); s. fügen (*dat.* *a*); **~se a** s. richten nach (*dat.*).

atena|cear, ~zar [1f] *v/t.* *mit Zangen* zwicken; packen; *fig.* quälen, peinigen.

atención *f* **1.** Achtsamkeit *f*, Aufmerksamkeit *f*; *¡~!* Achtung!; Vorsicht!; ⚔ *¡~! — ¡alto!* Das Ganze — Halt!; *~ sostenida, viva ~* Spannung *f*; *en ~ a* mit Rücksicht auf (*ac.*); im Hinblick auf (*ac.*); *digno de ~* beachtenswert; *falta f de ~* Unaufmerksamkeit *f*; *falto de ~* unaufmerksam; *llamar la ~* Aufmerksamkeit erregen; auffallen (j-m *a alg.*); aus dem Rahmen (*od.* aus der Rolle) fallen F; *llamar la ~ de alg. sobre a/c.* j-n auf et. (*ac.*) aufmerksam machen; j-n wegen et. (*dat.*) verwarnen (*od.* rügen); *poner (mucha) ~ en el trabajo* (sehr) sorgfältig arbeiten; *prestar ~* aufmerksam sein, aufpassen (auf *ac.* *a*); **2.** Liebenswürdigkeit *f*, Gefälligkeit *f*, Achtung *f*; *deshacerse en ~ones* überaus liebenswürdig sein; **3.** *~ones f/pl.* Verpflichtungen *f/pl.*, Aufgaben *f/pl.*; **4.** ⚔ Pferdepflege *f*.

aten|dedor *Typ.* *m* Satzkorrektor *m*; **~dencia** *f* Beachtung *f*; Pflege *f*, Betreuung *f*; **~der** [2g] **I.** *v/t.* **1.** zuhören (*dat.*), beachten (*ac.*), hören auf (*ac.*); berücksichtigen; **2.** s. kümmern um (*ac.*), betreuen, behandeln (*Arzt*); *Kunden* bedienen; *¿le atienden ya?* werden Sie schon bedient? (*im Geschäft*); **3.** ⚚ *Wechsel* einlösen; **II.** *v/i.* **4.** *~ a* berücksichtigen (*ac.*), beachten (*ac.*), hören auf (*ac.*), achten auf (*ac.*); *Geschäfte* wahrnehmen (*ac.*), *Verpflichtungen* nachkommen (*dat.*); **5.** aufpassen; *¡atienda!* passen Sie auf!, seien Sie vorsichtig!; **6.** *el perro atiende por ...* der Hund hört auf den Namen ...; **7.** *Typ.* Satzkorrektur lesen.

atendi|ble *adj.* *c* beachtlich; **~do** *part.*: *bien ~* gepflegt; *Am.* *~ que* da; angesichts dessen, daß ...

atene|ista *c* Mitglied *n* e-s *ateneo*; **~o I.** *m* *Span.* Gelehrten-, Künstler-verein *m*; **II.** *poet.* *adj.-su.* → *ateniense*.

atenerse [2l] *v/r.*: *~ a* s. halten an (*ac.*), s. richten nach (*dat.*); *~ a lo dicho* dabei bleiben; *~ a lo seguro* auf sicherem Boden bleiben; *~ a lo mejor* s. das Beste aussuchen; *(no) saber a qué ~* (nicht) wissen, woran man ist; *aténgase a las consecuencias* das haben Sie s. selbst zuzuschreiben.

ateniense *adj.-su.* *c* athenisch; *m* Athener *m*.

atenorado ♪ *adj.* Tenor...

atenta|do I. *adj.* besonnen; behutsam, vorsichtig; **II.** *m* Anschlag *m*, Attentat *n*; Delikt *n*; *~ al honor* Angriff *m* auf die Ehre; *~ contra la vida de alg.* Anschlag *m* auf j-s Leben; *~ contra las buenas costumbres* Sittenwidrigkeit *f*, Verstoß gg. die guten Sitten; *cometer un ~* e-n Anschlag (*od.* ein Attentat) verüben (auf *ac.* *contra*); **~mente** *adv.* höflich, aufmerksam; *le saluda ~* hochachtungsvoll (*Briefschluß*); **~r** [1k] *v/i.*: *~ a* s. vergreifen an (*dat.*); *fig.* verletzen (*ac.*); *~ contra (la vida de) alg.* j-m nach dem Leben trachten; **~torio** *adj.* beeinträchtigend; *~ a* gg. (*ac.*) gerichtet; *~ a la libertad de alg.* j-s Freiheit beeinträchtigend.

atento *adj.* **1.** aufmerksam, achtsam; *~ a* bedacht auf (*ac.*); *~ al menor ruido* auf das geringste Geräusch achtend; **2.** freundlich, aufmerksam (zu *dat.* *con*); **3.** ergeben (*in Briefen*); *le saluda su ~ y seguro servidor (su atto. y s.s.)* hochachtungsvoll, mit vorzüglicher Hochachtung.

atenua|ción *f* **1.** Abschwächung *f*, Milderung *f*; Verdünnung *f*; **2.** *Rhet.* Abschwächung *f*; **~do** *adj.* abgeschwächt; *Pol.*, ⚔ *zona f ~a* verdünnte Zone *f*; **~nte I.** *adj.* *c* mildernd; strafmildernd; **II.** *adj.-su.* *f* ⚖ (*circunstancia f*) *~* mildernder Umstand *m*; **~r** [1e] *v/t.* mildern, (ab)schwächen (*a. fig.*); verdünnen.

ateo *adj.-su.* atheistisch, gottlos; *m* Atheist *m*, Gottlose(r) *m*.

aterciopelado *adj.* samt-artig; -weich.

aterecerse *v/r.* → *aterirse*.

ateri|do *adj.* starr, erstarrt *vor Kälte*; **~miento** *m* Erstarren *n vor Kälte*; **~rse** [3a; *nur inf. u. part.*] vor Kälte erstarren.

atermal 🕮 *adj.* *c* kalt (*Quelle*).

atér|mano, ~mico *Phys.* *adj.* atherman, wärmeundurchlässig.

aterrada ⚓ *f* Landung *f*; Ansteuerung *f*.

aterrador *adj.* erschreckend; niederschmetternd.

aterrajar ⊕ *v/t.* *Gewinde* bohren.

aterraje ⚓, ✈ *m* Landung *f*.

aterramiento *m* **1.** Schrecken *m*, Bestürzung *f*; **2.** Verlandung *f* (*Seen, Häfen*).

aterrar[1] [1k] **I.** *v/t.* **1.** zu Boden schlagen; *Antenne* erden; *Sense u. ä.* dicht über den Boden führen; ⚒ *Schlacke* auf die Halde werfen; **2.** mit Erde bedecken; **II.** *v/i.* **3.** ⚓, ✈ landen.

aterrar[2] *v/t.* erschrecken; *fig.* niederschmettern.

aterriza|je ✈ *m* Landung *f*; *~ fácil* glatte Landung *f*; *~ forzoso* Notlandung *f*; *derechos m/pl. de ~* Landegebühren *f/pl.*; **~r** [1f] *v/i.* ✈ landen, aufsetzen; *fig.* F aufkreuzen, landen F; *~ con avería* Bruch machen; *~ forzosamente* notlanden.

aterronado *adj.* klumpig, schollig (*Erde*).

aterrorizar [1f] *v/t.* terrorisieren, in Schrecken versetzen.

atesar [1k] ⊕ *v/t.* (ver)steifen; *Am.* straffen.

atesorar *v/t.* *Geld, Schätze usw.* sammeln, anhäufen, horten (*a. fig.*); *gute Eigenschaften* in s. vereinigen.

atesta|ción *f* Zeugenaussage *f*; **~do**[1] *m* Zeugnis *n*, Attest *n*, Bescheinigung *f*; ⚖ *instruir el ~* den Tatbestand aufnehmen, den Sachverhalt feststellen.

atestado[2] *adj.* dickköpfig.

atestado[3] *adj.*: *~ (de gente)* gedrängt (*od.* gerammelt F) voll.

atestar[1] [1k] **I.** *v/t.* **1.** vollstopfen (mit *dat.* de); hinein-stecken, -stopfen (in *ac.* en); F mit Speise vollstopfen; **2.** *Most* nachfüllen; **II.** *v/r.* **~se 3.** F s. vollstopfen (*od.* vollpumpen) (mit *dat.* de).

atestar[2] ⚖ *v/t.* (be)zeugen; bescheinigen; F *ir atestando* herumschimpfen.

atestigua|ción *f*, **~miento** *m* Bezeugung *f*; **~r** [1i] *v/t.* bezeugen, bekunden, attestieren, bescheinigen.

atetar *v/t.* *Tier* säugen.

ateza|do *adj.* **1.** sonnverbrannt (*Haut*); **2.** kohlschwarz; **~r** [1f] **I.** *v/t.* **1.** *Haut* bräunen; **2.** schwärzen; **II.** *~se v/r.* **3.** braun (*bzw.* schwarz) werden.

atibar ⚒ *v/t.* *mit Erde* zuschütten.

atiborrar I. *v/t.* voll-stopfen, -pfropfen (*a. mit Essen*); **II.** *v/r.* **~se** s. vollstopfen (mit *dat.* de).

ático I. *adj.* attisch; athenisch; *fig.* *sal f ~a* attisches Salz *n*, geistreicher Witz *m*; **II.** *m* △ Attika *f*; Dachgeschoß *n*.

atierre ⚒ *m* (Ein-)Bruch *m*.

atiesar *v/t.* steifen, straffen.

atigrado *adj.* getigert.

atilda|do *adj.* herausgeputzt, adrett; **~dura** *f*, **~miento** *m* Putz *m*; Zierlichkeit *f*, Feinheit *f*; **~r** *v/t.* **1.** *Gram.* mit Tilde versehen; **2.** herausputzen; **3.** tadeln.

atina|damente *adv.* treffend; **~do** *adj.* **1.** zutreffend, richtig; **2.** klug; **~r I.** *v/t.* erraten; **II.** *v/i.* *~ a* (*od.* *con*) *et.* finden, auf *et.* (*ac.*) treffen; *~ a hacer a/c.* et. (richtig) machen können; *no atino a + inf.* es gelingt mir nicht, zu + *inf.*; *~ al blanco* das Ziel treffen; *fig.* es richtig treffen.

atinente *adj.* *c* betreffend, in Frage kommend.

atípico 🕮 *adj.* atypisch.

atipla|do *adj.*: *voz f ~a* Diskant-(stimme *f*) *m*; **~rse** *v/r.* schrill werden, umkippen (*Stimme*).

atirantar *v/t.* **1.** straffen, spannen; △ *Mauern usw.* abstützen, verstreben.

atiriciarse [1b] *v/r.* die Gelbsucht bekommen.

atis|badura *f* Lauern *n*, Aufpassen *n*; **~bar I.** *v/t.* **1.** ausspähen, belauern; **2.** erspähen; **II.** *v/r.* **~se 3.** *fig.* s. abzeichnen, sichtbar werden; **~bo** *m* Anzeichen *n*, Spur *f*.

atiza|candiles *m* (*pl. inv.*) Hetzer *m*, Schürer *m*; **~dero** *m* Schürloch *n der Schmelzöfen*; **~dor** *m* **1.** Schür-, Feuer-haken *m*; **2.** *fig.* Hetzer *m*, Ohrenbläser *m*; **~r** [1f] **I.** *v/t.* *Feuer, Haß* schüren; *Licht* putzen; *Schläge* versetzen; *¡atiza!* nanu!, so was!; was Sie nicht sagen!; **II.** *v/r.* P *~se un trago* e-n hinter die Binde gießen F.

atizonado *adj.* brandig (*Getreide*).

atlante *m* **1.** △ Trägerfigur *f*; **2.** ♀ → *Atlas*.

atlántico *adj.* **1.** atlantisch; *Typ.* *tamaño m ~* Großfolioformat *n*; *papel m ~* unbedrucktes Papier *n*; **2.** *Pol.* *Pacto m* ♀ (Nord-)Atlantikpakt *m*.

Atlas *m* **1.** *Myth., Geogr.* Atlas *m*; **2.** ♁ Atlas *m*, Atlant *m*, Kartenwerk *n*; ~ *anatómico* anatomischer Atlas *m*; ~ *elemental (lingüístico)* Schul- (Sprach-)atlas *m*; **3.** *Anat.* ♁ Atlas *m*, oberster Halswirbel *m*.

atleta *c* Athlet *m* (*a. fig.*).

atlético *adj.* athletisch, kräftig; sportlich.

atletismo *m* Athletik *f*; Turnen *n*; ~ (*ligero*) Leichtathletik *f*; ~ *pesado* Schwerathletik *f*.

atmósfera *f* **1.** Lufthülle *f*, Atmosphäre *f* (*a.* ⊕); **2.** *fig.* Stimmung *f*, Atmosphäre *f*.

atmosférico *adj.* atmosphärisch; *estado m* ~ Wetterlage *f*; *perturbaciones f/pl.* ~*as* atmosphärische Störungen *f/pl.*; *presión f* ~*a* Luftdruck *m*.

atoar ⚓ *v/t.* **1.** schleppen, bugsieren; **2.** verholen, warpen.

atocina|do F *adj.* feist; **~r** F **I.** *v/t.* **1.** abmurksen F; **II.** *v/r.* ~*se* **2.** s. sterblich verlieben; **3.** aus der Haut fahren (*fig.* F).

atocha ⚘ *f* Espartogras *n*; **~r I.** *v/t.* **1.** *mit Espartogras* füllen; (aus)polstern; **2.** ⚓ *Segel* gegen den Mast wehen; **II.** *v/r.* ~*se* **3.** ⚓ s. verklemmen.

atole *m Am. Cent., Méj., Cu.* **1.** Maisgetränk *n*; *fig.* F *Méj. dar* ~ *con el dedo a alg.* j-n betrügen; *ser un pan con* ~ dumm sein; F *Col., Cu., Guat., Méj., P. Ri. tener sangre de* ~ Fischblut (in den Adern) haben; **2.** Tanzlied *n*.

atolón *m* Atoll *n*, Koralleninsel *f*.

atolondra|damente *adv.* unbesonnen; **~do** *adj.* unvernünftig, übereilt; unvorsichtig, leichtsinnig; **~miento** *m* Betäubung *f*, Verwirrung *f*; Unbesonnenheit *f*; **~r I.** *v/t.* betäuben; *fig.* aus der Fassung bringen, verwirren; **II.** *v/r.* ~*se* benommen werden; in Verwirrung geraten.

atolla|dero *m* Pfütze *f*; *fig.* Patsche *f*; *sacar a alg. del* ~ j-n aus der Patsche ziehen; **~r** *v/i. u.* ~*se v/r.* in den Dreck fahren, s. festfahren (*a. fig.*).

atomicidad *f* Atomizität *f*, Wertigkeit *f*.

atómico *adj.* atomar, Atom...; *bomba f* ~*a* Atombombe *f*; *propulsión f* ~*a* Atomantrieb *m*; *número m* (*peso m*) ~ Atom-nummer *f* (-gewicht *n*); *pila f* ~*a* Atom-meiler *m*, -reaktor *m*.

atomis|mo *Phil. m* Atomismus *m*; **~ta** *adj.-su. c* atomistisch; *m* Atomist *m*.

atomísti|ca *f Phys.* Atomistik *f*, Atomlehre *f*; *Phil.* Atomismus *m*; **~co** *adj.* atomistisch.

atomiza|dor *m* Zerstäuber *m*, Spray *m*; Sprühgerät *n*; **~r** [1f] *v/t.* atomisieren; *fig.* zerstäuben; sprühen; radioaktiv verseuchen; *fig. e-e Frage* in allen Einzelheiten erörtern; *desp.* zerreden.

átomo *m* **1.** Atom *n* (*a. fig.*); *modelo m del* ~ Atommodell *n*; *ni un* ~ *de verdad* und von Wahrheit keine Spur!; **2.** Sonnenstäubchen *n*.

atonal ♪ *adj. c* atonal.

atonía *f* ⚕ Atonie *f*, Erschlaffung *f*; *fig.* Mangel *m* an Spannkraft.

atónico ⚕ *adj.* atonisch, schlaff.

atónito *adj.* betroffen; verblüfft, verdutzt.

átono *Li. adj.* unbetont, tonlos.

atonta|do *adj.* **1.** verdutzt; **2.** dumm; **3.** benommen; **~miento** *m* **1.** Verblüffung *f*; Betäubung *f*; **2.** Dummheit *f*; **~r I.** *v/t.* betäuben; verblüffen; dumm machen; **II.** *v/r.* ~*se* verdummen (*v/i.*), einfältig (*od.* kindisch) werden.

atora|do *adj.* verstopft; **~rse** *v/r.* s. verschlucken; steckenbleiben.

atormenta|dor *adj.-su.* peinigend; *m* Folterknecht *m*; **~r I.** *v/t.* foltern (*a. fig.*); quälen, peinigen; **II.** *v/r.* ~*se* s. quälen; *a.* s. kasteien (mit *dat. con*).

atornilla|do ⊕ *m* Verschraubung *f*; **~dor** *m Am.* Schraubenzieher *m*; **~r** *v/t.* an-, ein-, zu-schrauben; ver-, zs.-schrauben; *fig. Col., Ec., Guat., Hond., Méj.* belästigen.

atoro *m Rpl., Chi., Pe., P. Ri.* → *atasco*.

atorra|nte *adj.-su. c* Vagabund *m*, Bettler *m*; **~r** *v/i. Am. Reg.* P pennen P, schlafen; *Rpl.* herumstreunen.

atortolar F **I.** *v/t.* verwirren, einschüchtern; **II.** *v/r.* ~*se* s. verlieben, s. verknallen F.

atosiga|miento *m* Quälerei *f*; **~r** [1h] *v/t.* **1.** vergiften; **2.** *fig.* drängen, hetzen, treiben.

atóxico ⚕ *adj.* atoxisch, ungiftig.

atrabajado *adj.* abgearbeitet; *fig.* unnatürlich, gekünstelt, geschraubt (*Stil*).

atrabancarse F *v/r.* in der Klemme sein.

atrabiliario *adj.* griesgrämig, reizbar.

atraca|da *f* **1.** ⚓ Anlegen *n*; **2.** *Cu., Guat., Méj., Pe., P.Ri.* → *atracón*; **~dero** ⚓ *m* Anlegeplatz *m*, Pier *f*; **~do** *adj. Chi.* **1.** streng; **2.** knauserig; **~dor** *m* Straßenräuber *m*; **~r** [1g] **I.** *v/i.* **1.** anlegen; längsseit gehen; **II.** *v/t.* **2.** ⚓ längsseit legen; **3.** überfallen; *Rpl. Schlag* versetzen; **4.** *mit Speisen* vollstopfen; **III.** *v/r.* ~*se* **5.** s. überessen (an *dat.* de); **6.** *Rpl.* s. nähern; **7.** *Col., Cu.* s. prügeln.

atracción *f* **1.** Anziehung(skraft) *f*; ⊕ ~ *capilar* Kapillarattraktion *f*; ⚓ ~ *local* örtliche Ablenkung *f der Magnetnadel*; (*fuerza f de*) ~ *de un imán* Tragkraft *f* e-s Elektromagneten; ~ *universal* Schwerkraft *f*; **2.** *Li.* phonetische *od.* grammatische Attraktion *f*; **3.** Anziehungspunkt *m*; *fig.* Glanznummer *f*; **4.** ~*ones f/pl.* Varieté-, Kabarett-vorstellung *f*; *parque m de* ~*ones* Vergnügungspark *m*, Rummelplatz *m*.

atra|co *m* Raubüberfall *m*; **~cón** F *m* Magenüberladung *f*; *darse un* ~ *de* s. den Magen mit (*dat.*) überladen, s. überfressen an (*dat.*) F.

atrac|tivo I. *adj.* **1.** Anziehungs...; *fuerza f* ~*a* Anziehungskraft *f*; **2.** anziehend, reizvoll; charmant; **II.** *m* **3.** Anziehungsmittel *n*; **4.** Reiz *m*; Liebreiz *m*, Charme *m*; *sin* ~ reizlos; **~triz** *Phys. adj. f*: *fuerza f* ~ Anziehungskraft *f*.

atraer [2p] **I.** *v/t.* **1.** anziehen; anlocken; *fig.* für s. einnehmen; ~ *a la clientela* zugkräftig sein (*Ware*); **II.** *v/r.* ~*se* **2.** s. gg.-seitig anziehen; **3.** ~*se daño* (*reproches*) s. Schaden (Tadel) zuziehen.

atraganta|miento *m* Verschlucken *n*; **~r I.** *v/t.* **1.** ⛏ mühsam schlukken; **II.** *v/r.* ~*se* **2.** s. verschlucken (an *dat. con*); *fig.* F *le tengo atragantado* den habe ich gefressen F, der liegt mir im Magen F; **3.** *fig.* steckenbleiben; **4.** s. abrackern, schuften.

atraillar (*stammbetonte Formen*: *-í-*) *v/t. Hunde* zs.-koppeln; *Wild* mit der Meute jagen; *fig.* zu Paaren treiben, bändigen.

atramojar *v/t. Col., Guat., Ven.* → *atraillar*.

atramparse *v/r.* **1.** in die Falle gehen; **2.** s. verstopfen (*Leitung*); zuschnappen (*Schloß*); *fig.* s. festfahren.

atran|car [1g] **I.** *v/t.* verriegeln, verrammeln; verstopfen (*Leitung*); **II.** *v/i.* lange Schritte machen; **III.** *v/r.* ~*se* steckenbleiben; *fig.* s. verrennen; **~co, ~que** *m* **1.** ⊕ Verklemmung *f*; **2.** *fig.* Klemme *f*, Patsche *f* F; *no saber cómo salir del* ~ nicht mehr aus noch ein wissen.

atrapamoscas ⚘ *m* (*pl. inv.*) Venusfliegenfalle *f*.

atrapar *v/t.* fangen; F erwischen (*a. fig.*); ~ *al vuelo* (im Flug) erhaschen; **2.** *fig.* F einwickeln, drankriegen F.

atraque *m* Anlegen *n* (*Boote*).

atrás *adv.* (nach) hinten, rückwärts; vorher, früher; weiter oben *in e-m Buch*; *¡~!* zurück(treten)!; ⚔ kehrt(marsch)!; *de* ~ **a)** von hinten; **b)** seit langem; *por* ~ von hinten; F *hacia* ~ umgekehrt; *años (meses)* ~ vor Jahren (Monaten); *dejar* ~ hinter s. lassen (*a. fig.*); am Fortschritt hindern; *dar un paso* ~ e-n Schritt zurück tun; F *echar* ~ rückwärtsgehen; *fig. echarse para* ~ sein Wort zurücknehmen; *echado para* ~ stolz, hochnäsig, arrogant; *hacerse (de)* ~ zurückgehen; *no mirar (hacia)* ~ nicht zurückschauen (*a. fig.*); *volverse* ~ s. zurückwenden; *fig.* F sein Wort zurücknehmen.

atra|sado *adj.* **1.** zurückgeblieben; rückständig; *ir* ~, *estar* ~ nachgehen (*Uhr*); ~ *mental* geistig zurückgeblieben; **2.** veraltet, alt; **3.** verschuldet; rückständig, ausstehend (*Zinsen, Zahlungen*); *estar* ~ *en los pagos* mit den Zahlungen im Rückstand sein; "*cuentas* ~*as*" „Außenstände" (*Buchhaltung*); **~sar I.** *v/t.* **1.** verzögern, hemmen; am Fortschritt hindern; **2.** *Uhr* zurückstellen; **3.** aufschieben, später ansetzen; **II.** *v/i.* **4.** nachgehen (*Uhr*); **III.** *v/r.* ~*se* **5.** s. verspäten; in Rückstand kommen; **~so** *m* **1.** Zurückbleiben *n*, Verspätung *f*; **2.** Rückstand *m* (*Zahlung*); Säumniszuschlag *m*; ~*s m/pl.* Rückstände *m/pl.*; **3.** Rückgang *m* (*a. fig.*); **4.** Rückständigkeit *f*; ~ *mental* geistige Zurückgebliebenheit *f*.

atravesa|da *f* **1.** *Fechtk., Stk.* Traverse *f*; **2.** *Am.* Überquerung *f*; **~do I.** *adj.* **1.** schräg *od.* quer stehend; *fig. tener a alg.* ~ (*en la gar-*

ganta) j-n nicht ausstehen können; **2.** (leicht) schielend; *fig.* falsch, heimtückisch; **II.** *m* **3.** Bastard *m* (*Tier*); **III.** *adv.* **4.** ⚓ querschiffs; **~r** [1k] **I.** *v/t.* **1.** durch-queren, -fahren; überqueren; durchfließen; ~ *el río* über den Fluß setzen; **2.** *fig.* erleben, durchmachen; ~ *una crisis* s. in e-r Krise befinden; *por este siglo que atravesamos* in unserem Jahrhundert; *a. v/i. las circunstancias por las cuales atraviesa nuestra economía* die gg.-wärtige Lage unserer Wirtschaft; **3.** durchstecken; durchbohren; durchschlagen; durch *et.* (*ac.*) (hindurch)dringen; *fig.* ~ *el alma* (*od. el corazón*) das Herz zerreißen; **4.** quer über *et.* (*dat.*) liegen; quer über *et.* (*ac.*) legen; **5.** *Pläne* durchkreuzen, hintertreiben; **II.** *v/r.* **~se 6.** s. querstellen; in die Quere kommen; (im Halse) steckenbleiben (*Bissen, Worte*); **7.** s. einmischen; **8.** ⚓ anluven; **9.** gesetzt werden (*Geld im Spiel*).

atravieso *m Am.* Einsatz *m* (*Spiel*); *Chi.* (Berg-)Paß *m*.

atrayente *adj. c* anziehend, verlockend.

atregua|do *adj.* **1.** verrückt; **2.** Waffenruhe haltend; **3.** aufgeschoben; **~r** [1i] *v/t.* Waffenstillstand *bzw.* Aufschub gewähren (*dat.*).

atrepsia ⚕ *f* Verdauungsstörung *f* (*bsd. b. Kleinkind*).

atre|verse *v/r.* (es) wagen; s. erdreisten; **~se** *a* + *inf.* (es) wagen, zu + *inf.*; ~ *a a/c.* s. an et. (*ac.*) heranwagen; ~ *con alg.* s. an j-n heranwagen, es mit j-m aufnehmen, mit j-m anbinden; *¿cómo se atreve usted?*; wie können Sie s. unterstehen?, was unterstehen Sie sich!; **~vido** *adj.* **1.** wagemutig, kühn, verwegen; **2.** heikel, gewagt; **3.** dreist, frech; **~vimiento** *m* **1.** Verwegenheit *f*, Kühnheit *f*; Keckheit *f*; **2.** Frechheit *f*, Unverschämtheit *f*.

atribu|ción *f* **1.** Bei-, Zu-messung *f*, Zuschreibung *f*; Übertragung *f*; **2.** Befugnis *f*, Zuständigkeit *f*; Aufgaben(bereich *m*) *f/pl.*; *mst.* **~ones** *f/pl.* Vollmacht *f*; ⚖ ~ *de jurisdicción* Gerichtsstandsfestsetzung *f*; *salir de las ~ones de alg.* nicht unter j-s Zuständigkeit fallen; **~ible** *adj. c* zuschreibbar *usw.*; **~ir** [3g] **I.** *v/t.* **1.** zuschreiben, zuerkennen; beimessen; ~ *fe a* Glauben schenken (*dat.*); **2.** ~ *un cargo a alg.* j-m ein Amt übertragen; **II.** *v/r.* **~se 3.** **~se** *todos los méritos* alle Verdienste für s. in Anspruch nehmen; **4.** **~se** *el derecho de obrar así* s. das Recht anmaßen, so zu handeln; **5.** *este poema suele ~se a Homero* dieses Gedicht pflegt man Homer zuzuschreiben.

atribula|ción *f* → *tribulación*; **~damente** *adv.* voller Drangsal; **~do** *adj.* angstvoll; betrübt; tieftrauernd (*b. Todesfall*); **~r** *v/t.* ängstigen; quälen.

atribu|tivo *adj.* beilegend; *Gram.* attributiv; **~to** *m* **1.** Eigenschaft *f*; **2.** Kennzeichen *n*, Sinnbild *n*; **3.** Titel *m*; **4.** *Gram.* Attribut *n*.

atrición *kath. f* unvollkommene Reue *f*.

atril *m* (Lese-)Pult *n*; Notenständer *m*.

atrinchera|miento *m* **1.** ⚔ Verschanzung *f*; **2.** *fig.* moralischer Halt *m*; **~r** **I.** *v/t.* verschanzen, befestigen; **II.** *v/r.* **~se** s. eingraben, *a. fig.* s. verschanzen (hinter *dat. en, tras*).

atrio *m* **1.** Vorhalle *f*, Vorhof *m* (*Kirche*); Atrium *n*; **2.** Diele *f*; **3.** *Anat.* Atrium *n*.

atrito *adj.* reumütig, bußfertig.

atrocidad *f* **1.** Scheußlichkeit *f*, Greuel *m*; Gräßlichkeit *f*; *¡qué ~!* nicht möglich!; *decir ~es* die unglaublichsten Dinge sagen; **2.** F Unmenge *f*.

atrofia ⚕ *f* Atrophie *f*, (Organ-)Schwund *m*; **~do** *adj.* verkümmert (*a. fig.*); **~r** **I.** *v/t.* schwächen; **II.** *v/r.* **~se** verkümmern, absterben (*a. fig.*).

atrófico ⚕ *u. fig. adj.* atrophisch; verkümmert, schwach entwickelt.

atrompetado *adj.* trompetenförmig.

atrona|do *adj.* unbesonnen, kopflos; **~dor** *adj.* (ohren)betäubend, dröhnend; **~dura** *f* **1.** Rissigkeit *f* (*Holz*); **2.** *vet.* Verfangen *n*; **~miento** *m* **1.** Betäubung *f durch Schlag, Lärm*; **2.** *vet.* Hufzwang *m*; **~r** [1m] **I.** *v/t.* **1.** mit Lärm erfüllen; **2.** durch Lärm betäuben; *Vieh* betäuben (*vor der Schlachtung*); **3.** *Stk. Stier* durch Genickstoß töten; **II.** *v/r.* **~se 4.** eingehen (*Küken, Seidenraupen, b. Gewitter*).

atropar **I.** *v/t.* um s. scharen, (ver-)sammeln; **II.** *v/r.* **~se** s. zs.-rotten.

atrope|lladamente *adv.* hastig, überstürzt; **~llado** *adj.* überstürzt, übereilt; hastig; **~llador** *adj.-su.* rücksichtslos(er Mensch *m*); **~llamiento** *m* Überstürzung *f*; → *atropello*; **~llar** **I.** *v/t.* **1.** überfahren; umrennen; tätlich angreifen; anpöbeln; *fig.* F *j-n* überfahren (*fig.*), *j-n* rücksichtslos behandeln; **2.** ~ *todos sus deberes* alle Pflichten gröblich mißachten; **3.** überstürzen, hinhauen F; ~ *algunos años de servicio* einige Dienstjahre überspringen; **II.** *v/i.* **4.** ~ *por todo* s. über alles hinwegsetzen; **III.** *v/r.* **~se 5.** **~se** (*en las palabras*) s. (beim Reden) überstürzen; **~se** *en el obrar* übereilt handeln; **~llo** *m* **1.** Nieder-, Um-rennen *n*; Zs.-stoß *m*, Verkehrsunfall *m*; Überfahren *n* (*a. fig.* F); Gewalttätigkeit *f*; Überfall *m*; Beschimpfung *f*, Pöbelei *f*; **2.** Ungerechtigkeit *f*.

atropina ⚗ *f* Atropin *n*.

atroz *adj.* gräßlich, abscheulich, scheußlich; F ungeheuer, riesig.

attrezzo *Thea. m* Requisiten *n/pl.*

atuendo *m* **1.** Prunk *m*, Pracht *f*; **2.** (Volks-)Tracht *f*.

atu|far **I.** *v/t.* **1.** ärgern; **II.** *v/r.* **~se 2.** von Kohlendunst benommen sein; **3.** e-n schlechten Geruch annehmen; e-n Stich bekommen (*Lebensmittel, Getränke*); **4.** *fig.* F s. giften F (über *ac. de, con, por*); **~fo** F *m* Zorn *m*, Koller *m* F.

atún *Fi. m* Thunfisch *m*; *fig. pedazo m de ~* Dummkopf *m*; F *ir por ~ y a ver al duque* zwei Fliegen mit e-r Klappe schlagen wollen.

atu|nara *f* → *almadraba*; **~nera** *f* Thunfischhaken *m*; **~nero** **I.** *adj.*: *barco m ~* Thunfischerboot *n*; **II.** *m* Thunfischer *m*.

aturdi|damente *adv.* unbesonnen; **~do** *adj.* verwirrt, verblüfft; gedankenlos, kopflos; leichtfertig; **~dor** *adj.* betäubend, verwirrend; **~miento** *m* **1.** Kopflosigkeit *f*, Bestürzung *f*, Verwirrung *f*; **2.** ⚕ Schwindel(anfall) *m*; **~r** **I.** *v/t.* **1.** betäuben; über den Schädel hauen; **2.** *fig.* verblüffen, aus der Fassung bringen; **II.** *v/r.* **~se 3.** betäubt *od.* benommen werden; **4.** *fig.* (er)staunen, s. sehr wundern; **5.** *fig.* s. betäuben.

aturquesado *adj.* türkisfarben.

aturrulla|do *adj.* sprachlos; unbesonnen; **~miento** *m* Verblüfftheit *f*; Unbesonnenheit *f*; **~r** **I.** *v/t.* verwirren; einschüchtern; **II.** *v/r.* **~se** außer Fassung geraten; sprachlos sein.

atusar **I.** *v/t.* **1.** *Haar* stutzen; oberflächlich kämmen; **2.** *Bäume* beschneiden; **II.** *v/r.* **~se 3.** s. auftakeln F, s. herausputzen.

auda|cia *f* Kühnheit *f*, Verwegenheit *f*, Wagemut *m*; **~z** **I.** *adj. c* kühn, verwegen; dreist, frech; **II.** *m* Waghals *m*; Frechling *m*.

audi|ble *adj. c* hörbar; **~ción** *f* **1.** Hören *n*; Ab-, An-hören *n*; *Tel.* Verständigung *f*; ⚖ ~ *de testigos* Zeugenvernehmung *f*; **2.** Gehör (-sinn *m*) *n*; **3.** Konzert *n*, Vortrag *m usw.*; Abspielen *n*, Vorspielen *n v. Tonbändern, Platten.*

audiencia *f* **1.** ☎ Anhören *n*, Gehör *n*; **2.** Audienz *f*, Empfang *m*; ~ *privada* Privataudienz *f* (bei *dat. con*); *dar ~, conceder ~ a j-m* e-e Audienz gewähren; **3.** ⚖ Gericht(shof *m*) *n*; Gerichtssaal *m*; Gerichtsbezirk *m*; (Gerichts-)Verhandlung *f*; ~ *provincial etwa*: Landgericht *n*; ~ *territorial etwa*: Oberlandesgericht *n*.

audífono *m* Hör-gerät *n*, -rohr *n*.

audio|frecuencia *f Rf.* Tonfrequenz *f*; *Phys.* Hörfrequenz *f*; **~metría** 🕮 *f* Gehör-prüfung *f*, -messung *f*.

audiómetro *m* Audiometer *n*.

audión *Rf. m* Audion *n*.

audiovisual *adj. c* audiovisuell.

auditivo **I.** *adj.* Gehör..., Hör...; *facultad f ~a* Hörfähigkeit *f*; *Anat. conducto m ~* Gehörgang *m*; **II.** *m* ☎ Hörmuschel *f*.

audi|tor *m* **1.** ⚖ *Span.* ~ *de guerra* Militärrichter *m*; ~ *de marina* Marinerichter *m*, Richter *m*, der in seerechtlichen Angelegenheiten entscheidet; **2.** *kath.* ~ *de la nunciatura* päpstlicher Auditor *m*; ~ *de la Rota* Auditor *m* (*Richter der Rota*); **~torio** *m* **1.** Zuhörer(schaft *f*) *m/pl.*, Auditorium *n*; **2.** → **~tórium** *m* (Konzert- *usw.*) Saal *m*.

auge *m* **1.** Gipfel-, Höhe-punkt *m*; ✝ Aufschwung *m*; *en el ~ de su poder* auf dem Höhepunkt s-r Macht; *estar en ~* blühen, im Aufschwung sein; ~ *del tráfico* Verkehrszunahme *f*; **2.** *Astr.* → *apogeo*.

augu|r *hist. m* Augur *m*, römischer Wahrsager *m*; **~rar** **I.** *v/t.* voraussagen, prophezeien; bedeuten;

II. *v/i.* wahrsagen; **~rio** *m* Vorzeichen *n*, Vorbedeutung *f*, Omen *n*.
augusto *adj.* erhaben, edel, erlaucht.
aula *f* Hörsaal *m*; Klassenzimmer *n*.
aulaga ⚘ *f* Stech-, Stachel-ginster *m*.
áulico *adj.* höfisch, Hof...
aulla|dor *adj.-su.* heulend; (*mono m*) ~ Brüllaffe *m*; **~nte** *adj. c* heulend; **~r** [*stammbetonte Formen -ú-*] *v/i.* heulen.
aullido *od.* **aúllo** *m* Heulen *n*, Geheul *n*.
aumen|table *adj. c* vermehrbar; vergrößerungsfähig; **~tación** *Rhet. f* Steigerung *f*, Klimax *f*; **~tado** ♪ *adj.*: *intervalo m* ~ übermäßiges Intervall *n*; **~tador** *adj.* vergrößernd, verstärkend; **~tar I.** *v/t.* **1.** vermehren, vergrößern (*a. Opt.*); verstärken; erweitern; *Preise, Leistung, Löhne* erhöhen; steigern; *Zölle* anheben; ~ *la velocidad* die Geschwindigkeit steigern *od.* erhöhen; **2.** *fig.* übertreiben; **II.** *v/i.* **3.** s. mehren; zunehmen, wachsen; steigen (*Preise*); ~ *de precio* im Preis steigen; ~ *de volumen* an Umfang zunehmen; *los costos aumentan en un 3%* die Kosten erhöhen s. um 3%; **III.** *v/r.* ~*se* **4.** erhöht werden (*Preise usw.*); **5.** s. vergrößern, s. vermehren; **~tativo** *adj.-su.* vermehrend; *m Gram.* Vergrößerungs- *od.* Vergröberungs-form *f od.* -silbe *f od.* (*mst.*) -suffix *n*; **~to** *m* **1.** Vermehrung *f*; Vergrößerung *f* (*a. Opt.*); Erhöhung *f*; Aufschlag *m*; Zunahme *f*; Anhebung *f v. Zöllen*; ~ *de población* Bevölkerungszunahme *f*; ~ *de (la) ganancia* Mehrverdienst *m*, Gewinnsteigerung *f*; ~ *de porte* Frachtportozuschlag *m*; ~ *de precios* Preisaufschlag *m*; ~ *de sueldo* Gehaltserhöhung *f*, -aufbesserung *f*; ~ *de la presión* Druck-anstieg *m*; -steigerung *f*; ~ *de temperatura* Temperaturanstieg *m*; *telescopio m de 200* ~*s* Teleskop *n* mit zweihundertfacher Vergrößerung; *ir en* ~ zunehmen; *fig.* aufwärts gehen; (*oft* es geht aufwärts mit *dat.*; *Leistung, Geschäft*); **2.** *Gram.* Augment *n*; **3.** *Méj., Guat.* Nachschrift *f* (*Brief*).
aun, aún I. *adv.* noch, noch immer; auch; ~ *así* auch so noch; ~ *no* noch nicht; *ni* ~ nicht einmal; *veinte y* ~ *treinta* zwanzig, ja sogar dreißig; ~ *no ..., cuando* noch nicht (*od.* noch kein ..., *od.* kaum ...) ..., als; **II.** *cj.* ~ *cuando* wenn auch, obwohl; *Anm.*: *Nach den neuen Regeln von 1952 erhält aun nur noch in der Bedeutung todavía den Akzent (aún); die alte Regel behandelt aun vor dem Beziehungswort proklitisch*: *aun no lo sabe*, *nach dem Beziehungswort als betont*: *no lo sabe aún*.
aunar [*stammbetonte Formen -ú-*] **I.** *v/t.* verbinden; versammeln; (ver)ein(ig)en; **II.** *v/r.* ~*se* s. einen; s. zs.-tun (mit *dat. con*).
aunque *cj.* obschon, obgleich, obwohl, wenn auch; ~ *llueve, saldré* ich gehe aus, wenn es auch regnet (*es regnet tatsächlich*); *saldré,* ~ *llueva* wenn es auch regnet, ich gehe aus (*es regnet möglicherweise*; *od. es regnet tatsächlich, trotzdem gehe ich aus*); ~ *sea (con mucho trabajo)* wenn auch (mit viel Arbeit).
¡aúpa! F *int.* auf, auf!, hoch!; *de* ~ großartig; dufte F, prima F; gewaltig F, enorm F.
aupar [*stammbetonte Formen -ú-*] F *v/t.* auf-, hoch-heben; emporhelfen (*dat.*); *fig.* F nach oben bringen; ~*se los pantalones* s. die Hosen hochziehen.
aura[1] *f* Lufthauch *m*, Lüftchen *n*; 📖, ⚕ Aura *f*; ~ *popular* Volksgunst *f*.
aura[2] *Vo. f Am.* Aura *f* (*Geier*).
áureo *lit. adj.* golden, gülden (*poet.*); △ *sección f* ~*a* Goldener Schnitt *m*.
aureola (*a. auréola*) *f* **1.** *Theol., Ku. u. fig.* Aureole *f*, Heiligenschein *m*, Nimbus *m*; **2.** *Phys., Astr.* Aureole *f*, Lichthof *m*; **~do** *adj.* von e-m Heiligenschein umgeben; geländert (*Gefieder*); **~r** *v/t.* mit e-m Heiligenschein umgeben; *fig.* verherrlichen.
aureomicina *pharm. f* Aureomycin *n*.
aurícula *f* **1.** *Anat.* **a**) Ohrmuschel *f*; **b**) (Herz-)Vorhof *m*, Vorkammer *f*; **2.** ⚘ Aurikel *f*, Blattohr *n*.
auricular I. *adj. c* Ohren...; *Anat.* Vorkammer...; **II.** *m Tel.* **a**) Hörmuschel *f*; **b**) Hörer *m*; **c**) Kopfhörer *m*.
aurífero *adj.* goldhaltig; *veta f* ~*a* Goldader *f*.
aurificar [1g] *v/t.* → *orificar*.
aurochs *Zo. m* Auerochs *m*.
aurora *f* **1.** Morgenröte *f*; *de color de* ~ rosafarbig; **2.** *fig.* Frühzeit *f*, Anfang *m*; *la* ~ *de la vida* die Jugendzeit *f*; **3.** ~ *austral* Polar-, Süd-licht *n*; ~ *boreal* Polar-, Nordlicht *n*; **4.** *Rel.* Frühlobhymnus *m*; **5.** Mandelmilch *f* mit Zimtwasser; *Bol. Art* Chicha.
ausculta|ción ⚕ *f* Auskultation *f*, Abhorchen *n*; **~r** *v/t.* auskultieren, abhorchen; *fig.* erforschen, ergründen.
ausen|cia *f* **1.** Abwesenheit *f*; ⚖ Verschollenheit *f*; F *brillar por su* ~ durch Abwesenheit glänzen; *hacer buenas (malas)* ~*s a alg.* gut (schlecht) von j-m reden; *tener buenas (malas)* ~*s* e-n guten (schlechten) Leumund haben; **2.** Fehlen *n*, Mangel *m* (an *dat. de*); **3.** *fig.* Zerstreutheit *f*; ⚕ Bewußtseinstrübung *f*; **~tar I.** *v/t.* entfernen; **II.** *v/r.* ~*se* s. entfernen; verreisen; **~te I.** *adj. c* fehlend; abwesend; ⚖ ~ (*en ignorado paradero*) verschollen; **II.** *m* Abwesende(r) *m*; Verschollene(r) *m*; *Spr. ni* ~ *sin culpa, ni presente sin disculpa* der Abwesende hat immer Unrecht; **~tismo** *m* **1.** Reisewut *f*; **2.** → *absentismo*.
ausoles *m/pl. Am. Cent.* Erdspalten *f/pl. auf vulkanischem Gelände*.
auspi|ciar [1b] *v/t.* **1.** vorhersagen; **2.** schützen; die Schirmherrschaft übernehmen über (*ac.*); **~cio** *m* **1.** Vorzeichen *n*, Vorbedeutung *f*; *con tales* ~*s podemos empezar* wenn es so (gut) aussieht, können wir anfangen; **2.** ~*s m/pl.* Schutz *m*, Schirmherrschaft *f*; *bajo los* ~*s de* unter der Schirmherrschaft (*od.* unter den Auspizien) von (*dat.*); **~cioso** *adj.* verheißungsvoll, vielversprechend.
auste|ramente *adv.* streng; **~ridad** *f* **1.** Strenge *f*, Ernst *m*, Härte *f*; Schmucklosigkeit *f*; *Pol. programa m de* ~ Sparprogramm *n*; **2.** Kasteiung *f*; **~ro** *adj.* streng, hart, ernst; in s. gekehrt, zurückgezogen; schmucklos.
austral *adj. c* südlich; *polo m* ~ Südpol *m*.
australiano *adj.-su.* australisch; *m* Australier *m*.
austriaco *adj.-su.* österreichisch; *m* Österreicher *m*.
austro *lit. m* Südwind *m*.
austrohúngaro *hist. adj.* österreichisch-ungarisch.
autar|cía, ~quía *f* Autarkie *f*.
autárquico *adj.* autark.
auténtica *f* beglaubigte Abschrift *f*; † *Rel.* Beglaubigung *f von Reliquien u. Wundern*.
autenticación *f* Beglaubigung *f*.
auténticamente *adv.* authentisch.
autenti|car [1g] *v/t.* beglaubigen; bestätigen, bekräftigen; **~cidad** *f* Echtheit *f*, Authentizität *f*; Glaubwürdigkeit *f*; Bewährtheit *f*.
auténtico *adj.* rechtsgültig; echt, authentisch; glaubwürdig, zuverlässig.
autenti|ficar [1g] *neol.*, **~zar** [1f] † → *autenticar*.
autillo[1] *m* Spruch *m* der Inquisition.
autillo[2] *Vo. m* Ohreule *f*, Waldkauz *m*.
autismo ⚕ *m* Autismus *m*.
auto[1] *m* Auto *n*; → *automóvil, coche*.
auto[2]**...** *in Zssgn.* Auto..., Selbst...; auto..., eigen...; Auto..., Kraftfahr...
auto[3] *m* **1.** ⚖ richterliche Verfügung *f*; ~*s m/pl.* Prozeßakten *f/pl.*; ~ *de apertura*, ~ *de procesamiento* Eröffnungsbeschluß *m*; ~ *acordado* allgemeiner Gerichtsbeschluß *m aller Senate*; ~ *definitivo* Beschluß *m* **a**) *zur Einstellung des Verfahrens*; **b**) *nur über e-n strittigen Punkt*; ~ *interlocutorio* Zwischenbescheid *m*; ~ *de prisión* Haftbefehl *m*; ~ *de providencia* vorsorglicher Beschluß *m*; *el día de* ~*s* am fraglichen Tage, am Tage der Tat; *lugar m de* ~*s* Tatort *m*; *constar en (od. de)* ~*s* aktenkundig sein; *en* ~*s de juicio* in den Gerichts- (*od.* Prozeß-) akten; *estar en* ~*s* im Bilde sein; *poner en* ~*s* einweihen (in *ac. sobre*), aufklären (über *ac. acerca de*); **2.** *Lit.* Mysterienspiel *n* (*Ma.*); ~ *sacramental* eucharistisches Festspiel *n*; **3.** *Rel. hist.* ~ *de fe* Ketzergericht *n*, -verbrennung *f*, Autodafé *n*; F *hacer* ~ *de fe de a/c.* et. verbrennen.
auto|abastecimiento *m* Selbstversorgung *f*; **~acusación** *f* Selbstanklage *f*; **~adhesivo** *adj.* selbstklebend; **~ayuda** *f* Selbsthilfe *f*; **~barredera** *f* Straßenkehrmaschine *f*; **~biografía** *f* Autobiografie *f*; **~biográfico** *adj.* autobiographisch; **~biógrafo** *m* Autobiograph *m*; **~bombo** F *m* Selbstlob *n*, Eigenreklame *f*; **~bús** *m* (Stadt-)Bus *m*; **~-cama**: *servicio m de* ~ Autoreisezug *m*; **~camión** *m* Last(kraft)wagen *m*, Laster *m*, Lkw *m*; **~car** *m*

Reise-, Überland-bus *m*; ✈ Zubringerbus *m*; **~cargador** ⊕ *m* Selbstlader *m*; **~carril** 🚂 *m* Draisine *f*; **~céfalo** *adj.* autokephal, unabhängig (*bsd. orthodoxe Nationalkirchen u. fig.*); **~clave** ⊕ *m* Autoklav *m*, Dampf(druck)topf *m*; **~cocedor** *m* Kochkiste *f*; **~conservación** *f* Selbsterhaltung *f*; **~copia** *f* Vervielfältigung *f*; Abzug *m*; **~cracia** *f* Autokratie *f*, unumschränkte Herrschaft *f*.
autócrata *c* Autokrat *m*.
auto|crático *adj.* autokratisch, selbstherrlich; **~crítica** *f* Selbstkritik *f* (üben *hacer*); **~crítico** *adj.* selbstkritisch.
autocrómico *Typ. adj.*: *impresión f ~a* Autochromdruck *m*.
autóctono I. *adj.* autochthon, bodenständig; **II.** *m* Ureinwohner *m*.
autode|fensa *f* Selbstverteidigung *f*; **~nuncia** ⚖ *f* Selbstanzeige *f*; **~terminación** *f* Selbstbestimmung *f* (*Phil., Psych., Pol.*); *derecho m de ~* Selbstbestimmungsrecht *n*.
autodi|dáctica *f* Selbstunterricht *m*; **~dáctico** *adj.* autodidaktisch; **~dacto** *adj.-su.*, **~dacta** *c* Autodidakt *m*; *adj.* autodidaktisch.
auto|dinámico *adj.* autodynamisch, selbstwirkend; **~disparador** *Phot. m* Selbstauslöser *m*; **~dominio** *m* Selbstbeherrschung *f*.
autódromo *m* Autorennbahn *f*.
auto|educación *f* Selbsterziehung *f*; **~encendido** *mot. m* Selbstzündung *f*; **~estopista** → *auto-stopista*; **~fecundación** ⚘ *f* Selbstbefruchtung *f*; **~financiación** *f* Selbstfinanzierung *f*; **~fónico** *adj.*: *disco m ~* selbstbesprochene Platte *f*.
autógeno *adj.* autogen; ⊕ *soldadura f ~a* autogenes Schweißen *n*.
autogiro ✈ *m* Tragschrauber *m*.
autogra|bado *Typ. m* → *huecograbado*; **~fía** *f* Steindruck *m*; Steindruckerei *f*; **~fiar** *v/t.* im Steindruckverfahren abziehen.
autográfico *adj.* Steindruck...; *tinta f ~a* Autographentinte *f*.
autógrafo I. *adj.* **1.** eigenhändig geschrieben; *carta f ~a* Handschreiben *n*; **II.** *m* **2.** Urschrift *f*, Originalhandschrift *f*; **3.** Autogramm *n*; **4.** *Typ.* Umdruckpresse *f*.
auto|hipnosis *f* Auto-, Selbst-hypnose *f*; **~infección** *f* Selbstansteckung *f*; **~inflamación** *f* Selbstentzündung *f*; **~intoxicación** *f* Selbstvergiftung *f*; **~lesión** *f* Selbstverstümmelung *f*.
auto-licuador *m* Entsafter *m*.
autolisis ⚕ *f* Autolyse *f*.
autómata *m* Automat *m* (*a. fig.*); *fig.* willenloses Werkzeug *n*.
automáti|ca *f* **1.** Musik-, Juke-box *f*; **2.** Selbstladepistole *f*; **~co I.** *adj.* automatisch, mechanisch (*a. fig.*), selbsttätig; **II.** *adj.-su. m* (*botón m*) *~* Druckknopf *m*; **III.** *m* elektrischer Türöffner *m*.
automa|tismo *m* **1.** Automatie *f*, Automatismus *m* (*a.* ⚕); **2.** *bsd.* ⊕ Selbsttätigkeit *f*; Automatik *f*; **3.** *Psych.* willenlose Handlung *f*, Triebhandlung *f*; **~tizar** [1f] *v/t.* automatisieren; **~tización** *f* Automatisierung *f*, Automation *f*.
automo|tor I. *adj.* s. selbst bewegend, ⊕ mit eigenem Antrieb; **II.** *m* 🚂 Triebwagen *m*; **~triz** *adj. f* → *automotor*.
automóvil I. *adj.* *c* s. selbst bewegend, selbstfahrend; **II.** Kraftfahrzeug *n*; *i. e. S.* (Kraft-)Wagen *m*, Auto *n bzw.* Personen(kraft)wagen *m*, Pkw *m* (*in Span. dafür mst.* → *coche*, *in Am.* → *carro*); *~ de carreras* (*de deporte*) Renn-(Sport-) wagen *m*; *industria f del ~* Auto-(mobil)industrie *f*.
automovi|lismo *m* Auto-, Kraftfahr-sport *m*; **~lista** *c* Kraft-, Autofahrer *m*; **~lístico** *adj.* Auto(mobil)-..., Kraftwagen..., Kraftfahr...
auto|nomía *f* **1.** Autonomie *f*, Eigengesetzlichkeit *f*, Selbständigkeit *f* (*a. Phil.*); **2.** *Pol.* Autonomie *f*; *~ administrativa* Selbstverwaltung *f*; **3.** ✈ *~ de vuelo* Flug(reich)weite *f*; **~nómico** *adj.* → *autónomo*; **~nomista** *Pol. c* Autonomist *m*.
autónomo *adj.* selbständig, *a. Phil.*, ⚕, *Zoll* autonom.
auto|piloto ✈ *m* Autopilot *m*, automatische Steuerung *f*; **~pista** *f* Autobahn *f*; *~ (en régimen) de peaje* gebührenpflichtige Autobahn *f*; **~plastia** ⚕ *f* Autoplastik *f*.
autopropulsión *f* Selbstantrieb *m*.
autopsia *f* **1.** ⚕ Autopsie *f*, Sektion *f*, Obduktion *f*; **2.** *Phil.* Autopsie *f*.
auto|r *m* **1.** Täter *m* (*a.* ⚖); Urheber *m*; *~ moral* Anstifter *m*; **2.** Verfasser *m*; Schriftsteller *m*, Autor *m*; *derechos m/pl. de ~* Urheberrechte *n/pl.*; *Thea.* Tantiemen *f/pl.*; *sociedad f de ~es* Schriftstellerverband *m*; **3.** Erfinder *m*, Entdecker *m*; **~ría** *f* **1.** ⚖ Täterschaft *f*; **2.** *Lit. ehm.* Amt *n* e-s Theaterdirektors, *der a. Dichter der Stücke war.*
autori|dad *f* **1.** Ansehen *n*, Autorität *f*; Macht(befugnis) *f*, (Amts-) Gewalt *f*; *hablar con ~* ein gewichtiges Wort (*od.* ein Machtwort) sprechen; *tener plena ~ sobre alg.* alles über j-n vermögen; *no tener ~ sobre alg.* bei j-m nichts ausrichten können; **2.** (*a. ~es f/pl.*) Behörde *f*; Obrigkeit *f*; *las ~es constituidas* die bestehende Obrigkeit *f*; *Alta 2* Hohe Behörde *f* (*Montanunion*); *~ administrativa* (*local*) Verwaltungs- (Orts-)behörde *f*; **3.** Autorität *f*, angesehene (*od.* kompetente) Persönlichkeit *f*; *ser una ~ en ...* e-e Autorität in ... (*dat.*) sein; **~tario** *adj.* autoritär, selbstherrlich, herrisch; **~tarismo** *m* autoritäres System *n*, autoritäres Prinzip *n*; **~tativo** *adj.* autoritativ, maßgeblich, Autoritäts...
autoriza|ción *f* **1.** Bevollmächtigung *f*, Ermächtigung *f*; Genehmigung *f*; **2.** Berechtigung *f*; **3.** Beglaubigung *f*, Beurkundung *f*; **~damente** *adv.* mit Fug u. Recht; **~do** *adj.* **1.** ermächtigt, befugt (zu *dat. od. inf. para*); zuständig (für *ac. para*); (*no*) *~ para firmar* (*para recibir*) (nicht) unterschrifts- (empfangs-)berechtigt; **2.** angesehen, glaubwürdig; **~nte** *adj.-su. c* beglaubigend; **~r** [1f] *v/t.* **1.** bevollmächtigen, ermächtigen (zu + *inf. od.* + *dat. para*); **2.** genehmigen, gutheißen; **3.** berechtigen (zu + *inf. od.* + *dat. para*); *~se con* s. berufen auf (*ac.*); **4.** beglaubigen; belegen (mit *dat. con*); **5.** *fig.* heben, *j-m* Ansehen geben.
auto|rradio *f* Autoradio *n*; **~rregadora** *f* (Straßen-)Sprengwagen *m*; **~rregistrador** *adj.-su.* selbstregistrierend; **~rretrato** *m* Selbstbildnis *n*; **~rriel** *m* Schienenbus *m*.
auto|sacrificio *m* Selbstaufopferung *f*; **~satisfacción** *f* Selbstzufriedenheit *f*; **~servicio** *m* Selbstbedienung *f*; (*tienda f de*) *~* Selbstbedienungsladen *m*; **~-stop** *m* Autostop *m*; *viajar por ~* per Anhalter reisen; **~-stopista** Autostopper *m*; **~suficiencia** *f* Selbstgenügsamkeit *f*; ☤, *Pol.* Autarkie *f*; **~sugestión** *f* Autosuggestion *f*; **~templante** ⊕ *adj. c* selbsthärtend (*Stahl*); **~tipia** *Typ. f* Autotypie *f*; **~vía** 🚂 *m* Triebwagen *m*; Schienenbus *m*.
autumnal *adj. c* herbstlich, Herbst-...
auxili|ador *adj.-su.* helfend; *m* Helfer *m*; **~ar I.** *adj.-su. c* **1.** helfend, Hilfs...; *verbo m ~* Hilfszeitwort *n*; *profesor m ~* Hilfslehrer *m*, Assistent *m*, Vertreter *m e-s Lehrers, Professors*; **II.** *m* **2.** Gehilfe *m*, Hilfsbeamte(r) *m*; *b. Behörden etwa*: Sekretär *m*, Angestellte(r) *m*; **3.** *Vkw.* Zubringerweg *m*; **III.** *v/t.* **4.** *j-m* helfen, *j-m* beistehen; *Sterbendem* geistlichen Beistand leisten; **~o** *m* Hilfe *f*, Beistand *m*; Unterstützung *f*; *~ en carretera etwa*: Straßenwacht *f*; *Span. 2 Social* Pflichtdienst *m* für junge Mädchen; *¡~!* (zu) Hilfe!; *acudir en ~ de j-m* zu Hilfe eilen; *pedir ~* um Hilfe bitten; um Hilfe rufen; *prestar ~ a j-m* helfen, *j-m* beispringen; *recibir los ~s espirituales* die Sterbesakramente empfangen.
auyama ⚘ *f* *Col., C. Ri., Cu., S. Dgo., Ven.* Kürbis *m*.
avadar *v/i. u. ~se v/r.* durchwatbar werden.
avahar I. *v/i.* dampfen; **II.** *v/t. Kchk.* dämpfen.
aval *m* **1.** ☤ Wechselbürgschaft *f*; Avalakzept *n*; *allg.* Garantieschein *m*; (*crédito m de*) *~* Avalkredit *m*; **2.** *fig.* Bürgschaft *f*, Garantie *f*.
avalancha *gal. f* Lawine *f* (*a. fig.*).
avalar I. *v/t.* **1.** ☤ *~ una letra* Wechselbürgschaft leisten; **2.** *allg.* bürgen für (*ac.*), garantieren für (*ac.*); unterstützen; **II.** *v/i.* **3.** Wechselbürgschaft übernehmen.
avalen|t(on)ado *adj.* säbelrasselnd, großsprecherisch, bramarbasierend; **~tonarse** → *envalentonarse*.
avalista ☤ *c* Wechselbürge *m*.
ava|lorar *v/t.* Wert verleihen (*dat.*); *fig.* ermutigen; **~luar** [1e] *v/t.* bewerten, taxieren; **~lúo** *m* Bewertung *f*, Schätzung *f*.
avance *m* **1.** Vorrücken *n*; Vormarsch *m*; Fortschritt *m*; **2.** ⊕ Vorschub *m*; *mot. ~ del encendido, ~ de la ignición* Früh-, Vor-zündung *f*; *~ de la chispa* Zündverstellung *f*; **3.** ☤ Vorschuß *m*; **4.** ☤ (Zwischen-) Bilanz *f*; **5.** ☤ Voranschlag *m*; *Pol. ~ de presupuesto* Haushaltsvoranschlag *m*; **6.** *Film* Vorschau *f*; *Typ.*

~s *m/pl.* Vorabdruck *m*; *TV, Veranstaltungen*: ~ *de programas* Programmvorschau *f*.
¡avante! ⚓ *int.* vorwärts!; *¡~ media (a toda) máquina!* halbe (volle) Fahrt voraus!
avantrén ⚔ *m* Protze *f*; *desenganchar el* ~ abprotzen.
avanza|da *f* **1.** ⚔ Vorhut *f*; ~*s f/pl.* (*de combate*) (Gefechts-)Vorposten *m/pl.*; **2.** Vorlage *f beim Schifahren*; **~do** *adj.* **1.** vorgeschritten (*Alter, Krankheit, Vorgang*); ⚔ vorgeschoben; **2.** fortschrittlich, entwickelt; **~r** [1f] **I.** *v/i.* vorrücken (*a.* ⚔); vorwärts-gehen; -kommen; *fig.* fortschreiten; ~ (*od.* ~*se*) *a* (*od. hacia, hasta, sobre*) *un punto* auf e-n Punkt zugehen, gegen (*od.* in Richtung auf) e-n Punkt vorrücken; *a medida que avanzaba el tiempo perdía la esperanza* mit (dem Vorrücken) der Zeit verlor er die Hoffnung; **II.** *v/t. gal. Geld* vorschießen; ⊕ vorschieben; ⚒ *Stollen* vortreiben; F *Méj.* stehlen.
ava|ricia *f* Habsucht *f*; Geiz *m*; Geldgier *f*; **~ricioso** *adj.* geizig; habgierig, habsüchtig; **~riento, ~ro I.** *adj.* habsüchtig; geizig, knauserig, schäbig; *fig. ser* ~ *de a/c.* mit et. (*dat.*) geizen; **II.** *m* Geizhals *m*, Geizkragen *m* F, Knauser *m* F.
avasalla|dor *adj.-su.* überwältigend; **~miento** *m* Unterwerfung *f*; **~r** *v/t.* unterwerfen, unterjochen, knechten; *fig.* überwältigen.
avatares *m/pl.* Wechselfälle *m/pl.* (des Schicksals).
ave *f* Vogel *m*; ~*s f/pl.* (*de corral*) (Haus-)Geflügel *n*; ~ *acuática* Wasservogel *m*; ~*s de caza* Federwild *n*; ~ *fría* **a)** Kiebitz *m*; **b)** *fig.* verächtlicher *od.* geistig träger Mensch *m*; *fig.* ~ *de mal agüero* Unglücksrabe *m*; ~ *migratoria*, ~ *de paso* Zugvogel *m* (*a. fig.*); *fig. Arg.* ~ *negra* Advokat *m*, Rechtsverdreher *m*; ~ *nocturna* Nachtvogel *m* (*a. fig.*); ~ *del paraíso* Paradiesvogel *m*; ~ *de rapiña*, ~ *rapaz*, ~ *de presa* Raubvogel *m*; ~ *de San Martín* Blaufalke *m*; ~ *tonta*, ~ *zonza* Rohr-ammer *f*, -spatz *m*; *fig.* Einfaltspinsel *m*; ~ *toro* Rohrdommel *f*; *fig. ser un* ~ gerissen (*od.* schlau) sein.
avecilla *f* Vöglein *n*; ~ *de las nieves* → *aguzanieves*.
avecin|arse *v/r.* **1.** s. nähern; **2.** → *avecindarse*; **~dado** *adj.* ansässig; eingesessen; **~damiento** *m* Einbürgerung *f*; **~dar I.** *v/t.* einbürgern, das Bürgerrecht erteilen (*dat.*); **II.** *v/r.* ~*se* s. ansiedeln, s-n Wohnsitz nehmen.
avechucho *m a. fig.* häßlicher Vogel *m*.
avefría *f* → *ave fría*.
avejentar I. *v/t.* vor der Zeit alt machen; **II.** *v/r.* ~*se* vor der Zeit altern.
avejigarse [1h] *v/r.* Blasen werfen *od.* bilden.
avella|na *f* Haselnuß *f*; ~ *de la India*, ~ *índica* Myrobalane *f* (*Gerbstoff*); **~nado I.** *adj.* **1.** haselnußfarben; **2.** faltig, runzlig; **II.** *m* **3.** ⊕ Versenken *n v. Schraubenköpfen usw.*; **~nador** ⊕ *m* Versenkbohrer *m*, Senker *m*; **~nal, ~nar**[1] *m* Haselgebüsch *n*; **~nar**[2] **I.** *v/t.* ⊕ *Niet* versenken; ausbohren; **II.** *v/r.* ~*se fig.* zs.-schrumpfen; runzlig werden; **~nedo** → *avellanar*[1]; **~no** ♀ *m* Hasel(strauch *m*) *f*.
avemaría *Rel. f* Avemaria *n*, Englischer Gruß *m*; Abendläuten *n*; *al* ~ beim Dunkelwerden; *fig.* F *en un* ~ im Nu.
¡Ave María (Purísima)! *int.* Ach, du lieber Gott! (*Erstaunen, Entsetzen*); Grüß Gott! *b. Eintritt ins Haus*.
avena *f* **1.** ♀ Hafer *m*; ~ *loca* Flughafer *m*; ~ *mondada* (*molida*) Hafergraupen (-flocken) *f/pl.*; *harina f* (*od. flor f*) *de* ~ Hafermehl *n*; *papilla f de* ~ Hafer-grütze *f*, -brei *m*; **2.** *poet.* Hirtenflöte *f*.
avenado *adj.* närrisch, verrückt.
avenal *m* Haferfeld *n*.
avena|miento *m* Entwässerung *f*, Dränage *f* (*Land*); **~r** *v/t.* entwässern, dränieren.
avenencia[1] *f* Übereinkunft *f*; Vergleich *m*; Einverständnis *n*, Eintracht *f*.
avenencia[2] ⚒ *f* → *venencia*.
avenible *adj. c* verträglich.
avenida *f* **1.** Allee *f*; Prachtstraße *f*; **2.** Zustrom *m*; Hochwasser *n*; Überschwemmung *f*; **3.** Zufahrt *f*; *bsd.* ⚔ ~*s f/pl.* Zugang(smöglichkeiten *f/pl.*) *m*.
aveni|do *adj.*: *bien* ~ einig; zufrieden (mit *dat. con*); *mal* ~ uneinig; unzufrieden (mit *dat. con*); *matrimonio m mal* ~ unharmonische Ehe *f*; **~miento** *m* Einigwerden *n*, Zs.-kommen *n*; **~r** [3s] **I.** *v/t.* **1.** einigen, versöhnen; **II.** *v/r.* ~*se* **2.** s. vertragen; s. einig sein (*bzw.* werden), s. einigen (über *ac. en*; mit *dat. con*); **3.** ~*se* (*a*) s. anpassen (an *ac.*); s. abfinden (mit *dat.*); s. bequemen (zu + *dat. od.* + *inf.*); ~*se a razones* s. et. sagen lassen, vernünftig sein; **4.** (*no*) ~*se con* (nicht) passen zu (*dat.*), (nicht) übereinstimmen mit (*dat.*) (*Äußerungen, Benehmen usw.*).
aventado|r *adj.-su. m* **1.** ↗ Worfschaufel *f*; **2.** ⊕ Windsichter *m*; **3.** Wedel *m*, Fächer *m*; **~ra** ↗ *adj.-su. f* (*máquina f*) ~ Windfege *f*.
aventaja|damente *adv.* vorteilhaft; **~do** *adj.* **1.** vorzüglich, tüchtig; *alumno m* ~ begabter Schüler *m*; *de estatura* ~*a* hochgewachsen, stattlich; **2.** bevorzugt; † mit erhöhtem Sold (*Soldat*); **~miento** *m* → *ventaja*; **~r I.** *v/t.* **1.** übertreffen, überragen (an *dat. en*); ~ *a todos en* es allen zuvortun an (*od.* in *dat.*); **2.** vorziehen (*ac.*), den Vorzug geben (*dat.*); **II.** *v/r.* ~*se* **3.** s. hervortun.
aventa|miento *m* Worfeln *n*; **~r** [1k] **I.** *v/t.* **1.** Luft zuführen (*dat.*); *Getreide, Erz* worfeln; *Feuer* anfachen; fortwehen (*Wind*); F an die Luft setzen; **2.** *Méj. Schlag* versetzen; **3.** *Cu. Zucker* der Einwirkung v. Luft u. Sonne aussetzen; **4.** *Am.* → *hinchar*; **II.** *v/r.* ~*se* **5.** s. aufblähen; **6.** *fig.* F s. davonmachen, abhauen F.
aventu|ra *f* Abenteuer *n*; Erlebnis *n*, zufällige Begebenheit *f*; Wagnis *n*; ~ *amorosa* Liebesabenteuer *n*; *ir* (*od. salir*) *en busca de* ~*s* auf Abenteuer ausziehen; *embarcarse en* ~*s* s. auf Abenteuer einlassen; **~rar I.** *v/t.* wagen, aufs Spiel setzen; ~ *una conjetura* e-e Vermutung wagen (*bzw.* hinwerfen); **II.** *v/r.* ~*se* s. vorwagen; ~*se a salir* s. hinauswagen; **~rero I.** *adj.* **1.** abenteuerlich; **2.** ↗ *Cu., Méj., S.Dgo.* außerhalb der üblichen Saatzeit angebaut; **II.** *m* **3.** Abenteurer *m*, Glücksritter *m*; **4.** *Méj.* Mietstreiber *m*.
avergonza|do *adj.* beschämt; verschämt, schamhaft; **~r** [1n *u.* 1f] **I.** *v/t.* **1.** beschämen; **II.** *v/r.* ~*se* **2.** s. schämen (zu + *inf. de* + *inf.*); ~*se por su comportamiento* s. s-s Verhaltens schämen; **3.** erröten.
avería[1] *f* Geflügel(haus) *n*.
avería[2] *f* **1.** ⚓ Havarie *f*, Haverei *f*; ~ *gruesa*, ~ *común* große Haverei *f*; ~ *simple*, ~ *particular* besondere Haverei *f*; *liquidación f* (*od. reparto m*) *de* ~*s* Dispache *f*; *comisario m de* ~*s* Dispacheur *m*; **2.** Beschädigung *f*, Schaden *m*; *bsd. mot.* Panne *f*; ⊕ Störung *f*; ⚡ Bruch *m*; *tener una* ~ e-e Panne haben; *sufrir* ~*s* Schaden leiden; *Tel. llamar a* ~*s* die Störungstelle anrufen.
averia|do *adj.* beschädigt, schadhaft; ramponiert F; F *estar* ~ e-n Knacks weghaben, kränkeln; **~r** [1c] **I.** *v/t.* beschädigen, Schaden verursachen an (*dat.*); **II.** *v/r.* ~*se* ⚓ Havarie leiden, havarieren; verderben (*Ware*); *allg.* beschädigt werden.
averigua|ble *adj. c* erforschbar; nach-, über-prüfbar; **~ción** *f* Erforschung *f*, Nachforschung *f*, Ermittlung *f*, Untersuchung *f*; ~ *de daños y perjuicios* Schadensfeststellung *f* (†, ⚓, *Versicherung*); **~dor** *adj.-su.* ergründend; **~miento** *m* → *averiguación*; **~r** [1i] **I.** *v/t.* untersuchen; ermitteln, ausfindig machen, in Erfahrung bringen; ergründen, auf den Grund gehen (*dat.*); F *¡averígüelo Vargas!* das mag der liebe Himmel wissen!; **II.** *v/i. Am. Cent.* → *porfiar, discutir*.
averío *koll. m* Vögel *m/pl.*
averno *lit. m* Hölle *f*.
averrugado *adj.* warzig.
aversión *f* Abneigung *f*, Widerwille *m* (gegen *ac. a, por, hacia*); Scheu *f* (vor *dat. a*); *cobrar* ~ *a* nicht mehr leiden können (*ac*).
avestruz *Vo. m* (*pl.* ~*uces*) Strauß *m*; ~ *de América* Nandu *m*; *fig. táctica f del* ~ Vogelstraußpolitik *f*.
avetoro *m* → *ave toro*.
aveza|do † *adj.*: ~ *a* gewöhnt an (*ac.*); **~r(se)** *v/t.* (*v/r.*): ~ *a* (s.) gewöhnen an (*ac.*); ~*se al ambiente* s. in s-e Umgebung einleben.
avia|ción *f* Luftfahrt *f*; Luftfahrttechnik *f*; Flugwesen *n*; ~ *civil*, ~ *comercial* zivile (*od.* Verkehrs-) Luftfahrt *f*; ~ (*militar*) Luftwaffe *f*; *escuela f de* ~ Fliegerschule *f*; *servicio m de* ~ Flugwetterdienst *m*; **~dor**[1] *m* Flieger *m*; ~ *civil* Verkehrsflieger *m*; ⚔ ~ *de caza* (*de combate*) Jagd- (Kampf-)flieger *m*.
avia|dor[2] *m* **1.** ⚓ Vor-, Schiffsbohrer *m*; **2.** *Am.* **a)** Bergunter-

nehmer *m*; **b)** Geldverleiher *m*; **3.** *Cu.* → *sodomita*; **~dora** *f Am.* Dirne *f*; **~r** [1c] **I.** *v/t.* herrichten, fertigmachen; *für die Reise* vorbereiten; mit dem Nötigen versehen; ausstatten (mit *dat.* de); F herausputzen, -staffieren F; F *¡estamos aviados!* da sitzen wir schön in der Patsche!; **II.** *v/r.* *~se* s. fertigmachen; s. beeilen; F *aviárselas* → *manejarse.*
aviario *adj.*, **avícola** *adj. c* Geflügel...; *granja f ~* Geflügelfarm *f.*
avicul|tor *m* Geflügel-; Vogel-züchter *m*; **~tura** *f* Geflügel-; Vogelzucht *f.*
ávidamente *adv.* gierig.
avidez *f* Gier *f*; *~ de lucro* Gewinnsucht *f.*
ávido *adj.* gierig; gefräßig; *~ de* gierig auf (*ac.*); *~ de gloria* ruhmsüchtig; *~ de saber* wissenshungrig; *~ de sangre* blutdürstig.
aviejar I. *v/t.* alt machen; **II.** *v/r.* *~se* vor der Zeit altern; *fig.* altmodisch werden.
aviento *m* Worfel *f*; Strohgabel *f.*
avieso *adj.* **1.** verkehrt; schief, krumm; **2.** boshaft; ungeraten; verdreht F.
avifauna *f* Vogelwelt *f.*
avi|lantarse *v/r.* übermütig (*od.* frech) werden; **~llanado** *adj.* bäurisch, grob; niederträchtig.
avinagra|do *adj.* (essig)sauer; *fig.* mürrisch; **~r I.** *v/t. fig.* verbittern; **II.** *v/r.* *~se* sauer werden; *fig.* bitter werden.
avío *m* **1.** Ausrüstung *f*; Mundvorrat *m* (*Hirten usw.*); **2.** *Am.* Darlehen *n an Arbeiter in Geld od. Naturalien*; **3.** Werkzeug *n*, Sachen *f/pl.*; *~s de afeitar* (*de coser*) Rasier-(Näh-)zeug *n*; *¡al ~!* ans Werk!; F *hacer su ~* s-n Kram erledigen F.
avión[1] *m Vo.* Mauersegler *m*; *fig.* Leichtfuß *m.*
avión[2] *m* Flugzeug *n*; *~ de ala alta* (*de ala baja*) Hoch- (Tief-)decker *m*; *~ anfibio* (*comercial*) Amphibien-(Verkehrs-)flugzeug *n*; *~ de carga* (*de combate*) Fracht- (Kampf-)flugzeug *n*; *~ cisterna* (*cohete*) Tank-(Raketen-)flugzeug *n*; *~ de enseñanza*, *~-escuela* Schulflugzeug *n*; *~ de exploración*, *~ de reconocimiento* Aufklärungsflugzeug *n*, Aufklärer *m*; *~ de hélice* (*de observación*) Propeller- (Beobachtungs-)flugzeug *n*; *~ de* (*od. a*) *reacción* (*Am. a chorro*) Düsenflugzeug *n*; *~ de remolque* Luftschlepp *m*; *~ torpedo* Torpedoflugzeug *n*; *~ de transporte* Transportflugzeug *n*; ✉ *por ~* mit Luftpost.
avioneta *f* Klein-, Sport-flugzeug *n.*
avisa|damente *adv.* klug; **~do** *adj.* schlau; behutsam; *mal ~* übel beraten, unklug; leichtfertig; **~dor I.** *adj.* **1.** anzeigend, warnend, mahnend; **II.** *m* **2.** Botengänger *m*, Laufbursche *m*; **3.** ⊕ Meldeanlage *f*; *~ de incendios* Feuermelder *m*; **~r** *v/t.* **1.** benachrichtigen (*a. abs.*) *Arzt, Elektriker usw.* rufen; warnen; *j-m* Bescheid sagen (*od.* geben); *Taxi, Bett* bestellen; *~ a alg. a/c.* (*od. que*) j-n auf et. (*ac.*) (*od.* darauf) aufmerksam machen (‚daß); **2.** anmelden, anzeigen, ankündigen; ✝ *~ con quince días de anticipación* vierzehntägig kündigen (*dat.*); **3.** *Am.* inserieren.
aviso *m* **1.** Benachrichtigung *f*, Nachricht *f*, Bekanntmachung *f*; Bescheid *m*; Anzeige *f*, Meldung *f*; → *a.* 2; ✝ *~ de adeudo* (*de abono*) Gut-(Last-)schriftanzeige *f*; *dar ~ a j-n* benachrichtigen; *salvo ~ en contrario* Widerruf vorbehalten; **2.** Wink *m*, Fingerzeig *m*; Warnung *f*; *previo ~* auf Abruf; entsprechende Benachrichtigung erfolgt noch; *adv. sin previo ~* ohne Vorwarnung, unangemeldet, mir nichts dir nichts F; *estar sobre ~* auf der Hut sein; *poner sobre ~* warnen; *servir de ~* e-e Lehre sein; **3.** ⚓ Aviso *m*, Tender *m*; **4.** *Stk.* Ankündigung *f über e-e längere Dauer des Kampfes*; **5.** *Am. Reg.* Zeitungsanzeige *f*; **6.** Kündigung *f.*
avis|pa *f* Wespe *f*; **~pado** *adj.* geweckt, schlau; **~par I.** *v/t. Pferd* antreiben; *fig.* munter machen, *j-m* Beine machen F; **II.** *v/r.* *~se* munter werden; s. beunruhigen; **~pero** *m* **1.** Wespennest *n* (*a. fig.*); Wespenschwarm *m*; *fig. meterse en un ~* in ein Wespennest greifen (*od.* stechen); **2.** ⚕ Karbunkel *m*; **~pón** *m* Hornisse *f.*
avistar I. *v/t.* von weitem erblicken, sichten; **II.** *v/r.* *~se* → *entrevistarse.*
avitelado *adj.* pergamentartig.
avituallar *v/t.* verpflegen, verproviantieren.
aviva|do *adj. fig.* gerieben; **~dor I.** *adj.* **1.** belebend, aufmunternd; **II.** *m* **2.** ⊕ Falzhobel *m*; **3.** ⊕ Falz *m*; **~miento** *m* Belebung *f*; **~r I.** *v/t.* beleben, *Feuer u. fig.* anfachen; *fig.* anfeuern, beleben, ermuntern; *~ la luz* das Licht heller brennen lassen; *~ el ojo* scharf hinsehen (*od.* aufpassen); *~ el paso* schneller gehen; **II.** *v/r.* *~se* s. beleben; in Kraft u. Saft kommen (*Pfl.*); ausschlüpfen (*Seidenraupen*); aufflackern (*Licht, Flamme*); F *Am.* aufwachen.
avizo|r *adj.*: *estar ojo ~* auf der Hut sein; **~rar** F *vt/i.* (aus)spähen, (be-)lauern.
avocar [1g] ⚖ *v/t.* vor e-e höhere Instanz ziehen.
avugo ♀ *m* Holzbirne *f.*
avul|sión ⚕ *f* Exstirpation *f*; **~sivo** *Phon. m* Schnalzlaut *m.*
avutarda *Vo. f* Trappe *f*; *~ menor* Zwergtrappe *f.*
axi(a)l *adj. c* Achs(en)..., axial.
axila *f* **1.** *Anat.* Achsel(höhle) *f*; **2.** ♀ Achsel *f*; **~r** *adj. c* **1.** *Anat.* axillar, Achsel...; **2.** ♀ achsel-, winkel-ständig.
axiología *Phil. f* Wertlehre *f.*
axioma *m* Axiom *n.*
axis *Anat. m* (*pl. inv.*) **1.** Achse *f*; **2.** zweiter Halswirbel *m*, Dreher *m.*
axolote *Zo. m* → *ajolote.*
¡ay! *int.* ach!, oh!, au!; *¡~ de mí!* weh' mir!, ich Unglücklicher!; *¡~ del que los engañe!* weh' dem, der sie betrügt!; *¡~ Dios mío!* ach mein Gott!; *¡~ (madre mía,) qué dolor!* (o Gott,) tut das weh!
ay *m* (*mst. ~es m/pl.*) Wehklagen *n*; *con ~es y gemidos* mit Weh u. Ach.
aya *f* Kinderfrau *f*; Erzieherin *f.*
ayate *m Méj.* Agavengespinst *n.*
ayear F *v/i. Reg.* jammern, ächzen, stöhnen.
ayer I. *adv.* gestern; *~ noche* gestern abend; *antes de ~* vorgestern; *de ~* gestrig; *de ~ acá*, *de ~ a hoy* seit kurzem; erst gestern; *fig.* über Nacht; *lo que va de ~ a hoy etwa*: die Zeiten ändern s., es ist alles anders geworden; **II.** *m* Gestern *n.*
ayo *m* Erzieher *m*, Hauslehrer *m.*
ayote ♀ *m Am. Cent., Méj.* → *calabaza.*
ayuda I. *f* **1.** Hilfe *f*; *fig.* Gunst *f*; Unterstützung *f*; *~ de costa* Kostenbeitrag *m*; *~ de vecino* fremde Hilfe *f*; *Jgdw. perro m de ~* Fänger *m*, Fanghund *m*; *con ~ de* mit Hilfe (*gen. od.* von *dat.*); **2.** ⚕ Einlauf *m*; **3.** ⚓ Hilfs-, Sicherungs-tau *n*, -gerät *n*; **II.** *m* **4.** Gehilfe *m*; *~ de cámara* Kammerdiener *m*; **~nte** *m* (*f a. ~a*) **1.** Helfer *m*, Gehilfe *m*; Hilfslehrer *m*; *~ (de cátedra) etwa*: wissenschaftlicher Assistent *m* mit Lehrauftrag; *~ de laboratorio* Laborant *m*; *~ de montes* Forstgehilfe *m*; *~ de obras públicas* Wegebau-techniker *m*, -inspektor *m*; **2.** ⚔ Adjutant *m*; *~ de campo (del regimiento, ~ mayor)* Flügel- (Regiments-)adjutant *m*; **~ntía** *f* Adjutanten-stelle *f*; -zimmer *n*; **~r I.** *v/t. j-m* helfen, *j-n* unterstützen; *~ a llevar* tragen helfen; *¿le ayudo?* darf ich Ihnen helfen? (*a. in den Mantel helfen*); *~ a alg. a salir de un apuro* j-m aus e-r schwierigen Lage helfen; *~ a misa* ministrieren; *~ en la fuga j-m* zur Flucht verhelfen, *j-m* bei der Flucht helfen; *Rel. ~ a bien morir j-m* in der Todesstunde beistehen; **II.** *v/r.* *~se* s. helfen; s. zu helfen wissen.
ayuga ♀ *f* → *mirabel.*
ayu|nador *m* Faste(nde)r *m*; *~ (de profesión)* Hungerkünstler *m*; **~nar** *v/i.* fasten, nüchtern bleiben; *fig.* enthaltsam leben; *Rel. ~ la cuaresma* die Fasten halten; **~nas** *adv.*: *en ~* nüchtern, auf nüchternen Magen; *fig. quedarse* (*od. estar*) *en ~* **a)** nichts verstanden haben; **b)** leer ausgehen; **~no I.** *adj.* nüchtern; *fig. estar ~ de* von (*dat.*) k-e Ahnung haben; **II.** *m* Fasten *n*; *Rel. día m de ~* Fasttag *m.*
ayuntamiento *m* **1.** Versammlung *f*, Vereinigung *f*; *~ carnal* Beischlaf *m*; **2.** Rathaus *n*; **3.** Gemeinde-, Stadt-rat *m*, Magistrat *m.*
ayus|tar ⚓ *v/t.* spleißen; **~te** ⚓ *m* Spleiß *m.*
azabache *m* **1.** *Min.* Jett *m*, Gagat *m*; *fig. de ~* tiefschwarz; **2.** *Vo.* Gagatvogel *m.*
azacán *m* Wasserträger *m*; *fig. andar hecho un ~* wie ein Lasttier arbeiten.
aza|da *f* Hacke *f*, Haue *f*; **~dilla** *f* Jäthacke *f*, Haue *f*; **~dón** *m* (Weinbergs-)Hacke *f*; Klaubhacke *f*; **~donar** *v/t.* umhacken.
azafa|ta *f* **1.** *ehm.* Kammerfrau *f der Königin*; **2.** ✈ Stewardess *f*; **~te** *m* flaches Körbchen *n*; Tablett *n.*
aza|frán *m* **1.** ♀ Safran *m*, Krokus *m*; **2.** Safranfarbe *f*; **3.** ⚓ Ruderblatt *n*; **~franado** *adj.* safrangelb; *Reg., Am.* rothaarig; **~franal** *m*

Safranfeld *n*; **~franar** *v/t.* mit Safran färben *bzw.* würzen.
azahar *m* Orangenblüte *f*; *agua f de* ~ Orangenblütenwasser *n*; *flor f de* ~ Orangenblüten *f/pl.* (*Hochzeitsschmuck*).
azalea ⚘ *f* Azalee *f*.
azanca ⚒ *f* unterirdische Quelle *f*.
azanoria P *f* → *zanahoria*.
azar *m* **1.** Zufall *m*; *adv. al* ~ aufs Geratewohl, blindlings; *adv. por* ~ zufällig; *juego m de* ~ Glücksspiel *n*; **2.** Schicksalsschlag *m*; **3.** Unglückskarte *f*, -würfel *m b. Spiel.*
azararse *v/r.* **1.** schiefgehen; **2.** erschrecken, außer Fassung geraten; **3.** *Méj., Cu., Col.* erröten.
azarbe *m* Auffangrinne *f* (*Bewässerung*); **~ta** *f* Nebenrinne *f*.
azarcón *m* **1.** *Mal.* feuerrote Farbe *f*; **2.** Mennig *m*, Bleiasche *f*.
azaroso *adj.* gefährlich; unsicher, waghalsig.
ázimo *adj.*: *pan m* ~ ungesäuertes Brot *n*.
azimut *m* → *acimut*.
aznacho ⚘ *m* Rotkiefer *f*.
azoa|do *adj.* stickstoffhaltig, Stickstoff...; **~r** *v/t.* mit Stickstoff behandeln; **~to** *m* Nitrat *n*.
azocar [1g] *v/t.* **1.** ⚓ *Knoten usw.* fest anziehen; **2.** *Cu.* (zer)pressen.
ázoe *m* Stickstoff *m*.
azoga|do *adj.* quecksilberhaltig; *fig.* zappelig; *temblar como un* ~ zittern wie Espenlaub; **~miento** *m* **1.** Quecksilbervergiftung *f*; **2.** Unruhe *f*, Quecksilbrigkeit *f*; **~r**[1] [1h] **I.** *v/t. Spiegel* versilbern; **II.** *v/r.* ~*se* s. e-e Quecksilbervergitung zuziehen; *fig.* zappeln; überängstlich sein.
azogar[2] [1h] *v/t. Kalk* löschen.
azogue[1] *m* Quecksilber *n* (*a. fig.*); *fig.* Zappelphilipp *m*, Quirl *m*.
azogue[2] ⚒ *m* Marktplatz *m*.
azoico[1] ⚗ *adj.*: *colorante m* ~ Azofarbstoff *m*.
azoico[2] *Geol. m* Azoikum *n*.
azor *Vo. m* Hühnerhabicht *m*.
azora|da *f Col.* → **~miento** *m* Schrecken *m*; Verdutztheit *f*; Benommenheit *f*; *Thea.* F Lampenfieber *n*; **~r I.** *v/t.* **1.** erschrecken, verwirren; **2.** aufreizen; **II.** *v/r.* ~*se* **3.** in Aufregung geraten; *estar azorado* sehr aufgeregt sein; *Thea.*, F Lampenfieber haben.
azoro *m Andal., Méj., Pe., P Ri.* → *azoramiento*; *Am. Cent.* → *duende*.
azorra|do *adj.* **1.** fuchsähnlich; **2.** berauscht; schlaftrunken; **3.** P **~a** *f* vernuttet P; **~miento** *m* Schwere *f* im Kopf; **~rse** *v/r.* schlaftrunken sein, benommen sein.
azo|tacalles F *m* (*pl. inv.*) Pflastertreter *m*, Bummler *m*; **~tado I.** *adj.* **1.** bunt(scheckig); *Chi.* gestreift; **II.** *m* **2.** Ausgepeitschte(r) *m* (*Sträfling*); **3.** Geißelbruder *m*, Flagellant *m*; **~tador** *m* Auspeitscher *m*; **~taina** F *f* Tracht *f* Prügel; **~tar** *v/t.* auspeitschen, geißeln; schlagen; *fig.* peitschen (*Wind usw.*); verwüsten, heimsuchen; *fig.* ~ *el aire* s. vergeblich bemühen; **~tazo** *m* Peitschenhieb *m*; F Klaps *m* auf den Hintern F; **~te** *m* **1.** Peitsche *f*, Geißel *f*; Peitschenhieb *m*; Klaps *m* auf den Hintern; ~*s m/pl.* Prügelstrafe *f*; *dar* ~*s a* verprügeln (*ac.*), versohlen (*ac.*); F ~*s y galeras* gleichmäßig schlechtes Essen *n*, ewiger Schlangenfraß *m* P; *no salir de* ~*s y galeras* nicht vorwärtskommen, auf k-n grünen Zweig kommen; **2.** *fig.* Geißel *f*, Fluch *m*.
azotea *f* flaches Dach *n*; (Dach-)Terrasse *f*; Terrassengeschoß *n*; ~ (*jardín*) Dachgarten *m*; F *está mal de la* ~ er ist nicht richtig im Oberstübchen F, er hat e-n Sparren F.
azotina F *f* → *azotaina*.
azteca *adj.-su. c* aztekisch; *m* Azteke *m*.
azúcar *m* (*a. f*) Zucker *m*; ~*es m/pl.* ✝ Zuckersorten *f/pl.*; 🕮 Zuckerarten *f/pl.*; ~ (*en*) *bruto* Rohzucker *m*; ~ *y canela* Zucker u. Zimt *m*; *fig.* weiß-rotbraun gescheckt (*Pferd*); ~ *de caña* Rohrzucker *m*; ~ *cortadillo*, ~ *cuadradillo*, ~ *en terrones* Würfelzucker *m*; ~ *cristalizado* Kristallzucker *m*; ~ *de flor*, ~ *superior* feinste Raffinade *f*; ~ (*de*) *florete*, ~ *pilé* Feinzucker *m*, gestoßener Zucker; ~ *de lustre* Staub-, Puder-zucker *m*; ~ *de malta* Malzzucker *m*; ~ *molido* Streu-, Stampfzucker *m*; ~ *moreno* brauner Zucker *m*; Farinzucker *m*; ~ *de palmera* Palmzucker *m*; ~ (*de*) *pilón* Hutzucker *m*; ⚗ ~ *de plomo*, ~ *de Saturno* Bleiacetat *n*; ~ *de remolacha* Rübenzucker *m*; ~ *en polvo* Staubzucker *m*; ~ *refinado* Raffinade *f*; ⚕ ~ *sanguíneo* Blutzucker *m*; *baño m de* ~ Zucker-kruste *f*, -guß *m*; *pan m de* ~ Zuckerhut *m*.
azuca|rado *adj.* gezuckert, süß; *fig.* (zucker)süß; **~rador** *m* Zuckergußspritze *f*; **~rar I.** *v/t.* (über)zuckern; kandieren; *fig.* ver-süßen, -zukkern; **II.** *v/r.* ~*se* verzuckern (*v/i.*); **~rera** *f* **1.** Zuckerfabrik *f*; **2.** Zuckerstreuer *m*; **~rería** *f Cu., Méj.* Zuckerladen *m*; **~rero I.** *adj.* **1.** Zucker...; *industria f* **~a** Zuckerindustrie *f*; **II.** *m* **2.** Zuckerdose *f*; **3.** *Am.* Zuckermühlenbesitzer *m*; *Cu., Méj., Pe.* Meister *m in e-r Zuckermühle*; **4.** *Vo. kl. tropischer Klettervogel* **~rillo** *m* Schaumzucker (-stange *f*) *m*.
azucena ⚘ *f* Lilie *f*; ~ *de Buenos Aires Art* bunte Amaryllis *f*; ~ *silvestre* Türkenbund *m*, Goldwurz *f*.
azu|d *m* **1.** Flußwehr *n*; **2.** → **~da** *f vom Fluß angetriebenes* Schöpfrad *n*.
azuela *f* Zimmermannsdechsel *f*; Krummhaue *f*.
azufaifa ⚘ *f* Brustbeere *f*.
azufra|do I. *adj.* Schwefel...; schwefelgelb; **II.** *m* (Aus-)Schwefeln *n*; **~dor** *m* **1.** ⚘ Schwefler *m*; **2.** Schwefelkasten *m*; **~r** *v/t. bsd. Reben* schwefeln.
azufre *m* Schwefel *m*; *flor f de* ~ Schwefelblüte *f*; **~ra** *f* Schwefelgrube *f*; **~ro** *adj.* Schwefel...
azu|l I. *adj. c* **1.** blau; ~ *de acero* stahlblau; ~ *celeste* himmelblau, azur(e)n; ~ *claro* (*marino*) hell- (marine-)blau; ~ *mate* (*turquí*) matt- (türkis-)blau; ~ *de ultramar*, ~ *ultramarino* ultramarinblau; *fig. sangre f* ~ blaues Blut *n*; *Vkw. zona f* ~ Kurzparkzone *f*; **II.** *m* **2.** Blau *n*; ~ (*de*) *cobalto* Kobaltblau *n*; ~ *de Berlín*, ~ *de Prusia* Preußischblau *n*; **3.** *Min.* ~ *de montaña* natürliches Kupfercarbonat *n*; **~lado** *adj.* bläulich; blau angelaufen; *gris* (*verde*) ~ blau-grau (-grün); **~lar** *v/t.* bläuen, blau färben; **~lear** *v/i.* blau (getönt) sein; ins Blaue spielen.
azule|jar *v/t.* kacheln; **~jero** *m* Kachel-macher *m*; -leger *m*; **~jo**[1] *m* (Wand-)Kachel *f*, Fliese *f*.
azulejo[2] **I.** *adj.* **1.** *Am.* bläulich; **II.** *m* **2.** *Vo.* Bienenfresser *m*; **3.** ⚘ *Art.* kl Kornblume *f*; **4.** *Am.* „Bläuling" *m*: *versch. Pfl., Vögel, Fische.*
azu|lete *m* **1.** bläulicher Glanz *m*; **2.** Waschblau *n*; **~lino** *adj.* bläulich; **~lona** *Vo. f* gr. Antillentaube *f*; **~loso** P *adj. Am.* bläulich.
azumagrarse *v/r. Chi.* rosten; *Ec.* faulen (*Holz*).
azum|brado F *adj.* betrunken, bedudelt F; **~bre** *m Flüssigkeitsmaß*: 2,016 l.
azuquita *f Arg., Chi., P Ri. dim. v. azúcar*; F *Am. estar de* ~ glücklich u. zufrieden sein.
azu|r ▨ *u. poet.* **I.** *adj. c* blau, azurn; **II.** *m* Azur *m*; **~rita** *Min. f* Azurit *m*, blauer Malachit *m*.
azu|zador *adj.-su.* Hetzer *m*, Scharfmacher *m*; **~zar** [1f] *v/t. Hunde u. fig.* hetzen; *fig.* antreiben; *fig.* frozzeln F, reizen; **~zón** F *m* Necker *m*, Spötter *m*, Frozzler *m*; Spaßmacher *m*.

B

B, b[1] (= *be*) *f* B, b *n* (*Buchstabe*); *zur Unterscheidung von v auch als b*(e) *larga, b*(e) *alta, b*(e) *de Barcelona,* P ~ *de burro bezeichnet; be por be od. ce por be* haarklein, haargenau; F *tener las tres bes* gut (*bueno*), hübsch (*bonito*) u. billig (*barato*) sein.
b[2] ♪ *f* b *n.*
baba *f* **1.** Geifer *m*; Schleim *m v. Tieren, Pfl.*; *echar* ~*s* geifern; F *caérsele a uno la* ~ mit offenem Mund gaffen; s. vergaffen (*od.* vernarrt sein) (in *ac. con*); **2.** *Zo. Col., Ven. Art* Kaiman *m*; ~**dor** *m* → *babero*; ~**za** *f* **1.** dicker Schleim *m,* Geifer *m*; **2.** *Zo.* Weg-, Nacktschnecke *f.*
babear *v/i.* geifern; F (um e-e Frau) herumscharwenzeln.
ba|bel *fig. f* Wirrwarr *m,* Durcheinander *n*; Sprachverwirrung *f*; ~**bélico** *adj. fig.* wirr.
babe|o *m* Geifern *n*; ~**ra** *f* **1.** *ehm.* Kinnstück *n e-r Rüstung*; **2.** → ~**ro** *m* (Kinder-)Lätzchen *n.*
Babia *f*: *estar en* ~ geistesabwesend sein.
Babieca *m Name des Pferdes des Cid*; F ♀ *c* Simpel *m,* Einfaltspinsel *m.*
babi|lonia *fig. f* → *babel*; ~**lónico** *adj.* babylonisch; *fig.* üppig; verderbt; wirr; ~**lonio** *adj.-su.* babylonisch; *m* Babylonier *m.*
bable *m asturische Mundart.*
babor ⚓ *m* Backbord *n*; *¡a* ~ *todo!* hart Backbord!
babo|sa *f* **1.** *Zo.* **a**) Nacktschnecke *f*; **b**) Schleimfisch *m*; **2.** *Stk.* kl. harmloser Stier *m*; **3.** ↗ Malvasierrebe *f*; ⚘ Brackendistel *f*; **4.** *vet. Cu.* Leberseuche *f des Rindviehs*; *deren* Erreger *m*; ~**sear I.** *v/t.* **1.** begeifern; **2.** *Am.* betrügen; **II.** *v/i.* **3.** geifern; **4.** Süßholz raspeln; vernarrt sein (in *ac. con*); **5.** *Méj.* Dummheiten machen; ~**seo** *m* Geifern *n*; *fig.* Beschwatzen *n,* Hofieren *n*; ~**so I.** *adj.* **1.** geifernd; **2.** F *Am. Mer.* dämlich; schlapp **II.** *m* **3.** F Schmuser *m*; F Grünschnabel *m,* Rotznase *f* F.
babucha *f* **1.** Pantoffel *m*; *Méj.* Segeltuchschuh *m*; F *Arg. ir a* ~ huckepack getragen werden; **2.** *Am.* ~*s f/pl.* Kinderpumphöschen *n.*
babuino *gal. Zo. m* Pavian *m.*
babujal *m Cu.* Dämon *m.*
baby *engl. m* **1.** Baby *n*; **2.** Kittel *m a. für Kinder*; Kleiderschürze *f.*
baca[1] *f* Dach *n,* Verdeck *n der Postwagen od. Autobusse*; Plane *f*; Gepäckträger *m auf dem Autodach.*
baca[2] P *Angl. Am.*: *dar* ~ Gegendampf geben (*Maschinisten*).
bacalao *m* Kabeljau *m*; ~ *pequeño* Dorsch *m* (*Handelsname*); ~ *seco* (*al aire*) Stockfisch *m*; *fig.* F *cortar el* ~ den Ton angeben, die erste Geige spielen.
bacán *m* **1.** *Cu. Art* Maispastete *f*; **2.** P *Arg., Bol.* Geliebte(r) *m*; **3.** *Arg., Col.* Betuchte(r) *m.*
bacan|al *m* Bacchanal *n*; *fig.* wüstes Gelage *n,* Orgie *f*; ~*es m/pl.* Bacchanalien *pl.,* Bacchusfest *n*; ~**te** *f* Bacchantin *f*; *fig.* betrunkenes *od.* zügelloses Weib *n.*
bacará *m* Bakkarat *n* (*Glücksspiel*).
bacera *vet. f* Milzbrand *m.*
baceta *Kart. f* Kaufkarten *f/pl.,* Stock *m.*
bacía *f* Napf *m*; Barbierbecken *n.*
báciga *Kart. f* Dreiblatt *n.*
baci|lar *adj. c* **1.** ⚒ grob gefibert (*Erz*); **2.** ⚕ Bazillen...; *disentería f* ~ Bazillen-, Bakterien-ruhr *f*; ~**liforme** *adj. c* stäbchen-, bazillenförmig; ~**lo** *m* Bazillus *m*; *portador m de* ~*s* Bazillenträger *m.*
bacín *m* **1.** Nachtgeschirr *n*; → *bacineta*; → *bacía*; **2.** P Scheißkerl *m* P.
baci|neta *f* kl. Becken *n*; Almosenschale *f*; ~**nete** *m* **1.** *hist.* Sturmhaube *f*; Sturmhaubenträger *m*; **2.** *Anat.* Becken *n*; ~**nica,** ~**nilla** *f* Almosenschale *f*; flaches Nachtgeschirr *n,* Pfanne *f.*
Baco *Myth. m* Bacchus *m*; *fig.* Wein *m.*
bacón *Angl. m* (Frühstücks-)Speck *m.*
baconi|ano *Phil. adj.* baconisch; ~**(ani)smo** *m* Baconismus *m,* phil. Lehre *f* Francis Bacons.
bacteri|a *f* Bakterium *n, a.* Bakterie *f*; ~**al** *adj. c,* ~**ano** *adj.* bakteriell, Bakterien...; *cultivo m* ~ Bakterienkultur *f*; ~**cida** *adj. c -su. m* Bakterizid *n.*
bactérico *adj.* → *bacteriano.*
bacteri|emia ⚕ *f* Bakteriämie *f*; ~**ófago** *adj.-su.* bakteriophag; ~**ología** *f* Bakteriologie *f*; ~**ológico** *adj.* bakteriologisch; ~**ólogo** *m* Bakteriologe *m.*
báculo *m lit.* Stab *m,* Stütze *f* (*a. fig.*); ~ (*pastoral*) Hirten-, Bischofsstab *m.*
bache *m* **1.** Schlagloch *n* (*Straße*); Wagenrinne *f,* Radspur *f*; ✈ ~ (*de aire*) Luftloch *n,* Fallbö *f*; **2.** *fig.* Schwierigkeit *f,* Tiefpunkt *m*; ~**ado** *adj.* mit vielen Schlaglöchern (*Straße*).
bachi|cha *m* **1.** F *Méj.* Zigarrenstummel *m*; **2.** F *desp. Rpl., Chi.* → ~**che** *c Ec., Pe.* Italiener *m.*
bachille|r I. *m* Abiturient *m*; ~ (*en artes*) Bakkalaureus *m*; *certificado m* (*od. título m*) *de* ~ → *bachillerato*; **II.** *adj.-su. m* F Schwätzer *m*; ~*a f* Schwätzerin *f*; Blaustrumpf *m*; ~**rarse** *v/r.* die Reifeprüfung machen; ~**rato** *m* Reifeprüfung *f,* Abitur *n*; Bakkalaureat *n*; ~**rear I.** *v/i.* F in den Tag hinein schwatzen, klugreden; **II.** *v/t. Méj. j-n* häufig mit dem Doktortitel anreden; ~**ría** *f* Geschwätzigkeit *f*; leeres Gerede *n,* dummes Zeug *n,* Unsinn *m.*
bada|jada *f* Klöppelschlag *m*; *fig.* Ungereimtheit *f,* leeres Gerede *n*; ~**jear** F *v/i.* Unsinn reden, quasseln F; ~**jo** *m* Glockenschwengel *m,* Klöppel *m*; *fig.* F alberner Schwätzer *m.*
badán *m* Rumpf *m e-s Tieres.*
badana *f* gegerbtes Schafleder *n*; *media* ~ Halbfranzband *m* (*Einband*); *fig.* F *zurrar a uno la* ~ j-m das Fell gerben; j-m ordentlich Bescheid sagen (*od.* stoßen F).
badea *f* **1.** minderwertige Melone *f od.* Gurke *f*; *fig.* gehaltloses Zeug *n*; F *Col. más simple que una* ~ strohdumm; **2.** *fig.* Faulpelz *m,* Waschlappen *m* F.
badén *m* natürliche Regenrinne *f*; *Vkw.* Querrinne *f*; Abzugskanal *m unter der Straße.*
baderna ⚓ *f* Serving *f.*
badi|án ⚘ *m* Sternmagnolie *f,* Badian *m*; ~**ana** ⚘ *f* **1.** → *badián*; **2.** Sternanis *m.*
badi|l *m* Feuerschaufel *f*; ~**la** *f* → *badil*; *fig.* F *dar a alg. con la* ~ *en los nudillos* j-m auf die Finger klopfen, j-m e-n Dämpfer aufsetzen F; *darse con la* ~ *en los nudillos* s. ins eigene Fleisch schneiden; ~**lazo** *m* Schlag *m* mit der Feuerschaufel; ~**lejo** *m* Maurerkelle *f.*
badomía *f* Unsinn *m,* Dummheit *f.*
badulaque *m* Einfaltspinsel *m*; Stümper *m*; *Chi.* Schuft *m,* Lügner *m.*
baga *f* Samenkapsel *f des Flachses.*
bagaje *m* **1.** *gal.* Gepäck *n*; *fig.* ~ (*intelectual*) geistiges Rüstzeug *n*; **2.** ⚔ (*oft* ~*s m/pl.*) Troß *m*; Train *m.*
bagatela *f* **1.** Kleinigkeit *f,* Lappalie *f*; **2.** *Chi., Pe.* Tischbillard *n.*
bagazo *m* leere Samenkapsel *f des Leins*; Preßrückstände *m/pl.,* Trester *m*; Bagasse *f* (*Zuckerrohr*); ~ *de aguardiente* Schlempe *f.*
bagre *m Am.* Bagrewels *m*; *fig. Bol., Col., Chi., Ec.* widerlicher Kerl *m*; Vogelscheuche *f* (*fig.*).

bagual *Rpl., Bol.* **I.** *adj. c* unbändig, wild (*bsd. Reittier, Rindvieh*); **II.** *m* Strolch *m*, Flegel *m*. [*her.*]

baguarí *Vo. m* Maguari *m, am. Rei-*

¡bah! *int.* bah!, pah!, ach was!

bahía *f* Bucht *f*, Bai *f*.

bahorrina *f* Unrat *m*, Schweinerei *f*; *fig.* Gesindel *n*.

baila|ble I. *adj. c* tanzbar; *música f* ~ Tanzmusik *f*; **II.** *m* ♪, *Thea.* Tanz *m*; Tanzstück *n*, Ballett *n*; Tanzschlager *m*; Tanzplatte *f*; **~dero** *m* Tanz-platz *m*, -boden *m*; **~dor I.** *adj.* tanzend; tanzlustig; **II.** *m*, **~a** *f* Tänzer(in *f*) *m*; ⊕ **~a** (*para pequeñas circunferencias*) Null(en)-zirkel *m*; **~r I.** *v/i.* **1.** tanzen; s. drehen (*Kreisel*); tänzeln (*Pferd*); *fig.* ~ *en la cuerda floja* lavieren, es mit k-r Seite verderben wollen, e-n Eiertanz aufführen F; *fig. iron. otro que bien* (*od. tal*) *baila* auch so einer!, noch einer vom gleichen Kaliber; *fig.* ~ *con la más fea* (*od. negra*) in den sauren Apfel beißen; *al son que me tocan bailo* ich hänge mein Mäntelchen nach dem Wind; **2.** ⊕ Spiel haben; **3.** *fig.* s. innerlich erregen; **II.** *v/t.* **4.** *Tanz* tanzen; (*hacer*) ~ *Kreisel* laufen lassen; *fig.* ~ *el agua a uno* j-m um den Bart gehen; **5.** P klauen F, stibitzen; **~rín** *adj.-su. m* Tänzer *m*; Balletttänzer *m*; Eintänzer *m*; (*primer*) ~ Solotänzer *m*; **~rina** *adj.-su. f* Tänzerin *f*; *primera* ~ Primaballerina *f*.

baile[1] *m* **1.** Tanzen *n*, Tanzkunst *f*, Tanz *m*; *Thea.*, ♪ Ballett *n*; ~ *popular* Volkstanz *m*; ~ *de sociedad* Gesellschaftstanz *m*; ⚕ ~ *de San Vito* Veitstanz *m*; *concurso m de* ~ Tanzturnier *n*; *maestro m de* ~ Tanz-lehrer *m*, -meister *m*; Ballettmeister *m*; *salón m de* ~ Tanzsaal *m*; Tanz-lokal *n*, -boden *m*, -diele *f*; *fig. estar en el* ~ im gleichen Boot sitzen; **2.** Ball *m*, Tanzfest *n*; F ~ *de botón* (*od. de cascabel*) *gordo*, ~ *de candil*, *Col.* ~ *de gorrote* volkstümliches Tanzfest *n*, Schwof *m* P; ~ *de etiqueta* Galaball *m*; ~ *de máscaras*, ~ *de fantasía* Maskenball *m*; **3.** □ Dieb *m*. [vogt *m*.]

baile[2] *hist. m* Amtmann *m*, Land-

bai|lete *m* Ballett *n* (*bsd. Thea.*); **~lón** F *adj.* tanzlustig; **~lotear** *v/i.* herumhopsen, schwofen P.

baja *f* **1.** Fallen *n*, Sinken *n*; ✝ Preisrückgang *m*; *Börse*: Baisse *f*; *la* ~ *del arroz* das Sinken der (*od.* die sinkenden) Reispreise; *dar* ~, *ir de* ~, *ir en* ~ im Wert sinken; im Preis nachgeben (*a. fig.*); *en* ~ sinkend (*Börse*); *estar de* ~ nachgeben, nachlassen (*a. fig.*); *hacer* ~ den Preis ermäßigen; *jugar a la* ~ auf Baisse spekulieren; *seguir en* ~ weiter fallen; *tender a la* ~ zum Fallen neigen (*Preise*); fallende Tendenz zeigen (*Kurse*); **2.** ⚔ Verlust *m*, Abgang *m*; ⚔, *Verw. u. allg.* Entlassung *f*; Abschied *m*; Entlassungsschein *m*; *dar de* ~ absetzen, *v. e-r Liste* streichen, auf die Verlustliste setzen; ausschließen; verabschieden, entlassen; abmelden; krank schreiben; *dar de* ~ *provisional* zurückstellen (*bei der Musterung*); *darse de* ~ *aus e-m Verein usw.* austreten; s. *v. e-r Liste* streichen lassen; s. abmelden; ⚔ *ser* ~ entlassen worden sein; s-n Abschied genommen haben; **3.** ⚓ sinkende Flut *f*, Ebbe *f*.

bajá *m* Pascha *m* (*a. fig.*).

bajada *f* **1.** Abstieg *m*; *Sp.* Abfahrt *f*; ⚒ Einfahrt *f*; ✈ Herunter-, Nieder-gehen *n*; *fig. estar* (*od. ir*) *de* ~ nachgeben, nachlassen; **2.** Berghalde *f*; ⚠ abschüssiges Gewölbe *n*; ~ *de aguas* Dachtraufe *f*; ⚔ ~ *al foso* Unterminierung *f*.

bajalato *m* Paschawürde *f*, Paschalik *n*.

baja|mar *f* Niedrigwasser *n*, Ebbe *f*; **~mente** *adv.* niedrig, gemein; verächtlich.

bajar I. *v/t.* **1.** herabnehmen; hinunterbringen; herunter-lassen, -klappen, senken; neigen, umlegen; *Preise* herabsetzen; *Stimme* senken, dämpfen; *Augen* niederschlagen; ⚓ ~ *un bote* ein Boot fieren; ~ *la cabeza* den Kopf senken; *fig.* s. schämen; s. demütigen; nachgeben; ~ *una cuesta* e-n Hang hinunter-gehen, -fahren; *fig.* ~ *los humos* (*od. los bríos*) *a alg.* j-m die Flügel stutzen; j-n demütigen; *a. Kfz.* ~ *las luces* abblenden; ⊕ ~ *una perpendicular* e-e Senkrechte fällen; **II.** *v/i.* **2.** sinken; (hin)absteigen; aussteigen; ⚒ einfahren; fallen (*Preise, Barometer*); *fig.* abnehmen, nachlassen, leiser werden (*Stimme*); *el color baja* die Farbe verbleicht (*od.* verschießt); ~ *a la cueva* in den Keller (hinunter)gehen; ⚒ ~ *por un pozo* e-n Schacht befahren; **3.** ✝ *Cu., S. Dgo.* zahlen; **4.** *fig. C. Ri. no* ~ *ni con aceite* Lügen *od.* Schwindeleien nicht schlucken; **III.** *v/r.* **~se 5.** s. bücken; hinuntersteigen, s. herablassen; s. neigen; sinken; **~se** *del caballo* absitzen; **6.** *Arg.* absteigen (*Hotel*); **7.** *fig.* s. erniedrigen, s. demütigen.

bajativo *m Arg.* (Gläschen *n*) Verdauungslikör *m*.

bajel † *u. poet. m* Schiff *n*.

baje|ra *f* **1.** *Am. Cent., Méj.* minderwertiger Tabak *m*, Knaster *m* F; **2.** *Am.* Null *f*, Niete *f* F (*Person*); **~ro** *adj.* Unter...; *falda f* **~a** Unterrock *m*; **~te** *m* **1.** F Knirps *m* F; **2.** ♪ Bariton *m*.

bajeza *f* Niedertracht *f*, Gemeinheit *f*; Erbärmlichkeit *f*; ~ *de ánimo* Kleinmut *m*.

bajial *m* **1.** *Méj., Pe., Ven.* Tiefland *n mit Winterüberschwemmung*; **2.** ⚓ Gebiet *n* mit Untiefen u. Sandbänken.

bajío *m* **1.** ⚓ Untiefe *f*, Sandbank *f*; *fig.* Hindernis(se) *n*(/*pl.*); **2.** *Am.* Tiefland *n*.

bajista I. *adj. c* Baisse...; *tendencia f* ~ fallende Tendenz *f*, Baissetendenz *f* (*Börse*); **II.** *m* Baissier *m*, Baissespekulant *m*; *fig.* F Miesmacher *m* F.

bajo I. *adj.* **1.** niedrig (gelegen); tief(liegend) (*a. Augen*); gesenkt (*Augen, Kopf*); *el* ♀ *Ebro* der untere Ebro; *el* ♀ *Pirineo* die unteren Pyrenäen; *el* ♀ *Rin* der Niederrhein; ⚓ *cubierta f* **~a** Unterdeck *n*; *en lo más* ~ (*de la escala*) zuunterst (auf der Leiter); **2.** niedrig, nieder, klein; ~ *de agujas* mit niedrigem Kreuz (*Pferd, Stier*); ~ *de cuerpo*, ~ *de estatura* kleinwüchsig; ⊕ **~a** *presión f* Niederdruck *m*; ⚡ **~a** *tensión f* Unterspannung *f*; **3.** niedrig, gemein; minderwertig; → *a. fondo, ley* 2; **4.** leise (*Stimme*); tief (*Ton, a. Stimme*); *adv. por lo* ~ **a)** leise; **b)** verstohlen, heimlich, unter der Hand; **5.** matt, glanzlos (*Farben*); **6.** *Sp. estar* ~ *de forma* nicht in Form sein; **7.** frühfallend (*bewegliche Feste*); **II.** *m* **8.** tiefgelegene Stelle *f*, Niederung *f*; ⚓ Sandbank *f*, Untiefe *f*; **9.** ♪ Baß *m*; Bassist *m*; ~ *cantante* Baßbariton *m*; ~ *continuo* Generalbaß *m*; **10.** Erdgeschoß *n*; **11.** *Equ.* Pferdefuß *m*; Huf *m*; **12.** Unter-kleidung *f*, -wäsche *f für Frauen*; **III.** *adv.* **13.** unten; darunter; *por* ~ unten; → *abajo*; **14.** leise (*sprechen*); ♪ *medio tono* (*más*) ~ e-n halben Ton tiefer; **IV.** *prp.* **15.** unter (*Bewegung, Richtung*: *ac.*; *Ruhe*: *dat.*); ~ *condición* bedingt; ~ (*besser*: *en*) *condiciones insoportables* unter unerträglichen Bedingungen; ~ *el fuego del enemigo* im feindlichen Feuer; ✝ ~ *precio* unter Preis; ~ (*el reinado de*) *Alfonso XIII* unter (der Regierung) Alfons(') XIII.; ~ *fianza* gg. (Stellung e-r) Kaution.

bajón *m* **1.** ♪ **a)** Fagott *n*; **b)** Baßflöte *f*; **2.** Niedergang *m*; Einbuße *f*; *dar un* (*gran*) ~ (sehr) herunterkommen; nachlassen.

bajon|azo *m* **1.** Kickser *m bzw.* falscher Ton *m e-s Fagotts*; **2.** *Stk.* Halsstich *m*; **3.** starkes Nachlassen *n*, Rückgang *m*; **~cillo** ♪ *m gemeinsame Bezeichnung für* Diskant-, Alt-, Tenor-fagott *n*; **~ista** *c* Fagottist *m*.

bajo|rrelieve *m* Flach-, Bas-relief *n*; **~vientre** *Anat. m* Unterbauch (-gegend *f*) *m*.

bajuno *adj.* niedrig, gemein.

bakelita *f* → *baquelita*.

bala *f* **1.** Gewehr-, Kanonen-kugel *f*; Geschoß *n*; ~ *explosiva* Spreng-, Explosiv-geschoß *n*; ~ *luminosa*, ~ *encendida* Leuchtkugel *f*; ~ *perdida* verirrte Kugel *f*; *fig.* F wilder Junge *m*, Range *f*, *m*; *como una* ~ pfeil-, blitz-schnell; → *a. proyectil*; **2.** ✝ Ballen *m* (*a. Papier*); **3.** Zucker- *od.* Wachs-kügelchen *n*; **~ca** *f Am. Cent., Ec., Ur.*, **~cada** *f Arg.* Windbeutelei *f*; **~cera** *f Am.* Schießerei *f*.

balada *f* Ballade *f*.

baladí *adj. c* (*pl.* **~íes**) unbedeutend, wertlos, gering.

baladrar *v/i.* auf-schreien, -heulen.

baladre ⚘ *m* Oleander *m*.

bala|dro *m* Aufschrei *m*; Geschrei *n*, Geheul *n*; **~drón** *m* Eisenfresser *m*, Prahlhans *m*; **~dronada** *f* Prahlerei *f*, Aufschneiderei *f*; **~dronear** *v/i.* aufschneiden, prahlen.

bálago *m* **1.** Langstroh *n*; Strohhaufen *m*; **2.** fetter Seifenschaum *m*.

ba(la)laica ♪ *f* Balalaika *f*.

balance *m* **1.** Schwanken *n* (*a. fig.*); ⚓ Schlingern *n*, Rollen *n*; **2.** ✝ Bilanz *f* (*Buchhaltung*); Abschluß *m*, Saldo *m*; ~ *activo* Aktiv-bilanz *f*; -saldo *m*; ~ *anual* Jahres-bilanz *f*, -abschluß *m*; ~ *provisional*, ~ *inter-*

mediario Zwischenbilanz *f*; ~ *nuevo* Saldovortrag *m*; *hacer* ~ Bilanz aufstellen (*od.* ziehen, machen); Kassensturz machen; → *a. balanza* 2; **3.** *Cu.* Schaukelstuhl *m*; **~ar I.** *v/i.* **1.** schlingern, rollen (*Schiff*); s. wiegen, schaukeln; schwanken (*a. fig.*), balancieren; *fig.* zaudern; **II.** *v/t.* **2.** ins Gleichgewicht bringen; **3.** wiegen, schaukeln; **~o** *m* **1.** Schwanken *n*, Pendeln *n*, Wanken *n*; ⚓ Schlingern *n*, Rollen *n*; **2.** Wiegen *n*, Abwägen *n*.

balancín *m* **1.** Deichselquerholz *n* (*Fuhrwerk*); ⊕ Schwungarm *m*; **2.** Balancierstange *f* (*Seiltänzer*); **3.** ⚓ Ausleger *m am Boot*; *~ines m/pl.* Baumgiek *n*; **4.** Schaukel *f*, Schaukelstuhl *m*; Gartenschaukel *f*; Schaukelpferd *n*; **5.** Prägestock *m* (*Münze*).

balan|dra ⚓ *f* Kutter *m*; *~-piloto f* Lotsenkutter *m*; **~drán** *m* talarähnlicher Umhang *m der Geistlichen*; **~drista** *c* Jollensegler *m*; **~dro** ⚓ *m* Jolle *f*.

bálano *m* (*a. balano*) *Anat.* Eichel *f*; *Zo.* Seetulpe *f*.

balanza *f* **1.** Waage *f*; Waagschale *f* (*a. fig.*); *fig.* Abwägen *n*, Vergleichen *n*; ~ *automática* Schnellwaage *f*; ~ *de cruz*, ~ *de cuadrante* Balkenwaage *f*; ~ *hidrostática* Wasserwaage *f*; ~ *de platillos* (*de precisión*) Teller- (Präzisions-, Fein-)waage *f*; ~ *de resorte* (*de Roberval*) Feder- (Tafel-)waage *f*; *caer la* ~ nach e-r Seite ausschlagen, s. nach e-r Seite neigen (*a. fig.*); *poner en* ~ abwägen, überlegen; in Frage stellen; *torcer la* ~ den Ausschlag geben; e-e neue Lage schaffen; **2.** ⚚ (*Außenhandel*) Bilanz *f*; ~ *comercial*, ~ *de comercio* Handelsbilanz *f*; ~ *de divisas* (*de pagos*) Devisen- (Zahlungs-)bilanz *f*; **3.** *Am.* Balancierstange *f* (*Seiltänzer*); **4.** *Astr.* ♎ Waage *f*; **5.** □ Galgen *m*.

balar *v/i.* blöken (*Schaf*); meckern (*Ziege*); röhren (*Hirsch*); schmälen (*Reh*); *fig.* F ~ *por a/c.* nach et. (*dat.*) lechzen; nach et. (*dat.*) schreien (*fig.* F).

balarrasa F *f* **1.** Rachenputzer *m* F, Schnaps *m*; **2.** Liederjan *m*.

balas|tar *v/t.* (be)schottern; **~tera** *f* Schotter-grube *f*; -haufen *m*; **~to** *m* Schotter *m*; 🚂 Beschotterung *f*, Bettung *f*.

balaus|trada *f* Balustrade *f*, Säulengeländer *n*; **~tre** *m* (*a. balaústre*) Baluster(säule *f*) *m*.

balazo *m* **1.** (Flinten-, Kanonen-) Schuß *m*; Schußwunde *f*; **2.** F *Am.* Anpumpen *n*.

balboa *m Pan.* Golddollar *m*.

balbu|cear *v/i.* stammeln, stottern; lallen; **~ceo** *m* Stammeln *n*; Gestammel *n*; **~cir** [3f; *nur Formen mit -i- in der Endung*; *sonst* → *balbucear*] stammeln.

balcánico *adj.* Balkan..., balkanisch.

bal|cón *m* Balkon *m*; Erker *m*; *Thea.* Balkonsitz *m*; *fig.* Aussichtspunkt *m*; **~conaje** *m* Balkonreihe *f*; **~concillo** *Stk. m* Balkonplatz *m über dem toril*.

balda *f* Fach *n*, Schrankbrett *n*.

balda|dura *f*, **~miento** *m* Lähmung *f*.

balda|quín, **~quino** *m* Baldachin *m*; Thron-, Altar-himmel *m*.

baldar I. *v/t.* lähmen; *fig.* F *j-n* schädigen; *j-n* rupfen F; *fig.* F ~ *a palos j-n* windelweich schlagen F; **II.** *v/r.* *~se* lahm werden (*Glieder*).

balde[1] *adv.*: de ~ umsonst, unentgeltlich; en ~ umsonst, vergeblich; *estar de* ~ **a)** überflüssig sein; **b)** nichts zu tun haben; *Col.* arbeitslos sein; *Am. Cent.* ¡*no de* ~! ach so!, ja, ja!

balde[2] *m bsd.* ⚓ *u. Am.* Eimer *m*; **~ar** *vt/i.* ⚓ das Deck waschen; **~ro** *m Rpl.* Wasser-schöpfer *m*; -sucher *m*.

baldés *m* feines Schaf-, Nappaleder *n*.

baldí|amente *adv.* vergeblich; **~o I.** *adj.* **1.** unbebaut, brach, öde; **2.** *fig.* eitel, unnütz; zwecklos; haltlos; **II.** *m* **3.** Brachland *n*; **4.** *fig.* Landstreicher *m*.

baldo *Kart. adj.-su. m* Fehlkarte *f*.

bal|dón *m* Schimpf *m*, Schande *f*. Schandfleck *m*; **~don(e)ar** *v/t.* beleidigen, schmähen.

baldo|sa *f* (*bsd.* Boden-)Fliese *f*; **~sado** *m Am.* Fliesenboden *m*; **~sador** *m* Fliesenleger *m*; **~sar** *v/-t* → *embaldosar*; **~sín** *m* Fliese *f*; Kachel *f*.

baldragas F *m* (*pl. inv.*) Schwächling *m*; gutmütiger Tropf *m* F.

balduque *m* Aktenschnur *f*.

balear[1] *v/t.* *Am.* auf *j-n od. et.* schießen; *j-n* anschießen; *Am. Cent.*, *Am. Mer.* erschießen.

bale|ar[2] *adj.-su. c* von den Balearen; *m* Baleare *m*; **~árico**, **~ario** *adj.* balearisch.

balénidos *Zo. m/pl.* Wale *m/pl.*

bale|o *m Am.* Schießerei *f*; **~ro** *m* Kugelform *f*; *Am. Reg.* → *boliche* (*Kinderspiel*).

balicero ⚓ *adj.-su. m* Tonnenleger [*m*.]

balido *m* Blöken *n* (*Schaf*); Meckern *n* (*Ziege*); Röhren *n* (*Hirsch*); Schmälen *n* (*Reh*).

balín *m* kleinkalibriges Geschoß *n*, (Reh- *usw.*) Posten *m*.

balísti|ca *f* Ballistik *f*; **~co** *adj.* ballistisch; *problema m* ~ Flugbahnberechnung *f*.

bali|tadera *Jgdw. f* Fiepe *f*; **~t(e)ar** *v/i.* häufig blöken *usw.*; → *balido*.

baliza *f* Bake *f*, Boje *f*; ~ *luminosa* Leuchtbake *f*; **~je** ⚓ *m* Hafengebühr *f*; Betonnung *f*; **~miento** *m*: ~ *luminoso* (*de la ruta*) Befeuerung *f* (*a.* ✈); *a.* Lichtanlage *f b. Bauarbeiten*; **~r** [1f] ⚓, ✈ *v/t.* betonnen, bebaken.

balne|ario I. *adj.* Bade...; *estación f* *~a* → **II.** *m* Bad *n*, Kurort *m*; Kurhaus *n*; ~ *climatológico* Luftkurort *m*; **~atorio** ⚕ *adj.* Bade..., Bäder...; **~oterapia** *f* Heilbadbehandlung *f*, Balneotherapie *f*.

balompié *m* Fußball *m*.

balón *m* **1.** Ball *m*; Ballspiel *n*; **2.** langhalsige Ballonflasche *f*; Ballon *m*, Gasbehälter *m*; **3.** Warenballen *m*; ~ *de papel* Papierballen *m* (*24 Ries*).

balon|cesto *Sp. m* Korbball(spiel *n*) *m*; **~manista** *c* Handballspieler *m*; **~mano** *Sp. m* Handball(spiel *n*) *m*; **~volea** *Sp. m* Volleyball *m*.

balota *f* Kugel *f zum Abstimmen*; **~da** *Equ. f* Ballotade *f*; **~je** *m* Ballotage *f* (*Abstimmung*); **~r** *v/i.* ballotieren.

balsa[1] *f* Tümpel *m*, Pfütze *f*; Wasserbecken *n für Bewässerung*; Öltrestersumpf *m*; ⊕ ~ *de filtración* Filterbecken *n*; *fig.* (*ser*) *una* ~ *de aceite* e-e Friedensinsel (sein), sehr ruhig (hergehen) (*b. Versammlungen usw.*).

balsa[2] *f* **1.** Floß *n*; Fähre *f*; ~ *flotante* Floßsack *m*; ~ *de salvamento* Rettungsfloß *n*; *conducción f en ~s* Flößen *n*; **2.** ⚘ *Am. Art* Ceiba *f*, Balsa *f*; **~dera** *f*, **~dero** *m* Floßplatz *m*, -lände *f* (*Reg.*); Anlegeplatz *m* der Fähre.

balsámico *adj.* balsamisch.

balsamina ⚘ *f* Springkraut *n*, Balsamine *f*.

bálsamo *m* Balsam *m* (*a. fig.*); ~ *del Perú*, ~ *peruviano* Perubalsam *m*; ~ *de Tolú* Tolubalsam *m*.

balse|ar *v/t.* mit e-m Floß über *e-n Fluß* setzen; **~ro** *m* Flößer *m*; Fährmann *m*.

balso ⚓ *m* Pahlstek *m*.

balsón *m Nav.*, *Méj.* Lache *f*; Lagune *f*.

báltico *adj.* baltisch.

baluarte *m* Bollwerk *n*, Bastion *f* [(*a. fig.*).]

baluma ⚓ *f* Segeltiefe *f*.

balum|ba *f* **1.** gr., sperriger Gg.-stand *m*; *fig.* Kram *m*, Krempel *m*; **2.** *Am.* Krach *m*, Durcheinander *n*; **~bo** *m* sperriger Gg.-stand *m*.

balle|na *f* **1.** *Zo.* Wal(fisch) *m*; *aceite m de* ~ (Walfisch-)Tran *m*; *barba f de* ~ Barte *f*, Fischbein *n*; *blanco m* (*od. esperma f*) *de* ~ Walrat *m*; **2.** Fischbein *n*; Korsettstange *f*; Kragenstäbchen *n für Hemden*; **3.** *Astr.* Walfisch *m*; **~nato** *Zo. m* Jungwal *m*; **~nera** *f* Walboot *n*; Beiboot *n der Walfänger u. Kriegsschiffe*; **~nero I.** *adj.* Wal(fisch)...; **II.** *m* Walfänger *m* (*a. Schiff*).

balles|ta *f* **1.** Armbrust *f*; *hist.* Wurfmaschine *f*; *armar la* ~ die Armbrust spannen; **2.** ⊕ gr. Blattfeder *f*; **3.** Vogelfalle *f*; **~tada** *f*, **~tazo** *m* Armbrustschuß *m*; **~tear** *v/t.* mit e-r Armbrust schießen auf (*ac.*); **~tero** *m* Armbrustschütze *m*; **~tilla** *f* **1.** Wurfangel *f*; **2.** *Stk.* de ~ mit e-m Blitzstich; **3.** □ Kartenschnellen *n* (*Falschspielertrick*).

ballet *gal. m* Ballett *n*; ~ *acuático* Wasserballett *n*.

ba|llico ⚘ *m* Raygras *n*; **~llueca** ⚘ *f* Flughafer *m*.

bamba[1] *f* Glücksstoß *m b. Billard*, Fuchs *m*; *Col. ni* (*de*) ~ kommt nicht in Frage.

bamba[2] *f* **1.** *Reg.* Schaukel *f*; **2.** *Am. Cent.* (*Ven.* anderthalb) Silberpeso *m*; **~lear** *v/i. u.* *~se v/r.* → *bambolear*; **~lina** *Thea. f* Soffitte *f*.

bambarri|a I. *f* → *bamba*[1]; **II.** *c fig.* F Tölpel *m*; **~ón** F *m augm. v. bamba*[1].

bambino *it. m bsd. Chi.*, *Rpl.* Kind *n*.

bamboche F *m* kl. Dickwanst *m*.

bambole|ar I. *vt/i.* schaukeln, schlenkern, schwingen; baumeln (*v/i.*); **II.** *v/r.* *~se* schaukeln, schwanken; **~o** *m* Schwanken *n*, Schaukeln *n*, Wackeln *n*.

bambolla *f* Prunk *m*, Pomp *m*; *echar* ~ angeben F, prahlen.

bambú ⚘ *m* (*pl.* ~úes) Bambus *m*; Bambusrohr *n*.
bambuco *m Col. Volkstanz.*
bana|l *gal. adj. c* banal, gewöhnlich, abgedroschen, alltäglich; **~lidad** *f* Banalität *f*, Abgedroschenheit *f*.
bana|na *f* **1.** ⚘ (*Span. mst. plátano*) Banane *f*; **2.** ⚡ Bananenstecker *m*; **~nero I.** *adj.* Bananen...; *repúblicas f/pl.* ~*as* Bananenrepubliken *f/pl.*; **II.** *m* → **~no I.** *m* Bananenstaude *f*; **II.** *adj.* P *Col.* lästig, aufdringlich.
banas|ta *f* gr. Korb *m*; Tragkorb *m*; **~tero** *m* Korb-macher *m*, -flechter *m*; **~to** *m* runder Korb *m*; □ Gefängnis *n*, Knast *m* □.
banca *f* **1.** Schemel *m*; (Holz-)Bank *f ohne Rückenlehne*; *Am.* (Sitz-)Bank *f*; **2.** Waschbank *f*; **3.** Verkaufstisch *m auf dem Markt*; **4.** ☤ Bank-wesen *n*; -welt *f*; Banken *f/pl.*; Wechsel-, Diskont-bank *f*; → *a. banco*; **5.** *Kart.* Montespiel *n*; Bank *f im Spiel*; *hacer saltar la* ~ die Bank sprengen; **~ble** ☤ *adj. c* bankfähig; **~da** *f* **1.** ⚓ Ruderbank *f*; ⊕ Gestell *n*, Basis *f*, (Grund-)Platte *f*; ⚒ Schachtstufe *f*; **2.** △ Lage *f* Mauerwerk; **~l** *m* Terrasse(nbeet *n*) *f*; (Garten-)Beet *n*; *Am.* → *barranca*.
banca|rio *adj.* Bank...; bankmäßig; *estado m* ~, *informe m* ~ Bankausweis *m*; *letra f* ~*a* Bankanweisung *f*; **~rrota** *f* Bankrott *m*, Pleite *f* F (*a. fig.*); *hacer* ~ Bankrott machen, bankrottieren; ~ *de la Hacienda* Staatsbankrott *m*; **~rrotero** *adj.-su.*, **~rrotista** *adj.-su. c* bankrott; *m* Bankrotteur *m*.
banco *m* **1.** (Sitz-)Bank *f*; *Parl.* ~ *del Gobierno*, *Span.* ~ *azul* Ministerbank *f*; *fig.* de *pie de* ~ unsinnig, verrückt; *fig. estar en el* ~ *de la paciencia* e-e Geduldsprobe bestehen müssen; das Opferlamm sein; *fig. herrar o quitar el* ~ *etwa*: nun tu schon was oder laß die Finger ganz davon; **2.** ☤ Bank *f*; ~ *de crédito* (*de depósitos*) Kredit-, (Depositen-)bank *f*; ~ *de descuento*(*s*) Diskont- u. Wechselbank *f*; ~ *de emisión de valores* Emissionsbank *f*; ~ *emisor* Noten-, Zentralbank *f*; ~ *industrial* Gewerbebank *f*; ~ *de giros*, ~ *de transferencias* Girozentrale *f*; ~ *hipotecario* Hypothekenbank *f*, Bodenkreditanstalt *f*; ~ *de importación y exportación* Import- u. Exportbank *f*, Außenhandelsbank *f*; ≗ *Internacional de Pagos* Bank *f* für Internationalen Zahlungsausgleich; ≗ *Internacional de Reconstrucción y Fomento* Internationale Bank *f* für Wiederaufbau u. Wirtschaftsförderung, Weltbank *f*; *empleado m de* (*un*) ~ Bankbeamte(r) *m*; **3.** ⊕ ~ (*de trabajo*) Arbeits-, Werk-bank *f*; ~ *de carpintero* Hobelbank *f*; ~ *de pruebas* Prüfstand *m*; **4.** ⚕ ~ *de la sangre* Blutbank *f*; **5.** ⚓ Untiefe *f*; ~ *de arena* Sandbank *f*; **6.** *Geol.* Schicht *f*, Bank *f*; ⚒ Flöz *n*, Lager *n*; **7.** Schwarm *m* (*Fische*); **8.** *Col.* weite Ebene *f*; *Ec.* Schwemmland *n an Flüssen*; *Ven.* höher gelegenes Gelände *n in der Savanne*; **9.** □ Gefängnis *n*, Knast *m* □.
banda[1] *f* **1.** Binde *f*, Band *n*; Gurt *m*; Streifen *m*; Ordensband *n*; ⚔ Feldbinde *f*; *Stk. u. Am.* Schärpe *f*; **2.** *HF*, *Rf.* Band *n*; ~ *de 30 metros* 30 m-Band *n*; *HF* ~ *de frecuencias* Frequenzband *n*; *Rf.* ~ *de onda*(*s*) *corta*(*s*) Kurzwellen-band *n*, -bereich *m*; ~ *sonora* Tonstreifen *m* (*Tonfilm*); **3.** ~ *de rodadura* Lauffläche *f* (*Reifen*); **4.** *Vkw.* Fahrspur *f*; **5.** *Billard*: Bande *f*; **6.** *kath.* Humerale *n*; **7.** ⛉ Schräglinksbalken *m*.
banda[2] *f* **1.** Schar *f*, Rotte *f*; Partei *f*; ~ *de ladrones* Räuber-, Diebes-bande *f*; **2.** (Musik-)Kapelle *f*; ~ *militar* Militärkapelle *f*; ~ *municipal* städtische Blaskapelle *f*; **3.** ⚓ Breitseite *f e-s Schiffes*; de ~ ganz, auf einmal; de ~ *a* ~ durch u. durch; *dar la* ~ krängen; Schlagseite haben; *dar a la* ~ kielholen; *fig.* F *dejar en* ~ *a alg.* j-n im Stich lassen; *fig. cerrarse a la* ~ fest bei s-m Vorhaben bleiben.
bandada *f* Schwarm *m* (*Vögel*, *Fische*); ⚔ ~ *de tiradores* Schützenrudel *n*.
bandaje *gal. m* Bereifung *f*; → *neumático*.
bandazo ⚓ *m* Krängung *f*.
bandear I. *v/t. Am.* durchbohren; schwer verletzen; *Am. Cent.* verfolgen; **II.** *v/r.* ~*se* schaukeln; *fig.* sein Leben einzuteilen wissen; ⚓ Schlagseite haben; *Am.* lavieren (*a. fig.*).
bandeja *f* **1.** Tablett *n*; Servierbrett *n*, -teller *m*; *servir en* ~ 🚃 im Abteil servieren; *fig.* fix u. fertig übergeben; **2.** ⊕ (Auffang-)Schale *f*; *Kfz.* Ölwanne *f*; **3.** *neol.* Einlegefach *n im Koffer*; *Verpackung*: Steige *f*.
bandeo *Jgdw. m* Weidwundschuß *m*.
bandera *f* **1.** Flagge *f*, Fahne *f*; *lit. u. fig.* Banner *n*, Panier *n*; ~ *negra* Piraten-, Freibeuter-flagge *f*; ~ *roja* **a)** rote Fahne *f*; **b)** Pulver-, Sprengstoff-flagge *f*; *a* ~*s desplegadas* mit fliegenden Fahnen; frei u. offen; ⚔ *a.* mit allen Ehren (abziehen *salir*); *bajo* ~ *falsa* unter falscher Flagge (*a. fig.*); *bajada f de la* ~ Grundpreis *m* (*Taxi*); *llevar una* ~ e-e Flagge führen; *llevarse la* ~, *tener puesta la* ~ den Sieg an s-e Fahnen heften; siegen, Erfolg haben; *rendir la* ~, *batir* ~*s* die Flagge dippen (*zum Gruß*); **2.** *ehm.* Fähnlein *n*, Trupp *m*; Kompanie *f der Legión de África*; **3.** *fig.* Gruppe *f*; Gruppenmeinung *f*.
bande|ría *f* Partei *f*; Clique *f*; Parteilichkeit *f*; **~rilla** *f* **1.** *Stk.* Banderilla *f*, *kl. Spieß mit Widerhaken*; ~ *de fuego* Banderilla *f* mit Schwärmern; F *poner* (*od. plantar*) *a alg. una* ~ (*od. un par de* ~*s*) j-m eins auswischen, j-m an den Wagen fahren F; **2.** *fig.* F *Chi.*, *Méj.*, *P.Ri.* → **~rillazo** F *m Col.*, *Méj.*, *Pe.* Pump *m* F; Schwindel *m*; **~rillear** *Stk. v/i.* Banderillas setzen; **~rillero** *Stk. m* Banderillero *m*; **~rín** *m* **1.** Fähnchen *n*; Feldzeichen *n*; Signalflagge *f*; Wimpel *m*; **2.** ⚔ ~ (*de enganche*) Rekrutenwerbestelle *f*; **3.** ⚔ Hilfsausbilder *m*.
banderizo I. *adj.* **1.** parteigängerisch; **2.** aufgeregt, wild; **II.** *m* **3.** Parteigänger *m*; ~*s m/pl.* Anhänger *m/pl.*
bande|rita *f* Fähnchen *n*; *Sp. usw.* ~ *de salida* Startflagge *f*; **~rola** *f* Wimpel *m*; Lanzenwimpel *m*; (*dt.* Banderole *precinta*, *tira*).
bandi|daje *m* Banditenunwesen *n*; **~do** *m* Räuber *m*, Bandit *m*.
bando[1] *m* Erlaß *m*; öffentliche Bekanntmachung *f*; *echar* ~ öffentlich bekanntmachen *bzw.* ausrufen.
bando[2] *m* **1.** Partei *f*; **2.** *Reg.* Schwarm *m* (*Vögel*, *Fische*); *Jgdw.* Volk *n*, Kette *f* (*Rebhühner*).
bandola *f* **1.** ♪ Mandoline *f*; **2.** ⚓ Notmast *m*.
bandolera[1] ⚔ *f* Brust-, Schulterriemen *m*; Pistolenhalfter *n*; *en* ~ umgehängt (*Gewehr*).
bandole|ra[2] *f* Räuberbraut *f*; **~rismo** *m* Räuber-, Banditen-unwesen *n*; **~ro** *m* (Straßen-)Räuber *m*, Bandit *m*.
bandolín ♪ *f* → *bandola 1*.
bandolina[1] *f Art* (Haar-)Festiger *m*.
bando|lina[2] *f* ♪ Mandoline *f*; **~lón** ♪ *m* Baßbandurria *f*; **~neón** ♪ *m* Bandonion *n*.
bandullo *m* Eingeweide *n/pl.*, Innereien *pl.* (*a. Jgdw.*); F Bauch *m* F.
bandu|rria ♪ *f* Bandurria *f*, *Art kl. Cister*; **~rrista** *c* Bandurriaspieler *m*.
banjo ♪ *m* Banjo *n*.
banquero *m* Bankier *m*; Bankhalter *m* (*Glücksspiel*).
banqueta *f* **1.** Schemel *m*, Hocker *m*; Fußbänkchen *n*; schmale Bank *f ohne Lehne*; **2.** ⊕ Bankett *n*; **3.** *Méj.* Bürgersteig *m*.
banquete *m* Festessen *n*, Bankett *n*, Gastmahl *n*; ~ *de gala* Fest-tafel *f*, -essen *n*, Galadiner *n*; **~ar** *v/i.* schlemmen F, festlich tafeln.
banqui|llo *m* Bänkchen *n*, Fußschemel *m*; ⚖ Angeklagtenbank *f*; **~sa** *f* Eis-bank *f*, -feld *n*.
banzo *m* Spannholz *n* (*Stickrahmen*); Holm *m* (*Leiter usw.*); Tragstange *f* (*Sänfte*).
baña *f* → *bañil*; **~dera** *f Am.* → *bañera 2*; **~dero** *m* → *bañil*; **~do I.** *part.-adj.* gebadet; ~ *en sudor* schweißgebadet; *con los ojos* ~*s en lágrimas* mit tränenüberströmten Augen; **II.** *m Rpl.* Sumpfland *n*; **~dor** *m* **1.** Badende(r) *m*; **2.** Badeanzug *m*; **3.** Spülgefäß *n*, Bad *n*; **~r I.** *v/t.* **1.** baden; eintauchen; spülen, schwemmen; *Phot.* wässern; **2.** tränken (mit *dat.* de, *con*); überziehen (mit *dat.* de, *en*); glasieren; ~ *en estaño* verzinnen; ~ *en esmalte* Porzellan glasieren; **3.** bescheinen (*Sonne*); *Land, Ufer usw.* bespülen; **II.** *v/r.* ~*se* **4.** baden; e-e Bäderkur machen; P *¡anda a bañarte!* scher dich zum Teufel!, hau ab! P.
bañe|ra *f* **1.** Badefrau *f*; **2.** Badewanne *f*; **~ro** *m* Bademeister *m*.
bañil *Jgdw. m* Suhle *f*.
bañista *c* Badegast *m*; Kurgast *m*; Badende(r) *m*.
baño[1] *m* **1.** Bad *n*; Baden *n*; ~*s m/pl.* Heilbad *n*; Badeanstalt *f*; ~ *de aire* (*de asiento*) Luft- (Sitz-)bad *n*; ~ *en bañera* (*od. en pila*) Wannenbad *n*; ~ *de cuerpo entero* Vollbad *n*; ~ *de*

medio cuerpo Halbbad *n*; ~ *de lodo(s)* (*de mar*) Moor- (See-)bad *n*; ~*s minerales* Heilbad *n*; ~ *de pies* (*de sol*) Fuß- (Sonnen-)bad *n*; ~ *turco* türkisches Bad *n*; ~ *de vapor* Dampfbad *n*; *casa f* (*od. establecimiento m*) *de* ~*s* Badeanstalt *f*; *Sch. dar un* ~ *a alg.* j-m zeigen, was man kann; *tomar* ~*s* Bäder nehmen, e-e Kur machen; **2.** ~ *de animales* Schwemme *f*; **3.** *a.* ⊕ Bad *n*; Überzug *m*, Glasur *f*; ~ *de aceite* Ölbad *n* (*Härtung*); *Phot.* ~ *fijador* Fixierbad *n*; ~ (*de*) *María* Wasserbad *n*; ~ *de sumersión* Tauchbad *n*; **4.** Badewanne *f*; Badezimmer *n*; **5.** Anstrich *m* (*a. fig.*).

baño[2] *hist. m* Bagno *n, m* (*bei Arabern, Franzosen u. Türken*).

baobab ✿ *m* Affenbrotbaum *m*, Baobab *m*.

baptis|ta *Rel. adj.-su. c* baptistisch; *m* Baptist *m*; ~**terio** *m* Taufkapelle *f*; Taufbecken *n*.

baque *m* Aufschlag *m* (*Fall*), Plumps *m* F.

baquear ⚓ *v/i.* mit der Strömung segeln.

baquelita *f* Bakelit *n*.

baque|ta *f* **1.** Gerte *f*, Rute *f*; Reitgerte *f der Zureiter*; ⚔ Lade-, Wisch-stock *m*; ~*s f/pl.* Trommelschlegel *m/pl.*; **2.** *hist.* (*carrera f de*) ~*s f/pl.* Spießrutenlaufen *n*; *fig. adv. a la* ~ rücksichtslos, hart; **3.** *neol.* Wünschelrute *f*; **4.** △ Stäbchen *n*, Zierleiste *f*; ~**tazo** *m* Schlag *m*; *darse un* ~ hin-fallen, -schlagen; *fig.* F *echar a* ~ *limpio j-n* mit Gewalt an die Luft setzen F, *j-n* hochkantig hinauswerfen F; ~**teado** *adj.* **1.** an Strapazen gewöhnt, hart, zäh; **2.** *Ec.* unverschämt; ~**tear** *v/t.* Spießruten laufen lassen (*a. fig.*); *fig.* plagen, quälen; ~**tero** *neol. m* Rutengänger *m*.

baquiano I. *adj.* orts- *od.* sach-kundig; geschickt; **II.** *m* Führer *m*, Wegweiser *m*.

báquico *adj.* bacchisch; bacchantisch; *canción f* ~*a* Trinklied *n*.

báquira *Zo. m Ven., Col.* Nabel-, Warzen-schwein *n*.

bar[1] *m* Bar *f*; *Art* Imbißstube *f*, Café *n*, Trinkstube *f*.

bar[2] *Phys. m* Bar *n*.

barahúnda *f* Lärm *m*, Radau *m*; Tumult *m*.

bara|ja *f* **1.** Spiel *n* Karten; *barb.* Spielkarte *f*; *entrar en* ~ ins Spiel kommen (*a. fig.*), mit dabei sein; *jugar con dos* ~*s* doppeltes Spiel treiben; **2.** *Stk.* Verzeichnis *n* (*od.* Gruppe *f*) der besten Stierkämpfer; ~**jar** *v/t.* **1.** (*a. v/i.*) *Karten* mischen; *fig.* verwirren, durchea.-bringen; F *fig.* ~ *números* mit Zahlen(material) jonglieren (*od.* um s. werfen; **2.** *Chi.* anhalten; *Ec. Pferd* zügeln; **3.** *fig.* ~ (*en el aire*) rasch fangen *od.* auffassen, begreifen; ~**jo** P *int. Am.* ¡~! Scheibe! P.

barajus|tar I. *v/t. Am. Cent., Ven.* beginnen; **II.** *v/r.* ~*se Am.* ausbrechen (*Tier*); ~**te** *m Col., Ven.* Ausbrechen *n* (*Tiere*); *Col.* Wutausbruch *m*; P ¡~! *Ven.* Scheibe! P.

baran|da *f* (Schutz-)Geländer *n*; Bande *f* (*Billard*); ~**dado,** ~**daje** *m* → *barandilla*; ~**dal** *m* **1.** Geländerholm *m*; **2.** → ~**dilla** *f* **1.** Geländer *n*; Gitter *n*; ⚓ Reling *f*; **2.** *Stk.* Balkonsitze *m/pl.*; **3.** *Méj.* Notbrücke *f*, Steg *m*.

bara|ta *f* **1.** Tausch *m*; † *u. Méj.* Ramschgeschäft *n*; **2.** → *baratura*; ~**tear** *v/t.* verschleudern, verramschen; ~**tería** *f* Betrug *m*, Untreue *f*; ⚓ Baratterie *f*; ~**tero** *m* **1.** Einnehmer *m der Abgabe vom Spielgewinn*; Boß *m e-r Spielhölle*; **2.** *Am.* Ramscher *m*; *Chi., Ec.* Feilscher *m*.

barati|ja *f* Kleinigkeit *f*; ~*s f/pl.* Nippsachen *f/pl.*; Ramsch *m*, Plunder *m*, Schund *m*; ~**llero** *m* Trödler *m*; ~**llo** *m* Trödel-geschäft *n*; -markt *m*; Trödelware *f*, Ramsch *m*.

bara|tísimo *adj.* spottbillig; ~**to I.** *adj.* **1.** billig, preiswert; *fig.* leicht, mühelos; *dar de* ~ **a)** zugeben, umsonst geben; **b)** gutwillig (*od.* gern) zugestehen; *hacer* ~ billig abgeben; *valer* ~ billig sein; **II.** *m* **2.** Verkauf *m* unter Preis; Ramschgeschäft *n*; **3.** *Col., Pe.* Abtreten *n e-r* Tänzerin *an e-n andern Partner*; **4.** *cobrar el* ~ die Abgabe *vom Spielgewinn* einziehen; *fig.* der Schrecken s-r Umgebung sein.

báratro *poet. m* Unterwelt *f*, Hölle *f*.

baratura *f* Billigkeit *f*.

baraúnda *f* → *barahúnda*.

barba I. *f* **1.** Kinn *n*; Kehllappen *m der Hähne*; *fig.* ~ *de vieja* spitzes Kinn *n*; **2.** ~(s) *f*(*/pl.*) Bart *m* (*a. der Ziegen usw.*); ~ *cerrada*, ~ *corrida*, ~ *entera* Vollbart *m*; ~ *de chivo* (✿ → *3*), ~ *en punta* Spitzbart *m*; ~ *inglesa* Backenbart *m*; F *hombre m con toda la* ~ richtiger (*od.* ganzer) Mann *m*, ganzer Kerl *m* F; F ~ *a* ~ von Angesicht zu Angesicht; *por* ~ pro Kopf, pro Nase F; ¡*por mis* ~*s*! bei m-r Ehre!; *adv. a* ~ *rega(la)da* reichlich; F *con toda la* ~ mit allen Schikanen F; *a la* ~ (*od. en las* ~*s*) *de alg.* j-m ins Gesicht; in j-s Gegenwart; *echar* ~ e-n Bart bekommen; *echar la* ~ *a remojo* durch anderer Leute Schaden klug werden; *estar con la* ~ *en remojo* sehr im Druck sein; *hacer la* ~ *a alg.* j-n rasieren; *fig.* **a)** j-m auf die Nerven gehen; **b)** j-n einseifen (*fig.*); *hacerse la* ~ s. rasieren (lassen); *mentir por* (*la mitad de*) *la* ~ unverschämt lügen; *subirse a las* ~*s de alg.* s. j-m gg.-über et. herausnehmen; *temblarle a uno la* ~ Angst haben; F ¡*tiene ya* ~! so'n Bart! F; *tener buenas* ~*s* entschlossen sein; **3.** ✿ ~ *cabruna* Bockskraut *n*; ~ *de capuchino*, ~ *de chivo*, ~ *de encina*, ~ *de fraile* Seide *f*; **4.** ✿ Granne *f* (*Ähre*); ~*s f/pl.* Wurzelfasern *f/pl.*; *Am.* Bart *m des Maiskolbens*; *Am.* Fasern *f/pl. der Kokosnußschale*; **5.** Schwarmtraube *f* (*Bienen*); oberste Abteilung *f des Bienenstocks*; **6.** ~(s) Bart *m der Vogelfeder*; **7.** ⚓ Ansatz *m*, Bewachsung *f am Schiffsboden*; **8.** ⚓ ~*s f/pl.* beide Bugankertrossen *f/pl.*; **9.** ~(s) *f*(*/pl.*) ungleicher Rand *m an Papier, Büchern u. ä.*; **10.** ⊕ ~(s) *f*(*/pl.*) Grat *m*, Bart *m* (*Metall, Guß*); **II.** *m* **11.** *Thea.* Heldenvater *m*; ~ *azul* Ritter Blaubart *m* (*Märchen*).

barbacana ⚔ *f* Schießscharte *f*; † Vorwerk *n*; vorgeschobene Stellung *f*.

barba|coa, ~**cuá** *f* **1.** *Am. Cent., Bol., Col., Ec., Pa., Pe.* Lager *n aus Weiden-, Lianengeflecht*; **2.** *Am. Cent., Cu., Méj., Ven.* im Erdloch zubereiteter Braten *m*; **3.** *Pe.* (Frucht-)Speicher *m*.

barbada *f* **1.** Kinnkette *f* (*Zaumzeug*); **2.** *Fi.* Butt *m*; Grundel *f*; Steinbutt *m*; **3.** F *Reg.* Radau *m*, Getöse *n*.

barbado I. *adj.* bärtig; **II.** *m* ⚒ Setzling *m*; Senker *m*; Wurzeltrieb *m*.

barbar *v/i.* e-n Bart bekommen; ✿ Wurzeln treiben.

bar|barear *v/i. Am.* → *barbarizar*; ~**bárico** *adj.* barbarisch; ~**baridad** *f* **1.** Barbarei *f*; Ungeheuerlichkeit *f*; F Unmenge *f*; F Heidengeld *n* F; ¡*qué* ~! so was!; so ein Unsinn!, unglaublich!; **2.** F *Thea.* Reißer *m*; ~**barie** *f* Barbarei *f*; Grausamkeit *f*.

barbari|smo *m* **1.** *Gram.* Barbarismus *m*, Sprachwidrigkeit *f*; **2.** Unsinn *m*; ~**zador** *adj.*, ~**zante** *adj. c* roh; verrohend; ~**zar** [1f] *v/i.* Unsinn reden.

bárbaro I. *adj.* **1.** barbarisch; grausam, wild, roh; **2.** *Gram.* sprachwidrig; **3.** F unglaublich, hanebüchen; F toll F, großartig, enorm F, sagenhaft F; **II.** *m* **4.** Barbar *m*, Wilde(r) *m*; F toller Kerl *m* F.

barbaza F *f augm. zu barba*.

barbear I. *v/t.* (mit dem Kinn) reichen bis an (*ac.*); **II.** *v/i.* ~ *con* (fast) die gleiche Höhe erreichen wie (*nom.*); *Stk.* an den Planken entlangschnüffeln; **III.** *v/r.* ~*se* F mit j-m (*od.* mitea.) auf gespanntem Fuß stehen.

barbe|char ⚒ *v/t.* brachen; ~**chera** *f* Brachen *n*; Brachzeit *f*; Brachland *n*; ~**cho** ⚒ *m* **1.** Brache *f*, Brachland *n*; (*estar*) *de* ~ brach (liegen) (*a. fig.*); **2.** frisch geackertes Feld *n*.

barbe|ría *f* Barbierstube *f*; (einfaches) Friseurgeschäft *n*; → *a. peluquería*; ~**ril** F *adj. c* Barbier(s)...; ~**ro I.** *m* Barbier *m*, Bader *m*; *einfacher* Herrenfriseur *m*; **II.** *adj.-su. Méj.* Schmeichler *m*.

barbián F *adj.-su.* forsch, mutig, tapfer; stattlich, stramm.

barbi|blanco *adj.* weißbärtig; ~**cacho** *m* Kinnriemen *m*; ~**cano** *adj.* graubärtig; ~**castaño** *adj.* braunbärtig; ~**corto** *adj.* mit kurzem Bart; ~**espeso** *adj.* mit dichtem Bart; ~**hecho** *adj.* frisch rasiert; ~**lampiño I.** *adj.* bartlos; dünnbärtig; **II.** *m fig.* Anfänger *m*, Neuling *m*; ~**lindo,** ~**lucio** *adj.* weibisch, geckenhaft.

barbi|lla *f* **1.** Kinn *n*; Kinn-; Bart-spitze *f*; **2.** *Zim.* angeschrägter Zapfen *m*; ~**llera** *f* Kinnbinde *f für Leichen*; ~**negro** *adj.* schwarzbärtig; ~**poniente,** ~**pungente** *adj.-su. c* flaum-, milch-bärtig; *m* Milch-bart *m*, -gesicht *n*; *fig.* Anfänger *m*, Neuling *m*; ~**rrojo** *adj.* rotbärtig; ~**rrubio** *adj.* blondbärtig; ~**rrucio** *adj.* graubärtig.

barbitúrico ⚗ *adj.*: *ácido m* ~ Barbitursäure *f*.

barbo *Fi.* *m* Barbe *f*.
barbón *m* **1.** langbärtiger Mann *m*; *fig.* F alter(nder) Mann *m*; **2.** Ziegenbock *m*.
barboquejo *m* Kinn-, Sturm-riemen *m* (*a.* ⚔); Sturmband *n am Hut*.
barbo|so *adj.* bärtig; **~t(e)ar** *v/i.* in den Bart murmeln (*od.* brumme[l]n); **~te** *m Rpl.* Lippenpflock *m der Indianer*; **~teo** *m* Brumme[l]n *n*, Gemurmel *n*.
barbudo *adj.-su.* (voll)bärtig.
barbu|lla *f* verworrenes Geschrei *n*, Stimmengewirr *n*; **~llar** *v/i.* brummeln, brabbeln; **~llón** F *adj.-su.* Nuschler *m*, Brabbelfritze *m* F.
barca *f* **1.** Kahn *m*, Barke *f*; (kl.) Fischerboot *n*; ~ *de pasaje* Fähre *f*, Fährboot *n*; → *a. barco, buque*; **2.** *tex.* Trog *m*; **3.** ~*s f/pl.* Schiffsschaukel *f*; **~da** *f* Boots-ladung *f*; -fahrt *f*; **~je** *m* (Boots-)Transport *m*; Fracht-; Fähr-geld *n*.
barcal *m* Auffangschale *f für überfließenden Wein*; Trog *m*. [lied *n*.]
barcarola *f* Barkarole *f*, Gondel-}
barcaza ⚓ *f* Barkasse *f*; Leichter *m*.
barcelonés *adj.-su.* aus Barcelona.
barco *m* Schiff *n*; ~ *auxiliar* Tender *m*; ~*(-)avión* Tragflügelboot *n*; ~ *de experimentación* Versuchsschiff *n*; ~ *fluvial* Fluß-, Binnen-schiff *n*; ~ *meteorológico* Wetterschiff *n*; ~ *de un solo* (*de dos*) *palo(s)* Ein- (Zwei-)master *m*; ~ *patrulla* Vorpostenboot *n*; ~ *transporte* Truppentransporter *m*; ~ *de vela* Segelschiff *n*, Segler *m*; *en el* ~ auf dem Schiff, an Bord; *vgl. a. buque, embarcación, nave*.
barchilón *m Ec., Pe.* Krankenpfleger *m*; *Bol.* → *curandero*.
barda[1] *f* Panzer *m für das Pferd*; Sattelbausch *m*.
barda[2] *f* Dornenabdeckung *f auf Gartenmauern*; ⚓ Wolken-, Nebelwand *f*.
bardaguera ⚘ *f* Korbweide *f*.
bardal *m* Dornenabdeckung *f auf Mauern*; Dornenhecke *f*; F *huir saltando* ~*es* Hals über Kopf davonlaufen. [Spitzklette *f*.]
bardana ⚘ *f* Klette *f*; ~ *menor*}
bardo *m keltischer* Barde *m*; *lit. fig.* Sänger *m*, Dichter *m*.
baremo *m* **1.** Rechenbuch *n* mit fertigen Ergebnissen; **2.** Verrechnungs-, Verteilungs-schlüssel *m*.
bargueño *m Art* Sekretär *m*, Vertiko *n*. [artig.]
barí F *adj. c* toll F, enorm F, groß-}
baricentro *m* Schwerpunkt *m*; Treffpunkt *m* der Mittellinien (*Dreieck*).
baril *adj. c* → *barí*.
bario[1] *Phys. m* Bar *n*.
bario[2] ⚗ *m* Barium *n*.
barista *f Am.* Bardame *f*.
barita ⚗ *f* (Ätz-)Baryt *m*, Bariumhydroxid *n*.
barit(i)el ⚒ *m* Göpel *m*.
barítico *adj.* Baryt...
baritina *Min. f* Schwerspat *m*, Baryt *m*, ⚗ Bariumsulfat *n*.
barítono *m* Bariton *m*.
barlo|a ⚓ *f* Spring-, Borg-tau *n*; **~r** ⚓ *v/t.* sorren, festbinden; **~ventear** *v/i.* ⚓ aufkreuzen, lavieren; F bummeln; **~vento** ⚓ *m* Luv *f*, Windseite *f*; *a* ~ luvwärts; *fig. ganar el* ~ *j-m* den Wind aus den Segeln nehmen, glücklicher sein *als ein anderer*.
barman *engl. m* (Bar-)Mixer *m*.
barnabita *adj.-su. m* Barnabit *m* (*Mönch*).
barni|z *m* **1.** Firnis *m* (*a. fig.*); Lack (-überzug) *m*; (Porzellan-)Glasur *f*; *Typ.* Druckerschwärze *f*; ~ *de alcohol* (*de fondo*) Spiritus- (Grundier-)lack *m*; ~ *brillante*, ~ *de lustre* Glanzlack *m*; ~ *del Japón* **a)** Japanlack *m*; **b)** ⚘ Götterbaum *m*; japanischer Lackbaum *m*; ~ *nitrocelulósico* Nitro(zellulose)lack *m*; **2.** Schminke *f*; *fig.* Tünche *f*, Anstrich *m*; **~zada** *f Am.*, **~zado** *m* Firnissen *n*, Lackieren *n*; Lackierung *f*, Anstrich *m*; ~ *con soplete* Spritzlackierung *f*; **~zador** *m* Lackierer *m*; **~zar** [1f] *vt/i.* lackieren; firnissen; glasieren; ~ *con laca incolora* lasieren.
barógrafo *m* Barograph *m*.
baro|metría *f* Barometrie *f*; **~métrico** *adj.* barometrisch; *altura f* ~*a* Barometerstand *m*.
barómetro *m* Barometer *n*, *m* (*a. fig.*); ~ *aneroide* (*magistral*) Aneroid- (Normal-)barometer *n*; ~ *registrador* → *barógrafo*.
barón *m* Baron *m*, Freiherr *m*.
baro|nesa *f* Baronin *f*, Freifrau *f*; **~nía** *f* Baronie *f*; Freiherrnwürde *f*.
baroscopio *Phys. m* Baroskop *n*.
barque|ar *vt/i.* mit e-m Boot (über *e-n Fluß usw.*) fahren; **~ro** *m* Bootsführer *m*; Fährmann *m*.
barquía *f* Ruderboot *n der Fischer*.
barquichue|la *f*, **~lo** *m dim. v. barco*.
barqui|lla *f* **1.** kl. Kahn *m*; **2.** ✈ (Ballon-)Korb *m*; **3.** Waffeleisen *n*; **4.** ⚓ Logscheit *n*; **~llero** *m* **1.** Waffelverkäufer *m*; **2.** Waffeleisen *n*; **3.** ⚓ Boots-, Jollen-führer *m*; **~llo** *m* Waffel *f*; Eistütchen *n*.
barquín *m* Blasebalg *m der Schmiede*.
barquinazo F *m* Rütteln *n bzw.* Umkippen *n e-s Fahrzeugs*; Plumps *m*, Fall *m*, Gepolter *n*; Auflaufen *n* (*Schiff*); *Andal., Ec.* Schlingern *n* (*Schiff*); *fig.* Torkeln *n* (*Betrunkene*).
barra *f* **1.** Stange *f*, Stab *m*; Schiene *f*; (Gold-, Silber-)Barren *m*; Hebebaum *m*; *en* ~*s* Stab..., Stangen...; ~ *de acoplamiento* Kupplungsstange *f*; *mot.* Spurstange *f*; ~ *de celosía* Gitterstab *m*; ~ *de carbón* (*de uranio*) Kohle- (Uran-)stab *m*; ⚡ ~ *de contacto* (Stangen-)Stromabnehmer *m*; ~ *imantada* Stabmagnet *m*; ⚓ ~ (*del timón*) Ruderpinne *f*; *fig.* F *adv. a* ~*s derechas* ohne Falsch; *de* ~ *a* ~ durch u. durch, von e-r Seite zur anderen; *fig. tirar la* ~ **a)** zu Höchstpreisen verkaufen; **b)** → F *estirar la* ~ s. sehr anstrengen; **2.** Stift *m*; ~ (*de carmín*) Lippenstift *m*; **3.** *Sp.* ~ *alta* Hochreck *n*; ~ *fija* Reck *n*; ~ *vertical* Kletterstange *f*; **4.** Schranke *f*; ⚖ Gerichtsschranken *f/pl.*; *Am. Mer.* Zuschauer *m/pl. b. Gericht*; *Am.* Anwaltskammer *f*; *llevar a alg. a la* ~ j-n zur Rechenschaft ziehen; j-n gerichtlich belangen; *fig. sin pararse en* ~*s* rücksichtslos, entschieden, ohne Rücksicht auf Verluste F; **5.** Sandbank *f*, ~ *de hielo* Eisblock *m*; Blockeis *n*; **6.** ♪ **a)** Taktstrich *m*; **b)** Wiederholungszeichen *n*; **7.** Querstrich *m* (*Maschinenschrift*); **8.** ▨ (Schräg-)Balken *m*; *las* ~*s de Aragón* das Wappen von Aragonien; **9.** *Am.* Fußblock *m* (*Fessel*); ⚓ Eisen *n* (*Fessel*); **10.** Streifen *m* (*Webfehler*); **11.** *Chi.* Wurfscheibenspiel *n*; **12.** *Arg.* Freundeskreis *m*, Gruppe *f* von Freunden; **13.** Theke *f*; Bar *f*.
barra|bás *m* Bösewicht *m*; **~basada** F *f* Schandtat *f*; übler *bzw.* unüberlegter Streich *m*.
barra|ca *f* Baracke *f*; *Val., Murc. schilfgedecktes* Bauernhaus *n mit Satteldach*; *Span. a.* ~*(s) f(/pl.)* Elendswohnung(en) *f(/pl.)*; *Am.* Schuppen *m*; *Ec.* Stand *m* (*Markt*); **~cón** *m augm. u. desp. v. barraca*; Schau-, Schieß-bude *f bei Kirchweih usw.*
barrado *adj.* gestreift (*Wappen, Tuch*).
barragán *m* Berkan *m*, Barchent *m*; Mantel *m aus diesem Stoff*.
barraga|na † *f* Konkubine *f*; **~nería** † *f* wilde Ehe *f*.
barran|ca *f* → *barranco*; **~cal** *m* zerklüftetes Gelände *n*; **~co** *m* Steilhang *m*; Schlucht *f*, Klamm *f*; Engpaß *m*; (Bach-)Tal *n*; *fig.* Schwierigkeit *f*; Hindernis *n*; *Spr. no hay* ~ *sin atranco* ohne Fleiß kein Preis; **~coso** *adj.* schluchtenreich, zerklüftet; **~quera** *f* → *barranco*.
barra|quero *adj.-su.* Baracken...; *m* Barackenbauer *m*; *Am.* Lager-inhaber *m*; -verwalter *m*; **~quismo** *m* Vorhandensein *n* v. Elendswohnungen; **~quista** *c* Bewohner *m* e-r Baracke *od.* Elendswohnung.
barrar *v/t.* mit Lehm verschmieren.
barrear *v/t.* sperren; verrammeln, verbarrikadieren.
barreda *f* Absperrung *f*, Umzäunung *f*, Schranke *f*.
barre|dera *f* **1.** (Straßen-)Kehrmaschine *f*; **2.** (*red f*) ~ Schleppnetz *n*; ⚓ ~*s f/pl.* Beisegel *n/pl.*; **~dero I.** Schlepp...; (weg)fegend; **II.** *m* Bäckerbesen *m*; **~dor** *m* Kehrer *m*, Feger *m*; **~dura** *f* Kehren *n*; ~*s f/pl.* Kehricht *m*; **~lotodo** F *m* Allesverwerter *m* F; *a.* Schnüffler *m*; **~minas** ⚓ *adj.-su. m* (*pl. inv.*) Minenräumboot *n*.
barrena *f* **1.** Bohrer *m*; ~ *de centrar* Zentrierbohrer *m*; ~ *hueca*, ~ *tubular* Hohlbohrer *m*, Sonde *f*; ~ *de mina* Bohrmeißel *m*, Gesteinsbohrer *m*; **2.** ✈ Trudeln *n*; ~ *horizontal* Rolle *f*; *entrar en* ~ (ab)trudeln; **~do I.** *adj.* verdreht, unvernünftig, närrisch; **II.** *m* Bohren *n*, Bohrung *f*; **~dora** ⊕ *f* Bohrmaschine *f*; **~r I.** *v/t.* **1.** (an-, aus-, durch-)bohren; *fig.* gedanklich durchdringen; **2.** *fig. Recht, Gesetz* mißachten; *Absichten* durchkreuzen; **II.** *v/i.* **3.** ✈ trudeln.
barrendero *m* Straßenkehrer *m*.
barre|nero ⚒ *m* (Sprengloch-)Bohrer *m*; Sprengmeister *m*; **~nillo** *m* **1.** Borkenkäfer *m*; **2.** Auswuchs *m an Bäumen*; **3.** *fig. Cu.* Halsstarrigkeit *f*; **~no** *m* **1.** ⚒ Bohrloch *n*;

Sprengloch *n*; gr. (*bsd.* Spreng-loch-)Bohrer *m*; *dar ~ a Schiff* anbohren; **2.** *fig.* (Eigen-)Dünkel *m.*
barre|ña *f*, **~ño** *m* Spülbecken *n*; Trog *m*, Kübel *m*; Schüssel *f.*
barrer I. *v/t.* **1.** kehren, (weg)fegen; freimachen, säubern (von *dat.* de); *fig.* hinwegfegen; mit s. fortreißen; **2.** *mot. Gase* spülen; **II.** *v/i.* **3.** kehren; *fig. ~ con todo* reinen Tisch machen; *fig. ~ hacia dentro* auf s-n Nutzen bedacht sein; **III.** *v/r.* *~se* **4.** *Méj.* durchgehen, scheuen (*Pferd*).
barrera[1] *f* **1.** Schranke *f* (*a. Stk.*, 🚂 *u. fig.*); Hindernis *n*; Grenze *f*; *fig.* Schutz *m*; *~s aduaneras* Zollschranken *f/pl.*; *~ levadiza* Schlagbaum *m*; *~ óptica*, *~ de luz* Lichtschranke *f*; *~ del sonido* Schallmauer *f*; *Spr. el pensamiento no tiene* (*od. no conoce*) *~(s)* Gedanken sind (zoll)frei; **2.** ⚔ Sperre *f*; *~ (anti)submarina* U-Bootsperre *f*; **3.** *Stk.* erste Sitzreihe *f*; *fig.* (*ver los toros*) *desde la ~* von oben; als Unbeteiligter, als nicht Betroffener.
barre|ra[2] *f* **1.** Lehmgrube *f*; **2.** Taubhalden *f/pl.* (*Salpetergewinnung*); **3.** Schrank *m für Irdenware*; **~ro** *m* **1.** Töpfer *m*; **2.** Lehmgrube *f*; **3.** *Am. Mer.* salpeterhaltiges Gelände *n*; **4.** *Reg.* → *barrizal.*
barreta *f* **1.** kl. Stange *f*; ⊕ *~ (testigo)* Teststab *m*; **2.** Unterfütterung *f* (*Schuh*); **3.** *Andal. Art* Lebkuchen *m*; **4.** *Bol.*, *Méj.*, *Pe.*, *S.Dgo.* Spitzhacke *f.*
barrete *m* → *birrete.*
barrete|ar *v/t.* mit Eisen *u. ä.* sichern; **~ro** ⚒ *m* Hauer *m.*
barretina *f* phrygische Mütze *f* (*Teil der cat. Tracht*).
barriada *f* Stadtviertel *n*; Teil *m* e-s Stadtviertels.
barrica *f* kl. Faß *n*; **~da** *f* Barrikade *f*, (Straßen-)Sperre *f*; *levantar ~s* Barrikaden errichten.
barri|da *f Am. Reg.*, **~do** *m* **1.** Kehren *n*; Kehricht *m*; F *servir lo mismo para un ~ que para un fregado* Mädchen für alles sein; **2.** ⊕ Spülung *f* (*Gas*).
barri|ga *f* **1.** Bauch *m*, Leib *m*; *echar ~* **a)** Bauch ansetzen; **b)** → F *hinchar la ~* s. aufblasen, s. aufspielen; **2.** Wölbung *f e-s Gefäßes*; **3.** Durchbiegung *f*, Ausbuchtung *f e-r Wand*; **~gón**, **~gudo** F *adj.-su.* dickbäuchig; *m* Dickwanst *m*; *Ant.* Kind *n*; **~guera** *f* Bauchgurt *m* (*Pferd*).
barri|l *m* Faß *n*, Tonne *f*; tönernes Wassergefäß *n*; **~laje** *m Méj.*, **~lamen** *m* Faßwerk *n*, Fässer *n/pl.*; **~lería** *f* Faßwerk *n*; Faßbinderei *f*, Böttcherei *f*; **~lero** *m* Faßbinder *m*, Böttcher *m*; **~lete** *m* **1.** Fäßchen *n*; **2.** *Zim.* Klammer *f*; *Opt.* Tubus *m*, Rohr *n*; Federgehäuse *n* (*Uhr*); Trommel *f* (*Revolver*); **3.** ⚓ Kreuzknoten *m*; **4.** *Zo. Art* Seekrebs *m.*
barrilla *f* **1.** ⚘ Salzkraut *n*; **2.** Salzkrautasche *f*, Soda *f*; **3.** *Bol.*, *Pe.* gediegenes Kupfer *n.*
barrillo *m* Pickel *m* F.
barrio *m* Stadtviertel *n*; Vorstadt *f*; Ortsteil *m*; *~ residencial* Wohnviertel *n*; *~s m/pl. bajos* **a)** Unterstadt *f*; **b)** „anrüchige" Viertel *n/pl.*; F *irse al otro ~* sterben, abkratzen P.
barrista *c* Barrenturner *m.*
barrita *f* Stift *m*; Lippenstift *m*; ⊕ Stange *f*; *~ de soldar* Schweißdraht *m*; Lötstange *f.*
barrizal *m* Sumpf *m*, Morast *m.*
barro[1] *m* **1.** Schlamm *m*, Kot *m*, Morast *m*; Lehm *m*; Töpfererde *f*; *~s m/pl.* Töpferware *f*; de *~* irden, tönern; *~ cocido* Steingut *n*; Terrakotta *f*; **2.** *fig.* wertloses Zeug *n*; *no ser ~* et. wert sein; **3.** F Geld *n*, Moos *n*; *tener ~ a mano* Geld wie Heu haben.
barro[2] *m* Pickel *m* F, Pustel *f*; *vet.* Beule *f.*
barro|co I. *adj.-su.* barock; *m* Barock-stil *m*; -zeit *f*, Barock *n*, *m*; **II.** *adj. fig.* überspannt, verstiegen, verschroben; **~quismo** *m* Barock *n*, barocke Art *f*; *fig.* Überladenheit *f*; Kitsch *m*; Schrulle *f.*
barroso[1] *adj.* lehmig, kotig; lehmfarben.
barroso[2] *adj.* pickelig F.
barrote *m* Stab *m*, Stange *f*; Eisenbeschlag *m.*
barrueco *m* Barockperle *f.*
barrumbada F *f* Prahlerei *f*, Angabe *f* F; protzenhafte Verschwendung *f.*
barrun|tar *v/t.* ahnen, vermuten; *Gefahr* wittern; **~te**, **~to** *m* **1.** Vorgefühl *f*, Ahnung *f*; Vermutung *f*; Witterung *f*; en *~s de la muerte* im Vorgefühl des Todes; **2.** Anzeichen *n*, Spur *f.*
bartola F: *tumbarse* (*od. tenderse*) *a la ~* s. auf die faule Haut legen, s. pflegen.
bartolillo *m* Creme- *od.* Fleisch-pastete *f.*
bartulear *v/i. Chi.* grübeln.
bártulos F *m/pl.* Siebensachen *f/pl.* F, Kram *m*; *liar los ~* s-e Siebensachen packen.
baru|llero I. *adj.* wirr; alles durchea.-bringend; **II.** *m* Wirrkopf *m*; Störenfried *m*, Hetzer *m*; **~llo** *m* Wirrwarr *m*, Durcheinander *n*; Krach *m*, Lärm *m.*
barzal *m Am.* Sumpf *m.*
basa *f* **1.** Basis *f*, Säulenfuß *m*; Sockel *m*; ⊕ Base *f*, Grund *m*; **2.** †, ⚒ Grundlage *f.*
basada ⚓ *f* Ablaufschlitten *m* (*Werft*).
basáltico *adj.* Basalt...
basalto *m* Basalt *m.*
basa|mento △ *m* Basis *f*; Unterbau *m*, Sockel *m*; Stützenfundament *n* (*Bergbahn*); **~r I.** *v/t.* gründen, stützen (auf *dat.* sobre); **II.** *v/r.* *~se en* bauen auf (*ac.*); fußen auf (*dat.*); *estar basado en* s. gründen auf (*ac.*), beruhen auf (*dat.*).
basáride *Zo. f* Katzenfrett *m.*
basbolero *Sp. m* Baseballspieler *m.*
bas|ca *f* **1.** (*mst. ~s f/pl.*) Übelkeit *f*, Brechreiz *m*; *sentir ~s* Brechreiz haben, s. übergeben (müssen); **2.** (Schafs-)Tollwut *f*; F Wutanfall *m*; **~cosidad** *f* Ekelhaftigkeit *f*; Schmutz *m*; *Ec.* Zote *f.*
báscula *f* **1.** gr. Waage *f*; Hebelwaage *f*; *~ instantánea* Schnellwaage *f*; *~ de pesada continua* Durchlaufwaage *f*; *~ de puente* Brückenwaage *f*; **2.** *fort.* Hebebaum *m* (*Ziehbrücke*); **3.** Unruh(e) *f* (*Uhr*).
bascula|ble *adj. c* kippbar; **~dor** *m Kfz.*, 🚂 Kipper *m*; **~nte I.** *adj. c* kippbar, Kipp...; **II.** *m Kfz.* Kipperbrücke *f*; **~r** *v/i.* wippen, schwingen.
base *f* **1.** Grundlage *f*, Basis (*a. Anat.*); *a ~ de* **a)** auf Grund von (*dat.*), wegen (*gen.*); **b)** aus (*dat.*), *hergestellt* mit (*dat.*); *a ~ de bien* sehr gut, ausgezeichnet; *caer* (*od. fallar*) *por su ~* grundsätzlich falsch (*od.* verfehlt) sein; **2.** ⊕ Basis *f*; Bodenplatte *f*, Bettung *f*; **3.** ⚔ Stützpunkt *m*, Basis *f*; *~ aérea* (*naval*) Luft- (Flotten-)stützpunkt *m*; *a. fig. ~ de operaciones* Operationsbasis *f*; **4.** ⚗ Base *f*; **5.** Å Grund-zahl *f*; -linie *f*; -fläche *f.*
base-ball *engl. m* Baseball *m.*
básico *adj.* **1.** grundlegend, Grund-...; *error m ~* Grundirrtum *m*; *punto m ~* wesentlicher Punkt *m*, Hauptsache *f*; **2.** ⚗ basisch, alkalisch.
basilar 📖 **I.** *adj. c* auf die Basis bezüglich; ⚘ grundständig; **II.** *m Anat.* Keilbein *n.*
basilea □ *f* Galgen *m.*
basílica I. *f* Basilika *f*; **II.** *adj.-su. f Anat.* (*vena f*) *~* Basilica *f.*
basilical *adj. c* Basiliken...
basílico ⚘ Basilienkraut *n.*
basilicón *m* Königs-, Zug-salbe *f.*
basil(i)ense *adj.-su. c* aus Basel; *m* Basler *m.*
basilio *m* Basilianermönch *m.*
basilisco *m* **1.** *Myth.* Basilisk *m*; *hist.* ⚔ Feldschlange *f*; *fig.* (*estar*) *hecho un ~* Gift u. Galle speien, fuchsteufelswild (sein); **2.** *Zo.* Königsechse *f.*
basket-ball *engl. m* → *baloncesto.*
basquear *v/i.* Übelkeit verspüren.
basta *f* Heft-; Reih-naht *f*; Steppnaht *f*; Abnäher *m.*
bastante I. *adj. c* ausreichend, genügend; *lo ~* hinreichend; *tiene ~ dinero* er hat ziemlich viel Geld; *tiene dinero ~* er hat Geld genug; **II.** *adv.* genug; ziemlich; F *od. iron.* sehr; *~ bien* recht gut; *tener ~ con algo* mit et. (*dat.*) auskommen; *nunca tiene ~* er ist nie zufrieden, er kann nie genug kriegen F.
bastantear ⚖ *v/i.* e-e Vollmacht bestätigen (*od.* anerkennen).
bastar I. *v/i.* genügen (*j-m a*), ausreichen, langen; *¡basta (ya)!* genug!, Schluß!; *basta con + inf.* es genügt, zu + *inf.*; *¡basta y sobra!* genug u. übergenug!; *basta de palabras* genug der Worte; *basta con eso* das genügt; Schluß damit; **II.** *v/r.* *~se* (*a sí mismo*) s. selbst genügen; *~se y sobrarse* s. selber helfen können.
bastar|da *f* **1.** feinkörnige Schlosserfeile *f*; **2.** *Typ.* → *bastardilla*; **~dear I.** *v/i.* (*a. ~se v/r.*) entarten, aus der Art schlagen (*gen.* de); degenerieren; **II.** *v/t. fig.* verfälschen; verschlechtern; **~día** *f* **1.** Ent-, Ab-artung *f*; **2.** außereheliche Geburt *f*; **3.** Gemeinheit *f*; **~dilla** *f* **1.** *Typ.* Kursivschrift *f*; **2.** ♪ *Art* Flöte *f*; **~do I.** *adj.* **1.** unecht; entartet; Misch...; *especie f ~a* Abart *f*; **2.** unehelich, außerehelich; *hijo m ~* Bastard(sohn) *m*; **3.** gemein, schändlich; **II.** *m* **4.** Bastard *m* (*a. als Schimpfwort*); **5.** ⚓ Racktau *n.*

baste *m* 1. → *basta*; 2. Sattelkissen *n*.
bastear *v/t*. heften; reihen; steppen.
baste|dad *f* Grobheit *f*, Rauheit *f*; → **~za** *f* Grobheit *f*, Plumpheit *f*; Ungeschliffenheit *f*.
bastidor *m* 1. (Stick-, Fenster-, Tür-)Rahmen *m*; *Phot*. Kassette *f*; 2. ⊕ Gestell *n*, Gerüst *n*, Rahmen *m*; *Kfz*. Fahrgestell *n*; ~ (*lateral*) Zarge *f*; Leiterholm *m*; ~ *de montaje* Montage-bock *m*, -gerüst *n*; 3. *Thea*. Kulisse *f*; *fig*. entre ~es hinter den Kulissen; 4. *Col*., *Chi*. Jalousie *f*.
bastilla[1] *f* Saum(naht *f*) *m*, Stoß *m*.
Bastilla[2] *hist*. *f* Bastille *f*; *toma f de la* ~ Erstürmung *f* der Bastille.
bastimen|tar *v/t*. verproviantieren; **~to** *m* Proviant *m*.
bastión *m* Bollwerk *n*, Bastion *f*; *fig*. *Pol*. Hochburg *f*.
basto[1] *m* 1. Packsattel *m*; *Am*. Sattelkissen *n*; 2. *Kart*. *etwa*: Eichel *f*, Treff *n*; (*as m* de) ~(s) Eichelas *n*.
basto[2] *adj*. grob, rauh; *fig*. roh, plump, ungeschliffen.
bastón *m* 1. (Spazier-)Stock *m*; Stecken *m*, Stab *m*; Feldherrnstab *m*; ~ (de) *estoque* Stockdegen *m*; ~ *de mando* Amtsstab *m*; Kommandostab *m*; *dar* ~ *al vino* → *bastonear* 2; *fig*. *empuñar el* ~ den Befehl (*od*. das Kommando) übernehmen; 2. ✈ Steuerknüppel *m*; 3. ▨ Pfahl *m*; *fig*. *los* ~*ones de Aragón* das Wappen von Aragonien.
basto|nada *f* 1. Bastonade *f*, Prügelstrafe *f*; 2. → **~nazo** *m* Stockschlag *m*; ~*s m/pl*. Prügel *m/pl*. F, Schläge *m/pl*.; **~ncillo** *m* schmale Tresse *f*; **~near** *v/t*. 1. durchprügeln; *fig*. autoritär regieren; 2. *Wein* schlagen, peitschen; **~nera** *f* Stock-, Schirm-ständer *m*; **~nero** *m* 1. Tanz-, Zeremonien-meister *m*; Festordner *m*; 2. *ehm*. Stockmeister *m im Gefängnis*.
basu|ra *f* 1. Kehricht *m*, Müll *m*; *a*. *fig*. Unrat *m*; *acarreo m de* ~*s* Müllabfuhr *f*; 2. (Pferde-)Mist *m*; **~ral** *m Am*. *Reg*. Abfall-haufen *m*, -grube *f*; **~rear** P *v/t*. *Rpl*. niederwerfen, aufs Kreuz legen P; umlegen P; **~rero** *m* 1. Müllkutscher *m*; 2. Abfallhaufen *m*; Müllgrube *f*; **~rita** *f* 1. F *Am*. Kleinigkeit *f*, et., womit man nicht viel anfangen kann; 2. P *Cu*. Trinkgeld *n*.
bata[1] *f* Schlaf-, Morgen-rock *m*; Haus-rock *m*, -kleid *n*; (Arbeits-) Kittel *m*; *de* ~ im Morgenrock *usw*.
bata[2] *m Fil*. junger Eingeborener *m*.
batacazo *m* Klatsch *m*, Plumps *m*, heftiger Fall *m*; Kladderadatsch *m* (*a*. *fig*.); *dar un* ~ lang hinschlagen; *fig*. stürzen. [*m* F.]
batahola F *f* Krach *m*, Spektakel
batalla *f* 1. Schlacht *f*; Kampf *m*; *fig*. Streit *m*; (*orden m de*) ~ Schlachtordnung *f*; ~ *campal* Feldschlacht *f*; *fig*. Schlägerei *f*; ~ *defensiva* (*decisiva*) Abwehr- (Entscheidungs-)schlacht *f*; ~ *de desgaste* (*de ruptura*) Material- (Durchbruchs-)schlacht *f*; *campo m de* ~ Schlachtfeld *n*; *dar* (*od*. *librar*) ~ e-e Schlacht liefern; *fig*. s. widersetzen, die Stirn bieten (j-m *a alg*.); *fig*. *dar la* ~ kämpfen, den Kampf aufnehmen; *presentar* ~ s. (dem Gegner) zur Schlacht stellen; *fig*. s. zum Kampf stellen; 2. ~ *de flores* Blumenkorso *m*; *hist*. Blumenkrieg *m im alten Mexiko*; 3. *Mal*. Schlachtengemälde *n*; 4. *Kleidung*: de ~ alltäglich, für den Alltag; strapazierfähig; 5. ⊕ Achsabstand *m* (*Fahrzeug*); 6. *Equ*. Sattelsitz *m*; **~dor** I. *adj*. *a*. *fig*. kriegerisch, kämpferisch; II. *m* Kämpfer *m*; *hist*. *ehrender Beiname ma*. *Helden*; **~r** *v/i*. 1. kämpfen, streiten; disputieren; 2. schwanken, zaudern.
batallón[1] ⚔ *m* Bataillon *n*; ~ *de comunicaciones*, ~ *de transmisiones* Nachrichtenabteilung *f*; *comandante m de* ~, *jefe m de* ~ Bataillonskommandeur *m*.
batallón[2] F *adj*.: *asunto m* ~, *cuestión f* ~*ona* Streitfrage *f*, Zankapfel *m*.
batán *m tex*. Walke *f*, Walk-maschine *f*, -mühle *f*; *Ec*., *Pe*. Maismühle *f*; *Chi*. Färberei *f*.
batanear *v/t*. *tex*. walken; *fig*. F durchwalken F, verprügeln.
bataola *f* → *batahola*.
bata|ta *f* 1. ⚘ Batate *f*, Süßkartoffel *f*; 2. *fig*. *Rpl*., *P*. *Ri*. a) Schüchternheit *f*; b) Simpel *m* F, Tropf *m* F; **~tal**, **~tar** *m* Batatenfeld *n*; **~tazo** *m Rpl*., *Chi*., *Pe*. Sieg *m* e-s Außenseiters (*Pferderennen*). [*m*.]
batayola ⚓ *f* Hängemattenkasten
bate *m* Stopf-, Stopp-hacke *f der Rottenarbeiter*; *Ant*., *Col*. Schlagholz *n* (*Ballspiel*).
bate|a *f* 1. Tablett *n*; Schüssel *f*; flacher Trog *m*; *Am*. Wasch-trog *m*, -mulde *f*; 2. 🚃 Plattformwagen *m*; 3. ⚓ Prahm *m*; 4. ⚒ *Am*. *Mer*. Mulde *f zum Goldwaschen*.
bate|l ⛵ *m* Kahn *m*, Boot *n*; **~lero** *m* Kahn-, Boots-führer *m*.
bate|ría I. *f* 1. ⚔ Batterie *f*; Geschützstand *m*; ~ *de bocas de fuego* Rohr-, Geschütz-batterie *f*; ~ *de campaña* (*de cohetes*) Feld- (Raketen-)batterie *f*; ~ *de costa* (*de plaza*) Küsten- (Festungs-)batterie *f*; *en* ~ aufgefahren (*Artillerie*); *dar* ~ *a* unter Beschuß nehmen (*ac*.); *fig*. angreifen (*ac*.); 2. ⚓ Stück-, Geschütz-pforte *f*; *fort*. Mauereinbruch *m*, Bresche *f*; 3. ⚡ Batterie *f*; *Rf*. ~ *de filamento* Heizbatterie *f*; ~ *de pilas secas* Trockenbatterie *f*; 4. *a*. ⊕ Reihe *f*, Batterie *f*; ~ *de cocina* (Satz *m*) Küchengeschirr *n*; ~ *de cracking* Krackanlage *f*; ~ *de lavabos* Reihenwaschanlage *f*; 5. *Thea*. Rampenlicht *n*; 6. ♪ Schlagzeug *n*; 7. Zudringlichkeit *f*; Belästigungen *f/pl*.; II. *m* 8. → **~rista** ♪ *m* Schlagzeuger *m*.
bati|borrillo, **~burrillo** *m* → *baturrillo*.
baticola *Equ*. *f* Schwanzriemen *m*.
batida *f* 1. Treibjagd *f* (*a*. *fig*.); Razzia *f* (*Polizei*); ⚔ Streife *f*; *dar una* ~ e-e Treibjagd *bzw*. e-e Razzia veranstalten; 2. *Hk*. *Cu*., *S*. *Dgo*. Angriff *m*.
bati|dera *f* Rührschaufel *f der Maurer*; Imkermesser *n*; **~dero** *m* 1. Klappern *n*; Stuckern *n*; 2. ⚓ Wellenschlag *m*; ~*s* Spritzborde *m/pl*.; 3. holpriger Fahrweg *m*; *fig*. sehr besuchter Ort *m*; **~do** I. *adj*. 1. gebahnt, ausgetreten (*Weg*); 2. schillernd (*Seide*); II. *m* 3. Klopfen *n*, Schütteln *n*; 4. Teig *m für Biskuit od*. *Oblaten*; Eierschnee *m*; geschlagene Eier *n/pl*.; geschlagenes Eigelb *n*; 5. Mixgetränk *n*; 6. *HF* Überlagerung *f*; **~dor** *m* 1. Quirl *m*, Schnee-schläger *m*, -besen *m*; 2. Dreschflegel *m*; (Wasch-)Schlegel *m*; ⊕ Stößel *m*; *tex*. Schläger *m*; *tex*. Weblade *f*; ~ *de oro* Goldschläger *m*; 3. weitzahniger Kamm *m*, Frisierkamm *m*; 4. *Jgdw*. Treiber *m*; 5. ⚔ *Kavallerie*: Kundschafter *m*; ~*es m/pl*. Voraustrab *m*; **~dora** *f* Mixer *m*; ⊕ Rührwerk *n*; ~ *de cables* Kabelschläger *m*; **~dura(s)** *f*(*/pl*.) ⊕ Hammerschlag *m*.
batiente I. *adj*. *c* 1. schlagend; II. *m* 2. Fenster-, Tür-flügel *m*; Anschlag *m*; 3. Hammerleiste *f*, Dämpfer *m am Klavier*; 4. Felsenklippe *f*, Deich *m*, *an dem s*. *die Wellen brechen*.
bati|fondo *m Rpl*. → *alboroto*, *barahúnda*; **~hoja** *m* Gold-, Silberschläger *m*; Blechschmied *m*; **~mento** *Mal*. *m* Schlagschatten *m*; **~metría** 🕮 *f* Tiefsee-messung *f*; -forschung *f*; **~miento** *m* Schlagen *n*; ⚔ Beschuß *m*.
batín *m* Haus *bzw*. Friseur-kittel *m*.
batintín *m* Gong *m*.
batir I. *v/t*. 1. *Metall* schlagen; *Stahl* gärben; *Münzen* prägen; ~ (*en frío*) *Metall* kalt schlagen; 2. quirlen; *Eier*, *Teig*, *Sahne* schlagen; *Teig* rühren; ~ *la leche* buttern (*v/i*.); 3. bewegen; mit *den Flügeln* schlagen; *Boden* peitschen, schlagen; ~ *el vuelo* (auf)fliegen; 4. ♪ *Trommel*, *Takt* schlagen; ~ *marcha* trommeln; *fig*. F ~ *el parche* auf die Pauke hauen F, angeben F; 5. anblasen, anwehen (*Wind*); bescheinen (*Sonne*); bespülen, anbranden an (*ac*.) (*Wellen*); 6. *Jgdw*. treiben; ⚔, *a*. *Jgdw*. *Gelände* erkunden, durchstreifen; 7. ⚔ ~ (*con fuego*) unter Feuer (*od*. unter Beschuß) nehmen, beschießen; bestreichen; 8. schlagen, besiegen; *fig*. vernichten; *Sp*. *u*. *fig*. ~ *la marca* e-n Rekord schlagen; 9. *Zelt u*. *ä*. abbrechen; 10. *Haar* (auf)kämmen; 11. *Chi*., *Guat*., *Pe*. *Wäsche* spülen; II. *v/i*. 12. *gal*. heftig schlagen (*Herz*); 13. □ *Arg*. beichten; III. *v/r*. ~*se* 14. kämpfen, s. schlagen, s. streiten; ~*se en duelo* s. duellieren, s. schlagen.
batiscafo *m* Bathyskaph *n*, Tiefseetauchgerät *n*. [(-tuch *n*) *m*.]
batista *f* Batist *m*; ~ *cruda* Nessel
bato *m* Dummkopf *m*, Tölpel *m*.
batómetro *m* Tiefenmesser *m*, Bathometer *n*.
batracios *Zo*. *m/pl*. Froschlurche *m/pl*., Batrachier *m/pl*.
batuda *f* Trampolinsprünge *m/pl*. *der Akrobaten u*. *Turner*.
Batue|cas F: *estar en las* ~ zerstreut sein, nicht bei der Sache sein; *desp*. *parece que viene de las* ~ er ist reichlich ungeschliffen; **2co** F *adj*.-*su*. tölpelhaft; *m* Tolpatsch *m*; Flegel *m*.
batuque P *m Rpl*. Lärm *m*, Tumult *m*, Krach *m*.

batu|rrada *f* Flegelei *f*, Rüpelei *f*; **~rrillo** F *m* Mischmasch *m*, Gemansche *n*; **~rro** F *adj.-su.* dickköpfig; bauernschlau; (*m*) aragonesisch(er Bauer *m*); *m* Aragonier *m*.

batuta ♪ *f* Taktstock *m*; *bajo la ~ de ...* (*Orchester*) unter (der Leitung von) ... (*dat.*); *fig. llevar la ~* führen, die führende Rolle spielen, den Ton angeben.

baud *Tel. m* Baud *n* (*Maßeinheit*).

baúl *m* **1.** gr. Koffer *m*; Truhe *f*; *~ mundo* Schrank-, Kabinen-koffer *m*; P *cargar el ~ a j-m* die Schuld zuschieben; **2.** *fig.* F Bauch *m*, Wanst *m*; P *henchir el ~* s. den Wanst vollschlagen P.

bauprés ⚓ *m* Bugspriet *n*.

bausán I. *m* Strohpuppe *f*; *fig.* Dummkopf *m*, Einfaltspinsel *m*; **II.** *adj. Pe.* faul, träge.

bautis|mal *adj. c* Tauf...; *agua f ~* Taufwasser *n*; **~mo** *m* Taufe *f*; *~ de urgencia, ~ in articulo mortis* Nottaufe *f*; *~ de sangre* Bluttaufe *f*; *fig. ~ de fuego* (*de la línea*) Feuer-(Äquator-)taufe *f*; *libro m de ~s* Taufbuch *n*; *nombre m de ~* Tauf-, Vor-name *m*; F *romper el ~ a j-m* den Schädel einschlagen; **~ta** *m* Täufer *m*; *San Juan ≈, El ≈* Johannes der Täufer; **~terio** *m* Taufbecken *n*; -kapelle *f*.

bauti|zado *m* Täufling *m*; Getaufte(r) *m*; **~zar** [1f] *v/t.* taufen (*a. fig.*); an-, be-spritzen; *fig. Wein* pan(t)schen; **~zo** *m* Taufe *f*; Tauffeier *f*; F *el ~ de los nuevos* den Neulingen (*bsd. Rekruten*) e-n Streich spielen.

bauxita *Min. f* Bauxit *m*.

bávaro *adj.-su.* bay(e)risch; *m* Bayer *m*.

baya *f* Beere *f*.

bayadera *f* Bajadere *f*.

bayal[1] *adj.c-su. m* Herbstbflachs *m*.

bayal[2] *m* Mühlsteinhebel *m*.

baye|ta *f* grober Flanell *m*; Scheuerlappen *m*, Putzlumpen *m*; *~ eléctrica* Heizkissen *n*; **~tón** *m* Molton *m*.

bayo I. *adj.-su.* falb (*Pferd*); *m* Falbe(r) *m*; **II.** *m Ent.* Seidenspinner *m*.

bayona ⚓ *f* langes Stoßruder *n*.

bayonesa *f barb. für mayonesa.*

bayone|ta *f* Seitengewehr *n*, Bajonett *n*; *a la ~* mit dem Bajonett, Bajonett...; *calar la ~* das Seitengewehr aufpflanzen *bzw.* fällen; *esgrimir la ~* mit dem Bajonett fechten; **~tazo** *m* Bajonettstich *m*; **~tear** *v/t. Am.* mit dem Bajonett verwunden *bzw.* töten.

baza *Kart. f* Stich *m*; *fig. ~ maestra* Meister-stück *n*; -schuß *m*; *fig.* (*a*)*sentar bien su ~* **a**) die Trümpfe in der Hand haben; **b**) s-e Stellung, sein Ansehen *bzw.* s-e Meinung festigen; **c**) das Richtige (*od.* ins Schwarze) treffen; *hacer ~* Stiche machen; *fig.* **a**) beteiligt sein; **b**) Glück *bei e-m Unternehmen usw.* haben; *meter ~* (en) s. (*ins Gespräch usw.*) einmischen, s-n Senf dazugeben F; *no dejar meter ~ bsd.* niemanden zu Wort kommen lassen.

bazar *m* Basar *m*, Bazar *m*; Warenhaus *n*; *~ benéfico* Wohltätigkeitsbasar *m*.

bazo[1] *Anat. m* Milz *f*.

bazo[2] *adj.* goldbraun; *pan m ~* Roggenbrot *n*.

bazofia *f* Speisereste *m/pl.*; *fig.* schlechtes Essen *n*, Schlangenfraß *m* P.

ba|zooka, ~zuca ⚔ *m* Panzerfaust *f*, Bazooka *f*.

bazu|car [1g], **~quear** *v/t. bsd. Flüssigkeit* schütteln; **~queo** *m* Schütteln *n*; ⚘ Plätschergeräusch *n*.

be[1] *f* B *n* (*Name des Buchstabens*); → *a. b.*

be[2] *onom.* bäh; *m* Bäh *n*, Geblök *n*.

bea|ta *f* **1.** Laienschwester *f*, Begine *f*; F Betschwester *f*, Frömmlerin *f*; P *de día ~, de noche gata* tags Betschwester, nachts Bettschwester P; **2.** P Pesete *f*; **~tería** *f* Frömmelei *f*, Scheinheiligkeit *f*; **~terio** *m* Beginenhaus *n*; **~tificación** *f kath.* Seligsprechung *f*; **~tíficamente** *adv.* **1.** *Theol. vivir ~* ein gottseliges Leben führen; **2.** *fig.* glücklich, selig; **~tificar** [1g] *v/t.* **1.** *kath.* seligsprechen; *Rel. u. fig.* seligpreisen; **2.** *fig.* beseligen; *fig.* heiligen; **~tífico** *adj.* **1.** *Theol.* selig; **2.** *fig.* friedlich; *desp.* naiv; **~tísimo** *sup.*: *≈ Padre m* Heiliger Vater *m* (*Papst*); **~titud** *f* **1.** *Theol.* ewige Glückseligkeit *f*, Seligkeit *f*; **2.** *Su ≈* S-e Heiligkeit *f* (*Papst*); **3.** *fig.* F Glück *n*, Behagen *n*; **~to I.** *adj. Theol.* selig; fromm; *desp.* scheinheilig; *desp.* naiv; *ser ~* frömmeln; **II.** *m* Selige(r) *m*, Seliggesprochene(r) *m*; *desp.* Betbruder *m*, Frömmler *m*; **~tuco, ~tucho** *adj.-su. desp. v. beato.*

bebé *gal. m* Baby *n*.

bebe|dera *f Col., Guat.* Trinken *n*, Saufen *n* P; **~dero I.** *adj.* **1.** trinkbar; **II.** *m* **2.** Trinknapf *m für Vögel*; Wild-, Vogel-, Vieh-tränke *f*; **3.** Schnauze *f* an Trinkgefäßen; **4.** ⊕ *Gießerei*: Guß-loch *n*; -trichter *m*; **5.** *Guat., Pe.* Schnapskneipe *f*; **~dizo I.** *adj.* trinkbar; **II.** *m* Heiltrank *m*; Gift-, Zauber-trank *m*; **~dor** *adj.-su.* Trinker *m*; **~r I.** *vt/i.* **1.** trinken; (P *u. Tiere*) saufen; *dar de ~* zu trinken geben; *lit. u. Vieh* tränken; *~ el freno* auf die Stange beißen (*Pferd*); *~ en un vaso* aus e-m Glas(e) trinken; *~ a* (*od. por*) *la salud de* auf *j-s* Gesundheit trinken; *fig. ~ fresco* sorglos (*od.* ahnungslos *od.* ohne Argwohn) sein; *~ por lo ancho* alles für s. haben wollen; **2.** *fig. ~ la doctrina de* s. innig vertraut machen mit *j-s* Lehre; *~ los sesos a j-m* den Kopf verdrehen; *~ los vientos por et.* voller Sehnsucht herbeiwünschen; in *j-n* sterblich verliebt sein; *poet. ~ los vientos, ~ los aires* schnell wie der Wind laufen; **II.** *v/r.* *~se* **3.** *~se a/c.* et. austrinken, et. leeren; et. hinunterschlucken (*a. fig.*); *~se las lágrimas* die Tränen unterdrücken; *como quien se bebe un vaso de agua* kinderleicht, spielend (leicht); im Handumdrehen (*et. erledigen u.ä.*); als ob gar nichts dabei wäre; **III.** *m* **4.** Trinken *n*; **~rrón** F *adj.-su.* trunksüchtig; *m* Trinker *m*, Säufer *m* P; **~stible** F *adj. c* → *bebible.*

bebi|ble F *adj. c* trinkbar; **~da** *f* **1.** Getränk *n*; **2.** Trinken *n*; Trunksucht *f*; **~do** *adj.* angetrunken, beschwipst F; **~strajo** *desp. m* elendes Getränk *n*, Gesöff *n* F.

beborrotear F *v/i.* nippen, häufig u. in kleinen Schlucken trinken.

beca *f* **1.** Schärpe *f der Studenten*; **2.** Kapuze *f*; **3.** Freistelle *f*; Stipendium *n*; *ehm.* Stipendiat *m*.

beca|cina *Vo. gal. f* Bekassine *f*; **~da** *Vo. f* (Wasser-)Schnepfe *f*; Waldschnepfe *f*.

beca|do *m* Stipendiat *m*; **~r** *v/t.*: *~ a alg.* j-m ein Stipendium gewähren; **~rio** *m* Stipendiat *m*.

bece|rra *f* **1.** Färse *f*, (Kuh-)Kalb *n*; **2.** ❀ Löwenmaul *n*; **~rrada** *f* Stierkampf *m* mit jungen Stieren; **~rrillo** *m* Kalbsleder *n*; **~rro** *m* **1.** Farre *m*, Stierkalb *n*; *~ marino* Seehund *m*; *bibl. ~ de oro* das Goldene Kalb *n* (*a. fig.*); **2.** Kalbsleder *n*; **3.** Urkundenbuch *n e-s Klosters, e-r Gemeinde.*

becoquino ❀ *m* Wachsblume *f*.

becuadro ♪ *m* Auflösungszeichen *n*.

bedano *m* Stemm-, Stech-eisen *n*.

bede|l *m* Pedell *m*; **~lía** *f* Amt *n* e-s Pedells.

beduino *m* Beduine *m*; *fig.* Barbar *m*, Rüpel *m*.

befa *f* Hohn *m*, Spott *m*; *hacer ~ de* s-n Spott treiben mit (*dat.*); **~r I.** *v/i.* die Lefzen bewegen (*Pferd*); **II.** *v/t.* (*u. v/r.* *~se de*) verspotten, spotten über (*ac.*).

befo I. *adj.* **1.** mit wulstiger Unterlippe; dicklippig; **2.** krummbeinig; **II.** *m* **3.** Lefze *f* (*Pferd*).

begardo *m* Beghard(e) *m* (*Sektierer*).

begonia ❀ *f* Begonie *f*.

begui|na *Rel. f* Begine *f*; **~no** *m* → *begardo.*

begum *f* Begum *f*.

behaviorismo *Psych. m* Behaviorismus *m*, Verhaltensforschung *f*.

behetría *hist. f* „Freivasallenschaft" *f* (*e-e freie Gemeinde schloß s. e-m Lehnsherren auf Zeit an*).

beige *gal. adj. c* beige.

béisbol *Angl. m* Baseball *m*.

bejín *m* ❀ Bovist *m*; *fig.* Hitzkopf *m*.

beju|cal *m* Lianendickicht *n*; **~co** ❀ *m* Liane *f*, Schlingpflanze *f*; **~quear** *v/t. Ec., Guat., Méj., Pe., P. Ri.* verprügeln; peitschen; **~quera** *f*, **~quero** *m* **1.** *Am.* → *bejucal*; **2.** *fig. Col.* verwickelte Situation *f*; **~quillo** ❀ *m* Brechwurz *f*, Ipekakuanha *f*.

Belcebú *m* Beelzebub *m*; *Zo. Am.* ≈ Brüllaffe *m*, Beelzebub *m*.

belcho ❀ *m* Strandbeere *f*.

beldad *poet. f* Schönheit *f* (*a. Person*).

beduque *m. Am. Cent., Col., Chi., Méj.* gr., spitzes Messer *n*.

belemnita *Geol. f* Belemnit *m*, Donnerkeil *m*.

belén *m* (Weihnachts-)Krippe *f*; *fig.* Lärm *m*; Durchea. *n*; Wirrwarr *m*; (*mst.* *~enes n/pl.*) unsicheres Geschäft *n*; *es un ~* das ist höchst verwickelt; *todo este ~* dieser ganze Krempel; *estar en ≈* geistesabwesend (*bzw.* verdattert) sein.

beleño ❀ *m*: *~* (*negro*) (schwarzes) Bilsenkraut *n*.

belesa ❀ *f* Bleiwurz *f*.

belfo I. *adj.-su.* mit dicker Unterlippe; dicklippig; **II.** *m* Lefze *f* (*Pferd usw.*); Hängelippe *f*.

belga *adj.-su. c* belgisch; *m* Belgier *m*.

bélgico *adj.* belgisch.
belicis|mo *m* Kriegslust *f*; Kriegstreiberei *f*; **~ta** *adj.-su.* *c* kriegslüstern; *m* Kriegs-hetzer *m*, -treiber *m*.
bélico *adj.* kriegerisch, Kriegs...; *ardor m ~* Kriegs-begierde *f*; -lust *f*.
belico|sidad *f* Kriegs-, Angriffslust *f*; **~so** *adj.* kriegerisch; kriegslüstern; *fig.* streitbar.
beligeran|cia ⚖ *f* Status *m* als kriegführende Partei; *fig. dar ~ a uno* j-n als (ebenbürtigen Diskussions-)Gegner anerkennen; **~te** *adj.-su.* *c* krieg(s)führend; *m* Krieg(s)führende(r) *m*; *fig.* (ebenbürtiger Diskussions-)Gegner *m*.
belísono *poet. adj.* waffenklirrend.
belitre F *m* Lump *m*, Gauner *m*.
belvedere *m* Erker *m*; Ecktürmchen *n*.
bella|cada *f* → *bellaquería*; **~co** I. *adj.* gemein, verschlagen; *Rpl., Méj.* störrisch, tückisch (*Pferd*); II. *m* Schuft *m*, Schurke *m*, gemeiner Kerl *m*.
belladona ⚘ *f* Tollkirsche *f*, Belladonna *f*.
bellamente *adv.* schön, großartig.
bellaque|ar *v/i.* 1. Schurkenstreiche verüben; 2. *Rpl., Bol.* bocken (*Pferd*; F *Arg. Person*); **~ría** *f* Schurkerei *f*; Gemeinheit *f*.
belleza *f* Schönheit *f* (*a. Person*); Anmut *f*; *~ exterior, ~ de línea* Formschönheit *f*; *~ ideal* Schönheitsideal *n*.
bellísimo *sup. v. bello*: wunderschön.
bello *adj.* schön; *las ~as artes* die schönen Künste *f/pl.*; *el ~ sexo* das schöne Geschlecht.
bello|ta *f* ⚘ a) Eichel *f*; b) Nelkenknospe *f*; *fig. si le menean da ~s* er ist dumm wie Bohnenstroh, er ist saudumm P; **~te** *m* Rundkopf *m* (*Nagel*); **~tear** *v/i.* Eicheln fressen (*Schweine*); **~tera** *f* (Zeit *f* der) Eichellese *f*; Eichelmast *f*; **~tero** I. *adj.* eicheltragend; II. *m* Eichelsammler *m*; **~to** ⚘ *m* chilenischer Eichellorbeer *m*.
bem|ba *f Ant., Col., Ven.*, **~bo** *m Cu.* Negerlippe *f*; dicke Lippe *f*; **~bón** *Cu., P. Ri., Ven.*, **~budo** *adj. Cu., P. Ri.* mit wulstigen Lippen, dicklippig.
bemo|l *m* ♪ Erniedrigungszeichen *n*, b *n*; *re ~* des; *doble ~* Doppel-b *n*, bb *n*; *fig. esto tiene (tres) ~es* a) das ist äußerst schwierig; b) das ist doch allerhand (*Entrüstung*); **~lar** *v/t.* ♪ mit b versehen; *Note* erniedrigen; *fig.* herabstimmen, dämpfen.
ben|ceno ⚗ *m* Benzol *n*; **~cidina** ⚗ *f* Benzidin *n*; **~cina** *f* Benzin *n*; Wund-, Wasch-benzin *n*; *~ de aviación* Flugbenzin *n*; *~ bruta (ligera)* Roh- (Leicht-)benzin *n*.
ben|decir [3p] *v/t.* 1. segnen, (ein-)weihen; *~ la comida* das Tischgebet sprechen; 2. preisen, loben; **~dición** *f* 1. Segen(sspruch) *m*; Einsegnung *f*, Weihe *f*; *~ de la mesa* Tischgebet *n*; *~ nupcial* Trauung *f*; *echar la ~ (a)* segnen (*ac.*); die Ehe einsegnen; s-n Segen geben (*dat.*) F; *echar la ~ a a/c. (a alg.)* auf et. (*ac.*) verzichten, et. Verlorenes abschreiben (mit j-m nichts mehr zu tun haben wollen); 2. Segen *m*, Wohltat *f*; *ser una ~ (de Dios)* ein wahrer (Gottes-)Segen sein (*a. fig.*); **~dito** I. *adj.* 1. gesegnet; F einfältig, naiv; *agua f ~a* Weihwasser *n*; *¡~ sea Dios!* Gott sei Dank!; II. *m* 2. Segen *m* (*Gebet, das beginnt: ~ y alabado sea ...*); 3. es un ~ er ist ein (gutmütiger) Trottel; *dormir como un ~* schlafen wie ein Murmeltier; 4. P *Ven.* → *cura*; 5. *Rpl.* Kapellchen *n*.
benedícite *m* Tischsegen *m*.
benedictino I. *adj.* 1. Benediktiner...; II. *m* 2. Benediktiner *m* (*Mönch*); 3. Benediktiner(likör) *m*.
bene|factor *adj.-su. bsd. Am.* → *bienhechor*; **~ficencia** *f* Wohltätigkeit *f*; *~ pública* Wohlfahrt *f*, (öffentliche) Fürsorge *f*; *centro m de ~* Wohltätigkeitsverein *m*; *Estado m de ~* Wohlfahrtsstaat *m*; *función f de ~* Wohltätigkeitsvorstellung *f*; **~ficiado** *m* Inhaber *m* e-r Pfründe; *Thea.* Benefiziant *m*; **~ficiador** *adj.-su.* wohltuend; *m* Wohltäter *m*; **~ficiar** I. *v/t.* 1. wohltun (*dat.*); zustatten kommen (*dat.*); nutzen (*dat.*); 2. *Land* anbauen; *Erze* abbauen; 3. verbessern; ⚗ veredeln; *Land* düngen; 4. *Amt* erkaufen; 5. *Wertpapiere* unter dem Wert verkaufen; 6. *Am. Vieh* für den Verkauf schlachten; II. *v/r.* **~se** 7. **~se** de aus *et.* (*dat.*) Nutzen ziehen; **~ficiario** *m* Nutznießer *m*; ✝ Zahlungs- *bzw.* Leistungs-empfänger *m*; Begünstigte(r) *m* (*Versicherung, Scheck, Wechsel*).
beneficio *m* 1. Wohltat *f*; Vorteil *m*, Nutzen *m*; *Thea.* Benefiz(vorstellung *f*) *n*; *a ~* de zugunsten (*gen.*), zum Besten (*gen.*); *en ~* de a) zum Vorteil von (*dat.*), zum Wohl (*gen. od.* von *dat.*); b) kraft (*gen.*), vermöge (*gen.*); 2. ✝ Gewinn *m*; Verdienst *m*; *~ bruto (neto, líquido)* Brutto-, Roh- (Netto-, Rein-)gewinn *m*; → *a. ganancia*; 3. ⚖ Rechtswohltat *f*; *gelegl. a.* Einrede *f*; *~ (legal) de pobreza* Armenrecht *n*; *~ de inventario* beschränkte Erbenhaftung *f*; *fig. a ~ de inventario* mit Vorbehalt; 4. ⚒ Abbau *m*; *en ~* in Betrieb; 5. ⸸ Anbau *m*; Düngung *f*; *Chi.* Dünger *m*; 6. *ecl.* Pfründe *f*; **~so** *adj.* vorteilhaft; einträglich; wohltuend.
benéfico *adj.* 1. wohltätig, Wohltätigkeits...; *institución f ~a* Wohltätigkeitsinstitution *f*, Hilfswerk *n*; 2. wohltuend; gütig; *~ para la salud* gut für die Gesundheit.
Benemérita *f*: *Span. la ~* die Gendarmerie (= *guardia civil*).
bene|mérito *adj.* verdienstvoll; *~ de la patria* (wohl)verdient um das Vaterland; **~plácito** *m* Genehmigung *f*, Einwilligung *f*; Plazet *n*; *Dipl.* Exequatur *n*; **~volencia** *f* Wohlwollen *n*, Gewogenheit *f*; *con ~* wohlwollend.
benévolo *adj.* gütig; wohlgesinnt, wohlwollend; *lector m ~* geneigter Leser *m* (*im Vorwort e-s Buches u. ä.*).
Benga|la *f*: *luz f de ~, mst.* ♀ bengalisches Licht *n*; *caña f de ~ od.* ♀ Rotang *m*; Peddigrohr *n*; **♀lí** *adj.-su.* *c* (*pl.* ~íes) bengalisch; *m* Bengale *m*; Bengali *n* (*Sprache*).
benig|nidad *f* Güte *f*, Gutherzigkeit *f*, Milde *f*; ⚕ Gutartigkeit *f*; **~no** *adj.* gütig, gnädig (zu *dat. con*); sanft; mild (*Wetter*); ⚕ gutartig.
benito *m* Benediktiner(mönch) *m*.
benjamín *m* Nesthäkchen *n*.
benjuí *m* (*pl.* ~íes) Benzoe(harz *n*) *f*.
benzo|ico *adj.*: *ácido m ~* Benzoesäure *f*; **~l** *m* Benzol *n*.
beocio *adj.* böotisch; *fig.* einfältig.
beo|dez *f* Trunkenheit *f*; **~do** *adj.-su.* betrunken.
beque ⚓ *m* Bugfutter *n*; *~(s) m(/pl.)* Schiffsabort *m der Matrosen*.
berbén ⚕ *m Méj.* Skorbut *m*.
berberecho *Zo. m* „Grünling" *m*, gewöhnliche Herzmuschel *f*.
berberí *adj.-su.* *c* (*pl.* ~íes) → *bereber*.
berberisco *adj.-su.* berberisch; *m* Berber *m*; *hist. Estados m/pl. ~s* Barbareskenstaaten *m/pl.*, Berberei *f*.
bérbero(s) ⚘ *m* Sauerdorn *m*.
berbiquí *m* Drillbohrer *m*, Bohrleier *f*; *~ de pecho, ~ de mano* Brustleier *f*.
bereber(e) *adj.-su.* *c* Berber...; *m* Berber *m*.
berengo *adj. Méj.* einfältig, dumm.
berenjena *f* Aubergine *f*, Eierfrucht *f*; **~l** *m* Auberginenfeld *n*; *fig.* Klemme *f*; *meterse en un ~* s. in die Nesseln setzen.
bergamo|ta ⚘ *f* Bergamotte *f* (*Birne u. Pomeranze*); *esencia f de ~* Bergamottöl *n*; **~te**, **~to** ⚘ *m* Bergamott(e)baum *m*.
bergan|te *m* unverschämter Spitzbube *m*, frecher Gauner *m*; **~tín** ⚓ *m* Brigg *f*; *~ goleta* Schonerbrigg *f*.
beriberi ⚕ *m* Beriberi *f*.
beri|lio ⚗ *m* Beryllium *n*; **~lo** *Min. m* Beryll *m*.
berlina *f* Berline *f* (*Reisekutsche*); *Wagen, Kutsche*: Vorderabteil *n mit e-r Sitzreihe*; *fig. poner en ~* lächerlich machen, dem Gelächter (*od.* Gespött) aussetzen.
berlinés *adj.-su.* berlinerisch; *m* Berliner *m*.
berlinga ⚓ *f* Spiere *f*.
berma *f* 1. ⚔ Grabenabsatz *m*; 2. Berme *f*, Böschungsabsatz *m*.
berme|jear *v/i.* rot schimmern; ins Rötliche spielen; **~jizo** *adj.* rötlich; **~jo** *adj.* (hoch)rot; rotblond; rotbraun (*Vieh*); **~juela** *Fi. f* Rötling *m*, Rotfisch *m*; **~llón** *m* Zinnober (-rot *n*) *m*.
bernardina F *f* Aufschneiderei *f*, Prahlerei *f*.
bernardo *adj.-su.* *m* Bernhardiner (-mönch) *m*; (*perro de [San]*) *~* Bernhardiner(hund) *m*.
bernegal *m* Trinkschale *f*.
berra(za) ⚘ *f Art* Eppich *m*.
berrea *f* Hirschbrunft *f*; **~r** *v/i.* blöken (*a. fig.*); *fig.* plärren; grölen, brüllen.
berrenchín *m* Schäumen *n des Wildschweines*; *fig.* F → *berrinche*.
berrendo I. *adj.* gescheckt (*Stier*); † zweifarbig; *P.Ri.* wütend; II. *m Zo. Méj.* Hirschziege *f*.
berreo *m* → *berrinche*; *berrido*.
berrido *m* Blöken *n*, Brüllen *n* (*a. fig.*); Röhren *n* (*Hirsch*); Plärren *n der Kinder*; Grölen *n*; Quieken *n*, Kreischen *n*.
berrín F *m* Hitzkopf *m*.

berrinche *m* **1.** F Wutanfall *m*; Geplärr *n*; *coger un ~* **a)** (andauernd) plärren; **b)** e-n Wutanfall bekommen; **2.** *Ec.* Rauferei *f*, Schlägerei *f*; **3.** *Am.* Brunstgestank *m* (*Eber, Hengste*).
be|rrizal *m* Kressenbeet *n*; **~rro** ⚘ *m* Kresse *f*; *~ amaro* Brunnenkresse *f*.
berro|cal *m* felsiges Gelände *n*; **~queño** *adj.* graniten; *fig.* felsenhart; *piedra f ~a* Granit *m*.
berrueco *m* **1.** Granit-, Fels-kegel *m*; **2.** Barockperle *f*.
ber|za I. *f* ⚘ Kohl *m*, Kraut *n*; *~ roja* Rotkraut *n*; *~ rizada* Wirsing *m*; *estar en ~* in Saat stehen; *fig. ~s y capachos* (wie) Kraut u. Rüben; *fig.* F *picar la ~* Anfänger sein, herumstümpern; **~z(ot)as** F *m* (*pl. inv.*) Niete *f* F, Flasche *f* F (*Person*).
bes *adj. inv.* beige.
besa|lamano *m veraltend: kurze förmliche* Mitteilung *f*, (*ohne Unterschrift*) *mit dem Vordruck B.L.M.* (*es küßt die Hand*); **~manos** *m* (*pl. inv.*) Handkuß *m*; *hist.* Empfang *m* bei Hofe.
besamel(a) *f* Béchamelsoße *f*.
besana *f* ✓ Richtfurche *f*; Furchenziehen *n*.
besar I. *v/t.* küssen (auf den Mund *en la boca*); *fig. ~ el suelo* hinfallen; *fig. ~ el jarro* aus dem Krug trinken; *fig. llegar y ~ el santo* et. auf Anhieb erreichen; **II.** *v/r. ~se fig.* zs.-backen (*Brot u. ä. im Ofen*); s. berühren.
besito *m dim. von beso*; *Col., Pe., P.Ri., Rpl. Art* Milch- *bzw.* Kokos-brötchen *n*.
beso *m* Küssen *n*; Kuß *m*; *~ de Judas* Judaskuß *m*; *comerse a ~s a alg.* j-n abküssen; *tirar un ~ a j-m* e-e Kußhand zuwerfen; **~tear** *v/t. bsd. Rpl.* → *besuquear*.
Bessemer ⊕: *procedimiento m ~* Bessemerverfahren *n*; *convertidor m ~* Bessemer-birne *f*, -konverter *m*.
bes|tezuela *f dim.* Tierchen *n*; **~tia I.** *f* Tier *n*, Vieh *n*; Biest *n* P; *a. fig. ~ de carga* Lasttier *n*; *~ de tiro* Zugtier *n*; *gran ~* **a)** Elch *m*; **b)** Tapir *m*; **II.** *adj.-su. c* Flegel *m*, Rüpel *m*, Rohling *m*; ungehobelter (*od.* brutaler) Kerl *m*; Dummkopf *m*; **~tiaje** *m* Lasttiere *n/pl.*; **~tial** *adj. c* **1.** bestialisch, viehisch; brutal; **2.** *fig.* F wahnsinnig (*fig.* F), riesengroß; *hambre f ~* Mordshunger *m* F; **3.** F fabelhaft, toll F; **~tialidad** *f* **1.** Bestialität *f*; Gemeinheit *f*; **2.** F Unmenge *f*; **~tializarse** [1f] *v/r.* vertieren; **~tión** ⚠ *m* Fabeltier *n*.
besu|car [1g] *v/t.* → *besuquear*; **~cón** F *adj.-su.* Knutscher *m* F.
besu|go *m* **1.** *Fi.* See-, Meer-brassen *m*; *fig.* F *ojos m/pl. de ~* Glotzaugen *n/pl.*; *ya te veo ~* ich weiß schon, worauf du hinaus willst; **2.** □ Leiche *f*; **~guera** *f* **1.** Fischpfanne *f*; **2.** Brassenfänger *m* (*Fischkutter*); **~guero** *m* **1.** Brassenhändler *m*; **2.** Brassenhaken *m* (*Angel*); **~guete** *Fi. m* roter Seebrassen *m*.
besuque|ar F *vt/i.* (ab)küssen; abschmatzen; **~o** *m* Abküssen *n*.
beta¹ *f* Beta *n*; *rayos m/pl. ~* Betastrahlen *m/pl.*
beta² ⚓ *f* Läufer *m*, Tau *n*.
betabel *m Méj.* Rübe *f*.
betarra|ga, ~ta ⚘ *f* Rübe *f*.
betatrón ⚡ *m* Betatron *n*, Elektronenschleuder *f*.
betel *m* **1.** ⚘ Betelpfeffer *m*; **2.** Betel *m*.
bético *adj. hist.* aus der Baetica, bätisch; *lit.* andalusisch.
betlemita *adj.-su. c* aus Bethlehem; *m* Bethlehemit *m*; *kath.* Bethlehemiter(mönch) *m*.
betónica ⚘ *f* Heilziest *m*, Betonie *f*.
bétula ⚘ *f* Birke *f*.
betún *m* **1.** Bitumen *n*, Erdpech *n*; Teer *m*; Klempnerkitt *m*; ⚓ Kalfatermasse *f*; *~ de Judea* Asphalt *m*; **2.** Schuhcreme *f*; Stiefelwichse *f*; *dar ~ a los zapatos* die Schuhe einkremen; **3.** Steingutglasur *f*; **4.** *Kchk. Chi. Art* Zuckerguß *m*; **5.** *Cu.* Tabakwasser *n zur Fermentation des Rohtabaks*.
betunero *m* Schuhcreme-hersteller *m*; -verkäufer *m*; *Reg.* Stiefelputzer *m*.
bey *m* Bei *m* (*türkischer Titel*).
bezo *m* Wulstlippe *f*, dicke Lippe *f*; F wildes Fleisch *n*.
bezo|ar *m* Bezoar *m*, Ziegenstein *m*; **~ár(d)ico** † *m* Gg.-gift *n* (*Vmed.*).
bezudo *adj.* dicklippig.
bi... *pref.* bi..., zwei..., doppel...
biaba *f Arg., Ur.* Überfall *m*; Schlag *m*.
biajaiba *f Ant. eßbarer Seefisch* (*Mesoprion uninotatus*).
bi|angular ⚠ *adj. c* zweiwinklig; **~articulado** *adj.* mit zwei Gelenken; mit doppeltem Gelenk (*Zo.*, ⊕); **~atómico** ⚗ *adj.* zweiatomig; **~auricular** *adj. c* **1.** beidohrig, auf beiden Ohren; **2.** mit zwei Kopfhörern *od.* Hörern; **~axial** ⊕ *adj. c* zweiachsig; **~básico** ⚗ *adj.* zwei-, doppel-basisch.
bibelot *gal. m* Ziergg.-stand *m*; *~(s) m(/pl.)* Nippsachen *f/pl.*; *koll.* Nippes *m*.
biberón *m* Saugflasche *f für Säuglinge*; *criar al ~* mit der Flasche aufziehen.
bibijagua *f Cu.* Riesenameise *f*; *fig.* betriebsamer, emsiger Mensch *m*.
Biblia *f* Bibel *f*; *fig.* dickes Buch *n*, Wälzer *m* F; *~ comentada* Bibelwerk *n*; *~ ilustrada* Bilderbibel *f*.
bíbli|camente *adv.* biblisch; *fig.* einfach; heiligmäßig; **~co** *adj.* biblisch; Bibel...; *sociedad f ~a* Bibelgesellschaft *f*.
bibli|ofilia *f* Bibliophilie *f*, Bücher(sammel)leidenschaft *f*; **~ófilo** *m* Bücherliebhaber *m*; Bibliophile *m*; **~ografía** *f* **1.** Bücherkunde *f*; **2.** Bibliographie *f*, Literaturverzeichnis *n*; **~ográfico** *adj.* bibliographisch; **~ógrafo** *m* Bibliograph *m*; **~ología** *f* **1.** Bücherkunde *f*; **2.** Bibelkunde *f*; **~omanía** *f* Bibliomanie *f*, Bücherwut *f*; **~ómano** *m* Büchernarr *m*, Bibliomane *m*.
bibliote|ca *f* **1.** Bibliothek *f*, Bücherei *f*; Bücher-, Schriften-sammlung *f*; *~ circulante* Leihbücherei *f*; *~ de escritores clásicos* Klassikerbibliothek *f*; *~ fabril* (*particular*) Werks- (Privat-)bibliothek *f*; ♀ *Nacional* Staatsbibliothek *f*; *~ popular* Volksbücherei *f*; *fig.* (*oft et. iron.*) *es una ~ ambulante* er ist ein wandelndes Konversationslexikon; **2.** Büchersaal *m*; **3.** Bücherschrank *m*; Büchergestell *n*; **~cario** *m* Bibliothekar *m*; **~conomía** *f* Bibliothekswissenschaft *f*, -kunde *f*.
biblista *c* streng Bibelgläubige(r) *m*; Bibelkenner *m*; Bibelforscher *m*.
bical *m* männlicher Lachs *m*.
bicameral *Pol. adj. c*: *sistema m ~* Zweikammersystem *n*.
bicarbonato ⚗ *m* Bikarbonat *n*; *~ de sodio, ~ sódico* Natriumbikarbonat *n*; *pharm.* (doppeltkohlensaures) Natron *n*.
bicéfalo *adj.* doppelköpfig; ⛉ *águila f ~a* Doppeladler *m*.
bicentenario *adj.-su.* zweihundertjährig; *m* (Zeitraum *m* von) zweihundert Jahre(n) *n/pl.*
bíceps *Anat. m* (*pl. inv.*) Bizeps *m*.
bici F, **~cleta** *f* Fahrrad *n*; *~ de carreras* Rennrad *n*; *~ de carretera, ~ de turismo* Tourenrad *n*; *~ de señora* Damen(fahr)rad *n*; (*estilo m de*) *~* Wassertreten *n* (*Schwimmart*); *ir en ~* radfahren, radeln F; **~clista** *c* → *ciclista*; **~clo** *m* Hoch-, Zweirad *n*.
bicloruro ⚗ *m* Dichlorid *n*; *~ de mercurio* Sublimat *n*.
bicoca *f* **1.** Lappalie *f*, wertlose Sache *f*; **2.** Glückskauf *m*; Goldgrube *f* (*fig.*); **3.** *Arg., Bol., Chi.* Käppchen *n der Priester*.
bicolor *adj. c* zweifarbig.
bicóncavo *Opt. adj.* bikonkav.
biconsonante *Gram. f* Doppelkonsonant *m*.
biconvexo *Opt. adj.* bi-, doppel-konvex.
bico|quete, ~quín *m* Ohrenmütze *f*.
bicor|ne I. *adj. c* zweihörnig; zweizipflig; **II.** *m Stk.* Stier *m*; **~nio** *m* Zweispitz *m* (*Hut*).
bi|cromato ⚗ *m* Bichromat *n*; **~cromía** *Typ. f* Zweifarbendruck *m*.
bicuadrado ⚠ *adj.* biquadratisch.
bi|cúspide *adj. c*, **~cuspídeo** *adj.* zweizipf(e)lig; *Anat.* mit zwei Wurzeln (*Zähne*); *válvula f ~* Bikuspidal-, Mitral-klappe *f*.
bicha *f* **1.** Schlange *f* (*um das unheilbringende Tabuwort culebra nicht zu verwenden*); **2.** ⚠ phantastische Schmuckfigur *f in e-m Fries*.
bicharraco *m* (*desp. v. bicho*) Tier *n*, Viehzeug *n*; *fig.* Biest *n*, Scheusal *n*, Ekel *n*; gefährliches „Ding" *n* (*Waffe usw.*).
biche¹ *adj. c Col.* unreif (*Frucht*); *Arg.* schwach, schwächlich (*Person*).
biche² ⚘ *m* süße Tamarinde *f*.
bichería *m Am.* Ungeziefer *n*; Viehzeug *n*.
bichero ⚓ *m* Bootshaken *m*.
bicho *m* **1.** Tier *n*; wildes Tier *n*; *Stk.* Stier *m*; *~s m/pl.* Ungeziefer *n*; F Viecher *n/pl.* F; **2.** *fig.* F Kerl *m*, Nummer *f* F; *mal ~* gemeiner (*od.* hinterlistiger) Kerl *m*; *~ raro* komischer Kauz *m*; *cualquier* (*od. todo*) *~ viviente* jeder; *no había ~ viviente* kein Mensch war da; **3.** *Am. Cent.* Penis *m*.
bichozno *m* Ururenkel *m*.
bidé *gal. m* Bidet *n*.
bidente I. *adj. c poet.* zweizähnig; **II.** *m ehm.* Zweizack *m* (*Hacke*).
bidón *m* Säurefaß *n*; Trommel *f*; Kanister *m*; *~ de gasolina* Benzinkanister *m*; *~ de leche* Milchkanne *f*.

biela ⊕ *f* Pleuel(stange *f*) *m*; Tretkurbel *f* (*Fahrrad*); ~ *de mando*, ~ *directriz* Lenkhebel *m* (*a. Kfz*); ~ *de distribución* Steuerstange *f*; ~ (*motriz*) Treib-, Schub-stange *f*.
biel|dar ↗ *v/t.* worfeln; **~do** *m* Worfel(-schaufel *f* *bzw.* -wanne *f*) *f*; Stroh-, Heu-, Mist-gabel *f*, -rechen *m*.
bien I. *m* **1.** Gute(s) *n*; Wohl *n*, Nutzen *m*; Gut *n*; *el* ~ das Gute; *el supremo* ~ das höchste Gut *n*; Gott *m*; ~ *público* öffentliches Wohl *n*, Gemeinwohl *n*; *por tu* (*su*) ~ zu d-m (s-m) Besten; *hacer* ~ *a todos* allen Gutes erweisen, allen wohltun; *Spr. haz* ~ *y no mires a quién* tue recht und scheue niemand; *no hay* ~ *ni mal que cien años dure* alles geht vorüber; **2.** ⚖ *mst.* ~*es m/pl.* Gut *n*; Habe *f*; Vermögen *n*; ~*es dotales* Heiratsgut *n*; ~*es del Estado* Staatsvermögen *n*; ~*es* (*de*) *propios*, ~*es comunales* Gemeindeeigentum *n*; ~*es raíces*, ~*es inmuebles*, ~*es sedientes* Immobilien *pl.*, Liegenschaften *f/pl.*; *declaración f de* ~*es* Vermögenserklärung *f*; **3.** ☤ ~*es m/pl.* Güter *n/pl.*; ~*es de capital* Kapitalgüter *n/pl.*; ~*es de equipo*, ~*es de inversión* Investitionsgüter *n/pl.*; ~*es de lujo*, ~*es suntuarios* Luxusgüter *n/pl.*; **II.** *adv.* **4.** gut, wohl, schön, recht; richtig; sehr gut; ¡(*está*) ~! gut!, in Ordnung!; ¡*está* ~!, ¡~ *hecho*! richtig!, gut so!; *ahora* ~, *pues* ~ nun (aber) (*oft unübersetzt*); ~ *que mal* sowieso, jedenfalls; allenfalls; schlecht u. recht; ~ *hecho* wohl getan; ~ *hablado* recht gesprochen; ~ *mirado* recht betrachtet; eigentlich, bei genauerem Zusehen; ~ *lo decía yo* das habe ich gleich gesagt; *no estoy del todo* ~ mir ist gar nicht wohl, mir ist ganz schummerig F; *estar* (*a*) ~ *con alg.* s. mit j-m gut stehen; bei j-m gut angeschrieben sein; *hacer* ~ + *ger.* *od.* + *en* + *inf.* gut daran tun, zu + *inf.*; ~ *podías haberme avisado* du hättest mich (aber) wirklich verständigen können; *tener a* ~ + *inf.* *od.* + *que* + *subj.* es für richtig halten, zu + *inf.*; ~ *es verdad que* ... es stimmt zwar, daß ...; *todo esto está muy* ~, *pero* ... (das ist) alles gut u. schön, aber ...; *Einleitung e-r Frage*: *y* ~, ¿*qué es esto?* nun (*od.* na und F), was soll das?; **5.** *mehr* F sehr, recht, ganz, tüchtig; *un café* ~ *caliente* ein ganz heißer Kaffee; **6.** gern; ~ *a* ~, *por* ~ gern; *antes* ~ *od. más* ~ vielmehr, eher; lieber; ~ *lo haría yo* ich täte es gerne; **III.** *cj.* **7.** ~ ... (*o*) ~ ... entweder ..., oder ...; *a* ~ *que* ... nur gut, daß ...; ein Glück noch, daß ...; *si* ~ *od.* ~ *que* obschon, obgleich, wenn auch; *no* ~ kaum; *no* ~ *lo había dicho* kaum hatte er es gesagt; **IV.** *adj. inv.* **8.** F *la gente* ~ die feinen Leute *pl.* F.
bienal I. *adj. c* zweijährig; zweijährlich; **II.** *f* Biennale *f*; **~mente** *adv.* zweijährlich, alle zwei Jahre.
bienandante *adj. c* glücklich, glückselig.
bienaventu|rado I. *adj. Rel. u. fig.* selig; *fig.* (über)glücklich; *fig.* einfältig, naiv; **II.** *m Rel.* Selige(r) *m*; **~ranza** *f Rel.* (*ewige*) Seligkeit *f*; *fig.* Glück *n*; *Rel. las* ~*s* die Seligpreisungen *f/pl. der Bergpredigt.*
bienestar *m* **1.** Wohlbefinden *n*; (Wohl-)Behagen *n*; **2.** Wohlstand *m*.
bien|hablado *adj.* höflich beredt; **~hadado** *adj.* glücklich; **~hechor** *adj.-su.* wohltätig; *m* Wohltäter *m*; **~intencionado** *adj.* wohl-meinend, -gesinnt.
bienio *m* (Zeitraum *m* von) zwei Jahre(n) *n/pl.*, Biennium *n*.
bien|mandado *adj.* folgsam, gehorsam (*bsd. Kind*); **~oliente** *adj. c* wohlriechend; **~parecer** *m* Wohlanständigkeit *f*; schöner Schein *m*; **~querencia** *f*, **~querer**[1] *m* Wohlwollen *n*, Zuneigung *f*; **~querer**[2] *v/t. j-n* schätzen; *j-m* wohlwollen; **~quistar I.** *v/t.* ~ *a alg. con* j-n bei (*dat.*) beliebt machen; **II.** *v/r.* ~*se con* s. mit *j-m* anfreunden; **~quisto** *adj.* ~ (*de*) beliebt (bei *dat.*), geschätzt (von *dat.*).
bienteveo *m* Beobachtungsstand *m der Weinbergschützen.*
bienveni|da *f* Willkomm *m*, Bewillkommnung *f*; *dar la* ~ *a j-n* begrüßen, *j-n* willkommen heißen; *discurso m de* ~ Begrüßungsansprache *f*; **~do** *adj.* willkommen (in *dat. a*).
bienvivir *v/i.* sein gutes Auskommen haben; ein anständiges Leben führen.
bies *gal. m* Schrägstreifen *m* (*Besatz an Kleidung*); *adv. al* ~ schräg.
bifásico ⚡ *adj.* zweiphasig.
bife *m Rpl.* → *bistec.*
bífido ⚘ *adj.* zweispaltig.
bi|filar ⚡ *adj. c* zweidrähtig; **~focal** *Opt. adj. c* bifokal; **~foliado** ⚘ *adj.* zweiblättrig; **~floro** ⚘ *adj.* zweiblütig.
bifron|tal *adj. c*: *guerra f* ~ Zweifrontenkrieg *m*; **~te** 🕮 *adj. c* zweistirnig; doppelgesichtig.
biftec *m* (*pl.* ~*s*) → *bistec.*
bifur|cación *f* Gabelung *f*; Abzweigung *f*; *Anat.* Bifurkation *f*; **~cado** *adj.* gabelförmig; zweigeteilt; **~carse** [1g] *v/r.* s. gabeln, s. teilen; abzweigen.
bifuselaje ✈ *m* Doppelrumpf *m*.
bigamia *f* Bigamie *f*, Doppelehe *f*.
bígamo I. *adj.* in Doppelehe lebend; **II.** *m* Bigamist *m*.
bigar|dear *v/i.* ein Lotterleben führen; **~do** 🐾 *adj.-su.* Herumtreiber *m*, Streuner *m*.
bígaro *m gr.* Meerschnecke *f* (*Muschel*).
bignonia ⚘ *f* Trompetenblume *f*, Bignonie *f*.
bigor|nia *f* Spitzamboß *m*; **~nio** □ *m* Schläger *m*, Raufbold *m*.
bigo|te *m* **1.** Schnurrbart *m*; F *tener* (*tres pares de*) ~(*s*) **a)** fest bleiben, s. von s-m Entschluß nicht abbringen lassen; **b)** äußerst schwierig sein; *ser* (*hombre*) *de* ~ Charakter haben; F *estar de* ~ toll F (*od.* phantastisch, großartig) sein (*Sache*); P *una cochinada de* ~ e-e Mordsschweinerei P; *fig. tener buenos* ~*s* hübsch sein (*Frau*); **2.** ⊕ Schlackenloch *n im Schmelzofen*; Schlackenansatz *m*; **3.** *Typ.* englische Linie *f* (*Zierlinie*); **4.** *Kchk. Méj.* Krokette *f*; **~tera** *f* **1.** Schnurrbartbinde *f*; **2.** Schnurrbart *m* (*auf der Oberlippe*); **3.** Klapp-, Not-sitz *m* (*Wagen*); **4.** Nullenzirkel *m*; **5.** Schuhkappe *f*; **~tudo** *adj.* schnurr-, schnauz-bärtig.
bigudí *m* (*pl.* ~*íes*) Lockenwickler *m*.
bija *f* **1.** ⚘ Orleansbaum *m*, Ruku *m*; Rukufrucht *f*; **2.** Rukupaste *f* (*roter Farbstoff*).
bikini *m* → *biquini.*
bilabia|do ⚘ *adj.* zweilippig; **~l** *Phon. adj. c* bilabial.
bilateral *bsd.* ⚖ *adj. c* zweiseitig, bilateral.
bilbaíno *adj.-su.* aus Bilbao (*Vizcaya*).
biliar *Anat. adj. c* Gallen...; *conductos m/pl.* ~*es* Gallengänge *m/pl.*
bilin|güe *adj. c* zweisprachig; **~güismo** *m* Zweisprachigkeit *f*.
bili|oso *adj.* **1.** ⚕ gallig; Gallen...; *cólico m* ~ Gallenkolik *f*; **2.** *fig.* cholerisch (*a.* ⚕), reizbar; **~rrubina** *Physiol. f* Bilirubin *n*; **~s** *f* (*pl. inv.*) Galle *f*; *fig.* Zorn *m*; *fig. se le exaltó la* ~ er wurde zornig, ihm lief die Galle über.
bilítero *adj.* aus zwei Buchstaben (*bzw.* Lauten) bestehend.
bilobulado 🕮 *adj.* zweilappig.
billa *f* Treiben *n* e-r Billardkugel in ein Eckloch (*nach Karambolage*); **~r** *m* Billard(spiel) *n*; (*mesa f de*) ~ Billard(tisch) *m*; (*salón m de*) ~ Billardzimmer *n*; ~ *romano* römisches Billard *n*, Tivoli *n*; **~rista** *c* Billardspieler *m*.
bille|taje *m* (Gesamtheit *f* aller) Eintrittskarten *f/pl.* (*bzw.* Fahrscheine *m/pl. usw.*); **~te** *m* **1.** Briefchen *n*, Zettel *m*; **2.** (Fahr- *bzw.* Eintritts-)Karte *f*; Fahrschein *m*; ~ *de avión* Flugschein *m*; ~ *circular* (*semicircular*) Rundreiseheft *n* (mit beschränkter Kombination); ~ *de correspondencia* Umsteigefahrschein *m*; ~ *entero* voller Fahrschein *m*; ~ *gratuito* Frei-karte *f*; -fahrschein *m*; ~ *de ida* (*sola*), ~ *sencillo* (Karte *f* für) Hinfahrt *f*, einfache Fahrkarte *f*; ~ *de ida y vuelta* Rückfahrkarte *f*; ~ *mensual* (*semanal*) Monats- (Wochen-)karte *f*; *Stk.* ~ *de toros* Anrecht *n* auf mehrere Plätze; *a.* Eintrittskarte *f*; *medio* ~ halber Fahrschein *m*; Kinderfahrschein *m*; *precio m del* ~ Fahrgeld *n*; *pasajero m sin* ~ Schwarzfahrer *m*; ⚓, ✈ blinder Passagier *m*; *tomar* (*od. sacar*) (*un*) ~ e-n Fahrschein (*bzw.* e-e Eintrittskarte) lösen; → *a. entrada 3*; **3.** ~ (*de banco*) Banknote *f*; **4.** Anweisung *f*, Order *f*; ~ *del Tesoro* Schatzanweisung *f*; **5.** ~ (*de lotería*) Lotterielos *n*; ~ *premiado* Treffer *m*; ~ *no premiado* Niete *f*; **~tera** *f Am. Cent., Chi.* Brieftasche *f*; **~tero** *m* **1.** Kartenverkäufer *m*; **2.** Brieftasche *f*; Scheintasche *f*.
bi|llón *m* Billion *f*; **~llonésimo** *adj.-su. m ein* Billionstel *n*; *der* Billionste.
bímano *od.* **bimano** *adj.-su.* zweihändig; *m* Zweihänder *m*.
bimba F *f* Zylinder(hut) *m*, Angströhre *f* F; *Méj.* Rausch *m*, Affe *m* F.
bimensual *adj. c* vierzehn-tägig; -täglich.
bimes|tral *adj. c* zweimonatlich; zweimonatig; **~tre** *m* (Zeitraum *m*

von) zwei Monate(n) *m/pl.*; Zweimonatsbetrag *m* (*Gehalt, Miete usw.*).
bimetalismo *m* Doppelwährung *f*, Bimetallismus *m*.
bimotor *adj.-su. m* zweimotorig(es Flugzeug *n*).
bina ✓ *f* Zwiebrachen *n*; **~ción** *kath. f* Bination *f*; **~dera** *f*, **~dor** *m* ✓ Hackmaschine *f*; Fräshacke *f*; **~r I.** *v/t.* ✓ zwiebrachen; umhakken; **II.** *v/i. kath.* binieren, zwei Messen am Tage lesen.
binario 🕮 *adj.* binär; ♪ *compás m* ~ Zweiertakt *m*; *oft* Zweivierteltakt *m*.
binguí *m Méj.* Magueyschnaps *m*.
binocular *adj. c* binokulär, beidäugig.
binóculo *m* Binokel *n*, Zwillingsglas *n*; Kneifer *m*, Zwicker *m*.
binomio ⅍ *m* Binom *n*.
bínubo *adj.* wiederverheiratet.
binza *f* Ei-; Fleisch-häutchen *n*; Zwiebelhaut *f*.
bio|cenosis *f* Biozönose *f*; **~dinámica** *f* Biodynamik *f*; **~física** *f* Biophysik *f*; **~génesis** *f* Biogenese *f*, Entwicklungsgeschichte *f*; **~genético** *adj.* biogenetisch; **~geografía** *f* Biogeographie *f*; **~grafía** *f* Biographie *f*; **~grafiado** *m* Person *f*, die Gg.-stand e-r Biographie ist; **~grafiar** *v/t. j-s* Biographie schreiben; **~gráfico** *adj.* biographisch.
biógrafo *m* Biograph *m*.
bio|logía *f* Biologie *f*; **~lógico** *adj.* biologisch.
biólogo *m* Biologe *m*.
biombo *m* spanische Wand *f*, Wandschirm *m*.
bio|mecánica *f* Biomechanik *f*; **~metría** *f* Biometrie *f*; **~nomía** *f* Bionomie *f*.
bioquími|ca *f* Biochemie *f*; **~co** *adj.* biochemisch.
bio|satélite *m* Biosatellit *m*; **~sfera** *f* Biosphäre *f*; **~sociología** *f* Biosoziologie *f*; **~tecnia** *f* Biotechnik *f*; **~terapia** ⚕ *f* Biotherapie *f*; **~terapéutico** *adj.*: *tratamiento m* ~ Frischzellenbehandlung *f*; **~tipo** *m* Biotyp(us) *m*.
bióxido ⚗ *m* Bioxyd *n*, Dioxyd *n*.
biparti|do 🕮 *adj.* zweigeteilt; **~to** *Pol. adj.* Zweier...; *pacto m* ~ Zweierpakt *m*.
bípe|de *c*, **~do** *adj.-su.* zwei-füßig; -beinig; *m* Zweifüß(l)er *m*; ⊕ Zweibein *n*.
bipersonal *adj. c*: *habitación f* ~ Zimmer *n* für zwei Personen (*privat*).
biplano I. *adj. bsd.* ⊕ biplan, doppelplan; **II.** *m* ✈ Doppeldecker *m*.
bipolar *adj. c* zweipolig.
biquini *m* Bikini *m* (= *zweiteiliger Badeanzug*).
birimbao 𝄞 *m* Brummeisen *n*, Maultrommel *f*.
birlar *v/t.* **1.** *Kegelkugel* weiterschieben (*Zweitwurf*); **2.** F wegschnappen; klauen F; *Freundin* ausspannen F; **3.** P aufs Kreuz legen P; umlegen P.
birlí *Typ. m* **1.** Ausgangs-, Spitzkolumne *f*; **2.** (Vorteil *m*, Gewinn *m* durch vorhandenen) Stehsatz *m*.
birlibirloque F *m*: *por arte de* ~ wie durch Zauberei; wie her- *bzw.* weg-gezaubert.
birlocha *f* (Papier-)Drachen *m*.
birlonga *f Kart. Art* L'hombre *n*; *adv. fig.* F *a la* ~ drauflos, ziellos; in den Tag hinein.
birmano *adj.-su.* birmanisch; *m* Birmane *m*.
birre|actor ✈ *m* zweistrahliges Düsenflugzeug *n*; **~fringente** *Phys. adj. c* doppelbrechend.
birre|ta *f*: ~ (*cardenalicia*) Kardinalshut *m*; **~tado** *m* Baretträger *m*; **~te** *m* Barett *n*; Birett *n der kath. Geistlichen*; Mütze *f*.
birria F *f* Plunder *m*, Kram *m*, Schmarren *m* F; *ser una* ~ *a.* langweilig *bzw.* unausstehlich sein; *dar la* ~ *a alg.* j-m auf die Nerven gehen (*od.* auf den Wecker fallen F).
bis *adv.* noch einmal; *Thea.*, ♪ da capo; *b. Hausnummern*: *el número 3* ~ Nummer 3 A.
bisabue|la *f*, **~lo** *m* Urgroß-mutter *f*, -vater *m*.
bisagra *f* **1.** Glättholz *n der Schuster*; Scharnier *n*; **2.** F Wiegen *n* der Hüften *b. Tanz*.
bisanuo ⚘ *adj.* zweijährig.
bisar *v/t. ein Stück* wiederholen (*Thea.*, ♪).
bisbi|s(e)ar F *v/i.* lispeln, zischeln; **~seo** *m* Zischeln *n*.
biscuit *gal. m* Biskuit *m*; ~ *glacé* Vanille-Sahne-Eis *n*.
bisec|ar [1g] ⅍ *v/t.* halbieren; **~ción** *f* Halbierung *f*; **~triz** ⅍ *adj.-su. f* Winkelhalbierende *f*.
bise|l ⊕ *m* Schrägkante *f*, Abkantung *f*; **~lador** *m* Kristall-, Spiegel-schleifer *m*; **~lar** *v/t.* abfasen, abkanten; *Glas* schleifen; facettieren.
bise|manal *adj. c* zweimal wöchentlich erscheinend (*Zeitschrift*); **~xual** *adj. c* bisexuell.
bisiesto *adj.*: *año m* ~ Schaltjahr *n*.
bi|silábico, **~sílabo** *adj.* zweisilbig.
bismuto ⚗ *m* Wismut *m*.
bisnieto *m* Urenkel *m*. [*m/pl.*]
biso *m* Byssus *m*, Muschelfäden
bisojo *adj.-su.* schielend.
bisonte *Zo. m* Bison *m*; ~ *de Europa Central* Wisent *m*.
bisoñada *f* Kinderei *f*, Dummheit *f*, unbesonnene Handlung *f*.
bisoñé *m* Halb-, Scheitel-perücke *f*, Toupet *n*.
biso|ñería F *f* → *bisoñada*; **~ño** *adj.-su.* unerfahren, neu; *m* Neuling *m*; Grünschnabel *m* F; *M* Rekrut *m*.
bisté *m* → *bistec*.
biste|c *m* (*pl.* ~*s*), **~que** *burl. m* Beefsteak *n*.
bistre *Mal. m* Bister *m*, Manganbraun *n*.
bisturí ⚕ *m* (*pl.* ~*íes*) Skalpell *n*.
bisulco *Zo. adj.-su. m* Zwei-, Paarhufer *m*.
bisul|fato ⚗ *m* Bisulfat *n*; **~fito** ⚗ *m* Bisulfit *n*.
bisurco *adj.*: *arado m* ~ Zweifurchenpflug *m*.
bisutería *f* Galanteriewaren *f/pl.*; Modeschmuck *m*; ~ *dorada* Bronzeschmuck *m*.
bita ⚓ *f* Beting *f*, Ankerkettenhalter *m*.
bitácora ⚓ *f* Kompaßhaus *n*.
bitango *adj.*: *pájaro m* ~ (Papier-)Drachen *m*.
bitón ⚓ *m* Poller *m*.
bitongo F *adj.*: *niño m* ~ Kindskopf *m*, kindischer Bursche *m*.
bitoque *m* Spund *m*; *Méj.* Wasserhahn *m*.
bitor *Vo. m* Wachtelkönig *m*.
bítter *m* Magenbitter *m* (*Likör*).
bitubular *adj. c* mit doppeltem Ansatzstutzen; zweihalsig (*z. B. Flasche*).
bituminoso *adj.* (erd)pechhaltig, Bitumen..., Pech...
bivalen|cia *f* Zweiwertigkeit *f*; **~te** *adj. c* zweiwertig.
bivalvo *adj.* zweischalig (*Muschel*, *Frucht*).
bivitelino *adj.*: *gemelos m/pl.* ~*s* zweieiige Zwillinge *m/pl.*
bixáceas ⚘ *f/pl.* Orleansgewächse *n/pl.*
biyuya □ *f Arg.* Zaster *m* P, Moneten *pl.* F.
bizan|tinismo *m* Byzantinismus *m*; *fig.* Neigung *f* zu Haarspaltereien; **~tino I.** *adj.* byzantinisch; *fig. discusiones f/pl.* ~*as* Haarspalterei(en) *f*(*/pl.*); Subtilitäten *f/pl.*; gehaltlose Reden *f/pl.*; **II.** *m* Byzantiner *m*.
biza|rría *f* **1.** Tapferkeit *f*, Mut *m*, Schneid *m* F; **2.** Edelmut *m*, Großzügigkeit *f*; **~rro** *adj.* **1.** mutig, tapfer; **2.** stattlich, ansehnlich; **3.** großzügig, edelmütig; **4.** *gal.* seltsam, bizarr.
bizaza *f* (*mst.* ~*s pl.*) Ledersack *m*, Felleisen *n*.
bizcaitarra *m* baskischer Nationalist *m*.
biz|car [1g] **I.** *v/i.* schielen; **II.** *v/t.* ~ *un ojo* auf e-m Auge schielen; ~ *el ojo* blinzeln; **~co I.** *adj.* schielend; *fig. quedarse* ~ erstaunt (*od.* platt F) sein; **II.** *m* Schieler *m*; *Stk.* Stier *m* mit ungleich langen Hörnern.
bizco|chada *f* Zwiebacksuppe *f*; **~char** *v/t.* ein zweites Mal backen; **~cho** *m* **1. a)** Zwieback *m*; **b)** Biskuit *n*; ~ (*de barco*) Schiffszwieback *m*; ~ *borracho* Zuckerbrot *n mit Wein und Sirup*; **2.** ~ *de porcelana* Biskuitporzellan *n*.
bizcorne|ado *Typ. adj.* verschoben, schief bedruckt (*Bogen*); **~to** *adj.-su. Col., Méj., Ven.* → *bizco*.
bizcotela *f* feiner Zwieback *m* mit Zuckerguß; leichter Einback *m*.
bizma ⚕ *f* Umschlag *m*; **~r** *v/t.* Umschläge machen (*dat.*).
biznaga ⚘ *f* Knorpelmöhre *f*; *Méj. Art* Kaktee *f*; Kakteenstachel *m*.
biznieto *m* Urenkel *m*.
bizque|ar *v/i.* schielen; **~ra** *f* Schielen *n*.
blanca *f* **1.** Weiße *f* (*Rasse*); **2.** ♪ halbe Note *f*; **3.** *Kart.* Karte *f* ohne Bild; *Domino*: Null *f*; **4.** alte Münze *f*; *fig.* Geld *n*; F *no tener* ~, *estar sin* ~ blank sein, abgebrannt sein F.
Blancanieves *f* Schneewittchen *n*.
blancazo F *adj.* → *blanquecino*.
blanco I. *adj.* **1.** weiß, hell; blank; bleich, blaß; ~ *como la nieve* schneeweiß; *fig.* unschuldig, harmlos; *lo* ~ *del ojo* das Weiße im Auge, die (weiße) Hornhaut; *más* ~ *que el armiño* schneeweiß; blitzsauber (*Person*); ~ *amarillento* (*grisáceo*) gelblich- (grau-)weiß; *agua f* ~*a* Bleiwasser *n* (*für Umschläge*); *arma f* ~*a* blanke Waffe *f*; *cerveza f* ~*a* **a)** helles Bier *n*; **b)** Weizenbier *n*; *hoja f* ~*a* leeres (unbeschriebenes, unbedrucktes) Blatt *n*; *Pol. libro m* ~ Weißbuch *n*; ~ *de tez*, ~ *de piel* hellhäutig; *en* ~ unbeschrieben, unbedruckt; ✝ blanko, Blanko...; *Typ.* Blind(druck)...; *dejar en* ~

a) übergehen; auslassen; b) im unklaren lassen; c) *j-n* täuschen; *j-n* sitzen lassen; *con la espada en* ~ mit gezücktem Degen; *no distinguir lo* ~ *de lo negro* ein ausgemachter Dummkopf sein; *estar tan lejos como lo* ~ *de lo negro* grundverschieden sein, wie Tag und Nacht sein; *hacer de lo* ~ *negro od. volver en* ~ *lo negro* die Wahrheit entstellen, aus Schwarz Weiß machen; *juzgar lo* ~ *por negro y lo negro por* ~ alles völlig verkehrt anfassen, das Pferd beim Schwanz aufzäumen; *sacar en* ~ heraus-finden, -bekommen; ~ *y en botella, leche* e-e Binsenwahrheit; **2.** *fig.* feige; **3.** *fig.* einfältig, dumm; **II.** *m* **4.** Weiße(r) *m*; *los* ~*s* die Weißen *m/pl.*, die weiße Rasse; *fig.* ~ *y negro* jeder (-mann); **5.** Weiß *n*; ~ *de ballena* Walrat *m*; ~ *de cal*, ~ *opaco* Deckweiß *n*; ~ *de España* Schlämmkreide *f*; ~ *de huevo* Eiwasser *n* (*Schönheitsmittel*); *el* ~ *del ojo* das Weiße im Auge, die (weiße) Hornhaut; ~ *de plomo* Bleiweiß *n*; *el* ~ *de la uña* das Weiße am Nagel, das Möndchen; *fig.* die geringste Kleinigkeit (*od.* Einzelheit); **6.** *a. fig.* Ziel *n*, Zielscheibe *f*; ~ *circular*, ~ *con arandelas* Ringscheibe *f*; ~ *remolcado*, ~ *arrastrado* Schleppscheibe *f*; *fig. cargar el* ~ *a alg.* j-m die Schuld zuschieben; *dar en el* ~ (ins Ziel) treffen; *fig.* das Richtige (*od.* ins Schwarze) treffen; *hacer* ~ (*en*) (*et.*) treffen; *es el* ~ *de las miradas* alle Blicke sind auf ihn gerichtet; **7.** leerer Zwischenraum *m*, Lücke *f*; *Thea.* (Zwischenakt-) Pause *f*; **8.** *Typ.* Schöndruck *m*; **9.** *Zo.* a) Schimmel *m* (*Pferd*); b) Blesse *f b. Pferd usw.*; **10.** Feigling *m*.

blan|cor *m* → *blancura*; **~cote I.** *adj. augm. v. blanco*; **II.** *m* F Feigling *m*, Hasenfuß *m* F; **~cura** *f* Weiße *f* (*Färbung*); *vet.* ~ (*del ojo*) Hornhauttrübung *f*; **~cuzco** *adj.* weißlich, schmutzig-weiß.

blan|damente *adv.* sanft; **~dear¹** **I.** *v/t. j-n in s-r Meinung* schwankend machen, *j-n von et.* (*dat.*) abbringen; **II.** *v/i. u.* ~*se v/r.* nachgeben, schwankend werden.

blandear² *v/t.* → *blandir*.

blan|dengue I. *adj. c desp.* schwach, weich; willenlos; **II.** *m* Waschlappen *m*; **~dicia** *f* **1.** Weichlichkeit *f*; **2.** Schmeichelei *f*.

blandir (*pres. ungebräuchlich*) **I.** *v/t. Degen usw.* schwingen; **II.** *v/i. u.* ~*se v/r.* schwingen, schwirren; schwanken.

blando I. *adj.* **1.** weich, zart; mild (*Klima, Wetter*); ~ *al tacto* weich anzufühlen, nachgiebig; ~ *como manteca* butterweich; *estar* ~ weich (*od.* zart *od.* gar) sein (*Braten usw.*); *Stk. tomar los* ~*s* die weiche Stelle im Nacken treffen; **2.** *fig.* weich, sanft, nachgiebig; schlapp F, kraftlos; feige; *es un* ~ er ist ein Schwächling; **II.** *adv.* **3.** sanft.

blandón *m* **1.** gr. Wachskerze *f*; Wachsfackel *f*; **2.** Fackelleuchter *m*.

blandu|cho, ~jo F *adj.* weichlich; **~ra** *f* **1.** *das* Weiche, Weichheit *f* (*a. fig.*); Sanftheit *f*; *fig.* Weichlichkeit *f*; Bequemlichkeit *f*; Trägheit *f*; **2.** Schmeichelei *f*; **3.** Tauwetter *n*; **4.** ⚕ Zugpflaster *n*; **~zco** *adj. desp. v.* → *blando*.

blanque|ado *m* → *blanqueo*; **~ador** *m* Tüncher *m*; Bleicher *m*; **~ar I.** *v/t.* **1.** weiß machen; weißen, tünchen, kalken; **2.** bleichen; **3.** ⊕ *Metalle* sieden; **4.** *Waben* einwachsen (*Bienen*); **II.** *v/i.* **5.** weiß(lich) schimmern; **6.** bleichen; weiß werden; **~cer** [2d] *v/t.* blankreiben, polieren; ⊕ *Metalle* weißsieden; **~cino** *adj.* weißlich; **~o** *m* **1.** Weißen *n*, Tünchen *n*; weißer Anstrich *m*; **2.** Bleichen *n*; Bleiche *f*; **3.** ⊕ Weißsieden *n der Metalle*; **~te** *m* weiße Schminke *f*.

blanqui|llo I. *adj.* **1.** → *candeal*; **II.** *m* **2.** *Guat., Méj.* (*euph. für das Tabuwort* huevo) Hühnerei *n*; **3.** Weißling *m* (*Fi. u. Birnenart*); *Pe., Chi. Art* Pfirsich *m*; **~m(i)ento** *m* Bleich-, Chlor-kalk *m*; **~negro** *adj.* meliert (*Haar*); **~noso, ~zco** *adj.* weißlich.

Blas *m*: *díjolo* ~, *punto redondo etwa*: (*iron.*) Sie haben immer recht, da gibt's k-n Widerspruch (*gg. die ewigen Besserwisser*).

blasfe|mador *adj.-su.* lästernd, fluchend; *m* Gotteslästerer *m*; **~mar** *v/i.* fluchen, lästern; ~ *contra* lästern (*ac.*), verfluchen (*ac.*); **~matorio** *adj.* → *blasfemo*; **~mia** *f* Blasphemie *f*, Gotteslästerung *f*; Fluch *m*; **~mo** *adj.-su.* gotteslästerlich; *m* Gotteslästerer *m*.

bla|són *m* **1.** Wappen *n*; Wappenschild *n*; *fig.* ~*ones m/pl.* adlige Abkunft *f*; **2.** Wappenkunde *f*; **3.** *fig.* Ruhm *m*, Ehre *f*; *hacer* ~ *de* s. mit *et.* (*dat.*) brüsten; **~sonador** *adj.* prahlerisch; **~sonar** *v/i.* ~ *de* s. aufspielen als (*nom.*); **~sonería** *f* Aufschneiderei *f*, Prahlerei *f*; **~sonista** *c* Heraldiker *m*.

blasto|dermo *Biol.* *m* Blastoderm *n*, Keimhaut *f*; **~ma** ⚕ *m* Blastom *n*.

blástula *Biol.* *f* Keimblase *f*, Blastula *f*.

bledo *m* ⚘ Beermelde *f*; *fig.* nichts; (*no*) *me importa un* ~, *no se me da un* ~ es schert mich k-n Deut, das ist mir schnuppe.

blenda *Min.* *f* Blende *f*.

bleno|rragia, ~rrea ⚕ *f* Blennorrhagie *f*, Blennorrhö *f*.

blinda ⚔ *f* Blende *f* (*schußfeste Abschirmung*); **~do** *adj.* ⚔, ⊕ gepanzert; Panzer...; ⊕ *a.* gekapselt; ⚡, *HF* abgeschirmt; ⚔ *carro m* ~ *de exploración* Panzerspähwagen *m*; *chaqueta f* ~*a* kugelsichere Weste *f*; *división f* ~*a* Panzerdivision *f*; *tren m* ~ Panzerzug *m*; **~je** *m* ⚔ Panzer *m*; *a.* ⊕ Panzerung *f*; ⚡ *HF* Abschirmung *f*; **~r** *v/t.* ⚔, ⊕ panzern; ⊕ kapseln; ⚡ *HF* abschirmen.

bloc *m* (Schreib-)Block *m*; ~ *para dibujo* Zeichenblock *m*; ~ *de hojas perforadas* (*de notas*) Abreiß- (Notiz-)block *m*.

blocao ⚔ *m* Bunker *m*.

block 🚂 *m* Block *m*; *sistema m de* ~ Blocksystem *n*.

blonda *f* Blonde *f*, Seidenspitze *f*.

blondo *poet. adj.* blond.

bloque *m* **1.** Block *m*, Klotz *m*; ~ *de hormigón* (*de mármol*) Zement- (Marmor-)block *m*; *adv. en* ~ in Bausch u. Bogen, pauschal; ~ (*de viviendas*) Wohnblock *m*; **2.** ⊕ Block *m*; Unterlage *f*; ~ *de cilindros* (*[de] motor*) Zylinder- (Motor-)block *m*; ~ *de resortes* Federblock *m*, -paket *n*; **3.** *Pol.* Block *m*; ~ *oriental* Ostblock *m*; **4.** (Schreib-) Block *m*; **~ar I.** *v/t.* **1.** ⚔, ✝ sperren, blockieren; 🚂 blocken; **2.** bremsen; *Bremsen* scharf anziehen; ⊕, *a. Typ.* blockieren; **II.** *v/r.* ~*se* **3.** ⊕ blocken, blockieren, festsitzen; **~o** *m* **1.** ⚔, *Pol.* Blockade *f*, Sperre *f*; *hist.* ∼ *continental* Kontinentalsperre *f*; **2.** ⊕ Sperrung *f*; Blockierung *f*; Verriegelung *f*; → *a. block*; **3.** ✝ Stopp *m*; ~ *de los alquileres* Mietstopp *m*.

blu|f(f) *engl.* *m* Bluff *m*; **~f(e)ar** *v/i.* bluffen.

blu|sa *f* Bluse *f*; Kittel *m*; ~ (*de trabajo*) Arbeitskittel *m*; **~són** *m* (*bsd.* Damen-)Kittel *m*.

boa I. *f Zo.* Boa *f*; **II.** *m* (Feder- *usw.*) Boa *f*.

boardilla *f* → *buhardilla*.

boato *m* Prunk *m*, Gepränge *n*, Pomp *m*; *con* ~ aufwendig (*leben*).

bob *m* → *bobsleigh*.

boba *f* hochgeschlossene Strickjacke *f*.

boba|da *f* Albernheit *f*, Dummheit *f*; **~lías** *c* (*pl. inv.*) Dummkopf *m*, Narr *m*; **~licón** *adj.-su.* dumm, einfältig; *m* Erzdummkopf *m*, Einfaltspinsel *m*; **~rrón** F *augm. adj.-su.* blöd, saudumm P; **~tel** F *m* Dummkopf *m*, Dämlack *m* F.

bobe|ar *v/i.* s. albern benehmen, kalbern F; **~r(í)a** *f* → *bobada*; **~ta** *adj.-su. c Rpl.* → *bobalicón*.

bóbilis F *adv.*: *de* ~ ~ ohne Mühe, umsonst; *lo consiguió de* ~ es ist ihm in den Schoß gefallen.

bobina *f* **1.** Spule *f*; ~ *de alambre* (*de calentamiento*) Draht- (Heiz-) spule *f*; ~ *de choque* (*de resistencia*) Drossel- (Widerstands-)spule *f*; *Kfz.* ~ *de encendido* Zündspule *f*; ~ *giratoria* (*magnética*) Dreh- (Magnet-)spule *f*; **2.** Filmrolle *f*; Rolle *f* (*Papier*); Garnrolle *f*; **~do** *m* **1.** ⚡ Wicklung *f*; ~ *paralelo* (*primario*) Parallel- (Primär-)wicklung *f*; **2.** *tex.* Aufspulung *f*, Spulen *n*; **~dora** *f* Spulenwickelmaschine *f*; **~r** *v/t. tex.* (auf)spulen; ⚡ (be-) wickeln.

bobo I. *adj.* **1.** dumm, albern, einfältig; *pájaro m* ~ Pinguin *m*; **2.** weit (auslaufend) (*Ärmel*); **II.** *m* **3.** Dummkopf *m*, Narr *m*, Tropf *m*; *Spr. entre* ~*s anda el juego* auf e-n Schelmen anderthalbe; *a los* ~*s se les aparece la madre de Dios* die dümmsten Bauern ernten die dicksten Kartoffeln; **4.** *Thea.* Hanswurst *m*, Narr *m*; **5.** P *Rpl.* Taschenuhr *f*; **6.** *Am. Cent., Ant., Col., Méj.* *eßbarer Fisch* (*Huro nigricans*).

bo|bón, ~bote F *augm. adj.-su.* erz-, stroh-dumm; *m* Dussel *m* F, Dämlack *m* F.

bobsleigh *engl.* *m* Bob(schlitten) *m*.

boca *f* **1.** Mund *m*; P *u. v. Tieren* Maul *n*; Schnauze *f*; *de* ~ leere Worte, nur Gerede, nichts dahinter; ~ *abajo* bäuchlings; auf dem (*bzw.* den) Bauch; ~ *arriba* rücklings; auf dem (*bzw.* den) Rücken; *prp. por* ~ *de* durch (*Wortführer*); *fig.* ~ *de risa* freundlicher Mensch *m*; *fig.* ~ *de verdades* **a)** aufrichtiger Mensch *m*; **b)** Grobian *m*; *fig. a* ~ *de jarro* **a)** aus unmittelbarer Nähe; **b)** unvermutet; direkt, unverblümt; *adv. a* ~ *llena* rücksichtslos, frei (von der Leber) weg (*sagen*); *blando de* ~ weichmäulig (*Pferd*); *duro de* ~ hartmäulig (*Pferd*); *fig.* verschlossen, zurückhaltend; *fig. andar de* ~ *en* ~ von Mund zu Mund gehen, Gg.-stand des Geredes sein; *no decir esta* ~ *es mía* den Mund nicht auftun, nicht piep sagen F; *decir lo que se le viene a la* ~ kein Blatt vor den Mund nehmen; *decir* (*a/c.*) *con la* ~ *chica* (*od. chiquita*) nur aus Höflichkeit so reden, es nicht so meinen; *fig. echar por la* ~ loslegen (mit et. *dat. a/c.*); *¡echa por esa* ~*!* los, red' schon!, heraus damit!, mach's nicht so spannend!; *hablar por* ~ *de ganso* (*od. de otro*) andern dumm nachschwätzen; Unsinn reden (*od.* schwatzen); *hacer* ~ s. Appetit machen; e-n Aperitif nehmen; *la* ~ *se me hace agua* das Wasser läuft mir im Munde zusammen; *irse de* ~ *od. írsele la* ~ *a alg.* mit et. herausplatzen, unbesonnen daherreden; *mentir con toda la* ~ unverschämt lügen; → *a. pedir*; *a qué quieres,* ~ ganz nach Wunsch; *pegar la* ~ *en la pared* s-e Not verschweigen; *¡punto en* ~*!* still!; Mund halten!; *fig. poner a/c. en* ~ *de alg.* j-m et. in den Mund legen, j-m et. unterstellen; *quedarse con la* (*od. con tanta*) ~ *abierta* äußerst erstaunt sein, paff sein F; *saber a/c. de* (*od. por*) ~ *de otro* et. vom Hörensagen wissen; *tener buena* ~ **a)** *Equ.* leicht dem Zügel gehorchen; **b)** gut schmecken; **c)** kein Kostverächter sein; leicht zufriedenzustellen sein; *tener mala* ~ e-n schlechten Geschmack im Mund haben; *traer en* ~*s a alg.* j-n schlechtmachen; *en* ~ *cerrada no entran moscas* (Reden ist Silber,) Schweigen ist Gold; **2.** F Esser *m*; *mantener muchas* ~*s* viele Mäuler füttern müssen F; **3.** *a.* ⊕ Öffnung *f*; Mündung *f*; Eingang *f*, Einfahrt *f*; (Fluß-)Mündung *f*; Schlund *m e-s Vulkans*; (Tunnel-, U-Bahn-) Eingang *m*; ~ *de alcantarilla* Gully *m, n*; ~ *de buzón* Briefeinwurf *m*; *a* ~ *de cañón* ganz aus der Nähe (*Schuß u. fig.*); ~ *de horno* Ofen-, Schür-loch *n*; ~ *de riego* Hydrant *m*; **4.** Mundstück *n*; ~ *de aspiración* Saugstutzen *m*; **5.** ~ *de fuego* Geschütz *n*; Feuerwaffe *f*; **6.** Schneide *f* (*Hacke, Meißel*); (Hammer-) Bahn *f*; Weite *f*, Maul *n* (*Werkzeug*); **7.** *Anat.* ~ *del estómago* Magengrube *f*; **8.** Schere *f der Krebse*; **9.** Ärmelloch *n*; **10.** Geschmack *m*, Blume *f* (*Wein*); **11.** (*provisiones f/pl. de*) ~ Mundvorrat *m*; **12.** ⚘ ~ *de dragón* Löwenmaul *n*; **13.** *Jgdw.* Kaninchenbau *m*.

boca|bajo *adv. Cu., Méj., Pe., P.Ri.* → *de bruces*; **~calle** *f* Straßeneinmündung *f*; Straßenecke *f*; **~caz** *m* Durchlaß *m am Wehr*; **~cha** *f* **1.** F *augm.* Riesenmaul *n* F; **2.** *hist.* Donnerbüchse *f*, Becherstutzen *m*; **~dear** *v/t.* zerstückeln; knabbern an (*dat.*); **~dillo** *m* belegtes Brötchen *n*; Imbiß *m*, zweites Frühstück *n*; *Col., Ven.* eingemachte Guajabafrüchte *f/pl.*; *Cu.* Zuckergebäck *n mit Bataten*; *Méj.* Kokospaste *f*; **~dito** *m Cu.* Zigarette *f mit Tabakhülle*; F *Méj., Guat.* Essen *n*; **~do** *m* **1.** Bissen *m*, Mundvoll *m*; Happen *m*; Biß *m*, Bißwunde *f*; *a* ~*s* bissenweise; ~ *exquisito* Leckerbissen *m*, Delikatesse *f*; *fig. caro* ~ kostspieliges Unternehmen *n*; hoher Preis *m*; *buen* ~ **a)** gutes Essen *n*; **b)** F Prachtweib *n* F; **c)** → ~ *sin hueso* gutes Geschäft *n*, prima Sache *f* F; *dar un* ~ zuschnappen, (zu)beißen; *tomar un* ~ e-n Imbiß nehmen; **2.** Gebiß *n*, Kandare *f* (*Pferd*); **3.** ~*s m/pl.* Backobst *n*; **4.** *dem Essen beigemengter* Giftbrocken *m*; **5.** *Anat.* ~ *de Adán* Adamsapfel *m*.

bocal[1] *m* Krug *m zum Weinschöpfen*.

bocal[2] *m* Mundstück *n der Blasinstrumente*; ⚓ enge Hafeneinfahrt *f*.

boca|llave *f* Schlüsselloch *n*; **~manga** *f* Ärmelloch *n*; Ärmelaufschlag *m*; **~mejora** ⚒ *f Am. Mer.* Nebenschacht *m*; **~mina** ⚒ *f* Mundloch *n*, Schachteinfahrt *f*.

bocanada *f* Schluck *m*, Mundvoll *m*; Rauch-, Wind-stoß *m*; Zug *m beim Rauchen*; *fig.* ~ *de gente* Gedränge *n*.

bocarte *m* Pochwerk *n*.

bocateja △ *f* Traufziegel *m*.

boca|tero *adj.-su. Cu., Hond., Ven.* Angeber *m*; **~za I.** *f* F *augm.* Maul *n* F; **II.** *m* (*oft.* ~*s*) *fig.* F Schwätzer *m*, Quatschkopf *m* F; **~zo** ⚒ *m* Blindgänger *m*, erfolgloser Sprengschuß *m*.

boce|l *m* **1.** Wulst *m*, Bausch *m*; **2.** △ Rundstab *m*; **3.** ⊕ *cepillo m* ~ Kehlhobel *m*; **~lar** *v/t.* bossieren, wulsten.

bocera *f* Trink-, Speise-rand *m an den Lippen*, Schnurrbart *m* F; ⚕ Faulecke *f*.

boceto *m a. fig.* Skizze *f*; Entwurf *m*.

bocina *f* **1.** Schalltrichter *m*; **2.** Sprachrohr *n*, Megaphon *n*; ⚓ Nebelhorn *n*; (Post-, Hift-)Horn *n*; *Kfz.* Hupe *f*; **3.** *Col., Chi.* Hörrohr *n*; **~r** *v/i.* ins Horn stoßen; *Kfz.* hupen; **~zo** *m* Hupsignal *n*; Hornstoß *m*.

bocio ⚕ *m* Kropf *m*.

bock *dt. m* kl.Glas *n* (*od.* kl. Krug [*m*] Bier.)

bocón *adj.-su.* großmäulig; *m* Großmaul *n*.

bocoy ☿ *m* Transportfaß *n*.

bocha *f* Bocciakugel *f*; ~*s f/pl.* Boccia(spiel) *n*; **~r** *v/t.* treffen (*Boccia*); **~zo** *m* Treffer *m* (*Boccia*).

boche[1] *m* **1.** Grube *f für Klickerspiel u. ä.*; **2.** *Chi., Pe.* Streit *m*; *Chi., Ec., Pe.* Lärm *m*, Wirrwarr *m*; *Méj., Ven. dar* (*un*) ~ *a j-n* vor den Kopf stoßen (*fig.*).

boche[2] *frz. desp. m* Boche *m* (= *Deutscher*).

boche[3] □ *m* Henker *m*.

bochinche *m* Lärm *m*, Tumult *m*, Krach *m*, Radau *m*; Durcheinander *n*, Wirrwarr *m*; **~ar** *v/i. Am.* Krach machen.

bochorno *m* **1.** heißer Sommerwind *m*; (Gewitter-)Schwüle *f*; **2.** leichter Schwindelanfall *m*; *fig.* Schamröte *f*; Scham *f*; **~so** *adj.* schwül, drückend (heiß); *fig.* peinlich, beschämend.

boda *f* (*oft* ~*s f/pl.*) Hochzeit *f*; *fig.* ~*s espirituales* Einsegnung *f e-r Nonne*; *fig.* ~ *de negros* lärmende (*od.* randalierende) Gesellschaft *f*; ♪ *las* ~*s de Fígaro* Figaros Hochzeit *f*; ~*s de plata* (*de oro*) silberne (goldene) Hochzeit *f*; ~*s de diamante* (*de hierro*) diamantene (eiserne) Hochzeit *f*; *invitados m/pl. a la* ~ Hochzeitsgäste *m/pl.*; *celebrar* ~*s* (*od. la* ~) Hochzeit machen (*od.* feiern); *Spr. no hay* ~ *sin tornaboda etwa*: für alles muß man zahlen; *a.* keine Rose ohne Dornen.

bode|ga *f* **1.** Wein-, Vorrats-keller *m*; Kellerei *f*; Weinhandlung *f*; *bsd.* ⚓ (*im Hafen*) (*Chi.* 🚂) Lager-, Waren-schuppen *m*; ~ *honda* Tiefkeller *m*; ⚓ ~ (*de carga*) Laderaum *m im Schiff*; *estar en la* ~ lagern (*bsd. Wein, Bier*); **2.** Weinstube *f*; *Cu., Pe., Ven.* Lebensmittelgeschäft *n*; **3.** Scheune *f*; **4.** Wein-ernte *f od.* -produktion *f e-r best. Gegend, e-s best. Zeitabschnittes*; **~gaje** *m Chi.* Lagergeld *n*; **~gón** *m* **1.** Garküche *f*; billiges Gasthaus *n*, Kneipe *f*; **2.** *Mal.* Stilleben *n* (*Küchenstück u. ä.*); **~gonear** *v/i.* s. in Kneipen herumtreiben; **~gonero** *m* Garkoch *m*; Speisewirt *m*; **~guero** *m* Kellermeister *m*.

bodijo *m* Mißheirat *f*; armselige Hochzeit *f*.

bodoque I. *m* **1.** Noppe *f an Stickereien*; Knötchen *n*; **2.** *Méj. fig.* Pfuscherei *f*; **II.** *adj.-su. c* **3.** Dummkopf *m*, Einfaltspinsel *m*; **~ra** *f* Blasrohr *n*.

bodorrio F *m* **1.** → *bodijo*; **2.** *Méj.* lärmende Feier *f bzw.* Armeleutehochzeit *f*.

bodrio *m* † Armensuppe *f*; *fig.* Schlangenfraß *m* P; *fig.* Durchea. *n*, Gemengsel *n*.

bóer *adj.-su. c* burisch; Bure *m*; *guerra f de los* ~*s* Burenkrieg *m*.

bofe *m* (*mst.* ~*s pl.*) Lunge *f* (F *u. v. Tieren*); *fig.* F *echar los* ~*s* s. abhetzen, s. gewaltig anstrengen; s. umbringen (für *ac. por*).

bofe|tada *f* Ohrfeige *f* (*a. fig.*); *dar* (*od. pegar*) *una* ~ *a alg.* j-n ohrfeigen, j-m e-e langen F (*od.* herunterhauen F); **~tear** P *v/t. j-n* ohrfeigen, *j-m* e-e knallen F; **~tón** *m* kräftige Ohrfeige *f*.

bofia □ *f* Polente *f* P, Bullen *m/pl.* P.

bofo *adj. Am.* schwammig.

boga[1] *f* Silberfisch *m* (*Flußfisch*); Gelbstriemen *m*, Blöker *m* (*Seefisch*).

boga[2] *f* Rudern *n*; *fig. estar en* ~ beliebt (*od.* in Mode) sein, hoch im Kurs stehen; **~da** *f* Ruderschlag (-weite *f*) *m*; **~dor** *m* Ruderer *m*; **~r** [1h] *v/i.* rudern; *poet.* segeln; **~vante** *m* **1.** *Zo.* Hummer *m*; **2.** *hist.* erster Ruderer *m der Ruderbank e-r Galeere*.

bog(g)ie *m* Drehgestell *n* (*Straßenbahn*, 🚂).

bohardilla *f* → *buhardilla*.

Bohemia *f*: *cristal m de* ~ böhmische Glaswaren *f/pl.*; ♀ Boheme *f*,

unbürgerliche Künstlergruppe *f*; flottes Künstlerleben *n*.
bohémico *hist. adj.* böhmisch.
bohe|mio I. *adj.* **1.** böhmisch; **2.** zigeunerisch; **3.** tschechisch; **4.** *fig.* verbummelt, leichtlebig, liederlich; *vida f* ~*a* unbürgerliches Leben *n*, Bummelleben *n*; **II.** *m* **5.** Böhme *m*; **6.** Tscheche *m*; **7.** Zigeuner *m*; **8.** Bohemien *m*; **~mo** *adj.-su.* böhmisch; *m* Böhme *m*.
bohío *m Am.* Rohr-, Schilf-hütte *f*.
bohordo *m* **1.** ⚘ Blütenschaft *m*; **2.** *hist.* Wurfspieß *m bei Turnieren*.
boico|t (*pl.* ~*s*), **~teo** *m* Boykott *m*; Boykottierung *f*; **~tear** *v/t.* boykottieren.
boina *f* Baskenmütze *f*.
boite *frz. f* Nachtlokal *n*, Kabarett *n*.
boj(e) *m* **1.** ⚘ Buchs(baum) *m* (*a. Holz*); **2.** Arbeitsleisten *m der Schuster*.
boja ⚘ *f* → *abrótano*.
boj(e)ar ⚓ *vt/i.* e-e Insel (ein Kap) um-kreisen, -schiffen; † e-n Umfang von ... haben.
bojedal *m* Buchsbaumgebüsch *n*.
boj(e)o ⚓ *m* Umfahren *n bzw.* Umfang *m e-s Kaps, e-r Insel*.
bojiganga *hist. f* Komödiantentruppe *f*.
bol[1] *m* Fischzug *m*, Fang *m*; Wurf-netz *n*.
bol[2] *m* **1.** Kegel *m*; **2.** *Min.* Bolus *m*; ~ *arménico*, ~ *de Armenia* (rote) Siegelerde *f*.
bol[3] *m* **1.** Schale *f*; **2.** → *ponchera*.
bola *f* **1.** Kugel *f*; (Kegel-, Billard-) Kugel *f*; Ball *m* (*a.* ⚓); ⊕ ~ *de corredera* Laufkugel *f* (*Kugellager*); ~ *de nieve* Schneeball *m*; ⚘ Schneeballen *m*; *juego m de* ~ Kugelwerfen *n* (*Spiel*); *fig. niño m de la* ~ Glückskind *n*; *el Niño de la* ~ das Jesuskind mit der Weltkugel; ✝ *sistema m de la* ~ *de nieve* Schneeballsystem *n*; *¡dale* ~*!* schon wieder kommt er damit!, wie lästig!, das ist ja nicht zum Aushalten!; *hacer* ~*s* die Schule schwänzen; *no dar pie con* ~ dauernd danebenhauen F, überhaupt nicht zurechtkommen; *dejar que ruede la* ~ die Dinge laufen lassen; P *Bol., Rpl. como* ~ *sin manija* wie ein geölter Blitz; **2.** (Zier-) Kugel *f z. B. an Möbeln*; *Stk.* Degenknauf *m*; **3.** F Schwindel *m*, (Zeitungs-)Ente *f*; **4.** *Cu., Chi.* → *argolla*; **5.** Giftbrocken *m* (*für streunende Tiere*); **6.** Schuhwichse *f*; **7.** *Méj.* Lärm *m*, Streit *m*; Menge *f*; ~ *de gente* Menschenmenge *f*; **8.** ~*s f/pl. Am.* → *boleadoras*; **9.** *Kart.* → *bolo*[1] *3*.
bola|cha *f Am.* Rohkautschukkugel *f*; **~da** *f* **1.** Kugel-, Ball-wurf *m*; Stoß *m* (*Billard*); **2.** *Cu., Méj.* → *bola 3*; *Rpl., Ven.* günstige Gelegenheit *f*; **~do** *m Am. Cent.* Gerücht *n*; *Chi., Hond., Méj.* Geschäft *n*, Angelegenheit *f*.
bolazo *m* Kugel-stoß *m*, -wurf *m*; *Rpl.* Unsinn *m*, Blödsinn *m*; *adv.* de ~ schnell, flüchtig; *Méj.* auf gut Glück.
bolche|vique *adj.-su. c* bolschewistisch; *m* Bolschewist *m*; **~vi(qui)smo** *m* Bolschewismus *m*; **~vista** *adj. c* → *bolchevique*; **~vizar** *v/t.* bolschewisieren.
bolea|da *f Rpl.* Treiben *n des Viehs* mit der Bola; **~dor** *m Méj.* Schuhputzer *m*; **~doras** *f/pl. Am.* Bola *f*, Kugelriemen *m zum Einfangen des Viehs*; **~r I.** *v/t.* **1.** werfen, schleudern; **2.** *Am. Tier* mit der Bola jagen *od.* fangen; **3.** *Am. fig.* durchfallen lassen (*b. Wahl, Prüfung*); P *j-n* abschießen F (*bei der Wahl, im Amt*); **4.** *Méj. Schuhe* blankputzen; **II.** *v/i.* **5.** ohne Einsatz spielen (*Billard, Geschicklichkeitsspiel*); **III.** *v/r.* ~*se* **6.** *And., Rpl.* bocken (*Reittier*); **7.** *Arg.* s. schämen.
bole|o *m* Kugel-, Boccia-werfen *n*; Bocciaplatz *m*; **~ra** *f* Kegelbahn *f*; ♪ ~*s f/pl.* Bolero *m*; **~ro**[1] *adj.-su. m* **1.** (Schul-)Schwänzer *m*; Lügner *m*, Aufschneider *m*; **2.** *escarabajo m* ~ Pillendreher *m* (*Käfer*).
bolero[2] *m* **1.** ♪ Bolero *m* (*Tanz*); Bolerotänzer *m*; **2.** Bolero(jäckchen *n*) *m*; *Col., P. Ri.* Volant *m* (*Zierbesatz*); *Am. Cent.* Zylinder(hut) *m*; **3.** *Méj.* Stiefelputzer *m*; **4.** *Col., Pe., P. Ri.* → *boliche*[2] *2*.
bole|ta *f* Einlaß-, Passier-schein *m*; Bezugsschein *m*; *Am.* Stimm- *bzw.* Los-schein *m*; ⚔ Quartierzettel *m*; → *a. billete*; *boletín, boleto*; *cédula*; **~tería** *f Am.* (Fahrkarten-)Schalter *m*; Kartenverkauf(sstelle *f*) *m*; **~tero** *m Am.* Kartenverkäufer *m*; **~tín** *m* **1.** Zettel *m*; Schein *m*; Formular *n*; ~ *de cotizaciones* Kurszettel *m* (*Börse*); ~ (*de pedido*) Bestellschein *m*; **2.** *amtlicher* Bericht *m*; ~ *de denuncia etwa*: Strafzettel *m*; ~ *médico* ärztliches Bulletin *n*; *Span.* 𝟐 *Oficial* Amtsblatt *n*; Gesetzblatt *n*; ~ *meteorológico* Wetterbericht *m*; *Zeitschriftentitel*: 𝟐 *comercial* Handelsblatt *n*; 𝟐 *Naviero* Schiffahrtsanzeiger *m*; **~to** *m Am.* Fahrkarte *f*; Eintrittskarte *f*; *a. Span.* Losschein *m*; □ *Arg.* Lüge *f*.
boli|chada *f* Netzwurf *m*; *fig.* F Glückszug *m*, guter Fang *m*; **~che**[1] *m* kl. Schlepp- *od.* Wurf-netz *n*; *damit gefangener* kl. Fisch *m*.
boliche[2] *m* **1.** kl. Bocciakugel *f*; Zierkugel *f an Möbeln*; **2.** Fangbecherspiel *n*; **3.** Kegelspiel *n*; Kegelbahn *f*; **4.** ⚒ Bleischmelze *f*; kl. Schwelofen *m*; **5.** Tabak *m* minderer Qualität; **6.** *Am.* Kramladen *m*; **7.** *Bol., Chi., Pe., Rpl.* Ausschank *m*, Kneipe *f*; **~ro** *m* Kegelbahnbesitzer *m*; *Arg.* Krämer *m*.
bólido *m* Bolid *m*, Meteor(stein) *m*; *fig.* Rennwagen *m*; *como un* ~ rasend (schnell).
bolígrafo *m* Kugelschreiber *m*.
boli|lla *f* **1.** Klößchen *n*; **2.** Stimmkugel *f*; **~llo** *m* **1.** kl. Kegel *m*; Spitzenklöppel *m*; *trabajar al* ~ klöppeln; **2.** ~*s m/pl. Am. Cent., Col., Cu., Méj.* Trommelschlegel *m/pl.*; **3.** ~*s m/pl.* Zuckerstangen *f/pl.*
bolín *m* kl. Bocciakugel; *adv.* F *de* ~, *de bolán* unbedacht, aufs Geratewohl.
boli|na *f* **1.** ⚓ **a)** Senkblei *n*, Lot *n*; **b)** Bulin(e) *f* (*Segelhaltetau*); *ir* (*od. navegar*) *de* ~ beim Winde segeln; *fig.* F *andar de* ~ auf (den) Bummel gehen; *fig.* F *echar de* ~ bramarbasieren, prahlerisch auftrumpfen; **2.** Streit *m*, Krach *m*.
bolista *m Méj.* Unruhestifter *m*.
bolita *f* Kügelchen *n*; Murmel *f*, Klicker *m*.
bolívar *m ven. Münzeinheit*.
bolivariano *adj.-su.* Anhänger *m* Bolívars.
bolivia|nismo *m* bolivianischer Ausdruck *m*, Bolivianismus *m*; **~no** *adj.-su.* bolivianisch; *m* Bolivianer *m*; Boliviano *m* (*Münzeinheit*).
bolo[1] *m* **1.** Kegel *m*; (*juego m de*) ~*s m/pl.* Kegeln *n*; Kegelspiel *n*; *pista f de* ~*s* Kegelbahn *f*; *jugar a los* ~*s* kegeln, Kegel schieben; *fig.* F *echar a rodar los* ~*s* lärmen, randalieren, die Puppen zum Tanzen bringen P; **2.** ⚠ Achse *f*, Spindel *f e-r Wendeltreppe*; **3.** *Kart.* Schlemm *m*, Ramsch *m*; **4.** *Thea.* Wandertruppe *f*; *hacer un* ~ Wandervorstellungen geben; **5.** *pharm.* gr. Pille *f*; **6.** ~ *alimenticio* (gekauter u. eingespeichelter) Bissen *m*; **7.** F *Cu., Méj.* Silberpeso *m*.
bolo[2] *adj.-su.* dumm, vernagelt F; F *Am. Cent., Méj.* betrunken, blau F.
bolo|nio *adj.-su. m* span. Student *m* in Bologna; F Hohlkopf *m*; **~ñés** *adj.-su.* aus Bologna; *m* Bologneser *m*.
bolsa[1] *f* **1.** Beutel *m*, Sack *m*; Tasche *f*; (Papier-)Tüte *f*; Fußsack *m*; Einkaufstasche *f*; Futteral *n*; Staubbeutel *m am Staubsauger*; *fig.* Geldbeutel *m*, Geld *n*; ~ *de agua caliente* Wärmflasche *f*; ~ *de hielo* Eisbeutel *m*; ~ *isotérmica* Kühltasche *f*; *fig.* ~ *rota* Verschwender *m*; ~ *turca* zs.-legbares Trinkgefäß *n aus Leder*, Reisebecher *m*; ~ *de viaje* Reisetasche *f*; *¡la* ~ *o la vida!* Geld her oder das Leben!; **2.** ~ *de aire* ✈ Luftloch *n*, Fallbö *f*; *in Leitungen*: Luftsack *m*; **3.** *Anat.* Blase *f*; Hodensack *m*; Tränensack *m*; **4.** Bausch *m*, Falte *f in der Kleidung*; *formar* ~*s* s. bauschen, Falten werfen (*od.* schlagen); **5.** Loch *n* (*Billard*); **6.** ⚒ Fundstelle *f gediegenen Metalls*; **7.** Stipendium *n*; **8.** *Am.* → *bolsillo*.
bolsa[2] ✝ *f* (𝟐, *wenn e-e bestimmte Börse gemeint ist*) Börse *f*; ~ *de comercio* (*de mercancías*) Handels-(Waren-)börse *f*; ~ *negra* schwarze Börse *f*; ~ *de trabajo* Arbeits-börse *f*, -markt *m*; ~ *de valores* Effekten-, Wertpapier-börse *f*; *operaciones f/pl. de* ~ Börsengeschäft *n*; *reglamento m de la* ~ Börsenordnung *f*; *jugar a la* ~ (an der Börse) spekulieren; *baja* (*sube*) *la* ~ die Kurse fallen (steigen).
bolsear *v/t.* → *bolsiquear*.
bolsi|libro *neol. m* Taschenbuch *n*; **~llo** *m* **1.** Geldbeutel *m* (*a. fig.*), Börse *f*; F *consultar con el* ~ Kassensturz machen F, s-e Moneten zählen P (*vor e-r Ausgabe*); *no echarse nada en el* ~ uneigennützig handeln; **2.** (Rock-, Westen-, Hosen-, Kleider-)Tasche *f*; *de* ~ Taschen...; *diccionario m de* ~ Taschenwörterbuch *n*; *edición f de* ~ Taschen-ausgabe *f*, -buch *n*; *lámpara f* (*tamaño m*) *de* ~ Taschenlampe *f* (-format *n*); *fig. meterse a alg. en el* ~ s. j-n geneigt (*od.* gefügig) machen; *le tiene en el* ~ den hat er in der Tasche, der ist ihm sicher.

bolsín † *m* Vor- *bzw.* Nach-börse *f.*
bolsiquear *Am. Reg. v/t.* j-s Taschen durchsuchen (u. leeren).
bolsista *c* Börsenspekulant *m*; *Am. Cent., Méj.* Taschendieb *m.*
bol|sita *f* kl. Tüte *f*; **~so** *m* **1.** Beutel *m*; (Damen-)Handtasche *f*; **2.** ✈ ~ *de aire* Ballonett *n*, Luftsack *m*; **3.** ⚓ Schwellung *f e-s Segels*; **~són** *m* **1.** *Am. Mer.* Schulmappe *f*; **2.** *Méj.* Geländesenke *f.*
bolla|dura *f* → *abolladura*; **~r** *tex. v/t.* ein Fabriksiegel anbringen an (*dat.*).
bolle|ría *f* Feinbäckerei *f*; **~ro** Feinbäcker *m.*
bollo *m* **1.** Milchbrötchen *n*; rundes Hefegebäck *n*; *Méj., Ant. oft* → *pan*; ~ *con frutas* Früchtebrot *n*; *fig.* F *este* ~ *no se ha cocido en su horno* das ist nicht auf s-m Mist gewachsen F; *no cocérsele a alg. el* ~ vor Neugier (*bzw.* Spannung) vergehen; **2.** Beule *f*; Ausbeulung *f*, Bausch *m*; Noppe *f* (*Verzierung*); **3.** Klumpen *m*; **4.** *Rpl., Hond.* Faustschlag *m*; **5.** F Durchea. *n*, Krach *m.*
bollón *m* **1.** Polsternagel *m*; **2.** Bosse *f* (*getriebene Arbeit*); Anhänger *m* (*Schmuck*).
bomba¹ *f* Pumpe *f*; ⚓ ~ *de achique*, ~ *de sentina* Lenzpumpe *f*; ~ *de aire*, ~ *de inflar* Luftpumpe *f*; ⚒ ~ *de agotamiento* Wasserhaltung(s-pumpe) *f*; ~ *aspiradora* Saugpumpe *f*; ~ *automóvil* Motorspritze *f*; ~ *de engrase* Abschmierpumpe *f*; Fett-, Schmier-presse *f*; ~ *de gasolina* (*de inyección*) Benzin- (Einspritz-) pumpe *f*; ~ *de incendios* Feuerspritze *f*; *depósito m de (las)* ~*s de incendios* Spritzenhaus *n*; *dar a la* ~ pumpen, ⚓ lenzen.
bomba² *f* **1.** ⚔ Bombe *f* (*a. fig.*); ~ *atómica*, ~ *A* Atombombe *f*; ~ *de aviación* Fliegerbombe *f*; ~ *explosiva*, ~ *rompedora* Sprengbombe *f*; ~ *de hidrógeno*, ~ *termonuclear*, ~ *H* Wasserstoffbombe *f*; ~ *incendiaria* Brandbombe *f*; ~ *de profundidad* (*de plástico, de señales*) Wasser- (Plastik-, Leucht-)bombe *f*; *lanzar* (*od. tirar*) ~*s* Bomben (ab)werfen; F *caer como una* ~ wie e-e Bombe einschlagen (*Nachricht*); plötzlich hereinplatzen F (*Person*); F *estar echando* ~*s* **a)** sehr erhitzt sein; **b)** vor Wut toben F; *fig.* F *reventó* (*od. estalló*) *la* ~ die Bombe ist geplatzt F, jetzt ist es passiert F; *a prueba de* ~*s* bombensicher (*a. fig.*); → *a. granada, proyectil*; **2.** Spraydose *f*; **3.** Lampenglocke *f*; **4.** Stegreifdichtung *f*; F *¡~ (va)!* Achtung!, Ruhe! (*zum Ausbringen e-s Trinkspruchs*); **5.** *Am. Reg.* Rausch *m*; F *Méj. ponerse una* ~ s. betrinken; **6.** *Pe.* Glühbirne *f.*
bomba|cha(s) *f(/pl.) Arg.* → **~cho** *adj.-su. m a.* ~*s m/pl.* **1.** Pluderhose *f*; **2.** Pumphose *f*, Knickerbocker *pl.*
bombarda *f* **1.** *hist.* ⚔ Bombarde *f* (*Geschütz*); **2.** ♪ Bomhart *m*, Pommer *m*, Bombarde *f* (*Orgelregister u. hist. Blasinstrument*).
bombar|dear *v/t.* mit Bomben belegen, *a. Atom. u. fig.* bombardieren; **~deo** *m* Bombardierung *f*, Bombenangriff *m*; Bombardement *n*; **~dero I.** *adj.-su.* (*avión m*) ~ *m* Bombenflugzeug *n*; ~ *en picado* Sturzkampfbomber *m*, Stuka *m*; **II.** *m* ⚔ *hist.* Bombardier *m.*
bombar|dino ♪ *m Art* Baßtuba *f*; **~dón** ♪ *m* Bombardon *n*, (Kontra-) Baßtuba *f.*
bombástico *adj.* bombastisch, schwülstig, überladen.
bombazo *m* Detonation *f* e-r Bombe; Bombentreffer *m.*
bombear¹ *v/t.* **1.** mit Artillerie beschießen; **2.** *Arg., Bol., Pe.* auskundschaften; **3.** *Col.* auf die Straße setzen, feuern F.
bombear² F **I.** *v/t.* ausposaunen, gewaltige Reklame machen für (*ac.*); **II.** *v/i.* angeben F.
bombe|ar³ *bsd.* ⊕ *v/t.* wölben; **~o** *m* Bauchung *f*, Wölbung *f.*
bombero *m* **1.** Pumpen-arbeiter *m*, -meister *m*; **2.** Feuerwehrmann *m*; ~*s m/pl.* (*voluntarios*) (freiwillige) Feuerwehr *f*; *jefe m de* ~*s* Brandmeister *m*; **3.** F Dummkopf *m*, Schwachkopf *m* F; *golpe m de* ~ Blödsinn *m*, Riesendummheit *f* F; Schnapsidee *f* F; **4.** *Rpl.* Späher *m.*
bómbice *m* Seidenspinner(raupe *f*) *m.*
bombi|lla *f* **1.** Ansaugrohr *n*; *Bol., Pe., Rpl.* Röhrchen *n zum Matetrinken*; **2.** ~ (*eléctrica*) Glühbirne *f*; *Kfz.* (Scheinwerfer-)Lampe *f*; ⚓ Kugellaterne *f*; **3.** *Méj.* Schöpflöffel *m*; **~llo** *m* **1.** Saugrohr *n*, Heber *m*; Geruchsverschluß *m b. Aborten*; **2.** ⚓ kl. Pumpe *f*; **3.** *Col., Pan.* Glühbirne *f.*
bombín *m* **1.** Fahrradpumpe *f*; **2.** F Homburg *m* (*steifer Filzhut*).
bombo I. *adj.* **1.** F bestürzt, verdattert F; **II.** *m* **2.** ♪ gr. Trommel *f*, (*bsd.* Kessel-)Pauke *f*; *fig.* F Übertreibung *f*, Reklame *f*, Angabe *f* F; *dar* ~ *a alg.* j-n herausstreichen, j-n übermäßig loben, j-n in den Himmel heben; *pregonar a/c. a* ~ *y platillo* et. hinausposaunen; für et. (*ac.*) gewaltig die Werbetrommel rühren; *tengo la cabeza hecha un* ~ **a)** mir dröhnt der Kopf (wie e-e Pauke); **b)** ich weiß nicht, wo mir der Kopf steht; **3.** ♪ Paukenschläger *m*; **4.** ⊕ Trommel *f*; **5.** Glücksrad *n*, Lostrommel *f*; **6.** flachgehendes Boot *n*; **7.** *Rpl.* Hintern *m*; *Arg. ir(se) al* ~ scheitern; kaputt gehen F.
bom|bón *m* **1.** (Schokolade-)Bonbon *m, n*, Praline *f*; ~ *pectoral* Hustenbonbon *n*; **2.** F hübsches Mädchen *n*; **~bona** *f* Korbflasche *f*; Glasballon *m.*
bombone|ra *f* **1.** Konfektschachtel *f*, Pralinenpackung *f*; **2.** F hübsche (kleine) Wohnung *f*; **~ría** *f Am.* → *confitería.*
bonachón *adj.-su.* gutmütig(er), naiv(er), einfältig(er Mensch *m*); Simpel *m*, Trottel *m* (*fig.*).
bonaerense *adj.-su. c* aus Buenos Aires.
bonales *Jgdw. m/pl.* Tränke *f*; Suhle *f.*
bonan|cible *adj. c* sanft (*Wind*); ruhig (*Meer*); heiter, mild (*Wetter*); friedlich (*Person*); **~za** *f* **1.** Meeresstille *f*; ruhiges, heiteres Wetter *n*; *mar (en)* ~ ruhige See *f*; *ir en* ~ mit günstigem Winde segeln; *fig.* gedeihen; **2.** ⚒ reiche Erzader *f.*
bonapartista *hist. adj.-su. c* bonapartistisch; *m* Bonapartist *m*, Anhänger *m* Napoleons I.
bonda|d *f* Güte *f*; *tenga la* ~ (*de* ...) seien Sie bitte so freundlich (, und ...); **~doso** *adj.* gütig, gutherzig.
bondi □ *m Arg.* Straßenbahn *f.*
boneta ⚓ *f* Beisegel *n.*
bonete *m* **1.** (Zipfel-)Mütze *f*; Barett *n*; Doktorhut *m*; Birett *n der Geistlichen*; *bravo* ~ Dummkopf *m*; F *gran* ~ hohes (*od.* großes) Tier *n* F; F *de* ~ auf Kosten anderer; F *adv. a tente* ~ gewaltig, was das Zeug hält F; **2.** *fig.* Weltgeistliche(r) *m*; **3.** Netzmagen *m der Wiederkäuer*; **4.** Einmachglas *n*; **~ría** *f Am. Reg.* Kurzwarengeschäft *n*; **~ro** *m* **1.** Mützen-macher *m*; -verkäufer *m*; **2.** ⚘ → *evónimo.*
bongo *m Am. Cent., Col., Cu., Ven.* Flachboot *n.*
bongó *m Col., Cu.* Negertrommel *f*, Bongo *n.*
boniato ⚘ *m Cu.* Batate *f.*
bonifica|ción *f* **1.** Vergütung *f* (*a.* †, ⊕); **2.** † **a)** Gutschrift *f*; **b)** Rabatt *m*; **3.** ⚘ Melioration *f*; Düngung *f*; **~r** [1g] *v/t.* **1.** vergüten; **2.** gutschreiben; **3.** ⚘ düngen; meliorieren.
bonísimo *adj.* → *buenísimo.*
boni|tamente *adv.* **1.** gemächlich, in aller Ruhe; **2.** geschickt; verstohlen, heimlich; **~to**¹ *adj.* hübsch (*a. fig.*), nett: F *~a faena que me han hecho* die haben mich ganz schön hereingelegt (*od.* in die Tinte geritten); *Col. ¡que la vaya ~!* alles Gute!; auf Wiedersehen!
bonito² *Fi. m* Bonito *m*, *Art kl. Thunfisch.*
bono *m* Gutschein *m*, Bon *m*; † Bonus *m*; ~ *del Tesoro* Schatzanweisung *f.*
bonote *m* Kokosbast *m.*
bon|zismo *m* Bonzentum *n*; **~zo** *m* Bonze *m*, buddhistischer Priester *m* (*aber* Bonze *fig. mst. cacique*).
boñi|ga *f* Pferde-, Kuh-mist *m*; **~go** *m* Kuhfladen *m*; Roßapfel *m.*
boom *engl. m* Boom *m*, Hochkonjunktur *f.*
boque|ada *f* Öffnen *n* des Mundes; *fig. dar* (*od. estar dando*) *las* ~*s* im Sterben liegen; *fig.* zur Neige gehen, zu Ende gehen; **~ar I.** *v/i.* den Mund öffnen; nach Luft schnappen; *fig.* im Sterben liegen; F zu Ende gehen, ausgehen; **II.** *v/t. Worte* hervor-bringen, -stoßen; **~ra** *f* **1.** Wasserauslaß *m im Bewässerungsgraben*; (Scheunen-)Luke *f*; **2.** ⚕ Faulecke *f*; **~rón** *m* **1.** weite Öffnung *f*; **2.** *Art* Sardelle *f*; **~te** *m* enge Öffnung *f*, Loch *n*; Bresche *f*; ⚔ *u. fig. abrir un* ~ (*en*) e-e Bresche schlagen (in *ac.*).
boqui|abierto *adj.* mit offenem Mund (*a. fig.*); *fig.* sprachlos, baff F; **~ancho** *adj.* weitmäulig; **~blando** *adj.* weichmäulig (*Reittier*); **~duro** *adj.* hartmäulig (*Reittier*); **~fresco** *adj.* feuchtmäulig (*Pferd*); *fig.* F *es un* ~ er hat ein loses Maul; er nimmt kein Blatt vor den Mund.
boquilla *f* **1.** Mundstück *n* (*a.* ⊕, ♪); Zigarren-, Zigaretten-mundstück *n*; -spitze *f*; Gasbrenner *m*; Lampen-

fassung *f*; *Tel.* Schalltrichter *m*; *adv.* de ~ ohne (den ausgemachten) Geldeinsatz zu zahlen; *fig.* F nur zum Schein; **2.** ⊕ Düse *f*; Tülle *f*; ~ *de cable* Kabelschuh *m*; ~ *de empalme* Ansatzstück *n*; Aufsteck-, Schraub-verschluß *m*; ~ *del inyector* Einspritzdüse *f*; ~ (*roscada*) Nippel *m*; **3.** Verschluß *m e-r Geldbörse u. ä.*; untere Öffnung *f* des Hosenbeins; **4.** *Ec.* Gerücht *n*.

boqui|llero *m Ant.* Angeber *m*; Scharlatan *m*; **~muelle** *adj. c* → *boquiblando*; *fig.* leicht zu lenken; leichtgläubig; **~negro I.** *adj.* schwarzmäulig; **II.** *m Art* Erdschnecke *f*; **~rroto** *adj.* schwatzhaft; **~rrubio I.** *adj.* geschwätzig; **II.** *m* F Milchbart *m*, Grünschnabel *m*; **~tuerto** *adj.* schiefmäulig.

borato ⚗ *m* Borat *n*.

bórax ⚗ *m* Borax *m*.

borbo|ll(e)ar *v/i.* sprudeln, Blasen werfen; **~llón** *m* Sprudeln *n*, Aufwallen *n*; *adv. a* ~*ones* hastig, Hals über Kopf F; **~llonear** *v/i.* → *borbollar*.

Bor|bón: *casa f* de ~ Bourbonen *m/pl.*; **2bónico** *adj.-su.* bourbonisch; *m* Bourbone *m*.

borborigmo(s) *m(/pl.)* Kollern *n im Leib*.

borbo|tar *v/i.* → *borbollar*; **~tón** *m* → *borbollón*; F (*hablar*) *a* ~*ones* überstürzt (reden).

borceguí *m* (*pl.* ~*íes*) Schnür-, Halb-stiefel *m*.

borda[1] *f Art* Almhütte *f in den Pyrenäen*; Sommer-stall *m od.* -scheune *f im Hochgebirge*.

borda[2] *f* **1.** ⚓ Reling *f*; *arrojar* (*od. echar*) *por la* ~ über Bord werfen (*a. fig.*); **2.** † Großsegel *n der Galeeren*; **~da** ⚓ *f* Gang *m*, Schlag *m*; *dar* ~*s* lavieren; *fig.* unentwegt hin- u. hergehen.

borda|do I. *adj.* **1.** be-, ge-stickt; **2.** *fig.* vollkommen, wunderschön; **II.** *m* **3.** Stickerei *f*; ~ *a mano* Handstickerei *f*; ~ *de* (*od. a*) *realce* erhabene Stickerei *f*, Hochstickerei *f*; **~dor** *m*, **~dora** *f* Sticker(in *f*) *m*; ~*a f* (*mecánica*) Stickmaschine *f*; **~dura** *f* Sticken *n*; Hochstickerei *f*; ▨ Bordüre *f*; **~je** ⚓ *m* Schiffsverkleidung *f*; **~r** *v/t.* sticken (*a. abs.*); besticken; *fig. et.* wunderschön ausführen (*bzw.* mit vielen Ausschmükkungen erzählen); ~ *con* (*od. de, en*) *oro* mit Gold einsticken *bzw.* (be-)sticken.

borde[1] **I.** *adj. c* wild (*Pfl.*); **II.** *adj.-su. c* unehelich(es Kind *n*).

borde[2] *m* **1.** Rand *m*; Ufer *n*; (Hut-)Krempe *f*; *a. fig. al* ~ *del abismo* am Rande des Abgrunds; **2.** ⊕ Kante *f*, Rand *m*; **~ar I.** *v/i.* **1.** ⚓ aufkreuzen, lavieren; **II.** *v/t.* **2.** umfahren, -segeln; am Rand (*gen. od.* von *dat.*) entlang gehen; *fig. e-r Sache* nahe sein; **3.** ⊕ bördeln, rändeln.

bordelés *adj.-su.* aus Bordeaux; (*barrica f*) ~*esa f* Faß *n von 225 l.*

bordillo *m* Randstein *m*; Schwelle *f*.

bordo *m* **1.** ⚓ Bord *m*; *a* ~ (*de un buque*) an Bord (e-s Schiffes); *al* ~ längsseit(s); *de a* ~ Bord...; *de alto* ~ seetüchtig; *fig.* einflußreich; *barco m de alto* ~ (Hoch-)Seeschiff *n*; *dar* ~*s* lavieren; *mantenerse sobre* ~*s* beigedreht haben; *subir a* ~ an Bord gehen; *venir* ~ *con* ~ Bord an Bord kommen, längsseit gehen; **2.** *Guat.*, *Méj.* Staudamm *m* (*Bewässerung*); **3.** *Rpl.* Furchenrain *m*.

bor|dón *m* **1.** Pilgerstab *m*; ⚓ Stenge *f*, Spiere *f*; **2.** ♪ Baßsaite *f*; Trommelsaite *f*; **3.** ⊕ Wulst *m*, Rand *m*; **4.** *Typ.* Textauslassung *f* (*Fehler b. Satz*); **5.** *fig.* Stütze *f*, Helfer *m*; **6.** → **~doncillo** *m* Kehrreim *m*; Flickwort *n*; Lieblingsausdruck *m*, stereotype (Rede-)Wendung *f*; **~donear** *v/i.* **1.** mit dem Stab herumtappen; **2.** s. bettelnd herumtreiben; **3.** summen, brummen; **~donero** *adj.-su.* Landstreicher *m*, Bettler *m*, Streuner *m*.

bordura ▨ *f* Verbrämung *f*, Bordüre *f*.

boreal *adj. c* nördlich, Nord(wind)-...; *aurora f* ~ Nordlicht *n*.

bóreas *m* Boreas *m*, Nordwind *m*.

borgo|ña *m* Burgunder(wein) *m*; **~ñón** *adj.-su.* burgundisch; *m* Burgunder *m*.

boricado ⚗ *adj.* Bor...; *agua f* ~*a* Borwasser *n*.

bórico *adj.*: *ácido m* ~ Borsäure *f*.

borinqueño *adj.-su.* → *portorriqueño*.

bor|la *f* **1.** Quaste *f*, Troddel *f a. als Abzeichen der Promovierten*; Puderquaste *f*; F *tomar la* ~ s-n Doktor machen; **2.** ⚘ ~*s f/pl.* Tausendschön *n*; **~larse** *v/r. Am. Mer.* s-n Doktor machen; **~lilla** ⚘ *f* Staubgefäß *n*; **~lón** *m* **1.** *augm.* Troddel *f*; genoppter Stoff *m*; **2.** ⚘ Hahnenkamm *m*.

borne[1] ⚡ *m* Klemme *f*, Klemmschraube *f*; Polklemme *f*; ~ *de la antena* Antennenbuchse *f*; ~ *de conexión* Anschlußklemme *f*; ~ *de tomatierra*, ~ *de* (*puesta a*) *tierra* Erdungsbuchse *f*.

borne[2] ⚘ *m* zottiger Geisklee *m*.

bornear[1] **I.** *v/t.* **1.** aus-, um-, ver-biegen, krümmen; **2.** *Hausteine* setzen; *Säule* ringsum behauen; **II.** *v/i.* **3.** ⚓ schwojen; **4.** drehen (*Wind*); **III.** *v/r.* ~*se* **5.** s. werfen (*Holz*).

bornear[2] *vt/i.* mit e-m Auge (an-)peilen.

borní *Vo. m* (*pl.* ~*íes*) Blaufalke *m*.

boro ⚗ *m* Bor *n*.

borona *f* Hirse *f*; Mais *m*; *Reg.* Maisbrot *n*.

boronía *f* → *alboronía*.

borra *f* **1.** einjähriges Lamm *n*; **2.** Füllwolle *f*; Ziegenhaar *n als Füllung*; Flusen *f/pl.*, Wollstaub *m*; Bodensatz *m* (*Öl, Tinte*); **3.** *fig.* unnützer Kram *m*; gehaltloses Geschwätz *n*; F *meter* ~ *Rede, Buch usw.* unnötig aufblähen, leeres Stroh dreschen; F *¿acaso es* ~*?* ist das etwa nichts?

borra|cha F *f* kl. Weinschlauch *m*; **~chada** *f* → *borrachera*; **~chear** *v/i.* trinken, s. oft betrinken; **~chera** *f* Rausch *m* (*a. fig.*); Gelage *n*; *fig.* blühender Unsinn *m*; **~chería** F *f* Kneipe *f*; **~chero** ⚘ *m Am.* Taumelstrauch *m*; **~chez** *f* → *embriaguez*; Verstandestrübung *f*; **~chín** F *m* Zechbruder *m*; **~cho I.** *adj.* **1.** (*estar*) betrunken, berauscht (*a. fig.*); *fig.* trunken; besessen; **2.** violett (*Möhren, Auberginen, einige Blumen*); *Chi.* überreif (*Frucht*); **II.** *m* **3.** Trinker *m*, Trunkenbold *m*; Betrunkene(r) *m*; **4.** *Fi.* grauer Knurrhahn *m*.

borra|do I. *m Rf.* Löschung *f* (*Tonband*); **II.** *adj. Pe.* blatternarbig; **~dor** *m* **1.** schriftlicher Entwurf *m*, Konzept *n*; **2.** Schmier-heft *n*; -zettel *m*; Kladde *f*; **~dura** *f* Ausstreichen *n*; Streichung *f* (*Liste usw.*).

borraja ⚘ *f* Boretsch *m*.

borrajear *vt/i.* kritzeln; Figuren malen.

borrajo *m* Aschenglut *f*.

borrar I. *v/t.* **1.** (aus)löschen, tilgen; aus-, ver-wischen; (aus)radieren; *Tonband* löschen; *Spuren* tilgen; **2.** (aus-, durch-)streichen; *bórrese lo no deseado* Nichtgewünschtes bitte streichen; **II.** *v/r.* ~*se* **3.** schwinden, erlöschen; verwehen (*Spuren*); *esto no se borrará de mi* (*od. no se me borrará de la*) *memoria* das wird nicht aus m-m Gedächtnis schwinden; *con esto se han borrado las faltas cometidas* damit sind die begangenen Fehler ausgelöscht (*od.* vergessen).

borras|ca *f* Sturm *m* (*a. fig.*); Unwetter *n*; Bö *f*; Sturmtief *n*; *fig.* Gefahr *f*; **~coso** *adj. a. fig.* stürmisch; *fig.* wechselvoll, bewegt (*Leben*); **~quero** F *adj.* liederlich, ausschweifend.

borre|go *m* **1.** (ein- *bis* zwei-)jähriger (Schaf-)Bock *m*; *fig.* Schaf *n*, einfältiger Mensch *m*; *fig.* F *no hay tales* ~*s* das gibt's (ja) gar nicht!; **2.** *Ant.*, *Méj.* Zeitungsente *f*; **3.** ~*s m/pl.* Schäfchenwolken *f/pl.*; **~guero I.** *adj.* **1.** *terreno m* ~ Schaf(s)weide *f*; **II.** *m* **2.** Schafhirt *m*; **3.** 🚂 Vieh(transport)zug *m*; F Sonderzug *m* für Rekruten; **~guil** *adj. c* Lämmer...; *fig.* Herden...

borrén *Equ. m* Vorder- *bzw.* Hinterzwiesel *m am Sattel*.

borri|ca *f* Eselin *f*; *fig.* dummes Weibsstück *n*; **~cada** *f* **1.** Eselherde *f*; **2.** Eselritt *m*; *fig.* Eselei *f*, Dummheit *f*; **~co** *m* **1.** Esel *m* (*a. fig.*); *ser muy* ~ ein (dummer) Esel sein; **2.** *Zim.* → *borriquete*; **~cón**, **~cote** F *adj.-su. m* Esel *m*, geduldiges Schaf *n*, Trottel *m*; **~quero I.** *adj.* ⚘: *cardo m* ~ Eselsdistel *f*; **II.** *m* Eseltreiber *m*; **~quete** *m* **1.** *Zim.* Säge-, Gerüst-bock *m*; **2.** ⚓ Focksegel *n*.

borro *m* jähriges Lamm *n*.

bo|rrón *m* **1.** Klecks *m*; *echar* ~*ones* klecksen (*Füllhalter*); *fig.* ~ *y cuenta nueva* Strich drunter; Schwamm drüber; **2.** *fig.* Fehler *m*, Entstellung *f*; Schandfleck *m*, Schande *f*; **3.** Skizze *f*, Entwurf *m*; *Demutsform u.* F ~*ones m/pl.* Schriften *f/pl.*; **~rronear** *vt/i.* (be-, hin-)kritzeln, schmieren; **~rroso** *adj.* trübe, flockig (*Flüssigkeit*); verschwommen, unklar.

boruca *f* Geschrei *n*, Lärm *m*, Getöse *n*.

borusca *f* dürres Laub *n*.

bos|caje *m* Wäldchen, Gebüsch *n*; *Mal.* Landschaft *f mit Bäumen u. Tieren*; **~coso** *adj.* waldig, Wald...

bos|níaco, **~nio** *adj.-su.* bosnisch; *m* Bosnier *m*, Bosniake *m*.

bosque *m* **1.** Wald *m*, Busch *m*; ~

ecuatorial tropischer Regenwald *m*; ~ *frondoso* (*mixto*) Laub- (Misch-) wald *m*; *poblado de* ~*s extensos* dicht bewaldet; **2.** F dichter Haar-, Bartwuchs *m*; ~**cillo** *m* Wäldchen *n*.
bosque|jar *v/t. a. fig.* skizzieren, entwerfen; ~**jo** *m* Skizze *f*, Entwurf *m* (*a. fig.*).
bosquete *m* (Park-)Wäldchen *n*, Boskett *n*.
bosquimán *m* Buschmann *m*.
bos|ta *f* Kuhfladen *m*; Roßäpfel *m/pl.*; ~**tear** *v/i. Chi., Rpl.* misten (*Vieh*).
boste|zar [1f] *v/i.* gähnen; ~**zo** *m* Gähnen *n*.
boston *m* Boston *m* (*Kart. u. Tanz*).
bóstrico *Ent. m* Borkenkäfer *m*.
bota[1] *f* **1.** Lederflasche *f*; **2.** Weinfaß *n*; **3.** † *Flüssigkeitsmaß*: 516 l.
bota[2] *f* Stiefel *m*; ~ *alta* Schaftstiefel *m*; ~ *de agua* (*de fieltro*) Wasser- (Filz-)stiefel *m*; ~ *de botones* Knopf-, Schnür-stiefel *m*; ~ *de media caña* Halbstiefel *m*; ~ *de montar* (*de piel*) Reit- (Pelz-)stiefel *m*; ~ *con rodillera* Stulp(en)stiefel *m*; *Bol., Rpl.* ~ *de potro* Gauchostiefel *m*; *ponerse las* ~*s* s-e Stiefel anziehen; *fig.* e-n Schnitt machen, zu Wohlstand kommen; *fig. morir con las* ~*s puestas* in den Sielen sterben.
bota|da F *f Ant., Col., Pe.* Entlassung *f*, Herausschmiß *m* F; ~**do I.** *adj.-su. m Am.* Findelkind *n*; **II.** *adj.* F *Méj.* sehr billig; ~**dor I.** *adj.* **1.** bockig (*Pferd*); **II.** *m* **2.** ⊕ Auswerfer *m* (*Waffen*); *Wkz.* Nagelzieher *m*; ⚓ Bootshaken *m*; ⚓ Stange *f* zum Staken; **3.** *Am. Reg.* Verschwender *m*; ~**dura** ⚓ *f* Stapellauf *m*; ~**fuego** *m* ⚔ Luntenstock *m*; *fig.* F Hitzkopf *m*; ~**lón** ⚓ *m* Ausleger *m*, Baum *m*; ~ *de foque* Klüverbaum *m*.
botamen *m* **1.** Büchsen *f/pl.* (*Apothekerausstattung*); **2.** ⚓ Wasserfässer *n/pl. an Bord*.
botana *f* **1.** Flicken *m auf e-m Schlauch*; Spundzapfen *m an e-m Faß*; **2.** F Wundpflaster *n*; Narbe *f*; **3.** *Col., Cu.* Spornschutz *m der Kampfhähne*.
botáni|ca *f* Botanik *f*; *P.Ri.* Heilkräuter-laden *m*, -stand *m*; ~**co** *adj.-su.* botanisch; *m* Botaniker *m*.
botanista *c* Botaniker *m*.
bota|r I. *v/t.* **1.** hinauswerfen, entlassen; *bsd. Am.* werfen, wegwerfen; ⊕ aus-stoßen, -werfen; **2.** ⚓ vom Stapel (laufen) lassen; **3.** verschwenden, zum Fenster hinauswerfen; **II.** *v/i.* **4.** springen, zurückprallen (*Ball*); aufspringen; tänzeln, bocken (*Pferd*); *fig.* wütend werden; **5.** ⚓ ~ *a babor* das Ruder auf Backbord umlegen; **III.** *v/r.* ~*se* **6.** s. hinwerfen; bocken (*Pferd*); ~**ratada** *f* dumme, unüberlegte Handlung *f*; ~**rate** *m* unbesonnener Mensch *m*, Schussel *m* F; *Am.* Verschwender *m*.
botarga *f* **1.** Narrenkostüm *n*; Hanswurst *m* (*a. fig.*); **2.** *Kchk. Art* Schwartenmagen *m*.
botasilla ⚔ *f* Hornsignal *n zum* [*Satteln.*]
botavara ⚓ *f* (Giek-)Baum *m*.
bote[1] *m* **1.** Stoß *m mit Lanze od. Spieß*; *Fechtk.* Ausfall *m*; **2.** Sprung *m*, Satz *m*; ~ *de carnero* Ausschlagen *n* u. Bocken *n* (*Pferd*); *dar* ~*s* springen (*Ball*); aufspringen; bocken u. ausschlagen (*Pferd*); *fig.* hüpfen (*vor Freude*); *fig.* wütend sein; *fig.* P *dar el* ~ *a alg.* j-n hochkantig 'rausschmeißen F; **3.** Grube *f für Klikker*.
bote[2] *m* Büchse *f*, Dose *f*; *Kfz.* ~ *de parches* Flickzeug *n*.
bote[3] *m* Boot *n*; ~ *de desembarco* (*neumático*) Landungs- (Schlauch-) boot *n*; ~ *plegable* Faltboot *n*; ~ *de salvamento*, ~ *salvavidas* Rettungsboot *n*.
bote[4] *adv.*: de ~ en ~ ganz (*od.* gestopft) voll.
bote|lla *f* **1.** Flasche *f*; ~ *arrojada al mar* Flaschenpost *f*; ✝ ~ *de un solo uso* Einwegflasche *f*; ~ *forrada* (*de paja etc.*) Korbflasche *f*; *Phys.* ~ *de Leyden* Leydener Flasche *f*; *fig.* F *media* ~ Dreikäsehoch *m*; **2.** *Ant.* Posten *m*, Pfründe *f*; ~**llazo** *m* Schlag *m* mit e-r Flasche; ~**llero** *m* Flaschen-fabrikant *m*; -händler *m*; ~**llín** Fläschchen *n*; ~**llón** *m* gr. Flasche *f*.
bote|ría *f* **1.** ⚓ → *botamen*; **2.** *Arg., Chi.* → *zapatería*; ~**ro**[1] *m* Weinschlauch-, Lederflaschen-macher *m*.
botero[2] *m* Bootseigner *m*; *Am. Reg.*, ⚓ Ruderer *m*; F *Pe(d)ro* ♀ Gottseibeiuns *m*.
botica *f* **1.** Apotheke *f*; *koll.* Arzneimittel *n/pl.*; **2.** † *u. Reg.* Kaufladen *m*; ~**rio** *m* **1.** P *u. desp.* Apotheker *m*; **2.** Pharmazeut *m*.
boti|ja *f* **1.** weitbauchiger Krug *m*; F *estar hecho una* ~ **a)** quengeln (*Kind*); **b)** ein Dickwanst sein; **2.** F *Am. Cent., Ven.* vergrabener Schatz *m*; ~**jero** *m* Krug-macher *m*; -händler *m*; ~**jo I.** *m* Wasser-, Trink-, Kühl-krug *m mit Tülle zum Trinken am Strahl*; **II.** *adj.*: F *tren m* ~ Vergnügungs-; Bummel-zug *m*.
botilla *f* → *borceguí*.
botille|r(o) *m* Eis- u. Getränkeverkäufer *m*; ~**ría** *f* Erfrischungs-, Trink-halle *f*.
botillo *m* kl. Weinschlauch *m*.
botín[1] *m* (Kriegs-)Beute *f*; ⚖ Beuterecht *n*.
bo|tín[2] *m* **1.** Gamasche *f*; **2.** → ~**tina** *f* Schnürstiefel *m*; Halbstiefel *m*.
botinero *adj.* hellfarbig mit schwarzen Füßen (*Vieh*).
botiquín *m* **1.** Haus-, Reise-, Autoapotheke *f*; ⚕, ⚔ Verbandskasten *m*; **2.** *Ven.* → *taberna*.
boto[1] *adj.* stumpf (*a. fig.*); *fig.* schwerfällig, plump.
boto[2] *m* Wein- *bzw.* Öl-schlauch *m*.
botocudo *adj.-su.* Botokude *m*.
botón *m* **1.** ⚘ Knospe *f*; ~ *de oro* Goldranunkel *f*; **2.** Knopf *m an Kleidung*; ~ *automático* Druckknopf *m*; *fig.* ~ *de muestra* Glanznummer *f*, Paradestück *n*; *fig. de* ~*ones adentro* innerlich, im Herzen; **3.** *a.* ⊕ Knopf *m*, Taste *f*; Tür-, Schalter-, Klingel-knopf *m*; ~ *giratorio*, ~ *de control* Drehknopf *m an Geräten*; ~ *de mando* Schalt-, Steuer-knopf *m*; ~ *de presión* Druckknopf *m*; Stell-, Druckauslöseknopf *m*; *apretar* (*od. pulsar*) *el* ~ auf den Knopf drücken; **4.** ⚕ Hitzblatter *f*; ~ *de fuego* Brennkugel *f*; ~ *de Oriente* Aleppobeule *f*; **5.** ♪ Klappe *f bzw.* Ventil *n der Blasinstrumente*; **6.** P *Arg.* Polizeispitzel *m*; **7.** *adv. Rpl., And. al* (*divino*) ~ **a)** umsonst; **b)** aufs Geratewohl.
boto|nadura *f* Knopf-garnitur *f*, -reihe *f*; ~**nar** *v/i. Am. Mer.* Knospen treiben; ~**nazo** *Fechtk. m* Rapier-, Florett-stoß *m*; ~**nería** *f* Knopf-fabrik *f*; -laden *m*; ~**nero** *m* Knopf-macher *m*; -händler *m*; ~**nes** *m* (*pl. inv.*) Laufbursche *m*; Page *m*, Boy *m im Hotel*.
botulismo *m* Fleischvergiftung *f*, Botulismus *m*.
botuto *m* **1.** *Am.* Kriegstrompete *f der Indianer*; **2.** *Am.* hohler Blattstiel *m des Milchbaums*.
bou *m Cat.* Langleinenfischerei *f*; *embarcación del* ~ Trawler *m*.
boudoir *gal. m* Boudoir *n*.
boulevar(d) *gal. m* → *bulevar*.
bouquet *gal. m* → *buqué*.
bóveda *f* **1.** ⚠ Gewölbe *n*; Keller-, Dach-gewölbe *n*; ~ *por arista* Kreuz(grat)gewölbe *n*; ~ *de cañón* (*de crucería*) Tonnen- (Kreuz-)gewölbe *n*; ~ *esférica* Kuppel(bau *m*) *f*; ~ *rebajada* Flachgewölbe *n*; Stichkuppel *f*; ~-*vaída* Hänge-, Schwebe-kuppel *f*; **2.** Gruft(kapelle) *f*, Krypta *f*; **3.** ~ *celeste* Himmels-kuppel *f*, -gewölbe *n*; **4.** *Anat.* ~ *craneal* Schädeldach *n*; ~ *palatina* harter Gaumen *m*.
bovedilla ⚠ *f* Sparrenfeld *n*; Kappengewölbe *n*.
bóvidos *Zo. m/pl.* Rinder *n/pl.*
bovino I. *adj.* Rind(s)..., Rinder...; *peste f* ~*a* Rinderpest *f*; **II.** ~*s m/pl.* Großrinder *n/pl.*
bowling *engl. m* Kegeln *n*.
box *engl. m* (Stall-, Wagen-)Box *f*; ~**calf** *engl. m* Boxcalf(leder) *n*.
boxe|ador *m* Boxer *m*; ~**ar** *v/i.* boxen; ~**o** *m* Boxen *n*; ~ *de pesos fuertes* Schwergewichtsboxen *n*; ~ *de simulacro* Schattenboxen *n*.
bóxer *m* Boxer *m* (*Hund*).
boya ⚓ *f* **1.** Boje *f*; ~ *luminosa* Leucht-boje, -tonne *f*; ~ *de salvamento* (*de silbato*) Rettungs- (Heul-) boje *f*; **2.** Schwimmer *m* (*Kork am Netz*).
boya|da *f* Ochsenherde *f*; ~**l** *adj. c* Rinder..., Ochsen...
boyante[1] *adj. c* ⚓ nicht tiefgehend; leicht befrachtet (*Schiff*); *fig.* F *estar* ~ Erfolg *od.* Glück haben.
boyante[2] *Stk. adj. c* lenkbar (*Stier*).
boyar ⚓ *v/i.* loskommen, wieder flott werden.
boyardo *hist. m* Bojar *m*.
boye|r(iz)a *f* Ochsenstall *m*; ~**r(iz)o** *m* Ochsen-hirt *m*, -treiber *m*.
boy-scout *engl. m* Pfadfinder *m*.
boyuno *adj.* Rind(s)..., Ochsen...
boza ⚓ *f* Halte-tau *n*, -leine *f*.
bozal I. *adj.-su. c* **1.** wild, ungebändigt (*Tier*); *fig.* unerfahren, neu; dumm; *hist. Am. negro m* ~ *aus Afrika* neuangekommener Neger *m*; **2.** *Cu.* das Spanische nur radebrechend; **II.** *m* **3.** Maulkorb *m*; **4.** Glöckchenhalfter *n für Pferde*; *Am.* Halfter *m*, *f*, *n*.
bozo *m* **1.** Flaum-, Milch-bart *m*; *apunta el* ~ der erste Bart wächst; **2.** Lippen(gegend *f*) *f/pl.*; **3.** Halfter(strick *m*) *m*, *f*, *n*.

braban|te *m* Brabanter Linnen *n*; **~zón** *adj.-su.* brabantisch; *m* Brabanter *m*.

brace|ada *f* → *brazada*; **~aje** *m* → *brazaje*; **~ar I.** *v/i.* **1.** mit den Armen um s. schlagen; s. hangeln, klimmen; *fig.* → *esforzarse*; **2.** Hand über Hand schwimmen; **3.** (zu) hoch traben (*Pferd*); **II.** *v/t.* **4.** *Metallschmelze* umrühren; **5.** ⚓ brassen; **~ro I.** *adj.* **1.** Wurf...; *chuzo m* ~ Wurfspieß *m*; **II.** *m* **2.** *servir de* ~ (*a alg.*) (j-n) am Arm führen, (j-m) den Arm bieten; F *adv.* de ~ Arm in Arm; **3.** Tagelöhner *m* (*Landarbeiter*); **~te** F *adv.*: de ~ → *de bracero*.

bracista *Sp. c* Brustschwimmer *m*.

braco *adj.-su.* **1.** (*perro m*) ~ Bracke *f*, Schweißhund *m*; **2.** stumpf-, stülp-nasig.

bráctea ⚘ *f* Deck-, Trag-blatt *n*.

bradi... *in Zssgn.* ⚕ Brady..., (Ver-) langsam(ung); **~cardia** ⚕ *f* Bradykardie *f*, Pulsverlangsamung *f*.

braga *f* **1.** Hebeseil *n*; **2.** Unterlegetuch *n* (*Windel*); **~s** *f/pl.* **a)** Knie- *bzw.* Pluder-hosen *f/pl.*; **b)** Schlüpfer *m*, Unterhose *f*; F *no poder con las* ~*s* hinfällig (*od.* schwach) sein; **~da** *f* innere Schenkelseite *f* (*Pferd, Rind*); **~do** F *adj.* energisch; verwegen; **~dura** *f* **1.** Zwischenbeingegend *f* (*Mensch, Tier*); **2.** Schritt *m* (*Hose*); **~zas** F *m* (*pl. inv.*) Pantoffelheld *m*, Schwächling *m*.

brague|ro ⚕ *m* Bruchband *n*; **~ta** *f* Hosen-latz *m*, -schlitz *m*; V *tener* ~*s* **a)** ein ganzer Kerl sein; **b)** sehr schwierig sein; **~tazo** P *m*: *dar (un)* ~ e-e reiche Frau heiraten; **~tero I.** *adj.* F wollüstig; **~a** mannstoll; **II.** *m Am. Reg.* Mitgiftjäger *m*; von s-r Frau (*od.* Geliebten) ausgehaltener Mann *m*; **~tillas** F *m* (*pl. inv.*) Hosenmatz *m* (*Kind*); armes Hascherl *n*.

brah|mán *m* Brahmane *m*; **~mánico** *adj.* brahmanisch; **~manismo** *m* Brahmanismus *m*; **~mín** *m* → *brahmán*.

brama *f Jgdw.* Brunft(zeit) *f*; Brunst *f der Stiere u. fig.* **~dera** *f* Brummholz *n der Kinder*; *Ethn.* Schwirrholz *n*; Hirtenschnarre *f*; **~dero** *Jgdw. m* Brunftplatz *m*; **~dor I.** *adj.-su.* brüllend; **II.** *m* □ → *pregonero*; *P. Ri.* Brüllaffe *m*.

bramante[1] *adj. c* brüllend.

bramante[2] *m* Bindfaden *m*, Schnur *f*.

bra|mar *v/i.* brüllen (*bsd. Stier*); röhren (*Hirsch*); heulen (*Wind*); toben, brüllen (*Brandung, Meer, Mensch*); **~mido** *m* Brüllen *n* (*Stier*); Röhren *n* (*Hirsch*); Gebrüll *n*; Toben *n*, Wüten *n* (*Elemente, Mensch*); *dar* ~*s* brüllen.

branca|da *f* Stell-, Sperr-netz *n* (*Fischerei*); **~l** *m* Kastenwände *f/pl.* (*Fuhrwerk*).

brandal ⚓ *m* Pardune *f*.

brandeburgués *adj.-su.* brandenburgisch; *m* Brandenburger *m*.

brandy *engl. m* Brandy *m*.

branqui|a *f* Kieme *f*; **~l** *adj. c* Kiemen...; **~ópodos** *Zo. m/pl.* Kiemenfüßler *m/pl.*

braqui|al 🕮 *adj. c* Arm..., brachial; **~céfalo** *adj.-su.* rund-, kurz-köpfig.

brasa *f* **1.** Kohlenglut *f*, glühende Kohlen *f/pl.*; *fig. estar (como) en* ~*s* (wie) auf glühenden Kohlen sitzen; *ponerse hecho una* ~ feuerrot anlaufen; *tener a alg. en* ~*s* j-n in Unruhe halten; → *a. ascua*; **2.** □ Dieb *m*.

brase|rillo *m* Räucherpfanne *f*; Wärmepfanne *f*; **~ro** *m* **1.** Kohlenbecken *n*; *Méj., Rpl.* Küchenherd *m*; **2.** *hist.* Verbrennungsplatz *m* (*Hinrichtungsplatz*); *fig.* sehr heißer Ort *m*, Brutofen *m* (*fig.*).

Brasil ⚘ *m*: *palo m del* ~ *od.* ♀ *m* Brasilholz(baum *m*) *n*; (*palo m*) ♀ Brasilholz *n*.

brasi|leño, *Am. a.* **~lero** *adj.-su.* brasilianisch; *m* Brasilianer *m*; **~lete** ⚘ *m* Rotholz *n*.

brava *f Cu.* Pump *m*, Anpumpen *n*; **~mente** *adv.* **1.** tapfer, verwegen; **2.** grausam; **3.** tüchtig, kräftig, viel; gut; **~ta** *f* prahlerische Drohung *f*; Großsprecherei *f*; *echar* ~*s* drohen; prahlen.

brave|ar *v/i.* prahlerisch drohen; prahlen, aufschneiden; **~za** *f* Wut *f* (*See, Elemente*).

bravío I. *adj.* **1.** wild, ungebändigt; wild(wachsend) (*Pfl.*); **2.** *fig.* widerspenstig, -borstig; ungeschliffen, ungehobelt; **II.** *m* **3.** Wildheit *f* (*bsd. der Stiere*).

bravo I. *adj.* **1.** tapfer, mutig, beherzt; **2.** wild (*Tier, Am. a. Indianer*), ungezähmt; wild(wachsend) (*Pfl.*); *toro m* ~ Kampfstier *m*; **3.** wild, unwegsam, steil (*Gelände*); aufgewühlt, bewegt (*See*); **4.** barsch, schroff; rauflustig; prahlerisch; *Am.* wütend; **5.** *Am.* scharf (*Gewürz*); **II.** *int.* **6.** ¡~! bravo!; *fig.* ¡~*a cosa!* (ein) verrückter Einfall!, e-e Schnapsidee! F; (e-e) schöne Geschichte!; **III.** *m* **7.** Beifallsruf *m*, Bravo *n*; **8.** □ Richter *m*.

bravu|cón *desp. adj.-su.* Maulheld *m*, Prahlhans *m*; **~conada** *f* Maulheldentum *n*; Prahlerei *f*, Angeberei *f*; **~conear** *v/i.* poltern, mit dem Säbel rasseln (*fig.*); **~conería** *f* → *bravuconada*; **~ra** *f* **1.** (Helden-) Mut *m*, Tapferkeit *f*; **2.** Wildheit *f der Tiere*; **3.** → *bravata*; **4.** ♪ *aria f de* ~ Bravourarie *f*.

braza *f* **1.** Klafter *m*, ⚓ Faden *m* (*span. 1,6718 m, arg. 1,733 m, engl. 1,823 m*); **2.** ⚓ Brasse *f*; **3.** *Sp. estilo m* ~ Brustschwimmen *n*; ~ *de espalda* Rückenschwimmen *n*; **~da** *f* **1.** Armbewegung *f*; Schwimmstoß *m*; **2.** *Am. Reg., Span. Reg.* → *braza 1*; **3.** → **~do** *m* Armvoll *m* (*Holz, Laub usw.*); **~je** *m* **1.** ⚓ Fadentiefe *f der See*; **2.** Münzprägung *f*; **~l** *m* **1.** Armschiene *f* (*Rüstung*); Handgriff *m e-s Schildes*; **2.** *Bew.* Wassergrabenanzapfung *f*; **3.** → *brazalete 2*; **~lete** *m* **1.** Armband *n*; **2.** Armbinde *f*; ~ *de luto* Trauerflor *m am Ärmel*; ~ *de la Cruz Roja* Rotkreuzbinde *f*; **3.** → *brazal 1*.

brazo *m* **1.** Arm *m*; *Anat.* Oberarm *m*; Vorderbein *n der Tiere*; *adv. a* ~ mit der Hand; ~ *a* ~ Mann gg. Mann, im Nahkampf; *en* ~*s* auf (*od.* in) den Armen; (*cogidos*) *del* ~ Arm in Arm, untergehakt; *a fuerza de* ~*s* mit großer Anstrengung; mit Gewalt; *adv. a* ~ *partido* Leib an Leib (*Ringen, Raufen*); *fig.* → *adv. a todo* ~ mit (aller) Gewalt, aus Leibeskräften; *fig. adv.* (*con*) *los* ~*s abiertos* mit offenen Armen; *fig. no dar su* ~ *a torcer* nicht nachgeben, s. nichts gefallen lassen; *echarse* (*od. entregarse*) *en* ~*s de alg. a. fig.* s. j-m in die Arme werfen; *fig.* s. ganz auf j-n verlassen; s. j-m ausliefern; *fig. estar* (*od. quedarse*) *con los* ~*s cruzados* die Hände in den Schoß legen, untätig (*od.* gleichgültig) zusehen; *fig.* F *quedar el* ~ *sano a uno* noch (Geld-)Reserven haben, s. noch nicht verausgabt haben; *fig. ser el* ~ *derecho de alg.* j-s rechte Hand sein; **2.** Waagebalken *m*; Kreuzesarm *m*; Leuchterarm *m*; Armlehne *f* (*Stuhl usw.*); Schenkel *m* (*Zirkel*); *Phono* Tonarm *m*; *de dos (tres)* ~*s* zwei- (drei-) armig *bzw.* -schenklig; **3.** ⊕ Arm *m*, Hebel *m*; ~ *articulado* Gelenkarm *m*; ~ *de la fuerza* Kraftarm *m*; **4.** Ast *m*, Zweig *m*; **5.** ~ *de mar* Meeresarm *m*; ~ *de río* Flußarm *m*; **6.** *fig.* Gewalt *f*, Macht *f*; *hist.* ~*s m/pl. del Reino* Reichsstände *m/pl. in den Cortes*; *Adel, Geistlichkeit, niederer (od. dritter) Stand*; ~ *secular* (Arm *m* der) weltliche(n) Gerichtsbarkeit *f*; **7.** *mst.* ~*s m/pl.* Arbeitskräfte *f/pl.*; **8.** *mst.* ~*s m/pl.* Helfer *m/pl.*, Beschützer *m/pl.*; *valerse de buenos* ~*s* gute Hilfe (*bzw.* Fürsprache) haben; **9.** Mut *m*; **10.** (Körper-)Kraft *f*.

brazuelo *m* **1.** Vor(der)arm *m der Vierfüßler*; **2.** Bug *m am Zaum*.

brea *f* **1.** Teer *m*, Pech *n*; ~ *líquida* Teer *m*, flüssiger Asphalt *m*; ~ *mineral* Steinkohlenteer *m*; ~ *seca* Harzpech *n*; **2.** ⚓ Kalfatermasse *f*; **3.** Teertuch *n*.

break *engl. m* Break *m* (*leichter, offener Wagen*).

brear F *v/t.* **1.** plagen, quälen; ~ *a golpes* verprügeln; **2.** foppen.

brebaje *m* widerliches Getränk *n*, Gebräu *n*; *desp.* Medizin *f*; *lit.* Trank *m*.

breca *Fi. f* **1.** Weißfisch *m*; **2.** Rotbrassen *m*.

brécol(es) ⚘ *m(/pl.)* Spargelkohl *m*, Brokkoli *m*.

brecolera ⚘ *f Art* Brokkoli *m*.

brecha[1] *f* **1.** Bresche *f*, Mauerdurchbruch *m*; ⚔ *u. fig. abrir* ~ (*en*) e-e Bresche legen (in *ac.*); *fig.* ins Wanken bringen, erschüttern; *estar (siempre) en la* ~ immer zur Verteidigung e-r Sache bereit sein; **2.** Eindruck *m*; *hacer* ~ *en alg.* auf j-n Eindruck machen.

brega *f* **1.** Kampf *m* (*a. fig.*); Zank *m*, Streit *m*; *fig.* harte Arbeit *f*; *andar a la* ~ schuften, s. abrackern; **2.** Possen *m*; *dar* ~ *a alg.* j-n narren, j-n foppen; **~r** [1h] **I.** *v/i.* kämpfen (*a. fig.*); s. abrackern; s. herumplagen (mit *dat. con*); **II.** *v/t. Teig* ausrollen.

brema □ *f Arg.* Spielkarte *f*.

breña *f* mit Gestrüpp bewachsenes Gefels *n*; **~l** *m* felsiges, mit Gestrüpp bewachsenes Gelände *n*.

breque *m* **1.** *Fi.* → *breca*; **2.** 🚂 *Ec., Pe., Rpl.* Gepäckwagen *m*.

bretaña *f* **1.** Leinen *n aus der Bretagne*; **2.** ⚘ Hyazinthe *f*.

brete *m* **1.** Fußeisen *n* (*Fessel*); †, ⚒ Gefängnis *n*; **2.** *fig.* schwierige Lage *f*, Klemme *f* F; *poner en un ~* in e-e schwierige Lage bringen; **3.** *Rpl.* Pferch *m zum Markieren bzw. Schlachten des Viehs.*

bretón I. *adj.-su.* **1.** bretonisch; **2.** (*col m*) *~ m* Sprossenkohl *m*; **II.** *m* **3.** Bretone *m*; *das* Bretonische.

breva *f* **1.** ⚘ Frühfeige *f*; *fig.* F Zufallsgewinn *m*, Glück(sfall *m*) *n*, Massel *m* F; *fig. más blando que una ~* (jetzt ist er) pflaumenweich; *fig. no caerá esa ~* daraus wird nichts, das sind Illusionen; **2.** frühreife Eichel *f*; **3.** flache Havannazigarre *f*; *Am. Cent., Cu., Méj.* Kautabak *m*; **4.** □ Jahr *n*.

breve I. *adj. c u. adv.* kurz (*a. Silbe*); kurz(gefaßt); kurz(dauernd); ⚒ schmal; rasch (zupackend); *es ~ de contar* das ist schnell erzählt; *ser ~* s. kurz fassen; *adv. en ~* **a)** bald; **b)** → *en ~s palabras* in wenigen Worten, kurz(gefaßt); **II.** *f Gram.* kurze Silbe *f*; ♩ Brevis *f* (*Note*); **III.** *m ~* (*pontificio*) (päpstliches) Breve *n*; **~dad** *f* Kürze *f*; *a la mayor ~ posible* baldmöglichst; *para mayor ~* der Kürze halber; *adv. con ~* → **~mente** *adv.* kurz; mit e-m Wort.

breviario *m* **1.** *kath.* Brevier *n*; **2.** Abriß *m*, Kompendium *n*; **3.** *Typ.* Borgis *f* (*9-Punkt-Schrift*).

bre|zal *m* Heide *f*; **~zo** ⚘ *m* Heide(-kraut *n*) *f*, Erika *f*.

bri|ba *f* Gauner-, Lotter-leben *n*; *andar a la ~* → *bribonear*; **~bón** *adj.-su.* nichtsnutzig; Gauner...; *m* Taugenichts *m*; Strolch *m*; Gauner *m*; Schurke *m*, Schuft *m*; **~bonada** *f* Gaunerei *f*, Schurkerei *f*; **~bonear** *v/i.* herum-strolchen, -streunen, stromern; ein Gaunerleben führen; **~bonería** *f* Herum-treiben *n*, -lungern *n*; Streunen *n*, Strolchen *n*; → *bribonada*; **~bonzuelo** *dim. m* kl. Gauner *m*, Schlingel *m*.

bricbarca ⚓ *f* Bark(schiff *n*) *f*.

bricho *m* (Gold- *bzw.* Silber-)Lahn *m.*

brida *f* **1.** Zaum *m*, Zügel *m*; Zaumzeug *n*; *a la ~* mit langen Steigbügelriemen, à la bride (*gal.*); *a toda ~* in vollem Galopp; *volver la ~* umkehren, zurückreiten; **2.** ⊕ (loser) Flansch *m*; Lasche *f*, Bügel *m*; Bund *m*; *~ de carril* Schienenlasche *f*; **3.** ⚕ *~s f/pl.* Bride *pl.*

bridge *engl. m* Bridge *n*.

bridón *m* Trense *f*; *poet.* feuriges Roß *n.*

briga|da I. *f* **1.** ⚔ **a)** Brigade *f*; **b)** Troßtrupp *m* (*Lasttiere u. Führer*); **2.** ⚓ Wache *f*; **3.** *~* (*de obreros*) Arbeiter-trupp *m*, -rotte *f*; *~ de bomberos* Löschzug *m* (*Feuerwehr*); *~ municipal* städtische Arbeiter *m/pl.*; **4.** Polizei *f*; *~ armada* kasernierte Polizei *f*; *~ social* (politische) Geheimpolizei *f*; *~ criminal* (*mundana*) Kriminal- (Sitten-)polizei *f*; *~ de homicidios* Mordkommission *f*; **II.** *m* **5.** ⚔ Feldwebel *m*; **~dier** *hist.* ⚔ *m* Brigadier *m*.

brigán *gal. m Guat., S. Dgo., Ven.* → *bandolero*.

Briján F: *saber más que ~* alle Kniffe kennen.

brillan|te I. *adj. c* strahlend, leuchtend, glänzend (*a. fig.*); Glanz...; *fig.* hervorragend, brillant; **II.** *m* Brillant *m*; *~ falso* Brillantenimitation *f*, Straß *m*; **~tez** *f* (*pl.* *~eces*) Glanz *m*; *Foto, Repro. u. fig.* Brillanz *f*, **~tina** *f* **1.** Brillantine *f*; **2.** *tex.* Glanzperkal(in *n*) *m*.

brilla|r *v/i.* funkeln, strahlen, leuchten, *a. fig.* glänzen; scheinen (*Sonne*); *fig.* brillieren, hervorstechen; *~ en la cátedra* ein glänzender Gelehrter (*od.* Redner) sein; **~zón** *m Bol., Rpl.* Fata Morgana *f*.

brillo *m* Glanz *m* (*a. Phot. u. fig.*), Schein *m*, Schimmer *m*; *fig.* Vortrefflichkeit *f*; Ruhm *m*; Prunk *m*; *~ del sol* Sonnenschein *m*; *dar* (*od. sacar*) *~ a a/c.* et. polieren, et. blank putzen; *sin ~* unscheinbar, glanzlos.

brin|car [1g] **I.** *v/i.* hüpfen, springen; *fig.* F hochgehen F, in die Luft gehen F; *está que brinca* er zittert vor Wut; → *a. saltar*; **II.** *v/t. fig.* (absichtlich) übergehen; **~co** *m* Sprung *m*, Satz *m*; *dar ~s* hüpfen; F *pegar un ~* e-n Satz machen; *en un ~* im Nu.

brin|dar I. *v/i.* **1.** anstoßen *beim Trinken*; e-n Trinkspruch ausbringen (auf *ac. por*); *~ por la salud de alg.* auf j-s Wohl trinken; **2.** *~ a alg. con* j-m *et.* anbieten (*od.* darbringen); **II.** *v/t.* **3.** an-, dar-bieten; schenken; *Gelegenheit* bieten; *nos brindó una conferencia* er hielt e-n Vortrag bei uns; *el bosque brinda agradable sombra* der Wald spendet angenehmen Schatten; **4.** *Stk. ~ el toro a* den Stier *j-m* zu Ehren töten; **III.** *v/r. ~se* **5.** *~se a + inf.* s. erbieten zu + *inf.*, s. anheischig machen zu + *inf.*; **~dis** *m* (*pl. inv.*) Trinkspruch *m*, Toast *m*; Zutrinken *n*; *hacer un ~* e-n Trinkspruch ausbringen.

brío *m* **1.** (*oft ~s m/pl.*) Kraft *f*; Mut *m*, Schneid(igkeit *f*) *m*; Schmiß *m* F, Schwung *m*, Feuer *n* (*fig.*); **2.** Anmut *f*.

brioche *frz. m* Brioche *f* (*feines Hefegebäck*).

briol ⚓ *m* Geitau *n*.

brioso *adj.* mutig; feurig, schwungvoll, schneidig F, schmissig F.

briqueta *f* Brikett *n*.

brisa *f* **1. a)** Nordostwind *m*; **b)** Brise *f*; **c)** Land- *bzw.* See-wind *m*; **d)** *~s f/pl. Ven.* Passat *m*; **2.** *Col.* Sprühregen *m*; **3.** F *Cu.* Hunger *m*, Appetit *m*.

brisca *Kart. f* Briska(spiel) *n*.

briscado *adj.*: *hilo m ~* mit Gold- *bzw.* Silberfaden umsponnener Draht *m*.

brise|ra *f*, **~ro** *m Ant.* Sturm-, Wind-laterne *f*.

brisote ⚓ *m* steife Brise *f*.

bri|tánico *adj.-su.* britisch; *m* Brite *m*; **~tano** *adj.-su. hist. u. lit.* Brite *m*.

brizna *f* Fädchen *n*, Faser *f*; Krümel *m*, Splitter *m*; *fig.* Stäubchen *n*; *fig. tener ~s de* e-n Anflug (*od.* e-n Anstrich) haben von (*dat.*).

broca *f* **1.** Schusterzwecke *f*; **2.** ⊕ Drill-, Spitz-bohrer *m*; *~ de avellanar* Senkbohrer *m*, Krauskopf *m*; **3.** *tex.* Spule *f*.

broca|dillo *tex. m* leichter Brokat *m*; **~do** *m* **1.** Brokat(gewebe *n*) *m*; **2.** Leder *n* mit Gold- *od.* Silberpressung.

brocal *m* **1.** Brunnenrand *m*; **2.** Schwertband *n*; Schildrand *m*; **3.** Mundstück *n e-r bota*.

brocatel *m* **1.** *tex.* Brokatell *m*; **2.** *mármol m ~* Tortosamarmor *m*.

brocha *f* gr. Malerpinsel *m*; Rasierpinsel *m*; → *a. pintor*; *obra f de ~ gorda* Kleckserei *f* F, Schmiererei *f* (*a. v. Literatur*); **~da** *f* → *brochazo*.

brochado *adj.* (gold-, silber-)durchwirkt; **~ra** *Typ. f* (Draht-)Heftmaschine *f*.

brochal △ *m* Querbalken *m*.

brochazo *m* (grober) Pinselstrich *m* (*a. fig. Mal. u. Lit.*).

broche *m* **1.** Haken *m* u. Öse *f*; Schnalle *f*; Bücherschloß *n*; **2.** Brosche *f*; *fig. poner ~ de oro a et.* krönen; **3.** *Chi., Pe., P. Ri.* Büroklammer *f*.

brocheta *f* → *broqueta*.

brochón *m* Tüncherquast *m*.

brollo *m Ven.* → *embrollo*.

broma[1] *f* Scherz *m*, Spaß *m*; Witz *m*, Ulk *m*; *~ pesada* dummer Spaß *m*, Unfug *m*; übler Scherz *m*; *~s aparte* Scherz beiseite; *de* (*od. en, por*) *~* im Scherz, im Spaß; *gastar ~s* Spaß machen; *echar* (*od. tomar*) *a/c. a ~* et. nicht ernst nehmen; et. ins Lächerliche ziehen; *estar de ~* scherzhaft (*od.* zu Späßen) aufgelegt sein; (nur) Spaß machen; *no estoy para ~s* mir ist nicht zum Lachen (zumute); *entre ~s y veras* halb ernsthaft, halb scherzhaft; *fig. mezclar ~s con veras* mit Zuckerbrot u. Peitsche (vorgehen); → *a. burla.*

broma[2] *f Art* Mörtel *m*.

broma[3] *f* Bohr-, Schiffs-wurm *m*; **~r** *v/t.* anbohren (*Bohrwurm*).

broma|to ⚗ *m* Bromat *n*; **~tología** ⚕ *f* Ernährungskunde *f*; **~tólogo** *m* Ernährungsfachmann *m*.

bro|mazo *m* übler Scherz *m* (*bzw.* Streich *m*); **~mear** *v/i. u.* *~se v/r.* scherzen, spaßen, Spaß machen.

brómico ⚗ *adj.*: *ácido m ~* Bromsäure *f*.

bromista *adj.-su. c* lustig, fidel F; *m* Spaßvogel *m*, fideles Haus *n* F.

bromo[1] ⚗ *m* Brom *n*.

bromo[2] ⚘ *m* Trespe *f*.

bromuro ⚗ *m* Bromid *n*; *~ de plata* Bromsilber *n*; *Phot. papel m ~* Bromsilberpapier *n*.

bronca F *f* Zänkerei *f*, Krach *m* F (machen, schlagen *armar*); *se armó una* (*od. la*) *~* (*padre*) es hat (e-n Riesen-)Krach gegeben; *me armó* (*od. echó*) *una* (*od. la gran*) *~* e-n schönen Krach hat der mir gemacht F; **~zo** F *m* Mords-krawall *m*, -spektakel *m*; *bsd. Stk.* lärmender Protest *m*.

bron|ce *m* **1.** Bronze *f*; Erz *n* (*poet.*); *~ fundido* Bronzeguß *m*; *hist. Edad f de(l) ~* Bronzezeit *f*; *fig. ser de ~, ser un ~* zäh *bzw.* hart, mitleidslos *bzw.* unnachgiebig sein; **2.** Bronzestandbild *n*, -figur *f*; **3.** *poet.* **a)** (Kriegs)Trompete *f*; **b)** Geschütz *n*; **c)** Glocke *f*; **~ceado I.** *adj.* bronzefarben; braungebrannt, sonnengebräunt; **II.** *m* Bronzierung *f*; (Sonnen-)Bräune *f*; **~cear** *v/t.* **1.** bronzieren; **2.** bräunen (*Sonne*); *crema f ~adora* Sonnencreme *f*; **~cería** *f* Bronzeware(n) *f*(*/pl.*); **~cíneo** *adj.* bronzen;

bronzeartig; **~cista** *c* Bronzearbeiter *m*.
bronco *adj.* **1.** roh, unbearbeitet (*Metall*); spröde, brüchig (*Metall*); wild, rauh (*Gegend*); **2.** rauh, heiser (*Stimme, Ton*); **3.** barsch (*Wesen*).
bronco(p)neumonía ⚕ *f* Bronchopneumonie *f*.
bronquedad *f* Rauheit *f*; Sprödigkeit *f*; *vgl. bronco.*
bronquial *Anat. adj. c* Bronchial...
bronquina F *f* Zank *m*, Streit *m*.
bron|quio *Anat. m* Bronchus *m*; *~s m/pl.* Bronchien *m/pl.*; **~quíolos** *m/pl.* Bronchiolen *m/pl.*; **~quitis** ⚕ *f* Bronchitis *f*.
broquel *m* kl. Rundschild *m*; *fig.* Schutz *m*.
broqueta *f* Bratspieß *m*.
brota|dura *f* → *brote*; **~r I.** *v/i.* **1.** (hervor)keimen; sprießen (*Pfl.*); ausschlagen (*Baum*); aufgehen (*Saat*); **2.** (hervor)quellen (aus *dat.* de); entspringen (*dat.* de) (*a. fig.*); *fig. ~ de* s-n Ursprung haben in (*dat.*); *brota un grano* es bildet s. ein Pickel; *los ensayos que brotan de su pluma* die Essays (, die) aus s-r Feder (stammen), s-e Essays; **II.** *v/t.* **3.** hervor-treiben, -bringen.
brote *m* Knospe *f*; Sproß *m*; Sprießen *n*; *fig.* Anfang *m*, Keim *m*.
browning *engl. m* Browning(pistole *f*) *m*.
broza *f* **1.** dürres Laub *n*; Gestrüpp *n*; **2.** Abfall *m*; *fig.* (leeres) Geschwätz *n*, Gewäsch *n* F; **3.** *Typ.* → *bruza* 2.
brucero *m* Bürsten-macher *m*; -händler *m*.
bruces *adv.*: *de ~* auf dem Bauch (liegend); *caer* (*od. dar*) *de ~* aufs Gesicht (*od.* auf die Nase) fallen; *fig. darse de ~ con alg.* mit j-m zs.-stoßen; j-m unerwartet begegnen.
bruja *f* Hexe *f* (*a. fig.*); *fig.* alte Hexe *f*, Vettel *f*; *fig.* Vamp *m*.
bru|jear *v/i.* hexen; **~jería** *f* Hexerei *f*, Zauberei *f*; *fig.* → *engaño*; **~jesco** *adj.* Hexen..., Zauber...; **~jo I.** *m* Zauberer *m*, Hexenmeister *m*; **II.** *adj. fig.* ver-, be-zaubernd, verführerisch; *amor m ~* Liebeszauber *m*.
brújula *f* **1.** Magnetnadel *f*; (Schiffs-)Kompaß *m*; *~ giroscópica* Kreiselkompaß *m*; *fig. por ~* nur undeutlich; über den Daumen gepeilt; *fig. perder la ~* die Orientierung verlieren, s. verrennen F; *fig. tener (mucha) ~* e-e gute Beobachtungsgabe haben; **2.** Seh-, Diopterloch *n*.
brujulear I. *v/t. Karten* langsam abziehen, *um sie zu erkennen*; *fig.* allmählich herausbekommen, erraten; **II.** *v/i. saber ~* s. geschickt durchschlagen, den Rummel kennen F.
brulote *m* **1.** † Brander *m*; **2.** *Bol., Chi.* Zote *f*, Schimpfwort *n*.
bruma *bsd.* ⚓ *f* Nebel *m*, ⚓ Mist *m*; **~rio** *hist. m* Brumaire *m* (*Okt. bis Nov. im frz. Revolutionskalender*); **~zón** ⚓ *m* dichter Nebel *m*.
brumoso *adj.* dunstig, neblig.
bruno ⚘ *m* Schwarzpflaume *f*.
bruñi|do I. *adj.* geschliffen; **II.** *m* Politur *f*, Schliff *m*; Polieren *n*; **~dor** *m* Polierstahl *m*; **~r** [3h] *v/t.* **1.** ⊕ glätten, polieren; (blank-)schleifen; **2.** F schminken.

brus|camente *adv.* barsch, brüsk; **~co I.** *adj.* plötzlich, jäh; brüsk (*a. fig.*); **II.** *m* ⚘ Mäusedorn *m*.
brusela ⚘ *f* gr. Immergrün *n*.
bruse|las *f/pl.* Goldschmiedezange *f*; **~lense** *adj.-su. c* aus Brüssel; *m* Brüsseler *m*.
brusquedad *f* Barschheit *f*, Schroffheit *f*; *con ~* schroff, barsch.
bruta|l *adj. c* brutal, roh; viehisch; F großartig, enorm F, toll F; **~lidad** *f* Brutalität *f*, Roheit *f*; *fig.* Dummheit *f*, Unvernunft *f*; F große Menge *f*.
bruteza *f* → *brutalidad*; *tosquedad*.
bruto I. *adj.* **1.** tierisch; **2.** *fig.* dumm, unwissend; grob; ungeschliffen, ungehobelt; unvernünftig; *fuerza f ~a* rohe Gewalt *f*; *Rpl. adv. a la ~a* brutal, roh; **3.** ⊕ (*en*) *~* roh, nicht bearbeitet, Roh...; *hierro m (en) ~* Roheisen *n*; *pieza f ~a* Rohling *m*; **4.** ✝ brutto, Roh..., Brutto...; *producto m ~* Rohertrag *m*; **II.** *m* **5.** Tier *n* (*im Sinne von unvernünftiges Wesen*); *poet. el noble ~* das Roß (*poet.*).
bruza *f* **1.** *Equ.* Kardätsche *f*; **2.** *Typ.* Bürste *f der Setzer.*
bu *Kdspr. m* (*pl.* búes) Butzemann *m*, Schwarzer Mann *m*.
búa *f* Pustel *f*; Eiterbeule *f*.
bu|bas ⚕ *f/pl.* entzündete Lymphknoten *m/pl.*; Syphilis *f*; **~bón** ⚕ *m* gr. Geschwür *n*; Bubo *m*; **~bónico** ⚕ *adj.*: *peste f ~a* Bubonenpest *f*.
bucal *adj. c* Mund...; *cavidad f ~* Mundhöhle *f*.
bucanero *hist. m* Seeräuber *m*, Bukanier *m*.
bucare ⚘ *m Am.* Bukare *m* (*Schattenbaum*).
búcaro *m* wohlriechende Siegelerde *f*; Vase *f daraus.*
bucea|dor *m* (Sport-)Taucher *m*; **~r** *v/i.* tauchen; *fig.* (nach)forschen (nach *dat. acerca de*).
bucéfalo *m fig.* F Tolpatsch *m*; *Rpl.* Schindmähre *f*.
buceo *m* Tauchen *n*.
buces: *de ~* → *de bruces.*
bucle *m* **1.** Locke *f*; **2.** *fig.* Windung *f*, Schleife *f*, Knick *m*.
bucóli|ca *lit. f* Hirtendichtung *f*; F Essen *n*; **~co** *lit. adj.* Hirten..., Schäfer..., bukolisch.
buche[1] *m* **1.** Kropf *m der Vögel* (*Méj.* ⚕); Labmagen *m der Rinder usw.*; **2.** Mundvoll *m Wasser usw.*; **3.** F Magen *m*; *fig.* Herz *n*; *fig. no le cabe en el ~* er kann den Mund nicht halten; *fig. sacar el ~ a alg.* et. aus j-m herausholen; **4.** *Ec.* Zylinder(hut) *m*.
buche[2] *m noch saugendes* Eselfüllen *n*.
buchete *m* dicke Backe *f*; Pausbacke *f*.
buchón *adj.* **1.** *paloma f ~ona* Kropftaube *f*, Kröpfer *m*; **2.** *Cu.* → *bonachón.*
Buda *m* Buddha *m*.
bu|dín *m* Pudding *m*; **~dinera** *f* Puddingform *f*.
budión *Fi. m* Pfauenschleimfisch *m*.
budis|mo *m* Buddhismus *m*; **~ta** *adj.-su. c* buddhistisch; *m* Buddhist *m*.
bue|n *adj. Kurzform v. bueno vor su. m sg.*; **~na** *adj. f* (*elliptisch a. su. f*): *una ~* e-e tolle Geschichte; *dar una ~ a alg.* j-n fertigmachen, j-n kleinkriegen; → *bueno*; **~namente** *adv.* **1.** leicht, bequem; **2.** gern.
buenaventura *f* Glück *n*; *decir* (*od. echar*) *la ~* aus der Hand wahrsagen.
bue|nazo F *adj.* seelengut; kreuzbrav; **~nísmo** F *sup.* sehr gut; **~no** *adj.* **1.** gut; *~a mercancía f* (*od. bsd. betont mercancía f ~a*) gute Ware *f*; *de ~a clase* gut; hochwertig; *~ como el oro* todsicher (*Geschäft u. ä.*); *~ de comer* gut, schmackhaft; *¡~!* **a)** gut!, (geht) in Ordnung!; **b)** na schön, meinetwegen, schon gut!; **c)** na na!, das fehlte noch!; *¡~ (ya)!* Schluß jetzt, jetzt langt's!; F *Gruß*: *¡(muy) ~as!* guten Morgen!, guten Tag! *usw.*; *adv. ~ a ~* gern; *adv. a ~as od. por las ~as* **a)** im guten, gütlich; **b)** gern; *por las ~as o por las malas* wohl oder übel; im guten oder im bösen; *en las ~as y en las malas* in Freud u. Leid; *adv. de ~as a primeras* mir nichts, dir nichts; sofort; *de ~ a mejor* immer besser; *cogí un susto de los ~s* da habe ich mich schön erschreckt; *dar por ~* billigen; *darse a ~as* nachgeben, Vernunft annehmen; *¿qué dices de ~?* was bringst du Neues?; *¡está ~!* das ist gut!; gut so! (*a. iron.*); *¡estaría ~!* das wäre ja noch schöner!; *~ estoy yo para bromas* ich bin wirklich nicht zu Scherzen aufgelegt; *no estar ~ de la cabeza* nicht recht bei Trost sein, im Kopf nicht ganz richtig sein; *hacer ~a una cantidad* e-e Summe gutschreiben; *hace ~* es ist schön(es Wetter); *iron. ponerle ~ a uno* j-n heruntermachen; *~ soy yo para eso* mit mir könnt ihr's ja machen (*bzw.* könnt ihr so et. nicht machen); *iron. lo ~ es que ...* das Schönste (*bzw.* Sonderbarste) ist, daß ...; *Spr. lo ~, si breve, dos veces ~* in der Kürze liegt die Würze; **2.** gehörig, tüchtig, kräftig; *~a cantidad* große Summe *f*; *buen trozo* gehöriges Stück *n*; **3.** (*estar*) gesund; *está ~* (*de la enfermedad*) er ist wieder gesund; **4.** gut, lieb, freundlich; brav (*Kind*); gutmütig; anständig (*Mädchen*); *estar de ~as* gut gelaunt sein; *seas ~* sei nett; sei friedlich; sei nicht kleinlich; *más ~ que el pan* äußerst gutmütig.
buey *m* **1.** Ochse *m*; Rind *n*; *Kchk.* → *vaca*; *Jgdw. ~ de cabestrillo, ~ de caza* Jagdochse *m* (*als Tarnung; oft nur Attrappe*); *~ corneta Chi., Rpl.* einhörniger (*Bol.* störrischer) Ochse *m*; *fig. Rpl.* Liedrian *m*; *~ de labor* Zugochse *m*; *trabajar como un ~* s. abrackern, schuften; *el ~ suelto bien se lame* Freiheit tut wohl; *habló el ~ y dijo mu* vom Ochsen kann man nur Rindfleisch verlangen; was kann man von dem schon (anderes) erwarten?; **2.** *~ cornudo Méj.* Hahnrei *m*; **3.** *P. Ri.* Unsumme *f*; **4.** ⚓ *~ de agua* überkommende See *f*; **5.** □ *~es m/pl.* Karten *f/pl.*
bufa *f* → *bufonada*; *Méj., Cu.* → *borrachera.*
bufado *adj.*: *vidrio m ~* geblasenes Glas *n*, Springglas *n*.

búfalo *m* Büffel *m*; *piel f de* ~ Büffelleder *n*.
bufanda *f* Schal *m*, Halstuch *n*.
bufar I. *v/i.* schnauben (*a. fig.* vor Wut *de ira*); **II.** *v/r.* ~*se Méj.* abblättern (*Verputz u. ä.*). [*pla.*}
bufeo *Zo. m Am.* → *delfín, marso-*}
bufete *m* **1.** Schreibtisch *m*; **2. a)** Anwaltskanzlei *f*; **b)** Klientel *f*; *abrir* ~ s. als Rechtsanwalt niederlassen; **3.** *gal.* Anrichte *f*, Büfett *n*.
buffet *frz. m* Büfett *n* (*Thea. usw.*).
bufido *m* Schnauben *n*; *dar* ~*s a. vor Wut* schnauben; F *me lanzó unos* ~*s* der hat mich vielleicht angeschnauzt F.
bu|fo I. *adj.* komisch, possenhaft; ♪ *ópera f* ~*a* komische Oper *f*; **II.** *m* ♪ (Baß-)Buffo *m*; ~**fón** *adj.-su.* närrisch; *m* Hofnarr *m*; Possenreißer *m*; ~**fonada** *f* Narren-streich *m*, -posse *f*, Hanswurstiade *f*; ~**fonearse** *v/r.* Possen reißen; ~**fonesco** *adj.* komisch, närrisch; Narren...; ~**fonizar** [1f] *v/i.* Possen reißen.
bufosa ☐ *f Arg.* Knarre *f*, Schießeisen *n*.
buganvilla ⚘ *f* Bougainvillea *f*.
bugle ♪ *m* (Signal-)Horn *n*.
buglosa ⚘ *f* Ochsenzunge *f*.
buhard(ill)a *f* Dach-luke *f*, -fenster *n*; Dachstube *f*; Dachkammer *f*.
buha|rra ☐ *f* Dirne *f*; ~**rro** *Vo. m* Bussard *m*. [*m.*}
búho *Vo. m* Uhu *m*; *fig.* Griesgram}
buhone|ría *f* Hausierware *f*; ~**ro** *m* Hausierer *m*; *caja f de* ~ Bauchladen *m*.
buido *adj.* **1.** spitz; **2.** gerieft.
buitre *Vo. m* Geier *m* (*a. fig.*); *gran* ~ *de las Indias* Kondor *m*; ~**ro** *adj.-su.* Geier...; *m* Geierjäger *m*.
buitrón *m* **1.** Fischreuse *f*; Fangnetz *n*, Falle *f*; **2.** *Am. Reg.* Silberschmelzofen *m*.
buje ⊕ *m* Buchse *f*; Radnabe *f*.
buje|da *f*, ~**dal** *m*, ~**do** *m* Busch *m*, Gebüsch *n*.
bujería(s) *f*(/*pl.*) (billiger) Kram *m*, Trödelkram *m*.
bujeta *f* Büchschen *n*; Riechfläschchen *n*.
bujía *f* **1.** Kerze *f*; **2.** *Phys.* Kerze *f* (*Lichtstärkemaß*); *Kfz.* ~ (*de encendido*) Zündkerze *f*; **3.** ⚕ Bou-}
bujiería *f* → *cerería.* [gie *f*.}
bula *f* (päpstliche) Bulle *f*; Ablaß *m*; *hist.* Urkundensiegel *n des Papstes*; ~ *de la (Santa) Cruzada* Kreuzzugsbulle *f*; ~ *de excomunión* Bannbulle *f*; *fig.* F *no poder con la* ~ sehr schwach sein; *vender* ~*s hist.* Ablässe verkaufen; *fig.* F schwindeln; s. scheinheilig aufführen.
bul|bar *adj. c* ⚘ Knollen...; *Anat.* bulbär; ~**bo** *m* **1.** ⚘ Zwiebel *f*; Blumenzwiebel *f*; Knolle *f*; **2.** *Anat.* Bulbus *m*; ~ *dentario* Pulpa *f*; ~ *raquídeo* verlängertes Mark *n*, *lt.* Medulla *f* oblongata; **3.** ⊕ Kolben *m*, Röhre *f*; ~**boso** *adj.* **1.** ⚘ knollig; *plantas f/pl.* ~*as* Knollen-, Zwiebel-pflanzen *f/pl.*; **2.** ⚠ *cúpula f* ~*a* Zwiebelturm *m*; **3.** *Anat.* wulstig. [**2.** ⊕ Bulldog *m*.}
buldog *Angl. m* **1.** *Zo.* Bulldogge *f*;}
buldozer *Angl.* ⊕ *m* Bulldozer *m*.
bule|ro *m hist.* Ablaßhändler *m*; ☐ *u. prov.* Schwindler *m*; ~**to** *m* päpstliches Breve *n*.

bulevar *gal. m* Boulevard *m*, Ring-, Pracht-straße *f*.
búlgaro *adj.-su.* bulgarisch; *m* Bulgare *m*; *das* Bulgarische.
bulimia ⚕ *f* Heißhunger *m*, Bulimie *f*. [Ente *f*.}
bulo *m* Falschmeldung *f*, Lüge *f*,}
bulto *m* **1.** Bündel *n*; undeutliche Gestalt *f*; *adv. a* ~ **a)** ungefähr, grob geschätzt; global, pauschal; nach Augenmaß; **b)** drauflos, ins Blaue hinein (*reden, schwatzen*); *en* ~ im großen u. ganzen, kurz; *fig.* F *buscar a uno el* ~ j-m auf den Pelz rücken F; F *coger* (*od. pescar*) *a uno el* ~ j-n (beim Schlafittchen) pakken, j-n festnehmen; *escurrir* (*od. escapar od. guardar od. huir*) *el* ~ s. drücken, s. dünnemachen; *menear* (*od. moler od. sacudir*) *a uno el* ~ j-n verprügeln, j-m das Fell gerben; P *sacar el* ~ abhauen F, verduften F; **2.** Umfang *m*; *fig.* Raum(inhalt) *m*; *fig.* Bedeutung *f*, Gewicht *n*; *de* ~ groß, bedeutend; gewaltig; *hacer* ~ (viel) Platz einnehmen; *fig.* Gewicht haben; *poner de* ~ hervorheben, deutlich machen; **3.** Gepäckstück *n*; Warenballen *m*; 🚂 ~*s m/pl.* Stückgut *n*; ~ *de carga* Frachtstück *n*; ~*s de mano* Handgepäck *n*; **4.** *figura f de* ~ Standbild *n*; **5.** Beule *f*; Anschwellung *f*; **6.** F *Thea.* Komparse *m*; **7.** Füllung *f e-s Kopfkissens*; **8.** *Am.* Schulmappe *f*.
bultuntún F *adv.*: *a* ~ aufs Geratewohl, ins Blaue hinein.
bulla *f* Lärm *m*, Krach *m*; Krawall *m*; *meter* (*od. armar*) ~ Krach (*od.* Radau) machen; F *estar de* ~ aufgeräumt (*od.* lustig) sein; ~**besa** *gal. f* Bouillabaisse *f* (= *Fischsuppe*); ~**je** *m* (Menschen-)Auflauf *m*, Gedränge *n*; ~**nga** *f* Aufruhr *m*, Tumult *m*; ~**nguero** *adj.-su.* lärmend; streitsüchtig; *m* Unruhestifter *m*, Radaubruder *m*.
bullebulle F *m*: *es un* ~ er ist ein Quecksilber, er muß immer Wirbel machen F.
bulli|cio *m* Getöse *n*, Lärmen *n*; Unruhe *f*, Tumult *m*; ~**cioso** *adj.* unruhig, lärmend; aufrührerisch; ~**dor** *adj.* unruhig, lebhaft, quecksilbrig; ~**r** [3h] *v/i.* **1.** sieden, sprudeln, (auf)wallen; *fig.* hervorsprudeln (*Gedanken*); *fig. le bulle la sangre* (*en las venas*) er hat ein überschäumendes Temperament; er schäumt über (*vor Tatendrang, vor Wut*); **2.** wimmeln; *fig.* ständig unterwegs sein, Wirbel machen F; ~ *en todo* überall dabei sein; **3.** ~*le a alg. a/c.* heftig nach et. (*dat.*) verlangen; *me bullen los pies* es juckt mich in den Füßen (= *ich möchte wandern, tanzen usw.*).
bullón[1] *m* **1.** Ziernagel *m auf Einbänden*; **2.** Bausch *m*, Puffe *f* (*Kleid, Stoff*).
bullón[2] *m* Färbersud *m*.
bumerang *m* Bumerang *m*.
buna *f* Buna *m*, *n*.
bunga|ló, ~**low** *m* Bungalow *m*.
buniato ⚘ *m* → *boniato.* [*m*.}
bún|ker, ~**quer** ⚔ *m* (*pl.* ~*s*) Bunker}
buñole|ría *f* Stand *m* e-s → ~**ro** *m* Krapfen-bäcker *m*; -verkäufer *m*.

buñuelo *m* **1.** span. Ölgebäck *n*, *Art* Krapfen *m*; ~ *de viento* Windbeutel *m*; **2.** *fig.* F Pfuscherei *f*; Pfuscharbeit *f*, Murks *m* F; F *no es* ~ so schnell geht das nicht, so einfach ist das nicht.
buque *m* **1.** Schiff *n*; (→ *a. barco, vapor*); ~ *almirante*, ~ *insignia* Flaggschiff *n*; ~ *de carga* Frachtschiff *n*, Frachter *m*; ~ *cisterna* Tanker *m*; ~ *escuela* Schulschiff *n*; ♪ *El* 2 *Fantasma* der Fliegende Holländer; ~ *faro* Feuerschiff *n*; ~ *frigorífico* (*gemelo*) Kühl- (Schwester-)schiff *n*; ~ *de guerra* Kriegsschiff *n*; ~ *de línea* Linienschiff *n* (*a.* ⚔), ⚔ Schlachtschiff *n*; ~ *de pasaje(ros)* Passagierdampfer *m*; ~ *de salvamento* Bergungs-, Rettungs-, Hebe-schiff *n*; ~ *trampa* Schiffsfalle *f*, U-Boot-Falle *f*; ~ *vagabundo*, ~ *volandero* Trampschiff *n*; ~ *vigía* Brand- *bzw.* Hafenwache *f*; *¡ah del* ~*!* Schiff ahoi!; *en* ~ mit dem Schiff; **2.** Schiffsrumpf *m*.
buqué *m* Bukett *n*, Blume *f des Weins*.
bura *Zo. m* Texashirsch *m*.
burbu|ja *f* (Wasser-, Luft-)Blase *f*; ⊕ Libelle *f* (*Wasserwaage*); ~**jear** *v/i.* Blasen werfen, sprudeln; ~**jeo** *m* Sprudeln *n*, Brodeln *n*.
burdégano *Zo. m* Maulesel *m*.
burdel *m* Bordell *n*, Freudenhaus *n*; *fig.* lärmende Gesellschaft *f*; wüster Lärm *m*.
burdeos *m od. vino m de* 2 Bordeaux (-wein) *m*.
burdo *adj.* grob (*Wolle, Tuch u. fig.*); *fig.* plump.
bureo *m hist.* kgl. Privilegiengericht *n*; *fig.* F *ir de* ~ s. amüsieren, auf den Bummel gehen.
bureta ⚗, ⚕ *f* Bürette *f*.
burga *f* Thermalquelle *f*.
burgalés *adj.-su.* aus Burgos.
burgo *m* Flecken *m*, Weiler *m*; *hist.* Burg *f*; ~**maestre** *m* Bürgermeister *m* (*dt., schweiz. u. niederländischer Städte*).
burgrave *hist. m* Burggraf *m* (*Dtl.*).
bur|gués I. *adj.* bürgerlich, Bürger...; *desp.* spießbürgerlich; *Pol. desp.* bourgeois; **II.** *m* Bürger *m*; *desp.* Spießbürger *m*; *Pol. desp.* Bourgeois *m*; ~**guesía** *f* Bürgerstand *m*; Bürgertum *n*; Mittelstand *m*; *desp. Pol.* Bourgeoisie *f*; *desp.* Spießbürgertum *n*; *gran* (*pequeña*) ~ Groß- (Klein-)bürgertum *n*.
buriel *adj. c* rötlichbraun.
buri|l *m* (Grab-, Gravier-)Stichel *m*; ~**lar** *vt/i.* stechen, gravieren (in Kupfer *en cobre*).
burla *f* **1.** Spott *m*; Spötterei *f*, Hänselei *f*, Fopperei *f*; *adv. de* ~*s*, *en* ~*s*, *por* ~ im Scherz, zum Scherz, zum Spaß; *adv.* ~ *burlando* **a)** unversehens; so nebenher; **b)** unauffällig; (*no*) *aguantar* ~*s*, (*no*) *entender de* ~*s* e-n (k-n) Spaß verstehen; *gastar* ~*s con alg.* j-n verulken; *no hay* ~*s con* ... mit ... (*dat.*) darf man nicht spielen; *hacer* ~ *de todo* alles ins Lächerliche ziehen; → *a. broma*; **2.** Prellerei *f*; ~**dero** *m* **1.** *Stk.* Schutzwand *f vor der Brüstung für die Stierkämpfer*; **2.** *Vkw.* Verkehrsinsel *f*; ~**dor** *m* **1.** Verführer *m*; *el* ~ *de Sevilla* Don Juan; **2.** Ve-

xierkrug *m u. ä. Scherzartikel*; **~r I.** *v/t.* **1.** täuschen; an der Nase herumführen; **2.** vereiteln, zunichte machen; **II.** *v/i.* **3.** spotten; *a él le gusta ~* er liebt den (*od.* e-n) Spaß; **III.** *v/r.* *~se* **4.** *~se* de s. lustig machen über (*ac.*), spotten über (*ac.*); *me burlo* (de *ello*) **a**) darüber muß ich lachen; **b**) das ist mir piepegal F.

burle|ría *f* Spaß *m*, Fopperei *f*; Lüge *f*, Lügengeschichte *f*; **~sco** *adj.* spaßhaft, scherzhaft; schnurrig; *Lit.* burlesk; *historia f ~a* spaßige Geschichte *f*, Schnurre *f*.

burlete *m* Filzstreifen *m*, Stoffleiste *f zum Abdichten von Fenstern u. Türen.*

bur|lón *adj.-su.* spöttisch; *m* Spaßvogel *m*; Spötter *m*; **~lonamente** *adv.* spaßhaft; spöttisch.

buró *gal. m* (*pl.* *~s*) Schreibtisch *m*; *Méj.* Nachttisch *m*.

burocracia *f* **1.** Bürokratie *f*; **2.** Beamtenschaft *f*.

burócrata *c* Bürokrat *m*.

buro|crático *adj.* bürokratisch; **~cratismo** *m* Bürokratismus *m*.

burra I. *f* **1.** Eselin *f*; F *~ de leche* Amme *f*; *fig. descargar la ~* s-e Arbeit auf andere abladen, die anderen arbeiten lassen; F *írsele a alg. la ~* s. verschnappen, aus der Schule plaudern; **2.** Arbeitstier *n* (*Frau*); **II.** *adj.-su. f* **3.** F dumme Pute *f*, dummes Weibsstück *n* F; **~da** *f* Eselsherde *f*; *fig.* Eselei *f*, Dummheit *f*; *fig.* F *costar una ~* e-e Stange Geld kosten; **~jo** *m* trockener Esels- *od.* Pferde-mist *m*.

burrero *m* Eselsmilchhändler *m*; *Méj.* Eseltreiber *m*.

burriciego *adj.* kurzsichtig; halbblind.

burri|llo F *m* Agende *f*; **~to** *m* **1.** *dim. v. burro*; **2.** *Méj.* Ponyhaarschnitt *m*; **3.** *Méj.* Maispastete *f mit Fleisch.*

burro *m* **1.** *a. fig.* Esel *m*; F *Rpl.* Rennpferd *n*; *fig. ~ cargado de letras* ein gelehrter Esel *m*; *~ de carga* Packesel *m*; *fig.* Arbeitstier *n*; *caer* (*od. apearse*) *del* (*od.* de *su*) *~* s-n Irrtum einsehen; (*una vez*) *puesto en el ~* wer A sagt, muß auch B sagen, Aussteigen gibt es nicht; **2.** ⊕, *Zim.* Bock *m*, Gestell *n*; *Cu.*, *Méj.* Bockleiter *f*; **3.** *Kart.* Burro *n*, Dreiblatt *n*.

burrumbada F *f* Prahlerei *f*.

bursátil † *adj. c* Börsen...; *informe m ~* Börsenbericht *m*.

buru|jo *m* Knäuel *m*, *n*, Klumpen *m*; **~jón** *m* **1.** Haufen *m*; (Menschen-)Menge *f*; **2.** Beule *f*.

busa *gal.* ⊕ *f* Düse *f*.

busardo *Vo. m* → buzo².

busca I. *f* **1.** Suche *f* (*a. Jgdw.*) (nach *dat.* de, *por*); *a la* (*od.* en) *~* de auf der (*bzw.* die) Suche nach (*dat.*) **2.** *Jgdw.* Jäger *m/pl.* mit Treibern u. Meute; **3.** *Ant.*, *Méj.* Nebeneinnahme *f im Amt*; **II.** *m* **4.** *Jgdw.* Suchhund *m*; **~do** † *adj.* gesucht (*Ware*); **~dor** *m a. Phot.*, *Rf.*, *Tel.* Sucher *m*; *~ de oro* Goldsucher *m*; *~ de tesoros* Schatzgräber *m*; **~minas** ⚓ *adj.-su. m inv.* Minensucher *m*; **~pié** *m* Köder *m*, hingeworfenes Wort *n*, *um et. herauszubekommen*; **~piés** *m* (*pl. inv.*) Schwärmer *m*, Knallfrosch *m*; **~pleitos** *m* (*pl. inv.*) *Am.* → *picapleitos*; **~r** [1g] **I.** *v/t.* **1.** suchen (*ac. od.* nach *dat.*), (nach-)forschen nach (*dat.*); F *~ bronca* Streit suchen (mit *dat. a*); ⚔ *u. fig. ~ el contacto* Fühlung aufnehmen, vorfühlen; *fig. ~ la boca* (*od. la lengua*) *a alg.* j-n reizen, j-n provozieren; **2.** holen (lassen); abholen; *te iré a ~* ich hole dich ab; *mandamos ~ al médico* wir lassen den Arzt holen; **3.** □ klauen P; **II.** *v/i.* **4.** *a. Jgdw.* suchen; *¡busca, busca!* such!, apport! (*Ruf für den Hund*); *Spr. quien busca, halla* wer sucht, der findet; **III.** *v/r.* *~se* **5.** *~se la vida od. buscársela(s)* s. recht u. schlecht durchschlagen; **~rruidos** F *c* (*pl. inv.*) Streithammel *m*, Radaubruder *m* F; **~vida(s)** F *c* **1.** Schnüffler *m*; **2.** arbeitsamer Mensch *m*, der s. redlich durchschlagen muß.

busco *m* Schleusenschwelle *f*.

bus|cón *m* Dieb *m*, Gauner *m*; **~cona** *f* Dirne *f*; **~conear** *v/i. Ant.*, *Méj.* herumschnüffeln.

busilis F *m*: *ahí está el ~* das ist des Pudels Kern, da liegt der Hund begraben F (*od.* der Hase im Pfeffer); *dar en el ~* ins Schwarze treffen.

búsqueda *f* Suche *f*; Suchaktion *f*.

busto *m* Oberkörper *m*; Büste *f*; Brustbild *n*.

buta|ca *f* Lehnsessel *m*; *Thea.* Parkettplatz *m*; *~ de mimbre(s)*, *~ de playa* Strandkorb *m*; *~ de orejas* Ohrensessel *m*; **~cón** *m* Klubsessel *m*.

butano ⚗ *m* Butan *n*.

butaque *m Am.* Liegesessel *m*.

buten P *adj.*: de *~* großartig, pfundig F, knorke P, dufte P.

butifarra *f* **1.** *Cat. Art* Blutwurst *f*; *Pe.* Weißbrot *n mit Schinken u. Salat*; *Rpl. tomar a alg. para la ~* j-n aufs Ärmchen nehmen F; **2.** *fig.* F zu weiter Strumpf *m*, Ziehharmonika *f* F.

butírico ⚗ *adj.*: *ácido m ~* Buttersäure *f*.

buz *m* (*pl.* *buces*) Handkuß *m*.

buzamiento ⚒ *m* Neigung *f des Flözes.*

buzo[1] *m* (*bsd.* Tief-)Taucher *m*; *barco m ~* Taucherschiff *n*.

buzo[2] *m Vo.* Mäusebussard *m*; □ Meisterdieb *m*.

bu|zón *m* **1.** Briefeinwurf *m*; Briefkasten *m*; *echar al ~ Brief* einwerfen, in den Kasten werfen; *~ de alcance* Richtungsbriefkasten *m*; **2.** Auslaß *m e-s Teichs*; Klappe *f b. Wasserleitungen u. ä.*; **~zonero** *m Am. Cent.*, *Chi.*, *Pe.*, *Rpl.* Briefkasten(ent)leerer *m*.

C

C, c (= ce) *f* C, c *n*; → **ce.**
ca P *f* → *casa.*
¡ca! F *int.* (i) bewahre!, i wo!; kein Gedanke! [Heiligtum).]
Caaba *arab. Rel. f* Kaaba *f* (*islam.*
cabal I. *adj. c* völlig, vollständig; vollendet; richtig; genau; *hombre m* ~ ein ganzer Mann; *cuentas f/pl.* ~*es* richtige (*od.* genaue) Rechnungen *f/pl.*; *justo y* ~ ganz richtig; ¡~! richtig!, so ist es!; **II.** *m no estar en sus* ~*es* nicht richtig bei Verstand sein, nicht recht bei Trost sein F.
cábala *f* **1.** *Rel.* Kabbala *f*; **2.** *fig.* Kabale *f*, Intrige *f*; **3.** ~*s f/pl.* Mutmaßung *f*; *hacer* ~*s* Vermutungen anstellen (über *ac. acerca de, sobre*).
cabalga|da *f* Kavalkade *f*, Reitertrupp *m*; *hist.* Erkundungsritt *m*, Streifzug *m*; † (Aus-)Ritt *m*; **~dor** *adj.-su. m* Reiter *m*; **~dura** *f* **1.** Reittier *n*; **2.** Lasttier *n*; **~r** [1h] **I.** *v/i.* **1.** (umher)reiten (auf *dat.* en); *fig.* ~ *sobre una ilusión* s. Illusionen hingeben; **II.** *v/t.* **2.** *Rhet. Wort am Versende* trennen; **3.** decken, bespringen (*Hengst*); **~ta** *f* Kavalkade *f*, Reiterzug *m*; Umritt *m.*
caba|lista *c* Kabbalist *m*; *fig.* Ränkeschmied *m*; **~lístico** *adj.* kabbalistisch; *fig.* geheimnisvoll, dunkel.
cabalonga ⚘ *f Cu., Méj.* Ignatiusbohne *f.*
caballa *Fi. f* Makrele *f.*
caballa|da *f* **1.** Pferdeherde *f*; **2.** *Am.* (grober) Unfug *m*, roher Streich *m*; **~je** *m* Bespringen *n*, Decken *n* (*Pferde, Esel*); Beschälgeld *n*; **~r** *adj. c* Pferde...; *ganado m* ~ Pferde *n/pl.*; **~zo** *m Chi., Guat., Méj.* Niederreiten *n.*
caballe|ar F *v/i.* oft ausreiten; **~jo** *m dim. u. desp.* Pferdchen *n*; Schindmähre *f*; *fig.* Folterbank *f*; **~resco** *adj.* ritterlich; Ritter...; **~rete** F *m* Stutzer *m*, Geck *m*, Gras-, Zieraffe *m* F; **~ría** *f* **1.** Reittier *n*; ~ *de carga* Lasttier *n*; ~ *mayor* Pferd *n bzw.* Maultier *n*; ~ *menor* Esel *m*; **2.** *hist.* Rittertum *n*; Ritterschaft *f*; *orden f de* ~ Ritterorden *m*; *libro m de* ~*s* Ritterroman *m*; *fig. andarse en* ~*s* s. in (unnützen) Komplimenten ergehen; **3.** ⚔ Kavallerie *f*, Reiterei *f*; (*cuerpo m de*) ~ Kavalleriekorps *n*; *soldado m de* ~ Kavallerist *m*; **4.** *Landmaß reg. versch.*; **~rismo** ✎ *m* ritterliche Gesinnung *f*; **~rito** F *m Reg.* junger Mann *m*; **~riza** *f* Pferde-, Maultier-stall *m*; Stallburschen *m/pl.*; ~*s f/pl.* Stallung *f*; ~*s reales* kgl. Marstall *m*; **~rizo** *m* Stallmeister *m*; ⚔ Pferdepfleger *m.*
caballero I. *adj.* **1.** reitend; ~ *en un burro* auf e-m Esel reitend; *fig.* ~ *en su opinión* hartnäckig auf s-r Meinung bestehend; **II.** *m* **2.** Reiter *m*; **3.** Ritter *m*; Ordensritter *m*; ~ *andante* fahrender Ritter *m*; ~ *gran cruz* Großkreuzträger *m*; ~ *cubierto hist.* span. Grande *m*; *fig.* F unhöflicher Mensch *m*, Bauer *m* (*fig.* F); ~ *del (Santo) Grial* Gralsritter *m*; ~ *de San Juan*, ~ *de Jerusalén*, ~ *de Malta*, ~ *sanjuanista* Johanniter (-ritter) *m*, Malteser(ritter) *m*; ~ *de la Triste Figura* Ritter *m* von der Traurigen Gestalt (= *Don Quijote*); *fig.* armselige Gestalt *f*; ~ *sin miedo y sin tacha* Ritter *m* ohne Furcht u. Tadel; **4.** Ehrenmann *m*; Kavalier *m*; (vornehmer) Herr *m*; ~ *de industria* Hochstapler *m*; *es todo un* ~ er ist ein Gentleman (Ehrenmann); ~ *del volante* Kavalier *m* am Steuer; **5.** *Anrede*: „mein Herr"; **~samente** *adv.* ritterlich; **~sidad** *f* **1.** Ritterlichkeit *f*; **2.** Ehrenhaftigkeit *f*; Großmut *m*, Edelmütigkeit *f*; **~so** *adj.* **1.** ritterlich; **2.** ehrenhaft; edelmütig, großmütig.
caballeta *Ent. f* Heuschrecke *f.*
caballete *m* **1.** *dim. u. desp. v. caballo*; **2.** ⚠ **a)** Dachfirst *m*; **b)** Schornstein- *bzw.* Kamin-abschluß *m*; **3.** *Mal.* Staffelei *f*; ⊕ Arbeitsgestell *n*, Bock *m*; *tex.* Scherbock *m*; **4.** *Rpl.* Messerbänkchen *n*; **5.** ✓ Furchenrücken *m*; **6.** *hist.* Folterbank *f*; **7.** *Anat.* **a)** Nasenhöcker *m*; **b)** Brustbein *n der Vögel.*
caballista *c* Pferdekenner *m*; guter Reiter *m*; F Kunstreiter *m*; *Reg.* berittener Bandit *m.*
caballito *m* **1.** Pferdchen *n*; ~ (*de palo*, ~ *de juguete*) Steckenpferd *n der Kinder*; *fig.* F *montar sobre el* ~ ein hohes Tier sein F, e-e hohe Stellung haben; **2.** ~*s m/pl. Glücksspiel* (*mechanisches Pferderennen*); ~*s del tiovivo* Karussell *n*; **3.** *Pe.* kl. Schlauchfloß *n*; **4.** *Ent.* ~ *del diablo* Libelle *f.*
caballo *m* **1.** Pferd *n*, Roß *n* (*poet.*); *Zo.* → *a.* **3**; ~ *de alabarda* Packpferd *n*; ~ *de batalla* **a)** *hist.* Schlachtroß *n*; **b)** *fig.* Stärke *f*, starke Seite *f e-r Person*; Hauptpunkt *m*, -argument *n e-r Streitfrage*; Lieblingsthema *n*, Steckenpferd *n*; ~ *blanco* Schimmel *m*; □ Melkkuh *f*; ~ *de brida*, ~ *de montar* Reitpferd *n*; ~ *de carga* (*de carreras*) Last- (Renn-)pferd *n*; ~ *de columpio* Schaukelpferd *n*; ~ *de cría* (*de escuela*) Zucht- (Schul-)pferd *n*; ~ *de madera* Holzpferd *n*; *Sp.* Bock *m*; ~ *negro* Rappe *m*; ~ *de palo* Holz-, Übungs-pferd *n in Reitschulen*; *fig.* Folterbank *f*; *Arg.* ~ *de pecho* Zugpferd *n*; (~ *de*) *pura sangre*, ~ *de raza* Vollblut *n*; ~ *de regalo* Parade-, Luxus-pferd *n*; ~ *de silla* Sattelpferd *n*; Reitpferd *n*; ~ *de tiro* Zugpferd *n*; *de un* ~ (*de dos, de cuatro* ~*s*) ein- (zwei-, vier-)spännig; *a* ~ zu Pferd, beritten; reitend; ⚔ ¡*a* ~! aufgesessen!; F *adv. con mil de* ~ wütend *od.* mit Pauken u. Trompeten F (*z. B. hinauswerfen*); *adv. a uña de* ~ **a)** schnell, sofort, spornstreichs; **b)** mit knapper Not, mühsam; *ir* (*montar*) *a* ~ reiten; F *ir en el* ~ *de San Francisco* auf Schusters Rappen reiten, *lt.* per pedes (apostolorum) (gehen); *poner a uno a* ~ j-m das Reiten beibringen; *fig.* j-n in den Sattel heben; *sacar bien* (*od. limpio*) *el* ~ *Sp., Stk.* das Pferd gut hindurchbringen; *fig.* gut durchkommen, Erfolg haben; *Spr. a* ~ *regalado no hay que mirarle el diente* e-m geschenkten Gaul sieht man nicht ins Maul; **2.** ⚔ Reiter *m*, Kavallerist *m*; ~*s m/pl.* Kavallerie *f*; **3.** *Zo.* ~ *de mar*, ~ *marino* Seepferdchen *n*; **4.** *Ent.* ~ *del diablo* Libelle *f*; **5.** *Schach*: Springer *m*, Rössel *n*; *salto m de* ~ Rösselsprung *m* (*Schach, Rätsel*); **6.** ~ *de Fris(i)a* spanischer Reiter *m* (*Drahtverhau*); **7.** ⚒ Taubgestein *n in e-r Ader*; **8.** *Astr.* ~ (*Mayor*) Pegasus *m*; ~ *Menor* Equuleus *m*; **9.** ⚓ Partleine *f*, Manntau *n*; **10.** *fig.* F hochfahrender Mensch *m*; **11.** *Kart. etwa*: Dame *f bzw.* Königin *f*; ~ *de copas etwa*: Herzkönigin *f*; **12.** *Kfz. usw.* ~*s al freno* Brems-PS *pl.*; ~*s de vapor* (*Abk.* CV *od.* H.P.) Pferdestärke *f*, PS; ~*s fiscales* Steuer-PS *pl.*; **13.** (Säge-)Bock *m*. **14.** *Pe.* Deichverhau *m gg. Ackerüberschwemmung*; **15.** *Myth. u. fig.* ~ *de Troya* Trojanisches Pferd *n.*
caba|llón ✓ *m* Furchenrücken *m*; **~lluno** *adj.* Pferde...
caba|ña *f* **1.** (Schäfer-, Feld-)Hütte *f*; Kate *f*; ~ *de troncos* Blockhütte *f*; **2.** gr. Schafherde *f*; Lasttierzug *m* (*Getreidetransport*); **3.** *koll.* Viehbestand *m e-r Region od. e-s Landes*; *Rpl.* Gut *n zur Züchtung v. Stammbaumtieren*; **~ñal I.** *adj.-su. m* (*camino m*) ~ Viehtrift *f*; **II.** *m* Katendorf *n*; **~ñero I.** *adj.* **1.** Schafherden...; *perro m* ~ Hirtenhund *m*; **II.** *m* **2.** Schafhirt *m*, Schäfer *m*; **3.** *Rpl.* Herdbuchzüchter *m*; **~ñil I.** *adj. c* Schäferhütten...; **II.** *m* Pferdehüter *m.*
cabaret *m* Nachtklub *m*; ~ *literario* Kabarett *n*, Kleinkunstbühne *f.*

cabe[1] *m* Stoß *m*, Treffer *m beim Argollaspiel*; *fig.* F ~ *de pala* unerwartete Gelegenheit *f*, Glücksfall *m*; F *dar un ~ a* vermindern (*ac.*); schädigen (*ac.*), beeinträchtigen (*ac.*).

cabe[2] † *u. poet. prp.* neben (*dat. bzw. ac.*), bei (*dat.*).

cabecear I. *v/i.* **1.** den Kopf schütteln; **2.** mit dem Kopf nicken, (ein)nicken; **3.** mit dem Kopf auf- u. niedergehen, „galoppieren" (*Pferd*); **4.** ⚓, ✈, *Equ.* stampfen; s. auf u. ab bewegen, schaukeln, hin u. her gehen (*Gg.-stände*); **5.** *Chi.* Knollen ansetzen (*Zwiebel usw.*); **6.** *Ven.* anfangen zu sinken *bzw.* zu steigen (*Fluß*); **II.** *v/t.* **7.** *Wein* verschneiden; **8.** um-säumen, -nähen; *Strümpfe* anstricken; **9.** *Sp. Ball* köpfen; **10.** *Zim. Bretter od. Balken* verstärken *bzw.* anstückeln; **11.** *Ant.*, *Méj. Tabakblätter* bündeln.

cabece|o *m su. zu cabecear*; *bsd.* Nicken *n*; *Equ.* „Galoppieren" *n*; ⚓, ✈ Stampfen *n*; F *Pe.* → *agonía*; **~ra I.** *f* **1.** Kopfende *n* (*Tisch usw.*); Ehrenplatz *m am Tisch*; Stirnseite *f e-s Raumes*; **2.** Kopfende *n des Bettes*; Kissen *n*; *médico m de ~* Hausarzt *m*; *asistir* (*od. estar*) *a la ~ del enfermo* den Kranken pflegen; *me gusta la ~ alta* (*baja*) ich liege gern hoch (tief); **3.** Haupt-teil *n*, -stück *n*, -punkt *m*; **4.** Bezirkshauptstadt *f*; **5.** *~ del tribunal* Gerichtsvorsitz *m*; Gerichtssitz *m*; Richter-tisch *m*, -platz *m*; **6.** Brükkenkopf *m*; **7.** *Geogr.* Oberlauf *m e-s Flusses*; obere Tallandschaft *f*; **8.** *Typ.* **a)** Kopfende *n bzw.* unteres Ende *n e-s Buchrückens*; **b)** Titelvignette *f*; **c)** Kolumnentitel *m*; **d)** Schlagzeile *f*; **II.** *m* **9.** Anführer *m*; ⚒ Sprengmeister *m*; **~ro** *Zim. m* Tür- *bzw.* Fenster-sturz *m*.

cabeci... *in Zssgn.* mit ... Kopf, ...köpfig, *z. B. cabeciancho adj.* breitköpfig.

cabeci|duro *adj. Am.* dickköpfig, starrsinnig; **~lla I.** *f* **1.** *dim. v. cabeza*; **2.** ⊕ Köpfchen *n*, Nippel *m*; **II.** *m* **3.** Häuptling *m*; Rädelsführer *m*; **III.** *c* **4.** Windbeutel *m*, Hohlkopf *m*; **~ta** *f dim. v. cabeza*.

cabe|llado *adj.* braunschillernd; **~llar** *v/i.* s. behaaren; **~llera** *f* (Haupt-)Haar *n*; Skalp *m*; *fig.* Fasern *f/pl.*; *poet.* Laub *n*, Gezweig *n*; *~ de cometa* Kometenschweif *m*; **~llo** *m* **1.** Haar *n*; *de ~* aus Haaren, haarig; *en ~s* barhäuptig; *fig. no faltar un ~ a a/c.* (so gut wie) fertig (*bzw.* vollständig) sein; *fig. hender* (*od. partir*) *un ~ en el aire* Haarspaltereien treiben; *fig. llevar a alg. de un ~* j-n um den Finger wickeln (können); *llevar a alg. de* (*od. por*) *los ~s* j-n an den Haaren herbeizerren; *tirarse* (*od. asirse*) *de los ~s* s. an den Haaren zerren, s. in die Haare geraten; *fig. traer a/c. por los ~s* et. an den Haaren herbeiziehen; → *a. pelo*; **2.** ⚘ *~s m/pl.* Bart *m* des Maiskolbens; *~(s) de ángel* **a)** ⚘ *Ant.*, *Am. Cent. Art* Hahnenfußgewächs *n*; *Chi.*, *Pe. Art* Flechtgras *n*; **b)** Fasermelonenkonfitüre *f*; *Am. Reg. versch. Süßigkeiten*; **c)** *neol.* Engelhaar *n* (*Christbaumschmuck*); **~lludo** *adj.* langhaarig; dicht behaart; ⚘ behaart; **~lluelo** *m* Härchen *n*.

caber [2m] **I.** *v/i.* **1.** (hin)eingehen (in *ac.* en), Platz haben (in *dat.* en), passen (in *ac.* en, auf *ac.* por); *no ~ de pies* s. drängen (*Menge in e-m Raum*); *en esta sala caben veinte personas* dieser Saal faßt 20 Personen; *fig. no ~ en sí de alegría* außer s. sein vor Freude, vor Freude (ganz) aus dem Häuschen sein; *fig. no me cabe en la cabeza* das will mir nicht in den Kopf, das begreife ich nicht; *no ~ juntos* nicht zuea. passen; P *¿cuántas veces cabe cinco en veinte?* wie oft geht 5 in 20?; **2.** zufallen, zuteil werden; *me cupo entregárselo* ich mußte es ihm überreichen; die Wahl, es ihm zu geben, fiel auf mich; *no nos cupo tal suerte* solches Glück war uns nicht beschieden; **3.** *~ en alg. a/c.* zu et. (*dat.*) fähig sein; *todo cabe en este individuo* dieser Kerl ist zu allem fähig; **II.** *v/impers.* **4.** möglich sein; *cabe que + subj.* es ist möglich, daß + *ind.*, es kann sein, daß + *ind.*; *cabe muy bien que* **a)** es ist sehr gut möglich, daß; **b)** es ist nur natürlich, daß; *cabe decir* man darf (ruhig) sagen (*bzw.* behaupten); *cabe preguntar* man muß s. (*bzw.* man darf doch) fragen; *no cabe* das ist nicht möglich (*bzw.* nicht gestattet), das gibt's nicht F; *no cabe perdón* das ist unentschuldbar; → *a. duda*; *¡no cabe más!* das ist (doch) die Höhe!; *hermosa que no cabe más* wunderschön; *si cabe* wenn möglich.

cabestraje *m* **1.** Halfter *n/pl.*; **2.** Halftergeld *n*.

cabes|trar *v/t.* anhalftern; **~trear I.** *v/i.* s. am Halfter führen lassen; **II.** *v/t. Am.* am Halfter führen; **~trero** *m* Halftermacher *m*; **~trillo** ⚕ *m* **1.** Tragschlinge *f*, Mitella *f* (*lt.*); **2.** Kinnverband *m*; **~tro** *m* Halfter *n*, *f*, *m*; *fig. llevar del ~ j-n* gängeln, *j-n* an die Kandare nehmen.

cabete *m* Metallhülse *f an Schnürsenkeln u. ä.*

cabeza I. *f* **1.** Kopf *m*, Haupt *n*; Schädel *m*; *fig.* Verstand *m*; *de ~* **a)** kopfüber (*a. fig.*); **b)** sofort; ins Blaue hinein; *de su ~* sein Einfall, auf s-m Mist gewachsen F; *Reg. u. Guat. en ~* barhäuptig; *de pies a ~* von Kopf bis Fuß, von oben bis unten; *fig. sin pies ni ~* ohne Hand u. Fuß; *dolor m de ~* Kopfschmerz(en) *m*(*/pl.*); *fig. mala ~* Wirrkopf *m*; Leichtfuß *m*; *fig. ~ redonda* schwerfälliger Geist *m*, Dummkopf *m*; F *~ torcida* Heuchler *m*; *~ de turco* Sündenbock *m*, Prügelknabe *m*; Karnickel *n* F; *alzar la ~* den Kopf heben; *fig. alzar* (*od. levantar*) *~* Mut fassen; s. erholen; *se le anda* (*od. se le va*) *la ~* ihm wird schwindlig; *aprobar od. afirmar* (*negar*) *con la ~* zustimmend nicken (den Kopf schütteln); *fig. calentarle la ~ a alg.* j-m den Kopf heiß machen; *calentarse la ~* s. aufregen, wütend werden; *se calentó la ~ a.* ihm rauchte der Kopf (*vom vielen Studieren*); *se le carga la ~* ihm wird der Kopf schwer; ihm wird schwindlig; *dar de ~* auf den Kopf fallen; *fig.* an Ansehen, Vermögen *usw.* verlieren; *dar con la ~ en las paredes* **a)** wütend werden; **b)** mit dem Kopf durch die Wand wollen; *descomponérsele a uno la ~* den Verstand verlieren; *le duele la ~* er hat Kopfschmerzen; *fig.* F er steht unmittelbar vor dem Sturz, die Herrlichkeit wird nicht mehr lange dauern F; *estar ido* (*od. mal*) *de la ~* ein Schwachkopf sein, nicht ganz bei Trost sein; *henchir* (*od. llenar*) *a uno la ~ de viento* (*od. de pajaritos*) j-m schmeicheln, j-m e-n Floh ins Ohr setzen F; *no levantar ~ od. no alzar ~* **a)** nicht (von der Arbeit) aufsehen, unablässig arbeiten; **b)** sehr krank sein; **c)** ganz niedergeschlagen sein; **d)** nicht mehr hochkommen können (*geschäftlich*); *fig. llevar de ~ a todo el mundo* alle Leute verrückt machen; *a. fig. llevarse las manos a la ~* s. an den Kopf greifen; *fig. meter la ~ en alguna parte* s-e Zulassung (*bzw.* Mitwirkung *u. ä.*) erreicht haben; *meterse de ~ en a/c.* et. sehr eifrig betreiben, s. kopfüber in et. (*ac.*) stürzen (*fig.*); *meterse* (*od. ponerse*) *a/c. en la ~* s. et. in den Kopf setzen; *se le ha metido* (*od. encajado*) *en la ~* er bildet s. das nur ein; *pasarle* (*od. pasársele*) *a alg. por la ~* j-m einfallen; j-m durch den Kopf gehen; *fig. perder la ~* den Kopf verlieren; *fig. quebrarse la ~* s. den Kopf zerbrechen; *no saber dónde volver* (*od. se tiene*) *la ~* nicht mehr wissen, wo e-m der Kopf steht; *sentar la ~* Vernunft annehmen; *fig. subírsele a alg. a la ~* j-m zu Kopf steigen (*Wein, Erfolg*); j-m in den Kopf steigen (*Blut*); *tener* (*una buena*) *~* Verstand haben; *tener la ~ a pájaros* ein Wirrkopf (*bzw.* sehr zerstreut) sein; *fig.* F *tener pájaros en la ~* e-n Vogel haben F; *estar tocado de la ~* auf den Kopf gefallen sein, e-n Dachschaden haben F; *tornar la ~ a* s. hinwenden zu (*dat.*); s-e Aufmerksamkeit zuwenden (*dat.*); *fig.* F *vestirse por la ~* weiblichen Geschlechts (*bzw.* Geistlicher) sein; **2.** Kopf *m bei Zählungen*; *por ~* jeweils, je Person, pro Kopf; **3.** Stück *n Vieh*; *~ mayor* Stück Großvieh *n*; *~ menor* Kleinvieh *n*; **4.** Hauptstadt *f*; *~ de partido* Bezirkshauptstadt *f*; **5.** Anfang *m*, Spitze *f*; *a la ~* voran, an der (*bzw.* die) Spitze; ⚔ *~ de columna* Kolonnenspitze *f*; 🚂 *~ de línea* Kopfbahnhof *m*; *~ de puente* (*a.* ⚔) Brückenkopf *m*; *~ de túnel* Tunnel-eingang *m*, -portal *n*; *ponerse a la ~* s. an die Spitze setzen; **6.** Gipfel *m* (*a. Berg*); oberer Teil *m*; *~ de campana* Glocken-stuhl *m*, -joch *n*; **7.** Anfang *m*, Eingangsformel *f e-s Schriftstücks*; *Typ.* Kapitelüberschrift *f*; *en ~* oben(an) (*in Listen usw.*); ⚖ *~ de proceso* richterliche Verfügung *f zur Einleitung e-r Untersuchung*; **8.** Leitung *f*, Führung *f*; *fig.* Oberhaupt *n*; *~ de la Iglesia* Papst *m*; → *a.* **15**; **9.** Kopf *m*, Kopfstück *n* (*a.* ⊕); *~ de alfiler* Stecknadelkopf *m*; ⚔ *~ de un cohete*

Raketenkopf *m*; ~ *nuclear* Atomsprengkopf *m*; *Phono*: ~ *de sonido* Tonkopf *m*; **10.** ⚕ Kopf *m*, Köpfchen *n* (*z. B. Geschwür*); Gelenkkopf *m*; **11.** ⚓ Bug *m*; ~*s f/pl.* Bug *m u.* Heck *n*; *estar en* ~ auf Kiel gelegt sein; **12.** *Astr.* ~ *de dragón* aufsteigender Knoten *m*; **13.** *Kchk.* ~ *de olla* erster Abguß *m e-r Brühe*; **14.** ~*s f/pl. Am.* Quellgebiet *n e-s Flusses*; **II.** *m* **15.** (Ober-)Haupt *n*, (An-)Führer *m*, Leiter *m*; ~ *de familia* Haushaltsvorstand *m*, Familien(ober)haupt *n*; ~ (*a. f*) *de linaje* Familienoberhaupt *n* (*Adelsfamilie*); *a.* Titelerbe *m*.

cabe|zada *f* **1.** Stoß *m* mit dem Kopf; Kopfneigen *n als Gruß*; Kopfnicken *n*, *bsd.* Einnicken *n*; *dar una* ~ einnicken, ein Schläfchen machen; F *darse de* ~*s* s. abmühen; *bsd.* wie ein Narr suchen (u. doch nichts finden); *fig. darse de* ~*s contra las paredes* mit dem Kopf wider die Wand rennen; **2.** ⚓ Stampfen *n*; **3.** *Equ.* Kappzaum *m*; **4.** Oberleder *n am Stiefel*; **5.** *Buchb.* Kapitalband *n*; **6.** höchster Punkt *m im Gelände*; ~**zal** *m* **1.** Kopfkissen *n*; *gr.* Querpolster *n*, Kopfkeil *m*; **2.** Kompresse *f nach Aderlaß*; **3.** ⊕ Kopf(stück *n*) *m*; *Wkzm.* Spindelstock *m*; → *a. cabeza 9*; ~**zazo** *m* Kopfstoß *m* (*a. Fußball*); ~**zo** *m* **1.** Geländekopf *m*, Hügel *m*; **2.** *über Wasser gelegener* Teil *m* e-s Riffs; **3.** Hemdenbörtchen *n*; ~**zón I.** *adj.* **1.** großköpfig; **2.** dickköpfig; **II.** *m* **3.** Hemdenbörtchen *n*; Kopfschlitz *m an Kleidung*; **4.** *Equ.* ~ (*de serreta*) Kappzaum *m*; **5.** *fig.* Dickkopf *m*; ~**zonada** F *f* Dickköpfigkeit *f*, Halsstarrigkeit *f*; ~**zorro** F *m* unförmiger Kopf *m*, Wasserkopf *m* F; ~**zota** F *adj.-su. c* großköpfig; *m* Dickkopf *m*, Starrkopf *m*; ~**zote** *m Cu., Andal.* Füllstein *m beim Mauern*; ~**zudo I.** *adj.* **1.** dickköpfig (*a. fig.*); **2.** schwer (*Wein*); **II.** *m* **3.** Dickkopf *m*, Starrkopf *m*; ~*s m/pl.* (Zwergen-)Figuren *f/pl.* mit gr. Kopf *bei Umzügen*; **4.** *Fi.* Meeräsche *f*; ~**zuela I.** *f* **1.** Kleienmehl *n*; **2.** ⚘ **a)** Blütenkörbchen *n*; **b)** Brachdistel *f*; **II.** *c* **3.** Dummkopf *m*.

cabida *f* **1.** Raumgehalt *m*, Fassungsvermögen *n*; ⚓ Ladefähigkeit *f*; *dar* ~ *a* **a)** aufnehmen (*ac.*) (*z. B. in ein Wörterbuch*); berücksichtigen (*ac.*); **b)** zulassen (*ac.*); *esta sala tiene* ~ *para 50 personas* dieser Raum faßt 50 Personen; **2.** Flächeninhalt *m*.

cabila *arab. f* Berber- *bzw.* Araberstamm *m*, Qabila *f*.

cabil|dada F *f* unsinniger Beschluß *m* am grünen Tisch, Schildbürgerstreich *m*, Rathausweisheit *f* F; ~**dante** *m Am. Mer.* Stadtrat *m* (*Person*); ~**dear** F *v/i.* intrigieren *innerhalb e-r Gemeinschaft*; ~**deo** F *m*: *andar en* ~*s* intrigieren, die Köpfe zs.-stecken; ~**dero** *m* Ränkeschmied *m*, Intrigant *m*; ~**do** *m* **1.** Stiftskapitel *n*; Ordenskapitel *n*; ~ *catedralicio* Domkapitel *n*; **2.** Stadtrat *m* (*Versammlung*); **3.** Kapitel- *bzw.* Stadtrats-sitzung *f*; *hist. Am.* ~ *abierto* offene Bürgerversammlung *f*; **4.** Ratssaal *m*; Rathaus *n*; **5.** *fig. Cu.* Negerfest *n*; *desp.* lärmende Versammlung *f*, Räuberkonzil *n* F.

cabileño *adj.-su. m* Kabyle *m*.

cabi|lla *f* **1.** Rundeisen *n*; dicker Draht *m*; **2.** ⚓ **a)** Zapfen *m*, Bolzen *m*; **b)** Handspeiche *f des Ruders*; ~**llo** ⚘ *m* Stengel *m*, Stiel *m*.

cabim(b)a *f*, ⚘ *Ven.* Kopaiva *f*.

cabi|na *f* Kabine *f*, Zelle *f*; Umkleide-, Bade-kabine *f*; *Lkw., Kran*: Führerhaus *n*; ~ *acondicionada* ⚕ Klimakammer *f*; ✈ klimatisierte Druckkabine *f*; ~ *de ducha* Duschraum *m*; ~ *de mando* Steuer-raum *m*; -pult *n*; *Kfz.* ~ *a ruedas od. coche-*~ *m* Kabinenroller *m*; ~ *telefónica* Fernsprech-, Telephon-zelle *f*; ⚓ ~ *del timonel* Ruder-, Steuerhaus *n*; ~**nera** *f Am.* Stewardess *f*.

cabio *Zim. m* **1.** Sparren *m*; Dachsparren *m*; **2.** Fußbodenbalken *m*; **3.** Schwelle *f bzw.* Sturz *m*.

cabizbajo *adj.* mit gesenktem Kopf; *fig.* niedergeschlagen, kopfhängerisch F.

cable *m* **1.** Kabel *n*; Tau *n*, Seil *n*; ~ *aéreo* Hängeseil *n*; ⚡ Luftkabel *n*; ~ *de alambre* Drahtseil *n*, Trosse *f*; ⚓ ~ (*de ancla*[*je*]) Ankertau *n*; ~ *de arrastre* Schlepp-kabel *n*, -leitung *f*; ~ *de conexión*, ~ *de empalme* Anschlußkabel *n*; ~ *de* (*corriente de*) *alta tensión* Hochspannungskabel *n*; ~ *elástico*, ~ *Bowden* Bowdenzug *m*; ~ *eléctrico* Elektrokabel *n*, Leitungsdraht *m*; ~ *metálico* Metalldraht *m*; Draht-litze *f*; -seil *n*; ~ *submarino* (*subterráneo*) See-(Land-)kabel *n*; F *Reg. echar* (*od. tender*) *un* ~ *a j-m* aus e-r schwierigen Lage heraushelfen, *j-n* (wieder) an Land ziehen F; **2.** ⚓ Kabellänge *f*; **3.** Kabel(telegramm) *n*; *comunicar* (*od. avisar*) *por* ~ drahten, kabeln; ~**ado** ⊕, ⚡ *m* Verdrahtung *f*, Verkabelung *f*; ~**ar** ⊕, ⚡ *v/t.* verseilen; -kabeln, -teilen; verdrahten; *tex.* schnüren; ~**grafiar** [1c] *v/i.* (*a. v/t.* ~ *un despacho*) kabeln; ~**gráfico** *adj.* Kabel...; *despacho m* ~ → ~**grama** *m* F; † *mst.* → *cable 3*; ~**ro** ⚓ *adj.-su. m* Kabel-leger *m*, -schiff *n*.

cablista *m* Kabel-macher *m*, -flechter *m*.

cabo *m* **1.** Ende *n* (*räumlich u. zeitlich*); Spitze *f*; Endchen *n*; Zipfel *m*, Rand *m*; (Stück *n*) Bindfaden *m*, Garn *n*; ~ (*de alambre*) Litze *f*, Draht *m*; *fig.* ~ *suelto* unerledigte Angelegenheit *f*; ungeklärte Frage *f*; ~ *de vela* Kerzenstumpf *m*; *Am.* ~ *de tabaco* (Zigarren-, Zigaretten-) Stummel *m*; *a* ~ → *al* ~ zuletzt, am Ende, schließlich; *al* ~ *del año* (*de tres meses*) wenn das Jahr vorbei ist (nach e-m Vierteljahr); F *al fin y al* ~ letzten Endes, schließlich; *al* ~ *de un rato* kurz darauf; *de* ~ *a* ~, F *de* ~ *a rabo* von A bis Z F, durch u. durch, von Anfang bis Ende; *hasta el* ~ bis ans Ende; bis zum letzten, bis aufs Äußerste; *dar* ~ *a* vollenden (*ac.*), abschließen (*ac.*); ⚒ *dar* ~ *de* ein Ende (*od.* Schluß) machen mit (*dat.*); *fig. estar al* ~ am Ende sein; *bsd.* nahe am Tode stehen; *estoy al* ~ *de mi paciencia* (*de mis fuerzas*) m-e Geduld ist zu Ende (ich bin am Ende m-r Kräfte); *fig.* F *estar al* ~ *de a/c.* (*od. de la calle*) dahinter gekommen sein, Bescheid wissen; *llevar a(l)* ~ *a/c.* et. vollbringen, et. aus-, durchführen; *atar* (*od. juntar, unir*) ~*s* Beweisgründe sammeln (*bzw.* zs.-fassen); Rückschlüsse ziehen, folgern; s. e-n Reim darauf machen; s. ein Bild machen; *atando* ~*s se podría decir* ... daraus könnte man schließen ...; *no tener* ~ *ni cuerda* weder Hand noch Fuß haben; *átame usted esos* ~*s etwa*: wenn Sie da e-n Sinn hineinbringen; das widerspricht s. doch; **2.** ⚓ Leine *f*, Tau *n*; ~ *de amarre* Haltetau *n*; ~ *de remolque* ⚓ Schlepptrosse *f*; *Kfz.* Abschleppseil *n*; **3.** Stiel *m* (*a.* ⚘), Handgriff *m*; **4.** *fig.* (An-)Führer *m*, Chef *m* F; ~ (*de maestranza*) Vorarbeiter *m*; Rotten-; Werk-führer *m*; ~ *de vara Strafvollzug*: Kalfaktor *m*; Kapo *m*; **5.** ⚔ Gefreiter *m*, Korporal *m*, Kapo *m M*; *verallg.* Zug-, Patrouillenführer *m*; ~ *de cañón* Geschützführer *m*; ~ *de cuartel* Unteroffizier *m* vom Dienst, U.v.D. *M*; ~ *de fila*, ~ *de ala* Flügelmann *m*; ⚓ ~ *de mar* Maat *m*; ~ *primero* Obergefreiter *m*; ~ *de rancho* Gruppenführer *m*; ⚓ Führer *m* e-r Korporalschaft; **6.** *Geogr.* Kap *n*, Vorgebirge *n*, Landzunge *f*; **7.** *Zoll*: kl. Warenballen *m*; **8.** ⚔ Besatz *m*, Biesen *f/pl.*; **9.** ~*s m/pl.* Einzelheiten *f/pl. e-s Gesprächs usw.*

cabotaje ⚓ *m* Küsten-fahrt *f*; -handel *m*; *a.* Trampfahrt *f*; *buque m de* ~ Küstenfahrzeug *n*; *gran* ~ mittlere Fahrt *f*.

cabra *f* **1.** Ziege *f*; Ziegenleder *n*; ~ *hispánica*, ~ *montés* span. Steinbock *m*; *pelo m de* ~ (*de Angora*) Mohair-, Angora-wolle *f*; F *cargar* (*od. echar*) *las* ~*s a uno* j-n das ganze Spiel (die ganze Runde *u..ä.*) zahlen lassen; *estar como una* ~ närrisch (*od.* verrückt) sein; *meterle a uno las* ~*s en el corral* j-n ins Bockshorn jagen; *la* ~ *siempre tira al monte* die Katze läßt das Mausen nicht; **2.** *Stk. desp.* verkümmerter Stier *m*; **3.** *Col., Cu., Ven.* **a)** falscher Würfel *m*; **b)** Betrug *m beim Würfeln*; **4.** *Zim. Chi.* Dreibein *n*; **5.** *Chi.* leichter zweirädriger Wagen *m*; **6.** *Fi.* ~ *del mar* Knurrhahn *m*; **7.** ⊕ *pata f* (*od. pie m*) *de* ~ Geißfuß *m*.

cabracoja *fig.* F *m* armer (*bzw.* armes) Wurm *m* (*n*).

cabrahi|gadura ⚘ *f* Kaprifikation *f*, Veredelung *f* der Eßfeige; ~**gar** *m* Wildfeigenpflanzung *f*; ~**go** ⚘ *m* Wildfeige *f* (*Baum u. Frucht*).

cabrear I. *v/t.* P ärgern; *Pe.* Verfolger abschütteln; **II.** *v/i. Chi.* herumtollen; **III.** *v/r.* ~*se* P einschnappen F, wütend werden.

cabre|ra *f* Ziegenhirtin *f*; ~**ría** *f* **1.** *koll.* Ziegen *f/pl.*; **2.** Ziegenmeierei *f*; -stall *m*; ~**riza** *f* Hütte *f der Ziegenhirten*; ~**rizo** *adj.-su.* Ziegen...; *m* Ziegenhirt *m*.

cabrestante *m* ⊕ Winde *f*, Bockwinde *f*; ⚓ Spill *n*; Ankerspill *n*; ⚒ Förder-haspel *f*, -lade *f*.

cabrí *Zo. m Am.* Gabelgemse *f*.

cabria *f* Hebe-zeug *n*, -bock *m*.
cabri|lla *f* **1.** *Fi.* Forellenbarsch *m*; **2.** *Zim.* Dreibein *n*, Bock *m*; **3.** *Astr.* ≈s *f/pl.* Siebengestirn *n*; **4.** ~s *f/pl.* Kräuselwellen *f/pl.*, ⚓ Kabbelsee *f*; **5.** Steinchenschnellen *n über e-e Wasserfläche*; **6.** ~s Schäfchenwolken *f/pl.*; **~llear** *v/i.* **1.** s. kräuseln (*See bei Wind*), ⚓ kabbeln; **2.** schimmern, flimmern; **~lleo** ⚓ *m* Kabbelung *f*.
cabrio *m Zim.* Deckenbalken *m*; Balken *m*; *Zim.*, ▨ Sparren *m*.
cabrío *adj.* Ziegen...; *ganado m* ~ Ziegen *f/pl.*; *macho m* ~ Ziegenbock *m*.
cabrio|la *f* Bock-, Luft-sprung *f*; *Equ.*, *Tanz*: Kapriole *f*; **~l(e)ar** *v/i.* Bocksprünge machen, herumspringen, -hopsen; **~lé** *m* Kabriolett *n* (*Einspänner*, ⚒ *Auto*).
cabri|ta *f* Zicklein *n*; **~tilla** *f* Ziegen-, Schaf-, Glacé-leder *n*; Chevreauleder *n*; *guantes m/pl. de* ~ Glacéhandschuhe *f/pl.*; **~to** *m* **1.** Zicklein *n*; **2.** ⚘ Pfifferling *m*; **3.** ~s *m/pl. Chi.* Puffmais *m*; **4.** F *Pe.* Prügelknabe *m*; **5.** *fig. euph. für* → *cabrón* 2.
cabrón *m* **1.** Ziegenbock *m*; **2.** P (wissentlich) betrogener Ehemann *m*; V Schweinehund *m* V, Scheißkerl *m* V (*Schimpfwort*); *Chi.* Zuhälter *m*.
cabronada V *f* Sauerei *f* V, Hundsgemeinheit *f* V.
cabron|cete, ~zuelo *m dim. v. cabrón.*
cabruno *adj.* Ziegen...
cabu|cho □ *m* Gold *n*; **~jón** *m* geschliffener, unfacettierter (*od.* rundgeschliffener) Edelstein *m*, Cabochon *m* (*gal.*).
cabu|ya *f* **1.** ⚘ Pita *f*, Agave *f*; Pitahanf *m*; (Hanf-)Seil *n*; **2.** → *~yería* ⚓ *f* Tauwerk *n*.
caca I. *f* F *bsd. Kdspr.* Kot *m*, Stuhl (-gang) *m*; P *a. fig.* Kacke *f* P, *fig.* Schmutz *m*; *Kdspr. hacer* ~ Aa machen (*Kdspr.*); *fig.* F *ocultar* (*od. callar od. tapar*) *la* ~ den Fehler vertuschen, den Mist zudecken F; F *Kdspr.* ¡~! nicht anfassen!, ba!, baba! (*Kdspr.*); **II.** *m* P Scheißkerl *m* V.
caca|hual *m* Kakaopflanzung *f*; **~huate** *m Am.* → *cacahuete*; **~huatero** *adj.-su.* Erdnuß...; *m* Erdnußverkäufer *m*; -anbauer *m*; **~hué** *m* → *cacahuete*; **~huero** *m Am.* Kakao-arbeiter *m*; ⚒ -pflanzer *m*; **~huete, ~huye** *m* Erdnuß *f* (*a. Staude*).
cacalote *m* **1.** *Am. Cent.*, *Cu.*, *Méj.* Puffmais *m*; **2.** *Cu.* Unsinn *m*.
cacao[1] *m* **1.** Kakao-baum *m*; -bohne *f*; -getränk *n*; ~ *en polvo* Kakaopulver *n*; **2.** *Am.* Schokolade *f*; **3.** *hist.* Kakaobohne *f* (*Zahlungsmittel der Azteken*); **4.** *fig.* F Durcheinander *n*, Tumult *m*.
cacao[2] *m Am.*: *pedir* ~ um Gnade bitten, klein u. häßlich werden F.
cacaraña *f* Blatternarbe *f*; **~do** *adj.* blatter-, pocken-narbig.
cacare|ador *adj.* gackernd; *fig.* F aufschneiderisch, prahlerisch; **~ar I.** *v/i.* gackern (*a. fig.*); krähen; **II.** *v/t. fig.* F aus-posaunen, -trompeten, über die Maßen anpreisen (*s-n eigenen Ruhm usw.*); *la tan ~ada hospitalidad española* die so vielgepriesene spanische Gast(freund)-lichkeit; F ~ *y no poner huevos* Angabe (u. nichts dahinter) F; **~o** *m* Gackern *n*; *fig.* Geschnatter *n*; Hahnenschrei *m*; *fig.* F Aufschneiderei *f*, „Geschrei" *n*, „Lärm" *m*; **~ro** F *m* Aufschneider *m*.
cacatúa *f Vo.* Kakadu *m*; *fig.* P Vogelscheuche *f* F.
cacear *v/t. mit dem Schöpflöffel umrühren.*
cace|ría *f* Jagd *f*; Jägerei *f*, Jagd (-wesen *n*) *f*; *Mal.* Jagdstück *n*; **~rina** *f* Patronentasche *f*.
cacerola *f* **1.** Schmortopf *m*, Kasserole *f*; **2.** *Zo.* Molukkenkrebs *m*.
caci|ca *f* Kazikenfrau *f*; **~cal** *adj.* c Kaziken...; **~cato** *lit. m*, **~cazgo** *m* Würde *f bzw.* Amtsbereich *m* e-s Kaziken.
cacillo *m* kl. Stielpfanne *f*; Schöpflöffel *m.*
caci|que *m* **1.** *Am.* Kazike *m*, Häuptling *m*; **2.** *fig.* F großes (*od.* hohes) Tier *n* F, *bsd.* Ortsgewaltige(r) *m*, Dorftyrann *m*, Bonze *m* P; *Chi.* (fetter) Lebemann *m*; **~quear** F *v/i.* herumkommandieren; in alles hineinreden; **~quería** *f die* (politisch) einflußreiche Clique *f* F, *die* Bonzen *m/pl.* (*desp.*), *die* hohen Tiere *n/pl.* F; **~quesco** *burl. adj.*: *política f ~a* Cliquenwesen *n*, Bonzenwirtschaft *f*, Klüngel *m*; **~quismo** *m* Bonzentum *n*, Klüngel *m*; **~quista I.** *adj.* c Kaziken...; Bonzen...; zur Clique gehörig; **II.** c Parteigänger *m* e-s „cacique".
cacle *m Méj. Art* Ledersandale *f*.
caco *m* (Meister-)Dieb *m*; *fig.* Feigling *m*, Memme *f*.
caco|fonía *f* Kakophonie *f*, Mißklang *m*; **~fónico** *adj.* mißtönend, kakophonisch.
cacomiztle *Zo. m Méj.* Katzenfrett *m.*
cactáceo *adj.* Kaktus..., Kakteen...
cac|to, ~tus ⚘ *m* Kaktus *m*.
cacumen *m* **1.** 🕮 Scheitelpunkt *m*, Gipfel *m*; **2.** *fig.* F Scharfsinn *m*, Grütze *f* F, Witz *m*.
cacha *f* **1.** Heft *n*; (Griff-)Schale *f*; *meter el cuchillo hasta las ~s* en das Messer bis ans Heft in (*ac.*) stechen; *fig.* F *meterse hasta las ~s en un asunto* ganz in et. (*dat.*) aufgehen; bis über die Ohren in et. (*dat.*) stecken; **2.** Hinterkeule *f* (*Kleinwild*); F *Reg.* ~s *f/pl.* Gesäß *n*, Hintern *m* F.
cacha|da *f* Schlag *m* auf den Kopf e-s Kreisels (*Kreiselspiel*); *Am. Mer.*, *Hond.* Hornstoß *m*; *Rpl.* → *burla*; **~flín** *m Col.* Marihuanazigarette *f*.
cachalote *Zo. m* Pottwal *m*.
cachamarín ⚓ *m* Lugger *m*.
cachano F *m Reg.* Teufel *m*; *llamar a* ≈ umsonst bitten; zwecklos jammern.
cachaña *f Chi. Art* Zwergpapagei *m*; *fig.* F Hohn *m*, Spott *m*; Unverschämtheit *f*, Angabe *f* F; Streit *m*.
cacha|pa *f* Maisbrötchen *n*; **~quear** F *v/i. Col.* angeben F, s. aufspielen.
cachar *v/t.* **1.** zer-brechen, -stückeln, kurz u. klein schlagen; *Holz* (auf)spalten; **2.** ✓ zwischen den Furchen pflügen; **3.** *Ec.*, *Rpl.* verspotten, lächerlich machen; **4.** *Am. Cent.*, *Ur.* stibitzen.
cacha|rrazo *m* **1.** Schlag *m* mit e-m Topf; Plumps *m*, Knall *m*, Zs.-stoß *m*; *menudo* ~ „da hat's gekracht"; **2.** F *Ant.* Schluck *m* Schnaps; **~rrería** *f* Töpferei *f*; Töpfer-ware *f*; -laden *m*; *Col.* Ramschladen *m*; **~rrero** *m* Töpfer *m*; Topfwarenhändler *m*; **~rro** *m* irdener Topf *m*; Scherbe *f*; F *desp.* alte Kiste *f* F, alter Karren *m* F (*Maschine*); ~s *m/pl.* Küchengeräte *n/pl.*; *fig.* F Kram *m*, Plunder *m* F.
cachava *f* **1.** *Art* Golf(spiel) *n der Kinder*; Schläger *m zu diesem Spiel*; **2.** Hirtenstab *m*.
cachaza[1] F *f* Ruhe *f*, Phlegma *n*; Kaltblütigkeit *f*.
cacha|za[2] *f* **1.** Melassenschaum *m*; **2.** *ungefärbter* Zuckerrohrschnaps *m*; **~zo** *m Am.* → *cornada*; **~zudo** F *adj.-su.* phlegmatisch, pomadig F, tranig F; bedächtig; kaltblütig.
cache F *adj.-su.* c *Arg.* schlecht (*bzw.* geschmacklos) gekleidet; *p. ext.* liederlich; *m* schlechte Kleidung *f*.
cachear *v/t. Personen bsd. nach Waffen* untersuchen, filzen P.
cachelos *Kchk. m/pl.* gallegischer Eintopf *m* (*Fleisch od. Fisch mit Kartoffeln u. Paprika*).
cachemi|r *m*, **~ra** *f* Kaschmirtuch *n*; *lana f* ~ Kaschmirwolle *f*.
cacheo *m* **1.** Leibesvisitation *f*, Filzung *f* P; **2.** *S. Dgo.* Palmwein *m*.
cachera *f* grobes, langhaariges Wollzeug *n*.
cachería *f* **1.** *Rpl.* schlechter Geschmack *m* (*Kleidung usw.*); **2.** F *Am.* Trödelladen *m*; *fig.* Kleinigkeit *f*.
cachero *adj. Am. Cent.* zudringlich; *C. Ri.*, *Col.*, *Ven.* verlogen, betrügerisch.
cache|t *gal. m* **1.** Vornehmheit *f*, persönliche Note *f*; **2.** *pharm.* Briefchen *n bzw.* Kapsel *f*; **~ta** *f* Zuhaltung *f im Schloß*.
cache|tada *f Am. Cent.* Ohrfeige *f*; **~te** *m* **1.** Schlag *m bsd.* auf den Kopf; **2.** *bsd. Stk.* Genickfänger *m* (*Dolch*); **3.** Pausbacke *f*; **~tear** *v/t.* **1.** *Stk.* ab-fangen, -knicken; **2.** *Reg.* ohrfeigen; **~tero** *m* **1.** Genickfänger *m* (*Stk. u. Schlächter*); **2.** *Stk.* Gehilfe *m*, *der den Stier mit dem Genickfänger tötet*; F *él ha sido el* ~ er hat ihm (*bzw.* der Sache) den Rest gegeben; **~tina** ⚒ *f* Schlägerei *f*; **~tón** *Am.*, **~tudo** *adj.* pausbäckig.
cachi F c *Arg.*, *Reg.*, *Bol.* Schießbudenfigur *f*.
cachicán *m* ✓ Vorarbeiter *m*; Gutsverwalter *m*; F Schlauberger *m*.
cachicuerno *adj.* mit Horngriff (-schalen) (*Messer*).
cachi|diablo F † *u. Reg. m* Teufelsmaske *f*; **~fo** F *m Am. Cent.*, *Col.*, *Ven.* Junge *m*; **~follar** F *v/t.* ärgern, foppen; demütigen; **~gordete, ~gordo** F *adj.* untersetzt, klein u. dick.
cachi|la *f*, **~lo** *m Arg.* **1.** Erdfink *m*; *p. ext.* kl. Vogel *m*; **2.** *fig.* kl. Person *f*, Knirps *m* F.
cachilla *f Chi.* Reisgericht *n nach indian. Art.*
cachimán *m Reg.* Versteck *n*, *bsd.* Treppenwinkel.

cachim|ba *f* **1.** F Tabakspfeife *f*; **2.** *Cu.* Dirne *f*; **3.** *Rpl. flacher* Strandbrunnen *m*; **~bo** *m* **1.** *Am.* (*außer Col., Pe.*) (Tabaks-)Pfeife *f*; F *Ven. chupar* ~ **a)** Pfeife rauchen; **b)** am Finger lutschen (*Säugling*); **2.** V *Am. Reg.* Penis *m*; **3.** *desp. Pe.* Mitglied *n* der *guardia nacional*; **4.** *Cu.* kl. Zuckersiederei *f*.

cachipo|lla *f* Eintagsfliege *f*; **~rra** *f* Knüppel *m*; Keule *f*.

cachirí *m Ven.* Schnaps *m der Indios.*

cachirulo *m* **1.** Schnaps-flasche *f*, -gefäß *n*; **2.** ⚓ Lugger *m*.

cachito *m dim. v. cacho*[1].

cachivache *desp. m* **1.** (*mst.* ~*s m/pl.*) Geschirr *n*; Kram *m*, Plunder *m*, Gerümpel *n*, Ramsch *m*, Klamotten *f/pl.*; **2.** *fig.* olle Kamellen *f/pl.* F, überlebtes Zeug *n* F; **3.** *fig.* F lächerliche Figur *f*, Taugenichts *m*, Trottel *m*, Lügenbeutel *m*; **~ría** *f Col. Reg., Pe.* Trödel-kram *m*; -laden *m*.

cachiyuyo ⚘ *m Rpl.* Pampamelde *f*.

cacho[1] *m* **1.** Stück *n*; Brocken *m*; Scherbe *f*; F *hacer* ~*s* zerschlagen, kaputtmachen; **2.** *Am.* Horn *n*; *estar fuera de* ~ *Stk.* außer Reichweite der Hörner arbeiten; *fig.* in Sicherheit sein; *fig. Chi. raspar a uno el* ~ j-m eins auf den Deckel geben F, j-n rügen; **3.** *And.* Würfelbecher *m*; *p. ext.* Würfelspiel *n*; *fig. Bol. tirar al* ~ das Glück entscheiden lassen; **4.** *Col., Ec., Ven.* Schnurre *f*, Witz *m*; *C. Ri., Chi.* Betrug *m*, Schwindel *m*; *Chi., Ec. de* ~ im Scherz; **5.** *Rpl.* Bananenbüschel *n*; **6.** *Chi.* Ladenhüter *m*.

cacho[2] *Fi. m Art* Barbe *f*.

cacho[3] *adj.* geduckt, gebückt; hängend.

cachola *f* **1.** ⚓ Mastbacke *f*; **2.** F *Reg.* Kopf *m*, Schädel *m* F.

cachón *m* ans Ufer schäumende Welle *f*, Brecher *m*; aufschäumender Wasserstrahl *m*, Schwall *m*.

cachon|dear P *v/i. u.* ~*se v/r.* **1.** s. aufreizend (*od.* herausfordernd) benehmen; **2.** ~*se de alg.* s. lustig machen über j-n; **~deo** P *m* Ulk *m*, Jux *m*, Mordsspaß *m* F; Unfug *m*; *¡menos* ~, *niño!* zur Sache, mein Junge!; laß' deine dummen Späße!; F *tomar a/c. a* ~ et. nicht ernst nehmen; **~dez** *f* Läufigkeit *f der Hündin*; *fig.* Geilheit *f*, Brunst *f*; P Sex Appeal *m* F; **~do** *adj.* läufig (*Hündin*); *fig.* F brünstig, scharf F, geil (*Frau*), aufreizend.

cachorrada *f Ven.* Ungezogenheit *f*.

cachorreña F *f* Trödelei *f*; Tölpelei *f*.

cacho|rrillo *m* Taschenpistole *f*; **~rro** *m* **1.** *Zo.* Welpe *m*; Junge(s) *n von Raubtieren*; **2.** Taschenpistole *f*; **3.** *fig.* starker, kräftiger Junge *m*.

cachu|cha *f* **1.** *andal. Volkstanz*; **2.** *Art* Mütze *f*; **3.** kl. Boot *n*; **4.** *Bol.* Zuckerrohrschnaps *m*; *Méj. Art* Cocktail *m*; **5.** *Rpl. Reg., Chi.* Ohrfeige *f*; **~cho** *m Ant. eßbarer Seefisch.*

cachudo F *adj. Chi.* verschlagen, gerieben, schlau.

cachuela *f* **1.** Kaninchenklein *n* (*Innereien*; *Jägeressen nach der Jagd*); Schweineklein *n* (*bsd. Extr., Rioja*); **2.** *Bol., Pe.* Stromschnelle *f*.

cachupín *m Am. neu eingewanderter* Spanier *m*; *fig.* Emporkömmling *m*.

cada[1] *adj. c* jeder (einzelne), jede, jedes; ~ *uno, lit.* ~ *cual*, F ~ *quisque* ein jeder, jedweder (*lit.*); ✝ ~ *uno* je (*od.* für das) Stück; *adjektivisch u. pronominal*: ~ *hora* (all)stündlich (*adv.*); *de* ~ *hora* stündlich (*adj.*); ~ *día* jeden Tag, täglich (*adv.*); ~ *vez* jedesmal; ~ *vez que* ... jedesmal wenn; so oft wie ..., immer wenn ...; *todos y* ~ *uno* (*de nosotros*) (ein) jeder (von uns); *distributiv*: ~ *dos días* alle zwei Tage, e-n Tag um den andern; ~ *cien máquinas se hace un control* bei jeder hundertsten Maschine wird e-e Stichprobe gemacht; *komparativisch*: ~ *día* (*od.* ~ *vez*) *más* immer mehr *bzw.* immer stärker; *allg. Wendungen*: ~ *cosa* alle nur irgend möglichen Dinge; die ungeheuerlichsten Dinge F; F, *mst. iron.*: *te dicen* ~ *cosa etwa*: da kannst du was zu hören kriegen F; F *me das* ~ *alegría etwa*: du machst mir Spaß!; *fig. a* ~ *paso* fortwährend, immer wieder; F *Am. Cent., Col., Méj. a* ~ *nada* immer wieder, alle Augenblicke F.

cada[2] ⚘ *m* Wacholder *m*.

cadalso *m* Schafott *n*.

cadañero *adj.* **1.** ⚒ jährlich gebärend; **2.** → *anual.*

cadarzo *m* Kokonschale *f der Seidenraupe*; Flockseide *f*.

ca|dáver *m* Leiche *f*, Leichnam *m* (*a. fig.*); Kadaver *m*, Tierleiche *f*; *examen m* (*od. inspección f*) *de* ~*es* Leichenschau *f*; **~davérico** *adj.* Leichen...; leichen-haft; -blaß.

cadejo *m* **1.** (verfilzte) Haarsträhne *f*; *Arg.* Mähne *f*; **2.** Strähne *f* (*Garn, Seide*); Strang *m* (*Kordel*).

cadena *f* **1.** Kette *f* (*a.* ⚗); ~ (*de agrimensor*) Meßkette *f*; ~ *del ancla* (*de reloj*) Anker- (Uhr-)kette *f*; *Kfz.* ~ *antideslizante* Schneekette *f*; *Bagger*: ~ *de cangilones*, *Feuerbekämpfung*: ~ *de cubos* Eimerkette *f*; ~ *del frío* (*de tiendas*) Kühl- (Laden-)kette *f*; ~ *hotelera* Hotelkette *f*; ~ *de montañas* Bergkette *f*; ~ *de montaje* Fließband *n*; ~ *de seguridad* Sicherheitskette *f*; *atar con* ~ *Gefangenen* in Ketten legen; *Hund* anketten, an die Kette legen; *trabajo m en* ~ Fließbandarbeit *f*; **2.** △ Stütz-gerüst *n*, -verstrebung *f*; **3.** *fig.* Zwang *m*; ~*s f/pl.* Fesseln *f/pl.*, Ketten *f/pl.*, Bande *n/pl.*; ⚖ ~ (*perpetua*) (lebenslängliche) Zuchthausstrafe *f*; *hist.* Kerker (-strafe *f*) *m*; *koll.* ~ Kettensträflinge *m/pl.*; **4.** ♪ *versch. Tanzfiguren*; **5.** *tex.* Aufzug *m*, Kette *f*; **6.** *Chi.* → *cadeneta.*

cadena-oruga *f* Raupenkette *f*.

caden|cia *f* **1.** Takt *m*; Rhythmus *m*; Tempo *n*; *fig.* ~*s f/pl.* Töne *m/pl.*, Klang *m*; ~ *de tiro* Feuergeschwindigkeit *f*; **2.** ♪ Kadenz *f*; **3.** Tonfall *m*; **4.** ⊕ (Reihen-)Folge *f*; ~ *de imágenes* Bildfolge *f*; **~cioso** *adj.* **1.** rhythmisch; taktmäßig; **2.** harmonisch (*Bewegung, Ton*); abgemessen.

cade|nero *m Arg.* **1.** schlechter Kampfhahn *m*; **2.** Vorspannpferd *n*; **~neta** *f* **1.** *Handarbeit*: Kettenspitze *f*; (*punto m de*) ~ Kettenstich *m*; **2.** *Buchb.* Kapitalband *n*; **~nilla** *f* Kettchen *n*; *Equ.* ~ (*del bocado*) Schaumkette *f*.

cade|ra *f* **1.** Hüfte *f*; Lende *f*, Flanke *f*; F *echar* ~*s* breite Hüften bekommen; **2.** ~*s f/pl.* → **~rillas** *hist. f/pl.* Hüftpolster *n für Reifröcke.*

cade|tada F *f* Lausbubenstreich *m*; **~te** *m* **1.** ⚔ Kadett *m*; *fig.* F *hacer el* ~ s. unbesonnen aufführen; dumme Streiche machen; F *enamorarse como un* ~ s. wie ein Primaner verlieben; **2.** *Bol., Rpl.* Lehrling *m*; Volontär *m*.

cadí *m* (*pl.* ~*íes*) Kadi *m*.

cadi|llar *m* mit Kletten bewachsener Ort *m*; **~llo** ⚘ *m* **1.** Haftdolde *f*; **2.** Spitzklette *f*.

cadmía *sid. f* Gichtschwamm *m*.

cadmio ⚗ *m* Kadmium *n*.

cado|so, ~zo *m* Strudel *m*, Untiefe *f e-s Flusses.*

caduca|ción ⚖ *neol. f* Verfall *m*, Wegfall *m*, Erlöschen *n*; **~nte** *part.* verfallend; verjährend; **~r** [1g] *v/i.* **1.** alt u. hinfällig werden; kindisch werden *vor Alter*; **2.** in Verfall geraten; abnehmen; veralten, außer Gebrauch kommen; **3.** verfallen (*Gesetz, Vertrag*); erlöschen (*Recht, Frist*); ablaufen (*Frist, Paß*), ungültig werden.

caduceo *m* Merkurstab *m*.

cadu|cidad *f* **1.** ⚖ Ver-, Weg-fall *m*, Erlöschen *n*; **2.** Hinfälligkeit *f*, Gebrechlichkeit *f*; *fig.* Vergänglichkeit *f*; **~co** *adj.* **1.** baufällig; *fig.* vergänglich; **2.** gebrechlich, altersschwach, hinfällig; **3.** ⚖ verfallen; ungültig (geworden); **4.** ⚘ *árboles m/pl. de hoja* ~*a* laubabwerfende Bäume *m/pl.*; **5.** ⚕ *mal m* ~, *gota f* ~*a* Epilepsie *f*, Fallsucht *f*; **~quez** *f* Hinfälligkeit *f*, Altersschwäche *f*.

caedizo I. *adj.* leicht fallend; *fruta f* ~*a* Fallobst *n*; **II.** *m Am. Cent., Col., Méj.* Vordach *n*.

caer [2o] **I.** *v/i.* **1.** (hin-, ab-, herunter-)fallen; umfallen; abstürzen; ⚓ ~ *al agua* über Bord fallen; ~ *como muerto* niederstürzen wie ein gefällter Baum; ~ *de lo alto* herunterfallen, stürzen (*a. fig.*); ~ *de golpe* nieder-stürzen, -fallen, hinschlagen; ~ *de plano* der Länge nach hinfallen; ⚓ ~ *para atrás* abfallen, achteraus treiben; ~ *al* (*od. en el*) *suelo* auf den (*od.* zu) Boden fallen; *dejar* ~ fallen lassen; *fig.* einstreuen, hinwerfen, beiläufig erwähnen; → *a. dejar 12*; *hacer* ~ um-werfen, -reißen, stürzen; **2.** einfallen, -stürzen, zs.-fallen; **3.** *fig.* stürzen, gestürzt werden; herunterkommen, (ab)sinken; **4.** irgendwo auftauchen, landen F; **5.** in *et.* (*ac.*) geraten, in *e-e Lage* kommen; ~ *en cama* bettlägerig werden; ~ *desmayado* ohnmächtig werden; *a. fig.* ~ *en el garlito* in die Falle gehen; ~ *en la miseria* ins Elend geraten; ~ *en pecado* sündigen; ~ *en tentación* in Versuchung kommen; **6.** zufallen (*dat. a*); abfallen, (dabei) herauskommen (*Trinkgeld*) (für *ac. a*); ~*le a/c. a alg.* et. bekommen, et. erwischen F; **7.** ~ *bien* (*mal*) gelegen (nicht gelegen) kommen;

(un)sympathisch sein; gut (übel) empfangen werden (*Person*); s. (nicht) schicken; beifällig (übel) aufgenommen werden, gut (schlecht) ankommen, einschlagen (nicht einschlagen) (*Rede, Nachricht usw.*); *Reg.* bekommen (nicht bekommen) (*Speise*); **8.** ~ (*en el chiste*) kapieren F, begreifen; *¡ahora caigo!* jetzt begreif' ich's!; jetzt hab' ich's erfaßt!; **9.** liegen; s. befinden; *esta calle cae por la plaza de ...* diese Straße liegt in der Nähe des ...platzes; ~ *al jardín* zum Garten hinausgehen; *eso cae dentro (fuera) de mis atribuciones* dafür bin ich (nicht) zuständig; **10.** ~ *en* (*od. por*) *zeitlich* fallen auf (*od.* in) (*ac.*); **11.** s. neigen (*Tag*); untergehen, sinken (*Sonne*); **12.** ~ *sobre alg.* s. auf j-n stürzen, über j-n herfallen; *hacer* ~ *la conversación sobre* das Gespräch auf (*ac.*) lenken; **13.** *fig.* durchfallen (*Kandidat, Prüfling*); **14.** ⚔ fallen (*Soldat, Festung*); **15.** *estar al* ~ (unmittelbar) bevorstehen (*Sachen*); jeden Augenblick kommen (können) (*Person*); *están al* ~ *las cinco* gleich schlägt es fünf (*Uhr*); **16.** fällig werden *od.* sein (*Zahlung*); **17.** fallen (*Stoff*); sitzen, passen (*Kleidung*); herunterhängen; zipfeln; **II.** *v/r.* ~**se 18.** fallen, stürzen; abfallen (*Blätter*); ausfallen (*Haare, Zähne*); *das Reflexivum dient häufig zum Ausdruck der Intensivierung des Verbalvorgangs*; ~*se redondo* (auf der Stelle) umfallen (*z. B. ohnmächtig, tot*); *fig. caérsele a alg. la casa encima* (*od. a cuestas*) es in den vier Wänden nicht (mehr) aushalten können; ~*se en pedazos* ausea.-fallen; *fig.* ~*se de bueno* (*de tonto*) äußerst gut (dumm) sein; ~*se muerto de miedo* halbtot vor Furcht sein; ~*se de risa* s. totlachen; ~*se de* (*od. por*) *su* (*propio*) *peso* selbstverständlich (*od.* einleuchtend) sein; ~*se de sueño* zum Umfallen müde sein, sehr schläfrig sein; ~*se de suyo* in s. zs.-stürzen; k-n festen Halt (*od.* k-n Bestand) haben (*a. fig.*); ~*se de viejo* sehr alt u. hinfällig sein; *no tener dónde* ~*se muerto* arm wie e-e Kirchenmaus sein; *¡cuidado (que) no se caiga! od. ¡a ver si se cae!* Vorsicht, Sie fallen!, Vorsicht, gleich fallen Sie!; **III.** *v/t.* **19.** P fallen lassen.

café I. *m* **1.** ⚘ Kaffee(baum) *m*; **2.** (*grano m de*) ~ Kaffeebohne *f*; ~ *en polvo* Pulverkaffee *m*; ~ *de cebada* (*de centeno*) Gersten-(Roggen-)kaffee *m*; *caramelos m/pl. de* ~ (*y leche*) Mokkabonbons *n/pl.*; **3.** Kaffee *m* (*Getränk*); F ~ ~ sehr starker (*bzw.* ausgezeichneter) Kaffee *m*; ~ *con leche* Kaffee *m* mit viel Milch; ~ *cortado* Kaffee *m* mit etwas Milch, Kaffee *m* crème; ~ *completo* komplettes Frühstück *n*; ~ *negro*, ~ *solo* schwarzer Kaffee *m*; ~ *helado* Eiskaffee *m*; *fig.* F *Rpl. dar* ~ *j-m* den Kopf waschen F; *echar* (*od. servir*) ~ (*en las tazas*) Kaffee eingießen; F *Col., P. Ri., Ven. echársela de* ~ *con leche* aufschneiden, angeben F; *fig.* F *tener mal* ~ schlechter Laune sein; **4.** Café *n*, Kaffeehaus *n*; ~ *cantante* Tanz-, Konzert-café *n*; **II.** *adj. inv.* **5.** *color* (*de*) ~ kaffeebraun.

cafeína ⚗ *f* Koffein *n*.

cafereta □ *m Arg.* Zuhälter *m*, Lude *m* (□ *Reg.*).

cafeta|l *m* Kaffeepflanzung *f*; ~**lero** *m Am.*, ~**lista** *c Cu., Méj., P. Ri.* Kaffeepflanzer *m*.

cafe|tear F *Rpl. v/t. j-m* den Kopf waschen F; ~**tera** *f* Kaffeekanne *f*; ~ (*eléctrica*) (elektrische) Kaffeemaschine *f*; F ~ *rusa* Plunder *m*, Schrott *m* F; (*bsd. Auto*) alter Schlitten *m* F, alter Karren *m* F; F *estar como una* ~ spinnen (*fig.* F); ~**tería** *f* Kaffeestube *f*, Cafeteria *f*; Imbißstube *f mit Selbstbedienung*; *Cu.* Kaffeeladen *m*; ~**tero I.** *adj.* **1.** Kaffee...; *zona f* ~*a* Kaffee(anbau)zone *f*; *fig.* F *ser muy* ~*a* e-e Kaffeetante sein F; **II.** *m* **2.** Cafébesitzer *m*, Cafetier *m* (*gal.*); **3.** Kaffeepflücker *m*; **4.** starker Kaffeetrinker *m*, Kaffeebruder *m* F; ~**tín** *desp. m* Winkelcafé *n*; ~**to** ⚘ *m* Kaffee-baum *m*, -staude *f*; ~**tucho** *desp. m* Budike *f*, Winkelcafé *n*.

caficul|tor *m* Kaffeepflanzer *m*; ~**tura** *f* Kaffeeanbau *m*.

cáfila *arab. f* Karawane *f*.

cafre *adj.-su. m* Kaffer *m* (*a. fig.*).

caftán *m* Kaftan *m*.

cafúa P *f Rpl.* Gefängnis *n*, Knast [*m* P, □.]

caga|(a)ceite *Vo. m* Mistel-, Schnärr-drossel *f*; ~**chín** *m* **1.** rote Stechmücke *f*; **2.** kl. Finkenvogel *m*; *fig.* P Scheißkerl *m* V; ~**da** *f* Kothaufen *m*, Haufen *m* F; *fig.* P mißglücktes Unternehmen *n*, Scheiße *f* V; ~**dero** P *m* Abtritt *m*, Scheißhaus *n* V; ~**do** P *adj.* feig, *ein* Scheißkerl V; ~**fierro** ⊕ *m* Eisenschlacke *f*; ~**jón** *m* Roßapfel *m*; Kothaufen *m*; ~**lera** P *f* Durchfall *m*, Dünnschiß *m* P; ~**nidos** F *m* (*pl. inv.*) *etwa*: Zugvogel *m*, Zigeuner *m* (*j., der häufig umzieht*); ~**r** [1h] P **I.** *v/t.* verpfuschen, versauen P, versaubeuteln P; **II.** *v/i.* kacken P, scheißen V; **III.** *v/r.* ~*se a. fig.* in die Hosen machen; V *me cago en* + *gemeintes Objekt* (*Fluch*); *me cago en tu madre* (*sehr schwere Beleidigung*); *me cago en diez* (*en tu tía, en la mano*) verdammt noch mal P, verfluchte Scheiße V.

caga|rria ⚘ *f* Spitzmorchel *f* (*Speisepilz*); ~**rropa** *f* kl. Stechmücke *f*; ~**rruta** *f* Kot *m* (*Kleinvieh*), Losung *f* (*Wild*); ~**tinta(s)** *desp. m* Federfuchser *m*, Schreiberling *m*, Bürohengst *m*; ~**torio** *burl. m* → *cagadero*.

cagón V *adj.-su. m* Scheißer *m* P (*a. fig.*), Scheißkerl *m* V.

caguama *f Ant. Art* Karettschild-[kröte *f*.]

caguera P *f* → *cagueta 1*.

cagueta V **I.** *f* **1.** *Reg.* Durchfall *m*; **2.** Bammel *m*, Schiß *m* V; **II.** *m* **3.** Scheißkerl *m* V, Angsthase *m*.

cahiz *m Trockenmaß* (*regional verschieden*).

cahuín P *m Chi.* Zechgelage *f*, Fresserei *f* mit Besäufnis P.

caí *Zo. m Am.* Kapuzineräffchen *n*.

caico *m Cu.* Felsenriff *n*.

caíd *arab. m* Kaid *m*, Beamte(r) *m*; *Marr.* Hauptmann *m*, Chef *m*.

caída *f* **1.** Fallen *n*, Fall *m*; Einsturz *m*; Absturz *m*; ⚔ Ein-, Aufschlag *m*; ~ (*de aguas*) Wasserfall *m*; *Met.* Niederschlag *m*; ~ *de ojos* Niederschlagen *n* der Augen; *Jgdw.* ~ *de la cuerna* Abwerfen *n* des Geweihs; *fig. ir de* ~ **a**) nachlassen; **b**) heruntergekommen sein; *dar una* ~ stürzen; F *a.* hereinfallen; **2.** Abhang *m*, Steilhang *m*; Neigung *f*, Schräge *f*; *a.* ⊕, *Phys.* Fall *m*; Abfall *m*; Gefälle *n*; *HF* ~ *de antena* Antennenableitung *f*; ~ *de la balanza* Ausschlag *m*; ⚡ ~ *de tensión* Spannungsabfall *m*; ~ *de temperatura* Temperatursturz *m*; **3.** *fig.* Sturz *m* (*bsd. Pol.*); *Theol.*, *fig.* Fall *m*, Sündenfall *m*; ~ *del Imperio Romano* Fall *m* des Römischen Reiches; **4.** ~ *de la tarde* (Einbruch *m* der) Dämmerung *f*; *a la* ~ *del sol* bei Sonnenuntergang; **5.** ⚓ Segelkante *f*; Segeltiefe *f*; **6.** *Phon.* (Aus-)Fall *m*, Abstoßen *n*; **7.** Fenster-, Wand-behang *m*; Faltenwurf *m*; Zipfel *m* (*an Kleid, Tuch*); *tex.* ~*s f/pl.* Raufwolle *f*; **8.** F ~*s f/pl.* witzige (*od.* treffende) Einfälle *m/pl.*; **9.** *fig.* Reinfall *m*.

caído I. *adj.* **1.** gefallen (*a. fig.*); herabhängend; schlaff; ~ (*de ánimo*) niedergeschlagen, bedrückt; ~ *de color* bleich *bzw.* verblichen; **II.** *m* **2.** Gefallene(r) *m* (*im Kriege*); **3.** ~*s m/pl.* schräge Schreiblinien *f/pl. im Heft zum Schreibenlernen*; **4.** ~*s m/pl.* fällige Zinsen *m/pl.*

caigo → *caer*.

caimán *Zo. m* Kaiman *m*; *fig.* F Schlauberger *m*, gerissener Kunde *m* P.

caimiento *m* Fall *m*, Fallen *n*; *fig.* Niedergeschlagenheit *f*.

Caín *m fig.* Bösewicht *m*; F *pasar las de* ~ elend zu leiden haben F; mächtig schuften müssen F; aufgeschmissen sein F.

cainita ⚗, ⚒ *f* Kainit *n*.

caire □ *m* (Huren-)Geld *n*.

cairel *m* **1.** Perückenunterlage *f*; Perücke *f*; **2.** *mst.* ~*es m/pl.* Fransenbesatz *m*; **3.** ⚓ Reling *f*, Leiste *f*.

cairota *adj.-su. c* aus Kairo.

caja *f* **1.** Kiste *f*; Kasten *m*, Truhe *f*; Büchse *f*, Dose *f*; Schachtel *f*; Futteral *n*; ⊕ → 7; ~ *de cartón* Pappschachtel *f*; ~ *de cerillas* (*de cigarrillos*) Streichholz- (Zigaretten-)schachtel *f*; ~ *de colores* Mal-, Farb-kasten *m*; ~ *de construcción* (Stein-)Baukasten *m*; ~ *de muerto*, ~ *mortuoria* Sarg *m*; ~ *de reloj* Uhrgehäuse *n*; *Myth. u. fig. la* ~ *de Pandora* die Büchse der Pandora; *fig.* F *echar* (*od. despedir*) *con* ~*s destempladas j-n* hochkantig hinauswerfen F; **2.** Kasse *f*; Kassenschrank *m*; Kassenschalter *m*; Zahlstelle *f*; Kassenbestand *m*; ~ *de caudales*, ~ *fuerte* Geldschrank *m*, Panzerschrank *m*, Tresor *m*; ~ *registradora* Registrierkasse *f*; *horas f/pl. de* ~ Kassenstunden *f/pl.*; **3.** Kasse *f* (*Institut*), Bank *f*; Fonds *m*; ~ *de compensación* Ausgleichs-, Verrechnungs-kasse *f*; ~ *de depósitos* (*de préstamos*) Depositen- (Darlehns-)kasse *f*; ~ *de pensiones* (*para la vejez*) (Alters-)Versorgungs-, Pensions-kasse *f*; ~ (*postal*) *de ahorros* (Post-)Sparkasse *f*; ~ *de* *resistencia* Streikfonds *m*; ~ *de retiro* (zusätzliche) Altersversorgungskasse *f der Betriebe*; ~ *de (seguros contra) enfermedad* Krankenkasse *f*; **4.** ⚔ ~ *de reclutamiento* Wehrersatzstelle *f*; *entrar en* ~ einberufen werden; *estar en* ~ wehrpflichtig sein, der Wehraufsicht unterliegen; **5.** Kutsch-, Wagenkasten *m*; *Kfz.*, ⚓ Aufbau *m*; **6.** △ Schacht *m* (*Mine, Brunnen, Schornstein, Aufzug*); ~ *de la escalera* Treppen-haus *n*, -schacht *m*; **7.** ⊕ Gehäuse *n*; Büchse *f*, Buchse *f*, Lager *n*; Mantel *m*; Braserogehäuse *n*; ⚔ Schaft *m* (*Handfeuerwaffe, Armbrust*); Lafette *f*; *Typ.* Magazin *n* der Setzmaschinen; *Typ.* ~ *alta* (*baja*) Teil *m* des Setzkastens für Groß- (Klein-)buchstaben; 🚂 ~ *de agujas* Hebelwerk *n*; *Kfz.* ~ *de cambios* Getriebekasten *m*; ⚔ ~ *del cañón* Laufmantel *m*; ⚡ ~ *de Faraday* Faradayscher Käfig *m*; **8.** (Straßen-)Bett *n*; *Chi.* (trockenes) Flußbett *n*; **9.** ♪ gr. Trommel *f*; *Pe.* Rassel- *od.* Pfeifen-trommel *f der Indianer*; ~ *de música* Spieldose *f*; ~ (*de resonancia*) Resonanzkörper *m*; *Phono*: ~ *de sonido* (*bsd.* Licht-) Tongerät *n*; ~ *de viento* Windlade *f der Orgel*; **10.** *Anat.* ~ (*ósea*) Schädelgehäuse *n*; ~ (*torácica*) Brustkorb *m*; ~ *del tímpano* Pauke(nhöhle) *f* (*Ohr*); **11.** ⚒ Gebirge *n* (= *das die fündige Schicht umgebende Gestein*); **12.** *Zim.* Zapfenloch *n*; **13.** *Kegelspiel*: Ziel *n*, Aufstellungsraum *m*; **14.** Gleichgewichtspunkt *m der Waage*; **15.** ⚘ Samenkapsel *f*.

caje|ra *f* **1.** Kassiererin *f*; **2.** ⚓ Scheibengatt *n*; **~ro** *m* **1.** Kassierer *m*, *b. Vereinen u. ä. oft* Kassenwart *m*; **2.** Kanal-böschung *f*; -wandung *f*.

cajeta *f* **1.** Kästchen *n*, Dose *f*; *Am. Reg.* Gelee- *bzw.* Dessert-behälter *m*; *das* Dessert *selbst*; **2.** ⚓ Platting(sleine) *f*.

caje|tilla I. *f* Päckchen *n* Tabak; Schachtel *f* Zigaretten; *Chi.* Meringe *f in Papiertüte*; **II.** *m desp. Rpl.* feiner Pinkel *m* F; **~tín** *m* **1.** Kästchen *n*; Fahrscheintasche *f der Schaffner*; *Typ.* Fach *n im Schriftkasten*; **2.** Akten-, Hand-stempel *m*; **3.** ⚡ Holzleiste *f zum Verlegen von Leitungen*.

caji|lla ⚘ *f* Samenkapsel *f*; **~llero** *m* Obstpacker *m*.

cajista *Typ. c* (Schrift-)Setzer *m*.

cajita *f* Kästchen *n*; Kassette *f*; ~ *de bonbones* (*de cerillas*) Pralinen- (Streichholz-)schachtel *f*.

cajón *m* **1.** Kasten *m*; große Kiste *f*; *Phot. aparato m de* ~ Kastenapparat *m*; *fig.* F ~ *de sastre* Sammelsurium *n*, Durcheinander *n*; *p. ext.* Wirrkopf *m*, Konfusionsrat *m* F; F *ser de* ~ üblich *od.* gebräuchlich sein; **2.** ⊕ Senkkasten *m*, Caisson *m*; ⚓ ~ *de amarre* Vertäuboje *f*; **3.** Schublade *f*, -fach *n*; Fach *n im Regal*; **4.** Krambude *f*.

cajone|ra *f* Sakristeischrank *m*; **~ría** *f* Fächer *n/pl. bzw.* Schubladen *f/pl.*

cal *f* Kalk *m*; ~ *aérea* (*hidráulica*) Luft- (Wasser-)kalk *m*; ~ *apagada*, ~ *muerta* gelöschter Kalk *m*; ~ *anhidra*, ~ *viva*, ~ *cáustica* Ätzkalk *m*; ~ *silícea* Kieselkalk *m*; *cloruro m de* ~ Chlorkalk *m*; *fig. de* ~ *y canto* felsenfest; dauerhaft; F *una de* ~ *y otra de arena* abwechselnd, immer schön im Wechsel F.

cala[1] *f* kl. Bucht *f*; Angelgrund *m*.

cala[2] *f* **1.** Sondierung *f*, Auslotung *f*; *hacer* ~ (*en*) (*et.*) genau untersuchen, sondieren (*fig.*), überprüfen; **2.** Sonde *f* (*bsd.* ⚕); Angelblei *n*; ⚓ (Lot-)Blei *n*; **3.** ⚓ Kielboden *m bzw.* Kielraum *m*; Tiefgang *m e-s Schiffes*; ~ *seca* Trockendock *n*; **4.** Anschnitt *m*, Scheibe *f e-r Melone usw.*; **5.** ⚒ *Méj.* Schürf(ungs)-probe *f*; **6.** ⚕ Stuhl-, *bsd.* Seifenzäpfchen *n*.

cala[3] ⚘ *f* Kalla *f*.

calaba|cear F *v/t. Studenten* durchfallen lassen; **~cera** ⚘ *f* Kürbispflanze *f*; **~cero** *m* **1.** Kürbishändler *m*; **2.** ⚘ *C. Ri.* Kürbisbaum *m*; **~cilla** *f* **1.** birnenförmiger Anhänger *m* (*Ohrring*); **2.** ⚘ Springkürbis *m*; **~cín** *m* ⚘ *gurkenähnlicher grüner* Kürbis *m*; *fig.* F Dummkopf *m*; **~cinate** *m* Kürbisgericht *n*; **~cino** *m* Kürbisflasche *f*; **~za** *f* **1.** ⚘ Kürbis(pflanze *f*) *m*; ~ *de cidra*, ~ *confitera* Riesen(einmach)kürbis *m*; ~ *vinatera*, ~ *de peregrino* Flaschenkürbis *m*; **2.** Kürbisflasche *f*, Kalabasse *f*; *fig.* Kopf *m*, Schädel *m* F, Dassel *m* F; *fig.* F Schafskopf *m*, Trottel *m* F; F *dar ~s a* **a)** *j-n* beim Examen durchfallen lassen; **b)** *e-m Freier* e-n Korb geben F; *llevar(se) ~s* durchfallen; e-n Korb bekommen; *fig. nadar sin ~s* allein zurechtkommen, s. ohne fremde Hilfe durchschlagen; *fig. salir* ~ enttäuschen, e-e Niete sein F; **3.** ⚓ elendes Schiff *n*, Seelenverkäufer *m*; **4.** F Dietrich *m* (*Nachschlüssel*); **~zada** *f* Schlag *m* auf den Kopf; *fig. darse de ~s* s. den Kopf zerbrechen; **~zar** *m* Kürbisfeld *n*; **~zate** *m* Kürbis *m* in Sirup; **~zazo** F *m* Stoß *m* mit dem Kopf; **~zo** *m* Kürbis *m* (*Frucht*); Kürbisflasche *f*; *Cu.*, *P. Ri.* Kürbistrommel *f*.

calabobos F *m* Niesel-, Sprüh-regen *m*.

calabo|cero *m* Kerkermeister *m*; **~zo**[1] *m* Kerker *m*, Verlies *n*; Gefängnis(zelle *f*) *n*.

calabozo[2] *m Art schwere* Baumschere *f*.

calabrés *adj.-su.* kalabrisch; *m* Kalabrier *m*.

calabrote ⚓ *m* Trosse *f*; Anker-; Schlepp-tau *n*.

cala|da *f* **1.** Eindringen *n*, Einsikkern *n*; Eintauchen *n*; *fig.* F *dar una* ~ *a* e-n scharfen Verweis erteilen (*dat.*), e-e (dicke) Zigarre verpassen (*dat.*) F; **2.** Flug *m e-s Raubvogels*; **3.** *tex.* (Web-)Fach *n*, Fadenöffnung *f*; **~dero** *m* Fischplatz *m*, Fanggrund *m*; **~do I.** *adj.* **1.** durchbrochen (*Stickerei u.ä.*); **2.** durchnäßt; patschnaß F; **II.** *m* **3.** durchbrochene Stickerei *f*; Hohlsaum *m*; ~ *de papel* Ausschnittarbeit *f*; **4.** ⚓ Tiefgang *m* (*Schiff*); Seetiefe *f*; **5.** ⚡ Phasenverschiebung *f*; ⊕ Verschlucken *n*, Absaufen *n* (*Explosionsmotor*); **~dor 1.** ⚓ Kalfatereisen *n*; **2.** Sonde *f* (*a.* ⚕); **~dura** *f* Anschnitt *m e-r Frucht*.

calafa|te ⚓ *m* Kalfaterer *m*; *a.* Schiffszimmermann *m*; **~tear** *v/t.* ⚓ kalfatern; ⊕ verstemmen; abdichten; **~teo** ⚓ *m* Kalfatern *n*; **~tín** *m* Kalfaterlehrling *m*.

calagraña ⚘ *f Art* Herbling *m* (*Traube*).

calaguala ⚘ *f* Kalahuala *f*, peruanischer Farn *m*.

calaíta *f* Türkis *m*; Kallait *m*.

calalú *m* **1.** *Cu.* scharfe Gemüsesuppe *f der Neger*; **2.** ⚘ *Cu. ein Amarantgewächs*; *Salv.* Hanfeibisch *m*, *eßbar*; *Faser*: Gambohanf *m*.

calamaco *m* **1.** *tex.* Kalmank *m*, Lasting *m*; **2.** *Méj.* Agavenschnaps *m*.

calamar *m* Kalmar *m*, *Art Tintenfisch.*

calambac ⚘ *m* Aloebaum *m*.

calambre *m* **1.** Muskel- *bzw.* Waden-krampf *m*; Magenkrampf *m*; ~ *del escribiente* Schreibkrampf *m*; **2.** elektrischer Schlag *m b. Berührung*.

calambuco ⚘ *m Am. Mer.* Kalambukbaum *m*; *Harz*: Marienbalsam *m*.

calambur *m* **1.** Kalauer *m*, Wortspiel *n*; fauler Witz *m*; **2.** ⚘ indische Balsamaloe *f*.

calamento *m* **1.** ⚘ Bergminze *f*; **2.** Auslegen *n der Fischnetze usw.*; *vgl. calar*[2].

calamidad *f* **1.** Not *f*; Unheil *n*, Katastrophe *f*; Mißgeschick *n*; ~ *pública* Landplage *f*; Notstand *m*; F *es una* ~ das ist verheerend (*od.* katastrophal); **2.** F Unglücksmensch *m*; *tenemos a esa* ~ *de Carlos* wir haben da den C., dieses Häufchen Unglück (*bzw.* diese Niete F).

cala|mina *Min. f* Zinkspat *m*; **~minta** ⚘ *f* Bergmelisse *f*; **~mita** *f* Magnetstein *m*.

calamitoso *adj.* unglücklich, erbärmlich; jammervoll, trübselig; unheilvoll.

cálamo *m* **1.** Schalmei *f*; *poet.* Rohr *n*, Stengel *m*; *lit.* (Schreib-) Feder *f*; **2.** ⚘ ~ (*aromático*) Kalmus *m*, Magenwurz *f*.

calamo|cano I. *adj.* F beschwipst, angeheitert; **II.** *m* ⚘ Lupine *f*; **~co** *m* Eiszapfen *m an Dächern*.

calamocha *f* gelber Ocker *m*.

calamón *m* **1.** Hängekammer *f e-r Waage*; **2.** Polster-, Tapeziernagel *m*; **3.** *Vo.* Samtente *f*.

calamo|rra I. *adj. f* im Gesicht bewollt (*Schaf*); **II.** *f* F Kopf *m*; Schopf *m* F; **~rro** F *m* Latsche *f* F, Trampelsandale *f* F.

calanchín *m Col.* Strohmann *m* [(*bsd.* †).]

calan|dra *f* Kalander *m*; **~draca** ⚓ *f* Schiffszwiebacksuppe *f*; **~drado** *m* Kalandern *n*; **~drajo** *m* Fetzen *m*, Lumpen *m*; *fig.* F Taugenichts *m*, Strolch *m*; **~drar** *v/t.* **1.** ⊕ *tex., Papier, Kunststoff* kalandern; *Kunststoff* walzen; *Papier* satinieren; **2.** *Wäsche* mangeln; **~dria**[1] **I.** *f* **1.** ⊕ Kalander *m*, Glättwerk *n*; **2.** Tret-rad *n*, -mühle *f*; **3.** Hebevorrichtung *f* (*bsd. Steinbruch*); **4.** (Wäsche-)Mangel *f*; **II.** *c* **5.** *fig.* F Simulant *m*.

calandria[2] *Vo. f* Kalander-, Heidelerche *f*.

calanta ⚘ *f* falscher Acajou *m*, Zedrobaum *m*.

calaña[1] *f* Muster *n*, Vorbild *n*; *fig.* Art *f*, Sorte *f*, Schlag *m* F (*Perso-*

nen) (*ohne Qualifikativ mst. desp.*); *hombre de buena (mala)* ~ gutartiger (gefährlicher) Mensch *m*.
calao *od.* **cálao** *m* philippinischer Nashornvogel *m*.
calapé *m Am. Mer.* Schildkrötenbraten *m in der eigenen Schale.*
calar[1] **I.** *adj. c* Kalk..., kalkartig; **II.** *m* Kalk(stein)bruch *m*.
calar[2] **I.** *v/t.* **1.** herablassen, (ein-)senken; ⚔ *Seitengewehr, Lanze usw.* fällen; ⚓ niederlassen, fieren; *Fischernetze* aus-legen; -werfen; **2.** *Hut, Mütze* aufstülpen *bzw.* tief ins Gesicht ziehen; **3.** durchstoßen; hineinstoßen; *Melone u. ä.* anschneiden; **4.** ⊕ anschneiden; ausschneiden (*in Holz, Papier, Metall*); verkeilen, *Keil* eintreiben; aufpressen; drücken, senken; **5.** durchnässen, -tränken; *Brot u. ä.* einweichen; *la lluvia le caló el poncho* der Regen drang durch s-n Poncho; **6.** *fig.* treffen; *sus palabras me calaron muy hondo* s-e Worte gingen mir sehr zu Herzen; **7.** *fig.* ergründen, erforschen; F durchschauen; **8.** ☐ stehlen, klauen F; **9.** *Col.* demütigen; **II.** *v/i.* **10.** ein-, durchdringen (*bsd. Wasser*); **11.** ⚓ Tiefgang haben; *el barco cala poco* das Schiff hat wenig Tiefgang; **III.** *v/i. u.* ~**se** *v/r.* **12.** herunter-, niederstoßen (*Raubvogel*); ~*(se) sobre la presa* s. auf die Beute stürzen (*a. fig.*); **13.** s. einschleichen, s. Eingang verschaffen, eindringen (in *ac.* en); **IV.** *v/r.* ~**se 14.** *Hut* aufstülpen; ~*se las gafas* (s.) die Brille auf die Nase setzen; **15.** absaufen (*Motor*).
calato *adj. Pe.* nackt.
calatravo *hist. adj.-su. m* Ritter *m* des Calatravaordens.
calave|ra I. *f* Totenkopf *m* (*a. Schmetterling*), Schädel *m*; **II.** *m fig.* Leichtfuß *m*, Windhund *m* (*fig.*); Hohlkopf *m*, Dummerjan *m*; Lebemann *m*; ~**rada** *f* dummer (*od.* toller) Streich *m*, Eskapade *f*, wildes Treiben *n*; ~**rear** F *v/i.* dumme Streiche machen; bummeln.
calazón ⚓ *f* Tiefgang *m*.
calcado *m* Pause *f*, durchgepauste Zeichnung *f*; ~**r** *m* Durchzeichner *m*; (Durch-)Pausapparat *m*.
cal|cáneo *Anat. m* Fersenbein *n*; ~**cañal,** ~**ñar,** ~**caño** *m* Ferse *f*.
calcar [1g] *v/t.* durch-zeichnen, -pausen; *fig.* genau (*bzw.* sklavisch) nachahmen; *papel m de* ~ Pauspapier *n*.
calcáreo *adj.* kalkartig, kalkig; Kalk...
calce *m* **1.** Unterlage *f*, Keil *m*; Bremsklotz *m*, Hemmschuh *m*; **2.** Radfelge *f*; **3.** *Ec.* Stützpfosten *m*.
calcedonia *f* Chalzedon *m* (*Edelstein*).
calcemia ⚕ *f* Blutkalk(spiegel) *m*.
calceolaria ⚘ *f* Pantoffelblume *f*.
calcés ⚓ *m* Masttopp *m*.
calce|ta *f* Strumpf *m*; *fig.* Fußschelle *f*; *hacer* ~ Strümpfe stricken; ~**tería** *f* Strumpf-wirkerei *f*; -geschäft *n*; ~**tero** *m*, ~**tera** *f* Strumpfwirker(in *f*) *m*; Stricker(in *f*) *m*; Strumpfhändler(in *f*) *m*; ~**tín** *m* Socke *f*; Halbstrumpf *m*; ~**tón** *m* Stiefelstrumpf *m*, Füßling *m*.
cálcico ⚗ *adj.* kalziumartig, Kalzium...
calcicosis ⚕ *f* Kalklunge *f*.
calcifica|ción ⚕ *f* Verkalkung *f*; ~**r** [1g] **I.** *v/t.* verkalken; **II.** *v/r.* ~**se** ⚕ verkalken (*v/i.*).
calcímetro *m* Kalkmesser *m*.
calci|na ⚒ *f* Beton *m*; ~**nación** ⊕, ⚗ *f* Kalzinierung *f*, Brennen *n*; ~**nado** *adj.* kalziniert; *cal f* ~*a* gebrannter Kalk *m*; ~**nador** *adj.-su. m*: ~ *de yeso* Gipsbrenner *m*; ~**namiento** *m* → *calcinación*; ~**nar** *v/t.* **1.** ⊕, ⚗ kalzinieren, ausglühen; *Kalk* brennen; *Erze* rösten; *organische Substanzen* veraschen; verkoken; **2.** *fig.* aus-, ver-brennen; ~**natorio** *m* Kalzinier-ofen *m*; -tiegel *m*; ~**nero** *m* Kalkbrenner *m* (*Person*).
calcio ⚗ *m* Kalzium *n*; ⚕ *nivel m del* ~ (*en la sangre*) Kalziumspiegel *m*.
calcita *Min. f* Kalzit *n*, Kalkspat *m*.
calco *m* Durchzeichnung *f*, Pause *f*; Abdruck *m*; *a. fig.* Abklatsch *m*; *Li.* ~ *lingüístico* Übersetzungs- *bzw.* Bedeutungs-lehnwort *n*; ~**grafía** *f* **1.** Kupferstechkunst *f*; **2.** Werkstatt *f* e-s Kupferstechers; ~**grafiar** [1c] *v/t.* in Kupfer stechen.
calcógrafo *m* Kupferstecher *m*.
calco|manía *f* Abziehbild *n*; Abziehbilderbogen *m*; ~**pirita** *Min. f* Kupferkies *m*; ~**tipia** *f* Kupferdruck *m*, Bilddruckverfahren *n*.
calcula|ble *adj. c* berechenbar, schätzbar, zählbar; ~**ción** *f* ☤ Berechnung *f*, Kalkulation *f*; Kostenvoranschlag *m*; → *a. cálculo*; ~**damente** *adv. fig.* mit Berechnung, vorsätzlich, mit Vorbedacht; ~**dor I.** *adj.* berechnend; **II.** *m* Rechner *m*; Kalkulator *m*; 🕮, ⊕, ⚔, ✈ Rechengerät *n*; ~**dora** *f* **1.** Rechnerin *f*; **2.** Rechenmaschine *f*; ~ *electrónica* Elektronenrechner *m*, Computer *m*; ~**r** *vt/i.* (be-, aus-, er-)rechnen; veranschlagen, kalkulieren (*a.* ☤); *fig.* abschätzen, ermessen; (aus)denken, bedenken; *¡calcule Vd.!* bedenken Sie nur!; denken Sie (s.) nur!; ~**torio** *adj.* Rechen..., rechnerisch; Kalkulations...; kalkulatorisch.
calculista *c* Pläneschmied *m*; *fig.* berechnender Kopf *m*.
cálculo *m* **1.** Rechnen *n* (*a. Unterrichtsfach*); Rechnung(sart) *f*; Berechnung *f*, Kalkulation *f* (*a. fig.*); Überschlag *m*, Schätzung *f*; ☤ ~*s m/pl.* Kalkulation *f*; *adv. por* ~ **a)** rechnerisch; **b)** *fig.* aus Berechnung; ~ *algebraico* Algebra *f*; ~ *aritmético* Arithmetik *f*; ~ *aproximado* Näherungsrechnung *f*; Überschlag(srechnung *f*) *m* (*bsd.* ☤); ~ *de comprobación*, ~ *de verificación* Nach-, Kontroll-rechnung *f*; ~ *diferencial* Differentialrechnung *f*; ~ *mental* Kopfrechnen *n*; ~ *de probabilidades* Wahrscheinlichkeitsrechnung *f*; *hacer* ~*s* kalkulieren, berechnen; **2.** ⚓ ~ (*de la posición*) Besteck *n*, Ortsbestimmung *f*; **3.** *fig.* (Be-)Rechnung *f*, Vermutung *f*, Dafürhalten *n*; Plan *m*; **4.** ⚕ Stein *m*; ~*s m/pl.* Steinleiden *n*; ~ *biliar* (*renal*) Gallen- (Nieren-)stein *m*; ~ *urinario* (*vesical*) Harn- (Blasen-)stein *m*.
calcu|lógrafo *Tel. m* automatischer Sprechzeitzähler *m*; ~**loso** ⚕ *adj.-su.* Stein...; an (Gallen- *usw.*) Steinen Leidende(r) *m*.
calchona *f Chi.* Wegeschreck *m*, Hexe *f* (*a. fig.*).
calda *f* Wärmen *n*, Erhitzen *n*; ~*s f/pl.* Thermal-quelle *f*, -bad *n*.
caldaico *adj.* chaldäisch.
caldea|miento *m* Erhitzen *n*; Beheizung *f*; ~**r I.** *v/t.* erhitzen (*a. fig.*), (er)wärmen; *bsd.* ⊕, *a. HF* heizen, beheizen; *Metall* glühen(d machen), ausglühen; **II.** *v/r.* ~**se** s. erhitzen, heiß werden.
caldeo[1] *adj.-su.* chaldäisch; *m* Chaldäer *m*; *das* Chaldäische.
caldeo[2] *m bsd.* ⊕ Erhitzen *n*; Beheizung *f*; Glühen *n der Metalle.*
calde|ra 1. Kessel *m*; Kesselvoll *m*; ♪ Paukenkessel *m*; F alter Kram *m*, schlecht funktionierendes Gerät *n*; Taschenuhr *f*, Wecker *m* F; *fig.* F ~*s f/pl. de Pero Botero* Hölle *f*; **2.** ⊕ Kessel *m*; Pfanne *f* (*Brauerei, Gießerei*); Heizkessel *m*; ~ (*de vapor*) Dampfkessel *m*; ~ *acuotubular* Wasserrohrkessel *m*; ~ *de colado* Gießpfanne *f*; ~ *de jabón* Seifensiederei *f*; **3.** *Chi.* Teekanne *f*; *Rpl.* Kaffeekanne *f*; **4.** *Ec.* Vulkankrater *m*; ~**rada** *f* **1.** Kesselvoll *m*; *fig.* Riesenmenge *f*; F *a* ~*s* in (Un-)Mengen F; **2.** Gebräu *n*, *bsd.* ⊕ Sud *m*; ~**rería** *f* Kesselschmiede *f*; Kesselfabrik *f*; ~**rero** *m* Kesselschmied *m*; Kupferschmied *m*; ~ *ambulante* Kesselflicker *m*; ~**reta** *f* **1.** kl. Kessel *m*; Weihwasserkessel *m*; ⚓ Hilfskessel *m*; **2.** *Kchk.* **a)** Fischallerlei *n*; **b)** Lamm- *bzw.* Zickel-ragout *n*; ~**rilla** *f* **1.** Weihwasserkessel *m*; **2.** Kupfergeld *n*; Klein- *bzw.* Wechsel-geld *n*; **3.** ⚘ Bergjohannisbeere *f*; ~**ro** *m* Kessel *m* mit Henkel; Eimer *m*; ~**rón** *m* **1.** gr. Kessel *m*; **2.** ♪ → *fermate.*
calderoniano *lit. adj.* Calderón...
calderuela *Jgdw. f* Blendlaterne *f*.
caldillo *m* Brühe *f* (*a. fig. desp.*); *Chi.* Zwiebelsuppe *f*; *Méj.* Hackfleisch *n mit scharfer Tunke*; *Pe. Art* Sahnegulasch *n*.
caldo *m* **1.** (Fleisch-)Brühe *f*; Würzbrühe *f für den gazpacho*; *Weinbereitung*: (Wein-)Brühe *f*; ~ (*de carne*) Fleischbrühe *f*, Bouillon *f*; ~ *esforzado* Kraftbrühe *f*; ~ *gallego* galicischer Eintopf *m aus Grünzeug, Brechbohnen, Rind- und Schweinefleisch*; ~ *de gallina*, ~ *de pollo* Hühnerbrühe *f*; *fig. amargar el* ~ *a alg.* j-m die Suppe versalzen, j-m Ärger machen; *fig. hacer a uno el* ~ *gordo* j-s Spiel spielen, j-n ins Fett setzen, (in aller Stille) alles für j-n tun; *fig. revolver el* ~ die Sache wieder aufrühren; **2.** ⚕ ~ *de cultivo* Nährbouillon *f*; **3.** ~*s m/pl.* **a)** ☤ (alle) Flüssigkeiten *wie Wein, Öl, Obstsäfte usw.*; **b)** Weine *m/pl.* aus e-r bestimmten Gegend; **4.** ⊕ Brühe *f*; Schmelze *f*; ~**so** *adj.* mit viel(er) Brühe; zu dünn (*z. B. Suppe*).
caldu|cho *desp. m* Brühe *f*, Gelabber *n* F; ~**da** *f Chi. Art* Eierpastete *f*; ~**do** *adj.* → *caldoso.*
calé *m* P, ☐ Geld *n*, Zaster *m* P, Kies *m* P, ☐; *Andal.* Zigeuner *m*; Zigeunersprache *f*.

caledonio *hist. adj.-su.* kaledonisch.
calefacción *f* Heizung *f* (*a.* ⊕, ⚡); Erhitzung *f*; Heizung *f*, Heizvorrichtung *f*; ~ *con* (*od. por*) *agua caliente* Warmwasserheizung *f*; ~ *por aire caliente* Warmluftheizung *f*; ~ *central* Zentralheizung *f*; ~ *por* (*od.* de) *gas* (*aceite*) Gas- (Öl-)heizung *f*; ~ *a distancia* Fernheizung *f*; ~ *individual* Einzelheizung *f*; ~ *del pavimento* (Fuß-)Bodenheizung *f*; ~ *por* (*od. a od.* de) *vapor* Dampfheizung *f*; *aparato m* (*od. dispositivo m*) de ~ Heizgerät *n*.
caleidoscopio *m* → *calidoscopio*.
calenda *f* **1.** *kath.* Kalende *f*; **2.** ~*s f/pl. hist.* Kalenden *pl.*; F ♀ *griegas* Nimmermehrstag *m*; *fig.* F (graue) Vergangenheit *f*; *fig. aplazar* (*od. remitir*) *ad* ♀*s Grae* ad Calendas Graecas verschieben; ~**rio** *m* Kalender *m*; ~ *de pared* Wandkalender *m*; ~ *de bolsillo* (~ *perpetuo*) Taschen- (Dauer-)kalender *m*; ~ *de taco*, *bsd. Am.* ~ *exfoliador* Abreißkalender *m*; ~ *gregoriano* (*juliano*) Gregorianischer (Julianischer) Kalender *m*; *fig.* F *hacer* ~*s* **a**) brüten, Grillen fangen; **b**) Luftschlösser bauen; ~**rista** *c* Kalendermacher *m*.
caléndula ♀ *f* Ringelblume *f*.
calenta|ble *adj. c* heizbar; ~**dor I.** *adj.* **1.** erwärmend, erhitzend; Heiz...; **II.** *m* **2.** Heizung *f*, Heizgerät *n*; Wärmflasche *f*; Wasser-, Bier- *usw.* -wärmer *m*; Kocher *m*; ~ *de agua* Boiler *m*, Warmwasserbereiter *m*; ~ *de aire* Winderhitzer *m* (*Verhüttung*); ~ (*de baño*) Badeofen *m*; ~ *continuo* Durchlauferhitzer *m*; ~ *eléctrico* (*im Haushalt mst. hervidor m*) *de inmersión* Tauchsieder *m*; **3.** *fig.* F gr. Taschenuhr *f*, Zwiebel *f* F; ~**miento** *m* **1.** Wärmen *n*, Erhitzen *n*; **2.** *bsd.* ⊕ Beheizung *f*, An-, Vor-wärmen *n*; **3.** ⚕, *vet.* ~ (*de la sangre*) Hitze *f*.
calentano *adj.-su. Col.* aus der „tierra caliente", *der heißen Zone.*
calen|tar [1k] **I.** *v/t.* **1.** (er)wärmen, (be)heizen; heiß machen, erhitzen; ~ *al rojo* (*vivo*) bis zur (*od.* auf) Rotglut erhitzen; *fig.* F ~ *el asiento*, ~ *la silla* zu lange bleiben (*bei e-m Besuch*), am Stuhl kleben F; **2.** *fig.* beleben, ermuntern; P ver-prügeln, -sohlen F; **3.** *Sp. Ball vor dem Wurf etwas* in der Hand halten, „anwärmen"; **4.** *Sch. Ec.* büffeln; **II.** *v/r.* ~*se* **5.** s. wärmen; (s.) warm (*bzw.* heiß) laufen (*a.* ⊕, *mot.*); s. erhitzen (*a. fig.*); s. ereifern; zornig *od.* wütend werden; *dejar* ~*se* (*el motor*) (den Motor) warmlaufen lassen; **6.** brünstig werden (*Tiere*); ~**tito** *adj. dim. v. caliente*; *fig.* F frisch (gebacken), noch warm (*Brötchen usw.*); ~**tón** *m* **1.** F: *darse un* ~ s. rasch ein wenig aufwärmen; **2.** *Jgdw. Reg.* Schuß *m* ins Genick.
calentu|ra *f* **1.** Fieber *n*; ~*s f/pl.* Wechselfieber *n*; **2.** *Chi.* Lungentuberkulose *f*; **3.** *fig.* Unruhe *f*; *Col.* Wut *f*; **4.** ~ *de*(*l*) *león* Wut *f*, Mordlust *f* des Löwen; ~**riento I.** *adj.* fiebrig, fiebernd, fieberkrank; *fig.* erregt; aufgeregt; **II.** *m* Fieberkranke(r) *m*; ~**rón** *augm. m* starkes Fieber *n*; ~**roso** *adj.* fiebrig.
caleño *adj.* Kalk...; *piedra f* ~*a zur Ätzkalkgewinnung geeigneter* Kalkstein *m*.
cale|ra *f* **1.** Kalkbruch *m*; **2.** Kalkofen *m*; ~**ría** *f* Kalkbrennerei *f*; ~**ro I.** *adj.* Kalk...; **II.** *m* Kalkbrenner *m*.
cale|sa *f* Kalesche *f*; ~**sera** *f* Janker *m nach Art der andal. caleseros*; ~**sero** *m* Kaleschenkutscher *m*; ~**sín** *m* leichte Kalesche *f*, Gig *n*; ~**sitas** *f/pl. Andal., Rpl.* (Pferdchen-)Karussell *n*.
caleta *f* **1.** kl. Bucht *f*, Schlupfhafen *m*; **2.** *Am.* Küstenboot *n*; **3.** *Ven.* Transportarbeitergewerkschaft *f*.
caletre F *m* Verstand *m*, Grips *m* F.
calibita *Min. f* Spateisenstein *m*.
cali|bración *f* Eichung *f*, Kalibrierung *f*; ~ *de medidas* Maßeichung *f*; ~**brado** *adj.* geeicht, ⊕ kalibriert; ~**brador** ⊕ *m* Maßlehre *f*; Streichmaß *n*; Schublehre *f*; ~ *de espesores* Dickenlehre *f*; → *calibre*; ~**braje** *m* Kaliber(maß) *n*; Kalibrierung *f*; ~**brar** *v/t.* kalibrieren, eichen; (aus)messen; *HF* abgleichen; ~**bre** *m* **1.** ⚔, ⊕ Bohrung *f*, Rohrweite *f* (*a. Geschütz*); lichte Weite *f*; (Geschoß-)Kaliber *n*; Durchmesser *m*; Dicke *f*; Stärke *f e-r Säule usw.*; *a.* ⚔ *de pequeño* (*de gran*) ~ klein- (groß-)kalibrig; **2.** ⊕ Lehre *f*, Schablone *f*; ~ *de ajuste* Einstell-, Paß-lehre *f*; ~ *de rosca* Gewinde-, Schrauben-lehre *f*; **3.** *fig.* Art *f*, Beschaffenheit *f*, Kaliber *n*; Bedeutung *f*, Wichtigkeit *f*, Wert *m*; *de buen* (*mal*) ~ von guter (schlechter) Qualität, gut (schlecht).
calicanto *m* festes Mauerwerk *n*.
calicata ⚒ *f* Mutung *f*, Schürfung *f*.
calicó *tex. m* Kaliko *m*, Buchbinderleinen *n*.
caliche *m* **1.** Kalkbröckchen *n in irdenem Geschirr*; *von der Tünche abgeblättertes* Kalkstückchen *n*; **2.** *Chi.* (Chile-, Roh-)Salpeter *m*; *Pe.* Abraumhalde *f beim Salpeterabbau*; ~**ra** *f Bol., Chil., Pe.* Salpeterlager *n*.
calidad *f* **1.** Beschaffenheit *f*, Eigenschaft *f*, Qualität *f*, Güte *f*; *de primera* ~ erstklassig, von höchster Güte; *de probada* (*od. acreditada od. aceptada*) ~ von bewährter Güte (*od.* Qualität); *de inferior* ~ minderwertig; **2.** Eigenschaft *f*; Rang *m*; *fig.* Bedeutung *f*, Wichtigkeit *f*; *en* (*mi*) ~ *de amigo* (in m-r Eigenschaft) als Freund; *persona f de* ~ angesehene (*bzw.* vornehme) Persönlichkeit *f*; Mensch *m* von Charakter; *tener* ~ *de den* Rang (*od.* die Würde) e-s ... haben; **3.** ~(*es*) *f*(*/pl.*) Begabung *f*, Talent *n*.
cálido *adj.* **1.** *lit., Mal. u. fig.* warm; *zona f* ~*a* heiße Zone *f*; **2.** wärmeerzeugend (*im Organismus*).
calidos|cópico *adj.* kaleidoskopisch; ~**copio** *m* Kaleidoskop *n*.
calienta|cerveza *m* (*pl. inv.*) Bierwärmer *m*; ~**piés** *m* (*pl. inv.*) Fußwärmer *m*; *a.* Wärmflasche *f*; ~**platos** *m* (*pl. inv.*) Tellerwärmer *m*; ~**pollas** V *m* (*pl. inv.*) aufreizendes Weib *n* P, *das nicht hält, was es verspricht.*
caliente I. *adj. c* **1.** warm, heiß; *fig.* lebhaft; hitzig, heftig, erregt; *muy* ~ heiß; *fig. adv. en* ~ sofort, auf der Stelle; *fig.* ~ *de cascos* hitzköpfig; *a.* ⊕ *poner* ~ erwärmen; *ande yo* ~ *y ríase la gente* **a**) was die Leute sagen, ist mir egal; **b**) Hauptsache, es geht mir gut („*die andern interessieren mich nicht*"); **2.** *Mal.* warm, in warmen Tönen; **3.** (*estar*) ~ läufig *od.* brünstig *od.* heiß (sein) (*Tiere, desp. a. von Menschen*); **4.** F frisch, neu; **5.** beschwipst; **6.** *Col.* mutig; **II.** *m* **7.** *Col.* Grog *m*.
califa *m* Kalif *m*; ~**l** *adj. c* Kalifen...; ~**to** *m* Kalifat *n*.
califero *adj.* kalkhaltig.
califica|ble *adj. c* qualifizierbar, definierbar; benennbar; ~**ción** *f* Benennung *f*, Bezeichnung *f*; Qualifikation *f*, Qualifizierung *f*; Eignung *f*, Befähigung *f*; **2.** (bezeichnendes) Beiwort *n*; Prüfungsnote *f*, Prädikat *n*; Beurteilung *f*, Einstufung *f*; ⚖ *escrito m de* ~ Anklageschrift *f*; ~**damente** *adv.* qualifiziert; auf geeignete Art; ~**do** *adj.* **1.** befähigt, fähig, geeignet, qualifiziert; angesehen; bedeutend, wichtig; *obrero m* ~ Facharbeiter *m* (→ *cualificado*); **2.** ausgesprochen, richtig; ⚖ qualifiziert (*Delikt*); ~**dor I.** *adj.* beurteilend, würdigend; Prüfungs...; **II.** *m* Beurteilende(r) *m*; *hist.* Zensor *m der Inquisition*; ~**r** [1g] **I.** *v/t.* **1.** beurteilen, ein Prädikat geben (*dat.*); qualifizieren; beurteilen, würdigen; nennen, bezeichnen; kennzeichnen (als *de*); **2.** *Chi.* in die Wahllisten eintragen; **II.** *v/r.* ~*se* **3.** *a. Sp.* s. qualifizieren (für *ac. para*); s-e Fähigkeiten beweisen; † s-n Adel nachweisen; ~**tivo I.** *adj.* bestimmend, bezeichnend, kennzeichnend; *Gram. adjetivo m* ~ Eigenschaftswort *n*; **II.** *m* Beiname *m*, Würdename *m*.
cali|forni(an)o, ~**fórnico** *adj.-su.* aus Kalifornien, kalifornisch; *m* Kalifornier *m*.
calígine *poet. f* Nebel *m*; Finsternis *f*.
caliginoso *poet. adj.* neblig, diesig; finster, düster.
cali|grafía *f* Kalligraphie *f*; ~**grafiar** [1c] *v/t.* in Schönschrift ausführen; ~**gráfico** *adj.* kalligraphisch.
calígrafo *m* Kalligraph *m*.
calilla F *f Am.* → *molestia, pejiguera.*
calima *f* Netzboje *f* (*Fischerei*).
calim|ba ⚒ *f Cu.* Brandeisen *n*; Brandmal *n*; ~**bo** F *m* Beschaffenheit *f*; Art *f*; Aussehen *n*.
calina *f* Dunst *m*, diesige Luft *f*, Mist *m* ⚓; Nebelbank *f*.
calin|da, ~**ga** *f Cu. Negertanz.*
calinoso *adj.* (*bsd.* ⚓) dunstig, diesig, mistig ⚓.
calistenia *f* rhythmische Gymnastik *f*, Schönheitsturnen *n*.
cáliz *m* (*pl.* ~*ices*) **1.** Kelch *m*; *fig.* ~ *de dolor od.* ~ *de* (*la*) *amargura* Leidens-, Schmerzens-kelch *m*; *a. fig. apurar hasta las heces el* ~ (*de cicuta*) den bitteren Kelch (*od.* den Schierlingsbecher) bis zur Neige leeren; **2.** ♀ Blumenkelch *m*.
cali|za *f* Kalk(stein) *m*; ~**zo** *adj.* kalkhaltig, Kalk...
calma *f* **1.** ⚓ Wind-, Meeres-stille *f*; ~ *chicha* völlige Windstille *f*, Flaute *f*; *en* ~ ruhig, unbewegt; *zona f de las* ~*s* Kalmengürtel *m*;

2. Ruhe *f*, Stille *f*, Frieden *m*; Gleichmut *f*, Gelassenheit *f*; Trägheit *f*, Phlegma *n*, Gleichgültigkeit *f*; ¡~! langsam!; immer mit der Ruhe! F; ⚘ *época f de* ~ Flaute *f*, Sauregurkenzeit *f* F; *quedar en* ~ ruhig bleiben (*a. fig.*); *tener mucha* ~ sehr ruhig sein; *a.* äußerst phlegmatisch sein; *adv. con* ~ gelassen, ruhig, überlegt; 3. Nachlassen *n*, Beruhigung *f*; **~nte** *adj. c -su. m* beruhigend; schmerzstillend(es Mittel *n*); **~r I.** *v/t.* beruhigen; besänftigen, beschwichtigen; *Schmerz* lindern; **II.** *v/i.* ruhig sein (*See, Luft*); abflauen (*Wind*); **III.** *v/r.* ~*se* s. beruhigen, ruhig werden; nachlassen (*Schmerz, Hitze*); s. legen (*Wind, Aufregung*); abflauen (*Wind*); **~zo** *m* ⚓ Flaute *f*; Windstille *f* u. Schwüle *f*.

cal|mo *adj.* ruhend; ✓ brach, unbebaut; **~moso, ~mudo** *adj.* **1.** ruhig, still; gelassen; ⚓ flau (*Wind*); **2.** langsam; träge, phlegmatisch.

caló *m* **1.** Zigeunersprache *f*; *fig.* P Zigeuner *m*; **2.** Gaunersprache *f*.

calo|friarse [1c] *v/r.* Fieberschauer haben; **~frío** *m* Fieberschauer *m*.

calome|l *m*, **~lanos** *m/pl. pharm.* Quecksilber(-I-)Chlorid *n*, † Kalomel *n*.

calón *m* Stange *f zum Aufhängen von Fischernetzen*; Meß-, Peil-stange *f zum Messen der Wassertiefe*.

calonche *m* Opuntienwein *m*.

calo|r *m* († *Reg. f*) **1.** Wärme *f* (*a. fig.*); Hitze *f* (*a. fig.*); *fig.* Eifer *m*, Lebhaftigkeit *f*; *fig.* Herzlichkeit *f*; ~ *de combustión* Verbrennungswärme *f*; ~ *específico* spezifische Wärme *f*; ~ *natural* Körperwärme *f*; ~ *negro* elektrische Heizung *f*; ~ *sofocante* Schwüle *f*, Hitze *f*; *fig. dar* ~ *a* beleben (*ac.*), aufmuntern (*ac.*); fördern (*ac.*), begünstigen (*ac.*); *hace (mucho)* ~ es ist (sehr) heiß; *fig. meter en* ~ in Hitze bringen; aneifern, anspornen (zu *dat. para, para que*); *tengo* ~ mir ist heiß; *tomar a/c. con* ~ et. mit Eifer aufnehmen (*bzw.* unternehmen); **2.** ⚕ ~*es* Blutwallung *f*, Wallungen *f/pl.*; ~ *del hígado* → *cloasma*; **~razo** F *m* (unerträgliche) Hitze *f*, Gluthitze *f*; **~ría** *Phys. f* Kalorie *f*, Wärmeeinheit *f*; **~riamperímetro** ⚡ *m* Wärmeamperemeter *n*; **~ricidad** *Physiol. f* Körper-, Lebenswärme *f*.

calórico I. *adj. Phys.*, ⚕ kalorisch; Kalorien...; **II.** *m Phys.* Wärmeprinzip *n*.

calorífero I. *adj.* wärmeleitend; wärmeabgebend; **II.** *m* Heizung *f*, Heizvorrichtung *f*; Wärmflasche *f*.

calo|rificación 🕮 *f* Wärmeerzeugung *f*, *bsd. im Organismus*; **~rífico** *adj.* wärme-erzeugend; -abgebend; *acción f* ~*a* Wärme-abgabe *f*, -ausstrahlung *f*; **~rífugo** ⊕ *adj.* nicht wärmeleitend, wärmeisolierend; feuerfest; **~rimetría** *Phys. f* Kalorimetrie *f*, Wärmemessung *f*; **~rimétrico** *adj.* kalorimetrisch; **~rímetro** *m* Kalorimeter *n*, Wärmemesser *m*.

calostro ⚕ *m* Kolostrum *n*.

caloyo *Zo. m* neugeborenes Lamm *n bzw.* Zicklein *n*; *Pelz*: Spanisch-Lamm *n*.

calpense *adj. c* aus Gibraltar.

calquín *Vo. m Arg.* patagonischer Adler *m*.

caluma *f Pe.* **1.** Engpaß *m*, Schlucht *f*; **2.** Platz *m*, Siedlung *f der Indios*.

calum|nia *f* Verleumdung *f*, üble Nachrede *f*; **~niador** *adj.-su.* verleumderisch; *m* Verleumder *m*; **~niar** *v/t.* verleumden, fälschlich beschuldigen; **~nioso** *adj.* verleumderisch.

caluroso *adj.* **1.** heiß (*a. fig.*); **2.** *fig.* lebhaft; hitzig; herzlich, warm.

calva *f* Glatze *f*; Kahlheit *f*; kahle Stelle *f in Fell, Tuch, Feld*; Lichtung *f im Wald*; *fig.* Zwischenraum *m*, Lücke *f*; ~ *labrada* Feuerschneise *f in Wäldern*.

Calvario *m* **1.** Golgatha *n*; **2.** Kreuzweg *m*; Kalvarienberg *m*; *Mal.* Kreuzwegstationen *f/pl.*; **3.** *fig.* ♀ Leidensweg *m*, Qual *f*; **4.** *fig.* F ♀ angekreidete Schuld *f beim Geschäft auf Borg*.

calvatrueno *m* Vollglatze *f*, Vollmond *m* F; *fig.* unbesonnener Mensch *m*, Faselhans *m*.

cal|verizo *adj.* stark gelichtet (*Wald*); **~vero** *m* **1.** Lichtung *f*, Kahlschlag *m*; **2.** Kreidegrube *f*; **~vez, ~vicie** *f* Kahlheit *f*; Kahlköpfigkeit *f*.

calvinis|mo *Rel. m* Kalvinismus *m*; **~ta** *adj.-su. c* kalvinistisch; *m* Kalvinist *m*.

calvo I. *adj.* kahl; kahlköpfig; fadenscheinig, abgewetzt (*Pelz, Gewebe*); *fig. ni tanto ni tan* ~ nur keine Übertreibung; **II.** *m* Kahl-, Glatz-kopf *m*.

calza *f* **1.** ⊕ Keil *m*, Stollen *m*; Stützkeil *m*; Hemmschuh *m*; **2.** ~*s f/pl.* (Strumpf-, Knie-)Hosen *f/pl.*; Beinkleider *n/pl.*; *hist. medias* ~*s* Kniehosen *f/pl.*; *fig. en* ~*s prietas* in die Enge getrieben, in schwieriger Lage; **3.** Ring *m*, Band *n am Fuß von Jungtieren*.

calzada *f* **1.** befestigte Straße *f*; *hist.* ~ (*romana*) Römerstraße *f*; **2.** Fahrbahn *f*; ~ *obligatoria para bicicletas* Radfahrweg *m*.

calza|dera *f* **1.** Sandalenschnur *f für abarcas*; *fig.* F *apretar las* ~*s* Fersengeld geben; **2.** Radbremse *f*; **~do I.** *adj.* **1.** beschuht (*Mönche*); **2.** federfüßig, behost (*Vögel*); andersfarbig an den Füßen (*Pferd usw.*); **II.** *m* **3.** Schuhwerk *n*, Fuß-, Bein-bekleidung *f*; **~dor** *m* Schuhanzieher *m*, -löffel *m*; *Kfz.* ~ (*de neumáticos*) Montiereisen *n*, Reifenaufzieher *m*; F *entrar a/c. con* ~ sehr schwierig sein; **~dura** *f* Radbeschlag *m*; Verkeilung *f*; **~r** [1f] **I.** *v/t.* **1.** *Schuhe, Handschuhe usw.* anziehen *bzw.* anhaben *od.* tragen; Schuhe *usw.* anfertigen *bzw.* beschaffen für (*ac.*); *Sporen* anlegen *bzw.* tragen; **2.** *fig.* F verstehen, begreifen; ~ *poco* schwer von Begriff sein; ~ *ancho* ein lockerer Zeisig sein; **3.** *a.* ⊕ *durch e-n Keil* sichern, verkeilen; *a. Möbelstücke* unterlegen; *Rad* **a)** beschlagen; **b)** aufziehen; *Typ. Klischees usw.* ausgleichen; **4.** ⚔ ein *bestimmtes* Kaliber haben; **5.** ✓ *Reg. u. Guat. Pfl.* häufeln; **II.** *v/r.* ~*se* **6.** (s.) Schuhe *usw.* anziehen; **7.** *fig.* F *et.* erreichen; *fig.* F ~*se a alg.* j-n beherrschen; j-m über sein, j-n in die Tasche stecken F.

calzo ⊕ *m* Radschiene *f*; Bremsklotz *m*; ⚓ Klampe *f*, Stütze *f*.

calzón *m* **1.** Hose *f*, Beinkleid *n*; ~ *de baño* Badehose *f*; *fig. métase en sus* ~*ones* kümmern Sie s. um Ihre eigenen Sachen (*od.* um Ihren Kram F); *ponerse* (*od. calzarse od. llevar*) *los* ~*ones* die Hosen anhaben, das Regiment führen (*Frau*); *tener bien puestos los* ~*ones* ein ganzer Kerl sein; **2.** Dachdecker-gurt *m*, -seil *n*; **3.** *Kart.* Tresillo *n*; **4.** ⚘ ~ *de zorra* Fingerhut *m*.

calzonazos F *m* (*pl. inv.*) Schwächling *m*, Feigling *m*; Pantoffelheld *m*.

calzoncillo[1] *m Ven. Art* Papagei *m*.

calzoncillos[2] *m/pl.* Unterhose(n) *f(/pl.)*; *fig.* F *dejar a alg. en* ~ j-n bis aufs Hemd ausziehen F, j-n rupfen F.

calzoneras *f/pl. Méj. an beiden Seiten geknöpfte* Reithose *f*.

calzorras F *m* (*pl. inv.*) → *calzonazos*.

calla ✓ *f Chi.* Pflanzstock *m*.

callada[1] *Kchk. f* Kaldaunen *f/pl.*

calla|da[2] *f* **1.** (Still-)Schweigen *n*; *adv.* de ~ in der Stille, heimlich; *dar la* ~ *por respuesta* nicht antworten; **2.** ⚓ Stille *f* (*See, Wind*); **~damente** *adv.* still, heimlich; **~dito I.** *adj. dim. v. callado*; **II.** *m Chi. ein Volkstanz ohne Gesang*; **~do** *adj.* **1.** (still)schweigend; verschwiegen; wortkarg, schweigsam; **2.** heimlich, verstohlen; heimlich handelnd.

callampa *f And.* **1.** Pilz *m*; **2.** Filzhut *m*.

callana *f* **1.** *And. irdenes* Gefäß *n zum Maisrösten u. ä.*; ⚒ *And.* Probiertiegel *m*; **2.** F *Chi.* Taschenuhr *f*, Zwiebel *f* F; **3.** *Chi., Pe.* Blumentopf *m*; **4.** ~*s f/pl. And.* Gesäßschwielen *f/pl.*, *angebliches Rassemerkmal der Neger u. Zambos*.

callandi|co, ~to F *adv.* ganz leise, sachte, heimlich.

callao *m* Bach-, Fluß-Kiesel *m*; *Can.* Geröllfeld *n*.

callapo *m And.* **1.** ⚒ Stempel *m*; **2.** Trage *f*; **3.** Floß *n*.

callar I. *v/t.* verschweigen; *Geheimnis* bewahren; *¡calla* (*od. cállate*) *la boca* (*od. el pico*)! halt' den Mund!, halt's Maul! P; **II.** *v/i. u.* ~*se v/r.* schweigen; den Mund halten; verstummen; *¡calla! bzw. ¡calle (usted)!* nanu!; oho!; ei was (Sie sagen)!; kein Gedanke!; *hacer* ~ zum Schweigen bringen; *(se) calla como un muerto* er redet kein Sterbenswörtchen; er ist verschwiegen wie ein Grab; *¡tú te callas!* du hast hier nichts zu sagen!; *quien calla otorga* wer schweigt, stimmt zu.

calle *f* **1.** Straße *f in geschlossenen Ortschaften*; *fig.* Weg *m*, Mittel *n*; Ausweg *m*; ¡~! Platz da!; *de la* ~ von der Straße, Straßen... (*a. fig.*); gemein; ~ *arriba*, ~ *abajo* straßauf, straßab; ~ *comercial* (*lateral*) Geschäfts- (Seiten-)straße *f*; *Vkw.* ~ *de dirección única* (*de prioridad*) Einbahn- (Vorfahrts-)straße *f*; ~ *mayor* Hauptstraße *f*; *abrir* ~ Bahn brechen, Platz machen, Raum schaffen; *alborotar la* ~ die Straße in Aufruhr bringen, ruhestörenden Lärm verursachen; F *azotar* ~*s* durch die Straßen schlendern (*od.* bummeln); *coger la* ~ (plötzlich) weggehen; *Méj.* auf den Strich gehen; *coger (por) una* ~ e-e Straße einschlagen; *fig. dejar a uno en la* ~ j-n sitzen lassen; j-m das Brot wegnehmen; F *echar a alg. a la* ~ j-m kündigen, j-n hinauswerfen F; *fig. echarse a la* ~ s. empören, auf die Barrikaden gehen (*od.* steigen) (*fig.*); *fig. estar al cabo de la* ~ Bescheid wissen; *llevar(se) a uno de* ~ über j-n Herr werden; j-n überzeugen; F *poner a uno (de patitas) en la* ~ j-n auf die Straße setzen, j-n hinauswerfen F; *quedar(se) en la* ~ auf der Straße sitzen (*fig.*); *rondar la* ~ *a e-r Frau* den Hof machen; **2.** ~ (*de árboles*) Allee *f*, Baumgang *m*; **3.** Felderreihe *f* (*Brettspiele*); **4.** *Typ.* überea.-stehende Spatien *n/pl.* im Satz; **~ja** *f* **1.** Gäßchen *n*; Gasse *f*; **2.** ☐ Flucht *f*; **~jear** *v/i.* umherbummeln, durch die Straßen schlendern; **~jeo** *n* (Umher-)Bummeln *n*; Leben *n* auf der Straße, Straßentreiben *n*; **~jera** *f* Dirne *f*; **~jero I.** *adj.* Straßen..., Gassen...; streunend (*Katze*); *aire m* ~ Gassenhauer *m*; *mujer f* ~*a* Herumtreiberin *f*; *ser muy* ~ s. viel auf der Straße herumtreiben; **II.** *m* Straßen-verzeichnis *n*, -liste *f*; **~jón** *m* **1.** enge Gasse *f*; Hohlweg *m*; Waldschneise *f*; ~ *sin salida* Sackgasse *f* (*a. fig.*); **2.** *Stk.* Gang *m* zwischen den Schranken; **~juela** *f* Gäßchen *n*; *fig.* Aus-rede *f*, -flucht *f*.

calli|cida *m* Hühneraugenmittel *n*; **~sta** *c* Hühneraugenoperateur *m*; Fußpfleger *m*.

callo *m* **1.** Schwiele *f*, Hornhaut *f*; Verhärtung *f* (*a. fig.*); Hühnerauge *n*; *fig.* F *dar* (*od. hincar*) *el* ~ schuften F, s. abplacken F; *criar* ~*(s)* Schwielen machen (*bzw.* bekommen); *fig.* s. bei der (*bzw.* für die) Arbeit abhärten; *fig. criar* ~*s* s. ein dickes Fell wachsen lassen; **2.** ⚕ Kallus *m*; **3.** *Kchk.* ~*s m/pl.* Kaldaunen *f/pl.*; **4.** P häßliches Mädchen *n*.

callonca I. *adj. c* halb-gar, -gebraten (*Kastanien, Eicheln*); **II.** *f* F gerissenes Weibsstück *n* F.

callo|sidad *f* Hornhaut *f*, Schwiele *f*; Verhornung *f*; Verhärtung *f*; **~so I.** *adj.* schwielig; knorp(e)lig; **II.** *adj.-su. m Anat.* (*cuerpo m*) ~ Gehirnbalken *m*, *lt. Corpus n callosum*.

cama[1] *f* **1.** Bett *n*; Bett-gestell *n*, -statt *f*; Lager *n* (*für Tiere*); ~ *armario* Schrankbett *n*; ~ *de campaña* Pritsche *f*; Feldbett *n*; ~ *de camping* Liege *f*; ~ *con dosel*, ~ *imperial* Himmelbett *n*; ~ *de matrimonio* Doppel-, Ehe-bett *n*; *a.* französisches Bett *n*; *fig.* ~ *de podencos*, ~ *de galgos* Hundelager *n* (*fig.*), elendes Bett *n*; ~ *plegable*, ~ *de tijera* Liege *f*, Klappbett *n*; ~ *turca* Schlafsofa *n*, Diwan *m*; *caer en (la)* ~ krank werden; *estar en* ~, *guardar (la)* ~, *hacer* ~ das Bett hüten; *estar en la* ~ im Bett liegen; *hacer la* ~ das Bett machen; *ir a la* ~ ins Bett (*od.* schlafen) gehen; **2.** Streu *f für Tiere*; *Jgdw.* Sasse *f* (*Hasenlager*); **3.** Wagenboden *m*; **4.** ⊕ (Unter-) Lage *f*; Schicht *f*; *tex.* Schergang *m*; *Typ.* Aufzug *m*; **5.** → *camada* 1; **6.** ⚘ *auf der Erde* aufliegender Teil *m e-r Melone u. ä.*

cama[2] *f* **1.** Zügelspange *f*; Gebißstange *f*; **2.** Radfelge *f*; **3.** Sterzbett *n am Pflug*.

camacero ⚘ *m Am. trop.* Kürbisbaum *m*.

Cama|cho *Lit. npr.*: *fig. bodas f/pl. de* ~ rauschendes Fest(gelage) *n*; **≈chuelo** *Vo. m* Hänfling *m*.

camada *f* **1.** Wurf *m junger Tiere*; Brut *f*, Genist *n*; *fig.* (Diebes-) Bande *f*; *fig. lobos m/pl. de una misma* ~ Gelichter *n* gleichen Schlages; **2.** ⊕ Schicht *f*, Lage *f*, Fundament *n*; ⚒ Sohle *f*, Stockwerk *n*.

camafeo *m* Kamee *f*, Gemme *f*.

camagua ⚘ *f Am. Cent., Méj.* reifender (*od.* grüner) Mais *m*.

camal *m* **1.** Halfter *f* (*a. m, n*); **2.** † Sklavenkette *f*; **3.** *Bol., Ec. Pe.* Schlachthaus *n*.

camaleón *m* **1.** *Zo.* Chamäleon *n* (*a. fig.*); *Bol.* Leguan *m*; *C. Ri.* Sperberfalke *m*; **2.** ~ *mineral* Kaliumpermanganat *n*.

camalero *m Pe.* Schlächter *m*.

camalote ⚘ *m Am.* **1.** Kamelottgras *n*; **2.** schwimmende Insel *f*.

camama P *f* Schwindel *m*, Lug u. Trug *m*.

camamila ⚘ *f* Kamille *f*.

camándula *f* Kamaldulenserorden *m*; *fig.* F Schlauheit *f*, Tücke *f*; *tener muchas* ~*s* es faustdick hinter den Ohren haben, mit allen Wassern gewaschen sein F.

camandulero F *adj.-su.* heuchlerisch, scheinheilig; *m* Heuchler *m*.

camao *m Cu.* kl. Wildtaube *f*.

cámara *f* **1.** Gemach *n*, Kammer *f*, Saal *m*; † *u. Reg.* Schlafzimmer *n*; ⚓ Kajüte *f*; ~ *acorazada* Stahlkammer *f e-r Bank*; ~ *de gas* Gaskammer *f*; ~ *o(b)scura* Dunkelkammer *f*; *Phys.* → 3; **2.** ⊕ Kammer *f*, Raum *m*; ~ *de aire* (*Kfz. a.* ~ *neumática*) *Kfz.* Schlauch *m e-s Reifens*; ⊕ Wind-, Luft-kessel *m*; *bsd.* ⚓ ~ *de calderas* Kesselraum *m*; ~ *de combustión*, ~ *de explosión* Verbrennungsraum *m*; ~ *frigorífica* **a)** Kühlraum *m*; **b)** Tiefkühltruhe *f*; ⊕ ~ *de alta presión* Hochdruckkammer *f*; *Atom.* ~ *de niebla*, ~ *de Wilson* Nebelkammer *f*; **3.** *Phot.* Kamera *f*; ~ *cinematográfica* Filmkamera *f*; ~ *de espejo*, ~ *reflex*, ~ *óptica de reflexión* Spiegelreflexkamera *f*; ~ *estereoscópica* Stereogerät *n*, -(photo)kamera *f*; ~ *de fuelle*, ~ *plegable* Faltkamera *f*; ~ *iconoscópica*, ~ *televisora* Fernsehkamera *f*; ~ *lenta* Zeitdehner *m*; *a* ~ *lenta* in Zeitlupe; *Phys.* ~ *o(b)scura* Camera *f* obscura; ~ *submarina* (*a. subacuática*) Unterwasserkamera *f*; **4.** ⚖, *Pol., Verw.* Kammer *f*; ~ *alta* 2. Kammer *f*; ≈ *Alta* Oberhaus *n*; ~ *baja* 1. Kammer *f*; ≈ *Baja*, ≈ *de (los) Diputados*, *Am.* ≈ *de los Representantes* Abgeordneten-haus *n*, -kammer *f*; *England*: ≈ *de los Lores* Oberhaus *n*; ~ *de comercio* (*e industria*) (Industrie- und) Handelskammer *f*; **5.** *de* ~ Kammer...; Hof...; *música f de* ~ Kammermusik *f*; *médico m de* ~ Leibarzt *m*; **6.** *Anat.* Höhle *f*, Kammer *f*, Raum *m*; ~ *del ojo* Augenkammer *f*; **7.** Kornspeicher *m*; **8.** ~*s f/pl.* Stuhlgang *m*; *a.* Durchfall *m*; *hacer* ~*s* Stuhlgang haben; *irse de* ~*s* unwillkürlichen Stuhlgang haben; *fig.* F schwatzen.

camara|da *m* Kamerad *m*; Schulfreund *m*; (Amts-)Kollege *m*; *Pol.* Genosse *m*; *de* ~ *bzw. como* ~*(s)* kameradschaftlich; **~dería** *f* Kameradschaft *f*; Freundschaft *f*.

camare|ra *f* **1.** Stubenmädchen *n*; Kellnerin *f*; ⚓ Stewardeß *f*; **2.** Zofe *f*; Kammerfrau *f*; Hofdame *f*; ~ *mayor* erste Hofdame *f*; **~ro** *m* **1.** Kellner *m*; ⚓ Steward *m*; ~ *cobrador* (*primer* ~) Zahl- (Ober-) kellner *m*; **2.** Kammerdiener *m*; **3.** Kammerherr *m*; päpstlicher Kämmerer *m*; ~ *mayor* Oberkämmerer *m*.

camari|lla *f* **1.** Kamarilla *f* (*a. fig.*); *fig.* Clique *f*; **2.** Schlafecke *f hinter e-m Vorhang*; **~llesco** *desp. adj.* Kamarilla..., Cliquen...

camarín 1. Heiligennische *f hinter dem Altar*; Schrein *m für Schmuck u. Gewänder für Heiligenbilder*; **2.** Ankleidezimmer *n*; *Thea.* Garderobe *f der Schauspieler*; **3.** Privatbüro *n*; **4.** Fahrstuhlkabine *f*; **5.** ⚓ → *camarote*.

camarlengo *m* Camerlengo *m*.

camarón *m* **1.** *Zo.* Krabbe *f*, Garnele *f*; **2.** *Am. Cent., Col.* Trinkgeld *n*; **3.** *Pe.* **a)** Mogelei *f*, *bsd. b. Hk.*; **b)** Heuchler *m*.

camarote ⚓ *m* Kajüte *f*; Kabine *f*; ~ *particular* (*doble*) Einzel- (Doppel-)kabine *f*; ~ *de lujo* Luxuskabine *f*; **~ro** ⚓ *m Am.* Steward *m*.

camas|tra F *f Chi.* Schlauheit *f*, Gerissenheit *f*, Verschlagenheit *f*; **~tro** *m* elendes Bett *n*; ⚔ (Wach-, Bereitschafts-)Pritsche *f*; **~trón** F **I.** *adj.* hinterlistig, heimtückisch; gerieben, gerissen; **II.** *m* Heimtücker *m*; listiger Fuchs *m*, gerissener Kerl *m*.

cambado *adj. Arg., Col., Ven.* krummbeinig.

cambala|ch(e)ar F *v/i.* (*v/t.*) (er-, ver-)schachern; **~che** F *m* Tausch *m*, Schacher *m*; *Arg.* Trödlerladen *m*; **~chero** *adj.-su. m* Trödler *m*; Schacherer *m*.

cambar *v/t. Ast., Rpl., Ven.* krümmen, biegen.

cámbaro *Zo. m* Strandkrabbe *f*.

cambera *f* Krebs-, Krabben-netz *n*.

cambia|ble *adj. c* wandelbar; ver-, aus-tauschbar; auswechselbar; verstellbar; **~da** *f* **1.** ⚓ Segelwechsel *m*; Kursänderung *f*; **2.** *Equ.* Finte *f* (*bsd. Stk.*); **~do** *Stk. m* Wechsel *m* der Muleta *aus der e-n in die andere Hand*; **~discos** *Phono m* (*pl. inv.*) Plattenwechsler *m*; **~dor I.** *adj.* **1.** wechselnd, tauschend; **II.** *m* **2.** ⊕ Wechsler *m*, Austauschgerät *n*; **3.** 🚂 *Chi., Méj.* Weichensteller *m*; **4.** ☐ Bordellwirt *m*; **~nte I.** *adj. c* **1.** wechselnd; *bsd. tex.* schillernd, changierend; **II.** *m* **2.** Schillern *n*, Changieren *n*; ~*s m/pl.* Farbenspiel *n*; **3.** † → *cambista*; **~l** *Bankw. f* Wechsel *m*; **~r I.** [1b] *v/t.* **1.** (ver-, um-)tauschen; *bsd.* ⊕ aus-tauschen, -wechseln; *Getriebe u. ä.* (um-)schalten; *Geld* (um)wechseln *bzw.* umtauschen (in *ac. en*); ~ *a/c. de lugar* et. um-, ver-stellen; *fig.* ~ *impresiones con alg.* mitea. Meinungen austauschen, s. mit j-m aussprechen; F ~ *la peseta* erbrechen, *b. Seekrankheit* die Fische füttern F; **2.** (ver-, um-, ab-)ändern; verwandeln, umgestalten; **II.** *v/i.* **3.** s. (ver)ändern, s. wandeln; ~ *de et.* ändern; *et.* wechseln; ~ *de dirección* (*od. de rumbo*) die Richtung (*od.* den Kurs) ändern; ~ *de opinión* s-e Meinung ändern; ~ *de traje* s. umziehen; ~ *de tren* umsteigen; *Kfz.* ~ *de velocidad* schalten, e-n anderen Gang einlegen; *está completamente* ~*ado* er ist völlig verändert, er ist wie ausgewechselt; **4.** ⚓ umspringen, drehen (*Wind*); wenden (*Schiff*); **5.** wechseln, mutieren (*Stimme*); **6.** *tex.*, *Equ.* changieren; **7.** *Stk.* ein Täuschungsmanöver durchführen; **III.** *v/r.* **~se 8.** s. verwandeln (in *ac. en*); **9.** *abs.* s. umziehen; die Wäsche wechseln; **10.** *gal.* umziehen.

cambiario ⚚ *adj.* Wechsel..., Kurs...; *derecho m* ~ Wechselrecht *n.*

cambiavía 🚂 **I.** *m Col., Cu., Méj., P. Ri.* Weichensteller *m*; **II.** *f Cu., Guat., P. Ri.* Weiche *f.*

cambiazo F *m* plötzlicher Wechsel *m*; *dar el* ~ **a)** in betrügerischer Absicht vertauschen; **b)** *fig.* plötzlich umschwenken, e-n plötzlichen Wechsel vornehmen.

cambija *f* Wasserturm *m.*

cambio *m* **1.** Tausch *m*; Austausch *m*; Änderung *f*, Wechsel *m*, Wandel *m*; *Vkw.* Umsteigen *n*; Wechseln *n*, Umziehen *n* (*Wohnung, Kleidung*); ⚔ taktische Wendung *f*; ⊕ Aus-tausch *m*, -wechseln *n*; Umsteuerung *f*; *a* ~ dafür; *a* ~ *de* gg. (*ac.*), für (*ac.*); *a* ~ *de lo cual* **a)** wofür; **b)** wo(hin)gegen; *en* ~ **a)** da-, hin-gegen; **b)** dafür; *Kfz.* ~ *de aceite* Ölwechsel *m*; ~ *de dirección* **a)** Änderung *f* der Anschrift; **b)** Richtungsänderung *f*; ~ *de domicilio* Wohnungswechsel *m*; ~ *de experiencias* Erfahrungsaustausch *m*; *Li.* ~ *fonético* Lautwandel *m*; ~ *de opinión* Meinungsänderung *f*; ⚔ *u. fig.* ~ *de posición* Stellungswechsel *m*; *Kfz.* ~ *de ruedas* Reifenwechsel *m*; ~ *del tiempo* Witterungs-, Wetter-änderung *f*; 🚂 ~ *de tren* Umsteigen *n*; *dar en* ~ in Tausch geben, (ein)tauschen; *¿qué me das a ~?* was gibst du mir dafür?; *hacer un* ~ et. eintauschen; **2.** ⚚ Geldwechseln *n*; Börsenkurs *m*; Wechsel-kurs *m*; -gebühr *f*; ⚒ Wechsel-agio *n*; -diskont *m*; ~ *del día* Tageskurs *m*; ~ *forzoso*, ~ *único* Zwangs-, Einheits-kurs *m*; ~ *a la par*, ~ *paritario* Parikurs *m*; *casa f de* ~ Wechsel-stube *f*; -bank *f*; *derecho m de* ~*s* Wechsel-ordnung *f*, -recht *n*; *letra f de* ~ → *letra 5*; *Libre* ~ Freihandel *m*; *tipo m de* ~ Wechselkurs *m*; **3.** Wechsel-, Klein-geld *n*; *dar el* ~ (das Wechselgeld) herausgeben; **4.** ⊕ Schaltung *f*, Schaltvorrichtung *f*; ~ *de color* Farbbandschaltung *f*; *Kfz.* ~ *de marcha*, ~ *de velocidad* Gang (-schaltung *f*) *m*; ~ *por palanca* (*en el volante*) Knüppel- (Lenkrad-) schaltung *f*; 🚂 ~ (*de vía*) Weiche *f*; **5.** ⚖ → *permuta*; **6.** ♪ *Art* Seguidilla *f*; **7.** *Stk.* Finte *f*; **8.** □ Bordell *n.*

cambista *m* **1.** Geldwechsler *m*; **2.** Bankier *m*; **3.** 🚂 *Arg.* Weichensteller *m.*

camboyano *adj.-su.* aus Kambodscha, kambodschanisch; *m* Kambodschaner *m.*

cambray *tex. m* Kambrik(batist) [*m*) *n.*]

cambriano *Geol. adj.* kambrisch.

cámbrico *Geol. m* Kambrium *n*, kambrische Formation *f.*

cambrón ⚘ *m* **1.** Bocksdorn *m*; **2.** Kreuzdorn *m*; **3.** Brombeere *f*; Dornbusch *m*; **~ones** *n/pl.* Christdorn *m.*

cambucho *m Chi.* **1.** Tüte *f*; **2.** Papier- *bzw.* Wäsche-korb *m*; **3.** Strohhülle *f für Flaschen*; **4.** *desp.* Hütte *f*, elendes Loch *n.*

cambujo *adj.* schwarzbraun (*Esel*); *Méj.* schwarz (*Vögel*); *Méj.* F dunkelhäutig.

cambullón *m Col., Méj., Ven.* → *cambalache*; *Chi., Pe.* → *trampa, enredo.*

cambur *m* Kambur *m*, kl. Banane *f.*

cambu|te *m* **1.** ⚘ *Am.* Tropengras *n*; **2.** *C. Ri.* gr. eßbare Muschel *f*; **~to** P *adj. Pe.* rundlich, untersetzt.

came|drio, ~dris ⚘ *m* echter Gamander *m.*

camela|dor F *adj.* schmeichelnd, galant; **~r** F *v/t.* **1.** umschmeicheln, einseifen P; *j-m* den Hof machen; P lieben; verführen; **2.** *Méj.* (an-)sehen; beobachten, belauern.

came|lia *f* **1.** ⚘ Kamelie *f*; *Cu.* Mohn *m*; *Lit. la dama de las* ~*s* die Kameliendame *f*; **2.** *Chi. seidenartiger* Wollstoff *m*; **~liáceas** ⚘ *f/pl.* Kameliazeen *f/pl.*

camélidos *Zo. m/pl.* Kameltiere *n/pl.*

camelina ⚘ *f* Flachs-, Raps-dotter *m.*

camelo F *m* **1.** Süßholzraspeln *n* F; Schmeichelei *f*; **2.** Necken *n*, Foppen *n*; *Thea. u.* F unverständliches Wort *n bzw.* Geschwätz *n*; F *dar el* ~ *a alg.* j-n auf den Arm nehmen F, j-m et. aufbinden F; *¡menos ~!* zur Sache!

camelote[1] *tex. m* Kamelott *n.*

camelote[2] ⚘ *m Am. versch. trop. Gräser.*

camella[1] *f* Futtertrog *m.*

camella[2] ⚒ *f* Jochbogen *m.*

camella[3] *f* **1.** Kamelstute *f*; **2.** ⚒ Furchen-rücken *m*, -rain *m.*

came|llería *f* **1.** Beruf *m* des Kameltreibers; **2.** Kamel-stall *m*; -pferch *m*; **3.** Herde *f* von Kamelen; **~llero** *m* Kameltreiber *m*; **~llo** *m* **1.** *Zo.* Kamel *n* († *a. fig.*); *tex. pelo m de* ~ Kamelhaar *n*; **2.** ⚓ Kamel *n*, Caisson *m* (*Hebevorrichtung*); Hebeleichter *m*; **3.** ⚔ *hist. Art* Mörser *m.*

camellón *m* **1.** (Rinder-)Tränktrog *m*; **2.** *Méj.* Feld *n*, Garten *m auf e-r schwimmenden Insel.*

camera *Film*: **I.** *f* Kamera *f*; **II.** *m* (*oft engl. cameraman*) Kameramann *m.*

camerino *it. Theat. m* Künstlergarderobe *f.*

camero I. *adj.*: *cama f* ~*a* gr. einschläfriges Bett *n*; *manta f* ~*a* breite Bettdecke *f*; **II.** *m* Betten-macher *m*; -händler *m.*

camilucho *adj.-su. m Am.* indianischer Tagelöhner *m.*

cami|lla *f* Ruhebett *n*; Krankentrage *f*; runder Klapptisch *m mit Untersatz für das Kohlenbecken*; **~llero** *m* Krankenträger *m*; ⚔ Sanitäter *m*, Sani *m M.*

caminante *m* **1.** Fußgänger *m*; Wanderer *m*; **2.** Fußlakai *m e-s Reiters*; **3.** *Vo. Chi. Art* Lerche *f.*

cami|nar I. *v/i.* gehen; zu Fuß gehen; wandern; strömen (*Fluß*); s-e Bahn ziehen (*Stern usw.*); *fig.* s. bewegen; **II.** *v/t. Strecke* zurücklegen; **~nata** *f* Wanderung *f*, Fußreise *f*; lange u. beschwerliche Reise *f*; **~nero** *adj.*: *peón m* ~ Straßen-arbeiter *m*; -wärter *m.*

caminí *m Rpl.* Mate *m*, Paraguaytee *m.*

camino *m* Weg *m* (*a. fig.*), Straße *f*; Gang *m*; Reise *f*; *fig.* Methode *f*, Mittel *n*; ~ *de B.* **a)** Straße *f* nach B.; **b)** auf dem Wege nach B.; *de* ~ auf dem Wege; unterwegs; im Vorbei- *od.* Vorüber-gehen (*a. fig.*); beiläufig; *fig. en* ~ *de* + *su. od.* + *inf.* auf dem Wege zu + *dat.*; ~ *de acceso* Zugang *m*, Zufahrt(sweg *m*) *f*; ~ *carretero*, ~ *carretil*, ~ *de ruedas* Fahrweg *m*; ~ *derecho*, ~ *recto* gerader Weg (*a. fig.*); ~ *firme* fester (*od.* befestigter) Weg *m*; *lit.* ~ *de hierro* Eisenbahn *f*; ~ *hondo* Hohlweg *m*; ~ *para peatones* Fuß(gänger)weg *m*; *hist.* ~ *real* Land-, Heer-straße *f*; ~ *vecinal* Gemeindeweg *m*; Feldweg *m*; *a medio* ~ auf dem halben Wege, halbwegs; *a tres horas de* ~ *de aquí* drei Wegstunden von hier; *abrir* ~ Bahn brechen (*a. fig.*); *abrirse* ~ s. Raum schaffen, durchstoßen (*a. fig.*); *fig. abrir nuevos* ~*s* neue Wege weisen, bahnbrechend wirken; *cerrar* (*od. atajar*) *el* ~ *a uno* j-m den Weg verlegen (*a. fig.*); j-m entgegentreten; *echar por un* ~ *od. tomar un* ~ e-n Weg einschlagen; *cada cual echa* (*od. va*) *por su* ~ jeder geht s-n Weg (*a. fig.*); *fig. entrar* (*od. meter*) *a uno por* ~ j-n zur Vernunft bringen; *estar en mal* ~ auf dem falschen Weg sein; e-n Umweg machen (*beide a. fig.*); *hallar* ~ s. durchfinden, s. zurechtfinden; *ir* (*od. llevar*) *su* ~ s-n Weg (*od.* sein Ziel) verfolgen (*a. fig.*); *a. fig. llevar buen* ~ auf dem rechten Wege sein; richtig sein; berechtigt sein; *la cosa lleva* ~ *de* + *inf.* die Sache sieht so aus, als ob + *subj.*; *ponerse en* ~ *para* nach (*dat.*) abreisen, s. aufmachen nach (*dat.*).

camión *m* **1.** Last(kraft)wagen *m*, Laster *m*, Lkw *m*; ~ *grúa* Abschlepp-, Kran-wagen *m der Polizei*; ~ *pesado* Schwerlaster *m*; ~ *de recogida*, ~ *de basuras* Müllabfuhr (-wagen *m*) *f*; ~ *con remolque* Lastzug *m*; ~ *tanque*, ~ *cisterna* Tank-

wagen *m*; ~ *volquete* Kipplaster *m*, Kipper *m*; **2.** Rollwagen *m*.
camio|naje *m* Rolldienst *m*, Güterbeförderung *f*; Rollgeld *n*; **~nero** *m* Lastwagenfahrer *m*; **~neta** *f* **1.** Kleinlast-, Liefer-wagen *m*; **2.** Bereitschaftswagen *m der Polizei*; **3.** *Reg.* Vorstadtautobus *m*.
camisa I. *f* **1.** Hemd *n*; ~ *de caballero*, ~ *de hombre* Herren(ober)-hemd *n*; ~ *de fuerza* Zwangsjacke *f*; ~ *de noche* Nachthemd *n*; *en* ~ im Hemd; *fig.* ohne Mitgift; *fig.* F *dar hasta la* ~ das letzte Hemd (= *alles*) hergeben; *fig. dejar a alg. sin* ~ j-n ausplündern, j-n ruinieren; *jugar hasta la* ~ s-n ganzen Besitz verspielen; *fig.* ein leidenschaftlicher Spieler sein; *fig. no llegarle a uno la* ~ *al cuerpo* e-e Riesenangst haben; F *meterse en* ~ *de once varas* **a)** s. auf Dinge einlassen, denen man nicht gewachsen ist, s. übernehmen; **b)** s-e Nase in Dinge stecken, die e-n nichts angehen, s. in die Nesseln setzen; F *volver la* ~ s-e Meinung (völlig) ändern, s. häuten F; **2.** *fig. Pol.* ~*s azules* Blauhemden *n/pl.* (*Mitglieder der Falange*); → *II*; **3.** ⊕ Mantel *m*, Futter *n*, Auskleidung *f*; ⚔ Geschoßmantel *m*; ~ *de agua* (*de la bomba*) Wasser-, Kühl- (Pumpen-) mantel *m*; **4.** Umschlag *m*, Hülle *f*; **5.** ⚘ Fruchtdecke *f* (*Nußhäutchen u. ä.*); **6.** Kokonschale *f*; **7.** abgestreifte Haut *f e-r Schlange usw.*; **8.** ⚠ Bewurf *m*; Tünche *f*; **9.** ⚓ Pavillon *m* (*Segel*); **10.** ⚡ Glühstrumpf *m*; **II.** *m* **11.** *Pol.* ~*s m/pl. negras* (*pardas*) Schwarz- (Braun-) hemden *n/pl.*; ~*s viejas* Altfalangisten *m/pl.*, alte Garde *f*.
cami|sería *f* Hemdenladen *m*; Herrenwäschegeschäft *n*; **~sero I.** *m* Hemden-näher *m*; -verkäufer *m*; *fig.* F *ser un* ~ dauernd umfallen (*fig.* F); **II.** *adj.-su.* (*blusa f*) ~*a od.* ~ *m* Hemdbluse *f*; **~seta** *f* **1.** Unterhemd *n*; ~ *de malla* Trikot-, Netzhemd *n*; **2.** Frisiermantel *m*; **~sola** *f* Frackhemd *n*; *hist.* Kamisol *n*; Jacke *f der Galeerensträflinge*; *Col.*, *P. Ri.* Frauenhemd *n*; *Méj.* → *camisón*; **~solín** *m* Vorhemd *n*, Chemisette *f*; **~són** *m* langes Hemd *n*; Nachthemd *n*; *Col.*, *Chi.*, *Ven.* Frauenkleid *n*.
ca|mita *adj.-su. c*, **~mítico** *adj.* hamitisch; *m* Hamite *m*.
camón *m* **1.** *Equ.* Zaumstange *f*; **2.** ⊕ Radkranzstück *n am Wasserrad*; Felge *f*.
camo|rra F *f* Streit *m*, Rauferei *f*; *buscar* ~ e-n Streit vom Zaun brechen; **~rrista** *adj.-su. c* streitsüchtig; rauflustig; *m* Raufbold *m*, Radaubruder *m* F, Krakeeler *m* F.
camote *m* **1.** *Méj.* Süßkartoffel *f*, Batate *f*; *Am.* (Blumen-)Zwiebel *f*; **2.** *Am.* Verliebtheit *f*; innige Freundschaft *f*; *tomar un* ~ s. verlieben; **3.** *Chi.*, *Pe.* Geliebte *f*; **4.** *Ec.*, *Rpl.* Dummkopf *m*; *Méj.* Gauner *m*; **~ar I.** *v/t. Guat.* ärgern, belästigen; **II.** *v/i. Méj.* vergebens herumsuchen.
campa *adj. c* baumlos; nur für den Getreideanbau geeignet.
campa|l *adj. c*: *batalla f* ~ (offene) Feldschlacht *f*; **~mento** *m* Lagern *n*; Lager *n*, Lagerplatz *m*; (Feld-, Truppen-)Lager *n*.
campamiento *m* **1.** Hervorragen *n*; **2.** Gepränge *n*, Prangen *n*.
campana *f* **1.** Glocke *f*; (*en forma*) *de* ~ glockenförmig; *a* ~ *herida* (*od. tañida*), *a toque de* ~ mit dem Glockenschlag, pünktlich wie die Maurer (*burl.* F); *fig.* eilig; ~ (*de reloj*) Schlag-, Läute-werk *n e-r Uhr*; *juego m de* ~*s* Läutewerk *n*; Glockenspiel *n*; *reloj m de* ~ Schlaguhr *f*, Uhr *f* mit Glockenschlag; *toque m de* ~*s* Glockengeläute *n*; *fig. vuelta f de* ~ Überschlagen *n z. B. e-s Wagens*; Purzelbaum *m*; *echar las* ~*s a(l) vuelo* mit allen Glocken läuten; *fig.* s. sehr freuen, jubeln; jubelnd (*bzw.* feierlich) verkünden; F *oír* ~*s y no saber dónde* nur ungefähr wissen, etwas haben läuten hören; *tocar* (*od. voltear, tañer*) *las* ~*s* die Glocken läuten; *querer tocar las* ~*s y asistir a la procesión* **a)** an zwei Orten zugleich sein wollen; **b)** man kann nicht alles (auf einmal) (*od.* beides) haben, entweder oder; **2.** Glassturz *m*; ⊕ Glocke *f*, Sturz *m*, Schale *f*; ~ (*de chimenea*) Kaminsturz *m*, Herdmantel *m*, Abzug *m*; ~ *de buzo*, ~ *de bucear*, ~ *de inmersión* Taucherglocke *f*; **3.** *fig.* ⚓ ~ *de niebla*, ~ *de bruma* Nebelglocke *f*; **4.** Stiefelstulp *m*; **5.** Kirch-spiel *n*, -sprengel *m*; **6.** □ Frauenunterrock *m*; *Arg.* Posten *m*, Schmierësteher *m*; **~da** *f* **1.** Glockenschlag *m*; ⚓ ~ (*sencilla*) Glas *n*, Stundenschlag *m*; **2.** F Skandal *m*; *dar una* ~ (ärgerliches) Aufsehen erregen; **~rio** *m* Glockenturm *m*; Glockenstube *f*; ⚓ Glockenständer *m*; *fig. de* ~ engstirnig, Lokal..., Kirchturm...; *patriotismo m de* ~ Lokalpatriotismus *m*; *fig.* F *subirse al* ~ (die Wände) hochgehen F, auf die Palme klettern F.
campane|ar I. *v/i.* anhaltend läuten (*Glocken*); **II.** *v/t. Stk.* auf den Hörnern herumwirbeln; **~o** *m* Glockenläuten *n*; F Schwingen *n*, Wiegen *n der Hüften*; **~ro** *m* **1.** Glockengießer *m*; **2.** Glöckner *m*, Türmer *m*; **3.** *Ent.* Gottesanbeterin *f*; **4.** *Arg.*, *Bras.*, *Ven.* „Glockenvogel" *m* (*Chasmarhynchus nudicollis*); **5.** *C. Ri.*, *P. Ri.* Neuigkeitskrämer *m*; **~ta** *f* Glöckchen *n*.
campani|forme *adj. c* glockenförmig, Glocken...; *Arch. vaso m* ~ Glockenbecher *m*; **~l I.** *adj. c*: *metal m* ~ Glockengut *n*; **II.** *m* Kampanile *m*, Glockenturm *m*; **~lla** *f* **1.** Glöckchen *n*, Schelle *f*; Klingel *f*; Tisch- *bzw.* Schul-glocke *f*; *kath.* Meßglöckchen *n*; F *de* (*muchas*) ~*s* großartig; wichtig, bedeutend; hochstehend; F *tener muchas* ~*s* ein hohes Tier sein F; **2.** *Anat.* Zäpfchen *n*; **3.** Blase *f*; glockenförmige Verzierung *f*, Glocke *f*; **4.** *Stk.* Stier *m*, dem von e-r Verletzung Hautfetzen herunterhängen; **5.** ⚘ Glöckchen *n*; *Am.* ~ *blanca* Schneeglöckchen *n*; **~llazo** *m* (starkes) Klingeln *n*; **~llear** *v/i.* anhaltend läuten; **~lleo** *m* Geklingel *n*; **~llero** *m* Läuter *m*, Klingler *m*.
campano *m* **1.** kl. Glocke *f*, Schelle *f*; **2.** *Am. ein Baum* (*Schiffsholz*).
campante F *adj. c* vortrefflich; zufrieden; stolz; *quedarse tan* ~ s. verhalten (*od.* so tun), als ob gar nichts (passiert *bzw.* dabei) wäre.
campanudo *adj.* **1.** glockenförmig, nach oben weiter werdend (*Stiefel*); dröhnend (*Stimme*); **2.** *fig.* schwülstig; hochtrabend, bombastisch.
campánula ⚘ *f* Glockenblume *f*.
campaña *f* **1.** Feld *n*, flaches Land *n* (*oft für Land im Gg.-satz zur Stadt*; *besser*: *campo*); *tienda f de* ~ Zelt *n*; **2.** ⚔ *u. fig.* Feldzug *m*, Kampagne *f*; *en* ~ im Felde, im Krieg; ⚔ *estar* (*od. hallarse*) *en* ~ im Felde stehen; ~ *antiparasitaria* (Aktion *f* zur) Schädlingsbekämpfung *f*; ~ *electoral* Wahlkampf *m*; ~ *periodística* Zeitungskampagne *f*; ~ *de propaganda*, ~ *propagandística*, ~ *publicitaria* Werbe-, Reklamefeldzug *m*, Werbeaktion *f*; **3.** ⚒ Ernte *f*, (Getreide- *usw.*) Wirtschaftsjahr *n*; *Am.* Ernte-, Jahresbilanz *f e-r Hazienda*; ~ *azucarera* (*remolachera*) Zucker- (Rüben-) kampagne *f*; **4.** ⚓ Kreuzfahrt *f*; **5.** *fig.* Amts-, Dienst-zeit *f*; **6.** ⛉ Schildfuß *m*.
campañista *m Chi.* (*bsd.* Roß-, Rinder-)Hirt *m*.
campañol *Zo. m* Feldratte *f*.
campar *v/i.* **1.** lagern, kampieren; *fig.* ~ *con su estrella* Glück (*od.* Erfolg) haben; *fig.* ~ *por sus respetos od.* ~ *por sus fueros* eigenmächtig (*bzw.* selbständig) vorgehen; nach s-r eigenen Laune leben; **2.** s. hervortun.
campeador *hist. adj.-su. m* wackerer Kämpe *m*, Kriegsheld *m*; *bsd. el* (*Cid*) ♀ *Beiname des Cid*.
campear *v/i.* **1.** weiden (*Vieh*); umherstreifen (*Naturvölker*); *Am. Reg.* e-n Inspektionsritt *über die Weidegründe* machen; **2.** ⚔ *hist.* auf Erkundung ziehen; im Felde stehen, Krieg führen; **3.** *Col.* angeben F, prahlen; **4.** grünen (*Saaten*).
campecha|na *f* **1.** *Ant.*, *Méj. Art* Cocktail *m*; **2.** *Ven.* Hängematte *f*; **3.** *Ven.* Prostituierte *f*; **~nería** *f Pe.*, *Rpl.* → **~nía** *f* Leutseligkeit *f*; ungezwungenes Wesen *n*; **~no** *adj.* **1.** leutselig; gemütlich, ungezwungen; **2.** freigebig.
campeche ⚘ *adj.-su. m* (*palo m*) ~, *palo m de* ♀ Campeche-, Jamaika-, Brasil-holz *n*.
campe|ón *m lit.* Kriegsheld *m*; *fig.* Vorkämpfer *m*, Held *m*; *Sp.* Meister *m*; ~ *mundial* Weltmeister *m*; **~onato** *Sp. m* Meisterschaft(skampf *m*) *f*.
campero *adj.* **1.** im freien Feld stehend; im Freien nächtigend (*Vieh*); **2.** *Rpl.* im Kampleben sehr erfahren; **3.** *Méj.* leicht trabend (*Pferd*); **4.** ⚘ mit waagerechten Blättern; **5.** *traje m* ~ Kleidung *f* der andal. Hirten u. Viehzüchter.
campe|sino I. *adj.* bäuerlich, ländlich; **II.** *m* Landbewohner *m*; Bauer *m*, Landmann *m*; **~stre I.** *adj. c* **1.** *lit.* → *campesino*; **2.** Feld..., Land...; *vida f* ~ Landleben *n*; *plantas f/pl.* ~*s* Feldpflanzen *f/pl.*; wildwachsende Pflanzen

f/pl.; **II.** *m* **3.** ♪ *alter mexikanischer Tanz.*
campi|chuelo *m Arg.* kleineres Stück *n* offenen Graslandes; **~llo** *m* kl. Feld *n*; Gemeindetrift *f.*
camping *Angl. m* Camping *n*, Zelten *n*; Zeltlager *n*; (*terreno m de*) ~ Campingplatz *m*; *hacer* ~ zelten.
campiña *f* **1.** flaches Land *n*, Ackerland *n*, Feld *n*; Gefilde *n*, Flur *f*; **2.** bebautes Land *n.*
campirano I. *adj. C. Ri.* bäuerisch; **II.** *adj.-su. Méj.* erfahren in der Landwirtschaft u. im Umgang mit Tieren; *m* guter Reiter *m.*
campista *m* **1.** *Méj.* Gruben-, Bergwerks-pächter *m*; **2.** *neol.* Zelt(l)er *m.*
campo *m* **1.** Land *n* (*Gg.-satz zur Stadt*); Feld *n* (*a.* ⊠); offenes Land *n*; *~s m/pl.* Ländereien *f/pl.*, Felder *n/pl.*; *Am.* gr. Gras- *od.* Weide-flächen *f/pl.*; *poet.* Flur *f*; *en el* ~ auf dem Lande; ~ (*de cultivo*) Feld *n*, Acker *m*; *casa f de* ~ Landhaus *n*; **2.** Feld *n*, Fläche *f*, freier Platz *m*; *fig. a.* Schauplatz *m*; *Sp.* Sportplatz *m*; Rennbahn *f*; *adv. a* ~ *traviesa* querfeldein; *fig.* ~ *de Agramonte* toller Wirrwarr *m*, Babel *n*; ~ *de aviación* Flug-platz *m*, -feld *n*; ⚔ *a.* Fliegerhorst *m*; ✈ ~ *de aterrizaje* (*forzoso*) (Not-)Landeplatz *m*; ~ *de fútbol* Fußballplatz *m*; ~ *raso* offenes Gelände *n*; *a* ~ *raso* im Freien; ~ *santo* → *camposanto*; *fig. dejar el* ~ *libre* (*od. expedito*) *od. ceder el* ~ das Feld räumen; *descubrir* (*el*) ~ *Gelegenheit, Lage usw.* prüfen, sondieren; *hacer* ~ Raum schaffen, den Platz (*von Menschen*) räumen; *irse por esos* ~*s de Dios* umher-ziehen, -irren; *fig.* ohne Sinn daherreden; weitschweifig werden; *fig. tener* ~ *libre* freie Bahn haben; **3.** ⚔ Lager *n*; Feld *n*, Übungsgelände *n*; ⚒ Heer(lager) *n*; ⚔ ~ *a* ~ mit Aufgebot aller Kräfte; ~ *de batalla* Schlachtfeld *n*, Walstatt *f* (*lit.*); ~ *de concentración* (*de prisioneros*) Konzentrations-(Gefangenen-)lager *n*; *lit.* ~ *del honor* Feld *n* der Ehre, Schlachtfeld *n*; ~ *de instrucción* Truppenübungsplatz *m*; ~ *de operaciones* Operationsgebiet *n*; *fig.* Tätigkeitsfeld *n*; ~ *de tiro* **a)** Schießplatz *m*; **b)** Schußfeld *n*; *batir* (*od. reconocer*) *el* ~ das Gelände erkunden; *hacer* ~ in offener Feldschlacht (*bzw.* Mann gg. Mann) kämpfen; *a.* s. zum Kampf stellen; *levantar el* ~ das Lager abbrechen; *fig.* **a)** e-e Sache aufgeben; **b)** als erster weggehen; *lit. quedar en el* ~ (*del honor*) fallen; **4.** *a. Phys.*, ⊕ Feld *n*; Bereich *m*; ~ *de gravitación* Schwerefeld *n*; ~ *de fuerza*, ~ *magnético* Kraftfeld *n*; ~ *visual* Gesichts-, ⚕ Seh-feld *n*; **5.** *fig.* Bereich *m*, Feld *n*, Gebiet *n*; *en el* ~ *de la técnica* auf dem Gebiet der Technik; ~ *de acción* Wirkungs-feld *n*, -bereich *m*; ~ *de actividad*(*es*) Arbeits-feld *n*, -bereich *m*, Tätigkeitsbereich *m*; ~ *de aplicación* An-, Ver-wendungsgebiet *n*; **6.** *fig.* Seite *f*, Lager *n*, Partei *f*; **7.** *Mal.* (unbemalte) Fläche *f.*
camposan|tero *m* Totengräber *m*; Friedhofswärter *m*; **~to** *m* Kirch-, Fried-hof *m.*
camue|sa ⚘ *f* Kalville *f*, Kantapfel *m*; **~so** *m* ⚘ Kalvillbaum *m*; *fig.* F Einfaltspinsel *m* F, Trottel *m.*
camufla|je *gal. m* Tarnung *f* (*a. fig.*); *red f de* ~ Tarnnetz *n*; **~r** *v/t.* tarnen (*a. fig.*).
can[1] *m* **1.** *lit.* Hund *m*; **2.** *Astr.* 2 *Mayor* (*Menor*) großer (kleiner) Hund *m*; 2 *Luciente* Sirius *m*, Hundsstern *m*; **3.** ⚔ *hist.* Feldschlange *f*; **4.** Hahn *m e-r Feuerwaffe.*
can[2] *m* Khan *m.*
cana *f* weißes Haar *n*; *las ~s koll.* weißes Haar *n*, *poet.* Silberhaar *n*; *echar ~s* graue Haare bekommen; F *echar una ~ al aire* s. e-n vergnügten Tag machen, auf den Bummel gehen, auf die Pauke hauen P; *fig. peinar ~s* alt sein.
Canaán *bibl.*: *Tierra f de* ~ das Land Kanaan.
cana|ca *m* **1.** *desp. Am.* Kanake *m*; **2.** *Chi. desp. von Angehörigen der gelben Rasse* Gelbe(r) *m*; **3.** *Chi.* Bordellwirt *m*; **~co** *adj. Chi., Ec.* gelb, blaß.
Cana|dá: *bálsamo m de* ~ Kanadabalsam *m*; **2diense I.** *adj.-su. c* kanadisch; *m* Kanadier *m*; **II.** *f* Windjacke *f* mit Pelzkragen, Kanadier *m.*
canal *m* (*in der Bdtg. Fahrwasser, Talenge, Dachtraufe a. f*) **1.** Meerenge *f*; Kanal *m*; Fahr-rinne *f*, -wasser *n*; ~ *de desagüe* Abfluß-, Entwässerungs-kanal *m*; ~ *de riego* Bewässerungskanal *m*; *fondo m* (*od. suelo m*) *de*(*l*) ~ Kanalsohle *f*; **2.** ⊕ Nut *f*; Hohlkehle *f*; Kanal *m*; ~ *de televisión* Fernsehkanal *m*; ~ *vertedero* Steilrutsche *f*; Ablauf *m*, Müllschlucker *m*; **3.** *en* ~ ausgeweidet (*Schlachtvieh*); *abrir en* ~ ausweiden; in zwei Hälften teilen; (von oben bis unten) auf-schneiden, -schlitzen; **4.** Dachrinne *f*, Traufe *f*; Traufziegel *m*; **5.** Talenge *f*, enges Tal *n*; **6.** △ Rille *f*; **7.** *Buchb.* ausgekehlter Schnitt *m*; **8.** *fig.* Weg *m*, Mittel *n* zum Zweck; **9.** Tränktrog *m*; **10.** *Anat.* Kanal *m*; Rinne *f*, Furche *f*; **11.** ⚔ Zug *m im Gewehrlauf.*
cana|ladura △ *f* Kannelierung *f*, Schaftrinne *f*; **~leja** *f* Schüttrinne *f an der Mühle*; **~leta** *f Ar., Chi.* Schüttrinne *f*; P Arschkerbe *f* P, Gesäßfalte *f*; *Chi.* → **~lete** ⚓ *m* **1.** Schaufel-, Heck-ruder *n*; **2.** (Kanu-)Paddel *n*; **3.** Rolle *f*, Haspel *f.*
canali|zable *adj. c* kanalisierbar; **~zación** *f* **1.** Kanalisation *f*; Kanalsystem *n*; Leitungsnetz *n* (*Wasser, Gas*); **2.** Kanalbau *m*; **3.** Kanalisierung *f*; **~zar** [1f] *v/t.* kanalisieren; *Fluß* regulieren; *fig.* (in bestimmte Bahnen) lenken, orientieren; **~zo** *m* **1.** ⚓ enge Durchfahrt *f*; Fahrrinne *f*; **2.** ⊕ Rinne *f.*
cana|lón[1] *m* **1.** (Dach-)Traufe *f*, Dachrinne *f*; Wasserspeier *m*; **2.** *prov.* Abfluß *m*; Spül-, Wasserstein *m*; **~lones**[2] *Kchk. m/pl.* Canneloni *m/pl.*
cana|lla I. *f* Gesindel *n*, Pack *n*, Gelichter *n*, Mob *m*; **II.** *m* Lump *m*, Schuft *m*, gemeiner Hund *m* P; **III.** *adj. c gal.* → *canallesco*; **~llada** *f* Gemeinheit *f*, Schurkerei *f*; **~llesco** *adj.* (hunds)gemein P, schuftig; viehisch.
canana *f* **1.** Patronengurt *m*; Patronentasche *f* (*bsd. Jgdw.*); **2.** *Am. Cent.* Kropf *m*; **3.** *Col.* Zwangsjacke *f.*
cananeo *adj.-su.* kana(a)näisch, kana(a)nitisch; *m* Kana(a)näer *m*, Kana(a)niter *m.*
canapé *m* **1.** Kanapee *n*, Sofa *n*; **2.** *Kchk.* Kanapee *n* (= *fein belegte, geröstete Weißbrotscheiben*).
cana|ria *f* Kanarienvogelweibchen *n*; **~ricultura** *f* Kanarienzucht *f*; **~riense** *adj.-su. c* → *canario* 1; **~riera** *f* **1.** Brut-, Heck-käfig *m für Kanarienvögel*; **2.** ⚘ Kanarienrebe *f*; **3.** ♪ *kanarische Volksweise*; **4.** F Zylinder(hut) *m*; **~rio I.** *adj.-su.* **1.** kanarisch, von den Kanarischen Inseln; *m* Kanarier *m*; **II.** *m* **2.** Kanarienvogel *m*; **3.** F Hundertpesetenschein *m*; Hundertpesoschein *m*; **4.** F ¡~(s)! (Himmel)donnerwetter! (*Überraschung, Ärger*); **5.** F *Chi.* wer ein gutes Trinkgeld zahlt.
canas|ta *f* **1.** (Henkel-)Korb *m*; ⚓ Mastkorb *m*; **2.** *Kart.* Kanasta (-spiel) *n*; **~tero** *m* **1.** Korb-flechter *m*; -verkäufer *m*; **2.** *Chi.* fliegender Gemüsehändler *m*; **~tilla** *f* **1.** (Nähusw.) Körbchen *n*; **2.** Korb *m* (*Tastenfeld der Schreibmaschine u. ä.*); **3.** Baby-ausstattung *f*, -wäsche *f*; *Andal.* Brautausstattung *f* (beschaffen *hacer*); **~tillero** *m* Korb-macher *m*; -verkäufer *m*; **~tillo** *m* (flaches) Körbchen *n*; **~to** *m* (Trag-)Korb *m* (*mst. oben enger als unten*); ¡~! Donnerwetter!, Teufel! (*Überraschung, Zorn usw.*).
cáncamo ⚓ *m* Ring-bolzen *m*; -öse *f.*
cancamu|rria F *f* Trübsinn *m*; **~sa** F *f* Fopperei *f*, (Hinter-)List *f*; **~so** F *adj. Cu. viejo m* ~ alter Bock *m* F, Lustgreis *m.*
cancán *m* **1.** ♪ Cancan *m*; **2.** Cancrock *m*, *Art Petticoat.*
cancanear F *v/i.* **1.** herum-schlendern, -lungern; **2.** *Méj., Col., C. Ri.* stottern; stockend lesen.
cáncano F *m* Laus *f.*
cance|l *m* Windfang *m an der Tür*; Windschirm *m*; **~la** *f* (Haus-)Türgitter *n*; Gattertor *n.*
cancela|ción ✝, ⚖ *f* Tilgung *f*, Löschung *f*, Streichung *f*; **~do** *adj.* ungültig, gestrichen; **~r** *v/t. Schrift* aus-, durch-streichen; *Urkunde, Eintragung* löschen; *Scheck* sperren; *Auftrag* zurückziehen (*od.* annullieren); *Schuld* tilgen; *allg.* ungültig machen; streichen; *fig.* aus dem Gedächtnis streichen.
cancela|ría *f* päpstliche Kanzlei *f*, *it.* Cancelleria apostolica; **~rio** *m* **1.** *hist.* Cancellarius *m*, Magister Scholae *m*; **2.** *Bol.* Rektor *m e-r Universität.*
cáncer *m* **1.** ⚕ Krebs *m*; *fig.* Krebsschaden *m*; **2.** *Astr.* 2 Krebs *m.*
cancera|do *adj.* Krebs..., verkrebst, krebskrank; *fig.* (seelisch) verderbt, bösartig, grundböse; **~r I.** *v/t.* an Krebs erkranken lassen; wie Krebs zerfressen (*bsd. fig.*); *fig.* zerstören; plagen, quälen; **II.** *v/r.* **~se** verkrebsen, bösartig werden.

cancerbero *Myth. u. fig. m* Zerberus *m.*
cance|riforme *adj. c* krebs-ähnlich, -förmig; **~rofobia** *f* Krebsfurcht *f*; **~rógeno** *adj.* krebserzeugend, karzinogen; **~rología** *f* Cancerologie *f*; **~roso** *adj.* verkrebst, krebsartig, Krebs...; *afección f ~a* Krebserkrankung *f.*
cancilla *f* Gitter-tor *n*, -tür *f.*
cancille|r *m* **1.** Kanzler *m*; *~ federal* Bundeskanzler *m*; **2.** *hist.* kgl. Siegelbewahrer *m*; *el ♀ de Hierro* der Eiserne Kanzler (*Bismarck*); *~ del Reich, ~ del Imperio alemán* deutscher Reichskanzler *m*; **3.** (*Botschaft, Konsulat*) Kanzler *m*; **4.** *Am.* Außenminister *m*; **~resco** *adj.* **1.** Kanzler...; **2.** Kanzlei...; *estilo m ~* Kanzleistil *m*; **~ría** *f* **1.** Kanzleramt *n*; (Staats-)Kanzlei *f*; *~ federal* Bundeskanzleramt *n*; **2.** ✎ *Am.* Außenministerium *n.*
canción *f* Gesang *m*; Lied *n*, Weise *f*; Chanson *n*; *~ de amor, ~ amatoria (de cuna)* Liebes- (Wiegen-)lied *n*; *~ callejera* Gassenhauer *m*; *~ de moda* (Mode-)Schlager *n*; *~ popular* Volkslied *n*; *neol. ~ protesta* Protestsong *m*; *fig. siempre la misma ~* immer das gleiche Lied, immer dieselbe Leier.
cancio|neril *adj. c* im Stil der cancioneros; **~nero** *m* Lieder-buch *n*, -sammlung *f*; **~neta** *f* Kanzonette *f*; **~nista I.** *c* **1.** Liedersänger(in *f*) *m*; Schlager- *bzw.* Couplet- *od.* Brettl-sänger(in *f*) *m*; **2.** Lieder- *bzw.* Schlager- *usw.* -komponist(in *f*) *m*; **II.** *f* **3.** Chansonette *f.*
can|co *m* **1.** *Chi. irdener* Topf *m*; **2.** *Bol., Chi.* Hinterbacke *f*; **~cón** F *m* Popanz *m*, Schwarzer Mann *m*; **~cona** F *adj.-su. f Chi.* Frau *f* mit mächtigem Gesäß.
cancro *m* **1.** ⚘ Baum-, Rinden-krebs *m*; † *u. Reg.* ⚕ Krebs *m*; **2.** *Zo.* Flußkrebs *m*; **~ide** ⚕ *m* Kankroid *n*; **~ideo** ⚕ *adj.* krebs-ähnlich, -artig.
cancha[1] *f* **1.** *bsd. Am.* Spiel-, Sportplatz *m*; Übungsplatz *m* (*a.* ⚔); Spielraum *m der Pelotari*; *Am.* (*a.* Lager-)Hof *m*; (*bsd.* Pferde-)Rennbahn *f*; **2.** breites Flußbett *n*; breiter Trockenrand *e-s Flußbettes*; *Rpl.* *¡~!* Platz (da)!; *C. Ri., Chi., Rpl. abrir (od. dar) ~ a uno* j-m den Weg frei machen, j-m den Weg ebnen (*a. fig.*); *Chi., Rpl. estar en su ~* in s-m Element sein; *Rpl. tener ~* Einfluß haben; **3.** Spielhölle *f*; *Col., Ec.* Spielgeld *n.*
cancha[2] *Ke. f Am. Mer.* gerösteter Mais *m*; *Pe. ~ blanca* Puffmais *m.*
canchal *m* Steinwüste *f*, felsiges Gelände *n.*
canchalagua ⚘ *f* (*pharm.*) *versch. am. Arten von* Tausendgüldenkraut *n.*
canchamina ⚒ *f* Erzscheideplatz *m.*
canchea|dor *adj.-su. Am. Mer.* faul; *m* Faulenzer *m*; Gelegenheitsarbeiter *m*; **~r**[1] F *v/i. Am. Mer.* den Gelegenheitsarbeiter machen; herumlungern, s. herumtreiben.
canchear[2] *v/i.* über Felsen klettern.
canchero I. *adj.-su.* **1.** *Arg., Chi.* Herumtreiber *m*, Gelegenheitsarbeiter *m*; **II.** *m* **2.** *Am.* Spielhausbesitzer *m*; **3.** *Chi.* Gepäckträger *m.*
cancho[1] *m* Felsen *m*; *mst. ~s m/pl.* felsiges Gebiet *n*, Gefels *n.*
cancho[2] F *m Chi.* Bezahlung *f*, die für den kleinsten Dienst verlangt wird (*bsd. von Geistlichen u. Rechtsanwälten*); *fig.* übermäßige Gebühr *f.*
canchón *Am. m* **1.** *augm. v. cancha*; **2.** Weide *f*, Kamp *m.*
candado *m* **1.** Vorhänge-, Vorlegeschloß *n*; *fig., bsd. Pol.* Maulkorb *m*; *ley f del ~* Maulkorbparagraph *m*; *~ de combinación (de seguridad)* Kombinations-(Sicherheits-)schloß *n*; *fig. echar ~ a los labios (od. a la lengua od. a la boca)* ein Geheimnis (treu) bewahren, kein Wort verlauten lassen, dicht halten F; *a. j-m* ein Schloß vor den Mund legen; **2.** *Col.* Spitz-, Kinn-bart *m.*
candaliza ⚓ *f* Geitau *n*, Talje *f.*
candar *v/t.* (zu)schließen, (zu)sperren.
cande *adj. c*: *azúcar m ~* Kandiszucker *m.*
candeal *adj. c*: *pan m ~* Weizenbrot *n*; *trigo m ~* Weichweizen *m.*
candela *f* **1.** Licht *n*, Kerze *f*; F (Kohlen-)Feuer *n*; (Kerzen-)Leuchter *m*; ⚓ *en ~* senkrecht, lotrecht; *kath. fiesta f de las ~s →* *Candelaria*; *fig. acabarse la ~* **a)** ablaufen (*Frist bei Versteigerungen*); **b)** im Sterben liegen; **c)** zu Ende (*od.* zur Neige) gehen; F *arrimar ~ a j-n* versohlen F, *j-n* verhauen F; *bsd. Andal. dar ~* Feuer geben *zum Zigarettenanzünden*; F *estar con la ~ en la mano* im Sterben liegen; **2.** ⚘ Kerzen-, *bsd.* Kastanien-blüte *f*; **3.** Abstand *m* zwischen dem Zünglein der Waage u. dem Gleichgewichtspunkt.
candelabro *m* **1.** Armleuchter *m*, Kandelaber *m*; *bibl. ~ de (los) siete brazos* siebenarmiger Leuchter *m*; **2.** ⚘ Kerzenkaktus *m*; *~ de brazos* Trompetenbaum *m.*
candela|da *f* **1.** offenes Feuer *n*, Lagerfeuer *n*; **2.** † Ausglühen *n von Wunden*; **♀ria** *kath. f* Lichtmeß *f*, Mariä Reinigung *f.*
candele|ja *f Chi., Pe.* Leuchter (-tülle *f*) *m*; **~jón** *adj. Col., Chi., Pe.* harmlos, naiv; **~ra** ⚘ *f* Königskerze *f*; **~ro** *m* **1.** Leuchter *m*, Lampe *f*; *fig. estar en (el) ~* großen Einfluß haben, an höchster Stelle stehen; hoch im Kurs stehen, prominent sein; *poner en (el) ~ j-n* e-m breiten Publikum bekannt machen, *j-n* aufbauen F; **2.** tragbare Öllampe *f*, Ampel *f*; **3.** ⚓ Klau *f*, Stütze *f*; *~s m/pl.* Geländer- *bzw.* Zelt-stützen *f/pl.*; **4.** ✎ Wachszieher *m.*
candeli|lla *f* **1.** Lichtchen *n*, Nachtlicht *n*; *fig. hacerle a uno ~s los ojos* angesäuselt sein F, e-n sitzen haben F; **2.** ⚘ (Blüten-)Kerze *f*, Kerzenblüte *f*; Weidenkätzchen *n*; *Am. versch. Euphorbien*; **3.** *Arg., Chi.* Irrlicht *n*; **4.** *C. Ri., Chi., Hond.* Leuchtkäfer *m*; **5.** *Cu.* (Stepp-)Naht *f*; **6.** ⚕ Bougie *f*; **~zo** F *m* Eiszapfen *m.*
canden|cia ✎ *f* Glühen *n*; → *incandescencia*; **~te** *adj. c* glühend; weiß- *bzw.* rot-glühend; *fig. cuestión f ~* brennende Frage *f.*
candi *adj. c* → *cande.*
candial *adj. c* → *candeal.*
candida|ta *f* Kandidatin *f*; **~to** *m* Kandidat *m*; (Amts-)Bewerber *m*; Prüfling *m*; *ser ~ (a)* kandidieren (für *ac.*), s. bewerben (um *ac.*); **~tura** *f* **1.** Bewerbung *f*; *bsd. Pol.* Kandidatur *f*; *presentar su ~ para* s. als Kandidat aufstellen lassen für (*ac.*); **2.** Kandidaten-, Bewerbergruppe *f*; Kandidaten-, Vorschlagsliste *f*; Wahl-, Stimm-zettel *m.*
candidez *f* **1.** *lit.* (leuchtende) Weiße *f*; **2.** *fig.* Unschuld *f*; Aufrichtigkeit *f*; Einfalt *f*, Naivität *f.*
cándido *adj.* **1.** *lit.* glänzend weiß; **2.** *fig.* arglos, harmlos, treuherzig; einfältig, naiv, kindlich; F *no seas ~* glaub' das doch nicht; sei doch nicht blöd F.
candi|l *m* **1.** Zinn-, Schnabel-lampe *f*, Öllampe *f*; *Méj.*, Kronleuchter *m*; F *ni buscando con (un) ~* so was (*bzw.* so e-n) kannst du mit der Laterne suchen F, so was kriegt man so bald nicht wieder F; *pescar al ~* mit Locklicht (*fig.* im trüben) fischen; **2.** *Ent.* Libelle *f*; **3.** Ende *n am Hirschgeweih*; *~ de hierro* (*de ojo*) Eis- (Aug-)sprosse *f*; **4.** ⚘ *~es m/pl.* **a)** *Art* Osterluzei *f*; **b)** Mönchskappe *f*; **c)** Aronstab *m*; **5.** □ Diebshelfer *m*; Bordelldiener *m*; **6.** *Cu. rötlicher Leuchtfisch*; **~leja** *f* **1.** Öllämpchen *n*, Funzel *f*; Ölbehälter *m e-r Lampe*; *Thea. ~s f/pl.* Rampenlicht(er) *n*(*/pl.*); **2.** ⚘ **a)** Schwarzkümmel *m*; **b)** Laserkraut *n*; **~lera** ⚘ *f* Jerusalemsalbei *f.*
candinga *f* **1.** *Chi.* Plage *f*; Dummheit *f*, Tölpelei *f*; **2.** *Hond.* Wirrwarr *m*; **3.** *Méj.* ♀ *der* Teufel.
candiota I. *adj.-su. c* kandiotisch, kretisch; *m* Kandiot *m*, Kreter *m*; **II.** *f* Weinfäßchen *n*; Zapfkrug *m.*
candombe I. *m* (*a. candomba*) *ein Negertanz*; Candombe(tanz)platz *m*; Candombetrommel *f*; **II.** *adj.-su.* F *Rpl.* schamlos; *m* Mißwirtschaft *f* (*Pol.*).
candon|ga F *f* **1.** unaufrichtige Schmeichelei *f*; Stichelei *f*; Fopperei *f*; *dar ~ a* auf die Schippe nehmen (*ac.*), verulken (*ac.*); **2.** Maultier *n* (*Zugtier*); **3.** *~s f/pl. Col.* Ohrgehänge *n*; **~go** F **I.** *adj.* **1.** schmeichlerisch; gerieben; **2.** arbeitsscheu; **II.** *m* **3.** Drückeberger *m*, Faulenzer *m*; **~guear** F **I.** *v/t.* verulken, hänseln; **II.** *v/i.* s. (geschickt) vor der Arbeit drücken; **~guero** F *adj.-su.* **1.** hinterhältiger Schmeichler *m*; **2.** Fopper *m*, Stichler *m*; **3.** Drückeberger *m*, Faulenzer *m.*
cando|r *m* blendende Weiße *f*; *fig.* Unschuld *f*, Kindlichkeit *f*; Aufrichtigkeit *f*; Naivität *f*, Einfalt *f*; **~roso** *adj.* arglos, aufrichtig; reinen Herzens; einfältig, harmlos, naiv, dumm.
candujo □ *m* (Vorhänge-)Schloß *n.*
caneca *f* **1.** irdene Schnapsflasche *f*; *Ec.* Kühlkrug *m*; *Arg.* Holzkübel *m*; *Cu.* Wärmflasche *f*; **2.** *Cu. Flüssigkeitsmaß*: 19 l.
canecillo △ *m* Kragstein *m.*
caneco *adj. Arg. Reg., Bol.* beschwipst.
canéfora *Arch. u.* △ *f* Kanephore *f.*

canela I. *f* **1.** Zimt *m*; *fig.* F → ~ *en rama* Zimtrinde *f*; *fig. das* Feinste, *das* Beste; *¡de ~!* großartig!, einfach wundervoll!; *~ fina* et. sehr Feines; es *la flor de la ~* es ist das Beste vom Besten; **2.** F *Col.* Schneid *m* F; **II.** *adj. inv.* **3.** (*color*) ~ zimtfarben; **~do¹** *adj.* zimtfarben.

canelado² ⚠ *adj.* kanneliert.

cane|lar *m* Zimtpflanzung *f*; **~lero** ⚘ *m* Zimtbaum *m*; **~lo I.** *adj.* zimtfarbig (*bsd. Pferd*); **II.** *m* ⚘ Zimtbaum *m*; *Am. versch. Pfl.*: *Am. Cent. Art* Lorbeerbaum *m*; *Chi. Art* Magnolie *f*; *Rpl. Baum* (*Myrsina floribunda*).

canelón *m* **1.** Wasserspeier *m*, Traufe *f*; **2.** Eiszapfen *m an der Traufe*; **3.** Raupe *f*, geflochtene Achselschnur *f an e-r Uniform*; *kath.* Geißelende *n*.

caneludo *m Col.* Draufgänger *m*.

canesú *m* (*pl.* ~úes) Leibchen *n*, Rundspenzer *m*; Oberteil *m an Hemd od. Bluse*.

canevá *gal. m Am.* Kanevas *m*.

caney *m* **1.** *hist. Ant.* Herrenhaus *n der Kaziken*; **2.** *Col., Ven., Cu.* gr. Hütte *f*; **3.** *Cu.* Flußbiegung *f*.

canfor *m* → *alcanfor*.

canga¹ *f Reg.* **1.** Joch *n*; **2.** schmale Berg- *od.* Wald-wiese *f*.

canga² *f Arg., Bol.* tonhaltiges Eisenerz *n*.

canga³ *f* Block *m* (*chinesisches Folterwerkzeug u. Folter selbst*).

cangagua *f Col., Ec.* Ziegelerde *f*.

cangalla¹ *f Bol., Chi.* Abfälle *m/pl. bei der Erzgewinnung*; Diebstahl *m von Erzstücken*.

cangalla² *c* abgemagertes Wesen *n*, Kümmerling *m*; Feigling *m*.

cangalla³ *f* Karren *m*.

canga|llar *v/i. Bol., Chi.* Erz stehlen; *p. ext.* Steuern hinterziehen; **~llero** *m Chi.* Erzdieb *m in den Minen*; *Pe.* Trödler *m*.

cangilón *m* **1.** Schöpfeimer *m*; Löffel *m*, Becher *m* (*Bagger*); Förderkübel *m* (*Fördermaschine*); Kübel *m*, gr. Wasserkrug *m*; **2.** *Col.* Trommel *f*.

cangre *m Cu.* Yukkasteckling *m*; F Kraft *f*, Mumm *m* F.

cangre|ja ⚓ *adj.-su. f* (*vela f*) ~ Gaffelsegel *n*; **~jal** *m Rpl.* krebsreiches, sumpfiges Gelände *n*; **~jera** *f* Krebs-, Krabben-loch *n*; **~jero** *m* **1.** Krebs-, Krabben-verkäufer *m*; -fänger *m*; **2.** *Vo.* Krabbenreiher *m*; **~jo I.** *m* **1.** Krebs *m*; ~ (*de río*) Flußkrebs *m*; *~ de mar* Strandkrabbe *f*; *~ grande* Taschenkrebs *m*; *fig. caminar como los ~s* im Krebsgang gehen; *patas f/pl. de ~* Krebsscheren *f/pl.*; *ponerse como un ~ asado* knallrot werden; **2.** ⚓ Gaffel *f*; **3.** *Astr.* ♋ → *cáncer* 2; **II.** *adj.-su.* **4.** *Ec.* dumm; **5.** *Pe.* gerissen, schlau; *m* Schurke *m*, Gauner *m*.

cangrena *f*, **~rse** *v/r.* → *gangrena*, *gangrenarse*.

cangro *m Col., Guat., Méj. Astr.*, ⚕ Krebs *m*.

cangue|lar P *v/i.* Schiß haben V; **~lo** P *m* Schiß V.

canguro *Zo. m* Känguruh *n*.

ca|níbal *adj.-su. c* kannibalisch; *m* Kannibale *m* (*a. fig.*), Menschenfresser *m*; **~nibalismo** *m* Kannibalismus *m* (*a. fig.*), Menschenfresserei *f*.

canica Murmel *f*, Klicker *m*.

canicie *f* graues Haar *n*; Ergrauen *n*.

canícula *f* **1.** *koll.* Hundstage *m/pl.*; hochsommerliche Hitze *f*; **2.** *Astr.* ♀ Sirius *m*, Hundsstern *m*.

cani|cular *adj. c* Hundstags...; hochsommerlich; *a. su.* (*días m/pl.*) *~es m/pl.* Hundstage *m/pl.*; **~cultor** *m* Hundezüchter *m*; Besitzer *m* e-s Hundezwingers.

cánidos *Zo. m/pl.* Hunde *m/pl.*, Caniden *m/pl.*

canijo P *adj.* schwächlich, kränklich, verkümmert.

canil *m* Kleien-, Schwarz-brot *n*.

cani|lla *f* **1.** *Anat.* Röhrenknochen *m*; Schienbein *n*; Elle *f*; Flügelknochen *m der Vögel*; *Col.* Wade *f*; F *Am.* Bein *n*; **2.** Faß-; Spund-hahn *m*; Spritzhahn *m*; *Rpl.* Wasserhahn *m*; **3.** *tex.* Spule *f in Schiffchen*, *a. in Nähmaschine*; **4.** Webstreifen *m*; **5.** F *Méj.* Mumm *m* in den Knochen F, körperliche Kraft *f*; **~llado** *adj.* gerippt, streifig; **~lladora** *tex. f* Spulmaschine *f*; **~llera** *f* **1.** Beinschiene *f*; **2.** F *Col.* Schreck *m*, Entsetzen *n*; **3.** → **~llero** *m* Spund-, Zapf-loch *n*; **~llita** *m Arg.* Zeitungsjunge *m*.

cani|na *f* Hundekot *m*; **~no** *adj.* Hunde..., hundeartig; *diente m ~* Eckzahn *m*; *b. Tieren*: Reiß-, Fangzahn *m*; *hambre f ~a* Wolfs-, Heißhunger *m*.

canje *m* **1.** Aus-, Um-tausch *m*; Auswechseln *n*; Einlösen *n*; *~ de notas diplomáticas* Notenwechsel *m*; *~ de prisioneros* Gefangenenaustausch *m*; **2.** Umtauschschein *m*; **3.** Wechselgeld *n*, Rest *m*; **~able** *adj. c* umtauschbar, auswechselbar; **~ar** *v/t.* auswechseln, einlösen; um-, aus-tauschen.

cano *adj.* grau, weiß (*Bart, Haar*); grau-, weiß-haarig; *poet.* weiß; *fig.* alt; ⚘ *hierba f ~a* Kreuzkraut *n*.

canoa *f* **1.** ⚓ **a)** Einbaum *m*; **b)** Kanu *n*; **c)** Gig *n*, *f*, Beiboot *n*; **2.** *Am.* Röhre *f*, Rinne *f*; Traufe *f*; **3.** *Am.* Trog *m*; *C. Ri., Hond.* Futterkrippe *f*; **4.** F Zylinder(hut) *m*.

canódromo *m* Hunderennbahn *f*.

canoero *m* Kanufahrer *m*, Kanut *m*.

canofer *neol. m* Toilettenschrank *m mit dreiteiligem Spiegel*.

canófilo *m* Hundeliebhaber *m*.

canon *m* **1.** *kath.* Kanon *m*, Gesetz *n*; Kanon *m*, Verzeichnis *n*; *cánones m/pl.* kanonisches Recht *n*; **2.** ⚖ staatliche Konzessionsabgabe *f*; **3.** Pachtgebühr *f*; *~ de agua* Wassergebühr *f*; **4.** ♪ Kanon *m*; **5.** *fig. cánones m/pl.* Kanon *m*, Regeln *f/pl.* (*z. B. der Dichtung, der Malerei usw.*); **6.** *Typ.* 2 Cicero *f* (*24-Punkte-Schrift*).

canonesa *f* Stiftsdame *f*, Kanonissin *f*.

canónica *Rel. f* kanonisches Leben *n*, Leben *n* nach der heiligen Regel.

canonical *adj. c* kanonisch, wie ein Kanonikus; *fig.* F *vida f ~* gemächliches Dasein *n*.

canónicamente *adv.* kanonisch.

canonicato *m* → *canonjía*.

canóni|co *adj.* kanonisch; echt (*Schrift der Bibel*); *derecho m ~* kanonisches Recht *n*, Kirchenrecht *n*; *kath. horas f/pl. ~as* kanonische Zeiten *f/pl.*; *libros m/pl. ~s* kanonische Bücher *n/pl.*; **~ga** F *f* Schläfchen *n* vor dem Mittagessen; **~go** *m* Dom-, Chor-herr *m*, Kanoniker *m*; *fig.* F *vivir como un ~* ein bequemes Leben führen.

canonista *m* Kanonist *m*, Lehrer *m bzw.* Kenner *m* des Kirchenrechts.

canoniza|ble *kath. adj. c* der Heiligsprechung würdig; **~ción** *kath. f* Kanonisation *f*, Heiligsprechung *f*; **~r** [1f] *v/t.* kanonisieren, heiligsprechen; *fig.* in den Himmel heben.

canonjía *f* Kanonikat *n*; Domherrenwürde *f*; *fig.* F Sinekure *f*, ruhiger Posten *m*.

canoro *adj.* **1.** melodisch singend (*Vogel*); *aves f/pl. ~as* Singvögel *m/pl.*; **2.** melodisch, wohlklingend.

canoso *adj.* grauhaarig; *fig.* alt, eisgrau.

cano|taje *m* Kanusport *m*; **~tero** *m* Kanusportler *m*, Kanut *m*.

canoti|é, ~er *gal. m* flacher Strohhut *m*.

canquén *m Chi.* Wildgans *f*.

cansa|do *adj.* **1.** (*estar*) müde, matt; abgespannt, erschöpft (*a.* ⚒ *Boden*); *ojos m/pl. ~s*, *vista f ~a* (er)müde(te) *od.* schwachgewordene Augen *n/pl.*; *estoy cansad(ísim)o* ich bin (tod-)müde; **2.** (*estar*) *~ de a/c.* e-r Sache überdrüssig (sein); *está ~ de oírlo* er mag es nicht mehr hören, es hängt ihm zum Halse heraus F; *~ de la vida* (*od. de vivir*) lebens-müde, -überdrüssig; **3.** (*ser*) langweilig; lästig; **4.** (*ser*) anstrengend, ermüdend; **~ncio** *m* Müdigkeit *f* (*a. fig.*); Ermüdung *f* (*a.* ⊕); Überdruß *m*; **~r I.** *v/t.* **1.** ermüden, müde machen; anstrengen, strapazieren; *esta letra cansa la vista* diese Schrift ermüdet die Augen (*od.* strengt die Augen an); **2.** langweilen, belästigen, ärgern; *me cansa con sus exigencias* s-e Ansprüche gehen mir auf die Nerven; **3.** ⚒ *den Boden* erschöpfen; **II.** *v/i.* **4.** müde machen; langweilig sein (*od.* werden); **III.** *v/r.* *~se* **5.** ermüden, müde werden; s. langweilen; s. ärgern; *~se trabajando* s. abplagen, s. müde arbeiten; *~se de hablar* des Redens überdrüssig werden, das Reden satt haben F.

cansera *f* **1.** Belästigung *f*, Zudringlichkeit *f*; **2.** *Reg.* Mattigkeit *f*; **3.** *Am.* Zeitverschwendung *f*.

cansino *adj.* **1.** abgehetzt, überanstrengt, übermüdet; *fig.* langsam, müde; **2.** F langweilig, auf die Nerven gehend F.

cantable I. *adj. c* **1.** singbar, sangbar; **II.** *m* **2.** ♪ Kantabile *n*; **3.** *Thea.* Gesang(s)nummer *f*.

cantábrico *adj.-su.* kantabrisch, nordspanisch.

cántabro *hist. adj.-su.* kantabrisch; *m* Kantabrer *m*.

canta|da ♪ *f* → *cantata*; **~dor** *m*, **~dora** *f* Volkssänger(in *f*) *m*.

cantal *m* Stein *m*; Stein-feld *n*, -wüste *f*.

cantalear *v/i. prov.* gurren, girren (*Tauben*).

cantale|ta † *f* Katzenmusik *f*; *fig.* Spott *m*, Frozzelei *f*; **~tear** *v/i. Am.* et. bis zum Überdruß wiederholen.

cantante I. *adj. c* singend; *voz f* ~ Singstimme *f*; *fig. llevar la voz* ~ den Ton angeben, die erste Geige spielen; **II.** *c* Sänger(in *f*) *m*; ~ *de ópera* Opernsänger(in *f*) *m*.

cantaor *m*, **~a** *f And.* Flamencosänger(in *f*) *m*.

cantar I. *v/i.* **1.** singen (*a. Vogel*); **2.** krähen (*Hahn*); quaken (*Frosch*); zirpen (*Grille*); **3.** quietschen (*Tür*); kreischen (*Achsen, Räder*); klappern (*Geschirr, Gewehr*); **4.** ⚓ pfeifen (*Kommando*); ⚒ → *salomar*; **5.** F gestehen, singen F; ~ *de plano* alles (ein)gestehen, auspacken F; **6.** F *Cu.* schlecht riechen; **II.** *v/t.* **7.** singen; *Stunden, Lotterienummer u. ä.* ausrufen; ~ *el alfabeto* das Alphabet auf-, her-sagen; ~ *misa* → *misa*; ~*las claras* kein Blatt vor den Mund nehmen, frei von der Leber weg reden F; F ~*le a alg. las cuarenta* j-m den Kopf waschen F; **8.** besingen, rühmen; F ~ *a alg. a/c.* j-m et. vorschwärmen von (*dat.*); **9.** *Kart.* ansagen; **III.** *m* **10.** Lied *n*; Gesang *m*, Weise *f*; ~ *popular* Volkslied *n*; *bibl. el* ♀ *de los Cantares* das Hohelied; *lit.* ~ *de gesta* Heldenlied *n*; *fig.* F *ese es otro* ~ das ist et. ganz anderes.

cántara *f* **1.** Krug *m*, Kanne *f*; **2.** *Flüssigkeitsmaß*: 16,13 l.

cantarela *f* höchste Saite *f der Geige bzw. der Gitarre.*

cantare|ra *f* Kruggestell *n*, Topfbank *f*; **~ro** *m* Töpfer *m*.

cantárida *f* Kantharide *f*, spanische Fliege *f*; Kantharidenpflaster *n*; *fig.* F *aplicarle a alg.* ~*s* j-m bissig kommen F, j-m die Hölle heiß machen F.

cantarilla *f* irdener Krug *m*.

cantarín I. *adj.* **1.** sangesfreudig; immer singend; **2.** *lit.* murmelnd, plätschernd (*Wasser*); **II.** *m* **3.** Berufssänger *m*.

cántaro *m* **1.** (gr. Henkel-)Krug *m*; Krugvoll *m*; *fig.* F *alma f de* ~ Einfaltspinsel *m*, Tropf *m*, Taps *m* F; *moza f de* ~ Hausmagd *f*; *fig.* dralles (*od.* derbes) Frauenzimmer *n*; *adv. a* ~*s* haufenweise, in Hülle u. Fülle, in Mengen; in Strömen (*regnen*); **2.** *Weinmaß, reg. versch.*; **3.** Losurne *f*; **4.** F *Méj.* Baßtuba *f*.

canta|ta *f* ♪ Kantate *f*; *fig.* F langweilige Geschichte *f*; **~triz** *f* (Konzert-)Sängerin *f*.

cantazo *m* Steinwurf *m*.

cante *m* **1.** *bsd. Andal.* Singen *n*, Gesang *m*; **2.** *Andal.* Volks-lied *n*, -weise *f*; ~ *hondo*, ~ *jondo andal. sentimentale Volksweise.*

cantear I. *v/t.* abkanten, abschrägen; *Holz, Stein* (be)säumen; *Ziegel* auf die Schmalseite legen; **II.** *v/i. Guat.* e-e Sache versieben; **III.** *v/r.* ~*se* s. auf die Kante stellen; s. verschieben.

canteles *m/pl.* ⚓ Faßtaue *n/pl.*

cante|ra *f* **1.** Steinbruch *m*; **2.** *fig.* Mine *f*, unerschöpfliche Quelle *f*; **3.** *fig.* Nachwuchs *m* (*bsd. im Sport*); **~ría** *f* **1.** Steinmetz-, Steinhauerkunst *f*; **2.** Hau-, Quader-steine *m/pl.*; Quadersteinwerk *n*; **~rios** *Zim. m/pl.* Deckenbalken *m/pl.*; **~ro** *m* **1.** Steinbrucharbeiter *m*; Steinmetz *m*; **2.** Kanten *m*, Kante *f*, Ende *n* (*z. B. Brot*); **3.** *Am.* Gartenbeet *n*.

canticio F *m* häufiges, lästiges Singen *n*, Singerei *f* F.

cántico *m* **1.** Lob-gesang *m*, -lied *n*; *ecl.* ~ *de acción de gracias* Danklied *n*; **2.** *poet., bsd. K* Lied *n*.

cantidad *f* **1.** Quantität *f*; Anzahl *f*, Menge *f*; Summe *f*, Betrag *m*; *en* ~ in größerer Anzahl, in größerer Menge; ~ *alzada* veranschlagte Summe *f b. Kostenanschlag*; ~ *máxima* (*mínima*) Höchst- (Mindest-)menge *f*; ~ *de producción* Produktionsmenge *f*, Anfall *m*, Ausstoß *m*; F *ohne Artikel*: ~ (*de*) (Riesen-)Menge (*ac. od. nom.*); **2.** *Phon.* Quantität *f*, Silbenlänge *f*; **3.** 𝔄 Größe *f*; ~ *continua* kontinuierliche (*od.* stetige) Größe *f*.

cántiga *od.* **cantiga** *f lit. hist.* Lied *n*.

cantil *m* **1.** Steilklippe *f*; Felsenriff *n*; *Am.* Rand *m* e-s Steilhangs; **2.** *Guat. Art gr. Schlange.*

cantilena *f* ♪, *Lit.* Kantilene *f*; *fig.* F die alte Leier F.

cantimplora *f* **1.** Feldflasche *f*; Kühlkrug *m*; **2.** ⊕ Heber *m*, *bsd.* Weinheber *m*; **3.** *Guat.* Kropf *m*.

cantina *f* **1.** Weinkeller *m*; Trinkwasserkühlraum *m*; **2.** (Bahnhofs-*usw.*)Kantine *f*; *Am.* Taverne *f*, Schenke *f*; **3.** Proviant-koffer *m*, -tasche *f*, -behälter *m*; *Méj.* ~*s f/pl.* Satteltaschen *f/pl. für Verpflegung.*

cantinela *f* → *cantilena*.

cantine|ra *f* **1.** Kantinenwirtin *f*; **2.** ⚔ Marketenderin *f*; **~ro** *m* Kantinenwirt *m*; Kellermeister *m*.

canti|ña F *f* Liedchen *n*; Gassenhauer *m*; **~ñear** *v/i.* trällern, vor s. hinsummen.

cantizal *m* Stein-, Kiesel-feld *n*.

canto[1] *m* **1.** Singen *n*; Gesang *m*, Lied *n*, Weise *f*; *fig.* Lied *n*, Gedicht *n*; *Lit.* Gesang *m*; ~ *de alabanza* Loblied *n*; *fig.* ~ *del cisne* Schwanengesang *m*; ~ *guerrero* Kriegslied *n*; ~ *gregoriano*, ~ *llano* Gregorianik *f*; *fig.* F *en* ~ *llano* **a)** klar u. deutlich; **b)** schlicht u. einfach; **2.** Singen *n*, Gesangskunst *f*; **3.** Zirpen *n* (*Grille*); Quaken *n* (*Frosch*); ~ *de la codorniz* (*del ruiseñor, del pinzón*) Wachtel- (Nachtigallen-, Finken-)schlag *m*; ~ *del gallo* Hahnenschrei *m*, Krähen *n* des Hahns; *fig. al* ~ *del gallo* bei Tagesanbruch.

canto[2] *m* **1.** Kante *f*, Seite *f*; Ecke *f*, Rand *m*, Saum *m*; Bruchstück *n*; *de* ~ hochkant; F *al* ~ natürlich!; das kann gar nicht ausbleiben; wie erwartet; ~ (*de pan*) Kanten *m od.* Ranft *m* Brot; ~ *agudo*, ~ *vivo* spitze Ecke *f*; scharfe Kante *f*; *¡pruebas al* ~*!* (hier sind) die Beweise dazu!; **2.** (Messer-, Säbel-)Rücken *m*; **3.** vorderer Schnitt *m e-s Buches*; ~ *dorado* Goldschnitt *m*; **4.** Dicke *f e-r Sache*; *de 12 centímetros de* ~ 12 cm dick; **5.** Stein *m*; Kiesel *m*; ~ *rodado vom Wasser rundgeschliffener* Stein *m*; ~*s m/pl. rodados* Geröll *n*; **6.** Steinwerfen *n* (*Wurfspiel der Kinder*).

cantón[1] *m* **1.** Ecke *f*; **2.** ⊠ Quartier *n*, Feld *n*; **3.** Kanton *m* (*a. Schweiz*), Kreis *m*, Bezirk *m*; **4.** ⚔ Quartier *n*.

cantón[2] *tex. m Méj.* Kantonkaschmir *m*.

cantona|do ⊠ *adj.* mit Nebenfeldern; **~l** *adj. c* Kantonal...; **~lismo** *Pol. m* **1.** Kantonalsystem *n*; **2.** Kantonalismus *m*, Zerfall *m* e-s Staates *in fast unabhängige pol. Einheiten* (*entarteter Föderalismus*); **~lista** *adj.-su. c* kantonalistisch, zur kantonalen Aufgliederung neigend.

cantone|ar F *v/i.* herumlungern, (das) Pflaster treten F; **~ra** *f* **1.** ⊕ Kante(nschutz *m*) *f*, Randleiste *f*, Eckbeschlag *m*; Treppenleiste *f*; Kolbenbeschlag *m am Gewehr*; Ecke *f* († *u. Bucheinband*); **2.** *fig.* F Dirne *f*; **~ro I.** *adj.* **1.** herumschlendernd, Müßiggänger...; **II.** *m* **2.** Eckensteher *m*, Pflastertreter *m*; **3.** *Buchb.* Vergoldungsmesser *n*.

canto|r I. *adj.-su.* Sing...; (*aves f/pl.*) ~*as f/pl.* Singvögel *m/pl.*; **II.** *m* Sänger *m* (*a. fig.*); ~ *de cámara* (*de feria*) Kammer- (Bänkel-)sänger *m*; *Thea. los Maestros* ♀*es de Nuremberg* die Meistersinger von Nürnberg; **III.** *adj. Rpl.* armselig (*Pferdegeschirr*); **~ra** *f* ⚒ Sängerin *f*; F *Bol., Chi., Pe.* Nachtgeschirr *n*; **~ral** *ecl. m* Chorbuch *n*.

canto|rral *m* steiniges Gelände *n*; **~rroso** *adj.* steinig.

cantueso ⚘ *m* Stöchaslavendel *m*.

cantu|ría *f* **1.** Singen *n*; ♪ Melodie *f*, Singweise *f*; **2.** Singsang *m*, eintöniges Geleier *n* F; **~rrear** *v/i.* → *canturriar*; **~rreo** *m* Trällern *n*, Summen *n*; *fig.* F Herunterleiern *n* F; **~rria** *f* → *cantura* 2; **~rriar** F *v/i.* (halblaut) trällern, vor s. hinsummen; *fig.* F her(unter)leiern.

cantuta ⚘ *f Am. Mer.* Bartnelke *f*.

cánula ⚕ *f* Kanüle *f*, Rohr *n*.

canular *adj. c* rohrförmig.

canu|tero *m* Nadelbüchse *f*; *Am.* Federhalter *m*; Füllfeder *f*; **~tillo** *m* **1.** Röllchen *n* (*Gebäck*); **2.** gedrehter Gold- *od.* Silberdraht *m zum Sticken.*

canuto[1] *m* **1.** → *cañuto 1*; **2.** ⚔ (Dienst-)Entlassung *f*; **3.** ⊕ Stutzen *m*, kurze Röhre *f*; **4.** *Zo.* Eierpaket *n der Heuschrecken*; **5.** *Méj.* Vanilleeisrolle *f*.

canuto[2] F *m Chi.* protestantischer Pfarrer *m*.

caña *f* **1.** ⚘ (Schilf-)Rohr *n*; Rohrpalme *f*; ~ (*de azúcar*, ~ *dulce*, ~ *melar*) Zuckerrohr *n*; *Am. Cent., Méj. Reg.* ~ *agria versch. Ingwergewächse*; *Am. trop.* ~ *amarga, Hond., C. Ri., Méj., Pe., Ven.* ~ *brava* wildes Zuckerrohr *n*; *Cu., P. Ri.* ~ *brava ein Rispengras*; ~ *de bambú* (*de Batavia*) Bambus- (Batavia-)rohr *n*; ~ *de Bengala*, ~ *de Indias* Rotang *m*, Peddigrohr *n*; *Am.* ~ *de Castilla* weißes Zuckerrohr *n*; ~ *de cuentas*, ~ *de* (*la*) *India* → *cañacoro*; *fig. las* ~*s se vuelven lanzas* aus Scherz wird (oft) Ernst; **2.** *fig.* F lange Latte *f* F, Hopfenstange *f* F (*Person*); **3.** Rohr *n*, Stange *f*; Rohr-, Spazier-stock *m*; (Anker-, Gewehr-, Säulen-, Stiefel-)Schaft *m*; ~ (*de pescar*) Angelrute *f*; ⚓ ~ *del timón* Ruderpinne *f*; **4.** Röhrenknochen *m*, *bsd.* Schienbein *n* u. Armknochen *m*; *p. ext.* Knochenmark *n*; ~ *de buey*,

~ *de vaca* Rindermark *n*; **5.** Glasbläserpfeife *f*; Blasrohr *n*; ♪ Ansatz(rohr *n*) *m*, Mundstück *n*; **6.** *Weinmaß*: Stange *f*, hohes Glas (*bsd. für „manzanilla"*); *Span.* kl. Glas *n* Bier; **7.** *Col.*, *Cu.*, *Chi.*, *Méj.*, *Ven.* Zuckerrohrschnaps *m*; **8.** (Blut-)Rinne *f an Seitengewehren u. ä.*; **9.** ⚒ Gang *m*, Stollen *m*; **10.** *Col. ein Volkstanz*; **11.** *Reg. Flächenmaß*: 6 Ellen im Quadrat; **12.** *Col.*, *Ven.* Angeberei *f*, Prahlerei *f*; *Col.*, *Ec.*, *Ven. fig.* Ente *f* F, Falschmeldung *f*; **13.** Beinling *m* (*Strumpf*); □ Strumpf *m*; **14.** *hist. correr* ~*s* tjosten, Lanzen-, Ringelstechen halten. [Rohr *n*.]

cañacoro ⚘ *m* Indisches (Blumen-)

cañada *f* **1.** Hohlweg *m*, Engpaß *m*; **2.** (*real*) ~ Viehtrift *f*, *Weideweg der Wanderherden*; **3.** *hist. u. Reg.* Wege-, Weide-geld *n* (*Abgabe der Wanderhirten*); **4.** Knochen-, *bsd.* Rinder-mark *n*; *fig.* F *hasta* (*od. en*) *la* ~ *de los huesos* bis ins Mark (*erschauern*). [*n*.]

cañaduz *f Andal.*, *Col.* Zuckerrohr

cañafís|tola, ~tula ⚘ *f* Fistelrohr *n*.

caña|heja, ~herla ⚘ *f* Harz-, Gummi-Kraut *n*, Narthex *m*; **~hua** ⚘ *f Pe.* Indianerhirse *f*; **~huate** ⚘ *m Col. guajakähnlicher Baum.*

cañahueca F *c* Schwätzer *m* F.

cañal *m* Fischwehr *n*; Fischgraben *m* (*künstliche Flußabzweigung*).

cañama|r *m* Hanffeld *n*; **~zo** *m* **1.** (Hanf-)Werg *n*; **2.** Hanfleinwand *f*; Stramin *m*, Stickleinen *n*; **3.** ⊕ *öfter für* Gitter *n*, Raster *m*; **4.** ⚘ Wasserdost *m*; *Cu. ein immergrünes Gras.*

cañame|lar *m* Zuckerrohrpflanzung *f*; **~ño** *adj.* aus Hanf, hanfen; **~ro** *adj.* Hanf...; *industria f* ~*a* Hanfwirkerei *f*; -industrie *f*.

cañamiel ⚘ *f* Zuckerrohr *n*.

cañamiza *f* Hanfabfall *m*.

cáñamo *m* **1.** ⚘ Hanf *m*; *Am. versch. Textilpfl.*; ~ *indio* indischer Hanf *m*; ~ *de Manila* (*en rama*) Manila-(Bast-, Roh-)hanf *m*; **2.** Hanf-faser *f*; -leinwand *f*; (*estopa f de*) ~ Hanfwerg *n*; **3.** *poet.* Strick *m*, Tau *n*.

cañamón *m* Hanfsamen *m*; *aceite m de* ~*ones* Hanföl *n*. [wehr *n*.]

cañar *m* **1.** Röhricht *n*; **2.** Fisch-

caña|riego *adj.* Weideweg..., Wanderherden...; **~rroya** ⚘ *f* Mauerkraut *n*.

caña|vera ⚘ *f* Binse *f*, Stuhl-, Dach-rohr *n*; **~veral** *m* Röhricht *n*, Ried *n*; (*a.* Zucker-)Rohrfeld *n*; **~zo** *m* **1.** Schlag *m* mit e-m Rohrstock; *fig.* F *dar* ~ *a uno* j-m e-n Schlag versetzen (*fig.*), j-m Kummer machen; *Cu. darse* ~ hereinfallen (*fig.*); **2.** *Am.* Zuckerrohrschnaps *m*; *Cu.*, *P. Ri.* kräftiger Schluck *m* Schnaps.

cañe|do *m* → *cañaveral*; **~ra** *f* **1.** ⚘ → *cicuta*; **2.** → *cañero* 2; **~ría** ⊕ *f* Rohr-leitung *f*, -netz *n*; ~ *de agua* (*de gas*) Wasser- (Gas-)leitung *f*; **~ro**[1] *m* **1.** Brunnenmeister *m*; Rohr-macher *m*; -leger *m*; **2.** *Andal.* Servierbrett *n für Weingläser*; **3.** *prov.* Angler *m*.

cañero[2] **I.** *adj.* Zuckerrohr...; *industria f* ~*a* Zuckerrohr- *bzw.* Rohrzucker-industrie *f*; **II.** *m Cu.* Zuckerrohrverkäufer *m*; *Hond.* Zuckerrohrschnapshersteller *m*.

cañete *m* **1.** (*ajo m*) ~ rotschaliger Knoblauch *m*; *Reg. beber a* ~ am Strahl trinken *aus dem "botijo"*; **2.** F *P. Ri.* Rum *m*.

cañí □ F *adj.-su. c* Zigeuner(...) *m*; *la España* ~ spanische Folklore *f* für Touristen (*Stierkämpfe*, *Flamenco usw.*).

cañi|hueco *adj.* hohlhalmig (*Weizen*); **~lavado** *adj.* dünnbeinig (*Pferd*).

cañista *m* Rohrflechter *m*.

cañita *f dim. v. caña.*

cañiza I. *adj. c* längsgestreift (*Holz*); **II.** *f* grobe Leinwand *f*.

cañiza|l, ~r *m* → *cañaveral.*

cañizo *m* Rohrgeflecht *n*; Hürde *f*, Darre *f* (*zum Obstdörren*); Seidenraupenlege *f*; ⚠ Verputz-, Deckengeflecht *n*; *Reg. geflochtene* Seitenwand *f des Leiterwagens*; *Reg.* Gatter-, Gitter-tor *n*.

caño *m* **1.** Röhre *f*, Rohr *n* (*a.* ⊕); ⊕ (Rohr-)Stutzen *m*; Abzugsrohr *n*; Schlüsselbüchse *f* (*Schloß*); **2.** Brunnenrohr *n*; Wasserstrahl *m*; *p. ext.* Brunnen *m*; **3.** Abzugsgraben *m*; **4.** ⚓ enge Hafen- *od.* Buchtausfahrt *f*; enges Fahrwasser *n*; **5.** Kühl-, Tief-keller *m*; **6.** ⚒ Schacht *m*, Stollen *m*; **7.** Orgelpfeife *f*; **8.** *prov.* Kaninchen-bau *m*; -gehege *n*; **9.** *Col.* Bach *m*; **10.** *Am. oft für cañón.*

cañón *m* **1.** Rohr *n* (*a. e-s Fernrohrs*); Brunnenrohr *n*; ~ *de chimenea* Schornstein *m*; Kaminrohr *n*; ~ *de estufa* Ofenrohr *n*; **2.** (Flinten-, Geschütz-)Lauf *m*; ~ *doble* Doppellauf *m* (*Büchse*); ~ *estriado*, ~ *rayado* (*liso*) gezogener (glatter) Lauf *m*; **3.** ⚔ Kanone *f*; Geschütz *n*; ~ *antiaéreo* (*antitanque*) Flak- (Pak-)geschütz *n*, Flug- (Panzer-)abwehrkanone *f*; ~ *de a bordo* ⚓ Bordgeschütz *n*; ✈ Bordkanone *f*; ~ *cohete* Raketengeschütz *n*; *hist.* ⚓ ~ *de crujía* Deckgeschütz *n* (*auf dem Mitteldeck*); ~ *giratorio* Drehgeschütz *n*; **4.** Cañon *m*, *tiefeingeschnittenes* Flußbett *n od.* Tal *n*; *Méj.*, *Pe.*, *P. Ri.* Hohlweg *m*, Engpaß *m*; **5.** ~ *de órgano* Orgelpfeife *f*; **6.** Stoppel *f* (*Bart*, *Gefieder*); ↖ (Stroh-)Halm *m*; ~ (*de pluma*) Federkiel *m*; **7.** ↖ (Stiefel-)Schaft *m*; **8.** *Thea.* Hauptscheinwerfer *m der Bühnenbeleuchtung von außen*; **9.** *Equ.* Seitenteil *m des Gebisses*; **10.** Rundfalte *f an Gewand od. Kragen*; **11.** *Méj.* Pulquefaß *n*; **12.** *Col.* Baumstamm *m*; **13.** *Ven.* Straßenmusikanten *m/pl.*; **14.** □ Strolch *m*; Angeber *m*, Hinterbringer *m*.

caño|nazo *m* Kanonenschuß *m*; Kanonendonner *m*; **~near I.** *v/t.* mit Geschützfeuer belegen; **II.** *v/i.* mit Kanonen schießen; **~neo** *m* Beschießung *f*, Kanonade *f*; Geschützfeuer *n*; ~ *de tambor* Trommelfeuer *n*; **~nera** *f* **1.** Schießscharte *f*; Geschützstand *m*; ⚓ Stückpforte *f*; **2.** ⊕ Schenkel *m*; **3.** *Am.* Pistolenhalfter *n*; **4.** Feldzelt *n*; **5.** ⚓ Kanonenboot *n*; **~nería** *f* **1.** Pfeifen(werk *n*) *f/pl. e-r Orgel*; **2.** Geschütze *n/pl.*, Artillerie *f*; **~nero** ⚔ **I.** *adj.* **1.** *lancha f* ~*a* Kanonenboot *n*; **II.** *m* **2.** Kanonier *m*; **3.** Kanonenboot *n*.

cañuela ⚘ *f* Wiesenschwingel *m*.

cañutazo F *m* Klatsch *m*, Tratsch *m*.

cañu|tería *f* Gold- *od.* Silber-drahtstickerei *f*; **~tero** *m* Nadelbüchse *f*; **~tillo** *m* **1.** gedrehter Gold- *od.* Silberdraht *m zum Sticken*; **2.** Glasröhrchen *n für Kleiderbesatz*; **3.** Eierpaket *n der Heuschrecken*; **4.** *Min.* Antimonkupferglanz *m*; **5.** ✂ *injertar de* ~ hinter die Rinde pfropfen.

cañuto *m* **1.** Rohr-, Halm-abschnitt *m zwischen zwei Knoten*; **2.** *fig.* F Klatschmaul *n* F, Ohrenbläser *m*.

cao *Vo. m Cu.*, *S. Dgo.* Jamaikarabe *m*. [*n*.]

caoba ⚘ *f* Mahagoni-baum *m*; -holz

caolín *m* Kaolin *n*, Porzellanerde *f*.

ca|os *m* Chaos *n* (*a. fig.*); **~ótico** *adj.* chaotisch.

capa *f* **1.** Umhang *m*, Pelerine *f*, Radmantel *m*; Cape *n*; Capa *f der Stierkämpfer*; *kath.* Chormantel *m*; ~ *consistorial*, ~ *magna lt.* Cappa magna *f*, bischöflicher Chormantel *m*; *fig. andar* (*od. ir*) *de* ~ *caída* **a)** niedergeschlagen sein; **b)** heruntergekommen sein, jämmerlich aussehen; **c)** an Ansehen verlieren; F *ser más cumplido que* ~ *de coro* sehr etepetete sein F; F *dar la* ~ das Letzte (*od.* alles bis aufs Hemd) hergeben; *dejar* (*od. echar od. soltar*) *la* ~ *al toro* s. e-s kleineren Vorteils begeben, um ein größeres Ziel zu erreichen (*od.* um e-r Gefahr zu entgehen); Haare lassen, aber davonkommen F; *fig. hacer de su* ~ *un sayo* mit s-n Sachen (*od.* in s-n Angelegenheiten) tun können, was man will; *no tener más que la* ~ *en el hombro* gerade das Hemd auf dem Leibe besitzen (= *sehr arm sein*); *fig. tirar a uno de la* ~ j-m e-n Wink geben; **2.** Vorwand *m*; *so* ~ heimlich, verstohlen; *so* (*od. bajo*) ~ *de* unter dem Vorwand von + *dat. od.* zu + *inf.*; **3.** *a.* ⊕, *Geol.* Lage *f*, Schicht *f*; *Min.* Flöz *n*; ⊕ Belag *m*, Auflage *f*, Überzug *m*; ⚠ Anstrich *m*, Übertünchung *f*; ~ *aislante* Isolierschicht *f*; ~ *de cal*, ~ *de yeso* Tünche *f*, Verputz *m*; *fig.* ~*s sociales* soziale Schichten *f/pl.*; *fig.* ~ *superficial* oberflächliche Schicht *f*, Tünche *f* (*fig.*); **4.** Decke *f*, Hülle *f*; Deckblatt *n e-r Zigarre*; Haarfarbe *f*, Decke *f der Tiere*; **5.** ⚓ Primgeld *n*; **6.** ⚓ *a la* ~ beigedreht; **7.** Vermögen *n*; **8.** *fig.* ~ (*de ladrones*) Hehler *m*; **9.** ⛉ Wappenmantel *m* (*Schildumrahmung*); **10.** *Zo.* Paka *n*; **11.** □ Nacht *f*.

capá ⚘ *m* (*pl.* ~*aes*) *Ant. Baum* (*Schiffsbauholz*).

capacete *m* **1.** *hist.* Sturmhaube *f*; **2.** *Cu.*, *P. Ri.* Verdeck *n e-s Wagens.*

capacidad *f* **1.** Fassungsvermögen *n*; ⊕ Kapazität *f*; Leistung(sfähigkeit) *f*, Kraft *f*; ⚓ Ladefähigkeit *f*; ✈ Tragfähigkeit *f*; ~ *de absorción* Absorptionsfähigkeit *f*; Aufnahmeleistung *f*; ~ *de elevación* Förderleistung *f* (*Elevator*, *Pumpe*); ✈ Steigfähigkeit *f*; ~ *de producción* Produktionskapazität *f*; **2.** ⚖ Kompetenz *f*, Rechtsbefähigung *f*; ~ *jurídica* (*de gestión*) Rechts- (Geschäfts-)fähigkeit *f*; *tengo* ~ *para ello* ich bin dazu berechtigt; ~ *de conducir* Fahrtüchtigkeit *f*; **3.** Fähigkeit *f*, Befähigung *f*, Tüchtigkeit *f*; Klugheit *f*, Talent *n*; ~ *de trabajo* Arbeits-vermögen *n*; -fähigkeit *f*; (*tener*) *gran* ~ *para las lenguas* e-e große Sprachbegabung (haben); **4.** Inhalt *m*, Raum *m*; Rauminhalt *m*; *medida f de* ~ Hohlmaß *n*; **5.** Gelegenheit *f*, *et. zu tun.*

capacita|ción *f* **1.** Befähigung *f*, Begabung *f*; **2.** Aus-, Fort-bildung *f*; Schulung *f*; **~r I.** *v/t.* **1.** berechtigen, *j-m* das Recht geben (zu + *inf. od.* + *dat. para*); **2.** befähigen; schulen; geeignet machen; **3.** *Chi.* bevollmächtigen; beauftragen; **II.** *v/r.* **~se 4.** ~*se para* s. die Fähigkeiten (*bzw.* die Kenntnisse) zu (*dat.*) aneignen; den Befähigungsnachweis für (*ac.*) erbringen.

capa|cha *f* Obstkörbchen *n*; **~chero** *m* Korb-, Kiepen-träger *m*; Hersteller *m von capazos*; **~cho** *m* **1.** ⚘ *Art* Indisches Rohr *n*; **2.** *fig.* F Barmherziger Bruder *m* (*kath. Orden*); **3.** *Bol.* alter Hut *m*; **4.** *Vo.* Strandfischer *m*; **5.** → *capazo.*

capa|dor *m* (Ver-)Schneider *m von Tieren*; **~dura** *f* **1.** Verschneiden *n*, Kastrieren *n*; Kastrationsnarbe *f*; **2.** minderwertiger Tabak *m*; **~r** *v/t.* **1.** *Tiere*, V *a. Menschen* verschneiden, kastrieren; *Hähne* kappen; **2.** *fig.* F vermindern, beschneiden.

caparazón *m* **1.** Satteldecke *f*; Schabracke *f*; Überdecke *f*; Wagenverdeck *n*; **2.** Panzer *m der Schildkröten, Krebse usw.*; Deckflügel *m/pl. der Käfer*; **3.** Futtersack *m für Zugtiere.*

caparro *m Col., Pe., Ven. ein weißer* [*Affe.*]

caparrón *m* Baum- *bzw.* Rebknospe *f*, Auge *n*; *prov.* → *alubia*; *judía*; *alcaparra.*

capa|rrós *m*, **~rrosa** *f* Vitriol *n*; ~ *azul* Kupfervitriol *n.*

capataz *m* (*pl.* ~*aces*) **1.** Vorarbeiter *m*; Aufseher *m*; Werkmeister *m*; Münzmeister *m*; △ Polier *m*; 🚂 Rottenführer *m*, Bahnmeister *m*; ⚒ Groß-, Ober-knecht *m*; ~ *de cultivo etwa*: landwirtschaftlicher Meister *m*; ⚒ ~ *de minas* Steiger *m*; **2.** *fig.* (An-)Führer *m*, Chef *m.*

capaz *adj. c* (*pl.* ~*aces*) **1.** fähig, befähigt, begabt, tüchtig, tauglich, geschickt, imstande; ~ *para un cargo* für ein Amt geeignet; ⚖ ~ *de* (*od. para*) *contratar* geschäftsfähig; ⚖ ~ *para* (*od. de*) *heredar* erbfähig; ~ *de todo* zu allem fähig; *ser* ~ *de* + *inf.* imstande sein, zu + *inf.*, vermögen zu + *inf.*; **2.** geräumig, weit, groß; ~ *para 60 litros* 60 Liter fassend.

capazo *m* Espartokorb *m*; geflochtene Einkaufstasche *f*; Tragkorb *m für Mörtel usw.*

capci|ón *f* → *captación*; *captura*; **~osidad** *f* Verfänglichkeit *f*; **~oso** *adj.* verfänglich, Fang..., Suggestiv...; *pregunta f* ~*a* Fangfrage *f.*

capea *Stk.* **1.** Reizen *n* des Stiers *mit der Capa*; **2.** Amateurkampf *m* mit Jungstieren; **~dor** *Stk. m* Capeador *m*, *Kämpfer, der mit der Capa reizt*; **~r I.** *v/t.* **1.** *Stk. den Stier* mit der Capa reizen; **2.** *fig.* F an der Nase herumführen, hinhalten; **3.** ~ *el temporal* ⚓ vor dem Winde liegen, beiliegen; *fig.* in Gefahr standhaft bleiben; **II.** *v/i.* **4.** an e-r „Capea" teilnehmen.

cape|lina ⚕ *f* → *capellina* 2; **~lo** *m* **1.** *kath. u.* ▨ Kardinalshut *m*; Kardinalswürde *f*; *hist.* Kardinalsrente *f*; **2.** *Am.* Glassturz *m*, Glocke *f*; **3.** † Hut *m*; **4.** *Am.* Doktorhut *m bzw.* Professorentalar *m* (mit Doktorhut).

capellán *m* **1.** Kaplan *m*; *p. ext.* Geistliche(r) *m*; Hauskaplan *m*; ~ *castrense* Militärgeistliche(r) *m*; **2.** F ~*anes m/pl. prov.* Speicheltropfen *m/pl.*; **3.** F *prov.* Pferdeschwanz *m.*

capellanía *f* Kaplanei *f*, Kaplanstelle *f*, -pfründe *f*; F *Col.* Feindschaft *f*, Groll *m*, Pick *m* F.

capellina ⚕ *f* Haube *f*, Kopfverband *m.*

capeo *m* **1.** *Stk.* Capaschwenken *n*, Reizen *n des Stiers* mit der Capa; ~*s m/pl.* Jungstierkampf *m*; **2.** ⚓ Beidrehen *n.* [„*capea*".]

capeón *m* Jungstier *m für e-e*

caperu|cita *f* Käppchen *n*; ♀ *roja* Rotkäppchen *n* (*Märchen*); **~za** *f* Kapuze *f*, Kappe *f* (*a. fig.*); ⊕ Haube *f*, Kappe *f*; ~ *de la chimenea* Kaminaufsatz *m*; *Rf.* ~ *de válvulas* Röhrenanschlußkappe *f.*

capetonada ⚕ *f* Tropenerbrechen *n.*

capia *Ke. f Arg., Col., Pe. süße Maisart*; Zuckermais *m* (*Süßspeise*).

capicúa *f* symmetrische Zahl *f* (*z. B.* 1991); von beiden Seiten lesbares Wort *n* (*z. B. ala — ala*, *Roma — Amor*); Stein *m*, den man an beiden Enden des Spiels ansetzen kann (*Domino*), Zug *m damit.*

capigo|rra *m*, **~rrista** *adj.-su. c*, **~rrón** F *m* Tagedieb *m*, Schmarotzer *m* F.

capila|r *adj.c-su. m* haar-förmig, -fein; Haar..., Kapillar...; *presión f* (*tensión f*) ~ Kapillar-druck *m* (-spannung *f*); (*tubo m*) ~ Kapillarröhrchen *n*; (*vasos m/pl.*) ~*es* Kapillargefäße *n/pl.*; **~ridad** *f* **1.** Haarfeinheit *f*; **2.** *Phys.* Kapillarität *f*; Kapillar-kraft *f*; -wirkung *f.*

capilla *f* **1.** Kapelle *f*; Personal *n* e-r Kapelle; Kirchen-musiker *m/pl.*, -chor *m*; ~ *ardiente* (Raum *m* für die) feierliche Aufbahrung *f*; ~ *mayor* Altarraum *m*, Apsis *f*; *estar en* ~ die Hinrichtung erwarten; *fig.* in tausend Nöten (*od.* Ängsten) sein; **2.** ⚔ Feldaltar *m*; Meßzelt *n*; **3.** *fig.* F Gruppe *f*, Clique *f*; **4.** (*bsd.* Mönchs-)Kapuze *f*; **5.** *Typ.* Aushängebogen *m*; **6.** ⊕, ⚓ Schutz *m*, Schutzhaube *f.*

capille|jo *m* **1.** Kinderhäubchen *n*; **2.** Strähne *f* Nähseide; **~ta** *f* Seitenkapelle *f*; (Kapellen-)Nische *f.*

capillo *m* **1.** leinene Kinderhaube *f*; Tauf-häubchen *n*, -hemd *n*; **2.** (Vorder-)Kappe *f* (*Schuh*); **3.** Blumenknospe *f*; Kokonhülle *f*; **4.** *Jgdw.* Kaninchennetz *n*; **5.** Wikkel *m e-r Zigarre*; **6.** *pharm.* Kapsel *f über dem Flaschenverschluß*; **7.** Wachsfilter(sack *m*) *n*; ⚓ Schutz(überzug) *m*; **8.** *Am. Mer.* Schmelztiegel *m für Zinn u. Blei*; **9.** *Pe.* Medaille *f zur Erinnerung an Taufe od. Eheschließung.*

capiro|tada *f* **1.** *Kchk.* Kräutertunke *f mit Eiern, Knoblauch usw.*; *Am.* Eintopf *m* (*Fleisch, Käse, Mais*); **2.** P *Méj.* Massengrab *n*; **~tado** ▨ *adj.* gehaubt (*bsd. Falken*); **~tazo** *m* Kopfnuß *f*, Nasenstüber *m*; **~te I.** *adj. c* **1.** mit andersfarbigem Kopf (*Rind*); **II.** *m* **2.** Kappe *f*; hohe, spitze Mütze *f*; Doktormantel *m* mit Haube *in den Fakultätsfarben*; **3.** Falkenhaube *f*; **4.** Bienenkorbabdeckung *f*; **5.** Klappverdeck *n* (*Wagen*); **6.** Kopfnuß *f*; **7.** *fig. tonto de* ~ stockdumm.

capitación *hist. f* Kopfsteuer *f.*

capital I. *adj. c* hauptsächlich, wesentlich; Haupt..., Kapital...; *delito m* ~ schweres Verbrechen *n*; *pecado m* ~ Todsünde *f*; *pena f* ~ Todesstrafe *f*; *punto m* ~ Hauptpunkt *m*; **II.** *f* Hauptstadt *f*; Großstadt *f*; ~ *de distrito* (*federal*) Bezirks- (Bundes-)hauptstadt *f*; ~ *de partido* (*de país*) Kreis- (Landes-)hauptstadt *f*; ~ *de territorio* Landeshauptstadt *f in Bundesstaaten*; **III.** *adj.-su. f* (*letra f*) ~ Großbuchstabe *m*, *Typ.* Versal *m*; **IV.** *m* Kapital *n*; ~ *en acciones* Aktienkapital *n*; ~ *circulante* Umlaufvermögen *n*; ~ *fijo*, ~ *inmovilizado* Anlagekapital *n*; ~ *de explotación* Betriebskapital *n*; ~ *disponible*, ~ *líquido* (*suscrito*) flüssiges (gezeichnetes) Kapital *n*; ~ *social* Gesellschaftskapital *n*; Stammkapital *n* (*GmbH*); Grundkapital *n* (*AG*); *mercado m de* ~*es* Kapitalmarkt *m.*

capita|lidad *f* hauptstädtischer Charakter *m*; **~lismo** *m* Kapitalismus *m*; **~lista I.** *adj. c* kapitalistisch; **II.** *c* Kapitalist *m*; Geldgeber *m*; **~lizable** *adj. c* kapitalisierbar; **~lización** *f* Kapitalisierung *f*; **~lizar** [1f] *v/t.* kapitalisieren; **~lmente** *adv.* **1.** tödlich, schwer; **2.** wesentlich, hauptsächlich.

capitán *m* **1.** Hauptmann *m*; ⚓ Kapitän *m*; ~ *de altura* Kapitän *m* auf großer Fahrt; ~ *aviador* Flugkapitän *m*; ⚔ Fliegerhauptmann *m*; ~ *de caballería* Rittmeister *m*; ~ *de corbeta* (*de fragata*) Korvetten- (Fregatten-)kapitän *m*; ~ *general* Generaloberst *m* (*höchster Rang in Span.*); Wehrbereichskommandant *m*; → *a.* 3.; ~ *de navío* Kapitän *m* zur See; **2.** Heerführer *m*; Anführer *m*; ~ *de bandoleros* Räuberhauptmann *m*; **3.** *hist.* General *m*; Admiral *m*; ~ *general* Generalkapitän *m*; Statthalter *m*; ~ *general de la armada* (*de ejército*) Großadmiral *m* (Oberbefehlshaber *m* des Heeres); *Gran* ♀ = *der span. Feldherr Gonzalo Fernández de Córdoba* (*1453-1515*); F (*son*) *las cuentas del Gran* ♀ das ist ja sagenhaft teuer, das kann kein Mensch bezahlen F; **4.** *Sp.* Mannschafts-führer *m*, -kapitän *m*; *neol.* ~ *de industria* Industriekapitän *m*, Großindustrielle(r) *m.*

capita|na *f* **1.** *hist.* ⚓ Flagg-, Admirals-schiff *n*; **2.** Frau *f* e-s *capitán*; *fig.* Anführerin *f*; **~near** *v/t.* befehligen, (an)führen, leiten (*a. fig.*); **~nía** *f* **1.** Hauptmannsstelle *f*; *fig.* Führerschaft *f*; **2.** Hafenbehörde *f*; ⚒ Hafengeld *n*; **3.** ~ *general* Amt *n* des Wehrbereichskommandanten; *hist.* Generalkapitanat *n*, Statthalterschaft *f*.

capitel △ *m* Kapitell *n*; Turm-spitze *f*.

capito|lino I. *adj.* kapitolinisch; **II.** *m* Edelsteinsplitter *m*; **♀lio** *m* Kapitol *n*.

capitón *m* **1.** *Fi.* Meeräsche *f*; **2.** *Reg.* Schlag *m* auf den Kopf; Nicken *n e-s Schläfrigen.*

capitoste F *m* Bonze *m*; Obermacher *m* F, Boß *m* F.

capítula *kath. f* Schriftlesung *f nach Psalm u. Antiphon.*

capitula|ción *f* **1.** Vertrag *m*, Pakt *m*; *~ones f/pl. matrimoniales* Ehevertrag *m*; **2.** ⚔ Kapitulation *f*; **~r I.** *adj. c* **1.** zu e-m Kapitel gehörig; Kapitel..., Ordens...; Gemeinde..., Stadtverordneten...; *manto m* ~ Ordensmantel *m*; *sala f* ~ Stadtrats- *bzw.* Gemeinde-saal *m*; *Rel.* Kapitelsaal *m*; **II.** *m* **2.** Domkapitular *m*, Stiftsherr *m*; **3.** Stadtrat *m*, Ratsherr *m*; **4.** *~es m/pl.* Ordensregeln *f/pl.*; **III.** *v/t.* **5.** vereinbaren; **6.** ⚒ zur Verantwortung (*od.* zur Rechenschaft) ziehen; **IV.** *v/i.* **7.** kapitulieren (*a. fig.*), s. ergeben; *fig.* ~ *con la conciencia* sein Gewissen befragen.

capítulo *m* **1.** *Rel.* Kapitel *n*, Ordensversammlung *f*; **2.** Domkapitel *n*; Stift *n*; **3.** Kapitel *n* (*Buch usw.*); **4.** Beschuldigung *f*, Anklage *f*; ~ *de cargos*, ~ *de culpas*, ~ *de pecados* Sündenregister *n*; *llamar* (*od. traer*) *a uno a* ~ von j-m Rechenschaft fordern.

capó *Kfz. m* Motor-, Kühler-haube *f*.

capola|do *m Arg.* Hackfleisch *n*; **~r** *v/t.* kleinhacken.

capón *m* **1.** Kapaun *m*; *allg.* verschnittenes Tier *n*; *Rpl.* Hammel *m*; *a. adjektivisch*: *cerdo m* ~ Mastschwein *n*; *caballo m* ~ Wallach *m*; **2.** Reisigbündel *n*.

capona ⚔ *f* Achselklappe *f*.

caponar *v/t. Rebschößlinge* hochbinden.

caponera *f* **1.** Kapaun(en)käfig *m*; **2.** F Gefängnis *n*, Kittchen *n* F.

caporal *m* Anführer *m*; Aufseher *m*; Viehaufseher *m*; ⚔ Gefreite(r) *m*, Korporal *m*.

capot *m* → *capó*.

capota¹ *f* **1.** ⚘ Distelkopf *m*; **2.** Kapotthut *m*; **3.** Verdeck *n* (*Kfz.*).

capota² *f* Capa *f* ohne Kragen.

capo|taje *m* ✈ Kopfstand *m*; *Kfz.* Kühler-, Motor-haube *f*; **~tar** ✈ *v/i.* s. auf den Kopf stellen, s. nach vorn überschlagen; **~tazo** *Stk. m* Figur *f* mit dem *capote*; **~te** *m* **1.** Regenmantel *m*; weiter Überrock *m*; Arbeits-, Schutz-mantel *m*; Umhang *m*; ~ *de brega* (*de paseo*) roter (bunter) Stierkämpfermantel *m*; ~ (*militar*) Militärmantel *m*; ~ *de monte Art* Poncho *m*; *dar* ~ *Kart.* alle Stiche machen; *fig.* alle Trümpfe in der Hand haben; *dar* ~ *a alg.* j-m alle Trümpfe aus der Hand nehmen, j-m den Wind aus den Segeln nehmen; *fig. decir para* (*od. a*) *su* ~ bei s. sagen (*od.* denken); **2.** *fig.* (Gewitter-)Wolken *f/pl.*; **3.** finstere Miene *f*; **4.** *Méj. adv. de* ~ heimlich.

capote|ar *v/t. Stk.* → *capear*; *fig.* j-n hinhalten; **~o** *m su. zu* → *capotear*; **~ra** *f* **1.** *Am.* Kleiderbügel *m*; **2.** *Ven.* Reisetasche *f*; **~ro I.** *adj.*: *aguja f* **~a** Sattlernadel *f*; **II.** *m* Mantel-, Capa-schneider *m*.

caprario *adj.* Ziegen...

Capricornio *m* **1.** *Astr.* Steinbock *m*; **2.** *Ent.* ♀*s m/pl.* Bockkäfer *m/pl.*

capricul|tor *m* Ziegen-halter *m*, -züchter *m*; **~tura** *f* Ziegen-haltung *f*, -zucht *f*.

capricho *m* Einfall *m*, Laune *f*, Grille *f*, Schrulle *f*, Kaprice *f*; Eigensinn *m*, Willkür *f*; ~ *de la naturaleza* Laune *f* der Natur; *a* ~ nach Belieben, nach Laune; *por* (*puro od. mero*) ~ aus (purer) Laune F, aus (reiner) Willkür; **~so I.** *adj.* launenhaft, launisch; wunderlich, schrullig; willkürlich, kapriziös, bizarr; **II.** *m a.* Phantast *m*.

cápridos *Zo. m/pl.* Ziegen *f/pl.*

caprifoliáceas ⚘ *f/pl.* Geißblattgewächse *n/pl.*

caprino 🕮 *adj.* → *cabruno*.

caprípe|de *adj. c*, **~do** *adj.* bocksfüßig.

cápsula *f* **1.** Hülse *f*, Kapsel *f* (*a. pharm.*); Flaschenkapsel *f*; **2.** ⚘ Samen-; Frucht-kapsel *f*; **3.** *Anat.* ~ *articular* Gelenkkapsel *f*; ~ *suprarrenal* Nebenniere *f*; **4.** ~ *fulminante* Zündhütchen *n*; ~ *del fulminato* Sprengkapsel *f*; **5.** *Labor*: Abdampfschale *f*.

capsular I. *adj. c* kapselförmig; Kapsel...; *cierre m* ~ Kapselverschluß *m*; **II.** *v/t.* ver-kapseln, -schließen.

capta|ción *f* **1.** Erschmeichelung *f*; ⚖ Erschleichung *f*; ~ *de herencias* Erbschleicherei *f*; **2.** ⊕ Anzapfung *f*; Erfassung *f*, Gewinnung *f*; Nutzbarmachung *f*; ~ *de aguas* Wassergewinnung *f*; ~ *de fuentes* Quellfassung *f*; **~dor** *adj.-su.* ⊕ Sucher *m*; Sammler *m*; ⚖ Erbschleicher *m*; **~r** *v/t.* **1.** (*a. ~se v/r.*) erschmeicheln; zu gewinnen wissen; erschleichen; ~ *la atención* die Aufmerksamkeit fesseln; *~(se) la confianza de alg.* j-s Vertrauen gewinnen; s. in j-s Vertrauen schleichen; *~se simpatías* s. beliebt machen; **2.** erfassen, begreifen; **3.** auf-, ab-fangen; **4.** ⊕ gewinnen; sammeln; nutzbar machen; *Rf. Sender* hereinbekommen.

captura *f* Festnahme *f*; (Ein-)Fangen *n*, Fang *m wilder Tiere*; ⚓ Aufbringen *n e-s Schiffes*; **~r** *v/t.* ergreifen, festnehmen; (ein)fangen; ⚓ aufbringen, kapern; *fig.* erbeuten.

capuana F *f* Prügel *pl.*, Keile *pl.* F.

capucha *f* **1.** Kapuze *f*; **2.** ⊕ Kappe *f*, Haube *f*; **3.** *Typ.* Zirkumflex *m*.

capuchi|na *f* ⚘ Kapuzinerkresse *f*; *Kchk.* Eigelbsüßspeise *f*; **~no I.** *adj.* **1.** Kapuziner...; **II.** *m* **2.** Kapuziner(mönch) *m*; *fig. caen ~s del cielo* es gießt in Strömen; **3.** *Zo.* Kapuzineraffe *m*.

capu|cho *m* Kapuze *f*; **~chón** *m* **1.** *gr.* Kapuze *f*; Mantel *m* mit Kapuze; *P ponerse el* ~ hinter schwedische Gardinen kommen F, aus dem Blechnapf fressen P; **2.** *hist.* kurzer Domino *m*; **3.** Verschlußkappe *f*; ⊕ Windhaube *f* (*Esse*).

capu|lí(n) ⚘ *m* Ananaskirsche *f*; **~lina** *f* **1.** ⚘ Ananaskirsche *f* (*Frucht*); **2.** *Méj.* Giftspinne *f*; **3.** *Méj.* Dirne *f*.

capullo *m* **1.** Seidenraupengespinst *n*, Kokon *m*; *en* ~ eingesponnen; ~ *ocal* Doppelkokon *m*; *hacer el* ~ s. einspinnen; *salir del* ~ ausschlüpfen, s. entpuppen; **2.** ⚘ Blumen-, *bsd.* Rosen-knospe *f*; Eichelnäpfchen *n*; *en* ~ knospend; **3.** *Anat.* Vorhaut *f*.

capu|z *m* (*pl.* *~uces*) **1.** Kapuze *f*; **2.** → *chapuz¹ 1*; **~zar** [1f] *v/i.* **1.** untertauchen; **2.** ⚓ das Vorschiff stärker belasten.

ca|quéctico ⚕ *adj.* kachektisch; **~quexia** ⚕ *f* Kachexie *f*.

caqui¹ *m* Khaki(stoff) *m*; *color m* ~ Khaki *n*.

caqui² ⚘ *m* Kaki-baum *m*; -pflaume *f*.

caquiro *m Am.* Yuccawein *m*.

cara *f* **1.** Gesicht *n*; Miene *f*; *fig.* Aussehen *n*; Anschein *m*; *fig.* Unverschämtheit *f*, Stirn *f* (*fig.*); ~ *adelante* nach vorn, vorwärts; ~ *atrás* nach hinten, rückwärts; ~ *a* ~ von Angesicht zu Angesicht, persönlich, in s-r (*usw.*) Gegenwart; ~ *al sol* mit dem Gesicht zur Sonne; der Sonne entgegen; *fig. a* ~ *descubierta* offen, ehrlich; öffentlich, vor aller Augen; *¿con qué ~?* e-e unglaubliche Unverschämtheit!; *de* ~ gg.-über; von vorne; *a.* ins Gesicht; *de* ~ *a* im Hinblick auf (*ac.*); *de* ~ *al sur* nach Süden gewandt, südwärts; *fig. de dos ~s* zwiegesichtig, doppelzüngig, falsch; *en la* ~ *de alg.* vor j-m, in j-s Gegenwart; *fig. por su bella* (*od. linda*) ~ um s-r schönen Augen willen; F ~ *dura* Unverschämtheit *f*; (*m* → *caradura*); ~ *de pascua*, ~ *de aleluya* zufriedenes (*od.* lächelndes) Gesicht *n*; ~ *de viernes* (*santo*) trauriges (*bzw.* verhärmtes) Gesicht *n*; ~ *de vinagre* saure Miene *f*; *dar la* ~ für s. einstehen; *dar* (*od. sacar*) *la* ~ *por alg.* für j-n eintreten, j-n verteidigen; *echar en* ~ *a uno a/c.* j-m et. vorwerfen; *hacer* ~ (*a*) die Stirn bieten (*dat.*), entgegentreten (*dat.*), s. stellen (*dat.*); *no mirar a la* ~ *a alg.* mit j-m verfeindet sein; *Stk. no perder la* ~ *al toro* dicht am Stier bleiben; *poner buena* (*mala*) ~ ein (un)freundliches Gesicht machen; *¡la* ~ *que puso!* das Gesicht hättest du sehen müssen; *le sale a la* ~ *od. se le conoce* (*od. se le ve*) *en la* ~ man sieht es ihm an; *fig.* F *saltar a la* ~ *a alg.* j-m ins Gesicht springen F, j-n derb anfahren; *tener buena* (*mala*) ~ gut (schlecht) aussehen (*a. Sachen*); *tener dos ~s* zwei Seiten haben (*fig.*); *fig.* doppelzüngig sein; *¡tiene* ~ *de eso!* danach sieht er auch aus!; das bringt er fertig; *¿tienes* ~ *para hacer eso?* schämst du dich nicht (, das zu tun)?; *tiene* ~ *de cualquier cosa* der ist zu allem fähig; *¡nos veremos las ~s!* wir treffen uns noch! (*Drohung*); *volver la* ~ *a alg.* j-n nicht ansehen, an j-m vorbeisehen; *volver la ~ al enemigo nach anfänglicher Flucht* s. (erneut) gg. den Feind wenden; **2.** Vorderseite *f*; Außenseite *f*; Seitenfläche *f* (*z. B. e-s Polyeders*); Oberfläche *f*; rechte Seite *f*, Oberseite *f* (*Gewebe, Blatt*); *a.* ⊕ Fläche *f*; *~ de asiento* Paßfläche *f*; *de dos ~s* zweiseitig; *tex.* seitengleich; *Opt.* *de ~s paralelas* planparallel; **3.** → *cruz 6.*

caraba F *f*: *¡es la ~!* das ist das Letzte!; *¡es la ~ en bicicleta!* **a)** das ist ja zum Piepen! F; **b)** das ist 'ne Wucht F; **c)** das ist e-e Schweinerei P.

cárabe *m* Bernstein *m*.

carabela *f* **1.** ⚓ Karavelle *f*; **2.** *Gal.* Tragkorb *m*.

carabi|na *f* **1.** Büchse *f*, Stutzen *m*, ⚔ Karabiner *m*; F *ser (lo mismo que) la ~ de Ambrosio* nichts taugen, ganz unbrauchbar sein; **2.** F Anstandswauwau *m* F, Anstandsdame *f*; **~nazo** *m* Büchsen-, Karabinerschuß *m*; **~nero** *m* **1.** Grenzpolizist *m*, Grenzer *m*; ⚔ *hist.* Karabinier *m*; **2.** *Zo. Art* Garnele *f*.

cárabo[1] *m* **1.** *Ent.* Laufkäfer *m*; **2.** ⚓ kl. maurisches Segelboot *n*.

cárabo[2] *Vo. m* Waldkauz *m*.

caracal *Zo. m* Karakal *m*.

caracará *Vo. m Rpl.* Karakara *m*.

caracas *m* Caracaskakao *m*; F *Méj.* Schokolade *f*.

caraco|l *m* **1.** *Zo.* Schnecke *f mit Haus*; Schneckenhaus *n*, Muschel *f*; (*escalera f de*) *~* Wendeltreppe *f*; F *¡~es!* Donnerwetter!; *fig.* F *no vale* (*od. no importa*) *un ~* es ist nicht der Rede wert; **2.** ⊕, *Anat.* Schnecke *f*; **3.** Schmachtlocke *f*; **4.** Wendung *f*, Tummeln *n* (*Pferd*); *fig.* F *hacer ~es* torkeln (*Betrunkener*); **5.** *Méj.* Bettjacke *f*; Damenbluse *f*; **6.** ⚘ Bohne *f*; **~la** *f* Muschel *f*; Muscheltrompete *f*; **~lada** *f* Schneckengericht *n*; **~lear** *v/i.* s. tummeln (*Pferd*); *hacer ~ Pferd* tummeln; **~leo** *m* Herumtummeln *n*; F Torkeln *n*; **~lero** *m* Schneckensammler *m*.

caraco|lí ⚘ *m Col.* Akajoubaum *m*; **~lillo** *m* **1.** Perlkaffee *m*; **2.** ⚘ *Méj., Am. Mer. caoba f ~* schöngeädertes Mahagoniholz *n*.

carácter *m* (*pl. caracteres*) **1.** Eigentümlichkeit *f*, Charakter *m*, Art *f*; Erkennungszeichen *n*, Merkmal *n*; *~ dramático* Dramatik *f*; *~ genérico* Gattungsmerkmal *n*; *~ heredado* Erbanlage *f*; *~ inofensivo* Harmlosigkeit *f*; *revestir más bien un ~ general* eher allgemein gehalten sein; **2.** Wesens-, Gemüts-art *f*, Charakter(zug) *m*; Charakterstärke *f*, Wille(n) *m*, Energie *f*; *falta f de ~* Charakterlosigkeit *f*; **3.** charaktervoller Mensch *m*, Charakter *m*; *ser todo un ~* wirklich Charakter haben; ein ganzer Mann sein; **4.** *~* (*de letra*) Schriftzeichen *n*, Buchstabe *m*; *caracteres m/pl.* (*de escritura*) Schriftzeichen *n/pl.*; *Typ.* Lettern *f/pl.*, Schrift *f*; → *a. letra 2*; *tipo 7*; **5.** Würde *f*, Stand *m*; Titel *m*; *de* (*bzw. con*) *~ oficial* in amtlicher Eigenschaft; offiziell; *en su ~ de presidente* (in s-r Eigenschaft) als Präsident; **6.** *kath.* *~* (*indeleble*) unauslöschliches (Merk-)Mal *n durch Taufe, Firmung, Priesterweihe.*

caracte|riología *bsd. Phil. f* Charakterkunde *f*; **~rística** *f* **1.** Wesensmerkmal *n*, Charakteristikum *n*; Unterscheidungsmerkmal *n*; *a.* ⊕ Eigenschaft *f*; *~s f/pl. técnicas* technische Daten *n/pl.* (*od.* Angaben *f/pl.*) *b. Prospekten usw.*; **2.** Charakteristik *f*, Kennzeichnung *f*; **3.** *Thea.* Charakterdarstellerin *f*; komische Alte *f*; **4.** *Rf. u. ä.* Pausen-, Zeit-zeichen *n*; **5.** Ꜳ Kennziffer *f*; **6.** ⊕, *Phys.* Kenn-, Schaulinie *f*; **~rístico I.** *adj.* charakteristisch, bezeichnend (für *ac. de*); *rasgo m ~* Wesens-, Charakter-zug *m*; Merkmal *n*; **II.** *m Thea.* Charakterdarsteller *m*.

caracteriza|ción *f* Charakterisierung *f*; *a. Thea.* Darstellung *f*; **~do** *adj.* hervorragend, berühmt; *estar ~ por* gekennzeichnet sein durch (*ac.*); **~r** [1f] **I.** *v/t.* **1.** charakterisieren, auszeichnen, kennzeichnen; **2.** schildern, darstellen; bezeichnen (als + *adj. de*); *~ como* hinstellen als (*ac.*); **3.** *Thea.* rollengetreu darstellen; **II.** *v/r.* *~se* **4.** *Thea.* s. schminken, s. für die Rolle zurechtmachen; **5.** *~se por* s. auszeichnen durch (*ac.*), bekannt sein für (*ac.*) (*od.* wegen *gen.*).

caracterología 🕮 *f* Charakterologie *f*.

caracú *Gua. m Arg., Bol. Rinderart*; *Bol., Chi., Rpl.* Markknochen *m der Tiere.*

caracul *m* **1.** Karakulschaf *n*; **2.** Persianer(fell *n*) *m*.

¡carachas! *int. Col.* Donnerwetter!

caracho *adj.* violett.

carachoso *adj. Pe.* räudig; krätzig.

carado *adj.*: *mal* (*bien*) *~* häßlich (schön) *von Gesicht.*

caradura P *m* unverschämter Kerl *m*.

caraguay *Zo. m Bol.* Leguan *m*.

carajo V *m* männliches Glied *n*, Schwanz *m* V; *int.* *¡~!* verdammt!, Scheiße V; *¡al ~ contigo!* scher dich zum Teufel!; V *irse al ~* kaputt gehen, vor die Hunde gehen P.

caraman|chel *m* **1.** ⚓ Lukendecke *f*; **2.** *Andal.* süßer Schnaps *m*; **3.** *Arg., Chi.* Schenke *f*; *Col.* Verschlag *m*, Hütte *f*; **~chón** *barb. m* Dachboden *m*.

carama|ñola *f* **1.** *Reg.* Schnabelgefäß *n*; **2.** → **~yola** ⚔ *f Arg., Chi.* Feldflasche *f*.

¡caramba! *int.* Donnerwetter!; kaum zu glauben; *¡~, ~!* (da) sieh mal einer an!

carámbano *m* Eiszapfen *m*.

carambola[1] *f* Karambolieren *n* (*Billard*); Karambolespiel *n*; *fig.* Schwindel *m*; Betrug *m*; F zwei Fliegen mit e-r Klappe; *por ~* auf Umwegen, um die Ecke F; zufällig.

carambola[2] ⚘ *f* Sternapfel *m*.

carambo|lear *v/i.* karambolieren; *Chi.* s. betrinken; **~lero** *m* **1.** ⚘ *Art* Sauerklee *m*; **2.** *Arg., Chi.* → **~lista** *c* Karambolespieler *m*.

caramel *m* Mittelmeersprotte *f*.

carame|lizar [1f] *v/t.* mit Karamel überziehen; **~lo** *m* Karamel(zucker) *m*; Karamelle *f*; *allg.* Bonbon *m*; F *estar hecho un ~* zuckersüß sein F; weich *od.* nachgiebig sein.

caramente *adv.* **1.** teuer, kostspielig; **2.** inständig, angelegentlich.

caramilla *Min. f* Zinkspat *m*; **~r** *m* Salzkrautfeld *n*.

caramillo *m* **1.** Rohrpfeife *f*; **2.** F Durcheinander *n*, Wirrwarr *m*; Geschrei *n*; Gerede *n*, Klatsch *m*; **3.** ⚘ Salzkraut *n*.

carancho *Vo. m Bol., Rpl., Pe.* Geierfalke *m*.

caranda|í, ~y ⚘ *m Am.* Caranday-, Wachs-palme *f*.

caranga *f od.* **carángano**[1] *m Am. Cent., Ec.* Laus *f*.

carángano[2] ♪ *m Arg., Bol., Col.* Schlagbaß *m*.

caran|tamaula F *f* Fratze *f* (*a. fig.*), häßliche Maske *f*; **~toña** F *f* **1.** → *carantamaula*; **2.** *fig.* aufgetakelte Alte *f*; **3.** *~s f/pl.* Schmus *m* F, Getue *n*, Schmeichelei *f*; *hacer ~s a alg.* j-m schmeicheln, j-m um den Bart gehen F; **~toñero** F *adj.-su.* schöntuerisch; *m* Schöntuer *m*, Schmeichler *m*.

caraña *f* **1.** ⚘ Karannaharzbaum *m*; *Am. Cent.* Sandelbaum *m*; **2.** *pharm.* Karannabalsam *m*.

carapa *f* **1.** Karapabaum *m*; **2.** Karapaöl *n*.

carapacho *m* **1.** *Zo.* Rückenschale *f*; Muschelschale *f*; **2.** Schildpatt *n*; **3.** *Kchk. Cu., Ec.* Krebs- *usw.* -fleisch *n in der eigenen Schale.*

carapato *m* Rizinusöl *n*.

¡carape! *int.* verflucht!, Donnerwetter!

carapulca *f Pe. Eintopf* (*Fleisch, Kartoffeln, Ajipfeffer*).

caraqueño *adj.-su.* aus Caracas [(*Ven.*).]

carate *m Am. Hautkrankheit der Neger.*

cara|tillo, ~to[1] *m Ven. Erfrischungsgetränk mit gequirltem Maismehl.*

carato[2] ⚘ *m Am.* → *jagua*.

carátula *f* **1.** Maske *f*, Larve *f*; **2.** Schauspielkunst *f*; **3.** *Am.* Titelseite *f*, -blatt *n*; **4.** rundes Hinweisschild *n*.

caratulero *m* Maskenverleiher *m*.

carava|na *f* **1.** Karawane *f* (*a. fig.*); *neol.* Wohn(wagen)anhänger *m*; **2.** *hist.* Kriegszug *m zur See der Johanniter gg. die Türken*; **3.** *Cu.* Vogelfalle *f*; **4.** *Méj.* übertriebene Höflichkeit *f*; Komplimente *n/pl.*; **5.** *~s f/pl. Arg., Bol., Chi.* Ohrgehänge *n*; **~nero** *m* Karawanenführer *m*; **~nista** *m* Karawanenreisende(r) *m*.

cara|ván-seral, ~vanseray, ~vanserrallo, ~vasar *m* Karawanserei *f*; *fig.* F Massenunterkunft *f*; Großhotel *n*.

caray[1] *Zo. m* → *carey*.

¡caray![2] *int.* zum Teufel!, verflixt!

cara|yá *m Col., Rpl.*, **~yaca** *m Ven.* Brüllaffe *m*.

carba *f Reg.* Eichenwäldchen *n*; Ruheplatz *m für das Vieh.*

carbinol ⚗ *m* Methylalkohol *m*.

carbizo ⚘ *m Reg.* Kastanieneiche *f*.

carbol ⚗ *m* Karbol *n*.

carbólico ⚗ *adj.*: *ácido m ~* Karbolsäure *f*.

carbolíneo ⚗ *m* Karbolineum *n*.

carbón *m* **1.** Kohle *f*; Kohlenasche *f*; *~ animal*, *~ de huesos* Tier-, Knochen-kohle *f*; *~ en bruto* Roh-, Förder-kohle *f*; *~ gran(ul)ado* Stückkohle *f*; *~ de leña*, *~ vegetal* Holzkohle *f*; *~ mineral*, *~ de piedra*, *~ fósil* Steinkohle *f*; *hacerse ~* verkohlen; *negro como el ~* kohlrabenschwarz; **2.** *Mal.* Zeichenkohle *f*, Kohlestift *m*; → *carboncillo 1*; **3.** *Phot.* Kohlen-druck *m*, -kopie *f*; *Typ. impresión f al ~* Karbondruck *m*; *papel m ~* Kohlepapier *n*; **4.** ⚡ *lápiz m de ~* Kohlestift *m*; **5.** ⚘ Ruß-, Flug-brand *m*.

carbona|da *f* **1.** *Kchk.* Rostbraten *m*; *Art* Buttergebäck *n mit Konfitüre*; *Arg., Chi., Pe. Nationalgericht* (*Fleisch, Maiskolbenscheiben, Kürbisschnitzel, Kartoffeln u. Reis*); **2.** Ofen-, Kohlen-ladung *f*; **~do I.** *adj.* ⚗ kohlenstoffhaltig; **II.** *m* schwarzer Diamant *m*; **~r** *v/t.* zu Kohle machen; **~rio** *adj.-su.* *m hist.* Karbonaro *m*; *fig.* Verschwörer *m*; **~tado** *adj.* kohlensauer; kohlensäurehaltig; **~tar** ⚗ *v/t.* in Karbonat verwandeln; mit Kohlensäure versetzen; **~to** ⚗ *m* Karbonat *n*, kohlensaures Salz *n*; *~ amónico, ~ de amoníaco* Hirschhornsalz *n*; *~ de calcio, ~ cálcico* kohlensaurer Kalk *m*; *Min.* Kalkspat *m*; *~ potásico, ~ de potasio* Pottasche *f*, Kaliumkarbonat *n*.

carbonci|llo *m* **1.** Zeichenkohle *f*; Kohlestift *m*; *dibujo m al ~* Kohlezeichnung *f*; **2.** schwarzer Sand *m*; **3.** ⚘ Kohlenpilz *m*, Brand *m*; **~sta** *Mal. m* Kohlezeichner *m*.

carbone|ar I. *v/t.* schwelen, zu Kohle brennen; **II.** *v/i.* Kohle brennen; ⚓ Kohle übernehmen, kohlen; **~o** *m* Kohlenbrennen *n*, Köhlerei *f*; ⚓ Kohlenübernahme *f*; **~ra** *f* **1.** Kohlenmeiler *m*; **2.** Kohlen-schuppen *m*, -keller *m*, ⚓ -bunker *m*; *Col.* Kohlengrube *f*; 🚂 *Chi.* Kohlentender *m*; **3.** ⚓ Großstagsegel *n*; **~ría** *f* Kohlenhandlung *f*; **~ro I.** *adj.* **1.** Kohlen...; **II.** *m* **2.** Kohlenhändler *m*; **3.** Köhler *m*; **4.** ⚓ Kohlendampfer *m*; **5.** *Vo.* Kohlmeise *f*; **6.** ⚘ *Am. versch. Pfl.*

carbóni|co ⚗ *adj.* kohlensauer; Kohlenstoff...; *ácido m ~* Kohlensäure *f*; **~dos** ⚗ *m/pl.* Kohlenstoffe *m/pl.*, Kohlenstoffverbindungen *f/pl.*

carbonífero *adj.* **1.** kohlenhaltig, Kohlen...; kohleführend; *capa f ~a* Kohlenflöz *n*; **2.** *Geol. período m ~* Steinkohlenzeit *f*.

carboni|lla *f* Feinkohle *f*, Grus *m*; Staubkohle *f*; **~ta** *Min.*, ⚒ *f* Karbonit *m*; **~zación** ⊕, ⚗ *f* Verkohlung *f*, Karbonisieren *n*; **~zar** [1f] **I.** *v/t.* verkohlen; ⚗ mit Kohlenstoff verbinden (*bzw.* versetzen); *Getränke, Holz, Wollwaren* karbonisieren; **II.** *vt/i.* Kohle brennen (*v/i.*); schwelen, zu Kohle brennen (*v/t.*); **III.** *v/r.* *~se* völlig verbrennen, verkohlen.

carbo|no ⚗ *m* Kohlenstoff *m*; *dióxido m de ~* Kohlen-dioxyd *n*, -säure *f*; **~noso** *adj.* kohlehaltig; kohlenartig; **~rundo** ⚗ Siliziumkarbid *n*.

carbun|clo *m* **1.** → *carbúnculo*; **2.** → *~co* *m* **1.** ⚕ Karbunkel *m*; *vet.* Milzbrand *m*; **2.** † → *carbúnculo*.

carbúnculo *m* Karfunkel *m*.

carbura|do ⚗ *adj.* kohlenstoffhaltig; **~dor** ⚗, ⊕ *m* Vergaser *m*; *~ doble* Stufenvergaser *m*; **~nte I.** *adj. c* ⚗ kohlenwasserstoffhaltig; **II.** *m mot.* Kraft-, Treib-stoff *m*; *~ ligero* Vergaserkraftstoff *m*; **~r I.** *v/t.* ⚗ karburieren; *mot.* vergasen; *Stahl* aufkohlen; **II.** *v/i.* F *bsd. Auto*: funktionieren, noch gehen.

carbu|rina *f* Schwefelkohlenstoff *m* (*Fleckentferner*); **~ro** ⚗ *m* Karbid *n*; *~ de calcio, ~ cálcico,* F *~* Kalziumkarbid *n*, Karbid *n* F.

carca[1] F *adj.-su. c Pol. hist. desp.* karlistisch; *m* Karlist *m*; P „Schwarze(r)" *m* F (*Anhänger des Klerikalismus*); P *ser un ~* engstirnig (*od.* rückschrittlich *od.* stockkonservativ F) sein.

carca[2] *Ke. f And.* Topf *m*, *bsd. für Chicha*; F *Pe.* Schmutzkruste *f*.

carcaj *m* Köcher *m*; Fahnengurt *m*.

carcajada *f* Gelächter *n*, Lachsalve *f*; *reír a ~s* schallend lachen; *soltar la ~* laut loslachen *od.* auflachen.

carcamal F *desp. adj.-su. c* Jammergreis *m* F.

carcamán[1] ⚓ *m* alter Pott *m* F, (alter) Kahn *m*, Eimer *m* F.

carcamán[2] *m* **1.** *desp. Arg.* Italiener *m*, Katzelmacher *m* F (*desp.*); *p.ext. u. Cu.* schäbiger Ausländer *m*; *Pe.* Angeber *m* F; **2.** *Méj. Glücksspiel.*

carcasa ⊕ *f* Gehäuse *n*.

cárcava *f* **1.** Wasser-loch *n*, -graben *m nach Überschwemmungen*; Graben *m*; ⚔ Verteidigungsgraben *m*; **2.** Grab *n*.

carcavón *m von Wasser* ausgewaschene Schlucht *f*; Graben *m*; *Geogr.*, ⊕ Kolk *m*.

cárcel *f* **1.** Gefängnis *n*; † Kerker *m*; *meter en (Am. a) la ~* ins Gefängnis werfen (*od.* setzen); **2.** ⊕ Zwinge *f*; Schraubzwinge *f*; *Typ.* Brücke *f e-r Presse*; **3.** *reg. versch. Holzmaß*: 100—200 Kubikfuß.

carcel ⊕ *m* Carcel *n* (*Lichteinheit*).

carce|lario *adj.* Gefängnis...; *fig. ambiente m ~* Zustände *m/pl.* (*od.* Stimmung *f*, Ton *m*) wie im Zuchthaus, reinste Diktatur *f*; **~lera** ♪ *f andal. Liedgattung*, „Kerkerlied" *n*; **~lería** *hist. f* Zwangsaufenthalt *m*; **~lero I.** *adj.* → *carcelario*; **II.** *m* Gefängniswärter *m*; *hist.* Kerkermeister *m*.

carcino|ma ⚕ *m* Karzinom *n*, Krebs(geschwulst *f*) *m*; **~(mato)sis** ⚕ *f* Karzinose *f*; **~(mato)so** *adj.* karzinomatös.

carco|ma *f* **1.** *Zo.* Holz-, Bohrwurm *m*; **2.** Holzmehl *n*; **3.** Wurmfraß *m*, Wurmstichigkeit *f*; ⚘ Fäule *f*; *fig.* Gram *m*, Kummer *m*; Fäulnis *f* (*fig.*), Zerstörung *f*; *fig. tiene la ~ dentro* die Fäulnis steckt in ihm; das Gewissen (*bzw.* der Neid) plagt ihn (*Person*); da ist der Wurm drin F (*Sachen*); **4.** Verschwender *m*, Vergeuder *m*; **~mer I.** *v/t.* zernagen, -fressen; anbohren (*Wurmfraß*); *fig.* untergraben, allmählich zerstören; **II.** *v/r.* *~se* wurmstichig werden; *fig.* ver-, zer-fallen; **~mido** *adj.* wurmstichig; *fig. ~ por la edad* morsch, altersschwach.

carda *f* **1.** ⚘ Distelkopf *m*; **2.** *tex.* Karde *f*, Kratze *f*; **3.** *Equ.* Kardätsche *f*; **4.** *fig.* F *dar una ~ a j-m* den Kopf waschen, *j-m* e-e Abreibung verpassen P; **~do** *tex. m* Krempeln *n*, Kratzen *n*; Streichen *n*, Kämmen *n*; **~dor** *m* **1.** *tex.* Wollkratzer *m*, -kämmer *m*; **2.** *Ent.* Schnurassel *f*; **~dora** *tex. f* Krempel *f*, Rauhmaschine *f*.

cardal *m* → *cardizal*.

carda|mina ⚘ *f* Garten-; Brunnenkresse *f*; **~momo** ⚘ *m* Kardamom *m*, *n*.

cardán ⊕ *m* Kardan-, Kreuz-gelenk *n*.

cardar *v/t. tex. Wolle* kämmen, karden, krempeln; *Tuch* aufrauhen; *Pferd* striegeln; *Haar* toupieren; *fig.* F *~ la lana a alg.* j-m den Kopf waschen F; j-m das Fell gerben F.

cardelina *Vo. f* Distelfink *m*.

cardenal[1] **I.** *m* **1.** Kardinal *m*; ♀ *Secretario de Estado* Kardinalstaatssekretär *m*; **2.** *Zo.* **a)** *Vo.* Kardinal *m*; **b)** Kardinalfalter *m*; **c)** Kardinalschnecke *f*; **3.** ⚘ Kardinalsblume *f*, Lobelie *f*; *Chi.* → *geranio*; **4.** Kardinal *m* (*Getränk*); **II.** *adj. c* **5.** † → *cardinal*.

cardenal[2] *m* blauer Fleck *m*; Striemen *f*.

cardena|lato *m* Kardinalswürde *f*; **~licio** *adj.* Kardinals...; *fig. púrpura f ~a* Kardinalspurpur *m* (*fig.*).

cardencha *f* ⚘ Karde(ndistel) *f*; *tex.* Karde *f*; **~l** ⚘ *m* Distelfeld *n*.

cardeni|lla ⚘ *f versch. Pfl. z. B.* **1.** Kugelblume *f*; **2.** *e-e kleinbeerige, blaurote Traube*; **~llo I.** *adj.-su.* blaurötlich (*bsd. Trauben*); **II.** *m* Grünspan *m*; Hellgrün *n* (*Farbe*).

cárdeno *adj.* dunkelviolett; schwarz u. weiß (*Stier*); opalisierend (*Flüssigkeit*).

cardería *tex. f* Krempelsaal *m*.

...cardia ⚕ *in Zssgn.* ...kardie *f*; *z. B. taquicardia f* Tachykardie *f*, Herzjagen *n*.

cardíaco ⚕ **I.** *adj.* **1.** Herz..., kardial; *actividad f (insuficiencia f) ~a* Herz-tätigkeit *f* (-insuffizienz *f*); *defecto m ~* Herzfehler *m*; **2.** herzleidend; **II.** *adj.-su. m* **3.** herzstärkend(es Mittel *n*); **III.** *m* **4.** Herzkranke(r) *m*.

cardia|lgia ⚕ *f* Magenkrampf *m*; **~s** *Anat. m* (*pl. inv.*) Magenmund *m*, Kardia *f*.

cardigán *m*: *~ de punto* Strickjacke *f*.

cardi|llar *m* Golddistelfeld *n*; **~llo** ⚘ *m* span. Golddistel *f*.

cardinal *adj. c* hauptsächlich, wesentlich, Haupt..., Kardinal...; *los cuatro puntos ~es* die vier Himmelsrichtungen *f/pl.*; *números m/pl. ~es* Grund-, Kardinal-zahlen *f/pl.*

cardinas ⚠ *f/pl.* Distelblätter- *bzw.* Ranken-verzierung *f*.

card(io)... ⚕ *pref.* Kardio..., Herz...

cardi|ografía ⚕ *f* Kardiographie *f*; **~ógrafo** *m* Kardiograph *m*; **~ograma** ⚕ *m* Kardiogramm *n*; **~ología** *f* Kardiologie *f*, Herzforschung *f*; **~ológico** *adj.* kardiologisch; **~ólogo** *m* Kardiologe *m*, Herzspezialist *m*; **~ópata** *adj.-su. c* herzleidend; *m* Herzleidende(r) *m*; *a.* Herzspezialist *m*; **~opatía** ⚕ *f* Herzleiden *n*; **~orrafia** *f* Herznaht *f*; **~oterapia** *f* Herztherapie *f*; **~otomía** *f* Herzschnitt *m*; **~ovascular** *adj. c* kardiovaskulär, Herz-Kreislauf-...; **~tis** ⚕ *f* Herzentzündung *f*.

car|dizal *m* Distelfeld *n*; **~do** *m* **1.** ⚘ Distel *f*, Karde *f*; Kardenartischocke *f*; *~ borriqueño, ~ borriquero, ~ común, ~ timonero, ~ yesquero* Esels-, Weg-distel *f*; *~ cabezudo* Kugeldistel *f*; *~ corredor, ~ estelado, ~ setero* Brachdistel *f*; *~ estrellado*

Art Stern-, Silber-distel *f*; **2.** *Am.* ⚘ *versch. Agaven- u. Kakteenarten*; **3.** *fig.* Kratzbürste *f*; **~dón** *m* Weberdistel *f*; *Am. versch. Pfl., bsd. Kakteen u. Agaven.*
Cardona *npr.*: F *más listo que ~* sehr geschickt (*od.* gewandt), e-e Möglichkeit blitzschnell erfassend.
cardume(n) *m* Fischschwarm *m*; *fig. Chi.* Unmenge *f*, Fülle *f*.
careador I. *adj.-su. m* (*perro m*) ~ Hüte-, Schäfer-hund *m*; **II.** *m S. Dgo.* Kampfhahnbetreuer *m während des Kampfes.*
carear I. *v/t.* **1.** ⚖ *Zeugen usw.* ea. gg.-überstellen; *Urkunden usw.* mitea. vergleichen; **2.** *Andal., Col., Méj. Holz* schlichten, zuhauen; **3.** *Am. Kampfhähne* prüfen, vergleichen; **II.** *v/i.* **4.** *Hk. Pe., P. Ri.* e-e Kampfpause einlegen; **III.** *v/r.* **~se 5.** *zu e-r Besprechung* zs.-kommen; *tener que ~se con alg.* mit j-m noch ein Wörtchen zu reden haben.
care|cer [2d] *v/i.* **1.** ~ de nicht haben (*ac.*), entbehren (*ac.*), ermangeln (*gen*); nicht (mehr) vorrätig (✝ *a.* nicht auf Lager) haben (*ac.*); ~ *de interés* uninteressant (*od.* belanglos) sein; **2.** *Reg. abs.* fehlen, nicht vorhanden sein; **~cimiento** *m* Mangel *m* (an *dat.* de).
carel *m* (Boots-, Teller- *u.ä.*)Rand *m*.
carena *f* **1.** *poet.* Kiel *m*; **2.** ⚓ Kielholen *n*; Ausbesserung *f*, Schiffsreparatur *f am Rumpf*; **3.** ⚘ Blattkiel *m*; **4.** *fig.* Stichelei *f*, Neckerei *f*; *aguantar* (*llevar, sufrir*) ~ auf die Schippe genommen F (*od.* verulkt) werden; **5.** ⊕ → **~do** ⊕ *m* Stromlinienverkleidung *f*; **~dura** ⚓ *f* → *carena* 2; **~r** *v/t.* ⚓ kielholen; *Schiffsrumpf* ausbessern, überholen; *Kfz.* stromlinienförmig verkleiden.
carencia *f* Mangel *m*, Fehlen *n*; Entbehrung *f*; ~ *de medios* Mittellosigkeit *f*; ⊕ ~ *de ruidos* Geräuschfreiheit *f bzw.* -armut *f*; ⚕ *enfermedad f por ~* Mangelkrankheit *f*; **~l** *adj. c*: *período m ~* Wartezeit *f*, Karenz(zeit) *f* (*Versicherung*).
carenero ⚓ *m* Trockendock *n*.
carente *adj. c*: ~ *de medios* mittellos.
careo *m* **1.** *a.* ⚖ Gegenüberstellung *f*, Konfrontation *f*; *a.* Kreuzverhör *n*; Vergleichen *n z. B. v. Dokumenten*; **2.** †, ⚒ Aussprache *f*; Zs.-kunft *f*; **3.** Raffinieren *n des Hutzuckers*; **4.** *Hk. Ec., P. Ri., S. Dgo.* Kampfpause *f*.
carero F *adj.* sehr teuer.
carestía *f* **1.** Mangel *m*, Not *f*; Hungersnot *f*; **2.** Teuerung *f*.
careta *f* Maske *f*, Larve *f*; Schutzmaske *f*; Imkermaske *f*; ~ (*antigás*) Gasmaske *f*; ~ *respiratoria* Atem(schutz)maske *f*; *fig. quitarle a alg. la ~* j-m die Maske vom Gesicht reißen; *quitarse la ~* die Maske fallen lassen (*fig.*).
carey *m* **1.** Karettschildkröte *f*; **2.** Schildpatt *n*; **3.** ⚘ *Cu.* **a)** Guajakbaum *m*; **b)** *e-e Liane.*
carga *f* **1.** Last *f*, Belastung *f* (*a.* ⚖; → *a. gravamen*); Mühsal *f*, Bürde *f*; **~s** *f/pl. fiscales*, **~s** *tributarias* Steuerlast(en) *f*(*/pl.*); ⚖ ~ *real* Reallast *f*; *fig. dar con la ~ en tierra* (*od. en el suelo*) **a)** unter der Last zs.-brechen; **b)** *fig.* alles hinwerfen, die Flinte ins Korn werfen; **c)** wütend werden; *fig. llevar la ~* die Last (zu) tragen (haben); *ser* (*od. resultar*) *una ~ para alg.* j-m zur Last fallen, e-e Last sein für j-n; j-m lästig fallen (*od.* sein); **2.** Ladung *f*, Last *f*; Fracht(gut *n*) *f*; Fuhre *f*; Beladen *n*, Befrachten *n*; *a.* ⊕ Belastung *f*; ✝ ~ *de bultos sueltos* Stückgutladung *f*; ~ *y descarga* Be- u. Entladen *n*, Auf- u. Abladen *n* (*Waren*), Güterabfertigung *f*; ⚓ ~ *general* Stückgut *n*; ~ *de retorno*, ~ *de vuelta* Rückfracht *f*; ~ *útil*, ~ *efectiva* Nutzlast *f*; *exceso m de ~* Über-ladung *f*, -lastung *f*; *a plena ~* vollbelastet; **3.** ⚔, ⊕, ⚡ Ladung *f*; Sprengsatz *m*; ⚡ Aufladung *f*; ~ *abierta* offene Sprengladung *f*; ⚔ ~ *amontonada*, ~ *compacta*, ~ *concentrada* geballte Ladung *f*; ~ *explosiva* (*nuclear*) (Kern-)Sprengladung *f*; ~ *propulsora* (*para cohetes*) (Raketen-)Treibsatz *m*; **4.** ⊕ Beschickung *f*, Begichtung *f* (*Hochofen*); **5.** ⚔ Angriff *m*; *dar una ~* angreifen; *fig.* entschlossen vorgehen; *fig. volver a* (*od. sobre*) *la ~* hartnäckig sein, auf et. (*dat.*) (*od.* darauf) bestehen, (immer) wieder damit anfangen; **6.** Rüge *f*, Verweis *m*; ⚖ Beschuldigung *f*, (An-)Klage *f*; Beschwerde *f*; **7.** Pflicht *f*, Verpflichtung *f*; **~s** *f/pl. a.* Amtspflichten *f/pl.*; **8.** Last *f* (*als Maßeinheit, reg. u. nach Ware versch.*).
carga|dero *m* **1.** Ladeplatz *m*; Ladebühne *f*; *Hochofen*: Gicht *f*; ⚒ Füllort *m*; **2.** ⚠ Sturz *m*; **~dilla** F *f* Schuldzins *m*; **~do I.** *part.-adj.* **1.** (voll)belastet, überladen (*a. fig.*); stark (*Kaffee, Tee*); bedeckt (*Himmel*); ~ *de años* hochbetagt; ~ *de deudas* überschuldet; ~ *de espaldas* **a)** mit hohen Schultern; **b)** mit krummem Rücken, höckerig; **c)** *Reg.* angetrunken; ⚔ ~ *con bala* scharfgeladen; ⚓ ~ *de popa* hecklastig; *el árbol está ~ de peras* der Baum hängt voller Birnen; *fig.* ~ *de razón* vernünftig; **2.** schwül (*Wetter*); stickig (*Luft*); *fig.* F wütend, geladen F; **3.** übertrieben, karikiert; **4.** trächtig (*Schaf*); **5.** ▨ übermalt; **II.** *m* **6.** (Be-)Laden *n*; Füllen *n*; **7.** ♪ *Tanzschritt*: Fußwechsel *m*.
carga|dor *m* **1.** (Ver-)Lader *m*; Lastträger *m*; Verschiffer *m*; ~ *de muelle* Schauermann *m* (*pl. Schauerleute*); **2.** ⊕ Ladevorrichtung *f*; ~ *automático* Ladeautomat *m*; *tex.* Selbstaufleger *m*; (*carro m*) ~ Ladewagen *m*; *Phot.* ~ *del obturador* Verschlußspanner *m*; **3.** ⚔ Rahmen *m*, Magazin *n*; Maschinengewehrgurt *m*, Ladestreifen *m*; **4.** ⚘ Strohgabel *f*; **~mento** *m* (*bsd.* Schiffs-) Ladung *f*, Fracht *f*; ⚓ ~ *de retorno* Rückfracht *f*; *póliza f de ~* Ladeschein *m*; **~nte** F *adj. c* lästig, aufdringlich.
cargar I. *v/t.* **1.** be-laden, -lasten (mit *dat. con, de*); befrachten (mit *dat.* de); (auf-, ver-)laden (auf *ac.* en); *Ware* verfrachten; **2.** auf-, an-füllen; *Pfeife* stopfen; *Magen* überladen; *Speisen* stark würzen; *Kaffee, Tee usw.* stark machen; ~ *la mano en et.* zu stark würzen; **3.** beschweren, belasten (*a. fig.*); *fig.* drücken; *Steuern, Verpflichtungen* auferlegen *bzw.* abwälzen (auf *ac. a*); ✝ *le cargamos en cuenta el importe de ...* wir belasten Ihr Konto (*od.* Sie) mit dem Betrag von ...; ~ *sobre sí* auf s. nehmen, übernehmen (*Pflicht, Schuld usw.*); **4.** *Steuer* erhöhen; **5.** anschuldigen, bezichtigen; ~ *la culpa* (*la responsabilidad*) *a alg.* j-m die Schuld (die Verantwortung) zuschieben; **6.** *Verschluß*(*feder*), *Armbrust* spannen; *Waffe, Kamera* laden, *Film* einlegen in (*ac.*); *Akkumulator* (auf)laden; *Hochofen, Förderband* beschicken; **7.** *a.* ⚔ angreifen, s. wenden gg. (*ac.*); auf *j-n* einschlagen; *fig.* belästigen, reizen; **8.** übertreiben; ~ *el color* e-e grelle Farbe auftragen; (die Farbe) dick auftragen (*a. fig.*); **9.** ⚓ *Segel* einziehen; **10.** *Kart.* (über)stechen; **11.** ▨ *Embleme* überea.-malen; **12.** aufnehmen, fassen (*Behälter*); **13.** F *Am.* tragen, bei s. haben; **14.** *Cu.* bestrafen; **15.** *Méj.* decken, bespringen; **II.** *v/i.* **16.** lasten, liegen (auf *dat.* en); drücken; *el acento carga en* (*od. sobre*) *la última sílaba* die Betonung liegt auf der letzten Silbe; *el techo carga sobre* (*od. en*) *las vigas* das Dach (*od.* die Decke) ruht auf dem Gebälk; **17.** ~ *con et.* übernehmen, *et.* auf s. nehmen; *et.* tragen; *et.* mit s. nehmen; F *et.* stehlen, *et.* mit s. gehen heißen F; F ~ *con el paquete* (*od. el mochuelo*) *et.* (*od.* es) ausbaden müssen F; **18.** *Stk.* angreifen; „chargieren" (*Muletafigur*); **19.** ~ *sobre alg.* auf j-n eindringen, j-m zusetzen; ~ *contra* (*od. sobre*) *el enemigo* den Feind angreifen; **20.** ⚓ krängen (*Schiff*); ~ *de popa* (*de proa*) heck-(bug-)lastig sein; **21.** s. zs.-ziehen (*Wolken*); s. verziehen (nach *dat. hacia*) (*z. B. Wetter*); ⚒ s. drängen (*Menge*); **22.** (reich) tragen (*Baum*); **23.** kräftig essen; viel trinken; **24.** zunehmen, stärker werden (*Wind usw.*); **III.** *v/r.* **~se 25.** s. (an)füllen (mit *dat.* de); **26. ~se de** (*od. con*) s. belasten mit (*dat.*); s. *et.* aufladen, s. *et.* auf den Hals laden; **~se** *de deudas* in Schulden geraten; F *cargársela* es auf s. nehmen (*Verantwortung, Schuld*); **27.** zornig werden; s. nicht mehr beherrschen können, wild werden F; **28.** s. beziehen, s. bedecken (*Himmel*); **29.** P **~se** *a alg.* **a)** j-n erledigen P, j-n umlegen P; **b)** *Sch.* j-n durchfallen lassen (*im Examen*); F *a ese tío me lo cargo* den Kerl mach' ich fertig F; **30.** s. *nach der Seite* neigen, s. biegen.
carga|reme *m* (Kassen-)Quittung *f*; **~zón** *f* **1.** Ladung *f*, Belastung *f*; **2.** (nachdrückliche) Betonung *f*; **3.** ⚕ Kopfdruck *m*; Magendrücken *n*; **4.** dickes Gewölk *n*; **5.** F *Arg.* Plunder *m* F, Rumpelkasten *m* (*Maschinerie*); Pfuscharbeit *f* F; **6.** ⚘ *Chi.* reicher Ertrag *m*; **7.** *Col., Cu., Rpl.* de ~ minderwertig, billig.
cargo *m* **1.** Verpflichtung *f*, Auftrag *m*; Posten *m*, Amt *n*; *a ~ de* **a)** zu Lasten von (*dat.*); **b)** unter

der Leitung von (*dat.*); unter dem Befehl von (*dat.*); *alto* ~ hohe Stellung *f*; ~ *de honor*, ~ *honorífico* Ehrenamt *n*; *cesar en el* ~ aus dem Amt scheiden; (eso) *corre* (*od. va*) *de mi* ~ das ist m-e Sache, dafür muß ich sorgen; *a.* das werde ich erledigen; *desempeñar un* ~ e-e Stellung innehaben; ein Amt ausüben; s-s Amtes walten (*lit.*); *hacerse* ~ *de a/c.* **a**) s. klar sein über et. (*ac.*); et. berücksichtigen; et. bedenken; et. begreifen *od.* verstehen; **b**) et. übernehmen; *¡hazte* ~*!* stell dir das nur vor!; *tener a su* ~ für *et.* (*ac.*) sorgen; *et.* leiten, für *et.* (*ac.*) die Verantwortung haben; für *j-n* die Verantwortung haben *od.* verantwortlich sein; *j-n* unter s. haben (*Stellung*); *tomar a/c. a su* ~ et. übernehmen; **2.** Vorwurf *m*; Einwand *m*; ⚖ Anklagepunkt *m*; ~ *de conciencia* Gewissensnot *f*, Skrupel *m/pl.*; *hacer* ~ *a alg. de a/c.* j-m et. vorwerfen; j-m et. zuschreiben; **3.** ✝ Soll *n*, Debet *n*; *nota f de* ~ Lastschriftanzeige *f*; **4.** Frachtschiff *n*; **5.** Last *f*, Korb *m* (*best. Menge Oliven zum Pressen bzw. Trauben zum Keltern*); Last *f* Holz, *reg. versch. Gewicht*; **6.** ⚖ *Chi.* Vorlagevermerk *m auf Urkunden.*

car|goso *adj.* **1.** lästig; beschwerlich; **2.** schwer; **~guero** *adj.-su. m* **1.** Lasttier *n*; *Bol., Col., Rpl.* Lastträger *m*; **2.** ⚓ Frachter *m*; **3.** ~*s m/pl.* Packsattel *m*; **~guío** *m* Ladung *f*; Frachtgüter *n/pl.*

cari...[1] *lit. u.* F *in Zssgn.* ...gesichtig, mit ... Gesicht; *z. B.* ~*ancho* mit breitem Gesicht; ~*gordo* dickbackig, vollwangig.

cari[2] **I.** *adj. c* **1.** *Arg., Chi.* (hell-) braun; **II.** *m* **2.** *Am.* Brombeere *f*; **3.** *Chi.* Pfeffer *m.*

caria △ *f* Säulenschaft *m.*

cariacedo *lit. adj.* sauertöpfisch, mürrisch.

cariaco *m Cu. Volkstanz*; *Guay. Art* Schnaps *m*; *Ven. etwa*: Wild... (*Pfl. u. Tiere*); *z. B. paloma f* ~ (*od.* ~*a f*) Wildtaube *f.*

cariacontecido F *adj.* nachdenklich (aussehend); betrübt.

caria|do *adj.* angefault, hohl, ⚕ kariös (*Zahn, Knochen*); **~r I.** *v/t.* Fäule verursachen an (*dat.*); **II.** *v/r.* ~*se* (an)faulen; hohl werden (*Zahn*).

caribe I. *adj. c-su. m* karibisch; *Ven.* (*pez m*) ~ Karibenfisch *m*; **II.** *m* Karibe *m*; *fig.* †, ⚒ grausamer Mensch, Barbar *m.*

cari|blanca *Zo. f Col., C. Ri.* Maisäffchen *n*; **~bú** *Zo. m* Karibu *n.*

caricato *Thea. m* Baßbuffo *m.*

caricatu|ra *f* Karikatur *f*, Zerrbild *n* (*a. fig.*); **~rar** → *caricaturizar*; **~resco** *adj.* Karikatur...; zur Karikatur geworden; **~rista** *c* Karikaturist *m*, Karikaturenzeichner *m*; **~rizar** [1f] *v/t. a. fig.* karikieren, verzerren.

cari|cia *f* Zärtlichkeit *f*, Liebkosung *f*; Streicheln *n*; Schmeichelei *f*; *hacer* ~*s a un niño* (*a un gato*) ein Kind liebkosen (e-e Katze streicheln); **~cioso** *adj.* zärtlich, liebkosend.

caridad *f* **1.** *Theol.* Caritas *f*, Agape *f*; **2.** christliche Nächstenliebe *f*, Barmherzigkeit *f*, Wohltätigkeit *f*; **3.** Liebesgabe *f*, Almosen *n*; *casa f de* ~ Armen-haus *n*; -spital *n*; *vivir de la* ~ *pública* von der Fürsorge leben; **4.** *Méj.* Sträflingskost *f.*

caridoliente *adj. c* mit schmerzlich verzogenem Gesicht, mit (e-r) Leidensmiene.

cariedón *Zo. m* Nußwurm *m.*

caries *f* **1.** ⚕ Karies *f*, Knochenfraß *m*; ~ *dental*, ~ *dentaria* Zahnfäule *f*; **2.** ⚘ Brand *m*; **3.** Wurmstichigkeit *f.*

carillo I. *adj.* **1.** ⚒ lieb, teuer; **2.** F (ganz) schön teuer (*Preis*); **II.** *m* **3.** *poet.* Liebhaber *m.*

carillón *m* Glockenspiel *n.*

carincho *Kchk. m Am.* Kartoffeln *f/pl.* mit Paprikafleisch.

carin|tino *Min. f* Carinthin *m*; **~tio** *adj.-su.* kärntnerisch; *m* Kärntner *m.*

cari|ñín F *m* mein Liebling (*zu Kindern*); **~ño** *m* **1.** Liebe *f*, Zuneigung *f*; Zärtlichkeit *f*; Sehnsucht *f*; ~ (*mío*) (mein) Liebes, (mein) Liebling; *adv. con* ~ liebevoll, zärtlich; *tenerle* (*tomarle*) ~ *a alg.* j-n liebhaben (-gewinnen); **2.** ~*s m/pl.* **a**) Liebkosung(en) *f*(*/pl.*); **b**) Grüße *m/pl.*, Aufmerksamkeiten *f/pl.*; **3.** Sorgfalt *f*; **4.** *Chi., Rpl.* Geschenk *n*, Gabe *f*; **~ñosamente** *adv.* → *con cariño*; **~ñoso** *adj.* liebevoll, zärtlich; zutraulich (*Kind*); freundlich; *in Briefen*: ~*s saludos m/pl.* herzliche Grüße *m/pl.*

carioca I. *adj.-su. c* aus Rio de Janeiro; *p. ext.* brasilianisch; **II.** *f* ♪ Carioca *m* (*Tanz*).

cariocinesis *Biol. f* Karyokinese *f*, indirekte Kernteilung *f.*

cariofiláceas ⚘ *f/pl.* Nelkengewächse *n/pl.*

cariparejo F *adj.* mit unbewegtem Gesicht, unerschütterlich.

carísimo *sup. v. caro*; sehr teuer; sehr lieb; *kath.* ~*s en Cristo* Geliebte in Christo.

caris|ma *m* Charisma *n*, Begnadung *f*, Berufung *f*; **~mático** *adj.* charismatisch.

caritativo *adj.* karitativ, hilfreich, mildtätig; barmherzig; *obra f* ~*a* Hilfswerk *n*, Wohltätigkeitsinstitution *f.*

carite *Fi. m Cu., P. Ri. Art* Sägefisch *m*; *Ven.* Karibenfisch *m*, Piranha *m.*

cariz *m* (*pl.* ~*ices*) Wetterlage *f*; *fig.* Lage *f*, Aussehen *n*; ~ (*de los negocios*) Geschäftslage *f*; *la cosa va tomando mal* ~ die Sache wird bedenklich (*od.* brenzlich); *de tal* ~ derartig.

carlan|ca *f* **1.** Stachelhalsband *n*; *Col., C. Ri.* Fußeisen *n der Sträflinge*; **2.** *fig.* F Geriebenheit *f*, Gerissenheit *f*; *tener muchas* ~*s* es faustdick hinter den Ohren haben, mit allen Wassern gewaschen sein F; **3.** *Chi., Hond.* Zudringlichkeit *f*, Belästigung *f*; **~cón** *m* Schlauberger *m*, Schlaukopf *m.*

carlina ⚘ *f* Silberdistel *f*, Eberwurz *f.*

carlinga *f* ⚓ Kielschwein *n*; ✈ Pilotenkanzel *f*, Cockpit *n.*

carlis|mo *Pol. m* Karlismus *m*; **~ta** *adj.-su. c* Karlist *m*, *Anhänger des Thronprätendenten Don Carlos* (*19. Jh.*) *u. s-r Nachkommen*; *hist. guerras f/pl.* ~*s* Karlistenkriege *m/pl.*

carlota *Kchk. f* Charlotte *f* (*Art Baisertorte*).

carlovingio *adj.-su.* → *carolingio.*

carmel ⚘ *m* Spitzwegerich *m.*

carmelina *f* Karmelinwolle *f.*

carme|lita I. *adj.-su. c kath.* Karmeliter...; *c* Karmeliter-mönch *m*; -nonne *f*; **II.** *f* Kapuzinerkressenblüte *f* (*Salatwürze*); **III.** *adj. c Cu., Chi.* braun; **~litano** *adj.* Karmeliter...

carmen[1] *lit. m* Carmen *n*, Gedicht *n* (*bsd. als lt. Stilübung*).

carmen[2] *m Granada*: Landhaus *n* mit Garten.

Carmen[3] *m* Karmeliterorden *m.*

carmenar *v/t.* **1.** *tex. Wolle* kämmen, schlichten; *fig.* an den Haaren ziehen, zerzausen; **2.** *fig.* F rupfen F, ausplündern.

carme|sí (*pl.* ~*íes*) **I.** *adj. c* karm(es)inrot, hochrot; **II.** *m* Karm(es)in *n*; **~sita** *Min. f* Karmesit *m.*

carmín *m* **1.** Scharlachrot *n*; Lippenstift *m*; **2.** ⚘ rote Wildrose *f.*

carminativo ⚕ *adj.-su. m* blähungstreibend(es Mittel *n*).

car|míneo, **~minoso** *adj.* karm(es)infarben, tiefrot.

carna|ción ▨ *f* Fleischfarbe *f*; **~da** *f Jgdw., Fischerei*: Fleischköder *m*; *fig.* F Falle *f*, Köder *m*; **~dura** *f* **1.** Beleibtheit *f*; **2.** P Muskulatur *f*, Fleisch *n*; **3.** ⚕ Heilungstendenz *f der Gewebe*; **~je** ⚓ *m* Pökelfleisch(vorrat *m*) *n*; **~l I.** *adj. c* **1.** fleischlich, sinnlich; weltlich; *acto m* (*od. comercio m*) ~ Beischlaf *m*; **2.** blutsverwandt; *hermano m* ~ leiblicher Bruder *m*; **II.** *m* **3.** *Rel.* Nichtfastenzeit *f*; **~lidad** *f* Fleisches-, Sinnen-lust *f.*

carnava|l *m* **1.** Karneval *m*, Fastnacht *f*, *südd.* Fasching *m*; **2.** ~*es m/pl.* Luftschlangen *f/pl.*; Konfetti *n*; **~lada** *f* Fastnachts-, Karnevalsscherz *m*; Karnevalstreiben *n*; *fig.* Farce *f*; **~lesco** *adj.* Fastnachts..., Karnevals...

carnaza *f* **1.** Fleischseite *f an Häuten*; Fleischköder *m* (*Jagd, Fischerei*); *desp.* Fleisch *n*, Beleibtheit *f*; **2.** † *bsd. Rel.* Fleisch *n.*

carne *f* **1.** Fleisch *n*; Fleischgericht *n*; Fruchtfleisch *n*; ~ *asada* Bratfleisch *n*, Braten *m*; ~(*s*) *f*(*/pl.*) *blanca*(*s*) weißes Fleisch *n* (*Geflügel, Kalb u. ä.*); ~ *de caballo* (*de cordero*) Pferde- (Lamm-)fleisch *n*; *fig.* ~ *de cañón* Kanonenfutter *n*; ~ *cocida* (*congelada*) Suppen- (Gefrier-)fleisch *n*; *Rpl.* ~ *con* (*od.* de) *cuero* in der Haut gebratenes Fleisch; ~ *de gallina* Hühnerfleisch *n*; *fig.* Gänsehaut *f*; ~ *de membrillo* Quittengelee *n*; ~ *mollar* mageres Fleisch *n* ohne Knochen; ~ *de pelo* Wild *n* (*Hasen, Kaninchen*); ~ *picada* Hackfleisch *n*; Haché *n*; ~ *de pluma* Geflügel *n*; ~ *rallada* (*seca*) Schabe- (Dörr-)fleisch *n*; ~ *salvajina* Wild(bret) *n* (*Wildschwein, Hirsch, Reh*); ~ *de vaca*, *Am.* ~ *de res* Rindfleisch *n*; ~ *viva* gesundes Fleisch (*bei Wunden*); bloßliegendes Fleisch *n*; *fig.* *en* ~*s* (*vivas*) nackt, splitternackt F; *aferrarse con* ~ *y uña* s. mit Klauen u. Zähnen anklammern (*od.* verteidigen); *echar* (*od. cobrar, criar, tomar*) ~*s* Fleisch ansetzen, dick werden; *fig. herir en* ~ *viva* zutiefst verletzen (*od.* treffen); *estar metido* (*od.* F *metidito*) *en* ~*s, tener buenas* ~*s* beleibt sein, dick sein, gut gepolstert sein F; F *perder* ~*s* abmagern, vom Fleisch fallen F; *fig. poner toda la* ~ *en el asador* **a)** alles auf e-e Karte setzen; **b)** alle Hebel in Bewegung setzen; *ponérsele a alg.* ~ *de gallina* e-e Gänsehaut bekommen; (*ser*) *de* ~ *y hueso* auch (nur) ein Mensch (sein); leibhaftig (sein), wirklich (sein); aus Fleisch u. Blut (sein); *fig. no ser* ~ *ni pescado* weder Fisch noch Fleisch sein; *fig. ser uña y* ~ ein Herz u. e-e Seele sein; *fig. me tiemblan las* ~*s* mir zittern alle Glieder; **2.** Sinnlichkeit *f*, Fleischeslust *f*; **3.** *Rel.* Fleisch *n*; ~ *humana* menschliche Schwachheit *f*; **4.** *Mal.* Fleischfarbe *f*; *color* (*de*) ~ fleischfarben, inkarnat; **5.** *Am. Mer.* Kernholz *n e-s Stammes.*

carne|ada *f Rpl.* Schlachtung *f*; **~ar** *v/t.* **1.** *Rpl., Chi.* schlachten; *fig. Rpl.* niederstechen, töten; **2.** *Chi.* betrügen, prellen; **~cería** *f* → *carnicería*; **~cilla** *f* kl. Fleischwucherung *f*; **~rada** *f* Hammelherde *f*; **~rear** *v/t. Rpl.* (von e-r Bewerberliste) streichen; **~rero** *m* Schäfer *m*, Schafhirt *m*; **~ril** *adj. c* Schaf...; *dehesa f* ~ Schafweide *f*; **~ro** *m* **1.** Hammel *m*; ~ *semental* Zuchtbock *m*, Widder *m*; *fig.* F *no hay tales* ~*s* so was gibt's ja gar nicht F, da lachen ja die Hühner F; **2.** Hammelfleisch *n*; **3.** *Arg., Bol., Pe.* ~ *de la sierra* Lama *n*; **4.** *Vo.* ~ *del cabo* Albatros *m*; **5.** ⊕ Bohrwidder *m*; *hist.* ⚔ Widder *m*, Rammbock *m*; **6.** *Chi., Rpl.* Schwächling *m*, Nachbeter *m*, Herdenmensch *m*; **7.** P *Arg.* Streikbrecher *m*; **~runo** *adj.* Hammel..., Schaf...; hammel-, schaf-artig.

carnestolendas *f/pl. die drei letzten Tage der* Fastnachts-, Karnevalszeit *f*, Fasching *m*.

car|né, ~net *gal. m* (*pl.* ~*és,* ~*ets*) **1.** Ausweis(karte *f*) *m*; ~ *de identidad* Personalausweis *m*; ~ (*internacional*) *de conducir* (internationaler) Führerschein *m*; ~ *de periodista* Presseausweis *m*; → *a. cartilla, licencia, tarjeta*; **2.** Notizbuch *n*.

carnice|ría *f* **1.** Metzgerei *f*, Fleischerei *f*; *Ec.* Schlachthof *m*; **2.** *fig.* Blutbad *n*, Gemetzel *n*, Massaker *n*; F *hacer* ~ ein Blutbad anrichten; **~ro I.** *adj.* **1.** reißend (*wildes Tier*), fleischfressend; *ave f* ~*a* Raubvogel *m*; **2.** *fig.* blutgierig, grausam; F gern Fleisch essend; **3.** *olla f* ~*a* Wurstkessel *m*; *fig.* F Koch-, Eßkessel *m für Erntearbeiter usw.*; **II.** *m* **4.** Fleischer *m*, Metzger *m*; **5.** *fig.* Schinder *m*, Schlächter *m*; **6.** ~*s m/pl.* Raubtiere *n/pl.*; → *a. carnívoro.*

carni|col *m* Klaue *f der Spaltzeher*; **~forme** *adj. c* fleisch-ähnlich, -artig.

carniola *Min. f* Karneol *m* (*Halbedelstein*).

carniseco *adj.* hager, dürr.

carnívoro I. *adj.* fleischfressend; **II.** ~*s m/pl.* Fleischfresser *m/pl.*; *a.* Raubtiere *n/pl.*

carniza *f* Fleischabfälle *m/pl.*; F schlechtes (*od.* stinkendes) Fleisch *n*, Aas *n*.

car|nosidad *f* **1.** ⚕ Fleischwucherung *f*; **2.** überschüssiges Fett *n*; Beleibtheit *f*; **~noso** *adj.* fleischig (*a. von Pfl.*); *fig.* beleibt; **~nudo** *adj.* fleischig; beleibt; **~nuza** F *desp. f* minderwertiges, billiges Fleisch *n*.

caro[1] **I.** *adj.* **1.** teuer; kostspielig; *resultar* ~ viel Geld kosten; **2.** *lit.* lieb, teuer, wert; kostbar; F ~*a mitad f* bessere Hälfte *f* (*Ehefrau*); **II.** *adv.* **3.** *vender* ~ teuer verkaufen; *fig. te costará* ~ das wird dich teuer zu stehen kommen; *a.* das sollst du mir büßen.

caro[2] *m Cu.* Krebsrogen *m*.

caroba ⚘ *f* Skrofelkraut *n*; *Rpl.* Karobe *f*.

caroca *f* **1.** Straßendekoration *f bei Festzügen u. ä.*; **2.** Posse *f im Volksstil*; **3.** *fig.* F übertriebene Schmeichelei *f*; *hacer* ~*s* Süßholz raspeln; Faxen machen; *a.* angeben F.

carocha *f u. Abl.* → *carrocha.*

carolingio *hist. adj.-su.* karolingisch; *m* Karolinger *m*.

carón *adj. Am.* pausbäckig.

carona *f* **1.** Satteldecke *f*, Woilach *m*; **2.** Teil *m* des Pferderückens, *auf dem der Sattel aufliegt.*

caroñoso *adj.* wundgerieben (*Reit-, Lasttier*).

carota F *f* unverschämter Kerl *m*.

carótida *Anat. adj.-su. f* (*arteria f*) ~ Halsschlagader *f*, Karotis *f*.

carozo *m* **1.** Maisrispe *f*; **2.** *Reg. u. Am.* Kern *m*, Stein *m* (*Obst*).

carpa[1] *Fi. f* Karpfen *m*; ~ *dorada* (Gold-)Karausche *f*; *Sp. salto m de* ~ Hechtsprung *m*.

carpa[2] *f* Traubenbüschel *n*.

carpa[3] *Ke. f Am.* Zelt *n*; *Chi., Méj., Pe., P. Ri.* Krämerbude *f*.

carpanel △ *m* Korb-bogen *m*, -gewölbe *n*.

carpanta F *f* **1.** Mordshunger *m* F; **2.** *Andal.* aufdringliches, neugieriges Frauenzimmer *n* F; **3.** *Méj.* (Räuber-)Bande *f*.

carpático *adj.* aus den Karpaten, Karpaten...

carpe ⚘ *m* Weiß-, Hage-buche *f*; **~dal** *m* Weißbuchenhain *m*.

carpelo ⚘ *m* Fruchtblatt *n*, Karpell(um) *n*.

carpera *f* Karpfenteich *m*.

carpeta *f* **1.** Schreib-, Kollegmappe *f*; Schreibunterlage *f*; Aktendeckel *m*; *Am.* Aktentasche *f*; **2.** (Tisch-)Decke *f*; **3.** ☤ Aufstellung *f*, Abrechnungsliste *f von Wertpapieren* (*Bankw.*); **4.** *Pe.* Schreibpult *n*; **~zo** *m* F: *dar* ~ *a un asunto* et. unerledigt liegenlassen, et. ad acta legen.

carpiano *Anat. adj.* Handwurzel...

carpidor ⚒ *m Am.* Jäthacke *f*.

carpincho *Zo. m Col., Rpl.* Wasserschwein *n*.

carpin|tear *vt/i.* zimmern, tischlern; **~tera** *adj.-su. f*: (*abeja f*) ~ Holzbiene *f*; **~tería** *f* **1.** Zimmerwerkstatt *f*, Tischlerei *f*; ~ *y ebanistería f* Bau- u. Möbelschreinerei *f*; **2.** Zimmer- *bzw.* Tischler-handwerk *n*; **3.** Zimmerung *f*, Gerüst *n*, Holzwerk *n*; **~teril** *adj. c* Zimmermanns...; Tischler...; **~tero** *m* Tischler *m*, Schreiner *m*; ~ (*de armar*) Zimmermann *m*; ~ *de obra* (*de afuera*) Bauschreiner *m*; ~ *de ribera* Schiffszimmermann *m*.

carpir *vt/i.* **1.** ⚘ *Am.* jäten, säubern; **2.** ⚒ kratzen; *fig.* schmerzen; **3.** betäuben.

carpo *Anat. m* Handwurzel *f*, *lt.* Carpus *m*.

carquesa ⊕ *f* Frittofen *m für Glas.*

carraca[1] *f* **1.** *hist.* gr. Lastschiff *n*; *desp.* schwerfälliges Schiff *n*; **2.** *fig.* F Klapper-, Rumpel-kasten *m* F; F *estar hecho una* ~ ein Klappergreis sein; **3.** *hist.* Werft *f*; *La* ~ *die Werft von Cádiz.*

carraca[2] *f* Klapper *f*, Schnarre *f*; ⊕ Knarre *f*, Ratsche *f*; Bohrknarre *f*.

carraco[1] F *adj.* kränklich, klapprig F.

carraco[2] *Vo. m Col.* Aura *f*, am. Geier *m*; *C. Ri. e-e Ente.*

Carracuca F *m*: *estar más perdido que* ~ schön in die Tinte geraten sein F, tief im Schlamassel stecken F; *ser más feo* (*tonto*) *que* ~ häßlich wie die Nacht F (erzdumm F *od.* erzdämlich F) sein.

carrada *f* → *carretada.*

carrador *m* Korkarbeiter *m*.

carra|gahen, ~geen *m* Karrageen *n*.

carral *m* Transportfaß *n für Wein.*

carraleja *Ent. f* Maiswurm *m*, Ölkäfer *m*.

carranza *f* Stachel *m am Stachelhalsband.*

carrao *m* **1.** *Ven. ein Stelzvogel*; **2.** F ~*s m/pl. Col., Cu.* Latschen *m/pl.* F, schlechtes Schuhwerk *n*.

carraón ⚘ *m* Spelz *m*, Spelt *m*.

carrasca[1] ⚘ *f* kl. Steineiche *f*; *a.* Scharlach-, Kermes-eiche *f*.

carrasca[2] ♪ *f Col. Art* Schlagbaß *m der Neger.*

carrascal *m* **1.** Steineichenwald *m*; **2.** *Chi.* → *pedregal.*

carrasco *m* **1.** ⚘ kl. Stein-, Stecheiche *f*; *pino m* ~ Schwarzfichte *f*; **2.** *Am.* Dickicht *n*, Busch *m*; **~so** *adj.* mit Steineichen bestanden.

carraspada *f Getränk aus Rotwein mit Wasser, Honig u. Gewürzen.*

carraspe|ar *v/i.* s. räuspern; hüsteln; **~ño** *adj.* rauh, heiser (*Stimme*); **~o** *m*, **~ra** *f* Heiserkeit *f*; Hüsteln *n*.

carraspique ⚘ *m* Schleifenblume *f*, Bauernsenf *m*.

carrasposo *adj.* chronisch heiser; krächzend (*Stimme*); *Col., Cu., Ec., Ven.* rauh (anzufühlen).

carras|queño *adj.* **1.** ⚘ Steineichen...; *aceituna f* ~*a e-e Olivenart*; **2.** *fig.* F rauh, hart; mürrisch, barsch; **~quera** *f* → *carrascal*; **~quilla** ⚘ *f Reg.* **1.** Felsenbirne *f*; **2.** echter Gamander *m*; **3.** immergrüner Wegdorn *m*.

carrejo *m* Korridor *m*, Flur *m*, Durchgang *m*.

carrera *f* **1.** Laufen *n*, Lauf *m*; *de* ~ eiligst, flugs; *fig.* hastig, in wilder Hast (*od.* Eile), unüberlegt; *adv. a* ~ *abierta od. a* ~ *tendida od. a la* ~ in vollem Lauf; *dar una* ~ *hasta* laufen bis (an *ac. od.* zu *dat.*); *partir de* ~ unüberlegt (*od.* leichtsinnig) zu Werke gehen; *tomar* ~

e-n Anlauf nehmen (*a. fig.*); **2.** Wegstrecke *f*, zurückgelegte Strecke *f*; Bahn *f der Gestirne*; Prozessions-, Fest-weg *m*; *a.* Aufmarschstraßen *f/pl.*; Heer-, Landstraße *f*; *bei Straßennamen*: Straße *f*; *Col.* Hauptstraße *f*; Schiffahrtsstraße *f*; **3.** *Sp.* Wettlauf *m*, Rennen *n*; Renn-strecke *f*, -bahn *f*; *fig.* ~ *de armamentos* Wettrüsten *n*; ~ *de automóviles* (*de bicicletas*) Auto- (Rad-)rennen *n*; ~*s de caballos*, ~*s hípicas* Pferderennen *n*(*/pl.*); ~ *de cien metros* Hundertmeterlauf *m*; ~ *corta*, ~ *a corta distancia* Kurzstreckenlauf *m*; ~ *en cuesta* Bergrennen *n*; ~ *de destreza* Geschicklichkeits-lauf *m*; -rennen *n*; ~ *de esquí(e)s* Skirennen *n*; ~ *de fondo*, ~ *a larga distancia* Langstreckenlauf *m*; ~ *de galgos* Windhundrennen *n*; ~ *de medio fondo* Mittelstreckenlauf *m*; ~ *de motocicletas* Motorradrennen *n*; ~ *de obstáculos* Hindernis-lauf *m*; -rennen *n*; *a.* Hürdenlauf *m*; ~ *de relevo(s)* Stafettenlauf *m*; ~ *de resistencia Sp.* Dauerlauf *m*; *Equ.* Distanz-, Gewalt-ritt *m*; ~ *de sacos* Sackhüpfen *n*; ~ *de trote* Trabrennen *n*; ~ *de vallas* Hürdenlauf *m*; *automóvil m* (*od. coche m*) *de* ~*s* Rennwagen *m*; *juez m de* ~*s* Renn-, Lauf-richter *m*; *a.* Startrichter *m*; **4.** Laufbahn *f*, Karriere *f*; Fach *n*, Beruf *m*; *bsd.* akademisches Berufsstudium *n*; ~ *de abogado* Rechtsanwaltslaufbahn *f*; *diplomático m de* ~ Berufsdiplomat *m*; *hombre m de* ~ Akademiker *m*, Fachingenieur *usw.*; *joven m de* ~ studierter junger Mann *m*, Jungakademiker *m*; *cambiar de* ~ den Beruf wechseln, umsatteln F; *dar* ~ *a alg.* j-n studieren lassen; *estudiar* (*od. seguir*) *la* ~ *de médico* Arzt werden, Medizin studieren; *hacer* ~ Karriere machen, beruflich vorwärts kommen; *fig. no poder hacer* ~ *de* (*od. con*) *alg.* mit j-m nicht zurechtkommen, mit j-m nichts anfangen können; **5.** ✈ Kurve *f*; ~ *ascensional* (*descendiente*) *de precios* ansteigende (fallende) Preiskurve *f*; **6.** ⊕ Weg *m*, zurückgelegte Strecke *f*; ~ *del émbolo* Kolbenhub *m*; **7.** Reihe *f*; ~ *de árboles* Allee *f*, Baumreihe *f*; **8.** Lebensweise *f*; F *mujer f de* ~ Dirne *f*; F *hacer la* ~ auf den Strich gehen F; **9.** Lauf *m bzw.* Dauer *f* des Lebens; **10.** ♪ **a)** *alte Tanzweise*); **b)** Lauf *m*; Kadenz *f*; **11.** △ Trag-, Stütz-balken *m*; Rahmen (-holz *n*) *m*; **12.** (Haar-)Scheitel *m*; **13.** Laufmasche *f*; **14.** 🚂 *prov.* Eisenbahnschwelle *f*.

carre|rilla *f* **1.** ♪ **a)** Läufer *m*, Passage *f von e-r Oktave*; **b)** *e-e Tanzfigur, zwei schnelle Schritte*; **2.** kurzer Lauf *m*; *fig. de* ~ überstürzt, unüberlegt; *tomar* ~ (e-n) Anlauf nehmen; **~rista** *c* Rennsportler *m*; Rennfahrer *m*; Liebhaber *m* von (*bzw.* Wetter *m* bei) Pferderennen; **~ro** *m* Fuhrmann *m*.

carreta *f* **1.** zweirädriger Wagen *m*; F *Am. oft für carrete, carretilla, carretón*; **2.** *prov. hacer la* ~ schnurren (*Katze*); **~da** *f* Fuhre *f*, Karren-, Wagen-ladung *f*; F Menge *f*; *a* ~*s* in Hülle u. Fülle, haufenweise F, die (*od.* jede) Menge P; **~je** *m* Karren *n*; ⚒ Rollgeld *n*; **~l** *m* grob zugehauener Baustein *m*.

carrete *m* Spule *f*, Haspel *f*; Angelspule *f*; *Phot.* Filmrolle *f*; Rollfilm *m*; ⚡ (*Induktions- usw.*) Spule *f*; ~ *de hilo* Garnrolle *f*; ⚓ ~ *de corredera* Logrolle *f*; *dar* ~ die Angelschnur *u. ä.* nachlassen; *fig. j-n* (mit Ausflüchten) vertrösten, *j-n* hinhalten.

carretear I. *v/t.* **1.** auf e-m Karren fortschaffen; *e-n Wagen* ziehen; **II.** *v/i.* **2.** e-n Wagen führen; fahren; ✈ rollen; **3.** *Cu.* krächzen (*junge Papageien*); **III.** *v/r.* ~*se* **4.** s. ins Geschirr stemmen (*Zugtiere*).

carretel *m* ⚓ Logrolle *f*; *Méj.* Spule *f der Nähmaschine*.

carrete|la *f* leichte Kutsche *f*; *Chi.* Überlandwagen *m*; **~o** *m* Beförderung *f* auf Karren; ✈ Rollen *n*.

carretera *f* Landstraße *f* (*im Gg.-satz zur Straße in Ortschaften* = *calle*); ~ *de primera* (*de segunda*) *categoría* Landstraße *f* I. (II.) Ordnung; ~ *comarcal in Span.* (*Abk.* C 1, 2 *usw.*) *dt. etwa*: Staats-, Land-straße *f*; ♀ *Federal in einigen am. Staaten* (*Abk.* F 1, 2 *usw.*) Bundesstraße *f*; ~ *local in Span. etwa*: Gemeindestraße *f*; ♀ *Nacional in Span.* (*Abk.* N 1, 2 *usw.*) Nationalstraße *f*, *in Dtl. etwa*: Bundesstraße *f*; ~ *principal* Fernverkehrsstraße *f*; Durchgangsstraße *f*; ~ *radial in Span.* (*Abk.* I, II *usw.*) *die von Madrid zur Grenze gehenden 6 großen Fernverkehrsstraßen*; † ~ *real* Reichs-, Heer-, Land-straße *f*; ~ *secundaria* Nebenstraße *f*; ~ *vecinal* Gemeinde-, Ortsverbindungsstraße *f*; *red f de* ~*s* Straßennetz *n*.

carre|tería *f* **1.** Stellmacherei *f*; Stellmacherarbeit *f*; Stellmacherviertel *n*; **2.** Fuhrwesen *n*; **3.** (Menge *f*) Karren *m/pl.*; **~teril** *adj. c* **1.** Stellmacher...; **2.** Fuhrmanns...; **~tero** *m* **1.** Stellmacher *m*; **2.** Fuhrmann *m*; *fig.* ungebildeter (*bzw.* gemeiner) Kerl *m*; *blasfemar como un* ~ fluchen wie ein (Müll-) Kutscher, gottserbärmlich fluchen; **3.** □ Falschspieler *m*; **~til** *adj. c* Karren...; **~tilla** *f* **1.** Schubkarren *m*, Handwagen *m*; ~ *eléctrica* Elektrokarren *m*; ~ *de equipaje* Gepäckkarren *m*; ~ *elevadora* Hubstapler *m*; **2.** Frosch *m*, Schwärmer *m* (*Feuerwerk*); **3.** Laufkorb *m für Kinder*; **4.** *Arg.*, *Chi.* Kinnlade *f*; **5.** *Rpl.* Maultierdreigespann *n* (*Lastwagen*); **6.** *fig. adv. de* ~ (stur) auswendig, mechanisch; gewohnheitsmäßig; **~tillada** *f* Schubkarrevoll *f*.

carre|tón *m* **1.** offener (*bzw.* kl.) Kastenwagen *m*; (Scherenschleifer-)Karren *m*; Wägelchen *n*; Rollwägelchen *n für Beinamputierte u. ä.*; **2.** ⊕ Schlitten *m*; Leitrad *n bei Raupenfahrzeugen*; 🚂 Triebradgestell *n*; **3.** Lampen(flaschen)zug *m bei Kronleuchtern*; **4.** *Am. Cent.* Garnrolle *f*; **~tonero** *m* **1.** Handwagen- *usw.* -fahrer *m*; **2.** ♀ *Col.* (Futter-)Klee *m*.

carricera ♀ *f* Katzenschwanz *m*.

carri|coche *desp. m* Rumpelkasten *m*, -kiste *f* F; *Reg.* Mistwagen *m*; **~cuba** 🚿 *f* Sprengwagen *m*.

carriego *m* Fischreuse *f*; *tex.* Behälter *m zum Flachsbleichen*.

carriel *m Col.*, *Ec.*, *Ven.* Gürteltasche *f der Maultiertreiber*; Lederbeutel *m*, -tasche *f*.

carril *m* **1.** Rad-, Fahr-spur *f auf Wegen*, Geleise *n*; schmaler Fahrweg *m*; Fahrbahn *f* (*Autobahn*); **2.** ⊕ Schiene *f* (*a.* 🚂); Führungsleiste *f*; ~ *de cortinaje* Vorhangschiene *f*; ~ *normal* Voll-, Regelschiene *f*; (*fila f de*) ~*es* Schienenstrang *m*; → *a. raíl*; *fig.* F *entrar en* (*el*) ~ zur Vernunft kommen; **3.** Furche *f*; **4.** *Chi.* Eisenbahn *f*.

carri|lada *f* Rad-, Wagen-spur *f im Gelände*; **~lano** *m Chi.* Eisenbahner *m*; *desp.* Gauner *m*, Bandit *m*; **~lera** *f* **1.** → *carrilada*; **2.** 🐄 Strahlenpilzkrankheit *f*; **3.** 🚂 *Cu.* Ausweichstelle *f*; *Chi.* Pfahlrost *m*.

carri|llada *f* **1.** Backenfett *n der Schweine*; **2.** ~*s f/pl.* Zähneklappern *n*; **~llera** *f* **1.** *Anat.* Kiefer *m*; **2.** Kinn-, Schuppen-kette *f am Helm*; Kinn-, Sturm-riemen *m an Helm, Tschako usw.*; **~llo** *m Anat.* Backe *f*, Wange *f*; *comer* (*od. mascar*) *a dos* ~*s* mit vollen Backen kauen, mampfen F; *p. ext.* fressen P, viel essen; *fig.* **a)** zwei Eisen im Feuer haben; **b)** auf beiden Schultern tragen; **~lludo** paus-, dickbäckig.

carriola *f* **1.** Rollbett *n*; **2.** leichter Wagen *m*.

carrito *m dim. zu carro*; Wägelchen *n*; Teewagen *m*; Krankenstuhl *m*, Selbstfahrer *m*; ⊕ Schlitten *m*; Laufkatze *f*; ~ *de compra* Einkaufswagen *m der Hausfrauen*.

carri|zada ⚓ *f* Reihe *f* von Fässern (*als Floß in Schlepp genommen*); **~zal** *m* Röhricht *n*; **~zo** *m* **1.** ♀ Schilf *n*, Teichrohr *n*; Binse *f*; Ried(gras) *n*; *Am.* italienisches Rohr *n*; *Rpl.*, *Col.*, *Hond.*, *Pe.*, *P. Ri.*, *Ven.* „Wasserrohr" *n* (*die Stengel enthalten Wasser*); *Rpl.* ~ *de las Pampas* Pampasgras *n*; **2.** ¡~! *int. Col.*, *Ven.*, *Am. Cent.* nein, so (et)was! (*Überraschung*).

carro *m* **1.** Karren *m*, Karre *f*; Wagen *m*, Fuhrwerk *n*; ⊕ Wagen *m* (*a. Schreibmaschine*); Schlitten *m*; F *a* ~*s* haufenweise; ~ *de asalto hist.* Kampfwagen *m*; ⚔ → ~ *de combate* Panzer(kampfwagen) *m*; ~ *de basura* Müll(abfuhr)wagen *m*; ~ *basculante* Kipp-wagen *m*; -lore *f*; 🚂 ~ *giratorio* Drehgestell *n*; ⊕ ~ (*de grúa*) Laufkatze *f*; ~ *entoldado*, ~ *de toldo* (*de mano*) Plan- (Hand-) wagen *m*; ~ *de motor* Motorwagen *m*, Selbstfahrer *m*; ~ *de riego* Sprengwagen *m*; ~ *triunfal*, ~ *triunfante* Triumphwagen *m*; *a. fig. se ha atascado el* ~ die Karre steckt (tief) im Dreck F; *fig. tirar del* ~ schuften müssen; alles selber tun müssen; *fig.* F *untar* (*od. engrasar*) *el* ~ schmieren F, bestechen; **2.** *Am.* (Kraft-)Wagen *m*, Auto *n*; → *coche*; **3.** Fuhre *f*, Wagenladung *f*; **4.** *bsd. Arg.* ~ (*urbano*) Straßenbahn *f*; **5.** *bsd. Cu.*, *Méj.* Eisenbahnwagen *m*; **6.** *Astr.* ~ *Mayor* (*Menor*) Großer (Kleiner) Wagen *m*; **7.** *Ven.* Schwindler *m*, Hochstapler *m*; Schwindelei *f*; **8.** P *Cu.* stattliches Weibsbild *n* F; **9.** □ Glücksspiel *n*.

carroce|ría *f* **1.** *Kfz.* Karosserie *f*; ~ *autosustentadora*, ~ *monocasco* selbsttragende Karosserie *f*; **2.** Karosseriebau *m*; **~ro** *m* Stellmacher *m*; *Kfz.* Karosseriebauer *m*, Styler *m* (*engl.*).

carrocha *f* Eier *n/pl. der Insekten*; **~r** *v/i.* Eier legen (*Insekten*).

carroma|tero *m* (Roll-)Fuhrmann *m*; **~to** *m* zweispänniger Lastkarren *m*; *desp.* Rumpelkasten *m*, Klapperkiste *f* F, Karre *f* F, Vehikel *n* F.

carro|ña *f* Aas *n*, Luder *n* (*a. fig.*); **~ñoso** *adj.* **1.** stinkend, nach Aas riechend; **2.** verwest; *Jgdw.* verludert.

carro-vivienda *m* Wohnwagen *m der Schausteller.*

carroza *f* **1.** Karosse *f*; Pracht-, Staats-kutsche *f*; **2.** ⚓ (*bsd.* Boots-) Verdeck *n*.

carruaje *m* Fuhrwerk *n*, Wagen *m*; *koll.* Wagen *m/pl.*, Wagenpark *m für Reise u. ä.*; **~ro** *m* Fuhrmann *m*, Kutscher *m*; *Am.* Wagenbauer *m*.

carruco *m* **1.** *desp. zu carro* Rumpelkasten *m*; **2.** Bauernkarren *m*; **3.** *prov.* Last *f* Dachziegel.

carrusel *gal. m* **1.** Reiteraufzug *m*, Kavalkade *f*; *Equ.* Ringelstechen *n*; **2.** Karussell *n*.

cárstico *Geol. adj.* Karst...

carta *f* **1.** Brief *m*, Schreiben *n*; Urkunde *f*, Dokument *n*; *por* ~ brieflich; ~ *abierta* offener Brief *m*; ✝ offener Kreditbrief *m*; *hist. a.* kgl. Erlaß *m*; ~ *blanca* Blankoformular *n*; → *a.* 2; ~ *certificada*, *Am.* ~ *registrada* Einschreiben *n*; ~ *de ciudadanía* Staatsbürgerurkunde *f*; Heimatrecht *n* (*a. fig.*); ~ *de crédito* Kreditbrief *m*, Akkreditiv *n*; ~ *de cumplimientos* (bloßer) Höflichkeitsbrief *m*; *hist.* ~ *desaforada* Aberkennungsbescheid *m bsd. e-s Privilegs*; ~ *de despedida* Abschiedsbrief *m*; ~ *de felicitación* (*de gracias*) Glückwunsch- (Dank-)schreiben *n*; ~ (*mandada*) *por avión* Luftpostbrief *m*; *hist.* ~ *de marca* Kaperbrief *m*; ~ *orden* Auftrag(sschreiben *n*) *m*, Bestellung *f*; *a.* schriftlicher Befehl *m*; ⚖ Rechtshilfeersuchen *n* (*e-s höheren an ein niederes Gericht*); ~ *de pago* Zahlungsbeleg *m*, (Schuldzahlungs-)Quittung *f*; ~ *de pésame* Beileidsschreiben *n*; ~ *de porte* Frachtbrief *m*; ~ *de porte aéreo* Luftfrachtbrief *m*; *Am. gal.* ~ *postal* Postkarte *f*; ~ *de presentación*, ~ *de recomendación* Empfehlungsschreiben *n*; ~ *urgente* Eilbrief *m*; ~ *con valores* (*declarados*) Wertbrief *m*; ~ *de vecindad* Ortsbürgerrecht *n*; ~ *de venta* Kauf-urkunde *f*, -brief *m*; *fig. dar* ~ *blanca* freie Hand lassen; Vollmacht geben; *echar* (*od. llevar*) *una* ~ *al correo* e-n Brief zur Post bringen; *fig.* F sein Bedürfnis verrichten; **2.** (Spiel-)Karte *f*; ~ *blanca* Zahlenkarte *f*; *echar* ~*s* (die) Karten austeilen; *echar las* ~*s* die Karten legen (*Wahrsagerin*); *echar las* ~*s a alg.* j-m wahrsagen; *jugar a las* ~*s* Karten spielen; *a. fig. jugar a* ~*s vistas* mit offenen Karten spielen; *fig. jugárselo a una sola* ~ alles auf e-e Karte setzen; *a. fig. jugar la última* ~ die letzte Karte (*od.* den letzten Trumpf) ausspielen; *fig. no saber a qué* ~ *quedarse* nicht aus noch ein wissen; unschlüssig sein; *fig. tomar* ~*s en un asunto* beteiligt sein an et. (*dat.*), s. mit et. (*dat.*) befassen; *Spr.* ~(*s*) *canta*(*n*) *Sinn*: wir können es schwarz auf weiß beweisen; *hablen* ~*s y callen barbas Sinn*: **a)** darüber braucht man gar nicht weiter zu reden, der Beweis liegt schwarz auf weiß vor; **b)** genug der Worte!, Taten möchten wir sehen!; **3.** *a* ~ *cabal* vollständig, unbedingt, durch u. durch; *hombre m* (*honrado*) *a* ~ *cabal* grundehrlicher Mann *m*; *mujer f* (*honrada*) *a* ~ *cabal* kreuzbrave Frau *f*; **4.** *Pol.* Charta *f*; *hist. engl.* ~ *Magna* Magna Charta *f*; *fig.* Grundgesetz *n* (der Freiheit); **5.** ⚔, ⚓ Karte *f*; ~ *marina*, ~ *náutica*, ~ *de marear*, ~ *de navegar* Seekarte *f*; *Geogr.* ~ *muda* stumme Karte *f*; **6.** *tex.* Zettel *m*, Kettfäden *m/pl.*; **7.** *comer a la* ~ nach der Karte (*od.* à la carte) speisen.

cartabón *m* **1.** *gleichschenkliges* Winkelmaß *n*; verstellbares Winkelmaß *n* (*Schuster*, *Zim.*); Visierprisma *n* (*Geometer*); *a* ~ im rechten Winkel, rechtwinklig; *fig. echar el* ~ die nötigen Maßnahmen treffen; **2.** *Zim.* First-, Dachstuhl-winkel *m*.

cartagi|n(i)ense *adj.-su. c* aus Karthago; **~nés** *m* Karthager *m*.

cárta|ma *f*, **~mo** *m* ♀ Färberdistel *f*, wilder Safran *m*.

cartapacio *m* **1.** Schul-mappe *f*, -ranzen *m*; **2.** Schreibunterlage *f*; **3.** Schreibsachen *f/pl.*; *fig. de* ~ ausgeklügelt, rein akademisch (*Argument usw.*); **4.** Notizbuch *n*.

cartazo F *m* Brief *m* voller Kritik *od.* Vorwürfe, „Liebesbrief" *m* F.

cartea|do *Kart. adj.-su. m* Spiel *n*, bei dem nicht gereizt wird; **~r I.** *v/i. Kart.* niedrige Karten ausspielen; **II.** *v/r.* ~*se* in Briefwechsel stehen, mitea. korrespondieren.

cartel *m* **1.** Plakat *n*, Anschlag *m*; (Film-, Stierkampf- *usw.*) Programm *n*; *Vkw.* ~ *croquis* Vorwegweiser *m*; ~ *de teatro*, ~ *teatral* Theaterzettel *m*; *estar en* ~ auf dem Spielplan stehen (*Theater usw.*); *seguir en* ~ verlängert werden, weitergespielt werden (*Film,Thea.*); *tener* ~ *auf s-m Fachgebiet* e-n guten Namen haben, berühmt sein; *un artista de* ~ ein berühmter Künstler; **2.** Wand-bild *n*, -tafel *f in Schulen zum Leseunterricht*; **3.** *Pol.* Vereinbarung(svorschlag *m*) *f zwischen kämpfenden Mächten*; **4.** *hist.* ~ *de desafío* Kartell *n*, *Herausforderung zum Zweikampf*; **5.** † Schmähschrift *f*, Pasquill *n*; **6.** *Pol.* Kartell *n*, Block *m*; **7.** ✝ → *cártel*.

cártel ✝ *m* Kartell *n*, Absprache *f*; ~ *de precios* Preiskartell *n*.

carte|la *f* **1.** △ Kragstein *m*; Konsole *f*; **2.** ⊕ Knoten-, Eck-blech *n*; **3.** ▨ stehendes Schild *n*; ~ *acostada* liegendes Schild *n*; **~lera** *f* **1.** *große, harmonikaartig angeordnete* Aushänge(stand)tafeln *f/pl.*; Anschlagbrett *n*; Plakat-, Litfaß-säule *f*; **2.** ~ (*de espectáculos*) Vergnügungsanzeiger *m*; Tagesprogramm *n in Zeitungen*; **~lero** *m* Plakatkleber *m*; **~lón** *mst. desp. m* gr. Anschlagzettel *m*, Riesenplakat *n*.

carteo *m* **1.** Briefwechsel *m*; **2.** *Kart.* Spiel *n* ohne Einsatz.

cárter ⊕ *m* Gehäuse *n*; *bsd. Kfz.* Ölwanne *f*; Ketten(schutz)kasten *m*; ~ *del cigüeñal* Kurbelgehäuse *n*.

cartera *f* **1.** Brieftasche *f*; (Schreib-, Zeichen-)Mappe *f*; Schulranzen *m*; ~ (*de documentos*) Akten-mappe *f*, -tasche *f*; ~ *de música* Notenmappe *f*; *fig. tener en* ~ *a/c.* et. vorhaben, et. vorbereiten; et. vorgemerkt haben; **2.** Ministeramt *n*, Ressort *n*; *tener la* ~ *de Finanzas* (*Span.* *de Hacienda*) Finanzminister sein; **3.** ✝ (*Wertpapier- usw.*) Bestand *m*; ~ *de pedidos* Auftragsbestand *m*; *valores* (*letras*) *en* ~ Wertpapier-(Wechsel-)portefeuille *n*; **4.** Taschenklappe *f*, Patte.

carte|ría ✉ *f* Briefträgeramt *n*; Briefabfertigung *f*; ~ *rural* Posthalterei *f*; **~rista** *c* (*bsd.* Brief-)Taschendieb *m*; **~ro** *m* Briefträger *m*, Postbote *m*.

cartesia|nismo *Phil. m* Kartesianismus *m*; **~no** *adj.-su.* kartes(ian)isch; *m* Kartesianer *m*.

cartila|gíneo *Zo.*, *Fi. adj.-su.* Knorpel...; *m* Knorpelfisch *m*; **~ginoso** *adj.* knorpelartig, knorpelig; *Anat. tejido m* ~ Knorpelgewebe *n*.

cartílago *Anat. m* Knorpel *m*; *volverse* ~ verknorpeln.

cartilla *f* **1.** (Kinder-)Fibel *f*; Leitfaden *m*; Elementarbuch *n*; F *leerle* (*od. cantarle*) *a alg. la* ~ j-m den Kopf waschen F; F *no saber* (*ni*) *la* ~ nicht einmal das kleine Einmaleins können F, k-e Ahnung (*od.* k-n blassen Schimmer F) haben; **2.** Ausweisschein *m*; ~ (*de ahorro*) Sparbuch *n*; ~ (*de racionamiento*) Lebensmittelkarte *f*; ⚔ ~ (*militar*) Militärpaß *m*; **3.** *bsd.* ⚔ Kartenblatt *n*; **4.** (Kirchen-)Agende *f*.

carto|grafía *f* Kartographie *f*; **~gráfico** *adj.* kartographisch.

cartógrafo *m* Kartograph *m*.

carto|mancia *f* Karten-legen *n*, -schlagen *n*; **~mántico** *adj.-su.* Kartenleger *m*; **~metría** *Geogr. f* Kartometrie *f*.

cartón *m* Pappe *f*, Karton *m*; Pappschachtel *f*, Karton *m*; ~ *alquitranado*, ~ *embreado* Teer-, Dachpappe *f*; ~ *aislante* (*ondulado*) Isolier- (Well-)pappe *f*; ~ *piedra* Pappmaché *n*; *Buchb. encuadernar en* ~ kartonieren; *fig. tirano m de* ~ Duodeztyrann *m*, Tyrann *m* im Kleinformat.

carto|naje *m* Kartonage *f*, Papp(en)arbeit *f*; **~né** *gal. adj.* kartoniert; **~nería** *f* Kartonagen-geschäft *n*; -fabrik *f*; **~nero** *adj.-su.* Karton...; Kartonagen...; *m* Kartonagen-händler *m*; -arbeiter *m*.

cartu|chera *f* Patronen-tasche *f*; -gurt *m*; Kartuschenkiste *f*; **~chería** *f* **1.** Patronen *f/pl.*, Schießbedarf *m*; **2.** Patronenfabrik *f*; **~chero** *m* Patronenhersteller *m*; **~cho** *m* **1.** Patrone *f* (⚔, ⊕, *Phot.*); Kartusche *f*; ~ *con bala*, ~ *de guerra* scharfe Patrone f; ⚒ ~ de barrena Zünd-, Spreng-patrone f; ~ de perdigones Schrotpatrone f; fig. → 2; ~ de salvas, ~ sin bala, ~ de fogueo Platzpatrone f; quemar el último ~ die letzte Patrone verschießen (bsd. fig.); **2.** Papiersack m; Tüte f; Hülse f, Hülle f; ~ de calderilla (de dulces) Kleingeld- (Bonbon-)rolle f; ~ de correo neumático Rohrposthülse f; fig. ~ de perdigones Geldrollennachahmung f; Gauner-trick m, -schwindel m; **3.** Filtereinsatz m der Gasmaske; **4.** Typ. Zierleiste f; **5.** Chi. Mann m ohne sexuelle Erfahrung.

cartu|ja kath. f Kartäuserkloster n; **~jano, ~jo** adj.-su. Kartäuser...; m Kartäuser(mönch) m; fig. Einsiedler m, Sonderling m; schweigsamer Mensch m; vivir como un ~ sehr zurückgezogen leben.

cartulario m hist. Kopialbuch n, Kartular n; † Notar m, Archivar m.

cartulina f dünner, feiner Karton m; ~ brillante (marfil) Glanz- (Elfenbein-)karton m.

carúncula f Karunkel f, Fleischwärzchen n; ~ lagrimal Tränenwärzchen n.

carurú ⚘ m Am. Laugenholz n.

carvajo m → carvallo.

carva|llar, ~lledo m Eichenwald m; **~llo** ⚘ m Ast., Gal. Eiche f.

carvi pharm. m Karvensame m.

casa f **1.** Haus n; fig. Wohnung f; a ~ nach Haus(e); de ~ von Hause; Haus..., Familien...; de ~ en ~ von Haus zu Haus; en ~ de alg. bei j-m; en la ~ de alg. in j-s Haus; fuera de ~ aus dem Haus; außer Haus; ~ por ~ Haus für Haus; von Haus zu Haus; F como una ~ (hohe Steigerung) riesengroß; wie ein Schrank F; fig. richtig, wie er (bzw. sie, es) im Buch steht; Chi. ~ (de agencia) → casa de préstamos; ~ de alquiler, ~ de pisos, ~ de vecindad, Am. ~ de apartamentos Miet(s)haus n; ~ de beneficencia, ~ de caridad Armenhaus n; ≈ Blanca Weißes Haus n (Washington); ~ de camas, ~ de piedad, ~ pública, ~ de putas, lit. ~ de lenocinio, ~ de mancebía Freudenhaus n, Bordell n; ~ de citas, ~ de compromiso Stundenhotel n; ~ de comidas einfaches Speisehaus n; hist. ≈ de Contratación de las Indias Indienhof m, (zur Verwaltung des Handelsmonopols mit den am. Kolonien); ~ de Dios, ~ del Señor Gotteshaus n, Haus n des Herrn; ~ de dormir Übernachtungsheim n; Schlafstelle f; ~ de empeños, ~ de préstamos Pfand-, Leih-haus n; ~ de huéspedes einfachere Pension f; ~ de labor, ~ de labranza Bauernhof m mit Stallung usw.; ~ de locos, ~ de orates Irren-haus n, -anstalt f (bsd. fig.); ecl. ~ matriz Mutterhaus n; ✝ → 2; ~ de oración Kirche f; Kapelle f; Betsaal m; ~ paterna Eltern-, Vater-haus n; ~ de placer Garten-, Sommer-haus n; Lusthaus n auf dem Lande; ~ propia Eigenheim n; ~ profesa Kloster f; ≈ Real, Real ≈, ~ del rey kgl. Palast m; kgl. Hausverwaltung f; Hofstaat m; ~ de salud Genesungs-, Erholungsheim n; ~ de socorro Unfallstation f, Rettungs-, Sanitäts-wache f; ~ solar(iega) Stammsitz m, (alter) Herrensitz m; F ~ de tócame Roque Haus n, in dem alles drunter und drüber geht; ~ unifamiliar Einfamilienhaus n; F gente f de ~ Nachbarn m/pl., Bekannte(n) m/pl.; fig. no caber en toda la ~ völlig aus dem Häuschen sein, wüten; echar (od. tirar) la ~ por la ventana das Geld mit vollen Händen hinauswerfen; ein großes Fest (od. ganz groß F) feiern; estar en ~ zu Hause sein; fig. s-e Rechte zu wahren wissen; está usted en su ~ tun Sie, als ob Sie zu Hause wären; estar de ~ im Hausrock (bzw. Hauskleid) sein; s. ganz schlicht (od. zwanglos) bewegen; ir a ~ de alg. zu j-m gehen; j-n besuchen; ¡pase usted por ~! kommen Sie einmal vorbei!; poner ~ e-e Wohnung einrichten; ein Haus beziehen; e-n Hausstand gründen; fig. queda en ~ es bleibt in der Familie; die Kosten werden von der Familie gemeinsam aufgebracht; ser de ~ ein guter Freund der Familie sein; ser muy de su ~ sehr häuslich sein; tener ~ puesta ein Haus führen; calle ... tiene Vd. su ~ ich wohne in der ...straße; (in Briefen: su ~: folgt die Anschrift des Absenders); ya sabe usted dónde tiene su ~ besuchen Sie mich bald wieder (einmal); cada cual manda en su ~ jeder ist Herr im eigenen Haus; en ~ del gaitero (od. alboguero od. tamborilero) todos son danzantes wie die Alten sungen, zwitschern die Jungen; der Apfel fällt nicht weit vom Stamm; **2.** ✝ ~ (comercial, ~ de comercio) Haus n, Firma f; ~ central, ~ matriz Stammhaus n, Zentrale f; ~ importadora, ~ de importación (exportadora, de exportación) Import- (Export-)firma f; **3.** Haus-halt m, -arbeit f; llevar la ~ den Haushalt führen; **4.** Familie f, Sippe f; Dynastie f; hist. ≈ de Austria Haus n Habsburg, Habsburger m/pl.; ~ de Borbón Bourbonen m/pl.; **5.** (Familien-)Angehörige(n) m/pl., Haushalt m; a. Haus n, Dienerschaft f; **6.** Astrol. ~ (celeste) Haus n; **7.** Schach, Billard: Feld n; **8.** hist. Vasallen m/pl., Lehnsleute pl.; **9.** kath. Col., Ven. Gesetz n des Rosenkranzes.

casabe m Kassave-, Maniok-brot n.

casaca f **1.** Kasack m; Leib-, Gehrock m; Uniformrock m; † cambiar (de) ~, volver (la) ~ die Partei wechseln, umschwenken; **2.** F Heirat(svertrag m) f.

casación ⚖ f Kassation f, Aufhebung f, Ungültigkeitserklärung f; recurso m de ~ Revision f (einlegen interponer).

casa|dero adj. heiratsfähig; heiratslustig; **~da** f Ehefrau f, Vermählte f; **~do I.** adj. **1.** verheiratet; recién ~ neuvermählt; F casadísimo schwer verheiratet F (kurz gehaltener Ehemann); F ~s detrás de la iglesia in wilder Ehe leben(d); ✎ ~ y arrepentido gerade erst verheiratet u. schon bereut; fig. allg. hätte ich's nur nicht getan; **II.** m **2.** Ehemann m; los recién ~s das junge Paar, die Neuvermählten m/pl.; **3.** Typ. Seitenanordnung f.

casa|l m **1.** Landhaus n; Meierei f; **2.** Rpl. Pärchen n; **~licio** m Haus n, Gebäude n, Gehöft n.

casamata ⚔ f Kasematte f.

casa|mentero adj.-su. Heiratsvermittler m, Ehe-, Heirats-stifter m; **~miento** m **1.** Heirat f, Verheiratung f, Hochzeit f; Trauung f; ~ por amor, ~ por inclinación Liebesheirat f, Neigungsehe f; ~ desigual nicht standesgemäße Heirat f, Mesalliance f (gal.); ~ por dinero Geldheirat f; → a. matrimonio; **2.** † Mitgift f.

casapuerta f überdachter Eingang [m; Flur m.]

casa|quilla f, **~quín** m kurze Jacke f.

casar[1] m Weiler m, Flecken m, Siedlung f.

casar[2] ⚖ v/t. für ungültig erklären, aufheben, kassieren.

casar[3] **I.** v/i. **1.** heiraten (j-n con); → ~se; por ~ heiratsfähig; heiratslustig; noch nicht verheiratet; **2.** harmonieren, gut zs.-passen; in Einklang stehen, übereinstimmen; **3.** den gleichen Betrag auf dieselbe Karte setzen, mithalten (Bankhalter u. Spieler); **II.** v/t. **4.** verheiraten, unter die Haube bringen F; trauen, zs.-geben; **5.** fig. harmonisch verbinden, zs.-fügen-, -setzen; ~ los cortinajes con el empapelado sehen, daß die Gardinen u. Vorhänge zur Tapete passen; **III.** v/r. ~se **6.** (s. ver)heiraten, s. vermählen; ~(se) por lo civil s. standesamtlich trauen lassen; fig. no se casa con nadie er will unabhängig bleiben (in s-r Meinung, Haltung usw.).

casatienda f Laden m mit Woh-[nung.]

casatorio ⚖ adj. aufhebend, Aufhebungs...

casca f **1.** Reb-, Wein-trester m; **2.** Gerber-rinde f, -lohe f; **3.** Toledo: Treberwein m; **4.** prov. Schale f, Hülse f, Rinde f.

cascabe|l m **1.** Glöckchen n, Schelle f; fig. poner el ~ al gato der Katze die Schelle umhängen, e-e schwierige (bzw. gefährliche) Aufgabe übernehmen; **2.** fig. Hohlkopf m, Narr m; **~la** f C. Ri. Klapperschlange f; **~lada** f **1.** † Schellenfest n (Bauernfest); **2.** fig. Dummheit f, Unbesonnenheit f, Narrenstreich m; **~lear I.** v/t. **1.** narren, aufs Glatteis locken, an der Nase herumführen; **II.** v/i. **2.** (mit Glöckchen) klingeln; klappern (Schlange); **3.** s. unvernünftig benehmen, dumm daherreden, Quatsch machen F; **~leo** m Schellengeläut n; fig. Stimmenklang m, Lachen n (helle Stimmen); **~lero I.** adj.-su. Hohlkopf m, Windbeutel m; **II.** m Kinderklapper f; **~lillo** ⚘ m Prünelle f, Zwetschge f.

cascabillo m **1.** Schelle f, Glöckchen n; **2.** ⚘ **a)** Eichelnäpfchen n; **b)** Kornhülse f.

cascaciruelas F c (pl. inv.) Taugenichts m, Schwadroneur m, Angeber m F.

cascada f Kaskade f, Stufenfall m; kl. Wasserfall m.

casca|do adj. gesprungen, geborsten; brüchig (Stimme); abgearbeitet, verbraucht; altersschwach; **~dura** f Zer-schlagen n, -brechen n; ⚕ Bruch m.

casca|jal *m*, **~jar** *m*, **~jera** *f* Schotter-, Kies-grube *f*; Geröll-, Kieshalde *f*; **~jo** *m* **1.** Schotter *m*; Kies *m*; Splitt *m*; Füllsteine *m/pl.*; **2.** Scherben *m/pl.*; F alter Scherben *m*; Gerümpel *n*, Plunder *m* F; **3.** F Tappergreis *m* F, Ruine *f* F, Wrack *n* F; **4.** Schalobst *n*; **5.** kupferne Scheidemünze *f*; **~joso** *adj.* kiesig, voller Kies *od.* Schotter.

cascalote ⚘ *m Méj.* Gerberbaum *m*, Kaskalote *m*.

casca|nueces *m* (*pl. inv.*) **1.** Nußknacker *m*; F Windbeutel *m*, Springinsfeld *m*; **2.** *Vo.* Eichel-, Birken-häher *m*; **~piñones** *m* (*pl. inv.*) Mandel-, Nuß- *usw.* -knacker *m*.

cascar [1g] **I.** *v/t.* **1.** (auf-, zer-) knacken (*Nüsse usw.*); aufbeißen; **2.** F prügeln, verhauen, vertrimmen F; **3.** F fertigmachen; *Sch.* durchfallen lassen; *Zensur* draufknallen F (*j-m a*); **4.** P *~la* → *6*; **II.** *v/i.* **5.** F schwatzen, viel reden; **6.** *~(la)* abkratzen P, sterben, verrecken P; **7.** *fig.* *~le a(l) et.* büffeln F, *et.* eifrig lernen; **III.** *v/r.* *~se* **8.** (zer-) springen (*Gefäß*).

cáscara *f* **1.** (Eier-, Mandel-, Nuß-, Zwiebel-)Schale *f*; Obstschale *f von Apfelsinen, Zitronen, Bananen usw.* (*, die man mit den Fingern schälen kann*); *fig.* F *ser de (la) ~ amarga* streit-, händel-süchtig (*bzw.* politisch radikal) sein; F *¡~(s)!* potztausend!; **2.** ⊕ Schale *f*, Gehäuse *n*; **3.** *~ sagrada* Faulbaumrinde *f*.

cascarada □ *f* Lärm *m*, Krach *m*, Krakeel *m*.

cascarela *Kart. f* L'hombrespiel *n* [zu viert.]

cascari|lla *f* **1.** ⊕ (Metall-)Folie *f*; Sinter *m*; Zunder(schicht *f*) *m*; Schutz-schicht *f*, -haut *f*; abgebröckelter Verputz *m*; *botones m/pl. de ~* mit Metall überzogene (*od.* metallbeschlagene) Knöpfe; **2.** ⚘ Schale *f*; Häutchen *n*; *~s f/pl.* Kakaoschalen *f/pl.*; **3.** *pharm.* Rinde *f einiger Euphorbiazeen*; **4.** → **~llo** ⚘ *m* China-, Cinchonabaum *m*; Krotonbaum *m*.

cascarón *m* **1.** (*bsd.* leere) Eierschale *f* (*nach dem Ausschlüpfen*); *~ de nuez* Nußschale *f* (*a. fig.*); *salir del ~* ausschlüpfen (*Küken*); *fig.* flügge werden; P *llevas todavía el ~ pegado al culo* du bist noch grün (*od.* noch nicht trocken) hinter den Ohren F; F *salirse del ~* s. zuviel herausnehmen, vorlaut sein; **2.** △ Halbrund-, Schalen-gewölbe *n*; **3.** *Am.* bemaltes u. gefülltes Karnevalsei *n*; **4.** ⚘ *Rpl.* roter Gummibaum *m*.

cascarrabias F *c* (*pl. inv.*) rabiater Kerl *m*, Wüterich *m*; *a.* Meckerer *m*; Spielverderber *m*; *f* Xantippe *f*.

casca|rria *f Am.* → *cazcarria*; **~rriento** *adj. Am.* → *cazcarriento*.

cascarrón F *adj.* barsch, brummig; ⚓ rauh, scharf (*Wind*).

cascarudo *adj.* dick-rindig; -schalig.

cascás *m ein chil. Käfer mit gr. Beißhaken.*

casco *m* **1.** Helm *m*; *~ de acero (colonial)* Stahl- (Tropen-)helm *m*; *~ protector* Schutzhelm *m*; **2.** Oberteil *m*, Kopf *m des Hutes*; **3.** (Schiffs-, Flugzeug-)Rumpf *m*; Skelett *n*, Gerippe *n e-s Hauses*, Rohbau *m*; ⊕ *~ (de presión, ~ resistente)* Druckkörper *m*; **4.** *~ (urbano)* Stadtkern *m*, Innenstadt *f*; *~ (de la ciudad)* Altstadt *f*; **5.** *fig.* *~s m/pl.* Schädel *m*, Kopf *m*; Hammel-, Rinder-schädel *m*; F Kopf *m*, Hirn *n*, Verstand *m*, Grips *m* F; F *ligero (od. alegre) de ~s* unbesonnen, leicht-sinnig, -fertig; *persona f ligera de ~s a.* Flittchen *n* F, leichtfertiges Frauenzimmer *n*; *romper los ~s a alg.* j-m den Schädel einschlagen F; *fig.* j-m *mit Klagen, Geschwätz usw.* auf die Nerven gehen F; *fig. romperse los ~s* s. totarbeiten, s. abrackern (*bsd. beim Lernen*); *a.* s. den Kopf zerbrechen; **6.** Scherbe *f*, Splitter *m*; (Bomben-, Granat-)Splitter *m*; *~s (de vidrio)* Glassplitter *m/pl.*; **7.** (Pferde- *usw.*) Huf *m*; **8.** Tonne *f*, Faß *n*; *leere* Flasche *f*; **9.** Sattelgestell *n*; **10.** Körper *m*, Rauminhalt *m*; **11.** *Col., Chi., Rpl.* Schnitz *m*, Scheibe *f bzw.* Schale *f von Orangen, Guajave usw.*; **12.** Stück *n* Zwiebelschale.

cascote *m* (Bau-)Schutt *m*; ⚒ Abraum *m*.

cascudo *adj.* starkhufig.

case|ación *f* Verkäsung *f der Milch*; **~ico** ⚗ *adj.* käsig, Käse...; **~ificación** *f* Verkäsung *f* (*a.* ⚕); Käsebereitung *f*; **~ificar** [1g] *v/t.* verkäsen; **~ína** ⚗ *f* Kasein *n*.

cáseo I. *adj.* käsig; **II.** *m* Dickmilch *f*, Quark *m*.

caseoso *adj.* käsig, Käse...

case|ramente *adv.* häuslich; schlicht, ungezwungen; **~ría** *f* Bauernhof *m*, Gehöft *n*; **~río** *m* **1.** Weiler *m*; Häuser *n/pl.*; **2.** Bauernhof *m*; **~ro I.** *adj.* **1.** Haus-...; hausgemacht, Hausmacher...; hausgebacken (*Brot*); *remedio m ~* Hausmittel *n*; **2.** häuslich; *ser muy ~* sehr häuslich sein, ein Stubenhocker sein F; **3.** haushälterisch, sparsam; gemütlich, schlicht, einfach; **II.** *m* **4.** Haus-herr *m*, -wirt *m*; *los ~s* die Wirtsleute *pl.*; **5.** Hausverwalter *m*; **6.** (Guts-)Pächter *m*; **7.** ⚖ Mieter *m*; **8.** *Cu., Chi.* fahrender Lebensmittelhändler *m*; **9.** *Chi., Pe.* Kunde *m*.

case|rón *m* gr. Haus *n*; *desp.* alter Kasten *m*; **~ta** *f* Häuschen *n*, Zelle *f*; Jahrmarktsbude *f*; Messestand *m*; Wärterhäuschen *n* (*Feld, Bau,* 🚂); *~ (de baños)* Badekabine *f*; *~ de feria* Jahrmarktsbude *f*; ⚓ *~ de derrota (del timonel)* Karten- (Ruder-)haus *n*; *~ de perro* Hundehütte *f*; *~ de tiro* Schießbude *f* (*Jahrmarkt*).

casetón △ *m* Kassettendecke *f*.

casi *adv.* fast, beinahe, nahezu, bald; *~ ~* nicht ganz; *es ~ perfecto, y sin ~* es ist beinahe vollkommen, ja, man muß sagen, es ist vollkommen; *~, ~ (que) me caigo* beinahe wäre ich gefallen; *~ que parece de ayer* als ob es gestern geschehen wäre.

casilla *f* **1.** Hütte *f*, Häuschen *n*; (Bahnwärter-, Feldhüter-, Wächter-)Häuschen *n*; *fig.* F *sacar a alg. de sus ~s* j-n aus dem Häuschen bringen, j-n verrückt machen F; *a.* j-n aus s-n festen Gewohnheiten reißen; *salirse de sus ~s* aus der Haut fahren F, aus dem Häuschen geraten; **2.** ⊕ Kanzel *f*, Kabine *f*; **3.** Kästchen *n*, Karo *n auf kariertem Schreibpapier*; Spalte *f in Tabellen*; **4.** Fach *n in Schränken usw.*; **5.** Feld *n* (*Schachbrett usw.*); **6.** □ Absteige *f e-r Dirne*; **7.** *Chi., Bol., Pe., Rpl.,* Post(schließ)fach *n*; **8.** *Cu.* Vogelfalle *f*; **9.** *Ec.* Abort *m*; **10.** *Méj.* Wahl-lokal *n*; -zelle *f*.

casillero *m* **1.** Fächerschrank *m*; **2.** 🚂 Bahnwärter *m*.

casimba *f Cu., Pe., Rpl., Ven.* Flußzisterne *f*; (Regen-)Wasserfaß *n*.

casimi|r *m*, **~ra** *f tex.* Kaschmirtuch *n*.

casimita *Min. f* Barytfeldspat *m*.

casino *m* Kasino *n*; Spielkasino *n*; Klub(haus *n*) *m*; *Reg.* Café *n*, Lokal *n zum Lesen, Spielen usw. in Landstädten*; *~ militar* Offizierskasino *n*.

Casiopea *Myth., Astr. f* Kassiopeia *f*.

casis I. *f* ⚘ schwarze Johannisbeere *f*; **II.** *m gal.* Cassis *m* (*Likör*).

casita *f* Häuschen *n*.

casiterita *Min. f* Zinnstein *m*, Kassiterit *m*.

caso *m* **1.** Fall *m* (*fig.*); Umstand *m*; Anlaß *m*, Grund *m*; *a ~* zufällig; unwillentlich; *a ~ hecho od. de ~ pensado* absichtlich; (en) *~ (de) que + subj., ~ de + inf.* falls, wenn, wofern; *en ~ contrario* andernfalls, sonst; *en ese ~ od. en tal ~* in diesem Falle, dann, deshalb; *en ningún ~* keinesfalls, durchaus nicht, unter k-n Umständen; *en ~ necesario od. en ~ de necesidad* nötigenfalls; *en su ~* an s-r Stelle, (an)statt s-r; dafür, beziehungsweise; *en todo ~* jedenfalls, auf jeden Fall; allenfalls; *en último ~* allenfalls, notfalls; schließlich; *yo en tu ~* ich an d-r Stelle; *para el ~ que + subj.* für den Fall, daß + *ind.*; falls + *ind.*; *~ de accidente* Unglücks-, Schadens-fall *m*; *~ de conciencia* Gewissensfrage *f*; *~ excepcional* Ausnahmefall *m*; *~ fortuito* (*mst.* schlimmer) Zufall *m*; *el hombre para el ~* der richtige Mann, der rechte Mann am rechten Platz; *~ de muerte* Todesfall *m*; *~ particular* Einzel-, Sonder-fall *m*; *~ perdido* hoffnungsloser Fall *m*; *~ de urgencia* Dringlichkeits-, Not-fall *m*; *se da el ~ (de) que ...* es kommt vor, daß ...; *dado (el) ~ que + subj.* vorausgesetzt, daß + *ind.*; wofern + *ind.*; *demos el ~ que + subj. od. pongamos (por) ~ que + subj.* setzen wir den Fall, daß + *ind.*, nehmen wir an, daß + *ind.*; F *estar en el ~* im Bilde sein, auf dem laufenden sein; *no hay ~* es ist nicht nötig, es besteht k-e Ursache (zu + *inf.* de); *hablar al ~* zur Sache sprechen; (*no*) *hacer al ~* (nicht) zur Sache gehören; (nicht) angebracht sein, (nicht) passen; *no hace al ~ a.* es macht gar nichts aus; *no le hace ~* er beachtet ihn nicht, er läßt ihn links liegen; er läßt s. von ihm nichts sagen; *¡no le haga usted ~!* beachten Sie ihn gar nicht!; glauben Sie ihm nicht(s)!; *hacer ~ de* beachten (*ac.*); Rücksicht nehmen auf (*ac.*); s. kümmern um (*ac.*); *hacer gran* ~ *de a/c.* viel auf et. (*ac.*) geben; viel Wesens machen von et. (*dat.*); *hacer* ~ *omiso de et.* unbeachtet lassen; *et.* auslassen; *et.* unter den Tisch fallen lassen F; *si llega el* ~ gegebenenfalls; F *poner en el* ~ *a alg.* j-n auf dem laufenden halten; j-m das Neueste mitteilen, j-n unterrichten; *puesto (el)* ~ *de que* + *subj.* gesetzt den Fall (, daß) ..., angenommen (, daß) ...; *(no) ser del* ~ (nicht) dahingehören, (nicht) hergehören, (nicht) zutreffen; *no es del* ~ *a.* das kommt nicht in Frage; *el* ~ *es que* ... die Sache liegt so, daß ...; die Sache verhält s. folgendermaßen: (*folgt Bericht*); jedenfalls ...; *para el* ~ *es lo mismo* das macht nichts; das ist doch gleich; *si es* ~ in dem Falle; vielleicht; gegebenenfalls; *¡(vamos) al* ~*!* zur Sache!; *venir al* ~ → *hacer al* ~; *viene al* ~ *a.* das ist hier der Fall, das trifft hier zu; **2.** *Gram.* Kasus *m*, Fall *m*; ~ *recto* unabhängiger Fall *m*, Rectus *m* (*Nom. u. Vokativ*); ~ *oblicuo* Obliquus *m*, abhängiger Fall *m* (*alle außer Nom. u. Vokativ*).

ca|són *m*, **~sona** *f augm. zu casa* gr. Haus *n*.

casorio F *m* Mißheirat *f*; übereilte Heirat *f*.

cas|pa *f* **1.** Kopfschuppen *f/pl.*; Schuppen(bildung *f*) *f/pl. der Haut*; **2.** abblätternde Patina *f*, Kupferoxyd *n*; **3.** *Pe.* Maiskolben *m*; **~pera** *f* Staubkamm *m*.

caspicias F *f/pl.* Überbleibsel *n(/pl.)*.

caspio *adj.-su.* kaspisch.

caspiroleta *f Col., Chi., Ec., Pe. Erfrischungsgetränk aus Milch, Zukker, Eiern, Weinbrand, Zimt.*

¡cáspita! F *int.* potztausend!, Donnerwetter!

casposo *adj.* schuppig; grindig.

casque|tazo *m* Stoß *m* mit dem Kopf; **~te** *m* **1.** *hist.* Helm *m*, Sturmhaube *f*; **2.** Kappe *f*, Mütze *f*; **3.** Grindpflaster *n*, Krätzekappe *f*; **4.** Scheitelperücke *f*; **5.** ~ *esférico* Kugel-kalotte *f*, -kappe *f*; *Kfz.* ~ *de válvula* Ventilkappe *f*.

casquijo *m* Mörtelsand *m*; Kies *m*, Schotter *m*.

casquilla *f* **1.** Königinnenzelle *f im Bienenstock*; **2.** *~s f/pl.* Silberschrot *m*, Gräne *n/pl.* (*Gewicht der Goldschmiede*).

casquillo *m* **1.** Zwinge *f am Stock*; Pfeilspitze *f*; (leere) Patronenhülse *f*; Hülle *f*, Puppe *f* (*Insektenlarve*); **2.** ⊕ Hülse *f*, Buchse *f*; ⚡ Sockel *m*, Schuh *m*; ~ *cojinete* Lagerbuchse *f*; ~ *roscado* Gewindebuchse *f*; Nippel *m*; ⚡ Schraub-, Gewinde-sockel *m*; **3.** *Am.* Hufeisen *n*; **4.** *Guat., Hond.* Hut-, Schweiß-leder *n*.

casquite *adj. c Ven.* sauer (*Getränk*); *fig.* sauertöpfisch, übelgelaunt.

casquivano F *adj.* leicht-fertig, -sinnig, windig F.

casta *f* **1.** Rasse *f*; Art *f*, Zucht *f*, Blut *n*; *a.* Geschlecht *n*, Familie *f*; *de* ~ edel, reinrassig, von bestem Geblüt; *perro m (caballo m) de* ~ Rasse-hund *m* (-pferd *n*); *toro m de* ~ *a.* angriffslustiger Kampfstier *m*; *venir de* ~ angeboren sein; **2.** Kaste *f* (*a. fig.*); *espíritu m de* ~ Kastengeist *m*.

castamente *adv.* keusch; sittsam, ehrbar, züchtig.

casta|ña *f* **1.** Kastanie *f*, Marone *f*; ~ *americana*, ~ *del Marañón* Paranuß *f*; ~ *pilonga* Dörrkastanie *f*; ~ *asada* Röstkastanie *f*; F *dar la* ~ *a alg.* j-n übers Ohr hauen, j-n prellen; *parecerse como una* ~ *a un huevo* s. nicht im mindesten ähneln, völlig verschieden sein; *sacar las ~s del fuego* die Kastanien aus dem Feuer holen (für j-n *a alg.*); **2.** Korbflasche *f*, Ballon *m*; *Méj.* Fäßchen *n*; **3.** Haarknoten *m*; **4.** F Ohrfeige *f*, Kopfnuß *f*; **5.** F *no valer una* ~ nichts taugen, nichts wert sein; **~ñal, ~ñar** *m* Kastanienbaumgruppe *f*, -bestand *m*; **~ñazo** F *m* Faustschlag *m*; Ohrfeige *f*; *me pegó un* ~ er haute mir e-e herunter F; **~ñeda** *f*, **~ñedo** *m*, **~ñera** *f* → *castañal*; **~ñero** *m* **1.** Kastanien-, Maronen-verkäufer *m*; **2.** *ein Schwimmvogel* (*Taubenvogel*).

castañe|ta *f* **1.** Fingerschnalzer *m*; ♪ → *castañuela 1*; **2.** *Vo.* → *reyezuelo*; **3.** schwarze Schleife *f am Zopf der Stierkämpfer*; **~tada** *f*, **~tazo** *m* **1.** ♪ Kastagnettenschlag *m*; **2.** Finger- *bzw.* Zungen-schnalzer *m*; Knacken *n im Gelenk*; Knall *m* e-r zerplatzenden Kastanie (*durch Hitze*); **~te** *adj. c* rötlichbraun; **~teado** *m* Kastagnettenklappern *n*; **~tear I.** *vt/i.* die Kastagnetten schlagen, mit den Kastagnetten klappern; mit den Zähnen klappern; in den Gelenken knacken; ~ (*los dedos*) mit den Fingern schnalzen; **II.** *v/i.* locken (*Rebhuhn*); **~teo** *m* Klappern *n* (*Kastagnetten, Zähne*); Schnalzen *n* (*Finger*); Knacken *n* (*Gelenke*); Locken *n* (*Rebhuhn*).

castaño I. *m* ⚘ Kastanie(nbaum *m*) *f*; *bsd.* Edelkastanie *f*; Kastanienholz *n*; ~ *de Indias*, ~ *caballuno* Roßkastanie *f*; F *pasar de* ~ *obscuro* zuviel sein, über die Hutschnur gehen; *Ven. pelar el* ~ s. aus dem Staub machen, Fersengeld geben; **II.** *adj.* (kastanien)braun.

castañue|la *f* **1.** ♪ Kastagnette *f*; *fig. estar (alegre) como unas ~s* sehr fröhlich sein, quietschvergnügt sein F; **2.** ⚘ *Art* Zypergras *n*; **3.** ⚓ Klampe *f*, Poller *m*; **~lo** *adj.-su.* Kastanienbraun *n*; *m* Braune(r) *m* (*Pferd*).

castella|na *f* **1.** *hist.* Burgherrin *f*; Frau *f* e-s Burgvogts; **2.** Kastilierin *f*; **3.** *ma.* Goldstück *n*; **4.** *hist.* Vierzeiler *m* (*achtsilbige Romanzenverse*); **~nía** *hist. f* Burggrafschaft *f*; **~nismo** *m* dem Kastilischen eigene Wendung *f*; **~nizar** [1f] *v/t.* dem Kastilischen (*p. ext.* Spanischen) angleichen; **~no I.** *adj.* **1.** kastilisch; spanisch (*Sprache*); **2.** *Andal.* edel, frei, offen; **II.** *m* **3.** Kastilier *m*; **4.** *das* Kastilische; *p. ext. das* Spanische, spanische Sprache *f*; *fig. (hablar) en* ~ *(puro y llano)* frei *od.* offen reden; auf gut deutsch (sagen); **5.** † Burg-, Schloß-herr *m*; Burggraf *m*; Burgvogt *m*; **6.** (Schloß-)Verwalter *m*.

casti|cidad *f* Rassenreinheit *f*; Echtheit *f*; Stilreinheit *f*; **~cismo** *m* Vorliebe *f* (*bzw.* Eintreten *n*) für Reinheit u. Urwüchsigkeit (*des Brauchtums, des Stils*); *Rhet.* Reinheit *f* des Stils; **~cista** *c* Meister *m* der Sprache; Purist *m*.

castidad *f* Keuschheit *f*, Enthaltsamkeit *f*; Sittsamkeit *f*; *hacer voto de* ~ ein Keuschheitsgelübde ablegen.

castiga|do *adj.* **1.** gepflegt (*Stil*); **2.** ⚖ *ya* ~ vorbestraft; **~dor I.** *adj.* **1.** strafend, züchtigend; **II.** *m* **2.** Züchtiger *m*, strafende Hand *f*; **3.** F Schürzenjäger *m*, Frauenheld *m*; **~dora** F *f* Vamp *m*, aufreizende Frau *f*; **~r** [1h] *v/t.* **1.** (be)strafen; rügen; ~ *disciplinariamente* disziplinarisch bestrafen, maßregeln; *fue castigado por ladrón* er wurde wegen Diebstahls bestraft; **2.** züchtigen; kasteien; **3.** schaden (*dat.*), Schaden zufügen (*dat.*), verderben (*ac.*); ~ *duramente al enemigo* dem Feind e-e schwere Schlappe beibringen; **4.** *Schriftliches* verbessern, (aus)feilen; **5.** †, ⚒ *Ausgaben usw.* herabsetzen, vermindern; **6.** *Stk. Stier* verwunden mit „*pica*" *od.* „*banderilla*"; **7.** F den Kopf verdrehen (*dat.*) F, *Männer* (auf)reizen.

castigo *m* **1.** Bestrafung *f*, Strafe *f* (für *ac. por*); Züchtigung *f*; *bibl.* Heimsuchung *f*; *~s m/pl. anteriores* Vorstrafen *f/pl.*; **2.** ~ (*de los sentidos y de la carne*) Kasteiung *f*, Abtötung *f* (des Fleisches und der Sinne[n]); **3.** Verbesserung *f des Stils usw.*; **4.** Verwundung *f des Stiers* (*vgl. castigar 6*).

Castilla[1] *f*: *¡ancha es* ~*!* nur Mut (u. Gottvertrauen)!; tun Sie s. keinen Zwang an!

castilla[2] **I.** *f* **1.** *Chi.* Molton *m* (*Stoff*); **2.** *Ec.* *¡~ cosa!* et. ganz Hervorragendes!; **II.** *adj.-su. c* **3.** *Fil.* spanisch; *m* Spanier *m*.

castille|jo *m* **1.** Hebegerüst *n an Bauten*; *Chi., Méj., Ven.* Lagerbock *m der Presse in Zuckermühlen*; **2.** Laufkorb *m für Kinder*; **3.** Nußwerfen *n* (*Kinderspiel*); **~te** *m dim. zu castillo*; Turm *m*; Stützgerüst *n*; Kartenhaus *n*; ⊕ Bohrturm *m*; Förderturm *m*.

castillo *m* **1.** *ma.* Schloß *n*, Burg *f*, Kastell *n*, Feste *f*; ~ *de arena* Sandburg *f*; ~ *feudal* Ritterburg *f*; ~ *de fuego*, ~ *de pólvora* Feuerwerk *n*; ~ *roquero* Felsen-burg *f*, -schloß *n*; ~ *señorial* Ritterburg *f*; Herrensitz *m*, Schloß *n*; *fig.* P *unos tíos como ~s* stramme Kerle *m/pl.* F; *fig. hacer ~s en el aire* Luftschlösser bauen; *bsd. fig. hacer (od. levantar) ~s de naipes* Kartenhäuser bauen, leere Projekte machen; **2.** ⚓ ~ *de popa* Achterdeck *n*, † Achterkastell *n*; ~ *de proa* Vorschiff *n*, Back *f*, † Vorderkastell *n*; **3.** Turm *m* (*Schach*); **4.** ▨ Kastell *n*, Turm *m*; **5.** Zelle *f der Bienenkönigin*; **6.** *Arg.* gr. Karren *m*; **7.** *Chi. Art* Gugelhupf *m*.

castizo *adj.-su.* **1.** rasserein; echt, rein (*Sprache, Abstammung*); echt, typisch (*Volkscharakter*); unverfälscht, urwüchsig (*Person*); korrekt, gefeilt (*Sprache, Stil*); F *eres un* ~ du bist ein urwüchsiger Kerl F, *Reg.* du bist ein Urviech F; *no es muy* ~ das ist nicht korrekt; ⚒ *a.*

das darf man nicht sagen (*od.* tun), das ist nicht gesellschaftsfähig; **2.** sehr fruchtbar, zeugungskräftig; **3.** *P. Ri.* Sohn *m* e-s Mestizen u. e-r Kreolin.
casto *adj.* keusch, züchtig; ehrbar, sittsam.
castor *m* **1.** *Zo.* Biber *m*; **2.** Biberpelz *m*, -fell *n*; Biber *m* (*Baumwollstoff*); **3.** Biber-, Kastor-hut *m*; **4.** *Am. Mer. aceite m* (de) ~ Rizinusöl *n*; **5.** ⚠ Flachziegel *m*; **6.** ⚘ Bitterklee *m*.
casto|ra *f bsd. Andal., Extr.* Zylinder(hut) *m*; **~reño** *adj.-su. m* (*sombrero m*) ~ Biberhut *m*; *Stk.* Hut *m* der Pikadores.
castóreo *m* Bibergeil *n*, Kastoreum *n*.
castorina *f* **1.** Kastorin *m* (*feines Wolltuch*); **2.** ⚗ Kastorin *n*, Bibergeilfestsubstanz *f*.
castra|(ción) *f* Kastrierung *f*, *b. Menschen a.* Entmannung *f*; Zeideln *n* (*Imker*); Be-, Ver-schneiden *n der Bäume*; **~dera** *f* Zeidelmesser *n*; **~do** *adj.-su.* kastriert; *m* Kastrierte(r) *m*; Entmannte(r) *m*; Kastrat *m*; **~dor** *m* Verschneider *m*, Kastrierer *m*; **~dura** *f* **1.** Kastrationsnarbe *f*; **2.** → *castración*; **~r** *v/t. Tiere* verschneiden, kastrieren; *Menschen* kastrieren, entmannen; *Bienenstöcke* zeideln; *Bäume* be-, ver-schneiden; *fig.* verstümmeln; tilgen, ausmerzen (*z. B. Bücherstellen*); *fig.* schwächen, entkräften; **~zón** *f* Zeideln *n der Bienenstöcke*.
castrense *adj. c* Feld..., Militär..., Heeres...; *médico m* ~ Feld-, Militär-arzt *m*; *disciplina f* ~ soldatische Zucht *f*.
castris|mo *m* Castrismus *m*; **~ta** *c* Anhänger *m* (Fidel) Castros.
castro[1] *m* **1.** *hist.* befestigtes (Römer-)Lager *n*; **2.** *Ast., Gal.* Festungs-, Burg-ruine *f*; **3.** *Ast., Gal., Sant.* Felsnase *f*, Kap *n*; Küstenriff *n*; **4.** *Wurfspiel der Kinder*.
castro[2] *m* Zeideln *n*.
castrón *m* **1.** verschnittener Ziegenbock *m*; *Cu.* verschnittene Sau *f*; **2.** † Kastrat *m*.
casua|l I. *adj. c* **1.** zufällig, gelegentlich, ungewiß; ⚖ zufällig, kasual; **2.** *Gram. flexión f* ~ Kasusflexion *f*; **II.** *m* **3.** P → *casualidad*; *por un* ~ zufällig; **~lidad** *f* Zufall *m*; Zufälligkeit *f*; *adv. por* ~ zufällig(erweise); *da la* ~ *que* ... zufällig ...; *dió la* ~ *que* ... der Zufall wollte, daß ..., es traf s., daß ...; *ha sido una* ~ es war (reiner) Zufall; *quiso la* ~ *que pasara un hombre* zufällig kam ein Mann vorüber; **~lismo** *Phil.* Kasualismus *m*.
casualmente *adv.* zufällig(erweise).
casuario *Vo. m* Kasuar *m*.
casu|ca *f*, **~cha** *f*, **~cho** *m desp.* elendes Haus *n*, Hütte *f* F, Kasten *m* F, Stall *m* P.
casu|ismo *m* Kasuistik *f*; **~ista** *c* Kasuist *m*; **~ística** *f* Kasuistik *f*; *bsd.* Moralkasuistik *f*; **~ístico** *adj.* kasuistisch; *fig.* spitzfindig.
casu|lla *f* Meßgewand *n*; **~llero** *m* Paramentenmacher *m*.
casus belli *lt. m* Casus belli *m*.
cata[1] *f* **1.** Versuchen *n*, Kosten *n*; ~ (*de vinos*) Weinprobe *f*; **2.** † *u. Am. Reg.* ⚒ Schürfen *n*; Schürfprobe *f*; *Méj.* Schürfgrube *f*; **3.** *Col.* Verborgene(s) *n*, *bsd.* versteckter Vorrat *m*.
cata[2] *Vo. f Arg., Bol., Chi., Méj.* Mönchssittich *m*.
cata|bre, ~bro *m Col., Ven.* Kürbisschale(ngefäß *n*) *f zur Aufbewahrung v. Samen*.
catacaldos F *m* (*pl. inv.*) Flattergeist *m*; Schnüffler *m*.
cata|clasia *f* (*bsd.* Knochen-)Bruch *m*; **~clismo** *m* Kataklysmus *m*, Erdumwälzung *f*; Sintflut *f*; *fig.* Katastrophe *f*; *Pol.* Umsturz *m*.
catacresis *Rhet. f* Katachrese *f*.
catacumbas *f/pl.* Katakomben *f/pl.*
catadióptrica *Phys. f* Katadioptrik *f*, Lehre *f* von der Strahlenbrechung.
cata|dor *m* Kenner *m*; ~ (*de vinos*) Wein-prüfer *m*; -kenner *m*; **~dura** *f* **1.** → *cata*[1] *1*; **2.** Aussehen *n*, Gesichtsausdruck *m*; F *de mala* ~ verdächtig aussehend.
catafalco *m* Katafalk *m*, Trauergerüst *n*.
cata|lán *adj.-su.* katalanisch; *m* Katalane *m*; **~lanismo** *Li., Pol. m* Katalanismus *m*; **~lanista** *adj.-su. c* **1.** Katalanist *m*, Kenner *m* der katalanischen Sprache; **2.** *Pol.* Anhänger *m* des Katalanismus; **~lanizar** [1f] *v/t.* katalanisieren, katalanisch machen.
cataláunico *adj.* **1.** *hist.*: *Campos m/pl.* ~*s* Katalaunische Felder *n/pl.*; **2.** *fig.* katalanisch.
cataldo ⚓ *m* Dreiecksegel *n* der Logger.
cata|léctico, ~lecto *adj.* katalektisch, unvollkommen; **~lectos** *m/pl.* Katalekten *pl.*, Fragmentsammlung *f*.
catalejo *m* Fernglas *n*.
cata|lepsia ⚕ *f* Katalepsie *f*, Starrsucht *f*; **~léptico** ⚕ *adj.* kataleptisch; starr(süchtig).
catalicores *m* (*pl. inv.*) *Reg.* Faßheber *m*, Probierröhre *f*.
Catalina[1] *f*: F *¡que si quieres arroz,* ~*!* nichts zu machen!, so einfach ist das nicht!
catalina[2] *f* **1.** *rueda f* ~ Steigrad *n* (*Uhr*); **2.** ⚘ Wolfsmilch *f*; **3.** P *Reg.* Kot *m*, Haufen *m* P.
catálisis ⚗ *f* Katalyse *f*.
cata|lítico *adj.* katalytisch; **~lizador** *m* Katalysator *m*.
cataloga|ble *adj. c* katalogisierbar; **~ción** *f* Katalogisierung *f*, Aufnahme *f* in e-n Katalog; **~r** [1h] *v/t.* katalogisieren, in ein Verzeichnis aufnehmen.
catálogo *m* Katalog *m* (*a. fig.*), Verzeichnis *n*; ~ (*por orden*) *alfabético* alphabetischer Katalog *m*; ~ *por materias* (*de librería*) Sach-, Real-(Bücher-)katalog *m*.
catán *m Art ostasiatischer* Krummsäbel *m*.
catana *f* **1.** *Am.* Kahn *m*; *Cu.* plumpes Ding *n*; **2.** *Chi., Rpl.* (Schlepp-)Säbel *m*; **3.** *Ven. ein grün-blauer* Papagei *m*.
catanga *f* **1.** *Arg., Chi. Art* Mistkäfer *m*; **2.** *Bol., Rpl.* Obstkarren *m*; **3.** *Col.* Reuse *f*.
cataplasma I. *f* Kataplasma *n*, (Brei-)Umschlag *m*; *fig.* F Kränklichkeit *f*, Anfälligkeit *f*; **II.** *c* kränklicher (*bzw.* langweiliger *od.* lästiger) Mensch *m*.
¡cata|plum!, ¡~plún! *int.* plumps, klatsch!
catapulta *f* **1.** ⚔ *hist.* Wurfmaschine *f*, Katapult *n*; **2.** ✈ ~ *de lanzamiento* Katapult *n*, Startschleuder *f*; *asiento m* ~ Schleudersitz *m*; **~r** *v/t.* katapultieren.
catar I. *v/t.* **1.** kosten, schmecken; prüfen, probieren; **2.** † beobachten; **3.** *Bienenstöcke* zeideln; **II.** *v/i. u.* **~se** *v/r.* **4.** †, *lit. ¡cata!, ¡cátate!* siehe!, sieh da!
catarata *f* **1.** Katarakt *m*, Wasserfall *m*; Stromschnelle *f*; *las* ~*s del Niágara* die Niagarafälle *m/pl.*; *bibl. u. fig. se abren las* ~*s del cielo* die Schleusen des Himmels öffnen s.; **2.** ⚕ (*bsd.* grauer) Star *m*; ~ *senil* Altersstar *m*; ~ *verde* Glaukom *n*, grüner Star *m*; *fig. tener* ~*s en los ojos* verblendet sein (von *dat.*, durch *ac. por*).
catarinita *Vo. f Méj. Art* Mönchssittich *m*.
cátaros *Rel. m/pl.* Katharer *m/pl.*
cata|rral ⚕ *adj. c* katarrhalisch, Katarrh...; **~rro** *m* Katarrh *m*; Erkältung *f*; ~ *del seno frontal* (*de la vejiga*, ~ *vesical*) Stirnhöhlen- (Blasen-)katarrh *m*; *coger* (*od.* F *pillar*) *un* ~, *lit. contraer* ~ s. erkälten, e-n Schnupfen bekommen; F *al* ~, *con el jarro etwa*: bist du erkältet, trink 'nen Schnaps; **~rroso** *adj.* **1.** verschnupft, erkältet; **2.** zu Erkältungen neigend.
catarsis *f* ⚕ Reinigung *f*, Purgation *f*; *Lit., Psychoanalyse*: Katharsis *f*; *fig.* Läuterung *f*, Reinigung *f*.
catártico I. *adj.* ⚕, *Psych.* kathartisch; *fig.* reinigend, läuternd; **II.** *m* Kathartikum *n*, (mildes) Abführmittel *n*.
catasarca ⚕ *f* Hautwassersucht *f*.
catas|tral *adj. c* Kataster...; **~tro** *m* **1.** Kataster *m*, *n*; Katasteramt *n*; **2.** Grundsteuer *f*; **3.** *hist.* Besitzsteuer *f* an den König.
catástrofe *f* Katastrophe *f* (*a. fig.*); ~ *aérea*, ~ *de aviación* Flugzeugkatastrophe *f*, -unglück *n*; ~ *por inundación* Überschwemmungskatastrophe *f*.
catastrófico *adj.* katastrophal (*a. fig.*), *fig.* folgenschwer, unheilvoll.
catatar F *v/t. Pe.* ver-, be-zaubern, behexen; mißhandeln.
cata|viento ⚓ *m* Wind-fahne *f*, -leine *f*; **~vino** *m* Stech-, Faßheber *m*; Probierglas *n*; Probierloch *n im Faß*; **~vinos** *m* (*pl. inv.*) Wein-prüfer *m*, -koster *m*; F Zechbruder *m* F, Trunkenbold *m*.
cate F *git. m* Schlag *m*; Ohrfeige *f*; F *dar* ~ (*en*) durchfallen lassen (bei *e-r Prüfung*).
catea|dor *m* Erz-, Schürf-hammer *m*; Mineralogenhammer *m*; *Am.* Schürfer *m*, Erzsucher *m*; **~r** *v/t.* **1.** *Reg.* (auf)suchen; **2.** F durchfallen lassen *im Examen*; **3.** ⚒ *Am.* schürfen.
catecismo *m* **1.** Katechismus *m*; **2.** *a. allg.* Handbuch *n*; **3.** Religionsstunde(n) *f*(*/pl.*), -unterricht *m in Schulen*.
catecú *pharm. m* Kaschu *m*, *n*.
catecúmeno *m* Katechumene *m*, Katechetenschüler *m*; *prot.* Konfirmand *m*; *fig.* Anwärter *m*, Neuling *m*.

cátedra *f* **1.** Katheder *n*, *m*; *fig.* ~ (*sagrada*) Kanzel *f*; **2.** Lehrstuhl *m*, Professur *f*; Lehrfach *n*; ~ *de anatomía* (*de filosofía*) Lehrstuhl *m* für Anatomie (für Philosophie); ~ (*de un profesor titular*) Ordinariat *n*, ordentlicher Lehrstuhl *m*; ~ *de instituto* Studienratsstelle *f*; ~ *de San Pedro* Papst-, Bischofs-würde *f*; *ex* ~ *lt.* ex cathedra; *fig. poner* ~ dozieren (*desp.*), schulmeisterlich (*od.* von oben herab) reden, schulmeistern; *Stk.* meisterhaft kämpfen; *sentar* ~ (*de*) *fig.* Schule machen; *desp.* s. als Spezialist (für *ac.*) ausgeben; **3.** ✎ Hörsaal *m*.
catedra|l *f* Kathedrale *f*; Bischofs-, Haupt-kirche *f*; Dom *m*, Münster *n*; 2 *Primada de España* Kirche *f* des Primas von Spanien (*in Toledo*); **~licio** *adj.* Dom..., Kathedral...
catedráti|ca *f* Professorin *f*, Dozentin *f*; Studienrätin *f*; F Frau *f* e-s Professors; **~co** *m* **1.** ~ (*de universidad*) Hochschullehrer *m*, (Universitäts-)Professor *m*; ~ *honorario* Honorarprofessor *m*; ~ (*de instituto*, ~ *de segunda enseñanza*) Gymnasiallehrer *m*; Studienrat *m*; ~ *numerario*, ~ *de número*, ~ *titular*, ordentlicher Professor *m*, Ordinarius *m*; ~ *supernumerario* außerordentlicher (*Abk.* a. o.) Professor *m*; ~ *visitante*, ~ *invitado* Gastprofessor *m*; **2.** *Stk. fig.* Meister *m*, Lehrer der Stierkampfkunst; **3.** *Reg.* **~s** *m/pl.* Kenner *m/pl. bzw.* Wetter *m/pl. beim Pelotaspiel.*
categorema *Phil. f* Kategorem(a) *n*.
cate|goría *f* Kategorie *f* (*a. Phil.*), Art *f*, Klasse *f*, Sorte *f*; *fig.* Rang *m*; *de* ~ *mediana* von mittlerer Güte (*z. B. Ware*); *de poca* ~ bedeutungslos; *igualdad f de* ~ Ranggleichheit *f*; *es persona de* ~ er ist e-e Persönlichkeit von Rang (*od.* ein bedeutender Mann); *XY no tiene* ~ *para el cargo que ocupa* XY ist s-m Amt nicht gewachsen; **~góricamente** *adv.* kategorisch; **~górico** kategorisch, bestimmt, unbedingt, entschieden; *fig.* rangmäßig, Rang...; **~gorismo** *m* Kategorial-, Kategorien-system *n*.
catenaria ⩘ *f* Kettenlinie *f*.
cateo ⚒ *m Méj.* (Probe-)Schürfung *f*.
cate|quesis *f* Katechese *f*, religiöse Unterweisung *f*; **~quética** *Theol. f* Katechetik *f*; **~quismo** *m* **1.** Katechese *f*; **2.** Unterricht *m* in Form von Frage u. Antwort; **3.** Katechismus *m*; **~quista** *c* Katechet *m* Religionslehrer *m*; **~quístico** *adj.* katechetisch; *fig.* in Form von Frage u. Antwort; **~quización** *f* Katechisierung *f*; **~quizador** *m* → *catequista*; *fig.* Lehrer *m*, Prediger *m*; **~quizar** [1f] *v/t. Rel.* Religionsunterricht erteilen (*dat.*); *fig.* belehren, einweihen.
caterético ⚕ *adj.* leicht kaustisch, ätzend.
caterva *desp. f* Haufe(n) *m*, Menge *f*.
catete *m* **1.** *Chi.* dicke Schweinsbrühe *f*; **2.** F *Am.* Teufel *m*.
catéter *m* Katheter *m*, Sonde *f*.
cateteri|smo ⚕ *m* Katheterisieren *n*; **~zar** [1f] *vt/i.* katheterisieren.
cateto[1] *Geom. m* Kathete *f*.
cateto[2] F *desp. m* Bauer *m*, Tölpel *m*, Einfaltspinsel *m*.
catey *m* **1.** *Vo. Cu. Art* Sittich *m*; **2.** *S. Dgo.* Cateypalme *f*.
catgut ⚕ *m* Katgut *n*.
cati|bia *Cu.*, **~bía** *Ven. f* geriebene u. ausgepreßte Yukkawurzel *f*.
catibo *m Cu. Fi. Art* Muräne *f*; *fig. desp.* Bauer *m*, Lümmel *m*.
catilinaria *f fig.* Brand-, Hetz-rede *f*; **~s** *f/pl.* katilinarische Reden *f/pl.*
catimbao *m* **1.** *Arg.*, *Chi.*, *Pe.* Maskengestalt bei Umzügen; **2.** *fig. Chi.* Hauswurst *m*; Fatzke *m*; *Pe.* Dickwanst *m*.
catinga *f Bol.*, *Chi.*, *Rpl.* Gestank *m*; *bsd.* Schweißgeruch *m der Indianer u. Neger*; *Chi.* „Stinker" (*Schimpfname der Marine für Soldaten des Heeres*); *Rpl.* Achselgeruch *m*.
catingo *Bol.* **I.** *m* Geck *m*, feiner Pinkel *m* P; **II.** *adj.* → **~so** *adj. Arg.* übelriechend.
catión *Phys. m* Kation *n*, positives Ion *n*.
catira ⚘ *f Ven.* bittere Yukka *f*.
catire *adj.-su.* *c Ven.* blond; weiß- *bzw.* hell-häutig.
catirrinos *Zo. m/pl.* Schmalnasen *m/pl.* (*Affen*).
catita *f Arg.*, *Bol.* kl. Papagei *m*.
catite *m* **1.** Zuckerhut *m*; *Am.* (*sombrero m de*) ~ spitzer (zuckerhutförmiger) Hut *m*; **2.** F *Am. dar* ~ *a j-m* e-n Klaps geben; **3.** *Méj. ein Seidenstoff*; **~ar** *v/i. Arg.* s. inea. verheddern (*Schnur zweier Kinderdrachen*); mit dem Kopf wackeln (*Altersschwäche*); kein (*od.* wenig) Geld haben, abgebrannt sein F.
cato *pharm. m* Cachou *n*.
catoche F *m Méj.* üble Laune *f*, Murrköpfigkeit *f* F.
catódico *Phys.*, *HF. adj.* kathodisch, Kathoden...; *tubo m* ~ Kathodenröhre *f*.
cátodo *Phys. m* Kathode *f*, negativer Pol *m*.
catoli|cidad *f* **1.** Katholizität *f*, katholischer Glaube *m*; **2.** Gemeinschaft *f* der katholischen Gläubigen; **~cismo** *m* **1.** Katholizismus *m*, katholische Religion *f* (*od.* Konfession *f*); **2.** → *catolicidad* 2.
católico **I.** *adj.* **1.** katholisch; ~ (*apostólico*) *romano* römisch-katholisch; ~ *viejo*, *a.* ~ *liberal* altkatholisch; **2.** *fig.* F einwandfrei (*Meinung, Überzeugung, Wein*); *no estar muy* ~ s. nicht recht wohlfühlen; **II.** *m* **3.** Katholik *m*; ~ *de izquierda* Linkskatholik *m*.
catolicón *pharm. m* abführende Latwerge *f*.
catolizar [1f] *v/t.* katholisieren, zum katholischen Glauben bekehren.
catón *m fig.* erstes Lesebuch *n*, Fibel *f*; *fig.* strenger Kritiker *m*.
catoniano *adj.* katonisch (*a. fig.*); *fig.* (sitten)streng.
catóptri|ca *Phys.* Katoptrik *f*, Lehre *f* von der Spiegelreflexion; **~co** *adj.* katoptrisch, Spiegel...
cator|ce *num.* vierzehn; *Luis XIV* (*lies: Catorce*) Ludwig XIV. (*lies:* der Vierzehnte); **~ceavo** *num.* → *catorzavo*; **~cena** *f e-e* Anzahl von vierzehn; **~ceno** *adj.-su.* vierzehnte(r); vierzehnjährig; **~zavo** *num.* vierzehnte(r, -s); *m* Vierzehntel *n*.
catre *m* Feldbett *n*; Pritsche *f*; ~ *de tijera*, *Méj.*, *Pe.*, *Ven.* ~ *de viento* Klappbett *n*; Liegestuhl *m*; *Arg.* ~ *de balsa* (Rettungs-)Floß *n*; *fig. P. Ri. cambiar el* ~ **a)** das Thema wechseln, e-e andere Platte auflegen F; **b)** umziehen, die Wohnung wechseln; **~cillo** *m* Klapp-, Feld-stuhl *m*.
catricofre *m Art* Schrankbett *n*.
catrín *m Am. Cent.*, *Méj.* Stutzer *m*, Geck *m*, Modenarr *m*.
catrintre *m Chi.* Magermilchkäse *m*; *fig.* armer Schlucker *m*.
catsup *Angl. m* Ketchup *m*, *n*.
catu|rra *f*, **~rro** *m Chi. Art* Wellensittich *m*.
caúca *od.* **cauca** *f Col.*, *Ec. Futterpflanze*; *Bol.* Weizenbiskuit *m*, *n*.
cau|cáseo, **~casiano**, *heute mst.* **~cásico** *adj.* kaukasisch; weiß (*Rasse*).
cauce *m* **1.** Wassergraben *m*; ~ (*de río*) (Fluß-)Bett *n*; ~ (*de desagüe*) Abzugsgraben *m*; ~ *de derivación* Vorfluter *m*; ~ (*de riego*) Bewässerungsgraben *m*; **2.** *fig.* Weg *m*, Richtung *f*; *volver a su* ~ (wieder) ins normale Geleise kommen.
caucel *Zo. m Hond.*, *Méj.*, *C. Ri.* Wildkatze *f*, *Art* Ozelot *m*.
caución *f* **1.** ⚖ Bürgschaft *f*, Kaution *f*, Sicherheitsleistung *f*; **2.** Vorsicht *f*.
cauciona|miento ⚖ *m* Sicherheitsleistung *f*, Stellung *f* e-r Kaution; **~r** *vt/i.* e-e Kaution stellen (für *ac.*); bürgen (für *ac.*).
caucha ⚘ *f Chi.* Hakendistel *f*.
cauchahue *arauk. m Chi.* Lumabeere *f*, *Frucht f der Myrtus luma* (*zur Bereitung e-s Rauschtranks*).
caucha|l *m* Kautschuk-wald *m*, -pflanzung *f*; **~r** *v/i. Col.*, *Ec.* Kautschuk zapfen *bzw.* verarbeiten.
cauche|ra ⚘ *f* Kautschuk-pflanze *f*; -baum *m*; **~ro** **I.** *adj.* Gummi..., Kautschuk...; **II.** *m* Kautschukzapfer *m*; -arbeiter *m*; -händler *m*.
cauchífero *adj.* Gummianbau...
caucho *m* Kautschuk *m*, Gummiharz *n*; Kautschuk *m*, Gummi *m*, *n*; ~ *bruto*, ~ *virgen* Roh-kautschuk *m*, -gummi *m*, *n*; ~ *elástico* (*vulcanizado*) Weich- (Hart-)gummi *m*, *n*; ~ *sintético* Kunstkautschuk *m*.
cauchotina *f* Imprägnierungsmasse *f der Gerber.*
cauda *f* **1.** Schleppe *f*, *bsd.* der „Cappa magna"; **2.** *Vo.* ~ *trémula* Bachstelze *f*.
cauda|do *adj.* ⚘ schweifförmig verlängert; ▨ geschweift; **~l**[1] *adj.* *c* Schwanz...; *aleta f* (*pluma f*) ~ Schwanz-flosse *f* (-feder *f*).
cauda|l[2] **I.** *m* **1.** Wassermenge *f*; ⊕ Durchflußmenge *f*; (Förder-)Leistung *f e-r Pumpe*; ~ *de estiaje* Niederwassermenge *f*; **2.** Vermögen *n*, Reichtum *m*, Kapital *n*; **3.** *fig.* Reichtum *m*, Schatz *m*; Fülle *f*, Vorrat *m*; ~ *léxico* Wort-schatz *m*, -gut *n*; **II.** *adj.* *c* **4.** ✎ wasserreich; **~loso** *adj.* **1.** wasserreich; **2.** reich, vermögend; *fortuna f* **~a** großes Vermögen *n*.
caudato *Astr.*, ▨ *adj.* Schweif..., geschwänzt.
caudatrémula *Vo. f* Bachstelze *f*.
caudi|llaje *m* Führer-schaft *f*, -tum *n* (*bsd. Pol.*); Herrschaft *f* e-s

caudillo; *fig. Am.* → *caciquismo*; **~llismo** *m Am.* → *caudillaje*; **~llo** An-, Heer-führer *m*; *Pol.* Führer *m*; Oberhaupt *n*; *el* ♀ (= *Beiname Francos*).
caudino *hist. adj.* kaudinisch; *fig. pasar por las horcas ~as* e-e schmachvolle Niederlage hinnehmen (*bzw.* s. dem Stärkeren unterwerfen) müssen.
caula *f Am. Cent., Chi.* List *f*, Betrug *m*, Trick *m*.
caulescente ⚘ *adj. c* stengeltreibend.
caulí|culo (*a. caulícolo*) ⚠ *m* Blattstengel *m* am korinthischen Kapitell; **~fero** ⚘ *adj.* stengelblütig.
caulifloras ⚘ *f/pl.* Stammfrüchtler *m/pl.*, Kaulifloren *pl.*
cauque *m Chi. Fi. Art* Spöke *f*; *fig.* aufgeweckter Mensch *m*, Schlaukopf *m*; *iron.* Tölpel *m*.
cauri *m Zo.* Kauri(schnecke) *f*; Kaurimuschel *f* (*als Zahlungsmittel*).
causa[1] *f* **I. 1.** Ursache *f*; Grund *m*, Anlaß *m*; ~ *eficiente* Wirkursache *f*; ~ *impulsiva*, ~ *motiva* Beweggrund *m*, Motiv *n*, Anlaß *m*; ~ *legal*, ~ *legítima* Rechtsgrund *m*; *relación f de ~ a efecto* Kausalzusammenhang *m*; *con ~* nicht ohne Grund, mit (gutem) Grund; *sin ~* grundlos, ohne Grund; *¿por qué ~?* weshalb?, aus welchem Grund?; **2.** Sache *f*; Rechtssache *f*; ⚖ Prozeß *m*, Verfahren *n*; ~ *civil* (*criminal, penal*) Zivil- (Straf-)sache *f*, -prozeß *m*; *kath. ~s f/pl. mayores* der Entscheidung des Papstes vorbehaltene Rechtssachen *f/pl.*; ~ *nacional* nationales Wohl *n*, Wohl *n* der Nation; *en ~ propia* in eigener Sache; ~ *pública* öffentliches Wohl *n*; *la buena ~* die gute Sache *f*; *hacer ~ común con alg.* mit j-m gemeinsame Sache machen; *ser abogado de mala ~* e-e schlechte Sache vertreten (*bsd. fig.*); **II.** *prp.* **3.** *a ~* de wegen (*gen.*, F *dat.*), aufgrund (*gen. od.* von *dat.*), um ... (*gen.*) willen; *a ~ de ello* dadurch, deswegen; *por ~ mía, por mi ~* (*por ~ tuya, por tu ~ etc.*) meinet- (deinet-)wegen, meinet- (deinet-)halben, um meinet- (deinet-)willen.
causa[2] F *Ke. f Chi.* (Zwischen-)Imbiß *m*, kl. Stärkung *f*; *Pe. kalter Kartoffelbrei, Salat u. Quark mit choclo u. ají.*
causa|dor *adj.-su.* Urheber *m*, Verursacher *m*; **~habiente** ⚖ *m* Rechtsnachfolger *m*; **~l I.** *adj. c* ursächlich, begründend, 🕮 kausal; *relación f ~ od. nexo m ~* Kausalzusammenhang *m*; ⚕ *tratamiento m ~* Kausalbehandlung *f*; **II.** *f* Ursache *f*; Veranlassung *f*, Beweggrund *m*; **~lidad** *f* Kausalität *f*, Ursächlichkeit *f*; *principio m de ~* Kausal(itäts)prinzip *n*; **~nte I.** *adj. c* **1.** verursachend; **II.** *m* **2.** Urheber *m*; *ser (el) ~ de algo* et. verursachen, et. verschulden; **3.** ⚖ **a)** Erblasser *m*; **b)** Rechtsvorgänger *m*; **4.** *Méj.* Steuer-, Abgaben-zahler *m*; **~r I.** *v/t.* verursachen; herbeiführen, hervorrufen, veranlassen, bewirken; *Schaden* anrichten, zufügen; *Unruhe, Unheil* stiften; *Freude, Eindruck, Kummer* machen; ~ *efecto* wirken, (s-e) Wirkung tun; *me ha ~ado mucha tristeza* es hat mich sehr geschmerzt, ich bin sehr traurig darüber; **II.** *v/i. Reg., bsd. Ar.* e-n Prozeß führen; **~tivo I.** *adj.* verursachend, Grund...; **II.** *adj.-su. Li.* kausativ; *m* Kausativ *m*.
causear *v/i. Chi.* vespern; essen; et. zwischendurch schlecken; *fig. mit j-m* spielend fertig werden, leicht (die Oberhand) gewinnen.
causídico ⚖ *adj.*: *poder m ~* Prozeßvollmacht *f* des *procurador*.
causón ⚕ *m* kurzer, heftiger Fieberanfall *m*.
cáustica *f* ⟁ Brennlinie *f* (*Kurve*); *Opt.* kaustische Linie *f*; *Phys.* Kaustik *f*; **~mente** *adv. bsd. fig.* beißend; spöttisch.
causti|car [1g] *v/t.* ätzend machen; **~cidad** *f* Ätz-, Beiz-kraft *f*; *fig.* Bissigkeit *f*, beißender Spott *m*.
cáustico I. *adj.* ätzend, beizend, beißend, kaustisch (*a. fig.*); *piedra f ~a* Ätzstein *m*, Kupfersulfat *n*; *sosa f ~a* Ätznatron *n*; **II.** *m* Ätz-, Beiz-mittel *n*; ⚕ **a)** Causticum *n*; **b)** Zugpflaster *n*.
cau|tamente *adv.* vorsichtig; **~tela** *f* **1.** Vorsicht *f*, Behutsamkeit *f*; Vorbehalt *m*; **2.** Klugheit *f*, Schläue *f*, Gerissenheit *f*; **~telar I.** *v/t.* verhüten; vorbeugen (*dat.*); **II.** *v/r. ~se* (de) s. hüten (vor *dat.*); **~telosamente** *adv.* vorsichtig; schlau; **~teloso** *adj.* **1.** vorsichtig, behutsam; **2.** schlau, pfiffig, gerissen.
cauteri|o ⚕ *m* **1.** Brenner *m*, Kauter *m*; **2.** → **~zación** *f bsd.* ⚕ Kauterisation *f*, Ausbrennen *n*; (Ver-)Ätzung *f*; **~zador** *adj.* ätzend; **~zar** [1f] *vt/i.* (aus)brennen, kauter(isiere)n, verschorfen; *lápiz m para ~* Höllenstein-, Ätz-stift *m*.
cautín *m* Lötkolben *m für Zinn.*
cauti|vador *adj.* packend, fesselnd; **~var I.** *v/t.* gefangennehmen; **II.** *vt/i. fig.* fesseln, packen, gefangennehmen; entzücken, bestricken; ~ *con favores* mit Gefälligkeiten (an s.) binden (*od.* für s. gewinnen); **~verio** *m*, **~vidad** *f* Gefangenschaft *f* (*a. fig.*); *lit.* Knechtschaft *f*, Sklaverei *f*; Gefangennahme *f*; *caer en ~* in Gefangenschaft geraten; **~vo I.** *adj.* gefangen; *fig. ~ de su amor* (*de sus vicios*) in Liebesbanden (in s-e Laster) verstrickt; *aves f/pl. ~as* Käfigvögel *m/pl.*; *llevar ~* in die Gefangenschaft führen, gefangen mit s. führen; **II.** *m* Gefangene(r) *m* (*bsd. hist. christliche Gefangene der Mauren bzw. der Indianer*).
cauto *adj.* vorsichtig, behutsam; schlau.
cava[1] *f* Behacken *n*, Umgraben *n* (*bsd. Weinberg*); *dar una ~ a las viñas* die Rebgärten behacken (*od.* häckeln).
cava[2] *f* **1.** *hist.* Hofkellerei *f*; **2.** *Reg.* Sekt-, Wein-kellerei *f*; **3.** Burg-, Schloß-graben *m*; **4.** *Kfz.* (Schmier-)Grube *f*.
cava[3] *Anat. adj.-su. f* (*vena f*) ~ *inferior* (*superior*) untere (obere) Hohlvene *f*.
cava|dizo *adj.*: *tierra f ~a* **a)** leicht zu behackendes Erdreich *n*; **b)** *beim Häckeln* aufgeworfene Erde *f*; **~dor** *m* Gräber *m*; ⚠ Erdarbeiter *m*; † Totengräber *m*; **~dura** *f* **1.** (Um-)Graben *n*, Ausheben *n*; **2.** Grube *f*, Aushöhlung *f*, Vertiefung *f*; **~r I.** *vt/i.* **1.** (be)hacken; (um)graben; ausheben; ⚔ graben, schanzen; **II.** *v/t.* **2.** ⚒ *Schacht* abteufen; ~ *una mina* e-e Mine (*od.* e-n Stollen) anlegen; **3.** aushöhlen; unterspülen, auswaschen; unter-minieren, -graben; **III.** *v/i.* **4.** (nach)grübeln (über *ac.* en).
cavatina ♪ *f* Kavatine *f*.
cavazón *f* Um-, Auf-graben *n der Erde.*
caver|na *f* Höhle *f*, Grotte *f*; *hombre m de las ~s* Höhlenmensch *m*; *fig.* Steinzeitmensch *m*; **~nario** *adj.* Höhlen...; **~nícola** *c* Höhlenbewohner *m*; -mensch *m*, Troglodyt *m*; *fig.* Reaktionär *m*, Rückständige(r) *m*; **~nosidad** *f* Höhle *f*; Aushöhlung *f*; **~noso** *adj.* **1.** höhlenreich, voller Höhlen; unterhöhlt (*Gelände usw.*); ⚕ kavernös; schwammig, sehr porös (*Mineralien*); **2.** hohl (*Stimme, Ton*); *tos f ~a* hohler Husten *m*.
caví ⚘ *m Pe. eßbare* Okawurzel *f*.
caviar *m* Kaviar *m*.
cavicornios *Zo. m/pl.* Horntiere *n/pl.*
cavidad *f* Höhlung *f*, Hohlraum *m*, Vertiefung *f*; ⚕ Höhle *f*; ~ *abdominal* (*bucal*) Bauch- (Mund-)höhle *f*; ~ *pleural* (*torácica*) Pleura- (Brust-)höhle *f*, -raum *m*.
cavi|lación *f* **1.** Grübelei *f*; **2.** Spitzfindigkeit *f*; **~lador** *adj.-su.* grüblerisch; *m* Grübler *m*; **~lar** *v/i.* (⚒ *v/t.*) grübeln, nachsinnen, sinnieren (über *ac. sobre, en*); **~losidad** *f* **1.** Voreingenommenheit *f*, Argwohn *m*; **2.** Grübelei *f*; **~loso** *adj.* **1.** grüblerisch; sinnierend, spintisierend; **2.** argwöhnisch; spitzfindig.
cavo *adj.* † hohl; *Anat.* → *cava*[3].
cay *Zo. m Rpl.* Kapuzineraffe *m*.
caya|da *f* Hirtenstab *m*; **~dilla** *f* Schüreisen *n der Schmiede*; **~do** *m* **1.** Hirtenstab *m*; Krumm-, Bischofs-stab *m*; **2.** *Anat.* ~ *de la aorta* Aortenbogen *m*.
cayajabo *m Cu.* gelber Mate *m* (*Pfl. u. Samen*).
cayapear *v/i. Ven.* s. zs.-rotten, *um j-n zu überfallen.*
cayente *part. zu caer.*
cayetano *m And.* gr. Weingefäß *n*.
cayo *m* flache Felseninsel *f im Karibischen Meer.*
cayo|ta *f*, **~te** *m* **1.** ⚘ Faserkürbis *m*; **2.** † *Zo.* Kojote *m*, Präriewolf *m*.
cayu|ca F *f Cu.* Kopf *m*, Schädel *m* F, Dassel *m* F; **~co**[1] *adj.-su. Cu.* mit vorn spitzem, hinten breitem Kopf.
cayuco[2] *m* Kajak *m*.
caz *m* Wassergraben *m*; Mühlgerinne *n*.
caza I. *f* **1.** Jagd *f* (*a. fig.*), Weidwerk *n*, Pirsch *f*; Jägerei *f*; Jagdwesen *n*; Wild *n*; Wildbret *n*; Wildbestand *m*; ~ *de acoso* Hetz-, Parforce-jagd *f*; ~ *furtiva*, ~ *en vedado* Wilderei *f*; ~ *del jabalí* Saujagd *f*; ~ *de pelo* (*de pluma*) Haar- (Feder-)wild *n*; ~ *mayor* **a)** hohe Jagd *f*; **b)** Hochwild *n*; ~ *menor* **a)** Niederjagd *f*; **b)** Niederwild *n*; *avión m de ~* → *caza m*; *pabellón m de ~* Jagd-haus *n*, -schlößchen *n*; *dar* (⚓, ⚔ *dar la*) ~ *a* (ver)jagen (*ac.*); verfolgen (*ac.*);

estar de ~ auf der Jagd sein (*a. fig.*); *ir* (*od. andar*) *a* ~ *de un destino* auf der Ämterjagd sein, nach e-m Pöstchen jagen F; *ir* (*od. salir*) *de* ~ auf die Jagd gehen; *levantar* (*od. alborotar*) *la* ~ **a)** das Wild aufscheuchen (*od.* -stöbern); **b)** *fig.* et. (vorzeitig) verraten, (ein) Geheimnis lüften; **c)** *fig.* den Stein ins Rollen bringen, den Anstoß geben; **2.** Jagdbeute *f*, Strecke *f*; **3.** Jagdrevier *n*; **4.** *Mal.* ~ (*muerta*) Jagdstück *n*; **II.** *m* **5.** ~ Jäger *m*, Jagdflugzeug *n*; ~ *de reacción* Düsenjäger *m*.

caza|autógrafos *m* Autogrammjäger *m*; **~-bombardero** *m* Jagdbomber *m*, Jabo *m*.

cazabe *m* Kassawe *f*, Maniokwurzelbrot *n*.

cazable *adj. c* jagdbar.

cazaclavos ⊕ *m* (*pl. inv.*) Nagelzieher *m*.

caza|dero *m* Jagd-gebiet *n*, -revier *n*; **~dor I.** *adj.* **1.** jagdliebend; jagend *bzw.* wildernd (*Tier*); **II.** *m* **2.** Jäger *m*, Weidmann *m*; ⚔ Jäger *m*, Schütze *m*; ✈ Jagdflieger *m*; *Ethn.* ~*es m/pl.* Jäger *m/pl.*; ~ *de alforja* Fallensteller *m*; Schlingenleger *m*; ~ *de cabezas* Kopfjäger *m*; ~ *dominguero* Sonntagsjäger *m*; ~ *furtivo* Wilddieb *m*, Wilderer *m*; *fig.* ~ *de sonido* Tonjäger *m*; **3.** ⚓ Rackleine *f*; **~dora** *f* **1.** Jagdrock *m*; Wind-, Leder-jacke *f*; **2.** Jägerin *f*; **3.** *Am. Cent.* leichter Wagen *m*; **4.** *Col.* gr. Baumschlange *f*; **~dotes** *m* (*pl. inv.*) Mitgiftjäger *m*.

cazalla *f* Anislikör *m*.

caza|minas ⚓ *m* (*pl. inv.*) Minensucher *m*, Minensuchboot *n*; **~moscas** *Vo. m* (*pl. inv.*) Fliegenschnäpper *m*; **~noticias** *m* (*pl. inv.*): *ser un* ~ dauernd auf der Jagd nach Neuigkeiten (*od.* Sensationen) sein.

cazar [1f] **I.** *v/t.* **1.** jagen; erjagen; nachjagen (*dat.*) (*alle a. fig.*); ~ *moscas* Fliegen (*od. fig.* Grillen) fangen; **2.** F ergattern F, erwischen; erhaschen; *fig.* stellen, ertappen, abfangen, erwischen; **3.** F einfangen, umgarnen; **4.** ⚓ *Segel* anziehen; **II.** *v/i.* **5.** *abs.* jagen; ~ *a espera*, ~ *en paranza*, ~ *en puesto* auf den Ansitz (*od.* Anstand) gehen; ~ *furtivamente* wildern; ~ *a lazo* Schlingen legen; ~ *en vedado* in fremdem (*od.* verbotenem) Revier jagen (*bsd. fig.*); *fig.* j-m ins Gehege geraten; *ir a* ~ auf die Jagd gehen.

caza|rreactor ✈ *m* Düsenjäger *m*; **~submarinos** ⚓ *m* (*pl. inv.*) U-Bootjäger *m*; **~torpedero** ⚓ *m* Torpedobootjäger *m*.

cazcalear F *v/i.* zwecklos hin- und herlaufen.

cazca|rria *f* Kotspritzer *m an bodennahen Teilen der Kleidung* (*mst.* ~*s pl.*); *Rpl.* Schaf- *bzw.* Schweine-kot *m*; *Span. trockener* Kot *m* auf dem Fell der Tiere; **~rriento** *adj.* kotig, schmutzig.

cazcorvo *adj.* krummbeinig (*bsd. Reittiere*).

cazo *m* **1.** Stielpfanne *f*; Schöpflöffel *m*, -kelle *f*; Leimtopf *m*; **2.** Messer- *usw.* -rücken *m*; **3.** *fig.* F Tölpel *m*, Tolpatsch *m*; **~lada** *f* Topfvoll *m*; **~leja** *f* → *cazoleta*; **~lero** *m* Topfmacher *m*; *fig.* Schnüffler *m*, Tratscher *m*, Ohrenbläser *m*; **~leta** *f* **1.** kl. Kasserolle *f*; **2.** Nietpfanne *f an der Werkbank*; **3.** Zünd-, Pulver-pfanne *f der alten Feuerwaffen*; **4.** Pfeifenkopf *m*; **5.** Stichblatt *n*, Degenkorb *m an der blanken Waffe*; **~letero** *m* → *cazolero*.

cazón *m Fi.* Hausen *m*; Hausenblase *f* (*Leim*).

cazuela *f* **1.** Tiegel *m*; Schmortopf *m*; **2.** Schmorfleisch *n bsd. als reg. Spezialität*; **3.** *Thea.* Olymp *m* F (*Galerie*); **4.** *Typ.* übergroßer Winkelhaken *m*.

cazum|brar *v/t. Weinfässer* verpichen; **~bre** *m* Werg(schnur *f*) *n zum Abdichten der Weinfässer usw.*

cazu|rrería *f* Verschlossenheit *f*, Wortkargheit *f*; Trübsinn *m*; Verschlagenheit *f*; **~rría** *f* **1.** → *cazurrería*; **2.** † Gemeinheit *f*; Unflätigkeit *f*; **~rro** *adj.* **1.** wortkarg; ungesellig, verschlossen, menschenscheu; **2.** ⛏, † verschlagen; unflätig.

ce *f* (*pl.* ces) C *n* (*Name des Buchstabens*); F ~ *por be od.* ~ *por* ~ haarklein, mit allen Umständen; *por* ~ *o por be* so oder so, auf die eine oder andere Art.

¡ce! † *u. Reg. int.* pst!, he!, heda!

ceba *f* **1.** Mast *f*; Mästung *f*; Mastfutter *n*; **2.** ⊕ Beschickung *f e-s Hochofens*.

ceba|da ⚘ *f* Gerste *f*; Gerstenkorn *n*; ~ *barbada* Bart-gerste *f*, -hafer *m*, -gras *n*; ~ *mondada* (*perlada*) Gersten- (Perl-)graupen *f/pl.*; ~ *de verano* (*de invierno*) Sommer- (Winter-)gerste *f*; **~dal** *m* Gerstenfeld *n*; **~dar** *v/t. Pferde usw.* mit Gerste füttern; **~dazo** *adj.* Gersten...; **~dera**[1] *f* Futtersack *m*; Gersten-, Futter-kasten *m*; **~dera**[2] *f* ⚓ Bugsprietsegel *n*; ⊕ Trichterkübel *m e-s Hochofens*; *Rpl.* Mategefäß *n*; **~dero** *m* **1.** Futter-händler *m bzw.* -meister *m*; Stall-, Futterknecht *m*; **2.** Leittier *n e-r Tragtiergruppe*; **3.** Futterplatz *m*, Mast (-weide) *f*; *Jgdw.* Köderplatz *m*; **4.** *Mal.* Geflügelbild *n* (*Fütterungsszene*); **5.** ⊕ Gicht *f e-s Hochofens*; **6.** *hist.* Falkenier *m*, Falkner *m*.

cebadilla ⚘ *f* **1.** wilde Gerste *f*; **2.** Nieswurz *f*; **3.** *Am. versch. Pfl.*, *bsd.* Sabadill-, Sebadilla-staude *f*; *Am. Reg. oft für* Insektenvertilgungsmittel *n bzw.* Niespulver *n*; **4.** *Rpl.* Bluthirse *f*.

ceba|do *adj.* gefüttert, gemästet, Mast...; *Am. tigre m* ~ Manntiger *m*, Menschenfresser *m*; **~dor** *m* **1.** Viehmäster *m*; **2.** Pulverflasche *f*; **~dura** *f* Fütterung *f*; Mast *f*; **~r I.** *v/t.* **1.** *Tiere* mästen (F *a. Menschen*); füttern; *durch Futter od. Köder* locken; *Angel* beködern; **2.** ⊕ *Schwungrad, Maschine* anlassen; *Hochofen* beschicken; *Saugleitung e-r Pumpe u. ä.* füllen; *Öl in e-e Lampe* nachfüllen; den Zündsatz *bei Raketen usw.* anbringen; *Pulver* aufschütten; **3.** *fig. Leidenschaften, Zorn* schüren; **4.** *Rpl. Mate, p. ext. Kaffee usw.* bereiten; **II.** *v/i.* **5.** fassen, eindringen (*Schraube*); **6.** *Jgdw. abs.* Köder auslegen; **7.** *Méj. a.* (→ *fallar*) nicht losgehen (*Schuß*); nicht klappen (*Geschäft usw.*); **III.** *v/r.* ~*se* **8.** s. mästen; *fig.* s. weiden (an *dat.* en); ~*se en la matanza* mordgierig (*od.* blutdürstig) sein; *se ceba la peste* die Pest wütet; ~*se contra alg.* s-e Wut an j-m auslassen; **9.** *fig.* ~*se en* s. in *et.* (*ac.*) versenken (*od.* vertiefen), in *et.* (*ac.*) versunken sein.

cebellina *adj.-su. f* Zobel...; (*marta f*) ~ Zobel *m*; Zobelpelz *m*; *tex.* ~ Zibeline *f*.

cebiche *m Pe. Fischgericht mit Paprika u. Bitterpomeranzen.*

cebo[1] *Zo. m* Brüllaffe *m*.

cebo[2] *m* **1.** Futter *n*; Mastfutter *n*; Fraß *m*, Fressen *n*; **2.** Köder *m*, Lockspeise *f* (*a. fig.*); *fig.* Nahrung *f e-r Leidenschaft*; Anreiz *m*, Verlockung *f*; *morder el* ~ anbeißen (*Fisch u. fig.*); *poner* ~ Köder auslegen (*a. fig.*); **3.** ⚔ Zündsatz *m*.

cebo|lla *f* **1.** Zwiebel *f*; Blumenzwiebel *f*, Knolle *f*; **2.** Lochfilter (-einsatz) *m b. Wasserleitungen usw.*; Brennstoffbehälter *m b. Öllampen*; **3.** Holzkernfäule *f bzw.* Ringschäle *f der Bäume*; **4.** P Kopf *m*, Birne *f* P; **5.** □ Huhn *n*; **~llada** *f* Zwiebelgericht *n*; **~llana** ⚘ *f* Salatzwiebel *f*; **~llar** *m* Zwiebelacker *m*; **~llero** *m* Zwiebel-(an)bauer *m*; -händler *m*; **~lleta** *f* **1.** Steckzwiebel *f*; ~ (*común*) Winterzwiebel *f*, Hohllauch *m*; **2.** *Cu. Art* Erdmandel *f*; **~llino** *m* Samenzwiebel *f*; ~ *común*, ~ *francés* Schnittlauch *m*; ~ *inglés* Winterzwiebel *f*; F *escardar* ~*s* herumlungern, unserm Herrgott den Tag stehlen; *¡vete a escardar* ~*s!* scher dich zum Kuckuck!; **~llón** *m* süße Zwiebel *f*; *fig. Chi.* Hagestolz *m*; **~lludo** *adj.* zwiebelartig; Zwiebel... (*Pfl.*); †, ⛏ plump bäuerisch.

cebón I. *adj.-su.* gemästet, Mast...; *m* Masttier *n*; *pavo m* ~ Mastputer *m*; **II.** *m* Schwein *n*; *fig.* F Fett-, Dick-wanst *m*.

cebra *f* **1.** *Zo.* Zebra *n*; **2.** *neol. Vkw.* ~*s f/pl. od. franjas f/pl.* ~ *od. paso m* ~ Zebrastreifen *m/pl.*; **~do** *adj.* gestreift (*Tier*).

cebrión *Ent. m* Eckflügler *m*.

cebruno *adj.* **1.** hirschartig; **2.** fahl.

cebú *Zo. m* (*pl.* ~*úes*) Zebu *m*; *Arg. Art* Brüllaffe *m*.

ceburro *adj.* Winter... (*Weizen u. Hirse*).

ceca *f* **1.** *ehm.* Münzpräge(stätte) *f*; **2.** *ir de* (*od. de la*) ♀ *en* (*od. a la*) *Meca* von Pontius zu Pilatus laufen.

cecal ⚕ *adj. c* Blinddarm...; *región f* (*íleo*)~ Blinddarmgegend *f*.

cece|ar *v/i.* **1.** lispeln; **2.** s. als Interdental sprechen, *z. B. caza für casa*; *Ggs. seseo*; **~o** *m* **1.** Lispeln *n*; **2.** Aussprache von s als Interdental; **~oso** *adj.-su.* lispelnd; *m* Lispler *m*.

cecial *m* Stockfisch *m* (*Hechtdorsch*).

cecina *f* Rauch-, Dörr-fleisch *n*; *fig. estar como una* ~ sehr mager (*od.* dürr) sein; **~r** *v/t.* einpökeln.

cecografía *f* Blindenschrift *f*.

cechero *m* Jäger *m* auf dem Anstand; *fig.* Lauscher *m*.

ceda[1] *f* Borste *f*; Schwanz-, Mähnen-haar *n*.

ceda[2] *f Name des Buchstabens* Z *n*.

ceda|cería *f* Siebmacherei *f*; **~cero** *m* Siebmacher *m*; **~cico** *m* Feinsieb *n*; **~cillo** ⚘ *m Art* Zittergras *n*; **~zo** *m* Sieb *n*; Grobsieb *n*; Getreidesieb *n*; *Art* Wurfnetz *n der Fischer.*

cede|nte *adj.-su. c* abtretend; gewährend; *m bsd.* ⚖ Abtretende(r) *m*, Zedent *m*; **~r I.** *v/t.* **1.** abtreten, abgeben (j-m et. *od.* et. an j-n *a/c. a alg.*), überlassen (j-m et. *a/c. a alg.*); 🕮, ✝, ⚖ zedieren; *Phys. Wärme* abgeben; ~ *el paso a alg.* j-m den Vortritt lassen; hinter j-m zurückstehen; von j-m (*od.* durch j-n) verdrängt werden; *Vkw.* j-m die Vorfahrt lassen; *Vkw. ceda el paso* Vorfahrt beachten!; **II.** *v/i.* **2.** nachgeben, s. beugen; weichen; ~ *en favor de otro* zugunsten e-s andern zurücktreten; ~ *en su empeño* von s-m Vorsatz abgehen; *no ~ a nadie en ...* niemandem nachstehen in (*dat.*); ~ *a la necesidad* s. ins Unvermeidliche schicken; ~ *a los ruegos* den Bitten nachgeben, s. durch Bitten erweichen lassen; **3.** ~ *de sus derechos* auf s-e Rechte verzichten; **4.** nachgeben, s. biegen; reißen, zs.brechen; nachlassen (*Wind, Schmerz*); ✈ ~ *automáticamente* selbsttätig einfahren (*Fahrgestell*).

cedilla *Gram. f* Cedille *f*.

cedizo *adj.* angefault, stinkend (*Fleisch usw.*).

cedoaria ⚘ *f* Zitwer *m*, persischer Wurm-Beifuß *m*.

cedral *m* Zedernwald *m*.

cedreleón *m* Zedernharzöl *n*.

cedria *f* Zedernharz *n*.

cédride *f* Zedernsame *m*, Zedernapfel *m*.

cedri|no *adj.* Zedern...; **~to** *m* Zedernwein *m*.

cedro *m* **1.** ⚘ Zeder *f*; ~ *de España* **a)** Acajoubaum *m*; **b)** Weihrauchwacholder *m*; ~ *del Líbano* echte Zeder *f*, Libanonzeder *f*; **2.** Zedernholz *n*.

cedrón ⚘ *m Am. Cent.* Fiebernußbaum *m*; *Chi., Pe. ein Eisenkrautgewächs.*

cédula *f* **1.** Zettel *m*, Schein *m*; Schuldschein *m*; Urkunde *f*; Ausweis *m*; ~ *hipotecaria* Hypotheken-, Pfandbrief *m*; *Am.* ~ *de identidad* Personalausweis *m*; ~ *personal*, ~ *de vecindad* Personalausweis *m*; Heimatschein *m*; ~ *de traseúnte* Aufenthalts-schein *m*, -karte *f*; **2.** *hist.* Verordnung *f*, Erlaß *m*; ~ *real* kgl. Verordnung *f bzw.* kgl. Gnadenbrief *m*.

cedu|lar † *v/t.* durch Anschlag bekanntgeben; **~lario** *m* Sammlung *f* kgl. Erlasse; **~lón** *m* † Verordnung *f*, Erlaß *m*; *fig.* Schmähschrift *f*.

cefal(o)..., céfalo... ⚕, 🕮 *in Zssgn.* Kopf..., Kephal(o)..., Zephal(o)...

cefa|lalgia ⚕ *f* Kopfschmerzen *m/pl.*; **~lea** ⚕ *f* heftiger Kopfschmerz *m*.

cefálico *adj.* Kopf..., Schädel...; *remedio m* ~ Kopfschmerzmittel *n*; Anregungsmittel *n*.

céfalo *Fi. m* Wolfsbarsch *m*.

cefalo|faringeo *adj.* Kopf u. Luftröhre betreffend; **~grama** *m* Kephalogramm *n*; **~metría** ⚕ *f* Kephalometrie *f*.

céfiro *m* **1.** *lit.* Zephyr *m*, Westwind *m*; *fig.* sanfter Wind *m*; **2.** *tex.* Zephir *m*, Zephyr *m*.

cegajoso *adj.* triefäugig.

cegar [1h *u.* 1k] **I.** *v/t.* **1.** blenden, blind machen; *fig.* verblenden; *la pasión le ciega (los ojos, el juicio)* s-e Leidenschaft läßt ihn nicht zur Einsicht kommen; **2.** *Loch, Leitung* verstopfen; *Lücke* zumauern; *Graben, Teich* zuschütten; *Leck* abdichten; **II.** *v/i.* **3.** erblinden, blind werden; **4.** ⚒ vertauben; **III.** *v/r.* ~*se* **5.** ~*se (por arena)* versanden; **6.** *fig.* ~*se por alg.* blind in j-n verliebt sein; ~*se de ira* blind vor Wut sein.

cega|rr(it)a F *adj.-su. c*, **~to** F, **~tón** F *adj.-su.* kurzsichtig; *m* Kurzsichtige(r) *m*; **~toso** *adj.* triefäugig.

cegrí *hist. m* (*pl.* ~*íes*) *Angehöriger e-s Maurengeschlechts in Granada*; *fig.* ~*es y abencerrajes* wie Hund u. Katze (leben), s. spinnefeind sein.

cegue|dad *f* Blindheit *f*; *fig.* Verblendung *f*; **~ra** *bsd.* ⚕ *f* → *ceguedad*; ~ *para (od. de los) colores* Farbenblindheit *f*; ~ *diurna (nocturna)* Tag- (Nacht-)blindheit *f*; **~zuelo** *adj.-su. dim. zu ciego.*

cei|ba ⚘ *f Am. trop.* **1.** Ceiba *f*, Wollbaum *m* (*versch. Arten*); **2.** Sargassokraut *n*; **~bo** ⚘ *m* **1.** → *ceiba*; **2.** *Am. Mer.* Seibo *m*, Bukare *m*; **~bón** ⚘ *m* **1.** *Nic.* Ceiba *f*; **2.** *Ant. versch. Pachiraarten.*

ceja *f* **1.** (Augen-)Braue *f*; *arquear (od. enarcar) las* ~*s* die Brauen hochziehen; *fig. estar hasta las* ~*s von j-m od. et.* genug haben, die Nase voll haben F; *quemarse las* ~*s* s. blind studieren, büffeln F; *tener (od. llevar) entre* ~ *y* ~ *od. metérsele (od. ponérsele) a alg. entre* ~ *y* ~ **a)** *e-e Sache* im Auge haben, s. auf *et. (ac.)* versteifen; **b)** *j-n* nicht ausstehen können, *j-n* im Magen haben F; **2.** hervorstehender Rand *m*; ~ *(de la encuadernación)* Einband-, Buch-rand *m*; **3.** Wolkenstreif *m über Bergen*; Bergspitze *f*; *Am. Mer.* Waldstreifen *m*; *Cu., Am. Reg.* Waldweg *m*; **4.** ♪ **a)** Sattel *m* (*Streichinstrument*); **b)** Kapodaster *m der Gitarre*; **c)** Barrégriff *m b. der Gitarre.*

cejar *v/i.* zurückweichen; *fig.* weichen, nachgeben; *no* ~ durchhalten; *no* ~ *en* nicht abgehen von (*dat.*); *adv. sin* ~ unverdrossen.

cejijunto *adj.* mit zs.-gewachsenen Augenbrauen; *fig.* finster blickend.

cejilla ♪ *f* → *ceja 4.*

cejo *m* Frühnebel *m über Gewässern.*

cejudo *adj.* mit buschigen Brauen.

cejuela ♪ *f* → *ceja 4.*

celada[1] *hist. f* Helm *m*; Sturmhaube *f*.

celada[2] *f* Hinterhalt *m* (*a. fig.*).

cela|damente *adv.* heimlich, verstohlen; **~dor I.** *adj.* **1.** wachsam; **II.** *m* **2.** Aufseher *m*, Überwacher *m*; Inspektor *m*; Studienaufseher *m*; **3.** Telegraphenarbeiter *m*; **4.** *Am. auf dem Land oft noch: Art* Schultheiß *m od.* Richter *m*.

celaje *m* **1.** Gewölk *n* (*bsd.* ⚓); *mst.* ~*s m/pl.* Schleierwolken *f/pl. im Licht des Sonnenaufgangs od. -untergangs*, bunte *Morgen- od. Abend-*Wolken *f/pl.*; **2.** Dachfenster *n*, Luke *f*; **3.** *fig.* Ahnung *f*, (gutes) Vorzeichen *n*; **4.** *P. Ri.* Schatten *m*, Gespenst *n*; *Am. Reg. como un* ~ blitzschnell.

celar[1] *v/t.* verbergen, verheimlichen, verhehlen, vertuschen.

celar[2] **I.** *v/i. abs.* eifersüchtig sein (*bsd. Kinder*); **II.** *v/t.* beobachten; überwachen, beaufsichtigen; argwöhnisch (*od.* eifersüchtig) wachen über (*ac.*).

celar[3] *v/i.* gravieren; meißeln; schnitzen.

celastro ⚘ *m* Hottentottenkirsche *f*.

cel|da *f* **1.** (Kloster-, Gefängnis-) Zelle *f*; **2.** Bienenzelle *f*; **~dilla** *f* **1.** Bienen-, Honig-zelle *f*; **2.** ⚘ Kerngehäuse *n*; Samenfach *n e-r Samenkapsel*; **3.** Mauernische *f*.

celebérrimo *sup. zu célebre*; hochberühmt.

celebra|ción *f* **1.** Feier *f*, feierliche Verrichtung *f*; Begehung *f*, Abhaltung *f*; Vollzug *m*; Abschluß *m e-s Vertrages u. ä.*; *kath.* Zelebrieren *n e-r Messe*; **2.** Lob *n*, Beifall *m*; **~dor** *adj.* beifallspendend; **~nte** *kath. m* Zelebrant *m* Priester *m*, *der die Messe liest*; **~r I.** *v/t.* **1.** loben, preisen; s. freuen über (*ac.*); ~ *que* + *subj.* s. freuen, daß + *ind.*, glücklich sein, daß + *ind.*; *celebro verte* ich freue mich (sehr), dich zu sehen; *lo celebro mucho* es freut mich sehr; **2.** *j-n od. et.* feiern; feierlich begehen; abhalten; *a. Trauung* vollziehen; *Sitzung* abhalten; *Gespräch* führen; *Vertrag* schließen; **II.** *v/i.* **3.** *kath.* zelebrieren, Messe halten *od.* lesen; **III.** *v/r.* ~*se* **4.** stattfinden; abgehalten werden; gefeiert werden.

célebre *adj. c* berühmt (*a. fig.*); *fig.* unterhaltsam, witzig; toll F.

celebridad *f* **1.** Berühmtheit *f* (*a. Person*); Ruf *m*, Ruhm *m*; **2.** ✎ Feier(lichkeit) *f*.

celemín *m Getreide- u. Trockenmaß*: 4,625 l; † *Cast. Landmaß*: *ca.* 537 m².

celen|terados, ~téreos, ~terios *Zo. m/pl.* Schlauch-, Hohl-tiere *n/pl.*, Zölenteraten *m/pl.*

célere *lit. adj. c* rasch, behende.

cele|ridad *f* Schnelligkeit *f*, *a.* ⊕ Geschwindigkeit *f*; **~rímetro** ⊕ *m* Geschwindigkeitsmesser *m*.

celesta ♪ *f* Celesta *f*.

celes|te I. *adj. c* himmlisch (*a. fig.*), Himmels...; *azul* ~ himmelblau; *cuerpos m/pl.* ~*s* Himmelskörper *m/pl.*; **II.** *adj.-su. m* ♪ (*registro m*) ~ Vox *f* celestis (*Orgelregister*); **~tial** *adj. c* **1.** himmlisch; *fig.* überirdisch, göttlich; *armonía f* ~ Sphärenmusik *f*; *fig. música f* ~ leeres Gerede *n*, Zukunftsmusik *f* F; **2.** *iron.* dumm; **~tialmente** *adv.* himmlisch (*a. fig.*); durch göttliche Fügung.

celestina[1] *f* Kupplerin *f*; *fig. polvos m/pl. de la madre* ♀ Zauberpulver *n*, -mittel *n*.

celestina[2] *f* **1.** ⚗ schwefelsaures Strontium *n*; **2.** ⚘ blauer Wasserdost *m*.

celestinesco *lit. adj.* Kuppler...

celíaco *Anat. adj.* Bauch...; *arteria f* ~*a* Bauchschlagader *f*.

celiba|tario *gal. adj.-su.* → *célibe*; **~to** *m* Zölibat *n* (*a. m*), Ehelosigkeit *f*.

célibe *adj.-su. c* unverheiratet, ledig; *m* Junggeselle *m*; *f* unverheiratete Frau *f*.
célico *poet. adj.* → *celeste, celestial.*
celícola *lit. m* Himmelsbewohner *m*.
celidonia ⚘ *f* Schöllkraut *n*; ~ *menor* Scharbockskraut *n*.
celidónico ⚗ *adj.*: *ácido m* ~ Chelidonsäure *f*.
celinda ⚘ *f* falscher Jasmin *m*.
celindrate *Kchk. m Gericht mit Koriander.*
celo *m* **1.** Eifer *m*; Dienst-, Pflichteifer *m*; ~ *ardiente* Feuereifer *m*; **2.** Glaubenseifer *m*, Inbrunst *f*; **3.** Brunft(zeit) *f*; (*estar*) *en* ~ brünstig, brünftig (sein); läufig, heiß (sein) (*Hündin, Katze*); *estar en* ~ brunften (*Hochwild*); **4.** Neid *m*; **5.** ~*s m/pl.* Eifersucht *f*; *dar* ~*s* eifersüchtig machen; *tener* ~*s* (*de, a. a*) eifersüchtig sein (auf *ac.*).
celofán *m* Cellophan *n*; *papel m* ~ Cellophanpapier *n*.
celomanía *f* krankhafte Eifersucht *f*.
celosa *f* **1.** ⚗ Cellobiose *f*; **2.** ⚘ *Cu., Méj. Staude, Verbenazee* (*Duranta repens*).
celo|samente *adv.* eifersüchtig; eifrig; ~**sía** *f* **1.** ⊕ Gitterwerk *n*; Fachwerk *n*; **2.** Jalousie *f*; **3.** (krankhafte) Eifersucht *f*; ~**so I.** *adj.* **1.** eifrig, sorgfältig; pflichteifrig; ~ *de a.* bedacht auf (*ac.*); **2.** neidisch (auf *ac. de*); **3.** ⚓ rank; **4.** *Am. Mer.* empfindlich (*Mechanismus*); **II.** *m* **5.** Eifersüchtige(r) *m*; **6.** Eiferer *m*, Zelot *m*.
celo|ta *bibl. m* Zelot *m*; ~**tipia** *bsd. Rel. f* Eifersucht *f*.
Celsio *npr. Phys. m* Celsius *m*; *diez grados* ~ (*10° C*) zehn Grad Celsius.
celsitud *f* Erhabenheit *f*, Größe *f* (*fig.*); *hist.* (Kgl.) Hoheit (*Anrede*)
cel|ta *adj.-su. c* keltisch (*Sprache*); *m* Kelte *m*; ~**tibérico**, ~**tiber(i)o**, ~**tíbero** *adj.-su.* keltiberisch; *m* Keltiberer *m*; ~**tismo** *m* Keltentheorie *f*; Keltologie *f*; ~**tista** *c* Keltologe *m*; ~**tohispánico**, ~**tohispano** *bsd. Arch. adj.-su.* keltohispanisch.
célula *f* **1.** *Biol.* Zelle *f*; ~ *adiposa* (*cancerosa*) Fett- (Krebs-)zelle *f*; **2.** ✈, ⚡ Zelle *f*; ~ *fotoeléctrica* Photozelle *f*; **3.** *Pol.* Zelle *f*.
celula|do *adj.* zellenförmig; zellig, in Zellen; ~**r** *adj. c* zellenförmig; Zell..., Zellen...; △ *construcción f* ~ Zellenbauweise *f*; *Biol. estructura f* ~ Zellstruktur *f*.
celu|loide *m* Zelluloid *n*; ~**losa** *f* Zellulose *f*; Zellstoff *m*; *tex.* Zellwolle *f*; ~ *nítrica* Schießbaumwolle *f*; ~**lósico** *adj.* Zellulose...; ~**loso** *adj.* zellig, mit vielen Zellen.
cella|dura *f* Bereifen *n von Fässern*; ~**r I.** *v/t. Fässer* bereifen; **II.** *adj. c*: *hierro m* ~ Reif(en)eisen *n der Böttcher*.
cellis|ca *f* heftiges Schneegestöber *n* mit Regen; ~**quear** *v/impers.* stöbern (*Wetter*).
cello *m* Faßreifen *m*.
címbalo ♪ *m* Cembalo *n*.
cementa|ción *f* ⊕ Einsatzhärtung *f*, Zementierung *f* (*Metall*); △ Zementdichtung *f*; ~**r** *v/t. Eisen, Stahl* zementieren, härten, hart-einsetzen; *bsd. Kupfer* aus e-r Lösung gewinnen; △ einkitten.
cementerio *m* Fried-, Kirch-hof *m*; ~ *civil* Friedhof *m* für Nichtkatholiken; F ~ *de coches* Autofriedhof *m*.
cemento *m* Zement *m*; Steinkitt *m*; ~ *armado* Stahlbeton *m*; ~ (*de fraguado*) *lento* (*rápido*) Langsam- (Schnell-)binder *m*; → *a. hormigón*; ~**so** *adj.* zementartig.
cem|pasúchil, ~**poal** ⚘ *m Méj.* Samt-, Studenten-blume *f*.
cena *f* Abendessen *n*; *Rel. la* (*Santa od. Última*) ♀ das heilige Abendmahl (Christi); ~ *fría*, ~*-merienda* kaltes Buffet *n*.
cenaoscuras F *c* (*pl. inv.*) **1.** Pfennigfuchser *m* F, Knicker *m* F; **2.** Eigenbrötler *m*, ungeselliger Mensch *m*.
cenáculo *m* Abendmahlssaal *m*; *fig.* Zirkel *m*, Verein *m*, Club *m von Gelehrten, Künstlern usw.*
cenacho *m* Esparto-, Markt-korb *m*.
cena|da *f Am.* → *cenata*; ~**dero** *m* Speisezimmer *n*; Gartenlaube *f*; ~**dor I.** *adj.* zu Abend essend; **II.** *m* Laube *f*, Pavillon *m*; *Reg.* Laubengang *m der Häuser*; ~**duría** *f Méj.* Gar-, *bsd.* Abend-küche *f*.
cena|gal *m* Morast(loch *n*) *m*, Sumpf *m*; Moor *n*; *fig.* ~ (*de vicios*) Sumpf *m*, Sündenpfuhl *m* (*lit.*); ~**goso** *adj.* morastig, sumpfig, verschlammt.
cenal ⚓ *m* Geitau *n*.
cenar *vt/i.* zu Abend essen; *cenamos pollo* wir haben (*bzw.* hatten) ein Hähnchen zum Abendessen; F *a la cama sin* ~ ins Bett ohne Abendessen (*Strafe*); *fig.* du wirst deine Strafe schon kriegen F.
cenata *f Col., Cu. fröhliches u. reichliches* Abendessen *n im Freundeskreis.*
cenceño *adj.* schlank, schmächtig; [ungesäuert (*Brot*).]
cence|rrada *f* wildes Schellengeklingel *n*; Höllenlärm *m*, Katzen-, Klamauk-musik *f* (*bsd. am Hochzeitsabend von Verwitweten, die wieder heiraten*); *dar* ~ *j-m* e-e Katzenmusik machen; ~**rrear** *v/i.* **1.** mit Viehschellen läuten; klirren, klappern, knarren, quietschen (*Türen, Fenster, Maschinen usw.*); ♪ (herum)klimpern; auf e-m verstimmten Instrument spielen; kreischen, plärren (*Kind*); **2.** lose sein, wackeln (*Zahn*); ~**rreo** *m* Schellengeklingel *n*; Klimperei *f*; Klappern *n*; Geplärr *n*, Gekreisch *n*; ~**rro** *m* Vieh-glocke *f*, -schelle *f*; ~ *zumbón* Leitglocke *f*; *fig.* (*loco*) *como un* ~ total verrückt, bescheuert F; *llevar el* ~ der Leithammel sein (*a. fig.*); ~**rrón** *m* verkümmerte Traube *f*.
cenco *Zo. m Am.* Ameisennatter *f*.
cendal *m* **1.** Zindel(taft) *m*; *kath.* Humerale *n der Priester*; **2.** Federbart *m*; **3.** *fig. Andal.* Hirngespinst *n*; Lug *m* u. Trug *m*; **4.** ~*es m/pl.* Tintenbaumwolle *f*.
cendra *f* **1.** Bleichasche *f* (*Metallveredelung*); **2.** Schmelztiegel *m*; ~**da** *f* → *cendra 1*; ~**dilla** *f* Läuterungsofen *m für Edelmetalle*; ~**zo** *m* Silberschmelzprobe *f* (*aus dem Tiegel gebrochen*).
cenefa *f* **1.** Saum *m*, Rand *m*; Einfassung *f*, Borte *f*; *kath.* Mittelstreifen *m des Meßgewandes*; △ Zierrand *m*; **2.** ⚓ **a)** Marsrand *m*; **b)** (seitlich überfallender Rand *m* des) Sonnensegel(s) *n*.
cenetista *Pol. m* Mitglied *n od.* Anhänger *m der C.N.T.* (*span. anarchistische Gewerkschaft*).
cenicero *m* **1.** Aschenkasten *m im Ofen*; ⊕ Aschenraum *m unter Kesseln*; **2.** Asch(en)becher *m*; ~ *rotativo* Flugascher *m*.
Cenicien|ta *f* Aschen-brödel *n*, -puttel *n* (*a. fig.*); ♀**to** *adj.* aschgrau; aschblond.
ceni|t *m* Zenit *m*, Scheitelpunkt *m*; *fig.* Gipfel(punkt) *m*; ~**tal** *adj. c* im Zenit stehend, Zenit...; △ *luz f* ~ Lichteinfall *m* von oben.
ceni|za *f* **1.** Asche *f*; ~*s f/pl.* Abbrand *m*; Holzasche *f*; *fig.* Asche *f*, sterbliche Hülle *f*, *poet.* Staub *m*; *fig. escribir en la* ~ in den Sand (*od.* in den Wind) schreiben; *reducir a* ~*s od. hacer* ~(*s*) in Schutt u. Asche legen; *fig.* zerstören, vernichten; *kath. tomar la* ~ das Aschenkreuz nehmen; *fig. huir de la* ~ *y caer en la(s) brasa(s)* vom Regen in die Traufe kommen; *renacer de sus propias* ~*s* (*como el ave Fénix*) aus der Asche (wieder) erstehen (wie der Vogel Phönix); **2.** *Mal.* Aschen- u. Leimgrundierung *f*; ~(*s*) *f*(/*pl.*) *azul(es)* Berg-, Kupfer-blau *n*; ~(*s*) *verde(s)* Berg-, Malachit-grün *n*; **3.** ⚘ Meltau *m*, Grauschimmel *m*; ~**zal I.** *adj. c* Aschen...; **II.** *m* → *cenicero*; ~**zo I.** *adj.* **1.** aschfarben; **II.** *m* **2.** ⚘ weißer Gänsefuß *m*; **3.** Meltau *m der Pfl.*; Graufäule *f der Trauben*; **4.** F Pechvogel *m bzw.* Unglücksbringer *m im Spiel*; Spielverderber *m*; **5.** F Dummkopf *m*; ~**zoso** *adj.* aschenhaltig; mit Asche bedeckt; aschgrau.
ceno|bial *adj. c* klösterlich; ~**bio** *m* Kloster *n*, Zönobium *n*; ~**bita** *m* Zönobit *m*, *im Kloster lebender* Mönch *m*; ~**bítico** *adj.* klösterlich; *fig.* einsiedlerisch, zurückgezogen; ~**bitismo** *m* Klosterleben *n*.
cenotafio *m* Kenotaph *n*, Zenotaph [*n*.]
cenote *m Méj.* Wassergrotte *f*; unterirdischer Wasserspeicher *m*.
cenozoico *Geol. adj.-su.* känozoisch; *m* Känozoikum *n*.
censa|lero, ~**tario** *m* Zins-pflichtige(r) *m*, -zahler *m*.
censo *m* **1.** Zählung *f*; statistische Erhebung *f*; Vermögens(ab)schätzung *f*; *hist.* Zensus *m*; ~ *electoral hist.* Wahlzensus *m*; *heute*: Wählerliste *f*; ~ (*de población*) Volkszählung *f*; **2.** (Pacht-, Erb-)Zins *m*; Abgabe *f*; *fig.* ewige Ausgabenquelle *f*, Faß *n* ohne Boden; *dar a* ~ verpachten; **3.** (An-)Zahl *f*, Menge *f*, Anteil *m*.
censo|r *m* Zensor *m* (*a. fig. u. hist.*); *fig.* Kritiker *m*, Tadler *m*; *Sch.* Klassenaufseher *m*; Aufsichtsbeamte(r) *m öffentlich-rechtlicher Körperschaften*; ~ (*jurado*) *de cuentas* (vereidigter) Buchprüfer *m*; ~**rio** *adj.* Zensor...; Zensur...
censua|l *adj. c* zinsbar, (Pacht-, Grund-)Zins...; ~**lista** *c* Pachtempfänger *m*; ⚖ (Erb-)Zinsberechtigte(r) *m*; ~**rio** *m* Zinspflichtige(r) *m*.

censura *f* **1.** (*Bücher-, Film-, Presse-, Theater- usw.*) Zensur *f*; *previa* ~ Vorzensur *f*; "*con* ~ *eclesiástica*" *etwa*: mit kirchlichem Imprimatur (*Bücher*); *tachado por la* ~ von der Zensur gestrichen; (*auto*)~ *voluntaria* freiwillige Selbstkontrolle *f*; **2.** Zensurbehörde *f*; **3.** Kritik *f*, Tadel *m*; amtliche Rüge *f*; Gerede *n*; *exponerse a la* ~ *pública* s. dem öffentlichen Tadel (*bzw.* Gerede) aussetzen; **~ble** *adj. c* tadelnswert; **~dor** *adj.-su.* tadelnd, kritisch betrachtend; **~r** *v/t.* **1.** zensieren; **2.** tadeln, rügen; kritisieren, beanstanden, bemängeln; ~ *a alg. su vida desordenada* j-s schlechten Lebenswandel beanstanden.

centaur(e)a ⚘ *f* Flockenblume *f*; ~ *menor* Tausendgüldenkraut *n*.

centauro *Myth. m* Zentaur *m*, Kentaur *m*; **~maquia** *Myth. f* Kentaurenkampf *m*.

centavo I. *adj.-su. m* Hundertstel *n*; *la ~a parte* der hundertste Teil; **II.** *m* Centavo *m* (*1/100 Peso*).

cente|lla *f* **1.** Funke(n) *m* (*a. fig.*); Blitz *m* (*a. fig.*); *fig.* kl. Funke *m*, Fünklein *n*, Rest *m von Liebe, Haß usw.*; *ser* (*vivo como*) *una* ~ sehr lebhaft sein; **2.** ⚘ *Chi.* Ranunkel *f*; **~llar** *v/i.* → *centellear*; **~lleante** *adj. c* funkelnd, glitzernd; sprühend; **~llear** *v/i.* funkeln (*a. Augen, Stil*), glitzern, flimmern, sprühen; glänzen, leuchten; **~lleo** *m* Funkeln *n*, Blitzen *n*; Flimmern *n*; ⚕ Augenflimmern *n*; **~llita** *f* Fünkchen *n*; **~llón** *m* großer Funke *m*; Brand *m*.

centén *hist. m span. Goldmünze* [(*100 reales*).]

centena *f das* Hundert; *~s f/pl.* de Hunderte *n/pl.* von (*dat.*); **~da** *f ein* rundes Hundert; *a ~s* → *a centenares*; **~l**[1] *m* → *centena*.

centena|l[2], **~r**[1] *m* Roggenfeld *n*.

centena|r[2] *m das* Hundert; Hundertjahrfeier *f*; *~es m/pl. de fieles* Hunderte von Gläubigen; *a ~es* zu Hunderten; *fig.* in Hülle u. Fülle; **~rio I.** *adj.* **1.** hundertjährig; Hundertjahr...; **II.** *m* **2.** Hundertjährige(r) *m*; **3.** Hundertjahrfeier *f*; *con motivo del segundo* ~ de anläßlich des zweihundertsten Todes- (*bzw.* Geburts-)tages (*gen. od.* von *dat.*).

cente|naza *f* Roggenstroh *n*; **~nero** *adj.* für den Roggenanbau geeignet; **~no**[1] *m* Roggen *m*.

centeno[2] *adj.-su.* → *centésimo*.

centenoso *adj.* mit (viel) Roggen vermischt.

cen|tesimal *adj. c* hundertteilig, zentesimal; ⚯ *sistema m* ~ Zentesimalsystem *n*; **~tésimo** *num.* hundertste(r, -s); *m* Hundertste(r) *m*; *el* ~, *la ~a parte* das Hundertstel.

centi... *pref. in Zssgn.* Zenti...

centiárea *f* Zentiar *n* (= *1 m²*).

centígrado I. *adj.* hundertgradig; *dos grados m/pl. ~s* zwei Grad *m/pl.* Celsius; **II.** *m* Zentigrad *m*.

centi|gramo *m* Zentigramm *n*, Hundertstelgramm *n*; **~litro** *m* Zentiliter *n*, *m*; **~llero** *kath. m* siebenarmiger Leuchter *m*; **~mano** *Myth. adj.-su.* hunderthändig.

cen|tímetro *m* Zentimeter *n*, *m*; ~ *cuadrado* (*cúbico*) Quadrat- (Kubik-)zentimeter *n*, *m*; **~timétrico** *adj.*: *HF ondas f/pl. ~as* Zentimeterwellen *f/pl.*

céntimo I. *adj.-su.* → *centésimo*; **II.** *m span. Münze* (*1/100 Pesete*); *al* ~ auf den Pfennig genau; *no valer un* ~ nichts taugen, nichts wert sein.

centinela *f u.* (*der Mann*) *m* Wache *f*, (Wach-)Posten *m*; Schildwache *f*; *fig.* Aufpasser *m*; *estar de* ~, *hacer* ~ Posten stehen.

centinodia ⚘ *f* Vogelknöterich *m*.

centípedo I. *adj.* hundertfüßig; **II.** *m Zo.* Tausendfüß(l)er *m*.

cento|l(l)a *f*, **~llo** *m Zo.* Seespinne *f*.

cen|tón *m* bunte Flickendecke *f*; *fig.* literarisches Stoppelwerk *n*, Cento *m*; *fig.* Flickwerk *n*; **~tonar** *v/t. fig.* zs.-stoppeln, -häufen.

centra|do I. *adj.* **1.** zentriert; **2.** ▨ bedeckt; **II.** *m* **3.** ⊕ Zentrierung *f*; **~dor** ⊕ *m* Zentriergerät *n*; Spannbacke *f der Werkbank*; **~je** ⊕ *m* Zentrierung *f*; **~l I.** *adj. c* zentral, Mittel..., Zentral..., *bsd.* ⊕ mittig; *casa f* ~ Stamm-, Mutter-Haus *n*; **II.** *f* Zentrale *f*, Hauptstelle *f*; ~ (*abastecedora*) *de agua* Wasserwerk *n*; ~ *automática de teléfonos* Selbstwählamt *n*; ~ *de correos* Hauptpost(amt *n*) *f*; ~ (*de energía*) *eléctrica* Elektrizitäts-, E-Werk *n*; ~ (*de energía*) *atómica*, ~ *electroatómica*, ~ *nuclear* Atomkraftwerk *n*; ~ *hidráulica*, ~ *hidroeléctrica* Wasserkraftwerk *n*; ~ *lechera* Molkereizentrale *f*; ~ *de mando* Befehlsstelle *f*; ⚡ Schaltstelle *f*; ~ *siderúrgica* Eisenhüttenwerk *n*; ~ *telefónica* Telephonzentrale *f*, Fernsprechamt *n*; ~ *térmica* Wärmekraftwerk *n*; **~lilla, ~lita** *Tel. f* Haus-, Klein-zentrale *f*, Hausvermittlung *f*.

centra|lismo *m* Zentralismus *m* (*bsd. Pol. u. Verw.*); **~lista** *adj.-su. c* zentralistisch; *m* Zentralist *m*; **~lización** *f* Zentralisierung *f*; Vereinheitlichung *f*; **~lizar** [1f] *v/t.* zentralisieren; vereinheitlichen; **~r** *v/t.* **1.** ⊕ zentrieren, auf Mitte einstellen; **2.** ⊕ vorkörnen (*an der Bohrmaschine*); *broca f de* ~ Zentrumsbohrer *m*; **3.** *Sp. Ball* in die Mitte geben.

céntrico *adj.* Zentral..., Mittel..., zentrisch; *de situación ~a* im Mittelpunkt gelegen; *b. Wohnungen*: mit guter Verbindung zum Stadtzentrum.

centrífuga *f* → *centrifugadora*.

centrifuga|dora *f* Zentrifuge *f*, Schleuder *f* (*a. Wäsche*); **~r** [1h] *v/t.* (aus)schleudern.

centrí|fugo *Phys. adj.* zentrifugal; *fuerza f ~a* Zentrifugal-, Fliehkraft *f*; **~peto** *Phys. adj.* zentripetal, zur Mitte strebend; *fuerza f ~a* Zentripetalkraft *f*.

centrista *Pol. adj.-su. c* Zentrumsanhänger *m*.

centro *m* **1.** Mitte *f*; Mittelpunkt *m*, Zentrum *n* (*a. Pol.*); Orts-, Stadtmitte *f*; ⚯ Mittellinie *f*; ~ *de gravedad* Schwerpunkt *m*; ~ *de mesa* Tischaufsatz *m*; *mesita f de* ~ Ziertischchen *n in der Diele*; *fig. estar en su* ~ in s-m Element sein; **2.** Stelle *f*, Institut *n*; Verein *m*; Vereinshaus *n*; ~ *de cálculo electrónico* Rechenzentrum *n*; ~ *comercial* **a)** Einkaufszentrum *n*; **b)** Handelsplatz *m*; ~ *de consultas* Beratungsstelle *f* (*bsd.* ⚕); ~ *de esparcimiento* (*bsd. Am.*), ~ *de recreo* Vergnügungsstätte *f*; ~ *de investigación* Forschungs-stelle, -zentrum *n*; **3.** *Sp. medio* ~ Mittelläufer *m*; **4.** *Cu.* dreiteiliger Anzug *m*; *Méj.* (Hose *f* u.) Weste *f*.

centro|americano *adj.-su.* mittelamerikanisch; *m* Mittelamerikaner *m*; **~europeo** *adj.-su.* mitteleuropäisch; *m* Mitteleuropäer *m*.

centuplicar [1g] *v/t.* verhundertfachen, -fältigen.

céntuplo *adj.-su.* hundertfach; *m das* Hundertfache.

centu|ria *f* Jahrhundert *n*; *hist.* Zenturie *f*, Hundertschaft *f* (*heute a. Falangeeinheit in Span.*); **~rión** *hist. m* Zenturio *m*; Amt *n* e-s Zenturio.

cénzalo *m* Stechmücke *f*.

cenzon|te *C. Ri.*, **~tle** *Méj. Vo. m* Spottdrossel *f*.

ceñi|do *adj.* eng anliegend, knapp; fest geschnürt; *seguimos el camino ~s a la muralla* wir gingen dicht an der Mauer entlang weiter; *Stk. faena f ~a* Reizen *n des Stiers* aus nächster Nähe; **~dor** *m* Gürtel *m*; Leibbinde *f*; **~r** [3l *u.* 3h] **I.** *v/t.* **1.** gürten, umschnallen; ~(*se*) *la espada* das Schwert umgürten; den Degen anschnallen; **2.** umgeben; einfassen, einschließen; ~ *bien* (*el cuerpo*) eng anliegen, gut sitzen (*Kleid*); **3.** ~ *la corona* die Krone aufsetzen; *fig.* König werden; ~ *la frente con* (*od.* de) *rosas* die Stirn mit Rosen (be)kränzen; **4.** ✎ *Ausgaben* be-, ein-schränken; **II.** *v/r.* *~se* **5.** s. gürten; s. schnüren; → *a.* *1*; **6.** s. anschmiegen (*dat. od.* an *ac. a*); s. herandrängen (an *ac. a*); **7.** *~se a a/c.* s. an et. (*ac.*) halten, s. auf et. (*ac.*) beschränken; *~se a su trabajo* s. ganz s-r Arbeit widmen.

ceño[1] *m* **1.** Reif *m*, Zwinge *f*; **2.** *vet.* Hufverwachsung *f*.

ce|ño[2] *m* **1.** Stirnrunzeln *n*; finstere Miene *f*; *adv. con* ~ finster, düster; *poner* ~ ein finsteres Gesicht machen; **2.** drohendes Aussehen *n* (*Himmel, Wolken usw.*); **~ñoso, ~ñudo** *adj.* stirnrunzelnd; finster (blickend), düster.

ceo *Fi. m* Petersfisch *m*.

cepa *f* **1.** Baumstrunk *m*, Wurzelknorren *m*; Wein-, Reb-stock *m*; *fig.* Ursprung *m e-r Sippe*; ~ *virgen* wilder Wein *m*; *fig. de buena* ~ *od. de pura* ~ rein, unverfälscht (*a. Wein*); sehr gut; echt, waschecht F; *español m de pura* ~ echter Spanier *m*; **2.** Horn- *od.* Schwanz-ansatz *m der Tiere*; **3.** ⚠ Fundamentgrube *f*; **4.** *Méj.* Loch *n*, Grube *f*.

cepe|jón *m* Wurzel(knorren *m*, -ast *m*) *f*; **~llón** *m* Wurzelballen *m mit Erde*; Plagge *f*, ausgestochenes Rasenstück *n*.

cepi|llado *m* Hobeln *n*; **~lladora** ⊕ *f* Hobelmaschine *f*; **~lladura** *f* **1.** Hobeln *n*; **2.** Hobelspäne *m/pl.*; **~llar** *v/t.* **1.** (aus)bürsten; striegeln; **2.** hobeln; *Parkett* abziehen; *fig. j-m* Manieren beibringen; *no ~ado* ungehobelt (*Reg. a. fig.*); **3.** *Sch.* durchfallen lassen (*im Examen*); **4.** F ausplündern; P umlegen P; **5.** P *j-m* schöntun; **~llazo** F *m*: *dar un ~ a Kleider* flüchtig abbürsten; **~llo** *m* **1.** Bürste *f*; *~ de cabeza* (*para zapatos*) Haar- (Schuh-)bürste *f*; *~ de* (*od. para los*) *dientes* (*de od. para las uñas*) Zahn- (Nagel-)bürste *f*; *~ de grama* (*de ropa*) Wurzel- (Kleider-)bürste *f*; *corte m de pelo al ~* Bürstenschnitt *m*; *limpiar con ~* (aus)bürsten; fegen, schrubben; **2.** *~* (*de carpintero*) Hobel *m*; *~ de alisar od. ~ corto* Schlichthobel *m*; **3.** *ecl.* *~* (*de limosnas, de ofrenda, de ánimas*) Opferstock *m*.

cepo *m* **1.** Ast *m*; Klotz *m*; **2.** Flintenschaft *m*; **3.** ⊕, ⚓ *~* (*de ancla*) Ankerstock *m*; *~* (*de freno*) Bremsklotz *m*; -backe *f*; *~ de polea* Rollen-, Tau-kloben *m*; *~* (*del yunque*) Amboßuntersatz *m*; **4.** Zeitungshalter *m*; *hist.* Hals- *bzw.* Fuß-block *m*, -eisen *n der Sträflinge*; **5.** (Raubtier-)Falle *f*; Fuchs-, Fang-eisen *n*; *fig.* Falle *f*; **6.** → *cepillo 3*; **~rro** *m* Rebknorren *m*, *bsd. als Brandholz*; *fig.* Tölpel *m*, ungeschliffener Kerl *m*; F *dormir como un ~* wie ein Murmeltier schlafen.

cera *f* **1.** Wachs *n*; *~ de los oídos* Ohrenschmalz *n*; *~ moldeable* Modellierwachs *n*; *~ sintética* Kunstwachs *n*; *a.* → *~ dura* Hartwachs *n*; *gabinete m de figuras de ~* Wachsfigurenkabinett *n*; *impresión f en ~* Wachsabdruck *m*; *fig. ser* (*como*) *una ~* wachsweich (= bildsam *bzw.* willensschwach *bzw.* empfindlich) sein; *estar* (*pálido*) *como la ~* leichenblaß (*od.* kreidebleich) sein; F *no hay más ~ que la que arde* das ist alles, mehr ist nicht drin F; **2.** *~s f/pl.* Wachslichter *n/pl.*; **3.** Wachshaut *f der Vögel.*

ceráceo *adj.* wächsern; wachsartig.

ceración ⚗ *f* Metallschmelzung *f*.

cerafolio ⚘ *m* Kerbel *m*.

cerambícidos *Ent. m/pl.* Bockkäfer *m/pl.*

cerámi|ca *f* Keramik *f* (*a. Gg.-stand*); *~ artística* Kunstkeramik *f*; **~co** *adj.* keramisch, Töpfer...

ceramista *c* Keramiker *m*, Kunsttöpfer *m*.

cerapez *f* Schusterpech *n*.

cerasiote *pharm. m* Kirschsaftlaxans *n*.

cerasita *Min. f* Kerasit *m*.

ceras|ta(s) *f*, **~te(s)** *m Zo.* Hornviper *f*.

cerato *pharm. m* Wachssalbe *f*; Wachs-, Pech-pflaster *n*.

ceraunómetro *Phys. m* Blitzmesser *m*.

cerbatana *f* **1.** Blasrohr *n*; **2.** Hörrohr *n*.

cerbero *m* Cerberus *m*.

cerca[1] *f* **1.** Umzäunung *f*; Einfriedung *f*, Zaun *m*; Gehege *n*; **2.** ⚔ *hist.* Karree *n*.

cerca[2] **I.** *adv. u. prp.* nahe; in der Nähe; *~ de* **a)** bei (*dat.*); **b)** ungefähr, rund, etwa; *de ~* aus der Nähe, näher; *estar ~* nahe sein, in der Nähe sein (*bzw.* liegen); zeitlich nahe- (*od.* näher-)gerückt sein; *estar ~ de caer(se)* nahe am Fallen sein, gleich umfallen (werden); *seguir de ~* in kurzem Abstand (*od.* auf dem Fuße) folgen; *veamos más ~* (*od. de ~*) sehen wir näher (*od.* genauer) zu; *embajador m ~ de la Santa Sede* Botschafter *m* beim Vatikan; **II.** *~s m/pl. Mal.* Vordergrund *m*.

cercado *m* **1.** eingefriedetes Grundstück *n*; **2.** Ein-, Um-zäunung *f*, Zaun *m*; Hecke *f*; *~ de espino* **a)** Dornenhecke *f*; **b)** Stacheldrahtzaun *m*; **3.** *Pe.* Kreis *m*, Provinz *f*; **~r** *m* **1.** Belagerer *m*; **2.** Reißeisen *n der Ziseleure.*

cerca|namente *adv.* nahe; **~nía** *f* Nähe *f*; *~s f/pl.* Umgebung *f*, *bsd. e-r Ortschaft*; *tren m de ~s* Nahverkehrszug *m*; **~no** *adj.* nahe (bei *dat. a*), in der Nähe (*gen. od.* von *dat. a*) (liegend); baldig; *~ a su fin* s-m Ende nahe; *lo más ~* das Nächstliegende; *un pariente ~* ein naher Verwandter.

cercar [1g] *v/t.* **1.** umzäunen, einfriedigen; **2.** umgeben; einschließen, umzingeln (*a.* ⚔); ⚔ belagern.

cercear *v/impers. prov.*: *cercea* es geht ein heftiger Nordwind.

cercén *adv.*: *a ~* ganz u. gar; *cortar a ~* an der Wurzel abschneiden; *fig.* mit der Wurzel ausrotten; *Arm* an der Schulter abnehmen (*od.* abtrennen = *amputieren*).

cercena|dura *f*, **~miento** *m* **1.** Ab-, Be-schneiden *n*; Schmälern *n*; **2.** Abgeschnittene(s) *n*, Abfall *m*; **~r** *v/t.* ab-, be-schneiden; den Rand (*gen. od.* von *dat.*) abschneiden; *fig.* schmälern, beschneiden, einschränken.

cerceta *f* **1.** *Vo.* Krickente *f*; **2.** *Jgdw.* *~s f/pl.* Spieße *m/pl. der Hirschkälber od. Spießer.*

cerciorar **I.** *v/t.* überzeugen (von *dat.* de); **II.** *v/r.* *~se de s.* von *et.* (*dat.*) überzeugen; *~se de que* ... s. vergewissern, daß ...

cerco *m* **1.** Ring *m*, Kreis *m*; Reif *m*, Reifen *m* (*Faß u. Ent.*); Fenster-, Tür-rahmen *m*; *Zim.* Zarge *f*; *~ metálico* Metallrahmen *m*; **2.** Kreis(-bewegung *f*) *m*; **3.** Hof *m um Sonne od. Mond*; **4.** ⚔ Belagerung *f*; Einkreisung *f*; *poner ~ a una ciudad* e-e Stadt einschließen; *estrechar el ~* den Belagerungsring enger schließen; **5.** Einfriedigung *f*; Zaun *m*; **6.** Umweg *m*.

cercha *f* **1.** ⊕ Krummholz *n*, Ringsegment *n*; *bsd.* ⚠ Spriegel *m*; Binder *m*; *Am. Cent., Arg., Ec.* Lehrgerüst *n beim Gewölbebau*; **2.** Stange *f v. Bett od. Moskitonetz.*

cerchámetro 🚂 *m* Lade-profil *n*, -lehre *f*.

cerchar ⚘ *vt/i.* Rebschößlinge stecken.

cerchón ⚠ *m* Lehrgerüst *n beim Gewölbebau.*

cerda *f* **1.** (Schweins-)Borste *f*; Roßhaar *n*; *brocha f de ~* Borstenpinsel *m*; **2.** *Zo.* Sau *f*; **3.** Ernte *f*; **4.** *Col.* Spur *f*, Fährte *f*; **5.** *Col.* Zufallsgeschäft *n*, Glück *n*; **~da** P *f* Gemeinheit *f*, Schweinerei *f* P; **~men** *m* Borstenbündel *n*.

cerdear *v/i.* **1.** auf den Vorderbeinen einknicken (*Tier*); **2.** schnarren (*Saiten*); **3.** F faule Ausflüchte machen, s. drücken; s. gemein benehmen.

cerdo *m* **1.** Schwein *n*; Schweinefleisch *n*; *~ asado* Schweinebraten *m*; *~ cocido* Wellfleisch *n*; *cría f de ~s* Schweinezucht *f*; *pie m* (*od. pata f*) *de ~* **a)** Eisbein *n*, Schweinsknöchel *n*; **b)** Schweinsfuß *m*; *pierna f de ~* Schweins-hachse *f*, -haxe *f* (*Reg.*); **2.** *fig.* F Schwein (-igel *m*) *n* F; **3.** *Fi.* *~ marino* Schweinsfisch *m*; **~so** *adj.* borstig; borstenähnlich, struppig; kratzig.

cerdudo *adj.* mit dichtbehaarter Brust.

cerea|l **I.** *adj. c* **1.** Getreide...; **2.** *Myth.* Ceres...; **II.** *m* **3.** *mst.* *~es m/pl.* Getreide *n*, Korn *n*; *~es de verano* (*de invierno*) Sommer- (Winter-)getreide *n*; *~es panificables* (*forrajeros*) Brot- (Futter-)getreide *n*; **~lista** *adj.-su. c* Getreide...; *m* Getreideerzeuger *m*, -anbauer *m bzw.* -händler *m*.

cere|belo *Anat. m* Kleinhirn *n*, Zerebellum *n*; **~bral** *adj. c* **1.** Gehirn..., Hirn..., zerebral; *hemorragia f ~* Gehirnblutung *f*; **2.** *fig. a.* intellektuell, Denk...; **~bralidad** *f* Verstandeskraft *f*; *fría ~* Verstandeskühle *f*, abstrakte Kühle *f*; **~bro** *m* Gehirn *n*, Hirn *n*; *Anat.* Großhirn *n*; *Kchk.* Hirn *n*, Brägen *m* (*Reg.*); *fig.* Kopf *m*, Verstand *m*; *~ electrónico* Elektronenhirn *n*; **~broespinal** ⚕ *adj. c* zerebrospinal.

cerecilla ⚘ *f* span. Pfeffer *m*.

ceremo|nia *f* **1.** Feierlichkeit *f*, Zeremonie *f*; *de ~* feierlich, förmlich; mit allem Prunk; *por ~* um der Form zu genügen, nur zum Schein; *maestro m de ~s* Zeremonienmeister *m*; *traje m de ~* Amts- *bzw.* Fest-tracht *f*; **2.** übertriebene Förmlichkeit *f*; *sin ~(s)* ohne Umstände, zwanglos, ungeniert; **~nial** **I.** *adj. c* zeremoniell, feierlich, förmlich; **II.** *m* Zeremoniell *n*, Etikette *f*, Förmlichkeit(en) *f*(*/pl.*); *kath.* Caeremoniale *n*; **~niero, ~nioso** *adj.* zeremoniös, förmlich, feierlich; *fig.* umständlich, steif; *recepción f ~a* feierlicher Empfang *m*.

cereño *adj.* wachsfarben (*Hund*).

céreo **I.** *adj.* wächsern, Wachs...; **II.** *m* ⚘ Fackeldistel *f*.

cere|ría *f* Wachszieherei *f*; Wachswaren(laden *m*) *f/pl.*; **~ro** *m* Wachszieher *m*; -händler *m*.

Ceres *Astr., Myth. f* Ceres *f*.

cere|sina *pharm. f* Ceresin *n*; **~visina** *pharm. f* Bierhefe *f*.

cere|za *f* **1.** Kirsche *f*; *~ mollar* Süßkirsche *f*; *~ póntica* Weichsel *f*; *~ silvestre* Wild-, Kornel-kirsche *f*; **2.** *C. Ri.* Costaricakirsche *f*; *P. Ri. Art* Stachelbeere *f*; *Am.* Kaffeekirsche *f*; *Ant., Méj.* Schale *f des Kaffeekerns*; **3.** *a. adj. inv.* (de) *~* kirschrot; **~zal** *m* Kirschgarten *m*; **~zo** ⚘ *m* **1.** Kirschbaum *m*; *~ silvestre, ~ de monte, ~ de aves* wilde Süßkirsche *f*, Wild-, Kornelkirsche *f*; **2.** *Am.* e-e *Malpighie u. versch. Cordiaarten.*

cerífico *adj.*: *pintura f ~a* Wachsmalerei *f*.

ceri|ficar [1g] *v/i.* Wachs bilden; zu Wachs werden; Bienenwachs reinigen *bzw.* bleichen; **~flor** ⚘ *f* Wachsblume *f* (*aber künstliche*: *flor artificial de cera*).

ceri|lla *f* **1.** (Wachs-)Streichholz *n*,

Zündholz *n*; *caja f de ⁓s* Streichholzschachtel *f*; **2.** Wachsstock *m*; **3.** Ohrenschmalz *n*; **⁓llera** *f*, **⁓llero** *m* **1.** Streichholzschachtel *f*; **2.** Streichholzverkäufer(in *f*) *m*; **⁓llo** *m* **1.** Wachsstock *m*; **2.** *Andal.*, *Ant.*, *Méj.* Streichholz *n*.
cerio ⚗ *m* Cer(ium) *n*.
cerita *Min. f* Zerit *m*, Cerit *m*.
cerme|ña *f* Muskatellerbirne *f*; **⁓ño** *m* Muskatellerbirnbaum *m*; *fig.* F Tölpel *m*, Flegel *m*; Schmutzfink *m*.
cernada *f* **1.** Laugenasche *f*; *Mal.* Leim-Aschen-Grundierung *f*; **2.** *Bol. ein Brechmittel.*
cerne *m* Kernholz *n*.
cerne|dero *m* **1.** Beutel-werk *n*, -kammer *f in Mühlen*; **2.** Mehlschurz *m der Sieber*; **⁓dor** *m* **1.** Siebrolle *f*, -zylinder *m*; **2.** Sieber *m*.
cerneja *f* Kötenschopf *m der Pferde*.
cerner [2g] **I.** *v/t.* **1.** (durch-, aus-) sieben; *Mehl* beuteln; **2.** beobachten, überprüfen; sieben (*fig.*); **II.** *v/i.* **3.** ♣ Frucht(knoten) ansetzen (*Rebe, Ölbaum, Weizen*); **4.** ⛆ nieseln, fein regnen; **III.** *v/r.* *⁓se* **5.** s. wiegen *beim Gehen*; **6.** schweben *bzw.* flattern (*Vögel*); rütteln (*Raubvögel*); **7.** *fig.* drohen, im Anzug sein (*Gewitter, Gefahr*); s. zs.-ziehen (*Wolken*); *⁓se sobre alg.* über j-n hereinzubrechen drohen, j-m drohen (*Gefahr, Unglück*).
cernícalo *m* **1.** *Vo.* Turm-, Mauerfalke *m*; **2.** *fig.* Dummkopf *m*, Flegel *m*; **3.** *fig.* F Rausch *m*; *coger un ⁓* s. e-n (Rausch) antrinken, s. ansäuseln F.
cerni|do *m* **1.** Beuteln *n* (*Mehl*); (Aus-)Sieben *n*; **2.** Beutel-, Feinmehl *n*; **3.** *prov.*, *Col.* Sprühregen *m*; **⁓dura** *f* Beuteln *n* (*Mehl*); **⁓r** [3i] → *cerner*.
cero *m* Null *f* (*a. fig.*); *Phys.*, ⊕ Nullpunkt *m*; *⁓ absoluto* absoluter Nullpunkt *m*; *18 grados bajo ⁓* 18 Grad unter Null, minus 18 Grad; F *ser un ⁓ (a la izquierda)* e-e völlige Null sein, e-e Niete sein F.
cerógrafo *m* Wachsmaler *m*; *Arch.* Wachssiegelring *m*.
cerollo *adj.* unreif *bei der Ernte* (*Getreide*).
ceroman|cia, ⁓cía *f* Wahrsagung *f* aus Wachstropfen, Wachsgießen *n*.
cero|plástica *f* Wachs-bildnerei *f*, -modellierung *f*; **⁓so** *adj.* wachsartig; weich, zart; **⁓te** *m* Schusterpech *n*; *fig.* F Angst *f*; **⁓tear** **I.** *v/t.* *Faden* einwachsen (*Schuster*); **II.** *v/i.* *Chi.* tropfen (*Kerzen*); **⁓to** *pharm. m* Pechpflaster *n*.
cerqui|llo *m* **1.** Tonsur *f der Priester*; **2.** Brandsohle *f* (*Schuhe*); **⁓ta** F *adv.* ganz nahe.
cerracatín *m* Knauser *m*, Geizkragen *m*.
cerrada *f* Rücken(teil *n*) *m* (*Fell, Leder*).
cerra|dera *f*: *echar la ⁓* s. allen Bitten (*bzw.* Vorstellungen) verschließen; **⁓dero** **I.** *adj.* **1.** verschließbar; **II.** *m* **2.** Taschenverschluß *m*; **3.** Beutelschnur *f*; **⁓dizo** *adj.* verschließbar; **⁓do** *adj.* **1.** geschlossen (*a. Phon.*), zu; dicht (*Baumbestand, Pfl.-wuchs, Reihen, Bart*); eng (*Schrift*); scharf (*Kurve*); schwül (*Wetter*); bedeckt (*Himmel*); tiefschwarz, finster (*Nacht*); unergründlich, rätselhaft, geheimnisvoll; echt, schwer verständlich (*Dialekt*); *a ojos ⁓s* mit geschlossenen Augen, blindlings; *oler a ⁓* muffig riechen; **2.** *fig.* dickköpfig; verschlossen, unzugänglich; engstirnig; dumm; F *ser más ⁓ que un cerrojo* dumm wie Bohnenstroh sein F; **⁓dor** *adj.-su.* schließend; *m* Verschluß *m*, Schloß *n*; Schlüssel *m*; **⁓dura** *f* (Ver-)Schließen *n*; Schloß *n*; *⁓ de cilindro*, *⁓ de bombillo (de combinación)* Zylinder-(Kombinations-)schloß *n*; *⁓ de golpe (y porrazo)*, *⁓ de resorte*, *⁓ de salto* Schnappschloß *n*; *⁓ de (od. con) pestillo* Riegelverschluß *m*, Verriegelung *f*; *⁓ de seguridad* Sicherheitsschloß *n*.
cerraja ♀ *f* Gänsedistel *f*; *fig. volverse agua de ⁓s* s. zerschlagen, ins Wasser fallen (*Pläne usw.*).
cerraje|ría *f* Schlosserei *f*; Schlosserhandwerk *n*; **⁓ro** *m* Schlosser *m*; *⁓ artístico (mecánico)* Kunst- (Maschinen-)schlosser *m*.
cerrajón *m* steile, zerklüftete Anhöhe *f*.
cerra|miento *m* **1.** Schließen *n*; Verschluß *m*; **2.** Abdeckung *f*; Umfriedung *f*; Gehege *n*; **⁓r** [1k] **I.** *v/t.* **1.** *alle a. fig.* (ab-, ver-, zu-)schließen, zumachen; einschließen; *Zugang usw.* verstellen; *Weg, Hafen* (ab)sperren; *Grundstück u. ä.* umzäunen; *Buch, Kasten, Fächer, Messer* zuklappen; *Schublade* zuschieben; *Schirm* zs.-legen; *Riß* zunähen; *Loch, Grube* zuschütten; *Leck* zustopfen; *Rohr* verstopfen; *Fabrik, Universität usw.* schließen; *Bergwerk* stillegen; *Versammlung, Wettbewerb usw.* für geschlossen erklären; *Rechnung, Konto, Bilanz* abschließen; *Vertrag usw.* (ab-)schließen; *Zug, Aufmarsch* beschließen; *Brief* schließen; *⁓ la boca* (F *el pico*) verstummen, den Mund (*od.* den Schnabel F) halten; *⁓ el concurso* die (Melde-)Frist für den Wettbewerb für beendet erklären; *⁓ con llave* zu-, ver-, abschließen; *⁓ con cerrojo* verriegeln; *⁓ la mano*, *⁓ el puño* die Faust ballen; *fig. ⁓ los ojos* ein Auge zudrükken (bei *dat. a, ante*); *Vkw. ⁓ al tráfico* *Straße* für den Verkehr sperren; **II.** *v/i.* **2.** s. schließen (*Wunde, Kreis*); schließen (*Tür, Schloß usw.*); ablaufen (*Frist*); an-, herein-brechen (*Nacht*); *al ⁓ el día* bei Anbruch der Nacht; *cierra el día a.* der Himmel bewölkt s.; **3.** *bsd.* ⚔ angreifen (*abs.*; *j-n con, contra*); *hist.* *¡Santiago y cierra España!* Spanien, schlag drein! (*Schlachtruf der span. Heere*); **III.** *v/r.* *⁓se* **4.** s. schließen (*Wunde*); zugehen (*Tür*); zu-, ein-schnappen (*Falle, Feder*); *⁓se de golpe* zuschlagen (*Tür usw.*); *fig. se le han cerrado todas las puertas* **a)** er darf das Haus nicht mehr betreten; **b)** er wird überall abgewiesen, er findet überall verschlossene Türen; **5.** s. über-, zu-ziehen (*Himmel*); *se cierra el horizonte* am Horizont ziehen Wolken auf; **6.** hereinbrechen (*Nacht*); **7.** *⁓se en callar* hartnäckig schweigen; *⁓se en su opinión* hartnäckig auf s-r Meinung beharren; **8.** *⁓se a* s. widersetzen (*dat.*), s. verschließen (*dat.*); s. sperren gg. (*ac.*).
cerrazón *f* **1.** Wolkenwand *f*, Gewitterwolken *f/pl.*; *Arg.* Nebel *m*; **2.** *fig.* Engstirnigkeit *f*, Borniertheit *f*; **3.** *Phon.* Schließung *f*.
cerrejón *m* Hügel *m*, (isolierte) Bodenwelle *f*.
cerreta ⚓ *f* Spiere *f*.
cerri|l *adj. c* **1.** bergig; zerklüftet; **2.** wild, ungezähmt (*Pferd, Rind*); *fig.* zügellos; **3.** ungeschliffen, ruppig F; engstirnig; stur; **⁓lidad** *f* Sturheit *f*; **⁓lismo** *m* Engstirnigkeit *f*; **⁓lmente** *adv.* kurz angebunden, grob.
cerrillar *v/t.* *Münzen* rändeln.
cerrión *m* Eiszapfen *m*.
cerro[1] *m* Bündel *n von gehecheltem Flachs od. Hanf.*
cerro[2] *m* **1.** Hügel *m*, Anhöhe *f*; *Am.* Berg *m*; *fig. irse (od. echar) por los ⁓s de Úbeda* dummes Zeug reden, unsinnige Antworten geben; **2.** Hals *m bzw.* Rückgrat *n bzw.* Rücken *m der Tiere.*
cerro[3] ♀ *m* Zerreiche *f*.
cerrojazo *m*: *dar un ⁓* den Riegel heftig vorschieben; *fig. dar (el) ⁓ e-e Versammlung, e-e Veranstaltung* plötzlich u. unerwartet abbrechen *bzw.* schließen.
cerrojillo *Vo. m* Schwarzmeise *f*.
cerrojo *m* **1.** Riegel *m*; Verriegelung *f*, Sperre *f*; *⁓ de corredera* Schubriegel *m*; *echar el ⁓* den Riegel vorschieben, zuriegeln; *fig.* s. taub stellen; s. allen Bitten verschließen; **2.** ⚔ Verschluß(stück *n*) *m*; Schloß *n am M.G.*; **3.** *Sp.*, ⚔ Riegel(stellung *f*) *m*; **4.** ⚒ Stollenkreuzung *f*.
certamen *m* **1.** Wett-streit *m*, -bewerb *m* (*bsd. lit.*); Leistungsschau *f*; **2.** † Duell *n*.
certe|ramente *adv.* treffsicher; sicher; **⁓ro** *adj.* **1.** treffend, genau; passend; sicher; **2.** treffsicher; gut, sicher (*Schütze*); treffend; *tiro m ⁓* sicherer Schuß *m*, Treffer *m*; **⁓za** *f* Gewißheit *f*; Bestimmtheit *f*, Sicherheit *f*.
certidumbre *f* Gewißheit *f*, Sicherheit *f*.
certifica|ción *f* Bescheinigung *f*, Beglaubigung *f*; Nachweis *m*; → *a.* **⁓do** **I.** *adj.* bescheinigt, beglaubigt; 📯 eingeschrieben; "⁓" „Einschreiben"; *envío m ⁓* Einschreibesendung *f*; **II.** *m* Schein *m*, Bescheinigung *f*; Nachweis *m*, Beleg *m*; Zeugnis *n*, Zertifikat *n*, Attest *n*; 📯 Einschreiben *n*; *⁓ de aptitud* Befähigungs-nachweis *m*, -zeugnis *n*; *⁓ de buena conducta* (polizeiliches) Führungszeugnis *n*; *⁓ de defunción* Totenschein *m*; *⁓ de estudios* Studien-bescheinigung *f*; -zeugnis *n*; *⁓ de examen* Examens-, Prüfungsbescheinigung *f*, -zeugnis *n*; *⁓ (del) médico*, *⁓ facultativo* ärztliches Attest *n*; ⚕ *⁓ de origen* Ursprungszeugnis *n*; *⁓ de penales* Strafregisterauszug *m*; *extender un ⁓* ein Zeugnis *usw.* ausstellen; 📯 *mandar por ⁓* eingeschrieben (*od.* als Einschreiben) schicken; **⁓r** [1g] *v/t.* **1.** bescheinigen; beglaubigen, beurkunden; 📯 einschreiben (lassen), eingeschrieben schicken; **2.** ver-

sichern, als sicher hinstellen; **~torio** *adj.* bestätigend, bescheinigend; *documento m* ~ Urkunde *f*, dokumentarischer Nachweis *m*.
cer|tísimo *sup. v. cierto*; bombensicher F; **~titud** *f* → *certeza*.
cerúleo *poet. adj.* himmelblau; tiefblau, azurn (*poet.*).
cerumen ⚕ *m* Ohrenschmalz *n*.
ceru|sa *f* Blei-, Kremser-weiß *n*; **~sita** *Min. f* Bleiglimmer *m*.
cerval *adj. c* Hirsch...; *fig. miedo m* ~ panischer Schrecken *m*.
cervan|tesco, ~tino *Lit. adj.* cervantinisch, Cervantes betreffend, Cervantes...; **~tismo** *m* cervantinische Redensart *f*; Einfluß *m* des Cervantes; Cervantesforschung *f*; **~tista** *adj.-su. c* Cervantes-schwärmer *m bzw.* -forscher *m*.
cerva|tillo *m* Bisamhirsch *m*; **~to** *m* Hirschkalb *n*.
cerve|cería *f* Bier-stube *f*, -ausschank *m*; (Bier-)Brauerei *f*; **~cero** *m* Bier-brauer *m*; -wirt *m*; **~za** *f* Bier *n*; ~ *de barril* Faßbier *n*; ~ *blanca*, ~ *clara*, ~ *rubia* helles Bier *n*; ~ *de malta* Malzbier *n*; ~ *negra* dunkles Bier *n*.
cervicabra *Zo. f* Hirschziege *f*.
cervical *adj. c* Genick..., zervikal.
cérvidos *Zo. m/pl.* Hirsche *m/pl*.
cervi|gón *m* Stier-, Speck-nacken *m*; **~gudo** *adj.* feist-, speck-nackig; *fig.* dickköpfig; **~guillo** *m* → *cervigón*.
cervino *adj.* → *cervuno*.
cerviz *f* (*pl.* ~*ices*) Genick *n*, Nacken *m*; *fig. doblar* (*od. bajar*) *la* ~ s. demütigen, s. (vor der Gewalt) beugen; *ser de dura* ~ hartnäckig (*od.* halsstarrig) sein; *levantar la* ~ stolz (*od.* arrogant *od.* hochmütig) sein (*od.* werden).
cervuno *adj.* hirschartig, Hirsch...; fahl (*Pferd*); Hirschleder...
cesa|ción *f* Aufhören *n*, Beendigung *f*, Stillstand *m*, Einstellung *f*; **~nte** *adj.-su. c* aufhörend; im Wartestand (*Beamter*); *dejar* ~ in den Wartestand versetzen; **~ntía** *f* Abbau *m*, Entlassung *f von Beamten*; (Versetzung *f* in den) Wartestand *m*; Wartegeld *n*.
césar Cäsar *m*, Kaiser *m*; *o* ♀, *o nada* alles oder nichts.
cesar I. *v/t.* ⚔ ~ *el fuego* das Feuer einstellen; **II.** *v/i.* aufhören (zu + *inf. de* + *inf.*); *adv. sin* ~ unaufhörlich, ohne Unterlaß; ~ *en el cargo* aus dem Dienst scheiden.
cesaraugustano *adj.* aus Caesarea Augusta (= *Saragossa*).
cesáre|a ⚕ *adj.-su. f* (*operación f*) ~ Kaiserschnitt *m*; **~o** *adj.* Cäsar...; kaiserlich.
cesa|rismo *m* Cäsarismus *m*; **~ropapismo** *hist. m* Cäsaropapismus *m*; **~ropapista** *adj.-su. c* cäsaropapistisch.
cese *m* **1.** Aufhören *n*, Beendigung *f*; Aufgabe *f e-s Geschäfts*; ⚔ ~ *de alarma* Entwarnung *f*; ~ (*en el cargo*) Ausscheiden *n* (*od.* Entlassung *f*) aus dem Dienst (*od.* Amt); ~ *del trabajo* Arbeits-niederlegung *f*, -einstellung *f*; **2.** Zahlungssperre *f b. Behörden*.
cesio ⚗ *m* Cäsium *n*.
cesi|ón *f bsd.* ⚖, ✝ Abtretung *f*, Überlassung *f*, Zession *f*; **~onario** ⚖, ✝ *m* Zessionar *m*; **~onista** *c* Zedent *m*, Abtretende(r) *m*.
césped *m* **1.** Rasen *m*; **2.** Plagge *f*, Rasenstück *n*; *sacar* ~ Rasen (ab-)stechen.
cesta[1] *f* Ballschläger *m der baskischen Pelotaspieler*.
ces|ta[2] *f* **1.** (Binsen- Weiden-) Korb *m*; ~ *de asas* (*de ropa*) Henkel- (Wäsche-)korb *m*; ~ *de merienda* Picknickkorb *m*; **2.** *Sp.* Wurfkorb *m* (*Korbballspiel*); **~tada** *f* Korbvoll *m*; **~tería** *f* Korbflechterei *f*; Korbwaren(geschäft *n*) *f/pl.*; **~tero** *m* Korb-flechter *m*; -warenhändler *m*; **~tillo** *m* Körbchen *n*; *a.* Bienenkorb *m*; **~to**[1] *hist. m* Schlagriemen *m der Faustkämpfer*; **~to**[2] *m* (hoher) Korb *m*; ~ *de papeles* Papierkorb *m*; *echar al* ~ *de papeles* in den Papierkorb werfen (*a. fig.*); F *estar hecho un* ~ sinnlos betrunken (*od.* sternhagelvoll P) sein; *fig. como agua en un* ~ unsicher; *fig. coger agua en* ~ Wasser mit dem Sieb schöpfen.
cesura *f* Zäsur *f* (*Lit. u. fig.*).
ceta *f* Z *n*, Zet *n* (*Name des Buchstabens*).
cetáceos *Zo. m/pl.* Wale *m/pl*.
cetaria *f* **1.** Fisch-teich *m*, -becken *n*; **2.** Behälter *m* für Krustentiere, der mit frischem Meerwasser gespeist wird.
ceteno ⚗ *m* Ceten *n*; *Kfz. índice m de* ~ Cetenzahl *f*.
cetina ⚗ *f* Zetin *n*.
cetre|ría *Jgdw. f* Beizjagd *f*; Falknerei *f*; **~ro** *m* Falkner *m*.
cetrino *adj.* grüngelb; *fig.* grämlich, trübsinnig.
cetro *m* Zepter *n*, Herrscherstab *m*; *fig.* Herrscherwürde *f*; Regierungszeit *f*; *fig. empuñar el* ~ die Regierung antreten, das Zepter ergreifen.
ceutí *adj.-su. c* aus Ceuta.
ceylanés *adj.-su.* ceylonesisch; *m* Ceylonese *m*.
cía[1] *f* Hüftbein *n*.
cía[2] ⚓ *f* Rückwärts-rudern *n*, -fahren *n*.
ciaboga ⚓ *f* Wenden *n e-s Schiffes*.
cia|n ⚗ *m* Zyan *n*; **~nato** ⚗ *m* Zyanat *n*.
cianhídrico ⚗ *adj.*: *ácido m* ~ Blausäure *f*.
ciánico ⚗ *adj.* Zyan...
cia|nita *Min. f* Disthen *m*, Kyanit *m*; **~nógeno** ⚗ *m* Zyan *n*, Kohlenstickstoff *m*; **~nosis** ⚕ *f* Zyanose *f*, Blausucht *f*; **~nótico** ⚕ *adj.* zyanotisch, blausüchtig; **~nuro** ⚗ *m* Zyanid *n*; ~ *alcalino*, ~ *potásico* Zyankali(um) *n*.
ciar [1c] *v/i.* ⚓ rückwärts rudern (*od.* fahren); *fig.* nachlassen, zurückstecken F.
ciáti|ca ⚕ *f* Ischias *f*, *m*, *n*; **~co** *adj.* Hüft..., Ischias.
cibelina *Zo. f*: (*marta f*) ~ Zobel *m*.
cibera I. *adj. c* Futter..., Mast...; **II.** *f* Mahlkorn *n*; Futterkorn *n*.
cibernéti|ca *f* Kybernetik *f*; **~co** *adj.* kybernetisch; *m* Kybernetiker *m*.
cibí *m Cu. eßbarer Fisch* (*Caranx cibi*).
cíbolo *Zo. m Méj.* Bison *m*.
ciborio *m Arch. u. kath.* Ziborium *n* (*kath. Hostienkelch u. Viersäulenbau über dem Altar*).
cicate|ar F *v/i.* knauern, geizig (*od.* filzig F) sein; **~ría** *f* Geiz *m*, Knauserei *f*; **~ro** *adj.-su.* knauserig, knickerig; *m* Knauser *m*, Knicker *m*, Geizkragen *m*; □ Taschendieb *m*.
cicatri|z *f* Narbe *f* (*a. fig.*); *bibl.* Wundmal *n*; *fig. a.* Spur *f* (*fig.*); **~zante I.** *adj. c* vernarbend; **II.** *m* Wundsalbe *f*; **~zar** [1f] **I.** *v/t. Wunden u. fig.* heilen; *fig.* vergessen machen; **II.** *v/i. u.* ~*se v/r.* vernarben (*a. fig.*); s. schließen, abheilen.
cicca ♀ *f* Sikkastaude *f*.
cícero *Typ. m* Cicero *f* (*12-Punkt-Schrift*).
Cicerón *m fig.* gr. Redner *m*.
cicerone *it. m* Cicerone *m*, Fremdenführer *m*.
ciceroniano *adj.* ciceroni(ani)sch, Cicero...
cicimate ♀ *m Méj.* Wund-Kreuzkraut *n*.
cicindela *Ent. f* Sandkäfer *m*.
ciclamato *m* Zyklamat *n*.
cicla|mino I. *m* ♀ Alpenveilchen *n*; **II.** *adj.* zyklamenfarben; **~mor** ♀ *m* Sykomore *f*.
ciclar *v/t. Edelsteine* schleifen, polieren.
cíclico *adj.* zyklisch.
ciclis|mo *m* Rad(fahr)sport *m*; **~ta I.** *adj. c* Rad...; *carrera f* ~, *vuelta f* ~ Radrennen *n*; **II.** *m* Rad-fahrer *m*, -sportler *m*.
ciclístico *adj.* (Fahr-)Rad..., Radsport...
ciclo *m* **1.** *Astr.* Zyklus *m*, Zeitkreis *m*; *adv. en* ~ zyklisch; ~ *lunar*, ~ *decemnovenal* Mondzyklus *m* (*19 Jahre*); ~ *pascual* Osterzyklus *m* (*532 Jahre*); ~ *solar* Sonnenzyklus *m* (*28 Jahre*); **2.** Zyklus *m*, Reihe *f*; ~ *de conferencias* Vortragsreihe *f*; ~ *de estudios* Studienzyklus *m*; *Am. oft* Semester *n bzw.* Studienjahr *n*; **3.** ⚡ Periode *f*; ~*s m/pl. por segundo* Periodenzahl *f*; **4.** Ablauf *m*, Prozeß *m*, Zyklus *m*; ~ *económico*, ~ *de coyunturas* Wirtschafts-, Konjunktur-zyklus *m*; *mot.* ~ *de dos tiempos* Zweitakt *m*; **5.** Sagenkreis *m*; ~ *del rey Arturo*, ~ *de la Mesa redonda* Artus-kreis *m*, -sage *f*; **6.** *Biol.* Kreislauf *m*; ~ *menstrual* Periode *f*, Menstruationszyklus *m*; **~ide** △ *f* Zykloide *f*, Radlinie *f*; **~motor** *m* Moped *n*.
cicló|n *m* Zyklon *m*, Wirbelsturm *m*; F, *bsd. Am. peor que un* ~ wie der Elefant im Porzellanladen F; **~nico** *adj.* Zyklon..., Wirbelsturm...
cíclope I. *m Myth.* Zyklop *m*; *fig.* Riese *m*; **II.** *adj. c* Riesen..., riesig.
cicló|peo, ~pico *adj.* zyklopisch, Zyklopen...; *fig.* riesenhaft, Riesen...; *muralla f* ~*a* Zyklopenmauer *f*.
ciclorama *m* Panorama *n* (*a. Thea.*).
ciclo|stil(o) *m* Vervielfältigungsgerät *n*; **~timia** ⚕ *f* Zyklotymie *f*; **~tímico** ⚕ *adj.-su.* zyklothym; *m* Zyklothyme(r) *m*; **~trón** *Phys. m* Zyklotron *n*.
cicuta ♀ *f* Schierling *m*.
Ci|d *m*: *Lit. Cantar m de Mío* ~ *Heldengedicht aus dem 12. Jh.*; *fig. más valiente que el* ~ sehr tapfer, ein Held; ♀**diano** *adj.* auf den Cid bezüglich.
ci|dra ♀ *f* Zedratzitrone *f*; ~ *cayote* Faser-melone *f*, -kürbis *m*; ~ *confitada* Zitronat *n*; **~drada** *f* Zitronatkonfitüre *f*; **~drera** *f*, **~dro** *m* ♀ Zedratbaum *m*.

cie|gamente *adv.* blind(lings); **~gas** *adv.*: *a ~* blind(lings); unbesonnen; *andar a ~* im Dunkeln tappen; *jugar a ~* blindspielen (*Schach*); **~go I.** *adj.* **1.** blind; *aterrizaje m ~* Blindlandung *f*; *~ para colores* farbenblind; (*ser*) *~ de nacimiento* blind geboren (sein); *quedar(se) ~* blind werden; **2.** *fig.* blind (*a. Glaube, Vertrauen*); geblendet; verblendet; *~ para* blind für (*ac.*); *sumisión f ~a* blinde Unterwerfung *f*, Hörigkeit *f*; *estar ~ de amor* (*de ira*) blind sein vor Liebe (vor Wut); *estar ~ por alg.* in j-n blind verliebt sein; **3.** *fig.* verstopft; blind(endend), ohne Ausgang; *conducto m ~* blinder Gang *m*; *marco m ~* Blindrahmen *m*; **II.** *adj.-su. m* **4.** (*intestino m*) *~* Blinddarm *m*; **III.** *m* **5.** Blinde(r) *m*; *fig. lo ve un ~* das sieht (doch) ein Blinder; **6.** *Cu.* unzugängliches Gelände *n*; **7.** *Kart. Rpl.* Spieler *m*, der k-e Trumpfkarte hat.

ciegue|cito, ~zuelo *m dim. zu ciego*; arme(r) (*od.* kleine(r) Blinde(r) *m*.

cie|lín F *m* Herzchen *n* (*Kosename*); **~lito** ♪ *m Chi., Rpl. Reigentanz* (*nach dem Eingangswort des Kehrreims*).

cielo *m* **1.** Himmel *m* (*a. fig.*); *¡~(s)!* Himmel!, ach du lieber Himmel! F; *¡~ mío!* Liebling! (*mst. zu Kindern*); *a ~ abierto* (*od. raso*) unter freiem Himmel, im Freien; *~ aborregado* Schäfchenwolken *f/pl.*; *fig. bajado del ~* Himmels..., wunderbar, herrlich; *fig. caído* (*od. llovido*) *del ~* urplötzlich, vom Himmel gefallen; *fig. estar en el quinto* (*od. séptimo*) *~* im siebenten Himmel sein F; F *estar hecho un ~* wunderschön beleuchtet u. ausgeschmückt sein (*Kirche, Festsaal usw.*); *ganar el ~* in den Himmel kommen; *a.* e-e Engelsgeduld haben; *fig. llegar como caído del ~, venir* (*como*) *llovido del ~* wie gerufen kommen; F *se le ha ido el santo al ~* er ist (*in s-r Rede usw.*) steckengeblieben, er hat den Faden verloren; *fig.* (re)mover (*od. revolver*) *~ y tierra* Himmel u. Hölle in Bewegung setzen; *ser un aviso del ~* ein Fingerzeig (*bzw.* e-e Warnung) des Himmels sein; *se viene el ~ abajo* **a)** das Unwetter tobt, der Himmel stürzt ein; **b)** ein Höllenspektakel (bricht los), man glaubt, das Haus stürzt ein; *fig. ver los ~s abiertos* den Himmel voller Geigen sehen, den Himmel offen sehen; *fig. ver el ~ por un agujero* recht unerfahren (*od.* naiv) sein; *su vida es un ~ sin nubes* er hat keinerlei Sorgen, sein Leben ist völlig problemlos; **2.** Klima *n*, Himmelsstrich *m*; **3.** (Zimmer-)Decke *f*, Plafond *m*; *Kfz.* Himmel *m*; *~ de la cama* Betthimmel *m*; *~ raso* **a)** flache Zimmerdecke *f*, Plafond *m*; **b)** Fehlboden *m*; *pintura f de ~ raso* Deckengemälde *n*; **4.** *Anat.* *~* (*de la boca*) Gaumen *m*.

ciempiés *m Zo.* Tausendfüß(l)er *m*; *fig.* Arbeit *f* ohne Hand u. Fuß.

cien → *ciento*; F *Kfz. correr a ~* mit hundert Sachen fahren; F *esto me pone a ~* das reizt mich.

ciénaga *f* Sumpf *m*, Moor *n*; Morast *m* (*a. fig.*).

ciencia *f* Wissenschaft *f*; Wissen *n*, Kenntnisse *f/pl.*; Können *n*, Geschicklichkeit *f*; *~s f/pl. mst.* Naturwissenschaften *f/pl.* u. Mathematik *f*; *~s f/pl. auxiliares* Hilfswissenschaften *f/pl.*; *~ de las comunicaciones*, *~ del tráfico* Verkehrswissenschaft *f*; *~s económicas y sociales* Wirtschafts- und Sozialwissenschaften *f/pl.*; *~s empíricas* Erfahrungswissenschaften *f/pl.*; *~s exactas* Mathematik *f*; *~s físicas* Physik *f*; *~ infusa* von Gott eingegebenes Wissen *n*; *iron.* zugeflogenes Wissen *n*; *~s naturales* Naturwissenschaften *f/pl.*; *lit. ~ sagrada* Gottesgelehrsamkeit *f*, Theologie *f*; *adv. a* (*od.* de) *~ cierta* ganz sicher, bestimmt; *a ~ y paciencia de* ... mit Wissen u. Billigung des ...; *hombre m de ~* Wissenschaftler *m*; *fig. eso tiene poca ~* das ist ganz einfach (*od.* leicht).

cienmi|lésimo *num.* hunderttausendste(r, -s); *m* Hunderttausendstel *n*; **~límetro** *m* Hundertstel *n* Millimeter (*0,01 mm*); **~llonésimo** *num.* hundertmillionste(r, -s).

cien|tificismo *m* übertriebener Glaube *m* an die Leistungen *od.* Möglichkeiten der Wissenschaft; **~tífico** *adj.-su.* wissenschaftlich; Wissenschafts...; *m* Wissenschaftler *m*.

ciento I. *num.* (*alleinstehend u. vor Zahlwörtern; vor su. Kurzform* cien) hundert; *cien mil* hunderttausend; *aber*: *tres ~s milliones* dreihundert Millionen; *~ veinte* hundertzwanzig; *el* (*od. un*) *cinco por ~*, 5% fünf Prozent, 5%; *a. fig. ~ por ~*, F *cien por cien* hundertprozentig, echt; *tanto m por ~* Prozentsatz *m*; → *a. raya*; **II.** *m* Hundert *n*; *~s de* Hunderte *n/pl.* von (*dat.*); *a ~s* zu Hunderten.

cierne *m* Bestäubung(szeit) *f*; *en ~(s)* aufkommend, nahend (*Gewitter u. ä.*); *fig.* zukünftig, in spe; *estar en ~(s)* blühen (*Weizen, Wein usw.*); *fig.* ganz am Anfang stehen, noch unvollkommen (*od.* unfertig) sein.

cierre *m* **1.** Schließen *n*; Abschließen *n*, Sperren *n*; Schließung *f* (*a. von Fabriken u. Grenzen*); (Laden- *usw.*) Schluß *m*; ✝ *~ del balance* Bilanzabschluß *m*; *~ dominical* Sonntagsruhe *f*; *Rf., TV ~ de las emisiones* Sendeschluß *m*; ✝, *Pol. ~ patronal* Aussperrung *f*; *hora f de(l) ~* Polizei-, Sperr-stunde *f* (*Lokal*); Redaktionsschluß *m* (*Zeitung*); **2.** Schloß *n*, Verschluß *m*; Schließe *f* (*a. an Kleidung*); Sperre *f*, Blockierung *f*, Sperrvorrichtung *f*; *~ de cremallera, Am., bsd. Arg. ~ relámpago* Reißverschluß *m*; **3.** Gitter *n*; Rolladen *m*; *~ metálico* Metallrolladen *m*.

cierro *m* **1.** † *u. Reg.* → *cierre*; **2.** *Arg., Chi.* Briefumschlag *m*; **3.** *Andal. ~ de cristales* Erker *m*.

cier|tamente *adv.* sicher, gewiß; *¡~!* aber sicher!; **~to I.** *adj.* **1.** *vor su.* gewiß (*unbestimmt*); *~a cosa* (irgend)etwas, e-e gewisse Sache; *~s autores m/pl.* manche Autoren *m/pl.*; *~ individuo* einer, jemand, irgendeiner; *en ~a ocasión* (irgendwann) einmal, gelegentlich; **2.** *nach su. u. alleinstehend*: wahr; gewiß, sicher, zuverlässig; spürsicher (*Jagdhund*); *adv.* de *~* gewiß; *adv. por ~* **a)** übrigens; freilich; **b)** gewiß, (ganz) bestimmt; *por ~ que* ... nebenbei gesagt ...; *sí, por ~* aber sicher; ja, gewiß; *una cosa ~a* e-e sichere Sache, et. Sicheres; *¿es ~ que vendrá?* kommt er auch bestimmt?; *está ~ de lo que dice* er ist von s-n Worten (*bzw.* von s-r Sache) überzeugt; *estar en lo ~* recht haben, es genau treffen; *eso no es ~* das ist nicht wahr, das stimmt nicht; *lo ~* (*que hay*) *es que* ... sicher ist (*od.* soviel steht fest), daß ...; jedenfalls ...; **II.** *adv.* **3.** sicher, gewiß, ja (*bsd. als Antwort*).

cier|va *f* Hirschkuh *f*; **~vo** *m* **1.** Hirsch *m*; *~ de doce candiles* Zwölfender *m*; **2.** *Ent. ~ volante* Hirschkäfer *m*; **3.** ⚘ *lengua f de ~* Zungenfarn *m*.

cierzas ⚘ *f/pl.* Rebsetzlinge *m/pl.*

cierzo *m* Nordwind *m*.

cifra *f* **1.** Ziffer *f*; Zahl *f*; *de dos* (*varias*) *~s* zwei- (mehr-)stellig (*Zahl*); **2.** Kennzahl *f*, Chiffre *f*; Chiffre *f*, (Geheim-)Code *m*, Verschlüsselung *f*; *en ~* verschlüsselt, chiffriert; *fig.* geheimnisvoll, rätselhaft; **3.** verschlungene Initialen *pl. auf Siegeln, als Markenzeichen*; Monogramm *n*; **4.** *gal.* Anzahl *f*; *Bankw. ~ de las transacciones*, ✝ *~ de ventas*, *~ de negocios* Umsatz *m*; **5.** *fig.* Inbegriff *m*, Summe *f*; **6.** ♪ bezifferter Baß *m*; **~damente** *lit. adv.* kurz u. bündig; **~do I.** *adj.* verschlüsselt, chiffriert; beziffert; *telegrama m ~* Chiffretelegramm *n*; **II.** *m* Chiffrieren *n*; **~dor** *m* Chiffrierer *m*, Chiffrierbeamte(r) *m*; **~r I.** *v/t.* **1.** verschlüsseln, chiffrieren; **2.** zs.-fassen; *fig. ~ su esperanza en* s-e Hoffnung setzen (*od.* richten) auf (*ac.*); **3.** ⚒ *~ en* beziffern auf (*ac.*); **II** *v/r.* *~se* **4.** *~se en* letztlich hinauslaufen auf (*ac.*); s. beschränken auf (*ac.*); bestehen in (*dat.*).

cigala *Zo. f* Kaisergranat *m*, Kronenhummer *m*.

cigarra *f* **1.** *Ent.* Zikade *f*; **2.** *Zo. ~ de mar* gr. Bärenkrebs *m*; **3.** □ Geldbeutel *m*.

ciga|rrería *f Am.* Tabakladen *m*; **~rrera** *f* **1.** Zigarren-, Zigarettenarbeiterin *f*; -verkäuferin *f*; **2.** *bsd. Am.* Zigarrenkiste *f*; Zigarren-, Zigaretten-etui *n*; **~rrero** *m* **1.** Zigarren-, Zigaretten-arbeiter *m*; -händler *m*; **2.** *Ent.* Rebenstecher *m*; **~rrillo** *m* Zigarette *f*; **~rro** *m*: *~* (*puro*) Zigarre *f*; *~* (*de papel*) Zigarette *f*; **~rrón** *Ent. m* Wanderheuschrecke *f*.

cigo|ma *Anat. m* Jochbein *n*; **~mático** *adj.* Joch...; *arco m ~* Jochbogen *m*.

cigoñal *m* **1.** Brunnenschwengel *m*; *p. ext.* Ziehbrunnen *m*; **2.** beweglicher Zugbrückenbalken *m*.

cigo|ñino *m* Storchenjunge(s) *n*; **~ñuela** *f* Zwergstorch *m*.

cigoto *Biol. m* Zygote *f*.

ciguatera ⚕ *f Ant., Méj., Ven.* Eiweißvergiftung *f*.

cigüeña *f* **1.** *Zo.* Storch *m*; *fig.* (Klapper-)Storch *m*; *fig.* F *pintar* *la* ~ angeben F, den großen Herren spielen; **2.** Glockenkrone *f*; **3.** Kurbel *f*, Schwengel *m*; **~l** ⊕ *m* **1.** Kurbelwelle *f*; **2.** → *cigüeña 3.*

cilanco *m* Flußlache *f nach Überschwemmung od. in sonst trockenem Flußbett.*

cilantro ⚘ *m* Koriander *m.*

cilia|do I. *adj.* bewimpert, Wimper...; **II.** *m Biol.* Wimpertierchen *n*; **~r** *adj. c* Augenlid..., Wimpern...

cilicio *m* Büßerhemd *n*; Bußgürtel *m.*

cilindra|da *Kfz. f* Hubraum *m*; **~do** ⊕ *m* Walzen *n*, Plätten *n*; Satinieren *n* (*Papier*); **~je** *m* → *cilindrada*; *cilindrado*; **~r** ⊕ *v/t.* walzen, plätten; *Papier* satinieren.

cilíndrico *adj.* zylindrisch, walzen-, rollen-förmig, Zylinder...

cilindro *m* **1.** *Geom.*, ⊕ Zylinder *m* (*a. Kfz, Uhr*); Walze *f* (*a. Typ.*), Rolle *f*; Trommel *f* (*Revolver*); ⚗ ~ *graduado* Meßzylinder *m*; *Kfz. de cuatro ~s opuestos* Vierzylinder..., Boxer... (*Motor*); **2.** *Méj.* Drehorgel *f*; **3.** ⚒ Zylinder *m*; **4.** *Vo.* (*bsd.* Vielfarben-)Tangare *m*; **~eje** ⚒ *m* Neurit *m*; **~ide** *Geom. adj. c* zylinderähnlich.

cima *f* **1.** Gipfel *m*; (Baum-)Wipfel *m*; *Phys.*, ⚓ (Wellen-)Berg *m*; △ First *m*; *Anat.* Spitze *f*; **2.** *fig.* Vollendung *f*, Gipfel *m*, Höhepunkt *m*; *dar* ~ *a a/c.* et. vollenden; † *por* ~ → *por encima*; **3.** ⚘ **a)** (Dolden-)Traube *f*; **b)** (*bsd.* Distel-)Stengel *m.*

cima|rrón I. *adj.* **1.** *Am.* wild (*Tier, Pfl.*); verwildert; wildernd (*Haustier*); *fig.* roh, verwildert (*Mensch*); **2.** *hist. Am.* entsprungen (*Sklave*); **3.** *Rpl.* ungesüßt (*Mate*); **II.** *adj.-su.* **4.** ⚓ arbeitsscheu; *m* Faulpelz *m*; **5.** (*caballo m*) ~ Mustang *m*; **III.** *m* **6.** *Fi.* gr. Thun *m*; **~rronada** *f Am.* Wildherde *f.*

cimba *m Bol.* Zopf *m*; **~do** *m Bol.* geflochtene Peitsche *f.*

cimbalaria ⚘ *f* Zymbelkraut *n.*

címbalo ♩ *m* Zimbel *f.*

cimbel *m Jgdw.* Lockvogelleine *f*; *p. ext.* Lockvogel *m*; *fig.* Köder *m.*

cimbor(r)io △ *m* Kuppelgewölbe *n.*

cimbra *f* **1.** △ **a)** Lehrgerüst *n*; **b)** *innere* Bogenwölbung *f*; **2.** Biegung *f der Planken am Schiffsrumpf*; **~do** *m rasche* Beugung *f des Oberkörpers* (*Tanzschritt*); **~r I.** *v/t.* **1.** schwingen, schwirren lassen (*Gerte u. ä.*); mit *e-m Stock* fuchteln; **2.** *j-n* schlagen, daß er s. krümmt; **II.** *v/r.* **~se 3.** s. krümmen.

cimbre|ante *adj. c* geschmeidig, biegsam; **~ar** → *cimbrar*; **~o** *m* Biegung *f*, Wölbung *f*; F Prügel *pl.*

cim|brón *m Am. Reg.* Fuchtelhieb *m*; *Guat., Rpl.* Ruck *m*; Zittern *n*; **~bronazo** *m* **1.** *Am. Reg.* Zs.-zukken *n*, -schrecken *n*; **2.** *Ven.* Erdbebenstoß *m.*

cimbros *hist. m/pl.* Kimbern *m/pl.*

cimenta|ción *f a. fig.* Fundament *n*; *fig.* Gründung *f*, Grundlegung *f*; **~r** [1k] *v/t.* **1.** (be)gründen, verankern (*a. fig.*); mit Zement vergießen; **2.** *Gold* läutern.

cime|ra *f* Helmzier *f* (*hist. u.* ⊘); **~ro** *adj.* oberst, krönend, Ober...; *fig.* hervorragend.

cimicaria ⚘ *f* Zwergholunder *m.*

cimiento *m* **1.** *mst.* **~s** *m/pl.* Grundmauer *f*; Fundament *n* (*a. fig.*); *fig. echar* (*od. poner*) *los ~s de a/c.* die Grundlagen für et. (*ac.*) schaffen; **2.** *fig.* Quelle *f*, Wurzel *f*, Anfang *m.*

cimitarra *f orientalisches* Krummschwert *n.*

cinabrio *m Min.* Zinnober *m*; Zinnoberrot *n* (*Farbe*).

cinacina ⚘ *f Art* Parkinsonie *f.*

cinámico ⚗ *adj.* Zimt...

cinamomo ⚘ *m* Zedrach *m.*

cinc *m* (*pl. cines*) Zink *n*; *Min. flores f/pl. de* ~ Zinkblüte *f.*

cinca *f* Fehlwurf *m*, Pudel *m* F *beim* [Kegeln.]

cince|l *m* Meißel *m*; Stemmeisen *n*; Grabstichel *m*; **~lado** *m* gestochene Arbeit *f*; Ziselierung *f*; **~lador** *m* Ziseleur *m*; **~ladura** *f* **1.** Meißeln *n*; Ziselieren *n*; **2.** → *cincelado*; **~lar** *v/t.* mit dem Meißel ausarbeiten, meißeln; ziselieren; *fig.* ausfeilen; **~lista** *m* Ziseleur *m.*

cinco I. *num.* **1.** fünf; F *decirle a alg. cuántas son* ~ j-m gehörig den Kopf waschen; F *saber cuántas son* ~ schon Bescheid wissen, nicht auf den Kopf gefallen sein; *no tener ni* ~ k-n Pfennig haben, blank sein; **II.** *m* **2.** Fünf *f* (*Zahl*); Fünfer *m* (*Kart., Geld usw.*); F *esos* ~ die Hand; **3.** *Ven. fünfsaitige* Gitarre *f*; **4.** F *Méj.* Po(po) *m* F.

cinco|añal *adj. c* fünfjährig; **~enrama** ⚘ *f* Fünffingerkraut *n.*

cincogra|bado *Typ. m* Zinkätzung *f*; **~fía** *Typ. f* Zinko(graphie *f*) *n*; Klischieranstalt *f.*

cincomesino *adj.* Fünfmonats...

cincona ⚘ *f* Chinabaum *m.*

cincuen|ta I. *num.* fünfzig; fünfzigste(r, -s); *en los años* ~ in den fünfziger Jahren; **II.** *m* Fünfzig *f*; **~tavo** *num.* fünfzigste(r, -s); *m* Fünfzigstel *n*; **~tena** *f* etwa fünfzig; 50 Tage *m/pl.*; **~tenario** *m* Fünfzigjahrfeier *f*; **~tón** *m* Fünfzig(jährig)er *m* (*Person*).

cincha *f* (*bsd.* Sattel-)Gurt *m*; F Gürtel *m*; **~r** *v/t.* den Sattelgurt anlegen (*dat.*); *Faß usw.* bereifen; **~zo** *m Am. Cent., P. Ri.* Fuchtelhieb *m.*

cin|chera *f Equ.* Gurtstelle *f*; Druckempfindlichkeit *f der Pferde an dieser Stelle*; **~cho** *m* **1.** Leibgurt *m*; *Am. Reg.* Sattelgurt *m*; **2.** eiserner Reif(en) *m*; **3.** △ vorspringender Bogenteil *m im Tonnengewölbe*; **4.** *vet.* Wulst *m am Pferdehuf*; **~chón** *m Am. Reg.* Sattelgurt *m*; *Arg.* Obergurt *m.*

cine *m* (*übliche Kurzform für veraltetes cinematógrafo*) **1.** Kino *n* F, Lichtspieltheater *n*; ~ *de barrio* Vorstadtkino *n*; ~ *de estreno* Erstaufführungstheater *n*; ~ *de sesión continua* Kino *n* mit durchgehenden Vorstellungen; **2.** *koll.* Film(kunst *f*) *m*; ~ *hablado* (*sonoro*) Sprech- (Ton-)film *m*; ~ *en colores* (*mudo*) Farb- (Stumm-)film *m*; ~ *en relieve* dreidimensionaler Film *m*; *director m de* ~ Filmregisseur *m*; **~asta** *c* **1.** Film schaffende(r) *m*; -produzent *m*; -schauspieler *m*; **2.** *Reg.* Kinoamateur *m*; Filmfreund *m*; **~cámara** *f* Filmkamera *f*; **~club** *m* Filmklub *m*; **~clubista** *m* Mitglied *n e-s Filmklubs.*

cinegéti|ca 🕮 *f* Jagd *f*, Jägerei *f*, Kynegetik *f*; **~co** *adj.* Jagd..., kynegetisch.

cine|ísta *c* Film-produzent *m*; -schaffende(r) *m*; *a.* Film-schauspieler *m bzw.* -amateur *m*; **~landia** *f* „die Traumfabrik" (*mst. = Hollywood*); **~ma** F *m* Kino *n* F; **~mascope** *m* Cinemaskope *n*; **~mateca** *f* Filmarchiv *n.*

cinemáti|ca *Phys. f* Kinematik *f*; **~co** *Phys. adj.* kinematisch.

cinema|tografía *f* Filmkunst *f*; ~ *en colores* Farbfilmaufnahmen *f/pl.*; **~tografiar** *v/i.* filmen; **~tográfico** *adj.* Film...; **~tógrafo** *m* → *cine.*

cinerama *m* Cinerama *n.*

cinerari|a ⚘ *f* Aschenkraut *n*; **~o** *adj.* Aschen...

cinéreo *adj.* aschgrau, Aschen...; *Astr. luz f ~a* Erdwiderschein *m auf dem Mond.*

cinéti|ca *Phys. f* Kinetik *f*; **~co** *adj.* kinetisch.

cingalés *adj.-su.* singhalesisch; *m* Singhalese *m.*

cíngaro *adj.-su.* Zigeuner *m.*

cinglar[1] *v/t.* *Eisen* zänge(l)n, entschlacken

cinglar[2] ⚓ *v/t.* wriggen, mit Heckriemen rudern.

cíngulo *m Anat.* Band *n*; *kath.* Zingulum *n.*

cínico *adj.-su.* zynisch; schamlos; bissig; *m* Zyniker *m* (*a. Phil.*); bissiger Spötter *m.*

cínife *Ent. m* Stechmücke *f*, Gall- [wespe *f.*]

cinismo *m Phil. u. fig.* Zynismus *m.*

cino|céfalo *Zo. m* Pavian *m*; **~glosa** ⚘ *f* Hundszunge *f.*

cinqueño *Kart. m* L'hombre *n zu* [fünft.]

cinque|ría ⊕ *f* Zinkgießerei *f*; **~ro** *m* Zink-gießer *m*, -arbeiter *m*

cinta *f* **1.** Band *n*, Streifen *m*; (Hut-, Zopf-, Haar- *usw.*)Band *n*; Schleife *f*; (Papier-)Streifen *m*; Farbband *n* (*Schreibmaschine*); ~ (*cinematográfica*) Film(streifen) *m*; ~ *adhesiva* Klebestreifen *m*; ~ *aislante* Isolierband *n*; ~ *cargadora* ⊕ Ladeband *n*; ⚔ Ladegurt *m*; ~ *sin fin* endloses Band *n*; Fließband *n*; ~ *sonora* Tonfilm(band *n*) *m*; ~ *magnetofónica* (Magnet-)Tonband *n*; ~ *métrica* Bandmaß *n*, Meßband *n*; ~ *de orillo* Stoß(band *n*) *m*; **2.** △ Leiste *f*; Platten-, Kachel-rand *m*; Rand *m* des Gehsteigs; **3.** ⊘ Spruchband *n*; **4.** ⚓ Barkholz *n*; **5.** Thunfischnetz *n*; **6.** ⚘ Bandgras *n*; **7.** *Fi.* roter Bandfisch *m*; **8.** *Equ.* Hufkrone *f*; **9.** *fig. meter en ~ a alg.* j-m Disziplin beibringen.

cintagorda *f* Hanfnetz *n* (*Thun-* [fischfang).]

cintar △ *v/t.* mit Bandleisten versehen.

cinta|razo *m* Fuchtelhieb *m*; **~rear** *v/t.* mit der flachen Klinge schlagen; **~rrón** *m* Riesenband *n.*

cinte|ado *adj.* bebändert, mit Bändern geschmückt; **~ría** *f* **1.** Bandware *f*, Posamenten *n/pl.*; **2.** Bandwirkerei *f*; Posamentengeschäft *n*; **~ro** *m* **1.** Bandwirker *m*, Posament(i)er *m*; **2.** (Schlepp-, Leit-) Seil *n*; **~ta** *f Art* Fischnetz *n.*

cintilar *v/i.* funkeln, schimmern.

cintillo *m Reg.* **1.** (Zier-)Band *n*; **2.** kl. Schmuckring *m.*

cinto I. † *lit. part. irr. zu ceñir*; **II.** *m* → *cinturón*; *cintura*; *lit. con la espada al* ~ den Degen am Gurt.
cintra ⚠ *f* Bogen-, Gewölbe-krümmung *f*; **~do** ⚠ **I.** *adj.* gekrümmt, gewölbt; **II.** *m* Bogen-lehre *f*, -gerüst *n*.
cintu|ra I. *f* **1.** Lenden(gegend *f*) *f/pl.*; Taille (*a. v. Kleidern*); *quebrado de* ~ mit hohlem Kreuz; *fig. meter en* ~ *a alg.* j-n zur Vernunft bringen; **2.** oberer Teil *m des Kaminmantels*; **3.** ⚓ Laschung *f des Tauwerks an den Mast*; **II.** *m* **4.** *Cu.* Schürzenjäger *m*; **~rilla, ~rita** *f* zierliche Taille *f*; **~rón** *m* **1.** Gürtel *m*; ⚔ Koppel *n*; Gehenk *n*; ~ *de corcho* Kork-, Schwimm-gürtel *m*; ~ *salvavidas* Rettungsring *m*; *Kfz.*, ✈ ~ *de seguridad* Sicherheitsgurt *m*; *apretarse el* ~ s. den Gürtel enger schnallen (*a. fig.*); **2.** Ring *m* (*Umgehungs- bzw. Entlastungsstraße*); (Stadt- *usw.*) Gürtel *m*; ~ *verde* Grüngürtel *m*; **3.** *Astr.* Gürtel *m*.
cinzolín *adj.-su.* rötlich violett.
ciñuelo *m Rpl.* Leitochse *m*.
cipayo ⚔ *hist. m* **1.** Sepoy *m*; **2.** Spahi *m*.
cipe I. *adj. c* **1.** *Am. Cent.* schwächlich (*Säugling*); **II.** *m* **2.** *Folk. C. Ri.* Aschenkobold *m*; **3.** *Salv.* Harz *n*; **4.** *Hond.* Maisfladen *m*.
ciperáceas ⚘ *f/pl.* Riedgräser *n/pl.*
cipizape F *m* → *zipizape*.
cipo *Arch. m* **1.** Meilenstein *m*; Mark-, Grenz-stein *m*; **2.** Gedenkstein *m*; ~ *funerario* Grabstele *f*.
cipolino *adj.-su.*: *mármol m* ~ Glimmermarmor *m*.
cipote I. *adj. c* **1.** *Guat.* dick, rund; **II.** *m* **2.** *Am. Cent.*, *Ven.* Junge *m*; **3.** V Stange *f* V, Penis *m*.
ciprés ⚘ *m* Zypresse *f*; Zypressenholz *n*; ~ *de Levante* breitästige Zypresse *f*.
cipre|sal *m* Zypressenhain *m*; **~sillo** ⚘ *m* Gartenzypresse *f*; **~sino** *adj.* Zypressen...
ciprínidos *Zo. m/pl.* Karpfenfische *m/pl.*
cipri|(n)o *adj.-su.*, **~ota** *adj.-su. c* zyprisch; *m* Zyprer *m*.
ciquiricata F *f* Schmeichelei *f*, Getue *n* F.
circaeto *Vo. m* Schlangenbussard *m*.
cir|cense *adj. c* Zirkus...; *juegos m/pl.* ~*s* Zirkusspiele *n/pl.* (*Rom*); **~co** *m* **1.** Zirkus *m* (*a. hist.*); *p. ext.* Kampfplatz *m*, Arena *f*; Amphitheater *n*; ~ *ambulante* Wanderzirkus *m*; **2.** *Geogr.* Talkessel *m*; Gebirge *n* im Halbkreis, Felszirkus *m*.
circón *Min. m* Zirkon *m*.
circui|r [3g] *v/t.* umkreisen, umgeben; **~to** *m* **1.** Umkreis *m*; Bezirk *m*; **2.** Kreis-bewegung *f*, -lauf *m*; Rundfahrt *f*; *Sp.* Rennen *n*; Runde *f*; **3.** ⊕ Kreis(verkehr) *m b. Bandstraßen*; **4.** ⚡ Stromkreis *m*; Schaltung *f*; ~ *abierto* (*cerrado*) offener (geschlossener) Stromkreis *m*; *Rf.* ~ *emisor* Sendekreis *m*; *corto* ~ Kurzschluß *m*; *poner fuera de* ~ ab-, aus-schalten; **5.** † Abschweifen *n*, Umschweife *m/pl. b. Reden*.
circula|ción *f* **1.** Kreis-lauf *m*, -bewegung *f*; ⚕ ~ (*de la sangre*) Blutkreislauf *m*; ~ *general* gr. Körperkreislauf *m*; **2.** ⊕ Umlauf *m*; ~ *de aire* Luftzug *m*; Luftumwälzung *f*; *Phys.* ~ *de electrones* Elektronenfluß *m*; **3.** ✝ Umlauf *m*, Verkehr *m*; ~ *de la moneda*, ~ *monetaria* (~ *fiduciaria*) Geld- (Noten-) umlauf *m*; *libre* ~ Freizügigkeit *f* (*Personen*); ✝ freier (*Waren-, Kapital- usw.*) Verkehr *m*; *fuera de* ~ außer Kurs (*Geld*); *de gran* ~ sehr verbreitet (*Zeitung*); *poner en* ~ in Umlauf bringen; **4.** *Vkw.* Verkehr *m*; ~ *giratoria* Kreisverkehr *m*; *doble* ~ Gegenverkehr *m*; *vía f de* ~ *rápida* Schnell(verkehrs)straße *f*; *retirar de la* ~ aus dem Verkehr ziehen; → *a. tráfico*; **~nte** *adj. c* umlaufend, im Umlauf befindlich; *biblioteca f* ~ Leihbücherei *f*.
circular I. *adj. c* kreisförmig, Kreis...; ⊕ *imperfectamente* ~ unrund; *viaje m* ~ Rund-fahrt *f*, -reise *f*; **II.** *adj.-su. f* (*carta f*) ~ Rundschreiben *n*, Zirkular *n*; **III.** *v/t.* in Umlauf bringen; *mst. als Rundschreiben* versenden; **IV.** *v/i.* (umher)gehen; s. bewegen, gehen (*Personen*), fahren (*Fahrzeuge, Personen, im Straßenverkehr*); verkehren (*Züge usw.*); fließen, strömen (*Flüssigkeit*); *circula la noticia de que* ... es geht die Nachricht, daß ...; *¡circulen!* weitergehen!; **~mente** *adv.* kreisförmig, im Kreis.
circulatorio *adj.* **1.** *Physiol.* Kreislauf...; **2.** Verkehrs...; Kreis...
círculo *m* **1.** Kreis(fläche *f*) *m*; Kreisumfang *m*; *fig.* ~ *vicioso* Circulus *m* vitiosus (*lt.*), *Phil. a.* Zirkelschluß *m*; *allg. a.* Teufelskreis *m*; **2.** *Geogr.*, *Astr.* Kreis *m*; ~ *horario* Stundenkreis *m*; ~ *polar ártico* nördlicher Polarkreis *m*; ~ *máximo* (*menor*) Größt-, Groß- (Klein-) kreis *m*; *Astr.*, ⚓ ~ *de reflexión* Spiegeltheodolit *m*; ~ *vertical* Scheitelkreis *m*; **3.** *fig.* Kreis *m*, Zirkel *m*; Klub *m*, Verein *m*; ~ *de amistades* (*de familia*) Bekannten- (Familien-)kreis *m*; ~ *recreativo* Klub *m*, Kasino *n*; *en* ~*s bien informados se afirma que* ... aus gut unterrichteten Kreisen verlautet, daß ...
circumpolar *adj. c* um den Pol herum, Zirkumpolar...
circunci|dar *v/t.* beschneiden (*a. fig.*); **~sión** *f* Beschneidung *f*; **~so** *adj.-su.* beschnitten; *m* Beschnittene(r) *m*.
circun|dante *adj. c* umgebend, umliegend; *el mundo* ~ die Umgebung, die Umwelt; **~dar** *v/t.* umgeben, umringen; einfassen; umspülen (*Meer*); **~ferencia** *f* Kreis(linie *f*) *m*; Umfang *m*, Umkreis *m*; **~ferencial** *adj. c* Umkreis..., Umfangs...
circun|flejo *Gram. m* Zirkumflex *m*; **~locución** *Rhet. f* Umschreibung *f*, Periphrase *f*; **~loquio**(s) *m*(/*pl.*) Umschweife *pl.*; *andar con* ~*s* Umschweife machen, drumherum reden F; **~navegación** *f* (*bsd.* Erd-)Umsegelung *f*, Umschiffung *f*; **~navegante** *m* Erdumsegler *m*; **~navegar** [1h] *v/t.* um-segeln, -schiffen.
circuns|cribir I. *v/t.* **1.** 𝒜 umschreiben; ~ *un hexágono a un círculo* ein Sechseck um e-n Kreis zeichnen; **2.** *lit.* beschränken (auf *ac. a*); **II.** *v/r.* ~*se* **3.** s. beschränken (auf *ac. a*); beschränkt bleiben (auf *ac. a*); **~cripción** *f* **1.** Eingrenzung *f*; **2.** 𝒜 Umschreibung *f e-r Figur*; **3.** Bezirk *m*; *fig.* Begrenzung *f*; **~crito** *adj.* umgrenzt; umschrieben (*a.* 𝒜); ~ *a* beschränkt auf (*ac.*).
circunsolar *adj. c* um die Sonne.
circunspec|ción *f* Vorsicht *f*; Zurückhaltung *f*, Reserve *f*; **~to** *adj.* vorsichtig; zurückhaltend, reserviert; klug.
circunstan|cia *f* Umstand *m*, Gegebenheit *f*; Umwelt *f*; ~*s f/pl.* Lage *f*, Situation *f*; ~*s personales* persönliche Verhältnisse *n/pl.*; *bsd.* Personalien *pl.*; *de* ~*s* Gelegenheits..., provisorisch, vorläufig; *poesía f de* ~*s* Gelegenheitsdichtung *f*; *en estas* ~*s* unter diesen Umständen; *amoldarse* (*od. adaptarse*) *a las* ~*s* s. nach den Umständen richten, s. den Verhältnissen anpassen; *poner cara de* ~*s* das passende (*od.* der Situation entsprechende) Gesicht machen; **~ciadamente** *adv.* umständlich, sehr genau; **~ciado** *adj.* umständlich, ausführlich; **~cial** *adj. c* Umstands...; den Umständen entsprechend; behelfsmäßig; vorläufig, vorübergehend; *seguridad f* ~ (nur) bedingte Sicherheit *f*; *Gram. complemento m* ~ Umstandsbestimmung *f*; **~cialmente** *adv.* vorübergehend, kurzfristig; **~ciar** *v/t.* ausführlich (*od.* umständlich) schildern; **~te I.** *adj. c* umgebend; anwesend; **II.** ~*s m/pl.* Anwesende(n) *m/pl.*
circun|valación *f* **1.** ⚔ Umwallung *f*; **2.** *carretera f de* ~ Umgehungsstraße *f*; *tranvía m de* ~ Ringbahn *f*; **~valar** *v/t.* um-geben, -ringen; **~vecino** *adj.* benachbart; **~volar** [1m] *v/t.* herumfliegen um (*ac.*); **~volución** *f a. Anat.* Windung *f*; ~ *cerebral* Hirnwindung *f*; **~yacente** *adj. c* umliegend.
cirial *kath. m* Altar-, Hand-leuchter *m*.
cirílico *adj.* kyrillisch.
cirineo *m* **1.** aus Kyrene; **2.** *fig.* Helfer *m*, Stütze *f*.
cirio *m* **1.** Altarkerze *f*; ~ *pascual* Osterkerze *f*; **2.** ⚘ *Méj.* Orgelkaktee *f*.
cirro *m* **1.** ⚘ Ranke *f*; **2.** *Biol.* Zirrus *m*; **3.** *Met.* Zirruswolke *f*.
cirrosis ⚕ *f* (*bsd.* Leber-)Zirrhose *f*.
cirrus *Met. m* Zirruswolke *f*.
cirue|la *f* Pflaume *f*, *süddt.* Zwetsch(g)e *f*; ~ *amarilla* Mirabelle *f*; ~ *pasa* Dörr-, Back-pflaume *f*; **~lo** *m* ⚘ Pflaumenbaum *m*; *fig.* F Dumm-, Schafs-kopf *m*.
ciru|gía *f* Chirurgie *f*; ~ *dental* Kieferchirurgie *f*; ~ *mayor* gr. Chirurgie *f*; ~ *plástica* plastische (*od.* wiederherstellende) Chirurgie *f*; ~ *estética* kosmetische Chirurgie *f*; ~ *traumática* Unfallchirurgie *f*; **~jano** *m* Chirurg *m*; **~jía** *f* → *cirugía*.
cis|alpino *adj.* zisalpin, diesseits der Alpen (*v. Rom aus*); **~andino** *adj.* diesseits der Anden; *Arg. región f* ~*a* Voranden(gebiet *n*) *pl.*
cisca *f* ⚘ Teich-, Schilf-rohr *n*.
cis|car [1g] P **I.** *v/t.* beschmutzen, besudeln; *Méj.* beschämen; in Wut bringen; **II.** *v/r.* ~*se* in die Hose(n)

machen (*bsd. fig.*); *fig.* V ~*se en a/c.* auf et. (*ac.*) scheißen V; **~co** *m* Kohlen-grus *m*; -staub *m*; *fig.* F Krach *m*; Radau *m* F; Krawall *m* F; *armar* ~ Streit anfangen; *hacer* ~ *et.* zertäppern F, in Klump hauen P; *quedar hecho* ~ total kaputt gehen F; total erledigt sein F (*Person*).
cisi|ón *f* (Ein-)Schnitt *m*; *Am.* Spaltung *f*, Teilung *f*; **~onar** *Pol. v/i. Pe.* Gruppen bilden.
cis|ma *m Rel.* Schisma *n*; *fig.* Spaltung *f der Meinungen*; **~mar** *v/t.* Zwietracht stiften unter (*dat.*), spalten; **~mático** *adj.-su.* schismatisch; *m* Schismatiker *m*.
cisne *m* **1.** *Zo.* (*Astr.* ♀) Schwan *m*; *a. fig. canto m de(l)* ~ Schwanengesang *m*; **2.** *lit. fig.* Dichter *m*, Musiker *m*.
cisoria *adj. f*: *arte f* ~ Tranchier-kunst *f*.
cisquero *Mal. m* Staubbeutel *m zum Durchbauschen*.
cister *kath. m* Zisterzienserorden *m*; **~ciense** *adj.-su. c* Zisterzienser (-mönch) *m*.
cisterna *f* Zisterne *f*; Wasser-behälter *m*, -wagen *m*; *Kfz. camión m* ~, 🚂 *vagón m* ~ Tankwagen *m*.
cisticerco ⚕ *m* Blasenwurm *m*.
cístico ⚕ *adj.* zystisch; *Anat. conducto m* ~ Gallenblasengang *m*.
cistitis ⚕ *f* Blasenentzündung *f*.
cisto ⚘ *m* Zistrose *f*.
cistoscopía ⚕ *f* Zystoskopie *f*.
cisura *f* Schnitt *m*; feiner Riß *m*; ⚕ Einschnitt *m*.
cita *f* **1.** Verabredung *f*; Rendezvous *n*; *acudir a una* ~ zu e-r Verabredung erscheinen; *dar (una)* ~ *a alg.* s. mit j-m verabreden; *tener* ~ *para las cinco* für fünf Uhr bestellt sein; um fünf Uhr verabredet sein; **2.** Zitat *n*; Anführung *f*, Erwähnung *f*; **~ción** *f* **1.** Zitieren *n*; ~ *de honor* ehrenvolle Erwähnung *f* (*bsd.* ⚔); **2.** ⚖ (Vor-)Ladung *f*; *cédula f de* ~ Ladungsschreiben *n*; **~dor** *adj.-su.* Zitator *m*, Zitierende(r) *m*; **~r I.** *v/t.* **1.** *zu e-r Zs.-kunft* bestellen; ⚖ vorladen; *estar ~ado* verabredet sein; ⚖ (e-n) Termin haben; **2.** zitieren; anführen, erwähnen; angeben; *la cantidad ~ada* die genannte Summe; **3.** *Stk. Stier* locken, reizen; **II.** *v/r.* ~*se* **4.** s. verabreden.
citara *f dünne* Backsteinmauer *f*.
cítara ♪ *f* Zither *f*.
citarista *c* Zitherspieler(in *f*) *m*.
citarón △ *m* Fachwerkunterbau *m*.
citatorio ⚖ *adj.*: *mandamiento m* ~ Vorladungsschreiben *n*.
citerior *adj. c* diesseitig; *hist. España f* ♀ Tarragonien *n* (*römische Provinz*).
citocromía *Typ. f* Farbendruck *m*.
cítola *f* Mühlklapper *f*.
cito|logía *f* Zytologie *f*; **~plasma** *m* Zell-, Zyto-plasma *n*; **~soma** *m* Zytosom *n*, Zellkörper *m*.
citrato ⚗ *m* Zitrat *n*.
cítrico I. *adj.* Zitronen...; ⚗ *ácido m* ~ Zitronensäure *f*; **II.** ~*s m/pl.* Zitrusfrüchte *f/pl*.
ci|trino *adj.* zitronenfarben; **~trón** *m* Zitrone *f*.
ciudad *f* Stadt *f* (*a. als Gg.-satz zum Land*); ✉ Hier *od.* am Ort (*Briefaufschrift*); ⚔ ~ *abierta* offene Stadt *f*; ~ *lineal* langgestreckte Stadtanlage *f*; ~ *jardín (marítima)* Garten- (Hafen-)stadt *f*; ~ *de lona* Zeltstadt *f*; ~ *satélite* Trabantenstadt *f*; ~ *universitaria* Universitäts-stadt *f bzw.* -viertel *n*; *la* ♀ *Condal* = *Barcelona*; *la* ♀ *de Dios* der Gottesstaat; *la* ♀ *Eterna* die Ewige Stadt (= *Rom*); *la* ♀ *Imperial* = *Toledo*.
ciudada|nía *f* **1.** Bürgertum *n*; Staatsangehörigkeit *f*; (*derecho m de*) ~ Bürgerrecht *n* (*a. fig.*); **2.** Bürgersinn *m*; **~no I.** *adj.* **1.** städtisch; **2.** bürgerlich; **II.** *m* **3.** Städter *m*; **4.** Bürger *m*; Staatsbürger *m*; ~ *del mundo* Weltbürger *m*; ~ *de honor*, ~ *honorario* Ehrenbürger *m*.
ciudadela *f* Zitadelle *f*.
ciudad|-Estado *f* Stadtstaat *m*; **~-República** *f* Stadtrepublik *f*.
cive|ta *Zo. f* Zibetkatze *f*; **~to** *Zo. m* Zibet *m*, Bisam *m*.
cívico *adj.* bürgerlich, Bürger...; national, patriotisch; *deber m* ~ Bürgerpflicht *f*; *derechos m/pl.* ~*s* bürgerliche Ehrenrechte *n/pl.*; *valor m* ~ Zivilcourage *f*.
civi|l I. *adj. c* **1.** bürgerlich, Bürger-..., Zivil...; ⚖ *acción f* ~ Zivilklage *f*; *derecho m* ~ Bürgerliches Recht *n*; *derechos m/pl.* ~*es* bürgerliche (Ehren-)Rechte *n/pl.*; *jurisdicción f* ~ Zivilgerichtsbarkeit *f*; *adv. por lo* ~ standesamtlich (*heiraten*); *matrimonio m* ~ Zivilehe *f*, standesamtliche Trauung *f*; *registro m* ~ Standesamt *n*; **2.** gesittet, kultiviert, höflich; **II.** *m* **3.** F Angehörige(r) *m* der *guardia civil*; **4.** *Am.* Zivilist *m*; **~lidad** *f* Höflichkeit *f*; Gesittung *f*; Bildung *f*; **~lismo** *m* **1.** *Pol. Am.* „Civilismus" *m*, *Bewegung gg. die pol. Macht des Militärs*; **2.** → *civismo*; **~lista** ⚖ *c* Zivilrechtler *m*.
civiliza|ble *adj. c* zivilisierbar; erziehbar; **~ción** *f* **1.** Zivilisation *f*, Kultur *f*, Gesittung *f*; Bildung *f*; **2.** Zivilisierung *f*; **~do** *adj.* zivilisiert, gesittet; gebildet; *hombre m* ~ Kulturmensch *m*; F gebildeter Mensch *m*; *mundo m* ~ Kulturwelt *f*; **~dor** *adj.-su.* Zivilisator *m*; **~r** [1f] **I.** *v/t.* zur Kultur erziehen, zivilisieren; bilden, erziehen; *Sitten* verfeinern; **II.** *v/r.* ~*se* Kultur annehmen; zivilisiert werden; feinere Sitten annehmen, zahm werden F.
civilmente *adv.* **1.** gesittet, höflich; **2.** ⚖ zivilrechtlich; *casarse* ~ s. standesamtlich trauen lassen.
civismo *m* **1.** Bürger-sinn *m*, -tugend *f*; **2.** Bürgerkunde *f*, staatsbürgerliche Erziehung *f*.
cizalla|(s) *f(/pl.)* **1.** Blech-, Metallschere *f*; ⊕ *a.* Schneidemaschine *f*; **2.** Metallspäne *m/pl.*; **~r** ⊕ *v/t.* mit der Blechschere schneiden.
ciza|ña *f* ⚘ Taumellolch *m*; *fig.* Unkraut *n*, Gift *n*; *meter (od. sembrar)* ~ → **~ñ(e)ar** *vt/i.* Zwietracht säen, Streit stiften (unter *dat.*).
cla... (*b. so beginnenden Wörtern* → *a. tla...*).
clac *m* (*pl. claques*) **1.** Klappzylinder *m*; **2.** *Art* Dreispitz *m*.
clachique *m Méj.* unvergorener Agavensaft *m*.
clamadoras *f/pl.* Schreivögel *m/pl*.
clamar *vt/i.* schreien, rufen (nach *dat. por*); bitten, flehen, jammern; ~ *al cielo* zum Himmel schreien; himmelschreiend sein; ~ *a Dios* zu Gott flehen; ~ *venganza* nach Rache schreien; ~ *en el desierto* tauben Ohren predigen.
clamidosauro *Zo. m* Mantelechse *f*.
clamo|r *m* **1.** Geschrei *n*; Jammergeschrei *n*, Klage *f*; **2.** Totengeläut *n*; **~reada** *f* → *clamor 1*; **~rear** *v/i.* **1.** schreien, jammern (nach *dat. por*); **2.** läuten (*Totenglocke*); **~reo** *m* Gejammer *n*, Gezeter *n*; Flehen *n*; **~rosa** *hist. f* Hetzjagd *f*; **~roso** *adj.* **1.** klagend, jammernd; **2.** durchschlagend (*Erfolg*).
clan *m* Clan *m*, (*bsd.* schottischer) Stammesverband *m*; *fig.* Clan *m*, Sippe *f*.
clandesti|nidad *f* Heimlichkeit *f*, Verborgenheit *f*; *Pol.* Untergrund *m*; **~nista** *m Guat.* Branntweinschmuggler *m*; **~no** *adj.* heimlich, verstohlen, geheim; Geheim..., Schwarz..., Raub...; *comerciante m* ~ Schleich-, Schwarz-händler *m*; *Rf. emisora f* ~*a* Schwarz-, Geheim-sender *m*; *impreso m* ~ **a)** unerlaubter Nachdruck *m*; **b)** subversives Druckmaterial *n*; *movimiento m* ~ Untergrundbewegung *f*.
clanga *Vo. f* Schreiadler *m*.
clangor *poet. m* (*bsd.* Trompeten-) Geschmetter *n*.
claque *Thea. f* Claque *f*.
clara[1] F *f Chi.* → *clarisa*.
clara[2] *f* **1.** Eiweiß *n*; ~ *de huevo batida* Ei(er)schnee *m*; **2.** dünne Stelle *f im Tuch*; lichte Stelle *f im Haar*; **3.** F Regenpause *f*, Aufheiterung *f*; **4.** F → *claridad*; **~boya** *f* Dachluke *f*; Oberlicht(fenster) *n*; **~mente** *adv.* verständlich; deutlich, klar; **~r** *v/t.* → *aclarar*.
clare|ar I. *v/i.* tagen, hell werden; s. aufklären (*Himmel*); s. abheben *gg. s-e Umgebung*, s. abzeichnen; aufscheinen; **II.** *v/t.* erhellen; lichten; ⚒ jäten; **III.** *v/r.* ~*se* durchsichtig (*bsd.* fadenscheinig) werden; *fig.* F s. verraten; **~cer** [2d] *v/i.* hell werden, tagen; **~o** *m* (Aus-) Lichten *n e-s Waldes*; □ Aussage *f*; **~te** *m* Rosé *m* (*Wein*).
claridad *f* **1.** Helle *f*; Licht *n*, Schein *m*; **2.** *a.* ⊕ Klarheit *f*, Reinheit *f*, Schärfe *f*; *Opt.* Bildschärfe *f*; **3.** *fig.* Klarheit *f*; Deutlichkeit *f*; Offenheit *f*; F *adv. con* ~ *meridiana* ganz klar, ganz deutlich; **4.** *Theol.* Verklärtheit *f*; **5.** ⚒ Berühmtheit *f*.
clarifica|ción *f* **1.** Klärung *f*; **2.** ⊕ (Ab-)Klärung *f*, Läuterung *f*; (Abwässer-)Klärung *f*; *instalación f de* ~ Kläranlage *f*; **~dor** ⊕ *m* Klärmittel *n*; **~r** [1g] *v/t.* **1.** ⊕ *Flüssigkeit* klären; *a. Zucker* läutern; **2.** erhellen; *fig.* aufklären, erhellen; *fig.* läutern; verklären; **3.** *Wald usw.* lichten; **~tivo** *adj.* klärend, läuternd.
clarífico *lit. adj.* strahlend, glänzend.
clarín *m* **1.** ♪ **a)** (Signal-)Horn *n*; helle Trompete *f*; **b)** Clairon *n* (*Orgelregister*); **2.** ⚔ Hornist *m*; **3.** dünne Leinwand *f*.
clari|nada *f*, **~nazo** *m* Trompeten-, Horn-signal *n*; *fig.* Warnsignal *n*; *fig.* F Unsinn *m*, Blödsinn *m* F;

~nete ♪ *m* **1.** Klarinette *f*; ~ *bajo* Baßklarinette *f*; **2.** Klarinettist *m*; **~netero** *m* Klarinettenmacher *m*; **~netista** *m* Klarinettist *m*.

clarión *m* Maler-, Tafel-kreide *f*.

clarisa *kath. adj.-su. f* Klarissin *f*; *~s f/pl.* Klarissenorden *m*.

clarividen|cia *f* Weitblick *m*; Scharfblick *m*; **~te** *adj. c* weitsichtig, weitblickend; hellhörig.

claro I. *adj.* **1.** hell (*a. Farbe*); klar, rein, durchsichtig; wolkenlos, heiter; sternklar (*Himmel, Nacht*); *Mal.* ~ *oscuro* → *claroscuro*; **2.** klar, deutlich, verständlich; offen, aufrichtig; *adv. a la(s)* ~*(s)* deutlich, unverhohlen, unverblümt; ⚕ *intervalos m/pl. ~s* lichte Momente *m/pl.*; *vista f ~a* **a)** klarer Blick *m*; **b)** klare Sicht *f*; *¡~!* natürlich!, klar!; selbstverständlich!; *¡está ~!* das (*od.* die Sache) ist klar!; ~ *está* natürlich, freilich; **3.** hell (*Stimme, Ton*); klar, rein (*Stimme*); **4.** dünn (*Gewebe, Haar*); dünn(flüssig); dünn (*Kaffee usw.*); **5.** *lit.* berühmt; **6.** *Stk.* plötzlich angreifend (*Stier*); **7.** *Equ.* ausgreifend; **II.** *adv.* **8.** klar, deutlich; *hablar* ~ deutlich (*bzw.* offen) sprechen; **III.** *m* **9.** Helle *f*, Licht *n*; ~ *de luna* Mondschein *m*; *pasar(se) la noche de* ~ *(en ~)* die Nacht schlaflos zubringen; *a.* s. die Nacht um die Ohren schlagen F (*feiern*); *poner en* ~ **a)** ins reine schreiben; **b)** klarstellen; **10.** *Mal.* Licht *n*; *meter en ~s* Lichter aufsetzen; **11.** Lücke *f*; Zwischenraum *m*; lichte Stelle *f*; unbeschriebene Stelle *f*; *fig.* weißer Fleck *m auf der Landkarte*; Lichtung *f im Wald*; **12.** Regenpause *f*, *kurze* Aufheiterung *f*; **13.** △ lichte Weite *f*; Fenster-, Tür-, (Brücken-)Bogen-öffnung *f*; Säulenweite *f*; **14.** Oberlicht *n*; **15.** *Cu.* Mazamorrabrühe *f*; *Pe. Art* (Mais-)Bier *n*; *Ven.* Zuckerrohrschnaps *m*; **16.** *fig. vestir de* ~ die Trauer(kleidung) ablegen.

claro|r *m* Schein *m*, Glanz *m*, Licht *n*; **~scuro** *Mal., Phot. m* Helldunkel *n*, *Mal.* Clair-obscur *n* (*frz.*).

clarucho F *adj. desp.* sehr dünn; *caldo m* ~ Kloßbrühe *f* F, sehr dünne Brühe *f*.

clase *f* **1.** Klasse *f* (*a. Biol.*), Abteilung *f*; Art *f*, Sorte *f*; *de buena* ~ gut, hochwertig; *de dos ~s* zweierlei; *de muchas ~s* vielerlei, allerlei; ⚚ *de primera* ~ erstklassig, erste Wahl; *Typ.* ~ *de tipo* Schriftart *f*; **2.** Klasse *f*, *soz.* Schicht *f*; Rang *m*, Stand *m*; *de baja* ~ niederer Herkunft; *~s f/pl. activas* erwerbstätige Bevölkerung *f*; ~ *media* Mittelstand *m*; ~ *médica* Ärzteschaft *f*; *lucha f de ~s* Klassenkampf *m*; **3.** *Sch.* Klasse *f*; Lehrgruppe *f*; Unterricht(sstunde *f*) *m*; *Univ.* Vorlesung *f*; (*sala f de*) ~ Klasse(nzimmer *n*) *f*; ~ *elemental* Elementar-, Anfänger-unterricht *m*; ~ *particular* Privat-unterricht *m*, -stunde *f*; *asistir a* ~ am Unterricht teilnehmen; in die Schule gehen; *dar* ~ *con alg.* bei j-m Unterricht nehmen; *dar* ~ *a alg.* j-m Unterricht geben (*od.* erteilen); *hoy no hay* ~ heute fällt der Unterricht (*Univ.* fallen die Vorlesungen) aus; **4.** 🚂, ✈, ⚓ Klasse *f*; **5.** ⚔ *~s f/pl.* Unteroffiziere *n/pl.*

clasicis|mo *m* Klassik *f*; Klassizismus *m*; **~ta** *adj.-su. c* klassizistisch; *m* Klassizist *m*.

clásico I. *adj.* klassisch; *fig.* klassisch, mustergültig; *antigüedad f ~a* klassisches Altertum *n*; **II.** *adj.-su.* (*autor m*) ~ Klassiker *m*; F *conocer sus ~s* s-e Pappenheimer kennen.

clasifica|ción *f* Einteilung *f*; Einordnung *f*, Sonderung *f in Klassen*, Einstufung *f*; Klassifikation *f*, Sortieren *n*; ⚚, ⊕ Sichten *n*, Sondern *n*; *Sch.* Zeugnis *n*, Note *f*; ~ *decimal* Dezimalklassifikation *f*; **~dor** *m* Brief-, Akten-ordner *m*; Aktenschrank *m*; ⊕ Sichter *m*, Sortierer *m*; 🖂 Briefsortierer *m* (*Person*); Briefsortierwerk *n*; **~dora** ⊕ *f* Sortiermaschine *f*; **~r** [1g] *v/t.* einordnen, sortieren, klassifizieren; ⚚, ⊕ sichten, sortieren, sondern; *Briefe* sortieren; *Briefe* ablegen; *Jgdw. Spuren* deuten.

claudia *adj.-su. f* (*ciruela f od. reina f*) ~ Reineclaude *f*.

claudica|ción *f* **1.** Nachgeben *n*, Weichwerden *n*; **2.** Pflichtvergessenheit *f*; **3.** ⚒ Hinken *n*; **~nte** *adj. c* schwankend; hinkend; **~r** [1g] *v/i.* **1.** s. zweideutig verhalten; s-e Überzeugung verraten; gg. s-e Pflicht verstoßen; **2.** hinken (*a. fig., z. B. Vergleich*); **3.** wanken, nachgeben; umfallen (*fig.* F).

claus|tra *f* Säulen-, Kreuz-gang *m*; **~tral** *adj. c* klösterlich, Kloster...; **~trillo** *m* Sitzungssaal *m e-r Universität*; **~tro** *m* **1.** Kreuzgang *m*; **2.** *fig.* Kloster(leben) *n*; **3.** ~ (*de profesores*) *engerer* Lehrkörper *m* (*Univ., a. Schule*); **4.** *lit.* ~ *materno* Mutter-leib *m*, -schoß *m*; **~trofobia** ⚕ *f* Platzangst *f*.

cláusula *f* **1.** ⚖ Klausel *f*, Bestimmung *f*; ~ *de adhesión* (*de arbitraje*) Beitritts- (Schieds-)klausel *f*; ~ *de escape*, ~ *escapatoria* Ausweichklausel *f*; ~ *de (la) nación más favorecida* Meistbegünstigungsklausel *f*; ~ *penal* (*contractual*) Konventionalstrafe *f*, Strafklausel *f*; ~ *testamentaria* testamentarische Bestimmung *f*; **2.** *Rhet.* Klausel *f*; *Gram.* Satz *m*, Periode *f*; *p. ext.* ⚒ Wendung *f*, Redensart *f*; ~ *absoluta* Ablativus *m* absolutus; ~ *compuesta* zs.-gesetzter Satz *m*; Satzgefüge *n*; ~ *simple* einfacher Satz *m*.

clausula|do I. *adj.* in kurzen Sätzen abgefaßt; **II.** *m* ⚖ Klauseln *f/pl.*, Vertragsbestimmungen *f/pl.*; **~r** *v/t.* **1.** *den Satz* abschließen; *p. ext.* abschließend sagen; **2.** ⚖ verklausulieren, durch Bedingungen sichern.

clausura *f* **1.** Abschluß *m*, Schluß *m*; Sperrung *f*, Schließung *f*; *ceremonia f de* ~ (Ab-)Schluß-feier *f*, -veranstaltung *f*; *sesión f de* ~ Schlußsitzung *f*; **2.** *kath. u. fig.* Klausur *f*; **~r** *v/t.* **1.** *Tagung, Sitzung usw.* (ab)schließen; **2.** *Geschäft usw.* (von Amts wegen) schließen.

clava *f* Keule *f* (*Waffe*); **~do I.** *part.-adj.* **1.** ver-, ge-nagelt; **2.** *fig.* F *¡~!* genau so!; *¡como ~!* **a)** wie angegossen!; **b)** wie gerufen!; *fig. dejarle a uno* ~ j-n mit offenem Mund dastehen lassen, j-n verblüffen; *es su padre* ~ er ist dem Vater (wie) aus dem Gesicht geschnitten; **II.** *m* **3.** Nagelung *f*; **~dura** *Equ. f* Hufverletzung *f durch e-n Hufnagel*; **~r I.** *v/t.* **1.** ver-, zunageln; (fest-, ein-, an-)nageln; beschlagen; *Edelsteine* fassen; *Pfahl usw.* ein-rammen, -schlagen; *Nagel* einschlagen; *Nadel* einstechen; *Dolch* hineinstoßen; *Dolchstoß* versetzen; ~ *en la cruz* ans Kreuz schlagen (*od.* heften) (*a. fig.*); ~ *en* (*od. a*) *la pared* an die Wand nageln; F *ahí le tienes clavado* er wankt u. weicht nicht, der ist nicht wegzukriegen F; **2.** *Blick usw.* richten, heften (auf *ac.* en); ~ *los ojos en alg.* j-n scharf (*bzw.* starr) ansehen; **3.** F hereinlegen F, übervorteilen, anschmieren F; **4.** *Sch. Fragen* richtig beantworten, *Aufgaben* lösen; **II.** *v/r.* *~se* **5.** eindringen (*Splitter, Dorn*); *se me ha clavado* (*od. me he clavado*) *una astilla en la mano* ich habe mir e-n Splitter in die Hand eingezogen; *fig. se me ha clavado en el alma* es hat mich tief getroffen; **6.** *Am. clavárselas* s. betrinken.

clavario *m* Schlüsselmeister *m in versch. kath. Orden*.

clavazón *f* **1.** Beschlag *m an Türen usw.*; ⚓ *a.* Verbolzung *f*; **2.** Beschlagnägel *m/pl.*

clave I. *f* **1.** △ Schlußstein *m* (*Gewölbe, Bogen*); *fig. echar la* ~ *a* (*od. de*) *et.* abschließen; **2.** Code *m zu verschlüsselten Texten*; ~ *telegráfica* Telegrammschlüssel *m*, Code *m*; **3.** *fig.* Schlüssel *m*, Aufschluß *m*; Lösung *f*; F *no dar con la* ~ nicht dahinterkommen F; ~ *de un enigma* Lösung(swort *n*) *f*; **4.** Lösungsheft *n*, Schlüssel *m zu Aufgaben*; **5.** *nachgestellt*: Schlüssel...; *posición f* ~ Schlüsselstellung *f*; **6.** ♪ Notenschlüssel *m*; ~ *de do* C-Schlüssel *m*; ~ *de do en 3ª línea* Altschlüssel *m*; ~ *de fa* F-Schlüssel *m*, Baßschlüssel *m*; ~ *de sol* G-Schlüssel *m*, Violinschlüssel *m*; **II.** *m* **7.** Klavichord *n*.

clave|l ⚘ *m* Nelke *f*; **~lina** ⚘ *f* → *clavellina*; **~lón** ⚘ *m* Studenten-, Toten-blume *f*, Stinknelke *f*; **~llina** ⚘ *f* Bartnelke *f*.

claveque *Min. m* belgischer Bergkristall *m*.

clavera *f* Nagelloch *n*; ⊕ Nageleisen *n*, -form *f*.

clave|ría *f* Schlüsselmeisteramt *n*; *Méj.* Domrent(en)amt *n*; **~ro**[1] *m* Schließer *m*; *kath.* → *clavario*.

clavero[2] ⚘ *m* Gewürznelkenbaum *m*.

clavero[3] *m Méj.* Kleiderrechen *m*.

clavete ♪ *m* Plektron *n*.

clavetear *v/t.* **1.** (ver)nageln; mit Nägeln beschlagen; ⊕ verkeilen; **2.** *fig.* fest abschließen (*z. B. Geschäft*).

clavi|címbalo ♪ *m* Cembalo *n*; **~cordio** ♪ *m* Klavichord *n*.

cla|vícula *Anat. f* Schlüsselbein *n*; **~vicular** *adj. c* Schlüsselbein...

clavi|ja *f* **1.** Stift *m*, Bolzen *m*, Zapfen *m*, Dübel *m*; Splint *m*; ⚡ Stöpsel *m*, Stecker *m*; *Tel.* ~ *de conexión* Verbindungsstöpsel *m*; ~ *maestra* Span-, Deichsel-nagel *m*; ⊕ *juntar con ~s* verdübeln; **2.** ♪

Wirbel *m* (*Saiteninstrument*); *fig. apretar las ~s a alg.* j-m hart zusetzen, j-n unter Druck setzen; **~jero** *m* **1.** ♪ Wirbelkasten *m*; **2.** Kleiderrechen *m*; **3.** *Tel.* Stöpselschrank *m*.

clavillo *m* **1.** (Scheren-, Fächer-, Scharnier- *usw.*) Stift *m*; Dorn *m e-r Schnalle*; **2.** ⚘ Gewürznelke *f*.

claviórgano ♪ *m* Orgelklavier *n*.

clavo *m* **1.** Nagel *m*, ⚓ Spieker *m*; *~ baladí* kl. Hufnagel *m*; *~ de ala de mosca* Hakennagel *m*; *fig.* F *de ~* **a)** offensichtlich; **b)** leicht ausführbar; (*ahí está od. ahí le tienes*) *como un ~* (*je nach Situation*): (da ist) er (und) wankt u. weicht nicht; man wird ihn nicht los; er geht e-m auf die Nerven; er ist nicht zu erschüttern; pünktlich wie immer; *agarrarse a un ~ ardiente* nach e-m Strohhalm greifen, alles mögliche tun, um s. zu helfen; F (*ser capaz de*) *clavar un ~ con la cabeza* mit dem Kopf durch die Wand gehen; *fig. dar en el ~* den Nagel auf den Kopf treffen; *fig.* F *dar una en el ~ y ciento en la herradura* oft daneben- (*od.* vorbei-)hauen F; *fig. remachar el ~* s. in e-n Irrtum verrennen; immer wieder die gleichen (*mst.* falschen) Argumente vorbringen; *¡por los ~s de Cristo!* (*od. burl. de una puerta vieja!*) um Himmels willen!; *un ~ saca otro* e-e Sorge verdrängt die andere; **2.** Plage *f*, Kreuz *n* (*fig.*), ständige Sorge *f*; **3.** ⚕ **a)** Eiterpfropf(en) *m*; **b)** Hühnerauge *n*; **c)** Tampon *m zur Drainage*; **4.** *vet.* Fesselgeschwulst *f der Pferde*; **5.** *~* (*de especia*) Gewürznelke *f*; *Am. versch. andere Gewürzsorten*; *esencia f de ~* Nelkenöl *n*; **6.** *Am. Reg.* lächerlicher *bzw.* unerträglicher Mensch *m*; **7.** *Chi.*, *Rpl.* Ladenhüter *m*; **8.** *Am. Reg.* Einpesostück *n*; **9.** *Bol.* Fundort *m* von Edelmetall.

claxon *engl. m* (Auto-)Hupe *f*, (Signal-)Horn *n*; *tocar el ~* hupen.

clearing ✝ *engl. m* Clearing *n*, Verrechnung(sverkehr *m*) *f*.

clemátide ⚘ *f* Klematis *f*, Waldrebe *f*; *in Span. bsd.* weiße Waldrebe *f*.

clemen|cia *f* Milde *f*; Gnade *f*, Güte *f*; **~te** *adj. c* mild(e) (*a. Klima*); nachsichtig, gütig; **~tina** ⚘ *f* Klementine *f* (*Mandarine*).

clepsidra *f* Klepsydra *f*, Wasseruhr *f*.

clep|tomanía *f* Kleptomanie *f*; **~tomaníaco**, **~tómano** *adj.-su.* kleptomanisch; *m* Kleptomane *m*.

clerecía *f* Geistlichkeit *f*, Klerus *m*; Priester-tum *n*, -schaft *f*.

clergyman *Angl. m* Koller *m der Geistlichen*.

cleri|cal *adj. c* geistlich; klerikal; **~calismo** *m* Klerikalismus *m*; *desp.* Pfaffenherrschaft *f*; **~cato** *m*, **~catura** *f* geistlicher Stand *m*, Priesterwürde *f*; **~galla** *desp. f* Klerisei *f*, Pfaffen *m/pl.*

clérigo *m* Geistliche(r) *m*; Kleriker *m* (*nur kath.*); *~ de cámara* päpstlicher Ehrenkämmerer *m*; *~ de menores* Abbé *m*; *~ regular* Ordensgeistliche(r) *m*; *~ secular* Weltgeistliche(r) *m*.

cleri|guicia *desp. f* Pfaffen *m/pl.*; **~zón** *m gelegl.* Chorknabe *m*; **~zonte** *m desp.* Pfaffe *m*; † Laie *m*, der geistliche Gewandung trug.

clero *m* Klerus *m*, (*kath.*) Geistlichkeit *f*; *~ alto* (*bajo*) hohe (niedere) Geistlichkeit *f*; *el ~ joven* die junge Priestergeneration *f*, die jungen Priester *m/pl.*; *~ regular* (*secular*) Regular- (Säkular-)klerus *m*.

clic, clac *onom.* klitsch, klatsch (*Schlag, Peitschenknall*).

cliché *m* **1.** Klischee *n*, abgedroschene Redensart *f*, Gemeinplatz *m*; **2.** *Typ.* → *clisé*.

cliente *m* **1.** ✝ Kunde *m*; ⚕ Patient *m*; ⚖ Mandant *m*; Klient *m*; **2.** *hist.* Klient *m*; *fig.* Schützling *m*; **~la** *f* ✝ Kundschaft *f*; *Rechtsanwalt, Arzt*: Praxis *f*; *~ fija* (*de paso*) Stamm- (Lauf-)kundschaft *f*; *tener mucha ~* e-n großen Kundenkreis (⚕, ⚖ e-e große Praxis) haben.

clima *m* **1.** Klima *n*; *~ de altura* Höhen-, Gebirgs-klima *n*; **2.** *fig.* Klima *n*, Atmosphäre *f*, Stimmung *f*; **3.** Himmelsstrich *m*, Land *n*, Gegend *f*, Zone *f*; **~térico** *adj.* ⚕ klimakterisch; *fig.* kritisch, bedenklich; *año m ~* kritisches Lebensjahr *n*; **~terio** ⚕ *m* Klimakterium *n*, Wechseljahre *n/pl.*

climático *adj.* klimatisch, Klima...; *estación f ~a* Luftkurort *m*.

clima|tización *f* Klimatisierung *f*; *instalación f de ~* → **~tizador** *m* Klimaanlage *f*; **~tología** *f* Klimatologie *f*, Klimakunde *f*; **~tológico** *adj.* klimatologisch; klimatisch (bedingt); **~toterapia** ⚕ *f* Klima-behandlung *f*, -therapie *f*.

clímax *m* (*pl. inv.*) *Rhet.* Klimax *f*, Steigerung *f*; *Lit.* Höhepunkt *m*.

clíni|ca *f* **1.** Klinik *f*, Krankenhaus *n*; *~ obstétrica*, *~ ginecológica* Frauenklinik *f*; *~ de urgencia* Unfallkrankenhaus *n*; -station *f*; **2.** klinische Medizin *f*; **~co I.** *adj.* klinisch; *fig. ojo m ~* kritischer Blick *m*; Scharfblick *m*; **II.** *m* Kliniker *m*, praktizierender Arzt *m*.

clinómetro *m* Klinometer *n*, Neigungsmesser *m*.

clinoterapia *f* klinische Therapie *f* (*od.* Behandlung *f*); Bettruhe *f*.

clip *m* (Ohr-, Haar- *usw.*)Clip *m*; Büro-, Brief-klammer *f*.

clíper *m* (*pl. ~es*) ⚓ Klipper *m*; ✈ Clipper *m*.

cli|sado *Typ. m* Klischierung *f*; **~sar** *Typ. v/t.* klischieren; **~sé** *m Typ.* Klischee *n*, Stereotypplatte *f*; *Phot.* Negativ *n*; **~ses**, **~sos** □ *m/pl.* Augen *n/pl.*

cliste|l, **~r** ⚕ *m* Klistier *n*, Einlauf *m*; **~rizar** [1f] *v/t.* e-n Einlauf machen (*dat.*).

clitómetro *m* Neigungsmesser *m*, Klitometer *n*.

clítoris *Anat. m* Klitoris *f*, Kitzler *m*.

clivoso *lit. adj.* geneigt, abschüssig.

clo *onom.*: *hacer ~, ~* gackern, glucken (*Henne*).

cloaca *f* Kloake *f* (*a. Zo.*, ⚕).

cloasma ⚕ *m* Chloasma *n*, Leberflecken *m/pl.*

clocar [1g *u.* 1m] → *cloquear*.

clónico ⚕ *adj.* klonisch.

cloque *m* Bootshaken *m*; Fischhaken *m*, -speer *m* (*b. Thunfischfang*).

cloque|ar *v/i.* glucken, locken (*Henne*); **~o** *m* Glucken *n*, Locken *n der Henne*; **~ra** *f* Brutzeit *f der Vögel*.

clora|l ⚗ *m* Chloral *n*; **~r** *v/t.* chlor(ier)en, mit Chlor versetzen; **~to** ⚗ Chlorat *n*; *~ potásico* (*sódico*) Kalium- (Natrium-)chlorat *n*.

clor|hídrico ⚗ *adj.*: *ácido m ~* Salzsäure *f*; **~ita** *Min. f* Chlorit *n*; **~ización** *f* Chlor(ier)en *n*, *bsd. des Wassers*.

cloro ⚗ *m* Chlor *n*; *~ gaseoso* Chlorgas *n*; **~fíceas** ⚘ *f/pl.* Grünalgen *f/pl.*; **~fila** *f* Chlorophyll *n*, Blattgrün *n*; **~formización** *f* Chloroformierung *f*; **~formizar** [1f] *v/t.* chloroformieren; **~formo** ⚗ *m* Chloroform *n*; **~sis** ⚕ *f* Bleichsucht *f*, Chlorose *f*; **~so** *adj.* chlorig, chlorhaltig.

clorótico ⚕ *adj.* bleichsüchtig.

cloruro ⚗ *m* Chlorid *n*, salzsaures Salz *n*; *~ de cal(cio)* Chlorkalk *m*; *~ de amonio* Salmiak *m*; *~ etílico* Chloräthyl *n*; *~ de potasio*, *~ potásico* Chlorkalium *n*; *~ de sodio*, *~ sódico* Kochsalz *n*.

clown *engl. m* Clown *m*, Spaßmacher *m*.

clu|b *m* (*pl. ~s*) Klub *m*; *Aero* ♀ Luftfahrtverein *m*; *~ alpino* Alpenverein *m*; *~ de fútbol* Fußball-verein *m*, -klub *m*; *~ de natación* (*náutico*) Schwimm- (Yacht-)klub *m*; *~ nocturno* Nachtlokal *n*; **~bista** *c* Klubmitglied *n*.

clue|ca *adj.-su. f*: (*gallina f*) *~* Glucke *f*; *fig.* F *ponerse como una gallina ~* s. aufplustern (*fig.*), gakkern (*fig.*) *wie e-e Henne, die ein Ei gelegt hat*.

cluniacense *adj. c -su. m* Kluniazenser(mönch) *m*.

coa[1] *f Am.* **1.** † ⚒ Grabstock *m der Indianer*; **2.** *Méj.* Spaten *m*.

coa[2] *onom. f Am. versch. Baumvögel der Gattung „Trogon"*; *Chi. Art* Baumeule *f*; *fig. Chi.* Gaunersprache *f*.

coac|ción *f bsd.* ⚖ Zwang *m*, Nötigung *f*; *~ electoral* Wahlbehinderung *f*; **~cionar** *v/t.* zwingen, e-n Zwang ausüben auf (*ac.*), nötigen.

coacreedor ⚖, ✝ *m* Mitgläubiger *m*.

coactivo *adj.* Zwangs...; *bsd.* ⚖ *procedimiento m ~* Zwangsverfahren *n*; *medios m/pl. ~s* Zwangsmittel *n/pl.*

coacusado *m* Mitangeklagte(r) *m*.

coadjuto|r *m bsd. ecl.* Koadjutor *m*, Hilfsgeistliche(r) *m*; **~ría** *f* Koadjutorstelle *f*.

coadministrador *m* Koadministrator *m e-s Bischofs*, Generalvikar *m*.

coadqui|rente *m* Miterwerber *m*; **~rir** [3i] *v/t.* miterwerben; **~sición** *f* Miterwerb(ung *f*) *m*, Mitkauf *m*.

coadunar *v/t.* vereinigen; beimischen.

coadyu|torio *adj.* mithelfend, hilfreich; **~vante** *adj. c* mithelfend, unterstützend; **~var** *v/i.* (*a, en*) mithelfen (bei *dat.*); s-e Unterstützung geben (*dat.*); *~ a* unterstützen (*ac.*), beitragen zu (*dat.*).

coagente *adj.-su. c* mit(be)wirkend; ⚗ *sustancia f ~* unterstützendes Agens *n*.

coagula|ble *adj. c* gerinnungsfähig; **~ción** *f* Gerinnen *n*, Gerinnung *f*; **~nte** *m* Gerinnungsmittel *n*, Koa-

gulans *n*; **~r I.** *v/t.* zum Gerinnen bringen, ausflocken; **II.** *v/i. u.* ~se *v/r.* gerinnen.
coágulo *m* Gerinnsel *n*, Koagulum *n*; ~ de sangre Blutgerinnsel *n*.
coai|ta, ~tá *Zo. m* schwarzer Klammeraffe *m*.
coala *Zo. m* Koala *m*, Beutelbär *m*.
coali|ción *f* Bund *m*, Bündnis *n*; *Parl.* Koalition *f*; gobierno *m* de ~ Koalitionsregierung *f*; **~cionar** *v/i.* koali(si)eren, s. verbünden; **~cionista** *adj.-su. c* Koalitions...; *m* Mitglied *n* e-r (*od.* der) Koalition; **~garse** *gal. v/r.* s. verbünden, koalieren.
coaptación *Chir. f* Koaptation *f*, Einrichten *n von Knochenbruchstücken.*
coarrenda|dor, ~tario *m* Mitpächter *m.*
coarta|ción *f* **1.** Ein-, Be-schränkung *f*; **2.** Zwang *m*, Erzwingung *f* (*bsd.* ⚖); **~da** ⚖ *f* Alibi *n*; probar la ~ sein Alibi nachweisen; **~r** *v/t.* **1.** ein-schränken, -engen, hemmen; **2.** zwingen.
coatí *Zo. m Am.* Koati *m*.
coautor *m* Mit-autor *m*, -verfasser *m*; ⚖ Mittäter *m*.
coaxial *adj. c* koaxial.
coba¹ F *f* Schmeichelei *f*, Schmus *m* F; dar ~ a alg. j-m um den Bart gehen, j-m Honig ums Maul schmieren F.
coba² *f Marr.* Sultanszelt *n*; *mohammedanisches* Heiligengrab *n*; *p. ext.* (Gebäude *n* mit) Kuppel *f*.
cobalto *Min. m* Kobalt *n*; flor *f* de ~ Kobaltblüte *f*.
cobar|de I. *adj. c* **1.** feige; **2.** gemein, hinterhältig; **II.** *m* **3.** Feigling *m*, Memme *f*, Jammerlappen *m* F; **~demente** *adv.* feige; **~día** *f* Feigheit *f*; Niedertracht *f*.
coba|ya *f*, **~yo** *m Zo.* Meerschweinchen *n*.
cober|tera I. *f* **1.** (Topf-) Deckel *m*; **2.** *fig.* Kupplerin *f*; **II.** *adj.*: pluma *f* ~ Deckfeder *f der Vögel*; **~tizo** *m* **1.** Schuppen *m*, Hütte *f*; ✈ *a.* Hangar *m*; **2.** Schutzdach *n*; Vordach *n*; **~tor** *m* Bett-, Über-decke *f*; **~tura** *f* **1.** Bedeckung *f*, Decke *f*; Überzug *m*; **2.** †, *Vers.* Deckung *f*; ~ oro Golddeckung *f*; **3.** *prov.* Überdecke *f*.
cobez *Vo. m* (*pl.* ~eces) *Art* Falke *m*.
cobi|ja *f* **1.** Firstziegel *m*; **2.** Schutz-, Dunen-feder *f am Ansatz der Schwanz- u. Schwungfedern der Vögel*; **3.** *prov.* kurzer Frauenschleier *m*; **4.** *Reg.* Bedeckung *f*, Deckel *m*, Decke *f*; **5.** *Am.* Bettzeug *n*, -decke *f*; Mantel *m*, Umhang *m*; **6.** *Ant.* (Schutz-)Dach *n*; **~jamiento** *m* **1.** Zudecken *n*; **2.** Unterbringung *f*; *fig.* Unterschlupf *m*; **~jar I.** *v/t.* **1.** be-, zudecken; **2.** beherbergen; Unterschlupf gewähren (*dat.*), aufnehmen; *fig. Gedanken usw.* hegen; **II.** *v/r.* ~se **3.** in Deckung gehen (*a.* ⚔); s. unterstellen; (e-n) Unterschlupf finden; Zuflucht suchen (bei *dat.* con, en); **~jo** *m* Unterschlupf *m*; Höhle *f von Tieren.*
cobista F *c* Schmeichler *m*, Schöntuer *m.*
cobla *f* **1.** ♪ *Cat.* Sardanakapelle *f*; **2.** † *Lit.* ma. Dichtungsform *f*.
cobo *m Ant.* **1.** Riesenmuschel *f*; **2.** Muschelhorn *n*.
cobra¹ *Zo. f* Kobra *f*.
cobra² *f* Stutengespann *n zum Dreschen*; Jochriemen *m* (*Ochsen*).
cobra³ *Jgdw. f* Apport *m*.
cobra|ble *adj. c*, **~dero** *adj.* einziehbar (*Geldforderung*); zahlbar, eintreibbar (*Zahlung*); **~dor I.** *adj.-su. m Jgdw.* (perro *m*) ~ für den Apport abgerichteter Hund *m*; **II.** *m* † Kassierer *m*, Kassenbote *m*; *Vkw.* Schaffner *m*; mozo *m* ~ Zahlkellner *m*; **~nza** *f* **1.** (Steuer-)Erhebung *f*, Einziehung *f*; † Eintreibung *f*, Einkassieren *n*, Inkasso *n*; **2.** *Jgdw.* Einbringen *n* der Strecke; **3.** ✂ ↗ Ernte *f*, Lese *f*; **~r I.** *v/t.* **1.** einziehen, (ein)kassieren; (ab-) verlangen, fordern (von *dat.* a); *Scheck* einlösen; *Schulden, Steuern* eintreiben; *Gehalt* beziehen, verdienen; *Spenden* sammeln; ¿cuánto cobras al mes? wieviel verdienst du im Monat?; ~ lo suyo nicht zu kurz kommen; erhalten, was e-m zusteht; **2.** erlangen, bekommen; ✈ ~ altura Höhe gewinnen; ~ fama de estafador in den Ruf e-s Hochstaplers kommen; **3.** *Neigung, Gefühl* bekommen, empfinden; ~ ánimo (neuen) Mut fassen (*od.* bekommen); ~le afición (*od.* cariño) a alg. j-n liebgewinnen; ~le odio a alg. j-n (allmählich) hassen; **3.** *Jgdw.* **a)** *Wild* erlegen; **b)** zur Strecke bringen; ~ muchas piezas e-e große (*od.* gute) Strecke haben; **4.** (*Obst-*) *Ernte* einsammeln; **5.** *Seil, Strick* **a)** anziehen; **b)** ein-ziehen, -holen; **II.** *vt/i.* **6.** (Prügel) beziehen, (etwas) abkriegen; (le advierto) que va a ~ passen Sie auf, Sie kriegen (et)was ab; **7.** kassieren; *zum Kellner*: ¿quiere ~? ich möchte zahlen!; (Ober,) bitte zahlen!; **III.** *v/r.* ~se **8.** s. bezahlt machen; auf s-e Kosten kommen; ~se (de) s. schadlos halten (an *dat.*); ¡cóbrese! ziehen Sie den (entsprechenden) Betrag ab!; **9.** eingehen (*Betrag*); **10.** wieder zu s. kommen; † s. erholen (*Kurse usw.*); **~torio** *adj.* Einkassierungs...; † cuaderno *m* ~ Inkassokladde *f*.
cobre *m* **1.** Kupfer *n*; ~ amarillo Messing *n*; ~ (en) bruto Rohkupfer *n*; ~ negro Roh-, Schwarz-kupfer *n*; ~ quemado Kupfervitriol *n*; ~ rojo, ~ puro reines Kupfer *n*, Rotkupfer *n*; ~ verde Malachit *m*; (mineral *m* de) ~ Kupfererz *n*; *fig.* batir(se) el ~ s. gewaltig anstrengen; batirse el ~ hart auf hart gehen, rauh zugehen; **2.** Kupfer-münze *f*; -geld *n*; Kupfergeschirr *n*; (grabado *m* en) ~ Kupferstich *m*, Radierung *f*; **3.** ♪ ~s *m/pl.* Blech *n* (= *Blechinstrumente*); **~ado** *m* Verkupferung *f*; Kupfer- (*a.* Messing-)überzug *m*; **~ño** † *adj.* kupfern.
cobrizo *adj.* kupferhaltig; kupferfarben; raza *f* ~a rote Rasse *f*.
cobro *m* Erhebung *f* (*Gebühren*); Einziehung *f*, Beitreibung *f* (*Schulden, Summen, Steuern*); Einlösung *f* (*Scheck*); † Inkasso *n*; ~s *m/pl.* atrasados, ~s pendientes Außenstände *m/pl.*; de difícil ~ schwer einzutreiben(d); de ~ dudoso notleidend (*Wechsel*); presentar al (*od.* para el) ~ zum Inkasso vorlegen.
coca¹ *f* **1.** ⚘ Koka *f*; Kokablätter *n/pl.*; ~ (de Levante) Kockels-, Fisch-korn *n* (*Beere*); **2.** → cocacola; **3.** F, □ Kokain *n*, Koks *m* P, □.
coca² *f* **1.** kl. Beere *f*; **2.** F Kopf *m*, Dassel *m* F; F Nasenstüber *m*; Kopfnuß *f*; **3.** *Méj.* de ~ **a)** umsonst, vergeblich; **b)** umsonst, gratis; **4.** ⚓ Kink *f* (= *Schlinge im Tau, Knick in e-r Stahltrosse*).
coca³ *f Reg.* (*bsd.* flacher Obst-) Kuchen *m*.
coca⁴ ⚓ *Ma. f* Kogge *f* (*Schiff*).
coca(-)cola *f* Coca-Cola *f*, *n* (*Getränk, Wz.*); los "coca-colas", los "cocacolos" die „Coca-Cola-Trinker", *burl., desp.* für die junge Generation.
cocada *f And., Méj., Ven.* Kokosnußkonfekt *n*.
coca|ína *pharm. f* Kokain *n*; **~inomanía** *f* Kokainsucht *f*; **~inómano** *adj.-su.* kokainsüchtig; *m* Kokainsüchtige(r) *m*.
cocal *m* **1.** *And.* Koka-strauch *m*; -pflanzung *f*; **2.** *Am. Cent., Ant., Col., Ven.* Kokospalmenwald *m*.
cocar [1g] **I.** *v/i.* Gesichter schneiden; **II.** *v/t. j-n* verwöhnen; *j-m* schmeicheln.
cóccidos *Ent. m/pl.* Schildläuse *f/pl.*
coc|cígeo *Anat. adj.* Steißbein...; **~cinela** *Ent. f* Marienkäfer *m*; **~cíneo** 📖 *adj.* purpurn, hochrot.
cocción *f bsd.* ⚗ *u. pharm.* Ab-, Aus-kochen *n*; Sud *m*, Abkochung *f*; cámara *f* de ~ Sudhaus *n* (*Brauerei, pharm.*).
cocea|dor *adj.-su.* ausschlagend; *m* Schläger *m* (*Pferd*); **~dura** *f*, **~miento** *m* Ausschlagen *n* (*Reit-, Zug-tier*); Tritt(verletzung *f*) *m*; **~r** *v/i.* ausschlagen (*Pferd, Tier*); *fig.* widerspenstig sein, s. widersetzen.
coce|dero I. *adj.* kochbar, leicht zu kochen(d); **II.** *m* Koch-, Back-stube *f*; Mostsiederei *f*; Gärkeller *m* (*Weinbereitung*); **~dizo** *adj.* → cocedero; **~dor** *m* **1.** Mostsieder *m*; Kocher *m*, Gefäß *n* zum Aufkochen; **2.** Koch-; Back-stube *f*; **~dura** *f* Kochen *n*; **~huevos** *m* (*pl. inv.*) Eierkocher *m*.
cocer [2b *u.* 2h] **I.** *v/t.* **1.** (auf-) kochen, sieden; *Brot, Kuchen* backen; *Äpfel* braten; ⚕ *Instrumente* aus-kochen *bzw.* -glühen; *Kchk.* ~ al vapor dämpfen; **2.** *Kalk, Ton, Ziegel* brennen; *Flachs* wässern; **3.** *Bier* brauen; **4.** P verdauen; **5.** (reiflich) überlegen; **II.** *v/i.* **6.** kochen, sieden; a medio ~ halb-gar, -roh; schlecht gebrannt (*Ton, Ziegel*); **7.** gären; *fig.* gären, brodeln; **8.** ⚕ reif werden, (anfangen zu) eitern (*Geschwür*); **III.** *v/r.* ~se **9.** sehr leiden, s. verzehren, s. aufreiben; *fig.* se me cocían los sesos mir rauchte der Kopf; **10.** *fig.* braten, gebraten werden *vor Hitze* (*Person*); **11.** *fig.* F ausgeheckt (*od.* ausgebrütet) werden F.
cocido I. *part.-adj.* gekocht, gesotten; gar; gebrannt (*Ton*); ~ (al horno) gebacken; bien ~, muy ~ recht gar, gut durch F, mürb(e);

medio ~ halbgar; *fig. estar muy* ~ *en a/c.* et. sehr gut kennen (*od.* wissen), sehr beschlagen sein in et. (*dat.*); **II.** *m Kchk.* Eintopf *m aus Fleisch, Gemüse, Kichererbsen, Kartoffeln, Speck u. chorizos.*

cociente ⅍ *m* Quotient *m.*

cocimiento *m* **1.** (Ab-)Kochen *n*; *bsd.* ⚕ Auskochen *n*; **2.** Absud *m*, Abkochung *f.*

coci|na *f* **1.** Küche *f*; ~ *de a bordo* ⚓, ✈ Bordküche *f*, ⚓ Kombüse *f*; ⚔ ~ *de campaña* Feldküche *f*; ~-*sala de estar* Wohnküche *f*; **2.** Küche *f*, Kochkunst *f*; ~ *española* spanische Küche *f*; ~ *casera* bürgerliche Küche *f*, Hausmannskost *f*; ~ *de dieta*, ~ *dietética* Diätküche *f*; *libro m de* ~ Kochbuch *n*; **3.** Herd *m*, Kocher *m*; ~ *económica* (*eléctrica*) Spar- (Elektro-)herd *m*; **~nar I.** *vt/i.* kochen; **II.** *v/i. fig.* F s. in Dinge hineinmischen, die e-n nichts angehen; **III.** *v/r.* ~*se Am.* gar (*od.* weich) werden; **~near** F *v/i. abs.* s. um Küchenangelegenheiten kümmern; **~nera** *f* Köchin *f*; **~nería** *f Chi., Pe.* Garküche *f*; **~nero** *m* Koch *m*; ~ *jefe* Chefkoch *m*, Küchenchef *m*; ~ *mayor* Oberkoch *m*; *hist.* kgl. Küchenmeister *m*; *fig.* F *haber sido* ~ *antes que fraile* das Metier verstehen, kein Neuling sein.

cocini|lla, ~ta *f* Öfchen *n*; (Spiritus-)Kocher *m.*

cóclea *f* **1.** *Phys.* Wasserschraube *f*, archimedische Schraube *f*; ⊕ Baggerlöffel *m*, Becher *m*; **2.** *Anat.* Gehörschnecke *f.*

coco[1] *m* **1.** Kokosnuß *f*; harte Kokosnußschale *f*; *Am. a.* Gefäß *n daraus*; ~ (*de Indias*) Kokospalme *f*; ~ *de Levante* Kockelskörnerstrauch *m*; **2.** F *Am.* Kokain *n*, Koks *m* P, □; **3.** *tex. Pe.* Perkal *m*; **4.** *Col., Ec.* steifer Hut *m.*

coco[2] *m* **1.** *Ent.* (Obst-, Getreide-) Wurm *m*; Schädling *m*; **2.** ⚕ Kokkus *m*; ~*s m/pl.* **a)** Kokken *m/pl.*; **b)** *Kockelskörner als* Rosenkranzperlen *f/pl.*; **c)** F *Cu.* Dollars *m/pl.*

coco[3] *onom. m* **1.** F Kopf *m*, Schädel *m* F, Birne *f* P; *fig.* Verstand *m*, Grips *m* F; *P. Ri. dar en el* ~ den Nagel auf den Kopf treffen; **2.** *Méj.* Schorf *m*, *bsd. am Mund.*

coco[4] *m* **1.** Popanz *m*, Kinderschreck *m*; *hacer el* ~ den schwarzen Mann spielen; *tener que hacer el* ~ zum Buhmann abgestempelt werden; **2.** Fratze *f*, Grimasse *f*; *hacer* ~*s* Grimassen schneiden; *hacer(se)* ~*s* mitea. liebäugeln, s. verliebte Blicke zuwerfen.

coco[5] *Vo. m Cu.* weißer Ibis *m*; *Méj., Am. trop.* grauer Ibis *m.*

cocó *m Cu.* Weißerde *f* (*Art Naturzement*).

coco|bálsamo *m* Frucht *f* des Balsambaums; **~bolo** ⚘ *m C. Ri. Art* Affenbrotbaum *m* (*Hartholz*).

cocodrilo *m* **1.** Krokodil *n*; *fig. lágrimas f/pl. de* ~ Krokodilstränen *f/pl.*; **2.** F 🚂 *mechanische* Warn- u. Haltevorrichtung *f.*

cocol *m Méj.* Raute *f* (*Verzierung*); rautenförmige Semmel *f.*

cocolera *Vo. f Méj. Art* Turteltaube *f.*

coco|lero F *m Méj.* Bäcker *m*; **~lía** *f Méj.* Zorn *m*, Pick *m* F (auf *ac. a*).

cocoliche *m Rpl.* Kauderwelsch *n*, *bsd. das Spanisch der ital. Einwanderer*; Italiener *m*; *p. ext.* Ausländer *m.*

cocoliste *m Méj.* Seuche *f.*

cócora F *c* lästiger Mensch *m.*

cocoso *adj.* wurmstichig, madig.

cocotal *m* Kokoswald *m.*

cocote *m* Genick *n*, Nacken *m.*

cocotero ⚘ *m* Kokospalme *f.*

cóctel *Angl. m* Cocktail *m* (*a. Party*); *dar un* ~ e-e Cocktailparty geben.

coctele|ra *f* **1.** Mixbecher *m*; **2.** Hausbar *f*; **~ría** *f* Cocktailbar *f.*

cocui ⚘ *m Am.* Agave *f*; **~za** *f Am.* Agaveseil *n.*

cocu|y *m* **1.** Agave *f*; **2.** → **~yo** *m* **1.** am. Leuchtkäfer *m*; **2.** ⚘ *Cu. Hartholzbaum.*

cocha[1] *Ke. f Bol., Chi., Ec., Pe.* Lagune *f*, Teich *m*; ⚒ *Col., Chi.* Waschteich *m*; *Pe.* freier Platz *m*, Feld *n.*

cocha[2] *f Reg.* **1.** Sau *f*; **2.** Harn *m.*

cochama *m Col. gr. Fisch des Magdalenenstroms.*

cocham|bre *m* Schmutz *m*, Schweinerei *f*, Unrat *m*; **~brería** Unrat *m*; Augiasstall *m* (*lit.*); **~brero** F, **~broso** *adj.* schmutzig, dreckig F, schmierig; *estar* ~ vor Dreck starren F.

cochayuyo *Ke. m And. Meeralge* (*Durvillaea utilis*).

coche *m* Wagen *m* (*a. Auto*); (Eisenbahn-)Wagen *m*, Waggon *m*; *in Span.* Wagen *m*, Auto *n*, Pkw *m* (*Am. carro*); ~ *abierto*, ~ *descubierto* offener Wagen *m*; ~ *de alquiler* Mietwagen *m*; *a.* Taxi *n*; † Pferdedroschke *f*; ~ *de alquiler sin chófer* Leihwagen *m* (für Selbstfahrer); ~ *de un caballo* Einspänner *m*; 🚂 ~-*cama* Schlafwagen *m*; ~ *de carreras* Rennwagen *m*; ~ *celular*, ~ *de* (*od. a, para*) *presos* Gefangenenwagen *m*; 🚂 ~-*comedor* Speisewagen *m*; ~ *deportivo* Sportwagen *m*; 🚂 ~ *directo* Kurswagen *m*; ~-*escala* Kraftfahr(dreh)leiter *f* (*Feuerwehr*); ~ *de línea* Linien-, Überland-bus *m*; 🚂 ~-*literas* Liegewagen *m*; ~ *oficial* Dienstwagen *m*; F ~ *parado* Balkon *m*, Veranda *f an belebten Straßen*; ~ *patrulla* Streifenwagen *m*; ~ *de dos pisos* Doppeldeckwagen *m*; *hist.* ~ *de posta* Postwagen *m*, -kutsche *f*; ~ *de punto* † Pferdedroschke *f*; *heute a.* Taxi *n* (= *dt. offiziell*: Mietdroschke *f*); ~ *de reparto* Lieferwagen *m*; 🚂 ~ *restaurante* (*salón*) Speise- (Salon-) wagen *m*; (~ *de*) *turismo* Personen-(kraft)wagen *m*, Pkw *m*; ~ *usado* Gebrauchtwagen *m*; ~ *utilitario* **a)** Gebrauchs-, Nutz-fahrzeug *n*; **b)** Kleinwagen *m*; ~(-)*vivienda* Wohnwagen *m*; *ir* (*od. viajar*) *en* ~ (mit dem Wagen) fahren; *llevar en* ~ *Sachen* weg-, ab-fahren; *a. Personen* mitnehmen; *tener* ~ e-n Wagen haben; *ir* (*od. caminar usw.*) *en el* ~ *de San Fernando* (*od. de San Francisco*) auf Schusters Rappen (*od. lt.* per pedes apostolorum) reisen, zu Fuß gehen.

coche|cito *m* **1.** Kinder-, Korbwagen *m*; ~ (*de muñeca*) Puppenwagen *m*; **2.** Spielzeugauto *n*; **~ra** *f* Wagenschuppen *m*, Remise *f*; Garage *f*; **~ril** *adj. c* Kutscher..., Fuhrmanns...; **~ro I.** *adj.*: *puerta f* ~*a* Einfahrt *f*, Torweg *m*; **II.** *m* Kutscher *m*, Fuhrmann *m.*

cochevís *Vo. f* Haubenlerche *f.*

cochi *int. Reg.*: ~, ~, ~ *Lockruf für Schweine.*

cochifrito *Kchk. m* gekochtes u. überbackenes Lamm- od. Zickelfleisch *n.*

cochigato *m Méj. Stelzvogel,* [*schwarz-rotgrün.*]

cochina *f* Sau *f*, Mutterschwein *n*; **~da** *f* Schmutz *m*, Unrat *m*; Schweinerei *f* (*a. fig.*); *fig.* Gemeinheit *f*; Niedertracht *f*; **~mente** *adv.* schweinisch (*fig.*), niederträchtig(erweise).

cochinata *f* **1.** ⚓ Wrange *f*, Querversteifung *f*; **2.** *Cu.* junge Sau *f.*

cochi|nería *f* Schweinerei *f* (*fig.*); Schmutz *m*, Unflat *m*; **~nero I.** *adj.* minderwertig, Futter... (*Obst usw.*); *habas f/pl.* ~*as* Saubohnen *f/pl.*; **II.** *m Reg.* Schweinehirt *m.*

cochinilla *f* **1.** *Zo.* (Land-)Assel *f*; ~ *de humedad* Kellerassel *f*; **2.** *Ent.* Koschenille(schildlaus) *f*; Koschenille(farbstoff *m*) *f*, Karmin *n.*

cochinillo *m* Spanferkel *n*; ~ *asado* Ferkelbraten *m.*

cochinito *Ent. m*: ~ *de San Antón* Marienkäfer *m.*

cochi|no I. *adj.* schweinisch (*a. fig.*), Schweine...; P *ni una* ~*a peseta* nicht mal 'ne lumpige Pesete; *vida f* ~*a* das verfluchte (*od.* verdammte) Leben; **II.** *m* Schwein *n* (*a. fig.*); *fig.* Ferkel *n*, Schmutzfink *m*; **~quera** *f* Schweinestall *m* (*a. fig.*); **~strón** F *m fig.* Mist-, Schmutz-fink *m*; **~tril** *m* Schweinestall *m*; *fig. desp.* Saustall *m*, Dreckloch *n* (*Zimmer, Hotel usw.*).

cochizo ⚒ *m* ergiebigster Stollen *m.*

cocho[1] **I.** † *part. irr. zu cocer*; **II.** *adj. Reg.* nicht durchgebacken (*Brot*); nicht gargekocht; **III.** *m Chi. Art* Polenta *f aus geröstetem Mehl.*

cocho[2] *m Reg.* Schwein *n* (*bsd. fig.*).

cochura *f* Backen *n*; Brotteig *m*, (Ein-)Schub *m*; ⊕ Brennen *n* (*Kalk, Porzellan*); Brand *m* (*Keramik, Ziegel*); (Ein-)Brennen *n* (*Email*).

coda[1] ♪ *f* Koda *f.*

coda[2] *Zim. f* Keilstück *n*, Winkelklotz *m*; **~l I.** *adj. c* **1.** Ellbogen...; Bogen..., Winkel...; **II.** *m* **2.** *hist.* Ellbogengelenk(stück) *n e-r Rüstung*; **3.** ⊕ Winkel *m*, Ellbogenstück *n an Geräten*; *Zim.* Stütz-, Quer-balken *m*; Spreize *f*, Spannbohle *f*; Arm *m*, Griff *m an Säge, Wasserwaage*; ⚒ Stützbogen *m.*

codaste ⚓ *m* Achter-, Ruder-steven *m.*

codazo *m* Schlag *m* (*od.* Stoß *m*) mit dem Ellbogen.

codear I. *v/i.* (mit dem Ellbogen) stoßen, drängeln; **II.** *v/t. Am. Geld* ergaunern, ablisten; **III.** *v/r.* ~*se* auf gleichem Fuß (*od.* freundschaftlich) verkehren (mit *dat. con*); F ~*se con los de arriba* zu den oberen Zehntausend gehören; *poder* ~*se con alg.* s. mit j-m messen können.

codeína *pharm f* Kodein *n*.
codelincuen|cia ⚖ *f* Teilnahme *f an e-r strafbaren Handlung*; **~te** ⚖ *c* Teilnehmer *m*, Komplize *m*.
codemandante ⚖ *m* Mitkläger *m*.
codeo *m* **1.** Drängeln *n*, Stoßen *n* mit dem Ellbogen; **2.** vertrauter (*od.* freundschaftlicher) Umgang *m*; **3.** *Am.* Pump *m*, Anpumpen *n*; **4.** *Chi. a.* Kumpan *m*.
codera ⚓ *f* Hecktau *n*, Achterleine *f*.
code|sera *f* Geißkleefeld *n*; **~so** ⚘ *m* Geißklee *m*.
codeudor ⚖ *m* Mitschuldner *m*.
códice *m* **1.** Kodex *m*, alte Handschrift *f*; **2.** *gelegl.* → *código*.
codicia *f* **1.** Habsucht *f*, Gewinnsucht *f*; Geldgier *f*, Habgier *f*; **2.** Drang *m*, Trieb *m*, Wunsch *m*; ~ *de saber* Wissensdurst *m*, Wißbegier *f*; **3.** *Stk.* Angriffslust *f*; **~ble** *adj. c* begehrens-, wünschenswert; **~do** *adj.* begehrt; **~r** [1b] *v/t.* begehren, erstreben, sehnlich wünschen.
codicilo ⚖ *m* Testamentsnachtrag *m*; *hist.* Kodizill *n*, letztwillige Verfügung *f*.
codicioso *adj.-su.* **1.** (*ser*) habgierig, gewinnsüchtig; ~ *de dinero* geldgierig; (*estar*) gierig, begierig (nach *dat.* de); **2.** *fig.* F arbeits-, strebsam.
codifica|ción ⚖ *f* Kodifizierung *f*, Sammlung *f* (*bzw.* Aufnahme *f*) in e-m (*od.* in ein) Gesetzbuch; **~ble** *adj. c* kodifizierbar; **~r** [1g] *v/t.* kodifizieren, systematisch in e-m Gesetzbuch zs.-fassen; *fig.* geordnet zs.-stellen.
código *m* **1.** ⚖ Gesetzbuch *n*; ~ *de la circulación* Straßenverkehrsgesetz(buch) *n*; ~ *civil* Bürgerliches Gesetzbuch *n*; ~ *de comercio* Handelsgesetzbuch *n*; ~ *penal* Strafgesetzbuch *n*; *Anm. Großschreibung ist üblich, wenn man s. auf ein bestimmtes Gesetzbuch bezieht*; **2.** Code *m*, (Chiffre-)Schlüssel *m*; ⚓ ~ *de señales* Signalbuch *n*; **3.** *fig.* Kodex *m*, Gesetz *n*, Verhaltensnormen *f/pl.*, *bsd. e-r soz. Gruppe*.
codillo *m* **1.** Vorarm *m bzw.* Ellbogen *m der Vierfüßer*; Spitzbein *n am Schinken*; **2.** *Jgdw.* Blatt *n*; **3.** ⚓ Kiel-ende *n*, -krümmung *f*; **4.** *Kart.* (*Whist*) Kodille *f*; *dar* ~ Kodille gewinnen; **5.** ⊕ Knie *n*, Krümmer *m*.
codo *m* **1.** Ellbogen *m*; *fig. del* ~ *a la mano* winzig, drei Spannen hoch; *con los* ~*s* (*od. de* ~*s*) *sobre la mesa* auf die Ellbogen gestützt; *fig.* abwartend, unentschlossen; F *alzar* (*od. empinar od. levantar*) *el* ~ (gern) e-n hinter die Binde gießen F, (gern) e-n heben F; *comerse* (*od. roerse*) *los* ~*s de hambre* am Hungertuch nagen; *fig.* ~ *con* ~ gemeinsam, Hand in Hand; F *llevar* ~ *con* ~ *a alg.* j-n verhaften, j-n ins Gefängnis stecken, j-n einbuchten F; F *Hond. doblar los* ~*s* sterben; *hablar por los* ~*s* zuviel reden, schwatzen, quatschen; *mentir por los* ~*s* das Blaue vom Himmel herunterlügen; *estar metido hasta los* ~*s en a/c.* bis zum Hals in e-r Sache stecken; *romperse los* ~*s* pauken, büffeln F; *Am. Cent. ser del* ~ knickrig sein; **2.** Biegung *f*, Krümmung *f*; ~ *de* (*la*) *carretera* Straßenbiegung *f*; **3.** ⊕ Krümmer *m*, Knie (-stück) *n*; Winkel(stück *n*) *m*; **4.** *hist.* Elle *f* (*Maß*: *rund 42 cm*).
codorniz *Vo. f* Wachtel *f*; *rey m de* ~*ices* Wachtelkönig *m*.
coeducación *f* Koedukation *f*, Gemeinschaftserziehung *f*.
coeficiente **I.** *adj. c* mit-, zs.-wirkend; **II.** *m* Koeffizient *m*, Faktor *m*; Index *m*, Ziffer *f*, Rate *f*; ~ *de absorción* (*de dilatación*) Absorptions- (Ausdehnungs-)koeffizient *m*.
coer|cer [2b] *v/t. bsd.* ⚖ zwingen; *fig.* im Zaum halten; **~cible** *adj. c* erzwingbar, durchsetzbar; komprimierbar (*Luft*); **~ción** *f bsd.* ⚖ Zwang *m*; *fig.* Ein-, Be-schränkung *f*; **~citivo** ⚖ *adj.* Zwangs...; *medida f* ~*a* Zwangsmaßnahme *f*.
coetáneo *adj.-su.* gleichaltrig; zeitgenössisch; *m* Alters- *bzw.* Zeitgenosse *m*.
coevo *lit. adj.-su.* → *coetáneo*.
coexis|tencia *f a. Pol.* Koexistenz *f*; Nebenea.-bestehen *n*; ~ *pacífica* friedliche Koexistenz *f*; **~tente** *adj. c* koexistent, gleichzeitig (*bzw.* nebenea.) bestehend; **~tir** [3a] *v/i.* koexistieren (*a. Pol.*), nebenea. bestehen, gleichzeitig leben (mit *dat.* con).
cofa ⚓ *f* Mastkorb *m*; Krähennest *n*.
cofia *f* **1.** Haube *f*; Haarnetz *n*; **2.** Schutzhaube *f* (*a.* ⚔ *der Granate*), Kappe *f*; **3.** Frisier-, Trokken-haube *f*; **4.** *hist.* Helm-kissen *n*, -polster *n* (*Druckschutz*).
cofín *m* Obst-, Trag-korb *m* (*mst. aus Esparto*).
cofra|de *m* Mitglied *n* e-r Laienbruderschaft; F (*oft burl.*) Kollege *m*; *desp.* Kumpan *m*; □ Helfershelfer *m*; **~día** *f* Laienbruderschaft *f*; F *u. desp.* Verein *m*, Zunft *f*; F *entrar en la* ~ (*de los casados*) heiraten, die goldene Freiheit aufgeben.
cofre *m* **1.** Kästchen *n*, Schatulle *f*; Truhe *f*; Schrank *m*, Kasten *m*; Koffer *m*; **2.** *Fi.* Kofferfisch *m*; **~cillo** *m* Schatulle *f*, Kästchen *n*.
coge|dera *f* Greifer *m*; Obstpflükker *m* (*Gerät*); Gurkenzange *f*; Brötchen-, Gebäck- *usw.* -zange; Schwarmkasten *m der Imker*; **~dero** **I.** *adj.* pflückreif; **II.** *m* Griff *m*; Stiel *m*; **~dizo** *adj.* leicht zu greifen *od.* zu fassen; **~dor** *m* **1.** (Kohlen-, Aschen-, Kehricht-)Schaufel *f*; **2.** Erntearbeiter *m*, Pflücker *m*; **~dura** *f* (Ein-)Sammeln *n*; Fassen *n*, Ergreifen *n*.
coger [2c] **I.** *v/t.* **1.** nehmen; (er-)greifen, (an)fassen, (auf)fangen; *Wasser* schöpfen; ~ *laconalg. Méj.* mit j-m anbinden; *Col., P. Ri.* j-n für dumm verkaufen; ~ *de* (*od. por*) *los cabellos* bei den Haaren fassen; ~ *por el cuello* beim Kragen (*od.* beim Schlafittchen F) nehmen; ~ *de* (*od. por*) *la mano* bei der Hand nehmen; *cogidos de la mano* Hand in Hand; ~ *puntos* Laufmaschen aufnehmen; ~ *la vez a alg.* j-m zuvorkommen; ~ *al vuelo* (auf)fangen, schnappen, ergreifen; *no hay por donde* ~ *este asunto* man weiß (wirklich) nicht, wie man diese Sache anpacken soll; → *a. 4.*; **2.** *Krankheit* bekommen; *Zuneigung usw.* fassen; ~ *cariño a alg.* zu j-m Zuneigung fassen, j-n liebgewinnen; ~ *frío* s. erkälten, s. e-n Schnupfen holen; ~ *miedo* Angst bekommen (*od.* kriegen F); F ~ *una mona* s. e-n Schwips antrinken, s. beschwipsen; **3.** antreffen, überraschen, erwischen; *le cogerás de buen humor* du wirst ihn bei guter Laune antreffen; ~ *descuidado* überraschen, überrumpeln, überfallen; ~ *de golpe*, ~ *de sorpresa* überraschen (*Besuch, Nachricht, Ereignis*); *la noche nos cogió en el campo* die Nacht hat uns auf freiem Feld überrascht; **4.** fangen, erwischen; ergreifen; ⚔ *a.* besetzen; *Rf. Sender* hereinbekommen; *Nachrichten* abfangen; *Zeiten, Ereignis* erleben; *zu et.* dazu kommen; **5.** erfassen, überfahren (*Fahrzeug*); treffen, erwischen (*Geschoß usw.*); *Stk.* auf die Hörner nehmen; **6.** nehmen; herausgreifen, (aus)wählen; *Zug usw.* nehmen; F ~ *la calle*, ~ *la puerta* s. davonmachen; *Méj.* ~ *la calle* auf die Straße (*od.* auf den Strich F) gehen; ~ *el camino de* den Weg nach (*dat.*) einschlagen; **7.** (an)nehmen, akzeptieren; übernehmen; *Gewohnheiten usw.* annehmen; *ha cogido la costumbre de* + *inf.* er hat s. angewöhnt, zu + *inf.*; **8.** (weg-, ab-)nehmen; *me ha cogido el lápiz* er hat m-n Bleistift genommen, er hat mir den Bleistift (weg)genommen; **9.** ernten, sammeln; *Früchte, Blumen* pflücken; *Holz, Beeren, Trauben, Ähren* lesen; **10.** Platz bieten für (*ac.*); fassen, in s. enthalten; **11.** *Raum* (aus)füllen, einnehmen; *Wasser* ziehen; **12.** *fig.* begreifen, erfassen, verstehen; *Nachricht usw.* aufnehmen; **13.** aufnehmen, beginnen, anpacken; **14.** ⚓ *Leck* abdichten; **15.** *Reg., bsd. Am.* bespringen, decken, beschälen; *Anm.: wegen der vulgärsprachlichen Bedeutung wird in Am., bsd. Rpl., coger durch tomar, agarrar, recoger usw. ersetzt*; **II.** *v/i.* **16.** Wurzel fassen; **17.** eingehen, Platz finden (in *dat.* en); P gelegen sein, liegen; **18.** *Reg. u. Am.* ~ *por* (*od. a*) *la derecha* (*izquierda*) nach rechts (links) gehen; *Col.* ~ *para* nach (*dat.*) (*od.* zu *dat.*) gehen; **19.** F *abs.* s. bedienen, nehmen (*beim Essen, mst. imp.*); **20.** *allmählich prov. cogió y* (*se marchó*) (er ging) auf der Stelle (weg); **21.** V *Rpl.* geschlechtlich verkehren, vögeln V; **III.** *v/r.* ~*se* **22.** hängen bleiben, s. (ver)fangen (in *dat.* en); s. einklemmen (in *dat.* en); *fig.* s. fangen, s. verraten; k-n Ausweg mehr haben; ~*se los dedos* s. die Finger einklemmen; *fig.* s. in den Finger schneiden; in die Klemme geraten, s. finanziell übernehmen; **23.** s. einlassen (in *ac.* en).
cogerente ☨ *m* Mitleiter *m*, (Mit-)Geschäftsführer *m*.
cogestión *f* Mitbestimmung(srecht [*n*) *f*.
cogida *f* **1.** (Obst-)Ernte *f*; **2.** *Stk.* Verwundung *f* (*durch Hornstoß*); *tener* (*od. sufrir*) *una* ~ auf die Hör-

ner genommen werden; P s. e-e Geschlechtskrankheit zuziehen, s. die Gießkanne verbeulen P.

cogido I. *part.*: *fig.* *tener ~ a alg.* j-n in der Zange haben; *estar ~* in der Klemme sein F; **II.** *m* Kleider-, Gardinen-falte *f*.

cogita|bundo *lit.* *adj.* grübelnd, (nach)sinnend, nachdenklich; **~tivo** *adj.* denkfähig, mit Denkkraft begabt.

cogna|ción ⚖ *f* Kognation *f*, Blutsverwandtschaft *f* mütterlicherseits; **~do** *m* Kognat *m*, Blutsverwandte(r) *m* mütterlicherseits.

cognición *Phil.* *f* Kognition *f*, Erkenntnis(vermögen *n*) *f*.

cognomento *m* Beiname *m*, Cognomen *n*.

cognosci|ble *Phil.* *adj.* *c* erkennbar, vorstellbar (*bsd. hist.*, *sonst conocible*); **~tivo** *adj.* erkenntnisfähig; *potencia f ~a* Erkenntnisvermögen *n*.

cogollero *m Cu.*, *Méj.* „Tabakwurm" *m* (*Schädling*).

cogo|llo *m* **1.** Herz *n* (*Salat*), Kopf *m* (*Kohl usw.*); **2.** ⚘ Schößling *m*, Sproß *m e-s Baumes*; Herz *n*, Pinienkronenende *n*; Palm- *bzw.* Weiden-kätzchen *n*; *Cu.*, *Méj.*, *Pe.*, *Ven.* Spitze *f* des Zuckerrohrs; **3.** *fig.* *das* Beste, *das* Feinste, *das* Erlesenste; **4.** *fig.* Kern *m*; **5.** F *Chi.* Abschlußfloskel *f b. e-r Rede usw.*; **6.** *Arg.* gr. Zikade *f*; **~lludo** *adj.* fest, festblättrig (*Salat*, *Kohl*).

cogón ⚘ *m* philippinisches Dschungelgras *n*.

cogorza I. *f* **1.** ⚘ *Art* Flaschenkürbis *m*; **2.** *fig.* F Rausch *m*, Schwips *m*, Affe *m* F; **II.** *adj. inv.* **3.** P beschwipst.

cogo|tazo *m* Schlag *m* in den Nakken; **~te** *m* Hinterkopf *m*; Nacken *m*, Genick *n*; *fig.* *ser tieso de ~* stolz (*od.* hochfahrend) sein; **~tera** *f* Nacken-schutz *m bzw.* -schleier *m an Hut, Helm*; Sonnenschutz *m der Pferde*; **~tudo** *m Col.* eingebildete(r) Neureiche(r) *m*.

cogucho *m* Koch-, Plaggen-zucker *m*.

cóguil *m Chi.* *Frucht f des boqui.*

coguilera ⚘ *f* → *boqui*.

cogujada *Vo.* *f* Haubenlerche *f*.

cogujón *m* Zipfel *m an Kissen, Bettzeug, Sack u. ä.*

cogulla I. *f* Mönchs-kutte *f bzw.* -kapuze *f*; **II.** *m* F Kuttenträger *m*.

cohabita|ción *f* **1.** Beischlaf *m*; **2.** Zs.-leben *n*, -wohnen *n*; **~r** *v/i.* **1.** den Beischlaf vollziehen; **2.** zs.-wohnen, -leben.

cohe|char *v/t.* bestechen; **~cho** *m* Bestechung *f* (*a.* ⚖); *~ activo* (*pasivo*) aktive (passive) Bestechung *f*.

cohere|dar *vt/i.* miterben; **~dero** *m* Miterbe *m*.

coheren|cia *f Phys.*, *Phil.*, ⚘, *Psych.* Kohärenz *f*; *allg. a.* Zs.-hang *f*; **~te** *adj.* *c* kohärent; *allg.* zs.-hängend; lückenlos; ⚘ angewachsen; **~temente** *adv.*: *hablar ~* zs.-hängend (*od.* vernünftig) sprechen.

cohe|sión *f Phys.*, ⚗ Kohäsion *f*, Zs.-halt *m* der Moleküle; ⚡ Frittung *f*; **~sivo** *Phys.*, ⚗ *adj.* kohäsiv, Kohäsion bewirkend; **~sor** ⚡ *m* Fritter *m*.

cohete *m* **1.** Rakete *f*, Feuerwerkskörper *m*; **2.** Rakete *f*; *~ airesuelo* Luft-Boden-Rakete *f*; *~ antiaéreo* Luftabwehrrakete *f*; *~ de despegue* (*de aterrizaje*) Start- (Lande-) rakete *f*; *~ de fren(ad)o* Bremsrakete *f*; *~ de propulsión*, *~ propulsor* Antriebsrakete *f*; *~ portador*, *~ portasatélites* Trägerrakete *f*; *~ de tres* (*de varias*) *etapas* (*od. fases*) Drei- (Mehr-)stufenrakete *f*; *vehículo m ~* Raketenfahrzeug *n*; *fig.* F *salir disparado como un ~* abzischen F; *adv.* *al ~ Rpl.* umsonst, nutzlos; **3.** F *Méj.* Rindskeule *f*; **4.** *Reg.* Sprengladung *f*; **~ar** ⚒ *v/i.* *Méj.* Sprenglöcher vorbereiten; sprengen; **~ro** *m* Feuerwerker *m* (*nicht* ⚔).

cohi|bente ⚡ *adj.* *c* schlecht leitend; **~bición** *f* Einengung *f*, Hemmung *f* (*a. Psych.*); Einschüchterung *f*; Verbot *n*, Schranke *f*; **~bido** *adj.* gehemmt; befangen, schüchtern; **~bimiento** *m* → *cohibición*; **~bir I.** *v/t.* hemmen, beengen, einschüchtern, befangen machen; zurückhalten; **II.** *v/r.* *~se* s. gehemmt fühlen, eingeschüchtert werden; s. zurückhalten, s. beherrschen.

cohobo *m* Hirschleder *n*; *Zo.* *Ec.*, *Pe.* Hirsch *m*.

cohom|bral *m* Gurken-feld *n*, -beet *n*; **~brillo** ⚘ *m*: *~ amargo* Spring-gurke *f*, -kürbis *m*; **~bro** *m* **1.** ⚘ gr. Gurke *f*; **2.** *Zo.* *~ de mar* See-gurke *f*, -walze *f*; **3.** gurkenförmiges Gebäck *n*, *Art* → *churro*.

cohonesta|ción *f* Beschönigung *f*; **~r** *v/t.* **1.** beschönigen, bemänteln; **2.** (mitea.) in Einklang bringen.

cohorte *f hist.* Kohorte *f*; *fig. lit.* Menge *f*, Schar *f*.

coicoy *Zo.* *m Chi.* Unke *f*.

coima[1] † *u. lit.* *f* Konkubine *f*.

coi|ma[2] *f* † Spiel-, Karten-geld *n* (*Zahlung an den Spielhöllenbesitzer*); *p. ext.* Spielhölle *f*; **~me** *m* † Spielhöllenbesitzer *m*; □ Herr *m*, Boß *m* F; *a.* Gott *m*.

coinci|dencia *f* **1.** Zs.-treffen *n*; Gleichzeitigkeit *f*; Übereinstimmung *f*; *¡qué extraña ~!* (welch) ein seltsames Zs.-treffen!, (ein) merkwürdiger Zufall!; *da la ~ de que ...* zufällig ...; **2.** Ꜩ Kongruenz *f*; **~dente** *adj.* *c* **1.** zs.-fallend, gleichzeitig (erfolgend); **2.** Ꜩ kongruent; **~dir** *v/i.* zs.-treffen, -fallen, gleichzeitig geschehen *bzw.* auftreten, koinzidieren; übereinstimmen, s. decken (*a.* Ꜩ); ⊕ *a.* synchron sein; *las clases coinciden* die Unterrichtsstunden überschneiden s.; *mis deseos coinciden con los tuyos* wir haben die gleichen Wünsche.

coin|quilino *m* Mitbewohner *m*; **~teresado** *adj.-su.* mitbeteiligt; mitinteressiert.

coi|po, **~pu** *Zo.* *m Chi.*, *Rpl.* Sumpfbiber *m*, Coipo *m*.

coirón ⚘ *m Am. Mer. Art* Pampasgras *n*.

coito *m* Beischlaf *m*, Koitus *m*.

cojate ⚘ *m Cu.* kubanischer Ingwer *m*.

coje|ar *v/i.* hinken, humpeln; lahmen; wackeln, nicht fest stehen (*Tisch*, *Stuhl*); nicht vollständig (*od.* vollkommen) sein, Mängel aufweisen; (auch) s-e Fehler haben; *el argumento cojea* das Argument ist nicht ganz logisch (*od.* trifft nicht ganz); *~ del pie izquierdo* auf dem linken Fuß hinken; *fig.* *~ del mismo pie* die gleichen Fehler haben; *saber de qué pie cojea alg.* j-s Fehler kennen, s-e Pappenheimer kennen; **~ra** *f* Hinken *n*, Humpeln *n*.

cojijo *m* **1.** Ungeziefer *n*; **2.** Verärgerung *f*, Mißstimmung *f*; **~so** *adj.-su.* empfindlich, wehleidig, pimpelig F.

cojín *m* gr. Kissen *n*; Sofa-, Stützkissen *n*; ⚓ Fender *m*; *~ de aire* Luftkissen *n*.

cojinete *m* **1.** kl. Kissen *n*; **~s** *m/pl.* *Col.*, *Ven.* Satteltaschen *f/pl.*; **2.** ⊕ Lager *n*; Schale *f*, Pfanne *f*; (Schneid-)Backe *f* (*Drehbank*); 🚂 Schienenlager *n*; *~ de bolas*, *Rpl.* *~ a bolillas* Kugellager *n*; *~ de la biela* (*de engrase continuo*) Pleuel- (Dauerschmier-)lager *n*; *~ de deslizamiento* (*de rodillos*) Gleit- (Rollen-) lager *n*.

cojinillo *m Rpl.* Satteldecke *f*; *Méj.* Satteltaschen *f/pl.*

coji|núa, **~nuda** *f Cu.*, *P. Ri.* *eßbarer Fisch* (*Caranx pisquetus*).

cojitranco F *desp.* *adj.-su.* herumhinkend; *m* Hinkebein *n* F; bösartige(r) Lahme(r) *m*.

cojo I. *adj.* hinkend (*a. fig.*), lahm; wackelig (*Möbel*); *~ del pie derecho* auf dem rechten Fuß hinkend; *la mesa está ~a* der Tisch wackelt; *razonamiento m ~* irrige Überlegung; *verso m ~* hinkender Vers (-fuß) *m*; *andar a la pata ~a* auf e-m Bein hüpfen; *fig.* F *no ser ~ ni manco* zu allem fähig sein; **II.** *m* Lahme(r) *m*, Hinkende(r) *m*.

cojobo ⚘ *m Cu.* → *jabí*.

cojolite *Vo.* *m Méj.* Haubenfasan *m*.

cojón P *m* (*mst. cojones pl.*) Hoden *m*(/*pl.*); *in vielen vulgären Ausdrücken gebräuchlich*: *¡cojones!* verdammt u. zugenäht!, Donnerwetter!; (*no*) *tener cojones* (k-n) Schneid (*od.* Mumm) haben.

cojonudo V *adj.* **1.** großartig, dufte P, prima F; **2.** verdammt schwer F.

cojudo I. *adj.* **1.** unverschnitten (*Tier*); **2.** *Am. oft* → *cojonudo*; **II.** *adj.-su.* **3.** *Bol.*, *Chi.*, *Ec.*, *Ur.* dumm; *m* Dummkopf *m*, Einfaltspinsel *m*, Depp *m* F.

cojuelo *adj.* ein wenig hinkend.

cok *m* Koks *m*.

col ⚘ *f* Kohl *m*; *~ blanca* Weißkraut *n*; *~ de Bruselas*, *~ rosita* Rosenkohl *m*; *~ común* Grün-, Braun-kohl *m*; *~ de Milán*, *~ rizada* Wirsing *m*; → *a. repollo*; *Spr.* *entre ~ y ~ lechuga* Abwechslung erfreut (*od.* muß sein F).

cola[1] ⚘ *f* Kolabaum *m*; Kolanuß *f*; F *Abk. für* Coca-Cola *u. ä.*

cola[2] *f* Leim *m*; *dar de ~* leimen; F *eso no pega ni con ~* das paßt überhaupt nicht, das ist blühender Unsinn.

cola[3] *f* **1.** Schwanz *m*, Schweif *m der Tiere u. fig.*; Sterz *m* (*Vögel*); *fig.* Ende *n*, Schluß *m*; *fig.* Schlange *f beim Anstehen*; *~ de alacrán* Giftstachel *m* des Skorpions; *~ de avión* Flugzeug-heck *n*, -schwanz *m*; Leitwerk *n*; *~ de caballo* **a)** Pferdeschwanz *m* (*a. Frisur*); **b)** → *3*; 🚂 *coche m de ~* Schlußwagen *m*; *adv.* *a la ~* am Schluß, am Ende, hinten;

nach hinten; *fig. atar por la ~ et.* am falschen Ende anfassen, das Pferd von hinten aufzäumen; *hacer (a. guardar, formar) ~, ponerse en ~* Schlange stehen; *¡haga usted ~! od. ¡póngase en ~!* stellen Sie s. (mit) an, stellen Sie s. (gefälligst mit) in die Reihe; *hacer (la) ~* zurückbleiben, der letzte sein; *fig.* ins Hintertreffen geraten; *fig. ir a la ~* der letzte sein; im letzten Wagen fahren; F *Sch. salir el primero por la ~* als letzter durchkommen (*b. e-r Prüfung*), am schlechtesten abschneiden; *fig. tener (od. traer) ~* (böse) Folgen (*od.* ein Nachspiel) haben; **2.** ⊕ *~ de milano, ~ de pato* **a)** *Zim., Mech.* Schwalbenschwanz *m*; *a.* Zinke *f*; **b)** △ trapezförmige Schmuckfigur *f*, Trapez *n*; *~ de ratón* **a)** ⊕ Lochfeile *f*; **b)** ♀ → *3*; △ *ensambladura a ~ de milano* Schwalbenschwanz(verspundung *f*) *m*; **3.** ♀ *~ de caballo* Schachtelhalm *m*; *Méj. ~ de diablo Art* Opuntienkaktus *m*; *~ de ratón* Tausendkorn *n*; *~ de zorra* Wiesenfuchsschwanz *m*; **4.** Schleppe *f am Kleid*; Frackschoß *m*; **5.** *Astr.* (Kometen-)Schweif *m*; *~ del Dragón (del León)* Schwanz *m* des Drachen (des Löwen); **6.** ♪ Schlußton *m*.

colabora|ción *f* Mitarbeit *f*, Mitwirkung *f*; *en ~ con* in Zs.-arbeit mit (*dat.*), unter Mitwirkung von (*dat.*); **~cionismo** *Pol. m* Kollaboration *f*, Zs.-arbeit *f* mit dem Feind; **~cionista** *Pol. c* Kollaborateur *m*; **~dor** *m* Mitarbeiter *m*; Partner *m* (*z. B. Entwicklungshilfe*); **~r** *v/i.* mitarbeiten, mitwirken (an *dat. en*); zs.-arbeiten (mit *dat. con*), zs.-wirken (*a.* ⚔); *~ en varias revistas* Mitarbeiter mehrerer Zeitschriften sein.

cola|ción *f* **1.** Imbiß *m*; leichtes Abendessen *n an Fasttagen*; *Méj., Chi.* Konfektmischung *f*; † süßer Teller *m für Dienstboten zu Weihnachten*; **2.** Vergleichung *f von Handschriften*; **3.** Verleihung *f e-r Würde, e-s Titels*; **4.** † geistliches Gespräch *n unter Mönchen*; *fig. traer (od. sacar) a/c. (a alg.) a ~* das Gespräch auf et. (j-n) bringen; et. vorbringen; F s-n Senf dazugeben F; **5.** ⚖ Ausgleichung *f*, † Kollation *f bei Erbausea.-setzung*; **~cionar** *v/t. Handschriften* vergleichen, kollationieren; ⚖ *Erbschaft* ausgleichen.

colactáneo *m* Milchbruder *m*.

colada *f* **1.** (Auf-)Waschen *n*; Wäsche *f*; Waschlauge *f*; Wäsche *f* in der Lauge; *hacer la ~* die Wäsche einlaugen; waschen; *fig. todo saldrá en la ~* die Sonne bringt es an den Tag; **2.** Viehweg *m*; **3.** Engpaß *m*; **4.** ⊕ (Hochofen-)Abstich *m*; (Metall-)Schmelze *f*; *hacer (la) ~* abstechen; **5.** *Col.* **a)** *Art* Reisbrei *m*; **b)** Getränk *n aus Reis u. Milch*; *Ec.* Maisbrei *m*.

cola|dera *f* Filtersack *m*, Sieb *n*; *Méj.* Abzugsgraben *m*; **~dero** *m* **1.** Sieb *n*, Seihe *f*; **2.** Engpaß *m*; Durchlaß *m*; **3.** ⚒ Aufhau *m*, Durchbruch *m* zum Hauptstollen; **4.** *fig.* Diplomfabrik *f* (*Schule usw., wo man leicht durchs Examen kommt*); **~do I.** *adj.* **1.** *aire m ~* Blas-, Zugluft *f*; *hierro m ~* Gußeisen *n*; **2.** F verliebt, verschossen F; **II.** *m* **3.** Durchseihen *n*, Passieren *n* (*Flüssigkeit*); **~dor** *m* Sieb *n*, Seihe *f*, Durchschlag *m*; Saugkorb *m e-r Pumpe*; *~ de té (de café)* Tee-(Kaffee-)Sieb *n*; **~dora** *f* **1.** Wäscherin *f*; **2.** Waschkessel *m*; **~dura** *f* **1.** Seihen *n*, Sieben *n*; Seihrückstand *m*; **2.** F grobes Versehen *n*; Reinfall *m*, Blamage *f*.

colágeno ⚗ *m* Kollagen *n*.

colana F *f* Schluck *m*, Zug *m*.

colanilla *f* kl. Fenster- *bzw.* Türriegel *m*.

colaña *f* Geländerwand *f an Treppen*; niedere Trennwand *f*.

colapez *f* Fischleim *m*.

colapso *m* ⚕ Kollaps *m*; *fig.* Zs.-bruch *m*; *~ cardíaco (circulatorio)* Herz- (Kreislauf-)Kollaps *m*.

colar[1] *kath. v/t. Pfründe* vergeben.

colar[2] [1m] **I.** *v/t.* **1.** (durch)seihen, sieben, passieren; *Wein a.* klären; **2.** *Wäsche* in der Bleichlauge ziehen lassen, einlaugen; **3.** ⊕ *~ (en moldes) Metalle* vergießen, in Formen gießen; **4.** F heimlich mitbringen, durchschmuggeln; *~ a/c. a alg.* j-m et. andrehen; j-m et. weismachen; *a mí no me la cuelas* mir machst du das nicht weis, mich kannst du nicht für dumm verkaufen F; **II.** *v/i.* **5.** durch-, ein-sickern; durch e-e enge Stelle hindurchströmen *od.* (*Luft*) -streichen; **6.** F durchkommen, geglaubt werden; an den Mann gebracht werden (können); **7.** (Wein) trinken, zechen; **III.** *v/r.* *~se* **8.** F s. einschleichen, s.-einschmuggeln; **9.** F dummes Zeug reden; e-n Bock schießen, danebenhauen F.

colar[3] *v/t.* leimen, kleben.

colateral *adj. c* Seiten...; kollateral; *calles f/pl. ~es* Seitenstraßen *f/pl.*; *línea f ~* Seitenlinie *f*; *pariente m ~* Seitenverwandte(r) *m*; **~mente** *adv.* parallel, auf beiden Seiten liegend.

colativo *adj.* verleih-, vergeb-bar (*Pfründe*).

colcótar ⚗ *m* Polierrot *n*, Kolkothar [*m.*]

colcha *f* Bettdecke *f*; *~ (guateada)* Steppdecke *f*; *~ (de plumas)* Ober-, Feder-bett *n*; **~do** *m* **1.** Polsterung *f*, Steppzeug *n*; **2.** → **~dura** *f* Steppen *n*; Polstern *n*; **~r** *v/t.* steppen, abnähen; polstern; ⚓ verseilen.

col|chón *m* Matratze *f*; Unterbett *n*; *~ de crin (de goma espuma)* Roßhaar- (Schaumgummi-)matratze *f*; *~ de muelle(s)* Sprungfedermatratze *f*; *~ neumático* Luftmatratze *f*; **~chonera I.** *f* Matratzennäherin *f*; **II.** *adj.-su. f (aguja f) ~* Matratzen-, Polster-nadel *f*; **~chonería** *f* Tapezierladen *m*, Matratzengeschäft *n*; *artículos m/pl. de ~* Tapezierwaren *f/pl.*; **~chonero** *m* Matratzenmacher *m*; Tapezier(er) *m*, Polsterer *m*; **~choneta** *f* Bank-, Bett-polster *n*; *Sp.* Sprungmatte *f*, -matratze *f*.

colcrem *Angl. m* → **cold cream** *engl. m* Cold-Cream *n*, F *f*.

colea|da *f* **1.** (Schweif-)Wedeln *n*; **2.** *Kfz.* Schleudern *n*, (seitliches) Ausbrechen *n*; **~dor** *adj.* schweifwedelnd; **~r I.** *v/i.* **1.** (mit dem Schwanz) wedeln; P *vivito y coleando* gesund und munter; **2.** *Kfz.* **a)** ins Schleudern geraten; seitlich ausbrechen; **b)** e-n Schlag haben (*Rad*); **3.** *fig.* F noch nicht abgeschlossen sein; *todavía colea* das hat noch gute Weile, das dauert noch; **II.** *v/t.* **4.** *Stk. den Stier* am Schwanz festhalten *bzw.* zurückziehen.

colec|ción *f* **1.** Sammlung *f*; *bsd.* ✝ Kollektion *f*; *~ de cuadros* Gemäldesammlung *f*; *~ numismática* Münzsammlung *f*; ✝ *~ de muestras* Musterkollektion *f*; **2.** ⚕ *~ purulenta* Eiteransammlung *f*; **~cionador** *m* → *coleccionista*; **~cionar** *v/t.* sammeln; **~cionista** *c* Sammler *m*; *~ de sellos* Briefmarkensammler *m*.

colecistitis ⚕ *f* (*pl. inv.*) Gallenblasenentzündung *f*.

colec|ta *f* **1.** (Geld-)Sammlung *f*; *ecl.* Kollekte *f*; *hacer una ~* sammeln; **2.** *kath.* Meßgebet *n vor der Epistel*; *p. ext.* Gemeindegebet *n*; **~tación** *f* Abgabenerhebung *f*; (Spenden-, Geld-)Sammlung *f*; **~tar** †, ⚒ *v/t. Abgaben* erheben; *Spenden* sammeln.

colecticio ⚒ *adj.*: *obra f ~a* Sammelwerk *n*, Kompilation *f*; ⚔ *tropas f/pl. ~as* zs.-gewürfelte Truppe *f*, Sauhaufen *m M*.

colecti|vamente *adv.* insgesamt; gemeinschaftlich; **~vidad** *f bsd. Soz.* Gemeinschaft *f*, Gruppe *f*; Gesamtheit *f*; *Pol., Soz.* Kollektiv *n*; (Fremden-)Kolonie *f*; *~ de derecho público* öffentlich-rechtliche Körperschaft *f*; *~ obrera* Arbeiterschaft *f*; **~vismo** *m* Kollektivismus *m*; **~vista** *Pol., Soz. adj. su. c* kollektivistisch; *m* Kollektivist *m*; **~vizar** [1f] **I.** *v/t.* kollektivieren; **II.** *v/r.* *~se* Kollektive bilden; s. zu Gemeinschaften zs.-schließen; **~vización** *f* Kollektivierung *f*; **~vo I.** *adj.* gemeinsam; gesamt, ganz; 🕮 kollektiv; Sammel...; *contrato m ~, convenio m ~, pacto m ~* Tarifvertrag *m*; 🚂 *expedición f ~a* Sammel-ladung *f*, -fracht *f*; *Tel. número m ~* Sammelnummer *f*; *psicosis f ~a* Massenpsychose *f*; *Pol. responsibilidad f ~a* Kollektivschuld *f*; ✝ *sociedad f ~a* Offene Handelsgesellschaft *f*; *trabajo m ~* Gemeinschaftsarbeit *f*; **II.** *adj.-su. m Gram. (nombre m) ~* Kollektiv(um) *n*, Sammelwort *n*; *Phil. (concepto m) ~* Sammel-, Kollektivbegriff *m*; **III.** *m Soz., Pol.* Kollektiv *n*; *Kfz.* Sammel-bus *m bzw.* -taxi *n*; *Am.* kl. Omnibus *m*.

colector I. *adj.* **1.** Sammel...; *Opt. lente f ~a* Sammellinse *f*; **II.** *m* **2.** Sammler *m*; Steuer- *bzw.* Lotterieeinnehmer *m*; *kath.* Kollektor *m*; **3.** ⊕ Sammler *m* (*a. Typ.*); Sammel-becken *n*, -kanal *m*; ⚡ Kollektor *m*, Strom-sammler *m*, -wender *m*; Anker *m* (*Dynamo*).

colédoco ⚕ *adj.-su. m (conducto m) ~* Gallengang *m*.

colega *m* Kollege *m*, *bei Geistlichen a.* Amtsbruder *m*; *im allg. nur bei freien Berufen u. Beamten gebräuchlich, sonst compañero.*

cole|giado *adj.* **1.** zu e-m Kollegium gehörig; zu e-r (Berufs-)Kammer gehörend (*Ärzte, Anwälte*); **2.** Kollegial...; ⚖ *tribunal m ~* Kollegialgericht *n*; **~gial I.** *adj. c* **1.** zu e-m Kollegium (*bzw.* e-r Schule *bzw.* e-r Stiftskirche) gehörig; *iglesia f* ~ Stiftskirche *f*; **II.** *m* **2.** Schüler *m* (*bsd. e-r privaten höheren Schule*), Oberschüler *m*; † *fig.* schüchterner (*bzw.* unerfahrener) Junge *m*; **~giala** *f* Schulmädchen *n* (*a. fig.*), höhere Tochter *f* († *u. iron.*); *fig.* Backfisch *m*; F *como una* ~ sehr schüchtern, wie ein kleines Mädchen; **~gialista** *Pol. m Ur.* Anhänger *m* der Kollegialregierung; **~gialmente** *adv.* gemeinschaftlich, kollegial, als Kollegium; **~giarse** [1b] *v/r.* **1.** s. zu e-r Berufskammer zs.-schließen; **2.** e-r Berufskammer beitreten; **~giata** *adj.-su. f* Stiftskirche *f*.

colegio *m* **1.** Erziehungs-anstalt *f*, -institut *n*; Schule *f*; Kolleg *n*, kath. Studienanstalt *f*; ~ *de ciegos* Blindenschule *f*; ~ *de internos* Internat *n*, Schülerheim *n*; ~ *mayor* Studentenheim *n*; ~ *de párvulos* Kinder-hort *m*, -schule *f*; ~ *de primera enseñanza* Volks-, Elementarschule *f*; ~ *de segunda enseñanza* Höhere Schule *f*, Gymnasium *n*; ~ *de sordomudos* Taubstummenanstalt *f*; **2.** Kollegium *n*; *kath.* ~ *de cardenales, sacro* ~ Kardinalskollegium *n*; ~ *electoral* Wähler(schaft *f*) *m/pl.*; *a.* Wahllokal *n*; **3.** berufsständischer Verband *m*, Kammer *f*; *Span.* (*ilustre*) ~ *de abogados* Anwaltskammer *f*; ~ *de médicos* Ärztekammer *f*.

colegir [3l *u.* 3c] *v/t.* **1.** folgern, schließen, ersehen, entnehmen (aus *dat.* de, *por*); **2.** zs.-fassen, -bringen.

colegislador *adj.-su.* mitgesetzgebend.

coleo *m* Wedeln *n*; Schleudern *n*, Ausbrechen *n* (*Rad e-s Fahrzeugs*); *Stk.* Sichfesthalten *n am Schwanz des Stieres, um nicht auf die Hörner genommen zu werden.*

coleóptero I. *adj. u.* **~s** *m/pl.* Koleopteren *pl.*, Käfer *m/pl.*; **II.** *m* ✈ Koleopter *m*, Ringflügelflugzeug *n*.

cólera I. *f* **1.** Galle *f*; **2.** *fig.* Zorn *m*, Wut *f*; *montar en* ~ in Zorn (*od.* in Harnisch) geraten, aufbrausen; **II.** *m* **3.** ⚕ Cholera *f*; ~ *asiático*, ~*-morbo* asiatische (*od.* epidemische) Cholera *f*.

colérico I. *adj.* **1.** (*ser*) cholerisch, jähzornig, (leicht) aufbrausend; (*estar*) zornig, wütend; **II.** *m* **2.** Choleriker *m*, Hitzkopf *m*, Heißsporn *m*; **3.** Cholerakranke(r) *m*.

coleri|forme *adj. c* choleraähnlich; **~na** ⚕ *f* Cholerine *f*, Brechdurchfall *m*.

coleste|rina ⚗ *f* Cholesterin *n*; **~rol** ⚗ *m* Cholesterol *n*.

cole|ta *f* Zopf *m*; Nackenschopf *m*; *koll. gente f de* ~ Stierkämpfer *m/pl.*; *fig. cortarse la* ~ den Beruf aufgeben (*bsd. Stierkämpfer*); **~tazo** *m* Schlag *m* mit dem Schwanz; *Kfz.* Wegrutschen *n*, Ausbrechen *n* (*Wagenheck*); *dar* **~s** mit dem Schwanz wedeln; *Kfz.* hinten wegrutschen; *fig. dar el último* ~ noch einmal richtig feiern; s. (vor dem Ende) noch einmal etwas gönnen; **~tería** *Stk. f* Stierkämpfer *m/pl.*; **~tilla** *f dim. zu coleta*; **~to** *m* Lederkoller *n*, Wams *n*; Reitjacke *f*; *fig. decir para su* ~ für (*od.* bei) s. sagen (*od.* denken, meinen); F *echarse un jarro de vino al* ~ s. e-n Krug Wein hinter die Binde gießen F; **~tón** *m Cu., Ven.* Sackleinwand *f*.

coletuy ⚘ *m* Kronwicke *f*.

colga|dero I. *adj.* aufhängbar, zum Aufhängen (*z. B. Früchte*); **II.** *m* Haken *m*; Henkel *m*, Öse *f zum Aufhängen*; Kleiderhaken *m*; *Typ.* Aufhängeschnüre *f/pl.*; **~dizo I.** *adj.* auf-, an-hängbar; **II.** *m* Vor-, Wetter-dach *n*; *Cu.* Pultdach *n*; **~do** *adj.* hängend; freitragend (*Treppe usw.*); *fig. dejar* ~ *a alg.* j-n in s-n Erwartungen enttäuschen; j-n im Stich lassen, j-n versetzen F; *fig. estar* ~ *de un cabello* (*od. hilo*) an e-m (seidenen) Faden hängen; *fig. estar* ~ *de los cabellos* (wie) auf glühenden Kohlen sitzen; *fig. estar* ~ *de las palabras de alg.* an j-s Lippen hängen; **~dor** *m* Kleiderbügel *m*; *Am. u. Span. Reg.* Kleider-rechen *m*; -schrank *m*; *Typ.* Aushängevorrichtung *f für Druckbogen*; **~dura** *f* Wand-, Fenster-behang *m*, Drapierung *f*; ~ *de cama* Bettvorhang *m*; **~s** *f/pl.* Vorhänge *m/pl.*; **~jo** *m* **1.** (Tuch- *usw.*)Fetzen *m*; **2.** *zum Trocknen* aufgehängte Früchte *f/pl.*; **3.** ⚕ Hautlappen *m*; **~miento** *m* Aufhängen *n*.

colgante I. *adj. c* **1.** hängend; *puente m* ~ Hängebrücke *f*; **II.** *m* **2.** Anhänger *m* (*Schmuck*); *Am.* Ohrring *m*; **3.** *a.* △ Feston *n*; **4.** **~s** *m/pl.* Fransen *f/pl.*

colgar [1h *u.* 1m] **I.** *v/t.* **1.** (an-, auf-) hängen (an *ac. od. dat.* de, en); *Tel. Hörer* auflegen; ~ *de* (*od.* en) *un clavo* an e-n Nagel hängen; **2.** (auf)hängen, henken; **3.** behängen, schmücken *mit Wandbehängen usw.*; **4.** F durchfallen lassen *im Examen*; *me han colgado en Latín* in Latein bin ich durchgefallen; **5.** *fig.* F ~ *a/c. a alg.* j-m et. anhängen, et. auf j-n schieben; F ~ *a alg. el sambenito* j-m alle Schuld in die Schuhe schieben, j-m den schwarzen Peter zuschieben F; **II.** *v/i.* **6.** (herab)hängen; ~ *del clavo* am Nagel hängen; F *y lo que cuelga* und was drum u. dran hängt F; **7.** auflegen (*Tel.*); **III.** *v/r.* **~se 8.** s. erhängen; **9.** **~se** *del* (*od. al*) *cuello de alg. lit.* j-s Hals umschlingen; *fig.* s. j-m an den Hals werfen.

colibacilos ⚕ *m/pl.* Kolibakterien *f/pl.*

colibrí *Vo. m* (*pl.* **~íes**) Kolibri *m*.

cóli|ca ⚕ *f* leichte Darmkolik *f*; **~co** ⚕ **I.** *m* Kolik *f*; ~ *bilioso*, ~ *biliar*, ~ *hepático* Gallenkolik *f*; ~ *nefrítico*, ~ *renal* Nierenkolik *f*; **II.** *adj.* Dickdarm...

colicoli *Ent. m Chi. Art* Bremse *f*.

colicuar [1d] **I.** *v/t.* (ein)schmelzen; zs.-schmelzen; auflösen; **II.** *v/i.* zerfließen, zerschmelzen.

coliflor ⚘ *f* Blumenkohl *m*.

coliga|ción *f* Verbindung *f*; Bund *m*, Bündnis *n*, Liga *f*; **~do I.** *adj.* verbündet; **II.** *m* Verbündete(r) *m*, Bundesgenosse *m*; **~dura** *f*, **~miento** *m* → *coligación*; **~r** [1h] **I.** *v/t.* verbinden, vereinigen; **II.** *v/r.* **~se** s. verbünden, koal(is)ieren.

coli|guay ⚘ *m Chi. Wolfsmilchgewächs, Pfeilgift (Adenopestres colliguaya)*; **~güe**, **~hue** ⚘ *m Arg., Chi. e-e Kletterpflanze.*

colilargo I. *adj.* F langschwänzig; **II.** *m Ec. e-e Ratte.*

coli|lla *f* (Zigarren-, Zigaretten-) Stummel *m*; **~llero** *m* Kippensammler *m* F.

colima|ción □ *f* Kollimation *f*, Zs.-fallen *n* zweier Linien; **~dor** *Phys. m* Kollimator *m*.

colimbo *Vo. m* Seetaucher *m*.

colín I. *adj.-su.* kurzschweifig (*Pferd*); **II.** *m* F Stutzflügel *m*; *Vo.* ~ *de Virginia* Wachtel-, Colin-huhn *n*.

colina[1] *f* Hügel *m*, (An-)Höhe *f*.

colina[2] *f* **1.** Kohlsame *m*; Kohlsteckling *m*; **2.** Kohlmistbeet *n*; **~bo** ⚘ *m* Kohlrabi *m*.

colindante I. *adj. c* angrenzend, benachbart; **II.** *m* (Grenz-)Nachbar *m*, Anrainer *m*.

colineta *Kchk. f* Tafelaufsatz *m mit Zuckerwerk u. Früchten.*

colino ⚘ *m* → *colina*[2] *1.*

colipava *Vo. adj. f*: *paloma f* ~ Breitschwanztaube *f*.

colirio ⚕ *m* Kollyrium *n*, Augenwasser *n*, -salbe *f*.

colirrábano ⚘ *m* Kohlrabi *m*.

colirrojo *Vo. m* Rotschwänzchen *n*.

Coliseo *m* Kolosseum *n* (*Rom.*)

colisión *f* **1.** Zs.-stoß *m* (*a. fig.*); *entrar en* ~ zs.-stoßen; **2.** *fig.* Kollision *f*, Widerstreit *m* der Interessen, Interessenkonflikt *m*.

colitigante ⚖ *adj.-su. c* Mitkläger *m*.

colitis ⚕ *f* (*pl. inv.*) Colitis *f*, Dickdarmentzündung *f*.

colma|damente *adv.* reichlich, in Hülle u. Fülle; **~do I.** *adj.* voll, angefüllt; beladen; (über)reichlich; reichgedeckt (*Tisch*); ~ *de felicidad* überglücklich; ~ *de riquezas* steinreich; **II.** *m Cat.* Lebensmittelgeschäft *n*; Weinschenke *f* (*bsd. Andal.*); Imbißhalle *f*; **~r** *v/t.* (an-) füllen (mit *dat.* de); überfüllen; *fig.* überhäufen (mit *dat.* de); ~ *de felicidad* überglücklich machen; *fig.* ~ *la medida* das Maß vollmachen; dem Faß den Boden ausschlagen.

colmatar *v/t.* ⊕ aufladen, auffüllen.

colme|na *f* **1.** Bienen-korb *m*, -stock *m*; *fig.* Menschen-menge *f*, -gewimmel *n*; **2.** F Zylinder(hut) *m*; **3.** F *Méj.* Biene *f*; **~nar** *m* Bienenhaus *n*, -stand *m*; **~nero** *m* **1.** Imker *m*; **2.** *Zo. Méj.* Ameisenbär *m*; **~nilla** ⚘ *f* (Falten-)Morchel *f*.

colmi|llada *f* → *colmillazo*; **~llar** *adj. c* Eck-, Reiß-zahn..., Hauer...; **~llazo** *m* Biß *m* mit e-m Reiß- (*od.* Fang-)zahn; *dar un* ~ die Fangzähne einschlagen, zubeißen; **~llo** *m* Eckzahn *m*; Reißzahn *m* (*Hund, Raubtier*); Hauer *m* (*Wildschwein*); Stoßzahn *m* (*Elefant*); *enseñar los* **~s** die Zähne zeigen (*a. fig.*); F *escupir por el* ~ angeben F, große Töne spucken F; **~lludo** *adj.* mit großen Fang- (*bzw.* Eck-)zähnen (*bzw.* Hauern); *fig.* schlau, gerieben, verschlagen.

colmo[1] *m* Übermaß *n*; *fig.* Gipfel *m*, Höhe(punkt *m*) *f*; Fülle *f des Glücks usw.*; *con* ~ gehäuft (*Trockenmaß*); (*y*) *para* ~ u. zu alledem, u. noch dazu; *para* ~ *de la desgracia* um das

Unglück vollzumachen; *¡(esto) es el ~!* das ist doch die Höhe!, da hört (s.) doch alles auf!

colmo² *adj.* randvoll.

colobo *Zo. m Am.* Langschwanzaffe *m.*

coloca|ción *f* **1.** Anbringen *n*, Anbringung *f*; Aufstellung *f*, Anordnung *f*; Stellung *f*, Lage *f*; Verlegung *f* (*Kabel usw.*); *~ de la primera piedra* Grundsteinlegung *f*; **2.** (Geld-, Kapital-)Anlage *f*, Placierung *f*; Absatz *m*, Verkauf *m* (*Waren*); **3.** Anstellung *f*, Arbeit *f*, Stelle *f*; Unterbringung *f*, Versorgung *f*; *agencia f de ~ones* Stellenvermittlung *f*; *oficina f de ~ones* Arbeitsamt *n*; **4.** F Versorgung *f*, Heirat *f*; **~do** *adj.* placiert, auf (dem zweiten) Platz (*Rennen*); *estar bien ~* eine gute Stellung haben; **~r** [1g] **I.** *v/t.* **1.** setzen, stellen, legen; aufstellen; anbringen; ein-, auf-spannen; an-, ein-ordnen; ⊕ *Kabel, Minen, Gleise* verlegen; *~ en fila* (auf)reihen; *~ por orden* einordnen, geordnet hin- (*od.* auf-)stellen; **2.** *Geld* anlegen; *Waren* absetzen; **3.** anstellen; versorgen, unterbringen; *j-m* e-e Stelle verschaffen; **4.** F *Tochter* versorgen, verheiraten; **II.** *v/r.* *~se* **5.** e-e Anstellung finden, angestellt werden (bei *dat.*, in *dat.* *con, en*); **6.** ✝ Absatz finden; **7.** *Sp., Stk.* Aufstellung nehmen; s-e Ausgangsstellung einnehmen; s. placieren.

colocasia ⚘ *f* Kolocasie *f*, ägyptisches Arum *n.*

colocutor *m* Mitredende(r) *m*, Gesprächspartner *m.*

colodi|ón ⚗ *m* Kollodium *n*, Klebäther *m*; **~onar** *Phot. v/t. Platten* mit Kollodium beschichten.

colodra *f* **1.** Melkkübel *m*; *Reg.* Schöpf-, Maß-gefäß *n für Wein*; **2.** Klatschweib *n.*

colodrillo *m* Hinterkopf *m.*

colofón *m Typ.* Kolophon *m*, Schluß-vermerk *m*, -impressum *n*; *fig.* Abschluß *m*, Ende *n*; *y, como ~* (*od. para ~*) u. zum Abschluß, abschließend.

colofonia *f* Kolophonium *n*, Geigenharz *n.*

coloi|dal ⚗ *adj. c* kolloid(al); ⚗, ⚕ *reacción f ~* Kolloidreaktion *f*; **~de** **I.** *adj. c* kolloid; **II.** *m* Kolloid *n*; **~deo** *adj.* → *coloidal*; **~doquímica** *f* Kolloidchemie *f.*

colombia|nismo *m* Kolumbianismus *m*, kolumbianische Redensart *f*; **~no** *adj.-su.* kolumbianisch; *m* Kolumbianer *m.*

colombicul|tor *m* Taubenzüchter *m*; **~tura** *f* Taubenzucht *f.*

colombina *pharm. f* Kolombowurzel(extrakt *m*) *f.*

colombino *adj.* Kolumbus..., auf Kolumbus bezüglich, kolumbinisch; *la América ~a* Amerika *n* nach der Entdeckung durch Kolumbus, das kolumbi(ni)sche Amerika.

colombo ⚘ *m* Kolombowurzel *f.*

colombófilo *adj.-su.* Taubenliebhaber *m*, -züchter *m*; *sociedad f ~a* Taubenzüchterverband *m*; Brieftaubenzüchterverein *m.*

colon *m* (*pl. cola*) **1.** *Anat.* Kolon *n*, Grimmdarm *m*; **2.** *Li.* Satzglied *n*; *Gram.* **a)** Kolon *n*, Doppelpunkt *m*; **b)** Semikolon *n*, Strichpunkt *m*; *Rhet.* rhythmische Spracheinheit *f.*

Colón *m* **1.**: *el huevo de ~* das Ei des Kolumbus; **2.** † ♀ *Salv., C. Ri.* Silberdollar *m.*

Colonia¹ *f*: *agua f de ~ od.* ♀ Kölnisch Wasser *n.*

colonia² *f* **1.** Kolonie *f*; (An-)Siedlung *f*; Niederlassung *f*; *~ obrera* Arbeitersiedlung *f*; *~ penitenciaria* Strafkolonie *f*; *~ veraniega* Ferienkolonie *f*; *koll.* Sommerfrischler *m/pl.*; Kurgäste *m/pl.*; **2.** *Méj.* Siedlung *f*, neues Viertel *n*; **3.** *Zo.*, ⚘ Kolonie *f*; *~ de corales* Korallenstock *m*, -kolonie *f*; *~ de hormigas* Ameisen-bau *m*, -haufen *m*; ⚘ *~ de hongos* Pilz-kolonie *f*, -rasen *m*; **4.** ⚘ *Cu.* nickende Alpinie *f*; **5.** *Stk.* Lanzenzeichen *n*, *schmales Seidenband an der Lanze*; **6.** ♀ *Am.* span. Kolonialzeit *f*; **~je** *m Am.* span. Kolonial-zeit *f*; -system *n*; *fig.* Unterdrückung *f*, Fremdherrschaft *f*; **~l** *adj. c* **1.** Kolonial..., kolonial, Siedlungs..., Kolonie...; *época f ~* Kolonialzeit *f*; **2.** *Am. Reg.* ländlich; **~lismo** *m* Kolonialismus *m*; **~lista** *c* Anhänger *m* des Kolonialismus, Kolonialist *m.*

coloniza|ción *f* Kolonisation *f*, Kolonisierung *f*, Ansiedlung *f*; **~dor** *adj.-su.* Kolonisator *m*; **~r** [1f] *v/t.* an-, be-siedeln; kolonisieren, erschließen.

colono *m* **1.** Kolonist *m*, Ansiedler *m*; **2.** Pächter *m*; **3.** *Cu.* Krämer *m* (*Nebenverkaufsstelle*).

coloquia|l *Li. adj. c* umgangssprachlich; *lenguaje m ~* Umgangssprache *f*; **~r** *v/i.* s. unterhalten, s. besprechen.

coloquíntida ⚘ *f* Koloquinte *f*, Bitterkürbis *m.*

coloquio *m* Gespräch *n*, Besprechung *f*; 🕮 Kolloquium *n.*

color I. *m* († *u. Reg., bsd. Andal. f*) **1.** Farbe *f* (*a. fig.*); Färbung *f*; Farbton *m*; Farbe *f*, Färb(e)mittel *n*; *de ~, en ~(es)* farbig, Farb...; *de muchos* (*od. varios*) *~es* vielfarbig, bunt; *de un (solo) ~* einfarbig, uni; *sin ~* farblos; *a todo ~* (ganz)farbig, Farb...; bunt; *Typ.* in getreuer Farbwiedergabe, in Originalfarbe; *~ complementario* Komplementärfarbe *f*; *~ diáfano* Lasur *f*; *~es m/pl. espectrales* Spektralfarben *f/pl.*; *~ de fondo, ~ de imprimación* Grund(ier)farbe *f*; *~ fluorescente, ~ fosforescente, ~ luminescente, ~ luminoso* Leuchtfarbe *f*; *~ de moda* Modefarbe *f*; *~ al óleo* Ölfarbe *f*; *falta f de ~* Farblosigkeit *f* (*a. fig.*); *Typ. plancha f en ~es* (*od. de ~*) Farbplatte *f*; *dar de ~ a* anstreichen (*ac.*); färben (*ac.*); *dar ~ a* Farbe geben (*dat.*) (*a. fig.*); *fig.* ausschmücken (*ac.*); *Mal.* meter en *~ Bild, Zeichnung* farbig anlegen; *ser subido de ~* von greller Farbe sein; *fig.* pikant sein (*Witz, Geschichte*); *tomar ~* Farbe annehmen, s. färben (*z. B. Frucht*); *tomar el ~* Farbe annehmen (*beim Färben*); **2.** Hautfarbe *f*; Gesichtsfarbe *f*; *gente f de ~* farbige Völker *n/pl.*; Farbige(n) *m/pl.*; *cambiar de ~* die Farbe wechseln, erröten *bzw.* erblassen, erbleichen; *fig.* → *3*; F *un ~ se le iba y otro se le venía* er wurde abwechselnd rot und blaß; *se puso de mil ~es* er errötete tief, alles Blut schoß ihm ins Gesicht; *sacarle a alg. los ~es* (*a la cara*) j-m die Farbe (*od.* die Zorn-, Scham-röte) ins Gesicht treiben; *salírsele* (*od. subírsele*) *a alg. los ~es* (*a la cara*) erröten, zorn- (*od.* scham-)rot werden; **3.** Schattierung *f*, Anstrich *m*, Tönung *f*, Nuance *f*; Darstellungsweise *f*; *politische* Färbung *f*; *~ local* Lokalkolorit *n*; *fig. cambiar de ~* s-e Meinung ändern, zu e-r anderen Partei übergehen; **4.** *~es m/pl. nacionales* Landes-, National-farben *f/pl.*, Flagge *f*; **5.** *~es heráldicos* Wappenfarben *f/pl.*; **6.** *fig. so ~ de* unter dem Vorwand *od.* unter (der) Vorspiegelung + *gen. od.* zu + *inf.*; **II.** *adj. inv.* **7.** ...farben; *~ (de) aceituna* olivgrün.

colora|ción *f* **1.** Färbung *f*; Farb(en)gebung *f*, *Mal.* Kolorit *n*; **2.** Verfärbung *f* (*a.* ⚗, ⊕); **~do I.** *adj.* **1.** farbig; *bsd.* rot; hellrot; rot gefleckt (*Vieh*); *~ a mano* handkoloriert; *poner ~ a alg.* j-n erröten lassen (*od.* machen); *ponerse ~* (*hasta las orejas*) (bis über die Ohren) rot werden; **II.** *m* **2.** ⚕ *Cu.* Scharlachfieber *n*; **3.** *~s m/pl.* Koloradozigarren *f/pl.*; **~dote** F *adj. c*: *¡qué ~ está!* Sie haben eine herrlich frische Farbe!

colora|nte *adj. c -su. m* Farbstoff *m*, Farbe *f*; Färbemittel *n*; → *a. pintura*; *tex.* → *tinte*; *Typ.* → *tinta*; **~r** *v/t.* färben; *~ de verde* grün färben; **~tivo** *adj.* färbend, Farb...

coloratura ♪ *f* Koloratur *f.*

colore|ar I. *v/t.* färben; kolorieren, mit Farben ausmalen; *fig.* färben, beschönigen; **II.** *v/i.* Farbe bekommen, rot werden (*Früchte*); ins Rötliche spielen; **~te** F *m* (rote) Schminke *f*; *ponerse ~* Rouge auflegen.

colo|rido *m* **1.** Farbe *f*, Färbung *f*; *riqueza f de ~* Farbenpracht *f*; **2.** *Mal.*, ♪ Kolorit *n*; **3.** *fig.* Vorwand *m*; *fig.* Färbung *f*, Stil *m*; **~rimetría** ⚗, *Astr. f* Kolorimetrie *f*; **~rímetro** *m* Kolorimeter *n*, Farbmesser *m.*

colo|rín *m* **1.** *Vo.* Stieglitz *m*; **2.** schreiende (*od.* grelle) Farbe *f*; (*y*) *~ colorado* (*,este cuento se ha acabado*) *Schlußformel span. Märchen u.* F *e-s Berichts usw.* u. damit wäre die Geschichte zu Ende; Basta!, Schluß! F; **3.** *Chi.* Rothaarige(r) *m*; **~rir** (*ohne prs.*) *v/t.* an-, aus-malen, kolorieren; *fig.* schönfärben; **~rismo** *m* Kolorismus *m*, koloristische Malerei *f*; **~rista I.** *adj. c* koloristisch; **II.** *c* Kolorist *m.*

colosal *adj. c* riesig, riesenhaft, kolossal; *fig.* fabelhaft, großartig; *estatua f ~* Kolossalstatue *f.*

colosenses *bibl.*: *Epístola f a los ~* Kolosserbrief *m.*

coloso *m* Riesenstandbild *n*, *a. fig.* Koloß *m*; *fig.* Genie *n.*

colote *m Méj.* (*bsd.* Wäsche-, Kleider-)Korb *m.*

colotipia *Typ. f* Gummiklischeedruck *m*, Kollotypie *f.*

colpa *f* **1.** *Min.* Kolkothar *m*; **2.** *And.* gediegenes Mineral *n.*

cólquico ♀ *m* Herbstzeitlose *f*.
colúbridos *Zo. m/pl.* Nattern *f/pl.*
columbario *Arch. m* Kolumbarium *n*.
columbeta *f* Purzelbaum *m*.
columbino *adj.* taubenähnlich; Tauben...; taubenblau (*Granat*).
colum|brar *v/t.* **1.** von weitem ausmachen; **~se** (undeutlich) sichtbar werden; **2.** *fig.* ahnen, vermuten; **~bres** □ *m/pl.* Augen *n/pl.*; **~brete** ⚓ *m* flache (Sand-)Bank *f*.
columna *f* **1.** *a. fig.* Säule *f*, Pfeiler *m*; ~ *compuesta* Säule *f* mit Kompositkapitell; ~ *de anuncios* Anschlag-, Litfaß-säule *f*; **2.** Stapel *m*; **3.** *Typ.* Spalte *f*, Kolumne *f*; (Zahlen-)Reihe *f*, (-)Kolonne *f*; *en una* (*en cuatro*) ~(*s*) ein- (vier-)spaltig (*Satz*); *título m de* ~ Kolumnentitel *m*; **4.** ⚗ Kolonne *f*, (Auf-)Satz *m*; *Phys.* Säule *f*; (Barometer-, Thermometer-)Säule *f*; **5.** *a.* ⚔ Kolonne *f*; Reihe *f*; ⚔ *a.* Heeresgruppe *f*; *lit.* Heer(es)säule *f*; ~ *de automóviles* (Kraft-)Fahrzeugkolonne *f*; *hist. u. fig. la quinta* ~ die fünfte Kolonne; **6.** *Anat.* ~ *vertebral* Wirbelsäule *f*.
columnata *f* Kolonnade *f*.
columnista *m* Kolumnist *m* (*Zeitung*).
columpi|ar [1b] **I.** *v/t.* schaukeln; **II.** *v/r.* **~se** (s.) schaukeln; *fig.* s. (beim Gehen) hin- u. herwiegen; **~o** *m* Schaukel *f*; *Chi.* Schaukelstuhl *m*; **~s** *m/pl. con lanchas* Schiffsschaukel *f*.
coluro *Astr. m* Kolur *m*.
colusión ⚖ *f* Kollusion *f*.
colutorio ⚕ *m* Gurgel-, Mundwasser *n*.
colza ♀ *f* Raps *m*.
colla[1] *f* **1.** Koppel *f* (*Hunde*); *desp.* (Räuber-)Bande *f*; **2.** (Fisch-)Reusenkette *f*; **3.** *hist.* Halsberge *f e-r Rüstung*.
colla[2] ⚓ *f Fil.* Südwestböen *f/pl.*; *fig.* Windstoß *m*, Bö *f*.
colla[3] *m Am.* Anden-, Hochlandindianer *m*; *fig.* Bolivianer *m*; *Arg.* Mischling *m*; *Pe.* Geizkragen *m*.
collada[1] *f* → *collado 2.*
collada[2] ⚓ *f* anhaltender (*od.* stetiger) Wind *m*.
collado *m* **1.** Hügel *m*, Höhe *f*; **2.** Berg-sattel *m*, -paß *m*.
collar *m* **1.** Halsband *n*; (Hals-)Kette *f*; Ordenskette *f*; Halskrause *f*; ~ *de perlas* Perlen-kette *f*, -kollier *n*, -halsband *n*; ~ *de perro* Hundehalsband *n*; *fig. los mismos perros con otros* (*od. diferentes*) **~es** es sind immer die gleichen Gauner; **2.** *hist.* Halseisen *n der Sträflinge*; **3.** ⊕ Preßring *m*; Rohr-schelle *f*, -klemme *f*; Bund *m e-r Welle*; **4.** *Zo.* andersfarbiger Halsring *m am Gefieder*; **5.** ⚕ Halsverband *m*.
colla|rín *m* **1.** *dim.* Krägelchen; steifer Kragen *m der Geistlichen*, Koller *n*; **2.** ⊕ Halslager *n*; Flansch *m*.
colleja ♀ *f* weißes Leimkraut *n*.
colle|ra *f* **1.** Kum(me)t *n*; Halszier *f der Reit- u. Zugtiere*; † Sträflingskette *f*; **2.** *Am.* Koppel *f*, Gespann *n* (*Tiere*); **3.** **~s** *f/pl. Arg., Chi.* Manschettenknöpfe *m/pl.*; **~rón** *m* Pracht-, Zier-kumt *n*.
collón F *adj.-su.* feige; gemein.

coma[1] *f Gram.* Komma *n*, Beistrich *m*; ♪, *Phys.* Komma *n*; *fig. sin faltar una* ~ haargenau; vollständig; *fig. con puntos y* **~s** in allen Einzelheiten.
coma[2] ⚕ *m* Koma *n*; *en estado de* ~ im Koma.
coma|drazgo *m* Gevatterschaft *f*; *fig.* F Kaffee-kränzchen *n*, -klatsch *m*; **~dre** *f* **1.** Gevatterin *f* (*a. als Anrede*); **2.** *fig.* Hebamme *f*, weise Frau *f* P; *fig.* Klatschbase *f*; *chismes m/pl. de* ~(*s*) Klatsch *m*, Weibertratsch *m*; **3.** F Kupplerin *f*; **4.** □ Schwule(r) *m* P; Weichling *m*; **~drear** *v/i.* klatschen, tratschen; **~dreja** *f* **1.** *Zo.* Wiesel *n*; *Arg.* Opossum *n*; **2.** P Dieb *m*; **~dreo** *m*, **~drería** *f* Klatsch *m*, Gerede *n*, Geschwätz *n*; **~drero** *adj.* klatschsüchtig; **~drón** *m* Geburtshelfer *m*; **~drona** *f* Hebamme *f*.
comanche *adj.-su. c m* Komantsche *m* (*Indianer*).
coman|dancia ⚔ *f* Kommandantur *f*; Kommandeur- *bzw.* Majors-rang *m*; *Span.* ~ *de marina etwa*: oberste Marinebehörde *f e-r* (*Küsten-*)*Provinz*; **~danta** † ⚓ *f* Flaggschiff *n*; **~dante** ⚔ *m* **1.** Major *m*; **2.** Kommandeur *m*; Befehlshaber *m*, Führer *m*; Kommandant *m*; ✈ Flugkapitän *m*; ~ *en jefe* Oberkommandierende(r) *m*; ~ *de guardia* Wachhabende(r) *m*; ~ *de plaza* (*del puerto*) Standort- (Hafen-)kommandant *m*; **~dar** ⚔ *v/t.* befehligen, kommandieren.
comandita † *f* Kommanditisteneinlage *f*; *sociedad f en* ~ → *comanditario*; **~r** *v/t. et.* als stiller Teilhaber finanzieren; **~rio** † **I.** *adj.* Kommandit...; *sociedad f* **~a** (*por acciones*) Kommanditgesellschaft *f* (auf Aktien); **II.** *m* Kommanditist *m*, *schweiz.* Kommanditär *m*.
comando ⚔ *m* Kommando *n* (*a. Gruppe*).
comarca *f* Land-strich *m*, -schaft *f*, Gegend *f*; Umgegend *f*; **~l** *adj. c* Landschafts..., Kreis..., Lokal...; **~no** **I.** *adj.* benachbart, anstoßend; umliegend; **II.** *m* (engerer) Landsmann *m*; **~r** [1g] *v/i.* anea. grenzen.
comatoso ⚕ *adj.* komatös; *en estado* ~ im Koma.
comba *f* **1.** Biegung *f*, Krümmung *f*, Durchhang *m* (*Seil, Balken usw.*); **2.** Springseil *n*; Seilspringen *n*; *jugar* (*od. saltar*) *a la* ~ seilspringen; **3.** □ Grab *n*; **~do** *adj.* durchhängend; seilkurvenförmig; knieeng (*Pferd*); **~dura** *f* Durchhängen *n*; Werfen *n*, Verziehen *n* (*Holz*); **~r** **I.** *v/t. Holz, Eisen* krümmen, biegen; **II.** *v/r.* **~se** durchhängen.
comba|te *m* Kampf *m* (*a. Sp.*); Gefecht *n*; Streit *m*; ~ *aéreo* Luftkampf *m*; ~ *desigual* Kampf *m* mit ungleichen Waffen (*a. fig.*); ungleicher Kampf *m*; ~ *naval* Seegefecht *n*; ~ *singular* Einzel-, Zweikampf *m*; *estar* (*poner*) *fuera de* ~ kampfunfähig sein (außer Gefecht setzen); **~tible** *adj. c* bekämpfbar; bestreitbar; **~tiente** *m* Kämpfer *m*, Streiter *m*; Kriegsteilnehmer *m*; **~tir** **I.** *v/i.* kämpfen, streiten (gg. *ac. contra*; für *ac. por*); **II.** *v/t.* bekämpfen; **III.** *v/r.* **~se** s. schlagen, kämpfen, streiten; **~tividad** *f* Kampf(es)lust *f*; Kampfkraft *f*; Angriffslust *f*; **~tivo** *adj.* kampflustig; -kräftig; gern zur Polemik bereit; Kampf...; *valor m* ~ Gefechts-, Kampf-, Schlag-kraft *f*.
combi|(na) F *f* Plan *m*, Trick *m*, Kombination *f*; **~nación** *f* **1.** Zs.-stellung *f*, *a.* ⚗ Verbindung *f*; 🚆 Anschluß *m*; ~ *de colores* Farb(en)-zs.-stellung *f*; **2.** ♞ Kombination *f*, Zahlengruppe *f*; ~ *de seis cifras* Sechserkombination *f* (*Sicherheitsschloß*); **3.** Berechnung *f*, Kombination *f*; Plan *m*, Anschlag *m*; F *descubrirle a uno la* ~ hinter j-s Absichten (*bzw.* Listen *od.* Tricks) kommen; F *hacer una* ~ Vorkehrungen treffen, Maßnahmen ergreifen; **4.** *Sp.* (*juego m de*) ~ Zs.-, Kombinations-spiel *n*; **5. a)** Unterrock *m*; **b)** (Flieger- *usw.*) Kombination *f*, Schutzanzug *m*; **c)** *Reg.* zwei- *od.* drei-teiliger Anzug *m bzw.* Kleid *n*; **6.** Cocktail *m*; **~nada** *Sp. f*: ~ *alpina* (*nórdica*) alpine (nordische) Kombination *f*; **~nado** **I.** *adj.* **1.** ⚗ gebunden; *Kfz. coche m* ~ Kombiwagen *m*; **II.** *m* **2.** ⊕ (Produkt *n* e-r) Verbindung *f*; **3.** *Pol.* (Wirtschafts-)Kombinat *n*; **4.** Cocktail *m*; **~nador** *m* Anlaßwiderstand *m* (*Elektromotoren*); Fahrschalter *m* (*Straßenbahn*); **~nar** **I.** *v/t.* **1.** zs.-stellen, -fügen; ⚗ verbinden; binden; **2.** *fig.* berechnen, kombinieren; *Gedanken* verknüpfen; mitea. in Verbindung setzen, in Einklang bringen; **II.** *v/i.* **3.** *Sp.* zs.-spielen, kombinieren; **III.** *v/r.* **~se** **4.** s. verbinden; ⚗ e-e Verbindung eingehen; **~natoria** ♞ *f* Kombinatorik *f*; **~natorio** *adj.* Verbindungs...; *Phil. arte f* **~a** Kombinationskunst *f*.
combo[1] **I.** *adj.* verbogen, durchhängend; **II.** *m* Faßuntersatz *m*.
combo[2] *m Chi., Pe.* (Stein-)Hammer *m*; *Chi.* Faustschlag *m*.
combo[3] *m* Combo *f* (*kl. Jazzkapelle*).
combretáceas ♀ *f/pl.* Kombretazeen *f/pl.*
comburente ⚗ *adj. c -su. m* verbrennungsfördernd, Brenn...
combus|tibilidad *f* Brennbarkeit *f*; **~tible** **I.** *adj. c* brennbar; **II.** *m* Brennstoff *m*; Heiz-, Brenn-material *n*; ⊕ *a.* Betriebsstoff *m*; *Kfz.* Kraftstoff *m*; ~ *atómico* (*nuclear*) Atom- (Kern-)brennstoff *m*; **~tión** *f* Verbrennung *f*, Verbrennen *n*; Abbrennen *n*; ~ *de aceite* (*de carbón*) Öl- (Kohlen-)feuerung *f* (*als System*); ~ *espontánea* Selbstverbrennung *f*, spontane Verbrennung *f*; ~ *lenta* Glimmen *n*, Schwelen *n*; langsame Verbrennung *f*.
comedero **I.** *adj.* **1.** eßbar; **II.** *m* **2.** Futter-trog *m*, -krippe *f*; Vogelnapf *m*; **3.** Eßzimmer *n*; Speisesaal *m*; **4.** F *Reg.* Essen *n*.
comedia *f* **1.** Lustspiel *n*, Komödie *f*; *p. ext.* Schauspiel *n*; *Lit.* ~ *del arte*, ~ *italiana* Commedia *f* dell'Arte; ~ *de capa y espada* Mantel- u. Degenstück *n*; ~ *de carácter* Charakterstück *n*; ~ *de costumbres* (*de enredo*) Sitten-, Gesellschafts- (Intrigen)stück *n*; *K* ~ *de figurón* Sittenkomödie *f*; **2.** *fig.* Komödie *f*,

Farce *f*; *hacer la* (*od. una*) ~ Komödie (*od.* Theater) spielen; *sus lágrimas son* ~ ihre Tränen sind reinste Komödie (*od.* nur Mache F); **~nta** *f*, **~nte** *m* Schauspieler(in *f*) *m*, Komödiant(in *f*) *m* (*bsd. fig.*); *fig.* Heuchler(in *f*) *m*.

comedi|damente *adv.* höflich; **~do** *adj.* höflich, zurückhaltend, gemessen; bescheiden; **~miento** *m* Anstand *m*, Höflichkeit *f*, Zurückhaltung *f*.

comediógrafo *m* Bühnenautor *m*; Komödienschreiber *m*.

comedirse [3l] *v/r.* **1.** s. mäßigen, s. zurückhalten, zurückhaltend sein; ~ *en sus deseos* anspruchslos sein; **2.** *Am.* äußerst zuvorkommend sein; **3.** *Ec.* s. einmischen.

come|dón *m* Mitesser *m*; **~dor** **I.** *adj.* **1.** gefräßig; **II.** *m* **2.** Eßzimmer *n* (*a. Möbel*); Speise-raum *m*, -saal *m* (*Hotel*); ~ *de estudiantes*, ~ *universitario* Mensa *f*; ⚓ ~ (*de oficiales*) (Offiziers-)Messe *f*; **3.** Mittagstisch *m*; **4.** ~ *de fuego* Feuer-fresser *m*, -schlucker *m*.

come|jén *m Ent.*, *bsd. Am.* Termite *f*; *fig.* F *Am. Reg.* Rotznase *f*, frecher Kerl *m*; **~jenera** *f* Termitenbau *m*; *fig.* F *Ven.* Räuberhöhle *f*, Schlupfwinkel *m*.

comen|dador *m* **1.** Komtur *m der Ritterorden*; ~ *mayor* Großkomtur *m*; **2.** Ordensprior *m versch. rel. Orden*; **~dadora** *f* Priorin *f versch. Frauenklöster*; **~datorio** *adj.* Empfehlungs...; **~dero** *hist. m* Kommenden-inhaber *m*, -komtur *m*.

comensa|l *c* Tischgenosse *m*; (Tisch-)Gast *m*; **~lía** *f* Tischgenossenschaft *f*.

comen|tador *m* Kommentator *m*; **~tar** *v/t.* **1.** erklären, auslegen; **2.** besprechen, kommentieren; *Buch* rezensieren; Bemerkungen machen über (*ac.*); **~tario** *m* Kommentar *m*; Erklärung *f*, Auslegung *f*; *fig.* Gerede *n*, Geschwätz *n*; *los* 2*s de César* der Gallische Krieg (*Werk Cäsars*); *sin más* ~ ohne weitere Erklärung; ohne weiteres; *dar lugar a* ~*s* Anlaß zu Bemerkungen geben, s. dem Gerede aussetzen; **~tarista** *c berufsmäßiger* Kommentator *m*; Ausleger *m*, Erklärer *m*; **~to** *m* **1.** Kommentieren *n*; **2.** → *comentario*.

comenzar [1f *u.* 1k] **I.** *v/t.* anfangen, beginnen; in Angriff nehmen; *Frucht, Brot* anschneiden; **II.** *v/i. abs.* beginnen, anfangen; ~ *a* + *inf.* beginnen zu + *inf.*, anfangen zu + *inf.*; ~ *por* + *inf.* zunächst (*od.* zuerst) *et. tun*; *v/impers. comienza a llover* es fängt an zu regnen.

comer **I.** *vt/i.* **1.** essen, (ver)speisen, verzehren; fressen (*Tiere u.* P *Menschen*); zu Mittag essen; ~ *por* ~ ohne Appetit essen; (nur) aus Höflichkeit et. zu s. nehmen; P ~ *caliente* zu essen haben; ~ *por cuatro* essen für vier; *fig.* F ~ *a alg. vivo* aus j-m Hackfleisch (*od.* Kleinholz) machen F (*Drohung*); *antes* (*después*) *de* ~ vor (nach) Tisch, vor (nach) dem Essen; *fig.* F *¿con qué se come eso?* was soll das (bedeuten)?; *dar de* ~ *a* **a)** *j-m* zu essen geben; **b)** für *j-s* Unterhalt sorgen; *echar de* ~ *a Tiere* füttern (*ac.*), Futter geben (*dat.*); F *estar a/c. diciendo cómeme* sehr appetitlich (*bzw.* ganz reizend) aussehen; *fig. tener qué* ~ sein Auskommen haben; *fig. sin* ~*lo ni beberlo* (ganz) ohne sein eigenes Zutun; **II.** *v/t.* **2.** (zer-)fressen (*Rost, Säure*); **3.** *fig. el río come las orillas* der Fluß nagt an s-n Ufern; **4.** *fig.* nagen an (*dat.*), verzehren (*ac.*) (*Kummer, Schmerz*); verzehren (*Neid, Eifersucht*); **5.** *Farbe* ausbleichen, verschießen lassen; **6.** *Worte, Silben* verschlukken, auslassen; **7.** *Vermögen* durchbringen; **8.** *Brettspiel*: *Steine od. Figuren* wegnehmen; *Damespiel*: blasen; **9.** jucken; *me come todo el cuerpo* es juckt mich überall; **III.** *v/r.* ~*se* **10.** aufessen; ver-, hinunter-schlingen; **11.** *fig.* ~*se a/c.* et. übersehen, et. überspringen; *fig.* ~*se de* vergehen vor (*dat.*), s. verzehren vor (*dat.*); *fig.* F ~*se crudo a uno* j-n in die Tasche stekken, j-m über sein; *fig.* ~*se las ganas* s. et. verkneifen; ~*se con los ojos* (*con la vista*) mit den Augen verschlingen; *fig. está para comérsela* sie ist zum Anbeißen hübsch; *con su pan se lo coma* das ist s-e Sache, da trägt er die Verantwortung; ~*se los santos* ein Betbruder (*od.* Frömmler) sein; **12.** *Vermögen* vergeuden, verbrauchen; **IV.** *m* **13.** Essen *n*, Speise f; Mahlzeit *f*; *ser de buen* ~ **a)** schmackhaft sein; **b)** ein starker Esser sein.

comer|ciable *adj. c* **1.** (ver)käuflich, umsetzbar; handelsfähig; **2.** umgänglich, gesellig; **~cial** *adj. c* kaufmännisch, geschäftlich, kommerziell, Handels..., Geschäfts...; *acuerdo m* ~ (*y de pagos*) Handels- (u. Zahlungs-)abkommen *n*; *agente m* ~ Handelsvertreter *m*; *local m* ~ Geschäftslokal *n*; **~cialismo** *m* Geschäfts-sinn *m*, -tüchtigkeit *f*; **~cialización** *f* Absatz *m*, Vermarktung *f*; **~cializar** [1f] *v/t.* vermarkten, absetzen; **~cialmente** *adv.* kommerziell, kaufmännisch, als Kaufmann; **~ciante** *m* Kaufmann *m* (~*s m/pl.* Kaufleute *m/pl.*); Händler *m*, Geschäftsmann *m*; ~ *al por mayor* Großhändler *m*; ~ *al por menor*, ~ *al detall*(e) Einzel-, Kleinhändler *m*; ~ *de radio* (*en vinos*) Radio- (Wein-)händler *m*; **~ciar** [1b] *v/i.* **1.** handeln, Handel treiben (mit *dat. con, en*); ~ *al por mayor* Großhandel (be)treiben; **2.** *fig.* Umgang haben (mit *dat. con*).

comercio *m* **1.** Handel *m*; Handlung *f*, Geschäft *n*, Laden *m*; Handelsverkehr *m*; Handelsgewerbe *n*; ~ *de cabotaje* Küstenhandel *m*; ~ *clandestino*, ~ *ilícito* Schleichhandel *m*; ~ *de exportación* (*de importación*) Ausfuhr- (Einfuhr-)handel *m*; ~ *exterior* (*interior, nacional*) Außen- (Binnen-)handel *m*; ~ *intermediario* Zwischenhandel *m*; ~ *internacional*, ~ *mundial* Welthandel *m*; ~ *al por mayor*, ~ *mayorista* Großhandel *m*; ~ *al por menor*, ~ *al detall*(e) Klein-, Einzel-handel *m*; ~ *de ultramar* Überseehandel *m*; ~ *de ventas por correspondencia* Versandgeschäft *n*; *operación f de* ~ Handelsgeschäft *n*; *todo el* ~ *cierra el domingo* am Sonntag bleiben alle Geschäfte geschlossen; *establecerse en el* ~ s. als Kaufmann niederlassen; **2.** Geschäftswelt *f*, -leben *n*, -kreise *m/pl.*, -leute *pl.*; **3.** *Reg. u. Am.* Geschäftsviertel *n*; **4.** *fig.* Umgang *m*, Verkehr *m*; ~ *carnal*, ~ *sexual* Geschlechtsverkehr *m*; **5.** *versch. Kartenspiele.*

comestible **I.** *adj. c* eßbar; **II.** ~*s m/pl.* Eßwaren *f/pl.*, Lebensmittel *n/pl.*; ~*s finos* Feinkost *f*, Delikatessen *f/pl.*; *tienda f de* ~*s* Lebensmittelgeschäft *n*.

cometa **I.** *m Astr.* Komet *m*; **II.** *f* Drachen *m*; Papierdrachen *m*; *volar la* ~, *echar* (*od. hacer subir*) *una* ~ e-n Drachen steigen lassen.

come|tedor *adj.-su.* Täter *m*, Urheber *m*; **~ter** *v/t.* **1.** *Irrtum, Sünde, Verbrechen* begehen, *Fehler* machen, s. *e-s Vergehens* schuldig machen; **2.** ✝ ~ *a/c. a alg.* j-n mit et. (*dat.*) beauftragen; **~tido** *m* Auftrag *m*; Aufgabe *f*.

comezón *f* Jucken *n*, Juckreiz *m*; *fig.* Kitzel *m*, Gelüst *n*; Unruhe *f*; F *tengo una* ~ (*interna*), *no sé* mir ist irgendwie unbehaglich.

comible F *adj. c* (noch) eßbar.

cómica *Thea. f* Komikerin *f*; P Schauspielerin *f*.

comicastro *desp. m* schlechter Schauspieler *m*, Schmierenkomödiant *m* (*fig.*).

comicial *hist. u. lit. adj. c* (Volks-) Versammlungs..., Wahl...

comicidad *f* Komik *f*.

comicios *m/pl.* Volks-, Wahl-versammlung *f*; Wahlbezirk *m*; *hist.* Komitien *pl.* (*Rom*).

cómico **I.** *adj.* **1.** komisch, lustig, spaßhaft, witzig; *lo* ~ das Komische; **2.** Komödien...; Lustspiel..., komisch; *actor m* ~ → *3*; **II.** *m* **3.** Komiker *m* (*Schauspieler*); P Schauspieler *m*; ~ *de la legua* Wanderschauspieler *m*; Schmierenkomödiant *m*; **4.** ~*s m/pl.* Comic Strips *pl.* (*engl.*).

comi|da *f* Essen *n*, Speise *f*, Nahrung *f*; Mahlzeit *f*; Mittagessen *n*; ~ *casera* Hausmannskost *f*, (gut) bürgerliche Küche *f*; ~ *de despedida* Abschiedsessen *n*; ~ *principal* Hauptmahlzeit *f*; *dar una* ~ *a alg.* für j-n (*od.* j-m zu Ehren) ein Essen geben; *hacer la* ~ das Essen zubereiten; *hacer tres* ~*s al día* dreimal täglich essen; *tener* ~ *y alojamiento* Unterkunft u. Verpflegung (*od. als Bestandteil e-s Entgelts* freie Station *f*) haben; **~dilla** *f* **1.** Hauptthema *n*; Stadtgespräch *n*; *ser la* ~ *de la gente* (*del público*) das Stadtgespräch sein, stadtbekannt (*od.* in aller Munde) sein; **2.** Lieblingsbeschäftigung *f*, Steckenpferd *n*, Hobby *n*; **~do** *adj.* **1.** satt (gegessen); F (*lo*) ~ *por* (*lo*) *servido* es kommt nichts dabei heraus, es langt gerade von der Hand in den Mund (*Lohn, Verdienst*); (*estar*) ~ *y bebido* den ganzen Unterhalt (haben); *estar* ~ *de trampas* bis über die Ohren verschuldet sein; *llegar* ~ nach dem Essen kommen (*Besuch*); F *es pan* ~ das ist ganz leicht (zu machen); **2.** durchlöchert;

~ *de orín* rostig, vom Rost zerfressen.

comienzo *m* Beginn *m*, Anfang *m*; Ursprung *m*, Wurzel *f*; Antritt *m* (*Reise, Kur*); *desde el* ~ von Anfang an; *al* ~, *en el* ~ im (*od.* zu) Anfang, anfänglich; *a* ~*s de mayo* Anfang Mai; *a* ~*s del verano* zu Beginn des Sommers; *dar* ~ beginnen, anfangen (*v/i.*); *dar* ~ *a et.* beginnen, *et.* in Angriff nehmen.

comi|lón *adj.-su.* gefräßig; *m* Vielfraß *m*; Schlemmer *m*; **~lona** F *f* Eßgelage *n*, Fresserei *f* P; Abfütterung *f* F; F *estar de* ~ mächtig schlemmen.

comillas *f/pl.* Anführungszeichen *n/pl.*, Gänsefüßchen *n/pl.*; *poner entre* ~ in Anführungszeichen setzen (*a. fig.*).

comi|near *v/i.* 1. Kleinigkeitskrämer sein; 2. s. mit Weiberkram abgeben (*Mann*); **~nería** F Kleinigkeitskrämerei *f*; **~nero** F *m* 1. Schnüffler *m*; Topfgucker *m*; 2. Kleinigkeitskrämer *m*; **~nillo** *m* ♀ Taumellolch *m*; *Rpl.* Kümmel *m* (*Schnaps*); **~no** *m* 1. ♀ (Kreuz-) Kümmel *m*; *pharm.* *esencia f de* ~ Kümmelöl *n*; *licor m de* ~ Kümmel *m* (*Schnaps*); 2. *fig.* F *eso (no) me importa un* ~ das ist mir ganz egal, das ist mir schnuppe F.

Comin|form *m*, **~tern** *m Pol.* → *Kominform, Komintern.*

comique|ar F *v/i.* Liebhabertheater spielen; **~ría** F *koll. f* Schauspieler *m/pl.*, Ensemble *n*.

comisa|r ⚖ *v/t.* einziehen, beschlagnahmen; **~ría** *f* (*a.* **~riato** *m*) Kommissariat *n*; ~ (*de policía*) Polizei-revier *n*; -wache *f*; **~rio** *m* 1. Kommissar *m*; Beauftragte(r) *m*; amtlicher Vertreter *m*; *Pol. alto* ~ Hochkommissar *m*, Hoher Kommissar *m*; ~ (*de policía*) Polizeikommissar *m*; 2. Marinezahlmeister *m*.

comiscar [1g] *vt/i.* wenig u. oft essen, naschen.

comisión *f* 1. Kommission *f*, Ausschuß *m*; ~ *administrativa* (*económica*) Verwaltungs- (Wirtschafts-) ausschuß *m*; *Verw.* ~ *calificadora* Prüfungsausschuß *m*; ♀ *de los Derechos del Hombre* Ausschuß *m* für Menschenrechte *der UNO*; ♀ *Económica para América Latina* Wirtschaftskommission *f* für Lateinamerika; ♀ *de Energía Atómica* Atomenergie-Kommission *f der UNO*; ~ *especial* Sonderausschuß *m*; ~ *de estudios* Studien-, Prüfungs-kommission *f*; ~ *de investigación*, ~ *investigadora bsd. Parl.* Untersuchungsausschuß *m*; *constituir* (*od. formar, establecer*) *una* ~ e-e Kommission (e-n Ausschuß) einsetzen; *formar parte de la* ~ Ausschußmitglied sein; 2. ✝ ~ (*mercantil*) Kommission(sgeschäft *n*) *f*; Provision *f*, Vermittlungsgebühr *f*; ~ *bancaria* (*de cobro*) Bank- (Inkasso-)provision *f*; *agente m de* ~ Kommissionär *m*, Geschäftsvermittler *m*; *dar* (*vender*) *en* ~ in Kommission geben (verkaufen); *establecer una casa de* ~*ones y representaciones* ein Kommissionsgeschäft aufziehen; *trabajar a* ~ auf (*od.* gg.) Provision arbeiten; 3. Auftrag *m*; *venir en* ~ *de* im Auftrag von (*dat.*) kommen; 4. Begehen *n*, Begehung *f e-r Sünde, e-s Verbrechens*; Verübung *f e-s Verbrechens*; ⚖ *delito m de* ~ Kommissivdelikt *n*; *Theol. pecado m de* ~ Tatsünde *f*; 5. ⚖ ~ *rogatoria* Rechtshilfeersuchen *n an ein ausländisches Gericht*; *interrogar a alg. por* ~ *rogatoria* j-n kommissarisch (aufgrund e-s Rechtshilfeersuchens) vernehmen.

comisio|nado *m* ✝, ⚖ Bevollmächtigte(r) *m*, Beauftragte(r) *m*; *bsd. Am.* Kommissar *m*; **~nar** *v/t.* ✝, ⚖ beauftragen (j-n mit et. *dat. a/c. a alg.*); ~ *a/c. a alg.* j-m e-n Auftrag geben; **~nista** ✝ I. *adj. c* Kommissions...; *librero m* ~ Kommissionsbuchhändler *m*; II. *m* ~ (*en nombre ajeno*) Vertreter *m*, Agent *m*; ~ (*en nombre propio*) Kommissionär *m*; ~ *de transportes* Spediteur *m*.

comiso ⚖ *m* 1. Einziehung *f*, Beschlagnahme *f*; *de* ~ beschlagnahmt, eingezogen; 2. Rücktrittsberechtigung *f v. der Erbpacht*; **~rio** ⚖ *adj.* befristet (gültig).

comistrajo F *desp. m* (Hunde-) Fraß *m* P.

comisura *Anat. f* Verbindungsstelle *f*, Kommissur *f*; ~ *de los labios* Mundwinkel *m*; ~ *de los ojos*, ~ *de los párpados* Augenwinkel *m*.

comité *m* Ausschuß *m*, Komitee *n*; *Pol.* ♀ *Central* Zentralkomitee *n*; ~ *ejecutivo Pol.* Exekutivkomitee *n*; *Vereine usw.*: geschäftsführender Ausschuß *m*; ~ *electoral* Wahlausschuß *m*; ~ *de normalización* Normenausschuß *m*; ♀ *Olímpico Internacional* Internationales Olympisches Komitee *n*; ~ *organizador* vorbereitender (Fest-)Ausschuß *m*; Messeausschuß *m usw.*

comitente ✝, ⚖ *m* Auftraggeber *m*; Kommittent *m*; Besteller *m*.

comitiva *f* Gefolge *n*, Begleitung *f*; Zug *m*.

cómitre *m* ⚓ *hist.* Rudermeister *m auf den Galeeren*; Schiffshauptmann *m*; *fig.* Leuteschinder *m*.

comiza *Fi. f* Bartfisch *m*, gr. Flußbarbe *f*.

como I. *adv.* 1. *Eigenschaft*: als; ~ *profesor y amigo* als Lehrer u. Freund; *asistir* ~ *observador* als Beobachter teilnehmen; 2. *Vergleich*: wie, sowie; so wie; *tiene tanto dinero* ~ *tú* er hat soviel Geld wie du; *y otros casos*, ~ *son* u. andere Fälle, wie z. B.; *no* ~ *quiera* wie es sich gehört, anständig; nicht leichthin; *tal* ~ *era entonces, ya no es* so wie damals ist es nicht mehr; *sabrás la manera* ~ *sucedió* du wirst wissen, wie es zugegangen ist; 3. *Beziehung u. Annäherung*: ungefähr, etwa; gewissermaßen; F was ... (*ac.*) angeht, was man so nennt; F ~ *quien dice mil marcos* sozusagen (*od.* rd.) 1000 Mark; *habrá* ~ *tres meses* es mag ein Vierteljahr her sein; ~ *entenderlo, no lo entiendo* genau genommen, versteh' ich's nicht, verstehen tu ich's nicht; II. *cj.* wie, als; 4. *Vergleich*: wie; *hazlo* ~ *puedas* mach's, wie es eben geht; ~ *quiera* (*usted*) wie Sie wollen, nach Ihrem Belieben; ~ *si* + *subj.* als ob + *subj.*; ~ *si fuera rico* als ob er reich wäre; *hacía* ~ *que dormía* er tat, als ob er schliefe; *¡esto es* ~ *para desesperarse!* das ist ja zum Verzweifeln!; 5. *Zeitsatz*: sobald; (*así od. tan pronto*) ~ *se hubieron* (*od. se habían*) *acercado* (*a. se acercaran bzw. se acercaron*) *las tropas, se entabló la lucha* sobald die Truppen herangerückt waren (*od.* kaum waren die Truppen herangerückt), begann der Kampf; (*tan pronto*) ~ *vuelva a casa, se lo diré* sobald er nach Hause kommt, sage ich's ihm; 6. *Bedingung*: wenn; ~ *no seas puntual, me voy* wenn du nicht pünktlich bist, gehe ich; 7. *Begründung*: da, weil; ~ *es domingo, está todo cerrado* da Sonntag ist, ist alles geschlossen; ~ *quiera que* da; *tienes un coche precioso* — *¡*~ *que me ha costado un dineral!* du hast e-n schönen Wagen — der hat mich aber auch e-e Stange Geld gekostet; 8. *Einräumung*: ~ *quiera que sea* es sei, wie es wolle; ~ *quiera* (*que*) + *subj.* obwohl, wenn ... auch; 9. *Objektsatz* (*hier mst.* que): daß; *verás* ~ *lo hago* du wirst sehen, daß (*bzw.* ob) ich es tue.

cómo I. *adv. Frage* (*direkt u. indirekt*) *u. Ausruf*: wie?, wieso?; wie...!; *¿*~ *que?*, *¿*~ *pues?* wieso?; *¡*~ *que no!* wieso nicht!; *¿*~ *estás?* wie geht es dir?; *¿a* ~ *está el cambio?* wie steht der Kurs?; *¿a* ~ *está el pan?* wie teuer ist das Brot?; *no sabía* ~ *hacerlo* er wußte nicht, wie er es anstellen sollte; *no sé* ~ *no lo hago* am liebsten möchte ich's tun; *según y* ~ je nachdem, es kommt darauf an; *bsd. Am.* *¡*~ *no!* natürlich!, selbstverständlich!; II. *m el* ~ *y el cuándo* das Wie u. das Wann.

cómoda *f* Kommode *f*.

cómodamente *adv.* bequem, leicht; bequem, behaglich.

como|dante ⚖ *m* Verleiher *m*; **~dato** ⚖ *m* Leihe *f*; *prestar en* ~ leihen; **~datorio** ⚖ *m* Entleiher *m*.

comodidad *f* 1. Bequemlichkeit *f*, Behaglichkeit *f*; Wohlstand *m*; *con todas las* ~*es* mit allem Komfort (*Wohnung*); 2. Nutzen *m*; *buscar* ~*es* s-n Vorteil suchen.

como|dín *m* 1. kl. Kommode *f*; *Typ.* Setzregal *n*; 2. F Mädchen *n* für alles (*fig.*); 3. *Kart.* Jolly *m beim Poker*; 4. Lieblingsausdruck *m*; **~dista** *c* → *comodón*.

cómodo *adj.* bequem, leicht; behaglich, gemütlich; *aquí estamos muy* ~*s* hier fühlen wir uns sehr wohl, hier haben wir es sehr gemütlich; F *póngase* ~ machen Sie sich's bequem, fühlen Sie s. wie zu Hause.

comodón F *adj.-su.* bequem, faul.

comodoro ⚓, ✈ *m* Kommodore *m*, Geschwaderchef *m*.

comoquiera *adv.* → *como quiera*; ~, *se ha de enfadar* er wird s. sowieso ärgern.

compac|idad *f* Kompaktheit *f*, Dichtigkeit *f*; **~tar** *v/t.* verdichten, zs.-drängen; anhäufen; **~tible** *adj. c* zs.-drückbar; **~to** *adj.* dicht, fest, kompakt, massiv; fest (*Holz*); schwer (*Schnee*); *Typ.* eng (*Satz*,

Schrift); coche *m* ~ Kompaktwagen *m*; *multitud f* ~*a* dichtgedrängte Menge *f*.

compadecer [2d] **I.** *v/t.* (*u.* ~*se v/r.* de) bemitleiden, Mitleid haben mit (*dat.*); s. erbarmen (*gen.*); **II.** *v/r.* ~*se* (*mal*) *una cosa con otra* s. (schlecht *od.* nicht) vertragen mit (*dat.*), (nicht) zuea. passen.

compa|draje *m* Cliquen-bildung *f*, -wirtschaft *f*, Kamarilla *f*; ~**drar** *v/i.* Gevatter werden; j-s Freund sein (*od.* werden) (*mst. desp.*); ~**drazgo** *m* Gevatterschaft *f*; *fig.* Clique *f*; ~**dre** *m* **1.** Gevatter *m* (*Reg. a. als Anrede*); *fig.* Freund *m*; *Col. vamos a ser* ~*s* jetzt haben wir beide das gleiche gesagt; ¡~! nanu!, alle Achtung!; **2.** *Rpl.* Angeber *m*, Windhund *m*; ~**drear** *v/i.* **1.** → *compadrar*; **2.** *Rpl.* s. aufspielen, mit guten Beziehungen prahlen; ~**dreo** *m* Freundschaft *f* (*mst. zu unerlaubten Zwecken*); ~**drito** *m Rpl.* Geck *m*, Fatzke *m*; ~**drón** *m Rpl.* Maulheld *m*; Raufbold *m*.

compagina|ción *f* **1.** *Typ.* **a**) Paginierung *f*; **b**) Umbruch *m*, Umbrechen *n des Satzes*; **2.** *fig.* Einordnung *f*; Vergleich(ung *f*) *m*; **3.** *fig.* Verkettung *f*; ~**dor** *Typ. m* Metteur *m*; ~**r I.** *v/t.* **1.** *Typ.* **a**) paginieren; **b**) umbrechen; **2.** in Einklang bringen (mit *dat.* con); **II.** *v/r.* ~*se* **3.** ~*se con* passen zu (*dat.*), in Einklang stehen mit (*dat.*).

compaña F *f* → *compañía*; *y la* ~ und die ganze Sippschaft; *¡adiós, Paco y la* ~*!* auf Wiedersehen, Franz u. alle miteinander!

compa|ñerismo *m* Kameradschaft (-lichkeit) *f*; Kollegialität *f*; ~**ñero** *m* **1.** Begleiter *m*; Gefährte *m*; Genosse *m*; Kollege *m*; Mitarbeiter *m*; Kamerad *m*, Freund *m*; ~ *de armas* Waffenbruder *m*, Kampfgefährte *m*; ~ *de cautiverio* Mitgefangene(r) *m*; ~ *de clase* Schulfreund *m*; ~ *de estudios* Studien-genosse *m*, -kollege *m*, Kommilitone *m*; ~ *de juego* Spielgefährte *m*; ~ *de viaje* Reisegefährte *m*; *Pol.* Mitläufer *m*; **2.** *fig.* Seiten-, Gegen-stück *n*; *estos zapatos no son* ~*s* diese Schuhe gehören nicht zuea.; **3.** ⚒ *u. fig.* Kumpel *m*; ~**ñía** *f* **1.** Begleitung *f*; Gesellschaft *f*; *p. ext.* Begleiter *m*, Gefährte *m*; en ~ (de) zs. (mit *dat.*); *malas* ~*s f/pl.* schlechte Gesellschaft *f*; *encontrar* ~ Gesellschaft finden; *hacer* ~ *a alg.* j-m Gesellschaft leisten; **2.** *a.* ⚕ Gesellschaft *f*; ~ *aérea*, ~ *de aviación* (*de navegación*) Luftfahrt-, Flug- (Schifffahrts-)gesellschaft *f*; ~ (*mutua*) *de seguros* Versicherungsgesellschaft *f* (auf Gegenseitigkeit); ♀ *Pérez y Cía* Firma Pérez & Co.; **3.** *kath.* ~ *de Jesús* Gesellschaft *f* Jesu; **4.** *Thea.* Truppe *f*, Ensemble *n*; ~ *de ópera* Opern-truppe *f*, -ensemble *n*; ~ *de la legua*, ~ *ambulante* Wanderbühne *f*; Schmierentheater *n*; **5.** ⚔ Kompanie *f*.

compara|ble *adj. c* vergleichbar (mit *dat.* a); ~**ción** *f* **1.** Vergleich *m*, Gg.-überstellung *f*; en ~ (*con*) im Vergleich (mit, zu *dat.*); *adv.* dagegen; *por* ~ vergleichsweise; *no tener* ~ unvergleichlich sein; *toda* ~ *es odiosa* (alle) Vergleiche hinken; **2.** Gleichnis *n*; **3.** *Gram.* Steigerung *f*; ~**do** *adj.* vergleichend; ~**dor** *Phys. m* Komparator *m*; ~**nza** † *u. Reg. f* → *comparación*; ~**r** *v/t.* vergleichen (mit *dat.* a, con); gg.-einander abwägen; gg.-überstellen; *imposible de* ~ unvergleichbar; ~**tista** *m bsd.* Sprachvergleicher *m*; Rechtsvergleicher *m*; ~**tivo I.** *adj.* vergleichend; *Gram. oración f* ~*a* Vergleichssatz *m*; **II.** *m Gram.* Komparativ *m*.

compa|recencia *bsd.* ⚖ *f* Erscheinen *vor Gericht*; *orden f de* ~ Vorführungsbefehl *m*; ~**recer** [2d] *v/i.* *vor Gericht* erscheinen; F *iron.* auftauchen, in Erscheinung treten; ~**reciente** *adj.-su. c vor Gericht* Erscheinende(r) *m*; ~**rendo** ⚖ *m* Vorladung *f*; ~**rición** ⚖ *f* Erscheinen *n vor Gericht*; Vorladung *f*.

compar|sa I. *f* **1.** Gefolge *n*; **2.** Maskengruppe *f*; **3.** F, *mst. iron.* Menge *f*, Volk *n*; **II.** *m* **4.** *Thea.* Statist *m*, Komparse *m*; ~**sería** *Thea. f* Statisten *m/pl*.

compar|te ⚖ *c* Mitkläger *m*; ~**tidor** *m* Mitteilhaber *m*; Mitverteiler *m*; ~**timento** *m Am.*, ~**timiento** *m* Abteilung *f*, Fach *n*; Feld *n*; 🚃 Abteil *n*; ⚓ ~ *estanco durch Schotten* gesicherte Abteilung *f e-s Schiffes*; ~**tir** *v/t.* auf-, ver-, einteilen; teilen, gemeinsam haben (mit *dat.* con); ~ *la opinión de otro* die Meinung e-s anderen teilen; ~ *las alegrías y las penas* Freud' und Leid teilen; ~ *entre muchos* auf viele verteilen.

compás *m* **1.** Zirkel *m*; ~ *de espesor*, ~ *de grueso* Dickenmesser *m*, (Ab-) Greifzirkel *m*, Tasterlehre *f*; *estuche m* (*od. juego m od. caja f*) *de compases* Reißzeug *n*; **2.** ♪ Takt *m*; *allg.* Rhythmus *m*, Tempo *n*, Maß *n*; *a* ~ im Takt; im Gleichschritt; ~ *de dos* (*tres*) *por cuatro* Zwei- (Drei-)vierteltakt *m*; ~ *de espera* ganztaktige Pause *f*, Pausentakt *m*; *fig.* Vorspiel *n*; ~ *menor* → *compasillo*; ~ *mayor* alla breve-Takt *m*; ~ *de vals* Walzertakt *m*; *llevar el* ~ Takt halten; *fig.* den Ton angeben; *marcar el* ~ den Takt angeben (*od.* schlagen); *fig.* den Ton angeben; *perder el* ~ aus dem Takt kommen; **3.** *fig.* Maß *n*, Richtschnur *f*; *al* ~ *de* nach Maßgabe von (*dat.*), in Übereinstimmung mit (*dat.*); **4.** ⚓ Kompaß *m*; → *a. brújula*; **5.** Klostergelände *n*; **6.** *Fechtk.* Wendung *f*.

compasa|damente *adv.* taktmäßig; abgemessen; mit Maß u. Ziel; ~**do** *adj.* taktmäßig; abgemessen; maßvoll, klug; ~**r** *v/t.* abzirkeln; ausmessen; ♪ in Takte einteilen; *fig.* bemessen, einteilen.

compasillo ♪ *m* Viervierteltakt *m*.

compa|sión *f* Mitleid *n*; Erbarmen *n*; *¡por* ~*!* um Gotteswillen!; *sin* ~ erbarmungs-, rücksichts-los; *dar* ~, *despertar* ~ Mitleid erwecken; *tener* ~, *sentir* ~ Mitleid haben (mit *dat.* de); ein Einsehen haben (mit *dat.* de); ~**sionado** *adj.* → *apasionado*; ~**sivo** *adj.* mitleidig, barmherzig; mitfühlend, teilnehmend.

compati|bilidad *f* Vereinbarkeit *f*, 📖 Kompatibilität *f*; Verträglichkeit *f*; ~**ble** *adj. c* vereinbar (mit *dat.* con); verträglich.

compatriota *c* Lands-mann *m*; -männin *f*; ~*s m/pl.* Landsleute *pl*.

compeler *v/t.* nötigen, zwingen (zu + *inf. od. dat.* a).

compen|diado *adj.* abgekürzt, zs.-gefaßt; ~**diador** *m* Kompendienverfasser *m*; ~**diar** *v/t.* zs.-fassen, kürzen; im Auszug bringen; ~**dio** *m* Kompendium *n*, Abriß *m*, Leitfaden *m*, Auszug *m*; ~**diosamente** *adv.* auszugsweise; ~**dioso** *adj.* im Auszug, gedrängt, gekürzt, summarisch.

compene|tración *f* gg.-seitige Durchdringung *f*; (gg.-seitiges) Verständnis *n*; ⚕ Verflechtung *f*; ~**trarse** *v/r.* ea. durchdringen; inea. aufgehen (*a. fig.*); ~ (*de*) bis in die geringsten Einzelheiten (*e-r Sache*) eindringen.

compensa|ble *adj. c* ersetzbar; ausgleichbar; ~**ción** *f* **1.** Ausgleich *m*; Ersatz *m*, Vergütung *f*; ~ *de energía* Energieausgleich *m*; *en* ~ *de* als Ersatz (*od.* zum Ausgleich) für (*ac.*); **2.** ⚕ Verrechnung *f*; *central f de* ~ Verrechnungs-, Clearingstelle *f*; ~ *de cargas* Lastenausgleich *m*; ~**dor I.** *adj.* ausgleichend; **II.** *m* Kompensator *m*, Ausgleicher *m* (*a.* ⊕); Uhrenpendel *n*; ⚡ Aus-, Abgleichkondensator *m*; ~**r I.** *v/t.* **1.** ausgleichen, ersetzen, kompensieren; ~ *las pérdidas con las ganancias* Verlust u. Gewinn ausgleichen; **2.** ~ (*de, por*) entschädigen (für *ac.*); **II.** *v/r.* ~*se* **3.** ea. aufwiegen; ~**tivo**, ~**torio** *adj.* ausgleichend.

compe|tencia *f* **1.** Wett-streit *m*, -bewerb *m*; ⚕ Konkurrenz *f*; *allg.*, *Sp.*, ⚕ ~ (*inter*)*nacional* (inter)nationaler Wettbewerb *m*; *a* ~, *en* ~ um die Wette, konkurrierend; *fuera de* ~ außer Konkurrenz; ⚕ *estar en* ~ konkurrieren, im Wettbewerb stehen; *estar en la* ~, *ser de la* ~ zur Gg.-partei gehören, von der Konkurrenz sein; am Wettbewerb teilnehmen; **2.** Zuständigkeit *f* (*a.* ⚖), Befugnis *f*, Kompetenz *f*; Fähigkeit, Tauglichkeit *f*; *esto* (*no*) *es de su* ~ dafür ist er (nicht) zuständig, das gehört (nicht) zu s-n Obliegenheiten; ~**tente** *adj. c* **1.** zuständig, befugt, berechtigt; *tribunal m* ~ zuständiges Gericht *n*; **2.** sach-verständig, -kundig, kompetent; maßgebend; einschlägig; *ser* ~ *en* sachverständig sein in (*dat.*); maßgebend sein bei (*od.* in *dat.*); **3.** begabt, tauglich; **4.** zustehend, gebührend; **5.** entsprechend, gehörig; *edad f* ~ (*para*) erforderliches Alter (für *ac. od.* um zu + *inf.*); ~**tentemente** *adv.* sachverständig; ~**ter** *v/i.* ~ (*a*) zukommen, zustehen, obliegen (*dat.*); ~**tición** *f* Wettbewerb *m*; ~ *futbolística* Fußballspiel *n*; ~ *profesional* Berufswettkampf *m*; ~**tidor I.** *adj.* rivalisierend, Konkurrenz..., im Wettbewerb stehend; *casas f/pl.* ~*as* Konkurrenz(firmen *f/pl.*) *f*; **II.** *m* Mitbewerber *m*, Konkurrent *m*; Nebenbuhler *m*; ~ *a la presidencia* Mitbewerber *m* um die Präsidentschaft; **~tir** [3l] *v/i.* s. mitbewerben (um *ac. para*); wetteifern, konkurrieren; ~ *en fuerza* an Kraft mitea. wetteifern; *doce equipos compiten en los certámenes* zwölf Mannschaften nehmen an den Wettspielen teil; **~titivo** *neol.* ✝ *adj.* Wettbewerbs..., Konkurrenz...

compila|ción *f* Kompilation *f*: Zs.-tragen *n*; Sammelwerk *n*; *desp.* Sammelsurium *n*; **~dor** *m* Kompilator *m*, Verfasser *m* e-s Sammelwerks; **~r** *v/t.* kompilieren, zs.-tragen, -stellen; *desp.* zs.-stoppeln.

compinche F *c* Kumpan *m*, Spießgeselle *m*.

compla|cedor *adj.* gefällig, entgegenkommend; **~cencia** *f* **1.** Befriedigung *f*, Wohlgefallen *n*; *tener gran ~ en* große Befriedigung empfinden über (*ac.*); **2.** *a.* ✝ Gefälligkeit *f*, Entgegenkommen *n*; Bereitwilligkeit *f*; ✝ Kulanz *f*; **3.** *~(s) f(/pl.)* Nachsicht *f*; **~cer** [2x] **I.** *v/t.* gefallen (*dat.*), befriedigen (*ac.*); gefällig sein (*dat.*); willfahren (*dat.*); **II.** *v/r.* *~se* en Gefallen finden an (*dat.*); s. freuen über (*ac.*); *se complace en* + *inf.* es macht ihm Spaß, zu + *inf.*; *nos complacemos en remitirle adjunto* ... wir freuen uns, Ihnen beiliegend ... übersenden zu können; **~cido** *adj.* zufrieden, befriedigt; **~ciente** *adj. c* gefällig, zuvorkommend, ✝ kulant; nachsichtig, tolerant, nachgiebig.

compleción ⚒ *f* Ergänzung *f*.

comple|jidad *f* **1.** Vielfältigkeit *f*, Vielschichtigkeit *f*; **2.** Schwierigkeit *f*; **~jo I.** *adj.* **1.** komplex, vielschichtig, zs.-gesetzt, verwickelt; *Ꭿ números m/pl. ~s* komplexe Zahlen *f/pl.*; **II.** *m* **2.** Komplex *m*, Gesamtheit *f*, Ganze(s) *n*; Verbindung *f*; **3.** *Psych.* Komplex *m*; ~ *de inferioridad* Minderwertigkeitskomplex *m*; **4.** ~ *de edificios* (*industrial*) Gebäude- (Industrie-)Komplex *m*; ~ *turístico neu errichtetes* Fremdenverkehrszentrum *n*; *a.* Feriendorf *n*.

complemen|tar *v/t.* ergänzen, vervollständigen; **~tario** *adj.* ergänzend; Ergänzungs..., Komplementär...; *ser ~* s. ergänzen; **~to** *m* Ergänzung *f*, Vervollständigung *f*; 📖 Komplement *n*; *Gram.* nähere Bestimmung *f*, Ergänzung *f*; ~ *directo* Akkusativobjekt *n*; ⚔ *oficial m de ~* Reserveoffizier *m*.

comple|tamente *adv.* ganz, völlig; **~tar** *v/t.* vervollständigen, ergänzen, komplettieren; ~ *una suma* die Summe vollmachen; **~tas** *Rel. f/pl.* Komplet *f*; **~tivo** *adj. Gram.* → *complementario*; ergänzend; *gelegl.* → *perfecto, acabado*; **~to** *adj.* vollständig, ganz, völlig; *¡~!* besetzt! (*Wagen*); ausverkauft (*Thea., Kino*); *adv. por ~* völlig; *estar ~* vollzählig sein; *traje m ~* dreiteiliger Anzug *m*.

comple|xidad *f* → *complejidad*; **~xión** *f* **1.** Körperbau *m*, Konstitution *f*; Veranlagung *f*; **2.** *Rhet.* Complexio *f* (*lt.*); **~xionado** *adj.*: *bien* (*mal*) ~ von kräftigem (schmächtigem) Körperbau *m*; **~xo** *adj.* → *complejo*.

complica|ción *f* Verwicklung *f*, Kompliziertheit *f*; Verkettung *f*, Zs.-treffen *n von Umständen*; Komplikation *f* (*a.* ⚕); Schwierigkeit *f*; **~do** *adj.* verwickelt, verworren; schwierig, knifflig, *a.* ⚕ kompliziert; **~r** [1g] **I.** *v/t.* **1.** komplizieren, erschweren, verwirren; **2.** ~ *a alg. en a/c.* j-n in et. (*ac.*) hineinziehen, j-n in e-e Sache verwickeln; **II.** *v/r.* *~se* **3.** *la cosa se va complicando* die Sache wird immer verwickelter; F *~se la vida* s. unnötige Schwierigkeiten schaffen; s. das Leben (selbst) schwer machen.

cómplice ⚖ *c* Komplize *m*, Mitschuldige(r) *m*; *i.e.S.* Helfer *m*; *ser ~ en un delito* bei e-r Straftat witwirken.

complicidad ⚖ *f* Mittäterschaft *f*; *i.e.S.* Beihilfe *f*.

complot *m* (*pl.* *~s*) Komplott *n*, Verschwörung *f*.

complutense *adj.-su. c* aus Alcalá de Henares; *Biblia f ~* Polyglottbibel *f des Cisneros* (*1514-1517*).

componedo|r *m* **1.** ⚖ *u. allg.* (*amigable*) ~ Vermittler *m*, Schiedsrichter *m*; **2.** *Typ.* Winkelhaken *m*; **3.** *Chi.* Knocheneinrenker *m*, Bader *m*; **~ra** *Typ. f* Setzmaschine *f*.

componenda F *f* Kuhhandel *m* F, Absprache *f*; Kompromiß *m*.

compo|nente *m* (*oft f*) Bestandteil *m*, Komponente *f*; Ꭿ, ⊕ ~ *efectiva* (*imaginaria*) Wirk- (Schein-)wert *m*; **~ner** [2r] **I.** *v/t.* **1.** zs.-setzen; anordnen; zubereiten; **2.** zu-, herrichten; aufputzen, schmücken; **3.** in Ordnung bringen; ausbessern, reparieren; **4.** *ein Ganzes* bilden, ausmachen; *componen la junta* ... dem Ausschuß gehören an ... (*nom.*); **5.** verfassen, *Aufsatz, Gedicht usw.* schreiben; ♪ komponieren; **6.** *Typ.* (ab)setzen; **7.** ⚒ versöhnen; **II.** *v/i.* **8.** *abs.* schreiben, dichten; komponieren; **III.** *v/r.* *~se* **9.** *~se de* bestehen aus (*dat.*), s. zs.-setzen aus (*dat.*); **10.** *abs.* s. (auf)putzen, s. schmücken; *~se el pelo* s. das Haar ordnen; **11.** s. vergleichen, s. aussöhnen, zu e-m Vergleich kommen (mit *dat. con*); **12.** F *componérselas* s. behelfen, zurecht-, durch-kommen; *¿cómo se las compone?* wie fangen (*od.* stellen) Sie es an?, wie machen Sie das?; **~nible** *adj. c* passend, vereinbar; ausgleichbar, beizulegen.

comporta *f* Lese-, Trauben-korb *m*.

comporta|ble *adj. c* erträglich; **~miento** *m* Betragen *n*, Benehmen *n*, *a.* ⊕ Verhalten *n*; *Psych.* ~ *colectivo* Gruppenverhalten *n*; **~r I.** *v/t.* **1.** ertragen; **2.** *gal.* → *traer consigo, acarrear, implicar*; **II.** *v/r.* *~se* **3.** s. betragen, s. benehmen, s. verhalten.

composi|ción *f* **1.** Zs.-setzung *f*, -stellung *f*; *Gram.* ~ *de palabras* Wortzs.-setzung *f*; 🚂 ~ *de trenes* Zugzs.-stellung *f*; **2.** ⚗ Verbindung *f*; (chemische) Zs.-setzung *f*; ~ *molecular* Molekularverbindung *f*; *sin ~* echt, unverfälscht; **3.** *Typ.* Satz *m*; ~ *a mano* (*a máquina*) Hand- (Maschinen-)satz *m*; **4.** (Schrift-) Werk *n*; Dichtung *f*; *Schule*: schriftliche Klassenarbeit *f*; ~ (*literaria*) Aufsatz *m*; ~ *poética* Gedicht *n*; **5.** ♪ Komposition(slehre) *f*; ~ (*musical*) Komposition *f*, Musikstück *n*; **6.** *Mal.* Komposition *f*; **7.** *fig. hacer su ~ de lugar* das Für u. Wider abwägen; **8.** Vergleich *m*, Schlichtung *f*; **9.** ⚒ Anstand *m*; **~tivo** *Gram. adj.*: *partículas f/pl. ~as* Komposit(ions)partikel *f/pl.*; **~tor** *m* **1.** Komponist *m*, Tonsetzer *m*; Verfasser *m*; **2.** *Typ.* Setzer *m*; **3.** *Rpl.* Bereiter *m* (*Renntraining*).

compostelano *adj.-su.* aus Santiago de Compostela.

compostura *f* **1.** Zs.-setzung *f*, Verfertigung *f*; Einrichtung *f*, Anordnung *f*; **2.** Ausbesserung *f*, Instandsetzung *f*; **3.** Zierde *f*, Schmuck *m*; **4.** Beimischung *f a. zur Verfälschung des Weins*; **5.** Bescheidenheit *f*, Zurückhaltung *f*; Anstand *m*; *X no tiene ~* X kennt k-e Zurückhaltung; *guardar ~* maßhalten; den Anstand wahren.

compo|ta *f* Kompott *n*; **~tera** *f* Kompott-schale *f*, -schüssel *f*.

compound ⊕ *adj. c*: *máquina f de vapor ~* Verbundmaschine *f*.

compra *f* Kauf *m*, An-, Ein-kauf *m*; ~ *al contado* Bar(ein)kauf *m*; ~ *de ocasión*, ~ *de lance* Gelegenheitskauf *m*; ~ *a plazos* Teilzahlungs-, Raten-kauf *m*; *agente m de ~* Einkäufer *m*; *libro m de ~s* Einkaufsbuch *n*; *negocio m de ~ y venta a.* Trödlerladen *m*; *estar de ~* beim Einkaufen sein; F in anderen Umständen sein; *ir a la ~* auf den Markt gehen (*Hausfrau*); → *ir de ~s* einkaufen gehen; **~ble** *adj. c* käuflich (*a. fig.*); *fig.* bestechlich; **~dor** *m* (*a. adj.*) Käufer *m*, Abnehmer *m*; Kunde *m*; **~r I.** *vt/i.* kaufen, erwerben, *lit.* erstehen; ~ *a/c. a alg.* **a)** j-m et. abkaufen, bei j-m et. kaufen; **b)** j-m (*od.* für j-n) et. kaufen; ~ *a peso de oro* mit Gold einkaufen (*od.* aufwiegen); ~ *a plazos* auf Ratenzahlung (*od.* auf Abschlag) kaufen; ~ *barato* (*caro*) billig (teuer) kaufen; ~ *por* († *u. Reg. en*) *30 ptas.* für († *u. Reg.* um) 30 Peseten kaufen; **II.** *v/t. fig.* kaufen, bestechen; **~venta** ⚖ *f* Kauf *m*; *contrato m de ~* Kaufvertrag *m*.

comprehen|der, ~sivo → *comprender, comprensivo*.

compren|der *v/t.* **1.** umfassen, einschließen; in s. fassen, enthalten, einbegreifen; *Castilla la Vieja comprende ocho provincias* Altkastilien hat acht Provinzen; *todo comprendido* alles (mit)ein-, in-begriffen (*im Preis*); *sin ~ los gastos de viaje* ausschließlich (der) Reisekosten; **2.** verstehen, begreifen; auf-, erfassen; ~ *mal* mißverstehen, falsch verstehen; F *¡comprendido!* ich kapiere! F, schon verstanden!; *hacer ~* begreiflich machen, beibringen; *hacerse ~* s. verständlich machen; **~sibilidad** *f* Begreiflichkeit *f*, Verständlichkeit *f*, Faßlichkeit *f*; **~sible** *adj. c* faßlich, verständlich; ~ *para todos* allgemeinverständlich; **~sión** *f* **1.** Verständnis *n*, Einsicht *f*; **2.** Verstehen *n*, Verstand *m*; Auffassungs-kraft *f*, -gabe *f*, -vermögen *n*; **3.** Begriffs-umfang *m*, -inhalt *m*; **~sivo** *adj.* **1.** in s. begreifend; *precio m ~ de todos los gastos adicionales* Preis *m* einschließlich aller Nebenkosten; **2.** *Phil.* subsumtiv (*Begriff*); **3.** verständnisvoll, einsichtig, großzügig.

compresa ⚕ *f* Kompresse *f*.

compre|sibilidad *f* Zs.-drückbarkeit *f*; **~sible** *adj. c* zs.-drückbar, 📖, ⊕ kompressibel; **~sión** *f* Zs.-pressung *f*, Druck *m*; ⊕ Kompression *f*, Verdichtung *f*; ~ *del vapor* Dampfspannung *f*; **~sivo** zs.-pressend, verdichtend; **~so I.** *part. irr. zu comprimir*; **II.** *m Chi.* Tablette *f*; **~sor I.** *adj.* zs.-drückend; **II.** *m* ⊕ Kompressor *m*, Verdichter *m*; ~ *de émbolo* (*rotativo*) Kolben- (Kreisel-) kompressor *m*.

comprimi|ble *adj. c* zs.-drückbar, komprimierbar; **~do I.** *adj.* **1.** zs.-gepreßt, -gedrängt, komprimiert; dicht, kompreß; *aire m* ~ Druckluft *f*; **II.** *m* **2.** *pharm.* Tablette *f*; **3.** *Sch. Col.* Spickzettel *m*; **~r I.** *v/t.* **1.** zs.-pressen, zs.-drücken; ⊕ verdichten, komprimieren; **2.** unterdrücken; **II.** *v/r.* ~**se 3.** *fig.* an s. halten, s. mäßigen.

comproba|ble *adj. c* feststellbar; beweisbar, nachprüfbar; **~ción** *f* **1.** Feststellung *f*; Nachweis *m*, Beweis *m*, Bestätigung *f*; **2.** (Über-) Prüfung *f*, Durchsicht *f*, Kontrolle *f*; ~ *de materiales* Materialprüfung *f*; **~dor** ⊕ *adj.-su. m* (*dispositivo m*) ~ Prüfgerät *n*; ~ *de elementos* (*de batería*) Zellenprüfer *m*; **~nte I.** *adj. c* bestätigend; beweiskräftig; **II.** *m* Beleg *m*, Nachweis *m*; Kontrollschein *m*; **~r** [1m] *v/t.* **1.** feststellen, konstatieren; **2.** bestätigen; nachweisen, beweisen; **3.** durch-, nach-sehen, (über)prüfen, kontrollieren; **II.** *v/r.* ~**se 4.** *como puede ~se* nachweislich; *que no puede ~se* nicht nachweisbar, unverbürgt; **~torio** *adj.* feststellend; beweiskräftig, Beweis...; Prüfungs..., Kontroll...

comprome|tedor *adj.* kompromittierend; heikel; riskant; **~ter I.** *v/t.* **1.** verpflichten (zu *dat. od. inf. a*); *Zimmer* nehmen, mieten; **2.** in Gefahr bringen, gefährden; **3.** bloßstellen, kompromittieren, blamieren; **4.** *Rechte* vergeben (*od.* in die Hände e-s Dritten geben); **5.** *Komplizen* verraten, verpfeifen F; **II.** *v/r.* ~**se 6.** s. verpflichten, s. anheischig machen (zu + *inf. a*); *~se con alg.* s. j-m gg.-über verpflichten; *~se con alg. en una empresa* j-n zu e-m Unternehmen hinzuziehen; **7.** s. bloßstellen, s. kompromittieren, s. blamieren; **8.** *Am.* s. verloben; **~tido** *adj.* **1.** heikel, gefährlich, schwierig; **2.** *estar* ~ schon e-e Verabredung haben; **3.** engagiert (*Pol.*, *Rel.*); *Pol. países m/pl. no ~s* blockfreie Länder *n/pl.*

compromi|sario *m* **1.** Vermittler *m*, Sprecher *m*; Schiedsrichter *m*; **2.** *Pol.* Wahlmann *m*; **~so** *m* **1.** Kompromiß *m* (*a. n*); **2.** Verpflichtung *f*; *por* ~ aus Zwang; (nur) der Form halber; ✝ *libre de* ~ freibleibend; *a.* ✝ *sin* ~ unverbindlich; F noch zu haben F, noch frei (= *nicht verlobt*); *contraer un* ~ e-e Verpflichtung eingehen (*od.* übernehmen); **3.** Verlegenheit *f*, Blamage *f*; *es un* ~ *para nosotros* es ist uns unangenehm; *estar en* ~ fraglich sein; *poner en* ~ in Frage stellen; *poner en un* ~ in e-e schwierige (*bzw.* schiefe) Lage bringen; **4.** ⚖ Schiedsvertrag *m*; **5.** Wahlmännerkollegium *n*; **6.** ✝ ~*s m/pl.* Passiva *n/pl.*; **~sorio** *adj.* Kompromiß... *usw.*; *elección f* ~*a* Wahl *f* durch Wahlmänner.

compuerta *f* **1.** Tür *f in e-m Haustor*; Vor-, Schutz-tür *f*; *ehm.* Eingangsverschluß *m* (*mst. Plane*) *b. Kutschen*; **2.** ⊕ Schieber *m*, Klappe *f*; Schleusentor *n*; ⚓ Schottentür *f*; ~ *de descarga* Entleerungsschieber *m*; *b. Schleusen*: Freifluter *m*.

compues|tamente *adv.* **1.** sittsam; **2.** ordentlich; **~tas** 🌿 *f/pl.* Korbblütler *m/pl.*; **~to I.** *adj.* **1.** zs.-gesetzt; *Gram. palabra f* ~*a* zs.-gesetztes Wort *n*, Kompositum *n* (*lt.*); *estar* ~ *de* bestehen aus (*dat.*); **2.** ordentlich; ernst, gesetzt, umsichtig; anständig, sittsam; **II.** *m* **3.** Zs.-setzung *f*; Mischung *f*; ⚗ Verbindung *f*; ~ *medicinal* Heilmittel *n*, Medizin *f*; ~*s m/pl. arsénicos* Arsenverbindungen *f/pl.*

compul|sa ⚖ *f* **1.** Beglaubigung *f*, beglaubigte Abschrift *f*; **2.** → **~sación** *f* (Urkunden-)Vergleichung *f*; Vornahme *f* e-r amtlichen Beglaubigung *f*; **~sar** ⚖ *v/t.* **1.** *Urkunden* vergleichen; **2.** *Am.* zwingen; **~sión** *f gerichtlicher* Zwang *m*; **~sivo** *adj.* Zwangs...; **~so** † *part. irr.* von → *compeler*; **~sorio** ⚖ *adj.-su. m*: (*mandato m*) ~ Ausfertigungsbefehl *m*; Anmahnung *f*.

compun|ción *f* **1.** Zerknirschung *f*, Reue *f*; **2.** Mit-leid *n*, -gefühl *n*; **~gido** *adj.* **1.** zerknirscht, reuig, reuevoll; **2.** betrübt; **~gir** [3c] **I.** *v/t. das Herz* zur Reue bewegen; **II.** *v/r.* ~**se** Gewissensbisse haben; zerknirscht sein.

compurga|ción ⚖ *f hist. u. kanonisch*: Reinigungseid *m*; Gottesurteil *n*; **~r** [1h] *vt/i.* s-e Unschuld durch den Reinigungseid beweisen; *Méj.*, *Pe.*, *Rpl.* Sühne leisten, büßen.

computa|ble *adj. c* berechenbar; **~ción** *f* Berechnung *f*; **~dor(a)** *m* (*f*) Rechner *m*; ~ *electrónico* Elektronenrechner *m*, Computer *m*; **~r** *v/t.* aus-, be-rechnen, überschlagen.

cómputo *m* Be-, Aus-rechnung *f*; Überschlag *m*; ~ *de (los) gastos* Kostenüberschlag *m*; ~ *eclesiástico* Berechnung *f* des Kirchenjahres *zur Festlegung der beweglichen Feste*.

comulga|nte *adj.-su. c Rel.* Kommunikant *m*; *fig.* (sehr) jung, Kind *n*; **~r** [1h] *vt/i.* *Rel.* das heilige Abendmahl reichen (*bzw.* empfangen); *fig.* ~ (en) e-r Meinung sein (über *ac.*), übereinstimmen (in *dat.*); F *no* ~ *con ruedas de molino* s. nichts weismachen lassen, nicht auf den Kopf gefallen sein F; **~torio** *m* Kommunionsbank *f*; Kommunionsbuch *n*.

común I. *adj. c* **1.** gemeinsam, gemeinschaftlich, allgemein; ⅌ gemein (*Bruch*); ~ *a todos* allen gemeinsam; *en* ~ gemeinsam; gemeinschaftlich, zusammen; *adv. de* ~ *acuerdo* in gg.-seitigem Einvernehmen, einmütig; *bienes m/pl. comunes* Gemeinschafts-, Allgemeinbesitz *m*; *posesión f* (en) ~ gemeinschaftlicher Besitz *m*; *tener en* ~ gemeinsam haben; **2.** allgemein, gewöhnlich, alltäglich; weit verbreitet, häufig; *opinión f* ~ allgemeine Meinung *f*; *sentido m* ~ gesunder Menschenverstand *m*; *fuera de lo* ~, *nada* ~, *poco* ~ außergewöhnlich; *adv. por lo* ~ gewöhnlich, gemeinhin, üblicherweise; *gente f* ~ Leute *pl.*, (gewöhnliches) Volk *n*; **II.** *m* **3.** Allgemeinheit *f*, Volk *n*; Gemeinwesen *n*; Gemeinde *f*; *el* ~ *de las gentes*, *el* ~ *de los mortales* die meisten (Leute); **4.** (*Cámara f de*) *los Comunes* das *Britische* Unterhaus *n*; **5.** Abort *m*; F *Méj.* Hintern *m* F.

comu|na *f* **1.** *Chi.*, *Guat.*, *Pe.* Gemeinde *f*; **2.** *hist.* Kommune *f* (*Paris 1871*); **~nal I.** *adj. c* Gemeinde...; **II.** *m* Gemeinde *f*; **~nero I.** *adj.* **1.** freundlich, leutselig; **II.** *m* **2.** Mitbesitzer *m e-s Landguts*, *e-s Anrechts*; ~*s m/pl.* Gemeinden *f/pl.* mit Allmendeland; **3.** *hist.* ♀*s* **a)** Anhänger *m/pl.* der *Comunidades de Castilla*; **b)** Aufstandskämpfer *m/pl. gg. Spanien in Paraguay* (*1717/35*) *u. Neugranada* (*1812/13*).

comunica|ble *adj. c* **1.** mitteilbar; **2.** gesellig; leutselig; **~ción** *f* **1.** Mitteilung *f*; Bekanntgabe *f*; ~ *oficial* amtliche Mitteilung *f*; Amtsschreiben *n*; **2.** Umgang *m*, Verkehr *m*, Verbindung *f*, Fühlung *f*, Kontakt *m*; *estar en* ~ in Verbindung stehen; *ponerse en* ~ *con* s. in Verbindung setzen mit (*dat.*); **3.** Verbindung *f*; Verkehrsverbindung *f*; Verkehr *m*; *Tel.* Anschluß *m*; ~*ones f/pl.* Nachrichtenverbindungen *f/pl.*; Post u. Fernmeldewesen *n*; Verkehr *m*; ~ *radiotelegráfica* Funkverbindung *f*; *vía f de* ~ Verkehrsweg *m*, Verbindung(sweg *m*) *f*; *establecer la* ~ *con* die Verbindung herstellen mit (*dat.*), verbinden mit (*dat.*); *Tel. póngame (en* ~*) con* verbinden Sie mich bitte mit (*dat.*); **4.** 📖 Kommunikation *f*; *teoría f de la* ~ Kommunikationslehre *f*; **5.** Rapport *m* (*Hypnose*).

comunica|do I. *adj.*: *bien* ~ mit guten Verkehrsverbindungen; *mal* ~ abgelegen (*Gegend*); **II.** *m* Meldung *f*; Kommuniqué *n*, Verlautbarung *f*; Eingesandte(s) *n* (*Zeitungswesen*); **~ndo** *Tel.*: *está* ~ besetzt (*Leitung*); **~nte I.** *adj. c Phys. vasos m/pl.* ~*s* kommunizierende Röhren *f/pl.*; **II.** *m* Einsender *m v. Zuschriften an Zeitungen*.

comunica|r [1g] **I.** *v/t.* **1.** mitteilen, bekanntgeben; **2.** ~ *a/c. a alg.* j-n mit et. (*dat.*) anstecken; *e-e Krankheit* auf j-n übertragen; et. an j-n weitergeben; ~ *un movimiento* e-e Bewegung mitteilen (*od.* übertragen); **3.** ✎ ~ *a/c. con alg.* et. mit j-m besprechen; **II.** *v/i.* **4.** (mitea.) in Verbindung stehen; *Phys.* kommunizieren; **III.** *v/r.* ~**se 5.** ~*se* (*entre sí*) mitea. in Verbindung stehen; *los calles se comunican* die Straßen laufen inea., man kann von e-r Straße in die andere kommen; **6.** Briefe wechseln, in Gedankenaustausch stehen; ~*se por señas* s. durch Zeichen verständigen; **7.** übertragen werden (*Krankheit*); um s. greifen (*Feuer, Epidemie*); **~tivo** *adj.* **1.** mitteilsam, gesprächig; **2.** ansteckend (*Freude u. ä.*).

comunidad *f* **1.** Gemeinsamkeit *f*; Gemeinschaft *f*; Körperschaft *f*; *en* ~ gemeinsam; ⚖ ~ *de bienes* (*de intereses*) Güter- (Interessen-)Gemeinschaft *f*; ⚖ ~ *sucesoria* Erbengemeinschaft *f*; ~ *religiosa* religiöse Gemeinschaft *f*; Kloster *n*; ~ *de origen* gemeinsamer Ursprung *m*; *Pol.* ♀ *Económica Europea* (*C.E.E.*) Europäische Wirtschaftsgemeinschaft *f* (EWG); ♀ *Europea del Carbón y del Acero* (*C.E.C.A.*) Europäische Gemeinschaft für Kohle u. Stahl (Montanunion); ♀ *Europea de Energía Atómica* Europäische Atomgemeinschaft *f*, Euratom *f*; **2.** *hist.* *~es f/pl.* Volksaufstand *m*; *bsd.* ♀*es de Castilla unter Karl V.*

comunión *f* **1.** Gemeinsamkeit *f*, Gemeinschaft *f*; *Rel.* ~ *de los fieles* Gemeinschaft *f* der Gläubigen (*od.* der Katholiken); ~ *de los Santos* Gemeinschaft *f* der Heiligen; **2.** *Rel.* Kommunion *f*, heiliges Abendmahl *n*; *primera* ~ Erstkommunion; **3.** Weltanschauung *f*; Partei *f*; ~ *tradicionalista* Traditionalisten(partei *f*) *m/pl.* (= *Karlisten*); ser de ~ *socialista* Sozialist sein.

comunis|mo *m* Kommunismus *m*; **~ta** *adj.-su.* *c* kommunistisch; *m* Kommunist *m*.

comúnmente *adv.* (im) allgemein (-en), (für) gewöhnlich; häufig.

con *prp.* mit (*dat.*); **1.** *Begleitung u. begleitende Umstände*: *estar* ~ *sus amigos* bei s-n Freunden sein (*bzw.* leben *od.* wohnen); *lo haré* (*junto*) ~ *Juan* ich werde es (zs.) mit Hans machen; *estar* ~ *fiebre* Fieber haben; ~ *este tiempo* bei diesem Wetter; *trabaja* ~ *su padre* er arbeitet bei (*bzw.* mit) s-m Vater; **2.** *Mittel, Werkzeug, Art u. Weise, Grund*: ~ *la boca* mit dem Mund; *cortar* ~ *un cuchillo* mit e-m Messer (zer-)schneiden; ~ *brío* schneidig; ~ *mucho miedo* sehr ängstlich; *tener* ~ *qué vivir* zu leben (*od.* zum Leben) haben; ~ *tres días de antelación* drei Tage zuvor (*od.* im voraus); ~ *el susto que le dio no vio nada* vor Schreck sah er nichts; **3.** *Zs.-gehörigkeit, Inhalt, Besitz, geistiges Vermögen*: *café* ~ *leche* Kaffee mit Milch; *¿~ o sin?* mit od. ohne (*Milch*)? (*beim Kaffeeingießen im Gasthaus*); *pan* ~ *mantequilla* Butter u. Brot, Butterbrot *n*; *una bolsa* ~ *dinero* e-e Börse mit (*od.* voll) Geld; *verse* ~ *facultades de hacerlo* s. für (be)fähig(t) halten, es zu tun; **4.** *Beziehung*: *amable* (*para*) ~ *todos* freundlich zu allen (*od.* allen gg.-über); *severo* ~ *los alumnos* streng gg. die Schüler; *reñir* ~ streiten (*bzw.* zanken) mit (*dat.*); **5.** *Vergleich, Gg.-überstellung, Gg.-satz, Gg.-seitigkeit*: *amaos unos* ~ *otros* liebet euch untereinander; *su historia no es nada* (*en comparación*) ~ *la que os voy a contar yo* s-e Geschichte ist nichts im Vergleich zu der, die ich euch jetzt erzählen will; ~ *toda su amabilidad, me resulta antipático* trotz (*od.* bei all) s-r Liebenswürdigkeit kann ich ihn nicht leiden; ~ *eso* damit, daher, also (*Grund*); dann, darauf (*temporal*); *y* ~ *esto, acabamos* u. damit Schluß; *Einräumung*: ~ *ser tan amigos, disputan siempre* obwohl sie (*od.* wenn sie auch) gute Freunde sind, streiten sie ständig; *Bedingung*: ~ *tal de* + *inf.* falls; ~ *tal que* + *subj.* vorausgesetzt (, daß) + *ind.*; ~ *sólo decirle una palabra* ... ich brauche (ihm) nur ein Wort zu sagen ...; *¡~ lo caro que me costó!* u. dabei hat es mich ein Heidengeld gekostet!; ~ *que* → *conque*.

conato *m* **1.** Versuch *m* (*bsd.* ⚖); ~ *de incendio* versuchte Brandstiftung *f*; ~ *de rebelión* mißglückter Putsch (-versuch) *m*; **2.** Bemühung *f*; Absicht *f*; Hang *m*, Neigung *f*.

concadena|ción *f* → *concatenación*; **~r** *v/t.* verketten (*fig.*); verbinden.

concatenación *f* Verkettung *f* (*fig.*); *Rhet.* Epanastrophe *f*.

concavidad *f* (Aus-)Höhlung *f*; Vertiefung *f*; Konkavität *f*.

cóncavo *adj.* konkav; hohl; **~-convexo** *adj.* konkav-konvex.

concebi|ble *adj.* *c* faßlich, denkbar; verständlich, begreiflich; **~r** [3l] **I.** *v/t.* **1.** auffassen, verstehen; begreifen; *no* ~ *semejante cosa* so et. nicht begreifen (*od.* verstehen) können; **2.** ausdenken, ersinnen, *Gedanken, Plan* fassen; empfinden, hegen; *Verdacht, Hoffnung* schöpfen; ~ *antipatía hacia* Abneigung fassen gg. (*ac.*); ~ *ciertas esperanzas* s. gewisse Hoffnungen machen; *hacer* ~ *esperanzas* zur Hoffnung Anlaß geben, hoffen lassen; **II.** *vt/i.* **3.** empfangen (*ac.*), schwanger werden (mit *dat.*); **III.** *v/r.* *~se* **4.** *no ~se* unvorstellbar sein.

conceder *v/t.* gewähren; zubilligen, zugestehen; *Rechte, Ehren* verleihen; *Wert, Bedeutung* beimessen, beilegen; ~ *atención a* achten auf (*ac.*); ~ (*la*) *gracia* (*a*) begnadigen (*ac.*); *concedo que no estuve amable* ich gebe zu, daß ich nicht freundlich war.

conce|jal *m* Stadt-verordnete(r) *m*, -rat *m*; *los ~es* die Stadtväter *m/pl.*; **~jalía** *f* Stadtratsamt *n*; **~jil** *adj.* *c* Stadtrats...; Stadt..., Gemeinde...; **~jo** *m* Stadt-, Gemeinde-rat *m* (*Körperschaft*); Ratssitzung *f*; Gemeinde-, Rat-haus *n*; **~ller** *m* *Cat.* Stadt-, Gemeinde-rat *m* (*Person*).

concento *m* mehrstimmiger harmonischer Gesang *m*.

concentra|ble *adj.* *c* konzentrierbar; zs.-ziehbar; **~ción** *f* **1.** Konzentrierung *f*, Zs.-ziehung *f*, (Ver-)Sammlung *f*; Verstärkung *f*; Aufmarsch *m*, Kundgebung *f*; ~ *de masas* Massenkundgebung *f*; ⚔ ~ *de tropas* **a)** Aufmarsch *m*; **b)** Truppenansammlung *f*; ⚔ ~ *de(l) fuego* Feuervereinigung *f*; *campo m de* ~ Konzentrationslager *n*, KZ *n*; **2.** ✝ Konzentration *f*, Zs.-schluß *m*; **3.** Konzentration *f*, innere Sammlung *f*; Aufmerksamkeit *f*; **4.** ⚗ Konzentration *f*; Gehalt *m*; ~ *salina* Salzgehalt *m*; **~do I.** *adj.* konzentriert; hochprozentig (*Lösung*); *Phys.* gebündelt (*Strahl*); **II.** *m* Konzentrat *n*; **~r I.** *v/t.* konzentrieren (*a.* ⚔), (an e-m Punkt) sammeln; auf e-n Punkt richten; ⚗ *Lösung* anreichern; ~ *la atención* **a)** die Aufmerksamkeit auf s. ziehen; **b)** die (gesammelte) Aufmerksamkeit richten (auf *ac.* *en*); **II.** *v/r.* *~se abs.* s. (innerlich) sammeln; *~se* (*en*) s. (auf et. *ac.*) konzentrieren.

concéntrico *adj.* konzentrisch.

concep|ción *f* **1.** *Biol.* Empfängnis *f*; *Rel.* *la Inmaculada* (*od.* *la Purísima*) ♀ die Unbefleckte Empfängnis (*a. kath. Feiertag, 8. Dezember*); **2.** Auffassungsvermögen *n*, Fassungs-, Denk-kraft *f*; **3.** Auffassung *f*, Vorstellung *f*, Konzeption *f*; Plan *m*; **~cional** *adj.* *c* Gedanken-(bildungs)..., Begriffs(bildungs)...

concep|táculo *m* (*bsd.* Frucht-)Kapsel *f*; **~tible** 🕮 *adj.* *c* vorstellbar, faßlich; **~tismo** *Lit.* *m* Konzeptismus *m*; **~tista I.** *adj.* *c* *Lit.* konzeptistisch; *desp.* gesucht geistreich; **II.** *m* Konzeptist *m*; *desp.* geistreichelnder Schreiberling *m*, Gehirnakrobat *m* F; **~tivo** *adj.* *Biol.* empfängnisfähig; *fig.* gedanken-, sinn-reich, gedankentief; **~to** *m* Begriff *m*; Vorstellung *f*, Gedanke *m*, Idee *f*; Auffassung *f*, Meinung *f*; *bajo todos* (*los*) *~s* unter allen Umständen; *en mi* ~ m-r Meinung nach, m-s Erachtens; *en* ~ *de* als; *le abonaremos 1000 ptas. en* ~ *de honorario* als Honorar schreiben wir Ihnen 1000 Peseten gut; *por todos ~s* in jeder Hinsicht; *formar(se)* ~ *de* s. e-n Begriff machen von (*dat.*); *¿qué* ~ *tiene usted* (*formado*) *del Sr. X?* was halten Sie (*od.* welche Meinung haben Sie) von Herrn X?

conceptu|alismo *Phil.* *m* Konzeptualismus *m*; **~ar** *v/t.*: ~ *de* halten (*od.* erachten) für; *estar ~ado de rico* als reich gelten; **~osidad** *f* Feuerwerk *n* der Gedanken; *desp.* Geistreichelei *f*; **~oso** geistsprühend; spitzfindig geistreich; *desp.* geistreichelnd.

concer|niente *adj.* *c*: ~ *a* betreffend (*ac.*), bezüglich (*gen.*); hinsichtlich (*gen.*); *en lo* ~ *a* was ... (*ac.*) angeht; **~nir** [3i] *v/t.* angehen, betreffen; *en lo que concierne a su padre* hinsichtlich (*od.* bezüglich) s-s Vaters.

concerta|damente *adv.* ordentlich geregelt; **~do** *adj.* geordnet, geregelt; vereinbart; ✉ *franqueo m* ~ Pauschalfrankierung *f*; **~dor** *adj.-su.* *m* Vermittler *m*; ♪ *maestro m* ~ Korrepetitor *m*; **~nte** ♪ **I.** *adj.* *c* konzertant; **II.** *m* → *concertista*; **~r** [1k] **I.** *v/t.* **1.** *Geschäft, Versicherung* abschließen, *Vertrag* schließen; vereinbaren, abmachen; absprechen; ~ + *inf.* vereinbaren, übereinkommen, zu + *inf.*; ~ (*el alquiler d*)*el piso en 2000 ptas. al mes* die Wohnung für 2000 Peseten monatlich mieten; **2.** versöhnen; *Dinge* aufea. abstimmen; in Übereinstimmung mitea. bringen; **3.** ⚒ ♪ *Instrumente* stimmen; *Gesangspartien beim Korrepetitor* einüben; **II.** *v/i.* **4.** zuea. passen, übereinstimmen; (*a. Gram. in Geschlecht, Zahl usw.*); ♪ harmonisch klingen;

harmonieren; **5.** *Jgdw.* die Jagd erkunden, das Wild aufspüren (*vor Beginn e-r Treibjagd*); s. einigen; **III.** *v/r.* ~se **6.** ~se *para* übereinkommen zu + *inf.* s. verabreden zu + *inf. od.* + *dat.*; **7.** *Am.* s. verdingen (*Dienstbote*).

concer|tina ♪ *f* Konzertina *f*; **~tino** ♪ *m* Konzertmeister *m*, erster Geiger *m*; **~tista** ♪ *c* Konzertspieler *m* (*Konzertgeiger usw.*).

conce|sible *adj. c* verleihbar; statthaft; **~sión** *f* **1.** Gewährung *f*, Bewilligung *f*; *behördliche* Genehmigung *f*, Konzession *f*, Lizenz *f*; ~ *de créditos* Kreditgewährung *f*; ~ *de divisas* Devisenzuteilung *f*; **2.** Konzession *f*: *Recht n zur Erschließung u. Ausbeutung e-s Geländes*; *das* Gebiet *selbst*; **3.** Konzession *f*, Zugeständnis *n*; *sin* ~*ones* ohne Zugeständnisse, kompromißlos; **~sionado** *adj.* zugelassen, konzessioniert; **~sionario** *adj.-su. m* Konzessionär *m*, Konzessionsinhaber *m*; *sociedad f* ~*a* konzessioniertes (*od.* behördlich zugelassenes) Unternehmen *n*; **~sionista** *c* Lizenzgeber *m*; **~sivo** *adj.* konzessiv, einräumend; *Gram. oración f* ~*a* Konzessivsatz *m*.

concien|cia *f* **1.** Gewissen *n*; Gewissenhaftigkeit *f*; *adv. a* ~ gewissenhaft; *adv. en* ~ mit gutem Gewissen; aufrichtig; *en (mi)* ~ auf Ehre u. Gewissen; ~ *ancha* weites Gewissen *n*; ~ *estrecha* (übertriebene) Strenge *f* mit s. selbst; ~ *recta* Redlichkeit *f*, Rechtschaffenheit; *buena (mala)* ~ gutes (schlechtes) Gewissen *n*; *caso m de* ~ Gewissensfrage *f*; *sin* ~ gewissenlos; *acusar la* ~ *a alg.* Gewissensbisse haben; *apelar a la* ~ *de alg.* j-m ins Gewissen reden; *tener la* ~ *limpia* ein reines Gewissen (*od.* F e-e reine Weste) haben; **2.** Bewußtsein *n*; *Psych.* ~ *de grupo* Gruppenbewußtsein *n*; ~ *de sí (mismo)* Selbstbewußtsein *n*; *Soz.* ~ *de clase(s)* Klassenbewußtsein *n*; ~ *del deber* Pflichtbewußtsein *n*; *tener* ~ *de sus actos* s. s-r Handlungen bewußt sein; **~zudamente** *adv.* gewissenhaft; **~zudo** *adj.* gewissenhaft; sorgfältig.

concierto *m* **1.** ♪ Konzert *n*; ~ *de piano (de violín)* Klavier- (Geigen-) konzert *n*; *dar un* ~ ein Konzert geben; **2.** Übereinkunft *f*, Vereinbarung *f*; Übereinstimmung *f*; Zs.-spiel *n*; *adv. de* ~ übereinstimmend; *sin orden ni* ~ wirr, ohne Zs.-hang, ungereimt; ~ *económico* wirtschaftliches Zs.-spiel *n*; Wirtschaftsvereinbarung *f*; *Pol.* ~ *europeo* europäisches Konzert *n*.

concili|able *adj. c* vereinbar; **~ábulo** *m ecl.* Ketzerkonzil *n*; *fig.* geheime Zs.-kunft *f*; Verschwörung *f*, Intrige *f*; **~ación** *f* Aus-, Versöhnung *f*; Ausgleichung *f*; Einigung *f*; Vergleich *m*; Schlichtung *f* (*Arbeitsrecht*); ⚖ *intento m de* ~ Sühneversuch *m*; **~ador I.** *adj.* versöhnlich, entgegenkommend; vermittelnd, ausgleichend; **II.** *m* Vermittler *m*, Schlichter *m*; **~ar I.** *adj. c* **1.** Konzil(s)...; *padres m/pl.* ~*es* Konzilsväter *m/pl.*; **II.** [1b] *v/t.* **2.** aus-, ver-söhnen; in Einklang (*od.* in Übereinstimmung) bringen (mit *dat. con*); **3.** ~ *el sueño* einschlafen (können); **III.** [1b] *v/r.* ~se **4.** für s. gewinnen; ~*se el respeto de todos* die Achtung aller erwerben (*od.* gewinnen); **~ativo, ~atorio** *adj.* versöhnlich; versöhnend, ausgleichend; vermittelnd; **~o** *ecl. m* Konzil *n*.

conci|samente *adv.* knapp, bündig, gedrängt, prägnant; **~sión** *f* Kürze *f*, Gedrängtheit *f*, Knappheit *f*, Bündigkeit *f*; **~so** *adj.* gedrängt, kurz(gefaßt), knapp, konzis.

concitar I. *v/t.* aufwiegeln, anstacheln, aufhetzen (gg. *ac. contra*); **II.** *v/r.* ~*se el odio del pueblo* s. den Haß des Volkes zuziehen; (~ *nur v. feindlichen Gefühlen*).

conciudada|no *m*, **~na** *f* Mitbürger(in *f*) *m*; Lands-mann *m* (-männin *f*).

cónclave *m kath.* Konklave *n*; *fig.* F Versammlung *f*; Beratschlagung *f*.

conclu|ir [3g] **I.** *v/t.* **1.** beenden, (ab)schließen, vollenden; **2.** folgern, schließen (aus *dat. de*); *por lo cual (od. por donde) concluimos que* daraus schließen wir, daß; **3.** *Mal.* feinmalen; **4.** *Vertrag* schließen; *Geschäft* abschließen; **5.** ⚒ (restlos) überzeugen; **II.** *v/i.* **6.** zu Ende gehen, schließen; ~ *con (od. en, por)* schließen mit (*dat.*), enden in (*dat. od.* mit *dat.*); auslaufen in (*dat. od. ac.*); ~ *con alg.* mit j-m Schluß machen, mit j-m brechen; ~ *de escribir* **a)** fertig schreiben; **b)** *gelegl.*: gerade geschrieben haben; ~ *por hacerlo od.* ~ *haciéndolo* es schließlich (doch) tun; *para* ~ *dijo ...* zum Abschluß sagte er ...; *¡asunto concluido!* Schluß (jetzt)!; *todo ha concluido* alles ist aus; **7.** ⚖ die Schlußanträge stellen; **III.** *v/r.* ~se **8.** enden, aufhören; zu Ende gehen, alle sein F; *todo se ha concluido* alles ist aus; **~sión** *f* **1.** Vollendung *f*, (Ab-)Schluß *m*; **2.** Beschluß *m*; Abschluß *m*; ~ *de la paz* Friedensschluß *m*; **3.** Schlußfolgerung *f*; *adv. en* ~ kurz u. gut, schließlich; *sacar una* ~ e-n Schluß ziehen; **4.** ⚖ ~ *provisional* Antrag *m im Prozeß*; ~ *definitiva* Schlußantrag *m*; ~*ones f/pl.* Anklagepunkte *m/pl. in der Anklageschrift*; **~sivo** *adj.* (ab)schließend; (Ab-)Schluß..., End...; **~so** *part.irr. zu concluir*; ⚖ *dar por* ~ (*para sentencia*) für spruchreif erklären; **~yente** *adj. c* überzeugend, beweiskräftig, bündig; schlüssig, schlagend (*Beweis*).

conco|merse *v/r.* mit den Achseln zucken (*weil es e-n juckt*); *fig.* F die Achseln zucken; *fig.* s. verzehren *vor Wut, Neid usw.*; **~mi(mient)o** F *m* Achselzucken *n*; Unruhe *f*.

concomitan|cia 🕮 *f* Zs.-wirken *n*; gleichzeitiges Bestehen *n*; *kath. Theol.* Konkomitanz *f*; **~te** *adj. c* Begleit...; *circunstancias f/pl.* ~*s* Begleitumstände *m/pl.*

concón *m Chi.* **1.** *Vo.* Waldkauz *m*; **2.** Landwind *m an der pazifischen Küste*.

concorda|ncia *f* **1.** Übereinstimmung *f*, Konkordanz *f*; Einklang *m*; *Gram.* Kongruenz *f*; *en* ~ übereinstimmend, mitea.; **2.** ~*s f/pl.* (*de la Biblia*) (Bibel-)Konkordanz *f*; **~nte** *adj. c* übereinstimmend; **~r** [1m] **I.** *v/t.* in Einklang bringen, *Gg.-sätze* ausgleichen; *Streitende* mitea. versöhnen; **II.** *v/i.* übereinstimmen (mit *dat. con*, in *dat. en*); *la copia concuerda con el original* die Abschrift deckt s. mit (*od.* entspricht) dem Original; **~tario** *adj.* Konkordat(s)...; **~to** *m* Konkordat *n*.

concor|de *adj. c* einstimmig; einmütig; *estar* ~(*s*) übereinstimmen (in *dat. en*); *estar* ~ *en* + *inf.* (damit) einverstanden sein, zu + *inf.*; **~dia** *f* **1.** Eintracht *f*; **2.** doppelter (Finger-)Ring *m*.

concre|ción *f* **1.** Zs.-wachsen *n*; Verhärtung *f*; *Geol.* Ablagerung *f*; ⊕ *Geol.* Sinterung *f*; ⚗ Erstarren *n*, Festwerden *n*; Festgewordene(s) *n*; ⚕ Konkrement *n*; Ablagerung *f*; **2.** Greifbarwerden *n*; **~cionarse** *v/r.* sintern; *Geol.* s. ablagern; ⚗ fest werden; *fig.* greifbar werden.

concre|tamente *adv.* konkret, bestimmt, genau; **~tar I.** *v/t.* **1.** zs.-setzen; ⚗ verdichten; **2.** *Gedanken* kurz zs.-fassen; ~ *a* beschränken auf (*ac.*); **3.** vereinbaren, festsetzen; **II.** *v/r.* ~se **4.** greifbar werden; **5.** ~*se a* s. beschränken auf (*ac.*); **~to I.** *adj.* konkret, greifbar; kurzgefaßt; benannt (*Zahl*); *caso m* ~ bestimmter Fall *m*; *nada en* ~ nichts Bestimmtes *n*; *adv. en* ~ **a)** kurz (-gefaßt); konkret; klar, deutlich; **b)** *Am.* bar (*zahlen*); **II.** *m Am.* Beton *m*.

concubina *f* Konkubine *f*; **~to** *m* Konkubinat *n*, wilde Ehe *f*.

concúbito *m* Beischlaf *m*.

concuerda *Verw.*: *por* ~ für die Richtigkeit (der Abschrift).

conculca|ción *f lit.* Niedertrampeln *n*; *fig.* Verletzung *f*, Bruch *m e-s Gesetzes usw.*; **~r** [1g] *v/t. lit.* mit Füßen treten; *fig.* verletzen, übertreten. [F.]

concuñado *m* Schwippschwager *m*

concupis|cencia *f* Lüsternheit *f*, Sinnenlust *f*, Konkupiszenz *f*; **~cente** *adj. c* lüstern; genußsüchtig; **~cible** *adj. c* begehrlich; triebhaft.

concu|rrencia *f* **1.** Zulauf *m*, Gedränge *n*; Publikum *n*, Teilnehmer (-zahl *f*) *m/pl.*, Besucher(zahl *f*) *m/pl.*; **2.** Zs.-treffen *n v. Umständen, Ereignissen*; Zs.-wirken *n*; **3.** †, ⚒ Mitwirkung *f*, Unterstützung *f*; **~rrente** *adj.-su. c* mitwirkend; *m* Besucher *m*, Teilnehmer *m*; ⚒ Konkurrent *m*; **~rrido** *adj.* stark besucht; beliebt, überlaufen; **~rrir** *v/i.* **1.** zs.-strömen, s. (ver-) sammeln, zs.-laufen; zs.-treffen; zeitlich zs.-fallen; ~ *a* teilnehmen an (*dat.*); besuchen (*ac.*); ~ *a la misma meta* dem gleichen Ziel zustreben; **2.** ~ *a* beitragen zu (*dat.*); ~ *con una cantidad a* e-e Summe zu (*dat.*) beisteuern; **3.** ~ *en la misma opinión* der gleichen Meinung sein.

concur|sado *m* Gemeinschuldner *m b. Konkurs*; **~sante** *m* (Mit-)Bewerber *m*; Submittent *m b. Ausschreibungen*; Teilnehmer *m an e-m Preisausschreiben*; **~sar I.** *v/t.* gg. *j-n* den Konkurs eröffnen; **II.** *v/i.*

an e-m Wettbewerb teilnehmen; **~so** *m* **1.** Zulauf *m*, Menschenmenge *f*; **2.** Wettbewerb *m*; Preisausschreiben *n* (*z. B. in Illustrierten*); ~ *hípico* Pferderennen *n*; Reit- (u. Fahr-)turnier *n*; ~ *de belleza* Schönheits-wettbewerb *m*, -konkurrenz *f*; ~ *de pesca* Wettangeln *n*; *sacar a* ~ (öffentlich) ausschreiben; **3.** Mitarbeit *f*, Unterstützung *f*; *prestar* ~ *a* mitwirken bei (*dat.*); **4.** ⚖ Konkurs *m* (*e-s Nichtkaufmanns*); ~ *de acreedores* Gläubigerversammlung *f*; **5.** Zs.-treffen *n*; ⚖ ~ *ideal* (*real*) Ideal- (Real-)konkurrenz *f*; **~so-subasta** *m* (öffentliche) Ausschreibung *f*.

concu|sión *f* **1.** Erschütterung *f*; **2.** ⚖ übermäßige Gebührenerhebung *f*, Gebührenüberhebung *f*; **~sionario** *adj.-su.* erpresserisch; *m* Erpresser *m*.

concha *f* **1.** Muschel *f*; Muschel-, Schildkröten-schale *f*; Schneckenhaus *n*; ~ *de peregrino*, ~ *de Santiago* Pilger-, Kamm-muschel *f*; *fig. meterse en su* ~ menschenscheu sein; F *tener muchas* ~*s*, *tener más* ~*s que un galápago* es faustdick hinter den Ohren haben, mit allen Salben geschmiert sein F; **2.** Schildpatt *n*; **3.** abgesplittertes Stück *n Porzellan*, *Glas*; **4.** *Thea.* ~ (*del apuntador*) Souffleurkasten *m*; **5.** (muschelförmige) Bucht *f*; Hafenbecken *n*; **6.** *Col.*, *Ven.* Rinde *f*, Schale *f*; **7.** P *Arg.*, *Col.*, *Pe.*, *P. Ri.*, *Méj.* weibliches Geschlechtsorgan *n*.

concha|bamiento *m*, **~banza** *f* F Verschwörung *f*; **~bar I.** *v/t.* **1.** ⚒ vereinigen; **2.** *Wolle* mischen; **3.** *Am. Reg.* in Dienst nehmen, dingen; **II.** *v/r.* ~*se* **4.** *Reg.* s. verschwören; **~bo** *m Am. Mer.*, *Méj.* Verdingung *f* (*Dienstbote*).

conchal *adj. c*: *seda f* ~ Trama-seide *f*.

conchero *m Am.* Muschelhaufen *m* (*frühgeschichtliche Zeit*).

conchil *Zo. m Art* Purpurschnecke *f*.

¡concho! P *int.* verflixt!, verdammt!

concho[1] *m Chi.*, *Pe.* **1.** Abfall *m*, Rest *m*; **2.** Nesthäkchen *n*.

concho[2] *m Cu.* **1.** Vetter *m*; **2.** Einfaltspinsel *m*.

concho[3] *adj. Ec.* rötlich braun; *Pe.* dunkelrot.

conchu|do *adj.* schuppig (*Tier*); *fig.* pfiffig, gerissen; **~ela** *f* mit Muschelschalen bedeckter Meeresboden *m*.

con|dado *m* Grafschaft *f*; Grafenstand *m*; **~dal** *adj. c* gräflich; **~de** *m* **1.** Graf *m*; **2.** Zigeuner-fürst *m*, -könig *m*.

condecora|ción *f* Auszeichnung *f*, Orden *m*; Ordenszeichen *n*; **~do** *m* Ordensträger *m*, Inhaber *m* e-s Ordens; **~r** *v/t.* auszeichnen *mit e-m Orden*.

condena ⚖ *f* Verurteilung *f*; Strafe *f*; ~ *condicional* Strafaussetzung *f* zur Bewährung; *cumplir* (*la*) ~ s-e Strafe verbüßen; **~ble** *adj. c* verwerflich; strafbar; **~ción** *f* Verurteilung *f*, Verwerfung *f*, Verdammung *f*, *Rel.* Verdammnis *f*; *la* ~ (*eterna*) die ewige Verdammnis; **~do I.** *adj.* verurteilt; verdammt (*a.* F *fig.*); F verflixt F; *Chi.*, *Ven.* gerissen; **II.** *m* ⚖ Verurteilte(r) *m*; *Rel. u. fig.* Verdammte(r) *m*; *fig.* Racker *m* (*a.* F *als Kosewort*); F verflixter Kerl *m*; F *gritar como un* ~ schreien, als ob man am Spieß steckte; **~r I.** *v/t.* **1.** verurteilen; verwerfen; verdammen; ⚖ ~ *a muerte* zum Tode verurteilen; ~ *en costas* zu den Kosten verurteilen; **2.** *Öffnung*, *Tür* zustellen, vermauern, verrammeln; **3.** ärgern, reizen; **II.** *v/r.* ~*se* **4.** *Rel.* verdammt werden; **~torio** verurteilend, verdammend; *sentencia f* ~*a* Strafurteil *n*.

condensa|ble *adj. c* verdichtbar, kondensierbar; **~ción** *f* Verdichtung *f*, Kondensierung *f*; *agua f de* ~ Kondenswasser *n*; **~do** *adj.* kondensiert; *leche f* ~*a* Kondensmilch *f*; **~dor** *m* Verdichter *m*; *Opt.* Kondensor *m*, Beleuchtungslinsensatz *m*; *HF* Kondensator *m*; ~ *de antena* Netzantenne *f*; **~r** *v/t.* **1.** verdichten (*a. fig.*); *Feuchtigkeit* niederschlagen; *Flüssigkeit* ein-, ver-dicken; **2.** *Rede*, *Bericht* knapp zs.-fassen; **~tivo** *adj.* verdichtend, kondensierend.

condesa *f* Gräfin *f*.

condescen|dencia *f* Herablassung *f*; Gefälligkeit *f*; Nachgiebigkeit *f*; **~der** [2g] *v/i.* nachgeben; ~ *a* einwilligen in (*ac.*), s. herablassen zu + *inf. od.* + *dat.*; ~ *con alg.* j-m nachgeben; ~ *en hacer a/c.* auf et. (*ac.*) eingehen; **~diente** *adj. c* herablassend; nachgiebig, gefällig.

condesita *f* Komtesse *f*.

condestable *m hist.* Konnetabel *m*; ⚓ Maat *m* (*Marineartillerie*).

condición *f* **1.** Veranlagung *f*, Natur *f*, Art *f*, Beschaffenheit *f*; Zustand *m*, Verfassung *f*, Kondition *f*; ~ *humana die* menschliche Natur, *die* Wesensart des Menschen; ~*ones f/pl. del terreno* Geländebeschaffenheit *f*; *Sp. estar en* ~ in (guter) Kondition (*od.* in Form) sein; *estar en buenas* ~*ones* in gutem Zustand sein; *estar en* ~*ones de* imstande (*od.* fähig *od.* in der Lage) sein, zu + *inf. od.* + *dat.*; *poner a alg. en* ~*ones de hacer algo* j-m et. (*ac.*) ermöglichen (*bzw.* erleichtern); *ser de mala* ~ e-n schlechten Charakter haben; **2.** Stand *m*, Rang *m*, Herkunft *f*; *de* ~ von Stande; *de* ~ *dudosa* von zweifelhaftem Ruf, (von) zweifelhafter Herkunft; **3.** Bedingung *f*, Voraussetzung *f*; ~*ones f/pl.* Bedingungen *f/pl.*; Verhältnisse *n/pl.*; *a* (*od. con la*, *bajo la*) ~ (*de*) *que* + *subj.* unter der Bedingung (*od.* Voraussetzung), daß + *ind.*; *en estas* ~*ones* unter diesen Umständen; *sin* ~*ones* bedingungslos; ~*ones climatológicas* klimatische Bedingungen *f/pl.*; ~*ones de entrega* Lieferbedingungen *f/pl.*; ~ *preliminar*, ~ *previa* Vorbedingung *f*, Voraussetzung *f*; ~ *sine qua non* conditio *f* sine qua non (*lt.*), unerläßliche Bedingung *f*; *poner* (*od. hacer*) ~*ones* Bedingungen stellen.

condicio|nado *adj.* bedingt; *estar* ~ *a* abhängen von (*dat.*), abhängig sein von (*dat.*); **~nal I.** *adj. c* bedingt; konditionell, konditional; *Gram. proposición f* ~ Bedingungs-, Konditional-satz *m*; **II.** *m Gram.* Konditional(is) *m*, Bedingungsform *f*; **~nalmente** *adv.* bedingt, bedingungsweise; **~namiento** ⊕ *m* Konditionierung *f*, Aufbereitung *f* (*z. B. Textilfasern*); **~nar** *v/t.* **1.** bedingen; ~ *el salario al rendimiento* den Lohn von der Leistung abhängig machen; **2.** ⊕ konditionieren.

condigno *adj.* entsprechend, angemessen.

cóndilo *Anat. m* Gelenkkopf *m*.

condimen|tar *v/t.* würzen (*a. fig.*); **~to** *m* Würze *f*; Gewürz *n*; Zubereitung *f*.

condiscípulo *m* Mitschüler *m*; Schulfreund *m*.

condo|lencia *f* Anteilnahme *f*; Beileid *n*; **~lerse** [2h] *v/r.*: ~ *de* Mitleid haben mit (*dat.*), beklagen (*ac.*).

condominio *m* Mitbesitz *m*; *Pol.* Kondominium *n*.

condón *m* Kondom *n*.

condona|ción *f* Straferlaß *m*; Erlassung *f*, Erlaß *m*; Verzeihung *f*; **~r** *v/t. Strafe*, *Schuld* erlassen.

cóndor *m* **1.** *Vo.* Kondor *m*; **2.** *Chi.*, *Ec. versch. Münzen*.

condotiero *m hist.* Kondottiere *m*; *fig.* Söldner *m*.

condrila ⚘ *f* Wegewärtel *m*.

condroma ⚕ *m* Chondrom *n*.

conducción *f* **1.** Herbei-, Über-führung *f*, Transport *m*; *Kfz.* Lenkung *f*; ~ *del cadáver* Überführung *f*, Leichentransport *m*; Beisetzung *f*; ~ *de presos* Gefangenentransport *m*; Sträflingszug *m*; **2.** ⊕ Zufuhr *f*; *a.* ⚡ Leitung *f*; ⚡ ~ *aérea* Oberleitung *f*; ~ *de agua(s)* Wasserleitung *f*.

condu|cente *adj. c* zweck-mäßig, -dienlich; ~ *a* führend zu (*dat.*); **~cir** [3o] **I.** *v/t.* **1.** leiten, führen; überführen; transportieren, befördern; ⊕, ⚡ leiten; zuführen; **2.** geleiten, leiten, führen; vorangehen (*dat.*); **3.** *Wagen* fahren, lenken; **II.** *v/i.* **4.** *abs.* fahren, chauffieren; *permiso m de* ~ Führerschein *m*; **5.** ~ *a* führen zu (*dat. od.* nach *dat.*); *no* ~ *a nada* zu nichts führen, unnütz sein; **III.** *v/r.* ~*se* **6.** s. benehmen; s. verhalten.

conduc|ta *f* **1.** Führung *f*, Benehmen *n*, Betragen *n*; Verhalten *n*; *cambiar de* ~ **a)** sein Verhalten (*bzw.* s-e Haltung) ändern; **b)** s. bessern, s-e schlechten Gewohnheiten aufgeben; **2.** *K* ⚔ Werbevollmacht *f*; **3.** *K* Führung *f*, Leitung *f*; **4.** ⚒ Transport *m*; **~tancia** ⚡ *f* Konduktanz *f*, Leitwert *m*; **~tibilidad** *Phys. f* Leitfähigkeit *f*; **~tible** *Phys. adj. c* leitfähig; **~tividad** *f* Führungsvermögen *n*; ⚡ Leitfähigkeit *f*; **~tivo** ⚡ leitfähig; *K* zur Führung befähigt; **~to** *m* **1.** Leitung *f*, Röhre *f*; Rinne *f*; Kanal *m*; ⊕ ~ *de admisión* Zu-(führungs)leitung *f*; ~ *de ventilación* Entlüftungskanal *m*; *Kfz.* ~ *del combustible* Kraftstoffleitung *f*; **2.** *Anat.* Gang *m*, Kanal *m*; ~ *auditivo* (*biliar*) Gehör- (Gallen-)gang *m*; **3.** *fig. por* ~ *de* durch Vermittlung von (*dat.*), über (*ac.*); **~tor I.** *adj.* **1.** *Phys.* (wärme- *bzw.* strom-)leitend; *hilo m* ~ ⚡ Leitungsdraht *m*; *fig.* roter Faden *m*; **2.** führend, leitend; **II.** *m* **3.** Führer *m*,

Leiter *m*; Wagenführer *m*; *Kfz.* Fahrer *m*; **4.** *Phys.* Leiter *m*; ~ *eléctrico* (*neutro*) Strom- (Null-) leiter *m*.

condueño *m* Mit-besitzer *m*; -eigentümer *m*.

condumio F *m* Essen *n*, Futter *n* F.

conec|tador ⚡ *m* Schalter *m*, Schaltgerät *n*; ~ *de regulación graduada* Stufenschalter *m*; **~tar** *v/t.* verbinden (*bsd.* ⊕, ⚡); ⚡ (ein-) schalten; ~ *a* (*od. con*) *tierra* erden; *Rf. conectamos con* ... wir schalten um auf ... (*ac.*); **~tivo** *adj.* verbindend.

cone|ja *f* Mutterkaninchen *n*, Zibbe *f*; *fig.* P Gebärmaschine *f* P; **~jal, ~jar** *m* Kaninchengehege *n*; **~jera** *f* Kaninchen-bau *m*, -stall *m*; *fig.* F Spelunke *f*, Loch *n*; **~jillo** *m*: ~ (*de Indias*) Meerschweinchen *n*; *fig.* Versuchs-kaninchen *n*, -karnickel *n* F; **~jo I.** *m* **1.** Kaninchen *n*; ~ *doméstico* Hauskaninchen *n*; ~ *de monte* wildes Kaninchen *n*; *fig. risa f de* ~ gezwungenes Lachen *n*; **2.** P Schamritze *f*; **~s** *m/pl.* Hoden *m/pl.*, Eier *n/pl.* P; **II.** *adj.* **3.** *Am. Cent.* fade (*a. fig.*); **~juna** *f* Kaninchenhaar *n*; **~juno** *adj.* Kaninchen...

cone|xidades *f/pl.* Zubehör *n* (*Behördenwort*); **~xión** *f* **1.** Verbindung *f*, Verknüpfung *f*, Zs.-hang *m*, Konnex *m*; **~ones** *f/pl.* Verbindungen *f/pl.*; Beziehungen *f/pl.*; ~ *de ideas* Gedankenverbindung *f*; **2.** ⊕, ⚡ Anschluß *m*; Schaltung *f*; ~ *a la red* Netzanschluß *m*; ~ *paralela* (*en serie*) Parallel- (Reihen-)schaltung *f*; ~ *a tierra* Erdung *f*; **~xionar I.** *v/t.* verbinden, verknüpfen; **II.** *v/r.* **~se** zs.-hängen; Verbindungen anknüpfen; **~xivo** *adj.* verbindend; **~xo** *adj.* verbunden, verknüpft, zs.-hängend; *ideas f/pl.* **~as** damit verbundene Gedanken *m/pl.*

confabula|ción *f* Verschwörung *f*; **~dor** *m* Verschwörer *m*; **~r I.** *v/i.* † s. unterhalten; **II.** *v/r.* **~se** s. verschwören.

confa|lón *m* Banner *n*, Fahne *f*; **~lonier(o)** *hist. m* Gonfaloniere *m*.

confec|ción *f* Anfertigung *f*, Herstellung *f*; Verarbeitung *f*; Konfektion *f* (*Kleidung*); *vestirse de* ~ Anzüge von der Stange tragen (*od.* kaufen); *Typ.* ~ *gráfica* (drucktechnische) Gestaltung *f*; *traje m de* ~ Konfektionsanzug *m*; **~cionado** *adj.* Konfektions...; **~cionador** *adj.-su.* Hersteller *m*; *Typ.* Gestalter *m*; **~cionar** *v/t.* ver-, an-fertigen, herstellen; *Typ.* gestalten.

confedera|ción *Pol. f* Bündnis *n*, Bund *m*; ~ *de Estados* Staatenbund *m*; **~do** *adj.-su.* konföderiert; *m* Verbündete(r) *m*; *hist. USA los* **~s** die Konföderierten *m/pl.*; **~l** *adj. c* staatenbündisch; **~r I.** *v/t.* föder(alis)ieren, verbünden; **II.** *v/r.* **~se** s. verbünden, e-n Bund schließen.

conferen|cia *f* **1.** Besprechung *f*; Konferenz *f*; ~ *de desarme* (*de la paz*) Abrüstungs- (Friedens-)konferenz *f*; ~ *de prensa* Pressekonferenz *f*; **2.** Vortrag *m*; *dar una* ~ e-n Vortrag halten; **3.** ~ (*telefónica*) Telefongespräch *n*; *mst.* Ferngespräch *n*; ~ *internacional*, ~ *con el extranjero* Auslandsgespräch *n*; **~ciante** *c* (Vortrags-)Redner *m*, Vortragende(r) *m*; **~ciar** [1b] *v/i.* s. besprechen, ein Gespräch führen, e-e Besprechung abhalten, verhandeln; ~ *sobre* konferieren über (*ac.*); **~cista** *c Am.* → *conferenciante*.

conferir [3i] **I.** *v/t. Amt, Auszeichnung u. fig.* verleihen; erteilen, gewähren; **2.** vergleichen; **II.** *v/i.* **3.** beraten, konferieren.

confe|sar [1k] **I.** *v/t.* **1.** (ein)gestehen, zugeben; bekennen; ⚖ gestehen; *Rel.* beichten; ~ *a alg.* j-m die Beichte abnehmen; **2.** ~ *la fe* s. zum Glauben bekennen; **II.** *v/i.* **3.** *abs.* ⚖ gestehen, geständig sein; *Rel.* beichten; ~ *de plano* die volle Wahrheit sagen; **III.** *v/r.* **~se 4.** Beichte ablegen; **~se** *de et.* beichten; **~se** *con un sacerdote* bei e-m Priester beichten; **~sión** *f* **1.** Geständnis *n* (*a.* ⚖); **2.** *Rel.* Beichte *f*; Beichtandacht *f*; ~ *auricular* (*general*) Ohren- (General-)beichte *f*; *hijo m* (*bzw. hija f*) *de* ~ Beichtkind *n*; *secreto m de* ~ Beichtgeheimnis *n*; *oír la* ~ die Beichte hören; **3.** Glaubensbekenntnis *n*, Konfession *f*; *la* ~ *de Augsburgo* das Augsburger Bekenntnis; **~sional** *adj. c* konfessionell, Konfessions...; **~sionario** *m* **1.** Beichtstuhl *m*; **2.** Beichtspiegel *m*; **~so** *adj.-su.* **1.** ⚖ geständig; **2.** *m* Laienmönch *m*; *hist.* getaufter Jude *m*; **~sor** *m* **1.** Beichtvater *m*; **2.** Bekenner *m* (*Glaubenszeuge*).

confeti *m/pl.* Konfetti *pl.*

confia|bilidad *f* Zuverlässigkeit *f* (*bsd.* ⊕); **~ble** *adj. c* zuverlässig; **~damente** *adv.* vertrauensvoll; **~do** *adj.* **1.** vertrauensvoll, zutraulich; *ser demasiado* ~ zu vertrauensselig (*bzw.* naiv) sein; **2.** zuversichtlich, getrost; *estar* ~ *de que* ... zuversichtlich hoffen, daß ...; **3.** selbstbewußt; eingebildet; **~nza** *f* Vertrauen *n*, Zutrauen *n*; Zuversicht *f*; Selbstbewußtsein *n*; ~ *excesiva* Vertrauensseligkeit *f*; ~ *en sí mismo* Selbstvertrauen *n*; *cosa f de* ~ Vertrauenssache *f*; *puesto m de* ~ Vertrauensposten *m*; *adv. con* ~ rückhaltlos; zuversichtlich; *de* ~ zuverlässig, vertrauenswürdig, verläßlich; *adv. en* ~ vertraulich; *poner* ~ *en* Vertrauen setzen in (*ac.*); *tener* ~ *en* zu j-m Vertrauen haben; *tener* (*mucha*) ~ *con alg.* mit j-m (eng) befreundet sein, mit j-m auf (sehr) vertraulichem Fuße stehen; F *no se tome demasiada* ~ nehmen Sie s. nicht zu viel (Freiheiten) heraus; **~nzudo** *adj.* (allzu) vertraulich; **~r** [1c] **I.** *v/t.* anvertrauen; *Aufgabe* übertragen; **II.** *v/i.* ~ *en Dios* auf Gott vertrauen; ~ *en alg.* j-m trauen; ~ *en a/c.* s. auf et. (*ac.*) verlassen; ~ *en que* fest damit rechnen, daß; darauf vertrauen, daß; **III.** *v/r.* **~se** *abs.* vertrauensselig sein; **~se** *a alg.* sein Vertrauen in j-n setzen; s. j-m anvertrauen.

confiden|cia *f* **1.** Vertraulichkeit *f*, vertrauliche Mitteilung *f*; **2.** → *confianza*; **~cial** *adj. c* vertraulich; geheim; **~cialmente** *adv.*: *tratar* ~ vertraulich behandeln; **~ta** F *f* Vertraute *f*; **~te I.** *adj. c* **1.** zuverlässig, treu; **II.** *m* **2.** Vertraute(r); Vertrauensmann *m*; *hacer* ~ *a alg.* j-n ins Vertrauen ziehen; **3.** Spitzel *m*; **4.** zweisitziges Kanapee *m*; **~temente** *adv.* vertraulich; treu.

configura|ción *f* **1.** Gestaltung *f*, Bildung *f*; Formgebung *f*; ⚠ ~ *de interiores* Innengestaltung *f*; **2.** Gebilde *n*, Gestalt *f*; ~ *del terreno* Geländebeschaffenheit *f*; **~r** *v/t.* bilden, formen, gestalten.

confín I. *adj. c* angrenzend; **II.** *m* (*mst. pl.*) *lit.* Grenze *f*; *en los confines del horizonte* fern am Horizont.

confina|ción *f* → *confinamiento*; **~do** *m* Verbannte(r) *m*, Zwangsverschickte(r) *m*; **~miento** *m* Zwangsaufenthalt *m*; Verbannung *f*; **~nte** *adj. c* angrenzend; **~r I.** *v/t.* *j-m* e-n Zwangsaufenthalt zuweisen; *j-n* verbannen; **II.** *v/i.* (an-) grenzen (an *ac. con*).

confinidad *f* Nähe *f*, Nachbarschaft *f*.

confirma|ción *f* **1.** Bestätigung *f*; ~ *de pedido* Auftragsbestätigung *f*; **2.** *kath.* Firmung *f*; *prot.* Konfirmation *f*; **~damente** *adv.* sicher; bestätigtermaßen; **~do** *m kath.* Gefirmte(r) *m*; **~ndo** *m kath.* Firmling *m*; *prot.* Konfirmand *m*; **~nte I.** *adj. c* bestätigend; **II.** *m kath.* Firmbischof *m*; **~r** *v/t.* **1.** bestätigen, bekräftigen; besiegeln, bestärken (in *dat. en*); **2.** *kath.* firme(l)n; *prot.* konfirmieren; **3.** F ohrfeigen; **II.** *v/r.* **~se 4.** s. bestätigen (*Nachricht*); *no* **~ado** unbestätigt; **5.** bestärkt werden (in *dat. en*); **~tivo, ~torio** *adj.* bestätigend (*bsd.* ⚖).

confisca|ción *f* Einziehung *f*, Beschlagnahme *f*; **~r** [1g] *v/t.* beschlagnahmen, (gerichtlich) einziehen, konfiszieren.

confi|tado *adj.* **1.** kandiert, überzuckert; **2.** F zuversichtlich; hoffnungsvoll; **~tar** *v/t.* überzuckern, kandieren; *fig.* versüßen; **~te** *m* Zuckerwerk *n*, Konfekt *n*.

confíteor *m* Beichtgebet *n*; *fig.* Generalbeichte *f*.

confi|tera *f* Konfekt-schale *f*, -dose *f*; **~tería** *f* Süßwarengeschäft *n*; *Am.* Konditorei *f*; **~tero** *m* Süßwarenhändler *m*; Konditor *m*; **~tura** *f* Eingemachte(s) *n*, Konfitüre *f*, Marmelade *f*.

conflagra|ción *f* Brand *m* (*mst. fig.*); *lit.* ~ *mundial* Weltkrieg *m*, Weltenbrand *m* (*lit.*); **~r I.** *v/t. mst. fig.* in Brand setzen; **II.** *v/r.* **~se** in Flammen aufgehen.

conflic|tivo *neol. adj.* konfliktreich, Konflikt...; *situación f* **~a** Konflikt(situation *f*) *m*; **~to** *m* Konflikt *m*; Kampf *m*, Streitigkeit *f*; *fig.* Reibung(en) *f*(/*pl.*); ~ *laboral* Arbeitskampf *m*.

conflu|encia *f* Zs.-fluß *m*, Vereinigung *f* *zweier Flüsse od. Wege*; **~ente I.** *adj. c* zs.-fließend; **II.** *m* Zs.-fluß *m*, Vereinigung *f*; **~ir** [3g] *v/i.* zs.-fließen, -strömen, s. vereinigen (*a. fig.*).

conforma|ción *f* Bildung *f*, Gestalt(ung) *f*; ~ *de los órganos* Bau *m* der Organe; **~dor** *m* Hut-form *f*, -leisten *m*; **~r I.** *v/t.* **1.** formen, gestalten, Form geben (*dat.*); **2.** ~ *a/c. con* et. in Übereinstimmung (*od.* in Einklang) bringen mit (*dat.*); **3.** zufriedenstellen; **II.** *v/i.* **4.** ⚒ der gleichen Meinung sein (mit *dat. con*); **III.** *v/r.* ~*se* **5.** s. einigen; ~*se* (*con*) s. abfinden, s. zufriedengeben, s. begnügen (mit *dat.*).

confor|me I. *adj. c* übereinstimmend, gleichlautend; entsprechend (*dat. a*); △ winkel- *bzw.* maßstabgetreu; konform; *estar* ~ (*con*) einverstanden sein (mit *dat.*); s. zufriedengeben (mit *dat.*); *¡~!* einverstanden!; *ser* ~ *a* entsprechen (*dat.*); **II.** *prp.* ~ *a* in Übereinstimmung mit (*dat.*), gemäß (*dat.*); **III.** *adv. u. cj.* in dem Maße wie, sobald; (so) wie; ~ *ha dicho* wie Sie gesagt haben, nach Vereinbarung mit Ihnen; ~ *envejecía, se esforzaba más* je älter er wurde, desto mehr strengte er s. an; **IV.** *m* Billigung *f*, Genehmigung *f*; **~memente** *adv.* übereinstimmend; **~midad** *f* **1.** Übereinstimmung *f*, Gleichförmigkeit *f*; △ Winkel- u. Maßstabtreue *f e-r Abbildung*; de (*od.* en) ~ *con* gemäß (*dat.*), in Übereinstimmung mit (*dat.*); de ~ *con la ley* nach dem Gesetz, gesetzmäßig; ☤ de ~ gleichlautend (*buchen*); **2.** Einwilligung *f*; Zustimmung *f*; Ergebung *f* (*ins Schicksal usw.*).

conformis|mo 🕮 *m* Anpassungs(be)streben *n*, Konformismus *m*; **~ta** *adj.-su. c* Anhänger *m* der anglikanischen Staatskirche, *a. fig.* Konformist *m*.

confor|t *gal. m* Komfort *m*, Bequemlichkeit *f*; **~table** *adj. c* bequem, komfortabel, gemütlich, behaglich.

confor|tación *f* Stärkung *f*; *fig.* Tröstung *f*; **~tador** *adj. bsd. fig.* stärkend; tröstlich; **~tante I.** *adj. c* stärkend; tröstlich; **II.** *m* Stärkungsmittel *n*; Trost *m*; **~tar** *v/t.* stärken; *fig.* trösten; **~tativo** *adj.-su.* → *confortante*.

confrater|nar *v/i.* s. verbrüdern, fraternisieren; **~nidad** *f* Verbrüderung *f*; Brüderschaft *f*; **~nizar** [1f] *v/i.* → *confraternar*.

confronta|ción *f* Gg.-überstellung *f* (*a.* ⚖); Vergleich *m*; **~r I.** *v/t. Zeugen* ea. gg.-überstellen; *Schriftstücke usw.* vergleichen; **II.** *v/i.* ~ *con* grenzen an (*ac.*); **III.** *v/r.* ~*se* s. gg.-überstellen; gg.-überstehen (*dat. con*); *fig.* übereinstimmen, harmonieren (mit *dat. con*).

confucianismo *m* Lehre *f* des Konfuzius.

confundi|ble *adj. c* verwechselbar; **~r I.** *v/t.* **1.** (ver)mischen; *Umrisse* verwischen; **2.** verwirren, durchea.-bringen; verwechseln; **3.** beschämen, in Verwirrung bringen, verblüffen; verwirren; **4.** zuschanden machen (*bsd. bibl.*); **II.** *v/r.* ~*se* **5.** in Verwirrung (*od.* aus der Fassung) geraten; s. verblüffen lassen; s. schämen, (scham)rot werden; **6.** *fig.* ~*se de dirección* s. an die falsche Adresse wenden; den Falschen erwischen F; **7.** *los contornos se confunden* die Umrisse verlaufen inea.

confu|samente *adv.* wirr, durcheinander; undeutlich; **~sión** *f* **1.** Konfusion *f*; Verwirrung *f*, Durchea. *n*, Wirrwarr *m*; Sinnesstörung *f*; Verwechslung *f*, Irrtum *m*; **2.** Bestürzung *f*, Beschämung *f*; **3.** ⚖ Konfusion *f*; **~sionismo** F *m* (heillose) Begriffsverwirrung *f*; **~so** *adj.* **1.** unklar, undeutlich, dunkel; *Opt.* unscharf; **2.** verwirrt; konfus, verlegen; beschämt.

confutar *v/t.* widerlegen.

conga *f* **1.** *Zo. Col.* Giftameise *f*; *Cu.* Waldratte *f*; **2.** *Cu.* Conga *f*, *ein Tanz*.

congela|ble *adj. c* gefrierbar; **~ción** *f* **1.** Gefrieren *n*; *a.* ⚕ Vereisung *f*; *punto m de* ~ Gefrierpunkt *m*; **2.** *a.* ☤ Einfrieren *n*; ~ *de precios* (*de salarios*) Preis (Lohn-)stopp *m*; **~dor** *m* Eismaschine *f*; Tiefkühlfach *n*; **~dora** *f* Eismaschine *f*; **~miento** ⊕ *m* Vereisung *f* (*z. B.* ✈); **~r I.** *v/t.* gefrieren (*bzw.* gerinnen) lassen; tiefkühlen; *Preise* blockieren; **II.** *v/r.* ~*se* gefrieren; gerinnen; F *me quedé* ~*ado* ich war total erfroren F; **~tivo** *adj.-su. m* Gefriermittel *n*.

congénere *adj.-su. c* gleichartig, artverwandt; *m* Artgenosse *m*.

congenia|l *adj. c* geistig ebenbürtig, kongenial; **~r** *v/i.* harmonieren, s. vertragen.

congénito *adj.* angeboren.

conges|tión *f* ⚕ Blut-andrang *m*, -stauung *f*; *fig.* Stauung *f*, Stokkung *f* (*bsd. Verkehr*); **~tionar I.** *v/t.* Blutandrang verursachen (*dat.*); *fig. Straße* verstopfen, versperren; **II.** *v/r.* ~*se* Blutandrang haben; *fig.* e-n roten Kopf bekommen, hochrot (im Gesicht) werden; **~tivo** ⚕ *adj.* kongestiv, Hochdruck...

congloba|ción *f* Anhäufung *f*; Häufung *f von Beweisgründen*; **~r(se)** *v/t.* (*v/r.*) (s.) zs.-ballen.

conglomera|ción *f* Zs.-häufung *f*, Vermengung *f*; **~do** *m Geol. u. fig.* Konglomerat *n*; *fig.* Haufen *m*, Block *m*; **~rse** *v/r.* s. anhäufen; *fig.* s. zs.-schließen, e-n Block bilden.

conglutina|ción 🕮 *f* Verklebung *f*; **~r I.** *v/t. bsd.* ⚕ verkleben; **II.** *v/r.* ~*se* zs.-kleben; s. verkitten; **~tivo** *adj.-su.* verklebend.

congo *m* **1.** *Cu.* Sprungbein *n*; **2.** *Nic.* Brüllaffe *m*; **3.** *Cu. afrokubanischer Volkstanz*.

congo|ja *f* Schmerz *m*, Kummer *m*; Angst *f*, (Herz-)Beklemmung *f*; **~jar** *v/t.* Kummer machen (*dat.*), betrüben; das Herz beklemmen (*dat.*); **~joso** *adj.* bekümmert, betrübt; angstvoll; qualvoll; beklemmend.

congola *f Col.* (Tabaks-)Pfeife *f*.

congo|leño, ~lés *adj.-su.* Kongo..., kongolesisch; *m* Kongolese *m*.

congosto *m Reg.* Klamm *f*, Durchbruch *m e-s Flusses*.

congracia|miento *m* Einschmeicheln *n*; **~rse** *v/r. Wohlwollen* erwerben; ~*se con alg.* s. bei j-m einschmeicheln (*od.* beliebt machen).

congratula|ción *f* Glückwunsch *m*; **~r I.** *v/t.* beglückwünschen; **II.** *v/r.* ~*se de* (*od. por*) *algo* s. zu et. (*dat.*) beglückwünschen, s. über et. (*ac.*) freuen; **III.** *v/i. lit. nos congratula ver que* ... es freut uns (zu sehen), daß ...

congrega|ción *f* Versammlung *f*; *kath.* Kongregation *f*; *prot. Am.* Kongregationalistengemeinde *f*; *kath.* ♀ *de Ritos* Ritenkongregation *f*; ~ *de los fieles* Gemeinschaft *f* der Gläubigen; **~nte** *c* Mitglied *n* e-r Kongregation; **~r(se)** [1h] *v/t.* (*v/r.*) (s.) versammeln.

congre|sal *c Am.*, **~sante** P *c*, **~sista** *c* Kongreßteilnehmer *m*; **~so** *m* **1.** Kongreß *m*, Versammlung *f*, Tagung *f*; Zs.-kunft *f*; ~ *del partido* Parteitag *m*; **2.** *Pol.* ♀ (*de los Diputados*) Kongreß *m*, Abgeordnetenhaus *n*.

congrio *m Fi.* Meeraal *m*; F Tolpatsch *m*; komischer Kauz *m*.

congrua *ecl. f* Kongrua *f*, Mindestgehalt(sgarantie *f*) *n*.

congru|encia *f* Übereinstimmung *f*; △, *Theol.* Kongruenz *f*; **~ente** *adj. c* übereinstimmend; passend, zweckdienlich, angemessen, geeignet; △ kongruent; **~idad** *f* Zweckmäßigkeit *f*; **~o** *adj.* passend, zweckmäßig.

conicidad *f* Kegelform *f*.

cónico *adj.* kegelförmig, konisch; △ *sección f* ~*a* Kegelschnitt *m*.

coníferas ⚘ *f/pl.* Nadelhölzer *n/pl.*, Koniferen *f/pl.*

conirrostro *Zo. adj.-su. m* Kegelschnäbler *m*.

conjetura *f* Vermutung *f*; *hacer* ~*s* Vermutungen anstellen; **~ble** *adj. c* zu vermuten, mutmaßlich; **~l** *adj. c* auf Mutmaßungen (*od.* Annahmen) beruhend; **~r** *v/t.* vermuten, annehmen (aufgrund von *dat. de*, *por*).

conjuez *m* (*pl.* ~*eces*) Mitrichter *m*.

conjuga|ble *adj. c* vereinbar; *Gram.* konjugierbar; **~ción** *f Gram.* Konjugation *f*; ⊕ Zuordnung *f*, Verbindung *f*; *Biol.* Verschmelzung *f*; *fig.* Vereinigung *f*; **~do** △, ⊕ *adj.* zugeordnet, konjugiert; **~r** [1h] **I.** *v/t.* **1.** *Gram. Verb* konjugieren; **2.** vereinigen; *Ansprüche usw.* mitea. in Einklang bringen (*bzw.* ausgleichen); **II.** *v/r.* ~*se* **3.** konjugiert werden; **4.** ⊕ in-ea.-greifen.

conjun|ción *f* **1.** *Gram.*, *Astr.* Konjunktion *f*, *Gram.* Bindewort *n*; **2.** Verbindung *f*, Vereinigung *f*; **~tamente** *adv.* zusammen, mitea.; **~tiva** *Anat. f* Bindehaut *f*; **~tival** *adj. c* Bindehaut...; **~tivitis** ⚕ Bindehautentzündung *f*; **~tivo I.** *adj. Gram. partícula f* ~*a* Bindewort *n*; *modo m* ~ konjunktionale Wendung *f*; *Anat. tejido m* ~ Bindegewebe *n*; **II.** *m* ⚒ *Gram.* Konjunktiv *m*; **~to I.** *adj.* **1.** verbunden; **II.** *m* **2.** Ganze(s) *n*, Gesamtheit *f*, Einheit *f*, Gefüge *n*, Komplex *m*; (An-)Sammlung *f*, Verbindung *f*; *Thea.*, ♪ Ensemble *n*; *en* ~ im ganzen (gesehen); *en su* ~ insgesamt; *neol. en este* ~ in diesem Zs.-hang, in dieser Hinsicht; ~ *de problemas* Fragenkomplex *m*; *clase f de* ~ Orchesterübung *f*; *vista f de* ~ Übersicht *f*, Gesamtbild *n*; **3.** Ensemble *n*; Komplet *n* (*Damenkleidung*); Kombination *f* (*Herrenanzug*); ~ *maternal* Umstandskleid *n*.

conjuntor *Tel. m*: ~ *de ruptura* Trennklinke *f*.

conju|ra †, ⚒ *f*, **~ración** *f* Verschwörung *f*; **~rado** *adj.-su.* Verschwörer *m*; **~rador** *m* Beschwörer *m*, (Teufels-)Banner *m*; **~rante** *adj.-su. c* beschwörend;

~rar I. *v/t.* beschwören, anflehen; *Geister, Gefahr* bannen; **II.** *v/r.* *~se* s. verschwören (gg. *ac. contra*); **~ro** *m* **1.** Beschwörung *f*; Zauberformel *f*; **2.** inständige Bitte *f*.

conllevar *v/t.* **1.** mit-tragen, -helfen; *j-n od. et.* ertragen; **2.** *j-n* hinhalten.

conmemora|ción *f* Gedenken *n*, Gedächtnis *n*; Gedenkfeier *f*; *Rel. ~ de los (Fieles) Difuntos* Allerseelenfeier *f*; *en ~ de* zur Erinnerung an (*ac.*); **~r** *v/t.* erinnern an (*ac.*); (feierlich) gedenken (*gen.*); **~tivo, ~torio** *adj.* Gedenk..., Denk..., Erinnerungs..., Gedächtnis...; *fiesta f ~a* Gedächtnis-, Gedenk-feier *f*; *monumento m ~* Denkmal *n*.

conmensurable *adj. c* meßbar; 𝔄 kommensurabel. [komm mit.]

conmigo *pron.* mit mir; *ven ~!*

conmilitón *m* Waffenbruder *m*, Kriegskamerad *m*.

conmina|ción *f* (An-, Be-)Drohung *f*; **~r** *v/t.* bedrohen; *~le a alg. con* j-m *et.* androhen; **~torio** *adj.*: *carta f ~a* Drohbrief *m*. [leid *n*.]

conmiseración *f* Erbarmen *n*, Mit-

conmi|stión *f*, **~stura** *f*, **~xtión** *f* (Ver-)Mischung *f*.

conmo|ción *f* Erschütterung *f* (*a. fig.*); Erd-stoß *m*, -beben *n*; *fig.* Aufruhr *m*; ⚕ *~ cerebral* Gehirnerschütterung *f*; **~vedor** *adj.* erschütternd; rührend; **~ver** [2h] **I.** *v/t.* erschüttern (*a. fig.*); rühren, ergreifen; beunruhigen, erregen, empören; **II.** *v/r.* *~se* gerührt werden; s. rühren lassen; **~vido** *adj.* ergriffen, erschüttert; bewegt, gerührt.

conmuta *f Chi., Pe., Ec.* → *conmutación*; **~ble** *adj. c* vertauschbar; ⚡ umschaltbar; **~ción** *f* Tausch *m*; Umwandlung *f*; ⚡ Umschaltung *f*; ⚖ *~ de pena* Strafumwandlung *f*; ⚡ *palanca f de ~* Schalthebel *m*; **~dor** ⚡ *m* **1.** Stromwender *m*, Schalter *m*; *~ giratorio* Drehschalter *m*; **2.** *Am. Reg.* Telefon-zentrale *f*, -vermittlung *f*; **~r** *v/t.* **1.** *~ a/c. por (od. con) otra cosa* et. gg. et. anderes tauschen; **2.** ⚖ *Strafe* umwandeln; **3.** ⚡ umschalten; *Tel. ~ con clavijas* umstöpseln; **~tivo** *adj.* Tausch...; **~triz** ⚡ *f* Umformer *m*.

connato *adj.* zugleich geboren; angeboren; *fig.* inhärent.

connatura|l *adj. c* naturgemäß, angeboren; **~lizar** [1f] **I.** *v/t.* eingewöhnen; **II.** *v/r.* *~se* s. eingewöhnen; s. gewöhnen (an *ac. con*).

conniven|cia *f* ⚖ Konnivenz *f*; *estar en ~ con alg.* mit j-m unter e-r Decke stecken; **~te** *adj. c* duldsam; zu nachsichtig.

connota|ción *Gram. f* Konnotation *f*; **~do** *adj. Am.* distinguiert.

connubio *lit. m* Ehe *f*.

cono *m* **1.** 𝔄, ⊕ Kegel *m*, Konus *m*; *~ truncado* Kegelstumpf *m*; *~ de luz (de sombra)* Licht- (Schatten-)kegel *m*; *superficie f del ~* Kegelmantel *m*; **2.** ⚘ Zapfen *m*.

cono|cedor *adj.-su.* kundig (*gen.*); *m* Kenner *m*; *~ de hombres* Menschenkenner *m*; **~cer** [2d] **I.** *v/t.* **1.** kennen (*ac.*), bekannt sein mit (*dat.*); (schon) wissen; *~ de nombre (de vista)* dem Namen nach (vom Sehen) kennen; **2.** kennenlernen; erfahren; erkennen (*a. Phil.*))an *dat. por*); (wieder)erkennen; *dar a ~ a/c. a alg.* j-m et. bekanntgeben; j-n mit et. bekannt machen; *darse a ~* s. zu erkennen geben; *llegar a ~* (erst richtig) kennenlernen; **3.** kennen, verstehen, können; et. verstehen von (*dat.*); **4.** *bibl.* danken; **5.** geschlechtlich erkennen; F *no ha conocido mujer* der hat noch k-e Frau gehabt; **II.** *v/i.* **6.** ⚖ *~ en (od. de) una causa* über e-e Sache befinden, in e-r Sache erkennen; zuständig sein für e-e Sache; **7.** *~ de* et. verstehen von (*dat.*); **III.** *v/r.* *~se* **8.** s. kennen; s. (gg.-seitig) kennenlernen; *conócete a ti mismo* erkenne dich selbst; **9.** zu erkennen sein; *se conoce que ...* man sieht (*od.* merkt), daß ...

conoci|ble *adj. c* erkennbar; **~damente** *adv.* bekanntermaßen; klar; **~do I.** *adj.* bekannt; anerkannt; F *ser muy ~ en su casa* ein unbekanntes (*bzw.* verkanntes) Genie sein; **II.** *m* Bekannte(r) *m*; *un ~ mío* ein Bekannter von mir; **~miento** *m* **1.** (Er-)Kenntnis *f*; Einsicht *f*; Verständnis *n*; *~ de sí mismo* Selbsterkenntnis *f*; *para su ~* zu Ihrer Kenntnisnahme; *con ~ de causa* bewußt; überlegt; *con gran ~ de causa* mit (*od.* aus) gründlicher Sachkenntnis; *dar ~ de et.* zur Kenntnis geben, *et.* bekanntmachen; *poner a/c. en ~ de j-n* in Kenntnis setzen von (*dat.*); *no tener ~ de* k-e Kenntnis haben von (*dat.*); nichts wissen von (*dat.*); **2.** ⚕ Bewußtsein *n* (verlieren *perder*); *recobrar el ~* (wieder) zur Besinnung (*od.* zu s.) kommen; *sin ~* bewußtlos; **3.** ✝ *~ (de embarque)* Konossement *n*, Seefrachtbrief *m*; *~ aéreo* Luftfrachtbrief *m*; **4.** Bekanntschaft *f*; *lit. trabar ~ con j-s* Bekanntschaft machen; **5.** *~s m/pl.* Kenntnisse *f/pl.*; *~s previos (técnicos)* Vor-(Fach-)kenntnisse *f/pl.*

conoide 𝔄 *m* Konoid *n*; **~o** 🕮 *adj.* kegelförmig. [hang *m*.]

conopeo *kath. m* Tabernakelvor-

conopial △ *adj. c*: *arco m ~* Eselsrücken *m*, geschweifter Spitzbogen *m*.

conque *cj.* also, folglich, daher; nun; *no entiendes nada de esto, ~ cállate* davon verstehst du nichts, sei also (gefälligst) still; *¿~ te vas o te quedas?* gehst du nun oder bleibst du da?; *oft iron. od. drohend*: *¿~ no hay nada que hacer?* (ihr habt) wohl gar nichts zu tun, wie?; *¡~ andando!* also los, gehen wir!

conquiforme *adj. c* muschelförmig.

conquista *f* **1.** Eroberung *f* (*a. fig.*); Errungenschaft *f*; *fig.* F *ir de ~* auf Eroberungen ausgehen; **2.** *hist. la* ♀ die Conquista, *Zeitalter der Besitznahme Amerikas durch die Spanier*; **3.** ✝ Erschließung *f von Märkten*; **~ble** *adj. c* (leicht) zu erobern(d) (*a. fig.*); **~dor** *adj.-su. m* Eroberer *m*; *hist.* Konquistador *m*; *fig.* F Frauenheld *m*; **~r I.** *v/t.* erobern (⚔ *u. fig.*); gewinnen, für s. einnehmen; **II.** *v/r.* *~se* gewinnen (*Sympathie usw.*).

consabido *adj.* bewußt, (schon) erwähnt; üblich, sattsam bekannt; *tráigame lo ~* bringen Sie mir das Übliche (*Bestellung im Stammcafé*); **~r** *m* Mitwisser *m*.

consagra|ción *f* **1.** *Rel.* Weihe *f*, Einweihung *f*, Konsekration *f*; Wandlung *f* (*Messe*); **2.** *fig.* Widmung *f*; Aufopferung *f*; Opfer *n*; **~nte** *adj.-su. m bsd. kath.* Weihpriester *m*, Konsekrant *m*; **~r I.** *v/t.* **1.** *Rel.* weihen, einsegnen, heiligen; *Hostie* konsekrieren; **2.** *~ (a)* widmen (*dat.*); weihen (*dat.*), (auf-)opfern (*dat.*); **3.** bestätigen, autorisieren; *~ como* bestätigen als (*ac.*); *giro m ~ado por el uso* (ganz) geläufige (Rede-)Wendung *f*; **II.** *v/r.* *~se* **4.** *~se a* s. widmen (*dat.*), s. hingeben (*dat.*); *~se como* s. durchsetzen als (*nom.*), s-n Ruf als (*nom.*) festigen.

consan|guíneo *adj.* blutsverwandt; *hermanos m/pl. ~s* Halbgeschwister *pl.* väterlicherseits; **~guinidad** *f* Blutsverwandtschaft *f*.

conscien|cia *f gelegl.* 🕮 → *conciencia* (= *Bewußtsein*); **~te** *adj. c* bewußt (*gen.* de).

conscrip|ción ⚔ *f bsd. Am.* Aushebung *f*, Musterung *f*; **~to** *m* Rekrut *m*, Ausgehobene(r) *m*.

conse|cución *f* Erlangung *f*, Erreichung *f*; *de fácil ~* leicht zu erreichen(d); **~cuencia** *f* **1.** Folge *f*, Folgerung *f*; Konsequenz *f*; Folgerichtigkeit *f*; *a ~ de* als Folge (*gen. od.* von *dat.*); *en ~ de* gemäß (*dat.*), zufolge (*dat.*); *cj. por ~, en ~, a ~* folglich; *llevar las ~s* die Folgen tragen; *sacar la ~* die (Schluß-)Folgerung ziehen; *sacar las ~s* die Konsequenzen ziehen; *sacar en ~* daraus folgern (*od.* schließen); *tener (od. traer) ~s* Folgen (*od.* Konsequenzen) haben; noch ein dickes Ende haben F; *traer (od. tener) como ~* zur Folge haben; **2.** Wichtigkeit *f*, Bedeutung *f*; **~cuente I.** *adj. c* folgerichtig, konsequent; *ser ~ (consigo mismo)* konsequent sein, s. selber treu sein; **II.** *m* 𝔄, *Phil.* (Schluß-)Folgerung *f*; *Gram.* Folge-, Nach-satz *m*; **~cuentemente** *adv.* folgerichtig; entsprechend; **~cutivo** *adj.* **1.** (*mst. pl.*) aufea.-folgend; *tres veces ~as* dreimal nachea.; **2.** *Gram. proposición f ~a* Konsekutivsatz *m*; **3.** *~ a* s. aus (*dat.*) ergebend, als Folge von (*dat.*).

conseguir [3l *u.* 3d] *v/t.* erlangen, erreichen; bekommen; durchsetzen; erzielen; *~ que + subj.* erreichen, daß; *consigo hacerlo* ich bringe es fertig; *consigo adelantarlos* es gelingt mir, sie zu überholen; *sin haber ~ido nada* unverrichteter Dinge, ohne Erfolg, erfolglos.

conse|ja *desp. f* (Ammen-)Märchen *n*, Fabel *f*; **~jera** F *f* Frau *f* Rat, Rätin *f*; **~jero** *m* Ratgeber *m*, Berater *m*; Rat *m* (*Titel*); Ratsmitglied *n*; *~ de administración* Verwaltungsrat(smitglied *n*) *m* (*in Span. AG*); *~ áulico* Hofrat *m*; *~ económico* Wirtschaftsberater *m*; *~ de embajada* Botschaftsrat *m*; *~ jurídico* Rechtsberater *m*; *~ técnico* Fachberater *m*; technischer Berater *m*; **~jo** *m* **1.** Rat *m*, Ratschlag *m*;

dar ~ Rat erteilen; *entrar en* ~ beraten, beratschlagen; *pedir* ~ *a j-n* um Rat bitten; *tomar* ~ de s. beraten lassen von (*dat.*); s. bei (*dat.*) Rat holen; ~*s vendo y para mí no tengo* (gute) Ratschläge kann jeder geben; **2.** Rat *m* (*Gremium*); Ratsversammlung *f*; ~ *de administración* Verwaltungsrat *m*; *hist.* ♀ *de Castilla* kastilischer Kronrat *m* (*zugleich Oberstes Gericht*); *hist. ma.* ♀ *de Ciento* Rat der Hundert (*Barcelona*); ♀ *de Estado* Staatsrat *m*; ~ *de (la) empresa* Betriebsrat *m*; ♀ *de Europa* Europarat *m*; ~ *de familia* Familienrat *m*; ~ *de guerra* Militärgericht *n*; *hist.* Kriegsgericht *n*; Standgericht *n*; ~ *de ministros* Ministerrat *m*; Kabinett *n*; ~ *municipal* Stadt-, Gemeinde-rat *m*; ~ *real, Span.* ♀ *del Reino* Kronrat *m*; ♀ *de Seguridad* (Welt-)Sicherheitsrat *m* (*UNO*); ♀ *Superior de Investigaciones Científicas Span.* (Oberster) Forschungsrat *m*; **3.** Beschluß *m*; *tomar el* ~ *de* + *inf.* den Beschluß fassen zu + *inf.*

consen|so ⚖, *lit. m* Zustimmung *f*, Einwilligung *f*; **~sual** ⚖ *adj. c*: *contrato m* ~ Konsensualvertrag *m*.

consen|tido *adj.* verwöhnt, launisch, verzogen (*Kind*); *marido m* ~ wissentlich betrogener Ehemann *m*; **~tidor I.** *adj.* zu nachsichtig; **II.** *m* Mitwisser *m*; **~timiento** *m* Einwilligung *f*, Zustimmung *f*, Genehmigung *f*; **~tir** [3i] **I.** *v/t.* gestatten, zulassen, erlauben; billigen; dulden; ~ *a/c. a alg. a.* j-m et. durchgehen lassen; *no consiento que* + *subj.* ich lasse nicht zu, daß + *ind.*; **II.** *v/i.* ~ *en a/c.* in et. (*ac.*) einwilligen; ~ *con los vicios de j-s* schlechte Gewohnheiten dulden; **III.** *v/r.* ~*se* Risse bekommen, springen.

conserje *m* Hausmeister *m*; Portier *m*, Pförtner *m*; ~ *de noche* Nachtportier *m*; **~ría** *f* Portiersloge *f*, Pforte *f*.

conserva *f* **1.** Konserve *f*, Dauerware *f* (*mst. pl.*); Eingemachte(s) *n*; *en* ~ konserviert, Konserven...; ~ *de carne* (*de sangre*) Fleisch- (Blut-)konserve *f*; *poner en* ~ einmachen, einlegen; **2.** *hist.* ⚓ *adv. en* ~ im Geleitzug; **~ción** *f* Erhaltung *f*; Konservierung *f*; Frischhaltung *f*; Aufbewahrung *f*, Verwahrung *f*; ~ *de la energía* Erhaltung *f* der Energie (*a. Phys.*); ~ *de monumentos antiguos* Denkmalspflege *f*; *instinto m de* ~ Selbsterhaltungstrieb *m*; **~do** *adj.*: *bien* ~ gut erhalten (*a. Person*), noch frisch; **~dor I.** *adj.* **1.** erhaltend; **2.** *a. Pol.* konservativ; **II.** *m* **3.** Erhalter *m*, Pfleger *m*; Aufseher *m*; ~ *del museo* Konservator *m* (*bzw.* Kustos *m*) am Museum; **4.** *a. Pol.* Konservative(r) *m*; **5.** ~ *de helados* Kühlbox *f* für Speiseeis; **~durismo** *m* Konservati(vi)smus *m*; **~r I.** *v/t.* **1.** erhalten; beibehalten; pflegen; schonen; ~ *los amigos* die (alten) Freunde beibehalten; ~ *la salud* die Gesundheit erhalten; gesund bleiben; ~ *en buen estado* gut instand halten; **2.** aufbewahren; *consérvese en sitio fresco y seco* kühl u. trocken aufbewahren; **3.** *Früchte usw.* einmachen, einlegen; konservieren; **II.** *v/r.* ~*se* **4.** erhalten bleiben; ~*se en* (*od. con*) *salud* gesund bleiben; *consérvate bien* halte dich gesund; pflege dich, schone dich; **~tismo** *m Am.* → *conservadurismo*; **~tivo** *adj.* erhaltend, konservierend; **~torio I.** *adj.* der Erhaltung dienend; ⚖ *medida f* ~*a* Sicherungsmaßnahme *f*; **II.** *m* Konservatorium *n*; Musik(hoch)schule *f*; ~ (*de declamación*) Schauspielschule *f*.

conserve|ría *f* Konservenherstellung *f*; **~ro I.** *m* Konserven-hersteller *m*; -arbeiter *m*; **II.** *adj.*: *industria f* ~*a* Konservenindustrie *f*.

considera|ble *adj. c* beachtlich, ansehnlich; beträchtlich, erheblich; **~ción** *f* Betrachtung *f*, Überlegung *f*, Erwägung *f*, Beachtung *f*; Berücksichtigung *f*, Rücksicht(nahme) *f*; Hoch-achtung *f*, -schätzung *f*, Ansehen *n*; *de* ~ bedeutend; gewichtig; *en* ~ *a* in Anbetracht (*gen.*), im Hinblick auf (*ac.*); *por* ~ *a* aus Rücksicht auf (*ac.*); *sin* ~ rücksichtslos; *falta f de* ~ Rücksichtslosigkeit *f*; (grobe) Unhöflichkeit *f*; *cargar* (*od. fijar*) *la* ~ *en* sein Augenmerk richten auf (*ac.*), *et.* überlegen; *entrar en* ~ in Betracht kommen; *tener* ~ *con alg.* j-n rücksichtsvoll (*bzw.* achtungsvoll) behandeln; *tener* (*od. tomar*) *en* ~ *a/c.* **a)** et. berücksichtigen; **b)** et. in Erwägung ziehen; *Briefstil*: *con la mayor* ~, *con el testimonio de mi* (*bzw. nuestra*) *mayor* ~ mit vorzüglicher Hochachtung; **~do** *adj.* **1.** überlegt; besonnen; rücksichtsvoll; **2.** *bien* ~ (wenn man es) genau überlegt, eigentlich; **3.** *bien* (*mal*) ~ (nicht) sehr geschätzt *od.* angesehen.

considera|ndo I. *prp.* ~ *que* ... angesichts der Tatsache, daß ...; *Verw.* da, weil; ⚖ *üblicher Anfang e-r Urteilsbegründung*; **II.** *m* ⚖ ~*s m/pl.* (rechtliche) Urteilsbegründung *f*; **~r I.** *v/t.* **1.** bedenken, erwägen; berücksichtigen; überlegen; ~ *bueno* (es) für angebracht halten; ~*le a uno* (*como*) *feliz* j-n für glücklich halten; ~ *el pedido* (*como*) *anulado* den Auftrag als zurückgezogen betrachten (*od.* ansehen); **2.** mit Rücksicht behandeln; hochachten; **II.** *v/r.* ~*se* **3.** s. für *et.* halten; ~*se en casa* glauben, daheim zu sein; *si bien se considera* wenn man es recht überlegt.

consigna *f* **1.** ⚔ *u. fig.* Parole *f*, Losung *f*; Weisung *f*; *dar la* ~ die Losung ausgeben; *fig. respetar la* ~ der Parole Folge leisten; **2.** 🚂 Gepäckaufbewahrung *f*; **~ción** *f* **1.** (Geld-)Anweisung *f*; Hinterlegung *f*; Kaution *f*; **2.** † Konsignation *f*; Ansichtssendung *f*; ~*ones f/pl. globales* Sammel-ladung *f*; -güter *n/pl.*; **3.** ~ *en acta* aktenmäßige (*od.* protokollarische) Fixierung *f*; **~dor** † *m* Konsignant *m*; **~r** *v/t.* **1.** anweisen; † konsignieren; gerichtlich hinterlegen; schriftlich niederlegen; **2.** *Handgepäck* zur Aufbewahrung geben; **~tario** †, ⚖ Konsignator *m*; Verwahrer *m*; (Ladungs-)Empfänger *m*; ~ (*de buques*) Schiffsmakler *m*.

consigo *pron.* mit sich, bei sich; *llevar dinero* ~ Geld bei s. haben; *no tenerlas todas* ~ Argwohn hegen, dem Frieden nicht trauen; *dar* ~ *en tierra* s. überschlagen, hinfallen; *hablar* ~ *mismo* Selbstgespräche führen.

consiguiente *adj. c*: ~ (*a*) s. ergebend (aus *dat.*); entsprechend (*dat.*); *cj. por* ~ folglich, daher, also; **~mente** *adj.* folgerichtig; folglich.

consiliario *m* Rat *m* (*Person*).

consis|tencia *f* **1.** *Phys.* Dichtigkeit (-sgrad *m*) *f*; Dickflüssigkeit *f*; *allg.* Festigkeit *f*, Bestand *m*, Dauer *f*; Beschaffenheit *f*; Konsistenz *f*; **2.** *Phil.* Konsistenz *f*, Widerspruchslosigkeit *f*; **~tente** *adj. c* fest, stark, haltbar, dauerhaft; dickflüssig; ~ *en* bestehend aus (*dat.*); **~tir** *v/i.* ~ *en* bestehen aus (*dat.*); beruhen auf (*dat.*); ~ *en que* darin (*bzw.* daran) liegen, daß.

consistori|al *adj. c* **1.** *Rel.* Konsistorial...; **2.** *Reg.* Gemeinde...; *casa(s) f(/pl.)* ~*(es)* Rathaus *n*; **~o** *m* **1.** *Rel.* Konsistorium *n*; *ante el* ~ *divino* vor dem Richterstuhl Gottes; **2.** *Reg.* Gemeinderat *m*; **3.** *hist.* Rat *m der römischen Kaiser.*

consocio *m* Mitinhaber *m*; Genosse *m*.

conso|l *m Pe.*, **~la** *f* Wandtischchen *n*, Konsole *f*; ⚠ Konsole *f*.

consola|ble *adj. c* tröstbar; **~ción** *f* Trost *m*; Tröstung *f*; Zuspruch *m*; *premio m de* ~ Trostpreis *m*; **~dor I.** *adj.* tröstlich, tröstend; **II.** *m* Tröster *m*; **~r** [1m] **I.** *v/t.* trösten; **II.** *v/r.* ~*se* s. trösten; ~*se de* über *et.* (*ac.*) hinwegkommen, *et.* verschmerzen; ~*se con* **a)** s. mit *et.* (*dat.*) abfinden; **b)** bei *od.* in *et.* (*dat.*) Trost finden; **c)** bei *j-m* Trost suchen; **~tivo, ~torio** *adj.* → *consolador.*

consólida ⚘ *f* Schwarzwurz *f*; ~ *real* Rittersporn *m*.

consolida|ción *f* **1.** Befestigung *f*, Sicherung *f*, Verankerung *f*; Festigung *f*, Gesundung *f* (*a.* †); **2.** ⚕ Ver-narbung *f*, -heilung *f*; **3.** 🕮, †, ⊕, ⚖, *Geol.* Konsolidierung *f*, Konsolidation *f*; **~do** † **I.** *adj.* konsolidiert (*Staatsschuld*); **II.** ~*s m/pl.* Konsols *m/pl.*; **~r I.** *v/t.* **1.** (be)festigen, sichern; verstärken; versteifen; † konsolidieren; **2.** ⚕ die Heilung (*gen.*) fördern; **II.** *v/r.* ~*se* **3.** s. festigen; ⚕ zuheilen.

consomé *gal. m* Kraftbrühe *f*.

consonan|cia *f* **1.** ♪ Ein-, Gleichklang *m*, Harmonie *f*; Konsonanz *f*; **2.** End-, Voll-reim *m*; **3.** Übereinstimmung *f*; *en* ~ *con* in Übereinstimmung mit (*dat.*); **~te I.** *adj. c* **1.** übereinstimmend; zs.-stimmend; ♪ harmonisch zs.-klingend; konsonant; **2.** reimend; **3.** ⚕ konsonierend; **II.** *f* **4.** Konsonant *m*, Mitlaut *m*; **~tismo** *m* Konsonantismus *m*.

consonar [1m] *v/i.* **1.** zs.-stimmen, zs.-klingen; **2.** s. reimen.

consor|cio *m* **1.** Genossenschaft *f*; **2.** Konsortium *n*, Konzern *m*; ~ *bancario* Bankenkonsortium *n*; **3.** *fig. vivir en buen* ~ in e-r guten Gemeinschaft leben; **~te** *c* (Schicksals-, Leidens-)Genosse *m*; Ehegatte *m* (*Mann od. Frau*); *los* ~*s* die

Eheleute *pl.*; *príncipe m* ~ Prinzgemahl *m.* [rühmt.]

conspicuo *adj.* hervorragend, be-

conspira|ción *f* Verschwörung *f* (*a. fig.*); **~do, ~dor** *m* Verschwörer *m*; **~r** *v/i.* s. verschwören, konspirieren (gg. *ac. contra*); ~ *en* bei *et.* (*dat.*) mitmachen, an *et.* (*dat.*) beteiligt sein; *todo conspira para su desgracia* alles hat s. zu s-m Unglück verschworen; ~ *a* (*la persecución de*) *un fin* gemeinsam hinwirken auf et. (*ac.*), et. gemeinsam bezwecken.

constan|cia *f* **1.** Standhaftigkeit *f*, Beständigkeit *f*, Beharrlichkeit *f*, Ausdauer *f*; 🕮, ⊕ Konstanz *f*; **2.** Sicherheit *f*, Gewißheit *f*; *bsd. Am. dar* (*od. dejar*) ~ *de et.* bestätigen; *et.* festhalten, *et.* zum Ausdruck bringen; **~te I.** *adj. c* **1.** standhaft, beständig; beharrlich; stetig; *a.* ⚗ konstant; **2.** ständig, dauernd; **3.** sicher; **II.** *f* **4.** ⚡, ⊕, *Phys.* Konstante *f*; **~temente** *adv.* ständig, stetig.

constantinopolitano *adj.-su.* aus Konstantinopel.

consta|r *v/i.* **1.** gewiß sein, feststehen; *me consta que ...* ich weiß bestimmt, daß ...; *conste que ...* es sei (hiermit) festgestellt, daß ...; *¡que conste!* das muß festgehalten werden!, hört!; *¡para que te conste!* damit du Bescheid weißt!, daß du's nur weißt!; *hacer* ~ feststellen; *in Dokumenten*: *y para que (así) conste* zu Urkund dessen; **2.** verzeichnet (*od.* aufgeführt) sein (in *dat. en*); *hacer* ~ *en escritura pública* urkundlich feststellen (lassen); (*como*) *consta en autos de juicio* wie aus den (Gerichts-)Akten hervorgeht; **3.** ~ *de* bestehen aus (*dat.*); **~tación** *gal. f* Feststellung *f*; **~tar** *gal. v/t.* feststellen.

constela|ción *f* Gestirn *n*, Sternbild *n*; Konstellation *f* (*a. fig.*); **~do** *gal. adj.* gestirnt, Sternen...; *fig.* ~ *de* besät (*od.* bedeckt) mit (*dat.*).

consterna|ción *f* Bestürzung *f*, Fassungslosigkeit *f*; **~do** *adj.* bestürzt, konsterniert; fassungslos; **~r I.** *v/t.* bestürzen, in Bestürzung versetzen; **II.** *v/r.* **~se** sehr betroffen sein.

constipa|ción *f* Verstopfung *f*; **~do I.** *adj.* verschnupft; **II.** *m* Schnupfen *m*, Erkältung *f*; **~rse** *v/r.* s. erkälten, s. e-n Schnupfen holen.

constitu|ción *f* **1.** Beschaffenheit *f*, Zustand *m*; körperliche Verfassung *f*, Konstitution *f*; Anordnung *f*, Aufbau *m*; Zs.-setzung *f*; **2.** *Pol.* Verfassung *f*; ⚖ Statut *n*, Verfassung *f*; *jurar la* ~ e-n Verfassungseid leisten; **3.** ⚖ Einsetzung *f*, Bestellung *f*; (Be-)Gründung *f*; Gründung *f*, Errichtung *f e-r Gesellschaft*; ~ *de una renta* Rentenbestellung *f*; ~ *de una hipoteca* Bestellung *f* e-r Hypothek; **~cional** *adj. c* **1.** verfassungsmäßig, konstitutionell, Verfassungs...; *monarquía f* ~ konstitutionelle Monarchie *f*; **2.** ⚕ angeboren, konstitutionell; **~cionalidad** *f* Verfassungsmäßigkeit *f*; **~cionalismo** *Pol.* Konstitutionalismus *m*; **~ir** [3g] **I.** *v/t.* **1.** bilden, darstellen, ausmachen, sein; bedeuten; ~ *un delito* ein Vergehen sein (*od.* darstellen); **2.** *ein Ganzes* ausmachen, bilden; *constituyen el equipo once jugadores* die Mannschaft besteht aus elf Spielern; **3.** konstituieren, (be)gründen, errichten; *zum Erben* einsetzen; *Hypothek, Garantien* bestellen; *Rente, Mitgift* aussetzen; *Kommission* einsetzen; ~ *en* berufen als (*ac.*), bestellen zu (*dat.*); ⚔ ~ *reservas* Reserven abstellen (*od.* ausscheiden); **II.** *v/r.* **~se 4.** s. konstituieren; gegründet werden; **~se en república** e-e Republik bilden, Republik werden; **5.** **~se en** auftreten als (*nom.*); **~se en fiador** die Bürgschaft übernehmen, als Bürge auftreten; **~tivo I.** *adj.* wesentlich, Bestand..., Grund..., Haupt...; ~ *de et.* begründend; ⚖ ~ *de derecho* rechtsgestaltend; **II.** *m* Haupt-, Bestand-teil *m*; **~yente** *adj. c* begründend, konstituierend; verfassungsgebend; *Asamblea f* ~ verfassungsgebende Versammlung *f*, Konstituante *f* (*a. la* ∼).

constreñi|miento *m* Zwang *m*, Nötigung *f*; **~r** [3h *u.* 3l] *v/t.* zwingen, nötigen (zu *dat. a*); *bsd.* ⚕ beengen, einschnüren; zs.-ziehen.

constric|ción *f* Zs.-ziehung *f*; ⚕ Beengung *f*, Konstriktion *f*; **~tivo** *adj. bsd.* ⚕ ver-, be-engend; **~tor** *adj.* **1.** zs.-schnürend, -ziehend, *Anat. músculo m* ~ Konstriktor *m*; **2.** *Zo. boa f* ~ Boa *f* constrictor.

construc|ción *f* **1.** Bau(en *n*) *m*, Konstruktion *f*; Bauweise *f*; Gebäude *n*; ~ *enteramente de acero* Ganzstahlbauweise *f*; ~ *especial* Sonderausführung *f*; **~ones** *f/pl. hidráulicas* Wasserbauten *m/pl.*; ~ *de maquinaria*, ~ *de máquinas* (*de puentes*) Maschinen- (Brücken-)bau *m*; ~ *de madera* Holzbau *m*; ~ *todo metal* Ganzmetallbau(weise *f*) *m*; *materiales m/pl. de* ~ Baustoffe *m/pl.*; **2.** Bauwesen *n*; (*ramo m de la*) ~ Baugewerbe *n*; ~ *naval* Schiffsbau(industrie *f*) *m*; **3.** *Gram.* ~ *de la frase* Satzbau *m*; **4.** ⚗ Konstruktion *f*; **~tivo** *adj.* konstruktiv (*a. fig.*), aufbauend; ⊕ *elemento m* ~ Bau-, Konstruktions-teil *m*; **~tor** *adj.-su.* Erbauer *m*; Konstrukteur *m*; ~ *de automóviles* (*de máquinas*) Kraftfahrzeug- (Maschinen-)bauer *m.*

construir [3g] *v/t.* (er)bauen; an-, ver-fertigen, errichten, anlegen; *a. Gram.*, ⚗ konstruieren, ⚗ zeichnen.

consubstancia|ción *Theol. f* Konsubstantiation *f*; **~l** *adj. c* konsubstantiell; angeboren; **~lidad** *Theol. f* Wesenseinheit *f der Dreifaltigkeit.*

consuegro *m* Mit-, Gegen-schwiegervater *m.*

consuelda ⚘ *f* Schwarzwurz *f*; ~ *menor* Günsel *m.*

consuelo *m* Trost *m*, Tröstung *f*, Zuspruch *m*; *fig.* Erleichterung *f.*

consuetudinario *adj.* gewohnheitsmäßig; *derecho m* ~ Gewohnheitsrecht *n.*

cónsu|l *m* Konsul *m* (*a. hist.*); ~ *de carrera* Berufskonsul *m*; ~ *honorario*, *Am. oft* ~ *honorífico* Wahlkonsul *m*; ~ *general* Generalkonsul *m*; **~la** F *f* → *consulesa.*

consu|lado *m* Konsulat *n* (*a. hist.*); ~ *español*, ~ *de España* spanisches Konsulat *n*; **~lar** *adj. c* konsularisch, Konsular..., Konsulats...; *agente m* ~ Konsularagent *m*; **~lesa** *f* Frau *f* e-s Konsuls; Frau *f* (*als*) Konsul.

consul|ta *f* **1.** Befragung *f*; Anfrage *f*; Beratung *f*; ⚕, ⚖ Konsultation *f*; ⚕ (Arzt-)Praxis *f*; *horas f/pl. de* ~ Sprechstunden *f/pl.*; *obra f de* ~ Nachschlagewerk *n*; P *Am. ésa es la* ~ so verhält s. die Sache; *hacer una* ~ *a alg.* j-n konsultieren; *hacer una* ~ *en un archivo* im Archiv nachsuchen; beim Archiv anfragen; **2.** Gutachten *n*; **~table** *adj. c* beratschlagenswert; **~tación** *f* → *consulta*; **~tante** *adj. c -su. m* Konsulent *m*; Konsultant *m*; **~tar I.** *v/t.* (be)fragen, um Rat fragen; zu Rate ziehen; ~ *el diccionario* im Wörterbuch nachschlagen; ~ *el reloj* auf die Uhr sehen; **II.** *vt/i.* ~ *con su abogado* (et.) mit s-m Anwalt (be-)sprechen; **~tivo** *adj.* beratend (*a. Ausschuß, Stimme*), konsultativ; **~tor** *m* Berater *m*; Gutachter *m*; *hist.* ~ *del Santo Oficio* Inquisitor *m*; **~torio** *m* Beratungsstelle *f*; ⚕ Sprechzimmer *n*; Ambulanz *f*; ~ *de maternología* Mütterberatung(sstelle) *f.*

consuma|ción *f* Vollendung *f*; Vollziehung *f*; Erfüllung *f*; *bibl. la* ~ *de los siglos* das Ende der Welt; **~do I.** *adj.* vollzogen, vollendet (*a. fig. u.* ⚖); vollkommen, meisterhaft; Erz...; **II.** *m* Kraftbrühe *f*, Bouillon *f*; **~r** *v/t.* voll-enden, -bringen (*a. Rel.*); ⚖ voll-enden, -ziehen; *Verbrechen* begehen; **~tivo** *adj. bsd. Rel.* vollendend, vollbringend.

consu|mero † *m* Torzöllner *m*, Akzisbeamte(r) *m*; **~mición** *f* Verzehr *m*, Zeche *f*; **~mido** *adj.* abgezehrt, abgehärmt; F immer bekümmert; **~midor** *adj.-su.* Verbraucher *m*, Konsument *m*; Gast *m* (*Gaststättengewerbe*); ✝ *a.* Abnehmer *m*; **~mir I.** *v/t.* auf-, ver-zehren, auf-, ver-brauchen; *fig.* verzehren, vernichten; *la impaciencia le consume* die Ungeduld zehrt an ihm; **II.** *vt/i. kath.* ~ (*el cáliz*) den Kelch leeren (*Priesterkommunion*); **III.** *v/r.* **~se** s. verzehren; s. aufreiben; vergehen (vor *dat. de*); **~se a fuego lento** langsam verbrennen; **~se con la enfermedad** von der Krankheit ausgezehrt werden.

consummatum est *lt. bibl.* es ist vollbracht; F alles ist (da)hin, nichts mehr zu machen.

consumo *m* **1.** Verbrauch *m*, Konsum *m*; ~ *de energía* Energie-bedarf *m*, -verbrauch *m*; ~ *por cabeza* Pro-kopf-Verbrauch *m*; *bienes m/pl. de* ~ Konsumgüter *n/pl.*; *artículos m/pl.* (*od. bienes m/pl.*) *de* ~ *duraderos* Gebrauchsgüter *n/pl.*; **2.** **~s** *m/pl.* (*Span. mst. usos m/pl. y* **~s**) Verbrauchssteuer *f*; *hist.* Torzoll *m.*

consunción ⚕ *f* Ab-, Aus-zehrung *f.*

consuno *adv.*: *de* ~ einhellig, übereinstimmend.

consuntivo ⚕ *adj.* auszehrend; *fiebre f* **~a** hektisches Fieber *n.*

consunto *part. irr. zu consumir.*

consustancial *adj. c* → *consubstancial.*

conta|bilidad ✝ *f* Buch-führung *f*, -haltung *f*; Rechnungswesen *n*; ~ *de costos* Kostenrechnung *f*; ~ *por partida simple* (*doble*) einfache (doppelte) Buchführung *f*; ~ *nacional* volkswirtschaftliche Gesamtrechnung *f*; *jefe m de* ~ Hauptbuchhalter *m*; **~bilizar** [1f] *v/t.* (ver-) buchen; **~ble I.** *adj. c* zählbar; **II.** *m* Buchhalter *m*.

contacto *m* Berührung *f*, Fühlung (-nahme) *f*, *a.* ⚡ Kontakt *m*; ⚓ ~ *con el fondo* Grundberührung *f*; ⚡ ~ *a tierra* (*con la masa*) Erd-(Masse-)schluß *m*; ⚡ ~ *intermitente* Wechselkontakt *m*; *punto m de* ~ Berührungspunkt *m*; ⚡ Kontakt (-stelle *f*) *m*; *entrar en* ~ in Verbindung treten; *poner en* ~ in Berührung bringen; *ponerse en* ~ Verbindung (*od.* Kontakt) aufnehmen, s. in Verbindung setzen (mit *dat. con*).

contactor *m* **1.** ⚡ Schaltschütz *n*; **2.** Verbindungsmann *m*; *Spionage*: Resident *m*.

conta|dero I. *adj.* zählbar; **II.** *m* Personenzähler *m*; **~do** *adj.* **1.** selten; *adv.* *~as veces* selten; **2.** gezählt; *tiene los días ~s* s-e Tage sind gezählt, er ist dem Tode nahe; **3.** *adj. u. adv. al* ~ bar; *negocio m al* ~ Bar-, Kassen-geschäft *n*; **4.** *adv. por de* ~ sicher, gewiß; **~dor I.** *adj.* **1.** Zähl...; *mecanismo m* ~ Zählwerk *n*; *tablero m* ~ Rechen-tafel *f*, -brett *n*; **II.** *m* **2.** Rechnungsführer *m*; Buchhalter *m*; *Am.* ~ *público* Buch-, Wirtschafts-prüfer *m*; **3.** ⚔ Zahlmeister *m*; ⚓ ~ *de la Armada* Marinezahlmeister *m*; **4.** ⊕ Zähler *m*, Zählwerk *n*; ~ *de agua* Wasseruhr *f*; ~ *de corriente* (*eléctrica*) Stromzähler *m*; ~ *de revoluciones* Drehzahlmesser *m*; ~ *Geiger* Geigerzähler *m*; **~duría** *f* **1.** Rechnungs-stelle *f*, -kammer *f*; (öffentliche) Zahlstelle *f*; Buchhaltung *f*; ⚔ Zahlmeisterei *f*; **2.** *Thea.* Vorverkauf(skasse *f*) *m*; *despacho m en* ~ (Eintrittskarten im) Vorverkauf *m*.

conta|giar I. *v/t.* anstecken (*a. fig.*); **II.** *v/r.* *~se* ansteckend sein; angesteckt werden (*a. fig.*) (von *dat. od.* durch *ac. con, por, de*); **~gio** *m* Ansteckung *f*, Übertragung *f*; *fig.* böses Beispiel *n*; **~giosidad** ⚕ *f* Übertragbarkeit *f*; Ansteckungsmöglichkeit *f*; **~gioso** *adj.* übertragbar, ansteckend (*a. fig.*); an e-r ansteckenden Krankheit leidend.

contáiner *Angl. m* Container *m*.

contamina|ble *adj. c* infizierbar; **~ción** *f* **1.** Verunreinigung *f*, Verseuchung *f*, Ansteckung *f*; ~ *radiactiva* radioaktive Verseuchung *f*; **2.** *Li.* Kontamination *f*; **~do** *adj.* verunreinigt; 🕮 kontaminiert; **~r I.** *v/t.* verunreinigen; verseuchen, anstecken (mit *dat. con, de*); *fig.* besudeln, beflecken; verderben; **II.** *v/r.* *~se* angesteckt werden (von *dat. con, de*).

contante *adj. c -su.* bar; *m* Bargeld *n*; *pagar en* ~ *y sonante* in klingender Münze zahlen.

contar [1m] **I.** *v/t.* **1.** (ab)zählen; be-, aus-, er-rechnen; ~ *a alg. entre sus amigos* j-n zu s-n Freunden zählen (*od.* rechnen); ~ *por docenas* nach Dutzenden abzählen; **2.** erzählen; *no me cuente historias* erzählen Sie mir k-e Geschichten; F *¿qué (me) cuentas?* wie geht's?; *¡qué me cuentas!* nein, so was!, das ist doch nicht möglich!; **II.** *v/i.* **3.** zählen; rechnen; *cuenta 30 años de edad* er ist dreißig Jahre alt; *eso no cuenta* das zählt nicht, das ist nicht wichtig; das macht nichts; ~ *con los dedos* mit den Fingern zählen, an den Fingern abzählen; *a* ~ *desde* (*od. de*) ... von ... (*dat.*) an (*bzw.* ab); ~ *con que* damit rechnen, daß; *la casa cuenta con un jardín* zum Haus gehört ein Garten; *poder* ~ *con* mit *j-m* rechnen (*od.* auf *j-n* zählen) können; ~ *entre los mejores* zu den Besten gehören; *sin* ~ *con que* (ganz) abgesehen davon, daß; *no sabe ni* ~ er kann nicht einmal rechnen, er ist (einfach) blöd; **4.** erzählen; *y pare de* ~ u. das ist alles; **III.** *v/r.* *~se* **5.** *se cuenta que* man erzählt s., daß; es heißt (, daß); *eso no se cuenta* **a)** das wird nicht berechnet; **b)** das darf man nicht sagen, das ist unanständig (*od.* F nicht salonfähig).

contempla|ción *f* **1.** Betrachtung *f*, Anschauung *f*; Nachsinnen *n*; *Theol.* Betrachtung *f*, Versenkung *f*; **2.** *mst.* *~ones f/pl.* Rücksicht(nahme) *f*; *adv. sin ~ones* rücksichtslos; **~r I.** *v/t.* **1.** betrachten, anschauen; ins Auge fassen; **2.** sehr aufmerksam sein gg.-über (*dat.*); **II.** *v/i.* **3.** (nach)sinnen; meditieren; **~tivo** *adj.* **1.** beschaulich; kontemplativ; **2.** entgg.-kommend, höflich.

contempo|raneidad *f* Gleichzeitigkeit *f*; **~ráneo I.** *adj.* gleichzeitig; zeitgenössisch; **II.** *m* Zeitgenosse *m*.

contemporiza|ción *f* kluge Rücksichtnahme *f*; Anpassungsvermögen *n*; **~dor** *adj.-su.* nachgiebig, anpassungsfähig; **~r** [1f] *v/i.* Zugeständnisse machen; geschickt lavieren; ~ *con alg.* s. j-s Wünschen geschickt anpassen; j-n (zeitweilig) ertragen.

conten|ción *f* **1.** Mäßigung *f*, Beherrschung *f*, Bezwingung *f*; *muro m de* ~ Umfassungs-, Schutzmauer *f*; *política f de* ~ Eindämmungspolitik *f*; ⚕ ~ *de la sangre* Blutstillung *f*; **2.** Anstrengung *f*; **3.** (Wett-)Streit *m*, Kampf *m*; **~cioso** *adj.* ⚖ strittig, Streit..., Gerichts...; *asunto m* ~ strittige Frage *f*; Streitfall *m*, Rechtsstreit *m*; *procedimiento m* ~ *administrativo* Verwaltungsstreitverfahren *n*; **~dedor** *m* Gegner *m*; **~der** [2g] *v/i.* kämpfen, streiten (um *od.* über et. *ac. sobre a/c.*); **~diente** *adj.-su. c* Gegner *m*; Streitende(r) *m*.

contenencia *f* **1.** *Jgdw.* Rütteln *n* (= *kaum bewegtes Schweben des Vogels in der Luft*); **2.** Schwebeschritt *m beim Tanz*.

conte|ner [2l] **I.** *v/t.* **1.** in s. enthalten, umfassen; haben, zählen; **2.** im Zaume (*od.* in Schranken) halten; eindämmen; *Atem* anhalten; *Blut* stillen; **II.** *v/r.* *~se* **3.** an s. halten; Maß halten; s. beherrschen; **~nido** *m* **1.** Inhalt *m* (*a. fig.*); ~ *de aceite* Ölfüllung *f*; **2.** Gehalt *m*; ~ *de hierro* Eisengehalt *m*.

conten|ta *f* ⚓ Solvenzbescheinigung *f für den Ladungsoffizier*; *Am.* Quittung *f des Gläubigers*; **~tadizo** *adj.* genügsam, bescheiden; leicht zufriedenzustellen(d); *mal* ~ schwer zufriedenzustellen(d); **~tamiento** *m* Befriedigung *f*; Freude *f*; **~tar I.** *v/t.* befriedigen, zufriedenstellen; ✝ *Wechsel* indossieren; **II.** *v/r.* *~se con* zufrieden sein mit (*dat.*); s. begnügen mit (*dat.*); **~tivo I.** *adj.* eindämmend, fest-, zurück-haltend; blutstillend; **II.** *m* ⚕ Preßverband *m*; **~to I.** *adj.* **1.** zufrieden (mit *dat. con, de*); befriedigt; froh, fröhlich; *darse por* ~ s. zufrieden geben; *poner* (*od. dejar*) ~ befriedigen, zufriedenstellen; *estar* (*od. ponerse*) ~ zufrieden sein; s. freuen; *y tan* ~ damit war er (*od.* gab er s.) zufrieden; **II.** *m* **2.** Zufriedenheit *f*; Befriedigung *f*; Freude *f*, Behagen *n*, Vergnügen *n*; *a* ~ *de todos* zur Zufriedenheit aller; *sentir gran* ~ sehr zufrieden sein; ... *que es un* ~ ... daß es e-e Lust (*od.* e-e Freude) ist; **3.** ☐ *~s m/pl.* Moneten *pl.* P, Zaster *m* ☐.

conteo *m* **1.** Berechnung *f*; Schätzung *f*; **2.** Nach-zählen *n*, -rechnen *n*.

contera *f* (*z. B.* Stock-)Zwinge *f*; Ortband *n am Seitengewehr*; Bleistiftschoner *m*; F *por* ~ zu guter Letzt.

contero ⩓ *m* Perlstab *m*, Rosenkranz *m* (*Verzierung*).

conterráneo *adj.-su.* → *coterráneo*.

contertuli(an)o *m* Teilnehmer an e-r *tertulia*; F Stammtischbruder *m*.

contesta F *f Am.* → *contestación*; *Méj.* → *conversación*; **~ble** *adj. c* bestreitbar; strittig; fragwürdig; **~ción** *f* **1.** Antwort *f*; Beantwortung *f*; Entgegnung *f*, Erwiderung *f*; *en* ~ *a* in Beantwortung (*gen.*); *dejar sin* ~ unbeantwortet lassen; *mala* ~ unverschämte Antwort *f*; **2.** ⚖ ~ (*a la demanda*) Einlassung *f*, Klageerwiderung *f*; **3.** Streit *m*, Wortwechsel *m*; **~dor** *Tel. m*: ~ *automático de llamadas* automatischer Anrufbeantworter *m*; **~r I.** *v/t.* **1.** beantworten, erwidern; **2.** *gal.* bestreiten; **3.** ⚒ bestätigen; **II.** *v/i.* **4.** *a. abs.* antworten (auf *ac. a*); entgegnen; ~ *a* erwidern (*ac.*) (*Rede, Gruß*); **5.** übereinstimmen; **6.** F widersprechen; *¡Vd. a mí no me contesta!* Sie haben mir nicht zu widersprechen!; keine Widerrede!; **7.** P *Méj.* → *conversar*.

conteste *adj. c*: *estar ~s* übereinstimmen (*Zeugen*).

contestón F *adj.-su.* schnippisch; *m* Widerspruchsgeist *m*.

contex|to *m* Verkettung *f*; Gewebe *n*; *fig.* Zs.-hang *m*, Kontext *m*; **~tura** *f* Verbindung *f*, Gefüge *n*, Aufbau *m*, Anordnung *f*; Gewebe *n*; ~ *del discurso* Aufbau *m* (*bzw.* Zs.-hang) der Rede; *de robusta* ~ kräftig gebaut.

contienda *f* Streit *m*, Kampf *m*.

contigo *pron.* mit dir; bei dir.

conti|guamente *adv.* anstoßend; **~güidad** *f* Nebenea.-liegen *n*, Angrenzen *n*; Nachbarschaft *f*;

~guo *adj.* anstoßend (an *ac. a*), nebenea.-liegend; Neben...; *estar ~* nebenan liegen, anstoßen.

continencia *f* **1.** Enthaltsamkeit *f*, Mäßigkeit *f*; Keuschheit *f*; **2.** *Folk. Reg.* Verbeugung *f beim Tanz.*

continen|tal *adj. c* kontinental; festländisch; *clima m ~* Kontinentalklima *n*; **~te**[1] *m* Kontinent *m*, Erdteil *m*; Festland *n*.

continente[2] **I.** *adj. c* **1.** enthaltsam, keusch; **II.** *m* **2.** Behälter *m*; **3.** (Körper-)Haltung *f*, Auftreten *n*.

contingen|cia *f* **1.** Möglichkeit *f*, Zufälligkeit *f*; Ungewißheit *f*; *Phil.* Kontingenz *f*; **2.** ⚒ Gefahr *f*; **~tación** *f* Kontingentierung *f*; **~tar** *v/t.* kontingentieren; **~te I.** *adj. c* **1.** zufällig, möglich; *Phil.* kontingent; **II.** *m* **2.** Anteil *m*; ⚕ Kontingent *n*; *~ de importación* Einfuhrkontingent *n*; **3.** ⚔ (Truppen-)Kontingent *n*; **4.** → *contingencia*.

continua|ción *f* Fortsetzung *f*, Fortführung *f*; Fortdauer *f*; Verlängerung *f*; *adv. a ~* dann, darauf; anschließend; nachstehend; **~damente** *adv.* fort-während, -laufend, ständig; **~do** *adj.* fortgesetzt; → *continuo*; **~dor** *adj.-su.* Fortsetzer *m*, -führer *m*; **~mente** *adv.* ständig, ununterbrochen, in e-m fort; **~r** [1e] **I.** *v/t.* **1.** fortsetzen, fort-, weiter-führen; beibehalten; *~ la derrota* auf Kurs bleiben; ⚔ *~ el fuego (la marcha)* weiter-feuern (-marschieren); **II.** *v/i.* **2.** fortfahren; weiter-gehen; -führen; weitermachen (*a.* ⚔); *continuará* Fortsetzung folgt; *continúe usted* **a)** fahren Sie fort, machen Sie weiter; **b)** gehen Sie weiter; *~ hablando* weitersprechen; *~ por buen camino* den rechten Weg eingeschlagen haben; gut vorankommen (*a. fig.*); **3.** (noch immer) sein; bleiben; *~ en su puesto* auf s-m Posten bleiben; **~tivo** *adj.* fortsetzend; *conjunción f ~a* Bindewort *n* des zeitlichen *od.* örtlichen Anschlusses (*z. B. entonces, después* dann, hernach).

continu|idad *f* Stetigkeit *f*; Fortdauer *f*, Zs.-hang *m*, Andauern *n*, Kontinuität *f*; **~o I.** *adj.* ständig, stetig; unablässig, fortwährend, ununterbrochen; ⚒ *adv. de ~* unablässig, fortwährend; *acto ~* gleich darauf; ⊕ *marcha f ~a* Dauerbetrieb *m*; **II.** *m* 🕮 Kontinuum *n*; **III.** *adv.* ununterbrochen, ständig.

contone|arse *v/r.* s. in den Hüften wiegen; **~o** *m* wiegender Gang *m*.

contor|cerse [2b *u.* 2h] *v/r.* s. verrenken, s. verdrehen; s. winden; **~ción** *f* Verdrehung *f*, Verrenkung *f*.

contor|near *v/t.* **1.** um-kreisen, -gehen; **2.** umreißen, im Umriß zeichnen; *~ con la sierra* aussägen; **~neo** *m* **1.** Umkreisung *f*; **2.** Konturierung *f*; **~no** *m* **1.** Umriß *m*, Kontur *f*; Umkreis *m*; *adv. en (todo el) ~* im Umkreis, ringsumher; **2.** *~(s) m(/pl.)* Umgebung *f e-s Ortes.*

contor|sión *f* Verrenkung *f* (*a.* ⚕), Verzerrung *f*; **~sionista** *c* Schlangenmensch *m*, Verrenkungskünstler *m*.

contra I. *prp.* **1.** gg. (*ac.*), wider (*ac.*); gg.-über (*dat.*); an (*dat. bzw. ac.*), auf (*dat. bzw. ac.*); gg. (*ac.*), in Richtung auf (*ac.*); *¡~!* verflixt!; *~ esto* dagegen, hierwider; *cambiar la pieza ~ otra* das Stück gg. ein anderes austauschen; *dar ~ un árbol* gg. (*od.* an) e-n Baum stoßen (*bzw.* fahren); *estrechar ~ su pecho* an s-e Brust drücken; *estar (od. opinar) en ~ de gg. j-n (od. et.)* sein; **II.** *adv.* **2.** *en ~* dagegen; *votar en ~* dagegen stimmen; **III.** *cj.* **3.** P *~ más* → *cuanto más*; **IV.** *m* **4.** *el (los) pro(s) y el (los) ~(s)* das Für u. Wider, das Wenn u. Aber; **5.** ♪ Orgelpedal *n*; *~s m/pl.* tiefe Bässe *m/pl. der Orgel*; **V.** *f* **6.** Schwierigkeit *f*, Hindernis *n*; *Kart.* Kontra *n*; *Fechtk.* Konterhieb *m*; *hacer la ~* den Gg.-part spielen; Widerworte geben, s. widersetzen; Kontra geben.

contra|almirante ⚓ *m* Konteradmiral *m*; **~amura** ⚓ *f* Halstalje *f*; **~ataque** *m* Gg.-angriff *m*; **~aviso** *m* Gg.-bescheid *m*; Gg.-befehl *m*, -order *f*; **~bajo** ♪ *m* **1.** Baßgeige *f*, Kontrabaß *m*; **2.** Kontrabassist *m*; **3.** tiefer Baß *m*; **~bajón** ♪ *m* Baßfagott *n*; **~balancear** *v/t.* das Gleichgewicht halten mit *e-r Sache*; *fig.* aufwiegen, ausgleichen; **~balanza** *f* Gg.-gewicht *n*.

contraban|dear *v/i.* schmuggeln, Schleichhandel treiben; **~dista** *c* Schmuggler *m*, Schleichhändler *m*; **~do** *m* Schmuggel *m*, Schleichhandel *m*; Schmuggelware *f*, Konterbande *f*; *~ de guerra* Kriegs-Konterbande *f*; (*a. adv.*) *de ~* geschmuggelt, Schmuggel...; *fig.* heimlich; verboten; *hacer ~* schmuggeln; *pasar de ~* durchschmuggeln (*a. fig.*).

contra|barrera *Stk. f* zweite Sperrsitzreihe *f*; **~basa** △ *f* Säulenunterbau *m*, Sockel *m*; **~batería** ⚔ *f* Gg.-batterie *f*; **~batir** ⚔ *vt/i.* die feindlichen Batterien beschießen, zurückschießen; **~bloqueo** *m* Gg.-blockade *f*; **~braza** ⚓ *f* Gegenbrasse *f*; **~caja** *Typ. f* oberer Teil *m* des Setzkastens; **~cambio** *m* Tausch *m*; *en ~* als Ersatz; **~canal** *m* Abzugs-, Seiten-kanal *m*; **~carril** ⊕ *m* Gg.-schiene *f*.

contracción *f* **1.** Zs.-ziehung *f*; *a.* ⚕, *Li.* Kontraktion *f*; Verkürzung *f*; ⊕, ⚕ Schrumpfung *f*; Schwund *m*; *~ monetaria* Währungsschrumpfung *f*; **2.** *Chi., Pe. ~ al estudio* Lerneifer *m*.

contra|ceptivo → *contraconceptivo*; **~cifra** *f* (Chiffre-)Schlüssel *m*; **~clave** △ *f* Nebenschlußstein *m*; **~conceptivo** *adj.-su. m* (Empfängnis-)Verhütungsmittel *n*; **~corriente** *f* Gg.-strömung *f*; ⚡ Gg.-strom *m*; **~costa** *f* Gg.-Küste *f*, auf der entgg.-gesetzten Seite *e-r Insel* liegende Küste *f*.

contráctil *adj. c* zs.-ziehbar.

contrac|tilidad *f* Zs.-ziehbarkeit *f*; **~to** *part. irr. zu contraer*; *Li.* kontrahiert (*Verben*); **~tual** *adj. c* vertraglich, vertragsgemäß; **~tualmente** *adv.* vertragsmäßig, laut Vertrag; **~tura** ⚕ *f* Kontraktur *f*.

contra|cubierta *Typ. f* vierte Umschlagseite *f*; **~chap(e)ar** ⊕ *v/t.* furnieren; *madera f ~eada* Sperrholz *n*; **~choque** ⊕ *m* Rückschlag *m*; **~danza** ♪ *f* Kontertanz *m*.

contra|decir [3p; *part. contradicho*] **I.** *v/t.* widersprechen (*dat.*); im Widerspruch stehen zu (*dat.*); **II.** *v/r.* *~se* s. widersprechen; im Widerspruch stehen (zu *dat. con*); **~denuncia** *f* Gg.-anzeige *f*; **~dicción** *f* Widerspruch *m*; Gg.-satz *m*; Unvereinbarkeit *f*; *estar en ~* im Widerspruch stehen (zu *dat. a*); *espíritu m de ~* Widerspruchsgeist *m*; *sin ~* widerspruchslos, unstreitig; **~dictor** *adj.-su.* Widersprecher *m*, Gegner *m*; **~dictoriamente** *adv.* widersprüchlich; **~dictorio** *adj.* (ea.) widersprechend; ⚖ *sentencia f ~a* kontradiktorisches (*od.* streitiges) Urteil *n*.

contra|dique *m* Gegen-, Vor-deich *m*, -damm *m*; **~dirección** *f*: *ir en ~* gg. die Fahrtrichtung fahren (*in Einbahnstraßen*).

contraer [2p] **I.** *v/t.* **1.** zs.-ziehen, kontrahieren (*a. Li.*); verkürzen; **2.** *Vertrag* (ab)schließen; *Freundschaft* schließen; *Verpflichtung* eingehen, übernehmen; *Schulden* machen; *~ matrimonio* die Ehe eingehen; **3.** *Gewohnheit* annehmen; *e-e Krankheit* bekommen, s. *e-e Krankheit* zuziehen; *~ un vicio* s. ein Laster angewöhnen; e-e schlechte Gewohnheit annehmen; **4.** *~ a* beschränken auf (*ac.*); **II.** *v/r.* *~se* **5.** s. zs.-ziehen; s. verkürzen; schrumpfen; **6.** *~se a* s. beschränken auf (*ac.*); **7.** *Chi., Pe. ~se en sus estudios* eifrig lernen.

contra|escarpa *fort. f* Außen-, Gg.-böschung *f*; **~escota** ⚓ *f* Hilfs-, Borg-schot *f*; **~escritura** *f* Gg.-, Widerrufungs-urkunde *f*; **~espionaje** *m* Gg.-spionage *f*, (Spionage-)Abwehr *f*; **~estay** ⚓ *m* Hilfs-, Borg-stag *n*.

contra|fallar *Kart. v/t.* übertrumpfen; **~figura** *f* Gg.-bild *n*; Ebenbild *n*; **~filo** *m* Gg.-schneide *f am Säbel usw.*; **~firma** *f* → *refrendo*; **~foso** *m Thea.* untere Versenkung *f*; *fort.* Gg.-, Bahn-graben *m*; **~fuego** *m* Gg.-feuer *n*; **~fuero** *m* Rechtsbruch *m*; ⚖ *recurso m de ~* Verfassungsbeschwerde *f*; **~fuerte** *m* **1.** △ Strebebogen *m*; Strebepfeiler *m*; Widerlager *n*; *fort.* Gg.-schanze *f*; **2.** Hinterkappe(nverstärkung) *f am Schuh*; **3.** Tracht *f am Sattel*; **4.** Ausläufer *m e-s Berges*; **~fuga** ♪ *f* Kontrafuge *f*; **~gobierno** *m* Schattenkabinett *n*; **~golpe** *m* Rück-stoß *m*, -schlag *m*; Gg.-schlag *m* (*bsd. fig.*); **~guardia** *fort. f* Vorwall *m*; **~hacer** [2s] *v/t.* **1.** nachmachen; nachahmen; **2.** fälschen; *Buch* widerrechtlich abdrucken; **3.** vortäuschen; **~hecho** *adj.* **1.** nachgemacht; gefälscht; **2.** verwachsen, bucklig; **~hechura** *f* Nachahmung *f*; Fälschung *f*; **~hierba** ⚘ *f Am.* → *contrayerba*; **~hilo** *adv.*: *a ~* gg. den Strich, quer; **~huella** △ *f* Treppenstufenhöhe *f*, Setzstufe *f*; **~indicación** *f* Gg.-anzeige *f*, Kontraindikation *f* (*bsd.* ⚕); **~indicar** [1g] *v/t.*: *estar ~ado* kontraindiziert (*od.* nicht anzuraten) sein (⚕ *u. fig.*); **~lecho** △

adv.: *a* ~ senkrecht (gelagert) (*Hausteine im Verband*). [rante.]
contralmirante *m* → *contraalmirante*
contralo|r *m* **1.** ⚔ *Artillerie, Lazarett*: Zahlmeister *m*; **2.** *Am. Reg.* Rechnungsprüfer *m b. Behörden*; **~ría** *f Am.* Rechnungsprüfstelle *f*.
contralto ♪ **I.** *m* Alt(stimme *f*) *m*; **II.** *c* Altist(in *f*) *m*.
contra|luz *f* Gg.-licht *n*; *Phot.* (*foto f a*) ~ Gg.-lichtaufnahme *f*; **~maestre** *m* Werkmeister *m*; ⊕ Meister *m*; ⚓ Obermaat *m*, Bootsmann *m*; **~mandar** *v/t.* ab-sagen; -bestellen; Gg.-befehl erteilen; **~mandato** *m* Abbestellung *f*; Absage *f*; Gg.-befehl *m*; **~manifestación** *f* Gg.-demonstration *f*; **~manifestantes** *m/pl.* Gg.-demonstranten *m/pl.*; **~mano** *adv.*: *a* ~ in der Gg.-richtung, verkehrt; **~marca** *f* **1.** Gg.-zeichen *n*; Kontrollmarke *f*; **2.** Gebührenmarke *f*; Gebühr *f*, Steuer *f*, *die durch contramarca quittiert wird*; **3.** Zollplombe *f*; **~marcar** [1g] *v/t.* mit e-r Kontrollmarke (*bzw.* Zollplombe *usw.*) versehen; **~marco** *m* äußerer Tür- *bzw.* Fenster-rahmen *m*.
contra|marcha *f* **1.** ⚔ Gg.-marsch *m*; ⚓ Gg.-manöver *n*; **2.** ⊕ Vorgelege *n*, Zwischengetriebe *n*; ~ *de velocidades escalonadas* Stufengetriebe *n*; **~marchar** ⚔ *v/i.* rückwärts marschieren; die Front umkehren; **~marea** *f* Gg.-flut *f*; **~medida** *f* Gg.-maßnahme *f*.
contra|mina ⚔ *f* Gg.-mine *f* (*a. fig.*); **~minar** *v/t.* ⚔ gg.-minieren; *fig.* vereiteln; **~motivo** ♪ *m* Gg.-motiv *n*; **~muelle** *m* Gg.-damm *m*, -mole *f*; **~muralla** *f*, **~muro** *m* Gg.-mauer *f*; *fort.* Gg.-, Unterwall *m*. [lich.]
contranatural *adj. c* widernatür-
contra|ofensiva ⚔ *f* Gg.-offensive *f* (*a. fig.*); **~oferta** ⚚ *f* Gg.-angebot *n*, -offerte *f* (*a. fig.*); **~partida** ⚚ *f* Gg.-posten *m*; Gg.-buchung *f*; *fig.* Gg.-leistung *f*; **~pasar** *v/i.* zum Gegner überlaufen; **~paso** *m* Gg.-schritt *m*, Schrittwechsel *m beim Tanz*.
contra|pelo *adv.*: *a* ~ gg. den Strich (*Haare u. fig.*); *fig.* mit Zwang; widerwillig; **~pesar** *vt/i.* das Gleichgewicht halten (*dat.*), ausgleichen (*a. fig.*); **~peso** *m* Gg.-gewicht *n* (*a. fig.*); **~pilastra** △ *f* **1.** Strebepfeiler *m*; **2.** Windschutzleiste *f*; **~poner** [2r] *v/t.* **1.** entgg.-stellen; einwenden; **2.** gegenea.-halten, vergleichen; **~posición** *f* Gg.-überstellung *f*; Gg.-satz *m*; Widerstand *m*; *en* ~ *a* im Gg.-satz zu (*dat.*); **~presión** *f* Gg.-druck *m*; **~prestación** *f bsd.* ⚖ Gg.-leistung *f*.
contra|producente *adj. c* das Gg.-teil bewirkend, fehl am Platz; *fig.* unzweckmäßig; **~proposición** *f*, **~propuesta** *f* Gg.-vorschlag *m*; **~proyecto** *m* Gg.-entwurf *m*; Gg.-plan *m*; **~prueba** *f* Gg.-probe *f*; Gg.-beweis *m*; *Typ.* Kontrollabzug *m*; **~puerta** *f* Flurtür *f*; Vor-, Doppel-tür *f*; **~puesto** *part. zu contraponer*; **~punta** ⊕ *f* Reitstock *m*; **~puntear I.** *v/i.* ♪ kontrapunktisch singen; **II.** *v/t. fig.* gg. *j-n* sticheln; **III.** *v/r.* **~se** s. verfeinden; **~puntismo** ♪ *m* Kontrapunktik *f*; **~punto** ♪ *m* Kontrapunkt *m*; ↖ → *contrapunta*; **~punzón** ⊕ *m* Durchschlag *m*, Körner *m*; **~quilla** ⚓ *f* Kielschwein *n*.
contra|ria *f*: *llevar la* ~ widersprechen, s. widersetzen (*dat. a*); gg. den Strom schwimmen; **~riamente** *adv.* dagegen; **~riar** [1c] *v/t.* **1.** widerstehen (*dat.*), s. entgg.-stellen (*dat.*), s. in den Weg stellen (*dat.*); *Vorhaben* durchkreuzen; **2.** ärgern, verdrießen; Verdruß machen (*dat.*); *mostrarse muy contrariado* sehr ärgerlich (*bzw.* enttäuscht) sein; **~riedad** *f* **1.** Widerstand *m*, Hindernis *n*; Unannehmlichkeit *f*, Ärger *m*, Verdruß *m*; **2.** ↖ Unvereinbarkeit *f*; **~rio I.** *adj.* **1.** entgg.-gesetzt, widrig; feindlich; Gegen...; schädlich, nachteilig (für *ac. a*); ↖ *por lo* ~ → *por el* ~; *de lo* ~ sonst, andernfalls; *adv. en* ~ dagegen; *lo* ~ das Gg.-teil; *todo lo* ~ ganz im Gg.-teil; *ser* ~ *a* gg. *et.* (*ac.*) sein; im Gg.-satz stehen zu (*dat.*); *viento m* ~ Gg.-wind *m*; F *ni poco, ni mucho, sino todo lo* ~ ich weiß selber nicht, wieviel ich will; **II.** *m* **2.** Gegner *m* (*a.* ⚖), Feind *m*; **3.** Hindernis *n*; Widerspruch *m*; *al* ~, *por el* ~ (ganz) im Gg.-teil; → *a. contraria*.
contra|rraya *f* Gg.-schraffierung *f*; **~rreacción** *HF f* Gg.-Kopplung *f*; **~rreforma** *hist. f* Gg.-reformation *f*; **~rregistro** *m* Nach-prüfung *f*, -durchsuchung *f* (*Zoll, Polizei*); **~rréplica** *f* Duplik *f*, neue Entgegnung *f*; **~rrestar** *v/t.* **1.** entgg.-wirken (*dat.*); hemmen, aufhalten, Einhalt tun (*dat.*); **2.** wettmachen, ausgleichen; **3.** *Ball* zurückschlagen (*Pelotaspiel*); **~rrevolución** *f* Gg.-, Konter-revolution *f*; **~rrevolucionario** *adj.* konterrevolutionär; **~rrotación** *f* Gg.-drehung *f*; **~salva** ⚔ *f* Gg.-salve *f*; **~sellar** *v/t.* gg.-siegeln; -stempeln; **~sello** *m* Gg.-siegel *n*; Gg.-stempel *m*.
contra|sentido *m* **1.** Gg.-sinn *m der Worte*; Widersinn *m*; **2.** *gal.* Unsinn *m*; **~seña** *f* ⚚ Kontrollschein *m*; *allg.* Garderobenmarke *f*; *Thea. a.* Kontrollmarke *f*; ⚔ *u. fig.* Kennwort *n*, Losung *f*; **~signar** *v/t. Am.* gg.-zeichnen.
contras|tar I. *v/t.* **1.** vergleichend untersuchen (*od.* kontrollieren); *Gold, Silber auf Gehalt, Maße* prüfen; *Maße, Gewichte* eichen; ~ *con el cronómetro* (ab)stoppen (*mit der Stoppuhr*); **2.** widerstehen (*dat.*), s. widersetzen (*dat.*); **II.** *v/i.* **3.** ~ (*entre sí*) s. sehr vonea. unterscheiden, e-n Gg.-satz bilden; ~ *con* im Widerspruch stehen zu (*dat.*); **~te** *m* **1.** Gg.-satz *m*, Kontrast *m*; ~ *de colores* Farbkontrast *m*; *Pol.* ~ *de opiniones* Meinungsgg.-sätze *m/pl.*; ⚕ (*medio m de*) ~ Kontrastmittel *n*; *formar* ~ e-n Gg.-satz bilden; **2.** Eichen *n*; **3.** Eichamt *n*; **4.** Eichmeister *m*; **5.** (Gold-, Silber-) Stempel *m*; **6.** ⚓ Umspringen *n* des Windes.
contra|ta *f* (Dienstleistungs-, Werk-)Vertrag *m*; Engagement *n*, *Thea.* (Bühnen-)Vertrag *m*; ~ *de obras* Bauvertrag *m*; **~tación** *f* Vertragsabschluß *m*; An-, Einstellung *f v. Arbeitern, Personal*; ⚚ Abschlüsse *m/pl.*; **~tante I.** *adj. c* vertragschließend; *Pol. las Altas Partes* ☌*s* die Hohen Vertragschließenden Teile *m/pl.*; **II.** *c* Kontrahent *m*, Vertragspartner *m*; ~ *de seguro* Versicherungsnehmer *m*; **~tar I.** *v/t.* **1.** vertraglich abmachen; **2.** *Arbeiter, Personal* einstellen; in Dienst (*od.* unter Vertrag) nehmen; *Künstler* engagieren; **II.** *v/i.* **3.** e-n Vertrag schließen; ⚚ abschließen; **III.** *v/r.* **~se 4.** s. vertraglich verpflichten; **5.** vereinbart werden.
contratiempo *m* **1.** Unannehmlichkeit *f*, widriger Zufall *m*, Mißgeschick *n*; (unangenehme) Überraschung *f*; *llegar sin* ~ gesund (u. munter) ankommen; **2.** ♪ Synkope *f*; *a* ~ gg. den Takt.
contra|tista *c* (Vertrags-)Unternehmer *m*; ~ *de obras* Bauunternehmer *m*; **~to** ⚖, ⚚ *m* Vertrag *m* (*privatrechtlich*); *adv. por* ~ vertraglich; ~ *de ahorro* (*de alquiler*) Spar- (Miet-)vertrag *m*; ~ *de prenda* (*de préstamo*) Pfand- (Darlehens-)vertrag *m*; ~ *de seguro* (*de trabajo*) Versicherungs- (Arbeits-)vertrag *m*; ~ *de sociedad*, *Pol.* ~ *social* Gesellschaftsvertrag *m*; ~ *tipo* Standardvertrag *m*; Manteltarif *m*; ~ *de transporte* Frachtvertrag *m*.
contra|torpedero ⚓ *m* Torpedobootzerstörer *m*; **~tuerca** ⊕ *f* Gg.-, Sicherungs-mutter *f*.
contra|valor *m* Gg.-wert *m*; **~valla** *Stk. f* zweite Umzäunung *f*; **~vapor** ⊕ *m* Gg.-dampf *m*; **~vención** *f* ⚖ Übertretung *f*; Zuwiderhandlung *f*, Verstoß *m*; (Vertrags-)Verletzung *f*; **~veneno** ⚕ *m* Gg.-gift *n*; *fig.* Gg.-mittel *n*; **~venir** [3s] *v/i.*: ~ *a* zuwiderhandeln (*dat.*), verstoßen gg. (*ac.*); übertreten (*ac.*), verletzen (*ac.*); **~ventana** *f* Fensterladen *m*; **~ventor** *adj.-su.* Zuwiderhandelnde(r) *m*, Übertreter *m*; Verkehrssünder *m*; **~vía** *f Am. adv.*: *en* ~ in verkehrter (*od.* verbotener) Richtung (*Einbahnstraße*); **~vidriera** *f* Doppelfenster *n*; **~viento** *m Met.* Gg.-wind *m*; ⊕, ✈ Verstrebung *f*, Verspannung *f*.
contrayente *adj.-su. c* Vertragschließende(r) *m*; **~s** *m/pl.* Eheschließende(n) *pl.*
contrayerba ⚘ *f* japanischer Maulbeerbaum *m*; *Am. versch. Pfl., bsd. Dorstenia brasiliensis.*
contribu|ción *f* **1.** Beitrag *m* (zu *dat. a*), Unterstützung *f*; ~ *alimentaria*, ~ *alimenticia* Unterhaltsbeitrag *m*; ~ *a la defensa* Wehrbeitrag *m*; *poner a* ~ *a/c.* **a)** mit et. (*dat.*) beitragen; **b)** s. e-r Sache bedienen, et. zu Hilfe nehmen; **2.** Abgabe *f*, Steuer *f*; Umlage *f* (*z. B. für Anrainer b. Straßenbau*); ~ *de guerra* (Kriegs-)Kontribution *f*; ~ *(in)directa* (in)direkte Steuer *f*; ~ *industrial etwa*: Gewerbesteuer *f*; ~ *personal* Personensteuer *f*; *Span.* ~ *sobre la renta* Einkommensteuer *f*; *Span.* ~ *rústica* (*urbana*) Steuer *f* auf landwirtschaftliche (auf bebaute) Grundstücke; *Span.* ~ *de usos y*

consumos *etwa*: Verbrauchssteuer *f*; ~ *territorial* Grundsteuer *f*; → *a. derechos, impuesto, tributo*; **~ir** [3g] **I.** *v/i.* **1.** bei-tragen, -steuern, mithelfen (zu *dat. a*); ~ *con* helfen mit (*dat.*); *et.* beisteuern; ~ (*a, para*) mitwirken (bei *dat.*); **2.** Abgaben (*od.* Steuer) zahlen; **II.** *v/t.* **3.** *Summe als Steuer* zahlen; **~tario** *adj.-su.* mitbesteuert; **~tivo** *adj.* Steuer...; *capacidad f ~a* Steuerkraft *f*; **~yente** *adj.-su. c* steuerpflichtig; *m* Steuerzahler *m*.

contrición *f* Zerknirschung *f*; *Rel.* vollkommene Reue *f*.

contrincante *c* Mitbewerber *m b. den oposiciones*; *fig.* Konkurrent *m*, Nebenbuhler *m*.

contri|star *v/t.* betrüben; **~to** *adj.* zerknirscht, reumütig; tiefbetrübt.

contro|l *m* Kontrolle *f*, Überwachung *f*; Steuerung *f*; Überprüfung *f*; ⊕ ~ *a distancia* Fern-überwachung *f*; -steuerung *f*; ~ *de divisas* Devisenbewirtschaftung *f*; ~ *de nacimientos* Geburten-regelung *f*, -kontrolle *f*; **~lar I.** *v/t.* über-wachen, -prüfen, kontrollieren; ✝ beherrschen, kontrollieren; bewirtschaften; steuern; **II.** *v/r.* ~*se* s. beherrschen, s. in der Gewalt haben.

contróler *m* Fahrschalter *m* (*Straßenbahn*).

controver|sia *f* Ausea.-setzung *f*, Streit *m*, Kontroverse *f*; **~tible** *adj. c* strittig, kontrovers; bestreitbar; **~tir** [3i] *v/t.* diskutieren, streiten über (*ac.*); bestreiten, in Abrede stellen.

contubernio *m* **1.** Zs.-wohnen *n*; wilde Ehe *f*; **2.** schmähliches Bündnis *n*; Clique *f*.

contuma|cia *f* Halsstarrigkeit *f*; ⚖ Nichterscheinen *n* vor Gericht; ⚖ *por* ~ in Abwesenheit; **~z** *adj. c* (*pl.* ~*aces*) halsstarrig; ⚖ *condenar por* ~ in Abwesenheit verurteilen.

contumelia *f* Beleidigung *f*.

contun|dencia *f* Schlagkraft *f e-s Beweises*; **~dente** *adj. c* **1.** schlagend, Schlag...; *arma f* ~ Schlagwaffe *f*; **2.** *fig.* schlagend, überzeugend; **~dir** *v/t.* (zer)quetschen, zerschmettern.

conturba|ción *f* Beunruhigung *f*; innere Unruhe *f*; **~do** *adj.* beunruhigt; **~r** *v/t.* beunruhigen, verstören.

contu|sión ⚕ *f* Quetschung *f*, Prellung *f*; **~sionar** *v/t.* quetschen, e-e Quetschwunde beibringen (*dat.*); **~so** *adj.* gequetscht; Quetsch...

conuc|o *m Am.* kl. Stück *n* Land; *Am.* im Raubbau bewirtschaftetes u. bald wieder aufgegebenes Stück Land *n*; *Ven.* Obstgarten *m*.

convale|cencia *f* Genesung *f*, Rekonvaleszenz *f*; (*casa f de*) ~ Erholungsheim *n*; **~cer** [2d] *v/i.* genesen, s. erholen (von *dat. de*); **~ciente** *adj.-su. c* Genesende(r) *m*, Rekonvaleszent *m*.

convalida|ción *f* Bestätigung *f*, Bekräftigung *f*; *Sch.* Anerkennung *f v. Zeugnissen usw.*; **~r** *v/t.* bestätigen, bekräftigen; als gültig erklären.

convección *Phys. f* Konvektion *f*.

convecino *adj.-su.* benachbart; *m* Mitbewohner *m*, Hausgenosse *m*; Mitbürger *m*.

conven|cedor *adj.-su.* überzeugend; **~cer** [2b] **I.** *v/t.* **1.** überzeugen (von *dat. de*); überreden; ~ *a alg. de que* **a)** + *subj.* j-n (dazu) überreden zu + *inf.*; **b)** + *ind.* j-n davon überzeugen, daß; *no me convence* das sagt mir nicht zu; **2.** ⚖ überführen; **II.** *v/r.* ~*se* **3.** s. überzeugen (*bzw.* überreden) (lassen); ~*se de a/c.* s. e-r Sache vergewissern; s. von et. (*dat.*) überzeugen; **~cido** *adj.* überzeugt (daß *de que*); **~cimiento** *m* **1.** Überzeugung *f*; Sicherheit *f*; *llegar al* ~ *de a/c.* s. von et. (*dat.*) überzeugen; *tener el* ~ *de a/c.* von et. (*dat.*) überzeugt sein; **2.** Selbstbewußtsein *n*.

conven|ción *f* Übereinkunft *f*, Abkommen *n*; Konvention *f*; *Pol. a.* Konvent *m*; *hist.* ♀ Nationalkonvent *m* (*Frankreich*); ~ *del partido* Parteikonvent *m*; **~cional I.** *adj. c* **1.** herkömmlich; üblich, förmlich; konventionell (*a. Waffen*); **2.** vertragsmäßig, absprachegemäß; *precio m* ~ Preis *m* nach Vereinbarung; **II.** *m* **3.** *hist.* Konventsmitglied *n*; **~cionalismo** *Phil., Soz. m* Konventionalismus *m*; **~cionalista** *adj.-su. c* Konventionalist *m*.

conve|nenciero *adj.* (übertrieben) auf Einhaltung gesellschaftlicher Regeln bedacht; **~nible** *adj. c* **1.** verträglich, anpassungsfähig; **2.** mäßig (*Preis*); **3.** annehmbar; **~nido** *adj.* vereinbart; *¡~!* abgemacht!, topp!; *según lo* ~ laut Vereinbarung; **~niencia** *f* **1.** Zweckmäßigkeit *f*, Angemessenheit *f*; Nutzen *m*; Vorteil *m*; Bequemlichkeit *f*; **2.** ~*s f/pl.* Einkünfte *pl.*; Vermögen *n*; **3.** ~*s* (*sociales*) (gesellschaftliche) Konventionen *f/pl.*; herkömmliche Sitte *f*, Anstand *m*; **~niente** *adj. c* angemessen; angebracht, zweckmäßig; nützlich; schicklich; ratsam; **~nientemente** *adv.* richtig, ordentlich.

conve|nio *m* Übereinkunft *f*; Abmachung *f*, Vereinbarung *f*; *Pol.* Abkommen *n*; ✝ Vergleich *m*; ~ *mercantil* Handelsabkommen *n*; ~ *forzoso* Zwangsvergleich *m*; **~nir** [3s] **I.** *v/t.* **1.** vereinbaren, verabreden; **II.** *v/i.* **2.** ~ *en a/c.* **a)** et. abmachen, e-e Vereinbarung treffen über et. (*ac.*); **b)** in e-r Sache die gleiche Meinung haben; *precios m/pl. a* ~ Preis *m* nach Vereinbarung; **3.** ~ *a* zusagen (*dat.*), passen (*dat.*); recht sein (*dat.*); entsprechen (*dat.*); *¿te conviene mañana?* paßt es dir morgen? (*Verabredung*); **III.** *v/impers.* **4.** *conviene* + *inf.* es gehört s., zu + *inf.*; es ist ratsam, zu + *inf.*; **IV.** *v/r.* ~*se* **5.** ~*se en a/c.* (*con alg.*) s. über e-e Sache (mit j-m) einigen; s. in e-r Sache (mit j-m) vergleichen.

conven|tico *m* → *conventillo*; **~tícula** *f*, **~tículo** *m* heimliche Zs.-kunft *f*; Konventikel *n*; **~tillo** *m* Mietshaus *n*; *desp.* Mietskaserne *f*; **~to** *m* Kloster *n*; **~tual I.** *adj. c* klösterlich, Kloster...; *misa f* ~ Konventualmesse *f*; **II.** *m* Klostermitglied *n*; Konventuale *m*.

conver|gencia *f* Zs.-laufen *n versch. Linien*; Konvergenz *f*; *fig.* Zs.-streben *n*; Übereinstimmung *f*; **~gente** *adj. c* zs.-laufend, konvergent; *Opt. lente f* ~ Sammellinse *f*; *fig. opiniones f/pl.* ~*s* (weitgehend) übereinstimmende Meinungen *f/pl.*; **~ger** [2c], **~gir** [3c] *v/i.* konvergieren; zs.-laufen; *fig.* nach e-m Ziel streben, s. vereinigen.

conversa F *f* Unterhaltung *f*, Schwatz *m* F; **~ble** *adj. c* gesellig, umgänglich; **~ción** *f* Unterhaltung *f*, Gespräch *n*; ~ *exploratoria* Sondierungsgespräch *n*; *dirigir la* ~ *a alg.* j-n ins Gespräch ziehen; das Wort an j-n richten; *sacar* (*od. hacer caer*) *la* ~ *sobre a/c.* das Gespräch auf et. (*ac.*) bringen; *no es amigo de* ~*ones* er ist kein Freund (*od.* er hält nichts) von langen Reden; **~r** *v/i.* **1.** s. unterhalten, mitea. sprechen; ein Gespräch (mitea.) führen; ~ *con alg. sobre* (*od. de*) *a/c.* mit j-m über et. (*ac.*) sprechen (*od.* et. besprechen); **2.** mitea. verkehren; **3.** ⚔ e-e Schwenkung machen; **4.** *Chi., Ec.* berichten.

conver|sión *f* **1.** Umkehrung *f*, Umformung *f* (*a.* ⚡); Verwandlung *f*; ⚔ ~ *de armamentos* Umrüstung *f*; **2.** ✝ Umtausch *m* (*Aktien u. ä.*); Umstellung *f*, Umrechnung *f*; Konvertierung *f*; ~ *de la deuda pública* Umwandlung *f* der Staatsschuld; *tabla f de* ~ Umrechnungstabelle *f*; **3.** *Rel. u. fig.* Bekehrung *f*, Konversion *f*; **4.** ⊕ Konversion *f*; **5.** ⚔ Schwenkung *f*; **~sivo** *adj. bsd. Phys.*, ⚗ die Umwandlung bewirkend, Umwandlungs...; **~so** *adj.-su. m* **1.** Konvertit *m*; *a. fig.* Bekehrte(r) *m*; *hist.* Neuchrist *m* (*zwangsgetaufte Juden u. Morisken*); **2.** Laienbruder *m*; **~sor** *HF m*: ~ *de imágenes* Bildwandler *m*.

converti|bilidad ✝ *f* Konvertibilität *f*; *libre* ~ *de divisas* freier Devisenumtausch *m*; **~ble** *adj. c* umwandelbar (*a.* ⚡); ✝ konvertierbar; **~dor** ⊕ *m* Umformer *m*; *sid.* Konverter *m*; ~ *de Bessemer* Bessemerbirne *f*; ⚡ ~ *de corriente* Stromwandler *m*; **~r** [3i] **I.** *v/t.* **1.** um-, ver-wandeln (in *ac. en*), umformen; ✝ konvertieren; umtauschen; umwandeln, -stellen; **2.** *Rel.* bekehren (zu *dat. a*); **II.** *v/r.* ~*se* **3.** *Rel.* s. bekehren; übertreten (zu *dat. a*); **4.** ~*se en* s. verwandeln in (*ac.*); et. (*nom.*) *bzw.* zu et. (*dat.*) werden; ~*se en realidad* in Erfüllung gehen (*Wunsch, Traum*); s. verwirklichen.

conve|xidad *f* Wölbung *f*, Konvexität *f*; **~xo** *adj.* konvex; *Opt. lente f* ~*a* Konvexlinse *f*.

convic|ción *f* Überzeugung *f*; ⚖ *objeto m* (*od. pieza f*) *de* ~ Beweisstück *n*, Corpus *n* delicti; *ser persona de* ~*ones* ein Mensch mit Grundsätzen (*bzw.* mit ausgeprägten eigenen Ansichten) sein; **~to** ⚖ *adj.* überführt; ~ *y confeso* überführt u. geständig.

convida|da F *f*: *dar una* ~ (zu ein paar Bechern) einladen; **~do** *adj.-su.* Eingeladene(r) *m*, Gast *m*; *el* ~ *de piedra* der Steinerne Gast (*in Tirsos "Burlador de Sevilla"*); *fig. estar como el* ~ *de piedra* s. nicht rühren, wie e-e Statue dasitzen; **~dor** *adj.-su.*, **~nte** *adj.-su. c* einladend; *m* Gastgeber *m*; wer e-e Zeche zahlt; **~r I.** *v/t.* einladen (zu *dat. a*); *fig.* einladen, (ver)locken, reizen (zu *dat. a*); ~ *a alg. con a/c.* j-m (*Gast*) et. anbieten; F *¡estás ~ado!* du bist mein Gast!; **II.** *v/r.* *~se* s. selbst einladen; *~se a* s. erbieten, zu + *inf.*

convincente *adj. c* überzeugend; schlagend, treffend, triftig.

convite *m* Einladung *f*; Gastmahl *n*, Schmaus *m*.

convi|vencia *f* Zs.-leben *n*; Mitea.-leben *n*; **~vir** *v/i.* zs.-leben; zs.-wohnen.

convoca|ción *f* Einberufung *f e-r Konferenz*; **~dor** *adj.-su.* einberufend; **~r** [1g] *v/t. Konferenz, Versammlung* einberufen; zs.-rufen; *Wettbewerb* ausschreiben; vorladen; **~toria** *f* Einberufung *f*; Einberufungsschreiben *n*; Ausschreibung *f* (*Wettbewerb*); **~torio** *adj.* Einberufungs...

convólvulo ⚘ *m* Winde *f*.

convo|y *m* **1.** ⚔ Geleit *n*; Geleitzug *m*, Konvoi *m*; Bedeckung *f*, Schutz *m*; Wagenzug *m*, Kolonne *f*; 🚂 Zug *m*; **2.** F Essig- u. Ölständer *m*; **~yar** *v/t.* geleiten, Geleitschutz geben (*dat.*).

convul|sión *f* Zuckung *f*, Krampf *m*; Schüttelkrampf *m*, Konvulsion *f*; *fig.* *~ones f/pl. políticas* politische Wirren *pl.*; **~sionar** *v/t.* ⚕ Krämpfe verursachen (*dat.*); *fig.* erschüttern, aufrühren; **~sivo** *adj.* krampfhaft, Krampf...; *tos f ~a* Krampfhusten *m*; **~so** *adj.* verkrampft; verzerrt; *cara f ~a de espanto* angstverzerrtes Gesicht *n*.

conyugal *adj. c* ehelich, Ehe...; Gatten...; **~mente** *adv.* ehelich.

cónyuge *c* Gatte *m*; Gattin *f*; *los ~s* die Eheleute.

conyugici|da *c* Gattenmörder *m*; **~dio** *m* Gattenmord *m*.

coña F *f* Ulk *m*, Witz *m*; *adv. con ~* in böser Absicht; F *¡es la ~!* das ist doch die Höhe!

coñac *m* Kognak *m*.

coñe|arse P s. lustig machen (über *ac. de*); **~te** *m Chi., Pe.* schäbiger Kerl *m*, Gauner *m*, Wucherer *m*.

coño V *m* **1.** weibliches Geschlechtsorgan *n*, Fotze *f* V; *¡~!* Scheiße! V, verflucht! P; *¿pero qué ~ le importa a usted?* das geht Sie (doch) e-n Dreck an P; **2.** *Chi.* Spanier.

cooli *engl. m* Kuli *m*.

coopera|ción *f* Mit-wirkung *f*, -arbeit *f*; Zs.-arbeit *f*, -wirken *n*; **~dor** *adj.-su.* Mitarbeiter *m*, Helfer *m*; **~nte** *adj. c* mitwirkend; **~r** *v/i.* mit-wirken, (-)helfen (bei *dat. en*); mitarbeiten (mit *dat. con*); **~tiva** *f* Genossenschaft *f*; *~ de consumo* (*de producción*) Konsum- (Produktions-)genossenschaft *f*; *~ lechera* (*[viti]vinícola*) Molkerei- (Winzer-)genossenschaft *f*; **~tivismo** *m* Genossenschafts-wesen *n*, -bewegung *f*; **~tivo** *adj.* Genossenschafts...; *sociedad f ~a* Genossenschaft *f*.

coopositor *m* Mitbewerber *m um ein Amt*.

coordenadas Ꭿ *f/pl.* Koordinaten *f/pl.*

coordina|ción *f* Bei-, Zu-ordnung *f*, Koordinierung *f*; **~do** *adj.* bei-, zu-geordnet; *a. Gram.* koordiniert; **~dor** *adj.-su.* koordinierend; **~r** *v/t.* bei-, zu-ordnen; *Kräfte, Mittel usw.* aufea. abstimmen, *a. Gram.* koordinieren; **~tivo** *adj.* beiordnend, koordinierend.

copa *f* **1.** (Stiel- *bzw.* Kelch-)Glas *n*; *una ~ de vino* ein Glas *n* (voll) Wein; *una ~ para vino* ein Weinglas *n*; *tomar* (*od. echar[se]*) *unas ~s* ein paar Glas (ein Gläschen) trinken; **2.** *a. Sp.* Pokal *m*; *~ de honor* (Ehren-)Pokal *m*; 2 *Davis* Davis-Cup *m*, -Pokal *m*; **3.** Kopf *m*, Stulp *m des Hutes*; **4.** (Baum-)Krone *f*, Wipfel *m*; **5.** *Astr.* Becher *m*; **6.** Kohlenbecken *n in Napfform*; **7.** ⚘ Trugdolde; **8.** *Farbe der span. Karten*; *~s f/pl. etwa*: Herz *n*; *~ a.* Herz-As *n*; **9.** Schale *f am Büstenhalter*; **10.** *Maß*: 126 cm³.

copada *Vo. f* Haubenlerche *f*.

copa|do *adj.*: *árbol m ~* Baum *m* mit Krone; ⚔ Kugelbaum *m*.

copaiba ⚘ *f* Kopaiva *f*; *bálsamo m de ~* Kopaivabalsam *m*.

copal *m* Kopal(harz *n*) *m*.

copar *v/t.* **1.** ⚔ *Truppen* (*dat.*) den Rückzug abschneiden; *Feind* einkesseln; **2.** *alle Mandate* bei e-r Wahl erhalten; *alle Stimmen* auf s. vereinen (*od.* erhalten); *fig.* alles für s. in Anspruch nehmen; **3.** *Glücksspiel*: die gleiche Summe setzen.

copar|ticipación *f* Mitbeteiligung *f*; **~tícipe** ✝, ⚖ *c* Mit-teilhaber *m*, -inhaber *m*; Mitberechtigte(r) *m*; **~tidario** *Pol. m* Parteigenosse *m*.

copear *v/i.* **1.** glasweise verkaufen *bzw.* einschenken; **2.** F trinken, e-n heben F.

copela ⊕ *f* Kupelle *f*, Schmelztiegel *m*.

copeo F *m* Zechen *n*, Trinken *n*.

copernicano *adj.* kopernikanisch.

copera *f* **1.** Gläser-schrank *m*; -tablett *n*; Schanktisch *m*; **2.** *Col.* Kellnerin *f*.

copero 1. Mundschenk *m*; **2.** Likörglas-schrank *m*, -ständer *m*.

cope|te *m* **1.** Haar-schopf *m*, -tolle *f*; (Stirn-)Schopf *m der Pferde*; Haube *f e-s Vogels*; **2.** *fig.* Stolz *m*, hochfahrendes Wesen *n*; F *gente de alto ~* bedeutende Leute *pl.*, hohe (*od.* große) Tiere *n/pl.* F; *tener mucho ~* die Nase (recht) hoch tragen; **3.** Oberblatt *n am Schuh*; **4.** Schaum *m von schäumenden Getränken od. Speiseeis*; **~tín** *m Am. Reg.* Likörglas *n*; Aperitif *m*; **~tón** *adj. Col.* beschwipst; *Am. Reg.* → *copetudo*; **~tuda** *Vo. f* Haubenlerche *f*; **~tudo** *adj.* **1.** mit Stirnhaar; Hauben...; **2.** hochfahrend, hochnäsig.

copey ⚘ *m Am. Cent., Ant., Col., Ven. e-e Guttifere*.

copia *f* **1.** Abschrift *f*, Kopie *f*; *Phot., Typ.* Abzug *m*; *~ (al carbón)* Durchschlag *m*; *~ sonora* Tonkopie *f*; **2.** Abbildung *f*, Abzeichnung *f*; Abbild *n*; Nachahmung *f*; ⊕ Nachbau *m*; **3.** Exemplar *n*, Belegstück *n*; **4.** *lit.* (*gran*) *~* (*de*) (e-e) Fülle (von *dat.*); (e-e) Menge (von *dat.*); **~dor** *m* Kopiergerät *n*; † ✝ Kopierbuch *n*; **~dora** *adj.-su. f* (*prensa f*) *~* Kopierpresse *f*; *~* Vervielfältigungsgerät *n*; **~nte** *c* Abschreiber *m* (*bsd. Sch.*); ♪ Notenschreiber *m*; **~r** *vt/i.* **1.** abschreiben (*a. Sch.*), kopieren; ab-malen, -zeichnen; *Phot., Typ.* abziehen; *tinta f de ~* Kopiertinte *f*; *papel m de ~* Abzug-, Kopier-papier *n*; **2.** *~ a/c.* (*a alg.*) et. (j-n) nachahmen.

copiloto *m* Kopilot *m*.

copinar *v/t. Méj.* abhäuten; *fig.* losreißen.

copio|samente *adv.* reichlich; **~sidad** *f* Fülle *f*, Reichhaltigkeit *f*; **~so** *adj.* **1.** reichlich; **2.** zahlreich.

copista *c* **1.** Kopist *m*, Abschreiber *m*; ♪ *~ (de música)* Notenschreiber *m*; **2.** *fig.* Nachahmer *m*.

copita *f* Gläschen *n*; *tomar una ~* ein Gläschen trinken; s. e-n genehmigen F.

copla *f* **1.** Strophe *f*; **2.** (*bsd. improvisiertes* Volks-)Lied *n* (*Art Schnadahüpfl*); P *~s f/pl.* Verse *m/pl.*; *~s de ciego* Moritaten *f/pl.*; Knüttelverse *m/pl.* (*desp.*); *fig.* alte Leier *f*, übliche Geschichte *f* (*die keinen interessiert*); *andar en ~s* in aller Munde sein; *sacarle las ~s a alg.* Spottlieder auf j-n machen; F *ni en ~s* nicht im Traum.

cople|ar *v/i.*: *coplas* dichten (*bzw.* aufsagen, singen).

co|plero *m*, **~plista** *c* Copla-dichter *m* (*bzw.* -sänger *m*, -verkäufer *m*); *desp.* Verseschmied *m*, Dichterling *m*; **~plón** *m* elende Reimerei *f*.

copo[1] *m* **1.** Flocke *f* (*a. tex.*); *~ de nieve* Schneeflocke *f*; *Kchk.* *~s m/pl. de avena* Haferflocken *f/pl.*; **2.** *Col.* Wipfel *m*.

copo[2] *m* **1.** ganzer Einsatz *m beim Glücksspiel*; **2.** Stimmengesamtheit *f b. e-r Wahl*; **3.** Sacknetz *n zum Fischen u.* Fang *m mit diesem*; **4.** ⚔ Abschneiden *n* der feindlichen Linien; Einkreisung *f des Feindes*.

copón *kath. m* Hostienkelch *m*.

copose|sión *f* Mitbesitz *m*; **~sor** *m* Mitbesitzer *m*.

copra *f* Kopra *f*.

coproducción *f* Koproduktion *f* (*Film*).

copro... ⚕ *in Zssgn.* Kot...; Kopro...

copropie|dad *f* Miteigentum *n*; **~tario** *m* Miteigentümer *m*.

cóptico *adj.* → *copto*.

copto *adj.-su.* koptisch; *m* Kopte *m*; *das* Koptische (*Sprache*).

copucha *f Chi.* Rindsblase *f*.

copudo *adj.* mit (dichter) Krone (*Baum*).

cópula[1] ⛫ *f* → *cúpula*.

cópula[2] *f Phil., Li.* Kopula *f*, *Gram.* Satzband *n*; *Biol.* Kopulation *f der Gameten*; Begattung *f der höheren Tiere*; Verknüpfung *f*.

copula|ción *f Biol.* Kopulation *f*, Paarung *f*; 🌱 Veredelung *f*; 🚃 Koppelung *f*, Kuppelation *f*; **~r I.** *v/t. bsd. Biol.* kopulieren, verbinden; 🚃 koppeln; **II.** *v/r.* *~se* s. verbinden; s. paaren; **~tivo** *adj.* verbindend (*a. Gram.*), Kopulativ...; *Gram.* beiordnend.

coque *m* Koks *m*; *~ de gas* (*metalúrgico, de mina*) Gas- (Zechen-, Hütten-)koks *m*; *~ en polvo* Grude(koks *m*) *f*; **~facción** ⊕ *f* Verkokung *f*.

coqueluche *gal. f* Keuchhusten *m*.

coquera[1] *f* Kreiselkopf *m*.

coquera[2] *f* kl. Vertiefung *f in Steinen*.

coquera[3] *f* Kokskasten *m*.

coquera[4] *f Bol.* Koka-feld *n*; -behälter *m*.

coquería *f* Kokerei *f*.
coque|ta *adj.-su. f* kokett, gefallsüchtig, eitel; niedlich, hübsch; **~tear** *v/i.* kokettieren, liebäugeln (*a. fig.*); **~teo** *m*, **~tería** *f*, **~tismo** *m* Koketterie *f*, Gefallsucht *f*; Flirt *m*, Liebelei *f*, Tändelei *f*; **~tón I.** *adj.* reizend, verlockend, verführerisch; kokett, gefallsüchtig; stutzerhaft, affig F (*desp. auf Männer bezogen*); **II.** *m* (eleganter) Stutzer *m*, Frauenheld *m*.
coquina *f* (Cadiz-)Muschel *f*.
coquino ⚘ *m Am.* → *corozo.*
coquito[1] *m Am.* ⚘ Ölkernpalme *f*; *deren* Ölkern *m*; *Vo.* Kuckuckstaube *f*.
coquito[2] *m* Gebärde *f*, *mit der man ein Kind zum Lachen bringen möchte.*
coracero *m* **1.** Kürassier *m*; **2.** F Giftnudel *f* F, Stinkadores *f* F (*starke schlechte Zigarre*).
coracoides *Anat. adj.-su. f*: *apófisis f* ~ Rabenschnabelfortsatz *m*.
coracha *f* Ledersack *m*.
cora|je *m* **1.** Zorn *m*, Wut *f*; *lleno de* ~ zornentbrannt, wutschnaubend; *me da* ~ ich bin wütend darüber; **2.** Mut *m*, Courage *f*; **~jina** F *f* Wutanfall *m*, Koller *m* F; **~joso** *adj.* zornig; **~judo** *adj.* **1.** jähzornig; **2.** beherzt, mutig.
coral[1] ♪ **I.** *adj. c* Chor...; Choral...; *canto m* ~ Chor-gesang *m*; -lied *n*; Choral *m*; *sociedad f* ~, *entidad f* ~, *masa f* ~ Chor *m*, Gesangverein *m*; **II.** *m* Choral *m*; **III.** *f* Chor *m*; ~ *de cámara* Kammerchor *m*.
coral[2] *m* **1.** Koralle *f*; de ~ korallenrot; **2.** ⚘ *Cu.* Korallenbaum *m*; *Chi.* Korallenstrauch *m*.
coral[3] *f Ven. giftige* Korallenschlange *f*.
cora|larios *Zo. m/pl.* Korallen (-tiere *n/pl.*) *f/pl.*, Blumentiere *n/pl.*; **~lero** *m* Korallen-fischer *m*; -händler *m*; **~lífero** *adj.*: *isla f* ~*a* Koralleninsel *f*; **~liforme** *adj. c* korallenförmig; **~lillo** *m* **1.** *Zo. Am. Mer.* Korallenschlange *f*; **2.** → **~lina** ⚘ *f* Korallenmoos *n*; **~lino** *adj.* korallen-förmig; -farbig; Korallen...
corambre *f* Lederwaren *f/pl.*; Felle *n/pl.*, Häute *f/pl.*; Lederschlauch *m*.
corá|n *m* Koran *m*; **~nico** *adj.* Koran...
coraza *f* Panzer *m*, Panzerung *f*; *fig.* Schutz *m*; *hist.* Küraß *m*.
coraznada *f* **1.** *Kchk.* geschmortes Herz *n*; **2.** Kern *m e-r Kiefer.*
corazón *m* **1.** *Anat.* Herz *n*; de(*l*) ~ Herz...; ~-*pulmón artificial* Herz-Lungen-Maschine *f*; **2.** *fig.* Seele *f*, Herz *n*, Innere(s) *n*; Mut *m*; ~ *empedernido*, ~ *de piedra* hartes Herz *n*, Herz *n* von Stein; *kath.* el ♀ *de Jesús, el Sagrado* ♀ das Herz Jesu; ~ *mío, mi* ~ mein Herz, mein Liebling; *blando de* ~ sanftmütig, weichherzig, empfindlich; *duro de* ~ hartherzig; unnachgiebig; *de* ~ von Herzen; *muy de* ~ herzlichst; *de todo (mi)* ~ von ganzem Herzen; *con el* ~ *encogido, con el* ~ *metido en un puño* schweren Herzens; dem Weinen nahe; *sin* ~ herzlos, hartherzig; *abrir el* ~ *a uno* j-m sein Herz ausschütten; *atravesar el* ~ ins Herz schneiden; das Herz durchbohren; *no caberle a uno el* ~ *en el pecho* **a)** sehr großzügig sein; **b)** vor Freude (*bzw.* vor Schreck) außer s. sein; *se le cayeron las alas del* ~, *el* ~ *se le hizo pasa* das Herz fiel ihm in die Hosen; *ya me lo decía* (*od. anunciaba od. daba*) *el* ~ ich ahnte es schon; *llegar al* ~ ans Herz gehen, das Herz rühren; *meterse en el* ~ *de alg.* s. j-m ins Herz schmeicheln; *poner en el* ~ ans Herz legen; *ser todo* ~ ein herzensguter Mensch sein; *salir del* ~ von Herzen kommen; *ser un gran* ~ ein edler Mensch sein; *tener el* ~ *en la mano* das Herz auf der Zunge tragen; nicht falsch sein können; (*no*) *tener* ~ *para* (nicht) den Mut (*bzw.* den Schwung) haben zu + *dat. od.* + *inf.*; *tener el* ~ *en su sitio* (*od. bien puesto*) das Herz am rechten Fleck haben; **3.** *fig.* Kern *m*, Zentrum *n*; ⊕, ▨ Herzstück *n*; ⚘ ~ *del tronco* Stammkern *m*.
corazonada *f* **1.** plötzliche Anwandlung *f*; schneller, mutiger Entschluß *m*; **2.** Ahnung *f*, Eingebung *f*, Gespür *n*; **3.** F *Kchk.* Kaldaunen *f/pl.*
corazoncillo ⚘ *m* Johanniskraut *n*.
corazonista *adj. c* auf das Herz Jesu (*od.* den entsprechenden rel. Orden) bezüglich.
corbacho *m* Riemenpeitsche *f*.
corba|ta *f* **1.** Krawatte *f*, Schlips *m*; Halstuch *n der Gauchos*; **2.** Fahnenschleife *f*; **3.** Ordensschleife *f einiger ziviler Orden*; **~tería** Krawattengeschäft *n*; **~tín** *m* Schleife *f* (*Binder*); Patentschlips *m*; Halsbinde *f der Soldaten*; F *salirse por el* ~ sehr mager sein.
corbato *m* Kühlmantel *m des Destillierkolbens.*
corbeta ⚓ *f* Korvette *f*.
corbina *Fi. f* → *corvina.*
corcel *lit. m* Streitroß *n*.
corcino *m* Rehkitz *n*.
corco|va *f* Buckel *m*; Höcker *m*; **~vado** *adj.* bucklig, höckerig; **~var** *v/t.* krümmen; **~vear** *v/i.* Bocksprünge machen; bocken (*Pferd*); **~veta** *c* Bucklige(r) *m*; **~vo** *m* Buckel *m der Katze*; Aufbäumen *n* (*Pferd*); *fig.* Krümmung *f*, Windung *f*.
corcusi|do F *m* Flickerei *f*, Flickwerk *n*, Pfuscherei *f* (*schlechte Näharbeit*); **~r** F *vt/i.* zs.-flicken, -pfuschen.
corcha ⚓ *f* Schlag *m e-s Taus*; **~r** *v/t.* ⚓ *Tau* schlagen *od.* flechten.
corche *m* Korksandale *f*.
corchea ♪ *f* Achtelnote *f*; *doble* ~ Sechzehntelnote *f*; *silencio m de* ~ Achtelpause *f*.
corche|ra *f* Kühleimer *m aus Kork*; **~ro I.** *adj.* Kork...; *industria f* ~*a* Korkindustrie *f*; **II.** *m* Korkarbeiter *m*.
corche|ta *f* Öse *f zum Haken*; **~te** *m* **1.** Haken *m*, Häkchen *n*; Heftel *n*; ⊕ Klammer *f*; ⊕ ~ *de correa* Riemen-öse *f*, -kralle *f*; **2.** *Typ.* eckige Klammer *f*; **3.** † *lit.* Büttel *m*.
corcho *m* **1.** Kork *m*; Kork-pfropfen *m*, -stöpsel *m*; Kork-matte *f*; -unterlage *f*, -untersatz *m*; -behälter *m*; -sandale *f*; ~ *bornizo*, ~ *virgen* Kork erster Schälung; ~ *aglomerado* Preßkork *m*; ~*s m/pl. de baño*, ~*s para nadar* Schwimmgürtel *m*; *tapar con* ~ verkorken; **2.** Bienenkorb *m*; **3.** Korkeiche *f*; **4.** F *cabeza f de* ~ Strohkopf *m*; **~so** *adj.* korkartig; schwammig; **~taponero** *adj.*: *industria f* ~*a* Kork(pfropfen)industrie *f*.
¡córcholis! F *int.* → *caramba.*
corda|da *f* **1.** ⚓ → *cordaje*; **2.** Seilschaft *f* (*Bergsteiger*); **~do I.** *adj.* ♪ besaitet; **II.** ~*s m/pl. Zo.* Chorda-, Rückenstrang-tiere *m/pl.*; **~je** ⚓ *m* Takelwerk *n*; **~l**[1] *adj. c*: *muela f* ~ Weisheitszahn *m*; **~l**[2] ♪ *m* Saitenhalter *m*.
corde|l *m* Schnur *f*, Bindfaden *m*; Leine *f*; *a* ~ schnurgerade; ⚡ ~ *de enlace* Verbindungsschnur *f*; *trazar a* ~ abstecken; abkreiden (*Modistin*); **~lado 1.** gerändelt; **2.** *cinta f* ~*a* Band *n* aus gedrehter Seide; **~lar** *v/t.* abstecken; mit der Schnur vermessen; **~lejo** *m* Schnürchen *n*; F *dar* ~ *a* verulken (*ac.*), foppen (*ac.*); **~lería** *f* Seilerei *f*; Seilerwaren *f/pl.*; ⚓ Takelwerk *n*; **~lero** *m* Seiler *m*.
corde|ra *f* weibliches Lamm *n*; *fig.* sanfte, fügsame Frau *f*; **~ría** *f* Seilerwaren *f/pl.*; ⚓ Takelwerk *n*; **~rilla** *f*, **~rillo** *m* Lämmchen *n*; *m* → **~rina** *f* Lammfell *n*; **~rino** *adj.* Lamm...; *lana f* ~*a* Lammwolle *f*; **~ro** *m* **1.** Lamm *n* (*a. fig.*); *Rel.* ♀ *de Dios* Lamm *n* Gottes; ~ *pascual* Osterlamm *n*; ~ *lechal*, ~ *recental* Milchlamm *n*; F *ahí está la madre del* ~ da liegt der Hase im Pfeffer; **2.** Lammfell *n*; **3.** Lammfleisch *n*; **~ruelo** *m* Lämmchen *n*; **~runa** *f* → *corderina.*
cordezuela *f dim. zu cuerda.*
cordia|l I. *adj. c* **1.** herzlich, freundlich; **2.** *pharm.* herzstärkend; **II.** *m* **3.** Magenlikör *m*; **~lidad** *f* Herzlichkeit *f*, Freundlichkeit *f*; **~lmente** *adv.* herzlich, von Herzen.
cordiforme *adj. c* herzförmig.
cordi|la *f* gerade geborener Thunfisch *m*; **~lo** *Zo. m* afrikanische Gürteleidechse *f*.
cordilla *f* Katzenfutter *n* (*Hammelkaldaunen u. ä.*).
cordille|ra *f* Gebirgs-kette *f*, -zug *m*; **~rana** *Vo. adj.-su. f*: (*perdiz f*) ~ *bsd. Chi.* Andenrebhuhn *n*; **~rano** *adj.-su.* Anden...; *m* Andenbewohner *m*.
córdoba *m Münzeneinheit Nicaraguas.*
cordo|bán *m* Korduan-, grobes Saffian-leder *n*; **~bana**: F *andar a la* ~ splitternackt gehen; **~bés I.** *adj.-su.* aus Córdoba; **II.** *m* Cordobeser *m* (*flacher breitkrempiger Hut*).
cor|dón *m* **1.** Schnur *f*; Litze *f*; Klingelschnur *f*; Einzug-, Durchzug-band *n*; Schnürsenkel *m*; Hüftstrick *m der Ordensgeistlichen*; ⚔ Fangschnur *f*; ⚡ ~ *conductor* Leitungsschnur *f*; Telefonlitze *f*; **2.** △ Gurt(band *n*) *m*; **3.** ⚔ Posten-, Truppen-kette *f*, Kordon *m*; ~ *sanitario* Sperr-, Sicherheits-gürtel *m*; **4.** Cord *m* (*Stoff*); **5.** *Anat.* ~ *umbilical* Nabelschnur *f* (*a. fig.*); **6.** ⊕ Schweißnaht *f*; **~donazo** *bsd.*

⚓ *m*: ~ *de San Francisco* Sturm *m* zur Zeit der Herbst-Tagundnachtgleiche; **~doncillo** *m* **1.** Schnürchen *n*; *bsd.* Hutschnur *f*; **2.** Münzrand *m*; **~donería** *f* Posamenten *n/pl.*; Posamenten-handel *m*; -handwerk *n*; **~donero** *m* Posamenten(ier)er *m*.

cordura *f* Verstand *m*, Besonnenheit *f*, Umsicht *f*, Vernunft *f*.

corea ⚕ *f* Veitstanz *m*, Chorea *f*; **~no** *adj.-su.* koreanisch; *m* Koreaner *m*; *fig.* F verrückter Kerl *m*.

corear ♪ *v/t.* mit dem Chor begleiten; *fig.* in den Chor einfallen, begeistert zustimmen (*dat.*).

core|o *m* **1.** Choreus *m*, Trochäus *m* (*Versfuß*); **2.** ♪ Inea.-greifen *n* der Chorpartien; **~ografía** *f* Choreographie *f*; **~ográfico** *adj.* choreographisch; **~ógrafo** *m* Choreograph *m*.

cori ⚘ *m* Johanniskraut *n*.

coriáceo 📖 *adj.* ledern; lederartig.

cori|ámbico *adj.*: *verso m* ~ → **~ambo** *m* Choriambus *m* (*vierfüßiger Vers*).

coriana *f Col.* Decke *f*.

corifeo *m* **1.** *hist.* Chorführer *m*; **2.** *fig. a. desp.* Sprecher *m*, Anführer *m*; **3.** *Méj.* Anhänger *m*.

corimbo ⚘ *m* Dolde *f*, Schirmrispe *f*.

corindón *Min. m* Korund *m*.

coríntico 📖 → *corintio*.

corintio *adj.-su.* aus Korinth; *a.* △ korinthisch.

corion *Anat. m* Chorion *n*, Zottenhaut *f*.

corisanto ⚘ *m e-e chil. Orchidee*.

corista *c* Chorsänger(in *f*) *m*, Chorist(in *f*) *m*; *f desp.* Ballettäschen *n*; Revuegirl *n*.

coriza ⚕ *f* Schnupfen *m*, Coryza *f*.

corl(e)ar *v/t.* mit Goldlack anmalen, vergolden.

corma *f* Fußblock *m* (*Fessel*); *fig.* Hemmnis *n*.

cormiera ⚘ *f* vogelbeerähnliche Staude *f*.

cormorán *Vo. m* Kormoran *m*.

cornáceas ⚘ *f/pl.* Hartriegelgewächse *n/pl.*

corna|da *f* (Verletzung *f* durch e-n) Hornstoß *m*; *dar* ~*s* mit den Hörnern stoßen; F *no morirá de* ~ *de burro* er ist ein Hasenfuß F, er riskiert nicht das Geringste; **~dura** *f* Gehörn *n*; **~l** *m* Jochriemen *m der Ochsen*; **~lina** *Min. f* Karneol *m*; **~lón** *adj.* mit stark ausgebildeten Hörnern; **~menta** *f* Gehörn *n*; Geweih *n*.

cornamusa *f* **1.** ♪ **a)** Dudelsack *m*; **b)** Wald-, Jagd-horn *n*; **2.** ⚓ Klampe *f*, Kreuzholz *n*.

cornatillo ⚘ *m* Hornolive *f*.

córnea *Anat. f* Hornhaut *f des Auges*.

cornear *vt/i.* mit den Hörnern stoßen.

corneci|co, ~llo, ~to *m dim. zu cuerno*; Hörnchen *n*.

corneja *Vo. f* (Raben-)Krähe *f*.

cornejo ⚘ *m* Kornel-kirsche *f*, -baum *m*.

córneo *Anat. adj.* Horn(haut)...; *capa f* ~*a* Hornschicht *f*.

córner *Angl. Sp. m* Eck-ball *m*, -stoß *m*.

corne|ta I. *f* **1.** ♪ (Jagd-)Horn *n*; Kornett *n*; ⚔ Signalhorn *n*; ~ *de posta* Posthorn *n*; **2.** ~ (*acústica*) Hörrohr *n*; **3.** *hist.* Dragonerfähnlein *n*; **4.** zweigezacktes Fähnlein *n*; ⚓ Splittflagge *f*; **II.** *m* **5.** ⚔ Hornist *m*; *hist.* Kornett *m*; **6.** Laufbursche *m in der Kaserne*; **~te** *m* **1.** *Anat.* Nasenmuschel *f*; **2.** Richthorn *n* (*Radar*); **~tilla** *f*: (*pimiento m de*) ~ scharfer Paprika *m*; **~tín I.** *m* ♪ Kornett *n*, Piston *n*; ⚔ Signalhorn *n*; **II.** *m* ⚔ ~ *de órdenes* Hornist *m*; **~to** *adj. Guat., Salv.* säbelbeinig; *Chi.* mit nur e-m Horn; *Ven.* stutzohrig (*Pferd*); **~zuelo** *m* **1.** *dim. zu cuerno*; **2.** ⚘ Hornolive *f*; ~ (*del centeno*) Mutterkorn *n*; **3.** Sporn *m der Seidenraupe*.

corni|abierto *adj.* mit weit ausea.-stehenden Hörnern; **~al** *adj. c* hornförmig; **~apretado** *adj.* mit eng zs.-stehenden Hörnern; **~cabra** ⚘ *f* **1.** Terebinthe *f*; **2.** Zapfenolive *f*; **3.** wilde Feige *f*; **~forme** *adj. c* hornförmig; **~gacho** *adj.* mit abwärts gebogenen Hörnern.

corni|ja △ *f* → *cornisa*; **~jal** *m* **1.** Ecke *f*, Zipfel *m*; **2.** *kath.* Kelchtuch *n*; **~jón** △ *m* Straßenecke *f*; Hauptgesims *n*.

cornil *m* Jochriemen *m der Zugochsen*.

corniola *f* → *cornalina*.

corni|sa △ *f* Karnies *n*, Kranzgesims *n*; Obersims *n*; **~sam(i)ento** △ *m* Fries *m*; Träger *m*, Abschluß *m*; **~són** △ *m* → *cornijón*.

corni|veleto *adj.* mit geraden, hochstehenden Hörnern (*Rindvieh*); **~zo** *m* → *cornejo*.

corno *m* **1.** ⚘ Kornelkirsche *f*; **2.** ♪ ~ *inglés* Englischhorn *n*.

cornucopia *f* Füllhorn *n*; (Rokoko-)Spiegel *m mit Rahmenleuchtern*.

cornudilla *Fi. f* Hammerfisch *m*.

cornudo *adj.-su.* gehörnt (*a. fig.*); *m* Hahnrei *m*.

cornúpe|ta *lit. adj.-su. c* stößig; **~to** F *m* Stier *m*.

cornuto *Phil.*: *argumento m* ~ Dilemma *n*, Doppelschluß *m*.

coro[1] *m* **1.** ♪, *Thea.* Chor *m*; Chorgesang *m*; Chorwerk *n*; ~ *hablado* Sprechchor *m*; ~ *mixto* gemischter Chor *m*; *a* ~ im Chor; zugleich, einstimmig; *a* ~*s* wechsel-, -gruppenweise; *director m de* ~ Chordirigent *m*; *hacer* ~ *con alg.* j-m beistimmen, j-m beipflichten; **2.** △ Chor *n*, *m*; ~ (*alto*) Empore *f*; ~ *lateral* Seitenchor *m*, *n*; *sillería f del* ~ Chorgestühl *n*.

coro[2] *poet. m* Nordwest *m* (*Wind*).

corocho *Ent. f* Larve *f des Rebenkäfers*.

corografía *f* Länderbeschreibung *f*.

coroides *Anat. f* Aderhaut *f*, Chorioidea *f*.

coro|jo ⚘ *m Méj. Art* Ölpalme *f*; **~la** ⚘ *f* Blumenkrone *f*, Korolla *f*.

corolario *Phil. m* Korollar(ium) *n*.

coroliflora ⚘ *adj. c* kronenblütig.

corona *f* **1.** Krone *f* (*a. Münze u. fig.*); Kranz *m*; Strahlenkrone *f*; Heiligenschein *m*; ~ *de espinas* Dornenkrone *f*; ~ *funeraria* Trauerkranz *m*; ~ *olímpica* Olympischer Kranz *m*; *fig.* olympische Ehren *f/pl.*; ~ *de rosas* Rosenkranz *m*; *rezar la* ~ den Rosenkranz beten; *se ruega no envían* ~*s* Kranzspenden verbeten; **2.** Krone *f*; Königs-, Kaiser-würde *f*; Thron *m*; ~ *imperial* (*real*) Kaiser- (Königs-)krone *f*; ~ *de nobleza* Adelskrone *f*; *bienes m/pl. de la* ~ Krongüter *n/pl.*; *discurso m* (*od. mensaje m*) *de la* ~ Thronrede *f*; *heredero m de la* ~ Thronfolger *m*; *sucesión f a la* ~ Thronfolge *f*; **3.** Wirbel *m am Haupt*; Tonsur *f der Geistlichen*; **4.** *Anat.* (Zahn-)Krone *f*; **5.** ⊕ Bund *m e-r Welle*; Radkranz *m*; Spurkranz *m* (*Schienenfahrzeug*); ~ *dentada* Zahnkranz *m*; **6.** ⚓ Hanger *m*; **7.** Krone *f e-r Uhr*; **8.** △ Kranzleiste *f*; **9.** ⚔ Kronenwerk *n*; **10.** (Rauch-)Ring *m*; ⩘ Kreisring *m*; Hof *m* um den Mond; ~ *solar* (Sonnen-)Korona *f*; **11.** *vet.* Hufkrone *f*; **12.** ⚘ ~ *de rey* dreizahnige Kugelblume *f*; **~ción** *f* Krönung *f* (*a. fig.*); *fig.* Vollendung *f*; **~do I.** *adj.* gekrönt; ~ *de éxito* erfolgreich; **II.** *m* Tonsurträger *m*, Geistliche(r) *m*; **~l** *Anat. adj. c*: *hueso m* ~ Stirnbein *n*; *sutura f* ~ Kranznaht *f*; **~miento** *m* **1.** Krönung *f*, Vollendung *f*; **2.** Bekrönung *f*, Abschluß *m e-s Gebäudes*; ⚓ Heckbord *n*; **~r** *v/t.* **1.** krönen; (be-)kränzen; *fig.* krönen, vollenden; *Spr. el fin corona la obra* Ende gut, alles gut; **2.** *Damespiel*: aufdamen; **~ria** ⚘ *f* Samtnelke *f*; **~rio** *adj.* **1.** kranz-, kronen-förmig; **2.** *Anat.* Koronar..., Herzkranz...; *arteria f* ~*a* Koronararterie *f*, Herzkranzgefäß *n*.

corondel *Typ. m* Spaltensteg *m*.

corone|l *m* **1.** ⚔ Oberst *m*; *teniente m* ~ Oberstleutnant *m*; **2.** △ Ziersims *n*; **3.** ▨ Helmkleinod *n*; **~la** *f* **1.** F Frau Oberst *f*; **2.** *Zo.* Haselnatter *f*; **~lía** *f* Obersten-, Regimentskommandeurs-stelle *f bzw.* -rang *m*.

coroni|lla *f* **1.** Scheitel *m*; Haarwirbel *m*; Tonsur *f der Geistlichen*; *dar de* ~ auf den Kopf fallen; *estar hasta* (*más allá de*) *la* ~ *de a/c.* et.(über)satt haben, von et. (*dat.*) die Nase voll haben F; *andar* (*od. bailar*) *de* ~ et. sehr eifrig u. sorgfältig betreiben; **2.** ⚘ ~ *real* Bärenklee *m*; **~llo** ⚘ *m Am.* Purpurbaum *m*.

coronta *f Am. Mer.* entkörnte Maisrispe *f*.

corosol ⚘ *m ein Flaschenbaum*.

corota ⚘ *f Bol.* Hahnenkamm *m*.

corotos *m/pl. Am.* Gerät *n*; *bsd.* Krempel *m*, Gerümpel *n*.

coroza *f* **1.** *hist.* Büßermütze *f der Inquisitionsverurteilten*; **2.** *Gal.* Binsenhut *m der Landarbeiter*.

corozo ⚘ *m Am. trop.* Öl-, Fett-, Butter-palme *f*.

corpa|(n)chón *m* **1.** F *augm. zu cuerpo*; großer, plumper Leib *m*; **2.** Rumpf *m des geschlachteten Geflügels*; **~zo** F *m* mächtiger Korpus *m* F.

corpeci|co, ~llo, ~to *m* → *corpiño*.

corpiño *m* Mieder *n*; Leibchen *n*.

corpora|ción *f* Körperschaft *f* (*a.* ⚖); (Berufs-)Genossenschaft *f*; (Studenten-)Verbindung *f*; Verein *m*; Innung *f*; *früher*: Zunft *f*, Gilde *f*; (*asistir*) *en* ~ geschlossen (*od.* in corpore) (erscheinen); **~l I.** *adj. c* körperlich, leiblich; *ejercicios m/pl.* ~*es* Leibesübungen *f/pl.*; **II.** *m kath.* Meßtuch *n*, Korporale *n*; **~lidad** *f*

Leiblichkeit *f*; Körperlichkeit *f*; **~lmente** *adv.* körperlich; leiblich; **~tivamente** *adv.* als Körperschaft; korporativ; **~tivo** *adj.* körperschaftlich, Körperschafts...; ständisch (gegliedert); korporativ; *Estado m ~* Ständestaat *m*.

cor|poreidad *f* Körperlichkeit *f*, Leiblichkeit *f*; **~póreo** *adj.* körperlich, Körper...; **~porificar** [1g] *v/i.* (feste) Gestalt annehmen.

corpu|do *adj.* beleibt; **~lencia** *f* Beleibtheit *f*, Korpulenz *f*; **~lento** *adj.* (wohl)beleibt, korpulent, dick(leibig).

Corpus *m* **1.** *Rel.* (*día m del*) ~ (*Cristi*) Fronleichnam(stag) *m*; *procesión f del ~* Fronleichnamsprozession *f*; *hist. ~ de sangre katalanische Erhebung 1640.*

cor|puscular *Phys. adj. c* korpuskular; **~púsculo** *m* Korpuskel *n*, Körperchen *n*; Elementarteilchen *n*; *~ sanguíneo* Blutkörperchen *n*.

corra|l *m* **1.** Hof(raum) *m*; Wirtschaftshof *m*; Hühnerhof; *Andal.*, *Am.* Pferch *m*, Gehege *n*; *Reg.* Stall *m*; *fig. ~ (de vacas)* Schweinestall *m*, unsauberer Ort *m*; *como pava en ~* wie die Made im Speck, wie Gott in Frankreich; **2.** Fischgehege *n*; **3.** *fig.* Lücke *f*, ausgelassene Stelle *f in e-m Text*; **4.** *Typ.* Gasse *f* (*Zwischenraum zwischen den Wörtern*); **5.** *hist.* (*teatro m de*) ~ Theater *n* (*ursprünglich im Freien, zwischen den Häusern*); **6.** *Reg. ~ de vecindad* Mietskaserne *f*; **7.** *Cu.* Bauernhaus *n*, (Vieh-)Farm *f*; **~lera** *f Andal.* **1.** Tanzlied *n*; **2.** F freches Weibsstück *n*; **~lero** *adj.-su. bsd. Andal.* Geflügelzüchter *m*; **~lito** *m* Laufstall *m für Kinder*; **~liza** *f* Hof *m*, Gehege *n*; **~lón** *m augm. zu corral*; *Rpl.* Holz-lager *n*; -geschäft *n*.

correa *f* **1.** Riemen *m*, Gurt *m*; Streichriemen *m*; ⊕ *~ (de transmisión)* Treibriemen *m*; *~ trapezoidal* Keilriemen *m*; *~ de transporte* Förderband *n*; **2.** △ Pfette *f*, waagerechter Dachstuhlbalken *m*; **3.** *fig.* Dehnbarkeit *f*, Biegsamkeit *f*; *tener ~* s. ziehen (*od.* biegen) lassen; F *tener mucha ~* **a)** s. viel gefallen lassen, e-n Spaß vertragen; **b)** Ausdauer haben, zäh sein; **4.** ⚘ Riemenalge *f*; *~s f/pl.* Ledertang *m*; **~je** *m* Lederzeug *n*; ⚔ Koppelzeug *n*; Bänderung *f der Gasmaske*; **~zo** *m* Hieb *m* mit e-m Riemen.

correc|ción *f* **1.** Verbesserung *f*, Korrektur *f* (*a. Sch. u. Typ.*), Berichtigung *f*; ✈ *~ de altura* Höhenkorrektur *f*; *~ gregoriana (del calendario)* Gregorianische Kalenderreform *f* (*1582*); ⚕ *~ de precios* Preisberichtigung *f*; *Typ. ~ de pruebas (de galeradas)* Druck- (Fahnen-)korrektur *f*; **2.** Zurechtweisung *f*, Verweis *m*, Tadel *m*, Strafe *f*; *~ disciplinaria* Disziplinarstrafe *f*; *~ fraterna(l)* Verweis *m* unter vier Augen; *casa f de ~* Besserungsanstalt *f*; Fürsorgeheim *n*; **3.** Korrektheit *f*; Richtigkeit *f*; Anstand *m*; *adv. con ~* einwandfrei; tadellos, korrekt; *~ de lenguaje* Sprachkorrektheit *f*, -richtigkeit *f*; **~cional** **I.** *adj. c* züchtigend, strafend; *pena f ~* Vergehensstrafe *f*; **II.** *m* Besserungs-, Fürsorge-anstalt *f*; *Am.* (*Arg. f*) Strafanstalt *f*; **~cionalismo** ⚖ *m* Besserungstheorie *f*, Korrektionalismus *m*.

correc|tamente *adv.* korrekt, einwandfrei; richtig; höflich; **~tivo** **I.** *adj.* **1.** verbessernd; **2.** mildernd, lindernd; **II.** *m* **3.** Korrektiv *n*; Besserungsmittel *n*; **4.** Zucht-, Erziehungsmittel *n*; **5.** Linderungs-, Milderungs-mittel *n*; mildernder Ausdruck *m* (*bzw.* Absatz *m*) *zur Abschwächung des Dargestellten*; **~to** *adj.* fehlerfrei; einwandfrei, untadelig; richtig, korrekt; höflich; kunstgerecht; **~tor** **I.** *adj.* verbessernd; **II.** *m* Tadler *m*; Zuchtmeister; *Typ.* Korrektor *m*; **~tora** *HF f* Gleichrichterröhre *f*.

corre|dera *f* **1.** Schieber *m*, Schiebetür *f*; ⊕ Schieber *m*, Verteiler *m*; Gleitbahn *f*; **2.** ⚓ Log *n*; Logleine *f*; *medir con ~* loggen; **3.** Reitbahn *f*; lange breite Straße *f*; **4.** *Ent.* Kellerassel *f*; Küchenschabe *f*; **5.** Kupplerin *f*; **~dizo** *adj.* Schiebe...; *puerta f ~a* Schiebetür *f*; *Kfz. techo m ~* Schiebedach *n*; **~dor** **I.** *adj.* **1.** schnellaufend, schnellfüßig; **2.** wanderlustig; **II.** *m* **3.** *Sp.* Läufer *m*; *Kfz.* Rennfahrer *m*; *~ ciclista* Radrennfahrer *m*; *~ a corta distancia* Sprinter *m*, Kurzstrekkenläufer *m*; *~ de relevo (de vallas)* Staffel- (Hürden-)läufer *m*; **4.** Rennpferd *n*; **5.** Gang *m*, Durchgang *m*; Korridor *m*; Galerie *f*; ⚓ Laufplanke *f*; *fort.* Laufgang *m*; ✈ *~ aéreo* Luftkorridor *m*; **6.** ⚕ Vertreter *m*; Makler *m*; *~ de bolsa (de fincas)* Börsen- (Grundstücks-)makler *m*; *~ de comercio* Handelsmakler *m*; freier Makler *m* (*Börse*); *~ intérprete de buques* Schiffsmakler *m*; *~ de seguros* Versicherungsmakler *m*; **7.** † Kundschafter *m*; **8.** † Kuppler *m*; **~doras** *Zo. f/pl.* Laufvögel *m/pl.*; **~duría** *f* **1.** (Makler-)Agentur *f*; **2.** Maklergebühr *f*, Provision *f*.

correero *m* Riemenmacher *m*, Riemer *m*.

corregi|ble *adj. c* besserungsfähig; zu verbessern(d); **~dor** *hist. m* Land-, Stadt-richter *m*; Amtmann *m*, Vogt *m*; **~dora** *f* Frau *f* des *corregidor*; **~miento** *m* Vogtei *f*; Landrichteramt *n*; **~r** [3c *u.* 3l] **I.** *v/t.* **1.** (ver)bessern, berichtigen, richtigstellen; *a. Typ.*, *Sch.* korrigieren; *HF* entzerren; *Typ. ~ pruebas* Korrektur(en) lesen; ⚔ *~ la puntería* nachrichten, s. einschießen; **2.** tadeln; **3.** *Schärfe* mildern; **II.** *v/r. ~se* **4.** s. bessern; *~se de e-n Fehler usw.* ablegen.

corre|güela, **~huela** ⚘ *f* Acker-, Korn-winde *f*; *~ de los caminos* Vogelknöterich *m*.

correjel *m* Riemen-, Sohl-leder *n*.

correla|ción *f* Wechselbeziehung *f*, Korrelation *f*; **~cionar** *v/t.* in Wechselbeziehung setzen; **~tivo** *adj.* wechselseitig; s. gg.-seitig bedingend, korrelat(iv); fortlaufend, nacheinander.

correligionario *m* Glaubensgenosse *m*; *fig.* Gesinnungsgenosse *m*.

correlón *adj.* **1.** *Am.* schnellaufend, gut zu Fuß; *Col.*, *Méj.* feige.

corren|cia *f* F Durchfall *m*, Laufen *n* F; *fig.* Beschämung *f*, Verlegenheit *f*; **~dilla** F *f* kurzer Lauf *m*; **~tada** *f Am. Mer.* starke Strömung *f*; **~tía** F *f* → *correncia*; **~tío** *adj.* **1.** fließend, strömend; **2.** *fig.* F leicht, zwanglos; **~tón** *adj.* **1.** gern umherschlendernd, faulenzend; **2.** lustig, aufgeräumt; **~toso** *adj. Am.* reißend (*Strom*).

correo[1] *m* **1.** Bote *m*, Kurier *m*; *~ diplomático*, *~ de gabinete* diplomatischer Kurier *m*; *fig. ~ de malas nuevas* Unglücksbote *m*; **2.** Post *f*, Korrespondenz *f*, Postsachen *f/pl.*; Posteingang *m*; (*por*) *~ aéreo* (mit) Luftpost; *~ militar (neumático)* Feld- (Rohr-)post *f*; (*Administración f central de*) *~s* Hauptpost(verwaltung) *f*; (*avión m*) *~* Post-; Kurier-flugzeug *n*; (*buque m*) *~* Postschiff *n*; *empleado m de ~s* Postbeamte(r) *m*; (*oficina f de*) *~s* Postamt *n*; (*tren m*) *~* Postzug *m*; *Span.* (langsamer) Personenzug *m*; *por (el) ~* mit der Post; *a vuelta de ~* postwendend; *por ~ separado* mit gleicher Post.

correo[2] *m* Mit-angeklagte(r) *m*, -schuldige(r) *m*.

correoso *adj.* dehnbar; zähe; schwammig, teigig.

correr **I.** *v/i.* **1.** laufen, eilen, rennen; *~ alrededor de ...* um ... (*ac.*) herumlaufen; *~ detrás* hinterherlaufen; *~ al encuentro de j-m* entgg.-laufen; *corre prisa* es ist eilig, die Sache eilt; F *corre que te corre* immerzu laufend; immerfort; schleunigst; *déjalo ~* laß es laufen; Schluß damit; *corriendo* schnell; *voy corriendo* ich komme schon; *a todo ~* in vollem Lauf; **2.** ver-, ab-laufen, vergehen (*Zeit*); *en el año que corre* im laufenden Jahr; *al ~ de los años* im Laufe der Jahre; *en los tiempos que corren* heutzutage; **3.** im Umlauf sein, gültig sein (*Münzen*); (weiter)laufen (*Zahlungen*), gezahlt werden, laufen (*Gehalt*); **4.** (um-)gehen (*Gerücht*); *corren rumores od. corre la voz* es verlautet, man munkelt; **5.** gehen, wehen (*Wind*); *el viento corre a 50 kms. por hora* der Wind hat e-e Geschwindigkeit von 50 Stundenkilometern; **6.** fließen; *no ~á sangre* es wird kein Blut fließen; es wird friedlich abgehen F; **7.** *~ con a/c.* et. übernehmen (*Besorgung, Amt, Kosten*); *~ con la casa* den Haushalt besorgen; *~ de (od. por) cuenta de alg.* auf j-s Rechnung gehen; zu j-s Lasten gehen; *eso corre de (od. por) mi cuenta* das zahle ich; das nehme ich auf m-e Kappe; **II.** *v/t.* **8.** durcheilen; bereisen; *~ el campo enemigo* in Feindesland einfallen; ⚕ *~ la plaza* den Platz bereisen; F *~la od. ~ cada juerga* bummeln gehen, einen druff machen P; *~ mundo* s. die Welt ansehen; auf die Wanderschaft gehen; **9.** erfahren, erleben; *Gefahr* laufen; *Risiko* eingehen; *~ la misma suerte* das gleiche Schicksal erleiden; **10.** *Pferd* (aus)reiten, tummeln; *Jgdw. Wild* hetzen; *Stk. Stier* hetzen; **11.** *Möbel* (ver)rücken; *Riegel* vorschieben; *Gardine* vorziehen; **12.** *Geschäft* erledigen; *Ware* vertreiben; **13.** *mst. dejar co-*

rrido beschämen, verlegen machen; **14.** F stibitzen, klauen F; **15.** F → 20; **III.** *v/r.* *~se* **16.** s. verschieben; auf die Seite rücken (*od.* rutschen); *córrete un poco hacia la derecha* rück' ein bißchen nach rechts; **17.** verlaufen, ausfließen (*Tinte*); tropfen (*Kerze*); *Phot.* s. verschieben (*Abzug*); **18.** *~se (de vergüenza)* s. schämen; **19.** übertreiben, s. übernehmen; *~se al prometer* zuviel versprechen; **20.** F *~(se) la clase* die Schule schwänzen.

correría *f* **1.** ⚔ Einfall *m*, Beutezug *m*; **2.** *mst.* *~s f/pl.* Streifzug *m*, Wanderung *f*.

correspon|dencia *f* **1.** Brief-wechsel *m*, -verkehr *m*; (Brief-)Post *f*; *~ mercantil*, *~ comercial* Handelskorrespondenz *f*; *~ privada*, *~ particular* Privatkorrespondenz *f*; **2.** Entsprechung *f*, Verhältnis *n*; *~ de* (*od.* *entre*) *las partes con* (*od.* *y*) *el todo* Verhältnis *n* der Teile zum Ganzen; **3.** Erwiderung *f*; Erkenntlichkeit *f*; *en ~* als Gg.-leistung; **4.** ☎ Anschluß *m*; **~der I.** *v/i.* **1.** *~ a* entsprechen (*dat.*), übereinstimmen mit (*dat.*), passen zu (*dat.*); *~ a una invitación* e-e Einladung annehmen; **2.** *~ a alg.* j-m zustehen; *(no) me corresponde (a mí)* ich bin (nicht) zuständig; ich muß (nicht) (+ *inf.*); *dadle lo que le corresponde por su trabajo* gebt ihm den ihm zustehenden Arbeitslohn; *pregúnteselo a quien corresponda* fragen Sie danach an zuständiger Stelle; **3.** *~ a* entfallen auf (*ac.*); **4.** *~ a* erwidern (*ac.*), vergelten (*ac.*); *ser correspondido* Erwiderung finden (*für Zuneigung usw.*); *amor m no correspondido* unerwiderte Liebe *f*; **II.** *v/r.* *~se* **5.** s. lieben, s. liebhaben; **6.** (mitea.) in Briefwechsel stehen; **7.** s. entsprechen; **8.** in Verbindung stehen *bzw.* inea.-gehen (*Zimmer*); **~diente** *adj. c* **1.** entsprechend; angemessen; (da)zugehörig; jeweilig; zuständig; ∡ *ángulo m ~* Gg.-winkel *m*; **2.** *académico m ~* Korrespondierendes Mitglied *n e-r Akademie*; **~dientemente** *adv.* entsprechend, gehörig; **~sal** *m* **1.** ✝ Geschäftsfreund *m*; *banco m ~* Korrespondenzbank *f*; **2.** ✝ (Handels-) Korrespondent *m*; **3.** (Zeitungs-) Korrespondent *m*, Berichterstatter *m*.

corretaje *m* Maklergeschäft *n*; Maklergebühr *f*, Courtage *f*.

correte|ar *v/i.* umher-bummeln, -laufen; s. tummeln, tollen (*Kinder*); **~o** *m* Herumlaufen *n*; **~ro** F *adj.-su.* herumlaufend; *m* (Straßen-)Bummler *m*.

correve(i)dile F *c* Klatschmaul *n*, Zuträger *m*; † Kuppler *m*.

corri|da *f* **1.** Lauf *m*; *~ (de toros)* Stierkampf *m*; *llegar de ~* gelaufen kommen; *adv.* *de ~* schnell; fließend (*sprechen*); auswendig (*sagen*); *en una ~* (blitz)schnell, in ein paar Sekunden; **2.** ⚒ Verlauf *m e-r Erzader*; *Rpl.* zutage tretendes Erz *n*; *Chi.* Reihe *f*; **4.** *~s f/pl.* *andal.* *Volkslied*; **~damente** *adv.* geläufig; **~do I.** *adj.* **1.** beschämt, verlegen; F *~ como una mona* tief beschämt; **2.** weltgewandt; durchtrieben; F *más ~ que un zorro viejo* mit allen Wassern gewaschen; **3.** reichlich (*Gewicht*); *tener 50 años ~s* über (die) 50 sein; **4.** *adv.* *de ~* fließend (*od.* schnell) (*sprechen*); **II.** *m* **5.** Schuppen *m entlang e-s corral*; **6.** *Reg.* rückständige Zahlung *f*.

corriendo *ger.-adv.* → *correr 1.*

corriente I. *adj. c* **1.** fließend; flüssig (*Stil*); *agua f ~* fließendes Wasser *m*; **2.** laufend; *año m* (✝ *cuenta f*) *~* laufendes Jahr *n* (Konto *n*); **3.** üblich, gewöhnlich, alltäglich; Durchschnitts...; F *salir todo ~ y moliente* glatt verlaufen, gut ausgehen; **4.** gültig, im Umlauf (*Geld*); **II.** *f* **5.** Strom *m* (*a.* ⚡); Strömung *f* (*a. fig.*); Richtung *f*; *~ de aire* Luftzug *m*; *~ continua (alterna)* Gleich-(Wechsel-)strom *m*; *~ de alta (baja) frecuencia* Hoch- (Nieder-)frequenzstrom *m*; ♀ *del Golfo* Golfstrom *m*; *~ primaria (secundaria, inducida)* Primär- (Sekundär-, induzierter)Strom *m*; *~ de baja tensión* Schwachstrom *m*; *~ de alta intensidad*, *~ fuerte* Starkstrom *m*; *~ (de) fuerza* Kraftstrom *m*; *~ trifásica* Dreh-, Dreiphasenwechselstrom *m*; *sin ~* stromlos, ausgeschaltet; *falta f de ~* Stromausfall *m*; *toma f de ~* **a)** Stromabnehmer *m*; **b)** Steckdose *f*; *fig.* *dejarse llevar de* (*od.* *por*) *la ~* mit dem Strom schwimmen (*bsd. fig.*); *fig.* *ir* (*od.* *navegar*) *contra la ~* gg. den Strom schwimmen; *llevarle a alg. la ~* nach j-s Pfeife tanzen; *fig.* *tomar la ~ desde la fuente* der Sache auf den Grund gehen; **III.** *m* **6.** laufender Monat *m*; *el 2 del ~* (*od.* *de los ~s*) am 2. des Monats; *al ~* auf dem laufenden; *estar al ~ de a/c.* über et. (*ac.*) auf dem laufenden (*od.* im Bilde) sein; *poner a alg. al ~ de a/c.* j-n über et. (*ac.*) unterrichten; *tener las cuentas al ~* mit der Abrechnung auf dem laufenden bleiben; **~mente** *adv.* geläufig; fließend; leicht.

corrigendo *adj.-su.* Fürsorgezögling *m*; Sträfling *m*.

corri|llero *m* Bummler *m*; **~llo** *m* Gruppe *f von Plaudernden*, Stehkonvent *m* F.

corrimiento *m* **1.** Verschiebung *f*, Verrutschen *n*; Ausea.-laufen *n*; *~ de tierras* Erdrutsch *m*; **2.** ⚕ Fluß *m*; **3.** Scham *f*, Verlegenheit *f*; **4.** ⚘ Verkümmern *n der Reben*; **5.** *Chi.* Rheuma(tismus *m*) *n*.

corrincho *m* Lumpenpack *n*; Gaunerversammlung *f*.

corro *m* **1.** Kreis *m*, Gruppe *f* (*Zuschauer*); *fig.* F *escupir en ~* s. ins Gespräch mischen, s-n Senf dazu geben F; *formar ~* zs.-treten, e-n Kreis bilden; *formar ~ aparte* e-e eigene Gruppe bilden, e-n eigenen Verein aufmachen F; *hacer ~* im Kreis ausea.-treten, Platz machen; **2.** Reigen *m*, Ringelreihen *m*; *jugar al ~* Ringelreihen spielen; **3.** ✝ *Börse*: (Wertpapier-)Gruppe *f*, Werte *m/pl.*; **4.** Kreis *m*, Ring *m*; runder Platz *m*.

corrobora|ción *f* Bekräftigung *f*, Bestätigung *f*; Beweis *m*; *a.* ⚕ Stärkung *f*; **~nte** *m* stärkendes Mittel *n*; **~r** *v/t.* **1.** bestärken, bekräftigen, bestätigen, erhärten; **2.** † stärken; **~tivo** *adj.* bekräftigend, bestätigend.

corro|er [2za] **I.** *v/t.* **1.** zer-, anfressen; ⊕ *a.* ätzen, beizen; korrodieren; **2.** *fig.* nagen an (*dat.*) (*Kummer usw.*); **II.** *v/r.* *~se* **3.** zerstört (*od.* zersetzt) werden; *fig.* s. vor Gram verzehren; **~ído** *part.* zerfressen; *~ por la herrumbre* durch-, an-gerostet, verrostet.

corrom|per I. *v/t.* **1.** verderben (*a. fig.*); verschlechtern; entstellen; *fig.* verführen; verderben; bestechen; **2.** F belästigen, auf die Nerven gehen (*dat.*); **II.** *v/i.* **3.** F stinken; **III.** *v/r.* *~se* **4.** verderben, verfaulen; *fig.* sittlich verkommen; **~pido** *adj.* verdorben (*a. fig.*), faulig; *fig.* korrumpiert, korrupt; bestochen.

corroncho *adj.* **1.** *Col.*, *Ven.* dumm, schwerfällig; **2.** *Col.* mürrisch; rauh, rüde.

corrosal ⚘ *m Ant.* Flaschenbaum *m*.

corro|sible *adj. c* ätzbar; korrosionsanfällig; **~sión** *f* Korrosion *f*, Ätzen *n*, An-, Zer-fressen *n*; **~sivo I.** *adj.* ätzend, Ätz..., korrosiv, (zer)fressend; *fig.* beißend; **II.** *m* ⚗ Ätzmittel *n*, Beize *f*; **~yente** *adj. c* → *corrosivo*.

corrugación *f* Zs.-schrumpfen *n*.

corrumpente *adj. c* **1.** verderblich; **2.** lästig.

corrupción *f* **1.** Verderb(en *n*) *m*; Verwesung *f*, Fäulnis *f*, Zersetzung *f*; **2.** *fig.* Verfall *m*, Niedergang *m*; *~ de costumbres* Sittenverderbnis *f*; **3.** Bestechung *f*; Korruption *f*; **4.** Verführung *f*; **5.** Verfälschung *f e-s Schriftstücks*.

corrupia F *f* Ungeheuer *n*, Untier *n*.

corrup|tamente *adv.* korrupterweise; **~tela** *f* Korruption *f*, Mißbrauch *m*; **~tibilidad** *f* Verderblichkeit *f*, Verweslichkeit *f*; *fig.* Bestechlichkeit *f*; **~tible** *adj. c* verderblich, fäulnisanfällig; verweslich; *fig.* bestechlich; **~tivo** *adj.* verderblich (*passiv u. aktiv*); **~to** *adj.* *fig.* verdorben; **~tor I.** *adj.* verderblich, Verderben bringend; sittenverderbend; **II.** *m* Verderber *m*, Verführer *m*; Bestecher *m*.

corsario *adj.-su.* Freibeuter..., Kaper...; *buque m ~* → *~ m* Kaper (-schiff *n*) *m*; *~ m* Freibeuter *m*; Korsar *m*.

corsé *m* Korsett *n*, Mieder *n*; ⚕ *~ enyesado (metálico)* Gips- (Stahl-) korsett *n*.

corsete|ría *f* Miederwaren *f/pl.* (*a. Geschäft*); **~ro** *m* Korsettmacher *m*; -händler *m*.

corso[1] *adj.-su.* korsisch; *m* Korse *m*.

corso[2] *m* **1.** Kaperei *f*, Freibeuterei *f*; *guerra f (patente f) de ~* Kaperkrieg *m* (-brief *m*); *hacer el ~* (*ir od. salir a ~*) auf Kaperfahrt sein (gehen); **2.** *it.*, *bsd. Chi.*, *Rpl.* Korso *m*; *~ de flores* Blumenkorso *m*.

corta *f* Holzfällen *n*, Abholzen *n*.

corta|alambres *m* (*pl. inv.*) Drahtschere *f*; **~callos** *m* (*pl. inv.*) Hühneraugenmesser *n*; **~césped** *m* Rasenmäher *m*; **~cigarros** *m* (*pl. inv.*) Zigarrenabschneider *m*; **~circuito** ⚡ *m* Sicherung *f*; **~corriente** ⚡ *m*

Abschalter *m*; **~cristales** *m* (*pl. inv.*) Glasschneider *m*.
corta|da *f Méj.* Schnittwunde *f*; **~dera** *f* Schrotmeißel *m der Schmiede*; Zeidelmesser *n der Imker*; **~dillo I.** *adj.* beschnitten (*Münze*); **II.** *m* kl. *zylindrisches* Weinglas *n*; *echar ~s* **a)** geziert reden; **b)** (Wein) trinken; **~do I.** *adj.* **1.** bündig, knapp (*Stil*); **2.** geronnen (*Milch*); **3.** *fig.* betreten, verlegen; **4.** F *estar ~ para* geeignet sein für (*ac.*); **5.** ⊠ gehälftet; **II.** *m* **6.** Kaffee *m* mit wenig Milch; **7.** ⊕ Schneiden *n*; **~dor I.** *adj.* **1.** schneidend; **II.** *m* **2.** Schneider *m* (*Gerät*); ⊕ *~ autógeno* (*de vidrio*) Autogen- (Glas-)schneider *m*; **3.** Vorlegemesser *n*; **4.** Zuschneider *m*; **5.** Schlachter *m*; **6.** Schneidezahn *m*; **~dora** *f Typ.* (Papier-)Schneidemaschine *f*; *~ de cocina* Brot-, Küchen-schneidemaschine *f*; **~dura** *f* **1.** Durchschneiden *n*; Schnitt *m* (*a. Wunde*); Schnitt-fläche *f*, -rand *m*; **2.** ⊕ (Ab-)Scherung *f*; *~ con soplete* Schneidbrennen *n*; *~s f/pl.* Abfälle *m/pl.*; Schrot *m*; Schnitzel *n/pl.*; **3.** Gebirgseinschnitt *m*, Engpaß *m*.
corta|fiambre(s) *m* Wurstschneidemaschine *f*; **~forrajes** ⚒ *m* (*pl. inv.*) Futterschneidemaschine *f*; **~frío** ⊕ *m* Hart-, Kalt-, Schrot-meißel *m*; **~fuego(s)** *m* **1.** Brandmauer *f*; **2.** Feuerschutzstreifen *m im Wald*; **~hojas** *Ent. m* (*pl. inv.*) Rebenstecher *m*; **~lápices** *m* (*pl. inv.*) Bleistiftspitzer *m*.
cortamente *adv.* kurz, knapp; spärlich.
cortante I. *adj. c* schneidend; Schneide...; **II.** *m* Schneide *f e-s Beils*; Hackmesser *n der Fleischer*.
corta|papel(es) *m* Brieföffner *m*; *a. Typ.* Papiermesser *n*; **~picos** *Ent. m* (*pl. inv.*) Ohrwurm *m*.
cortapisa *f* **1.** Vorbehalt *m*, Einschränkung *f*; Hindernis *n*; *poner ~s* Vorbehalte (*bzw.* Schwierigkeiten) machen; *sin ~s* ungehemmt; **2.** Witz *m*, nette Art *f*, *mit der man et. sagt*.
corta|plumas *m* (*pl. inv.*) Federmesser *n*; **~pruebas** *Phot. m* (*pl. inv.*) Kopiermesser *n zum Beschneiden der Negative*; **~puros** *m* (*pl. inv.*) Zigarrenabschneider *m*.
cortar I. *v/t.* **1.** (ab-, aus-, be-, durch-, zer-)schneiden; ⚓ *Tau, Mast* kappen; *Haar* schneiden; *Baum* fällen; *Wald* abholzen; *Gras* mähen; *Fleisch* hauen, hacken; *~ el agua* das Wasser durchfurchen (*Schiff*); *~ la cabeza a alg.* j-n enthaupten; *~ en trozos, ~ en pedacitos* in Stücke schneiden, zerkleinern; ⊕ *a.* schroten; *Kchk.* kleinschneiden; *~ al cero* kahlscheren; *sin ~* noch nicht aufgeschnitten (*Buch*); *Buchb.* (noch) nicht beschnitten; **2.** ab-, zer-trennen; unterbrechen; hemmen, sperren; zum Stillstand bringen; *Schmerz* stillen; *Wort, Weg* abschneiden; *Fieber* senken; *Durchfall* stoppen; *Rede* abbrechen, unterbrechen; *Licht, Gas, Wasser, Strom, Zufuhr* sperren; *Kfz. Gas* wegnehmen; *Verbindung* abbrechen *bzw.* unterbrechen, abschneiden; *bsd.* ✝ *~ las relaciones* die Verbindungen abbrechen; **3.** *Text* kürzen, streichen; *Film* zensieren, kürzen; *aus dem Film* herausschneiden; **4.** *Kleid, Stoff* zuschneiden; **5.** *Streit* schlichten; **6.** *Bienenstöcke* zeideln; **7.** *Wein* verschneiden; **8.** *Schwein usw.* kastrieren; **9.** *fig. Am.* j-n schneiden; *Am. ~ al prójimo* andere kritisieren; **II.** *v/i.* **10.** *Kart.* abheben; **11.** schneiden; *fig. un aire que corta* schneidender Wind *m*, scharfe Luft *f*; **III.** *v/r.* *~se* **12.** s. schneiden; *~se el pelo* s. die Haare schneiden (lassen); **13.** sauer werden; gerinnen (*Milch*); umschlagen (*Wein*); **14.** zum Stehen kommen (*Brand*); **15.** auf-springen, -reißen (*Haut, Rinde*); **16.** stocken, steckenbleiben (*in der Rede, vor Verlegenheit*); *el niño se corta fácilmente* das Kind ist sehr schüchtern.
corta|tubos ⊕ *m* (*pl. inv.*) Rohr(ab)schneider *m*; **~úñas** *m* (*pl. inv.*) Nagelzange *f*; **~vidrios** *m* (*pl. inv.*) Glasschneider *m*; **~viento** *m* Windschutz(scheibe *f*) *m*.
corte[1] *m* **1.** Schnitt *m* (An-, Ab-, Durch-)Schneiden *n*; (Holz-)Fällen *n*; ⊕ Hieb *m e-r Feile*; *~ dorado* Goldschnitt *m* (*Buch*); *~ de pelo* Haar-schnitt *m*; -schneiden *n*; **2.** Ausschnitt *m*; ⊕, △ Aufriß *m*; *~ horizontal* (*vertical*) Grund- (Auf-)riß *m*; *~ longitudinal* (*transversal*) Längs- (Quer-)schnitt *m*; **3.** Zuschneiden *n*; Zuschnitt *m*; Stoff *m für Anzug od. Kleid*; *academia f de ~ y confección* Nähschule *f*; **4.** Aufhebung *f*, Einstellung *f*, Sperre *f*; *~ de agua* Wasserabstellung *f*; *~ de corriente* Stromsperre *f*; **5.** Streichung *f*, Kürzung *f*.
corte[2] *f* **1.** (Königs- *usw.*)Hof *m*; Hofstaat *m*; Gefolge *n*; *la* (*Villa y*) ♀ (= *Madrid*); *la ~ celestial* die himmlischen Heerscharen *f/pl.*; **2.** ♀*s f/pl. Span.* Parlament *n*; *hist.* Landstände *m/pl.*; *~s constituyentes* verfassunggebende Versammlung *f*; **3.** *Am.* (höheres) Gericht *n*; *Pol.* ♀ *Permanente de Arbitraje* Ständiger (Haager) Schiedshof *m*; **4.** *hacer la ~ a alg.* → *cortejar*.
cortedad *f* **1.** Kürze *f*; **2.** Beschränktheit *f*; Verlegenheit *f*, Schüchternheit *f*; *~ de vista* Kurzsichtigkeit *f*.
corte|jador *adj.-su. m* Galan *m*, Verehrer *m*; Schmeichler *m*; **~jar** *v/t.* j-m den Hof machen, j-n umwerben (*a. fig.*); j-m um den Bart gehen, j-m schmeicheln; **~jo** *m* **1.** (Fest-, Um-)Zug *m*; Gefolge *n*; *fig.* Folge *f*; **2.** Liebeswerben *n*; Liebschaft *f*; **3.** F Liebhaber *m*.
cortés *adj. c* höflich, zuvorkommend; *lo ~ no quita lo valiente* Höflichkeit u. Festigkeit schließen ea. nicht aus.
corte|sana *f* Kurtisane *f*; *ehm.* Hofdame *f*; **~sanamente** *adv.* höflich; **~sanía** *f* **1.** höfliches (*bzw.* höfisches) Benehmen *n*; **2.** Hofgesellschaft *f*; **~sano I.** *adj.* **1.** höfisch, Hof...; **2.** höflich; **II.** *m* **3.** Höfling *m*; **~sía** *f* **1.** Höflichkeit *f*; Aufmerksamkeit *f*, freundliche Geste *f*; (*fórmula f de*) *~* Höflichkeits-, Schluß-formel *f am Ende e-s Briefes*; **2.** Verbeugung *f bzw.* Knicks *m*; *hacer una ~* s. verbeugen; knicksen; **3.** Anrede *f*, Titel *m*; **4.** *Typ.* leeres Zwischenblatt *n*.
corte|za *f* Rinde *f* (*a. fig.*); Kruste *f*; Schale *f* (*Obst*); Schwarte *f* (*Speck*); (rauhe) Außenseite *f*; *Anat. ~ cerebral* Gehirnrinde *f*; *~ terrestre* Erdrinde *f*, -kruste *f*; *pharm. ~ peruviana* Chinarinde *f*; **~zón** *m augm.* dicke Rinde *f*; **~zudo** *adj.* mit dicker Rinde; *fig.* rauhbeinig, ungeschliffen.
cortical *adj. c bsd.* ⚕ rindenartig; Rinden...
corti|jada *f Andal.* Gruppe *f* von Gehöften; Gutswohnungen *f/pl.*; **~jero** *m* **1.** Besitzer *m* e-s *cortijo*; **2.** Vorarbeiter *m*, Aufseher *m auf e-m cortijo*; **~jo** *m Andal.* Gutshof *m*; Gutswohnung *f des Eigentümers*; *fig.* F *alborotar el ~* Wirbel machen F, den Laden auf den Kopf stellen F.
cortil *m* Gehege *n*, Hof *m*.
corticosterona *Physiol. f* Corticosteron *n*.
corti|na *f* **1.** Gardine *f*, Vorhang *m* (*a. fig.*); *fig.* Schleier *m*; *~ de aire caliente* Warmluftvorhang *m*; *~ de agua* strömender Regen *m*; ⚔ *~ de fuego* Feuer-riegel *m*, -vorhang *m*; ⚔ *~ de humo* Rauchschleier *m*; *Pol. Am. ~ de hierro* Eiserner Vorhang *m*; *~ de niebla* Nebelwand *f*; *correr la ~* den Vorhang zuziehen; *fig.* den Schleier über et. (*ac.*) werfen; et. mit Schweigen übergehen; *descorrer la ~* den Vorhang auf- *od.* wegziehen; *fig.* das Geheimnis (*od.* den Schleier) lüften; **2.** *~ de muelle* Hafendamm *m*; **3.** *fort.* Schutzwall *m*; **~nado** *m Rpl.*, **~naje** *m* Vorhänge *m/pl.* u. Gardinen *f/pl.*; Vorhangstoffe *m/pl.*; **~nilla** *f*: *~ automática, ~ de resorte* Rollvorhang *m*; **~nón** *m augm. bsd.* Türvorhang *m*.
cortiña *Gal. f* Hausgarten *m*.
cortisona *pharm. f* Kortison *n*.
corto *adj.* (*a. adv.*) (*ser*) kurz (*Länge u. Dauer*); knapp; klein; scheu, schüchtern; *~ (de alcances)* (geistig) beschränkt; *~ de oído* schwerhörig; *~ de vista* kurzsichtig; (*estar*) (zu) kurz (*Kleidung*); *estar ~ de medios* knapp bei Kasse sein; *de vida ~a* kurzlebig; *desde muy ~a edad* von Kind auf; *fig. atar (de) ~ a alg.* j-n an die Kandare nehmen; *quedarse ~* **a)** zu kurz kommen; **b)** nicht dahinter kommen; *no quedarse ~ bsd.* keine Antwort schuldig bleiben; *quedarse ~ en a/c.* et. zu gering einschätzen; ⚔ *tirar (demasiado) ~* zu kurz schießen.
cortocircui|tar ⚡ *v/t.* kurzschließen; **~to** ⚡ *m* Kurzschluß *m*.
cortometraje *m* Kurzfilm *m*.
cortón *Ent. m* Maulwurfsgrille *f*, Werre *f*.
corúa *Vo. f Cu. Art* Kormoran *m*.
coruja *Vo. f* → *curuja*.
coruscar [1g] *poet. v/i.* glänzen, gleißen, schimmern.
corva *f* **1.** Kniekehle *f*; **2.** *vet.* Hechsengeschwulst *f der Pferde*; **~dura** *f* Krümmung *f*, Biegung *f*; △ Wölbung *f e-s Bogens*; **~l** ⚘ *adj. c*: *aceituna f ~* langfruchtige Olive *f*; **~to** *Vo. m* Jungrabe *m*.

corve|jón[1] *m* Sprunggelenk *n*; Hachse *f der Rinder*; **~jón**[2] *Vo. m* Kormoran *m*; **~ta** *Equ. f* Kurbette *f*, Bogensprung *f*; **~tear** *Equ. v/i.* kurbettieren.

córvidos *Zo. m/pl.* Rabenvögel *m/pl.*

corvi|na *Fi. f* Meerrabe *m*, Schattenfisch *m*; **~no** *adj.* Raben...

corvo I. *adj.* **1.** krumm, gekrümmt, gebogen; **II.** *m* **2.** Haken *m*; **3.** → *corvina.*

cor|za *f* Reh(geiß *f*) *n*, Ricke *f*; □ Dirne *f*, *bsd. Dirne, die ihren Liebhaber aushält, Reg.* Mieze *f*; **~zo** *m* Reh(bock *m*) *n.*

cosa *f* **1.** Ding *n*, Sache *f*, Gg.-stand *m*; Angelegenheit *f*; etwas; *~ de* etwa, ungefähr; *~ de cinco km* ungefähr 5 km; *a ~ de las nueve* gg. neun Uhr, ungefähr um neun Uhr; *~ de importancia* et. Wichtiges; *~ de risa* nicht ernst zu nehmen(de Sache), lächerlich; *~ hecha* vollendete Tatsache; *¡~ hecha!* abgemacht!; *adv. a ~ hecha* **a)** mit sicherem Erfolg; **b)** absichtlich; *~ de oír (de ver)* hörens- (sehens-)wert; *será ~ de ver* das bleibt noch abzuwarten, das wollen wir (erst mal) sehen; *~ principal (secundaria)* Haupt- (Neben-)sache *f*; *¡~ rara!* seltsam!, merkwürdig!; *ante toda(s) ~(s)* vor allem; *cada ~* alles; *cada ~ en su tiempo (y los nabos en adviento)* alles zu s-r Zeit; *como si tal ~* (so) mir nichts, dir nichts; ganz einfach; als ob nichts geschehen wäre; *ninguna ~* nichts; *poca ~* wenig; *poquita ~* nichts; unbedeutende Person *f*; *¡qué ~!* (nein) so was!, das ist (doch) nicht zu glauben!; *la ~ cambia* das Blatt wendet s.; *fig. cambiando una ~ por otra* um das Thema zu wechseln; reden wir von et. anderem; *no decir ~* kein Wort sagen; *no dejar ~ con ~* alles auf den Kopf stellen, alles durchea.-werfen; *ahí está la ~* das ist es, da liegt der Hase im Pfeffer; *estando las ~s como están* wenn (*od.* da) s. die Dinge so verhalten; *no es ~ mía* das geht mich nichts an, das ist nicht m-e Sache; *no hay tal ~* dem ist nicht so; keineswegs; so et. gibt es (ja gar) nicht; *no parece gran ~, pero ...* er (sie, es) sieht ganz unscheinbar aus, aber ...; *no ponérsele a alg. ~ por delante* vor nichts zurückschrecken, gerade auf sein Ziel losgehen; *no tener ~ suya* **a)** nichts sein eigen nennen, bettelarm sein; **b)** von allem den andern mitgeben, sehr gebefreudig sein; *una ~ trae otra* eins (*bzw.* ein Wort) bringt das andere; *~s que van y vienen* das ist schnell vorbei (*od.* vergänglich); *ni ~ que lo valga* bei weitem nicht, mit Abstand nicht; F *las ~s que se ven (en el mundo)* was man (so) alles zu sehen bekommt (*od.* erleben muß); **2.** ⚖ Sache *f*; *~ nullius* herrenlose Sache *f*; **3.** *~s f/pl.* Ideen *f/pl.*, Einfälle *m/pl.*; Grillen *f/pl.*; *(son) ~s de ella od. son sus ~s* das sind so ihre Einfälle, echt sie; das ist typisch für sie.

cosaco *adj.-su.* Kosaken...; *m* Kosak *m*; Kosakentanz *m*; F *beber como un ~* trinken wie ein Bürstenbinder.

cosario I. *adj.* **1.** Fuhrmanns...; **2.** häufig begangen; **II.** *m* **3.** (Fracht-)Fuhrmann *m*; **4.** (Berufs-)Jäger *m.*

coscarse [1g] F *v/r.* mit den Achseln zucken.

cosco|ja ♀ *f* Kermeseiche *f*; dürres Laub *n* der Kermeseiche; *Am.* → *coscojo*; **~jal**, **~jar** *m* Kermeseichenwald *m*; **~jita** *f* → *coxcojita*; **~jo** *m* Gallapfel *m an der Kermeseiche*; *Equ.* Ring *m am Gebiß.*

cosco|lina *f Méj.* Dirne *f*, Prostituierte *f*; **~mate** *m Méj.* Maissilo *m aus Lehm u. Flechtwerk.*

coscón F *adj.* verschmitzt.

cosco|roba *Vo. f Chi., Rpl. Art* Schwan *m*; **~rrón** *m* Kopfnuß *f*, Schlag *m* auf den Kopf.

cosecante ⩕ *f* Kosekante *f.*

cose|cha *f* Ernte *f*; *a. fig.* Ausbeute *f*, Ertrag *m*; Erntezeit *f*; *mala ~* Mißernte *f*; *~ 1956* Jahrgang 1956 (*Wein*); *~ propia* Eigenbau *m*; *fig. de su (propia) ~* auf seinem eigenen Acker gewachsen; Früchte *f/pl.* eigener Arbeit; **~chadora** ⚒ *f* Mähdrescher *m*; **~char** *vt/i.* ernten (*a. fig.*); **~chero** *m* Winzer *m*; Erntearbeiter *m*, Pflücker *m.*

cose|dera *f* Heftapparat *m für Papier*; **~dora** *f* Heftmaschine *f* (*Büro*); **~dura** *f* → *costura.*

coselete *m* **1.** leichte Rüstung *f*; *hist.* Gewappnete(r) *m*; **2.** *Ent.* Brustschild *m.*

coseno ⩕ *m* Kosinus *m.*

cosepapeles *m* (*pl. inv.*) Hefter *m*, Heftmaschine *f.*

coser I. *v/t.* **1.** nähen; an-, zu-nähen; *Typ.* heften; **2.** *fig. ~ a tiros* mit Schüssen durchlöchern; **II.** *v/i.* **3.** nähen; *máquina f de ~* Näh- (*bzw. Typ.* Heft-)maschine *f*; F *es (cosa de) ~ y cantar* es ist ganz (*od.* spielend) leicht; **III.** *v/r.* *~se* **4.** *fig. ~se la boca* den Mund halten, dicht halten F; **5.** *~se contra (od. a, con)* s. anschmiegen an (*ac.*).

[zahl *f.*]

cósico ⩕ *adj.*: *número m ~* Potenz-

cosicosa F *f* Rätsel *n.*

cosido I. *part.-adj.* genäht; *Buchb.* geheftet; **II.** *m* Nähen *n*; Näharbeit *f*; *Buchb.* Heften *n.*

cosificación *f* Versachlichung *f.*

cosméti|ca *f* Kosmetik *f*, Schönheitspflege *f*; **~co I.** *adj.* kosmetisch; *operación f ~a, corrección f ~a* kosmetische Operation *f*, Schönheitskorrektur *f*; **II.** *m* Schönheits- (pflege)mittel *n*; *~s m/pl.* Kosmetika *n/pl.*

cósmico *adj.* kosmisch, Weltraum...; *estructura f ~a* Bau *m* des Alls, Weltenbau *m.*

cosmobiología *f* Kosmobiologie *f.*

cosmódromo *m* Startplatz *m* für Raumschiffe.

cosmo|física *f* Raum-, Kosmophysik *f*; **~gonía** *f* Kosmogonie *f*; **~grafía** *f* Kosmographie *f*; **~gráfico** *adj.* kosmographisch.

cosmógrafo *m* Kosmograph *m.*

cosmo|logía *f* Kosmologie *f*; **~nauta** *c* Raumfahrer *m*, Kosmonaut *m*; **~náutica** *f* (Welt-)Raumfahrt *f*; **~náutico** *adj.* kosmonautisch; **~nave** *f* Raum-schiff *n*, -fahrzeug *n*; **~polita** *adj.-su. c* kosmopolitisch; vielen Ländern u. Völkern gemeinsam; *m* Weltbürger *m*, Kosmopolit *m*; **~politismo** *m* Weltbürgertum *n*, Kosmopolitismus *m*; **~rama** *m* Kosmorama *n.*

cosmo|s *m* Welt(all *n*) *f*, Kosmos *m*; **~visión** *neol. f bsd. Am.* Weltanschauung *f.*

coso[1] *m* Holzwurm *m.*

coso[2] *m* **1.** Festplatz *m*; *lit. ~ (taurino)* Stierkampfarena *f*; **2.** *Col.* Stierzwinger *m.*

cospe *m* Schlichthieb *m an Balken*; **~l** *m* Münzplatte *f.*

cos|que, ~qui F *m* → *coscorrón.*

cosqui|llar *v/t.* → *cosquillear*; **~llas** *f/pl.* Kitzeln *n*; *buscar las ~ a alg.* j-n reizen; *hacer ~ (a)* kitzeln (*a. fig.*); *fig.* reizen, locken; *tengo ~* **a)** ich bin kitzlig; **b)** es kitzelt mich; *tener malas ~ od. no sufrir ~* k-n Spaß verstehen; **~llear** *v/t.* kitzeln; *fig.* locken, reizen; **~lleo** *m* Kitzel *m*; Juckreiz *m*; **~lloso** *adj.* kitzlig; *fig.* empfindlich; reizbar.

costa[1] *f* **1.** Kosten *pl.*; *~s f/pl.* Gerichtskosten *pl.*; *a ~ de* **a)** mittels (*gen.*), durch (*ac.*), mit (*dat.*); **b)** auf Kosten von (*dat.*) (*a. fig.*); *a ~ mía* auf m-e Kosten (*a. fig.*); *a ~ ajena, a ~ de los demás* auf anderer Leute Kosten; *adv. a poca ~* billig; leicht, mühelos; *a toda ~* um jeden Preis; **2.** Kost *f als Teil des Lohns.*

costa[2] *f* Küste *f*; *~ abierta (acantilada)* Flach- (Steil-)küste *f*; ⚓ *~ a ~* längs der Küste.

costa[3] *f* Glättholz *n der Schuster.*

costado *m* **1.** Seite *f*; *a.* ⚔ Flanke *f*; Zarge *f e-r Geige*; ⚓ (Breit-)Seite *f*, Bordwand *f*; *dolor m de ~* Seitenstechen *n*; ⚓ *andar de ~* treiben; ⚓ *venir al ~* längsseit(s) kommen, anlegen; *por el ~* seitlich; **2.** *~s m/pl.* Ahnenlinie *f väter- u. mütterlicherseits*; *noble por los cuatro ~s* edlen Blutes, einwandfrei adeliger Herkunft; *fig. por los cuatro ~s* rein(blütig), hundertprozentig.

costal[1] *adj. c* Rippen...

costa|l[2] *m* **1.** (*Mehl-, Getreide-*)Sack *m*; *fig. a boca de ~* überreichlich, maßlos; *fig. ~ de mentiras* Lügenbeutel *m*, Erzlügner *m*; *el ~ de (los) pecados* der menschliche Leib; *fig.* F *vaciar el ~* alles ausplaudern, auspacken F; **2.** ⚠ Querholz *n b. Fachwerk*; Ramme *f*; **~lada** *f*, **~lazo** *m* Fall *m auf Seite od. Rücken*; **~learse** *v/r. Chi.* auf den Rücken fallen; *fig.* enttäuscht werden; **~lero** *m Andal.* Dienstmann *m*; Träger *m bsd. der → pasos in der Karwoche.*

costa|na *f* abschüssige Straße *f*; **~nera** *f* Steigung *f*, Hang *m*; ⚠ *~s f/pl.* Dachsparren *m/pl.*; **~nero** *adj.* **1.** abschüssig, steil; **2.** Küsten...

costar [1m] *vt/i.* kosten; *fig.* schwerfallen; *~ caro* teuer sein; *fig.* teuer zu stehen kommen (j-n *a alg.*); *no cuesta nada* es kostet nichts; *fig.* es ist kinderleicht; *cueste lo que cueste* koste es, was es wolle; um jeden Preis; *~ mucho trabajo* viel Mühe (*od.* Arbeit) machen; *fig. ~ la cabeza (od. la vida)* den Kopf kosten (j-n *a alg.*); *me cuesta creerlo* ich kann es kaum glauben; *me cuesta (abs. od. + inf.)* es fällt mir schwer (, zu + *inf.*); *lo cuesta, pero no lo vale* das ist viel zu teuer, das ist s-n Preis nicht wert.

costarri|cense *adj.-su. c*, **~queño** *adj.-su.* aus Costa Rica; **~queñismo** *m* in Costa Rica gebräuchlicher Ausdruck *m.*

coste *m* Preis *m*; Wert *m*; Kosten *pl.* (*Kalkulation*); *a bajo* (*a gran*) ~ mit geringem (mit großem) (Kosten-)Aufwand; F *a ~ y costas* zum reinen Selbstkostenpreis (abstoßen ceder); ~ *de entretenimiento* (*de mantenimiento*) Wartungs- (Unterhaltungs-)kosten *pl.*; ~ *de producción* Produktions-, Gestehungskosten *pl.*; ~ *de* (*la*) *vida* Lebenshaltungskosten *pl.*; *a precio de* ~ zum Selbstkostenpreis; → *a. costo, gasto*; **~ar**[1] **I.** *v/t.* **1.** bezahlen, die Kosten bestreiten von (*dat.*); ~ *los estudios a alg.* j-m das Studium bezahlen, j-n studieren lassen; **2.** *Rpl. Vieh* auf der Weide eingewöhnen; **II.** *v/r.* ~*se* **3.** (*a. v/i.*) *la producción no* (*se*) *costea* die Erzeugung deckt die Kosten nicht; **4.** *Pe.* s. über j-n lustig machen.

costear[2] ⚓ *vt/i.* ~ (*la isla*) an der Küste (an der Insel) entlang-fahren *bzw.* -segeln.

costeleta *f Rpl.* → *costilla, chuleta.*

costeño *adj.* Küsten...

coste|ra *f* **1.** Seite *f e-r Kiste u. ä.*; Decklage *f b. e-m Papierstoß*; **2.** Abhang *m*; **3.** Küste *f*; **4.** ⚓ Fangzeit *f* (*bsd. Seelachs*); **~ro** **I.** *adj.* **1.** Küsten...; **II.** *m* **2.** Küsten-bewohner *n*; -fahrzeug *n*; **3.** Schwarte *f b. der Holzverarbeitung*; **4.** Seitenwand *f e-s Hochofens*; ⚒ Verschalung *f*; **~zuela** *f dim. zu cuesta.*

costi|l *adj. c* Rippen...; **~lla** *f* **1.** *Anat.* Rippe *f*; ~ *falsa* (*verdadera*) falsche (wahre) Rippe *f*; *fig.* F *mi* (*cara*) ~ m-e bessere Hälfte F; *dar de ~s* auf den Rücken fallen; F *medirle* (*od. pasearle*) *a uno las ~s* j-n verprügeln, j-n vertrimmen F; **2.** *Kchk.* ~ *de cerdo* Schweinsrippchen *n*; **3.** ⊕ Rippe *f* (*a.* ⚓); Querlatte *f*; Daube *f*; ✈ ~ *de ala* Flügelrippe *f*, Flugzeugspant *n*; **~llaje** *m* **1.** Rippen *f/pl.* (*a.* ⊕); **2.** → **~llar** *m* Rippenteil *m* des Körpers; F Brustkasten *m*; **~lludo** F *adj.* breitschultrig.

costo[1] ⚘ *m* Kost-wurz *f*, -kraut *n.*

costo[2] *m* (*bsd.* ✝, *oft ~s m/pl.*) Kosten *pl.*; Preis *m*; *~s fijos* (*variables*) feste *od.* fixe (variable) Kosten *pl.*; *de modesto* ~ für wenig Geld, billig; *a ~ y costa*(*s*) → *a coste y costas*; **~so** *adj.* **1.** kostspielig, teuer; **2.** mühsam.

costra *f* **1.** Kruste *f*, Rinde *f*; ⚕ (Wund-)Schorf *m*; ⊕ ~ *de hierro* Hammerschlag *m*, Zunder *m*; ~ *de pan* Brot-kruste *f*, -rinde *f*; ⚕ ~ *láctea* Milchschorf *m*; **2.** (Licht-)Schnuppe *f*; **~da** *f e-e süße* Pastete *f*, Krustade *f.*

costroso *adj.* krustig; schorfig; verkrustet.

costum|bre *f* **1.** Gewohnheit *f*; Sitte *f*, Brauch *m*; Gewöhnung *f*; *fuerza f de la ~* Macht *f* der Gewohnheit; *mala ~* schlechte Angewohnheit *f*, Unsitte *f*; *novela de ~s* Sittenroman *m*; *de ~* gewöhnlich; gewohnheitsmäßig; *como de ~* wie üblich, wie immer; *según ~* üblicherweise; *según la ~ local* ortsüblich; ser ~ üblich sein; *tener* (*la*) *~ de, tener por ~* gewohnt sein, zu + *inf.*, *zu tun* pflegen; *tomar la ~ de* die Gewohnheit annehmen, zu + *inf.*; *todo se arregla con la ~* man gewöhnt s. an alles; **2.** ⚖ Gewohnheitsrecht *n*; **3.** ⚕ Regel *f*, Menstruation *f*; **~brismo** *Lit. m* Sittenschilderung *f* (*lit. Gattung bzw. Richtung*); **~brista** *Lit. adj.-su. c* Sitten...; *m* Sitten-, Milieuschilderer *m.*

costu|ra *f* **1.** Naht *f*; Nähen *n*; Näharbeit *f*; *alta ~* feine Damenmoden *f/pl.*; *cesto m de ~* Nähkörbchen *n*; *fig. meter en ~ a alg.* j-n zur Vernunft bringen; *fig.* F *sentar las ~s a alg.* j-n verprügeln; *la ~ se ha roto* die Naht ist geplatzt; **2.** ⊕ Naht *f*; Fuge *f*; *a.* ⚓ (Zs.-)Spleißung *f*; ~ (*de soldadura*) Schweißnaht *f*; ~ *plegada* Falznaht *f*; **~rajo** *m Méj.* → *costurón* 1; **~rera** *f* Näherin *f*, Schneiderin *f*; **~rería** *f* *Rpl.* Schneiderei *f*; **~rero** *m* Nähtisch *m*; -kasten *m*; **~rón** *m* **1.** grobe Naht *f*; schlecht Genähte(s) *n*; **2.** F Schmarre *f*, Narbe *f.*

cota[1] *f* **1.** ~ (*de mallas*) Panzerhemd *n*; **2.** *Jgdw.* Schwarte *f des Wildschweins.*

cota[2] *f* Höhenzahl *f auf Landkarten*; ⚔ Höhe *f*; ⊕ Maß(angabe *f*) *n* (*Zeichnung*).

cotana *Zim. f* **1.** Zapfenloch *n*; **2.** Lochmeißel *m.*

cotangente ⟀ *f* Kotangens *m.*

cotar *v/t.* mit Höhenzahlen versehen.

cota|rra *f* Seitenwand *f*, Abstieg *m e-r Schlucht*; **~rrera** *f* gemeines Weibsstück *n*; □ Dirne *f*; **~rro** *m* **1.** → *cotarra*; **2.** † Nachtasyl *n*, Obdachlosenheim *n*; P Clique *f*, Blase *f* F; *fig.* F *alborotar el ~* das Fest stören, Krach anfangen; *andar de ~ en ~* die Zeit (mit Besuchen) vertrödeln; F *ser el amo del ~ od. dirigir el ~* die erste Geige spielen (*fig.*).

cote ⚓ *m* Schlag *m*, Stek *m* (*Tauschlinge*); **~jar** *v/t.* vergleichen, gg.-überstellen; **~jo** *m* Vergleich *m*, Gg.-überstellung *f.*

coterráneo *adj.-su.* Landsmann *m.*

cotí *m* Drillich *m.*

cotidiano *adj.* täglich.

cotila *f od.* **cótila** *f* ⚕ (*oft a. cotilo m*) Gelenkpfanne *f.*

cotiledón *Biol. m* Kotyledone *f.*

coti|lla **I.** *f* Schnürbrust *f*; **II.** *c* F Klatschmaul *n*, Klatsche *f* F; **~llear** *v/i.* klatschen, tratschen; **~lleo** *m* Klatschen *n*; **~llero** *adj.-su.* klatschhaft; **~llón** *m* Kotillon *m* (*Tanz*).

cotín *m* **1.** schräges Zurückschlagen *n des Balls beim Pelotaspiel*; **2.** *Am.* → *cotí.*

cotinga *Vo. f Am. Mer.* Schmuckamsel *f.*

cotiza[1] ▨ *f* schmales Band *n.*

cotiza[2] *f Ven.* Hanf-, Bauern-schuh *m*; *fig. ponerse las ~s* sein Heil in der Flucht suchen.

cotiza|ble ✝ *adj. c* notierbar; ~ *y negociable en* (*la*) *Bolsa* börsenfähig; **~ción** *f* **1.** ✝ Kurs *m*, (Börsen-)Notierung *f*; *~ones f/pl. oficiales en Bolsa* amtliche Börsennotierungen *f/pl.*; *~ones de valores* Effektenkurse *m/pl.*; ~ *bursátil* (*ofrecida*) Börsen- (Brief-)kurs *m*; ~ *extraoficial* freie Notierung *f*; ~ *de última hora* Schlußnotierung *f*; **2.** Einstufung *f für die Zahlung v. Beiträgen*; **~r** [1f] **I.** *v/t.* **1.** *Kurs* notieren; *Preis* angeben; **2.** *Geld* zs.-legen; **II.** *v/i.* **3.** s-n Beitrag zahlen; **III.** *v/r.* ~*se* **4.** an der Börse notiert werden (mit *dat. a*); *a. fig.* gut (*od.* hoch) im Kurs stehen; geschätzt werden.

coto[1] *m* **1.** umfriedetes Grundstück *n*; ~ (*de caza*) Jagd(revier *n*) *f*; ⚒ ~ *minero* Revier *n*; ~ *redondo* Großgrundbesitz *m*; *fig.* ~ *cerrado* exklusive Gesellschaft *f*, Clique *f*, Clan *m*; *fig. esto es ~ cerrado de García* komm bloß G. nicht ins Gehege; **2.** Grenz-stein *m*; -linie *f*; *poner ~ a e-r Sache* Einhalt tun (*od.* Schranken setzen).

coto[2] *Fi. m* Stachelfisch *m.*

coto[3] *Ke. m Am. Mer.* Kropf *m.*

cotón *m* Kattun *m* (*Baumwollstoff*); *Chi., Pe.* Bauernhemd *n*; *Ven.* Weste *f.*

coto|na *f Chi., Salv.* Kittel *m*; *Méj.* Arbeitshemd *n*; Wildlederrock *m*; **~nada** *f* Kattunstoff *m*; **~nía** *f Art weißer* Baumwollzwilch *m.*

coto|rra *f* **1.** *Vo.* **a**) grüner Mönchssittich *m*; **b**) Wellensittich *m*; **c**) Elster *f*; **2.** *fig.* F Schwätzerin *f*; *habla más que una ~* sie schwatzt unaufhörlich, sie hat e-e Revolverschnauze F; **~rrear** *v/i.* schwatzen, schnattern; **~rreo** *m* Schwatzen *n*, Geschwätz *n*, Geschnatter *n*; **~rrera** *f* → *cotorra* 2; **~rrón** *adj.* (noch) den Jugendlichen spielend.

cotudo *adj.* **1.** dicht behaart; **2.** *Am. Mer.* kropfig.

cotufa *f* ⚘ Erd-birne *f*, -artischocke *f*; *fig.* Leckerbissen *m*; *~s f/pl.* geröstete Maiskörner *n/pl.*; *fig. pedir ~s* (*en el golfo*) Unmögliches verlangen.

coturno *m* Kothurn *m*; *fig. de alto ~* vornehm; hochtrabend; *fig. calzar el ~* schwülstig reden.

cotutela ⚖ *f* Mitvormundschaft *f.*

cova|cha *f* **1.** (*mst. desp.*) Höhle *f* (*a. fig.*); *Ec.* Gemischtwarenladen *m*; *Pe., Rpl.* Rumpelkammer *f*; **~chuela** F *f* Amt *n*, Büro *n*; **~chuelista** *c*, **~chuelo** *m* Bürokrat *m*, Federfuchser *m.*

cox|al *adj. c* Hüft...; **~algia** ⚕ *f* Koxalgie *f*; **~álgico** *adj.* hüftleidend; Koxalgie...

coxcoji|lla, ~ta *f* Hüpfspiel *n der* Kinder.

coxi|s *Anat. m* (*pl. inv.*) Steißbein *n*; **~tis** ⚕ *f* (*pl. inv.*) Koxitis *f*, Hüftgelenkentzündung *f.*

coy ⚓ *m* Hängematte *f.*

coya *hist. f* Königin *f im Inkareich.*

coyote *m* Kojote *m*; **~o** *m Méj.* Straßen-, Schleich-, Gelegenheitshandel *m*; **~ro** *adj.-su. m* zur Kojotenjagd abgerichtet(er Hund *m*).

coyunda *f* Jochriemen *m*; *fig.* F *la* (*santa*) ~ das (heilige) Joch der Ehe.

coyuntura *f* **1.** *Anat.* (bewegliches) Gelenk *n*; **2.** ✝ Konjunktur *f*; *a. fig.* günstige Gelegenheit *f.*

coyuyo *m Arg.* Heuschrecke *f.*

coz *f* (*pl.* coces) **1.** Ausschlagen *n* (*Reittier*); Fußtritt *m*; Rückstoß *m des Gewehrs*; *fig.* Grobheit *f*; *dar* (*od. tirar*) *coces* (hinten) ausschlagen; *fig. dar coces contra el aguijón* wider den Stachel löcken; *fig.* F *está dando coces* bei dem ist (heute) dicke Luft F; F *soltar* (*od. tirar*) *la* ~ grob werden; *mandar a coces* barsch u. herrisch sein; **2.** ⚓ ~ *del timón* Hacke *f* des Ruders.

crabrón *Ent. m* Grabwespe *f*.

cra-cra *onom. m* Gekrächz *n*.

crac I. *int.* ¡~! knacks, krach; **II.** *a. crack* P Bankrott *m*; Bankkrach *m*.

cracovia|na *f* Krakowiak *m* (*Tanz*); **~no** *adj.-su.* aus Krakau.

cran *Typ. m* Signatur *f e-r Letter*.

craneal *Anat. adj. c* Schädel...; *bóveda f* ~ Schädeldach *n*.

cráneo *m* Schädel *m*; Hirnschale *f*.

craneo|logía *f* Kraniologie *f*; **~lógico** *adj.* kraniologisch; **~metría** *f* Schädelmessung *f*, Kraniometrie *f*; **~scopia** *f* Kranioskopie *f*, Schädelkunde *f*; **~tomía** *f* Kraniotomie *f*, Schädelschnitt *m*.

crápula *f* Ausschweifung *f*, Völlerei *f*; *darse a la* ~ ein Luderleben führen.

crapuloso *adj.* liederlich, verbummelt; *vida f* ~*a* → *crápula*. [send.]

crasamente *adv.* gröblich unwis-

crascitar *v/i.* krächzen (*Rabe*).

crasis *Gram. f* Krasis *f*, Kontraktion *f*.

cra|situd *f* **1.** Fettleibigkeit *f*; **2.** Kraßheit *f*; **~so** *adj.* **1.** fett, dick; plump; **2.** kraß (*Unwissenheit*), grob (*Irrtum*).

crásula ⚘ *f* Fett-henne *f*, -kraut *n*.

cráte|r *m* Krater *m*; Trichter *m*; **~ra** *Arch. f* Krater *m*, Krug *m*.

crawl *Sp.*: *estilo m* ~ Kraulstil *m*.

craza ⊕ *f* Schmelztiegel *m*; **~da** *f* geläutertes Silber *n*.

crea|ción *f* **1.** Erschaffung *f*, Schöpfung *f*; ~ *del mundo* Erschaffung *f* der Welt; **2.** Schaffung *f*, Herstellung *f*; Errichtung *f*; Gründung *f*; Werk *n*; ~ *de créditos* (*de dinero*) Kredit- (Geld-)schöpfung *f*; *última* ~ *de la moda* neueste Modeschöpfung *f*; **3.** Welt(all *n*) *f*; **~dor I.** *adj.* schöpferisch; **II.** *m el* ♀ der Schöpfer *m* (= *Gott*); ~ *de una obra* Schöpfer *m* (*od.* Urheber) e-s Werks; **~r I.** *v/t.* **1.** (er)schaffen; **2.** errichten, schaffen, gründen; kreieren; *Geld* schöpfen; *Rechte* schaffen; ~ *escándalos* e-n Skandal heraufbeschwören; *X fue* ~*ado cardenal* X wurde zum Kardinal erhoben; *Thea.* ~ *un papel* e-e Rolle schaffen (*bsd.* als erster u. in besonderer Weise gestalten); **II.** *v/r.* ~*se* **3.** *fig.* s. *et.* vorstellen, s. *et.* ausdenken; ~*se ilusiones* s. Illusionen machen; **~tina** ⚗ *f* Kreatin *n*; **~tivo** *adj.* schöpferisch.

crece|dero *adj.* **1.** (noch) im Wachstum begriffen; **2.** zum Hineinwachsen (*Kinderkleider*); **~r** [2d] **I.** *v/i.* wachsen, größer (*od.* stärker) werden, zunehmen (*a. Mond*); s. vermehren; steigen (*Fluß*, *Flut*, ☤ *Nachfrage*); länger werden (*Tage*); ~ *en conocimientos y experiencias* an Kenntnissen u. Erfahrungen reicher werden; **II.** *v/r.* ~*se fig.* wachsen; s. aufrichten; an Bedeutung zunehmen; *bsd. Am.* frech werden; **~s** *f/pl.* Zugabe *f* (*bsd. b. Nähten an Kleidern*); *fig. adv. con* ~ reichlich, mit Zinseszinsen (*fig.*); *pagar con* ~ doppelt vergelten (*bzw.* heimzahlen).

creci|da *f* Hochwasser *n*; Überschwemmung *f*; **~damente** *adv.* in erhöhtem Ausmaß, reichlich; **~do I.** *adj.* erwachsen; groß; ansehnlich; zahlreich; **II.** ~*s m/pl.* Zunehmen *n*, Zugabe *f der Maschen beim Stricken*; **~ente I.** *adj. c* wachsend *usw.* → *crecer*; *estar en* ~ zunehmen (*Mond*); **II.** *f* Anschwellen *n e-s Gewässers*; Mondsichel *f*; **III.** *m* ▨ Halbmond *m*; **~miento** *m* Anwachsen *n*; Wachstum *n*; Zunahme *f*; ☤ Zuwachs *m*.

credencia *f* **1.** *hist.* Kredenz *f für die kgl. Getränke*; **2.** *kath.* Mensula *f*, Altartischchen *n*; **~l I.** *adj. c* beglaubigend; **II.** *f* Ernennungsurkunde *f*; *Dipl.* (*cartas*) ~*es f/pl.* Beglaubigungsschreiben *n* (überreichen *presentar*).

credi|bilidad *f* Glaubwürdigkeit *f*; **~ticio** ☤ *adj.* Kredit...

crédito *m* **1.** ☤ Kredit *m*; Akkreditiv *n*; (Schuld-)Forderung *f*; Kreditwesen *n*; *a* ~ auf Kredit ([*ver-*] *kaufen*); ~ *abierto* offener Kredit *m*; ~ *agrícola*, ~ *rural* Agrarkredit *m*; ~ *bancario* (*en blanco*) Bank- (Blanko-)kredit *m*; ~ *documentario* (Dokumenten-)Akkreditiv *n*; ~*s dudosos*, ~*s de cobro dudoso* Dubiosa *pl.*; ~ *para fines de construcción* (*para fines de desarrollo*) Bau- (Entwicklungs-)kredit *m*; ~ (*in-*) *mobiliario* (Im-)Mobiliarkredit *m*; ~ *territorial* Bodenkredit *m*; *banco m de* ~ *inmobiliario* (*bzw. agrícola od. territorial*) Bodenkreditbank *f*; *digno de* ~ kreditwürdig; *fig.* → 2; *conceder* (*un*) ~ *a alg.* j-m (e-n) Kredit gewähren; *facilitación f de un* ~ Kreditbereitstellung *f*; *tomar un* ~ e-n Kredit aufnehmen; **2.** Ansehen *n*, Ruf *m*; Kreditwürdigkeit *f*; Glauben *m*, Vertrauen *n*; (*digno*) *de* ~ glaubwürdig; vertrauenswürdig; *dar* ~ *a* **a)** Glauben schenken (*dat.*); **b)** Ansehen verleihen (*dat.*); *no poder dar* ~ *a sus oídos* s-n Ohren nicht trauen; *sentar* (*od. tener sentado*) *el* ~ in gutem Rufe stehen, großes Ansehen haben.

credo *m Rel. u. fig.* Kredo *n*, Glaubensbekenntnis *n*; *fig. en un* ~ im Nu.

credulidad *f* Leichtgläubigkeit *f*.

crédulo *adj.* leichtgläubig.

creede|ras F *f/pl.*: *tener buenas* ~ alles glauben, alles schlucken F; **~ro** *adj.* glaubhaft, wahrscheinlich.

cre|encia *f* Glaube *m*, Glaubensüberzeugung *f*; Religion *f*, Glaube *m*; ~ *popular* Volksglaube *m*; *falsa* ~ Irrglauben *m*; **~er** [2e] **I.** *v/t.* **1.** glauben; meinen, annehmen; ~ *a/c.* et. glauben; ~*le a uno* j-m glauben; *creérselo* es ihm glauben; *le creímos en Madrid* wir glaubten, er sei in Madrid; ~ *las palabras* den Worten glauben (*od.* Glauben schenken), die Worte für wahr halten; ~*le a uno por* (*od. sobre*) *su palabra* j-m aufs Wort glauben; ~ *punto por punto od.* ~ *como evangelio* aufs Wort (*od.* wörtlich) glauben; *creo que sí* (*que no*) ich glaube, ja (nein); *hacer* ~ *a uno a/c.* j-m et. weismachen, j-m et. einreden; *¡quién iba a* ~*lo!* wer hätte das gedacht!; *¡ya lo creo!* das will ich meinen; *si no lo veo, no lo creo* erstaunlich!; man sollte es nicht für möglich halten; **2.** halten für (*adj. od. ac.*); ~ *conveniente* + *inf.* es für angebracht halten, zu + *inf.*; ~*le a uno capaz de todo* (*bzw. de hacerlo*) j-n zu allem fähig halten (*bzw.* j-n für fähig halten, es zu tun); *¿le crees tan tonto?* hältst du ihn für so dumm?, ist er (denn) so blöd? P; **II.** *v/i.* **3.** *abs. a. Rel.* glauben; ~ *de ligero* leichtgläubig sein; ~ *en a/c.* (*en alg.*) an et. (*ac.*) (an j-n) glauben; *no* ~ *ni en la propia sombra* sehr mißtrauisch sein; **III.** *v/r.* ~*se* **4.** *mehr* F ~*se a/c.* et. (leichthin) glauben; s. et. einbilden; ~*se en el caso de* glauben, *et. tun* zu müssen; ~*se algo* s. wichtig tun, s. für et. Besonderes halten, angeben F; *¿qué se ha creído?* was fällt Ihnen ein?; *que te crees tú es(t)o* das bildest du dir (bloß) ein; *se lo tiene muy creído* das (*Erfolg, Titel*) ist ihm zu Kopf gestiegen.

creí|ble *adj. c* glaubhaft, zu glauben; **~do I.** *part.* geglaubt; **II.** *adj.*: *ser muy* ~ sehr arrogant sein.

crema[1] *f* **1.** Sahne *f*, Rahm *m*; **2.** *Kchk.* Creme *f*, Krem *f*; *tarta f de* ~ Kremtorte *f*; **3.** ~ *de café* (*de cacao*) Mokka- (Kakao-)likör *m*; **4.** Creme *f*, Krem *f*, *m*; ~ *de afeitar* (*de noche*) Rasier- (Nacht-)creme *f*; ~ *limpiadora* Reinigungscreme *f*; **5.** *fig.* Blüte *f*, Beste(s) *n*; *la* ~ *de la sociedad* die Spitzen *f/pl.* der Gesellschaft, die Hautevolée *f* F; **6.** Cremefarbe *f*.

crema[2] *Gram. f* Trema *n*, Trennpunkte *m/pl.* [erbestattung *f*.]

cremación *f* Verbrennung *f*; Feu-

cremallera I. *f* ⊕ Zahnstange *f*; (*cierre m de*) ~ Reißverschluß *m*; **II.** *m* (*ferrocarril m de*) ~ Zahnradbahn *f*.

crematísti|ca † *f* Volkswirtschaftslehre *f*; **~co** † *adj.* Volkswirtschafts...

crematorio *m* Krematorium *n*; (*horno m*) ~ Verbrennungsofen *m*.

crémor *pharm. m*: ~ *tártaro* Weinstein(säure *f*) *m*.

cremoso *adj.* sahnig; cremeartig, kremig; salbenartig. [*n*.]

crencha *f* Scheitel *m*; Scheitelhaar

creosota ⚗ *f* Kreosot *n*.

crep(é) *m tex.* Krepp *m*; *nur crepé* **a)** falsches Haar *n*; **b)** *gal. Kchk.* Eier-, Pfann-kuchen *m*.

crepita|ción *f* Prasseln *n*, Knistern *n*, Knattern *n* (*Feuer, Flammen*); ⚕ Rasseln *n*, Rasselgeräusch *n* (*Atem*); Knochenreiben *n* (*b. Brüchen*); **~nte** *adj. c* prasselnd, knisternd; **~r** *v/i.* prasseln, knistern, knattern; sprühen; ⚕ rasseln (*Atem*); knistern (*Knochenbruch*).

crepuscular *adj. c* dämmerig; Dämmerungs...; *luz f* ~ Dämmerlicht *n*.

crepúsculo *m* **1.** (*bsd.* Abend-) Dämmerung *f*; ~ *matutino* (*vesper-*

tino) Morgen- (Abend-)dämmerung *f*; **2.** *fig.* Unter-, Nieder-gang *m*, Ende *n*; ♀ *de los Dioses* Götterdämmerung *f* (*Wagner-Oper*).
cresa *f* Made *f*; *lleno de* ~*s* madig.
crescendo ♪ *adv.-su. m* Crescendo *n*.
creso *m* steinreicher Mann *m*, Krösus *m*.
cres|po I. *adj.* **1.** kraus (*Haar, Blatt*); *uva f* ~*a* Stachelbeere *f*; **2.** verschnörkelt, dunkel (*Stil u.ä.*); **3.** *fig.* aufgeregt, gereizt; **II.** *m* **4.** Kraushaar *n*; Locke *f*; **~pón** *m tex.* Krepp *m*, Flor *m*; ~ *de luto* Trauerflor *m*; *papel m* ~ Krepppapier *n*; **~ponar** ⊕, *tex. v/t.* kreppen, krausen; *papel m* ~*ado* Krepppapier *n*.
cres|ta *f* **1.** Kamm *m des Hahns*; *fig.* Hochmut *m*; *alza* (*od. levanta*) *la* ~ ihm schwillt der Kamm, er wird hochmütig; *cortar* (*od. rebajar*) *la* ~ *a alg.* j-n demütigen, j-m e-n Dämpfer aufsetzen; **2.** Bergkamm *m*; *Vkw.* Kuppe *f*; **3.** ⚓ ~ *de una ola* Wellenberg *m*, Wogenkamm *m*; *Phys.* ~ *de* (*la*) *onda* Wellenberg *m*; *Phys.* ~ *luminosa* Lichtbündel *n*; **4.** *fort.* Glaciskrone *f*; **5.** ⚘ ~ *de gallo* **a)** Hahnenkamm *m*; **b)** Ackersiegwurz *f*; **~tado** *adj.* mit Kamm, Krone *od.* Haube versehen (*bsd. Vo.*); **~tería** *f* **1.** ⚠ Zackensims *n*; Schnörkelwerk *n*, *bsd.* ~ (*anglogótica*) Tudorblatt *n*; **2.** *hist. fort.* Zinnen *f/pl.*
crestomatía 📖 *f* Chrestomathie *f*.
cres|tón I. *m* Helmstutz *m*; ⚓ *über das Wasser ragender* Klippenkamm *m*; **II.** *adj. Col.* → *enamoradizo*; *Méj.* dumm, blöd; **~tudo** *adj.* mit (großem) Kamm; *fig.* stolz, eingebildet.
cre|ta *f Geol.*, 📖 Kreide *f*; ⊕ ~ *lavada*, ~ *de Bolonia*, ⚗ ~ *precipitada* Schlämmkreide *f*; **~táceo** *Geol. adj.-su.* Kreide...; *m* Kreidezeit *f*.
cretense *adj.-su. c* aus Kreta; *m* Kreter *m*.
creti|nismo ⚕ *m* Kretinismus *m*, angeborener Schwachsinn *m*; **~no** *adj.-su.* zwergwüchsig u. kröpfig; *m* Kretin *m* (*a. fig.*), Schwachsinnige(r) *m*; F Trottel *m*.
cretona *tex. f* Kretonne *f, m*.
creyente *adj.-su. c* gläubig; *m* Gläubige(r) *m* (*Rel.*).
cri *onom.*: *hacer* ~-~ zirpen (*Grillen*).
cría *f* **1.** Fortpflanzung *f*; Laichen *n der Fische*; **2.** Zucht *f*, Aufzucht *f*; Züchtung *f*; ~ *de gusanos de seda* (*de caballos*) Seidenraupen- (Pferde-)zucht *f*; ~ *pura* Reinzüchtung *f*; *caballo m* (*ganado m*) *de* ~ Zuchtpferd *n* (-vieh *n*); **3.** Säugling *m*; (Tier-)Junge(s) *n*; Brut *f* (*Fische, Reptilien, Vögel u. fig.*); Wurf *m* (*Säugetiere*); Satz *m* (*Hasen, Fische*).
cria|da *f* Dienstmädchen *n*, Hausgehilfin *f*; ✓, *lit. u. fig.* Magd *f*; *fig.* F *salirle a uno la* ~ *respondona* schief (*od.* daneben) gegangen sein F; s. blamieren; **~dero I.** *adj.* **1.** fruchtbar; **II.** *m* **2.** Zucht *f*, Züchterei *f*; Pflanzschule *f*; ~ *de pollos* Kükengehege *n*; ~ *de ostras* Austernzucht *f*; **3.** ⚒ Erz-gang *m*, -lager *n*; ~ *de oro* Goldfundort *m*; *Min.* ~ *sedimentario* Trümmerlagerstätte *f*; **4.** *fig.* Brutstätte *f*; **~dilla** *f* **1.** *Kchk.* (Gericht *n* aus) Hoden *m(f)/pl. od.* Kurzwildbret *n*; **2.** ⚘ ~ (*de tierra*) Trüffel *f*; → *a. trufa*; **~do I.** *adj.*: *bien* ~ wohlerzogen; *mal* ~ ungezogen; **II.** *m* Diener *m*; ✓ Knecht *m*; ~*s m/pl.* Dienerschaft *f*, ✓ Gesinde *n*; **~dor I.** *adj.* fruchtbar, ergiebig; ~ *de cereales* getreidereich (*Land*); **II.** *m* Züchter *m*; *el* ♀ der Schöpfer *m* (= *Gott*); **~miento** *m* Pflege *f*, Erhaltung *f*; Erneuerung *f*, Verjüngung *f*; **~ndera** *f Am.* (Säug-)Amme *f*; **~nza** *f* **1.** Stillen *n*, Stillgeschäft *n*; **2.** Aufzucht *f*; *buena* (*mala*) ~ gute (schlechte) Erziehung *f*; **3.** ✓ *Chi.* Zucht *f*; **~r** [1c] **I.** *v/t.* **1.** züchten, *a. Kinder* aufziehen; **2.** säugen (*a. Tiere*), stillen; *le cría la madre* s-e Mutter nährt ihn selbst; **3.** erzeugen, (er)schaffen; hervorbringen; ~ *trigo* Weizen tragen; **4.** *Haare, Federn usw.* bekommen; **5.** *Wein* pflegen, nachbehandeln (*nach der Gärung*); **6.** hervorrufen, Anlaß geben zu (*dat.*); **II.** *v/i.* **7.** Junge bekommen; *los conejos crían a menudo* die Kaninchen sind sehr fruchtbar; **III.** *v/r.* ~*se* **8.** ~*se* (*bien*) gedeihen; **9.** aufwachsen; ~*se juntos* mitea. aufwachsen; **~tura** *f* **1.** Kreatur *f*, Geschöpf *n* (*a. fig.*); Wesen *n*; **2.** Kind *n*, Säugling *m* F; F *ser una* ~ **a)** kindisch sein; **b)** noch ein Kind (*od.* zu jung *für et.*) sein; *¡*~*!* du Kind(skopf)!
criba *f* Grob-, Schrot-sieb *n*; ⚒ Setzkasten *m*; ⊕ ~ *de tambor* Trommelsieb *n*, Siebtrommel *f*; *fig. estar hecho una* ~ wie ein Sieb durchlöchert sein; F *pasar por la* ~ genau überprüfen, (aus)sieben (*fig.*); **~do** *m* (Durch-)Sieben *n*; **~dor** *m* Sieber *m*; **~dora** *f* Siebmaschine *f*; **~r** *v/t.* sieben; ⊕ *a.* sichten, aus-, durchsieben.
Cribas: F *euph.* *¡*(*voto a*) ~*!* bei Gott!
cric ⚓, ⊕ *m* (Schrauben-)Winde *f*; *Kfz.* Wagenheber *m*.
crica *f* **1.** Schlitz *m*, Ritze *f*; *sid.* Glühspan *m*; **2.** P weibliche Scham *f*, Schlitz *m* P.
¡cric, crac! *onom.* knacks!, krach!, krick, krack!
cricket *Sp. m* Kricket *n*.
cricoides *Anat. m* Ringknorpel *m*.
crimen *m* Verbrechen *n*; *a. fig.* Frevel *m*, Greuel *m*, Missetat *f*; ~ *de guerra* Kriegsverbrechen *n*; ~ *de lesa humanidad*, ~ *contra la humanidad* Verbrechen *n* gg. die Menschlichkeit; ~ *de lesa majestad* Majestätsbeleidigung *f*.
crimina|ción *f* Beschuldigung *f*, Bezichtigung *f*; **~l I.** *adj. c* **1.** verbrecherisch, kriminell; strafbar; **2.** Kriminal..., Straf...; *brigada f* ~ Kriminalpolizei *f*; *sala f de lo* ~ Straf-kammer *f*, -senat *m*; **II.** *m* **3.** Verbrecher *m*; **~lidad** *f* Strafbarkeit *f*; Verbrechertum *n*; Kriminalität *f*; ~ *juvenil f* Jugendkriminalität *f*; **~lista** *c* Kriminalist *m*; Strafrechtler *m*; **~lística** *f* Kriminalistik *f*; **~lístico** *adj.* kriminalistisch.
crimi|nalmente *adv.* kriminell, verbrecherisch; **~nar** *v/t.* beschuldigen; **~nología** *f* Kriminologie *f*; **~nólogo** *m* Kriminologe *m*; **~nológico** *adj.* kriminologisch, kriminalwissenschaftlich; **~noso** *adj.-su.* → *criminal*.
crin *f* Mähnen- *bzw.* Schwanz-haar *n*; ~*es f/pl.* Mähne *f*; ~ (*de caballo*) Roßhaar *n*; ~ *vegetal* Seegras *n*; *fig. asirse a las* ~*es* ängstlich auf s-n Vorteil bedacht sein.
crinolina *gal. f* Krinoline *f*.
crinudo *adj.* struppig.
crío F *m* Säugling *m*; *iron.* Kind *n*.
criolita *Min. f* Eisstein *m*, Kryolith *m*.
crio|llismo *m* Kreolentum *n*; **~llo** *adj.-su.* kreolisch; *Am.* einheimisch; *m* Kreole *m*; *Am.* Einheimische(r) *m*; *negro m* ~ in Amerika geborener Neger *m*.
crip|ta *f* Krypta *f*; Gruft *f*; Gruftkirche *f*; **~tógamas** *Biol. f/pl.* Kryptogamen *f/pl.*, Sporenpflanzen *f/pl.*; **~togamicida** ✓ *m* Pilzbekämpfungsmittel *n*; **~tógeno**, **~togenético** *Biol. adj.* kryptogen(etisch); **~tografía** *f* Geheimschrift *f*; **~tográfico** *adj.* geheimschriftlich; *lit.* Kryptogramm...; **~tograma** *m* Geheim-schrift *f*, -text *m*; *lit.* Kryptogramm *n*.
criquet *m* → *cricket*.
cris *m* Kris *m*, Malaiendolch *m*.
crisálida *Zo. f* Puppe *f*; *salir de la* ~ ausschlüpfen; *transformarse en* ~ s. ver-, ein-puppen.
crisantemo ⚘ *m* Chrysantheme *f*.
crisis *f* (*pl. inv.*) **1.** ⚕ Krise *f*, Krisis *f*, Wendepunkt *m*; akuter Anfall *m*; ~ *nerviosa* Nervenkrise *f*; **2.** *allg.* Krise *f*, Not *f*; Entscheidung *f*; Schwierigkeit *f*, Klemme *f* F; ~ *gubernamental*, *bsd. Am.* ~ *ministerial* Regierungs-, Kabinetts-krise *f*; ~ *económica* (*mundial*) (Welt-)Wirtschaftskrise *f*; ~ *social* soziale Krise *f*, Gesellschaftskrise *f*; *atravesar una* ~ e-e Krise durchmachen; *hacer* ~, *provocar una* ~ e-e Entscheidung erzwingen; **3.** ⚖ Urteil *n*.
cris|ma *m, f ecl.* Salböl *n*, Chrisma *m, n*; F *f* Kopf *m*; *romperse la* ~ s. den Hals brechen; **~mera** *ecl. f* Salbgefäß *n*; **~món** *ecl. m* Christusmonogramm *n*.
criso|berilo *Min. m* Chrysoberyll *m*; **~l** *m* Schmelztiegel *m*; Prüfstein *m* (*a. fig.*); *fig. pasar por* ~ e-r strengen Prüfung unterwerfen; **~lar** *v/t.* schmelzen, läutern; **~lito** *Min. m* Chrysolith *m*; **~mélidos** *Ent. m/pl.* Blatt-, Gold-käfer *m/pl.*; **~peya** † *f* Goldmacherkunst *f*; **~prasa** *Min. f* Chrysopras *m*.
crisóstomo *adj.* beredsam, redegewandt.
crispa|dura *f*, **~miento** *m* → *crispatura*; **~r I.** *v/t.* zs.-krampfen; kräuseln; *fig.* F in Wut bringen, auf die Nerven gehen (*dat.*); *hoja f* ~*ada* Krausblatt *n*, gekräuseltes Blatt *n*; *con el rostro* ~*ado por el dolor* mit schmerzverzerrtem Gesicht; **II.** *v/r.* ~*se* s. zs.-, ver-krampfen; **~tura** *f* Zs.-krampfen *n*.
crispir *v/t. Anstrich* marmorieren.
crista|l *m* **1.** *Min.*, *Geom.* Kristall *m*; ~ *de roca* Bergkristall *m*; **2.** Glas *n*; geschliffenes Glas *n*; Kristall *n*; (*Brillen-*, *Uhr-*, *Spiegel-*)Glas *n*; ~ *ahumado* Rauchglas *n*; ~ *de aumento* Vergrößerungsglas *n*; ~ *esmerilado* Mattscheibe *f*, blindes Glas *n*; *a.*

Phot. ~ *mate* Mattscheibe *f*; ~ *de seguridad* Sicherheitsglas *n*; ~ *de mesa de Bohemia* böhmisches Kristallgeschirr *n*; *fig. verlo todo con* ~ *ahumado* alles durch die schwarze Brille (an)sehen; **3.** *fig.* Fenster-(scheibe *f*) *n*; *fig.* Spiegel *m*; ~*es m/pl.* Verglasung *f*; **4.** *poet.* Wasser *n*; ~**lera** *f* Gläserschrank *m*; Glastür *f*; Käseglocke *f*; ~**lería** *f* **1.** Glas-hütte *f*, -fabrik *f*; **2.** Glas-, Kristall-waren *f/pl.*; Gläser *n/pl.*; Glasgegenstände *m/pl.*; ~**lino I.** *adj.* **1.** kristallinisch; **2.** kristall-, glasklar, durchsichtig; *voz f* ~*a* helle Stimme *f*; **II.** *m* **3.** *Anat.* Glaskörper *m des Auges*; ~**lizable** *adj. c* kristallisierbar; ~**lización** *f* Kristallisation *f*, Kristallbildung *f*; ~**lizar** [1f] **I.** *v/t.* kristallisieren; **II.** *v/i.* Kristalle bilden; *azúcar m* ~*ado* Kristallzucker *m*; ~**lografía** *f* Kristallographie *f*; ~**loide** *m* Kristalloid *n*; ~**loideo** *adj.* Kristalloid...

cristel *m* → *clister.*

cristia|namente *adv.* christlich; ~**nar** F *v/t.* taufen; *Am.* kirchlich trauen; ~**ndad** *f* Christentum *n*; Christenheit *f*; ~**nísimo** *hist. adj.* allerchristlichst (*König von Frankreich*); ~**nismo** *m* **1.** Christentum *n*; Christenheit *f*; **2.** Taufe *f*; ~**nización** *f* Christianisierung *f*; ~**nizar** [1f] *v/t.* christianisieren, zum Christentum bekehren; verchristlichen; ~**no I.** *adj.* christlich; F getauft (*Wein*); **II.** *m* Christ *m*; F Mensch *m*; ~ *nuevo* Neuchrist *m* (*bsd. hist.*); ~ *viejo* Altchrist *m* (*bsd. hist. wer weder maurische noch jüdische Vorfahren hatte*); *fig.* strenggläubiger Christ *m*; Konservative(r) *m*; *deber m de* ~ Christenpflicht *f*; *moros y* ~*s Art* Räuber u. Gendarmen (*Kinderspiel*); F *hablar en* ~ s. klar ausdrücken; Spanisch sprechen; *por aquí no pasa un* ~ hier kommt niemand durch.

cristiano-demócratas *Pol. m/pl.* Christ-Demokraten *m/pl.*

cristino *hist. adj.-su.* Anhänger *m* der Königinmutter Maria Christina (*19. Jh.*).

cristo *m* Kruzifix *n*; *kath.* ♀ *sacramentado* geweihte Hostie *f*; *antes* (*después*) *de* ♀ vor (nach) Christus; F *¡voto a* ♀*!* gerechter Himmel!; *como a un santo* ~ *un par de pistolas* wie die Faust aufs Auge, wie der Schlips zum Affen F; *donde* ♀ *dio las tres voces* wo s. die Füchse gute Nacht sagen; P *todo* ~ jeder(mann); *poner a alg. como un* ~ j-n erbärmlich (*od.* fürchterlich) zurichten; P *¡ojo al* ♀ *que es de barro!* Vorsicht!, aufpassen!

cristofué *Vo. m Ven.* Christusvogel *m.*

cristología *f* Christologie *f.*

crisuela *f* Öllampengefäß *n.*

criterio *m* **1.** Kriterium *n*, Wertmesser *m*; Gesichtspunkt *m*; Urteilsvermögen *n*; Urteil *n*; Meinung *f*; *lo dejo a su* ~ ich überlasse es (*od.* die Entscheidung) Ihnen; *según* ~ *médico* nach Vorschrift des Arztes; **2.** ⚖ Kennzeichen *n.*

crítica *f* **1.** Kritik *f*, Beurteilung *f*, wissenschaftliche Prüfung *f*; Besprechung *f*, (*Buch*) Rezension *f*; ~ *verbal*, ~ *de los textos* Textkritik *f*; **2.** Kritik *f*, Tadel *m*; Gerede *n*; *superior a toda* ~ über alle Kritik erhaben; *hacer la* ~ (*de*) (*et.*) kritisieren; **3.** Gesamtheit *f* der Kritiken, Kritik *f.*

criti|cable *adj. c* kritisierbar; tadelnswert; ~**cador** *m* Tadler *m*; ~**car** [1g] *v/t.* kritisieren; kritisch betrachten, beurteilen; *Buch* rezensieren; bemängeln, beanstanden, tadeln, kritisieren; ~**castro** *m* Krittler *m*, Mäkler *m*, Kritikaster *m* F; ~**cidad** *f* kritische Haltung *f*; ~**cismo** *m bsd. Phil.* Kritizismus *m.*

crítico I. *adj.* **1.** kritisch, streng urteilend; **2.** kritisch; gefährlich; entscheidend; krisenhaft; *edad f* ~*a* kritisches Alter *n*; *hora f* ~*a* entscheidender Augenblick *m*; **II.** *m* **3.** Kritiker *m*; ~ *de arte* (*de música*) Kunst- (Musik-)kritiker *m.*

criti|comanía *f* Tadelsucht *f*; ~**cón I.** *adj.* überkritisch, tadelsüchtig, nörglerisch; **II.** *m* Krittler *m*, Nörgler *m*, Meckerer *m* F; ~**quizar** [1f] *vt/i.* (be)kritteln *v/i.* (*v/t.*), nörgeln, meckern F.

crizneja *f* Flechte *f*, Zopf *m*; Seil *n aus Esparto u.ä.*

croar *v/i.* quaken; krächzen.

croata *adj.-su. c* kroatisch; *m* Kroate *m.*

crocante *m* Krokant *m.*

crocino *adj.* Safran...; Krokus...

crocitar *v/i.* krächzen (*Rabe*).

croco ⚘ *m* Krokus *m*; Safran *m*; ~**dilo** P *Zo. m* → *cocodrilo.*

croché *gal. m* Häkelarbeit *f*; *hacer* ~ häkeln.

croi(s)sant *gal. m* Hörnchen *n* (*Gebäck*).

crol *Angl. Sp. m* Kraulen *n.*

croma|do ⊕ *m* Verchromung *f*; ~**r** *v/t.* verchromen.

cromático *adj.* **1.** *Opt.* chromatisch; Farb...; **2.** ♪ chromatisch; *escala f* ~*a* chromatische Tonleiter *f.*

croma|tismo *m* ♪ Chromatik *f*; *Opt.* Farbzerstreuung *f von Linsen*, Chromatismus *m*; ~**to** ⚗ *m* Chromat *n.*

crómico ⚗ *adj.* Chrom...; *ácido m* ~ Chromsäure *f.*

cromita *Min. f* Chromeisenerz *n.*

cromo *m* **1.** ⚗ Chrom *n*; *acetato m de* ~ Chromazetat *n*; *papel m* ~ Chrompapier *n*; **2.** *Typ.* → *cromolitografía*; *fig.* (Heiligen-)Bild *n*; Sammelbild *n*; F kitschiges Bild *n*; F *ser un* ~ ein hübsches Gesicht haben; ~**fotografía** *f* Farb(en)-photographie *f*; ~**lito** *m* Chromolith *m*; ~**litografía** *f* Chromolithographie *f*, Farbensteindruck *m*; ~**litografiar** *v/t.* im Farbensteindruck herstellen.

cromosfera *Astr. f* Chromosphäre *f.*

cromosoma *Biol. m* Chromosom *n.*

cromoti|pia *f* Farben-, Bunt-druck *m* (*Ergebnis*); ~**pografía** *f* Farbendruck *m* (*Verfahren u. Ergebnis*).

crónica *f* Chronik *f*; Bericht *m in Zeitungen*; ~ *escandalosa* Skandalchronik *f*; ~ *literaria* Literaturbericht *m*; ~ *local* Lokale(s) *n*, lokale Nachrichten *f/pl. in Zeitungen*; ~ *de sucesos etwa*: aus dem Polizeibericht; ~ *de nuestro corresponsal* eigener Bericht *m*; ~**mente** *adv.* chronisch.

cronicidad ⚕ *f* Chronizität *f.*

crónico I. *adj.* chronisch, langwierig (⚕ *u. fig.*); **II.** *m* → *crónica.*

cronicón *m* kl. Chronik *f* (*bsd. des Ma.*).

cronista *c* Chronist *m*; Lokalredakteur *m*; F *Reg.* Maulheld *m.*

cronógrafo *m* Chronograph *m.*

crono|grama *m* Chronogramm *n*; ~**logía** *f* Chronologie *f*; Zeitfolge *f*; ~**lógico** *adj.* chronologisch, in zeitlicher Folge; ~**metraje** *m* Zeitmessung *f*, -nahme *f*; ~ *del trabajo* Arbeitszeitmessung *f*; ~**metrador** *m* Zeitnehmer *m* (*a. Sport*); ~**metrar** *v/t.* die Zeit abnehmen (*od.* stoppen); mit der Stoppuhr messen; ~**metría** *f* Chronometrie *f*, Zeitmessung *f*; ~**métrico** *adj.* chronometrisch.

cronómetro *m* Chronometer *n*, Zeitmesser *m*; Präzisionsuhr *f*; *Sp.* Stoppuhr *f.*

croquet *Sp. m* Krocket *n.*

croqueta *Kchk. f* Krokette *f*, Klößchen *n.*

croquis *m* Skizze *f*, Entwurf *m*; ⚔ Geländezeichnung *f*, Kroki *n.*

croscitar *v/i.* krächzen (*Rabe*).

crótalo *m* **1.** *Zo.* Klapperschlange *f*; **2.** *hist.* Rassel *f.*

crotón ⚘ *m* Krotonbaum *m*; *aceite m de* ~ Krotonöl *n.*

crotorar *v/i.* klappern (*Storch*).

croupier *frz. m* → *crupier.*

cruce *m* **1.** *Vkw.* Kreuzung *f*; Straßenübergang *m*; ~ *de* (*dos*) *calles* Straßenkreuzung *f*; 🚂 ~ *de vía* Bahnübergang *m*; *Kfz. luz f de* ~ Abblendlicht *n*; **2.** *Biol.* Kreuzung *f*; **3.** *Gram.* ~ *de palabras* Wortkreuzung *f*; ~**ra** *Equ. f* Widerrist *m*; ~**ría** △ *f* Kreuzverzierungen *f/pl.* (*gotisches Gewölbe*); ~**ro I.** *adj.* **1.** Kreuz...; **II.** *m* **2.** △ **a)** Kreuzbogen *m*; **b)** Querschiff *n*; **c)** Vierung *f* (*in Basiliken*); **d)** Querbalken *m*; **3.** *Typ.* Kreuz-, Quer-steg *m*; **4.** ⚓ Kreuzer *m*; ~ *acorazado* Panzerkreuzer *m*; ~ *ligero* leichter Kreuzer *m*; ~ *de bolsillo* Taschenkreuzer *m*; **5.** ⚓ Kreuzen *n*; Gebiet *n*, in dem gekreuzt wird; Kreuzfahrt *f*; ~ (*de placer*) Vergnügungs-, Kreuz-fahrt *f*; **6.** *Min.* Schichtung(sverlauf *m*) *f*; **7.** *ecl.* Kreuzträger *m bei Prozessionen*; **8.** ♀ *Astr. Am.* → *cruz 4*; **9.** *Reg.* Kreuzweg *m.*

cruceta *f* **1.** Kreuzstich *m* (*Handarbeit*); Gitter *n*; **2.** ⊕ Kreuz-kopf *m*, -stück *n*; Kardankreuz *n*; **3.** ⚓ Saling *f der Segelschiffe.*

cruci|al *adj. c* kreuzförmig, Kreuz...; *fig.* entscheidend; ~**ata** ⚘ *f* Kreuzenzian *m*; ~**ferario** *m* Kreuzträger *m.*

crucífe|ras ⚘ *f/pl.* Kreuzblüter *m/pl.*; ~**ro** *poet. adj.-su.* Kreuzträger *m.*

crucifi|cado I. *adj.* gekreuzigt; **II.** *m el* ♀ der Gekreuzigte (*Christus*); ~**car** [1g] *v/t.* kreuzigen; *fig.* quälen, peinigen; ~**jo** *m* Kruzifix *n*; ~**xión** *f* Kreuzigung *f* (*a. Ku.*).

cruciforme *adj. c* kreuzförmig.

crucigra|ma *m* Kreuzworträtsel *n*; ~**mista** *c* Schreiber *m* (*bzw.* Löser *m od.* Freund *m*) von Kreuzworträtseln.

crucillo *m* Nadelspiel *n.*

cru|damente *adv.* roh; **~delísimo** *sup. zu cruel*; **~deza** *f* **1.** Rohzustand *m*; Härte *f des Wassers*; *fig.* Roheit *f*, Härte *f*, Schroffheit *f*; *~s f/pl.* Derbheiten *f/pl.*, Grobheiten *f/pl.*, Zoten *f/pl.*; **2.** *~s f/pl.* schwerverdauliche Speisen *f/pl.*; **~dillo** *tex. m* ungebleichtes Linnen *n*; Futterleinen *n*; **~do I.** *adj.* **1.** roh, ungekocht; **2.** unreif (*Obst u.* ⚕ *Abszeß usw.*); **3.** ⊕, *bsd. tex.* roh, Roh...; *lienzo m ~* Rohleinen *n*; **4.** rauh (*Witterung*); hart (*Wasser, Licht*); *fig.* grob, hart; derb, gemein; **5.** schwer verdaulich; **6.** F großsprecherisch, angeberisch; **7.** F *Méj.* verkatert; **II.** *m* **8.** *tex.* Sackleinwand *f*; Crude *f*; **9.** Roh(erd)öl *n*.

cruel *adj. c* grausam; *fig.* unmenschlich; unbarmherzig (zu *dat.* con, *para, para con*); *madre f ~* Rabenmutter *f*; **~dad** *f* Grausamkeit *f*; *fig.* Unmenschlichkeit *f*, Härte *f*, Unbarmherzigkeit *f*; Scheußlichkeit *f*, Greueltat *f*; **~mente** *adv.* grausam.

cruento *adj.* blutig (*Tragödie, Opfer*).

crujía *f* **1.** △ **a)** Gang *m*, Flur *m*; **b)** Mauerabstand *m*; **c)** Zimmerflucht *f*; **d)** Krankensaal *m*; **2.** ⚓ Mittelgang *m auf Deck*; Laufplanke *f*; **3.** *hist. Art* Spießrutenlaufen *n*; *fig. pasar (una) ~* e-e schlimme Zeit durchmachen.

cruji|dero *adj.* → *crujidor*; **~do** *m* Krachen *n*, Knirschen *n usw.*; **~dor** *adj.*, **~ente** *adj. c* krachend, knirschend *usw.*; **~r I.** *v/i.* krachen (*Holz, zerbrechendes Geschirr, zs.-stoßende Körper*); knacken, knistern (*Gebälk, Knochenbruch, Gelenk*); knarren (*Fußboden, Leder*); rauschen (*Seide*); rascheln (*Blätter*); knirschen (*Zähne, Sand, Schnee*); knurren (*Magen*); **II.** *v/r.* *~se Méj.* gefrieren.

cru|p ⚕ *m* Krupp *m*, Halsbräune *f*; **~pal** *adj. c*, **~poso** *adj.* kruppös, Krupp...

crupi|é, ~er *gal. m* Croupier *m*.

crural *Anat. adj. c* Schenkel...

crustáceo I. *adj.* krustig, krustenartig; **II.** *m Zo.* Schalentier *n*.

cruz *f* (*pl. ~uces*) **1.** Kreuz *n* (*Kreuzformen, Insignien, Auszeichnungen u.* ⊠); *fig.* Leid *n*; *~ de áncora, ~ ancorada* Ankerkreuz *n*; *~ de hierro* Eisernes Kreuz *n*; *~ latina* Passionskreuz *n*, lateinisches Kreuz *n*; *~ de Malta* Malteser Kreuz *n*; ⚡ → *3*; *~ del mérito militar* Kriegsverdienstkreuz *n*; ♀ *Roja* Rotes Kreuz *n*; *~ de San Andrés, ~ decusada* Andreas-, Schräg-kreuz *n*, Schragen *m*; *gran ~ de Caballero (de la Orden de ...)* Großkreuz *n* des Ritters (vom ...orden); Ritterkreuz *n*; *sacrificio m de la ~* Kreuzesopfer *n*; *fig. andar con las cruces a cuestas* Bittgänge machen; s. schwer plagen müssen; *fig. besar la ~* s. ins Unvermeidliche schicken; zu Kreuze kriechen; *fig. llevar la ~* sein Kreuz tragen; *Arg.* ¡*~ diablo!* Gott verhüte es!; **2.** Kreuzeszeichen *n*; *hacerse cruces* s. bekreuzigen; *fig.* sprachlos sein; *hacer la señal de la (santa) ~* das Kreuzeszeichen machen, ein Kreuz schlagen; **3.** *allg.* Kreuz *n*; *en ~* kreuzweise, überkreuz; Kreuz...; *~ de balanza* Waagebalken *m*; ⚔ *~ de bayoneta* Parierstange *f*; *~ de Malta* ⚡ Kreuzschaltung *f*, Schaltkreuz *n*; ⚕ → *a. vendaje en ~* Kreuzverband *m*; ¡*~ y raya!* Schluß damit!, genug davon!; *hacer ~ y raya* Schluß machen, e-n Schlußstrich ziehen; *Opt. ~ reticular, ~ filar* Fadenkreuz *n*; *punto m de ~* Kreuzstich *m*; *desde la ~ hasta la fecha* von Anfang bis zu Ende; *meter hasta la ~ Degen usw.* bis zum Griff hineinstoßen; **4.** *Astr.* ♀ *del sur* Südliches Kreuz *n*; **5.** Ast-, Kronen-ansatz *m* (*Baumstamm*); **6.** Schriftseite *f e-r Münze*; (*a*) *cara o ~* Bild oder Schrift (*Münzwerfen*); **7.** Bug *m bzw.* Kreuz *n*, Widerrist *m der Tiere*; **8.** □ → *camino*.

cruza|da *f* **1.** *a. fig.* Kreuzzug *m*; *fig. ~ antialcohólica* Kreuz- (*od.* Feld-)zug *m* gg. den Alkohol; **2.** ♀ (*Nacional*) spanischer Bürgerkrieg *m* (*1936/39, aus der Sicht der „nacionales"*); **3.** ⚘ Labkraut *n*; **4.** *Reg.* Kreuzweg *m*; **~do I.** *adj.* gekreuzt; s. kreuzend, s. (über)schneidend, kreuzförmig; Kreuz...; zweireihig (*Anzug*); *Biol. animal m ~, planta f ~a* Kreuzung *f*; ⚔ *u. fig. fuego m ~* (*gal. fuegos ~s*) Kreuzfeuer *n*; *líneas f/pl. ~as* s. kreuzende Leitungen *f/pl.* (⚡), Linien *f/pl.* (*Geom.*); *tela f ~a* Köper *m* (*Stoff*); **II.** *adj.-su. m hist.* Kreuzfahrer *m*; (*caballero m*) *~* Kreuzritter *m*; Ordensträger *m*; **III.** *~s m/pl.* Kreuzschraffierung *f*; **~miento** *m* Kreuzung *f* (*Straßen, Biol.*).

cruzar [1f] **I.** *v/t.* **1.** (durch)kreuzen, überqueren; *~ en avión (en coche)* durch-fliegen (-fahren); *fig. ~ la cara a alg.* j-n ohrfeigen; **2.** *Arme* verschränken; *Beine* überea.-schlagen; **3.** *Briefe, Gruß* wechseln; *~ la palabra con alg.* mit j-m sprechen; *no ~ palabra con alg.* mit j-m zerstritten (*od.* verkracht F) sein; **4.** *Linien* kreuzen, schneiden; *Verband usw.* über Kreuz anlegen; *Gewebe* köpern; **5.** *Biol.* kreuzen; **6.** ein Ordenskreuz verleihen (*dat.*); **II.** *v/i.* **7.** vorbei-fahren, -kommen; ⚓ kreuzen; **III.** *v/r.* *~se* **8.** ea. treffen; *Geom.* s. kreuzen, s. (in verschiedenen Ebenen) überschneiden; *fig.* s. überschneiden; *a.* s. gg.-seitig stören; *~se (en el camino)* anea. vorbei-gehen, -fahren; *~se de brazos* die Hände in den Schoß legen, untätig zuschauen; *~se de palabras* in e-n Wortwechsel geraten, anea. geraten; **9.** *hist.* das Kreuz nehmen (*Kreuzfahrer*).

cruzeiro *m* Cruzeiro *m*, *bras. Währungseinheit.*

cu[1] *f* (*pl. cúes*) *span. Name des Buchstabens Q.*

cu[2] *m* (*Maya*) *urspr.* Hügelgrab *n*; *dann* Pyramidentempel *m im alten Mexiko.*

cuaco *m Andal.* roher Kerl *m*, Flegel *m*; *Am. Mer.* Yuccamehl *n*; *Méj.* Gaul *m*, Klepper *m*.

¡cua!, ¡cua! *onom. m* Quaken *n der Frösche.*

cuader|na *f* **1.** ⚓, ✈ Spant *n*; ⚓ *~ maestra* Hauptspant *n*; **2.** *Würfelspiel u. Domino:* Doppelpasch *m*; **3.** *Lit. ~ vía Strophenform des span. Ma., Vierzeiler aus gleichreimenden Alexandrinern, 14-silbig*; **4.** *hist. Münze (8 Maravedís)*; **~nal** ⚓ *m* Blockrolle *f*; **~nillo** *m* Lage *f von 5 Bogen Papier*; Agende *f*, Kirchenkalender *m*; **~no** *m* **1.** (Schreib-)Heft *n*; *~ de notas* Notizbuch *n*; ⚓ *~ de bitácora* Logbuch *n*; *~s m/pl. de historietas gráficas* „Comic books" *n/pl.* (*engl.*); **2.** *Typ.* Lage *f zu 4 Bogen*; Lieferung *f*; Aktenband *m*.

cuadra *f* **1.** (Pferde-)Stall *m*; *~ (de caballos de carreras)* Rennstall *m*; *~s f/pl.* Stallungen *f/pl.*; **2.** *Am.* Häuserblock *m*; **3.** Schlafsaal *m in Kasernen usw.*; Halle *f*, Saal *m*; *Pe.* Empfangszimmer *n*; **4.** ⚓ größte Breite *f des Schiffes*; *navegar a la ~* mit Backstagswind segeln; **5.** *Equ.* Kruppe *f*; **6.** *Am. Wegemaß: rd. 100 m*; **~da** ♪ *f* Brevis *f*; **~damente** *adv.* genau; **~dillo** *m* Vierkantlineal *n*, Kantel *m, n*; Zwickel *m* (*Hemd, Ärmel, Strumpf*); **~do I.** *adj.* **1.** quadratisch, viereckig F; vierkantig; Quadrat...; *fig.* genau, vollkommen; *cabeza f ~a* Dickschädel *m* (*fig.*); *metro m ~* Quadratmeter *m*; *muchacho m bien ~* stattlicher Junge *m*; **2.** *Stk. toro m ~* Stier *m* in Kampfstellung; *vgl. cuadrarse 5*; **II.** *m* **3.** Quadrat *n*, gleichseitiges Rechteck *n*; Quadratzahl *f*; *al ~* im (*od.* ins) Quadrat; *elevar al ~* ins Quadrat erheben; *~ mágico* magisches Quadrat *n* (*Rätsel*); **4.** ⊕ Vierkant *m*; **5.** → *cuadradillo*.

cuadra|genario *adj.-su.* vierzigjährig; **~gésima** *ecl. f* Quadragesima *f*, Fastenzeit *f*; **~gesimal** *adj. c* Fasten...; **~gésimo** *num.* vierzigste(r, -s); *m* Vierzigstel *n*.

cuadral △ *m* Quer-balken *m*, -holz *n*.

cuadrangular *adj. c* vier-eckig, -kantig.

cuadrángulo I. *adj.* → *cuadrangular*; **II.** *m* Viereck *n*.

cuadran|tal *adj. c*: ⚓ *triángulo m ~* sphärisches Dreieck *n*; **~te** *m* **1.** 𝔄, ⚓, ⊕, *Geogr.* Quadrant *m*, Viertelkreis *m*; *Radio:* Skala *f*; Zifferblatt *n e-r Uhr*; *~ milimétrico* Millimeterskala *f bei Meßinstrumenten*; **2.** Sonnenuhr *f*; **3.** △ → *cuadral*; **4.** *Typ.* Schneidemaschine *f*; **5.** ⚖ vierter Teil *m e-r Erbschaft*; **6.** *Rel.* Kirchenzettel *m* (*Gottesdienstordnung*).

cuadrar I. *v/t.* **1.** viereckig machen; 𝔄 ins (*od.* zum) Quadrat erheben; **2.** *~ los pies* die Füße in Stillgestanden-Stellung bringen; **3.** *Stk. Stier* zum Stehen bringen; **4.** → *cuadricular I*; **II.** *v/i.* **5.** passen (j-m *a alg.*), übereinstimmen; *no ~ con* nicht übereinstimmen mit (*dat.*), nicht passen zu (*dat.*); **III.** *v/r.* *~se* **6.** auf allen Vieren stehenbleiben (*Reittier; Stk. Stier, der damit die von der Regel verlangte Kampfstellung einnimmt*); **7.** ⚔ still- (F stramm-)stehen; ¡*cuádrense!* stillgestanden!; **8.** *fig.* F s. auf die Hinterbeine stellen F, die Zähne zeigen.

cuadrático *adj.* quadratisch.

cuadra|tín *Typ. m* Geviert *n*, Quadrat *n*; **~tura** *f* Quadratur *f*; △ Vierung *f*; *~ del círculo* Quadratur *f* des Kreises (*bsd. fig.*).

cuadricenal *adj. c* alle vierzig Jahre, Vierzigjahr...
cuadrícula *f* Raster *m*, Liniennetz *n*; Gitter *n*, Karierung *f*; ⚔ Planquadrat *n*; △ ~ *de artesonado* Kassette *f*.
cuadricula|do I. *adj.* kariert (*Papier, Stoff*); **II.** *m* Gitter-, Kartennetz *n*; *Typ.* (Feld-)Einteilung *f*; **~r I.** *v/t. Schreibpapier usw.* karieren; *Karten, Zeichnungen* gittern; *Pläne usw.* mit e-r Feldeinteilung versehen; **II.** *adj. c* → *cuadriculado*.
cuadri|enal *adj. c* vierjährig; Vierjahres...; vierjährlich; **~enio** *m* Zeitraum *m* von vier Jahren; **~foli(ad)o** ⚘ *adj.* vierblättrig; **~forme** *adj. c* vier-gestaltig; -eckig.
cuadriga *f* Quadriga *f*, Viergespann *n*.
cuadril *vet. m* Hüftknochen *m*.
cuadri|látero *adj.-su.* vierseitig; *m* Viereck *n*; **~literal** *adj. c*, **~lítero** *adj.* aus vier Buchstaben; **~longo** *adj.-su.* rechteckig; *m* Rechteck *n*.
cuadri|lla *f* **1.** Trupp *m*, Gruppe *f*; *desp.* Bande *f*; Team *n*, Kolonne *f* (*Handwerker*); *Stk.* Mannschaft *f* e-s *Torero*; ~ (*de ladrones*) Räuberbande *f*; ⚖ *delito m en* ~ Bandendelikt *n*; **2.** ♪ Quadrille *f*; **3.** *hist.* Gruppe *f b. e-m Turnier od. Fest*; *hist.* Häschertrupp *m der Santa Hermandad*; **~llero** *m hist.* Landreiter *m* (*Gendarm*); Anführer *m* e-r *cuadrilla*.
cuadringentésimo *num.* vierhundertste(r, -s); *m* Vierhundertstel *n*.
cuadri|nomio Å *m* Quadrinom *n*; **~plicar** *v/t.* → *cuadruplicar*; **~sílabo** *adj.* viersilbig; **~vio** *m* Kreuzweg *m*, Vierweg *m*; *hist.* Quadrivium *n*.
cuadro *m* **1.** Bild *n* (*a. Thea. u. fig.*); Gemälde *n*; *fig.* Anblick *m*; ⚕ ~ *clínico* klinisches Bild *n*; ~ *de costumbres Lit.* Sitten-bild *n*, -gemälde *n*; *Mal.* Genrebild *n*; ~ *luminoso* Leuchtbild *n*; ~ *mural* Wandbild *n* (*Unterricht*); ~ *vivo* lebendes Bild *n*; **2.** Aufstellung *f*, Tafel *f*, Tabelle *f*; *Col.* Wandtafel *f*; ~ *de avisos* Warn- *bzw.* Merk-tafel *f*; ⚡ ~ *contador* Zähler-brett *n*, -tafel *f*, -schrank *m*; ~ *indicador*, ~ *de llamadas* Ruftafel *f in e-m Betrieb od. Haus*; ⚡ ~ *de mando*, ~ *de distribución* Schalttafel *f*, -schrank *m*; ~ *sinóptico* Übersicht(stafel) *f*, Tabelle *f*; *ordenar en* ~*s* übersichtlich (*od.* in Tabellen) zs.-stellen; **3.** Viereck *n*; Karo *n*; Quadrat *n*; ⚔ Karree *n*; *Brettspiele*: Feld *n*; ~*s* Würfel *m/pl.*; *en* ~ im Quadrat; *de* (*od. a*) ~*s* kariert (*Stoff, Anzug*); **4.** (Garten-)Beet *n*; ~ *de flores* Blumenbeet *n*; *Cu.* ~ *de café* Pflanzung *f* von 10 000 Kaffeebäumen; **5.** Rahmen *m* (*a. fig. u.* ⊕); ~ *de bicicleta* Fahrradrahmen *m*; **6.** ⚔ *mst.* ~*s m/pl.* Rahmenverbände *m/pl.*, Stamm (-personal *n*) *m*, *a. Pol.* Kader *m/pl.*; **7.** *fig. estar* (*od. quedarse*) *en* ~ allein (*od.* ohne Familie) zurückbleiben; alles verlieren; **8.** *Astrol.* Quadrat *n*, Geviertschein *m*; **9.** *Chi.* Schlachthof *m*; **10.** □ Dolch *m*.
cua|drumano, ~drúmano *Zo. adj.-su.* vierhändig; *m* Vierhänder *m*; **~drúpedo** *Zo. adj.-su. m* Vierfüß(l)er *m*.
cuádruple *adj. c* vierfach; *hist.* 2 *Alianza f* Vierbund *m*.
cuadruplica|do *adj.* vierfach, viermalig; *por* ~ in vierfacher Ausfertigung; **~r** [1g] *v/t.* vervierfachen.
cuádruplo *adj.* → *cuádruple*; *el* ~ das Vierfache.
cuaima *f Ven. e-e Giftschlange*; *fig.* hinterhältiger (*od.* grausamer) Mensch *m*.
cuaja|da *f* geronnene Milch *f*; Quark *m*; **~dillo** *tex. m Art* Seidenkrepp *m*; **~do I.** *adj.* **1.** geronnen; *leche f* ~*a* → *cuajada*; **2.** *fig.* ~ *de* übersät mit, bedeckt mit (*dat.*); ~ *de estrellas* sternenübersät (*Himmel*); *escrito m* ~ *de faltas* Schreiben *n*, das von Fehlern wimmelt; **3.** *quedarse* ~ **a)** erstarren (*vor Schreck, Überraschung*); **b)** einschlafen; **II.** *m* **4.** *Art* süße Fleischpastete *f*; ~ *de leche* Grützkuchen *m*; **~dura** *f* Gerinnen *n*; *fig.* Ergebnis *n*; **~leche** ✿ *f* Kletten-, Lab-kraut *n*.
cuaja|miento *m* Gerinnung *f*; **~r I.** *m Zo.* Labmagen *m*; **II.** *v/t.* **1.** gerinnen machen, zum Gerinnen bringen; verdicken; **2.** *fig.* ~ *de* bedecken mit (*dat.*); **III.** *v/i.* **3.** gerinnen; fest werden; verharschen (*Schnee*); **4.** Erfolg haben; F klappen, hinhauen F; *cuajó su deseo* sein Wunsch ging in Erfüllung; **5.** passen, behagen, gefallen; **IV.** *v/r.* ~*se* **6.** zs.-laufen (*Milch*); **7.** *fig.* einbrechen (*Nacht*); ~*se de* s. bedecken mit (*dat.*); ~*se de gente* (*de lágrimas*) s. mit Menschen (mit Tränen) füllen; **~rón** *m* (*bsd.* Blut-)Gerinnsel *n*; geronnene Milch *f*.
cuajo *m* Lab *n*; Labmagen *m*; *fig.* Langsamkeit *f*, Phlegma *n*; *fig. arrancar de* ~ mit Stumpf u. Stiel ausreißen; F *tener mucho* (*od. buen*) ~ **a)** sehr pomadig sein; **b)** hart im Nehmen sein; **2.** Gerinnen *n*; *Cu.* Eindicken *n* des Zuckerrohrsaftes; **3.** *Méj.* **a)** Geplauder *n*; **b)** Lüge *f*, Ente *f*.
cuakerismo *m*, **cuákero** *m* → *cuaquerismo*, *cuáquero*.
cual I. *pron.* **1.** *pron. rel.*: *el* ~, *la* ~, *lo* ~; *los* ~*es*, *las* ~*es* der, die, das; was; die; welcher, welche, welches; welche; (*bsd. gebräuchlich bei Sach-u. Personalbeziehungen nach Präpositionen*; *im Nominativ nur bei explizierendem Relativsatz*; *el hombre del* ~ *estás hablando* der Mann, von dem du sprichst; *con respecto a lo* ~, *me dijo* ... darüber sagte er mir ...; *el motivo por el* ~ *no te llamé* der Grund, warum ich dich nicht angerufen habe; **2.** *pron. correl. cosas tales* ~*es ocurren a menudo* Fälle, (so) wie sie häufig vorkommen; *todos contribuyeron*, ~ *más*, ~ *menos*, *al buen éxito* alle trugen nach bestem Vermögen zum Gelingen bei; → *a. tal*; **II.** *adv.* **3.** *¿cómo estás?* — *tal* ~ wie geht dir's? — so so, so einigermaßen; *tal* ~ *te lo dice* so, wie er dir's sagt; *sea* ~ *sea* (*od. lit. fuere*) wie dem auch sei; *a* ~ *más* um die Wette; **III.** *cj.* **4.** *por lo* ~ deshalb; *hacía* ~ *si durmiese* er tat, als ob er schliefe.
cuál I. *pron.* **1.** *interr.* (*direkte od. indirekte Auswahlfrage*) welche(r, -s)?; wer?; was für ein?; *¿~ de* (*od. entre*) *ellos?* wer von (*od.* unter) ihnen?; *¿~ es el más importante de todos?* welcher ist der wichtigste von allen?; *¿~ de las piezas de Albéniz prefieres?* welches Stück von Albéniz magst du lieber?; *ignoro* ~ *será el resultado* ich weiß nicht, wie das Ergebnis ausfällt; **2.** *distributiv, lit.* ~ ..., ~ ... der eine ..., der andere ...; teils ..., teils ...; **II.** *int.* **3.** *lit.* *¡~ feliz se consideraría!* wie glücklich wäre er!
cualesquier(a) *pl. zu cualquiera*.
cuali|dad *f* Eigenschaft *f*, *a. Phil.* Qualität *f*; Fähigkeit *f*, Qualifizierung *f*; ✈ ~*es f/pl. de vuelo* Flugeigenschaften *f/pl.*; *determinar las* ~*es de* bewerten (*ac.*), begutachten (*ac.*); **~ficación** *f* Qualifizierung *f*, Befähigung *f*; **~ficado** *adj.* qualifiziert; *obrero m* (*no*) ~ (un)gelernter Arbeiter *m*; **~ficar** [1g] **I.** *v/t.* qualifizieren; **II.** *v/r.* ~*se* s. qualifizieren (für *ac. para*); **~tativamente** *adv.* qualitativ (*a.* ✝); **~tativo** *adj.* qualitativ; Qualitäts..., Güte..., Wert...; Å *análisis m* ~ qualitative Analyse *f*.
cualquiera I. *adj. indef.* (*vor su. cualquier*); irgendein(e); jede(r, -s); jede(r, -s) beliebige, x-beliebige(r, -s) F; *en cualquier caso* in jedem Fall; *de cualquier modo* irgendwie; so obenhin, oberflächlich; *cualquier día* **a)** irgendwann (einmal); bald; **b)** *iron.* F sobald nicht, da kannst du lange warten F; *ser capaz de cualquier cosa* zu allem fähig sein; **II.** *pron. indef.* (irgend-) jemand; ~ *que fuese* wer es auch (immer) sei; F *¡~ lo entiende!* das soll einer verstehen!; *¡~ lo puede hacer!* das kann doch jeder; *un* ~ irgend jemand, irgendwer; *fig.* e-r aus der Masse, ein Dutzendmensch; *desp.* ein gewisser Jemand; *usted no es* ~ Sie sind doch nicht irgendwer.
cuan *u. betont* (*b. Frage, Zweifel, Ausruf*) **cuán** *lit. adv.* wie, wie sehr; *tan ... cuan ... od.* ~ ..., ebenso ... wie ...; *cayó cuan largo era* er fiel der Länge nach hin; *la recompensa será tan grande cuan grande fue el esfuerzo* die Belohnung entspricht dem Maß der Anstrengung; *¿puedes figurarte cuán feliz me siento?* kannst du dir vorstellen, wie glücklich ich mich fühle?; → *a. lo, qué, como*.
cuando I. *adv.*: *de* ~ *en* ~, *de vez en* ~ von Zeit zu Zeit, ab u. zu, hin u. wieder; ~ *quiera* jederzeit; irgendwann; ~ *más*, ~ *mucho* höchstens; ~ *menos* wenigstens, mindestens; **II.** *cj.* ~ + *ind.* (*immer*) wenn, (*jedesmal*) wenn; ~ + *subj. prs.* (*temporal, im futurischen Sinn*) wenn (*im Dt. mit Präsens u. Futur*); als (*im Dt. mit Präteritum*); ~ *no* wenn nicht gar; ja sogar; *tuve que reírme* ~ *la vi* ich mußte lachen, als ich sie sah; ~ *me lo dice usted* wenn Sie mir's sagen; *aun* ~ *lo dice* (*od. diga*) *él* selbst wenn (*od.* obwohl) er es sagt; **III.** *prp.* während (*gen.*), damals in (*dat.*); *yo*, ~ *niño* (damals) in m-r Kindheit, als Kind.
cuándo I. *adv.* (*fragend*) wann?;

¿~ vendrá usted? wann kommen Sie?; *todavía no sé ~ vendré* ich weiß noch nicht, wann ich komme; *¿de ~ acá?, ¿desde ~?* seit wann?; *¿hasta ~?* bis wann?, wie lange (noch)?; *¿para cuándo?* bis wann?, bis zu welchem Termin?; **II.** *cj.* *~ ..., ~ ...* bald ..., bald ...; **III.** *m* *el ~ y el cómo* das Wann u. Wie.

cuanta → *quanta.*

cuan|tía *f* Menge *f*, Summe *f*; Bedeutung *f*; ⚖ *~ (del litigio)* Streitwert *m*; *de mayor ~* höher; bedeutend; *de menor ~* unbedeutend; geringer; **~tiar** [1c] *v/t. Besitz* (ab-)schätzen; **~tidad** *Phil.*, *Ꮭ f* Quantität *f*, Größe *f*, Menge *f*; **~timás** F *adv.* → *cuanto más*; **~tímetro** ⊕ *m* Mengenmesser *m*; **~tiosamente** *adv.* beträchtlich; sehr reichlich; **~tioso** *adj.* erheblich, beträchtlich, bedeutend; zahlreich; **~titativo** *adj.* quantitativ (*a.* ⚗ *Analyse*).

cuántico *adj.*: *teoría f ~a* Quantentheorie *f*.

cuanto I. *adj. u. adv.* **1.** *adjektivisch u. pronominal*: *todo ~ te ha dicho, no es cierto* alles, was er dir gesagt hat, stimmt nicht; *dio ~ tenía* er gab alles dahin; *~ alcanzan sus ojos, tanto querría poseer* was s-e Augen sehen, möchte er besitzen; *¿tienes muchos libros? — unos ~s* hast du viele Bücher? — ein paar (*od.* einige); **2.** *relativ-distributiv, adverbial u. in bindewörtlicher Funktion*: *~s ingresos, tantos gastos* ebensoviel Ausgaben wie Einnahmen; *~ antes* möglichst bald; *~ más pronto, mejor* je eher, desto besser; *~ más ..., (tanto) más ...* je mehr ..., desto mehr ...; *~ más que ...* um so mehr, als ...; *(en) ~ a, por ~ concierne (a)* bezüglich (*gen.*), was (*ac.*) angeht (*od.* betrifft); *en ~ a eso* diesbezüglich; *en ~ (que) + subj.* sofern, insoweit + *ind.*; *en ~ llegue, se lo entregaré* sobald er kommt, werde ich es ihm aushändigen; *en ~ llegó el tren, subió* sobald der Zug kam, stieg er ein; *tiene tanto más interés en hacerlo, ~ que ...* er ist um so eher gewillt, es zu tun, als ...; *por ~* da, weil (*in der Amtssprache wird der folgende Hauptsatz oft mit por tanto eingeleitet*); **II.** *m* **3.** Quantum *n* (*a. Phys.*); Wieviel *n*; *Phys. teoría f de los ~s* Quantentheorie *f*; *~s m/pl. de luz* Lichtquanten *n/pl.*

cuánto *adj. u. adv.* **1.** *interrogativ*: wieviel?; wie sehr?; *¿a ~ el kilo?* wieviel kostet das Kilo?; *¿por ~ lo deja?* für wieviel (*od.* um welchen Preis) verkaufen Sie es?; *¿~ tiempo?* wie lange?; *¿~as veces?* wie oft?; *¿~s son cinco por seis?* wieviel ist fünf mal sechs?; *¿~ va?* was gilt's?; *¿a ~s estamos?* den wievielten haben wir heute?; F *un Sr. no sé ~s* ein Herr Soundso F; **2.** *emphatisch*: *¡~a alegría!* welche Freude!, so e-e Freude F; *¡~ me alegro!* wie freue ich mich!; *¡~ lo siento!* das tut mir sehr leid!

cuaquerismo *m* Quäkertum *n*.

cuáquero *m* Quäker *m*.

cuar|cífero *Min. adj.* quarzhaltig; **~cita** *Min. f* Quarzit *m*.

cuaren|ta *num.* vierzig; *el ~* die Vierzig; *cantar las ~ Kart.* Vierzig ansagen; *fig. j-m* den Kopf waschen; *andar por las ~* um die 40 sein (*Alter*); **~tena** *f* **1.** vierzig Stück; **2.** Quarantäne *f*; *fig. poner en ~* mit Mißtrauen aufnehmen; **3.** Fastenzeit *f*; **~tón** F *adj.-su. m* Vierzig(jährig)er *m*.

cuaresma *Rel. f* Fasten(zeit *f*) *n*; *domingo m de ~* Fastensonntag *m*; *fig. ser más largo que la ~* kein Ende nehmen; **~l** *adj. c* Fasten...; **~rio** *kath. m* Fastenpredigtbuch *n*.

cuar|ta *f* **1.** Spanne *f*, Viertelelle *f*; ⚓ Strich *m* (*Kompaß*); **2.** ♪, *Fechtk.* Quart *f*; **3.** ⚖ Viertel *n* (*gesetzlicher Anteil im Erbrecht*); **4.** *Equ. ~s f/pl.* Mittelpferde *n/pl.*; *Am. Reg.* ~ Vorspann *m*; **5.** *Cu.* Riemenpeitsche *f*; *Chi.* Zaumriemen *m*; *Méj.* Geißel *f*; **6.** *Astr.* → *cuadrante*; **7.** *fig. prov. u. Am. tirar ~s al aire* nutzlose Anstrengungen machen; **~tago** *m* Klepper *m* (*Pferd*); **~tal** *m Reg.* Viertellaib *m* Brot; **~tana** ⚕ *f* Viertage-Fieber *n*, Quartana *f*; **~tazo** *m* **1.** *Méj.* Peitschen-, Geißelhieb *m*; **2.** F *~s m* (*pl. inv.*) dicker u. schlapper Mann *m*, Plumpsack *m* F.

cuartear I. *v/t.* **1.** vierteilen, spalten; ausschlachten, zerlegen; **2.** *Stk. die banderillas* mit e-r Viertelwendung einsetzen; **3.** *mit dem Gespann* Zickzack fahren (*am Berg*); **4.** *Méj.* peitschen, geißeln; **II.** *v/i.* **5.** *Stk.* mit e-r Viertelwendung ausweichen; **III.** *v/r.* *~se* **6.** Risse bekommen (*Wand, Dach*).

cuarte|l *m* **1.** ⚔ Kaserne *f*; Quartier *n*; *~ general* Hauptquartier *n*; **2.** Pardon *m*; *sin ~* erbarmungslos; *(no) dar ~* (k-n) Pardon geben; **3.** ⛉ viereckiges Wappenfeld *n*, Quartier *n*; **4.** Garten-stück *n*, -beet *n*; Feld *n*; **5.** ⚓ *~ (de escotilla)* Lukendeckel *m*; **6.** † Stadtviertel *n*; **~lada** ⚔ *f bsd. Am.* Kasernenaufstand *m*; **~lado** ⛉ *adj.* geviert; **~lero I.** *adj.* Kasernen...; **II.** *m* ⚔ Stubendiensthabende(r) *m*; ⚓ Gepäckmeister *m*; F schlechter Tabak *m*; **~lesco** *adj.* Kasernen..., Soldaten...

cuarte|o *m* **1.** Spalt *m*, Riß *m*, Sprung *m*; **2.** *Stk.* Ausweichbewegung *f der banderilleros*; **3.** Vierteilen *n*; **~ra** *f* Bohle *f* (*Bauholz*) 15 Fuß × 8 Zoll; **~ro** *m Andal.* Pachteintreiber *m der cortijos*; **~rola** *f* **1.** Viertelfaß *n*; *Flüssigkeitsmaß* : 130 l; **2.** *Chi.* Karabiner *m*, Reiterstutzen *m*; **~rón I.** *adj.-su.* **1.** *Am. m* Quarteron(e) *m*, Doppelmischling *m* (*Halbblut u. Weißer*); **II.** *m* **2.** Viertel(pfund) *n*; *Span.* Packung *f* gewöhnlichen Grobschnitts (*Tabak*); **3.** △ Türfüllung *f*; Füllstück *n*, Paneel *n*; Fensterladen *m*; *~ones m/pl.* Türflügel *m/pl.*

cuarte|ta *Lit. f vierzeilige Strophe aus acht Silben*, Redondilla *f*; **~to** ♪, *Lit. m* Quartett *n*; (*Lit. Strophe*: *4-Elfsilber*); *~ de cuerda (para instrumentos de viento)* Streich- (Bläser-)quartett *n*.

cuarti|lla *f* **1.** Viertelblatt *n* (*DIN*); *Typ.* Quartbogen *m*; Blatt *n* Schreibpapier; Zettel *m*; Manuskript-, Konzept-blatt *n*; *escribir un par de ~s* ein paar Seiten schreiben; **2.** *Equ.* Fessel *f*; **3.** *Maß*: Viertel-arroba *f*, -fanega *f*; **~llo** *m* **1.** Schoppen *m* (*0,504 l*); *Getreide-, Beeren-maß*: Liter *n* (*1,156 l*); **2.** *hist. Münze*: Viertelreal *m*; *andar a tres menos ~* **a)** knapp bei Kasse sein; **b)** wie Hund u. Katze sein; **c)** nichts verstehen; **~zo** *m* Balken *m*.

cuarto I. *num.* **1.** vierte(r, -s); *en ~ lugar* viertens; *las tres ~as partes* drei Viertel; **II.** *m* **2.** vierter Teil *m*, Viertel *n* (*a. Fleischerei*); *~ creciente (menguante)* erstes (letztes) Viertel *n* (*Mond*); *un ~ de hora* e-e Viertelstunde; *las tres menos* (*bzw. y*) ~ Viertel vor (*bzw.* nach) drei; ⊕ *~ de vuelta* Vierteldrehung *f* (*z. B. b. Einstellung*); *fig.* F *hacer a uno ~s* j-n in Stücke reißen, aus j-m Hackfleisch machen F (*mst. Drohung*); *írsele a uno cada ~ por su lado* sehr unansehnlich (*od.* häßlich) sein; **3.** Zimmer *n*, Raum *m*; Wohnung *f*; *~ de aseo* Waschraum *m*; → *de baño* Badezimmer *n*; *~ de estar (de fumar)* Wohn- (Rauch-)zimmer *n*; *~ exterior (interior)* Vorder-, Außen- (Hinter-, Innen-)zimmer *n*; *~ para huéspedes* Gast-, Gäste-zimmer *n*; *~ trastero* Rumpelkammer *f*; → *a. habitación, sala, salón*; **4.** *hist. Münze* (*4 Maravedis*); *fig.* Heller *m*; F *~s m/pl.* Geld *n*, Moneten *f/pl.* F; *fig. dar un ~ al pregonero* et. an die große Glocke hängen; *echar su ~ a (od. de) espadas* s-e Meinung sagen, s-n Senf dazugeben F; *estar sin un ~* k-n Pfennig besitzen; *fig. de tres al ~* nichts wert, minderwertig; Dutzendware *f*; *iron.* typisch; **5.** *Typ.* Quartformat *n*; *en ~ mayor* in Großquartformat; *en ~ menor* in kleinem Quartformat; **6.** *Equ.* *~ delantero (medio, trasero)* Vor- (Mittel-, Hinter-)hand *f*; **7.** ⚔ *~ (de guardia)* Wachabteilung *f*, Wache *f*; **8.** *Astr.* Viertelkreisbogen *m*, -weg *m*; **9.** *Genealogie*: großelterliche Linie *f*; **10.** *Schneiderei*: *~s m/pl.* Hauptbestandteile *m/pl.* e-s Kleidungsstückes; **11.** *Col.* Kamerad *m*; *hacer ~ a alg.* j-m helfen.

cuartón *m* Balken *m* (*Bauholz*).

cuartucho *desp. m* elendes Zimmer *n*, Loch *n* P, Bude *f* F.

cuarzo *Min. m* Quarz *m*.

cuasi *lt.* beinahe; quasi...

cuasia ⚘ *f* Quassia *f*.

cuasi|contrato ⚖ *m* Quasivertrag *m*, vertragsähnliches Verhältnis *n*; **~delito** ⚖ *m* Quasidelikt *n*, unerlaubte Handlung *f*; **~modo** *Rel. m* (*domingo m de*) ~ Quasimodogeniti *m*, weißer Sonntag *m*.

cuate *adj.-su. Méj.* → *gemelo*; → *parecido*; → *amigo íntimo*.

cuaterna *f* Quaterne *f*, Viererserie *f* (*Lotterie*); **~rio** 𝕌 *adj.* vierteilig; *Geol.* Quartär...; *época f ~a* Quartär *n*.

cuatezón *Méj.* **I.** *adj.* ohne Hörner (*Rindvieh*); **II.** *m* F Feigling *m*.

cuatí *Zo. m* Nasenbär *m*.

cuatralbo *adj.* mit vier weißen Füßen (*Pferd*).

cuatre|ño *adj.* vierjährig (*Kalb*); **~ro** *m* Vieh-, Pferde-dieb *m*.

cuatri|enio *m* Zeitraum *m* von 4 Jahren; **~frontal** *adj. c* an vier Fronten; **~lingüe** *adj.* viersprachig; **~llizos** *m/pl.* Vierlinge *m/pl.*; **~llón** *num. m* Quadrillion *f*; **~mestral** *adj. c* viermonatlich; viermonatig; **~mestre** *m* vier Monate *m/pl.*; **~-motor** *adj.-su. m* viermotorig(es Flugzeug *n*).
cuatrinca *f* Vierergruppe *f*; *Kart.* Serie *f v. vier Karten.*
cuatri|partita *adj. c bsd. Pol.* Vierer..., Viermächte...; **~sílabo** *adj.-su.* viersilbig.
cuatro I. *num.* **1.** vier; *fig.* ein paar; *el ~ de abril* am vierten April; *~ veces* viermal; *más de ~* viele, manche; *en filas de a ~* in Viererreihen; *escribir ~ letras* ein paar Zeilen schreiben; *tener ~ ojos* (e-e) Brille tragen; **II.** *m* **2.** Vier *f* (*a. Karten*); **3.** ♪ Quartett *n* (*Gesang*); **4.** *Méj.* ~(s) *m*(/*pl.*) Unsinn *m*; **5.** *Ven.* viersaitige Gitarre *f*.
cuatro|centista *adj.-su. c* aus dem 15. Jh.; *m* Künstler *m*, Schriftsteller *m* des 15. Jh.; *auf Italien bezogen*: Quattrocentist *m*; **~cientos I.** *num.* vierhundert; **II.** *m el ~* (*bsd. Lit. u. Kunst*) das 15. Jh.; *auf Italien bezogen*: Quattrocento *n*; **~doblar** *v/t.* vervierfachen; **~tanto** *m das* Vierfache *n*.
cuba *f* **1.** (Wein-, Öl-)Faß *n*; Bottich *m*; Eimer *m*, Kübel *m*; Weinkühler *m*; Faßvoll *n*; **2.** *fig.* starker Trinker *m*, Zecher *m*; Dickwanst *m*; F *estar hecho (od. como) una ~* sternhagelvoll sein F; **3.** ⊕ Schacht *m* (*Hochofen*); **4.** *~ libre* Coca-Cola *f* mit Rum.
cubano *adj.-su.* kubanisch; *m* Kubaner *m*.
cube|ría *f* Böttcherei *f*; **~ro** *m* Böttcher *m*, Küfer *m*; *fig. a ojo de buen ~* nach Augenmaß, über den Daumen gepeilt F.
cubertura *f Kchk.* Kuvertüre *f*; *hist.* Grandenernennung(szeremoniell *n*) *f*; *a.* → *cobertura*.
cubeta *f* **1.** Waschfaß *n*; Kübel *m*, Zuber *m*; Trageimer *m*; **2.** Napf *m*; ⊕, ⚗, ⚕ Schale *f*; Wanne *f*, Küvette *f*; **3.** *~ de mercurio* Quecksilberkapsel *f* (*Thermometer*); ⚓ *~ de bitácora* Kompaßgehäuse *n*; **~draga** ⊕ *f* Greifbagger *m*; **~to** *m dim. zu cubo u. cubeta*.
cubicar [1g] *v/t.* **1.** *Raum* ausmessen, berechnen; *Faß* eichen; *Holz* klaftern; **2.** 𝔄 in die dritte Potenz erheben.
cúbico *adj.* kubisch, würfelförmig; 𝔄 Kubik...; *metro m ~* Kubik-, Raum-meter *m, n*.
cubículo *m* (*bsd.* Schlaf-)Gemach *n*; *Katakomben*: Nische *f*, Cubiculum *n*.
cubier|ta *f* **1.** Bedeckung *f*, Hülle *f*, Schutz *m*; Decke *f*, Überzug *m*; *~ de lona* Plane *f*; *~ de coche* Wagenplane *f*; -verdeck *n*; **2.** Buch-, Heftumschlag *m bzw.* -deckel *m*; ✎ Briefumschlag *m*; **3.** ⊕ Hülle *f*, Mantel *m*, Verkleidung *f*; (Schutz-)Haube *f*; *Kfz.* Motorhaube *f*; **4.** *Kfz. usw.* (Reifen-)Decke *f*, Reifen *m*; *~ maciza, ~ sin aire* Vollgummireifen *m*; **5.** ⚓ Deck *n*; *~ alta, ~ superior (media)* Ober- (Zwischen-)deck *n*; *~ de paseo (de sol)* Promenaden- (Sonnen-)deck *n*; *sobre ~* auf Deck; **6.** ⚠ Abdeckung *f*; Bedachung *f*, Dach *n*; *~ de pizarra* Schieferdach *n*; **7.** ⚔ Deckung *f*; **8.** *fig.* Deckmantel *m*, Vorwand *m*; **~tamente** *adv.* heimlich; **~to I.** *part. zu cubrir*; **II.** *adj.* **1.** bedeckt (*a. Himmel*) (mit *od.* von *dat.* de); überdacht; gedeckt (*a.* ✝, ⚔ *u. fig.*); eingezahlt (*Kapital*); besetzt (*freie Stelle*); *~ de hierba* grasüberwachsen; *~ de polvo* staubbedeckt; **III.** *m* **2.** Gedeck *n*, Kuvert *n*; Besteck *n*; Menü *n*; *~ de 50 ptas.* Gedeck *n* (*od.* Menü) zu 50 Peseten; **3.** (Schutz-)Dach *n*; überdeckter Gang *m*; Schuppen *m*; *a ~ (de)* geschützt (vor *dat.*), in Sicherheit (vor *dat.*); *poner(se) a ~* (s.) unterstellen; (s.) in Sicherheit bringen.
cubijar *v/t.* → *cobijar*.
cubi|l *m* Lager *n v. Tieren*; Flußbett *n*; **~lar I.** *m* → *cubil*; **II.** *v/i.* in der Schafhürde übernachten.
cubilete *m* **1.** Würfelbecher *m*; Zauberbecher *m e-s Taschenspielers*; **2.** Sektkübel *m*; **3.** Backform *f*; **4.** *Kchk.* Fleischpastete *f in Becherform*; **5.** *Am. Reg.* Zylinder(hut) *m*; **~ar** *v/i.* den *cubilete* handhaben; F (hinter)listig vorgehen, den Dreh verstehen F; **~o** F *m* Arbeit *f* mit Tricks, (Hinter-)List *f*; **~ro** *m* **1.** Taschenspieler *m*; **2.** Back-, Pasteten-form *f*.
cubilote ⊕ *m* Kupol-, Kuppel-ofen *m*.
cubi|lla *Ent. f* Laub-, Öl-käfer *m*; **~llo** *m* **1.** *Ent.* → *cubilla*; **2.** Kühlgefäß *n*.
cubis|mo *m* Kubismus *m*; **~ta** *adj.-su. c* kubistisch; *m* Kubist *m*.
cubi|tal *adj. c* **1.** e-e Elle lang; **2.** Ellbogen...; *arteria f ~* Ulnararterie *f*.
cúbito *Anat. m* Elle *f*; *Sp. echarse de ~* die Brücke machen.
cubitos *m/pl. dim.*: *~ de hielo* Eiswürfel *m/pl.*
cubo[1] *m* **1.** 𝔄 Würfel *m*, Kubus *m*; Kubikzahl *f*; *elevar al ~* zur dritten Potenz erheben; **2.** Würfel *m*, würfelförmige Verzierung *f*.
cubo[2] *m* **1.** Eimer *m*, Kübel *m*; Zuber *m*, Bottich *m*, Bütte *f*; *~ de basura* Müll-, Abfall-eimer *m*; **2.** ⊕ Nabe *f* (*Rad, Luft, Schraube usw.*); **3.** ⚔ runder Befestigungsturm *m*.
cubocubo 𝔄 *m* neunte Potenz *f*.
cubre|asientos *Kfz. m* (*pl. inv.*) Schonbezug *m*; **~cadena** *m* Kettenschutz *m* (*Fahrrad*); **~cama** *f, m* Bettüberzug *m*; **~junta** ⊕ *f* Deck-, Stoß-lasche *f*; Stoßplatte *f*; Verbindungslasche *f*; Dichtungsleiste *f*; **~nuca** Nackenschutz *m* (*a.* ⚔); **~objetos** *m* (*pl. inv.*) Deckglas *n* (*Mikroskop*); **~rruedas** ⊕ *m* (*pl. inv.*) Radschutz *m*.
cubri|ción *f Zo.* Decken *n*, Deckzeit *f*; **~miento** *m* **1.** (Be-)Decken *n*; ✝ Deckung *f*; *~ de grava* Beschotterung *f* (*Straße*); **2.** *hist.* Annahme *f* der Grandenwürde; **~r** (*part. cubierto*) **I.** *v/t.* **1.** be-, zudecken; bekleiden; **2.** be-, zu-dekken, verhüllen; *Loch* (auf)füllen; *Sicht* nehmen, verdecken; *Haus, Dach* decken; *fig.* überschütten, überhäufen (mit *dat.* de); *fig. ~ una vacante* e-e freie Stelle besetzen; **3.** *fig.* decken; verbergen; beschönigen, bemänteln; **4.** ✝ *Ausgaben, Fehlbetrag, Nachfrage, Risiko* dekken; *~ los gastos* die Kosten bestreiten; **5.** ⚔ decken, sichern; *¡~ la batería* an die Geschütze!; **6.** *Zo.* decken; bespringen (*Vierfüßer*); beschälen (*Hengst*); treten (*Vögel*); **7.** *Entfernung* zurücklegen; **II.** *v/r.* *~se* **8.** s. bedecken; *abs.* den Hut aufsetzen; *¡cúbrase!* setzen Sie Ihren Hut auf!; *~se de gloria* s. mit Ruhm bedecken; **9.** ⚔ **a)** in Dekkung gehen, Deckung nehmen; **b)** auf Vordermann gehen; **10.** *~se contra* s. schützen gg. (*ac.*).
cuca *f* **1.** Erdmandel *f*; **2.** Raupe *f*, Made *f*; geflügelter Kakerlak *m*; *fig.* F *mala ~* Schlangen-, Ottern-gezücht *n*; **3.** leidenschaftliche Glücksspielerin *f*, Spielratte *f*; **~monas** F *f/pl.* Geschmuse *n*, Schmus *m*.
cuca|ña *f* Kletterstange *f b. Volksfest*; *fig.* Glückstreffer *m*; Zufallseinnahme *f*; **~ñero** *m* (**~ñera** *f*) F (weiblicher) Glücksritter *m*.
cucar [1g] *v/t.* **1.** *~ (el ojo) (a alg.)* (j-m zu)blinzeln; **2.** verspotten.
cucara|cha *f* **1.** Schabe *f*, Kakerlak *m*; Kellerassel *f*; ✎ Schildlaus *f*; **2.** *Col.* Blase *f am Finger*; **~chear** *v/i. Col.* s. hinter s-n Büchern verschanzen; **~chero** *m* **1.** *P. Ri.* → *cucañero*; **2.** F *burl.* Kammerjäger *m*.
cucarda *f* **1.** Kokarde *f*; Hutschleife *f*; Bandrosette *f*; **2.** Fäustel *m der Steinmetze*.
cuclillas: *en ~* hockend; *estar en ~* hocken.
cuclillo *Vo. m* Kuckuck *m*.
cuco[1] *m* Popanz *m*.
cuco[2] **I.** *adj.* F **1.** niedlich, hübsch; gut, nett (*Geschäft*); **2.** schlau, aalglatt; **II.** *m* **3.** *Vo.* Kuckuck *m*; *reloj m de ~* Kuckucksuhr *f*; **4.** Gewohnheitsspieler *m*.
cucú *m* (*pl. cucúes*) Kuckuck(sruf *m*) *n*.
cucu|bá *Vo. m Cu.* Hundseule *f*; **~iza** *f Am.* Sisalfaden *m*; **~lí** *Vo. m Bol., Chi., Ec., Pe. Art* Ringeltaube *f*.
cu|cúrbita *f* ⚘ Kürbis *m*; † Retorte *f*; **~curbitáceas** ⚘ *f/pl.* Kürbisgewächse *n/pl.*, Kukurbitazeen *f/pl.*
cucurucho *m* **1.** Papiertüte *f*; *fig.* Büßermütze *f*; **2.** *Cu.* Melassezucker *m*.
cucuy(o) *m* Glühwürmchen *n*, Leuchtkäfer *m*.
cucha *f Pe.* Sumpf *m*.
cucha|ra *f* **1.** Löffel *m*; *~ de sopa, ~ sopera* Suppenlöffel *m*; F *meter su ~* s-n Senf dazugeben; *meter a alg. a/c. con ~* j-m et. einpauken; *fig.* F *de ~* aus dem Mannschaftsstand (aufgestiegen) (*Offizier*); **2.** ⊕ Greifer *m* (*Kran*); (Gieß-)Kelle *f*; *~ de arranque* (Bagger-)Löffel *m*; **~rada** *f* Eßlöffelvoll *m*; *a ~s* löffelweise; **~radita** *f* Kaffeelöffelvoll *m*; **~rear I.** *v/t.* mit dem Löffel herausfischen; **II.** *v/i.* → *cucharetear*; **~rero** *m* Löffelbrett *n*; **~reta** *f* **1.** *Vo.* Löffelreiher *m*; **2.** *vet.* Leberkrankheit *f der Schafe*; **~retear** *v/i.* mit dem Löffel herumrühren; *fig.* F s. in fremde Angelegenheiten mischen; **~retero 1.** Löffelbrett *n*; **2.** † Fransenbesatz *m*;

~rilla, ~rita *f* **1.** (Tee-, Kaffee-) Löffel *m*; Löffelchen *n*; ~ *de postre* Dessertlöffel *m*; **2.** *vet.* Leberkrankheit *f der Schweine*; **3.** (*cucharilla*) Blinker *m* (*Angeln*); **~rón** *m* Kochlöffel *m*; Schöpflöffel *m*; Vorlegelöffel *m*; *fig. servirse* (*od. despacharse*) *con el* ~ den Löwenanteil für s. beanspruchen.
cucharro ⚓ *m* Gillung *f*.
cuché *adj. c*: *papel m* ~ satiniertes Papier *n*, Kunstdruckpapier *n*.
cuchí *m Pe.* Schwein *n*.
cuchiche|ar *v/i.* zischeln, tuscheln, flüstern; **~o** *m* Getuschel *n*; *andar en ~s* geheimtun, die Köpfe zs.-stecken.
cuchichiar [1c] *Jgdw. v/i.* locken (*Rebhuhn*).
cuchilla *f* **1.** Klinge *f*, Schneide *f* (*a.* ⊕); Rasierklinge *f*; **2.** *a.* ⊕ (breites) Messer *n*; *Am.* Federmesser *n*; (Hobel-, Schuster-)Messer *n*; Buchbinderhobel *m*; ⊕ ~ *de afinar* Feinschlichtstahl *m* (*Wkzm.*); ~ (*de carnicero*) Fleischermesser *n*; ~ *de picar* Hack-, Wiege-messer *n*; *tex.* ~ *de tijeras* Schermesser *n*; ~ *de torno* Drehstahl *m* (*Drehbank*); **3.** Sech *n*, Kolter *n am Pflug*; **4.** *poet.* Schwert *n*, Degen *m*; **5.** (Fels-)Grat *m*; *Am.* Gebirgskette *f*; -rücken *m*; **6.** ~ *de aire* kalter Luftzug *m*; **~da** *f* **1.** Schnitt *m*, Stich *m*, Hieb *m*; Schmarre *f*; *fig.* ~*s f/pl.* Streit *m*, Rauferei *f*; *fig. dar* ~ die Gunst des Publikums erringen, einschlagen (*bsd. Künstler*); **2.** † durchbrochene Arbeit *f an Kleidern*; **~r** *m* Gebirge *n* mit steilen Gipfeln.
cuchi|llería *f* Stahlwaren *f/pl.*; Messerfabrik *f*; Stahlwaren-, Messer-geschäft *n*; **~llero** *m* **1.** Messerschmied *m*; *fig. Am.* Messerheld *m*; **2.** *Zim.* Klammer *f*; **~llo** *m* **1.** Messer *n*; ~ *de cocina* (*de mesa*) Küchen- (Tafel-)messer *n*; ~ *de monte* Hirschfänger *m*; ~ *patatero* Kartoffelschäler *m*; ~ *de resorte* Sprungmesser *n*; *fig. pasar a* ~ über die Klinge springen lassen; **2.** Zwickel *m an Kleidung u. Strümpfen*; **3.** *Zim.* Stützbalken *m*, Schere *f*; **4.** ⚓ ~*s m/pl.* (*de vela*) Gilling *f*; **5.** *fig.* Pein *f*; *kath. Virgen f de los* ~*s* Schmerzensmutter *f*; **6.** *Jgdw.* ~*s m/pl.* Schwungfedern *f/pl. bsd. des Falken.*
cuchi|panda *desp. f* Gelage *n*; **~tril** *m* Schweinestall *m*; *fig.* elendes Zimmer *n*, Loch *n* P.
cucho I. *m* **1.** *Chi.* Katze *f*; **2.** *Col.* Winkel *m*; kl. Kammer *f*; **II.** *adj.* **3.** *Méj.* stumpfnasig.
cuchuco *m Col.* Gerstensuppe *f* mit Schweinefleisch.
cuchu|chear *v/i.* → *cuchichear*; **~fleta** F *f* Witz *m*, Jux *m*, Neckerei *f*; **~fletero** F *m* Spaßvogel *m*.
cuchumbi *Zo. m Col., Méj. Pe.* Wickel(schwanz)-bär *m*.
cuchuña ⚘ *f Chi. Art* Wassermelone *f*.
cudria *f* Espartoschnur *f*.
cueca *f Am. Mer. Volkstanz.*
cuelga *f* Bündel *n Früchte, zum Trocknen*; **~capas** *m* (*pl. inv.*) Kleiderständer *m*, Mantelhaken *m*.
cuelmo *m* Kienspan *m*.
cuelli|corto *adj.* kurzhalsig; **~erguido** *adj.* den Kopf hochtragend; **~largo** *adj.* langhalsig.
cuello *m* **1.** Hals *m*; P *cortar el* ~ *a alg.* j-n um e-n Kopf kürzer machen F; *echar a alg. los brazos al* ~ j-m um den Hals fallen; *fig. levanta el* ~ der Kamm schwillt ihm; **2.** (Hals-)Kragen *m*; ~ *bajo*, ~ *vuelto* Umlegekragen *m*; Schillerkragen *m*; ~ *duro* (*postizo*) steifer (loser) Kragen *m*; ~ *de pajarita* (steifer) Eckenkragen *m*; **3.** ⊕ (Flaschen-, Kolben-, Schrauben- *usw.*)Hals *m*; ~ *de botella Vkw.* Engstelle *f* (*Straße*); ✝ Engpaß *m*; **4.** *Anat.* ~ *uterino* Gebärmutterhals *m*.
cuen|ca *f* **1.** Holznapf *m*; **2.** tiefes Tal *n*; Wasserabzugsgebiet *n*, Becken *n*; ~ *del Ebro* Ebrobecken *n*; ~ *carbonífera* Kohlen-revier *n*, -becken *n*; **~co** *m* **1.** Napf *m*; **2.** Höhlung *f*; *el* ~ *de la mano* die hohle Hand.
cuenda *f* Fitzfaden *m*, Trennschnur *f der Garnstränge.*
cuenta *f* **1.** Rechnen *n*; Zählen *n*; ~ *atrás* Count-down *n b. Raketenabschuß*; *fig.* ~ *de la vieja* Abzählen *n* an den Fingern *n*; *llevar la* ~ *de et.* zählen; **2.** Rechnen *n*, Rechnung *f* (*a.* ✝); *a* ~ Akonto..., a conto, auf Rechnung; *a* ~ *de* auf Kosten von (*dat.*); *por* ~ *ajena*, *por* ~ *de tercero* für fremde Rechnung; *por* ~ *propia* für eigene Rechnung; *por* ~ *y riesgo de* auf Rechnung u. Gefahr von (*dat.*); ~*s atrasadas*, ~*s pendientes* unbezahlte Rechnungen *f/pl.*, Außenstände *pl.*; ~ *de pérdidas y ganancias* Gewinn- u. Verlustrechnung *f*; ⚖ *Tribunal de* ~*s* Rechnungshof *m*; *ajustar* ~*s* abrechnen; *fig. ajustarle las* ~*s a alg.* mit j-m (noch) abrechnen; *dar más de la* ~ zu viel (*od.* mehr als verlangt) geben; *echar la* ~ abrechnen; *echar* ~*s* be-, aus-rechnen, kalkulieren; *¡eche (usted) la* ~*!* (machen Sie) die Rechnung (bitte)! (*im Geschäft, zum Kellner*); *fig. pasar la* ~ *a alg.* j-m die Rechnung präsentieren; *sacar la* ~ (*de*) (*et.*) ausrechnen; e-e Rechnung ausstellen; *fig.* Schlüsse ziehen; *no me sale la* ~ die Rechnung geht nicht auf (*bsd. fig.*); *fig. tener* ~*s pendientes con alg.* mit j-m noch ein Hühnchen zu rupfen haben; *tomar por su* ~ auf s. nehmen; *Spr. la* ~ *es* ~ Geschäft ist Geschäft; *vgl.* 3, 4, 5; **3.** ✝ Konto *n*; ~ *abierta* offenes Konto *n*; ~ *de ahorro* (*de depósito*) Spar- (Depositen-)konto *n*; ~ *bancaria* (*bloqueada*) Bank- (Sperr-)konto *n*; ~ *colectiva* (*a la vista*) Sammel- (Sicht-)konto *n*; ~ *corriente* laufendes Konto *n*, Kontokorrent *n*; *apertura f de una* ~ Kontoeröffnung *f*; *abonar en* ~ (e-m Konto) gutschreiben; *fig.* anrechnen; *cargar a/c. en* ~ *a alg.* j-m et. berechnen; j-s Konto mit et. (*dat.*) belasten; **4.** Berücksichtigung *f*; Betracht(ung *f*) *m*; *entrar en* ~ in Frage (*od.* in Betracht) kommen; *tener* (*od. tomar*) *en* ~ in Betracht ziehen, beachten, berücksichtigen; *teniendo en* ~ + *su.* (*od.* + *que*) im Hinblick auf (*ac.*) (*od.* darauf, daß); *tener* (*od. traer*) ~ s. lohnen, nützlich sein; *¡por la* ~ *que me trae!* ich bin ja daran interessiert!; *persona f de* ~ wichtige Person *f*; **5.** Rechenschaft *f*; *dar* ~ *de algo* **a)** über et. (*ac.*) Rechenschaft geben (*od.* ablegen); **b)** et. mitteilen, über et. (*ac.*) Nachricht geben; **c)** mit et. (*dat.*) fertig werden; P *dar* ~ *de alg.* j-n fertig machen; j-n umlegen P; *dar buena* (*mala*) ~ *de su persona* s. (nicht) bewähren; s. als (nicht) vertrauenswürdig erweisen; *darse* ~ *de* s. über *et.* (*ac.*) klarwerden, *et.* (be)merken; *ya me doy* ~ ich bin mir darüber schon klar; *entrar en* ~*s consigo* bei s. überlegen; sein Gewissen prüfen, sein Verhalten überlegen; *pedir* ~*s a alg.* von j-m Rechenschaft fordern; *¡*~ *con lo que dices!* sei vorsichtig mit deinen Worten!; **6.** Angelegenheit *f*, Sache *f*; *es* ~ *mía* das ist m-e Sache; *caer* (*od. dar*) *en la* ~ dahinterkommen, (plötzlich) verstehen; *¡vamos a* ~*s!* kommen wir zur Hauptsache!; klären wir die Sachlage!; *perder la* ~ (*de*) (*et.*) vergessen, s. nicht mehr erinnern (an *ac.*), den Faden verlieren; *en resumidas* ~*s* kurz u. gut, (kurz) zs.-gefaßt; **7.** Perle *f am Rosenkranz*; Glasperle *f*.
cuenta|correntista ✝ *c* Kontokorrentinhaber *m*; **~dante** *adj.-su. der* zur Rechenschaft Verpflichtete, *der* Rechenschaft Gebende; **~garbanzos** *m* (*pl. inv.*) Geizhals *m*, Knikker *m* F; **~gotas** ⚕ *m* (*pl. inv.*) Tropfenzähler *m*; Tropfglas *n*; *adv. con* ~ tropfenweise (*a. fig.*); **~hílos** *tex. m* (*pl. inv.*) Fadenzähler *m*; **~kilómetros** *m* (*pl. inv.*) Kilometerzähler *m*; **~pasos** *m* (*pl. inv.*) Schrittzähler *m*; **~rrevoluciones** *m* (*pl. inv.*) Drehzahlmesser *m*, Tourenzähler *m*.
cuen|tero *desp. adj.-su.*, **~tista** *adj.-su. c* Erzähler *m* (*a. Lit.*); F Klatschmaul *n*; Prahlhans *m*; **~to**[1] *m* **1.** Erzählung *f*; Geschichte *f* (*a. fig.*); dumme Geschichte *f*, Unannehmlichkeit *f*; ~*s m/pl.* Gerede *n*, Quatsch *m* P; Ausreden *f/pl.*; *sin* ~ unzählig, endlos; ~ (*de hadas*) Märchen *n*; ~*s chinos* Ente *f*, Lüge *f*, Fabel *f*; ~ *chistoso* Humoreske *f*; ~ *viejo* alte Geschichte *f*, aufgewärmter Kohl *m* F; ~ *de viejas* Ammenmärchen *n*; *es mucho* ~ es wird viel geredet, es ist nur wenig wahr daran; *dejarse de* ~*s* zur Sache kommen; *tener mucho* ~ angeben, übertreiben; *venir a* ~ zur rechten Zeit (*od.* gelegen) kommen; *eso no viene a* ~ das hat damit nichts zu tun; **2.** *Reg.* Million *f*; ~ *de* ~*s* Billion *f*.
cuento[2] *m* **1.** Zwinge *f*, Eisenbeschlag *m*; **2.** Stützbalken *m*; **3.** Flügelgelenk *n der Vögel.*
cuentón F *m* Geschichtenerzähler *m* [(*a. desp.*).
cuerda *f* **1.** Seil *n*, Leine *f*; Schnur *f*; ✈ ~*-guía* Schleppseil *n*; ⊕ ~ *de piano* Einfachdraht *m*; ♪ → 4; ~ *de tender ropa* Wäscheleine *f*; ~ *de tracción* Zugleine *f*; ~ *floja* (Akrobaten-)Drahtseil *n*, Seiltänzerdraht *m*; ♪ → 4; *fig. bajo* ~, *por debajo de* ~ heimlich, unter der Hand; *fig. bailar en la* ~ *floja* lavieren, nach beiden Seiten manövrieren, e-n Eiertanz aufführen F; *fig. la* ~ *se*

rompe siempre por lo más delgado etwa: der Stärkere hat immer recht, kleine Diebe hängt man, große läßt man laufen; *fig. la ~ no da más* auf dem letzten Loch pfeifen; *fig. tirar de la ~ a alg.* **a)** j-n zügeln, j-n bremsen; **b)** j-m die Würmer aus der Nase ziehen F; **2.** Feder *f* (*Uhrwerk*); *~ automática* Selbstaufzug *m* (*Federmechanismus*); *~ de mecanismo* Aufzugfeder *f*; *dar ~ al reloj* die Uhr aufziehen; *dar ~ a alg.* auf j-s Lieblingsthema kommen; *fig.* F *parece que le han dado ~* er redet wie aufgezogen; *tener ~* aufgezogen sein (*Uhr, Feder*); *fig.* aufgekratzt sein (*fig.* F); **3.** Sehne *f* (*a.* ⚕, △); *~ de arco* Bogensehne *f*; *~ del círculo* Kreissehne *f*; *Anat. ~s f/pl. vocales* Stimmbänder *n/pl.*; **4.** ♪ Saite *f*; *~ floja* lockere (*od.* nicht straffgezogene) Saite *f*; *~ de tripa* (*de metal, de piano*) Darm- (Stahl-, Klavier-)saite *f*; *instrumentos m/pl. de ~* Saiteninstrumente *n/pl.*; *música f de ~* Streichmusik *f*; *fig. aflojar la ~* mildere Saiten aufziehen; *fig. apretar la ~* straffere Saiten aufziehen; **5.** ♪ Stimme *f*; *media ~* Mittelstimme *f*; **6.** Reihe *f anea.-geketteter* Gefangener; *Sp.* Seilschaft *f*; *a. desp. son de la misma ~* die gehören (doch) alle zur gleichen Sippschaft.

cuer|damente *adv.* klug; **~do** *adj.* klug, vernünftig, gescheit; einsichtig; verständig.

cue|reada *f Am. Mer.* Ledersaison *f vom Schlachten bis Auslieferung der Rohhäute*; *Méj.* → *cueriza*; **~rear** *v/t. Rpl.* abhäuten; *Am. fig.* verprügeln; **~riza** F *f Am.* Tracht *f* Prügel.

cuerna *f* **1.** Geweih *n*; Gehörn *n*; **2.** Horngefäß *n*, Trinkhorn *n*; **3.** ♪ Kuh-, Hirten-horn *n*.

cuérnago *m* Wasserrinne *f*, Rinnsal *n*.

cuerno *m* **1.** Horn *n* (*Zo. u. Substanz*); *~ de la abundancia* Füllhorn *n*; *~ de Amón* Ammonshorn *n* (*Versteinerung*); *¡~s!* Donnerwetter!; *irse al ~* zum Teufel gehen; kaputtgehen, in den Eimer (*od.* baden) gehen P; *fig. andar* (*od. verse*) *en los ~s del toro* in höchster Gefahr sein, auf dem Pulverfaß sitzen; *fig. llevar ~s* Hahnrei sein; *fig. poner ~s al marido* dem Ehemann Hörner aufsetzen; *saber a ~ quemado* sehr bitter (*od.* leidvoll) sein (für j-n *a alg.*); *no valer un ~* nichts wert sein; *vete al ~* scher dich zum Teufel!; **2.** Fühlhorn *n*; **3.** Spitze *f der Mondsichel*; *fig. poner por* (*od. en*) (*od. levantar a od. hasta*) *los ~s de la luna* in den Himmel heben, über den grünen Klee loben; **4.** ♪ Horn *n*; Jagdhorn *n*; → *a. trompa*; *~ de los Alpes* Alphorn *n*; *tocar el ~* ins Horn stoßen.

cuero *m* **1.** Leder *n*; Haut *f*; *~ artificial*, *~ imitado*, *~ de imitación* Kunstleder *n*; *~ al cromo* (*de Rusia*) Chrom- (Juchten-)leder *n*; *~ verde* ungegerbte Rohhaut *f*; *~ cabelludo* Kopfschwarte *f*, behaarte Kopfhaut *f*; F *en ~s* nackt; *dejar a alg. en ~s* (*vivos*) j-m alles wegnehmen, j-n bis aufs Hemd ausziehen F; **2.** (Wein-, Öl- *usw.*)Schlauch *m*; **3.** F Trunkenbold *m*, Säufer *m*; *estar hecho un ~* stockbetrunken sein.

cuerpear *v/i. Rpl.* ausweichen.

cuerpo *m* **1.** Körper *m*, Leib *m*; Rumpf *m*; Leichnam *m*; *a ~* ohne Mantel; *a ~ gentil* leicht gekleidet; *fig.* ohne fremde Hilfe, durch eigene Kraft; ⚔ *~ a ~* **a)** *adv.* Mann gg. Mann; **b)** *m* Handgemenge *n*, *a. Sp.* Nahkampf *m*; *de ~ entero* in voller Größe; *fig.* vollkommen, vollendet; *adv. en alma y ~* mit Leib u. Seele, ganz, gänzlich; *sin ~* körperlos; ⚕ *extraño al ~* körperfremd; *dar con el ~ en tierra* fallen; F *echarse a/c. al ~* et. essen *bzw.* trinken; *estar de ~ presente* aufgebahrt sein (*Leiche*); *ganar(lo) con su ~* s. verkaufen (*Dirne*); *hacer del ~* s-e Notdurft verrichten; *huir* (*od. hurtar*) *el ~* **a)** ausweichen; **b)** → *echar el ~ fuera* s. (vor *et. dat.*) drücken; *pedirle a uno el ~ a/c.* (ein unbezwingliches) Verlangen haben nach et. (*dat.*); et. zu s. nehmen wollen; *¿qué le pide el ~?* wozu haben Sie Lust? (*Essen, Trinken*); *fig. no quedarse con nada en el ~* alles rückhaltlos heraussagen; **2.** Körper *m* (*a. Geom.*), Gg.-stand *m*; *Physiol. ~ amarillo* Gelbkörper *m*; *~ celeste* Himmelskörper *m*; ⚖ *~ del delito* Beweisstück *n*, Corpus *n* delicti; *~ extraño* Fremdkörper *m*; *~ simple* Element *n*, Grundstoff *m*; *~ sólido* fester Körper *m*; **3.** Körper(schaft *f*) *m*; *~ de bomberos* Feuerwehr *f*; *~ consular* (*diplomático*) konsularisches (diplomatisches) Korps *n*; *en ~* insgesamt, geschlossen, in corpore; **4.** ⚔ Korps *n*; Truppe(nkörper *m*) *f*; *~ de ejército* Armeekorps *n*; *~ de guardia* **a)** Wach-lokal *n*, -stube *f*; **b)** Wache *f*; **5.** Gestalt *f*, Figur *f*; Dicke *f*, Stärke *f*; Größe *f*; Gewicht *n*; *dar ~ a* ein-, ver-dicken (*ac.*); Gestalt geben (*dat.*); *tomar ~* Gestalt annehmen, s. verdichten, deutlich werden; zunehmen; *vino m de ~* starker (*od.* kräftiger) Wein *m*; **6.** ⊕ Körper *m*; Gehäuse *n*; *Typ.* Kegel *m der Letter*; ⊕ Schaft *m e-r Niete*; ⚡ *~ incandescente* Glühkörper *m*; *~ de alumbrado*, *~ luminoso* Beleuchtungskörper *m*; ⚓ *~ muerto* Uferbalken *m beim Brückenbau*; Vertäupfahl *m*; **7.** *a. fig.* Teil *m*; Haupt(bestand)teil *m*; *fig. ~ de doctrina* Lehrgebäude *n*; *de un* (*solo*) *~* (*de dos ~s*) ein- (zwei-)schläfrig (*Bett*); ein- (zwei-)teilig (*Schrank*); **8.** Sammlung *f bsd. von Gesetzen*; Band *m* (*z. B. als Bestandteil e-r Bibliothek*); **9.** *tex.* Grund *m*.

cuer|va *Vo. f* Dohle *f*; **~vo** *Vo. m* (Kolk-)Rabe *m*; *~ marino* **a)** Kormoran *m*; **b)** Sägetaucher *m*; *negro como un ~* rabenschwarz.

cuesca F *f Col.* Schwips *m*, Rausch *m*.

cuesco *m* **1.** Obstkern *m*; **2.** ♀ *Art* Bovist *m*; **3.** V kräftiger Furz *m* P.

cuesta *f* Hang *m*, Abhang *m*; Berg *m*, Anhöhe *f*; *Vkw.* Steigung *f*; Gefälle *n*; *adv. ~ abajo* bergab; *adv. ~ arriba* bergauf; *adv. a ~s* auf dem Rücken; huckepack; *hacer ~* steil abfallen; abschüssig sein (*Gelände, Straße*); *esto se le hace ~ arriba* das geht ihm gg. den Strich, das fällt ihm sehr schwer; F *la ~ de enero* die Kassenebbe nach Weihnachten u. Neujahr.

cuesta(ción) *f* Sammlung *f*; Kollekte *f*; *hacer una ~* sammeln.

cues|tión *f* Frage *f*; Problem *n*, Sache *f*; Ausea.-setzung *f*; *en ~ de* ... in der Angelegenheit (*od.* in Dingen) des ...; *en ~* fraglich; *la ~ es que* ... es handelt s. darum, daß ...; die Sache ist die, daß ...; *es ~ de* es ist e-e Frage (*od.* Sache) von (*dat.*); ⚖ *~ de derecho* (*de hecho*) Rechts- (Tat-)frage *f*; *~ previa* Vorfrage *f*; *entrar en ~* in Frage kommen; *eso es otra ~* das ist et. ganz anderes; *hacer* (*od. poner*) *una ~* e-e Frage stellen; *Pol. u. fig. plantear la ~ de confianza* (*od. de gabinete*) die Vertrauensfrage stellen; *ser ~ de confianza* Vertrauenssache sein; F *la ~ es pasar el rato* Hauptsache, man unterhält s. (dabei); **~tionable** *adj. c* fraglich, zweifelhaft, streitig; **~tionar** *v/t.* erörtern, diskutieren; **~tionario** *m* Fragebogen *m*.

cuesto *m* Hügel *m*, Anhöhe *f*.

cues|tor *m hist.* Quästor *m*; *Karitas*: Spendensammler *m*; **~tura** *hist. f* Quästur *f*.

cuete *m Méj.* **1.** Rausch *m*; **2.** Pistole *f*.

cueto *m* steile Anhöhe *f*; Höhenstellung *f*, befestigte Höhensiedlung *f*.

cueva *f* **1.** Höhle *f*; *a. fig. la ~ del león* die Höhle des Löwen; *fig. ~ de ladrones* Räuberhöhle *f*; **2.** Keller *m*.

cuévano *m* Kiepe *f*, Korb *m*; Tragkorb *m* (*Saumtier*).

cuezo *m* Mörteltrog *m*; Waschtrog *m*.

cúfico *Li. adj.* kufisch.

cuguar *Zo. m* Puma *m*, Kuguar *m*.

cugujada *Vo. f* Haubenlerche *f*.

cuicacoche *Vo. m Méj. Art* Singdrossel *f*.

cuico *m* **1.** *Am. Reg. Spottname für Ausländer*; *Arg.* Mestize *m*; **2.** *Méj.* Polizist *m*; Petzer *m*.

cuidado *m* **1.** Sorge *f*; Vorsicht *f*; Sorgfalt *f*, Aufmerksamkeit *f*; (*ser*) *de ~* gefährlich (sein), mit Vorsicht zu genießen (sein) F; *¡~!* Achtung!, Vorsicht!, aufgepaßt!; *¡~ conmigo!* nehmt euch in acht vor mir!; *estar de ~* schwerkrank sein; *estar con ~* in Sorge (*od.* beunruhigt) sein; *¡~ contigo si no trabajas!* du kannst etwas erleben, wenn du nicht arbeitest!; *¡~, que está loco!* der ist ganz schön verrückt!; *¡~ con hacerlo!* bloß nicht tun!; *~ en* (*od.* de) *no caer* Vorsicht, daß du nicht fällst!; *¡allá ~s!* das ist doch mir egal!, ich will davon nichts wissen!; *¡no hay ~!* keine Sorge!; das fällt mir nicht im Traum ein!; *ir* (*od. proceder*) *con ~* behutsam vorgehen; *¡pierda usted ~!* seien Sie unbesorgt!; *tener ~* aufpassen (daß + *ind.* de que + *subj.*); s. vorsehen (mit *dat. od.* bei *dat. con*); *eso me trae sin ~* das läßt mich kalt; **2.** Betreuung *f*, Besorgung *f*, Pflege *f*; Wartung *f* (*Maschinen*); *~s m/pl.* Pflege *f*, Fürsorge *f*; *~ del coche* Wagenpflege *f*; *lo dejo a su ~* ich lege es in Ihre Hand; ich überlasse es Ihnen; *tener ~ de* Sorge tragen für (*ac.*); **~r I.** *adj.*

äußerst (*od.* peinlichst) besorgt, bemüht; aufmerksam; **II.** *m Rpl.* Krankenpfleger *m*; **~ra** *f Méj.* Kindermädchen *n*; **~samente** *adv.* sorgfältig; **~so** *adj.* **1.** sorgfältig; **2.** ~ *para con* rücksichtsvoll gg. (*ac.*).

cuidar I. *vt/i.* ~ (*de*) besorgen, versorgen; pflegen, betreuen (*dt. alle v/t.*); achtgeben auf (*ac.*); s. kümmern um (*ac.*); ~ *la casa* die Hausarbeit verrichten; ~ *a* (*od. de*) *los niños* für die Kinder sorgen, die Kinder betreuen; **II.** *v/r.* **~se** s. hüten (vor *dat.* de); **~se de** s. kümmern um (*ac.*), s. sorgen um (*ac.*); *¡cuídese usted bien!* achten Sie auf Ihre Gesundheit!; *¡cuídate muy bien de meterte en este asunto!* misch' dich bloß nicht in diese Angelegenheit!

cuido *m* Sorge *f*, Pflege *f* (*von Sachen*).

cuija *f Méj. e-e kl. Mauerechse*; *fig.* häßliches, dürres Weib *n*.

cuita *f* Sorge *f*, Kummer *m*, Harm *m*, Leid *n*; **~do** *adj.* traurig, bekümmert; kleinmütig, elend.

cuja *f* **1.** Lanzenschuh *m am Sattel*; **2.** Bettgestell *n*; *Am. Reg.* Bett *n*; **3.** *Méj.* Verpackung *f für Kolli.*

cuje *m Cu.* **1.** ⚘ *Art* Ingwer *m*; **2.** Stange *f zum Dörren des Tabaks.*

cují ⚘ *m Ven.* duftende Akazie *f.*

culada F *f*: *dar una* ~ auf den Hintern fallen; ⚓ *dar ~s* **a)** auf Grund stoßen; **b)** zurücklaufen.

culanchar F *v/i. Arg.* Manschetten haben F.

culan|trillo ⚘ *m* Frauen-, Venushaar *n*; **~tro** ⚘ *m* Koriander *m*.

culas *f/pl.* Gruben *f/pl. b. Argolla-Spiel.*

culata *f* **1.** Gewehrkolben *m*; Bodenstück *n e-r Kanone*; F *salirle a uno el tiro por la* ~ nach hinten losgehen, schiefgehen, ein Bumerang sein; **2.** ⊕ Magnet-, Transformatorenjoch *n*; *mot.* ~ *de cilindro* Zylinderkopf *m*; **3.** *Equ.* Kruppe *f*; **~da** *f* Rückstoß *m e-s Gewehrs*; **~zo** *m* **1.** Schlag *m* mit dem Kolben, Kolbenstoß *m*; **2.** → *culatada.*

culcusido P *m* → *corcusido.*

cule|bra *f* **1.** Schlange *f* (*vor allem kleinere*); *fig.* (Schlangen-)Windung *f*; ~ *de Esculapio* Äskulapschlange *f*; *hacer* ~ → *culebrear*; **2.** ⊕ Kühlschlange *f*; Heizschlange *f*; **3.** F Lärm *m*, Wirrwarr *m*; F Ulk *m*, Streich *m*; **4.** ⚓ Reihleine *f*; **5.** □ **a)** Geldkatze *f*; **b)** Feile *f*; **~brazo** *m* Streich *m*; **~brear** *v/i.* s. schlängeln; schwanken, im Zickzack gehen (*od.* fahren) (*Betrunkene*); **~breo** *m* Schlängeln *n*; Sichdahinwinden *n*; **~brera** *Vo. f* See-, Schlangen-adler *m*; **~brilla** *f* **1.** ✱ Schlangenflechte *f*; **2.** ⚘ Schlangenkraut *n*; **3.** *Zo.* ~ *de agua* Ringelnatter *f*; **4.** ⚔ Riß *m*, Sprung *m im Geschützrohr*; **~brina** *f* **1.** ⚘ Schlangenkraut *n*; **2.** *Met.*, ⚡ Schlangenblitz *m*; **3.** *hist.* ⚔ Feldschlange *f*; **~brón** *m* **1.** gr. Schlange *f*; *fig.* F gerissener Kerl *m*; schlechtes Weibsstück *n* F; **2.** *Méj.* schlechtes Schauspiel *n*; Hintertreppenroman *m*.

cule|ra *f* **1.** Kotfleck *m in Windeln*; **2.** Flicken *m* am Hosenboden; neuer Hosenboden *m*; Gesäß-futter *n*; -tasche *f*; **~ro** *m* **1.** Unter-lage *f*, -tuch *n für Kleinkinder*; *Chi.* Lederschurz *m der Bergleute*; **2.** F Bummelant *m* F, Nachzügler *m*; **3.** Darre *f der Vögel.*

culi *m* Kuli *m*.

culiblanco *Vo. m* Steinschmätzer *m*.

culina|ria *adj.-su. f* (*arte f*) ~ Kochkunst *f*; **~rio** *adj.* Küchen..., [Koch...]

culito *m dim. zu culo.*

culmi|nación *f* Höhepunkt *f*, Gipfel *m*; *Astr.* Kulmination(spunkt *m*) *f*; **~nante** *adj. c* überragend (*fig.*); *punto m* ~ Kulminationspunkt *m* (*a. fig.*); Höhepunkt *m*; **~nar** *v/i. fig.* gipfeln, den Höhepunkt erreichen (in, bei *dat.* en).

culo P *m* **1.** Po(po) *m* F, Arsch *m* V; F *a* ~ *pajarero* mit nacktem Hintern; auf den nackten Hintern; *adv.* nackt; *de* ~ rückwärts, verkehrt; *fig.* F ~ *de pollo* Webknoten *m im Stoff*; zs.-gezogene Naht *f*; *fig.* F *andar con el* ~ *a rastras* auf dem letzten Loch pfeifen F; *bsd.* pleite sein F, blank sein F; *caer* (*od. dar*) *de* ~ auf den Hintern fallen; *fig.* herunterkommen; *fig. dar de* (*od. con el*) ~ *en las goteras* sehr heruntergekommen sein; *fig. Rpl. echar* ~ e-n Rückzieher machen; *fig. enseñar el* ~ feige sein, ausreißen; V *esto me lo paso por el* ~ darauf scheiß ich V; *ser* ~ *de mal asiento* kein Sitzfleisch haben; *fig.* P *tomar el* ~ *por las cuatro témporas alles* durchea.-werfen, alles verwechseln; **2.** Boden *m e-r Flasche*; Fuß *m e-r Lampe*; Unterteil *n*, *m*; *fig.* F ~ *de vaso* falscher Edelstein *m*, Scherben *m* F.

culombio ⚡ *m* Coulomb *n*.

culón I. *adj.-su.* mit dickem Gesäß; **II.** *m fig.* dienstunfähiger Soldat *m*.

culote ⚔ *m* Stoß-, Hülsen-boden *m e-s Geschosses.*

culpa *f* Schuld *f*; Verschulden *n*; ⚖ *a.* Fahrlässigkeit *f*; ~ *grave* (*leve*) schweres (leichtes) Verschulden *n* (*rechtlich u. moralisch*); *por* ~ *de* ... durch Schuld des ..., wegen (*gen.*); *adv. por su* ~, *por* ~ *suya* schuldhaft; *sin* ~ ohne Schuld, unverschuldet, schuldlos; *cargar a otro con la* ~ e-m andern die Schuld anhängen; *echar la* ~ (*de a/c.*) *a alg.* j-m die Schuld (an et. *dat.*) geben; *¿de quién es la* ~*?* wer ist schuld?, an wem liegt die Schuld?; *fue* ~ *mía* ich war schuld daran; *tener* ~ schuld haben; *tener la* ~ *de a/c.* an et. (*dat.*) schuld sein, et. verschulden; **~bilidad** *f* Strafbarkeit *f*; Schuld *f* (*rechtlich*); **~ble I.** *adj. c* **1.** strafbar; straffällig; schuldig; *ser* ~ schuldig sein (*gen.* de); *ser* ~ *de algo* Schuld an et. (*dat.*) tragen, s. et. zuschulden kommen lassen, für et. (*ac.*) können; *hacerse* ~ Schuld auf s. laden; schuld haben (an *dat.* de); s. schuldig machen (*gen.* de); **2.** sträflich; **II.** *m* **3.** Schuldige(r) *m*; **~blemente** *adv.* schuldhaft; **~ción** *f* Beschuldigung *f*; **~damente** *adv.* schuldhaft; **~do** *adj.* schuldig; ⚖ beschuldigt; **~r** *v/t.* beschuldigen, anklagen (e-r Sache de *a/c.*); rügen; ⚖ → *a. inculpar, acusar.*

culpeo *Zo. m Chi.* Fuchs *m*.

culposo *adj. bsd. Am. u.* ⚖ fahrlässig.

culta|latiniparla F *f* gezierte Sprache *f der Sprachreiniger*; *p. ext.* Blaustrumpf *m*; **~mente** *adv.* höflich; gepflegt; geziert, affektiert.

culte|dad *f* Geziertheit *f*, Geschraubtheit *f*; **~ranismo** *Lit. m* Kult(eran)ismus *m*, Schwulststil *m* (*urspr. des Barocks*); **~rano** *adj.-su.* kultistisch, schwülstig; **~ría** *f* Schwulst *m*, Geschraubtheit *f*; **~ro** *adj.-su.* → *culterano.*

culti|parlar *v/i.* geschraubt (*od.* geziert) reden; **~parlista** *adj.-su. c* affektierter Redner *m*; *desp.* für *culterano*; **~picaño** F *adj.* affig, possenhaft.

cultismo *m* **1.** Buchwort *n*, gelehrtes Wort *n*; **2.** → *culteranismo.*

culti|vable *adj. c* anbaufähig, urbar; Acker...; **~vación** ⚒ *f* Anbau *m*; **~vador** *adj.-su. m* **1.** Züchter *m*; *fig.* Pfleger *m*; **2.** ⚒ Kultivator *m*, Grubber *m*; **~var** *v/t.* **1.** ⚒ *Feld* bebauen, bestellen; anbauen; züchten, pflanzen; **2.** *Bakterien usw.* züchten; **3.** *fig.* kultivieren; pflegen; **~vo** *m* **1.** ⚒ Anbau *m*; Bebauung *f*; Züchtung *f*; ~ *de arroz* (*de cereales*) Reis- (Getreide-)anbau *m*; ~ *intensivo* (*extensivo*) Intensiv- (Extensiv-)kultur *f*; ~ *del suelo* Bodenbearbeitung *f*; *poner en* ~ urbar machen; **2.** Kultur *f*, Züchtung *f*; ~ *de bacterias*, ~ *de microbios* Bakterienkultur *f*; *medio m de* ~ Nährboden *m*; **3.** Pflege *f*.

culto I. *adj.* **1.** gebildet; kultiviert; höflich, gesittet; **2.** geziert, schwülstig; **II.** *m* **3.** Kult *m*, Gottesdienst *m*; Kult *m*, Verehrung *f*; ~ *divino* Gottes-verehrung *f*, -dienst *m*; ~ *de los antepasados* Ahnenkult *m*; *Pol.* ~ *de* (*las*) *personas* Personenkult *m*; *rendir* ~ *a* **a)** verehren (*ac.*); **b)** Kult treiben mit (*dat.*).

cultu|al *adj. c* Kult(us)...; **~ra** *f* **1.** Kultur *f*; Gesittung *f*; Bildung *f*; ~ *general* (*popular*) Allgemein- (Volks-)bildung *f*; *grado m de* ~ Bildungsgrad *m*; *hombre m de gran* ~ sehr gebildeter Mensch *m*; F *¡~!* Bildung muß man eben haben!; gebildet müßte man sein!; **2.** Pflege *f*; ~ *física* Körperpflege *f*; **3.** → *cultivo*; **~ral** *adj. c* kulturell, Kultur...; Bildungs...; *nivel m* ~ Kulturstufe *f*; Bildungsstand *m*; **~rar** ⚒ *v/t.* anbauen, bestellen; **~rología** *f* Kulturwissenschaft *f* (*als Fach*; *sonst ciencias culturales*).

cumá P *f Rpl.* Patin *f*; Gevatterin *f*.

cumarina ⚗ *f* Cumarin *n*.

cumarú ⚘ *m* Tongabaum *m*.

cumba *f Hond.* Schokoladenschale *f*; **~rí** *adj.-su. m Rpl.* (*ají m*) ~ scharfer Ajípfeffer *m*.

cum|bé *m Am. Folk. Negertanz*; **~bia(mba)** *f Col.* Volkstanz *m*.

cumbre *f* **1.** Berggipfel *m*; *fig.* Gipfel *m*; *Pol. conferencia f* (*en la*) ~ Gipfelkonferenz *f*; **2.** ⚠ First *m*; **~ra** *f* **1.** ⚠ **a)** First *m*; **b)** Oberschwelle *f*, Türsturz *m*; **2.** Höhenrücken *m*.

cúmel *m* Kümmel *m* (*Branntwein*).

cumiche F *m Am. Cent.* Jüngste(r) *m e-r Familie*, Benjamin *m* F.

cumíneo *adj.* kümmelähnlich.
cuminol ⚗ *m* Kuminol *n*, Kümmelöl *n*.
cumpa P *m Chi.*, *Rpl.* Pate *m*; Gevatter *m*.
cúmplase: *auf Urkunden*: „genehmigt"; *m* Genehmigungsvermerk *m*.
cumpleaños *m* Geburtstag *m*.
cumpli|damente *adv.* vollkommen, wie es s. gehört; **~dero** *adj.* **1.** zweckdienlich; **2.** ablaufend (*Frist*); **~do I.** *adj.* **1.** vollkommen; vollendet; *tener 30 años ~s* das 30. Lebensjahr vollendet haben; **2.** ausgedient (*Soldat*); **3.** gebildet, höflich; **4.** weit (*Kleid*); **II.** *m* **5.** Höflichkeit *f*, Zuvorkommenheit *f*; Kompliment *n*; Glückwunsch *m*; *adv. por ~* aus Höflichkeit, aus Anstand; *sin ~s* ohne Umstände; frei von der Leber weg F (*sprechen*); *visita f de ~* Höflichkeitsbesuch *m*; *no gastar ~s* ohne Umschweife handeln; nicht viel Federlesens machen; **~dor** *adj.-su.* pflichtbewußt, zuverlässig.
cumpli|mentar *v/t.* **1.** ⚖ ausführen, vollstrecken; **2.** begrüßen; beglückwünschen; e-n Höflichkeitsbesuch abstatten (*dat.*); **~mentero** *adj.* übertrieben höflich; umständlich; **~miento** *m* **1.** Erfüllung *f*; Ausführung *f*, Vollziehung *f*; *kath. ~ pascual* Osterpflicht *f*; **2.** Höflichkeit *f*; *adv. por ~* der Form halber, aus Höflichkeit; **~r I.** *v/t.* **1.** vollenden, erfüllen; befriedigen; *Auftrag, Befehl, Beschluß* ausführen, vollziehen; *Wunsch, Versprechen, Bedingung* erfüllen; *Strafe* absitzen; *Dienstzeit* beenden; *~ el deber* s-e Pflicht tun; *~ (30) años* s-n (30.) Geburtstag feiern; *cúmpleme decir* es ist meine Pflicht, zu sagen; ich muß sagen; F *los cuarenta, ya no los cumple* die ist schon mehr als vierzig; **II.** *v/i.* **2.** *abs.* ausgedient haben (*Soldat*); ablaufen, zu Ende gehen (*Frist*); **3.** *~ con su deber* s-e Pflicht tun; *~ con la Iglesia bsd.* s-e Osterpflicht erfüllen; *~ con todos* **a)** allen gg.-über s-e Pflicht tun; **b)** zu allen freundlich sein; *su amigo cumplirá por usted* Ihr Freund wird für Sie eintreten (*od.* Ihre Aufgabe übernehmen); *adv. por ~* (nur) der Form halber; aus reiner Höflichkeit; **III.** *v/r.* *~se* **4.** in Erfüllung gehen (*Vorhersagen, Wünsche*).
cumquibus F *m* Moneten *pl.* F, Pinke *f* P.
cumular *v/t.* → *acumular*.
cúmulo *m* Haufe *m*, Menge *f*; *Met.* Kumulus-, Haufen-wolke *f*.
cumulonimbos *Met. m/pl.* Kumulonimbus *m*, Gewitterwolke *f*.
cuna *f* **1.** Wiege *f* (*a. fig.*); *canción f de ~* Wiegenlied *n*; (*casa f*) *~* Kinderkrippe *f*; Säuglingsheim *n*; *conocer a uno ya desde su ~* j-n schon als kleines Kind gekannt haben; **2.** *fig.* Geschlecht *n*; Abstammung *f*; *de ~ humilde* aus einfacher Familie (stammend); **3.** ⚔ Rohrwiege *f*; ⚓ Schlitten *m* (*Stapellauf*); **4.** Hörnerweite *f* (*Stier*).
cunaguaro *Zo. m Ven.* Tigerkatze *f*.
cunar *v/t.* → *cunear*.
cundir[1] *v/t. Am.* würzen; *~*[2] *v/i.* s. ausbreiten, auslaufen (*Flecken*); s. verbreiten (*Nachricht*); (auf-) quellen (*beim Kochen*); reichen, ausgeben, ausgiebig sein; (*no*) *me cunde el trabajo* die Arbeit geht mir gut (geht mir nicht) von der Hand, ich komme gut (komme nicht) voran mit der Arbeit; *le cunde la espera* das Warten wird ihm recht lang.
cunear *v/t Kind* wiegen.
cuneiforme *adj. c* keilförmig; *escritura f ~* Keilschrift *f*.
cune|o *m* Wiegen *n*, Einwiegen *n e-s Kindes*; **~ro** *adj.-su. m* Findelkind *n*; F *in s-m Wahlkreis unbekannter, von der Regierung lancierter* Abgeordnete(r) *m*; *Stk.* Stier *m* unbekannter Herkunft.
cuneta *f* Straßengraben *m*; Wassergraben *m*, *bsd. in alten Befestigungsanlagen*.
cunicul|tor *m* Kaninchenzüchter *m*; **~tura** *f* Kaninchenzucht *f*.
cuña *f* Keil *m*; *fig. ser buena ~* e-e gute Empfehlung (*od.* Hilfe) sein; *meter ~* Unruhe stiften; F *meterle a alg. una ~* j-m helfen; *tener ~s* gute Beziehungen haben.
cuña|día *f* Schwägerschaft *f*; **~da** *f* Schwägerin *f*; **~do** *m* Schwager *m*.
cuñar *v/t. Münzen* prägen.
cuñete *m* Fäßchen *n*.
cuño *m* Prägestempel *m für Münzen*; Prägung *f*; *fig.* Gepräge *n*; *fig. de nuevo ~* neu geprägt (*Wort, Ausdruck*), (ganz) neu.
cuociente *Arith. m* Quotient *m*.
cuodlibeto *m* Quodlibet *n*.
cuota *f* Quote *f*, Anteil *m*, Beitrag *m*; Gebühr *f*, Taxe *f*; *~ de amortización* Tilgungsquote *f*; *~ anual* Jahresbeitrag *m*; *~ (de socio)* Mitgliedsbeitrag *m*.
cuotidiano *adj.* → *cotidiano*.
cupé *gal. m* Coupé *n* (*Kfz. u. Kutsche*); *~ deporte* Sportcoupé *n*.
cupido *m* **1.** *fig.* ewig verliebter Mann, Schwerenöter *m*; **2.** schönes Kind *n*; **3.** ♀ *Myth. npr.* Cupido *m*; **4.** *~ de las praderas* Präriehund *m*.
cuplé *m* Chanson *n*, Couplet *n*.
cuple|tera *desp. f*, **~tista** *c* Schlager-, Couplet-, Chanson-sänger(in *f*) *m*.
cupo *m* **1.** Kontingent *n*; Quote *f*, Anteil *m*; ⚕ *~ de importación* Einfuhrkontingent *n*; **2.** Truppenkontingent *n*.
cupón *m* Kupon *m*, Abschnitt *m*; *~ones m/pl.* Annuitäten *f/pl.*: Jahresdividende *f*; Jahreszinsen *m/pl.*; *~ de ciego* Los *n* der Blindenlotterie; *~ de dividendo* Dividendenschein *m*; *~ (de intereses)* Zinsschein *m*; ✉ *~-respuesta* Rückantwortschein *m* (*international*); *~ de vuelo* Flugschein *m*.
cupre|sáceas ♀ *f/pl.* Zypressenartige(n) *f/pl.*; **~sino** *lit. adj.* Zypressen...; aus Zypressenholz.
cúprico *adj.* kupfern; Kupfer...; ⚗ *yoduro m ~* Kupferjodid *n*.
cu|prífero *adj.* kupferhaltig; **~prita** *Min. f* Rotkupfererz *n*; **~proníquel** *m* Nickelkupfer *n*; **~proso** ⚗ *adj.*: *yoduro m ~* Kupferjodür *n*.
cúpula *f* **1.** △ Kuppel *f*; ⚓, *fort.* Panzerkuppel *f*; △ *~ aplanada* Flachkuppel *f*, Kappe *f*; ⊕ *~ de vapor* Dampfdom *m e-s Kessels*; **2.** ♀ Becher *m der Eichel, Haselnuß usw.*
cupulífero ♀ *adj.* becher-, näpfchen-tragend.
cupulino △ *m* Laterne *f*.
cuquería *f* Niedlichkeit *f*; Verschmitztheit *f*, Schlauheit *f*.
cuquillo *Vo. m* Kuckuck *m*.
cura[1] *m* Geistliche(r) *m*; *~ párroco* Pfarrer *m*; *oft desp. los ~s* die Pfaffen *m/pl.* (*desp.*); F *este ~* ich.
cura[2] *f* Kur *f*; Heilung *f*; Behandlung *f e-r Wunde*; *~ de aguas, ~ hidrológica* Brunnenkur *f*; *~ de almas* Seelsorge *f*; *~ balnearia, ~ termal* Bade-, Thermal-kur *f*; *~ de cama, ~ de reposo (en decúbito)* Liegekur *f*; *primera ~, ~ de urgencia* erste Hilfe *f*, erste Behandlung *f*; (*no*) *tener ~* (nicht) heilbar sein; **~bilidad** *f* Heilbarkeit *f*; **~ble** *adj. c* heilbar.
curaca *Ke. m And.* Häuptling *m*.
curación *f* Heilung *f*; Genesung *f*; *~ espontánea* spontane Heilung *f*, Selbstheilung *f*.
curadera *f Chi.* Rausch *m*.
curadillo *m* Stockfisch *m*.
curado[1] *adj.*: *beneficio m ~* Pfarrpfründe *f mit seelsorgerischer Pflicht*.
curado[2] **I.** *adj.* **1.** geheilt, heil; *fig.* abgehärtet, hartgeworden; F *~ de espanto* abgebrüht, unerschütterlich; **2.** ⊕ *cuero m ~* zur Weiterbehandlung fertiges Rohleder *n*; gegerbtes Leder *n*; *lienzo m ~* gebleichte Leinwand *f*; **3.** F *Am. Reg.* betrunken; **II.** *m* **4.** ⊕ Aushärtung *f von Mörtel, Kunststoffen*.
cura|dor I. *adj.* heilend; **II.** *m* ⚖ Pfleger *m*; ⊕ Gerber *m*; Fischverarbeiter *m usw.*; → *curar*; **~duría** ⚖ *f* Amt *n* des Pflegers.
curagua ♀ *f Chi.* Hartmais *m*.
curalotodo F *m* Allheilmittel *n*.
curande|ra *f* Kurpfuscherin *f*; **~rismo** *m* Kurpfuschertum *n*, Quacksalberei *f*; **~ro** *m* Kurpfuscher *m*, Quacksalber *m* F; *hacer de ~* quacksalbern.
curar I. *v/i.* **1.** heilen; genesen; **II.** *v/t.* **2.** (ärztlich) behandeln; heilen; *Wunde, Bruch* verbinden; **3.** *Fleisch, Fische* einsalzen, räuchern; *Häute* gerben; *Leinen* bleichen; *Mörtel usw.* aushärten; *Holz* zum Trocknen lagern (lassen); **III.** *v/r.* *~se* **4.** genesen, gesund werden; heilen; F *Am.* (gern) einen heben; *~se en salud* vorbeugen, vorbauen, es nicht erst darauf ankommen lassen; *~se de a/c.* s. um et. (*ac.*) kümmern.
curare *m* Kurare *n* (*Pfeilgift*).
curasao *m* → *curazao*.
curatela ⚖ *f* Pflegschaft *f*; *persona f bajo ~* Pflegebefohlene(r) *m*.
curati|va *f* Heilmethode *f*; **~vo** heilend, Heil...
curato *m* Pfarr-, Hirten-amt *n*; *p. ext.* Pfarrei *f*.
curazao *m* Curaçao *m* (*Likör*).
curbaril ♀ *m Am. trop.* Lokustenbaum *m*.
cúrcuma ♀ *f* Gelbwurz *f*.
curcuncho *adj. Am.* bucklig.
curda F **I.** *f* Schwips *m*, Rausch *m*; **II.** *m* Säufer *m*; *estar ~* betrunken sein.

curdo *adj.-su.* kurdisch; *m* kurdische Sprache *f*; Kurde *m*.
cureña ⚔ *f* Lafette *f*; ~ *automóvil* Selbstfahrlafette *f*.
cuí ⚘ *m Am. Art* Araukarie *f*.
curia *f* **1.** Gerichtshof *f*; Justizverwaltung *f*; **2.** Kurie *f* (*a. hist. u. kath.*); **~l I.** *adj. c bsd. kath.* Kurien...; **II.** *m* Beamte(r) *m* der Kurie, Kuriale *m*; **~lesco** *adj.* kanzleimäßig, kurial; *desp.* estilo *m* ~ Kanzlei-, Gerichts-, Amts-stil *m*.
curie *Phys. m* Curie *n*.
curio|samente *adv.* **1.** seltsamerweise; **2.** sauber; **~sear I.** *v/i.* neugierig sein, herumschnüffeln F; ~ *por los escaparates* e-n Schaufensterbummel machen; **II.** *v/t.* neugierig betrachten (*od.* fragen); in *e-m Buch usw.* blättern; **~sidad** *f* **1.** Neugier(de) *f*, Wißbegier *f*; ~ *de noticias* Wunsch *m*, Neuigkeiten zu erfahren; Neugier *f*; **2.** Sehenswürdigkeit *f*; Merkwürdigkeit *f*; **3.** Sauberkeit *f*; Sorgfalt *f*; **~so I.** *adj.* **1.** wißbegierig; neugierig; naseweis, vorwitzig; *estoy* ~ *por saber si* ... ich bin neugierig, ob ..., ich möchte gern wissen, ob ...; *estoy* ~ *de sus noticias* ich warte sehr auf Nachricht von Ihnen; **2.** merkwürdig, sonderbar; sehenswert; **3.** sauber, reinlich; sorgfältig; **II.** *m* **4.** Neugierige(r) *m*.
curiyú *Zo. m* Wahrsagerschlange *f*.
curricán *m* Schleppangel *f*.
currículum *m* **vitae** *lt.* Lebenslauf *m*.
currinche *desp. m* Anfänger *m als Zeitungsberichterstatter.*
curro *adj.* **1.** schmuck, hübsch; **2.** selbstsicher.
curruchada *f Co. Volkstanz.*
currutaco F *adj.-su.* stutzerhaft; *m* Stutzer *m*, Modenarr *m*, Geck *m*.
curry *m* Curry *m*.
cursa|do *adj.* geübt, erfahren, bewandert; **~nte** *m bsd. Am.* Student *m*; Schüler *m*; Kursteilnehmer *m*; **~r 1.** *Fach, Wissenschaft* studieren; ~ (*estudios de*) *filología* Philologie studieren; **2.** *Auftrag* erteilen; *Telegramm* aufgeben; *Einladungen* verschicken; *Bericht* in Umlauf geben; *Gesuch, Akten* (amtlich) weiterleiten (an *dat. a*); **3.** häufig aufsuchen; oft tun.
cursi F **I.** *adj. c* kitschig, geschmacklos; affig, Talmi...; **II.** *m* Vornehmtuer *m*, Laffe *m* F, Affe *m* F; **~lería** *f* Kitsch *m*, Talmi *n*; Vornehmtuerei *f*, Afferei *f* F, Getue *n*.
cursi|llista *c* Teilnehmer *m* an e-m (Kurz-)Lehrgang; **~llo** *m* (Kurz-) Lehrgang *m*; **~sta** *c* Kursteilnehmer *m*; **~va** *adj.-su. f* (*letra f*) ~ Kursive *f*, Kursivschrift *f*; **~vo** *adj.* kursiv (*Druck, Schrift*).
curso *m* **1.** Strömung *f*; (Wasser-, Fluß-)Lauf *m*; ~ *inferior* (*superior*) *del río* Fluß-unterlauf *m* (-oberlauf *m*); **2.** Bahn *f*, Lauf *m der Gestirne*; Verlauf *m e-r Kurve*; Weg *m*; ⊕ Hub *m*, Kolbenweg *m*; ~ *de los electrones* Elektronenweg *m*; **3.** Umlauf *m*, Gültigkeit *f*; ✝ en ~ im Umlauf; ~ *legal* Zwangskurs *m*; **4.** *fig.* Weg *m*, Verlauf *m*, Gang *m*, Lauf *m*; en (*od. durante*) el ~ de während (*gen.*), im Verlauf (*gen. od.* von *dat.*); *el mes en* ~ der laufende Monat; *dar* ~ *a una solicitud* ein Gesuch weiterleiten; *dejar* ~ *a una instancia* e-m Ersuchen stattgeben; *estar en* ~ *de fabricación* in Arbeit (*od.* Bearbeitung) sein; *el negocio sigue su* ~ das Geschäft geht (weiterhin) s-n Gang; **5.** Lehrgang *m*, Kurs(us) *m*; Vorlesung *f*; ~ (*escolar*) Schul-, Hochschul-jahr *n*; ~ *acelerado* (*od. de formación acelerada*) Schnellkurs *m*; ~ *de ampliación* (*de conocimientos*) Fortbildungslehrgang *m*; ~ *por correo* Fernlehrgang *m*; Fernunterricht *m*; ~ *de formación* Ausbildungs-, Schulungs-kurs *m*; ~ *de idiomas* Sprachlehrgang *m*; ~ *de perfeccionamiento* (*od. de adiestramiento*) *profesional* Kurs *m* für berufliche Weiterbildung *f*; ~ *preparatorio* Vorbereitungskurs *m*; ~ *para principiantes* Anfängerkurs *m*; **6.** ⚕ **~s** *m/pl.* Durchfall *m*.
cursor ⊕ *m* Läufer *m*, Schieber *m am Rechenschieber*; ⚡ Reib-, Schleifkontakt *m*.
curtación *Astr. f* ekliptische Verkürzung *f*.
curti|do I. *adj.* **1.** erfahren, bewandert (in *dat. en*); **2.** abgehärtet; gebräunt; gegerbt (*a. vom Wetter*); **II.** *m* Gerben *n*; **~s** *m/pl.* gegerbte Häute *f/pl.*; **~dor** *m* Gerber *m*; **~dura** *f* → *curtimiento*; **~duría** *f* Gerberei *f*; **~embre** *f Am.* Lohgerberei *f*; **~ente** *m* Gerbstoff *m*; **~miento** *m* **1.** Gerben *n*; **2.** *fig.* Abhärten *n*; Bräunen *n*; **~r I.** *v/t.* **1.** *Felle, Haut* gerben; bräunen; *fig.* abhärten; *Rpl.* verprügeln; **II.** *v/r.* **~se 2.** braun werden (in der Sonne *por el sol*); *fig.* s. abhärten; **3.** *Hond.* s. schmutzig machen.
curu|ja *Vo. f* Waldohreule *f*; **~ro** *Zo. m Chi. Art* Feldratte *f*; **~rú** *Zo. m* Wabenkröte *f*.
curva *f* **1.** Kurve *f*; Krümmung *f*, Bogen *m*; F **~s** *f/pl.* Kurven *f/pl. e-r Frau*; ⚕, ⊕ ~ *de caída* Fallkurve *f*; ~ *característica* charakteristische Kurve *f*, ⊕ *oft* Kennlinie *f*; ~ *descendente* fallende Kurve *f*; ~ *diferencial*, ~ *derivada* Differentialkurve *f*; ⚕ ~ *de la fiebre* Fieberkurve *f*; ~ *escarpada* Steilkurve *f*; ~ *de nivel* Höhen-, Schicht-linie *f*; *Vkw. tomar una* ~ e-e Kurve nehmen; **2.** ⚓ Krummholz *n*; **~do** *adj.* gekrümmt; geschweift; Rund...; **~dora** ⊕ *f* Biegemaschine *f*; **~tón** ⚓ *m* Stützplatte *f*; **~tura** *f* Krümmung *f*; **~r** *v/t. bsd.* ⊕ biegen, krümmen.
curvi|dad *f* → *curvatura*; **~líneo** *adj.* in e-r Kurve verlaufend.
curvímetro *m* Kurvenmesser *m*.
curvo *adj.* krumm, gekrümmt, gebogen, rund.
cusca *f* **1.** *Méj.* leichtes Mädchen *n*; **2.** *hacer la* ~ *a alg.* **a)** j-n belästigen, j-n auf die Palme bringen; **b)** j-m schaden.
cuscu|rro, ~rrón *m* Brot-rinde *f*, -kruste *f*.
cuscús *Zo. m* Flugeichhörnchen *n*.
cuscuta ⚘ *f* Flachsseide *f*.
cusir F *v/t.* → *corcusir*.
cúspide *f* Spitze *f*, *a. fig.* Gipfel *m*; *Geom.* Spitze *f* (*höchster Punkt e-s Körpers*).
cusqui F: *hacer la* ~ → *hacer la cusca*.
custo|dia *f* **1.** Aufbewahrung *f*, Verwahrung *f* (*a. Wertpapiere*), Gewahrsam *f* (*a. Polizei*), Obhut *f*; Bewachung *f*; ✝ ~ *de valores* Depotgeschäft *n*; **2.** *kath.* Monstranz *f*; **~dio** *adj.-su. m* Wächter *m*; Kustos *m*; *ángel m* ~ Schutzengel *m*; *hist.* ~ *del Gran Sello* Großsiegelbewahrer *m*.
cusú *Zo. m* Kusu *m*.
cusumbe *m Ec. Art* Koati *m*.
cuta|cha *f Hond.* langes Messer *n*; **~ma** *f Chi.* Mehlsack *m*; *fig.* schwerfälliger Mensch *m*.
cutáneo ⚕ *adj.* Haut...
cutar(r)a *f Méj., Am. Cent.* Bauernschuh *m*.
cúter ⚓ *m* Kutter *m*.
cutí *tex. m* (*pl. cutíes*) Drillich *m*; **~cula** ⚕ *f* Oberhaut *f*; ~ *de la célula* Zellhaut *f*.
cuticular *adj. c* Oberhaut...
cutio F *m Reg.* Arbeit *f*, Knochenarbeit *f* F.
cuti|rreacción ⚕ *f* Hautreaktion *f*; **~s** *m* (*bsd.* Gesichts-)Haut *f*; *crema f para el* ~ Hautcreme *f*.
cuto *adj. Bol., Salv.* einarmig; lahm.
cutral *adj. c* ausgedient (*Rindvieh*).
cutre *m* Geizhals *m*, Knauser *m*.
cuy *Zo. m Am. Mer.* Meerschweinchen *n*.
cuyo I. *pron. rel. poss.* dessen, deren; *fragend*: *¿cúyo?* wessen?; *mi amigo, cuya hija está en Madrid* mein Freund, dessen Tochter in Madrid ist; *por cuya causa* weshalb; *¿cúyo es este libro?* wem gehört dieses Buch?; **II.** *m* F Liebhaber *m*.
¡cuz, cuz! hierher! (*Lockruf für Hunde*).
cuzcuz *m* → *alcuzcuz*.
czar *m u. Abl.* → *zar*.
czarda ♪ *f* Csárdás *m* (*Tanz*).

Ch

Ch, ch (= che) *f vierter Buchstabe des span. Alphabets.*

cha *m Fil., Am. Reg.* Tee *m.*

chabaca|nada *f*, **~nería** *f* Geschmacklosigkeit *f*, Plattheit *f*; Derbheit *f*; Pfuscherei *f*; **~no I.** *adj.* geschmacklos, platt; plump, derb, gemein; Pfusch...; **II.** *m* ⚘ *Méj.* Aprikosenbaum *m.*

chabela *f Bol. Mischgetränk aus Wein u. Chicha.*

chabó □ *m* Bursche *m*, Junge *m.*

chabo|la *f* Hütte *f*, Gartenhäuschen *n*; F elende Wohnung *f*; **~lismo** *m* (Unterbringung *f* in *od.* Vorhandensein *n* von) Elendsquartiere(n) *n/pl.*

chacal *Zo. m* Schakal *m.*

chacanear *vt/i. Chi.* (dem Pferd) kräftig die Sporen geben; *fig.* ärgern, schikanieren.

chácara *f Am.* → *chacra*[1].

chacarero *m Am. Mer.* Bauer *m*, Landmann *m.*

chacarrachaca F *f* Geschrei *n*, Klamauk *m* F.

chaci|na *f* Schweinswurstfleisch *n*; Pökel-, Selch-fleisch *n*; **~nero** *m* Wurstfabrikant *m*; Schweinemetzger *m.*

chacó *m* (*pl.* **~ós**) Tschako *m.*

chacolí *m* (*pl.* **~íes**) *bask.* leichter (Bauern-)Wein *m.*

chacolotear *v/i.* scheppern, klappern (*loses Hufeisen usw.*).

chacona ♪ *f* Chaconne *f* (*alter span. Reigentanz*).

chaco|ta *f* Klamauk *m* F, Radau *m*, lärmende Freude *f*; Juchhe(i) *n*; Gelächter *n*; *hacer ~ de a/c.*, *echar* (*od. tomar[se]*) *a/c. a ~* et. nicht ernst nehmen, s. über et. (*ac.*) lustig machen; **~tear I.** *v/i.* Spaß treiben, (s. e-n) Fez machen F; **II.** *v/r.* **~se** de s. lustig machen über (*ac.*); **~tero** *adj.-su.* aufgedreht, lustig.

chacra[1] *Ke. f Am. Mer.* kl. Farm *f*, Bauernwirtschaft *f.*

chacra[2] *Equ. f Chi.* Scheuerwunde *f.*

chacha[1] F *f* Dienst- *bzw.* Kindermädchen *n*; Mädchen *n*; Kleine *f* (*Koseform*).

chacha[2] *f Am.* → *chachalaca.*

cha-cha-chá ♪ *m* Cha-Cha-Cha *m* (*Tanz*).

chachalaca *f Vo. Méj.* Schreivogel *m*; *fig.* Schwätzer *m.*

cháchara *f* Geschwätz *n*, leeres Gerede *n*, Gequassel *n* F; **~s** *f/pl.* Plunder *m*, Krimskrams *m.*

chacha|rear F *v/i.* schwatzen, quatschen F; **~rero** *adj.-su.* schwatzhaft; *m* Schwätzer *m*; **~rón** F *adj.-su.* Quasselfritze *m* F, Quatschkopf *m* P.

chacho F *m* Junge *m* (*Koseform*).

chafado *adj.* zerknüllt, zerknittert; zerquetscht; *fig. dejar a uno ~* **a)** j-m den Mund stopfen; **b)** j-n sehr bedrücken.

chafaldete ⚓ *m* Gei-, Segel-tau *n.*

chafal|dita F *f* Neckerei *f*, Ulk *m*; **~mejas** F *c* (*pl. inv.*) Farbenkleckser *m.*

chafa|llar *v/t.* verpfuschen; **~llo** F *m* Flickerei *f*; Pfuscharbeit *f*; **~llón** F *adj.-su.* Pfuscher *m.*

chafandín F *m* Fatzke *m*, eingebildeter Dummkopf *m.*

chafar I. *v/t.* **1.** zerquetschen; zertreten; zerknittern, zerknautschen; **2.** *fig.* zum Schweigen bringen, am Boden zerstören (*fig.* F); F niederdrücken, fertig machen F; **II.** *v/r.* **~se 3.** s. plattdrücken; zerquetscht werden.

chafarote F *m* Schleppsäbel *m*, Plempe *f* F.

chafarri|nada *f* → *chafarrinón*; **~nar** *v/t.* be-, ver-klecksen; **~nón** *m* Klecks *m*, Flecken *m*; Kleckserei *f*; *fig.* F Schandfleck *m.*

chaflán *m a.* ⊕ Schrägkante *f*, Schräge *f*, Fase *f*; △ (abgeschrägte) Haus- (*bzw.* Straßen-)ecke *f*; *hacer ~* die Ecke bilden.

chagorra *f Méj.* (Straßen-)Dirne *f.*

chagra I. *f Col., Ec.* kl. Farm *f*; Bauernhof *m*; **II.** *m Ec.* Bauer *m.*

chagrín *gal. m* Chagrinleder *n.*

chaguascar *v/impers. Arg.* nieseln, fein regnen.

chaima *adj.-su. c*: **~s** *pl. Indianerstamm im NW Venezuelas*; *~ m* Chaima *n* (*karibische Sprache*).

chaira *f* **1.** Schustermesser *n*, Kneif *m*; **2.** Wetzstahl *m.*

chaiselongue *frz. f* Chaiselongue *f*, Liege *f.*

chajal *m Ec.* Diener *m.*

chal *m* Schal *m.*

chalado P *adj.*: *estar ~* verrückt sein, spinnen F, e-n Dachschaden haben F; *estar ~ por* vernarrt (*od.* verknallt F) sein in (*ac.*).

chalán I. *adj.* gerieben, gerissen; **II.** *m* (*bsd.* Pferde-)händler *m*; Roßtäuscher *m*; Schacherer *m*; *Pe.* Zureiter *m.*

chalana ⚓ *f* Schute *f*, Leichter (-prahm) *m.*

chala|near *vt/i.* schachern; *Chi.* (Pferde) zureiten; **~neo** *m*, **~nería** *f* Schacherei *f.*

chalar F **I.** *v/t.* verrückt machen; **II.** *v/r.* **~se** verrückt werden, durchdrehen F; **~se** (*por*) s. verknallen F (in *ac.*).

chalaza *Biol. f* Hagelschnur *f im Ei.*

chalchihuite *m Méj. Art* Smaragd *m*; *Am. Cent.* Plunder *m*, Flitterkram *m.*

chalé *gal. m* **1.** Schweizerhäuschen *n*; **2.** kl. Landhaus *n*, Sommervilla *f.*

chale|co *m* Weste *f*; *~ salvavidas* Schwimmweste *f*; **~quera** *f* Westenschneiderin *f.*

chalet *frz. m* → *chalé.*

chalina *f* feines Halstuch *n*; Halsschleife *f.*

chalona *f Bol.* Dörrschaffleisch *n*; *Pe.* gepökeltes Hammelfleisch *n.*

chalote ⚘ *m* Schalottzwiebel *f.*

chalupa *f* **1.** ⚓ Schaluppe *f*; *Méj.* Zweierkanu *n*; **2.** *Méj. gefülltes Maisküchlein n.*

chama *f* Tausch *m* (*Trödler*).

chama|co *m Méj., Col.* Junge *m*; **~da** *f* → *chamarasca*; **~goso** *adj. Méj.* schmutzig; gemein.

cha|mán *m* Schamane *m*; **~manismo** *m* Schamanentum *n.*

chamar *v/i.* tauschen (*Trödler u.* P).

chámara *u.* **chamarasca** *f* **1.** Reisig(holz) *n*; **2.** Flackerfeuer *n.*

chamari|lear *v/i.* → *chamar*; **~(l)lero** *m* **1.** Trödler *m*; **2.** Falschspieler *m*; **~llón** *adj.-su.* schlechter Spieler *m*, Stümper *m* (*Kart.*).

chama|riz *Vo. m* (*pl.* **~ices**) Gartenzeisig *m*; **~rón** *Vo. m* Schwanzmeise *f.*

chama|rra *f* Kittel *m aus grobem Zeug*; **~rreta** *f Art* kurzer Kittel *m.*

chamba[1] *f* Zufallstreffer *m*, Schwein *n* F; *por ~* (nur) durch (e-n glücklichen) Zufall; **~**[2] *f Ec.* Rasen *m*; **~do** *m Arg., Chi.* (Trink-)Horn *n*, Becher *m.*

chambelán *m* Kammerherr *m.*

chambergo I. *adj.-su. hist.* auf das Regiment Schomberg (*Leibwache Karls II.*) bezüglich, schombergisch; (*sombrero m*) *~ m* runder, breitkrempiger Schlapphut *m*, Rembrandthut *m*; F Hut *m*; **II.** *m Vo. m* Reisfresser *m.*

chambo *m Méj.* Tauschhandel *m* (*Saatfrucht*).

cham|bón F *adj.-su.* schlechter (Karten- *usw.*)Spieler *m*; *fig.* Stümper *m*, Pfuscher *m*; *fig.* Glückspilz *m*; **~bonada** F *f* **1.** stümperhaftes Spiel *n*; *fig.* Stümperei *f*, Pfuscherei *f*; Danebenhauen *n* F; **2.** Zufallstreffer *m.*

chambra *f* **1.** Unterjäckchen *n*; P Bluse *f*; **2.** □ Zufall *m.*

chambrana △ *f* Verzierung *f* Simswerk *n.*

chami|co *Ke.* ⚘ *m Am. Mer.* Stechapfel *m*; **~za** *f* ⚘ Schilfrohr *n*; Reisig *n*; **~zo** *m* **1.** halbverkohlter Baum *m*, halbverkohltes Holzscheit *n*; **2.** schilfgedeckte Hütte *f*; *desp.* Spelunke *f*; mieses Bordell *n.*

chamo|rra F f kahlgeschorener Kopf m, Platte f F; **~rro** adj.-su. kahlgeschoren; bartlos (Weizen).

chamota f Töpferton m.

champán[1] m Fil., Am. Reg. flachgehendes gr. Boot n; China: Sampan m.

cham|pán[2] F m → **~paña** f Champagner m, Sekt m; **~pañado** adj. champagnerartig, Schaum...; **~pañazo** m Chi. Bankett n mit Champagner, Sektgelage n F.

champar F v/t. j-m e-e erwiesene Gefälligkeit vorhalten; zu j-m frech werden.

champiñón m Champignon m.

champú m Schampun n, Shampoo n; lavar con ~ schampunieren.

champurrar F v/t. Getränke mischen, mixen; trinken.

cham|pús, ~puz m Ec., Pe. Maisbrei m mit Naranjillasaft.

chamuchina f Am. gemeines Volk n, Pöbel m; Méj. → chamusquina.

chamus|cado F adj. angesteckt, infiziert F (von e-m Laster, e-r Ideologie usw.); **~car** [1g] v/t. an-, versengen; Zucker, Gefiederreste u.ä. ab-brennen, -sengen; **~co** m, **~quina** f (Ab-)Sengen n; Brandgeruch m; fig. F Rauferei f; huele a ~ es riecht brenzlig; fig. F es ist dicke Luft F, es ist (od. wird) brenzlig.

chanada F f Streich m, Betrug m.

chanca f → chancla.

chanca|ca f Am. Rohrzucker m minderer Qualität; Am. Reg. Art türkischer Honig m.

chance|ar I. v/i. scherzen; spaßen; **II.** v/r. ~se con alg. mit j-m Spaß treiben; ~se de alg. j-n (ein bißchen) auf den Arm nehmen F; **~ro** adj.-su. spaßig; m Spaßmacher m.

chancille|r hist. m Siegelbewahrer m (vgl. canciller).

chan|cla f 1. alter, abgetretener Schuh m, Latschen m F; 2. → **~cleta** f 1. Hausschuh m, Pantoffel m; en ~s mit abgetretenen Absätzen; fig. F estar hecho una ~ alt u. hinfällig sein; 2. F Am. Baby n; **~cletear** v/i. mit den Pantinen klappern; in Hausschuhen gehen; **~cleteo** m Pantinen-, Holzschuhgeklapper n; **~clo** m Überschuh m; Holzschuh m.

chancro ⚕ m Schanker m; ~ blando (duro) weicher (harter) Schanker m.

chancha f Am. Mer. Sau f; fig. Schlampe f.

cháncharras máncharras F f/pl.: andar en ~ Flausen machen, mit faulen Ausreden kommen F.

chanchería f Arg., Chi. Schweinemetzgerei f.

chanchi P: pasarlo ~ es s. gutgehen lassen, s. toll amüsieren F.

chancho adj.-su. Am. schweinisch, schmutzig; m Schwein n (a. fig.).

chanchu|llear v/i. schieben, schwindeln; **~llero** adj.-su. Schwindler m, Schieber m; **~llo** m Schwindel m, Schiebung f F; fig. ¡menos ~s! zur Sache!

chandal gal. m Trainingsanzug m.

chanfaina f versch. reg. Gerichte; Cat.: pikante dicke Soße f aus versch. Gemüsesorten; fig. P Schlangenfraß m P.

chanflón adj. plump, grob.

changa f 1. Arg., Bol. Lasttragen n; Gelegenheitsarbeit f; 2. Cu., P. Ri. Scherz m, Spaß m; **~dor** m Arg., Bol. Lastträger m; Dienstmann m; Gelegenheitsarbeiter m.

changle ♀ m Chi. eßbarer Eichenpilz m.

chan|guear v/i. Cu., P. Ri. scherzen, Spaß machen; **~guero** m Ant. → chancero; **~güí** m 1. F Spaß m; dar ~ a alg. j-n verulken; j-n hereinlegen; 2. Cu. ein Tanz; fig. Krawall m, Radau m.

chanta|je m Erpressung f; hacer ~ a alg. j-n erpressen; **~jear** v/t. erpressen; **~jista** c Erpresser m.

chan|tar v/t. 1. befestigen, einschlagen; 2. Kleid anziehen; 3. fig. se la he ~ado ich habe es ihm gesteckt F; **~tear** Jgdw. v/i. pirschen; **~teo** Jgdw. m Pirsch f.

chantre ecl. m Kantor m.

chan|za f Scherz m, Spaß m, Witz m; **~zoneta** f Späßchen n.

chañar ♀ m Am. Mer. Baum mit süßen Früchten (Gourliea decorticans).

chao F bsd. Rpl. Gruß: tschau (Reg.), tschüs, Servus F.

chapa f 1. Blech n; ~ de blindaje Mantel-blech n, -eisen n; Panzerblech n; ~ cortafuego Blechschott n; ~ ondulada Wellblech n; ~ protectora Schutzblech n; 2. Platte f; Tel. ~ de llamada Anrufklappe f (Klappenschrank); 3. Blechmarke f; ~ de control Kontrollmarke f; ⚔ ~ de identidad Erkennungsmarke f; 4. Beschlag m aus Blech usw.; Lederbesatz m an Schuhen; 5. Furnier n; 6. ~s f/pl. Chapaspiel n (Münzenwerfen); 7. ~s f/pl. Am. rosige Wangen f/pl.; 8. ⚒ de ~ vernünftig; **~do I.** adj. furniert; beschlagen; fig. ~ a la antigua altmodisch; altfränkisch; **II.** m Furnier(ung f) n.

chapale|ar v/i. 1. klappern, scheppern; 2. plätschern; plan(t)schen; **~o** m Plan(t)schen n; Plätschern n; **~ta** f Pumpenventil n; Fallklappe f; ~ (de ventilación) Belüftungsklappe f; **~teo** m Plätschern n.

chapapote m Ant. Asphalt m, Erdpech n.

chapar v/t. 1. → chapear 1; 2. fig. Wort hinwerfen, an den Kopf werfen; entgg.-schleudern (j-m a alg.); Arg. packen, ergreifen.

chapa|rra ♀ f immergrüne Eiche f; Kermeseiche f; **~rrada** f Regenguß m; **~rrear** v/impers. regnen; **~rreras** f/pl. Méj. lederne Beinkleider n/pl.; **~rrete** F adj. klein v. Wuchs; **~rro** m 1. ♀ Eichenbuschwerk n; 2. Méj. kl. Mensch m, Knirps m; **~rrón** m Platzregen m, Regenguß m; fig. kalte Dusche f; a ~ones in Strömen (regnen); F aguantar el ~ die Strafpredigt über s. ergehen lassen; **~rrudo** Fi. m Schwarzgrundel m; **~tal** m Pfütze f, Schlammloch n.

chape m Chi. Haarzopf m.

chape|ado ⊕ part.-su. m 1. Furnier n; 2. Plattierung f; ~ de oro aus Golddublee; **~ar I.** v/t. 1. ⊕ mit Platten beschlagen; belegen; plattieren; furnieren; 2. Cu. mit der Machete jäten; **II.** v/i. 3. klappern, scheppern; **~ra** ⚠ f Plankensteige f; **~ría** ⊕ f Furnierarbeit f; **~ronado** ▨ adj. gehaubt; **~ta** f roter Fleck m; Röschen n auf der Wange; **~tón I.** adj.-su. 1. Am. neu angekommen (Europäer, bsd. Spanier in Am.); Chi. neu, unerfahren; m Neuling m; **II.** m 2. F Arg. Angeber m F, Großmaul n; 3. Regenguß m; 4. Pe. → **~tonada** f Am. Erkrankung f durch Klimawechsel; fig. Unerfahrenheit f.

chapín m 1. Fi. Art Kofferfisch m; 2. ♀ Frauenschuh m; 3. Damenschuh m (fersenfrei).

chápiro F m Hut m; ¡voto al ~!, ¡por (la) vida del ~ (verde)! hol's der Teufel!, da hört s. doch einfach alles auf!

chapis|ta m Blechschlosser m; Autospengler m; **~tería** f Blechschlosserei f; Karosseriewerkstatt f.

chapitel m Turmspitze f; Kapitell n.

chaple ⊕: buril m ~ Beitel m, Grabstichel m.

chapodar v/t. Bäume (aus)lichten; fig. beschneiden, schmälern.

chapola f Col. Schmetterling m.

chapón m gr. Tintenklecks m.

chapote|ar I. v/i. in Wasser u. ä. plätschern, plan(t)schen; plätschern (Wasser); **II.** v/t. anfeuchten; **~o** m Plätschern n, Plan(t)schen n.

chapuce|ar vt/i. (zs.-, ver-)pfuschen; verhunzen F; Méj. prellen, betrügen; **~ría** f 1. Flickarbeit f; Pfuscherei f, Machwerk n, Murks m F; 2. ⚒ Reg. Lüge f; **~ro I.** adj. 1. stümperhaft, liederlich; **II.** m 2. Pfuscher m, Stümper m; Reg. Lügner m; 3. Grobschmied m.

chapulín m Am. Cent., Méj., Ven. Heuschrecke f.

chapu|rrado m Cu. Getränk n aus nelkengewürzter Pflaumenbrühe; **~rr(e)ar** v/t. e-e Sprache radebrechen; F Getränke mixen; **~rreo** m Kauderwelsch n; Radebrechen n.

chapu|z[1] m (pl. ~uces) Unter-, Eintauchen n; dar (un) ~ a → chapuzar; **~z**[2] ⚒ m, **~za** f Flickarbeit f; fig. Pfuscharbeit f; **~zar** [1f] **I.** v/t. untertauchen; **II.** v/i. u. ~se v/r. das Gesicht ins Wasser tauchen; (kopfüber) ins Wasser springen; **~zón** m Untertauchen n; dar un ~ untertauchen; F darse un ~ (kurz) baden gehen.

chaqué m Cut(away) m.

chaqueño adj.-su. aus dem Chacogebiet.

chaqueta f 1. (Kostüm-)Jacke f; 2. (Herren-)Rock m, Sakko m; fig. cambiar la ~ → chaquetear 1; F decir a/c. para su ~ et. zu s. selbst sagen.

chaquete m Tricktrack n (Spiel).

chaque|tear v/i. 1. die Gesinnung wechseln; 2. zurückschrecken, kalte Füße bekommen F, umfallen F; **~tero** m Wetterfahne f (fig.), Opportunist m; **~tilla** f kurze Jacke f, Spenzer m; **~tón** m Joppe f; Windjacke f; ~ de cuero Leder-jacke f, -joppe f.

chara Vo. f Chi. junger Strauß m.

charada f Scharade f (Rätsel).

charamusca[1] f Gal. Funke f; ~s f/pl. Can., Am. Reisig n, Kleinholz n.

charamusca² *f Méj.* gedrehte Zuckerstange *f.*
charan|ga *f* Blechmusik(kapelle) *f*; **~go** *Pe. m* kl. fünfsaitige Mandoline *f der Indianer*; **~guero** *m* Pfuscher *m*, Stümper *m*; *Andal.* Hausierer *m in Hafenorten.*
charape *m Méj.* Sorbet *m aus vergorenem Agavensaft.*
char|ca *f* (gr.) Tümpel *m*; **~cal** *m* Sumpf *m*; Gelände *n* mit vielen Pfützen; **~co** *m* **1.** Pfütze *f*, Lache *f*; *fig.* F ~ *de ranas* lärmende Versammlung *f*; *fig. pasar* (*od. cruzar*) *el* ~ über den großen Teich (= *nach Übersee*) fahren; **2.** *Col.* → *remanso*; **~cón** *Ke. adj.-su. Arg., Bol.* mager (*Tier, Mensch*).
charcutería *gal. f* (Schweine-)Metzgerei *f*; Wurstwaren *f/pl.*
charla *f* Plauderei *f*; literarischer Vortrag *m*; *desp.* Geschwätz *n*; ~ *radiofónica* Rundfunk-plauderei *f*, -vortrag *m*; *dar una* ~ e-n (kurzen) Vortrag (in aufgelockerter Form) halten; *estar de* ~ plaudern; **~dor** *adj.-su.* schwatzhaft; *m* Schwätzer *m*; **~nte** F *m* Plauderer *m*; **~r** F *v/i.* plaudern; schwatzen, quasseln F; **~tán I.** *adj.* geschwätzig; marktschreierisch; **II.** *m* Schwätzer *m*; Marktschreier *m*; Quacksalber *m*, Scharlatan *m*; **~tanear** *v/i.* schwatzen, quasseln F; **~tanería** *f* **1.** Geschwätzigkeit *f*; Geschwätz *n*; **2.** Quacksalberei *f*; Scharlatanerie *f*; **~tanismo** *m* Scharlatanerie *f*; *betrügerische* Prahlerei *f*; **~torio** *burl.* F *m* Schwatzbude *f*; *desp.* ~ *nacional* Quasselbude *f* (*desp.*) (= *Parlament*).
charlestón ♪ *m* Charleston *m* (*Tanz*).
char|lista *c* Vortragsredner *m*; **~lotada** *f* komische Stierhetze *f* (*Stierkämpfer als Clowns*); *Reg.* Amateur-Stierkampf *m*; **~lotear** F *v/i.* → *charlar*; **~loteo** F *m* → *charla.*
charne|la *f* Scharnier *n*; *Zo.* Schloß-, Schließ-band *n b. Muscheln*; **~ta** F *f* Scharnier *n.*
charo|l *m* **1.** Lack *m*; *fig.* F *darse* ~ s. mächtig aufspielen, angeben F; **2.** Lack-, Glanz-leder *n*; *zapatos m/pl. de* ~ Lackschuhe *m/pl.*; **3.** Glanzschuhcreme *f*; **~lado** *adj.* glänzend, blank; Lack...; **~lar** *v/t. Leder u. ä.* lackieren; **~lista** *m* Lackierer *m*; Vergolder *m.*
charpa *f* Schulterriemen *m*; ⚕ Armbinde *f*, Mitella *f.*
char|que, ~qui *Ke. m Am. Mer.* Dörr-, Trocken-, Rauch-fleisch *n*; *Chi.* Dörrobst *n*; **~quicán** *m Arg., Bol., Chi., Pe. Eintopf aus Kartoffeln, Bohnen u. Dörrfleisch.*
cha|rrada *f* **1.** Bauerntanz *m*; **2.** Geschmacklosigkeit *f*; Kitsch *m*; **3.** Grobheit *f*, Flegelei *f*; **~rrán** *m* Schurke *m*, Gauner *m*, Taugenichts *m*; **~rranada** *f* Gemeinheit *f*, (Schurken-)Streich *m.*
charrasca F *f* Schleppsäbel *m*, Plempe *f* F; Klappmesser *n.*
charretera *f* **1.** Achselstück *n*, Schulterklappe *f*, Epaulette *f*; **2.** Knieband *n*; Schulterkissen *n der Wasserträger.*
charro I. *adj.* **1.** salmantinisch; *desp.* bäurisch; grob; **2.** buntscheckig, grell; aufgedonnert, geschmacklos; **II.** *m* **3.** Bauer *m* aus *der Provinz* Salamanca; *Méj.* Mann *m* vom Lande *in typischer Reitertracht.*
charrúas *hist. m/pl. Indianerstamm am Nordufer des La Plata.*
chárter *Angl.*: *vuelo m* ~ Charterflug *m.*
chartreuse *frz. f* Chartreuse *m* [(*Likör*).
¡chas! → *zas.*
chasca *f* **1.** *ausgeschnittenes* Gezweig *n*, Reisig *n*; **2.** *And.* Haarbüschel *n*, Zotte(l) *f*; **~r** [1g] **I.** *v/i.* → *chasquear 3*; **II.** *vt/i.* knallen (*Peitsche*); (mit der Peitsche) knallen; (mit der Zunge) schnalzen; **~rrillo** *m* Schnurre *f*, Anekdötchen *n.*
chascás ⚔ *m* (*pl.* ~*des*) Tschapka *f.*
chas|co¹ *m* Streich *m*, Possen *m*, Fopperei *f*; Reinfall *m*, Enttäuschung *f*; *dar un* ~ *a j-n* hereinlegen F; *llevarse un* ~ enttäuscht werden, s. verrechnen, hereinfallen; *¡menudo* ~*!* so ein Reinfall!; **~co²** *Ke. Bol.*, **~cón** *adj. Chi.* zottig.
chasis *m* (*pl. inv.*) *Kfz.* Fahrgestell *n*, Chassis *n*; *Phot.* Kassette *f*; *fig.* F *quedarse en el* ~ zaundürr (*od.* nur noch ein Gerippe) sein.
chasponazo *m* Streifschuß(spur *f*) [*m.*
chasquea|do *adj.*: *quedar(se)* ~ hereinfallen, e-n Reinfall erleben; *dejar* ~ → **~r I.** *v/t.* **1.** *j-m* e-n Streich spielen, *j-n* anführen, *j-n* reinlegen F; *j-n* im Stich lassen; **2.** mit *der Peitsche* knallen; mit *der Zunge* schnalzen; **II.** *v/i.* **3.** krachen, knacken (*Holz*).
chasqui *Ke. m And.* Bote *m.*
chasquido *m* **1.** Knistern *n*, Knakken *n*, Knarren *n*; Schnalzen *n*; Knallen *n*; *dar* ~*s* → *chascar*; **2.** *Phon.* Schnalzlaut *m.*
chata *f* **1.** Bettschüssel *f*; **2.** ⚓ → *chalana*; *Kfz. Arg.* Pritschenwagen *m*; **3.** F kl., untersetzte Frau *f*; *Anrede*: Kleine(s *n*) *f.*
chata|rra *f* **1.** (Erz-)Schlacke *f*; **2.** Schrott *m*, Alteisen *n*; **3.** *M* Lametta *n M* (*Orden u. Ehrenzeichen*); **~rrero, ~rrista** *m* Schrotthändler *m.*
chateo F *m*: *andar* (*od. ir*) *de* ~ die Kneipen abklappern F, von e-r Bar in die nächste ziehen.
chato I. *adj.* **1.** stumpfnasig; platt, flach, (abge)stumpf(t); *nariz f* ~*a* Stumpf-, Stups-nase *f*; **II.** *m* **2.** niedriges Weinglas *n*; *tomar un* ~ s. ein Gläschen genehmigen; **3.** ✈ *M* Jagdeinsitzer *m.*
chatón *m* Solitär *m* (*Edelstein*).
chatre *adj. c And.* herausgeputzt.
chatun|ga *f*, **~go** *m* F Mädchen *n*; Kind *n.*
¡chau! *Gruß, bsd. Rpl.* auf Wiedersehen!, tschau! (*Reg.*), ade!
chaucha *f* **1.** *Arg.* grüne (lange) Bohne *f*; *Chi.* Saatkartoffeln *f/pl.*; **2.** F *Chi.* Zwanzigcentavostück *n.*
chaúl *m* (*mst.* blaue) Chinaseide *f.*
chauvinis|mo *gal. m* Chauvinismus *m*; **~ta** *adj.-su. c* chauvinistisch; *m* Chauvinist *m.*
chava|l F *m* Junge *m*, junger Bursche *m*; **~la** F *f* Mädel *n*; P Freundin *f.*
chavalongo *Map. m Chi.* Typhus *m.*
chavea F *m* Bürschchen *n.*
chaveta *f* Splint *m*; Bolzen *m*, Keil *m*; Feder *f*; F *perder la* ~ den Verstand verlieren, durchdrehen F.
chavo *m* → *ochavo.*
chavó P *m* Junge *m*, Kerl *m* P.
chaya *f Chi.* Fastnachtstreiben *n*; *p. ext.* Konfetti *n.*
chayote *m* Chayotefrucht *f.*
che *f Name des Buchstabens CH im Span.*
¡ché!, *oft* **¡che!** F *int. Val., Rpl.* he!
checa *f* **1.** *Pol. hist.* Tscheka *f*, *russische pol. Polizei*; *ähnliche Organisation im span. Bürgerkrieg*; **2.** *p. ext.* (Folter-)Gefängnis *n.*
checo *adj.-su.* tschechisch; *m* Tscheche *m*; *das* Tschechische; **~(e)slovaco** *adj.-su.* tschechoslowakisch; *m* Tschechoslowake *m* (*nur Staatsbürger*).
cheche *m Cu., P. Ri.* Aufschneider *m*, Eisenfresser *m.*
chécheres *m/pl. Col., C. Ri.* Plunder *m*, billiges Zeug *n.*
cheira *f* Schustermesser *n.*
chelín *m* Schilling *m* (*Münze*).
chelo ♪ *m* → *violonchelo.*
che|pa F *f* Buckel *m*; **~poso, ~pudo** *desp. adj.* bucklig.
cheque *m* Scheck *m*; ~ *abierto* offener Scheck *m*, Barscheck *m*; ~ *cruzado* gekreuzter Scheck *m*; Verrechnungsscheck *m*; ~ *nominativo* (*postal*) Namens- (Post-)scheck *m*; ~ *a la orden* (*al portador*) Order-(Inhaber-, Überbringer-)scheck *m*; ~ *de viaje(ros)* Reisescheck *m*; *librar* (*od. extender*) *un* ~ e-n Scheck ausschreiben (*od.* ausstellen); **~ar** *Am. Cent.* **I.** *v/i.* Schecks ausstellen; **II.** *v/t.* überprüfen, vergleichen; ⚕ untersuchen.
chequén ✿ *m Chi.* Myrte *f.*
chequeo *neol.* ⚕ *m* Generaluntersuchung *f.* [schein *m.*
cheque-regalo *m* Geschenkgut-
chercán *m* chil. Nachtigall *f.* [*m.*
chercha *f Hond., Ven.* Spaß *m*, Ulk
cherna *Fi. f Art* Zackenbarsch *m.*
cherva ✿ *f* Rizinus *m.*
chéster *m* Chesterkäse *m.*
cheuto *adj. Chi.* hasenschartig.
chéve|re, ~ri F *adj. c Col., Méj.* prima, dufte F.
cheviot *tex. m* Cheviot *m*, *f.*
chía ✿ *f ölhaltige(r)* am. Salbei *m.*
Chiapa: *pimienta f de* ~ Paradieskörner *n/pl.*, *Art* Amom *n.*
chibchas *m/pl.* Chibchas *m/pl.*, *alter Indianerstamm b. Bogotá.*
chibuquí *m* Tschibuk *m* (*türkische Pfeife*).
chic *gal.* **I.** *m* Chic *m*, Schick *m*; **II.** *adj. inv. nur nachgestellt* chic, schick, elegant.
chica *f* **1.** Kleine *f*, Mädchen *n*; (Dienst-)Mädchen *n*; ~ *para todo* Alleinmädchen *n*, Mädchen *n* für alles; **2.** Lehrmädchen *n*; **3.** kl. Flasche *f*; Kleine(s) *n* (*Glas Bier*); *Méj.* Pulquemaß *n*; **4.** *Méj. kl. Silbermünze*; **~da** *f* F Kinderei *f.*
chicalote ✿ *m Méj.* Argemone *f*, *Art* Mohn *m.*
chica|na *gal. f bsd. Am.* Schikane *f*; **~near** *gal. v/t. bsd. Am.* schikanieren, piesacken F.
chicarrón *adj.-su. m augm.* kräftig entwickelter Junge *m.*
chicle *Na. m* Kaugummi *m*; **~ar** *v/i. Am.* (Kau-)Gummi kauen.

chico I. *adj.* **1.** klein; jung; **II.** *m* **2.** Kleine(r) *m*; Junge *m*; F junger Mann *m*; F *¡~!* Mensch(enskind)! F; *¡vamos, ~!* nun hör mal!, nun mach 'nen Punkt; *ser buen ~* ein netter Kerl sein; *ser un ~* (noch) ein Kind sein; F *los ~s de la prensa* die Leute von der Presse; **3.** *Weinmaß*: 0,186 l; **~co** *adj.-su. m Chi.* Zwerg *m*, Knirps *m* F.
chicole|ar F *v/i.* Süßholz raspeln; **~o** *m* Kompliment *n*, Schmeichelei *f*.
chicoria ⚘ *f* Zichorie *f*.
chicorro|tico, ~tillo, ~tín F *adj.-su.* klein, winzig, klitzeklein F.
chico|ta *f* dralles Mädchen *n*; **~te** *m* **1.** kräftiger Bursche *m*; **2.** F (billige) Zigarre *f*; **3.** ⚓ Tauende *n*; **4.** *Am. Reg.* (kurze) Peitsche *f*; **~tear** *v/t. Am. Reg.* peitschen.
chicue|la *f* kl. Mädchen *n*; **~lo** *m* kl. Junge *m*.
chicha¹ *f Kdspr. u.* F Fleisch *n*; F *tener pocas ~s* nur Haut u. Knochen sein.
chicha² ⚓ *adj.*: *calma f ~* völlige Windstille *f*, Flaute *f*.
chicha³ *f Am.* Chicha *f*, *mst. Maiswein bzw. -branntwein*; F *no ser ~ ni limonada* weder Fisch noch Fleisch sein; F *de ~ y nabo* wertlos, sehr durchschnittlich, vom großen Haufen F; **~r** *v/i. Arg.* maßlos Chicha trinken.
chícharo *m* Erbse *f*.
chicha|rra *f* **1.** ⊕ Bohrknarre *f*; Ratsche *f*, Knarre *f*; ⚡ Summer *m*; **2.** Zikade *f*; *fig. canta la ~* es ist sehr heiß; *fig.* F *hablar como una ~* wie ein Wasserfall reden; **~rrero** *m* Brutkasten *m*, Backofen *m* (*fig.*); **~rrina** F *f* glühende Hitze *f*; **~rro** *m* **1.** *Fi.* → *jurel*; **2.** → **~rrón** *m* **1.** *Kchk.* Griebe *f*; *fig.* F Angebrannte(s) *n überhaupt*; *Arg. Art* Röstfleisch *n*; **2.** *fig.* F sonnenverbrannter Mensch *m*.
chiche¹ F *Na.* **I.** *m Am.* Brust *f der Amme*; **II.** *f* Amme *f*.
chiche² *Ke. m Am.* Spielzeug *n*; Zierat *m*.
chichear *vt/i.* (aus)zischen.
chichería *f Am.* Chichakneipe *f*.
chichi I. *m Pe.* kl. Flußkrebs *m*; **II.** *f* F *Am.* Amme *f*.
chichigua *f* **1.** *Am. Cent.* Amme *f*; **2.** *Col.* Lappalie *f*.
chichimecas *m/pl.* Chichimeken *m/pl.* (*Indianerstamm in Méj.*).
chichisbeo *it. m* Cicisbeo *m*, Hausfreund *m*.
chichón *m* Beule *f am Kopf*.
chichuangar *v/i. Arg.* Wäsche auswringen.
chifla¹ *f* Schab-, Glätt-messer *n für Leder*; **~²** *f* **1.** Zischen *n*; Pfeifen *n*; **2.** Pfeife *f*; **~do** F: *estar ~* **a)** nicht ganz bei Trost sein, **b)** verknallt sein (in *ac. por*); **~dura** *f* Pfeifen *n*; *fig.* F Verrücktheit *f*; Spinnerei *f* F; Fimmel *m* F, Marotte *f*; *~ de los sellos* Briefmarkenfimmel *m*; **~r¹** *v/t. Leder* glätten, schaben; **~r²** **I.** *v/i.* **1.** pfeifen; zischen; **2.** e-n heben F, s. vollaufen lassen F; **II.** *v/t.* **3.** auszischen; verhöhnen; **4.** verrückt machen; **III.** *v/r.* **~se** **5.** verrückt werden, überschnappen F; *~se por* verrückt sein nach *j-m od. et.*; **6.** *~se de* s. lustig machen über (*ac.*); **~to** *m* Pfeife *f*.
chifle *m* Pfeife *f*; **~te** *m* **1.** Lockpfeife *f der Jäger*; **2.** *Fi.* Pfeilhecht *m*.
chiflido *m* Pfiff *m*.
chiflis F *adj. inv. Col.* bescheuert F, meschugge F.
chiflón *m Am. Reg.* (leichter) Wind *m*; *Am. Cent.* Wasserfall *m*.
chigre ⚓ *m* Winde *f*, Winsch *f*.
chigüil *m Ec.* Pastete *f aus Mais, Eiern, Butter u. Käse*.
chilaba *f* Dschellaba *f* (*Arabermantel*).
chilar *m* Chillipflanzung *f*.
chile ⚘ *m* Ají-, Chile-pfeffer *m*, Chilli *m*.
chile|nismo *m* Chilenismus *m*; **~no** (**~ño** ✕ *nur Personen*) *adj.-su.* chilenisch; *m* Chilene *m*.
chilindrina F *f* **1.** Bagatelle *f*, Lappalie *f*; **2.** Schnurre *f*, Witz *m*; Neckerei *f*.
chilmo|l(e), **~te** *m Méj.* Gericht *n mit Ajípfeffer- u. Tomatensoße*.
chilla¹ *f* Schindel *f*; dünnes Brett *n*; F lockerer Griff *m*.
chilla² *f Arg. Art* Fuchs *m*.
chilla³ *Jgdw. f* Lockjagd *f auf Kaninchen*; Lockpfeife *f*.
chillado *m* Schindeldach *n*.
chi|llar *v/i.* **1.** kreischen, schreien, schrillen; quietschen; *Jgdw.* mit der Lockpfeife locken; **2.** zu grell sein (*Farben*); **~llería** *f* Gekreisch *n*, Geschrei *n*; **~llido** *m* Aufschrei *m*; *~s m/pl.* Gekreisch *n*, Gequieke *n*; **~llo** *Jgdw. m* Lockpfeife *f* (*Kaninchenjagd*); **~llón I.** *adj.* **1.** kreischend, gellend, schrill, schreiend (*a. fig.*); grell (*Farbe*); *no me seas tan ~* widersprich mir nicht; sei nicht so frech; **II.** *m* **2.** Schreier *m*, Schreihals *m* F; **3.** Latten-, Schindel-nagel *m*.
chimango *m Vo. And.* Chimango *m*; F *Arg.* Mann *m* aus dem niederen Volk.
chimenea *f* **1.** Kamin *m*, Mantelofen *m*; **2.** Schornstein *m*, Kamin *m*; Esse *f*; ⚒ Wetterschacht *m*; **3.** ⊕ Führungsbuchse *f*; **4.** *Bergsport*: Kamin *m*; **5.** *Thea.* Bühnen-, Seiten-schacht *m*.
chimpancé *Zo. m* Schimpanse *m*.
china¹ *f* **1.** (Kiesel-)Steinchen *n*; Steinchenraten *n* (*Kinderspiel*); *fig.* F *tocarle a uno la ~ mst.* Pech haben, es ausbaden müssen; *fig. poner ~s a alg.* j-m Steine in den Weg legen; j-m Schwierigkeiten machen; *echar (a la) ~* Steinchen raten (*Kinderspiel*); **2.** F Geld *n*.
china² *f* **1.** Chinesin *f*; **2.** Chinaseide *f*; **3.** chinesisches Porzellan *n*; **4.** ⚘ Chinawurzel *f*; *oft Am.* Stechwinde *f*; *Ant.* Orange *f*.
china³ *Ke. f* **1.** *Am. Cent., Am. Mer. urspr.* (junge) Indianerin *f*; *p. ext.* Mestizin *f*; Hausmädchen *n*, Magd *f*; *Am. Mer.* (*bsd.* eingeborene) Geliebte *f*; *Chi.* leichtes Mädchen *n*, Dirne *f*; *Guat., Salv.* Kindermädchen *n*; *Col.* elegante junge Dame *f*; *Am. Reg.* schöne Frau *f*; **2.** → *chinita*.
china|rro *m* größerer (Bach-)Kiesel *m*; **~zo** *m* Wurf *m* mit e-m Kiesel.
chincol *Vo. m Chi.* Singspatz *m*.
chin|cha *Ent. f Ant.* → *chinche 1*; **~char I.** *v/t.* **1.** F ärgern, belästigen, piesacken F; **2.** □ umlegen P; **II.** *v/r.* *~se* **3.** P *¡chínchate!* geschieht dir (ganz) recht!; *¡para que te chinches!* ätsch!; **~charrero** *m* Wanzennest *n*; *Am.* kl. Fischerboot *n*; **~che** *f* (*a. m*) **1.** Wanze *f*; *fig.* F Quälgeist *m*; aufdringlicher Kerl *m*; freche Wanze *f* F; *caer (od. morir) como ~s* haufenweise (*od.* wie die Fliegen) sterben; **2.** Reißnagel *m*, -zwecke *f*; **~cheta** *f* Reißzwecke *f*.
chinchilla *f Zo.* Chinchilla *f*; Chinchillapelz *m*.
chinchín *onom. m* Tschingbum *m* (*Beckenklang*), Tschingderassassa *n* (*a. fig.*).
chinchona *f Am. Mer.* Chinin *n*.
chinchorre|ría *f* **1.** Zudringlichkeit *f*; **2.** Klatsch *m*; **~ro I.** *adj.* auf-, zu-dringlich; klatschsüchtig; **II.** *m* Klatschmaul *n*.
chinchorro *m* **1.** Zugnetz *n*; **2.** (Netz-)Hängematte *f*; **3.** kl. Ruderboot *n*, Jolle *f*.
chinchoso *adj.* → *chinchorrero*.
chiné *adj. c* bunt (*Seide*).
chinear *v/t. Am. Cent. Kinder* auf den Armen (*od.* auf dem Rücken) tragen.
chinela *f* Hausschuh *m*, Pantoffel *m*.
chine|ro *m* Porzellanschrank *m*; **~sco I.** *adj.* chinesisch; **II.** *m* ♪ Schellenbaum *m*.
chin|ga *f C. Ri.* Zigarrenstummel *m*; *Hond.* Spaß *m*, Ulk *m*; *Ven.* Schwips *m*; **~gana** *f Am. Mer.* Tanzkneipe *f*, Tingeltangel *n*, *m*; **~gar** [1h] P **I.** *vt/i.* stark trinken, saufen P; **II.** *v/t. Méj., Salv.* ärgern, belästigen; an der Nase herumführen; **III.** *v/r.* *~se* s. betrinken, s. besaufen P; *Am. Cent., Am. Mer.* hereinfallen; *Chi.* mißlingen, danebengehen F; **~go** *adj.* P *Cu.* klein; *C. Ri.* schwanzlos; *Ven.* stumpfnasig.
chingol(o) *Vo. m Am. Mer.* Singspatz *m*.
chingue *Map. Zo. m Chi.* Stinktier *n*.
chinguero *m C. Ri.* Inhaber *m* e-r Spielhölle.
chinguirito *m Cu., Méj.* Fusel *m*, Schnaps *m*.
chinita *f Am.* schöne Frau *f*; Geliebte *f*; Liebste *f*; *desp. Arg.* indianisches Dienstmädchen *n*.
chino¹ *adj.-su.* chinesisch; *m* Chinese *m*; *das* Chinesische; *desp.* Kommunist *m*; *fig. esto es ~ para mí, esto me parece ~* das kommt mir spanisch vor, das sind für mich böhmische Dörfer; *engañarle a uno como a un ~* j-n gewaltig übers Ohr hauen.
chino² I. *m* **1.** *Ethn.* Chino *m* (*Mischling v. Indianerin u. Zambo od. umgekehrt*); **2.** *Am.* Farbige(r) *m*; Indianer *m*; *oft desp.* (indianischer) Diener *m*; **3.** *Arg., Chi. kosend*: lieber Junge; Schatz *m*; **4.** F *Col.* Sohn *m*; **II.** *adj.-su.* **5.** *Arg., Chi.* häßlich, ungehobelt; *m* Mann *m* aus dem Volk; **6.** *Méj.* kraus, lockig.
chipa *Ke. f Rpl.* Strohhülle *f*; geflochtener Korb *m*; *fig. Rpl., Bol.* Gefängnis *n*; *Chi.* Tragnetz *n*.
chipá *Gua. m Rpl.* Mais-, Maniokkuchen *m*.
chipar P *v/t.* **1.** *Arg.* strafen; *que te chipe el diablo, si ...* der Teufel soll

dich holen, wenn ...; 2. *Bol.* beschwindeln.
chipé □ *f* Wahrheit *f*; **~(n)** F *adj.-adv.*: de ~ 1. toll F, großartig; 2. wirklich, tatsächlich.
chipi|chape *m* → *zipizape*; **~chipi** *m Méj.* Sprühregen *m*.
chipirón *m* Tintenfisch *m im Golf v. Biskaya.*
chipote *m Am. Cent.* → *manotada*; *Méj.* Furunkel *m*.
chipriota, ~priote *adj.-su. c* aus Zypern, zyprisch; *m* Zyprer *m*, *inc.* Zypriote *m*.
chique ⚓ *m* Versteifung *f*.
chiquear *v/t. Cu., Méj.* schmeicheln (*dat.*); liebkosen.
chiquero *m* 1. Schweinekoben *m*; 2. Stierzwinger *m*; 3. *M* Bau *m M* (*Arrest*).
chiquichaque *onom. m* Ritzeratze *n* (*Sägegeräusch*); Schmatzen *n beim Kauen.*
chiqui|licuatre, ~licuatro F *m* Laffe *m*, Fatzke *m* F, Fant *m*; **~lla** *f* kl. Mädchen *n*, Göre *f* F; **~llada** *f* Kinderei *f*; **~llería** F *f* Haufen *m* Kinder; **~llo** *adj.-su.* klein; *m* Kind *n*; (kl.) Junge *m*; *p. ext.* Tierjunge(s) *n*; *fig.* Kindskopf *m*.
chiquirriti|co, ~llo, ~to F *adj.* ganz klein, winzig; blutjung.
chiqui|(rri)tín *adj.-su.* klein, winzig; *m* Bübchen *n*, kl. Kerlchen *n*; **~to** *adj.-su.* klein; jung; *dejarle a uno* ~ j-n weit hinter s. lassen, j-m sehr über sein; *bsd. Rpl. a.* j-n kleinkriegen; F *no andarse en ~as* keine Umstände machen, den Stier bei den Hörnern packen; ganze Arbeit leisten, Nägel mit Köpfen machen F.
chirca ⚘ *f Am.* Chirca *f* (*Euphorbiazee*); **~l** *m* Chircawald *m*.
chiribi|ta *f* 1. Funken *m*; F *me hacen ~s los ojos* ich habe Augenflimmern, ich sehe Sterne; *echar ~s* Gift u. Galle spucken; 2. ⚘ Margerite *f*; **~tal** *m Col.* Ödland *n*.
chiribitil *m* (Dach-)Kammer *f*; Verschlag *m*; *fig.* elende Bude *f*, Loch *n* P.
chirigo|ta F *f* Scherz *m*; **~tero** *adj.-su.* Spaßvogel *m*.
chirimbolo(s) F *m(/pl.)* Kram *m*, Krimskrams *m*, Plunder *m*; Ding *n*, Werkzeug *n*.
chiri|mía ♪ I. *f* 1. Schalmei *f*; 2. *Col.* Bläsergruppe *f*; II. *m* 3. Schalmeienbläser *m*; **~miri** *m* → *sirimiri.*
chirimo|ya *f* Chirimoya *f*, Zuckerapfel *m*; **~yo** ⚘ *m* Zuckerapfelbaum *m*.
chirinola *f* 1. Kegelspiel *n für Kinder*; 2. *fig.* Lappalie *f*; 3. Balgerei *f*, Rangelei *f*; Ausea.-setzung *f*; langes Gespräch *n*, Palaver *n* F.
chiri|pa *f Billard*: Fuchs *m*, *a. fig.* Zufallstreffer *m*; *fig.* Glück *n*, Schwein *n* F; *por ~ od. de ~* zufällig; *tener ~* ein Glückskind sein; Glück (*od.* Schwein F) haben; **~pá** *m Chi., Rpl. hosenförmiges Kleidungsstück der Gauchos*; **~pero** F *m* Glückspilz *m*.
chirivía *f* ⚘ Pastinake *f*; *Vo.* Bachstelze *f*.
chir|la *f* Venusmuschel *f*; **~lar** F *v/i.* kreischen, schreien; **~le** I. *m* Schaf-, Ziegen-mist *m*; II. *adj. c* F dünn(flüssig); fade (*a. fig.*); **~lería** F *f* Schwatzen *n*; Geschwätz *n*; **~lo** *m* Schmarre *f*, Schmiß *m*; *Arg.* (Peitschen-)Hieb *m*; *Méj.* Riß *m in der Kleidung*; **~lomirlo** *m* 1. F Kloßbrühe *f* F, kraftlose Nahrung *f*; 2. Kehrreim *m e-s best. Kinderspiels.*
chirona F *f* Kittchen *n* F; *meter en ~* hinter Schloß u. Riegel bringen, einbuchten F.
chirri|adero, ~ador *adj.*, **~ante** *adj. c* quietschend; kreischend; **~ar** [1c] *v/i.* quietschen (*Achsen, Türangeln*); knarren; brutzeln (*in der Pfanne*); zirpen (*Grille*); kreischen, schilpen (*Vögel*); F kreischen F, krächzen F (= *singen*); **~do** *m* Knarren *n*; Quietschen *n*; Zirpen *n*; Kreischen *n*, Schilpen *n*; **~ón** *m* (zweirädriger) Karren *m*; *Am.* (Leder-)Peitsche *f*.
chirula *bask. f* Schalmei *f*.
chirumen F *m* Verstand *m*, Köpfchen *n* F, Grips *m* F.
¡chis! *int.* 1. pst!, Ruhe!, 2. he!, hallo!
chiscarra *Min. f* spröder Kalkstein *m*.
chis|cón *m* elendes Loch *n* (*Wohnung*); **~garabís** F *m* Naseweis *m*; Laffe *m*; **~guete** F *m* Guß *m*, Strahl *m*; Schluck *m* (*Wein*).
chis|mar *v/i.* → *chismorrear*; **~me** *m* 1. Klatsch *m*, Gerede *n*; **~s** *m/pl. mundanos* Gesellschaftsklatsch *m*; *traer y llevar ~s* (den) Klatsch herumtragen, das Neueste austragen; ~ *de vecindad* dummer Klatsch *m*; 2. F Ding *n*; Zeug *n*, Kram *m* F, Plunder *m*; **~s** *m/pl.* (Sieben-)Sachen *f/pl.*; *coger sus ~s y largarse* s-e Siebensachen packen; **~mear** *v/i.* → *chismorrear*; **~mería** *f* Klatsch(erei *f*) *m*; **~mero** *adj.* → *chismoso*; **~mografía** *f* Klatschsucht *f*; Klatsch *m*; **~mógrafo** *m* Klatschkolumnist *m*; **~morrear** *v/i.* klatschen; **~morreo** *m* Geklatsche *n*, Tratscherei *f*; **~mosa** *f* Klatschbase *f*, Tratsche *f* F; **~moso** *adj.-su.* klatschsüchtig; *m* Klatschmaul *n*.
chis|pa *f* 1. Funke(n) *m* (*a. fig.*); *fig.* Geistesblitz *m*, Einfall *m*; (Mutter-)Witz *m*; ~ (*eléctrica*) elektrischer Funke *m*; Blitz *m*; *arma f de ~* Steinschloßgewehr *n*; *piedra f de ~* Feuerstein *m*; *echar ~s* Funken sprühen; *fig.* F wütend sein, vor Wut schäumen; *fig. no dar ~(s)* geistlos (*od.* langweilig) sein; ⚡ *u. fig. salta la ~* der Funke(n) springt über; *fig. tener mucha ~* vor Geist sprühen; helle sein F; 2. Spritzer *m*, kl. Tropfen *m*; *caen ~s* es tröpfelt; 3. *fig.* Funken *m*, Spur *f*; *in negativen Sätzen*: nichts; *una ~ de* ein bißchen; *¡ni ~!* gar nicht(s); 4. Diamantsplitter *m*; 5. F Schwips *m*, Spitz *m* F; *coger una ~* s. ansäuseln F, s. beschwipsen; 6. *Col.* Lüge *f*, Ente *f*; **~pazo** *m* 1. *a. fig.* Funke(n) *m*; elektrische Entladung *f*; F Blitz *m*; 2. Klatsch *m*, Anekdötchen *n*; 3. Geist *m*, Mutterwitz *m*; **~peante** *adj. c* (funken)sprühend; *fig.* geistsprühend; **~pear** I. *v/i.* funkeln, aufblitzen; Funken sprühen; II. *v/impers.* tröpfeln, nieseln; **~pero** *m* 1. Grobschmied *m*; 2. Sprührakete *f*; **~po** F *adj.* angesäuselt F, beschwipst; **~porrotear** *v/i.* Funken sprühen; prasseln (*Holz b. Verbrennen*); knattern (*Motorrad*); spritzen, sprühen; **~porroteo** *m* Sprühen *n*; Prasseln *n*.
chisquero *m* Feuerzeug *n*.
¡chiss...! *int.* pst!
chistar *v/i.* (*nur mit Negation*) reden; *sin ~* ohne s. zu mucksen, ohne e-n Ton von s. zu geben.
chis|te *m* Witz *m* (*a. fig. iron.*); Schnurre *f*; Pointe *f*; *caer en el ~* dahinterkommen, et. (richtig) verstehen; j-s Absicht erraten, den Braten riechen F; *dar en el ~* a) die Pointe erfassen; b) den Nagel auf den Kopf treffen; F *tiene ~ la cosa* das ist ja ein Witz! (*iron.*); **~tera** *f* 1. Fangkorb *m der Fischer*; Korbschläger *m der Pelotari*; 2. F Zylinder(hut) *m*; **~toso** *adj.* witzig; spaßig; *a. iron.* komisch.
chistu ♪ *m* Txistu *n*, bask. Flöte *f*; **~lari** *m* Txistuspieler *m*.
chita *f* 1. Sprungbein *n*; 2. Knöchel-, Wurf-spiel *n*; 3. *Méj.* Netz (-tasche *f*) *n*; 4. F *adv. a la ~ callando* still u. heimlich.
chitica|lla F *c* schweigsamer Mensch *m*, Schweiger *m*; **~llando** *adv.*: (*a la*) ~ still u. heimlich.
chito[1] *m* 1. Wurfspiel *n*; 2. P Köter *m*.
¡chito![2] *int.* pst!, still!, kusch!
chitón[1] *Zo. m* Panzermuschel *f*.
¡chitón![2] F *int.* → *chito*[2].
chi|va *f* 1. junge Ziege *f*, Geißlein *n*; 2. *Am.* Spitzbart *m*; 3. *Am. Cent.* (Bett-)Decke *f*; 4. *Hond.* Rausch *m*; 5. □ Frau *f*; 6. *Col.* Knüller *m*, sensationelle Nachricht *f*; 7. *Col.* Auto *n*; **~var** I. *v/t.* 1. P ärgern, belästigen; 2. □ verpfeifen; II. *v/r.* **~se** 3. **~se** (*con*) j-n verpetzen (bei *dat.*); 4. P *¡que te chives!* ätsch!; geh (doch) zum Teufel F; 5. *Cu., Ven.* wütend werden, in die Luft gehen F; **~vata** *f* Hirtenstock *m*; **~vatazo** F *m* Petzerei *f*; *dar el ~* et. (ver)petzen, et. verpfeifen; **~vato** *m* 1. (Ziegen-)Böckchen *n*, Kitzlein *n*; 2. P Petzer *m*, Angeber *m*; **~ve** P *m* (Ver-)Petzen *n*, Hinhängen *n*; **~vo**[1] I. *m* 1. Zicklein *n*; *fig.* kl. Kerlchen *n* (*Kleinkind*); 2. *desp.* Spitzbart *m* (*Person*); 3. P Petzer *m*, Angeber *m*; II. *adj.-su.* 4. *Cu.* gereizt, wütend.
chivo[2] *m* Behälter *m* für Olivентrester *in Ölmühlen.*
choca|dor *adj.-su.* anstoßend; *Vkw. el coche ~* der den Zs.-stoß verursachende Wagen; **~nte** *adj. c* 1. anstößig, empörend; befremdend, sonderbar; 2. possenhaft, witzig; 3. *Méj.* abstoßend; **~r** [1g] I. *v/i.* 1. anstoßen (an *ac. con, contra*); auftreffen, aufschlagen (*Geschoß, Ball*); 2. aufea.-treffen, -stoßen; zs.-stoßen (*a. fig.* mit *dat. con*); 3. *fig.* ~ *a alg.* Anstoß erregen bei j-m, j-n wundern; 4. P *barb.* ~ *a* gefallen (*dat.*); II. *v/t.* 5. ~ *los vasos* anstoßen *beim Trinken*; 6. F *¡choca esos cinco!* schlag ein!, die Hand drauf!; **~rrear** *v/i.* derbe Witze reißen; **~rrería** *f* Derbheit *f*; derber Witz *m*; **~rrero** I. *adj.* derb, saftig F; II. *m* (derber) Witzemacher *m*; **~zo** F *m* Zs.-stoß *m*, -prall *m*.

choclo *m* **1.** Holz-schuh *m*, -pantine *f*; **2.** *Am. Mer.* junger Maiskolben *m*; Gericht *n aus jungen Maiskolben.*

choco[1] *m* kl. Tintenfisch *m*.

choco[2] **I.** *adj.-su.* **1.** *Bol.* dunkelrot; *Col.* braunhäutig; **2.** *Chi.* kraushaarig; **3.** *Chi.* schwanzlos; einbeinig, -ohrig; *Guat.*, *Hond.* einäugig; **II.** *m* **4.** *Zo. Chi.*, *Pe.* Pudel *m*; *Pe.* weißer Wollhaaraffe *m*; **5.** *Chi.* Gliedstumpf *m*.

chocola|te I. *m* **1.** Schokolade *f* (*a. Getränk*); ~ *a la española* dicke (Frühstücks-)Schokolade *f*; ~ *en polvo* Schokoladenpulver *n*; Kakao *m*; **2.** *fig.* F *Am. Reg. sacar* ~ *a alg.* j-m die Nase blutig schlagen; **II.** *adj. inv.* **3.** (de) *color* ~ schokoladenfarben, tiefbraun; **~tera** *f* **1.** Schokoladen-, Kakao-kanne *f*; **2.** F *veraltetes* Fahrzeug *n*, Klapperkiste *f* F; **~tería** *f* Schokoladen-geschäft *n*; -fabrik *f*; Frühstücksstube *f*; **~tero** *adj.-su.* Schokoladen-fabrikant *m*; -händler *m*; -liebhaber *m*; *barb. Am.* Kakaopflanzer *m*; **~tina** *f* Schokoladenpraline *f*.

cho|cha *f* **1.** *Vo.* Schnepfe *f*; *Fi.* ~ *de mar* Meerschnepfe *f*; **2.** F schwachköpfige (*od.* kindische) Alte *f*; **~chaperdiz** *Vo. f* (*pl.* ~*ices*) → *chocha*; **~chear** *v/i.* kindisch werden (*im Alter*); faseln; F spinnen F, total verdreht sein F; **~chera, ~chez** *f* (Alters-)Blödigkeit *f*; F Spinnerei *f* F.

chocho[1] *m* **1.** Lupine *f*; **2.** Süßspeise *f mit Zimt*; ~*s m/pl.* Süßigkeit *f für Kinder.*

chocho[2] **I.** *adj.* **1.** schwachköpfig, kindisch (*im Alter*); närrisch; *estar* ~ *por alg.* (ganz) vernarrt sein in j-n; **II.** *m* **2.** Schwachkopf *m*; Quaßler *m* F; **3.** P weibliche Scham *f*.

chochocol *Na. m Méj.* gr. Krug *m*.

chófer (*a. chofer*) *m* Chauffeur *m*; Kraftfahrer *m*.

chola *f* **1.** F → *cholla*; **2.** *Am.* Chola *f* (*vgl. cholo*). **3.** *Col.* Dienstmädchen *n*.

cholo *m Am.* Cholo *m* (*Mischling aus Indianerin u. Europäer*); *p. ext.* Mestize *m*; (halb)zivilisierter Indianer *m*; Mann *m* aus den unteren Volksschichten.

cholla F *f* Kopf *m*, Schädel *m* F; Grips *m* F.

choncar *v/t. Arg.* schlagen, züchtigen.

chon|go *m* **1.** *Chi.* Armstumpf *m*; **2.** *Guat.* Locke *f*; *Méj.* Haar-knoten *m*, -wulst *m*; **3.** *Méj.* Spaß *m*; **~guearse** F *v/r. Méj.* → *chunguearse.*

chonta ⚘ *f Am. Cent.*, *Pe. versch. Stachelpalmen*; **~duro, ~ruro** ⚘ *m Ec. Palme mit eßbaren Früchten.*

chopa *f* **1.** *Arg.* Flinte *f*, Gewehr *n*; **2.** *Fi.* Streifenbrassen *m*.

cho|pal *m*, **~p(al)era** *f* Pappelbestand *m*.

chopo[1] ⚘ *m* Schwarzpappel *f*.

chopo[2] F *m* Gewehr *n*, Knarre *f* F.

choque *m* **1.** Stoß *m* (*a.* ⊕); An-, Auf-prall *m*, Aufschlag *m*; *a. fig.* Zs.-stoß *m*, -prall *m*; ~ *de vasos* Anstoßen *n b. Trinken*; **2.** ⚕ **a)** Schock *m*; **b)** Stoß *m*.

choquezuela F *f* Kniescheibe *f*.

chorcha *f* **1.** *Vo.* → *chocha*; *Am. versch. Vögel*; **2.** *Méj.* Horde *f* Jugendlicher.

chordón ⚘ *m* → *churdón.*

chorear F *v/i. Chi.* brummen, schimpfen.

chori|cear P *v/t.* klauen P, stibitzen; **~cería** *f* Wurstgeschäft *n*; **~cero** *m* Wurst-macher *m*; -händler *m*; *fig.* F aus Estremadura; **~zo** *m* **1.** Chorizo *m*, *typisch span. Paprikawurst*; **2.** Balancierstange *f*; **3.** *Méj.* Geldrolle *f*; **4.** *Zo.* rote Garnele *f*.

chor|la *f Art gr.* Haselhuhn *n*; **~lito** *m Vo.* Regenpfeifer *m*, Goldkiebitz *m*; *fig.* F *cabeza f de* ~ Wirrkopf *m*; Windbeutel *m*.

chorlo *Min. m* Schörl *m*, schwarzer Turmalin *m*.

choroy *Vo. m Chi.* Chilesittich *m*.

cho|rrada *f* **1.** Zugabe *f zum Maß bei Flüssigkeiten*; **2.** F Geschwätz *n*; Wortschwall *m*; **~rreado** *adj.* dunkelgestreift (*Rind*); **~rreadura** *f* **1.** Tropfspur(en) *f*(*/pl.*); **2.** → *chorreo*; **~rrear I.** *v/i.* **1.** rieseln; spritzen; triefen; *fig.* te *chorrea el agua bautismal* du bist noch sehr grün; **2.** *fig.* tropfenweise einkommen (*bzw.* weggehen) (*z. B. Geld*); **II.** *v/t.* **3.** verspritzen; **4.** *Rpl.* stehlen; **~rreo** *m* Rieseln *n*, Geriesel *n*; **~rrera** *f* **1.** Rinnsal *n*; Rinne *f*; **2.** (Spitzen-)Jabot *n*; **~rretada** *f* Sprudel *m*, Guß *m*; **~rrillo** *m* kl. Strahl *m*; ↗ *sembrar a* ~ den Samen durch e-n Trichter aussäen; **~rrito** *m* dünner Strahl *m*; **~rro** *m* **1.** Strahl *m*, Guß *m*; Wasserstrahl *m*; *Col.* Stromschnelle *f*; *fig.* Strom *m*, Schwall *m*, Menge *f*; *adv. a* ~ **a)** reichlich; **b)** am Strahl (*trinken*); **c)** im Strahl (*fließen*); *a* ~*s* in Strömen; ⊕ ~ *de arena* Sandstrahl *m*; ~ *de dinero* Geld-strom *m*, -regen *m*; ~ *de sangre* Blut-strom *m*, -schwall *m*; ~ *de voz* gewaltige Stimme *f*; *avión m a* ~ Düsenflugzeug *n*; *hablar a* ~*s* e-n Wortschwall loslassen; wie ein Wasserfall reden; *soltar el* ~ (*de la risa*) aus vollem Halse lachen; **2.** *Arg.* Peitschenstrang *m*; **3.** ☐ *Arg.* Dieb *m*; **~rroborro** *desp.* F *m* Unmenge *f*; Schwall *m*.

chotacabras *Vo. f*, *m* (*pl. inv.*) Ziegenmelker *m*.

chote|arse *v/r.* s. lustig machen, spotten (über *ac.* de); **~o** F *m* Gaudium *n*; Spektakel *m*; *tomar a* ~ *et.* nicht ernst nehmen; s. lustig machen über (*ac.*).

chotis ♪ *m*: ~ (*madrileño*) *Madrider Volkstanz.*

cho|to *m* Zicklein *n*; *Reg.* Kälbchen *n*; **~tuno** *adj.* Zickel...; *oler a* ~ stinken.

chova *Vo. f* Turmkrähe *f*.

chovinismo *m* → *chauvinismo.*

choza *f* Hütte *f*.

chozno *m* Ururenkel *m*.

chozo *m* Hüttchen *n*.

choz|par *v/i.* hüpfen (*Lämmer, Ziegen*); **~po** *m* Hüpfer *m*, Sprung *m*.

¡chss! pst!, Ruhe!

chubas|co *m* **1.** Platzregen *m*; *a.* ⚓ Regenbö *f*; ⚓ ~ (*de viento*) Sturmbö *f*; **2.** Unglücksschlag *m*; **~quería** ⚓ *f* (Aufziehen *n* e-r) Regenbö *f* (*Gewölk*); **~quero** *m* Wetter-, Regen-mantel *m*.

chúcaro *adj Am.* wild, ungezähmt (*Pferd, Rind*).

chucrut *Kchk. m* Sauerkraut *n*.

chucuru *Zo. m Ec. Art* Wiesel *n*.

chucha *f* **1.** *Zo.* F Hündin *f*; *Col.* Opossum *n*; **2.** *Col.* Kürbisrassel *f*; **3.** *fig.* F Affe *m* F, Schwips *m*; **~zo** *m Cu., Ven.* Peitschenhieb *m*.

chuche|ar *v/i.* **1.** tuscheln, zischeln; **2.** Vögel mit Schlingen fangen; **~ría** *f* **1.** Flitterkram *m*; Krimskrams *m*; **2.** Näschereien *f/pl.*; **~ro** *m* Vogelsteller *m*; *Col.* Hausierer *m*.

chucho[1] *m* **1.** F Köter *m*; **2.** *Fi.* Adlerrochen *m*; **3.** *Cu.*, *Ven.* Peitsche *f*; **4.** 🚂 *Cu.* Weiche *f*.

¡chucho![2] *int.* pfui!, kusch! (*Zuruf an Hunde*).

chucho[3] *Ke.* **I.** *m* **1.** *And.* Wechselfieber *n*; Schüttelfrost *m*; **2.** P *Arg.* Angst *f*, Schiß *m* P; **3.** ⚘ *Col.* Stinkpfeffer *m*; **II.** *adj.* **4.** *Bol.*, *Chi.* runzlig, verrunzelt; *Col.* wässerig (*Frucht*).

chucho[4] *m Chi. ein Raubvogel*, Kauz *m*; *Folk. Unheilsvogel*; *fig.* Unglücksbringer *m*.

chuchoca *f And. Art* Mais- *od.* Bohnen-pastete *f*.

chuchumeco *desp. m* elender Kerl *m*, Knilch *m* P.

chueca *f* **1.** *Anat.* Gelenk-kopf *m*, -knochen *m*; **2.** Baumstrunk *m*; **3.** *Art* Kugelschieben *n* (*Spiel*); *fig.* Streich *m*.

chueco *adj. Col.*, *Chi.*, *Ec.* krummbeinig.

chuela *f Chi.* Handbeil *n*.

chueta *c Balearen*: Abkömmling *m* von getauften Juden.

chu|fa *f* ⚘ Erdmandel *f*; *fig.* Lüge *f*; Prahlerei *f*; *echar* ~*s* prahlen; *fig. tener sangre de* ~*s* Fischblut in den Adern haben; **~far** *v/i.* spotten; **~feta** F *f*, **~fla** *f Andal.*, *Am.*, **~fleta** *f* Witz *m*, Spaß *m*; **~fletear** F *v/i.* scherzen; **~fletero** *adj.-su.* scherzhaft; anzüglich; *m* Spaßmacher *m*; Spötter *m*.

chuguarse *v/r. Arg.* s. Zöpfe flechten.

chula *f* Nopal-, Kaktus-feige *f*.

chu|lada *f* **1.** Derbheit *f*; Frechheit *f*; **2.** → *chulería* 1; **~lángano** P *m* Angeber *m*; **~lapa** P *f* kesse Göre *f*; **~lapo** *m*, **~lapón** *m* → *chulo*; **~lear I.** *v/t.* bespötteln; **II.** *v/i. u.* ~*se v/r.* angeben; **III.** *v/r.* ~*se* s. lustig machen; **~lería** *f* **1.** Angeberei *f*, Angabe *f* F; Mutterwitz *m*; Ungezwungenheit *f*; **2.** „chulos" *m/pl.*; **~lesco** *adj.* dreist, keck, patzig; angeberisch, großkotzig F.

chuleta *f* **1.** *Kchk.* Kotelett *n*, Rippenstück *n*; **2.** *fig.* F Ohrfeige *f*; **3.** *Sch.* Spickzettel *m*.

chulo I. *adj.* **1.** dreist, vorlaut; keß; angeberisch; **2.** gerieben, Gauner...; **II.** *m* **3.** „Chulo" *m* (*Madrider Volkstype*), Strizzi *m* (*Öst.*), kesser Flegel *m*; Angeber *m*; **4.** *Stk.* Gehilfe *m*; **5.** Zuhälter *m*; Gauner *m*, Messerheld *m*; **6.** Gehilfe *m im Schlachthof.*

chulla *f Col.* Schimpfwort *n*.

chumacera *f* ⊕ Zapfenlager *n* (*von Achsen*); ⚓ Riemenauflage *f*.

chumbe *Ke. m Rpl.*, *Col.*, *Pe.*, Binde *f*, breiter Gürtel *m für den „tipoy"*.

chum|bera ⚘ *f* Feigenkaktus *m*; **~bo I.** *adj.-su. m* (*higo m*) ~ Kaktusfeige *f*; **II.** *m Col.* Kalb *n*.

chumpipe *m Am. Cent., Méj. Reg.* Truthahn *m.*
chuncho *m* **1.** *Vo. Chi.* Kauz *m;* **2.** ⚘ *Pe.* Ringelblume *f.*
chunchos *m/pl. Indianerstamm; Spitzname der Peruaner für die* Bolivianer *m/pl.*
chun|ga F *f* Neckerei *f,* Scherz *m; estar de ~* Spaß treiben; **~guearse** F *v/r.* scherzen; s. necken, kalbern F; **~gueo** F *m* Spaß *m,* Neckerei *f;* Veralberung *f;* **~guero** *m* Witzbold *m,* Spaßmacher *m.*
chuña *f* **1.** *Arg., Bol. ein als Haustier gehaltener Stelzvogel* (*Dicholophus cristatus*); **2.** *Chi.* Zs.-raffen *n.*
chupa I. *f* **1.** *hist.* Wams *n; fig.* F *poner a alg. como ~ de dómine* j-n abkanzeln, j-n fertigmachen F, j-n herunterputzen, j-n zur Schnecke machen F; **2.** F Durchnässung *f,* Naßwerden *n;* **3.** *Arg., Am. Cent., Pe., Ur.* Rausch *m;* **II.** *m* **4.** F *Col.* Polizist *m;* **~da** *f* Zug *m* (*Raucher, Trinkender*); *dar una ~* e-n Zug tun **~dero** *adj.-su.* saugend; *m* → *chupador;* **~do** *adj.* **1.** *fig.* hager; eingefallen (*Gesicht*); **2.** eng (anliegend) (*Kleidung*); schmal; **3.** *Arg.* beschwipst; **~dor I.** *adj.* saugend, Saug...; **II.** *m* Sauger *m,* Schnuller *m;* ⊕ Mundstück *n an Geräten;* **~dura** *f* Saugen *n.*
chupa|flor *Vo. m Ven. Art* Kolibri *m;* **~lla** *f Chi.* grober Strohhut *m;* **~mirto** *Vo. m Méj.* Kolibri *m.*
chupar I. *vt/i.* **1.** (aus-, ein-)saugen; an *der Zigarre usw.* ziehen; lutschen (*ac. od.* an *dat.*); *et.* ablecken; aufsaugen; *fig.* aussaugen; erschöpfen (*Gesundheit*); *~ a/c. a alg.* j-m et. abknöpfen; *fig. ~ del bote* mit teilhaben, mit schmarotzen, *bsd. b. öffentlichen Geldern; fig. ~ la sangre a alg.* j-n (bis aufs Blut) aussaugen; **2.** *Hond., Méj.,* rauchen; **II.** *v/r.* **~se 3.** *fig.* abmagern; **4.** *fig. ~se los dedos (de gusto)* s. die Finger danach lecken; F *~se el dedo* leer ausgehen, in die Röhre (*od.* in den Mond) gucken F; *fig.* F *no ~se el dedo* nicht auf den Kopf gefallen sein, (auch) nicht von gestern sein F; F *¡chúpate ésa!* das geht dich an!; das mußt du (schon) einstecken!; **~tintas** F *desp. c* (*pl. inv.*) Federfuchser *m,* Tintenkleckser *m.*
chupe|ta *f* **1.** ⚓ (erhöhtes) Quarterdeck *n;* **2.** *Chi.* Glas *n;* Likör *m;* **3.** *Chi., Am. Cent.* → **~te** *m* **1.** Schnuller *m;* F (Saug-)Flasche *f;* **2.** Lutschstange *f;* Bonbon *n;* F *ser de ~* ausgezeichnet (*od.* dufte P) sein; **~tear** *v/i.* lutschen; **~teo** *m* Lutschen *n;* Gelutsche *n* F; **~tón** *m* Saugen *n;* kräftiger Zug *m.*
chupín *m* kurzes Wams *n.*
chupó|n I. *adj.* **1.** saugend; **II.** *m* **2.** Zug *m an e-r Zigarre;* **3.** Saugmal *n;* **4.** ⚘ Wassertrieb *m;* **5.** Lutscher *m,* Stielbonbon *n;* **6.** *fig.* F → **~ptero** F *m* Schmarotzer *m,* Nassauer *m* F.
chur|la *f,* **~lo** *m* mit Jute gefütterter Ledersack *m.*
churo *m Ec.* **1.** Muscheltrompete *f;* **2.** (Haar-)Locke *f;* **3.** Liebhaber *m.*
churra *Vo. f* Stein-, Birk-huhn *n.*
chu|rrasco *m Am. Mer. auf offenem Feuer gebratenes* Fleisch *n;* **~rre** *m* **1.** *tex.* Wollschweiß *m;* **2.** F abtriefendes Fett *n;* **~rrería** *f* Ölkringelverkauf *m;* **~rrero** *m* Ölkringelbäcker *m;* **~rretada** *f* gr. Schmutzfleck *m;* **~rrete** *m* Schmutzfleck *m bsd. im Gesicht;* **~rretoso** *adj.* voller Schmutzflecken.
churri|ana P *f* schlampige Hure *f;* **~burri** F *m* Gesindel *n.*
churriento *adj.* von Fett triefend; schmutzig.
churrigue|resco *adj.* im Schnörkelbarockstil (*nach dem span. Baumeister Churriguera*); *fig.* überladen, verschnörkelt; **~rismo** *m* span. (Schnörkel-)Barock *n, m.*
churro I. *adj.* grobwollig; **II.** *adj.-su. Val.* (*bsd.* aragonesischer) Bauer *m;* **III.** *m* Ölkringel *m* (*typisch span. Gebäck*); *fig.* F Murks *m* F, Pfuscherei *f;* Quatsch *m.*
churru|chada P *f* Löffelvoll *m;* **~llero** *adj.* geschwätzig; **~scarse** [1g] *v/r.* anbrennen (*Speise*); **~sco** *m* **1.** angebranntes Brot *n;* **2.** *Col.* Kraushaar *n.*
churumbel (*Zigeuner*) *m* Kind *n,* [Balg *n* P.]
churumbela *f* Schalmei *f,* Hirtenflöte *f; Am.* Saugrohr *n.*
churu|men F *m* Grips *m* F, Verstand *m;* **~mo** F *m* Saft *m,* Kern *m; poco ~* wenig dahinter.
churuno *m Bol.* rundes Kürbisge-[fäß *n.*]
chus: *¡~! int.* hierher! (*Zuruf an Hunde*); F *no decir ni ~ ni mus* den Mund nicht aufmachen, nicht piep sagen F.
chus|cada *f* lustiger Streich *m;* Schnurre *f;* **~co I.** *adj.* **1.** drollig, witzig; **II.** *m* **2.** Witzbold *m;* Spaßvogel *m;* **3.** *M* Kommißbrot *n;* P Brötchen *n.*
chusma *f* Gesindel *n,* Pöbel *m; hist.* Galeerensträflinge *m/pl.;* **~je** *m Am.* Pöbel *m.*
chuspa *Ke. f Rpl., Pe.* Lederbeutel [*m.*]
chusquero *M m* Berufssoldat *m,* Kommißkopf *m* F.
chu|t *Angl. Sp. m* Schuß *m* (*Fußball*); **~tar** *v/i.* schießen, kicken; F *va que chuta* es klappt prima, das geht (ja) wie geschmiert F; *un coche que chuta* ein toller Wagen.
chu|za *f* **1.** *Chi., Rpl. Art* Spieß *m;* **2.** *Méj. Billard:* Stoß *m,* der alle Kugeln trifft; *Kegeln: etwa* alle Neune; *fig.* F *hacer ~* gründlich aufräumen; **~zo** *m* **1.** Spieß *m,* Stock *m, bsd. der serenos; Cu.* Reitpeitsche *f;* **2.** *Chi.* Klepper *m;* **3.** *caen ~s* (F *de punta*), *llueve ~s* es gießt, es hagelt; *nieva ~s* es schneit stark; **~zón** *adj.-su.* schlau, gerissen; spöttisch; *m* Spötter *m; hist. Thea.* Hanswurst *m;* **~zonería** *f* Possen *m* (/*pl.*).

D

D, d (= de) *f* D, d *n* (*Buchstabe*).
dable *adj. c* möglich, durchführbar.
¡daca! [< *da(me) acá*] † gib her!; F *andar al ~ y toma* s. herumstreiten, e-n Wortwechsel haben; *fig.* (*política f* de) *toma y ~ etwa*: Kuhhandel *m*, Tauziehen *n*.
da capo *it.* ♪ da capo; *m* Dakapo *n*.
dacio *adj.-su.* dakisch; *m* Daker *m*.
dación ⚖ *f* Hergabe *f*, Abtretung *f*; *~ en pago* Abtretung *f* an Zahlungsstatt.
dacti|lado 🕮 *adj.* fingerähnlich; **~lar** *adj. c* → *digital*.
dactílico *adj.* daktylisch (*Vers*).
dáctilo *m* **1.** Daktylus *m* (*Vers*); **2.** *Zo.* Dattelmuschel *f*.
dacti|lógrafa *f* Maschinenschreiberin *f*; **~lografía** *f* Maschinenschreiben *n*; **~lografiar** [1c] *vt/i.* mit der Maschine schreiben, tippen F; **~lográfico** *adj.* maschinenschriftlich; **~lógrafo** *m* Maschinenschreiber *m*.
dactilo|lalia *f*, **~logía** *f* Fingersprache *f*; **~scopia** *f* Fingerabdruckverfahren *n*, Daktyloskopie *f*; **~scópico** *adj.* daktyloskopisch; *examen m ~* Untersuchung *f* der Fingerabdrücke.
dacha *f russisch* Datscha *f*.
dadaísmo *m* Dadaismus *m*.
dádiva *f* Gabe *f*; Geschenk *n*; Spende *f*.
dadivo|sidad *f* Freigebigkeit *f*; **~so** *adj.* freigebig.
dado¹ **I.** *part. v.* → *dar*; **II.** *adj.* **1.** ergeben; *ser ~ a los vicios* dem Laster verfallen sein; **2.** gegeben; vergönnt; **3.** *in prp. u. conj. Funktion*: *~a su mala salud* in Anbetracht s-s schlechten Gesundheitszustandes; *~ que* da, weil; *~ que sea así* gesetzt, es verhält s. so *od.* wenn es s. so verhält.
dado² *m* **1.** Würfel *m*; *~ falso*, *~ cargado* falscher, gefälschter Würfel *m*; *echar* (*od. tirar*) *los ~s*, *jugar a los ~s* Würfel spielen, würfeln; knobeln F (um *ac. por*); *fig. correr el ~* Glück haben; *fig. estar como un ~* glänzend gehen, sehr verheißungsvoll aussehen; *fig. conforme diere el ~* (so) wie es s. (gerade) ergibt; **2.** Würfel *m*, Kubus *m*; △ Säulenfuß *m*; **3.** ⊕, *bsd.* ⚓ Lagerzapfen *m*; Lagerbuchse *f*; (Ketten-)Steg *m*; **4.** ⛉ Raute *f e-r Flagge*; **5.** *Art* Abschlagen *n* (*Kinderspiel*).
dador †, ⚖ *m* Geber *m*; Überbringer *m e-s Schreibens*; *~ de crédito* Kreditgeber *m*.
dafne ⚘ *m* Seidelbast *m*.
daga *f* **1.** *hist.* Kurzschwert *n*; **2.** *P. Ri.* Machete *f*.
daguerroti|par *Phot. hist. v/t.* daguerreotypieren; **~pia** *f*, **~po** *m* Daguerreotypie *f*.
dale (*zu* → *dar*); F *¡~ (fuerte)!*, *¡~ escabeche!* gib ihm Saures! F, immer feste druff! F; *¡(y) ~! od. ¡~ que le das!*, *¡~ que ~!*, *¡~ bola!* immer wieder, auf Teufel komm 'raus F; schon wieder!; *y ~ con la música* schon wieder kommt er mit der Musik!
dalia ⚘ *f* Dahlie *f*.
dálmata *adj.-su. c* dalmatinisch; *m* Dalmatiner *m*.
dalmáti|ca *f* Dalmatika *f* (*hist u. Meßgewand*); **~co** *adj.-su.* dalmatisch (*Sprache*).
dalto|niano *adj.-su.* farbenblind; **~nismo** *m* Farbenblindheit *f*.
dalla *f* → *dalle*; **~dor** *m* Mäher *m*; **~r** *vt/i.* (Gras) mähen.
dalle *m* Sense *f*.
dama¹ *f* **1.** Dame *f*; Geliebte *f*; *~ (de compañía)* Gesellschaftsdame *f*, Gesellschafterin *f*; *~ de honor* Ehren-, Hof-dame *f*; Brautjungfer *f*; *echar ~s y galanes* Paare auslosen *b. Gesellschaftsspiel*; **2.** *Brettspiel, Schach*: Dame *f*; (*juego m* de) *~s f/pl.* Damespiel *n*; *llevar* (*ir*) *a ~* zur Dame machen (Dame werden); **3.** *Thea.* *~ joven* jugendliche Liebhaberin *f*; (*primera*) *~* Hauptdarstellerin *f*; *segunda ~*, *tercera ~* Zweitrollendarstellerin *f*.
dama² *Zo. f* Damhirsch *m*.
damajuana *f* gr. Korbflasche *f*; (Glas-)Ballon *m*.
damas ⚓ *f/pl.* (Ruder-)Dollen *f/pl.*
dama|sceno **I.** *adj.-su.* (*ciruela f*) *~a f* Damaszener Pflaume *f*; **II.** *adj.* aus Damaskus; **III.** *m* Damaszener *m*.
damas|co *m* **1.** *tex.* Damast *m*; **2.** ⚘ *Am.* Aprikose *f*; **~ina** *tex. f* Halbdamast *m*; **~quinado** **I.** *adj.* **1.** tauschiert; *bisutería f ~a* tauschierter Schmuck *m*, Toledoartikel *m*; **II.** *m* **2.** ⊕ Tauschierung *f*, Damaszierung *f*; **3.** Toledo-arbeit *f*, -ware *f*; **~quinar** *v/t.* tauschieren; **~quino** **I.** *adj.* aus Damaskus; *espada f ~a*, *hoja f ~a* Damaszenerklinge *f*; *tejido m ~* Damast(gewebe *n*) *m*; **II.** *m* ⚘ Aprikosen-, Damaszenerpflaumen-baum *m*.
damería *f* Zimperlichkeit *f*, Prüderie *f*.
damero *m* (Damespiel-)Brett *n*.
damisela ⚒ *f* Dämchen *n*.
damnifica|do **I.** *adj.* ge-, be-schädigt; **II.** *m* Geschädigte(r) *m*; *~s por las inundaciones* Hochwassergeschädigte(n) *m/pl.*; **~r** [1g] *v/t.* (be)schädigen.
Damocles *m fig.*: *la espada de ~* das Damoklesschwert.
dance *m Ar.* Schwertertanz *m*.
dáncing *engl. m* Tanzbar *f*.
danchado ⛉ *adj.* gezahnt.
dan|di *m* Dandy *m*, Stutzer *m*; **~dismo** *m* Geckenhaftigkeit *f*.
danés *adj.-su.* dänisch; *m* Däne *m*; *das* Dänische.
dan|ta † *Zo. f* Tapir *m*; Elch *m*; **~te** † *Zo. m* Antilope *f*.
dantesco *adj.-su.* dantisch; dantesk; Dante...
danubiano *adj.* Donau...
dan|za *f* **1.** Tanz *m*; Tanz-weise *f*, -lied *n*; -musik *f*; Tanzkunst *f*; *~ burlesca* Tanzgroteske *f*; *~ de espadas* Schwert(er)tanz *m*; *~ sobre hielo* Eistanz *m*; *~ macabra* Totentanz *m*; *baja ~* Allemande *f*; → *a. baile*; **2.** *fig.* Radau *m*, Krawall *m*; F *¡buena ~ se armó!* da ging's vielleicht los! F, das gab e-e tolle Rauferei!; **3.** F Angelegenheit *f*; *meterse od. andar* (*metido*) *en la ~* in e-e Sache verwickelt sein; mit im Spiel sein; *¿por dónde va la ~?* was soll das eigentlich?; wer hat hier die Fäden in der Hand?; *meterle a uno los perros en la ~* j-n in e-e üble Geschichte hineinbringen; **~zado** *m* Tanz *m*; **~zador** *adj.-su.* tanzend; *m* Tänzer *m*; **~zante** **I.** *m* **1.** Tänzer *m* (*b. Umzügen u. ä., sonst* → *bailador*); **2.** *fig.* F Leichtfuß *m*; Schlaumeier *m*; **II.** *adj. c* **3.** *té m ~* Tanztee *m*; **~zar** [1f] **I.** *vt/i.* tanzen; herumhüpfen; **II.** *v/i. fig.* F mitmachen (bei *dat.* en), s. einmischen (in *ac.* en); **~zarín** **I.** *adj.* **1.** tanzlustig; **II.** *m* **2.** geschickter Tänzer *m*; **3.** *fig.* F Leichtfuß *m*; Wildfang *m*; **~zarina** *f* (gute) Tänzerin *f*; **~zón** ♪ *m Cu. Art* Habanera *f*.
daña|ble *adj. c* schädlich; verwerflich; **~do** *adj.* **1.** be-, ge-schädigt; verdorben; schlecht; **2.** tückisch; **3.** *Col.* homosexuell; **~r** **I.** *v/t.* schaden (*dat.*); schädigen (*ac.*), verderben (*ac.*); **II.** *v/r.* *~se* Schaden leiden, beschädigt werden; verderben.
da|ñino *adj.* schädlich (*bsd. Tier*); gesundheitsschädigend; **~ño** *m* **1.** Schaden *m* (*a. Vers.*, ⚖); Verletzung *f*; Verlust *m*, Einbuße *f*; *~s m/pl. a.* Sachbeschädigung *f*; *~ corporal*, *~ físico* Personenschaden *m*; *~ por incendio* Feuer-, Brand-schaden *m*; ⚖ *~ moral* immaterieller Schaden *m*; *~ material* Sachschaden *m*; *Kfz.* Blechschaden *m* F; ⚖ materieller Schaden *m*; ⚖ *~s y perjuicios* Schaden(ersatz) *m*; *a ~ de alg.*

auf j-s Gefahr, zu j-s Lasten; *en* (*od. con*) ~ *de alg.* zu j-s Schaden (*od.* Nachteil); *causar* ~ *a alg.* (*en a/c.*) j-m Schaden verursachen; j-m (physisch) weh tun (Schaden anrichten in *od.* an et. *dat.*); *hacer* ~ schaden, Schaden zufügen (*j-m a*); Schaden anrichten; *hacerse* ~ s. weh tun; s. verletzen; verletzt werden; *no hace* ~ es tut nicht weh; *sufrir* ~ zu Schaden kommen; Schaden nehmen (*od.* erleiden); **2.** *And.*, *Chi.*, *Rpl.* Hexerei *f*; **~ñoso** *adj.* schädlich, nachteilig.

dar I. *vt/i.* **1.** geben, schenken; hergeben; übergeben; verschaffen; verleihen; ~ *de beber a j-m* zu trinken geben; *Vieh* tränken (*v/t.*); *Rpl.* ~ *dada a/c.* et. verschenken (*a. fig.*), et. um e-n Apfel u. ein Ei hergeben (*od.* verkaufen); ~ *a entender* zu verstehen geben; ~ *de más* zugeben; zuviel geben; *a. Sp.* ~ *todo lo que dé* alles (*bzw.* sein Letztes) hergeben; ~ *la vida por* sein Leben einsetzen für (*ac.*); s. abrackern für (*ac.*); F *no da una* er macht alles verkehrt, er haut ständig daneben F; **2.** bewilligen; billigen; zustimmen; zubilligen; beimessen; beilegen; ~ *la aprobación* (*para*) s-e Zustimmung geben (zu *dat.*); die Genehmigung erteilen (zu *dat.*, für *ac.*); ~ *vía libre* 🚂 die Strecke freigeben; *fig.* → ~ *libre curso* (*a*) freien Lauf lassen (*dat.*); **3.** (ein)geben; verabreichen; *fig.* ~ *algo a uno* j-m et. (ein)geben, j-n vergiften (*bzw.* verhexen); *me ha dado usted una idea* da haben Sie mich auf e-n Gedanken gebracht; F *~la a alg.* j-n 'reinlegen, j-n drankriegen F; → *a. dale*; **4.** geben, versetzen; beibringen; ~ *un abrazo a alg.* j-n umarmen; ~ *un bofetón* e-e Ohrfeige geben (*od.* versetzen); *¡ahí me las den todas!* das ist mir (doch) gleich!, das ist mir wurs(ch)t! F; was geht (denn) das mich an!; **5.** erregen, hervorrufen; verursachen; **a)** *mit su.*: ~ *celos a alg.* j-n eifersüchtig machen (auf *ac. de bzw.* auf *ac.*, wegen *gen. por*); *Furcht* einflößen; ~ *pena* Mitleid erwecken (*od.* erregen); ~ *lugar* (*od. pábulo*) *a*, ~ *motivo* (*od. pie*) *para* Anlaß geben zu (*dat.*); ~ (*buen*) *resultado* s. bewähren (*Gebrauchsgegenstand, Verfahren u. ä.*); ~ *risa* zum Lachen bringen (*bzw.* sein); **b)** *mit que*: ~ *que decir* zu(r) Kritik Anlaß geben; ~ *que hacer* zu tun geben; lästig werden; Arbeit machen; **6.** mitteilen; zeigen; äußern; aussprechen; sagen; ~ *conocimiento de a/c. a alg.* j-n von e-r Sache in Kenntnis setzen; ~ *el sí* das Jawort geben; **7.** bestimmen, festsetzen; ~ *fin a a/c.* et. beenden; *a. fig.* ~ *el tono* den Ton angeben; **8.** ~ (*la hora*) schlagen (*Uhr*); *dan las ocho* es schlägt acht Uhr; *al* ~ *las nueve* Schlag neun Uhr; **9.** in Bewegung setzen; *~le al caballo* das Pferd anspornen; ~ *manivela* (*al motor*) (den Motor) ankurbeln; ~ *vuelta a et.* drehen; *et.* in Umdrehung versetzen; **10.** machen, tun; *Schrei* ausstoßen; ~ (*de*) *barniz* lackieren; ~ *brincos* springen, hüpfen; ~ *vueltas* s. drehen, s. wälzen; herumgehen; **11.** hervorbringen; tragen; *el nogal da nueces* der Nußbaum trägt Nüsse; **12.** veranstalten, (ab)halten; *Vortrag* halten *bzw.* veranstalten; *Film* geben *od.* spielen; *¿qué película dan?* was für ein Film läuft?; **13.** reichen; ~ *la mano* die Hand geben; *fig.* behilflich sein; **14.** ~ *por* erklären für, erachten als, halten für; ~ *por concluido* (*od. terminado*) als abgeschlossen (*od.* beendet) erklären (*bzw.* ansehen *od.* gelten lassen); *~lo por perdido* (es) aufgeben, aufstecken F; **II.** *v/impers.* **15.** *da pena verlo* es zu sehen ist schmerzlich; *le dio un ataque de fiebre* er bekam (e-n) Fieber(anfall); (*me*) *da igual*, (*me*) *da lo mismo* das ist (mir) gleich, das ist dasselbe in grün F; *¡qué más da!* was liegt schon daran!; **III.** *v/i.* **16.** *Kart.* geben, austeilen; **17.** *fig. irgendwohin* gehen *od.* kommen *od.* führen; **a)** *mit a*: ~ *a la calle* zur Straße hinausgehen (*od.* hin liegen) (*Fenster usw.*); ~ *al mediodía* nach Süden liegen (*Zimmer usw.*); **b)** *mit en*: führen; (auf *et.*) treffen, stoßen; ~ *en la cara* ins Gesicht scheinen (*Licht, Sonne*); ~ *en la selva* in den Wald führen (*Weg usw.*); ⚓ ~ *en seco* stranden; *fig.* ~ *en blando* k-n Widerstand finden; *fig.* ~ *en el clavo* (*od. en el hito*) den Nagel auf den Kopf treffen, es genau erfassen; ~ *de espaldas* (*en el suelo*) auf den Rücken fallen; *fig.* ~ *en lo vivo* die empfindliche Stelle treffen; *vgl. 18*; **c)** *mit con*: ~ *con algo* (*od. alg.*) auf et. (*od.* j-n) treffen *bzw.* stoßen; et. (*od.* j-n) finden; mit et. (*od.* j-m) zs.-stoßen; **d)** *mit contra*: ~ *contra la pared* gegen die Wand prallen, an die Wand stoßen; **e)** *mit por*: *fig.* ~ *por tierra con a/c.* et. über den Haufen werfen; et. zunichte machen; *vgl. 18*; **f)** *mit sobre*: ~ *sobre el mar* aufs Meer hinausgehen (*Fenster*); ~ *sobre el más débil* über den Schwächsten herfallen; **g)** *mit tras*: hinter *et.* (*dat.*) *od. j-m* her sein; **18.** *fig.* ~ *en* + *inf.* darauf verfallen, zu + *inf.*; ~ *en llamar* (be)nennen; *~le a alg. por* + *inf. od.* + *su.* auf et. (*ac.*) verfallen; *ahora le ha dado por la televisión* jetzt will er immer fernsehen, jetzt hat er den Fernsehfimmel F; F (*no*) *me da por ahí* ich habe (k-e) Lust dazu, das liegt mir (nicht); **19.** ~ *de sí* **a)** weiter werden, s. dehnen (*Stoff usw.*); **b)** hergeben, einbringen (*Mühen, Ertrag*); **20.** ~ *para* ausreichen für (*ac.*), ausreichend sein für (*ac.*); F *no da para más* zu mehr reicht's nicht; **21.** *adv. de donde diere* blindlings (dreinschlagen, reden, handeln); *a mal* ~ wenigstens; **22.** *Spr. donde las dan, las toman* wie du mir, so ich dir; Wurst wider Wurst; **IV.** *v/r.* *~se* **23.** geschehen, vorkommen; *se dan casos* es kommt vor, er gibt Fälle; **24.** gedeihen; vorkommen; *las patatas se dan bien* die Kartoffeln gedeihen gut; **25.** s. selbst (*od.* gg.-seitig) geben; *~se la mano* s. die Hand geben; s. versöhnen; *~se cuenta de et.* bemerken; s. über *et.* (*ac.*) klarwerden; *dársela a uno* (P *con queso*) j-n (gehörig) an der Nase herumführen; j-m e-n (üblen) Streich spielen; j-n übers Ohr hauen F; **26.** s. ergeben (*abs.*); *~se a* s. widmen (*dat.*), s. hingeben (*dat.*); *a.* aufgehen in (*dat.*); s. ergeben (*e-m Laster usw.*), verfallen (*dat.*); **27.** *~se a* + *inf.* **a)** darauf verfallen, zu + *inf.*; **b)** geben; *~se a creer* s. vorstellen, s. einbilden; *~se a conocer* s. zu erkennen geben; zeigen, wer man ist; s. bekannt machen; Farbe bekennen; *~se a ver* s. blicken lassen; **28.** *~se por* s. halten für, sein; *~se por aludido* s. betroffen fühlen; *~se por pagado* s. zufriedengeben, s. begnügen (mit *dat. con*); *~se por vencido* s. ergeben, aufgeben; **29.** *fig.* angeben; *~se mucho aire*, *~se tono* sehr dick(e) tun, s. wichtig machen; *dárselas de* ... s. aufspielen als ...; s. hinstellen als ...; *dárselas de inocente* den Unschuldigen spielen; **30.** bedeuten; *dársele poco a alg.* j-m wenig ausmachen (*od.* bedeuten); *tanto se me da* das ist mir egal (*od.* wurst F); **31.** *fig. dársele a alg. a/c.* j-m liegen; et. gut können.

dar|dazo *m* Speerwurf *m*; Speer-, Pfeil-wunde *f*; **~do** *m* **1.** Speer *m*; Spieß *m*; **2.** ⚠ Pfeilspitze(ornament *n*) *f*; **3.** ⚘ Kurztrieb *m*; **4.** bissige Bemerkung *f*, Stich *m*; Hohn *m*; **5.** ~ *de llama* Stichflamme *f*.

dares y tomares ⚒ F *m/pl.* Geben *n* u. Nehmen *n*; Wortwechsel *m*; *andar en* ~ e-n Wortwechsel haben, streiten (mit *dat. con*).

dársena *f* Hafenbecken *n*; Dock *n*.

darta ⊕ *f* Gußnarbe *f*.

darvi|niano *adj.* Darwin...; **~nismo** *m* Darwinismus *m*; **~nista** *adj.-su. c* darwinistisch; *m* Darwinist *m*.

dasímetro *Phys. m* Gasdichtemesser *m*, Dasymeter *n*.

daso|logía *f* forstliche Ertragskunde *f*; **~nomía** *f* Forstwissenschaft *f*; Forst-wesen *n*, -wirtschaft *f*; **~nómico** *adj.* forst-wissenschaftlich; -wirtschaftlich.

data *f* **1.** ⚒ Datum *n in Schriftstücken*; **2.** ✝ Gutschrift *f*; **3.** Abstich *m*, Abflußöffnung *f e-s Bewässerungsgrabens u. ä.*; **~r I.** *v/t.* **1.** datieren, mit dem Datum versehen; **2.** gutschreiben; **II.** *v/i.* **3.** *zeitlich*: ~ *de* zurückgehen auf (*ac.*); von ... (*dat.*) herrühren; *la enemistad data de tiempos bastante remotos* die Feindschaft stammt aus alter Zeit.

dátil *m* Dattel *f*; *Zo. eßbare* Dattelmuschel *f*.

dati|lado *adj.* dattelförmig; dattelfarben; **~lera** *f* Dattelpalme *f*.

datismo *Rhet. m* Synonymenhäufung *f*.

dativo *Gram. m* Dativ *m*, Wemfall *m*.

dato *m* Beleg *m*; Unterlage *f*; Angabe *f*; *~s m/pl.* Angaben *f/pl.*, Daten *n/pl.*; *~s personales* Angaben *f/pl.* zur Person, Personalien *pl.*; *~s técnicos* technische Daten *n/pl.*

datura ⚘ *f* Stechapfel *m*.

davídico *adj.* davidisch, Davids...

daza ⚘ *f* Sorgho *m*.

de[1] *f* D *n* (*Name des Buchstabens*).

de[2] *prp.* **1.** *Bezeichnung des Genitiv-*

verhältnisses, appositive u. attributive Verwendung, Eigenschaftshervorhebung, Klammer für die Wortzusammensetzung, „zu“ beim Infinitiv: el amo ~ la casa der Herr des Hauses, der Hausherr; ancho ~ pecho breitbrüstig, mit kräftigem Brustkorb; (*mst. ohne* ~) el año (~) 1970 das Jahr 1970; un artista ~ talento ein begabter Künstler; la calle ~ Alcalá die Alcalá-Straße (*vgl.* el camino ~ Veracruz die Straße nach [*bzw.* von] Veracruz); el cargo ~ presidente das Amt des Präsidenten, die Präsidentenwürde; el dos ~ mayo der zweite Mai; estar ~ (mancebo en una farmacia) als (Apothekenhelfer) tätig sein; la isla ~ Cuba die Insel Cuba; máquina *f* ~ coser (~ escribir) Näh- (Schreib-)maschine *f*; *heute wird zunehmend a statt de verwendet, gilt aber (als Gallizismus) noch nicht als korrekt*; avión ~ (*od.* a) reacción Düsenflugzeug; (*vgl. die bei diesen Zusammensetzungen häufige Verbindung durch das auf den Zweck hinweisende para od. die Verwendung von charakterisierenden Adjektiven (oft substantiviert)*: máquina para etiquetar *od.* (máquina) etiquetadora Etikettiermaschine; el mes ~ diciembre der Monat Dezember; el muchacho ~ las gafas der Junge mit der Brille; ~ niño als Kind *od.* in der Kindheit; **2.** *zur Verstärkung od. Hervorhebung u. bei Ausrufen*: **a)** el burro ~ Juan der Esel von Hans *od.* Hans, dieser Esel; la taimada ~ la chica das gerissene Mädchen; **b)** ¡ay ~ mí! wehe mir!, ach, ich Ärmster!; **3.** *Ausgangspunkt, Ursprung, Herkunft, Abstammung*: **a)** ~ Alemania (~ Madrid) aus Deutschland (aus Madrid); mi amigo es ~ Oviedo mein Freund ist (*od.* stammt) aus Oviedo; *Adelsprädikat*: el señor ~ Elizalde Herr von Elizalde; **b)** *fig.* ~ esto se puede deducir daraus läßt s. schließen; **4.** *Trennung, Entfernung, Abstand*: **a)** de ... a ... von ... nach ...; descolgarse ~ la muralla s. von der Stadtmauer herablassen; despedirse ~ los suyos von den Seinen Abschied nehmen; **b)** ~ arriba abajo von oben bis (*bzw.* nach) unten; **c)** *fig. temporal u. modal*: abierto ~ 9 a 12 geöffnet von 9 bis 12; ~ aquí a tres días in (*od.* binnen) drei Tagen; ~ hombre a hombre von Mann zu Mann; ~ ti (*bzw.* ~ usted) a mí unter uns, unter vier Augen; **5.** *Bereich, Zugehörigkeit, Besitz*: la casa ~ su padre das Haus s-s Vaters *bzw.* sein Vaterhaus; ¿~ quién es este libro? wem gehört dieses Buch?; *fig.* Carmen López ~ Castro Carmen Castro geb. (= *geborene*) López; **6.** *Material*: una cadena ~ plata e-e Kette aus Silber; e-e silberne Kette, e-e Silberkette; *fig.* un corazón ~ piedra ein Herz von Stein *od.* ein steinernes Herz; **7.** *partitive Verwendung*: **a)** *Bezeichnung des Teiles e-s Ganzen bzw. Auswahl aus e-r Menge od. Anzahl; Verwendung nach Mengenbezeichnungen*: uno ~ ellos einer von ihnen; una docena ~ huevos ein Dutzend Eier; miles ~ hombres Tausende von Menschen; F tener mucho ~ tonto ziemlich dumm (*od.* blöd F) sein; escoger ~ (entre) su producción aus s-m Schaffen (*z. B. e-s Dichters*) auswählen; no ser ~ sus amigos nicht zu s-n Freunden gehören (*od.* zählen); comer ~l asado vom Braten essen; *erstarrte Fügungen*: dar ~ barniz = barnizar lackieren *bzw.* firnissen; **b)** *Inhalt*: botella *f* ~ vino Flasche *f* Wein; *oft a.* Weinflasche *f* (*genauer*: botella para vino); libro *m* ~ física Physikbuch *n*; hablar ~ negocios über Geschäfte sprechen; **8.** *Vergleichspartikel bei mit Zahlenangaben verbundenem más u. menos und beim Satzvergleich* (→ *a.* más, menos; que, a): más (menos) ~ mil hombres mehr (weniger) als tausend Menschen; más ~ seis semanas mehr (*od.* länger) als sechs Wochen (*aber*: no ... más que → sólo); gasta mucho más dinero ~l que gana er gibt viel mehr Geld aus, als er verdient (*das Substantiv, auf das s. der Vergleich bezieht, ist Objekt zu beiden Sätzen*); tiene más dinero ~ lo que Vd. cree er hat mehr Geld als Sie glauben (*das substantivische Beziehungswort des Vergleichs ist Objekt nur zum Hauptsatz*); la falda era más corta ~ lo (que era) decente der Rock war kürzer als schicklich (*der Vergleich bezieht s. auf ein Adjektiv*); llegaron antes ~ lo que pensábamos sie kamen eher an, als wir dachten (*der Vergleich bezieht s. auf ein Adverb*); **9.** *Ursache*: esta chuleta no se puede comer ~ (*od.* por lo) dura (que está) dieses Kotelett ist so hart, daß man es nicht essen kann; ~ (pura) envidia aus (*od.* vor) (lauter) Neid; padecer ~ una enfermedad an e-r Krankheit leiden; **10.** *Bezeichnung der Urheberschaft beim Passiv; diese Verwendung beschränkte s. schon in klassischer Zeit vornehmlich auf die Bezeichnung der geistigen Urheberschaft od. der Begleitung bzw. der begleitenden Umstände; in der modernen Sprache weicht de auch in diesen Fällen immer mehr dem vordringenden por*: acompañado ~ su familia begleitet von (*od.* in Begleitung) s-r Familie; curtido ~l aire von der Luft gebräunt; saludado ~ (*od.* por) sus partidarios von s-n Anhängern begrüßt; **11.** *Adverbialer Gebrauch zur Umstandsbestimmung*: **a)** *lokal*: ~ (*od.* por) este lado von (*bzw.* auf) dieser Seite; hier; von uns *u. ä.*; ~ esta parte hier; hierher; **b)** *temporal*: ~ día am Tage, tagsüber; muy ~ mañana sehr früh, früh am Morgen; **c)** *modal*: ~ camino im Vorbeigehen; camino ~ auf dem Wege zu (*bzw.* nach) (*dat.*); ~ intento absichtlich; odiar ~ muerte tödlich (*od.* auf den Tod) hassen; ~ pie stehend (*vgl.* a pie zu Fuß; en pie aufrecht; unversehrt); **12.** *in konjunktionaler Funktion*: **a)** *kausal*: ~ tanto trabajar se puso enfermo er wurde krank, weil er so viel gearbeitet hatte; → *a.* porque, como *u. unter* 9; **b)** *konditional*: ~ haberlo sabido antes hätte ich's vorher gewußt; ~ ser necesario wenn es nötig ist, nötigenfalls; ~ no ser así andernfalls; → *a.* si, como; **c)** *konzessiv*: y ~ haberlo dicho él auch wenn er's gesagt hätte; → *a.* aunque; **13.** *in Verbindung mit hacer, deber u.* (*heute kaum mehr*) tener *zum Ausdruck e-r Verpflichtung*: he ~ escribirle ich muß ihm schreiben; debería (~) ser así es müßte (eigentlich) so sein; haber ~ + *inf. hat Reg.* F, *bsd. Am., futurische Funktion*: le he ~ escribir ich werde (*od.* will) ihm schreiben.

deambula|r *v/i.* wandeln; schlendern; **~torio** ⚠ *m* (Chor-)Umgang *m in Kirchen.*

de|án *m* **1.** *ecl.* Dechant *m*, Dekan *m*; **2.** † Dekan *m e-r Fakultät*; **~anato** *m*, **~anazgo** *ecl. m* Dekanat *n.*

debajo I. *adv.* unten; unterhalb; quedar ~ unterliegen (*abs.*); **II.** *prp.* ~ de unter (*dat. bzw. ac.*); ☤ ~ del cambio unter Kurs, unter dem Kurswert; por ~ de unter; por ~ del precio unter (dem) Preis (*kaufen*); de (por) ~ de la mesa unter dem Tisch hervor; estar muy por ~ de *alg.* j-m bei weitem nicht gleichkommen.

deba|te *m* Besprechung *f*; Auseinandersetzung *f*, Erörterung *f*; Debatte *f*, Aussprache *f*; Streit *m*; ~ parlamentario Parlamentsdebatte *f*; **~tir I.** *v/t.* besprechen, erörtern; **II.** *v/i.* verhandeln, debattieren; kämpfen, streiten (um *ac.* sobre); **III.** *gal. v/r.* ~se s. sträuben, zappeln.

debe ☤ *m* Soll *n*, Debet *n*; ~ y haber Soll *n* u. Haben *n.*

debela|ción *f* Debellation *f*, Niederkämpfen *n*; **~dor** *adj.-su.* Bezwinger *m*; Sieger *m*; **~r** *v/t.* unterwerfen; *Am. Aufstand* niederschlagen.

deber I. *vt/i.* **1.** *Geld, Dank usw.* schulden, schuldig sein; (zu) verdanken (haben); ~ a medio mundo bis über die Ohren in Schulden stecken; **2.** ~ + *inf.* müssen; sollen (*Pflicht*); dürfen; el resultado debe ser el siguiente folgendes muß das Ergebnis sein; no debes hacerlo du darfst es nicht tun; ~ de + *inf.* (eigentlich) müssen, sollen (*Verpflichtung, Möglichkeit, Vermutung, Zweifel*); debe de ser así es muß schon so sein; *die Umgangssprache u. z. T. auch die Schriftsprache macht häufig keinen Unterschied zwischen* ~ + *inf. u.* ~ de + *inf. für* müssen, sollen, dürfen; **II.** *v/r.* ~se **3.** s. gehören, s. gebühren (für *ac.* a); como se debe wie es s. gehört, nach Gebühr, richtig, ordentlich; **4.** zu verdanken sein; zuzuschreiben sein (e-r Sache a a/c.); zurückzuführen sein (auf *ac.* a; darauf, daß a [la circunstancia de] que); lo cual se debe a que ... das kommt davon, daß ...; **III.** *m* **5.** Pflicht *f*; Verpflichtung *f*, Schuldigkeit *f*; ⚖ ~ de alimentos Unterhaltspflicht *f*; ~ del ciudadano, ~ cívico Bürgerpflicht *f*; contrario al ~ pflichtwidrig; creer (de) su ~ es für s-e Pflicht halten; cumplir (con) un ~ e-e Pflicht erfüllen; estar en el ~ de advertir aufmerksam machen müssen, pflichtgemäß aufmerksam machen; **6.** ~es *m/pl.* Pflichten *f/pl.*, Aufgaben *f/pl.*; *Sch.* Hausaufgaben *f/pl.*

debi|damente *adv.* ordnungsgemäß; gebührend; **~do** *adj.* **1.** gebührend, richtig; angemessen; *como es ~* wie es s. gehört; richtig, anständig F; *en forma ~a* vorschriftsmäßig, in gehöriger Form; *a (od. en) su ~ tiempo* zur rechten Zeit; rechtzeitig; richtig; (*bleibt dt. z. T. unübersetzt*); **2.** *ser ~ a* e-e Folge sein von (*dat.*); *prp.* ~ *a* wegen (*gen.*, F *a. dat.*); dank (*dat.*, *a. gen.*); ~ *a que* ... infolge davon, daß ..., weil ...

débil I. *adj. c* schwach (*a. su.*); kraftlos; *fig.* matt, blaß (*Farbe, Ausdruck*); leise (*Stimme, Geräusch*); *Li.* schwach (*Vokal*); *fig. está ~ en química od. la química es su punto ~* er ist schwach in Chemie; **II.** *adj.-su.* (*los*) *económicamente ~(es m/pl.)* arm (die Armen *m/pl.*).

debili|dad *f* **1.** Schwäche *f* (*physisch od. moralisch*); Schwachheit *f* (*bsd. moralisch*); Kraftlosigkeit *f*, Mattigkeit *f*; ~ *mental* Geistesschwäche *f*, Schwachsinn *m*; ~ *senil* Altersschwäche *f*; **2.** *fig.* F Schwäche *f*; *momento de ~* schwacher Moment *m*; *tener una ~ por* e-e Schwäche haben für (*ac.*); **~tador** *Phot. m* Abschwächer *m*; **~tamiento** *m* ⊕ Abschwächung *f*; **~tar I.** *v/t.* schwächen; *a.* ⊕ abschwächen; entkräften; **II.** *v/r.* **~se** schwach werden, ermatten.

debitar ✝ *v/t.*: ~ *una cantidad en cuenta* ein Konto mit e-r Summe belasten.

débito *m* Schuld *f*; Verpflichtung *f*; ✝ **~s** *m/pl.* Verbindlichkeiten *f/pl.*

debocar [1g] *vt/i. Arg.* erbrechen.

debu|t *gal. m Thea.* (*a. fig.*) Debüt *n*; Erstaufführung *f*; erstes Auftreten *n*; **~tante** *c Thea.* (*a. fig.*) Debütant(in *f*) *m*; Anfänger(in *f*) *m*; **~tar** *v/i. Thea.* (*a. fig.*) debütieren, zum ersten Mal auftreten.

década *f* **1.** Dekade *f* (*a. Lit.*); Zeitraum *m* von zehn Tagen (*od.* Jahren); *la primera ~ del mes* das erste Monatsdrittel; **2.** zehn Stück.

decaden|cia *f* **1.** Verfall *m*, Niedergang *m*; Dekadenz *f*; *estar en plena ~* gänzlich verfallen; **2.** Niedergeschlagenheit *f*; **~te** *adj. c* **1.** im Verfall begriffen; entartet; **2.** *Ku.* dekadent; **3.** → *decaído*; **~tismo** *Lit.*, *Ku. m* Dekadenz *f*; **~tista** *Lit.*, *Ku. adj.-su. c* Dekadente(r) *m* (*Anhänger der Dekadenz*).

decaedro ⩓ *m* Dekaeder *n*.

decaer [2o] *v/i.* **1.** in Verfall geraten; nachlassen, abnehmen; *fig.* herunterkommen; ⚘ verfallen; ~ *de ánimo* mutlos werden; ~ *en fuerzas* Kraft verlieren; *va decayendo* es geht bergab (*Geschäft, Gesundheit, Schönheit usw.*); **2.** ⚓ abtreiben.

decágono ⩓ *adj.-su.* zehneckig; *m* Zehneck *n*.

decagramo *m* Dekagramm *n*, *östr.* [Deka *n*.]

deca|ído *adj.* **1.** kraftlos, matt; mutlos; **2.** heruntergekommen; entartet; **~imiento** *m* Verfall *m*; Niedergeschlagenheit *f*, Mutlosigkeit *f*.

decalaje ⊕ *m* Versetzung *f*.

decalitro *m* Dekaliter *n*, *zehn Liter.*

decálogo *bibl. m die* Zehn Gebote *n/pl.*

decalvar *v/t.* kahlscheren.

Decamerón *Lit. m* Dekameron *n*.

decámetro *m* Dekameter *n*.

decampar *v/i.* ⚔ *hist.* das Lager abbrechen; *fig.* aufbrechen, weggehen.

deca|nato *m* Dekanat *n*, *nur ecl.* Dechanat *n*; **~nía** *f* Klostergut *n*; Klosterkirche *f*; **~no** *m* **1.** Dekan *m* (*a. Univ.*), *nur ecl.* Dechant *m*; **2.** Älteste(r) *m*; *Dipl.* Doyen *m*; *fig.* Nestor *m*.

decantar *v/t.* **1.** ⚗, ⊕ dekantieren: *Flüssigkeit* (ab-)klären, (-)setzen, (-)gießen; *Erze* abschlämmen; **2.** *oft iron.* rühmen, preisen; ausposaunen (*desp.*); *el ~ado artista mst. iron.* der so vielgepriesene Künstler.

decapa|do ⊕ *m* Beize *f* (*Metalle*); **~r** ⊕ *v/t. Metalle* beizen, dekapieren.

decapita|ción *f* Enthauptung *f*, Köpfen *n*; **~r** *v/t.* enthaupten, köpfen.

decasílabo *adj.-su.* zehnsilbig; *m* Dekasyllabus *m*, Zehnsilber *m* (*Vers*).

decatizar [1f] *tex. v/t.* dekatieren.

decat(h)lón *Sp. m* Zehnkampf *m*.

deceleración ⊕ *f* Verzögerung *f*, negative Beschleunigung *f*; Untersetzung *f*.

decena *f* **1.** (etwa) zehn; **2.** *Arith.* Zehner *m*; **3.** ♪ Dezime *f*; **~l** *adj. c* zehnjährig; zehnjährlich; **~rio I.** *adj.* **1.** zehnteilig; **II.** *m* **2.** *kath.* Rosenkranz *m* mit zehn Kugeln; **3.** † → *decenio*.

decencia *f* Anstand *m* (*a. fig.*); Schicklichkeit *f*.

dece|nio *m* Jahrzehnt *n*; **~no** *adj.* → *décimo*.

decentar [1k] **I.** *v/t.* **1.** *Brot usw.* an-schneiden, -brechen; **2.** *bsd. Gesundheit* beeinträchtigen; **II.** *v/r.* **~se 3.** s. durch- *od.* wund-liegen.

decente *adj. c* **1.** anständig; ehrbar; schicklich; sittsam; *a.* menschenwürdig (*Leben*); *ser ~* anständig sein; s. gehören; *medio ~* halbwegs anständig; **2.** angemessen (*Preis*).

decep|ción *f* Enttäuschung *f*; **~cionar** *v/t.* (ent)täuschen; hintergehen.

decibel *Phys. m* Dezibel *n*.

decible ⸸ *adj. c* in Worten ausdrückbar.

decidi|damente *adv.* entschlossen; entschieden; schlechterdings; **~do** *adj.* entschlossen; energisch; entschieden; *estar ~ a* entschlossen sein zu (*dat. od. inf.*); **~r I.** *vt/i.* **1.** entscheiden; beschließen; abschließen; ~ + *inf.* s. entschließen zu + *inf. od.* + *dat.*; ~ *sobre* (*od.* de) über *et.* (*ac.*) entscheiden, für *et.* (*ac.*) entscheidend sein; **2.** veranlassen, überreden; ~ *a alg. a hacer a/c.* j-n veranlassen (*bzw.* j-n dazu) überreden, et. zu tun; **II.** *v/r.* **~se 3.** entschieden werden; **4.** *~se a* + *inf.* s. entschließen, zu + *inf.*; *~se a* (*od. en*) *favor de* s. entscheiden für (*ac.*); *~se por un principio* e-n Grundsatz annehmen (*od.* vertreten).

decidor I. *adj.* gesprächig, unterhaltsam; **II.** *m a.* Witzbold *m*; ~ *de sinceridades* wer kraß die Wahrheit sagt.

deci|gramo *m* Dezi-, Zehntelgramm *n*; **~litro** *m* Dezi-, Zehntelliter *n*.

décima *f* **1.** Zehntel *n*; Zehntelgrad *m* (*Fieberthermometer*); Zehntelsekunde *f* (*z. B. b. Belichten*); *tener ~s* erhöhte Temperatur haben; **2.** *Lit.* Dezime *f* (*zehnteilige Stanze von Achtsilbern*); **3.** ♪ Dezime *f*.

decimal I. *adj. c* dezimal, Dezimal...; ⩓ *fracción f* (*od. quebrado m*) ~ Dezimalbruch *m*; **II.** *f* Dezimale *f*, Dezimalzahl *f*.

decímetro *m* Dezi-, Zehntel-meter *m*; *fig.* Maßstab *m* (*Gerät*).

décimo I. *num.* **1.** zehnte(r, -s); *en ~ lugar* an zehnter Stelle; zehntens; **II.** *m* **2.** Zehntel *n*; *el ~* der Zehnte; ~ (*de lotería*) Zehntellos *n*; **3.** *Am.* Zehncentavostück *n* (*Münze*).

decimo|ctavo *num.* achtzehnte(r, -s); **~cuarto** *num.* vierzehnte(r, -s); **~noveno** *num.* neunzehnte(r, -s); **~quinto** *num.* fünfzehnte(r, -s); **~séptimo** *num.* siebzehnte(r, -s); **~sexto** *num.* sechzehnte(r, -s); **~tercero, ~tercio** *num.* dreizehnte(r, -s).

decir I. [3p] *v/t.* (*z. T. a. v/i.*) **1.** sagen, sprechen, mitteilen; *la(s) gente(s) dice(n) que od. dicen que* es heißt, man sagt, es verlautet, daß; *¡no me diga!* was Sie nicht sagen!; tatsächlich?; *¡no me diga más!* jetzt verstehe ich (warum ...); *¡diga usted!* sagen Sie (doch) mal!; *Telefon*: *¡diga!* (*Angerufener*) Hallo! (*od.*: sprechen Sie bitte!); *vgl. oiga*; *¡dígamelo a mí!* wem sagen Sie das!; *¡digo!* das will ich meinen!; *¡digo, digo!* hört, hört!; nanu!; ach, sieh mal an!; → *a. Diego*; *¡digo yo!* meine ich!; *digo* ... (ich meine) vielmehr ...; *una chica, digo mal, un ángel* ein Mädchen, was sage ich, ein Engel; *am Schluß e-r Rede*: *he dicho od. dije* ich habe gesprochen; *como quien dice od. como si dijéramos* sozusagen; (also) ungefähr; *como quien no dice nada* so ganz nebenbei, als wäre das gar nichts; *cualquiera diría que* ... man könnte fast meinen, (daß) ...; als ob ...; *¡cualquiera (lo) diría!* kaum zu glauben!, man sollte es nicht für möglich halten!, wer hätte das gedacht!; *no ~ una cosa por otra* die Wahrheit sagen; *~ bien* gut sprechen; *a.* recht haben; F *~le a uno cuatro cosas* (*od. cuatro frescas od. cuatro claras*) j-m gehörig die Meinung sagen, mit j-m deutsch reden F; *¡usted dirá!* natürlich!, ganz wie Sie wünschen!; bestimmen Sie bitte!, Sie haben das Wort!; *bestätigend*: meine ich auch!; *eso es más fácil de ~ que de hacer* das ist leichter gesagt als getan; ~ *y hacer* → *dicho*; ~ *para* (*od. entre*) *sí*, ~ *para sus adentros* zu s. selbst (*od.* vor s. hin) sagen, bei s. denken (*od.* überlegen); *no digo nada* natürlich, jawohl; ... *que no digo nada* das habe ich schon im voraus gewußt, das konnte ich mir schon denken; *por ~lo así* sozusagen, gewissermaßen; ~ *por ~* daherreden, belangloses Zeug reden; *lo dice por él* er meint ihn, das ist auf ihn gemünzt; *por mejor ~* besser gesagt; *ni que ~ tiene* es erübrigt s., zu erwähnen, ich brauche nicht erst zu sagen; *el qué dirán* das Gerede (*der Leute*); *¡quién lo diría!* wer hätte das gedacht!; *no digamos que sea así* es ist zwar (*od.* freilich) nicht ganz so; *no es barato que digamos* es ist nicht gerade billig; *no hay más que* ~ basta!, genug!, jetzt ist Schluß!; das genügt (vollkommen)!; *y* ~ *que es ciego* (und) dabei ist er blind; wenn man bedenkt, daß er blind ist; ~ *que sí* (*que no*) ja sagen; *a.* das Ja-Wort geben (nein sagen); *no sé qué me diga* ich weiß nicht, was ich dazu sagen soll; *según dicen* wie es heißt, dem Vernehmen nach; *tener algo que* ~ et. zu sagen haben (bei *dat.* en); *tú que tal dijiste* das hast du gesagt; *quien mal dice, peor oye etwa*: wie man in den Wald hineinruft, schallt es zurück; **2.** auf-, her-sagen; vortragen; ~ *maquinalmente* herunter-sagen, -plappern, sein Sprüchlein herbeten; **3.** (be-)sagen; lauten; bedeuten; erkennen lassen; es ~ das heißt; *¿es* ~ *que no sale?* er reist also nicht ab?; *querer* ~ (be)sagen wollen, bedeuten; *su cara lo dice todo* (*no dice nada*) sein Gesicht sagt alles (s-e Miene ist ausdruckslos); *el documento dice como sigue* das Schriftstück lautet wie folgt; *la práctica dice* die Praxis (*od.* die Erfahrung) lehrt (*od.* zeigt); **4.** anordnen, befehlen; *dile que venga en seguida* (sag ihm) er soll sofort kommen; **5.** *Kart.* ansagen, Farbe bekennen; **6.** passen (zu *dat.* con); *eso no me dice nada* das ist mir gleichgültig; *¿qué me dice de ...?* was sagen Sie zu ... (*dat.*)?, wie gefällt Ihnen ... (*nom.*)?; **7.** nennen; *le dicen Miguel* er heißt (man nennt ihn) Michael; **8.** *gut od. schlecht* stehen, s. ankündigen; *el tiempo dice bien* das Wetter läßt s. gut an; **II.** *v/r.* ~se **9.** heißen; sagen; *¿cómo se dice?* wie sagt man?; **10.** sagen, reden; *se dice que* man sagt, es heißt; *se dicen tantas cosas* es wird so viel geredet; *se diría* (*que*) man könnte meinen (,daß); es scheint (so, als ob); *estos hombres que se dicen ser sus rivales* diese Männer, die angeblich s-e Rivalen sind; **III.** *m* **11.** Redensart *f*, Redeweise *f*; ~es *m/pl.* Gerede *n*; *es un* ~ das ist so e-e Redensart, es ist nicht so (schlimm) gemeint; *al* ~ *de* nach dem, was (*nom.*) sagt.

deci|sión *f* **1.** Entscheidung *f*; Entschluß *m*; ⚖, *Pol. a.* Beschluß *m*; ~ *judicial* richterliche Entscheidung *f*, Urteil *n*; *tomar una* ~ e-n Entschluß fassen, s. entschließen; **2.** Entschlossenheit *f*; *falto de* ~ unentschlossen; **3.** Bestimmung *f*; **~sivo** *adj.* **1.** entscheidend; ausschlaggebend; *a. Sp. encuentro m* ~ Entscheidungs-kampf *m*, -spiel *n*; **2.** *fig.* entschieden (*Ton*); **~sorio** *adj.* → *decisivo*; ⚖ *juramento m* ~ zugeschobener Eid *m*.

declama|ción *f* Deklamation *f*; Vortragskunst *f*; *fig.* Wortgepränge *n*; **~dor** *adj.-su.* Vortragskünstler *m*; *fig.* Phrasendrescher *m*; **~r** *vt/i.* deklamieren, vortragen; *fig.* schwülstig reden; ~ *contra* wettern gg. (*ac.*); **~torio** *adj.* deklamatorisch (*a. fig.*); *arte f* ~*a* Vortragskunst *f*.

declara|ble *adj. c* erklärbar; **~ción** *f* Erklärung *f* (*a.* ⚚, ⚖); Äußerung *f*, Angabe *f*; ⚚ Verzeichnis *n*, Aufstellung *f*; ~ (*de amor*) Liebeserklärung *f*; ⚖ ~ *de ausencia* (*indeterminada*) Verschollenheitserklärung *f*; ⚚ ~ *de carga* Schiffsbericht *m*; ⚚ ~ *de entrada* (*de salida*) Ein-(Aus-)fuhrerklärung *f*; ⚖ ~ *de guerra* (*de impuestos*) Kriegs-(Steuer-)erklärung *f*; ~ *de mayoría de edad* (*de muerte*) Mündigkeits-(Todes-)erklärung *f*; ~ *de quiebra* Konkursanmeldung *f*; F *u. fig.* Bankrotterklärung *f*; ⚖ ~ *de voluntad* Willenserklärung *f*; *hacer una* ~ e-e Aussage machen; e-e Erklärung abgeben; ⚖ *tomar* ~ *a j-n* vernehmen, *j-n* verhören; **~damente** *adv.* unverhohlen; deutlich; **~do** *adj.* erklärt (*a. fig. Feind*); ✉ *valor* ~ Wertsendung *f*; **~nte** ⚖ *c* Aussagende(r) *m*; Anmeldende(r) *m*; **~r I.** *vt/i.* **1.** erklären, aussagen; anmelden; ⚚ deklarieren; verzollen; ⚖ ~ *culpable* für schuldig erklären, schuldig sprechen; *Verw.* ~ *habitable ein Haus* abnehmen; ~ *los ingresos* e-e Einkommensteuererklärung machen; ~ *por enemigo* zum Feind erklären; **2.** ⚖ aussagen, zeugen; *encontrarse en estado de* ~ vernehmungsfähig sein; **II.** *v/r.* ~se **3.** *abs.* s. erklären, e-e Liebeserklärung machen; **4.** s. erklären (für *ac. por*); ~*se en quiebra* Konkurs anmelden; ~*se con alg.* s. mit j-m aussprechen; ~*se a* (*od. en*) *favor de alg.* für j-n eintreten; **5.** ausbrechen (*Feuer, Pest usw.*); s. einstellen; *se le declaró una fiebre* er bekam Fieber; **~tivo** *adj.* erklärend; ⚖ Klärungs...; **~torio** *adj.* (er)klärend; ⚖ Feststellungs...; *acción f* ~*a* Feststellungsklage *f*.

decli|nable *Gram. adj. c* deklinierbar; **~nación** *f Gram., Astr., Geogr.* Deklination *f*; *fig.* Verfall *m*; **~nar I.** *v/t.* **1.** *Gram.* deklinieren; **2.** ablehnen; abschlagen; abweisen; ~ *toda responsabilidad* jede Verantwortung ablehnen; **II.** *v/i.* **3.** *Astr.* vom Meridian abweichen; *Geogr.* miß-, fehl-weisen (*Magnetnadel*); **4.** s. neigen (*a. fig., z. B. Tag*); sinken (*Sonne*); abklingen (*Fieber*); **5.** *fig.* zerfallen; abnehmen; **~natoria** ⚖ *f* Geltendmachung *f* der Unzuständigkeit *des Gerichts*; **~natorio I.** *adj.* ablehnend; **II.** *m Phys.* Deklinatorium *n*; **~nómetro** *Phys. m* Ablenkungsmesser *m*.

decli|ve *m* **1.** Abhang *m*; Gefälle *n*, Neigung *f*; ~ *áspero* steile Böschung *f*; Steilhang *m*; *en* ~ abschüssig; bergab (*a. fig.*); *formar* ~, *ir en* ~, *tener* ~ abfallen, s. senken; **2.** *fig.* Verfall *m*, Abnehmen *n*; *ir en* ~ verfallen; **~vidad** *f*, **~vio** *m* Senke *f*; → *declive*.

decoc|ción *f* Abkochung *f*, Sud *m*; Absud *m*; *pharm.* Dekokt *n*; **~tor** ⚗, ⊕ *m* Kocher *m*.

decodificación *f* Dechiffrierung *f*, Entschlüsselung *f*.

decoloniza|ción *f* Entkoloni(ali)sierung *f*; **~r** [1f] *v/t.* entkoloni(ali)sieren.

decolora|nte *adj.-su. m* Bleichmittel *n*; **~r** *v/t.* entfärben; bleichen.

decomi|sar *v/t.* (gerichtlich) einziehen; **~so** *m* Einziehung *f*; *vgl. comiso.*

decontamina|ción *f* Entseuchung *f*; **~r** *v/t.* entseuchen.

decongestión *f* → *descongestión.*

decora|ción *f* **1.** Ausschmückung *f*, Dekoration *f*; ~ *de habitaciones* Innenausstattung *f*; **2.** *Thea.* Bühnenbild *n*; **~do** *m* **1.** Ausschmückung *f*; (Schaufenster-)Dekoration *f*; **2.** *Thea.* Bühnen-bild *n*, -ausstattung *f*; ~s *m/pl.* Bauten *m/pl.* (*Film*); **~dor** *m* Dekorateur *m*; **~r** *v/t.* **1.** ausschmücken, verzieren; dekorieren; **2.** *Thea.* ausstatten; **3.** auswendig lernen; aufsagen; Silbe für Silbe sprechen; **~tivista** *adj. c*: *pintor m* ~ Dekorationsmaler *m*; **~tivo** *adj.* dekorativ (*a. fig.*); zierend; Schmuck ...

decoro *m* Anstand *m*, Schicklichkeit *f*; *guardar el* ~ den Anstand wahren; das Gesicht wahren; **~so** *adj.* anständig, ehrbar; sittsam; dezent; standesgemäß.

decre|cer [2d] *v/i.* abnehmen, schwinden, sinken; fallen (*Wasserstand*); **~ciente** *adj. c* abnehmend; *Phon.* fallend (*Diphthong*); **~cimiento** *m* → *disminución*; **~mento** *m* **1.** Abnahme *f*; Verfall *m*; **2.** 📖, ⊕ Verringerung *f*, Abfall *m*.

decrepitar *v/i.* dekrepitieren (*Kristalle*).

decrépito *adj.* **1.** hinfällig; altersschwach; verfallen; *anciano m* ~ Tattergreis *m* F; **2.** *fig.* morsch, vermodert.

decrepitud *f* Hinfälligkeit *f*, Altersschwäche *f*; *fig.* Verfall *m*.

decrescendo *it.* ♪ *m* Decrescendo *n*; *fig.* Abnahme *f*, Nachlassen *n*.

decretal *kath. f* Dekretale *n*; **~es** *f/pl. hist.* Dekretalien *pl.*

decre|tar *v/t.* ver-, an-ordnen, verfügen; *Befehl* erlassen; **~to** *m* Verordnung *f*; Verfügung *f*, Erlaß *m*; *Real* ~ Kgl. Erlaß *m*, Kabinettsorder *f*; ~ *reglamentario* Durchführungsverordnung *f*; **~-ley** *m* gesetzesvertretende Verordnung *f*; **~torio** ⚕ *adj.* kritisch.

decúbito ⚕ *m* **1.** Liegen *n*; ~ *dorsal*, ~ *supino* Rückenlage *f*; **2.** (*úlcera f de*) ~ Dekubitus *m*.

decu|plar, ~plicar [1g] *v/t.* verzehnfachen.

décuplo *adj.-su.* zehn-fach, -fältig; *el* ~ das Zehnfache.

decur|sas †, ⚖ *f/pl.* verfallene Zinseinkünfte *pl.*; **~so** *m* Ver-, Ablauf *m der Zeit.*

decu|sado, ~so 📖 *adj.* gekreuzt; 🌿 kreuzständig.

dechado *m* **1.** Vorlage *f*; (*bsd.* Stick-)Muster *n*; **2.** *fig.* Muster *n*, Ausbund *m*; ~ *de maldades* Ausbund *m* von Schlechtigkeit.

deda|da *f* Fingerspitzevoll *f*, Prise *f*; *fig. una* ~ *de miel* ein Trostpflästerchen *n*; **~l** *m* Fingerhut *m*; **~lera** 🌿 *f* Digitalis *f*.

dédalo *fig. m* Labyrinth *n*, Irrgarten *m*; Wirrwarr *m*.

dedeo *bsd.* ♪ *m* Finger-fertigkeit *f*, -technik *f*; Fingersatz *m*.

dedica|ción *f* **1.** Einweihung *f*; Weihinschrift *f*; Fest *n* der Kirchweih; **2.** Widmung *f*; **3.** *fig. bsd. Am.* Hingabe *f*, Fleiß *m*; **~nte**

c Widmende(r) *m*; **~r** [1g] **I.** *v/t.* **1.** weihen; widmen, zueignen; *libro ~ado* Buch *n* mit Widmung; **2.** *fig.* widmen; *Zeit* auf-, ver-wenden (für *ac.*, auf *ac.* *a*); **II.** *v/r.* *~se* **3.** *~se a* s. widmen (*dat.*); **~toria** *f* Widmung *f*, Zueignung *f*; **~torio** *adj.* Widmungs...

de|dil *m* Fingerling *m*; **~dillo** *m*: *conocer a/c. al ~* et. aus dem ff (*od.* wie s-e Westentasche) kennen; *fig. saber al ~ a/c.* et. genauestens wissen; et. (wie) am Schnürchen hersagen können; **~do** *m* **1.** *Anat.* Finger *m*; Zehe *f*; *~ anular* Ringfinger *m*; *~ del corazón* Mittelfinger *m*; (*~*) *índice*, *Rpl. a. ~ mostrador* Zeigefinger *m*; (*~*) *meñique*, *~ auricular* kl. Finger *m*; *~ gordo*, (*~*) *pulgar* Daumen *m*; *~ gordo* (*del pie*) große Zehe *f*; **2.** ⊕ Finger *m*; **3.** *fig. el ~ de Dios* der Finger Gottes; *adv. a dos ~s* de ganz nahe an (*dat.*), drauf u. dran; *antojársele los ~s huéspedes a uno* **a)** sehr argwöhnisch sein; **b)** s. Illusionen machen; *atar bien su ~* s-e Vorkehrungen treffen; → *a. cogerse*; *comerse los ~s por* sehr begierig sein nach (*dat.*); → *a. chuparse*; *dar un ~ de la mano por* alles hergeben für (*ac.*); *¡métele el ~ en la boca!* der ist alles andere als dumm!; *meter a uno los ~s (en la boca)* j-n geschickt ausforschen, j-n ausholen F; *meterle a uno los ~s por los ojos* j-m Sand in die Augen streuen; *morderse los ~s* s-n Ärger verbeißen; s. in ohnmächtiger Wut verzehren; *fig. poner el ~ en la llaga* den wunden Punkt berühren; an die wunde Stelle rühren; *ponerle a uno los cinco ~s en la cara* j-m e-e Ohrfeige geben; ♪ *poner bien los ~s* e-e gute Fingertechnik haben; *señalar a uno con el ~* mit Fingern auf j-n zeigen, j-n bloßstellen; *ser el ~ malo* ein Unglücksrabe sein, Unglück bringen; *tener cinco ~s en la mano* selber zupacken können, von k-m andern abhängig sein; *fig.* F *tengo ~s de manteca* heute fällt mir alles aus der Hand; *fig. no tener dos ~s de frente* kein großes Kirchenlicht sein.

dedu|cción *f* **1.** Ableitung *f*; Folgerung *f*; **2.** Preisabschlag *m*; Abzug *m*; *~ hecha de*, *previa ~ de* nach Abzug von (*dat.*); *con ~ de* abzüglich (*gen.*); **~cible** *adj.* c ableitbar; † abzugsfähig; **~cir** [3o] *v/t.* **1.** ableiten; folgern; *de ello se deduce que ...* daraus kann man schließen, daß ..., daraus folgt, daß ...; **2.** abziehen; *~idos los gastos, resulta ...* nach Abzug der Spesen ergibt s. ...; **~ctivo** *Phil. adj.* deduktiv.

defacto *adv.* (*a. adj.*; *a.* **de** *facto*) tatsächlich, de facto.

defalcar [1g] *v/t.* → *desfalcar*.

defasador ⚡ *m* Phasenschieber *m.*

defeca|ción *f* **1.** Stuhl(gang) *m*, ⚕ Defäkation *f*; **2.** ⚗ Läuterung *f*, Abklärung *f*; **~r I.** *v/t.* ⚗ abklären; **II.** *v/i.* Stuhlgang haben.

defec|ción *f* Abfall *m v. e-r Partei, Ideologie usw.*; Abtrünnigkeit *f*; **~cionar** *gal.* → *desertar*; **~tivo** *adj.* **1.** unvollständig, mangelhaft; **2.** *Gram.* defektiv; **~to** *m* **1.** Fehler *m*, Mangel *m* (*a. fig.*); ⊕ *~ de construcción* Konstruktionsfehler *m*; *sin ~* fehlerfrei, tadellos; ⚕ *~ de técnica* Kunstfehler *m*; *remediar* (*od. subsanar od. suplir*) *un ~* e-n Fehler (*od.* Mangel) beheben; **2.** *allg. u.* ⚕ körperlicher Fehler *m*, Gebrechen *n*; **3.** Fehlen *n*, Mangel *m*; *gal.* en *~* de in Ermangelung (*gen. od.* von *dat.*); *en su ~* falls nicht vorhanden; **~tuoso** *adj.* fehlerhaft; schadhaft; mangelhaft, lückenhaft, unvollkommen; schlecht gelungen.

defen|der [2g] **I.** *v/t.* **1.** verteidigen (*a.* ⚖); (be)schützen; (ab)schirmen; in Schutz nehmen; *Meinung* verfechten; rechtfertigen; *~ la causa de alg.* j-s Sache vertreten; **2.** verbieten; **II.** *v/r.* *~se* **3.** s. verteidigen (gg. *ac.* de, *contra*); s. schützen, s. zur Wehr setzen (gg. *ac.* de); **4.** s. durchsetzen; zurechtkommen; *se ha ~ido (bien)* er hat s. gut geschlagen (*od.* gehalten); F *irse defendiendo* s. (so) durchschlagen, von der Hand in den Mund leben; **~dible** *adj.* c vertretbar; annehmbar.

defenestración *f* Sturz *m* aus dem Fenster; *hist.*: *la ~ de Praga* der Prager Fenstersturz.

defen|sa I. *f* **1.** *allg.* Verteidigung *f* (*a. Sp.*), Schutz *m*; Vertretung *f*; Entlastung *f*; *ponerse en ~* s. zur Wehr setzen; *tomar la ~* (*od. salir en ~*) *de alg.* j-n verteidigen, j-n in Schutz nehmen; **2.** ⚖ Verteidigung *f*; *fig. a.* Verteidiger *m*; *legítima ~* Notwehr *f*; *~ propia* Selbst-schutz *m*, -verteidigung *f*; **3.** ⚔ Verteidigung *f*; Schutzwaffe *f*; *fort.* *~s f/pl.* Verteidigungsanlagen *f/pl.*; *~ antiaérea* Flug-, Luft-abwehr *f*, Flak *f*; *~ (antiaérea) pasiva*, *~ civil* ziviler Luftschutz *m*; **4.** ⚓, ⊕ Schutzvorrichtung *f*; ⚓ Fender *m*; *Hydr.* Wehr *n*; ⚓ *~ del costado* Lade-, Lösch-bord *m*; **5.** *~s f/pl.* Hauer *m/pl.* (*Keiler*); Hörner *n/pl.* (*Stier*); Stoßzähne *m/pl.* (*Elefant*); **6.** ⚕ *~s f/pl. biológicas* biologische Abwehrkräfte *f/pl.*; **II.** *m* **7.** *Sp.* Verteidiger *m*; **~siva** *f* Verteidigung *f*, Defensive *f*; *ponerse a la ~* s. in Verteidigungszustand setzen; *fig.* in die Defensive gehen; *Sp. a.* s. auf die Verteidigung beschränken, *Fußball*: mauern F; **~sivo** *adj.* **1.** verteidigend, Abwehr..., Defensiv...; *arma f ~a* Verteidigungswaffe *f*; **2.** ⊕ *~ contra el polvo* staubabweisend; **~sor** *m a.* ⚖ Verteidiger *m*; *fig.* Vorkämpfer *m*, Verfechter *m*; **~soría** ⚖ *f* Verteidigung *f* (= *Amt des Verteidigers*); **~sorio** *m* Verteidigungsschrift *f*.

defe|rencia *f* Nachgiebigkeit *f*; Willfährigkeit *f*; Entgegenkommen *n*; Ehrerbietung *f*; **~rente** *adj.* c nachgiebig; willfährig; zuvorkommend; ehrerbietig; **~rido** ⚖ *adj.* → *decisorio*; **~rir** [3i] **I.** *v/t.* übertragen (j-m et. *od.* et. auf j-n *a/c. a alg.*); **II.** *v/i.* (*a*) zustimmen (*dat.*), einwilligen (in *ac.*); ⚖ *~ a alg.* j-m zufallen (*Erbschaft*).

deficien|cia *f* Mangel *m*; Fehlerhaftigkeit *f*; Ausfall *m*; *~ mental* Geistesschwäche *f*; *~ de oído* Schwerhörigkeit *f*; 📯 *~ (de porte)* fehlendes Porto *n*; **~te** *adj.* c mangelhaft; fehlerhaft; unzulänglich; defekt; ♪ vermindert.

déficit *m* (*pl. inv.*) Fehlbetrag *m*, Defizit *n*; Manko *n*; *~ presupuestario* Haushaltslücke *f*.

deficitario *adj.* defizitär.

defini|ble *adj.* c definierbar; erklärbar; **~ción** *f* **1.** Begriffsbestimmung *f*, Definition *f*; Erklärung *f*; **2.** ⊕, *HF*, *TV* Auflösung *f*; **~do** *adj.* bestimmt (*a. Gram.*); definiert; unverhohlen; **~r I.** *v/t.* **1.** bestimmen, definieren; erklären; **2.** entscheiden (*bsd. Konzil, Papst*); **3.** *Mal.* letzte Hand anlegen an (*ac.*); **II.** *v/r.* *~se* **4.** *abs.* s. festlegen, s. entscheiden; **~tiva** ⚖ *f* Endurteil *n*; **~tivo** *adj.* endgültig, abschließend; entscheidend; definitiv; *adv. en ~a* schließlich u. endlich, letzten Endes.

defla|ción †, *Geol.* *f* Deflation *f*; **~cionista** (*a. deflacionario*) *adj.* c deflationistisch, deflatorisch.

deflagra|ción ⚗ *f* schnelle Verbrennung *f*; Verpuffung *f*, Deflagration *f*; **~r** *v/i.* ver-, ab-brennen; verpuffen; aufflackern.

deflec|tómetro *Phys. m* Ablenkungsmesser *m*; **~tor** *Phys. m* Deflektor *m.*

deflexión 🕮 *f* Ablenkung *f*; Deflexion *f*.

defolia|ción *f* (*bsd.* vorzeitiger) Laubfall *m*; Entlaubung *f* (*bsd. Vietnamkrieg*); **~r** [1b] *v/t.* entlauben.

deforma|ble ⊕ *adj.* c verformbar; **~ción** *f* **1.** Entstellung *f*; Verzerrung *f*; Gestalt-, Form-veränderung *f*; *~ de la columna vertebral* Rückgratverkrümmung *f*; **2.** ⊕ Verformung *f*; Verwerfung *f*; Verzerrung *f* (*a. TV*, *Rf. Ton, Bild*); *~ en caliente* Warmverformung *f*; *Tel.* *~ de texto* Textverstümmelung *f*; **~do** *adj.* verbogen; verzogen; verformt; verzerrt.

defor|mante *adj.* c verzerrend, Zerr...; **~mar I.** *v/t.* entstellen, verunstalten; ⊕ umformen; verformen; verzerren; **II.** *v/r.* *~se* s. verformen; s. verziehen; **~matorio** *adj.* entstellend, verzerrend; **~me** *adj.* c unförmig; ungestalt; häßlich; **~midad** *f* **1.** Häßlichkeit *f*; Mißgestalt *f*; Mißbildung *f*; **2.** *fig.* grober Irrtum *m.*

defrauda|ción *f* **1.** Veruntreuung *f*; Unterschlagung *f*; Hinterziehung *f*; ⚖ *a.* Entziehung *f elektrischer Energie*; **2.** Betrug *m*, Täuschung *f*; **~dor** *adj.-su.* Betrüger *m*; Defraudant *m*; Steuerhinterzieher *m*; Zollbetrüger *m*; **~r** *vt/i.* **1.** hinterziehen; veruntreuen; unterschlagen; betrügen; **2.** *fig.* enttäuschen; *~ las esperanzas de alg.* j-s Hoffnungen enttäuschen; *fig. ~ el sueño* die Nacht durcharbeiten; *a.* s. die Nacht um die Ohren schlagen F; *esperanza ~ada* Enttäuschung *f*.

defuera *adv.*, *a. por ~* außen, außerhalb, draußen; von außen.

defunción *f* Ableben *n*, Hinscheiden *n*; Tod(esfall) *m*; *cédula f* (*od. certificado m*) *de ~* Totenschein *m*.

degenera|ción *f* Entartung *f*, Degeneration *f*; Verfall *m*; ⚕ *~ adiposa* Verfettung *f*; **~do** *adj.* entartet, degeneriert; **~r** *v/i.* entarten, degenerieren; ~en s. auswachsen zu (*dat.*); ausarten in (*ac.*); **~tivo** ⚕ *adj.* degenerativ.

deglu|ción *f* (Hinunter-)Schlucken *n*, Schlingen *n*; **~tir** *vt/i.* (ver-)schlucken, (hinunter)schlingen.

degolla|ción *f* Enthauptung *f*; Schlachten *n*; *fig.* Morden *n*, Blutbad *n*; **~dero** *m* **1.** Nacken *m b. Schlachtvieh*; Schlachthof *m*; **2.** Schafott *n*; **3.** Halsausschnitt *m am Kleid*; **~do** *m* Enthauptete(r) *m*; **~dor** *m* Scharfrichter *m*; Schlächter *m im Schlachthof u. fig.*; **~dura** *f* **1.** → degolladero 1; **2.** Halswunde *f*; **3.** Schnitt *m*, Riß *m* (*Segel, Zelt usw.*); **4.** ⊕ Aus-, Ein-schnitt *m*; △ Einschnürung *f*; Mauerfuge *f*; **~nte** F *m* auf-, zu-dringlicher Mensch *m*; **~r** [1n] *v/t.* **1.** *Kleid* ausschneiden; **2.** ⚓ *Segel* kappen; ⊕ *Schraube* abdrehen; **3.** köpfen; (ab)schlachten; niedermetzeln; *Rel.* schächten; *Stk.* schlecht treffen, *Stier* abmurksen F; **4.** *fig.* zerstören, einreißen; *Thea.*: *Stück* schlecht spielen, schmeißen F; *j-m* auf die Nerven gehen; *Sprache* radebrechen.

degollina F *f* Schlächterei *f*, Gemetzel *n*.

degrada|ción *f* **1.** Degradierung *f*; Absetzung *f*; *fig.* Erniedrigung *f*; Beschimpfung *f*; **2.** ⛏ Abbau *m*; **3.** *Mal.* Verkürzung *f*; Abtönung *f*; **~do** *adj. fig.* verkommen; **~nte** *adj. c* entwürdigend, erniedrigend; **~r** **I.** *v/t.* **1.** absetzen; ⚔ degradieren; **2.** *fig.* erniedrigen; demütigen; **3.** ⛏ abbauen; **4.** *Mal.* perspektivisch verkürzen; abtönen; **II.** *v/r.* ~se **5.** s. verunehren; verkommen.

degüello *m* **1.** Enthauptung *f*, Köpfen *n*; Gemetzel *n*; *entrar a* ~ plündern, brandschatzen; **2.** *Rel.* Schächten *n*; **3.** *fig.* *pasar* (*od. tirar*) *a* ~ *a alg.* j-n über die Klinge springen lassen; **4.** Hals *m*, schmalster Teil *m e-r Waffe*.

degusta|ción *f* Kostprobe *f*; Kosten *n*; (*salón m* de) ~ Probierstube *f*; **~r** *vt/i.* kosten, probieren.

dehe|sa *f* (Vieh-)Weide *f*; Koppel *f*; Gemeindeanger *m*; *fig. con el pelo de la* ~ ungeschliffen, ungehobelt; **~sero** *m* Heger *m*.

dehiscente ⚘ *adj.*: *fruto m* ~ Springfrucht *f*.

deici|da *adj.-su. c* Gottesmörder *m*; **~dio** *m* Gottesmord *m*; *fig.* Frevel *m*.

dei|dad *f* Gottheit *f*; **~ficación** *f* Vergöttlichung *f*; Vergottung *f*; **~ficar** [1g] *v/t.* vergöttlichen; vergöttern.

deís|mo *Phil. m* Deismus *m*; **~ta** *adj.-su. c* deistisch; *m* Deist *m*.

deja|ción *f* Überlassung *f*; Abtretung *f*; Verzicht *m*; **~da** *f* Lassen *n*; → dejación; **~dez** *f* Schwäche *f*; Schlaffheit *f*; Lässigkeit *f*; Nachlässigkeit *f*; **~do** *adj.* **1.** (*ser*) nachlässig, schlampig; **2.** (*estar*) **a)** verlassen; **b)** niedergeschlagen; **~miento** *m* **1.** Schlaffheit *f*, Schwäche *f*; **2.** Ablassen *n*, (Los-)Lösung *f* (von *dat.* de); **3.** → dejación.

dejar **I.** *v/t.* **1.** unterlassen; weglassen; be-, da-lassen; loslassen; zulassen; stehen-, liegen-lassen; ~ *aparte* beiseite lassen, übergehen; dahingestellt lassen; *a. fig.* ~ *correr* laufenlassen; F *¡déjelo correr!* lassen Sie der Sache freien Lauf!, kümmern Sie s. nicht darum!; *¡dejémoslo (así)!* lassen wir's (dabei)!, damit soll es sein Bewenden haben; ~ *atrás* hinter s. lassen, zurücklassen; *fig.* übertreffen; ~ *caer* fallen lassen; *fig.* (wie unabsichtlich) *et.* sagen, hinwerfen; ~ *escrito* stehenlassen *in e-m Schriftstück*; schriftlich hinterlassen (*Nachricht*); → *a.* 4; ~ *a un lado* beiseite lassen (*od.* schieben); *fig.* aufs tote Gleis schieben; ~ *en libertad a Gefangene* freilassen; → *a.* 2; *no me ~á mentir* er kann es bezeugen *od.* er weiß davon (*Beteuerung*); ~ *para otro día* auf e-n andern Tag verschieben; ~ *paso a* durchlassen; ~ *sin acabar* unvollendet (hinter)lassen; liegenlassen; ~ *en su sitio* stehen-, liegenlassen; unverändert (da)lassen, nicht anrühren; *dejadle con su tema* laßt ihn bei s-m Thema; *~lo todo como está* alles beim alten lassen; **2.** geben, ab-, über-lassen; leihen; anvertrauen; *~lo al arbitrio de alg.* es in j-s Ermessen stellen, es j-m anheimstellen; *~lo en libertad de alg.* es j-m freistellen; *¿no me lo podría ~ más barato?* könnten Sie es mir nicht billiger (ab)lassen?; **3.** verlassen, aufgeben; im Stich lassen; ~ *la casa* sein Haus verlassen; ~ *una cosa por otra* eines wegen des anderen aufgeben; eines aufgeben u. das andere tun; ~ *el empleo* die Stelle aufgeben; den Dienst quittieren; *le dejó la fiebre* er hat kein Fieber mehr; ⚓ ~ *la línea* ausscheren; **4.** hinterlassen; ~ *dicho Nachricht* hinterlassen; **5.** einbringen; *Gewinn* bringen; **6.** *fig. in e-m Zustand* (zurück)lassen, *e-n Zustand* hervorrufen; ~ *airoso a uno* j-m zu e-m Erfolg verhelfen; ~ *(muy) bien a alg.* j-n (sehr) herausstreichen; j-m viel Ehre machen; *el éxito los dejó entusiasmados* sie waren von dem Erfolg begeistert; *la excursión me dejó rendido* ich war wie zerschlagen von dem Ausflug; *me lo ha ~ado peor que antes* jetzt ist er schlechter als vorher (*z. B. Anzug, der in der Reinigung war*); **7.** in Ruhe lassen; *¡deja!* laß (mal)!, weg!; fort!; *¡déjame en paz!* laß mich in Ruh(e)!; *fig. no ~le vivir a uno* j-m k-e Ruhe geben; **II.** *v/i.* **8.** (zu)lassen, erlauben; dulden; *si me dejan* wenn ich könnte, wie ich wollte; **9.** ~ de + *inf.* aufhören zu + *inf.*; *et.* nicht mehr *tun*; *a.* ⊕ ~ *de funcionar* aufhören, versagen; ~ *de rodar* ausrollen (*Wagen, Flugzeug*); ~ *de sonar* verklingen, verhallen; **10.** *no* ~ *de* + *inf.* nicht aufhören zu + *inf.*; nicht vergessen (*od.* nicht unterlassen), zu + *inf.*; nicht versäumen, zu + *inf.*; *no* ~ *de conocer et.* nicht verkennen; *no deje de pasar por mi casa* Sie müssen mich wirklich (einmal) besuchen; *no (por eso) deja de ser importante* nichtsdestoweniger ist es wichtig; **III.** *v/r.* **11.** s. gehenlassen; s. vernachlässigen; *~se de et.* (unter)lassen; *¡déjese de bromas!* lassen Sie die Späße!; *¡déjese de rodeos!* kommen Sie zur Sache!; **12.** *~se caer* **a)** s. fallen lassen; **b)** *fig.* (plötzlich) auftauchen (*Besuch*); F *a ver si te dejas caer por casa* besuch uns doch mal!; **c)** (*con*) *fig. e-e Bemerkung* einfließen lassen; *et.* durch e-e Bemerkung nahelegen; **d)** *~se caer con 5 pesetas* 5 Peseten springen lassen; **13.** *~se decir* s. die Bemerkung entschlüpfen lassen; *~se llevar* s. mitreißen lassen (von *dat. por od.* de); **14.** *~se sentir* spürbar werden; *~se ver* sichtbar werden; s. zeigen.

de|je *m* **1.** Nachgeschmack *m* (*a. fig.*); Nachklang *m*; **2.** dialektaler (*bzw.* spezifischer) Tonfall *m*; leichter Akzent *m*; **3.** Anflug *m*, Spur *f*; **~jillo** *m dim. v.* deje; **~jo** *m* → deje.

de jure *lt. adv.* (*a. adj.*) von Rechts wegen, de jure.

del *Kontraktion v. de u. el.*

delación *f* **1.** Anzeige *f*, Denunziation *f*; Verrat *m*; **2.** ⚖ ~ *de la sucesión* Erbanfall *m*; ~ *de la tutela* Übertragung *f* der Vormundschaft.

delantal *m* Schürze *f*; Schurz *m*; Schurzfell *n*.

delan|te **I.** *adv.* (*nicht temporal*) vorn, voran; voraus; davor; *de* ~ von vorn; *por* ~ von vorn; vorbei; *estar* ~ davorliegen; davorstehen; vorauf (*od.* voraus) sein; *poner* ~ davorlegen; vorlegen; *tener* ~ vor Augen haben; **II.** *prp.* ~ de vor (*dat. bzw. ac.*); vor (*dat.*), in Gegenwart von (*dat.*); **~tera** *f* **1.** Vorderteil *m e-s Kleidungsstückes, e-s Wagens usw.*; **2.** *Thea. u. ä.* Vorderreihe *f*; Vordersitz *m*; **3.** *tener la* ~ Vorsprung haben; *fig.* die führende Stellung einnehmen; *Sp. tomar la* ~ s. an die Spitze setzen; *Sp., Kfz.* überholen (j-n *a alg.*); *fig. j-m* zuvorkommen; *j-n* übertreffen; **4.** *Fußball*: Sturm *m*; **~tero** **I.** *adj.* vordere(r), Vorder...; **II.** *m* Vorreiter *m*; *Fußball*: Stürmer *m*; ~ *centro* Mittelstürmer *m*.

dela|tar **I.** *v/t.* anzeigen, denunzieren; verraten; **II.** *v/r.* ~se s. *durch ein unbedachtes Wort u. ä.* verraten; **~tor** *adj.-su.* Anzeigende(r) *m*; Denunziant *m*; Verräter *m*.

delco ⚡ *m* Verteilerfinger *m*.

dele *Typ. m* Deleatur *n* (*Tilgungszeichen*).

deleble *adj. c* auslöschbar, tilgbar.

delectación *f* Ergötzen *n*, Lust *f*.

delega|ción *f* **1.** Delegation *f*; Abordnung *f*; **2.** Stelle *f*, Amt *n*; ♀ *Aduanera* Zollamt *n*; ♀ *del Trabajo* Arbeitsamt *n*; **3.** Auftrag *m*, Amt *n*; *por* ~ in Vertretung; im Auftrag; **~do** **I.** *adj.* abgeordnet; **II.** *m* Abgeordnete(r) *m*; Delegierte(r) *m*; Beauftragte(r) *m*; **~r** [1h] *v/t.* delegieren; abordnen; entsenden; *bsd. Vollmachten u. ä.* übertragen (*dat. od.* auf *ac.* en); ~ *un juez para instruir el sumario* e-n Richter zur Untersuchung bestellen; **~torio** *adj.* Abordnungs...; Delegations...

delei|tación *lit. f* → deleite 1; **~tamiento** *m* → delectación; **~tar** **I.** *v/t.* ergötzen; **II.** *v/r.* ~se s. ergötzen, s. laben (an *dat.* con); **~te** *m* **1.** Ergötzen *n*, Wonne *f*; Vergnügen *n*; **2.** Wollust *f*, Sinnenlust *f*; **~toso** *adj.* **1.** köstlich; wonnevoll; **2.** wollüstig.

deletéreo *adj.* tödlich, giftig.
deletre|ar *vt/i.* buchstabieren; entziffern; F *¿lo quiere deletreado?* soll ich's Ihnen noch deutlicher sagen?; **~o** *m* Buchstabieren *n*.
deleznable *adj. c* **1.** zerbrechlich; bröckelig; **2.** schlüpfrig; **3.** *fig.* vergänglich; nichtig.
délfico *adj.* delphisch.
delfí|n *m* **1.** *Zo.* Delphin *m*; *estilo m* ~ Delphinstil *m* (*Schwimmen*); **2.** *hist.* ~ Dauphin *m*; **~nidos** *Zo. m/pl.* Delphine *m/pl.*
Delfos *m* Delphi *n*; *oráculo m de* ~ delphisches Orakel *n*.
delga|dez *f* Dünne *f*; Feinheit *f*; Schlankheit *f*; Zartheit *f*; **~do** *adj.* dünn; fein; zart; schlank; ⚒ leicht (*Boden*); weich (*Wasser*); **~ducho** *desp. adj.* zaundürr.
delibera|ción *f* Überlegung *f*; Beratung *f*; Beschlußfassung *f*; **~damente** *adv.* überlegt; mit Vorbedacht; wissentlich; **~do** *adj.* überlegt; willentlich; wohlüberlegt, *desp.* abgekartet (*Sache*); **~nte** *adj. c* beratend; **~r I.** *v/t.* überlegen, erwägen; s. durch den Kopf gehen lassen; ~ + *inf. nach gründlicher Überlegung* beschließen, zu + *inf.*; **II.** *v/i.* beraten (über *ac. sobre*); ~ *con sus asesores* ⚖ mit s-n Beisitzern beraten; *allg.* s. mit s-n Beratern besprechen; **~tivo** *adj.* beratend; Beratungs...
delica|dez *f* Schwächlichkeit *f*; Empfindlichkeit *f*; Reizbarkeit *f*; → **~deza** *f* **1.** Zartheit *f*; Schwäche *f*; **2.** Zartgefühl *n*; Takt *m*; *sin* ~ taktlos; **~do** *adj.* **1.** zart, fein; dünn, schlank; zerbrechlich; kränklich, schwächlich; fein *bzw.* leise (*Ton*); ☤ *cosas ~as* Vorsicht, zerbrechlich!; **2.** zärtlich; zartfühlend, taktvoll, rücksichtsvoll; gewissenhaft; **3.** schmackhaft, köstlich, lecker; delikat, erlesen; **4.** reizbar; heikel; schwierig; schwer zu befriedigen(d); ~ *para la comida* empfindlich im Essen; *operación f ~a* schwierige Operation *f bzw.* heikles Geschäft *n*.
delici|a *f* Vergnügen *n*, Entzücken *n*; Lust *f*, Wonne *f*; *et.* Köstliches *n*; **~oso** *adj.* köstlich; wonnevoll; lieblich, allerliebst; charmant.
delic|tivo, ~tuoso *adj.* auf e-e Straftat bezüglich; kriminell, verbrecherisch, Verbrechens..., Straf-...; *acto m* ~ strafbare Handlung *f*.
delicuescen|cia *f* Zerfließen *n*; **~te** *adj. c* zerschmelzend, zerfließend.
delimita|ción *gal. bsd.* 📖, ⊕ *f* Begrenzung *f*, Umgrenzung *f*; **~r** *v/t.* begrenzen; *fig.* ab-, ein-grenzen.
delincuen|cia *f* Verbrechen *n*, Straftat *f*; Verbrechertum *n*; ~ *juvenil* (~ *de prosperidad*) Jugend-(Wohlstands-)kriminalität *f*; **~te I.** *adj. c* verbrecherisch; **II.** *m* Verbrecher *m*; Rechtsbrecher *m*; ~ *habitual* Gewohnheitsverbrecher *m*; ~ *ocasional* Gelegenheitstäter *m*; ~ *orgánico* Hang-, Trieb-täter *m*; ~ *profesional* (*sexual*) Berufs- (Sexual-)verbrecher *m*.
deline|ación *f* Umriß *m*; Entwurf *m*; Skizzieren *n*; **~ador** *adj.-su.* Zeichner *m*; **~ante** *c* technischer Zeichner *m*; Planzeichner *m*; **~ar** *v/t.* auf-, an-reißen; zeichnen; entwerfen; *a. fig.* umreißen.
delinqui|miento *m* Straffälligwerden *n*; Rechtsbruch *m*; Gesetzesverletzung *f*; **~r** [3e] *v/i.* s. vergehen (gg. *ac. contra*); e-e Straftat begehen, straffällig werden.
deli|rante *adj. c* irreredend; wahnsinnig; *a. fig.* rasend; stürmisch (*Beifall*); **~rar** *v/i.* irrereden, phantasieren; rasen, toben; schwärmen (für *ac. por*); **~rio** *m* **1.** Delirium *n*; Raserei *f*; ~ *alcohólico* Säuferwahn *m*; ~ *furioso* Tobsucht *f*; ~ *de persecución* Verfolgungswahn *m*; **2.** *fig.* tobende Begeisterung *f*; F *¡el ~!* nicht zu überbieten!; F *le quiere con* ~ sie ist ganz verrückt nach ihm F.
delírium *m* **tremens** ⚕ Delirium *n* tremens, Säuferwahn(sinn) *m*.
delito ⚖ *m* Delikt *n*; Straftat *f*; ~ († *grave*) Verbrechen *n*; ~ († *menos grave*) Vergehen *n*; ~ *frustrado* vollendeter Versuch *m*; ~ *de defraudación de impuestos* Steuervergehen *n*; ~ *laboral* (*monetario*) Arbeits-(Währungs-)vergehen *n*; ~ *por omisión* Unterlassungsdelikt *n*; ~ *contra la seguridad general* gemeingefährliches Verbrechen *n*.
delta I. *f* Delta *n* (*Buchstabe*); **II.** *m Geogr.* Delta *n*; ✈ *ala f* ~ Dreieckflügel *m*.
deltoides *Anat. adj.-su. m* (*pl. inv.*) Deltamuskel *m*.
delu|sivo, ~sorio *adj.* (be)trügerisch.
dello *Kontraktion v.* de + *ello*; F ~ *con* ~ Mischmasch *m*.
demacra|ción *f* Abmagerung *f*; **~do** *adj.* abgezehrt, abgemagert.
dema|gogia *f* Demagogie *f*; **~gógico** *adj.* demagogisch; **~gogo** *m* Demagoge *m*; Volksaufwiegler *m*.
demanda *f* **1.** Forderung *f*; (An-)Frage *f*; Ersuchen *n*; *dirigir una ~ a* ein Gesuch richten an (*ac.*); *hacer la* ~ *bsd. telefonisch* anfragen *od.* rückfragen; **2.** ☤ Nachfrage *f* (nach *dat. de*), Bedarf *m* (an *dat. de*); Bestellung *f*, Auftrag *m*; ~ *de brazos* Kräfte-, Arbeiter-bedarf *m*; *hacer una* ~ bestellen (*ac. de*); *tener mucha* ~ sehr gefragt sein; **3.** ⚖ Klage *f*; ~ *por deuda* (*de nulidad*) Schuld- (Nichtigkeits-)klage *f*; ~ *de pago* Zahlungs-forderung *f*, -anspruch *m*; (*escrito m de*) ~ Klageschrift *f*; *contestar la* ~ Einlassungen vorbringen; *entablar* (*od. presentar*) *la* ~ Klage erheben; *presentar una* ~ *por* (*od. de*) *difamación contra alg.* e-e Klage wegen übler Nachrede gg. j-n anhängig machen; **4.** *lit.* Unternehmen *n*, Unterfangen *n*; **5.** Suche *f*; *bsd. amtl. ir en* ~ *de alg.* j-n suchen; **6.** *ecl.* Spende *f*; Opferkörbchen *n u. ä. für diese Spende*; **~dero** *m* Bote(ngänger) *m*; Laufbursche *m*; **~do** ⚖ *m* Beklagte(r) *m*; **~nte** *c* **1.** ⚖ (*actor m*) ~ Kläger *m*; **2.** *bsd. ecl.* Almosensammler *m*; **~r** *vt/i.* **1.** bitten; (an-)fragen; fordern; **2.** ⚖ ~ *en juicio*, ~ *ante el juez* **a)** (s-n Anspruch) gerichtlich geltend machen; *et.* einklagen; **b)** *j-n* gerichtlich belangen; ~ *por* (*od. de*) *calumnia a alg.* j-n wegen Verleumdung verklagen.
demarca|ción *f* Abgrenzung *f*; Bezirk *m*; *Pol.*, ⚔ (*línea f de*) ~ Demarkationslinie *f*; **~r** [1g] *vt/i.* abgrenzen; abstecken; ⚒ vermarken; ⚓ das Besteck machen.
demarraje *gal. Kfz. m* → *arranque*.
demás I. *adj. inv.* übrige(r, -s), andere(r, -s); *lo* ~ das übrige; *los* (*bzw. las*) ~ die andern, die übrigen; *estar* ~ überflüssig sein; fehl am Platze sein; ~ *está decir* es erübrigt s., zu sagen; *se llevó el dinero, la ropa y* ~ er nahm das Geld, die Wäsche usw. mit; **II.** *adv. por* ~ **a)** umsonst; **b)** überaus; **c)** überreichlich; *no es por* ~ + *inf.* es hat s-n Grund, wenn + *ind.*; *por lo* ~ im übrigen.
demasía *f* **1.** Übermaß *n*; Übertreibung *f*; *en* ~ zuviel; **2.** ⊕ Zugabe *f*; **3.** Übergriff *m*; Dreistigkeit *f*; **4.** Wagnis *n*.
demasia|do I. *adj.* (*attr. nur vorangestellt*) zuviel; zu viel; ~ *tiempo* zu lange; zuviel Zeit; *fig. ¡esto es ~!* das ist zu viel!, das geht zu weit!; das ist (doch) die Höhe! F; *lo* ~, *a. el* ~ das Zuviel; **II.** *adv.* (all)zu, zu sehr; ~ (*que*) *lo sabemos* wir wissen es nur zu gut; *este trabajo no se puede apreciar* ~ diese Arbeit kann man gar nicht genug würdigen; *Anm.* ~ *wird oft unterdrückt*: *el garaje es pequeño para el coche* die Garage ist zu klein für den Wagen; **~rse** [1c] *v/r.* maßlos werden; ausfallend werden; ausschweifen.
demediar [1b] *vt/i.* halbieren; die Hälfte *e-s Weges usw.* zurücklegen.
demen|cia ⚕ *f* Irresein *n*; Schwachsinn *m*; **~tar I.** *v/t.* verrückt machen; **II.** *v/r.* **~se** wahnsinnig (*od.* verrückt) werden; **~te** *adj.-su. c* schwach-, wahn-sinnig; *m* Geistesgestörte(r) *m*.
demérito *m* Unwert *m*; ☤ Minderbewertung *f*; *fig.* Nachteil *m*, kein Verdienst *n*.
demisión *f* Demut *f*; Unterwürfigkeit *f*.
demiurgo *Phil. m* Demiurg *m*.
democracia *f* Demokratie *f*; ~ *popular* Volksdemokratie *f*; ~ *social* Sozialdemokratie *f*; Sozialdemokraten *m/pl.*
demócrata *adj.-su. c* demokratisch; *m* Demokrat *m*.
demo|crático *adj.* demokratisch (*Einrichtungen*); **~cratización** *f* Demokratisierung *f*; **~cratizar** [1f] *v/t.* demokratisieren.
demo|grafía *f* Bevölkerungskunde *f*, Demographie *f*; **~gráfico** *adj.* demographisch; Bevölkerungs...; *movimiento m* ~ Bevölkerungs-entwicklung *f*; -statistik *f*.
demodula|ción *Rf. f* Gleichrichtung *f*; **~dor** *Rf. m* Gleichrichter *m*.
demo|ler [2h] *v/t. a. fig.* zerstören; zertrümmern; abbrechen; einreißen; demolieren; *Festung* schleifen; **~lición** *f a. fig.* Zerstörung *f*; Abbruch *m*; Niederreißen *n*; Zertrümmerung *f*; **~ones** *f/pl.* Schutt *m*.
demo|nche F *m* → *demonio*; **~níaco** *adj.* dämonisch; teuflisch; **~nio** *m* Teufel *m*; Dämon *m*; ~ *de mujer* Weibsteufel *m*; F *darse a todos los ~s od. ponerse hecho un* ~ fuchsteufelswild werden; gräßlich fluchen; *fig. estudiar con el* ~ ein ganz geris-

sener Schurke sein, mit allen Wassern gewaschen sein; *ir al quinto* ~ s. zu weit vorwagen; *saber a* ~*s* scheußlich schmecken; *¡(qué)* ~*!* zum Teufel!; *¿para qué* ~ *quieres esto?* wozu zum Teufel willst du das?; *ser el mis(mísi)mo* ~ ein (rechter) Teufelskerl sein; → *a. diablo*; **~nolatría** Dämonenverehrung *f*; **~nología** *f* Dämonologie *f*; **~nomancia** *f* Teufelsbeschwörung *f*; **~nomanía** *f* Teufelswahn *m*.

demontre F *m* Teufel *m*; *¡~!* zum Teufel!, potztausend!

demora *f* **1.** Verzögerung *f*; † Verzug *m*, Aufschub *m*; *(no) admitir* ~ (k-n) Aufschub dulden; ~ *en la entrega* Lieferungsverzug *m*; *de* ~ Verzugs...; *sin* ~ unverzüglich, sofort; **2.** ⚓ Peilung *f*; Richtung *f*; **~r I.** *v/t.* verzögern, auf-, ver-schieben; **II.** *v/r.* ~*se* s. aufhalten (lassen).

Demóstenes *fig. m* großer Redner *m*.

demostra|ble *adj. c* beweisbar; nach-, er-weislich; **~ción** *f* **1.** Beweis *m*; Nachweis *m*; Beweisführung *f*; Bekundung *f*; Kundgebung *f*; ~ *naval* Flotten-schau *f*; -demonstration *f*; ~ *de poder* Machtbeweis *m*; **2.** Darlegung *f*; Vorführung *f*; ~ *por diapositivas* Veranschaulichung *f* durch Diapositive; **~do**: *no* ~ unbewiesen; **~dor** *adj.-su.* Vorführer *m*, *bsd. v. Neuheiten*; **~r** [1m] *v/t.* **1.** beweisen; darlegen; zeigen, bekunden; **2.** erläutern, erklären; vorführen; **~tivo** *adj.* beweisend; demonstrativ; anschaulich; *Gram. pronombre m* ~ Demonstrativpronomen *n*.

demuda|ción *f*, **~miento** *m* Verfärbung *f*; Entstellung *f*; **~r I.** *v/t.* verfärben; entstellen; verzerren; **II.** *v/r.* ~*se* s. verfärben; *fig.* aus der Fassung geraten; zornig werden.

demultiplicación ⊕ *f* Untersetzung(sverhältnis *n*) *f*.

denario I. *adj.* zur Zahl zehn gehörig; **II.** *m hist.* Denar *m* (*Münze*).

dendrita *Min., Biol. f* Dendrit *m*.

denega|ble *adj. c* verneinbar; absprechbar; **~ción** *f* **1.** (Ab-)Leugnung *f*; **2.** Verweigerung *f*; Aberkennung *f*; ⚖ ~ *de auxilio* Hilfeverweigerung *f*; ~ *de deposición* Aussageverweigerung *f*; **~r** [1h *u.* 1k] *v/t.* verneinen; verweigern; *Gesuch* abschlagen; *Staatsbürgerschaft* aberkennen; **~torio** *adj.* abschlägig.

dene|grecer [2d], **~grir** (*def.*) *v/t.* schwärzen.

den|goso *adj.* geziert, zimperlich; **~gue** *m* **1.** Zimperlichkeit *f*; F ~*s m/pl.* Ziererei *f*; Mätzchen *n/pl.*, Sperenzchen *n/pl.* F; *hacer* ~*s* s. zieren, s. anstellen F; **2.** ⚕ Denguefieber *n*; *Reg.* Grippe *f*; **3.** P Teufel *m*; **~guero** *adj.* → *dengoso*.

denier *tex. m* Denier *m*.

denigra|ción *f* Anschwärzung *f*; Herabsetzung *f*; **~nte** *adj. c* verleumdend; herabsetzend; **~r** *v/t.* anschwärzen; herab-setzen, -ziehen; **~tivo** *adj.* ehrverletzend.

denodado *adj.* unerschrocken, furchtlos, kühn; ungestüm.

denomina|ción *f* Benennung *f*, Name *m*; † Stückelung *f* von Wertpapieren; ~ (*comercial*) (Handels-) Bezeichnung *f*; **~damente** *adv.* deutlich; besonders; namentlich; **~do** *adj. a. Arith.* benannt; ⚖ *el* ~ *XY* der XY; **~dor** *m Arith.* Nenner *m*; *a. fig. reducir a un común* ~ auf e-n gemeinsamen Nenner bringen; **~r** *v/t.* (be)nennen; namentlich aufführen; **~tivo** *adj.-su.* bezeichnend; *m Li.* Denominativ(um) *n*.

denosta|dor *adj.-su.* Beleidiger *m*, Schmäher *m*; **~r** [1m] *v/t.* beschimpfen, schmähen, beleidigen.

denota|ción *f* Bezeichnung *f*; Angabe *f*; Bedeutung *f*; **~r** *v/t.* bezeichnen; bedeuten, (an)zeigen; hindeuten auf (*ac.*), schließen lassen auf (*ac.*).

den|sidad *f* Dichtigkeit *f*; *a. Phys.* Dichte *f*; ~ *de población* (*de tráfico*) Bevölkerungs- (Verkehrs-)dichte *f*; **~sificar** [1g] *v/t.* verdichten; **~simetría** *Phys. f* Dichtigkeitsmessung *f*; **~símetro** *m* Densimeter *n*, Aräometer *n*; **~so** *adj.* dicht (*a.* ⊕); dick (*Konsistenz*); dichtgedrängt (*Menge*); *fig.* unklar; **~sógrafo** *Phys. m* Densograph *m*.

denta|do I. *adj.* gezähnt; gezackt; verzahnt; ⊕ *rueda f* ~*a* Zahnrad *n*; **II.** *m* ⊕ (Ver-)Zahnung *f*; **~dura** *f* **1.** Gebiß *n*; Zahnreihe *f*; ~ *de leche* Milch-gebiß *n*, -zähne *m/pl.*; **2.** → *a. dentado*; **~l I.** *adj. c* Zahn...; Dental...; **II.** *m* ⚒ Pflugsterz *m*; Dreschstein *m*; **III.** *f Li.* Zahnlaut *m*, Dental(laut) *m*; **~lizar** [1f] *Phon. v/i.* dentalisieren; **~r** [1k] **I.** *v/t.* ⊕ (ver)zahnen; **II.** *v/i.* ⚕ zahnen; **~ria** ⚘ *f* Zahnkraut *n*; **~rio** *adj.* → *dental*.

dente|llada *f* Biß *m*; Bißwunde *f*; *a* ~*s* mit den Zähnen; *partir de una* ~ entzweibeißen; **~llado** *adj.* gezahnt; ausgezackt; **~llar** *v/i.* mit den Zähnen klappern; **~llear** *v/t.* beißen, schnappen; **~llón** *m* **1.** ⊕ Zahn *m*, Zacken *m am Schloß*; **2.** △ Zahnschnitt *m*; **~ra** *f* **1.** (*sentir*) ~ ein unangenehmes Gefühl an den Zähnen (haben) *von saurem Obst u. ä.*; **2.** *fig.* Neid *m*; Begehren *n*; F *dar* ~ den Mund wässerig machen; **~zuelo** *m dim. zu diente*.

denti|ción *f* Zahnen *n*; *estar con la* ~ zahnen; **~culado** *adj.* gezähnt, gezackt; **~cular** *adj. c* zahnförmig.

dentículo △ *m* Zahnfries *m*.

den|tiforme *adj. c* zahnförmig; **~tífrico** *adj.-su.*: ~*s m/pl.* Zahnpflegemittel *n/pl.*; *agua f* ~*a* Mundwasser *n*; *pasta f* ~*a* Zahnpasta *f*; **~tina** *f* Zahnschmelz *m*.

dentirrostro *Vo. adj.-su. m* Zahnschnäbler *m*.

den|tista *adj.-su. c* Dentist *m*; (*médico m*) ~ Zahnarzt *m*; *técnico m* ~ Zahntechniker *m*; **~tistería**: *de* ~ Zahnarzt...; Dentisten...; **~tón I.** *adj.-su.* F mit gr. Zähnen; *iron.* zahnlos; **II.** *m Fi.* Zahnbrassen *m*.

dentro I. *adv.* darin, drinnen; *fig. ¡~ o fuera!* entweder oder!, kommen Sie (*bzw.* komm) zu e-m Entschluß!; *a* ~ → *adentro*; (*por*) *de* ~ (*lokal*) innerhalb; von innen (her); *de* (*od. por*) ~ innen; *fig. por* ~ im Herzen; *poner* (*colocar*) ~ hineinlegen *bzw.* -stecken; *fig. salir de* ~ von Herzen kommen; **II.** *prp.* ~ *de* innerhalb (*gen.*), binnen (*gen.*), in (*temporal dat., lokal ac. bzw. dat.*); ~ *de lo posible* möglichst, im Rahmen des Möglichen; **III.** *m* F *Chi.* (Kassen-)Einnahme *f*.

dentudo I. *adj.* großzahnig; **II.** *m Fi. Cu.* Zahnfisch *m*, *Art Hai*.

denudar 📖 **I.** *v/t.* ⚕ freilegen; *Geol. Erdreich* abtragen *bzw.* auswaschen; **II.** *v/r.* ~*se* die Rinde verlieren (*Baum*).

denuedo *m* Mut *m*, Kühnheit *f*, Tapferkeit *f*.

denuesto *m* Schimpf *m*, Schmähung *f*.

denuncia *f* **1.** Anzeige *f*; Angabe *f*; Anschwärzung *f*, Verrat *m*; *hacer una* ~ *ante la Fiscalía por ...* bei der Staatsanwaltschaft Anzeige erstatten wegen ... (*gen.*); ~ *obligatoria* Anzeigepflicht *f*; **2.** Kündigung *f e-s Vertrages*; **3.** ⚒ Mutung *f*; **~ble** *adj. c* anzeigefähig; **~ción** *f* → *denuncia*; **~dor** *adj.-su.* anzeigend; **~nte** *c* Denunziant *m*; Anzeigeerstatter *m*; **~r** [1b] *v/t.* **1.** ankündigen, melden; **2.** *bsd.* ⚖ anzeigen (wegen *gen. por*); verraten, denunzieren; **3.** *Vertrag* kündigen; **4.** ⚒ muten.

deontología *f* Pflichtenlehre *f*.

deparar *v/t.* bereiten, zuteilen, darbieten, bescheren; *entró en la primera casa que le deparó la suerte* er ging in das erste Haus, in das ihn der Zufall führte.

departamen|tal *adj. c* Abteilungs...; **~to** *m* **1.** Abteilung *f* (*a. Kaufhaus u.* †); Fachbereich *m* (*Universität*); ⊕ *a.* Raum *m*; ~ *extranjero* Auslandsabteilung *f*; ~ *de ingeniería* Konstruktionsbüro *n*; *jefe m de* ~ Abteilungsleiter *m*; **2.** 🚃 Abteil *n*; ~ *dividido* Halbabteil *n*; **3.** *Verw.* Bezirk *m*, Departement *n*; **4.** Ministerium *n*; **5.** Ausstellungsstand *m*; **6.** *Am.* Appartement *n*.

departir *v/i.* plaudern, s. unterhalten (über *ac. de, sobre*).

depaupera|ción *f* Verarmung *f*; **~r I.** *v/t.* ins Elend bringen, auspowern; ⚕ schwächen; **II.** *v/r.* ~*se* verelenden.

depen|dencia *f* **1.** Abhängigkeit *f*; Unterordnung *f*; *vivir en* (*od. bajo la*) ~ *de alg.* von j-m abhängig sein; **2.** Anhang *m*; **3.** † Angestellte(n) *m/pl.*; Belegschaft *f*; **4.** † Geschäft(sniederlage *f*) *n*; Zweigstelle *f*; Geschäftsraum *m*; **5.** Nebengebäude *n*, Neben-, Gäste-haus *n e-s Hotels*; Zweigbetrieb *m*; **6.** ~*s f/pl.* Zubehör *n*; **~der** *v/i.* abhängen, abhängig sein (von *dat. de*); ankommen (auf *ac.* de); *¡depende!* das kommt darauf an!; je nachdem!; **~diente I.** *adj. c* abhängig; **II.** *c* (*neol. a. f* ~*a*) Angestellte(r) *m* (Angestellte *f*); Untergebene(r) *m*; ~ *de comercio* Handlungsgehilfe *m*; Verkäufer *m*; kaufmännische(r) Angestellte(r) *m*.

depila|ción *f* Enthaarung *f*; ⚕ *a.* Haarausfall *m*; **~r** *v/t.* enthaaren; **~torio** *adj.-su. m* Enthaarungsmittel *n*.

deplora|ble *adj. c* bedauerlich; bejammernswert; erbärmlich; **~r** *v/t.* bejammern; beklagen; bedauern.

depolarizante *Phys.,* ⚗ *m* Depolarisator *m*.

depolitiza|ción *f* Entpolitisierung *f*; **~r** [1f] *v/t*. entpolitisieren.
depone|nte I. *adj. c* aussagend; **II.** *c* ⚖ **a)** aussagender Zeuge *m*; **b)** Hinterleger *m*; **III.** *m Li.* Deponens *n*; **~r** [2r] **I.** *v/t*. **1.** niederlegen, absetzen; entfernen; *Waffen* niederlegen; ⚖, ✝ hinterlegen, deponieren; **2.** absetzen, s-s Amtes entheben; **3.** *Verhalten* ändern; ablassen von (*dat.*); **II.** *vt/i*. **4.** (Stuhl) entleeren; *Guat., Hond., Méj.* (er)brechen; **5.** (als Zeuge) aussagen.
deporta|ción *f* Verschickung *f*; Verbannung *f*; Verschleppung *f*, Deportation *f*; **~do** *m* Deportierte(r) *m*; Verschleppte(r) *m*; **~r** *v/t*. verschicken; verbannen; verschleppen, deportieren.
depor|te *m* Sport *m*; ~ *de esquí* (*náutico, de la vela*) Ski- (Wasser-, Segel-)sport *m*; ~(*s*) *de invierno* Wintersport *m*; ~ *de la pesca* (*con anzuelo*) Sportfischerei *f*; *cultivar un* ~ (*bzw. los* ~*s*) Sport (be)treiben; *equipo m de* ~ Sportausrüstung *f*; *tienda f de artículos de* ~ Sportgeschäft *n*; **~tismo** *m* Sport(betrieb) *m*; Sportbegeisterung *f*; **~tista** *adj.-su. c* Sportler *m*, Sportsmann *m*; Sportliebhaber *m*; **~tividad** *f*, **~tivismo** *m* Sportlichkeit *f*; **~tivo** *adj.* sportlich; Sport...; *ejercicios m/pl.* ~*-militares* Geländesport *m*; *sociedad f* ~*a, club m* ~ Sport-verein *m*, -klub *m*; **~toso** *adj.* → *divertido*.
deposi|ción *f* **1.** Ablegen *n*; Niederlegung *f*; **2.** Absetzung *f*, Amtsenthebung *f*; **3.** ⚖ Aussage *f*; **4.** ⚕ Stuhlgang *m*; **~tado** *adj.* hinterlegt; **~tante** *adj.-su. c* **1.** ✝ Deponent *m*, Einzahler *m*; **2.** ⚖ Hinterleger *m*; **~tar I.** *v/t*. **1.** ✝, ⚖ hinterlegen, deponieren; *Waren* einlagern; ~ *dinero en un banco* Geld bei e-r Bank einlegen; **2.** niederlegen; an e-n sicheren Ort bringen; *fig.* ~ (*su*) *confianza en alg.* (sein) Vertrauen in j-n setzen; **3.** *Leichen* vorläufig beisetzen; **4.** an-, absetzen; *a. v/i.* Bodensatz bilden (*Flüssigkeit*); **II.** *v/r*. ~*se* **5.** s. niederschlagen, s. absetzen (*Schwebstoffe*); **~taría** *f* Niederlage *f*; Depot *n*; Verwahrungs-, Hinterlegungs-stelle *f*; Depositenkasse *f*; **~tario** *m* **1.** Verwahrer *m*; *fig.* ~ *de un secreto* Geheimnisträger *m*; **2.** Vorsteher *m* e-r Depositenkasse.
depósito *m* **1.** Depot *n*, Lager *n*; Verwahrungsraum *m*; Behälter *m*; Tank *m*; ~ *de agua* Wasser-speicher *m*, -reservoir *n*; ~ *de basuras* Müllbunker *m*; ~ *de chatarra* Schrott-(ablade)platz *m*; ~ *de equipajes* **a)** ✈ Gepäckraum *m*; **b)** 🚂 Gepäckaufbewahrung *f*; Gepäckabfertigung *f*; *Kfz.* ~ *de gasolina* Benzintank *m*; *a.* Tankstelle *f*; ~*de municiones* Munitionslager *n*; *tomar en* ~ *Waren* auf Lager nehmen; **2.** ~ *de cadáveres* Leichen-haus *n*, -halle *f*; ~ *judicial* Leichenschauhaus *n*; **3.** ✝ Einlage *f*; Hinterlegte(s) *n*; Hinterlegung *f*; *Typ.* ~ *legal* **a)** Ablieferung *f* der Pflichtexemplare (*Drucksachen*); **b)** alle Rechte vorbehalten; **4.** ⚕ Ablagerung *f*; Ansammlung *f*; **5.** ⚗ Niederschlag *m*; Bodensatz *m*.
deprava|ción *f* Verderbnis *f*; moralische Zerrüttung *f*, sittlicher Verfall *m*; **~do** *adj.* lasterhaft; verkommen, verworfen; **~r I.** *v/t*. verderben; (*a.* sittlich) zerrütten; *Gesundheit* zerrütten; **II.** *v/r*. ~*se* verkommen, verderben.
depreca|ción *f* **1.** Flehen *n*; inständige Bitte *f*; **2.** *Rel.* Gebet *n*; Fürbitte *f*; **~r** [1g] *v/t*. anflehen; **~tivo, ~torio** *adj.* (er)bittend; Bitt...
deprecia|ción *f* Entwertung *f*; Geldentwertung *f*; Sinken *n* der Preise; **~r** [1b] **I.** *v/t*. entwerten; abwerten; *im Wert bzw. im Preis* herabsetzen; **II.** *v/r*. ~*se* entwertet werden.
depreda|ción *f* **1.** (Aus-)Plünderung *f*; **2.** Veruntreuung *f* im Amt; **~dor** *adj.-su.* erpresserisch; *m* Plünderer *m*; Erpresser *m*; **~r** *v/t*. **1.** plündern; erpressen; **2.** veruntreuen.
depre|sión *f* **1.** Senkung *f*; (Ab-)Sinken *n*; Vertiefung *f*; *Geogr.* ~ *de(l) terreno* Senke *f*; *Met.* ~ *atmosférica*, ~ *barométrica* Tief(druck *m*) *n*; **2.** ✝ Depression *f*; ~ *de los precios* niedrigstes Preisniveau *n*; ~ *económica mundial* Weltwirtschaftskrise *f*; **3.** *fig. a.* ⚕ Depression *f*; **4.** ⚓ ~ *de(l) horizonte* Kimmtiefe *f*; **5.** *mot.* Unterdruck *m*; ✈ Sog *m*; **~sivo** *adj.* drückend; demütigend; ⚕ depressiv; **~sor** *adj.-su.* (nieder-)drückend; demütigend; *m* ~ *lingual* Zungenspatel *m*.
depri|mente *adj. c* (nieder)drükkend; deprimierend; **~mido** *adj.* gedrückt, deprimiert; **~mir I.** *v/t*. **1.** deprimieren; schwächen; *fig.* demütigen; **2.** (herunter)drücken; **II.** *v/r*. ~*se* **3.** s. verringern, abnehmen (*Volumen*); *fig.* deprimiert werden, Depressionen bekommen.
de profundis *lt. m* „De profundis" *n* (*Bußpsalm*).
depuesto *part. zu deponer*.
depura|ción *f* **1.** Reinigung *f*; Läuterung *f*; ⚕ Blutreinigung *f*; *Pol.* Säuberung *f*; **2.** *fig.* Klarstellung *f*; Bereinigung *f*; **~do** *adj.* gereinigt; ~ (*de tóxico*) entgiftet (*Gas*); **~dor** ⊕ *adj.-su. m*: ~ *de aire* Luftreiniger *m*; **~dora** ⊕ *adj.-su. f*: (*estación*) ~ **a)** Kläranlage *f*; **b)** Umwälzanlage *f* (*Schwimmbecken*); **~r** *v/t*. reinigen; läutern; *Pol.* säubern; *fig.* klarstellen, bereinigen; **~tivo** ⚕ *adj.-su. m* Blutreinigungsmittel *n*.
deque F *cj. prov.* → *desde que*.
derapar *gal. v/i.* → *derrapar*.
derby *Sp. m* Derby *n*.
derecha *f* **1.** rechte Hand *f*, Rechte *f*; rechte Seite *f*; *adv. a* (*la*) ~, *por la* ~ nach rechts; rechts; *principal* ~ erster Stock rechts (*Wohnungsangabe*); *de* ~ *a izquierda* von rechts nach links; ⚔ *¡*~*!* rechtsum!; *Vkw.*: *llevar la* (*Rpl. conservar su*) ~ rechts gehen (*bzw.* fahren); *circulación por la* ~ Rechtsverkehr *m*; **2.** *fig. adv. a* ~*s* wie es s. gehört, ordentlich; *no hacer nada a* ~*s* nichts richtig machen, alles verkehrt machen; **3.** *Pol. la*(*s*) ~(*s*) die Rechte *f*, die Rechtsparteien *f/pl.*; **~mente** *adj.* gerade(n)wegs, stracks; *fig.* rechtschaffen; **~zo** *m Boxen*: Rechte *f* (*Schlag*).
dereche|ra *f* gerader Weg *m*; **~ro I.** *adj.* rechtschaffen; gerecht; aufrichtig; **II.** *m* Abgaben-, Gebühreneinnehmer *m*.
derechista *Pol. adj.-su. c* rechtsorientiert, Rechts...; *m* Anhänger *m* e-r Rechtspartei.
derecho I. *adj.* **1.** recht; gerade; aufrecht (*a. fig.*); gewissenhaft; aufrichtig; *a mano* ~*a* rechter Hand; nach rechts; *estar* ~ *a. Opt.* aufrecht sein (*od.* stehen); *nombre m* ~ richtiger Name *m* (*kein Deckname*); → *a. derecha*; **II.** *adv.* **2.** gerade; gerad(e)aus, geradezu; *¡siga* ~*!* gehen Sie (immer) geradeaus!; *fig. andar* ~ den geraden Weg gehen; ehrlich handeln; **III.** *m* **3.** rechte Seite *f* (*Stoff, Papier usw.*); **4.** Recht *n*; (Rechts-)Anspruch *m*; Anrecht *n*; Rechts-gebiet *n*; -wissenschaft *f*, -lehre *f*; *fig.* Gerechtigkeit *f*; ~ *administrativo* Verwaltungsrecht *n*; ~ *aéreo* (*aeronáutico*) Luft(fahrt)recht *n*; ~ *bancario* (*cambiario*) Bank- (Wechsel-)recht *n*; ~ *civil* Bürgerliches Recht *n*; ~ *comparado* Rechtsvergleichung *f*; ~ *común* allgemeines Recht *n*; *a. für engl.* Common Law *n*; ~ *de cosas* (*de familia*) Sachen- (Familien-)recht *n*; ~ *criminal* → ~ *penal*; ~ *eclesiástico* (*electoral*) Kirchen- (Wahl-)recht *n*; ♪ ~ *de ejecución* Aufführungsrecht *n*; ~ *de explotación* Nutz(ungs)recht *n*; ⚒ Abbau-, Förder-recht *n*; ~*s m/pl. fundamentales* Grundrechte *n/pl.*; ~ *de gentes*, ~ *internacional público* Völkerrecht *n*; ~*s del hombre* Menschenrechte *n/pl.*; ~ *de huelga* Streikrecht *n*; ~ (*internacional*) *privado* (internationales) Privatrecht *n*; ~ *laboral* (*marítimo*) Arbeits- (See-)recht *n*; ~ *matrimonial* (*mercantil*) Ehe- (Handels-)recht *n*; ~ *natural* (*penal*) Natur- (Straf-)recht *n*; ~ *personal* (*público*) persönliches (öffentliches) Recht *n*; ~ *de personas* (*bsd. Parl., Verw. de presentación*) Personen- (Vorschlags-)recht *n*; ~ *político* Staatsrecht(slehre *f*) *n*; ~ *de prensa* (*e imprenta*) Presserecht *n*; ~ *procesal* (*social*) Prozeß- (Sozial-)recht *n*; ~ *sindical* Gewerkschaftsrecht *n*; *a.* → ~ *de sindicación* Recht *n* auf gewerkschaftlichen Zs.-schluß; ~ *de sociedades* (*de voto*) Gesellschafts- (Stimm-)recht *n*; ~ *sucesorio* Erbrecht *n*; *Ciencia f del* ~ Rechtswissenschaft *f*; *doctor m en* ~ Doktor *m* der Rechte, Dr. jur.; *estudiante c de* ~ Rechtsstudent *m*; *mit prp.*: *al* ~ → *a* ~*as*; *con* ~ mit (Fug u.) Recht; *con* ~ *a* berechtigt zu (*inf. od. dat.*), mit Anspruch auf (*ac.*); *con justicia y* ~ mit Recht u. Billigkeit; *con pleno* ~ mit vollem Recht; *¿con qué* ~*?* mit welchem Recht?; aus welchem Grund?; ⚖ *conforme a* ~, *según* ~ von Rechts wegen, nach dem Recht, rechtlich; *a.* ⚖ *de* ~ *lt. de iure*, von Rechts wegen, rechtens; *de pleno* ~ mit vollem Recht; ganz von selbst; vollberechtigt (*Mitglied*); *por* ~ *propio* kraft s-s (*usw.*) Amtes; *según el* ~ *vigente* nach geltendem Recht; *sin* ~ rechtlos; *dar* ~ *a alg. a* + *inf.* j-n berechtigen, zu + *inf.*; *estar en su* ~ im Recht sein, recht haben; dazu berechtigt sein; *ejercer* (*od.*

ejercitar) *un* ~ ein Recht ausüben; *estudiar* ~ Recht(swissenschaft) studieren; F *¡no hay* ~*!* das ist doch unerhört!; *perder de su* ~ (um des lieben Friedens willen) nachgeben; *tener* ~ *a* berechtigt sein zu + *dat. od.* + *inf.*, dürfen + *inf.*; **5.** *Verw.*, ⚖ Gebühr *f*, Abgabe *f*; Steuer *f*; ~*s m/pl.* Gebühr(en) *f*(/*pl.*); ~*s de exámenes, a.* ~*s de admisión* (*a un examen*) Prüfungsgebühr(en) *f*(/*pl.*); ~ *de sello*, ~ *de timbre* Stempel-gebühr *f*, -steuer *f*; → *a. impuesto, contribución, tasa*; → *a. 6*; **6.** Zoll *m*; ~ *de importación* (*de tránsito*) Einfuhr- (Durchgangs-, Transit-)zoll *m*; ~ *interior* (*preferente*) Binnen- (Präferenz-)zoll *m*; ~ *ad valorem* Wertzoll *m*; *zu 5 u 6.* : *libre* (*od. exento*) *de* ~*s* gebühren- *bzw.* zoll-frei; *sujeto a* ~ gebühren- *bzw.* zoll-pflichtig; → *a. aduana, arancel*; **~habiente** *m* Rechtsinhaber *m*; Berechtigte(r) *m*.

derechura *f* Richtigkeit *f*; Geradheit *f*; Geradlinigkeit *f*; *adv.* *en* ~ geradewegs, geradezu; schnurstracks, unverweilt.

deriva ⚓ *f* Abtrift *f*; *hielo m a la* ~ Eisgang *m*; *ir a la* ~ abtreiben; *fig.* s. treiben lassen; **~ble** *adj. c* ableitbar; **~ción** *f* **1.** *a. Li.* Ableitung *f*; **2.** Abstammung *f*; Herkunft *f*; **3.** ⊕ Hinleitung *f des Wassers*; Ableitrohr *n*; ⚡ Nebenschluß *m*; Stromverlust *m*; ⊕, ⚡ ~ *térmica* Wärmeableitung *f*; **~da** 𝔄 *f* Differentialquotient *m*; **~do I.** *adj.* **1.** abgeleitet; abge-, ver-zweigt; **II.** *m* **2.** *Li.* abgeleitetes Wort *n*; **3.** ⚗ Abkömmling *m*, Derivat *n*; **~r I.** *v/t.* **1.** ableiten, herleiten (von *dat.* de); abzweigen (*a.* ⚡); **2.** *Verkehr* umleiten; **II.** *v/i.* **3.** hervorgehen (aus *dat.* de); **4.** ⚓ abtreiben; **III.** *v/r.* ~*se* **5.** abstammen, herrühren, s. ableiten (von *dat.* de); **6.** abzweigen (*v/i.*); *fig.* abschweifen; **~tivo** *adj.-su.* Ableitungs...; *m Li.* Ableitung *f*; ⚕ ableitend(es Mittel *n*).

derivo *m* Ursprung *m*, Herkunft *f*.

derma|titis ⚕ *f* (*pl. inv.*) Dermatitis *f*; **~tología** ⚕ *f* Dermatologie *f*; **~tológico** ⚕ *adj.* dermatologisch; **~tólogo** ⚕ *m* Dermatologe *m*; **~tosis** ⚕ *f* (*pl. inv.*) Dermatose *f*.

dérmico 🕮 *adj.* Haut...

der|mis ⚕ *f* Lederhaut *f*; **~mitis** ⚕ *f* → *dermatitis*; **~morreacción** ⚕ *f* Hautprobe *f*.

deroga|ble *adj. c* aufhebbar; **~ción** *f* Abschaffung *f*; Aufhebung *f von Gesetzen usw.*; **~r** [1h] **I.** *v/t.* aufheben, außer Kraft setzen; **II.** *v/i. gal.* ~ (*besser faltar*) *a* gg. *et.* (*ac.*) verstoßen; **~tivo, ~torio** ⚖ *adj.* aufhebend; Aufhebungs... *bzw.* Ausnahme...

derrama *f* Umlage *f* (*Geld, Steuer*); **~damente** *adv.* reichlich(st); verschwenderisch; **~dero** *m* Überlauf *m*; Überfallwehr *n*; **~do** *fig. adj.* ausschweifend; → **~dor** *adj.-su. fig.* verschwenderisch; *m* Verschwender *m*; **~miento** *m* **1.** Vergießen *n*; Ausgießen *n*; Überlaufen *n*; ~ *de sangre* Blutvergießen *n*; **2.** *fig.* Verschwendung *f*; **~placeres** *m* (*pl. inv.*) Störenfried *m*, Spielverderber *m*; **~r I.** *v/t.* **1.** ver-gießen, -schütten; aus-, weg-schütten; *Tränen* vergießen; ~ *un líquido sobre a/c.* et. mit e-r Flüssigkeit übergießen; **2.** *lit.* (verschwenderisch) austeilen, verschwenden; **3.** *Verw.* ~ *los pechos* e-e Abgabe umlegen; **4.** *Nachricht* verbreiten; **II.** *v/r.* ~*se* **5.** s. ergießen, münden (in *dat.* en) (*Fluß usw.*); ⚓ leck sein; ~*se por el suelo* auf den Boden laufen, auslaufen; **6.** *fig.* ausea.-stieben, -jagen, s. zerstreuen; **7.** *fig.* ein ungezügeltes Leben führen.

derra|me *m* **1.** Ausguß *m*; Erguß *m* (*a.* ⚕); Auslaufen *n*, Lecken *n*; ✝ Leckage *f*; **2.** Überlaufen *n*; Überlauf *m beim Messen u.* ⊕; **3.** △ (Fenster-, Tür-)Leibung *f*; **4.** *fig.* Verschwendung *f*; **5.** *Am.* → *desbordamiento 1*; **~mo** △ *m* → *derrame 3.*

derra|par *gal. Kfz. v/i.* schleudern; **~pe** *gal. m* Schleudern *n*.

derredor *m* Umkreis *m*; *adv.* *en* (*od. al*) ~ → *alrededor*.

derrelicto ⚖, ⚓ *m* herrenloses Gut *n*; Wrack *n*.

derrenegar [1h *u.* 1k] F *v/i.*: ~ *de a/c.* et. hassen wie die Sünde.

derrenga|do *adj.* lendenlahm; **~dura** *f* (Hüft-)Verrenkung *f*; **~r** [1h] **I.** *v/t.* aus-, ver-renken; *Hüfte, Kreuz* verrenken; F ~ *a palos* windelweich schlagen; **II.** *v/r.* ~*se fig.* s. abarbeiten, s. abplacken.

derreniego F *m* Fluch *m*.

derreti|do *adj.* geschmolzen; **~miento** *m* Schmelzen *n*, Zergehen *n*; Auftauen *n*; *fig.* Dahinschmelzen *n*, Inbrunst *f*; **~r** [3l] **I.** *v/t.* **1.** schmelzen, zergehen lassen; auftauen; **2.** *fig.* vergeuden; F *Geld* (*in kl. Münzen*) wechseln; **II.** *v/r.* ~*se* **3.** schmelzen, zergehen; auftauen (*v/i.*); **4.** *fig.* vergehen (vor *dat.* de); ~*se por* verliebt sein in (*ac.*).

derri|bado *adj. fig.* entkräftet, kraftlos; erledigt; welk, schlaff (*Brust*); **~bar I.** *v/t.* **1.** einreißen, *Haus, Zelte* ab-bauen, -brechen; um-stürzen, -kippen; um-werfen, -reißen; zu Boden werfen; niederschlagen; *Tür* einschlagen; *Bäume* fällen; *a.* ✈ ~ (*de un tiro*) abschießen; *Stiere* mit dem Spieß niederzwingen; *Equ.* abwerfen; **2.** *fig. Regierung usw.* stürzen; zerstören; demütigen; aufs äußerste entkräften (*Krankheit*); **3.** *schlechte Neigungen usw.* bezwingen; **II.** *v/r.* ~*se* **4.** stürzen (*v/i.*), (ein)fallen; s. fallen lassen; **~bo** *m* **1.** Niederreißen *n*; Abbruch *m* (*Haus*); Abbruchstelle *f*; *mst.* ~*s m/pl.* Bauschutt *m*; **2.** ✈ Abschuß *m*.

derrick *engl.* ⊕ *m* Bohrturm *m*.

derroca|dero *m* Fels-hang *m*, -sturz *m*; **~miento** *m* **1.** Herabstürzen *n*; Absturz *m*; **2.** *fig.* Sturz *m*; Zerstörung *f*; **~r** [1g *u.* 1m] **I.** *v/t.* herabstürzen, niederreißen; *fig.* zerstören, zunichte machen; *Pol.* stürzen; **II.** *v/r.* ~*se* (ab)stürzen (in *ac.* en *od. por*).

derro|chador *adj.-su.* Verschwender *m*; **~char** *v/t.* verschwenden, vergeuden; **~che** *m* Verschwendung *f*; Vergeudung *f*; Überfluß *m*; Überfülle *f bzw.* Verschleudern *n von Waren*; **~chón** F *adj.-su.* verschwenderisch; *m* Verschwender *m*.

derrota[1] *f* Pfad *m*, Weg *m*; ⚓, ✈ Kurs *m* (abstecken *trazar*); *caseta f de* ~ Navigationsraum *m*; *oficial m de* ~ Navigationsoffizier *m*.

derro|ta[2] *f* Niederlage *f*; *sufrir una* ~ e-e Niederlage (*od.* Schlappe) erleiden, geschlagen werden; **~tar I.** *v/t.* **1.** (vernichtend) schlagen; *ser* ~*ado* (*en una votación*) (bei e-r Abstimmung) durchfallen; **2.** ruinieren, zerstören; **3.** ⚓ vom Kurs abbringen; **II.** *v/r.* ~*se* **4.** ⚓ vom Kurs abkommen; **~tero** *m* **1.** ⚓ Fahrtrichtung *f*; *fig.* Weg *m*; *mudar de* ~ den Kurs wechseln; **2.** Segelhandbuch *n*; **~tismo** *m* Defätismus *m*, Miesmacherei *f* F; **~tista** *c* Defätist *m*, Miesmacher *m* F.

derrubi|ar [1b] *Geol. v/t.* *Ufer* auswaschen, abschwemmen; **~o** *Geol. m* Auswaschung *f*; Unterspülung *f*.

derruir [3g] *v/t.* niederreißen; zerstören; ~ *a cañonazos* zs.-schießen.

derrum|badero *m* **1.** Felssturz *m*; Abgrund *m*; **2.** *fig.* Gefahr *f*; *caer en un* ~ in e-e (sehr) gefährliche Lage geraten; **~bamiento** *m* (Ab-)Sturz *m*; Einsturz *m*; Bergsturz *m*; Erdrutsch *m*; *a. fig.* Zs.-bruch *m*; ~ *de precios* Preissturz *m*; **~bar I.** *v/t.* herabstürzen; *Am. a.* → *derribar*; **II.** *v/r.* ~*se* herab-, ab-stürzen; zs.-fallen, -brechen, einfallen; **~be** *m* Abgrund *m*; *bsd.* ⚒ Grubeneinsturz *m*; **~bo** *m* **1.** Felshang *m*, Schlucht *f*; **2.** *Am.* Abschuß *m*.

derviche *m* Derwisch *m*.

desabollar ⊕ *v/t.* ausbeulen.

desaborido F *adj.* geschmacklos, *a. fig.* fade; *fig.* langweilig.

desabotonar I. *v/t.* aufknöpfen; **II.** *v/i.* aufbrechen (*Blüten*).

desabri|do *adj.* **1.** fade; abgestanden; **2.** rauh, barsch; mürrisch; **~gado** *adj.* ungeschützt; schutz-, hilf-los; **~gar** [1h] **I.** *v/t.* hilflos lassen; **II.** *v/r.* ~*se* (*Mantel usw.*) ausziehen; s. leichter (*bzw.* sommerlich) kleiden; **~go** *m* **1.** zu leichte Kleidung *f*; **2.** Verlassenheit *f*, Schutzlosigkeit *f*; **~miento** *m* **1.** Fadheit *f*; Geschmacklosigkeit *f*; **2.** Erbitterung *f*, Groll *m*; Unfreundlichkeit *f*; **~rse** *v/r.* s. ärgern.

desabrochar *v/t.* auf-haken, -knöpfen, -schnüren; abschnallen.

desaca|tamiento *m* → *desacato*; **~tar** *v/t.* **1.** unehrerbietig behandeln; nicht achten; *Gesetze* mißachten; **2.** in Abrede stellen; **~to** *m* **1.** Unehrerbietigkeit *f*; Nicht-, Miß-achtung *f e-r Behörde, e-s Gesetzes*; ⚖ Beamtenbeleidigung *f*; **2.** Ableugnung *f*.

desa|certado *adj.* falsch, verfehlt; irrig, dumm; ungeschickt; **~certar** [1k] *v/i.* fehlgreifen; s. irren; **~cierto** *m* Mißgriff *m*; Irrtum *m*; *Psych.* Fehlhandlung *f*.

desacomplejarse *v/r.* s-e Komplexe verlieren.

desaconseja|ble *adj. c* nicht ratsam; **~do** *adj.* unbesonnen; **~r** *v/t.*: ~ *a/c. a alg.* j-m von et. (*dat.*) abraten.

desacoplar *v/t.* ⊕ abschalten, auskuppeln; 🚂 abkuppeln.

desacor|dado *adj.* **1.** uneinig; unharmonisch; nicht zuea. passend; **2.** vergeßlich; **~dar** [1m] **I.** *v/t.* ♪ verstimmen; *fig.* entzweien; **II.** *v/i.*

verstimmt sein (*Instrument*); falsch singen (*od.* spielen); **III.** *v/r.* ~se vergessen; uneins werden; **~de** *adj. c* **1.** ♪ disharmonisch; **2.** nicht zuea. passend; **3.** uneinig.

desacostumbra|do *adj.* ungebräuchlich; ungewöhnlich; **~r** *v/t.*: ~ *a uno de a/c.* j-m et. abgewöhnen.

desacredita|do *adj.* verrufen, anrüchig; **~r** **I.** *v/t.* in Verruf (*bzw.* Mißkredit) bringen; **II.** *v/r.* ~se in Verruf kommen.

desactivar *v/t.* ⚗, ⊕ des-, ent-aktivieren; ⚔ *Zünder* entschärfen.

desacuerdo *m* **1.** Meinungsverschiedenheit *f*; Zerwürfnis *n*; Unstimmigkeit *f*; Irrtum *m*; **2.** Vergeßlichkeit *f*.

desafec|ción *lit. f* → **~to** **I.** *m* Abneigung *f* (gg. *ac. a, por*); **II.** *adj.* abgeneigt, abhold.

desafia|dor *m* Herausforderer *m*; Duellant *m*; **~r** [1c] *v/t.* herausfordern; trotzen (*dat.*); die Stirn bieten (*dat.*).

desafina|ción ♪ *f* Verstimmung *f*; **~do** *adj.* verstimmt, unrein; **~r** *v/i.* ♪ unrein klingen; falsch singen (*od.* spielen); verstimmt sein; *fig.* e-n Mißton hineinbringen; aus der Rolle fallen.

desafío *m* **1.** Duell *n*; **2.** Herausforderung *f*; Anreiz *m zum Wettbewerb.*

desafora|do *adj.* **1.** gewaltig; ungeheuer; gewalttätig, rabiat F; wütend; **2.** widerrechtlich; **~rse** [1m] *v/r.* ausfallend werden, wüten; in Harnisch geraten.

desafortunado *adj.-su.* unglücklich; *m* Unglückliche(r) *m*.

desafuero *m* Frevel *m*, Verstoß *m*; Ungebühr(lichkeit) *f*; Gewalttat *f*.

desagra|ciado *adj.* **1.** anmutlos; **2.** unglücklich; **~dable** *adj. c* unangenehm; ungemütlich; peinlich; **~dar** *v/t.* mißfallen (*dat.*); **~decer** [2d] *v/t.* undankbar sein für (*ac.*); **~decido** *adj.-su.* undankbar (für *ac. a*); *m* Undankbare(r) *m*; **~decimiento** *m* Undank(barkeit *f*) *m*; **~do** *m* **1.** Unzufriedenheit *f*; Widerwille *m*; **2.** unfreundliches Wesen *n*; **3.** Unannehmlichkeit *f*.

desagravi|ar [1b] **I.** *v/t. j-n* entschädigen; *j-m* Genugtuung geben; **II.** *v/r.* ~se s. schadlos halten (an *dat. de*); s. erholen (von *dat. de*); **~o** *m* Genugtuung *f*, Entschädigung *f*; Sühne *f*.

desagrega|ción *f* Zersetzung *f*; Auflösung *f*; Verwitterung *f*; **~r** [1h] **I.** *v/t.* zersetzen, auflösen; trennen; ⚗ aufschließen; **II.** *v/r.* ~se zerfallen; s. zersetzen; ausea.-gehen, -fallen; verwittern.

desagua|dero *m* Abzugskanal *m*; Entwässerungsrohr *n*; **~do** *m* Entwässerung *f*; **~dor** *m* Entwässerungsgraben *m*; Abflußrinne *f*; **~r** [1i] **I.** *v/t.* entwässern; ⚒, ⚕ dränieren; auspumpen; trockenlegen; **II.** *v/i.* (ein)münden, s. ergießen (in *ac. en*).

desagüe *m* Abfluß *m*; Abwasserleitung *f*; Entwässerung *f*, Dränage *f* (⚕ *mst.* Drainage *f geschrieben*); ~ *de avenida* Hochwasser-abfluß *m bzw.* -becken *n*; Überflutungsgelände *n*.

desaguisado **I.** *adj.* **1.** unvernünftig; **2.** unrecht; ungerecht; **II.** *m* **3.** Durchea. *n*; Unsinn *m*; *fig.* Bescherung *f* F; **4.** Unrecht *n*, Untat *f*.

desaho|gadamente *adv.* bequem, behaglich; *vivir* ~ sein gutes Auskommen haben; **~gado** *adj.* **1.** bequem, behaglich; weit, geräumig; **2.** wohlhabend, sorgenfrei; **3.** frei, zwanglos; ungeniert; **~gar** [1h] **I.** *v/t.* aus e-r Notlage befreien; *j-m* Linderung verschaffen; **II.** *v/r.* ~se *a. fig.* s. Luft machen; sich's bequem machen; s. erholen (von *dat. de*); *fig.* s. aussprechen, auspacken F; ~se *en denuestos* s-m Herzen mit Schmähungen Luft machen; **~go** *m* **1.** Geräumigkeit *f*; **2.** Wohlhabenheit *f*; **3.** Erleichterung *f*; Erholung *f*; **4.** Zwanglosigkeit *f*; Unverschämtheit *f*; **5.** ⊕ Entweichen *n*.

desa|huciado ⚕ *adj.* aufgegeben, unrettbar; **~huciar** *v/t.* **1.** ärztlich aufgeben; **2.** *j-m* die Pacht (*od.* Wohnung) kündigen; *j-n* aus der Wohnung weisen; **~húcio** *m* Zwangsräumung *f*; ⚖ *demanda f de* ~ Räumungsklage *f*.

desai|rado *adj.* linkisch; schlecht sitzend (*Anzug*); *quedar* ~ leer ausgehen; **~rar** *v/t.* herabsetzen; kränken, bloßstellen; zurückweisen; **~re** *m* **1.** Zurücksetzung *f*; Kränkung *f*; *hacer* (*od. dar*) *un* ~ *a alg.* j-n zurückweisen; j-n kränken; *tomar a* ~ übelnehmen; **2.** Unhöflichkeit *f*; Unannehmlichkeit *f*; ¡*qué* ~! wie unangenehm!

desaislar ⊕ *v/t.* abisolieren.

desajus|tar *v/t.* in Unordnung bringen; *Maschine* verstellen; **~te** *m* Unordnung *f*; Verwirrung *f*; Störung *f*; Fehleinstellung *f* (*Maschine*).

desalación *f* Entsalzung *f*.

desalado *adj.* eilig; eifrig; gierig.

desalar **I.** *v/t.* **1.** entsalzen; *Fisch* wässern; **2.** die Flügel stutzen (*dat.*); **II.** *v/r.* ~se **3.** s. sehr beeilen; ~se *por* vor Verlangen nach (*dat.*) vergehen.

desa|lentado *adj.* **1.** atemlos; **2.** mutlos; **~lentar** [1k] **I.** *v/t.* entmutigen; **II.** *v/r.* ~se den Mut verlieren; **~liento** *m* Mutlosigkeit *f*; Kleinmut *m*.

desali|ñado *adj.* verwahrlost, schlampig F; zerzaust (*Haar*); **~ño** *m* Nachlässigkeit *f*; Verwahrlosung *f*; Schlamperei *f* F.

desalma|do *adj.-su.* herzlos; gewissenlos; *m* Schurke *m*, Bösewicht *m*.

desalo|jamiento *m* Räumung *f*; Vertreibung *f* (*a.* ⚔; *allg.*: *aus e-r Wohnung*); ⚔ Aufgabe *f e-r Stellung*; **~jar** **I.** *v/t.* aus-, ver-treiben; verdrängen; *Wohnung* räumen; ⚔ zur Räumung zwingen; *Jgdw.* aufstöbern, -jagen; **II.** *v/i.* ausziehen; ⚔ die Stellung räumen; **~je, ~jo** *m* → *desalojamiento*.

desalquila|do *adj.* frei, leerstehend (*Wohnung*); **~r** **I.** *v/t. Mietwohnung* aufgeben *bzw.* räumen lassen; **II.** *v/r.* ~se frei werden (*Wohnung*).

desalterar *v/t.* beruhigen, besänftigen.

desama|rar ✈ *v/i.* abwassern, starten; **~rrar** ⚓ **I.** *v/t. vom Anker* lösen, losmachen; **II.** *v/r.* ~se loswerfen, ablegen.

desamor *m* Lieblosigkeit *f*; Gleichgültigkeit *f*.

desampa|rado *adj.* hilflos (*a. Schiff*), schutzlos; verlassen; **~rar** *v/t.* **1.** verlassen, schutzlos lassen; **2.** ⚖ Besitz an *e-r Sache* aufgeben; **~ro** *m* Schutz-, Hilf-losigkeit *f*; Verlassenheit *f*.

desamueblar *v/t. Zimmer* ausräumen.

desandar [1q] *v/t.*: ~ *el camino* den Weg zurückgehen; *fig.* ~ *lo andado* wieder von vorn anfangen.

desangra|miento *m* Verbluten *n*; Blutverlust *m*; **~r** **I.** *v/t.* **1.** *j-m* viel Blut abzapfen; ausbluten lassen; *fig. j-n* bluten lassen F; **2.** *fig. Teich usw.* trockenlegen; **II.** *v/r.* ~se **3.** ver-, aus-bluten.

desanima|ción *f* **1.** Mutlosigkeit *f*; gedrückte Stimmung *f*; **2.** Öde *f*; Langeweile *f*; **~do** *adj.* **1.** mutlos; gedrückt, lustlos; **2.** wenig belebt (*od.* besucht) (*Ort*); öde; **~r** **I.** *v/t.* entmutigen; **II.** *v/r.* ~se den Mut sinken lassen, verzagen.

desánimo *m* Entmutigung *f*, Mutlosigkeit *f*.

desa|nudar, ~ñudar *v/t.* entwirren; *fig.* F ~ *la voz* die Sprache wiederfinden.

desapacible *adj. c* unfreundlich (*a. Wetter*); barsch, mürrisch; unbehaglich (*Lage*); häßlich (*Geräusch*).

desapa|recer [2d] *v/i.* verschwinden; unsichtbar werden; schwinden; *fig.* unter-gehen, -tauchen; *hacer* ~ verschwinden lassen; unterschlagen; **~recido** *adj.-su.* vermißt; **~rejar** *v/t. Equ.* abschirren; ⚓ abtakeln; **~rición** *f* Verschwinden *n*.

desapasionado *adj.* kühl, gelassen; unparteiisch.

desape|garse [1h] *v/r. fig.* s. lösen (von j-m *de alg.*); **~go** *m* Abneigung *f* (gg. *ac. a*).

desapercibido *adj.* **1.** unvorbereitet; *coger* ~ überfallen, *den Ahnungslosen* überraschen; **2.** achtlos; **3.** *gal.* unbeachtet.

desaplica|ción *f* Trägheit *f*; **~do** *adj.* träge; nachlässig.

desapolillar **I.** *v/t.* entmotten; **II.** *v/r.* ~se F s. auslüften F (*wenn man lange im Zimmer war*).

desapreciar [1b] *v/t.* geringschätzen.

desapren|der *v/t.* verlernen; **~sión** *f* **1.** Rücksichtslosigkeit *f*; **2.** Unvoreingenommenheit *f*; **~sivo** *adj.* **1.** rücksichtslos; **2.** vorurteilslos.

desapro|bación *f* Mißbilligung *f*; **~bar** [1m] *v/t.* mißbilligen, ablehnen; **~piarse** [1b] *v/r.* ~ *de* s. entäußern (*gen.*); **~vechado** *adj.* **1.** unnütz, ohne Nutzen; *a.* ⊕ nicht ausgenützt; **2.** verbummelt F, zurückgeblieben (*Schüler*); **~vechamiento** *m* Nichtausnutzung *f*; **~vechar** **I.** *v/t.* nicht (aus)nutzen; *Gelegenheit* versäumen, s. entgehen lassen; **II.** *v/i.* zurückbleiben, bummeln F (*Schüler*).

desarbolar ⚓ *v/t.* entmasten; abwracken.

desar|mado *adj.* waffenlos; *a. fig.* entwaffnet; **~mar** **I.** *v/t.* **1.** *a. fig.* entwaffnen; wehrlos machen; *Waffe* entspannen; *Bombe usw.* entschärfen; *Truppen a.* demobilisieren; **2.** *Zölle* abbauen; **3.** ⊕ ausea.-nehmen; zerlegen; abmontieren; ⚓ abwracken, außer Dienst stellen; **II.** *v/i.* **4.** ⚔ *abs.* abrüsten; **III.** *v/r.* ~*se* **5.** die Waffen niederlegen; **~me** *m* **1.** Entwaffnung *f*; Abrüstung *f*; *conferencia f de(l)* ~ Abrüstungskonferenz *f*; **2.** ⚓ Abtakelung *f*; **3.** Zollabbau *m*.

desarmonía *f a. fig.* Disharmonie *f*, Mißklang *m*.

desarrai|gado *adj.-su.* Entwurzelte(r) *m* (*fig.*); **~gar** [1h] *v/t.* entwurzeln (*a. fig.*); mit den Wurzeln (her)ausreißen; *fig.* ausrotten; vertreiben; **~go** *m a. fig.* Entwurzelung *f*; Ausrottung *f*.

desarre|glado *adj.* unordentlich; liederlich; ausschweifend; *mujer f* ~*a* Schlampe *f* F; **~glar** *v/t.* in Unordnung bringen; **~glo** *m* **1.** Störung *f* (*a.* ⊕, ⚕ *u. mot.*); Unordnung *f*; *bsd. mot.* Panne *f*; **2.** Liederlichkeit *f*; Ausschweifung *f*.

desarrendar [1k] *v/t.* **1.** den Zügel abnehmen (*dat.*); **2.** die Pacht kündigen für (*ac.*).

desarri|mar *v/t.* **1.** abrücken; **2.** *fig.* → *disuadir*; **~mo** *m a. fig.* Mangel *m* an Halt; Hilflosigkeit *f*.

desarro|llar **I.** *v/t.* **1.** ent-, abrollen; **2.** ⊕ abwickeln; abspulen; **3.** ℞ *e-e Aufgabe* lösen; **4.** *fig.* entwickeln; *a.* fördern; **5.** darlegen, ausführen, behandeln; **II.** *v/r.* ~*se* **6.** s. entwickeln (*a.* ⚔); s. abspielen; **~llo** *m* **1.** Ab-, Ent-rollen *n*; **2.** ⊕ Ablauf *m*; Abwicklung *f*; Aufwand *m*; Entwicklung *f*; ~ *de energías* (*od. de fuerzas*) Kraftentwicklung *f*; (normaler) Kraftaufwand *m*; ~*(s) pequeño(s)* kl. Übersetzung *f* (*Fahrrad*); **3.** *tex.* Abzug *m*; **4.** *fig.* Förderung *f*; Entwicklung *f*; Ausbau *m*; Fortschritt *m*; *ayuda de* (*od. al od. para el*) ~ Entwicklungshilfe *f*; *de reciente* ~ neu entwickelt; **5.** *Biol.* (*años m/pl. de*) ~ Entwicklung(sjahre *n/pl.*) *f*.

desarru|gar [1h] *v/t.* glätten; glattstreichen; ~ *la frente*, ~ *el ceño* die Stirn glätten; *fig.* s. aufheitern; **~mar** ⚓ *v/t. Ladung* (um)trimmen.

desarticula|ción *f* **1.** Zerlegung *f*; **2.** ⚕ **a)** Auskugeln *n*; **b)** Exartikulation *f*; **~r** **I.** *v/t.* zerlegen, ausea.-nehmen; zergliedern; *fig. Plan, Spionagering* zerschlagen; **II.** *v/r.* ~*se el brazo* s. den Arm ausrenken.

desarzonar *v/t.* aus dem Sattel werfen (*bzw.* heben); *Equ.* abwerfen.

desasea|do *adj.* unsauber, unappetitlich; schlampig; **~r** *v/t.* verunreinigen; verunzieren.

desasegurar *v/t.* unsicher machen; *Waffe* entsichern.

desaseo *m* Unsauberkeit *f*; Schlamperei *f*.

desasi|miento *m* Loslassen *n*; Entsagung *f*; Uneigennützigkeit *f*; *Myst.* Weltentsagung *f*; **~r** [3a; *pres. wie salir*] **I.** *v/t.* loslassen; aufhaken; **II.** *v/r.* ~*se de* entsagen (*dat.*).

desasistir *v/t.* im Stich lassen.

desasnar F *v/t. j-m* Bildung (*od.* Schliff) beibringen.

desaso|segado *adj.* unruhig; ruhelos; **~segar** [1h *u.* 1k] *v/t.* beunruhigen, ängstigen; aufrütteln; **~siego** *m* Unruhe *f*, Ruhelosigkeit *f*; Sorge *f*.

desas|trado *adj.* **1.** zerlumpt; unsauber; schlampig F; **2.** unglücklich, elend; **~tre** *m* schweres Unglück *n*; Katastrophe *f*; **~troso** *adj.* **1.** unglückselig; unheilvoll; furchtbar, schrecklich; **2.** jämmerlich, erbärmlich.

desatar **I.** *v/t.* **1.** losbinden; aufschnüren; *a. fig.* lösen; *fig.* auslösen, entfesseln; *Ränke* aufdecken; **II.** *v/r.* ~*se* **2.** s. freimachen; s. lösen (von *dat.* de); **3.** losbrechen (*Unwetter u. fig.*); *fig.* ~*se en ultrajes contra alg.* auf j-n losschimpfen; *fig. lit.* ~*se sobre* hereinbrechen über (*ac.*) (*Unglück, Unheil*); **4.** s. lösen; auftauen (*Eis u. fig.*).

desatascar [1g] **I.** *v/t.* **1.** aus dem Morast ziehen; *fig.* aus der Patsche helfen (j-m *a alg.*); **2.** *Rohr u. ä.* durchspülen; **II.** *v/r.* ~*se* **3.** wieder loskommen.

desaten|ción *f* Unaufmerksamkeit *f*; Ungefälligkeit *f*, Unhöflichkeit *f*; **~der** [2g] *v/t.* nicht beachten; s. nicht kümmern um (*ac.*); vernachlässigen; mißachten; **~tar** [1k] *v/t.* aus der Fassung bringen; **~to** *adj.* unhöflich; unaufmerksam, zerstreut.

desatierre *m Am.* → *escombrera*.

desati|nado *adj.* unsinnig; kopflos; **~nar** *v/i.* Unsinn reden; kopflos handeln, danebenhauen F; **~no** **1.** Unsicherheit *f im Zielen u. fig.*; **2.** Unsinn *m*, Stuß *m* F; Fehlgriff *m*.

desatomiza|ción *f* Schaffung *f* e-r atom(waffen)freien Zone; **~do** *adj.* atomwaffenfrei.

desatrancar [1g] *v/t.* aufriegeln; *verstopfte Rohre u. ä.* freimachen; *Brunnen* säubern.

desaturdir **I.** *v/t.* wieder zur Besinnung bringen, ermuntern; **II.** *v/r.* ~*se* wieder munter werden.

desautoriza|ción *f* Absprechen *n* der Zuständigkeit; Herabwürdigung *f*; **~damente** *adv.* unbefugterweise; unberechtigterweise; **~do** *adj.* unbefugt; **~r** [1f] **I.** *v/t.* die Zuständigkeit absprechen (*dat.*); herabwürdigen; abwerten; **II.** *v/r.* ~*se* das Recht, die Glaubwürdigkeit *usw.* verlieren.

desave|nencia *f* Uneinigkeit *f*; Zwist *m*; Gegensätze *m/pl.*; **~nido** *adj.* uneins, uneinig; widerstreitend; **~nir** [3s] **I.** *v/t.* entzweien; **II.** *v/r.* ~*se* uneins werden; s. überwerfen (mit *dat. con*).

desaventajado *adj.* benachteiligt; nachteilig.

desavisa|do *adj.* unklug; unvorsichtig; **~r** *v/t.* Gegenbescheid geben (*dat.*).

desayu|nado: *venir* ~ nach dem Frühstück kommen; **~nar** *v/i.* (*lit.* ~*se v/r.*) frühstücken; ~ *con café* zum Frühstück Kaffee trinken; *fig.* F *¿ahora te desayunas?* das hast du erst jetzt gehört?, reichlich spät dran F; **~no** *m* Frühstück *n*.

desa|zón *f* **1.** Fadheit *f*; ✓ Unreife *f*; **2.** *fig.* Verdruß *m*, Kummer *m*; *a. fig.* Unbehagen *n*; **~zonado** *adj.* mürrisch, verdrießlich; unbehaglich; *tenerle a uno* ~ j-n ärgern; **~zonar** **I.** *v/t.* *Speise* geschmacklos machen; *fig.* verstimmen, ärgern; **II.** *v/r.* ~*se* unpäßlich sein.

desbancar [1g] *v/t. j-m* die Bank sprengen (*Glücksspiel*); *fig. j-n* verdrängen.

desbanda|da *f* wilde Flucht *f*, Auflösung *f*, ⚔ ungeordneter Rückzug *m*; *a la* ~ in wilder Flucht; in völliger Auflösung; **~rse** *v/r.* ausea.-stieben, s. zerstreuen.

desbara|justar *v/t.* völlig durchea.-bringen; **~juste** *m* Wirrwarr *m*; **~tado** *adj.* **1.** wirr, zerfahren; **2.** leichtfertig, zügellos; **~tar** **I.** *v/t.* in Unordnung bringen; zerstören; *Pläne* vereiteln, zunichte machen; *Gesetze* verletzen; *Geld* verschwenden, durchbringen F; *Feinde* in die Flucht jagen; **II.** *v/i.* Unsinn reden; Quatsch machen F; **III.** *v/r.* ~*se* zerfallen; s. zerschlagen (*Pläne*); den Kopf verlieren.

desbarba|do **I.** *adj.* bartlos; **II.** *m* ⊕ Entgratung *f*; **~r** **I.** *v/t.* *Federn* schleißen; *Korn*, ⊕ *Gußstücke* entgraten; **II.** ~(*se*) F *v/t.* (*v/r.*) (s.) rasieren.

desba|rrar *v/i.* ausrutschen (*a. fig.*); *fig.* unüberlegt reden *od.* handeln; faseln F; **~rro** *m* Ausrutschen *n* (*a. fig.*).

desbas|tado ⊕ *m* → *desbaste 1*; **~tador** *m* Schrotmeißel *m der Schmiede*; **~tar** **I.** *vt/i.* **1.** ⊕ abhobeln; grob (vor)arbeiten; grobschleifen; **II.** *v/t.* **2.** *fig.* F den ersten Schliff beibringen (*dat.*); **3.** abnützen; **~te** *m* **1.** ⊕ erste Bearbeitung *f*; Rohbehauen *n der Stämme*; Abhobeln *n*; (Ab-)Schroten *n* (*Schmiede*); **2.** ⊕ Bramme *f*; **3.** *fig.* erster Schliff *m*.

desbloque|ar *v/t. Konten usw.* freigeben; **~o** *m* Freigabe *f*.

desboca|do *adj.* **1.** *Equ.* durchgehend; **2.** beschädigt (*z. B. Tülle e-r Kanne, Mündung e-r Waffe usw.*); **3.** *fig.* zügellos; schamlos; **~r** [1g] **I.** *v/t.* Tülle abstoßen an *e-m Gefäß*; *Loch* ausweiten; **II.** *v/r.* ~*se* scheu werden, durchgehen (*Pferd*); *fig.* F loslegen F, auspacken F; frech werden.

desbor|damiento *m* **1.** Austreten *n über die Ufer*; **2.** ⚔ Überflügelung *f*; **3.** *fig.* Flut *f*; ~ *de alegría* überschäumende Freude *f*; **~dante** *adj.* *c* überquellend, überschäumend (*fig.*); ~ *de público* überfüllt; **~dar** **I.** *v/t.* überfluten; *fig. Geduld, Fähigkeit* übersteigen; *fig. las masas desbordaron a los dirigentes* die Führung verlor die Kontrolle über die Massen; **II.** *v/i. u.* ~*se v/r.* überlaufen, überfließen; über die Ufer treten; *fig.* ~*se* (*de*) überquellen (von *dat.*).

desbravar **I.** *v/t.* *Pferde usw.* zureiten; zähmen; **II.** *v/i.* zahm werden; *fig.* s. beruhigen.

desbrozar [1f] *v/t.* *v. Gestrüpp, Schlick usw.* reinigen; *Baum* ausputzen; *fig. Weg* bahnen.

descabe|llado *adj. fig.* verworren, kraus, unsinnig; **~llar** *v/t.* zerzausen; *Stk.* durch e-n Genickstoß niederstrecken; **~llo** *m* Genickstoß *m*.

descabe|strar *v/t.* abhalftern; **~zado** *adj.* kopflos (*a. fig.*); **~zar** [1f]

I. *v/t. a. fig.* köpfen; *Bäume* kappen; oberes Ende ab-schneiden, -nehmen (*dat. od.* von *dat.*); F *Arbeit* anfangen; den ersten Schritt *zur Überwindung e-r Schwierigkeit* tun; F ~ *el sueñ(ecit)o* ein Nickerchen machen; **II.** *v/r.* ~se *fig.* F s. den Kopf zerbrechen.

descacharrante F *adj. c* zum Schießen (*fig.* F), umwerfend (komisch) F.

descafeinar *v/t.* das Koffein entziehen (*dat.*); ~**ado** koffeinfrei.

descala|bazarse [1f] *v/r.* s. das Hirn zermartern (um zu + *inf. en, para*); ~**brado** *adj.* mit zerschlagenem Kopf; *fig. salir* ~ (de) übel wegkommen (bei *dat.*); ~**bradura** *f* Kopfverletzung *f*; ~**brar** *v/t.* (am Kopf) verletzen; *fig.* schädigen; ~**bro** *m* Widerwärtigkeit *f*; Verlust *m*; Schlappe *f* (*a.* ⚔); Mißgeschick *n*; F Reinfall *m* F.

descalcifica|dor *m* Entkalker *m*; ~**r** [1g] *v/t.* entkalken; ⚕ Kalk entziehen (*dat.*).

descalifi|cación *Sp. f* Disqualifizierung *f*; ~**car** [1g] *v/t.* disqualifizieren.

descal|zar [1f] **I.** *v/t.* **1.** *j-m* die Schuhe (*bzw.* die Strümpfe) ausziehen; **2.** den Hemmschuh *v. e-m Rad usw.* lösen; den Keil wegziehen von (*dat.*); **3.** *Mauer* unterhöhlen (*bzw.* unterspülen); untergraben; **4.** ⚒ schrämen; **II.** *v/r.* ~se **5.** *Equ.* ein Eisen verlieren; ~**zo** *adj.-su. kath.* unbeschuht; *fig.* bettelarm; (*fraile m*) ~ *m* Barfüßermönch *m*.

descamarse ⚕ *v/r.* abschuppen (*Haut*).

descami|nado *adj.* verirrt; irrig; ~**nar I.** *v/t.* irreführen; **II.** *v/r.* ~se irregehen; s. verfahren; auf Abwege geraten; ~**sado I.** *adj.* (*estar*) ohne Hemd; (*ser*) *fig.* bettelarm; **II.** ~s *m/pl. Arg.* Proletarier *m/pl.*; Perón-Anhänger *m/pl.*

descampa|do *adj.-su. m* offen(es Gelände *n*); frei(es Feld *n*); ~**r** *v/i.* → *escampar*; ⚔ abmarschieren.

descansa|do *adj.* bequem, behaglich; geruhsam (*Leben*); mühelos (*Arbeit*); unbesorgt; ~**r I.** *v/t.* **1.** auf-, an-lehnen; stützen (auf *ac. sobre, en*); legen, setzen; unterstützen; ⚔ *¡descansen — armas!* Gewehr — ab!; **2.** ~ *a alg.* j-m die Arbeit erleichtern, j-n entlasten; **II.** *v/i.* **3.** (aus)ruhen (*a.* ⚘ *Boden*); rasten; schlafen; s. erholen (von *dat.* de); *¡que descanses!* schlaf gut!, gute Nacht!; ⚔ *¡en su lugar — descansen!* rührt euch!; *adv. sin* ~ rastlos, unaufhörlich; **4.** ~ *en* ruhen auf (*dat.*); *fig.* beruhen auf (*dat.*); ⊕ aufliegen auf (*dat.*); ~ *sobre* stehen auf (*dat.*).

descan|sillo *m* Treppenabsatz *m*; Podest *m, n*; ~**so** *m* **1.** Rast *f*; Ruhe *f*; Erholung *f*; Erleichterung *f*; ⚔ *a.* Marschpause *f*; ⚔ *¡~!* rührt euch!; *día m de* ~ Ruhetag *m*; *Sch. hora f de* ~ Zwischenstunde *f*; *adv. sin* ~ rastlos, unaufhörlich; **2.** ♪, *Thea., Zirkus*: Pause *f*; *Sp.* Halbzeit *f*; **3.** Stütze *f*; ⊕ Unter-, Auflage *f*; → *descansillo*; ⚒ ~ *del pozo* Schachtbühne *f*; **4.** F *Chi.* Abort *m*.

descantillar *v/t.* **1.** ⊕ *Zim.* abkanten; **2.** *Rechnung* nach unten abrunden.

descapitalización *f* Kapitalabwanderung *f*.

descapotable *m* Kabriolett *n* (*Auto*).

desca|rado *adj.* unverschämt, frech, patzig F; ~**rarse** *v/r.* unverschämt werden (zu j-m *con alg.*); ~ *a* + *inf.* die Stirn haben, zu + *inf.*

descar|bonatar *v/t.* die Kohlensäure entziehen (*dat.*); ~**burar** *v/t.* ⚗, ⊕ entkohlen, ⊕ frischen.

descarga *f* **1.** Entladen *n*; Ab-, Ausladen *n*, ⚓ Löschen *n*; **2.** Abführung *f* (*Ladekran, Förderband*); **3.** ⚔ Entladung *f*; Salve *f*, Lage *f*; ~ *cerrada* Salvenfeuer *n*; **4.** ⚡ Entladung *f*; ~ *atmosférica* Blitz *m*; **5.** ⚠ *arco m de* ~ Entlastungsbogen *m*; **6.** ✝ Entlastung *f*; **7.** ~ *de palos* Tracht *f* Prügel; ~**dero** *m* Ablade-(⚓ Lösch-)platz *m*; ~**dor** *m* **1.** Ablader *m*; ⚓ Schauermann *m*; **2.** ⚡ Ableiter *m*, Entlader *m*; ~**r** [1h] **I.** *v/t.* **1.** ab-, aus-, ent-laden, ⚓ löschen; **2.** *Waffe* entladen; *Schuß* abgeben; *Gewehr* abschießen; **3.** *e-n (heftigen) Schlag* versetzen; *Zorn, Wut usw.* auslassen (an *dat. en, contra, sobre*); *lit.* ~ *la mano sobre alg.* j-n züchtigen; **4.** ⚡ entladen; ableiten; **5.** *fig.* entlasten (*a.* ⊕, ⚖), erleichtern; ⚖ freisprechen (von *dat.* de); **6.** ~ *el vientre* s-e Notdurft verrichten; **II.** *v/i.* **7.** s. entladen (*Gewitter, Unwetter, Wolken*); nieder-gehen, -fallen (*Regen*); **8.** enden (*Treppe*); münden (*Fluß*); **III.** *v/r.* ~se **9.** ~se (de) s. freimachen (von *dat.*), (*Stelle*) aufgeben; ~*se de a/c.* s. e-r Sache entledigen; et. abwälzen (auf *ac.* en); ~*se en* (*od. contra*) s-n Zorn auslassen an (*dat.*); **10.** ✝, ⚖ s. entlasten; **11.** s. entladen (*a.* ⚡); von selbst losgehen (*Waffe*); **12.** *Rel.* Buße tun; beichten; **13.** leer werden (*Straßenbahn*).

descar|go *m* **1.** ✝, *Verw.* Entlastung *f* (erteilen *conceder*); *nota f de* ~ Gutschrift *f*; Quittung *f*; **2.** Rechtfertigung *f*; Entlastung *f* (*a.* ⚖); *por* ~ zur Entlastung; **3.** ⚓ Löschen *n*; ~**gue** *m* Abladen *n*, ⚓ Löschen *n*.

descarna|da *f fig.* Tod *m*; ~**damente** *adj.* unverhohlen; ~**do** *adj.* fleischlos; abgezehrt, knöchern; *fig.* bissig, scharf; ~**r I.** *v/t.* (das) Fleisch ablösen von (*dat.*); *Knochen u. fig.* bloßlegen; **II.** *v/r.* ~se abmagern.

descaro *m* Unverschämtheit *f*, Frechheit *f*.

desca|rriar [1c] **I.** *v/t.* irreführen; versprengen; **II.** *v/r.* ~se s. verirren, s. verlaufen; versprengt werden; ~**rrilamiento** 🚂 *m* Entgleisung *f*; ~**rrilar** *v/i. u.* ~se *v/r.* 🚂 entgleisen.

descar|tar I. *v/t.* **1.** beiseite lassen; ausschalten, ausschließen; beseitigen; **2.** *Typ.* Farbauszüge machen; **II.** *v/r.* ~se **3.** (Karten) ablegen; **4.** ~se de s. um *et.* (*ac.*) *od.* vor *et.* (*dat.*) drücken; ~**te** *m Typ.* Herstellung *f* von Farbauszügen; Ablegen *n v. Spielkarten.*

descarteliza|ción *f* Entkartellisierung *f*; ~**r** [1f] *vt/i.* entkartellisieren.

descasar *v/t. Typ. Kolumnen* anders zs.-stellen; P *Eheleute* trennen, scheiden; *fig. Zs.-gehörendes* trennen.

descasca|r [1g] **I.** *v/t.* → *descascarar*; **II.** *v/r.* ~se in Stücke gehen; *fig.* F geschwollenes Zeug reden, s. e-n abbrechen P; ~**radera** *f* Schälmaschine *f für Kaffee, Obst*; ~**rar I.** *v/t.* ab-, aus-schälen; ent-, aushülsen; entrinden; **II.** *v/r.* ~se aufbrechen, -springen (*Rinde, Schale*); ~**rillar I.** *v/t.* ab-, aus-schälen; enthülsen; ⊕ entzundern; **II.** *v/r.* ~se s. schälen; absplittern.

descas|tado *adj.* aus der Art geschlagen; ungeraten (*Kinder*); undankbar; ~**tar I.** *v/t. Raubzeug* ausrotten; **II.** *v/r.* ~se aus der Art schlagen.

descen|dencia *f* **1.** Nachkommenschaft *f*; **2.** Abstammung *f*; Geschlecht *n*; ~**dente** *adj. c* absteigend; fallend; 🚂 *Span. tren m* ~ aus dem Landesinnern nach der Küste fahrender Zug *m*; ~**der** [2g] **I.** *v/t.* **1.** herabnehmen; her-, hinunterbringen; **2.** *Treppe usw.* hinuntersteigen; **II.** *v/i.* **3.** herab-, hinunter-steigen; ab-, aus-steigen; hinunterfließen; stromab fahren; ✈ **a)** an Höhe verlieren; **b)** zur Landung ansetzen; *la colina desciende hacia el mar* der Hügel fällt zur See hin ab; **4.** *a. fig.* sinken; abnehmen; **5.** abstammen, s. herleiten (von *dat.* de); ~**dida** *f* → *bajada, descenso*; ~**diente I.** *adj. c* abstammend (von *dat.* de); *a.* ⚖ absteigend; **II.** *c* Nachkomme *m*; *poet.* Nachfahr(e) *m*; ⚖ *a.* Abkömmling *m*; ~**dimiento** *m* Herabsteigen *n*; Herabnehmen *n*; *Ku.* Kreuzabnahme *f*; ~**sión** *f* Herabsteigen *n*; ~**so** *m* **1.** Heruntersteigen *n*; Abstieg *m*; Talfahrt *f*; **2.** ✈ Heruntergehen *n*; ~ *en paracaídas* (*de paracaidista[s]*) Fallschirm-absprung *m* (-springen *n*); ~ *en tirabuzón* Abtrudeln *n*; **3.** ⊕ Abfallen *n*; **4.** ✝ Sinken *n*, Fallen *n* (*Preise, Kurse*); **5.** *fig.* Niedergang *m*; Rückgang *m*; *Verw.* niedrigere Einstufung; ⚔ Degradierung *f*; *fig. estar en* ~ auf dem absteigenden Ast sein (*od.* sitzen); nachlassen; **6.** Abhang *m*, Gefälle *n*; **7.** ⚕ Senkung *f*.

descentra|ción ⊕ *f* Dezentrierung *f*; ~**do** ⊕ *adj.-su.* exzentrisch; *m* Schlag *m*, Unwucht *f*; ~**lización** *f* Dezentralisierung *f*; ~**lizador** *adj.*: *medidas f/pl.* ~*as* Maßnahmen *f/pl.* zur Dezentralisierung; ~**lizar** [1f] *v/t.* dezentralisieren.

descepar *v/t.* mit der Wurzel ausreißen; *fig.* ausrotten.

descerraja|do *adj. fig.* zügellos; ~**dura** *f* Aufbrechen *n e-s Schlosses*; ~**r** *v/t.* den Verschluß auf-brechen, -sprengen an (*dat.*); *Schrank* aufbrechen; F ~ *un tiro a alg.* j-m eins auf den Pelz brennen F.

descifra|ble *adj. c* leserlich; zu entschlüsseln; ~**dor** *m* Entzifferer *m*; ~**miento** *m* Entzifferung *f*; Entschlüsselung *f*; ~**r** *v/t.* entziffern; entschlüsseln; dechiffrieren; *fig.* enträtseln, aufklären.

desclava|dor ⊕ *m* Geißfuß *m*; ~**r** *v/t.* ab-, los-nageln; Nägel (her-)ausziehen aus (*dat.*); ~ *de la cruz*

vom Kreuz herunternehmen; → *a. desengastar.*
desclorurado ⚕ *adj.* salzlos; salzarm (*Diät*).
descoagulante ⚕ *m* Antikoagulans *n.*
desco|cado F *adj.* frech, unverschämt; **~car** [1g] **I.** *v/t. Baum* abraupen; **II.** *v/r.* ~se F frech werden; vorlaut sein; **~co** F *m* Frechheit *f*; **~gollar** *v/t. Nüsse usw.* auskernen; ⚒ ausgeizen; **~gotado** F *adj.* mit behaartem Nacken.
descohesor ⚡ *m* Entfritter *m.*
descolgar [1h *u.* 1m] **I.** *v/t. Bild usw.* (her)abnehmen, *Telefonhörer, Vorhänge* abnehmen; aushaken; abhängen; herablassen (von *dat.* de); *Jgdw. Flugwild* schießen; **II.** *v/r.* ~se s. herunterlassen (von *dat.* de); springen (von, aus *dat.* de); ✈ abspringen; *fig.* von der Höhe (*od.* vom Berg) herabsteigen; F ~se *por un sitio* irgendwo aufkreuzen F; *fig.* F ~se *con a/c.* mit et. (*dat.*) herausplatzen.
descolo|ramiento *m* Entfärbung *f*; Verfärbung *f*; Blässe *f*; **~rante** *m* Entfärber *m*; Bleichmittel *n*; **~rar I.** *v/t.* entfärben; (aus)bleichen; **II.** *v/r.* ~se verblassen (*Farbe*); **~rido** *adj.* blaß (*estar*); farblos (*ser*); verschossen, ausgewaschen; fahl; **~rir** → *descolorar.*
descolla|do *adj.* überlegen, selbstbewußt; **~r** [1m] **I.** *v/i.* hervorragen, an erster Stelle stehen; glänzen; ~ *entre* (*od. sobre*) *los demás* die anderen überragen (an *dat.* en); **II.** *v/r.* ~se s. hervortun.
descom|brar *v/t.* abräumen, von Schutt räumen; **~bro** *m* Abräumen *n*; Enttrümmern *n*; *trabajo(s) m(/pl.) de* ~ Aufräumungsarbeiten *f/pl.*
descomedi|do *adj.* übermäßig; unmäßig; unhöflich; **~miento** *m* Unhöflichkeit *f*; Grobheit *f*; **~rse** [3l] *v/r.* s. ungebührlich betragen; ausfallend werden.
descomer P *v/i.* den Darm entleeren.
descom|pás *m* falscher Takt *m*; **~pasado** *adj.* **1.** übermäßig; **2.** grob; **~pasarse** *v/r. fig.* grob werden.
descompensación ⚕ *f* Dekompensation *f.*
descompo|ner [2r] **I.** *v/t.* **1.** zerlegen (*a.* ⚗, *Phys.*); ausea.-nehmen; zersetzen (*a.* ⚗); zergliedern; auflösen; in Unordnung bringen; **2.** *fig.* entzweien; **3.** aus der Fassung bringen; **II.** *v/r.* ~se **4.** s. zersetzen; verwesen; in Fäulnis übergehen; faulen; verderben (*Speise*); s. auflösen; **5.** *fig.* kränklich werden; **6.** *fig.* die Fassung verlieren; aufgebracht werden; ~se *con* s. überwerfen mit (*dat.*); *j-n* hart anfahren; ~se *en palabras* zu starke Worte gebrauchen; **~sición** *f* Zerlegung *f* (*a. Physiol.*, ⚗); Auflösung *f*; Zerrüttung *f*; Verzerrung *f*; *fig.* Zerwürfnis *n*; ⚗ Zersetzung *f*, Umsetzung *f*; ~ (*pútrida*) Fäulnis(zersetzung) *f*; (*en estado de*) ~ (in) Verwesung *f.*
descompostura *f* **1.** Unsauberkeit *f*; vernachlässigte(s) Äußere(s) *n*; **2.** Frechheit *f.*
descompresión *Phys. f* Dekompression *f.*
descompues|tamente *adv.* frech; **~to** *adj.* **1.** entzwei; zersetzt, (ver-)faul(t); **2.** *fig.* unordentlich; **3.** außer Fassung, verstört; verzerrt (*Gesicht*); *tener la salud* ~*a* nicht gesund sein; **4.** wild, zornig.
descomunal *adj. c* ungeheuer, riesig; außerordentlich; **~mente** *adv.*: *comer* ~ ungeheuer viel essen.
desconcen|tración ⚚ *f* Entflechtung *f*; **~trar** ⚚ *v/t.* entflechten.
desconcerta|do *adj.* **1.** verlegen, verblüfft; bestürzt, verwirrt; **2.** zerrüttet; **~dor** *adj.* verwirrend, beunruhigend; **~nte** *adj. c* verwirrend; verblüffend; **~r** [1k] **I.** *v/t.* **1.** in Unordnung bringen (*a. Mechanismus*); aus-, ver-renken; *fig. Absicht* durchkreuzen; **2.** *fig.* entzweien; zerrütten; **3.** *fig.* verwirren, aus der Fassung bringen; bestürzen; verblüffen, verlegen machen; **II.** *v/r.* ~se **4.** uneinig werden; s. trennen; **5.** s. den Magen verderben; **6.** *fig.* die Fassung verlieren; verblüfft sein.
desconcierto *m* **1.** Unordnung *f*; Störung *f*, Schaden *m*; **2.** Verwirrung *f*; Bestürzung *f*; **3.** Uneinigkeit *f*; Zerrüttung *f*; *estar en* ~ uneinig sein; **4.** ⚕ → *dislocación*; *diarrea.*
desconcha|do *m*, **~dura** *f* Δ abgebröckelte Stelle *f*; Abblättern *n*; **~rse** *v/r.* abblättern (*Wand, Decke*).
desco|nectable *adj. c* ab-, ausschaltbar; **~nectar** ⚡ *v/t.* ab-, ausschalten; → *a. desacoplar*; **~nexión** ⚡ *f* Abschaltung *f.*
desconfi|ado *adj.* mißtrauisch, argwöhnisch; (ver)zweifelnd (an *dat.* de); **~anza** *f* Mißtrauen *n*, Argwohn *m*; Zweifel *m*; Unglauben *m*; **~ar** [1c] *v/i.* mißtrauen (*dat.* de); zweifeln (an *dat.* de); kein Zutrauen haben (zu *dat.* de); ~ *de ponerse bien* nicht (mehr) an s-e Gesundung glauben.
desconformar I. *v/i.* verschiedener Meinung sein (in *dat.* en); **II.** *v/r.* ~se nicht übereinstimmen, s. widersprechen.
descongela|ción *f* Auftauen *n* (*Tiefkühlkost*); Abtauen *n* (*Kühlschrank*); Entfrosten *n* (*Scheiben*); ✈ Enteisen *n*; ⚚ Freigabe *f v. Konten usw.*; **~dor** *m* Enteiser *m*; Entfroster *m*; **~r** *v/t. Kost* auftauen; *Scheiben u. ä.* entfrosten; ✈ enteisen; *Kühlschrank* abtauen.
desconges|tión *f* Entlastung *f* (*bsd. Verkehr*); **~tionar** *v/t.* entstauen; *Verkehr* entlasten.
descono|cedor *adj.-su.*: ~ (de) unkundig (*gen.*); **~cer** [2d] *v/t.* **1.** nicht wissen; nicht kennen; **2.** nicht wiedererkennen; *le desconoces en este asunto* du kannst einfach nicht glauben, daß er so et. tut; **3.** nicht anerkennen; verkennen; *no* ~ *las ventajas* die Vorteile (wohl) zu schätzen wissen; **4.** *ein Werk usw.* verleugnen, nicht als s-s anerkennen; **5.** so tun, als wüßte man *et.* nicht; **~cido I.** *adj.* **1.** unbekannt; unerkannt; unkenntlich; verkannt; *completamente* ~ wildfremd; *ser* ~ unbekannt sein; *estar* ~ nicht wiederzuerkennen (*od.* ganz verändert) sein; **2.** undankbar, nicht erkenntlich (für *ac.* a); **II.** *m* **3.** *un* ~ ein Unbekannter; *un gran* ~ e-e (zu Unrecht) in Vergessenheit geratene Größe; **~cimiento** *m* **1.** Unkenntnis *f e-r Tatsache*; **2.** Undankbarkeit *f.*
desconsidera|ción *f* Mißachtung *f*; Rücksichtslosigkeit *f*; **~do** *adj.* unbedacht, unüberlegt; rücksichtslos.
descon|solación *f* → *desconsuelo*; **~solado** *adj.* trostlos; trübselig; *viuda f* ~*a* untröstliche Witwe *f*; **~solador** *adj.* hoffnungslos; jämmerlich; *noticia f* ~*a* Hiobsbotschaft *f*; **~solar** [1m] **I.** *v/t.* aufs tiefste betrüben; **II.** *v/r.* ~se untröstlich sein; **~suelo** *m* Trostlosigkeit *f*; tiefe Betrübnis *f.*
descontado *adj.*: *dar por* ~ als sicher annehmen; *quedar* ~ nicht in Frage kommen; *por* ~ selbstverständlich; ¡~! ausgeschlossen!
descontamina|ción *f* Entseuchung *f* (*bsd. Radioaktivität*); **~r** *v/t.* entseuchen.
descontar [1m] **I.** *v/t.* **1.** herabsetzen; *Summe* abziehen (von *dat.* de); ⚚ skontieren; ⚚ *Wechsel* diskontieren; **2.** *fig.* abstreichen, wegnehmen (von *dat. en*, de); *descontando que* ... abgesehen davon, daß ...; F *¡descuente usted!* da müssen Sie ein paar Abstriche machen; das ist zu dick aufgetragen; **II.** *v/r.* ~se **3.** s. verrechnen.
desconten|tadizo *adj.* wählerisch; mißvergnügt; **~tar** *v/t.* unzufrieden machen; mißfallen (*dat.*); **~to I.** *adj.* unzufrieden (mit *dat. con*, de); mißvergnügt; **II.** *m* Unzufriedenheit *f*; Mißvergnügen *n.*
descopar *v/t. Baum* die Krone absägen (*dat.*).
descorazona|do *adj.* entmutigt, verzagt; **~r I.** *v/t.* entmutigen; **II.** *v/r.* ~se den Mut verlieren.
descor|chador *m* Korkenzieher *m*; **~char** *v/t. Korkeiche* schälen; *Flasche* entkorken; *fig. Behälter* aufbrechen, *um zu stehlen*; **~che** *m* Abschälen *n der Korkeiche*; Entkorken *n.*
descor|ificar [1g] ⊕ *v/t.* entschlacken; **~nar** [1m] **I.** *v/t.* die Hörner abbrechen (*dat.*); **II.** *v/r.* ~se *fig.* F s. den Kopf zerbrechen.
desco|rrer I. *v/t. Vorhang* aufziehen; *Riegel* zurückschieben; *Weg* zurücklaufen; **II.** *v/i. u.* ~se *v/r.* ab-fließen, -laufen; **~rrimiento** *m* Abfluß *m*, Ablauf *m.*
descor|tés *adj.-su. c* unhöflich, grob; **~tesía** *f* Unhöflichkeit *f*, Ungezogenheit *f.*
descorteza|dor *m* Schälmesser *n*; Schäler *m*; **~dora** *f* ⊕ Entrindungsmaschine *f*; ⚒ *u. Haushalt*: Schälmaschine *f für Kartoffeln usw.*; **~dura** *f* Schälrinde *f*; **~miento** *m* Abschälen *n*; *a.* ⚕ Ausschälung *f*; **~r** [1f] *v/t.* entrinden, schälen; *fig.* abschleifen.
desco|ser I. *v/t.* **1.** *Naht, Kleidungsstück* auftrennen; *Heftklammern* entfernen von (*dat.*); *fig.* F *no* ~ *la boca* (*od. los labios*) nicht piep sagen F; **II.** *v/r.* ~se **2.** aufgehen (*Naht*); **3.** F s. verplappern; **4.** P einen streichen lassen F; **~sido I.** *adj.* **1.** aufgetrennt; **2.** *fig.* unzs.-hängend; *fig.* unordentlich; **3.**

schwatzhaft; **II.** *m* **4.** aufgetrennte Naht *f*; **5.** F *como un* ~ wie ein Wilder F; unmäßig; wie ein Wasserfall (*reden*); *reír como un* ~ schallend lachen.

descostillar *v/t.* die Rippen brechen (*dat.*).

descostrar *v/t.* entkrusten; den Schorf entfernen von (*dat.*).

descoyunta|miento *m* Verrenkung *f*; **~r** *v/t.* ver-, aus-renken; *fig.* plagen, belästigen; *Tatsachen usw.* verdrehen, entstellen.

descrédito *m* Mißkredit *m*, Verruf *m*; *caer en* ~ sein Ansehen verlieren; *ir en* ~ *de alg.* j-n in Verruf bringen.

descreído *adj.-su.* ungläubig (*a. Rel.*); mißtrauisch.

descremar *v/t. Milch* entrahmen.

describir (*part. descrito*) *v/t.* beschreiben (*a.* ⌖, *z. B. Kreis*); schildern, erzählen; *Kurve* ziehen.

descrip|ción *f* **1.** Beschreibung *f*; Schilderung *f*; Darstellung *f*; **2.** ⚖ Verzeichnis *n*; ~ *de una patente* Patentschrift *f*; **~tible** *adj. c* zu beschreiben(d); **~tivo** *adj.* beschreibend, 🕮 deskriptiv; *música f* ~*a* Programmusik *f*; **~to** *bsd. Am. part. zu describir*; **~tor** *m* Beschreiber *m*; Schilderer *m*.

descrismar I. *v/t.* **1.** *j-m* das Salböl abwischen; **2.** *fig.* F eins auf den Dassel geben (*dat.*) F; **II.** *v/r.* ~*se* **3.** *fig.* F s. abrackern; s. den Kopf zerbrechen; s. die Sohlen ablaufen (um zu + *inf. od.* um *ac. por*); **4.** F aus der Haut fahren, wütend werden.

descristianar *v/t.* → *descrismar*.

descrito *part. zu describir*.

descruzar [1f] *v/t.*: ~ *los brazos* die verschränkten Arme ausbreiten; ~ *las piernas* die übergeschlagenen Beine wieder vonea.-nehmen.

descua|jar I. *v/t.* **1.** *Geronnenes* auflösen; *fig.* den Wind aus den Segeln nehmen (*dat.*); den Mut nehmen (*dat.*); **2.** *Baum* entwurzeln; *Gestrüpp* beseitigen in (*dat.*); **II.** *v/r.* ~*se* **3.** F s. abplagen; **~jaringarse** [1h] F *v/r.* ermüden (*Glieder*); schlappmachen F; schwach werden *vor Lachen*; **~je, ~jo** *m* Roden *n*.

descuartiza|miento *m* Vierteilung *f b. Schlachten u. hist. Strafe*; *fig.* F Zerschlagen *n*; **~r** [1f] *v/t.* vierteilen; *fig.* F in Stücke schlagen; *estar* ~*ado* wie gerädert sein.

descubier|ta *f* **1.** ⚔ (Erkundungs-) Spitze *f*; **2.** † Entdeckung *f*; **3.** ⚓ Beobachtung *f* des Sonnenduchgangs am Horizont; **4.** *Kchk. ungedeckter* Obst- *od.* Marmelade-kuchen *m*; **~to I.** *adj.* **1.** unbedeckt; barhäuptig; wolkenlos (*Himmel*); **2.** offen, freiliegend; baumlos; *al* ~ unter freiem Himmel, im Freien; ⚒ über Tage; ⚔ ungedeckt, ohne Deckung; *a pecho* ~ ohne Schutz (-waffen); *fig.* todesmutig; *hablar al* ~ offen sprechen; *fig. poner al* ~ frei-, bloß-legen; **3.** (schutzlos) preisgegeben; *fig. quedar (en)* ~ s. nicht rechtfertigen können; **4.** ☤ (en) ~ überzogen (*Konto*); ungedeckt (*Scheck*); offen (*Rechnung*); *operación f al* ~ Blankogeschäft *n*; **II.** *m* **5.** ☤ ungedeckte Schuld *f*; Rückstand *m*.

descubri|dero *m* Aussichtspunkt *m*; **~dor** *m* Entdecker *m*; ⚔ Kundschafter *m*; ⚖ Finder *m*; **~miento** *m* Entdeckung *f*; Aufdeckung *f*; **~r** (*part. descubierto*) **I.** *v/t.* **1.** *Topf* aufdecken; *Denkmal* enthüllen; **2.** entdecken, erblicken, *a.* ⚓ sichten; **3.** *Unbekanntes* entdecken, finden; *Wahrheit* ermitteln; *Verborgenes* offenbaren; *Blößen* herausstellen; ⚔ entblößen, aufstöbern; *sein Herz* ausschütten; ~ *que* ... dahinterkommen, daß ...; **II.** *v/r.* ~*se* **4.** die Kopfbedeckung abnehmen; **5.** s. zeigen, an den Tag kommen; *fig.* sein Herz ausschütten, s. offenbaren (j-m *a od. con alg.*); **6.** s. blamieren.

descuello *m a. fig.* alles überragende Höhe *f*; Hochmut *m*.

descuento ☤ *m* **1.** Abzug *m*, Skonto *m*, *n*; ~ *por cantidad* Mengenrabatt *m*; ~ *por merma de peso* Gewichtsabzug *m*; ~ *por pago al contado* Kassen-skonto *m*, -rabatt *m*; *tienda f de* ~ Discount-laden *m*, -geschäft *n*; *sin* ~ ohne Abzug; *conceder un* ~ e-n Abzug gewähren, Skonto geben; **2.** *Bank*: Diskont *m*; Diskontierung *f*; *operaciones f/pl. de* ~ Diskontgeschäft *n*; *aumento m (reducción f) del (tipo de)* ~ Diskonterhöhung *f* (-senkung *f*).

descui|dado *adj.* **1.** nachlässig, liederlich (*ser*); fahrlässig, unachtsam; vernachlässigt (*estar*); *traje m* ~ *a.* saloppe Kleidung *f*; **2.** ahnungslos, unvorbereitet (*estar*); *coger* ~ überraschen; **~dar I.** *v/t.* **1.** vernachlässigen, versäumen; **II.** *v/i.* **2.** *¡descuide (usted)!* Seien Sie unbesorgt!, verlassen Sie s. darauf!; **III.** *v/r.* ~*se* **3.** nicht achtgeben; unvorsichtig sein; nachlässig sein; ~*se de (od. en) sus obligaciones* s-n Verpflichtungen schlecht nachkommen; **4.** s. vergessen, e-n Fehltritt tun.

descui|dero *m* Taschen-, Gelegenheits-dieb *m*; ~ (*de coches*) Automarder *m*; **~do** *m* **1.** Nachlässigkeit *f*; Fahrlässigkeit *f*; Unachtsamkeit *f*; Versehen *n*; *adv. al* ~ **a)** nachlässig; **b)** → *con* ~ *afectado* mit vorgetäuschter Sorglosigkeit, nonchalant F; *con* ~ achtlos, leichthin; *por* ~ versehentlich; aus Fahrlässigkeit; *Am. Reg. adv. en un* ~ unerwartet; **2.** Vergeßlichkeit *f*, Bummelei *f* F; **3.** Fehl-, Miß-griff *m*; Unhöflichkeit *f*; **~tado** *adj.* leichtsinnig, sorglos.

desde I. *prp.* **1.** *lokal*: von, von ... aus, aus (*alle mit dat.*); ~ *aquí* von hier aus; ~ *aquí hasta allí* von hier nach (*bzw.* bis) dort; ~ *arriba hacia abajo* von oben nach unten; ~ *lejos* von weitem; **2.** *temporal*: seit, von ... an (*beide dat.*); ~ *ahora (en adelante)* von nun an; ~ *aquel día* seit diesem Tag, von diesem Tage an; *¿~ cuándo?* seit wann?; ~ *entonces* seither; von da an; ~ *hace una semana* seit e-r Woche; **II.** *adv.* **3.** ~ *luego*, F *Am. Reg.* ~ *y* ~ selbstverständlich, natürlich; sogleich; *Rpl.* ~ *ya*, ~ *ahora* sofort; **III.** *cj.* **4.** ~ *que* seit; ~ *que te vi* seit ich dich gesehen habe; ~ *que vi que no llegaste* sobald ich sah, daß du nicht kamst; ~ *que podemos recordar* solange wir zurückdenken können; *Gal.* ~ *que* → *puesto que*.

desdecir [3p] **I.** *v/i.* abweichen (von *dat.* de), im Widerspruch stehen (zu *dat.* de); *esto desdice* das paßt nicht (zuea.); das fällt aus der Art; ~ *de sus padres* nicht nach s-n Eltern geraten, aus der Art schlagen; ~ *de su origen* s-n Ursprung verleugnen; **II.** *v/r.* ~*se (de) et.* widerrufen, *et.* zurücknehmen; ~*se de su promesa* sein Versprechen nicht halten.

desdén *m* Geringschätzung *f*, Verachtung *f*; Gleichgültigkeit *f*; *adv. con* ~ geringschätzig, verächtlich, von oben herab F; *al* ~ nachlässig.

desdentado *adj.* zahnlos.

desde|ñable *adj. c* verachtenswert; *nada* ~ recht ordentlich; **~ñador** *adj.* verächtlich; **~ñar I.** *v/t.* geringschätzen; verachten; verschmähen; **II.** *v/r.* ~*se de (hacer) algo* es für unter s-r Würde halten, et. zu tun; **~ñoso** *adj.* verächtlich, wegwerfend; hochmütig.

desdicha *f*, *a.* ~*s f/pl.* Unglück *n*; Elend *n*; F *poner a uno hecho una* ~ j-n schrecklich zurichten; j-n sehr beschmutzen; **~damente** *adv.* **1.** unglücklicherweise; **2.** elend; **~do I.** *adj.* **1.** unglücklich; erbärmlich; **2.** einfältig; **II.** *m* **3.** armer Teufel *m*, Pechvogel *m*; **4.** einfältiger Mensch *m*.

desdobla|ble ⚗ *adj. c* (auf)spaltbar; **~miento** *m* **1.** Entfalten *n*; Ausbreiten *n*; **2.** ⚗ (Auf-)Spaltung (in *ac.* en); **3.** ⊕ Aufbiegung *f*; **4.** *Biol.* Teilung *f*; **5.** ⚔ Entfaltung *f*; **6.** *Psych.* Spaltung *f*; **7.** *fig.* Darlegung *f*; **~r I.** *v/t.* **1.** entfalten, ausbreiten; **2.** ⊕ geradebiegen; aufbiegen; **3.** ⚗, *Physiol.*, *Psych.* spalten; *Biol.* teilen, verdoppeln; **II.** *v/r.* ~*se* **4.** *a. fig.* s. entfalten; **5.** *la barra no se desdobla* die Stange läßt s. nicht geradebiegen.

desdo|rar *v/t.* **1.** die Vergoldung entfernen von (*dat.*); **2.** *fig.* verunehren; **~ro** *m* Unehre *f*; Schimpf *m*, Schande *f*; Schandfleck *m*.

desea|ble *adj. c* wünschenswert; begrüßenswert; erwünscht; erstrebenswert; **~do** *adj.* erwünscht; ersehnt; *niño m* ~ Wunschkind *n*; *¡táchese lo no* ~*!* Nichtgewünschtes bitte streichen!; **~r** *v/t.* **1.** wünschen (j-m et. *a/c. a alg.*); **2.** wünschen, herbeiwünschen, ersehnen; *¡no hay más que* ~*!* Ihr Wunsch ist mir Befehl!, Sie brauchen (es) nur zu wünschen!; (*no*) *dejar (nada) que* ~ (nichts) zu wünschen übrig lassen; *ser de* ~ zu wünschen (*od.* wünschenswert) sein; F *me veo y me deseo* ich möchte es schrecklich gern (haben *usw.*); **3.** *tun* mögen; wollen; *deseo que venga en seguida* er soll sofort kommen.

deseca|ción *f* Trockenlegung *f* (*Sumpf*); Austrocknung *f*, Trocknen *n*; Dörren *n* (*Gemüse*); **~do** *bsd.* ⊕ *m* Trocknung *f*; **~dor** ⊕ *m* Trockner *m*, Exsikkator *m*; **~r** [1g] *v/t.* trocknen; ausdörren; trokkenlegen, entwässern; dörren; **~tivo** *bsd.* ⊕ *adj.* (aus)trocknend; → *secante*.

dese|char *v/t.* **1.** *Wertloses* wegwerfen; ⊕ zum Ausschuß werfen; *alte Kleider usw.* ablegen; **2.** *Randalierende* des Lokals verweisen; **3.** *Bergwerk* aufgeben; **4.** *Befürchtungen* von s. weisen; *Angebote, Stellungen* ausschlagen; *Mahnungen u. ä.* in den Wind schlagen; *Gedanken, Vorsätze, Vorschläge* verwerfen; s. hinwegsetzen über (*ac.*); ~ *algo del pensamiento* s. et. aus dem Kopf schlagen; **5.** *Riegel* zurückschieben; *Schlüssel* umdrehen *zum Öffnen*; **~cho** *m* **1.** Abfall *m*; Überbleibsel *n*; ⊕ Ausschuß *m*; Bruch *m*; Abfall *m*; ⚔ ausgemusterte Pferde *n/pl.* (*bzw.* Geräte *n/pl.*); de ~ ausgemustert; *Typ.* Makulatur...; **2.** ⚒ Abraum *m*; **3.** → *atajo*.

desellar *v/t.* entsiegeln.

desembala|dor *m* Auspacker *m*; Markthelfer *m*; **~je** *m* Auspacken *n*; **~r** *vt/i.* auspacken.

desembara|zadamente *adv.* zwanglos; **~zado** *adj.* **1.** ungehemmt, zwanglos; **2.** frei (*Weg, Raum*); geräumt (*Platz, Zimmer*); **~zar** [1f] **I.** *v/t. von e-m Hindernis, e-r Last* befreien, freimachen; (ab-, auf-, aus-)räumen; *Saal usw.* räumen; **II.** *v/i. Chi.* entbinden, gebären; **III.** *v/r.* ~se s. freimachen (von *dat.* de); ~se de s. *e-r Sache* entledigen; **~zo** *m* Wegräumen *n* von Hindernissen; *fig.* Ungezwungenheit *f*, Zwanglosigkeit *f*; Unbefangenheit *f*.

desembar|cadero *m* **1.** ⚓ Landungsplatz *m*; Landungsbrücke *f*; Dampfersteg *m*; Ausladestelle *f*, Löschplatz *m*; **2.** 🚂 Ankunftsbahnsteig *m*; **~car** [1g] **I.** *v/t.* **1.** ⚓ *Personen* ausschiffen; *Waren* ausladen, löschen; **II.** *v/i.* **2.** aussteigen; ⚓ landen; ⚓ an Land gehen; **3.** ⚓ abheuern; **4.** enden (*Treppe*); **5.** P entbinden; **III.** *v/r.* ~se **6.** an Land gehen; **~co** *m* **1.** Ausschiffung *f* (*Personen*); **2.** ⚔ Landung *f*; ~ *aéreo* Luftlandung *f*; **3.** Treppen-, Etagen-absatz *m*.

desembar|gar [1h] *v/t.* **1.** ⚖ *Beschlagnahmtes* freigeben; **2.** von Hindernissen befreien; **~go** ⚖ *m* Freigabe *f*, Aufhebung *f* der Beschlagnahme.

desembarque *m* ⚓ Ausladen *n*, Löschen *n* (*Waren*); Landung *f*; *derechos m/pl.* de ~ Löschgebühr *f*.

desembarrancar [1g] *v/t.* *Schiff* wieder flottmachen.

desemboca|dero *m* Flußmündung *f*; **~dura** *f* Mündung *f* (*Fluß, Rohr usw.*); ⊕ *a.* Auslauf *m*, Ende *n*; **~r** [1g] *v/i.* (ein)münden (in *ac.* en) (*Straße, Fluß*).

desembol|sar *v/t.* **1.** aus der Börse nehmen; **2.** *Geld* ausgeben *bzw.* auslegen; zurück-, aus-zahlen; † *Kapital* einzahlen; **~so** *m* Zahlung *f*; Ausgabe *f*, Auslage *f*; † Einzahlung *f* (*Kapital*); ~ *total* Volleinzahlung *f*.

desemboque *m* → *desembocadero*.

desemborrachar **I.** *v/t.* ernüchtern; **II.** *v/r.* ~se (wieder) nüchtern werden.

desembo|tar *v/t.* (wieder) scharf machen, schärfen; **~zar** [1f] **I.** *v/t. a. fig.* enthüllen; offenbaren; **II.** *v/r.* ~se sein (*fig.* sein wahres) Gesicht enthüllen.

desembra|gar [1h] ⊕ *vt/i.* ausrücken, *Kfz.* auskuppeln; **~gue** ⊕ *m* Ausrücken *n*, *Kfz.* Auskuppeln *n*.

desembriagar(se) [1h] *v/t.* (*v/r.*) → *desemborrachar(se)*.

desembro|llar F *v/t.* entwirren (*a. fig.*); **~zar** [1f] *v/t.* → *desbrozar*.

desembuchar *vt/i.* **1.** s. kröpfen (*Vogel*); **2.** *fig.* F auspacken; herausplatzen (mit *dat.*); *¡desembuche usted!* schießen Sie los! F.

desemeja|nte *adj. c* unähnlich, ungleich; verschieden; **~nza** *f* Unähnlichkeit *f*; **~r** **I.** *v/i.* unähnlich (*od.* anders) sein; **II.** *v/t.* entstellen.

desempa|car [1g] **I.** *v/t.* auspacken; **II.** *v/r.* ~se F s. beruhigen; **~chado** *adj.* zwanglos, ungezwungen; **~char** **I.** *v/t. den Magen* erleichtern; **II.** *v/r.* ~se *fig.* die Scheu ablegen, auftauen F; **~cho** *m fig.* Ungezwungenheit *f*; Dreistigkeit *f*; **~lagarse** [1h] F *v/r.* den süßlichen Geschmack *e-r Speise* herunterspülen, et. Herzhaftes hinterherschicken F.

desempa|ñar *v/t. beschlagene Fenster usw.* abwischen; *Kind* aus den Windeln nehmen; **~pelar** *v/t.* aus dem Papier auswickeln; Tapeten *von Wänden* herunterreißen; **~que** *m* Auspacken *n*; **~quetar** *v/t.* auspacken; **~rejar** *v/t.* → *desigualar, desparejar*.

desempa|tar *v/t.* **1.** *Sp. unentschieden gebliebenes Spiel* (*durch Punktwertung*) entscheiden (mit 2:1 *a* 2:1); **2.** *Pol.* ~ *los votos* bei Stimmengleichheit entscheiden; **~te** *m* Stichentscheid *m*, „Rittern" *n*.

desempedrar [1k] *v/t.* das Pflaster *e-r Straße usw.* aufreißen; F ~ *la(s) calle(s)* die Beine unter die Arme nehmen.

desempe|ñar **I.** *v/t.* **1.** *Pfand, Schuldner* auslösen; *fig.* ~ *a alg. de una situación difícil* j-n aus e-r schwierigen Lage heraushauen; **2.** *Pflicht* erfüllen; *Auftrag* erledigen, ausführen; *Amt* versehen, ausüben; **3.** *Thea. u. fig. e-e Rolle* spielen; **II.** *v/r.* ~se **4.** F ~se *bien* s. gut schlagen, s. aus der Schlinge ziehen; **~ño** *m* **1.** Einlösen *n e-s Pfandes*; Auslösung *f e-s Schuldners*; Schuldentilgung *f*; *fig.* Befreiung *f*; **2.** Erledigung *f e-s Auftrages*; Erfüllung *f e-r* Pflicht; *en el ~ de sus funciones* in Ausübung s-s Amtes; **3.** *Thea.* Spiel *n e-r Rolle*.

desem|pleados *m/pl.* Arbeitslose(n) *m/pl.*; **~pleo** *m* Arbeitslosigkeit *f*; *seguro m de ~* Arbeitslosenversicherung *f*; **~polv(or)ar** *v/t.* ent-, abstauben.

desenamorar **I.** *v/t. j-m* Abneigung einflößen; **II.** *v/r.* ~se de *a/c.* e-r Sache überdrüssig werden.

desencadena|miento *m* Entfesselung *f*; **~r** **I.** *v/t.* losketten; *fig.* entfesseln; **II.** *v/r.* ~se *fig.* losbrechen, wüten.

desenca|jado *adj.* ⊕ ausgerastet; *a.* ⚕ verrenkt; *fig.* verzerrt; **~jamiento** *m a.* ⚕ Verrenkung *f*, Verzerrung *f*; ⊕ Ausrasten *n*; **~jar** **I.** *v/t.* ⚕ verrenken, verzerren; ⊕ aus den Fugen reißen; ausrasten; **II.** *v/r.* ~se aus den Fugen gehen; ausrasten (*v/i.*); *fig.* s. verzerren (*Gesicht*); s. (schreckhaft) weiten (*Augen*); außer Fassung geraten; **~je** *bsd.* ⊕ *m* Ausrasten *n*; Aus-den-Fugen-Gehen *n*.

desenca|lante *m* Kalklöser *m*; **~llar** **I.** *v/t. aufgelaufenes Schiff* flottmachen; **II.** *v/i. u.* ~se *v/r. vom Grund* los-, frei-kommen.

desencaminar → *descaminar*.

desencan|tar *v/t.* entzaubern; *fig.* enttäuschen; ernüchtern; **~to** *m* Entzauberung *f*; *fig.* Ernüchterung; Enttäuschung *f*.

desenca|potar **I.** *v/t. j-m* den Umhang abnehmen; *fig.* F aufdecken; **II.** *v/r.* ~se *fig.* s. aufhellen (*Wetter, Stimmung*); **~prichar** **I.** *v/t.* zur Vernunft bringen; **II.** *v/r.* ~se vernünftig werden.

desencarcelar *v/t.* → *excarcelar*.

desencarecer [2d] **I.** *v/t.* verbilligen; **II.** *v/r.* ~se billiger werden.

desencargar [1h] † *v/t.* abbestellen.

desencastillar *v/t.* ver-, aus-treiben; *Geheimnis* aufdecken.

desencla|var *v/t.* ⊕ losnageln; ausklinken, -lösen; **~vijar** *v/t.* **1.** ♪ die Wirbel *e-s Saiteninstruments* herausziehen; **2.** *fig.* weg-, ausea.-reißen; fortstoßen.

desenco|ger [2c] **I.** *v/t.* strecken, ausea.-breiten; **II.** *v/r.* ~se die Beine (aus)strecken; *fig.* auftauen F; **~gimiento** *m fig.* Keckheit *f*, Dreistigkeit *f*.

desencolar **I.** *v/t. Geleimtes* ablösen; **II.** *v/r.* ~se aus dem Leim gehen.

desenco|nar **I.** *v/t. Entzündung* kühlen; *fig.* beschwichtigen; **II.** *v/r.* ~se *fig.* ruhig werden, abkühlen; **~no** *m* Beschwichtigung *f*.

desencordar [1m] ♪ *v/t.* die Saiten abnehmen (*dat. od.* von *dat.*).

desencuadernar **I.** *v/t. Bücher* losheften; *Einband* ausea.-nehmen; **II.** *v/r.* ~se aus dem Einband gehen (*Buch, Heft*).

desen|chufar ⚡ *v/t.* den Stecker *e-s Geräts* herausziehen; **~diosar** *v/t.* entgöttern; *fig.* vom hohen Pferd herabstoßen.

desenfa|dado *adj.* **1.** ungezwungen; dreist, ungeniert; heiter; **2.** geräumig, luftig (*Raum*); **~dar** *v/t.* beschwichtigen; aufheitern; **~do** *m* Ungezwungenheit *f*; Unverschämtheit *f*.

desenfard(el)ar *v/t.* *Warenbündel* aufschnüren.

desen|filar ⚔, *bsd.* ⚓ *v/t.* decken; **~focado** *Opt., Phot. adj.* unscharf (*Einstellung*); **~focar** [1g] *v/t. Opt.* unscharf einstellen; *fig.* unter falschen Gesichtspunkten betrachten; **~foque** *m Opt.* Unschärfe *f*; falsche Einstellung *f* (*a. fig.*); *fig.* falscher Gesichtspunkt *m*.

desenfre|nado *adj.* zügellos, hemmungslos, ausschweifend; **~nar** **I.** *v/t.* **1.** *Equ.* abzäumen; **II.** *v/r.* ~se **2.** zügellos leben; **3.** aus-, los-brechen, wüten (*Unwetter, Krieg*); **~no** *m* Zügellosigkeit *f*; Ungestüm *n*; P Durchfall *m*.

desen|friar [1c] *v/t.* anwärmen; **~fundar** *v/t.* den Überzug ziehen von (*dat.*).

desengan|char *v/t.* aus-, los-haken; *Kfz.* abhängen; *Pferde* ausspannen;

~che *m* ⊕ Auslösen *n*; Ausrücken *n*; *Kfz.* Abhängen *n*; *Pol.* Ausea.-rücken *n* der (feindlichen) Machtblöcke.

desenga|ñado *adj.* enttäuscht; ernüchtert; **~ñar I.** *v/t.* enttäuschen; ernüchtern; *j-m* die Augen öffnen (über *ac.* de); **II.** *v/r.* ~se e-e Enttäuschung erleben; ~*se de sus ilusiones* aus s-n Illusionen erwachen; *¡desengáñate!* sieh es (doch endlich) ein!, laß dich e-s Besseren belehren!; **~ño** *m* Enttäuschung *f*; Ernüchterung *f*.

desen|garzar [1f] **1.** *Perlen* ausfädeln; **2.** → **~gastar** *v/t. Edelsteine usw.* aus der Fassung nehmen.

desengra|sado ⊕, **~samiento** *bsd.* ⚗, *Physiol. m* Entfettung *f*; **~sar I.** *v/t.* **1.** entfetten; *Kchk.* ausbraten; **2.** ⊕ entfetten; entölen; *Wolle* entschweißen; **II.** *v/i.* **3.** F scharfe Sachen *zu fetten Speisen* essen; **~se** ⊕, ⚗ *m* Entfettung *f*.

desen|hebrar *v/t. Nadel* ausfädeln; **~jaezar** [1f] *v/t. Pferd* abschirren; **~jaular** *v/t.* aus dem Käfig lassen.

desenla|ce *m* Lösung *f*; *fig.* Ausgang *m* (*Drama usw.*); *fig.* ~ *funesto* Tod *m*; ~ *fatal* bitteres Ende *n*; **~zar** [1f] **I.** *v/t.* losbinden, aufschnüren; *fig.* lösen; **II.** *v/r.* ~se ausgehen (*Drama u. fig.*).

desenlodar *v/t.* von Schlamm (*od.* Schmutz) säubern.

desenmascara|damente *adv.* offen; **~r I.** *v/t. j-m* die Maske vom Gesicht nehmen (*fig.* reißen); *et.* aufdecken; **II.** *v/r.* ~se die Maske abnehmen (*fig.* fallen lassen).

deseno|jar *v/t.* besänftigen; beruhigen; **~jo** *m* Besänftigung *f*; Beruhigung *f*.

desenre|dar I. *v/t. Haare* durchkämmen; *fig.* entwirren; Ordnung bringen in (*ac.*); **II.** *v/r.* ~se *fig.* herauskommen *aus e-r Schwierigkeit*; **~do** *m a. fig.* Entwirrung *f*.

desen|rollar I. *v/t.* ab-, auf-wickeln; abspulen; entrollen; **II.** *v/r.* ~se s. abspulen (*Band, Film*); **~roscar** [1g] *v/t. Gewinde* auf-drehen, -schrauben; *Deckel usw.* abschrauben.

desensibilizar [1f] *Phot. v/t.* lichtunempfindlich machen.

desensillar *Equ. v/t.* absatteln.

desenten|derse [2g] *v/r.* **1.** ~ (de) so tun, als ob man (von *et. dat.*) nichts wüßte; **2.** s. fernhalten (von *dat.* de); kein Interesse (mehr) haben (an *dat.* de); **~dido** *adj.*: *hacerse el* ~ s. unwissend stellen; so tun, als ob es einen nichts anginge *bzw.* als ob man nichts merkte.

desenterra|miento *m* Ausgrabung *f*; Ausgraben *n*; **~r** [1k] *v/t. a. fig.* ausgraben; *Schatz* heben; *fig.* der Vergessenheit entreißen; *Vergangenes* aufwärmen F.

desentoldar *v/t.* das Sonnensegel wegnehmen von (*dat.*).

desento|nadamente *adv.* mißtönig; **~nar I.** *v/t.* demütigen, dukken F; **II.** *v/i.* ♪ unrein klingen; *fig.* störend wirken; ~ *con* überhaupt nicht passen zu (*dat.*); **III.** *v/r.* ~se s. im Ton vergreifen, ausfallend werden; **~no** *m* Mißton *m* (*a. fig.*); Ungehörigkeit *f*.

desentorpecer [2d] *v/t. Glieder* wieder beweglich machen; *fig.* F *j-m* Schliff (*bzw.* Wissen) beibringen.

desentrampar F **I.** *v/t.* von Schulden freimachen; **II.** *v/r.* ~se aus den Schulden herauskommen; ~*ado* schuldenfrei.

desentrañar I. *v/t.* **1.** *Tier* ausweiden; die Eingeweide herausreißen (*dat.*); **2.** *fig.* ergründen, herausbringen; **II.** *v/r.* ~se **3.** s. selbst verleugnen, sein Letztes hergeben.

desentrena|do *adj.* aus der Übung gekommen; **~miento** *m* mangelndes Training *n*.

desentumecerse [2d] *v/r. abs.* s. Bewegung machen; ~ *las piernas* s. die Beine vertreten.

desenvainar *vt/i.* **1.** *Degen* ziehen, zücken (*v/t.*); blankziehen (*v/i.*); *Krallen* zeigen; **2.** *fig.* herausrücken (mit *dat.*); *a. fig.* vom Leder ziehen.

desen|voltura *f* Ungezwungenheit *f*; Unbefangenheit *f*; *desp.* Frechheit *f*; **~volver** [2h; *part. desenvuelto*] **I.** *v/t.* **1.** ent-, los-, auf-, auswickeln; auspacken; abwickeln; entfalten; ⚔ entwickeln; aufrollen (*a. fig.*); **2.** *fig.* darlegen, erklären; untersuchen; **II.** *v/r.* ~se **3.** s. entwickeln (*a.* ✝, ⚔); **~volvimiento** *m* **1.** Entwicklung *f* (*a.* ⚔); Ab-, Verlauf *m*; *a.* ⚔ Entfaltung *f*; Weiterentwicklung *f*; **2.** Darlegung *f*; **3.** Entwirrung *f*, (Neu-)Ordnung *f*; **~vuelto** *adj.* ungezwungen, unbefangen, frei; dreist, keck.

deseo *m* **1.** Wunsch *m*; Verlangen *n*, Begehren *n*; Bestreben *n*; Drang *m*; Sehnen *n*; ~ *ardiente* größter (*od.* brennender) Wunsch; ~ *de comer* Eßlust *f*; ~ *íntimo* (*legítimo*) inniger (berechtigter) Wunsch *m*; ~ *de orinar* Harndrang *m*; ~ *de saber* Wissens-drang *m*, -durst *m*; *a medida del* ~ nach Herzenslust; *lit. venir en* ~(s) *de a/c.* et. begehren; (s.) et. wünschen; **2.** ✝ *adv. a* ~ auf Wunsch; *conforme a los* ~s (*de alg.*) wunschgemäß, nach Wunsch; **~so** *adj.*: ~ (de) begierig (nach *dat.*); in dem Wunsch (nach *dat.*), von dem Wunsche beseelt(, zu + *inf.*); ~ *de decírselo* in der Absicht, es ihm zu sagen.

desequili|brado *adj. fig.* unvernünftig; halbverrückt; **~brar I.** *v/t.* aus dem Gleichgewicht bringen; **II.** *v/r.* ~se aus dem Gleichgewicht geraten (*a. fig.*); **~brio** *m* **1.** Gleichgewichtsstörung *f*; ⊕ Unwucht *f*; *a. Phys. usw.* Ungleichgewicht *n*; **2.** ~ (*mental*) Geistesverwirrung *f*.

deser|ción *f* Abfall *m*, Untreue *f*; ⚔ Fahnenflucht *f*; ⚖ Verzichtleistung *f auf ein eingelegtes Rechtsmittel*; **~tar** *v/i.* **1.** desertieren, fahnenflüchtig werden; überlaufen *zum Gegner, ins feindliche Lager*; ~ de abtrünnig werden (*dat.*); ~ *del trabajo* den Arbeitsplatz böswillig verlassen; **2.** ⚖ auf ein eingelegtes Rechtsmittel verzichten; **3.** *fig.* F ~ *de los cafés* s. in den Cafés nicht mehr blicken lassen.

desértico *adj.* wüstenartig, Wüsten...

desertor *m* Fahnenflüchtige(r) *m*, Deserteur *m*; Abtrünnige(r) *m*; Arbeitsverweigerer *m*.

deservicio ✝ *m* schlechter Dienst *m*.

desescala|da *Pol. f* Deeskalation *f*; **~r** *vt/i.* deeskalieren.

desescombro *m* Trümmerbeseitigung *f*; Aufräumungsarbeit(en) *f*(/*pl.*).

desespe|ración *f* Verzweiflung *f*; Trostlosigkeit *f*; es *una* ~ es ist zum Verzweifeln; **~rado I.** *adj.* hoffnungslos; verzweifelt; *estar ya* ~ (schon) aufgegeben sein (*Kranker*); ~ de verzweifelnd an (*dat.*); *adv. a la* ~*a* in letzter Verzweiflung, verzweifelt; **II.** *m fig.* Desperado *m*; Bandit *m*; *correr como un* ~ wie verrückt laufen; **~rante** *adj. c* entmutigend; zum Verzweifeln; **~ranza** *f* → *desesperación*; **~ranzado de** → *desesperado de*; **~ranzar** [1f] *v/t. j-n* mutlos machen; *j-m* jede Hoffnung nehmen; **~rar I.** *v/t.* zur Verzweiflung bringen; **II.** *v/i.* verzweifeln (an *dat.* de); *el médico desespera de salvarle* der Arzt hat k-e Hoffnung, ihn zu retten; **III.** *v/r.* ~se verzweifeln; in Verzweiflung geraten.

desestima|(ción) *f* Verachtung *f*; Geringschätzung *f*; **~r** *v/t.* **1.** verachten; geringschätzen; **2.** *Verw. Gesuch* ablehnen, abschlägig bescheiden.

desfacedor † *u. iron.* F: ~ *de entuertos* Weltverbesserer *m* F.

desfacha|(ta)do F *adj.* frech, unverschämt; **~tez** F *f* (*pl.* ~eces) Unverschämtheit *f*, Unverfrorenheit *f*.

desfal|car [1g] *v/t.* **1.** *Gelder* hinterziehen; unterschlagen; **2.** *fig. Freundschaft usw.* rauben; **~co** *m* Unterschlagung *f*; Hinterziehung *f*; Kassenmanko *n*.

desfalle|cer [2d] **I.** *v/t.* schwächen; **II.** *v/i.* ohnmächtig werden; nachlassen; ermatten; ~ *de ánimo* den Mut verlieren; *me siento* ~ mir wird übel; mir schwinden die Kräfte; *adv. sin* ~ unermüdlich, mit zähem Durchhalten; **~cimiento** *m* Ohnmacht *f*; Schwäche *f*; Mutlosigkeit *f*.

desfa|sado *adj. TV* unscharf (*Bild*); *fig.* zeitfremd; überholt; *fig.* gestört, unregelmäßig (*Ablauf, Gleichgewicht*); **~s(aj)e** *m Phys.*, ⊕ Phasenverschiebung *f*; *neol. fig.* mangelnde Abstimmung *f*; (ungünstige) Verschiebung *f*.

desfavo|rable *adj. c* ungünstig; nachteilig; abfällig; **~rablemente** *adv.*: *influir* ~ *en* (*od. sobre*) e-n ungünstigen Einfluß haben auf (*ac.*); **~recer** [2d] *v/t.* **1.** *j-m* die Gunst entziehen; **2.** *j-m* nicht gut stehen, *j-n* nicht kleiden (*Frisur, Kleidung*); *fig.* ~*ido de la naturaleza* von der Natur stiefmütterlich behandelt.

desfibra|dora ⊕ *f* Zerfaserer *m* (*Holz*); Reißwolf *m* (*Lumpen*); **~r** *v/t. Zuckerrohr, Holz* zerfasern; *Stoff* zerreißen.

desfigura|ción *f* Entstellung *f*; Verzerrung *f* (*a. Rf.*, ⊕); **~r I.** *v/t.* entstellen; verzerren; verunstalten; unkenntlich machen; *Text* verstümmeln; **II.** *v/r.* ~se das Gesicht verzerren; aus der Fassung geraten (*vor Wut u. ä.*).

desfi|ladero *m* Engpaß *m*; Hohlweg *m*; **~lar** *v/i.* vorbeimarschieren; in Reih u. Glied vorüberziehen; *marchar a la ~ada* im Gänsemarsch gehen; **~le** *m* **1.** ⚔ Parade *f*; *~ naval* Flottenparade *f*; **2.** (Um-)Zug *m*; *Pol.* Vorbeimarsch *m*; *~ de modelos* Mode(n)schau *f*.

desflecar [1g] *v/t.* aus-, zer-fransen; *Cu.* auspeitschen.

desflo|ración *f* **1.** Verblühen *n*; **2.** ⚕, ⚖ Defloration *f*; **~rar** *v/t.* **1.** entjungfern, ⚖ deflorieren; entehren; *fig. e-r Sache* den Reiz der Neuheit nehmen; **2.** *e-e Angelegenheit* streifen; **~recer** [2d] *v/i.* verblühen.

desfogar [1h] **I.** *v/i.* **1.** ⚓ s. in Regen auflösen (*Wolke, Sturm*); **II.** *v/t.* **2.** *Kalk* löschen; **3.** *~ su mal humor en* (*od. con*) s-e schlechte Laune auslassen an (*dat.*); **III.** *v/r.* *~se* **4.** s. austoben (*a. fig.*); *~se en alg.* s-e Wut an j-m auslassen.

desfon|dar *v/t.* **1.** *e-m Faß* den Boden ausschlagen; *Schiff* in den Grund bohren; **2.** ⚒ rigolen; **~de** *m* **1.** ⚒ Rigolen *n*; **2.** ⊕ (Erd-)Ausschachtung *f*.

desgaire *m* zur Schau getragene Nachlässigkeit *f*, Nonchalance *f*; *adv. al ~* (betont) nachlässig.

desga|jar I. *v/t. Ast* abbrechen; *Papier* abreißen; *fig.* zer-brechen, -trümmern, -schlagen; **II.** *v/r.* *~se* losbrechen (*Regen*); s. losreißen (von *dat.* de); **~je** *m* Abbrechen *n e-s Astes*; Losreißen *n*.

desgalichado F *adj.* ungepflegt, schlampig F; abgerissen.

desga|na *f* Appetitlosigkeit *f*; Unlust *f*; Ekel *m*; *adv. a ~* widerwillig, ungern; **~nado** *adj.* appetitlos; *estar ~* k-n Appetit haben; *fig.* lustlos sein, k-e Lust mehr haben; **~nar I.** *v/t. j-m* die Lust (*bzw.* Eßlust) vertreiben; **II.** *v/r.* *~se* die Lust (*bzw.* den Appetit) verlieren.

desgañi|farse, ~tarse F *v/r.* s. die Seele aus dem Leib schreien F.

desgarbado *adj.* **1.** anmutlos; ungehobelt, tölpelhaft; plump; **2.** unansehnlich, schlacksig.

desgargantarse F *v/r.* s. heiser schreien.

desga|rrado *adj.* **1.** frech, unverschämt, schamlos; **2.** verarbeitet (*Hände*); **~rrador** *adj. fig.* herzzerreißend; **~rramiento** *m* → *desgarro*; **~rrar I.** *v/t.* zerfetzen; zerreißen (*a. fig.*); *Seele* abdrücken; **II.** *v/r.* *~se* (zer)reißen; s. aufspalten, aufklaffen; **~rro** *m* **1.** Riß *m* (*a.* ⚕), Einriß *m*; Bruch *m*; **2.** *fig.* Frechheit *f*; Prahlerei *f*; **~rrón** *m* Riß *m*; Fetzen *m*.

desgasificar [1g] ⚗ *v/t.* entgasen.

desgas|tado *adj.* abgenützt, verschlissen, abgetragen; *fig.* verbraucht; **~tar I.** *v/t.* **1.** abnützen; verschleißen (*a.* ⊕); *Waffe* leerschießen; *~ andando Schuhe* ablaufen, abtreten; **2.** *fig.* zermürben, aufreiben; *Kräfte* verbrauchen, verschleißen; **II.** *v/r.* *~se* **3.** verschleißen, s. abnutzen; auslaufen (*Lager*); **~te** *m* **1.** Abnutzung *f*, Verschleiß *m*; *~ de energía(s)* Kraftverschleiß *m*; ⊕ *a.* Kraftaufwand *m*; **2.** *fig.* Zermürbung *f*, Verbrauch *m*; ⚔ *u. fig. táctica f de ~* Zermürbungstaktik *f*.

desglo|sar *v/t.* **1.** Seiten aus *e-m Aktenstück usw.* herausnehmen; **2.** ☤ *Kosten, Statistik usw.* aufschlüsseln; **~se** *m* **1.** Ausradieren *n* von Glossen *od.* Anmerkungen; *hacer un ~* Auszüge (*od.* Exzerpte) machen; **2.** ☤ Aufschlüsselung *f* (*Kosten, Statistik*).

desgo|bernado *adj.* unordentlich; unbeherrscht (*Betragen*); **~bernar** [1k] *v/t.* **1.** in Unordnung bringen; herunterwirtschaften; ⚓ schlecht führen (*od.* steuern); *fig. a. Pol.* schlecht führen (*od.* verwalten); **2.** *Knochen* ausrenken; **~bierno** *m* **1.** Mißwirtschaft *f*; Unordnung *f*; **2.** Unbeherrschtheit *f*; Zuchtlosigkeit *f*.

desgolletar I. *v/t. e-r Flasche u. ä.* den Hals abschlagen; **II.** *v/r.* *~se* den Hals freimachen.

desgoznar I. *v/t. Tür* aus den Angeln heben; **II.** *v/r.* *~se fig.* s. verrenken (*Tanzbewegung*).

desgracia *f* **1.** Unglück *n*; Unheil *n*; Mißgeschick *n*; Unfall *m*; *adv. por ~* leider, unglücklicherweise; *Vkw. ~s f/pl. personales* Personenschaden *m*; *sin ~* glücklich (*verlaufen*); *¡qué ~!* welch ein Unglück!; so ein Pech! F; **2.** Ungnade *f*; *caer en ~* in Ungnade fallen; **3.** Unbeholfenheit *f*; **~damente** *adv.* leider, unglücklicherweise; **~do I.** *adj.* **1.** unglücklich; unbeholfen; *fig. a.* arm(-selig); *estar ~* Pech haben; **II.** *m* **2.** unglücklicher Mensch *m*; Pechvogel *m*, armer Teufel *m*; **3.** *Ec., Guat., Méj., Pe., Rpl.* Hurensohn *m* (*schwere Beleidigung*); **~r** [1b] **I.** *v/t.* **1.** *j-m* mißfallen; *j-n* verdrießlich machen; **2.** ins Unglück stürzen; **II.** *v/r.* *~se* **3.** in die Brüche gehen (*Unternehmen, Freundschaft*); ausea.-kommen (*Freunde*); in Ungnade fallen; **4.** verunglücken, umkommen; *Chi.* Hand an s. legen.

desgra|nado *m* Entkörnen *n der Baumwolle usw.*; **~nar I.** *v/t. Baumwolle, Mais usw.* auskörnen; *Trauben* abbeeren, *Schotenfrüchte* ausschalen; *Flachs* riffeln; *kath. ~ las cuentas del rosario* den Rosenkranz abbeten; *fig. ~ imprecaciones* (*alabanzas*) mit Flüchen (Lobsprüchen) um s. werfen; **II.** *v/r.* *~se* ausfallen (*Getreide*); **~ne** *m* Auskörnen *n*; Abbeeren *n*.

desgrasar *v/t.* entfetten; *Wolle* entschweißen.

desgrava|ción *f* Entlastung *f*; *~ones f/pl. fiscales* Steuererleichterungen *f/pl.*; **~r** ⚖, *Verw. v/t.* entlasten; erleichtern.

desgreña|do *adj.* mit wirrem Haar, struppig; **~r I.** *v/t. Haare* zerzausen; **II.** *v/r.* *~se fig.* s. streiten, mitea. raufen.

desguace *m* Ausschlachten *n*; Abwracken *n e-s Schiffes*; *allg.* Verschrotten *n*; *para ~* schrottreif.

desguarnecer [2d] *v/t. von e-m Kleid* den Besatz, *von e-r Tür usw.* die Beschläge abnehmen; *Festung* entblößen; *Pferd* abschirren.

desguaza|miento *m* → *desguace*; **~r** [1f] *v/t.* **1.** ⊕ behauen; abhobeln; **2.** ⚓ abwracken, ausschlachten; *allg.* verschrotten.

desguin|ce *m* → *esguince 1*; **~zadora** ⊕ *f* Reißwolf *m*; **~zar** [1f] ⊕ *v/t. Hadern* zerreißen (*Papierherstellung*).

deshabillé *gal. m* Déshabillé *n*; Morgenrock *m*.

deshabi|tado *adj.* unbewohnt; **~tar** *v/t. Ort, Wohnung* verlassen; *Land* entvölkern; **~tuación** *f* Abgewöhnung *f*; **~tuar** [1e] **I.** *v/t.*: *~ a uno de a/c.* j-m et. abgewöhnen; **II.** *v/r.* *~se*: *ya se ha ~ado* er hat es s. schon abgewöhnt.

deshacer [2s] **I.** *v/t.* **1.** ausea.-nehmen; abbauen; zerlegen; zerteilen, zerstückeln; abreißen; aufbinden, aufmachen; *Gepäck* auspacken; (auf)lösen (in *dat.* en) **2.** ⚔ aufreiben, vernichten(d schlagen); *fig. ser el que hace y deshace* die erste Geige spielen, das große Wort führen; **3.** *Vertrag, Versprechen* rückgängig machen; *Versehen* wieder gutmachen; **II.** *v/r.* *~se* **4.** ausea.-, entzwei-gehen; zerbrechen; s. auflösen; aufgehen (*Naht, Knoten*); **5.** *~se de* s. freimachen von (*dat.*); *~se de* s. *j-s* (*e-r Sache*) entledigen; *Ware* abstoßen (*ac.*); *Rock* ablegen (*ac.*); **6.** *~se en cumplidos* s. in Komplimenten ergehen; *~se en elogios* überschwengliche Lobreden halten; *~se en insultos* wüst schimpfen; *~se en llanto* in Tränen zerfließen; *~se de impaciencia* vor Ungeduld vergehen; *~se por + inf.* alle Hebel in Bewegung setzen, um zu + *inf.* [gerissen.]

desharrapado *adj.* zerlumpt, abgerissen.

deshe|billar *v/t.* auf-, los-schnallen; **~brar** *v/t.* aus-fasern, -zupfen.

deshecho I. *part. zu deshacer*; **II.** *adj.* **1.** entzwei, *a. fig.* kaputt F; F *estoy ~* ich bin total erledigt F; *está ~ esperándola* er wartet mit brennender Ungeduld auf sie; **2.** heftig, gewaltig; strömend (*Regen*); F, *oft iron. tener suerte ~a* ein Mordsglück haben F.

deshelar [1k] **I.** *v/t.* auftauen; **II.** *v/r.* *~se* (auf)tauen (*v/i.*); **III.** *v/impers.*: *deshiela* es taut.

desherbar [1k] ⚒ *v/t.* ausjäten; abgrasen.

deshereda|ción *f* Enterbung *f*; **~do** *adj.-su.* enterbt; arm; *m* Enterbte(r) *m*; *fig.* Ausgestoßene(r) *m*, Paria *m*; **~miento** *m* Enterbung *f*; Verstoßung *f*; **~r I.** *v/t.* enterben; verstoßen; **II.** *v/r.* *~se fig.* s. *durch sein Handeln* selbst aus der Familie ausschließen.

desherrar [1k] *v/t.* die Eisen (*od.* Fesseln *bzw.* die Hufeisen) abnehmen (*dat.*).

desherrumbrar *v/t.* den Rost entfernen (*bzw.* abklopfen) von (*dat.*).

deshice *perf. zu deshacer*.

deshidrata|ción ⚗, ⚕ *f* Wasserentzug *m*; **~nte** *adj. c.-su. m* wasserentziehend(es Mittel *n*); **~r** *v/t.* das Wasser entziehen (*dat.*).

deshidrogenar *v/t.* dehydrieren, den Wasserstoff entziehen (*dat.*).

deshielo *m* Auftauen *n*; Tauen *n*; Eisgang *m*; *a. Pol.* Tauwetter *n*.

deshilachar I. *v/t.* ausfasern (*a. tex.*); auszupfen; zerfransen; **II.** *v/r.* *~se* ausfasern; fadenscheinig werden.

deshila|do *m* durchbrochene Arbeit *f*, Lochstickerei *f*; **~r** *v/t.* **1.**

ausfransen; Fäden ziehen aus (*dat.*); **2.** ⚘ *Bienenstock* teilen; **3.** *Fleisch* zerschnitzeln; *Holz* fein aufsplei-ßen. [sinnlos.]
deshilvanado *adj.* zs.-hanglos;
deshincha|r I. *v/t.* zum Abschwellen bringen; *Luftballon* entleeren; **II.** *v/r.* ~se abschwellen; *fig.* klein u. häßlich werden, klein beigeben; **~zón** *f* Abschwellung *f.*
deshipotecar [1g] *v/t.*: ~ *una casa* die auf e-m Haus lastende Hypothek löschen.
desho|jar I. *v/t.* ab-, ent-blättern, entlauben; *Blütenblätter* auszupfen; *Kalenderblatt* abreißen; **II.** *v/r.* ~se die Blätter (*od.* das Laub) verlieren, kahl werden; **~je** *m* Entlaubung *f*; Laubfall *m.*
deshollina|dera *f* Schornsteinfegerbesen *m*; Kratzeisen *n*; **~dor** *m* **1.** Schornsteinfeger *m*, Kaminkehrer *m*; **2.** Kaminkehrerbesen *m*; **3.** Entrußungsmittel *n*; **4.** *fig.* F Schnüffler *m*; **~r** *v/t.* *Schornstein* fegen; *a.* ⊕ entrußen; *fig.* F herumschnüffeln in (*dat.*).
deshones|tidad *f* Unehrbarkeit *f*; Unkeuschheit *f*; Unzucht *f*; **~to** *adj.* anstößig, unanständig; unkeusch; ⚖ *actos m/pl.* ~s unzüch-
f, Schmach *f.*
deshonor *m* Entehrung *f*; Schande
tige Handlungen *f/pl.*
deshon|ra *f* Unehre *f*; Schande *f*; Entehrung *f*, Ehrverlust *m*; **~rado** *adj.* entehrt; **~rante** *adj. c* ehrverletzend, ehrenrührig; **~rar** *v/t.* entehren; schänden; entwürdigen; Schande machen (*dat.*); **~roso** *adj.* entehrend; schändlich; *fig.* dunkel, anrüchig. [gelegen.]
deshora *adv.*: *a* ~ zur Unzeit, un-
deshuesar *v/t.* *Fleisch* entbeinen; *Obst* entsteinen, entkernen. [lichen.]
deshumanizar [1f] *v/t.* entmensch-
deshumedecer [2d] *v/t.* entfeuchten, trocknen.
deside|rable *adj. c* wünschenswert; **~rata** *f* Wunschliste *f*; *bsd.* Desideratenliste *f der Bibliotheken*; **~rativo** *adj. bsd. Gram.*: *oración f* ~*a* Wunschsatz *m*; **~rátum** *lt. m* (*pl.* ~*rata*) Wunsch *m*; Ersehnte(s) *n.*
desi|dia *f* Fahrlässigkeit *f*; Nachlässigkeit *f*; Trägheit *f*; **~dioso** *adj.* träge; nachlässig.
desierto I. *adj.* **1.** wüst; leer; öde; unbewohnt; *estar* ~ verlassen (*od.* verödet) daliegen (*Straße, Ort*); **2.** *Verw.*, ⚖ *quedar* ~ ohne Meldung bleiben (*Wettbewerb*); *el jurado declaró* ~ *el premio* die Jury vergab (diesmal) k-n Preis; **II.** *m* **3.** Wüste *f*; Einöde *f*; Wildnis *f.*
desig|nación *f* Bezeichnung *f*; (vorläufige) Ernennung *f*, Designierung *f*; **~nar** *v/t.* **1.** festsetzen; **2.** vorzeichnen, -schreiben; **3.** bezeichnen; bestimmen; (vorläufig) ernennen, designieren; ~ *a alg. para algo* j-n zu (*od.* für) et. (*ac.*) bestimmen (*od.* ausersehen); **~nio** *m* Vorhaben *n*, Vorsatz *m*; Absicht *f*, Ziel *n.*
desigual *adj. c* **1.** ungleich, verschieden; ungleichmäßig; uneben (*Gelände*); **2.** *fig.* unbeständig, wankelmütig; **~ar** ⚒ *v/t.* ungleich *usw.* machen (→ *desigual*); **~dad** *f* **1.** Verschiedenheit *f*; Ungleichheit *f* (*a.* ⚕); Ungleichmäßigkeit *f*; Unebenheit *f*; **2.** Veränderlichkeit *f*, Wankelmut *m.*
desilu|sión *f* Enttäuschung *f*, Ernüchterung *f*; **~sionado** *adj.* enttäuscht, ernüchtert; *fig.* nüchtern; blasiert; **~sionar I.** *v/t.* *j-n* enttäuschen; *j-n* ernüchtern, *j-m* die Augen öffnen; **II.** *v/r.* ~se e-e Enttäuschung erleben.
desiman(t)ar *v/t.* entmagnetisieren.
desincorporar *v/t.* *Einverleibtes* abtrennen; aus einem Ganzen herauslösen.
desincrusta|nte *m* Kesselsteinentferner *m*; **~r** ⊕ *v/t.* Kesselstein entfernen von (*dat. od.* aus *dat.*).
desindividualizarse [1f] *v/r.* s-e Persönlichkeit aufgeben (*od.* verlieren).
desinencia *Gram. f* Endung *f*; **~l** *Gram. adj. c* End(ungs)...
desinfec|ción *f* Desinfektion *f*; ⚘ ~ *de semillas* Saatgutbeizung *f*; **~tante I.** *m* Desinfektionsmittel *n*; ⚘ Beizmittel *n*; **II.** *adj. c* desinfizierend; **~tar** *v/t.* desinfizieren; keimfrei machen; ⚘ *Saatgut* beizen. [len, -klingen.]
desinflamarse ⚕ *v/r.* ab-schwel-
desinflar I. *v/t.* *Ballon* entleeren; *Kfz.* die Luft herauslassen aus *e-m Reifen*; *fig.* *j-m* e-n Dämpfer aufsetzen; **II.** *v/r.* ~se zs.-schrumpfen (*Ballon, Luftschlauch*); Luft (*od.* Druck) verlieren (*Reifen*); ~*ado* ohne Luft, luftleer.
desintegra|ción *f* Zerlegung *f*, Auflösung *f*, Trennung *f*; Zersetzung *f*; ⚗ Zerfall *m*; Verwitterung *f*; *Physiol.* Abbau *m*; *Phys.* ~ *atómica* Atomzerfall *m*; **~r I.** *v/t.* zerlegen, trennen; ⚗, *Physiol.* abbauen; aufschließen; *a. fig.* zersetzen; **II.** *v/r.* ~se zerfallen (*a. fig.*).
desinte|rés *m* **1.** Uneigennützigkeit *f*, Selbstlosigkeit *f*; **2.** ~ (*por*) Interesselosigkeit *f* (für *ac.*); Teilnahmslosigkeit *f*, mangelndes Interesse *n* (für *ac.*, an *dat.*); **~resado** *adj.* **1.** *abs.* uneigennützig, selbstlos; **2.** unparteiisch; unbeteiligt; **3.** teilnahmslos; des-, un-interessiert; **~resarse** *v/r.*: ~ *de* das Interesse an (*dat.*) verlieren. [stimmen.]
desintonizar [1f] *HF v/t.* ver-
desintoxica|ción ⚕ *f* Entgiftung *f*; *cura f* (*establecimiento m*) *de* ~ Entziehungs-kur *f* (-anstalt *f*); **~r** [1g] *v/t.* entgiften.
desisti|miento *m* Abstehen *n* (von *dat.* de), Verzicht(leistung *f*) *m* (auf *ac.* de); ⚖ Rücktritt *m von e-m Vertrag*; ~ (*de la demanda*) Klagerücknahme *f*; **~r** *v/i.* **1.** ~ (de) abstehen (von *dat.*); ~ *de Absicht* aufgeben; *hacer* ~ de von *et.* (*dat.*) abbringen; **2.** ⚖ von e-m Vertrag zurücktreten; ~ *de la demanda* die Klage zurücknehmen.
desjarretar *v/t.* **1.** ⚒ *Stieren usw.* die Sehnen *in den Kniekehlen* durchschneiden (*dat.*); **2.** *fig.* F schwächen, umwerfen F.
deslabonar *v/t.* Glieder *e-r Kette* ausea.-nehmen; *fig.* durchea.-bringen; *Plan* durchkreuzen.
deslastrar ⚓, ✈ *v/t.* Ballast abwerfen aus (*dat.*).
deslava|do I. *adj.* verwaschen (*Farbe*); *fig.* frech; **II.** *m* Verwaschen *n* (*Farbe*); *fig.* (Ab-)Schwächen *n*; **~r** *v/t.* oberflächlich waschen; *Farbe* aus-, ver-waschen; *fig.* (ab)schwächen; *Méj.* → *derrubiar*; **~zado** *adj.* dünn, wässerig (*Suppe, Gemüse usw.*).
deslave *m Am.* → *derrubio.*
desleal *adj. c* treulos; unaufrichtig; ungetreu, pflichtvergessen; ✝ unlauter (*Wettbewerb*); **~tad** *f* Untreue *f*; Treulosigkeit *f*; Treuebruch *m*; *bsd. Pol.* Illoyalität *f.*
des|leído *adj. fig.* weitschweifig; **~leimiento** *m* Auflösen *n*; Lösung *f*, Verdünnung *f*; **~leír** [3m] **I.** *v/t.* (auf)lösen (in *dat.* en); zergehen lassen; *Farben* anreiben; *Medikamente* verrühren; *fig.* *Gedanken* breittreten, zerreden; **II.** *v/r.* ~*írse* s. auflösen, zergehen.
deslengua|do *adj.-su.* scharfzüngig; unverschämt; *m* Lästerzunge *f*; **~miento** *m* loses Gerede *n*; **~rse** [1i] *v/r.* e-e lose Zunge haben; sein Lästermaul aufreißen.
desliar [1c] **I.** *v/t.* **1.** *Wein* abklären; **2.** auf-binden, -schnüren; **II.** *v/r.* ~se **3.** aufgehen (*Knoten, Bündel usw.*).
desligar [1h] *v/t.* auf-, los-binden; ⊕, *a. Tel.* trennen, abschalten; ablösen; *fig.* entwirren; ~ *de* von *e-r Pflicht usw.* entbinden.
deslin|damiento *m* → *deslinde*; **~dar** *v/t.* abgrenzen (*a. fig.*); abstecken; *Land* vermarken; **~de** *m* Grenze *f*; Abgrenzung *f*; Vermarkung *f.*
desli|z *m* (*pl.* ~*ices*) Ausgleiten *n*, Ausrutschen *n*; *fig.* Fehltritt *m* (begehen *tener*); Mißgriff *m*; **~zable** *adj. c* leicht ausgleitend; **~zadera** ⊕ *f* Gleitführung *f*; **~zadero I.** *adj.* → *deslizadizo*; **II.** *m* glitschige Stelle *f*; Rutschbahn *f*; ⊕ Rutsche *f*; *Reg.* Riese *f* (*Rinne zum Abtransport des Holzes*); **~zadizo** *adj.* schlüpfrig, glitschig; **~zador** ⚓ *m* Gleitboot *n*; ~ *acuático* Luftkissenboot *n*; **~zamiento** *m* **1.** → *desliz*; **2.** ⊕ Gleiten *n*, Rutschen *n*; ✈ Abschmieren *n*; **3.** Schleifschritt *m b. Tanzen*; **~zar** [1f] **I.** *v/t.* **1.** schieben, ins Gleiten bringen; ⊕ gleiten (*od.* rollen) lassen; *fig.* ~ *a/c. a alg.* j-m (heimlich) et. zustecken; **2.** *Sp.* abseilen; **3.** *fig.* *Wort* fallen lassen, einwerfen; *Unterhaltung* (ab)lenken (auf *ac.* en); **II.** *v/i. u.* ~se *v/r.* **4.** (ab-)gleiten; dahingleiten; ✈ ~ *de ala* abschmieren; ~*se sobre* (*od. por*) *el suelo* über den Boden gleiten, ✈ rollen; **5.** *fig.* s. hinwegschleichen; *se me ha* ~*ado un error* mir ist ein Fehler unterlaufen; *a. fig.* ~*se por* (*entre*) *las mallas* durch die Maschen schlüpfen; **6.** *fig.* s. danebenbenehmen, entgleisen F.
desloma|do *adj.* kreuzlahm; *Equ.* buglahm; *fig.* (wie) zerschlagen; **~r I.** *v/t.* *j-n* lendenlahm schlagen; *j-n* fürchterlich strapazieren F (*Arbeit u. ä.*); **II.** *v/r.* ~se s. abrackern.
desluci|do *adj.* abgetragen, schäbig (*Kleidung*); *fig.* unscheinbar, glanzlos; **~miento** Mangel *m* an (äußerem) Glanz, Unscheinbarkeit *f*; Mattheit *f*; Gedämpftheit *f* (*Far-*

ben); **~r** [3f] **I.** *v/t.* den Glanz nehmen (*dat.*); beeinträchtigen; *con sus hechos desluce sus palabras* mit s-n Taten verwischt er den guten Eindruck s-r Worte; **II.** *v/r.* ~se den Glanz verlieren; verschießen (*Farben*); den Reiz verlieren; s-m guten Ruf schaden.

deslum|brador *adj.* blendend; **~bramiento** *m* Blendung *f* (*a. fig.*); *fig.* Verblendung *f*, Selbsttäuschung *f*; ⊕ *sin* ~ blendfrei; **~brante** *adj. c* blendend (*a. fig.*); trügerisch; **~brar I.** *vt/i.* blenden (*a. fig.*); *fig.* verblenden; **II.** *v/r.* ~se geblendet werden; *fig.* s. blenden lassen (von *od.* durch *dat. por*); **~bre** *m* Schimmer *m*.

deslus|trar *v/t.* den Glanz nehmen (*dat.*); *Glas* mattieren; *fig.* herabsetzen; → *decatizar*; **~tre** *m* Mattierung *f*; Glanzlosigkeit *f*; *fig.* Schande *f*; Schandfleck *m*; **~troso** *adj. fig.* glanzlos; schäbig.

desmadejado *adj.* schlapp, schlaff.

desmagnetizar [1f] *v/t.* entmagnetisieren.

desmán[1] *m* **1.** Unglück *n*; **2.** Übergriff *m*; Gewaltstreich *m*; *~anes m/pl.* Ausschreitungen *f/pl.*

desmán[2] *Zo. m* Bisam(spitz)maus *f*.

desmanda|do *adj.* ungehorsam, widerspenstig; **~r I.** *v/t. Befehl* (*od. Auftrag*) widerrufen; **II.** *v/r.* ~se ungehorsam (*bzw.* aufsässig *od.* widerspenstig) sein; scheuen, ausbrechen (*Tier*).

desmantecar [1g] *v/t. Milch* ausbuttern.

desmantela|do *adj. fig.* verwahrlost; baufällig; **~miento** *m* Schleifen *n e-r Festung*; Demontage *f von Industrieanlagen*; ⚓ Abwracken *n*; **~r** *v/t. Festung* schleifen; *Fabrik* ausräumen *bzw.* demontieren; *Gerüst usw.* abbauen; ⚓ abwracken.

desma|ña *f* Ungeschick *n*, Unbeholfenheit *f*; **~ñado** *adj.* unbeholfen, linkisch; plump; **~ño** *m* Ungeschick *n*; Nachlässigkeit *f*.

desmarrido *adj.* matt; traurig.

desma|yado *adj.* ohnmächtig; *fig.* hungrig, nüchtern (*Magen*); matt (*Farbe*); **~yar I.** *v/t. fig.* niederschmettern (*Nachricht*); **II.** *v/i.* nachlassen, erlahmen; verzagen; **III.** *v/r.* ~se ohnmächtig werden; zs.-brechen; **~yo** *m* **1.** Ohnmacht *f*; Schwäche *f*; Mutlosigkeit *f*; *le dio un* ~ er (*bzw.* sie) wurde ohnmächtig; *adv. sin* ~ unermüdlich; **2.** ⚘ Trauerweide *f*.

desmedi|do *adj.* übermäßig, maßlos; ungeheuer; **~rse** [3l] *v/r.* das Maß überschreiten; ~ *en* maßlos sein in (*dat.*).

desme|drado *adj. fig.* verkümmert; abgezehrt; **~drar I.** *v/t.* herunterbringen (*fig.*); **II.** *v/i. u.* ~se *v/r. fig.* herunterkommen; zurückgehen (*z. B. Geschäft*); verkümmern; **~dro** *m* Nichtgedeihen *n*; *fig.* Rückgang *m*, Verfall *m*; Nachteil *m*, Schaden *m*.

desmejora *f* Schaden *m*; Abnahme *f*, Verfall *m*; **~miento** *m* Verschlechterung *f*; Verfall *m*; **~r I.** *v/t.* verschlechtern, beeinträchtigen; **II.** *v/i. u.* ~se *v/r.* verfallen, dahinsiechen (*Kranker*).

desmelenado *adj.* zerzaust, wirr (*Haar*).

desmembra|ción *f*, **~miento** *m* Zerstückelung *f*, Zerlegung *f*; *Pol. a.* Teilung, (Ab-)Trennung *f*; **~r** [1k] *v/t.* zerlegen, zergliedern; zerstückeln; (auf)teilen, (ab)trennen.

desmemoria|do *adj.-su.* vergeßlich; gedächtnisschwach; **~rse** *v/r.* das Gedächtnis verlieren; vergeßlich werden.

desmenti|da *f* **1.** Widerlegung *f*; *dar una* ~ *a alg.* j-n widerlegen; j-n Lügen strafen; **2.** Ableugnung *f*; *Pol.* Dementi *n*; **~do** *m Rpl.* → *desmentida*; **~r** [3i] **I.** *v/t.* abstreiten, in Abrede stellen; ab-, ver-leugnen; widerlegen; Lügen strafen; *bsd. Pol.* dementieren; im Widerspruch stehen zu (*dat.*); *Argwohn* zerstreuen; **II.** *vt/i.* ~ (*de*) *su carácter* sein Wesen verleugnen; **III.** *v/r.* ~se s. selbst wider-sprechen, -legen; ~se *de a/c.* et. zurücknehmen.

desmenuzar [1f] **I.** *v/t.* zer-kleinern, -stückeln; zerlegen; zer-krümeln, -reiben; *Wolle* zupfen; *fig.* unter die Lupe nehmen; zerpflükken (*fig.*); **II.** *v/r.* ~se ab-, zerbröckeln.

desmere|cer [2d] **I.** *v/t. fig.* nicht verdienen; **II.** *v/i.* an Güte (*od.* Wert) abnehmen (*bzw.* nachstehen *dat. de*); in der Achtung sinken; **~cimiento** *m* → *demérito*.

desmesura|do *adj.* **1.** maßlos, übermäßig; ungeheuer; riesengroß; **2.** frech, unverschämt; **~rse** *v/r.* unverschämt werden.

desmiga|jar I. *v/t.* zer-bröckeln, -krümeln; **II.** *v/r.* ~se ab-, zerbröckeln; **~r** [1h] **I.** *v/t. Brot* zerkrümeln; **II.** *v/r.* ~se krümeln.

desmilitariza|ción *f* Entmilitarisierung *f*; **~r** [1f] *v/t.* entmilitarisieren.

desmirriado F *adj.* abgezehrt.

desmitifica|ción *f* Entmythologisierung *f*; **~r** [1g] *v/t.* entmythologisieren (*a. fig.*).

desmo|char *v/t.* stutzen; *Baumkronen* kappen; *fig.* verstümmeln; *Angelegenheit* kurz streifen; **~che** *m* Kappen *n* (*Baumkronen usw.*); Stutzen *n*; *fig.* Verstümmeln *n*.

desmonetizar [1f] *v/t. Münzen, Münzmetall usw., fig. Briefmarken usw.* außer Kurs setzen; *Metallwährung* durch Papierwährung ersetzen.

desmonta|ble I. *adj. c* zerlegbar; zs.-klappbar; abnehmbar; ausbaubar; **II.** *m Kfz.* (Reifen-)Montiereisen *n*; **~do** *adj.*: *soldado m* ~ *öfter für*: Kavallerist *m* im Fußeinsatz; **~dor** ⊕ *m* Montiereisen *n*; **~dura** *f* Rodung *f*; Auslichtung *f e-s Waldes*; → **~je** ⊕ *m* Ab-, Aus-bau *m*; Zerlegung *f*, Ausea.-nehmen *n*; Demontage *f*; **~r I.** *v/t.* **1.** *Berg* abholzen; *Wald, Acker* roden; *Gelände* ebnen, planieren; **2.** *Gebäude* ab-, ein-reißen; *Gerüst* abbrechen; **3.** ⊕ demontieren; ausea.-nehmen; abmontieren; ab-, aus-bauen; **4.** ⚔ *Geschütz* außer Gefecht setzen; ~ *el* (*muelle del*) *fusil* das Gewehr entspannen; **5.** absitzen lassen; *Reiter* abwerfen; **II.** *v/i. u.* ~se *v/r.* **6.** absitzen, absteigen (von *dat. de*); ⚔ *¡desmonten!* absitzen!

desmon|tarruedas *Kfz. m* (*pl. inv.*) Radabdrücker *m*; **~te** *m* **1.** Planierung *f*; **~s** *m/pl.* Abtragungsarbeiten *f/pl.*; **2.** abgetragene *od.* ausgehobene Erde *f*; **3.** Rodung *f*; **4.** 🚂 Bahneinschnitt *m*; **5.** Abbau *m e-s Gerüsts*; Demontage *f*; **6.** ⚒ *Chi.* Taubgestein *n*.

desmoraliza|ción *f* Sittenverfall *m*; Demoralisation *f*; *bsd.* ⚔, *Pol.* Demoralisierung *f*; **~r** [1f] **I.** *v/t.* demoralisieren; **II.** *v/r.* ~se den Mut verlieren.

desmorona|dizo *adj.* bröckelig; baufällig; **~miento** *m* Erdrutsch *m*; Einsturz *m*; (allmählicher) Zerfall *m* (*a. fig.*); *Min.*, ⚗ Zersetzung *f*; **~rse** *v/r.* ver-, zer-, zs.-fallen; abbröckeln; baufällig werden; *fig.* zerfallen.

desmoviliza|ción *f* Demobilisierung *f*; **~r** [1f] *vt/i.* demobilisieren.

desnacionaliza|ción *f* Entnationalisierung *f*; ✝ Reprivatisierung *f*; **~r** [1f] *v/t.* entnationalisieren; ✝ reprivatisieren.

desnata|dora *f* Milchzentrifuge *f*; **~r** *vt/i.* (Milch) entrahmen; *fig.* den Rahm abschöpfen (von *dat.*) F; *leche f* ~*ada* Magermilch *f*.

desnaturali|zación *f* **1.** Ausbürgerung *f*; **2.** Entstellung *f*; Entartung *f*; **3.** ⚗ Vergällung *f* (*Alkohol*); **~zado** *adj.* **1.** unnatürlich; ungeraten; entartet; *madre f* ~*a* Rabenmutter *f*; **2.** ⚗ vergällt (*Alkohol*); **~zar** [1f] **I.** *v/t.* **1.** ausbürgern; aus der Staatsangehörigkeit entlassen; **2.** ⚗ *Alkohol* vergällen; *Lebensmittel* ungenießbar machen; **3.** entstellen; *fig.* die Natur *e-r Sache* verändern; **II.** *v/r.* ~se **4.** entarten, s. verändern; **5.** auf die Staatsangehörigkeit verzichten.

desnitrificar [1g] ⚗ *v/t.* denitrieren.

desnive|l *m* **1.** Abweichung *f* von der Waagerechten; Höhenunterschied *m*, *a. fig.* Gefälle *n*; ~ *del terreno* Bodensenke *f*; **2.** *fig.* Ungleichheit *f*; Unterschied(e) *m*(*/pl.*); **~lar I.** *v/t.* uneben (*bzw.* ungleich) machen; ⚠ aus dem Wasser bringen; **II.** *v/r.* ~se ⚠ aus der Waagerechten kommen; *fig.* ungleich werden.

desnucar(se) [1g] *v/t.* (*v/r.*) (s.) das Genick brechen (*dat.*).

desnu|dadamente *adv. fig.* klar; offen; **~damiento** *m* Entkleiden *n*; *fig.* Freilegung *f*; **~dar I.** *v/t.* **1.** entkleiden, ausziehen; *fig.* ausplündern; entblößen; *Bäume* entblättern; *Degen* ziehen; *Altar* abräumen (*z. B. in der Karwoche*); **2.** *fig.* aufdecken, bloßlegen; **II.** *v/r.* ~se **3.** s. entkleiden, s. ausziehen; *fig.* ~se *de a/c.* et. ablegen, s. freimachen von et. (*dat.*); **~dez** *f* **1.** Nacktheit *f*, Blöße *f*; Kahlheit *f* (*Bäume, Gelände*); ~*eces f/pl.* (zur Schau getragene) nackte Körperteile *m/pl.*; *a.* Schamteile *m/pl.*; **2.** *fig.* Entblößung *f*, Hilf-, Mittel-losigkeit *f*; **~dismo** *m* Freikörperkultur *f*, *Abk.* FKK; **~dista** *c* Anhänger(in *f*) *m* der FKK; **~do I.** *adj.* **1.** nackt (*a. fig. Wahrheit*); unbekleidet; P ~ *como le parió su madre* splitternackt; **2.** *fig.* ärmlich gekleidet; arm; *estar* ~ *de a/c.* et. nicht haben; **3.** bloß (*Degen*); **4.** kahl (*Bäume, Gelände, Einrichtung*); schlicht (*Stil*); ⚡ nicht isoliert (*Draht*); **II.**

m **5.** Nackte(r) *m*; *Mal.* Akt *m*; ~*s m/pl. od. fotos m/pl. al* ~ Aktaufnahmen *f/pl.* (machen *sacar*); *fig. poner al* ~ bloßlegen.

desnutri|ción *f* Unterernährung *f*; **~do** *adj.* unterernährt; **~rse** *v/r.* abmagern (*od.* schwach werden) *infolge Unterernährung.*

desobe|decer [2d] *v/t.* nicht gehorchen (*dat.*); nicht befolgen; **~diencia** *f* Ungehorsam *m*; Unfolgsamkeit *f*; Nichtfolgeleistung *f*; **~diente** *adj. c* ungehorsam; unfolgsam.

desobligar *v/t.* (de) *e-r Verpflichtung* (*gen.*) entheben; *fig.* abwendig machen.

desobs|trucción *f* Räumung *f*, Freimachung *f*; **~truir** [3g] *v/t.* freimachen, räumen; säubern; öffnen.

desocupa|ción *f* Muße *f*, Untätigkeit *f*; ✝ Arbeitslosigkeit *f*; **~do** *adj.* **1.** unbeschäftigt, müßig; *a.* arbeitslos; **2.** frei (*Sitzplatz, Wohnung*); **~r I.** *v/t.* räumen, freimachen (*a.* ⚔); ausräumen, leermachen; **II.** *v/r.* ~se frei werden (*Wohnung usw.*); P entbinden (*Frau*).

desodo|rante *adj. c -su. m* de(s)odorierend(es Mittel *n*, De[s]odorans *n*); **~rar, ~rizar** [1f] *v/t.* desodorieren, geruchlos machen.

desoír [3q] *v/t. absichtlich* überhören; kein Gehör schenken (*dat.*); nicht hören auf (*ac.*).

desojarse *fig. v/r.* s. die Augen aussehen (nach *dat. por od. por ver + su.*).

desola|ción *f* **1.** Verheerung *f*, Verwüstung *f*; **2.** Trostlosigkeit *f*; **~do** *adj.* trostlos; **~r** [1m] **I.** *v/t.* verheeren, verwüsten; **II.** *v/r.* ~se untröstlich sein (über *ac. por*); s. abhärmen.

desoldar [1m] ⊕ *v/t.* ab-, los-löten, -schweißen; (her)ausschmelzen.

desolla|dero *m* Abdeckerei *f*; **~do** F *adj.* unverschämt; **~dor** *adj.-su. m* Abdecker *m*; *fig.* Leuteschinder *m*; Halsabschneider *m*; **~dura** *f* **1.** Abdecken *n*, Abhäuten *n*; **2.** Wundreiben *n*; (Haut-)Abschürfung *f*; **~r** [1m] **I.** *v/t.* **1.** abdecken, abbalgen; *fig. aun falta el rabo* (*od. la cola*) *por* ~ die Hauptschwierigkeit kommt (erst) noch, das dicke Ende kommt noch F; F **~***la* s-n Rausch ausschlafen; **2.** *fig.* schröpfen, neppen; F **~***le a uno* (*vivo*) **a)** j-n gehörig rupfen; **b)** über j-n herziehen, kein gutes Haar an j-m lassen; **II.** *v/r.* ~se **3.** s. wundlaufen (*bzw.* wundreiben); ~*se las manos aplaudiendo* wie rasend Beifall klatschen.

desollón F *m* Hautabschürfung *f*; Scheuerstelle *f*, Wolf *m* F.

desorbita|do *adj.* **1.** aus der Kreisbahn gebracht; *fig.* (*con los*) *ojos m/pl.* ~*s* (mit) weit aufgerissene(n) Augen *n/pl.*; **2.** *fig.* maßlos (*Ansprüche usw.*) (stellen *tener*); **3.** F *Arg.* verrückt; **~r** *v/t.* **1.** aus der Kreisbahn bringen; **2.** *fig.* (maßlos) übertreiben.

desorde|n *m* **1.** Unordnung *f*; Verwirrung *f*; Durchea. *n*; *estar en* ~ unordentlich sein (*od.* herumliegen); **2.** *mst. desórdenes m/pl.* Ausschweifungen *f/pl.*; *mst. pl.* Ausschreitungen *f/pl.*, Tumult *m*; **3.** ⚕ Störung *f*; **~nado** *adj.* **1.** ungeordnet; unordentlich, durchea. (gebracht); liederlich, schlampig; **2.** zügellos, ausschweifend; **~nar I.** *v/t.* in Unordnung bringen; durchea.-bringen, verwirren, stören; zerrütten; **II.** *v/r.* ~se gg. die Ordnung verstoßen; Ausschreitungen begehen; über die Stränge schlagen.

desorganiza|ción *f* Zerrüttung *f*, Auflösung *f*; Des-, Fehl-organisation *f*; **~do** *adj.* zerrüttet; schlecht organisiert; **~r** [1f] *v/t.* zerrütten, auflösen; stören; desorganisieren.

desorienta|ción *f* Irreführung *f*; mangelnde Orientierung *f*; Verwirrung *f*; Verirrung *f*; *fig.* ~ *general* allgemeine Unkenntnis *f*; ~ *política* mangelnde politische Ausrichtung *f*; schlechte Kenntnis *f* der politischen Verhältnisse; **~do** *adj.* (*estar*) fehlgeleitet; verirrt; verwirrt; desorientiert; *fig.* nicht im Bilde; **~r I.** *v/t.* irre-führen, -leiten (*a. fig.*); verwirren; **II.** *v/r.* ~se s. verirren; die Orientierung verlieren (*a. fig.*); verwirrt werden.

deso|var *v/i.* laichen; **~ve** *m* Laichen *n*; Laichzeit *f*.

desovillar *v/t. Wolle u. ä.* abwickeln; *fig.* entwirren.

desoxi|dar *v/t.* ⚗ desoxydieren; ⊕ entrosten; abbeizen; **~genar** ⚕, ⚗ *v/t.* den Sauerstoff entziehen (*dat.*), reduzieren.

despabila|deras *f/pl.* Licht(putz)-schere *f*; **~do** *adj. fig.* wach, munter; aufgeweckt, gescheit; **~dor** *m* → *despabiladeras*; **~r I.** *v/t.* **1.** *Licht* schneuzen; **2.** *fig.* aufrütteln, aufmuntern; *j-m* die Augen öffnen; **3.** F stibitzen, klauen F; **II.** *v/i.* **4.** *mst. imp.* ¡*despabila!* mach ein bißchen fix! F; **III.** *v/r.* ~se **5.** munter werden; schlau (*od.* helle F) werden; **6.** *Am.* weggehen, abhauen F.

despa|cio *adv.* **1.** langsam, allmählich; gemach, sachte; ¡~! langsam!; immer mit der Ruhe! F; immer eins nach dem anderen!; **2.** P *Am.* leise (*sprechen*); F ¡*cerrar* ~! leise schließen!; **~cioso** *adj. Am.* langsam, gemächlich; **~cito** F *adv.* schön langsam; (ganz) sachte.

despachaderas ⚒ F *f/pl.*: *tener muy buenas* ~ kurz angebunden (*bzw.* gewitzt) sein.

despachante *m Rpl.* Verkäufer *m*; Handlungsgehilfe *m*; Zollagent *m*.

despachar I. *v/t.* **1.** *Arbeit, Auftrag* ausführen; erledigen (*a. Korrespondenz*); ausfertigen; **2.** verkaufen; *Getränke* ausschenken; *Fahrscheine usw.* ausgeben; **3.** *Kunden* bedienen; *j-n* abfertigen; et. mit *j-m* besprechen; mit *j-m* e-e Besprechung haben; **4.** *Depesche usw.* (ab)senden; *Kurier* senden *od.* abfertigen; **5.** *j-n* entlassen, *j-m* kündigen; *j-n* hinauswerfen (aus *dat.* de); *j-n* abweisen; **6.** F umbringen; **7.** F aufessen, verdrücken F; austrinken; **II.** *v/i.* **8.** (s.) mitea. (be)sprechen; amtieren, Amtsstunden haben; die laufenden Geschäfte (*a. Regierungsgeschäfte*) erledigen; **9.** F entbinden, gebären; **10.** F *abs. mst. imp.* ¡*despacha de una vez!* nun sag's schon!, red nicht lang drum herum! F; ¡*despacha!* beeil dich, mach zu! F; **III.** *v/r.* ~se **11.** ~*se de* s. *e-r Sache* (*gen.*) entledigen; *et.* erledigen; ~*se a* (*su*) *gusto* sagen, was man auf dem Herzen hat.

despacho *m* **1.** Erledigung *f*; Ausführung *f*; Abfertigung *f*, Bedienung *f*; **2.** (Ver-)Sendung *f*; Verkauf *m*, Vertrieb *m*; *tener buen* ~ ✝ guten Absatz finden; *fig.* F (ein) fix(er Kerl) sein; ~ *de bebidas* Getränkeausschank *m*; ~ (*de localidades*) (Theater- *usw.*) Kasse *f*; **3.** Publikumsverkehr *m*, Schalterbetrieb *m*; 🚂, *Zoll* Abfertigung *f*; Schalter *m*; ~ *de billetes* Fahrkartenschalter *m*; ~ *de equipajes* Gepäck-abfertigung *f*, -ausgabe *f*; **4.** Arbeitszimmer *n*; Büro *n*; Geschäftsstelle *f*; Amt(szimmer) *n*; **5.** Mitteilung *f*; *Dipl.* Note *f*; Depesche *f*; *hist. el* ~ *de Ems* die Emser Depesche *f*; ~ (*telegráfico*) Telegramm *n*; **6.** *Verw.* Beschluß *m*, Verfügung *f*; (Beförderungs- *usw.*) Urkunde *f*; **7.** ⚓ Dispache *f*, Seeschadenberechnung *f*; **8.** *Chi.* Kramladen *m*.

despachurrar F *v/t.* plattdrücken; zerquetschen; *fig. Bericht* auswalzen, breittreten; *fig.* kaputtmachen; *fig. j-n* kleinkriegen F, *j-n* fertigmachen F.

despampa|nante F *adj. c* erstaunlich; fabelhaft; **~nar I.** *v/t.* **1.** *Reben* stutzen; *Pfl.* ausgeizen; **2.** *fig.* F aus der Fassung bringen; **II.** *v/i.* **3.** F s. frei aussprechen, auspacken F; **III.** *v/r.* ~se **4.** s. *b. e-m Fall u. ä.* ernstlich verletzen.

despan|churrar F, **~zurrar** F *v/t.* den Bauch aufschlitzen (*dat.*); *et.* zum Platzen bringen.

desparasitar *v/t.* von Ungeziefer befreien; *HF* entstören.

despare|cer [2d] *v/i.* verschwinden; **~jado** *adj.* einzeln, ohne das zugehörige Paar; **~jar** *v/t. Zs.-gehöriges* trennen; **~jo** *adj.* ungleich, nicht zs.-gehörig; uneben (*Fliesen, Boden*).

desparpajo *m* **1.** Zungenfertigkeit *f*; Forschheit *f*; Unverfrorenheit *f*; *con mucho* ~ forsch drauflos; **2.** F *Am. Cent.* Durcheinander *n*.

desparra|mado *adj.* **1.** weitverstreut; ausgedehnt; offen, weit; **2.** *fig.* ausschweifend; **~mador** *adj.-su.* verschwenderisch; **~mar I.** *v/t.* **1.** (aus-, umher-, zer-)streuen; (ver)schütten; **2.** durchbringen, verschwenden; **3.** *Kräfte usw.* verzetteln, zersplittern; **II.** *v/r.* ~se **4.** s. ausbreiten; **5.** *fig.* sehr ausgelassen sein, s. toll amüsieren F.

despatarra|da *f* Spreizschritt *m b. best. Tänzen*; **~do** *adj.* breitbeinig; mit gespreizten Beinen; *quedarse* ~ **a)** alle viere von s. strecken; **b)** *fig.* F heftig erschrecken; verdattert sein F; **~rse** F *v/r.* die Beine (aus-)spreizen.

despavesar *v/t.* die Asche *v. der Glut* wegblasen; *Licht* schneuzen.

despavorido *adj.* entsetzt, schaudernd.

despectivo I. *adj.* verächtlich; von oben herab; *Gram.* pejorativ; **II.** *m Gram.* Despektivum *n*.

despe|chadamente *adv.* **1.** ungehalten, verärgert; **2.** trotzig; **~chado** *adj.* unmutig, ungehalten; **~char**[1] **I.** *v/t.* erbosen, (v)erbittern; ärgern, wurmen F; **II.** *v/r.* ~se s. entrüsten; **~char**[2] F *v/t.* *Kind* entwöhnen; **~cho** *m* Groll *m*, Zorn *m*; Erbitterung *f*; Verzweiflung *f*; *a ~ de* trotz, ungeachtet (*gen.*); *a ~ de él* ihm zum Trotz; *adv. por ~* in der Verärgerung, zum Trotz.

despechuga|do *adj.* mit entblößter Brust; P (allzu) tief dekolletiert; **~rse** [1h] *v/r.* ein tiefes Dekolleté tragen.

despedazar [1f] **I.** *v/t.* zer-stückeln, -reißen, -fetzen, -schneiden, ausea.-brechen; zs.-hauen; *fig.* zerreißen; mit Füßen treten; **II.** *v/r.* ~se in Stücke gehen, zerbrechen.

despedi|da *f* **1.** Abschied *m*; Verabschiedung *f*; Abschiedsfeier *f*; (*fórmula f de*) ~ Schlußformel *f* (*Brief*); **2.** Entlassung *f*, Kündigung *f*; *dar la ~ a alg.* j-m kündigen; **3.** Schlußstrophe *f b. einigen Volksliedern*; **~r** [3l] **I.** *v/t.* **1.** verabschieden; *a.* das Abschiedsgeleit geben (*dat.*); **2.** *j-n* entlassen, *j-m* kündigen; ⚔ *die Truppe* **a)** entlassen, **b)** wegtreten lassen; **3.** werfen, schleudern; *Reiter* abwerfen; *Pfeil* entsenden (*od.* abschießen); *salir ~ido (de)* (aus *dat.*) herausgeschleudert werden; **4.** ausstrahlen; ausströmen; *Lichtstrahlen* aussenden; *Licht* ausstrahlen; *Widerschein* geben, *Reflexe* werfen; **II.** *v/r.* ~se **5.** s. verabschieden, Abschied nehmen (von *dat. de*); *se despide* (*Abk. s.d.*) um Abschied zu nehmen (*auf Besuchskarten u. Einladungen*); *despídame de su padre* grüßen Sie bitte Ihren Vater von mir; **6.** ~se *de a/c.* die Hoffnung auf et. (*ac.*) fallenlassen (müssen); et. abschreiben; ~se *de* + *inf.* die Hoffnung aufgeben, zu + *inf.*

despe|gado *adj.* unfreundlich, barsch, schroff; **~gador** *m* Lösungsmittel *n*; **~gadura** *f* Ablösung *f v. Geleimtem*; Lösung *f*, Trennung *f* (*a. fig.*); **~gamiento** *m* → *desapego*; **~gar** [1h] **I.** *v/t.* **1.** (ab-, los-)lösen; *sin ~ los labios* ohne den Mund aufzutun, ohne e-n Muckser F; **II.** *v/i.* **2.** ✈ starten, abheben; *vom Wasser* abwassern; ⚓ (vom Ufer) abstoßen (*v/i.*); **III.** *v/r.* ~se **3.** s. (ab)lösen; *fig.* s. zurückziehen, s. lösen, s. abkehren (von *dat. de*); **4.** F nicht zs.-passen; nicht passen (zu *dat. con*); **~gue** ✈ *m* Start *m*, Abheben *n*; ~ *vertical* Senkrechtstart *m*.

despeina|do *adj.* ungekämmt; **~r** *v/t.* zerzausen (*ac.*), das Haar durchea.-bringen (*dat.*).

despe|jado *adj.* **1.** hell, wolkenlos, heiter (*Tag, Himmel*); **2.** weit, offen; geräumig; frei, geräumt; breit (*Stirn*); **3.** unbefangen; munter; aufgeweckt; klug; *persona f ~a* s. ungezwungen gebender (*bzw.* gewandter) Mensch *m*; **~jar I.** *v/t.* **1.** *Platz, Straße usw.* räumen, freimachen (*a. Polizei u.* ⚔); **2.** auf-, ab-räumen; säubern; ⚓ *¡despeja cubierta!* Klar Deck!; **3.** *fig. Lage usw.* aufhellen, klären; **4.** *Arith. e-e Unbekannte* bestimmen; **II.** *vt/i.* **5.** *Weg, Platz, Lokal* freimachen; fortgehen; *¡despejen!* Platz da!, (die) Straße frei!, Achtung!; **III.** *v/i.* **6.** nachlassen (*Fieber*); **IV.** *v/r.* ~se **7.** s. aufheitern, s. aufklären (*Wetter*); s. klären (*Lage*); **8.** munter werden; in Stimmung kommen F; s. vergnügen; ~se *la cabeza* s. den Kopf freimachen, frische Luft schöpfen; **9.** fieberfrei werden; **~jo** *m* **1.** Räumung *f*; *Stk.* Räumung *f* der Arena durch die *alguacilillos*; **2.** *fig.* Gewandtheit *f*; Mutterwitz *m*.

despellejar *v/t.* abhäuten; *fig.* kein gutes Haar an *j-m* lassen.

despenar *v/t.* trösten; *fig.* F *j-m* den Rest geben, *j-n* umlegen P.

despen|sa *f* **1.** Speise-, Vorratskammer *f*; Anrichteraum *m*; ⚓ Pantry *f*; **2.** Vorrats-, Speiseschrank *m*; **3.** (Lebensmittel-)Vorrat *m*; **~sero** *m* Speisemeister *m*; Beschließer *m*.

despe|ñadamente *adv.* Hals über Kopf; **~ñadero I.** *adj.* abschüssig; **II.** *m* jäher Abhang *m*; Abgrund *m*; Felswand *f*; *fig.* gefährliches Unternehmen *n*; **~ñadizo** *adj.* abschüssig, steil abfallend; **~ñamiento** *m* → *despeño*; **~ñar I.** *v/t.* herab-, hinab-stürzen; **II.** *v/r.* ~se (ab-)stürzen; s. hinabstürzen; **~ño** *m* **1.** Absturz *m*; *fig.* Sturz *m*, Ruin *m*; **2.** F Durchfall *m*.

despepitar[1] *v/t. Baumwolle usw.* entkörnen.

despepitarse[2] F *v/r.* **1.** s. den Hals ausschreien; viel Geschrei machen, s. e-n abbrechen F; **2.** schwärmen (für *ac. por*).

desperdi|ciado(r) *adj.-su.* verschwenderisch; *m* Verschwender *m*; **~ciar** *v/t.* verschwenden, vertun, vergeuden; *Gelegenheit* versäumen; **~cio** *m* **1.** Verschwendung *f*; **2.** ~(*s*) *m*(*/pl.*) Abfall *m*; Abfälle *m/pl.*; ⊕ *a.* Ausschuß *m*, Bruch *m*; *fig. no tener ~* äußerst nützlich sein (*a. v. Personen*); *iron. a.* mehr schwache als gute Seiten haben.

desperdigar(se) [1h] *v/t.* (*v/r.*) (s.) zerstreuen.

despere|zarse [1f] *v/r.* s. strecken, s. rekeln F; **~zo** *m* Sichrecken *n*, Strecken *n*, Rekelei *f* F.

desperfec|cionar *neol. v/t. bsd. Am.* beschädigen; **~to** *m* Schaden *m*, Beschädigung *f*; Fehler *m*, Defekt *m*, Hemmung *f*; *ligero ~* (kl.) Schönheitsfehler *m*; *sufrir algunos ~s* leicht beschädigt werden.

desperfila|do *adj.* unscharf, verschwommen; **~r** *v/t. Mal. Umrisse* verwischen; ⚔ tarnen.

despersonaliza|ción *f* Entpersönlichung *f*; Persönlichkeitsverlust *m*; **~r** [1f] *v/t.* entpersönlichen, die Persönlichkeit nehmen (*dat.*).

desperta|dor I. *adj.* ermunternd; **II.** *m* Wecker *m* (*Uhr, Tel.*); *fig.* Aufmunterung *f*; **~r I.** *v/t.* **1.** (auf-)wecken; aufmuntern; **2.** *fig.* (er-)wecken; *a. Erinnerungen* wachrufen; *Verdacht* wecken; *Hunger, Aufmerksamkeit* erregen; *esto despertó en mi padre la idea* de das brachte m-n Vater auf den Gedanken an + *ac.* (*od.* zu + *inf.*); **II.** *v/i.* **3.** *a. fig.* aufwachen, erwachen (aus *dat. de*); **III.** *v/r.* ~se **4.** er-, aufwachen.

despiadado *adj.* unbarmherzig, erbarmungslos; schonungslos.

despido *m* Entlassung *f*, Kündigung *f*; ~ *en masa* Massenentlassungen *f/pl.*

despierto *adj.* (*estar*) wach, munter; (*ser*) aufgeweckt, lebhaft, rege; witzig.

despilfa|rradamente *adv.* verschwenderisch; **~rrado** *adj.* **1.** zerlumpt, abgerissen; **2.** *Chi.* spärlich, dünn; **3.** → **~rrador** *adj.-su.* verschwenderisch; *m* Verschwender *m*; **~rrar** *v/t.* verschwenden, vergeuden, verplempern F; **~rro** *m* **1.** Verschwendung *f*, Vergeudung *f*; Mißwirtschaft *f*; *hacer un ~* unnötige Ausgaben machen; **2.** Verkommenlassen *n*.

despimpollar 🌱 *v/t.* beschneiden, geizen.

despintar I. *v/t.* entfärben, Farbe ab- *bzw.* aus-waschen von (*dat. bzw.* aus *dat.*); *fig.* entstellen, falsch wiedergeben; **II.** *v/i.* ~ (*de*) aus der Art (*gen.*) schlagen; **III.** *v/r.* ~se verblassen, verschießen; *fig. no despintársele a uno a/c.* s. genau erinnern an et. (*ac.*); *fig. no ~se* s. nicht verstellen können.

despiojar *v/t.* (ent)lausen; *fig. j-n* aus dem Elend herausholen.

despis|tado I. *adj.* (*estar*) zerstreut, unaufmerksam, geistesabwesend; nicht im Bilde; **II.** *adj.-su.* (*ser*) weltfremd; **~tar I.** *vt/i.* von der Spur (*od.* Fährte) abbringen; *Aufmerksamkeit* ablenken; irreführen; an der Nase herumführen; *¡no despistes!* verstell dich nicht!; **II.** *v/r.* ~se von der Straße abkommen, schleudern (*Auto*); **~te** *m* **1.** Zerstreutheit *f*; *tener un ~* geistesabwesend sein; **2.** Unkenntnis *f*.

desplacer I. ⚒ [2x] *v/i.* mißfallen; **II.** *m* Mißfallen *n*; Ärger *m*.

desplan|tador 🌱 *m* Pflanzenheber *m*; **~tar I.** *v/t. Pfl.* versetzen; umtopfen; **II.** *v/r.* ~se e-e schiefe Stellung einnehmen *b. Tanzen od. Fechten*; **~te** *m fig.* Frechheit *f*; *hacer* (*od. dar*) *un ~ a alg.* j-m e-e Abfuhr erteilen, j-n abblitzen lassen.

despla|tado F *adj. Am.* verarmt; **~yar** ⚓ *v/i.* ebben.

desplaza|miento *m* **1.** Verschiebung *f*, Verlegung *f*; **2.** ⚓ Wasserverdrängung *f*; ~ *útil* Tragfähigkeit *f*; **3.** ⊕ Abweichung *f*; Verlagerung *f*; Abwanderung *f*, Fortbewegung *f*; ~ *de la carga* Gewichtsverlagerung *f*; **4.** *gal.* Reise *f*, Ortsveränderung *f*; ⚔ ~ (*de tropas*) Truppenbewegung *f*, -verschiebung *f*; **5.** *neol.* Verschleppung *f*; **6.** ⚕ → *dislocación*; **~r** [1f] **I.** *v/t.* **1.** von der Stelle bewegen; ⊕ verschieben; verlagern; verstellen; ⚓ *Wasser* verdrängen; **2.** ⚔ verlegen; **3.** *neol. Pol.* verschleppen; vertreiben; *personas f/pl. ~adas* Verschleppte(n) *m/pl.*; **4.** *fig.* verdrängen; → *a. suplantar*; **5.** *fig. estar ~ado* deplaziert (*od.* fehl am Platz) sein; **II.** *v/r.* ~se **6.** *gal.* s. begeben, reisen (nach *dat. a*); **7.** ⊕ wandern.

desplegar [1h *u.* 1k] **I.** *v/t.* **1.** entfalten, ausea.-falten; ausbreiten; öffnen; *Falte* glätten; *Gebogenes* geradebiegen; **2.** ⚓ *Flagge* zeigen, wehen lassen; *Segel* beisetzen; **3.** entfalten; entwickeln; ~ *actividad* tätig (*od.* aktiv) werden; **II.** *v/r.* ~se **4.** ⚔ ausschwärmen.

despliegue *m* **1.** Entfaltung *f*; Ausbreitung *f*; ~ *de fuerzas* **a)** Kraftaufwand *m*; **b)** Polizeiaufgebot *n*; **2.** ⚔ Aufmarsch *m*; Ausschwärmen *n*; **3.** ✈ Ausfahren *n des Fahrwerks*; **4.** Zurschaustellung *f*.

desplo|mar I. *v/t.* **1.** aus dem Lot bringen; **2.** *Ven.* tadeln; **II.** *v/r.* ~se **3.** ✈ absacken; **4.** aus dem Lot geraten; einstürzen (*Wand*); *fig.* s. fallen lassen; zs.-sinken, -brechen; *fig.* ins Wanken geraten; **~me** *m* **1.** Abweichung *f* von der Senkrechten; **2.** Δ Überhang *m*; Absacken *n e-s Gebäudes*; Sichsenken *n* (*Weg u. ä.*); **3.** *fig.* Einsturz *m*; Zs.-bruch *m*; **~mo** *m* → *desplome 1, 2, 3*.

desplu|mar *v/t.* rupfen (*Federvieh u. fig.*); **~me** *m* Rupfen *n*.

despobla|ción *f* Entvölkerung *f*; **~do** *adj.-su. m* unbewohnt(er Ort *m*); entvölkert; menschenleer; *robo m en* ~ Straßenraub *m*; **~r** [1m] **I.** *v/t.* entvölkern; *fig.* verwüsten; ~ *de* entblößen (*a.* säubern) von (*dat.*); ~ *de árboles* kahlschlagen; **II.** *v/r.* ~se (*de gente*) s. entvölkern, menschenleer werden.

despo|jar I. *v/t.* berauben (e-r Sache *de a/c.*); ausplündern; entblößen (*gen. od.* von *dat. de*); **II.** *v/r.* ~se *de* s. freimachen von (*dat.*); *et.* ablegen (*a. fig.*), *et.* abnehmen (*Kleidung*); *fig.* s. *e-s Besitzes* entäußern; entsagen (*dat.*); **~jo** *m* **1.** Beraubung *f*; *a. fig.* Beute *f*; ⚖ Besitzentäußerung *f*; **2.** **~s** *m/pl.* Überbleibsel *n/pl.*; Schlachtabfälle *m/pl.*; Δ Abbruchsteine *m/pl.*; ⚓ ~ *del mar* Strandgut *n*; **~s** *mortales* sterbliche Überreste *m/pl.*

despolariza|dor *Phys.*, ⚡ *m* Depolarisator *m*; **~r** [1f] ⚡ *v/t.* depolarisieren.

despol|v(ore)ar *v/t.* ent-, ab-stauben; *Teppich* klopfen *bzw.* absaugen; **~voreo** *m* Ent-, Ab-stauben *n*.

desporrondingarse [1h] F *v/r. Col., Guat.* das Geld zum Fenster hinauswerfen F.

desportillar *v/t.* den Rand ausbrechen (*dat.*); schartig machen.

desposa|da *f* Braut *f*; Neuvermählte *f*; **~do I.** *adj.* **1.** *mit Handschellen* gefesselt; **2.** verlobt; **II.** *m* **3.** Bräutigam *m*; **~s** *m/pl.* Brautpaar *n*; **~r I.** *v/t.* trauen, zs.-geben; **II.** *v/r.* ~se s. verloben; die Ehe eingehen.

despose|er [2c] **I.** *v/t.* enteignen; ~ *a alg. de* j-m *et.* (*ac.*) (*od.* den Besitz an *et. dat.*) entziehen; j-n *s-s Postens* entheben; **II.** *v/r.* ~se *de* s. entäußern (*gen.*), entsagen (*dat.*); **~ído I.** *part.*: *ser* ~ *de sus bienes* s-r Güter verlustig gehen; **II.** **~s** *m/pl.* Arme(n) *m/pl.*, Besitzlose(n) *m/pl.*; **~imiento** *m* Enteignung *f*; Entziehung *f*; **~sión** *f* Enteignung *f*.

desposorios *m/pl.* Verlobung *f*; Eheschließung *f*.

déspota *m* Despot *m*, Gewaltherrscher *m*.

des|pótico *adj.* despotisch, tyrannisch; **~potismo** *m* Despotismus *m*; *hist.* ♀ *Ilustrado* Aufgeklärter Absolutismus *m*; **~potizar** [1f] *v/t. Chi., Pe., Rpl.* tyrannisieren.

despotri|car [1g] F *v/i.* faseln; ~ (*contra*) lospoltern, wettern (gg. *ac.*), meckern F, schimpfen (über *ac.*); **~que** *m* Wettern *n*, Schimpfen *n*; Stänkern *n* F.

desprecia|ble *adj.* c verächtlich (*Person, Sache, Ansicht*); verwerflich (*Handlung*); *argumento m nada* ~ durchaus ernst zu nehmendes Argument *n*; **~dor** *adj.-su.* verachtend, wegwerfend; *m* Verächter *m*; **~r** *v/t.* **1.** gering-schätzen, -achten, verachten; geringschätzig behandeln; **2.** verschmähen, ausschlagen; in den Wind schlagen; *no* ~ + *inf.* es nicht für unter s-r Würde halten, zu + *inf.*; **~tivo** *adj.* verächtlich, gering-, ab-schätzig.

desprecintar *v/t.* (Zoll- *usw.*) Plombe öffnen an (*dat.*).

desprecio *m* Verachtung *f*, Geringschätzung *f*.

despren|der I. *v/t.* **1.** *a.* ⊕ losmachen, (ab)lösen; abstoßen; lokkern; **II.** *v/r.* ~se **2.** s. losmachen, s. abheben; abplatzen; s. lösen; ✈ ~se (*del suelo*) vom Boden abheben; **3.** *Phys.*, ⚗, ⊕ frei werden; s. entwickeln (*Kräfte, Stoffe*); **4.** *fig.* ~se *de* s. entäußern (*gen.*), s. begeben (*gen.*); *et.* aufgeben; s. freimachen von (*dat.*); **5.** *de esto se desprende que* ... daraus ergibt s., daß ..., daraus kann man entnehmen, daß ...; **~dido** *adj.* großzügig; uneigennützig; **~dimiento** *m* **1.** Losmachen *n*; Lockern *n*; *Rel., Mal.* Kreuzabnahme *f*; **2.** ⚗, ⊕ Freiwerden *n*; Abgabe *f*; ~ *de calor* Wärmeentwicklung *f*; ⚒ ~ *de gas(es)* Gasausbruch *m*; ~ *de tierras* Erdrutsch *m*; ⚕ ~ *de la retina* Netzhautablösung *f*; **3.** *fig.* Lösung *f* (von *dat. de*); **4.** Großzügigkeit *f*; Uneigennützigkeit *f*.

despreocupa|ción *f* **1.** Vorurteilslosigkeit *f*; **2.** Teilnahmslosigkeit *f*; **3.** *gal.* Sorglosigkeit *f*, Leichtfertigkeit *f*; **~do** *adj.* **1.** (*estar*) unvoreingenommen, vorurteilslos; **2.** unbekümmert, sorglos; *esto me tiene* ~ das ist mir völlig egal; **~rse** *v/r.* s. nicht (mehr) kümmern (um *ac. de*).

despresti|giar I. *v/t.* um sein Ansehen bringen, entehren; **II.** *v/r.* ~se s-n guten Ruf verlieren (*bzw.* schädigen); **~gio** *m* Prestigeverlust *m*; Entwürdigung *f*; Schandfleck *m*.

despreve|nción *f* Mangel *m* an Vorsorge, Leichtsinn *m*; Achtlosigkeit *f*; **~nido** *adj.* unvorbereitet, ahnungslos; *cogerle a uno* ~ j-n überraschen, j-n überrumpeln.

despropor|ción *f* Mißverhältnis *n*, Disproportion *f*; **~cionadamente** *adv.* unverhältnismäßig; **~cionado** *adj.* unverhältnismäßig groß *bzw.* lang *usw.*; disproportioniert; **~cionar** *v/t.* unregelmäßig gestalten, in ein Mißverhältnis bringen.

despropósito *m* (*oft* **~s** *m/pl.*) Unsinn *m*; Ungereimtheit *f*.

despro|veer [2e] *v/t.*: ~ *a alg. de* j-m *das Nötigste* entziehen, j-n entblößen (*gen.*); **~visto** *adj.*: ~ *de* ohne (*ac.*); entblößt von (*dat.*), bar (*gen.*); *estar* ~ *de et.* entbehren, *et.* nicht haben.

después I. *adv.* nachher; dann; darauf; nachträglich; *un año* ~ ein Jahr später; *el día* ~ der Tag (*bzw.* am Tag[e]) darauf; *hasta* ~ bis gleich; **II.** *prp.* ~ *de* nach (*dat.*); **a)** ~ *de un mes* nach e-m Monat; *seguía* ~ *de él* sie kam hinter ihm; ~ *de esto* danach, hierauf; ~ *del hecho* hinterher; ~ *de lo que se despidió* worauf er s. verabschiedete; *la mejor* ~ *de mi madre* die Beste nach m-r Mutter; ~ *de todo* letzten Endes, schließlich (und endlich); **b)** *mit inf. u. part.*: ~ *de decirlo*, ~ *de haberlo dicho* nach diesen Worten, nachdem er (*usw.*) dies gesagt hatte; ~ *de terminada la guerra* nach Kriegsende; **III.** *cj.* ~ *que*, *in Span. mst.* ~ *de que* nachdem, als; seit.

despulpar *v/t.* die Pulpe *der Zuckerrübe* auffangen u. einschmelzen; das Fruchtfleisch abquetschen *b. Kaffee.*

despunta|do *adj.* stumpf; **~r I.** *v/t.* **1.** stumpf machen; die Spitze abbrechen *od.* abschlagen *od.* abschneiden (*dat.*); *Blattspitzen* abrupfen; **2.** † ⚓ *Kap* umfahren; **II.** *v/i.* **3.** knospen, sprießen (*Pfl.*); aufbrechen (*Knospen*); zum Vorschein kommen, s. zeigen; anbrechen (*Tag*); aufgehen (*Sonne*); **4.** *fig.* hervorragen (in *dat. en*; als *nom. de*; durch *ac. por*); ~ *en literatura* in der Literatur Ausgezeichnetes leisten.

despunte *m* **1.** *Kfz.* → *sopié*; **2.** *Chi.* Reisig *n*.

desqui|ciamento *m* Ausheben *n aus den Angeln*; *fig.* Zerrüttung *f*; Sturz *m*; **~ciar I.** *v/t.* aus den Angeln heben (*a. fig.*); aushängen; *fig.* in s-r Sicherheit erschüttern; sehr beirren; zerrütten; *fig.* verdrängen; **II.** *v/r.* ~se aus den Angeln gehen (*a. fig.*); *fig.* erschüttert werden; den Halt verlieren; **~cio** *m Am. Reg.* → *desquiciamiento*.

desquilatar *v/t.* den Feingehalt *des Goldes* verringern; *fig.* entwerten, herabsetzen.

desqui|tar I. *v/t.* für e-n Verlust entschädigen; **II.** *v/r.* ~se s. schadlos halten (für *ac. de*); s. rächen (für *ac. de*, an *dat. en*); *a. fig.* s. revanchieren F; **~te** *m* Entschädigung *f*, Genugtuung *f*, Vergeltung *f*; *Spiel u. fig.* Revanche *f*; (*encuentro m de*) ~ Vergeltungsspiel *n*; *tomar el* ~ s. rächen; *a. fig.* s. revanchieren F.

desramar ⚘ *v/t.* abästen.

desratizar [1f] *v/t.* entratten, rattenfrei machen; ⚓ ausräuchern.

desrizar [1f] **I.** *v/t.* ⚓ *Segel* entfalten; **II.** *v/r.* ~se aufgehen (*Locken*).

destaca|do *adj. fig.* führend; hervorragend; **~mento** ⚔ *m* Kommando *n*, Abkommandierung *f*; Abteilung *f*, Detachement *n*; **~r** [1g] **I.** *v/t.* **1.** ⚔ ab-stellen, -kommandieren; **2.** *Mal. u. fig.* hervorheben; *fig.* betonen; **II.** *v/i. u.* ~se *v/r.* **3.** s. abheben, hervortreten; *fig.* s. auszeichnen, hervorragen (durch *ac. por*).

desta|jador *m* Setzhammer *m* (*Schmiede*); **~jar** *vt/i.* Arbeitsbedingungen festlegen (für *ac.*); *Kart.*

abheben; **~jero** *m*, **~jista** *c* Akkordarbeiter *m*; **~jo** *m* **1.** ⚒ Akkordarbeit *f*; *a* ~ Akkord...; im (*bzw.* auf) Akkord; *obrero m a* ~ → *destajista*; **2.** *adv. a* ~ **a)** *Chi.* in Bausch u. Bogen; **b)** *Reg.* lose, vom Faß (*verkaufen*); **c)** *fig.* F überstürzt; mit viel Plackerei F; *hablar a* ~ dauernd (F im Akkord) reden.

destapa|da *Kchk. f Art* Pastete *f*; **~dor** *m* Flaschenöffner *m*; **~r I.** *v/t.* den Deckel (*bzw.* die Decke) wegnehmen von (*dat.*); *Topf* aufdekken; *Flasche* öffnen; *a. fig.* aufdekken; enthüllen; **II.** *v/i. Méj.* ausbrechen (*Tiere*); **III.** *v/r.* ~*se fig.* s. offenbaren, s. eröffnen (j-m *con alg.*); s. e-e Blöße geben (mit *ac.*, durch *ac. con*).

destaponar *v/t.* entkorken.

destartalado *adj.* krumm u. schief; baufällig (*Haus*); klapprig (*Wagen*); verwahrlost.

deste|char *v/t. Haus* abdecken; **~jar** *v/t.* die Dachziegel herunternehmen von (*dat.*); → *destechar*; *fig.* ~*ado* ungeschützt (*Sache*); **~jer** *vt/i. Gewebe, Strickarbeit* wieder auftrennen; *fig.* vereiteln, zunichte machen.

deste|llar *v/i.* aufblitzen; ⚓, ⚔ blinken, morsen; **~llo** *m* **1.** Aufblitzen *n*, Aufleuchten *n*; Flimmern *n*; *fig.* Funke *m*; ~ *de luz* Lichtblitz *m*; **2.** ⚓, ⚔, ✈ *fuego m de* ~ Blinkfeuer *n*; *mensaje m de* ~ Blinkspruch *m*.

destem|plado *adj.* **1.** unmäßig; unbeherrscht; rauh, barsch; unfreundlich; **2.** *a.* ♪ unharmonisch, mißtönend, verstimmt; **3.** ⊕ enthärtet (*Stahl*); **~plador** ⊕ *m* Enthärter *m*; **~planza** *f* **1.** Unmäßigkeit *f*; Übertreibung *f*; Heftigkeit *f*; **2.** Frösteln *n*; leichter Fieberanfall *m*; **3.** Unbeständigkeit *f*; Rauheit *f der Witterung*; **~plar I.** *v/t.* **1.** *Harmonie, Ordnung* stören; *Instrument* verstimmen; **2.** *j-m* Unpäßlichkeit verursachen; **3.** ⊕ *Stahl* enthärten; **II.** *v/r.* ~*se* **4.** ungleichmäßig werden (*Puls*); frösteln; e-n leichten Fieberanfall bekommen; **5.** *fig.* das Maß verlieren; heftig werden, aufbrausen; **6.** *Ec., Guat., Méj.* → *sentir dentera*; **~ple** *m* **1.** Verstimmung *f* (♪ *u. fig.*); Unpäßlichkeit *f*; **2.** Härteverlust *m* (*Metall*); **3.** *Ec., Guat., Méj.* → *dentera 1*.

desteñi|do *adj.* verfärbt; verblichen; **~r** [3l] **I.** *v/t.* entfärben; verfärben; (aus)bleichen; **II.** *v/i. u.* ~*se v/r.* abfärben; ausbleichen; verblassen.

desternillarse F *v/r.*: ~ *de risa* s. krank (*od.* kaputt) lachen.

desterra|do *m* Verbannte(r) *m*; **~r** [1k] *v/t.* **1.** verbannen, in die Verbannung schicken; *fig. Sorgen, Schmerz usw.* vertreiben, verscheuchen; ~ *una idea* s. e-n Gedanken aus dem Kopf schlagen; **2.** *Wurzeln u. ä.* von der Erde befreien.

desterronar ⚘ *v/t.*: ~ *un campo* auf e-m Feld die Erdklumpen zerkleinern.

deste|tar *v/t. Kind* entwöhnen, *Tier* absetzen; *fig. Kinder für Studium u. ä.* aus der Obhut des Elternhauses entlassen; **~te** *m* Entwöhnen *n*; Absetzen *n*; **~to** *m* entwöhntes Jungvieh *n*.

destiempo *adv.*: *a* ~ zur Unzeit; [ungelegen.]

destierro *m* Verbannung *f*; *hist.* Bann *m*; Verbannungsort *m*; ⚖ *a.* Aufenthaltsverbot *n für bestimmte Gebiete*; *fig. vivir* (*od. estar*) *en un* ~ in e-r sehr entlegenen Gegend wohnen.

destila|ción *f* Destillieren *n*; ⚗, ⊕ Destillation *f*, Destillierung *f*; Brennen *n* (*Wein usw.*); ~ *a baja temperatura* Schwelung *f*; *balón m de* ~ Destillierkolben *m*; **~dera** *f* Destillierapparat *m*; **~do** *adj.-su.* destilliert; (*producto m*) ~ *m* Destillat *n*; **~dor I.** *adj.* **1.** Destillier...; **II.** *m* **2.** Destillateur *m*, (Branntwein-)Brenner *m*; **3.** ⊕ Destillator *m*; **~r** *v/t.* **1.** destillieren; *Schnaps usw.* brennen; *pharm. Kräuter usw.* ausziehen; **2.** durch-, ab-tropfen lassen; *la llaga destila sangre* die Wunde blutet nach; **~torio I.** *adj.-su. m* (*aparato m*) ~ Destilliergerät *n*; **II.** *m* → *destilería*.

destilería *f* Destillieranlage *f*; Brennerei *f*; Destillation *f*.

desti|nación *f* Bestimmung *f*; † → *destino 2*; **~nar** *v/t.* **1.** bestimmen, ausersehen (für *ac. a, para*); ~ *a/c. a alg.* j-m et. zuweisen; *estar* ~*ado a* (*od. para*) bestimmt (*bzw.* berufen) sein zu (*dat. od. inf.*); **2.** schikken, senden; *las mercancías van* ~*adas a Lima* die Waren gehen nach Lima; **3.** *Verw.* versetzen; auf Mission schicken; ⚔ abstellen, (ab)kommandieren (zu *dat. a*); **~natario** *m* Empfänger *m*, Adressat *m*; Empfangsberechtigte(r) *m*; 📯 *caso de que no se encuentre al* ~, *devuélvase al remitente* falls nicht zustellbar, bitte an Absender zurück; **~no** *m* **1.** Schicksal *n*, Los *n*; Geschick *n*; ~ *fatal* Verhängnis *n*; **2.** Bestimmung(sort *m*) *f*; Ziel *n*; *estación f de* ~ Bestimmungsbahnhof *m*; *con* ~ *a* (*Madrid*) nach (Madrid); **3.** Amt *n*, Anstellung *f*; ⚔ Kommando *n*, Auftrag *m*; *derecho m a* ~ Anstellungsberechtigung *f*; **4.** Verwendung(szweck *m*) *f*; *dar* ~ *a a/c.* et. verwenden, et. gebrauchen.

destitu|ción *f* Amts-, Dienst-enthebung *f*; Entlassung *f*; **~ible** *adj. c* absetzbar; **~ir** [3g] *v/t.* **1.** absetzen; des Amtes entheben, entlassen; **2.** ~ *a alg. de a/c.* j-m et. entziehen.

destocar [1g] **I.** *v/t. j-m* die Frisur durchea.-bringen; **II.** *v/r.* ~*se a.* die Kopfbedeckung abnehmen.

destorcer [2b *u.* 2h] **I.** *v/t. Seil usw.* aufdrehen; *Verbogenes* geradebiegen; *fig.* ~ *la vara de la justicia* das Recht wiederherstellen; **II.** *v/r.* ~*se* ⚓ vom Kurs abkommen.

destornilla|do F *adj.* bescheuert F, kopflos; **~dor** *m* Schraubenzieher *m*; ~ *automático* Drillschraubenzieher *m*; **~r I.** *v/t.* auf-, herausschrauben *mit Schraubenzieher*; **II.** *v/r.* ~*se fig.* F den Kopf verlieren.

destrabar *v/t. j-m* die Fesseln lösen; *Waffe* entsichern.

destrenzar [1f] *v/t.* auf-, ent-flechten.

destreza *f* Geschicklichkeit *f*, Gewandtheit *f*, Fertigkeit *f*; ~ *de los dedos* Fingerfertigkeit *f*; *adv. con* ~ geschickt. [losreißen.]

destrincar [1g] ⚓ *v/t. Verstautes*

destripa|cuentos F *m* (*pl. inv.*) Pointenverderber *m*; **~r** *v/t.* **1.** *Wild* ausweiden; *Bauch, Polster usw.* aufschlitzen; **2.** *fig.* die Pointe verderben (*dat.*); **~terrones** F *fig. desp. m* (*pl. inv.*) Bauernknecht *m*, „Bauer“ *m*.

destrísimo *adj. sup. zu diestro*.

destrizar [1f] **I.** *v/t.* völlig zerstükkeln; **II.** *v/r.* ~*se fig.* vor Kummer (*od.* Ärger) vergehen.

destrona|miento *m* Entthronung *f* (*a. fig.*); **~r** *v/t.* entthronen (*a. fig.*).

destron|car [1g] **I.** *v/t. Baum* umhauen; *fig.* verstümmeln; *Gespräch* unterbrechen; *Chi., Méj. Pfl.* ausreißen; **II.** *v/r.* ~*se* F s. abplacken, s. schinden; **~que** *m Chi., Méj.* → *descuaje*.

destro|zar [1f] **I.** *v/t.* **1.** zerstükkeln; zerreißen; verwüsten; zerstören (*a. fig.*); *Kleidung* (mutwillig) zerreißen; *fig.* F *estar* ~*ado* hundemüde F (*od.* völlig erledigt) sein; **2.** ⚔ vernichtend schlagen; **II.** *v/r.* ~*se* **3.** in Stücke gehen; Bruch machen (*a.* ✈); **~zo** *m* **1.** Zerreißen *n*; Riß *m*; Verheerung *f*; *a. fig. causar* (*od. hacer*) ~*s* (*od. un* ~) Verwüstungen (*od.* Zerstörungen) anrichten (in, an *dat.*, bei *dat. en*); **2.** ⚔ vernichtende Niederlage *f*; **3.** ~*s m/pl.* Trümmer *pl.*, Stücke *n/pl.*; **~zón** *adj.-su. m* Reißteufel *m*; *ser un niño* ~ alles kaputtmachen.

destruc|ción *f* Zerstörung *f*, Verheerung *f*; Vernichtung *f*; *fig.* Untergang *m*; *a.* ⚘ Verödung *f*; **~tible** *bsd.* 🕮, ⊕, *lit. u. Am. adj. c* zerstörbar; **~tividad** *f* zerstörende Gewalt *f*; Zerstörungswut *f*; **~tivo** *adj.* zerstörend; destruktiv; **~tor I.** *adj.* **1.** zerstörend; ⚔ *fuerza f* ~*a* (*de un explosivo*) Sprengkraft *f*, Brisanz *f*; **2.** *a. fig.* zersetzend; *Pol.* umstürzlerisch; **II.** *m* **3.** *a.* ⚓ Zerstörer *m*; ~ *escolta* Begleitzerstörer *m*.

destrui|ble *adj. c* zerstörbar; **~r** [3g] **I.** *v/t.* zerstören, vernichten; verheeren, verwüsten; ⚘ *a.* veröden; *fig. j-n* zugrunde richten, *j-n* ruinieren; *Argument* erledigen; *Plan* durchkreuzen; **II.** *v/r.* ~*se fig.* zunichte werden; *Arith.* s. aufheben.

desuello *m* Ent-, Ab-häutung *f*; *fig.* Unverschämtheit *f*; Prellerei *f*.

desue|rar *v/t.* Serum (*bzw.* Molken) entfernen aus (*dat.*); **~ro** *m* Kneten *n* der Butter.

desulfurar ⚗ *v/t.* entschwefeln.

desuncir [3b] *v/t. Ochsen* ausjochen.

desu|nido *adj.* getrennt; *fig.* uneins, entzwei; **~nión** *f* Trennung *f*; *fig.* Uneinigkeit *f*, Zwietracht *f*; **~nir** *v/t.* trennen; loslösen; *fig.* entzweien; verfeinden.

desu|sado *adj.* ungebräuchlich; ungewohnt; **~sarse** *v/r.* ungebräuchlich werden; **~so** *m* Nichtanwendung *f*; Nichtbenützung *f*; *caer en* ~ ungebräuchlich werden, veralten; *caído en* ~ veraltet (*Wort*).

desvaído *adj.* **1.** blaß (*Farbe*); *fig.* verschwommen; **2.** hochaufgeschossen u. schmal (*Person*).

desvainar *v/t.* aus-hülsen, -schoten.
desvali|do *adj.* hilflos, schutzlos; **~jador** ⚒ *m* Plünderer *m*, Straßenräuber *m*; **~jamiento** *m* Ausplünderung *f*, Raub *m*; **~jar** *v/t.* ausplündern, berauben; **~miento** *m* Hilflosigkeit *f*; Verlassenheit *f*.
desvalo|rar *v/t.* → *desvalorizar*; **~rización** *bsd.* ⚚ *f* Abwertung *f*; Wertminderung *f*; **~rizar** [1f] *v/t. fast nur* ⚚ abwerten.
desván *m* Dachboden *m*, Speicher *m*; Hängeboden *m*; Rumpelkammer *f*.
desvane|cedor *Phot. m* Abdeckrahmen *m*; **~cer** [2d] **I.** *v/t.* **1.** verwischen; auflösen; **2.** zunichte machen; **II.** *v/r.* ~se **3.** verdunsten, verfliegen; s. auflösen, verschwinden, vergehen; **4.** ohnmächtig werden; **~cido** *adj.* hochmütig, dünkelhaft; **~cimiento** *m* **1.** Auflösung *f*, Vergehen *n*; ⚗ Verflüchtigung *f*; *HF* Schwund *m*; **2.** *fig.* Hochmut *m*, Dünkel *m*; **3.** Ohnmacht *f*; Schwindel *m*.
desvarar ⚓ *v/t.* flottmachen.
desva|riado *adj.* **1.** phantasierend (*im Fieber*); unsinnig; **2.** ins Holz geschossen (*Zweige*); **~riar** [1c] *v/i.* faseln, irrereden; *im Fieber* phantasieren; **~río** *m* Wahnsinn *m*; Fieber-wahn *m*, -phantasien *f/pl.*; ~s *m/pl.* Wahnvorstellungen *f/pl.*
desve|lado *adj.* schlaflos; munter; wachsam; **~lamiento** *m* → *desvelo*; **~lar I.** *v/t.* wach (er)halten; nicht schlafen lassen; **II.** *v/r.* ~se *fig.* wachsam sein; ~se *por* sehr besorgt sein um (*ac. od.* wegen *gen.*); **~lo** *m* Schlaflosigkeit *f*; *fig.* Sorge *f*; Fürsorge *f*; ~s *m/pl.* schlaflose Nächte *f/pl.*
desvencijar I. *v/t.* ausea.-reißen; **II.** *v/r.* ~se aus dem Leim (*bzw.* aus den Fugen) gehen, ausea.-fallen; ~*ado* klapprig; ausgeleiert.
desvendar *v/t.* die Binde (ab)nehmen (*dat. od.* von *dat.*).
desven|taja *f* Nachteil *m*, Schaden *m*; **~tajoso** *adj.* unvorteilhaft; nachteilig, ungünstig; **~tura** *f* Unglück *n*; Unheil *n*; **~turadamente** *adv.* unglücklicherweise; leider; **~turado I.** *adj.* **1.** unglücklich; einfältig; **2.** geizig; **II.** *m* **3.** Unglückliche(r) *m*; Trottel *m*; **4.** Geizkragen *m*.
desver|gonzado *adj.* schamlos; unverschämt, frech; **~gonzarse** [1f *u.* 1n] *v/r.* unverschämt werden (zu *dat.*, gg.-über *dat.*, gg. *ac. con*); **~güenza** *f* Schamlosigkeit *f*; Unverschämtheit *f*, Frechheit *f*.
desvestir [3l] *v/t.* → *desnudar*.
desvia|ble *adj. c* ablenkbar; **~ción** *f* **1.** *bsd. Phys.*, ⊕ *u. fig.* Abweichung *f*; Ablenkung *f*; Ausschlag *m* (*Zeiger*); *Phys.* ~ *de fase* Phasenhub *m*; ~ *de la luz* Lichtbrechung *f*; ~ *magnética* Magnetabweichung *f*; ✈ ~ *de mando* Steuerausschlag *m*; **2.** ⚕ Verkrümmung *f*; **3.** *Vkw.* ~ (*del tráfico*) Umleitung *f*; **~cionismo** *Pol. m* Abweichlertum *n*; Abweichung *f*; **~cionista** *Pol. adj.-su. c* abtrünnig, von der Parteilinie abweichend; *m* Abweichler *m*; **~dor** 🚂 *m Am.* Weiche *f*; **~r** [1c] **I.** *v/t.* **1.** ablenken; umleiten (*a. Vkw.*); *Flußlauf* ableiten; verschieben, verlagern; *Lichtstrahlen* brechen; ⚓ ~ *del rumbo* vom Kurs abbringen, abtreiben (*v/t.*); **2.** *fig.* ~ *de* abbringen von (*dat.*); **3.** *Fechtk.* parieren; **II.** *v/r.* ~se **4.** ⊕ ausschlagen (*Zeiger*); ⚓, ✈ abgetrieben werden; *a. fig.* vom Wege abkommen; auf Abwege geraten.
desvincula|do *adj.*: *estar* ~ allein stehen; ohne Bindungen sein; **~r** *v/t. Rpl.* → *amortizar*.
desvío *m* **1.** Abweichung *f*; Ablenkung *f*; *Vkw.* Umleitung *f*; 🚂 Ausweichgleis *n*; **2.** *fig.* Abneigung *f*, Kälte *f*; Widerwille *m*.
desvirtuar [1e] **I.** *v/t.* die Eigenschaft(en) *e-r Sache* verderben; *fig.* entkräften; *Argument* widerlegen *od.* zerpflücken; **II.** *v/r.* ~se s-e Kraft (*od.* s-e Eigenschaft) verlieren; s. zersetzen (*Lebensmittel usw.*).
desvitrificar *v/t.* entglasen.
desvivirse *v/r.*: ~ *por* vor Sehnsucht nach *et.* (*dat.*) vergehen; sehr erpicht sein auf *et.* (*ac.*); s. *et.* sehr angelegen sein lassen.
desvolvedor ⊕ *m* Windeisen *n*.
desyerbar *v/t.* jäten; abgrasen.
desyugar [1h] *v/t.* ausjochen.
detall ⚚: *al* ~ → *al por menor*.
deta|lladamente *adv.* im einzelnen; genau, umständlich; **~llado** *adj.* ausführlich; mit (*od.* in) allen Einzelheiten; genau; **~llar** *vt/i.* **1.** ausführlich beschreiben; einzeln aufführen; die einzelnen Punkte aufzählen; **2.** ⚚ im kleinen verkaufen; **~lle** *m* **1.** Einzelheit *f*; Kleinigkeit *f*; *en* ~ im einzelnen; *entrar en* ~(*s*) (bis) ins einzelne gehen; sehr ausführlich sein (*bzw.* behandeln); **2.** Einzelhandel *m*; **3.** Einzelaufführung *f*, Spezifikation *f* (*Rechnung, Liste*); **4.** *fig.* (schöner) Zug *m*, (großzügige) Geste *f*; **~llista** *c* **1.** Kleinmaler *m*; **2.** ⚚ → *minorista*.
detasa 🚂 *f* Frachtrabatt *m*.
detec|ción *Rf. f* Detektion *f*, Gleichrichtung *f*; **~tive** *Angl. m* Detektiv *m*; *agencia f de* ~s Detektei *f*; **~tor** *Phys., Rf.*, ⊕ *m* Detektor *m*; ~ *de galena* (*de mentiras*) Kristall- (Lügen-)detektor *m*; ⚔ ~ *de minas* Minensuchgerät *n*.
detención *f* **1.** Festnahme *f*, Verhaftung *f*; Haft *f*; ~ *ilegal* Freiheitsberaubung *f*; ~ *precautoria* (*preventiva*) Schutz- (Untersuchungs-)haft *f*; **2.** Verzögerung *f*; Aufhalten *n*; Hemmung *f*; Stillstand *m*; ~ *en ruta* Fahrtunterbrechung *f*; *adv. sin* ~ unverzüglich; **3.** *fig.* Ausführlichkeit *f*, Gründlichkeit *f*.
detener [2l] **I.** *v/t.* **1.** an-, auf-halten; hemmen; verzögern; stoppen; ⚓ *Leck* abdichten; ~ *la marcha a.* laufende Maschine abstellen; ~ *el paso* langsamer gehen; stehenbleiben; **2.** einbehalten, zurückbehalten; in Gewahrsam haben; **3.** festnehmen, verhaften; **II.** *v/r.* ~se **4.** stehenbleiben; zum Stillstand kommen; *Auto a.* anhalten; ~se *a hacer a/c.* s. damit aufhalten, et. zu tun; ~se *con* (*od. en*) bei (*od.* von) (*dat.*) aufgehalten werden; bei (*dat.*) verweilen; ~se *en a.* lange (*Zeit*) brauchen für (*ac.*); ~se *en el examen de et.* genau überprüfen.
deteni|damente *adv.* lange; gründlich, ausführlich, aufmerksam; **~do I.** *adj.* **1.** langsam, zögernd; **2.** eingehend, gründlich; **3.** unentschlossen; gehemmt, ängstlich; **4.** geizig; **II.** *adj.-su.* **5.** Verhaftete(r) *m*; Gefangene(r) *m*; *queda usted* ~ Sie sind verhaftet; **~miento** *m* Ausführlichkeit *f*; *con* ~ → *detenidamente*.
detenta|ción ⚖ *f* unrechtmäßiger Besitz *m*; Vorenthaltung *f*; **~r** ⚖ *v/t.* zu Unrecht einbehalten *bzw.* besitzen; ~ *la herencia* (*de alg.* j-m) das Erbe vorenthalten.
detente *hist. m* (*a.* ~ *bala*) Amulett *n mit Herz-Jesu-Bild, in den Karlistenkriegen u. im Bürgerkrieg benutzt.*
detentor ⊕ *m* Halter *m*; Spannring *m*.
deter|gente *a.* ⚗, ⊕ *adj.c-su. m* Reinigungs- *bzw.* Wasch-, Spülmittel *n*; **~ger** [2c] ⚕ *v/t. Wunde* säubern.
deterio|ración *f* → *deterioro*; **~rado** *adj. a.* ⚚, ⊕ fehlerhaft; beschädigt, schadhaft; **~rar** *v/t.* beschädigen, verderben; *Zähne, Metall* angreifen; **~ro** *m* Beschädigung *f*; Verschlechterung *f*; Wertminderung *f*; Verderb *m*; *de fácil* ~ leichtverderblich; *sin* ~ *de* unbeschadet (*gen.*).
determi|nable *adj. c* bestimmbar (*a.* 𝔄); **~nación** *f* **1.** Bestimmung *f*, Festlegung *f*; ⚓, ✈ ~ *del rumbo* Kursbestimmung *f*; ~ *de la posición* Ortung *f*; **2.** Beschluß *m*; Entschluß *m*; *tomar una* ~ e-n Entschluß fassen; **3.** Entschlossenheit *f*; **4.** *Phil.* Determiniertheit *f*; **~nado** *adj.* entschlossen; bestimmt; mutig, kühn; **~nante I.** *adj. c* entscheidend; bestimmend (für *ac.* de); **II.** *m Gram.* Bestimmungswort *n*; **III.** *f* 𝔄 Determinante *f*; **~nar I.** *v/t.* **1.** fest-legen, -setzen; bestimmen (*a.* 𝔄); *a.* ⚔ ~ *la posición* (*de*) orten (*ac.*); **2.** ~ *hacer a/c.* beschließen, et. zu tun; ~ *a alg. a hacer a/c.* j-n dazu veranlassen, et. zu tun; **3.** feststellen; **4.** verursachen, bestimmend sein für (*ac.*); **II.** *v/r.* ~se **5.** ~se *a* (*hacer*) *a/c.* s. zu et. (*dat.*) entschließen, s. entschließen, et. zu tun; **~nativo** *adj. bsd. Gram.* determinativ, bestimmend; *oración f* ~*a* Bestimmungssatz *m*.
determinis|mo *Phil. m* Determinismus *m*; **~ta** *Phil. adj.-su. c* deterministisch; *m* Determinist *m*.
deter|sivo, ~sorio *adj.-su. bsd.* ⚕ (*medicamento m*) ~ *m* reinigend(es Mittel *n*).
detesta|ble *adj. c* abscheulich; **~ción** *f* Abscheu *m*; Haß *m*; **~r** *v/t.* verabscheuen; hassen; verwünschen; s. ekeln vor (*dat.*).
detona|ción *f* Detonation *f*, Explosion *f*, Knall *m*; ✈ ~ *supersónica* Knall *m* beim Durchbrechen der Schallmauer; **~dor I.** *adj.*: *pistola f* ~*a* Schreckschußpistole *f*; **II.** *m* Sprengkapsel *f*, Zünder *m*; **~nte I.** *adj. c*: *mezcla f* ~ Sprengmischung *f*; **II.** *m* Zündsatz *m*; Zünder *m*; **~r** *v/i.* detonieren; knallen; krepieren (*Geschoß*).
detorsión *f* (*bsd.* Muskel-)Zerrung *f*.
detrac|ción *f* Herabsetzung *f*, Verleumdung *f*, üble Nachrede *f*; **~tar**

v/t. herabsetzen; verleumden, schlechtmachen; **~tor** *adj.-su.* Verleumder *m*, Lästerer *m*.

detraer [2p] *v/t.* **1.** abziehen; ablenken; **2.** *Verdienst, Ehre* herabsetzen, schmälern; verleumden, schlechtmachen.

detrás I. *adv.* hinten, dahinter; hinterher; *por* ~ von hinten; *estar* ~ dahinter stehen (*od.* stecken) (*a. fig.*); *a.* ⚔ *el que está* ~ Hintermann *m*; **II.** *prp.* ~ *de* hinter (*dat. bzw. ac.*); ~ *de mí* (*de ti*) hinter *bzw.* nach mir (dir); *uno* ~ *de otro* einer hinter dem anderen, hinterea.; *correr* ~ *de alg.* j-m nachlaufen (*a. fig.*); *hablar* (*por*) ~ *de alg.* hinter j-s Rücken sprechen; *ir* ~ *de alg.* hinter j-m hergehen; *fig.* F e-r Frau nachsteigen F; † *u. Reg.* ~ *mío etc.* → ~ *de mí*.

detrimento *m* Schaden *m*, Nachteil *m*; *en* ~ *suyo* zu s-m Schaden; *en* ~ *de la calidad* auf Kosten der Qualität.

detrítico *adj.* **1.** *Geol.*: *capa f* ~*a*, *formación f* ~*a* Trümmer-, Verwitterungs-schicht *f*, -formation *f*; **2.** ⚕ Detritus...

detri|to *m* **1.** Trümmer *pl.*, Zerfallsmasse *f*; Bodensatz *m*; *fig.* Ausschuß *m*; *Geol.* ~*s* Trümmergestein *n*; ~*s m/pl. animales* tierische Abfälle *m/pl.*; **2.** ⚕ Detritus *m*, Gewebstrümmer *pl.*; **~tus** *lt.* 🕮 *m* → *detrito*; *fig. el* ~ *de la sociedad* die Zerfallserscheinungen *f/pl.* der Gesellschaft.

deuda *f* Schuld *f* (*a. fig.*); Verschuldung *f*; ~ *activa* (Schuld-)Forderung *f*; ~*s f/pl. exteriores* Auslandsschulden *f/pl.*, -verschuldung *f*; ~ *flotante* schwebende (*bsd.* Staats-) Schuld *f*; ♀ *pública* Staatsschuld *f*; *libre de* ~*s* schuldenfrei; *fig. contraer una* ~ e-e Verpflichtung eingehen; *contraer* ~*s* Schulden machen.

deudo *m* **1.** Verwandte(r) *m*; **2.** Verwandtschaft *f*.

deudor I. *adj.* schuldend; schuldig; Schuldner...; ☤ Soll..., Debet...; ☤ *u. fig. anotar en la cuenta* ~*a* auf der Debet-Seite verbuchen; **II.** *m* Schuldner *m*; ~ *de un* ~ Drittschuldner; ~ *solidario* Gesamtschuldner *m*.

deuterio ⚗ *m* Deuterium *n*; *óxido m del* ~ schweres Wasser *n*.

Deuteronomio *bibl. m* Deuteronomium *n*.

devalar ⚓ *v/i.* abtreiben.

deva|luación ☤ *f* Abwertung *f*, Devalvation *f*; **~luar** [1c] *v/t.* abwerten; **~lúo** *m* → *devaluación*.

devana|dera *f* Haspel *f*; Aufspulgerät *n*; Garnwinde *f*; Spule *f*; **~do** ⊕ *m* Haspeln *n*; ⚡ Wicklung *f*; ~ *de inducido* Ankerwicklung *f*; **~dor** *m* (Papier-)Rolle *f zum Garnwickeln*; **~dora** ⊕ *f* Haspel *f*; **~r I.** *v/t.* abspulen, abwickeln; *Garn, Draht* haspeln; **II.** *v/r.* ~*se fig.* ~*se los sesos* s. den Kopf zerbrechen; *Cu., Méj.* ~*se de* ... s. krümmen vor ... (*Lachen usw.*).

deva|near *v/i.* phantasieren, faseln, spinnen F; **~neo** *m* **1.** Faselei *f*; Hirngespinst *n*; **2.** ~*s m/pl.* Liebelei *f*; **3.** Zeitvertreib *m*, Spielerei *f*.

devasta|ción *f* Verwüstung *f*, Verheerung *f*; **~do** *adj.* verwüstet; **~r** *v/t.* verwüsten, verheeren.

devatiado ⚡ *adj.*: *corriente f* ~*a* Blindstrom *m*.

devengar [1h] *v/t.* Anrecht (*od.* Anspruch) haben auf (*ac.*); ein-, be-ziehen; *Zinsen* abwerfen, einbringen; ~*ado* angefallen (*Zinsen*).

devenir I. [3s] **1.** ⚖ *v/i.* geschehen, vorkommen; **2.** *Phil.* werden; **II.** *m* **3.** *Phil.* Werden *n*.

deviación *bsd. Astr. f* Abweichung *f*.

devisa *hist. f* Erbsitz *m*.

devisar *v/t. Méj.* → *divisar u.* P *atajar*.

devo|ción *f* **1.** Andacht *f*, Frömmigkeit *f*; Verehrung *f*, Anbetung *f*; *adv. con* ~ andächtig; *fig.* ehrfürchtig, hingebungsvoll; *libro m de* ~ → *devocionario*; *objetos m/pl. de* ~ Devotionalien *f/pl.*; **2.** Ergebenheit *f*; Zuneigung *f*; *estar a la* ~ *de alg.* j-m bedingungslos ergeben sein; *fingir* ~ frömmeln; *tener por* ~ + *inf.* die (feste) Gewohnheit haben, zu + *inf.*; **~cionario** *m* Gebets-, Andachts-buch *n*.

devolu|ción *f* **1.** Rückgabe *f*; Zurückerstattung *f*; ☤ *artículo m de* ~ Kommissionsartikel *m*; **2.** ⚖ (*Erbschaft*) Anfall *m*; **~tivo, ~torio** ⚖ *adj.* (zurück)erstattend; Rückerstattungs...

devolver [2h; *part. devuelto*] **I.** *v/t.* **1.** zurück-geben, -schicken; herausgeben; **2.** zurückzahlen; *Ausgaben* erstatten; **3.** zurückstellen; wieder *an s-n Platz* stellen; **4.** vergelten, heimzahlen; *Dank, Besuch usw.* erwidern; ~ *bien por mal* Böses mit Gutem vergelten; **5.** *fig.* wiedergeben; ~ *la vida a* wiederbeleben (*ac.*); **6.** F (*a. v/i.*) *Speisen* erbrechen; **II.** *v/r.* ~*se* **7.** *Am.* umkehren; zurückgehen.

de|voniano *Geol. adj.-su. m* Devon *n*; **~vónico** *Geol. adj.* devonisch.

devora|dor *adj.* verzehrend; *hambre f* ~*a* Heißhunger *m*; **~nte** *adj. c* → *devorador*; **~r** *v/t.* **1.** (auf)fressen, zerreißen; ver-, hinunterschlingen; *fig. Buch, et. mit den Augen* verschlingen; *Tränen* hinunterschlucken; *fig.* F ~ *kilómetros* Kilometer fressen F; **2.** *fig.* verzehren (*bsd. Feuer*); vergeuden; vernichten, ruinieren; *le devora la impaciencia* er vergeht vor Ungeduld.

devo|tería F *f* → *beatería*; **~to I.** *adj.* **1.** Andachts...; *imagen f* ~*a* Heiligenbild *n*; **2.** andächtig, fromm; **3.** ergeben; untertänig, devot; **II.** *m* **4.** Andächtige(r) *m*; **5.** Gg.-stand *m* der Verehrung; **6.** Verehrer *m*, Anhänger *m* (von *dat. de*) (*a. desp.*).

dexteridad *f* → *destreza*.

dextrina ⚗ *f* Dextrin *n*.

dextro *hist. m* Asylgebiet *n um e-e Kirche*; **~cardia** ⚕ *f* Dextrokardie *f*.

dex|trógiro *adj.* rechtsläufig (*Schrift*); ⚗ rechtsdrehend; **~trogirismo** *m* Rechtsläufigkeit *f* (*Schrift*); **~trorrotación** 🕮, ⊕ *f* Rechtsdrehung *f*; Rechtsdrall *m*; **~trosa** ⚗ *f* Dextrose *f*.

dey *hist. m* Dey *m* (*Algerien*).

deyección *f* **1.** ⚕ Stuhlgang *m*; **2.** *Geol.* ~*ones f/pl.* Auswurf *m e-s Vulkans*.

dez|mable *adj. c* zehntpflichtig; **~mar** [1k] *v/t.* → *diezmar*; **~mero** *m* → *diezmero*.

día *m* **1.** Tag *m*; Zeit *f*; Zeitpunkt *m*; Zeitabschnitt *m*; *el* ~ *12 de octubre* (*Vollform der Datumsangabe*) am 12. Oktober; ~ *de campo* Landpartie *f*; ☤ ~ *de cierre* (*de cómputo*) Schluß- (Abrechnungs-)tag *m*; ~ *civil* (*festivo*) Kalender- (Feier-)tag *m*; ~ *franco*, ~ *libre* freier Tag *m*; Ausgang *m*; ~*s de gracia*, ~*s de cortesía* Respekttage *m/pl.*; ~ *de fiesta entera* (*de media fiesta*, ~ *quebrado*) voller (halber) Feiertag *m*; ~ *de hacienda*, ~ *hábil* Werktag *m*; ~ *de la Madre* (*del Padre*) Mutter- (Vater-)tag *m*; *Am.* ~ *de la Raza*, *Span.* ~ *de la Hispanidad* Tag *m* der Hispanität (*12. Oktober*); *un* ~ e-s Tages, einmal; *algún* ~ e-s Tages; einst; später (einmal); *un* ~ *de estos* dieser Tage, bald; *iron.* nie; *a* ~*s* gelegentlich; *al* ~ **a)** auf dem laufenden; auf dem neuesten Stand; **b)** *adv.* täglich, pro Tag; *el* ~ *antes* (*después*) tags zuvor (darauf); *dos* ~*s después* am übernächsten Tage; *cada* ~ jeden Tag, (tag)täglich; *cada dos* ~*s*, *un* ~ *sí y otro no* jeden zweiten Tag; *de* ~ bei (*od.* am) Tage; *de* ~*s acá*, *de* ~*s a esta parte* seit einiger Zeit; seit geraumer Zeit; *de* ~ *en* ~ von Tag zu Tag; *de un* ~ (*de quince* ~*s*) ein- (vierzehn-)tägig; *del* ~ vom Tage, ganz neu; soeben fertig, frisch; aktuell; (*durante*) ~*s enteros* tagelang; *en su* ~ rechtzeitig; *de hoy en ocho* ~*s* heute in acht Tagen; *fig. el* ~ *de mañana* die Zukunft; *el mejor* ~ e-s schönen Tages; *el otro* ~ neulich, kürzlich; *iron.* ¡*otro* ~! ein andermal!; morgen! (= *nie*); *por* ~*s* tageweise; ~ *por* ~ Tag für Tag; *al otro* ~, *al* ~ *siguiente* am nächsten Tage; *aplazar de* ~ *en* ~ (*od. de un* ~ *para otro*) von e-m Tag auf den andern verschieben; *crecer de* ~ *en* ~ immer größer werden; *fig. dar a uno el* ~ j-m e-e unangenehme Überraschung bereiten; j-m den (ganzen) Tag verderben; *estar al* ~ auf dem laufenden sein; auf der Höhe des Tages sein; *fig.* F ¡*tal* ~ *hará* (*od. hizo*) *un año!* ich pfeife was darauf! F; *a.* darauf kannst du lange warten! F; *poner(se) al* ~ (s.) auf dem laufenden halten; (s.) einarbeiten; *fig. u.* ⚕ *tener sus* ~*s* s-e Tage haben; *trabajar al* ~ tagelöhnern; **2.** Tag *m* (*im Gg.-satz zur Nacht*); Tageslicht *n*; ~ *lunar* Mondtag *m*; *abre* (*od. despunta od. rompe*) *el* ~ der Tag bricht an; *ya es de* ~ es wird schon hell; *antes del* ~ frühmorgens, vor Tagesanbruch; **3.** Wetter *n*; *hace buen* ~ es ist schönes Wetter; **4.** *Gruß*: (*dar los*) *buenos* ~*s* guten Morgen (*bzw.* Tag) (wünschen); (*nach dem Mittagessen*: *buenas tardes*); *fig. no darse los buenos* ~*s* verfeindet sein; ¡*hasta otro* ~! auf (baldiges) Wiedersehen!; **5.** Leben(stage *m/pl.*) *n*; (*entrado*) *en* ~*s* betagt, alt; *al fin de sus* ~*s* (kurz) vor s-m Tod; *en mis* ~*s* zu m-r Zeit; ¡*no en mis* ~*s*! nie!; *fig. por él*

no pasan los ~*s* an ihm geht die Zeit spurlos vorbei; **6.** ~ *de bueyes Feldmaß*: 12,5 ar. [*m*.]
diabasa *Geol. f* Grünstein(schiefer)
dia|betes ⚕ *f* Diabetes *m*, Zuckerkrankheit *f*; ~**bético** *adj.-su.* diabetisch, zuckerkrank; *m* Diabetiker *m*; ~**beto** *Phys. m* Tantalusbecher *m*.
dia|bla *f* **1.** Teufelin *f* (*a. fig.*); F *adv. a la* ~ verteufelt schlecht, miserabel; **2.** *Thea.* Kulissenlicht *n*; **3.** ⊕ (Reiß-)Wolf *m*; ~**blejo** *m dim.* Teufelchen *n*; ~**blesa** *f* Teufelsweib *n*; ~**blesco** *adj.* → *diabólico*; ~**blillo** *m* Teufelsmaske *f* (*a. Person*); *dim.* Teufelchen *n*; Range *f*, Lausejunge *m*; ~**blito** *dim. m* Teufelchen *n*.
diablo *m* **1.** Teufel *m*; ~ (*de hombre*) Teufelskerl *m*; *estos niños son el* (*mismísimo*) ~ das sind (die reinsten) Teufelsrangen; ~ *cojuelo lit.* hinkender Teufel; *fig.* Kobold *m*, Schelm *m*; Störenfried *m*; *un pobre* ~ ein armer Teufel *m* (*od.* Schlucker *m*); *fig.* F *el* ~ *predicador* der Teufel als Sittenprediger, der Wolf im Schafspelz; **2.** *b. Vergleichen*: *como el* (*od. como un*) ~: *correr como el* ~ wie ein Irrer rennen; *Verstärkung*: *eso pesa como el* ~ das wiegt verteufelt schwer; F *más que el* ~ verdammt viel F; *de mil* ~*s*, *de* (*todos*) *los* ~*s*: *hay un barrullo de mil* ~*s* das ist ja ein Heidenlärm; **3.** *fig. anda el* ~ *suelto* der Teufel ist los; *darse al* ~ (*od. a todos los* ~*s*) s. mächtig aufregen, außer s. sein; wüst schimpfen; *echar* (*od. enviar od. mandar*) *al* ~ *a alg.* j-n zum Teufel schicken; j-n rausschmeißen; F *ya que nos lleve el* ~, *que sea en coche* wenn uns schon der Teufel holt, dann bitte mit Glanz und Gloria; **4.** *int.* ¡*diablo(s)*! (zum) Teufel!, Donnerwetter!; ¡*al* ~ *con* ...! zum Teufel mit ...!; ¡*un* ~! (*Ausdruck des Widerwillens gg. e-e Arbeit usw.*) *etwa*: den Teufel werde ich tun!; ¿*cómo* ~*s lo ha hecho?* wie hat er das nur fertiggebracht?; ¡*el* ~ *que lo entienda!* das versteht kein Mensch!, das soll der Teufel verstehen!; ¡*guárdate del* ~! sei auf der Hut!; überlege dir genau, was du tun willst; ¡*qué* ~*(s)*! zum Teufel!; das fehlte gerade noch!; verflucht noch einmal! F; ¿*qué* ~*s va a decir?* was zum Teufel wird er sagen?; ¿*qué* ~*s he de saberlo yo?* wieso, zum Teufel, soll ich das wissen?; ¡*que el* ~ *cargue con él!* der Teufel soll ihn holen!; ¡*que se lo lleve el* ~! hol's der Teufel!; *no tiene el* ~ *por donde cogerle* er ist der reinste Teufel; er ist ein Ausbund von Lastern; *Spr. el* ~, *harto de carne, se metió a fraile* wenn der Teufel alt wird, wird er fromm; → *a. demonio*; **5.** *C. Ri., Chi., Hond.* ~*s m/pl. azules* Säuferwahn *m*; **6.** Billardstockauflage *f*; **7.** *tex.* Reißwolf *m*; **8.** *Chi.* Ochsenwagen *m für Langholz*; **9.** Nagelzieher *m*; **10.** *Fi.* ~ *marino* Drachenkopf *m*; ~ *de mar* Teufelsrochen *m*, Manta *f*; **11.** □ Gefängnis *n*, Knast *m* P.
dia|blura *f* **1.** Teufelei *f*; Streich *m*; **2.** Mutwille *m*; ~**bólico** *adj.* teuflisch; *fig.* vertrackt, verteufelt.

diábolo *m* Diavolo(spiel) *n der Kinder*.
dia|citrón *m* → *acitrón*; ~**codión** 📖 *m* Mohnsaft *m*.
diaco|nado, ~**nato** *m* Diakonat *n*; ~**nía** † *f* Diakonatsbezirk *m*; ~**nisa** *f* Diakonisse *f*.
diácono *m* Diakon *m*.
diacrítico 📖 *adj.* diakritisch.
diacústica *Phys. f* Diakustik *f*.
diadema *f* Diadem *n*; Stirnband *n*; *fig.* Herrscherkrone *f*.
diado *adj.* anberaumt (*Tag*).
diadoco *hist. u. fig. m* Diadoche *m*.
diafanidad *f* Durchsichtigkeit *f*; Lichtdurchlässigkeit *f*.
diáfano *adj.* durch-sichtig; -scheinend; 📖 diaphan; *fig.* klar; offen.
diafanosco|pia ⚕ *f* Durchleuchtung *f*; ~**pio** ⚕ Diaphanoskop *n*.
diaforético ⚕ *adj.* → *sudorífico*.
diafragma *m* **1.** *Anat.* Zwerchfell *n*; **2.** *Phys.*, ⊕, ⚗, ⚡ Membran *f*; durchlässige Zwischenwand *f*; **3.** *Grammophon usw.* Schalldose *f*; **4.** *Phot.* Blende *f*; ~ *de disco* Scheibenblende *f*; ~ *giratorio* (*iris*) Revolver- (Iris-)blende *f*; ~**r** *Phot. vt/i.* abblenden.
diagnos|is ⚘, *Zo.*, ⚕ *f* Diagnostik *f*; ~**ticador** ⚕ *u. fig. m* Diagnostiker *m*; ~**ticar** [1g] ⚕ *v/t.* diagnostizieren.
diagnóstico I. *adj.* ⚕ diagnostisch; charakteristisch (*Merkmal*); **II.** *m* ⚕ Diagnostik *f*; Diagnose *f* (*a. fig.*); Befund *m*; ~ *diferencial* (*precoz*) Differential- (Früh-)diagnose *f*.
diagonal I. *adj. c* **1.** diagonal, schräg(laufend); *en* ~ schrägverlaufend; **II.** *f* **2.** Diagonale *f*; **3.** Diagonal *m* (*schräggestreifter Stoff*).
diágrafo *m* Diagraph *m* (*Zeichengerät*).
diagrama *m* **1.** Diagramm *n*, Schaubild *n*; Skizze *f*, Abriß *m*; ⊕ Kennlinie *f*; **2.** Drudenfuß *m*.
dial *Angl. m Rf.* Stationsskala *f*; *Tel.* Nummernscheibe *f*.
dialectal *adj. c* mundartlich, dialektal; Dialekt...
dialécti|ca *Phil. f* Dialektik *f*; ~**camente** *adv.* dialektisch; ~**co I.** *adj.* dialektisch; *materialismo m* ~ dialektischer Materialismus *m*, DIAMAT *m*; **II.** *m* Dialektiker *m*.
dialec|to *m* Dialekt *m*, Mundart *f*; ~**tología** *f* Dialektologie *f*, Mundartenkunde *f*; ~**tólogo** *m* Dialektologe *m*.
diálisis ⚗ *f* Dialyse *f*.
dialo|gal *adj. c* dialogisch; ~**gar** [1h] **I.** *v/t.* in Gesprächsform abfassen; *Lit.* ~*ado* dialogisiert, in Gesprächsform; **II.** *v/i.* ein Zwiegespräch führen; ~**gismo** *Lit. m* Dialogismus *m*, Darstellung *f* in Dialogform; ~**gístico** *adj.* dialogisch, Dialog...; in Dialogform dargestellt; ~**gizar** [1f] *v/i.* → *dialogar*.
diálogo *m* Dialog *m*; Zwiegespräch *n*; (Wechsel-)Gespräch *n*.
dialoguista *c Lit.* Verfasser *m* von Dialogen; *Film*: Dialog-bearbeiter *m*; -regisseur *m*.
diaman|tado *adj.* → *adiamantado*; ~**tar** *v/t.* Diamantglanz geben (*dat.*); ~**te** *m* **1.** Diamant *m*; ~ (*en*) *bruto* Rohdiamant *m*; ~ *rosa* Rosette *f*; ~ *de vidriero* (Glaser-)Diamant *m*; *punta f de* ~ **a)** *Phono* Saphir *m*; **b)** Diamantnadel *f* (*Schmuck*); **c)** Glaserdiamant *m*; **2.** *fig. bodas f/pl. de* ~ diamantene Hochzeit *f*; **3.** *Typ.* **a)** Brillant *f* (*3-Punkt-Schrift*); **b)** *edición f* ~ Diamantausgabe *f*; **4.** *Kart. etwa*: Karo *n*; ~**tífero** *adj.* diamantenhaltig; Diamanten...; ~**tino** *adj.* diamanten, aus Diamanten; *fig.* stahlhart, ehern; unerschütterlich; ~**tista** *c* Diamanten-schleifer *m*; -händler *m*.
diametral *adj. c* diametral; *línea f* ~ Durchschnittslinie *f*; ~**mente** *adv.*: ~ *opuesto* diametral entgg.-gesetzt.
diámetro *m* Durchmesser *m*; *Kfz.* ~ *del círculo de viraje* Wendekreisdurchmesser *m*; ⚔ ~ *del cañón* Rohrweite *f*.
diana *f* **1.** ⚔ (*toque m de*) ~ Wecken *n*; Reveille *f*; *tocar a* ~ zum Wecken blasen; **2.** (*das* Schwarze der) Zielscheibe *f*; *dar en la* ~, *hacer* ~ *a. fig.* ins Schwarze treffen.
dian|che, ~**tre** *m* F Teufel *m*, Deixel *m* (*Reg.*); → *a diablo*.
diapasón ♪ *m* **1.** Griffbrett *n* (*Geigen u. ä.*); Stimmpfeife *f*; ~ (*normal*) Stimmgabel *f*; *p. ext. a.* Kammerton *m*; **2.** Stimm- *bzw.* Tonumfang *m*; F *bajar* (*subir*) *el* ~ leiser (lauter) sprechen; *fig. fallar el* ~ s. im Ton vergreifen, aus der Rolle fallen.
diapente ♪ *m* Quint(e) *f*.
diapositiva *Phot. f* Dia(positiv) *n*.
diaprea ⚘ *f Art* Pflaume *f*.
dia|rero *m Arg.* Zeitungsverkäufer *m*; ~**riamente** *adv.* täglich; ~**rio I.** *adj.* **1.** täglich; Tages...; **II.** *m* **2.** Tagebuch *n*; ✈ Tagebuch *n*, Journal *n*; ⚓ ~ *de navegación* Schiffstagebuch *n*; ~ *oficial* Amtsanzeiger *m*; **3.** Tagesaufwand *m*; **4.** *de* ~ Alltags...; *a* ~ täglich; **5.** *Rf.* ~ *hablado* Nachrichten *f/pl.*; **6.** (Tages-)Zeitung *f*; → *a. periódico*; *boletín*; ~**rismo** *m Am.* → *periodismo*; ~**rista** *c Am.* Journalist *m*; Zeitungsverleger *m*.
diarre|a ⚕ *f* Durchfall *m*, Diarrhö *f*; ~**ico** *adj.* Durchfall...
diartrosis *Anat. f* (*pl. inv.*) Kugelgelenk *n*, Diarthrose *f*.
diáspora *Rel. f* Diaspora *f*.
diaspro *Min. m Art* Jaspis *m*.
di|astasa *f* ⚗ Diastase *f*; † → ~**ástasis** ⚕ *f* Diastase *f*, Ausea.-treten *n* von Knochen (*od.* Muskeln); ~**ástole** *Metrik*, ⚕ *f* Diastole *f*; ~**astólico** ⚕ *adj.* diastolisch; ~**astrofia** ⚕ *f* Verrenkung *f*; Verzerrung *f*.
dia|térmano *Phys. adj.* diatherman; ~**termia** ⚕ *f* Diathermie *f*; ~**térmico** ⚕ *adj.* diathermisch, Diathermie...
diatesarón ♪ *m* Quart *f*.
diátesis ⚕ *f* (*pl. inv.*) Diathese *f*.
diatomeas ⚘ *f/pl.* Kieselalgen *f/pl.*
diató|mico ⚗ *adj.* zweiatomig; ~**nica** ♪ *f* Diatonik *f*; ~**nico** ♪ *adj.* diatonisch.
diatriba *f* Schmäh-schrift *f*, -rede *f*; Invektive *f*.
diávolo *m* → *diábolo*.
dibu|jante *m* Zeichner *m*; ~ *de Artes Gráficas* Graphiker *m*; ~ *de*

construcción (*de prensa*) Bau- (Presse-)zeichner *m*; ~ *de productos industriales y comerciales* Gebrauchsgraphiker *m*; **~jar I.** *vt/i.* zeichnen (*a. fig.*); **II.** *v/r.* *~se fig.* s. abzeichnen; allmählich hervortreten; **~jo** *m* **1.** Zeichnen *n*; *de* ~ Zeichen...; ~ *industrial* technisches Zeichnen *n*; ~ *publicitario* Werbegraphik *f*; *papel m de* ~ Zeichenpapier *n*; **2.** Zeichnung *f*; Entwurf *m*, Skizze *f*; *~s m/pl. animados* Zeichentrickfilm *m*; ~ *al carboncillo* (*a lápiz, a mano, a pluma*) Kreide- (Bleistift-, Hand-, Feder-)zeichnung *f*; ~ *en sección* Schnitt(zeichnung *f*) *m*; ~ *topográfico* (topographische) Aufnahme *f*; **3.** Gewebemuster *n*, Dessin *n*; *con ~s* gemustert; *sin* ~ uni(farben); **4.** *fig.* Schilderung *f*.

dica|cidad ✎ *f* Scharfzüngigkeit *f*; **~z** *adj. c* (*pl. ~aces*) scharfzüngig, bissig.

dic|ción *f* **1.** ✎ Wort *n*; **2.** Ausdrucksweise *f*, Art *f* des Vortrags, Diktion *f*; *clases f/pl. de* ~ Sprecherziehung *f*; **~cionario** *m* Wörterbuch *n*, Lexikon *n*; ~ *de bolsillo* Taschenwörterbuch *n*; ~ *de ideas*, ~ *ideológico*, ~ *analógico* Begriffswörterbuch *n*; *fig. ser un* ~ ein wandelndes Lexikon sein; **~cionarista** *c* → *lexicógrafo*.

díceres *m/pl. Am.* Gerüchte *n/pl.*

diciembre *m* Dezember *m*.

dicotiledóneo ⚘ *adj.* zweikeimblättrig.

dicotomía *Phil.*, ⚘ *f* Dichotomie *f*.

dicro|ísmo *m* Dichroismus *m b. Kristallen*; **~mático** *adj.* zweifarbig.

dicta|do *m* **1.** Diktat *n* (*a. fig.*); *escribir al* ~ nach Diktat schreiben; **2.** *fig.* Eingebung *f*, innere Stimme *f*; ~ *de la conciencia* Gewissensgebot *n*; **3.** Titel *m*, (Bei-)Name *m*; **~dor** *m* Diktator *m*; **~dura** *f* Diktatur *f*.

dicta|men *m* Ansicht *f*, Meinung *f*; Urteil *n*; Gutachten *n*; Vorschrift *f*; *emitir un* ~ → **~minar** *v/i.* ein Gutachten abgeben; ~ (*acerca*) *de* (*od. sobre*) *a/c.* et. begutachten.

díctamo ⚘ *m* Eschenwurz *f*.

dicta|r *v/t.* **1.** diktieren; **2.** befehlen; vorschreiben; *Gesetze* erlassen; ~ (*la*) *sentencia* das Urteil fällen; **3.** *Vortrag* halten; **4.** *fig.* eingeben; *hará lo que le dicta* (*bzw. dicte*) *la conciencia* er wird nach s-m Gewissen handeln; **~torial** *adj. c* diktatorisch, gebieterisch; **~torio** *adj.* auf den Diktator bezüglich; *hist. dignidad f ~a* Würde *f* des Diktators.

dicterio *m* Schmähung *f*.

dicha *f* Glück *n*; Glückseligkeit *f*; *adv. por* ~ zum Glück, glücklicherweise; zufällig(erweise); *Spr. nunca es tarde si la ~ es buena* besser spät als nie.

dichara|chero F *adj.-su.* Zotenreißer *m*; Witzbold *m*; **~cho** *m* Zote *f*.

dichero F *adj.-su. Andal.* witzig, schlagfertig.

dicho I. *part. zu* → *decir*; **1.** besagt, genannt; *~a casa* die genannte Firma; *el arriba ~* der Obenerwähnte; ~ *y hecho* gesagt, getan; *lo ~* das Gesagte, das Erwähnte; *¡lo ~!* habe ich gesagt!; es bleibt dabei!; wie besprochen!; *lo ~*, ~ was man versprochen hat, muß man auch halten; ich stehe zu m-m Wort; *está* ~ das ist schon alles erledigt; das braucht nicht wiederholt zu werden; *dejar* ~ mündlich hinterlassen; *¡haberlo ~!* hätte ich (*bzw.* hätten Sie *usw.*) das (nur) eher gesagt!; ~ (*sea*) *de paso* nebenbei bemerkt; *no ser para* ~ unsäglich (*od.* unbeschreiblich) sein; *¡téngaselo usted por ~!* lassen Sie sich's gesagt sein!; ich meine es ernst!; **II.** *m* **2.** Ausdruck *m*; Ausspruch *m*; Witzwort *n*; Sinnspruch *m*, Sentenz *f*; *es un* ~ man sagt das so; es ist (nur) e-e Redensart; F *soltarle a uno cuatro ~s* j-m ein paar Frechheiten an den Kopf werfen; *Spr. del ~ al hecho hay gran trecho* Versprechen u. Halten ist zweierlei; **3.** ⚖ (Zeugen-)Aussage *f*; **4.** *Thea. ~s m/pl.* die Vorigen (*Bühnenanweisung*); **5.** *tomarse los ~s* s. förmlich verloben (*Ehebereitschaftserklärung vor der geistlichen Behörde*); *Südspan. toma f de ~s* Verlobung *f*.

dichón *adj. Rpl.* → *dicaz*.

dichoso *adj.* **1.** *pred.* (*ser, sentirse*) glücklich, glückselig; **2.** *int. ¡~s los ojos (que te ven)!* wer kommt denn da!; sieht man dich auch einmal wieder!; das ist ja e-e Überraschung, dich (*usw.*) wiederzusehen; **3.** *attr. lit. ~a soledad f* selige Einsamkeit *f*; **4.** *attr.* F leidig; verflixt F, verdammt F.

didácti|ca *f* Didaktik *f*, Lehrkunst *f*; **~co** *adj.* didaktisch, unterrichtskundlich, Lehr...; *método m* ~ Unterrichtsmethode *f*; *profesor m* ~ Didaktiker *m*; *poesía f ~a* Lehrgedicht *n*.

didelfos *Zo. m/pl.* Beuteltiere *n/pl.*

dieci|nueve *num.* neunzehn; *el siglo* ~ das neunzehnte Jahrhundert; **~nueveavo** *num.* Neunzehntel *n*; **~ochavo** *num.* Achtzehntel *n*; *Typ. m* Oktodez(format) *n*; **~ocheno** *num.* achtzehnte(r, -s); *adj. tex.* 1800fädig (*Kette*); **~ochismo** *m* Eigenart *f* (*Stil, Mode usw.*) des 18. Jh.; **~ochista** *adj. c* zum 18. Jh. gehörig; typisch 18. Jh.; **~ocho** *num.* achtzehn; **~séis** *num.* sechzehn; **~seisavo** *num.* Sechzehntel *n*; *Typ. m* Sedez(format) *n*; **~seiseno** *num.* sechzehnte(r, -s); *adj. tex.* 1600fädig (*Kette*); **~siete** *num.* siebzehn; **~sieteavo** *num.* Siebzehntel *n*.

diedro ⚹ **I.** *m* Dieder *n*; **II.** *adj. ángulo m* ~ von zwei s. schneidenden Ebenen gebildeter Winkel *m*.

Diego 1.: F *hacer el Don* ~ den Unwissenden spielen; *donde digo "digo", no digo "digo", sino digo "~" etwa*: ein Oberkonfusionsrat!; **2.** ⚘ ♀ → *dondiego*.

dieléctrico *Phys. adj.-su.* dielektrisch; *m* Dielektrikum *n*.

dien|te *m* **1.** Zahn *m*; *~s m/pl.* Zähne *m/pl.*, Gebiß *n*; *~s anteriores* Vorderzähne *m/pl.*; ~ *canino*, ~ *columelar* (*molar*) Eck- (Backen-)zahn *m*; ~ *empotrado*, ~ *de espiga* Stiftzahn *m*; F *~s de embustero* auseinanderstehende Zähne *m/pl.*; ~ *incisivo* Schneidezahn *m*; ~ *inferior* (*superior*) oberer (unterer) Zahn *m*; *~s de leche* Milchzähne *m/pl.*; *~s permanentes* bleibendes Gebiß *n*; ~ *postizo* künstlicher Zahn *m*; ~ *venenoso* Giftzahn *m*; *hilera f de ~s* Zahnreihe *f*; *me duelen los ~s* ich habe Zahnschmerzen; *echar ~s* Zähne bekommen, zahnen; → *a.* 2.; **2.** *fig. adv. de ~s afuera* heuchlerisch, unaufrichtig; *alargársele a uno los ~s* et. schrecklich gern haben wollen; großen Appetit bekommen; *dar ~ con ~* mit den Zähnen klappern; *decir* (*od. hablar*) *entre ~s* in den Bart brummen, brabbeln; *fig. echar los ~s* wütend sein; *a. fig. enseñar los ~s* die Zähne zeigen; *no haber para untar un ~, no tener para un ~* nichts zu brechen u. zu beißen haben; *Méj., P. Ri., Ven. pelar el* ~ kokett lächeln; *j-n* anhimmeln; *poner los ~s largos a alg.* j-m den Mund wässerig machen; *romperse los ~s con* s. die Zähne ausbeißen an (*dat.*); *tener buen* ~ ein guter Esser sein; *traer entre ~s a alg.* j-n nicht ausstehen können; j-n schlechtmachen; *Spr. primero son mis ~s que mis parientes* das Hemd ist mir näher als der Rock; **3.** ⊕ Zacken *m*, Zinke *f*; Zahn *m am Zahnrad*; **4.** ⚘ (Knoblauch-)Zehe *f*; ~ *de león* Löwenzahn *m*; ~ *de muerto* Platterbse *f*; ~ *de perro* Hundszahn *m*, Quecke *f*; **5.** *Geogr.* Zacke *f*; **~tecillo** *m dim.* Zähnchen *n*; **~timellado** *adj.* zahnlückig; **~tudo** *adj.* → *dentudo*.

diéresis 📖 *f* (*pl. inv.*) **1.** *Gram.*, *Metrik* Diärese *f* (*a.* ⚕), Trennung *f* von Diphthongen; **2.** Trema *n*.

dies irae *lt. kath. m* Dies irae *n* (*Sequenz des Seelenamts*).

diesel ⊕ *m* Dieselmotor *m*; **~eléctrico** *adj.* dieselelektrisch; **~ización** 🚂 Umstellung *f* auf Dieselbetrieb.

diesi ♪ *f* Erhöhung(szeichen *n*) *f*, Kreuz *n*.

dies|tra *f* rechte Hand *f*, Rechte *f*; *vgl. a.* → **~tro I.** *adj.* **1.** rechte(r, -s); rechtshändig; **2.** geschickt, gewandt; anstellig; schlau, wendig; ~ *en hablar* gewandter Sprecher; *adv. a ~a y siniestra* aufs Geratewohl, in die Kreuz u. Quer, drauflos; **II.** *m* **3.** Rechtshänder *m*; **4.** *Stk.* Matador *m*; **5.** *Equ.* Zaum *m*, Halfter *f, n, m*.

dieta[1] *f* Diät *f*, Kranken-, Schonkost *f*; ~ *cruda* Rohkost *f*; ~ *láctea* Milch-diät *f*, -kur *f*; *estar a* ~ (*rigurosa*) (strenge) Diät halten (müssen); auf schmale Kost gesetzt sein; *poner a ~ a j-m* Diät verordnen, *j-n* auf Diät setzen; *fig. tener a ~ a alg.* j-n kurz (*od.* knapp) halten; → *a. régimen* 4.

dieta[2] *Pol. f* **1.** Landtag *m*; *z. B. Schweden u. hist.* Reichstag *m*; ~ *federal* Bundestag *m*; **2.** *~s f/pl.* Tagegelder *n/pl.* (*Beamte*), Diäten *f/pl.* (*Abgeordnete*); (*Zeugen- usw.*) Gebühren *f/pl.*; *~s de asistencia* Anwesenheits-, Sitzungs-gelder *n/pl.*; **~rio** *m* **1.** Haushalts-, Abrechnungs-buch *n der Einnahmen u. Ausgaben*; Merk-, Notiz-buch *n*; **2.** *hist. Ar.* Chronik *f*.

dietéti|ca *f* Diätetik *f*, Ernährungskunde *f*, -wissenschaft *f*; **~co** ⚕ **I.** *adj.* diätetisch, Diät...; **II.** *m* Diätassistent *m*.

dietoterapia ⚕ *f* Diättherapie *f*.

diez I. *num.* **1.** zehn; *Alfonso ~* Alphons der Zehnte (*od.* der Weise); *el ~ de setiembre* am zehnten September; **II.** *m* **2.** Zehn *f*; *Kart.* ~ *de bastos etwa*: Kreuzzehn *f*; **3.** *kath.* Gesetz *n* des Rosenkranzes; Vaterunserperle *f*; **4.** *Chi.* Zehncentavostück *n*; **5.** *euph. für* Gott *m*.

diez|mar I. *v/i. hist.* den Zehnten zahlen (*bzw.* eintreiben); **II.** *v/t. hist. u. fig.* dezimieren; aufräumen unter (*dat.*); **~mero** *hist. m* Zehntentrichter *m bzw.* -empfänger *m*; **~mesino** zehnmonatig.

diezmi|lésimo *num.* Zehntausendstel *n*; **~límetro** *m* Zehntelmillimeter *m, n*.

diezmo *hist. m* Zehnt(abgabe *f*) *m*.

difama|ción *f* Verleumdung *f*, üble Nachrede *f*; Lästerung *f*; **~dor** *adj.-su.* verleumderisch, diffamierend; *m* Verleumder *m*; Ehrabschneider *m*; **~r** *v/t.* verleumden, diffamieren; verketzern; entehren, schmähen; **~torio** *adj.* verleumderisch, ehrenrührig.

difásico ⊕ *adj.* zweiphasig, Zweiphasen...

diferen|cia *f* **1.** Unterschied *m*, Verschiedenheit *f*; Abstand *m*; ~ *de (la) edad* Altersunterschied *m*; ~ *de nivel* Gefälle *n*; ~ *en más (en menos)* Plus- (Minus-)differenz *f*; *a ~ de* zum Unterschied von (*dat.*), im Unterschied zu (*dat.*); *hacer (una) ~ (entre)* unterscheiden (zwischen *dat.*); *¡~ va!, ¡va una gran ~!* das ist et. ganz anderes!; **2.** 𝔸 Rest *m*; Differenz *f*; **3.** † Rest(betrag) *m*; Fehlbetrag *m*; **4.** *fig.* Meinungsverschiedenheit *f*, Streit *m*, Differenz *f*; *partir la ~* beiderseits nachgeben, s. auf halbem Wege entgegenkommen; **~ciación** *f* Differenzierung *f* (*a.* 𝔸); **~cial I.** *adj. c* Ausgleichs...; Differenz..., Differential...; † *tarifa f ~* Differentialtarif *m*; 𝔸 *cálculo m ~* Differentialrechnung *f*; **II.** *adj.-su. m Kfz.* (*engranaje m*) ~ Differential *n*, Ausgleichsgetriebe *n*; **III.** *f* 𝔸 Differential *n*; **~ciar** [1b] **I.** *v/t.* **1.** unterscheiden, □ differenzieren; ~ *A de B* A von B unterscheiden; ~ *la comida* das Essen abwechslungsreich gestalten; **II.** *v/i.* **2.** uneinig sein; ~ *en opiniones* verschiedener Meinung sein; **III.** *v/r.* **~se 3.** s. unterscheiden (von *dat.* de, durch *ac.* por); abweichen; *fig.* s. auszeichnen; **4.** *Biol.* s. differenzieren; **~te** *adj. c* **1.** unterschiedlich; verschieden; abweichend; *ser ~ de (bzw. en)* verschieden sein von (*dat.*) (*bzw.* in *dat.*); **2.** *vor su.* **~s** (*pl.*) mehrere, manche, verschiedene.

diferir [3i] **I.** *v/t.* auf-, hinausschieben; verschieben (auf *ac.* a); verzögern; vertagen; ~ *el plazo* die Frist verlängern; **II.** *v/i.* abweichen; verschieden sein; ausea.-gehen, differieren; ~ *de los demás* anders sein (*bzw.* denken) als die übrigen; ~ *(de uno) en opiniones* e-e andere Meinung haben (als j.).

difícil *adj. c* **1.** schwer, schwierig; beschwerlich; knifflig; *es ~ + inf.* es ist (*od.* hält) schwer, zu + *inf.*; ~ *de hacer* schwer zu tun (*bzw.* zu machen); *libros m/pl. ~es de leer* schwer lesbare Bücher *n/pl.*; *lo veo (od. me parece) ~* das halte ich für unwahrscheinlich; das wird wohl kaum gehen; *Spr. los comienzos siempre son ~es* aller Anfang ist schwer; **2.** heikel (*Situation*); schwer zufriedenzustellen(d); spröde, widerspenstig (*Person*); **3.** verunstaltet, häßlich (*Gesicht*); **~mente** *adv.* schwer; schwerlich, kaum.

dificul|tad *f* **1.** Schwierigkeit *f*; Hindernis *n*; Mühe *f*; *a.* ⊕ ~ *de manejo* Bedienungsschwierigkeit *f*; ~ *de oído* Schwerhörigkeit *f*; ~ *respiratoria* Atemnot *f*; ~ *de visibilidad* Sichtbehinderung *f*; F *Don ~es* → *dificultista*; *estoy en ~es* ich bin in (momentaner) Verlegenheit; ich habe Schwierigkeiten; *poner ~es* Schwierigkeiten bereiten (*od.* machen); *adv. con ~* (nur) schwer; schwerlich, kaum; *adv. sin la menor ~* ohne weiteres, anstandslos, glatt; **2.** Bedenken *n/pl.*, Einwand *m*; **~tador** *adj.-su.* erschwerend; *m* Umstandskrämer *m* F; **~tar** *v/t.* erschweren, behindern; schwierig(er) machen; **~tista** F *c* Umstands-, Bedenklichkeits-krämer *m*; **~toso** *adj.* **1.** schwierig, mühsam; bedenklich; **2.** F auffallend *bzw.* verunstaltet (*Gesicht*); **3.** → *dificultador*.

diflu|ente *adj. c* zerfließend; **~ir** [3g] *v/i.* s. auflösen, zerfließen.

diforme *adj. c inc.* → *deforme*.

difrac|ción *Phys. f* Beugung *f*, Brechung *f*; ~ *(de la luz)* Lichtbrechung *f*; **~tar** *Opt. v/t.* brechen.

dif|teria ⚕ *f* Diphtherie *f*; **~térico** *adj.* Diphtherie..., diphtherisch.

difum(in)ar *v/t. Graphik, Typ.* verlaufen lassen, schummern.

difundi|do *adj.* bekannt, verbreitet; **~r I.** *v/t.* **1.** *Flüssigkeiten* ausschütten; versprühen; **2.** *Nachrichten* verbreiten; *Rf. Sendungen* übertragen; **II.** *v/r.* **~se 3.** s. ausbreiten; bekannt werden.

difun|tear P *v/t.* abmurksen P, umlegen P; **~to I.** *adj.* tot, verstorben; **II.** *m* Verstorbene(r) *m*; *día m de (los fieles) ~s* Allerseelentag *m*.

difu|sión *f* **1.** Aus-, Ver-gießen *n*; Versprühen *n*; **2.** Mischung *f*, Verschmelzung *f*; **3.** Streuung *f* (*a. Phys.*), Verbreitung *f*; *Rf.* ~ *de programas* Programmübertragung *f*; **4.** *fig.* Weitschweifigkeit *f*; **~so** *adj.* **1.** verbreitet; weit; *Phys.* diffus, zerstreut (*Licht, Wärme*); **2.** *fig.* weitschweifig; verschwommen; **~sor** *m* **1.** *Phys.*, ⊕ Diffusor *m*; Absüßer *m in Zuckerfabriken*; **2.** Zerstäuber *m* (*Parfüm*); **3.** *Auto*: Vergaserdüse *f*.

digeri|ble *adj. c* verdaulich; *fácilmente ~* leichtverdaulich; **~r** [3i] **I.** *vt/i.* **1.** verdauen; **II.** *v/t.* **2.** ⚗ aus-ziehen, -laugen; **3.** *fig.* innerlich verarbeiten; genau überdenken; *fig. Unglück usw.* verschmerzen, verwinden; F *no poder ~ a alg.* j-n nicht ausstehen können, j-n im Magen haben F.

digesti|bilidad *f* Verdaulichkeit *f*; **~ble** *adj. c* (leicht)verdaulich; **~ón** *f* **1.** Verdauung *f*; *de difícil ~* schwerverdaulich; F *cortarse la ~* s. den Magen verderben; *fig.* F *ser de mala ~* unausstehlich sein; **2.** ⚗ Auslaugen *n*; **~vo** *adj.-su. m* Verdauungs...; verdauungsfördernd(es Mittel *n*); *aparato m ~* Verdauungsapparat *m*; *licor ~* Magenlikör *m*.

digestor ⚗, ⊕ *m* Dampfkochtopf *m*; Papinscher Topf *m*.

digita|ción ♪ *f* Fingersatz *m*; **~do** *Zo.*, ⚘ *adj.* gefingert; fingerförmig; **~l I.** *adj. c* **1.** *Rechenmaschine*: digital; **2.** Finger...; ⚕ digital; **II.** *f* **3.** ⚘ Fingerhut *m*; *pharm.* Digitalis *f*; **~lina** ⚗ *f* Digitalin *n*.

digitígrados *Zo. m/pl.* Zehengänger *m/pl.*

dígito I. *adj.-su. m Arith.* einstellig(e Zahl *f*); **II.** *m Astr.* Zwölftel *n des Sonnen- od. Monddurchmessers*.

digitoxina *pharm. f* Digitoxin *n*.

digna|ción *f* Herablassung *f*; **~mente** *adv.* würdig, mit Würde; **~rse** *v/r.* geruhen, s. herablassen, die Güte haben (zu + *inf.* de + *inf., od. mst. ohne prp.*); *Su Majestad se dignó (de) recibirla* Ihre Majestät geruhte(n), sie zu empfangen; *dígnese + inf.* **a)** *Verw., höfliche Aufforderung*: wollen Sie bitte + *inf.*; **b)** *mst. iron.* F geruhen Sie (bitte), zu + *inf.*; **~tario** *m* Würdenträger *m*; *alto (od. gran) ~* hoher Würdenträger *m*.

digni|dad *f* **1.** Würde *f*; ~ *humana*, ~ *del hombre* Menschenwürde *f*; **2.** Anstand *m*, würdiges Benehmen *n*; *adv. con ~* würdig, würdevoll; **3.** (Ehren-)Amt *n*; (Amts-)Würde *f*; *a.* Würdenträger *m*; *bsd. kath. rentas f/pl. de la ~* Pfründe(ngelder *n/pl.*) *f*; *Su* ♀ S-e Ehrwürden, S-e Eminenz; **~ficante** *adj. c* würdig machend; **~ficar** [1g] *v/t.* würdig machen; zu e-r Würde erheben.

digno *adj.* **1.** würdevoll, würdig; ehrenwert; **2.** angemessen, passend; ~ *de* würdig (*gen.*); ~ *de atención* beachtens-, bemerkens-wert; ~ *de compasión* bemitleidenswert; ~ *de confianza (de fe)* vertrauens-(glaub-)würdig; ~ *de consideración* beachtlich, beachtenswert; ~ *de mención (de verse)* erwähnens-(sehens-)wert; *con un empeño ~ de mejor causa* mit e-m Eifer, der e-r besseren Sache würdig (gewesen) wäre.

digrafía † *f* doppelte Buchführung *f*.

digresión *f* Abschweifung *f*, Abweichung *f*; Exkurs *m*.

dije[1] *pret. zu decir*.

dije[2] *m* Anhänger *m* (*Schmuck*); *fig.* Perle *f*, Juwel *n* (*Person*).

dijes † *u. Reg. m/pl.* Prahlerei *f*, Großtuerei *f*, Bramabarsieren *n*.

dilacera|ción *f* Zerfleischung *f*; *fig.* Entehrung *f*; **~nte** *adj. c* reißend (*Schmerz*); **~r** *v/t.* zer-reißen, -fleischen; *fig. Ehre* schmähen; *Stolz* brechen.

dilación *f* Verzögerung *f*; Aufschub *m*; *sin ~* unverzüglich.

dilapida|ción *f* Verschwendung *f*, Vergeudung *f*; **~dor** *adj.-su.* verschwenderisch; *m* Verschwender *m*; **~r** *v/t.* verschwenden, vergeuden, durchbringen F.

dilata|bilidad *Phys. f* Dehnbarkeit *f*; Ausdehnungsvermögen *n*; **~ble** *adj. c* (aus)dehnbar; **~ción** *f* **1.** Erweiterung *f* (*a.* ⚕), Ausweitung *f*; **2.** *Phys.* Ausdehnung *f*; **3.** *fig.* ~ (*del ánimo*) innere Ruhe *f* (*bzw.* Freude *f*); **~do** *adj.* ausgedehnt; weit; *a. fig. con las aletas de la nariz ~as* mit geblähten Nüstern; **~dor** ⚕ *m* Dilatator *m* (*Muskel u. Instrument*); **~r I.** *v/t.* **1.** (aus)dehnen, erweitern (*a. fig.*); *a.* ⊕ ausweiten; *fig. Herz* erheben; **2.** ✝, *lit.*, *Am.* verzögern, hinausziehen; **3.** ⚒ ver-, auf-schieben; **4.** verbreiten, bekanntmachen; **II.** *v/r.* **~se 5.** s. (aus)dehnen, s. erweitern; **6.** *fig.* s. verbreiten, weitschweifig werden *in e-r Rede usw.*

dilatómetro ⊕ *m* Dehnungsmesser *m.*

dilato|ria *f* Aufschub *m*; *andar con* (*od.* en) *~s* et. auf die lange Bank schieben; **~rio** ⚖ *adj.* aufschiebend, Verzögerungs..., Verschleppungs...

dilecto *lit. u. burl. adj.* (innig) geliebt.

dilema *m* Dilemma *n.*

diletan|te *c* Dilettant *m*, Amateur *m*; *teatro m de ~s* Liebhaberbühne *f*; **~tismo** *m* Kunstliebhaberei *f*; Dilettantismus *m*; *desp.* Stümperei *f.*

diligen|cia *f* **1.** Fleiß *m*, Eifer *m*; Sorgfalt *f*; Beflissenheit *f*; Schnelligkeit *f*; **2.** ⚖ Gerichtsakt *m*; behördliche Maßnahme *f*, Veranlassung *f*; *~s f/pl. a. polizeiliche* Ermittlungen *f/pl.*; **3.** *fig.* Maßnahme *f*, Schritt *m*, Bemühung *f*; Geschäft *n*; *hacer ~s a.* die notwendigen Schritte unternehmen; **4.** *hist.* Postkutsche *f*; **~ciar** [1b] *bsd. Verw. v/t.* betreiben, in die Wege leiten; erledigen, bearbeiten; **~ciero** *m etwa*: Agent *m* für Bearbeitung von Schrift- u. Behörden-sachen (*a. freiberuflich*); **~te** *adj. c* fleißig; sorgfältig; zuverlässig; flink; *~ para cobrar* rasch im Kassieren.

dilucida|ción *f* Aufklärung *f*; Erläuterung *f*; **~r** *v/t.* aufklären, erläutern, erhellen.

dilu|ción *f* Verdünnung *f*; **~ente** *m* Verdünnungsmittel *n*; **~ir** [3g] *v/t.* verdünnen; auflösen; vermischen; *sin ~* unverdünnt.

dilu|vial *Geol. adj. c-su.* diluvial; *m* Alluvium *n*; **~viano** *adj.* sintflutartig; Sintflut...; **~viar** [1b] *v/i.* in Strömen regnen, schütten; **~vio** *m* **1.** Sintflut *f* (*a. fig.*); *fig.* Flut *f*, Schwall *m*; *~ de balas* Kugelhagel *m*; *Spr. detrás de mí el ~* nach mir die Sintflut; **2.** *Geol.* Diluvium *n*; **~yente** *m* → *diluente*.

dimana|ción *f* Ausströmung *f*; Ausströmen *n*; *fig.* Ursprung *m*; **~r** *v/i.* **1.** ⚒ aus-fließen, -strömen; **2.** herrühren, s. herleiten (von *dat.* de); *su éxito dimana de su voluntad* den Erfolg verdankt er s-m Willen.

dimen|sión *f* Ausdehnung *f*, Ausmaß *n*, Dimension *f*; *TV ~ de la imagen* Bildumfang *m*; **~sional** *adj. c* dimensional, Ausdehnungs...; **~sionar** ⊕ *v/t.* dimensionieren, bemessen.

dimes F: *~ y diretes m/pl.* Hin u. Her *n*, Rede u. Widerrede *f*; *andar en ~ y diretes* s. herumstreiten, herumdiskutieren.

dimicado *m Arg.* durchbrochene Stickerei *f.*

diminu|ción *f* → *disminución*; **~ir** [3g] *v/t.* → *disminuir.*

diminu|tamente *adv.* **1.** ⚒ spärlich; kärglich; **2.** einzeln, ausführlich; **~tivamente** *adv.* verkleinernd; **~tivo** *Gram.* **I.** *adj.* verkleinernd; *sufijo m ~* Diminutivsuffix *n*; **II.** *m* Diminutiv(um) *n*, Verkleinerungswort *n*; **~to** *adj.* winzig; ♪ vermindert.

dimi|sión *f* Rücktritt *m*, Demission *f*; Abdankung *f*, Verzicht *m*; *presentar su ~* s-n Rücktritt einreichen; *hacer ~ de* verzichten auf (*ac.*); **~sionario** *adj.* **1.** zurücktretend; **2.** zurückgetreten; **~sorias** *f/pl. ecl.* Dimissoriale *n*; *fig. llevar(se) ~* auf die Straße gesetzt werden; e-e Abfuhr erhalten; **~tente** *adj.-su. c* → *dimisionario*; **~tir I.** *v/t. Amt* aufgeben, niederlegen; *~ el cargo de presidente* von der Präsidentschaft zurücktreten; **II.** *v/i.* zurücktreten.

dimorfo 📖 *adj.* dimorph.

dina *Phys. f* Dyn *n.*

dinacho ⚘ *m Chi. eßbare Araliazee.*

dinamarqués *adj.-su.* dänisch; *m* Däne *m*; *das* Dänische.

dinamia *f* → *kilográmetro.*

dinámi|ca *Phys.*, ♪ *f* Dynamik *f*; **~co** *adj.* dynamisch (*a. fig.*); kraftvoll, energisch; schwungvoll.

dinamismo *m* **1.** 📖 Dynamismus *m*; **2.** *fig.* Dynamik *f*, Schwung *m.*

dinami|ta *f* Dynamit *n*; **~tar** *v/t.* mit Dynamit sprengen; **~tazo** *m* Dynamitsprengung *f*; **~tero** *adj.-su.* Dynamit...; *m* Sprengmeister *m*; Sprengstoffattentäter *m.*

dínamo ⚡ *f* Dynamo(maschine *f*) *m*; *Kfz.* Lichtmaschine *f.*

dina|moeléctrico *adj.* dynamoelektrisch; **~mómetro** *m* Dynamometer *n*, Kraftmesser *m*; **~motor** ⚡ *m* Motorgenerator *m.*

dinar *m* Dinar *m* (*Münze*).

dinas|ta *m* Dynast *m*; **~tía** *f* Dynastie *f* (*a. fig.*); Herrscher-geschlecht *n*, -haus *n.*

dinástico *adj.* dynastisch.

dine|rada *f* Menge *f* Geld; **~ral I.** *adj. c*: *pesa f ~* Geldwaage *f*; **II.** *m* große Menge Geld, Heidengeld *n* F; F *valer un ~* e-e Stange Geld kosten F; **~ralada** *f* → *dineral*; **~rillo** *m* F Sümmchen *n*; *hist. Münze in Ar. u. Val.*

dinero *m* **1.** Geld *n*; *~ bancario*, *~ en cuentas* (*blanco*) Buch- (Silber-) geld *n*; *~ en caja* Kassen-, Geldbestand *m*; *~ al contado*, *~ contante*, *~ en metálico*, *~ en efectivo* Bargeld *n*; *~ contante y sonante* klingende Münze *f*; *~ metálico* Hartgeld *n*; *~ suelto*, ✝ *u. Reg. ~ trocado* Klein-, Wechsel-geld *n*; *kath. ~ de San Pedro* Peterspfennig *m*; *fig. cambiar el ~* ohne Gewinn verkaufen; *estar mal con su ~* schlecht mit s-m Geld umgehen; *estar* (*od. andar*) *mal de ~* kein Geld haben; *hacer ~* (viel) Geld verdienen (*od.* machen); *~ llama ~* wo Geld ist, kommt Geld zu; *el ~ no hace la felicidad* (*, pero consuela mucho*) Geld (allein) macht nicht glücklich (, aber es beruhigt); **2.** *hist. Bezeichnung versch. Münzen.*

dingo *Zo. m* Dingo *m.*

dingolondangos F *m/pl.* Zärtlichkeiten *f/pl.*, Hätschelei *f*; Mätzchen *n/pl.* F.

dinosaurio *Zo. m* Dinosaurier *m.*

dintel Δ *m* Oberschwelle *f*, Tür- *bzw.* Fenster-sturz *m.*

dintorno *Mal.*, Δ *m* Umriß *m*, Figur *f.*

diñarla P *v/i.* sterben, abkratzen P, krepieren P.

diocesano *ecl. adj.-su.* diözesan; *m* Diözesan *m*; *kath. consejo m ~* Ordinariat *n.*

diócesis *ecl. f* Diözese *f*, Sprengel *m.*

diodo *HF m* Diode *f.*

dioico ⚘ *adj.* zweihäusig.

dionea ⚘ *f* Venusfliegenfalle *f*, Klebnelke *f.*

dionisíaco *Myth. u. fig. adj.* dionysisch.

diop|tra *Opt. f* Diopter *m* (*Zielgerät*); **~tría** *Opt. f* Dioptrie *f.*

dióptri|ca *Opt. f* Lehre *f* von der Lichtbrechung *f*, ✝ Dioptrik *f*; **~co** *Opt. adj.* dioptrisch.

diorama *m* Diorama *n.*

Dios *m* **1.** Gott *m*; *el Buen ~* der liebe Gott; *~ Hombre* der menschgewordene Gott, Gottmensch *m*; *a ~* → *adiós*; *¡ay ~!*, *¡oh ~!* ach Gott!, o Gott!; *¡~ (mío)!* (mein) Gott!; *¡por ~!* um Gottes willen!; aber ich bitte Sie (*bzw.* dich)!; *fig. cada mañana de ~* jeder (*bzw.* jeden) Morgen (, den Gott gibt); F *todo ~* jeder, alle; *¡alabado sea ~!* gottlob!; Gott sei gelobt!; gelobt sei Jesus Christus! (*Gruß beim Eintreten*); F *¡~ amanezca a usted con bien!* viel Glück für morgen!; *¡~ nos asista!*, *¡~ nos coja confesados!*, *¡~ nos tenga de su mano!* Gott steh' uns bei!, um Gottes (um Himmels) willen!; *¡~ te ayude!* helf' Gott!, wohl bekomm's (*beim Niesen*); *¡~ te bendiga!* Gott segne dich!; *¡bendito sea ~!* Gelobt sei Gott!, Gott befohlen!; F um Gottes willen!; F *a la buena de ~* aufs Geratewohl, ins Blaue hinein; *kath. darle a ~ a uno* j-m die (letzte) Wegzehrung spenden; *dar por ~* Almosen geben; umsonst geben; *darse a ~ y a los santos* **a)** zu allen Heiligen flehen; sehr besorgt sein; **b)** fürchterlich fluchen; F *~ te* (*se usw.*) *la depare buena* wir wollen das Beste hoffen; *digan que de ~ dijeron* laßt sie doch reden; um ihr Gerede kümmere ich mich nicht; *~ dirá* das liegt in Gottes Hand, das steht bei Gott; *como ~ le da a entender* so gut er's eben versteht; *estaba de ~* Gott hat es so gewollt, es war e-e Fügung Gottes; *estar con ~*, *gozar de ~* bei Gott (*od.* im Himmel) sein, selig sein; *¡~ te guarde!* Gott schütze dich!; *para él no hay más ~* (*ni Santa María*) *que el juego* das Spiel ist sein ein u. alles; *~ me* (*le usw.*) *habló* es war e-e Eingebung Gottes; *de menos nos hizo ~ etwa*: trotz allem hoffe ich, es (mit m-n bescheidenen Mitteln *od.* Kräften) fertigzubringen; *¡~ nos libre!* Gott behüte!; Gott steh' uns bei!; *~ le ha llamado* Gott hat ihn zu s. gerufen, er ist gestorben; *llamar a ~ de tú* allzu unverfroren sein (*bsd. mit Höhergestellten*); *fig. como ~ manda* wie es s. gehört, anständig F;

necesitar ~ y ayuda vor e-r äußerst schwierigen Aufgabe stehen; *ofender a ~* Gott beleidigen, s. versündigen; *¡~ te (usw.) oiga!* der Herr erhöre dich!, hoffentlich!, dein Wort in Gottes Ohr!; *~ se lo pague* vergelt's Gott!; *¡plegue (od. plazca od. pluguiera) a ~!* woll(t)e Gott!; *pedir por ~* betteln; *~ me perdone, pero ...* Gott verzeih' mir, aber ...; *poner a ~ por testigo (de a/c.)* Gott zum Zeugen anrufen (für et. *ac.*); *ponerse (a) bien con ~* beichten; *si ~ quiere* so Gott will; *¡no (lo) quiera ~!* da sei Gott vor!; *recibir a ~* kommunizieren; *sabe ~* Gott weiß; vielleicht; *~ sabe (que digo la verdad)* Gott weiß es *od.* Gott ist mein Zeuge (, daß ich die Wahrheit sage); *no servir a ~ ni al diablo* zu gar nichts taugen; *si ~ es servido od. como ~ sea servido* wie (*od.* so) Gott will, wenn es zur Ehre Gottes geschieht; *tentar a ~* Gott versuchen (*fig.*); *¡válgame ~!* Gott steh' mir bei!; *¡vaya por ~!* **a)** wie Gott will!; **b)** F stell dir vor!, so etwas!, es ist nicht zu fassen F; *¡vete (vaya) bendito de ~!, ¡vete (vaya) (mucho) con ~!* behüte dich (Sie) Gott, ade!; nun geh' (gehen Sie) schon endlich!; *a.* hör' (hören Sie) bloß auf damit!; laß' (lassen Sie) mich endlich in Ruh!; *venir ~ a ver a uno* unversehens Glück haben, e-e unerwartete Freude erleben; *¡venga ~ y véalo!* das ist himmelschreiend! (*Unrecht, Fehler u. a.*); *vivir como ~ (en Francia)* wie Gott in Frankreich leben; *lit. ¡vive ~!* bei Gott!; *voto a ~ K* das schwöre ich (bei Gott); P verdammt noch mal P; verflixt (und zugenäht) F; *Spr. ~ los cría y ellos se juntan* gleich und gleich gesellt s. gern; F *si ~ de ésta me escapa, nunca me cubrirá tal capa etwa*: wenn Gott mir nur diesmal noch heraushilft, werde ich mich nie mehr in e-e solche Sache einlassen; **2.** 2 heidnischer Gott *m*, Gottheit *f*; Götter-bild *n*, -statue *f*; Abgott *m*, Götze *m*; *2es m/pl. domésticos* Hausgötter *m/pl.*; *fig. los 2es de la tierra* die Großen dieser Erde.

diosa *f* Göttin *f*; F *pasarlo como las ~s* e-e herrliche Zeit verleben (*Ferien, Urlaub usw.*).

dioscuros *Myth. m/pl.* Dioskuren *m/pl.*

dióxido ⚗ *m* Dioxyd *n.*

dipétalo ❀ *adj.* zweiblättrig.

diplococos *Biol. m/pl.* Diplokokken *m/pl.*

diplo|ma *m* Diplom *n*; Zeugnis *n*; Urkunde *f*; **~macia** *f* **1.** Diplomatie *f*; **2.** *fig.* Verhandlungsgeschick *n*; kluge Berechnung *f*; **~mado** *adj.* diplomiert; Diplom...; **~mar** *gal. v/t.* diplomieren; **~mática** *f* Diplomatik *f*, Urkundenlehre *f*; ⚒ → *diplomacia*; **~máticamente** *adv.* diplomatisch; **~mático I.** *adj.* **1.** diplomatisch (*a. fig.*); Diplomaten...; *Cuerpo m ~, Abk. CD* Diplomatisches Korps *n*; **2.** Diplom...; **II.** *m* **3.** Diplomat *m* (*a. fig.*).

dipolo *od.* **dípolo** *HF m* Dipol *m.*

dip|somaníaco, ~sómano ⚒ ⚕ *adj.-su.* trinksüchtig.

díptero 📖 *adj.-su. m* **1.** △ Gebäude *n* mit doppelter Säulenreihe; **2.** *Ent. ~s m/pl.* Zweiflügler *m/pl.*

dípti|ca *f* **1.** *hist.* Klappschreibtafel *f*; **2.** *ecl. mst. ~s pl.* Bischofs- u. Spender-liste *f e-r Diözese*; **~co** *m* **1.** *Mal.* Diptychon *n*; **2.** → *díptica 1.*

dipton|gación *Li. f* Diphthongierung *f*; **~gar** [1h] *Li. v/i.* diphthongieren; **~go** *Li. m* Diphthong *m.*

diputa|ción *f* **1.** Abordnung *f*, Deputation *f*; Dauer *f* e-s Mandats; *~ provincial etwa*: Provinziallandtag, Kreis-tag *m*; **2.** *Méj.* Rathaus *n*; **~do** *m* Abgeordnete(r) *m* (von X *por X*); *~ provincial etwa*: Kreistagsabgeordnete(r) *m*; *~ a (od. en) Cortes* Abgeordnete(r) *m* bei den Cortes; **~r** *v/t.* abordnen; als Vertretung wählen; ins Parlament (in den Bezirkstag *usw.*) entsenden; *~ para* bestimmen für (*ac.*); *~ apto a alg.* j-n für geeignet halten.

dique *m* **1.** Damm *m*; Deich *m*; **2.** Dock *n*; *~ flotante* Schwimmdock *n*; *~ de carena, ~ seco* Trockendock *n*; *meter en ~* (ein)docken; **3.** *Am.* Talsperre *f*; **4.** ⚒ *zutage tretendes* Taubflöz *n*; **5.** *fig.* Schutz(wall) *m*; *poner ~s a* Einhalt tun (*dat.*); e-n Schutzwall errichten gegen (*ac.*).

diquelar P *v/t.* **1.** sehen; **2.** kapieren F, spannen F.

dirección 1. (Geschäfts-)Leitung *f*; Oberaufsicht *f*; Direktorium *n*; Direktion *f*; *Thea. usw. ~ artística* Regie *f*, künstlerische Leitung *f*; *2 General* Generaldirektion *f* (*in Ministerien etwa dt. Hauptabteilung*); **2.** Leitung *f*, Führung *f*; *llevar la ~ de a/c.* die Leitung e-r Sache innehaben; **3.** *Kfz.* Steuerung *f*, Lenkung *f*; *~ asistida, ~ por servomecanismo* Servolenkung *f*; ⊕ *~ a distancia* Fernlenkung *f*; **4.** Anschrift *f*, Adresse *f*; *~ fortuita, ~ (en caso) de necesidad* Notadresse *f* (*Wechsel*); *~ telegráfica* Telegrammadresse *f*, Drahtanschrift *f*; *poner la ~* die Adresse schreiben; **5.** Richtung *f*; ⚒ *~ del filón* Fallrichtung *f e-s Flözes*; *~ de la marcha* Marschrichtung *f*; Fahrtrichtung *f*; *calle f de ~ única* Einbahnstraße *f*; *en ~ longitudinal (transversal)* in Längs- (Quer-)richtung; *salir con ~ a* abreisen nach (*dat.*).

direc|ta *Kfz. f* direkter Gang *m*; **~tiva** *f* **1.** Direktive *f*, Weisung *f*, Anleitung *f*; *~s f/pl.* Leitsätze *m/pl.*, Richtlinien *f/pl.*; **2.** Vorstand *m*; **~tivo I.** *adj.* leitend: *junta f ~a* Vorstand *m*; **II.** *adj.-su. m (miembro m) ~* Vorstandsmitglied *n*; *quiere hablar con un ~* er möchte mit e-m (der) leitenden Herrn sprechen; **~to I.** *adj.* **1.** gerade; geradlinig; in gerader Richtung; **2.** unmittelbar; direkt (*a. Pol. Wahl*); ohne Umschweife; *camino m ~* kürzester Weg *m*; *Gram. complemento m ~* Akkusativobjekt *n*; 📖 *método m ~* direkte Methode *f*; *Rf., TV (re-)transmisión f en ~* Direktübertragung *f*, Live-Sendung *f*; 🚂 *tren m ~* Schnellzug *m*; **II.** *m* **3.** F *Boxen*: Gerade *f*; *~ a la mandíbula* Kinnhaken *m.*

directo|r I. *adj.* leitend; *f* → *directriz*; **II.** *m* Leiter *m*, Vorsteher *m*; Direktor *m*; *Thea., Film*: *~ artístico* Regisseur *m*; *~ espiritual* Beichtvater *m*, Seelsorger *m*; *~ general* Generaldirektor *m*; *Verw. etwa*: Ministerialdirektor *m*; △ *~ de la obra* Bauleiter *m*; *~ de orquesta* (Orchester-)Dirigent *m*; Kapellmeister *m*; *~ técnico* technischer Direktor *m*; **~ra** *f* Leiterin *f*, Vorsteherin *f*; Direktorin *f*; **~rado** *m* Direktorat *n*; **~ral** *adj. c* direktorial; **~rio I.** *adj.* **1.** → *directivo*; **II.** *m* **2.** Leitung *f*, Führung *f*; Direktorium *n*, Verwaltungsrat *m*; **3.** Richtschnur *f*; Anleitung *f*; **4.** Adreßbuch *n*; (*Notizbuch*); **5.** *hist.* *2 das* Directoire (*Frankreich*).

directriz (*pl.* *~ices*) **I.** *adj.-su. f* Richtlinie *f*; *Geom.* Leitlinie *f*; *idea f ~* Leitgedanke *m*; **II.** *f* Direktorin *f*, Vorsteherin *f*.

dirigente I. *adj. c* leitend, führend; **II.** *m* leitende Persönlichkeit *f*, Leiter *m*; Machthaber *m*; *los ~s del partido* die Parteiführer *m/pl.*

dirigi|ble I. *adj. c* lenk-, steuer-bar; **II.** *adj.-su. m (globo m) ~* (lenkbares) Luftschiff *n*; **~r** [3c] **I.** *v/t.* **1.** lenken, leiten, führen; ✈ steuern; **2.** richten (an *ac.*, auf *ac.* *a*); *~ la palabra a alg.* das Wort an j-n richten; *~ una pregunta a alg.* j-m e-e Frage stellen; **3.** *Brief* adressieren (an *ac.* *a*); **II.** *v/r.* *~se* **4.** *~se a* s. richten an (*ac.*), s. wenden an (*ac.*); s. begeben nach (*dat.*); *~se a (od. hacia) ...* Richtung auf ... (*ac.*) nehmen; *la brújula se dirige al norte* der Kompaß zeigt nach Norden; *fig.* *~se por* s. richten nach (*dat.*).

dirigismo † *m* Dirigismus *m.*

diri|mente ⚖ *adj. c*: *impedimento m ~ die Ehe* trennendes Hindernis *n*; **~mir** *v/t.* *Ehe* trennen *wegen e-s Ehehindernisses*; *Streit(frage)* schlichten.

dirt-track *engl. Sp. m* Dirt-Track- (*od.* Aschenbahn-)Rennen *n.*

discan|tar *v/t.* **1.** *Verse* rezitieren *bzw.* dichten; **2.** *fig.* kommentieren, erläutern; **~te** ♪ *m* Diskant *m*; Diskantgitarre *f*; † Streich- *bzw.* Gitarren-, Mandolinen-konzert *n.*

discer|nimiento *m* **1.** Unterscheidung *f*, Sonderung *f*; **2.** Unterscheidungsvermögen *n*, Einsicht(svermögen *n*) *f*; Urteilskraft *f*; Überlegung *f*; *edad f de ~* zurechnungsfähiges Alter *n*; *sin ~* unzurechnungsfähig; **3.** ⚖ gerichtliche Ermächtigung *f für die Übernahme e-s Amtes*; **~nir** [3i] **I.** *vt/i.* **1.** unterscheiden (können), erkennen; **2.** *gal.* zuerkennen; **II.** *v/t.* **3.** ⚖ *j-n mit e-r Vormundschaft* betrauen.

disciplina *f* **1.** Disziplin *f*, Zucht *f*; *~ militar* Disziplin *f*, Manneszucht *f*; *Verw. consejo m de ~s* Disziplinarrat *m*; **2.** Ordensregel *f*; Beobachtung *f* der Regel, Klosterzucht *f*; **3.** Zuchtrute *f*; *a.* *~s f/pl.* (Buß-)Geißel *f*; *kath. darse las ~s* s. geißeln; **4.** 📖 Lehrfach *n*, Disziplin *f*; **~ble** *adj. c* folgsam, fügsam; **~do** *adj.* **1.** diszipliniert; **2.** ❀ gesprenkelt; **~l** *adj. c* disziplinarisch; **~r I.** *v/t.* **1.** in Zucht nehmen (*bzw.* halten), disziplinieren;

2. unterrichten; **3.** geißeln; **II.** *v/r.* ~se **4.** Disziplin annehmen; **5.** *kath.* s. kasteien; **~rio** *adj.* disziplinarisch; Disziplinar...; ⚔ *batallón m* ~ Strafbataillon *n*; *derecho m* ~ Disziplinarrecht *n*; *pena f* ~*a* Disziplinar-, Dienst-strafe *f*; *procedimiento m* ~ Disziplinarverfahren *n*.

dis|cipulado *m* Schülerschaft *f*; **~cípulo** *m* Schüler *m*; *bibl. u. fig.* Jünger *m*; *fig.* Schüler *m e-s berühmten Meisters usw.*; Anhänger *m*.

disco *m* **1.** Scheibe *f*; *Tel.* Wählerscheibe *f*; *Vkw.* (Verkehrs-)Ampel *f*; ~ *de control* (*de horario*) Parkscheibe *f*; *Kfz.* ~ *de llanta* Radkappe *f*; *Vkw.*, 🚂 ~ (*de señales*) Befehlsstab *m*; Signalscheibe *f*; **2.** ~ *solar* (*lunar*) Sonnen- (Mond-)scheibe *f*; **3.** ⚘ Blattfläche *f*; **4.** Schallplatte *f*; *fig.* F langweilige Rede *f usw.*, ewig gleiches Gerede *n*, alte Leier *f* F; ~ *hablado* Sprechplatte *f*; ~ *microsurco*, ~ *de larga duración* Langspielplatte *f*; *a. fig. cambiar el* ~ die Platte wechseln; *a. fig.* ¡*ponga otro* ~! legen Sie e-e andere Platte auf!; **5.** *Sp.* Diskus *m*; *lanzador m* (*lanzamiento m*) *del* ~ Diskuswerfer *m*, (-werfen *n*).

discó|bolo *hist.*, *Ku.*, *lit. m* Diskuswerfer *m*; **~fono** *m* Plattenspieler *m*.

discografía *f* Plattenschneiden *n*.

discógrafo *adj.* Platten...

discoidal 🕮, ⊕ *adj. c* scheibenförmig.

díscolo *adj.* widerspenstig, ungezogen.

discoloro ⚘ *adj.* zweifarbig (*Blatt*).

disconfor|me *adj. c* **1.** nicht passend; **2.** nicht einverstanden; uneins; **~midad** *f* Nichteinverständnis *n*; Uneinigkeit *f*; Disharmonie *f*.

disconti|nuar [1e] *v/t.* unterbrechen; **~nuidad** *f* Ungleichförmigkeit *f*; Unterbrechung *f*; Diskontinuität *f*; **~nuo** *adj.* unterbrochen, aussetzend; abreißend, zs.-hangslos; ⚡ unstetig.

disconvenir [3s] *v/i.* nicht passen; nicht zusagen; nicht behagen.

discor|dancia *f* **1.** ♪ Mißklang *m*, falsche Stimmung *f*; **2.** *fig.* Verschiedenheit *f*; Meinungsverschiedenheit *f*; Mißton *m*; **~dante** *adj. c* abweichend; unharmonisch (*a. fig.*), mißtönend; *fig. dar la* (*od. una*) *nota* ~ (*en*) die Harmonie stören, e-n Mißton bringen (in *ac.*); **~dar** [1m] *v/i.* **1.** ♪ nicht stimmen, disharmonisch klingen; **2.** nicht übereinstimmen (mit *dat.* de); nicht zs.-passen; verschiedener Meinung sein; **~de** *adj. c* verstimmt; disharmonisch, mißtönend; *fig.* uneinig; **~dia** *f* Zwietracht *f*, Uneinigkeit *f*, Zwist *m*.

discoteca *f* Schallplattensammlung *f*; Diskothek *f* (*a. Lokal*).

discre|ción *f* **1.** Urteilskraft *f*, Verstand *m*; Takt *m*, Feingefühl *n*; *adv. con* ~ klug, umsichtig; taktvoll, rücksichtsvoll; **2.** Ermessen *n*, Belieben *n*; *adv. a* ~ nach Belieben, nach Gutdünken; ✝ *bei Angeboten*: auf Wunsch; wahlweise; *pan a* ~ Brot nach Belieben *in Restaurants*; ⚔ *entregarse a* ~ s. auf Gnade oder Ungnade ergeben; **3.** Verschwiegenheit *f*, Diskretion *f*; *adv. bajo* ~ vertraulich; **~cional** *adj. c* beliebig; *Vkw.* "*servicio* ~" „Sonderfahrt" (*Busse*); ⚖ *facultad f* ~ Ermessen(sfreiheit *f*) *n*.

discrepa|ncia *f* Unterschied *m*; Diskrepanz *f*; Meinungsverschiedenheit *f*; ⊕ Abweichung *f*; **~nte** *adj. c* abweichend (von *dat.* de); ausea.-gehend; diskrepant, divergierend; **~r** *v/i.* s. unterscheiden, vonea. abweichen; verschiedener Meinung sein.

discre|tear *desp. v/i.* geistreich reden, *mst. desp.* geistreicheln; **~teo** *m* Witzeln *n*, Geistreichelei *f*; **~to I.** *adj.* **1.** klug, gescheit; geistreich; **2.** zurückhaltend, taktvoll, verschwiegen, diskret; *a lo* ~ → *a discreción*; **3.** ⚡ unstetig; **II.** *m* **4.** Stellvertreter *m* e-s Ordensobern.

discrimina|ción *f* Unterscheidung *f*; *desp.* Diskriminierung *f*; **~dor** *HF m* Diskriminator *m*; **~r** *v/t.* **1.** unterscheiden; **2.** *Pol.* diskriminieren; **~torio** *adj.* diskriminierend.

discromía ⚕ *f* Hautverfärbung *f*.

disculpa *f* Entschuldigung *f*, Rechtfertigung *f*; *a.* Ausrede *f*; *en* (*† favor de*) *mi* ~ zu m-r Entschuldigung; *en tono de* ~ als (*od.* zur) Entschuldigung; *no hay* ~ (*que valga*), *no valen* ~*s* es gibt k-e Entschuldigung; *no tener* ~ unentschuldbar sein; **~ble** *adj. c* entschuldbar; **~blemente** *adv.* verzeihlicherweise; **~damente** *adv.* aus verzeihlichen Gründen; **~r I.** *v/t.* entschuldigen, verzeihen; Nachsicht haben mit (*dat.*); ~ *a alg. de una falta* j-n wegen e-s Fehlers entschuldigen; j-m e-n Fehler verzeihen; ~ *a/c. por* et. mit (*dat.*) entschuldigen; *le disculpan sus pocos años* man muß ihm s-e Jugend zugute halten; **II.** *v/r.* ~*se con* (*od. ante*) *alg. por* (*od.* de) *a/c.* s. bei j-m für et. (*ac.*) (*od.* wegen et. *gen.*) entschuldigen; *se disculpó de asistir a la fiesta* er entschuldigte s. für sein Fernbleiben (vom Fest).

discurrir I. *v/i.* **1.** umher-gehen, -laufen; fließen (*Fluß*); **2.** verstreichen, verlaufen, ablaufen (*Zeit, Leben*); **3.** ~ (*sobre*) nachdenken, s. den Kopf zerbrechen (über *ac.*); ~ *poco* s-n Kopf (*od.* Verstand) wenig gebrauchen; *no está mal* ~*ido* nicht unvernünftig gedacht, recht vernünftig; **II.** *v/t.* **4.** F s. ausdenken, aushecken F.

discur|sear F *iron. v/i.* e-e Rede halten; **~sista** *c* Schwätzer *m*, Vielredner *m*; **~sivo** *adj.* **1.** nachdenklich; **2.** redselig; **3.** 🕮 diskursiv, schlußfolgernd; *facultad f* ~*a* Urteilskraft *f*; **~so** *m* **1.** Rede *f*; *primer* ~ erste Rede; Jungfernrede *f*; **2.** Abhandlung *f*; **3.** Gedankengang *m*, Überlegung *f*; **4.** ⚒ Denk-, Urteils-vermögen *n*; **5.** ⚒ (Ver-)Lauf *m* (*Zeit, Leben*).

discu|sión *f* Besprechung *f*, Erörterung *f*; Diskussion *f*; *entablar* (*concluir*) *la* ~ die Diskussion eröffnen (abschließen); *entrar en* ~*ones* s. in Erörterungen einlassen; *esto no admite* ~ darüber gibt's k-e Diskussion, das ist indiskutabel; **~tible** *adj. c* bestreitbar, fraglich, anfechtbar; *eso sería* ~ darüber ließe s. reden; **~tidor** *adj.-su.* Rechthaber *m*; (leidenschaftlicher) Diskutierer *m*; **~tir I.** *v/t.* **1.** besprechen, erörtern, diskutieren; **2.** bestreiten, in Abrede stellen; widersprechen (*dat.*); *ser muy* ~*ido* sehr umstritten sein; **II.** *v/i.* **3.** diskutieren, verhandeln, streiten (über *ac.* de, *sobre, por*).

diseca|ción *f* → *disección*; **~dor** *m* → *disector*.

disec|ar [1g] *v/t.* sezieren; *Tiere, Pfl.* präparieren; *Tiere* ausstopfen, *Pfl.* trocknen; *fig.* genau untersuchen; **~ción** *f* Zergliederung *f*; *Anat.* Sezieren *n*, Sektion *f*; *fig.* genaue Untersuchung *f*; **~tor** *m* ⚕ Prosektor *m*; Präparator *m für Tiere, Pflanzen*.

disemina|ción *f* Aus-, Ver-streuung *f*; (*no*) ~ *de armas atómicas* (Nicht-) Weiterverbreitung *f* von Atomwaffen; **~do** *adj.* verstreut, verteilt (über *ac. por*); **~dor** *adj.-su.* verbreitend; *m* Verbreiter *m*; **~r** *v/t.* umher-, aus-streuen; verbreiten.

disen|sión *f*, **~so** *m* Uneinigkeit *f*, Zwist *m*, Unfrieden *m*.

disentería ⚕ *f* Dysenterie *f*, Ruhr *f*.

disenti|miento *m* Meinungsverschiedenheit *f*, ⚖ Dissens *m*; **~r** [3i] *v/i.* anderer Meinung sein (als *nom.* de), nicht zustimmen (*dat.* de).

dise|ñador *m* Zeichner *m*; Designer *m*; ⊕ Konstrukteur *m*; **~ñar** *vt/i.* zeichnen; skizzieren; entwerfen; konturieren, umreißen; **~ño** *m* Entwurf *m*, *a. fig.* Skizze *f*; Zeichnung *f*; Muster *n*, Dessin *n*; ~ *industrial* Planzeichnen *n*.

diser|tación *f* (wissenschaftliche) Abhandlung *f*; Vortrag *m*; **~tante** *adj.-su. c* dozierend; *m* Redner *m*, Vortragende(r) *m*; **~tar** *v/i.*: ~ *sobre a/c.* e-n Vortrag halten (*bzw.* e-e Abhandlung schreiben) über et. (*ac.*); **~to** *adj.* rede-, wort-gewandt.

disfasia ⚕ *f* Dysphasie *f*.

disfor|mar *v/t.* verunstalten; verformen; **~me** *adj. c* mißgestaltet, ungestalt; unförmig; **~midad** *f* Unförmigkeit *f*; Häßlichkeit *f*.

disfra|z *m* (*pl.* ~*aces*) **1.** Verkleidung *f*, Maskierung *f*; Maske(nkostüm *n*) *f*; **2.** ⚔ Tarnung *f*; **3.** *fig.* Verstellung *f*, Maske *f*; *adv. sin* ~ offen; *presentarse sin* ~ sein wahres Gesicht zeigen; **~zado** *adj.* maskiert (als *nom.* de); vermummt; *fig.* getarnt (als *nom.* de); verkappt; **~zar** [1f] **I.** *v/t.* **1.** verkleiden, maskieren; ⚔ tarnen; ⚓ ~ *el navío* unter falscher Flagge segeln; **2.** *fig.* verbergen, verhehlen; *Tatsachen* verhüllen, kaschieren; **II.** ~*se* **3.** s. verkleiden, s. maskieren, *fig.* s. tarnen (als *nom.* de).

disfru|tar I. *vt/i.* ~ (de) genießen (*ac.*), s. erfreuen (*gen.*), haben (*ac.*); *Amt* innehaben; ~ *de Urlaub* haben; ~ (*los productos de*) *una finca* die Nutznießung e-s Landguts haben; ~ *una mujer* bei e-r Frau schlafen; **II.** *v/i. abs.* s. *irgendwo* wohlfühlen; ~ *con et.* genießen; **~te** *m* Genuß *m*; Nutznießung *f*; Besitz *m*.

disfunción ⚕ *f* Funktionsstörung *f*.

disgrega|ción *f* **1.** Zersprengung *f*; Zerstreuung *f*; **2.** *a. Biol.*, ⚗ Zerlegung *f*, Aufschließung *f*, Zersetzung *f*; *Geol.* Verwitterung *f*; **~dor** ⊕ *m* Desintegrator *m*; **~nte** *adj. c* trennend; zersetzend; **~r** [1h] **I.** *v/t.* **1.** zersprengen; zerlegen; zerstreuen; ⚖ *von der Erbschaft* absondern; **2.** *Physiol. usw.* aufschließen, abbauen; **3.** *Massen u. ä.* trennen, auflösen; ⚔ *Truppen* ausea.-ziehen; **II.** *v/r.* *~se* **4.** ausea.-gehen, s. auflösen; **5.** *a.* ⚗ *usw.* s. zersetzen; *Physiol.* abgebaut (*bzw.* aufgeschlossen) werden; **~tivo** *adj* zerstörend, zersetzend; auflösend.

disgus|tado *adj.* unwillig, verärgert; verdrießlich; *estar ~ con alg.* auf j-n böse sein; **~tar I.** *v/t.* **1.** verstimmen, (ver)ärgern; **2.** *j-m* widerstehen (*Speise*); **II.** *v/r.* *~se* **3.** s. ärgern (wegen *gen.*, über *ac.* *de, con, por*); *~se con alg.* s. mit j-m überwerfen (*od.* verfeinden); **~to** *m* **1.** Ärger *m*, Verdruß *m*; Kummer *m*; Mißstimmung *f*; Unannehmlichkeit *f*, Schererei *f*; *adv. a ~, con ~* widerwillig; *dar un ~ a alg.* j-m Kummer machen; j-n enttäuschen; *estar (sentirse) a ~* s. unbehaglich fühlen; unzufrieden sein; *llevarse un ~* Unannehmlichkeiten (*od.* Scherereien) bekommen; *warnend*: *te voy a dar un ~* mach dich auf et. gefaßt; *tener (un) ~* Ärger haben; mißgestimmt sein; **2.** Streit *m*, Zank *m*; *tener un ~ con alg.* mit j-m anea.-geraten; **~toso** *adj.* nicht schmackhaft; ärgerlich, unangenehm.

disi|dencia *Pol., Rel. f* Abfall *m*, Abtrünnigkeit *f*; Spaltung *f*; Zwist *m*; **~dente** *Rel., Pol. adj.-su. c* abtrünnig; *m* Abtrünnige(r) *m*; Dissident *m*; **~dir** *v/i.*: *~ (de)* s. trennen; abfallen (von *dat.*).

di|silábico, ~sílabo → *bisílabo*.

disi|metría *f* Asymmetrie *f*; **~métrico** asymmetrisch.

disímil *adj. c* ungleich, verschieden.

disimi|lación 🕮 *f* Dissimilation *f*; **~lar** *Li., Physiol. v/t.* dissimilieren; **~litud** *f* Verschiedenheit *f*.

disimu|lación *f* **1.** Verheimlichung *f*, Verhehlen *n*, ⚖ Dissimulation *f*; Verstellung *f*, Heucheln *n*; **2.** Nachsicht *f*; **~lado** *adj.* (*ser, Personen*) hinterhältig, heimtückisch; *hacerse el ~* s. dumm (*od.* unwissend) stellen; **~lador** *adj.-su.* Heimlichtuer *m*; Duckmäuser *m*, Schleicher *m*; **~lar I.** *v/t.* **1.** verstecken, verbergen; verheimlichen, verhehlen; s. nicht anmerken lassen; *fig.* tarnen; ⚖ *Gewinn* verschleiern; *el jarabe disimula lo amargo de la poción* der Sirup überdeckt den bitteren Geschmack der Arznei; *no ~ a/c.* kein(en) Hehl aus et. (*dat.*) machen; **2.** (nachsichtig) übersehen; verzeihen, vergeben; **II.** *v/i.* **3.** s. verstellen, heucheln; s. nichts anmerken lassen; *¡disimule usted!* *a.* machen Sie s. nichts daraus!; **~lo** *m* Verstellung *f*; Verschleierung *f*; Beschönigung *f*; Nachsicht *f*; *adv.* *con ~* **a)** unauffällig; heimlich; **b)** heimtückisch.

disipa|ción *f* **1.** Zerstreuung *f*, Auflösung *f*; **2.** Verschwendung *f*, Vergeudung *f*; flottes Leben *n*; Ausschweifung *f*; *~ (de esfuerzos)* Verzettelung *f*; **~do(r)** *adj.-su.* verschwenderisch; flott, ausschweifend; *m* Verschwender *m*, Prasser *m*; **~r I.** *v/t.* **1.** *a. fig.* auflösen; zerstreuen (*a. Zweifel u. ä.*); **2.** verschwenden, vergeuden; **II.** *v/r.* *~se* **3.** s. zerstreuen, s. auflösen; zerrinnen, s. verflüchtigen.

dislate *m* → *disparate*.

dislo|cación, ~cadura *f* **1.** ⚕ Verrenkung *f*; Verdrängung *f*; *~ del maxilar* Kiefer- (F Maul-)sperre *f*; **2.** *Geol.* Verwerfung *f*; **~car** [1g] **I.** *v/t.* **1.** aus-, ver-renken; **2.** *Geol.* verschieben, verwerfen; **3.** *fig. Tatsachen* entstellen; **II.** *v/r.* *~se* **4.** *a.* ⊕ ausea.-gehen; s. verschieben (*zwei Teile*); *~se el brazo* s. den Arm ausrenken; **~que** F *m* *fig.* Höhepunkt *m*, Gipfel *m*; *aquello fue el ~* das war nicht mehr zu übertreffen.

dismembración *f* → *desmembración*.

dismenorrea ⚕ *f* Dysmenorrhö(e) *f*, Menstruationsbeschwerden *f/pl.*

disminu|ción *f* Verminderung *f*; Rückgang *m* (*Preis*); Senkung *f* (*Ausgaben*); Abklingen *n* (*Fieber*); Nachlassen *n* (*z. B. Kraft*); △ Verjüngung *f*; *ir en ~* **a)** abnehmen, s. verringern; **b)** schlechter werden (*Gesundheit*); **c)** △ s. verjüngen; **~ir I.** *v/t.* **1.** vermindern, verkleinern; herabsetzen, senken (*Preise usw.*); ♪ *~ido* vermindert; **2.** △ verjüngen; **II.** *v/i.* **3.** abnehmen; zurückgehen; abflauen, nachlassen; *~ de precio* im Preis sinken; *ir disminuyendo* kürzer werden (*Tage*).

dismnesia ⚕ *f* Gedächtnisschwäche *f*.

disne|a ⚕ *f* Atemnot *f*; **~ico** ⚕ *adj.* kurzatmig.

disocia|ble ⚗ *adj. c* (auf)spaltbar, trennbar; **~ción** ⚗ *u. fig. f* Trennung *f*, (Auf-)Spaltung *f*, Dissoziation *f*; **~r I.** *v/t.* trennen, absondern; ⚗ (auf-, ab-)spalten; **II.** *v/r.* *~se* zerfallen.

disolu|bilidad *bsd.* ⚗ *f* Auflösbarkeit *f*; **~ble** *adj. c* löslich, auflösbar; **~ción** *f* **1.** ⚗ (Auf-)Lösung *f*; *~ salina* Salzlösung *f*; **2.** Auflösung *f*, Trennung *f*; Scheidung *f*; *~ de las Cortes* Auflösung *f* der *Cortes*; **3.** *fig.* Ausschweifung *f*; (sittlicher) Verfall *m*; **~tamente** *adv.* liederlich, ausschweifend; **~to** *adj.-su.* zügellos, hemmungslos; ausschweifend; *m* Lebemann *m*; Wüstling *m*.

disolve|nte I. *adj. c a.* ⚗ (auf)lösend; zersetzend; **II.** *m* ⚗ Lösungs-, Verdünnungs-mittel *n*; *~ para limpieza en seco* Trockenreinigungsmittel *n*; **~r** [2h; *part.* *disuelto*] **I.** *v/t.* *a. fig.* (auf)lösen; zersetzen; trennen; zerrütten; *~ un matrimonio* e-e Ehe auflösen (*bzw.* zerrütten); **II.** *v/r.* *~se* s. auflösen.

disón ♪ *m* → *disonancia 1*.

disona|ncia *f* **1.** ♪ Mißklang *m*, Dissonanz *f*; **2.** *fig.* Unstimmigkeit *f*; Mißverhältnis *n*; **~nte** *adj. c* ♪ dissonant, *a. fig.* unharmonisch; unschön; abstoßend; **~r** [1m] *v/i.* ♪ *u. fig.* dissonieren, mißtönen; nicht stimmen (*Instrument*); *fig.* störend wirken; *~ (de, en)* nicht im Einklang stehen (mit *dat.*); nicht passen (zu *dat.*).

dispar *adj. c* ungleich, verschieden.

dispara|da *f Rpl., Chi., Méj., Pe.* Ausea.-stieben *n*; *adv. a la ~* Hals über Kopf; **~damente** *adv.* überstürzt; F unsinnig; **~dero** *m* Abzug *m*, Drücker *m*; *fig. está en el ~* jetzt geht er gleich hoch, jetzt kocht er; **~dor** *m* **1.** Schütze *m*; **2.** Abzug *m* (*Waffe*); **3.** ⊕, *Phot.* Auslöser *m*; *~ automático* Selbstauslöser *m*; **~r I.** *v/t.* **1.** *Stein* schleudern; *Pfeil, Gewehr* abschießen, *Geschütz* abfeuern; *Schuß* abgeben; *Photo* knipsen, schießen (*a. v/i.*); ⊕ einrücken; *fig.* F *salir ~ado* davonrennen, -rasen, abbrausen F; **II.** *v/i.* **2.** schießen; feuern, abdrücken; **3.** *fig.* → *disparatar*; **4.** ⚓ vor Anker gehen; **III.** *v/r.* *~se* **5.** losgehen (*Waffe*); **6.** *fig.* Hals über Kopf davonrennen; durchgehen (*Pferd, Motor*); wütend werden; losbrüllen; **~tado** *adj.* unsinnig, ungereimt; unüberlegt; F irrsinnig F, ungeheuer, fabelhaft; **~tador** *adj.-su.* Unsinn redend, faselnd; **~tar** *v/i.* Unsinn reden, irrereden; Dummheiten begehen (*od.* machen); **~te** *m oft ~s m/pl.* Dummheit *f*, Unsinn *m*; Blödsinn *m*, Quatsch *m* F, Blech *n* F; F *un ~ a.* irrsinnig viel (groß *usw.*) F; **~tero** *Am.* → *disparatador*; **~torio** *m* unsinniges Gerede *n* (*od.* Geschreibsel *n*).

dispa|rejo *adj.* → *dispar*; **~ridad** *f* Ungleichheit *f*; Verschiedenheit *f*; ⚡ Gefälle *n*, Disparität *f*; *~ (entre ... y ...)* Unterschied *m* (zwischen ... *dat.* u. ... *dat.*); Gefälle *n* (von ... *dat.* zu ... *dat.*).

disparo *m* Schuß *m*; Abfeuern *n*; ⊕, *Phot.* Auslösung *f*; Losschnellen *n* (*Feder*); *~ al aire* Schuß *m* in die Luft, Warnschuß *m*.

dispendio *m* Verschwendung *f*; Aufwand *m*; **~so** *adj.* kostspielig, aufwendig.

dispensa *f* **1.** Dispens *m, f*; Erlassung *f*, Befreiung *f*; *kath.* *~ matrimonial* Ehedispens *f*; **2.** Dispensschein *m*, Befreiungszeugnis *n*; **~ble** *adj. c* erlaßbar; entschuldbar; **~r I.** *v/t.* **1.** *a. Beifall* spenden; gewähren; zuteil werden lassen; *Wohltaten* erweisen; *~ favores* Gunst gewähren; sehr entgegenkommend sein; **2.** verteilen; aus-, ab-geben; **3.** *~ a alg. de* j-m *et.* erlassen; j-n befreien von (*dat.*); j-n dispensieren von (*dat.*); j-n (*vom Militärdienst*) freistellen; **II.** *vt/i.* **4.** verzeihen, entschuldigen; *¡usted dispense!* entschuldigen Sie bitte!; **III.** *v/r.* *~se* **5.** *~se de a/c.* (*od.* *de* + *inf.*) s. et. schenken, auf et. (*ac.*) verzichten; *no poder ~se (de + inf.)* nicht umhinkönnen (zu + *inf.*).

dispensa|ría *f Chi., Pe.* → **~rio** *m* **1.** Ambulanz *f*, Poliklinik *f*; ärztliche Beratungsstelle *f*; Fürsorgestelle *f*; **2.** *pharm.* Arzneibuch *n*.

dispepsia ⚕ *f* Verdauungsstörung *f*.

disper|sar I. *v/t.* **1.** zerstreuen; *Phys.*, ⚗, ⚔ streuen; *Truppen* (ausea.-)sprengen; **2.** *fig.* *~ sus esfuerzos* s. verzetteln; **II.** *v/r.* *~se* **3.** s. zerstreuen; ⚔ ausschwärmen; **~sión** *f a.* 🕮, ⊕ (Zer-)Streuung *f*, Dispersion *f*; *fig.* *~ de esfuerzos* Kräftezersplitterung *f*; **~sivo** *adj.*

zerstreuend; Streuung bewirkend; **~so** *adj.* zerstreut; ⚔ versprengt.
displacer [2x] † *v/i.* → *desplacer.*
displicen|cia *f* Unfreundlichkeit *f*; Unlust *f*, üble Laune *f*; *adv. con ~* unfreundlich; verdrießlich; **~te** *adj. c* unfreundlich, ungnädig; mürrisch, verdrießlich.
dispone|nte *adj. c* disponierend; **~r** [2r] **I.** *v/t.* **1.** (an-, ein-)ordnen; *Sch. ~ por filas* reihenweise aufstellen (*bzw.* setzen *usw.*); **2.** vorbereiten; *~ a/c. para a/c.* et. für et. (*ac.*) herrichten; **3.** anordnen, verfügen; ⚔ *Angriff* ansetzen; *la ley dispone que ...* das Gesetz sieht vor (*od.* bestimmt), daß ...; **II.** *v/i.* **4.** *~ de a/c.* über et. (*ac.*) verfügen; et. (zur Verfügung) haben, et. besitzen; **5.** *in Höflichkeitsformeln*: *disponga de mí* ich stehe zu Ihrer Verfügung; **III.** *v/r. ~se* **6.** *~se a* (*od. para*) s. anschicken zu + *inf.*, s. vorbereiten auf (*ac.*); *~se a aterrizar* (die) Landevorbereitungen treffen.
disponi|bilidad *f* **1.** Verfügbarkeit *f*; *en ~* verfügbar; *~ de servicio* Betriebsbereitschaft *f*; **2.** ✝ *~es f/pl.* Bestand *m* (*Geld, Ware*); *~es en efectivo* Bar-bestand *m*, -vermögen *n*; **~ble** *adj. c* verfügbar; ✝ vorrätig, auf Lager (*Ware*); flüssig (*Kapital*); ⚔ zur Disposition stehend; einsatzbereit.
disposi|ción *f* **1.** Anordnung *f*, Aufstellung *f*; Gliederung *f*, Disposition *f*; Gliederung *f* (*od.* Lage *f*) *e-s Gebäudes*; *~ clara* Übersichtlichkeit *f*; **2.** ⊕ Einrichtung *f* (*Maschinenanlage*); Vorrichtung *f*; *~ de servicio* Betriebsbereitschaft *f*; **3.** ⚖ *u. allg.* Bestimmung *f*, Verfügung *f*; *~ones de la ley* gesetzliche Bestimmungen *f/pl.*; *última ~ od. ~ testamentaria* letztwillige Verfügung *f*; *derecho m de ~* Verfügungsrecht *n*; *a ~ de usted* gern; ganz wie Sie wollen; *estar a la ~ de j-m* zur (*od.* zu *j-s*) Verfügung stehen; *poner a ~* (de) (*j-m*) zur Verfügung stellen; *tener a su ~* verfügen über (*ac.*); *tomar las ~ones necesarias* die notwendigen Vorkehrungen treffen; **4.** Veranlagung *f*; Fähigkeit *f*; Talent *n*, Begabung *f* (für *ac. para*); Neigung *f*, Lust *f*; **5.** Gesundheitszustand *m*; *~ (de ánimo)* Verfassung *f*; Stimmung *f*; *estar en ~ de + inf.* in der Lage sein, zu + *inf.*, bereit sein, zu + *inf.*; **~tivo** *m* **1.** ⊕ Vorrichtung *f*, Gerät *n*, Einrichtung *f*, Apparat(ur *f*) *m*, Anlage *f*; *~ de ajuste* Einstellvorrichtung *f*; *~ giratorio* Drehvorrichtung *f*; *~ fonométrico* Schallmeßgerät *n*; *~ de mando* Steuer-gerät *n*, -vorrichtung *f*; ⚡ *~ de cortocircuito* Kurzschließer *m*; *Tel. ~ de conferencia simultánea* Rundspruchanlage *f*; **2.** ⚔ *~ de marcha* Marsch-gliederung *f*, -folge *f*; → *a. aparato, instalación, mecanismo.*
desproporcionalidad *f* Disproportionalität *f* (*Konjunkturtheorie*).
dispuesto *adj.* **1.** fertig, bereit; angerichtet (*Essen*); *estar ~ a* (*od. para*) + *inf.* **a**) bereit sein, zu + *inf.*; **b**) entschlossen sein, zu + *inf.*; *~ para la impresión* druckfertig; *~ para disparar a. Phot.* schußbereit; **2.** geneigt, willig; *favorablemente ~* günstig gesonnen; **3.** gelaunt; *estar bien (mal) ~* gut (schlecht) aufgelegt sein; ⚕ (nicht) gesund sein; **4.** begabt (für *ac. para*); fähig.
disputa *f* Wortstreit *m*, Disput *m*; Zank *m*; F Krach *m* F; *adv. sin ~* unbestreitbar, zweifellos; **~ble** *adj. c* strittig, problematisch; **~dor** *adj.-su.* streitsüchtig; *m* Zänker *m*; **~r** **I.** *v/t.* bestreiten; streitig machen; *~ una cátedra* s. um e-n Lehrstuhl (*bzw.* e-e Studienratstelle) *durch Teilnahme an den oposiciones* bewerben; *Sp. Meisterschaft usw.* austragen; *no ~ado* unbestritten; **II.** *v/i.* streiten, zanken (wegen *dat. por*); disputieren, ein Streitgespräch führen; *~ con alg. sobre* (*od. de, por*) *a/c.* mit j-m über (*od.* um) et. (*ac.*) streiten; **III.** *v/r. ~se a/c.* s. um et. (*ac.*) streiten; s. um et. (*ac.*) reißen; s. et. streitig machen; *Sp. a.* um et. (*ac.*) kämpfen; *fig.* mitea. um et. (*ac.*) wetteifern; *~se a golpes a/c.* s. um et. (*ac.*) schlagen (*od.* raufen F).
disquisición *f* Untersuchung *f*, Studie *f*, Abhandlung *f*; F *~ones f/pl.* überflüssige Kommentare *m/pl.*
distan|cia *f* **1.** Entfernung *f*, Abstand *m*, Distanz *f*; *~ entre ejes* Achs- (*Kfz.* Rad-)stand *m*; *Opt. ~ focal* Brennweite *f*; *Vkw. ~ prudencial* Sicherheitsabstand *m*; *~ entre vías* Gleisabstand *m*; *~ visual* Seh-, Sicht-weite *f*; *a ~* weit, fern; in (*bzw.* aus) der Ferne; *a corta ~* in (*od.* aus) der Nähe; im (*od.* aus) kurzer Entfernung; *a larga ~* auf weite (*bzw.* in weiter) Entfernung; *a una ~ de 50 km* in (*bzw.* auf) 50 km Entfernung, 50 km entfernt; *a respetable ~* in (*od.* aus) gebührender Entfernung; **2.** *fig.* Abstand *m*, Distanz *f*; Unterschied *m*; *tener a ~* in Abstand halten, s. vom Leibe halten F; **3.** → *distanciamiento*; **~ciación** *f* Distanzierung *f*; Zurückbleiben *n*; Zurücklassen *n*; **~ciado** *adj.* **1.** entfernt; *fig. estar ~(s)* ea. fremd werden, nicht mehr befreundet sein; **2.** *lit.* verfremdet; **~ciamiento** *m* Distanzierung *f*; *Lit.* Verfremdung *f*; **~ciar** [1b] **I.** *v/t.* (vonea.) entfernen; trennen; **II.** *v/r. ~se* s. entfernen; s. distanzieren; ausea.-kommen, ea. fremd werden (*Freunde*); ⚔ *~se de s. vom Feind* absetzen; **~te** *adj. c* entfernt, fern (*a. zeitlich*); weit, abgelegen.
distar *v/i.* entfernt sein (von *dat.* de); verschieden sein; *~ mucho de + inf.* weit davon entfernt sein, zu + *inf.*; *la lista dista mucho de ser exhaustiva* das Verzeichnis ist bei weitem nicht erschöpfend.
disten|der [2g] *v/t.* strecken, ausea.-ziehen; *Mech.* entspannen, lokkern; ⚕ zerren; **~sible** *adj. c* dehnbar; **~sión** *f* Streckung *f*; *Mech., Pol.* Entspannung *f*; ⚕ Zerrung *f*; Dehnung *f*.
dístico *m* Distichon *n* (*Vers*).
distin|ción *f* **1.** Unterscheidung *f*; *hacer (una) ~* unterscheiden; *sin ~ de persona* ohne Ansehen der Person; **2.** Bestimmtheit *f*, Deutlichkeit *f*; **3.** Unterschied *m*; *a ~ de* zum Unterschied von (*dat.*); *adv. sin ~* ohne Unterschied; blindlings, rücksichtslos; **4.** Vornehmheit *f*; *de ~* vornehm, distinguiert; hervorragend; **5.** Auszeichnung *f*; *ser (od. hacer) objeto de muchas ~ones* vielfach ausgezeichnet werden; *tratar a alg. con ~* j-n mit großer Hochachtung behandeln; sehr höflich sein zu j-m; **~go** *m* Unterscheidung *f*; Einwand *m*, Vorbehalt *m*; **~guible** *adj. c* unterscheidbar; erkennbar; **~guido** *adj.* fein, ausgezeichnet; vornehm, distinguiert; *~ amigo* (*Briefanrede*) verehrter Freund; **~guir** [3d] **I.** *v/t.* **1.** unterscheiden (können); erkennen, ausmachen; **2.** kennzeichnen; mit Kennzeichen versehen; *la razón distingue al hombre* die Vernunft ist das unterscheidende Merkmal des Menschen; **3.** hochschätzen, mit Auszeichnung behandeln; *~ con* auszeichnen mit (*dat.*); **II.** *v/i.* **4.** *saber ~* Urteilsvermögen besitzen; *~ entre* e-n Unterschied machen; unterscheiden (können) zwischen (*dat.*); *fig. saber ~ de colores* klar sehen können; s. auskennen; Gespür (*od.* Fingerspitzengefühl) haben; **III.** *v/r. ~se* **5.** s. unterscheiden; s. auszeichnen, hervorragen; **6.** sichtbar werden, zu erkennen sein; **~tamente** *adv.* **1.** verschieden; **2.** deutlich, klar; **~tivo** **I.** *adj.* **1.** unterscheidend; **II.** *m* **2.** Merkmal *n*; **3.** Abzeichen *n*, Erkennungszeichen *n*; ⚔ Rangabzeichen *n*; *~ honorífico* Ehrenzeichen *n*; ✈ *~ de nacionalidad* Hoheitszeichen *n*; **~to** *adj.* **1.** verschieden, unterschiedlich; *¿~ de qué?* worin verschieden?; *ser ~ de* anders sein als (*nom.*); *estar ~* verändert aussehen; (*eso*) *es ~* das ist et. (ganz) anderes; **2.** *~s pl. vor su.* mehrere, einige, verschiedene; *de ~as clases* verschiedene(rlei); **3.** klar, deutlich, verständlich.
distonia ⚕ *f* Dystonie *f*.
distorsión *f* **1.** *Phys.* Verzerrung *f*; *Opt., TV ~ de la imagen* Bildverzerrung *f*; **2.** ⚕ Verstauchung *f*; Zerrung *f*.
distra|cción *f* **1.** Unachtsamkeit *f*, Geistesabwesenheit *f*, Zerstreutheit *f*; *por ~* aus Versehen; **2.** Ablenkung *f*, Zerstreuung *f*, Vergnügen *n*; **~er** [2p] **I.** *v/t.* **1.** unterhalten, zerstreuen; auf andere Gedanken bringen; ablenken (von *dat.* de); **2.** *euph.* unterschlagen; **II.** *v/r.* *~se* **3.** s. unterhalten, s. vergnügen; **4.** nicht aufpassen, nicht achtgeben; **~ídamente** *adv.* zerstreut, in Gedanken; **~ído** *adj.* **1.** zerstreut, geistesabwesend; achtlos, unaufmerksam; **2.** zügellos; **3.** unterhaltsam (*Spiel*); **4.** *Chi., Méj.* abgerissen, zerlumpt; verwahrlost.
distribu|ción **1.** Verteilung *f*, Austeilung *f*, Zuteilung *f*; *Reg. a.* ✉ Zustellung *f*; **2.** Anordnung *f*, Einteilung *f*; *Typ.* Ablegen *n des Satzes*; *Thea.* Rollenverteilung *f*; **3.** ✝ Vertrieb; (Film-)Verleih *m*; *~ exclusiva* Alleinvertrieb *m*; **4.** ⊕ Steuerung *f*; Schaltung *f*; Verteilung *f*; ⚡ *cuadro m de ~* Schalttafel

f; **5.** *Rhet.* Aufzählung *f*; **~idor** *m* **1.** Verteiler *m*; **2.** ✝ Vertreter *m*, Auslieferer *m*; Agent *m*; **3.** ~ (*automático*) Spender *m*, Automat *m*; *Vkw.* ~ *de gasolina* Tankstelle *f*; **4.** ⊕ Verteiler *m*; Schieber *m* (*Hydraulik*); Schalter *m* (⚡, *Hydraulik*); *Kfz.* ~ *de chispas*, ~ *de ignición* Zündverteiler *m*; **5.** ✓ → **~dora** *f* **1.** ✓ Düngerstreumaschine *f*; **2.** Filmverleih *m* (*Firma*); **~ir** [3g] *v/t.* **1.** aus-, ver-teilen; ✝ *Dividende* ausschütten; **2.** ein-, abteilen; anordnen; *Typ. Satz* ablegen; **~tivo** *adj.* **1.** verteilend; zerlegend; **2.** *Gram.* distributiv (*Zahlwort*).

distrito *m* Bezirk *m*; Kreis *m*; Revier *n*; ~ *electoral* (*postal*) Wahl-(Post-)bezirk *m*; ♀ *Federal* Stadtbezirk *m v. Buenos Aires, Mexiko usw.*; ~ *forestal* Forstamt *n*; ~ *militar* Wehrbereich *m*.

distrofia ⚕ *f* Dystrophie *f*.

distur|bar ✎ *v/t.* → *perturbar*; **~bio** *m* Störung *f*; **~s** *m/pl.* *Rf.* (Empfangs-)Störungen *f/pl.*; *Pol.* Unruhen *f/pl.*; **~s** *raciales* Rassenunruhen *f/pl.*

disua|dir *v/t.*: ~ *a alg.* de j-m von *et.* (*dat.*) abraten; j-m *et.* ausreden; j-m abraten, *et.* zu tun; j-n von *et.* (*dat.*) abbringen; **~sión** *f* Abraten *n*, Ausreden *n*; *Pol.* Abschreckung *f*; **~sivo** widerratend; *Pol.*, ⚔ abschreckend, Abschreckungs...

disuelto *part. zu disolver.*

disyun|ción *f* Trennung *f*; **~tiva** *f* Alternative *f*; **~tivo** *Gram. adj.* disjunktiv, ausschließend (*Bindewort*); **~tor** ⚡ *m* Trennschalter *m*, Unterbrecher *m*; *Kfz.* Zündverteiler *m*.

dita *f Reg.* Bürge *m*; Pfand *n*; *Chi.*, *Guat.* **~s** *f/pl.* Schulden *f/pl.*

diti|rámbico *adj.* dithyrambisch; *fig.* trunken, überschwenglich; **~rambo** *m* Dithyrambe *f*; *fig.* Loblied *n*.

diu|resis ⚕ *f* Diurese *f*; **~rético** *adj.-su. m* harntreibend(es Mittel *n*).

diurno I. *adj.* täglich; Tages...; *luz f* **~a** *artificial* künstliches Tageslicht *n*; *Zo. animal m* ~ Tagtier *n*; **II.** *m kath.* Diurnale *n*, Tagzeitenbrevier *n*.

diva *f poet.* Göttin *f*; *fig.* Diva *f*; *caprichos m/pl.* de ~ Starallüren *f/pl.*

divaga|ción *f* Abschweifung *f*; Gefasel *n*, Gequassel *n* F; **~r** [1h] *v/i.* **1.** abschweifen, vom Thema abkommen; *¡no ~!* zur Sache!; **2.** ungereimtes Zeug reden.

diván *m* Diwan *m* (*Möbel u. fig.*).

diver|gencia *f* Abweichung *f*; Divergenz *f* (*a. fig.*); *tex.* Webfehler *m*; ⚡ Kraftfeld *n*; *círculo m de* ~ (Zer-)Streuungskreis *m*; **~gente** *adj. c* ausea.-laufend, abweichend; *fig.* gg.-sätzlich; ⅍ *números m/pl.* **~s** divergierende Zahlenreihen *f/pl.*; *Opt. lente f* ~ Zerstreuungslinse *f*; **~gir** [3c] *v/i.* abweichen; ausea.-streben; divergieren (*a. fig.*); verschiedener Meinung sein; **~samente** *adv.* verschieden, unterschiedlich; verschiedentlich; **~sidad** *f* Verschiedenheit *f*; Verschiedenartigkeit *f*; Mannigfaltigkeit *f*; (*una*) *gran* ~ *de libros* e-e bunte Menge von Büchern; **~sificar** [1g] *v/t.* verschieden machen; mannigfaltig gestalten; Abwechslung bringen in (*ac.*); **~sión** *f* **1.** Vergnügen *n*; Zeitvertreib *m*; Lustbarkeit *f*; *servir de* ~ *a.* zum Ziel des Spottes werden; *por* ~ zum Zeitvertreib; **2.** *a. Pol.* Diversion *f*; ⚔ *u. fig.* Ablenkung *f*; *maniobra f* de ~ Ablenkungsmanöver *n*; **~sivo I.** *adj.* ablenkend, Ablenkungs...; **II.** *adj.-su. m* ⚕ ableitend(es Mittel *n*); **~so** *adj.* **1.** verschieden; **2.** anders; **3.** **~s** *pl.* einige, mehrere; **~as** *cosas* Verschiedene(s) *n*; **~tido** *adj.* **1.** (*ser*) lustig; unterhaltsam; (*estar*) vergnügt, in guter Stimmung; *¡estamos ~s!* das ist e-e schöne Bescherung!, da haben wir den Salat! F; *mst. iron. ¡está ~!* das ist (ja) lustig! (*od.* heiter F); **2.** *Rpl.*, *Chi.* beschwipst; **~timiento** *m* **1.** Vergnügen *n*, Zeitvertreib *m*; **2.** Ablenkung *f der Aufmerksamkeit*; **~tir** [3i] **I.** *v/t.* **1.** ablenken, unterhalten, zerstreuen, aufheitern; **2.** ⚔ *Gegner* ablenken; **3.** ⚕ ableiten; **II.** *v/r.* **~se** **4.** s. gut unterhalten, s. amüsieren, s. ablenken; s. vergnügen (mit *dat. con*); *¡que te diviertas!* viel Vergnügen!

divi|dendo *m* **1.** *Arith.* Dividend *m*; **2.** ✝ Dividende *f*; *reparto m de ~s* (*od. del* ~) Dividendenausschüttung *f*; **~dero** *adj.* zu teilen, aufzuteilen; **~dir** *v/t.* **1.** (ab-, ver-, auf-)teilen; ~ *por la mitad* (*od. por mitades*) halbieren; **2.** ⅍ teilen, dividieren; 12 *~ido por* 6 (*igual a*) 2 (12 : 6 = 2) 12 geteilt durch 6 ist 2; **3.** *fig.* entzweien, ausea.-bringen.

dividivi ⚘ *m* Dividivi *m*.

divieso ⚕ *m* Furunkel *m*.

divi|namente *adv. fig.* großartig; **~natorio** *adj.* Wahrsage...; → *adivinatorio*; **~nidad** *f* Göttlichkeit *f*; Gottheit *f*; *fig.* göttliche Schönheit *f*; wunderbar schönes Stück *n*; **~nizar** [1f] *v/t.* vergöttlichen; heiligen; *fig.* vergöttern; **~no** *adj.* **1.** göttlich; überirdisch, himmlisch; heilig, erhaben; *Lit. La* ♀*a Comedia* die Göttliche Komödie; **2.** F großartig.

divisa *f* **1.** Kennzeichen *n*; Rangabzeichen *n*; Wahlspruch *m*; Devise *f*; ⛉ Wappenspruch *m*; *Stk.* Kennzeichen *n* (*mst. bunte Bänder*) *der Stierzüchtereien*; **2.** ✝ **~s** *f/pl.* Devisen *f/pl.*; *tráfico m* (*ilegal*) *de ~s* Devisenschiebung *f*; **~r I.** *v/t.* **1.** erblicken; in der Ferne ausmachen (können); sehen *bzw.* (noch) wahrnehmen (können); **2.** ⛉ mit e-m Wappenspruch versehen; **II.** *v/r.* **~se** **3.** erscheinen, zu sehen sein, auftauchen.

divi|sibilidad *f* Teilbarkeit *f*; **~sible** *adj. c* teilbar; **~sión** *f* **1.** Teilung *f*, Einteilung *f*; ~ *celular* Zellteilung *f*; ~ *en grados* Gradeinteilung *f*; ~ *en tres partes* Dreiteilung *f*; **2.** *Verw.* Abteilung *f*; ~ *de carreteras* Straßenmeisterei *f*; ~ *hidráulica* Wasserbauamt *n*; **3.** Gliederung *f*; *a. Gram.* Trennung *f*; *Gram.*, *Typ.* Trennungs-, Teilungsstrich *m*; **4.** ⅍ Division *f*, Teilung *f*; **5.** ⚔ Division *f*; ~ *blindada* Panzerdivision *f*; **6.** *fig.* Zwist *m*; Auseinanderbringen *n*; **~sionario** *adj.* Teilungs...; *moneda f* **~a** Scheidemünze *f*; **~sor** *adj.-su. m* **1.** ⊕ Teiler *m*; **2.** ⅍ Teiler *m*, Divisor *m*; *máximo común* ~ größter gemeinsamer Teiler *m*; **~soria** *adj.-su. f*: (*línea f*) ~ *de aguas* Wasserscheide *f*; ~ *meteorológica* Wetterscheide *f*; **~sorio** *adj.* teilend, trennend; Grenz..., Scheide...

divo *poet.* **I.** *adj.* göttlich; **II.** *m Thea. fig.* Bühnengröße *f* (*Sänger*).

divor|ciado *adj.* geschieden (*Ehe*); *fig.* getrennt; ~ *de la realidad* wirklichkeits-, welt-fremd; **~ciar** [1b] **I.** *v/t. Ehe u. fig. eng Zs.-gehöriges* scheiden (*od.* trennen); **II.** *v/r.* **~se** *de alg.* s. von j-m scheiden lassen; **~cio** *m* **1.** (Ehe-)Scheidung *f*; ⚖ *demanda f de* ~ Scheidungsklage *f*; **2.** *fig.* Trennung *f*.

divulga|ción *f* Verbreitung *f*; allgemeinverständliche Darstellung *f*, Popularisierung *f*; *libros m/pl. de* ~ populärwissenschaftliche Bücher *n/pl.*; **~dor** *adj.-su.* Verbreiter *m*; **~r** [1h] **I.** *v/t.* verbreiten, bekanntmachen; *Gerüchte* aussprengen; **II.** *v/r.* **~se** s. verbreiten, bekannt werden.

diz † *u.* P *Reg.* es heißt, man sagt.

do[1] *poet. adv.* → *donde*.

do[2] ♪ *m* (*pl.* does) C *n*; ~ *sostenido* Cis *n*; ~ *bemol* Ces *n*; ~ *de pecho* hohes C.

dobla *f* **1.** *hist. span. Goldmünze f*; † **~s** *f/pl.* Geld *n*; **2.** *Spiel*: *jugar a la* ~ mit verdoppeltem Einsatz spielen; **3.** ⚒ *Chi.* Tagesschürflohn *m*; F Gratisessen *n*; **~das** *f/pl. Cu.* Abendläuten *n*; **~dillo** *m* **1.** (Kleider-)Saum *m*; **2.** Strickzwirn *m*; **~do I.** *adj.* **1.** uneben (*Gelände*); **2.** gedrungen, kräftig (*Person*); **3.** *fig.* falsch, verschlagen; **II.** *m* **4.** ⊕ Biegen *n*; Falzen *n*; *tex.* Doppelung *f*; **~dor** ⊕ *m* Biegegerät *n*; Falzapparat *m*; **~dura** *f* **1.** *bsd.* ⊕ (Ver-)Biegung *f*; Falzung *f*; *tex.* Faltenbruch *m*; **2.** ⚔ *ehm.* Ersatzpferd *n*; **~je** *m* Synchronisation *f* (*Film*); **~miento** *m* Falten *n*; Biegung *f*; Verdopplung *f*; **~r I.** *v/t.* **1.** verdoppeln; *Film* synchronisieren; **~le** *a alg. la edad* doppelt so alt sein wie (*nom.*); ~ *el paso* sehr schnell gehen; ⚔ ~ *las marchas* in Eilmärschen vorgehen; **2.** biegen, beugen, krümmen; zs.-falten; ~ *la cabeza* den Kopf neigen; *fig.* sterben; *fig.* **~le** *a uno a sus planes* j-n s-n Plänen gefügig machen; F ~ *a palos* vertrimmen F, windelweich schlagen F; **3.** *a.* ⊕ (ab-, durch-)biegen; *a. Blech* falzen; *a. tex.* doublieren; **4.** ⚓ *Kap* umfahren; um *die Ecke* biegen; **5.** *Méj.* niederschießen; **II.** *v/i.* **6.** *Thea.* e-e Doppelrolle spielen; **7.** ~ (*por alg.*) (j-n) zu Grabe läuten; **8.** ~ *a* (*od. hacia*) *la izquierda* nach links abbiegen; **9.** *kath.* zwei Messen an e-m Tag lesen; **10.** *Stk.* e-e Wendung machen; **III.** *v/r.* **~se** **11.** s. biegen; s. durchbiegen; s. krümmen; *fig.* s. fügen, s. beugen.

doble I. *adj. c* **1.** doppelt, Doppel...; *columnas f/pl.* **~s** **a)** ⌂ Doppelsäulen *f/pl.*; **b)** *Typ.* Doppelspalten *f/pl.*; ♪ ~ *cuerda f* Doppelgriff *m*; *cuerda f* ~ Doppelsaite *f*; ~ *fondo m* Doppelboden *m* (*Schiff, Koffer usw.*); *fig.* de ~ *fondo* hinterhältig; zweideutig; 🚂 ~ *vía f* Doppelgleis *n*; *jugar* ~ *contra sencillo* zwei gg. eins wetten; **2.** ⚘ gefüllt (*Nelke usw.*); **3.** *fig.* doppelzüngig, heuchlerisch; **II.** *m* **4.** Doppelte(s) *n*; Doppelgänger *m*; ⚕ Duplikat *n*; *Li.* Dublette *f*; *Thea., Film* Double *n*; *al* ~ noch einmal so viel; *fig. Chi., Pe., P. R. estar a tres* ~*s y un repique* auf dem letzten Loch pfeifen; **5.** Halbe *f* (= 1/2 *l Bier*); **6.** Grab-, Toten-geläut *n*; **III.** *adv.* **7.** doppelt.

doblega|ble *adj. c* biegsam; faltbar; ~**dizo** ⚒ *adj. fig.* gefügig; ~**r** [1h] **I.** *v/t.* biegen; krümmen; beugen; nachgiebig machen; *fig. difícil de* ~ unnachgiebig (*Charakter*); **II.** *v/r.* ~*se a. fig.* nachgeben.

doble|mente *adv.* doppelt; *fig.* falsch, hinterhältig; ~**te** *m* Dublette *f* (*a. Li.*); Edelsteinimitation *f*; Doublé *n* (*Billard*); ~**z I.** *m* (*pl.* ~*eces*) Doppelung *f* (*Kleidung*); Falte *f*; **II.** *m, f fig.* Falschheit *f*, Scheinheiligkeit *f*.

doblón *hist. m* Dublone *f* (*Münze*).

doce *num.* zwölf; *a las* ~ *y media* um halb eins; *el siglo* ~ das zwölfte Jahrhundert *n*; ~**añista** *adj.-su. c* Anhänger *m* der Verfassung von Cádiz (*1812*); ~**na** *f* Dutzend *n*; F *la* ~ *del fraile* dreizehn Stück; *a* ~*s* dutzendweise; *vender por* ~(*s*) im Dutzend verkaufen; ~**nal** *adj. c* im Dutzend.

docente I. *adj. c* lehrend, unterrichtend, Lehr...; *centro m* ~ (Lehr-) Institut *n*, (Unterrichts-)Anstalt *f*; *cuerpo m* ~ Lehrkörper *m*; **II.** *m* Unterrichtende(r) *m*.

dócil *adj. c* **1.** gelehrig; gefügig, willig; artig; ~ (*a*) gehorsam (*dat.*); **2.** geschmeidig, biegsam; gut zu bearbeiten(d) (*Werkstoffe*).

docilidad *f* Gelehrigkeit *f*; Fügsamkeit *f*, Nachgiebigkeit *f*; Geschmeidigkeit *f*.

dócilmente *adv.* fügsam *usw.*

dock *engl. m* Dock *n*; Hafenlager *n*; ~**er** *m* Hafenarbeiter *m*.

docto *adj.-su.* gelehrt; kenntnisreich; bewandert (in *dat.* en).

docto|r *m* Doktor *m*; F Arzt *m*, Doktor *m*; ~*es m/pl. de la Iglesia* Kirchenlehrer *m/pl.*; *bibl.* ~*es m/pl. de la ley* Schriftgelehrte(n) *m/pl.*; ~ *en ciencias* Doktor *m* der Naturwissenschaften, Dr. rer. nat.; ~ *en filosofía y letras* Doktor *m* der Philosophie, Dr. phil.; ~ *graduado* (*titulado*) Doktor *m* ohne (mit) Berufsberechtigung; ~ *honoris causa* Ehrendoktor *m*, Dr. h. c.; ~ *por la Sorbona* Doktor *m* der Sorbonne; *grado m de* ~ Doktorgrad *m*; ~**ra** *f* Ärztin *f*; F Frau *f* e-s Arztes; *fig.* Blaustrumpf *m*; ~**rado** *m* Doktor-titel *m*, -würde *f*; Promotion *f*; *fig.* vollendete Kenntnis *f* e-s Fachgebiets; ~**ral** *adj. c* Doktor...; *tesis f* ~ Dissertation *f*, Doktorarbeit *f*; ~**ramiento** *m* Promotion *f*; ~**rando** *m* Doktorand *m*; ~**rarse** *v/r.* promovieren, s-n Doktor machen; F *Stk.* als Stierkämpfer zugelassen werden.

doctri|na *f* **1.** Lehre *f*, Doktrin *f*; Lehrmeinung *f*; *Phil. a.* Schule *f*; ~*s económicas* volkswirtschaftliche Lehrmeinungen *f/pl.*; ⚖ ~ *legal vigente* geltende Rechtslehre *f*; *fig.* F *no saber la* ~ sehr unwissend sein; **2.** Doktrin *f*; ~ (*cristiana*) Glaubenslehre *f*; Katechismus *m*; **3.** *Am. hist. u. in einigen Indianergebieten* Ordenspfarre *f*; christianisierte Indianergemeinde *f*; ~**nal I.** *adj. c* belehrend, Lehr...; **II.** *m fast nur Rel. u. desp.* Lehrbuch *n*; ~**nar** † *Rel. v/t.* unterweisen; → *adoctrinar*; ~**nario** *adj.-su.* doktrinär; *m* Doktrinär *m*; *fig.* Prinzipienreiter *m*; ~**narismo** *m* Doktrinarismus *m*; ~**nero** *m* Katechet *m*; *Am. hist.* Indianerpfarrer *m*.

documen|tación *f* Beurkundung *f*; Beleg *m*; Dokumentation *f*, Unterlagen *f/pl.*; (Ausweis-)Papiere *n/pl.*; *Kfz.* ~ *del coche* Wagenpapiere *n/pl.*; ~ *fotográfica* Bildmaterial *n*; ~**tado** *adj.* **1.** beurkundet; belegt; **2.** genau unterrichtet; **3.** mit Ausweispapieren versehen; ~**tal I.** *adj. c* urkundlich; durch Urkunden belegt (*od.* gestützt); ⚖ *prueba f* ~ Urkundenbeweis *m*; **II.** *m* Dokumentarfilm *m*; Kulturfilm *m*; ~**talmente** *adv.* dokumentarisch; urkundlich; an Hand von Dokumenten; aktenmäßig; ~**tar I.** *v/t.* beurkunden; belegen, dokumentarisch nachweisen; **II.** *v/r.* ~*se* (*sobre*) s. Unterlagen verschaffen (über *ac.*); ~**to** *m* Urkunde *f*, Dokument *n*; Beweis *m*, Beleg *m*; ⚕ ~*s m/pl. de aduana* (*de envío*) Zoll- (Versand-) papiere *n/pl.*; *Span.* ~ *nacional de identidad* Kennkarte *f*; ~ *notarial* (*público*) notarielle (öffentliche) Urkunde *f*; ⚖ ~ *privado* Privaturkunde *f*.

dode|caedro ⩕ *m* Dodekaeder *n*; ~**cafonía** *f*, ~**cafonismo** *m* ♪ Zwölfton-musik *f*, -system *n*; ~**cágono** ⩕ *adj.-su.* zwölfeckig; *m* Zwölfeck *n*.

dogal *m* Strick *m zum Anbinden v. Tieren*; Strick *m des Henkers*; *fig. poner* (*od. echar*) *a alg. el* ~ *al cuello* j-n unterkriegen; j-n an die Kandare nehmen; *fig. está con el* ~ *al cuello* das Wasser steht ihm bis zum Hals.

dog-cart *engl. m* Dogcart *m* (*Wagen*).

dog|ma *m* Dogma *n*; Lehrsatz *m*; ~**mático I.** *adj.* dogmatisch (*a. fig.*), die Glaubenslehre betreffend; *fig.* lehrhaft; **II.** *m* Dogmatiker *m*; ~**matismo** *m* Dogmatismus *m*; ~**matizador** *adj.-su.*, ~**matizante** *adj. c* dogmatisierend; ~**matizar** [1f] **I.** *v/t.* zum Dogma erheben; **II.** *v/i.* schulmeisterlich reden (*od.* schreiben); Dogmen aufstellen.

dogo *m Zo.* Dogge *f*; *fig.* F Rausschmeißer *m* F.

dogre ⚓ *m* Dogger(boot *n*) *m*.

dola|dera *f* Böttcherbeil *n*; ~**dor** *m* Faßhobler *m*; ~**dura** *f* Hobelspäne *m/pl.*; ~**r** [1m] *v/t.* (ab)hobeln.

dólar *m* Dollar *m*; ~ *estadounidense* US-Dollar *m*; ~ *oro* Golddollar *m*.

dole|ncia *f* Leiden *n*, Krankheit *f*; ~**r** [2h] **I.** *v/i.*: ~ *a alg.* j-m wehtun, j-n schmerzen (*a. fig.*); *fig.* j-m leid tun; *le duele el vientre* er hat Leibschmerzen; *me duele que* + *subj.* es schmerzt mich, daß + *ind.*; *fig.* F *ahí* (*le*) *duele* da drückt Sie der Schuh!; das ist der Haken; **II.** *v/r.* ~*se de* über *et.* (*ac.*) klagen; *a. et.* bereuen; ~*se con alg.* j-m sein Leid klagen.

dolicocéfalo ⚕ *adj.-su.* langschädelig; *m* Langschädel *m*.

dolido: *estar* ~ *de* (*od. por*) s. beleidigt fühlen durch (*ac.*).

doliente *adj. c* leidend, krank; F pimpelig F; ⚒ leidtragend.

dolmen *m* Dolmen *m* (*Hünengrab*).

dolo ⚖ *m* Vorsatz *m*; Arglist *f*, arglistige Täuschung *f*; Betrug *m*.

dolobre ⊕ *m* Spitzhaue *f*.

dolo|mía, ~**mita** *Min. f* Dolomit *m*, Braunspat *m*.

dolo|r *m* **1.** Schmerz *m*; Leid *n*; Reue *f*; ~(*es*) *de cabeza* Kopfschmerzen *m/pl.*; ⚒ *fig.* F ~ *de viudo* rasch vorübergehendes Leid *n*; *¡ay, qué* ~*!* das tut weh!; *estar con* (*los*) ~*es* in Wehen liegen; (*no*) *sentir* ~(*es*) *a la presión* (nicht) druckempfindlich sein; **2.** *kath. la Virgen de los* ~*es* → *Dolorosa*; ~**rido** *adj.* **1.** schmerzhaft, schmerzend; **2.** schmerzerfüllt; traurig; klagend; ♀**rosa** *Rel. f* (Mater) Dolorosa *f*, Schmerzensmutter *f*; ~**roso** *adj.* **1.** schmerzhaft; schmerzlich; **2.** kläglich, beklagenswert.

doloso ⚖ *adj.* vorsätzlich; betrügerisch; arglistig.

dom *m* Dom *m* (*Titel der Ordensgeistlichen bei Benediktinern, Karthäusern usw.*).

doma *f* Zähmung *f v. Tieren u. fig.*; ~**ble** *adj. c* zähmbar; bezwingbar; ~**dor** *m* Tierbändiger *m*, Dompteur *m*; ~ *de potros* Zureiter *m*; ~**dora** *f* Dompteuse *f*; ~**dura** *f* Zähmung *f*; Dressur *f*, Abrichtung *f*; Bezwingung *f*; ~**r** *v/t. a. fig.* zähmen, bezwingen, bändigen; *Füllen* zureiten.

dombo *m* → *domo*.

domeña|ble *adj. c* zähmbar; ~**r** *lit. v/t.* zähmen; bezwingen, unterwerfen.

doméstica † *f* Dienstmädchen *n*; Hausangestellte *f*.

domestica|ble *adj. c* zähmbar; zu bändigen; ~**ción** *f* Zähmung *f*; Abrichtung *f*; ~**do** *adj.* gezähmt; ~**r** [1g] *v/t.* zähmen; *Wild-Pfl. u. -tiere* domestizieren; *Tiere* dressieren; *fig.* bändigen; *rauhes Wesen* sänftigen.

doméstico I. *adj.* häuslich, Haus...; *trabajo m* ~ Heimarbeit *f*; *Sch. ejercicios m/pl.* ~*s* Hausaufgaben *f/pl.*; **II.** *m* Hausdiener *m*; Dienstbote *m*.

domestiquez(a) *f* Zahmheit *f*.

domici|liación ⚕ *f* Domizilierung *f* (*Wechsel*); ~**liado** *adj.* wohnhaft, ansässig (in *dat.* en); ⚕ *letra f* ~*a* Domizilwechsel *m*; *estar* ~ *en* s-n festen Wohnsitz haben in (*dat.*); ~**liar** [1b] **I.** *v/t.* **1.** ansiedeln; **2.** ⚕ *Wechsel* domizilieren; **II.** *v/r.* ~*se* **3.** s-n (festen) Wohnsitz nehmen, ansässig werden; ~**liario I.** *adj.* ortsansässig; Haus...; Heim...; Wohnsitz...; ⚖ *registro m* ~ Haussuchung *f*; **II.** *m* Ortsansässige(r) *m*; ~**lio** *m* **1.** Wohnung *f*, Haus *n*; Wohn-ort *m*, -sitz *m*; (*derecho m de*)

~ Wohn-, Niederlassungs-recht *n*; *establecer* (*od. fijar*) *su* ~ (s-n) Wohnsitz nehmen, s. niederlassen; *sin* ~ *fijo* ohne festen Wohnsitz; ⚖ ~ *forzoso* Zwangsaufenthalt *m*; **2.** ☤ Domizil *n*, Zahlungsort *m* (*Wechsel*); ~ (*social*) Sitz *m* (*Firmen*); *recogido a* ~ ab Haus, wird abgeholt; *entregado* (*od. llevado*) *a* ~ frei Haus; wird (ins Haus) gebracht; *servicio m a* ~ Lieferung *f* frei Haus.

domina|ble *adj. c* beherrschbar; **~ción** *f* **1.** (Ober-)Herrschaft *f*; Beherrschung *f*; ~ *extranjera* Fremdherrschaft *f*; **2.** ⚔ beherrschende Anhöhe *f*; **3.** *Biol.* Dominanz *f*; **~do** *adj.* beherrscht; unterworfen; **~nte I.** *adj. c* **1.** vorherrschend; herrschend, dominierend; *a. fig.* beherrschend; **2.** herrschsüchtig; **II.** *m* **3.** *Astrol.* Herrscher *m*, Dominant *m*; **III.** *f* **4.** 📖 Dominante *f*, vorherrschendes Merkmal *n*; **5.** ♪ Dominante *f*; **~r I.** *v/t.* **1.** beherrschen (*a. fig.*); bezwingen; meistern; *fig.* eindämmen; **2.** überragen; ~ (*con la vista*) überblicken; *el castillo domina el pueblo* die Burg liegt hoch über der Ortschaft; **II.** *v/i.* **3.** herrschen, vorherrschen; **4.** ~ *sobre* hoch aufragen über (*ac.*), emporragen über (*ac.*) (*Berg, Gebäude*); **III.** *v/r.* **~se 5.** s. beherrschen.

dominatriz ✎ *f* Herrscherin *f*.

dómine F *desp. m* Schulmeister *m*, Pauker *m*; *fig.* F → *chupa*.

domin|gada *f* sonntägliches Fest *n*; Sonntagsvergnügen *n*; **~go** *m* Sonntag *m*; ~ *de Cuasimodo*, ~ *in albis* Weißer Sonntag *m*; ~ *de pascua*, ~ *de Resurrección* Ostersonntag *m*; ~ *de Ramos* Palmsonntag *m*; *los* **~s** *y días festivos* an Sonn- u. Feiertagen; *fig. hacer* ~ blauen Montag machen; **~guejo** *m* → *dominguillo*; **~guero I.** *adj.* sonntäglich; *traje m* ~ Sonntags-anzug *m* (*bzw.* -kleid *n*); **II.** *m* F *Kfz.* Sonntagsfahrer *m* F; **~guillo** *m* Stehaufmännchen *n*; *traer a alg. como un* ~ j-n herumhetzen, j-n in Atem halten F.

domínica *lt. ecl. f* Sonntag(sperikope *f*) *m*.

domini|cal *adj. c* sonntäglich, Sonntags...; *descanso m* ~ Sonntagsruhe *f*; **~cano** *adj.-su.* dominikanisch; *m* Bewohner *m* der Dominikanischen Republik; **~co I.** *adj. kath.* dominikanisch, Dominikaner... (*Orden*); **II.** *m* (**~a** *f*) Dominikaner(in *f*) *m*; **III.** *m Am. Cent.* kleine Banane(nart) *f*.

dominio *m* **1.** Herrschaft *f*, Macht *f*; Eigentum(sgewalt *f*) *n*; ⚖ ~ *útil* Nutzeigentum *n*; *bienes m/pl. comunes de* ~ *público* öffentliches Eigentum *n*, Gemeingut *n*; *ser del* ~ *público* Staatseigentum (*bzw.* Gemeingut) sein; *fig.* allgemein bekannt sein; **2.** *a. fig.* Bereich *m*; Gebiet *n*; ~ *lingüístico* Sprachgebiet *n*; **3.** *Pol.* Gebiet *n*; ~ *colonial* Kolonialreich *n*; *los* **~s** *británicos* die britischen Dominions *n/pl*.

dómino *m od.* **dominó** *m* **1.** Domino *m* (*Maske*); **2.** Domino(spiel) *n*.

domo *m* △ Kuppel *f*; ⊕ Dom *m*.

dompedro *m* **1.** ⚘ Wunderblume *f*; **2.** F Nachttopf *m*.

don[1] *m* Don, Herr (*nur vor den Vornamen*; *respektvoll intimere Anrede*; *Abk.* D.); *fig.* ♀ *Juan* Frauenheld *m*, Herzensbrecher *m*; *es un* ♀ *Nadie* er ist ein Habenichts, er ist e-e Null.

don[2] *m* **1.** Gabe *f*, Geschenk *n*; **2.** Begabung *f*, Gabe *f*; *tener* (*el*) ~ *de gentes* gewandt im Umgang mit Menschen sein; ~ *de mando* Gabe *f* der Menschenführung; ~ *natural* Naturbegabung *f*; Gabe *f* der Natur; *tener el* ~ *de palabra* wortgewandt sein; Rednergabe haben; F *tener el* ~ *de errar* es nie treffen, immer danebenhauen F.

dona *f Chi.* Geschenk *n*; **~s** *f/pl.* Hochzeitsgabe *f* des Bräutigams.

dona|ción *f a.* ⚖ Schenkung *f*, Zuwendung *f*; ~ *entre vivos* Schenkung *f* unter Lebenden; **~da** *Rel. f* Laienschwester *f*; **~do** *m* Laienbruder *m*; **~dor** *m* Spender *m*, Geber *m*; ⚕ → *donante*.

donai|re *m* **1.** Anmut *f*; gewandtes Auftreten *n*; **2.** Scherz(wort *n*) *m*, Witz *m*; Schmeichelei *f*, Kompliment *n*; **~roso** *adj.* witzig, geistreich.

dona|nte *adj.-su. c* Stifter *m*; Schenker *m*; Geber *m*; ⚕ ~ *de sangre* Blutspender *m*; **~r** *v/t.* schenken; stiften, spenden; **~tario** ⚖ *m* Beschenkter *m*; **~tivo** *m* Schenkung *f*; Stiftung *f*; Geschenk *n*.

donce|l I. *m* Edelknabe *m*; Knappe *m*; *lit.* Jüngling *m*; **II.** *adj. c* mild, lieblich (*z. B. Wein*); süß (*Paprika*); **~lla** *f* **1.** Jungfrau *f*; Kammermädchen *n*, Zofe *f*; ~ *de honor* Ehren- *bzw.* Braut-jungfer *f*; **2.** *Fi.* Meerjunker *m*; **3.** ⚘ *hierba f* ~ Immergrün *n*; *Pe.* ~ Mimose *f*; **~llez** *f* Jungfräulichkeit *f*.

donde *adv.* wo; *a* ~ wohin; *hacia* ~, *para* ~ wohin (*Richtung*); *hasta* ~ wohin (*Ziel*); **de** ~ woher, von wo; woraus; *en* ~ wo; *por* ~ woher, woraus; worüber; *aquí* ~ *usted me ve* so wahr ich hier stehe!, ob Sie es glauben oder nicht (, ich ...); *allí es* ~ *se encuentra* dort befindet er s.; *está (en)* ~ *sus padres* er ist bei s-n Eltern; *el país* ~ *nació* sein Heimatland; *el lugar por* ~ *pasamos* der Ort, über den wir fahren; *la sala* ~ *estamos* der Raum, in dem (*od.* wo) wir stehen; ~ *quiera* → *dondequiera*; ✎ ~ *no* wo nicht, andernfalls, sonst.

dónde *adv.* (*direkt od. indirekt fragend*) *¿*~*?* wo?; *¿a* ~*?* wohin?; *¿de* ~*?* woher?; von wo?; *¿en* ~*?* wo?; *¿hacia* ~*?* wohin?, in welche(r) Richtung?; *¿por* ~*?* woher?; durch welchen Ort?; warum?, weshalb?; *¿por* ~ *se va a ese pueblo?* wie kommt man zu dieser Ortschaft?

dónde *m*: *el* ~ *y el cuándo* das Wo u. [Wann.]

dondequiera *adv.* überall; ~ *que llegó* überall wohin er kam; ~ *que llegara* wohin auch immer er kommen mochte; ~ *que sea* wo(hin) immer es auch sei.

don|diego ⚘ *m*: ~ *de día* dreifarbige Winde *f*; ~ *de noche* → **~juán** ⚘ *m* Wunderblume *f*.

donjua|nesco *adj.* Don-Juan-...; **~nismo** *m* Art *f* u. Wesen *n* des Don Juan, „Donjuanismus" *m*.

dono|sidad *f* → *donosura*; **~so** *adj.* anmutig, nett; witzig, drollig; *vorangestellt iron.*: *¡*~*a ocurrencia!* verrückter Einfall!

donostiarra *adj.-su. c* aus San Sebastián. [Witz *m*.]

donosura *f* Anmut *f*, Grazie *f*;

doña *f* Frau (*vor dem Vornamen*): ~ (*od.* ♀) *Inés* Frau Agnes.

doñear F *v/i.* ein Schürzenjäger sein.

doquier(a) † *u. lit.* → *dondequiera*.

dora|da *f* **1.** *Fi.* Goldbrassen *m*; **2.** *Cu.* (giftige) Goldfliege *f*; **~dillo I.** *adj.* **1.** *Rpl.* honigfarben (*Pferd*); **II.** *m* **2.** dünner Messingdraht *m für Fassungen*; **3.** *Vo.* Bachstelze *f*; **~do I.** *adj.* **1.** golden, Gold...; vergoldet; goldgelb; ~ *a fuego* feuervergoldet; *Myth. u. fig. edad f* **~a** goldenes Zeitalter *n*; goldenes Alter *n*; goldene Jahre *n/pl.*; *Fi. pez m* ~ Goldfisch *m*; **II.** *m* **2.** Vergoldung *f*; **~s** *de encuadernación* Fileten *n/pl.*, Goldverzierung *f auf dem Einband*; **3.** *El* ♀ → *Eldorado*; **~dor** *m* Vergolder *m*; **~dura** *f* Vergoldung *f*; **~r I.** *v/t.* **1.** vergolden; *Kchk.* goldbraun (heraus)backen (*od.* werden lassen); **2.** *fig.* beschönigen, bemänteln; ~ *la píldora* die Pille versüßen; **II.** *v/r.* **~se 3.** *Kchk.* goldbraun werden; **4.** *lit.* golden (auf)leuchten (*in Licht, Sonne usw.*).

dórico I. *adj.* dorisch; *Ku. orden m* ~ dorische Säulenanordnung *f*; **II.** *m* dorischer Dialekt *m*.

dorio *m hist.* Dorer *m*.

dormán *m* Dolman *m*.

dormi|da *f* **1.** Erstarrung *f der Seidenraupen*; **2.** Nachtlager *n* (*Tiere, Vögel*); *Bol., C. Ri., Chi.* Schlafstätte *f*; **3.** P Beischlaf *m*; **~dera** *f* **1.** ⚘ Mohn *m*; *Cu., C. Ri.* Mimose *f*; **2.** F **~s** *f/pl.*: *tener buenas* **~s** leicht einschlafen können; **~dero I.** *adj.* einschläfernd; **II.** *m* Lager *n des Viehs*; Schlafplatz *m des Wildes*; **~do** *adj.* schläfrig, schlaftrunken; *estar* ~ schlafen (*a. fig.*); *medio* ~ verschlafen, halb im Schlaf; **~lón** *adj.-su.* schläfrig, verschlafen; schlafmützig; *m* Langschläfer *m*; **~lona** *f* **1.** Langschläferin *f*, Schlafmütze *f*; **2.** Ohrgehänge *n*; **3.** Schlafsessel *m*; **4.** ⚘ *Am. Cent., Cu.* Mimose *f*; **~r** [3k] **I.** *v/i.* **1.** schlafen (*a. fig.*); F *s-n Rausch* ausschlafen; ~ *como un tronco*, ~ *como un lirón* wie ein Murmeltier schlafen; ~ *la siesta* Mittagsschlaf halten; ~ *en (la paz de) Dios* in Gott ruhen; ~ *sobre a/c.* e-e Sache be-, überschlafen; *dejar* ~ *Angelegenheit* ruhen lassen; **II.** *v/t.* **2.** einschläfern (*a.* ⚕); **III.** *v/r.* **~se 3.** einschlafen (*a. Glieder*); **~se** *sobre los laureles* auf s-n Lorbeeren ausruhen; **4.** *fig.* e-e Gelegenheit versäumen; **5.** ⚓ **a)** s. nicht mehr bewegen (*Kompaßnadel*); **b)** krängen; **~rlas** *m* Versteckspiel *n*; **~tar** *v/i.* im Halbschlaf liegen, duseln F; **~tivo** *adj.-su.* schlafbringend; *m* Schlafmittel *n*; **~torio** *m* Schlafzimmer *n*; Schlafsaal *m*.

dor|najo *m* Trog *m*, Kübel *m*; **~nillo** *m* Napf *m*, Schüssel *f aus Holz*.

dor|sal I. *adj. c* Rücken ...; ⚕ dorsal; **II.** *adj.-su. Li.* dorsal, Zungenrücken ...; (*sonido m*) ~ *m* Dorsal *m*; **~so** *m* Rücken *m*; Rückseite *f* (*Blatt*,

Formular usw.); *al* (*od.* en el) ~ auf der (*bzw.* auf die) Rückseite; ~ *de la mano* (de *la nariz*) Hand- (Nasen-)Rücken *m*.
dos I. *num.* **1.** zwei; zweite(r, -s); ~ *a* ~ zwei zu zwei (*z. B. Sp. gewinnen*); jeweils zwei zs.; de ~ en ~ immer zwei, paarweise; ~ *tantos* doppelt (soviel); *Fußball*: zwei Tore *n/pl.*; *los* ~ alle zwei, beide; *los* ~ *podemos decir* wir beide können sagen; F *a* ~ *por tres* ohne viel Federlesens, geradezu; (*a*) *cada* ~ *por tres* alle Augenblicke, ständig, dauernd; *tan cierto como* ~ *y* ~ *son cinco* so sicher wie zwei mal zwei vier ist, bombensicher F; F *en un* ~ *por tres* im Nu; *entre los* ~ unter vier Augen; *romper en* ~ entzweibrechen; **II.** *m* **2.** Zwei *f*, *Reg.* Zweier *m* (*Zahl, a. Benotung*); **3.** der zweite des Monats; **4.** ♪ ~ *por cuatro* Zweivierteltakt *m*.
dosado ⊕ *m* Dosierung *f*.
dos|añal *adj. c* zweijährig; zweijährlich; **~cientos I.** *num.* zweihundert; **II.** *m die Zahl* Zweihundert.
dosel *m* Thronhimmel *m*, Baldachin *m*; Betthimmel *m*.
dosifica|ble *adj. c* dosierbar; **~ción** *f a.* ⚕, ⚗, ⊕ *u. fig.* Dosierung *f*, Zumessung *f*; ~ *excesiva* Überdosis *f*; **~dora** *f* Dosiermaschine *f*; **~r** [1g] *v/t. a. fig.* dosieren; ⚗ titrieren.
dosimetría ⚕ *f* Dosimetrie *f*.
dosímetro ⚕ *m* Dosimeter *n*.
dosis *f* (*pl. inv.*) *a.* ⚕ *u. fig.* Dosis *f*; Gabe *f*, Menge *f*; *en pequeñas* ~ in kl. Gaben (*od.* Dosen); ~ *máxima* Maximaldosis *f*; *fig. tener una buena* ~ *de paciencia* e-e ganze Menge Geduld haben.
dota|ción *f* **1.** Ausstattung *f*; Aussteuer *f*; **2.** Schenkung *f*, Stiftung *f*; **3.** ⚓ Bemannung *f*, Besatzung *f*; ⚔ ~ *de un cañón* Geschützbedienung *f*; **4.** Personal *n*; **5.** ~ *de un príncipe etc.* Apanage *f*; **6.** *Psych.* Begabung *f*; **~l** *adj. c* Mitgift ...; ⚖ *régimen m* ~ Dotalgüterstand *m*; *bienes m/pl.* **~es** Heiratsgut *n*, Mitgift *f*; **~r** *v/t.* **1.** aus-statten, -rüsten, versehen (mit *dat. con*, de); ⚓, ⚔ bemannen; **2.** stiften; **3.** dotieren.
dote I. *m*, *f* Mitgift *f*; Aussteuer *f*; *dar* (*recibir*) *en* ~ in die Ehe mitgeben (mitbekommen); *cazador m de* **~s** Mitgiftjäger *m*; **II.** *f* Gabe *f*, Begabung *f*; **III.** *m* Anzahl *f* Spielmarken *zu Spielbeginn*.
dovela △ *f* Keilstein *m*; Gewölbeformstein *m*; Schlußstein *m*.
doy → *dar*.
dozavo *num.* Zwölftel *n*; *edición f en* ~ Duodezausgabe *f*.
dracma *f* Drachme *f* (*griech. Münze u. hist. pharm.*).
draconiano *adj. a. fig.* drakonisch.
draga *f* Bagger *m*; Naßbagger *m*; ~ *de cadena* Kettenbagger *m*; ~ *de cangilones* Becherwerk *n*; **~do** ⊕ *m* (Aus-)Baggern *n*; **~dor** *adj.-su. m* (*buque m*) ~ Baggerschiff *n*; **~minas** ⚓ *m* Minen-suchboot *n*, -räumboot *n*; **~nte** ▨ *m* Drachenkopf *m*; **~r** [1h] *vt/i.* (aus)baggern.
drago ⚘ *m* Drachen(blut)baum *m*.
dragomán *m* Dragoman *m*.
dragón *m* **1.** Drache *m* (*Fabeltier u.* ♀ *Sternbild*); *fig.* F ~ *de seguridad* Anstandswauwau *m* F; **2.** *Fi.* ~ (*marino*) Drachenfisch *m*; Leierfisch *m*; *Zo.* ~ (*volante*) Flugdrache *m*; **3.** ⚔ *hist.* Dragoner *m*; **4.** ⚘ Drachenkraut *n*; **5.** ⊕ Speiseloch *n am Hochofen*.
dragona *f* **1.** Drachenweibchen *n*; **2.** ⚔ Achselschnur *f*; *Chi.*, *Méj.* Portepee *n*; **3.** ♪ Dragonermarsch *m*; **4.** *Méj. Art* Umhang *m*.
dragonci|lla ⚘ *f* Schlangenkraut *n*; **~llo** ⚘ *m* Estragon *m*; **~s** *m/pl.* Drachenkraut *n*.
dragone|ar F *v/i. Am.* ein Amt ohne Qualifikation ausüben; s. aufspielen (als *nom.* de); s. brüsten (mit *dat.* de); **~te** ▨ *m* → *dragante*.
dragontea ⚘ *f* Drachenmaul *n*.
drama *m* Drama *n* (*a. fig.*); Schauspiel *n*, Bühnenstück *n*; ~ *lírico* lyrisches Drama *n*; Musikdrama *n*.
dramáti|ca ⚒ *f* Dramatik *f*, dramatische (Dicht-)Kunst *f*; **~co I.** *adj.* **1.** dramatisch, Schauspiel..., Bühnen...; *actor m* ~ Tragöde *m*; *actriz f* **~a** Tragödin *f*; **2.** *fig.* dramatisch, erschütternd; *a.* sensationell; **II.** *adj.-su. m* **3.** (*autor m*) ~ Dramatiker *m*, Bühnendichter *m*.
drama|tismo *m* Dramatik *f* (*a. fig.*); **~tizar** [1f] *v/t.* dramatisieren (*a. fig.*), für die Bühne bearbeiten; **~turga** *m* **1.** Dramaturg *m*; **2.** Dramatiker *m*.
dramón *desp. m* Schauerdrama *n*; F Riesendrama *n* F; F Kolossalschinken *m* F (*Film*).
draque *m Am. Mer.* Getränk *n* (*Wasser, Muskat, Schnaps*).
drástico *adj.-su.* drastisch (*a. fig.*); *m* starkes Abführmittel *n*.
drawback *engl.* ✝ *m* Zollrückvergütung *f*.
drena|ble ⚕, ⊕ *adj. c* dränierbar; **~je** *m* ⚕ *mst.* Drainage *f*; ⊕, ⚒ Dränung *f*, Dränage *f*; **~r** *v/t.* ⚕, ⊕ dränieren, ⚒, ⊕ entwässern.
dría|(da), ~de *Myth. f* Dryade *f*, Waldnymphe *f*.
dribling *Sp. m* Dribbling *n*.
dri|l *tex. m* Dril(li)ch *m*; **~no** *Zo. m* grüne Baumschlange *f*.
driza ⚓ *f* Leine *f*, Hißtau *n*; **~r** [1f] ⚓ *v/t.* **1.** hissen; **2.** niederholen.
dro|ga *f* **1.** Droge *f*; Rauschgift *n*; **2.** *fig.* Schwindel *m*; **3.** Unannehmlichkeit *f*; *ser* (*una*) ~ unangenehm (*od.* lästig) sein; **4.** *Chi.*, *Méj.*, *Pe.* (Geld-)Schuld *f*; **~gadicto** *adj.* drogensüchtig; **~garse** s. dopen, Aufputschmittel nehmen; **~guería** *f* Drogerie *f*; **~guero** *m*, **~guista** *c* Drogist *m*.
dromedario *m Zo.* Dromedar *n*; *fig. desp.* Kamel *n* (*Beschimpfung*).
drope F *desp. m* Kerl *m*, Knilch *m* F.
dro|sera ⚘ *f* Sonnentau *m*; **~sófila** *Ent. f* Taufliege *f*; **~sómetro** *Met.* Drosometer *n*, Taumeßgerät *n*.
druida *hist. m* Druide *m*.
drupa ⚘ *f* Steinfrucht *f*.
drusa *Min. f* (Kristall-)Druse *f*.
dry *engl. adj. c* trocken (*Wein*).
dua|l I. *adj. c* dyadisch; **II.** *m Gram.* Dual *m*, Zweizahl *f*; **~lidad** *f* Dualität *f*; Zweiheit *f*; **~lismo** *a. Phil. m* Dualismus *m*; **~lista** *adj.-su. c* dualistisch; *m* Dualist *m*.
dubio ⚖ *m* Zweifelsfall *m*.
dubita|ción *f Rhet.* rhetorische Zweifelsfrage *f*, Dubitation *f*; → *a. duda*; **~tivo** 🕮, *Gram. adj.* dubitativ; *conjunción f* **~a** Dubitativkonjunktion *f*.
dublé *m* Dublee *n*, Doublé *n*.
duca|do *m* **1.** Herzogtum *n*; Herzogswürde *f*; *Gran* ♀ Großherzogtum *n*; **2.** Dukaten *m* (*Münze*); **~l** *adj. c* herzoglich, Herzogs...
duco *m* Spritz-, Nitrozellulose-lack *m*; *pintado al* ~ spritzlackiert.
ductibilidad *f* Dehnbarkeit *f*; Biegsamkeit *f*.
dúctil *adj. c* dehnbar; geschmeidig; ⊕ *a.* hämmerbar; streckbar; *fig.* nachgiebig, gefügig.
ductilidad *f* **1.** Dehnbarkeit *f*, Streckbarkeit *f*; Duktilität *f*; **2.** *fig.* Nachgiebigkeit *f*.
ductor ⚕ *m* Führungssonde *f*.
ducha[1] *f* farbiger Streifen *m im Stoff*.
ducha[2] *f* Dusche *f*; Brause(bad *n*) *f*; ~ *de aire caliente* Heißluftdusche *f*; ⚕ ~ *nasal* Nasendusche *f*; *dar*(*se*) *una* ~ (s.) duschen, (s.) abbrausen; *a. fig.* ~ (*de agua*) *fría* kalte Dusche *f*; **~r(se)** *v/t.* (*v/r.*) (s.) (ab)duschen; (s.) abbrausen.
ducho *adj.* erfahren, bewandert; tüchtig, versiert (in *dat.* en); *es muy* ~ *en la materia* er ist ein guter Sachkenner; ~ *en negocios* geschäftstüchtig.
duda *f* Zweifel *m*; Ungewißheit *f*; Skepsis *f*; *adv. sin* ~ zweifellos, sicher; allerdings, freilich; *adv. sin* ~ *alguna* zweifelsohne, unstreitig; F *por* (*si*) *las* **~s** auf alle Fälle; *abrigar* **~s** Zweifel hegen; *no admitir* ~ k-m Zweifel unterliegen; *no cabe la menor* ~, *sin lugar a* **~s** ganz zweifellos; *no cabe* ~ *que* ... es unterliegt k-m Zwiefel, daß ..., zweifellos ...; *¿qué* ~ *cabe* (*Am. tiene*)*?* das ist nicht anzuzweifeln; wirklich u. wahrhaftig; *estar en* ~ zweifeln; unschlüssig sein; *estar fuera de toda* ~ ganz unzweifelhaft (*od.* über jeden Zweifel erhaben) sein; *no hay* ~ es ist gewiß; *¿hay todavía* **~s***?* hat j. noch Fragen?; *poner en* ~ in Zweifel ziehen, in Frage stellen; *sacar de* **~s** (*od. de la* ~) Gewißheit geben; *salir de* **~s** (*od. de la* ~) aufhören zu zweifeln, Gewißheit erlangen; *tener sus* **~s** (so) s-e Zweifel haben, nicht sicher sein; *tener por sin* ~ *que* ... nicht daran zweifeln, daß ...; **~ble** ⚒ *adj. c* zweifelhaft; **~r I.** *v/i.* **1.** zweifeln (an *dat.* de); Bedenken tragen; unschlüssig sein; ~ *en hacer a/c.* s. zu e-r Sache nicht entschließen können; ~ *de hacerlo* Bedenken tragen, es zu tun; *no hay que* ~ da darf man nicht zögern, man muß s. rasch entschließen; *dudo mucho* (de) *que venga* ich bezweifle sehr, daß er kommt; *no dudo que es honrado* er ist gewiß ein ehrenwerter Mann; *no dudo que sea honrado* (*pero* ...) an s-r Ehrenhaftigkeit möchte ich nicht zweifeln (, aber ...); **2.** ~ *de alg.* j-n verdächtigen, j-n in Verdacht haben; **II.** *v/t.* **3.** bezweifeln; *lo dudamos* wir bezweifeln es, wir zweifeln daran.
dudo|samente *adv.* zweifelhaft; schwerlich, kaum; **~so** *adj.* **1.** zwei-

felhaft, fragwürdig; verdächtig, dubios; *cliente m* ~ unsicherer Kunde *m*, Kunde *m* von zweifelhafter Zahlungsfähigkeit *f*; *es muy* ~ das ist recht fraglich; **2.** (*estar*) unschlüssig, schwankend.
duela *f* (Faß-)Daube *f*; **~je** *m* Weinschwund *m im Faß*.
duelista *m* Duellant *m*; *fig.* Raufbold *m*.
duelo[1] *m* Duell *n*, Zweikampf *m*; *batirse en* ~ s. duellieren; ~ *a pistola* Pistolenduell *n*; *provocar a* ~ *a alg.* j-n fordern.
duelo[2] *m* **1.** Trauer *f*; Traurigkeit *f*; *estar de* ~ in Trauer sein, *a. fig.* trauern (um *ac. por*); ~ *nacional* Staatstrauer *f*; (*manifestación f de*) ~ Beileidsbezeigung *f*; **2.** Leichenbegängnis *n*; Trauergefolge *n*; Leidtragende(n) *m/pl.*; *el* ~ *se despide (en la calle de ...)* das Trauergefolge wird (in der ...-straße) verabschiedet; *presidir el* ~ den Trauerzug führen; als Vertreter der Leidtragenden das Beileid entgegennehmen; **3.** *mst.* **~s** *m/pl.* Leid *n*, Kummer *m*; *adv. sin* ~ maßlos, unmäßig; **4.** *Kchk.* **~s** *y quebrantos m/pl.* Geflügel- *bzw.* Hammel-klein *n*; Hirn *n* mit Rührei.
duende *m* **1.** Gespenst *n*, Poltergeist *m*; Kobold *m*; *hay* **~s** es spukt; **2.** *fig.* Irrwisch *m*, Wildfang *m*; **3.** *Andal. tener* ~ das gewisse Etwas (*od.* Pfiff) haben.
duendo *adj.* zahm; *bovino m* ~ Hausrind *n*.
dueña *f* **1.** Eigentümerin *f*; Herrin *f*; **2.** *hist.* Wirtschafterin *f*; Duenna *f*; Erzieherin *f*; Anstandsdame *f*; ~ *de honor* Ehrendame *f*; *fig. poner a alg. cual* (*od. como* [*no*]) *digan* **~s** j-n sehr heruntermachen.
dueño *m* Eigentümer *m*, Besitzer *m*; Wirt *m*; Herr *m* (über *ac.* de); Arbeitgeber *m*; ~ *de la casa* Hausherr *m*; *el* ~ *de una* (*bzw. de la*) *imprenta* der Druckereibesitzer *m*; *hacerse* ~ *de a/c.* s. et. aneignen, s. zum Herren von et. (*dat.*) machen; *ser (muy)* ~ *de hacer a/c.* et. (ganz) nach Belieben tun können; *es usted muy* ~ ganz wie Sie wollen; *no ser* ~ *de sí mismo* s. nicht beherrschen können; außer s. sein; *sin* ~ herrenlos (*bsd. Sache*); *cual el* ~, *tal el perro* wie der Herr, so's Gescherr.
duermevela *m* Halbschlaf *m*, unruhiger Schlaf *m*, Duseln *n* F.
duer|na *f* Backtrog *m*; **~no** *m* **1.** *Typ.* Lage *f* von zwei Bogen; **2.** → *duerna*.
due|tista ♪ *c* Duettsänger *m*; Duospieler *m*; **~to** ♪ *m* Duett *n* (*in Span.* → *dúo*).
dugo *m*: *Am. Cent. correr* (*od. echar*) *buenos* (*malos*) **~s** j-m behilflich (hinderlich) sein; *Hond. de* ~ unentgeltlich.
dugong *Zo. m* Seekuh *f*, Dugong *m*.
duis □ *adj.* zwei.
dula ⚒ *f* Bewässerungparzelle *f*; Allmende *f*; Gemeindeweide *f*.
dulcamara ⚘ *f* Almenraute *f*.
dulce I. *adj. c* **1.** süß; *agua f* ~ Süßwasser *n*; *jamón m* ~ gekochter Schinken *m*; *lit. de* ~ *sabor* angenehm schmeckend; *de sabor* ~ süß schmeckend; *a. fig.* ~ *como la miel* zuckersüß; *a. fig. entre* ~ *y amargo* bittersüß; **2.** *fig.* weich (*a. Eisen*); zart (*a. Farbe*); sanft; lieblich; ~ *vida f* dolce vita *f* (*it.*); **II.** *m* **3.** Zuckerwerk *n*; Süßspeise *f*; Kompott *n*; **~s** *m/pl.* Süßigkeiten *f/pl.*; Nachspeisen *f/pl.*; ~ *de almíbar* Früchte *f/pl.* in Sirup; ~ *de membrillo* Quittengelee *n*; ~ *de platillo*, ~ *seco* kandierte Früchte *f/pl.*; *fig. a nadie le amarga un* ~ et. Angenehmes hat man (*bzw.* hört man) immer gern; *el mucho* ~ *empalaga* allzu viel ist ungesund; **~dumbre** ⚒ *f* → *dulzura*; **~ra** *f* Einmachgefäß *n*; Kompottschale *f*; Marmeladendose *f*; Konfektschale *f*; **~ría** *f* → *confitería*; **~ro I.** *adj.* naschhaft; **II.** *m* → *confitero*.
dulcifica|nte *adj. c* (ver)süßend; **~r** [1g] *v/t.* süßen; *a. fig.* versüßen; mildern.
dulcinea *f* Herzensdame *f*, Dulzinea *f*.
dulero *m* Gemeinhirt *m*; Flur-, Weide-wächter *m*.
dulimán *m* Dolman *m* (*Kleidungsstück*).
dul|zaina *f* **1.** ♪ Dolzflöte *f*, *Art* Schalmei *f*; **2.** *desp.* billiges Zuckerzeug *n*; Übersüßigkeit *f*; **~zainero** *m* Dolzflötenspieler *m*; **~zaino** F *adj.* widerlich süß; **~zamara** ⚘ *f* → *dulcamara*; **~zarrón** *desp. adj.* widerlich süß; **~zón** *adj.* übersüß; *a. fig.* süßlich; schmalzig (*Musik*); **~zor** *lit. m* → **zura** *f a. fig.* Süße *f*, Süßigkeit *f*; Lieblichkeit *f*; Anmut *f*; Milde *f*, Sanftmut *f*.
duma *Pol. hist. f* Duma *f*.
dumdum ⚔ *adj.-su. m* Dumdumgeschoß *n*.
dumping *engl.* ✝ *m* Dumping *n*.
duna *f* Düne *f*.
dundo *adj. Am. Cent., Col.* dumm.
dúo ♪ *m* Duo *n* (*Instrumente*); Duett *n* (*Gesang*).
duodéci|ma ♪ *f* Duodezime *f*; **~mo** *num.* zwölfte(r, -s); *m* Zwölftel *n*.
duode|nal *Anat. adj. c* Zwölffingerdarm...; **~no** *Anat. m* Zwölffingerdarm *m*.
duomesino *adj.* zweimonatig.
dúplex 🕮, ⊕ *adj. inv.* Duplex...; *bomba f* ~ Duplexpumpe *f*.
dúplica ⚖ *f* Duplik *f*, Gegenerwiderung *f*.
duplica|ción *f* Verdoppelung *f*; **~do I.** *adj.* (ver)doppelt; **II.** *m* Zweitschrift *f*, Duplikat *n*; ✝ *por* ~ in doppelter Ausfertigung; *hecho por* ~ *y a un solo efecto* doppelt für einfach (gültig); *bei Hausnummern número 18* ~ Nr. 18 A; **~dor** *m* Duplikator *m*; **~r** [1g] **I.** *v/t.* verdoppeln; **II.** *v/i.* ⚖ auf die Replik antworten.
dúplice ⚒ *adj. c* → *doble*.
duplicidad *f* **1.** Duplizität *f*; **2.** Doppelzüngigkeit *f*.
duplo *adj.-su.* doppelt; *m* Doppelte(s) *n*.
duque *m* **1.** Herzog *m*; *los* **~s** das Herzogspaar; *Gran* ♀ Großherzog *m*; *Rußl. hist.* Großfürst *m*; **2.** ⚓ ~ *de alba* Duckdalbe *f*; **~sa** *f* Herzogin *f*; *Gran* ♀ Großherzogin *f*.
dura|bilidad *f* Dauerhaftigkeit *f*; **~ble** *adj. c* dauerhaft, haltbar; langlebig (*Güter*); **~ción** *f* Dauer *f*, Zeitdauer *f*; ⊕ Lebensdauer *f*; Dauerhaftigkeit *f*; ~ (*de empleo*) Gebrauchsdauer *f*; ~ *del frenado* (*de* [*la*] *oscilación*) Brems- (Schwingungs-)dauer *f*; *de* ~ *ilimitada* unverwüstlich; ~ *de la trayectoria* Flugzeit *f* (*Geschoß, Rakete*); *de larga* ~ langwierig; ⊕ langlebig (*Maschine*); **~dero** *adj.* dauerhaft; dauernd; nachhaltig.
duraluminio *m* Duraluminium *n*.
duramadre *Anat. f* harte Hirnhaut *f*; Dura mater *f* (*lt.*).
duramen ⚘ *m* Kernholz *n e-s Baumes*.
durante *prp.* während (*gen.*); ~ *dos años* während zweier Jahre; zwei Jahre lang; ~ *su ausencia* während (*od.* in) s-r Abwesenheit; ~ *el viaje* während (*od.* auf) der Reise; unterwegs; ~ *la vida* zeitlebens.
dura|r *v/i.* **1.** (fort-, an-)dauern, währen; (aus)halten, durchhalten; *el traje le duró muchos años* den Anzug hat er lange Jahre tragen können; *¡que dure!* möchte es von Dauer sein! *b. Glückwünschen u. ä.*; *lit. lo que duran las rosas* er (sie *usw.*) lebt (*bzw.* das hält) nicht lange; das bleibt nicht lange schön *u. ä.*; **2.** (ver)bleiben; *a.* s. halten können (*z. B. in e-r Stellung*); **~tivo** *Li. m* Durativ *m*.
duraz|nero ⚘ *m* Herzpfirsichbaum *m*; **~nillo** ⚘ *m* Flohkraut *n*; *Arg., Col., Ven. ein Fieberkraut*; **~no** ⚘ *m* Herzpfirsich *m* (*Baum u. Frucht*); *Bol., Chi., Rpl. jede Art* Pfirsich *m*.
dureza *f* Härte *f*, Zähigkeit *f*; Derbheit *f*; *fig.* Strenge *f*; Unbarmherzigkeit *f*, Gefühllosigkeit *f*; *a.* ⚕ **~s** *f/pl.* Verhärtungen *f/pl.*; ~ *de oído* Schwerhörigkeit *f*; ♪ schlechtes Gehör *n*; ~ *de vientre* Hartleibigkeit *f*; *fig.* ~ *de corazón* Hartherzigkeit *f*.
durillo ⚘ *m* **1.** Steinlorbeer *m*; **2.** Kornelkirsche *f*.
durmiente I. *adj.-su. c* schlafend; *m* Schlafende(r) *m*; *la Bella* ♀ (*del bosque*) Dornröschen *n*; **II.** *f* ⊕ (Grund-)Schwelle *f*; Tragbalken *m*; 🚂 (Eisenbahn-)Schwelle *f*.
duro I. *adj.* **1.** hart (*a. Wasser*); fest, zäh; widerstandsfähig; ~ *como acero* stahlhart; ~ *como piedra* steinhart; **2.** *fig.* schwierig; schwer; *es* ~ + *inf.* es ist hart, zu + *inf.*; *a* **~as** *penas* mit knapper Not; ~ *de entenderas* schwer von Begriff; ~ *de oído* schwerhörig; ♪ mit schlechtem Gehör; *lo más* ~ *está hecho* das Schwerste ist getan; das Schlimmste liegt hinter uns; *fig.* F *ser* (*un huevo*) ~ *de pelar* e-e harte Nuß sein, haarig sein F; **3.** streng, hart (-herzig); rauh (*a. Klima*); schroff, barsch; **4.** hartnäckig, eigensinnig; **5.** geizig; **II.** *adv.* **6.** kräftig, tüchtig, ordentlich F; F *¡dale* ~*!* schlag zu!, gib ihm Saures! P; **III.** *m* **7.** Duro *m* (*Münze, 5 Peseten*); *más falso que un* ~ *de plomo* falsch wie e-e Schlange, ein falscher Fünfziger F; **8.** ⚓ starker Wind *m*.
durómetro *od.* **duroscopio** *m* ⊕ Härteprüfer *m*.
dux *hist.* Doge *m*.
duz *adj. c* (*pl.* duces) *Andal.* süß.

E

E, e[1] *f* E, e *n.*

e[2] *cj.* und (*für y vor nicht diphthongiertem i u. hi, jedoch nicht im Anlaut v. Frage- u. Rufsätzen; z. B. Carmen e Inés; padre e hijo; ¿y Inés?*).

¡ea! *int.* nun!, auf!, los!; ach was!; aus!, fertig!; oder etwa nicht!

easonense *lit. adj.-su. c* aus San Sebastián.

ebanis|ta *m* Möbel-, Kunst-tischler *m*; **~tería** *f* **1.** Möbel-, Kunsttischlerei *f*; **2.** Tischlerarbeit(en) *f*(/*pl.*), Möbel *n/pl.*

ébano *m* Ebenholzbaum *m*; Ebenholz *n*; *poet.* de ~ schwarz wie Ebenholz.

ebenáceas ⚘ *f/pl.* Ebenholzgewächse *n/pl.*

ebonita ⚗ *f* Ebonit *n* (*Hartgummi*).

ebri|edad *lit. f* Rausch *m* (*a. fig.*); **~o** *lit. adj.* betrunken; *fig.* berauscht, trunken (vor *dat.* de); blind (vor *dat.* de).

ebu|llición *f* Aufwallen *n*, *a. fig.* Sieden *n*; *de fácil* ~ leicht siedend; *punto m de* ~ Siedepunkt *m*; *entrar en* ~ den Siedepunkt erreichen (*a. fig.*); **~llómetro** *Phys. m* Siedepunktmesser *m*; **~lloscopio** *Phys. m* Ebullioskop *n.*

ebúrneo *poet. adj.* elfenbeinern.

ecarté *Kart. m* Ekarté *n.*

eccehomo *m Rel., Ku.* Christus *m* mit der Dornenkrone; *fig. estar hecho un* ~ jämmerlich (*od.* wie das Leiden Christi F) aussehen.

eccema ⚕ *m* (*a. f*) Ekzem *n*, (Flechten-)Ausschlag *m*; **~toso** *adj.* ekzematös.

eclampsia ⚕ *f* Eklampsie *f.*

eclecticis|mo *Phil.*, 🕮 *m* Eklektizismus *m*; **~ta** *adj.-su. c* → *ecléctico.*

ecléctico *adj.-su.* eklektisch; *m* Eklektiker *m.*

Eclesiastés *bibl.*: *el* ~ Prediger *m* (Salomo).

eclesiástico I. *adj.* **1.** kirchlich, Kirchen...; **II.** *m* **2.** Geistliche(r) *m*; **3.** ♀ *bibl.* (*das* Buch) Jesus Sirach.

eclímetro ⊕ *m* Neigungsmesser *m.*

eclip|sar I. *v/t. Astr.* verfinstern, verdunkeln; *fig.* in den Schatten stellen; **II.** *v/r.* **~se** s. verfinstern; *fig.* (ver)schwinden; s. aus dem Staube machen; **~se** *m Astr.* Finsternis *f*; Verfinsterung *f*; *fig.* Verdunkelung *f*; Verschwinden *n*; ~ *de luna*, ~ *lunar* (*de sol, solar*) Mond-(Sonnen-)finsternis *f.*

eclipsis *Gram. f* → *elipsis.*

eclípti|ca *Astr. f* Ekliptik *f*; **~co** *adj.* ekliptisch.

eclisa 🚂 *f* Lasche *f e-r Schiene.*

eclosión *gal. f* Aufbrechen *n*, Aufblühen *n*; *fig.* Werden *n.*

eco *m* **1.** Echo *n*, Widerhall *m*; *a. fig.* Nachhall *m*; ~ *del sonido* Schallecho *n*; *fig. hacer* ~ Aufsehen erregen; *hacer* ~ *a a/c.*, *hacerse* ~ *de a/c.* et. weiter-verbreiten, -geben; *ser el* ~ *de otro* j-m (bedenkenlos) nachreden (*od.* nachbeten); *tener* ~, *encontrar* ~ Widerhall (*od.* Anklang) finden; **2.** *Zeitung*: **~s** *m/pl. de sociedad* Nachrichten *f/pl.* aus der Gesellschaft; **3.** *Lit.* Echo(verse *m/pl.*) *n*; **4.** ¡~! *int. Col.* **a)** prima!; **b)** Donnerwetter! (*Überraschung*); **~goniómetro** ⊕ *m* Echopeilgerät *n*; **~ico** *adj.* Echo...; *Lit. poesía f* **~a** → *eco 3.*

eco|logía *f Biol.* Ökologie *f*; *neol.* Umweltforschung *f*; **~lógico** *adj.* ökologisch.

ecólogo *m* Ökologe *m*; *neol.* Umweltforscher *m.*

ecómetro ⊕ *m* Echolot *n.*

econo|mato *m* **1.** Verwalterstelle *f*; **2.** Konsumverein *m*; **~mía** *f* **1.** Wirtschaft *f*; ~ *agraria*, ~ *agrícola*, ~ *agropecuaria* Agrar-, Land-wirtschaft *f*; ~ *dirigida*, ~ *planificada* gelenkte Wirtschaft *f*, Planwirtschaft *f*; ~ *de la(s) empresa(s)* Betriebswirtschaft(slehre) *f*; ~ *industrial* gewerbliche Wirtschaft *f*; ~ *nacional* einheimische (*od.* nationale) Wirtschaft *f*; ~ *política* Volkswirtschaft(slehre) *f*; **2.** Wirtschaftlichkeit *f*; Sparsamkeit *f*; Einsparung *f*; Zweckmäßigkeit *f in der Anordnung*; **~s** *f/pl.* Ersparnisse *f/pl.*; ~ *de tiempo* Zeitersparnis *f*; *medidas f/pl. de* ~ Sparmaßnahmen *f/pl.*; *hacer* **~s** Einsparungen machen; sparen; sparsam leben; **3.** *Li.* ~ *lingüística* Sprachökonomie *f*; **4.** *Physiol.* ~ *hídrica* Wasserhaushalt *m.*

económi|camente *adv.* **1.** finanziell; **2.** wirtschaftlich; sparsam; **~co** *adj.* **1.** wirtschaftlich, Wirtschafts...; finanziell; *actividades f/pl.* **~as** Wirtschafts-tätigkeit *f*; -leben *n*; *situación f* **~a** finanzielle Lage *f*; Wirtschaftslage *f*; **2.** haushälterisch; sparsam; wirtschaftlich, Spar...; **3.** billig, preiswert.

econo|mista *c* Volkswirt(schaftler) *m*; Wirtschaftsfachmann *m*; **~mizador** ⊕ *m* Spargerät *n*, Sparer *m*; **~mizar** [1f] *vt/i.* (er-, ein-)sparen; *no* ~ *esfuerzos* k-e Mühe scheuen; *abs.* sparen; sparsam (*od.* gut) wirtschaften.

ecónomo *m* Verwalter *m*; Vermögensverwalter *m*; *cura m* ~ Pfarrverweser *m.*

ecosonda *f* Echolot *n.*

ecrasita *f* Ekrasit *n* (*Sprengstoff*).

ectasia ⚕ *f* Ektasie *f.*

ectodermo *Biol. m* Ektoderm *n.*

ecuación *Arith. f* Gleichung *f*; ~ *de segundo grado* Gleichung *f* zweiten Grades.

ecuador *m*: ~ (*terrestre*) (Erd-)Äquator *m*, ⚓ Linie *f*; ~ *celeste* Himmelsäquator *m.*

ecuánime *adj. c* gleichmütig; gelassen, ruhig.

ecuanimidad *f* Gleichmut *m*, Gelassenheit *f*; Unparteilichkeit *f.*

ecuatoria|l I. *adj. c* Äquator(ial)...; **II.** *m* Äquatorial *n* (*Instrument*); **~nismo** *m* Spracheigentümlichkeit *f* Ecuadors; **~no** *adj.-su.* ecuadorianisch, aus Ecuador; *m* Ecuadorianer *m.*

ecuestre *adj. c* Reiter...; *arte m* ~ Reitkunst *f*; *estatua f* ~ Reiterstandbild *n.*

ecu|ménico *adj. bsd. ecl.* ökumenisch; *concilio m* ~ ökumenisches Konzil *n*; **~menismo** *m* ökumenische Bewegung *f.*

eczema ⚕ *m* → *eccema.*

echa|cantos F *m* (*pl. inv.*) Prahlhans *m*; Null *f* F, Flasche *f* F; **~cuervos** F *m* (*pl. inv.*) **1.** Kuppler *m*; **2.** Gauner *m*, Taugenichts *m.*

echa|da *f* **1.** Wurf *m*, Werfen *n*; **2.** Manneslänge *f als Maß*; **3.** *Méj.*, *Rpl.* Prahlerei *f*; **~dero** *m* Lager *n*, Ruheplatz *m*; **~dizo I.** *adj.* **1.** weggeworfen; zum Wegwerfen, unbrauchbar (*Gerümpel usw.*); **II.** *adj.-su.* **2.** Schnüffler *m*; Ausstreuer *m e-s Gerüchts*; **3.** ⚒ Findelkind *n*; **~do I.** *m* ⚒ Neigung *f e-s Flözes*; **II.** *part.* liegend; *estar* ~ liegen; **III.** *adj. fig.* ~ *para atrás* hochmütig, hochnäsig; ~ *para adelante* beherzt, mutig; unternehmungslustig; **~dor** *m* Schleuderer *m*, Werfer *m*; Schenkkellner *m für den Ausschank von Kaffee u. Milch am Tisch*; **~dora** *f*: ~ *de cartas* Kartenlegerin *f*; **~dura** *f* Sichsetzen *n* zum Brüten (*Glucke*); **~miento** *m* Werfen *n*, Schleudern *n*; Wurf *m.*

echar I. *v/t.* **1.** werfen (in *od.* auf *ac.* en *od.* a); schleudern; weg-werfen, -schütten; *Anker* werfen; *Netz* auswerfen; *Brief* einwerfen; *Blick* werfen (auf *ac.* a, sobre); ~ *abajo* **a)** *Gebäude* nieder-, ab-reißen; **b)** *fig.* zerstören, zunichte machen; **c)** ablehnen; ~ *al agua* ins Wasser werfen; ⚓ vom Stapel laufen lassen; ~ *el cuerpo a un lado* ausweichen; ⚔ ~ *cuerpo a tierra* in Dekkung gehen; **2.** vertreiben; hinauswerfen; weg-, ver-jagen; entlassen; ~ *de casa* aus dem Haus werfen (*od.* jagen); **3.** von s. geben, ausstrahlen, ausströmen; F *Geruch* verbreiten; *Feuer, Flammen* speien; *Funken* sprühen; **4.** (ein)gießen, schütten, füllen; ~ *de beber* (*a alg.* j-m) einschenken; ~ *de comer* (*a*) Futter geben (*dat.*); (*Tiere*) füttern; *Kfz.* ~ *gasolina* tanken; *échese más leche* nehmen Sie mehr Milch; **5.** (zu s.) nehmen; *Schluck* tun; *Zigarette* rauchen; → *a.* 23; **6.** setzen, stellen, legen, stecken; *Riegel* vorschieben; ~ *la firma* unterschreiben; **7.** *Wort, Drohung, Fluch* ausstoßen; *Rede* halten, schwingen F; ~ *en cara a/c. a alg.* j-m et. vorwerfen; **8.** *Haare, Zähne, Bart* bekommen; *Knospen, Blätter usw.* treiben; *Wurzel(n)* schlagen; *Fett, Fleisch* ansetzen, *e-n Bauch* bekommen; **9.** *Alter, Gewicht* schätzen; *Schuld* zuschreiben, geben; *¿qué edad le echa?* für wie alt halten Sie ihn?; **10.** *Partie, Karten, Spiel* spielen; *Karten* legen; *Film* geben; *Stück* aufführen; *¿qué película echan?* was für ein Film läuft (*od.* wird gegeben)?; **11.** aufnehmen, -fassen; ~ *a broma* als Scherz auffassen (*od.* nehmen); ~ *de menos* vermissen; s. sehnen nach (*dat.*); ~ *de ver a/c.* **a)** et. sehen; et. bemerken; **b)** et. einsehen; **12.** *Tiere* paaren; *Glucke* ansetzen; ~ *el perro a la perra* die Hündin (vom Rüden) decken lassen; **13.** (neuerdings) haben, tragen, benützen; s. zugelegt haben F; → *a.* 24; *echarla* → 26; **14.** *Bekanntmachung* veröffentlichen; *Feiertag, Feier* bekanntgeben; **15.** *Abgaben* erheben; **16.** *Arg., Pe., P. Ri. Menschen od. Tiere* als *für den Kampf bsd.* geeignet herausstellen, *für den Kampf* benennen (*Sp., Hk. u. ä.*); **II.** *v/i.* **17.** *in e-r bestimmten Richtung* gehen; ~ *por la izquierda* nach links gehen; **18.** ~ *a* + *inf.* beginnen, zu + *inf.*; anfangen, zu + *inf.*; ~ *a correr* losrennen; **19.** *¡echa, echa!* sieh mal an!; ach!; nanu!; ~ *por mayor* (*od. por quintales, por arrobas*) reichlich übertreiben; **III.** *v/r.* ~*se* **20.** s. stürzen (auf *ac. sobre*); ~*se atrás* s. zurückwerfen; zurückweichen; *fig.* von s-m Wort abgehen, e-n Rückzieher machen; ~*se al agua* ins Wasser springen; *fig.* s. plötzlich *zu e-r schwierigen Sache* entschließen, ins kalte Wasser springen (*fig.*); ~*se de la cama* aus dem Bett springen; ~*se al suelo* s. hinwerfen; **21.** s. hinlegen; ~*se en la cama* s. ins Bett legen; *¡~se!* hinlegen! (*a.* ⚔); kusch! (*zum Hund*); ~*se a dormir* s. (angekleidet) zum Schlafen hinlegen; *fig.* s. um nichts kümmern, alles vernachlässigen; **22.** ~*se a* + *inf.* beginnen, zu + *inf.*, anfangen, zu + *inf.*; **23.** ~*(se) un cigarrillo* s. e-e Zigarette anstecken, e-e Zigarette rauchen; ~*(se) una copita* s. ein Gläschen genehmigen; **24.** ~*se* + *su.* F s. anschaffen (*ac.*), s. zulegen (*ac.*); ~*se una amiga* s. e-e Freundin zulegen F; **25.** s. *e-m Beruf* widmen; **26.** *echárselas* (*od. echarla*) *de* (*músico*) s. als (Musiker) aufspielen; *Col. ¡écheselas!* nun mal fix! Tempo, Tempo!; **27.** ~*se* (*una capa*) *sobre los hombros* s. (e-n Umhang) über die Schultern werfen; **28.** ⚓ s. legen (*Wind*); **29.** s. zum Brüten setzen (*Vogel*).

echarpe *gal. f* Schulterschal *m*; *Am.* Schärpe *f*.

echazón *f* Wurf *m*; ⚓ Seewurf *m der Ladung*; ⚔ Notwurf *m*.

¡eche! *int. Col.* na so was!; nein, das geht nicht!

edad *f* **1.** (Lebens-)Alter *n*; Altersstufe *f*; *a la* ~ *de* im Alter von (*dat.*); *a mi* ~ in m-m Alter; *de corta* ~ (noch) sehr jung; *de cierta* ~ älter; *de mediana* ~ in mittlerem Alter; *entrar en* ~ alt werden; *¿qué* ~ *tiene?* wie alt sind Sie?; ~ *adulta* Erwachsenenalter *n*, Vollreife *f*; ~ *avanzada* höheres Alter; *avanzado de* ~ vorgerückten Alters, recht alt; ~ *ingrata*, F ~ *del pavo*, P ~ *burral* Flegeljahre *n/pl.*; ~ *temprana* frühes Alter *n*, Jugend *f*; *tierna* ~ zartes Alter *n*, Kindheit *f*; ~ *viril* Mannesalter *n*; *es de mi* ~ er ist (etwa) so alt wie ich; *son cosas de su* ~ das ist typisch für sein Alter; *tiene más* ~ *que tú* er ist älter als du; **2.** *hist., Geol.* Zeit(alter *n*) *f*; ~ *geológica* Erdzeitalter *n*; ~ *de piedra* (*del cobre*) Stein- (Kupfer-)zeit *f*; ~ *del bronce* (*del hierro*) Bronze- (Eisen-)zeit *f*; ~ *antigua* Altertum *n*; ~ *media* Mittelalter *n*; ~ *moderna* Neuzeit *f*; *poet.* ~ *de oro*, ~ *áurea*, ~ *dorada* goldenes Zeitalter *n*; → *a. era, época*.

edafo|logía *f* Bodenkunde *f*; ~**lógico** *adj.* bodenkundlich.

edecán *m* † ⚔ Adjutant *m*; *fig.* F Adlatus *m* (*fig.* F); Zuträger *m*.

edema ⚕ *m* Ödem *n*; ~ *pulmonal* Lungenödem *n*; ~**toso** *adj.* ödematös.

edé|n *m* (Garten *m*) Eden *n*, *a. fig.* Paradies *n*; ~**nico** *adj.* paradiesisch, Eden...

edición *f* **1.** Ausgabe *f*; Auflage *f*; Herausgabe *f*; ~ *completa* (*popular*) Gesamt- (Volks-)ausgabe *f*; ~ *extraordinaria* Sonder-, Extra-ausgabe *f* (*bsd. Zeitung*); ~ *de lujo* Prachtausgabe *f*; ~ *príncipe* Erstausgabe *f alter Werke*, Editio *f* princeps (*lt.*); *segunda* ~ *corregida y aumentada* zweite, verbesserte u. erweiterte Auflage *f*; *Zeitungen*: ~ *de la mañana* Morgen-ausgabe *f*, -blatt *n*; ~ *vespertina*, ~ *de la noche* Abend-, Nacht-ausgabe *f*; *fig. ser la segunda* ~ *de ...* genauso aussehen wie ... (*nom.*), *desp.* ein Abklatsch von ... (*dat.*) sein; **2.** Verlagswesen *n*; Verlagsbuchhandel *m*.

edicto ⚖ *m* **1.** Aufgebot *n*; **2.** Edikt *n* (*hist.*); Verordnung *f*, Erlaß *m*.

edículo ⚠ *m* Grabkapelle *f*; Nischenumrahmung *f an Gebäuden*.

edifi|cable *adj. c* **1.** bebaubar; **2.** baureif; ~**cación** *f* **1.** Errichtung *f*, Erbauung *f*; *permiso m de* ~ Baugenehmigung *f*; **2.** Bau *m*, Gebäude *n*; **3.** *fig.* Erbauung *f*; ~**cador** *adj.-su.* **1.** Bau...; *m* Erbauer *m*; **2.** → ~**cante** *adj. c* erbaulich, lehrreich; *poco* ~ **a)** unerquicklich; **b)** nicht ganz salonfähig (*od.* stubenrein F) (*Witz*); ~**car** [1g] **I.** *v/t.* (er)bauen; errichten, aufführen; *fig.* erbauen, belehren; **II.** *v/i. abs.* bauen; **III.** *v/r.* ~*se fig.* s. erbauen (an *dat. con*); ~**cativo** *adj.* erbaulich; ~**catorio** *adj.* Bau...; ~**cio** *m a. fig.* Bau *m*, Gebäude *n*, Bauwerk *n*; ~ *escolar* Schulgebäude *n*; ~ *monumental* Monumentalbau *m*.

edil *m hist.* Ädil *m*; *fig.* Stadtrat *m*, Ratsherr *m*.

Edipo *npr. m*: *complejo m de* ~ Ödipuskomplex *m*.

edi|tar *v/t. Schriften* heraus-geben, -bringen; verlegen; ~**tor I.** *adj.* Verlags...; *empresa f* ~*a* Verlag *m*; **II.** *m* Verleger *m*; Herausgeber *m*; ~**torial I.** *adj. c* Verlags...; *contrato m* ~ Verlagsvertrag *m*; *gran éxito m* ~ großer Bucherfolg *m*; **II.** *m* Leitartikel *m*; **III.** *f* Verlag(shaus *n*) *m*; ~ *comisionista* Kommissionsverlag *m*; ~**torialista** *m* Leitartikler *m*.

edredón *m* **1.** Eiderdaune *f*; **2.** Federbett *n*, Plumeau *n*.

educa|ble *adj. c* erziehbar; bildungsfähig; ~**ción** *f* **1.** Erziehung *f*, Bildung *f*; Ausbildung *f*; ~ *física* Leibeserziehung *f*, körperliche Ertüchtigung *f*; *Span. Ministerio m de* ♀ *y Ciencia* Unterrichtsministerium *n*; **2.** Bildung *f*; (gutes) Benehmen *n*; *falta f de* ~ Mangel *m* an Benehmen; Ungezogenheit *f*; *sin* ~ ungebildet; ungezogen; *no tener* ~ ungebildet sein; kein Benehmen (*od.* e-e schlechte Kinderstube) haben; ~**cional** *adj. c Am.* → *educativo*; ~**cionista** *adj.-su. c* → *educador*; ~**do** *adj.* erzogen; (*bien*) ~ wohlerzogen; höflich; gebildet; *mal* ~ ungezogen; ~**dor** *adj.-su.* Erzieher *m*.

educa|ndo *m* Zögling *m*; Schüler *m*; ~**r** [1g] *v/t.* erziehen; ausbilden, unterrichten; *a. Gehör, Blick usw.* schulen; ~ *la mano* die Hand(fertigkeit) ausbilden; ~ *en la limpieza* zur Sauberkeit erziehen; ~**tivo** *adj.* erzieherisch, erziehlich (*neol.*), Lehr..., Erziehungs...; *sistema m* ~ Erziehungs-system *n*; -wesen *n*.

educir [3o] *v/t.* → *deducir*.

edulco|rante *pharm. m* Süßstoff *m*; ~**rar** *pharm. v/t.* (ver)süßen.

efe *f* F *n* (*Name des Buchstabens*).

efebo *m* Ephebe *m*, Jüngling *m*.

efectis|mo *m* Effekthascherei *f*; ~**ta** *adj.-su. c* auf Wirkung ausgehend (*bzw.* angelegt); effekthascherisch.

efecti|vamente *adv.* wirklich, tatsächlich; ~**vidad** *f* **1.** Wirklichkeit *f*, Tatsächlichkeit *f*; **2.** Auswirkung *f*, Wirksamkeit *f*; **3.** *Verw.* endgültige (*od.* planmäßige) Anstellung *f*; ⚔ aktive Verwendung *f*; **4.** ⊕ Effektivwert *m*; ~**vo I.** *adj.* **1.** wirklich, tatsächlich, effektiv; reell (*Zahl*); *a.* ⊕ Effektiv...; ☤ Bar...; *Verw.* definitiv (*Anstellung*); planmäßig (*Beamter*); ordentlich *bzw.* aktiv (*Mitglied*); *hacer* ~ in die Tat umsetzen, verwirklichen; *Geld* einziehen; *Scheck* einlösen; **2.** wirksam; **II.** *m* **3.** Bestand *m*; ☤ Barbestand *m*; ⚔ Truppenstärke *f*; ☤ *en* ~ (in) bar(em Geld); ☤ ~ *en caja* Kassenbestand *m*; ~ *real* (*teórico, previsto*) Ist- (Soll-)Bestand *m*; (-)Stärke *f*; ⚔ ~ *de combate* Gefechtsstärke *f*; ~*s m/pl. de guerra* Kriegsstärke *f*; ⚔ ~ *reglamentario* Sollstärke *f*.

efecto *m* **1.** Wirkung *f*; Ergebnis *n*, Folge *f*; Effekt *m*; ~ *cáustico* Ätzwirkung *f*; *de* ~ *directo* unmittelbar wirkend; ~ *explosivo* Sprengwirkung *f*; ~ *recíproco* Wechselwirkung *f*; ⊕ *u. allg.* ~ *útil* Nutz-leistung *f*, -effekt *m*; *al* ~ zu diesem Zweck, dazu; *con* ~ wirksam; erfolgreich; ⚖ *a* (*od. para*) *los* ~*s de* (*la ley*) im Sinne des (Gesetzes); *de doble* ~ doppelt wirkend; *de gran* (*od. mucho*) ~ von großer (*od.* starker) Wirkung; eindrucksvoll; *adv.* *en* ~ in der Tat, wirklich; *adv. para los* ~*s* eigentlich, praktisch, sozusagen; *dejar sin* ~ **a**) ungültig (*bzw.* unschädlich) machen; **b**) nicht berücksichtigen; *hacer* ~ wirken, Wirkung haben (auf *ac. a, sobre*); *llevar a* ~ zustande bringen, verwirklichen; *producir* ~ Erfolg haben; wirken; *ser de mal* ~ e-n schlechten Eindruck machen; *tener* ~ stattfinden; **2.** ~*s m/pl.* Sachen *f/pl.*; Handelsware *f*; ~*s usados* Gebrauchtwaren *f/pl.*; gebrauchte Sachen *f/pl.*; *almacén m de* ~*s* Ausstattungsgeschäft *n*; **3.** ✝ Wechsel *m*; Wertpapier *n*; ~ *de comercio* Handelswechsel *m*; ~ *bancario* (*financiero*) Bank- (Finanz-)wechsel *m*; *Bankw.* ~*s m/pl. en cartera* Wechselbestand *m*; ✝ ~*s a cobrar* Wechselforderungen *f/pl.*; ~*s públicos* Staatspapiere *n/pl.*; → *a. letra 5.*

efectuar [1e] **I.** *v/t.* ausführen, verwirklichen; unternehmen, machen; *Geschäft* tätigen; *Amtshandlungen* vornehmen; *Bewegung* ausführen; **II.** *v/r.* ~*se* s. vollziehen, geschehen; stattfinden; zustande kommen.

efélide ⚕ *f* Sommersprosse *f*.

efeméride(s) *f*(*/pl.*) Tagebuch *n*; Ephemeriden *f/pl.*, astronomisches Jahrbuch *n*; Chronik *f*.

efémero ⚘ *m* Sumpfschwertlilie *f*.

efervescen|cia *f* (Auf-)Brausen *n*, Brodeln *n*; *fig.* Erregung *f*; Aufruhr *m*; ⚗ *hacer* ~ sprudeln; ~**te** *adj. c* ⚗ *u. fig.* aufbrausend; *polvos m/pl.* ~*s* Brausepulver *n*.

efesi(n)o *bibl.*: *la Epístola a los Efesios* der Epheser-Brief.

efi|cacia *f* Wirksamkeit *f*, Wirkung *f*; Leistungsfähigkeit *f*; *de gran* ~ *publicitaria* sehr werbewirksam; ~**caz** *adj. c* (*pl.* ~*aces*) wirksam, wirkungsvoll, erfolgreich; leistungsfähig; ~**ciencia** *f* Wirksamkeit *f*; Leistungsfähigkeit *f*; Tüchtigkeit *f*; ~**ciente** *adj. c* wirksam; schlagkräftig; leistungsfähig, tüchtig (*Person*).

efigie *f* **1.** Bild(nis) *n*, Abbild(ung *f*) *n*; *quemar en* ~ in effigie verbrennen; **2.** Bild *n*, Verkörperung *f*.

efíme|ra **I.** *adj.-su. f* ⚕ (*fiebre f*) ~ Eintagsfieber *n*; **II.** *f* Eintagsfliege *f*; ~**ro** *adj.* vergänglich, flüchtig, ephemer.

eflore|cerse [2d] *v/r. Min.*, ⚗ ausblühen, auswittern; ~**scencia** *Min.*, ⚗, ⚕ *f* Effloreszenz *f*; ~**scente** *adj. c* auswitternd.

efluvio *m* Ausfluß *m*, Ausströmung *f feinster Teilchen*; *fig.* Fluidum *n*; ⚡ Glimmen *n*, Glimmentladung *f*.

efusi|ón *f* **1.** Vergießen *n*, Ausströmen *n*; ⚕ Erguß *m*; ~ *de sangre* Blutvergießen *n*; **2.** *fig.* (Herzens-)Erguß *m*; Innigkeit *f*, Zärtlichkeit *f*; *adv. con* ~ → ~**vamente** *adv.* herzlich; ~**vo** *adj.* überströmend; zärtlich, innig; herzlich.

egeo *adj.* ägäisch.

égida *f* (*a. egida*) Ägide *f*; *fig. bajo la* ~ *de* unter der Schirmherrschaft (*od.* Ägide) von (*dat.*).

egip|ciaco, ~**cíaco,** ~**ciano,** ~**cio** **I.** *adj.* ägyptisch; *Typ. letra f* ~*a* Egyptienne *f*; **II.** *m* Ägypter *m*; *das* Ägyptische; ~**tología** *f* Ägyptologie *f*; ~**tólogo** *m* Ägyptologe *m*.

égloga *Lit. f* Ekloge *f*.

ego *Phil. m*: *el* ~ das Ich; ~**céntrico** *adj.-su.* egozentrisch; *m* Egozentriker *m*; ~**centrismo** *m* Egozentrik *f*; ~**ísmo** *m* Egoismus *m*, Selbstsucht *f*; ~**ísta** *adj.-su. c* egoistisch, selbstsüchtig; *m* Egoist *m*; ~**latría** *f* Egolatrie *f*, Selbstverherrlichung *f*; ~**tismo** *m* Ich-Betonung *f*, Egotismus *m*; ~**tista** *adj.-su. c* selbstisch; *m* Egotist *m*.

egregio *adj.* edel, erlaucht; hervorragend.

egre|sar *v/i. Chi., Rpl.* s-e (Schul- *usw.*)Ausbildung abschließen; ~**so** *m* ✝ Ausgabe *f*; *Rpl.* Schul-, Studien-abschluß *m*.

¡eh! *int.* he!; *¿~?* was?; wie?; *¡que no se le olvide aquello, ~!* vergessen Sie die Sache nur nicht!; F *es bueno, ¿~?* es ist gut, nicht (wahr)?

eje *m* **1.** Achse *f* (*a. fig.*); ⅄ ~ *de abscisas* (*de ordenadas*) Abszissen- (Ordinaten-)achse *f*; *Pol.* (*las potencias d*)*el* ♀ die Achse(nmächte) *f*(*/pl.*); *fig. partir por el* ~ *j-n* (*od. et.*) zugrunde richten; kaputtmachen; **2.** ⊕ Achse *f*, Welle *f*; *Kfz.* ~ *delantero* (*trasero*) Vorder- (Hinter-)achse *f*; ~ *oscilante* Schwing-, *Kfz.* Pendel-achse *f*; *peso m por* ~ Achslast *f*; → *a. árbol* 2.

ejecu|ción *f* **1.** Ausführung *f*, Durchführung *f*, Erledigung *f*; ⊕, ✝ Bauart *f*, Ausführung *f*; ~ *especial* Sonder-ausführung *f*; -anfertigung *f*; ~ *de una orden* **a**) Auftragserledigung *f*; **b**) Durchführung *f* e-s Befehls; *no* ~ Nichterfüllung *f*; *en vías de* ~ in Bearbeitung; *poner en* ~ ausführen; **2.** ♪ Vortrag *m*; *Thea.* Aufführung *f*; **3.** ⚖ Vollstreckung *f*; ~ (*forzosa*) Zwangsvollstreckung *f*; **4.** Hinrichtung *f*, Exekution *f*; ~**table** *adj. c* aus-, durch-führbar; ♪ spielbar; ⚖ einklagbar; ~**tante** **I.** *adj. c* ausführend; **II.** *adj.-su. c* ⚖ (*acreedor m*) ~ Vollstreckungsgläubiger *m*; **III.** *c* vortragender Künstler *m*; *Rf.* Ausführende(r) *m*; ~**tar** *v/t.* **1.** ausführen, durchführen; **2.** ⚖ vollstrecken; (aus)pfänden; **3.** hinrichten; **4.** *Thea.*, ♪ spielen; ~**tivo** **I.** *adj.* **1.** ausführend; ausübend; **2.** ⚖ vollstreckbar; Vollstreckungs...; Exekutiv...; *título m* ~ Vollstreckungstitel *m*; *juicio m* ~ **a**) Zwangsvollstreckung *f*; **b**) Urkundenprozeß *m*; **3.** dringend, drängend; **II.** *adj.-su. m* **4.** *Pol.* (*poder m*) ~ Exekutive *f*, vollziehende Gewalt *f*; ~**tor** **I.** *adj.* ausführend; **II.** *m* Ausführende(r) *m*; Vollstrekker *m*; Gerichtsvollzieher *m*; ~ (*de la justicia*) Scharfrichter *m*; ~ *testamentario* Testamentsvollstrecker *m*; ~**toria** **I.** *f* **1.** ⚖ Vollstreckungsbefehl *m*; vollstreckbares Urteil *n* (*Urkunde*); **2.** Helden-, Ruhmes-tat *f*; **II.** *adj.-su. f* **3.** (*carta f*) ~ (*de hidalguía*) Adelsbrief *m*; ~**toría** ⚖ *f* Gerichtsvollzieherei *f*; Vollstreckungsbehörde *f*; *a. Name anderer Behörden*; ~**torio** ⚖ *adj.* vollstreckbar; rechtskräftig (*Urteil*).

¡ejem! *onom.* (*Räuspern*) *u. int.* hem!, hm!

ejempla|r **I.** *adj. c* **1.** muster-, beispiel-haft, vorbildlich; *novela f* ~ Exempelnovelle *f*; **2.** exemplarisch, abschreckend; **II.** *m* **3.** Exemplar *n*; Muster *n*; Belegstück *n*; *sin* ~ beispiellos, unerhört; ~ *gratuito*, ~ *libre* (*para la reseña*) Frei- (Rezensions-)exemplar *n*; ~**ridad** *f* **1.** Mustergültigkeit *f*; **2.** abschrekkendes Beispiel *n*; ~**rizar** [1f] *neol.* **I.** *v/i.* ein Beispiel geben, mit gutem Beispiel vorangehen; **II.** *v/t. inc.* → *ejemplificar*; ~**rmente** *adv.* **1.** exemplarisch, zur Abschreckung; **2.** vorbildlich.

ejem|plificar [1g] *v/t.* durch Beispiele erläutern; mit Beispielen belegen; ~**plo** *m* Beispiel *n*; Vorbild *n*, Muster *n*; ~ *clásico* Schulbeispiel *n*; *por* ~, *a título de* ~ zum Beispiel; *sin* ~ beispiellos; unvergleichlich; *dar* (*buen bzw. mal*) ~ ein (gutes *bzw.* schlechtes) Beispiel geben; *poner de* ~ als Beispiel hinstellen; *tomar por* ~ als Beispiel nehmen; s. ein Beispiel nehmen an (*dat.*).

ejer|cer [2b] **I.** *v/t.* **1.** *Beruf, e-e Kunst* ausüben; *Amt* bekleiden; *Geschäft* betreiben; *Wohltätigkeit* üben; **2.** *Druck* ausüben; *Einfluß* ausüben, haben (auf *ac. sobre, en*); **3.** üben, schulen; **II.** *v/i.* **4.** tätig sein, praktizieren (*Arzt*); **5.** ⚔ exerzieren; ~**cicio** *m* **1.** Übung *f*, Training *n*; Bewegung *f*; ~*s m/pl. con aparatos* Geräteturnen *n*; ~*s de dedos* Fingerübungen *f/pl.*; ~*s físicos* Leibesübungen *f/pl.*, Turnen *n*; ~*s respiratorios* Atemübungen *f/pl.*; *hacer* ~ s. Bewegung machen; **2.** *Sch.* Übung *f*, Aufgabe *f*; Prüfungsaufgabe *f*; **3.** ⚔ Waffenübung *f*; ~*s m/pl.* Exerzieren *n*; ~ *de las armas* Waffendienst *m*; **4.** Ausübung *f e-s Berufes*, Beschäftigung *f*; *con* ~ dienstverpflichtet; *en* ~ praktizierend (*Arzt*); amtierend (*Beamter usw.*); **5.** ✝, *Verw.* Geschäfts-, Wirtschafts-, Rechnungs-jahr *n*; **6.** *kath.* ~*s m/pl.* (*espirituales*) Exerzitien *pl.*

ejerci|tado *adj.* geübt, bewandert (in *dat. en*); ~**tante** **I.** *adj.-su. c* **1.** (ein)übend; **II.** *m* **2.** *kath.* Teilnehmer *m* an Exerzitien; **3.** Prüfungsteilnehmer *m*; ~**tar** **I.** *v/t.* **1.** *Amt* bekleiden, *Beruf* ausüben; **2.** üben, schulen; unterweisen; drillen; ⚔ *a.* exerzieren lassen; *Muskeln usw.* trainieren; **3.** ⚖ *Recht* ausüben; geltend machen; ~ *una acción* e-n Anspruch gerichtlich geltend machen; **II.** *v/r.* ~*se* **4.** ~*se en* s. in *et.* (*dat.*) üben.

ejército *m* **1.** ⚔ **a**) Heer *n*; **b**) Armee *f*; **c**) Streitkräfte *f/pl. e-s Landes*; ~ *de Tierra, Mar y Aire* Heer *n*, Marine *f* u. Luftwaffe *f*; ~ *permanente* stehendes Heer *n*; ~ *popular* Volksarmee *f*; **2.** *Rel.* → *Salvación*; **3.** *fig.* Heer *n*, Menge *f*.

ejido *m* **1.** Gemeinde-weide *f*; -anger *m*; **2.** *Am.* Ejido *m* (= *genossenschaftliches Nutzungssystem*).

ejión ⚠ *m* Knagge *f*, Querholz *n b. Gerüsten.*

ejote ⚘ *m Am. Cent., Méj.* Bohnenschote *f.*

el *Gram.*: der, *bestimmter männlicher Artikel; weiblicher Artikel vor Wörtern, die mit betontem* (h)a *beginnen* (*außer Eigennamen*): *el agua f*; *el hambre f.*

él *pron.*: er; *Rel.* *Él* Er, Gott.

elabora|ble *adj. c* herstellbar; be-, ver-arbeitbar; **~ción** *f* Be-, Ver-arbeitung *f*; Herstellung *f*, Zubereitung *f*; Ausarbeitung *f*; Auswertung *f*; ~ (*electrónica*) *de datos* (elektronische) Datenverarbeitung *f*; ~ *del petróleo* Erdölaufbereitung *f*; ~ *ulterior* Weiterverarbeitung *f*; **~do** *adj.* verarbeitet; ausgefeilt, geschliffen (*Stil*); *no* ~ unverarbeitet; **~dor** *bsd.* ⊕ *adj.* verarbeitend; *industria f ~a de plásticos* kunststoffverarbeitende Industrie *f*; **~r** *v/t.* **1.** ausarbeiten, anfertigen; herstellen; be-, ver-arbeiten; *Plan* ausarbeiten; **2.** *Physiol.*: *Speisen* verarbeiten.

elástica *f* Unter-hemd *n*, -jacke *f.*

elasticidad *f a. fig.* Elastizität *f*, Spannkraft *f.*

elástico I. *adj. a. fig.* elastisch, dehnbar; geschmeidig; *ser* ~ *a. fig.* geschmeidig sein; federn; *artículo m demasiado* ~ Kautschukparagraph *m* F; **II.** *m* Gummi-band *n*, -zug *m.*

elativo *Li. m* Elativ *m.*

Eldorado *m* Eldorado *n.*

ele *f* L *n* (*Name des Buchstabens*); *en* ~ in L-Form (*Gebäude*).

eléboro ⚘ *m* Nieswurz *f.*

elec|ción *f* **1.** Wahl *f*; Auswahl *f*; *de* ~ Wahl...; ~ *por lista(s)* Listenwahl *f*; ~ *presidencial* Präsidentenwahl *f*; *~ones f/pl. legislativas* (*municipiales*) Parlaments (Gemeinde-) wahlen *f/pl.*; *a* ~ wahlweise, nach Belieben, nach Wunsch; **2.** *Rel.* Auserwählung *f*; **~cionario** *adj. Am.* → *electoral*; **~tivo** *adj.* Wahl..., 🕮 elektiv; **~to** *adj.* gewählt (*aber noch nicht im Amt*); **~tor** *adj.-su.* **1.** wahlberechtigt; *m* Wähler *m*; Wahlberechtigte(r) *m*; **2.** *hist.* (*príncipe m*) ~ *m* Kurfürst *m*; **~torado** *m* **1.** Wählerschaft *f*; **2.** *hist.* Kurfürstentum *n*; **~toral** *adj. c* **1.** *Pol.* Wahl..., Wähler...; Wahlrechts...; *discurso m* (*de propaganda*) ~ Wahlrede *f*; *ley f* ~ Wahlgesetz *f*; *victoria f* ~ Wahlsieg *m*; **2.** *hist.* kurfürstlich; Kur...

electri|cidad *f* Elektrizität *f*; ~ *por frotamiento* Reibungselektrizität *f*; **~cista** *adj.-su. c* Elektriker *m*; Elektromonteur *m*; *ingeniero m* ~ Elektroingenieur *m.*

eléctrico *adj.* **1.** elektrisch; **2.** *fig.* elektrisierend.

electri|ficación *f* Elektrifizierung *f*; **~ficar** [1g] *v/t.* elektrifizieren; **~zable** *adj. c* elektrisierbar; **~zación** *f* Elektrisieren *n*, Elektrisierung *f*; *fig.* Begeistern *n*; Beleben *n*; **~zador** *adj.-su.*, **~zante** *adj. c* elektrisierend (*a. fig.*); **~zar** [1f] **I.** *v/t.* elektrisieren (*a. fig.*); *fig.* entflammen, begeistern; **II.** *v/r.* *~se* s. elektrisieren; *fig.* s. begeistern (an *dat. con*).

electro *m* Elektron *n* (*Gold-Silber-Legierung*); **~acústica** ⊕, *Phys. f* Elektroakustik *f*; **~acústico** *adj.* elektroakustisch; **~cardiograma** ⚕ *m* Elektrokardiogramm *n*, EKG *n*; **~cución** *f* Hinrichtung *f* (*bzw.* tödlicher Unfall *m*) durch elektrischen Strom; **~cutar** *v/t.* auf dem elektrischen Stuhl hinrichten; *morir ~ado* durch e-n Stromstoß getötet werden; **~choque** ⚕ *m* Elektroschock *m.*

electrodinámi|ca *f* Elektrodynamik *f*; **~co** *adj.* elektrodynamisch.

electrodo ⚡ *m* Elektrode *f.*

electrodoméstico *adj.*: *aparatos m/pl. ~s* Elektrogeräte *n/pl.*

electroencefalograma ⚕ *m* Elektroenzephalogramm *n*, EEG *n.*

electró|fono *m* Koffergrammophon *n*, Phonokoffer *m*; **~foro** *m* Elektrophor *m*; **~geno** *adj.* elektrizitätserzeugend; *instalación f ~a* Kraftanlage *f.*

electroimán *m* Elektro-, Haftmagnet *m.*

elec|trólisis ⚗ *f* Elektrolyse *f*; **~trolítico** *adj.* elektrolytisch; **~trolito, ~trólito** *m* Elektrolyt *m*; **~trolizador** *m* Elektrolyseur *m.*

electro|magnético *adj.* elektromagnetisch; **~magnetismo** *m* Elektromagnetismus *m*; **~mecánico** *adj.* elektromechanisch; **~metalurgia** ⊕ *f* Elektrometallurgie *f.*

elec|trometría *Phys. f* Elektrizitätsmessung *f*; **~trómetro** *m* Elektrometer *m*; **~tromotor** *m* Elektromotor *m*; **~tromotriz I.** *adj. f*: *fuerza f* ~ elektromotorische Kraft *f*; **II.** *f* E-Lok *f* (*elektrische Lokomotive*); **~tromóvil** *m* Elektromobil *n.*

elec|trón *Phys. m* Elektron *n*; *~-voltio* Elektronenvolt *n*; **~tronegativo** *adj.* elektronegativ; **~trónica** *Phys. f* Elektronik *f*; **~trónico** *adj.* elektronisch, Elektronen...; *cerebro m* ~ Elektronen(ge)hirn *n*; *de mando* ~ elektronisch gesteuert.

electro|positivo *adj.* elektropositiv; **~química** *f* Elektrochemie *f*; **~químico** *adj.* elektrochemisch; **~scopio** *Phys. m* Elektroskop *n.*

electro|stática *Phys. f* Elektrostatik *f*; **~stático** *adj.* elektrostatisch; *máquina f ~a* Elektrisiermaschine *f*; **~tecnia** *f* Elektrotechnik *f*; **~técnico** *adj.* elektrotechnisch; **~terapia** ⚕ *f* Elektrotherapie *f*; **~tipia** *Typ. f* Elektro-, Galvano-typie *f.*

elefan|cía ⚕ *f* → *elefantiasis*; **~ta** *Zo. f* Elefantenkuh *f*; **~te** *m* **1.** *Zo.* Elefant *m*; ~ *marino* Walroß *n*; **2.** F *Chi., Méj., Pe., Rpl.* ~ *blanco* Luxusgegenstand *m*; höchst kostspieliges u. unnützes Unternehmen *n*; **~tiasis** ⚕ *f* Elephantiasis *f*; **~tino** *adj.* Elefanten...

elegan|cia *f* Eleganz *f*, Anmut *f*, Geschmack *m*; Feinheit *f*; ~ *espiritual* vornehmes Wesen *n*; **~te I.** *adj. c* elegant, geschmackvoll; anmutig; fein; vornehm; **II.** *m* Stutzer *m*, Modenarr *m*; **~temente** *adv.* elegant; geschmackvoll; **~tizar** [1f] *v/t.* elegant machen; **~tón** F *adj.* elegant, piekfein F.

elegía *f* Elegie *f*, Klagelied *n*; **~co** *adj.* elegisch; *fig.* schwermütig.

elegi|bilidad *f* Wählbarkeit *f*; **~ble** *adj. c* wählbar; **~do I.** *adj.* gewählt; ausgesucht; **II.** *adj.-su. Rel.* auserwählt; **~r** [3c *u.* 3l] *v/t.* **1.** aussuchen, (aus)wählen; *a* ~ nach Wahl; **2.** durch Abstimmung wählen; ~ *a alg.* (*presidente*) j-n (zum Präsidenten) wählen.

elemen|tal *adj. c* **1.** grundlegend, Elementar...; elementar; *fig.* uranfänglich; *nociones f/pl. ~es* Grundbegriffe *m/pl.*; **2.** selbstverständlich, elementar; **~tarse** *v/r. Chi.* s. wundern; **~to** *m* **1.** ⚗, ⚡, ⊕ Element *n*; ⚡ Zelle *f*; *a.* ⊕ Bestandteil *m*; Faktor *m*; ~ (*constructivo*) Bau-, Konstruktions-teil *m*; ~ *activo* wirksamer Bestandteil *m*, *a. fig.* aktives Element *n*; **2.** Grundlage *f*; *~s m/pl.* Grundbegriffe *m/pl.*; **3.** Element *n*; *~s m/pl.* Elemente *n/pl.*, Naturgewalten *f/pl.*; *fig. estar en su* ~ in s-m Element sein; **4.** *oft desp.* Person *f*; *Pol. ~s m/pl. subversivos* subversive Elemente *n/pl.*; **6.** *Pe., Chi.* Einfaltspinsel *m.*

elenco *m* **1.** *neol. Thea.* Besetzung *f*; Ensemble *n*; **2.** Verzeichnis *n.*

eleva|ción *f* **1.** Heben *n*, Anhebung *f*; Steigerung *f*; Förderung *f* (*Pumpe*); **2.** Erhebung *f zu e-r Würde*; ~ *al trono* Thron-erhebung *f*, -besteigung *f*; **3.** ⅍ ~ *a potencia(s)* Potenzierung *f*; **4.** Boden-, Gelände-erhebung *f*, Anhöhe *f*; **5.** ⚔ Richthöhe *f*; (*dar la*) ~ Erhöhung (geben); **6.** *kath.* Wandlung *f*; **7.** Erhabenheit *f*; ~ *de sentimientos* hohe Gesinnung *f*, Edelmut *m*; **8.** Verzückung *f*; **~do** *adj.* **1.** hoch (*a. Preis*); erhöht; gehoben (*Stil*); **2.** ⅍ *siete* ~ *a la quinta* (*potencia*) sieben hoch fünf; **~dor I.** *m* ⊕ Hebezeug *n*; Hebebühne *f*; ⚒ Elevator *m*; ~ *de cangilones* Becherwerk *n*; **II.** *adj.-su. m Anat.* (*músculo m*) ~ Heber *m*; **~dora** ⊕ *f*: ~ *de rosario* Eimerkettenbagger *m*; **~miento** *m* → *elevación*; **~r I.** *v/t.* **1.** (empor)heben; erheben; erhöhen, steigern; anheben; fördern (*Pumpe, Wasserrad*); *Lasten* heben, winden; *Denkmal* errichten; **2.** ⅍ ~ *al cuadrado* zum (*od.* ins) Quadrat erheben; ~ *a potencia(s)* potenzieren, zur Potenz erheben; **3.** *zu e-r Würde* erheben; ~ *a los altares* selig- *bzw.* heilig-sprechen; ~ *a la tiara* zum Papst krönen; ~ *al trono* auf den Thron erheben; **4.** *Gesuch* einreichen (bei *dat. a*), *Eingabe* machen (an *ac. a*); **II.** *v/r.* *~se* **5.** s. erheben; (auf)steigen; *~se sobre el vulgo* über der Masse stehen; **6.** ✝ *~se a* betragen, s. belaufen auf (*ac.*); **7.** *fig.* in Verzückung geraten; in höheren Regionen schweben; **8.** hochmütig (*od.* eingebildet) werden.

elfo *Myth. m* Elf *m.*

elidir *v/t.* **1.** *Gram.* elidieren, abstoßen; **2.** ⚖ → *eliminar.*

elimina|ción *f* Beseitigung *f*, Ausmerzung *f*, Ausschaltung *f*; Ausschließung *f*; *HF* ~ *de perturbaciones* Entstörung *f*; **~dor** *adj.-su. m* **1.** *bsd. HF* Entstörer *m*; **2.** ⚕ ~ *de bacilos* Bazillenausscheider *m*; **~r** *v/t.* **1.** beseitigen, ausmerzen, entfernen, ausschließen; *Störung, Fehler* beheben; ⅍ eliminieren; *Konkurrenz* verdrängen; **2.** ⚕ ausscheiden; **~toria** *Sp. f* Vorrunde *f*; **~torio** *adj. bsd. Sp.* Ausscheidungs...

elip|se ∢ *f* Ellipse *f*; **~sis** *Gram. f* Ellipse *f*, Auslassung *f*; **~sógrafo** *m* Ellipsenzirkel *m*; **~soide** ∢ *m* Ellipsoid *n*.
elíptico ∢, *Gram. adj.* elliptisch, Ellipsen...
elíseo *Myth. adj.-su.* elys(ä)isch; *m* ♀ Elysium *n*; *los Campos* ♀*s* **a)** die Elysischen Gefilde *n/pl.*; **b)** die Champs Elysées (*Paris*).
elisión *f Gram.* Elision *f*.
élite *frz. f* Elite *f*.
élitro *Ent. m* Deckflügel *m*.
elixir (*a. elíxir*) *m* Elixier *n*, Heiltrank *m*; *~ bucal*, *~ dentífrico* Mundwasser *n*; *~ estomacal* Magentropfen *m/pl.*
elocu|ción *f* Ausdrucksweise *f*, Vortragsart *f*; **~encia** *f* Beredsamkeit *f*; **~ente** *adj. c a. fig.* beredt; *fig.* sprechend (*Beweis*).
elo|giable *adj. c* lobenswert; **~giar** [1b] *v/t.* loben, rühmen, preisen; **~gio** *m* Lob *n*, Lobrede *f*; Belobigung *f*; *hacer ~s de* loben (*ac.*), rühmen (*ac.*); **~gioso** *adj.* lobend.
elongación *f Phys.*, *Astr.* Elongation *f*; ⚕ Dehnung *f*, Zerrung *f*.
elote *Kchk. m Am. Cent.*, *Méj.* zarter Maiskolben *m*; *fig.* F *Hond.*, *C. Ri. pagar los ~s* et. ausbaden müssen.
eloxar ⊕ *v/t.* eloxieren.
elucida|ción *f* Aufklärung *f*, Erläuterung *f*; **~r** *v/t.* auf-, er-klären; **~rio** *m* Erläuterungsschrift *f*.
elucubración *gal. f* → *lucubración*.
eludir *v/t. Gesetz, Schwierigkeiten* umgehen; *Fragen, Pflichten* ausweichen (*dat.*).
elzevi|r(io) *Typ. m* Elzevirausgabe *f*; **~riano** *Typ. adj.* Elzevir...
ella *pron. f* sie; F *¡ahora es ~!* da haben wir die Geschichte!; jetzt geht's los!; *¡después será ~!* dann wird's krachen!; **~s** *pron. f/pl.* sie.
ello *pron.* es; *con ~* damit; *de ~* davon; *para ~* dazu; *por ~* darum; *¡a ~!* nur zu! drauf!; *estar en ~* **a)** schon dabei sein; **b)** es verstehen; *estar para ~* drauf u. dran sein; *estar por ~* dafür sein; willens sein; F *aquí fue ~* da ging's los; da war der Teufel los; *~ es que ...* die Sache ist (die), daß ...; **~s** *pron. m/pl.* sie; *¡a ~!* drauf!, packt sie!
emana|ción *f* Ausströmung *f*, Ausdünstung *f*; *a. Phil.* Emanation *f*; *~ de gas* Gasausbruch *m*; **~nte** *adj. c* ausströmend; **~ntismo** *Phil. m* Emanationslehre *f*; **~r** *v/i.* ausfließen, -strömen; entspringen; herrühren, ausgehen (von *dat. de*).
emancipa|ción *f* **1.** Freilassung *f*; Freimachung *f*; Befreiung *f*; ⚖ Volljährigkeitserklärung *f*; *hist. la* ♀ *de las Américas* die Befreiung Amerikas *durch Loslösung von den Mutterländern*; **2.** Emanzipation *f*, Gleichstellung *f*, *bsd. der Frau*; **~r** **I.** *v/t.* **1.** freimachen, befreien; für volljährig erklären; **2.** gleichstellen, emanzipieren; **II.** *v/r.* *~se* **3.** s. selbständig (*od.* unabhängig) machen; s. freimachen (von *dat.* **de**); *fig.* flügge werden.
emascular *v/t.* entmannen.
embabiamiento F *m* Geistesabwesenheit *f*.
embabucar *v/t.* → *embaucar*.
embadurna|dor *adj.-su.* Schmierer *m*, Kleckser *m* (*desp.*); **~r** *v/t.* **1.** be-, über-, ver-schmieren; **2.** *desp.* (an)malen, (be)klecksen, schmieren.
embair (*def.*, *fast nur inf. u. part.*) *v/t.* an-, be-schwindeln.
embaja|da *f* **1.** Botschaft(eramt *n*) *f*; Botschaft(sgebäude *n*) *f*; Botschaft(sangehörige[n] *m/pl.*) *f*; **2.** Botschaft *f*, Nachricht *f*; F *¡brava ~!* e-e nette Bescherung!; e-e schöne Neuigkeit *f*; verrücktes Ansinnen!; **~dor** *m* **1.** Botschafter *m* (bei *dat. cerca de*); *~ de España* spanischer Botschafter *m*; *~ extraordinario* Sonderbotschafter *m*; *~ volante* fliegender Botschafter *m*; **2.** (geheimer) Bote *m*, Sendbote *m*; **~dora** *f* Botschafterin *f* (*a. fig.*), (weiblicher) Botschafter *m*; Frau *f* des Botschafters.
embala|do *m* Hochdrehen *n des Motors*; **~dor** *m* Packer *m*; **~dora** *f* Verpackungsmaschine *f*; **~dura** *f Chi.*, **~je** *m* Verpackung *f*; Verpackungskosten *pl.*; *~ de presentación* Schaupackung *f*; *~ transparente* Klarsichtpackung *f*; *sin ~* unverpackt; **~r** **I.** *v/t.* (ver)packen; *gal. Kfz. Motor* auf Touren bringen; **II.** *v/r.* *~se gal.* auf Touren kommen (*Motor*) (F *a. fig.*); *salir ~ado* davon-, los-schießen (*fig.*).
embaldosa|do *m* **1.** Fliesenlegen *n*; **2.** Fliesen-boden *m*, -belag *m*; **~r** *v/t.* mit Fliesen (*od.* Platten) belegen.
embalsadero *m* Sumpf(lache *f*) *m*, Tümpel *m*.
embalsama|dor *m* (Ein-)Balsamierer *m*; **~miento** *m* Einbalsamieren *n*; **~r** *v/t.* **1.** (ein)balsamieren; **2.** mit Wohlgeruch erfüllen.
embal|sar **I.** *v/t. Wasser* stauen; **II.** *v/r.* *~se* s. (an)stauen (*Wasser*); **~se** *m* **1.** Anstauen *n*, Stau *m*; **2.** Stau-see *m*, -becken *n*; Stau-wehr *n*, -damm *m*.
embalumar **I.** *v/t.* überladen; **II.** *v/r.* *~se* s. zuviel zumuten, s. übernehmen.
emballenado **I.** *m* Fischbeinstäbe *m/pl.*; **II.** *adj.* mit Fischbeinstäben (versehen).
embanastar *v/t.* in e-n Korb legen; in Körbe verpacken; *fig.* zs.-pferchen.
embancarse *v/r.* **1.** ⚓ auflaufen; **2.** *Chi.*, *Ec.* verlanden (*Fluß, See*).
embanderar *v/t.* mit Fahnen schmücken.
embara|zada **I.** *adj. f* schwanger (*de seis meses* im 6. Monat); **II.** *f* Schwangere *f*; **~zado** *adj.* verlegen; gehemmt; **~zar** [1f] **I.** *v/t.* **1.** behindern, hemmen; versperren; **2.** verwirren, verlegen machen; **3.** schwängern; **II.** *v/r.* *~se* **4.** gestört werden; aufgehalten werden (bei *dat.*, mit *dat.* **con**); **5.** in Verlegenheit geraten; **6.** schwanger werden; **~zo** *m* **1.** Hindernis *n*, Hemmung *f*; Störung *f*; *poner ~s a* hemmen (*ac.*), behindern (*ac.*); **2.** Verwirrung *f*, Verlegenheit *f*; **3.** Schwangerschaft *f*; **~zosamente** *adv.* schwer, schwierig; **~zoso** *adj.* **1.** hinderlich, lästig; ☤ *mercancías f/pl. ~as* Sperrgut *n*; **2.** peinlich.
embar|becer [2d] *v/i.* e-n Bart bekommen; **~billar** *Zim. vt/i.* verzahnen; fugen.
embar|cable *adj. c* verschiffbar; **~cación** *f* **1.** Schiff *n*, (Wasser-)Fahrzeug *n*; Boot *n*; *~ menor* kl. (Wasser-)Fahrzeug *n*; Hafenboot *n*; Schlepper *m*; → *a. barco, buque, nave*; **2.** Fahrt(dauer) *f*; **3.** → *embarco*; **~cadero** *m* ⚓ Ladeplatz *m* (*a.* 🚂); Löschplatz *m*; Landungsbrücke *f*; *p. ext.* 🚂 Abfahrtsbahnsteig *m*; **~cador** *m* Verlader *m*; **~car** [1g] **I.** *v/t.* ⚓ einschiffen, an Bord nehmen; 🚂, ⚔ verladen; *fig.* F hineinziehen (in *ac.* **en**); **II.** *v/r.* *~se* an Bord gehen; reisen (nach *dat.* **para**); *fig.* s. einlassen (auf *ac.* **en**); **~co** *m* ⚓ Einschiffung *f* (*Personen*); An-Bord-Gehen *n*; ⚔, 🚂 Verladung *f*.
embar|gable ⚖ *adj. c* pfändbar; beschlagnahmbar; **~gar** [1h] *v/t.* **1.** ⚖ beschlagnahmen; (aus)pfänden; ⚓, *Pol.* mit (e-m) Embargo belegen; **2.** stören, hemmen, behindern; **3.** *fig.* in Bann schlagen, gefangennehmen; in Beschlag nehmen; **~go** *m* **1.** ⚖ Pfändung *f*; Beschlagnahme *f*; Embargo *n*; *~ de armas* Waffenembargo *n*; *adv. sin ~* jedoch, trotzdem, nichtsdestoweniger; **2.** ⚒ Magenbeschwerden *f/pl.*
embarnizar [1f] *v/t.* firnissen; lackieren.
embarque *m* ⚓ Verschiffung *f*, *a.* 🚂 Verladung *f v. Gütern*; *documentos m/pl. de ~* Schiffspapiere *n/pl.*; *talón m de ~* Schiffszettel *m*.
embarrad|a *f Arg.*, *Col.*, *Chi.*, *P. Ri.* Albernheit *f*, Dummheit *f*; **~or** *adj.-su.* Schwindler *m*; Ränkeschmied *m*.
embarranca|miento ⚓ *m* Stranden *n*; **~r** [1g] *v/i. u.* *~se* *v/r.* **1.** ⚓ auf Grund (auf)laufen, stranden; **2.** steckenbleiben (*Karren u. fig.*).
embarrar **I.** *v/t.* **1.** (mit feuchter Erde *u. ä.*) beschmieren; **2.** *Arg.*, *Chi. j-n* anschwärzen; **3.** *Méj.* in e-e schmutzige Sache verwickeln; **II.** *v/r.* *~se* **4.** s. beschmutzen; s. mit Schlamm beschmieren.
embarrilar *v/t.* auf Fässer füllen.
embarulla|dor *adj.-su.* Pfuscher *m*, Hudler *m*; **~r** *v/t.* **1.** durchea.-bringen, verwirren; verwechseln; **2.** hastig (u. unordentlich) machen, hinhauen F.
embasamiento △ *m* (Haus-)Sockel *m*.
embas|tar *v/t.* mit großen Stichen nähen, (an)heften; absteppen; **~te** *m* Heftnaht *f*; **~tecer** [2d] **I.** *v/i.* dick werden; **II.** *v/r.* *~se* grob werden.
embate *m a. fig.* Anprall *m*, heftiger Angriff *m*; Windstoß *m*; heftiger Seewind *m*; *~ (de las olas)* Wellenschlag *m*; (starke) Brandung *f*.
embauca|dor *adj.-su.* betrügerisch; *m* Schwindler *m*; **~miento** *m* Schwindel *m*, Betrug *m*; **~r** [1g] *v/t.* betrügen, umgarnen, beschwatzen.
embaular *v/t.* **1.** einpacken; **2.** F s. vollstopfen mit (*dat.*).
embazar [1f] **I.** *v/t.* **1.** braun färben; **2.** hindern, hemmen; **3.** *fig.* in Erstaunen setzen; **II.** *v/r.* *~se* **4.** Seitenstechen bekommen; **5.** *~se* (de) (e-r Sache) überdrüssig werden.
embebe|cer(se) [2d] *v/t.* (*v/r.*) → *embelesar(se)*; **~cido** *adj.* **1.** ent-

zückt, begeistert; **2.** geistesabwesend.
embe|ber I. *v/t.* **1.** *Feuchtigkeit* auf-, ein-saugen; tränken (mit *dat.* de); (ein)tauchen (in *ac.* en); **2.** versenken, hineinstecken; eingliedern; **3.** *Typ. überstehenden Zeilenschluß* einbringen; **II.** *v/i.* **4.** einlaufen (*Tuch*); einschrumpfen; **5.** durchschlagen (*Flüssigkeit*); **III.** *v/r.* ~se **6.** *a. fig.* s. vollsaugen (mit *dat.* de); *fig.* s. vertiefen (*od.* versenken) (in *ac.* en); s. gründlich vertraut machen (mit *dat.* de); **~bido** ⚠ *adj.*: *columna f* ~a Halbsäule *f.*
embele|car [1g] *v/t.* betrügen, beschwindeln; **~co** *m* Betrug *m*, Schwindel *m*; *fig.* F **a)** lästige Person *f*; **b)** Tand *m*; **~samiento** *m* → *embeleso*; **~sar I.** *vt/i.* berücken, bezaubern; betäuben; **II.** *v/r.* ~se s. begeistern (an *dat.* *con, en*); **~so** *m* Entzücken *n*, Begeisterung *f*; Wonne *f.*
embelle|cer [2d] *v/t.* verschönern; **~cimiento** *m* Verschönerung *f.*
embe|rrenchinarse, ~rrincharse F *v/r.* e-n Wutanfall bekommen F, in die Luft gehen F.
embes|tida *f* Angriff *m*; *fig.* *le dio una* ~ er überfiel ihn mit s-r Bitte; **~tir** [3l] **I.** *v/t.* angreifen (*a.* ⚔), anfallen; *fig. j-m* zusetzen (mit *dat.* *con*); **II.** *v/i. abs.* angreifen (*bsd. Stier*); ~ *contra* anrennen gg. (*ac.*).
embetunar *v/t.* teeren; *Schuhe* einkremen.
embijar *v/t. Hond., Méj.* beschmieren, beschmutzen.
emblan|decer [2d] **I.** *v/t.* erweichen; **II.** *v/r.* ~se *fig.* weich werden; s. rühren lassen; **~quecer** [2d] *v/t.* bleichen; weiß anstreichen; tünchen.
emble|ma *m* Sinnbild *n*, Emblem *n*; Wahrzeichen *n*; Kennzeichen *n*; ~ (*nacional*) Hoheitszeichen *n*; **~mático** *adj.* sinnbildlich.
emboba|do *adj.* erstaunt, verblüfft; **~miento** *m* **1.** Verblüffung *f*, Erstaunen *n*; **2.** Verdummung *f*; **~r I.** *v/t.* **1.** verblüffen, erstaunen, verwirren; **2.** dumm machen; **II.** *v/r.* ~se **3.** verblüfft werden; F ganz vernarrt sein (in *ac.* *con, de, en*).
embobecer [2d] *vt/i.* verdummen (*vt/i.*).
emboca|dero *m* Mündung *f*, Öffnung *f*; Einfahrt *f*; Engpaß *m*; **~do** *adj.* süffig (*Wein*); **~dura** *f* **1.** Mündung *f*; ♪, ⊕ Mundstück *n*; ♪ Ansatz *m*; *Equ.* Gebiß *n*; Geschmack *m*, Süffigkeit *f* (*Wein*); *tener buena* ~ **a)** zügelfromm sein (*Pferd*); **b)** ♪ e-n guten Ansatz haben; **2.** Begabung *f* (für *ac.* *para*); **~r** [1g] **I.** *v/t.* **1.** in den Mund stecken; F (hinunter)schlingen; *Bissen* schnappen (*Hund*); **2.** hinein-stecken, -treiben, -zwängen; ⊕ einführen; ansetzen; ♪ *Instrument* ansetzen; **3.** *Sache* einleiten, beginnen; **4.** F *Unwahres* weismachen; **II.** *v/i. u.* ~se *v/r.* **5.** (hin)einfahren (in *ac.* *por*).
embodegar [1h] *v/t.* einkellern.
embolada ⊕ *f* Kolbenspiel *n*; (Doppel-)Hub *m.*
embolado *m* **1.** *Stk.* Stier *m* mit Schutzkugeln auf den Hörnern; **2.** *fig.* F Vorspiegelung *f*, Lüge *f*, Ente *f*; **3.** *Thea. u. fig.* unbedeutende Nebenrolle *f.*
embolia ⚕ *f* Embolie *f*; ~ *gaseosa* (*pulmonal*) Luft- (Lungen-)embolie *f.*
embolis|mar *v/t.* verhetzen, Unfrieden stiften zwischen (*dat.*); **~mo** *m* 🕮 Embolismus *m*; *fig.* Wirrwarr *m*; Klatsch *m*, Intrige *f.*
émbolo *m* **1.** ⊕ Kolben *m*; ~ *de bomba* Pumpen-kolben *m*, -stock *m*; ~ *giratorio*, ~ *rotatorio* Dreh-, Kreiskolben *m*; **2.** ⚕ Embolus *m.*
embol|sar I. *v/t.* **1.** ⚒ in e-n Beutel stecken; **2.** → **II.** *v/r.* ~se *Geld* einnehmen; einstecken; **~so** ⚒ *m* Einnehmen *n*; Einnahme *f.*
embo|nar I. *v/t.* **1.** ⚓ spiekern; **2.** ⚒ verbessern; *Am. Reg.* düngen; **II.** *v/i.* **3.** *Cu., Méj.* gut passen; **~no** ⚓ *m* Spiekerhaut *f.*
embo|que *m* **1.** *Sp.* Durchlauf *m* *e-r Kugel durch ein Tor*; *fig.* Passieren *n e-s engen Durchlasses*; **2.** F Täuschung *f*, Betrug *m*; **~quillado** *adj.-su.* (*cigarrillos m/pl.*) ~s *m/pl.* Filterzigaretten *f/pl.*; Zigaretten *f/pl.* mit Mundstück; **~quillar** *v/t.* **1.** *Zigaretten* mit Mundstück (*bzw.* Filter) versehen; **2.** ⚒ vorbohren.
emborracha|cabras ⚘ *f* Gerbermyrte *f*; **~dor** *adj.* berauschend; **~miento** F *m* Rausch *m*; **~r I.** *v/t.* **1.** berauschen; *fig.* betäuben; **II.** *v/r.* ~se **2.** s. betrinken; betrunken werden; *fig.* betäubt werden; **3.** inea.-laufen (*Farben*).
emborrar *v/t.* **1.** ausstopfen, polstern; **2.** F gierig verschlingen.
emborra|scar [1g] **I.** *v/t.* F ärgern, reizen; **II.** *v/r.* ~se stürmisch werden (*Wetter*); *fig.* zunichte werden; **~zar** [1f] *v/t.* *Geflügel* spicken.
emborricarse [1g] F *v/r.* **1.** verblüfft sein, dastehn wie der Ochs vorm neuen Tor F; **2.** s. bis über beide Ohren verlieben.
emborronar *v/t.* (hin-, ver-) schmieren; beklecksen.
emborrullarse F *v/r.* s. herumzanken, lärmen, streiten.
embosca|da *f* Hinterhalt *m*; *fig.* Falle *f*; Intrige *f*; *poner* ~ e-n Hinterhalt legen; **~do** *m* Heckenschütze *m*; **~rse** [1g] *v/r.* s. in e-n Hinterhalt (*od.* auf die Lauer) legen; *fig.* s. hinter e-r andern Tätigkeit *als der eigentlich zu verrichtenden* verschanzen.
embota|do *adj.* abgestumpft, stumpf (*a. fig.*); **~miento** *m* Abstumpfen *n* (*a. fig.*); ⚕ ~ *sensorial* Benommenheit *f*; **~r I.** *v/t.* **1.** abstumpfen (*a. fig.*), stumpf machen; **2.** in e-e Büchse füllen; **II.** *v/r.* ~se **3.** stumpf werden, abstumpfen.
embotella|do I. *adj.* **1.** auf Flaschen gefüllt, eingefüllt; **2.** *fig.* vorbereitet, nicht aus dem Stegreif gesprochen (*Rede usw.*); **II.** *m* **3.** Abfüllen *n auf Flaschen*; **~dora** *f* (Flaschen-) Abfüllmaschine *f*; **~miento** *Vkw. m* Verkehrsstauung *f*; **~r** *v/t.* **1.** abfüllen, auf Flaschen ziehen; *Wein* abziehen; **2.** *Verkehr* behindern, aufhalten; *Geschäft* stören, hemmen; ⚓ die Ausfahrt verlegen (*dat.*); **3.** *j-n* in die Enge treiben; **4.** auswendig lernen, s. eintrichtern F.
embotijarse F *v/r.* s. aufblähen; wütend werden.
embovedar *v/t.* **1.** ins Gewölbe schließen; **2.** wölben; überwölben.
embo|zalar *v/t.* den Maulkorb anlegen (*dat.*); **~zar** [1f] **I.** *v/t.* verhüllen; vermummen, *a. fig.* verschleiern; *fig.* bemänteln; **II.** *v/r.* ~se s. vermummen, s. in den Mantel (*bzw.* in die Decke) hüllen; den Mantelkragen hochschlagen; **~zo** *m* Futterstreifen *m* u. oberes Vorderteil *n des Radmantels*; Überschlag *m e-r Bettdecke*; *a. fig.* Verhüllung *f*, Hülle *f*; *fig. adv.* *con* ~ verhüllt; *fig. quitarse el* ~ die Maske fallenlassen (*fig.*); *sin* ~ frei(mütig).
embra|gar [1h] *v/t.* *Last* anseilen; *a. Kfz.* (ein)kuppeln; **~gue** ⊕ *m* **1.** Kupplung *f*; Getriebeschaltung *f*; **2.** Einrücken *n*, (Ein-)Kuppeln *n.*
embrave|cer [2d] **I.** *v/t.* in Wut bringen; **II.** *v/r.* ~se in Wut geraten, wüten, toben (*a. Naturgewalten*); **~cido** *adj.* wütend; *a. fig.* tobend; **~cimiento** *m* Wut *f*, Toben *n.*
embraza|dura *f* Handgriff *m am Schild*; **~r** [1f] *v/t.* *den Schild* ergreifen.
embrear *v/t.* teeren; verpichen.
embria|gado *adj.* betrunken, *a. fig.* berauscht; *fig.* trunken; **~gador** *adj.*, **~gante** *adj.* *c* berauschend; **~gar** [1h] **I.** *v/t.* berauschen; entzücken, hinreißen; **II.** *v/r.* ~se s. betrinken, s. berauschen (mit *dat.* *con*); **~guez** *f a. fig.* Trunkenheit *f*, Rausch *m*; Taumel *m*; Betäubung *f.*
embridar *v/t.* *Equ.* (auf)zäumen; ⊕ verlaschen.
embri|ogenia *Biol.* *f* Embryogenese *f*; **~ología** *Biol.* *f* Embryologie *f*; **~ón** *m* *Biol.* Embryo *m*; *fig.* Keim *m*, Keimzelle *f*; *fig.* Anfang *m*; *en* ~ im Keim; **~onario** *adj.* embryonal, Keim...; *fig.* (noch) nicht ausgereift (*Plan*); *a. fig.* *estado m* ~ Embryonal-, Anfangs-stadium *n.*
embro|llado *adj.* wirr; **~llador** *adj.-su.* Wirrkopf *m*; Störenfried *m*; **~llar** *v/t.* verwirren, verwickeln; stören, Unruhe stiften unter (*dat.*); entzweien; **~llista** *adj.-su.* *c Am.* → *embrollón*; **~llo** *m* **1.** Verwirrung *f*, Wirrwarr *m*, Durchea. *n*; Patsche *f* F; **2.** Betrug *m*, Schwindel *m*; ~s *m/pl.* Ränke *pl.*, Intrigen *f/pl.*; **~llón** *adj.-su.* **1.** Wirrkopf *m*; **2.** Schwindler *m*, Lügner *m*; Intrigant *m*; **~lloso** F *adj.* **1.** verworren; **2.** verwirrend; Unruhe stiftend.
embroma|dor *adj.-su.* Spaßmacher *m*; **~r** *v/t.* **1.** narren, verulken; **2.** ⚓ *Fugen* (ver)stopfen; **3.** *Am.* die Zeit stehlen (*dat.*).
embru|jamiento *m* Be-, Verhexung *f*; **~jar** *v/t.* verhexen, verzaubern; **~jo** *poet.* *m* Zauber *m*; Verzauberung *f.*
embrute|cer [2d] **I.** *v/t.* verrohen (lassen); **II.** *v/r.* ~se verrohen; abstumpfen; **~cido** *adj.* verroht; verdummt; **~cimiento** *m* Verrohung *f*; Verdummung *f*, Stumpfsinn *m.*
embucha|do *m* **1.** Preßsack *m* (Wurst); **2.** *fig.* Ablenkungsmanöver *n*; Wahlschwindel *m* (*Hineinmogeln v. Stimmzetteln in die Wahl-*

urne); **3.** *Thea.* Extempore *n*; *Typ.* Einschaltung *f in den Text*; **~r** *v/t.* **1.** *Wurst* stopfen; **2.** *Geflügel* kröpfen; *fig.* gierig schlingen; *fig. et.* einpauken; **3.** *Jgdw.* weidwund schießen.

embu|dar *v/t.* **1.** den Trichter aufsetzen auf (*ac.*); *fig.* betrügen; **2.** *Jgdw. Wild* einkreisen; **~dista** F *c* Betrüger *m*; Ränkeschmied *m*; **~do** *m* **1.** Trichter *m*; ⚔ ~ *de bomba* Bombentrichter *m*; **2.** *fig.* Schwindel *m*, Mogelei *f* F; *ley f del* ~ Behördenwillkür *f*; Schikane *f*; *das* Recht des Stärkeren.

emburujar **I.** *v/t.* verfilzen, zs.-knäueln; **II.** *v/r.* ~*se Ant., Col., Méj.* s. einmumme(l)n.

embus|te *m*, **~tería** F *f* Betrug *m*, Schwindel *m*; *fig.* ~*s m/pl.* Flitterkram *m*; **~tero** **I.** *adj.* lügnerisch, verlogen; **II.** *m* Lügner *m*, Betrüger *m*, Schwindler *m*; *Spr. antes se coge al* ~ *que al cojo* Lügen haben kurze Beine.

embuti|do *m* **1.** ⊕ eingelegte Arbeit *f*, Intarsie *f*; **2.** Wurst *f*; ~*s m/pl.* Wurstwaren *f/pl.*; ~ *ahumado* Dauerwurst *f*; **3.** *Am.* Spitzeneinsatz *m*; **~r** *v/t.* **1.** *Wurst, Polster* füllen, stopfen; vollstopfen; ~ *carne* Wurst machen; **2.** hinein-pressen, -drücken, -stopfen; *fig.* gierig (ver-)schlucken; **3.** ⊕ *Holzarbeit u. ä.* einlegen; *Metall* treiben; *Niet* einlassen; *Bleche* drücken, *Hohlkörper* ziehen; ~ *marfil en la madera* das Holz mit Elfenbein einlegen.

eme *f* M *n* (*Name des Buchstabens*); P *mandar a alg. a la* ~ j-n zum Teufel schicken.

emer|gencia *f* **1.** Auftauchen *n*; **2.** (unerwartetes) Vorkommnis *n*; *de* ~ Not...; ⚓, ✈ *caso m de* ~ Notfall *m*; **~gente** *adj. c* entstehend; *Vers.* eintretend (*Schaden*); *Verw.*, ⚖ *año m* ~ Anfangsjahr *n e-r Zeitrechnung*; **~ger** [2c] *v/i.* auftauchen; emporragen *über e-e Fläche*; entspringen.

emérito **I.** *adj.* ausgedient; im Ruhestand; emeritiert; **II.** *m hist. römischer* Veteran *m*.

emersión *f Astr.* Wiederhervortreten *n e-s Gestirns*; *p. ext.* Emportauchen *n*.

emético ⚕ *adj.-su.* emetisch; *m* Brechmittel *n*.

emigra|ción *f* Auswanderung *f*; *Pol.* Emigration *f*; **~do** *m* Ausgewanderte(r) *m*; *Pol.* Emigrant *m*; **~nte** **I.** *adj. c* auswandernd; emigrierend; **II.** *c* Auswanderer *m*; **~r** *v/i.* auswandern; *Pol.* emigrieren; fortziehen (*Zugvögel*); **~torio** *adj.* Auswanderungs...

eminen|cia *f* **1.** Anhöhe *f*, Bodenerhebung *f*; **2.** *Anat.* Höcker *m*, Vorsprung *m*; **3.** *fig.* Erhabenheit *f*; Vorzüglichkeit *f*; **4.** hervorragende Persönlichkeit *f*; ~ *gris* graue Eminenz *f*; *Su* ♀ Seine Eminenz (*Titel*); **~te** *adj. c* ✱ herausragend; *fig.* hervorragend, eminent; **~temente** *Phil. adv.* wesentlich; **~tísimo** *sup.*: ♀ *Señor* Euer Eminenz (*Titel*).

emi|r *m* Emir *m*; **~rato** *m* Emirat *n*.

emisario *m* Emissär *m*, Sendbote *m*.

emisión *f* **1.** ✝ Emission *f*, Auflage *f*; Ausgabe *f* (*Wertpapiere, Banknoten, Briefmarken*); ~ *de valores* Emissionsgeschäft *n*; *tipo m de* ~ Ausgabekurs *m*; **2.** *Rf.* Sendung *f*; ~ *(radio)agrícola* Landfunk *m*; ~ *escolar* Schulfunk *m*; ~ *publicitaria* (*radiofónica*) Werbe- (Rundfunk-)sendung *f*; ~ *de sobremesa* Mittagssendung *f*; **3.** *a. Phys.* Abgabe *f*, Entsendung *f*, Ausstrahlung *f*; ~ *de calor* Wärmeabgabe *f*; ⚕ ~ *de bacilos* Bazillenausscheidung *f*.

emiso|r **I.** *adj.* **1.** *Rf.* Sende...; **2.** ✝ Ausgabe...; *banco m* ~ Notenbank *f*; **II.** *m* **3.** ✝ Ausgeber *m*, Emittent *m*; **4.** *HF* Sender *m* (*Gerät*); **~ra** *adj.-su. f* (*estación f*) ~ Sendeanlage *f*, Sender *m*; ~ *f* Funkstelle *f*; ~ *de aficionados* Amateursender *m*; ~ *clandestina* (*interceptora, perturbadora*) Schwarz- (Stör-)sender *m*; ~ *de ondas ultracortas* UKW-Sender *m*; ~ *de radio(difusión)* (*de televisión*) Rundfunk- (Fernseh-)sender *m*.

emitir *v/t.* **1.** von s. geben, abgeben, entsenden, ausstoßen; *Phys.* ausstrahlen, emittieren; *Wärme* ab-, aus-strahlen; ~ *rayos* Strahlen entsenden, strahlen; **2.** *Gutachten, Meinung, Urteil, Stimme* abgeben; *Laute* hervorbringen *bzw.* ausstoßen; **3.** ✝ *Aktien, Wertpapiere, Banknoten* ausgeben, emittieren; in Umlauf bringen; *Anleihe* auflegen; **4.** *HF, Rf.* ausstrahlen, senden, geben; **5.** *Verw. Verordnung* erlassen.

emoci|ón *f* **1.** (Gemüts-)Bewegung *f*; Ergriffenheit *f*; Rührung *f*; 🕮 Emotion *f*; *con honda* ~ tiefbewegt; **2.** Erregung *f*, Aufregung *f*; **~onal** *adj. c* emotional, Gemüts...; **~onante** *adj. c* bewegend, (herz)ergreifend, rührend; **~onar** **I.** *v/t.* **1.** zu Herzen gehen (*dat.*), bewegen, rühren, ergreifen; **2.** aufregen; **II.** *v/r.* ~*se* **3.** gerührt werden; **4.** s. aufregen.

emoliente *adj. c-su. m* ⚗, ⊕ Aufweichmittel *n*; ⚕ Emolliens *n* (*lt.*).

emolumento *m*, *mst.* ~*s m/pl.* (Neben-)Einkünfte *pl.*; Bezüge *m/pl.*

emoti|vidad *Psych. f* Emotivität *f*; Erregbarkeit *f*; **~vo** *adj.* **1.** Gemüts..., Erregungs...; **2.** empfindsam; leicht erregbar; **3.** er-, aufregend.

empa|car [1g] **I.** *v/t.* in Bündel (*od.* Ballen) verpacken; bündeln; **II.** *v/r.* ~*se* störrisch werden, s. auf et. (*ac.*) versteifen; *Equ. Am.* bocken; **~cón** *Equ. adj. Rpl., Pe.* störrisch.

empa|chadamente *adv.* linkisch; **~chado** *adj.* plump, ungeschickt; *estar* ~ e-n verdorbenen Magen haben; *fig.* verlegen sein, s. schämen; **~char** **I.** *v/t.* **1.** (be)hindern; **2.** *Magen* überladen *bzw.* verderben; **3.** verhehlen, verhüllen; **II.** *v/r.* ~*se* **4.** verlegen werden; steckenbleiben *in der Rede*; **~cho** *m* **1.** Magenverstimmung *f*; **2.** Verlegenheit *f*, Befangenheit *f*; *adv. sin* ~ ungezwungen, frei von der Leber weg F; **~choso** *adj.* **1.** schwer (verdaulich); **2.** *fig.* hemmend; beschämend; **3.** *fig.* → *empalagoso*.

empadrarse *v/r.* s-e Eltern übermäßig lieben.

empadrona|dor *m* Listenführer *m* (*Steuerregister u. ä.*); **~miento** *m* **1.** Eintragung *f* in das Steuerregister; listenmäßige Erfassung *f*; **2.** Register *n*; **~r** *v/t.* in die (Volkszählungs-, Steuer-, Wahl- *usw.*) Liste eintragen.

empaja|da *f* Häcksel *m, n*; **~r** *v/t* mit Stroh füllen *bzw.* bedecken.

empala|gamiento *m* → *empalago*; **~gar** [1h] **I.** *v/t. j-m* Ekel verursachen, *j-n* anekeln; *j-m* widerstehen; *j-m* lästig fallen; **II.** *v/i.* widerlich süß sein; *a. fig.* ekelhaft sein; **~go** *m* Überdruß *m*; Ekel *m*; **~goso** *adj.* widerlich süß; *fig.* süßlich; lästig, ekelhaft zudringlich.

empalar *v/t.* pfählen (*Todesstrafe*).

empalidecer [2d] *v/i.* erbleichen.

empalizada *f* Palisade *f*, Pfahlwerk *n*; ~ *contra la nieve* Schneezaun *m*.

empal|madura *f* Zs.-fügung *f*; **~mar** **I.** *v/t.* **1.** (mitea.) verbinden; ⊕ an den Enden zs.-fügen; anschließen (an *ac. con*); *Balken* verlaschen; *Seilenden* (ver)spleißen; *fig. Unterhaltung* endlos ausdehnen; **2.** *Sp.* ~ *un tiro* ein Tor erzielen; **II.** *v/i.* **3.** *Vkw.*, 🚂 Anschluß haben (an *ac. con*); abzweigen (nach *dat. con*); s. treffen (*Straßen, Kanäle*); **~me** *m* **1.** Zs.-fügung *f*; ⊕ Verbindung(sstelle) *f*; *a.* ⚡ Anschluß *m*; *Zim.* ~ *a hebra* Stoß(verbindung *f*) *m*; ~ *de tubería* Rohrabzweigung *f*; **2.** *Vkw.*, 🚂 Knotenpunkt *m*; (*estación f de*) ~ Verbindungs-, Umsteige-station *f*.

empalomado *m* Stauwehr *n im Fluß*.

empam|parse *v/r. Am. Mer.* s. in der Pampa verirren; **~pirolado** F *adj.* prahlerisch; hochnäsig.

empana|da *f* (Fleisch-, Fisch- *usw.*) Pastete *f*; *fig.* Schwindel *m*; Vertuschen *n*; **~dilla** *f* Pastetchen *n*; **~r** **I.** *v/t.* panieren; in Teig wickeln, einbacken; **II.** *v/r.* ~*se* ✓ ersticken (*weil zu dicht gesät*).

empandar ⚠ *v/t.* durchbiegen.

empantanar **I.** *v/t.* in e-n Sumpf verwandeln; **II.** *v/r.* ~*se* versumpfen; in e-n Sumpf geraten; *fig.* s. festfahren; ins Stocken kommen; *fig. dejar* ~*ado a alg.* j-n im Stich lassen.

empaña|do *adj.* verschleiert (*Stimme*); trübe, matt (*Glas, Metall, Farben*); beschlagen (*Scheibe*); feucht (*Augen*); **~r** **I.** *v/t.* **1.** *Kind* wickeln; **2.** *Glanz* trüben; *Glas, Scheiben* beschlagen; *Holz usw.* mattieren; *Ruhm* verdunkeln; **II.** *v/r.* ~*se* **3.** trüb werden; anlaufen (*Scheibe, Glas, Metall*); feucht werden (*Augen*).

empañetar *v/t. Col., C. Ri., Ec., Ven.* tünchen.

empapa|dor *m* Windelhose *f*; **~r** **I.** *v/t.* **1.** eintauchen; tränken; (ein-)tunken (in *ac. en*); **2.** aufsaugen; s. vollsaugen mit (*dat.*); **3.** durchnässen; **II.** *v/r.* ~*se* **4.** durchweichen; s. vollsaugen (mit *dat. de, en*); ~*ado* durchnäßt; ~*ado en sudor* schweißgebadet; **5.** *fig.* s. ganz versenken (in *ac. en*); **6.** *fig.* F s. überessen; *fig.* F *¡para que te empapes!* ätsch!; siehste! F.

empapela|do *m* **1.** Tapezieren *n*; **2.** Tapeten *f/pl.*; **~dor** *m* Tapezierer *m*; **~r** *v/t.* **1.** tapezieren; **2.** in Papier packen; *mit Papier* bekleben; *fig.* F gerichtlich verfolgen.

empapirotar(se) F *v/t.* (*v/r.*) (s.) herausputzen.

empapu|ciar [1b], **~jar, ~zar** [1f] F **I.** *v/t.* vollstopfen, nudeln (*a. Gänse usw.*); **II.** *v/i.* pampfen F.

empaque[1] *m* **1.** Aussehen *n*; Aufmachung *f*; **2.** (gespreizte) Würde *f*, Gravität *f*; *adv.* *con ~* gespreizt; **3.** *Am. Reg.* Frechheit *f*; **4.** *Am.* Bocken *n e-s Tiers.*

empaque[2] *m* Einpacken *n*; Verpakkung *f*; Packmaterial *n*; **~tado** *m* Ein-, Ver-packen *n*; **~tador** *m* Packer *m*; **~tadora** *f* Verpackungsmaschine *f*; **~tadura** ⊕ *f* Packung *f*, Dichtung *f*; *~s f/pl.* Dichtungsmaterial *n*; **~tar I.** *v/t.* **1.** ein-, verpacken; **2.** ⊕ (ab)dichten; **3.** *fig.* F herausputzen, auftakeln F; **II.** *v/i.* **4.** *abs.* packen.

emparamarse *v/r.* *Am. Reg.* auf den *páramos* erfrieren; *fig.* erstarren *vor Kälte.*

emparchar *v/t.* bepflastern; *Schlauch* flicken.

empareda|do I. *adj.* eingeschlossen; † eingemauert; **II.** *m Kchk.* belegte Doppelschnitte *f* (*Brot*), Sandwich *n*; *~ de jamón* Schinkenbrot *n*; **~r** *v/t.* *Büßer, Sträflinge* einmauern; *a. fig.* einschließen; verbergen.

emparejar I. *v/t.* **1.** paaren; paarweise zs.-stellen; **2.** ausrichten, auf e-e Höhe setzen (mit *dat. con*); angleichen; **3.** *Tür, Fenster* anlehnen; **II.** *v/i.* **4.** gleich(artig) sein; *~ con* **a)** *j-m* gleichkommen; **b)** *j-n* einholen; **III.** *v/r.* *~se* **5.** *Méj. et.* erlangen.

emparentar *v/i.* s. verschwägern; *estar ~ados* mitea. verschwägert sein; F *estar bien ~ado* gute (Familien-)Beziehungen haben.

empa|rrado *m* (Wein-)Laube *f*; Laubengang *m*; **~rrillado** *m* ⊕ Rost *m*; Feuerrost *m*; ⚓ Schutzgitter *n*; Gräting *f*; **~rrillar** *v/t.* auf dem Rost braten; grillen.

emparvar ✓ *v/t.* *Getreide* auf der Tenne ausbreiten.

empas|tado *Mal.* *m* Impasto *n*, dicker Farbanstrich *m*; **~tador** *m* **1.** *Mal.* Impastierpinsel *m*; **2.** *Am. a.* Buchbinder *m*; **~tar**[1] **I.** *v/t.* **1.** einschmieren, verkleben, verkitten; **2.** *Buch* kartonieren; *Am. a.* binden; **3.** *Zähne* füllen, plombieren; **4.** *Mal.* impastieren, pastös malen; **II.** *v/i.* **5.** schmieren; **~tar**[2] ✓ *v/t.* *Am. Reg.* zu Weideland machen; **~te**[1] *m* **1.** Plombieren *n* (*Zahn*); Plombe *f*; *~ de oro* Goldplombe *f*; **2.** Einschmieren *n*, Verkitten *n*; **3.** *Mal.* Impasto *n*, dicker Farbenauftrag *m*; **~te**[2] *m* *Arg.* Trommelsucht *f des Viehs.*

empastelar *v/t.* **1.** *Typ.* *Satz* quirlen; *fig.* *Angelegenheit* heillos verwirren, durchea.-bringen; **2.** (ver-) kleben; *fig.* kitten.

empa|tado *adj.* unentschieden (*Wahl, Spiel*); tot (*Rennen*); **~tar I.** *v/t.* *Entscheidung, Verfahren* aussetzen; hemmen, aufhalten; *Am.* verbinden, zs.-fügen; **II.** *v/i.* unentschieden ausgehen; *~ a tres* (*tantos*) mit 3 : 3 unentschieden spielen; **III.** *v/r.* *fig.* *empatársela a uno* mit j-m gleichziehen; **~te** *m* **1.** Unentschieden *n* (*Sp.*); Stimmengleichheit *f b. Wahl*; *en caso de ~* bei Stimmengleichheit; **2.** *fig.* Gleichziehen *n.*

empavesa|da *f* **1.** *hist.* Verschanzung *f*; **2.** ⚓ **a)** Beflaggung *f*; **b)** Schanzkleid *n*; **~do I.** *adj.* **1.** ⚓ über die Toppen geflaggt; **II.** *m* **2.** *hist.* Schildgewappnete(r) *m*; **3.** ⚓ Flaggengala *f*; **~r** *v/t.* **1.** ⚓, ⚔ beflaggen, ⚓ Flaggengala anlegen (*dat.*); **2.** *Denkmal vor der Einweihung* verhüllen.

empavonar ⊕ *v/t.* brünieren.

empecatado *adj.* bösartig, unverbesserlich; nichtsnutzig.

empecina|do I. *adj.* zäh, hartnäkkig; **II.** *m* Pechsieder *m*; **~r I.** *v/t.* aus-, ver-pichen; **II.** *v/r.* *~se bsd. Am.* hartnäckig bleiben; *~se en* eisern festhalten an (*dat.*).

empederni|do *adj.* **1.** hart(herzig), unerbittlich; grausam; **2.** eingefleischt (*Junggeselle*); unverbesserlich, leidenschaftlich (*Trinker usw.*); **~r** (*ohne pres.*) ⚒ **I.** *v/t.* verhärten; **II.** *v/r.* *~se* hart werden.

empedra|do *m* (Straßen-)Pflaster *n*; Pflasterung *f*; **~dor** *m* Pflasterer *m*; **~r** [1k] *v/t.* pflastern; *fig.* *~ de* spicken mit (*dat.*).

empegar [1h] *v/t.* *Fässer* pichen; mit Pech überziehen; *Schlauch* verpichen; *Vieh* mit e-m Pechmal versehen.

empeine *m* **1.** *Anat.* **a)** Rist *m*, Spann *m*; **b)** Leistengegend *f*; **2.** *Schuh*: Vorderblatt *n*; Oberleder *n*; **3.** ⚕ Impetigo *m*; **4.** ⚘ Leberkraut *n.*

empelar *v/i.* **1.** Haare bekommen; **2.** gleichhaarig sein (*Reittiere*).

empelotarse F *v/r.* s. verwirren; in Streit geraten; *Am. Reg.* s. nackt ausziehen.

empe|lla *f* **1.** Oberleder *n* (*Schuh*); **2.** *Col., Chi., Méj.* (Schweine-) Schmalz *n*; **~llar** *v/t.* stoßen, schubsen; **~llón** *m* Stoß *m*, Schubs *m* F, Puff *m* F; *a ~ones* stoßweise, ruckweise; mit Gewalt.

empenachado *adj.* mit (e-m) Federbusch.

empenaje ✈ *m* Leitwerk *n.*

empeña|damente *adv.* nachdrücklich; **~do** *adj.* **1.** erbittert, heftig (*Streit, Ausea.-setzung*); **2.** verschuldet; → *a. empeñar 6*; **3.** *estar ~ en + inf.* hartnäckig darauf bestehen, zu + *inf.*; s. nicht davon abbringen lassen, zu + *inf.*; **~r I.** *v/t.* **1.** verpfänden, versetzen (für 100 Peseten *en 100 ptas*); *fig.* *sein Wort* verpfänden; **2.** als Vermittler gebrauchen, vorschieben; **3.** ⚔ *Truppen* einsetzen; **4.** verpflichten, zwingen (zu *dat. a, para*); **5.** *Diskussion, Kampf* beginnen; **II.** *v/r.* *~se* **6.** Schulden machen (in Höhe von *dat. en*); F *~se hasta la camisa* bis über die Ohren in Schulden stecken; **7.** *~se por* (*od. con*) *alg.* für j-n einstehen; s. für j-n einsetzen; **8.** *~se* (*en*) darauf bestehen (, zu + *inf.*); **9.** beginnen; *~se en a/c.* s. in et. (*ac.*) einlassen; et. beginnen; **10.** s. verpflichten; **11.** ⚓ in Gefahr kommen (*zu stranden*).

empe|ñero *m* *Méj.* Pfand-, Geldleiher *m*; **~ño** *m* **1.** Verpfändung *f*; *casa f de ~s, Méj. ~* Pfandhaus *n*, Versatzamt *n*; *en ~* als Pfand, als Sicherheit; **2.** Eifer *m*, Bemühung *f*; Bestreben *n*; Beharrlichkeit *f*; *adv.* *con ~* beharrlich; eifrig; *hacer un ~* s. anstrengen; *tener ~ en a/c.* s. auf et. (*ac.*) versteifen; **3.** Unternehmen *n*, Unterfangen *n*; **4.** Verpflichtung *f*; *hacer ~ de a/c.* s. et. zur Pflicht machen; **5.** *~s m/pl.* (gute) Beziehungen *f/pl.*; **6.** ⚓ Gefahr *f*; **7.** Verwicklung *f.*

empeora|miento *m* Verschlimmerung *f*, Verschlechterung *f*; **~r I.** *v/t.* verschlimmern, verschlechtern; **II.** *v/i. u.* *~se v/r.* s. verschlimmern, schlimmer werden; s. verschlechtern, schlechter werden.

empequeñecer [2d] *v/t.* verkleinern (*a. fig.*); *fig.* herabsetzen.

empera|dor *m* **1.** Kaiser *m*; *lt.* Imperator *m*; *fig.* Herrscher *m*; *El ~* Karl V.; **2.** *Fi.* Schwertfisch *m*; **~triz** *f* Kaiserin *f*; *fig.* Herrscherin *f.*

empere|jilar(se) F *v/t.* (*v/r.*) (s.) herausputzen, (s.) auftakeln F; **~zar** [1f] **I.** *v/t.* auf-, hinaus-schieben; **II.** *v/i. u.* *~se v/r.* faul (*od.* träge) werden.

empergaminar *v/t.* in Pergament binden.

emperifollar(se) F *v/t.* (*v/r.*) → *emperejilar(se).*

empero *lit. cj.* indes, hingegen; aber, jedoch.

emperra|miento F *m* Halsstarrigkeit *f*; **~rse** F *v/r.* eigensinnig sein; s. hartnäckig widersetzen.

empetro ⚘ *m* Seefenchel *m.*

empezar [1f *u.* 1k] *vt/i.* anfangen, beginnen (zu + *inf. a + inf.*); *~ por hacer a/c.* et. anfangs tun, et. zunächst (*od.* zuerst) tun; *~ el pan* das Brot anschneiden (*od.* anbrechen); *~ en domingo* sonntags beginnen; *al ~* zu Beginn, anfangs; *para ~* zunächst einmal; erstens, als erstes.

empina|da *f*: *irse a la ~* s. aufbäumen (*Tiere*); **~do** *adj.* hoch(ragend); steil, jäh, abschüssig; *fig.* hochstehend; stolz, hochmütig; **~r I.** *v/t.* **1.** steil aufrichten; empor-, hochheben; **2.** *fig.* F *~la od. ~ el codo* (allzu)gern e-n heben F; **II.** *v/r.* *~se* **3.** s. aufbäumen (*Pferd*); **4.** s. auf auf die Fußspitzen stellen; **5.** emporragen.

empingorota|do F *adj.* hochgestellt, hochstehend; dünkelhaft, hochnäsig; **~r** F *v/t.* obenauf stellen.

empiñonado *m* Piniennußgebäck *n.*

empiparse *v/r.* s. überessen.

empíreo I. *adj.* himmlisch; **II.** *m* *Phil.* Empyreum *n*; *lit.* Himmel *m.*

empireuma *m* Brandgeruch *m organischer Substanzen.*

em|pírico *adj.-su.* empirisch; *m* Empiriker *m*; **~pirismo** *m* **1.** Empirismus *m*; **2.** Empirie *f*, Erfahrungswissen(schaft *f*) *n.*

empitonar *Stk.* *v/t.* auf die Hörner nehmen.

empizarra|do *m* Schieferdach *n*; **~r** *v/t.* mit Schiefer decken.

emplas|tar I. *v/t.* **1.** ein Pflaster auflegen (*dat.*); *fig.* zurechtmachen;

ein Schönheitspflästerchen (auf)legen auf (*ac.*); **2.** *Geschäft* behindern; **II.** *v/r.* ~se **3.** s. voll-, einschmieren; **~tecer** [2d] *Mal. v/t.* spachteln (*a. Anstreicher*).

emplástico *adj.* klebrig; ⚕ eiterableitend.

emplasto *m* **1.** ⚕ Pflaster *n*; ~ *adhesivo*, ~ *aglutinante* Heft-, Klebepflaster *n*; F *estar hecho un* ~ ein wahrer Lazarus (*od.* äußerst anfällig) sein; **2.** *fig.* Flickwerk *n*, unzulängliche Ausbesserung *f*; halbe Arbeit *f*; **3.** ⊕ Spachtelkitt *m*.

emplaza|miento *m* **1.** Platz *m*, Lage *f*; Standort *m z. B. e-r Industrie*; ⚔ Stellung *f*; Geschützstand *m*; **2.** Aufstellung *f*; ⚔ ~ *de una batería* Instellungbringen *n* e-r Batterie; Feuerstellung *f*; **3.** ⚖ **a)** (Vor-)Ladung *f*; **b)** Anberaumung *f e-s Termins*; **~r** [1f] *v/t.* **1.** *Industrie* ansiedeln; ⚔ in Stellung bringen, aufstellen; **2.** ⚖ (vor)laden; *Termin* anberaumen.

emple|ado I. *part. dar por bien* ~ *s-e Schritte, s-e Opfer usw.* nicht bereuen; F *te está bien* ~ es ist dir (ganz) recht geschehen; **II.** *m* Angestellte(r) *m*; ~*s m/pl.* Angestellte(n) *m/pl.*, Personal *n*; ~ *de comercio* (*fast nur* höhere[r]) kaufmännische(r) Angestellte(r) *m*; ~ *de Hacienda* Finanz-beamte(r) *m*, -angestellte(r) *m*; **~ar I.** *v/t.* **1.** anwenden; verwenden, benützen; verwerten; *Zeit* verwenden (für *ac. en, por*), *Zeit* zubringen (mit *dat. con*); einsetzen; *Geld* aufwenden (für *ac. en*), anlegen (in *dat. en*); ~ *todas las fuerzas* s. sehr anstrengen; alle Hebel in Bewegung setzen; **2.** *j-n* anstellen, beschäftigen; **II.** *v/r.* ~se **3.** ~*se en a/c.* s. in e-r Sache betätigen; s. mit et. (*dat.*) beschäftigen; ~*se a fondo* et. gründlich machen; hart arbeiten; sein Bestes geben; **~o** *m* **1.** Anwendung *f*; Verwendung *f*, Gebrauch *m*; Einsatz *m*; Geldanlage *f*; Aufwand *m v. Mitteln*; Verwendungszweck *m*; *modo m de* ~ Gebrauchsanweisung *f*; *tener* ~ *para* Verwendung haben für (*ac.*); **2.** Beschäftigung *f*; Stelle *f*, Stellung *f*, Posten *m*; Amt *n*; *pleno* ~ Vollbeschäftigung *f*; **~omanía** *f* Stellen-, Ämter-jagd *f*.

emplomar *v/t.* ⊕ verbleien; *Verw.*, ⚕ plombieren, verplomben; *gal. Am. a. Zahn* plombieren.

emplu|mado *m* Gefieder *n*; **~mar I.** *v/t.* **1.** mit Federn schmücken; **2.** teeren u. federn *als Strafe*; **3.** *Cu.* hinauswerfen; *Ec., Ven.* strafverschicken; **4.** *Cu., Guat.* betrügen, einseifen F; **II.** *v/i.* **5.** *Am. Mer.* Reißaus nehmen; **6.** → **~mecer** [2d] *v/i.* Federn ansetzen (*Vo.*); flügge werden.

empobre|cer [2d] **I.** *v/t.* arm machen; **II.** *v/i.* verarmen, arm werden; **~cimiento** *m* Verarmung *f*; Auslaugung *f des Bodens u. fig.*; ⚒ Erschöpfung *f e-r Mine*.

empol|var I. *v/t.* **1.** mit Staub bedecken, bestauben; **II.** *v/r.* ~se **2.** einstauben, staubig werden; ~*se los zapatos* staubige Schuhe bekommen; **3.** s. pudern; **4.** *Méj.* einrosten, die Übung verlieren; **~voramiento** *m* **1.** Bestauben *n*, Einstauben *n*; **2.** Pudern *n*; **~vorar, ~vorizar** [1f] *v/t.* → *empolvar*.

empo|llado F *adj.*: *estar (bien)* ~ *en a/c.*, *tener* ~*a a/c.* et. (mächtig) gepaukt haben F; **~llar I.** *v/t.* aus-, be-brüten; *fig.* brüten über (*dat.*); **II.** *vt/i.* F büffeln F, pauken, ochsen F; **III.** *v/i.* Eier legen (*Bienen*); **~llón** F *m* Büffler *m* F, Streber *m*.

emponzoña|dor *adj.-su.* giftig (*bsd. fig.*); *m* Giftmischer *m*; *fig.* Verderber *m*; **~miento** *m* Vergiftung *f*; **~r** *v/t.* vergiften (*a. fig.*); *fig.* verderben; *copa f* ~*ada* Giftbecher *m*.

empopar ⚓ *v/i.* **1.** das Heck in den Wind drehen; **2.** stark hecklastig sein.

emporcar [1g *u.* 1m] *v/t.* beschmutzen, besudeln.

emporio *m* **1.** Handelszentrum *n*; Kulturzentrum *n*; *hist.* Stapelplatz *m*; **2.** ✎ Weltstadt *f*; **3.** *Am.* gr. Warenhaus *n*.

empotra|do ⊕ *adj.* eingemauert, eingebaut; unter Putz; *armario m* ~ Einbauschrank; **~r** ⊕ *v/t.* einlassen, einmauern; einkeilen; ~ *con hormigón* einbetonieren.

empozar [1f] **I.** *v/t.* **1.** in e-n Brunnen werfen; **2.** *Hanf* rösten; **II.** *v/i. u.* ~se *v/r.* **3.** *Am.* Lachen bilden; **III.** *v/r.* ~se **4.** *fig.* ins Stocken geraten; vergessen werden.

emprende|dor *adj.* unternehmungslustig; **~r** *v/t.* unternehmen; an *et.* (*ac.*) herangehen, *et.* in Angriff nehmen, *et.* beginnen; *Auftrag* übernehmen; ~ *camino (od. marcha) a*, ~*la para* s. aufmachen nach (*dat.*), aufbrechen nach (*dat.*); F ~*la* an die Sache herangehen; F ~*la con alg.* mit j-m streiten; F ~*la a tiros (con alg.)* (auf j-n) schießen.

empreñar I. *v/t.* F schwängern; **II.** *v/r.* ~se trächtig werden (*Tier*).

empresa *f* **1.** Unternehmung *f*, Vorhaben *n*; ~ *arriesgada* Wagnis *n*; **2.** ⚕ Unternehmen *n*, Betrieb *m*; ~ *constructora* Bauunternehmen *n*; Konstruktionsfirma *f*; ~ *estatal* Staatsbetrieb *m*; ~ *industrial* Industrie-unternehmen *n*, -firma *f*; ~ *de transportes* Transportunternehmen *n*; ~ *de transportes públicos* öffentliche Verkehrsbetriebe *m/pl.*; **3.** Konzert-, Theater-direktion *f*; **4.** Devise *f*, Wahlspruch *m*; **~riado** *koll. m die* Unternehmer *m/pl.*; **~rial** *adj. c* Betriebs..., Unternehmens..., unternehmerisch; *régimen m* ~ Betriebs-ordnung *f*, -verfassung *f*; **~rio** *m* **1.** Unternehmer *m*; Arbeitgeber *m*; **2.** Theater-, Konzert- *usw.* -unternehmer *m*; **~rismo** *m* Unternehmertum *n*.

empréstito ⚕ *m* Anleihe *f* (aufnehmen *contraer*); ~ *amortizable (estatal)* Tilgungs- (Staats-)anleihe *f*; ~ *con garantía oro* Goldanleihe *f*; ~*s m/pl. públicos* Anleihen *f/pl.* der öffentlichen Hand.

empringar [1h] *v/t.* beschmieren.

empu|jar I. *vt/i.* **1.** stoßen, treiben; puffen, schieben; drücken; ~ *hacia arriba* hinaufschieben; ~ *hacia atrás* zurückstoßen; *¡~! od. ¡~ad!* (*Tür*) drücken!; **II.** *v/t.* **2.** vertreiben, verdrängen; **3.** aufmuntern, anstoßen; **~je** *m* **1.** Stoß *m*; Druck *m*; ⊕ Schub *m*; Wucht *f*; ⊕ ~ *ascendente* Auftrieb *m*; (*fuerza f de*) ~ Schubkraft *f*; **2.** *fig.* Schwung *m*; Nachdruck *m*; *de* ~ tatkräftig, energisch (*Person*); **~jón** *m* heftiger Stoß *m*; Stauchen *n*; Rippenstoß *m*, Schubs *m*; Puff *m* F; *fig.* Ruck *m* (*rasches Vorwärtskommen b. e-r Arbeit*); *a* ~*ones* **a)** stoßweise; **b)** mit Unterbrechungen.

empuña|dura *f* **1.** Griff *m*; (Stock-, Schirm-)Knauf *m*; *hasta la* ~ bis zum Griff, bis ans Heft; **2.** *fig.* einleitende Wendung *f e-r Erzählung usw.*; **~r** *v/t.* **1.** ergreifen, packen; am Griff fassen; ~ *la espada* zum Degen greifen; **2.** *fig.* in den Griff bekommen; **3.** *Stellung, Posten* bekommen.

emú *Vo. m* Emu *m*.

emula|ción *f* Wetteifer *m*; Nacheiferung *f*; **~r** *v/t.* (*a. v/i. con*) *j-m* nacheifern, mit *j-m* wetteifern.

emulgente ⚗, *Physiol.* **I.** *adj. c* **1.** emulgierend; **2.** *Anat. arterias y venas* ~*s* Nierenarterien u. -venen *f/pl.*; **II.** *m* **3.** Emulgens *n*.

émulo *lit. adj.-su.* wetteifernd; *m* Nacheiferer *m*; Rivale *m*.

emul|sión *f* **1.** Emulsion *f*; **2.** Emulgierung *f*; **~sionar** ⚗, *pharm. v/t.* emulgieren; kirnen.

en *prp.* **1.** *lokal* (*Lage u. seltener — mst. nur in festen Wendungen — Richtung*): in, auf, an (*alle dat. bzw. ac.*); aus (*dat.*); ~ *la calle* auf (*bzw.* in) der Straße; auf die Straße; ~ *la ciudad* in der Stadt; ~ *la pared* an der Wand; an die Wand; ~ *el sobre* auf dem (*bzw.* den) Umschlag; in dem (*bzw.* den) Umschlag; *beber* ~ *un vaso* aus e-m Glas trinken; *caer* ~ *el agua* ins Wasser fallen; *vgl. a*; **2.** *temporal*: in; ~ *seis horas* in sechs Stunden (*vgl. dentro de* in, binnen); *de día* ~ *día* von Tag zu Tag; ~ *breve* in kurzem, bald; ~ *verano* im Sommer; ~ *otoño* im Herbst; ~ *1970* (im Jahre) 1970; **3.** *modal u. instrumental* (*Art u. Weise, Preis, Wertung, adverbiale Wendungen*): ~ *absoluto* gänzlich; überhaupt; *negativ*: durchaus nicht; keineswegs; ~ *broma* im Scherz, zum Spaß; ~ (*forma de*) *espiral* spiralförmig; ~ *español* (auf) spanisch; ~ *mi provecho* zu m-m Vorteil; ~ *traje de calle* im Straßenanzug; *calcular* ~ *diez marcos* auf zehn Mark schätzen; *comprar por* (*K, Reg. u. lit.* ~) *mil pesetas* für tausend Peseten kaufen; *ir* ~ *coche* (~ *tranvía*) im *bzw.* mit dem Wagen (mit *bzw.* in der Straßenbahn) fahren; *vivir* ~ *la miseria* im Elend leben; *dar* ~ *prenda* als (*od.* zum) Pfand geben; *tener* ~ *poco* gering (ein)schätzen; **4.** *Beziehung*: an (*dat.*); *fácil* ~ *creer* leichtgläubig; *fértil* ~ *recursos* erfinderisch; *rico* ~ reich an (*dat.*); *abundar* ~ *a/c.* Überfluß an etwas (*dat.*) haben; *pensar* ~ *alg.* an j-n denken; **5.** *mit ger.* (*veraltend*); *je nach dem Sinn* (*temporal, konditional, kausal*) *entsprechen im Dt. die Konjunktionen* sobald, sowie, als; wenn; da, weil; *temporal betont en die Gleichzeitigkeit*; ~ *diciendo esto* indem man dies sagt (*bzw.* sagte).

enacerar *v/t. a. fig.* stählen.

enagua(s) *f*(/*pl*.) (Frauen-)Unterrock *m*.

enagua|char *v/t*. **1.** *Magen* durch zu viel Flüssigkeit verderben; **2.** → **~r** [1i] *v/t*. verwässern; **~zar** [1f] *v/t*. schlammig machen.

enagüillas *f/pl*. **1.** Lendenschurz *m*, *bsd. auf Christusdarstellungen*; **2.** ~ (*escocesas*) Schottenrock *m*, Kilt *m*; **3.** Fustanella *f der Griechen*.

enajena|ble *adj. c* veräußerlich; **~ción** *f*, **~miento** *m* **1.** Veräußerung *f*, Verkauf *m*; **2.** Verzückung *f*; Geistesabwesenheit *f*; ~ *mental* Irresein *n*; **~r I.** *v/t*. **1.** veräußern, weggeben; **2.** entfremden (j-n j-m *a alg. de alg.*); **3.** entrücken, verzücken; von Sinnen bringen; **II.** *v/r*. **~se 4.** s. *e-r Sache* entäußern; **5.** s. zurückziehen (vom Umgang mit j-m *de alg.*); *~se las simpatías* (*de alg.*) s. unbeliebt machen (bei j-m); s. die (s. j-s) Sympathien verscherzen; **6.** außer s. geraten.

enalbardar *v/t*. **1.** *Equ.* den (Pack-)Sattel auflegen (*dat.*); **2.** *Kchk.* **a**) spicken; **b**) panieren.

enaltecer [2d] *v/t*. erheben, erhöhen; preisen, verherrlichen, rühmen.

enamora|dizo *adj*. liebebedürftig; leicht entflammt; **~do** *adj.-su.* verliebt (in *ac. de*); *a.* → *enamoradizo*; *m* Freund *m*, Bewunderer *m*, Anhänger *m* (*gen. de*); *los ~s* das Liebespaar; **~dor I.** *adj*. liebreizend, entzückend; **II.** *m* Liebhaber *m*; **~miento** *m* Verliebtheit *f*; Liebelei *f*; Erweckung *f* der Liebe; **~r I.** *v/t*. Liebe einflößen (*dat.*); den Hof machen (*dat.*), umwerben (*ac.*); **II.** *v/r*. **~se** (*de*) s. verlieben (in *ac.*); liebgewinnen (*ac.*), Gefallen finden (an *dat.*).

enamori(s)carse [1g] F *v/r*. s. verlieben, Feuer fangen F.

ena|nismo *Biol. m* Zwergwuchs *m*; **~no I.** *adj*. zwergenhaft, Zwerg...; *árbol m* ~ Zwergbaum *m*; **II.** *m* Zwerg *m*; *enan(it)o m de jardín* Gartenzwerg *m*.

enarbola|do △ *m* Gerüst *n*, Gebälk *n* (*Turm, Gewölbe*); **~r I.** *v/t*. aufrichten, aufpflanzen; *Flagge* hissen; **II.** *v/r*. **~se** s. (auf)bäumen; zornig werden.

enarcar [1g] **I.** *v/t*. **1.** *Fässer* bereifen; (rund)biegen; **2.** *Schiffe* eichen; **II.** *v/r*. **~se 3.** s. ducken; *Méj.* s. bäumen (*Pferd*).

enarde|cer [2d] **I.** *v/t*. *a. fig.* entzünden; *fig.* entflammen; **II.** *v/r*. **~se** s. erhitzen, s. entzünden (*b. Krankheit, b. Anstrengung u. fig.*); s. begeistern (für *ac. por*); **~cimiento** *m* Erhitzung *f*; Begeisterung *f*.

enarenar I. *v/t*. mit Sand bestreuen; **II.** *v/r*. **~se** ⚓ stranden, auflaufen.

enarmonar *v/t*. *et.* aufrichten.

enarmónico ♪ *adj*. enharmonisch; *cambio m* ~ enharmonische Verwechslung *f*.

enartrosis *Anat. f* Enarthrose *f*.

enastar *v/t*. *Werkzeug* stielen.

encabalga|miento *m* **1.** Traggerüst *n*; **2.** *Lit.* Enjambement *n*; **~r** [1h] **I.** *v/t*. mit Pferden versehen; **II.** *v/i*. aufliegen.

encaballar I. *v/t*. *Ziegel u. ä.* überea.-legen; *Typ. Form* verschieben; **II.** *v/i*. aufliegen.

encabestrar I. *v/t*. **1.** (an)halftern; **2.** *fig.* einfangen, in Schlepp nehmen F; **II.** *v/r*. **~se 3.** s. in der Halfter verfangen.

encabeza|miento *m* **1.** Kopf *m* (*Brief, Urkunde, Kapitel*); Eingangsformel *f*; **2.** *Verw.* Einschreibung *f*, Registrierung *f*; **3.** Steuerrolle *f*; Steuerquote *f*; **~r** [1f] **I.** *v/t*. **1.** einschreiben, eintragen; **2.** mit e-r Kopfquote belegen; zu Abgaben veranlagen; **3.** überschreiben, die Überschrift *e-s Briefes usw.* setzen; **4.** einleiten; als erster auf *e-r Liste* stehen; *Am.* (an)führen; **5.** *Wein* verschneiden; **6.** *Zim. Balken* an den Enden verbinden; **II.** *v/r*. **~se 7.** *fig.* das kleinere Übel auf s. nehmen.

encabritarse *v/r*. s. bäumen (*Reittier*); *Kfz.*, ✈ bocken.

encacha|do *m* Bettung *f*, Befestigung *f* (*Kanal, Brückenpfeiler*); **~r** *v/t*. befestigen; *Messer* mit e-m Heft versehen.

encadena|do I. *adj*. *Lit. verso m* ~ Kettenvers *m*; **II.** *m* △ **a**) Tragebälk *n*; **b**) Widerlager *n*; ⚒ Abstrebung *f*; **~miento** *m* Verkettung *f*; Ankettung *f*; **~r I.** *v/t*. **1.** in Ketten legen, fesseln; anketten; *Hund* an die Kette legen; **2.** *fig.* an-, ver-ketten; mitea. verknüpfen; **3.** *fig.* hemmen, hindern; **4.** ⚓ *Hafeneinfahrt* mit Ketten sperren; **II.** *v/r*. **~se 5.** *fig.* inea.-greifen (*Ereignisse*).

encaja|dura *f* **1.** ⊕ Einfügung *f*, Einpassung *f*; **2.** Fassung *f e-s Edelsteins*; **~r I.** *v/t*. **1.** *a.* ⊕ einfügen, ein-, an-passen; einlassen, einlegen; inea.-fügen; **2.** *Schlag* versetzen, *a. Schuß* verpassen F; *Sp. Tor* schießen, *Ball* einkicken; **3.** *Beleidigungen u. ä.* an den Kopf werfen; *nos encajó un chiste* er hat da e-n *äußerst unangebrachten* Witz losgelassen; **4.** *unwahres Zeug* weismachen; *Ware, Falschgeld* aufhängen, andrehen F; ~ *a/c. a otro* e-m andern et. zuschieben (*od.* aufbürden); **5.** *fig.* F *et.* aufnehmen, schlucken F; mit *et.* (*dat.*) fertig werden; **6.** *Hut* aufstülpen; **II.** *v/i*. **7.** inea.-passen, schließen; einrasten; einschnappen (*Schloß*); schließen (*Tür*); **8.** passen (*a. fig.*) (auf *ac. en*, zu *dat. con*); *fig.* übereinstimmen (mit *dat. con*); *fig.* s. schicken; **III.** *v/r*. **~se 9.** *s.* eindrängen; s. aufdrängen; s. hineinzwängen; **10.** s. *den Hut* aufstülpen; *~se la americana* in den Rock schlüpfen.

encaje *m* **1.** Einfügen *n*; Beilage *f e-r Zeitung*; **2.** ⊕ Falz *m*, Nut *f*, Fuge *f*; Sitz *m b. Passungen*; Einsatz *m*, Eingriff *m*; **3.** eingelegte Arbeit *f*; **4.** ▨ *~s m/pl.* Dreiecksfelder *n/pl.*; **5.** *tex.* (*mst. ~s m/pl.*) Spitzen *f/pl.*; *~s de bolillos* Klöppelspitzen *f/pl.*; ~ *de la camisa* Hemden-spitze *f*, -krause *f*, Passe *f*; **6.** *fig.* ~ *de la cara* Gesichts-züge *m/pl.*, -ausdruck *m*; **7.** ✝ Kassenbestand *m*; ~ (*oro*) Goldreserve *f*; **~ra** *f* Spitzenklöpplerin *f*.

enca|jetillar *v/t*. *Tabak* in Packungen abfüllen; **~jonado** *m* Lehmmauer *f*; **~jonar I.** *v/t*. **1.** in Kisten packen; **2.** einengen; **3.** *Hydr. Fundament* in Senkkästen mauern; △ *Mauer* abstützen; **II.** *v/r*. **~se 4.** e-e Enge bilden (*z. B. Wasserlauf*); s. verfangen (*Wind*).

encala|bozar [1f] *v/t*. ins Verlies (F ins Loch) stecken; **~brinar I.** *v/t*. **1.** benebeln (*Wein, Geruch*); **2.** *die Nerven* reizen; **II.** *v/r*. **~se 3.** *~se con* s. *et.* in den Kopf setzen, erpicht sein auf (*ac.*).

encala|do *m* Tünchen *n*, Weißen *n*; **~dor** *m* **1.** Tüncher *m*; **2.** Kalkbottich *m der Gerber*; **~mbrarse** *v/r*. *Am.* e-n Krampf bekommen; **~r** *v/t*. weißen, tünchen; kalken (*a. Gerber*).

encalma|do *adj*. windstill; *fig.* flau (*Börse, Geschäft*); **~rse** *v/r*. **1.** abflauen (*Wind*); **2.** s. überanstrengen (*Tiere, durch Hitze, Arbeit*); *p. ext.* F ermatten, schlappmachen F (wollen).

encalvecer [2d] *v/i*. kahl werden.

encalla|dero *m* ⚓ Sandbank *f*; *fig.* Patsche *f* F; **~dura** ⚓ *f* Stranden *n*; **~r I.** *v/i*. ⚓ stranden; *fig.* stocken (*Geschäft*); wegbleiben (*Motor*); ⊕ s. festfressen (*Gewinde*); **II.** *v/r*. **~se** *Kchk.* hart werden *durch Unterbrechung beim Kochen*.

encalle|cer [2d] **I.** *v/i*. schwielig werden; **II.** *v/r*. **~se** *fig.* hart werden; s. abhärten; **~cido** *adj*. schwielig; *fig.* abgehärtet; abgestumpft; **~jonar** *v/t*. *z. B. Stiere* in e-e enge Gasse treiben.

encamarse *v/r*. **1.** s. niedertun (*Wild*); F s. ins Bett legen (*b. Krankheit*); **2.** s. legen (*Getreide*).

encamelar F *v/t*. *Frauen* bezirzen.

encamina|do *adj*. angebahnt; *ir* ~ *a* + *inf.* darauf abzielen, zu + *inf.*; **~r I.** *v/t*. auf den Weg bringen; (hin)leiten, (hin)lenken; einleiten; *Brief, Paket* befördern; *fig.* ~ *sus energías a* s-e Kraft verwenden auf (*ac.*); **II.** *v/r*. **~se** (*a, hacia*) s. aufmachen (nach *dat.*).

encamisar *v/t*. das Hemd anziehen (*dat.*); *Kissen usw.* beziehen; *fig.* verdecken; ⊕ ummanteln.

encampana|do *adj*. glockenförmig; *Méj., P. Ri. dejar a alg.* ~ j-n im Stich lassen; **~rse** *Stk. v/r*. den Kopf herausfordernd heben (*Stier*).

encana|lar, ~lizar [1f] *v/t*. kanalisieren.

encanallarse *v/r*. verlottern, verludern, verkommen.

encanarse *v/r*. nicht mehr können vor Weinen (*od.* Lachen).

encandila|do *adj*. **1.** leuchtend (*Augen*); **2.** F aufrecht; groß, hoch; **~r I.** *v/t*. **1.** *a. fig.* blenden; F bezaubern; hinters Licht führen; **2.** *Feuer* anfachen; **II.** *v/r*. **~se 3.** (auf-)leuchten, glühen; glänzen (*Augen*); *se encandiló con el vino* s-e Augen begannen vom Wein zu glänzen.

encanecer [2d] *v/i. u.* **~se** *v/r*. ergrauen, grau werden; *fig.* alt werden; schimmelig werden (*Brot*).

encanija|do *adj*. kränklich; **~rse** *v/r*. kränkeln, verkümmern (*bsd. Kinder*); *Ec., Pe.* vor Kälte erstarren.

encanillar *v/t*. spulen.

encan|tado *adj*. **1.** ver-, be-zaubert; Zauber...; *Folk.* verwunschen; **2.** entzückt; begeistert; ~ (*de conocerle*) es freut mich sehr

(, Sie kennenzulernen), sehr angenehm F; ¡~! sehr gerne!, mit Vergnügen!; F ¡~ de la vida! das ist prima!; **~tador I.** *adj.-su.* zaubernd; *m* Zauberer *m*; ~ de serpientes Schlangenbeschwörer *m*; **II.** *adj. fig.* bezaubernd, entzückend; **~tamiento** *m* Zauber *m* (*a. fig.*), Zauberei *f*; Bezauberung *f*, Verzauberung *f*; **~tar** *v/t.* **1.** verzaubern, beschwören; *fig.* bezaubern, entzücken; me encanta que + *subj.* ich freue mich sehr, daß + *ind.*; **2.** □ betrügen; **~to** *m a. fig.* Zauber *m*; Liebreiz *m*, Charme *m*; Entzücken *n*, Wonne *f*; como por ~ wie durch Zauber(hand); este panorama es un ~ dieser Rundblick ist zauberhaft (*od.* wundervoll); ¡~ (mío)! (mein) Liebling!

encaña|da *f* Engpaß *m*; **~do** *m* Röhrenleitung *f*; Dränage *f*; ⚒ Rohrspalier *n*; **~r** *v/t.* **1.** *Wasser* durch Röhren leiten; ⚒ entwässern, dränieren; **2.** ⚒ *Pfl.* mit e-m Stützrohr versehen; **3.** *tex. Seide* spulen.

encañizado △ *m* Stukkaturmatte *f*.

encañona|do *adj.* durch e-n Engpaß strömend (*Wind u. ä.*); **~r** *v/t.* **1.** in Röhren leiten; **2.** aufs Korn nehmen, zielen (*od.* anlegen) auf (*ac.*); **3.** *Stoff, Papier* fälteln.

encapota|do *adj.* bedeckt (*Himmel*); **~miento** *m fig.* finstere Miene *f*; **~rse** *v/r.* **1.** s. bedecken (*Himmel*); *fig.* ein finsteres Gesicht machen; **2.** s. den Umhang anziehen.

encapricha|miento *m* Halsstarrigkeit *f*; Laune *f*; **~rse** *v/r.* ~ con (*od.* en) *et.* durchaus (*od.* hartnäckig) wollen, versessen sein auf (*ac.*); F s. blindlings verlieben in (*ac.*), e-n Narren gefressen haben an (*dat.*) F.

encapsulado *adj.* eingekapselt, verkapselt.

encapu|chado *m* Kapuzenträger *m b. Prozessionen*; **~llado** *adj.* in der Knospe eingeschlossen; eingesponnen (*Raupe*).

encara|do *adj.*: bien ~ hübsch; mal ~ häßlich; *fig.* ungezogen; **~mar I.** *v/t.* **1.** empor-, hinauf-heben; -stellen; **2.** *fig.* herausstreichen, verhimmeln F; **II.** *v/r.* **~se 3.** (hinauf)klettern (auf *ac.* en, a, sobre); *fig.* sehr hoch steigen.

encara|miento *m* **1.** Gg.-überstellung *f*; **2.** Anschlag *m* (*Waffe*); **~r I.** *v/t.* **1.** *Waffe* anlegen (auf j-n a alg.); **2.** ea. gg.-überstellen; **3.** die Stirn bieten (*dat.*), *et.* meistern; **II.** *v/i. u.* **~se** *v/r.* **4.** ~(se) con alg. **a)** j-m gg.-übertreten; **b)** j-m widerstehen.

encarcela|do *adj.* **1.** eingesperrt, im Gefängnis; **2.** ⚕ eingeklemmt (*Bruch*); **~miento** *m* Einsperren *n*, Einweisung *f* in e-e Haftanstalt; **~r** *v/t.* **1.** ins Gefängnis sperren; **2.** △ einlassen; vermauern.

encare|cedor *adj.* **1.** preissteigernd; **2.** rühmend; **~cer** [2d] **I.** *v/t.* **1.** verteuern; **2.** loben, (an)preisen; ~ a/c. a alg. j-m et. sehr ans Herz legen; j-m et. sehr empfehlen; ~ a alg. que + *subj.* j-n inständig bitten, zu + *inf.*; **II.** *v/i.* **3.** teuer (*od.* teurer) werden; **~cidamente** *adv.* inständig, nachdrücklich, eindringlich; recomendar ~ wärmstens empfehlen; **~cimiento** *m* **1.** Verteuerung *f*; Preissteigerung *f*; **2.** Anpreisung *f*, Lob *n*; Nachdruck *m*; con ~ → encarecidamente.

encar|gado I. *adj.* beauftragt; **II.** *m* Beauftragte(r) *m*; Sachwalter *m*; Geschäftsführer *m*; Disponent *m*; ~ de curso Lehrbeauftragte(r) *m*; *Dipl.* ~ de negocios Geschäftsträger *m*; **~gar** [1h] **I.** *v/t. a.* † bestellen; ~ a/c. a alg. (*a.* ~ a alg. de a/c.) j-m et. übertragen; j-n mit et. (*dat.*) betrauen; j-m et. anvertrauen; j-m et. auftragen, j-n mit et. (*dat.*) beauftragen; ~ a alg. que + *subj.* j-m den Auftrag geben, zu + *inf.*; ~ a un técnico e-n Techniker heranziehen; **II.** *v/r.* **~se** de *et.* übernehmen; yo me encargo de eso das mache ich schon; **~go** *m* **1.** Auftrag *m*, Bestellung *f* (*a.* †); *fig.* F como (hecho) de ~ wie auf Bestellung, wie gerufen; tadellos; de ~ auf Bestellung; por ~ de im Auftrag (*od.* auf Veranlassung) von (*dat.*); † ya se ha dado el ~ a otra casa der Auftrag ist schon vergeben; tener ~ de beauftragt sein von (*dat.*); **2.** F hacer **~s** Besorgungen erledigen; **3.** bestellte Ware *f*, Sendung *f*; **4.** Amt *n*.

encariñar I. *v/t.* Zuneigung erwecken bei (*dat.*); **II.** *v/r.* **~se** con *j-n od. et.* liebgewinnen, s. mit *et.* (*dat.*) *od.* mit *j-m* befreunden.

encar|nación *f* **1.** *Rel.* Fleischwerdung *f*, *a. fig.* Inkarnation *f*; Verkörperung *f*; **2.** *Mal.* Fleischfarbe *f*; **~nado I.** *adj.* **1. a)** rot; **b)** fleischfarben, inkarnat; **2.** *Rel.* fleischgeworden; *fig.* leibhaftig; **II.** *m* **3.** *Mal.* Fleischfarbe *f*, Inkarnat *n*; **~nadura** *f* **1.** ⚕ Heilungstendenz *f der Gewebe*; **2.** Eindringen *n* ins Fleisch (*Waffe*); **3.** Sichverbeißen *n* (*Hetzhunde*); **~nar I.** *v/t.* **1.** verkörpern; darstellen; **2.** *Mal.* im Fleischton malen; **3.** *Jgdw. Jagdhunde* vom Fleisch des erlegten Wildes fressen lassen; **4.** *Angelhaken* mit e-m Fleischköder versehen; **II.** *v/i.* **5.** *Rel.* Fleisch werden; **6.** heilen (*Wunde*); **7.** s. verbeißen (*Hunde*); **III.** *v/r.* **~se 8.** *fig.* mitea. verschmelzen, eins werden; verwachsen; **~necer** [2d] *v/i.* Fleisch ansetzen; **~nizadamente** *adv.* erbittert; **~nizado** *adj.* rot entzündet (*Wunde*); blutunterlaufen (*Augen*); *fig.* erbittert; wild, blutig; **~nizamiento** *m* Erbitterung *f*; Blutgier *f*, Grausamkeit *f*; **~nizar** [1f] **I.** *v/t.* erbittern; wütend machen; *Hetzhunde u. fig.* scharf machen; **II.** *v/r.* **~se** s. verbeißen *bzw.* die Beute zerreißen (*Hunde, Raubtiere*); *fig.* wütend werden; ~se en (*od.* con) alg. s-e Wut an j-m auslassen.

encaro *m* **1.** aufmerksames Beobachten *n*, (An-)Starren *n*; **2.** Anlegen *n*, Anschlag *m* (*Waffe*); Kolbenwange *f am Gewehr*.

encarpetar *v/t.* *Akten* einheften, in Mappen legen.

encarretadora *tex. f* Spulmaschine *f*.

encarrilar I. *v/t.* 🚃 aufgleisen; *fig.* in die Wege leiten, einfädeln F; einrenken F; **II.** *v/r.* **~se** *fig.* ins (rechte) Geleise kommen, s. einrenken F.

encarrujado *adj.* gekräuselt, geringelt; *Méj.* uneben (*Gelände*).

encarta|do *adj.-su.* in (Untersuchungs-)Haft; *m* Häftling *m*, Untersuchungsgefangene(r) *m*; **~r I.** *v/t.* ⚖ *j-m* den Prozeß machen; **II.** *v/i. Kart.* in die Hand spielen.

encartona|do I. *adj.* kartoniert; **II.** *m* Kartonierung *f*; **~r** *v/t.* kartonieren; einfalzen.

encascotar *v/t.* mit Schutt auffüllen.

encasilla|do *m* **1.** Einteilung *f* in Felder; Fächerwerk *n*; **2.** *ehm. regierungsseitiger* Wahlvorschlag *m*; **~r I.** *v/t.* **1.** einreihen, einordnen; *Am.* → escaquear; **2.** *regierungsseitig* auf die Wahlliste setzen; **II.** *v/r.* **~se 3.** ~se (en) s. festlegen (für *ac.*), s. anschließen (*dat.*) (*bsd. Pol.*).

encasquetar I. *v/t.* **1.** *Hut* aufstülpen, tief in die Stirn drücken; **2.** *fig. Schlag* versetzen; *fig.* einreden, einhämmern; **II.** *v/r.* **~se 3.** ~se a/c. (*od.* encasquetársele a/c. a alg.) s. et. in den Kopf setzen.

encasquilla|dor *m Am.* Hufschmied *m*; **~r I.** *v/t.* **1.** ⊕ einbuchsen; **2.** *Am. Pferd* beschlagen; **II.** *v/r.* **~se 3.** Ladehemmung haben; ⊕ steckenbleiben (*beweglicher Teil*).

encas|tar *v/t.* *Tiere* (durch Zucht) veredeln; **~tillado** *adj.* **1.** *fig.* verbohrt; **2.** hochmütig; **~tillar I.** *v/i.* die Weiselzelle bauen; **II.** *v/r.* **~se** s. verschanzen (*a. fig.*); *fig.* ~se en s. in *et.* (*ac.*) verrennen, hartnäckig bestehen auf (*dat.*).

encastrar ⊕ *v/t.* verzahnen.

encaucha|do *m* Gummileinwand *f*; **~r** *v/t.* mit Gummi überziehen.

encausar *v/t.* verklagen, gerichtlich belangen.

en|causte, ~causto *m* **1.** Brandmalerei *f*; **2.** Enkaustik *f*; **~cáustico I.** *adj.* enkaustisch; **II.** *m* Polierwachs *n*; Beize *f*.

encauza|miento *m* Eindeichung *f*; Flußregulierung *f*; **~r** [1f] *v/t.* **1.** *Fluß* regulieren; eindeichen, eindämmen; **2.** *fig.* in die Wege leiten; *Gespräch, Meinungen* lenken; e-e bestimmte Richtung geben (*dat.*).

encebollado *Kchk. m Art* Zwiebelfleisch *n*.

en|cefálico *Anat. adj.* Gehirn...; **~cefalitis** ⚕ *f* Enzephalitis *f*; **~céfalo** *Anat. m* Gehirn *n*; **~celafografía** ⚕ *f* Enzephalographie *f*.

encela|do *adj.* eifersüchtig; **~jarse** *v/r.* s. mit Schleierwolken überziehen (*Himmel*); **~r I.** *v/t.* eifersüchtig machen; **II.** *v/r.* **~se** eifersüchtig werden (auf *ac.* de).

enceldar *v/t.* in e-e Zelle einschließen.

encenaga|do *adj.* verschlammt; kotig; *fig.* verkommen; **~r** [1h] **I.** *v/t. a. fig.* beschmutzen; **II.** *v/r.* **~se** verschlammen; *fig.* versumpfen, verkommen.

encen|daja(s) *f(/pl.)* Reisig *n* zum Feuermachen; **~dedor** *m* Anzünder *m*; Feuerzeug *n*; ~ de gas Gasfeuerzeug *n*; -anzünder *m*; ~ (de faroles) Laternenanzünder *m*; **~der** [2g] **I.** *v/t.* **1.** an-, ent-zünden; in Brand stecken; *Kfz.* zünden; *Feuer, Kerze, Zigarette* anzünden; *Licht, Beleuchtung* anmachen, andrehen; *Ofen* (ein)heizen; **2.** *fig.* anfachen, ent-flammen, -fachen; erhitzen; **II.** *v/r.* ~se **3.** s. entzünden, zünden; aufflammen; ~se *en ira* zornig werden; **4.** *fig.* erröten (vor *dat.* de); **~dido I.** *adj.* **1.** *fig.* brennend, stark gerötet, hochrot; **2.** hitzig; **II.** *m* **3.** *a. Kfz.* Zündung *f*; ~ *defectuoso* (*retardado*) Fehl-(Spät-)zündung *f*; ~ *de magneto* Magnetzündung *f*; **4.** ⊕ Anheizen *n e-s Kessels.*

encenizar [1f] *v/t.* mit Asche bedecken.

encentrar ⊕ *v/t.* zentrieren.

ence|par I. *v/t.* **1.** *Gewehr* schäften; **2.** *hist.* in den Block spannen (*Strafe*); **II.** *v/i.* **3.** ⚘ tiefe Wurzeln treiben; **~pe** ⚘ *m* Ver-, An-wurzeln *n.*

encera|do I. *adj.* **1.** wachsfarben; **II.** *m* **2.** Wand-, Schul-tafel *f*; *Arch.* Wachstafel *f*; **3.** Wachstuch *n*; ⚓ Persenning *f*; **4.** Wachspapier *n*; **5.** ⚕ Wachspflaster *n*; **6.** (Ein-)Wachsen *n*; **~dor** *m* Bohnerbesen *m*; **~dora** *f* Bohnermaschine *f*; **~miento** *m* Wachsen *n*; Bohnern *n*; **~r** *v/t.* (ein)wachsen; bohnern; *Stiefel* wichsen.

ence|rradero *m* Pferch *m*; Stierzwinger *m*; **~rramiento** *m* → encierro; **~rrar** [1k] **I.** *v/t.* **1.** einschließen, einsperren; **2.** *fig.* ein-, um-schließen, in s. fassen, enthalten; **3.** matt setzen (*Schach u. fig.*); **II.** *v/r.* ~se **4.** ~se (*en un convento*) s. ins Kloster zurückziehen; **~rrona** F *f* **1.** *hacer la* ~ s. für einige Zeit zurückziehen *v. gesellschaftlichen Verkehr*; **2.** *privater* Stierkampf *m*; **3.** *fig.* Zwickmühle *f*, Zwangslage *f*; **4.** Sitzen *n* (*Gefängnis*).

encespedar *v/t.* mit Rasen bedecken *od.* einsäen.

encestar *v/t.* in e-n Korb tun; *Sp.* mit *dem Ball* in den Korb treffen.

encetar *v/t. Brot usw.* an-schneiden, -brechen.

encía *f*, *mst.* ~s *f/pl.* Zahnfleisch *n.*

encíclica *f* Enzyklika *f.*

enciclo|pedia *f* Enzyklopädie *f*; Konversationslexikon *n*; ~ *práctica* Sachwörterbuch *n*; Bildungsbuch *n*; *fig.* F *ser una* ~ (*viviente*) ein wandelndes Lexikon sein; **~pédico** *adj.* enzyklopädisch, umfassend; **~pedismo** *m* Lehre *f* der französischen Enzyklopädisten; **~pedista** *c* **1.** Enzyklopädist *m*; **2.** Verfasser *m* e-r Enzyklopädie.

encierro *m* **1.** Einschließen *n*, Einsperren *n*; *Stk.* Eintreiben *n der Stiere*; **2.** Haft *f*, Einschließung *f*; **3.** Zurückgezogenheit *f*; Klausur *f*; **4.** *fig.* abgelegener Ort *m*; Weltabgeschiedenheit *f*; **5.** *Jgdw.* Bau *m* (*Raubzeug, Kaninchen*).

encima I. *adv.* oben; darauf; obendrein; *de* ~ *adv.* von oben; *adj. inv.* obere; *lo de* ~ der ober(st)e Teil; *por* ~ darüber; hinüber; *fig.* obenhin, oberflächlich; *dar* ~ (*Chi.* de ~) darüber hinaus (*od.* zusätzlich *od.* dazu) geben; *echarse* ~ *a/c.* et. auf s. nehmen, et. übernehmen; *la noche se echó* (*od. se vino*) ~ die Nacht brach herein; *estar* ~ **a)** oben(auf) sein; **b)** in Sicht sein, bevorstehen; ganz nahe sein (*Gefahr usw.*); **c)** s. (selbst) um alles kümmern; *llevar* ~ bei s. haben; *ponerse* ~ s. *et.* überziehen, *et.* anziehen; *los enemigos nos vinieron* (*od.* se *nos echaron*) ~ die Feinde kamen über uns (*od.* überraschten uns); *cj.* ~ (de) *que llega tarde, viene regañando* erst (*od.* da) kommt er zu spät u. dann schimpft er auch noch; **II.** *prp.* ~ *de* auf; über; *por* ~ *de la casa* über das (*bzw.* dem) Haus; *por* ~ *de él* gg. s-n Willen, ihm zum Trotz; *por* ~ *de todo* **a)** auf jeden Fall, unbedingt; **b)** vor allem, in erster Linie; *echarse* ~ *de uno* s. auf j-n stürzen; s. über j-n werfen; *estar por* ~ *de j-m* überlegen sein; über *et.* (*dat.*) stehen; *está por* ~ *de nuestras posibilidades* das geht über unsere Möglichkeiten.

encimar *v/t.* obenauf stellen (*od.* legen); überea.-stellen; *Kart.* den Einsatz erhöhen um (*ac.*); *Col., Chi., Pe.* zusätzlich geben.

enci|na ⚘ *f* Steineiche *f*; **~nal, ~nar** *m* Steineichen-wald *m*, -bestand *m.*

encinta *adj. f*: *estar* (*quedar*) ~ schwanger sein (werden).

encinta|do *m* Bordschwelle *f*; **~r** *v/t. a.* ⊕ bebändern; Randsteine setzen an (*ac.*).

enci|smar, ~zañar *v/t.* entzweien, Zwietracht stiften zwischen (*dat.*).

enclaustrar *v/t.* in ein Kloster stecken; *fig.* verbergen, verstecken.

enclava|do *adj.* eingeschlossen, eingefügt; **~dura** *Zim. f* Zapfennut *f*; **~miento** ⊕ *m* Verriegelung *f*; Sperrung *f*; **~r** *v/t.* **1.** *a.* ⊕ vernageln; verriegeln, sperren; einfügen; **2.** durchbohren; **3.** *fig.* F hinters Licht führen, hintergehen.

enclave *m* Enklave *f.*

enclavijar *v/t.* **1.** ⊕ einstöpseln; inea.-stecken; zs.-, ver-klammern; **2.** ♪ mit Wirbeln versehen.

enclenque *adj. c* schwächlich, kränklich.

enclítico *Gram. adj.* enklitisch.

enclo|car [1o *u.* 1g], **~quecer** [2d] *v/i. u.* ~se *v/r.* glucken.

encobar *v/t.* bebrüten.

encobrar *v/t.* verknüpfen.

encocorar(se) F *v/t.* (*v/r.*) (s.) ärgern.

encofrar ⚠ *v/t.* ein-, ver-schalen (*a.* ⚒).

enco|ger [2c] **I.** *v/t.* **1.** *Glied* an-, ein-ziehen; zurückziehen; ~ *los hombros* → 5; **2.** zs.-ziehen, verkürzen; **3.** *fig.* einschüchtern; **II.** *v/i. u.* ~se *v/r.* **4.** einlaufen (*Stoff*); **III.** *v/r.* ~se **5.** (zs.-)schrumpfen; s. zs.-ziehen; kriechen (*Beton*); ~se *de* (*od.* ~ *los*) *hombros* die Achseln zucken; *se me encoge el corazón* das Herz schnürt s. mir zs.; **6.** *fig.* schüchtern (*od.* kleinlaut) werden; **~gido** *adj.* scheu, verlegen; gehemmt; linkisch; **~gimiento** *m* Einlaufen *n* (*e-s Stoffes*); *fig.* Schüchternheit *f*, Befangenheit *f*; Ängstlichkeit *f.*

encojar F *v/i. u.* ~se *v/r.* krank werden *bzw.* s. krank stellen.

encola|do *m* **1.** Verleimung *f*; Aufkleben *n*; **2.** Abklären *n von Wein*; **~dura** *Mal. f* Leimen *n b. Tempera*; **~r I.** *v/t.* **1.** (ver)leimen; (an)kleben; *Mal.* aufleimen; **2.** *Wein* klären; **3.** *Gewebe* schlichten; **II.** *v/r.* ~se **4.** an e-e schwer zugängliche Stelle geraten (*geworfener Gg.-stand*).

encoleriza|do *adj.* zornig, wütend; **~r** [1f] **I.** *v/t.* erzürnen; **II.** *v/r.* ~se in Zorn geraten, aufbrausen.

encomen|dar [1k] **I.** *v/t.* **1.** ~ *a/c. a alg.* j-n mit et. (*dat.*) beauftragen; j-m et. übertragen; j-m et. anvertrauen; ~ *en manos de alg.* in j-s Hände legen (*od.* geben); **2.** † *j-n* empfehlen (j-m *a alg.*); **3.** *Ritterorden u. hist.* **a)** zum Komtur machen; **b)** mit dem Komturkreuz auszeichnen; **c)** als Kommende übergeben; *vgl. encomienda 4*; **II.** *v/r.* ~se **4.** ~se *a alg.* s. j-m anvertrauen; s. j-s Schutz empfehlen; *fig. sin* ~se *ni a Dios ni al diablo* ohne Überlegung; **5.** *me encomiendo* ich empfehle mich (*Abschied*); **~dero** *hist. m* Kommendeninhaber *m.*

encomi|ador *adj.-su.* Lobredner *m*; **~ar** [1b] *v/t.* loben, preisen, rühmen; **~ástico** Lob...; lobrednerisch.

encomienda *f* **1.** Auftrag *m*; **2.** Empfehlung *f*; **3.** Schutz *m*; **4.** Kommende *f*; *hist. Am. e-m Statthalter zugewiesene* Siedlung *f* höriger Indianer; **5.** *Ritterorden*: **a)** Komturei *f*; Komturwürde *f*; **b)** Komturkreuz *n*; **6.** ~ (*postal*) *Am. Reg.* Postpaket *n.*

encomio *lit. m* Lob *n*, Lobeserhebung *f.*

enco|nado *adj. fig.* erbittert; verbissen; **~namiento** *m* Vereiterung *f e-r Wunde*; *fig.* → encono; **~nar I.** *v/t.* **1.** *Zorn* reizen; *Feindschaft* schüren; **2.** *Gewissen durch e-e böse Tat* belasten; **3.** *Wunde* infizieren; **II.** *v/r.* ~se **4.** s. erzürnen; ~se *con* (*od. contra*) *alg.* gg. j-n aufgebracht sein; **5.** eitern, s. entzünden (*Wunde*); **~no** *m* Groll *m*, Erbitterung *f*; Verbissenheit *f*; **~noso** *adj.* schwärend (*Wunde*); *fig.* nachtragend.

encon|tradamente *adv.* entgg.-gesetzt; **~tradizo**: *hacerse el* ~ *con alg.* so tun, als begegne man j-m zufällig; **~trado** *adj.* entgg.-gesetzt; gg.-teilig; **~trar** [1m] **I.** *v/t.* **1.** finden (*ac.*); treffen (*ac.*), begegnen (*dat.*); auf *Hindernisse, Schwierigkeiten* (*ac.*) stoßen; *imposible de* ~ unauffindbar; *no le encuentro ningún sabor* ich finde, das hat überhaupt k-n Geschmack; **II.** *v/i. u.* ~se *v/r.* **2.** zs.-stoßen, aufea.-stoßen; **III.** *v/r.* ~se **3.** s. treffen; ea. begegnen, zs.-treffen; ~se (*con*) *j-n* (zufällig) treffen; *et.* finden; **4.** sein, s. befinden (*a. gesundheitlich*); ~se *con* (*od. ante*) *un hecho* vor e-r Tatsache stehen; **5.** † verschiedener Meinung sein; **~trón, ~tronazo** *a. fig. m* Zs.-stoß *m.*

encopeta|do *adj.* eingebildet, stolz; hochgestochen; **~r I.** *v/t.* erheben; **II.** *v/r.* ~se stolz werden, s. aufblähen.

encorajinarse F *v/r.* in Wut geraten, hitzig werden.

encor|char *v/t. Flaschen* zukorken; *Schwarm* in den Bienenstock tun; **~dar** [1m] **I.** *v/t.* **1.** ♪ *Instrument* besaiten; **2.** umschnüren, zs.-schnüren; **II.** *v/i.* **3.** *Reg.* für e-n Toten läuten; **~donar** *v/t.* mit Schnüren besetzen *bzw.* versehen.

encor|nado *adj.*: *bien* ~ mit guter Gehörnbildung; **~setar I.** *v/t. j-m* ein Korsett anlegen; **II.** *v/r.* ~se s.

(ein)schnüren; **~tinar** *v/t.* mit Vorhängen versehen; zuhängen.

encorva|do *adj.* gekrümmt; (durch-) gebogen; mit gebeugtem Rücken (*Mensch*); **~dura** *f* Krümmen *n*, Biegen *n*; (Ver-)Krümmung *f*; **~r** **I.** *v/t.* krümmen, biegen; (nieder-) beugen; verkrümmen; **II.** *v/r.* ~se s. krümmen, s. biegen; e-n Buckel machen (*Pferd*).

encrespa|do *adj.* kraus *bzw.* gesträubt (*Haar*); schäumend (*Wellen*); **~r** **I.** *v/t.* **1.** kräuseln; **II.** *v/r.* ~se **2.** s. kräuseln; s. sträuben (*Haar*); sein Gefieder sträuben (*Vogel*); **3.** schäumen (*Meer*); anschwellen (*Wogen*); *fig.* aufbrausen; wütend werden; **4.** schwierig werden.

encristalar *v/t.* *Tür, Fenster* verglasen.

encrucijada *f* **1.** Kreuzung *f*; *fig.* Scheideweg *m*; **2.** Hinterhalt *m*, Falle *f*.

encrudecer [2d] **I.** *v/t.* roh machen; *fig.* erbittern, reizen; **II.** *v/r.* ~se s. entzünden (*Wunde*); *fig.* wütend werden; erbittert werden.

encuaderna|ción *f* **1.** (Ein-)Binden *n*; (Ein-)Band *m*; ~ *en cartón* Pappband *m*; ~ *en cuero*, ~ *de piel* (Ganz-) Lederband *m*; ~ *de lujo* (*de media pasta*) Pracht-, Luxus- (Halbleder-) band *m*; **2.** Buchbinderei *f*; **~dor** *m* **1.** Buchbinder *m*; **2.** Heftklammer *f*; Musterklammer *f*; **~dora** *f* Buchbindemaschine *f*; **~r** *v/t.* *Bücher* (ein)binden (in *ac. en*).

encua|drar *v/t.* (ein-, um-)rahmen (*a. fig.*); einpassen; **~dre** *m* Bildausschnitt *m* (*Film, Photo*).

encubar *v/t.* in (*od.* auf) Fässer füllen.

encu|bierta *f* Hehlerei *f*; **~bierto** *adj.* verdeckt, verblümt; **~bridor** *adj.-su.* hehlerisch; *m* Hehler *m*; Begünstiger *m*; **~brimiento** *m* Verheimlichen *n*; ⚖ Hehlerei *f*; Begünstigung *f*; **~brir** [*part.* *encubierto*] *v/t.* verhehlen, verheimlichen; verdecken; ⚖ hehlen; begünstigen, decken.

encuentro *m* **1.** *a. fig.* Begegnung *f*; Treffen *n*, Zs.-kunft *f* (*a. Pol.*); *ir* (*od. salir*) *al* ~ *de alg.* **a)** j-m entgegengehen; j-n abholen; **b)** s. j-m entgg.-stellen; **2.** ⚔ Treffen *n*, Gefecht *n*; **3.** *Sp.* Begegnung *f*, Spiel *n*; **4.** Zs.-stoß *m*; *fig.* Uneinigkeit *f*, Streit *m*; **5.** Widerstand *m*, Widerspruch *m*; **6.** *Billard*: Abprallen *n*; **7.** *Anat.* Achselhöhle *f*; Flügelansatz *m b. Vögeln*; **8.** △ Winkel *m von zs.-treffendem Gebälk*; **9.** *Typ.* ~s *m/pl.* Aussparungen *f/pl.*

encuesta *f* Nachforschung *f*, Untersuchung *f*; Umfrage *f*; ~ *democrópica* Meinungsumfrage *f*; **~dor** *m* Meinungsbefrager *m*.

encumbra|do *adj.* hochgestellt; hervorragend; **~miento** *m* **1.** Emporheben *n*; **2.** Bodenerhebung *f*; **3.** *fig.* Aufstieg *m*; **4.** Lobeserhebung *f*; **~r** **I.** *v/t.* **1.** erhöhen, erheben; **2.** *fig.* loben, rühmen; **II.** *vt/i.* **3.** *Berg* ersteigen, auf den Gipfel steigen; **III.** *v/r.* ~se **4.** hochragen, emporragen; *fig.* aufsteigen, emporkommen.

encurti|do *Kchk. m, mst.* ~s *m/pl.* Essiggemüse *n*, Mixed Pickles *pl.* (*engl.*); **~r** *v/t.* in Essig einlegen.

encharca|da *f* Lache *f*, Stehwasser *n*; **~do** *adj.* sumpfig; **~r** [1g] **I.** *v/t.* in e-n Sumpf verwandeln; **II.** *v/r.* ~se versumpfen; *fig.* ~se *en vicios* im Laster versinken.

enchi|querar *v/t.* *Stiere* einzeln einsperren; F → **~ronar** P *v/t.* einlochen F, einbuchten F.

enchu|far **I.** *v/t.* **1.** *Röhren* inea.-stecken; *Schlauch u.* ⚡ anschließen; verbinden; **2.** *fig.* F *j-m* ein Pöstchen verschaffen; **II.** *v/r.* ~se **3.** F *durch Beziehungen* zu e-r Anstellung (*od.* zu Vorteilen) kommen; **~fe** *m* **1.** ⊕ Muffe *f*; ⚡ Steckdose *f* (mit Stecker); Stecker *m*; ~ *para cables* Kabelmuffe *f*; *Rf.* ~ *de la antena* Antennen-buchse *f bzw.* -stecker *m*; **2.** *fig.* F gute Beziehung(en) *f*(*/pl.*); → **~fillo** F *m* Pöstchen *n*; **~fismo** F *m* Vetternwirtschaft *f*; (Ausnutzung *f* von) Beziehungen *f/pl.*; **~fista** F *adj.-su.* *c* durch Beziehungen zu s-r Anstellung gekommen; *m* Pöstchenjäger *m*.

ende *lit. adv.*: *por* ~ daher, deshalb.

ende|ble *adj.* *c* schwächlich, kraftlos; *a. fig.* schwach; **~blez** *f* Kraftlosigkeit *f*; *a. fig.* Schwäche *f*; **~blucho** F *adj.* schwächlich, mickerig F.

en|década *f* Zeitraum *m* von elf Jahren; **~decasílabo** *adj.-su.* elfsilbig; *m* Elfsilb(n)er *m* (*Vers*).

endecha *f* **1.** Klagelied *n*; **2.** Endecha *f* (*Strophe aus vier Sechs- od. Siebensilbern*); **~r** *v/t.* Klagelieder singen auf (*ac.*), beklagen.

endehesar *v/t.* *Vieh* auf die Weide bringen.

en|demia ⚕ *f* Endemie *f*; **~démico** *adj.* endemisch.

endemonia|damente F *adv.* greulich, fürchterlich F; **~do** **I.** *adj.* **1.** besessen; **2.** teuflisch; **3.** F verflixt F, verteufelt F; **II.** *m* **4.** Besessene(r) *m*; **5.** Teufel *m* (*fig.*).

endenta|do ⚙ *adj.* gezahnt; **~r** [1k] ⊕ *v/t.* verzahnen.

endereza|do *adj.* zweckmäßig, günstig; **~r** [1f] **I.** *v/t.* **1.** *a.* ⊕ aufrichten; gerade-richten, -biegen, -machen; ausrichten; *Flugzeug* abfangen; **2.** in Ordnung bringen; berichtigen; **3.** züchtigen, strafen; **4.** ~ *a* (*od. hacia*) lenken (*od.* richten) auf (*ac.*); *s-e Schritte* lenken nach (*dat.*); **II.** *v/r.* ~se **5.** s. aufrichten; **6.** ⚒ ~se *a* **a)** s. begeben nach (*dat.*); **b)** s. anschicken, zu + *inf.*

endeuda|do *adj.* verschuldet; **~rse** *v/r.* Schulden machen.

endiabla|do *adj.* **1.** teuflisch; **2.** F verteufelt, verflixt F, verdammt F; gräßlich; **~r** **I.** *v/t.* F verführen; verderben; **II.** *v/r.* ~se wütend werden.

endibia ⚘ *f* Endivie *f*.

endilgar [1h] F *v/t.* **1.** in die Wege leiten, einfädeln; **2.** *Lügen* auftischen; ~ *a/c. a alg.* **a)** j-m et. aufhängen (*od.* aufhalsen); **b)** j-m et. verpassen F; **3.** schnell machen, hinhauen F.

endino F *adj.* (abgründig) schlecht.

endiosa|do *adj.* stolz, hochmütig; **~miento** *m a. fig.* Vergötterung *f*; *fig.* Verzückung *f*; *iron.* Gottähnlichkeit *f*; Hochmut *m*; **~r** **I.** *v/t.* **1.** *a. fig.* vergöttern; **II.** *v/r.* ~se **2.** in Verzückung geraten; **3.** s. über alles erhaben fühlen.

endo|cardio *Anat. m* Endokard *n*, Herzinnenhaut *f*; **~carditis** ⚕ *f* Endokarditis *f*; **~crino** *Anat. adj.* endokrin; **~crinología** *f* Endokrinologie *f*.

endógeno 🕮 *adj.* endogen.

endominga|do *adj.* sonntäglich herausgeputzt; **~rse** [1h] *v/r.* *bsd. iron.* s. sonntäglich herausstaffieren.

endo|sable ⚚ *adj.* *c* indossierbar, durch Indossament übertragbar; **~sante** ⚚ *c* Indossant *m*, Girant *m*; ~ *anterior m* Vormann *m*; **~sar** *v/t.* **1.** ⚚ indossieren, girieren (*Wechsel, Scheck*); **2.** F ~ *a/c. a alg.* j-m et. aufbürden *od.* aufhalsen; **~satario** ⚚ *m* Indossatar *m*, Giratar *m*.

endosco|pia ⚕ *f* Endoskopie *f*; **~pio** ⚕ *m* Endoskop *n*.

endose *m* → *endoso*.

endósmosis *Phys. f* Endosmose *f*.

endoso ⚚ *m* Indossament *n*, Indosso *n*, Giro *n*, Übertragungsvermerk *m*.

endo|spermo *Biol. m* Endosperm *n*; **~telio** *Biol. m* Endothel(ium) *n*; **~venoso** ⚕ *adj.* intravenös.

endriago *Myth. m* Drache *m*.

endri|na ⚘ *f* Schlehe *f*; **~no** **I.** *adj.* schwarzblau; **II.** *m* ⚘ Schlehdorn *m*.

endrogarse [1h] *v/r.* *Am.* → *drogarse*.

endulzar [1f] *v/t.* süßen; *fig.* versüßen.

endure|cer [2d] **I.** *v/t.* **1.** *a.* ⊕ härten; verhärten (*a. fig.*); **2.** abhärten (gg. *ac. a*); **II.** *v/r.* ~se **3.** *a. fig.* hart werden; **4.** s. abhärten (durch *ac. con, por*); **~cimiento** *m* **1.** ⊕ Härtung *f*; **2.** *a. fig.* Verhärtung *f*; Verstocktheit *f*; **3.** Abhärtung *f*.

ene *f* N *n* (*Name des Buchstabens*); ~ *pesetas* -zig Peseten; F ~ *de palo* Galgen *m*.

enea ⚘ *f* Kolbenschilf *n*; Bast(rohr) *n*) *m*.

eneágono △ *adj.-su.* neuneckig; *m* Neuneck *n*.

ene|brina *f* Wacholderbeere *f*; **~bro** ⚘ *m* Wacholder *m*.

eneldo ⚘ *m* Dill *m*.

enema ⚕ *f* Einlauf *m*; ~ *de contraste* Kontrasteinlauf *m*.

enemi|ga *f* **1.** Feindschaft *f*, Haß *m*; **2.** Feindin *f*; **~go** **I.** *adj.* feindlich, Feindes...; *tierra f* ~*a* Feindesland *n*; **II.** *m* Feind *m*; Gegner *m*; *el* ~ (*malo*) der böse Feind, der Teufel; ~ *del Estado* Staatsfeind *m*; *soy* ~ *de cualquier cambio* ich bin gg. jeden Wechsel; **~stad** *f* Feindschaft *f*; **~star** **I.** *v/t.* verfeinden; **II.** *v/r.* ~se *con alg.* s. mit j-m verfeinden (*od.* überwerfen.)

éneo *poet. adj.* ehern.

ener|gética *f* Energetik *f*; **~gético** *adj.-su.* energetisch; Energie...; *m* Energetiker *m*; **~gía** *f a. Phys.* Energie *f*, Kraft *f*; *fig.* Tatkraft *f*; Strenge *f*; *adv. con* ~ tatkräftig; nachdrücklich; *sin* ~ kraftlos; ohne Nachdruck; ~ *atómica*, ~ *nuclear* Atom-, Kern-kraft *f*; ~ *absorbida* Leistungsaufnahme *f*; *consumo m de* ~ Energieverbrauch *m*; *falta f de* ~ Kraftlosigkeit *f*, Schwäche *f*; *fuente f de* ~ Energie-, Kraft-quelle *f*.

enérgico *adj.* energisch, tatkräftig; nachdrücklich; kräftig (*Mittel*).

energúmeno *m* Rasende(r) *m*, Besessene(r) *m* (*a. fig.*).
enero *m* Januar *m*, *östr.* Jänner *m*.
enerva|ción *f*, **~miento** *m* Entkräftung *f*, Schwächung *f*; **~r** *v/t.* entnerven; schwächen, entkräften (*a. fig.*).
enésimo *adj.* 𝔄 n-ter; F *por ~a vez* zum x-ten Mal.
enfa|dadizo *adj.* reizbar; schnell beleidigt; **~dar I.** *v/t.* ärgern; **II.** *v/r.* *~se* s. ärgern, zornig werden (über j-n *con, contra alg.*); *estar ~ado (con alg.)* (j-m *od.* auf j-n) böse sein; *~se por poco* s. über jede Kleinigkeit ärgern; **~do** *m* Ärger *m*, Verdruß *m*; Mühe *f*, Plackerei *f*; **~doso** *adj.* ärgerlich; lästig.
enfangar [1h] **I.** *v/t.* *a. fig.* beschmutzen; **II.** *v/r.* *~se fig.* sittlich verkommen.
enfar|dadora *f* Packmaschine *f*; **~d(el)ar** *v/t.* zu Ballen zs.-packen; *Waren* (ein)packen.
énfasis *m* Emphase *f*; Eindringlichkeit *f*; *adv. con ~* eindringlich.
enfático *adj.* emphatisch; nachdrücklich, eindringlich.
enfer|mar I. *v/t.* krank machen; schwächen; **II.** *v/i.* erkranken, krank werden (durch *ac. con*); *~ del hígado* s. ein Leberleiden zuziehen, an der Leber erkranken; **~medad** *f* Krankheit *f*, Leiden *n*; Erkrankung *f*; *por ~* krankheitshalber; *~ de las alturas* Berg-, Höhen-krankheit *f*; *~ azul* Blausucht *f*; *~ mental (profesional)* Geistes- (Berufs-)krankheit *f*; *~ orgánica* Organerkrankung *f*; organisches Leiden *n*; † *~ de San Roque* Pest *f*; *~ tropical* Tropenkrankheit *f*; **~mera** *f* Krankenschwester *f*, -pflegerin *f*; *~ diplomada, ~ titulada* geprüfte (*od.* examinierte) Krankenschwester *f*; *~ jefe (de noche)* Ober- (Nacht-)schwester *f*; **~mería** *f* Krankenzimmer *n*, -station *f*; *Stk.* Unfallstation *f*; ⚔ Revier *n*; **~mero** *m* Kranken-pfleger *m*, -wärter *m*; **~mizo** *adj.* kränklich, schwächlich; *a. fig.* krankhaft; **~mo I.** *adj.* (*estar*) krank (*sein*) (*fig.* vor *dat.* de); *~ del hígado* leberkrank; *~ de muerte* tod-, sterbens-krank; *caer (od. ponerse) ~* krank werden, erkranken (an *dat.* de); **II.** *m* Kranke(r) *m*; Patient *m*; **~moso** *adj. Am. Reg.*, **~mucho** F *adj.* → *enfermizo*.
enfervorizar [1f] *v/t.* begeistern, erwärmen. [wicht bringen.]
enfielar *v/t.* *Waage* ins Gleichge-
enfiestarse *v/r.* *Am. Reg.* s. vergnügen, s. amüsieren.
enfilar I. *v/t.* **1.** anea.-, auf-reihen; einfädeln; in e-e Flucht bringen; **2.** visieren, anpeilen; ⚔ (der Länge nach) bestreichen; **II.** *v/r.* *~se* **3.** s. einreihen; *Vkw.* s. einordnen.
enfisema ⚕ *m* Emphysem *n*.
enfi|teusis ⚖ *f etwa*: Erbpacht *f*; *hist.* Emphyteuse *f*; **~teuta** *c etwa*: Erbpächter *m*; **~téutico** *adj.* Erb(pacht)...; *censo m ~ etwa*: Erb(pacht)zins *m*; *contrato m ~ etwa*: Erbpachtvertrag *m*.
enflaque|cer [2d] **I.** *v/t.* schwächen; **II.** *v/i.* abmagern; *fig.* erschlaffen; mutlos werden; **~cimiento** *m* Entkräftung *f*, Schwäche *f*.
enflauta|da *f* Dummheit *f*, Unsinn *m*; **~do** F *adj.* geschwollen (*fig.*); **~r** *v/t.* **1.** F aufblasen; **2.** täuschen, anführen; **3.** verkuppeln; **4.** *Col., Méj.* *Unpassendes* einwerfen, sagen.
enfo|cado *Phot.* *m* Einstellung *f*; **~cador** *Opt., Phot. adj.-su. m* Sucher *m*; *lente f ~a od. ~ m* Einstelllinse *f*; **~car** [1g] *v/t.* **1.** *Opt., Phot.* einstellen; **2.** *fig.* (richtig an)fassen; *Sache, Problem* untersuchen, beleuchten; **~que** *Opt. u. fig. m* Einstellung *f*; *~ de la cuestión* Fragestellung *f*; *~ de un problema* Einstellung *f* zu e-m Problem; *~ nítido* Scharfeinstellung *f*.
enfrailar *v/t.* zum Mönch machen; *v/i.* Mönch werden.
enfrascar [1g] **I.** *v/t.* in Flaschen (*od.* in e-e Flasche) füllen; **II.** *v/r. fig.* *~se en* s. versenken (*od.* vertiefen) in (*ac.*); *~se en la política* ganz in der Politik aufgehen; *estar ~ado en la idea* von dem Gedanken besessen sein.
enfrenar *v/t.* *Equ.* (auf)zäumen; *a. fig.* zügeln; ⊕ verlaschen.
enfren|tar I. *v/t.* (ea.) gg.-überstellen; **II.** *v/r.* *~se con alg.* (*a. fig.*) j-m gg.-übertreten; j-m die Stirn bieten; **~te** *adv.* gg.-über; *prp. ~ de* gg.-über (*dat.*); *el edificio (de) casi ~* das Gebäude schräg gg.-über.
enfria|dera *f* Kühl-gefäß *n*, -krug *m*; **~dero** *m* Kühlraum *m*; ⊕ Kühlgerät *n*; **~dor** ⊕ *m* Kühler *m* (*Kfz.*: *radiador*); Kühl-box *f*, -truhe *f*; **~miento** *m* **1.** *a. fig.* Abkühlung *f*; Kühlung *f*; Kaltwerden *n*; **2.** Erkältung *f*; **~r** [1c] **I.** *vt/i.* **1.** *a. fig.* (ab)kühlen; *a.* ⊕ *~ bruscamente* abschrecken; **2.** *fig.* F kaltmachen F, töten; **II.** *v/r.* *~se* **3.** *a. fig.* (s.) abkühlen, erkalten; *a.* ⊕, *Kchk.* kalt werden; kühler werden (*Wetter*).
enfrontar ⚒ *vt/i.* gg.-über anlangen (*dat.*); gg.-übertreten (*dat.*), -stehen (*dat.*).
enfundar *v/t.* in e-e (Schutz-)Hülle (*od.* e-n Überzug *od.* ein Futteral) stecken.
enfure|cer [2d] **I.** *v/t.* wütend machen; **II.** *v/r.* *~se* wütend werden (über *ac.*, wegen *gen. por*; auf *ac. con, contra*); toben (*a. Meer usw.*); **~cido** *adj.* wütend; tobend; **~cimiento** *m* Wut *f*; Toben *n*, Rasen *n*.
enfurruña|do F *adj.* mürrisch; bockig; **~miento** F *m* Murren *n*; üble Laune *f*; **~rse** F *v/r.* böse werden, bocken (*bsd. Kinder*); trüb werden (*Himmel*).
engaitar F *v/t.* überlisten; einwikkeln F, beschwatzen.
engalana|do ⚓ *m* Flaggengala *f*; **~r I.** *v/t.* schmücken, putzen; verzieren; **II.** *v/r.* *~se* s. herausputzen, s. schönmachen F.
engalla|do *adj.* stolz; **~dor** *Equ. m* Gebißriemen *m*; **~rse** *v/r. Equ. u. fig.* den Kopf hochtragen; *fig.* s. in die Brust werfen.
engan|chador *m* ⚔ Werber *m*; ⚓ Heuerbaas *m*; **~char I.** *v/t.* **1.** ein-, an-haken, anhängen; ⊕ an-, verkoppeln; 🚂 koppeln; ⚔ aufprotzen; *Zugtier* einspannen; **2.** ⚔ *mittels Handgeld* anwerben; **3.** *Stk.* auf die Hörner nehmen; **4.** F be-, überreden, bequatschen F; F *j-n* einfangen, (s.) *j-n* kapern F; **II.** *v/r.* *~se* **5.** s. festhaken, hängenbleiben; **6.** ⚔ s. anwerben lassen; **~che** *m* **1.** Festhaken *n*; ⊕ (Haken-)Kupplung *f*; **2.** Koppel *f e-r Orgel*; **3.** ⚔ Anwerbung *f*; ⚓ Anheuerung *f*; **~chón** *m* (Riß *m* durch) Hängenbleiben *n*.
engaña|bobos *m* (*pl. inv.*) **1.** Bauernfänger *m*, Betrüger *m*; *juegos m/pl. de ~* Bauernfängerei *f*; **2.** *Vo.* Ziegenmelker *m*; **~dizo** *adj.* leicht zu betrügen(d); **~dor** *adj.-su.* täuschend; betrügerisch; *m* → **~mundo(s)** *m* Betrüger *m*; Hochstapler *m*; **~pastores** *Vo. m* (*pl. inv.*) Ziegenmelker *m*; **~r I.** *v/t.* betrügen; täuschen; beschummeln F, hereinlegen; *Frau* verführen; *~ el hambre* nur e-n Happen essen; *las apariencias engañan od. la vista engaña* der Schein trügt; **II.** *v/r.* *~se* s. irren, s. täuschen (in *dat. en*); s. et. vormachen; *si no me engaño* wenn ich (mich) nicht irre.
enga|ñif(l)a F *f* Betrug *m*, Hinterhältigkeit *f*; **~ño** *m* Betrug *m*; Täuschung *f*; Irrtum *m*; F *es ~* das ist erlogen, das ist nicht wahr; *llamarse a ~* s. für betrogen (*od.* hintergangen) halten; s. auf Betrug (*od.* Irrtum) berufen; **~ñoso** *adj.* (be-)trügerisch, täuschend; erlogen.
engara|bitar *v/i. u. ~se v/r.* klettern, steigen; *fig.* F s. krümmen; klamm werden (*Finger*); **~tusar** *v/t. Am. Cent., Col., Méj.* → *engatusar*.
engar|ce *m* Aufreihen *n v. Perlen*; Fassung *f v. Steinen*; *a. fig.* Verkettung *f*; **~zar** [1f] *v/t.* **1.** aufreihen; *Edelsteine* fassen (in *ac.* de); *a. fig.* verketten; **2.** *Haare* kräuseln.
engas|tador *m* Schmuckarbeiter *m*; **~tar** *v/t.* *Edelstein* fassen; ⊕ *zwei Teile* einpassen *od.* inea.-passen; **~te** *m* **1.** Fassung *f v. Schmuck*; **2.** Flachperle *f*.
engata|do *adj.* diebisch (veranlagt); **~r** F *v/t.* → *engatusar*.
engatillar ⊕ *v/t.* bördeln; einklinken; *Zim.* verklammern.
engatusa|dor *adj.-su.* Schmeichler *m*; **~r** F *v/t.* umschmeicheln, einwickeln F, einseifen F; *Mann* bezirzen F.
engavillar 🌾 *v/t.* in Garben binden.
engen|dramiento *m* Zeugung *f*; **~drar** *v/t.* **1.** zeugen; **2.** erzeugen; hervorbringen, bewirken; verursachen; **~dro** *m* Mißgeburt *f* (*a. fig.*); *fig.* Ausgeburt *f der Phantasie*, Hirngespinst *n*; Machwerk *n*; *koll. desp.* Brut *f*; *fig. mal ~* Taugenichts *m*, Früchtchen *n* F.
englobar *v/t.* einbegreifen; umfassen; zs.-fassen.
engolado *adj.* mit Halskrause; *fig.* hochtrabend, schwülstig.
engolfar I. *v/i.* ⚓ auf hohe See gehen; **II.** *v/r. fig.* *~se en* s. vertiefen in (*ac.*), s. versenken in (*ac.*).
engolillado *adj.* steif, altfränkisch.
engolondrinarse *v/r.* **1.** vornehm tun; **2.** s. verlieben.
engolosinar I. *v/t.* (ver)locken; *j-m* den Mund wässerig machen; **II.** *v/r.* *~se con a/c.* Geschmack finden an et. (*dat.*); erpicht sein auf (*ac*).

engoma|do I. *adj.* **1.** gummiert, Klebe...; **2.** *fig. Chi.* geckenhaft; **II.** *m* **3.** → **~dura** *f* Gummierung *f*; **~r** *v/t.* gummieren.
engor|da *f Chi., Méj.* **1.** Mast *f*; **2.** Mastvieh *n*; **~dar I.** *v/t.* mästen; **II.** *v/i.* dick werden; **~de** *m* Mast *f*; de ~ Mast... (*a.* ⚘, ⚒).
engorro *m* Hemmung *f*; Belästigung *f*; Schwierigkeit *f*; **~so** *adj.* umständlich; lästig; mühselig, mühsam.
engrana|je *m* ⊕ *u. fig.* Getriebe *n*, Räderwerk *n*; Verzahnung *f*; *fig.* Inea.-greifen *n*, Zs.-hang *m*; ~ *recto* Stirnradgetriebe *n*; **~r** *v/i.* ⊕ eingreifen; *a. fig.* inea.-greifen.
engran|dar *v/t.* vergrößern; **~decer** [2d] **I.** *v/t.* vergrößern; *fig.* erhöhen; verherrlichen, preisen; übertreiben; **II.** *v/r.* ~*se* aufsteigen; **~decimiento** *m* Vergrößerung *f*; *fig.* Lobeserhebung *f*; Rangerhöhung *f*, Aufstieg *m*.
engrapar *v/t.* mit Klammern befestigen; ⊕ verklammern.
engra|sado *m* → *engrase 1*; **~sador** ⊕ *m* **1.** Fett-, Schmier-büchse *f*; Öler *m*; Schmiergerät *n*; **2.** Schmiernippel *m*; **~sar** *v/t.* **1.** beschmieren; **2.** ⊕ einfetten, ölen, schmieren; *Auto* abschmieren; **3.** ⚒ düngen; **~se** *m* **1.** Schmierung *f*; *Auto*: Abschmieren *n*; ~ *por circulación* Umlaufschmierung *f*; *fosa f* (*od. foso m od. pozo m*) *de* ~ Abschmiergrube *f*; **2.** Schmiermittel *n*; Öl *n*, Fett *n*.
engre|ído *adj.* dünkelhaft, eingebildet; F *¡es más* ~*!* der gibt (vielleicht) an! F; **~imiento** *m* Einbildung *f*, Dünkel *m*; **~ir** [3l] **I.** *v/t.* eingebildet machen; *Pe.* verhätscheln; **II.** *v/r.* ~*se* s. in die Brust werfen; s. rühmen (*gen. de*), prahlen (mit *dat. con*); *Pe.* ~*se con alg.* j-n liebgewinnen.
engrescar [1g] *v/t.* auf-, ver-hetzen, (gg.-ea.) aufstacheln.
engri|fada ▨ *adj. f* stilisiert (*Adler*); **~far I.** *v/t.* sträuben; **II.** *v/r.* ~*se Equ.* s. bäumen; **~llar** *v/t.* Fußschellen anlegen (*dat.*).
engringarse [1h] *v/r. Am.* die Lebensweise der Ausländer, *bsd. der US-Amerikaner*, annehmen.
engrosar [1m] **I.** *v/t.* dick machen; verdicken; vermehren, vergrößern; *fig.* übertreiben; **II.** *v/i.* dick(er) werden; zunehmen; wachsen.
engru|dar *v/t.* kleistern; **~do** *m* Kleister *m*.
enguantarse *v/r.* die Handschuhe anziehen; ~*ado* behandschuht.
enguatar *v/t.* (aus)wattieren.
enguayabado F *adj. Col.* verkatert.
enguedejado *adj.* (lang)strähnig (*Haar*); mit langen Haaren.
enguijarrar *v/t.* beschottern.
enguirnaldar *v/t.* mit Girlanden behängen.
engullir [3a *u.* 3h] *vt/i.* (ver)schlingen, (ver)schlucken; *desp.* fressen P.
enharinar *v/t.* mit Mehl bestreuen.
enhebillar *v/t.* zu-, fest-schnallen.
enhebrar *v/t.* einfädeln; auffädeln.
enhestar [1k] *v/t.* auf-, emporrichten.
enhiesto *adj.* gerade (aufgerichtet), steil (aufragend).
enhora|buena *f* Glückwunsch *m*; *¡*~*!* **a)** ich gratuliere!, m-n Glückwunsch!; **b)** von mir aus!, meinetwegen!; *dar la* ~ *a alg.* j-n beglückwünschen, j-m gratulieren; *estar de* ~ Glück haben, s. gratulieren können; *llegar* ~ (sehr) gelegen kommen; *¡sea* ~*!* viel Glück!; **~mala** *int. ¡*~*!* zum Teufel!
enhor|nar *v/t.* in den Ofen schieben; **~quetar** *Cu., Méj., P.Ri., Rpl.* **I.** *v/t. Kinder* auf dem Rücken tragen; **II.** *v/r.* ~*se en la bicicleta* s. aufs Rad schwingen.
enig|ma *m* Rätsel *n* (*a. fig.*); **~mático** *adj.* rätselhaft, geheimnisvoll.
enjabona|do *m*, **~dura** *f* Einseifen *n*; Abseifen *n*; **~r** *v/t.* einseifen; abseifen; *fig.* F **a)** Honig ums Maul schmieren (*dat.*) F, schmeicheln (*dat.*); **b)** den Kopf waschen (*dat.*), zs.-stauchen F.
enjaeza|do P *adj.* hochelegant; **~r** [1f] *v/t. Pferd* anschirren; *Am.* satteln.
enjalbega|do *m* Tünchen *n*; **~dor** *m* Tüncher *m*; **~dura** *f* Weißen *n*, Tünchen *n*; **~r** [1h] *v/t.* weißen, tünchen.
enjalma *f* leichter Saumsattel *m*; **~r** *v/t. Packtier* satteln.
enjam|bradera *f* Weiselzelle *f*; **~brar I.** *v/i.* schwärmen (*Bienen*); *fig.* wimmeln; **II.** *v/t. Bienenschwarm* einfangen; *fig.* in Menge(n) hervorbringen; **~brazón** *f* Schwärmen *n der Bienen*; **~bre** *m* (Bienen-) Schwarm *m*; *fig.* große Menge *f*; Schwarm *m*.
enja|rciar [1b] ⚓ *v/t.* auftakeln; **~retado** ⚓ *m* Gräting *f*; **~retar** *v/t.* **1.** *Band* durchziehen; **2.** *fig.* F eilig (fertig)machen, zs.-hudeln F; *Rede* herunterleiern; F *j-m et.* aufhalsen.
enjaular *v/t.* in e-n Käfig sperren; F einsperren (*Gefängnis*).
enjo|yar *v/t.* mit Juwelen besetzen (*bzw.* schmücken); *fig.* verschönern; **~yelado** *adj.*: *oro m* ~ Schmuckgold *n*; **~yelador** *m* Schmuckarbeiter *m*; Goldschmied *m*.
enjua|gadientes *m* (*pl. inv.*) Mundwasser *n*; *fig.* Schluck *m*; **~gar** [1h] **I.** *v/t.* (ab-, aus-)spülen; **II.** *v/r.* ~*se* s. den Mund spülen; **~gatorio** *m* Mundwasser *n*; **~gue** *m* **1.** Spülen *n*; Mundspülung *f*; ⊕ Spülung *f*; **2.** Mundwasser *n*; **3.** *fig.* Intrigen *f/pl.*, dunkle Machenschaften *f/pl.*
enjuga|dero *m* **1.** Trockenplatz *m*; **2.** → **~dor** *m* Trocken-gestell *n*, -ständer *m*; ⌂ Abtropfschale *f*; **~manos** *m* (*pl. inv.*) *Am.* Handtuch *n*; **~r** [1h] **I.** *v/t.* **1.** (ab)trocknen; ab-, auf-wischen; **2.** *fig. Schuld* löschen *od.* streichen; **II.** *v/r.* ~*se* **3.** s. (ab)trocknen.
enjuicia|ble ⚖ *adj. c* gerichtlich verfolgbar; **~miento** *m* **1.** Beurteilung *f*; **2.** ⚖ Einleitung *f* des Gerichtsverfahrens; Prozeß *m*; *ley f de* ~ *civil (criminal)* Zivil- (Straf-) prozeßordnung *f*; **~r** [1b] *v/t.* **1.** beurteilen, ein Urteil fällen über (*ac.*); *fig.* kritisieren; **2.** ⚖ **a)** das Verfahren eröffnen über (*ac.*); ein Verfahren anhängig machen gg. (*ac.*); **b)** das Urteil fällen über (*ac.*).
enjun|dia *f* **1.** *tierisches* Fett *n*; **2.** *fig.* Gehalt *m*, Kraft *f*; Substanz *f*; *de* ~ bedeutend; substanzreich; **~dioso** *adj.* **1.** fettreich; **2.** *fig.* markig, kernig; substanzreich.
enjunque ⚓ *m* Ballast *m*.
enju|tar *v/t.* **1.** ⚠ *Kalk* abtrocknen lassen; **2.** *Arg., Chi.* trocknen; **~to I.** *adj.* **1.** trocken, dürr; ~ (*de carnes*) dürr, hager; *adv. a pie* ~ trokkenen Fußes; **II.** ~*s m/pl.* **2.** (pikante) Happen *m/pl. zum Getränk*; **3.** dürres Reisig *n*.
enla|biar [1b] *v/t.* beschwatzen, betören; **~bio** *m* Beschwatzen *n*.
enlace *m* **1.** Verbindung *f*, Verflechtung *f*, Verknüpfung *f*; Zs.-hang *m*; *lit.* ~ (*matrimonial*) Hochzeit *f*; ~ *radiofónico* Funksprechverbindung *f*; ⚔ *oficial m de* ~ Verbindungsoffizier *m*; **2.** *Vkw.*, 🚃 Anschluß (-linie *f*, -bahn *f*) *m*; ⚡ Anschluß *m*; 🚃 *a.* Kurswagen *m*; "~*s ferroviarios*" U-Bahnhof, Verbindungsbahn *f*; **3.** ⌂ Bindung *f*; **4.** ⚔ *u. allg.* Verbindungsmann *m*; ⚔ Melder *m*.
enlaciar [1b] **I.** *v/t.* welk machen; **II.** *v/r.* ~*se* welken (*z. B. Gemüse*).
enladrilla|do *m* Backsteinpflaster *n*; **~dor** *m* Fliesenleger *m*; **~dura** *f* Fliesenboden *m*; **~r** *v/t.* mit Backsteinen pflastern; mit Fliesen belegen.
enlagunar *v/t.* überschwemmen.
enlardar *Kchk. v/t.* spicken.
enlatar *v/t.* **1.** in Büchsen füllen; **2.** *Am. Reg.* mit Latten decken.
enlaza|dura *f*, **~miento** *m* Verknüpfung *f*; **~r** [1f] **I.** *v/t.* **1.** festbinden, verschnüren, (ver)knüpfen; verbinden; anknüpfen (an *ac. con*); ⚡, *Tel., Vkw.* anschließen; **2.** *Am.* mit dem Lasso (ein)fangen; **II.** *v/i.* **3.** s. anschließen (an *ac. con*); 🚃 Anschluß haben (an *ac. con*); **III.** *v/r.* ~*se* **4.** s. vermählen; in verwandtschaftliche Beziehungen treten.
enlegajar *v/t. Akten* bündeln.
enligarse [1h] *v/r.* auf den Leim gehen (*Vogel*).
enlistonado ⚠ *m* Sims(werk) *n*, Leiste *f*.
enloda|r, ~zar [1f] *v/t. a. fig.* beschmutzen; ⚠ mit Lehm bewerfen; ⚒ *Sprengloch* verstopfen.
enloque|cer [2d] **I.** *v/t.* der Vernunft berauben; *fig.* betören; **II.** *v/i. u.* ~*se v/r.* den Verstand verlieren, verrückt werden; *fig.* aus dem Häuschen geraten; **~cimiento** *m* Verrücktheit *f*; Wahnsinn *m*.
enlosa|do *m* Fliesenboden *m*; ~ *de piedra* Pflasterboden *m*; **~dor** *m* Platten-, Fliesen-leger *m*; **~r** *vt/i.* (mit) Fliesen (be)legen.
enluci|do *m* (Gips-)Verputz *m*, Bewurf *m*; **~dor** *m* Gipser *m*; **~r** [3f] *v/t.* verputzen.
enluta|do *adj.* in Trauer(kleidung); mit Trauerrand (*Papier*); **~r I.** *v/t.* verdüstern, betrüben; **II.** *v/r.* ~*se* Trauer anlegen.
enllantar *v/t.* mit Felge(n) versehen.
enma|derar *v/t.* mit Holz verkleiden; *Wand* täfeln; **~drarse** *v/r.* immer am Rockzipfel der Mutter hängen (*Kind*).
enma|llarse *v/r.* in den Maschen hängenbleiben (*Fisch*); **~lle** *m* Fischfang *m mit dem Stellnetz*.

enmaraña|do *adj.* wirr, verworren; **~miento** *m* Verwirrung *f*, Verwicklung *f*; **~r I.** *v/t.* verwirren (*a. fig.*), verwickeln; *Angelegenheit* verfahren; **II.** *v/r.* ~se s. verwirren.

enmararse ⚓ *v/r.* in See stechen.

enmarcar [1g] *v/t.* um-, einrahmen, umranden.

enmascara|do *m* Maske *f* (*Person*); *Typ.* Maskenverfahren *n* (*Repro*); **~miento** *m* Verkleidung *f*; *a.* ⚔ Tarnung *f*; **~r** *v/t.* verkleiden, *a. Repro* maskieren; ⚔ *u. fig.* tarnen.

enmasillar *v/t.* verkitten; *Scheiben* einkitten.

enmela|do *m* Honiggebäck *n*; **~r** [1k] **I.** *v/t.* mit Honig bestreichen; *fig.* versüßen; **II.** *v/i.* Honig erzeugen (*Bienen*).

enmenda|ble *adj. c* verbesserungsfähig; **~r** [1k] **I.** *v/t.* (ver)bessern; *Fehler* beseitigen, ausmerzen; *Schaden* gutmachen; ⚖ *Urteil* berichtigen; ⚓ *Kurs* berichtigen; *fig.* ~ *la plana* (*a alg.*) (j-n) kritisieren, (alles) besser machen wollen (als *nom.*); **II.** *v/r.* ~se s. (moralisch) bessern.

enmienda *f* (Ver-)Besserung *f*; Entschädigung *f*; ⚖ Berichtigung *f*; *Parl.* Abänderung(santrag *m*) *f*; Zusatzantrag *m*; ⚒ *mst.* ~*s f/pl.* (*bsd.* Mineral-)Dünger *m*; *no tener* ~ unverbesserlich sein.

enmohe|cer [2d] **I.** *v/t. a.fig.* rostig (*bzw.* schimmelig) machen; **II.** *v/r.* ~se (ver)schimmeln; (ein-, ver-) rosten; schwammig werden (*Holz*); **~cimiento** *m* (Ver-)Rosten *n*; (Ver-)Schimmeln *n*.

enmude|cer [2d] *v/i.* schweigen; verstummen; **~cimiento** *m* Verstummen *n*; Schweigen *n*.

ennegre|cer [2d] **I.** *v/t.* (an-, ein-) schwärzen; *Pfeife* anrauchen; **II.** *v/r.* ~se schwarz werden; *fig.* s. verfinstern; **~cimiento** *m* Schwärzen *n*; Schwarzwerden *n*.

ennoble|cer [2d] *v/t.* **1.** veredeln, erhöhen; e-n vornehmen Anstrich verleihen (*dat.*); **2.** adeln (*a. fig.*); **~cimiento** *m* **1.** Veredlung *f*; **2.** Adeln *n*.

eno|jadizo *adj.* reizbar, jähzornig; **~jar I.** *v/t.* ärgern, kränken; Kummer machen (*dat.*); **II.** *v/r.* ~se s. ärgern (über et. *ac. de a/c.*); ~se *con* (*od. contra*) *alg.* auf j-n böse sein; **~jo** *m* Ärger *m*, Kummer *m*; Unmut *m*; **~jón** *adj. Chi., Méj.* → *enojadizo*; **~joso** *adj.* ärgerlich; unangenehm, lästig.

enorgulle|cer [2d] **I.** *v/t.* stolz machen; **II.** *v/r.* ~se stolz werden (auf *ac. de*); **~cimiento** *m* Stolz (-werden *n*) *m*.

enor|me *adj. c* ungeheuer, enorm; abscheulich, ungeheuerlich; **~memente** *adv.* enorm, ungeheuer; **~midad** *f* Übermaß *n*; Ungeheuerlichkeit *f*; *fig.* Ungereimtheit *f*; F riesig viel F; *me costó una* ~ *a.* es hat mich gewaltige Arbeit (*bzw.* ein Heidengeld) gekostet F.

enotecnia *f* (Lehre *f* von der) Weinbereitung *f*.

enquiciar [1b] *v/t. Tür usw.* einhängen; *fig. Angelegenheit* in Ordnung bringen, einrenken F.

enquista|do ⚕ *u. fig. adj.* ein-, abgekapselt; **~rse** *v/r.* ⚕ *u. fig.* s. ab-, ein-kapseln; ⚕ e-e Zyste bilden.

enrabiar [1b] **I.** *v/t.* wütend machen; **II.** *v/r.* ~se wütend werden.

enraizar [1f] *v/i.* Wurzel(n) schlagen (*a. fig.*).

enrama|da *f* Laubdach *n*; Laubhütte *f*; **~do** ⚓ *m* Spanten *m/pl.*, Schiffsrippen *f/pl.*; **~r I.** *v/t.* **1.** mit Zweigen umranken; **2.** ⚓ ~ *un buque* die Spanten e-s Schiffes zs.-bauen; **II.** *v/i. u.* ~se *v/r.* **3.** Zweige bekommen; s. belauben.

enranciarse [1b] *v/r.* ranzig werden.

enrare|cer [2d] **I.** *v/t. Gase* verdünnen; *fig.* selten machen; verknappen; **II.** *v/r.* ~se dünn werden; *fig.* selten(er) werden; knapp werden; *fig.* ~*ido* getrübt, gespannt (*Beziehungen*); verdünnt *bzw.* verdorben, verunreinigt (*Luft*); **~cimiento** *m* Verdünnung *f*; *fig.* Verknappung *f*; *Pol.* Verschlechterung *f der Beziehungen.*

enrasar *Zim.*, ⊕ *v/t.* ab-, aus-gleichen; *Zim.* bündig machen.

enreda|dera ♀ *f* Schling-, Kletterpflanze *f*; **~dor I.** *adj.* **1.** ränkevoll; **2.** unruhig, zu Unfug aufgelegt (*Kinder*); **II** *m* **3.** Ränkeschmied *m*, Intrigant *m*; Quertreiber *m*; **~r I.** *v/t.* **1.** *a.fig.* verwickeln; verstricken; durchea.-bringen; umgarnen; **2.** verhetzen, entzweien; **3.** *Jgdw. Netze* legen; mit Netzen fangen; **II.** *v/i.* **4.** Unfug treiben; **5.** hetzen; **III.** *v/r.* ~se **6.** s. verfangen (in *dat.*), hängen bleiben (in, an *dat. en, con, a*); s. verwickeln, s. verheddern; s. verstricken (in *ac. en*); *no te enredes en eso* laß die Finger von dieser Sache; ~*se de palabras* in Streit geraten; **7.** F in wilder Ehe leben.

enre|dijo F *m* → *enredo*; **~dista** *adj.-su. c Am.* → *enredador*; **~do** *m* **1.** wirrer Knäuel *m*, Wirrwarr *m*; **2.** Verwicklung *f*, Verwirrung *f*; Intrige *f*; *Lit.* Schürzung *f* des Knotens; **3.** Liebeshandel *m*, Techtelmechtel *n* F; **4.** ~*s m/pl.* Kram *m*, Zeug *n*, Sachen *f/pl.*; **~doso** *adj.* verwickelt, verworren; heikel; *Chi., Méj.* → *enredador.*

enreja|do *m* **1.** Gitter(werk) *n*; Gitterladen *m*; (Draht-, Rohr-)Geflecht *n*; **2.** ⊕ Rost *m*; ⚓ Gräting *f*; **3.** Netzarbeit *f*, Filet *n*; **4.** □ Gefangene(r) *m*; **~r I.** *v/t.* **1.** vergittern; einzäunen; (ver)flechten; **2.** kreuzweise überea.-schichten *bzw.* stapeln; **3.** □ einbuchten P; **II.** *vt/i.* **4.** *Méj.* flicken, stopfen.

enrevesado *adj.* **1.** verworren, verwickelt; unleserlich; **2.** ausgelassen, mutwillig; störrisch, widerspenstig.

enriar [1c] *v/t. Hanf, Flachs* rösten.

enrique|cer [2d] **I.** *v/t.* bereichern; reich machen; ⚗ anreichern (mit *dat. con, de*); *fig.* verschönern; auszeichnen; **II.** *v/i. u.* ~se *v/r.* reich werden; **~cido** *adj.-su.* reich geworden; *m* Neureiche(r) *m*; **~cimiento** *m a.* ⚖ Bereicherung *f*; ⚗ Anreicherung *f* (mit *dat. con*).

enrisca|do *adj.* felsig; steil; **~r** [1g] **I.** *v/t. fig.* erheben, erhöhen; **II.** *v/r.* ~se in (*od.* auf) die Felsen flüchten (*Wild*).

enristrar *v/t.* **1.** *Lanze* einlegen; **2.** *fig.* auf *ein Ziel* losgehen; *Schwierigkeit* schließlich treffen; **3.** *Zwiebel usw.* zu Schnüren zs.-binden.

enrizar [1f] *v/t.* kräuseln.

enrocar [1g] *vt/i.* ~ (*el rey*) rochieren (*Schach*).

enrodar [1m] *ehm. v/t.* rädern.

enro|jar *v/t.* rotglühend machen; *Ofen* einheizen; **~jecer** [2d] **I.** *v/t.* röten; rot färben; rotglühend machen; **II.** *v/r.* ~se erröten; rot werden; **~jecimiento** *m* Erröten *n*; Rotwerden *n*; Rötung *f*, Röte *f*.

enrolar ⚔ **I.** *v/t.* erfassen, mustern; **II.** *v/r.* ~se s. anwerben lassen.

enrollar *v/t.* (ein-, auf-)rollen; zs.-rollen; (ein-, be-)wickeln.

enronquecer [2d] **I.** *v/t.* heiser machen; **II.** *v/i. u.* ~se *v/r.* heiser werden.

enroscar [1g] **I.** *v/t.* spiralförmig zs.-rollen; *Gewinde* ein-, festschrauben; **II.** *v/r.* ~se s. zs.-rollen, s. winden (um et. *ac. en algo*).

enrostrar *v/t. Am.* ~ *a/c. a alg.* j-m et. vorwerfen (*fig.*).

enru|biar [1b] **I.** *v/t.* blond färben; **II.** *v/r.* ~se blond werden; **~bio** *m* Blondfärbemittel *n*; **~decer** [2d] **I.** *v/t.* vergröbern; **II.** *v/r.* ~se verrohen; verbauern.

ensabanar *v/t.* mit Laken verhüllen; ⚠ gipsen.

ensacar [1g] *v/t.* in Säcke füllen.

ensaimada *Kchk. f spiralförmig gerolltes* Blätterteiggebäck *n*.

ensala|da *f* **1.** *Kchk.* Salat *m*; ~ *de lechuga* Kopfsalat *m*; ~ *rusa* italienischer Salat *m*; *en* ~ kalt (*od.* als Salat) serviert; **2.** *fig.* Mischmasch *m*, Salat *m* F; *fig. hacer una* ~ ein heilloses Durchea. anrichten, e-n schrecklichen Salat machen F (aus *dat. de*); **3.** *Lit.* Mischgedicht *n*; † ♪ *Art* Quodlibet *n*; **4.** *Cu.* Erfrischungsgetränk *n mit Ananas u. Zitrone*; **~dera** *f* **1.** Salatschüssel *f*; **2.** *fig.* F *Sp.* Davis-Coup *m*; **~dilla** *f* **1.** Gemisch *n*; *Kchk.* **a)** Kartoffelsalat *m mit Mayonnaise u. versch. Ingredienzien*; **b)** gemischtes Konfekt *n*; **2.** *bunter* Edelsteinschmuck *m*; **3.** *Cu., Ven.* Spottverse *m/pl.*

ensalivar *v/t.* einspeicheln; (ab-) lecken.

ensal|mador *m* Knocheneinrenker *m*; Gesundbeter *m*; **~mar** *vt/i.* (Knochen) einrenken; (Kranke) gesundbeten; **~mo** *m* Besprechen *n e-r Krankheit*; Beschwörung(sformel) *f*; (*como*) *por* ~ wie durch Zauber; *desaparecer como por* ~ wie weggezaubert sein.

ensalza|miento *m* (Lobes-)Erhebung *f*; Verherrlichung *f*; **~r** [1f] *v/t.* preisen, rühmen; verherrlichen.

ensam|bladura ⊕ *f* Verbindung *f*; Verfugung *f*; *Zim.* ~ *de espiga* Zapfenverband *m*; ~ *a diente* Verzahnung *f*; **~blar** *v/t. Werkstücke, bsd. aus Holz* zs.-fügen, verzapfen; verbinden; **~ble** *m* Verbindung *f*.

ensan|chador *m* (Hand-)Schuhausweiter *m*; ⊕ Rohraufweiter *m*; **~char I.** *v/t.* **1.** erweitern; weiter machen, ausweiten; ausdehnen; vergrößern; *fig. se le ensanchó el corazón* das Herz wurde ihm weit; **II.** *v/r.* ~se **2.** weiter werden; s. (aus)dehnen; *fig.* F s. breitmachen F

(= *viel Platz einnehmen*); **3.** s. bitten lassen; **4.** s. groß dünken; **~che** *m* **1.** Erweiterung *f*; Ausweitung *f*; *a. fig.* Ausbau *m*, Ausdehnung *f*; Einschlag *m zum Auslassen an Kleidung*; **2.** Stadtrand *m*; Außenbezirk *m*; Randsiedlung *f*; **3.** Erweiterungsbau *m*; Stadterweiterung *f*.

ensangrentar [1k] **I.** *v/t.* mit Blut beflecken; *~ado* blut-überströmt; -befleckt; **II.** *v/r.* *~se* wütend werden; *~se con(tra) alg.* grausam vorgehen gg. j-n.

ensaña|miento *m* Erbitterung *f*, verbissene Wut *f*; **~r I.** *v/t.* erbittern; **II.** *v/r.* *~se en (od. con) alg.* s-e Wut an j-m auslassen.

ensartar *v/t.* **1.** *Perlen usw.* auf e-e Schnur (auf)reihen; *a. fig.* anea.-reihen; *fig.* *~ avemarías* ein Ave nach dem anderen herunter-beten *od.* -leiern F; **2.** an-, auf-spießen; *Nadel* einfädeln.

ensa|yador *m* Münzprüfer *m*; **~yar I.** *v/t.* **1.** versuchen; (aus)probieren; *Thea. usw.* proben, üben (*a. abs.*); *están ~ando* sie sind bei der Probe (*Thea.*, ♪); **2.** *Metall, Münzen* prüfen; ⊕ erproben, versuchen, testen; **3.** *~ a/c. a alg.* j-m et. beibringen, j-n et. lehren; **II.** *v/r.* *~se* **4.** s. (ein-) üben; **~ye** *m* Metallprobe *f*; **~yista** *c* Essayist *m*; **~yo** *m* **1.** Versuch *m*; *a. Thea.* Probe *f*; Erprobung *f*; Test *m*; Versuch *m*, Experiment *n*; *~ general* Generalprobe *f*; *~ en gran escala* Großversuch *m*; *caballete m (od. banco m od. puesto m) de ~* Prüfstand *m*; *campo m de ~s* Versuchsfeld *n*; *a modo (od. a título od. por vía) de ~* probeweise; **2.** Metall-, Münz-probe *f*; **3.** *Lit.* Essay *m*.

ensebar *v/t.* mit Talg einschmieren.

enseguida *adv.* sofort.

enselva|do *adj.* bewaldet; **~r(se)** *v/t.* (*v/r.*) (s.) im Wald verbergen; (s.) auf die Lauer legen.

ensena|da *f* Bucht *f*; *Rpl.* eingefriedete Fohlenweide *f*; **~rse** ⚓ *v/r.* in e-e Bucht einfahren.

enseña *f* Fahne *f*, Feldzeichen *n*; Landesfarben *f/pl.*; **~ble** *adj. c* lehrbar; *materia f ~* Lehrstoff *m*; **~do** *adj.*: *bien (mal) ~* gut (schlecht) erzogen; **~miento** *m* Unterweisung *f*; **~nza** *f* **1.** Unterricht *m*; Unterrichtswesen *n*; *~ por correspondencia (por discos)* Fern- (Schallplatten-)unterricht *m*; *~ elemental* Grundschulwesen *n*; *~ individual* Einzelunterricht *m*; *~ laboral (libre)* Fach- (Privat-)schulwesen *n*; *~ media etwa*: Mittel- u. höheres Schulwesen (*Dtl.*); *~ obligatoria* Schulzwang *m*; *~ postescolar de adultos* Erwachsenen(fort)-bildung *f*; *~ primaria od. primera ~* Volksschulwesen *n*; *~ profesional* Berufs-, Fach-schulwesen *n*; *~ radiofónica* Rundfunkunterricht *m*; Studienprogramm *n*; *~ religiosa* Religionsunterricht *m*; *~ secundaria od. segunda ~* höheres Schulwesen *n*; *~ superior* Hochschulwesen *n*; *~ técnica* Fachschul-wesen *n*; -unterricht *m*; *~ por televisión* TV-Studienprogramm *n*; *centro m de ~* Schule *f*; *inspector m de ~* Schulrat *m*, -inspektor *m*; *instituto m de ~ media staatliche* höhere Schule *f*; Gymnasium *n*; **2.** (belehrendes) Beispiel *n*; Lehre *f*; *le servirá de ~* das wird ihm e-e Lehre sein.

enseñar I. *v/t.* **1.** *~ a/c. a alg.* j-m et. zeigen; j-n et. lehren, j-n in et. (*dat.*) unterrichten, j-m et. beibringen; *~ a escribir a j-n* schreiben lehren; *la vida os enseñará* das Leben wird es euch (noch) lehren; **2.** vor-zeigen, -führen; *enseña los dedos (por los zapatos)* die Zehen gucken ihm (aus den Schuhen) heraus; **II.** *v/i.* **3.** Unterricht geben, unterrichten; *~ con el ejemplo* mit gutem Beispiel vorangehen; **III.** *v/r.* *~se* **4.** *~se en* s. üben in (*dat.*); s. gewöhnen an (*ac.*).

enseñorearse *v/r.*: *~ de a/c.* s. e-r Sache bemächtigen.

enseres *m/pl.* Gerätschaften *f/pl.*, Sachen *f/pl.*, Gerät *n*; Einrichtung(sgg.-stände *m/pl.*) *f*; *~ de casa, ~ domésticos* Hausgerät *n*; *~ de labor* Ackergerät *n*, landwirtschaftliches Gerät *n*.

enseriarse [1b] *v/r. Am. Reg.* ernst werden.

ensiforme *adj. c* schwertförmig.

ensila|je *m* Einsilieren *n*; **~r** *v/t.* (ein)silieren.

ensilla|da *f* (Gebirgs-)Sattel *m*; **~do** *adj. Equ.* satteltief; *fig.* mit hohlem Kreuz (*Person*); **~dura** *f* Satteln *n*; *Anat. natürliche* Krümmung *f* der Lendenwirbelsäule; **~r** *v/t. Equ.* satteln; *Méj.* belästigen.

ensimisma|do *adj.* gedankenverloren; nachdenklich; geistesabwesend; **~miento** *m* Insichversunkensein *n*, Nachdenklichkeit *f*; Grübelei *f*; **~rse** *v/r.* s-n Gedanken nachhängen, grübeln; *Col., Chi., Ec.* eingebildet sein.

ensoberbecer [2d] **I.** *v/t.* stolz machen; **II.** *v/r.* *~se* hochmütig werden; toben (*Meer*); hochgehen (*Wogen*).

ensogar [1h] *v/t.* anseilen, festbinden; *Flasche u. ä.* mit e-m Geflecht überziehen.

ensombrecer [2d] **I.** *v/t. a. fig.* überschatten, verdüstern; **II.** *v/r.* *~se* melancholisch werden.

ensoñador *adj.-su.* träumerisch; *m* Träumer *m*, Schwärmer *m*.

ensopar *v/t. Brot usw.* ein-tauchen, -tunken; *Arg., Hond., P. Ri., Ven.* durchnässen.

ensorde|cedor *adj.* (ohren)betäubend; **~cer** [2d] **I.** *v/t.* betäuben, taub machen; dämpfen; *Li.* stimmlos machen; **II.** *v/i.* (*a.* *~se v/r.*) taub werden, ertauben; *Li.* stimmlos werden.

ensortijar I. *v/t.* kräuseln, ringeln; *Tier* mit e-m Nasenring versehen; **II.** *v/r.* *~se* s. kräuseln; *cabello m ~ado* Ringellocken *f/pl.*; Kraushaar *n*.

ensuciar [1b] **I.** *v/t. a. fig.* beschmutzen, beflecken, besudeln; *fig.* schänden; P *~la* die Sache versauen P; **II.** *v/r.* *~se* s. schmutzig machen; F ins Bett (*bzw.* in die Hose) machen; *fig.* s. bestechen lassen.

ensueño *m* Traum *m*; Täuschung *f*, Wahn *m*; F *de ~* Traum..., traumhaft.

entabla|ción *f* Täfelung *f*; In-, Auf-schrift *f in Kirchen*; **~do** *m* **1.** Täfelung *f*; Bretterboden *m*; **2.** Gerüst *n*; **3.** → *entarimado*; **~mento** *m* Sims *n*; **~r I.** *v/t.* **1.** dielen; täfeln; **2.** *fig. Verfahren* einleiten; *Prozeß* anstrengen; *Gespräch, Schlacht* beginnen; *Frage* anschneiden; **3.** *Schachfiguren u. ä.* aufstellen; **4.** 🛤 → *entablillar*; **5.** *Arg. Pferde* daran gewöhnen, truppweise zu gehen; **II.** *v/i.* **6.** *Am. Reg.* unentschieden spielen; **III.** *v/r.* *~se* **7.** beginnen (*Gespräch, Kampf, Guat., Méj. a. z. B. Regen*); **8.** s. versteifen (*Wind*); **9.** *Equ.* s. nicht seitlich wenden wollen.

enta|ble *m* **1.** Aufstellung *f auf dem Schachbrett*; **2.** Täfelung *f*; **~blerarse** *Stk. v/r.* s. ans Schutzgeländer drücken (*Stier*); **~blillar** 🛤 *v/t.* schienen.

entalegar [1h] *v/t.* einsacken; in Beutel stecken; *Geld* sparen, anhäufen.

enta|llado *adj.*: *abrigo m ~* Taillenmantel *m*; **~lladura** *f*, **~llamiento** *m* **1.** Kerbe *f* (*Baumfällen*); Einschnitt *m in die Baumrinde*; Ausklinkung *f* (*Blech*); **2.** Taillierung *f* (*Kleid*); **~llar I.** *v/t.* **1.** *a.* ⊕ (ein-) kerben; einschneiden; einstechen *b. Drehen*; ein-, aus-meißeln; **2.** *Kleid* auf Taille arbeiten; **II.** *v/i. u.* *~se v/r.* **3.** in der Taille anliegen; *el traje entalla bien* der Anzug sitzt auf Taille; **~lle** *m* Holzschnitzerei *f*; **~llecer** [2d] *v/i. u.* *~se v/r.* Stengel *bzw.* Schößlinge treiben.

enta|pizar [1f] *v/t.* mit Teppichen belegen (*bzw.* behängen); **~pujar I.** *v/t. bsd. fig.* (zu)decken; vertuschen; **II.** *v/i.* die Wahrheit verbergen.

entarima|do *m* **1.** Täfelung *f*; Parkett(boden *m*) *n*; *~ de barritas* Stabparkett *n*; **2.** Podium *n*, Tritt *m*; ⚓ Bodenplatte *f*; **~dor** *m* Fußboden-, Parkett-leger *m*; **~r** *vt/i.* täfeln; (mit) Parkett (aus)legen.

entaruga|do *m* Holzpflaster *n*; **~r** [1h] *v/t.* mit Holz pflastern.

éntasis △ *f* Entasis *f e-r Säule*.

ente *m* **1.** Wesen *n*; *Phil. el ~* das Seiende; **2.** F Sonderling *m*, (komischer) Kauz *m* F.

enteco *adj.* kränklich, schwächlich; sehr mager.

entejar *v/t. Am.* (mit Ziegeln) dekken.

entelequia *Phil. f* Entelechie *f*.

enten|dederas F *f/pl.* Verstand *m*, Grips *m* F; *ser corto de ~, tener malas ~* schwer von Begriff sein, e-e lange Leitung haben F; **~dedor** *adj.-su.* verständnisinnig; *m* Kenner *m*; *al buen ~, pocas palabras etwa*: Sie verstehen (schon); ich brauche nicht deutlicher zu werden; **~der** [2g] **I.** *v/t.* **1.** verstehen, begreifen (*a. abs.*); *si entiendo bien* wenn ich recht verstehe, wenn ich (mich) nicht irre; *~ mal* schlecht verstehen; mißverstehen; *ya (le) entiendo* ich verstehe schon; ich sehe schon, worauf Sie hinauswollen; *¿qué entiendes por hiperestesia?* was verstehst du unter Hyperästhesie?; *a (od. por) lo que entiendo yo* m-r Meinung nach; *dar a ~* zu verstehen geben, durchblicken lassen; *hacerse ~* s. verständlich machen; **2.** verstehen, können; *~ el alemán* Deutsch verstehen (*od.* können); *~lo* s. gut auskennen, sein Handwerk verstehen; **3.** meinen, glauben, annehmen; *entendemos que sería mejor* + *inf.* wir halten es (eher) für angebracht, zu + *inf.*; **4.** ~ + *inf.* beabsichtigen, zu + *inf.*, vorhaben, zu + *inf.*; → *entendido 4*; **II.** *v/i.* **5.** ~ *en algo* s. auf et. (*ac.*) verstehen; ⚖ ~ *en una causa* in e-r Sache erkennen, für e-e Sache zuständig sein; **6.** ~ *de a/c.* von e-r Sache et. verstehen; ~ *de mujeres* s. auf Frauen verstehen; **III.** *v/r.* ~*se* **7.** s. verstehen; ~*se con alg.* s. mit j-m verstehen, mit j-m gut auskommen; s. mit j-m verständigen (über *ac. sobre*); F mit j-m ein Verhältnis haben; *¡entendámonos!*, *¡entiéndase bien!* wohlverstanden!; *los precios se entienden al contado* die Preise verstehen s. gg. bar; **8.** wissen, was man will; *yo me entiendo* ich weiß genau, was ich sage; ich weiß Bescheid; ich habe m-e Gründe; *¡él se las entienda!* das ist s-e Sache!, da muß er selbst zusehen!; **IV.** *m* **9.** Meinung *f*; *a mi* ~ m-r Meinung nach, m-s Erachtens (*Abk.* m. E.); ~**dido I.** *adj.* **1.** *a. su.* sachverständig; beschlagen, bewandert (in *dat. en*); klug, gescheit; gewandt, geschickt; *no darse por* ~ s. dumm stellen; **2.** einverstanden; *¿~?* verstanden?; *¡~(s)!* einverstanden!, gut!; **3.** selbstverständlich; *bien ~ que ..., queda ~ que ...* es ist selbstverständlich, daß ...; **II.** *part.* **4.** *tener* ~ meinen, (fest) annehmen, davon ausgehen (daß ... *que ...*); wissen; *tenga ~ que ...* berücksichtigen (*od.* bedenken) Sie, daß ...; ~**dimiento** *m* **1.** Verstand *m*, Begriffsvermögen *n*; Verständnis *n*; *de* ~ verständig, gescheit; **2.** Verständigung *f*; Vereinbarung *f*; *fig. buen* ~ Eintracht *f*, Harmonie *f*.

entenebrecer(se) [2d] *v/t.* (*v/r.*) (s.) verfinstern.

entente *frz. f* Entente *f*.

ente|rado *adj.* **1.** *attr.* erfahren, gewandt; **2.** *estar* ~ (de) auf dem laufenden sein (über *ac.*), im Bilde sein (über *ac.*); Bescheid wissen (in *dat.*, über *ac.*); *Tel. u.* ⚔ *¡~!* verstanden!; *no darse por* ~ s. unwissend (*od.* dumm) stellen; ~**ramente** *adv.* ganz, gänzlich; vollständig; ~ *automático* vollautomatisch; ~**rar I.** *v/t.* **1.** ~ *a alg. de a/c.* j-n über et. (*ac.*) informieren, j-n von et. (*dat.*) benachrichtigen; **2.** *Arg., Chi. Summe* vollmachen; *Col., C. Ri., Hond., Méj.* (ein)zahlen; **II.** *v/r.* ~*se* **3.** ~*se de a/c.* et. erfahren, von et. (*dat.*) Kenntnis erhalten, über et. (*ac.*) unterrichtet werden; F *¡para que te enteres!* damit du (das) endlich kapierst! F; ~**reza** *f* **1.** Vollständigkeit *f*; *fig.* Vollkommenheit *f*; **2.** (Charakter-)Festigkeit *f*, Standhaftigkeit *f*; Rechtschaffenheit *f*; Unbescholtenheit *f*; ~ *de ánimo* fester Sinn *m*; Geistesgg.-wart *f*; *adv. con* ~ fest, beharrlich.

entérico ⚕ *adj.* Darm...

enterísimo *adj. sup.* ganz vollkommen.

enteritis ⚕ *f* (*pl. inv.*) Enteritis *f*.

enterizo *adj.* aus e-m Stück; vollständig.

enterne|cer [2d] **I.** *v/t.* auf-, erweichen; *fig.* rühren; **II.** *v/r.* ~*se* weich werden (*a. fig.*); gerührt werden; ~**cido** *adj. fig.* gerührt; zärtlich; ~**cimiento** *m* Rührung *f*; Zärtlichkeit *f*.

entero I. *adj.* **1.** ganz (*a. Zahl*); völlig; voll(-ständig, -zählig); ungeteilt; *adv. por* ~ ganz, gänzlich; voll(ständig); *horas f/pl.* ~*as* stundenlang; *partir por* ~ *Arith.* durch e-e ganze Zahl teilen; *fig.* F bei e-r Teilung alles für s. nehmen, alles an s. reißen; **2.** fest (*a. Stimme*); standhaft, unbeugsam; beharrlich; *un hombre* ~ ein ganzer Mann; ein redlicher Mensch; **3.** unversehrt, heil; gesund; kräftig; **4.** jungfräulich; **5.** unverschnitten (*Tier*); **6.** ⚘ ganzrandig (*Blatt*); **7.** *Guat., Pe., Ven.* sehr ähnlich, ganz gleich; **II.** *m* **8.** ganze Zahl *f*, Ganze(s) *n*; *Börse, Sp.* Punkt *m*; **9.** *Col., C. Ri., Chi., Méj.* (Ein-)Zahlung *f*.

enterorragia ⚕ *f* Darmblutung *f*.

enterra|dor *m* Totengräber *m* (*a. Ent.*); *Stk.* Gehilfe *m*, *der u. U. den Fangstoß gibt*; ~**miento** *m* **1.** Begräbnis *n*; Grablegung *f*; Vergraben *n*; **2.** Grab *n*; ~**r** [1k] **I.** *v/t.* **1.** begraben, bestatten; *fig. él nos enterrará a todos* er wird uns alle überleben; **2.** be-, ver-, ein-graben; verscharren; **3.** *fig. Hoffnungen, Feindschaft* begraben; vergessen (lassen); **II.** *v/r.* ~*se* **4.** *fig.* ~*se en vida* s. lebendig begraben, s. *von den Menschen* abschließen.

enti|bación *Zim.*, ⚒ *f* Abstützung *f*; *Zim.* Verzimmerung *f*; ⚒ (Strekken-)Ausbau *m*; ~**bador** ⚒ *m* (Gruben-)Zimmermann *m*; ~**bar** *v/t.* abstützen; verzimmern; ⚒ ausbauen; ~**biar** [1b] **I.** *v/t. a. fig.* abkühlen; lauwarm machen; anwärmen; *fig.* mäßigen, mildern; **II.** *v/r.* ~*se* abkühlen (*a. fig.*); ~**bo** *m* ⚒ Grubenholz *n*, Stempel *m*; *Zim. u. fig.* Stütze *f*.

entidad *f* **1.** Wesenheit *f*; *Phil.* Entität *f*, Seinshaftigkeit *f*; *lit. de* ~ wesentlich, wichtig; **2.** Vereinigung *f*; Körperschaft *f*, Firma *f*; Stelle *f* (*Amt*); ~ *jurídica* Körperschaft *f*; ~ *recreativa* Geselligkeitsverein *m*; ~ *local* Ortsverein *m*; örtliche Stelle *f* (*Amt*).

entierro *m* **1.** Begräbnis *n*, Beerdigung *f*, Bestattung *f*; ~ *civil* nichtkirchliches Begräbnis *n*; *cara f de* ~ Trauermiene *f*; *Folk.* ~ *de la sardina entspricht dt. etwa*: Karnevals-, Löffel-begräbnis *n am Aschermittwoch*; **2.** Leichenzug *m*; **3.** Grab (-stätte *f*) *n*; **4.** vergrabener Schatz *m*; **5.** Vergraben *n*, Einscharren *n*.

entiesar *v/t.* steifen; straffen.

entigrecerse [2d] *v/r.* wütend werden.

entintar *v/t.* mit Tinte beschmieren; *fig.* färben; *Typ.* einfärben.

entirriarse [1b] F *v/r.* wütend werden, einschnappen F.

entizar [1f] *v/t. Billardstock* einkreiden.

entolda|do *m* Sonnendach *n*; Bier-, Fest-, Tanz-zelt *n*; ~**r I.** *v/t.* mit e-m Sonnendach versehen; ein Zelt spannen über (*ac.*); **II.** *v/r.* ~*se* s. bewölken (*Himmel*); *fig.* stolz werden.

ento|mología *f* Entomologie *f*, Insektenkunde *f*; ~**mológico** *adj.* entomologisch; ~**mólogo** *m* Entomologe *m*.

entomostráceos *Zo. m/pl.* niedere Krebse *m/pl.*

entona|ción *f* **1.** ♪, *Li.* Intonation *f*; ♪ Anstimmen *n*; *Li.* Tonfall *m*; ~ *interrogativa* Frageton *m*; **2.** *Mal.* Abtönung *f*; **3.** *fig.* Anmaßung *f*, Dünkel *m*; ~**do** *adj.* hochgestellt (*fig.*); anmaßend, dünkelhaft; ~**dor I.** *adj.* stärkend, kräftigend; **II.** *m* Vorsänger *m*; Bälgetreter *m der Orgel*; ~**miento** *m* → *entonación*; ~**r I.** *vt/i.* **1.** ♪, *Li.* intonieren; ♪ (den) Ton halten; anstimmen; *a. fig.* den Ton angeben; (Orgelpfeifen) nachstimmen; **2.** *Mal.* (Farbe) abtönen; **II.** *v/i.* **3.** die Bälge treten *b. der Orgel*; **4.** harmonieren (mit *dat. con*), passen (zu *dat. con*); **III.** *v/t.* **5.** ⚕ kräftigen; **IV.** *v/r.* ~*se* **6.** *fig.* anmaßend (*od.* großspurig) auftreten.

entonces *adv.* damals; dann, da; *de* ~ damalig; *desde* ~ seitdem; *en* (*od. por*) *aquel* ~ damals, zu jener Zeit; *hasta* ~ bis dahin; *¡pues ~ ...!* ja dann ...!; *¿y ~ qué?* na und!; was denn?; ~ *me voy* dann gehe ich also; ~ *fue cuando debió hacerlo* **a)** damals mußte er es tun; **b)** damals hätte er es tun müssen.

entonelar *v/t.* aufs Faß füllen; eintonnen.

entono *m* **1.** Selbstbewußtsein *n*, Dünkel *m*; **2.** → *entonación*.

enton|tar *Am.*, ~**tecer** [2d] **I.** *v/t.* dumm machen, verdummen; **II.** *v/i. u.* ~*se v/r.* verdummen, verblöden F.

entorchado *m* Gold-, Silber-faden *m*, -tresse *f*; -stickerei *f auf Uniformen*.

entorilar *Stk. v/t. Stiere* in den Zwinger sperren.

entornar *v/t.* **1.** *Augen* halb öffnen; *Fenster, Tür* anlehnen; **2.** seitwärts neigen, kippen.

entorpe|cer [2d] **I.** *v/t.* behindern, hemmen, verzögern, stören; lähmen; *fig.* abstumpfen, betäuben; **II.** *v/r.* ~*se fig.* stumpf werden; ~**cimiento** *m* Hemmung *f*; Hindernis *n*, Behinderung *f*; Lähmung *f*; *fig.* Benommenheit *f*; ⚔ Ladehemmung *f*.

entrada *f* **1.** Eintritt *m*, Eintreten *n*; Ein-fahrt *f*, -marsch *m*, -zug *m*; Einreise *f*; Zutritt *m*; ⚓ ~*s* eingelaufene Schiffe *n/pl.*; *Thea. u. fig.* ~ *en escena* Auftritt *m*; ~ *gratuita* freier Eintritt *m* → *a. 3*; ~ *libre Aufschrift*: Zutritt frei; ~ *prohibida, se prohibe la* ~ Eintritt verboten; *fig. dar* ~ *a* zulassen (*ac.*); *j-n* aufnehmen; *tener* ~ *en* eingeführt sein bei (*dat.*), Zutritt haben zu (*dat.*); *tener* ~ *con alg.* (jederzeit) Zutritt bei j-m haben, j-n gut kennen, bei j-m ein- u. ausgehen; *hacer su* ~ *en la ciudad* s-n Einzug in die Stadt halten, in die Stadt einziehen (*Truppen*: einrücken); *hacer su* ~ *en la sociedad* (*en el mundo*) zum erstenmal in der Gesellschaft (in der Öffentlichkeit) erscheinen *od.* auftreten, debütieren; *adv. de* ~ zunächst, vorläufig; als erstes; *de primera* ~ im ersten Anlauf, auf Anhieb; **2.** Eingang *m*; Zu-gang *m*, -fahrt *f*; Diele *f*, Vorplatz *m*; ~ *de* (*Am. a. a*) *la autopista* Autobahnauffahrt *f*; ~ *del puerto* Hafeneinfahrt *f*; ~ *de servicio* Dienstboten-, Lieferanten-eingang *m*; **3.** (Eintritts-, Theater- *usw.*) Karte *f*; ~ *gratuita* Freikarte *f*; **4.** *Thea.* Zuschauer *m/pl.*, Besucher(zahl *f*) *m/pl.*; ~*s f/pl.* Zugänge *m/pl.* (*Krankenhaus*); *Thea. gran (media)* ~ voll-(halb-)besetztes Haus *n*; **5.** ⊕ Eintritt *m*, Einlaß *m*; Einführung *f*; Zufuhr *f*; ⚔, ✈ (*abertura f de*) ~ Einstieg *m*; ~ *de la llave* **a)** Schlüsselführung *f im Schloß*; **b)** Schlüsselloch *n*; **6.** Beginn *m*, Anfang *m*; ~ *del año* Jahresanfang *m*; ~ *en funciones* Amtsübernahme *f*, -antritt *m*; ~ *en servicio* Dienst-antritt *m*, -beginn *m*; *¡feliz (od. buena)* ~ *de año!* Prosit Neujahr!; ein glückliches Neues Jahr!; **7.** ☤ Eingang *m*; *Post*: Einlauf *m*; Eingangsdatum *n*; Einnahme *f*; Anzahlung *f*, erste Rate *f*; Einstand(sgeld *n*) *m*; ~ *en caja* Kasseneingang *m*; ~*s y salidas* ☤ Ein- u. Aus-gänge *m/pl.*; Einnahmen u. Ausgaben *f/pl.*; *fig.* geheime Abmachungen *f/pl.*, Machenschaften *f/pl.*; *fig. irse* ~ *por salida* s. ausgleichen, s. die Waage halten; **8.** ☤ Einfuhr *f*; Einfuhrzoll *m*; **9.** Δ Einsprung *m e-r Mauer*; Balken- *bzw.* Pfeiler-ende *n*; **10.** Ein-leitung *f*, -führung *f*; Titelseite *f*; **11.** ⚒ Schicht *f*; **12.** ♪ Einsatz *m*; **13.** ~*s f/pl.* Schläfenwinkel *m/pl.*, Geheimratsecken *f/pl.* F; **14.** *Stk.* Angriff *m*; *Cu., Méj.* Überfall *m*; Prügelei *f*; **15.** Vorspeise *f*; Zwischengericht *n*.

entra|do *part.*: *(ya)* ~ *en años* schon älter, bejahrt; *(hasta) bien* ~*a la noche* (bis) spät in der (die) Nacht; ~**dor** *adj. Am.* waghalsig, tollkühn; *Chi.* zudringlich, aufdringlich.

entrama|do Δ *m* Fachwerk *n*; ~ *del tejado* Dachstuhl *m*; ~**r** Δ *v/t.* in Fachwerk bauen.

entrambos *lit. adj.* (alle) beide.

entrampar I. *v/t.* **1.** in e-e Falle locken; *fig.* überlisten; **2.** mit Schulden belasten; **3.** † verwickelt machen; **II.** *v/r.* ~*se* **4.** s. in Schulden stürzen; **5.** in e-e Falle gehen.

entrante *adj. c* **1.** kommend (*Woche, Monat, Jahr*); **2.** einspringend (*Winkel*).

entraña *f* (*mst.* ~*s f/pl.*) **1.** Eingeweide *n/pl.*; *fig.* Inner(st)e(s) *n*; Herz *n*, Gemüt *n*; *de mala(s)* ~*(s)*, *sin* ~*s* herzlos; *de buenas* ~*s* (herzens)gut; *hijo m de mis* ~*s* mein Herzenssohn, liebster Junge; F *echar las* ~*s* (stark) erbrechen; *sacar las* ~*s a alg.* **a)** j-m das Herz aus dem Leibe reißen; j-n übel zurichten; **b)** alles von j-m bekommen, j-n bis aufs Hemd ausziehen F; **2.** Kern *m*, Innere(s) *n*; *las* ~*s de la tierra* das Erdinnere; *las* ~*s del universo* die Geheimnisse *n/pl.* des Weltalls; ~**ble** *adj. c* innig, herzlich, tief (*Freundschaft usw.*); (innig)geliebt, Herzens...; ~**blemente** *adv.* herzlich, innig; ~**r I.** *v/t.* **1.** ins Inner(st)e führen; **2.** mit s. bringen, in s. schließen; (in s.) bergen; führen zu (*dat.*); **II.** *v/r.* ~*se* **3.** ~*se (con)* in tiefer Freundschaft verbunden sein (mit *dat.*); s. (mit *j-m*) sehr befreunden.

entrar I. *v/i.* **1.** eintreten, hineingehen; ⚓ einlaufen; ⚒, 🚂 einfahren; ⚔ einrücken, einmarschieren; eindringen (in *ac.* en); eingehen (*Geld, Postsendung*); eintreten (in *ac.* en), beitreten (*dat.* en); Zutritt haben (zu *dat.* en); aufgenommen werden (in *ac.* en); *¡entre(n)!* herein!; ~ *en* († *u. oft Am.* a) *la sala* in den Raum (ein)treten, den Raum betreten; ~ *como socio* als Teilhaber eintreten, Teilhaber werden; ~ *en los sesenta años* ins sechzigste Lebensjahr treten; *entra en calor* ihm wird warm (*a. fig.*); er gerät in Hitze; ~ *en celos* brünstig werden (*Tier*); ⚔ ~ *en campaña* ins Feld rücken; ~ *en consideración* in Betracht kommen; ~ *en detalles* auf Einzelheiten eingehen; *fig.* ~ *en sí mismo*, ~ *dentro de sí* in s. gehen; ~ *en posesión de a/c.* in den Besitz e-r Sache kommen; ~ *en relaciones (con)* Beziehungen aufnehmen (mit *dat.*, zu *dat.*); ~ *en (el) servicio* in Dienst treten, den Dienst antreten; ~ *por la ventana* durch das Fenster einsteigen; **2.** ~ (en) (hinein)gehören (in *ac.*); (hinein)passen (in *ac.*), (hin)eingehen (in *ac.*); → *a. 3*; *no entra nada más* es geht nichts mehr (hin)ein; ~ *en el número* zu der Zahl gehören; in die Zahl *der Mitglieder usw.* aufgenommen werden; *no me entra (en la cabeza)* das will mir nicht in den Kopf; das begreife ich nicht; *en un kilo entran ocho naranjas* auf ein Kilo kommen 8 Orangen, 8 Orangen wiegen ein Kilo; *en este vestido entra mucho paño* für dieses Kleid braucht man viel Stoff; *tres sustancias entran en esta mezcla* diese Mischung besteht aus drei Stoffen (*od.* setzt s. aus drei Stoffen zs.); *este tipo no me entra* ich kann diesen Kerl nicht ausstehen; *estos zapatos entran fácilmente* (*od. me entran muy bien*) diese Schuhe passen mir sehr gut, ich komme in diese Schuhe gut hinein; **3.** ~ *en a/c.* et. mit e-r Sache zu tun haben; *no* ~ *ni salir en a/c.* mit et. (*dat.*) überhaupt nichts zu tun (*od.* zu schaffen) haben; **4.** beginnen, anfangen; ♪ einsetzen; *al* ~ *el día* bei Tagesanbruch; *al* ~ *el otoño* bei Beginn des Herbstes; *el año que entra* das kommende Jahr; im kommenden Jahr; das gerade beginnende Jahr; **5.** befallen (*ac.* a) (*Fieber*); anwandeln (*ac.* a) (*Lust*); *me entra (el) sueño* ich werde schläfrig; *me entra un mareo* mir wird schlecht; **6.** *Stk.* angreifen; **II.** *vt/i.* **7.** *(hacer)* ~ (~ *v/t. heute mehr* F) hinein-bringen, -stecken; -führen, -fahren; einreihen (in *ac.* en); hineintreiben (in *ac.* en); *Typ. Zeile* einziehen; **III.** *v/t.* **8.** *K Burg, Stadt* angreifen *bzw.* erobern; ⚓ *verfolgtes Schiff* (allmählich) einholen; **9.** *Waren* einführen; **10.** *fig. j-m* beikommen; *a Pedro no hay por dónde* ~*le* Peter hat k-e Stelle, an der man ihn pakken könnte; **IV.** *v/r.* ~*se* **11.** *K u.* F eindringen (in *ac.* en); erscheinen.

entre *prp.* zwischen (*dat., ac.*); unter (*dat.*); bei (*dat.*); *por* (~) durch (*ac.*) (hindurch); ~ *Madrid y Berlín* zwischen Madrid u. Berlin; ~ *las seis y las siete* zwischen sechs u. sieben (Uhr); ~ *día* tagsüber, den Tag über; ~ *semana* die Woche über; ~ *ellos* unter ihnen; unterea.; *contar* ~ *sus amigos* zu s-n Freunden zählen; *ser costumbre* ~ *pescadores* unter Fischern üblich sein, Fischerbrauch sein; ~ *tú y yo* **a)** zwischen uns beiden; unter uns beiden; **b)** wir beide; ~ *usted y yo lo haremos* wir beide werden es tun; ~ *la inundación y la sequía perdimos la cosecha* Überschwemmung u. Dürre (mitea.) führten zum Verlust der Ernte; *200* ~ *hombres y mujeres* 200, teils Männer, teils Frauen; *la llevaban* ~ *tres* sie trugen sie zu dritt; *sesenta y tres* ~ *siete son nueve* (63:7 = 9) 63 (geteilt) durch 7 ist 9; ~ *dulce y agrio* süßsauer; ~ *rojo y azul* rötlichblau, violett; ~ *si y no* unschlüssig; *el peor (de)* ~ (*od. el peor de*) *todos* der Schlechteste von (*od.* unter) allen; *el oso salió de* ~ *las malezas* der Bär brach aus dem Gestrüpp hervor; ~ *tanto que no se lo diga* solange sie es Ihnen nicht sagt; ~ *tanto* unterdessen; ~ *nosotros* unter uns.

entrea|bierto *adj.* halboffen; ~**brir** *v/t.* ein wenig (*od.* halb) öffnen, halb aufmachen.

entre|acto *m* **1.** Zwischenakt *m*; Zwischenaktmusik *f*; **2.** kl. Zigarre *f*; ~**barrera(s)** *Stk. f(/pl.)* Gang *m zwischen der Schranke u. den ersten Sitzen*; ~**cano** *adj.* graumeliert; ~**cavar** ⛏ *vt/i.* überackern; ~**cejo** *m* **1.** Raum *m* zwischen den Augenbrauen; **2.** Stirnrunzeln *f/pl.*; ~**cerrar** [1k] *v/t. Am. Tür, Fenster* anlehnen; ~**cinta** Δ *f* Querbalken *m*, Pfette *f*; ~**claro** *adj.* halbhell, dämmerig; ~**coger** [2c] *v/t.* packen, ergreifen; *fig.* in die Enge treiben; ~**comar** *Gram. v/t.* zwischen Kommas setzen; ~**coro** Δ *m* Zwischenchor *m, n.*

entrecor|tado *adj.* stoßweise (*Atem*); stockend (*Stimme, Worte*); erstickt (*Stimme, Seufzer*); ~**tar I.** *v/t.* einschneiden; unterbrechen; **II.** *v/r.* ~*se* stockend sprechen; ~**teza** *silv. f* Ring-, Kern-fäule *f*.

entre|cot *gal. Kchk. m* Entrecôte *n*; ~**cruzado** *adj.* über Kreuz (verlaufend); kreuzweise; ~**cruzamiento** *m* Kreuzung *f* (*a. Biol., Anat.*); Überschneidung *f*; ~**cruzar** [1f] **I.** *v/t.* kreuzen (*a. Biol.*); über Kreuz gehen lassen (*bzw.* flechten); **II.** *v/r.* ~*se* kreuzweise überea.-liegen; ~**cubierta(s)** ⚓ *f(/pl.)* Zwischendeck *n*; ~**chocar** [1g] *v/i. u.* ~*se v/r.* anea.-stoßen; aufea.-prallen; anstoßen (*Gläser*).

entredicho *m* Verbot *n*; (*bsd.* Kirchen-)Bann *m*; Interdikt *n*; *estar en* ~ in Acht u. Bann stehen; *fig.* verboten sein; in Verruf sein; *levantar* (*od. alzar*) *el* ~ den Bann lösen; *poner* ~ *a alg.* j-n in Acht u. Bann tun; *fig. poner algo en* ~ et. in Zweifel ziehen, s. sein endgültiges Urteil noch vorbehalten.

entre|doble *adj. c* mittelfein (*Gewebe*); ~**dós** *m* **1.** (Spitzen-)Einsatz *m*; **2.** Konsoltisch *m bzw.* Wandschränkchen *n zwischen zwei Fenstern*; **3.** *Typ.* Korpus *f* (*10 Punkt-*

Schrift), † Garmond *f*; **~filete** *gal. Typ. m* **1.** Zeitungsnotiz *f*; **2.** *typographisch hervorgehobenes* Zitat *n* im Text; **~fino** *adj.* mittelfein.

entrega *f* **1.** Abgabe *f*, Übergabe *f*, Überreichung *f*, Aushändigung *f*; Lieferung *f*; *por ~s* Fortsetzungs...; *Sp.* ~ (*del balón*) Ballabgabe *f*, Zuspiel *n*; ~ *de libros* Buchausgabe *f*; Buchannahme *f*; *hacer ~ de a/c.* et. aushändigen; et. abgeben; → *a.* 2; **2.** ⚚ (An-)Lieferung *f*, Zustellung *f*; (Ein-, Aus-)Zahlung *f*; ~ *inmediata* sofortige Lieferung *f*; sofort lieferbar; ~ *a domicilio* Lieferung *f* (*od.* Zustellung *f*) ins Haus; ~ *franco (a) domicilio* Lieferung frei Haus; ~ *cif (fob)* cif- (fob-)Lieferung *f*; ~ *en (od. desde la) fábrica* Lieferung *f* ab Werk; *nota f (od. talón m) de* ~ Lieferschein *m*; *plazo m de* ~ Lieferfrist *f*; *hacer ~ de a/c.* et. (ab)liefern; et. zustellen; **3.** *a.* ⚔ Übergabe *f*; *fig.* Hingabe *f e-r Frau*; **~ble** *adj. c* lieferbar; abzugeben(d); **~do** *part.*: ~ *por* überreicht durch (*ac.*); **~miento** *m* → *entrega*; **~r** [1h] **I.** *v/t.* **1.** ein-, aus-händigen, über-, ab-geben; überreichen; *Geld* einzahlen; ⚚ (ab-, aus-)liefern; *a.* ⚖ ausliefern; ⚔ *Waffen* strecken; ⚚ ~ *a domicilio* ins Haus liefern; zustellen; F *~la* ins Gras beißen F, sterben; (*para*) ~ *a* abzugeben bei (*dat.*); zu Händen von (*dat.*); **2.** *a. fig.* hingeben, opfern; **3.** ⚔ *Festung usw.* übergeben; **II.** *v/r.* *~se* **4.** s. ergeben (*j-m a*); s. stellen (*Verbrecher*); s. hingeben (*Frau*: *dat. a*); *~se a e-m Laster* frönen, verfallen, s. ergeben; *~se a los estudios* s. ganz dem Studium widmen; *~se en manos de alg.* s. in j-s Hand geben; j-m völlig vertrauen; *~se en manos de la suerte* alles dem Schicksal überlassen.

entreguerra *f* Zwischenkriegs-[zeit *f*.]

entre|junto *adj.* halb offen; **~largo** *adj.* halblang, ziemlich lang; **~lazado** *adj.* verschränkt; verwebt; *poet. u. fig.* verwoben; **~lazar** [1f] **I.** *v/t.* verflechten; inea.-weben, -schlingen; *Typ. Durchschuß* verschränken; **II.** *v/r.* *~se a. fig.* s. verflechten; *fig.* inea.-greifen.

entre|linear *v/t.* zwischen die Zeilen *e-s Textes* schreiben; **~liño** ⚘ *m* Gang *m* zwischen Ölbaum- *bzw.* Rebenreihen; **~lucir** [3f] *v/i.* durchschimmern.

entre|medias *adv.* dazwischen; inzwischen; **~medio** *m Am.* Zwischen-zeit *f*, -raum *m*; **~més** *m* **1.** *Lit.*, *Thea.* Zwischenspiel *n*; Einakter *m*; *urspr.* Posse *f*; **2.** *Kchk. mst. ~eses m/pl.* Vorspeise(n) *f*(/*pl.*); Zwischengericht *n*; **~mesil** *adj. c* Zwischenspiel...

entreme|ter I. *v/t.* ein-schieben, -stecken; **II.** *v/r.* *~se* s. einmischen (*in ac. en*); **~tido** *adj.-su.* zudringlich; vorwitzig, naseweis; *m* Naseweis *m*, Schnüffler *m*; **~timiento** *m* Aufdringlichkeit *f*; Vorwitz *m*; Einmischung *f*.

entremezclar *v/t.* (unter-, ver-) mischen; *~ado adj. a. fig.* gemischt.

entremorir *v/i. u.* *~se v/r.* verlöschen, zu Ende gehen (*Kerze u. ä.*).

entrena|do *Sp. usw.*: (*no*) ~ (un-)trainiert, (un)geübt; **~dor** *m* **1.** *Sp.* Trainer *m*; ~ *de fútbol* Fußballtrainer *m*; **2.** ~ *de vuelo* Flugtrainer *m* (*Gerät*); **3.** *Am.* Schulflugzeug *n*; **~miento** *m* Training *n*, (Ein-) Übung *f*; Ausbildung *f*; Drill *m*; *traje m de* ~ Trainingsanzug *m*; **~r I.** *v/t.* trainieren, (ein)üben; schulen; **II.** *v/r.* *~se* trainieren, s. üben (in *dat.* en).

entre|oír [3q] *v/t.* undeutlich hören; munkeln hören; **~panes** ⚘ *m/pl.* Brachfelder *n/pl. zwischen bestellten Äckern*; **~paño** *m* **1.** ⚠ **a)** Paneel *n*, Wandverkleidung *f*; **b)** Türfüllung *f*; **c)** Säulenweite *f*; **2.** Fach *n in Möbeln*; **~parecerse** [2d] *v/r.* durch-scheinen, -schimmern; **~paso** *Equ. m* Mittelgang *m*.

entre|pierna(s) *f*(/*pl.*) **1.** Innenseite *f* der Oberschenkel; **2.** (Hosen-)Zwickel *m*; F *Chi.* Badehose *f*; **~piso** *m* ⚒ Zwischensohle *f*; ⚠ → **~planta** ⚠ *f* Zwischenstock *m*; **~puente** ⚓ *m* Zwischendeck *n*.

entre|rrenglonar *vt/i.* zwischen die Zeilen *e-s Textes* schreiben; **~sacar** [1g] *v/t.* aus-, heraus-suchen (aus *dat.* de); *Haar* ausdünnen; ⚘ aus-putzen, -ästen; *Wald* lichten.

entresiglos: *en la época de* ~ zur Zeit der Jahrhundertwende.

entre|sijo *m* **1.** *Anat.* Netz *n*, Gekröse *n*; **2.** *~s m/pl.* (Korb-)Geflecht *n*; *fig. tener muchos ~s* s-e Haken haben (*Sache*); schwer zu durchschauen sein (*Person*); **~suelo** *m* Zwischenstock *m*; Hochparterre *n*; *Thea.* 1. Rang *m*; **~surco** ⚘ *m* Acker-, Furchen-beet *n*.

entretalla|(dura) *f* Flachrelief *n*; **~r** *v/t.* **1.** als Flachrelief (aus)arbeiten; **2.** *in Holz, Stein, Metall* schneiden; **3.** *Leinwand* auszacken; **4.** aufhalten, behindern.

entretanto *adv.* inzwischen, unterdessen; *en el* ~ in der Zwischenzeit.

entre|techo *m Arg.*, *Chi.* Dachboden *m*; **~tejer** *v/t.* ein-, ver-weben; verflechten; *a. fig.* einflechten; **~tela** *f* Zwischenfutter *n*; Steifleinen *n*; *fig. ~s f/pl.* Innerste(s) *n des Herzens*.

entrete|ner [2l] **I.** *v/t.* **1.** aufhalten; **2.** ablenken, zerstreuen; unterhalten; *j-m* Spaß machen; **3.** *Hunger* beschwichtigen; **4.** *Maschine* warten; **5.** *Frau* aushalten; **6.** hinhalten, vertrösten; *et.* hinauszögern; **II.** *v/r.* *~se* **7.** s. die Zeit vertreiben (mit *dat.* en + *inf. od. con od. ger.*); s. ablenken lassen; s. aufhalten lassen; aufgehalten werden; **~nida** *f* (ausgehaltene) Geliebte *f*; **~nido I.** *adj.* **1.** unterhaltsam, kurzweilig; **2.** aufgeräumt, vergnügt; **3.** zeitraubend, langwierig; **II.** *m* **4.** ⚚ Volontär *m*; **~nimiento** *m* **1.** Unterhaltung *f*, Zeitvertreib *m*; **2.** Verzögerung *f*, Hinhalten *n*; **3.** *a. Kfz.* Instandhaltung *f*; *Kfz.*, ⊕ Wartung *f*; *sin* ~ wartungsfrei.

entretiempo *m* Übergangszeit *f* (*Frühjahr, Herbst*); Vor- *bzw.* Nachsaison *f*; *abrigo m de* ~ Übergangsmantel *m*.

entre|ventana ⚠ *f* Raum *m* zwischen zwei Fenstern; **~ver** [2v] *v/t.* undeutlich sehen; *fig.* ahnen; *Absichten* durchschauen; *hacer* ~, *dejar* ~ durchblicken lassen; **~verado** *adj.* durchwachsen (*Fleisch, Speck*); *fig. Cu.* mittelmäßig; *Am. Reg.* verrückt, wirr; **~verar** *v/t.* unter-, ver-mengen; durchea.-werfen; **~vero** *m Arg.*, *Chi.* Unordnung *f*, Verwirrung *f*; *Arg.* Vermengung *f*; **~vía** 🚂 *f* Gleisabstand *m*.

entrevista *f* Zs.-kunft *f*, Begegnung *f*; Besprechung *f*; Interview *n*; **~dor** *adj.-su.* Interviewer *m*; **~r I.** *v/t.* interviewen; ausfragen; **II.** *v/r.* *~se (con)* s. treffen, zs.-kommen (mit *dat.*); s. (mit *j-m*) besprechen.

entripado I. *adj.* Bauch...; Leib...; **II.** *m* verbissener Grimm *m*, Groll *m*.

entriste|cer [2d] **I.** *v/t.* betrüben, traurig machen; **II.** *v/r.* *~se* traurig werden; **~cimiento** *m* Traurigkeit *f*.

entrome|ter(se) *v/t.* (*v/r.*) → *entremeter(se)*; **~tido** *adj.-su.* → *entremetido*.

entromparse F *v/r.* s. betrinken, s.[ansäuseln F.]

entron|car [1g] **I.** *v/i.* **1.** verwandt sein (mit *dat.* con); s. verschwägern (mit *dat.* con); **2.** *Vkw. Cu.*, *Méj.*, *P. Ri.* Anschluß haben; **II.** *v/t.* **3.** ~ *a alg. con* j-s Verwandtschaft mit (*dat.*) (*od.* j-s Abstammung von *dat.*) nachweisen; **~ización** *f* Thronerhebung *f*; Thronbesteigung *f*; **~izar** [1f] *v/t.* auf den Thron erheben; *fig.* in den Himmel heben; **~que** *m* **1.** Verwandtschaft *f*; Verschwägerung *f*; **2.** *Am.* Verbindung *f*, Anschluß *m* (*Vkw.*).

entropía *Phys. f* Entropie *f*.

entrucha|do *m* Intrige *f*, Verschwörung *f*; **~r** F *v/t.* beschwindeln, hereinlegen.

entubar ⊕ *v/t.* verrohren.

entuerto *m* **1.** Unrecht *n*; Schimpf *m*; **2.** ⚕ *~s m/pl.* Nachwehen *f/pl.*

entullecer [2d] **I.** *v/t. fig.* lähmen, lahmlegen; **II.** *v/r.* *~se* gelähmt werden.

entume|cer [2d] **I.** *v/t. Glied* lähmen; **II.** *v/r.* *~se* starr werden, erstarren; einschlafen (*Glied*); anschwellen (*Gewässer*); **~cido** *adj. Glied*: erstarrt, steif; taub; angeschwollen (*Fluß*); **~cimiento** *m* Erstarren *n*; Taubheit *f e-s Gliedes*.

enturbia|miento *m* Trüben *n*; Trübung *f*; **~r** [1b] *v/t. a. fig.* trüben.

entusi|asmar I. *vt/i.* begeistern; entzücken; **II.** *v/r.* *~se* s. begeistern, schwärmen (für *ac.* con, por); **~asmo** *m* Begeisterung *f*, Enthusiasmus *m*; Ekstase *f*; **~asta** *adj.-su. c*, **~ástico** *adj.* begeistert, enthusiastisch; schwärmerisch; *m* Enthusiast *m*; begeisterter Anhänger *m* (*gen.* de).

enumera|ción *f* Aufzählung *f*; **~r** *v/t.* auf-zählen, -führen.

enuncia|ción *f* Äußerung *f*; kurze Mitteilung *f*; **~do** *m* **1.** (Kurz-)Darlegung *f*, Exposition *f e-s Problems*; *Li.* Aussage *f*; **2.** Wortlaut *m*, Text *m*; **~r** [1b] *v/t.* kurz äußern, darlegen; aussprechen; *Gram.* aussagen; **~tivo** *adj.* aussagend; *Gram. oración f ~a* Aussagesatz *m*.

envainar *v/t.* in die Scheide stecken;

einstecken; ⚔ ¡*envainen!* Seitengewehr an Ort!

envalentonar I. *v/t.* ermutigen; **II.** *v/r.* ~*se* s. als Held aufspielen; großtun; ~*se con alg.* mit j-m anbinden, s. mit j-m anlegen.

envane|cer [2d] **I.** *v/t.* stolz machen; **II.** *v/r.* ~*se* stolz sein (auf *ac. con, de*); s. *auf e-e Sache* et. einbilden; ~**cido** *adj.* stolz; eitel, überheblich; ~**cimiento** *m* Eitelkeit *f*; Stolz *m.*

envara|do *adj.* steif, (er)starr(t); ~**miento** *m* Starre *f*; ~**rse** *v/r.* steif (*od.* starr) werden.

enva|sador *m* Abfülltrichter *m*; ~**sadora** *f* Abfüll-gerät *n*, -maschine *f*; ~**sar I.** *v/t. bsd. Flüssigkeit* ab-, ein-füllen; in Behälter ab-, ver-packen; **II.** *vt/i.* übermäßig trinken; ~**se** *m* **1.** Ab-, Ein-füllen *n*; Verpackung *f*; ~ *automático* automatische Abfüllung *f*; ~ *de origen* Original-abfüllung *f*, -verpackung *f*; **2.** Behälter *n*, Gefäß *n*; (Ver-)Packung *f*; ~*s m/pl. de vuelta* Leergut *n*; zurückzugebende Verpakkung *f.*

enve|dijarse *v/r.* s. verheddern; verfilzen (*Haare, Wolle*); *fig.* in Streit geraten; ~**jecer** [2d] **I.** *v/t.* alt machen; **II.** *v/i. u.* ~*se v/r.* altern; alt werden; *fig.* zur Gewohnheit werden (j-m *en alg.*); ~**jecido** *adj.* gealtert; *fig.* veraltet; althergebracht; ~ *en* ergraut (*od.* geübt) in (*dat.*); ~**jecimiento** *m* Altwerden *n*; Ver-, Über-alterung *f*; *a.* ⊕ Alterung *f.*

envenena|do *adj. a. fig.* vergiftet; ~**dor** *m* Giftmischer *m*; ~**miento** *m* Vergiftung *f*; ~**r** *v/t. a. fig.* vergiften; *fig.* verfälschen; boshaft auslegen.

enver|ar *v/i.* s. färben, rot werden (*bsd. Trauben*); ~**decer** [2d] *v/i.* grünen, grün werden; ~**gadura** *f* Flügel-, Spann-weite *f* (*Vo.*); ⚓ Segelbreite *f*; *fig.* Bedeutung *f*, Wichtigkeit *f*, Umfang *m*; *de gran* ~, *de mucha* ~ sehr bedeutend; ~**gar** [1h] ⚓ *v/t. Segel* anschlagen; *p.ext.* einschäkeln; ~**gues** ⚓ *m/pl.* Seising *n* (*Tau*); ~**jado** *m* Gitter(werk) *n.*

envés *m* Rückseite *f*; *fig.* Schatten-, Kehr-seite *f.*

envia|do *m* Abgesandte(r) *m*, Sendbote *m*; *Dipl.* ~ *extraordinario* außerordentliche(r) Gesandte(r) *m*; *Zeitung*: ~ *especial* Sonder-berichterstatter *m*, -korrespondent *m*; ~**r** [1c] *v/t.* (ab-, ver-)senden, schicken; *j-n* entsenden, schicken; ~ *a/c. a alg.* j-m et. zu-senden, -schicken, -stellen; F ~ *a alg. a paseo* (*a pasear*) j-n zum Teufel schicken; ~ *por alg.* nach j-m schicken; ~ *por* (F *a por*) *a/c.* et. holen lassen.

enviciar [1b] **I.** *v/t. moralisch* verderben; **II.** *v/i.* ins Kraut (*bzw.* ins Laub) schießen; **III.** *v/r.* ~*se* sittlich verkommen; ~*se en* (*od. con*) *e-m Laster usw.* verfallen, frönen.

envida|da *Kart. f* Bieten *n*, Reizen *n*; ~**r** *v/i. Kart.* bieten, reizen; *Kart. u. fig.* ~ *en* (*od. de*) *falso* bluffen.

envi|dia *f* Neid *m*, Mißgunst *f*; ~ *profesional* Brot-, Konkurrenzneid *m*; *tener* ~ *a alg.* (*de, por*) j-n (um *ac.*) beneiden; *dar* ~ beneidenswert sein; *dar* ~ *a alg. de a/c.* Lust bekommen auf et. (*ac.*), et. gern haben wollen; ~**diable** *adj. c* beneidenswert; zu beneiden(d); ~**diar** [1b] *v/t.*: ~ *a/c.* auf et. (*ac.*) neidisch sein; ~ *a/c. a alg.*, ~ *a alg. por a/c.* j-n um et. (*ac.*) beneiden; j-m et. mißgönnen; *fig. no tener nada que* ~ *a* nicht nachstehen (*dat.*), nicht schlechter sein als (*nom.*); *a. iron. no se lo envidio* ich gönne es ihm; ~**dioso I.** *adj.* mißgünstig; neidisch (auf *ac. de*); **II.** *m* Neider *m.*

envigado(s) ⚠ *m*(*/pl.*) Gebälk *n.*

envile|cer [2d] **I.** *v/t.* herabwürdigen, erniedrigen; **II.** *v/r.* ~*se* s. erniedrigen; ~**cimiento** *m* Erniedrigung *f*; Verkommenheit *f.*

envinar *v/t. Wasser* mit Wein vermischen.

envío *m* **1.** Sendung *f*; Ab-, Ver-, Über-sendung *f*, Versand *m*; ~ de: Absender: (*auf Sendungen*); ~ *contra rembolso* (*por correo aéreo*) Nachnahme- (Luftpost-)sendung *f*; *aviso m de* ~ Versandanzeige *f*; *nota f de* ~ Versand-schein *m*, -erklärung *f*; *hacer un* ~ *de et.* (ver-)senden, (ver)schicken; **2.** *poet.* Zueignung *f.*

envión F *m* Stoß *m*; Ruck *m.*

envite *m* **1.** Bieten *n*, *Kart. a.* Reizen *n*; *fig.* (An-)Gebot *n*, Anerbieten *n*; **2.** Stoß *m*; Sprung *m*; *adv. al primer* ~ gleich zu Beginn, von Anfang an.

envol|tijo *m Reg. u. Ec.*, ~**torio** *m* Bündel *n*; Packen *m*; ~**tura** *f* **1.** Hülle *f* (*a. fig.*), Packung *f*; ~ *hermética* luftdichte Hülle *f*; Frischhaltepackung *f*; **2.** ⊕ Hülle *f*, Umhüllung *f*; Mantel *m*; ~ *tubular* Rohr-mantel *m*, -hülle *f*; **3.** ⚕ Wickel *m*, Packung *f*; ~ *torácica* Brustwickel *m*; **4.** ~(*s*) *f*(*/pl.*) Windeln *f/pl.*; ~**vedero** *m* Wickeltisch *m*; ~**vedor** *m* **1.** Packer *m v. Waren*; **2.** Wickeltuch *n*; **3.** Wickeltisch *m*; ~**vente I.** *adj.-su. f* ⛛ (*curva f*) ~ Hüllkurve *f*; **II.** *f HF* ~ *moduladora* Modulationskurve *f*; **III.** *m* ⊕ Mantel *m*, Verkleidung *f*; ~**ver** [2h] **I.** *v/t.* **1.** (ein)wickeln, einpacken, einhüllen (in *ac. con, en*); *a. fig.* verhüllen; *fig.* verbrämen; **2.** *a.* ⊕ umwickeln; ⊕ ummanteln; **3.** *Rand, Stoff* einschlagen; *p. ext.* umhäkeln *usw.*; **4.** ⚔ umfassen, umzingeln; **5.** *a. fig.* verwickeln, verwirren; *fig.* hineinziehen (in *ac. en*); bedeuten, (mit) beinhalten; **II.** *v/r.* ~*se* **6.** s. einlassen (in *ac. en*); **7.** in wilder Ehe leben.

envuel|ta *f* Umhüllung *f*, Hülle *f*; ⊕ Be-, Um-wicklung *f*; Verkleidung *f*; Mantel *m*, Gehäuse *n*; ~**to I.** *part. v. envolver*; **II.** *m* F → *envoltorio*; *Kchk. Méj.* gefüllte Maisrolle *f.*

enyesa|do *m* Gipsen *n*; ⚕ Gipsverband *m*; ~**r** *v/t.* (ein)gipsen (*a.* ⚕); übergipsen.

enzarzar [1f] **I.** *v/t.* **1.** *Mauer* mit e-r Dornenschicht versehen; **2.** *fig.* in Schwierigkeiten verwickeln; **II.** *v/r.* ~*se* **3.** s. verfeinden (mit *dat. con*); anea.-geraten; s. in Ungelegenheiten bringen; **4.** ~*se en una conversación* vom Hundertsten ins Tausendste kommen.

enzi|ma ⚗ *f* Enzym *n*; ~**mático** *adj.* Enzym..., enzymatisch.

enzootia *vet. f* Viehseuche *f.*

enzurizar [1f] *v/t.* (gg.-einander) aufhetzen.

eñe *f* Ñ *n* (*Name des Buchstabens*).

eoceno *Geol. m* Eozän.

eólico *od.* **eolio I.** *adj.* äolisch; *arpa f eolia* Äolsharfe *f*; **II.** *m* Äolier *m.*

eón *m* Äon *m.*

¡epa! *int. Méj., Ven.* he!, hallo!; *Chi.* auf!, los!

epata|nte *gal. adj. c* verblüffend, erstaunlich; ~**r** *gal. v/t.* verblüffen.

epazote ⚘ *m Guat., Méj., Salv.* Pazote *m.*

épica *f* Epik *f*, erzählende Dichtung *f.*

epi|cardio *Anat. m* Epikard *n*; ~**carpio** ⚘ *m* Epikarp *n*; ~**ceno** *Gram. adj.* für beide Geschlechter geltend (*Artikel*; *z. B. la codorniz* die Wachtel *für Männchen u. Weibchen*); ~**centro** *m* Epizentrum *n*; ~**ciclo** ⛛, *Astr. m* Epizykel *m*; ~**cicloide** ⛛ *f* Epizykloide *f.*

épico *Lit. adj.-su.* episch, erzählend; (*poesía f*) ~*a f* Epik *f*; *poema m* ~ Epos *n*; (*poeta m*) ~ *m* Epiker *m*, epischer Dichter *m.*

epi|cureísmo *Phil. u. fig. m* Epikureismus *m*; ~**cúreo** *Phil. u. fig. adj.-su.* epikur(e)isch; *m* Epikureer *m.*

epi|demia *f* Epidemie *f*, Seuche *f*; ~**démico** *adj.* epidemisch, Seuchen...; ~**demiología** ⚕ *f* Epidemiologie *f*; ~**dérmico** ⚕ *adj.* epidermal, Oberhaut...; ~**dermis** *Anat.*, ⚘ *f* Epidermis *f*, (Ober-)Haut *f*; ~**diáscopo**, ~**diascopio** *m* Epidiaskop *n*; ~**dídimo** *Anat. m* Nebenhode *m.*

epifanía *Rel. f* Dreikönigsfest *n*, Epiphanie *f.*

epífisis *Anat. f* Epiphyse *f.*

epi|gastrio *Anat. m* Epigastrium *n*, Magengrube *f*; ~**glotis** *Anat. f* Kehldeckel *m*, Epiglotis *f.*

epí|gono *m* Epigone *m*; *fig.* (schwacher) Nachahmer *m*; ~**grafe** *m* **1.** Epigraph *m*; Aufschrift *f*, Inschrift *f*; **2.** Überschrift *f*; **3.** Motto *n.*

epi|grafía *f* Inschriftenkunde *f*, Epigraphik *f*; ~**gráfico** *adj.* epigraphisch; ~**grafista** *c* Epigrafiker *m*; ~**grama** *m* Epigramm *n*; ~**gramático** *adj.* epigrammatisch; *fig.* kurz; treffend, geistreich, witzig; ~**gramatista** *c* Epigrammatiker *m.*

epi|lepsia ⚕ *f* Epilepsie *f*, Fallsucht *f*; ~**léptico** *adj.* epileptisch.

epilo|gación *f* → *epílogo*; ~**gal** *adj. c* zs.-gefaßt, kurz; ~**gar** [1h] *v/t.* (in e-m Nachwort) zs.-fassen.

epílogo *m* Epilog *m*; *fig.* Schluß *m*; Zs.-fassung *f.*

epiplón *Anat. m* (großes) Netz *n.*

episcopa|do *m* Bischofsamt *n*; Episkopat *m*; ~**l I.** *adj. c* **1.** bischöflich, Bischofs...; *sede f* ~ Bischofssitz *m*; **2.** Episkopal...; **II.** *m* **3.** Episkopale *n* (*Ritenbuch*); **4.** Episkopale *m* (*Engl., Angloam.*); ~**lismo** *m* Episkopalismus *m.*

episcopio *m* Episkop *n.*

epi|sódico *adj.* episodisch, vorübergehend, nebensächlich; ~**sodio** *m* Episode *f* (*a.* ♪ *u. fig.*); *Thea. u. fig.*

Nebenhandlung *f*; *Rhet.* Abschweifung *f*; *Lit.*, *Thea.*, *Film*: Teil *m* e-r Reihe.
epispermo ⚘ *m* Samenhüllen *f/pl.*
epistaxis ⚕ *f* Nasenbluten *n*.
epistemología *Phil. f* Epistemologie *f*, Erkenntnistheorie *f*.
epístola *f ecl.* Epistel *f*; *bibl.*, *Lit.* Brief *m*.
epistola|r *adj. c* Brief..., brieflich; **~rio** *m* **1.** Briefsammlung *f*; **2.** *ecl.* Epistolarium *n*; **3.** Briefsteller *m*.
epita|fio *m* Grabschrift *f*; Epitaph *m*; **~lamio** *m* Hochzeitsgedicht *n*.
epiteli|al *Anat. adj. c* Epithel...; **~o** *Anat. m* Epithel *n*; *~ cilíndrico (plano)* Zylinder-(Platten-)epithel *n*.
epí|teto *m* Epitheton *n*, Beiwort *n*; **~tome** *f Rhet.*, *Lit.* Epitome *f*; Auszug *m*, Abriß *m*.
epizo|ario *Biol. m* Epizoon *n*, Schmarotzer(tier *n*) *m*; **~otia** *vet. f* Tierseuche *f*.
época *f* **1.** Zeitabschnitt *m*, Epoche *f*, Zeitpunkt *m*; Zeit(alter *n*) *f*; *~ escolar* Schulzeit *f*; *~ moderna* Neuzeit *f*; Moderne *f*; *~ de (las) lluvias* Regenzeit *f*; *en aquella ~* damals; **2.** F *de ~* famos; *que hace ~* aufsehenerregend; epochemachend, epochal.
epónimo *adj.-su.* eponym; *m* Eponymus *m*, Namengeber *m*.
epo|peya *f* Epos *n*; **~s** *neol. m* Epos *n*.
épsilon *f* Epsilon *n* (*griechischer Buchstabe*).
epsomita *Min. f* Bittersalz *n*.
epulón *m* starker Esser *m*.
equi|ángulo *adj.* gleichwinklig; **~dad** *f* **1.** Recht *n* u. Billigkeit *f*; Gerechtigkeit *f*; **2.** Gleichmut *m*, Mäßigung *f*; **~distante** *adj. c* gleich weit (voneа.) entfernt; **~distar** *v/i.* gleich weit entfernt sein (von *dat.* de *od.* voneа.).
équidos *Zo. m/pl.* Equiden *m/pl.*
equilátero ⩘ *adj.* gleichseitig.
equili|brado I. *adj.* ausgeglichen; *Phys.*, ⊕ ausgewuchtet; **II.** *m* Auswuchten *n*; **~brar** *v/t. a. fig.* ausgleichen, ins Gleichgewicht bringen; ⊕ auswuchten; *Waage* tarieren; ⚓, ✈ trimmen; **~brio** *m* **1.** *a. fig.* Gleichgewicht *n*; Ausgleich *m*; *a. fig. ~ de fuerzas* Gleichgewicht *n* der Kräfte; *Pol. ~ del terror* Gleichgewicht *n* des Schreckens; **2.** Ausgeglichenheit *f*; **3.** *~s m/pl.* Ausgleichsversuche *m/pl.*; *desp.* Seiltänzerkunststücke *n/pl.* (*fig.*); **~brista** *c* Äquilibrist *m*, Seiltänzer *m* (*a. fig.*).
equimolecular *Phys. adj. c* äquimolekular.
equimosis ⚕ *f* (*pl. inv.*) Ekchymose *f*.
equino I. *adj.* Pferde...; **II.** *m Zo.* Seeigel *m*.
equinoc|cial *adj. c* Äquinoktial...; tropisch; *línea f ~* Äquator *m*; *tormentas f/pl. ~es* Äquinoktialstürme *m/pl.*; **~cio** *m* Tagundnachtgleiche *f*, Äquinoktium *n*.
equino|coco ⚕ *m* Echinokokkus *m*; **~dermo** *Zo. adj.-su. m* Stachelhäuter *m*.
equipa|je *m* **1.** (Reise-)Gepäck *n*; *~ libre*, *~ franco* Freigepäck *n*; *~ de mano* Handgepäck *n*; *talón m de ~* Gepäckschein *m*; **2.** ⚔ ⚓ Mannschaft *f*; **~r** *v/t.* **1.** ausrüsten, ausstatten, versehen (mit *dat.* de, con); ⚔ *a.* bestücken; *Schiff* ausrüsten *bzw.* bemannen; **2.** verproviantieren.
equipara|ble *adj. c* vergleichbar, gleichstellbar; **~r** *v/t.* gleich-stellen, -setzen; vergleichen (mit *dat.* a, con).
equipo *m* **1.** Ausrüstung *f*, Ausstattung *f*; ⊕ Gerät *n*; Einheit *f*; *~ de aire comprimido* Preßluftgerät *n*; *HF ~ amplificador* Verstärkerausrüstung *f*; *~ de colegial* Schülerausstattung *f*; Schulbedarf(sartikel *m/pl.*) *m*; *~ de novia* Brautausstattung *f*, Aussteuer *f*; **2.** *Sp.*, ⚓, ⚔, ⊕, ✈ *u. fig.* Mannschaft *f*; *Sp. u. fig.* Team *n*; (Schiffs-)Besatzung *f*; Arbeitsgruppe *f*; Schicht *f*; *~ de fútbol* Fußballmannschaft *f*; *~ nacional* Nationalmannschaft *f*; *~ de noche* Nachtschicht *f*; *carrera f por ~s* Mannschaftsrennen *n*; *trabajo m en ~* Teamarbeit *f*.
equis *f* **1.** X *n* (*Name des Buchstabens*) (*a.* ⩘); *Phys. rayos m/pl. ~* Röntgenstrahlen *m/pl.*; **2.** *fig.* F *en ~ días* in x Tagen, irgendwann; *gasto m de ~ ptas.* Ausgabe *f* von -zig Peseten; *el Sr. X* Herr X; **3.** *Zo. Ven.*, *Col.* Giftviper *f*.
equiseto ⚘ *m* Schachtelhalm *m*.
equita|ción *f* Reiten *n*; Reitkunst *f*; Reitsport *m*; *escuela f de ~* Reitschule *f*; **~dor** F *adj.-su.* (schulgerechter) Reiter *m*.
equitati|vamente *adv.* billigerweise; **~vo** *adj.* **1.** recht u. billig; gerecht; **2.** rechtlich denkend.
equiva|lencia *f* Gleichwertigkeit *f*, Äquivalenz *f*; **~lente I.** *adj. c* gleichwertig (*dat. od.* mit *dat.* a), entsprechend; äquivalent; **II.** *m* Äquivalent *n*; Gg.-wert *m*, Ersatz *m*; **~ler** [2q] *v/i.*: *~ (a)* gleichwertig sein (*dat. od.* mit *dat.*), gleichkommen (*dat.*); 🕮 äquivalent sein; *fig.* bedeuten (*ac.*); *lo que equivale a decir que no* was auf ein Nein hinausläuft.
equivoca|ción *f* Irrtum *m*, Verwechslung *f*; Mißverständnis *n*; *por ~* → **~damente** *adv.* irrtümlich, versehentlich, aus Versehen; **~do** *part.*: *estar ~* s. irren, im Irrtum sein; **~r** [1g] **I.** *v/t.* verwechseln; verfehlen; mißdeuten; **II.** *v/r.* *~se* s. irren (in *dat.* de, en); *~se de et.* verwechseln; *~se de autobús* in den falschen Bus einsteigen; *~se en el camino* den falschen Weg einschlagen, s. verirren; *~se en el cálculo* s. verrechnen; *~se al escribir* s. verschreiben.
equívoco I. *adj.* doppelsinnig; *fig.* zweideutig, verdächtig; *fig.* schlüpfrig; F *inc.* irrig, falsch; **II.** *m* Doppelsinn *m*; *fig.* Zweideutigkeit *f*; Wortspiel *n*.
equivoquista *c* wer s. in Wortspielen (*od.* Zweideutigkeiten) gefällt.
era[1] *f* Zeitalter *n* (*a. Geol.*); Ära *f*; Zeitrechnung *f*; *~ atómica* Atomzeitalter *n*; *~ cristiana*, *~ vulgar* christliches Zeitalter *n*; → *a. edad, época*.
era[2] *f* **1.** Tenne *f*; **2.** ⸙ Beet *n*; **3.** ⚠ Mörtelmischplatz *m*.
erario *m* Staatskasse *f*, Fiskus *m*; *hist.* Ärar *n*.
ere *f* R *n* (*Name des Buchstabens*).
erebo *Myth.*, *lit. m* Erebos *m*.
erección *f* **1.** Errichtung *f*; Gründung *f*; **2.** *Physiol.* Erektion *f*.
eréctil *adj. c* erektionsfähig, erektil; aufrichtbar.
erecto *adj.* steif; aufrecht; senkrecht, steil (emporragend); **~r** *adj.-su.* aufrichtend; errichtend; *m* Errichter *m*.
ere|mita *m* Einsiedler *m*, Eremit *m*; **~mítico** *adj.* einsiedlerisch, Eremiten...; **~mitorio** *m* Einsiedelei *f*.
ergio *Phys. m* Erg *n*.
ergo *lt. u.* F *cj.* daher, also, ergo (*lt.*).
ergoti|na ⚗ *f* Ergotin *n*; **~smo** *m* **1.** ⸙ Kornstaupe *f*; ⚕ Ergotismus *m*; **2.** Rechthaberei *f*; **~sta** *adj.-su. c* rechthaberisch; *m* Rechthaber *m*; **~zante** *adj. c* rechthaberisch; **~zar** [1f] *v/i.* alles besser wissen wollen.
erguir [3n, *yergo od. irgo*] **I.** *v/t.* auf-, er-richten; emporrichten; (er)heben; **II.** *v/r.* *~se* s. aufrichten; s. erheben; *fig.* s. aufblähen; *~ido* aufrecht; *fig.* aufgeblasen.
eria|l *adj.-su. c* öde, wüst; *m* Ödland *n*, Brache *f*; **~zo** *adj.-su.* → *erial*.
erica *od.* **érica** ⚘ *f* Heide(kraut *n*) *f*, Erika *f*.
erigir [3c] **I.** *v/t.* errichten; gründen; *fig. ~ (en)* erheben zu (*dat.*), ernennen zu (*dat.*); umwandeln in (*ac.*); **II.** *v/r.* *~se en árbitro* s. zum Schiedsrichter aufwerfen.
erin|ge *f*, **~gio** *m* ⚘ Disteldolde *f*.
erinia *Myth. f* Erinnye *f*.
erisipela ⚘ *f* (Wund-)Rose *f*, Erysipel *n*.
eritrocito ⚕ *m* Erythrozyt *m*.
eriza|do *adj.* borstig, stachelig; gesträubt (*Haar, Stacheln*); *fig. ~ de* starrend von (*dat.*), gespickt mit (*dat.*); *~ de dificultades* sehr schwierig, heikel; **~r** [1f] **I.** *v/t.* **1.** sträuben, aufrichten; F *~ la pelambrera* die Haare zu Berge stehen lassen; **2.** *fig.* spicken (mit *dat.* de); **II.** *v/r.* *~se* **3.** *se le eriza el pelo (od. su pelo se eriza) de horror* sein Haar sträubt s. vor Entsetzen.
eri|zo *m* **1.** *Zo.* Igel *m*; *fig.* F Kratzbürste *f* (*Person*); *~ marino*, *~ de mar* Seeigel *m*; **2.** ⚔ Mauerbewehrung *f*; **3.** ⚘ **a)** Stachelhülle *f der Kastanien usw.*; **b)** Igelkraut *n*; **~zón** ⚘ *m* Stachelginster *m*.
ermita *f* Einsiedelei *f*, Eremitage *f*; Wallfahrtskapelle *f*; **~ño** *m* **1.** Einsiedler *m*, Eremit *m*; **2.** *Zo.* Einsiedlerkrebs *m*; **3.** □ *~ (de camino)* Straßenräuber *m*.
erogar [1h] *v/t. Geld od. Gut* aus-, ver-teilen; P *Méj. Ausgaben* verursachen.
Eros *Myth.*, *lit. m* Eros *m*.
erosi|ón *f* **1.** Hautabschürfung *f*; **2.** *Geol.*, ⊕ Erosion *f*; **~onar** *v/t.* auswaschen, erodieren; **~vo** *Geol. adj.* Erosions...
erostratismo *m* Herostratentum *n*.
erótí|ca *adj.-su. f* (*poesía f*) *~* Liebesdichtung *f*; **~co** *adj.* erotisch; Liebes...
ero|tismo *m* Erotik *f*; *neol. ~ de grupo* Gruppensex *m*; **~tomanía** *f* Erotomanie *f*; **~tómano** *adj.-su.* Erotomane *m*.
erra|bundo *adj.* umher-irrend, -schweifend; **~da** *f* Fehlstoß *m b.*

Billard; *fig.* Fehl-schuß *m*, -wurf *m*; **~damente** *adv.* irrtümlich, fälschlich.

erradicar [1g] *v/t.* entwurzeln, ausreißen.

erra|dizo *adj.* umherschweifend; **~do** *adj.* irrig, verfehlt, unrichtig; *tiro m* ~ Fehlschuß *m*; *andas* ~ du bist im Irrtum.

erraj ↗ *m* zermahlene Olivenkerne *zum Heizen*.

erra|nte *adj. c* umherirrend, schweifend; unstet; **~r** [1l] **I.** *v/i.* **1.** umher-schweifen, -irren; irren; **2.** (s.) irren; danebengehen (*Schlag usw.*); ~ *y porfiar* hartnäckig auf s-m Irrtum bestehen; **II.** *v/t.* **3.** ~ *el blanco* das Ziel verfehlen; *a. fig.* vorbeischießen; *fig.* danebenhauen F; ~ (*a.* ~*se en*) *el camino* den Weg verfehlen; *fig.* auf dem Holzweg sein F; **~ta** *f* Schreib-, Druck-fehler *m*; *fe f de* ~*s* Druckfehlerverzeichnis *n*.

errático *adj.* wandernd (*a. Schmerz*); *Geol. roca f* ~*a* erratischer Block *m*, Findling *m*.

erre *f Name des Buchstabens rr*; *fig. adv.* ~ *que* ~ hartnäckig; immer wieder.

erróneo *adj.* irrig, Fehl...; *doctrina f* ~*a* Irrlehre *f*; *juicio m* ~ Fehlurteil *n*, irrige Ansicht *f*.

error *m* **1.** Irrtum *m*, irrige Meinung *f*; Fehler *m*, Versehen *n*; ~ *de cálculo* Rechen- *bzw.* Schätzungsfehler *m*; *Typ.* ~ *de caja* (*de pluma*) Satz- (Schreib-)fehler *m*; ⚖ ~ *judicial* Justizirrtum *m*; ⚕ ~ *de diagnóstico* Fehldiagnose *f*; ⚕ ~ *de técnica* (*Typ.* ~ *tipográfico*) Kunst- (Druck-)fehler *m*; *fuente f de* ~*es* Fehlerquelle *f*; *estar en un* ~ im Irrtum sein; *inducir a* ~ irreleiten, täuschen, trügen; *por* ~ irrtümlich, versehentlich; **2.** Verfehlung *f*; Verirrung *f* (*fig.*).

erubescente *adj. c* errötend; schamrot.

eruc|tar *v/i.* aufstoßen, rülpsen P; **~to** *m*, *oft* ~*s m/pl.* Aufstoßen *n*, Rülpsen *n* P.

erudi|ción *f* Gelehrsamkeit *f*; **~to** **I.** *adj.* gebildet; gelehrt; bewandert, beschlagen (*in dat.* en); **II.** *m* Gelehrte(r) *m*; F ~ *a la violeta* Halb-, Pseudo-gebildete(r) *m*.

erup|ción *f* **1.** *Geol. u. fig.* Ausbruch *m*, Eruption *f*; **2.** ⚕ **a)** (Haut-)Ausschlag *m*; **b)** Durchbrechen *n der Zähne*; **~tivo** *adj.* **1.** *Geol.* eruptiv; *rocas f/pl.* ~*as* Eruptivgestein *n*; **2.** ⚕ mit Ausschlag verbunden.

esa *pron. dem. f* → ese².

esaborío P *adj.* fade, langweilig.

esbel|tez *f* Schlankheit *f*; schlanker Wuchs *m*; **~to** *adj.* schlank(wüchsig).

esbirro *m* Büttel *m*, Sbirre *m* (*it.*); Scherge *m*; (Polizei-)Spitzel *m*.

esbo|zar [1f] *v/t. a. fig.* skizzieren; umreißen, andeuten; ~ *una sonrisa* leicht lächeln; **~zo** *m* Skizze *f*, Entwurf *m*.

escabe|chado *adj.* **1.** *Kchk.* mariniert; **2.** F geschminkt, bemalt F; **~char** *v/t.* **1.** *Fisch, Fleisch* marinieren; beizen; **2.** F umbringen, abmurksen P; **3.** im Examen durchfallen lassen; **4.** *graue Haare* färben; **~che** *m Kchk.* Marinade *f*, Beize *f*; marinierter Fisch *m*; *en* ~ mariniert; **~china** F *f* Katastrophe *f*; Verwüstung *f*; *Sch. Prüfung mit e-r* Menge *f* von Durchgefallenen, Schlachtfest *n* F.

escabel *m* Schemel *m*; *fig.* Beziehung *f*, Sprungbett *n* (*fig.*).

escabiosa ⚘ *f* Skabiose *f*.

escabro *m vet.* Schafräude *f*; ⚘ Baumkrebs *m*; **~sidad** *f* (Gelände-)Unebenheit *f*, Holprigkeit *f*; Schwierigkeit *f*; *fig.* Schlüpfrigkeit *f*; **~so** *adj.* **1.** uneben, holprig; felsig; **2.** schwierig; heikel (*Angelegenheit*); **3.** anstößig, schlüpfrig.

escabullir *v/i. u.* ~*se v/r.* [3h] entwischen, -gleiten; *la anguila se me escabulló* der Aal entschlüpfte m-n Händen; ~*se* (*por*) *entre la muchedumbre* (ungesehen) in der Menge verschwinden.

escacharrar **I.** *v/t. Geschirr* zerbrechen; *fig. Angelegenheit* verpfuschen; **II.** *v/r.* ~*se* s. zerschlagen, mißlingen.

escachifollar F *v/t.* zum Narren halten, foppen.

escafan|dra *f*, **~dro** *m* Taucheranzug *m*; Tauchgerät *n*; ~ *f autónoma* Unterwasseratemgerät *n*.

escafoides *Anat. adj.-su. m* (*pl. inv.*) (*hueso m*) ~ Kahnbein *n*.

escajo *m* Brachland *n*.

escala *f* **1.** Leiter *f*; ~ *de cuerda* Strickleiter *f*; ⚓ ~ *de gato*, ~ *de viento* Jakobsleiter *f*, Fallreep *n*; ~ *de asalto* Sturmleiter *f* (*z. B. der Feuerwehr*); **2.** Skala *f*; Reihe *f*; Einteilung *f*; Gradmesser *m*; (*a.* Karten-)Maßstab *m*; ~ *de altura* Höhen-skala *f bzw.* -einstellung *f*; ~ *de colores* Farben-reihe *f*, -skala *f*, -tafel *f*; ~ *graduada* Stufenleiter *f*; Gradeinteilung *f*; Einstellskala *f*; ~ *móvil de salarios* gleitende Lohnskala *f*; ~ *óptica* optische Skala *f*; ⚕ Sehprobentafel *f*; *Phon.* ~ *de sonidos* Laut-reihe *f*, -tafel *f*; ~ *de valores* Wert-skala *f bzw.* -tafel *f*; *fig. en gran* ~ in großem Umfang (*od.* Maßstab), im großen, Groß...; *a* ~ *de 1:400.000* im Maßstab von 1:400.000; **3.** *bsd.* ⚔ Rangliste *f*; ~ *de reserva* Stammrolle *f* der Reserve; **4.** ⚓, ✈ Zwischenlandung *f*; (*puerto m de*) ~ Anlauf- *bzw.* Anflug-hafen *m*; *hacer* ~ (*en*) ⚓ anlaufen (*ac.*); ✈ zwischenlanden (*in dat.*); *fig.* rasten; *sin* ~ ohne Zwischenlandung *f*; ✈ *vuelo m sin* ~ Nonstopflug *m*; **5.** ♪ ~ (*musical*) Tonleiter *f*; ~ *de do mayor* C-Dur-Tonleiter *f*; *hacer* ~*s* Tonleitern (*bzw.* Läufe) üben.

escala|ción *neol. Pol. f* Eskalation *f*; **~da** *f* **1.** Ersteigen *n*; Erklettern *n*; ⚔ Erstürmen *n*; **2.** → *escalación*; **~dor** *adj.-su.* **1.** Bergsteiger *m*; Kletterer *m*; **2.** Fassadenkletterer *m*, Einsteigedieb *m*; **~fón** *m* Rang-, Beförderungs-liste *f*; Besoldungsgruppe *f*; ~ *jerárquico* Rangklassen *f/pl.*; **~miento** *m* → *escalada*; **~r** *v/t.* **1.** (mit Leitern) ersteigen; erklettern, besteigen; ⚔ erstürmen; *die Macht* an s. reißen (wollen); *fig.* ~ *posiciones* die soziale Stufenleiter hinaufsteigen; **2.** einbrechen in (*ac.*), einsteigen in (*ac.*); **~torres** ⚒ *c* (*pl. inv.*) Fassadenkletterer *m* (*Artist*).

escalda|do *adj. fig.* gewitzigt, durchtrieben; abgebrüht, schamlos; **~dura** *f*, **~miento** *m* Abbrühen *n*; Glühen *n*; ⚕ **a)** Verbrühung *f*; **b)** Wolf *m*; **~r** *v/t.* **1.** *a. Kchk.* abbrühen; heiß machen; ⚕ **a)** verbrühen; **b)** wundreiben; *fig.* verletzen, verwunden; **2.** glühend machen.

escaldo *Lit. m* Skalde *m*.

escaleno **I.** *adj.* △ ungleichseitig (*Dreieck*); **II.** *m Anat.* Skalenus *m* (*Muskel*).

escale|ra *f* **1.** Treppe *f*; *a.* Treppenhaus *n*; *fig. gente f de* ~*s abajo* Dienstboten *m/pl.*; ~ *automática*, ~ *mecánica* Rolltreppe *f*; → *a.* 2; ~ *excusada*, ~ *falsa* Neben-, Geheim-treppe *f*; ~ *exterior* Außentreppe *f*; ~ *de honor*, ~ *monumental* → *escalinata*; ~ *de desván* (*de servicio*) Boden- (Hinter-)treppe *f*; ~*s arriba y abajo* treppauf, treppab; *subir* (*por*) *la* ~ (über) die Treppe hinaufgehen; **2.** (Wagen-, Schiffs- *usw.*) Leiter *f*; ~ (*de mano*) Leiter *f*; ~ *de bomberos* Feuerwehrleiter *f*; ~ *mecánica* mechanische Leiter *f z. B. Feuerwehr*; ~ *de tijera*, ~ *doble* (*plegable*, *plegadiza*) Bock-, Steh- (Klapp-)leiter *f*; **3.** Klettergerüst *n*; **~rilla** *f* Trittleiter *f*; *en* ~ treppen-, staffel-förmig; **~rón** *m* Baumleiter *f* (*Stamm mit Aststummeln*); **~ta** *f* Hebezeug *n*, Achsheber *m*.

escalfa|do *adj.* **1.** poschiert (*Ei*); **2.** blasig (*schlecht getünchte Wand*); **~dor** *m* Wärmeplatte *f*; Wasserwärmer *m*; **~r** **I.** *v/t. Eier* poschieren; **II.** *v/r.* ~*se* blasig werden (*Brot, Anstrich*).

escalinata *f* Frei-, Vor-treppe *f*.

escalio *m* Brach-, Neu-land *n*.

escalo *m* Klettern *n*.

escalo|friado *adj.* fiebernd, fröstelnd; **~friante** *adj. c fig.* schaurig, schaudererregend; **~frío** *m* ⚕ Schüttelfrost *m*; *fig.* Schauder *m*, Schaudern *n*; *tengo* ~*s* ich habe Schüttelfrost; *fig.* es überläuft mich (heiß u.) kalt.

escalón *m* **1.** *a. fig. u.* ⊕ Stufe *f*; (Leiter-)Sprosse *f*; stufenförmiger Absatz *m*; *en* ~*ones* stufenweise; *de dos* ~*ones* zweistufig; *sin* ~*ones* stufenlos; *cortar el pelo en* ~*ones* Treppen ins Haar schneiden; **2.** ⚔ Staffel *f*, Trupp *m*; *a* ~*ones* staffelweise; in Wellen; ~ *de combate* Gefechtsstaffel *f*, Haupttrupp *m*; **3.** *Vkw.* ~ *lateral* Randstreifen *m* (*Straße*).

escalona *f* → *escaloña*.

escalona|do *adj.* abgestuft, gestaffelt; ⌂ *frontón m* (*od. frontispicio*) *m*) ~ Treppengiebel *m*; ⊕ *engranaje m* ~ Stufengetriebe *n*; **~miento** *m* (Ab-)Stufung *f*; Staffelung *f*; **~r** *v/t.* **1.** *a. fig.* abstufen; stufen; **2.** gestaffelt (*od.* in Abständen) aufstellen.

escalo|nia ⚘ *adj.-su. f* (*cebolla f*) ~ → **~ña** ⚘ *f* Schalotte *f*.

escalo|pe *m*, *a.* **~pa** *f Kchk.* Schnitzel *n*.

escal|par *v/t.* skalpieren; **~pelo** *m* ⚕ Skalpell *n*; *Zim.* Stecheisen *n*.

escama *f* **1.** Schuppe *f* (*a.* ⚘); **2.** (Panzer-)Schuppe *f*; **3.** ⊕ ~*s de laminación* Walzsinter *m*; **4.** *fig.* Argwohn *m*, Mißtrauen *n*; Groll *m*; F *tener* ~*s* verschlagen sein; **~do** **I.**

m **1.** Schuppung *f*; **2.** Schuppenwerk *n*, -geflecht *n*; **3.** *Fi.* Steinbutt *m*; **II.** *adj.* **4.** *fig.* mißtrauisch; gewitzt, gerissen; **~r I.** *v/t.* **1.** schuppen; **2.** mit Schuppen besetzen *bzw.* besticken; **3.** argwöhnisch (*od.* stutzig) machen; **II.** *v/r.* *~se* **4.** mißtrauisch (*od.* stutzig) werden.
escamo|char *v/t.* verschwenden; **~cho** *m* Speisereste *m/pl.*
escamón F *adj.* → *escamado 4.*
escamondar *v/t.* *Bäume* ausästen.
escamonea ⚘ *f* Purgierwinde *f*, Skammonie *f*; *pharm.* Purgierharz *n*; **~rse** F *v/r.* → *escamarse.*
escamoso *adj.* schuppig, geschuppt.
escamo|tar *v/t.* → *escamotear*; **~teable** ✈ *adj. c* einziehbar (*Fahrgestell*); **~teador** *adj.-su.* geschickter Dieb *m*; Taschenspieler *m*; **~tear** *v/t.* verschwinden lassen, wegzaubern; (weg)stibitzen; *fig.* *Schwierigkeit* mit leichter Hand beseitigen (*od.* wegzaubern); **~teo** *m* Taschenspielertrick *m*; Gaukelei *f.*
escam|pada *f* Aufklaren *n des Wetters*; **~par I.** *v/t.* räumen; **II.** *v/impers.* *escampa* es hört auf zu regnen, es klart auf; **~pavía** ⚓ *f* Erkundungsschiff *n*; Zollkutter *m.*
escancia|dor *m* Mundschenk *m*; **~r** [1b] **I.** *v/t.* aus-, ein-schenken, kredenzen; **II.** *v/i.* Wein trinken.
escanda ⚘ *f* Spelt *m*, Spelz *m.*
escanda|lera F *f* Lärm *m*, Radau *m*; **~lizado** *adj.* entrüstet; **~lizador** *adj.* → *escandaloso*; **~lizar** [1f] **I.** *v/t.* Anstoß (*od.* Ärgernis) erregen bei (*dat.*); empören; **II.** *v/r.* *~se* Anstoß nehmen (an *dat.* *de*, *a. con*, *por*); s. empören, s. aufhalten (über *ac. mst.* *de*).
escándalo *m* **1.** Ärgernis *n* (*bsd. bibl.*); Tumult *m*, Aufruhr *m*, Lärm *m*; Skandal *m*; *armar un ~* Skandal (*bzw.* e-n Tumult) verursachen; *dar ~* Ärgernis (*od.* Anstoß) erregen; *hacer un ~* e-n Skandal (*bzw.* e-e Szene) machen; Krach schlagen; *es un ~* es ist ein Skandal; *piedra de(l) ~* Stein *m* des Anstoßes; **2.** *K* aufsehenerregendes Vorkommnis *n.*
escandalo|sa *f* ⚓ Gaffeltoppsegel *n*; *fig.* F *echar la ~* derb vom Leder ziehen (gg. j-n *a alg.*); **~samente** *adv.* F *zur Steigerung e-s Adjektivs*: äußerst, toll, schrecklich, infam; **~so** *adj.* **1.** anstößig, empörend; unanständig; skandalös; unerhört; *proceso m ~* Skandalprozeß *m*; F *ojos m/pl. de un azul ~* unverschämt blaue Augen *n/pl.*; **2.** lärmend.
escanda|llar *v/t.* **1.** ⚓ loten; **2.** † Stichproben entnehmen (*dat.*); **~llo** *m* **1.** ⚓ Lot *n*; *echar el ~* loten; **2.** † Stichprobe *f*; Probe(entnahme) *f*; Preis-, Kosten-taxierung *f.*
escandinavo *adj.-su.* skandinavisch; *m* Skandinavier *m.*
escandir *v/t.* *Verse* skandieren.
escantillón ⊕ *m* Vergleichsmaß *n*, Endmaß *n*; Schablone *f.*
escaña ⚘ *f* → *escanda.*
esca|ño *m* (Sitz-)Bank *f* mit Lehne; *Pol.* Abgeordnetenbank *f*; *fig.* Sitz *m*; *Am.* (Promenaden-)Bank *f*; **~ñuelo** *m* Fußbank *f.*
esca|pada *f* **1.** Entwischen *n*, Flucht *f*, Ausreißen *n*; *fig.* Ausflucht *f*, Hintertür *f*; *en una ~* eiligst, im Nu; **2.** *fig.* Abstecher *m*; Eskapade *f*; **~par I.** *v/t.* **1.** *Pferd* abhetzen; **2.** *aus e-r Not usw.* befreien; **II.** *v/i. u.* *~se* *v/r.* **3.** entwischen, -weichen, -rinnen, davonkommen; entkommen; durchbrennen F; entfahren (*Wort*); ausrutschen (*Zunge, Hand*); entgehen (*Gelegenheit*); *~ de* (*od. a*) *la muerte* dem Tod entrinnen; *dejar ~ a/c.* s. et. entgehen lassen; *dejó ~* (*od. se le escapó*) *un suspiro* ihm entfuhr ein Seufzer; *se le escapó un grito* er schrie unwillkürlich auf; *se me escapó la verdad* die Wahrheit rutschte mir heraus; **III.** *v/r.* *~se* **4.** ⊕ entweichen (*Dampf, Gase*) (aus *dat.* *de*); nicht einrasten (*Hebel, Klinke*); **5.** lecken, (aus)rinnen.
escapara|te *m* **1.** Auslage *f*; Schaufenster *n*; **2.** Glasschrank *m*; *Am.* Kleiderschrank *m*; **~tista** *c* Schaufensterdekorateur *m.*
esca|patoria *f* **1.** Vorwand *m*, Ausflucht *f*; Ausweg *m*; **2.** Entrinnen *n*, Ausreißen *n*; Eskapade *f*; *fig.* F Seitensprung *m*; **~pe** *m* **1.** eilige Flucht *f*; Entrinnen *n*, Entweichen *n*; *adv. a ~* eilig(st), schleunigst; *no hay* (*od. no tiene*) *~* es gibt kein Entrinnen; **2.** ⊕ Undichtigkeit *f* (*Leitung*); Entweichen *n*, Austritt *m*, Abziehen *n* (*Gas*); Abdampf *m* (*Dampfmaschine*); *Kfz.* Auspuff *m*; *~ de(l) aire* Luftabzug *m*, Entlüftung *f*; *tener ~* undicht sein; lecken, rinnen; *Kfz. tubo m* (*Am. caño m*) *de ~* Auspuffrohr *n*; **3.** Hemmung *f* (*Uhr*).
escapo *m* ⚘ Blütenschaft *m*; △ Säulenschaft *m.*
escápula *Anat. f* Schulterblatt *n.*
escapula|r I. *adj. c* Schulter...; **II.** *v/t.* ⚓ umschiffen; **~rio** *kath. m* Skapulier *n.*
escaque *m* **1.** (Schach-)Feld *n*; *~s m/pl.* Schach(spiel) *n*; **2.** ▨ Feld *n*, Raute *f*; **~ado** *adj.* schachbrettartig; gewürfelt (*Muster*); **~ar** *v/t.* schachbrettförmig anlegen.
escara ⚕ *f* (Wund-)Schorf *m.*
escaraba|jear I. *v/i.* **1.** krabbeln; **2.** kribbeln; **3.** kritzeln; **II.** *v/t.* **4.** wurmen; besorgt (*od.* kribbelig F) machen; zwicken (*Gewissen*); **~jeo** *m* Krabbeln *n*; *fig.* Gram *m*, Kummer *m*; **~jo** *m* **1.** *Ent.* Skarabäus *m* (*a. Ku.*); *a. fig.* F *Kfz.* Käfer *m*; *fig.* Knirps *m*; *fig.* F Vogelscheuche *f*; *~ de la patata* Kartoffelkäfer *m*; F *burl.* *~ en leche* schwarze Dame *f* in weißem Kleid; **2.** *tex.* Webfehler *m*; ⊕ Gießfehler *m*; **3.** *~s m/pl.* Gekritzel *n*; **~juelo** *Ent. m* Reb(en)-käfer *m.*
escaramu|cear ⚔ *v/i.* plänkeln, scharmützeln.
escaramujo *m* **1.** ⚘ Hagebutte(nstrauch *m*) *f*, Heckenrose *f*; **2.** *Zo.* Entenmuschel *f.*
escaramuza ⚔ *u. fig. f* Geplänkel *n*, Scharmützel *n*; **~r** [1f] *v/i.* → *escaramucear.*
escarapela *f* **1.** Kokarde *f*; **2.** Rauferei *f*; **3.** *Kart.* falsche Dreierkombination *f im Tresillo.*
escar|badientes *m* (*pl. inv.*) *bsd. Am.* Zahnstocher *m*; **~bador** *m* Kratzeisen *n*; **~badura** *f* Scharren *n*, Kratzen *n*; Stochern *n*; **~bar I.** *v/t.* **1.** in *der Erde* scharren, *den Boden* aufwühlen; *Feuer* schüren; **2.** *fig.* auskundschaften; **II.** *v/i.* **3.** *fig.* herumstochern (in *dat.* en), schnüffeln; **III.** *v/r.* *~se* **4.** s. *die Zähne, die Ohren* säubern; **~bo** *m* → *escarbadura.*
escarce|la *f* Gürteltasche *f*; Jagdtasche *f*; **~o** *m* **1.** Wellenspiel *n*; **2.** *Equ.* Kreiswendung *f*; Tänzeln *n*; *hacer ~s* tänzeln; **3.** *~s m/pl.* Umschweife *m/pl.*
escarcha *f* **1.** (Rauh-)Reif *m*; *hay ~* es hat gereift; **2.** kristallisierter Zucker *m in Likören*; **~da** ⚘ *f Art* Zaserblume *f*; **~do I.** *adj.* bereift; *Kchk.* kandiert; *anís m ~ Art* Anislikör *m*; *yemas f/pl. ~as* mit Zucker geschlagenes Eigelb *n*; **II.** *m Art* Gold- *od.* Silberstickerei *f*; **~r I.** *v/impers.* **1.** reifen (*aber mst. formarse escarcha*); **II.** *v/t.* **2.** bereifen; **3.** *Kchk.* kandieren; **4.** ⊕ *Ton* schlämmen; mit Talkum (*bzw.* Glasstaub) bestreuen (*Schnee-, Flitter-effekt*).
escarcho *Fi. m* Rotbart *m.*
escar|da ⛏ *f* **1.** Jäten *n*; Jätzeit *f*; **2.** kl. Jäthacke *f*; **~dadera** *f* Jäthaue *f*; **~dador** *m* Jäter *m*; **~dar** *v/t.* ⛏ jäten; *fig.* auslesen, säubern; **~dilla** *f* Jäthacke *f*; **~dillar** *v/t.* → *escardar*; **~dillo** *m* **1.** ⛏ Jäthacke *f*; **2.** Widerschein *m*, Lichtreflex *m*; Sonnenkringel *m.*
escaria|dor ⊕ *m* Reibahle *f*; **~r** ⊕ [1c] *v/t.* (mit der Reibahle) aufreiben; *Bohrloch* ausweiten.
escarifica|ción ⚕ *f* **1.** Verschorfung *f*; **2.** Skarifikation *f*; **~dor** *m* ⛏ Messeregge *f*; ⚕ Schröpfschnepper *m*; **~dora** ⊕ *f* Straßenaufreißmaschine *f*; ⛏ Zwiebrachpflug *m*; **~r** [1g] *v/t.* **1.** ⚕ **a)** Einschnitte in *die Haut* machen; **b)** *Wunde* vom Schorf säubern; **2.** ⛏ rigolen; **3.** ⊕ *Straße* aufreißen.
escarla|ta I. *f* **1.** Scharlach(farbe *f bzw.* -tuch *n*) *m*; **2.** ⚕ → *escarlatina*; **II.** *adj. inv.* **3.** (*de color*) *~* scharlachfarben; **~tina** *f* **1.** Scharlachtuch *n*; **2.** ⚕ Scharlach *m.*
escar|menar *v/t.* **1.** *Wolle* auskämmen; ⚒ *Erz* sieben; **2.** *fig.* *j-n* kurz halten; *j-m* den Kopf zurechtsetzen; **~mentado** *adj.* gewitzigt, klug (*od.* vorsichtig) geworden; abgeschreckt (von *dat.* *de*); *han quedado ~s* sie haben daraus gelernt; *de (los) ~s se hacen (los) avisados* durch Schaden wird man klug; **~mentar** [1k] **I.** *v/t.* hart strafen *zur Abschreckung*; **II.** *v/i.* gewitzigt werden (durch *ac.* *con*); aus Erfahrung lernen, Lehrgeld zahlen; *~ en cabeza ajena* durch fremden Schaden klug werden; **~miento** *m* **1.** (harte, abschreckende) Strafe *f*; (schlimme) Erfahrung *f*, Lehre *f*; *hacer un ~* ein Exempel statuieren (an j-m *de alg.*); **2.** Gewitztheit *f.*
escar|necer [2d] *v/t.* verhöhnen, verspotten; **~necimiento**, **~nio** *m* Hohn *m*, Spott *m*; Verhöhnung *f*; *hacer ~ de alg.* j-n verhöhnen; *en ~, por ~* aus Hohn, zum Spott.
escaro I. *adj.* krummbeinig; **II.** *m Fi.* Papageienfisch *m*; **~la** ⚘ *f* En-

divie(nsalat *m*) *f*; **~lado** *adj.* kraus; gefältelt; *cuello m* ~ Halskrause *f*; **~lar** *v/t.* kräuseln, fälteln.

escarótico ⚕ *adj.* leicht ätzend.

escar|pa *f* Abhang *m*, Steilhang *m*; *a.* ⚔ Böschung *f*; **~pado** *adj.* abschüssig; steil, schroff, jäh (*Abhang*); **~padura** *f* → *escarpa*; **~par** *v/t.* **1.** abböschen; **2.** abraspeln; **~pe** *m* **1.** abschüssiger Hang *m*; **2.** ⚓ Laschung *f*; **~pelo** *m* Raspel *f* (*Zim. u. Bildhauer*); **~pia** ⊕ *f* Hakennagel *m*; **~piador** *m* Rohrhaken *m*; **~pidor** *m* weiter Kamm *m*; **~pín** *m* **1.** leichter Schuh *m*, Tanzschuh *m*; Bettschuh *m*; **2.** Füßling *m*, Überstrumpf *m*.

escar|za *vet. f* Hufzwang *m*; **~zano** △ *adj.*: *arco m* ~ Flach-, Stichbogen *m*; **~zar** [1f] *v/t. Bienenstöcke* zeideln; **~zo** *m* **1.** Zeideln *n*; **2.** verschmutzte Wabe *f*; **3.** Feuerschwamm *m*, Zunder *m*.

esca|samente *adv.* spärlich; knapp; kaum; **~sear I.** *v/t.* knapp bemessen; knausern mit (*dat.*) F; ~ *las visitas* die Besuche seltener werden lassen; **II.** *v/i.* spärlich vorhanden sein; knapp sein (*od.* werden); selten (*od.* spärlicher) werden; *escasean los víveres* es mangelt an Lebensmitteln; **~sero** F *adj.* knauserig, knickerig F; **~sez** *f* **1.** Knappheit *f*, Mangel *m*; Verknappung *f*; ~ *de dinero* Geld-mangel *m*; -verknappung *f*; ✝ ~ *de dólares* Dollarlücke *f*; ~ *de viviendas* Wohnungsnot *f*; *adv. con* ~ dürftig, kärglich; **2.** Knauserei *f*, Geiz *m*; **~so** *adj.* **1.** knapp; spärlich; selten; ✝ gering (*Nachfrage*); *tres días* ~*s* kaum (*od.* knapp *od.* nicht ganz) drei Tage; *estar* ~ *a.* nicht (aus)reichen; ~ *de luces* unwissend, beschränkt; *andar* ~ *de dinero* knapp bei Kasse sein; **2.** geizig, knauserig.

escati|mar *v/t.* **1.** schmälern, kürzen; sparen mit (*dat.*); ~ *a/c. a alg.* j-m et. vorenthalten; *no* ~ *esfuerzos* k-e Anstrengung scheuen; **2.** *fig. Worte, Sinn* verdrehen; **~moso** *adj.* hinterhältig.

escato|logía *Theol. f* Eschatologie *f*; **~lógico** *adj.* **1.** *Theol.* eschatologisch; **2.** ⚕ auf die Exkremente bezüglich.

escayo|la *f* Feingips *m*; Stuckgips *m*; ⚕ Gips(verband) *m*; **~lar** *v/t.* (ver)gipsen; stukkatieren; ⚕ (ein-)gipsen; **~lero** *m* Gipsarbeiter *m*; Stukkateur *m*.

escena *f* **1.** *Thea. u. fig.* Bühne *f*; *dirección f de* ~ Spielleitung *f*, Regie *f*; *director m de* ~ Spielleiter *m*, Regisseur *m*; *Film*: Aufnahmeleiter *m*; *puesta f en* ~ Inszenierung *f*; *aparecer en (la)* ~ auf der Bühne erscheinen, auftreten; *fig.* in Erscheinung treten; *desaparecer de (la)* ~ abtreten; *fig.* sterben; *a. fig. entrar en* ~ auftreten; *llamar a* ~ herausrufen; *poner en* ~ auf die Bühne bringen; inszenieren; *fig.* in Szene setzen; durchführen, verwirklichen; **2.** Bühnenbild *n*; *a. fig.* Auftritt *m*, Szene *f*; *fig.* Schauspiel *n*; ~ *callejera* Straßen-szene *f*, -bild *n*; ~ *final* Schlußauftritt *m*; Aktschluß *m*; *fig. hacer una* ~ e-e Szene machen; **3.** Bühnen-, Schauspielkunst *f*; **4.** Schauplatz *m*; **~rio** *m* **1.** Bühne *f*; Bühnenraum *m*; ~ *al aire libre* Freilichtbühne *f*; ~ *giratorio* (*radiofónico*) Dreh- (Rundfunk-)bühne *f*; **2.** (Bühnen-)Dekoration *f*, *a. fig.* Szenerie *f*; *fig.* Schauplatz *m*; **3.** Rahmen *m*, Umgebung *f*; **4.** Bühnenanweisung *f*, Szenar(ium) *n*; **~rista** *c Film*: Szenenregisseur *m*; Drehbuchbearbeiter *m*.

escénico *adj.* szenisch, Bühnen...; *arte m* ~ Bühnenkunst *f*; *efecto m* ~ Bühnenwirksamkeit *f*; *palco m* ~ Bühnenraum *m*; vordere Parkettloge *f*.

esce|nificación *f* Inszenierung *f*; **~nificar** [1g] *v/t.* inszenieren; **~nografía** *f* Bühnenmalerei *f*; *Mal.* perspektivische Zeichnung *f*; **~nográfico** *adj.* bühnenbildmäßig; *Mal.* perspektivisch; **~nógrafo** *m* Bühnen-maler *m*; -bildner *m*; **~notecnia** *f* Bühnentechnik *f*.

escepticismo *m* Skepsis *f*; *Phil.* Skeptizismus *m*.

escéptico *adj.-su.* skeptisch, zweifelnd; *m* Skeptiker *m*; ~ (*en la fe*) Glaubenszweifler *m*.

Escila *Myth. f* Skylla *f*; *fig. entre* ~ *y Caribdis* zwischen Skylla u. Charybdis.

escinco *Zo. m* **1.** Skink *m*; **2.** Sandeidechse *f*.

escindi|ble *neol. adj. c* spaltbar; **~r** *v/t. a. Phys. u.* ⚛ (auf)spalten.

escisión *f* Spaltung *f*; *Biol.* Teilung *f*; *Phys.* ~ *nuclear* Kernspaltung *f*.

esclare|cedor *adj.-su.* erhellend; aufklärend; *m* Erläuterer *m*; **~cer** [2d] **I.** *v/t.* **1.** erleuchten; *fig.* aufklären; erklären; **2.** Glanz verleihen (*dat.*); **II.** *v/impers.* **3.** *esclarece* es wird hell, es tagt; **~cido** *adj.* vornehm, edel; berühmt, erlaucht; **~cimiento** *m* Aufklärung *f*; Erhellung *f*; Klarheit *f*; † Glanz *m*, Ruhm *m*.

escla|va *f* **1.** Sklavin *f*; **2.** glatter Armreif *m*; **~vatura** *hist. f Am.* Sklaven *m/pl. e-s Landgutes*; **~vina** *f* Pelerine *f*; Pilgermantel *m*; Schulterkragen *m*; **~vista** *adj.-su. c* Anhänger *m* der Sklaverei; **~vitud** *f* **1.** *a. fig.* Sklaverei *f*; *fig.* Unterjochung *f*; *reducir a* ~ zu(m) Sklaven machen; **2.** *kath.* Bruderschaft *f* (*Ordensgemeinschaft*); **~vizar** [1f] *v/t.* versklaven; *fig.* unterjochen; *tener* ~*ado a alg.* j-n tyrannisieren; **~vo I.** *adj.-su.* sklavisch; Sklaven...; *m* Sklave *m* (*a. fig.*); ~ *del tabaco* dem Nikotin verfallen; ~ *remero* Rudersklave *m*; **II.** ~ *m*, ~*a f kath.* Mitglied *n* e-r Ordensgemeinschaft.

escle|roma ⚕ *m* Sklerom *n*; **~rosado** ⚕ *adj.* sklerotisch, verkalkt; **~rosarse** ⚕ *v/r.* sklerotisch werden; **~rósico** *adj.* → *esclerosado*; **~rosis** ⚕ *f* Sklerose *f*; ~ *múltiple* multiple Sklerose *f*; **~roso** *adj.* → *esclerosado*; **~rótica** *Anat. f* Sklera *f*, Lederhaut *f des Auges*.

esclusa *f* Schleuse *f*; *Hydr. a.* Wehr *n*; ⚔ ~ *antigás* Gasschleuse *f*; *cámara f de* ~ Schleusenkammer *f*.

esco|ba *f* **1.** Besen *m*; *palo m de* ~ Besenstiel *m*; *pasar la* ~ aus-kehren, -fegen; *fig. parece que se ha tragado un palo de* ~ er hat wohl e-n Besenstiel verschluckt; steif wie ein (Lade-)Stock; *fig. es para la* ~ das lassen wir liegen *od.* der Rest ist für die Armen; **2.** Schrubber *m*, Scheuerbesen *m*; **3.** ♀ Besenginster *m*; *Am. versch. Pfl.*; **~bada** *f*: *dar una* ~ (*a et.*) flüchtig auskehren; **~bajo** *m* alter Besen *m*; Kamm *m e-r Traube*; **~bar I.** *m* Besenginsterfeld *n*; **II.** *v/t.* kehren; **~bazo** *m fig.*: *echar a* ~*s* hinausfeuern F; **~bén** ⚓ *m* (Anker-)Klüse *f*; **~bera** ♀ *f* Besenginster *m*; **~bero** *m* Besen-binder *m*; -händler *m*; **~beta** *f* kl. Bürste *f*.

escobi|lla *f* **1.** Bürste *f*; Scheuerbürste *f*; Kleiderbürste *f*; Pfeifenreiniger *m*; *Kchk.*, ♪ ~ *de metal* Stahlbesen *m*; **2.** ⚡ Stromabnehmer *m*; ⊕ Rauhkratze *f*; **3.** ♀ **a)** Besenginster *m*; **b)** *Art* Salzbeere *f*; **c)** Weberkarde *f*; ~ *de ámbar* Bisamblume *f*; **~llar I.** *vt/i.* fegen; bürsten; **II.** *v/i. Bol., Chi., Pe., Rpl.* in rascher Folge aufstampfen (*b. best. Volkstänzen*); **~llón** *m* **1.** Flaschenbürste *f*; ⊕, ⚔ Rohrwischer *m*; ♪ (Flöten- *usw.*) Wischer *m*; **2.** Schrubber *m*.

esco|bina *f* Feilspäne *m/pl.*; Bohrmehl *n*; **~bón** *m* grober Besen *m*; Kaminbesen *m*; Handfeger *m*.

escoce|dura *f* Brennen *n*, Stechen *n*; **~r** [2b *u.* 2h] **I.** *v/t.* brennen, jucken, stechen; *fig.* ärgern; **II.** *v/r.* ~*se* s. wundreiben; s. röten; *fig.* s. ärgern.

escocés I. *adj.* schottisch; *tela f* ~*esa* Schotten(stoff) *m*; **II.** *m* Schotte *m*.

escocia △ *f* Hohlkehle *f*; **~miento** *m* → *escocedura*.

escoda ⊕ *f* Spitzhammer *m*; Krönel(eisen) *n*; **~dero** *Jgdw. m* Fegebaum *m*; **~r** *v/t.* **1.** △ *Steine* kröneln; **2.** *Jgdw. Geweih* fegen.

escofina *f* (Holz-)Raspel *f*.

esco|ger [2c] *vt/i.* (aus)wählen, aussuchen (aus *dat.*, unter *dat.* de, [de] entre); *a.* ⊕, ⛏ aussortieren, verlesen; **~gida** *f Cu.* (*bsd.* Tabak-)Verlesung *f*; **~gidamente** *adv.* ausgesucht; treffend; **~gido I.** *adj.* (aus)erlesen, auserwählt; vornehm; erwählt, auserkoren; ✝ *mercancías f/pl.* ~*as* Waren *f/pl.* erster Wahl; *Lit. obras f/pl.* ~*as* ausgewählte Werke *n/pl.*; ⚔ *tropa f* ~*a* Kern-, Elite-truppe *f*; F *estas naranjas están ya muy* ~*as* die besten Orangen sind schon verkauft (*od.* weg F); **II.** *m* Auslese *f*; **~gimiento** *m* Auslese *f*, (Aus-)Wahl *f*.

escola|nía *kath. f* Chor-, Sängerknaben *m/pl.*; **~no** *hist. u. Reg. m* Chor-, Sänger-knabe *m*; **~pio** *kath. adj.-su.* Piaristen...; *m* Piarist *m*.

escola|r I. *adj. c* Schul...; *en edad* ~ schulpflichtig; *población f* ~ schulpflichtige Kinder *n/pl.*; **II.** *m* Schüler *m*; *de* ~ Schüler...; **~ridad** *f* Schul-bildung *f*, -unterricht *m*; -zeit *f*.

esco|lástica *f* Scholastik *f*; **~lasticismo** *m* Scholastik *f*; Scholastizismus *m*; *desp.* übertriebene Spitzfindigkeit *f*; **~lástico** *adj.-su.* scholastisch; *m* Scholastiker *m*; *desp.* Wortklügler *m*, Tüftler *m*.

escoli|ar [1b] *v/t.* mit Glossen versehen; **~o** *m* Scholie *f*, Glosse *f zu e-m Text*.

escoliosis ⚕ *f* (*pl. inv.*) Skoliose *f*.
escolopendra *f* **1.** 🕮 *Ent.* Skolopender *m*; **2.** ⚘ Hirschzunge *f*.
escolta *f* **1.** Bedeckung *f*, Eskorte *f*, (Schutz-)Geleit *n*, Begleit-mannschaft *f*; -kommando *n*; Leibwache *f*; (*buque m*) ~ Geleitschiff *n*; **2.** *fig.* Gefolge *n*; Geleit *n*, Begleitung *f*; **~r** *v/t.* **1.** geleiten, eskortieren; bewachen; begleiten; **2.** *fig.* den Hof machen (*dat.*).
esco|llar *v/i. Arg.* scheitern (⚓ *u. fig.*); **~llera** *f* Steinschutzwall *m*; Damm(aufschüttung *f*) *m*; **~llo** *m* Riff *n*, *a. fig.* Klippe *f*; *a. fig. evitar los ~s* die Klippe umschiffen.
escom|bra *f* (Weg-, Aus-)Räumen *n*; **~brar** *v/t.* **1.** ab-, aus-räumen; *Schutt* räumen; *fig.* säubern; **2.** *Rosinen* klauben; **~brera** *f* Schuttabladeplatz *m*, -halde *f*; *a.* ⚒ Schlackenhalde *f*; **~bro**[1] *m* **1.** *mst. ~s m/pl.* (Bau-)Schutt *m*; Trümmer *pl.* (*a. fig.*); *a.* ⚒ Abraum *m*; *reducir a ~s* zerschlagen, in Trümmer schlagen; **2.** zu kl. (*od.* mißratene) Rosinen *f/pl.*
escombro[2] *Fi. m* Makrele *f*.
escon|dedero *m* → *escondrijo*; **~der I.** *v/t.* verstecken, verbergen (vor *dat. de*); verdecken; verheimlichen; **II.** *v/r. ~se* s. verstecken; **~didas I.** *f/pl. Am. Reg.* Versteckspiel *n*; **II.** *adv. a ~* versteckt, heimlich; im geheimen; *a ~ de* ohne *j-s* Wissen; **~dido I.** *adj.* verborgen; geheim; **II.** *m C. Ri., Salv.* Versteckspiel *n*; **~dimiento** *m* Verbergen *n*; Verstecken *n*; **~dite** *m* **1.** (*juego m del*) ~ Versteckspiel *n*; *jugar al ~* Versteck(en) spielen; **2.** → **~drijo** *m* Versteck *n*, Schlupfwinkel *m*.
escoñar P *v/t.* verpatzen, verhunzen P, vermurksen F.
escope|ta *f* **1.** Flinte *f*; *~ de caza* (Jagd-)Flinte *f*; *~ de dos cañones*, *~ de doble cañón*, *~ de tiro doble* Doppelflinte *f*, Zwilling *m*; *~ de aire comprimido* Luftgewehr *n*; F *aquí te quiero (ver)*, ~ jetzt wird's schwierig, jetzt wird's ernst; **2.** *~ negra* Berufsjäger *m*; **~tazo** *m* Schußweite *f*; *fig.* F (unangenehme) Nachricht *f*, Bombe *f* (die platzt) F; **~tear I.** *vt/i.* wiederholt schießen (auf *ac.*); **II.** *v/r. ~se* s. mit Komplimenten überschütten *bzw.* s. gg.-seitig beleidigen; **~teo** *m* Schießerei *f*; *fig.* F *vgl. escopetear*; **~tería** *f* **1.** Gewehrfeuer *n*; **2.** Schützen *m/pl.*; **~tero** *m* **1.** Büchsenmacher *m*; **2.** Schütze *m*.
esco|pl(e)ar *v/t.* ausmeißeln; stemmen; **~plo** *m* (Holz-)Meißel *m*; Stemm-, Stech-eisen *n*.
escora ⚓ *f* **1.** Krängung *f*; Schlagseite *f*; **2.** größte Schiffsbreite *f*; **3.** Schore *f*; **~r** ⚓ **I.** *v/t.* **1.** *Schiffsseiten* abstützen; **II.** *v/i.* **2.** krängen; **3.** den tiefsten Stand erreichen (*Ebbe*).
escorbuto ⚕ *m* Skorbut *m*.
escor|char *v/t. Haut* abschürfen; **~chón** *m* Kratzer *m*, (Haut-)Abschürfung *f*.
escordio ⚘ *m* Knoblauchgamander *m*.
escoria *f* **1.** Schlacke *f*; Hammerschlag *m*, Zunder *m*; **2.** *fig.* Ramsch *m*, Schund *m*; Abschaum *m*; **~l** *m* (Schlacken-)Halde *f*; **~r** [1b] *v/t.* abschürfen, wundreiben.
escor|pena, ~pera, ~pina *Fi. f* kl. roter Drachenkopf *m*.
escorpión *m Ent., Astr.* (♏), *hist.* ⚔ Skorpion *m*; *Fi.* Seeskorpion *m*.
escor|zar [1f] *Mal. v/t.* (perspektivisch) verkürzen; **~zo** *m Mal.* perspektivische Verkürzung *f*; schiefe Stellung *f*; *fig.* Überblick *m*, Abriß *m*; **~zonera** ⚘ *f* Schwarzwurzel *f*.
esco|ta ⚓ *f* Schot *f*, Segelleine *f*; **~tado I.** *adj.* **1.** ausgeschnitten, dekolletiert; **2.** ⚘ *an der Spitze* ausgezackt; **II.** *m* → **~tadura** *f* **1.** Ausschnitt *m am Kleid*; **2.** *a.* ⊕ Aussparung *f*; Ausschnitt *m*; *Thea.* gr. Versenkung *f*; **3.** *Anat.* Furche *f*; Kerbe *f*; **~tar I.** *v/t. Kleid* ausschneiden; ⊕ aussparen; **II.** *vt/i.* s-n Anteil *an e-r gemeinsamen Ausgabe* zahlen; **III.** *v/r. ~se* s. das Dekolleté (*bzw.* den Kragen) öffnen; **~te** *m* **1.** (Hals-, Ärmel-)Ausschnitt *m*; Dekolleté *n*; Hemdenpasse *f*; **2.** ⊕ Aussparung *f*; Ausklinkung *f* (*Blech*); **3.** Anteil *m b. gemeinsamen Ausgaben*; *adv. a ~* anteilmäßig, durch Umlage; **~tilla** *f* (Schiffs-)Luke *f*; **~tillón** *m* Falltür *f*; *Thea.* Versenkung *f*; *fig.* F *aparecer (desaparecer) por (el) ~* überraschend auftauchen (spurlos verschwinden).
escozor *m* Brennen *n*, Jucken *n*; *fig.* Schmerz *m*, Gram *m*.
escri|ba *bibl. m* Schriftgelehrte(r) *m*; **~banía** *f* **1.** Kanzlei *f*; † *u. Reg.* Notariat *n*; **2.** Schreibzeug *n*; Schreibtischgarnitur *f*; **~bano** *m* **1.** † Notar *m*; † *u. Reg.* Urkundsbeamte(r) *m*; **2.** (Amts-)Schreiber *m*; **3.** *Ent. ~ del agua* Wasser-, Taumel-käfer *m*; **~bido** F: *~ y leído mst. iron.* halbgebildet; **~bidor** F *m* schlechter Schriftsteller *m*, Schreiberling *m* F; **~biente** *m* Schreiber *m*; **~bir** [*part. escrito*] **I.** *vt/i.* schreiben; niederschreiben; verfassen; *arte m de ~* Schreibkunst *f*; *~ música* **a)** Musik schreiben, komponieren; **b)** Noten schreiben; *~ a máquina* mit (*od.* auf) der (*od.* in die) Maschine schreiben; *ser perezoso para ~* schreibfaul sein; *no saber ~ su nombre* sehr unwissend sein; **II.** *v/i. abs.* schriftstellern; **III.** *v/r. ~se* mitea. im Briefwechsel stehen; *¿cómo se escribe esto?* wie wird das geschrieben?
escriño *m* **1.** Korb *m für Getreide u. ä.*; Futter-, Freßkorb *m für Zugtiere*; **2.** Kasten *m*, Kassette *f* (*bsd. für Schmuck*).
escri|ta *Fi. f* Engelfisch *m*; **~tillas** *f/pl.* Hammelhoden *m/pl.*
escri|to I. *adj.* **1.** geschrieben; beschrieben; *adv. por ~* schriftlich; *lo ~* das Geschriebene; *lo ~ vale* was geschrieben ist, gilt; *~ a mano* handschriftlich; *fig. estaba ~* es war Schicksal; *fig. no hay nada ~ sobre esto* darüber kann man streiten; *fig. tiene la cobardía ~a en la frente* die Feigheit steht ihm an der Stirn geschrieben; *fig. ~ en el agua* in den Wind geredet; **II.** *m* **2.** Schrift (-stück *n*) *f*; Schreiben *n*; ⚖ Schrift(satz *m*) *f*; Antrag *m*; **3.** Schrift *f*, (literarisches) Werk *n*; **~tor** *m* **1.** Schriftsteller *m*, Verfasser *m*; **2.** Schreiber *m*; **~torio** *m* **1.** Büro *n*; Geschäftszimmer *n*; *objetos m/pl.* (*od. artículos m/pl.*) *de ~* Büroartikel *m/pl.*; **2.** Schreib-tisch *m*; -pult *n*; **~torzuelo** *desp. m* Schreiberling *m* F.
escritura *f* **1.** Schrift *f*, Schriftart *f*; (Hand-)Schrift *f*; *~ de adorno* Zierschrift *f*; *~ alemana* deutsche Schrift *f*; (Schwabacher) Fraktur *f*; *~ de Braille*, *~ (en relieve) de los ciegos* Blindenschrift *f*; *~ española* (leicht verschnörkelte) Zierschrift *f*; *~ inglesa* Kurrentschrift *f*; *~ de palo seco* Blockschrift *f* (*Plakate usw.*); *~ recta*, *~ vertical* Steilschrift *f*; *vgl. a. letra* 2; **2.** Schreiben *n*; Schreibkunst *f*; *clase f de ~* Schreibunterricht *m*; **3.** Schriftstück *n*; Urkunde *f*; *~ pública* öffentliche Urkunde *f*; **4.** Schrift *f*, Buch *n*, Werk *n*; *Sagrada* ♁ Heilige Schrift *f*; **~ción** ⚖ *f* Beurkundung *f*; **~r** ⚖ *v/t.* **1.** ausfertigen; **2.** beurkunden; **~rio I.** *adj.* **1.** amtlich ausgefertigt, Amts...; notariell; **2.** *Rel.* Bibel..., Schrift...; **II.** *m* **3.** Bibelkenner *m*, Schriftforscher *m*.
escrófula ⚕ *f* Skrofel *f*.
escrofu|laria ⚘ *f* Knotenbraunwurz *f*; **~lismo** *m*, **~losis** *f* ⚕ Skrofulose *f*, Skrofeln *f/pl.*; **~loso** ⚕ *adj.* skrofulös.
escroto *m* Hodensack *m*, Skrotum *n*.
es|crupulizar [1f] *v/i.* Skrupel haben (bei, in *dat. en*); Bedenken tragen (, zu + *inf. en*); **~crúpulo** *m* **1.** Skrupel *m* (*a. pharm.*), Bedenken *n(/pl.)*, Besorgnis *f*; *falta f de ~s* Skrupel-, Gewissen-losigkeit *f*; *~(s) de conciencia* (Gewissens-)Skrupel *m/pl.*; *sin ~s* skrupel-, gewissen-los; *sin el menor ~* ganz unbedenklich; *no tener ~s en*, *no hacer ~ de* k-e Bedenken tragen, zu + *inf.*, k-e Skrupel haben, zu + *inf.*; **2.** Ekel *m*, Widerwille *m*; *me da ~* + *inf.* ich ekle mich (ein wenig) davor, zu + *inf.*; **3.** *Astr.* (Kreis-, Bogen-) Minute *f*; **4.** Steinchen *n im Schuh*.
escrupulo|samente *adv.* peinlich genau (*od.* gewissenhaft); **~sidad** *f* Genauigkeit *f*; Skrupel *m/pl.*; **~so** *adj.* **1.** gewissenhaft, peinlich genau; ängstlich; **2.** bedenklich, Bedenken erregend.
escru|tador *adj.-su.* forschend; *m* Stimm(en)zähler *m b. Wahl*; **~tar** *v/t.* **1.** *Stimmen* zählen; **2.** untersuchen; **~tinio** *m* **1.** Wahlgang *m*; Stimmenzählung *f*; *p. ext.* Wahl *f*; **2.** Untersuchung *f*.
escua|dra *f* **1.** Winkelmaß *n*; Zeichendreieck *n*; *a (od. de) ~* rechtwinklig; *~ de acero*, *~ de hierro* Winkeleisen *n*; *~ de albañil* Richtscheit *n*; *Zim. ~ falsa*, *~ plegable* Stellwinkel *m*, Schmiege *f*; **2.** ⚔ Gruppe *f*, Trupp *m*; Korporalschaft *f*; **3.** ⚓ **a)** (Kriegs-)Flotte *f*; **b)** Geschwader *n* (⚔); **4.** *Astr.* Winkelmaß *n* (*Sternbild*); **~drar** ⊕ *v/t.* abvieren; rechtwinklig zuschneiden (*bzw.* behauen); **~dreo** *m* Flächenvermessung *f*; Fläche(nausmaß *n*) *f*; **~drilla** *f* **1.** ⚓ (Halb-)Flotille *f*; ✈ Staffel *f*; **2.** Trupp *m*; *~ de construcción* Bautrupp *m*; **~drón** *m* ⚔ Schwadron *f*; ✈ Ge-

schwader *n*; ~ *de caza* Jagdgeschwader *n*.

escuadro *Fi. m* → *escrita*.

escu|alidez *f* **1.** Schwäche *f*; **2.** Verwahrlosung *f*; Schmutz *m*; **~álido I.** *adj.* **1.** abgemagert, schwach; **2.** verwahrlost, schmutzig; **II.** *m/pl.* ~*s* **3.** *Zo.* Haifische *m/pl.*; **~alo** *Zo. m* Hai(fisch) *m*.

escucha I. *m* **1.** Horcher *m*; ⚔ Späher *m*; **II.** *c* **2.** ⚔ Horchposten *m*; *Tel.*, *HF* Abhörposten *m*; **III.** *f* **3.** (Ab-)Hören *n*; ⊕ ~ (*radar*) Radargerät *n*; *servicio m de* ~ Abhördienst *m*; *estar a la* (*od.* en) ~ hören, horchen, auf der Lauer stehen; **4.** *hist.* geheimes Beobachtungsfenster *n des Königs zum Sitzungssaal*; **5.** *fort.* ~*s f/pl.* Abhörstollen *m/pl.*; **~r I.** *v/t.* **1.** (an)hören; belauschen; ~ *la radio* (den) Rundfunk hören; **2.** erhören (*ac.*), Gehör schenken (*dat.*); auf *j-n od. et.* hören; **II.** *v/i.* **3.** (zu)hören; *Tel.* (*a. v/t.*) mit-, ab-hören; *¡escucha!* hör mal!, paß auf!; **III.** *v/r.* ~*se* **4.** s. gern reden hören.

escuchimizado F *adj.* ganz heruntergekommen F.

escu|chita(s) *f*(*/pl.*) Tuscheln *n*, Getuschel *n*; **~chón** *m* unerwünschter Zuhörer *m*.

escu|dar I. *v/t.* (mit dem Schild) schützen; decken, (be)schirmen; **II.** *v/r.* ~*se* in Deckung gehen; *fig.* s. wappnen (mit *dat.* con, de); *fig.* ~*se en* (*od. con*) s. verschanzen hinter (*dat.*), *et.* vorschützen; **~deraje** *hist. m* (Schild-)Knappendienst *m*; **~dero** *m* **1.** *hist.* (Schild-)Knappe *m*; *hist.* Mann *m* von schlichtem Adel; **2.** *Jgdw.* Jungkeiler *m*; **3.** treuer Begleiter *m*; **~derón** *desp. m* Prahlhans *m*.

escudete *m* **1.** Nahtverstärkung *f bzw.* Keil *m* (*Wäsche*); **2.** ⊕ Schlüssel(loch)blech *n*; **3.** ⚘ Seerose *f*; **4.** ✓ Pfropfauge *n*.

escudilla *f* (Suppen-)Napf *m*; ⊕ Saugnapf *m b. Patentwandhaken usw.*; **~r I.** *v/t. Suppe* ausschöpfen; **II.** *v/i.* nach Willkür schalten u. walten.

escudo *m* **1.** Schild *m* (⚔ *a. hist.*, ⊕ *u. fig.*); *fig.* Schutz *m*; ~ *protector* Schutzschild *m*; **2.** ⊕ Schloßblech *n*; **3.** ~ (*de armas*) Wappen (-schild *m*, *n*) *n*; **4.** ✝ ~ *de la marca* Markenschild *n*; **5.** Meteorstein *m*; **6.** ⚓ Rückenlehne *f im Bootsheck*; **7.** *Münzen in Portugal*, *Chi.*; *hist. in Span. etwa*: Taler *m*.

escudriña|dor *adj.-su.* forschend; *m* Erforscher *m*; Prüfende(r) *m*; **~miento** *m* Ausforschung *f*, Durchsuchung *f*; Ergründung *f*; **~r** *vt/i.* (durch)forschen; (durch)suchen; auskundschaften (*v/t.*); nachforschen (*abs. od.* nach *dat.*).

escue|la *f* **1.** Schule *f*; Schulgebäude *n*; Schulwesen *n*; Schulunterricht *m*; ~ *de adultos* (*de agricultura*) Fortbildungs- (Landwirtschafts-) schule *f*; ~ *de arquitectura* (*de artes y oficios*) Baufach- (Gewerbe-) schule *f*; ~ *de aviación*, ~ *de pilotos* (*de conductores, de chóferes*) Flieger- (Fahr-)schule *f*; ~ *de Bellas Artes* Kunstakademie *f*; ~ *de declamación*, ~ *de(l) arte dramático* Schauspielschule *f*; ~ *elemental* (*especial*) Grund- (Fach-)schule *f*; ~ *de formación profesional* berufsbildende Schule *f*; Fortbildungsschule *f*; ~ *de ingenieros* Ingenieurschule *f*, (Poly-)Technikum *n*; ~ *maternal* (*2—4 Jahre*), ~ *de párvulos* (*4—6 Jahre*) Kindergarten *m*; ~ *nacional* staatliche Schule *f*; Staatsschule *f*; ~ *naval* (*superior*) Marine- (Hoch-)schule *f*; ~ *de niños* (*de periodismo*) Knaben- (Journalisten-)schule *f*; ~ *de niños subnormales* Hilfs-, Sonder-schule *f*; ~ *normal* (*de maestros*) Lehrer-bildungsanstalt *f*, -seminar *n*; *heute Dtl.* Pädagogische Hochschule *f*; ~ *preparatoria* Vorschule *f*; *fig.* Propädeutik *f*; ~ *primaria unitaria* einklassige Volksschule *f*; ~ *profesional* (*rural*) Berufs- (Land-)schule *f*; → *a. academia, colegio*; *enseñanza*; **2.** *Ku.*, *Phil.* Schule *f*; *formar* ~ e-e Schule bilden, Schule machen; **3.** Schulung *f*, Ausbildung *f*; Übung *f*; **~lero** *m* P *Am. Reg.* Schulmeister *m*; *Arg.*, *Ven.* Schulkind *n*.

escuerzo *m Zo.* Kröte *f* (*a. fig.*); *fig.* unansehnliches Geschöpf *n*.

escue|tamente *adv.* in dürren Worten; **~to** *adj.* schlicht, einfach; schmucklos; kahl; dürr, knapp, trocken (*Stil*).

escul|pir *vt/i. Stein usw.* aushauen; schnitzen; ~ *a cincel* mit dem Meißel (*bzw.* Stichel) (heraus)arbeiten.

escultismo *m* Pfadfinderbewegung *f*.

escul|tor *m* Bildhauer *m*; Bildschnitzer *m*; ~ *en cera* Wachsbildner *m*; **~tórico** *adj.* → *escultural*; **~tura** *f* **1.** Bildhauerkunst *f*; **2.** Skulptur *f*, Plastik *f*; **~tural** *adj. c* Bildhauer...; plastisch; *de belleza* ~ bildschön; *fig. frialdad f* ~ Marmorkälte *f*.

escupi|dera *f* Spucknapf *m*; *Reg.* Nachtgeschirr *n*; **~dero** *m fig.* mißliche (*od.* entwürdigende) Lage *f*; **~do I.** *adj.* F: es ~ *el padre* er ist dem Vater wie aus dem Gesicht geschnitten; **II.** *m* → *escupitajo*; **~dor I.** *adj.* oft (aus)spuckend; **II.** *m Am. Reg.* Spuckschale *f*; **~dura** *f* **1.** Speichel *m*, Auswurf *m*; **2.** Fieberausschlag *m am Mund*; **~r I.** *v/i.* **1.** speien, (aus)spucken; *fig.* ~ *al cielo* gg. den Wind spucken, s. ins eigene Fleisch schneiden; **II.** *v/t.* **2.** ausspucken; *a. fig.* anspeien; *fig. Flammen, Lava usw.* speien; auswerfen, schleudern, sprühen; ~ (*la*) *bilis* Gift u. Galle speien; ~ (*en* [⚒ *a*] *la cara*) *a a. fig. j-m* ins Gesicht speien; *j-n* verhöhnen; *j-m et.* an den Kopf werfen (*fig.*); **3.** ausschwitzen, absondern; **~tajo** *m*, **~tina** *f*, **~tinajo** *m* → *escupo*.

escupo *m* (ausgeworfener) Speichel *m*, Auswurf *m*.

escurialense *adj. c* aus El Escorial.

escurre|platos *m* (*pl. inv.*) Abtropf-brett *n bzw.* -ständer *m*; **~vasos** *m* (*pl. inv.*) Trockengestell *n für Gläser*; **~verduras** *m* (*pl. inv.*) Abtropfsieb *n für Gemüse*.

escurri|banda F *f* **1.** Durchfall *m*; Ausfluß *m*; **2.** Tracht *f* Prügel; Hiebe *m/pl.*; **3.** Flucht *f*; **~dera** *f*, **~dero** *m* → *escurreplatos*; **~dizo** *adj.* schlüpfrig, glatt; *fig.* aalglatt; **~do** *adj.* **1.** schmal(hüftig); **2.** *Cu.*, *Méj.*, *P. Ri.* verlegen; **3.** ⚘ stiellos (*Blatt*); **~dor** *m* Abtropfsieb *n*, Durchschlag *m*; → *escurreplatos*; *Phot.* Trockenständer *m*; **~dora** *f*: ~ *centrífuga* Wäscheschleuder *f*; **~duras, ~mbres** F *f/pl.* letzte Tropfen *m/pl.*, Rest *m*; Bodensatz *m*; **~miento** *m* Ab-laufen *n*, -tropfen *n*; **~r I.** *v/t.* **1.** ganz auslaufen (*bzw.* abtropfen) lassen; bis zur Neige leeren; *Schwamm* ausdrücken; *Wäsche usw.* auswringen; F ~ *el bulto* (*od. el hombro*) s. drücken, kneifen F; **II.** *v/i. u.* ~*se v/r.* **2.** ab-, aus-laufen; ab-, aus-tropfen; rinnen; **III.** *v/r.* ~*se* **3.** *a. fig.* F ausrutschen; ✈ abrutschen; entkommen, entwischen; entschlüpfen; *se me ha* ~*ido una falta* mir ist ein Fehler unterlaufen; **4.** mehr sagen (*bzw.* geben) als man sollte (*od.* wollte), s. verschnappen F.

esdrújulo *Li. adj.-su.* mit betonter drittletzter Silbe; *m* Proparoxytonon *n*.

ese[1] *f* S *n* (*Name des Buchstabens*); ~*s f/pl.* Zickzack *m*; *andar haciendo* ~*s* torkeln (*Betrunkene*).

ese[2], **esa, eso, esos, esas** [*substant.*: ése, ésa, ésos, ésas; *gemäß Beschluß der Real Academia* (*1959*) *kann der Akzent wegfallen, wenn k-e Verwechslung möglich ist*] *pron. dem.* dieser, diese, dies(es); dieser da (*beim Angeredeten befindlich od. auf ihn bezogen*); **a)** *ese libro que tienes a tu lado* das Buch da (neben dir); F *dame esa mano* gib mir d-e Hand; **b)** *nachgestellt* (*häufig desp.*) *el hombre ese* dieser Kerl da; **c)** *alleinstehend u. elliptisch*: *¡a ése!* auf ihn!; haltet ihn!; *en ésa* dort, am dortigen Platz; in Ihrer Stadt (*Korrespondenz*); *en esa universidad* auf Ihrer Universität; *¡ni por ésas!* unter gar k-n Umständen; **d)** eso: *¡eso es!* jawohl!, ganz richtig!, das stimmt!; *a. Parl. Zuruf*: (sehr) richtig!; *eso sí* das allerdings; *eso sí, pero ...* das stimmt schon, aber ...; *a eso de* (*las tres*) etwa (*od.* ungefähr) um (drei Uhr); (*y*) *eso que ...* und dabei ..., obwohl ...; *¿y eso?*, *¿cómo es eso?* wieso?; *a eso* hierauf; hierzu; *con eso* damit; hiermit; dabei; *con eso de* wegen (*gen.*); *aun con eso* trotzdem; *con eso de ser él su tío* weil er sein Onkel ist; *en eso* hierin; inzwischen, da; *por eso* deshalb, deswegen; *no por eso* nichtsdestoweniger; *para eso* dafür; *¿qué es eso?* was soll das?, was geht hier vor?, was ist (denn) das?; *¿y eso, qué?* na, und?; *¡no soy de esos* (*esas*) ich bin nicht so einer (so eine); *vgl. aquel, este*.

esecilla *f* Haken *m*; Öse *f* (*Verschluß*).

esen|cia *f* **1.** *Phil.* Essenz *f*, Wesen (-heit *f*) *n*; *das* Sein; *ser de* ~ zum Wesen gehören; wesentlich sein; *adv.* en ~, *por* ~ → *esencialmente*; **2.** *pharm.*, ⚗ Essenz *f*; (ätherisches) Öl *n*; ~ *de trementina* Terpentinöl *n*; **3.** *gal. Kfz.* Benzin *n*; **~cial** *adj. c* **1.** *a. fig.* wesentlich; *en lo* ~ im wesentlichen; *no* ~ unwesentlich;

nicht unbedingt notwendig; *lo* ~ *es que* ... (die) Hauptsache ist, daß ...; **2.** ⚗ ätherisch; **~cialmente** *adv.* im wesentlichen; dem Wesen nach; **~ciero** *m* **1.** Riechfläschchen *n*; **2.** Rauchverzehrer *m*.

esfenoides *Anat. adj.-su. m inv.* (*hueso m*) ~ Keilbein *n*.

esfera *f* **1.** Kugel *f*, Sphäre *f*; ~ *celeste* Himmelskugel *f*; ~ *solar* Sonnenball *m*; ~ *terrestre* Erdball *m*; Globus *m*; *en forma de* ~ kugelförmig; **2.** Zifferblatt *n* (*Uhr*); Skalenscheibe *f*; ~ *luminosa* Leuchtzifferblatt *n*; **3.** *Psych. u. fig.* Bereich *m*, Sphäre *f*; ~ *de acción*, ~ *de actividad*(es) Lebens-, Wirkungs-, Tätigkeits-bereich *m*; *Pol.* ~ *de influencia* Einflußsphäre *f*; ~ *íntima* Intimsphäre *f*; *las* ~*s de la sociedad* die Gesellschaftsschichten; **~l** ⚒ *adj. c* → *esférico*. [stalt *f*.]

esfericidad *f* Kugel-form *f*, -ge-

esférico *adj.* kugelförmig, rund; Kugel...; sphärisch.

esferoi|dal ⚗ *adj. c* kugelähnlich; **~de** ⚗ *m* Sphäroid *n*.

esferómetro *m* Sphärometer *n*.

esfigmógrafo ⚕ *m* Sphygmograph *m*.

esfinge *f* **1.** Sphinx *f* (*Myth. dt. u. span. a. m*); *fig.* geheimnisvolle (*od.* undurchdringliche) Person *f*; **2.** *Ent.* Nachtfalter *m*.

esfínter *Anat. m* Schließmuskel *m*, Sphinkter *m*.

esforza|damente *adv.* kräftig; mutig; **~do** *adj.* mutig, tapfer; **~r** [1f *u.* 1m] **I.** *v/t.* **1.** kräftigen; verstärken; **2.** anstrengen; beanspruchen; **3.** ermutigen; **II.** *v/r.* ~*se* **4.** s. anstrengen; s. zuviel zumuten; ~*se en* (*od. por*) s. bemühen, zu + *inf.*, danach streben, zu + *inf.*

esfuerzo *m* **1.** Anstrengung *f*; Bemühung *f*, Mühe *f*; *adv. sin* ~ mühelos; *hacer un* ~ s. anstrengen; s. zs.-reißen; *hacer* ~*s* (*para*) s. bemühen, s. anstrengen (um zu + *inf.*); *hacer el último* ~ auch das Letzte (*od.* das Unmögliche) versuchen; **2.** ~ (*económico*) (finanzielles) Opfer *n* (bringen *hacer*); *hacer un* ~ (*económico*) *para* + *inf.* tief in die Tasche greifen (müssen), um zu + *inf.*; **3.** ⊕ Kraft *f*; Aufwand *m*; Beanspruchung *f*; *Statik*: Spannung *f*; ~ *del material* Material-, Werkstoff-beanspruchung *f*; ~ *tensor* Spannkraft *f*; **4.** Mut *m*; Kraft *f*.

esfu|mar I. *v/t. Mal., Graphik, Phot.* verwischen, verlaufen lassen; abtönen; **II.** *v/r.* ~*se* verschwimmen, verlaufen; in der Ferne entschwinden; *fig.* s. auflösen (*z. B. Wolken*); F verschwinden, verduften F; ~*ado* verwischt, verschwommen; unscharf; **~minar** *Mal., Graphik* → *esfumar*; **~mino** *Mal. m* Wischer *m*.

esgrafia|do *Mal. m* Sgraffito *n*; **~r** [1b] *Mal. v/t.* sgraffieren.

esgri|ma *f* Fechtkunst *f*; Fechten *n*; Fechtart *f*; (*ejercicio m de*) ~ Fechtübung *f*, *stud.* Pauken *n*; *maestro m de* ~ Fecht-lehrer *m*, -meister *m*; **~midor** *m* (geübter) Fechter *m*; **~mir I.** *v/t.* **1.** *Degen usw.* schwingen; *a. fig.* mit *et.* (*dat.*) herumfuchteln; **2.** *fig. et.* ausspielen, ins Treffen führen, anführen; **II.** *v/i.* **3.** fechten.

esguazar [1f] *v/t.* durchwaten.

esguín *m* Junglachs *m*.

esguince *m* **1.** ausweichende Bewegung *f*; abweisende *bzw.* verächtliche Gebärde *f*; **2.** ⚕ Verstauchung *f*; Verrenkung *f*.

esla|bón *m* **1.** Kettenring *m*; *a. fig.* (Ketten-)Glied *n*; ⚗ (*Ring*-)Glied *n*; *fig.* Bindeglied *n*; **2.** Feuerstahl *m*; Wetzstahl *m*; **3.** *Zo.* schwarzer Skorpion *m*; **~bonar I.** *v/t. a. fig.* verketten, verknüpfen; ⚓ schäkeln; **II.** *v/r.* ~*se a. fig.* s. anea.-fügen, im Zs.-hang stehen.

esla|vismo *m* Slawismus *m*; **~vista** *Li. c* Slawist *m*; **~vística** *f* Slawistik *f*; **~vístico** *adj.* slawistisch; **~vo** *adj.-su.* slawisch; *m* Slawe *m*; slawische Sprache *f*; **~vófilo** *adj.-su.* slawophil; *m* Slawophile(r) *m*.

eslinga *f* Haken-, Lasten-schlinge *f*.

eslizón *Zo. m Art* Erdschleiche *f*.

eslora ⚓ *f* Schiffs-, Kiel-länge *f*.

eslo|vaco *adj.-su.* slowakisch; *m* Slowake *m*; *das* Slowakische; **~veno** *adj.-su.* slowenisch; *m* Slowene *m*; *das* Slowenische.

Esmalcalda *hist.*: *Liga f de* ~ Schmalkaldischer Bund *m*.

esmal|tado I. *part.-adj.* emailliert, Email...; *fig.* ~ *de* (*od. con*) *flores* blumengeschmückt; **II.** *m* Emaillierung *f*; **~tador** *m* Emailleur *m*; **~tar** *v/t.* **1.** emaillieren; lasieren; ~ *de blanco* weiß emaillieren; **2.** *fig.* (aus)schmücken (mit *dat. con, de*); **~te** *m* **1.** Email *n*, Emaille *f*; ~ *de laca od. laca f de* ~ Emaillack *m*; **2.** Emailarbeit *f*; **3.** Emailgeschirr *n*; **4.** *Anat.* (Zahn-)Schmelz *m*; **5.** *Mal.* → *esmaltín*; **6.** ▨ ~*s m/pl.* Wappenfarben *f/pl.*; **7.** *fig.* Glanz *m*; Schmuck *m*; **~tín** *m* Kobaltblau *n*; **~tina, ~tita** *Min. f* Smaltin *m*.

esmerado *adj.* **1.** sorgfältig (*gearbeitet*), tadellos; **2.** gewissenhaft, sorgfältig; **3.** gepflegt.

esmeral|da I. *f* Smaragd *m*; ~ *oriental* Korund *m*; **II.** *adj. inv.* smaragdgrün; **~dino** *adj.* smaragdfarben.

esmerar I. *v/t.* polieren; putzen; **II.** *v/r.* ~*se* Hervorragendes leisten; s. die größte Mühe geben; ~*se en* (*hacer*) *a/c.* et. mit größter Sorgfalt verrichten.

esmerejón *Vo. m* Neuntöter *m*.

esmeri|l *m* Schmirgel *m*; **~lado I.** *adj.* geschliffen; *vidrio m* ~ Mattglas *n*; *Phot. cristal m* ~ (*para enfocar*) Mattscheibe *f*; **II.** *m* Schmirgeln *n*; Schleifen *n*, Schliff *m*; **~lar I.** *v/t.* (ab)schmirgeln; (ab-, ein-)schleifen; **II.** *v/r.* ~*se* s. abschleifen; s. einlaufen (*Maschine*).

esmero *m* Sorgfalt *f*, Gewissenhaftigkeit *f*; Gründlichkeit *f*; *adv. con* ~ sorgfältig, gewissenhaft; tadellos.

esmirriado F *adj.* verkümmert, mick(e)rig F.

esmoquin *m* Smoking *m*.

esno|b *m* Snob *m*; **~bismo** *m* Snobismus *m*; **~bista** *adj. c* snobistisch.

eso *pron. dem. n/sg.* (*nur substant.*) das, dies(es); → *a. ese*² *d.*

esófago *Anat. m* Speiseröhre *f*, Oesophagus *m*.

esópico *Lit. adj.* äsopisch.

esos *pron. dem. m/pl.* → *ese*².

eso|térico *adj.* esoterisch, geheim; *doctrina f* ~*a* → **~terismo** *m* Esoterik *f*. [*ese otro*).]

esotro *pron. dem.* jener (andere) (=

espabila|deras *f/pl.* Licht(putz)-schere *f*; **~r I.** *v/t.* **1.** *Licht* schneuzen; **2.** aufmuntern, in Schwung bringen; P (hinaus)feuern F; **3.** F stibitzen, klauen F; **II.** *v/i. u.* ~*se v/r.* **4.** munter werden; **5.** F s. durchschlagen, s. zu helfen wissen; **6.** s. beeilen, schnell machen.

espaci|ado *adj. Typ.* gesperrt (gedruckt); mit Durchschuß, durchschossen (*Zeilen*); **~ador** *m* Leertaste *f* (*Schreibmaschine*); Sperrvorrichtung *f*; **~al** *adj. c* **1.** räumlich; *visión f* ~ räumliches Sehen *n*; **2.** (Welt-)Raum...; *vehículo m* ~ Raumfahrzeug *n*; **~ar** [1b] **I.** *v/t.* **1.** räumlich (*od.* zeitlich) ausea.-ziehen; *fig. et.* seltener tun; *et.* seltener werden lassen, *et.* auf längere Zeiträume verteilen; **2.** †, ⚒ ausstreuen; verbreiten; **II.** *vt/i.* **3.** *Typ. Wörter, Druck* sperren, spationieren; *Zeilen* durchschießen; **III.** *v/r.* ~*se* **4.** *fig.* s. weitläufig ergehen, s. verbreiten (in *dat. en*); **~o I.** *m* **1.** Raum *m*; Zwischenraum *m*; Weg *m* (*bsd. Astr.*); ~ (*de tiempo*) Zeitraum *m*; ~ *cósmico*, ~ *interplanetario*, ~ *sideral* Weltraum *m*; ~ *aéreo* Luftraum *m*; ~ *libre* freier Raum *m*; ⊕ Spielraum *m*; *Kfz.*, ⚔ Bodenfreiheit *f*; ⚔ freies Schußfeld *n*; ~ *muerto* toter Raum *m*; *fort.* toter Winkel *m*; ~ *vital Biol., Soz.* Lebensraum *m*; ⊕ freier Raum *m*; *por* ~ *de muchos años* während vieler Jahre; *ordenación f del* ~ Raumordnung *f*; ~ *necesario*, ~ *requerido* Platz-, Raum-bedarf *m*; **2.** Fläche *f*; ~ *al aire libre* Freigelände *n b. Ausstellungen*; ~*s m/pl. verdes* Grünflächen *f/pl.*; **3.** ♪ Raum *m* zwischen den Notenlinien; **4.** *Typ.* Spatium *n*; Spatie *f* (*Metallstück*); *con* ~*s compensados* mit automatischem Randausgleich (*Schreibmaschine*); *poner* ~*s* sperren, spationieren; **II.** *adv.* **5.** *Reg.* → **~osamente** *adv.* langsam, gemächlich; **~osidad** *f* Geräumigkeit *f*; **~oso** *adj.* **1.** geräumig, weit; **2.** langsam; **~o-tiempo** *m Phys.* Raumzeit *f*.

espachurrar F *v/t.* zerquetschen, plattdrücken; *fig.* den Mund stopfen (*dat.*).

espada I. *f* **1.** Degen *m*; Schwert *n*; ~ *blanca* Degen *m*, Schwert *n*, blanke Waffe *f*; ~ *de esgrima*, ~ *negra* Schläger *m*, Rapier *n*; *fig.* ~ *de la justicia* (ganze) Schärfe *f* des Gesetzes; *asentar la* ~ *Fechtk.* den Degen ablegen; *fig.* die Sache aufgeben; in den Ruhestand treten; *hist. ceñir la* ~ *a alg.* j-n mit dem Schwerte gürten (*Ritterschlag*); *fig. ceñir* ~ Waffendienst tun; *fig. estar* (*poner a alg.*) *entre la* ~ *y la pared* zwischen Hammer u. Amboß geraten sein (j-n in die Enge treiben); *Fechtk. tender la* ~ ausfallen; **2.** *p. ext. u. fig.* Klinge *f*; guter Fechter *m*; *a. fig. ser buena* ~ e-e gute Klinge führen; *Stk. media* ~ zweiter Stierkämpfer *m*; → *a.* 6; **3.** *Kart. etwa*: Pik *n*; ~s *f/pl.* Pik *n* (*als Farbe*); (*as m* de) ~s Pik-As *n*; **4.** *Fi.* (*pez m*) ~ Schwertfisch *m*; **5.** □ Dietrich *m*, Nachschlüssel *m*; **II.** *m* **6.** (*primer*) ~ Matador *m*; *fig.* Könner *m*, Meister *m s-s Fachs*; **~chín** *m* tüchtiger Fechter *m*; *fig.* Haudegen *m*, Raufbold *m*.

espada|ña *f* **1.** ⚘ **a)** Rohr-, Teichkolben *m*; **b)** Wasserschwertlilie *f*; **2.** △ Glockenwand *f*; **~r** *v/t.* → *espadillar*.

espa|darte *Fi. m* Schwertfisch *m*; **~dazo** *m* Degenstoß *m*; Schwerthieb *m*; **~dero** *m* Schwertfeger *m*, Waffenschmied *m*; **~dilla** *f* **1.** *dim.*: *Abzeichen der Ritter des Santiago-Ordens*; **2.** *tex.* Schwinge *f*; Schwingmesser *n*; **3.** ⚓ Wriggriemen *m*; Notruder *n*; **4.** *Kart.* Pik-As *n*; **5.** ⚘ Siegwurz *f*; **~dillar** *tex. v/t. Flachs, Hanf* schwingen; **~dín** *m* **1.** Zierdegen *m*; **2.** 🚂 ~ (*de aguja*) Weichenzunge *f*; **~dista** □ *m* Einbrecher *m*; **~dón** *m* **1.** *augm. desp.* plumper Degen *m*, Plempe *f* F; **2.** *fig.* F hohes Tier *n*; *desp.* Haudegen *m*; Raufbold *m*; **3.** ✂ Eunuch *m*.

espagueti *m koll.* Spaghetti *pl.*

espahí ⚔ *m* Spahi *m*.

espalar *vt/i.* (Schnee) schaufeln.

espal|da *f* **1.** (*a.* ~s *f/pl.*) Rücken *m*; Rückseite *f*; Schulter *f* (*a.* ⊕); *Sp. estilo m* ~ Rückenschwimmen *n*; *adv. a* ~s (*vueltas*) hinter dem Rükken, heimlich; *a* ~s *de a. fig.* hinter *j-s* Rücken; hinter (*dat.*); *a la(s)* ~(s) auf dem (*bzw.* den) Rücken; im Rücken; auf der Rückseite; *de* ~s *a* mit dem Rücken nach (*od.* zu *dat.*); *de* ~s *al muro a. fig.* mit dem Rücken an der Wand; in die Enge getrieben; *adv. a. fig. por la* ~ von hinten, hinterrücks; *dar* (*od. volver*) *las* ~s (*al enemigo*) die Flucht ergreifen, fliehen; *fig. dar* (*od. volver*) *la* ~ *a alg.* j-m die kalte Schulter zeigen; *dar* (*od. caer*) (*fig. caerse*) *de* ~s auf den Rücken fallen (*a. fig.*); *echarse a/c. a la(s)* ~(s) s. um et. (*ac.*) nicht (mehr) kümmern; *fig. echarse a/c. sobre las* ~s e-e Sache übernehmen; für et. (*ac.*) die Verantwortung übernehmen; *fig. guardarse las* ~s s. (den Rücken) decken (*dat.*); *fig. tener bien guardadas* (*od. cubiertas od. seguras*) *las* ~s e-e gute Rückendeckung (*od.* gute Beziehungen) haben; *fig.* F *medirle a alg. las* ~s j-n verprügeln, j-m Maß nehmen (*fig.* F); F *donde la* ~ *pierde su honesto nombre* der Allerwerteste F; *fig. tener anchas* (*od. buenas*) ~s e-n breiten Rücken (*bzw.* ein dickes Fell) haben; *tener muchos años sobre las* ~s eine Menge Jahre auf dem Buckel haben F; F *tener* ~s *de molinero* (*od. de panadero*) (ein Kerl wie) ein Schrank sein F; **2.** *Kchk.* Schulter *f*; Vorderkeule *f*; **3.** Schulter(stück *n*) *f bzw.* Rücken (-teil) *m an Kleid, Anzug*; **4.** → *espaldar* 1; **~dar** *m* **1.** Rückenlehne *f b. Stuhl usw.*; **2.** *Zo.* Rückenpanzer *m der Schildkröte usw.*; **3.** ⚓ Spant *m*; **4.** → *espaldera*; **5.** → *espaldón*; **~darazo** *m* Schlag *m* mit der flachen Klinge (*bzw.* Hand) auf den Rücken; *hist.* Ritterschlag *m*; *dar el* ~ *a j-n* zum Ritter schlagen; *fig. j-n* (in die Gruppe) aufnehmen, *j-n* als gleichberechtigt anerkennen; **~dear** ⚓ *v/t.* gg. das Heck *des Schiffs* branden; **~dera** *f* **1.** ✓ Spalier (-wand *f*) *n*; *árbol m de* ~ Spalierbaum *m*; **2.** *Sp.* Sprossenwand *f*; **~dilla** *f Anat.* Schulterblatt *n*; *vet. u. Kchk.* (Vorder-)Bug *m*; **~dista** *Sp. c* Rückenschwimmer *m*; **~dón** **I.** *m* ⚔ Schulter-, Schutzwehr *f*; **II.** *adj. Col.* → **~dudo** *adj.* breitschultrig.

espalto *Mal. m* Bister *m*, *n*.

espan|table *adj. c* → *espantoso*; **~tada** *f* Scheuwerden *n*, Ausbrechen *n von Tieren*; *fig. le dio una* ~ er schreckte (davor) zurück; **~tadizo** *adj.* schreckhaft, furchtsam; scheu (*Pferd*); **~tador** *adj.* erschreckend; *Col., Rpl.* scheu (*Pferd*); **~tagustos** *m* (*pl. inv.*) Spaßverderber *m*; **~tajo** *m* **1.** *a. fig.* Vogelscheuche *f*; **2.** Schreckgespenst *n*; Popanz *m*; **~talobos** ⚘ *m* (*pl. inv.*) Blasenstrauch *m*; **~tamoscas** *m* (*pl. inv.*) Fliegenwedel *m*; Fliegennetz *n für Pferde*; **~tapájaros** *m* (*pl. inv.*) *a. fig.* Vogelscheuche *f*; **~tar** **I.** *v/t.* **1.** erschrecken, entsetzen; **2.** *Pferd* scheu machen; vertreiben, verscheuchen; ~ *la caza Jgdw.* das Wild vergrämen; *fig.* s-n Zweck (*durch Übereilung u. ä.*) verfehlen; die Pferde scheu machen (*fig.*); **3.** in Erstaunen setzen; **II.** *v/r.* ~se **4.** erschrecken (über *ac.* de; vor *dat. por, ante*); scheuen (*Pferd*); **~to** *m* **1.** Schreck(en) *m*, Entsetzen *n*; Schauder *m*, Grauen *n*; *fig.* F *de* ~ entsetzlich, schauderhaft; *causar* ~ (*a*) (*j-m*) e-n Schrecken einjagen; (*j-m*) Grauen einflößen; *Pe. dar un* ~ scheuen (*Pferd*); **2.** Erstaunen *n*; *fig.* F *estar curado de* ~ s. über nichts (mehr) wundern, abgebrüht sein F; **3.** ⚕ Angstschock *m*; **4.** *Am. Reg.* Gespenst *n*; **~toso** *adj.* **1.** entsetzlich, grauenhaft; *a. fig.* ungeheuer; **2.** erstaunlich; wunderbar.

España *f hist.*: *Nueva* ~ Neuspanien *n* (*Mexiko in der Kolonialzeit*); *la* ~ *de pandereta* (*y castañuelas*) das folkloristische (, verzerrte) Spanien(bild) *für Touristen*.

españo|l **I.** *adj.* spanisch; *a la* ~*a* nach spanischer Art; → *a. Juan*; **II.** *m* Spanier *m*; *Li. das* Spanische; **~la** *f* Spanierin *f*; **~lada** *f mst. desp.* verzerrtes Spanienbild *n in lit. u. künstlerischer Darstellung*; *dar la* ~ s. spanisch gebärden; **~lado** *adj.* wie ein Spanier wirkend (*Ausländer*); **~lar** *v/t.* → *españolizar*; **~leta** *f* **1.** ♪ Spagnolette *f* (*altspan. Tanz*); **2.** Tür-, Fensterriegel *m*, -wirbel *m*; **~lismo** *m* Spaniertum *n*; span. Wesen *n*; span. Spracheigentümlichkeit *f*; Spanienliebe *f*; **~lizar** [1f] **I.** *v/t.* hispanisieren, dem span. Wesen (*bzw.* der span. Sprache) anpassen; **II.** *v/r.* ~se hispanisiert werden; zum Spanier werden.

espara|drapo *m* (Heft-)Pflaster *n*; Leukoplast *n*; **~ván** *m vet.* Spat *m*; *Vo.* Sperber *m*; **~vel** *m* rundes Wurfnetz *n der Fischer*; △ Mörtelbrett *n*.

esparceta ⚘ *f* Süßklee *m*.

esparci|damente *adv.* stellenweise, hier u. da; **~do** *adj. fig.* aufgeräumt, vergnügt; **~miento** *m* Ver-, Ausstreuen *n*; 📖, ⊕ Streuung *f*; *fig.* Zerstreuung *f*, Vergnügen *n*; **~r** [3b] **I.** *v/t.* **1.** (ver-, aus-)streuen; verteilen; auflockern; *fig.* ~ *el ánimo* s. zerstreuen; *polvo m para* ~ Streupulver *n*; **2.** *Nachricht* verbreiten; **II.** *v/r.* ~se **3.** s. ausbreiten; streuen (*v/i.*); s. verbreiten; **4.** s. zerstreuen (*a. fig.*); s. vergnügen.

esparraga|do *m* Spargelgericht *n*; **~l** *m* Spargel-feld *n*, -beet *n*; **~r** [1h] ✓ *vt/i.* Spargel stechen (*bzw.* anbauen) (auf *dat.* en *od. ac.*).

espárrago *m* **1.** Spargel *m*; ~ *común* Gemüsespargel *m*; *Kchk.* ~*s largos*, *Span.* ~(s) *de Aranjuez* Stangenspargel *m*; F *mandar a freir* ~s zum Teufel schicken; F *¡vete a freir* ~s*!* scher dich zum Kuckuck!, hau ab! F; **2.** Zeltstange *f*; *fig.* F Bohnen-, Hopfen-stange *f* F; **3.** ⚒ Fahrt *f*; Leiter *f* (*Pfahl mit Querleisten*); **4.** ⊕ Stift *m*, Bolzen *m*; Stiftschraube *f*.

esparrague|ra *f* Spargel *m*; Spargelbeet *n*; *Kchk.* Spargelschüssel *f*; **~ro** *adj.-su.* Spargel...; *m* Spargelzüchter *m*; -verkäufer *m*.

esparranca|do *adj.* breitbeinig; *a.* ⊕ spreizbeinig; *p. ext.* ausea.-liegend; **~rse** [1g] *v/r.* die Beine spreizen.

espartal *m* → *espartizal*.

esparta|no *adj.-su.* spartanisch; *m* Spartaner *m*; **~quista** *Pol. adj.-su. c* Spartakus...; *m* Spartakist *m*.

espar|tar *v/t.* mit Esparto umflechten; **~teña** *f Reg.* → *alpargata*; **~tero** *m* Esparto-arbeiter *m*; -händler *m*; **~tilla** *Equ. f Art* Striegel *m*; **~tizal** *m* Espartofeld *n*; **~to** ⚘ *m* Espartogras *n*.

espas|mo ⚕ *m* Krampf *m*, *lt.* Spasmus *m*; **~módico** *adj.* krampfartig, spasm(od)isch; **~molítico** *adj.-su. m* krampflösend(es Mittel *n*, Spasmolytikum *n*).

espatarrarse F *v/r.* → *despatarrarse*.

espático *Min. adj.* spathaltig; Spat...

espato *Min. m* Spat *m*; ~ *calizo* (*flúor*) Kalk- (Fluß-)spat *m*; ~ *de Islandia* Doppelspat *m*.

espátula *f* ⊕ Spachtel *f*, *m*; Lanzette *f der Former*; ⚕, *pharm.* Spatel *m*; *Kchk.* Wender *m*; *fig.* F *estar como una* ~ sehr dürr sein.

especia *f* Gewürz *n*; ~s *f/pl.* Gewürzwaren *f/pl.*; de ~ Gewürz...

especia|l *adj. c* besonder, speziell; eigentümlich; Fach..., Spezial...; Sonder...; *tren m* ~ Sonderzug *m*; *adv. en* ~, *prov., Chi.* ~ → *especialmente*; **~lidad** *f* Besonderheit *f*, Eigentümlichkeit *f*; Fach(gebiet) *n*; Spezialität *f*; ✝ Geschäftszweig *m*; *es (de) su* ~ das ist (*od.* schlägt in) sein Fach; **~lísimamente** *sup. adv.* ganz besonders; **~lista** *adj.-su. c* Fachmann *m*, Spezialist *m*; (*médico m*) ~ Facharzt *m*; *asesoramiento m por* ~s fachmännische Beratung *f*; **~lización** *f* Spezialisierung *f*; **~lizado** *adj.* spezialisiert; Fach...; **~lizar** [1f] **I.** *v/t.* auf ein Fach (*bzw.* e-n Zweck) begrenzen; **II.** *v/r.* ~se s. spezialisieren (auf *dat. bzw. ac.*, in *dat. en*); **~lmente** *adv.* insbesondere, besonders, vor allem.

especie *f* **1.** *a. Biol.* Art *f*, Spezies *f*; ✝ Warengattung *f*; Sorte *f*; *una ~ de* e-e Art von (*dat.*); *animales m/pl. de todas las ~s* Tiere *n/pl.* aller Arten, allerart Tiere; *la ~ humana* das Menschengeschlecht; *bajo ~ de* in Gestalt von (*dat.*); *Biol. propio de la ~* arteigen; ✝ *en ~* in Naturalien; *gal.* bar; **2.** Angelegenheit *f*, Sache *f*; Gegenstand *m*, Stoff *m*; **3.** Vorwand *m*, Schein *m*; **4.** ♪ (Einzel-, Orchester-)Stimme *f e-r Komposition*; **5.** *Fechtk.* Finte *f*; **6.** Gerücht *n*; Zeitungsente *f*; **~ría** *f* Gewürzhandlung *f*; **~ro** *m* **1.** Gewürzkrämer *m*; **2.** Gewürz-schränkchen *n*, -behälter *m*.

especifica|ción *f* **1.** (Einzel-)Angabe *f*, (-)Anführung *f*, (-)Aufführung *f*; ⚖, *Verw.*, *pharm.* Spezifizierung *f*; *~ones f/pl.* Einzelheiten *f/pl.*; **2.** Verzeichnis *n*, Liste *f*; **3.** ⚖ Umbildung *f*; Spezifikation *f*; **~damente** *adv.* im einzelnen; genau; **~do** *adj.* (einzeln) aufgeführt; genau bestimmt; ⚖ spezifiziert (*strafbare Handlung*); **~r** [1g] *v/t.* (im) einzeln(en) an-, auf-führen; genau bestimmen, spezifizieren; erläutern; **~tivo** *adj.* bezeichnend; eigentümlich; *Gram.* unterscheidend (*Adjektiv*).

específico **I.** *adj.* spezifisch (*a. Phys.*, ⚕, *Zoll*); unterscheidend; *Li. aplicación f ~a* Verwendung *f* e-s Gattungsnamens zur Bezeichnung e-r spezifischen Art; *diferencia f ~a* Art- (*bzw.* Wesens-)unterschied *m*; **II.** *adj.-su. m* (*medicamento m*) *~* Spezifikum *n*; **III.** *m pharm.* Fertigpräparat *n*.

espécimen *m* (*pl. especímenes*) **1.** Exemplar *n*; **2.** Muster *n*, Probe *f*; *Typ.* (Beleg-)Exemplar *n*.

especioso *adj.* **1.** (äußerlich) bestechend, Schein...; **2.** schön, vortrefflich.

espec|tacular *adj. c* aufsehenerregend, spektakulär; **~táculo** *m* Schauspiel *n* (*a. fig.*); Darbietung *f*, Vorstellung *f*; Schau *f*; *fig.* Anblick *m*; *sala f de ~s* Raum *m* für Theateraufführungen; *~s m/pl. públicos* öffentliche Vergnügungsstätten *f/pl.*; *dar (el, un) ~* Aufsehen erregen; (unliebsam) auffallen; **~tador** *adj.-su.* Zuschauer *m*; *ser ~ del juego* beim (*od.* dem) Spiel zusehen.

espectativa *f* Anwartschaft *f*.

espec|tral *adj. c* **1.** gespenstisch, geisterhaft; Geister..., Gespenster...; **2.** *Phys.* Spektral...; *análisis m ~* Spektralanalyse *f*; **~tro** *m* **1.** Gespenst *n* (*a. fig.*), Geist *m*; **2.** *Phys.* Spektrum *n*; *del ~* Spektral...; *~ cromático*, *~ luminoso* Farbenspektrum *n*; *~ solar* Sonnenspektrum *n*; **~trograma** *m* Spektrogramm *n*; **~trometría** *f* Spektrometrie *f*; **~trómetro** *m* Spektrometer *n*; **~troscopia** *f* Spektroskopie *f*; **~troscopio** *m* Spektroskop *n*.

especula|ción *f* Spekulation *f* (*a. Phil.*, ✝ *u. fig.*); Berechnung *f*, Mutmaßung *f*; **~dor** *adj.-su. m* Spekulant *m* (✝, *Phil. u. fig.*); ✝ *~ de bolsa* Börsenspekulant *m*; **~r** **I.** *v/t.* **1.** ⚕ spiegeln, (mit dem Spiegel) untersuchen; **II.** *v/i.* **2.** (⛏ *a. v/t.*) nach-sinnen, -grübeln (über *ac. en, sobre*); **3.** ✝ spekulieren (in, mit *dat. en*); handeln (mit *dat. en*); *~ al (od. sobre el) alza* auf Hausse spekulieren; **4.** *~ con a/c.* mit et. (*dat.*) (*od.* auf et. *ac.*) rechnen, et. in die Waagschale werfen; **III.** *adj. c* **5.** spiegelnd; Spiegel...; **~tiva** *f* Denkfähigkeit *f*; **~tivo** *adj.* **1.** spekulativ, theoretisch; **2.** ✝ spekulativ, Spekulations...

espéculo ⚕ *m* Spiegel *m*, *lt.* Speculum *n*.

espe|jado *adj.* spiegel-glatt; -blank; spiegelnd; **~jear** *v/i.* glitzern, gleißen; **~jero** *m* Spiegel-macher *m*; -händler *m*; **~jeo** ⛏ *m*, **~jismo** *m* Luftspiegelung *f*, Fata Morgana *f* (*a. fig.*); *fig.* Sinnentrug *m*; Blendwerk *n*; **~jito** *m* Taschenspiegel *m*; *dim. v.* → **~jo** *m* **1.** Spiegel *m* (*a. Jgdw. u. fig.*); *~ cóncavo (convexo)* Konkav-, Hohl- (Konvex-)spiegel *m*; *~ de cuerpo entero* Toilettenspiegel *m*; *~ deformante* Zerr-, Vexier-spiegel *m*; *~ parabólico (de radar)* (Radar-)Parabolspiegel *m*; *mirar(se) al ~* in den Spiegel schauen; s. im Spiegel betrachten; *fig. mirarse en uno como en un ~* j-n anbeten; j-n als Vorbild verehren; **2.** *~s m/pl.* Haarwirbel *m auf der Brust der Pferde*; **~juelo** *m* **1.** *Min.* Strahlgips *m*; Marienglas *n*; **2.** Maserung *f im Holz*; **3.** *Kchk.* Glaskürbis *m*; **4.** ⚠ Giebelluke *f*; **5.** *~s m/pl.* Brille(ngläser *n/pl.*) *f*; **6.** *Jgdw.* Lockspiegel *m der Vogelfänger*.

espele|ología *f* Speläologie *f*; **~ológico** *adj.* speläologisch; **~ólogo** *m* Höhlenforscher *m*, Speläologe *m*.

espelta ✿ *f* Spelz *m*, Dinkel *m*.

espelunca ⛏ *f* Höhle *f*; *fig.* F (Studenten-)Bude *f*.

espeluzar [1f] *v/t. Haare* zerzausen *bzw.* zu Berge stehen lassen.

espeluzna|nte *adj. c fig.* haarsträubend, grauenhaft; **~r(se)** *v/t.* (*v/r.*) (s.) sträuben (*Haare*); *fig.* (s.) entsetzen.

espera *f* **1.** Warten *n*; Erwartung *f*; *en la ~* inzwischen; *en ~ de sus noticias* in Erwartung Ihrer Nachrichten (*Briefstil*); *estar en ~ de* warten auf (*ac.*); *estar a la ~ de et.* abwarten; **2.** Geduld *f*, Ruhe *f*; **3.** Aufschub *m*; Frist *f*; *tiene ~* es hat Zeit (damit); **4.** *Jgdw.* Ansitz *m*, Anstand *m*.

esperan|tista *c* Esperantist *m*; Kenner *m bzw.* Anhänger *m* des Esperanto, **~to** *Li. m* Esperanto *n*.

esperanza *f* Hoffnung *f*; Erwartung *f*; *contra toda ~* wider alles Erwarten, ganz unerwartet; *en estado de buena ~* guter Hoffnung, schwanger; F *Arg. ¡qué ~!* kommt nicht in Frage!, nicht im Traum!; *joven m de (grandes) ~s* ein (sehr) hoffnungsvoller junger Mann; *alimentarse (od. vivir) de ~s* s. eitlen Hoffnungen hingeben; *dar ~(s) a alg.* j-m Hoffnung(en) machen; *llenar (od. cumplir) la ~* der Erwartung entsprechen; günstig ausfallen; *poner (od. fundar) ~s en alg.* auf j-n Hoffnungen setzen; **~do** *adj.* voller Hoffnung; zuversichtlich; **~dor** *adj.* verheißungsvoll, vielversprechend; **~r** [1f] *v/t.* Hoffnung machen (*dat.*).

esperar *vt/i.* (er)warten, (er)hoffen; auf *et.* (*ac.*) hoffen (*bzw.* warten); abwarten; annehmen, voraussetzen; *~ en Dios* auf (*od.* zu) Gott hoffen; *así lo esperamos* das hoffen (*bzw.* erwarten) wir; *(nos) lo esperábamos* das haben wir erwartet, darauf waren wir gefaßt; *hacer ~* **a)** warten lassen; **b)** hoffen lassen; *hacerse ~* auf s. warten lassen; F *~ sentado* vergeblich warten; *ya puedes ~ sentado* da kannst du lange warten; *contra lo ~ado* unverhofft, wider Erwarten; *según se espera* wie man hofft (*bzw.* annimmt); hoffentlich; voraussichtlich; *es de ~ que + fut.* es steht zu erwarten (*od.* es ist anzunehmen), daß ..., voraussichtlich ...; *~ contra toda esperanza* trotz allem die Hoffnung nicht aufgeben; *espero que venga* hoffentlich kommt er; *espero que vendrá pronto* ich nehme an, daß er bald kommt, voraussichtlich kommt er bald; *esperamos hasta (od. a) que venga* wir warten (solange) bis er kommt (*irgendwann einmal wird er schon kommen*); *esperamos hasta que vino* wir warteten, bis er kam (*bestimmte Ankunftszeit*); *Spr. quien espera, desespera* Hoffen u. Harren macht manchen zum Narren.

esperma *m Biol.* Samen *m*, Sperma *n*; *pharm. ~ (de ballena)* Walrat *m*; **~tocito** *m* Spermatozyt *m*; **~to(zo)ides**, **~tozoos** *m/pl.* Spermatozoen *n/pl.*

esperón ⚓ *m* (Ramm-)Sporn *m*; *hist.* Schiffsschnabel *m*.

esperpento F *m* **1.** Vogelscheuche *f* F; komischer Kauz *m*; **2.** Blödsinn *m* F, Quatsch *m* F.

espesado *Kchk. m Bol. Art* Eintopf *m mit Kartoffeln, Mehl, Paprika, Fleisch.*

espe|sar **I.** *v/t.* **1.** *Flüssigkeit* ein-, ver-dicken; *Gewebe* dichter machen; engmaschiger stricken; **2.** verdichten, verstärken; zs.-pressen; **II.** *v/i. u. ~se v/r.* **3.** dicker (*bzw.* dichter) werden; **III.** *m* **4.** dichteste Stelle *f* e-s Waldes; **~so** *adj.* **1.** dick(flüssig), zähflüssig; fettig; **2.** dicht, dick; schlecht (*Luft*); **3.** dicht (-gedrängt); engmaschig; **4.** massig, dick; **5.** F schmutzig; **~sor** *m* Dicke *f*, Stärke *f*; ⚒ Mächtigkeit *f e-s Flözes*; *de poco ~* dünn; **~sura** *f* **1.** Dicke *f*; **2.** Dichte *f*, Dichtigkeit *f*; **3.** Dickicht *n*; **4.** dichtes Haar *n*; **5.** Schmutz *m*.

espe|taperro *adv.*: *a ~* Hals über Kopf, eiligst; **~tar** **I.** *v/t.* **1.** aufspießen, auf den Bratspieß stecken; durchbohren; **2.** *fig.* F an den Kopf werfen (*fig.*); *le espetó un sermoncito* er hielt ihm e-e Standpauke; **II.** *v/r.* *~se* **3.** s. in die Brust werfen; *fig.* F *~ado* feierlich, steif u. stolz (einhergehend); **~tera** *f* (Küchenbrett *n zum Aufhängen* der) Töpfe *m/pl.*, Pfannen *f/pl.*; **2.** F Mordsbusen *m* F; **3.** F *iron.* Klempnerladen *m* (*Ordensspange*); **~tón** *m* **1.** (Brat-)Spieß *m*; Schürhaken *m*; Stoßdegen *m*; **2.** lange Anstecknadel *f*; **3.** *Fi.* Pfeilhecht *m*.

es|pía I. *c* Spion(in *f*) *m*; Spitzel *m*; **II.** *f* ⚓ Verholen *n*; Verholleine *f*; **~piar** [1c] **I.** *v/t.* **1.** ausspionieren; bespitzeln; auskundschaften; **II.** *v/i.* **2.** spionieren; **3.** ⚓ verholen, warpen.

espi|bia *f*, **~bio** *m*, **~bión** *m* → *estibia*.

espicanar|di *f*, **~do** *m* ⚘ Spieke *f*; *pharm.* Nardenwurzel *f*.

espich *m* → *espiche* 4.

espi|char F **I.** *v/t.* stechen, pieken F; *Chi. Geld* herausrücken; **II.** *v/i.* ~(*la*) sterben, abkratzen P; **III.** *v/r.* ~*se Arg.* auslaufen (*Flüssigkeit*); *Col.*, *Guat.* Angst bekommen; **~che** *m* **1.** spitzes Instrument *n*; Spieß *m*; **2.** Pfropfen *m*; **3.** ⚓ Spikerpinne *f*; **4.** *Angl. Am.* Rede *f*; **~chón** *m* Stich(wunde *f*) *m*.

espiga *f* **1.** ⚘ **a)** Ähre *f*; **b)** Pfropfreis *n*; ~ *de trigo* Weizenähre *f*; **2.** ⊕ Zapfen *m*, Stift *m*; Bolzen *m*; Dorn *m*; (Schlag-)Zünder *m*; **3.** Glockenschwengel *m*; **4.** ⚓ Topp *m*; **5.** *Astr.* ♀ Spica *f* (*lt.*); **~dilla** ⚘ *f* Mauergerste *f*; **~do** *adj.* **1.** *fig.* hoch aufgeschossen (*junger Mensch*); **2.** ährenförmig; **~dor(a** *f*) *m* Ährenleser(in *f*) *m*; **~r** [1h] **I.** *v/t. Zim.* verzapfen; **II.** *vt/i.* ↗ Ähren lesen; *fig.* sammeln, zs.-suchen, zs.-tragen (*Daten usw. aus Büchern usw.*); **III.** *v/i.* Ähren ansetzen; **IV.** *v/r.* ~*se* ↗ ins Kraut (*bzw.* in Samen) schießen; *fig.* schnell wachsen, in die Höhe schießen.

espi|gón *m* **1.** (Nadel-, Messer- *usw.*) Spitze *f*; Zacke *f*; Dorn *m*; **2.** ⚘ Granne *f der Ähren*; (Mais-) Kolben *m*; Knoblauchzehe *f*; **3.** (kahler, spitzer) Bergkegel *m*; **4.** △ (Leit-)Damm *m*; Mole *f*; **~gueo** *m* Ährenlese *f*; **~guilla** ⚘ *f* **a)** Ährenbüschel *n*; **b)** Rispengras *n*; **c)** Pappelkätzchen *n*.

espín *Zo. adj.-su. m* (*puerco m*) ~ Stachelschwein *n*.

espina *f* **1.** Dorn *m*, Stachel *m*; (Holz-)Splitter *m*; ⚘ (*uva f*) ~ Stachelbeere *f*; **2.** *Anat.* Stachel *m*; Dorn *m*; Gräte *f*; ~ (*dorsal*) Rückgrat *n* (*a. fig.*); ~ (*de pescado*) Fischgräte *f*; *tex.* Fischgrätenmuster *n*; *fig.* F *estar en la* ~ zaundürr sein F; **3.** *fig.* nagender Kummer *m*; (*mala*) ~ Verdacht *m*, Argwohn *m*; *me da mala* ~ ich traue *dem Menschen* (*der Sache*) nicht, *der Mann* (*die Sache*) ist mir verdächtig; *fig. sacarse la* (*od. una*) ~ s-n Verlust wieder wettmachen, s. revanchieren F (*bsd. b. Spiel*); *tener una* ~ *en el corazón* gr. Kummer haben.

espinaca ⚘ *f* (*Kchk. mst.* ~*s f/pl.*) Spinat *m*.

espinal *Anat. adj. c* Rückgrat..., spinal; *médula f* ~ Rückenmark *n*.

espinapez *Zim. m* Fischgrätenparkett *n*.

espina|r I. *m* Dorngebüsch *n*; *fig.* Schwierigkeit *f*, haarige Angelegenheit *f* F; **II.** *v/t.* (mit Dornen) stechen; ↗ mit Dornenranken schützen; *fig.* gg. *j-n* sticheln, *j-m* Nadelstiche versetzen; **~zo** *m* **1.** Rückgrat *n*; *fig.* F *doblar el* ~ kein Rückgrat haben, zu Kreuze kriechen; **2.** △ Schlußstein *m e-s Gewölbes, e-s Bogens*.

espinela *f* **1.** *Metrik*: Dezime *f* (*nach dem Dichter Vicente Espinel*); **2.** *Min.* Spinell *m*.

espíneo *adj.* Dorn(en)...

espineta ♪ *f* Spinett *n*.

espingarda *f* **1.** *hist.* Feldschlange *f*; **2.** lange Araberflinte *f*; *fig.* lange, dürre Person *f*.

espini|lla *f* **1.** *dim. zu espina*; **2.** Schienbein(kamm *m*) *n*; **3.** Mitesser *m*; **~llera** *f Sp.*, ⊕ Schienbeinschutz *m*; *hist.* Beinschiene *f* (*Rüstung*).

espino *m* **1.** ⚘ ~ (*blanco*, ~ *albar*) Weißdorn *m*; ~ *cerval*, ~ *hediondo* Kreuzbeere *f*; ~ *negro* Schwarz-, Schleh-dorn *m*; **2.** ~ *artificial* Stacheldraht *m*.

espinosismo *Phil. m* Spinozismus *m* (*nach* Spinoza, *span. a. Espinosa*).

espinoso I. *adj.* dornig, stach(e)lig, Dorn(en)..., Stachel...; voller Gräten; *fig.* dornenreich; heikel, schwierig; **II.** *m Fi.* Stichling *m*.

espiocha *f* Pickel *m*.

espi|ón F *m* → *espía*; **~onaje** *m* Spionage *f*; ~ *económico* (*industrial*) Wirtschafts- (Werk-)spionage *f*; *red f de* ~ Spionagering *m*.

espira *f* **1.** Spirale *f*; *Biol.* Schneckenwindung *f*; → *espiral*; **2.** ⊕ (Schrauben-, Spiral-, Spulen-) Windung *f*; ~*s en zigzag* Zickzackwindungen *f/pl.*; **3.** △ Schaftgesims *n*.

espiración *f* Ausatmung *f*; Ausdünstung *f*.

espiral I. *adj. c* spiralförmig; Spiral...; **II.** *f* Spirale *f*, Spiral-, Schnecken-linie *f*; Spiralfeder *f e-r Uhr*; *adv.* (*u. adj.*) en ~ spiralförmig.

espira|nte *Phon. f* Spirans *f*, Hauchlaut *m*; **~r I.** *v/i.* (aus)atmen; *poet.* sanft wehen (*Wind*); **II.** *v/t.* ausatmen, -hauchen, -strömen; ✎ beleben; **~torio** *adj.* exspiratorisch.

espirea ⚘ *f* Spierstrauch *m*.

espirilo ⚕ *m* Spirille *f*.

espiri|tado F *adj.* abgemagert, ausgemergelt; **~tismo** *m* Spiritismus *m*; **~tista** *adj.-su. c* spiritistisch; *m* Spiritist *m*; *sesión f* ~ (spiritistische) Séance *f* (*gal.*); **~toso** *adj.* **1.** lebhaft, feurig; geistsprühend; **2.** alkohol-, sprit-haltig, spirituos; *bebidas f/pl.* ~*as* Spirituosen *pl*.

espíritu *m* **1.** Geist *m*; Seele *f*; Gabe *f*, Veranlagung *f*; Wesen *n*; ~ *humano* menschlicher Geist *m*, Menschengeist *m*; ~ *emprendedor*, ~ *de iniciativa* Unternehmungsgeist *m*; ~ *mezquino* Schäbigkeit *f*, Krämerseele *f*; ~ *de profecía* Sehergabe *f*; **2.** Geist *m*, Verstand *m*; Witz *m*, Scharfsinn *m*; Energie *f*, Tatkraft *f*; *hombre m de* ~ Mann *m* von Geist; tatkräftiger (*bzw.* mutiger) Mann *m*; *pobre de* ~ arm an Geist; ängstlich; *bibl.* arm im Geiste; *sin* ~ geistlos; *cobrar* ~ Mut fassen; **3.** Geist *m*, Empfinden *n*, Gefühl *n*; Sinn *m*; ~ *de contradicción* Widerspruchsgeist *m*; ~ *de la época* Zeitgeist *m*; **4.** *pharm.*, ⚗ Geist *m*, Extrakt *m*; Spiritus *m*; ~ *de sal* (konzentrierte) Salzsäure *f*; ⊕ *a.* Lötwasser *n*; ~ *de vino* Weingeist *m*; **5.** *Rel.*, *Folk.* Geist *m*; *los* ~*s* (*del aire etc.*) die Geister (der Luft *usw.*); ~ (*mal*[*ign*]*o*) Teufel *m*, böser Geist *m*; *el* ♀ *Santo* der Heilige Geist *m*; *el mundo de los* ~*s* die Geisterwelt; **6.** *Gram.* Hauch *m*.

espiritua|l *adj. c* **1.** geistig, spirituell; **2.** geistlich, religiös; **3.** geistvoll, geistreich; vergeistigt; **~lidad** *f* Geistigkeit *f*; *Rel.* geistliches Leben *n*; *als Überschrift*: Geistliche Veranstaltungen *f/pl.*; **~lismo** *Phil. m* Spiritualismus *m*; **~lista** *Phil. adj.-su. c* spiritualistisch; *m* Spiritualist *m*; **~lizar** [1f] **I.** *v/t.* **1.** vergeistigen; Geist einhauchen (*dat.*), beseelen; **2.** *Güter* zu kirchlichem Besitz machen; **II.** *v/r.* ~*se* **3.** F mager werden; **~lmente** *adv.* **1.** geistlich; **2.** geistig.

espirituoso *adj.* → *espiritoso*.

espi|rómetro ⚕ *m* Spirometer *m*; **~roqueta** *f*, **~roqueto** *m* ⚕ Spirochäte *f*.

espita *f* **1.** Faß-, Zapf-hahn *m*; ⊕ kl. Hahn *m*; *poner la* ~ → *espitar*; → *a. grifo*; **2.** *fig.* F Trinker *m*, Säufer *m* F; **~r** *v/t. Faß* anzapfen.

esplacnología ⚕ *f* Splanchnologie *f*.

esplen|dente *adj. c* strahlend, leuchtend; **~der** ✎, *poet. v/i.* glänzen, leuchten.

esplendidez *m* **1.** Glanz *m*, Pracht *f*, Herrlichkeit *f*; **2.** Freigebigkeit *f*.

espléndido *adj.* **1.** prächtig, herrlich, prunkvoll; *fig.* strahlend, glänzend; **2.** freigebig.

esplendo|r *m* Glanz *m* (*bsd. fig.*); Pracht *f*, Herrlichkeit *f*; **~roso** *adj. bsd. fig.* strahlend, glänzend, leuchtend; glanzvoll, prächtig.

es|plénico *Anat.* **I.** *adj.* Milz...; **II.** *m* → **~plenio** *Anat. m* Splenius *m* (*Halsmuskel*); **~plenitis** ⚕ *f* Milzentzündung *f*.

espliego ⚘ *m* Lavendel *m*, Speik *m*.

esplín *Angl. m* Lebensüberdruß *m*; Schrulligkeit *f*; Grille *f*.

espo|lada *f*, **~lazo** *m Equ.* Spornstich *m*; *fig.* Ansporn *m*; **~lear** *v/t. Equ.* die Sporen geben (*dat.*), *a. fig.* anspornen, (an)treiben; beleben; **~leo** *m* Anspornen *n*; **~leta** *f* **1.** *Zo.* Brustbein *n der Vögel*; **2.** ⚔ Zünder *m*; ~ *de percusión* (*de relojería*) Aufschlag- (Zeit-)zünder *m*; **~lín** *m* **1.** *Equ.* Anschlagsporn *m*; **2.** *tex.* geblümter Seidenbrokat *m*; **~lio** *kath. m* Spolien *n/pl.*; **~lique** *m* **1.** Fußlakai *m e-s Reiters*; **2.** *Spiel*: Fersenschlag *m b. Bockspringen*; **~lón** *m* **1.** *Zo.* Hahnensporn *m*; **2.** ⚓ Rammsporn *m*; Schiffsschnabel *m*; **3.** Kai *m*; Dammweg *m*; (Ufer-)Promenade *f*; **4.** △ Strebepfeiler *m*; Widerlager *n e-r Brücke*; **5.** ⊕ Sporn *m*; **6.** Gebirgsausläufer *m*; **~lonada** *f* Reiterangriff *m*; **~lonazo** *m* **1.** Spornstoß *m des Kampfhahns*; **2.** Rammstoß *m*.

espolvo|reador *m* Bestäuber *m*, Bestäubungsgerät *n*; **~rear** *v/t.* **1.** (ein)pudern; bestäuben; bestreuen (mit *dat.* de, con); ~ *a/c. sobre et.* bestreuen mit et. (*dat.*); **2.** ✎ abstauben; **~reo** *m* (Be-)Stäuben *n*; **~rizar** [1f] *v/t.* → *espolvorear* 1.

espon|daico *adj. Metrik*: spondeisch; **~deo** *m* Spondeus *m* (*Versfuß*).

espondilosis ⚕ *f* Spondylose *f*.

espon|giarios *Zo. m/pl.* Schwämme *m/pl.*; **~ja** *f* **1.** Schwamm *m* (*Zo.*, ✝); schwammige Substanz *f*; ~ *de caucho*, ~ *de goma* **a**) Gummischwamm *m*; **b**) Schaumgummi *m*; *fig. beber como una* ~ ein starker Trinker sein; *fig. pasar la* ~ *sobre a/c.* et. vergeben u. vergessen, et. begraben (sein lassen); **2.** *fig.* Schmarotzer *m*; **3.** *tex.* Frottee *n*, *m*; **~jado I.** *adj.* schwammig; aufgeplustert; **II.** *m Kchk.* Plundergebäck *n*; Schaumzuckerbackwerk *n*; **~jadura** *f* ⊕ Schwamm *m im Guß*; **~jar I.** *v/t.* **1.** aufblähen; auflockern; anschwellen lassen; **II.** *v/r.* **~se 2.** aufquellen; aufgehen (*Teig*); *fig.* F s. aufplustern; **3.** F vor Gesundheit strotzen; **~jera** *f* Schwammbehälter *m*; **~josidad** *f* Schwammigkeit *f*; **~joso** *adj.* schwammig, ⚕ *a.* spongiös; porös (*Stein*).

esponsa|les *m/pl.* Verlobung *f*, ⚖ Verlöbnis *n*; Verlobungsfeier *f*; **~licio** *adj.* Verlobungs...

espon|táneamente *adv.* aus freien Stücken; von selbst, spontan; **~tanearse** *v/r.* aus s. herausgehen, s. eröffnen; ⚖ ein freiwilliges Geständnis ablegen; **~taneidad** *f* **1.** Freiwilligkeit *f*, Handeln *n* aus eigenem Antrieb; **2.** Ursprünglichkeit *f e-s Gedankens usw.*; **~táneo I.** *adj.* **1.** freiwillig, aus eigenem Antrieb (kommend); aus plötzlichem Antrieb handelnd, spontan; unwillkürlich (*Bewegung*); **2.** natürlich, ursprünglich **3.** *a. Biol.*, *Physiol.* spontan, Spontan..., selbst...; von selbst entstanden; wildwachsend (*Pfl.*); **II.** *m* **4.** *Stk.* Zuschauer *m*, der *unbefugterweise* in die Arena springt, *um gg. den Stier zu kämpfen.*

espora ✿ *f* Spore *f*.

esporádico *adj.* sporadisch, vereinzelt (auftretend).

espo|rangio ✿ *m* Sporenschlauch *m*; **~rozo(ari)os** *Biol. m/pl.* Sporentierchen *n/pl.*

espor|tear *v/t.* in Körben befördern; **~tilla** *f* kl. Korb *m*; **~tillero** *m* Korbträger *m*; **~tón** *m* gr. Korb *m*.

espo|sa *f* **1.** Gattin *f*, Gemahlin *f*; **2.** **~s** *f/pl.* Handschellen *f/pl.*; **~sado** *adj.-su.* jungvermählt; **~sar** *v/t.* *j-m* Handschellen anlegen; **~so** *m* Gatte *m*, Gemahl *m*; **~s** *m/pl.* Ehepaar *n*, -leute *pl.*

espuela *f* **1.** *Equ.* Sporn *m*; *fig.* Antrieb *m*; Anreiz *m*; *mozo m de* ~(*s*) Fußlakai *m e-s Reiters*; *aplicar las* ~*s*, *dar* ~*s*, *dar de* ~(*s*) *Pferd* anspornen, die Sporen geben (*dat.*); *fig. calzar la(s)* ~(*s*) *a alg.* j-n zum Ritter schlagen; *calzar* ~ Ritter sein; *calzar(se) la* ~ zum Ritter geschlagen werden; *fig. sentir la* ~ den Stachel spüren, unter dem Stachel (*Antreiberei*, *Verweis*) leiden; **2.** *Zo. Can.*, *Am.* Hahnensporn *m*; *Arg.*,*Chi.* Brustbein *n der Vögel*; **3.** ✿ ~ *de caballero* Gartenrittersporn *m*.

espuerta *f* (Henkel-)Korb *m*; Tragkorb *m für Saumtiere*; *fig. a* ~*s* haufenweise, im Überfluß; *fig.* F (*boca f de*) ~ gr. (häßlicher) Mund *m*.

espul|gar [1h] *v/t.* (ab)flöhen, (ent-)lausen; *fig.* genau prüfen; **~go** *m* Abflöhen *n*, Entlausen *n*; *fig.* Durchsuchen *n*.

espu|ma *f* **1.** Schaum *m*; Gischt *m der Wellen*; *fig. crecer como la* ~ **a**) schnell wachsen; **b**) schnell blühen u. gedeihen, bald sein Glück machen; **2.** ⚗ ~ *de nitro* Mauersalpeter *m*; *Min.* ~ *de mar* Meerschaum *m*; **3.** Schaum(stoff) *m*; **~madera** *f* Schaumlöffel *m* (*a.* ⊕); **~maje** *m* reiche Schaumbildung *f*; viel Schaum *m*; **~majear** *v/i.* schäumen (*a. fig.*); **~majo** *m* → *espumarajo*; **~majoso** *desp. adj.* → *espumoso*; **~mante** *adj. c* schäumend; Schaum...; schaumbildend; *vino m* ~ Schaumwein *m*; **~mar I.** *v/t.* abschäumen, den Schaum abschöpfen von (*dat.*); **II.** *v/i.* schäumen; aufschäumen; *fig.* rasch wachsen; schnell vorankommen, gedeihen; **~marajo** *m* Schaum *m*; Geifer *m*, Speichel *m*; *fig. echar* ~*s* vor Wut schäumen; **~milla** *f* **1.** *tex.* feiner Krepp *m*; **2.** *Kchk. prov.*, *Ec.*, *Hond.* Meringe *f*; **~moso** *adj.* schaumig; schäumend; Schaum...

espundia ⚕ *f am.* Uta-Geschwür *n*, Espundia *f*.

espurio *adj.* **1.** unehelich; *hijo m* ~ Bastard *m*; **2.** *fig.* falsch, unecht; gefälscht.

espu|tar *vt/i.* (aus)spucken; aushusten; Auswurf haben; **~to** *m* Speichel *m*; ⚕ Auswurf *m*, *lt.* Sputum *n*.

esqueje ⚘ *m* Steckling *m*.

esquela *f* kurzes Schreiben *n*; Kartenbrief *m mit Vordruck*; gedruckte Anzeige *f*; ~ *de defunción*, ~ *fúnebre*, ~ *mortuoria* Todesanzeige *f*.

esque|lético *adj.* Skelett...; *fig.* bis aufs Skelett abgemagert; spindeldürr; **~leto** *m* **1.** *Anat.*, ⊕ Skelett *n*, ⊕ Gerüst *n*; (Schiffs-)Gerippe *n*; *fig.* (wandelndes) Skelett *n*; **2.** *Am. Reg.* Vordruck *m zum Ausfüllen.*

esque|ma *m* Schema *n*, Plan *m*; Bild *n*; Übersicht(stafel) *f*; ⚡ ~ *de conexiones* Schaltschema *n*; *en* ~ schematisch; **~mático** *adj.* schematisch; **~matismo** *m* Schematismus *m*; **~matizar** [1f] *v/t.* schematisieren.

esquenanto ✿ *m* Kamelgras *n*.

esquí *m* Schi *m*, Ski *m* (*pl.* ~*ís* Schier); Schi-sport *m*, -laufen *n*, -fahren *n*; ~ *acuático*, ~ *náutico* Wasserschi(laufen *n*) *m*; *salto m en* ~(*s*) Schi-sprung *m*, -springen *n*.

esquia|dor *m*, **~dora** Schiläufer(in *f*) *m*; **~r** [1c] *v/i.* Schi laufen, Schi fahren.

esquicio *Mal. m* Skizze *f*, Entwurf *m*.

esquife *m* ⚓ Beiboot *n*; *Sp.* Skiff *n*, Renn-Einer *m*.

esqui|la *f* **1.** Kuh-, Vieh-glocke *f*; Glocke *f in Klöstern u. Schulen*; **2.** Schafschur *f*; **3.** *Zo.* Garnele *f*; *Ent.* Wasserkäfer *m*; **4.** ✿ Meerzwiebel *f*; **~lador** *m* (Schaf-)Scherer *m*; Hundetrimmer *m*; *fig.* F *ponerse como el chico del* ~ futtern, gewaltig einhauen F; **~lar** *v/t.* *Schafe* scheren; *Hunde* trimmen; **~leo** *m* Scheren *n*, Schur *f*; Schurzeit *f*; Schurstall *m*.

esquilimoso F *adj.* zimperlich.

esquil|mar *v/t.* ⚘ *u. fig.* (ab)ernten; *Boden* auslaugen (*Pfl.*); *fig.* aussaugen, arm machen; *fig.* F *dejar* ~*ado a alg.* j-n bis aufs Hemd ausziehen F; **~mo** *m* Ertrag *m*, Ernte *f*.

esquimal *adj.-su. c* Eskimo *m*.

esqui|na *f* Ecke *f* (*außen*); Straßen-, Haus-ecke *f*; Kante *f*; *de* ~, *en* ~ Eck...; *a la vuelta de la* ~ (gleich) um die Ecke; *hacer* ~ e-e Ecke (*od.* e-n scharfen Winkel) bilden; *hacer* ~ *a la calle X* an der Ecke zur X-Straße liegen; *fig. darse contra* (*od. por*) *la(s)* ~(*s*) mit dem Kopf durch die Wand wollen; *fig. estar de* (*od. en*) ~ entzweit sein; *Sp. jugar a las cuatro* ~*s* „Bäumchen wechsle dich" spielen; **~nado** *adj.* eckig, kantig; *fig.* unzugänglich, schroff, borstig; übelgelaunt, verstimmt, barsch; *fig. estar* ~ über(s) Kreuz sein, entzweit sein; **~nar I.** *v/t.* **1.** *Zim.* im Eck verlegen; winklig anlegen; **2.** in e-e Ecke legen; *fig.* entzweien; verärgern; **II.** *v/i.* **3.** e-e Ecke bilden; **III.** *v/r.* **~se 4.** ~*se con alg.* s. mit j-m überwerfen; **~nazo** *m* **1.** F scharfe Ecke *f*; *fig. dar (el)* ~ **a**) um die Ecke verschwinden; **b**) *j-n* versetzen; **c**) (e-n Verfolger) abhängen; **2.** *Chi.* **a**) Ständchen *n*; **b**) Tumult *m*; **~nudo** F *adj.* eckig, kantig.

esquirla *f* (Knochen-, Glas- *usw.*) Splitter *m*.

esquirol *m* Streikbrecher *m*.

esquisto *Min. m* Schiefer *m*; **~so** *adj.* schieferartig, blättrig; Schiefer...; *macizo m* ~ Schiefergebirge *n*.

esqui|va *Sp. f* ausweichende Bewegung *f*; **~var I.** *v/t.* ausweichen (*dat.*); umgehen, (ver)meiden; **II.** *v/r.* ~*se* s. (vor et. *dat.*) drücken; **~vez** *f* Sprödigkeit *f*, Schroffheit *f*; *adv. con* ~ abweisend; spröde; **~vo** *adj.* spröde, abweisend; schroff.

esquizo|frenia ⚕ *f* Schizophrenie *f*; **~frénico** *adj.-su.* schizophren; *m* Schizophrene(r) *m*; **~miceto** *Biol. m* Spaltpilz *m*.

esta *pron. dem. f* → *este*[2].

estabili|dad *f* **1.** Haltbarkeit *f*, Festigkeit *f*; **2.** Stand-festigkeit *f*, -sicherheit *f*; Gleichgewicht(slage *f*) *n*; ✝, ⚓, ✈, ⊕ *u. fig.* Stabilität *f*; ⚓ ~ *lateral* Seitenstabilität *f*; *de gran* ~ von großer Laufruhe (*Motor*); mit guter Straßenlage (*Fahrzeug*); **3.** Beständigkeit *f*, Festigkeit *f*; ⊕, ⚡, *HF a.* Konstanz *f*; **~zación** *f* Stabilisierung *f*; **~zador** *m* ⊕, ⚡, ⚓ Stabilisator *m*; *HF* Konstanthalter *m*; ✈ ~*es m/pl.* Leitwerk *n*; *Raketen*: ~*es m/pl. de aletas* Flossenleitwerk *n*; **~zante** ⚗ *m* Stabilisator *m*; **~zar** [1f] **I.** *v/t.* *a. Währung* stabilisieren, festigen; festmachen; ausgleichen, ⚓, ✈ trimmen; **II.** *v/r.* ~*se* gleichbleiben; s. normalisieren (*Lage usw.*).

estable *adj. c* beständig (*a. Wetter*), fest; stabil; standfest; Dauer...; ~ *a la luz* lichtbeständig; *huésped m* ~ Dauergast *m*.

estable|cer [2d] **I.** *v/t.* **1.** (be)gründen, errichten; *Kommission usw.* einsetzen; *Posten* aufstellen; *Geschäft* eröffnen; *Lager* aufschlagen; *Mode* einführen, aufbringen; *a. Tel. Verbindung* herstellen, verbinden (mit *dat. con*); *Geschäftsverbindungen* herstellen, aufbauen; ~ *su bufete en*

B s. in B als Anwalt niederlassen; **2.** feststellen; festlegen; verordnen, *Gesetze usw.* aufstellen; ~ *que* + *subj.* bestimmen, daß + *ind.*; **II.** *v/r.* ~**se 3.** s. niederlassen; s. ansiedeln; ein Geschäft *usw.* eröffnen; s. selbständig machen; ~*se como* s. niederlassen als (*nom.*); **~cimiento** *m* **1.** Aufstellung *f*, Festsetzung *f*; Errichtung *f*, Gründung *f*; **2.** Niederlassung *f*; Geschäft *n*, Laden *m*; Unternehmen *n*; Anstalt *f*; ~ *asistencial* Fürsorge-anstalt *f*, -einrichtung *f*.

establemente *adv.* fest; beständig; dauernd, bleibend.

esta|blero *m* Stallknecht *m*; **~blo** *m* Stall *m*; *Cu.* Remise *f*; **~bular** ⚒ *v/t.* im Stall aufziehen.

estaca *f* **1.** Pfahl *m*, Pflock *m*; Zaunpfahl *m*; Stock *m*, Knüppel *m*; Latte *f*; Querholz *n*; *fig.* ⚓ *clavar* (*od. plantar*) ~*s* stampfen (*Schiff*); *estar a la* ~ in e-r erbärmlichen Lage sein; **2.** *Zim.* Balkennagel *m*; **3.** ⚒ Steckreis *n*; **4.** grober Tabak *m*; **5.** Spieß *m b. Hirschen*; **~da** *f* **1.** Pfahlwerk *n*; Stangen-, Lattenzaun *m*; Gatter *n*; *fort.* Verhau *m*; **2.** Kampf-, Turnier-platz *m*; *fig. dejar a alg. en la* ~ j-n im Stich lassen; *a. fig. quedarse en la* ~ auf dem Platze bleiben; den Kürzeren ziehen; **~do** *m* Pfahlwerk *n*; abgestecktes Gebiet *n*; **~r** [1g] **I.** *v/t. Tier* anpflocken, ⚒ tüdern; *Gelände u.ä.* abstecken; einzäunen; *Am. Häute* spannen; **II.** *v/r.* ~*se fig.* steif werden (*vor Kälte u. ä.*); **~zo** *m* Schlag *m* mit e-m Knüppel; *fig.* gr. Verdruß *m*; *fig.* F Grippeanfall *m*.

estación *f* **1.** Zeitpunkt *m*, Zeit *f*; ~ (*del año*) Jahreszeit *f*; Saison *f*; ~ *avanzada* vorgerückte (*od.* späte) Jahreszeit *f*; ~ *de las lluvias* Regenzeit *f*; *Am.* (*abrigo m usw.*) *de media* ~ Übergangs(-mantel *usw.*); *ir con la* ~ s. nach der Jahreszeit richten (*Kleidung usw.*); **2.** *Vkw.*, *bsd.* 🚂 Bahnhof *m*; Wagen-halle *f*, -schuppen *m*; ~ (*de ferrocarriles*, ~ *férrea*) Bahnstation *f*, Bahnhof *m*; ~ *central* (*de autobuses*) Haupt- (Omnibus-)bahnhof *m*; ~ *de destino* (*de origen*) Bestimmungs- (Abgangs-) bahnhof *m*; ~ *de maniobras* (*de mercancías*) Rangier-, Verschiebe- (Güter-)bahnhof *m*; ~ *terminal Vkw.* Endstation *f*; *Tel.* Endstelle *f*; ~ *de tra(n)sbordo* Umschlagstelle *f*; **3.** (Beobachtungs-)Stelle *f*, Station *f*; Anstalt *f*; Anlage *f*; ~ *agronómica* landwirtschaftliche Versuchsstation *f*; ~ *cósmica* Weltraumstation *f*; ~ *meteorológica* Wetterwarte *f*; ~ *radiotelefónica* (⚡ *terrestre*) Funksprech- (Boden-)stelle *f*; *Rf.* ~ *receptora* (*transmisora*) Empfangs- (Sende-)stelle *f*; ~ *de servicio* (Groß-)Tankstelle *f*; **4.** Kur-, Ferien-ort *m*; ~ *climática* Luftkurort *m*; ~ *de invierno* Wintersportplatz *m*; Winterkurort *m*; ~ *veraniega* Sommerfrische *f*; **5.** Stätte *f*; Fundstätte *f*; *Biol.* Standort *m*, Aufenthalt(sort) *m*; *bsd. Am. hacer* ~ Halt (*bzw.* Rast) machen; **6.** *Rel.* Station *f*; Stationsgebete *n/pl.*; *andar las* ~*ones Rel.* von Altar zu Altar (*od.* den Kreuzweg) gehen; F die Kneipen (der Reihe nach) abklappern F; F *a.* s-e üblichen Gänge erledigen; **7.** ⚒ Zustand *m*, Lage *f*; **8.** *Astr. scheinbarer* Stillstand *m* der Planeten.

estaciona|l *adj. c* jahreszeitlich bedingt; der Jahreszeit entsprechend; saisonbedingt, Saison...; **~miento** *m* **1.** Stehenbleiben *n*; *a.* ⚔ Rast *f*, Halt *m*; ⚔ Stationierung *f*; Stau *m* (*Wasser*); **2.** *Kfz.* Parken *n*; Parkplatz *m*; ~ *prohibido* Parkverbot *n*; **~r I.** *v/t.* **1.** aufstellen; abstellen; *Kfz.* parken; **2.** die Böcke zu den Schafen lassen; **II.** *v/r.* ~*se* **3.** stehenbleiben; ⚒ *u. Am.* bleiben, verweilen; **4.** *Kfz.* parken; **~rio** *adj.* **1.** ortsfest, ortsgebunden; ⚕ stationär (*Behandlung*); **2.** *bsd.* ⚕ stationär, gleichbleibend; † stagnierend.

esta|cha ⚓ *f* Verhol-; Harpunenleine *f*; **~da** *f* Aufenthalt *m*; **~día** *f* ⚓ Liegetage *m/pl.*; Liegegebühren *f/pl.*; **~dio** *m* **1.** *Sp.* Stadion *n*; ~ *de fútbol* Fußballplatz *m*; ~ *olímpico* Olympiastadion *n*; **2.** ⚕ *u. fig.* Stadium *n*.

esta|dista *m* **1.** Staatsmann *m*; **2.** Statistiker *m*; **~dística** *f* Statistik *f*; **~dístico** *adj.-su.* statistisch; *m* Statistiker *m*.

estadizo *adj.* stehend (*Gewässer*); verbraucht (*Luft*); *Kchk. la carne está* ~*a* das Fleisch hat e-n Stich.

estado[1] *m* **1.** Lage *f*, Stand *m*, Zustand *m*, Stadium *n*, Situation *f*; ⚖ *a.* Status *m*; *en buen* (*mal*) ~ in gutem (schlechtem) Zustand; ~ *actual* (heutiger) Stand *m*; augenblicklicher Zustand *m*; *Phys.* ~ *de agregación*, ~ *físico* Aggregatzustand *m*; ⚔ *u. fig.* ~ *de alarma* Alarmzustand *m*; ~ *de ánimo*, ~ *anímico* seelischer Zustand *m*, Stimmung *f*; ~ *civil* Personenstand *m*; ~ *de cosas* (Sach-)Lage *f*; *en tal* ~ *de cosas* bei dieser Lage (der Dinge), unter diesen Umständen; *Pol.* ~ *de emergencia* (*nacional*) (nationaler *od.* Staats-)Notstand *m*; *Pol.* ~ *de excepción* Ausnahmezustand *m*; ~ *físico*, ~ *de salud* Gesundheitszustand *m*, körperliches Befinden *n*; *Phys.* ~ *gaseoso* (*líquido*, *sólido*) gasförmiger (flüssiger, fester) Aggregatzustand *m*; ⚕ ~ *general* Allgemein-zustand *m*, -befinden *n*; ⚔ → *3*; *en* ~ *de guerra* im Kriegszustand (*a.* → ~ *de sitio*); *fig.* auf Kriegsfuß; *estar en* ~ (*interesante*) in anderen Umständen sein; ~ *intermediario* Zwischenzustand *m*; Zwischenstadium *n*; ⚖ ~ *de necesidad* Notstand *m*; *en* ~ *de paz* im Frieden(szustand); ~ *sanitario* Krankenstand *m*, Erkrankungsziffer *f*; *Verw.*, ⚔ *en* ~ *de servicio* im Dienst; ~ *de sitio* Belagerungszustand *m*; verschärfter Not-, Ausnahme-zustand *m*; ~ *de soltero* Junggesellenstand *m*, lediger Stand *m*; *bsd.* ⚖ *causar* ~ endgültig sein, endgültige Verhältnisse schaffen (*Urteil, Beschluß*); *dar* ~ *a* (*su hija*) (s-e Tochter) verheiraten, unter die Haube bringen; *estar en* ~ *de* + *inf.* imstande (*od.* fähig) sein zu + *inf. od. dat.*; *tomar* (*od. mudar de*) ~ **a)** in den Stand der Ehe treten; **b)** in e-n Orden eintreten; **c)** † in den (Offiziers... *usw.*) -stand treten; **2.** *Soz.*, *Pol.* Stand *m*, Rang *m*; *hist.* ♀ *m/pl. Generales* Generalstände *m/pl.*; *hist.* ♀ *llano*, ♀ *común*, ♀ *general*, *Tercer* ♀ einfacher Stand *m*, dritter Stand *m*; Bürgerstand *m*; *el cuarto* ~ der vierte Stand, der Arbeiter; *fig.* die Presse; *de los* ~*s* ständisch; **3.** ⚔ ♀ *Mayor* Stab *m* (*a. fig.*); ♀ *Mayor General* Generalstab *m*; ~ *Mayor de la Marina* Admiralstab *m*; **4.** Aufstellung *f*, Tabelle *f*, Übersicht *f*; **5.** *Flächenmaß*: 49 Quadratfuß; Mannslänge *f* (*rd. 7 Fuß*).

Estado[2] *m* Staat *m*; ~ *administrador*, ~ *mandatario* Treuhand-, Mandatar-staat *m*; ~ *constitucional* Verfassungsstaat *m*; → ~ *de derecho* Rechtsstaat *m*; ~ *federal*, ~ *federativo* Bundesstaat *m*; ~ *limítrofe* (*multinacional*) Nachbar- (Vielvölker-)staat *m*; ~ (*no*) *miembro* (Nicht-)Mitgliedstaat *m*; ~ *policíaco* (*satélite*) Polizei- (Satelliten-) staat *m*; ~ *signatario* (*sucesor*) Unterzeichner- (Nachfolge-)staat *m*; ~ *tapón* (*unitario*) Puffer- (Einheits-) staat *m*; *de(l)* ~ staatlich, Staats...; *Jefe m de(l)* ~ Staatsoberhaupt *n*.

estadounidense *adj.-su. c* US-amerikanisch.

estafa *f* Betrug *m*; Gaunerei *f*, Schwindel(ei *f*) *m*; ~ (*de consumición*) Zechprellerei *f*; **~dor** *m* Betrüger *m*; Schwindler *m*, Gauner *m*; ~ *de bodas* Heiratsschwindler *m*; **~r** *vt/i.* betrügen, (be)schwindeln, begaunern, prellen; *Geld* veruntreuen; *et.* ergaunern; ~ *a/c. a alg.* j-m et. abgaunern.

estafermo F *m* Tropf *m*, Einfaltspinsel *m*; Schießbudenfigur *f* F.

estafe|ta *f* **1.** ✉ (Neben-)Postamt *n*; ⚔ Feldpost *f*; **2.** *Dipl.* Kurier *m*; Kurierpost *f*; **3.** ⚔ Meldegänger *m*; **~tero** ✉ *m* Postmeister *m*.

estafilococo ⚕ *m* Staphylokokkus *m*.

estafisagria ✿ *f* Wolfskraut *n*.

esta|lactita *Min. f* Stalaktit *m*; **~lagmita** *Min. f* Stalagmit *m*.

esta|llante *m* Knallkörper *m*; **~llar** *v/i.* **1.** bersten, zerspringen, (zer-) platzen; explodieren; in die Luft fliegen; *hacer* ~ (ab- *bzw.* in die Luft) sprengen; *fig.* ~ *de envidia* (*de risa*) bersten (*od.* platzen) vor Neid (Lachen); F *está que estalla* gleich geht er in die Luft F; **2.** ausbrechen (*Krieg, Feuer*); losbrechen (*Gewitter*); **3.** knallen, krachen; **~llido** *m* Knall *m*, Krach(en *n*) *m*; Zerspringen *n*, Explosion *f*; *fig.* Ausbruch *m*; *fig.* F *está para dar un* ~ die Lage ist zum Bersten gespannt, bald gibt's e-n großen Knall F; **~llo** ⚒ *m* → *estallido*.

estam|brado *m Art* Kammgarn *n*; **~bre** *m* **1.** *tex.* Kamm-, Woll-garn *n*; Kammgarnstoff *m*; (Woll-) Garnfaden *m*; **2.** ✿ Staubgefäß *n*.

estamento *m* **1.** *hist.* Stand *m b. den Cortes v. Aragonien*; gesetzgebende Körperschaft *f des "Estatuto Real"*; **2.** *los* ~*s sociales* die sozialen Schichten.

estameña *tex. f* Estamin *n*.

estaminífero ✿ *adj.* Staubfäden tragend.

estampa *f* **1.** Bild *n*; (Farben-)Druck *m*; Stich *m*; *gedrucktes* Heiligenbild *n*; *gabinete m de* ~*s* Kupferstichkabinett *n*; *libro m de* ~*s* Bilderbuch *n*; *dar a la* ~ in Druck geben; F *¡maldita sea su* ~! der Teufel soll ihn holen!; **2.** ⊕ Stanze *f*, Presse *f*; Gesenk *n* (*Schmiede*); **3.** Abdruck *m*, (Fuß- *usw.*) Spur *f*; **4.** *fig.* Aussehen *n*, Gepräge *n*; *de buena* ~ stattlich (*Mann*); rassig (*Pferd*); **5.** *Rf.* ~ *del día* Zeitfunk *m*; **6.** *fig.* Gestalt *f*, Figur *f*, (Muster-)Beispiel *n*; **~ción** *f* ⊕ Stanzung *f*, Prägung *f*; *tex.* Zeugdruck *m*; **~do I.** *adj.* gestanzt, gepreßt; *tex.* bedruckt; *Typ.* ~ *en oro* mit Goldprägung, in Golddruck; **II.** *m* → *estampación*; **~dor** *m* Präger *m*, Drucker *m*; **~r** *v/t.* **1.** aufprägen; stempeln; ⊕ stanzen, prägen, pressen; *tex.* bedrucken; *Typ.* drucken; ~ *su firma (en un documento)* s-e Unterschrift (unter ein Dokument) setzen; *Typ.* ~ *relieves* prägen; **2.** *Spuren* abdrücken; *fig.* einprägen, eingraben (*ins Gedächtnis*); **3.** F verpassen F, versetzen; ~ *una bofetada a alg.* j-m e-e knallen F; ~ *un beso a alg.* j-m e-n Kuß aufdrücken F; **4.** F werfen, knallen F (an, auf *ac. contra, en*).

estampía *adv.*: *de* ~ (ur)plötzlich; *salir de* ~ lossausen; los-, ab-brausen (*Auto*).

estampido *m* Knall *m*, Krachen *n*; Donnerschlag *m*; *dar un* ~ **a)** knallen; *fig.* F **b)** Aufsehen machen, wie e-e Bombe einschlagen; **c)** platzen, scheitern.

estampilla *f* (Gummi-)Stempel *m*; Faksimilestempel *m*; *p. ext.* Stempelunterschrift *f*; *Am.* Briefmarke *f*; ~ *de la franqueadora* Post(frei)-stempel *m*; **~r** *v/t. Wertpapiere u.ä.* abstempeln.

estanca|ción *f bsd.* ⚘ Stauung *f*, Stockung *f*; → *a. estancamiento*; **~do** *adj.* **1.** stockend, stagnierend; *quedar* ~ gestaut werden (*Wasser*); *fig.* steckenbleiben, ins Stocken geraten; **2.** Regie..., Monopol...; *mercancías f/pl.* ~*as* Regiewaren *f/pl.*; **~miento** *m* **1.** Hemmung *f*, Stokkung *f*, Stagnation *f*, Stillstand *m*; ⊕ Abdichtung *f*; **2.** Monopolisierung *f*; **~r** [1g] **I.** *v/t.* **1.** *Wasser usw.* stauen; *fig.* hemmen, zum Stocken bringen; ⊕ abdichten (gg. *ac. a, contra*); **2.** *Waren* monopolisieren; **II.** *v/r.* ~*se* **3.** s. stauen; stocken.

estan|cia *f* **1.** Aufenthalt *m*; Aufenthaltsort *m*; **2.** Pflege-zeit *f bzw.* -geld *n im Krankenhaus u. ä.*; Aufenthalt(skosten *pl.*) *m*; **3.** gr. Wohnraum *m*; **4.** *Rpl.* Viehgroßfarm *f*; **5.** *Lit.* (Strophe *f* e-r) Stanze *f*; **~ciero** *m Rpl.* Vieh-farmer *m*, -züchter *m*, Estanziero *m*; **~co I.** *adj.* **1.** ⚓ wasserdicht, fugendicht; ⊕ dicht; ~ *a la inmersión* tauchdicht; **II.** *m* **2.** ⚓ *wasserdichtes* Schott *n*; **3.** ✝ **a)** Monopol *n*, Alleinverkauf *m*; **b)** Regieladen *m*; *Span.* Tabaku. Freimarkenladen *m*.

estandar(d)iza|ción *f* Standardisierung *f*, Normung *f*; **~r** [1f] *v/t.* standardisieren, normen.

estandarte *m* Standarte *f*, Fahne *f*.

estannífero *Min.*, ⚒ *adj.* zinnhaltig.

estan|que *m* Teich *m*, Weiher *m*; Wasserbecken *n*; ~ *clarificador* Klärbecken *n*; **~queizar** [1f] *v/t.* abdichten; **~quero** *m* Tabakhändler *m*; **~quillero** *m* (*gelegl. desp.*) Tabakhändler *m*; *vgl. a.* → **~quillo** *m Méj.* Kramladen *m*; *Ec.* Kneipe *f*.

estante I. *adj.* c fest, bleibend, ortsfest; **II.** *m* Regal *n*, Ständer *m*; Bücher-brett *n*; -ständer *m*; **~ría** *f* **1.** Gestell *n*; Regal *n*; Büchergestell *n*; **2.** Regale *n/pl.*, Ladeneinrichtung *f*.

estantigua *f* Geister-erscheinung *f*, -zug *m*, Spuk *m*; *fig.* Vogelscheuche *f* (*fig.*), Scheusal *n*.

estantío *adj.* stehend (*Gewässer*); stockend; *fig.* träge, apathisch.

esta|ñado I. *part.* verzinnt; ~ *al fuego* feuerverzinnt; **II.** *m* Verzinnung *f*; **~ñador I.** *adj.* Zinn...; **II.** *m* Verzinner *m*; **~ñar** ⊕ *vt/i.* verzinnen; mit Zinn löten; **~ñero** *m* Zinngießer *m*; Verkäufer *m* von Zinnarbeiten; **~ño** *m* Zinn *n*; *hoja f de* ~ *bzw.* ~ *en hojas* Stanniol *n*; *papel m de* ~ Stanniolpapier *n*.

estaquero *Jgdw.* *m* einjähriger Damhirsch *m*, Spießer *m*.

estaquilla *f* kl. Pflock *m*; Holznagel *m*; **~r** *v/t.* anpflöcken.

estar I. *v/i.* **1.** sein, s. befinden (*örtlich*); dasein; *ya estoy* ich bin schon da; ich bin bereit; *fig.* → *3*; *¿el Sr. X está?* ist Herr X zu Hause (*od.* da)?; *Spr. ni están todos los que son, ni son todos los que están* nicht alle Narren tragen Kappen; **2.** *Bildung des Zustandspassivs, Bezeichnung e-s (jeweiligen) Zustands bzw. e-r vorübergehenden Eigenschaft*: sein; s. fühlen; *¡ahí está!* da haben wir's!, daran liegt es!; *¡ya está!* schon erledigt!, (wieder) in Ordnung!; fertig!; *¿como estás?* wie geht es dir?; *está bien* **a)** es geht ihm gut; **b)** gut so!, in Ordnung!; lassen wir's dabei; ~ *bien (con alg.)* s. (mit j-m) gut verstehen, auf gutem Fuß (mit j-m) stehen; *está mal* **a)** er ist übel dran, es geht ihm schlecht; **b)** schlecht!, geht nicht!; *no está mal* nicht übel; *bien está que* + *subj.* es ist gut, daß + *ind.*; ~ *cambiado* ganz verändert sein, wie ausgewechselt sein; ~ *contento* zufrieden sein; ~ *sentado* sitzen; ~ *situado (Am. oft ubicado)* liegen, gelegen sein (*Ort, Gebäude*); **3.** verstehen, begreifen; *ya estoy* ich verstehe schon; *¿estamos?* verstanden?; einverstanden?; **4.** stehen, sitzen, passen (*Kleidung*); *el traje te está ancho* der Anzug ist dir zu weit; **5.** *mit ger. zur Bezeichnung der Dauer*: *estoy escribiendo* ich schreibe gerade, ich bin beim Schreiben; **6.** *mit prp. u. cj.* **a)** *mit a*: *el vino está a diez pesetas el litro* der Liter Wein kostet zehn Peseten; *¿a cuántos estamos?* den wievielten haben wir heute?; *estamos a seis de enero* wir haben den 6. Januar, heute ist der 6. Januar; ~ *a (od. bajo) la orden de alg.* unter j-s Befehl stehen; j-m gehorchen (müssen); ~ *a todo* für alles einstehen, die volle Verantwortung übernehmen; *he* ~*ado a ver al Sr. López* ich habe Herrn López aufgesucht (*od.* besucht); **b)** *mit con*: ~ *con a/c.* mit et. (*dat.*) beschäftigt sein; ~ *con alg.* *a)* bei j-m sein; mit j-m zs.-sein; j-n (*od.* s. mit j-m) treffen; *b)* bei j-m wohnen; *c) fig.* auf j-s Seite stehen; mit j-m e-r Meinung sein; *enseguida estoy contigo* ich bin gleich wieder da; ich stehe gleich zu d-r Verfügung; ~ *con fiebre* Fieber haben; ~ *con (od. de) permiso* Urlaub haben; ~ *con la puerta abierta* die Tür offen haben; **c)** *mit de*: ~ *de caza* auf der Jagd sein; ~ *de compras* Einkäufe machen; ~ *de charla* plaudern, ein Schwätzchen halten; ~ *de dominó* als Domino gehen; ~ *de luto* Trauer haben (*bzw.* tragen); ~ *de cinco meses* im fünften Monat sein (*Schwangere*); *está de nervioso que ...* er ist so nervös, daß ...; ~ *de partida* vor der Abreise stehen, reisefertig sein; ~ *de pie* stehen; ~ *de prisa* Eile haben; ~ *de cajero (en Madrid)* als Kassierer (in Madrid) tätig sein; *está de usted* es ist Ihre Sache, es liegt an Ihnen; ~ *de vacaciones* in Ferien sein, Ferien haben; **d)** *mit en*: ~ *en a/c.* *a)* et. verstehen, et. begreifen; et. einsehen; et. schon wissen; *b)* von et. (*dat.*) überzeugt sein; *c)* an et. (*ac.*) herangehen, an et. (*dat.*) arbeiten; *d)* bestehen in et. (*dat.*), beruhen auf et. (*dat.*); ~ *en todo* für alles sorgen, s. um alles kümmern; alles verstehen; F *el traje me está en mil pesetas* der Anzug hat (mich) 1000 Peseten gekostet; *estoy en lo que vendrán* ich glaube, daß sie kommen; **e)** *mit para*: ~ *para* + *inf.* im Begriff sein, zu + *inf.*; gleich + *inf. od.* + *futur*; ~ *para a/c.* aufgelegt sein zu (*dat.*); ~ *para ello* in (der rechten) Stimmung sein; *está para llegar* er muß gleich kommen; ~ *para morir* s. sterbenskrank fühlen; im Sterben liegen; ~ *para alquilar* zu vermieten sein (= *für e-e Vermietung bestimmt*); → *a.* **f)** *mit por*: ~ *por alg.* für j-n sein, zu j-m halten, auf j-s Seite stehen; ~ *por a/c.* für et. (*ac.*) sein, für et. (*ac.*) eintreten; ~ *por alquilar* zu vermieten sein, noch nicht vermietet sein; ~ *por hacer* noch zu tun (*od.* zu erledigen) sein, noch nicht getan sein; noch geschehen müssen; ~ *por suceder* (unmittelbar) bevorstehen; *estoy por escribir* ich möchte (beinahe) schreiben, ich habe Lust zu schreiben; **g)** *mit que*: ~ *que ...* (*bsd.* P *üblich*) in e-m Zustand sein, daß ...; *estoy que me ahogo* ich ersticke gleich; ich bin fürchterlich aufgeregt, ich kriege k-e Luft mehr F (*a. fig.*), gleich trifft mich der Schlag F; **h)** *mit sin*: ~ *sin a/c.* et. nicht haben; ~ *sin hacer* noch nicht getan sein; ~ *sin miedo* furchtlos sein, k-e Angst kennen; **i)** *mit sobre*: ~ *sobre alg.* hinter j-m her sein; unablässig in j-n dringen; ~ *sobre sí* s. in der Hand haben, s. beherrschen; wachsam sein; **II.** *v/r.* ~*se* **7.** *mst. in best. Verbindungen der volkstümlichen Sprache gebräuchlich*: sein; s. aufhalten, bleiben; s. verhalten; *¡estáte quieto!* sei ruhig!, sei still!; ~*se de palique* ein Schwätzchen halten; ~*se de más* untätig dastehen; *fig.* ~ *donde se estaba* nicht weitergekommen sein; **III.** *m* **8.** Aufenthalt *m*; Da-, Dabei-, Darin-sein *n*; Befinden *n*; *todo* ~ Vollpension *f*, volle Verpflegung *f*.

estarcir [3b] *v/t.* mit der Schablone malen (*Buchstaben usw.*).

estaribel □ *m* Knast *m* P, □ Gefängnis *n*.

estatal *adj. c* staatlich, Staats...

estáti|ca *f* Statik *f*; ~**co I.** *adj.* ruhend, statisch; *fig.* starr, sprachlos; **II.** *m* Statiker *m*.

estati|smo *m* **1.** Unbeweglichkeit *f*; **2.** *Pol.* Etatismus *m*; ~**zar** [1f] *neol. v/t.* verstaatlichen.

estatu|a *f* Statue *f*, Standbild *n*, Bildsäule *f*; *fig. merecer una* ~ s. große Verdienste erworben haben; *fig. quedarse hecho una* ~ (zur Bildsäule *od.* zur Salzsäule) erstarren; ~**aria** *f* Bildhauerkunst *f*; ~**ario** *adj.* Statuen..., Bild(hauer)...; statuenhaft; *palidez f* ~*a* Marmorblässe *f*; ~**illa** *f* Statuette *f*.

estatuir [3g] *v/t.* verordnen, bestimmen.

estatura *f* Gestalt *f*, Wuchs *m*, Statur *f*.

estatu|tario *adj.* satzungs-, statutengemäß, satzungsmäßig, Satzungs...; ~**to** ⚖ *m* **1.** Status *m e-r Person*; *mst.* ~*s m/pl.* Satzung *f*, Statut(en) *n(/pl.)*; ~ *de personal* Personalstatut *n in internationalen Organisationen*; **2.** *hist. Span.* ♀ *Real* Verfassung *f* von 1834/36.

estay ⚓ *m* Stag *m*.

este[1] *m* Osten *m*; ⚓ Ost *m* (*a. Ostwind*); *al* ~ *de* östlich von (*dat.*).

este[2]**, esta, esto, estos, estas** [*alleinstehend od. stark betont*: éste, ésta(s), éstos; *nach den neuen Normen der Real Academia kann der Akzent wegfallen, wenn keine Verwechslung möglich ist*] *pron. dem.* dieser, diese, dies(es), diese; *este usw. bezeichnet lokal das beim Sprechenden Befindliche, temporal weist es auf die Gg.-wart*; *esta casa* dieses Haus; mein (*bzw.* unser) Haus; *nachgestellt* (*desp.*): *la casa esta etwa*: das Haus hier; *en esta universidad* an der hiesigen (*bzw.* an unserer) Universität; *Briefstil, bsd.* ✝ *en ésta* am hiesigen Platz, hier; *esta tarde* heute nachmittag; (*en*) *este año* in diesem Jahr, heuer; *esto es* das heißt, das ist, nämlich; *con esto* damit; dabei; deswegen; *en esto* dabei; währenddessen, auf einmal; *por esto* deshalb, dadurch; F *¡ésta sí que es buena!* das ist wirklich gelungen!, das ist einfach toll!; (*y*) *a todo esto od. a todas estas* und dabei; F *v. e-m Anwesenden*: *y éste no dice nada* u. der da sagt gar nichts F.

este|árico ⚗ *adj.* Stearin...; ~**arina** *f* Stearin *n*; F *Reg.* Stearinkerze *f*; ~**atita** *f* Steatit *m*, Speckstein *m*.

este|la *f* **1.** ⚓ Kielwasser *n*; Sog *m*; *p. ext.* Spur *f*; ✈ Kondensstreifen *m*; *fig.* Folge *f*; ~ *luminosa* Leuchtspur *f*; **2.** Stele *f*, Grabsäule *f*; Grabplatte *f*; **3.** → *estelaria*; ~**lar** *adj. c* Stern(en)...; ~**laria** ♀ *f* Frauenmantel *m*; ~**lífero** *poet. adj.* gestirnt.

estemple ⚒ *m* (Gruben-)Stempel *m*.

esténcil *m bsd. Am.* (Wachs-)Matrize *f*.

esteno|cardia ⚕ *f* Stenokardie *f*; ~**grafía** *f u. Abl.* → *taquigrafía u. Abl.*; ~**sis** ⚕ *f* Stenose *f*; ~**tipia** *f* Maschinenkurzschrift *f*; ~**tipo** *m* Stenomaschine *f*.

estentóreo *adj.*: *voz f* ~*a* Stentorstimme *f*.

este|pa *f* **1.** Steppe *f*; **2.** ♀ weiße Zistrose *f*; ~**pario** *adj.* Steppen...; ~**pilla** ♀ *f* rosa Zistrose *f*.

estequiometría ⚗ *f* Stöchiometrie *f*.

éster ⚗ *m* Ester *m*.

estera *f* (Esparto-, Schilf- *usw.*) Matte *f*; Fußabstreifer *m* (*a. fig.*); ~ *de coco* Kokosmatte *f*; *fig. insensible como una* ~ gefühllos, (wie) ein Klotz; ~**r I.** *v/t.* mit Matten aus- *od.* be-legen; **II.** *v/i.* F s. (schon sehr früh) winterlich ausstaffieren.

esterco|ladura *f*, ~**lamiento** *m* ⚘ Düngen *n*; Misten *n der Tiere*; ~**lar I.** *v/t.* düngen; **II.** *v/i.* misten (*Tiere*); ~**lero** *m* Mistgrube *f*; Dunghaufen *m*.

estéreo *m* Ster *m* (*Holzmaß*).

estereo|fonía *Phono f* Stereophonie *f*; ~**fónico** *adj.* stereophon(isch); Stereo...; *disco m* ~ Stereoplatte *f*; ~**gráfico** *adj.* stereographisch; ~**metría** ⚘ *f* Stereometrie *f*; ~**métrico** *adj.* stereometrisch; ~**scópico** *adj.* stereoskopisch; ~**scopio** *m* Stereoskop *n*; ~**tipado** *Typ. u. fig. adj.* stereotyp; ~**tipador** *Typ. m* Stereotypeur *m*; ~**tipar** *vt/i.* stereotypieren; ~**tipia** *Typ. f* Stereotypie *f*; ~**tipo** *m* Stereotypplatte *f*.

estéril *adj. c* unfruchtbar (*a. fig.*); taub (*Gestein, Frucht*); ⚕ steril (*a. fig.*); *fig.* unergiebig.

esterili|dad *f* Unfruchtbarkeit *f* (*a. fig.*); Zeugungsunfähigkeit *f*; Sterilität *f*; ~**zación** *f* Unfruchtbarmachen *n*; ⚕ Sterilisierung *f*; Entkeimung *f*; ~**zador** *m* Sterilisator *m*; ~**zar** [1f] *v/t.* unfruchtbar machen; sterilisieren; keimfrei machen.

esterilla *f* **1.** kl. Matte *f*; Fußabstreifer *m*; *Arg.* Strohgeflecht *n für Stuhlsitze*; **2.** *Art* Stramin *m*.

esternón *Anat. m* Brustbein *n*.

estero[1] *m* breite Flußmündung *f*; Überschwemmungsland *n e-r Flußmündung*; *Rpl.* Sumpfniederung *f*; *Chi.* Bach *m*; *Col., Ven.* stehendes Gewässer *n*; *Ec.* trockenes Flußbett *n*.

estero[2] *m* (Zeit *f* zum) Auslegen *n* mit Matten (*Wintervorbereitung*).

esterto|r *m* Röcheln *n*; ⚕ *a.* Rasseln *n*, Rasselgeräusch *n*; ~*es m/pl. crepitantes* Knisterrasseln *n*; *fig. estar dando los últimos* ~*es* in den letzten Zügen liegen; ~**roso** *adj.* röchelnd.

estesudeste *m* Ostsüdost *m*.

esteta *m* Ästhet *m*; *desp. p. ext. u. fig.* Immoralist *m*; *euph.* Homosexuelle(r) *m*.

estéti|ca *f* Ästhetik *f*; ~**co I.** *adj.* **1.** ästhetisch; schöngeistig; *sentimento m* ~ *od. sensibilidad f* ~*a* Schönheits- (*bzw.* Kunst-)sinn *m*; *placer m* ~ Kunstgenuß *m*; ästhetischer Genuß *m*; **2.** kunstwissenschaftlich; **II.** *m* **3.** Ästhetiker *m*; **4.** Kunstwissenschaftler *m*.

estetoscopio ⚕ *m* Stethoskop *n*, Hörrohr *n*.

esteva ⚘ *f* Pflugsterz *m*; ~**do** *adj.* X-beinig.

estiaje *m* (Zeit *f* des) Niedrigwasser(s) *n der Seen, Flüsse*, Dürre (-periode) *f*.

estiba *f* ⚓ (Ver-)Stauen *n*; Trimm(en *n*) *m*; ~**dor** *m* ⚓ Stauer *m*; ⊕ (*carro m*) ~ → ~**dora** ⊕ *f* Stapler *m*; ~ *por horquilla* Gabelstapler *m*; ~**r** *v/t.* **1.** *bsd.* ⚓ (ver-)stauen, stapeln; *Ballast, Ladung* trimmen; **2.** *Wolle* einsacken.

estibia *vet. f* Genickverrenkung *f*.

esti|bina *Min. f* Antimonglanz *m*; ~**bio** ⚗ *m* Antimon *n*.

estiércol *m* Dung *m*, Mist *m*; *pharm.* ~ *del diablo* Stinkasant *m*.

Esti|gia *Myth. f* Styx *m*; ♀**gio** *adj.* stygisch; *poet.* Höllen..., Unterwelt(s)...

estigma *m* **1.** Narbe *f*; Brandmal *n*; ⚕, ♀, *Ent. u. fig.* Stigma *n*; **2.** *Theol.* ~*s m/pl.* Wundmale *n/pl.* (Christi); ~**tizado** *part.-su.* Stigmatisierte(r) *m*; ~**tizar** [1f] *v/t. Theol.* stigmatisieren; *bsd. fig.* brandmarken, *fig.* geißeln.

estilar I. *v/t. Schriftstück* abfassen, formulieren; **II.** *vt/i. prov. u. Am. Reg.* tropfen; destillieren; **III.** *v/i.* ⚒ pflegen, üblicherweise (tun); **IV.** *v/r.* ~*se* üblich (*od.* gebräuchlich *od.* Mode) sein; *ahora se estila así* jetzt ist das üblich.

estilete *m* **1.** Stilett *n*; **2.** ⊕ Stichel *m*; Instrumentennadel *f*; Pinne *f am Kompaß*; Zeiger *m der Sonnenuhr*; **3.** *hist.* Griffel *m zum Schreiben auf Wachstäfelchen*; **4.** ⚕ Knopfsonde *f*.

esti|lismo *m* übertriebene Eleganz *f* des Stils; ⚒ Stil *m*; ~**lista** *c* (ausgezeichneter) Stilist *m*; gewandter Redner *m*; ~**lística** Stilistik *f*; ~**lístico** *adj.* stilistisch; Stil...

estilita *hist. Rel. adj.-su. m* Säulenheilige(r) *m*.

estilizar [1f] *v/t.* stilisieren; ~*ado* stilisiert (*Zeichnung*).

estilo *m* **1.** Stil *m*, Schreibart *f*; *Ku.*, △, ♪ Stil *m*, Manier *f*; *allg.* Art *f*, Weise *f*; (Ge-)Brauch *m*, Mode *f*; ~ *Arte nuevo* Jugendstil *m*; ~ *epistolar* Briefstil *m*; ~ *mixto* Mischstil *m*; *al* ~ *de* im Stil (*gen. od.* von *dat.*); nach Art von (*dat.*); *por el* ~ dergleichen; ähnlich; *y otras cosas por el* ~ u. dergleichen mehr; F *y así por el* ~ u. so weiter; *por ese* ~ ungefähr; **2.** *Gram.* ~ (*in*)*directo* (in-)direkte Rede *f*; **3.** *Sp.* ~ (*de natación*) Schwimm-stil *m*, -art *f*, -lage *f*; ~ *a la marinera* Seiten-lage *f*, -schwimmen *n*; **4.** *Kalender*: ~ *antiguo* (*nuevo*) alte (neue) Zeitrechnung *f*; **5.** (Schreib-)Griffel *m*; → *estilete* 2; ~ *de acero* Stahlgriffel *m*; Stichel *m*; **6.** ♀ Griffel *m*.

estilóbato △ *m* Stylobat *m*, Säulensockel *m*.

estilográfi|ca *adj.-su. f* (*pluma f*) ~ Füllfeder(halter *m*) *f*, Füller *m* F; ~**co** *m Am. Reg.* Drehbleistift *m*.

estilógrafo *m Col., Nic.* Füllhalter *m*.

estiloide|o *adj.*, ~**s** 🕮 *adj. inv.* griffelförmig.

estima *f* **1.** Schätzung *f*; Wertschätzung *f*; Achtung *f*, Ansehen *n*; *tener en gran* (*od. mucha*) ~ hochachten; **2.** ⚓ Gissung *f*, Standortschätzung *f*; **~ble** *adj. c* (ein)schätzbar, taxierbar; achtens-, schätzenswert; **~ción** *f* (Ab-)Schätzung *f*, Bewertung *f*; (Wert-)Schätzung *f*, Achtung *f*, Ansehen *n*; *hacer la ~ de a/c.* → *estimar 1*; *gran ~* Hochschätzung *f*; *propia ~ od. ~ propia* Selbst-einschätzung *f*, -achtung *f*; **~do** *adj.* geehrt, geschätzt; *~ amigo* verehrter (*od.* lieber) Freund; *valor m ~* Schätzwert *m*; **~dor** *adj.* (ab-)schätzend; **~r I.** *v/t.* **1.** (ab)schätzen, taxieren; *~ en ... auf ...* (*ac.*) schätzen (*od.* veranschlagen); **2.** (hoch)achten, schätzen, würdigen; *~ en poco* geringschätzen; *se lo estimo mucho* ich rechne es Ihnen hoch an; **3.** meinen, glauben; *~ conveniente* (+ *inf.*) es für angebracht halten (, zu + *inf.*); *como mejor lo estime* ganz nach Ihrem Belieben (*od.* Gutdünken); **II.** *v/r.* *~se* **4.** s. gg.-seitig schätzen (*od.* achten); **5.** auf s. halten, Selbstachtung haben; **~tiva** *f* **1.** Urteilsvermögen *n*; **2.** Naturtrieb *m*, Instinkt *m der Tiere*; **~tivo** *adj.* Schätz...; **~torio** *m* Schätz(ungs)...

estimula|ción ⚕ *f* Reizung *f*, Stimulierung *f*; **~dor** *adj.-su.* reizend, anregend; *m* ⚕ Stimulator *m*; **~nte I.** *adj. c* anregend, stimulierend; **II.** *m* ⚕ Stimulans *n*, Anregungsmittel *n*; *fig.* Anreiz *m*; *~s m/pl.* Genußmittel *n/pl.*; **~r** *v/t.* ⚕ *u. fig.* anregen, reizen, stimulieren; *fig.* *~ (a)* anregen, anspornen, antreiben, ermutigen (zu + *dat. od.* + *inf.*); **~tivo** ⚕ *adj.* → *estimulante.*

estímulo *m* ⚕ *u. fig.* Reiz *m*, Anregung *f*; *fig.* Ansporn *m*, Antrieb *m*; Triebfeder *f*.

estinco *Zo. m* Sandeidechse *f*.

estío *lit. m* Sommer *m*.

estipendio *m* †, ⚔, *lit.* Sold *m*, Lohn *m*; ⚔ *u. ecl.* Stipendium *n*.

estíptico I. *adj.-su. m* **1.** ⚕ blutstillend(es) *bzw.* stopfend(es Mittel *n*, Stypticum *n*); zs.-ziehend; **II.** *adj.* **2.** ⚕ verstopft; **3.** *fig.* geizig, schäbig.

estípula ⚘ *f* Nebenblatt *n*.

estipula|ción *f* Klausel *f*, Vertragsbestimmung *f*; (mündliche) Vereinbarung *f*; **~nte** *adj. c* vereinbarend; *las partes ~s* die vertragschließenden Parteien; **~r** *v/t.* vereinbaren, festlegen, (vertraglich) bestimmen, abmachen; *lo ~ado* die Bestimmungen *f/pl.*

estira|ble *adj. c* dehnbar; **~damente** *adv.* **1.** knapp, kärglich; **2.** mit Gewalt; **~do I.** *adj.* **1.** ⊕ gezogen; **2.** groß, hoch aufgeschossen; **3.** feingekleidet, geschniegelt F; **4.** stolz, hochnäsig; **5.** knauserig, filzig F; **II.** *m* **6.** ⊕ Ziehen *n*; **~j(e)ar** F *v/t.* dehnen, strecken, ziehen; **~jón** F *m* → *estirón*; **~miento** *m* **1.** (Aus-)Ziehen *n*, (-)Strecken *n*; *a.* ⚕ Dehnung *f bzw.* Streckung *f*; **2.** *Am. Reg.* Dünkel *m*; **~r I.** *v/t.* **1.** (aus)ziehen, dehnen, spannen, strecken; *Arme* recken (u. strekken); *Wäsche* ziehen *bzw.* leicht überbügeln; *fig.* in die Länge ziehen; *fig. ~ el dinero* knausern; *fig.* F *~ la pata* sterben, abkratzen P; *fig. ~ las piernas* s. die Beine vertreten; **2.** ⊕ strecken; *Draht, Rohre* ziehen; **II.** *v/r.* *~se* **3.** s. dehnen; *a. fig.* s. strecken; s. recken (u. strecken), s. rekeln; **4.** *fig.* s. in die Brust werfen; **~zar** [1f] F *v/t.* → *estirar 1.*

estirio *adj.-su.* steirisch; *m* Steirer *m*, Steiermärker *m*.

estirón F *m* Ruck *m*; *fig.* F *dar un ~* aufschießen, schnell wachsen; *dar un ~ de orejas* an den Ohren ziehen (j-n *a alg.*).

estirpe *f* Stamm *m*, Geschlecht *n*; Ab-, Her-kunft *f*; *de (elevada) ~* vornehmer Abkunft, adlig.

estival *adj. c* Sommer...

esto *pron. dem. n* → *este*[2].

estocada *f* Degen-stoß *m*, -stich *m*; *dar (od. tirar) una ~* zustechen; e-n Degenstoß versetzen (*dat. a*).

estofa *f* **1.** ⚔ gestickter Stoff *m* (*mst. Seide*); **2.** *desp.* Art *f*, Sorte *f*; *gente f de baja ~* Gesindel *n*, gemeines Volk *n*.

estofa|do I. *adj.* **1.** *tex.* staffiert; *fig.* herausgeputzt; **2.** *Kchk.* gedünstet, geschmort; *carne f ~a* → **II.** *m* **3.** *Kchk.* Schmor-braten *m*, -fleisch *n*; **~r** *vt/i.* **1.** *Kchk.* schmoren, dünsten; **2.** *tex.* staffieren.

estoi|cismo *m* **1.** *Phil.* Stoa *f*; **2.** *Phil. u. fig.* Stoizismus *m*, stoische Haltung *f*; **~co** *adj.-su. Phil. u. fig.* stoisch; *fig.* gelassen; *m* Stoiker *m*.

estola *f* Stola *f* (*a. hist. u. kath.*).

estólido *adj.* dumm, einfältig.

estolón ⚘ *m* Ausläufer *m*, Ablegerranke *f*.

estoma *Biol. m* Stoma *n*; **~cal I.** *adj. c* Magen..., ⚕ stomachal; **II.** *adj. c-su. m* magenstärkend(es Mittel *n*, Magenbitter *m*); **~gante** F *adj. c* lästig, unausstehlich; **~gar** [1h] *v/t.* †, ⚔ (den Magen) überladen; *fig.* F auf die Nerven gehen (*dat.*) F.

estómago *m* Magen *m*; *dolor m de ~* Magenschmerz(en) *m*(*/pl.*); *fig. ~ aventurero* Schmarotzer *m*, Nassauer *m*; F *sello m del ~* kl. (aber herzhafte) Vorspeise *f*, Appetithappen *m*; *me ladra el ~* der Magen knurrt mir *od.* mein Magen knurrt (vor Hunger); *fig. revolver el ~ a alg.* j-m den Magen umdrehen; *fig. (ser hombre) de ~* ausdauernd (sein), geduldig (sein); *fig. tener buen (od. mucho) ~* e-n guten Magen haben (*fig.*), ein dickes Fell haben; *fig.* F *tener a alg. sentado en (la boca d)el ~* j-n nicht riechen (*od.* nicht verknusen) können F.

esto|mático ⚕ *adj.* Magen...; **~matitis** ⚕ *f* Stomatitis *f*; **~matomicosis** ⚕ *f* Soor *m*.

estoni|a *f* Estin *f*; **~o** *adj.-su.* estnisch; *m* Este *m*; *Li. das* Estnische.

esto|pa *f* Werg *n*; Putzwolle *f*; ⊕ *~s f/pl.* Packung *f*, Dichtung *f*; *~ de coco* Kokosbast *m*; **~pada** *f* Quantum *n* Werg; ⊕ Wergpackung *f*; Liderung *f*; **~par** ⊕ *v/t. mit e-r Packung* lidern, abdichten; **~perol** *m Am.* Zier-, Polster-nagel *m*; **~pilla** *f* Leinengaze *f*; *gewöhnlicher* Baumwollstoff *m*; **~pón** *m* grobes Werg *n*; Sackleinen *n*; **~por** ⚓ *m* (Ketten-) Stopper *m*.

estoque *m* **1.** Stoßdegen *m*, Rapier *n*; **2.** ⚘ rote Schwertlilie *f*; **~ador** *Stk. m* Matador *m*; **~ar** *vt/i.* mit dem Degen treffen, töten; **~o** *m* Degenstich *m*, Zustechen *n* mit dem Degen.

estor *Angl. m* Store *m*.

estoraque *m* ⚘ Storaxbaum *m*; Storax *n* (*Harz*).

estor|bar I. *v/t.* stören, behindern; *den Durchgang usw.* hemmen *bzw.* verlegen; *fig. ~le a uno lo negro* **a**) nicht lesen können; **b**) nicht gern lesen; **II.** *v/i.* stören, hinderlich sein, im Wege stehen; *¿estorbo?* störe ich?; darf ich eintreten?; darf ich Platz nehmen?; **~bo** *m* Störung *f*; Hindernis *n*, Hemmung *f*, Behinderung *f*; *fig.* lästiger Mensch *m*; Störenfried *m*; **~boso** *adj.* störend, hemmend.

estornino *Vo. m* Star *m*.

estornu|dar *v/i.* niesen; *fig. cada uno estornuda como Dios le ayuda etwa*: jeder macht's, so gut er (eben) kann; **~do** *m* Niesen *n*; **~tatorio** *adj.* zum Niesen reizend; *polvo m ~* Niespulver *n*.

estos *pron. dem. m/pl.* → *este*[2].

estotro † *u. Reg. pron. dem.* dieser andere (= *este otro*).

estrábico ⚕ *adj.-su.* schielend; *m* Schieler *m*.

estra|bismo ⚕ *m* Schielen *n*; **~botomía** ⚕ *f* Schieloperation *f*.

estracilla *f* kl. Fetzen *m*; (*papel m de*) *~* dünneres Packpapier *n*.

estradivario ♪ *m* Stradivari *f* (*Geige*).

estrado *m* **1.** Estrade *f*, Podium *n*; **2.** Auflagebrett *n der Bäcker*; **3.** †, ⚔ *~s m/pl.* Gerichtssäle *m/pl.*; *fig.* (*ohne art.*) Gericht *n*; *lit. citar para ~s* gerichtlich vorladen.

estrafalario *adj.-su.* nachlässig, salopp (*in der Kleidung*); ausgefallen, extravagant; verschroben, skurril.

estra|gado *adj.* verwüstet; *fig.* zerrüttet; *fig.* verdorben, schlecht (*Geschmack*); **~gador** *adj.* verderblich, verderbend; **~gamiento** *m* → *estrago*; **~gar** [1h] *v/t.* verheeren, verwüsten; verderben; **~go** *m* (*mst. ~s m/pl.*) *a. fig.* Verheerung *f*, Verwüstung *f*, Zerstörung *f*; schwerer Schaden *m*; ⚔ Zerrüttung *f*; *hacer (od. causar) ~s* Verwüstungen (*od.* Unheil) anrichten.

estragón ⚘ *m* Estragon *m*.

estram|bote *Lit. m an ein Sonett* angehängte Verse *m/pl.*; **~bótico** F *adj.-su.* verschroben, extravagant, wunderlich, sonderbar.

estramonio ⚘ *m* Stechapfel *m*.

estrangu|lación *f* **1.** Erwürgen *n*, Erdrosselung *f*; **2.** *a.* ⚕, ⊕ Abschnürung *f*; Ab-, Ein-klemmung *f*; ⊕, *Kfz.* (Ab-)Drosselung *f*; **~lado** *adj.* ⊕ (ab)gedrosselt; ⚕ eingeklemmt (*Bruch*); **~lador** *adj.-su. m* **1.** Würger *m*; **2.** ⊕ Drossel *f*; **~lamiento** *m Hydr.* (Ab-)Drosselung *f*; ✝ (wirtschaftlicher) Engpaß *m*; **~lar** *v/t.* **1.** erwürgen, erdrosseln; die Luft abschnüren (*dat.*), würgen (*ac.*); **2.** ⚕ *Glied* abschnüren; *Ader* abklemmen; **3.** ⊕ (ab)drosseln; *Schlauch* abquetschen; **~ria** ⚕ *f* Harnzwang *m*.

estrapalucio F *m* Klirren *n*; Krach *m*, Radau *m*.

estraper|lear F *v/i.* schwarzhandeln, schieben F; **~lista** F *adj.-su. c* Schieber...; *m* Schwarzhändler *m*, Schieber *m*; **~lo** *m Span.* Schwarzhandel *m*; Schwarzer Markt *m*; F *de ~* hintenherum, schwarz.

estrapontín 🚗, *Kfz. m* Not-, Klappsitz *m*.

estrás *m* Straß *m*.

estra|tagema *f* Kriegslist *f* (*a. fig.*); Streich *m*; **~tega** *m* Stratege *m* (*a. fig.*); **~tegia** *f* Strategie *f* (*a. fig.*); **~tégicamente** *adv.* strategisch; **~tégico** *adj.* strategisch (*a. fig.*); *fig.* F *ocupar un puesto ~* a) e-n guten Platz *zum Beobachten* haben; b) e-e Schlüsselstellung innehaben, am Drücker sitzen F.

estra|tificación *Geol. f* Schichtung *f*; Ablagerung *f*; **~tificar** [1g] *Geol.* **I.** *v/t.* schichten; **II.** *v/r.* *~se* Schichten bilden; **~tigrafía** *Geol., Met. f* Stratigraphie *f*; **~to** *m Geol., Soz.,* 🕮 Schicht *f*; *Met.* Schichtwolke *f*, Stratus *m*; **~tosfera** *f* Stratosphäre *f*; **~tosférico** *adj.* Stratosphären...

estrave ⚓ *m* Vordersteven *m*.

estraza *f* Stoffabfall *m*, Lumpen *m(/pl.)*; *tex.* Flockseide *f*; *papel m de ~* (grobes) Packpapier *n*.

estre|chamente *adv.* **1.** eng (*a. fig.*); knapp; kärglich; **2.** genau; **~chamiento** *m* Verengung *f* (*a. Straße*); Einengung *f*; Verschmälerung *f*; **~char I.** *v/t.* **1.** verengen, enger machen; schmäler machen; *fig.* eng(er) verbinden; *Beziehungen usw.* enger gestalten; **2.** fest umfassen, umklammern; *Hand* drükken; *~ en* (*od. entre*) *los brazos* in die Arme schließen, umarmen; *fig. ~ a alg.* in j-n dringen; j-n in die Enge treiben; **II.** *v/r.* *~se* **3.** s. zs.-ziehen; enger werden (*a. fig.*); zs.-rücken; *fig.* enge Freundschaft (mitea.) schließen; *~se a* s. (an-)schmiegen an (*ac.*); **4.** *fig.* s. einschränken; *~se en los gastos* s-e Ausgaben einschränken; **~chez** *f* (*pl. ~eces*) **1.** Enge *f*; ⚕ Verengerung *f*; *fig.* enge Freundschaft *f*; *fig. ~ de miras* Engstirnigkeit *f*; **2.** Knappheit *f*; Zeit- *bzw.* Raum-mangel *m*; Beengtheit *f*; Geldmangel *m*; Not *f*, Armut *f*; *vivir en* (*od. con*) *gran ~* sehr karg leben; *pasar ~eces* Not leiden; in Geldnöten sein; **~cho I.** *adj.* **1.** schmal, eng; knapp, beschränkt; *~ de medios* fast mittellos; *~ (de miras)* kleinlich, engstirnig, borniert; *íbamos ~s* wir waren sehr beengt, wir hatten kaum Platz; **2.** *fig.* eng (*Freundschaft*); vertraut (*Freund*); nah (*Verwandter*); **3.** geizig, knauserig; **4.** streng; **II.** *m* **5.** *Geogr.* Meerenge *f*, ⚓ Straße *f*; *el* ♀ (*de Gibraltar*) die Straße von Gibraltar; *el* ♀ *de Magallanes* die Magalhãesstraße; **6.** *fig.* Bedrängnis *f*, Not *f*, Klemme *f* F; **~chón** ⚓ *m* Schlagen *n*, Killen *n des Segels*; **~chura** *f* **1.** Enge *f*; Engpaß *m*; **2.** *fig.* enge Freundschaft; **3.** Notlage *f*; Dürftigkeit *f*.

estrega|dera *f* Borsten-, Wurzelbürste *f*; Fußabstreifer *m*; **~dero** *m* **1.** Wäscheplatz *m*; **2.** Reib-, Schupppfahl *m*; *Jgdw.* Malbaum *m*; **~dura** *f*, **~miento** *m* Bürsten *n*; Reiben *n*; **~r** [1h *u.* 1k] **I.** *v/t.* (ab)reiben; bürsten, scheuern; **II.** *v/r.* *~se* s. reiben; s. kratzen.

estrella *f* **1.** Stern *m*; *~ fija* (*errante*) Fix- (Wandel-)stern *m*; *~ fugaz* Sternschnuppe *f*; *~ matutina* (*vespertina*) Morgen- (Abend-)stern *m*; *~ polar, ~ del Norte* Polar-, Nordstern *m*; *~ de rabo* Komet *m*; *fig. levantarse a las ~s* a) angeben F, s. aufblasen; b) sehr aufgebracht sein; *levantarse con las ~s* sehr früh aufstehen; *fig. querer contar las ~s* et. Unmögliches wollen; *fig. poner a alg. sobre* (*od. por*) *las ~s* j-n in den Himmel heben; *fig. ver las ~s* Sterne sehen (*vor Schmerz*); **2.** Stern *m*, *sternförmige Verzierung, Suppensternchen usw.*; *Rel., Pol. ~ de David* Davidstern *m*; *las* ♀*s y Bandas* das Sternenbanner (*USA*); *~ de ocho puntas* acht-strahliger (*od.* -zackiger) Stern *m* (*z. B. an Uniformen*); ⚠ *bóveda f en ~* Sterngewölbe *n*; **3.** *fig.* Stern *m*; *buena ~* Glücksstern *m*; *nació con mala ~* er ist unter e-m Unglücksstern geboren; *tener ~* Glück haben; *Spr. unos nacen con ~ y otros (nacen) estrellados* die einen haben Glück, die andern immer Pech; **4.** *fig.* Größe *f*, Stern *m am Bühnenhimmel usw.*; *~ de la pantalla, ~ de cine* Filmstar *m*; **5.** *Zo. ~ de mar* Seestern *m*; **6.** ⚡, ⊕ Stern *m*; **7.** ⚓ Windrose *f*; **8.** *Equ.* a) Blesse *f*, *weißer Fleck*; b) Sporenrädchen *n*; **~dera** *Kchk. f* Eierheber *m*; **~dero** *Kchk. m* Eierpfanne *f*; **~do** *adj.* **1.** gestirnt, Sternen...; sternklar; **2.** sternförmig; *Kchk. huevos m/pl. ~s* Spiegeleier *n/pl.*; **3.** *caballo m ~* Blesse *f*; **~mar** *f Zo.* Seestern *m*; ⚘ Sternwegerich *m*; **~r I.** *v/t.* **1.** *Kchk. Ei* in die Pfanne schlagen; **2.** zerschlagen, zertrümmern, zerschmettern (an *dat. contra, en*); **II.** *v/r.* *~se* **3.** s. mit Sternen bedecken; **4.** *a.* ✈ zerschellen (an *dat. contra, en*); in Stücke gehen; *Vkw. ~se contra ...* gg. ... (*ac.*) fahren; **5.** auf stärksten Widerstand stoßen; scheitern.

estrelle|ría *f* Sterndeuterei *f*; **~ro** *adj.* den Kopf zu hoch tragend (*Pferd*).

estrellón *m augm.*: *bsd.* Feuerwerksstern *m*; Stern *m überm Hochaltar usw.*; *Arg., Chi., Hond.* Stoß *m*, Ruck *m*.

estreme|cedor *adj.* erschütternd; **~cer** [2d] **I.** *v/t. a. fig.* erschüttern, erbeben lassen; erschauern lassen; *hacer ~* schaudern machen; **II.** *v/r.* *~se* zittern, beben; erzittern; zs.-fahren; schaudern (vor *dat. de*); **~cimiento** *m* **1.** Zittern *n*; Erschütterung *f*; Schauder *m*, Schauer *m*; *~ de alegría* Freuden-schauer *m*, -rausch *m*; **2.** ⚕ Schwirren *n*, *lt.* Fremitus *m*.

estre|na *f* **1.** Angebinde *n*, Aufmerksamkeit *f*; **2.** → *estreno*; **~nar** *v/t.* **1.** zum erstenmal gebrauchen, einweihen F; *Gebäude* einweihen, s-r Bestimmung übergeben; *Wagen* zum erstenmal fahren; als erster (*Mieter usw.*) in *ein Haus* einziehen; *sin ~* neu, ungebraucht; **2.** *Thea., Film*: zum erstenmal aufführen; **II.** *v/r.* *~se* **3.** ein Amt (*od.* e-e Arbeit) antreten; die erste Einnahme (des Tages) haben (*Händler*); **4.** *Thea., Film usw.* zum erstenmal auftreten, debütieren; *~se (con)* s. einführen (mit *dat.*), an die Öffentlichkeit treten (mit *dat.*); **~no** *m* **1.** erster Versuch *m*; erste Benutzung *f*, Einweihung *f*; *fig.* Anfang *m*; **2.** *Thea., Film*: Erstaufführung *f*, Premiere *f*; Debüt *n*, erstes Auftreten *n*; *riguroso ~* Uraufführung *f*.

estreñi|do *adj.* ⚕ verstopft; *fig.* geizig; **~miento** ⚕ *m* (Stuhl-)Verstopfung *f*; *causar ~* → **~r** [3h *u.* 3l] *vt/i.* (ver)stopfen, verstopfend wirken.

estrepada ⚓ *f* Ruck *m am Tau*; (plötzliche) Beschleunigung *f e-s Schiffes*; *halar a ~s* fieren u. holen.

es|trépito *m* Getöse *n*, Lärm *m*, Krach *m*, Gepolter *n*; *fig.* Aufsehen *n*; **~trepitoso** *adj.* lärmend, geräuschvoll; rauschend, tosend.

estrepto|coco ⚕ *m* Streptokokke *m*, *lt.* Streptococcus *m*; **~micina** *pharm. f* Streptomycin *n*.

estría *f* Rinne *f*, Rille *f*; Streifen *m*, Strieme *f*; *~s f/pl.* Kannelierung *f e-r Säule*; Züge *m/pl. e-r Feuerwaffe*; ⚕ Streifen *m/pl.*; *Opt.* streifenförmige Schlieren *f/pl.*

estria|do I. *adj.* **1.** gerillt; kanneliert (*Säule*); gestreift; gezogen (*Lauf e-r Feuerwaffe*); **2.** *Anat.* quergestreift (*Muskel*); gestreift, striär; **II.** *m* **3.** ⚠ Kannelierung *f* (*Säule*); Kehlung *f*; ⚔ Drall *m e-s Laufs*; **~r** [1c] *v/t. bsd.* ⊕ riefeln; *Säule* kannelieren; ⚠, *Zim.* kehlen; ⚔ *Lauf* ziehen.

estri|bación *f* Ausläufer *m*, Vorberg *m*; **~badero** *m* Stütze *f*, Auf-, Unter-lage *f*; **~bar I.** *v/i. ~ en* ruhen auf (*dat.*), *a. fig.* s. stützen auf (*ac.*); *fig.* beruhen auf (*dat.*); bestehen in (*dat.*); **II.** *v/t. a.* ⊕ abstützen, abfangen; **III.** *v/r.* *~se* s. stemmen; s. (auf)stützen; **~billo** *m* Kehrreim *m*, Refrain *m*; *fig.* Lieblingswort *n*, stereotype Redensart *f*; F *¡y dale con el ~!* immer die alte Leier!; **~bo** *m* **1.** Steigbügel *m* (*a. Anat.*); *fig. estar con un pie en el ~* a) reisefertig (*od.* schon beim Weggehen) sein; b) dem Tode nahe sein; *fig. estar* (*od. andar*) *sobre los ~s* s. in acht nehmen; *mantenerse firme en los ~s Equ.* fest in den Bügeln stehen; *fig.* fest im Sattel sitzen (*fig.*); *fig. perder los ~s* a) die (Selbst-)Beherrschung verlieren; b) Unsinn reden, faseln; *hacer perder los ~s a alg.* j-m auf die Nerven gehen, j-n auf die Palme bringen F; **2.** Trittbrett *n am Wagen, an e-r Maschine*; Fußraste *f am Motorrad*; **3.** ⚠ Stütze *f*; Stützmauer *f*; Strebepfeiler *m*; Widerlager *n*; Landstoß *m e-r Brücke*; ⊕, ⚡ Bügel *m*; **4.** *Geogr.* Ausläufer *m*, Vorberg *m*.

estribor ⚓ *m* Steuerbord *n*; *¡todo a ~!* hart Steuerbord!

estricnina *pharm. f* Strychnin *n*.

estricote F *adv.*: *al ~* im Kreis herum, ringsherum.

estric|tamente *adv.* streng; unbedingt; **~tez** *f Arg., Chi., Pe.* Genauigkeit *f*; Strenge *f*; **~to** *adj.* streng, strikt; genau.

estri|dencia *f* Schrillheit *f*; *fig.* Extrem *n*; **~dente** *adj. c* gellend, schrill, durchdringend; **~dor** *m* Schrillen *n*, Gellen *n*; Pfeifen *n*; **~dular** *v/i.* schrill zirpen (*Zikaden*).
estrige *Vo. f* Eule *f*.
estro *m poet.* göttlicher Funke *m*; dichterischer Schwung *m*.
estrofa *f* Strophe *f*.
estrofantina *pharm. f* Strophantin *n*.
estrógeno *Physiol. m* Östrogen *n*.
estroncio ⚗ *m* Strontium *n*.
estropa|jero *m* Behälter *m für estropajo*; **~jo** *m* ✿ Scheuerkürbis *m*; *p. ext.* Espartowisch *m zum Abwaschen*; *fig.* wertloser Plunder *m*; *fig. ponerle a uno como un ~* j-n herunterputzen, j-n abkanzeln; **~josamente** F *adv.* lallend, stammelnd (*sprechen*); **~joso** *adj.* **1.** zerlumpt, abgerissen; **2.** zäh, faserig (*Fleisch u. ä.*).
estro|pear I. *v/t.* beschädigen; verletzen, verstümmeln; *a. fig.* zerschlagen, kaputt machen F; verpfuschen F, verderben; *Plan* vereiteln; **II.** *v/r.* *~se* entzwei (*od.* kaputt F) gehen; verderben; **~picio** F *m* **1.** (Scherben-)Geklirr *n*; Radau *m*, Lärm *m*; Schaden *m*; *ha hecho un ~ en la cocina* in der Küche hat's gescheppert F; **2.** *fig.* Geschrei *n*, Lärm *m* um nichts, Trara *n* F.
estructura *f* Struktur *f*, Gefüge *n*, Gliederung *f*, Aufbau *m*, Bau *m*; Bauwerk *n*; *~ cristalina* Kristallstruktur *f*; *~s f/pl. metálicas* Stahl(hoch)bauten *m/pl.*; **~ción** *f* Strukturierung *f*; Gestaltung *f*; **~l** ⊞ *adj. c* strukturell; Struktur...; *cambio m ~* Strukturwandel *m*; **~lismo** *Phil., Li. m* Strukturalismus *m*; **~lista** *adj.-su. c* strukturalistisch; *m* Strukturalist *m*; **~r** *v/t.* strukturieren, gestalten.
estruendo *m* Donnern *n*, Getöse *n*, Krachen *n*; Getümmel *n*; *fig.* Prunk *m*, Pomp *m*; **~so** *adj.* donnernd; lärmend; *fig.* prunkvoll, pompös.
estru|jadora *f* Obst-, Saft-presse *f*; **~jadura** *f*, **~jamiento** *m* Quetschen *n*, Auspressen *n*; Zerknüllen *n*; **~jar I.** *v/t.* aus-, zer-drücken; (zer)quetschen; zerknittern, zer-, zs.-knüllen; *fig.* aussaugen, auspressen; **II.** *v/r.* *~se* s. fürchterlich drängen (*Menge*); *~se el cerebro* s. den Kopf zerbrechen; **~jón** *m* Zerdrücken *n*; Auspressen *n*; ⚘ Tresterkelterung *f*.
estru|ma ⚕ *f* Struma *f*, Kropf *m*; **~mectomía** *f* Kropfoperation *f*.
estua|ción ⚓ *f* Flut *f*; **~rio** *Geogr. m* breite Flußmündung *f*.
estu|cado ⚠ *m* Stuckieren *n*; Stukkatur *f*; **~cador** *m* → *estuquista*; **~car** [1g] *v/t.* ⚠ stuckieren; verputzen; **~co** *m* Stuck *m*; Gipsmarmor *m*; *trabajo m de ~* Stukkatur *f*.
estu|char *v/t. in Tüten* abfüllen, abpacken; **~che** *m* **1.** Futteral *n*, Etui *n*; Kästchen *n*; *~ de aseo* Toilettenbeutel *m*; *~ de cirujano* chirurgisches Besteck *n*; *~ para las gafas* Brillenfutteral *n*; *~ de violín* Geigenkasten *m*; -futteral *n*; **2.** *fig.* F Genie *n*, Tausendkünstler *m*.
estudi|ado *adj.* einstudiert, gemacht, erkünstelt; **~ante** *c* Student(in *f*) *m*; F Schüler *m*; *los ~s* die Studentenschaft; *~ de medicina* Medizinstudent *m*; **~antado** *koll. m* Studenten(schaft *f*) *m/pl.*; **~antil** *adj. c* studentisch, Studenten...; **~antina** *f* Studenten(musik)kapelle *f*; Studentengruppe *f in alter Tracht, bei Volksfesten*; **~antón** *desp. m* (geistig minderbemittelter) Büffler *m* F, ewiger Student *m*; **~ar** [1b] **I.** *vt/i.* **1.** studieren; lernen; *~ en la universidad* an (*od.* auf) der Universität studieren; *~ para abogado* Recht(swissenschaft) studieren; *~ es una cosa, y saber otra* Theorie u. Praxis sind verschiedene Dinge, Lernen u. Wissen ist zweierlei; **II.** *v/t.* **2.** einstudieren, auswendig lernen; durcharbeiten; einüben; *Aufgabe* lernen; **3.** untersuchen, (über-)prüfen; durcharbeiten; **4.** *Thea. ~ a/c. a alg.* mit j-m *e-e Rolle usw.* einstudieren.
estudio *m* **1.** *mst. ~s pl.* Studium *n*; *~s universitarios* Universitäts-, Hochschul-studium *n*; *~(s) general(es)* Studium *n* generale; *hist. u.* ⚒ *lit.* Universität *f*; *años m/pl. de ~s* Studien-zeit *f*, -jahre *n/pl.*; *para fines de ~(s)* zu Studienzwecken; *dar ~s a alg.* j-n studieren lassen, j-m das Studium bezahlen; *tener ~s* studiert haben, Akademiker sein; sehr gebildet sein; **2.** Studium *n*, Prüfung *f*, Untersuchung *f*; *~ de mercados* Marktforschung *f*; *hallarse en ~* (zur Zeit) geprüft (*od.* überprüft) werden; **3.** Fleiß *m*; *adv. con ~* **a)** mit Hingabe, fleißig; **b)** absichtlich; **4.** Untersuchung *f*, Studie *f*; Bericht *m*; **5.** *Mal.* Studie *f*, Entwurf *m*, Skizze *f*; **6.** ♪ Etüde *f*; **7.** Studierzimmer *n*; (Maler-, Photo-)Atelier *n*, *a. Rf., Film* Studio *n*; **8.** *Arg.* Anwaltskanzlei *f*; **~sidad** *f* Lerneifer *m*, Fleiß *m*; **~so** *adj.* lernbegierig, fleißig, eifrig.
estu|fa *f* **1.** Ofen *m*; *~ de carbón* (*de baño*) Kohlen- (Bade-)ofen *m*; *~ de azulejos* Kachelofen *m*; *~ eléctrica* Elektroofen *m*, elektrischer Heizofen *m*; **2.** ⚘ Treib-, Gewächshaus *n*; *criar en ~* ⚘ im Treibhaus (auf)ziehen; *fig.* verzärteln, verweichlichen; **3.** ⚕, ⊕ Trockenofen *m*, Trockner *m*; *~ de cultivos* Brutschrank *m*; *~ de desinfección* Sterilisator *m*; **4.** Schwitz-stube *f*, -bad *n*; **5.** † verglaste Prachtkutsche *f*; **~fador** *Kchk. m* Schmortopf *m*; **~fero** *m* → *estufista*; **~filla** *f* **1.** Fußwärmer *m*; kl. Kohlenbecken *n*; **2.** Muff *m*; **~fista** *m* Ofensetzer *m*.
estul|ticia *lit. f* Dummheit *f*; **~to** *lit. adj.* töricht, dumm.
estupefac|ción *f* Sprachlosigkeit *f*, gr. Erstaunen *n*; Bestürzung *f*; **~iente** *adj. c -su. m* Rauschgift *n*, Betäubungsmittel *n*; *tráfico m de ~s* Rauschgifthandel *m*; *dado a los ~s* (rauschgift)süchtig; **~tivo** *adj.* berauschend, betäubend; **~to** *adj.* starr *vor Staunen*, sprachlos; wie betäubt, bestürzt (über *ac. ante, por*).
estupendo *adj.* erstaunlich; fabelhaft, großartig, pfundig F, toll F.
estupidez *f* (*pl. ~eces*) Stumpfsinn *m*, Blödsinn *m*; Dummheit *f*; Beschränktheit *f*.
estúpido I. *adj.* stumpfsinnig, dumm; unsinnig, stupid; F *¡qué individuo más ~!* so ein hirnverbrannter (*od.* vernagelter) Kerl! F; **II.** *m* Dummkopf *m*.
estupor *m* ⚕ Benommenheit *f*, *lt.* Stupor *m*; *fig.* maßloses Staunen *n* (*bzw.* Entsetzen *n*); Betäubung *f*.
estu|prar *v/t.* schänden; **~pro** *m* Schändung *f*; Verführung *f*; ⚖ *Span.* Schändung *f* (*Notzuchtverbrechen an Frauen unter 23 Jahren*).
estu|que ⚠ *m* Stuck *m*; **~quería** *f* Stukkatur *f*; **~quista** *c* Stukkateur *m*; Stuckarbeiter *m*.
esturión *Fi. m* Stör *m*.
ésula ✿ *f Art* Wolfsmilch *f*.
esvástica *f* Hakenkreuz *n*.
eta *f* Eta *n*, *griech. Buchstabe*.
etalaje ⊕ *m* Rast *f*, Gestell *n b. Hochöfen*.
etano ⚗ *m* Äthan *n*.
etapa *f* **1.** Abschnitt *m*, (Reise-, Weg-)Etappe *f*, (Teil-)Strecke *f*; *fig.* Stufe *f*, Phase *f*, Etappe *f*; *adv. por ~s* schritt-, stufen-weise; *de varias ~s* mehrstufig; *Sp. ganar una ~* Etappensieger sein; **2.** ⚔ (Marsch-)Quartier *n*; Rast-, Lagerplatz *m*; (Verpflegungs-)Ration *f*, Marschverpflegung *f*.
éter *m* Äther *m* (⚗ *u. fig.*); *~ dietílico* Narkoseäther *m*.
etéreo ⚗ *u. fig. adj.* ätherisch, Äther...; *fig.* Himmel...
eteri|ficar [1g] ⚗ *v/t.* veräthern; **~zación** ⚕ *f* Äthernarkose *f*; **~zar** [1f] *v/t.* ⚕ Äthernarkose geben (*dat.*); ⚗ mit Äther versetzen.
eter|namente *adv.* ewig; **~nal** *lit. adj. c* ewig; **~nidad** *f a. fig.* Ewigkeit *f*; *desde la ~* von Ewigkeit(en) her; seit unvordenklichen Zeiten; **~nizar** [1f] **I.** *v/t.* verewigen; *fig.* endlos hinziehen (*od.* verschleppen); **II.** *v/r.* *~se* e-e Ewigkeit dauern; *a.* e-e Ewigkeit brauchen (*od.* s. *irgendwo* aufhalten); **~no** *adj.* ewig (*a. fig.*); unsterblich; unendlich; *Theol. el (Padre) ~* der Ewige Vater, Gott *m*; *fig.* F *la ~a canción* die alte Leier F.
éti|ca *f* **1.** Ethik *f*; **2.** Ethos *n*; *~ profesional* Berufsethos *n*; **~co**[1] *adj.-su.* ethisch, sittlich, Sitten...; *m* Ethiker *m*; **~co**[2] *adj.* → *héctico*.
eti|leno ⚗ *m* Äthylen *n*; **~lo** ⚗ *m* Äthyl *n*.
etílico ⚗ *adj.* Äthyl...
étimo *Li. m* Etymon *n*.
eti|mología *Li. f* Etymologie *f*; *~ popular* Volksetymologie *f*; **~mológico** *adj.* etymologisch; **~mologista** *c*, **~mólogo** *m* Etymologe *m*.
etio|logía *f Phil.*, ⚕ Ätiologie *f*; ⚕ *p. ext.* Krankheitsursache *f*; **~lógico** *adj.* ätiologisch.
etíope *adj.-su. c* äthiopisch; *m* Äthiopier *m*.
etiópico *adj.* äthiopisch.
etique|ta *f* **1.** Etikette *f*, Hofsitte *f*; Förmlichkeit *f*; *~ palaciega*, *~ de palacio* Hofetikette *f*; *traje m de ~* Gesellschaftsanzug *m*; *de rigurosa ~* im Abendanzug; *fig. estar de ~* (nur noch) förmlich mitea. verkehren; *visita f de ~* Höflichkeitsbesuch *m*; **2.** Etikett *n*; Preisschild *n*; Klebeadresse *f*; *~ (colgante)* Anhänger *m*;

poner ~*s* (*a*) etikettieren (*ac.*), Preisschilder anbringen (an *ac.*); *Waren* auszeichnen; **~tado** *m* Etikettieren *n usw.* → *etiqueta* 2; **~tadora** *f* Etikettier-, Auszeichnungs-maschine *f*; **~tar** *gal. v/t.* → *poner etiquetas*; **~tero** *adj.* sehr förmlich.
etmoides *Anat. m* (*pl. inv.*) Siebbein *n.*
etnia *f* Sprach- u. Kulturgemeinschaft *f*, Ethnie *f*; Volkstum *n.*
étnico *adj.* **1.** ethnisch, Volks...; *Gram. nombre m* ~ Ethnikum *n*, Volksname *m*; **2.** *bibl.* heidnisch.
etno|grafía *f* Ethnographie *f*; **~gráfico** *adj.* ethnographisch; *museo m* ~ Museum *n* für Völkerkunde.
et|nógrafo *m* Ethnograph *m*; **~nología** *f* Ethnologie *f*, Völkerkunde *f*; **~nológico** *adj.* ethnologisch, völkerkundlich; **~nólogo** *m* Ethnologe *m.*
etología 📖 *f* Ethologie *f.*
etrusco *adj.-su.* etruskisch; *m* Etrusker *m*; *Li. das* Etruskische.
etusa ♀ *f* Gartenschierling *m.*
eucalipto ♀ *m* Eukalyptus *m*; *pharm. aceite m* (*od. esencia f*) *de* ~ Eukalyptusöl *n.*
euca|ristía *Rel. f* Eucharistie *f*, Abendmahl *n*; **~rístico** *adj.* eucharistisch.
euclidiano *adj.* euklidisch.
eudiómetro ⚗ *m* Eudiometer *n.*
eufe|mismo *Li. m* Euphemismus *m*; **~místico** *adj.* euphemistisch.
eu|fonía *f* Wohlklang *m*, Euphonie *f*; **~fónico** *adj.* wohllautend, euphonisch.
euforbio ♀ *m afrikanische* Euphor-[bie *f.*]
eu|foria ⚕ *u. fig. f* Euphorie *f*; **~fórico** *adj.* ⚕ *u. fig.* euphorisch; *fig.* beschwingt.
euge|nesia ⚕ *f* Eugenik *f*; **~nético** *adj.* eugen(et)isch.
eunuco *m* Eunuch *m.*
Euráfrica *f* Eurafrika *n.*
Eura|sia *f* Eurasien *n*; **⁲siático** *adj.-su.* eurasiatisch; *m* Eurasier *m.*
¡eureka! *int.* heureka!
eu|ritmia 📖 *f* Eurhythmie *f*; Ebenmaß *n*; ⚕ regelmäßiger Puls *m*; **~rítmico** *adj.* ebenmäßig, im Ebenmaß.
euro *poet. m* Ostwind *m.*
euro|peísmo *Pol. m* Europa-bewegung *f*, -gedanke *m*; **~peísta I.** *adj. c*: *idea f* ~ Europagedanke *m*; **II.** *c* Anhänger *m* des Europagedankens; **~peización** *f* Europäisierung *f*; **~peizar** [1f] **I.** *v/t.* europäisieren; **II.** *v/r.* ~*se* europäische Sitten annehmen; die *geistigen, wirtschaftlichen u. technischen* Vorstellungen u. Normen Europas übernehmen; **~peo** *adj.-su.* europäisch; *m* Europäer *m.*
euscalduna *f* baskische Sprache *f.*
éus|caro, ~quero *adj.-su. m* baskisch(e Sprache *f*).
Eustaquio *Anat.*: *trompa f de* ~ Ohrtrompete *f*, Eustachische Röhre *f.*
eutanasia ⚕ *f* Euthanasie *f.*
eutrapelia 📖 *f* **1.** Mäßigung *f im Vergnügen*; harmloser Spaß *m*; **2.** Schlagfertigkeit *f.*
Eva *npr.* Eva *f*; *fig.* F *las hijas de* ~ die Evastöchter *f/pl.*, die Frauen *f/pl.*
evacua|ción *f* **1.** *a. Verw.*, ⚖, ⚔ Räumung *f*; *Verw.*, ⚔ Evakuierung *f*; **2.** ⊕ Beseitigung *f*; Abführung *f*, Ablaß *m*; **3.** ⚕ Entleerung *f*; Ausräumung *f*; ~ (*intestinal*, ~ *de vientre*) Darmentleerung *f*, Stuhlgang *m*; **~nte** ⚕ *adj.-su. m* → *evacuativo*; **~r** [1d] *v/t.* **1.** *a. Verw.*, ⚔ räumen; *Verw.*, ⚔ evakuieren; verlagern; **2.** ⊕ ablassen, *Kessel a.* abblasen; abführen; **3.** *a.* ⚕ (ent)leeren, ausräumen; ~ *el vientre* den Darm entleeren, Stuhlgang haben; **4.** *Verw.*, ⚖ *Sache, Formalität* erledigen; *Besprechung* abhalten; **~tivo** ⚕ *adj.-su. m* Abführmittel *n*; **~torio I.** *adj.* → *evacuativo*; **II.** *m* Bedürfnisanstalt *f.*
evadir I. *v/t.* vermeiden, umgehen; ausweichen (*dat.*), entgehen (*dat.*); s. *e-r Schwierigkeit* entziehen; s. um *et.* (*ac.*) drücken F; **II.** *v/r.* ~*se* fliehen, entweichen; entkommen; *fig.* F s. drücken F; (*aus dem Gefängnis*) ausbrechen; *fig. se evadió* er wich aus.
evalua|ción *f* **1.** Ab-, Ein-schätzung *f*, Bewertung *f*; **2.** Auswertung *f*; **~r** [1e] *v/t.* **1.** bewerten; veranschlagen, schätzen (auf *ac. en*); **2.** auswerten.
evan|geliario *m* Evangeliar(ium) *n*; **~gélico** *adj.* evangelisch (*a. Kirche*); **~gelio** *m* **1.** *a. fig.* Evangelium *n*; *el* ~ *según San Juan* das Johannesevangelium; *fig.* F *lo que dice es el* ~ **a)** er sagt die reine Wahrheit; **b)** s-e Worte werden unbesehen geglaubt; **2.** *Folk.* ~*s m/pl.* Evangelienbüchlein *n als Amulett für Kinder*; **~gelista** *m* **1.** Evangelist *m*; **2.** Evangeliensänger *m*; **3.** *Méj.* Schreiber *m für Analphabeten*; **~gelización** *f* Verkündigung *f* des Evangeliums; **~gelizar** [1f] *vt/i.* (j-m) das Evangelium predigen; (j-n) zum Christentum bekehren.
evapo|rable *adj. c* verdunstbar; **~ración** *f* Verdunstung *f*, Verdampfung *f*; Verflüchtigung *f*; ~ *del agua* Wasserentziehung *f durch Verdampfen*; **~rador** ⊕ *m* Verdampfer *m*; **~rar I.** *v/t.* verdunsten lassen; eindampfen; **II.** *v/r.* ~*se* verdampfen, verdunsten; *a. fig.* s. verflüchtigen, *fig.* verduften F; **~rizar** [1f] *u. Abl.* → *evaporar u. Abl.*
evasi|ón *f* **1.** Entweichen *n*, Flucht *f*; Ausbruch *m*; ~ *de capitales* (*fiscal*) Kapital- (Steuer-)flucht *f*; *fig.* ~ *de la realidad* Flucht *f* aus der Wirklichkeit; **2.** Ablenkung *f*, Zerstreuung *f*; *literatura f de* ~ (*od. evasiva*) (reine) Unterhaltungsliteratur *f*; **3.** → **~va** *f* ausweichende Antwort *f*; Ausrede *f*, Ausflucht *f*; **~sivo** *adj.* ausweichend; ablenkend; *adv.* ~*amente* ausweichend (*antworten*); → *a. evasión* 2; **~sor** *adj.-su.* fliehend; *m* Ausbrecher *m.*
evento *m* Ereignis *n*, Begebenheit *f*, Fall *m*; *a todo* ~ auf jeden Fall; jedenfalls.
eventua|l I. *adj. c* etwaig, möglich, eventuell; ⚖ Eventual...; ⚖ bedingt (*Vorsatz*); *en caso* ~ gegebenenfalls; *personal m* ~ Aushilfspersonal *n*; *emolumentos m/pl.* ~*es* → **II.** *m* Sonder-, Neben-bezüge *m/pl. von Beamten*; **~lidad** *f* Möglichkeit *f*, Eventualität *f*; **~lmente** *adv.* unter Umständen, eventuell, gegebenenfalls.
evicción ⚖ *f* Entwehrung *f*; *saneamiento m por* ~ Rechtsmängelhaftung *f.*
eviden|cia *f* Offenkundigkeit *f*, Augenscheinlichkeit *f*, *a. Phil.* Evidenz *f*; *poner en* ~ **a)** einleuchtend darlegen, klar beweisen; **b)** *j-n* bloßstellen, *j-n* blamieren; *fig. quedar en* ~ unangenehm auffallen; s. lächerlich machen; *fig. rendirse ante la* ~ s. den Tatsachen beugen; **~te** *adj. c* offensichtlich, offenkundig, unleugbar, klar, evident; es ~ *que* ... es leuchtet ein, daß ..., es stimmt, daß .., es liegt auf der Hand, daß ...; **~temente** *adv.* offensichtlich, offenbar.
evita|ble *adj. c* vermeidbar; **~ción** *f* Vermeidung *f*; Verhütung *f*, Abwendung *f*; *en* ~ *de mayores males* um Schlimmeres zu verhüten; **~r I.** *v/t.* verhüten, abwenden; vorbeugen (*dat.*); (ver)meiden; ausweichen (*dat.*), aus dem Weg gehen (*dat.*); *j-m et.* ersparen; *para* ~ *errores* zur Vermeidung von Irrtümern; **II.** *v/r.* ~*se* s. vermeiden lassen; s. *selbst et.* ersparen.
eviterno *Theol. adj.* ewig (*doch mit e-m Anfang in der Zeit*).
evo *Theol., poet. m* Ewigkeit *f.*
evoca|ción *f* (Geister-)Beschwörung *f*; Erinnerung *f* (an *ac. de*), Zurückdenken *n* (an *ac. de*); **~dor** *adj.* Erinnerungen heraufbeschwörend; ~ *de* erinnernd an (*ac.*); **~r** [1g] *v/t. Tote* anrufen; *Geister* beschwören; *Erinnerungen* wachrufen, wecken; *Vergangenheit* heraufbeschwören.
evolu|ción *f* **1.** Entwicklung *f*; Verlauf *m* (*a.* ⚕); *fig.* Wandel *m*, Wendung *f*; *grado m de* ~ Entwicklungsstufe *f*; *hacer* ~ s. weiterentwickeln; s. wandeln; **2.** ⚔ Aufmarsch *m*; ~*ones f/pl.* ⚓, ⚔ Schwenkungen *f/pl.*, Manöver *n/pl.*; *p. ext.* (*Tanz*) Bewegungen *f/pl.*, Figuren *f/pl.*; ✈, ⚓ *hacer* ~*ones* schwenken, manövrieren; **~cionar** *v/i.* **1.** s. (weiter-, fort-)entwickeln; s. (allmählich) ändern; **2.** ⚔ Schwenkungen ausführen, *a.* ⚓, ✈ schwenken, aufmarschieren; ⚓, ✈ manövrieren; **~cionismo** *m Phil.* Evolutionismus *m*; *Biol.* Evolutionstheorie *f*; **~cionista** *adj.-su. c* Evolutions...; *m* Evolutionist *m*; **~tivo** *adj.* Entwicklungs...
evónimo ♀ *m* Pfaffenhütchen *n.*
ex *pref. vor su.* ehemalig, gewesen, *z. B.* ~ *ministro* ehemaliger (*od.* gewesener) Minister *m*, Exminister *m.*
ex abrupto I. *adv.* plötzlich, unvermutet; **II.** *m* unbedachte Äußerung *f*; barsche Antwort *f*; *contestó con un* ~ er gab e-e scharfe Antwort.
exacción ⚖ *f* **1.** Erhebung *f v. Steuern, Gebühren*; ~ *ilegal* Gebührenübererhebung *f*; **2.** Abgabe *f*, Steuer *f.*
exacerba|ción *f* Reizung *f*; ⚕ Verschlimmerung *f*; **~r I.** *v/t.* reizen; (v)erbittern; verschlimmern; **II.** *v/r.* ~*se* s. verschlimmern; *fig.* in heftigen Zorn geraten.

exac|tamente *adv.* (*a. int.* ¡~!) genau; richtig; **~titud** *f* Genauigkeit *f*; Pünktlichkeit *f*; Richtigkeit *f*; **~to** *adj.* genau, exakt; richtig; zuverlässig, pünktlich; sorgfältig; ¡~! richtig!, (das) stimmt!; ~ *al milímetro* millimetergenau; *no es* ~ (*que* + *subj.*) es stimmt nicht (, daß + *ind.*).
exactor *m* Steuereinnehmer *m*.
exagera|ción *f* Übertreibung *f*; **~do** *adj.* übertrieben; überhöht (*Preis*); *no seas tan* ~ übertreibe nicht so sehr; **~dor** *adj.-su.* Aufschneider *m*; **~r** *vt/i.* übertreiben; aufbauschen; überschätzen; zu hoch (ver)anschlagen.
exalta|ción *f* **1.** Erhebung *f*, Erhöhung *f*; Verherrlichung *f*, Lobpreisung *f*; ~ *al trono* Thronerhebung *f*; *kath.* ~ *de la (Santa) Cruz* Kreuzeserhöhung *f* (*Fest 14. September*); **2.** *Psych.* Steigerung *f*; **3.** Begeisterung *f*; **4.** *a.* ⚕ Erregung *f*; Exaltiertheit *f*; **~do** *adj.-su.* **1.** *fig.* überspannt, exaltiert, überschwenglich; *cabeza f* ~*a* Wirr- *bzw.* Feuer-kopf *m*, Schwärmer *m*, Schwarmgeist *m*; **2.** *Pol.* radikal; **~r I.** *v/t.* **1.** erheben, erhöhen; verherrlichen, preisen; **2.** (auf)reizen; begeistern; *Psych.* steigern; **II.** *v/r.* ~*se* **3.** s. steigern; in Begeisterung geraten (für *ac. por*); schwärmen (für *ac. por*); *fig.* in Hitze geraten.
examen *m* (*pl.* *exámenes*) **1.** Prüfung *f*, Examen *n* (ablegen *hacer, sufrir, pasar*); ~ *de admisión*, ~ *de ingreso* Aufnahme-, Zulassungsprüfung *f*; ~ *anual* Jahresprüfung *f*; ~ *de conductor* Fahrprüfung *f*; ~ *de Estado allg.* staatliche Prüfung *f*; *Am.* Staatsexamen *n* (*Span.* → *licenciatura*); *Span.* Abitur *n*; ~ *final* (*intermedio*) Abschluß- (Zwischen-)prüfung *f*; ~ *oral*, ~ *verbal* (~ [*por*] *escrito*) mündliche (schriftliche) Prüfung *f*; **2.** (Nach-, Über-) Prüfung *f*, *a.* ⚕ Untersuchung *f*; Einsicht *f* (in *ac.* de); ~ *de conciencia* Gewissensprüfung *f*; *Rel.* Gewissenserforschung *f*; *Rel. libre* ~ freie Forschung *f*; Gewissensfreiheit *f*; ~ *radiológico*, ~ *por rayos X* Röntgenuntersuchung *f*.
exami|nador *adj.-su.* untersuchend, prüfend; Untersuchungs...; Prüfungs...; *m* Prüfer *m*; Prüfende(r) *m*; Examinator *m*; **~nando** *m* Prüfling *m*, Kandidat *m*; *Span.* ~ *de reválida* Abiturient *m im Examen*; **~nar I.** *v/t.* prüfen, examinieren; (nach-, über-)prüfen, *a.* ⚕ untersuchen; kontrollieren; aufmerksam betrachten, mustern; besichtigen; Einsicht nehmen in (*ac.*), *Akten u. ä.* einsehen; *Gewissen* erforschen; ⚕ ~ *por radioscopia*, ~ *por rayos X* durchleuchten; **II.** *v/r.* ~*se* e-e Prüfung ablegen (*od.* machen), geprüft werden (in *dat.* de); ~*se de ingreso* die Aufnahmeprüfung ablegen.
exangüe *adj. c* **1.** blutleer, ausgeblutet; *fig.* matt, kraftlos; **2.** leblos, tot.
exánime *adj. c* leblos, entseelt; *fig.* kraftlos; mutlos, niedergeschlagen.
exante|ma ⚕ *m* Exanthem *n*, Hautausschlag *m*; **~mático** *adj.*: *tifus m* ~ Flecktyphus *m*.
exarca *hist., ecl. m* Exarch *m*.
exaspera|ción *f* Erbitterung *f*; **~do** *adj.* erbittert; äußerst gereizt; verschärft; **~r I.** *v/t.* sehr reizen; aufbringen, in Wut (*bzw.* zur Verzweiflung) bringen; (v)erbittern; **II.** *v/r.* ~*se* in Wut geraten; s. sehr verschärfen (*Feindschaft*); s. sehr verschlimmern (*Krankheit*).
excarcelar *v/t.* aus der Haft (*od.* aus dem Gefängnis) entlassen.
ex cát(h)edra *adv. kath. u. fig.* ex cathedra; *fig.* F autoritär, schulmeisterlich.
excava|ción *f* **1.** Ausgrabung *f* (*a. Archäologie*); Ausbaggerung *f*, Ausschachtung *f*; ⚒ Auflockern *n*; ~ *por gradas* Strossenbau *m* (*Tunnel*); **2.** Vertiefung *f*, Höhlung *f*; *Geol.* ~*ones f/pl.* Hohlräume *m/pl.*, Höhlenbildungen *f/pl.*; **~dora** ⊕ *f* Bagger *m*; ~ (*con cadena*) *de cangilones* Eimer(ketten)bagger *m*; ~ *de cuchara* (*de orugas*) Löffel- (Raupen-) bagger *m*; **~r** *v/t.* ausgraben; aufgraben, -wühlen; *Boden* auflokkern; *Pfl.* häufeln; △, ⊕ ausheben, -schachten; ausbaggern; ⚒ schürfen; (ab)teufen.
exce|dencia *Verw. f* **1.** Wartestand *m*; längere Beurlaubung *f od.* Freistellung *f* von e-r Planstelle; **2.** Wartegeld *n*; **~dente I.** *adj. c* **1.** überzählig; *Verw.* zur Wiederverwendung; (*Beamter*) im Wartestand; **2.** ✝, ⊕ überschüssig; ⊕ als Reserve (vorhanden); **II.** *m* **3.** Über-gewicht *n*; -länge *f*; Überschuß *m*; Mehr(betrag *m*) *n*; ~ *de cereales* Getreideüberhang *m*; ⊕ ~ *de potencia* Leistungsreserve *f*; **~der I.** *vt/i.* übersteigen, überschreiten (um *ac.* en); übertreffen (an *dat.* en), überragen; ~ *de* hinausgehen über (*ac.*); übersteigen (*ac.*); hinausreichen über (*ac.*); *esto excede a sus fuerzas* das geht über s-e Kraft (hinaus); ~ *a toda ponderación* über jedes Lob (*bzw.* über jede Kritik) erhaben sein; **II.** *v/r.* ~*se* s. zu viel herausnehmen; zu weit gehen; ~*se con alg.* (*en atenciones*) j-n mit Gunstbeweisen überschütten; ~*se en sus facultades* s-e Befugnisse überschreiten; s-n Fähigkeiten zuviel zutrauen; ~*se a sí mismo* s. selbst übertreffen.
excelen|cia *f* **1.** *oft* ~*s f/pl.* Vortrefflichkeit *f*, Vorzüglichkeit *f*; *por* ~ im wahrsten Sinne des Wortes, schlechthin; **2.** (*Su, Vuestra*) ♀ (S-e, Euer) Exzellenz *f*; **~te** *adj. c* vortrefflich, ausgezeichnet; großartig, hervorragend; **~tísimo** *m Titel*: ♀ *Sr. Don* ... Seine(r) Exzellenz Herr(n) ...; ♀ *Señor*, *Abk. Excmo. Sr.* Exzellenz.
excel|samente *adv.* voller Erhabenheit *f*; **~so** *adj.* **1.** hochragend; **2.** erhaben, groß; auserlesen, ausgezeichnet.
excéntri|ca *f* **1.** ⊕ Exzenter *m*; **2.** Exzentrik *f*; **~co I.** *adj.* ⊕ *u. fig.* exzentrisch; ⊕ außermittig; unrund; **II.** *m* Exzentriker *m*.
excentricidad *f* ♃, ⊕ *u. fig.* Exzentrizität *f*; ⊕ Außermittigkeit *f*; Unrundsein *n*, Schlag *m*; *fig.* Überspanntheit *f*, Spinnerei *f* F.
excep|ción *f* **1.** Ausnahme *f*; ✝ (Zoll-)Befreiung *f*, Franchise *f*; *a* ~ *de*, ~ *hecha de* ausgenommen (*ac.*), mit Ausnahme von (*dat.*); *adv. por* ~ ausnahmsweise; *sin* ~ ausnahmslos, ohne Ausnahme; *hacer* ~ *de a/c.* et. ausnehmen; *hacer una* ~ e-e Ausnahme machen; *la* ~ *de la regla* die Ausnahme von der Regel; *no hay regla sin* ~ k-e Regel ohne Ausnahme, Ausnahmen bestätigen die Regel; *trato m de* ~ Vorzugsbehandlung *f*; **2.** ⚖ Einrede *f*; ~ *dilatoria* (*perentoria*) dilatorische (peremptorische) Einrede *f*; **~cional** *adj. c* außerordentlich, Ausnahme..., Sonder...; *a título* ~ ausnahmsweise; (*en*) *caso m* ~ (im) Ausnahmefall *m*; **~cionalmente** *adv.* ausnahmsweise; äußerst, ganz besonders; **~tivo** ⚖ *adj.* Ausnahme...; **~to** *adv.* ausgenommen, außer (*dat.*); ~ *que* ... außer, daß ...; *estábamos todos*, ~ *ella* wir waren alle da, nur sie nicht; **~tuación** *f* Ausnahme *f*; **~tuar** [1e] **I.** *v/t.* ausnehmen, ausschließen, entbinden (von *dat.* de); ~*ando lo dicho* Besagtes ausgenommen; **II.** *v/r.* ~*se* s. ausschließen; nicht mitmachen wollen.
exce|sivamente *adv.* im Übermaß; **~sivo** *adj.* übermäßig; maßlos; überhöht (*Preis*); **~so** *m* **1.** Übermaß *n*; Zuviel *n*; ✝ Überschuß *m*, Überhang *m*; ~ *de celo* Übereifer *m*; ✝ ~ *de demanda* Nachfrageüberhang *m*; ~ *de equipaje* (✝ *de ofertas*) Über-gepäck *n* (-angebot *n*); ~ *de peso* Mehr- (*bzw.* Über-)gewicht *n*; ~ *de trabajo* Übermaß *n* an Arbeit; *con* (*od.* *en, por*) ~ übermäßig, übertrieben; *evitar* ~*s* maßhalten; *fig. pecar por* ~ des Guten zuviel tun; **2.** *oft* ~*s m/pl.* Ausschreitungen *f/pl.*; Ausschweifungen *f/pl.*
excipiente *pharm. m* Lösungsmittel *n*, Vehikel *n*.
excisión ⚕ *f* Exzision *f*.
excita|bilidad *f* Reizbarkeit *f*; **~ble** *adj. c* reizbar; **~ción** *f* Reiz *m*, Anregung *f*; *a.* ⚡, *HF* Erregung *f*; *fig.* Aufhetzung *f*; **~do** *adj.* erregt, gereizt; **~dor** *adj.-su.* erregend; *m* ⚡ Erreger *m*; **~nte I.** *adj. c* anregend; erregend; **II.** *m* ⚕ Anregungsmittel *n*; **~r I.** *vt/i.* anregen; ⚡ erregen; *HF* aussteuern; *fig.* erregen; aufregen, reizen; *Leidenschaften* schüren; an-, auf-stacheln (zu *dat.* a); aufhetzen; **II.** *v/r.* ~*se* s. aufregen, in Zorn (*od.* Erregung) geraten; **~tivo** *adj.* anregend, erregend; aufreizend, verführerisch.
exclama|ción *f* **1.** Ausruf *m*; ~ *de júbilo* Jubelschrei *m*; **2.** *Gram.* Ausrufezeichen *n*; **~r** *vt/i.* (aus)rufen, schreien; **~tivo**, **~torio** *adj.* kraftvoll tönend (*Stimme*); *tono m* ~ Rufton *m*, Tonfall *m* des Ausrufs.
exclaustra|do *m* aus dem Kloster entlassene(r) Geistliche(r) *m*; **~r** *v/t.* aus dem Kloster entlassen.
exclave ⚖ *m* Exklave *f*; ~ *aduanero* Zollausschluß(gebiet *n*) *m*.
exclu|ir [3g] **I.** *v/t.* ausschließen (von, aus *dat.* de); ausschalten, ausscheiden; verwerfen; **II.** *v/r.* ~*se* s. ausschließen; **~sión** *f* Ausschluß *m*; Ausschaltung *f*, Ausstoßung *f*; *con* ~ *de* unter Ausschluß von (*dat.*),

mit Ausnahme von (*dat.*); **~siva** *f* **1.** Allein(vertretungs)recht *n*; ~ (*de venta*, ~ *para la venta de un producto*) Alleinverkauf(srecht *n*) *m*; ~ *cinematográfica* Verfilmungsrechte *n/pl.*; **2.** *ecl.* Exklusive *f*; **3.** † → *veto*; **~sivamente** *adv.* ausschließlich, allein; **~sive** *adv.* ausschließlich; mit Ausschluß von (*dat.*); nicht inbegriffen; **~sivismo** *m* **1.** Ausschließlichkeit *f*; Einseitigkeit *f*; **2.** Exklusivität *f*; Cliquengeist *m*; **~sivista I.** *adj. c* Exklusivitäts..., Kasten...; *espíritu m* ~ Kasten- *bzw.* Cliquen-geist *m*; **II.** *c* Anhänger *m* der Exklusivität; **~sivo** *adj.* ausschließlich, Exklusiv..., Allein...; *foto f* ~*a* Exklusivphoto *n*; *representante m* ~ Alleinvertreter *m*; **~so** ⚡ *part. irr. zu excluir.*

excombatiente *m* (ehemaliger) Kriegsteilnehmer *m*.

excomu|lgado I. *m* Exkommunizierte(r) *m*; **II.** *adj. fig.* abgrundschlecht, teuflisch; **~lgar** [1h] *v/t.* exkommunizieren; *fig.* ächten; **~nión** *f* Exkommunikation *f*; Bannbrief *m*.

excoria|ción ⚕ *f* Scheuerwunde *f*; Hautabschürfung *f*; **~r** [1b] **I.** *v/t.* auf-, wund-scheuern; **II.** *v/r.* ~*se* s. die Haut aufscheuern, wund werden.

excre|cencia *f* Auswuchs *m*, Wucherung *f*; **~ción** *Physiol. f* Ausscheidung *f*; **~mentar** *v/i.* den Darm (*bzw.* Darm u. Blase) entleeren; **~menticio** *adj.* Kot..., Exkrement...; **~mento** *m* Kot *m*; *a.* ~*s m/pl.* Ausscheidung(en) *f*(*/pl.*), Exkrement(e) *n*(*/pl.*); *Jgdw.* Losung *f*; **~tar** *Physiol. vt/i.* → *excrementar*; aus-scheiden, -sondern; **~tor(io)** *Anat. adj.* Ausscheidungs...

exculpa|ble *adj. c* entschuldbar; zu rechtfertigen(d); **~r** *v/t.* von Schuld befreien; rechtfertigen.

excursi|ón *f* Ausflug *m*; 🕮 Exkursion *f*; ~ (*a pie*) Wanderung *f*; ~ (*en coche*) Autotour *f*; *ir de* ~ e-n Ausflug (*bzw.* 🕮 e-e Exkursion) machen; **~onear** F *v/i.* Ausflüge machen; wandern; **~onismo** *m* Wander-sport *m*; -wesen *n*; Ausflugsbetrieb *m*; **~onista** *c* Ausflügler *m*; Wanderer *m*; Fahrten- *bzw.* 🕮 Exkursions-teilnehmer *m*.

excusa *f* Entschuldigung(sgrund *m*) *f*; Rechtfertigung *f*; Ausrede *f*; *dar* (*od. presentar*) *sus* ~*s* (*a alg.*) s. (bei j-m) entschuldigen; *le presento mis* ~*s* entschuldigen Sie bitte; **~ble** *adj. c* entschuldbar; **~damente** *adv.* überflüssiger-, unnötiger-weise; **~do I.** *adj.* **1.** überflüssig, unnötig; ~ *es decirlo* es ist selbstverständlich; **2.** steuerfrei; **3.** geheim, verborgen; *puerta f* ~*a* Geheimtür *f*; **II.** *m* **4.** † Abort *m*; **5.** *hist.* Königszehnt *m* (*Abgabe*); **~dor** *m* Stellvertreter *m*, Ersatzmann *m*; Pfarrverweser *m*; **~r I.** *v/t.* **1.** entschuldigen (bei *dat. con*); **2.** vermeiden; ~ *a alg. a/c.* j-m et. ersparen (*od.* erlassen); *no* ~ *gastos* k-e Kosten scheuen; ~ + *inf.* nicht (erst) zu + *inf.* brauchen; *excuso decirte* ... ich brauche dir nicht erst zu sagen ...; *le llamas por teléfono y excusas ir* ruf' ihn doch an, dann brauchst du nicht hinzugehen; **3.** verweigern, ablehnen; **4.** *hist.* von Abgaben befreien; **II.** *v/r.* ~*se* **5.** s. entschuldigen (dafür, daß + *ind. de, por* + *inf.*); ~*se de asistir a la sesión* s. für sein Fernbleiben entschuldigen; *Verw.*, ⚖ ~*se de Amt* ablehnen.

excusión ⚖ *f*: *beneficio m de* ~ Einrede *f* der Vorausklage.

execra|ble *adj. c* abscheulich, verdammenswert; **~ción** *f* **1.** *Rel.* Exsekration *f*; **2.** Verfluchung *f*, Verwünschung *f*; Fluch *m*; Abscheu *m*; **~ndo** *adj.* → *execrable*; **~r** *v/t.* **1.** *Rel.* exsekrieren; **2.** verdammen, verfluchen; verabscheuen; **~torio** *adj.* Fluch...

exedra ⌂ *f* Exedra *f*.

exégesis *f* Exegese *f*, (Bibel-)Auslegung *f*.

exe|geta *m* Exeget *m*; *p. ext.* Ausleger *m*, Deuter *m*; **~gético** *adj.* exegetisch; deutend.

exen|ción *f* Befreiung *f v. Verpflichtungen*; Freistellung *f vom Wehrdienst* ~ *de derechos de aduana* (~ *de impuestos*) Zoll- (Steuer-)freiheit *f*; **~tar(se)** *v/t.* (*v/r.*) → *eximir(se)*; **~to** *adj.* **1.** ~ *de* frei (*od.* befreit) von (*dat.*); *in Zssgn.* ...frei; ~ *de cargas* lastenfrei; ~ *de esperanzas* ohne Hoffnung, hoffnungslos; *estar* ~ *de la jurisdicción local* der örtlichen Gerichtsbarkeit entzogen sein; ~ *de toda responsabilidad* aller Verantwortung enthoben; **2.** ⌂ freistehend (*Säule, Gebäude*).

exequátur *m* **1.** *Dipl.* Exequatur *n*; **2.** ⚖ Vollstreckbarkeitserklärung *f b. Zwangsvollstreckung*.

exequias *f/pl.* Begräbnisfeierlichkeiten *f/pl.*, Exequien *pl.*

exfolia|ción *f Min.*, ⊕ Abblättern *n* (*Gestein, Putz*); ⚕ Exfoliation *f*; **~dor** *adj.-su. m Col., Chi., Méj.* Abreißkalender *m*; **~r** [1b] **I.** *v/t.* abblättern; **II.** *v/r.* ~*se* abschilfern; abblättern.

exhala|ción *f* **1.** Ausdünstung *f*, Ausströmung *f*; Duft *f*; **2.** Sternschnuppe *f*; Blitz *m*; *fig. lit. en una* ~ im Nu; **~r I.** *v/t.* ausdünsten, ausströmen; *Seufzer, Klagen* ausstoßen; ~ *el último suspiro* sterben; **II.** *v/r.* ~*se fig.* laufen, enteilen; (schnell) verschwinden; ~*se por* heftiges Verlangen haben nach (*dat.*).

exhaus|tivo *adj. a.fig.* erschöpfend; vollständig; **~to** *adj. a. fig.* erschöpft; matt, kraftlos; **~tor** ⊕ *m* Exhaustor *m*.

exheredar *v/t.* enterben.

exhibi|ción *f* **1.** Vorlegen *n*, Vorlage *f*; Vorlage *f od.* Beibringung *f v. Beweisen*; **2.** Ausstellung *f*, Schau *f*; Vorführung *f*; ~ *de cuadros* Gemäldeausstellung *f*; ~ *individual* Einzelauftritt *m*, *z. B.* Einzelschaulauf *m*, Solo *n* (*Eiskunstlaufen*); ~*ones f/pl. artísticas* Artistik *f* (*Varieté, Zirkus*); **3.** ⚕ Exhibition *f*; **~cionismo** *m* ⚕ Exhibitionismus *m*; *fig.* (krankhafte) Sucht *f*, (um jeden Preis) aufzufallen; **~cionista** ⚕ *c* Exhibitionist *m*; **~r** *v/t.* **1.** *Dokumente,* ⚖ *Beweise usw.* vor-zeigen, -legen, -weisen; **2.** *Waren* ausstellen; vorführen; zur Schau stellen (*a. fig. desp.*).

exhor|tación *f* Ermahnung *f*, Aufforderung *f*, Zureden *n*; ~ *a la penitencia* Mahnung *f* zur Buße, Bußpredigt *f*; **~tar** *v/t.* (er)mahnen, aufmuntern, auffordern (zu + *inf. od.* + *dat. a* + *inf. od.* + *su.*); **~tativo, ~tatorio** *adj.* Ermahnungs..., Mahn...; *Gram. oración f* ~*a* Aufforderungssatz *m*; **~to** ⚖ *m* (*bsd.* Rechtshilfe-)Ersuchen *n an ein gleichgeordnetes Gericht*.

exhuma|ción *f* Exhumierung *f*, Ausgrabung *f*; **~r** *v/t. Leiche* exhumieren; *fig.* (s.) an *Vergessenes* wieder erinnern.

exi|gencia *f* **1.** Forderung *f*, Anspruch *m*; ~ (*exagerada*) Zumutung *f*; *tener muchas* ~*s* sehr anspruchsvoll sein, viele Ansprüche stellen; **2.** Erfordernis *n*, Bedarf *m*; Anforderungen *f/pl.*; **~gente** *adj. c* anspruchsvoll; unbescheiden; *ser* ~ (große) Ansprüche stellen; *no seamos* ~*s* verlangen wir nicht zu viel; **~gible** ✝, ⚖ *adj. c* einklagbar, eintreibbar; fällig; **~gir** [3c] *v/t.* **1.** fordern, verlangen; *Steuern* eintreiben; ~ *a/c. de* (*od. a*) *alg.* bei j-m auf et. (*ac.*) dringen, j-n an et. (*ac.*) mahnen; et. von j-m fordern; **2.** erfordern.

exi|güidad *f* Geringfügigkeit *f*; Winzigkeit *f*; **~guo** *adj.* (zu) klein, winzig; geringfügig; kärglich.

exi|l(i)ado *adj.-su.* landesverwiesen; *m* Landesverwiesene(r) *m*; **~l(i)ar I.** *v/t.* des Landes verweisen; **II.** *v/r.* ~*se* ins Exil gehen; **~lio** *m* Exil *n*; *en* ~ im Exil.

exi|mente ⚖ *adj. c* straf- *od.* schuldausschließend; *circunstancias f/pl.* ~*s* Schuldausschließungsgründe *m/pl.*; **~mir I.** *v/t.*: ~ *a alg. de* j-n *e-r Verantwortung, e-r Verpflichtung* entheben; j-n *v. e-r Pflicht* befreien; **II.** *v/r.* ~*se de* s. *e-r Sache* entziehen, s. von *et.* (*dat.*) freimachen.

existen|cia *f* **1.** Dasein *n*, Leben *n*, Existenz *f*; Bestehen *n*, Vorhandensein *n*; **2.** ✝ ~*s f/pl.* Bestände *m/pl.*; ~*s en almacén* Lagerbestände *m/pl.*; (Waren-)Vorrat *m*; *en* ~ vorrätig; ~ *de piezas de recambio* Ersatzteilhaltung *f*; *en tanto queden* ~*s* solange der Vorrat reicht; *vender* (*od. agotar*) *las* ~*s* das Lager räumen; **~cial** *adj. c* existentiell; Existential...; **~cialismo** *Phil., Lit. m* Existentialismus *m*; **~cialista** *adj.-su. c* existentialistisch; *m* Existentialist *m*; **~te I.** *adj. c* bestehend, vorhanden, existent; **II.** *m Phil.* Daseiende(r) *m*.

existir *v/i.* existieren, dasein, bestehen; leben; vorhanden sein; *no existe das* (*bzw.* den *usw.*) gibt es nicht.

éxito *m* Ausgang *m*; Erfolg *m*; ♪ (Erfolgs-)Schlager *m*; *adv. con* (*buen*) ~ erfolgreich, mit Erfolg; *sin* ~ erfolglos; ~ *de taquilla* Kassenerfolg *m*, -schlager *m*; ~ *de venta* Verkaufsschlager *m*; *tener mal* ~ k-n Erfolg haben, scheitern; ein Mißerfolg sein; *tener un gran* ~ *de risa* Lachstürme hervorrufen.

ex libris *m* Exlibris *n*, Buchzeichen *n*.

éxodo *m bibl. u. fig.* Exodus *m*; *fig.* Auszug *m*; ~ *rural* Landflucht *f*.
exoesqueleto *Biol. m* Hautskelett *n*.
exoftalmía ⚕ *f* Exophthalmus *m*.
exógeno 🕮 *adj.* exogen.
exonera|ción *f* Entlastung *f*, Befreiung *f*; Enthebung *f*, Absetzung *f*; **~r** *v/t.* **1.** ~ *de* befreien, entlasten von (*dat.*); **2.** ~ *de un empleo* aus e-m Amt entlassen; e-s Postens entheben.
exorbitan|cia *f* Übermaß *n*; **~te** *adj. c* übertrieben, unmäßig; überhöht, unerschwinglich (*Preis*).
exor|cismo *m* Geisterbeschwörung *f*, Exorzismus *m*; **~cista** *m* Geisterbeschwörer *m*; *kath.* Exorzist *m*; **~cizar** [1f] *v/t. Geister, Teufel* beschwören, austreiben.
exor|dio *lit. m* Einleitung *f*, Exordium *n* (*lt.*); **~nar** *lit. v/t. bsd. Reden* ausschmücken.
exósmosis ⚗ *f* Exosmose *f*.
exotér|ico 🕮 *adj.* exoterisch; allgemein verständlich; **~mico** ⚗ *adj.* exotherm, Wärme freigebend.
exoticidad *f* → *exotiquez*.
exótico *adj.* exotisch; fremd(artig).
exoti|quez *f* exotische Art *f* (*bzw.* Herkunft *f*); Fremdartigkeit *f*; **~smo** *m* Exotik *f*; Vorliebe *f* für Exotik.
expan|dir ✎ *v/t. Gedanken* verbreiten; *Reich* ausdehnen; **~sibilidad** *f* (Aus-)Dehnbarkeit *f*; **~sible** *adj. c* (aus)dehnbar, 🕮 expansibel; **~sión** *f* **1.** *Pol.*, ✝, ⚗, ⊕ Ausdehnung *f*, Expansion *f*; Ausweitung *f*; ~ *económica* Wirtschaftsexpansion *f*; *Pol. hist.* ~ *hacia el Este* Drang *m* nach Osten; **2.** vertrauliche Mitteilung *f*; Gefühlserguß *m*, Überschwang *m*; Mitteilsamkeit *f*; **3.** Entspannung *f*, Ablenkung *f*; **~sionarse** *v/r.* **1.** sein Herz ausschütten; **2.** ausspannen; **~sionismo** *m* Expansionsdrang *m* (*bsd. Pol.*, ✝); **~sivo** *adj.* **1.** (s.) ausdehnend, expansiv; Ausdehnungs...; *fuerza f* **~a** Ausdehnungs-, Spannkraft *f*; **2.** *fig.* mitteilsam, offen; herzlich; überschwenglich.
expatria|ción *f* Landesverweisung *f*; Auswanderung *f*; **~r** [1b] **I.** *v/t.* des Landes verweisen; **II.** *v/r.* **~se** außer Landes gehen.
expec|tación *f* Erwartung *f*; ⚕, *Vers.* ~ *de vida* Lebenserwartung *f*; *lleno de* ~ erwartungsvoll; **~tante** *adj. c a.* ⚕ abwartend; ⚖ zu erwarten(d), anstehend; **~tativa** *f* sichere Erwartung *f*; Anwartschaft *f* (auf *ac. de*); *estar a la* ~ s. abwartend verhalten; *estar en la* ~ *de* Anwärter sein auf (*ac.*); *tener buenas* **~s** gute Aussichten haben.
expecto|ración ⚕ *f* Auswurf *m*; Aushusten *n*; **~rante** ⚕ *m* schleimlösendes Mittel *n*; **~rar** ⚕ *vt/i.* (aus)husten, auswerfen.
expedi|ción *f* **1.** Beförderung *f*; Versand *m*, Versendung *f*, Spedition *f*; Sendung *f*; ~ *por carretera* (*por tierra*) Versand *m* per Achse (auf dem Landwege); ~ *por ferrocarril* Versand *m* mit der Eisenbahn; *casa f de* ~ **a)** Speditionsfirma *f*; **b)** Versand-haus *n*, -firma *f*; *pronto* (*od. listo*) *para la* ~ versandbereit; **2.** Ausfertigung *f e-r Urkunde*; **3.** Expedition *f*; ~ (*militar*) Feld-, Kriegs-zug *m*; ~ (*científica*) (wissenschaftliche) Expedition *f*, Forschungsreise *f*; **4.** *ecl.* Schreiben *n* der römischen Kurie; **5.** Geschicklichkeit *f*, Fixigkeit *f* F; **~cionario** *adj.-su.* Expeditionsteilnehmer *m*; *cuerpo m* ~ Expeditionskorps *n*; **~dor** *adj.-su.* **1.** Versender *m*, Absender *m*; **2.** Aussteller *m v. Dokumenten*.
expedien|tar ⚖ *v/t.*: ~ *a alg.* gg. j-n ein Verfahren eröffnen; **~te** *m* **1.** Verwaltungssache *f*; Rechtssache *f*; Akt(e) *m* (*f*); Akten(vorgang *m*) *f/pl.*; Protokoll *n*; ~ *personal* Personalakten *f/pl.*; *gastos m/pl. de* ~ Bearbeitungsgebühr *f*; *formar* (*od. instruir*) ~ *a alg.* gg. j-n e-e amtliche Untersuchung einleiten; *instruir* (*un*) ~ *a.* alles Nötige veranlassen; s. alle Unterlagen verschaffen; *dar* ~ *a et.* rasch erledigen; **2.** Eingabe *f*, Gesuch *n*; Antrag *m* (auf *ac. de*); *formar* ~ e-n Antrag stellen; **3.** Hilfsmittel *n*, Behelf *m*, Ausweg *m*; Vorwand *m*, Ausflucht *f*; *fig. cubrir el* ~ nur das Nötigste tun, den Schein wahren, s. kein Bein ausreißen F; **4.** Geschicklichkeit *f*; **~teo** *desp. m* Akten-, Papier-kram *m*; Papierkrieg *m*.
expedi|r [3l] *v/t.* **1.** ab-, ver-senden; ver-frachten, -laden; verschiffen; (ab-, ver-)schicken; *Verw.* abfertigen; **2.** *Angelegenheit* erledigen; **3.** ⚖, ✝ ausstellen, ausfertigen; ⚕ *Rezept* ausschreiben; **~tivo** *adj.* schnell, ohne Umstände; geschäftig, fix F; findig; *procedimiento m* ~ Schnellverfahren *n*; **~to** *adj.* **1.** schnell (zupackend) *b. der Arbeit*; rasch entschlossen; **2.** frei (*Weg u. ä.*).
expeler *v/t.* **1.** vertreiben, verjagen; **2.** ausspritzen; ausstoßen, auswerfen (*a.* ⚕ *Blut, Schleim*); ~ *los excrementos* den Darm entleeren; misten (*Vieh*).
expen|dedor *m* **1.** Verkäufer *m*; ⚖ ~ (*de moneda falsa*) Verbreiter *m* von Falschgeld; **2.** ~ (*automático*) *de bebidas* Getränkeautomat *m*; **~deduría** *f* Verkauf(sstelle *f*) *m*, Ausgabe(stelle) *f*; ~ *de tabacos* Tabakgeschäft *n*, *östr.* Trafik *f*; **~der I.** *v/t.* ausgeben; verkaufen, vertreiben; **II.** *vt/i.* (Falschgeld) in Verkehr bringen; **~dición** *f* Abgabe *f*, Ausgabe *f*, Verkauf *m bsd. v. Regiewaren, Losen usw.*; ⚖ Inverkehrbringen *n* von Falschgeld; **~sas** *f/pl.* (Gerichts-)Kosten *pl.*; *a* ~ *de* auf Kosten (*gen. od.* von *dat.*).
experiencia *f* **1.** Erfahrung *f*; ~ *profesional* Berufserfahrung *f*; ~ *en el servicio* (*bzw. en los talleres*) Betriebserfahrung *f*; *de* ~ erfahren; (*saber*) *por* ~ aus Erfahrung (wissen); **2.** Versuch *m*; ✓ ~ *de cultivo* Anbauversuch *m*.
experimen|tación *f* Experimentieren *n*; (empirische) Forschung *f*; *animal m de* ~ Versuchstier *n*; **~tado** *adj.* **1.** erfahren (in *dat. en*); **2.** erprobt, bewährt; *es cosa* **~a** *que ...* es ist e-e alte Erfahrung, daß ...; **~tador** *m* Experimentator *m*; *fig.* Erste(r) *m*, Bahnbrecher *m*; **~tal** *adj. c* experimentell; Experimental..., Versuchs...; *física f* ~ Experimentalphysik *f*; **~talmente** *adv.* **1.** experimentell, durch Versuche; **2.** durch Erfahrung; **~tar I.** *v/t.* **1.** erproben, (aus)probieren; **2.** erfahren, erleben; erleiden; *los precios experimentan un alza* (*una baja*) die Preise steigen (fallen); **3.** empfinden, fühlen, spüren; **II.** *v/i.* **4.** experimentieren; **~to** *m* Experiment *n*, Versuch *m*; ~ *en un animal* Tierversuch *m*; *hacer* **~s** experimentieren.
experto *adj.-su.* erfahren, sachkundig; *m* Fachmann *m* (*pl.* Fachleute), Sachverständige(r) *m*, Experte *m*; ~ *en ...* ...-Sachverständige(r) *m*, -Fachmann *m*.
expia|ción *f* Ab-, Ver-büßen *n*; Sühne *f* (für *ac. de*); **~r** [1c] *v/t.* sühnen; *Strafe* ab-, ver-büßen; büßen für (*ac.*); **~torio** *adj.* Sühn(e)...
expi|ración *f* Ablauf *m e-r Frist*; Erlöschen *n*, Schluß *m*; Tod *m*; **~rante** *adj. c* ablaufend; erlöschend; **~rar** *v/i.* sterben; verklingen (*Ton*); ablaufen, erlöschen (*Frist*).
explana|ción *f* **1.** Einebnung *f*, Nivellierung *f*, Planierung *f*; **2.** Erläuterung *f*, Erklärung *f*; **~da** *f* **1.** (eingeebnetes) Gelände *n*; (freier) Platz *m*, Vorplatz *m*, Esplanade *f*; **2.** *fort.* **a)** Glacis *n*; **b)** Mauerplattform *f*; ⚔ Geschützbettung *f*; **~dora** ⊕ *f* Flachbagger *m*; **~r** *v/t.* **1.** einebnen, nivellieren; **2.** erläutern, erklären.
explaya|do ▨ *adj.* mit ausgebreiteten Schwingen (*Doppeladler*); **~r I.** *v/t.* **1.** aus-dehnen, -breiten; *Blick* schweifen lassen *bzw.* weiten; **2.** darlegen; **II.** *v/r.* **~se 3.** s. ausdehnen, s. ausbreiten; **4.** s. verbreiten (*beim Reden*); s. aussprechen.
expletivo *Li. adj.* expletiv, Füll...; *partícula f* **~a** Füllwort *n*.
explica|ble *adj. c* erklärlich; **~ción** *f* Erklärung *f*, Aufschluß *m*; Erläuterung *f*; Ausea.-setzung *f*; **~ones** *f/pl.* Genugtuung *f* (von j-m fordern *pedir a alg.*); *sin dar* **~ones** ohne Begründung, ohne Angabe von Gründen; **~deras** F *f/pl.*: *tener buenas* ~ ein gutes Mundwerk haben F; **~r** [1g] **I.** *v/t.* **1.** erklären, erläutern; deuten; darlegen; *Lehrstoff* unterrichten, vortragen; *Vorlesungen* halten, lesen; **II.** *v/r.* **~se 2.** s. *et.* erklären können, *et.* begreifen; *no me lo explico* das ist mir unbegreiflich; **3.** s. äußern, s-e Meinung kundtun (über *ac. sobre*); *explícate mejor* drücke dich deutlicher (*bzw.* verständlicher) aus; **~tivo** *adj.* erläuternd; *nota f* **~a** erklärende Anmerkung *f*; Fußnote *f*.
explíci|tamente *adv.* explizite 🕮; **~to** *adj.* ausdrücklich; explizit.
explora|ción *f* **1.** Erforschung *f*; Forschung *f*; ⚔ Erkundung *f*; Aufklärung *f*; ~ *del cosmos*, ~ *del espacio*, ~ *espacial* (Welt-)Raumforschung *f*; *viaje m de* ~ Erkundungsfahrt *f*; Entdeckungs-, Forschungsreise *f*; ⚔ ~ *aérea* Luftaufklärung *f*; ⚔ ~ (*foto*)*gráfica* Bildaufklärung *f*; **2.** ⚒ Schürfung *f*; Prospektion *f*; **3.** *HF*, *Elektronik*: Abtastung *f*;

4. ⚕ Untersuchung *f*; **~dor** *m* **1.** Forscher *m*; **2.** ⚔ Aufklärer *m*; Späher *m*; **3.** *Sp.* Pfadfinder *m*; **~r** *v/t.* erforschen, *a.* ⚕ untersuchen; ausforschen; ⚔ erkunden, auskundschaften, aufklären; **~torio I.** *adj.* Forschungs...; *fig.* Sondierungs...; ⚕ *examen m* ~ orientierende (Erst-) Untersuchung *f*; **II.** *m* ⚕ Untersuchungsgerät *n*; Sonde *f*.

explo|sión *f* Explosion *f* (*a. fig.*), Bersten *n*; Sprengung *f*; *fig.* ~ *demográfica* Bevölkerungsexplosion *f*; ~ *tardía*, ~ *retardada Kfz.* Spätzündung *f*; ⚔ Spät-zünder *m*, -zerspringer *m*; *fig.* ~ *de cólera* Wutausbruch *m*; *hacer* ~ zünden (*a. Kfz.*); explodieren; **~sionar I.** *v/i.* explodieren; **II.** *v/t.* sprengen; **~siva** *Li. adj.-su. f* (*consonante f*) *~a* Verschlußlaut *m*; **~sivo I.** *adj.* explosiv; Spreng..., Explosiv...; *fuerza f ~a* Sprengkraft *f*; **II.** *m* Spreng-mittel *n*, -körper *m*; **~sor** ⚒ *m* Zünder *m*.

explota|ble *adj. c* nutzbar; urbar, anbaufähig; betriebsfähig; ⚒ abbaufähig; **~ción** *f* Ausnutzung *f*, *a. fig.* Ausbeutung *f*; Abbau *m*, Nutzung *f*; Betrieb *m*; *en* ~ in Betrieb; ~ *agrícola* **a)** landwirtschaftliche Nutzung *f*; **b)** landwirtschaftlicher Betrieb *m*; ~ *abusiva* Raubbau *m*; ⚒ ~ *subterránea* (*a cielo abierto*) Untertage- (Tage-)bau *m*; **~dor** *adj.-su. m* Nutzer *m*; *a. fig.* Ausbeuter *m*; **~r I.** *v/t.* **1.** (aus)nutzen, ausbeuten; betreiben, bewirtschaften; *Bergwerk* betreiben; **2.** *fig.* ausnützen; ausbeuten, aussaugen; **II.** *v/i.* **3.** explodieren; krepieren (*Geschoß*).

expoliar [1b] *v/t.* berauben, ausplündern.

exponencial 𝔄, *HF adj. c* Exponential...

expone|nte *adj. c-su. m* **1.** 𝔄 *u. fig.* Exponent *m*; *fig.* Maßstab *m*, Gradmesser *m*; **2.** ⚖ Antragsteller *m*; **~r** [2r] **I.** *v/t.* **1.** darlegen, vortragen; erklären; **2.** *Kind* aussetzen; *dem Licht, e-r Gefahr usw.* aussetzen; gefährden, in Gefahr bringen; aufs Spiel setzen; *Phot.* ~ (*a la luz*) belichten; ~(*se*) *a la intemperie* (s.) Wind u. Wetter aussetzen; **II.** *vt/i.* **3.** ausstellen; *kath. a. abs.* ~ (*el Santísimo Sacramento*) das Allerheiligste aussetzen.

exporta|ble *adj. c* exportfähig, ausführbar; **~ción** *f* Ausfuhr(handel *m*) *f*, Export *m*; *~ones f/pl.* Export *m*, ausgeführte Güter *n/pl.*; **~dor** *adj.-su.* Ausfuhr...; *m* Exporteur *m*, Ausfuhr-händler *m bzw.* -firma *f*; **~r** *vt/i.* ausführen, exportieren.

expo|sición *f* **1.** Ausstellung *f*; ~ *agrícola* (♀ *Universal*) Landwirtschafts- (Welt-)ausstellung *f*; ~ *ambulante* Wander-ausstellung *f*, -schau *f*; ~ *artística*, ~ *de Bellas Artes* (*industrial*) Kunst-(Gewerbe- *bzw.* Industrie-)ausstellung *f*; ~ *de jardinería y horticultura* Gartenbauausstellung *f*; **2.** Dar-stellung *f*, -legung *f*; Exposé *n*; Bericht *m*; *Thea.*, ♪ Exposition *f*; ⚖ Eingabe *f*; **3.** Lage *f im Verhältnis zu den Himmelsrichtungen*; **4.** Einsatz *m*, Gefährdung *f*; Bloßstellung *f*; *ponerse en grave* ~ s. großer Gefahr aussetzen; **5.** ~ (*de un niño*) Kindesaussetzung *f*; **6.** *Phot.* Belichtung(szeit) *f*; (*sacar una*) *foto con* ~ (e-e) Zeitaufnahme (machen); *tabla f de ~ones* Belichtungstabelle *f*; **7.** *kath.* Aussetzung *f* des Allerheiligsten; **~símetro** *Phot. m* Belichtungsmesser *m*; **~sitivo** *adj.* darlegend, erläuternd.

expósito *adj.-su. m* (*niño m*) ~ Findelkind *n*; *casa f de ~s* Findelhaus *n*.

expositor *adj.-su.* **1.** Erklärer *m*, Ausleger *m*; **2.** Aussteller *m*.

exprés I. *adj.-su. m* → *expreso*; (*café m*) ~ Espresso *m*; **II.** *m Méj.* Transportfirma *f*.

expre|sado *adj.* genannt, erwähnt; **~samente** *adv.* ausdrücklich, *lt.* expressis verbis; eigens; absichtlich; **~sar I.** *v/t.* äußern, aussprechen; ausdrücken, zum Ausdruck bringen; **II.** *v/r.* *~se* s. äußern; *~se bien* s. gut (*bzw.* verständlich) ausdrücken; *Briefstil*: *según abajo se expresa* wie (weiter) unten angeführt; **~sión** *f* **1.** *a.* ♪, *Mal.* Ausdruck *m*; Äußerung *f*; ~ *de la cara* Gesichtsausdruck *m*; *sin* ~ ausdruckslos; **2.** Ausdruck *m*, Redensart *f*, Redewendung *f*; **3.** 𝔄 Ausdruck *m*, (Glied *n* e-r) Formel *f*; ~ *radical* Wurzelausdruck *m*; **4.** Auspressen *n*, Ausdrücken *n*; **5.** *~ones f/pl.* Empfehlungen *f/pl.*, Grüße *m/pl.* (ausrichten [lassen] *dar*); **~sionismo** *Ku. m* Expressionismus *m*; **~sionista** *adj.-su.* expressionistisch; *m* Expressionist *m*; **~sivamente** *adv.* ausdrucksvoll; **~sivo** *adj.* ausdrucksvoll; herzlich; **~so I.** *adj.* ausdrücklich; **II.** *adj.-su. m* (*tren m*) ~ Schnellzug *m*, Expreß *m*; **III.** *m* ✉ Eilbote *m*; Eilbrief *m*; *por* ~ durch Eilboten; als Eilgut; **IV.** *adv.* ⚒ absichtlich.

exprimi|dera *f*, **~dero** *m*, **~dor** *m* Frucht-, Saft-, Zitronen-presse *f*; **~r** *v/t.* **1.** aus-drücken, -pressen; *fig.* aus-beuten, -nutzen; aussaugen; **2.** ausdrücken, zum Ausdruck bringen.

ex profeso *lt. adv.* mit Bedacht, eigens; absichtlich.

expropia|ción *f* Enteignung *f*, *Soz.* Expropriation *f*; ⚖ ~ *forzosa* Zwangsenteignung *f*; **~dor** *adj.-su.* Enteignungs..., enteignend; *m* Enteigner *m*; *Soz.* Expropriateur *m*; **~r** [1b] *v/t.* enteignen; *Soz.* expropriieren.

expuesto I. *part. v. exponer*; **II.** *adj.* gefährdet; ausgesetzt, preisgegeben; ⊕ ~ *a perturbaciones* störanfällig; *Phot.* (*no*) ~ (un)belichtet; *estar* ~ *al público* aufliegen (*Listen u. ä.*); *es* ~ + *inf.* es ist gefährlich (*od.* riskant), zu + *inf.*

expugna|ble ⚔ *hist. u. lit. adj. c* einnehmbar; **~ción** *f* Erstürmung *f*; **~r** ⚔ *hist. v/t. Festung usw.* erobern, erstürmen.

expul|sado *m* Vertriebene(r) *m*; **~sar** *v/t.* **1.** vertreiben; ausstoßen (aus *dat.* de); ⚖ ausweisen, abschieben; entfernen (aus *dat.* de); *Studenten* relegieren; hinauswerfen F; **2.** ⊕ aus-stoßen, -werfen; **3.** ⚕ abstoßen; **~sión** *f* **1.** Vertreibung *f*; Ausschluß *m*; ⚖ Ausweisung *f*; *Hochschule*: Relegation *f*; ~ *de la sala* Verweisung *f* aus dem Saal; **2.** ⊕ Auswerfen *n*, Ausstoß(en *n*) *m*; **3.** ⚕ Abstoßung *f*, Abgang *m*; **~so** *part. irr. v. expeler u. expulsar*; **~sor** ⊕ *m* Aus-stoßer *m*, -werfer *m*.

expur|gador *m* Zensor *m*; **~gar** [1h] *v/t. fig.* reinigen; *Buch* zensieren, aus *e-m Buch* anstößige Stellen streichen, ausmerzen; *edición f ~ada* zensierte (*od. von der Zensur* gereinigte) Ausgabe *f*; **~gatorio** *adj.-su.* reinigend; *m kath.* Index *m* (librorum prohibitorum); **~go** *fig. m* Säuberung *f*, Reinigung *f*.

exquisi|tez *f* Vorzüglichkeit *f*, Köstlichkeit *f*; Leckerbissen *m*; **~to** *adj.* vortrefflich, erlesen, köstlich, ausgezeichnet.

extasiar [1b] **I.** *v/t.* verzücken, entrücken; hinreißen; **II.** *v/r.* *~se* in Verzückung geraten, schwärmen.

éxtasis *m* Verzückung *f*, Ekstase *f*; ⚕ Stauung *f*.

extático I. *adj.* ekstatisch, verzückt, entrückt; schwärmerisch; **II.** *m* Verzückte(r) *m*, Ekstatiker *m*.

extatismo *m* Ekstase(n) *f*(*/pl.*).

extempo|ral *adj. c*, **~ráneo** *adj.* unzeitgemäß; unpassend, unangebracht.

exten|der [2g] **I.** *v/t.* **1.** ausbreiten (auf *dat. sobre*), breiten (über *ac. sobre*); recken, (aus)strecken, (aus-)dehnen; **2.** *fig.* erweitern, ausdehnen (auf *ac. a*); ~ *la vista* in die Ferne blicken, weit hinaus sehen; **3.** *Farbe* verstreichen; *Butter usw.* streichen; **4.** *Urkunde* ausfertigen; *Paß, Scheck usw.* ausstellen; **II.** *v/r.* *~se* **5.** s. ausbreiten, s. erstrecken, s. ausdehnen (bis zu *dat. od.* bis an *ac. hasta*); *sus atribuciones no se extienden a eso* dafür ist er nicht (mehr) zuständig, das fällt nicht (mehr) in s-n Zuständigkeitsbereich; **6.** s. ausbreiten; s. verbreiten; **7.** ⚔ ausschwärmen; **8.** *~se* (*sobre*) s. (über *et. ac.*) verbreiten; *~se en* s. in *Diskussionen* verlieren; **~didamente** *adv.* weit ausholend, umständlich; **~dido** *adj.* **1.** weit, ausgedehnt, weitverzweigt (*Verbindungen usw.*); **2.** ausführlich, umständlich; **3.** *Verw.*, ✝ ~ *a nombre de ...* ausgestellt auf den Namen ..., auf den Namen ... lautend.

exten|samente *adv.* weitläufig, ausführlich; **~sible** *adj. c* dehn-, streck-bar; ausdehnbar; ausziehbar; *mesa f* ~ Ausziehtisch *m*; **~sión** *f* **1.** Dehnung *f*, *a.* ⚕ Streckung *f*; Ausdehnung *f*; ⚕ *vendaje m de* ~ Streckverband *m*; **2.** Ausdehnung *f*, Umfang *m*; Fläche *f*; Dauer *f*, Länge *f*; *por* ~ in weiterem Sinne; *de gran* ~, *de mucha* ~ sehr ausgedehnt, sehr umfangreich; weitverzweigt; ~ *edificada* bebaute Fläche *f*; ~ *urbana* Stadtfläche *f*, Ausdehnung *f* der Stadt; *en toda la* ~ *de la palabra* in des Wortes weitester Bedeutung; **3.** *Tel.* Nebenstelle *f*; **4.** ~ *agrícola* landwirtschaftlicher Beratungsdienst *m*; **~sivo** *adj.* extensiv; ausdehnbar; ⚘ *cultivo m* ~ Extensivkultur *f*; *fig. hacer* ~ *a* ausdehnen auf (*ac.*); *Grüße, Dank* auch richten (*bzw.* weitergeben) an (*ac.*); **~so** *adj.* weit, ausgedehnt; eingehend, ausführlich; *adv. por* ~

ausführlich, genau; umständlich; **~sor I.** *adj.-su.* Streck...; *Anat.* (*músculo m*) ~ *m* Streckmuskel *m*, Strecker *m*; **II.** *m Sp.* Expander *m*; ⊕ Spreizhebel *m*.

extenua|ción *f* Erschöpfung *f*, Entkräftung *f*; *Rhet.* → *atenuación*; **~r** [1e] **I.** *v/t.* entkräften, erschöpfen, schwächen; **II.** *v/r.* ~*se* s. erschöpfen; s. aufreiben; ~*ado adj.* ausgemergelt; erschöpft; **~tivo** *adj.* erschöpfend.

exterio|r I. *adj. c* äußerlich; äußere(r); Außen...; *aspecto m* ~, *lo* ~ → ~ *m*; *comercio m* ~ Außenhandel *m*; † *deuda f* ~ Auslands-schuld *f*, -verschuldung *f*; *servicio m* ~ Außendienst *m*; Auslandsdienst *m*; **II.** *m* Äußere(s) *n*, äußerer Anblick *m*; Aussehen *n*; ♀ Ausland *n*; *Film*: ~*es m/pl.* Außenaufnahmen *f/pl.*; *al* ~ äußerlich; außerhalb; nach außen; **~ridad** *f* (reine) Äußerlichkeit *f*; Formalität *f*; ~*es f/pl.* äußeres Gepränge *n*; **~rizar** [1f] *v/t.* äußern, zum Ausdruck bringen; sichtbar machen; **~rmente** *adv.* äußerlich; nach außen.

extermi|nación *f* → *exterminio*; **~nador** *adj.-su.* ausrottend, vernichtend; *Rel. u. fig. ángel m* ~ Würgengel *m*; **~nar** *v/t.* vernichten, ausrotten, vertilgen; **~nio** *m* Vernichtung *f*, Ausrottung *f*.

exter|nado *m* Externat *n*; **~namente** *adv.* äußerlich; nach außen; **~no I.** *adj.* äußerlich, äußere(r), Außen...; **II.** *adj.-su.* (*alumno m*) ~ Externe(r) *m*, Außenschüler *m*.

exterritorial *u. Abl.* → *extraterritorial*.

extin|ción *f* Löschung *f* (*a.* †), Löschen *n*; † Tilgung *f*; Erlöschen *n*, Aussterben *n e-r Rasse usw.*; Versiegen *n*; Ausrottung *f*; ⚖ *a.* Untergang *m e-r Sache*; **~guir** [3d] **I.** *v/t.* (aus)löschen, *Flamme, Glut a.* ersticken; *Schulden, Haß* tilgen; *Rasse* ausrotten; *fig.* dämpfen, (ab)schwächen; **II.** *v/r.* ~*se a.* †, ⚖ *u. fig.* erlöschen; verklingen (*Ton*); abnehmen, zu Ende gehen; abklingen; † ~*ido* erloschen (*Firma*); **~to I.** *part. irr. v. extinguir*; **II.** *adj.* erloschen (*Vulkan*); **III.** *m lit.* (*u. Arg., Chi. a. adj.*) Tote(r) *m*, Verschiedene(r) *m*; **~tor** *adj.-su.* Lösch...; *m* ~ (*de incendios*) Feuerlöscher *m*, -löschgerät *n*; ~ *seco* (*de espuma*) Trocken- (Schaum-) löscher *m*.

extirpa|ble *adj. c* ausrottbar, auszurotten(d); **~ción** *f* Ausrottung *f*; ⚕ Exstirpation *f*; **~dor** *adj.-su. m* ⚘ (Tiefen-)Grubber *m*; **~r** *v/t.* ausrotten (*a. fig.*); ⚕ exstirpieren, ausräumen *fig. Mißbrauch* abstellen.

extor|sión *f* Erpressung *f*; *fig.* Störung *f*, Beeinträchtigung *f*; **~sionar** *v/t.* **1.**: ~ *a/c. a alg.* j-m et. abpressen, j-n um et. (*ac.*) erpressen; **2.** stören; beeinträchtigen.

extra I. *prp.* **1.** außer (*dat. de*); **II.** *adj. inv.* **2.** außergewöhnlich; Sonder..., Extra...; *es cosa* ~ das ist et. (ganz) Besonderes; F *horas f/pl.* ~ Überstunden *f/pl.*; F *trabajo m* ~ Nebenjob *m* F; **III.** *adv.* **3.** außerdem, zusätzlich; extra...; **IV.** *m* **4.** Sondervergütung *f*; (Lohn-) Zulage *f*; Sonderleistung *f*; ⚔ Sonderverpflegung *f*; †, *bsd. Am.* Sonderspesen *pl.*; *Kfz.* Zusatzeinrichtung *f*, Extra *n* F; **5.** *Film*: Statist *m*; **6.** F Aushilfskellner *m*.

extracción *f* **1.** Herausziehen *n*; ⚕ Ziehen *n e-s Zahns*, Extraktion *f*; ⚕ ~ *del contenido gástrico* Magenausheberung *f*; ~ *de sangre* Blutentnahme *f*; **2.** ⚗ Ausziehen *n*, Extraktion *f*; Gewinnung *f*; *a.* ⊕ Entzug *m*, Entziehung *f*; **3.** ⚒ Förderung *f*, Gewinnung *f*; ~ *por fusión* Ausschmelzverfahren *n*; **4.** Ꭿ ~ *de la raíz* Wurzelziehen *n*; **5.** Ziehung *f* (*Lotterie*).

extracorrientes ⚡ *f/pl.* Extraströme *m/pl.*

extrac|tar *v/t.* exzerpieren, aus *e-m Buch* Auszüge machen; *Buch* zs.-fassen; **~tivo** *adj.* Extraktiv...; Förder...; **~to** *m* **1.** (Text-, Rechnungs-, Konto-)Auszug *m*; *en* ~ im Auszug, auszugsweise; zs.-gefaßt; *hacer el* ~ *de una cuenta* e-n Kontoauszug machen; **2.** ⚗, *pharm.* Extrakt *m*; ~ *de carne* Fleischextrakt *m*; ~ *de Saturno* Bleizuckerlösung *f*; **~tor** *m* ⊕ Auszieher *m an Waffen*; Abzieher *m*; Absauger *m*; ⚘ Schleuder *f*; ⚕ Extrakteur *m*; *Kchk.* ~ *centrífugo de zumo* Fruchtsaftzentrifuge *f*.

extradición ⚖ *f* Auslieferung *f von Verbrechern*; *tratado m de* ~ Auslieferungsvertrag *m*; *entregar por* ~ ausliefern.

extradós *m* ⌂ Bogen-, Gewölberücken *m*; ✈ Oberflügel *m*, Oberseite *f e-s Flügels*.

extraer [2p] *v/t.* **1.** herausziehen; *Lotterielose, Zahn* ziehen; *Flüssigkeit* abziehen; *Fremdkörper* entfernen; *pharm.*, ⚗ ausziehen, extrahieren; gewinnen; ~ *por sifón* ab-, aus-hebern; **2.** *Buch usw.* exzerpieren; **3.** Ꭿ *Wurzel* ziehen; **4.** ⚒ fördern.

extra|europeo *adj* außereuropäisch; **~fino** *adj.* extra-, super-fein; **~judicial** *adj. c* außergerichtlich; **~legal** *adj. c* außergesetzlich.

extralimita|ción *f* Überschreitung *f* von Befugnissen (*bzw.* des Erlaubten); **~rse** *v/r.* s-e Befugnisse (*bzw.* die Grenzen des Erlaubten) überschreiten; s. zu viel herausnehmen; zu weit gehen.

extra|matrimonial *adj. c* außerehelich; **~muros** *adv.* außerhalb der Stadt; in der Vorstadt.

extran|jería *f* Ausländer-tum *n*; -status *m*; Fremdenpolizei *f*; **~jerismo** *m* **1.** Fremdwort *n*; **2.** Vorliebe *f* für alles Fremde; **~jerizar** [1f] **I.** *v/t.* ausländische Sitten *usw.* einführen in (*dat.*), überfremden; **II.** *v/r.* ~*se* s. ausländische Sitten aneignen; im Ausland heimisch werden; **~jero I.** *adj.* **1.** fremd, ausländisch; Auslands...; *sección f* ~*a* Auslandsabteilung *f e-r Bank usw.*; Fremdenpolizei *f*; Ausländeramt *n*; *política f* ~*a* Außenpolitik *f*; **II.** *m* **2.** Fremde(r) *m*, Ausländer *m*; *Am. a.* Argentinier *m*, Chilene *m usw., dessen Muttersprache nicht Spanisch ist*; *derecho m de* ~*s* Fremdenrecht *n*; **3.** Ausland *n*; *representación en el* ~ Auslandsvertretung *f*; *ayuda f al* ~ Auslandshilfe *f*; **~jía** F *f* → *extranjería*; *de* ~ fremd, ausländisch; sonderbar, unerwartet, seltsam; **~jis** F: *de* ~ → *de extranjía*; *adv.* heimlich, verstohlen.

extranumerario *adj.* außerordentlich (*Mitglied e-r Körperschaft*).

extra|ñamente *adv.* sonderbar, seltsam, merkwürdig; **~ñamiento** *m* **1.** Entfremdung *f*; Befremden *n*, Verwunderung *f*; **2.** Verbannung *f* (aus dem Staastgebiet); **~ñar I.** *v/t.* **1.** *K* verbannen; **2.** erstaunt sein über (*ac.*); (*no*) *lo extraño* ich wundere mich (nicht) darüber; **3.** wundern, befremden; seltsam vorkommen (*dat.*); *me extraña que* + *subj.* ich bin erstaunt, daß + *ind.*; **4.** nicht gewöhnt sein an (*ac.*); *extraño esta cama* ich bin nicht an dieses Bett gewöhnt; **5.** ~ *a alg. de alg.* j-n j-m entfremden; **6.** *Andal., Am.* vermissen; **II.** *v/r.* ~*se* **7.** ~*se de* s. über *et.* (*ac.*) wundern, erstaunt sein über (*ac.*); **~ñeza** *f* **1.** Erstaunen *n*, Verwunderung *f*; Befremden *n*; **2.** Seltsamkeit *f*; **3.** Entfremdung *f*; **~ño I.** *adj.* **1.** fremd; fremdartig, sonderbar, seltsam; *ser* ~ *a a/c.* mit et. (*dat.*) nichts zu tun haben; *no es* ~ *que* + *subj.* es ist (gar) kein Wunder, daß + *ind.*; **II.** *m* **2.** Fremde(r) *m*; **3.** *hacer un* ~ zs.-schrecken (*Pferd*).

extraoficial *adj. c* außeramtlich; offiziös.

extraordina|riamente *adv.* außerordentlich; **~rio I.** *adj.* **1.** außerordentlich; außergewöhnlich, ungewöhnlich; seltsam, merkwürdig; Sonder..., Extra...; *presupuesto m* ~ außerordentlicher Haushalt *m*, Sonderbudget *n*; **II.** *m* **2.** Extrablatt *n*, Sonderausgabe *f*; **3.** Extragericht *n*, zusätzliche Speise *f*; **4.** Eilbote(nbrief) *m*; **5.** *Am. Reg.* Trinkgeld *n*.

extra|polar Ꭿ *v/t.* extrapolieren; **~rradio** *m* **1.** Außenbezirk *m*; **2.** Taxifahrt *f* außerhalb des Stadtgebietes; **~rrápido** ⊕, † *adj.* extra-, über-schnell; **~social** *adj. c* außerhalb der gesellschaftlichen Ordnung.

extrate|rreno *adj.*, **~rrestre** *adj. c* außerirdisch; **~rritorial** *Dipl. adj. c* exterritorial; **~rritorialidad** *f* Exterritorialität *f*.

extrauterino ⚕ *adj.*: *gravidez f* ~*a* Bauchhöhlenschwangerschaft *f*.

extravagan|cia *f* Überspanntheit *f*, Extravaganz *f*; verrückte Laune *f*; **~te I.** *adj. c* überspannt, extravagant, verstiegen; wunderlich; **II.** *m* närrischer Kauz *m*, Spinner *m* F.

extra|vasarse ⚕ *v/r.* ins Zellgewebe austreten; **~venarse** ⚕ *v/r.* aus den Blutgefäßen austreten.

extraversión *f* → *extroversión*.

extra|viado *adj.* **1.** verirrt; *fig.* vom rechten Weg abgekommen; *fig. andar* ~ auf dem Holzweg sein F; **2.** verloren (*Gg.-stand*); **3.** abgelegen; **~viar** [1c] **I.** *v/t.* **1.** irreführen, vom Wege abbringen; **2.** *Gg.-stand* verlegen, verkramen F; **3.** *Blick* ins Unbestimmte schweifen lassen; **II.** *v/r.* ~*se* **4.** s. verirren; *fig.* auf Abwege geraten; **5.** abhanden kommen; *se me ha* ~*ado la carta* ich habe den Brief verlegt, der Brief

ist mir abhanden gekommen; **~vío** *m* **1.** Irregehen *n*; *fig.* Abkommen *n* vom rechten Weg; Ausschweifungen *f/pl.*; **2.** Abhandenkommen *n*; **3.** *fig.* F Unbequemlichkeit *f*, Störung *f*.
extrema|damente *adv.* überaus; übertrieben; **~do** *adj.* übermäßig; übertrieben, extrem; **~mente** *adv.* äußerst; übermäßig; **~r I.** *v/t.* übertreiben; auf die Spitze treiben; ~ *las medidas* es (in s-n Maßnahmen) übertreiben; ~ *sus súplicas* eindringlich (*od.* inständig) flehen (*od.* bitten); **II.** *v/i.* ~ *tanto que ...* es so weit treiben, daß ...; **III.** *v/r.* **~se** (*en*) s. aufs äußerste anstrengen (bei *dat. od.* zu + *inf.*).
extremaunción *kath.* *f* letzte Ölung *f*.
extremeño *adj.-su.* aus der Estremadura.
extre|midad *f* **1.** Äußerste(s) *n*; Spitze *f*, Ende *n*; **2.** *Anat.* **~es** *f/pl.* (*inferiores, superiores*) (untere, obere) Extremitäten *f/pl.*, Gliedmaßen *f/pl.*; **~mis** *lt. fig.* F: (*está*) *in* ~ (er liegt) in den letzten Zügen; (bei ihm ist) Matthäi am letzten; **~mismo** *Pol. m* Extremismus *m*; **~mista** *adj.-su. c* extremistisch, radikal; *m* Extremist *m*; **~mo I.** *adj.* **1.** äußerst, extrem, hoch(gradig); höchst; letzt; *Pol. la ~a derecha* die äußerste Rechte, die Rechtsextremen *m/pl.*; **2.** entgg.-gesetzt, gg.-sätzlich; **II.** *m* **3.** Ende *n*; Extrem *n*; *a tal* ~ soweit, so weit; *con* ~, *en* ~, *por* ~ aufs äußerste, im höchsten Grade; außerordentlich; *de* ~ *a* ~ von e-m Ende zum anderen; von Anfang bis zu Ende; *generoso al* (*od. hasta el*) ~ *de* + *inf.* so großzügig, daß + *ind.*; *llegar al último* ~ bis zum Äußersten kommen; *pasar de un* ~ *a otro* von e-m Extrem ins andere fallen; plötzlich umschlagen (*Wetter*); *los ~s se tocan* die Extreme berühren s.; **4.** (Verhandlungs-) Punkt *m*; **5.** **~s** *m/pl.* Umstände *m/pl.*; *hacer ~s* äußerste Freude (*bzw. Schmerz usw.*) zeigen; s. schrecklich anstellen F; **6.** **~s** *m/pl.* ♧ Außenglieder *n/pl. e-r Formel*; **7.** ✓ Winterweide *f der Wanderherden*; **~moso** *adj.* übereifrig; überspannt; überzärtlich.
extrínseco *adj.* äußer(lich); nicht wesentlich; † *valor m* ~ Nennwert *m*.
extrover|sión *Psych.* *f* Extraversion *f*; **~tido** *adj.-su.* extra-, extrovertiert.
exuberan|cia *f* Überfülle *f*, Üppigkeit *f*; *fig.* überschäumende Lebenskraft *f*; ~ *verbal* Wortschwall *m*; **~te** *adj. c* üppig, wuchernd; strotzend (vor *dat. de*).
exuda|ción *f* Ausschwitzen *n*; **~do** ⚕ *m* Exsudat *n*; **~r** *vt/i.* (aus-) schwitzen; **~tivo** ⚕ *adj.* exsudativ.
exulcerarse ⚕ *v/r.* schwären.
exulta|ción *f* Frohlocken *n*, Jubel *m*; **~r** *v/i.* frohlocken.
exvoto *m* Votiv-bild *n*, -tafel *f*, Weihgeschenk *n*.
eyacula|ción *Biol.* *f* Ejakulation *f*, Samenerguß *m*; **~r** *Biol. v/t.* ausspritzen, ejakulieren.
eyec|ción ⊕ *f* Auswerfen *n*; **~tiva** *Phon. f* Knacklaut *m*; **~tor** *m* Auswerfer *m b. Waffen*; ⊕ Strahlpumpe *f*; ~ *de agua* Wasserwerfer *m*; **~tor-aspirador** *m* Strahlsauger *m*.
eyrá *Zo. m Arg. e-e Wildkatze.*
ezpatadanza ♪ *f bask. Schwertertanz.*

F

F, f (= efe) *f* F, f *n*.
fa ♪ *m* F *n*; ~ *sostenido* Fis *n*; ~ *mayor* F-Dur; ~ *menor* f-Moll.
fabada *Kchk. f* asturischer Saubohneneintopf *m*.
fabla *f konventionelle* Nachahmung *f* der alten span. Sprache *in neuerer Dichtung*.
fábrica *f* **1.** Fabrik *f*, Werk *n*; en ~, ex ~ ab Werk; ~ *de azúcar* Zuckerfabrik *f*; ~ *de cal* Kalkbrennerei *f*; ~ *de cables* Kabelwerk *n*; ~ *de cerveza* Brauerei *f*; ~ *de jabón*, ~ *de jabones* Seifen-fabrik *f*, -siederei *f*; ~ *de tejidos* Weberei *f*; ~ *matriz* Stammwerk *n*; ~ *proveedora* Lieferwerk *n*; *marca f de* ~ Fabrik-marke *f*, -stempel *m*; **2.** Bau(werk *n*) *m*; Mauerwerk *n*; de ~ gemauert; *obra f de* ~ gemauertes Bauwerk *n*; **3.** Kirchen-einkünfte *f/pl. bzw.* -rücklage *f für Bau, Erhaltung u. Kultus*; Baufonds *m e-r Kirche*.
fabri|cación *f* Fabrikation *f*, Herstellung *f*; ~ *de papel* Papier-herstellung *f*, -fabrikation *f*; ~ *en (gran) serie* (Groß-)Serienfertigung *f*; ~ *en gran escala* Massen-herstellung *f*, -fertigung *f*; **~cador** *adj.-su. fig.* fabrizierend; *m* ~ *(de embustes, de enredos)* Lügenbeutel *m*; Ränkeschmied *m*; **~cante** *m* Fabrikant *m*, Hersteller *m*; **~car** [1g] *v/t.* **1.** herstellen, (an)fertigen, fabrizieren; *Bier* brauen; **2.** *fig. Lügen usw.* in die Welt setzen, erfinden; **~l** *adj. c* Fabrik(s)..., fabrikmäßig; Industrie...; *obrero m* ~ Fabrikarbeiter *m*.
fábula *f* **1.** Fabel *f*; Tierfabel *f*; **2.** Sage *f*; 2 Mythologie *f*; **3.** *die* Fabel *e-s Dramas*; **4.** Erzählung *f*; *a. fig.* Märchen *n*, Lüge *f*; **5.** ⚒ Gg.-stand *m* des Geredes (*od.* des Gespötts).
fabu|lario *m* Fabelsammlung *f*; Sagenbuch *n*; **~lista** *c* Fabeldichter *m*; **~loso** *adj. a. fig.* fabelhaft, märchenhaft; unwahrscheinlich; *animal m* ~ Fabeltier *n*; *país m* ~ Märchen-, Wunder-land *n*; *precios m/pl.* **~s** unwahrscheinlich hohe (*od.* sagenhafte F) Preise *m/pl*.
faca *f* krummes Messer *n*; *Art* Fahrtenmesser *n*.
fac|ción *f* **1.** Rotte *f*, Bande *f*; Zs.-rottung *f*; **2.** Partei(gruppe) *f*; **3.** ⚔ *estar de* ~ Dienst tun; Wache stehen; **4.** **~ones** *f/pl.* Gesichtszüge *m/pl.*; **~cionario** *adj.-su.* Partei...; *m* Parteigänger *m*; **~cioso** *adj.-su.* aufrührerisch; *m* Aufrührer *m*, Rebell *m*; Parteigänger *m*.
face|ta *f* Facette *f*, Schliffläche *f*; *fig.* Aspekt *m*, Seite *f*; *fig. tener muchas* **~s** viele Seiten haben; (sehr) schillern (*fig.*); *Ent. ojos m/pl. con* **~s** Facetten-, Netz-augen *n/pl.*; **~tada** *f* fader Witz *m*; alberner Streich *m*; **~t(e)ar** *v/t.* facettieren, schleifen.
faci|al *adj. c* **1.** *Anat.* Gesichts..., Facialis...; (*nervio m*) ~ *m* Facialis (-nerv) *m*; *ángulo m* ~ *Huxleyscher* Gesichtswinkel *m*; **2.** † intuitiv; **~es** *Anat. f* (*pl. inv.*) Gesicht *n*.
fácil *adj. c* **1.** leicht (zu machen); mühelos, bequem; es ~ (*que venga*) wahrscheinlich, möglicherweise (kommt er); es ~ *hacerlo* es ist leicht („das) zu machen; *no es* ~ es ist nicht leicht; wohl kaum, schwerlich; ~ *de aprender* leicht zu erlernen; ~ *de manejar*, *de* ~ *manejo* leicht zu handhaben; handlich; wendig (*Wagen*); ~ *de vender*, *de* ~ *venta* gängig, gutgehend (*Ware*); **2.** gefügig; (leicht) zugänglich; ~ *en creer* leichtgläubig; **3.** leichtfertig; *mujer f* ~ leichtes Mädchen *n*.
faci|lidad *f* **1.** Leichtigkeit *f*, Mühelosigkeit *f*; *con (gran)* ~ (sehr) leicht; (ganz) mühelos, mit Leichtigkeit; *hablar con* ~ geläufig sprechen; **2.** Fähigkeit *f*, Begabung *f*, Talent *n* (zu *dat.*, für *ac. para*); *tiene* ~ *para idiomas* er ist sehr sprachbegabt; ~ *de palabra* Redegewandtheit *f*; **3.** *mst.* **~es** *f/pl.* Erleichterung(en) *f*(*/pl.*), Entgegenkommen *n*; ✝ **~es** *f/pl. de pago* Zahlungserleichterungen *f/pl.*; *dar (toda clase de)* **~es** (in jeder Hinsicht) entgg.-kommen; **~lillo** *iron. adj.* nicht eben leicht; **~lísimo** *sup. adj.* ganz leicht, kinderleicht; **~litación** *f* Gewährung *f*, Bereitstellung *f von Kapital usw.*; Beschaffung *f*; **~litar** *v/t.* **1.** erleichtern; ermöglichen, fördern; **2.** be-, ver-schaffen, besorgen, zur Verfügung stellen.
fácilmente *adv.* leicht; mühelos.
facilón *adj.* allzu leicht; bequem.
facineroso *adj.-su.* ruchlos; *m* Verbrecher *m*, Bösewicht *m*.
facistol I. *m ecl.* Chorpult *n*; **II.** *adj. c Ant., Méj., Ven.* eingebildet, anmaßend.
facón *m Rpl. Art* feststehendes [Messer *n*.]
facóquero *Zo. m* Warzenschwein *n*.
facsímil(e) *m* Faksimile *n*.
facti|ble *adj. c* möglich, aus-, durchführbar; **~cio** *adj.* künstlich; Schein...; unnatürlich, ge-, erkünstelt; **~tivo** *Li. adj.* faktitiv.
facto|r *m* **1.** ✝ Agent *m*, Bevollmächtigte(r) *m*; **2.** 🚂 Gepäckmeister *m*; **3.** ⚔ Beschaffungsbeauftragte(r) *m*; Fourageoffizier *m*; **4.** *a. Biol.*, ⚕ Faktor *m*; Moment *n*, Umstand *m*; ~ *hereditario* Erbfaktor *m*; ~ *Rhesus* Rhesusfaktor *m*; **5.** ⚒ Urheber *m*; **~raje** *m* Amt *n* u. Geschäft *n* e-s *factor*; **~ría** *f* **1.** Handelsniederlassung *f*, Faktorei *f*; **2.** Werk *n*, Fabrik *f*; **3.** → *factoraje*; **~rial** ⚕ *f* Fakultät *f*.
factótum *m* Faktotum *n*, Mädchen *n* für alles F; rechte Hand *f* (*fig.*).
factura *f* **1.** ✝ Faktur(a) *f*, (Waren-) Rechnung *f*; ~ *consular* Konsulatsfaktura *f*; ~ *de envío*, ~ *de expedición* Versandrechnung *f*; ~ *proforma* Proformarechnung *f*; *precio m de* ~ Rechnungspreis *m*; **2.** *bsd. Mal.* Ausführung *f*; ⚒ Herstellung *f*; **3.** *Arg. Art* Milchbrötchen *n*; **~ción** *f* ✝ Berechnung *f*, Fakturierung *f*; 🚂 (Gepäck-)Aufgabe *f*; **~r** *v/t.* ✝ fakturieren, e-e Rechnung ausstellen über (*ac.*); 🚂 *Gepäck* aufgeben.
fácula *Astr. f* Sonnenfackel *f*.
faculta|d *f* **1.** Fähigkeit *f*; Befähigung *f*; Kraft *f*; **~es** *f/pl.* Geistesgaben *f/pl.*; Begabung *f*, Können *n*; ~ *auditiva* Hörfähigkeit *f*; (*no*) *estar en plena posesión de sus* **~es** (nicht) im vollen Besitz s-r geistigen Kräfte sein; **2.** Berechtigung *f*, Befugnis *f*; *está en su* ~ + *inf.* er ist (dazu) berechtigt, zu + *inf.*, er kann + *inf.*; *tener* ~ *para* (*od.* de) + *inf.* befugt sein zu + *dat. od.* + *inf.*; **3.** *Univ.* Fakultät *f*; ~ *de Filosofía y Letras* Philosophische Fakultät *f*; **4.** *hist.* Privileg *n*; **5.** *hist.* Hof-ärzte und -apotheker *m/pl.*; **~r** *v/t.* ~ *a alg. para* j-n ermächtigen (*od.* befähigen *od.* befugen) zu + *dat. od.* + *inf.*; **~tivamente** *adv.* **1.** fachgerecht; wissenschaftlich richtig; **2.** nach Belieben; **~tivo I.** *adj.* **1.** fakultativ, beliebig, freiwillig; wahlfrei (*Unterricht*); **2.** ärztlich, medizinisch; **3.** Fakultäts..., Fach...; **4.** Ermächtigungs...; **II.** *m* **5.** Arzt *m*, Mediziner *m*; **6.** (*funcionario m*) ~ Beamte(r) *m* des höheren Dienstes.
facun|dia *f* Redegewandtheit *f*; Redseligkeit *f*; **~do** *adj.* redegewandt; beredt; redselig.
facha I. *f* **1.** F Aussehen *n*; Aufzug *m* F; *tener buena* ~ gut aussehen; *tener mala* ~ übel (*od.* verdächtig) aussehen; *estar hecho una* ~ schlecht (*od.* lächerlich) aussehen; **2.** ⚓ *ponerse en* ~ beidrehen; *fig.* F s. in Positur stellen; **II.** *m* **3.** *desp.* Faschist *m*; **~da** *f* Vorder-, Außenseite *f*, *a. fig.* Fassade *f*; ~ *principal* Straßen-seite *f*, -front *f e-s Gebäudes*; *la casa hace* ~ *a la plaza* das Haus liegt dem Marktplatz gg.-über; F *tener gran* ~ gut (*od.* statt-

lich) aussehen; **~do** F *adj.*: *estar* (*od. ser*) *bien* (*mal*) ~ gut (schlecht) aussehen; e-e gute (schlechte) Figur haben (*Frau*).
fachear ⚓ *v/i.* beidrehen.
fachen|da F *f* Eitelkeit *f*; Prahlerei *f*, Angabe *f* F; **~dear** F *v/i.* prahlen, protzen, angeben F; **~dista** *c*, **~dón, ~doso** *adj.-su.* prahlerisch; *m* Aufschneider *m*, Angeber *m* F.
fachoso F *adj.* häßlich; lächerlich (aussehend); *Chi.*, *Méj.* → *fachendoso*; *Pe.* anmutig.
fachudo *adj.* → *fachoso*; lächerlich gekleidet.
fading *Rf. m* Schwund *m*, Fading *n*.
fadista P *m Arg.* Zuhälter *m*.
fado ♪ *m* Fado *m* (*portugiesisches Volkslied*).
fae|na *f* **1.** (*bsd.* körperliche) Arbeit *f*; *fig.* harte Arbeit *f*, Plackerei *f*; ~(*s f/pl. domésticas*) Hausarbeit *f*; ~*s f/pl. agrícolas* Feldarbeit *f*; *mujer f de* ~*s* Putzfrau *f*; **2.** *Stk.* Muletaarbeit *f* (*Phase des Stk.*); **3.** *hacer una* ~ *a alg.* j-m e-n üblen Streich spielen, j-m übel mitspielen; **4.** ⛏ *Cu.*, *Guat.*, *Méj.* Zusatzarbeit *f*, Sonderschicht *f*; **5.** *Arg.* Schlachten *n von Großvieh*; **~nar** *v/t. Rpl. Vieh* schlachten; **~nero** *m Andal.*, *Am. Reg.* Ernte-, Land-arbeiter *m*.
faenza *f* Fayence *f*.
faetón *m offener vierrädriger* Pferdewagen *m*.
fagocitos ⚕ *m/pl.* Phagozyten *f/pl.*
fago|t(e) ♪ *m* **1.** Fagott *n*; **2.** → **~tista** *c* Fagottist *m*.
fai|sán *Vo. m* Fasan *m*; **~sana** *Vo. f* Fasanenhenne *f*; **~saner(í)a** *f* Fasanerie *f*.
faitón *m Arg.* → *faetón*.
faja *f* **1.** Binde *f*; Band *n*; Schärpe *f*; Leibbinde *f*; Gurt *m*; Hüftgürtel *m*; Zigarrenbinde *f*; ~*s f/pl.* (*para las piernas*) Wickelgamaschen *f/pl.*; **2.** Streifen *m*; Abschnitt *m*; Streif *m*; *Vkw.* Fahrstreifen *m*, Spur *f*; ~ *luminosa* Lichtstreif *m*; ~ *de tierra* Landstrich *m*; ~ *de terreno* Gelände-streifen *m*, -abschnitt *m*; *Vkw.* ~ *de aparcamiento* Park-streifen *m*, -spur *f*; **3.** ✉ (*bajo*) ~ (unter) Kreuzband *n*; **4.** Δ Fries *m*; Leiste *f*; Band(gesims) *n*; **5.** ▨ Balken *m*.
fajado ⚒ *m* Stempel *m*, Gruben-[holz *n*.]
fajar I. *v/t.* mit Binden umwickeln; *Säugling* wickeln; F *Hieb* versetzen; F *P. Ri.* anpumpen; **II.** *v/i.* ~ *con alg.* j-n anfallen, j-n angreifen.
fajero *m* (gestricktes) Wickelzeug *n für Säuglinge*.
fajilla ✉ *f Am.* Kreuzband *n*.
fajín *m* (Amts-, Generals-, Diplomaten-)Schärpe *f*.
fajina *f* **1.** Reisigbündel *n*; Garbenhaufen *m auf der Tenne*; **2.** *a. fort.* Faschine *f*; ⚔ *Hornruf*: Essen fassen!; † Zapfenstreich *m*; **~da** *fort. f* Faschinen(werk *n*) *f/pl.*
fajo *m* **1.** Bündel *n* (*Papier usw.*); ~*s m/pl.* Windeln *f/pl.*; **2.** *Am. Reg.* Schluck *m* Schnaps.
fajol ⚘ *m* Buchweizen *m*.
fajón Δ *m* Fenster-, Tür-gesims *n*.
fakir *m* Fakir *m*.
falacia *f* Trug *m*; Betrug *m*.
falan|ge *f* **1.** ⚔ *hist. u. fig.* Phalanx *f*; *lit.* Heer(schar *f*) *n*; **2.** *Pol. Span.* ♀ (*Española Tradicionalista y de las JONS*) Falange *f* (*span. Staatspartei*); **3.** *Anat.* Finger-, Zehen-glied *n*, Phalanx *f*; **~geta** *Anat. f* drittes Fingerglied *n*; **~gina** *Anat. f* zweites Finger- *bzw.* Zehen-glied *n*; **~gio** *Ent. m* Schneider *m*; **~gista I.** *adj. c Pol.* falangistisch; **II.** *m Pol.* Falangist *m*; *hist. u. fig.* Kämpfer *m* e-r Phalanx.
falaris *Vo. f* (*pl. inv.*) Bläßhuhn *n*.
falaz *adj. c* (*pl.* ~*aces*) (be)trügerisch; **~mente** *adv.* täuschend; betrügerisch; gleisnerisch.
falca *f* **1.** ⚓ Setzbord *n*; **2.** Keil *m*; **~do** *adj.* sichelförmig; *hist.* ⚔ *carro m* ~ Sichelwagen *m*; **~r** [1g] *v/t.* verkeilen.
falci|forme *adj. c* sichelförmig; **~nelo** *Vo. m* Sichelreiher *m*.
fal|cón *hist.* ⚔ *m* Falkaune *f*; **~conete** *hist.* ⚔ *m* Falkonett *n*; **~cónidas** *Vo. f/pl.* Falkenvögel *m/pl.*
falda *f* **1.** Frauenrock *m*; (Rock-) Schoß *m*; **2.** Berghang *m*; Fuß *m e-s Berges*; **3.** (*bsd.* breite) Hutkrempe *f*; **4.** *Kchk.* Bauch(fleisch *n*) *m*; **5.** ⊕ Stulp *m*, Manschette *f*; *Typ.* Seitensteg *m*; **6.** F ~*s f/pl.* Frauen *f/pl.*; *cuestión de* ~*s* Weibergeschichten *f/pl.*; *ser muy aficionado a las* ~*s* ein (großer) Schürzenjäger sein; **~menta** *f* **~mento** *m desp.* F langer (und unschöner) Rock *m*.
falde|llín *m* kurzes Röckchen *n*; (kurzer) Unterrock *m*; *Ven.* Taufumhang *m*; **~o** *m Arg.*, *Chi.* Berglehne *f*, -flanke *f*; **~ro I.** *adj. niño m* ~ Schürzenkind *n*; *perro m* ~ Schoßhündchen *n*; **II.** *m* F Charmeur *m*, Frauenheld *m*; **~ta** *Thea. f* Kulissenvorhang *m*.
faldillas *f/pl.* Schößchen *n/pl. an Kleidern*.
faldón *m* **1.** *augm. v. falda*; Rock-, Kleider-, Frack-schoß *m*; unterer Teil *m e-s Behangs*, Saum *m*; *fig. agarrarse a los* ~*ones de alg.* s. an j-s Rockzipfel hängen, s. unter j-s Schutz stellen; **2.** *Equ.* ~ (*lateral*) Seitenblatt *n am Sattel*; **3.** Δ **a)** Abdachung *f*; **b)** Kaminrahmen *m*.
faldriquera *f* → *faltriquera*.
faldulario *m* Schleppkleid *n*.
falena *Ent. f* Nachtfalter *m*.
falencia *f* Täuschung *f*, Irrtum *m*; ✝ *Arg.*, *Chi.*, *Hond.* Konkurs *m*.
falerno *m* Falerner *m* (*Wein*).
fali|bilidad *f* Fehlbarkeit *f*; **~ble** *adj. c* fehlbar.
fálico *adj.* phallisch, Phallus...
fa|lismo *m* Phalluskult *m*; **~lo** *m* Phallus *m*.
Falopio *Anat.*: *trompas f/pl. de* ~ [Eileiter *m/pl.*]
falsa|mente *adv.* falsch; fälschlich(erweise); **~rio** *adj.-su.* fälschend; *m* Fälscher *m*; Lügner *m*, Verleumder *m*; **~rregla** *f* (verstellbarer) Winkel *m zum Zeichnen*; → *falsilla*.
false|ador *adj.-su.* (Ver-)Fälscher *m*; **~amiento** *m* (Ver-)Fälschung *f*; Verdrehung *f*; **~ar I.** *v/t.* **1.** *Wahrheit, Tatsachen usw.* verfälschen, verdrehen, entstellen; **2.** †, ⚒ *Rüstung* durchbohren; **3.** ~ *las guardas* **a)** e-n Nachschlüssel anfertigen; **b)** ⚔ die Wachen bestechen; **4.** Δ nicht lotrecht bauen; **II.** *v/i.* **5.** Δ vom Lot abweichen (*Wand*); s. senken, nachgeben (*Boden*); **6.** ♪ verstimmt sein; **~dad** *f* Falschheit *f*; Unwahrheit *f*; ⚖ Fälschung *f* (= *gefälschte Sache*); ~ *material* Falschbeurkundung *f*; **~o** Δ *m* Abweichung *f* von der Senkrechten; schiefer Schnitt *m e-s Balkens usw.*
false|ta ♪ *f* Überleitung *f b. Gitarrenbegleitung von Volksweisen*; **~te** *m* **1.** ♪ Falsett *n*; Fistelstimme *f*; *cantar en* (*od.* de) ~ Falsett singen; **2.** Verbindungs-, Tapeten-tür *f*; **3.** (Faß-)Spund *m*.
falsía *f* Falschheit *f*; Heimtücke *f*.
falsifica|ción *f* **1.** Fälschung *f*; ~ *de documentos* Urkundenfälschung *f*; **2.** Verfälschung *f*; **~dor** *adj.-su. m* Fälscher *m*; ~ *de moneda* Falschmünzer *m*; **~r** [1g] *v/t.* **1.** fälschen; **2.** ⚒ entstellen, verfälschen.
falsilla *f* Linienblatt *n*, Faulenzer *m* (*fig.* F).
falso I. *adj.* **1.** falsch, verkehrt; unrichtig, unwahr; *¡~!* das ist nicht wahr!; das stimmt nicht!; *totalmente* ~ grundfalsch; grundverkehrt; *en* ~ falsch; ins Leere (*Schlag*); → *a.* 4; *noticia f* ~*a* Falschmeldung *f*; *dar un paso en* ~ e-n Fehltritt tun; ~ *testimonio* **a)** *Rel.* falsches Zeugnis (ablegen *levantar*); **b)** ⚖ falsche Zeugenaussage *f*; *jurar en* ~ falsch schwören; → *a.* 4; **2.** falsch, unecht; Fehl..., Schein..., Doppel...; *argumento m* ~ Scheinbeweis *m*; *edificar sobre* ~ nicht auf festen Grund bauen; *llave f* ~*a* Nachschlüssel *m*, Dietrich *m*; *Equ.* ~*a rienda f* Beizügel *m*; *Zim.* ~ *pilote m* Hilfs-, Stütz-pfeiler *m*; **3.** falsch, trügerisch (*Hoffnung*); **4.** falsch, unaufrichtig; geheuchelt; treulos; heimtückisch; *adv. en* ~ nur zum Schein; **5.** zweideutig (*Lage*); **6.** *gal.* ungeschickt; **7.** *Ar.*, *Nav.*, *Chi.* feige, ängstlich; **II.** *m* **8.** falscher Saum *m*; Stoßband *n*.
falta *f* **1.** Mangel *m* (an *dat.* de), Fehlen *n*; Nichtvorhandensein *n*; Fernbleiben *n*; Fehlgewicht *n b. Münzen*; ~ *de aprecio* Nichtachtung *f*; ~ *de confianza* Mißtrauen *n*; ~ *de costumbre* mangelnde Gewöhnung *f*; Ungewohntheit *f*; ✉ ~ *de franqueo* ungenügende Freimachung *f*; ~ *de fuerzas* Kräftemangel *m*, Kraftlosigkeit *f*; ~ *de medios*, ~ *de recursos* Mittellosigkeit *f*; ~ *de memoria* Vergeßlichkeit *f*; Aussetzen *n* der Erinnerung *f*; ~ *de tiempo* Zeit-mangel *m*, -not *f*; ~ *de trabajo* Arbeitsmangel *m*; Erwerbslosigkeit *f*; *a* (*od. por*) ~ *de*, *debido a la* ~ *de* mangels (*gen.*), aus Mangel an (*dat.*); *sin* ~ ganz sicher; bestimmt; unbedingt; ✝ *por* ~ *de pago* mangels Zahlung (*Protest*); ⚖ *por* ~ *de pruebas* mangels Beweisen; *echar en* ~ vermissen; *hacer* ~ fehlen; nötig sein; *hace* ~ *mucho dinero* es ist viel Geld nötig; man braucht viel Geld; *hace mucha* ~ es fehlt sehr (daran); er (*usw.*) wird dringend benötigt; *hace* ~ *que vaya* er muß gehen; *me hace* ~ *dinero* ich brauche Geld; *no hace* ~ das ist nicht nötig; F *buena* ~ *me hace* das

kann ich gut brauchen; F *ni* ~ *que me hace* das hab' ich auch gar nicht nötig; *Spr. a* ~ *de pan, buenas son tortas* in der Not frißt der Teufel Fliegen; **2.** Irrtum *m*; Verfehlung *f*, *a.* ⚖ Übertretung *f*; Verstoß *m*; Sünde *f*; Schuld *f*; ~ *de ortografía* (Recht-)Schreibfehler *m*; ~ *leve* leichter Fehler *m*, Schnitzer *m*; ~ *grave* schwerer Fehler *m*; *libre* (*od. exento*) *de* ~*s* fehlerfrei; ⚖ *juicio m de* ~*s* Bagatellsache *f*; *caer en* ~ e-n Fehltritt begehen; in e-n Fehler verfallen; *coger en* ~ *a alg.* j-n bei e-m Fehler ertappen; *poner* ~*s a* et. auszusetzen haben an (*dat.*); **3.** *Sp.* Fehler *m*, Minuspunkt *m*; *es* ~ das verstößt gg. die Regel, das ist ein Foul (*Angl.*); *hacer* ~ s. regelwidrig verhalten, foulen (*Angl.*); **4.** ⊕ Versagen *n*; Mangel *m*, Defekt *m*.

faltar *v/i.* **1.** fehlen; nicht (mehr) vorhanden sein; knapp sein; *le faltaba pan* er hatte kein (*bzw.* zu wenig) Brot; *le faltaron fuerzas* s-e Kräfte versagten; *¡no faltaba* (*od. faltaría*) *más!* **a)** das fehlte gerade noch!, das wäre ja noch schöner!; **b)** aber selbstverständlich; *por mí no ha de* ~ an mir soll's nicht fehlen (*od.* nicht liegen); *por si faltaba algo* als wäre das noch nicht genug; noch obendrein, noch dazu; ~*le a alg. tiempo para* + *inf.* nichts Eiligeres zu tun haben, als zu + *inf.*; *poco faltaba para que se cayera* beinahe wäre er gefallen; es fehlte nicht viel u. er wäre gefallen; **2.** nötig sein; *falta por saber* (*si*) erst müßte man wissen (, ob); *faltan dos días para la sesión* bis zur Sitzung sind (*od.* dauert es) noch zwei Tage; *falta aprendiz* Lehrling gesucht; **3.** nicht erscheinen; abwesend sein (von *dat. de*); ~ *a* bei *et.* (*dat.*) fehlen, fernbleiben (*dat.*); ~ *a la cita* die Verabredung nicht einhalten; **4.** ~ *a alg.* j-n beleidigen; es j-m gg.-über an Achtung fehlen lassen; *s-e Frau* betrügen; **5.** ~ *a* verstoßen gg. (*ac.*); *sein Wort, Versprechen* nicht halten; *Pflicht* verletzen; ~ *a la verdad* lügen; **6.** versagen (*Schußwaffe*); das Ziel verfehlen (*Schuß*); **7.** fehlen, e-n Fehler machen; ~ *gravemente* s. schwer vergehen; **8.** ⛏ sterben.

falto *adj.* mangelhaft, unzureichend; ~ *de bar* (*gen.*), ohne (*ac.*), in Ermangelung (*gen. od.* von *dat.*); ~ *de juicio*, ~ *de razón* unvernünftig; verrückt; ~ *de medios* mittellos.

faltón F *adj.* unzuverlässig; wortbrüchig; *Cu.* frech.

faltriquera *f* (Rock-)Tasche *f*; Gürteltasche *f unterm Kleid.*

falúa ⚓ *f* Hafenbarkasse *f*.

falucho *m* **1.** ⚓ Feluke *f*; **2.** *Arg.* Zweispitz *m* (*Hut*).

falla *f* **1.** (Material-, Web-)Fehler *m*; ⊕ Störung *f*; Versager *m*; Ladehemmung *f* (*Waffe*); **2.** *Geol.* Bruch *m*, Verwerfung *f*; **3.** † *u. Am. Reg.* Fehlen *n*; Nichteinhalten *n*; **4.** *Val.* Falla *f* (*Figurengruppen, die am Sankt-Josefs-Abend abgebrannt werden*); 2*s f/pl.* Volksfest *n an diesem Tag.*

fallanca *f* Regenleiste *f an Tür od. Fenster.*

fallar I. *v/t.* **1.** ⛏ ⚖ durch Urteil entscheiden; **2.** *Kart.* abtrumpfen, mit Trumpf stechen; **II.** *v/i.* **3.** ⚖ entscheiden, das Urteil fällen; **4.** reißen; (ab)brechen; nachgeben (*Stützmauer*); *a.* ⊕ versagen, nicht funktionieren; danebengehen, vorbeitreffen (*Schuß*); *no falla* das (*usw.*) ist (ganz) sicher, das ist (bestens) erprobt; *no falla nunca* das versagt nie; *sin* ~ unfehlbar; zuverlässig; **5.** scheitern, mißlingen, fehlschlagen; *falló la cosecha* es gab e-e Mißernte.

falleba *f* Tür-, Fenster-riegel *m*; Drehriegel *m*.

falle|cer [2d] *v/i.* **1.** sterben, verscheiden; *falleció en el acto* er war sofort (*od.* auf der Stelle) tot; **2.** aufhören, enden; **~cido** *m* Verstorbene(r) *m*; **~cimiento** *m* Tod *m*, Hinscheiden *n*.

fallero *adj.-su.* **1.** *Val.* zu den „fallas" gehörig; **2.** *Chi.* unzuverlässig.

falli|do *adj.* **1.** fehlgeschlagen, gescheitert; **2.** uneintreibbar (*Schuld*); **3.** in Konkurs geraten, zahlungsunfähig, bankrott; **~r** [3 h] *v/i.* **1.** ⛏ zu Ende gehen; † s. irren; **2.** *Ven.* Bankrott machen.

fallo I. *m* **1.** ⚖ Urteil *n*, Entscheidung *f*; ~ *arbitral* Schiedsspruch *m*; **2.** Fehler *m*, Irrtum *m*; Auslassung *f*; Lücke *f*; Ausfall *m*; ⊕ Versagen *n*; ⚔ ~ *por atascamiento* Ladehemmung *f*; *tener un* ~ mißlingen, fehlschlagen; versagen; *no tener* ~ ganz sicher sein, nicht schiefgehen können; **II.** *adj.-su. m* **3.** Fehlkarte *f*; *estar* ~ (*od. tener* ~) *a oros* k-e Karokarte haben.

fama *f* **1.** Ruf *m*; Ruhm *m*, Berühmtheit *f*; *de* ~ bekannt, berühmt; *de* ~ *universal, de* ~ *mundial* welt-bekannt, -berühmt; von Weltruf; *de mala* ~ anrüchig, berüchtigt; *dar* ~ *a alg.* j-n bekannt (*od.* berühmt) machen; *Spr. unos tienen* (*od. llevan*) *la* ~ *y otros carden la lana* der eine tut die Arbeit, der andere hat den Ruhm; **2.** Gerücht *n*, Fama *f*; *es* ~ *que ...* man sagt, daß ...

famélico *adj.* ausgehungert, hungerleidend.

familia *f* **1.** *a. Zo.*, ✿ Familie *f*; (nächste) Verwandtschaft *f*; *fig.* Herkunft *f*; Geschlecht *n*, Sippe *f*; *en* ~ im häuslichen Kreis(e), in der Familie; *fig.* im engsten Kreise; im Vertrauen, unter uns; *Li.* ~ *de palabras* Wort-familie *f*, -sippe *f*; ~ *humana* Menschheit *f*; ~ *numerosa* kinderreiche Familie *f*; *padre m de* ~ Familien-vater *m*, -oberhaupt *n*; *ser de buena* ~ aus gutem Hause sein; **2.** Kinder *n/pl.*, Nachkommen(schaft *f*) *m/pl.*; *estar esperando* ~ Familienzuwachs erwarten; **3.** Dienerschaft *f*; Gesinde *n*; **4.** *Chi.* Bienenschwarm *m*; **~r I.** *adj. c* **1.** Familien...; *vida f* ~ Familienleben *n*; *dioses m/pl.* ~*es* Hausgötter *m/pl.*; **2.** familiär, ungezwungen; schlicht; vertraulich; *estilo m* ~ umgangssprachlicher Stil *m*; *tono m* ~ vertraulicher Ton *m*; *trato m* ~ vertraulicher (*od.* freundschaftlicher) Umgang *m*; **3.** vertraut, bekannt, geläufig; *el trabajo le es* ~ er kennt die Arbeit gut, er ist mit der Arbeit vertraut; **II.** *m* **4.** Familienangehörige(r) *m*; guter Freund *m der Familie*; **5.** Gehilfe *m*, Diener *m* (*Kloster*); Hauskaplan *m* (*Bischof*); ~*es m/pl.* Dienerschaft *f* u. Gefolge *n e-s Bischofs usw.*; **6.** *hist.* Spitzel *m*, Gehilfe *m der Inquisition.*

famili|aridad *f* Vertraulichkeit *f*; Vertrautheit *f*; **~arizar** [1f] **I.** *v/t.* ~ *a alg. con* j-n an *et.* (*ac.*) gewöhnen; j-n mit *et.* (*dat.*) vertraut machen; **II.** *v/r.* ~*se con* vertraut werden mit (*dat.*); s. vertraut machen mit (*dat.*); s. einarbeiten in (*ac.*); s. in *et.* (*ac.*) hineinfinden; **~armente** *adv.* vertraulich, ungezwungen; **~ón** *m* große Familie *f*.

famo|samente *adv.* vortrefflich; **~so** *adj.* **1.** berühmt; F ausgezeichnet, großartig; **2.** berüchtigt; **3.** F toll F, gewaltig; ~ *disparate m* gewaltiger Unsinn *m*, Stuß *m* F.

fámu|la F *f mst. desp.* Hausmädchen *n*; Magd *f*; **~lo** *m* Diener *m*, Gehilfe *m* (*bsd. im Kloster*).

fanal *m* **1.** Schiffs-, Hafen-laterne *f*; Leuchtfeuer *n*; **2.** Lampenglocke *f*; Glas-glocke *f*, -sturz *m*; **3.** *fig.* Fanal *n*.

fanático *adj.-su.* fanatisch, unduldsam; schwärmerisch; *m* Fanatiker *m*; (Glaubens-)Eiferer *m*; Schwärmer *m*.

fanati|smo *m* Fanatismus *m*; **~zar** [1f] *v/t.* fanatisieren, auf-, ver-hetzen.

fandan|go *m* ♪ Fandango *m* (*span. Tanz*); *fig.* Durchea. *n*, Wirbel *m* F; **~guero** *adj.-su.* Fandangotänzer *m*; *fig.* Freund *m* von Tanz u. Unterhaltung, Bruder *m* Lustig.

fané *adj.* **1.** verblüht; **2.** geschmacklos.

faneca *Fi. f* **1.** Ährenfisch *m*; **2.** Merlan *m*.

fanega I. *f* **1.** *Getreidemaß*: *Cast.* 55,5 l, *Ar.* 22,4 l; **2.** ~ *de tierra* → *fanegada*; **II.** ~*s m* (*pl. inv.*) **3.** Dummkopf *m*; **~da** *f Feldmaß*: *Cast.* 64,596 Ar; *a* ~*s* in Hülle u. Fülle.

fanerógamas ✿ *f/pl.* Samen-, Blüten-pflanzen *f/pl.*

fanfa|rrear ⛏ *v/i.* → *fanfarronear*; **~rria** *f* Aufschneiderei *f*, Angeberei *f* F; **~rrón** *adj.-su.* prahlerisch, angeberisch F; *m* Aufschneider *m*, Prahler *m*, Angeber *m* F, Maulheld *m*, Protz *m* F; **~rronada** *f* → *fanfarronería*; **~rronear** *v/i.* aufschneiden, prahlen, großtun, den Mund vollnehmen; **~rronería** *f* Aufschneiderei *f*, Prahlerei *f*, Angabe *f* F, Dicktun *n* F, Großtuerei *f*.

fan|gal, ~gar *m* Schlammloch *n*, Morast *m*; **~go** *m* Schlamm *m*; ⚕ ~ *medicinal* Fango *m*; *baños m/pl. de* ~ Schlamm-, Moor-bäder *n/pl.*; *fig. arrastrar por el* ~ in den Schmutz (*od.* durch den Dreck P) ziehen; *fig. llenar a uno de* ~ j-n mit Schmutz bewerfen; **~goso** *adj.* schlammig, morastig.

fanta|sear I. *v/i.* phantasieren (*a.* ⚕); der Einbildungskraft freien Lauf lassen; prunken (mit *dat. con*); phantasieren, faseln (von *dat. de*); **II.** *v/t. Glück usw.* erträumen; **~sía** *f* **1.** Phantasie *f*, Einbildungskraft *f*; ⚘ de ~ Mode...; *artículos m/pl.* de ~ Galanterie-, Mode-waren *f/pl.*; *géneros m/pl.* de ~ Modestoffe *m/pl.*, modische Stoffe *m/pl.*; **2.** Traumbild *n*; Träumerei *f*, Phantasie *f*; Grille *f*; **3.** ♪ Fantasie *f*; **4.** F Einbildung *f*, Dünkel *m*; **~sioso** F **I.** *adj.* eingebildet; grillenhaft; **II.** *m* Phantast *m*.

fantas|ma *m* Erscheinung *f*, Phantom *n*; *a. fig.* Gespenst *n*; *fig.* Vogelscheuche *f*; *fig.* F Angeber *m* F; **~magoría** *f* Phantasmagorie *f*; Blendwerk *n*, Gaukelei *f*, Trug *m*; **~magórico** *adj.* phantasmagorisch, gaukelhaft; **~mal** *adj. c* gespenstisch, Gespenster...; **~món** F *adj.-su.* eingebildet; *m* Prahlhans *m*; Phantast *m*.

fantástico *adj.* **1.** phantastisch; gespenstisch, Gespenster..., Geister-...; **2.** schwärmerisch, phantastisch; **3.** *fig.* F toll F, unglaublich, phantastisch F.

fanto|chada *f* dummer Streich *m*; Unsinn *m*; **~che** *m* Marionette *f*; *a. fig.* Hampelmann *m*, Hanswurst *m*.

faquir *m* Fakir *m*.

fara|d(io) *Phys. m* Farad *n*; **~dización** ⚕ *f* Faradisation *f*.

faralá *m* (*pl.* **~aes**) Falbel *f*; Faltenbesatz *m*; *fig.* F Firlefanz *m*, Flitterkram *m*.

farallón *m* **1.** Klippe *f*; **2.** ⚒ oberer Teil *m* e-s Flözes.

farándula *f* **1.** Komödiantentum *n*; *Thea. hist.* wandernde Schauspielertruppe *f*; **2.** Beschwatzen *n*, Betrug *m*.

farandule|ar F *v/i.* angeben F, wichtig tun; **~ro** *m hist.* wandernder Komödiant *m*; *fig.* Bauernfänger *m*, Gauner *m*.

faraó|n *m* **1.** *hist.* Pharao *m*; **2.** *Kart.* Pharao *n*; **~nico** *adj.* pharaonisch, Pharaonen...

faraute *m* **1.** †, ⚔ Herold *m*; Wappenkönig *m*; † Dolmetsch *m*; **2.** *hist. Thea.* Sprecher *m des Prologs*; **3.** *fig.* F Wichtigtuer *m*.

far|da *f* Bündel *n*; **~daje** *m* → *fardería*; **~del** *m* Beutel *m*, Schnappsack *m*; Bündel *n*; *fig.* F Vogelscheuche *f*, Gestell *n* F (*Person*); **~dería** *f* Bündel *n/pl.*; Gepäck (-stücke *n/pl.*) *n*; 🚂 Stückgut *n*; **~do** *m* Ballen *m*; Packen *m*, Last *f*; ⚘ *a ~s*, *por ~s* ballenweise; *en ~s* in Ballen; (*mercancías f/pl.* en) *~s* Stückgut *n*; P *descargar el* (*od. su*) ~ entbinden, ihr Päckchen loswerden P.

farero *m* Leuchtturmwärter *m*.

farfalá *m* → *faralá*.

farfan|te, ~tón *adj.-su. m* Aufschneider *m*, Angeber *m* F.

fárfara *f* **1.** ⚘ Huflattich *m*; **2.** Eihäutchen *n*; *fig.* en ~ halbfertig; unfertig.

farfolla *f* Hülse *f der Maiskolben*; *fig.* F (leeres) Protzen *n*, reine Angabe *f* F.

farfu|lla I. *f* Stammeln *n*; Stottern *n*; **II.** *adj.-su. c* → *farfullero*; **~llar** *vt/i.* stammeln; stottern *n*; *fig.* F hudeln, (ver)pfuschen; **~llero** *adj.-su.* Stammler *m*; Stotterer *m*; *fig.* F Pfuscher *m*; *Am. Reg.* Aufschneider *m*.

fargallón *adj.-su.* nachlässig, schlampig; *m* Pfuscher *m*.

farináceo I. *adj.* mehlig; Mehl...; **II. ~s** *m/pl.* ⚘ Mehlprodukte *n/pl.*; *Kchk.* Mehlspeisen *f/pl.*

faringe *Anat. f* Rachen *m*; Schlund *m*, Pharynx *f* (📖).

farínge|a *Phon. f* Rachenlaut *m*; **~o** *adj.* Rachen...

faringitis ⚕ *f* (*pl. inv.*) Rachenentzündung *f*, Pharyngitis *f*.

fariña *f Arg.* Maniokmehl *n*.

fari|saico *adj.* pharisäisch (*a. fig.*); heuchlerisch; **~seísmo** *m* pharisäische Lehre *f*; *fig.* Pharisäertum *n*; Heuchelei *f*; **~seo** *m* Pharisäer *m* (*a. fig.*); Heuchler *m*.

farma|céutico I. *adj.* **1.** pharmazeutisch; *productos m/pl.* **~s** Arzneimittel *n/pl.*; **II.** *m* **2.** Pharmazeut *m*; **3.** Apotheker *m*; **~cia** *f* **1.** Pharmazie *f*; **2.** Apotheke *f*.

fármaco ⚕ *m* Pharmakon *n*, Arzneimittel *n*.

farma|cología *f* Pharmakologie *f*; **~cólogo** *m* Pharmakologe *m*; **~cológico** *adj.* pharmakologisch; **~copea** *f* Arzneibuch *n*, † Pharmakopoe *f*.

faro *m* **1.** ⚓ Leuchtturm *m*; ~ *flotante* Feuerschiff *n*; **2.** ⚓ Leuchtfeuer *n*; ⚓, ✈ (Leucht-, Feuer-) Bake *f*; **3.** *bsd. Kfz.* Scheinwerfer *m*; ~ *antiniebla* (*frontal*) Nebel-(Kopf-)scheinwerfer *m*; ~ (*de enfoque*) *móvil* Such(scheinwerf)er *m*; ~ *de yodo* Halogenscheinwerfer *m*; **4.** *Sp.* Kerze *f*; **5.** *fig.* Licht *n*, Leuchte *f*; Führer *m*; Fanal *n*; **~l** *m* **1.** Laterne *f*; Straßenlaterne *f*; *p. ext.* Laternenpfahl *m*; ~ *de gas* Gaslaterne *f*; ⚓ ~ *de popa* (*de situación*) Heck- (Positions-)laterne *f*; ~ *de papel* → *farolillo 1*; *fig.* F *¡adelante con los ~es!* vorwärts!; **2.** *Stk.* „Lampion" *m*, „Fächer" *m* (*Capafigur*); **3.** *Kart.* Bluff *m*; *hacer un* ~ bluffen; **4.** Angabe *f* F, Protzen *n*; *echarse un* ~ angeben F; **5.** Angeber *m* F; **~la** *f* Straßenlaterne *f*; Lichtmast *m*; *Kfz. Col.* Scheinwerfer *m*; **~lazo** *m* **1.** Schlag *m* (*bzw.* Zeichen *n*) mit e-r Laterne; **2.** *Am. Cent., Méj.* kräftiger Schluck *m* Schnaps; **~lear** F *v/i.* wichtig tun, angeben F, protzen; **~leo** F *m* Angabe *f* F, Protzerei *f*; **~lería** *f* **1.** ⚓ Lampenspind *n*; **2.** F Wichtigtuerei *f*, Angabe *f* F; **~lero** *m* Laternenanzünder *m*; *fig.* F Angeber *m* F; **~lillo** *m* **1.** ~ (*a la veneciana*) Lampion *m*; **2.** ⚘ Glockenblume *f*; **~lón** F *m* Angeber *m* F, Wichtigtuer *m*.

farpa *f* Spitze *f e-s Saums, e-s Fahnentuchs*; **~do** *adj.* ausgezackt.

farra *f* **1.** *Fi.* Schnabeläsche *f*; **2.** *Am.* → *juerga*; *ir de* ~ → *farrear*.

fárrago *m* Plunder *m*, Kram *m*; Wust *m*, Durcheinander *n*, Wirrwarr *m*.

farra|goso *adj.* wirr; überladen; **~guista** *c* Wirrkopf *m*.

fa|rrear *v/i.* ausgiebig feiern; blaumachen F; **~rrista** *m* → *juerguista*.

farruco F **I.** *adj.* draufgängerisch; *ponerse* ~ (*con*) s. (*j-m* gg.-über) auf die Hinterbeine stellen (*fig.*); (*j-m*) die Zähne zeigen; **II.** *adj.-su. m Spitzname*: gerade ausgewanderter Galicier *m od.* Asturier *m*; *desp.* Provinzler *m*.

far|sa *f Thea.* Posse *f*, Schwank *m*; *fig.* Farce *f*, Komödie *f* (*fig.*); **~sante** *m hist. Thea.* Komödiant *m*; *fig.* Heuchler *m*, Schwindler *m*; **~sista** *c* Possenschreiber *m*.

fas F *adv.*: *por ~ o por nefas* mit Recht od. mit Unrecht, auf jeden Fall, auf Biegen od. Brechen.

fas|ces *hist. f/pl.* Liktorenbündel *n*; **~cia** *Anat. f* Faszie *f*; **~cículo** *m Typ.* Faszikel *m*; Heft *n*, Lieferung *f*; ⚘ Büschel *n*; *Anat.* Bündel *n*, Strang *m*

fascina|ción *f* Bezauberung *f*, Zauber *m*, Faszination *f*; Verblendung *f*; **~dor** *adj.* faszinierend, bezaubernd; **~r** *vt/i.* bezaubern, bannen, in Bann halten, fesseln, faszinieren; (ver)blenden.

fascis|mo *Pol. m* Faschismus *m*; **~ta** *adj.-su. c* faschistisch; *m* Faschist *m*.

fase *f* (Entwicklungs-, Durchgangs-)Stufe *f*; *a.* ⚡ Phase *f*; Abschnitt *m*, Stadium *n*; ~ *previa* Vorstufe *f*; ⊕ ~ *de operación*, ~ *de trabajo* Arbeitstakt *m*; Arbeitsgang *m*; *de tres ~s* dreistufig (*Rakete*); ⚡ dreiphasig; *Astr.* **~s** *f/pl. de la luna* Mondphasen *f/pl.*

fasti|diar [1b] **I.** *v/t.* anöden, langweilen; auf die Nerven gehen (*dat.*); reizen, ärgern, belästigen, lästig sein (*dat.*); F *¡la hemos ~ado!* da haben wir den Salat F (*od.* die Bescherung)!; **II.** *v/r.* **~se** s. ärgern (über *ac. con, de*); s. langweilen; es (hinunter)schlucken, s. (zähneknirschend) fügen *od.* damit abfinden; F *¡~se! od. ¡fastídiate! od. ¡para que te fastidies!* ätsch!; scher' dich zum Teufel!; **~dio** *m* Ekel *m*, Widerwille *m*; Verdruß *m*, Ärger *m*, Unannehmlichkeit *f*; *¡qué ~!* **a)** wie unangenehm!; so ein Ärger!; **b)** was für ein langweiliger Kerl!, der (Kerl) geht mir auf die Nerven!; **~dioso** *adj.* ekelhaft, widerwärtig; lästig, langweilig; ärgerlich.

fas|to I. *adj. lit.* glücklich, Glücks...; **II.** *m* Pracht *f*; **~s** *m/pl.* Chronik *f*, Annalen *f/pl.*; *hist.* Fasten *m/pl.*; **~tuoso** *adj.* prunkvoll; prachtliebend, protzig.

fata|l *adj. c* **1.** verhängnisvoll, unselig; todbringend, tödlich; *golpe m* ~ Todesstoß *m*; *mujer f* ~ Vamp *m*; **2.** schicksalhaft, unabwendbar; entscheidend; **3.** F unmöglich (*fig.*), schauerlich F; *estar ~ a.* alles verkehrt machen; **~lidad** *f* **1.** Schicksal *n*, Fatum *n*; **2.** Verhängnis *n*; Mißgeschick *n*, Fatalität *f*; **~lismo** *m* Fatalismus *m*, (blinder) Schicksalsglaube *m*; **~lista** *adj.-su. c* fatalistisch; *m* Fatalist *m*; **~lmente** *adv.* **1.** unvermeidlich, zwangsläufig; **2.** unseligerweise; **3.** sehr schlecht.

fatídico *adj.* unheil-kündend *bzw.* -bringend; unselig, unheilvoll; *lit.* weissagend; *número m* ~ Unglückszahl *f*.

fati|ga *f* **1.** Ermüdung *f*, Erschöpfung *f*, Müdigkeit *f*; Atemnot *f*; *dar ~ a* ermüden (*ac.*); F ärgern (*ac.*); **2.** ⊕ Ermüdung *f*; *sin ~* ermüdungsfrei; → **3.** (*mst.* **~s** *f/pl.*) Mühen *f/pl.*, Mühsal *f*; Strapaze(n) *f(/pl.)*; *sin* ~ mühelos; **~gadamente** *adv.* mühsam, mühselig; **~gado** *adj.* müde; abgespannt; **~gador** *adj.*, **~gante** *adj. c* ermüdend; lästig; **~gar** [1h] **I.** *v/t.* **1.** *a.* ⊕ ermüden; anstrengen, strapazieren; **2.** belästigen, plagen; lästig werden (*dat.*); **II.** *v/r.* *~se* **3.** müde werden; ermüden; außer Atem kommen; **4.** s. abmühen; **~goso** *adj.* **1.** mühsam, beschwerlich; ermüdend, lästig; **2.** kurzatmig.

fatu|idad *f* Eitelkeit *f*, Aufgeblasenheit *f*; Albernheit *f*; **~o I.** *adj.* eitel, eingebildet; aufgeblasen; geckenhaft, albern; *fuego m* ~ Irrlicht *n*; **II.** *m* Geck *m*, Laffe *m*; Dummkopf *m*.

fauces *Anat. f/pl.* Schlund *m*.

fau|na *f* Fauna *f*, Tierwelt *f*; **~nesco** *adj.* Fauns...

fáunico *adj.* Tier(welt)...

fauno *Myth. m* Faun *m*.

fausto I. *adj.* glückbringend; Glücks...; **II.** *m* Pracht *f*, Prunk *m*, Pomp *m*.

fautor *m* Anstifter *m*, Drahtzieher *m*; *inc.* Täter *m*.

fauvismo *Mal. m* Fauvismus *m*.

favila *poet. f* Asche *f*.

favo|r *m* **1.** Gunst *f*, Gefallen *m*, Gefälligkeit *f*; *a* ~ *de* **a)** mit Hilfe (*gen.*), durch (*ac.*), vermöge (*gen.*); **b)** zugunsten (*gen.*), für (*ac.*); *a.* ☤ *a mi (su)* ~ zu meinen (Ihren) Gunsten; *en* ~ *de* zugunsten (*gen.*); *por* ~ **a)** aus Gefälligkeit; **b)** bitte!; *¡~!* Hilfe! (*Bitte um Schutz od. Unterstützung*); *estar a* ~ *de alg.* für j-n sein, auf j-s Seite stehen; *hacer un* ~ e-n Gefallen tun; *hágame el* ~ *de la sal* reichen Sie mir bitte das Salz; *páseme el libro, haga el* ~ geben Sie mir bitte das Buch; *a* ~ *de la obscuridad* im Schutz(e) der Dunkelheit; *navegar a* ~ *de la corriente (del viento)* mit der Strömung (mit dem Winde) segeln; *se lo pido por* ~ ich bitte Sie höflichst darum; *tener a su* ~ *et.* für s. verbuchen können; mit *j-m* rechnen können; **2.** Gunst *f*, Begünstigung *f*; Bevorzugung *f*; *~es m/pl.* Gunstbeweise *m/pl.*; **3.** *Kart.* Trumpffarbe *f*; **~rable** *adj. c*: ~ *(a, para)* günstig, vorteilhaft (für *ac.*); ~ *(a)* geneigt, gewogen (*dat.*); wohlwollend; **~rablemente** *adv.* günstig; **~recedor** *adj.-su.* vorteilhaft; begünstigend; *m* Gönner *m*, Beschützer *m*; **~recer** [2d] *v/t.* **1.** begünstigen, fördern; Vorschub leisten (*dat.*); helfen (*dat.*); **2.** vorteilhaft kleiden (*ac.*); gut stehen (*dat.*); schmeicheln (*dat.*) (*Bild*); **3.** ☤ beehren (*mit Aufträgen*); **~recido** *adj.-su.* begünstigt; *número m* ~ Glückszahl *f*; Treffer *m* (*Lotterie*); *el* ~ *de la suerte* das Glückskind; **~rita** *f* Favoritin *f*, Mätresse *f*; **~ritismo** *m* Günstlingswirtschaft *f*; **~rito I.** *adj.* Lieblings...; *plato m* ~ Leibspeise *f*; **II.** *m* Günstling *m*, Favorit *m* (*a. Sp.*); Liebling *m des Publikums.*

faya *tex. f* ripsartiges Seidengewebe *n*, Faille *f*.

fayenza *f* Fayence *f*.

faz *f* **1.** Antlitz *n*, Gesicht *n*; *kath. la Santa (od. Sacra)* ♀ das Heilige Antlitz, das Schweißtuch der Veronika; *en (od. a la)* ~ *de* angesichts (*gen.*); vor (*dat.*); **2.** Vorderseite *f*; rechte Seite *f e-s Gewebes*; Bildseite *f e-r Münze*; Oberfläche *f*; **3.** *fig.* Seite *f*; Aspekt *m*, Gesichtspunkt *m*.

fe *f* **1.** Glaube *m* (an *ac.* *en*), Vertrauen *n* (in *ac.*, zu *dat.* *en*); ~ *pública* öffentlicher Glaube *m*; *buena* ~ **a)** Ehrlichkeit *f*, Redlichkeit *f*; guter Glaube *m*; ⚖ Treu u. Glauben; **b)** Leichtgläubigkeit *f*; *mala* ~ Unredlichkeit *f*; böser Wille *m*; ⚖ böser Glaube *m*; *de buena* ~ aufrichtig, ehrlich; guten Glaubens; *a.* ⚖ gutgläubig; *de mala* ~ unaufrichtig, unehrlich; böswillig; ⚖ bösgläubig; *dar* ~ *a* Glauben schenken (*dat.*), für wahr halten (*ac.*); *tener* ~ *en* Vertrauen haben in (*ac.*) *od.* zu (*dat.*), vertrauen (*dat.*); **2.** *Rel.* Glaube *m*; ~ *del carbonero* Köhlerglaube *m*; **3.** Wort *n*, Versprechen *n*; *a* ~, *de* ~ wahrhaftig, wirklich; *a* ~ *mía* mein Wort darauf, ganz bestimmt, ganz gewiß; *K* meiner Treu; **4.** Zeugnis *n*, Urkunde *f*, Schein *m*; ~ *de bautismo* Taufschein *m*; *Typ.* ~ *de erratas* Druckfehlerverzeichnis *n*; ~ *de nacimiento* Geburtsschein *m*; ~ *de vida* Lebensnachweis *m*; *Verw.* *en* ~ *de lo cual* zu Urkund dessen; *dar* ~ *de a/c.* et. beglaubigen, et. beurkunden; et. bezeugen; *hacer* ~ beweiskräftig sein; *bsd. Pol.* gelten, maßgebend sein; **5.** ~ *conyugal* eheliche Treue *f*.

fea *f* häßliche Frau *f*; ~ *agradecida* häßliche, aber charmante Frau *f*.

fea|ldad *f a. fig.* Häßlichkeit *f*; *fig.* Gemeinheit *f*; Ungezogenheit *f* (*Kind*); **~mente** *adv. a. fig.* häßlich; *fig.* ungezogen.

fe|beo *Myth. adj.* Phöbus..., Sonnen...; **♀bo** *Myth. m* Phöbus *m*, Apollo *m*.

feble *adj. c* von minderem Gewicht (*od.* Gehalt) (*Münze, Legierung*).

febre|rillo *m*: ~ *el loco vgl. dt.* April, April macht, was er will; **~ro** *m* Februar *m*.

febricitante ⚕ *adj.-su. c* fieberkrank.

febrífugo *adj.-su. m* fiebersenkend(es Mittel *n*).

febril *adj. c* fiebrig; fieberartig; Fieber...; *a. fig.* fieberhaft, fiebernd; *acceso m* ~ Fieberanfall *m*; *estar* ~ Fieber haben; **~mente** *adv. fig.* fieberhaft, hastig.

fecal *adj. c* Kot...; *materias f/pl.* *~es* Fäkalien *pl.*

fécula *f* Stärke *f*, Stärkemehl *n*.

feculento *adj.* stärkehaltig; hefig.

fecun|dación *f* Befruchtung *f*; **~damente** *adv.* fruchtbar; **~dante** *adj. c* befruchtend; **~dar** *v/t.* befruchten; fruchtbar machen; **~didad** *f* Fruchtbarkeit *f*; reiche Vermehrung *f*; *fig.* Ergiebigkeit *f*; Fülle *f*; **~dizar** [1f] *v/t. bsd. Boden* fruchtbar (*od.* ertragreich) machen; **~do** *adj.* fruchtbar (*a. fig. u. Boden*); fortpflanzungsfähig; *fig.* ertragreich, ergiebig; üppig; reich (an *dat.* *en*).

fecha *f* Datum *n*; Tag *m*, Termin *m*; ☤ *u. Verw.* *(a) dos meses* ~ zwei Monate dato (*Wechsel*); *a* ~ *fija* zum bestimmten Datum; am festgesetzten Termin; *a partir de esta* ~ von diesem Tage an; seit damals; *con (la)* ~ *de hoy, con esta* ~ unter dem heutigen Datum, heute; *de larga* ~ seit langem; längst; *hasta la* ~ bis heute, bis jetzt; ☤ bis dato; ~ *ut supra* Datum wie oben; *a estas* *~s* jetzt; bis jetzt, inzwischen; ~ *de entrada* Eingang(stag) *m*; ~ *límite*, ~ *tope* äußerster (*od.* letzter) Termin *m*; ~ *de pago* Zahlungstermin *m*; *pasada esta* ~ nach Ablauf dieser Frist; *poner* ~ *adelantada (atrasada)* vordatieren (zurückdatieren); *poner la* ~ (*en*) das Datum setzen (auf *ac.*); datieren (*ac.*); **~dor** *m* Datumsstempel *m*; Poststempel *m*; **~r** *v/t.* datieren; *su carta ~ada el 3 de mayo* Ihr Brief vom 3. Mai.

fechoría *f* Untat *f*, Missetat *f*; † Tat *f*.

fedatario *m* Urkundsbeamte(r) *m*; Notar *m*.

federa|ción *f* **1.** Föderation *f*, Staatenbund *m*; **2.** Bund *m*, Verband *m*, Zs.-schluß *m*; ~ *central* Dach-, Spitzen-verband *m*; ~ *mundial* Weltbund *m*; **~l I.** *adj. c* föderativ, Bundes...; *Schweiz*: eidgenössisch; *Estado m* ~ Bundesstaat *m*; *república f* ~ Bundesrepublik *f*; **II.** *adj.-su. c* → *federalista*; **~lismo** *m* Föderalismus *m*; **~lista** *adj.-su. c* föderalistisch; *m* Föderalist *m*; **~r(se)** *v/t.* (*v/r.*) (s.) verbünden; (s.) verbinden; (e-n Bund[esstaat] bilden); **~tivo** *adj.* föderativ, Bundes...; *sistema m* ~ bundesstaatliches System *n*.

féferes *m/pl. Ant., Am. Cent., Col., Méj.* Krimskrams *m*, Plunder *m*.

fehaciente *adj. c* glaubhaft, glaubwürdig; beweiskräftig.

feldespato *Min. m* Feldspat *m*.

feldmariscal *m* Feldmarschall *m*.

feli|cidad *f* Glück *n*; Glückseligkeit *f*; *~es f/pl.* Glücksgüter *n/pl.*; *adv. con* ~ glücklich (= ohne Zwischenfall); *¡~es!* herzlichen Glückwunsch!; *desear muchas ~es* viel Glück wünschen; **~citación** *f* Glückwunsch *m*, Gratulation *f*; ~ *de Año Nuevo* Neujahrs(glück)wunsch *m*; **~citar I.** *v/t.* *j-n* beglückwünschen, *j-m* gratulieren (zu *dat.* *por*); *¡te felicito!* meinen Glückwunsch!, ich gratuliere (dir)!; **II.** *v/r.* *~se* s. freuen, s. glücklich schätzen (,daß + *ind.* *de que* + *subj.*); F *poder ~se* s. gratulieren können; **~císimo** *sup. adj.* überglücklich.

félidos *Zo. m/pl.* Katzen *f/pl.* (*Familie*).

feli|grés *m* Pfarrkind *n*; *~eses m/pl.* Gemeinde *f*; **~gresía** *f* Kirchspiel *n*, Sprengel *m*; Gemeinde *f*.

felino *Zo.* **I.** *adj.* Katzen...; **II.** *~s m/pl.* Katzen *f/pl.*

feliz *adj. c* glücklich; glückselig; erfolgreich; *memoria f* ~ gutes (*od.* treues) Gedächtnis *n*; *¡~ viaje!* glückliche Reise!; *los felices años 20* die glücklichen 20-er Jahre; *¡♀ Año Nuevo!* ein glückliches Neues Jahr!, Prosit Neujahr!; *hacer* ~ *a alg.* j-n beglücken, j-n glücklich machen; *no me hace* ~ *pensar que ...* ich bin nicht gerade beglückt darüber, daß ...; **~mente** *adv.* glücklich(erweise).

fe|lón *adj.-su.* treulos, treubrüchig; *hist.* gg. den Lehnseid verstoßend; **~lonía** *f* Treubruch *m*; Verrat *m*; Gemeinheit *f*; *hist.* Felonie *f*, Bruch *m* der Lehnstreue.

fel|pa *f* **1.** Felbel *m*; Plüsch *m*; **2.** *fig.* (Tracht *f*) Prügel *pl.*, Keile *pl.*; **3.** Rüffel *m*, Anschnauzer *m* F; **~par** *v/t.* mit Felbel (*bzw.* Plüsch) überziehen; *tex.* beflocken; **~peada** *f Arg.* → *felpa 3*; **~pear** *v/t. Arg.* anschnauzen; **~pilla** *tex. f* Chenille *f*, Raupengarn *n*; **~po** *m* Kokosmatte *f*; **~poso** *adj.* felbel-, plüschartig; **~pudo I.** *adj.* samt-, plüschartig; **II.** *m* Kokosmatte *f*; (Fuß-) Matte *f*.

femeni|l *adj. c* weiblich; weibisch; **~no I.** *adj.* weiblich; Frauen...; *el eterno ~* das Ewigweibliche; **II.** *m Gram.* Femininum *n*, Wort *n* weiblichen Geschlechts.

fementido *lit. adj.* falsch; treulos; unecht.

fémina *f* moderne (*bzw.* mondäne) Frau *f*.

femi|n(e)idad *f* Weiblichkeit *f*; **~nismo** *m* Frauenbewegung *f*; Frauenemanzipation *f*; **~nista** *adj.-su. c* frauenrechtlerisch; *su.* Frauenrechtler(in *f*) *m*.

femoral *adj. c* Oberschenkel...

fémur *Anat. m* Oberschenkelknochen *m*, Femur *m*; *fractura f del cuello del ~* Schenkelhalsbruch *m*.

fenacetina ⚗ *f* Phenazetin *n*.

fene|cer [2d] **I.** *v/t.* abschließen; **II.** *v/i.* aufhören, enden; sterben; *el ~cido* der Verschiedene; **~cimiento** *m* Beendigung *f*; Abschluß *m*; Sterben *n*.

feneco *Zo. m* Fen(n)eck *m*, *bsd.* Wüstenfuchs *m*.

fenicado ⚗ *adj.* karbolhaltig, Karbol...; *agua f ~a* Karbolwasser *n*.

fenicio *adj.-su.* phönizisch; *m* Phönizier *m*.

fénico ⚗ *adj.* Karbol...; *ácido m ~* Karbolsäure *f*.

fenilo ⚗ *m* Phenyl *n*.

fénix *m Myth.* Phönix *m*; *fig.* einzigartige Erscheinung *f*; *el ~ de los ingenios Beiname Lope de Vegas.*

fenogreco ⚘ *m* Bockshorn *n*.

fenol ⚗ *m* Phenol *n*, Karbol *n*.

feno|menal *adj. c Phil.* Phänomen...; *fig.* F wunderbar, phänomenal F, großartig; **~menalismo** *Phil. m* Phänomenalismus *m*; **~menalista** *adj.-su. c* phänomenalistisch; *m* Phänomenalist *m*; **~ménico** *Phil. adj.* Phänomen...; Erscheinungs...; *imagen f ~a* Erscheinungsbild *n*.

fenómeno I. *m* **1.** *a.* ⚕ Phänomen *n*; Erscheinung *f*, Vorgang *m*; Naturerscheinung *f*; *~ atmosférico* Wettererscheinung *f*; Meteor *m*; **2.** *fig.* Abnormität *f*, Monstrum *n*; **3.** *fig.* Phänomen *n*, Genie *n*; **II.** *adj. inv.* **4.** F toll F, großartig, enorm F.

fenomeno|logía *Phil. f* Phänomenologie *f*; **~lógico** *adj.* phänomenologisch.

fenotipo *Biol. m* Phänotypus *m*, Erscheinungsbild *n*.

feo I. *adj.* häßlich; schändlich; unangenehm; *dejar ~ a alg.* j-n bloßstellen, j-n in e-e peinliche Lage bringen, j-n blamieren; j-n Lügen strafen; *la cosa se pone ~a* die Sache sieht schlecht aus, die Sache fängt an zu stinken F; *quedar ~* schlecht wegkommen; in ungünstigem Licht erscheinen; F *ser más ~ que Picio (od. que el pecado), ser ~ como un susto* häßlich wie die Nacht sein; **II.** *m* Häßliche(r) *m*; *fig.* Kränkung *f*, Gehässigkeit *f*; *hacer un ~ a alg.* j-n kränken, j-m e-e Kränkung antun.

fe|ón F *adj.*, **~ote** F *adj. c*, **~otón** F *adj.* mordshäßlich F.

fera|cidad *f* Fruchtbarkeit *f*; **~z** *adj. c* (*pl.* *~aces*) fruchtbar (*Boden*).

féretro *lit. m* Sarg *m*; Bahre *f*.

feria *f* **1.** Jahrmarkt *m*; Kirchweih *f*; Volksfest *n*; *~ de ganado* Viehmarkt *m*; *puesto m de ~* Jahrmarktsbude *f*; *~s f/pl. mayores* gr. Jahrmarkt *m*; **2.** Messe *f*; *~ del libro (de muestras)* Buch- (Muster-)messe *f*; *~ industrial (monográfica)* Industrie- (Fach-)messe *f*; **3.** †, ⚒ Feier-, Ruhe-tag *m*; *ecl. ~ segunda, tercera, etc.* Montag *m*, Dienstag *m usw.*; **4.** *Méj.* Kleingeld *n*; *C. Ri.* Trinkgeld *n*; **~do** *adj.*: *día m ~* Feier-, Ruhe-tag *m*; *día m medio ~* halber Feiertag *m*; **~l I.** *adj. c* Jahrmarkts..., Messe...; **II.** *m* Kirmes-, Rummelplatz *m*; Jahrmarkt *m* (*Platz*); **~nte** *m* **1.** Jahrmarkts-, Messe-besucher *m*; **2.** (Messe-)Aussteller *m*; Schausteller *m*; **~r** [1b] **I.** *v/t.* auf dem (Jahr-)Markt kaufen (*od.* verkaufen); **II.** *v/i.* feiern, Arbeitsruhe halten.

ferino *adj.* tierisch; ⚕ *tos f ~a* Keuchhusten *m*.

fermata ♪ *f* Fermate *f*; Orgelpunkt *m*.

fermenta|ble *adj. c* gärbar, gär(ungs)fähig; **~ción** *f* Gärung *f*, Fermentation *f*; Vergärung *f*; *de alta (baja) ~* ober- (unter-)gärig (*Bier*); **~r I.** *v/t.* vergären, gären lassen; fermentieren; **II.** *v/i.* gären (*a. fig.*); fermentieren, säuern; aufgehen (*Teig*); *no ~ado* unvergoren.

fermento *m* Gärstoff *m*; Hefe *f*; ⚕, ⚗ Ferment *n*.

fernambuco *m* (*a. palo m de* ♀) Brasilholz *n*.

fernandino *hist.* **I.** *adj.* auf Ferdinand VII. bezüglich; **II.** *m* Anhänger *m* Ferdinands VII.

ferocidad *f* Wildheit *f*; Grausamkeit *f*.

feróstico F *adj.* **1.** grimmig, reizbar; störrisch; **2.** urhäßlich.

feroz *adj. c* (*pol.* *~oces*) wild, grausam; *fig.* F gewaltig, schrecklich, fürchterlich F; **~mente** *adv.* wild; grausam.

ferrar [1k] *v/t.* mit Eisen beschlagen; *Reg. Pferd* beschlagen.

férreo *adj.* eisern (*a. fig.*); Eisen...; *fig.* hart, stur F; *vía f ~a* Eisenbahn *f*.

ferrete|ar *v/t.* mit Eisen beschlagen; mit e-m Eisen bearbeiten; **~ría** *f* Eisenwaren(handlung *f*) *f/pl.*; **~ro** Eisen(waren)händler *m*.

férrico ⚗ *adj.* eisensauer; *sal f ~a* Ferrisalz *n*.

ferrífero *adj.* eisenhaltig; ⚒ eisenführend; *metales m/pl. no ~s* Nichteisen-, NE-Metalle *n/pl.*

ferrito ⚗, ⊕ *f* Ferrit *n*.

ferro ⚓ *m* Anker *m*; **~bús** *m* Schienenbus *m*; **~carril** *m* Eisenbahn *f*; *~ aéreo, ~ colgante, ~ suspendido* Hänge-, Schwebe-bahn *f*; *~ aéreo por cable* Seilschwebebahn *f*; *~ elevado* Hochbahn *f*; *~ metropolitano* Stadtbahn *f*; *in Span. bsd.* U-Bahn *f* (= *metro m*); *~ de montaña* Bergbahn *f*; *~ de sangre* Pferdebahn *f*; *~ subterráneo* Untergrundbahn *f*, U-Bahn *f*; *Abk. Arg. subte m*; *~ suburbano, ~ de arrabal* Vorortbahn *f*; *~ urbano* Stadtbahn *f*; *~ de vía (Chi., Rpl. de trocha) ancha (estrecha, normal)* Breit- (Schmal-, Normal-)spurbahn *f*; *red f de ~es* Eisenbahnnetz *n*; *Red f Nacional de* ♀*es Españoles, Abk. RENFE f* Spanische Staatsbahn *f*; *enviar (od. expedir) por ~* mit der Eisenbahn (*bsd.* † per Bahn) senden; *ir en ~* mit der Eisenbahn fahren; **~carrilero** *adj. Am.* → *ferroviario.*

ferro|cromo ⚗ *m* Ferro-, Eisenchrom *n*; **~magnético** *Phys. adj.* eisen-, ferro-magnetisch; **~manganeso** *Min. m* Eisen-, Ferro-mangan *n*; **~metales** *m/pl.* Eisenlegierungen *f/pl. mit Edelmetallen*; **~so** *adj.* stark eisenhaltig; *sal f ~a* Ferrosalz *n*; **~tipia** *Phot. f* Ferrotypie *f*.

ferroviario I. *adj.* Eisenbahn...; *compañía f ~a* Eisenbahngesellschaft *f*; *huelga f ~a* Eisenbahnerstreik *m*; *red f ~a* Eisenbahnnetz *n*; *tráfico m ~* Eisenbahnverkehr *m*; **II.** *m* Eisenbahner *m*; Eisenbahnarbeiter *m*.

ferruginoso *adj.* eisenhaltig (*Mineralwasser, Arznei*); *medicamento m ~* Eisenpräparat *n*.

ferry-boat *engl. m* Fährschiff *n*, Auto-, Eisenbahn-fähre *f*.

fértil *adj. c a. fig.* fruchtbar; ergiebig, ertragreich; *fig.* schöpferisch; *~ en recursos* erfinderisch; sehr gewandt, gerissen.

fertili|dad *f* ⚘ *u. fig.* Fruchtbarkeit *f*; Ergiebigkeit *f*; **~zante I.** *adj. c* düngend; **II.** *m* Düngemittel *n*; *~s m/pl. minerales* Mineraldünger *m*; **~zar** [1f] *v/t.* fruchtbar machen; düngen.

férula *f* **1.** Stock *m*, Rute *f*, Fuchtel *f*; *fig. estar bajo la ~ de alg.* unter j-s Fuchtel stehen; **2.** ⚕ Schiene *f*; **3.** ⚘ Harz-, Stecken-kraut *n*.

ferventísimo *sup. adj.* glühend; feurig(st).

férvido *adj.* inbrünstig; feurig; heiß.

fer|viente *adj. c* eifrig; inbrünstig; **~vor** *m* Hingabe *f*, Inbrunst *f*; Glut *f*; (Feuer-)Eifer *m*; *adv. con ~* inbrünstig; hingebungsvoll, eifrig; **~vorín** *m* Stoßgebet *n*; **~vorar, ~vorizar** [1f] **I.** *v/t.* aneifern; **II.** *v/r.* *~se* s. ereifern; **~voroso** *adj.* eifrig; inbrünstig, leidenschaftlich.

feste|jador *adj.-su. m* Gastgeber *m*; Verehrer *m*, Galan *m*; **~jar I.** *v/t.* **1.** (festlich) bewirten; **2.** *e-r Frau* den Hof machen; **3.** festlich begehen, feiern; **4.** *Méj.* verprügeln; **II.** *v/r.* *~se* **5.** s. e-n lustigen Tag machen; s. amüsieren; **~jo** *m* **1.** Fest *n*, Lustbarkeit *f*; *~s m/pl.* öffentliche Lustbarkeiten *f/pl.*; **2.** festliche Bewirtung *f*, gastliche Aufnahme *f*; **3.** Kurschneiderei *f*; **~ro** *adj.-su.* → *fiestero.*

festín *m* Festschmaus *m*, Gelage *n*; Bankett *n*.

festinar *v/t. Am.* beschleunigen, überhasten.

festi|val *m* Festspiele *n/pl.*; Festival *n*; Sport-, Musik-fest *n*; *~ aeronáutico* Flugtag *m*; *~ de la canción* Schlagerfestival *n*; *~ cinematográfico* Filmfestspiele *n/pl.*; *~ folkló-*

rico Volks-, Trachten-fest *n*; ~ *gimnástico* Turnfest *n*; **~vidad** *f* **1.** Festlichkeit *f*; Festtag *m*; (Kirchen-)Fest *n*; **2.** Witz *m*; Fröhlichkeit *f*; **~vo** *adj.* **1.** festlich, Fest...; *día m* ~ Fest-, Feier-tag *m*; **2.** witzig, humoristisch, komisch; *Thea. comedia f* ~*a* Lustspiel *n*.
festón *m* Girlande *f*; △, *Handarbeit*: Feston *n*.
festo|nado *adj.* gekerbt; **~n(e)ar** *v/t.* bekränzen; △, *Handarbeit*: festonieren; *fig.* säumen, s. am Rande (*gen.*) entlangziehen.
fetal ⚕ *adj. c* fötal, fetal, Fötus...
fetén P *adj.* (*u. su. f*) echt; wahr; *de* ~ tatsächlich; *la* ~ die Wahrheit.
fetici|da I. *m* Abtreibungsmittel *n*; **II.** *c* Töter *m* der Leibesfrucht; **~dio** *m* Abtötung *f* der Leibesfrucht.
feti|che *m* Fetisch *m*; **~chismo** *m* Fetischdienst *m*, *a.* ⚕ Fetischismus *m*; *fig.* blinde Verehrung *f*; **~chista** *adj.-su. c* Fetisch...; *m a.* ⚕ Fetischist *m*.
fetidez *f* Gestank *m*, Stinken *n*; ~ *de la boca* übler Mundgeruch *m*.
fétido *adj.* stinkend, übelriechend, ⚕ fötid.
feto *m* Fötus *m*, Fetus *m*, Leibesfrucht *f*.
feú|co, ~cho F *adj.* (recht) häßlich.
feuda|l *adj. c* feudal, Lehns...; *caballero m* ~ Lehnsritter *m*; Vasall *m*; *señor m* ~ Lehnsherr *m*; **~lismo** *m* Lehnswesen *n*, Feudalsystem *n*; Feudalismus *m*; **~tario** *adj.-su.* Feudal..., Lehn(s)..., lehnspflichtig; *m* Lehnsmann *m*.
feudo *m* **1.** Lehen *n*; Lehnsgut *n*; *dar en* ~ *a alg.* j-m zu Lehen geben; j-n belehnen (mit et. *dat. a/c.*); **2.** Lehnspflicht *f*.
fez *m* (*pl.* feces) Fez *m*, Fes *m* (*Kopfbedeckung*).
fia|bilidad *f* Zuverlässigkeit *f*; ⊕ Betriebssicherheit *f*; **~ble** *adj. c* zuverlässig; **~do I.** *part.* **1.** geborgt; *adv.* (*al*) ~ auf Borg, auf Pump F; **II.** *adj.* **2.** ✈ zuverlässig; **3.** zuversichtlich; **~dor** *m* **1.** Bürge *m*; Gewährsmann *m*; *Pol.* Vorschlagende(r) *m*, Wahlbürge *m bei Kandidatenlisten*; ✝ ~ (*de letra*) Wechselbürge *m*; *dar* ~ e-n Bürgen stellen; *salir* ~ *por alg.* für j-n bürgen, für j-n Bürgschaft leisten; **2.** Riegel *m*; Sicherheitskettchen *n am Armband*; Heftel *n an Kragen od. Umhang*; ⊕ Sperrklinke *f*; Raste *f*; **3.** Seilzug *n am Zelt*; Lederschlaufe *f am Säbel*; ⚔ Portepee *n*; Schieber *m am Riemenzeug*; Faustriemen *m am Sattelzeug*; *Chi.*, *Ec.*, Sturmriemen *m an Helm, Hut*; **4.** *fig.* F (Kinder-) Popo *m* F; **~dora** *f* Bürgin *f*.
fiambre I. *adj. c* **1.** kalt (*Speisen*); *fig.* abgestanden; alt, überholt (*Nachricht*); *discurso m* ~ nicht mehr aktuelle Rede *f*, kalter Kaffee *m* F; **II.** *m* **2.** kalte Küche *f*; Aufschnitt *m*; ~*s m/pl.* kalte Speisen *f/pl.*; **3.** *Méj.* gemischter, pikanter Salat *m*; **4.** P Leiche *f*; **~ra** *f* **1.** Blechbüchse *f u.ä.* für kalte Speisen; Picknickdose *f*; Tragvorrichtung *f* (mit Warmhaltung) *für Speisen*; **2.** Kalt-mamsell *f*, -speiserin *f*; **~ría** *f Arg.* Wurstladen *m*; *Ur.* Feinkostgeschäft *n*.

fianza I. *f* **a)** Bürgschaft *f*; **b)** Kaution *f*, Sicherheitsleistung *f*; ~ *de arraigo*, ~ *hipotecaria* hypothekarische Sicherheit *f*; ~ *bancaria* Bankbürgschaft *f*; *dar* ~ e-e Kaution stellen (*od.* hinterlegen); **II.** *c* Bürge *m*.
fiar [1c] **I.** *v/t.* **1.** bürgen für (*ac.*); s. verbürgen für (*ac.*); **2.** ~ *a/c. a alg.* j-m et. anvertrauen; **3.** auf Kredit (*od.* auf Borg) geben; *Chi.* auf Kredit haben wollen; **II.** *v/i.* **4.** ~ *en* auf (*ac.*) vertrauen; Vertrauen haben zu (*dat.*); ~ *en Dios* auf Gott vertrauen; *es* (*persona*) *de* ~ man kann ihm trauen, er ist verläßlich; **5.** *abs.* Kredit geben (*Kaufmann*); **III.** *v/r.* ~*se* **6.** ~*se de* s. verlassen auf (*ac.*), vertrauen (*dat.*); *no se fíe de las apariencias* der Schein trügt.
fiasco *it. m* Mißerfolg *m*, Fiasko *n*.
fibra *f* **1.** Faser *f* (*a. Anat.*), Fiber *f*; Fasergewebe *n*; ~ *sintética*, ~ *artificial*, ~ *química* Kunst-, Chemiefaser *f*, synthetische Faser *f*; ~ *textil* Textilfaser *f*; ~ *textil de vidrio* spinnbare Glasfaser *f*; ~ *vegetal* Pflanzenfaser *f*; ~ *vulcanizada*, ~ *roja* Vulkanfiber *f*; **2.** ♀ Wurzelfaser *f*; Faserwurzel *f*; **3.** *fig.* Kraft *f*.
fibri|lación ⚕ *f* Flimmern *n*; **~lla** *f* ♀, *Anat.* Fibrille *f*; **~na** 🝪, *Physiol. f* Fibrin *n*, Faserstoff *m*.
fibro|cartílago *Anat. m* Faserknorpel *m*; **~célula** *Biol. f* Faserzelle *f*; **~ma** ⚕ *m* Fibrom *n*, Fasergeschwulst *f*; **~so** *adj.* faserig; faserartig; Faser...; ⚕ fibrös.
fíbula *f* Fibel *f*, Spange *f*.
ficción *f* **1.** Verstellung *f*, Vorspiegelung *f*; **2.** Erdichtung *f*, Fiktion *f*; ~ *poética* dichterische Erfindung *f*.
fice *Fi. m Art* Merlan *m*.
ficticio *adj.* erdichtet, erdacht, fiktiv; fingiert, Schein...
ficto *part. irr. zu fingir.*
ficha *f* **1.** Spielmarke *f*, Jeton *m*; Stein *m* (*Domino usw.*); Zahl-, Rechen-marke *f*; Bon *m*; Münze *f für Automaten, Tel.*; **2.** Karteikarte *f*, Zettel *m*; ~ *antropométrica* Erkennungsbogen *m* (*Polizei*); ~ *de catálogo* Katalogkarte *f*; ~*-guía* Leitkarte *f e-r Kartei*; ~ *perforada* Lochkarte *f*; *sacar* ~*s* Karteikarten (*bzw.* Belegzettel) ausschreiben; **3.** *Arg.*, *Col*, *Méj.* Gauner *m*, Galgenstrick *m*; F *desp. ser una mala* ~ ein ausgemachter Gauner sein; **4.** *Chi.* Pfahl *m zur Grenzmarkierung*; **5.** ⚡ Flachstecker *m*; **~r I.** *v/t.* karteimäßig erfassen; registrieren, aufnehmen; *p. ext. j-n* überwachen, *j-n* beschatten; *estar* ~*ado* in der Kartei stehen; *fig.* F *le tengo* ~*ado* ich habe ihn auf dem Kieker F, ich habe ihn mir vorgemerkt; **II.** *v/i. Sp.* ~ (*por*) s. (für *e-n Klub*) entscheiden, (mit *e-m Klub*) e-n Vertrag schließen (*bsd. Fußballspieler*).
fichero *m* Kartei *f*, Kartothek *f*; Zettelkasten *m*; Polizeiregister *n*; *a. fig. bzw. iron. ya está* (*od. ya le tenemos*) *en el* ~ wir haben Sie schon in der Kartei; Sie sind schon registriert, Sie stehen schon auf der Liste.
fidedigno *adj.* glaubwürdig.
fideicomi|sario ⚖ **I.** *adj.* fideikommissarisch; **II.** *m* Fideikommißerbe *m*; **~so** ⚖ *m* Fideikommiß *n*, unveräußerliches Erbgut *n*; **~tido** *Pol. adj.*: *territorio m* ~ Treuhandgebiet *n*.
fideísmo *Theol. m* Fideismus *m*.
fide|lidad *f* Treue *f*; Ehrlichkeit *f*, Zuverlässigkeit *f*; Genauigkeit *f*; *juramento m de* ~ Treueid *m*; *Repro.*, *Phono* ~ (*de reproducción*) (original-)getreue Wiedergabe *f*, *Phono* Klangtreue *f*; *alta* ~ HiFi *f* (*Angl.*); *guardar* ~ *a alg.* j-m treu bleiben, j-m die Treue halten; **~lísimo** *sup. adj.* (aller)getreuester; *hist. Titel der port. Könige.*
fideo *m* **1.** (*bsd.* Faden-)Nudel *f*; ~*s m/pl. para sopa* Suppennudeln *f/pl.*; **2.** *fig.* F Hopfenstange *f* F, sehr magere Person *f*.
fiduciario ⚖ *adj.* fiduziarisch, treuhänderisch, Treuhand...; *circulación f* ~*a* (Bank-)Notenumlauf *m*; *sociedad f* ~*a* Treuhandgesellschaft *f*.
fiebre *f* ⚕ *u. fig.* Fieber *n*; *vet.* ~ *aftosa* Maul- u. Klauenseuche *f*; ~ *amarilla* Gelbfieber *n*; ~ *del heno* Heu-schnupfen *m*, -fieber *n*; ~ *intermitente* Wechselfieber *n*; ~ *de Malta*, ~ *del Mediterráneo* Malta-, Mittelmeer-fieber *n*; ~ *nerviosa* (*tropical*) Nerven- (Tropen-)fieber *n*; *tener* ~ Fieber haben, fiebern.
fie|l I. *adj. c* **1.** treu; ehrlich, zuverlässig; ~ *a su deber* pflichtgetreu; *memoria f* ~ treues (*od.* zuverlässiges) Gedächtnis *n*; ~ *a* (*con*, *para* [*con*]) *sus amigos* treu zu s-n Freunden, s-n Freunden treu; **2.** wahrheitsgemäß; genau; sinngetreu (*Übersetzung*); ~ *al original* originalgetreu; *copia f* ~ genaue Abschrift *f* (*bzw.* Nachbildung *f*); **3.** gläubig; ~ *en su creencia* fest in s-m Glauben; **II.** *m* **4.** Zünglein *n an der Waage*; Zeiger *m an Meßinstrumenten*; Scherenbolzen *m*; *estar en* (*el*) ~ im Gleichgewicht sein; *fig. inclinar el* ~ (*de la balanza*) den Ausschlag geben; **5.** ~ *contraste* Eichmeister *m*; † ~ *ejecutor* Marktaufseher *m*; † ~ *de fechos* Schreiber *m in kleineren Gemeinden*; ~ *de muelle* Hafenwaagemeister *m*; ~ *de romana* Waagemeister *m im Schlachthof*; **6.** *Rel.* Gläubige(r) *m*; **~lato** *m* Stadtzoll-, Akzisen-amt *n*; *Reg.* Mauthäuschen *n*; **~lmente** *adv.* treu; genau.
fieltro *m* Filz *m*; Filzunterlage *f*; (*sombrero m de*) ~ Filzhut *m*, Filz *m* F.
fie|ra *f* Raubtier *n*; *a. fig.* Bestie *f*; *casa f de* ~*s* Raubtierhaus *n*; Zoo *m*; *exposición f de* ~*s* Menagerie *f*; *fig.* F *ser una* ~ *en* (*od. para*) unermüdlich sein bei (*dat.*), nicht klein zu kriegen sein bei (*dat.*); *estar hecho una* ~ fuchsteufelswild sein; **⁓rabrás** *m* Riese *m aus den Ritterromanen*; *fig.* ⁓ Range *f*, ungezogenes Kind *n*; ✈ ruchloser Bösewicht *m*; **~ramente** *adv.* grausam; unmenschlich; **~recilla, ~recita** *f dim.*; *fig.* kleines wildes Biest *n*; **~reza** *f* Wildheit *f*; *fig.* Grausamkeit *f*; *fig.* äußerste Sprödigkeit *f*; Scheußlichkeit *f*; **~ro I.** *adj.* wild; *fig.* ungestüm; grausam; schreck-

lich, furchtbar, ungeheuer; P *Reg.* häßlich; **II.** *m* (*mst.* ~*s m/pl.*) Drohung *f*, Einschüchterungsversuch *m*; Prahlerei *f*.

fierro *m* † *u. Am. Reg.* → *hierro*; P *Méj.* Peso *m* (*Münze*); ⚒ *Pe., Guat., Hond.* Brandeisen *n*; ~*s m/pl. Ec.* Werkzeug *n*.

fies|ta *f* **1.** Fest *n*; Feier *f*; (*día m* de) ~ Feiertag *m*, Festtag *m*; ~ *benéfica* Wohltätigkeitsfest *n*; ~ *civil* nichtkirchlicher Feiertag *m*; ~ *doble kath.* Duplex *n*, Feiertag *m* mit zwei Vespern; *allg.* hoher Feiertag *m*; F Fest *n* mit zwei aufea.-folgenden Feiertagen; ~ *fija*, ~ *inmoble* (*movible*) unbewegliches (bewegliches) Fest *n*; *kath.* ~ *de guardar*, ~ *de precepto* gebotener Feiertag *m*; ~ *mayor* Kirchweih(fest *n*) *f*; hoher Feiertag *m*; ~ *nacional* Staatsfeiertag *m*; *Span. a.* Stierkampf *m*; ~ *popular* Volksfest *n*; *adv.* de ~ festlich; *fig.* F *se acabó la* ~ Schluß damit!; es ist nichts mehr da!; *aguar la* ~ den Spaß verderben; *se aguó la* ~ die ganze Freude ging (*bzw.* war) dahin; *estar de* ~ (et.) feiern, lustig sein; *estar de* (*od.* en) ~*s* ein Volksfest (*bzw.* Kirchweih) feiern; *fig. no estar para* ~*s* nicht zum Scherzen aufgelegt sein, übler Laune sein; *hacer* ~ feiern; blaumachen F; schulfrei haben; F *¡tengamos la* ~ *en paz!* bitte, keinen Streit!; Ruhe, bitte!, immer mit der Ruhe! F; seid friedlich! F; **2.** Liebkosung *f*, Schmeicheln *n*; *hacer* ~*s a alg.* j-m schöntun, j-m um den Bart gehen; *el perro hace* ~*s a su amo* der Hund springt um sein Herrchen herum (*od.* will s. bei s-m Herrchen einschmeicheln); **~tecita** *f dim.*; *fig.* F Ausea.-setzung *f*, Tanz *m* F, Krach *m*; **~tero** *adj.-su.* vergnügungssüchtig; *m* Freund *m* von Festen u. Vergnügungen.

fígaro *m* **1.** Barbier *m*, Figaro *m*; **2.** kurzes Wams *n*.

figle ♪ *m* Ophikleide *f*, tiefes Klapphorn *n*.

fi|gón *m* Garküche *f*, Speisewirtschaft *f*; *neol.* typisches Restaurant *n*; **~gonero** *m* Garkoch *m*.

figulino *adj.* tönern; *arcilla f* ~*a* Töpferton *m*.

figura *f* **1.** Figur *f* (*a. Thea.*, ♞, *Tanz*); Gestalt *f*; Aussehen *n*; ~ *de cerámica* Keramik *f*; ~ *de yeso* Gipsfigur *f*; *fig.* ~ *decorativa* stumme Rolle *f*; Statist *m*; *hacer* ~ e-e Rolle spielen; s. aufspielen, wichtigtun; *fig. hacer buena* (*mala*) ~ e-e gute (schlechte) Figur machen; **2.** Bild *n*, Abbildung *f*; Sinnbild *n*; Symbol *n*; *Kart.* Figur *f*, Bild *n*; en ~ in bildlicher Darstellung; bildhaft, symbolisch; **3.** ♪ Figur *f*; † Note *f*; **4.** Persönlichkeit *f*; **5.** Gesicht *n*; *hacer* ~*s* Grimassen schneiden; s. lächerlich gebärden; **6.** *Astr.* ~ *celeste* Bild *n* des Sternhimmels; Sternstand *m*; **7.** *Rhet.* ~ *de construcción* grammatische (*od.* syntaktische) Figur *f*; ~ *retórica* Redefigur *f*, rhetorische Figur *f*; **8.** ⚖ ~ *de delito*, ~ *delictiva* Tatbestand *m*; **~ble** *adj. c* vorstellbar; **~ción** *f* **1.** Bildung *f*, Gestaltung *f*; **2.** Vorstellung *f*, Meinung *f*; **~damente** *adv.* in übertragenem Sinn; **~do** *adj.* figürlich, bildlich; sinnbildlich; *lenguaje m* ~ Bildersprache *f*; *sentido m* ~ übertragene Bedeutung *f*; ♪ *canto m* ~ Mensuralmusik *f*; **~nte** *c* Statist *m*, Figurant *m* (*Thea. u. fig.*); † *u. Reg.* Schauspieler *m*; **~r I.** *v/t.* **1.** darstellen; **2.** vorgeben; *figuraron no conocerle* sie taten, als kennten sie ihn nicht; **II.** *v/i.* **3.** e-e Rolle spielen; ~ de (*od.* *como*) auftreten als (*nom.*), *et.* sein; **4.** ~ *en* auf *e-r Liste u.ä.* stehen (*od.* erscheinen); ~ *en el partido* in der Partei sein, zur Partei gehören; **III.** *v/r.* ~*se* **5.** ~*se a/c.* s. et. vorstellen; et. glauben, s. et. einbilden; *me figuro que* ... ich glaube (*od.* vermute), daß ...; *se me figura que* ... es scheint mir, daß ...; *¿qué te has* ~*ado?* wo denkst du hin?; *¡ya me lo figuraba yo!* das habe ich mir gleich gedacht; *¡figúrate!* stell' dir (nur) vor!; **~tivo** *adj.* figürlich, (sinn)bildlich; gegenständlich (*Kunst*).

figu|rería *f* Grimasse *f*; Faxen *f/pl.*, Ziererei *f*; **~rero** *m* **1.** Figurenmacher *m*; -verkäufer *m*; **2.** Faxenmacher *m*; **~rilla** *f* Statuette *f*; *fig.* Knirps *m*, kleine, unansehnliche Person *f*; **~rín** *m* **1.** *Thea.* Figurine *f*, Kostümbild *n*; **2.** Modeschnitt *m*; Mode(n)zeitung *f*; **3.** *fig.* Modepuppe *f*, Modenarr *m*; **~rinista** *Thea. c* Kostümbildner *m*; **~rón** *m* **1.** Aufschneider *m*, Angeber *m* F; **2.** ⚓ ~ *de proa* Gal(l)ionsfigur *f*.

fija *f* **1.** ⚠ Fugenkelle *f*; ⚒ gr. Tür-, Fenster-angel *f*; **2.** *Rpl.* (dreizakkige) Harpune *f*; **3.** F *Col. adv. a la* ~ auf Nummer Sicher (*gehen*).

fijacarteles *m* (*pl. inv.*) Plakatkleber *m*.

fija|ción *f* **1.** ⊕ Befestigung *f*; Feststellung *f*; *Ski*: Bindung *f*; **2.** Festsetzung *f*, Festlegung *f*, Bestimmung *f*; ~ *del precio* Preisfestsetzung *f*; ~ *de un plazo* Fristsetzung *f*; **3.** *Phot.*, *Mikroskopie*: Fixierung *f*; **4.** ⚗ Verdichtung *f*; Bindung *f*; Bodensatz *m*; **~do** *Phot. m* Fixieren *n*; **~dor I.** *adj.* **1.** (be)festigend; **II.** *m* **2.** *Phot.* Fixiermittel *n*; *Mal.*, *Friseur*: Fixativ *n*; *Mal.* Fixier-rohr *n*, -spritze *f*; **3.** ⊕ Feststeller *m*; **4.** ⚠ Fenster-, Tür-einsetzer *m*; Verfuger *m*; **~mente** *adv.* fest; sicher, bestimmt; aufmerksam; *la miraba* ~ er sah sie starr an.

fija|nte ⚔ *adj. c*: *fuego m* ~ im Ziel liegendes Feuer *n*; **~pelo** *m* Haarfestiger *m*; Frisiercreme *f*; **~r I.** *v/t.* **1.** *a.* ⊕ befestigen, festmachen, fixieren; *Einstellung e-s Geräts* arretieren; anheften; einspannen; *Plakate* (an)kleben; **2.** ⚠ verfugen; vergießen; *Zim. Fenster, Türen* einsetzen; **3.** *Blick*, *Aufmerksamkeit* richten (auf *ac.* en); **4.** *Mal.*, *Phot.*, *Friseur*: fixieren; **5.** *Termin*, *Preis*, *Bedingung usw.* festlegen, festsetzen; ~ *la hora* die Stunde bestimmen; ~ *un plazo* e-e Frist setzen; ~ *la residencia* festen Wohnsitz nehmen, s. niederlassen (in *dat.* en); ~ *el sentido de un refrán* den Sinn e-s Sprichworts bestimmen; **II.** *v/r.* ~*se* **6.** s. festsetzen (*Schmerz*); **7.** achtgeben; ~*se en alg.* (*en a/c.*) j-n (et.) bemerken; auf j-n (et.) achten; *fíjate en lo que digo* hör gut zu; gib acht auf m-e Worte; *¡fíjate bien!* **a)** paß gut auf!, sei recht aufmerksam!; **b)** F schreib's dir hinter die Ohren!; *¡fíjate!* nein, sowas!, es ist kaum zu glauben!; stell dir (nur) vor!; *no me he fijado en sus palabras* ich habe nicht recht hingehört; **8.** *se ha fijado que* ... es ist vereinbart worden, daß ...; **~tivo** *m* Fixativ *n*.

fijeza *f* Sicherheit *f*; Festigkeit *f*, Beharrlichkeit *f*; *adv. con* ~ fest; beharrlich; starr (*anblicken*).

fijo *adj.* **1.** fest; gewiß, sicher; *cantidad f* ~*a* Fixum *n*; *precio m* ~ Festpreis *m*; *puesto m* ~, *colocación f* ~*a* feste Stelle *f*; *a punto* ~ zuverlässig, sicher; *adv.* de ~ (*Arg., Col., Chi. a la* ~*a*) sicher, bestimmt, gewiß; **2.** unbeweglich, starr (*a.* ⊕); ⊕ ortsfest, stationär; *eje m* ~ starre Achse *f*; *idea f* ~*a* fixe Idee *f*.

fila *f* **1.** Reihe *f*; ⚔ Glied *n*; *de dos* (*de tres*) ~*s* zwei- (drei-)reihig; *fig. de segunda* ~ zweitrangig; *en* ~ der Reihe nach, ordnungsgemäß; ⚔ in Reih u. Glied; ⚔ *por* ~*s* gliedweise; *en primera* ~ in die erste (*bzw.* in der ersten) Reihe; *fig.* im (*bzw.* in den) Vordergrund; *fig. cerrar* (*od. estrechar*) *las* ~*s* die Reihen dichter schließen; *marchar en* ~ *india* im Gänsemarsch gehen; ⚔ in Einerreihe marschieren; **2.** ⚔ *entrar en* ~*s* einberufen werden, Soldat werden; *llamar a* ~*s* einberufen; **3.** F *tener* ~ *a alg.* j-n nicht leiden können, e-n Pik auf j-n haben F; **4.** ⚒ *Bew.*: *Durchflußmenge im Graben*: *46—86 l/sec.*; **5.** P Gesicht *n*, Visage *f* P.

filadelfas ⚘ *f/pl.* Pfeifenstrauchgewächse *n/pl.*

filamento *m* Faser *f*; Faden *m*; Draht *m*; ⚘ Staubfaden *m*; ⚡ Glüh- *bzw.* Heiz-faden *m*; **~so** *adj.* faserig, gefasert.

filandria *f* Fadenwurm *m der Vögel*.

filan|tropía *f* Menschen-liebe *f*, -freundlichkeit *f*, Philanthropie *f*; **~trópico** *adj.* menschenfreundlich, philanthropisch.

filántropo *m* Menschenfreund *m*, Philanthrop *m*.

filar I. *v/i.* ⚓ (weg)fieren; **II.** *v/t.* P *j-n* beobachten, *j-n* beschatten.

filaria ⚕ *f* Fadenwurm *m*.

filar|monía *f* Philharmonie *f*; **~mónica I.** *adj.-su. f* (*orquesta f*) ~ Philharmonie *f*, Philharmonisches Orchester *n*; **II.** *f Vasc., Chi.* Ziehharmonika *f*; **~mónico I.** *adj.* philharmonisch; *sociedad f* ~*a* Musikverein *m*; **II.** *m* Philharmoniker *m*.

filástica ⚓ *f* Kabelgarn *n*.

fila|telia *f* Philatelie *f*, Briefmarkenkunde *f*; **~télico** *adj.* philatelistisch, Briefmarken...; **~telista** *c* Philatelist *m*, Briefmarkensammler *m*.

file|te *m* **1.** ⚠ Leiste *f*; *Typ.* Zier- *bzw.* Stanz-linie *f*; Filet *n* (*pl.* Fileten); ~ *cortante* Schneid-, Stanzlinie *f*; ~ *de perforar* Perforierlinie *f*; ~ *sacalíneas* Setzlinie *f*; **2.** *Kchk.* Filet *n*; ~ *empanado* Wiener Schnitzel *n*; ~ *ruso* Frikadelle *f*, deutsches Beefsteak *n*; **3.** *Handarbeit*: Filet *n*; **4.** *bsd.* ▨ Streif *m*; **5.** ⊕ Gewinde (-gang *m*) *n*; ~ *múltiple* mehrgängiges Gewinde *n*; **6.** ⚓ Geitau *n für lt. Segel*; **7.** *Anat.* Faden *m*; **8.** *Equ.* Trense *f*; **9.** (kalter) Luftzug *m*; **~teado** *m* **1.** Leisten-, Linien-verzierung *f*; *con ~ dorado* mit Goldstreifen (*Zierlackierung*); **2.** ⊕ Gewindeschneiden *n*; Gewindegänge *m/pl.*; **~tear I.** *v/t.* mit Filets verzieren; einsäumen; mit Streifen *od.* Leisten absetzen; **II.** *v/i.* ⊕ gewindeschneiden.

filfa F *f* Flunkerei *f*, Betrug *m*; Plunder *m*; *de ~* wertlos, nutzlos.

filia|ción *f* **1.** Abstammung *f*, Herkunft *f*; *fig. ~ de ideas* Verwandtschaft *f* der Ideen (*od.* der Gedankenwelt); **2.** Personalien *pl.*; Personenbeschreibung *f*; *tomar la ~* die Personalien aufnehmen; **3.** Mitgliedschaft *f b. e-r Partei*; Parteizugehörigkeit *f*; **4.** ⚔ Eintragung *f* in die Stammrolle; **~l I.** *adj. c* kindlich, Kindes...; *amor m ~* Kindesliebe *f*; **II.** *f* ⚕ Tochterfirma *f*; *ecl.* Tochtergemeinde *f*; **~lmente** *adv.* mit kindlicher Liebe; **~r** [16] *v/t. ~ a alg.* j-s Personalien aufnehmen.

filibuste|rismo *hist. m* Unabhängigkeits-bewegung *f bzw.* -parteien *f/pl. in den span. Kolonien Amerikas*; **~ro** *hist. m* **1.** Freibeuter *m*, Flibustier *m*; **2.** Anhänger *m* der Unabhängigkeit *der span. Kolonien in Amerika.*

filicida *adj.-su. c* Kindesmörder(in) *f) m.*

filícula ♀ *f* gemeiner Tüpfelfarn *m.*

filiforme *adj. c* fadenförmig.

filigrana *f* **1.** Filigran(arbeit *f*) *n*; *fig.* F *no te metas en ~s* verkünstle dich nicht!; red nicht so viel drum herum; mach dir k-e Ungelegenheiten!; **2.** Wasserzeichen *n im Papier*; **3.** etwas Zartes, Feines; *Stk. hacer ~s* kunstvolle Figuren vorführen; **4.** ♀ *Cu. Art* Kandelbeere *f.*

fililí F *m* Schönheit *f*, Vollkommenheit *f.*

filípica *f* Philippika *f*, Brandrede *f.*

filipi|na *f Cu.* Drillichjacke *f*; **~no** *adj.-su.* philippinisch; *m* Filipino *m*; *fig. punto m ~* Kerl *m*, der zu allem fähig ist.

filis *poet. f* Anmut *f*, Liebreiz *m*; Geschicklichkeit *f.*

filisteo *adj.-su.* Philister *m* (*a. fig.*); *fig.* Banause *m*; *fig.* Riese *m*, ungeschlachter Kerl *m.*

fil|m(e) *m* Film *m*; → *a. película*; **~mación** *f* Verfilmung *f*; Filmen *n*; **~mar I.** *v/t.* (ver)filmen; **II.** *v/i.* filmen.

fílmico *adj.* Film...

fil|mín *m*, **~mina** *f* Bildstreifen *m.*

filmo|logía *f* Filmwissenschaft *f*; **~teca** *f* Filmarchiv *n.*

filo *m* **1.** Schneide *f*, Schärfe *f*; *al* (*od. por*) *~* genau; *Col. adv. de ~* direkt, entschlossen; *sin ~* stumpf; *al ~ de medianoche* genau um Mitternacht; *fig. arma f* (*od. espada f*) *de dos ~s* zweischneidiges Schwert *n*; *fig. darse un ~ a la lengua* scharf werden; j-m Übles nachsagen; *sacar ~ a a/c.* et. schärfen; *fig. estar en el ~ de la navaja* auf des Messers Schneide stehen; **2.** Halbierungslinie *f*; *fig.* äußerster Rand *m*; **3.** ⚓ *~ del viento* Windrichtung *f*; **4.** *Col., Méj., Am. Cent.* Hunger *m.*

filo|genia, ~génesis *f* Phylogenese *f*, Phylogenie *f*; **~genético** *adj.* phylogenetisch, stammesgeschichtlich.

fi|lología *f* Philologie *f*; *~ clásica* Klassische Philologie *f*, Altphilologie *f*; *~ moderna* Neuphilologie *f*; *~ germánica* Germanistik *f*; **~lológico** *adj.* philologisch; **~lólogo** *m* Philologe *m.*

filome|la, ~na *poet. f* Nachtigall *f.*

filón *m* ⚒ Erzader *f*; Flöz *n*; *fig.* Goldgrube *f*, tolles Geschäft *n* F, Masche *f* P.

filo|sa ♀ *f Art* Zistrose *f*; **~seda** *tex. f* Halbseide *f*; **~so** *adj. Arg., C. Ri., Hond.* scharf, geschliffen; spitz.

filoso|fador *adj.-su.* philosophierend; **~fal** *adj.*: *piedra f ~* Stein *m* der Weisen (*a. fig.*); **~far** *v/i.* philosophieren, nachsinnen, grübeln (über *ac. sobre*); **~fastro** *desp. m* Pseudophilosoph *m*, Philosophaster *m*; **~fía** *f* **1.** Philosophie *f*; *~ moral* Moralphilosophie *f*, Ethik *f*; *~ natural* Naturphilosophie *f*; *Facultad f de ♀ y Letras* Philosophische Fakultät *f*; **2.** *fig.* Gelassenheit *f*, Ruhe *f*; *llevar* (*od. tomar*) *con ~ a/c.* et. gefaßt hinnehmen, et. gelassen ertragen, s. in et. (*ac.*) schicken; **3.** Philosophikum *n*, *bsd. b. der theol. Ausbildung*; **4.** Philosophische Fakultät *f*; **~sófico** *adj.* philosophisch; **~sofismo** *m* Schein-, Pseudo-philosophie *f.*

filósofo *m* Philosoph *m*, Denker *m*; Weise(r) *m*; *fig.* F Lebenskünstler *m.*

filoxera *f Ent.* Reblaus *f*; *fig.* P Rausch *m*, Besäufnis *n* P.

fil|tración *f* Filtrieren *n*; Ein-, Versickern *n*; *fig.* F Unterschlagung *f*; **~trador** *m* Filtriergerät *n*; **~trar I.** *v/t.* **1.** filtrieren, filtern; **2.** durchsickern lassen; *fig.* heimlich passieren lassen; **II.** *v/i. u.* **~se** *v/r.* **3.** versickern (in *dat. en*), einsickern (in *ac. en*); sickern (durch *ac. por*); **4.** verschwinden, zerrinnen (*Geld*); **~tro** *m* **1.** Filter *m, n*; *Kfz. ~ de aceite* Ölfilter *n*; *Kfz. ~ de(l) aire* Luftfilter *n*; *Phot. ~ amarillo* Gelbfilter *m*; *Opt. ~ cromático, ~ de color* Farbfilter *m*; *Kfz. ~ de gasolina* Benzinfilter *n*; *HF, Phono ~ de sonidos* Tonfilter *m*; *cigarrillo m de ~* Filterzigarette *f*; *papel* (*de*) *~* Filter-, Filtrier-papier *n*; **2.** *Folk.* Liebes-, Zauber-trank *m.*

filustre F *m* Feinheit *f*; Eleganz *f*; Benimm *m* F.

fimbria *f* Saum *m* an langen Gewändern.

fimosis ⚕ *f* Phimose *f.*

fin *m* **1.** Ziel *n*, Absicht *f*, Zweck *m*; *a ese ~* dazu, deshalb, zu diesem Zweck; *a* (*od. con el*) *~ de + inf.* um zu + *inf.*; *a* (*od. con el*) *~ de que + subj.* damit + *ind.*; *¿con qué ~?* wozu?, zu welchem Zweck?; *para ~es benéficos* zu Wohltätigkeitszwecken; *para ~es pacíficos* für friedliche Zwecke; **2.** Ende *n*, Beendigung *f*; (Ab-)Schluß *m*; Ausgang *m*; Tod *m*; (*a, para*) *~ de semana* (am, bis zum) Wochenende *n*; *a ~es de junio* Ende Juni; *a ~es del mes* Ende des Monats, am Monatsende; *al* (*od. por*) *~* endlich, schließlich; *al ~ y al cabo od. al ~ y a la postre* letzten Endes, schließlich u. endlich; *en ~* endlich, schließlich; kurz u. gut, kurzum; *sin ~* endlos, unendlich; unzählig; *fig. al ~ de la jornada* schließlich; zu guter Letzt; zu allerletzt, ganz am Schluß; *al ~ del mundo* bis ans Ende der Welt; am Ende der Welt, ganz weit (weg); *a. fig. ~ de fiesta* Abschiedsvorstellung *f*; Ausklang *m*; *dar ~ a et.* abschließen, *et.* vollenden; *dar ~ de et.* verzehren, *et.* durchbringen; *dar ~* zu Ende gehen; *llevar a buen ~* glücklich abschließen, zu gutem Ende führen; *poner ~ a* beend(ig)en (*ac.*); Einhalt tun (*dat.*); Schluß machen mit (*dat.*).

fina|do *m* Verstorbene(r) *m*, Verschiedene(r) *m*; **~l I.** *adj. c* **1.** schließlich, End..., Schluß...; *discurso m ~* Schlußrede *f*; abschließende Rede *f*; *letra f ~* Endbuchstabe *m*; *Vkw. estación f* (*bzw. parada f*) *~* Endstation *f* (-haltestelle *f*); **2.** final (*a. Gram.*), zweckbestimmt; *Phil. causa f ~* Final-, Zweck-ursache *f*; *oración f ~* Final-, Absichts-satz *m*; **II.** *m* **3.** Ende *n*, Schluß *m*, Ausgang *m*; Schlußteil *m*, Endstück *n*; ♪ Finale *n*; *al ~* am Ende; zu guter Letzt; **III.** *f* **4.** *Sp.* Finale *n*, Endspiel *n*, Schlußrunde *f*; **~lidad** *f* Zweck *m*, Absicht *f*; 🕮 Finalität *f*; **~lista I.** *adj.-su. c Sp.* Teilnehmer *m* am Finale, Endkampf-, Schlußrunden-teilnehmer *m*; **II.** *m Phil.* Anhänger *m* der teleologischen Richtung; **~lizar** [1f] *v/t.* beenden, abschließen; **~lmente** *adv.* schließlich, endlich; kurz u. gut.

finamente *adv.* **1.** fein; elegant; **2.** F schlau.

finan|ciación *f*, **~ciamiento** *m* Finanzierung *f*; *~ con fondos propios* Eigenfinanzierung *f*; **~ciar** [1b] *v/t.* finanzieren; **~ciero I.** *adj.* finanziell, Finanz...; *sociedad f ~a* Investmentgesellschaft *f*; **II.** *m* Finanzmann *m*, Finanzier *m*; **~zas** *f/pl.* Finanzen *f/pl.*

finar I. *v/i.* **1.** sterben, verscheiden; **2.** ablaufen (*Frist*); **II.** *v/r.* **~se** **3.** *~se por et.* sehnsüchtig wünschen.

finca *f* Grundstück *n*; Bauernhof *m*, *Am.* Plantage *f*; *~ rústica* Landgut *n*; *~ urbana* Grundstück *n* in der Stadt; *~ de recreo* Wochenendhaus *m mit gr. Garten*; **~r** [1g] **I.** *v/i. Am. Reg. ~ en* beruhen auf (*dat.*); **II.** *v/i. u.* **~se** *v/r.* Grundstücke erwerben.

finés *adj.-su.* finnisch; *m* Urfinne *m*; Finne *m*; *das* Finnische.

fineza *f* **1.** Feinheit *f*; Zartgefühl *n*; **2.** Liebenswürdigkeit *f*; Zärtlichkeit *f*; **3.** Aufmerksamkeit *f*, kl. Geschenk *n.*

fingi|do *adj.* erheuchelt, vorgespiegelt; fingiert, Schein...; **~dor** *adj.-su.* Heuchler *m*, Simulant *m*; **~miento** *m* Vorspiegelung *f*; Verstellung *f*, Heuchelei *f*; **~r** [3c] **I.** *v/t.* vortäuschen, vorgeben; (er-)heucheln, fingieren; *finge dormir* er tut, als ob er schliefe; **II.** *v/r.* **~se** *amigo* vorgeben, ein Freund zu sein; *~se enfermo* s. krank stellen, simulieren.

fini|busterre *m* F Höhe *f* (*fig.*); ☐ Galgen *m*; **~quitar** *v/t.* ⚕ *Rechnung* saldieren, liquidieren; *fig.* abschließen; **~quito** ✝ *m* Rechnungsabschluß *m*; Ausgleich *m e-s Saldos*; Quittung *f*; *dar ~ a una deuda* e-e Schuld endgültig begleichen.

finir *v/i. Chi., Col., Ven.* enden.

finisecular *adj. c* aus der (*od.* zur) Zeit der Jahrhundertwende.

finísimo *sup. adj.* hochfein; allerfeinste(r).

fini|to *adj.* begrenzt; ✎ *Phil.* endlich; **~tud** *f* Endlichkeit *f*.

finlandés *adj.-su.* finn(länd)isch; *m* Finne *m*, Finnländer *m*; *das* Finnische.

fino *adj.* **1.** fein, dünn; zart; zierlich, feingebaut; **2.** fein, auserlesen, von ausgezeichneter Qualität; *oro m ~* Feingold *n*; *gusto m ~* hervorragender Geschmack *m*; **3.** fein, scharf, gut (*Sinne*); *oído m ~* feines Gehör *n*; *paladar m ~* feiner Gaumen *m*; **4.** feinfühlig, fein(sinnig), taktvoll, liebenswürdig; höflich, aufmerksam; **5.** klug; schlau, listig; geschickt, anstellig; *ingenio m ~* scharfer Verstand *m*.

finolis F *adj. inv.*: *ser ~* den feinen Mann spielen; *estar ~* pikobello angezogen sein F.

fino-ugrio *Li. adj.* finnisch-ugrisch.

finquero *m* Pflanzer *m im ehm. Spanisch-Guinea*.

finta *f a. fig.* Finte *f*.

finura *f* Feinheit *f*; Liebenswürdigkeit *f*, Höflichkeit *f*; *~ de espíritu* Feinfühligkeit *f*, Feinsinnigkeit *f*.

finústico F *adj.* übertrieben höflich.

fiord(o) *m* Fjord *m*.

fique *m Am.* Agavenfaser *f*.

firma *f* **1.** Unterschrift *f*; Unterzeichnung *f*; *~ en blanco* Blankounterschrift *f*; *media ~* Unterschrift *f* ohne Vornamen; *echar una ~* F unterzeichnen; P s-e Notdurft verrichten; *poner su ~* (en) (*et.*) unterzeichnen, unterschreiben; **2.** unterzeichnete (*bzw.* zu unterzeichnende) Schriftstücke *n/pl.*; *an Universität usw.* Testat *n*; **3.** ✝ Firma *f*; **4.** *fig.* Schriftsteller *m*; **5.** Vollmacht *f*, ✝ Prokura *f*; *dar la ~ a alg.* j-m Vollmacht (*bzw.* ✝ Prokura) erteilen.

firmamento *m* Firmament *n*; *poet.* Sternenzelt *n*.

firma|nte *m* Unterzeichner *m*; *el abajo ~* der Unterzeichnete; **~r** *vt/i.* unterzeichnen, unterschreiben.

firme I. *adj. c* fest, beständig, standhaft, feststehend; sicher; stabil; ✝ *en ~* verbindlich, fest; *carácter m ~* fester (*od.* unnachgiebiger *bzw.* zuverlässiger) Charakter *m*; ✝ *compra f en ~* fester Kauf *m*; *mano f ~* feste (*od.* sichere) Hand *f*; *tierra f ~* Festland *n*; *adv. a pie ~* unerschütterlich, standhaft, unbeirrt; ⚔ *¡~s!* stillgestanden!; Augen geradeaus!; *estar en lo ~* s-r Sache sicher sein; *estar* (*od. mantenerse*) *~ en su decisión* bei s-m Entschluß bleiben; *ser ~ en sus convicciones* feste Überzeugungen haben; *ponerse ~* fester (*od.* stärker) werden; erstarken; **II.** *adv.* (de) ~ stark, kräftig; tüchtig, gehörig, gründlich; *hablar* (de) *~* entschlossen (*od.* mit Festigkeit) sprechen; *llueve* (de) *~* es regnet tüchtig; *fig. pisar ~* entschlossen auftreten; *trabajar* **de** *~* tüchtig arbeiten, gehörig zupacken; **III.** *m* ⚠ Straßendecke *f*; → *a. pavimento*; Packlage *f*, Bettung *f*, fester Baugrund *m*; *~ asfáltico* Asphaltdecke *f*; **~mente** *adv.* fest, standhaft, entschlossen; **~za** *f* Festigkeit *f*; Beständigkeit *f*, Beharrlichkeit *f*; Sicherheit *f*; Entschlossenheit *f*.

firmón *desp.* F *m* Unterschriftsleister *m*, Strohmann *m*; *abogado m ~* Rechtsanwalt *m*, der s-n Namen (dazu) hergibt; Rechtsverdreher *m*.

firuletes *m/pl. Arg., Pe.* Putz *m*, Schmuck *m*; Geschnörkel *n*, Firlefanz *m*.

fisca|l I. *adj. c* **1.** fiskalisch, Fiskus..., Finanz..., Steuer...; *defraudación f ~* Steuerhinterziehung *f*; *Derecho m ~* Steuerrecht *n*; *derechos m/pl. ~es* Finanzzölle *m/pl.*; *régimen m ~* Steuerwesen *n*; Steuerordnung *f*; **2.** ⚖ Staatsanwalts...; *ministerio m ~* Staatsanwaltschaft *f*; **II.** *m* **3.** ⚖ Staatsanwalt *m*; *~ general* Generalstaatsanwalt *m*; *primer ~* erster Staatsanwalt *m*; *Dtl. a.* Oberstaatsanwalt *m*; *~ togado* Vertreter *m* der Anklage vor Militärgerichten; **4.** Finanzbeamte(r) *m*, Beamte(r) *m* der Finanzkontrolle; **5.** *fig.* Schnüffler *m*, Zuträger *m*; **~lía** ⚖ *f* Staatsanwaltschaft *f*; **~lización** *f* Überwachung *f*, Überprüfung *f*, Kontrolle *f*; **~lizar** [1f] **I.** *v/i.* **1.** staatsanwaltliche Befugnisse ausüben; **II.** *v/t.* **2.** kontrollieren, überwachen; kritisieren, tadeln; **3.** (zugunsten der Staatskasse) beschlagnahmen; **~lmente** *adv.* fiskalisch; *~ privilegiado* steuerbegünstigt (*Sparen*).

fisco *m* Fiskus *m*, Staatskasse *f*; Steuerbehörde *f*; *Ven.* Kupfermünze *f* (¼ *Centavo*).

fis|ga *f* **1.** *Art* Harpune *f*, Fischspeer *m*; **2.** *Guat., Méj.* Banderilla *f*; **3.** *fig.* F Spott *m*, Ulk *m*; höhnisches Grinsen *n*; **~gar** [1h] **I.** *v/t.* **1.** mit dem Fischspeer fischen; **II.** *v/t.* **2.** F herumschnüffeln (in *dat.*); *j-n* belauern; **3.** *j-n* verulken; **~gón** F **I.** *adj.* **1.** herumschnüffelnd; **II.** *m* **2.** Schnüffler *m*, Spürhund *m*; **3.** Spötter *m*; **~gonear** F *vt/i.* **1.** (immer) herumschnüffeln (in *dat.*); **2.** verulken; **~goneo** F *m* **1.** Schnüffelei *f*; **2.** (heimlicher) Spott *m*.

fisi|bilidad *Phys. f* Spaltbarkeit *f*; **~ble** *Phys. adj. c* spaltbar.

físi|ca *f* Physik *f*; *~ nuclear* Kernphysik *f*; **~camente** *adv.* **1.** körperlich, physisch; **2.** physikalisch; **~co I.** *adj.* **1.** körperlich, physisch; *fuerza f ~a* Körperkraft *f*; *esfuerzo m ~* körperliche Anstrengung *f*; *el mundo ~* die Welt der Materie; **2.** physikalisch; **II.** *m* **3.** Physiker *m*; *~ nuclear* Kern-, Atom-physiker *m*; **4.** † *u. Reg.* Arzt *m*; **5.** Aussehen *n*, Äußere(s) *n*; *tener un ~ agradable* angenehm (*od.* nett *od.* sympathisch) aussehen.

fisicoquími|ca *f* Physikochemie *f*, physikalische Chemie *f*; **~co** *adj.* physikochemisch.

fisi|ocracia 📖 *f* Physiokratismus *m*; **~ología** *f* Physiologie *f*; **~ológico** *adj.* physiologisch; **~ólogo** *m* Physiologe *m*.

fisi|ón *f* **1.** *Phys.*: *~ (nuclear)* Kernspaltung *f*; **2.** *Biol.* Teilung *f*; **~onable** ⚒ *adj. c* → *fisible*.

fisio|nomía *f* → *fisonomía*; **~terapia** ⚕ *f* Physiotherapie *f*.

fisípedos *Zo. m/pl.* Zweihufer *m/pl.*

fisirrostros *Vo. m/pl.* Spaltschnäbler *m/pl.*

fiso|nomía *f* Physiognomie *f*; Gesichtsausdruck *m*; *fig.* Gepräge *n*; **~nómico** *adj.* physiognomisch; (*ciencia f*) *~a f* Physiognomik *f*.

fisónomo *m* Physiognom(iker) *m*.

fístula *f* **1.** ⚕ Fistel *f*; **2.** *lit.* Rinne *f*, Röhre *f*; **3.** Schalmei *f*, Rohr (-pfeife *f*) *n*.

fistu|lar ⚕ *adj. c* fistelartig, Fistel...; **~loso** ⚕ *adj.* fistelartig; fistelnd, Fistel...

fisura *f* **1.** Spalt *m*, Riß *m*, Schrunde *f*; *Min.* Sprung *m*, Riß *m im Gestein*; **2.** ⚕ *~ (anal)* Afterschrunde *f*; *~ (ósea)* Spaltbruch *m e-s Knochens*.

fitó|fago *Zo. adj.* pflanzenfressend; **~geno** 📖 *adj.* phytogen.

fito|grafía 📖 *f* Pflanzenbeschreibung *f*; **~logía** *f* Phytologie *f*, Pflanzenkunde *f*; **~patología** *f* Phytopathologie *f*; **~sanitario** ✎ *adj.* Pflanzenschutz...; *producto m ~* Pflanzenschutzmittel *n*; **~tomía** *f* Phytotomie *f*, Pflanzenzergliederung *f*; **~zo(ari)os** *Biol. m/pl.* Phytozoen *n/pl.*, Pflanzentiere *n/pl.*

flabe|liforme *adj. c* fächerförmig; **~lo** *m* Fliegenwedel *m*.

Flaca P: *la ~* der Tod.

flac|amente *adv.* schwach; **~cidez** *f* Schlaffheit *f*, Erschlaffung *f*; Schwäche *f*.

fláccido *adj.* schlaff, erschlafft; welk (*Haut*).

fla|co I. *adj.* mager, dürr, hager; schlaff; *a. fig.* schwach, dürftig; *argumento m ~* schwaches Argument *n*; *~ en matemáticas* schwach in Mathematik; *ser ~ de estómago* (*de memoria*) e-n schwachen Magen (ein schwaches Gedächtnis) haben; (*un*) *~ servicio me has prestado* du hast mir e-n Bärendienst erwiesen; *fig. las* (*vacas*) *~as* die mageren Zeiten; **II.** *m* Schwäche *f*, schwache Seite *f*; *conocerle a uno el ~* j-s schwache Seite kennen; *mostrar su ~* s. e-e Blöße geben; **~cucho** F *adj.* (*oft desp.*) schlapp, schlaff; klapperdürr F; **~cura** *f* Magerkeit *f*; Erschlaffung *f*, Mattigkeit *f*; Schwäche *f*.

flage|lación *f* Geißelung *f* (*a. Rel. u. Ku.*); *Psych.* Flagellation *f*; **~lado** *Biol. adj.-su.* geißeltragend; Geißel...; *~s m/pl.* Geißeltierchen *n/pl.*; **~lador** *adj.-su. m* Auspeitscher *m*; **~lante** *Rel. hist. m* Flagellant *m*, Geißler *m*; **~lar** *v/t.* auspeitschen, *a. fig.* geißeln; **~lo** *m* **1.** Geißel *f* (*a. fig.*); **2.** *Biol. ~s m/pl.* Geißeln *f/pl.*

flagra|ncia ⚒ *poet. f* Frische *f*; Funkeln *n*, Glut *f*; **~nte** *adj. c* **1.** ⚖ *delito m ~* soeben begangenes Delikt *n*; *coger* (*od. sorprender*) *en ~* auf frischer Tat (*od.* in flagranti) ertappen (*od.* überraschen); **2.** *poet.* glühend, flammend, glänzend; **3.** neu, gg.-wärtig, frisch; **~r** *poet. v/i.* glühen, flammen, funkeln.

fla|ma ⚒ *f* Flamme *f*; Widerschein *m*; **~mante** *adj. c* funkelnagelneu; neu; glänzend; **~meante** *Ku. adj.*

c: *gótico m* ~ Spätgotik *f*, Flamboyantstil *m*; **~mear I.** *v/i.* flammen, Flammen sprühen; ⚓ im Winde flattern; **II.** *v/t.* abflammen; *Kchk.* flambieren.

flamen *hist. Rel. m* Flamen *m.*

flamen|ca F *f* hübsches Mädchen *n mit andalusisch-zigeunerischen Zügen*; **~co I.** *adj.* **1.** flämisch, flandrisch; *Mal. escuela f ~a* flandrische Schule *f*; **2.** zigeunerhaft; *p. ext.* andalusisch; ♪ *cante m* ~ → *8*; **3.** *fig.* F forsch, dreist; *eres muy* ~ du bist ein ganz geriebener Kunde, du bist mir der Schlankste; *no te pongas* ~ sei jetzt ein bißchen vernünftig, laß jetzt die dummen Späße; **4.** volkstümlich elegant; *va (od. viste) muy* ~ er kleidet s. sehr auffällig *nach volkstümlicher Manier*; **5.** *Méj., P. Ri.* hager; **II.** *m* **6.** Flame *m*; **7.** Andalusier *m* von zigeunerischer Wesensart; j., der andalusisch-zigeunerische Art nachahmt; **8.** ♪ *andal. Volksweise u. Tanz zigeunerhaften Charakters*, Flamenco *m*; **9.** *Vo.* Flamingo *m*; **10.** 🔪 *u. Arg.* feststehendes Messer *n*; **~cología** *f* Flamenco-kunde *f*, -wissenschaft *f*; **~quería** *f* zigeunerisch-andalusische Art *f*; Art *f*, s. wie ein „flamenco" *od.* "chulo" zu geben.

flamenquilla *f* **1.** kl. (Servier-)Platte *f*; **2.** ⚘ Ringelblume *f.*

flamenquismo *m* Vorliebe *f* für das volkstümlich Andalusische; → *flamenquería.*

flamígero *adj.* flammensprühend; △ *estilo m gótico* ~ (französische) Spätgotik *f.*

flámula *bsd.* ⚓ *f* Wimpel *m.*

flan *m* **1.** *Kchk.* (*bsd.* Karamel-)Pudding *m*; Auflauf *m*; **2.** Münzplatte *f zum Prägen.*

flanco *m* **1.** ⚔ Flanke *f*; ⚔ *atacar por el* ~ e-n Flankenangriff machen; *ataque m de* ~ Flankenangriff *m*; *adv. de* ~ seitlich; **2.** Seite *f*, Flanke *f*, Weiche *f*; *Equ.* **~s** *m/pl.* Weichen *f/pl.*; **3.** △ Seitenflügel *m*; **4.** ⛉ Schildflanke *f.*

flane|ra *f*, **~ro** *m* Puddingform *f.*

flanque|ar *v/t.* **1.** ⚔ flankieren, seitlich decken; **2.** ⚔ seitlich bestreichen (*Geschütz*); die Flanke ... (*gen.*) beherrschen; mit dem Geschütz erreichen; **3.** flankieren, neben ... (*dat.*) gehen (*bzw.* stehen); **~o** ⚔ *m* Flanken-deckung *f bzw.* -angriff *m.*

flaque|ar *v/i.* **1.** nachgeben, wanken; ~ *por los cimientos* in den Fundamenten nachgeben; **2.** nachlassen, schwach (*od.* schwächer) werden; schwach sein, versagen; *su memoria flaquea* sein Gedächtnis läßt nach; **3.** nachgeben, weichen; verzagen, kleinmütig werden; **~za** *f* **1.** Magerkeit *f*; **2.** Schwäche *f* (*bsd. fig.*); *fig.* Fehler *m.*

flash *engl. m Phot.* Blitzlicht(gerät) *n*; *fig.* Blitznachricht *f*; *Phot.* ~ *electrónico* Elektronenblitz(gerät *n*) *m.*

fla|to *m* Blähung *f*; *Am. Cent., Col., Méj., Ven.* Schwermut *f*; **~toso** *adj.* an Blähungen leidend; **~tulencia** ⚕ *f* Blähsucht *f*, Flatulenz *f*; **~tulento** *adj.* **1.** blähend; **2.** → *flatoso.*

flau|ta I. *f* **1.** Flöte *f*; ~ *de Pan* Panflöte *f*; ~ *travesera* Querflöte *f*; *la* ♀ *Mágica* (*od. Encantada*) die Zauberflöte (*Oper*); *fig.* F *hoy te da por pitos y mañana por* ~*s* du weißt nicht, was du willst; *y sonó la* ~ (*por casualidad*) *Sinn*: es hat halt geklappt; Glück muß der Mensch haben; er (*usw.*) brauchte nichts dazu zu tun; **2.** □ Prostituierte *f*, Nutte *f* P; **II.** *c* **3.** → *flautista*; **~tado I.** *adj.* flötenähnlich; **II.** *m* Flötenregister *n der Orgel*; **~tero** *m* Flötenmacher *m*; **~tillo** *m* Hirtenflöte *f*, Rohrpfeife *f*; **~tín** *m* **1.** Pikkoloflöte *f*; **2.** Pikkolospieler *m*; **~tista** *c* Flötist(in *f*) *m.*

flavo *lit. adj.* (honig-, gold-)gelb.

flébil *poet. adj. c* traurig, bejammernswert.

flebitis ⚕ *f* (*pl. inv*). Venenentzündung *f*, Phlebitis *f.*

fleco *m* **1.** Franse *f*; Quaste *f*, Troddel *f*; **2.** Stirnlocke *f*; **3.** ausgefranster Rand *m.*

flecha I. *f* **1.** Pfeil *m*; ~ (*indicadora*) (Hinweis-)Pfeil *m* (*a. Typ.*); *Kfz.* Winker *m*, Fahrtrichtungsanzeiger *m*; *con la rapidez de una* ~ pfeilschnell; *Span. Pol. el yugo y las* ~*s* Joch *n* u. Pfeile *m/pl.* (*Falangeemblem*); **2.** △ **a)** Turmspitze *f*; **b)** Bogenhöhe *f*, Stich *m*; **3.** 𝔄 Bogen-, Sehnen-höhe *f*; Ordinate *f im Koordinatensystem*; ⚔ Gipfelhöhe *f e-r Geschoßbahn*; **4.** ⊕ Durchbiegung *f v. Balken usw.*; Durchhang *m v. Drähten usw.*; **5.** ⊕ flache Spannfeder *f*; ⚔ Lafettenholm *m*; **6.** *Astr.* ♀ → *Saeta*; **7.** *fig.* Qual *f*, Pein *f*, Schmerz *m*; **8.** *tex.* Fliege *f* (*Verstärkungsnaht*); **II.** *m* **9.** *Pol.* Mitglied *n* der falangistischen Jugendorganisation; **~dor** *m* Pfeil-, Bogen-schütze *m*; **~do** F *adj.*: *está* ~ er hat s. verliebt, den hat's erwischt F; **~r I.** *v/t.* **1.** mit Pfeilen beschießen *od.* töten; **2.** F *j-s* Herz entflammen; **II.** *vt/i.* **3.** (den Bogen) spannen; **~ste** ⚓ *m* Webeleine *f*, *als Sprossen zum Aufentern benützt*; **~zo** *m* Pfeilschuß *m*; *fig.* F *fue un* ~ es war Liebe auf den ersten Blick.

fleche|ría *f* Pfeile *m/pl.*; Pfeilhagel *m*; **~ro** *m* Pfeilschütze *m*; 🔪 Pfeilschnitzer *m.*

flechilla ⚘ *f Arg.* kräftiges Weidefutter *n.*

fleje *m* Bandeisen *n*; Eisen-, Stahlband *n.*

fle|ma *f* **1.** (Rachen-)Schleim *m*; **2.** Phlegma *n*, Trägheit *f*; *tener* (*od. gastar*) ~ sehr phlegmatisch (*od.* ein Phlegmatikus F) sein; **3.** ⚗ **a)** Schlempe *f*; **b)** Rohalkohol *m*; **~mático I.** *adj.* phlegmatisch, träge, schwerfällig, pomadig F; kaltblütig; **II.** *m* Phlegmatiker *m*; **~món** ⚕ *m* Phlegmone *f*; *p. ext.* Zahngeschwür *n*, dicke Backe *f*; **~moso** *adj.* schleimig; **~mudo** *adj.* phlegmatisch.

fleo ⚘ *m* Lieschgras *n.*

flequillo *m* Stirnlöckchen *n*; Simpel(s)fransen *f/pl.*

fleta|dor ⚓, ✈ *m* Befrachter *m*; Charterer *m*; **~mento** *m* Befrachtung *f*; Charter *f*; *contrato m de* ~ Chartervertrag *m*; *póliza f de* ~ Charte(r)partie *f*; **~nte** *m* ⚓ Verfrachter *m*; *Arg., Chi., Ec.* Vermieter *m v. Lasttieren od. Schiffen*; **~r I.** *v/t.* **1.** chartern; befrachten, *Arg., Chi., Ec., Méj. Wagen, Lasttiere* vermieten; *avión m ~ado* Charterflugzeug *n*; **2.** *fig. Chi., Pe. Schlag* versetzen; *Beschimpfungen* ins Gesicht schleudern; **II.** *v/r.* **~se 3.** *Arg.* s. einschmuggeln; *Chi., Méj.* auf u. davon gehen.

flete *m* **1.** ⚓, ✈ Charterung *f*; Fracht *f*; Frachtgebühr *f*; ~ *aéreo* (*marítimo*) Luft- (See-)fracht *f*; **2.** *Am.* Fracht(gut *n*) *f*; **3.** *Rpl.* schnelles, ausdauerndes Pferd *n*; **4.** *Cu., Pe.* galante Begleitung *f.*

flexi|bilidad *f a. fig.* Biegsamkeit *f*, Geschmeidigkeit *f*; *fig.* Anpassungsfähigkeit *f*; **~ble I.** *adj. c* biegsam, geschmeidig (*a. fig.*), flexibel; *fig.* anpassungsfähig; *sombrero m* ~ weicher Hut *m*; **II.** *m* ⚡ (Leitungs-)Draht *m*, Schnur *f*; **~ón** *f* Biegung *f* (*a.* ⊕), Beugung *f*; *Li.*, ⚕ *a.* Flexion *f*; *Sp.* ~ *de rodillas* Kniebeuge *f*; ~ *de cintura* (tiefe) Rumpfbeuge *f*; **~onal** *Li.*, ⚕ *adj. c* Flexions...

flexo *m* Schlauchlampe *f.*

flexor *Anat. adj.-su. m* (*músculo m*) ~ Flexor *m*, Beugemuskel *m.*

flexuoso *adj.* wellig, gewunden.

flir|t *engl. m* → *flirteo*; **~tear** *v/i.*: ~ (*con alg.*) (mit j-m) flirten, kokettieren, tändeln; **~teo** *Angl. m* Flirt *m*, Liebelei *f*; Flirten *n*, Kokettieren *n.*

flocadura *f* Fransenbesatz *m.*

flocula|ción ⚗ *f* (Aus-)Flockung *f*; **~r** ⚗ *vt/i.* ausflocken.

flóculo ⚗ *m* Flocke *f.*

flo|jamente *adv.* **1.** schwach; **2.** nachlässig; **~jear** *v/i.* schwächer werden; nachlassen; *a. fig.* wanken, wackeln; ⊕ s. lockern (*Schraube usw.*); **~jedad** *f* Schwäche *f*, Kraftlosigkeit *f*; Schlappheit *f*; *fig.* Faulheit *f*, Nachlässigkeit *f*; **~jel** *m* (Tuch-)Flocken *f/pl.*; Flaum(federn *f/pl.*) *m der Vögel*; **~jera** F *f* Faulheit *f*; Schlappheit *f*; **~jito** *adj. dim. v. flojo*; ⚓ flau (*Wind*); **~jo** *adj.* **1.** kraftlos, schwach; nachlässig, träge, faul; schlaff (*a. Feder*); locker (*a. Schraube*); lappig (*Gewebe, Papier*); unscharf (*Opt.*); weich, nachgiebig (*Fundament, Gelände*); abbröckelnd (*Gestein*); flau (*Wind, Geschäftsgang, Markt*); *seda f ~a* ungezwirnte Rohseide *f*; *ser* ~ *de piernas* schlecht auf den Beinen sein, ein schlechter Fußgänger sein; *el viento está* ~ es geht kaum Wind, es herrscht Flaute; **2.** dünn (*Getränk*), leicht (*Wein*); **3.** schlampig gemacht, schlecht (*Arbeit*); schwach (*Buch, Theaterstück*); minderwertig; **4.** *Am.* feige.

flor I. *f* **1.** Blume *f*; Blüte *f*; *a. fig.* Blüte(zeit) *f*; ~ *campestre* Feldblume *f*; ~ *de amor* **a)** Fuchsschwanz *m*; **b)** Gänseblümchen *n*; **c)** Hahnenkamm *m*; ~ *de ángel* Osterglocke *f*; *Am.* ~ *del Inca*, ~ *de los incas* Inkablume *f*; ~ *de lis* Jakobslilie *f*; ⛉ Wappenlilie *f*; ~ *de maravilla* Tigerblume *f*; *fig.* F Wetterfahne *f* (*fig.*); *Am. trop.* ~ *de muerto* Samt-, Toten-, Studentenblume *f*; ~ *de la pasión* Passionsblume *f*; ~ *natural* echte Blume *f*; *fig.* Preis *m* bei den „juegos florales"; ~ *del viento* Küchenschelle *f*; *árboles m/pl.* en ~ Baumblüte *f*; en ~ blühend, in (der) Blüte; *fig. en la* ~ *de su edad* in der Blüte s-r Jahre, in s-n besten Jahren; *fig. caer en* ~ (zu) früh sterben; *estar en* ~ blühen, in Blüte stehen; *fig.* blühen, gedeihen; florieren; *echar* ~es Blüten treiben, knospen; *fig.* → 2; *fig. pasársela en* ~es auf Rosen gebettet sein, k-e Sorgen kennen; *fig.* F *como (unas) mil* ~es glänzend; F *como una* ~ wunderschön; **2.** Floskel *f*, Redeschmuck *m*; Kompliment *n*, Schmeichelei *f*; *echar* ~es Komplimente machen; **3.** *das* Beste, *die* Auslese; *die* Elite; *la* ~ *y nata de la sociedad* die Creme der Gesellschaft, die Hautevolee; ~ *de harina* Blütenmehl *n*; *pan m de* ~ feinstes Weißbrot *n*; **4.** ⚗, *Min.* Blüte *f*, Glanz *m*; ~ *de cinc* Zink-blüte *f*, -oxyd *n*; **5.** Schimmel *m*, Kahmhaut *f b. Wein*; **6.** Narben *m*, Haarseite *f des Leders*; **7.** Oberfläche *f*; *a* ~ *de* dicht über (*dat.*), auf gleicher Höhe mit (*dat.*); *a* ~ *de agua* hart an der Oberfläche des Wassers; ⚓ an der Wasserlinie; *a* ~ *de piel* oberflächlich, äußerlich; *a* ~ *de tierra* zu ebener Erde; hart an der Erdoberfläche; ⚒ zutage liegend; *Zim.* (*ajustado*) *a* ~ bündig (eingelassen); **8.** Hauch *m*, Reif *m auf Obst*; metallische Bläue *f*, Irisieren *n des abgeschreckten Eisens*; **9.** Jungfräulichkeit *f*; **10.** *Kart.* Dreiblatt *n*; drei Karten der gleichen Farbe; ✎ Betrug *m*, Mogeln *n im Spiel*; **11.** *kath.* ~(es) *f(/pl.) de mayo* Maiandacht *f*; **12.** *Kchk.* ~es *f/pl. de sartén* Ölkringel *m/pl.*; **13.** *dar en la* ~ *de* die (schlechte) Gewohnheit annehmen, zu + *inf.*; **II.** *adj. inv.* **14.** *Arg.* fruchtbar (*Feld*); F ausgezeichnet.

flora *f* Flora *f* (*a. Biol.*); *Myth.* ♀ Flora *f*; **~ción** *f* Blühen *n*; Blüte (-zeit) *f*; *segunda* ~ Nachblüte *f*; **~l** *adj. c* Blumen..., Blüten...; *Lit. juegos m/pl.* ~es Dichterwettbewerb *m*; **~r** ⚘ *v/i.* blühen, Blüten ansetzen.

flore|ado *adj.* geblümt (*Stoff*); **~al** *hist. m* Floreal *m*, *8. Monat des frz. Revolutionskalenders*; **~ar I.** *v/t.* **1.** mit Blumen schmücken; *fig. e-r Frau* Komplimente machen; **2.** *das Blütenmehl* aussieben; *fig.* das Beste (*od.* den Rahm) abschöpfen von (*dat.*); **II.** *v/i.* **3.** zittern, vibrieren (*Degenspitze*); **4.** ♪ (auf der Gitarre) tremolieren; **5.** F *Am.* öfter blühen; **~cer** [2d] **I.** *v/i. a. fig.* blühen; ~ *en* reich sein an (*dat.*); **II.** *v/r.* ~se schimmeln; *Min.* auswittern; **~cido** *adj.* schimmelig, verschimmelt; **~ciente** *adj. c* blühend; *fig. a.* aufstrebend; **~cilla** *f* Blümchen *n*; **~cimiento** *m a. fig.* Blühen *n*; *fig.* Wachsen *n*, Gedeihen *n*.

florentino *adj.-su.* florentinisch; *m* Florentiner *m*.

flore|o *m* **1.** (überflüssiger) Wortschwall *m*, Floskeln *f/pl.*; eingestreute Zitate *n/pl.*; Komplimente *n/pl.*, Schmeichelei *f*; F *andar en* ~s a) Süßholz raspeln; b) Ausflüchte machen; **2.** ♪ Tremolo *n*, Tremolieren *n* (*auf der Gitarre*); *Art* Pirouette *f b. Volkstanz*; **3.** Vibrieren *n der Degenspitze*; **~ra** *f* → *florista*; **~ría** *f* Blumen-geschäft *n*, -kiosk *m*; **~ro I.** *adj.-su.* **1.** Komplimentenmacher *m*; Schwätzer *m*; **II.** *m* **2.** Blumenstock *m*; Blumenständer *m*; *Mal.* Blumenstück *n*; **3.** → *florista*; **~scencia** *f* Blühen *n*; Blütezeit *f*; ⚗, *Min.* Auswittern *n*; **~sta** *f* **1.** Forst *m*, Hain *m*; **2.** → *florilegio*; **~ta** *f* Florettschritt *m* (*Tanz*).

flore|tazo *m* Florettstoß *m*; F *Méj.* Anpumpen *n* F; **~te I.** *m* Florett *n*, Stoßdegen *m*; ✎ Florettfechten *n*; **II.** *adj.*: *azúcar m* ~ feiner Puderzucker *m*; *papel m* ~ feinstes Papier *m*, Florpost *f*; **~tear I.** *v/t.* mit Blumen verzieren; **II.** *v/i.* mit dem Florett fechten; **~tista** *c* guter (Florett-)Fechter *m*.

floricul|tor *adj.-su.* Blumenzüchter *m*; **~tura** *f* Blumenzucht *f*.

flori|damente *adv.* anmutig, elegant; **~dez** *f* Blumen-, Blüten-fülle *f*; *fig.* Blumigkeit *f od.* Schwülstigkeit *f des Stils*; **~do** *adj.* **1.** blühend; blumig, blumengeschmückt; **2.** erlesen, kostbar; **3.** (*Stil*) rhetorisch geschmückt; geziert, blumig, schwülstig, verschnörkelt; Schnörkel..., Schwulst...; *Ku. gótico m* ~ Schnörkelgotik *f*; **4.** □ wohlhabend, reich; **5.** ✎ lüstern, geil.

florífero *adj.* blumen-, blüten-tragend.

florilegio *Lit. m* Blütenlese *f*, Anthologie *f*.

florín *m* Gulden *m*.

floripondio ⚘ *m Am. trop.* baumartiger Stechapfel *m*.

floris|ta *c* **1.** Blumen-händler(in *f*) *m*; *f* Blumenbinderin *f*; **2.** Blumenmacher(in *f*) *m*; **~tería** *f* Blumengeschäft *n*, -kiosk *m*.

florón *m* **1.** ⚠ Rosette *f*; ▨ Blumenwerk *n*; *Handarbeit*: Blumenmilieu *n*; **2.** *fig.* große Tat *f*.

flósculo ⚘ *m* Einzelblüte *f e-r Komposite*.

flota *f* **1.** Flotte *f*; ~ *aérea* Luftflotte *f*; ~ *de guerra* Kriegsflotte *f*; ~ *mercante* Handelsflotte *f*; ~ *pesquera* Fischereiflotte *f*; **2.** F *Am.* Prahlerei *f*; *echar* ~s prahlen; **3.** *Chi.* Menge *f*; **~bilidad** *f Phys.* Auftrieb *m*; ⚓ Schwimmfähigkeit *f*; **~ble** *adj. c* schwimmfähig; flößbar (*Gewässer*); **~ción** *f* **1.** Schwimmen *n*; Flößen *n*; ⚓ *línea f de* ~ Wasserlinie *f*; **2.** ⊕ Flotation *f von Erzen*; **~dor** *adj.-su.* schwimmend; *m* ⊕, ⚓, ✈ Schwimmer *m*; ⚓ *a.* Kork *m*; (Kork-)Schwimmer *m des Fischnetzes*; **~dura** *f*, **~miento** *m* Flößen *n*; *Kfz.* Flattern *n* (*Räder*); **~nte I.** *adj. c* **1.** schwimmend; treibend, Treib...; ⚓ flott; *Phys. cuerpo m* ~ schwimmender Körper *m*, Schwimmkörper *m*; ⚓ *carga f* ~ schwimmende Ladung *f*; *madera f* ~ Treibholz *n*, treibendes Holz *n*; *Verw. población f* ~ fluktuierende Bevölkerung *f*; **2.** flatternd; **II.** *m* **3.** F *Col.* Prahler *m*, Schwadroneur *m*; **~r I.** *v/i.* **1.** (obenauf) schwimmen, treiben; *hacer* ~ → *3*; **2.** *in der Luft* schweben; wehen, flattern; **II.** *v/t.* **3.** *Holz* flößen; **4.** ⚒ *Erze* (auf-) schwemmen; **5.** ⚓ *Schiff* flottmachen.

flo|te *m* ✎ ⚓ Schwimmen *n*; *a* ~ flott; *poner* (*od. sacar*) *a* ~ ⚓ abbringen, *a. fig.* flottmachen; *fig. j-n* wieder auf die Beine bringen; *salir a* ~ ⚓ freikommen; *fig.* aus e-r schwierigen Lage herauskommen; **~tilla** *f* ⚓ Flottille *f*; ✈ Geschwader *n*; ⚓ ~ *en remolque* Schleppzug *m*.

fluctu|ación *f* Schwankung *f*, Fluktuation *f*; Wallen *n des Wassers*; *fig.* Schwanken *n*; † ~*ones f/pl. del cambio* (*de los precios*) Wechselkurs- (Preis-)schwankungen *f/pl.*; **~ante** *adj. c* fluktuierend; *fig.* schwankend; unschlüssig; **~ar** [1e] *v/i.* **1.** auf den Wogen schwanken; **2.** *fig.* schwanken (zwischen *dat.* entre); **3.** dem (*od.* raschem) Wechsel unterliegen; fluktuieren; **4.** *fig.* wanken, in Gefahr schweben (*Sache*); **~oso** *adj.* → *fluctuante*.

fluen|cia *f* **1.** Fließen *n*; **2.** Ausfluß(stelle *f*) *m*; **~te** *adj. c* fließend.

flui|dez *f* **1.** *Phys.* Flüssigkeit *f*, Fließen *n* (*a. Vkw.*), Fluidität *f*; *Typ.* ~ *de la tinta* Fließgüte *f* der Farbe; **2.** *fig.* Flüssigkeit *f des Stils*; **~dificar** [1g] *Phys.*, ⊕ **I.** *v/t.* verflüssigen; **II.** *v/r.* ~se flüssig werden; **~do I.** *adj.* flüssig (*a. fig. Stil*), fließend; *muy* ~ dünnflüssig; **II.** *m* Flüssigkeit *f*; *Phys.* Fluidum *n*; elektrischer Strom *m*; ⚗, *pharm.* Fluid *n*; **~r** [3g] *v/i.* fließen, rinnen; ausfließen.

flujo *m* **1.** Fluß *m* (*a.* ⊕), Fließen *n*; ~ *magnético* magnetischer Fluß *m*; **2.** ⚓ Strömung *f*; ~ (*y reflujo m*) (Ebbe *f* u.) Flut *f*; **3.** ⚕ Ausfluß *m*; ~ *blanco* Weißfluß *m*; **4.** *fig.* Schwall *m*; ~ *de palabras* Wortschwall *m*; ~ *de sangre* Blutung *f*.

flúor ⚗ *m* Fluor *n*.

fluorescen|cia *f* Fluoreszenz *f*; **~te** *adj. c* fluoreszierend.

fluo|rhídrico ⚗ *adj.*: *ácido m* ~ Flußsäure *f*; **~rina**, **~rita** *Min. f* Flußspat *m*; **~ruro** ⚗ *m* Fluorid *n*.

fluvi|al *adj. c* Fluß...; *inspección f* ~ Wasser-, Strom-polizei *f*; *navegación f* ~ Fluß-, Binnen-schiffahrt *f*; **~átil** *adj. c Biol.* in fließendem Wasser lebend; *Geol.* fluviatil; **~ómetro** *m* Pegel *m*, Wasserstandsmesser *m*.

flux *m* **1.** *Kart.* Sequenz *f*, Serie *f*; **2.** *Col.*, *Ven.* (Herren-)Anzug *m mit Weste*; **3.** *fig. Am.* (*bsd. Arg.*) *quedarse a* ~, *hacer* ~ s. ruinieren, Bankrott machen.

fluxión ⚕ *f* **1.** Fluxion *f*, Blutandrang *m*; Stauung *f*; **2.** ✎ Schnupfen *m*.

¡fo! *int.* pfui!

fobia ⚕ *f* Phobie *f*, krankhafte Angst *f*; *a. fig.* heftige Abneigung *f* (gg. *ac.* *contra*).

foca *Zo. f* Robbe *f*; Seehund *m*; *Pelzwerk*: Seal *m*, *n*.

focal *adj. c Phys.*, *Opt.*, ⚒, ⚕ fokal; Brenn(punkt)...; ⚕ Herd...; *Opt. distancia f* ~ Brennweite *f*.

foceifiza *Ku. f* maurisches Glassplittermosaik *n*.

foco *m* **1.** *Phys.*, ⚒ Brennpunkt *m*, Fokus *m*; *p. ext.* Licht-, Wärme-

quelle *f*; *fig.* Brennpunkt *m*, Mittelpunkt *m*; ~ *de luz* Lichtkegel *m*; Lichtquelle *f*; *Kfz.* ~*s m/pl.* Scheinwerfer *m/pl.*; **2.** ⚕ *u. fig.* Herd *m*; *fig.* Ausgangspunkt *m*, Brutstätte *f*; ~ *infeccioso* Infektionsherd *m*; ~ *de propaganda* Propagandazentrum *n*.
focha *Vo. f* → *foja*.
fofadal *m Arg.* Morast *m*.
fofo *adj.* schwammig, weich; schwabbelig F, aufgedunsen.
foga|rada *f* Lohe *f*; **~ril** *m* Feuerzeichen *n*; Signalfeuer *n*; **~ta** *f* **1.** hellflackerndes Feuer *n*, Lohe *f*; Lagerfeuer *n*; **2.** ⚔, ⚒ Sprengmine *f*; ⚔ Land-, Flatter-, Teller-mine *f*.
fogón *m* **1.** (offenes) Herdfeuer *n*; (Küchen-)Herd *m*; Feuerstelle *f*; Feuerung *f* (*Dampfkessel*); **2.** ⚔ Zündloch *n* (*Geschütz*); Zündkanal *m* (*Munition*); **3.** *Arg.* Runde *f* am Lagerfeuer; *Arg.*, *Chi.*, *C. Ri.* → *fogata 1*.
fogo|nadura *f* ⚓ Mastloch *n*; △ Balkenloch *n*; *Am.* eingelassener Teil *m e-s Balkens*; **~nazo** *m* Aufblitzen *n*; Pulverblitz *m*; Mündungsfeuer *n*; Stichflamme *f*; **~nero** *m* Heizer *m*; **~sidad** *f* Heftigkeit *f*, Ungestüm *n*, Feuer *n*; **~so** *adj.* feurig; hitzig, ungestüm; *espíritu m* ~ Feuergeist *m*.
fogue|ar *v/t.* **1.** ⚔ an das (Aufblitzen des) Feuer(s) gewöhnen; *fig.* an die Strapazen e-s Berufes *usw.* gewöhnen; **2.** *Waffe* durch Abschießen reinigen; **3.** *Stk. dem Stier* die „banderillas de fuego" einstechen; **~o** ⚔ *m* Gewöhnung *f* ans Feuer.
foie-gras *frz. m* Gänseleberpastete *f*.
foja *f* **1.** *Vo.* Bläßhuhn *n*; **2.** † Folio [*n*, Blatt *n e-s Aktenstücks*.]
folgo *m* Fußsack *m*.
folía ♪ *f kanarische Volksweise f*; leichte Musik *f älteren Stils* im Volkston; ~*s f/pl. port. Volkstanz*.
foli|áceo *adj.* blattartig; blätterig; **~ación** *f* **1.** ❦ Blattansatz *m*; Blätterstand *m*; **2.** *Typ.* Paginieren *n*; **~ado** ❦, *Min. adj.* blätterig; **~ar** **I.** [1b] *v/t. Typ.* paginieren; **II.** *adj. c* ❦ Blatt...; **~atura** *f* → *foliación*.
folicular *adj. c Anat.* Follikel...; ❦ schlauchartig.
folículo *m Anat.* Follikel *m*; ❦ Samen-hülle *f*, -kapsel *f*.
folio *m* **1.** *Typ.* Großformat *n*, Folio *n*; ~ *francés* Großoktav(format) *n*; ~ *español* Quart(format) *n*; ~ *imperial*, ~ *atlántico*, ~ *mayor* Großfolio *n*; en ~ in folio, im Folioformat; *fig.* de *a* ~ riesengroß, gewaltig; **2.** (Buch- *usw.*)Blatt *n*, Folio *n*; **~lo** (*a. folíolo*) ❦ *m* Fieder *f e-s zs.-gesetzten Blattes*.
folk|lore *m* Volkskunde *f*; Folklore *f*, Brauchtum *n*; **~lórico** *adj.* volkskundlich; folkloristisch; **~lorista** *c* Volkskundler *m*, Folklorist *m*.
folla ⚔ *f* Durcheinander *n*, Gemisch *n*.
follada *f* Blätterteigpastete *f*.
folla|je *m* Laub(werk) *n*; Laubgewinde *n*; *fig.* überflüssiges Beiwerk *n*; leeres Geschwätz *n*; **~r**[1] *v/t.* blattförmig zs.-legen *od.* -falten; **~r**[2] [1m] **I.** *v/t.* mit dem Blasebalg anfachen; P koitieren; **II.** *v/r.* ~*se* P (heimlich) einen streichen lassen F.

folle|tín *m* Feuilleton *n*; *fig.* F Hintertreppenroman *m*; seichter Film *m*; **~tinesco** *adj.* Feuilleton...; *fig.* Sensations..., spektakulär; **~tinista** *c* Feuilletonist *m*; **~tista** *c* Broschüren-, Pamphlet-schreiber *m*; **~to** *m* Broschüre *f*; ☤ *a.* (Falt-)Prospekt *m*; Flugblatt *n*; **~tón** *m* → *folletín*.
follisca F *f Col.*, *Ven.* Streit *m*, Schlägerei *f*.
follón **I.** *adj.* **1.** faul, arbeitsscheu; **2.** feige; **3.** frech, dummdreist; **II.** *m* **4.** Taugenichts *m*; **5.** geräuschloser Feuerwerkskörper *m*; P leiser Furz *m* P; **6.** P Krach *m*, Wirbel *m*; Durch-ea. *n*; *armar un* ~ Krach schlagen, Krakeel machen F; **7.** † Wurzeltrieb *m der Bäume*.
fomen|tador *adj.-su.* fördernd; *m* Förderer *m*, Begünstiger *m*; **~tar** *v/t.* **1.** fördern, begünstigen; schützen; *Unruhen usw.* schüren; **2.** *Eier* erwärmen, bebrüten (*Henne*); ⚕ feuchtwarme Umschläge machen (*dat. od.* auf *ac.*); **3.** *Cu.*, *P. Ri.* *Geschäft* aufbauen; **~to** *m* **1.** Förderung *f*; Belebung *f*; Pflege *f*, Unterstützung *f*; ~ de (*los*) *estudios* Studienförderung *f*; *Am. Ministerio m* de ♀ Entwicklungs-, Aufbauministerium *n*; **2.** *fig.* Nahrung *f*; Schüren *n*; **3.** Erwärmung *f*, Weitergabe *f* belebender Wärme; **4.** ⚕ ~*s m/pl.* feuchtwarme Umschläge *m/pl.*
fon *m* Phon *n*.
fonación *f* Stimm-, Laut-bildung *f*, Phonation *f*.
fonda *f* Gast-haus *n*, -hof *m*; Bahnhofsgaststätte *f*; *Arg.* Spelunke *f*, Kneipe *f*; *Guat.* Destille *f*, Branntweinausschank *m*; *Chi.* Trinkhalle *f*.
fon|dable ⚓ *adj. c* zum Ankern geeignet; **~dado** *adj.* mit verstärktem Boden (*Faß*); **~deadero** *m* Ankerplatz *m*; **~deador** ⚓ *adj.-su. m* (*buque m*) ~ *de minas* Minenleger *m*; **~deaminas** ⚓: *submarino m* ~ Minenunterseeboot *n*; **~dear** **I.** *v/t.* **1.** ⚓ (aus)loten; *Schiff* auf Konterbande durchsuchen; **2.** ⚓ *Bojen* auslegen; **3.** *fig.* gründlich durchsuchen *bzw.* untersuchen; *e-r Frage* auf den Grund gehen; **II.** *v/i.* **4.** ⚓ ankern; **III.** *v/r.* ~*se* **5.** *Am. Reg.* reich werden; **~deo** ⚓ *m* Ankern *n*; Durchsuchung *f auf Konterbande*; Zollkontrolle *f auf dem Schiff*; **~dero** *m Am. oft desp.* Gastwirt *m*; **~dillón** *m* **1.** Faßneige *f*; **2.** alter Alicantewein *m*; **~dillos** *m/pl.* Hosenboden *m*, Gesäß(teil) *n e-r Hose*; **~dista** *c* Gastwirt *m*; Besitzer *m* e-s Gasthofs; F *u. desp.* Hotelier *m*.
fondo *m* **1.** Grund *m*, Boden *m*; (*Faß-*, *Koffer-*, *Kessel- usw.*)Boden *m*; (*Meeres-*)Grund *m*; (*Tal-*, *Fluß-*)Sohle *f*; ⚓ Schiffsboden *m*; *mst.* ~*s m/pl.* Unterwasserschiff *n*; *hielo m* de ~ Grundeis *n*; *sin* ~ bodenlos; unergründlich; grundlos; ⚓ *dar* ~ ankern; ⚓ *u. fig. irse a* ~ untergehen, (ver)sinken; ⚓ *tocar el* ~ Grundberührung haben, Grund berühren; **2.** Tiefe *f a. e-s Gebäudes*, *e-r Kolonne*; *de poco* ~ seicht, flach (*Gewässer*); *de a tres en* ~ in Dreierreihen (*Kolonne usw.*); *bajo* ~ Untiefe *f*; *fig.* → *3*; **3.** Wesen(sart *f*) *n*; (Grund-)Veranlagung *f*; Gehalt *m*, Kern *m*; *fig.* de ~ **a)** Haupt...; **b)** gebildet (*fig.*); **c)** ⚖ materiell; *en el* ~ im Grunde (genommen), eigentlich; *adv. a* ~ **a)** gründlich, eingehend; von Grund auf; **b)** energisch; ~ *de bondad* Veranlagung *f* zur Güte, guter Kern *m*; *fig. bajos* ~*s m/pl.* Unterwelt *f*, Asoziale(n) *m/pl.*, Pöbel *m*; *de bajos* ~*s Ausdruck* der niederen Volkssprache; *hombre m de buen* ~ im Grunde kein schlechter Mensch; gutmütiger Mensch *m*; gebildeter Mensch *m*; *emplearse a* ~ alle Hebel in Bewegung setzen; es gründlich machen, sein Bestes geben; *ir al* ~ de *a/c.* e-r Sache auf den Grund gehen; zum Hauptpunkt e-r Sache kommen; **4.** Grund *m e-s Anstrichs*, *e-s Gewebes*; *color m* (*od. capa f*) de ~ Maluntergrund *m*, Grundfarbe *f*; Grundierung *f*; ~ *musical* Musikuntermalung *f*; ~ *de tul* Tüllspitzengrund *m*; **5.** *a. Thea.*, *Mal.* Hintergrund *m*; **6.** ☤ Fonds *m*; ~*s m/pl.* Kapital *n*, Vermögen *n*; ~ *de compensación* Ausgleichsfonds *m*; ~ *de desarrollo* Entwicklungsfonds *m*; ♀ *Monetario Internacional* Internationaler Währungsfonds *m*; ~*s m/pl. públicos* Staats-gelder *n/pl.*, -papiere *n/pl.*; ~*s de reserva* Rücklagen *f/pl.*; *a* ~ *perdido* à fonds perdu, verloren; *estar en* ~*s* über Geld verfügen, bei Kasse sein F; *estar mal de* ~*s* schlecht bei Kasse sein F, kein Geld haben; **7.** Grund-lage *f*, -stock *m*; *Bibliothek*, *Verlag*: Bestand *m*, Fonds *m*; *libros m/pl.* de ~ Verlagsbücher *n/pl.*; **8.** *Sp. carrera f* de ~ **a)** Langstrecken-lauf *m*; -schwimmen *n*; **b)** Steherrennen *n*; *carrera f de medio* ~ Mittelstreckenlauf *m*; **9.** *Am. Reg.* Mischkessel *m* (*Zuckerfabrik*).
fondón **I.** *m* **1.** Grund *m für Brokatstickerei*; **2.** Faßneige *f*; **II.** *adj.* **3.** mit dickem Gesäß.
fonducho *desp. m* miese Gastwirtschaft *f*.
fone|ma *Li. m* Phonem *n*; **~mática** *Li. f* Phonologie *f*.
foneti|ca *Li. f* Phonetik *f*; ~ *sintáctica* Satzphonetik *f*; **~co** *adj.* Laut..., phonetisch; *escritura f* ~*a* Lautschrift *f*.
fonetis|mo *m* (Buchstaben-)Lautschrift *f*; **~ta** *c* Phonetiker *m*.
fónico *adj.* phonisch, Schall..., Laut...
fon(i)o *m Phys.* Phon *n*; *Chi. fono* Hörer *m* (*Tel.*).
fono|amplificador *m* Schallverstärker *m*; **~captor** *m* Tonabnehmer *m*; **~grafía** *f* Schallaufnahme *f*.
fonógrafo *m* **1.** Grammophon *n*; **2.** *hist.* Phonograph *m*.
fono|grama *m* **1.** Laut- *bzw.* Schallaufzeichnung *f*; **2.** Lautzeichen *n*; **~logía** *Li. f* Phonologie *f*; **~metría** *f* Phonometrie *f*, Schallmessung *f*.
fonómetro *m* Phonometer *n*, Schallmeßgerät *n*.
fonotecnia *f* Schalltechnik *f*.
fon|tana *lit. f* Quell *m* (*lit.*); Springbrunnen *m*; **~tanal** **I.** *adj. c* Quell...; **II.** *m* quellenreiche Stelle *f*; → **~ta-**

nar *m* Quelle *f*; **~tanela** *Anat. f* Fontanelle *f*; **~tanería** *f* Installation *f* von Rohren u. Brunnen; **~tanero I.** *adj.* Brunnen...; Quell(en)...; **II.** *m* Installateur *m*; Klempner *m*; **~tezuela** *f* Brünnlein *n*.
footing *engl. m* Wandersport *m*.
foque *m* **1.** ⚓ Klüver *m*; ~ *volante* Flieger *m* (*Segel*); **2.** F Vatermörder *m* (*Kragen*).
forajido *adj.-su. m* Straßenräuber *m*, Bandit *m*; † Geächtete(r) *m*.
foral I. *adj. c* ⚖ auf die „fueros" bezüglich, gesetzlich; gerichtlich; **II.** *m Gal.* Gut *n* in Erbpacht; **~mente** *adv.* nach den „fueros", nach örtlich geltendem Recht.
foráneo *adj.* fremd.
forastero *adj.-su.* fremd; auswärtig; *m* Fremde(r) *m*; Auswärtige(r) *m*.
force|j(e)ar *v/i.* **1.** s. verzweifelt anstrengen, alle Kräfte einsetzen; ⚓ gg. Wind u. Wetter ankämpfen; **2.** (mitea.) ringen; **3.** s. heftig sträuben; s. kräftig wehren; **~j(e)o** *m* **1.** Ringen *n*; starke Kraftanstrengung *f*; **2.** Widerstand *m*; **~jón** *m* heftige Anstrengung *f*, Ruck *m*; **~judo** *adj.* kräftig.
fórceps ⚕ *m* Geburtszange *f*.
fore|nse I. *adj. c* **1.** gerichtlich, Gerichts...; *lenguaje m* ~ Rechtssprache *f*, juristische Fachsprache *f*; **2.** ↖ fremd; **II.** *adj.-su. m* **3.** (*médico m*) ~ Gerichts-arzt *m*, -mediziner *m*; **~ro** *adj.* auf ein „fuero" bezüglich; nach geltendem „fuero".
foresta|ción *f* (Wieder-)Aufforstung *f*; **~l** *adj. c* Forst..., Wald...; *economía f* ~ Forstwirtschaft *f*.
forillo *Thea. m* Zwischenvorhang *m* im Mittelausgang der hinteren Dekoration.
forja *f* **1.** Schmiede *f*; **2.** Erz-, Eisenhütte *f*; **3.** Schmieden *n*; ~ *en caliente* (*en frío*) Warm- (Kalt-)schmieden *n*; **4.** △ Mörtel *m*; **~ble** *adj. c* schmiedbar; **~do I.** *part.-adj.* **1.** geschmiedet, Schmiede...; ~ *a mano* handgeschmiedet; **II.** *m* **2.** Schmieden *n*; **3.** △ Fach-, Bindwerk *n*; Füllung *f des Fachs b. Fachwerk*; ~ (*de piso*) Decke *f*; **~dor** *m a. fig.* Schmied *m*; *fig.* Anstifter *m*, Urheber *m*; ~ *de su suerte* s-s Glückes Schmied *m*; **~dura** *f* Schmieden *n*; Schmiedearbeit *f*; **~r I.** *v/t.* **1.** schmieden; ~ *en caliente* (*en frío*) warm (kalt) schmieden; **2.** *fig. Pläne, Ränke* schmieden; ausdenken, ersinnen, *desp.* ausbrüten; ~ *embustes* lügen; aufschneiden; **3.** △ **a)** mauern; *Zwischendecke* einziehen; **b)** grobtünchen; **II.** *v/r.* ~*se* **4.** ~*se ilusiones* s. Illusionen machen (*od.* hingeben).
forma *f* **1.** Form *f*, Gestalt *f*, Äußere(s) *n*; ~*s f/pl.* Formen *f/pl.*; Figur *f*; *de bella* ~ formschön; *de bellas* ~*s* von guter Figur; *dar* ~ *a a/c.* et. ordnen, et. in Ordnung bringen; et. aus-, durch-führen; et. gestalten, et. formen; *en* ~ *de in Zssgn.* ...förmig; **2.** Form *f*; (Art *f* u.) Weise *f*; ~ *de gobierno* Regierungsform *f*; *en* (*buena*) ~ in geziemender Form; *en* (*su*) *debida* ~ ordnungsgemäß, vorschriftsmäßig; nach Gebühr; *de* ~ *que* ... so daß ...; ⚖ *de* ~ prozessual, Verfahrens...; Form...; *en toda* ~ in aller Form; *de cualquier* ~ auf jeden Fall; *de todas* ~*s*, *de una* ~ *o de otra* jedenfalls; *guardar* (*od. cubrir*) *la*(*s*) ~(*s*) die Form(en) wahren; *no hay* ~ *de* + *inf.* es ist unmöglich, zu + *inf.*; *no hay* ~ *de conseguirlo* man kann es unmöglich erreichen; *es pura* (*od. mera*) ~ es ist e-e reine Formsache; ⚖ *se anula por vicio de* ~ *Urteil usw.* wird wegen e-s Formfehlers aufgehoben; **3.** (Guß- *usw.*)Form *f*; *Typ.* ~ *de imprimir* Druckform *f*; **4.** (Buch-)Format *n*; **5.** *kath.* Sakramentsformel *f*; *la* ♀ *Sagrada* die heilige Hostie; **6.** *a. Sp. estar en* ~ in Form sein.
forma|ble *adj. c* formbar; bildsam; ⊕ verformbar; **~ción** *f* **1.** Gestaltung *f*, Bildung *f*; Gebilde *n*; ~ *de agua de condensación* Kondenswasserbildung *f*; ~ *de una sociedad* Gründung *f* e-r Gesellschaft; *Opt.* ~ *de imágenes* Bilderzeugung *f*; 🚂 ~ *de un tren* Zs.-stellung *f* (*bzw.* Rangieren *n*) e-s Zuges; **2.** *Geol.* Formation *f*; ~ *calcárea* (*sedimentaria*) Kalk- (Sediment-)formation *f*; ⚘ ~*ones f/pl. litorales* Strandpflanzen *f/pl.*, Küstenvegetation *f*; **3.** ⚔ Formation *f*, Aufstellung *f*, Gliederung *f*; *en* ~ in Reih u. Glied; *en* ~*ones* in Verbänden; **4.** Form *f*; ~ *octaédrica* oktaedrische Form *f* (*Kristalle*); **5.** (Aus-)Bildung *f*; ~ *de los jóvenes* Heranbildung *f* des Nachwuchses; **~do** *adj.* **1.** ausgebildet; **2.** erwachsen, reif.
forma|l *adj. c* **1.** formal; **2.** förmlich, formell; ernst-haft, -lich; *orden f* ~ ⚔ dienstlicher Befehl *m*; ✝ feste Bestellung *f*; **3.** *a.* ✝ solide, seriös; zuverlässig; artig (*Kind*); **~lidad** *f* **1.** Förmlichkeit *f*; Formalität *f*, Formvorschrift *f*; *por mayor* ~ der Ordnung halber; ~*es f/pl. aduaneras* Zollformalitäten *f/pl.*; **2.** Zuverlässigkeit *f*, Redlichkeit *f*; Ernsthaftigkeit *f*; Genauigkeit *f*, Pünktlichkeit *f*; ✝ Ehrlichkeit *f*; (geschäftliche) Anständigkeit *f*; *persona f de poca* ~ unzuverlässige Person *f*; **~lina** ⚗ *f* Formalin *n*; **~lismo** *m* Formalismus *m*, Erstarrung *f* im Formenwesen; Umstandskrämerei *f*; **~lista** *adj.-su. c* formalistisch; umständlich; *m* Formalist *m*; Formenmensch *m*; Umstandskrämer *m* F; **~lizar** [1f] **I.** *v/t.* die vorgeschriebene Form geben (*dat.*); *Vertrag* ordnungsgemäß ausfertigen; offiziell gestalten; ~ *un expediente* e-n Vorgang ordnungsgemäß erledigen; ~ *las relaciones* den Beziehungen e-e gesetzliche Form geben; ~ *una oposición* Einspruch erheben; **II.** *v/r.* ~*se* ernst werden; formell werden; Anstoß nehmen (an *dat. por*), beleidigt sein; **~lmente** *adv.* **1.** formell, förmlich; **2.** ernstlich, im Ernst; **3.** pünktlich; seriös; **~lote** F *adj. c* sehr ordentlich, sehr genau.
forma|r I. *v/t.* **1.** formen, bilden; gestalten; ~ *parte de* gehören zu (*dat.*), e-n Teil bilden von (*dat.*); ~ *un proyecto* e-n Plan entwerfen; *Pol. recibir el encargo de* ~ *gobierno* mit der Regierungsbildung beauftragt werden; **2.** ausbilden, erziehen; **3.** ⚖ ~ *causa a alg.* gg. j-n gerichtlich vorgehen, j-n verklagen; ein Verfahren gg. j-n einleiten; ~ *queja* Beschwerde einlegen; **4.** 🚂 *Zug* zs.-stellen; rangieren; **5.** ⚔ formieren, aufstellen; **II.** *v/i. u.* ~*se v/r.* **6.** ⚔ antreten; Aufstellung nehmen; ¡~(*se*)! antreten!; **III.** *v/r.* ~*se* **7.** s. bilden, entstehen; zs.-treten; **8.** ausgebildet werden; **9.** ~*se idea de* s. e-n Begriff machen von (*dat.*); e-e Vorstellung haben von (*dat.*); **~tivo** *adj.* bildend, Bildungs..., Gestaltungs...; **~to** *m* Format *n*; *de gran* ~ großformatig; **~triz** ↖ *adj. f* gestaltend.
fórmico ⚗ *adj.*: *ácido m* ~ Ameisensäure *f*.
formidable *adj. c* furchtbar, schrecklich; F großartig, toll F, riesig F.
formol ⚗ *m* Formol *n*.
formón ⊕ *m* Stemm-, Stech-eisen *n*; *Zim.* (Stech-)Beitel *m*.
fórmula *f* **1.** *a.* ⚗, ⚕ Formel *f*; *pharm.* Rezept(formel *f*) *n*; ~ *final* Schlußformel *f in Briefen*; *por* ~ der Form halber, um den Schein zu wahren; *es pura* ~ es ist e-e reine Formalität; **2.** *fig.* Formel *f*, Lösung *f*.
formu|lación *gal. f* Formulierung *f*; **~lar** *v/t.* aufsetzen, abfassen, formulieren; äußern, vorbringen; ~ *reclamaciones* Beschwerden vorbringen; ~ *una receta* ein Rezept ausschreiben; **~lario I.** *m* Formel- *bzw.* Formblatt-, Muster-sammlung *f*; Formelanhang *m zu e-m Buch*; Rezept-, Arznei-buch *n*; ~ (*impreso*) Formular *n*, Vordruck *m*; *llenar un* ~ ein Formular ausfüllen; **II.** *adj.* ↖ Formel...; **~lismo** *m* Formen-wesen *n*, -kram *m* F; **~lista** *c* Formenmensch *m*; Umstandskrämer *m* F.
fornica|ción *f* Hurerei *f*, Unzucht *f*; **~dor** *adj.-su.* hurerisch, unzüchtig; *m* Hurer *m*; **~r** [1g] *v/i.* huren, Unzucht treiben.
forni|do *adj.* stark; stämmig, kräftig; **~tura** *f Typ.* Satz *m* Lettern; ⚔ ~*s f/pl.* Leder- *bzw.* Koppel-zeug *n*.
foro *m* **1.** *hist. u. fig.* Forum *n*; *fig.* Gericht(ssaal *m*) *n*; Anwaltschaft *f*; ♀ *Romano* Forum *n* Romanum; ~ *de lectores* Leserforum *n*; **2.** *Thea.* Hintergrund *m*; F *desaparecer por el* ~ (ungesehen) verschwinden, verduften F; **3.** ⚖ *Art* Erbpacht (-vertrag *m*) *f*; Pachtzins *m*.
forra|do I. *adj.* **1.** gefüttert (mit *dat. de*); ~ *de piel* pelzgefüttert; **2.** *a.* ⊕ ausgeschlagen, verkleidet; be-, um-sponnen, umhüllt; **3.** *fig.* F ~ (*de dinero*) reich, betucht; **II.** *m* **4.** ⚓ Schalung *f*; **~je** *m* **1.** ✓ *Span.* Grünfutter *n*; *Am. bsd.* Trockenfutter *n*; ⚔ Furage *f für die Pferde*; ~ *mixto* Mischfutter *n*; *echar* ~ *al ganado* dem Vieh Futter geben; **2.** Futtermahd *f*; ⚔ Furagieren *n*; **3.** *fig.* F Wust *m*; **~jear** *v/i.* Futter mähen; ⚔ furagieren; **~jero** *adj.* Futter...; *plantas f/pl.* ~*as* Futterpflanzen *f/pl.*; **~r I.** *v/t.* **1.** füttern (mit *dat. con, de*) (*Kleid usw.*); aus-, be-schlagen; überziehen; *Buch* einschlagen; **2.** umwickeln, umflech-

ten; **II.** *v/r.* ~se **3.** F ~se (*de dinero*) Geld wie Heu verdienen; **4.** F *Guat.*, *Méj.* tüchtig essen (*vorm Aufbruch*).

forro *m* **1.** Futter *n* (*Kleidung*); Überzug *m*, Bezug *m*; Hülle *f*; (Buch-)Umschlag *m*; F *ni por el* ~ überhaupt nicht, nicht im mindesten; **2.** ⊕ (Aus-)Fütterung *f*, Futter *n*, Verkleidung *f*; Beschlag *m*; Belag *m*; *Kfz.* ~ *de(l) freno* Bremsbelag *m*; **3.** Verschalung *f*; ⚓ Beplankung *f*; Außenhaut *f des Schiffes*; *falso* ~ Innenbeplankung *f*.

forta|cho *adj. Arg.*, *Chi.*, **~chón** F *adj.* kräftig, handfest; **~lecedor** *adj.* stärkend, kräftigend; **~lecer** [2d] **I.** *v/t.* **1.** stärken, kräftigen; ermutigen; **2.** befestigen; **II.** *v/r.* ~se **3.** erstarken; **~lecimiento** *m* **1.** Kräftigung *f*, Stärkung *f*; Abhärtung *f*; **2.** Erstarkung *f*; **~leza** *f* **1.** Seelenstärke *f*; Stärke *f*, Kraft *f*; Mut *m*; **2.** ⚔ Festung *f*; ✈ ~ *volante* Fliegende Festung *f* (*amer. Bomber des 2. Weltkriegs*); **3.** *Chi.* Gestank *m*; **4.** *Chi. Art* Klickerspiel *n*.

forte ♪ **I.** *adv.* forte; **II.** *m* Forte *n*.

¡forte! ⚓ *int.* halt!, stopp! *b. Arbeiten.*

fortepiano † ♪ *m* Klavier *n*, † Pianoforte *n*.

fortifica|ción *f* **1.** Befestigung *f*; Festung(swerk *n*) *f*; **2.** Festungsbau *m*; **~nte** *adj. c* kräftigend; *m* Stärkungsmittel *n*; **~r** [1g] **I.** *v/t.* **1.** stärken, kräftigen; bestärken; verstärken; **2.** ⚔ befestigen; *Stellung* ausbauen; ~ *con estacas* einpfählen; **II.** *v/r.* ~se **3.** ⚔ s. verschanzen; **4.** s. abhärten.

fortín ⚔ *m* Schanze *f*, Bunker *m*.

fortísimo *sup. adj.* äußerst stark.

fortuito *adj.* zufällig.

fortu|na *f* **1.** Schicksal *n*, Geschick *n*; (*buena*) ~ Glück *n*, gütiges Geschick *n*; *mala* ~ Unglück *n*, Pech *n* F; *hacer* ~ sein Glück machen; *probar* (*la*) ~ sein Glück versuchen; *bienes m/pl. de* ~ Glücksgüter *n/pl.*; *adv. con* (*buena*) ~ glücklich; *adv. por* ~ glücklicherweise; **2.** Vermögen *n*; **3.** Zufall *m*; **4.** *de* ~ Not-...; ⚓ *palo m* (*timón m*) *de* ~ Not-mast *m* (-ruder *n*); **5.** ⚓ Sturm *m*; *correr* ~ in e-n Sturm (*od.* in Seenot) geraten; **6.** *Myth.* ♀ Fortuna *f*, *die* Glücksgöttin; **~nón** F *m* Riesenglück *n*; großes Vermögen *n*, Menge *f* Geld.

forúnculo *m* Furunkel *m*.

forza|damente *adv.* **1.** mit Gewalt; **2.** gezwungen; **~do** **I.** *adj.* gezwungen; erzwungen; zwangsläufig, zwangsweise; Zwangs...; *a marchas* ~*as* im Eilmarsch, im Gewaltmarsch; *Phys.*, ⊕ *movimiento m* ~ zwangsläufige Bewegung *f*; ⚔ *paso m* ~ erzwungener Übergang *m*, Durchbruch *m*; *trabajos m/pl.* ~*s* Zwangsarbeit *f*; **II.** *m* Sträfling *m*; † Galeerensträfling *m*; **~dor** *m* Notzüchtiger *m*; ⚓ ~ *de bloqueo* Blockadebrecher *m*; **~l** *m* Kammrücken *m*; **~miento** *m* **1.** Zwang *m*; (gewaltsamer) Durchbruch *m*; **2.** Vergewaltigung *f*; **~r** [1f *u.* 1m] **I.** *v/t.* **1.** ~ *a alg. a* + *inf. od. a que* + *subj.* j-n zwingen zu + *dat. od.* + *inf.*; **2.** *Tür*, *Schloß usw.* aufbrechen; (gewaltsam) eindringen in (*ac.*), einbrechen in (*ac.*); ⚔ ~ *el paso* durchbrechen; → *a.* 7; **3.** forcieren, erzwingen; steigern, vorantreiben; ~ *el cambio* (*los precios*) den Kurs (die Preise) in die Höhe treiben; ~ *la marcha* den Marsch beschleunigen; **4.** überlasten, überanstrengen; ~ *la máquina* das Äußerste aus der Maschine herausholen; ~ *la voz* die Stimme überanstrengen; **5.** übertreiben, entstellen; **6.** notzüchtigen, vergewaltigen; **7.** ⚔ *Festung* erobern, einnehmen; *Blockade* (durch)brechen; **II.** *v/r.* ~se **8.** s. zwingen, s. Zwang antun.

forzo|samente *adv.* unbedingt, zwangsläufig; **~so** *adj.* notwendig, unvermeidlich, unumgänglich; zwingend; notgedrungen, zwangsläufig; Zwangs..., Not...; *es* ~ *que vengas* du mußt (unbedingt) kommen; es ist notwendig, daß du kommst; *trabajos m/pl.* ~*s* Zwangsarbeit *f*; *visita f* ~*a* nicht zu umgehender Besuch *m*; *situación f* ~*a* Zwangslage *f*.

forzudo *adj.* sehr stark, gewaltig.

fosa *f* **1.** Grube *f*, Schacht *m*; ~ *séptica* Absetz-, Klär-becken *n*; *Geol.* ~ *marina* ozeanischer Graben *m*; *Kfz.* → *foso* 2; **2.** Grab *n*; ~ *común* Massengrab *n*; **3.** *Anat.* Grube *f*; ~ *craneal* Schädelgrube *f*; ~*s f/pl. nasales* Nasenhöhlen *f/pl.*; **~r** *v/t.* mit e-m Graben umgeben.

fos|ca *f* Nebel *m*; **~co** *adj.* finster, dunkel; mürrisch.

fos|fatado *adj.* phosphathaltig; **~fatar** *v/t.* mit Phosphaten anreichern; *Eisen*, *Seide* phosphatieren; **~fático** *adj.* Phosphat...; **~fato** ⚗ *m* Phosphat *n*; ~ *de cal* Kalziumphosphat *n*.

fosfo|recer [2d] *v/i.* phosphoreszieren; **~rera** *f* Streichholzschachtel *f*; **~rero** *m* Streichholzverkäufer *m*; **~rescencia** *f* Phosphoreszenz *f*; **~rescente** *adj. c* phosphoreszierend; **~rescer** *v/i.* → *fosforecer*.

fos|fórico *adj.* Phosphor...; **~forita** *Min. f* Phosphorit *m*.

fósforo *m* **1.** Phosphor *m*; *Col.* Zündhütchen *n e-r Feuerwaffe*; **2.** Zünd-, Streich-holz *n*; **3.** *Astr.* Morgenstern *m*.

fos|foroso *adj.* phosphorig; **~furo** ⚗ *m* Phosphid *n*; **~geno** ⚗ *m* Phosgen *n*.

fósil **I.** *adj. c* versteinert, fossil; **II.** *m* Versteinerung *f*, Fossil *n*; *fig.* rückständiger Mensch *m*, Steinzeitmensch *m* F; Fossil *n*, vorsintflutliches Etwas *n* F.

fosilizarse [1f] *v/r.* versteinern, fossilieren; *fig.* erstarren.

foso *m* **1.** Graben *m*; (Festungs-)Graben *m*; ~ *de defensa* Verteidigungsgraben *m*; Absperrgraben *m* (*z. B. im Tiergehege*); ~ *antitanque* Panzerabwehrgraben *m*; **2.** *a.* ⊕ Grube *f*; *Kfz.* ~ (*de engrase*) Abschmiergrube *f*; **3.** *Sp.* Sprunggrube *f*; **4.** *Thea.* Versenkung *f*; ~ *de la orquesta* Orchester-versenkung *f*, -raum *m*.

foto F *f* Photo *n*, Foto *n*; → *fotografía*; **~calco** *m* Lichtpause *f*; **~célula** *f* Photozelle *f*; **~copia** *f* Photokopie *f*, Ablichtung *f*; **~copiadora** *f* Photokopiergerät *n*; **~copiar** [1b] *vt/i.* photokopieren; **~cromía** *Typ. f* Photochromie *f*, Lichtfarbdruck *m*; **~eléctrico** *adj.* photoelektrisch; **~fobia** ⚕ *f* Lichtscheu *f*, Photophobie *f*.

fo|tófono *m* Lichttongerät *n*; **~togénico** *adj.* **1.** vom Licht erzeugt (*chemische Veränderungen*); **2.** *Phot.* bildwirksam, photogen; **~tógeno** *adj.* lichterzeugend.

foto|grabado *m Typ.* Photo-, Helio-gravüre *f*; Chemigraphie *f*; *Tonfilm*: ~ (*del sonido*) Lichttonband *n*; *taller m de* ~ chemigraphische Anstalt *f*, Klischieranstalt *f*; **~grafía** *f* **1.** Lichtbild *n*, Aufnahme *f*, Foto(grafie *f*) *n*, Photo(graphie *f*) *n*; Photographie *f*, Lichtbildnerei *f*; *tomar* (*od. sacar*) ~*s* Aufnahmen machen, photographieren; ~ *aérea* Luft-aufnahme *f*, -bild *n*; ~*s f/pl. de aficionados* Liebhaber-, Amateur-aufnahmen *f/pl.*; ~ *en blanco y negro* Schwarz-Weiß-Photographie *f*; ~ *en color* Farbphotographie *f*; Farbaufnahme *f*; ~ *infrarroja* Infrarotphotographie *f*; ~ *en perfil* Profilaufnahme *f*; ~ *submarina* Unterwasser-aufnahme *f*, -photographie *f*; **2.** Photoatelier *n*; **~grafiar** [1c] *vt/i.* photographieren; *fig.* genauestens beschreiben; **~gráfico** *adj.* photographisch, Photo...; *máquina f* ~*a*, *aparato m* ~ Photoapparat *m*.

fotógrafo *m* Photograph *m*, Fotograf *m*; ~ *de prensa* Pressephotograph *m*.

foto|grama *m* **1.** Photogramm *n*; **2.** Einzelaufnahme *f e-s bewegten Films*; **~grametría** *f* Photogrammetrie *f*, Bildauswertung *f*; **~litografía** *Typ. f* Lichtsteindruck *m*, Photolithographie *f*; **~mecánico** *adj.* photomechanisch; **~metría** *f* Photometrie *f*.

fotómetro *m* Belichtungsmesser *m*.

fotón *Phys. m* Photon *n*.

foto|química *f* Photochemie *f*; **~sensible** *adj. c* lichtempfindlich; **~sfera** *Astr. f* Photosphäre *f*; **~síntesis** *Biol. f* Photosynthese *f*; **~teca** *f* (Licht-)Bildarchiv *n*; **~terapia** ⚕ *f* Lichtbehandlung *f*; **~tipia** *f* Lichtdruck *m*, Phototypie *f*; **~tipografía** *f* Lichtdruck(verfahren *n*) *m*; **~tropismo** ⚘ Phototropismus *m*.

fotuto *m Cu.*, *Ven.* Muschelhorn *n*; *Am. Mer.* Flöte *f der Indianer*.

foxterrier *m* Foxterrier *m*.

foxtrot ♪ *m* Foxtrott *m*.

foyer *frz. m* Foyer *n* (*Thea.*).

frac *m* Frack *m*.

fraca|sado *m* gescheiterte Existenz *f*; **~sar** *v/i.* scheitern (*a. Schiff*); mißlingen, fehlschlagen; *Thea.* durchfallen; **~so** *m* Scheitern *n*; Fehlschlag *m*; Mißerfolg *m*, Fiasko *n*; *Thea.* Durchfall *m*; *a.* ⚔ Schlappe *f*.

frac|ción *f* **1.** Brechen *n*; *Rel.* ~ *del pan* Brotbrechen *n*; **2.** Bruchstück *n*; Bruchteil *m*; **3.** *Arith.* Bruch *m*; ~ *decimal* Dezimalbruch *m*; **4.** ⚗ Fraktion *f*; **5.** *Pol.* ~ (*parlamentaria*) Fraktion *f*; **~cionamiento** *m* Zerlegung *f*; *a.* ⚔ Gliederung *f*; ⚗

Fraktionieren *n*; **~cionar I.** *v/t.* (in Teile) zerlegen; teilen; zerstückeln; ⚗ fraktionieren; **II.** *v/r.* *~se Pol.* s. in Gruppen aufspalten; **~cionario** *adj. Arith.* gebrochen (*Zahl*), Bruch...; *número m ~* Bruchzahl *f*; *moneda f ~a* Scheidemünze *f*.

fractura *f* **1.** (Auf-)Brechen *n*; ⚖ *robo m con ~* Einbruchdiebstahl *m*; **2.** ⚕ (Knochen-)Bruch *m*, Fraktur *f*; *~ complicada* komplizierter Bruch *m*; **3.** *Min.*, ⊕ Bruch *m*; *Min. ~ concoidea* Schalenbruch *m*; **~do** *adj.* gebrochen; aufgebrochen; **~r** *v/t.* **1.** (zer)brechen; *~se una pierna* s. ein Bein brechen; **2.** *Tür, Schrank* auf-, er-brechen; *Tresor a.* knacken P.

fraga *f* Himbeerstrauch *m*; *Reg.* [Abfallholz *n*.]

fragan|cia *f* Wohlgeruch *m*, Duft *m*; **~te** *adj. c* **1.** wohlriechend; **2.** ⚖ → *flagrante 1.*

fragaria ♀ *f* Erdbeerpflanze *f*.

fragata *f* ⚓ Fregatte *f*; *Vo.* Fregattvogel *m*.

frágil *adj. c* **1.** zerbrechlich (*a. Aufschrift*); brüchig; spröde; *fig.* zart; vergänglich; *fig.* schwach; **2.** P *Méj.* arm.

fragilidad *f* Zerbrechlichkeit *f*; Brüchigkeit *f*; *fig.* Zartheit *f*; Vergänglichkeit *f*; *fig.* Schwäche *f*.

fragmen|tación *f* Abbröckeln *n*; Zer-, Ver-fall *m*; **~tar I.** *v/t.* zerstücke(l)n, teilen; **II.** *v/r.* *~se* abbröckeln; s. (zer)teilen; **~tario** *adj.* fragmentarisch, in Bruchstücken; Trümmer...; **~to** *m* Bruchstück *n*, Fragment *n*; Splitter *m*; **~toso** F *adj. Am.* → *fragmentario*.

frago|r *m* Prasseln *n*, Klirren *n*; Krachen *n*, Gepolter *n*; Brausen *n*; *en el ~ del combate* im Lärm des Kampfes; *fig.* im Eifer des Gefechts; **~roso** *adj.* prasselnd, klirrend, brausend; **~sidad** *f* Unwegsamkeit *f*; Wildnis *f*, unwegsames Gelände *n*; **~so** *adj.* **1.** unwegsam, rauh; **2.** → *fragoroso*.

fragua *f* Schmiede *f*; Esse *f*; *fig. ~ de mentiras* Lügenfabrik *f*; **~do** ⊕ *m* Abbinden *n*; **~dor** *m* Anstifter *m*; Ränkeschmied *m*; **~r** [1i] **I.** *v/t.* schmieden (*a. fig.*); *fig.* aushecken, ausbrüten F; **II.** *v/i.* ⊕ *Mörtel, Zement* abbinden; *Kunststoff* härten.

frai|lada F *f* Pfaffenstück *n*; **~le** *m* **1.** Mönch *m*; *~ mendicante* Bettelmönch *m*; **2.** Talarfalte *f*; **3.** Wandeinschnitt *m am Kamin*; **4.** *Fi.* Engelrochen *m*; **~lecillo** *m* **1.** *Vo.* **a)** Kiebitz *m*; **b)** Dompfaff *m*; **2.** Stützfüße *m/pl. am Seidenspinnrad*; **~lecito** *m* **1.** *Vo. Cu., P. Ri. Art* Brachvogel *m*; **2.** *Zo. Pe.* Goldhaaräffchen *n*; **3.** ♀ *Cu.* → *tuatúa*; **~lería** F *f* Mönche *m/pl.*; **~lero** *adj.* mönchisch, Mönchs...; *sillón m ~* Armsessel *m mit Ledersitz*; **~lesco** F *adj.* → *frailero*; **~lillos** ♀ *m/pl.* Mönchskappe *f*; **~lote** *desp. augm. m* Mönch *m*; **~luco** F *desp. m* Pfaffe *m*; **~luno** *desp. adj.* pfäffisch.

frambue|sa *f* Himbeere *f*; **~so** ♀ *m* Himbeerstrauch *m*.

francachela F *f* Gelage *n*, Schlemmerei *f*; *estar de ~* feiern, e-n draufmachen F, ein Gelage veranstalten.

francalete *m* Riemen *m* mit Schnalle.

francamente *adv.* offen gesagt; frei heraus, ganz offen.

fran|cés I. *adj.* französisch; *Ma. el Camino ~* der Pilgerweg nach Santiago de Compostela; *a la ~esa* nach französischer Art; F *despedirse a la ~esa* s. auf französisch empfehlen; **II.** *m* Franzose *m*; *das* Französische; **~cesada** *f* **1.** *hist. die* frz. Invasion *unter Napoleon*; **2.** *mst. desp.* et. typisch Französisches; **~cesilla** *f* **1.** ♀ **a)** scharfer Hahnenfuß *m*; **b)** *Art* Damaszenerpflaume *f*; **2.** Knüppel *m* (*Brötchen*).

francis|cano I. *adj. kath.* franziskanisch; *p. ext.* franziskanerbraun; **II.** *m kath.* Franziskaner *m*; **♀co I.** *m*: *fig.* F *ir en la mula de San ~* auf Schusters Rappen reiten; **II.** *adj.-su.* ♀ → *franciscano*.

francma|són *m* Freimaurer *m*; **~sonería** *f* Freimaurerei *f*.

franco I. *adj.* **1.** frei; Frei...; *~ de todo gasto* kostenfrei; es entstehen k-e Unkosten; ✝ *~ (a) domicilio* frei Haus; *puerto m ~* Freihafen *m*; *zona f ~a* (Zoll-)Freizone *f*; *~ de porte* porto-, fracht-frei; **2.** freimütig, offen(herzig); aufrichtig; *ser ~ a (od. [para] con, para)* offen sein zu (*dat.*); **3.** klar, eindeutig, entschieden; **4.** freigebig; großzügig; **5.** fränkisch; *lengua f ~a* Lingua *f* franca; **6.** *in Zssgn.* französisch; *convenio m ~-español* französisch-spanisches Abkommen *n*; **II.** *m* **7.** *hist.* Franke *m*; *hist.* Europäer *m im orientalischen Mittelmeerraum*; **8.** *Münzen*: Franken *m* (*Schweiz*); Franc *m* (*Belgien, Frankreich*); **~bordo** ⚓ *m* Freibord *m*; **~cuartel** ▨ *m* Freiviertel *n*.

francó|filo *adj.-su.* frankophil, franzosenfreundlich; **~fobo** *adj.-su.* franzosenfeindlich.

francolín *Vo. m* Haselhuhn *n*.

francote F *adj.* sehr freimütig.

francotirador *m* Franktireur *m*, Freischärler *m*.

franchu|te *m*, **~ta** *f desp.* Franzose *m*, Franzmann *m* F; Französin *f*.

franela *f* **1.** *tex.* Flanell *m*; *~ de algodón* Biber *m*; **2.** *Cu., P. Ri., Ven.* Unterhemd *n*.

frangir [3c] ↖ *v/t.* (zer)brechen.

frango|llar F *v/t.* verpfuschen, verkorksen F; **~llo** *m* **1.** gekochter Weizenschrot *m*; Viehfutter *n aus Gemüse u. Schrot*; *Chi.* Mais-, Weizen-schrot *m*; **2.** *Kchk. Arg.* Maisschroteintopf *m*; *Cu., P. Ri.* Süßspeise *f aus zerriebenen Bananen*; **3.** F Schlangenfraß *m* P; **4.** *fig.* F Machwerk *n*, Pfuscherei *f*, Murks *m* F; **~llón** F *adj.-su.* Pfuscher *m*, Hudler *m*.

fran|ja *f* **1.** Franse *f*; **2.** Streifen *m*; *Geogr. ~ costera* Küstenstreifen *m*; **~j(e)ar** *v/t.* mit Fransen besetzen.

fran|queable *adj. c* passierbar; **~queadora** *f*: *~ automática* Frankiermaschine *f*; **~queamiento** *m* → *franqueo*; **~quear I.** *v/t.* **1.** ✉ *Briefe* frankieren, freimachen; *sin ~* unfrankiert; **2.** befreien (von *dat.* de); *Sklaven* freilassen; **3.** freimachen, freigeben *bzw.* erzwingen; *~ la entrada* den Eintritt freigeben; den Eintritt erzwingen, eindringen; *~ el paso* den Durchgang (*bzw.* Übergang) erzwingen; **4.** *Hindernis* nehmen; über-schreiten, -queren, -springen; *~ un río* über e-n Fluß setzen; **II.** *v/r.* *~se* **5.** s. willfährig zeigen; **6.** sein Herz ausschütten (*dat.* con); **~queo** *m* **1.** ✉ Freimachen *n*; (Brief- *usw.*)Porto *n*; *~ obligatorio* Portopflicht *f*; *sometido a ~* portopflichtig; **2.** Freilassung *f e-s Sklaven*; **~queza** *f* **1.** Offenheit *f*, Freimütigkeit *f*; *con toda ~* in aller Offenheit, unumwunden; *hablando con ~* offen gesagt, offen gestanden; **2.** Freiheit *f v. Abgaben, Leistungen*; **3.** Großmut *f*; Großzügigkeit *f*; **~quía** *f*: *adv.* en *~* ⚓ seeklar; *fig.* frei; ⚓ *ponerse en ~* seeklar gemacht werden; **~quicia** *f*: *~ (aduanera)* Zollfreiheit *f*; *~ postal* Portofreiheit *f*; en *~* zollfrei (*Sendung*); *~ de equipaje* Freigepäck *n*.

fraque *m* Frack *m*.

frasca *f* dürres Laub *n*, Reisig *n*; *Méj.* Lärm *m*, Tohuwabohu *n*.

frasco *m* **1.** kl. Flasche *f*, Flakon *m*; *~ cuentagotas* Tropfflasche *f*; **2.** Pulver-flasche *f*, -horn *n*.

frase *f* **1.** Satz *m*; Ausspruch *m*; (geflügeltes) Wort *n*; Ausdruck *m*, Wendung *f*; *~ hecha* Redewendung *f*, stehende Wendung *f*; Schlagwort *n*; *~ proverbial* sprichwörtliche Redensart *f*; *~ sacramental* (Eides-, Sakraments-)Formel *f*; **2.** *mst.* *~s f/pl.* Phrasen *f/pl.*, leeres Gerede *n*; F *gastar ~s* viele Worte machen, Phrasen dreschen F; **3.** ♪ *~ (musical)* Phrase *f*; **~ar** *v/i.* Sätze bilden; *desp.* Phrasen machen; ♪ phrasieren; **~ología** *f* **1.** Phraseologie *f* (*a. Buch*); Ausdrucksweise *f*; **2.** *desp.* Phrasendrescherei *f*, Geschwätz *n*; **~ológico** *adj.* phraseologisch.

frasqueta *Typ. f* Papierrahmen *m der Handpresse*.

fratás ⚠ *m* Reibebrett *n zum Verputzen*.

frater|nal *adj. c* brüderlich; Bruder...; geschwisterlich; *amor m ~* Bruderliebe *f*; **~nidad** *f* Brüderlichkeit *f*; Bruderliebe *f*; **~nizar** [1f] *v/i.* s. verbrüdern; *nur Pol.* fraternisieren; enge Freundschaft (mitea.) schließen; **~no** *adj.* brüderlich; Bruder..., Geschwister...

fratrici|da I. *adj. c* brudermörderisch; *guerra f ~* Bruderkrieg *m*; **II.** *m* Bruder- (Schwester-)mörder *m*; **~dio** *m* Bruder- (Schwester-)mord *m*.

frau|de *m* Täuschung *f*, Betrug *m*; Unterschleif *m*; Zollbetrug *m*; Steuerhinterziehung *f*; *~ electoral* Wahlfälschung *f*; **~dulencia** *f* Betrug *m*, Täuschung *f*; **~dulento** *adj.* betrügerisch, in betrügerischer Absicht; Schwindel...; *impresión f ~a* unerlaubter Nachdruck *m*, Raubdruck *m*; *introducción f ~a* unerlaubtes Einbringen *n*, Schmuggel *m*; *transacciones f/pl. ~as* Schwindelgeschäfte *n/pl.*

fräulein *f* (deutsches) Kindermädchen *n*; Hauslehrerin *f*.

fraxinela ♀ *f* Diptam *m*, Spechtwurzel *f*.

fray *m* (Kloster-)Bruder *m*, *nur vor dem Vornamen gebräuchlich*; *~ Martín* Bruder Martin.

frazada *f* wollene Bettdecke *f*.

freático *adj.*: *agua f ~a* Grundwasser *n*.

frecuen|cia *f* Häufigkeit *f*, (häufige) Wiederholung *f*; *a. Phys.*, ⚕ Frequenz *f*; *adv. con (mucha) ~* (sehr) oft; ⚡, *HF alta (baja) ~* Hoch-(Nieder-)frequenz *f*; *~ acústica* Tonfrequenz *f*; *~ moduladora* Modulationsfrequenz *f*; ⚕ *~ del pulso* Pulsfrequenz *f*; 🚂 *~ de los trenes* Zugfolge *f*; ⚕ *~ respiratoria* Atemfrequenz *f*; *HF ~ ultraalta*, *~ ultraelevada*, *~ VHF* Ultrahochfrequenz *f*, UHF-Frequenz *f*; **~címetro** ⚡ *m* Frequenzmesser *m*; **~table** *adj. c* frequentierbar; *no es ~* da darf man nicht hingehen; mit dem darf man nicht verkehren; **~tación** *f* Verkehr *m*; Umgang *m*; häufiger Besuch *m*; Zulauf *m*; **~tado** *adj.* belebt (*Straße usw.*); (gut) besucht; **~tador** *adj.-su.* häufiger Besucher *m*; Stammgast *m*; **~tar** *v/t.* häufig besuchen; *Schule* besuchen; *Weg* (üblicherweise) gehen; verkehren mit (*dat.*) *bzw.* in (*dat.*); *~ el teatro* häufig ins Theater gehen; *~ los sacramentos* (*Méj. ~ abs.*) (regelmäßig) zur Kommunion gehen; **~tativo** *Gram. adj.-su. m* Frequentativ(um *n*) *m*; **~te** *adj. c* häufig; rasch; schnell (*Puls*, *Schwingungen*); **~temente** *adv.* oft, häufig; **~tísimo** *sup. adj.* sehr häufig; oft wiederholt.

frega|dero *m* Spül-stein *m*, -becken *n*; **~do I.** *m* Scheuern *n*; Abwaschen *n*; *fig.* F *meterse en un mal ~* s. in e-e üble Sache einlassen; **II.** *adj. Arg.*, *Chi.* ärgerlich; *Col.* eigensinnig; **~dor** *m* Scheuerlappen *m*; → *fregadero*; **~dora** *f*: *~ automática* Geschirrspülmaschine *f*; **~jo** *m* Scheuerlappen *m*; **~miento** *m* → *fricción*; **~r** [1h *u.* 1k] **I.** *vt/i.* scheuern; abwaschen; spülen; kräftig reiben; *agua f de ~* Abwasch-, Spülwasser *n*; **II.** *v/t.* F *Am.* ärgern, belästigen.

frego|na *f* Scheuerfrau *f*; Putzfrau *f*; *fig.* P ordinäres Weib *n*; **~tear** F *v/t.* wiederholt abreiben; nachlässig abwaschen.

frei|dor *Kchk. m* Fritüre-Gerät *n*, Fritüre *f* F; **~dura** *f* Braten *n in der Pfanne*; **~duría** *f* Fischbraterei *f*; (typisches) Fischrestaurant *n*; Garküche *f*.

freile † *m* Angehörige(r) *m e-s Ritterordens, der die Gelübde abgelegt hat.*

freír [3 m; *part. frito*] **I.** *v/t.* **1.** *in der Pfanne* braten, backen; *Spr. al ~ será el reír* wer zuletzt lacht, lacht am besten; **2.** *fig.* P erschießen, abknallen P; **3.** F ärgern, auf die Nerven gehen (*dat.*) F; *~ a alg. a preguntas* j-n ausquetschen F, j-n mit Fragen bombardieren F; → *a. frito*; **II.** *v/r.* *~se* **4.** *fig.* braten, umkommen *vor Hitze*.

fréjol *m* → *fríjol*.

frémito *m poet.* Gebrüll *n*, Brüllen *n*; ⚕ Fremitus *m*, Schwirren *n*.

frena|do *m* Bremsen *n*; Bremsvorrichtung *f*; (*camino m del*) *~* Bremsweg *m*; **~je** *m* Bremsen *n*; *~ en V* Schneepflug *m b. Schifahren*; **~r I.** *vt/i. a. fig.* bremsen; *fig.* zurückhalten, hemmen; *~ en seco* scharf (ab)bremsen; **II.** *v/r.* *~se* s. zurückhalten, s. zügeln; **~zo** F *m* (kräftiger) Tritt *m* auf die Bremse.

fre|nesí *m* Tobsucht *f*; *fig.* Raserei *f*; **~nético** *adj.* tobsüchtig; *fig.* rasend, tobend, frenetisch; **~netismo** *m* Rasen *n*, irre Begeisterung *f*.

frénico *Anat. adj.* Zwerchfell...; *nervio m ~* Phrenikus(nerv) *m*.

frenillo *m* **1.** *Anat.* Bändchen *n*; Zungenbändchen *n*; *p. ext.* Maulkorbriemen *m*; *fig.* F *no tener ~ en la lengua* kein Blatt vor den Mund nehmen; **2.** ⚓ Jochleine *f*.

freno *m* **1.** *Equ.* Zaum *m*, Kandare *f*; *fig.* Zaum *m*, Zügel *m*; *~ acodado*, *~ gascón* leichte Kandare *f*, Fohlenkandare *f*; *fig. correr sin ~* ein zügelloses Leben führen; *echar un ~ a la lengua* die Zunge im Zaum halten; *perder el ~* den Halt verlieren; *morder (od. tascar) el ~* s-n Zorn (*od.* s-n Ärger) verbeißen; *poner ~ a a/c.* e-r Sache Einhalt gebieten; *soltar el ~ a su imaginación* s-r Einbildungskraft die Zügel schießen lassen; **2.** Bremse *f*; Bremsvorrichtung *f*; ✈ *~ aerodinámico* Bremsklappe *f*; *~ de alarma* Notbremse *f*; *Kfz.* *~ asistido* Servobremse *f*; *~ por cable* Seilzugbremse *f*; *~ de contrapedal (de disco)* Rücktritt-(Scheiben-)bremse *f*; *~ hidráulico* hydraulische Bremse *f*; *~ de mano (de pie, de pedal)* Hand- (Fuß-)bremse *f*; *~ sobre el mecanismo (sobre la rueda)* Getriebe- (Rad-)bremse *f*; *~ de tambor (de od. sobre las cuatro ruedas)* Trommel- (Vierrad-)bremse *f*; *~ neumático* Luftdruckbremse *f*; **3.** F *Arg.* Hunger *m*.

fre|nología *f* Phrenologie *f*, Schädellehre *f*; **~nológico** *adj.* phrenologisch; **~nólogo** *m* Phrenologe *m*.

frente I. *f* **1.** Stirn *f*; Antlitz *n*; *fig.* Kopf *m*; *~ a ~* (ea.) gg.-über, von Angesicht zu Angesicht, Auge in Auge; *con la ~ levantada (od. alta)* erhobenen Hauptes, stolz; mit dreister Stirn; **II.** *m* **2.** (⚠ *a. f*) Vorderseite *f*, Stirnseite *f*, Fassade *f*, Front *f*; Spitze *f*; Vorderteil *n*; Vorderseite *f e-r Münze f*; 🚂 *~ de un túnel* Tunneleingang *m*; ⚒ *~ de ataque*, *~ de explotación* Abbaufront *f*; *~ a* **a)** gg.-über (*dat.*); **b)** gegen (*ac.*); *al ~* **a)** an der (*bzw.* die) Spitze; **b)** oben (*über dem Text, als Überschrift*); **c)** vor sich; **d)** † zu übertragen; † *del ~* Übertrag; *de ~* von (*bzw.* nach) vorn; ⚔ *¡de ~!* frei weg!; *fig. acometer (a/c.) de ~* (et.) mutig angehen; den Stier bei den Hörnern packen; *ponerse al ~ (de)* s. an die Spitze setzen; die Leitung (*gen. od.* von *dat.*) übernehmen; *hacer ~ a* Widerstand leisten (*dat.*), widerstehen (*dat.*), die Stirn bieten (*dat.*), trotzen (*dat.*); *e-r Pflicht* nachkommen; *seguir de ~* geradeaus (weiter-)gehen *bzw.* (-)fahren; **3.** *Met.*, ⚔, *Pol.* Front *f*; *Met. ~ frío* Kalt(luft)front *f*; *Pol. Span.* ♀ *de Juventudes falangistische Jugendorganisation*; *Pol. hist.* ♀ *Popular* Volks-[front *f*.]

freo ⚓ *m* Meerenge *f*.

fresa *f* **1.** ⚘ Erdbeere *f*; **2.** ⊕ Fräser *m*, Fräse *f*; *~ combinada* Fräs-, Messer-kopf *m*; **~da** *Kchk. f* Erdbeernachtisch *m*; **~do** ⊕ *m* Fräsen *n*; gefräste Arbeit *f*; **~dora** ⊕ *f* Fräsmaschine *f*; **~dura** *f*, **~je** *m* ⊕ Fräsen *n*; **~l** *m* Erdbeerpflanzung *f*; **~r** ⊕ *vt/i.* (aus)fräsen.

fres|ca *f* (Morgen-, Abend-)Kühle *f*; frische Luft *f*; *salir (por la mañana) con la ~* ganz früh aufbrechen; *fig. soltarle a alg. cuatro ~s* j-m gewaltig aufs Dach steigen, F, j-m gehörig die Meinung sagen; → *a. fresco 5, 6*; **~cachón** F *adj.* frisch u. gesund, kräftig; stürmisch (*Wind*); **~cal I.** *adj. c* wenig gesalzen (*Fischkonserven*); **II.** *m ~es* (*pl. inv.*) F Frechling *m*, Frechdachs *m*; **~camente** *adv.* **1.** frech; **2.** kürzlich; neuerdings; **~co I.** *adj.* **1.** frisch, kühl; *hace ~* es ist kühl; *viento m ~* frischer Wind *m*, kräftige Brise *f*; **2.** frisch, neu; *huevo m (pescado m) ~* Frisch-ei *n* (-fisch *m*); *noticias f/pl. ~as* neue Nachrichten *f/pl.*; **3.** frisch, gesund, munter; **4.** leicht (*Stoff*); **5.** kühl, gelassen; leichtfertig; dreist; frech, unverschämt; *fig. dejar ~ a alg.* j-n (gewaltig) hereinlegen; j-n an der Nase herumführen; *fig.* F *¡estamos ~s!* da haben wir die Bescherung (*od.* den Salat F)!, das hat uns gerade noch gefehlt!; da waren wir ganz schön auf dem Holzweg!; *quedarse tan ~ (con)* s. nicht (im mindesten) aus der Ruhe bringen lassen (durch *ac. od.* bei *dat.*); **II.** *m* **6.** Frische *f*, Kühle *f*; *tomar el ~* frische Luft schnappen; *dormir al ~* im Freien schlafen; **7.** *Mal.* Fresko *n*; *pintar al ~* a fresco malen, Fresken malen; **8.** *tex.* Fresko *m*; **9.** F Frechdachs *m*; **10.** *Andal.*, *Am.* Erfrischung *f*; **~cor** *m* Kühle *f*; *Mal.* rosige Fleischfarbe *f*; **~cote** F *adj.* blühend, frisch u. rund; **~cura** *f* **1.** Kühle *f*, Frische *f*; **2.** Frechheit *f*, Unverschämtheit *f*; Schnoddrigkeit *f* F.

fre|sera ⚘ *f* Erdbeerpflanze *f*; **~silla** ⚘ *f* Walderdbeere *f*.

fres|nal *adj. c* Eschen...; **~neda** *f* Eschenwald *m*; **~nillo** ⚘ *m* Eschenwurz *f*; **~no** ⚘ *m* Esche *f*; **~ón** ⚘ *m* gr. Gartenerdbeere *f*.

fres|quedal *m* grüne Stelle *f* im ausgedörrten Land; **~quera** *f* Fliegenschrank *m*; Kühlschrank *m*; Speisekammer *f*; **~quería** *f Am.* Erfrischungshalle *f*, Eisdiele *f*; **~quero** *m* Frischfischhändler *m*; **~quilla** ⚘ *f Art* Pfirsich *m*.

fresquista *c* Freskomaler *m*.

fresquito *adj.* (angenehm) kühl; mäßig (*Wind*).

freudi|ano *adj.-su.* Freud...; *m* Anhänger *m* Freuds; **~smo** *m* Freudsche Theorie *f bzw.* Methode *f*.

freza *f* **1. a)** Laichen *n der Fische*; Laichzeit *f*; **b)** Laich *m*; Fischbrut *f*; **2.** Freßzeit *f der Seidenraupe*; **3.** *Jgdw.* **a)** Wühlloch *n*; **b)** Hirschlosung *f*; **~da** *f* Wolldecke *f*; **~r** [1f] *v/i.* **1.** laichen; **2.** fressen (*Seidenraupe*); **3.** *Jgdw.* den Boden aufwühlen (*Tier*); **4.** misten (*Tier*).

fria|bilidad *f* Bröckeligkeit *f*, Brüchigkeit *f*; **~ble** *adj. c* bröck(e)lig, mürbe, brüchig, krümelig.

frialdad *f* **1.** Kälte *f*; Gefühlskälte *f*; Gleichgültigkeit *f*; ⚕ Impotenz *f des Mannes*; Frigidität *f der Frau*; **2.** ⚒ Dummheit *f*, Albernheit *f*.

fríamente *adv. fig.* kalt, kühl, ohne Wärme.
frica *f Chi.* Tracht *f* Prügel; **~ción** *f* Reiben *n*; *fast nur Phon.* Reibung *f*; Reibegeräusch *n*.
fricandó *Kchk. m* Frikandeau *n*.
fricar [1g] ⊕ *v/t.* reiben.
fricasé *Kchk. m* Frikassee *n*.
fricativo *Phon. adj.-su.* frikativ; *m* Reibelaut *m*, Frikativ *m*.
fric|ción *f* Ab-, Ein-reibung *f*; *a.* ⊕ *u. fig.* Reibung *f*; *calor m de* ~ Reibungswärme *f*; *sin* ~ reibungslos; *dar una* ~ *a* abreiben (*bzw.* einreiben) (*ac.*) (mit *dat. con*); **~cionar** *v/t.* ab-, ein-reiben; frottieren; **~tómetro** ⊕ *m* Reibungsmesser *m*.
frie|ga *f* **1.** Ab-, Ein-reiben *n*; *dar* ~*s de* (*od. con*) mit (*dat.*) einreiben (j-n *a alg.*); **2.** F *Am. Reg.* Ärger *m*, Plackerei *f*; *Méj.* Abreibung *f* (*fig.* F), Verweis *m*; *Cu.*, *Chi.* Tracht *f* Prügel; **~gaplatos** *m* (*pl. inv.*) Tellerwäscher *m*; **~ra** *f* Frostbeule *f*.
frigi|dez *f* Kälte *f*; ⚕ Frigidität *f*; **~dísimo** *sup. adj.* eiskalt.
frígido *adj. poet.* kalt, eisig; ⚕ frigid.
frigio *adj.* phrygisch (*a.* ♪); *gorro m* ~ Jakobinermütze *f*.
frigo|rífico I. *adj.* Kälte erzeugend, Kühl...; ⚗ Kälte...; *barco m* ~, *buque m* ~ Kühlschiff *n*; *instalación f* (*red f*) ~*a* Kühl-anlage *f* (-kette *f*); 🚃 *vagón m* ~ Kühlwagen *m*; **II.** *m* Kühlschrank *m*; *Am.* Gefrierfleischfabrik *f*; *Am. öfter* (*armario m*) ~ *m eléctrico* Kühltruhe *f*; *vgl.* → *refrigerador*; **~rista** *adj.*: *técnico m* ~ Kältetechniker *m*.
fríjol *m* (*a. frijol*) gemeine Gartenbohne *f*; Stangenbohne *f*; *fig.* F *Méj. no ganar para los* ~*es* nicht (einmal) das Notwendigste zum Leben verdienen.
frijo|lar *m* Bohnenfeld *n*; **~lillo** ⚘ *m Am. versch. Bäume.*
frimario *hist. m* Frimaire *m* (*3. Monat des frz. Revolutionskalenders*).
frío I. *adj.* **1.** kalt (*a. fig.*); *fig.* frostig; gleichgültig; kaltherzig, kaltschnäuzig F; seelenlos, kalt; *fig. están* ~*s* ihre Beziehungen haben s. abgekühlt; *estar* ~ *con respecto a a/c.* e-r Sache kühl gg.-überstehen; *más* ~ *que el hielo* eiskalt, völlig gefühllos; *adv. en* ~ kalt, in kaltem Zustand; *Typ. estampar relieves en* ~ kaltprägen; *eso le deja* ~ das ist ihm gleichgültig; das läßt ihn kalt; *se quedó* ~ **a)** es ließ ihn völlig gleichgültig (*od.* kalt); **b)** es verschlug ihm den Atem, er erstarrte; **2.** frigid; impotent; **II.** *m* **3.** Kälte *f*; *hace* ~ es ist kalt; *no les da ni* ~ *ni calor* das ist ihnen ganz gleichgültig; *tengo* ~ ich friere, mir ist kalt; **4.** Erkältung *f*; *coger* ~ s. erkälten; **5.** ~*s m/pl. Am. mit Kältegefühl beginnendes* Wechselfieber *n*.
friole|nto *adj.* → *friolero*; **~ra** F *f* Kleinigkeit *f*, Lappalie *f* (*a. iron.*); **~ro** F *adj.* verfroren, sehr kälteempfindlich.
frisa *f* **1.** *tex.* Fries *m*; *Chi.* haarige Oberfläche *f von Plüsch usw.*; *Leon*: Wollumhang *m der Gebirgler*; **2.** ⚓ Dichtung *f*; **3.** ⚔ Palisadenhindernis *n auf dem Wallabsatz*; **~do** *tex. m* aufgerauhtes Seidenzeug *n*; **~dor** *tex. m* Rauher *m* (*Person*); **~dura** *tex. f* Rauhen *n*, Ratinieren *n*; **~r I.** *v/t.* **1.** *tex. Tuch* (auf)rauhen, ratinieren; **2.** ⚓ abdichten; **II.** *v/i.* **3.** (mitea.) verkehren; **4.** herankommen (an *ac. con, en*); ~ *en los 60 años* nahe an den Sechzigern sein.
frisca *f Chi.* Prügel *pl.*
Frisi|a *f*: ⚔ *caballo m de* ~ spanischer Reiter *m*; **ꝋo** *adj.-su.* → *frisón*.
friso ⚠ *m* **1.** Fries *m*; **2.** Paneel *n*, Täfelung *f*; ~ *pintado* gemalter Sockel *m*.
frísol *m* → *fríjol*.
frisón I. *adj.* **1.** friesisch, friesländisch; *caballo m* ~ Ostfriese *m* (*Pferd*); **2.** † ungeschlacht, barbarisch; **II.** *m* **3.** Friese *m*, Friesländer *m*; friesische Sprache *f*.
frisuelo *m Art* Pfannengericht *n*; ⚘ → *fríjol*.
fri|ta ⊕ *f* Fritte *f*, Schmelze *f*; **~tada** *f* in der Pfanne Gebackene(s) *n*; **~tanga** F *f desp.* Gebakkene(s) *n*, Fraß *m* P; *Pe.* Fleisch *n* mit Innereien; *Col.* → *fritería*; **~tar** *v/t.* ⊕ fritten; P *Col.*, *Salv.* braten, in der Pfanne backen; **~tería** *f Col.* **1.** Fritürepfanne *f*; **2.** Garküche *f*; **~tillas** *f/pl. prov. Art* Pfannengericht *n*; **~to I.** *part.* gebacken, gebraten; *fig.* F *estar* ~ die Nase (*od.* die Schnauze P) voll haben (von *dat. de*); *me tiene* (*od. me trae*) ~ ich kann den Kerl nicht ausstehen; er fällt mir auf die Nerven (*od.* auf den Wecker P); *me tiene* ~ *con sus tonterías* s-e Dummheiten gehen mir auf die Nerven; **II.** *m* → **~tura** *f* Gebackene(s) *n*, Fritüre *f*.
frívolamente *adv.* leichtfertig.
frivolidad *f* Leichtfertigkeit *f*, Frivolität *f*; Nichtigkeit *f*, Gehaltlosigkeit *f*.
frívolo *adj.* leichtfertig, frivol; nichtig, gehaltlos.
fron|da *f* **1.** Blatt *n*; Laub(werk) *n*; Wedel *m der Farne*; **2.** ⚕ Schleuder *f* (*Verband*); Kinnschleuder *f*; **3.** *Pol. hist. u. fig.* Fronde *f*; **~dosidad** *f* dichte Belaubung *f*, Blätterreichtum *m*; Laubwerk *n*; **~doso** *adj.* dicht belaubt; buschig; dicht (*Wald*).
fron|tal I. *adj. c* **1.** Stirn... (*a.* ⊕, *Anat.*); ⊕, ⚔ frontal, Frontal...; ⊕ auf der Stirnseite; *Vkw. choque m* ~ Frontalzs.-stoß *m*; **II.** *adj.-su. m* **2.** *Anat.* (*hueso m*) ~ Stirnbein *n*; **III.** *m* **3.** Stirnband *n*; **4.** *kath.* Frontale *n*, Vorderblatt *n des Altars* (*Parament*); **5.** ♪ Kapodaster *m*, Gitarrenbund *m*; **6.** *Zim.* Binder *m*; **7.** *Equ. Col.*, *Ec.*, *Méj.* → **~talera** *f* **1.** *Equ.* Stirnriemen *m*; **2.** *kath.* Altarbehang *m*; Paramenttruhe *f*; **~tera** *f* (Landes-)Grenze *f*; *de* ~ Grenz...; ~ *aduanera* Zollgrenze *f*; *incidente m en la* ~ Grenzzwischenfall *m*; ~ *lingüística* Sprachgrenze *f*; **~terizo** *adj.* angrenzend (an *ac. de*); Grenz...; *ciudad f* (*región f*) ~*a* Grenz-stadt *f* (-gebiet *n*); *trabajador m* ~ Grenzgänger *m*; *Lit. romance m* ~ Grenzromanze *f* (*spielt im maurisch-span. Grenzgebiet zur Zeit der Reconquista*); **~tero I.** *adj.* gg.-überliegend (*dat. de*); **II.** *m hist.* Grenzkommandant *m*; **~til** *m* Jochkissen *n der Zugochsen*; **~tino** *adj.* mit e-m Stirnmal (*Tier*); **~tis** ⚠ *m* → **~tispicio** *m* **1.** ⚠ Vorder-, Giebel-seite *f*; Giebelwand *f*; **2.** *Typ.* Frontispiz *n*; **3.** F Gesicht *n*; **~tón** *m* **1.** ⚠ Giebel(wand *f*) *m*; Aufsatz *m*, Abschluß *m*; **2.** Platz *m bzw.* Wand *f für das bask. Pelotaspiel*; **~tudo** *adj.* mit breiter Stirn.
fro|tación *f* → *frotadura*; **~tador** *adj.-su.* reibend, Reib...; *m Phys.* Reiber *m*, Reibkissen *n*; **~tadura** *f*, **~tamiento** *m* Reiben *n*; ⚕ Einreibung *f*; **~tar I.** *vt/i.* reiben; ab-, einreiben; frottieren; **II.** *v/r.* ~*se las manos* s. die Hände reiben (*a. fig.*); **~te** *m* **1.** Reiben *n*; Ab-, Ein-reiben *n*; Frottieren *n*; ⊕ (Ab-)Reibung *f*; **2.** ⚕ → **~tis** ⚕ *m* Abstrich *m*; Ausstrich *m*.
fructidor *hist. m* Fruktidor *m*, *12. Monat des frz. Revolutionskalenders.*
fruc|tífero *adj.* frucht-bringend, -tragend; Frucht..., *fig.* frucht-, nutz-bringend; ertragreich; **~tificación** *f* ⚘ Fruchtbildung *f*; *fig.* Ertrag *m*, Fruchttragen *n*; **~tificar** [1g] *v/i.* Frucht tragen (*a. fig.*); *fig.* einträglich sein; *hacer* ~ *Vermögen* zinsbringend anlegen; **~tosa** *f* Fruktose *f*, Fruchtzucker *m*; **~tuario** *adj.* **1.** in Naturalien; **2.** → *usufructuario*; **~tuoso** *adj.* fruchtbringend; *fig.* einträglich; nützlich, fruchtbar.
fru|frú *onom. m* Knistern *n* (*z. B. Seide*); **~fruante** *adj. c* knisternd.
fruga|l *adj. c* **1.** genügsam, mäßig; **2.** einfach; spärlich, frugal; **~lidad** *f* Mäßigkeit *f*, Bescheidenheit *f*, Genügsamkeit *f*.
frui|ción *f* Genuß *m*, Wonne *f*; Vergnügen *n*; ~ *maliciosa* Schadenfreude *f*; **~r** [3g; *fast nur inf. gebräuchlich*] *v/i.* genießen; *Myst.* ~ *de Dios* Gott anschauen; **~tivo** *adj.* genußbringend.
frumen|tario I. *adj. lit.* Weizen..., Getreide...; **II.** *m hist.* Proviantmeister *m des römischen Heeres*; **~ticio** *adj.* Getreide...
frun|ce, ~cido *m* Falte(n) *f*(/*pl.*); Rüsche(n) *f*(/*pl.*); Runzel *f*; **~cimiento** *m* **1.** Falten *n*, Kräuseln *n e-s Stoffes*; (Stirn-)Runzeln *n*; **2.** *fig.* Verstellung *f*, Betrug *m*; **~cir** [3b] *v/t. Stoff* fälteln, kräuseln, *Lippen* aufwerfen; *Mund* verziehen; *Stirn*, *Brauen* runzeln; zer-knittern, -knüllen; *ceño m* ~*ido* düstere Miene *f*; ~ *el entrecejo* finster blikken.
frusle|ría *f* Lappalie *f*; Firlefanz *m*; **~ro** *adj.* belanglos; wertlos.
frus|tración *f* Vereitelung *f*; Enttäuschung *f*; *Psych.* Frustration *f*; **~trado** *adj.* gescheitert; ge-, enttäuscht; frustriert; **~tráneo** ⚒ ⊕ *adj.* vergeblich, fruchtlos; ⚕ frustran; **~trar I.** *v/t. Erwartung, Hoffnung* täuschen, zunichte machen, nicht erfüllen; vereiteln, zum Scheitern bringen; *Psych.* frustrieren; **II.** *v/r.* ~*se* scheitern, fehlschlagen, mißlingen; **~tratorio** ⚒ *adj.* frustratorisch, auf Täuschung beruhend; Vereitelungs...

fru|ta *f* Frucht *f*; *koll.* Obst *n*; *fig.* F Frucht *f*, Folge *f*; *Arg. oft* Aprikose *f*; *Ant.* ~ *bomba* Papaya *f*; *fig.* ~ *del cercado ajeno* Kirschen *f/pl.* aus Nachbars Garten; ~ *de hueso* (*de pepita*) Stein- (Kern-)obst *n*; ~ *nueva* junges Obst *n*; ~ *de mesa*, ~ *de postre* Tafelobst *n*; *fig.* ~ *prohibida* verbotene Frucht *f*; *Kchk.* ~ *de sartén* Pfannengericht *n*; Pfannkuchen *m*; Auflauf *m*; ~ *seca* (*tardía, temprana*) Dörr- (Spät-, Früh-)obst *n*; ~(*s*) *del tiempo* **a)** frisches Obst *n* (*der Jahreszeit entsprechend*); **b)** *fig.* das Übliche der (entsprechenden) Jahreszeit (*z. B. Grippe*); ~*s* (*sub*)*tropicales*, ~*s del mediodía* Südfrüchte *f/pl.*; *Spr. uno come la* ~ *aceda, y otro tiene la dentera Sinn*: der Unschuldige muß oft für den Schuldigen büßen; **~taje** *Mal. m* Fruchtstück *n*; **~tal** *adj.-su.* Obst...; *m* Obstbaum *m*; **~tería** *f* Obst-laden *m*, -handlung *f*; **~tero I.** *adj.-su. m* **1.** (*buque m*) ~ Obstdampfer *m*; (*cuchillo m*) ~ Obstmesser *n*; **II.** *m* **2.** Obsthändler *m*; **3.** Obstschale *f*; **4.** *Mal.* Fruchtstück *n*.

frútice ⚘ *m* Strauch *m*; Staude *f*.

fruti|cultor *m* Obst(an)bauer *m*; **~cultura** *f* Obstbau *m*; **~lla** *f* **1.** Rosenkranzperle *f*; **2.** ⚘ *Am. Reg.* Chileerdbeere *f*; **~llar** *m Am. Reg.* Erdbeerpflanzung *f*.

fruto *m* **1.** Frucht *f*; *fig.* Ertrag *m*, Ausbeute *f*; Nutzen *m*, Gewinn *m*; Frucht *f*, Folge *f*; ⚖ ~*s m/pl. civiles* Rechtsfrüchte *f/pl.*; *dar* (*od. llevar*) ~ Früchte (*od.* Frucht) tragen; *sacar* ~ e-n Vorteil haben; (e-n) Gewinn erzielen; *fig. sin* ~ ergebnislos, zwecklos; **2.** *fig.* Leibesfrucht *f*; ~ *de bendición* in rechtmäßiger Ehe gezeugtes Kind *n*.

fu *onom. m* Fauchen *n der Katze*; ¡~! pfui!, pff!, pah! (*Verachtung*); F *hacer* ~ **a)** Reißaus nehmen; **b)** fauchen, aber nicht kratzen; *ni* ~ *ni fa* **a)** weder Fisch noch Fleisch; **b)** mittelmäßig, so so, la la F.

Fúcar *npr. m* (Johann) Fugger; ↖ *fig. ein* Krösus.

fucila|r *v/i.* wetterleuchten; *fig.* glitzern; **~zo** *m* Wetterleuchten *n*.

fuco *m* Lederalge *f*, Tang *m*.

fucsi|a ⚘ *f* Fuchsie *f*; **~na** ⚗ *f* Fuchsin *n*.

fuego *m* **1.** Feuer *n* (*a. fig.*); ⚔ → 2; Brand *m*; ¡~! Feuer!, Feurio!; *adv. a* ~ mit Hilfe des Feuers, feuer...; *a* ~ *lento* bei mäßigem Feuer; *grabado m al* ~ Einbrennen *n* (*Klischieranstalt*); Heißprägen *n* (*Bucheinband*); *grito m de* ~ Feuer-lärm *m*, -alarm *m*; *el sagrado* (*od. sacro*) ~ das heilige Feuer; die heilige Flamme; *a sangre y* ~ *od. a* ~ *y hierro* mit Feuer u. Schwert; *Geogr. Tierra f del* ♀ Feuerland *n*; *a. fig. atizar el* ~ das Feuer schüren; *echar* ~, *vomitar* ~ Feuer speien (*Vulkan, Geschütz*); *arrojar* (*od. echar*) ~ *por las narices* Feuer schnauben; *echó* ~ *por los ojos* s-e Augen blitzten (*od.* sprühten) vor Zorn, er war wütend; *hacer* ~ Feuer machen; *huir del* ~ *y dar en las brasas* vom Regen in die Traufe kommen; *fig. matar a alg. a* ~ *lento* j-m das Dasein zur Hölle machen; *fig. jugar con* (*el*) ~ mit dem Feuer spielen; *meter* (*od. poner*) *la*(*s*) *mano*(*s*) *en el* ~ *por alg.* für j-n die Hand ins Feuer legen; *pegar* (*od. prender*) ~ *a et.* in Brand setzen; *tocar a* ~ Feueralarm geben; die Feuerglocke läuten; *Spr. donde* ~ *se hace, humo sale* wo Rauch ist, ist auch Feuer; *echar leña al* ~ *od. apagar el* ~ *con aceite* Öl ins Feuer gießen; **2.** ⚔ (Geschütz-)Feuer *n*; *fort.* (Feuer-)Flanke *f*; ¡~! Feuer!; ~ *acelerado* Schnellfeuer *n*; ~ *de artillería* (*de barrera*) Artillerie- (Sperr-)feuer *n*; ~ *flanqueante*, ~ *enfilado* Flankenfeuer *n*; ~ *graneado*, ~ *nutrido*, ~ *de tambor* Trommelfeuer *n*; ~ *nutrido a.* Schnellfeuer *n*; ~ *intermitente*, ~ *de hostigamiento* Störfeuer *n*; ~ *de protección* Feuerschutz *m*; ~ *rasante* Flachbahnfeuer *n*, rasantes Feuer *n*; *dar* ~, *hacer* ~ feuern, Feuer geben; *romper el* ~ das Feuer eröffnen; *a. fig. estar entre dos* ~*s* zwischen zwei Feuer(linien) geraten, von zwei (*bzw.* von beiden) Seiten angegriffen werden; **3.** künstliches Feuer *n*; Leuchtfeuer *n*; Feuerzeichen *n*; ~*s m/pl. artificiales*, ~*s de artificio* Feuerwerk *n*; **4.** *Met.* ~ *fatuo* Irrlicht *n*; ~ *de San Telmo* Elmsfeuer *n*; **5.** *fig.* Hitze *f*, Leidenschaft *f*, Feuer *n*; *en el* ~ *de la disputa* im Eifer des Gefechts; **6.** ⚕ Hitzpocken *f/pl.*; ~ *pérsico* Gürtelrose *f*; **7.** Herd *m*; *fig.* Familie *f*; *el pueblo tiene 100* ~*s* die Ortschaft zählt 100 Familien.

fueguino *adj.-su.* feuerländisch; *m* Feuerländer *m*.

fuel-oil *engl. m* Heizöl *n*.

fuelle *m* **1.** (Blase-)Balg *m*; Balg *m e-r Kamera*; Duselsackbalg *m*; 🚂 Faltenbalg *m*, Verbindungsstück *n von D-Zug-Wagen*; faltbares Wagenverdeck *n*; ~*s m/pl.* Gebläse *n e-r Schmiede*; ♪ Orgelbälge *m/pl.*; *dar al* ~ den Balg treten (*bzw.* ziehen); **2.** Kleiderfalte *f*; **3.** *fig.* F Zuträger *m*, Ohrenbläser *m*.

fuente *f* **1.** Quelle *f* (*a. fig.*), Brunnen *m*; Springbrunnen *m*, Fontäne *f*; ~*s f/pl. artificiales* Wasserspiele *n/pl.*; ~ *luminosa* Leuchtquelle *f*; Leuchtbrunnen *m*; ~ *de agua potable* Trinkwasser-brunnen *m*; -trog *m*; ~ *de información* Informationsquelle *f*; ~ *medicinal* Mineralquelle *f*, -brunnen *m*; ~ *rejuvenecedora* Jungbrunnen *m*; ⚠ ~ *monumental* Springbrunnen *m*; *fig. de buena* ~ aus guter Quelle; *fig. beber en buena*(*s*) ~(*s*) aus guter Quelle schöpfen; **2.** Schüssel *f*; Platte *f*; ~ *para ensaladas* Salatschüssel *f*; ~ *para fiambre* Aufschnittplatte *f*; ~ *de gratinar* Auflaufform *f*; **~cilla**, **~zuela** F *f dim. zu fuente.*

fuer *adv.*: *a* ~ *de* als (*nom.*); *a* ~ *de amigo tuyo* als dein Freund, da ich dein Freund bin.

fuera I. *adv.* außen; draußen; auswärts; heraus, hervor; hinaus; ⚓ seewärts; auf See; *de* ~ von außen; nicht aus dem Ort (*bzw.* Land); aus dem Ausland; *por* ~ außen; außerhalb, äußerlich; *con la lengua* ~ mit (heraus)hängender Zunge; ⚓ ~ (*de*) *bordo* außenbords; ¡~! hinaus!; *Thea.* absetzen!, buh!; ¡~ *el sombrero!* Hut ab!, herunter mit dem Hut! P; *echar* ~ hinauswerfen; **II.** *prp.* ~ *de* außer (*dat.*), ausgenommen (*ac.*); außerhalb (*gen.*); ~ *del caso* nicht dazugehörig; unangebracht; *a. Sp.* ~ *de concurso* außer Konkurrenz; ~ *de toda esperanza* ganz hoffnungslos; wider alle Hoffnungen; ~ *de eso* außerdem; ~ *de lugar* fehl am Platz; unangebracht; ~ *de propósito* verfehlt, nicht angebracht; ~ *de juicio* unsinnig, verrückt; ~ *de serie* außer Serie, außer der Reihe (*herstellen*); ~ *de servicio* außer Betrieb; ~ *de sí* außer sich, fassungslos; wild, blindlings; ~ *de tiempo* zur Unzeit, unzeitgemäß; ~ *de*(*l*) *turno* außer der Reihe (*vorlassen*); *Sp. balón m* ~ *de banda* Ausball *m*; *Sp.* ~ *de juego* im Aus; *fig. ir* ~ *de camino* irren; **III.** *cj.* ~ *de que* ... abgesehen davon, daß ...

fuera-bordo *m* Außenbordmotor *m*.

fuero *m* **1.** Vorrecht *n*, Sonderrecht *n*; ♀ Fuero *m*, Sammlung *f* von Sonderrechten; *hist.* ♀ *Juzgo Sammlung f der westgotischen Gesetze*; *Span.* ♀ *del Trabajo* Gesetz *n* zur Ordnung der Arbeit; ♀ *de los Españoles etwa*: Grundgesetz *n* der Spanier; **2.** Rechtsprechung *f*; Gerichtsstand *m*; Gerichtsbarkeit *f*; ~ *eclesiástico* kirchliche Gerichtsbarkeit *f*; *de* ~ von Rechts wegen; ~ *de la conciencia* Gewissen *n*; *fig. en su* ~ *interno* im Herzen; im Innern; *volver por los* ~*s de* für *et.* (*ac.*) eintreten (*od.* einstehen); **3.** *mst.* ~*s m/pl.* Überhebung *f*, Anmaßung *f*.

fuerte I. *adj. c* **1.** stark, kräftig; mächtig; widerstandsfähig; *hacerse* ~ ⚔ s. verschanzen; *fig.* nicht nachgeben, hartnäckig bestehen (auf *dat.* en); **2.** fest(sitzend); stabil; fest(gezogen) (*Knoten*); **3.** *fig.* schwer, hart; *fig. golpe m* ~ schwerer Schlag *m*, großes Unglück *n*; **4.** tüchtig, bewandert; *está* ~ *en física* Physik ist s-e Stärke, in Physik ist er gut; *estar* ~ *de a/c.* viel von et. (*dat.*) haben; **5.** *Phon.* stark (*Vokal*); *Gram. formas f/pl.* ~*s* stammbetonte Formen *f/pl. des Verbs*; **6.** hart (*Währung*); *hist.* Silber... *im Ggs. zum Kupfergeld*; **7.** schwer (*Wein*); stark (*Geruch*); stark (wirkend) (*Medikament*); **8.** groß (*Kapital, Vermögen*); **9.** grob, häßlich (*Wort*); **10.** triftig (*Grund*); **II.** *adv.* **11.** laut, kräftig; *gritar* ~ laut schreien; **12.** kräftig, gehörig; *desayunar* ~ kräftig frühstücken; *sacudir* ~ gut schütteln; durchrütteln; **13.** *a. fig. jugar* ~ hoch spielen; e-n großen Einsatz wagen; **III.** *m* **14.** ⚔ Werk *n*, Fort *n*; ~ *avanzado* Außenwerk *n*; **15.** *fig.* Höhepunkt *m*; **16.** *fig.* starke Seite *f*, Stärke *f*; **17.** Starke(r) *m*; *el derecho del más* ~ das Recht des Stärkeren, das Faustrecht; **~mente** *adv.* **1.** kräftig; **2.** nachdrücklich.

fuerza I. *f* **1.** Stärke *f*, Kraft *f*; Gewalt *f*, Macht *f*; *de* ~ gewichtig; *a la* ~, *por* ~ mit Gewalt, gewaltsam; notwendigerweise, notgedrungen; zwangsläufig; *a* ~ *de* + *inf.*

od. + *su.* durch (viel) (*ac.*), mit viel (*dat.*), durch ein Übermaß von (*dat.*); *a ~ de entrenamiento* durch hartes Training, durch lange Übung; *a ~ de voluntad* durch die Kraft des Willens; *por la ~* mit Gewalt; *a viva ~, con toda la ~* mit aller Kraft; ⊕ *a toda ~* mit voller Kraft; *con todas sus ~s* mit dem Aufgebot all(er) s-r Kräfte; F *de por ~, Méj.* de *~* → *por ~*; *~ animal, ~ de sangre* tierische (Zug-)Kraft *f*; *Kfz. ~ de arranque* Anzugskraft *f*; ✈ *~ ascensional* Auftriebskraft *f*; *~ aspiradora* Saugkraft *f*; *~ atractiva* Anziehungskraft *f* (*a. fig.*); *~ de la costumbre* Macht *f* der Gewohnheit; *~ elemental* Urkraft *f*; (*caso m* de) *~ mayor* (Fall *m*) höhere(r) Gewalt *f*; *~s f/pl. naturales* Naturkräfte *f/pl.*; Elementarkräfte *f/pl.*; *~ de persuasión* Überzeugungskraft *f*; *~ de voluntad* Willens-kraft *f*, -stärke *f*; *~ útil* Nutzkraft *f*; (re)cobrar (*las*) *~s* (wieder) zu Kräften kommen; *por lo que esté en mis ~s* soweit es in m-n Kräften steht; *hacer ~* s. anstrengen; †, ⚒ überzeugen; beweisen; *hacer ~ a alg.* j-n zwingen; j-m Gewalt antun; *es ~* + *inf.* man muß + *inf.*, es ist notwendig, zu + *inf.*; *es ~ reconocerlo* man muß das anerkennen; *donde ~ viene, el derecho se pierde* Macht geht vor Recht; *sacar ~s de flaqueza* aus der Not e-e Tugend machen; s. aufraffen, s. ermannen; **2.** ⚔ *u. Polizei*: *~s f/pl. armadas* Streitkräfte *f/pl.*; *~s aéreas* (*navales*) Luft- (See-)streitkräfte *f/pl.*; *~s unidas* Gesamtmacht *f*; *~ activa, ~ efectiva* Iststärke *f*; *~s de choque* Stoß-kräfte *f/pl.*, -truppen *f/pl.*; *~ pública* öffentliche Sicherheitsorgane *n/pl.*; F → *4*; *fig. ~s vivas hist.* kampffähige Bevölkerung *f*; *fig.* (in) Handel *m* u. Industrie *f* (tätige Bevölkerung *f*); **3.** F ⚡ Kraftstrom *m*; **II.** *m* **4.** F *~ pública* Polizist *m*.

fue|tazo *gal. m Am.* Peitschenhieb *m*; **~te** *gal. m Am.* Peitsche *f*; Reitgerte *f*; **~tear** *v/t. Ant., Méj., Rpl.* (aus)peitschen.

fufar *v/i.* fauchen (*Katze*).

fufú *Kchk. m Am. Reg.* Bananen-, Yamswurzel- *od.* Kürbis-brei *m*.

fuga *f* **1.** Flucht *f*; ⚖ *~ del conductor* (*posterior atropello*) Fahrerflucht *f*; *darse a la ~* flüchten, fliehen; s. aus dem Staub machen F; *poner en ~ a alg.* j-n in die Flucht schlagen; **2.** ⊕ undichte Stelle *f*, Leck *n*; *tener ~* undicht sein, leck sein; *~ de gas* Gasentweichung *f*; **3.** ♪ Fuge *f*; **~cidad** *f* ⚗ *u. fig.* Flüchtigkeit *f*; *fig.* Vergänglichkeit *f*; **~da** *f* Bö *f*, Windstoß *m*; **~do** *m* Entsprungene(r) *m*, Ausbrecher *m*; **~rse** [1h] *v/r.* fliehen, flüchten; entfliehen, ausbrechen (aus *dat.* de); *~ con* durchbrennen mit (*dat.*); **~z** *adj. c* (*pl. ~aces*) ⚗ *u. fig.* flüchtig; *fig.* vergänglich; **~zmente** *adv.* flüchtig; rasch enteilend.

fugitivo I. *adj.* fliehend; *a. fig.* flüchtig; *fig.* vergänglich; **II.** *m* Flüchtling *m*; Flüchtige(r) *m*, Ausbrecher *m*.

fuguillas F *c* (*pl. inv.*) Heißsporn *m*; Wirrkopf *m*; Schwärmer *m*.

fuina *Zo. f* Steinmarder *m*.

ful P *adj. inv.* (*nur attr.*) verkorkst F, mißraten; ☐ → *falso*.

fula|na F *f* Nutte *f* P, Hure *f*; **~no** *m*: *~, Don* ♀ *de Tal* Herr Soundso; ♀ *y Zutano, Mengano y Perengano* X u. Y, Hinz und Kunz.

fular *tex. m* Foulard *m*.

fulastre P *adj. c* → *fulero 1*.

fulcro ⊕ *m* Unterstützungspunkt *m e-s Hebels*.

fulero F *adj.* **1.** pfuscherhaft, stümperhaft, schlecht; **2.** → *fullero*.

ful|gente *adj. c od.* **fúlgido** *lit. adj.* glänzend, leuchtend, schimmernd, funkelnd; **~gir** [3c] *lit. v/i.* strahlen, schimmern; blitzen, funkeln; **~gor** *m* Schimmer *m*, Glanz *m*; Blitzen *n*, Strahlen *n*; **~guración** *f* Blitzen *n*, Aufleuchten *n*; ⚕ **a)** Blitzschlag *m*; **b)** Fulguration *f* (*Behandlung*); **~gurante** *adj. c* **1.** → *fúlgido*; **2.** ⚕ stechend (*Schmerz*); **~gurar** *v/i.* (auf)blitzen, aufleuchten; **~gurita** *f Min. u. Sprengstoff*: Fulgurit *m*, *Min.* Blitzröhre *f*; **~guroso** *adj.* strahlend, funkelnd, blitzend.

fúlica *Vo. f* Wasserhuhn *n*; *~ negra* Bläßhuhn *n*.

fuligino|sidad *f* Rußigkeit *f*; Rußschwärze *f*; **~so** *adj.* rußig, rußartig, -farbig; *lit.* tiefschwarz.

fulmi|cotón *m* Schießbaumwolle *f*; **~nación** Blitzen *n*; Blitzschlag *m*; Aufblitzen *n*; Detonation *f*; *fig.* Schleudern *n* des Bannstrahls, Verdammung *f*; **~nador** *adj.-su.* blitzend; *lit.* Blitze schleudernd; *fig.* verdammend; **~nante I.** *adj. c* **1.** blitzartig; plötzlich (auftretend), von schnellem Verlauf (*Krankheit*); *apoplejía f ~* Schlag *m*; **2.** zündend; ⚗ Knall...; *gas m ~* Knallgas *n*; **3.** *fig.* Blitz..., Donner..., Verdammungs...; *mirada f ~* flammender (*mst.* = *drohender*) Blick *m*; **II.** *m* **4.** Sprengsatz *m*; Zündhütchen *n*; *~s m/pl. de papel* Zündblättchen *n/pl. für Spielzeugwaffen*; **~nar I.** *v/t.* durch Blitzschlag töten; *Blitze* schleudern; *fig.* niederschmettern; *den Bannstrahl* schleudern, *Strafe* verhängen; **II.** *v/i. fig.* wettern, toben; **~nato** ⚗ *m* Fulminat *n*, knallsaures Salz *n*.

fulmí|neo *adj.* blitzartig, Blitz...; **~nico** ⚗ *adj.*: *ácido m ~* Knallsäure *f*.

fulle|ría *f* **1.** Mogeln *n*, Mogelei *f b. Spiel*; *fig.* Gaunerei *f*; *hacer ~s* mogeln, betrügen; **2.** *Col.* Angabe *f*; **~ro** *adj.-su.* **1.** Mogler *m*; Gauner *m*; **2.** *Arg.* Pfuscher *m*; **3.** *Chi.* Aufschneider *m*; **4.** *Col.* drollig, ausgelassen (*Kind*).

fullona F *f* Streit *m*, Gezänk *n*.

fuma|ble *adj. c* rauchbar; **~da** *f* Zug *m beim Rauchen*; *Arg.* Possen *m*, Streich *m*; **~dero** *m* Rauchzimmer *n*; **~dor** *adj.-su.* rauchend; *m* Raucher *m*; *yo no soy ~* ich bin Nichtraucher; 🚂 *departamento m de* (*no*) *~es* (Nicht-)Raucherabteil *n*; **~nte** *adj. c* rauchend; ⚗ *ácido m nítrico ~* rauchende Salpetersäure *f*; **~r I.** *vt/i.* **1.** rauchen; *papel m de ~* Zigarettenpapier *n*; **II.** *v/t.* **2.** *Arg.* zum Narren halten, betrügen; **III.** *v/r.* *~se* F **3.** *~se a/c. irgendwo* fehlen, zu et. (*dat.*) nicht hingehen, et. schwänzen; *~se la clase* den Unterricht schwänzen; **4.** *~se a/c.* et. restlos ausgeben, et. auf den Kopf hauen F, et. verjuxen F; **~rada** *f* **1.** Rauchwolke *f*; **2.** Pfeifevoll *f* Tabak.

fumaria ⚘ *f* Feldraute *f*.

fumarola *Geol. f* Fumarole *f*, vulkanische Gasausströmung *f*.

fumífero *lit. adj.* rauchend.

fumiga|ción *f* Ausräuchern *n*; **~dor** *adj.-su. m* Desinfektor *m*; ⚒, ⚔ Nebelerzeuger *m*; **~r** [1h] *v/t.* ausräuchern, einnebeln, vergasen; **~torio** *adj.-su.* Räucher...; *m* Räucherpfanne *f* (*a. für duftende Kräuter u.ä.*).

fumígeno *adj.* rauchentwickelnd, Rauch..., *bsd.* ⚔ Nebel...

fumis|ta *m* Ofensetzer *m*; **~tería** *f* Ofenhandlung *f*; Werkstatt *f* e-s Ofensetzers.

fumívoro I. *adj.* rauchverzehrend; rauchabführend; **II.** *m* Rauchverzehrer *m*.

fumoso *adj.* rauchig; qualmend.

fu|nambulesco *adj.* seiltänzerisch; *fig.* verstiegen, extravagant; **~námbulo** *m* Seiltänzer *m*.

función *f* **1.** Funktion *f*; Amt *n*, Tätigkeit *f*; *cesar en las ~ones* die Tätigkeit einstellen; sein Amt niederlegen; *entrar en ~ones* (s)ein Amt antreten; *estar en ~* in Tätigkeit sein; in Betrieb sein; **2.** ⚕ Funktion *f*, Tätigkeit *f der Organe*; *hacer las ~ones de* die Funktionen von (*dat.*) übernehmen; **3.** Feier *f*; *Thea.* Vorstellung *f*; *~ de tarde* (*de noche*) Nachmittags- (Abend-)vorstellung *f*; *~ divina* Gottesdienst *m*; *~ infantil* Kindervorstellung *f*; *hoy no hay ~* heute k-e Vorstellung; **4.** ℞, ⊕ Funktion *f*, ⊕ Aufgabe *f*; **5.** *K* Kriegshandlung *f*.

funciona|l *adj. c* funktionell, funktional; Betriebs..., Tätigkeits...; Leistungs...; wirtschaftlich, rationell; ℞ *ecuación f ~* Funktionsgleichung *f*; Δ *arquitectura f ~* funktionelle Architektur *f*, Zweckbau *m*; *muebles m/pl. ~es* Anbaumöbel *n/pl.*; **~lismo** *m* Funktionalismus *m*; **~miento** *m* **1.** Gang *m*, Lauf *m e-r Maschine*; Arbeitsweise *f e-s Mechanismus*; Funktionieren *n*, Tätigkeit *f*; ⊕ *~* (*completamente*) *automático* (voll)automatische Arbeitsweise *f*, Automatik *f*; **2.** Amtsverrichtung *f*; **~r** *v/i.* **1.** gehen, funktionieren; arbeiten, in Betrieb sein; *en condiciones de ~* betriebsfähig; *no funciona* außer Betrieb; **2.** sein Amt ausüben; **~rio** *m* **1.** Beamte(r) *m*; *~ público* Staatsbeamte(r) *m*; **2.** *Pol.* Funktionär *m*.

funche *m Am.* dicke Maissuppe *f*.

funda *f* **1.** Überzug *m*, Bezug *m*; Hülle *f*, Futteral *n*; *~ de almohada* Kissenbezug *m*; *~ protectora* Schonbezug *m*, Schoner *m*; *poner la ~ a z. B Kissen* überziehen; **2.** *Cu.* Rock *m*.

funda|ción *f* **1.** Gründung *f*; **2.** Stiftung *f*; **3.** ⊕ Fundament *n*, Unterbau *m*; **4.** † *Am.* Wohnsitz *m*; Farm *f*; **~cional** *adj. c* Gründungs...; Stiftungs...; **~damente** *adv.* begründeterweise; sicher; **~do** *adj.* (wohl)begründet; **~dor** *adj.-su.*

1. Gründer *m*; **2.** Stifter *m*; **~mental** *adj. c* grundlegend, wesentlich, fundamental, Grund...; *ley f ~* (Staats-)Grundgesetz *n*; ⚒ *línea f ~* Grundlinie *f*; *a. fig. piedra f ~* Grundstein *m*; **~mentalmente** *adv.* grundsätzlich; im wesentlichen; von Grund aus; **~mentar** *v/t. a. fig.* stützen, e-e sichere Grundlage geben (*dat.*), untermauern; *fig.* begründen; **~mento** *m* **1.** Grundlage *f*, Fundament *n*; △ *mst.* **~s** *m/pl.* Fundament *n*, Grundmauern *f/pl.* **2.** Grund *m*, Begründung *f*; *fig.* Verläßlichkeit *f*, Ernst *m*; *con ~* begründet(erweise); auf reiflicher Überlegung beruhend; *sin ~* unbegründet; grundlos; *carecer de ~* **a)** unbegründet sein; **b)** unzuverlässig sein; **~r I.** *v/t.* **1.** gründen, errichten; **2.** stiften; **3.** *Behauptung usw.* (be)gründen, stützen (auf *ac.* en); **II.** *v/r.* **~se 4. ~se** en △ ruhen auf (*dat.*); *fig.* beruhen auf (*dat.*), fußen auf (*dat.*), s. stützen auf (*dat.*), s. gründen auf (*ac.*); entspringen (*dat.*).

fun|dente I. *adj. c* **1.** schmelzend; **II.** *m* **2.** ⊕ Fluß-, Schmelz-mittel *n*, Zuschlag *m*; **3.** ⚕ Mittel *n* zum Einschmelzen *von Geschwülsten*; **~dería** *f* Schmelzhütte *f*, Gießerei *f*; **~dible** *adj. c* schmelzbar, gießbar, **~dición** *f* **1.** Gießerei *f*; *~ de acero (fino)* (Edel-)Stahlgießerei *f*; **2.** Gießen *n*; Schmelzung *f*; **3.** Guß *m*; *~ (de hierro)* Eisenguß *m*, Gußeisen *n*; *~ artística* Kunst-, Zier-guß *m*; *~ en bruto* Rohguß *m*; *~ blanca* Weißeisen *n*; *~ dulce* Weichguß *m*; *~ dura* Hartguß *m*; *~ en frío* Kaltguß *m*; *~ maciza* Kern-, Voll-guß *m*; *~ en molde* Schalenguß *m*; *Typ. ~ de tipos* Schriftguß *m*; *pieza f de ~* Gußstück *n*; **4.** *Typ.* Sortiment *n* Schriften; **~dido** *adj.* geschmolzen; *~ en una (sola) pieza* in e-m Stück gegossen; **~didor** *m* Gießer *m*; Schmelzer *m*; *~ de bronce* Erz-, Gelb-gießer *m*; *~ de tipos de imprenta* Schriftgießer *m*; **~didora** *Typ. f*: *~ de tipos* Letterngießmaschine *f*; **~dir I.** *vt/i.* **1.** schmelzen; einschmelzen; **2.** gießen; *~ en frío* kalt gießen; *cazo m de ~* Gießkelle *f*; **3.** *fig.* vereinigen; (mitea.) verschmelzen; **II.** *v/r.* **~se 4.** schmelzen; ⚡ durchbrennen, durchschmelzen; **5.** *fig.* s. zs.-schließen, ⚚ *a.* fusionieren; **6.** *Am.* s. ruinieren.

fundo ⚖ *m* Grundstück *n*.

fúnebre *adj. c* Leichen..., Grab..., Grabes..., Trauer...; traurig, düster; *canto m ~* Grab-, Trauer-gesang *m*; *cara f ~* Trauermiene *f*; *coche m ~* Leichenwagen *m*; *comitiva f ~*, *cortejo m ~* Leichenzug *m*, Trauergeleit *n*; *marcha f ~* Trauermarsch *m*; *oración f ~* Grabrede *f*; *pompas f/pl.* **~s** → *funeraria.*

funera|l I. *adj. c* Begräbnis...; **II.** *m* Begräbnis(zeremoniell) *n*; **~es** *m/pl.* Trauergottesdienst *m*; Totenfeier *f*; *~ estatal* Staatsbegräbnis *n*; **~la** *adv.*: ⚔ *a la ~* mit gesenkten Waffen; in Trauerparade; *fig.* F *ojo m a la ~* blaues (*od.* blutunterlaufenes) Auge *n*; **~ria** *f* Beerdigungsinstitut *n*; (*caja f*) *~* Sterbekasse *f*; **~rio** *adj.* Grab..., Begräbnis...; *columna f* **~a** Totensäule *f*.

funéreo *poet. adj.* → *fúnebre.*

funes|tar ⚒ *v/t.* beflecken; entweihen; **~to** *adj.* unheilvoll, verhängnisvoll; unglückselig; todbringend.

fungible ⚖ *adj. c* vertretbar (*Sachen*).

fungi|cida *f* (Spritz-)Mittel *n* gg. Pilzbefall, Fungizid *n*; **~forme** *adj. c* pilzförmig.

fungir [3c] *v/i. Am. Cent., Méj.* ein Amt ausüben; als Stellvertreter tätig sein; F s. einmischen.

fungo ⚕ *m* Fungus *m*, flache Geschwulst *f*; **~sidad** ⚕ *f* schwammiger Auswuchs *m*; **~so** *bsd.* ⚕ *adj.* schwammig, 🕮 fungös.

funicular *adj. c-su. m* (*ferrocarril m*) *~* (Draht-)Seilbahn *f*, Schwebebahn *f*; Zahnradbahn *f*; *~ terrestre* Bodenseilbahn *f*.

fuñique F *adj. c* linkisch, täppisch; zimperlich, pingelig F.

furaré *Vo. m Chi. Art* Drossel *f*.

furcia P *f* Hure *f*, Nutte *f* P.

furente *lit. adj. c* wütend, rasend, tobend.

furfuráceo 🕮 *adj.* kleienartig; ⚕ Schuppen...

fur|gón *m* **1.** 🚃 Gepäckwagen *m*; geschlossener Güterwagen *m*; *~ (de correos)* Postwagen *m*; **2.** *Kfz.* gr. Lieferwagen *m*; **~goneta** *Kfz. f* Lieferwagen *m*.

furi|a *f* **1.** Wut *f*, Raserei *f*, Toben *n*; *Myth. u. fig.* Furie *f*; *acceso m de ~* Tobsuchts-, Wut-anfall *m*; *a (od. con) toda ~* mit aller Kraft; in größter Eile; (wie) wild; *estar hecho una ~* toben, rasen, wüten; **2.** *Méj.* wirrer Haarschopf *m*; **~bundo** *adj.* wütend, rasend; **~oso** *adj.* rasend, tobend, wütend; tobsüchtig.

furo *m* Einfüllöffnung *f der Form für Zuckerhüte*; *Méj.* Spitze *f des Zuckerhuts.*

furor *m* **1.** Raserei *f*, Wüten *n*; *a.* ⚕ Toben *n*; *~ del juego* Spiel-wut *f*, -leidenschaft *f*; *~ popular* Volkszorn *m*; *~ uterino* Mannstollheit *f*; **2.** Begeisterung *f*; *gal. hacer ~* Furore machen; **3.** *fig.* F rasende Schnelligkeit *f*.

furriel *m* **1.** ⚔ (*cabo m*) *~* Quartiermacher *m*; Furier *m*; **2.** *hist.* kgl. Oberstallmeister *m*.

furris F *adj. inv.* (*a. furrio*) *prov. u. Am. Reg.* erbärmlich, elend, schlecht; verpfuscht.

furruco *m Ven.* Hirtentrommel *f*.

furtivo *adj.* heimlich, verstohlen; *cazador m ~* Wilderer *m*.

fu|rúnculo *m* Furunkel *m*; **~runculosis** ⚕ *f* Furunkulose *f*.

fusa ♪ *f* Zweiunddreißigstelnote *f*.

fusado ▨ *adj.* mit Spindeln.

fusco *adj.* schwärzlich, dunkel.

fuselaje ✈ *m* Rumpf *m*.

fusi|bilidad *f* Schmelzbarkeit *f*; **~ble I.** *adj. c* schmelzbar; **II.** *m* ⚡ Sicherung *f*; *~ de plomo* Bleisicherung *f*; *~ principal* Hauptsicherung *f*; *~ automático* Sicherungsautomat *m*; **~forme** *adj. c* spindelförmig.

fusi|l *m* Gewehr *n*; *Sp. ~ acuático* Harpune *f*; *~ ametrallador* leichtes Maschinengewehr *n*, *Abk.* l.M.G.; *~ automático* Selbstladegewehr *n*; *~ de avancarga*, *~ de baqueta* Vorderlader *m*; *~ de chispa (de percusión)* Steinschloß- (Zündnadel-)gewehr *n*; *~ de repetición (de retrocarga)* Mehr- (Hinter-)lader *m*; **~lamiento** *m* Erschießung *f*; *~ en masa* Massenerschießung *f*; **~lar** *v/t.* **1.** standrechtlich erschießen, füsilieren; **2.** *fig.* F plagiieren, abschreiben; *Buch* zs.-stoppeln F; **~lazo** *m* Gewehrschuß *m*; **~lería** *f* **1.** Gewehrfeuer *n*; Infanteriefeuer *n*; **2.** Gewehre *n/pl.*; **3.** Schützen *m/pl.*; **~lero** *m* Schütze *m*; Füsilier *m*, Musketier *m*.

fusi|ón *f* **1.** Schmelzen *n*; Schmelze *f*; *punto m de ~* Schmelzpunkt *m*; *~ reductora* Frischen *n v. Stahl*; **2.** *fig.* Verschmelzung *f*; Zs.-schluß *m*; ⚚, *Pol.* Fusion *f*; **~onar I.** *v/t.* verschmelzen, zs.-schließen, fusionieren; **II.** *v/r.* **~se** s. zs.-schließen.

fuso ▨ *m* Raute *f*.

fus|ta *f* **1.** (Kutscher-)Peitsche *f*; Reitgerte *f*; **2.** Reisig *n*; **~tado** ▨ *adj.* geschäftet; **~tal**, **~tán** *m tex.* Barchent *m*; *Am.* weißer Unterrock *m*; **~tazo** *m* Peitschenhieb *m*.

fus|te *m* **1.** Schaft *m*; Säulenschaft *m*; **2.** Stange *f* (*Holz*); Deichselstange *f*; **3.** Gerte *f*, Rute *f*; **4.** *Equ.* Sattelbaum *m*; *poet.* Sattel *m*; **5.** *fig.* Kern *m*, Gehalt *m*; *de ~* wichtig, bedeutend; gewichtig; *de poco ~* unbedeutend; **~tero** *m prov.* Drechsler *m*; Zimmermann *m*; **~tete** ⚘ *m* Färberbaum *m*; **~tigación** *f* Auspeitschung *f*; **~tigador** *adj.-su.* Auspeitscher *m*; **~tigar** [1h] *v/t.* (aus)peitschen; *fig.* geißeln.

fútbol *m* (*a. futbol*) Fußball *m*; Fußball(spiel *n*) *m*.

futbo|lín *m* Tischfußball *m*; **~lista** *m* Fußballspieler *m*, Fußballer *m* F; **~lístico** *adj.* Fußball...

fute|sa, **~za** *f* Lappalie *f*, Bagatelle *f*; Firlefanz *m*.

fútil *adj. c* nichtig; geringfügig; belanglos, nichtssagend.

futilidad *f* Geringfügigkeit *f*; Nichtigkeit *f*.

futre *m Arg., Chi.* Modenarr *m*, Geck *m*, Stutzer *m*.

futu|ra *f* **1.** Anwartschaft *f*; **2.** *Typ.* Futura *f* (*Schrift*); **3.** F Braut *f*, Zukünftige *f* F; **~rario** *adj.* Anwartschafts...; **~rismo** *Ku. m* Futurismus *m*; **~rista** *adj.-su. c* futuristisch; *m* Futurist *m*; **~ro I.** *adj.* **1.** künftig; *en lo ~* in Zukunft; *Theol. la vida* **~a** das künftige Leben, das Leben im Jenseits; **II.** *m* **2.** Zukunft *f*; *en el ~* in Zukunft, künftig; *en un próximo ~* in naher Zukunft, bald; **3.** *Gram. ~ (imperfecto)* Futur(um) *n*, Zukunft *f*; *~ perfecto* Futurum *n* exactum, vollendete Zukunft *f*; *~ condicional* bedingte Zukunft *f* (*z. B. K si le vieres* wenn du ihn siehst; ⚖ *noch gebräuchlich*; *modern: si le ves*); **4.** F Bräutigam *m*, Zukünftige(r) *m* F; **~rología** *neol. f* Futurologie *f*.

G

G, g (= ge) *f* G, g *n*.
gabacho I. *adj.* † aus den Pyrenäen; *desp.* F französisch; **II.** *m* ⚒ Pyrenäenbewohner *m einiger Orte im frz. Grenzgebiet*; F *desp.* Franzmann *m*; F mit Gallizismen durchsetztes Spanisch *n*.
gabán *m* Mantel *m*; Überrock *m*; ~ *de pieles* Pelz-überrock *m*; -mantel *m*; → *a. abrigo 3.*
gabar|dé □ *m* Franzose *m*; **~dina** *f tex.* Gabardine *m, f*; *mst. imprägnierter* leichter Mantel *m*.
gabarra ⚓ *f* Schute *f*; Last-, Fracht-kahn *m*; Leichter *m*; ~ *tanque* Tankleichter *m*.
gabarro *m* **1.** *Min.* Steinknoten *m*; **2.** *tex.* Webernest *n* (*Webfehler*); **3.** *vet.* Hufgeschwür *n*; Pips *m der Hühner*; **4.** *fig.* (lästige) Verpflichtung *f*; Fehler *m in e-r Rechnung.*
gabata *Jgdw. f* Rehkitz *n*; Wildkalb *n*.
gabazo *m* → *bagazo.*
gabela *f* **1.** *hist.* Abgabe *f*, (Salz-)Steuer *f*; *fig.* Last *f*, Belastung *f*; **2.** *Am. Reg.* Vorteil *m*, Gewinn *m*.
gabina F *f Andal.* Angströhre *f* F (*Zylinder*).
gabinete *m* **1.** Arbeits-, Studierzimmer *n*; Nebenraum *m*; ⚕ Behandlungsraum *m*; ~ *de lectura* Lesesaal *m*; Leihbibliothek *f*; ~ (*de señora*) Ankleidezimmer *n*; kl. (eleganter) Damensalon *m*; *poeta m de* ~ Schreibtischpoet *m*; F *lo sabe de* ~ das ist reine Studierstubenweisheit von ihm; **2.** Kabinett *n*; Sammlung *f*; ~ *de estampas* Kupferstichkabinett *n*; ~ *de figuras de cera* Wachsfigurenkabinett *n*; ~ *de física* physikalischer Versuchsraum *m*; physikalische Sammlung *f*; **3.** *Pol.* Kabinett *n*; Regierung *f*; Ministerium *n*; ~ *de oposición* Schattenkabinett *n*; *a. fig. plantear la cuestión de* ~ die Kabinetts- (*od.* Vertrauens-)frage stellen; → *a. gobierno*; **4.** *Col.* Erker *m*.
gablete △ *m* Giebel(abschluß) *m*.
gabonés *adj.-su.* gabunisch; *m* Gabuner *m*.
gabrieles *fig.* F *m/pl.* Kichererbsen *f/pl. im cocido.*
gace|l *Zo. m* Gazellenbock *m*; **~la** *Zo. f* Gazelle *f*.
gace|ta *f* **1.** Amtsblatt *n*; Staatsanzeiger *m*; (Fach-)Zeitung *f*; *mentir más que la* ~ lügen wie gedruckt; **2.** ⊕ Brennkasten *m für Kacheln usw.*; **3.** F → *gacetista 2*; **~tero** *m* Zeitungs-verkäufer *m bzw.* -schreiber *m*; *fig.* Neuigkeitskrämer *m*; **~tilla** *f* Vermischte(s) *n*; Kurznachricht(enteil *m*) *f* (*Zeitung*); ~ *teatral* Theaterteil *m e-r Zeitung*; **~tillero** *m* Redakteur *m e-r gacetilla*; **~tista** F *m* **1.** eifriger Zeitungsleser *m*; **2.** Neuigkeitskrämer *m*.
gacha *f* **1.** Brei *m*; breiartige Masse *f*; *~s f/pl.* (Mehl-, Milch-)Brei *m*; *Andal.* → *zalamerías*; **2.** *Col., Ven.* irdener Napf *m*.
gachapanda *adv.*: *a la* ~ *Am.* heimlich, still u. leise.
gaché *m* **1.** *Zigeunername für Andalusier m*; **2.** *Andal. u.* P Liebhaber *m*; **3.** → *gachó.*
gacheta *f* **1.** *dim. zu gacha*; **2.** Kleister *m*; **3.** Zuhaltung *f im Schloß.*
ga|chí P *f* Puppe *f* F, Zahn *m* P (= *Mädchen*); **~chó** *Andal. u.* P *m* Mann *m*, Kerl *m* F.
gacho 1. *adj.* (zur Erde) hängend, gebeugt; Schlapp...; nach unten gebogen (*Hörner*); *orejas f/pl. ~as* Schlappohren *n/pl.* (*Hund*); *con la cabeza ~a* mit gesenktem Kopf; (*andar*) *a ~as* auf allen vieren (kriechen); **2.** *Méj.* häßlich.
ga|chón *adj.* **1.** niedlich, hübsch; **2.** *Andal.* verwöhnt (*Kind*); **~chonada** F, **~chonería** F *f* Anmut *f*, Liebreiz *m*.
gachuela *f* **1.** Brei *m*; **2.** Kitt *m*.
gachumbo *m Am.* holzartige Schale *f z.B. der Kokosnuß.*
gachupín *desp. m Am. Cent., Méj.* → *cachupín.*
gaditano *adj.-su.* aus Cádiz.
gado *Fi. m* Dorsch *m*.
gaélico *adj.-su.* gälisch.
gafa *f* **1.** Klammer *f*, Krampe *f*; Armbrustspanner *m*; ⚓ Hakenstropp *m*, Schenkelhaken *m*; **2.** *~s f/pl.* Brille *f*; *~s auditivas* (*protectoras*) Hör- (Schutz-)brille *f*; *~s de inmersión* (*de sol*) Tauch(er)- (Sonnen-)brille *f*; *~s de pinza* Kneifer *m*, Zwicker *m*; **~r** *v/t.* verklammern.
ga|fe F *m* Unglücksbringer *m*; F *no seas* ~ mach' kein' Quatsch! F; **~fo** *adj.* **1.** ⚕ krallenfingrig (*Leprakranker*); **2.** *C.Ri.* → *despeado.*
gagá *gal. adj.-su. c* kindisch, vertrottelt.
ga|go *adj. Am. Reg.* stotternd; **~guear** *Am. Reg. v/i.* stottern; näseln.
gai|ta I. *f* **1.** Schalmei *f*; ~ (*gallega*) Dudelsack *m*; ~ (*zamorana*) Dreh-, Bauern-leier *f*; *fig. alegre como una* ~ munter, lustig; F *templar ~s* Friedensstifter sein; (ständig) Rücksichten nehmen müssen; **2.** *fig.* F Hals *m*; Kopf *m*; **3.** F Unannehmlichkeit *f*, Vergnügen *n* (*iron.*); **4.** P *Arg.* galicische Magd *f*; **II.** *m* **5.** F *desp. Arg.* Spanier *m*; **~tero I.** *m* **1.** Dudelsackpfeifer *m*; **II.** *adj.* **2.** F aufgekratzt, vergnügt; **3.** grellbunt, knallig F (*Kleidung usw.*).
gajes *m/pl.* (Neben-)Einnahme(n) *f*(*/pl.*); *iron.* ~ *del oficio* Freuden *f/pl.* des Berufs.
gajo *m* **1.** (abgebrochener) Ast *m*, Zweig *m*; Büschel *n* (*Kirschen, Trauben usw.*); Schnitz *m* (*Orange usw.*); **2.** ⚘ Lappen *m*; **3.** ⚒ Zinke *f*, Zacken *m e-s Rechens usw.*; **4.** *Geogr.* Ausläufer *m e-s Gebirges*; **5.** *Am. Cent., Col.* Locke *f*; **6.** *Am. Reg.* Kinn *n*; **7.** F *Col. ser del* ~ *de arriba* zur höheren Gesellschaftsklasse zählen; **~so** *adj.* viel-ästig, -geteilt.
gal *Phys. m* Gal *n* (cm/s^2).
gala *f* **1.** Festkleidung *f*; Prunk *m*, Staat *m*; *fig.* Zierde *f*; *fig.* Anmut *f*; *~s f/pl.* Fest-kleidung *f*, -schmuck *m*; *de* ~ Fest..., Gala..., Parade...; *Thea. función f de* ~ Fest-, Galavorstellung *f*; ⚔ *uniforme m de* ~ (*de media* ~) Parade-, Gala-uniform *f* (*etwa*: Ausgehuniform *f*); *fig. cantar la* ~ (*de*) rühmen (*ac.*); *hacer* ~ *de* (*od. tener a* ~) *a/c.* et. zur Schau tragen, mit et. (*dat.*) prahlen; *llevarse la* ~ am meisten glänzen, den Vogel abschießen; *a. fig. haberse puesto todas sus ~s* in vollem Schmuck prangen; *fig. ser la* ~ *de* der (die, das) Beste (*od.* der Stolz) sein von (*dat.*); *fig. vestir sus primeras ~s de mujer* sein Debüt (in der Gesellschaft) machen; **2.** *Ant., Méj.* Trinkgeld *n*; **3.** ⚘ ~ *de Francia* → *balsamina.*
galáctico *Astr. adj.* Milchstraßen...
galac|tómetro *m* Milchmesser *m*; **~tosa** ⚗ *f* Galaktose *f*.
galaico *adj.* galicisch; **~portugués** *adj.* galicisch-portugiesisch.
galalita ⚗ *f* Galalith *n*.
galán *m* **1.** Galan *m* F, Verehrer *m*; stattlicher junger Mann *m*; *fig.* F *conozco al* ~ ich kenne den sauberen Vogel; **2.** *Thea.* ~ (*joven*) (jugendlicher) Liebhaber *m*.
gala|namente *adv.* elegant; prächtig anzuschauen; **~ncete** *Thea. m* jugendlicher Liebhaber *m*; **~no** **1.** schön gekleidet; geschmückt, geputzt; *fig.* elegant; *fig. cuentas f/pl. ~as* Illusionen *f/pl.*; **2.** *Cu.* gefleckt (*Vieh*).
galan|te *adj. c* galant; fein, höflich; aufmerksam, zuvorkommend; kokett; *mujer f* ~ Kokotte *f*; **~tear** *v/t.* umwerben, den Hof machen (*dat.*); schmeicheln (*dat.*), Schmeicheleien sagen (*dat.*); *fig.* s. sehr bemühen um (*ac.*); **~temente** *adv.* galant; **~teo** *m* Hofmachen *n*, Liebeswer-

ben *n*; **~tería** *f* **1.** Höflichkeit *f*; Aufmerksamkeit *f*; **2.** Uneigennützigkeit *f*, Freigebigkeit *f*; **3.** Schick *m*, guter Geschmack *m* (*Sachen*).

galantina *Kchk. f* Galantine *f*, *kaltes gefülltes Kalb- od. Geflügelfleisch in Sülze.*

galanura *f* Anmut *f*; Eleganz *f*; ~ *de estilo* glänzender Stil *m*.

galápago *m* **1.** *Zo.* Süßwasserschildkröte *f*; **2.** Scharstock *m am Pflug*; **3.** ⊕ Flachkloben *m*; Dachziegelform *f*; (Blei- *usw.*)Barren *m* zum Löten; **4.** ⚓ Klampe *f*; **5.** *Equ.* Wulstsattel *m*; **6.** *Chir.* Schleuderverband *m*; **7.** *vet.* Frosch *m* (*Hufkrankheit*); **8.** *hist.* ⚔ Sturmdach *n*; **9.** *fig.* hinterhältiger Mensch *m*.

galapaguera *f* Schildkröten-sumpf *m*, -weiher *m*.

galar|dón *m* Belohnung *f*, Preis *m* (für *ac.* de, *por*); **~donar** *v/t. Verdienste* belohnen, vergelten; auszeichnen, ehren (mit *dat.* con).

gálatas *bibl. m/pl.*: *la epístola de San Pablo a los* ~ der Galaterbrief.

galato ⚗ *adj.-su. m* gallussaures Salz *n*.

galaxia *Astr. f* Galaxis *f*; Milchstraße *f*.

galba|na F *f* Faulheit *f*, Trägheit *f*; **~nado** *adj.* gelblichgrau; **~nero**, **~noso** *adj.* F träge, arbeitsscheu.

galdosiano *adj.* auf *den span. Schriftsteller* Pérez Galdós bezüglich.

gale|aza ⚓ *f* Galeasse *f*; **~ga** ❀ *f* Geißraute *f*; **~na** *f Min.* Bleiglanz *m*, Galenit *m*; *Rf. detector m de* ~ Kristalldetektor *m*; **~no I.** *m fig.* F Doktor *m* F, Arzt *m*; **II.** *adj.* ⚓ *viento m* ~ leichte Brise *f*.

gale|ón ⚓ *hist. m* Galeone *f*; **~ota** ⚓ *f* Kuff *n*, Galeote *f*; **~ote** *m* Galeerensträfling *m*.

galera *f* **1.** ⚓ *hist.* Galeere *f*; **~s** *f/pl.* Galeerenstrafe *f*; *condenado m a* **~s** → *galeote*; **2.** (überdachter) Last- *od.* Reise-wagen *m*; **3.** Frauengefängnis *n*; **4.** *Typ.* gr. Setzschiff *n*; **5.** *sid.* Frischofenbatterie *f*; **6.** *Zim.* lange Rauhbank *f*; **7.** 𝔄 Trennungsstrich *m* zwischen Dividend u. Divisor; **8.** *Hond.*, *Méj.* Schuppen *m*; **9.** F *Arg.*, *Chi.* Zylinder(hut) *m*; **10.** → *crujía 1d*; **11.** *Zo.* Heuschreckenkrebs *m*; **~da** *Typ. f* Fahnen-, Bürsten-abzug *m*; **~s** *f/pl.* Korrektur(fahnen *f/pl.*) *f*.

gale|ría *f* **1.** (bedeckter) Gang *m*; Galerie *f*; Trinkhalle *f in Kurorten*; **2.** *Thea.* Galerie *f*; *a.* Galeriepublikum *n*; **3.** ~ (*de pinturas*) Gemälde-, Bilder-galerie *f*; **4.** Omnibusverdeck *n*; **5.** ⚔, ⊕, ⚒ Stollen *m*; ~ *transversal* Querschlag *m*; ~ (*principal*) *de transporte* (Haupt-)Förderstrecke *f*; **~rín** *Typ. m* Setzschiff *n*.

galerita *Vo. f* Haubenlerche *f*.

galer|na *f*, **~no** *m* steifer Nordwestwind *m an der span. Nordküste.*

galerón *m Am. Mer.* Ballade *f*; Romanze *f*; *Ven. Tanzweise.*

galés *adj.-su.* walisisch; *m* Waliser *m*; *das* Walisische.

galga *f* **1.** Windhündin *f*; **2.** Stein *m*, Felsbrocken *m b. Steinschlag*; Mühlstein *m*, Läufer *m*; **3.** kreuzförmiges Sandalenband *n*; **4.** Bremsknüppel *m*, Hemmschuh *m*; **5.** ⚕ Halskrätze *f*; **6.** Trage *f*, Bahre *f*; **7.** ⊕ Lehre *f*, Kaliber *n*; ~ *de alambre* Drahtlehre *f*; → *a. calibre* 2.

gal|go I. *adj. Col. u. prov.* naschhaft; **II.** *adj.-su. m* (*perro m*) ~ Windhund *m*; *fig. echarle a alg. los* **~s** j-n bedrängen; *fig.* F *¡échale un* ~*!* das (den *usw.*) siehst du nicht mehr!, den erwischst du niemals!; das kannst du abschreiben! (*z. B. verliehenes Geld*); F *¡váyase a espulgar un* ~*!* scheren Sie sich zum Kuckuck (*od.* zum Teufel)!; *vender un* (*od. el*) ~ *a alg.* j-n betrügen, j-n übers Ohr hauen F; **~guita** *f* Windspiel *n*.

gálgulo *Vo. m* Blauelster *f*.

Galia(s) *hist. f*(*/pl.*) Gallien *n*; *p. ext. lit.* Frankreich *n*.

gálibo *m* **1.** ⚓ Mall *n*; **2.** 🚂 Durchfahrts-, Lichtraum-profil *n*; ~ *de carga* Ladehöheprofil *n*; **3.** *fig.* (Aus-)Maß *n*; **4.** Eleganz *f*.

galica|nismo *Rel. m* Gallikanismus *m*; **~no** *adj.* gallikanisch.

galicis|mo *m* Gallizismus *m*, französische Spracheigentümlichkeit *f*; **~ta** *adj.-su. c* gallizistisch; *m* Freund *m* von Gallizismen.

gálico I. *adj.* **1.** gallisch (*Sachen, sonst galo*); **2.** ⚗ *ácido m* ~ Gallussäure *f*; **II.** *adj.-su. m* **3.** *hist.* (*morbo m*) ~ Lustseuche *f* (*hist.*), Syphilis *f*.

galicursi F *adj.-su. c* → *galicista.*

galile|a *f* Kirchenvorhof *m*; **~o** *adj.-su.* galiläisch; *m* Galiläer *m*; *el* ♀ Christus.

galillo *Anat. m* Zäpfchen *n*; F Schlund *m*, Kehle *f*; (*el trago*) *me ha dado en el* ~ ich habe mich (daran) verschluckt.

galimatías *m* Unsinn *m*, Kauderwelsch *n*.

galináceas → *gallináceas.*

galindo P *adj.-su.* geschlechtskrank.

galipar|la *f* mit Gallizismen gespickte Sprache *f*; **~lista** *c* wer *galiparla* spricht.

galipo|t *pharm. m* Gallipotharz *n*; **~te** ⚓ *m* Teer *m zum Kalfatern.*

galo I. *adj.* gallisch; *fig.* französisch; **II.** *m* gallische Sprache *f*; Gallier *m*; *fig.* Franzose *m*.

galo|cha *f* Überschuh *m*; Holzschuh *m*; **~cho** *adj. Reg.* liederlich, ausschweifend.

ga|lófilo *adj.-su.* franzosenfreundlich; *m* Franzosenfreund *m*; **~lofobia** *f* Franzosenhaß *m*; **~lófobo** *adj.-su.* franzosenfeindlich; *m* Franzosenfeind *m*.

galón *m* **1.** Gallone *f* (*Engl. 4,55 l, USA 3,79 l*); **2.** Borte *f*, Paspel *m*, *f*; *a.* ⚔ Tresse *f*, Litze *f*; Hosen-, Ärmel-streifen *m*.

galo|neadura *f* Tressenbesatz *m*; **~near** *v/t.* mit Tressen besetzen; **~nista** ⚔ F *m* Rangkadett *m*.

galo|p ♪ *m* Galopp *m*; Kehraus *m*; **~pa** ♪ *f* → *galop*; **~pada** *f* Galopp (-reiten *n*) *m*; (längerer) Ritt *m* im Galopp; **~pante** ⚕ *adj.*: *tisis f* ~ galoppierende Schwindsucht *f*; **~par** *v/i.* galoppieren; **~pe** *Equ. m* Galopp *m*; ~ *corto* kurzer Galopp *m*; *a* (*od. al*) ~ im Galopp; *a* ~ *tendido* im gestreckten Galopp; *fig.* in aller Eile, schleunigst; *lanzar al* ~ *Pferd* in Galopp setzen.

galopea|do I. *adj. fig.* F gehudelt, verpfuscht F; Pfusch...; **II.** *m* F Tracht *f* Prügel; **~r** *v/i.* → *galopar*; *fig.* schnell machen, hudeln.

galopín *m* Gassenjunge *m*; Schlingel *m*; Gauner *m*; Küchenjunge *m*; ⚓ Schiffsjunge *m*.

galorromano *adj.* galloromanisch.

galpón *m Am. Mer.* Schuppen *m*; *Col.* Ziegelei *f*.

galúa *Fi. f Art* Springmeeräsche *f*.

galucha *f Col.*, *C. Ri.*, *Cu.*, *P. Ri.*, *Ven.* Galopp *m*.

galu|p *Angl. m* Meinungsbefragung *f*; **~pear** *v/i.* e-e Meinungsbefragung durchführen.

galvánico *Phys. adj.* galvanisch.

galvani|smo *Phys.*, ⚕ *m* Galvanismus *m*; **~zación** *f* ⚕ Galvanisation *f*; ⊕ Galvanisierung *f*; Verzinkung *f*; **~zado I.** *adj.* verzinkt; **II.** *m* Verzinkung *f*; **~zador** *m* Galvaniseur *m*; **~zar** [1f] *v/t.* **1.** *Phys.*, ⚕, ⊕ galvanisieren; ⊕ verzinken; **2.** *fig.* beleben, elektrisieren.

galva|no *Typ. m* Galvano *n*; **~nocaustia** ⚕ *f* Galvanokaustik *f*; **~nómetro** *Phys. m* Galvanometer *n*; **~noplastia** ⊕, *Typ. f* Galvanoplastik *f*; **~noscopio** ⚡ *m* Galvanoskop *n*; **~notécnica** ⊕ *f* Galvanotechnik *f*; **~noterapia** ⚕ *f* Galvanotherapie *f*; **~notipia** *Typ. f* Galvano-plastik *f*, -typie *f*; **~notipo** *Typ. m* → *galvano.*

galla P *f* Fünfpesetenstück *n*; **~da** F *f* **1.** *Reg. u. Chi.* Frechheit *f*; Prahlerei *f*, Angabe *f* F; **2.** *Chi.* Gesindel *n*.

galla|dura *f* Hahnentritt *m im Ei*; **~r** *v/t.* → *gallear I.*

gallarda *f* **1.** ♪ Gaillarde *f*; **2.** *Typ.* Petit *f* (*8-Punkt-Schrift*).

gallardear *v/i.* **1.** Mut beweisen; **2.** prahlen (mit *dat.* de).

gallarde|te ⚓ *m* (Signal-)Wimpel *m*; Stander *m*; **~tón** ⚓ *m* Kommandostander *m*.

gallar|día *f* **1.** Stattlichkeit *f*; Würde *f*; Stolz *m*; **2.** Mannhaftigkeit *f*; Mut *m*; **3.** Anmut *f*; **~do** *adj.* **1.** stattlich; würdevoll; **2.** mannhaft; kühn, schneidig; **3.** schmuck; *fig.* großartig, schön; ~ *poeta m* groß(artig)er Dichter *m*.

galla|reta *Vo. f* Wasserhuhn *n*; **~rón** *Vo. m* Strandläufer *m*.

gallear I. *v/t.* treten (*Hahn*); **II.** *v/i.* schreien, (los)brüllen; s. aufspielen, angeben F.

galle|gada *f* galicischer Brauch *m*; ♪ galicischer Volkstanz *m*; **~go I.** *adj.* **1.** galicisch; *pote m* ~ Eintopf *m mit weißen Bohnen od. Kohl, Paprikawürsten usw.*; **II.** *m* **2.** Galicier *m*; *das* Galicische; **3.** F Dienstmann *m*; **4.** *Arg.*, *Col.*, *P. Ri. desp.* Spanier *m*; **5.** F Knauser *m*, Knicker *m* F; **6.** Nordwestwind *m*; **~guismo** *m* galicische Spracheigentümlichkeit *f*.

galleo *m* **1.** Oberflächenrauheit *f best. Metalle*; **2.** *Stk. Ausweichbewegung* (*e-e Capa-Figur*).

galle|ra *f* Hahnenkampfplatz *m*; Kampfhahnstallung *f*; **~ría** *f Cu.* **1.** Kampfhahnzucht *f*; **2.** → *gallera*; **~ro** *m Am.* **1.** Kampfhahnzüchter *m*; **2.** Hahnenkampfarena *f*; **3.** Liebhaber *m* von Hahnenkämpfen.

galle|ta *f* **1.** Keks *m*; Schiffszwieback *m*; Kleingebäck *n*; *Chi.* Schwarzbrot *n*; **2.** ⊕ Flachspule *f*; Kontaktplatte *f*; **3.** Würfelkohle *f*; **4.** F Schlag *m*, Ohrfeige *f*; **5.** *Arg.* Mategefäß *n*; **6.** *fig.* F *Chi.* Anpfiff *m* F; **7.** *Rpl.* F *colgar la ~ a e-n Angestellten* feuern F; P *dar ~* e-n Korb geben (j-m *a alg.*); **~tear** F *v/t. Rpl. Angestellten* feuern F; **~tería** *f* Keksgeschäft *n*; **~tero I.** *m* **1.** Keks-hersteller *m*, -bäcker *m*; Keksverkäufer *m*; **2.** Keksdose *f*; Gebäckteller *m*; **II.** *adj.-su.* **3.** F *Chi.* Schmeichler *m*.

galli|na I. *f* **1.** Huhn *n*, Henne *f*; *~ de Guinea* Perlhuhn *n*; *cría f de ~s* Hühnerzucht *f*; *paso m de ~* Gänsemarsch *m*; *~ de agua* Wasserhuhn *n*; *~ sorda* Waldschnepfe *f*; *a. fig.* *pecho m* (*Kchk. mst. pechuga f*) *de ~* Hühnerbrust *f*; *acostarse con las ~s* mit den Hühnern zu Bett gehen; P *cantar la ~* klein beigeben, den Schwanz einziehen P; (*ponérsele a alg. la*) *carne de ~* (e-e) Gänsehaut (bekommen); *estar como ~ en corral ajeno* s. höchst unbehaglich fühlen; P *cuando meen las ~s* nie im Leben F, überhaupt nicht; *viva la ~ con su pepita etwa*: glücklich ist, wer vergißt, was nicht mehr zu ändern ist; **2.** *Fi.* *~ de mar* Knurrhahn *m*; **3.** *~ ciega* Blindekuh *f* (*Spiel*); **II.** *m* **4.** F Feigling *m*, Memme *f*; **~náceas** *Zo. f/pl.* Hühnervögel *m/pl.*; **~naza** *f* **1.** Hühnermist *m*; **2.** → **~nazo** *Vo. m* Aura *f*, am. Geier *m*; **~nería** *f* **1.** Hühnervolk *n*; **2.** Hühner-markt *m*, -verkauf *m*; **3.** Feigheit *f*; **~nero** *m* **1.** Hühner-hof, -stall *m*; Hühnerhändler *m*; **2.** F *Thea.* Olymp *m* F; **3.** *fig.* F *desp.* Frauenversammlung *f*, Hühnerstall *m* F; Ort *m*, wo es lautstark zugeht, Judenschule *f* F; **~neta** *f* Wasserhuhn *n*; Schnepfe *f*; *Arg., Chi., Col., Ven.* Perlhuhn *n*; **~pato** *Zo. m* Rippenmolch *m*; **~pavo** *m* **1.** ✎ → *pavo*; **2.** → *gallo 5.*

gallístico *adj.* Hahnen(kampf)...; Kampfhahn...; *circo m ~* Hahnenkampfarena *f*.

gallito *m* **1.** *fig. iron.* Hahn *m* im Korb; Held *m* des Tages; Musterknabe *m*; Angeber *m* F; **2.** *Col.* kl. Wurfpfeil *m*; *Ec.* Rohrpfeifchen *n*; **3.** *Fi.* *~ del rey* Meerjunker *m*; **4.** *C. Ri.* Libelle *f*; **5.** *Méj.* reiches Roherz *n*.

gallo *m* **1.** Hahn *m*; *~ de abedul* Birkhahn *m*; *Col., Pe., Ven.* *~ de peñasco*, *~ de roca* rotes Felshuhn *n*; *~ silvestre* Auerhahn *m*; *~ de pelea* Kampfhahn *m*; *misa f de ~* Christmette *f*; Mitternachtsmesse *f*; *pelea f de ~s* Hahnenkampf *m*; F *alzar* (*od. levantar*) *el ~* s. aufspielen, angeben F; *fig. andar de ~* die Nacht durchmachen; ein Nachtschwärmer sein; *fig. bajarle a alg. el ~* j-m den Kamm stutzen; *engreído como ~ de cortijo* stolz wie ein Hahn (*od.* wie Graf Koks F); *entre ~s y media noche* zu nachtschlafender Zeit; *Méj., P.Ri., Ven.* *matarle a uno el ~* j-m den Wind aus den Segeln nehmen; *en menos que canta un ~* im Nu; *otro ~ me* (*te, etc.*) *cantara si* ... es wäre ganz anders gekommen, wenn ...; P *Am.* *pelar ~* abhauen P; abkratzen P (= *sterben*); *Ant., Méj.* (*aquí*) *hay ~ tapado* hier stimmt et. nicht, da steckt et. dahinter; *tener mucho ~* stolz (*od.* hochfahrend) sein; **2.** *fig.* Rechthaber *m*, Angeber *m*; **3.** *Am.* *ser muy ~* ein forscher Kerl (*od.* ein Draufgänger) sein; **4.** *Fi.* Petersfisch *m*; **5.** ♪ falscher Ton *m*; Kickser *m* F (*a. Bläser*); *dar* (*od. soltar*) *un ~* (mit der Stimme) umkippen; kicksen F; **6.** ⚠ **a)** Wetterhahn *m*; **b)** Zugbalken *m*; **7.** *Boxen*: (*peso m*) *~* Federgewicht *n*; **8.** *Ant., Col.* Federpfeil *m*; **9.** *Chi., Pe.* Schlauchwagen *m der Feuerwehr*; **10.** *Méj.* gebrauchte Sachen *f/pl.* (*bsd. Kleider*); **11.** F Auswurf *m*, Sputum *n*.

gallocresta ⚘ *f* Hahnenkamm *m*; gr. Scharlei *m*.

gallo|fa *f* Suppen-kraut *n*, -gemüse *n*; *fig.* F Geschwätz *n*, Klatsch *m*; *andar a la ~* → **~f(e)ar** *v/i.* herumlungern, -streunen; betteln.

gallup *m* → *galup*.

gama[1] *Zo. f* Damtier *n*.

gama[2] *f* **1.** ♪ Tonleiter *f*; *p. ext.* Skala *f*; Bereich *m*; *Phys.* *~ audible* Hörbereich *m*; *~* (*de colores*) Farbenskala *f*; *fig.* Farbenspiel *n*; **2.** → *gamma*.

gamada *adj.f*: *cruz f ~* Hakenkreuz *n*.

gamba *Zo. f* gr. Garnele *f*.

gamba|do *adj. Ant.* krummbeinig; **~lúa** F *m Reg.* langer Kerl *m*, Schlaks *m* F.

gámbaro *Zo. m* Granatkrebs *m*.

gambe|rrada F *f* Halbstarkenstreich *m*; Gaunerei *f*; **~rrismo** *m* Halbstarken-unwesen *n*, -tum *n*; **~rro** *m* Halbstarke(r) *m*; *~ de* (*la*) *carretera* Verkehrsrowdy *m*.

gambe|ta *f* **1.** *Equ.* Kurbette *f*; *Tanz*: Kreuzsprung *m*; **2.** *Am.* Ausweichbewegung *f*; *fig. Rpl.* Ausrede *f*; **~tear** *v/i. Equ.* kurbettieren; *Tanz*: Kreuzsprünge machen; **~to** † *m* (langer) Umhang *m*.

gam|bito *m Schach*: Gambit *n*; *fig.* Faulpelz *m*, Herumtreiber *m*; **~boa** ⚘ *f Art* Quitte *f*; **~bota** ⚓ *f* Heckpfeiler *m*.

gamella *f* **1.** gr. Trog *m*, Kübel *m*; Bütte *f*; **2.** ⚒ **a)** Jochbogen *m*; **b)** Furchenrücken *m*; **3.** *tex.* → *camelote*; **4.** ⚔ *u. gal.* Kochgeschirr *n.*

gameto *Biol. m* Gamet *m*.

gamezno *Zo. m* Damhirschkalb *n*.

gamma *f* Gamma *n* (*griech. Buchstabe*); *Phys. rayos m/pl. ~* Gammastrahlen *m/pl.*

gamo *Zo. m* Damhirsch *m*; *oft* Gemsbock *m*; *correr como un ~* windschnell sein.

ga|món ⚘ *m* Affodill *m*, Asphodill *m*; **~monal** *m* **1.** mit Affodill bestandene Wiese *f*; **2.** *Am.* → *cacique*; *Guat., Salv.* Verschwender *m*; **~monalismo** *m* → *caciquismo*.

gamuza *f* **1.** Gemse *f*; **2.** (*color m de*) *~* Gemsfarbe *f*; (*piel f de*) *~* Gemsfell *n*; Wild-, Wasch-, Sämisch-leder *n*; *a.* Auto-, Fensterleder *n usw.*; **3.** *tex. Art* Flanell *m*; **4.** *Col. Art* Schokolade *f*; **~do** *adj.* gemsfarben; wildlederartig.

gana *f* Wunsch *m*; Lust *f*, Begehren *n*; Appetit *m*; F *¡las ~s!* denkste! F, hat sich was! F, Fehlanzeige *f* F; *de buena ~* gerne, willig; *de mala ~*, *sin ~s* ungern, widerwillig; *ya se me están abriendo las ~s* ich bekomme schon Lust darauf; ich kriege schon Appetit F; F (*oft scharf*) (*no*) *me da la real* (*od. realísima*) *~* ich habe eben (*od.* einfach) (k-e) Lust dazu; *me dan* (*od. me entran*) *~s de* ich kriege (auf einmal) Lust zu + *inf.* (*od.* auf + *ac.*); F *me entraban unas ~s locas de llorar* mir war fürchterlich zum Heulen zumute F; *estoy sin ~s* ich habe k-e Lust (*bzw.* k-n Appetit); *hace lo que le da la ~* er tut, was ihm paßt; *quedarse con las ~s* leer ausgehen, durch die Röhre gucken F; *tener ~s de* + *inf.* Lust haben, zu + *inf.*; *tener ~s* (*de ir al servicio*) auf die Toilette müssen; F *tenerle ~s a uno* j-n auf dem Kieker haben F; *tengo ~s de fiesta* ich möchte mir ein paar lustige Stunden (*bzw.* Tage) machen; *a. iron.* ich möchte den ganzen Krempel hinschmeißen F; *Spr.* *donde hay ~, hay maña* wo ein Wille ist, da ist auch ein Weg.

gana|dería *f* Viehzucht *f*; Viehhandel *m*; Stierzucht *f*; Stierzüchterei *f*; **~dero I.** *adj.* Vieh...; **II.** *m* Viehzüchter *m*; (Vieh-)Farmer *m*; **~do** *m* **1.** Vieh *n*; *Am* Rindvieh *n*; Volk *n* (*Bienen*); *~ bovino* Rindvieh *n*; *~ bravo* Kampfstiere *m/pl.*; *~ caballar*, *~ equino* Pferde *n/pl.*; *~ cabrío* Ziegen *f/pl.*; *~ de cerda*, *~ porcino*, F *~ moruno* Schweine *n/pl.*; *~ de cría* Zuchtvieh *n*; *~ lanar*, *~ ovejuno*, *~ ovino* Wollvieh *n*, Schafe *n/pl.*; *~ de matadero*, *a. ~ de carne* Schlachtvieh *n*; *~ mayor* Großvieh *n*; *~ menor* Kleinvieh *n*; *~ para el mercado* (Markt-)Auftrieb *m*; *bsd. Am.* *~ en pie* Lebendgewicht *n*; **2.** *fig.* P *el ~* alle Anwesenden, das ganze Volk F, die ganze Herde P.

ganador I. *adj.* gewinnend; siegreich; *número m ~* Gewinnzahl *f* (*Lotterie*); **II.** *m* Gewinner *m*.

ganan|cia *f* **1.** Gewinn *m*; Ertrag *m*; Verdienst *m*; *~ accesoria* Nebengewinn *m*; *~ bruta* Roh-, Brutto-gewinn *m*; *~ líquida*, *~ neta* Rein-, Netto-gewinn *m*; *margen m de ~* Gewinnspanne *f*; *parte f de la ~* Gewinnanteil *m*; *fig. andar de ~* Glück (*od.* e-e Glückssträhne) haben; *fig. no le arriendo la ~* ich möchte nicht in s-r Haut stecken; *dar ~s*, *arrojar ~s* Gewinn abwerfen; *dejar* (*od. traer*) *mucha ~* viel einbringen (*Geschäft*); *hacer* (*od. sacar*) *~s fabulosas* tolle Summen verdienen (*od.* gewinnen); *tener ~* gewinnen (bei *dat.* de); Gewinn ziehen (aus *dat.* de); **2.** ⊕, *HF* Gewinn *m*, Verstärkungsgrad *m*; **3.** *Guat., Méj.* Zugabe *f*; **~cial I.** *adj. c* Gewinn ...; **II.** *adj. c-su. m* ⚖ (*bienes m/pl.*) **~es** *m/pl.* in der Ehe erworbene Güter *n/pl.*; *sociedad f de ~es* Errungenschaftsgemeinschaft *f*; **~cioso I.** *adj.* gewinnbringend, einträglich; erfolgreich; **II.** *m* Gewinner *m* (*Geschäft, Spiel*).

gana|pán *m desp.* Gelegenheitsarbeiter *m*; *fig.* Grobian *m*; **~panería** F *desp. f* (reiner) Broterwerb *m*.

ganapierde *m* Schlagdame *f u. ä.* (*Spiel, b. dem gewinnt, wer zuerst alle Steine verliert*).

ganar I. *v/t.* **1.** gewinnen; verdienen; ~ *200 pesetas con un trabajo (en el juego)* 200 Peseten mit e-r Arbeit verdienen (im *od.* beim Spiel gewinnen); *a. fig.* ~ *la batalla* die Schlacht gewinnen; ✝ *u. fig. no hay nada que* ~ *con* (*od. en*) *esto* dabei ist nichts zu verdienen; dabei kommt nichts heraus; ~ *el partido de fútbol (a tres por cero)* das Fußballspiel gewinnen (mit drei zu null) (gegen *ac. a*); *le he ganado un duro* ich habe ihm 5 Peseten abgewonnen; **2.** gewinnen, erlangen, erreichen; ~ *a alg. para (od. a) a/c.* j-n für et. (*ac.*) gewinnen; ~ *a alg. en* j-n übertreffen in (*dat.*); j-m den Rang ablaufen bei (*dat.*); *a trabajador no le gana nadie* niemand ist arbeitsamer als er; ~*le la boca a alg.* j-n überreden; ~ *la costa (la frontera)* die Küste (die Grenze) erreichen; ~ *la delantera* die Oberhand gewinnen; ~*le a uno el lado flaco* j-n bei s-r schwachen Seite packen; ~*le a uno por la* (*Rpl. de*) *mano* j-m über sein; j-n einwickeln; ~ *tierra* Land gewinnen, s. der Küste nähern; **3.** □ stehlen; **II.** *v/i.* **4.** verdienen, gewinnen; ~ *al ajedrez* beim Schach gewinnen; ~ *en categoría* an Bedeutung (*od.* Rang) gewinnen; ~ *para (sólo) vivir* gerade das Notwendigste verdienen, sein Leben fristen; ~ *en su empleo (de posición)* in s-r Stellung vorwärtskommen (s-e Stellung ausbauen *od.* sichern); *llevar las de* ~ alle Trümpfe in der Hand haben; e-e Glückssträhne haben; ~ *con el tiempo* mit der Zeit (*od.* allmählich) gewinnen; *Spr. como ganado, así gastado* wie gewonnen, so zerronnen; **III.** *v/r.* ~*se* **5.** ~*se el pan (la vida,* F *el garbanzo, Am.* F *el puchero)* s-n Lebensunterhalt (*od.* die [*od.* s-e] Brötchen F) verdienen; ~*se la voluntad de alg.* j-s Wohlwollen erwerben; j-n für s. gewinnen; P ~*se una od. ganársela* Prügel beziehen F, Keile kriegen F, e-e fangen F; **6.** *Am. Reg. ¿dónde se ha ganado?* wo mag er nur stecken?, wo ist er abgeblieben?

ganchada F *f Arg.*: *hacer una* ~ *a alg.* j-m e-n Gefallen erweisen.

ganche|ro *m* **1.** *prov.* Flößer *m*; **2.** *Arg.* Helfer *m*, Hilfe *f* (*Person*); **3.** *Chi.* Gelegenheitsarbeiter *m*; **4.** *Ec.* Damenreitpferd *n*; **~te: 1.** *Ven. al* ~ verstohlen; von oben herab; **2.** *Col., Guat., Pe., P. Ri., S. Dgo. ir de* ~ Arm in Arm gehen; **3.** *de medio* ~ **a)** halbfertig; **b)** *Cu., Ven.* die Arme in die Seiten gestemmt.

ganchillo *m* **1.** Häkchen *n*; (*labor f de*) ~ Häkelarbeit *f*; ~ (*para croché*) Häkelnadel *f*; *hacer* ~ häkeln; **2.** *Andal., Am. Reg.* Haarnadel *f*.

gan|cho *m* **1.** Haken *m* (*a. Boxen*); ~ *de pared* Mauer-, Wand-haken *m* (einschlagen *echar*); **2.** ⊕ Haken *m*; Schließ-, Greif-haken *m*; Greifer *m* (*a. an Nähmaschinen*); ~ *de apoyo* Auflagehaken *m*; ~ *de seguridad* Sicherheitshaken *m*; ⚓ ~ *de escape* Schlipphaken *m*; ⚔ ~ *de carabina* Karabinerhaken *m*; **3.** Strich *m*, Kratzer *m mit der Feder*; **4.** Aststumpf *m*; **5.** *Am. Cent., Col., Méj. Pe.* Haarnadel *f*; **6.** *Arg.* Hilfe *f*; *hacer* ~ helfen, unterstützen; **7.** *Ec.* Damensattel *m*; **8.** *fig. tener* ~ gut aussehen, (sehr) attraktiv sein (*bsd. Frauen*); j-n einwickeln können F; *echar a uno el* ~ j-n sehr anziehen, j-n umgarnen; **9.** *fig.* F Lockvogel *m*, Anreißer *m* F; lästiger Bittsteller *m*; **~choso** *adj.* hakenförmig; mit Haken versehen; **~chudo** *adj.* gebogen; Haken...; *nariz f* ~*a* Hakennase *f*; **~chuelo** *m* Häkchen *n*.

gandaya F *f* Faulenzerei *f* F; Lotterleben *n*; *ir por la* ~, *correr la* ~ herumlungern, dem lieben Herrgott den Tag stehlen.

gandido *adj. Am.* ausgehungert; gefräßig.

gandinga *f* **1.** ⚒ (Erz-)Schlich *m*; **2.** *Kchk. P. Ri. Art* Lungenhaché *n*; *Cu. ein Schweinelebergericht*; **3.** *Cu.* Gleichgültigkeit *f*.

gandu|l *adj.-su.* faul; *m* Faulenzer *m*, Tagedieb *m*; **~la** F *f* Liegestuhl *m*; **~lear** *v/i.* faulenzen, bummeln; **~lería** *f* Faulenzerei *f*, Bummelei *f*; **~mbas** F *adj.-su.* (*pl. inv.*) → *gandul*.

ganforro F *adj.-su.* Gauner *m*, Ganove *m*.

gang *engl. m* Bande *f*, Gang *f*.

ganga *f* **1.** ⚒ taubes Gestein *n*; Ganggestein *n*; **2.** *Vo.* Haselhuhn *n*; **3.** *fig.* F Glücksfall *m*, Gelegenheitskauf *m*, gutes Geschäft *n*; *andar a caza de* ~*s* guten Geschäften nachjagen; leicht verdienen (*bsd.* ein Geschäft ohne Einsatz machen) wollen.

gan|glio ⚕ *m* **1.** *Anat.* Nervenknoten *m*; Lymphdrüse *f*; **2.** → **~glión** ⚕ *m* Überbein *n*; **~glionar** ⚕ *adj. c* Ganglien...

gango|sidad *f* Näseln *n*; **~so I.** *adj.-su.* näselnd; **II.** *adv. hablar* ~ näseln.

gan|grena *f* **1.** ⚕ Brand *m*, Gangrän *n*; ~ *gaseosa* Gasbrand *m*; ~ *senil* Altersbrand *m*; **2.** *fig.* Krebsschaden *m*; **~narse** *v/r.* brandig werden; **~noso** ⚕ *adj.* brandig, gangränös.

gángster *Angl. m* Gangster *m*.

gangsterismo *m* Gangster-tum *n*, -unwesen *n*.

gangue|ar *v/i.* näseln; **~o** *m* Näseln *n*; **~ro** F *adj.-su.* Glückspilz *m*.

ganguil □ *m* Fingerring *m*.

gánguil ⚓ *m* Baggerprahm *m*.

ganoso *adj.* begierig (nach *dat.* de); *estar* ~ *de tener éxito* den Erfolg herbeiwünschen.

gan|sada F *f* Albernheit *f*, Dummheit *f*, Eselei *f* F; **~sarón** *m* **1.** Junggans *f*; **2.** *fig.* F lange (*od.* dürre) Latte *f* F (*Person*); **~sear** F *v/i.* Dummheiten sagen (*od.* machen); **~sería** F *f* → *gansada*.

ganso *m* **1.** Gans *f* (*wenn Geschlecht bsd. betont*: *gansa f*); ~ (*macho*) Gänserich *m*, Ganter *m*; ~*s silvestres, Am a* ~*s bravos* Wildgänse *f/pl.*; ~ *gris*, ~ *de marzo* Graugans *f*; *Kchk.* ~ *ahumado* Spickgans *f*, geräucherte Gans *f*; ~ *cebado* Mastgans *f*; *menudillos m/pl. de* ~ Gänseklein *n*; **2.** *fig.* Dummkopf *m*, Tölpel *m*; Flegel *m*, Grobian *m*; → *a. boca 1*; F *hacer el* ~ s. albern (*od.* blöde) aufführen; F *ser muy* ~ (*bzw.* ~*a*) ein Dummkopf (*od.* F ein blödes Stück) sein; sehr ungehobelt sein.

ganzúa *f* **1.** Dietrich *m*, Nachschlüssel *m*; **2.** *fig.* F Einbrecher *m*; F wer es versteht, j-n geschickt auszuholen; **3.** □ Henker *m*.

gañán *m* (Bauern-)Knecht *m*; *fig.* ungeschlachter Bursche *m*, Flaps *m* F.

gañi|do *m* Jaulen *n*, Heulen *n*; Krächzen *n*; **~les** *m/pl.* Kehle *f e-s Tiers*; Kiemen *f/pl. des Thunfischs*; **~r** [3h] *v/i.* jaulen, heulen; krächzen (F *a. Personen*); F schnaufen F (*Personen*).

ga|ñón F *m*, *mst.* **~ñote** F *m* Gurgel *f*, Schlund *m*; F *de* ~ umsonst, auf anderer Leute Kosten.

garaba|tear I. *v/i.* mit Haken arbeiten; *fig.* F Ausflüchte machen; **II.** *vt/i.* kritzeln; **~to** *m* **1.** Haken *m*; (Fleischer-, Feuer-)Haken *m*; **2.** *fig.* Anziehungskraft *f*, Liebreiz *m e-r Frau*; **3.** ~*s m/pl.* Gekritzel *n*; **4.** ~*s m/pl.* heftiges Gebärdenspiel *n*, Gefuchtel *n*; **~toso** *adj.* → *garrapatoso*.

garabito *m* **1.** Stand *m*, Bude *f auf dem Markt*; **2.** *Arg.* Landstreicher *m*, Stromer *m*.

gara|je *m* Garage *f*; Autowerkstatt *f*; ~ *subterráneo* Tiefgarage *f*; **~jista** *m* Tankstelleninhaber *m*; *a.* Automechaniker *m*; Garagen-besitzer *m*; -angestellte(r) *m*.

garambaina F *f* **1.** Flitterkram *m*, Nippes *pl*; **2.** ~*s f/pl.* Gekritzel *n*; **3.** ~*s f/pl.* Grimassen *f/pl.*; Getue *n*.

gara|món, ~mond *Typ. m* Garamond *f* (*Schriftart*).

garan|dar □ *v/i.* herumlungern, streunen; **~dumba** *f* **1.** *Am. Mer.* Floß *n*; **2.** *fig.* F *Arg.* großes, dickes Weibsbild *n* F.

garan|te *m* Bürge *m*, Garant *m*; Gewährsmann *m*; *salir* ~ Bürgschaft leisten *bzw.* haften (für *ac.* de); **~tía** *f* **1.** Bürgschaft *f*, Sicherheit *f*, Garantie *f*; Kaution *f*; *dar en* (*od. como*) ~ als Sicherheit (*od.* Garantie) geben; *dar* (*una*) ~ (e-e) Garantie geben; (e-e) Bürgschaft stellen (*od.* leisten); *estar con* (*od. bajo*) ~ unter Garantie stehen; ✝ *sin* ~ (*ni responsabilidad*) ohne Gewähr; **2.** *Pol.* Garantie *f*; ~ *mutua* gegenseitiges Garantieversprechen *n*; ~*s constitucionales* verfassungsmäßige Garantien *f/pl.* (aufheben, außer Kraft setzen *suspender*); **~tir** [*def. wie abolir*] *v/t.* **1.** → *garantizar*; **2.** *gal.* bewahren, schützen (vor *dat.* de, *contra*); **~tizar** [1f] *v/t.* ~ *a/c.* et. gewährleisten, et. garantieren; für et. (*ac.*) bürgen (*od.* gutstehen *od.* die Verantwortung übernehmen); ~ *la máquina por dos años* zwei Jahre Garantie auf die Maschine geben.

gara|ñón *m* **1.** Eselhengst *m*; *p. ext.* F *u. Am. Cent., Méj.* (Deck-, Zucht-)Hengst *m*; **2.** P (Huren-) Bock *m* P; **~pacho** *m* → *carapacho*.

garapi|ña *f* **1.** (Eis-)Gerinnsel *n*; Halbgefrorene(s) *n* (*Erfrischungsgetränk*); **2.** *Cu., Méj., Chi., P. Ri.* Eisgetränk *n* aus Ananasschalen; **~ñar** *Kchk. v/t.* **1.** (halb) gefrieren lassen; **2.** kandieren; glasieren;

almendras f/pl. ~*adas* gebrannte Mandeln *f/pl.*; ~**ñera** *f* Eiskübel *m für die garapiña.*
gara|pito *Ent. m* Wasserwanze *f*; ~**pullo** *m* Federpfeil *m.*
garatusa F *f* Schmeichelei *f*, Schöntuerei *f.*
garban|ceo F *m* Lebensunterhalt *m*; ~**cero** *fig.* F *adj.* Alltags...; ~**zal** *m* Kichererbsenfeld *n*; ~**zo** *m* **1.** Kichererbse *f*; *fig. ese ~ no se ha cocido en su olla* das ist nicht auf s-m Mist gewachsen F; *contar los ~s* sehr knauserig sein; am falschen Ende sparen; F *~s m/pl. de a libra* keine Kleinigkeit, tolle Sache F; *ser el ~ negro* das schwarze Schaf *der Familie* sein; *tropezar en un ~* an jeder Kleinigkeit Anstoß nehmen; *un ~ más no revienta una olla* auf et. mehr oder weniger kommt es nicht (mehr) an; wenn's alle tun, darf ich's auch; **2.** F *Méj.* Magd *f.*
garbe|ar I. *v/i.* **1.** selbstbewußt auftreten (*auf Grund guten Aussehens od. Anmut*); **2.** P stehlen; **II.** *v/i. u.* ~*se v/r.* **3.** F (herum)bummeln; s. durchschlagen; ~**o** F *m* Spaziergang *m*; *dar un ~, irse de ~* e-n Bummel machen.
garbi|llar *v/t. Getreide, Erz* sieben; ~**llo** *m* **1.** Sieb *n*; **2.** ⚒ Kleinerz *n.*
garbo *m* **1.** Anmut *f*; Eleganz *f*; **2.** Großzügigkeit *f.*
garbón *Vo. m* Rebhahn *m.*
garboso *adj.* **1.** anmutig; stattlich, elegant; **2.** großzügig.
garbullo F *m* Radau *m*; Klamauk *m* F; Wirrwarr *m.*
garceta *f* **1.** *Vo.* Edelreiher *m*; **2.** Schläfenlocke *f.*
garçonnière *frz. f* Junggesellenwohnung *f.*
gardenia ⚘ *f* Gardenie *f.*
garden-party *engl. m* Gartenfest *n.*
gar|do □ *m* Bursche *m*, Kerl *m*; ~**duña** *f Zo.* Haus-, Stein-marder *m*; *fig.* F geschickte Diebin *f*; ~**duño** F *m* (Brieftaschen-)Marder *m.*
garete ⚓: *ir(se) al ~* (vorm Winde) treiben; *fig.* vom Weg abkommen; s. treiben lassen.
gar|fa *f* → *garra*; ~**fear** *v/i.* Haken einschlagen; ~**fiña** □ *f* Diebstahl *m*; ~**fiñar** □ *v/t.* stehlen; ~**fio** *m* Haken *m* (einschlagen *echar*); Krampe *f*; Steigeisen *n.*
garga|jear *v/i.* (aus)spucken; ~**jiento** → *gargajoso*; ~**jo** *m* Schleim *m*, Auswurf *m*; ~**joso I.** *adj.* verschleimt; **II.** *m* F Spucker *m* F.
gargan|ta *f* **1.** Kehle *f*; Gurgel *f*; Brust(ansatz *m*) *f*; *fig.* Stimme *f*; *mal m de ~* Halsweh *n*; *fig. ~ de oro* goldene Kehle *f*, hervorragende Stimme *f*; *me duele la ~* ich habe Halsschmerzen; *tener un nudo en la ~* nicht sprechen können *vor Schreck, Rührung usw.*, e-n Kloß im Hals haben F; **2.** Fußrist *m*; **3.** *fig.* Engpaß *m*; Schlucht *f*; **4.** ⊕ Kehlnut *f*; Seilnut *f*; ~**tada** *f*: *~ de esputo* starker Auswurf *m*; *~ de sangre* quellender Blutstrahl *m*; ~**tear I.** *v/i.* **1.** trillern; Koloratur singen; **2.** □ ein Geständnis ablegen, singen P; **II.** *v/t.* **3.** ⚓ stroppen; ~**teo** *m* Triller *m/pl.*; Trillern *n*; Koloratur *f*; ~**tilla** *f* Halsband *n.*
gárgara *f* (*mst. pl. ~s*) Gurgeln *n*; *hacer ~s* gurgeln; *fig.* F *mandar a hacer ~s* zum Teufel schicken F.
gargari|smo *m* Gurgeln *n*; Halsspülung *f*; Gurgelwasser *n*; ~**zar** [1f] *v/i.* gurgeln (mit *dat. con*).
gárgo|l I. *adj. c*: *huevo m ~* (*od. gargol*) Windei *n*; **II.** *m* Nut *f*, Kerbe *f*; ~**la** *f* **1.** Wasserspeier *m* (*an Brunnen, Dächern usw.*); **2.** ⚘ Leinsame *m.*
gar|guero P, ~**güero** P *m* Kehle *f*; Rachen *m*; Gurgel *f.*
garibaldino *hist. adj.-su.* Anhänger *m* Garibaldis.
garifo *adj.* **1.** → *jarifo*; **2.** *Arg.* lebhaft; **3.** *C. Ri., Ec., Pe.* hungrig, verhungert F.
gari|ta *f* **1.** 🚃 Bahnwärterhaus *n*; Schaffnerwanne *f*; *~ (del guardafrenos)* Bremserhaus *n*; Handbremsstand *m*; *~ de señales* Stellwerk *n*; **2.** ⚔ Schilderhaus *n*, Torwache *f*; **3.** Pförtnerloge *f*; Kontrollhäuschen *n*; **4.** F Abort *m*, Häuschen *n* F; ~**tero** *m* **1.** Inhaber *m* e-r Spielhölle; Spielhöllenbesucher *m*; **2.** □ Hehler *m*; ~**to** *m* **1.** Spielhölle *f*; **2.** Spielgewinn *m.*
garla F *f* Schwatz *m*, Schwätzchen *n*; ~**dor** F *adj.-su.* geschwätzig; *m* Schwätzer *m*; ~**r** F *v/i.* plaudern, schwatzen.
garlito *m* (Fisch-)Reuse *f*; *fig.* Falle *f*; *fig. caer en el ~* in die Falle gehen; *no me haces caer en ese ~* darauf falle ich nicht herein, auf den Leim gehe ich nicht; *coger a alg. en el ~* j-n bei et. (*dat.*) erwischen (*od.* ertappen).
garlo|pa *Zim. f* Langhobel *m*, Rauhbank *f*; ~**pín** *Zim. m* Kurzhobel *m.*
garnacha *f* **1.** Talar *m*; Talar-, Amtsroben-träger *m*; **2.** *Hond. a la ~* mit Gewalt; **3.** *Art* süße rote Gewürztraube *f*; Wein *m aus dieser Traube.*
garnica *f Bol.* scharfer Pfeffer *m.*
garra *f* **1.** *Zo.* Klaue *f*; *~s f/pl.* Fänge *m/pl.*; *fig.* F Pratzen *f/pl.* F, Pfoten *f/pl.* F; *~s de astracán* Persianerklaue *f* (*Pelz*); *caer en las ~s de alg.* in j-s Fänge geraten; F *echarle a uno la ~* j-n beim Schlafittchen packen F; F *gente f de la ~* Raubgesindel *n*; □ (*ha costado*) *cinco y la ~* „die fünf Finger hat's gekostet" P (*von gestohlenem Gut*); **2.** ⊕ Klammer *f*; Klaue *f*, Kralle *f*; Spannbacke *f*; **3.** *Arg., Chi., Col., C. Ri.* hart u. schrumpelig gewordenes Stück *n* Leder; *Am.* (*a. ~s*) Fetzen *m/pl.*, Lumpen *m/pl.*; **4.** P *Am. Reg. venir de ~* raufen, streiten.
garra|fa *f* Karaffe *f*; Korbflasche *f*; ~**fal** *adj. c* **1.** *guinda f ~* gr. Herzkirsche *f*; **2.** *fig.* F gewaltig, ungeheuer; *error m ~* Riesenirrtum *m*; ~**fiñar** F *v/t.* greifen, grapsen F; ~**fón** *m* Korbflasche *f*; Glasballon *m.*
garran|cha F *f* Degen *m*, Plempe *f* F; ~**cho** *m* (Ast-)Splitter *m.*
garrapa|ta *f Ent.* Zecke *f*; *fig.* F Schindmähre *f*; ~**tear** *vt/i.* kritzeln; *desp.* (hin)schmieren; ~**teo** *m* Gekritzel *n*; *desp.* Geschreibsel *n*; ~**to** *m* Gekritzel *n*; *~s m/pl.* Krickelkra(c)kel *n*; ~**tón** F *m* Unsinn *m*, Quatsch *m* F; Aussprache- (*bzw.* Ausdrucks-)schnitzer *m*; ~**toso** *adj.* kritzlig (*Schrift*).
garrapi|ñar F → *garrafiñar*; ~**ñera** *f* → *garapiñera.*
garra|r ⚓ *v/i.* vor schleppendem Anker treiben; ~**spera** *f* → *carraspera.*
garrear *v/i.* **1.** *Arg.* auf Kosten anderer leben; **2.** ⚓ → *garrar.*
garrido *adj.* schick, fesch; schneidig.
garroba ⚘ *f* → *algarroba.*
garro|cha *f* Pike *f bsd. der Stierkämpfer*; *salto m de la ~* Sprung *m* über den Stier; ~**chador** *m* Pikador *m*; ~**ch(e)ar** *v/t.* → *agarrochar*; ~**chazo** *m* mit der Pike versetzter Stich *m*; ~**chón** *m* Stachelpike *f der Stierkämpfer zu Pferde.*
garrofa *f* → *algarroba.*
garro|ta *f* → *garrote*; ~**tazo** *m* Schlag *m* mit e-m Knüppel; ~**te** *m* **1.** Knüppel *m*, Prügel *m*; **2.** Olivensetzreis *n*; **3.** Knebel *m*; Würgschraube *f*; *dar ~ (vil) a* garrotieren (*ac.*), mit der Würgschraube erdrosseln (*ac.*); **4.** ⚕ Knebelpresse *f*; **5.** *Méj.* Bremsscheit *n*; **6.** → *pandeo*; ~**tero I.** *adj. Cu., Chi.* knickerig; **II.** *m* 🚃 *Méj.* Bremser *m*; ~**tillo** ⚕ *m* Halsbräune *f.*
garru|cha *f* **1.** Blockrolle *f*; Flasche *f des Flaschenzugs*; *a.* Flaschenzug *m*; **2.** ⚓ Taukloben *m*; ~**cho** ⚓ *m* Eisen- *bzw.* Holz-ring *m.*
garrudo *adj. Méj.* stark, kräftig.
garrulería *f* Geschwätz *n*, Geschnatter *n.*
gárrulo *adj.* zwitschernd; *fig. poet.* geschwätzig; murmelnd (*Bach*); flüsternd (*Wind, Laub*).
garsina □ *f* Diebstahl *m*; ~**r** □ *v/t.* stehlen.
ga|rúa ⚓ *u. Am. f* Sprühregen *m*; ~**ruar** [1e] *v/impers. Am.* nieseln.
garufa F *f Arg.* Vergnügen *n*, Bummel *m.*
garu|lla *f* **1.** entkernte Traube *f*; **2.** *fig.* F Pöbelhaufen *m*; Menschenauflauf *m*; ~**llada** F *f* Menschenauflauf *m*; Krawall *m.*
gar|za *f* **1.** *Vo.* Reiher *m*; *~ real* (*od. común*) Fischreiher *m*; **2.** *Chi. fig.* langhalsige Person *f*; ~**zo** *adj.* bläulich; blaugrau; hellblau; ~**zota** *f* **1.** *Vo.* Buschreiher *m*; **2.** Reiherbusch *m am Hut.*
gas *m* **1.** Gas *n* (*allg.*; ⚔ → *3*); *~ de alto horno* Gicht-, Hochofen-gas *n*; *~ de alumbrado, Am. a. ~ iluminante* Leuchtgas *n*; *~ de escape, ~ perdido* Abdampfgas *n*; *Kfz.* Auspuff-, Abgas *n*; *~ fulminante, ~ detonante, ~ oxhídrico* Knallgas *n*; *~ para fuerza motriz, ~ motor* Treibgas *n*; *~ natural* Erd-, Natur-gas *n*; *~ pobre* Gas *n* von geringem Heizwert; *~ público* Stadtgas *n*; *~es de reacción* Rückstoßgase *n/pl.* (*Rakete usw.*); *~ suministrado a gran distancia* Ferngas *n*; *calefacción f de* (*od. por*) *~* Gasheizung *f*; *fábrica f de ~* Gas-werk *n*, -anstalt *f*; **2.** Benzin *n*, Gas *n*; *Kfz. dar (más) ~* Gas geben, beschleunigen; *cortar* (*od. quitar*) *el ~* Gas wegnehmen; *pisar el ~ (a fondo), dar (pleno) ~* (Voll-)Gas geben, auf die Tube drücken F; *adv. a todo ~, con pleno ~* mit Vollgas; **3.** ⚔ *~ (de combate)*

Kampfstoff *m*; ~ *cruz amarilla*, ~ (*de*) *mostaza* Gelbkreuz(gas) *n*, Senfgas *n*; ~ *sofocante*, ~ *asfixiante*, ~ *tóxico* Giftgas *n*, Stickgas *n*.

gasa *f* **1.** Gaze *f*; Mull *m*; ~ *metálica*, ~ *de alambre* Drahtgaze *f*; ⚕ ~ *esterilizada* keimfreier Verbandmull *m*; **2.** Flor *m*; Trauerflor *m*.

gas|cón *adj.-su.* gaskognisch; *m* Gaskogner *m*; *das* Gaskognische; **~conada** F *f* Aufschneiderei *f*.

gase|ado *adj.* gaskrank; vergast; **~amiento** *m* Vergasung *f* (*Tötung*); **~ar** *neol. v/t.* vergasen; **~iforme** *adj. c* gasförmig; **~oducto** *inc. m* → *gasoducto*; **~osa** *f* Sprudel *m*, Brause(limonade) *f*; **~oso** *adj.* gashaltig; gasförmig.

gasfitero *Angl. m öfter Am.* → *gasista.*

gasifica|ción *Phys. f* Vergasung *f*; **~r** [1g] *Phys. v/t.* vergasen; mit Kohlensäure versetzen.

gasista *m* Gasinstallateur *m*.

gasoducto *m* Fern-, Erd-gasleitung *f*.

gasógeno I. *adj.* gasbildend; **II.** *m* Gasgenerator(anlage *f*) *m*; *Kfz.* (*coche m a*) ~ Holz(ver)gaser *m*.

gas-oil *od.* **gasoil** *od.* **gasóleo** *m* Diesel-, Gas-öl *n*.

gaso|lina *f* Gasolin *n*; (Auto-)Benzin *n*; *Kfz. puesto m de* ~ Tankstelle *f*; ~ *de marca* Markenbenzin *n*; *echar* (*od. reponer la*) ~ tanken; ~ *súper* Super(benzin) *n*; **~linera** *f* **1.** Motorboot *n*; **2.** Tankstelle *f*; **~linero** *m* Tankwart *m*; **~metría** ⚗ *f* Gasanalyse *f*.

gasómetro *m* Gasometer *m*; Gasbehälter *m*; Gasuhr *f*.

gasta|dero F *m* Ursache *f* von Ausgaben; *fig.* ~ *de paciencia* Geduldsprobe *f*, Nervensäge *f* F; **~do** *adj.* abgenützt, verbraucht; abgetragen; *fig.* abgedroschen (*Witz usw.*); **~dor I.** *adj.* **1.** verschwenderisch; **II.** *m* **2.** Verschwender *m*; **3.** ⚔ Schanz(arbeit)er *m*; Pionier *m*; Melder *m*, Funker *m*; **4.** zu(r) Zwangsarbeit Verurteilte(r) *m*; **~dura** *f* Verschleiß *m*; **~miento** *m* Verbrauch *m*; Abnutzung *f*; **~r I.** *v/t.* **1.** verbrauchen; verausgaben, ausgeben; aufwenden (für *ac.* en); ~ *fuerzas*, ~ *energías* Kräfte aufwenden (*od.* einsetzen); ~ *una hora en un trabajo* für e-e Arbeit e-e Stunde brauchen; **2.** vergeuden, verschwenden; verschleißen; abnützen; ~ *palabras* s-e Worte verschwenden, umsonst reden; ~ *el tiempo* (die) Zeit verschwenden (*od.* vertun); *traje m a medio* ~ abgetragener Anzug *m*; **3.** (gewohnheitsmäßig) tragen, haben *od.* besitzen; ~ *anteojos* (*barba*) Brille (Bart) tragen; ~ *coche* e-n Wagen haben; ~ *tabaco negro* dunklen Tabak rauchen; **4.** *fig.* ~ *una broma* e-n Scherz machen; ~ *bromas* (gern) e-n Spaß machen; *no* ~ *bromas* k-n Spaß verstehen; ~ *ceremonias* viele Umstände machen; ~ *mal humor* (stets) übler Laune (*od.* ein Griesgram) sein; F *¡gasta unos humos!* der ist vielleicht schlechter Laune F, der hat (ja) e-e süße Laune! F; F ~ *mucha salud* kerngesund sein; *ya sé cómo las gasta él* ich weiß genau, was das für ein Kerl ist; *¡así las gasto yo!* so bin ich nun mal; **II.** *v/r.* **~se 5.** s. abnützen; verschleißen (*v/i.*); verwittern (*Steine usw.*); **6.** *Geld* ausgeben.

gasterópodos *Zo. m/pl.* Bauchfüßer *m/pl.*

gasto *m* **1.** Ausgabe *f*; Aufwand *m*; Verbrauch *m*; ~ *de la casa* Haushalts-, Wirtschafts-geld *n*; ~ *de tiempo* (*de trabajo*) Zeit- (Arbeits-) aufwand *m*; *fig. hacer el* ~ *de la conversación* die Kosten (*od.* die Last) der Unterhaltung tragen; *fig.* F *es lo que hace el* ~ das ist der springende Punkt; darauf kommt es an; *fig. pagar el* ~ die Zeche zahlen; **2.** Schüttungsmenge *f* (*Quelle*); **3.** ☤ **~s** *m/pl.* Auslagen *f/pl.*, Kosten *pl.*; Spesen *pl.*; Unkosten *pl.*; *a* **~s** *comunes* auf gemeinsame Kosten; *libre de* **~s** spesenfrei; *sin* **~s** kostenlos, -frei; ohne Kosten; ohne Protest (*Wechsel*); **~s** *de correo* Portokosten *pl.*; **~s** *de descarga* Abladegebühr *f*; ⚓ Löschgebühr *f*; **~s** *de explotación* Betriebskosten *pl.*; 🚂 **~s** *de ferrocarril* (*Abk.* **~s** *de f.c.*) Fracht- *od.* Bahn-kosten *pl.*; **~s** *generales* Gemeinkosten *pl.*; allgemeine Unkosten *pl.*; **~s** *por hora de máquina* (*por hora de servicio*) Maschinen- (Betriebs-)stundenkosten *pl.*; **~s** *de mantenimiento* Unterhaltungskosten *pl.*; **~s** *mayores* (*menores*) größere (kleinere) Auslagen *f/pl.*; **~s** *de personal* Personalkosten *pl.*; **~s** *públicos* Ausgaben *f/pl.* der öffentlichen Hand; **~s** *de propaganda* Werbungs-, Werbekosten *pl.*; **~s** *de representación* Aufwandsentschädigung *f*; **~s** *de residencia* Wohnkosten *pl.*; Wohnungsgeld *n*; **~s** *de sepelio* Bestattungskosten *pl.*; *Vers.* Sterbegeld *n*; *meterse en* **~s** s. in Unkosten stürzen; *contribución f a los* **~s** Unkostenbeitrag *m*; **~so** *adj.* verschwenderisch; aufwendig.

gastr|algia ⚕ *f* Magenschmerz *m*; **~ectomía** ⚕ *f* Magenresektion *f*.

gástrico ⚕ *adj.* Magen...; *acidez f* **~a** Magensäure *f*; *jugo m* ~ Magensaft *m*.

gastritis ⚕ *f* Magenschleimhautentzündung *f*, Gastritis *f*.

gastro|diafanoscopia ⚕ *f* Magendurchleuchtung *f*; **~enteritis** ⚕ *f* Magen-Darm-Entzündung *f*; **~intestinal** ⚕ *adj. c* Magen-Darm...

gastrólogo *m* Gastrologe *m*.

gastro|nomía *f* Gastronomie *f*, Kochkunst *f*; **~nómico** *adj.* gastronomisch; Feinschmecker...

gastrónomo *m* **1.** Gastronom *m*; **2.** Feinschmecker *m*.

gastro|sofía *f* Gastrosophie *f*; **~tomía** ⚕ *f* Magenschnitt *m*.

gata *f* **1.** *Zo.* Katze *f* (*weibl. Tier*); *fig.* F Madriderin *f*; F *a.* durchtriebenes Frauenzimmer *n*; F ~ *parida* hagere (*od.* sehr schmächtige) Person *f*; *hacer la* ~ (*muerta od. ensogada*) s. harmlos (*od.* bescheiden) stellen; *adv. a* **~s a**) auf allen vieren; **b**) *Rpl.* kaum, nur mit großer Mühe; **2.** *Fi.* großgefleckter Katzenhai *m*; **3.** ⚘ → *gatuña*; **4.** *fig.* kl. Wolke *f am Berg*; **5.** *Chi.* Hebezeug *n*; **6.** *Méj. fig.* Dienstmädchen *n*.

gata|da *f* **1.** *fig.* F Betrug *m*, Gaunerei *f*; Falle *f*; **2.** *Jgdw. dar* **~s** Haken schlagen (*Hase*); **~llón** F *adj.-su.* Schlauberger *m*, Gauner *m*; **~tumba** F *f* Schöntuerei *f*, Getue *n* F; **~zo** *m* **1.** gr. Kater *m*; **2.** übler Streich *m*, Gaunerei *f*; *dar un* ~ *a alg.* j-m et. abschwindeln.

gate|ado I. *adj.* katzenfarbig; getigert (*Marmor*); **II.** *m Am. ein stark gemasertes* Holz *n*; **~ar I.** *vt/i.* **1.** kratzen; **2.** F mausen F; **II.** *v/i.* **3.** klimmen, klettern; auf allen vieren kriechen; **4.** F *Méj.* hinter den Dienstmädchen her sein F; **~ra I.** *f* **1.** Katzenloch *n* (*Einlaß*); **2.** ⚓ (*bsd.* Anker-)Klüse *f*; **3.** *Bol.* Marktweib *n*; **II.** *m* **4.** *fig.* F Taugenichts *m*, Windhund *m*; **~ría** *f* **1.** Katzen(-versammlung *f*) *f/pl.*; *fig.* F Halbstarkenansammlung *f*; **2.** *fig.* F Katzenfreundlichkeit *f*, Duckmäuserei *f*; **~ro I.** *adj.* Katzen...; **II.** *m* Katzenhändler *m*; Katzenfreund *m*; **~sco** F *adj.* → *gatuno*.

gati|llazo *m* Einschnappen *n* des Drückers (*Gewehr*); *fig.* F *dar* ~ versagen (*Gewehr*); *fig.* sein Ziel nicht erreichen; **~llo** *m* **1.** Abzug *m* (*Gewehr*); **2.** Zahnzange *f*; **3.** *Mech.* Klinke *f*; ~ (*de trinquete*) Sperrhaken *m*; **4.** *Zim.* Klammer *f*; **5.** *fig.* F Spitzbube *m*; **6.** Widerrist *m der Tiere*.

gato *m* **1.** *Zo.* Katze *f*; Kater *m*; ~ *de algalia* Zibetkatze *f*; ~ *de Angora* Angorakatze *f*; ~ *cerval* Zerval *m*, gr. Wildkatze *f*; ~ *persa*, ~ *siamés* Perserkatze *f*; *fig.* ~ *viejo* alter Fuchs *m* (*fig.*); ~ *montés*, ~ *silvestre* Wildkatze *f*; **2.** *fig.* F *asistieron cuatro* **~s** nur ein paar Mann waren gekommen F; *como* ~ *mojado* wie e-e nasse Katze; *correr* (*ir, pasar*) *como* ~ *por ascuas* wie ein Verrückter (davon)laufen; F *dar* ~ *por liebre j-n* übers Ohr hauen F, *j-n* übertölpeln; F *no había ni un* ~ kein Mensch (*a.* k-e Katze F) war da; (*aquí*) *hay* ~ *encerrado* da stimmt (doch) was nicht, da steckt et. dahinter; *fig. jugar al* ~ *y al ratón* Katze u. Maus spielen; *lavarse a lo* ~ Katzenwäsche machen; *llevar el* ~ *al agua* **a**) e-r Gefahr mutig ins Auge sehen; **b**) den Vogel abschießen; *llevarse como perro(s) y* **~(s)** wie Hund u. Katze leben (*od.* s. vertragen); *fig.* F (*esto es*) *para el* ~ das ist für die Katz' F; ~ *escaldado del agua fría huye* gebranntes Kind scheut das Feuer; *hasta los* **~s** *quieren zapatos* (*od. tienen tos*) erst kriechen, dann gehen, dann fahren; selbst der Kleinste möchte hoch hinaus; **3.** *fig.* Geldbeutel *m*; Ersparnisse *f/pl.*; **4.** ⊕ (Hand-)Hebezeug *n*; *Kfz.* Wagenheber *m*; Schreiner-, Schraub-zwinge *f*; *bsd. Am.* ~ *a chicharra* Ratschenwinde *f*; ~ *de tracción* Zugwinde *f*; **5.** *fig.* F Madrider *m*; *a.* gerissener Dieb *m*; verschmitzte Person *f*; **6.** *Arg., Bol. Art zapateado* (*Volkstanz*); **7.** *Méj.* **a**) Diener *m*; **b**) Trinkgeld *n*.

gatu|no *adj.* Katzen...; **~ña** ⚘ *f* Hauhechel *f*; **~perio** *m* Mischmasch *m*; *fig.* F Intrige *f*, Klüngel *m*, Kuhhandel *m* F.

gaucha *f Arg.* Mannweib *n*; **~da** *f* **1.** *Rpl. typisches* Verhalten *n* e-s Gauchos; *Rpl., Chi., Pe.* gerissener

Streich *m*; Prahlerei *f*; **2.** *Arg.* Freundschafts-, Liebes-dienst *m*; **3.** *Arg.* Stegreifvers(e) *m(/pl.)*; Gerede *n*, Klatsch *m*; **~je** *m Rpl., Chi.* Gauchotrupp *m*; *a.* Gesindel *n*.
gau|chear *v/i. Arg.* s. wie ein Gaucho verhalten; *fig.* s. in riskante Liebeshändel einlassen; **~chesco** *adj.* Gaucho...; **~chismo** *m* Gaucholiteratur *f*; **~chita** *f Arg.* ♪ Gauchoweise *f*; F hübsche Frau *f*.
gaucho I. *m* **1.** Gaucho *m*; **2.** *Rpl. fig. ser buen* ~ ein zuverlässiger Freund sein; **3.** *Arg., Chi.* guter Reiter *m*; **4.** *Ec.* breitkrempiger Hut *m*; **5.** *Vo. Chi. Art* Königswürger *m*; **II.** *adj.* (*a. substant. gebraucht*) **6.** (*a lo*) ~ gauchohaft; **7.** *Arg., Chi.* tapfer, verwegen; gerissen; **8.** *Arg.* geschickt; stattlich; **9.** *Arg.* rauh, grob.
gaudeamus F *m* Vergnügen *n*, Fest *n*; *andar de* ~ feiern.
gausio *m* (*a. gauss*) *Phys.* Gauß *n*.
gavan|za ⚘ *f* Wildrose *f* (*Blüte*); **~zo** Heckenrosenstrauch *m*.
gaveta *f* Schublade *f in Schreibschränken u. ä.*; Schubfach *n*; Schatulle *f*.
gavi|a *f* **1.** ⚓ Marssegel *n*; Mastkorb *m der Galeeren*; **2.** ⚘ Abzugsgraben *m*; **3.** *hist.* Holzkäfig *m für Geisteskranke*; **4.** □ Helm *m*; **~ero** ⚓ *m* Marsgast *m*.
gavilán *m* **1.** *Vo.* Sperber *m*; *fig. hidalgo como el* ~ undankbar; **2.** ⚘ Distelblüte *f*; **3.** *~anes m/pl.* Spitzen *f/pl. e-r Schreibfeder*; ~ Schnörkel *m*; **4.** Degenkreuz *n*; **5.** *Andal., Am. Cent., Cu., Méj.* eingewachsener Nagel *m*.
gavilla *f* **1.** ⚘ Garbe *f*; **2.** *fig.* Bande *f*, Gesindel *n*; **~da** □ *f* Diebsbeute *f*, Sore *f* □; **~dor** □ *m* Gangsterboß *m*; **~dora** ⚘ *f* Mähbinder *m*; **~r** → *agavillar*.
gavillero ⚘ *m* Getreideschober *m*; Garbenreihe *f*.
gaviota *f* Möwe *f*.
gavota ♪ *f* Gavotte *f*.
gaya *f* **1.** farbiger Streifen *m*; **2.** □ Dirne *f*; **~do I.** *adj.* buntgestreift; **II.** *adj.-su. m Cu.* weißgesprenkelte(r) Hellbraune(r) *m* (*Pferd*).
gayo *adj.* **1.** fröhlich; bunt(farbig); **2.** *~a ciencia f* (*od. doctrina f*) Minnesang *m*; Poesie *f*; **~la** F *f* Kittchen *n* F.
gayón □ *m* Zuhälter *m*, Louis *m* (P *Reg.*), Lude *m* (P *Reg.*).
gay saber *m* → *gaya ciencia*.
gayuba ⚘ *f* Bärentraube *f*.
gayumbos □ *m/pl.* Unterhose *f*.
gaza *f* **1.** ⚓ Stropp *m*; **2.** □ Kohldampf *m* F; **~fatón** *m* → *garrapatón*; **~pa** F *f* Schwindel *m*, Lüge *f*; **~patón** F *m* → *garrapatón*; **~pera** *f* **1.** Kaninchenbau *m*; *fig.* F Schlupfwinkel *m v. Gesindel*; **2.** → **~pina** F *f* **1.** Versammlung *f* von Gesindel; Diebskonvent *m*; **2.** Schlägerei *f*; **~po** *m* **1.** junges Kaninchen *n*; *fig.* F *echar un* ~ e-n Schnitzer machen; **2.** (Zeitungs-)Ente *f*; **3.** Schlau-kopf *m*, -meier *m*.
gazmiar [1c] **I.** *v/i.* naschen; **II.** *v/r.* *~se* F s. beklagen.
gazmo|ñada *f*, *mst.* **~ñería** *f* Scheinheiligkeit *f*; Heuchelei *f*; **~ñero, ~ño I.** *adj.* prüde; heuchlerisch, scheinheilig; **II.** *m* Heuchler *m*; Frömmler *m*.
gaz|nápiro *adj.-su.* Gimpel *m*, Einfaltspinsel *m*; **~nate** *m* Kehle *f*, Schlund *m*; P *mojar* (*od. refrescarse*) *el* ~ s. e-e Erfrischung genehmigen.
gazofia *f* → *bazofia*.
gazpacho *m südspan.* Kaltschale *f* (*Gurken, Zwiebeln, Öl usw.*).
gazpucia P *f Col.* Hunger *m*.
gazuza F *f* Bärenhunger *m* F.
ge *f* G n (*Name des Buchstabens*).
Gea *f* **1.** *Myth.* Gaia *f*, Gäa *f*, Mutter *f* Erde; **2.** ♀ physische Geographie *f* e-s Landes *od.* e-r Region.
gecónidos *Zo. m/pl.* Haftzeher *m/pl.*, Geckos *m/pl.*
gehena *bibl. f* Gehenna *f*, Hölle *f*.
géiser *m* Geiser *m*, Geysir *m*.
geisha *f* Geisha *f*.
gel ⚗, *pharm. m* Gel *n*.
gelati|na *f* Gelatine *f*; Gallert *m*; Sülze *f*; ⚗, ⊕ ~ *animal* Tierleim *m*; *Kchk.* ~ *seca* Trockengelatine *f*; **~nización** *f* Gelatinierung *f*; Gelieren *n*; **~nizarse** [1f] *v/r.* gelieren; **~nobromuro** ⚗, *Phot. m* Bromsilbergelatine *f*; **~noso** *adj.* gallertartig.
gélido *poet. adj.* eisig kalt.
gema *f* **1.** Gemme *f*; Edelstein *m*; **2.** ⚘ Knospe *f*; **3.** *Min.* (*sal f*) ~ Steinsalz *n*; **~ción** *Biol. f* Knospung *f*.
gemebundo *lit. adj.* tief aufseufzend; schmerzlich klagend.
geme|lación *f*: ~ *de ciudades* Städtepatenschaft *f*; **~lado** *adj.* Doppel..., Zwillings...; *eje m* ~ Doppelachse *f*; **~lar** *Biol. adj. c*: *parto m* ~ Zwillingsgeburt *f*; **~lo I.** *adj.* **1.** Doppel..., Zwillings...; *Kfz. ruedas f/pl. ~as* Zwillingsräder *n/pl.*; **II.** *adj.-su.* **2.** (*hermanos m/pl.*) *~s m/pl.* **a)** Zwillingsbrüder *m/pl.*; **b)** Zwillinge *m/pl.*; Zwillingsgeschwister *pl.*; *hermanas f/pl. ~as* Zwillingsschwestern *f/pl.*; **3.** *Anat.* (*músculo m*) ~ *m* Zwillingsmuskel *m*; **III.** *~s m/pl.* **4.** Manschettenknöpfe *m/pl.*; **5.** *~s* (*binóculos de campaña*) Feldstecher *m*; *~s* (*de teatro*) Opernglas *n*; **6.** *Astr.* → *Géminis*.
gemido *m* Ächzen *n*, Wimmern *n*; Stöhnen *n*, Klagen *n*; *fig.* Heulen *n*, Brausen *n*; **~r** *adj.* ächzend, stöhnend; wimmernd, klagend; *fig.* heulend, brausend.
gemi|nación *f* **1.** Verdoppelung *f*; **2.** *Biol.* Teilung *f*; **~nada** *Li. f* Doppelkonsonant *m*; **~nado** *adj.* **1.** ⚘ gepaart; *a.* ⚠ Doppel..., Zwillings...; **2.** *Biol.* geteilt; **~nifloro, ~nífloro** ⚘ *adj.* paarig blühend.
Géminis *Astr. m* Zwillinge *pl.*
gemi|quear *v/i.*, **~queo** *m Andal., Chi.* → *gimotear, gimoteo*.
gemir [3l] *v/i.* ächzen, seufzen; stöhnen, klagen; wimmern, winseln; *fig.* sausen, brausen (*Wind*); knarren (*Holz usw.*).
gen *Biol. m* Gen *n*.
genciana ⚘ *f* Enzian *m*.
gene *m* → *gen*; **~alogía** *f* **1.** Genealogie *f*; Geschlechter-, Familienkunde *f*; **2.** Abstammung *f*; **3.** Stammtafel *f*; **~alógico** *adj.* genealogisch; *árbol m* ~ Stammbaum *m*; **~alogista** *c* Genealoge *m*.
genera|ble *adj. c* erzeugbar; **~ción** *f* **1.** *Biol.* Zeugung *f*; ~ *alternante* Generationswechsel *m*; ~ *espontánea* Urzeugung *f*; **2.** *Phys.*, ⚗, ⚡ Erzeugung *f*, Entwicklung *f*; ~ *de energía* Energieerzeugung *f*; **3.** Generation *f*; Geschlechterfolge *f*; *Lit. la* ~ *del 98* die 98er Generation; **4.** Menschenalter *n*; **~dor I.** *adj.* erzeugend, bewirkend (et. *ac.* de *a/c.*); Zeugungs...; *Biol. u. fig. fuerza f ~a* Zeugungskraft *f*; bewirkende Kraft *f*; **II.** *m* ⊕, ⚡, *Atom.* Generator *m*; Dynamo *m*; *HF* ~ *de arco* Lichtbogengenerator *m*; *TV* ~ *de barrido* Zeilengenerator *m*; ~ (*eléctrico*) *mst.* Lichtmaschine *f*; ~ *de vapor* Dampf-erzeuger *m*, -kessel *m*.
genera|l I. *adj. c* **1.** allgemein, umfassend; generell; gewöhnlich; *adv. en* (*od. por lo*) ~ im allgemeinen, überhaupt; *hablar de un modo* (*más bien*) ~ (mehr) in allgemeinen Zügen sprechen; *de uso* ~ allgemein gebräuchlich; *de* (*od. para el*) *uso* ~ zum Allgemeingebrauch; *de validez* ~ allgemeingültig; allgemeinverbindlich; **2.** General..., Haupt..., Ober..., Allgemein...; *norma f* ~ Allgemeinregel *f*; Norm *f*; *Kfz. repaso m* (*reglaje m, revisión f*) ~ Generalüberholung *f*; *a.* ✝ *depósito* ~ Haupt-lager *n od.* -niederlage *f*; *dirección f* ~ *de correos im span. Innenministerium, dt. etwa*: Postministerium *n*; **II.** *m* **3.** ⚔ General *m*; ~ *de artillería* General *m* der Artillerie; ~ *de brigada* Generalmajor *m*; Brigadegeneral *m*; ~ *de un cuerpo de ejército* kommandierender General *m*; ~ *de división* Generalleutnant *m*; Divisionsgeneral *m*; ~ *en jefe* Oberbefehlshaber *m*; Heerführer *m*; *fig. el* ♀ *invierno* General Winter; **4.** Ordensgeneral *m*; **5.** □ Strohsack *m*; **III.** *f/pl.* **6.** ⚖ *las ~es de la ley* allgemeine Fragen zur Person (*b. der Vernehmung*); **~la** *f* **1.** Frau *f* e-s Generals; **2.** ⚔ Generalmarsch *m*; *tocar a* ~ den Generalmarsch blasen; **~lato** *m* **1.** ⚔ Generals-rang *m*, -würde *f*; Generalität *f*; **2.** Generalswürde *f* (*Ordensgemeinschaft*); **~licio** F *adj.* Generals...; **~lidad** *f* **1.** Allgemeinheit *f*; *la* ~ (*de los hombres*) die meisten (Menschen); **2.** Allgemeingültigkeit *f*; Allgemeine(s) *n*; *~es f/pl.* Allgemeine(s) *n in Schriftsätzen*; allgemeine Redensarten *f/pl.*, vage Ausdrucksweise *f*; **3.** ⚖ Generalklausel *f*; **4.** *hist. la* ♀ *de Cataluña* autonome Regierung *f* Kataloniens.
generalísimo ⚔ *m* Generalissimus *m*; Oberbefehlshaber *m*; *Span. el* ♀ (*=Franco*).
generaliza|ble *adj. c* verallgemeinerungsfähig; **~ción** *f* **1.** Verallgemeinerung *f*; **2.** allgemeine Verbreitung *f*; **~dor** *adj.* verallgemeinernd; **~r** [1f] **I.** *v/t.* **1.** verallgemeinern; *generalizando puede decirse* ganz allgemein darf man sagen; **2.** verbreiten; **II.** *v/r.* *~se* **3.** allgemein werden; (zum) Allgemeingut werden.

genera|lmente *adv.* im allgemeinen, allgemein; meistens; **~lote** *desp. m* General *m.*
genera|r ♂, *Phys., fig. v/t.* (er)zeugen; → *a. engendrar;* **~tivo** *Biol. adj.* Zeugungs...; **~triz** *adj.-su. f* **1.** ⩓ *(línea f)* ~ Mantellinie *f;* **2.** ⚡ Stromerzeuger *m.*
genérico *adj.* **1.** Gattungs...; allgemein; *nombre m* ~ Gattungsname *m;* **2.** *Gram.* Genus...
género *m* **1.** Gattung *f;* Geschlecht *n;* ~ *humano* Menschengeschlecht *n;* ~*s m/pl. y especies f/pl.* Gattungen *f/pl.* u. Arten *f/pl.;* **2.** *Li.* Genus *n;* ~ *ambiguo* Doppelgeschlecht *n (el, la mar);* ~ *común* gemeinsame Form *f* für Femininum u. Maskulinum *(el, la testigo);* **3.** *Lit.* Gattung *f;* ~*chico (mst.* lustiges) kurzes Volksstück *n; a.* Posse *f; a. die* leichte Muse, Kleinkunst *f;* ~ *dramático* dramatische Gattung *f,* Drama *n;* **4.** Ware *f;* Stoff *m,* Gewebe *n;* ~*s de primera calidad* Qualitätsware *f;* Qualitätsstoffe *m/pl.; (fábrica f* de) ~*s de punto* Trikotagen(fabrik *f) f/pl.;* Wirkwaren(herstellung *f) f/pl.;* ~*s de moda* Modewaren *f/pl.;* ~ *a un lado y dinero a otro* hier die Ware, da das Geld; **5.** Art *f;* Sorte *f;* Art *f* (u. Weise *f);* ~ *de vida* Lebens-art *f,* -weise *f; de mal* ~ unangebracht, unpassend; *sin ningún* ~ *de duda* (ganz) zweifellos; **6.** *Mal. u. Skulp.* de ~ Genre...; *cuadro m de* ~ Genrebild *n.*
genero|sidad *f* **1.** Großmut *m,* Edelmut *m,* Seelengröße *f;* **2.** Großzügigkeit *f,* Freigebigkeit *f;* **~so** *adj.* **1.** großmütig, edelmütig; ~ *en sus acciones* großmütig handelnd; **2.** großzügig, freigebig (j-m gg.-über *con, para, para con alg.*); **3.** feurig, edel *(a. Pferd);* fruchtbar *(Erde); vino m* ~ Dessertwein *m.*
genésico *Physiol. adj.* Geschlechts-...; Zeugungs...; genetisch.
génesis I. *f* Entstehung *f,* Werden *n;* Entwicklung(sgeschichte) *f;* Werdegang *m;* 🕮, ⚕ *a.* Genese *f;* **II.** *m bibl.* ♀ Genesis *f,* Schöpfungsgeschichte *f.*
genéti|ca *f* Genetik *f,* Erblehre *f;* **~co** *Biol. u. fig. adj.* genetisch; mit Bezug auf Herkunft *bzw.* Entstehung; *adv.* ~*amente a.* der Entstehung nach.
geneti(ci)sta *m* Genetiker *m.*
genetlíaca *f* Horoskop *n.*
genia|l *adj. c* **1.** genial; hochbegabt; **2.** geistvoll, witzig; angenehm; **3.** eigentümlich; **~lidad** *f* **1.** Genialität *f,* geniales Wesen *n;* **2.** Eigentümlichkeit *f; tener* ~*es* s-e Eigenheiten *f/pl. (od. leicht desp.* F s-e Schrullen *f/pl.)* haben; **~zo** F *m* aufbrausendes Temperament *n; a.* überragender, genialer Kopf *m (Person).*
genio *m* **1.** Geistes-, Gemüts-art *f;* Genie *n,* (geniale) Veranlagung *f; de mal (buen)* ~ jähzornig *od.* immer mürrisch (gutmütig); F *no puede con el* ~ er ist nicht aufzuhalten; die Pferde gehen mit ihm durch F; F *llevarle a uno el* ~ j-m nachgeben, j-m nicht widersprechen; *ser corto de* ~ geistig minderbemittelt sein F; k-n Schwung haben; *tener* ~ Schwung haben; genial sein; *tener mucho* ~ trotzig *(od.* aufsässig) sein *(Kind);* jähzornig sein; *tener el* ~ *vivo* ein lebhaftes *(od.* aufbrausendes) Temperament haben; *tener el* ~ *de la literatura (de los negocios)* literarisch hochbegabt (der geborene Geschäftsmann) sein; *Spr.* ~ *y figura hasta la sepultura* niemand kann über s-n Schatten springen; **2.** Genie *n,* gr. Geist *m; ser un* ~ ein Genie *(od.* ein genialer Kopf *m)* sein; **3.** (innerstes) Wesen *n,* Geist *m z. B. e-r Sprache;* **4.** *Rel. u. Folk.* Genius *m,* Geist *m;* ~ *tutelar* Schutzgeist *m.*
geni|tal *adj. c* Zeugungs..., Geschlechts...; *órganos m/pl.* ~*es* Geschlechtsorgane *n/pl.,* Genitalien *n/pl.;* **~tivo**[1] *adj.* zeugungsfähig.
geni|tivo[2] *Gram. m* Genitiv *m;* **~tor** *m* Erzeuger *m;* Schöpfer *m;* **~tourinario** ⚕ *adj.* Geschlechts- u. Harnorgane betreffend.
genízaro *adj.* → *jenízaro.*
genoci|da *adj.-su. c* völkermordend; *m* Völkermörder *m;* **~dio** *m* Völkermord *m.*
geno|típico *Biol. adj.* genotypisch; **~tipo** *Biol. m* Genotyp(us) *m.*
genovés *adj.-su.* aus Genua; *m* Genuese(r) *m.*
gente I. *f* **1.** *(selten* ~*s f/pl.)* Leute *pl.;* Volk *n;* ~ *de alpargata* Bauern *m/pl.;* ~ *de armas* Kriegsvolk *n,* Soldaten *m/pl.;* ~ *baja,* ~ *de escalera abajo* niederes Volk *n;* Pöbel *m;* ~ *buena,* ~ *de bien* rechtschaffene Leute *pl.;* ~ *bien,* ~ *copetuda,* F ~ *gorda die* oberen Zehntausend, *die* großen Tiere *n/pl.* F; ~ *de a caballo* Berittene(n) *m/pl.;* ~ *de color* Farbige(n) *m/pl.;* ~ *decente, Chi.* ~ *de chape* bessere Leute *pl.;* ~ *de mar* Seeleute *pl.; la* ~ *menuda* die Kinder *n/pl.; a.* das einfache Volk; ¡~ *de paz!* gut Freund!; F ~ *de pelo,* ~ *de pelusa* betuchte Leute *pl.* F; ~ *de medio pelo der* kleine Mittelstand; ~ *perdida,* F ~ *non sancta* liederliches Volk *n;* Stromer *m/pl.;* ~ *de poco más o menos* Durchschnittsmenschen *m/pl.;* kleine Leute *pl.;* ~ *de trato* Geschäftsleute *pl.; fig. conocer a su* ~ s-e Pappenheimer kennen; *al decir de la* ~ wie man so hört; *fig.* F *hacer* ~ (die) Leute anlocken; Aufsehen erregen; *pasar de* ~ *en* ~ *a.* von Generation zu Generation weitergegeben werden; **2.** *Col., Chi., Méj., P. Ri.* bessere *(od.* feine) Leute *pl.; ser* ~ zur Gesellschaft gehören; *a.* gesellschaftsfähig sein; **3.** F Angehörige(n) *m/pl.;* **4.** Personal *n;* ⚓ Besatzung *f;* **II.** ~*s f/pl.* **5.** Heiden *m/pl.; el Apóstol de las* ~*s* der Apostel Paulus; **6.** □ Ohren *n/pl.*
gente|cilla, ~zuela *f dim.; mst. desp.* Gesindel *n.*
genti|l I. *adj. c* **1.** hübsch, anmutig; artig, liebenswürdig; *iron.* ~ *disparate m* blühender Unsinn *m;* **2.** heidnisch; **II.** *m* **3.** Heide *m;* **~leza** *f* Anmut *f,* Liebenswürdigkeit *f,* Anstand *m;* **~lhombre** *m (pl. gentileshombres)* **1.** Edelmann *m,* Adlige(r) *m;* **2.** † ~ *de cámara* Kammerherr *m,* Kämmerer *m.*
gen|tilicio *adj.-su. m (nombre m)* ~ Volksname *m;* Geschlechtsname *m;* **~tílico** *adj.* heidnisch; **~tilidad** *f,* **~tilismo** *m* Heidentum *n; die* Heiden *m/pl.;* **~tilmente** *adv.* artig; anmutig; liebenswürdig.
gentío *m* Menschenmenge *f;* Gedränge *n.*
gen|tleman *engl. m* Gentleman *m; Equ.* ~ *rider m* Herrenreiter *m; Pol. gentlemen's agreement m* Gentlemen's Agreement *n;* **~try** *engl. f* niederer engl. Adel *m;* engl. Großbürgertum *n.*
gentu|alla, ~za *f* Gesindel *n,* Pack *n.*
genu|flexión *f* Knie-beuge *f,* -fall *m;* **~ino** *adj.* echt, unverfälscht; naturgemäß; angeboren.
geobotáni|ca *f* Pflanzengeographie *f,* Geobotanik *f;* **~co** *adj.* pflanzengeographisch.
geocéntri|ca *f* Geozentrik *f;* **~co** *adj.* geozentrisch.
geo|desia *f* Geodäsie *f,* Vermessungskunde *f;* **~désico** *adj.* geodätisch; **~desta** *c* Geodät *m,* Vermessungsbeamte(r) *m.*
geofísi|ca *f* Geophysik *f;* **~co** *adj.-su.* geophysikalisch; *m* Geophysiker *m.*
geo|gnosia *f* Gebirgs-, Erdschichten-kunde *f;* **~gnosta** *c* → *geólogo;* **~grafía** *f* **1.** Geographie *f,* Erdkunde *f;* ~ *económica* Wirtschaftsgeographie *f;* ~ *lingüística* Sprachgeographie *f;* ~ *humana* Anthropo-, Human-geographie *f;* **2.** erdkundliches Werk *n;* **~gráfico** *adj.* geographisch.
geógrafo *m* Geograph *m.*
geo|logía *f* Geologie *f;* **~lógico** *adj.* geologisch.
geólogo *m* Geologe *m.*
geomag|nético erdmagnetisch; **~netismo** *m* Erdmagnetismus *m.*
geómetra *m* **1.** Geometriebeflissene(r) *m;* **2.** † → *agrimensor;* **3.** *Ent.* gr. Frostspanner *m.*
geo|metría *f* Geometrie *f;* ~ *descriptiva (analítica)* darstellende (analytische) Geometrie *f;* ~ *del espacio* Stereometrie *f;* ~ *plana* Planimetrie *f;* **~métrico** *adj.* geometrisch; ⩓ *lugar m* ~ geometrischer Ort *m.*
geopolíti|ca *f* Geopolitik *f;* **~co** *adj.-su.* geopolitisch; *m* Geopolitiker *m.*
georama *m* Georama *n,* großformatige Darstellung *f* der Erdoberfläche.
georgiano *adj.-su.* georgisch; *m* Georgier *m; das* Georgische.
georgina ⚘ *f* Georgine *f,* Seerosendahlie *f.*
geoterapia ⚕ *f* Geotherapie *f,* klimatische Heilbehandlung *f.*
gépidos *hist. m/pl.* Gepiden *m/pl.*
geranio ⚘ *m* Geranie *f.*
gérbera ⚘ *f* Gerbera *f.*
gerbo *Zo. m* → *jerbo.*
geren|cia *f* Geschäftsführung *f;* Verwaltung *f;* **~te** *m* **1.** Geschäftsführer *m;* Disponent *m;* Verwalter *m;* ✝ ~ *de ventas* Verkaufsleiter *m; director m* ~ geschäftsführender Direktor *m;* **2.** ⚓ Korrespondenzreeder *m.*
geri|atra ⚕ *c* Facharzt *m* der Geriatrie; **~atría** *f* Geriatrie *f,* Altersheilkunde *f;* **~átrico** *adj.* geriatrisch.
gerifalte *m* **1.** *Vo.* Jagdfalke *m;* **2.** *fig.* Genie *n;* □ Dieb *m.*

germana □ *f* Hure *f*.
germanesco *adj.* Gauner...
Germania *f hist.* Germanien *n*; *fig.* Deutschland *n*.
germanía *f* **1.** Gaunersprache *f*; *vgl. a. caló*; **2.** *hist. Val.* Zunftbruderschaft *f*; **3.** wilde Ehe *f*.
germánico *adj.-su.* germanisch; *fig.* deutsch; *Li. m das* Germanische.
germa|nismo *m* Germanismus *m*; **~nista** *c* Germanist *m*; **~nística** *f* Germanistik *f*; **~nización** *f* Germanisierung *f*; Eindeutschung *f*; **~nizante** *mst. desp. adj.-su. c* germanisierend; **~nizar** [1f] *v/t.* germanisieren; **~no** *adj.-su.* germanisch; deutsch; *m* Germane *m*; Deutsche(r) *m*; **~nofilia** *f* Deutschfreundlichkeit *f*; **~nófilo** *adj.-su.* deutschfreundlich; *m* Deutschenfreund *m*; **~nofobia** *f* Deutschfeindlichkeit *f*; **~nófobo** *adj.-su.* deutschfeindlich; *m* Deutschenfeind *m*.
ger|men *Biol.*, ⚕ *u. fig. m* Keim *m*; Ursprung *m*; *~ morboso*, *~ patógeno* Krankheitskeim *m*; **~micida** *adj. c -su. m* keimtötend(es Mittel *n*); **~minación** *f* Keimen *n*; *fig.* Entstehen *n*; Werden *n*; **~minal I.** *adj. c* Keim...; **II.** *m* ♀ *hist.* Germinal *m* (*7. Monat des frz. Revolutionskalenders*); **~minar** *v/i.* keimen; sprießen; *a. fig.* s. entwickeln; werden.
geron|tología ⚕ *f* Gerontologie *f*; **~tólogo** ⚕ *m* Gerontologe *m*, Alternsforscher *m*.
gerundense *adj.-su. c* aus Gerona.
gerundia|da F *f* schwülstige Ausdrucksweise *f* (*e-s*) *Predigers*; **~no** F *adj.* schwülstig, pathetisch (*Stil*).
gerundio *m* **1.** *Li.* Gerundium *n*; *fig. en ~* ganz einfach; **2.** F schwülstiger Prediger *m*; aufdringlicher Besserwisser *m*.
gesta *f* Heldentat(en) *f*(*/pl.*); *cantar m de ~* Heldenepos *n*.
gesta|ción *f* Schwangerschaft *f*; Trächtigkeit *f* (*der Tiere*); *fig.* Entstehung *f*, Werden *n*; *en ~* trächtig; *fig.* im Werden; **~nte I.** *adj. f* schwanger; trächtig (*Tier*); **II.** *f* Schwangere *f*.
gestatorio *adj.*: *silla f ~a* Tragsessel *m*.
geste|ar *v/i.* → *gesticular*; **~ro** *adj.-su.* Fratzenschneider *m*.
gesticula|ción *f* Mienenspiel *n*; Gesichterschneiden *n*; Gebärdenspiel *n*; Gestikulieren *n*; **~r** *v/i.* Gebärden machen, gestikulieren.
gesti|ón *f* (Geschäfts-)Führung *f*; Betreibung *f e-r Sache*; ⚖ *~ de negocios (ajenos)* Geschäftsführung *f* ohne Auftrag; *hacer las ~ones necesarias* die nötigen Schritte unternehmen (, um zu + *inf. para* + *inf.*); **~onar** *v/t.* betreiben; (amtlich) vermitteln, besorgen; s. um et. (*ac.*) bemühen, *bsd.* s. Urkunden ausstellen lassen; *~se un empleo* s. durch Beziehungen e-e Stelle verschaffen; F *~ a/c. para alg.* für j-n et. bearbeiten (*bzw.* in die Wege leiten).
gesto *m* **1.** Miene *f*, Gesichtsausdruck *m*; Gebärde *f*, Geste *f*; *lenguaje m por ~s* Gebärdensprache *f*; *hacer ~s a.* Grimassen schneiden; *afirmar con el ~* schweigend bejahen; **2.** *fig.* Geste *f*; *tener un buen ~ con alg.* j-m gg.-über großzügig handeln.
gesto|r I. *adj.* Vermittler...; *agencia f ~a* → *gestoría*; **II.** *m* Geschäftsführer *m*; geschäftsführender Teilhaber *m*; **~ría** *f Span.* Agentur *f* zur raschen Erledigugn *sonst langwieriger* behördlicher Formalitäten *usw.*
gestudo F *adj.-su.* schmollend; sauertöpfisch.
Getsemaní *bibl. m* Gethsemane *n*.
géyser *m* Geiser *m*, Geysir *m*.
ghetto *m* Getto *n* (*a. fig.*).
giba *f* Höcker *m*, Buckel *m*; *fig.* Unannehmlichkeit *f*; **~do** *adj.* bucklig, höckerig; **~r** *v/t.* krümmen, bucklig machen; *fig.* F ärgern, plagen.
gibelino *hist. adj.-su.* Ghibelline *m*.
gibón *Zo. m* Gibbon *m* (*Affe*).
gibo|sidad ⚕ *f* Buckel *m*, Gibbus *m*; **~so** *adj.* buck(e)lig.
gigan|ta *f* **1.** Riesin *f*; **2.** ⚘ Sonnenblume *f*; **~te I.** *adj. c* riesig; **II.** *m* Riese *m*, Gigant *m* (*a. fig.*); *~s m/pl. y cabezudos m/pl.* Riesen *m/pl.* u. Masken *f/pl.* mit großen Köpfen *b. span. Volksfesten*; *fig. a paso de ~* mit Riesenschritten; *Sp. pasos m/pl.* de *~* Rundlauf(gerät *n*) *m*; F *~ en tierra de enanos* Knirps *m*, abgebrochener Riese *m* F; **~tesco** *adj.* gigantisch, gewaltig (*a. fig.*); **~tez** *f* Riesengestalt *f*; riesige Größe *f*; **~tilla** *f* groteske Figur *f*, *Art* Schwellkopf *m*; *fig.* F fettes Weibsbild *n* F; **~tismo** ⚕ *m* Riesenwuchs *m*; **~tomanía** *f* Gigantomanie *f*; **~tón** *m* **1.** Riesenfigur *f b. Prozessionen*; **2.** ⚘ *Am.* Sonnenblume *f*.
gigo|lo *m* Gigolo *m*; **~te** *Kchk. m* Hackfleischgericht *n*; geschmorte Hammelkeule *f*; *fig.* F *hacer ~* zerstückeln, zu Kleinholz machen F.
gi|lí F *adj. c* (*pl. ~ís*) dämlich F, bescheuert F; **~lipollas** P *m* (*pl. inv.*) Flasche *f* P, Blödhammel *m* P; **~lipollear** P *v/i.* s. dämlich F (*od.* idiotisch P) anstellen.
gimna|sia *f* Turnen *n*; Gymnastik *f*; *~ con (sin) aparatos* Geräteturnen *n* (Freiübungen *f/pl.*); *~ para embarazadas* Schwangerschaftsgymnastik *f*; *~ de la mente* geistige Gymnastik *f*, Gedächtnisgymnastik *f*; *~ pública* Schauturnen *n*; *~ sueca* schwedische Gymnastik *f*; *~ terapéutica* Heilgymnastik *f*; *sala f de ~* Turnhalle *f*; *hacer (ejercicios de) ~* turnen, Turnübungen machen; **~sio** *m* **1.** Turnplatz *m*; Turnhalle *f*; **2.** *hist.* Gymnasium *n*; **~sta** *c* Turner *m*; *~s m/pl.* Turnerschaft *f*.
gimnásti|ca *f* Gymnastik *f*; **~co** *adj.* Turn...; *aparatos m/pl. ~s* Turngeräte *n/pl.*; *paso m ~* Laufschritt *m*.
gímnico *lit. adj.* Turn..., Athletik...
gimno|spermas ⚘ *f/pl.* Gymnospermen *pl.*; **~to** *Fi. m* Zitteraal *m*.
gimote|ar F *v/i.* winseln; wimmern; greinen; **~o** F *m* Gewimmer *n*; Greinen *n*.
gin *engl. m* Gin *m*; *~ tonic* Gin Tonic *m*.
gincgo *m* → *gingko*.
gindama □ *f* → *jindama*.
ginebra *f* **1.** *ein* Kartenspiel; **2.** *fig.* F Wirrwarr *m*, Tohuwabohu *n* F; **3.** Gin *m*; **4.** ⚖ *Convención f de* ♀ Genfer Konvention *f*.
gineceo *m* **1.** *hist.* Frauengemach *n*, **2.** ⚘ Stempel *m*.
gine|cología ⚕ *f* Gynäkologie *f*; **~cológico** *adj.* gynäkologisch; **~cólogo** *m* Gynäkologe *m*, Frauenarzt *m*.
gingivitis ⚕ *f* Zahnfleischentzündung *f*, Gingivitis *f*.
gingko ⚘ *m* Ginkgo *m*.
gin|sén, ~seng ⚘ *m* Ginseng *m*.
gira *f* Rundreise *f*; (gemeinsamer) Ausflug *m*; *Thea.* Tournee *f*; **~da** *f* Pirouette *f*; **~discos** *m* (*pl. inv.*) Plattenspieler *m*.
girado ☤ *m* Bezogene(r) *m*, Trassat *m*; **~r** ☤ *m* Aussteller *m*, Trassant *m* (*Wechsel*).
giral|da *f* Wetterfahne *f in Menschen- od. Tiergestalt*; *la* ♀ *Turm der Kathedrale v. Sevilla*; **~dilla** *f* kl. Wetterfahne *f*; *ast.* Volkstanz *m*.
girándula *f* **1.** Feuerrad *n* (*Feuerwerk*); **2.** mehrarmiger Leuchter *m*.
girar I. *v/i.* **1.** s. drehen, kreisen, umlaufen; rotieren; *~ en torno* s. im Kreise (herum)drehen; *~ hacia la izquierda* s. nach links drehen; nach links ein- (*od.* ab-)biegen; *~ alrededor de* s. drehen um (*ac.*), kreisen um (*ac.*); *la conversación gira sobre* die Unterhaltung dreht s. um (*ac.*); ⊕ *~ loco*, *~ en vacío* leerlaufen; *~ redondo* rundlaufen; **2.** ☤ *~ contra* (*od. a cargo de*) *alg.* auf j-n ziehen (*Wechsel*); *la casa gira en ésta desde ...* das Geschäft besteht am Platze seit ...; **II.** *v/t.* **3.** drehen, in Umlauf bringen; **4.** *Geld* überweisen; *Wechsel* ziehen *od.* ausstellen; *~ una letra (de cambio) sobre Barcelona* e-n Wechsel auf B. ziehen.
girasol *m* **1.** ⚘ Sonnenblume *f*; **2.** *Min.* (gelblicher) Opal *m*.
girato|ria *f* drehbares Bücherregal *n*; **~rio** *adj.* kreisend, rotierend; Kreis..., Dreh...; *estante m ~* Drehregal *n*, -ständer *m*.
girl *engl. f* Revuetänzerin *f*.
giro[1] *m* **1.** Kreis-lauf *m*, -bewegung *f*; Drehung *f*; Wendung *f* (*a.* ✈); *Vkw. ~ obligatorio* Kreisverkehr *m*; *efectuar un ~ alternativo* e-e wechselweise Drehung ausführen (*bzw.* bewirken); **2.** ☤ Ziehung *f e-s Wechsels*; gezogener Wechsel *m*, Tratte *f*; *aviso m de ~* Trattenavis *n*; → *a. letra de cambio*; **3.** Überweisung *f*; *~ bancario* Banküberweisung *f*; *~ postal* Postanweisung *f*; *mandar un ~* Geld überweisen; **4.** Umsatz *m*, Absatz *m*; *~ anual* Jahresumsatz *m*; *empresa f de mucho ~* Unternehmen *n* mit hohem Umsatz; **5.** *fig.* Wendung *f*; *tomar otro ~* e-e andere Wendung nehmen (*Angelegenheit usw.*); *tomar mal ~* (*un ~ favorable*) s. zum schlechten wenden (e-e günstige Wendung nehmen); **6.** Redewendung *f*; **7.** Schmiß *m* (*im Gesicht*); **8.** *fig.* Drohung *f*; Prahlerei *f*.
giro[2] *adj. Andal., Murc., Am.* gelblich *bzw.* schwarzweiß getüpfelt (*Hahn*).
giro|bús *Vkw. m* Gyrobus *m*; **~clinómetro** ✈ *m* Wendezeiger *m*; **~compás** *m* Kreiselkompaß *m*.
giroflé ⚘ *m* Gewürznelkenbaum *m*.
girola Δ *f* Chorumgang *m*.

girómetro *Phys. m* Gyrometer *n.*
girondinos *hist.*: *los* ~ die Girondisten *m/pl.*
giro|piloto ✈ *m* Selbststeuergerät *n;* **~plano** ✈ *m* Tragschrauber *m;* **~scópico** *adj.* gyroskopisch, Kreisel...; **~scopio** *m bsd. Phys.* → *giróscopo.*
girós|copo *bsd.* ⊕ *m* Kreisel *m;* ⚓ ~ *de buque* Schiffskreisel *m;* **~tato** *Phys. m* Gyrostat *m.*
gis *m* **1.** Malerkreide *f;* **2.** *Col.* Griffel *m;* **~te** *m* Bierschaum *m.*
gita|na *f* Zigeunerin *f a. als Kosename; fig.* durchtriebenes Frauenzimmer *n;* Schlampe *f;* **~nada** *f* Zigeunerstreich *m;* → *gitanería;* **~near** *v/i.* schmeicheln; gerissen vorgehen; **~nería** *f* Zigeunerhorde *f,* -bande *f;* Zigeunerleben *n;* Schelmenstreich *m; fig.* (listige) Schmeichelei *f;* **~nesco** *adj.* zigeunerisch; zigeunerhaft; schlau; verschmitzt; **~nismo** *m* Zigeuner-art *f;* -tum *n; Li.* Zigeunerwort *n;* **~no I.** *adj.* zigeunerisch, zigeunerhaft; *fig.* schlau, verschmitzt; verführerisch (*Augen; oft pej.*); **II.** *m* Zigeuner *m* (*a. fig.*); *fig.* schlauer *od.* pfiffiger Mensch *m;* F *a.* drolliger Bursche *m.*
glabro *lit. adj.* kahl.
glacia|l *adj. c a. fig.* eisig, eiskalt; Eis...; *período m* (*od. época f*) ~ Eiszeit *f;* **~r** *m* Gletscher *m.*
glacis *fort. m* Glacis *n.*
gladiador *m hist.* Gladiator *m; fig.* Raufbold *m.*
gla|diolo, ~díolo ⚘ *m* Gladiole *f,* Siegwurz *f.*
glan|de *Anat. m* Eichel *f;* **~dífero, ~dígero** *adj.* Eicheln tragend.
glándula *Anat. f* Drüse *f;* *~s endocrinas, ~s de secreción interna* endokrine Drüsen *f/pl.,* Drüsen innerer Sekretion; *~s exocrinas* Drüsen *f/pl.* äußerer Sekretion; ~ *lagrimal (mamaria)* Tränen- (Brust-)drüse *f;* *~s mucosas (salivales)* Schleim- (Speichel-)drüsen *f/pl.;* ~ *sebácea (sudorípara)* Talg- (Schweiß-)drüse *f.*
glandu|lar *Anat. adj. c* Drüsen...; **~loso** *adj.* drüsen-artig, -förmig; Drüsen...
glano *Fi. m* Wels *m,* Waller *m.*
gla|sé *tex. m* Glanztaft *m; Am.* Lackleder *n;* **~sear** *v/t.* glasieren; *Papier* satinieren.
glasto ⚘ *m* Färberwaid *m.*
glauberita ⚗ *f* = *sal f de Glauber* Glaubersalz *n.*
glauco I. *adj. lit.* meergrün; ⚘ hellgrün; **II.** *m Zo.* (blaue) Raspelmuschel *f.*
glaucoma ⚕ *m* Glaukom *n,* grüner Star *m.*
gleba *f* **1.** (Erd-)Scholle *f* (*a. fig.*); *hist. siervos m/pl. de la* ~ Leibeigene(n) *m/pl.;* **2.** *Col.* ärmere Arbeiterklasse *f.*
glera *f* → *cascajar.*
glicemia *f* → *glucemia.*
glicerina ⚗ *f* Glyzerin *n;* ~ *boricada* Borglyzerin *n.*
glici|na *f* **1.** ⚗ Glyzin *n;* **2.** ⚘ → **~nia** ⚘ *f* Glyzin(i)e *f.*
glicol ⚗ *m* Glykol *n.*
glicosuria ⚕ *f* Zuckerharnen *n.*
glifo ⚠ *m* Glyphe *f.*
glíptica *f* Glyptik *f,* Steinschneidekunst *f.*
gliptoteca *Ku. f* Glyptothek *f.*
glisantina *Kfz. f* Glysantin *n* (*Frostschutzmittel*).
globa|l *adj. c* global; Pauschal...; Gesamt...; **~lizar** [1f] *bsd.* ✝ *v/t.* im Ganzen nehmen; *~ado* als Globalkontingent; **~lmente** *adv.* in Bausch u. Bogen (berechnet); insgesamt genommen (*bzw.* betrachtet).
globetrotter *engl. m* Globetrotter *m,* Weltenbummler *m.*
globo *m* **1.** Kugel *f,* Ball *m;* (Lampen-)Glocke *f;* Luftballon *m;* ~ *de luz* Kugelleuchte *f;* **2.** ~ *celeste* Himmelskugel *f;* ~ *terráqueo,* ~ *terrestre* Erd-ball *m,* -kugel *f;* Globus *m;* **3.** *Anat.* ~ (*del ojo*) Augapfel *m;* **4.** ✈ ~ *aerostático* Ballon *m,* Luftballon *m;* ⚔ ~ *de barrera (cautivo)* Sperr- (Fessel-)ballon *m;* ~ *sonda* Meß-, Registrier-ballon *m; gal. fig. lanzar un* ~ *de ensayo* e-n Versuchsballon steigen lassen; **5.** *en* ~ im ganzen; in Bausch u. Bogen; **~so** *adj.* kugelig; kugelförmig.
globular *adj. c* kugelförmig.
globulina *Physiol. f* Globulin *n.*
glóbulo *m* Kügelchen *n;* Pille *f;* ⚕ *~s sanguíneos* Blutkörperchen *n/pl.;* *~s blancos (rojos)* weiße (rote) Blutkörperchen *n/pl.*
glo|gló *onom. m* Gluckgluck *n;* Plätschern *n;* Kollern *n* (*Pfau, Truthahn*); **~glotear** *v/i.* glucksen; plätschern; kollern.
glomérulo *m* Knäuel *n; Anat.* Gefäßknäuel *n.*
gloria I. *f* **1.** Ruhm *m,* Ehre *f; sin* ~ ruhmlos; *hacer* ~ *de a/c.* mit et. (*dat.*) prahlen; *ser la* ~ *de su país* der Ruhm (*od.* Stolz) s-s Landes sein; **2.** *Rel. u. fig.* Herrlichkeit *f;* Glanz *m;* Seligkeit *f; mi padre que Dios tenga en la* ~ (*od. que* [*la*] *santa* ~ *haya od. que esté en* ~) mein Vater, Gott hab' ihn selig (*od.* mein verstorbener [*od. Reg.* mein seliger] Vater); *fig. estar en sus ~s* im siebenten Himmel sein, äußerst glücklich (*od.* in s-m Element) sein; *saber a* ~ köstlich schmecken; *tocar a* ~ Ostern einläuten; *p. ext.* jubeln, e-n Sieg (*od.* Erfolg) feiern; F *pedazo m de* ~ *etwa*: Prachtstück *n,* Goldkind *n* F (*Personen*); *int.* ¡~ *santa!* um Gottes (*od.* um Himmels) willen!; **3.** *Mal.* Glorie *f,* Heiligenschein *m;* **4.** *tex.* Gloriaseide *f;* **5.** *Kchk.* süße Blätterteigpastete *f;* **6.** *Thea.* „Vorhang" *m* (*Aufziehen des V. für den Beifall*); **II.** *m* **7.** *Rel.* Gloria *n* (*Teil der Messe*).
gloriado *m Am. Art* Punsch *m.*
gloria *m* **patri** *Rel.* Gloria *n.*
gloriar [1c] **I.** *v/t.* ✎ → *glorificar;* **II.** *v/r.* *~se* (de) s. rühmen (*gen.*); stolz sein, s. et. einbilden (auf *ac.*).
glorieta *f* **1.** kl. Platz *m* mit Anlagen (*oft an Straßenkreuzungen*); **2.** Garten-laube *f,* -häuschen *n.*
glorifica|ción *f* Verherrlichung *f; Rel.* Verklärung *f;* Glorifizierung *f* (*oft desp.*); **~r** [1g] **I.** *v/t.* verherrlichen; rühmen, preisen; **II.** *v/r.* *~se* → *gloriarse.*
Gloriosa *f* **1.** *kath.* die Jungfrau Maria; **2.** *hist. la* ~ *die span. Revolution v. 1868.*
glorioso *adj.* **1.** ruhm-, glor-reich; ehrenvoll, rühmlich; **2.** *Rel.* glorreich, verklärt; *cuerpo m* ~ *Theol.* verklärter Leib *m; fig.* F „Heilige(r)" (*v. j-m, der asketisch lebt*); *de ~a memoria* seligen Angedenkens.
glosa *f* **1.** Vermerk *m,* Erläuterung *f;* Glosse *f;* ~ (*marginal*) Randbemerkung *f;* **2.** Glosse *f* (*urspr. span. Gedichtform*); **3.** ♪ freie Variation *f;* **~dor** *Lit. m* Glossator *m;* Kommentator *m,* Ausleger *m;* **~r** *vt/i.* glossieren, kommentieren; auslegen; *fig.* (be)kritteln; **~rio** *m* Glossar *n.*
glose *m* Glossieren *n;* Eintragung *f* von Vermerken *in Urkunden usw.*
glosilla *Typ. f* Kolonel *f* (*7-Punkt-Schrift*).
glosopeda *vet. f* Maul- u. Klauenseuche *f.*
glótico *Anat. adj.* Stimmritzen...
glotis *Anat. f* Glottis *f.*
glo|tón I. *adj.* gefräßig; **II.** *m* Vielfraß *m* (*a. Zo.*); **~tonear** *v/i.* gierig essen; schlingen, fressen P; **~tonería** *f* Gefräßigkeit *f,* Gier *f;* Fresserei *f* P.
gloxínea ⚘ *f* Gloxinie *f.*
glu|cemia ⚕ *f* Blutzucker(-gehalt *m,* -spiegel *m*) *m,* Glykämie *f;* **~cogénico** *Physiol. adj.* Glykogen...; **~cógeno** *Physiol. m* Glykogen *n;* **~cómetro** ⚗ *m* Glykometer *n.*
gluco|sa *f* Traubenzucker *m;* **~suria** ⚕ *f* Glykosurie *f,* Zuckerharnen *n.*
glu-glu *m* → *glogló.*
glu|támico *adj.*: *ácido m* ~ Glutaminsäure *f;* **~tamina** ⚗ *f* Glutamin *n.*
gluten *m* Klebstoff *m; Biol.,* ⚗ Gluten *n,* Kleber *m.*
glúteo *Anat. adj.* Gesäß..., gluteal.
glutinoso *adj.* klebrig; leim-artig, -haltig.
gneis *Min. m* Gneis *m.*
gnéisico *adj.* Gneis...
gnómico *adj.-su.* gnomisch; *m* Gnomiker *m,* Spruchdichter *m.*
gno|mo *m* Gnom *m,* Kobold *m;* **~mon** *m* Gnomon *m;* Sonnenuhr (-zeiger *m*) *f.*
gno|sis *f* Gnosis *f;* **~sología** *f* Gnosologie *f,* Erkenntnistheorie *f.*
gnosticismo *m* Gnostizismus *m.*
gnóstico *adj.-su.* gnostisch; *m* Gnostiker *m.*
gnu *Zo. m* (*pl. ~úes*) Gnu *n.*
goal *engl. m* → *gol.*
gobelino *m* Gobelin *m.*
goberna|ble *adj. c* lenk-, leit-bar; **~ción** *f* Regieren *n;* Statthalterschaft *f; Span.* (*Ministerio m de la*) ♀ Innenministerium *n;* **~dor** *m* Gouverneur *m* (*a. b. Banken*); Statthalter *m;* Staats-, Regierungskommissar *m b. Institutionen;* ~ *civil (militar)* Zivil- (Militär-)gouverneur *m;* **~dora** *f* Statthalterin *f;* Frau *f* e-s Gouverneurs; **~lle** ⚓ *m* Steuer *n.*
gober|nanta *f* **1.** *bsd. Rpl.* Gouvernante *f* (*Span. desp.*); **2.** Beschließerin *f in Hotels;* **~nante** *m* Herrscher *m; mst. pl. los ~s* die Regierenden *m/pl.;* **~nar** [1k] **I.** *v/t.* **1.** regieren; lenken; *Schiff* steuern; *Prozession usw.* anführen; *Haus*(*halt*) führen; vorstehen (*dat.*); beherrschen; *fig. gobierna tu boca según tu bolsa* man muß s. nach der Decke strecken;

2. *Rpl.* *Kinder* strafen; **II.** *v/i.* **3.** regieren; *fig.* *llegar a ~* ans Ruder kommen; *Spr.* *~ es poblar (od. prever)* Regieren heißt besiedeln (*od.* voraussehen); **4.** *fig.* das (große) Wort führen; **5.** ⚓ dem Steuer gehorchen; manövrierfähig sein (*Schiff*); **III.** *v/r.* *~se* **6.** s. in der Gewalt haben.
gobierna *f* Wetterfahne *f.*
gobierno *m* **1.** Regierung *f*; Regierungsform *f*; Regierungsgebäude *n*; F *~ de faldas* Weiberherrschaft *f*; *~ fantasma* Schattenkabinett *n*; *~ fantoche, ~ títere* Marionettenregierung *f*; *~ miembro* Mitgliedsregierung *f*; *~ militar* Militärregierung *f*; *programa m (Am. mst. plataforma f) del ~* Regierungsprogramm *n*; *reorganización f del ~* Regierungsumbildung *f*; *mentir más que el ~* lügen wie gedruckt; → *a. régimen*; **2.** Gouvernement *n*; Amt *n* e-s Gouverneurs *n*; *~ civil* Zivilverwaltung *f*, Präfektur *f*; **3.** Verwaltung *f*, Haushaltung *f*; *~ doméstico, ~ de la casa* Haushaltsführung *f*; **4.** ⚓ Manövrierfähigkeit *f*; Steuerung *f*; *de buen ~* manövrierfähig; ✈ *~ auxiliar* Zusatzsteuerung *f* (*z. B. Raumfahrt*); **5.** *fig.* Richtschnur *f*, Norm *f*; *para su ~* zu Ihrer Orientierung; *fig.* F *mirar contra el ~* schielen.
gobio *Fi. m* Gründling *m.*
goce *m* **1.** Genuß *m*, Vergnügen *n*; Lust *f*; *entregarse al ~* de schwelgen in (*dat.*); **2.** ⚖ Genuß *m*, Nutznießung *f.*
gocho F *m* Schwein *n.*
godizo □ *adj.* reich.
godo I. *adj.* **1.** gotisch; **2.** □ vornehm; **II.** *m* **3.** Gote *m*; *das* Gotische; **4.** *Am. hist. desp.* Spanier *m.*
goecia *f* schwarze Magie *f.*
gofo *Mal. adj.* zwergenhaft.
gol *Angl. Sp. m* Tor *n* (schießen *marcar od. encajar*); *engl.*: *go(a)l average m* Torverhältnis *n*; *go(a)lgetter m* Torschütze *m*; *go(a)lkeeper m* Torwart *m.*
gola *f* **1.** Kehle *f*; Schlund *m*; **2.** ⚓ enge Hafeneinfahrt *f od.* Flußmündung *f*; Seegatt *n*; **3.** △ Karnies *n*; **4.** ⚔ Brustschild *n* (*Dienstabzeichen*); **5.** *fort.* Zugang *m zu e-r Bastion*; **6.** *hist.* Halskrause *f*; Halsstück *n e-r Rüstung.*
goldre *m* Köcher *m.*
gole □ *m* Stimme *f.*
gole|ada *Sp. f* große Anzahl von Toren, „Torsegen" *m* F; **~ador** F *m* Torschütze *m*; **~ar** F *Sp. v/i.* ein Tor (nach dem andern) schießen.
goleta ⚓ *f* Schoner *m.*
golf *Sp. m* Golf *n.*
golfa P *f* Hure *f* P.
golfán ⚘ *m* Seerose *f.*
gol|fante F *adj. c-su. m* Gauner *m*; **~fear** *v/i.* vagabundieren; **~fería** *f* Straßenjugend *f*; Streuner u. Ganoven *m/pl.*; Gaunerei *f*; **~filla** *f* kesse Göre *f* F; **~fillo** *m* (Vorstadt-)Bengel *m*; kl. Gauner *m*; **~fo**[1] *m* Straßenjunge *m*; Ganove *m*, Strolch *m.*
golfo[2] *m* Golf *m*, Meerbusen *m*; *corriente f del* ♀ Golfstrom *m.*
golfo[3] *m* Golf *n* (*Kartenspiel*).
Gólgota *bibl.*: *el ~* Golgatha *n.*
Goliat *m* **1.** *bibl. npr. der* Riese Goliath; **2.** ♀ *Ent.* Goliathkäfer *m.*
golilla I. *f* **1.** Halskrause *f*; *fig.* F Amtsperson *f*; **2.** *Can.*, *Am.* Halsfedern *f/pl. des Hahns*; **3.** *Rpl.* Halstuch *n der Gauchos*; **4.** *Cu.* (Geld-)Schuld *f*; **II.** *m* **5.** *Am.Reg.* Zivilist *m.*
golondrera □ *f* Trupp *m* Soldaten.
golondri|na *f* **1.** *Vo.* Schwalbe *f*; *~ de mar* Seeschwalbe *f*; *Spr. una ~ no hace verano* e-e Schwalbe macht noch k-n Sommer; **2.** *Cat.*, *bsd. Barcelona* Motorschiff *n für Hafenrundfahrten usw.*; **~no** *m* **1.** junge Schwalbe *f*; **2.** *fig.* Landstreicher *m*, Stromer *m*; ⚔ Deserteur *m*; **3.** F (Achsel-)Drüsengeschwulst *f.*
golo|sear *lit. v/i.* → *golosinear*; **~sina** *f* **1.** Naschsucht *f*, Nascherei *f*; **2.** Naschwerk *n*; Leckerbissen *m*; Delikatesse *f*; **~sin(e)ar** *v/i.* naschen, naschhaft sein; **~so I.** *adj.* **1.** naschhaft; gefräßig; *fig.* *~* de mit Appetit auf (*ac.*); gierig nach (*dat.*); **2.** verlockend; **II.** *m* **3.** Leckermaul *n*; Feinschmecker *m.*
gol|pada *f*, **~pazo** *m* heftiger Schlag *m*; *fig.* Menge *f*; **~pe** *m* **1.** Schlag *m* (*a. fig.*), Stoß *m*; Aufschlag *m*; Stich *m*; Hieb *m*; *Sp.* Treffer *m*; Handlung *f*, Streich *m*; □ Ding *n* □; *adv.* → *5*; ♪ *~ de arco* Bogenstrich *m*, -führung *f*; *Boxen*: *~ bajo* Tiefschlag *m*; *~ duro* schwerer (Schicksals-)Schlag *m*; *~ de Estado* Staatsstreich *m*; *~ en falso*, *~ en vago* Schlag *m* ins Leere, Fehlschlag *m*; *~ de fortuna* Glücksfall *m*; Zufall *m*; *Sp.* *~ franco* Freistoß *m*; *~ de gracia* Gnadenstoß *m*; *~ maestro* Meisterstück *n*; *a.* ⚔ *~ de mano* Handstreich *m*; Überfall *m*; *~ militar* Militärputsch *m*; *~ de mar* Sturzsee *f*, Brecher *m*; *~ de pedal* Tritt *m* aufs Pedal; *gal.* *~ de sol* Sonnenstich *m*; *gal.* *~ de teléfono* Anruf *m*; *~ de tos* Hustenanfall *m*; *gal.* *~ de viento* Windstoß *m*; *al primer ~ de vista* auf den ersten Blick; *andar a ~s* (s.) dauernd schlagen; *dar ~s* schuckern (*Auto usw.*); *dar (de) ~s a alg.* j-n verprügeln; □ *dar un ~* ein Ding drehen □; → *a.* 2; F *dar un buen ~ a la comida* ganz schön zulangen F; *fig. dar el último ~ a* letzte Hand anlegen an (*ac.*); *dar ~ en bola* Erfolg haben, gut wegkommen; F *no dar ~* nichts tun; faulenzen; *darse ~s en el pecho* s. an die Brust schlagen (*Reue usw.*); *ha errado el ~* der Schlag ging daneben; **2.** Wirkung *f*, Eindruck *m*; Witz *m*, Reiz *m*; genialer Einfall *m*; *~ de efecto*, *gal.* *~ de teatro* Knalleffekt *m*; Theatercoup *m*; *dar (el) ~* Aufsehen erregen; (wie e-e Bombe) einschlagen; **3.** ⊕ Schnappriegel *m*; *Méj.* Schlegel *m*, Klöpfel *m*; **4.** (Taschen-)Klappe *f*; Besatz *m an Kleidung*; *Col.* Revers *n*; **5.** *adv.* *a ~s* **a)** mit Schlägen; **b)** mit Unterbrechungen; stoßweise; *a ~ seguro* sicher, ganz bestimmt; *de un ~* auf einmal, zugleich; ohne Unterbrechung, in e-m; *de ~ y porrazo (od. zumbido)* ganz plötzlich, unversehens; kurzerhand, unüberlegt.
golpea|dero *m* Schlagen *n*, Klopfen *n* (*Geräusch*); Auftreffstelle *f e-s Wasserfalls*; **~do** □ *m* Tür *f*; **~dor** *m Am. Mer.* Türklopfer *m*; **~dura** *f* Schlag(en *n*) *m*; Klopfen *n*; **~r** **I.** *vt/i.* schlagen; (ab)klopfen; *~ el suelo (con los pies)* auf den Boden stampfen; F *~ a uno* j-n bestürmen, j-n beknien F (*um et. zu erreichen*); **II.** *v/i.* ⊕ schlagen (*Achse im Lager*); nageln (*Motor*); **III.** *v/r.* *~se la cabeza* mit dem Kopf anstoßen; s. an den Kopf schlagen; *~se los hombros* s. (gg.-seitig) auf die Schulter klopfen.
golpe|o *m* Schlagen *n*, Klopfen *n* (*a. Geräusch*); *Kfz.* Nageln *n* (*Motor*); **~te** *m* Anschlag *m*, Hebel *m* (*zum Offenhalten v. Tür- od. Fensterflügeln*); **~tear** *vt/i.* wiederholt schlagen, stoßen *usw.*; hämmern; **~teo** *m* wiederholtes Schlagen *n*, Hämmern *n.*
gollería *f a. fig.* Leckerbissen *m*; *fig.* F *~s f/pl.* zuviel des Guten.
golle|tazo *m* **1.** Abschlagen *n* e-s Flaschenhalses; **2.** *Stk.* Halsstich *m*; **3.** abrupte Beendigung *f* e-r Sache; **~te** *m* **1.** Kehle *f*; *fig.* F *estar hasta el ~* die Nase voll haben F; **2.** *Zim.* Zapfen *m*; **3.** Flaschenhals *m*; **4.** *kath.* Halskragen *m* der Laienbrüder e-s Klosters.
golliz(n)o *m* Verengerung *f*; Enge *f* [(*a. Geogr.*).]
goma I. *f* **1.** Gummi *m*, *n*; Kautschuk *m*; F Präservativ *n*; *~ acacia, ~ arábiga* Gummiarabikum *n*; *~ (de borrar)* Radiergummi *m*; *~ elástica* Kautschuk *m*; *~ espum(os)a*, *~ esponjosa* Schaumgummi *m*; *~ guta* Gummigutt *n*; *~ laca* Schellack *m*; *~ líquida* Gummilösung *f*, Klebstoff *m*; *~ de mascar* Kaugummi *m*; *~ plástica* Knetgummi *m*; *cinta f (od. tira f) de ~* Gummiband *n*; Gummizug *m*; **2.** *Am. Cent. fig.* *estar de ~* e-n Kater haben; **3.** *fig.* F Stutzertum *n*; **4.** ⚘ Gummifluß *m der Bäume*; **II.** *m u. f* **5.** ⚕ Gumma *n*, Gummigeschwulst *f*; **~guta** *f* Gummigutt *n.*
gomecillo F *m* → *lazarillo.*
gomero *m* **1.** *Am.* Kautschukzapfer *m*; Gummihändler *m*; **2.** ⚘ Gummi-, Kautschuk-baum *m.*
gomia *f* **1.** Untier *n b. Fronleichnamsprozessionen u. fig.*; **2.** *fig.* F Vielfraß *m* F; *fig.* Parasit *m*, Aussauger *m.*
gomista *c* Gummiwarenhändler *m.*
gomorresina *pharm. f* Gummiharz *n.*
gomoso I. *adj.* **1.** gummi-haltig *bzw.* -artig; **2.** ⚕ gummös; **II.** *m* **3.** F Geck *m*, Stutzer *m*; F *ser un ~* ein aufdringlicher Kerl sein.
gona|da *Biol. f* Keimdrüse *f*; **~dótropo** ⚕ *adj.* gonadotrop.
góndola *f* **1.** Gondel *f*; **2.** *Col.*, *Chi.* Omnibus *m.*
gondolero *m* Gondoliere *m* (*it.*).
gonfa|lón *m* → *confalón.*
gong(o) *m* Gong(schlag) *m.*
gongo|rino *Lit. adj.-su.* schwülstig (*Stil*); *m* Gongorist *m*; **~rismo** *Lit. m* Gongorismus *m*; **~rizar** [1f] *v/i.* nach der Art Góngoras (*od.* im Schwulststil) schreiben.
goniometría *f* Goniometrie *f*, Winkelmessung *f.*

goniómetro *m Opt.* Winkelmesser *m*; ✈ Peilkompaß *m*; ⚔ Richtkreis *m*.

gono|coco ⚕ *m* Gonokokkus *m*, Trippererreger *m*; **~rrea** ⚕ Tripper *m*, Gonorrhoe *f*; **~rreico** *adj.* Tripper..., gonorrhoisch.

gorda *f* **1.** *Méj.* dicker Maisfladen *m*; **2.** → *gordo 5*; **~l** *adj. c* sehr dick (*Sachen*); **~na** *f* tierisches Fett *n*; Rindstalg *m*.

gordezuelo *adj.* dicklich, drall.

gordiano *adj.*: *cortar el nudo* ~ den gordischen Knoten durchhauen.

gordi(n)flón F *adj.* dick, rund, pummelig; pausbäckig.

gordo I. *adj.* **1.** dick, beleibt; fett; fleischig; ~ *de talle* breithüftig; **2.** dick, groß; grob (*Gewebe*); **3.** F reich, mächtig; F *los peces ~s* die hohen (*od.* großen) Tiere *n/pl.* F; *fig. tenerlas buenas y ~as* in den fetten Jahren sein; **4.** *fig.* grob; F *caerle ~ a alg.* j-m auf den Wecker fallen F; *hablar ~ a uno* j-n anschnauzen F; *fig. hacer la vista ~a* ein Auge zudrücken (*fig.*); F *pasa* (*od. sucede*) *algo* ~ da ist e-e tolle Sache (*od.* Geschichte) im Gange F; **II.** *adj.-su. f* **5.** (*perra f*) *~a Münze v.* 10 Céntimos; *fig.* F *¡ésta sí que es ~a!* das ist wirklich ein starkes Stück; F *se va a armar la ~a* das wird e-n Mords-krach (*od.* -skandal) geben; **III.** *m* **6.** *el* ~ das große Los (*Lotterie*); **7.** Fett *n*, Speck *m*.

gordolobo ⚘ *m* **1.** Königskerze *f*; **2.** Wollkraut *n*.

gor|dote F *adj. c* dicklich; *desp.* feist; **~dura** *f* **1.** Fett *n*; **2.** Fettleibigkeit *f*, Korpulenz *f*; **3.** *Rpl.* Sahne *f*.

gorgojo *m* **1.** *Ent.* Kornwurm *m*; **2.** *fig.* F Knirps *m*; Zwerg *m* F.

Gorgonas *Myth. f/pl.* Gorgonen *f/pl.*

gorgonzola *m* Gorgonzola *m* (*it.* [*Käse*]).

gorgo|rita *f* Bläschen *n*; F Triller *m*; **~ritear** F *v/i.* trillen, trällern; **~rito** *m mst. ~s m/pl.* Triller *m*; Trillern *n* (*Stimme*); F Koloratur *f*; F *hacer ~s* trällern; *a.* gurgeln; **~rotada** *f* (schneller) Schluck *m*; **~tear** *v/i.* Blasen werfen, brodeln, gurgeln (*Wasser, Schlamm*); **~teo** *m* Gurgeln *n* (*Geräusch*), Brodeln *n*.

gorgotero *m* Hausierer *m*.

gorguera *f* Halskrause *f*; Halspan-[zer *m*.]

gorigori F *m* Grab-lied *n*, -gesang *m*; F *pronto le cantarán el* ~ der macht's auch nicht mehr lange F.

gorila *Zo. m* Gorilla *m* (*a. fig.* = *Leibwächter*).

gorja *f* Kehle *f*; **~l** *m* Priesterkragen [*m*.]

gorje|ar I. *v/i.* trillern (*Stimme*); zwitschern; tirilieren (*Lerche*); **II.** *v/r. ~se* lallen (*Kleinkind*), brabbeln F; **~o** *m* Triller *m*; Trällern *n*; Zwitschern *n*; Lallen *n*, Brabbeln *n* F (*Kleinkind*).

gorra I. *f* (Schild-)Mütze *f*; Kappe *f*; ~ (*de plato*) Tellermütze *f*; ⚔ Dienstmütze *f*; *hablarse de* ~ s. (wortlos) durch Ziehen der Mütze grüßen; *fig. de* ~ umsonst, gratis; *fig. andar de* ~ *od.* P *pegar la* ~ herumschmarotzen F, nassauern F; **II.** *m* Schmarotzer *m*, Nassauer *m* F; **~da** ✎ *f* → *gorretada*.

gorre|ar F *v/i.* schmarotzen, nassauern F; **~ro** *m* **1.** Mützenmacher *m*; **2.** *fig.* F Schmarotzer *m*, Nassauer *m* F; **~tada** *f* Mützenziehen *n* (*zum Gruß*).

gorrín *m* → *gorrino*.

gorri|nada *f fig.* Schweinerei *f*; **~nera** *f* Schweinestall *m*; **~nería** *f fig.* Schweinerei *f*; Zote *f*; **~no** *m* Spanferkel *n*; *fig.* Schwein *n*.

gorri|ón *m* Sperling *m*, Spatz *m*; F *comer como un* ~ essen wie ein Spatz; **~onera** *fig.* F *f* Schlupfwinkel *m v. Gesindel*; **~sta** *adj.-su. c* → *gorrero 2*.

gorro *m* runde Kappe *f*; Zipfel-, Beutel-mütze *f*; Kindermütze *f*; ⚔ „Schiffchen" *n*, Feldmütze *f*; ~ *de bufón* Narrenkappe *f*; ~ *de dormir* Schlaf-, Zipfel-mütze *f*; *fig. Arg., Bol., Col., Ven. apretarse el* ~ ausreißen, die Beine in die Hand nehmen; *se le caería el* ~ ihm bliebe die Spucke weg F; *llenársele a uno el* ~ die Geduld verlieren; *poner el* ~ *a alg.* **a)** j-n hereinlegen; **b)** j-m Hörner aufsetzen.

gorrón I. *m* **1.** *runder* Kieselstein *m*; ⊕ (Achsen-, Lager-)Zapfen *m*; *Zim.* Dolle *f*; ⚓ Spillspake *f*; **2.** *fig.* (Speck-)Griebe *f*; **II.** *adj.-su.* **3.** F → *gorrero 2*.

gorro|na *f* Dirne *f*; **~near** F *v/i.* schmarotzen, schnorren F, nassauern F; **~nería** *f* Schmarotzen *n*, Nassauern *n* F; ⚖ Zechprellerei *f*.

gota *f* **1.** Tropfen *m*; *~s f/pl.* (Arznei-)Tropfen *m/pl.*; *a ~s, ~ a ~* tropfenweise (*a. fig.*); *una ~ de* ein bißchen; *ni ~* nichts, kein bißchen; *~s de miel a.* Honigdrops *pl.*; *café m con ~s* Kaffee *m* mit Anis (*od.* Rum); *a. fig. hasta la última* ~ bis zur Neige; *parecerse como dos ~s de agua* s. ähnlich sehen wie ein Ei dem andern; *fig. no le quedó ~ de sangre en las venas* er erstarrte *vor Entsetzen*; *fig. sudar la ~ gorda* Blut (u. Wasser) schwitzen (*vor Anstrengung, Aufregung*); *no ver (ni) ~* nichts sehen; *Spr. ~ a ~ se llena la bota* steter Tropfen höhlt den Stein; **2.** ⚕ Gicht *f*; ~ *caduca*, ~ *coral* Epilepsie *f*; ~ *serena* Amaurose *f*; **3.** ⚠ Tropfenornament *n*.

gote|ado *adj.* bespritzt; gesprenkelt; **~ar I.** *v/i.* tröpfeln (*a. fig.*); tropfen (von ... *dat.* herunter de); **II.** *v/impers.* tröpfeln (*Regen*); **~o** *m* Tröpfeln *n*; Tropfen *n*; **~ra** *f* **1.** Traufe *f*, Dachrinne *f*; **2.** undichte Stelle *f im Dach*; *durch diese dringendes* Regenwasser *n*; *dadurch entstandene* Flecken *m/pl.*; **3.** ✎ Wasserfäule *f der Bäume*; **4.** *fig.* F *~s f/pl.* Gebrechen *n/pl.*; *fig. es una* ~ es ist schon ein Kreuz; das hört überhaupt nicht auf; **~ro** *m Am.* → *cuentagotas*; **~rón** *m* **1.** dicker Tropfen *m*; **2.** ⚠ Wassernase *f*.

góti|ca *Typ. f* Fraktur *f*; gotische Schrift *f*; **~co I.** *adj.* **1.** gotisch; Fraktur...; *Ku. estilo m* ~ Gotik *f*; **2.** † adlig, vornehm; *fig.* F *niño m* ♀ verwöhnter Sohn *m* reicher Eltern; **II.** *m* **3.** *das* Gotische; **4.** *Ku.* Gotik *f*.

gotoso ⚕ *adj.-su.* gichtisch; *m* Gichtkranke(r) *m*.

goyesco *adj.* auf (den Maler) Goya bezüglich.

gozar [1f] **I.** *vt/i.* besitzen, genießen; s. erfreuen (*gen.* de); F *~la* es genießen F; ~ *de buena reputación* e-n guten Ruf haben (*od.* genießen); ~ + *ger. od.* ~ *con* + *su.* s. freuen an (*dat.*), froh sein über (*ac.*); **II.** *v/r. lit. ~se en* + *su. od.* + *inf.* s-e Freude haben an (*dat.*), schwelgen in (*dat.*), s. freuen an (*dat.*).

gozne *m* Scharnier *n*, Gelenk *n*; Angel *f* (*Tür*).

gozo *m* **1.** Freude *f*, Vergnügen *n*, Wonne *f*; Jubel *m*; F *el* (*od. mi usw.*) ~ *en el pozo* mit unserer (m-r *usw.*) Hoffnung ist es aus; es ist alles Essig F; **2.** *fig.* Aufflackern *n des Feuers*; **3.** *kath. ~s m/pl.* Lobgesang *m* (*zu Ehren der Jungfrau Maria od. der Heiligen*); **~so** *adj.* freudig, froh; fröhlich, vergnügt.

gozque ✎ *m* Kläffer *m* (*Hund*).

graba|ción *f* **1.** *Phono* Tonaufnahme *f*; ~ *en disco* Schallplattenaufnahme *f*; ~ *con equipo de Hi-Fi* (*od. de alta fidelidad*) Hi-Fi-Aufnahme *f*; **2.** *Typ.* → *grabado 2*; **~do** *m* **1.** *Ku.* Gravierkunst *f*; Stich *m*; Gravüre *f*; ~ *en acero* Stahlstich *m*; ~ *al agua fuerte*, ~ *al humo* Radierung *f*; ~ *en cobre* Kupferstich *m*; ~ *en madera* Holzschnitt *m*; ~ *en piedra* Steindruck *m*; ~ *en (talla) dulce* Kupferdruck *m*; **2.** *Typ.* ~ *al ácido* Ätzung *f*; ~ *de línea(s)* Strichätzung *f*; → *a. impresión 3*; **3.** Illustration *f*, Bild *n*, Abbildung *f*; **4.** *Phono* ~ *electromecánico* Nadeltonaufnahme *f*; **~dor** *m* **1.** Graveur *m*; ~ *en cobre* Kupferstecher *m*; **2.** *Typ. a.* Klischier-, Ätz-gerät *n*; **3.** *Phono* Aufnahmegerät *n*; ~ *de discos* Plattenschneider *m*; **~dora** *f* **1.** *Typ., Repro.* Ätzmaschine *f*; **2.** → *grabador 3*; **~dura** *Ku. f* Gravieren *n*; **~r** *vt/i.* **1.** gravieren; (ein-)schneiden; (ein)ritzen; **2.** *Ku.* stechen, schneiden; ~ *al agua fuerte* ätzen, radieren; ~ *en madera* in Holz schneiden; **3.** *Typ.* ~ *al ácido* ätzen; **4.** *Phono* ~ *en discos* (*en cinta*) auf Platten (auf Tonband) aufnehmen; **5.** (*a. v/r. ~se*) *fig.* ~ *en la memoria* ins Gedächtnis einprägen; *esto se graba* (*en el espíritu*) das prägt sich ein.

grace|jada *f Am. Cent., Méj.* Hanswurstiade *f*, alberne Witzelei *f*; **~jar** *v/i.* mit Witz sprechen; witzeln; s. gewandt ausdrücken; **~jo** *m* Witz *m im Ausdruck*; Schlagfertigkeit *f*; Mutterwitz *m*.

gracia *f* **1.** Anmut *f*, Grazie *f*; Witz *m*, Scherzwort *n*; *adv. con* ~ anmutig, reizend; schalkhaft; spaßig, drollig; *lleno de* ~ voller Anmut; ~ *de niño* drolliges Tun *n* e-s Kindes; *dar en la* ~ *de* + *inf.* in die Gewohnheit verfallen, zu + *inf.*; *decir ~s* geistreiche Einfälle vorbringen; witzeln; F *decirle a uno dos ~s* j-m gehörig die Meinung sagen; *hacer una* ~ ein Männchen machen (*Hund*); *Kind*: *etwa*: zeigen, was es kann; F *¡maldita la ~!* das hat gerade noch gefehlt! F; *¡qué poca ~!* so was Dummes!, zu albern!; *por* ~ zum Scherz; F *¡qué ~!* welche Zumutung!, wo denken Sie hin!; (das ist ja) reizend! F; *¡tiene ~!* reizend!; *mst. iron.* die

Sache ist gut!, äußerst witzig!, nett, was?; *no tiene ~* da fehlt das gewisse Etwas; F *reírle a uno la ~* j-m ironisch Beifall spenden; F *es una triste ~* scheußlich F, (es ist) zum Heulen F; **2.** Gnade *f*; Begnadigung *f*; Verzeihung *f*; *de ~* umsonst; *derecho m de ~* Begnadigungsrecht *n*; *por la ~ de Dios* von Gottes Gnaden; *¡por la ~ de Dios!* um Gottes willen!; *hacerle a uno ~ de a/c.* j-m et. erlassen (*od.* ersparen); j-n verschonen mit et. (*dat.*); (*Ministerio m de*) ♀ *y Justicia* (*Span.*) *früher*: Justizministerium *n*; *solicitud f de ~* Gnadengesuch *n*; *Jgdw. tiro m de ~* Fangschuß *m*; **3.** Gunst *f*; Gewogenheit *f*; *caer en ~ j-m* gefallen, Anklang finden (bei j-m *a alg.*); *estar en ~ cerca de uno* bei j-m in Gunst stehen; j-s Schützling sein; *hacer ~ a alg.* j-m gefallen; j-n amüsieren; *iron.* j-m mißfallen; **4.** *Myth.* Grazie *f*, Huldin *f*; **5.** *~s f/pl.* Dank(sagung *f*) *m*; *¡~s!* danke!; *¡muchas* (*un millón de*) *~s!* vielen (tausend) Dank!; *¡~s igualmente!* danke, gleichfalls!; *prp. ~s a* dank (*dat. od. gen.*); ⚖ *en ~ de* (*od. a*) in Anbetracht (*gen.*), unter Berücksichtigung (*gen.*); *¡~s a Dios!* Gott sei Dank!; *dar las ~s* danken; *le doy mis ~s más expresivas* ich spreche Ihnen meinen verbindlichsten Dank aus; *¡y ~s!* **a)** es hätte schlimmer kommen können; wir sind gerade noch davongekommen; **b)** und damit hat sich's; und damit Schluß; *mensaje m de ~s* Dankadresse *f*.

graciable *adj. c* **1.** gnädig, huldreich; **2.** leicht zu bewilligen(d).

grácil *adj. c* zierlich, grazil.

gracilidad *f* Zierlichkeit *f*, Grazilität *f*.

graciola ⚘ *f* Gnaden-, Gicht-kraut *n*.

gracio|sa *Thea. f* Soubrette *f*; Naive *f*; **~samente** *adv.* **1.** graziös; **2.** gnädig; **3.** unentgeltlich; **~sidad** *f* Liebreiz *m*, Anmut *f*, Grazie *f*; **~so I.** *adj.* **1.** anmutig, graziös; witzig, drollig; **2.** huldvoll, gnädig; **II.** *m* **3.** Spaßmacher *m*, Witzbold *m*; *Thea.* lustige Person *f*, Gracioso *m*; *a. fig. hacer el ~* den Hanswurst spielen.

grada[1] *f* **1.** (Treppen-)Stufe *f*; Altarstufe *f*; *Thea.* Rangreihe *f*; *Stk.* Sitzreihe *f*; *Stadion*: Stufensitz *m*; *~s f/pl. del trono* Stufen *f/pl.* des Throns; *fig.* Macht *f* (des Herrschers); **2.** ⚓ Helling *f*, Stapel *m*; *~ del Estado* Marinewerft *f*; *~ de construcción de botes* Bootswerft *f*; **3.** *~s f/pl.* Freitreppe *f*; *Chi., Pe.* Vor-halle *f*, -hof *m*.

grada[2] ⚒ *f* Egge *f*.

grada|ble *adj. c* abstufbar; **~ción** *f* **1.** Stufenreihe *f* (*fig.*); Abstufung *f*; Reihenfolge *f*; **2.** *Gram.*, ♪ Steigerung *f*; **3.** *Rhet.*, *Phot.* Gradation *f*; **4.** ⊕ Staffelung *f*; **~do** *adj.* abgestuft; gestaffelt.

gra|d(e)ar ⚒ *v/t.* eggen; **~deo** *m* Eggen *n*.

gra|dería *f* Stufenreihe *f*; (Frei-)Treppe *f*; **~diente** *m* **1.** ⦠, *Met.* Gradient *m*; **2.** *Arg., Chi., Ec.* Abhang *m*, Gefälle *n*; **~dilla** *f* **1.** tragbare Treppe *f*; **2.** Reagenzglasständer *m*.

grado[1] *m* **1.** Grad *m* (*a.* ⦠), Stufe *f*; *Gram.* Steigerungsgrad *m*; ✝ *~ de aprovechamiento*, *~ de utilización* Auslastungsgrad *m*; *de ~ en ~*, *por ~s* von Stufe zu Stufe, stufenweise; nacheinander; *en alto* (*en sumo*) *~* in hohem (in höchstem) Maße; **2.** (Einteilungs-)Grad *m*; Gehalt *m*; *~ de alcohol* Alkoholgehalt *m*; *Thermometer*: *35 ~s centígrados* 35° Celsius; *diez ~s bajo* (*sobre*) *cero* 10° unter (über) Null (anzeigen *marcar, acusar*); *~ de ebullición* Siedegrad *m*; *Geogr. ~ de latitud* (*de longitud*) Breiten- (Längen-)grad *m*; *~(s) por mil* Promillegehalt *m*; **3.** Rangstufe *f*; (Schul-)Klasse *f*, Einstufung *f*, Stufe *f*; akademischer Grad *m*; *~ de doctor* Doktortitel *m*; F *sacar un ~* → *graduarse*; **4.** ⚖ **a)** Verwandtschaftsgrad *m*; *parentesco m de primer ~* Verwandtschaft *f* ersten Grades; **b)** → *instancia* 2.

grado[2] *m*: *adv.* de (*buen*) *~* gutwillig, gern; *de mal ~* ungern, widerwillig; *de ~ o por fuerza* wohl od. übel; *K. u. Reg.* (*a*) *mal de mi* (*tu usw.*) *~* ungern, wider meinen (deinen *usw.*) Willen.

gradua|ble *adj. c* abstufbar; ein-, ver-stellbar; **~ción** *f* **1.** Graduierung *f*; Abstufung *f*; **2.** Alkoholgehalt *m* (*Wein usw.*); **3.** ⊕ Einstellung *f*; **4.** Rang-stufe *f*, -ordnung *f*; ⚔ Dienstgrad *m*; **~do I.** *adj.* graduiert, abgestuft; Grad..., Meß-...; **II.** *m* Graduierte(r) *m*; ⚔ Dienstgrad *m*; *~ en ciencias empresariales* Diplomkaufmann *m*; Betriebswirt *m*; **~l I.** *adj. c* allmählich, graduell; **II.** *m kath.* Graduale *n*; **~ndo** *m* Kandidat *m für e-n akademischen Grad*; **~r** [1e] **I.** *v/t.* **1.** abstufen, abmessen; ein-, verstellen; eichen; abschätzen; ⚗ titrieren; **2.** *j-m* e-n akademischen Grad verleihen; ⚔ *~ de capitán j-n* zum Hauptmann ernennen; **II.** *v/r.* *~se* **3.** e-n akademischen Grad erwerben; *~se de licenciado* das Staatsexamen machen.

grafía *f* Graphie *f*, Schreibweise *f*.

gráfi|ca *f* Schema *n*, graphische Darstellung *f*; Diagramm *n*; Kurve *f* (*Statistik*); *~ de la fiebre* Fieberkurve *f*; **~co I.** *adj.* **1.** graphisch; Schrift...; Schreib...; illustriert; *artes f/pl. ~as* graphisches Gewerbe *n*; *talleres m/pl. ~s* graphischer Betrieb *m*, Druckerei *f*; **2.** *fig.* anschaulich, plastisch; **II.** *m* **3.** Bild *n*; graphische Darstellung *f*; **4.** Graphiker *m*.

grafioles *Kchk. m/pl. Art* Honigspritzgebäck *n in S-Form*.

grafismo *m* Schreibung *f*.

grafiti *neol. m/pl.* Grafiti *n/pl.*, Wandkritzeleien *f/pl.*

gra|fítico *adj.* graphitartig; Graphit...; **~fito** *m* Graphit *m*.

gra|fología *f* Graphologie *f*; **~fológico** *adj.* graphologisch; **~fólogo** *m* Graphologe *m*.

grafómetro *m* Winkelmeßgerät *n*.

gragea *f* Dragée *n*.

gra|ja *Vo. f* Krähenweibchen *n*; **~jear** *v/i.* krächzen (*Rabenvogel*); **~jo** *m* **1.** *Vo.* Saatkrähe *f*, Dohle *f*; *fig. más feo que un ~* grundhäßlich, häßlich wie die Nacht; **2.** *fig.* Schwätzer *m*; **3.** *Am. Reg.* Schweiß-, Achsel-geruch *m*.

grama ⚘ *f* Wuchergras *n*; **~l** *m* Feld *n* voller Unkraut (*bsd. Quecken*); *Am.* Rasen *m*; **~lote** ⚘ *m Col., Ec., Pe.* → *camalote*.

gra|mática *f* Grammatik *f*; *~ generativa* Transformationsgrammatik *f*; *~ normativa*, *~ preceptiva* normative Grammatik *f*; *fig. ~ parda* Mutterwitz *m*; **~matical** *adj. c* grammati(kali)sch; **~maticalizar** [1f] *v/t.* grammatikalisieren; **~mático I.** *adj.* grammati(kali)sch; **II.** *m* Grammatiker *m*; **~matiquería** F *desp. f* grammatische Haarspalterei *f*.

gramilla *f* **1.** ⚒ Schlagholz *n zum Flachs- od. Hanfbrechen*; **2.** ⚘ *Am.* Futtergras *n*; *Arg.* Rasen *m*.

gramíne|as ⚘ *f/pl.* Gräser *n/pl.*; **~o** *adj.* Gras...

gramo *m* Gramm *n*.

gramófono *m* Grammophon *n*.

gran *Kurzform von grande vor su.*

grana *f* **1.** ⚘ Same *m*; → *granazón* 1; **2.** *Ent.* Koschenille *f* (*Schildlaus*); **3.** Scharlachfarbe *f*; **4.** □ → *granuja*.

grana|da *f* **1.** ⚘ Granatapfel *m*; **2.** ⚔ Granate *f*; *~ fumígena* Rauchgranate *f*; *~ de mano* (*con mango*) (Stiel-)Handgranate *f*; *~ de metralla* Schrapnell *n*; *~ trazadora* Leuchtspurgranate *f*; **~dera** ♪ *f* Grenadiermarsch *m*; **~dero** *m* ⚔ Grenadier *m*; *fig.* großer Mensch *m*.

granadi|lla ⚘ *f* Passionsblume *f*; *deren* Blüte *f u.* Frucht *f*; *Am.* Passiflore *f*; **~llo** ⚘ *m* Grenadill(holz *n*) *m*.

granadi|na *f* **1.** *tex. u. Getränk* Grenadine *f*; **2.** ♪ *andal. Tanz*; **~no I.** *adj.-su.* aus Granada; **II.** *adj.* ♪ nach Art des *Komponisten* Enrique Granados; **III.** *m* ⚘ Granatblüte *f*.

granado I. *adj.* **1.** körnig; **2.** *fig.* reif, erfahren; F hochaufgeschossen; **3.** *fig.* erlesen, vornehm; *lo más ~* (*de la sociedad*) die Creme der Gesellschaft; **II.** *m* **4.** ⚘ Granat(apfel)baum *m*.

granalla *f* Metallschrot *m*; *en ~* granuliert (*Erz*).

granangular *Phot. adj. c-su. m* (*objetivo m*) *~* Weitwinkelobjektiv *n*.

granar I. *v/i.* Körner ansetzen; P reich werden; *fig.* F *esto va que grana* das geht (ja) wie geschmiert F, das flutscht nur so F; **II.** *v/t. Pulver* körnen.

granate I. *m* Granat(stein) *m*; Granatfarbe *f*; **II.** *adj. inv.* granatrot.

granazón *f* **1.** Körner-, Samen-bildung *f*; **2.** *fig.* Reifen *n*, Reife *f*.

grande I. *adj. c* (*vor su. sg. gran*); **1.** groß; *~ de talla* hochgewachsen; *casa ~* geräumiges Haus; → *a.* 3; *los guantes me están ~s* die Handschuhe sind mir zu groß; **2.** erwachsen; *Méj.* (schon) älter; *Méj. papá m* (*mamá f*) *~* Groß-vater *m* (-mutter *f*); **3.** groß, bedeutend, wichtig, Groß...; *es ~ por sus dotes pedagógicas* er ist pädagogisch hochbegabt; *gran capitalista m* Großkapitalist *m*; *gran casa* großes (*od.* vornehmes) Haus; ✝ *a.* bedeutende Firma *f*; *gran empresa f* Großunternehmen *n*; *gran potencia* *f* Großmacht *f*; *no conseguir gran cosa* nicht viel erreichen; es zu nichts Bedeutendem bringen; *no es gran cosa* das ist nichts Besonderes; **4.** *fig.* groß, stark; gut; F großartig; *gran bebedor m* großer (*od.* starker) Trinker *m*; *desp.* Säufer *m*; *gran pícaro m* Erzschelm *m*; **5.** *Titel*: *Gran Mogol m* Großmogul *m*; *gran duque m* Großherzog *m*; *Rußland*: Großfürst *m*; **6.** großzügig; vornehm; luxuriös; *vivir a lo* ~ in großem Stil (*od.* auf großem Fuß) leben; *adv. en* ~ im großen u. ganzen; *a.* auf großem Fuß; *hacer a/c. en* ~ et. in großem Stil betreiben; *pasarlo en* ~ s. großartig amüsieren; *¡es* ~*!* das ist gelungen!; *iron.* das ist ein starkes Stück!; **II.** *m* **7.** *un* ~ ein Erwachsener, ein Großer F; ~*s y pequeños*, ~*s y chicos* Groß u. Klein; Hoch u. Niedrig; **8.** ♀ (*de España*) (*span.*) Grande *m*; **III.** *f* **9.** F *Arg. la* ~ das große Los.

grande|cito F *adj.* ziemlich groß; schon größer F (*Kinder*); ~**mente** *adv.* recht, sehr; außerordentlich, äußerst; ~**vo** *lit. adj.* hochbetagt; ~**za** *f* **1.** Größe *f* (*fig.*); Erhabenheit *f*; Wichtigkeit *f*; *delirio m de* ~ Größenwahn *m*; **2.** Grandenwürde *f*; **3.** Grandezza *f*.

grandilocuen|cia *f* geschwollene *od.* hochtrabende Ausdrucksweise *f*; ~**te** *adj. c od.* **grandílocuo** *adj.* geschwollen, hochtrabend.

grandillón F *adj.-su. m* hoch aufgeschossen(er junger Mann *m*), lang(er Lulatsch *m* F).

grandio|sidad *f* Großartigkeit *f*; Pracht *f*, Prunk *m*; Erhabenheit *f*; ~**so** *adj.* großartig, herrlich, prächtig, grandios.

grandí|simo F *adj.* sehr groß; ~**sono** *poet. adj.* hochtönend.

gran|dor *m* Größe *f*; ~**dote** F *adj. c* riesengroß, enorm; ~**dullón** F → *grandillón*.

granea|do *adj.* gekörnt; gesprenkelt; genarbt (*Leder*); → *a. fuego* 2; ~**r** *v/t.* **1.** (aus)säen; **2.** *Pulver* körnen; *Platten* granieren (*Kupferstich usw.*).

granel *adv.-adj.*: *a* ~ **1.** ✝ unverpackt, lose; offen; vom Faß; ⚓, 🚂 *carga f a* ~ Schütt-gut *n*, -ladung *f*; **2.** *fig.* in Bausch u. Bogen; *fig.* im Überfluß; *hubo palos a* ~ hageldicht fielen die Hiebe.

granero *m* Kornspeicher *m*; Dachraum *m*; *a. fig.* Kornkammer *f*.

granífugo *adj.*: *cañón m* ~ Hagelkanone *f*.

grani|lla *f* **1.** *tex.* Füllhaar *n*; **2.** Traubenkern *m*; ~**llo** *m* **1.** Körnchen *n*; **2.** Pickel *m*; Darre *f der Kanarienvögel*; ~**lloso** *adj.* pick(e)lig.

gra|nitado *adj.* granitartig; ~**nítico** *adj.* Granit...; granitartig; ~**nito** *m* **1.** *a. fig.* Granit *m*; **2.** *fig.* → *grano 5.*

granívoro *adj.* körnerfressend.

grani|zada *f* **1.** Hagelschauer *m*; **2.** *fig.* Hagel *m*, Menge *f*; **3.** Eissorbett *m*, *n* (*Getränk*); ~**zado** *m Art* Eiskaffee *m* (*ohne Sahne*); ~**zal** *m Col.* → *granizada 1*; ~**zar** [1f] *v/impers.* (*fig. a. v/i.*) hageln; ~**zo** *m a. fig.* Hagel *m*; *cae* ~ es hagelt.

granja *f* **1.** Gutshof *m*; Bauernhof *m*; Farm *f*; ~ *avícola* Geflügelfarm *f*; ~ *de pollos* Hühnerfarm *f*; ~ *escolar* Landschulheim *n*; ~ *experimental* Versuchsgut *n*; **2.** Milch-bar *f*, -stube *f*.

granje|ar I. *v/i.* **1.** ⚓ Fahrt machen; **2.** mit et. (*dat.*) handeln; **II.** *v/r.* ~*se* **3.** ~*se la voluntad de alg.* j-s Wohlwollen gewinnen, j-n für s. einnehmen; ~**o** *m* Ertrag *m*; Gewinn *m*; ~**ría** *f* **1.** Ertrag *m* aus landwirtschaftlichem Betrieb; ⚒ Bewirtschaftung *f*; **2.** *fig.* Gewinn *m*; ~**ro** *m* Landwirt *m*, Farmer *m*.

grano *m* **1.** Korn *n*, Samenkorn *n*; Körnerfutter *n*; (Kaffee- *usw.*) Bohne *f*; (Frucht-)Kern *m*; Beere *f*; Seidensame *m*; Raupenei *n*; ~(*s*) *m*(/*pl.*) Sämereien *f/pl.*; Getreide *n*; *tratante m en* ~*s* Getreide- (*bzw.* Samen-)händler *m*; *fig. apartar el* ~ *de la paja* die Spreu vom Weizen sondern; **2.** *p. ext.* Korn *n*, Feingefüge *n*; Narben *m des Leders*; *Kinofilm*: ~ *de la trama* Rasterkorn *n*; *de* ~ *fino* (*grueso od. basto*) feinkörnig (grobkörnig, *Leder* grobgenarbt); **3.** *pharm.* Gran *n*; *Edelsteingewicht*: $^1/_4$ Karat; **4.** Pickel *m*, Mitesser *m*; *Arg.* ~ *malo* Karbunkel *m*; **5.** *fig. un* ~ ein bißchen; *no ser* ~ *de anís* nicht so einfach sein; wichtig sein; *aportar su* ~ (*od. granito*) *de arena* sein Scherflein beisteuern; *ir al* ~ auf den wesentlichen Punkt lossteuern; es wissen wollen F; *¡(vamos) al* ~*!* (kommen wir) zur Sache!; *con su* ~ *de sal lt.* cum grano salis, mit entsprechender Einschränkung.

granoso *adj.* körnig; rauh (*Oberfläche*).

gran|ote □ *m* Gerste *f*; ~**sia** □ *f* Müdigkeit *f*.

granu|ja I. *f* Traubenkamm *m*; **II.** *m fig.* F Gauner *m*, Lump *m*; Halunke *m*, Schuft *m*; Straßenjunge *m*; ~**jada** *f* Lumperei *f*, Bubenstreich *m*; ~**jado** *adj.* **1.** pickelig; **2.** körnig, gekörnt; ~**jería** *f* **1.** Gesindel *n*; **2.** → *granujada*; ~**jiento** *adj.* pick(e)lig; rauh (*Oberfläche*); ~**jilla** F *m* Spitzbube *m*; ~**jo** F *m* Pickel *m*; ~**joso** → *granujiento*.

granula|ción *f* Granulierung *f*; Granulation *f*; Körnung *f*; ~**do** *adj.* körnig, gekörnt; narbig (*Leder*); ~**r** **I.** *adj. c* körnig; **II.** *v/t.* körnen.

gránulo *m* Körnchen *n*.

granulo|ma ⚕ *m* Granulom *n*; ~**so** *adj.* körnig; granulös, gekörnt.

gran|za *f* **1.** ⚘ Färberkrapp *m*; **2.** ~*s f/pl.* Metallschlacke *f*; **3.** → ~**zón** *m* **1.** Spreu *f*; **2.** *sid.* Schlich *m*.

grañón *m* Körner- *bzw.* Weizengrieß *m*.

grao *m Cat.* Landungsplatz *m*.

grapa *f* Klammer *f*; Krampe *f*; Heftklammer *f*; ~**dora** *f* (*a. maquinilla f*) ~ Heftmaschine *f* (*Büro*); ~**r** *v/t.* heften.

grapefruit *engl. m* Grapefruit *f*.

grasa *f* **1.** Fett *n*; ~*s f/pl. alimenticias* Speisefette *n/pl.*; ~*s animales* (*vegetales*) tierische Fette *n/pl.* (Pflanzenfette *n/pl.*); *echar* ~*s* Fett ansetzen; *tener muchas* ~*s* fett sein; **2.** (Wagen-)Schmiere *f*; Schmutz *m*; **3.** ~*s f/pl.* Schlacke *f*.

grase|ra *f* Fettgefäß *n*; Untersetzpfanne *f*; ~**ro** ⚒ *m* Schlackenhalde *f* (*Erzabbau*); ~**za** *f* Fettigkeit *f*.

gra|siento *adj.* fettig; schmierig; ~**so** *adj.* fett; fettig; schmierig; *ácido m* ~ Fettsäure *f*; ⚕ *embolia f* ~*a* Fettembolie *f*; ~**sones** *Kchk. m/pl.* fette (süße) Mehl- *od.* Grießsuppe *f*; ~**soso** *adj.* → *grasiento*; ~**sura** ⚒ *f* → *grosura*.

gratén → *gratín*.

gratifica|ción *f* Gratifikation *f*; Sondervergütung *f*; Zuwendung *f*; Belohnung *f*; ~ *anual* Jahresprämie *f*; ~**r** [1g] *v/t.* **1.** belohnen (j-n mit *dat. a alg. con*); vergüten; e-e Sondervergütung gewähren (*dat.*); **2.** erfreuen.

gratín *Kchk. gal.*: *al* ~ überkrustet (*gebacken*).

gra|tis *adv.* unentgeltlich, umsonst, gratis; ~ *y libre de porte* gratis u. franko; ~**titud** *f* Dankbarkeit *f*; Erkenntlichkeit *f*; *falta f de* ~ Undank *m*; ~**to** *adj.* **1.** angenehm; ~ *al paladar* (wohl) mundend; ~ *al oído* (*od. de escuchar*) angenehm anzuhören; ~ *de recordar* woran man s. gerne erinnert; *Briefstil*: *me es* ~ (*comunicarle*) ich freue mich (, Ihnen mitzuteilen); **2.** erwünscht, willkommen; *Pol. persona f* (*no*) ~*a* Persona *f* (non) grata.

gratuito *adj.* **1.** unentgeltlich, kosten-frei, -los; umsonst; schulgeldfrei (*Unterricht*); **2.** grundlos, willkürlich; unbegründet; *acción f* ~*a* Willkürhandlung *f*.

gratula|ción *f* Glückwunsch *m*; ~**r** *v/t.* beglückwünschen (zu *dat. por*); ~**torio** *adj.* Glückwunsch...

grauvaca *Min. f* Grauwacke *f*.

grava *f* Kies *m*; Schotter *m*; Kiesel *m/pl.*

grava|ción *f* Belastung *f* (*Finanzwesen*); ~**men** *m* Last *f*, Belastung *f* (*a.* ⚖); Auflage *f*; *libre* (*od. exento*) *de gravámenes* lasten-, abgaben- *bzw.* hypotheken-frei; ~**r** *v/t.* belasten (*a.* ⚖); bedrücken, beschweren; ~ *con impuestos* besteuern; ~**tivo** *adj.* belastend; lästig.

grave *adj. c* **1.** schwer; wichtig; ernst; gefährlich, bedenklich; erheblich; feierlich (*Stil*); *estar* ~ schwerkrank sein; *hombre* ~ ernster (*a.* zuverlässiger) Mensch *m*; *lesión f* ~ schwere Verletzung *f*; *ser algo* ~ et. Wichtiges (*od.* Ernstes) sein; **2.** *Phys. los* (*cuerpos*) ~*s* die (schweren) Körper; **3.** tief (*Ton*); *Phono sonidos m/pl.* ~*s* Tieftöne *m/pl.*; **4.** *Li. acento m* ~ Gravis *m*; *palabra f* ~ auf der vorletzten Silbe betontes Wort *n*, Paroxytonon *n*; ~**ar** *v/i.* lasten, drücken; ~**dad** *f* **1.** Schwere *f*, Ernst *m*; Wichtigkeit *f*, Bedeutung *f*; Würde *f*; *hablar con afectada* ~ mit gespieltem Ernst sprechen; *enfermo de* ~ schwerkrank; **2.** *Phys.* ~ *terrestre* Schwerkraft *f* der Erde; *centro m de* ~ Schwerpunkt *m*; ~**doso** *adj.* mit gespieltem Ernst (*od.* mit Amtsmiene) auftretend; ~**mente** *adv.* schwer, ernst; ~ *herido* schwer verletzt.

gravera *f* Kiesgrube *f*.

gra|videz *f* Schwangerschaft *f*; ~**vídico** ⚕ *adj.* Schwangerschafts...

grávido *adj.* ⚕ schwanger; *fig. poet.* trächtig.

gravilla *f* Fein-, Perl-Kies *m*; *Vkw.* Rollsplitt *m*.

gra|vimetría *f* Gravimetrie *f*; Gewichts-, Meß-analyse *f*; **~vímetro** *Phys. m* Schwerkraftmesser *m*, Gravimeter *n*.

gravita|ción *f* Massenanziehung *f*, Schwerkraft *f*, Gravitation *f*; ~ *terrestre* Erdanziehung *f*; Erdbeschleunigung *f*; **~r** *v/i.* **1.** *Phys.* dem Schwerpunkt zustreben; ~ *alrededor de* um ... (*ac.*) (herum)kreisen; **2.** *fig.* ruhen, lasten (auf *dat. sobre*).

gravoso *adj.* **1.** lästig; drückend; kostspielig; **2.** kieshaltig.

graz|nar *v/i.* krächzen (*Rabe, Krähe*); schnattern (*Gans, Ente*); quaken (*Ente*); **~nido** *m* Krächzen *n*, Gekrächz(e) *n* (*a. fig. desp.*); Schnattern *n*, Quaken *n*.

greca *f* mäanderartiges Ornament *n*.

gre|cismo *m* Gräzismus *m*; **~cizar** [1f] *v/t.* gräzisieren, griechische Form geben (*dat.*).

greco *adj.-su.* **1.** *bsd. in Zssgn.* griechisch; Gräko...; **2.** → *griego*; **~latino** *adj.* griechisch-lateinisch; **~rromano** *adj.* griechisch-römisch.

gre|da *f* Kreide *f*, feiner weißer Ton *m*; **~dal** *m* Kreidegrube *f*; **~doso** *adj.* kreidig.

gregal[1] *m Reg.* Nordost(wind) *m*.

grega|l[2] *adj. c* Herden...; *ganado m* ~ Herdenvieh *n*; **~rio** *adj.* gewöhnlich; Durchschnitts...; Massen...; *espíritu m* ~ → **~rismo** *neol. m* Herden-geist *m*, -trieb *m*.

grego|riánica *f*: *investigación f* ~ Gregorianik *f*; **~riano** *adj.* gregorianisch.

greguería *f* **1.** ⚒ Gezeter *n*, Geschrei *n*; **2.** geistreicher Ausspruch *m*; *Lit. Art* Aperçu *n*.

gregüescos *hist. m/pl. Art* Pluderhosen *f/pl.*

grelo(s) *m(/pl.) Gal., León*: Steckrübenblätter *n/pl.*

gremi|al **I.** *adj. c* **1.** Innungs..., Zunft...; genossenschaftlich; **II.** *m* **2.** Mitglied *n* e-s *gremio*; **3.** *kath.* Gremiale *n*; **~o** *m* **1.** Genossenschaft *f*; Innung *f*; *hist. u. fig.* Zunft *f*; Körperschaft *f*; Verband *m*, Kammer *f*; Lehrkörper *m e-r Universität*; → *a. sindicato*; **2.** *ecl.* Schoß *m* der Kirche.

greno ☐ *m* Neger *m*.

gre|ña *f* zerzaustes Haar *n*; wirrer Haarschopf *m*; F *andar a la* ~ (s.) raufen, s. (herum)balgen; **~ñudo** *adj.* zerzaust, mit wirrem Haar; zottig.

gres *m* (Töpfer-)Ton *m*; Steingut *n*; *Min.* Sandstein *m*.

gresca *f* Lärm *m*, Tumult *m*; Schlägerei *f*; *armar* ~ Krach schlagen.

grey *f* Herde *f* (*Kleinvieh u. fig.*); *fig.* Gemeinde *f der Gläubigen*; *fig.* Gruppe *f* (*Personen*); *mst. desp.* Klub *m*.

Grial *Myth. m*: *el Santo* ~ der heilige [Gral.]

grie|ga *f* Griechin *f*; **~go** *adj.-su.* griechisch; *m* Grieche *m*; *das* Griechische; F *hablar en* ~ unverständlich reden; ~ *clásico*, ~ *antiguo* Altgriechisch(e) *n*; ~ *moderno* Neugriechisch(e) *n*.

grie|ta *f* **1.** Spalte *f*; Riß *m*; Schrunde *f*; Sprung *m* (*Gefäß usw.*); ~ *de ventisquero* Gletscherspalte *f*; **2.** *sid.* Lunker *m*; **~tado** *adj.* rissig, schrundig; zerklüftet; **~t(e)arse** *v/r.* rissig werden, Risse bekommen; **~toso** *adj.* voller Risse.

grifa *f* Marihuana *n*; *p. ext.* Rauschgift *n*.

grifería *f* Hahnarmaturen(handlung *f*) *f/pl.*

grifo[1] *Myth.*, ▨ *m* Greif *m*.

gri|fo[2] **I.** *adj.* **1.** kraus, wirr (*Haar*); *Méj.* berauscht (*v. Alkohol, Rauschgift*); **2.** *Col.* angeberisch; **II.** *m* **3.** (Wasser- *usw.*)Hahn *m* (aufdrehen *abrir*); ~ *de compresión* (~ *maestro*) Zisch- (Haupt-)hahn *m*; *agua f del* ~ Leitungswasser *n*; **4.** *Pe.* **a)** Chichakneipe *f*; **b)** Tankstelle *f*; **~fón** *m* gr. (Wasser-)Hahn *m*; *Zo.* Pinscher *m* (*Hund*).

gri|lla *f* **1.** *Ent.* Grille(nweibchen *n*) *f*; *fig.* F *¡ésa es* ~ (*y no canta*)! das kannst du e-m andern erzählen!; **2.** *Cu.* minderwertiger Kautabak *m*; **~llarse** *v/r.* auswachsen (*Pfl.*); **~llera** *f* Grillen-loch *n*; -käfig *m*; F Lärm *m*, Stimmengewirr *n*; **~llete** *m* Fußeisen *n*; ⚓ Schäkel *m*; **~llo** *m* **1.** *Ent.* Grille *f* (*a. fig.*); ~ *doméstico* Heimchen *n*; ~ *cebollero*, ~ *real*, ~ *topo* → *grillotalpa*; *fig. olla f de* ~*s* Judenschule *f*; *fig. andar a* ~*s* die Zeit vertrödeln; *fig. coger* ~*s* Grillen fangen; **2.** ⚘ Keim *m*, Sproß *m*; **3.** ~*s m/pl.* Fußfesseln *f/pl.*; **~llotalpa** *Ent. m* Maulwurfsgrille *f*.

grill-room *engl. m* Grillroom *m*.

gri|ma *f* **1.** Schauder *m*; Grausen *n*; *dar* ~ schauderhaft sein; auf die Nerven gehen; **2.** *Col.* en ~ → *íngrimo*; **~moso** *adj.* grausig, schaurig.

grímpola *bsd.* ⚓ *f* Wimpel *m*.

gringo *m* **1.** *desp.* Ausländer *m*, *bsd.* Engländer *m*; *Am. bsd.* Yankee *m*; **2.** F Kauderwelsch *n*.

griñón *m* **1.** (Nonnen-)Schleier *m*; **2.** ⚘ Mandelpfirsich *m*.

gri|pal ⚕ *adj. c* Grippe...; grippal; **~pe** ⚕ *f* Grippe *f*; **~poso** ⚕ *adj.* grippekrank.

gri|s **I.** *adj. c* **1.** grau; ~ *azulado* blaugrau; **2.** *fig.* grau, trüb; gedämpft, verhangen; **II.** *m* **3.** Grau *n* (*Farbe*); **4.** *Zo.* Feh *n*; *piel f de* ~ Feh *n*, Grauwerk *n*; **5.** *fig.* F kalter Wind *m*; Kälte *f*; F *corre un* ~ *que pela* es geht ein schneidender Wind; **6.** *Span.* F *desp. los* ~*es* die (Angehörigen der kasernierten) Polizei *f*; **~sáceo** gräulich, ins Graue gehend; **~seta** *f* **1.** *tex.* Grisaille *f* (*Seidenstoff*); **2.** ⚕ → *gotera 3*; **3.** *gal.* Grisette *f*.

grisly *Zo. m* → *grizzli*.

grisón *adj.-su.* graubündnerisch.

grisú *m* Grubengas *n*; *explosión f de* ~ schlagende Wetter *n/pl.*; **~metro** ⚒ *m* Grubengasanzeiger *m*.

gri|ta *f* Geschrei *n*, Gekreisch *n*; F *dar* ~ *a alg.* **a)** hinter j-m herjohlen F; **b)** → *gritar 3*; **~tar** **I.** *v/i.* **1.** schreien; rufen; kreischen; **II.** *v/t.* **2.** *j-n* an-rufen, -schreien; *et.* zurufen; **3.** *j-n* auszischen, mit Buh-Rufen niederschreien; **~tería** *f*, **~terío** *m* Geschrei *n*, Gekreisch *n*; **~to** *m* **1.** Schrei *m*; Ruf *m*; ~*(s) de ¡fuego!* Feuerlärm *m*, Brandalarm *m*; ~ *de guerra* Kriegsgeschrei *n*; Schlachtruf *m*; ~ *de la libertad* Freiheitsruf *m*; ~ *de socorro* Hilferuf *m*; *adv. a* ~ *herido* (*od. pelado*), *a voz en* ~ mit lautem (*od.* großem) Geschrei; *alzar* (*od. levantar*) *el* ~ losschreien; *andar a* ~*s* s. dauernd anschreien; *dar* ~*s* schreien; *estar en un* ~ ununterbrochen schreien (*od.* jammern); *poner el* ~ *en el cielo* herumlamentieren F, s. (künstlich) aufregen F; **2.** *fig. el último* ~ der letzte Schrei (*Mode*); *bsd. Rpl. estar en* ~ (sehr) bekannt sein; **~tón** F *adj.-su.* Schreihals *m*.

grizzli *Zo. m* Grisly(bär) *m*.

gro|e(n)landés *adj.-su.* grönländisch; *m* Grönländer *m*.

groera ⚓ *f* Kabelgatt *n*; Speigatt *n*.

grofa ☐ *f* Dirne *f*.

grog *engl. m* Grog *m*; **~gy** *engl. adj. Sp. u. fig.* groggy, benommen.

grose|lla ⚘ *f* Johannisbeere *f*; ~ *espinosa* Stachelbeere *f*; **~llero** ⚘ *m*: ~ (*rojo*) Johannisbeerstrauch *m*.

gro|sería *f* Grobheit *f*; Plumpheit *f*; Flegelei *f*; Zote *f*; **~sero** **I.** *adj.* grob, flegelhaft; unflätig; ungebildet, plump; grob, kunstlos (*Arbeit*); **II.** *m* Grobian *m*, Flegel *m*; **~sísimo** *adj. sup. zu grueso 1*; **~so** *adj.* körnig (*Tabak*); **~sor** *m* Dicke *f*, Stärke *f*.

grosso modo *lt. adv.* grosso modo, im großen u. ganzen.

grosura *f* Fett *n*; *Kchk.* Pfoten *f/pl.* u. Gekröse *n*; *kath.* Fleisch *n* (*im Gg.-satz zu Fastenessen*).

grotes|ca *Typ. f* Groteskschrift *f*; **~co** *adj.* **1.** grotesk; seltsam, überspannt; fratzenhaft; *danza f* ~*a* Grotesktanz *m*; **2.** grob, geschmacklos.

grúa *f* ⊕ Kran *m*; ⚓ Winsch *f*; *Kfz.* Abschlepp-, Kran-wagen *m*; ~ *de carga* (*para obras*) Lade- (Bau-)kran *m*; ~ *estibadora* (*flotante*) Stapel- (Schwimm-)kran *m*; ~ *oscilante giratoria* Drehwippkran *m*; ~ *corredera* Laufkran *m*.

grue|sa *f* Gros *n* (*12 Dutzend*); ✝ → *préstamo*; **~samente** *adv.* in Bausch u. Bogen; grob; **~so** **I.** *adj.* **1.** dick (*a. Seil usw.*); beleibt; grob (*a. See*); ♪ tief (*Saite*); ~ *de vientre* fettleibig; ⚕ *intestino m* ~ Dickdarm *m*; *fig. de entendimiento* ~ schwer von Begriff; **II.** *m* **2.** *a.* ⊕ Stärke *f*, Dicke *f* (*Dinge u. Geom.*); *de 2 mm de* ~ 2 mm stark (*od.* dick); *en* ~ im großen; ✝ en gros; **3.** ⚔ Gros *n*, Hauptmacht *f*; **4.** Grundstrich *m* (*Schrift*); *Typ.* Schriftkegel *m*.

gruir [3g] *v/i.* schreien (*Kranich*).

gruista ⊕ *m* Kranführer *m*.

grujidor *m* Krösel *m der Glaser*.

grulla *f Zo.* (*Astr.* ♀) Kranich *m*; *fig.* F häßliches Weib *n* F; F *Méj.* gerissene Person *f*; **~da** *f* → *gurullada u. perogrullada*.

grullo **I.** *adj.* **1.** *Méj.* aschgrau (*Pferd*); **II.** *m* **2.** *Am. Reg.* Silberpeso *m*; *Bol.* Geld *n*; **3.** *Arg.* kräftiger Hengst *m*; **4.** ☐ Häscher *m*.

grumete ⚓ *m* Schiffsjunge *m*; ~ *de cámara* Kajütenjunge *m*.

grumo *m* **1.** Klümpchen *n*, Flocke *f in Flüssigkeiten*; Krume *f*; *hacerse* ~*s* verklumpen; gerinnen; *sin* ~*s* faserfrei (*Papier*); **2.** Herz *n* (*Kohl, Salat*); Auge *n* (*Pfl.*); **~so** *adj.* klumpig, verklumpt; flockig.

gru|ñido *m* Grunzen *n* (*Schwein*); Brummen *n* (*Bär*); Knurren *n* (*Hund*) (*alles a. fig.* F); *fig.* F Murren *n*, Schimpfen *n*; **~ñir** [3h] *v/i.* grunzen, brummen, knurren (*a. fig.* F, *vgl. gruñido*); *fig.* murren; knarren, quietschen (*Tür*); ~ *a alg.* j-n anknurren; **~ñón** *adj.-su.* brummig, mürrisch; *m* Brummbär *m*, Griesgram *m*.

gru|pa *f* Kruppe *f des Pferdes*; *a la* ~ auf dem Rücken des Pferdes (= *reitend*); *volver* ~*s* (*od. la* ~) *Equ.* e-e Kehrtwendung machen; *p. ext.* kehrtmachen, umkehren; **~pada** *f* Wolkenbruch *m*; heftige Bö *f*; **~pera** *Equ. f* Schwanzriemen *m*; Sattelkissen *n*.

grup(p)et(t)o *it.* ♪ *m* Doppelvorschlag *m*.

grupo *m* **1.** Gruppe *f* (*a.* ⚗, *Soz.*); Zirkel *m* (*fig.*); ⚕ *a.* Konsortium *n*; *adv. en* ~, *por* ~*s* gruppenweise; ⚗ ~ *ácido* Säuregruppe *f*; ~ *de coristas* Tanztruppe *f*; *Span.* ~ *escolar* einklassige Volksschule *f*; ~ *étnico* Volksgruppe *f*; *Pol.* ~ *parlamentario* Fraktion *f*; *Pol.*, ⚕ ~*s de presión* Interessengruppen *f/pl.*; ⚕ ~ *sanguíneo* Blutgruppe *f*; ~ *de turistas* Reisegruppe *f*; **2.** ⚔ Gruppe *f*; Abteilung *f*; Verband *m*; ~ *de ejércitos* Heeresgruppe *f*; **3.** ⚡, ⊕ Aggregat *n*; ⊕ (Maschinen-)Gruppe *f*, Einheit *f*; Satz *m*; ~ *compresor* Kompressoranlage *f*; ~ *convertidor* Umformeraggregat *n*; ~ *electrógeno* Stromaggregat *n*; ✈ ~ *motopropulsor* Triebwerk *n*; **4.** *Li.* ~ *fonético* Sprechtakt *m*.

gruta *f* Grotte *f*, Höhle *f*.

grutesco I. *adj.* → *grotesco*; **II.** *Ku. los* ~*s m/pl.* die Grotesken *f/pl.*, *z.B. der Renaissance-Ornamentik.*

gruyère *frz. m* Gruyèrekäse *m* (*Schweizer*).

¡gua!, ¡guah! *int.* (*Bewunderung, Furcht; a. Ironie*) oh!, ah!; ach!; pfui!

gua|ba, ~bá¹ ⚘ *f Am. Cent., And., Col., P. Ri., Ven.* → *guama*; **~bá²** *f Ant. Art* Tarantel *f*; **~bina** *f Ant., Col., Méj., Ven. schuppenloser Flußfisch, viele Arten.*

guaca *Ke. f Am. steinerner* Grabhügel *m früher Indianerkulturen*; *Am. Reg.* vergrabener Schatz *m*; *fig.* Sparbüchse *f*; *fig.* F *Ven.* häßliche alte Jungfer *f*; **~l** ⚘ *m Am. Cent.* Kürbisbaum *m*.

guaca|mayo *Vo. m Am.* Grünflügelara *m*; **~mol(e)** *m Am. Cent., Cu., Méj.* Avocatosalat *m*.

guáci|ma *f Ant.*, **~mo** *m* ⚘ *Am. Reg.* westindischer Maulbeerbaum *m*.

guaco *m* **1.** ⚘ *Am. versch. Pfl.*; **2.** *Vo. Col., Ec. Art* Fasan *m*; **3.** *Am. Mer. aus e-r guaca stammender* Keramikgg.-stand *m*.

guachapear *vt/i.* im Wasser plätschern; *fig.* F hudeln; klappern, scheppern.

guácharo *adj.* kränklich; *Ec.* → *guacho I.*

gua|che *m Col., Ven.* Flegel *m*, Rüpel *m*; **~cho I.** *adj.-su. Am. Mer.* verwaist; *m* Waise *f*; **II.** *m* Vogeljunge(s) *n*.

guadal *m Rpl.* ausgetrockneter Sumpf(boden) *m*.

guada|macı́ *m* → *guadamecí*; **~macilería** *f* Goldlederverarbeitung *f*; **~mecí, ~mecil** *m* weiches gepunztes Leder *n*.

guada|ña *f* Sense *f*; **~ñadora** ⚒ *f* Mähmaschine *f*; **~ñar** *vt/i.* (ab-)mähen; **~ñero** *m* Mäher *m*, Schnitter *m*.

guadapero ⚘ *m* Holzbirne *f*.

guadarnés *m* **1.** Geschirrkammer *f*; **2.** Schirrmeister *m*.

guadijeño *m Art* feststehendes Messer *n*.

guagua¹ *f* **1.** Lappalie *f*; F *adv. de* ~ umsonst; **2.** F *Can., Cu., P. Ri.* (Auto-)Bus *m*.

guagua² *f Am. Mer.* Säugling *m*.

guaja F *c* Gauner *m*.

guajalote *Méj.* **I.** *m* Truthahn *m*; **II.** *adj.-su. c* Dummkopf *m*.

guájara(s) *f*(*/pl.*) unwegsames Gelände *n im Gebirge.*

guaje *m* ⚘ *Méj.* Flaschenkürbis *m*; *fig.* Dummkopf *m*.

guajiro I. *adj. Am.* bäurisch; **II.** *m Cu.* weißer Siedler *m*; *p. ext.* Bauer *m*.

¡gualá! *arab. int.* bei Gott!, das walte Gott!

gual|da ⚘ *f* Färberwau *m*; **~do** *adj.* goldgelb; *la bandera roja y* ~*a* die span. Flagge; **~drapa** *f* Schabracke *f*; *fig.* F Fetzen *m*, Lumpen *m*; **~drapear** ⚓ *v/i.* killen (*Segel*).

gua|ma *f Col., Ven.* Frucht *f* des → **~mo** ⚘ *m* Schattenbaum *m für Kaffeepflanzungen.*

guanábano ⚘ *m Art* Flaschenbaum *m*.

guana|co *m Zo.* Guanako *n*, *Wildform des Lamas*; *fig. Am.* Dummkopf *m*; **~jo** *m Ant.* Truthahn *m*; *Ant., Méj.* Dummkopf *m*.

guan|che *adj.-su. c* Guanche *m*, *Ureinwohner der kanarischen Inseln*; *m* Guanche *n*, *deren Sprache*; **~chismo** *m* Substratelement *n* des Guanche *im Spanischen.*

gua|nera *f* Guano-fundstätte *f*, -lager *n*; **~nero** *m* Guano-schiff *n*; -fahrer *m*; **~no** *m* **1.** Guano *m*; Kunstguano *m*; *fig.* F *Cu., P. Ri.* Geld *n*; **2.** *Cu.* Palme *f als Gattungsname.*

guan|tada *f*, **~tazo** *m* Ohrfeige *f*; Schlag *m* mit der flachen Hand; **~te** *m* Handschuh *m*; ~*s m/pl. de ante*, ~*s de gamuza* Wildlederhandschuhe *m/pl.*; ~*s de boxeo* (*de piel*) Box- (Leder-)handschuhe *m/pl.*; ~*s forrados de piel* Pelzhandschuhe *m/pl.*; *a.* ⊕ ~*s protectores* Schutzhandschuhe *m/pl.*; F *de* ~ *blanco* äußerst korrekt, sehr etepetete F; *fig. poner a alg. como un* ~ j-n kleinkriegen; *fig. arrojar el* ~ *a alg.* j-m den Fehdehandschuh hinwerfen; *fig. recoger el* ~ die Herausforderung annehmen; *fig.* F *echar el* ~ *a j-n* festnehmen; *j-n* ertappen; *et.* mit Beschlag belegen; F *echar un* ~ e-e Sammlung machen; *fig. quedarse más suave que un* ~ lammfromm werden F; *tratar a alg. con* ~ *de seda* j-n wie ein rohes Ei behandeln F; **~tear** F *v/t.* ohrfeigen; **~telete** *m* gr. Stulphandschuh *m*; *hist.* Panzerhandschuh *m*; **~tera** *Kfz. f* Handschuhkasten *m*; **~tería** *f* Handschuh-macherei *f*; -geschäft *n*; **~tón** *m Am.* → *guantada.*

gua|pamente F *adv.* sehr gut; **~pear** F *v/i.* keck auftreten; den vornehmen Herrn (*bzw.* die vornehme Dame) spielen; **~pería** *f* Großtuerei *f*; **~petón** F *adj.-su.* sehr hübsch; schneidig; fesch; **~peza** F *f* **1.** Schneid *m*; Angabe *f* F; Geckenhaftigkeit *f* (*Kleidung*); **2.** (robuste) Schönheit *f*; **~po I.** *adj.* **1.** hübsch; schick; fesch; **2.** angeberisch, großtuerisch; **3.** *Reg. u. Am.* tapfer; **II.** *m* **4.** Raufbold *m*; Messerheld *m*; Angeber *m*; Gigolo *m*; *echarla de* ~ angeben F, prahlen; **5.** F *oft als schmeichelnde Anrede*; *etwa*: Kleiner *m*, Liebling *m*, Junge *m*.

guapoí ⚘ *m Arg.* → *higuerón.*

gua|pote *adj.* gutmütig; recht hübsch; **~pura** F *f* Schönheit *f*; Keßheit *f*.

guaquero *m Am.* Schatz-gräber *m*, -sucher *m*.

guará *Zo. m Rpl.* Pampaswolf *m*.

guaraná ⚘ *f* Paullinie *f*; Getränk *n aus den Samen.*

guara|ní (*pl.* ~*í[e]s*) **I.** *adj.-su.* **1.** Guaraní *m* (*Indianerstamm*); **II.** *m* **2.** Guaraní *n* (*Sprache*); **3.** *Währungseinheit Paraguays*; **~nismo** *m* Guaraníwort *n*.

guarapo *m* Zuckerrohr-saft *m*; -schnaps *m*.

guarda I. *c* **1.** Wächter(in *f*) *m*; Aufseher(in *f*) *m*; **II.** *f* **2.** Wache *f*, Aufsicht *f*, Schutz *m*; → *a. falsear*; **3.** Degengefäß *n*; Säbelkorb *m*; ~*s f/pl.* **a)** Außenstäbe *m/pl. e-s Fächers*; **b)** Zuhaltungen *f/pl. e-s Schlosses*; **c)** Schlüsselprofil *n*; **4.** *Typ.* Vorsatz(papier *n*) *m*; **5.** ⚖ ~ *de la persona* (*de los bienes*) *del hijo* Personen- (Vermögens-)sorge *f*; *derecho m de* ~ Sorgerecht *n*; **III.** *m* **6.** Wachmann *m*, Hüter *m*, Wächter *m*; Bahnwärter *m*; *Reg.* Zugschaffner *m*; *Arg.* Straßenbahnschaffner *m*; ~ *forestal* Waldhüter *m*, Forstwart *m*; ~ *de caza* Jagdaufseher *m*; ~ *jurado* (amtlich bestellter) Feldhüter *m*; Weinbergschütze *m*; ~ *de vista* Aufpasser *m*, Bewacher *m*.

¡guarda! *int.* Vorsicht!, aufgepaßt!

guarda|agujas *m* → *guardagujas*; **~almacén** *m* → *guardalmacén*; **~barreras** *c* (*pl. inv.*) Schrankenwärter *m*; **~barros** *m* (*pl. inv.*) Schutzblech *n* (*Fahrrad*); *Kfz.* Kotflügel *m*; **~bicicletas** *m* (*pl. inv.*) Fahrradständer *m*; **~bosque(s)** *m etwa*: Waldhüter *m*; Jagdschutzbeamte(r) *m*; **~brazo** *m* Armschiene *f e-r Rüstung*; **~brisa(s)** *m* Sturmlaterne *f*; *Kfz.* Windschutzscheibe *f*; **~cabo** ⚓ *m* Kausche *f*; **~cabras** *c* (*pl. inv.*) Ziegenhirt *m*; **~cadena** ⊕ *m* Kettenschutz *m* (*a. am Fahrrad*); **~calor** *m* (*pl. inv.*) **1.** Kaminschacht *m*; ⚓ Maschinenschacht *m*; **2.** Kaffeewärmer *m*; Eierwärmer *m*; **~cantón** *m* Prellstein *m*; **~coches** *c* (*pl. inv.*) Parkwächter *m*; **~costas** *m* (*pl. inv.*) Strandwächter *m*; Küstenwache *f*; ⚓ Küstenwachschiff *n*; **~cuerpo** 🚂 *m* Schutz-gitter *n*, -geländer *n*.

guardador I. *adj.* **1.** bewachend; *Vorschriften* beobachtend; **2.** vorsichtig; **3.** knauserig; **II.** *m* **4.** Beschützer *m*; Wächter *m*; **5.** Halter *m e-s Gebots usw.*

guarda|esclusa *m* Schleusenwärter *m*; **~espaldas** *m* (*pl. inv.*) Leibwächter *m*; **~faldas** *m* (*pl. inv.*) Fahrradnetz *n*; **~fango** *m Am.* → *guardabarros*; **~frenos** 🚂 *m* (*pl. inv.*) *m* Bremser *m*; **~fuego** *m* Ofen-, Feuerschutz-blech *n*; ⚓ Feuerschirm *m*; **~gujas** 🚂 *m* (*pl. inv.*) Weichensteller *m*; **~joyas** *m* (*pl. inv.*) Schmuckkassette *f*; **~lado** *m* Brückengeländer *n*; **~lápiz** *m* Bleistifthalter *m*; **~lmacén** *m* Lagerverwalter *m*; ⚔ Kammerunteroffizier *m*.

guardalobo ⚘ *m* Wolfskerze *f*.

guarda|lodos *m* (*pl. inv.*) *Am.* → *guardabarros*; **~llamas** ⊕ *m* (*pl. inv.*) Zündsicherung *f*; **~mano** *m* Stichblatt *n*; Säbelkorb *m*; Degengefäß *n*; **~materiales** *m* (*pl. inv.*) Material-, Magazin-verwalter *m*; **~meta** *Sp. m* Torwart *m*; **~monte(s)** *m* **1.** Abzugbügel *m am Gewehr*; **2.** Wetterumhang *m*; *Arg.* Lederschutz *m für die Beine des Reiters*; **3.** → *guardabosque*; **~muebles** *m* (*pl. inv.*) Möbellager *n*; **~pesca** *m* Fischereischutzboot *n*; **~polvo** *m* Staubmantel *m*; (Möbel-) Überzug *m*; Staubdeckel *m e-r Uhr*; **~puerta** *f* Türvorhang *m*, Portiere *f*; **~puntas** *m* (*pl. inv.*) Bleistifthülse *f*.

guardar I. *v/t.* **1.** bewachen; beaufsichtigen, hüten; (be)schützen, bewahren; ~ *a alg. de a/c.* j-n vor et. (*dat.*) bewahren *od.* schützen; ~ *entre algodones bsd. fig.* in Watte wickeln; als Muttersöhnchen aufziehen; ~ *cama* das Bett hüten; *Dios guarde a usted muchos años veraltende Schlußformel b. Eingaben an Behörden*; ~ *las espaldas de alg.* j-s Leibwächter sein; ~ *de vista a alg.* j-n nicht aus den Augen lassen; **2.** beobachten; (ein)halten; (be-)wahren; *Wort* halten; ~ *las distancias* Abstand (*od.* Distanz) wahren (*fig.*); zurückhaltend sein; ~ *miramientos a* Rücksicht nehmen auf (*ac.*); ~ *silencio* schweigen; **3.** zurück-, bei-behalten; (auf)sparen; verwahren; ~ *en el armario* im Schrank aufbewahren; in den Schrank legen; ~ *el céntimo* ein Pfennigfuchser sein; ~ *bajo* (*od. con*) *llave* unter Verschluß halten; ~ *en la memoria* (im Gedächtnis) behalten; *~lo para saborearlo* das Beste kommt zuletzt; **II.** *v/r.* *~se* **4.** s. hüten, s. in acht nehmen (vor *dat.* de); *~se de hacer a/c.* s. hüten, et. zu tun; *~se contra* s. verwahren gegen (*ac.*); *¡guárdeselo para sí!* behalten Sie es für sich!; bewahren Sie Schweigen darüber; *guardárse-la* (*a alg.*) die passende Gelegenheit *zur Vergeltung* abwarten; mit j-m noch ein Hühnchen zu rupfen haben; ⚒ *¡guárdese de no caer!* Vorsicht! fallen Sie nicht!

guardarro|pa I. *m* **1.** Kleiderkammer *f*; Kleiderschrank *m*; *Thea.* Garderobe *f*, Kleiderablage *f*; **2.** Garderobier *m*, Kleiderwart *m*; **3.** Garderobe *f*, Vorrat *m* an Kleidungsstücken; **4.** ⚘ Eberraute *f*; **II.** *f* **5.** Garderobenfrau *f*; **~pía** *f Thea.* Kleider(-) u. Requisiten (-kammer *f*) *pl.*

guarda|rruedas *m* (*pl. inv.*) **1.** Prellstein *m*; **2.** Rad-verkleidung *f*, -kasten *m*; **~silla** *f* Wandleiste *f zum Schutz gg. Stuhllehnen*; **~temperaturas** ⊕ *m* (*pl. inv.*) Temperaturwächter *m*; **~trén** 🚂 *m Arg.* Zugführer *m*; **~valla** *Sp. m Am.* Torwart *m*; **~vía** 🚂 *m* Bahn-, Strecken-wärter *m*.

guardería *f* **1.** Wächteramt *n*; **2.** Heim *n*, Anstalt *f*; ~ *infantil* Kinder-tagesstätte *f*, -hort *m*, -krippe *f*.

guardesa *f* Wächterin *f*, Wärterin *f*; Wärtersfrau *f* (*im modernen Span. häufiger als guarda*).

guardia I. *f* **1.** Wache *f*; Schutz *m*; ⚔ → 2; *ehm., während der span. Republik*: ~ *de asalto etwa*: Bereitschaftspolizei *f*; ~ *civil Span. etwa*: Landpolizei *f*; *hist.* ~ *de corps* Leibwache *f*; ~ *de honor* Ehrenwache *f*; ~ *municipal*, ~ *urbana* Gemeinde-, Stadt-polizei *f*; ~ *nacional* Nationalgarde *f*; ~ *de orden público*, ~ *de seguridad* Schutz-, Ordnungs-polizei *f*; ~ *del príncipe* Prinzengarde *f* (*a. Karneval*); *la* ♀ *Roja* die Rote Garde (*China*); ~ *de la sala* Saalschutz *m*, -ordner *m/pl.*; ~ *suiza päpstliche* Schweizergarde *f*; de ~ dienst-bereit, -tuend; *¡en ~!* Obacht!, Vorsicht!; *dar ~ a* (*un féretro*) Wache halten an (e-m Sarg); *estar de ~* (Nacht-)Dienst haben (*z. B. Apotheke*); *fig. estar en ~* auf der Hut sein (vor *dat. contra*); *poner en ~ j-n* warnen; *ponerse en ~* Vorsichtsmaßnahmen treffen (gg. *ac. contra*); **2.** ⚔ Wache *f*, Posten *m*; Schildwache *f*; Schutz *m*; ~ *de ferrovía* Bahnschutz *m*; ~ *del flanco* Seitendeckung *f*; ⚓ ~ *media* Mittelwache *f*; *jefe m de* ~ Wachoffizier *m*; *estar de* ~, *hacer* ~ auf Wache stehen, Wache schieben *M*; *¡formar ~!* Wache heraus!; *montar la ~* auf Wache ziehen; **3.** Obhut *f*, Bewachung *f*, Gewahrsam *m*; Schutz *m*, Schirm *m*; **4.** ~ *de Tívoli* Zirkuskapelle *f*; **5.** *Fechtk.* Auslage *f*; *ponerse en ~* auslegen; **6.** Wachlokal *n*; **II.** *m* **7.** ⚔ Posten *m*, Wache *f*; Gardesoldat *m*; ~ *marina* → *guardiamarina*; **8.** Polizist *m*, Schutzmann *m*; ~ *civil Span.* Gendarm *m*; → *a.* 9; ~ *urbano*, ~ *municipal* Schutzmann *m*; ~ *de tráfico* Verkehrspolizist *m*; **9.** F *Fi.* ~ *civil* Hammerhai *m*; **~marina** ⚓ *m* Seekadett *m*, Fähnrich *m* zur See.

guardián I. *m* **1.** Wächter *m*; Aufseher *m*; Behüter *m*; ~ *de(l) jardín zoológico* Zoowärter *m*; *Thea.* ~ *de accesorios* Requisiteur *m*; **2.** *kath.* ~ (*de franciscanos*) Franziskanerobere(r) *m*, Guardian *m*; **3.** ⚓ Lieger *m*, Trosse *f*; **II.** *adj.* **4.** *perro m* ~ Wachhund *m*.

guardi|lla *f* **1.** Dach-stube *f*, -kammer *f*; **2.** Dach-luke *f*, -fenster *n*; **~llón** *m* Hängeboden *m*; (elende) Dachkammer *f*.

guardín ⚓ *m* Ruderkette *f*.

guardoso *adj.* **1.** sparsam, geizig; **2.** nachtragend, rachsüchtig.

guarecer [2d] **I.** *v/t.* ver-, aufbewahren; schützen, bewahren (vor *dat.* de); *j-m* Obdach gewähren; *j-m* Beistand leisten; *j-n* pflegen; **II.** *v/r.* *~se* Schutz suchen, flüchten (vor *dat.* de); *~se de la lluvia* s. unterstellen.

guargüero P *m Am.* Kehle *f*, Schlund *m*.

guari|cha, ~che *f Col., Ec., Ven.* Schlampe *f*; Dirne *f*.

guarida *f* Höhle *f*, Bau *m e-s Tieres*; Wildlager *n*; *fig.* Versteck *n*, Schlupfwinkel *m*; F Lieblingsplatz *m*; Stammlokal *n*; ~ *de bandoleros* Räuberhöhle *f*.

guarisapo *m Chi.* Kaulquappe *f*; *fig.* F schäbiger Knilch *m* F.

guarismo *m* Ziffer *f*, Zahl(zeichen *n*) *f*; *a. fig. no tener* ~ in Zahlen nicht auszudrücken sein.

guarne|cer [2d] *v/t.* **1.** besetzen, auslegen (mit *dat.* de); *Kleid* besetzen, staffieren; *Hut, Kchk.* garnieren; auslegen *bzw.* einfassen *mit Metallfäden, Gold usw.*; schmükken, (ver)zieren; **2.** ⊕ bekleiden; beschlagen; (aus)füttern; auslegen; *Wand* verputzen *bzw.* tünchen *bzw.* verblenden (*Maurer*); **3.** versehen, versorgen (mit *dat.* de, *con*); *Festung, Schiff* ausrüsten; **~cido** △ *m* Mauerverblendung *f*; Tünche *f*, Verputz *m*.

guarnés *Equ. m* → *guadarnés*.

guarni|ción *f* **1.** Besatz *m*; Versatz *m*; Verzierung *f*, Zierat *m*; Garnitur *f*; (Ein-)Fassung *f v. Diamanten usw.*; *Kchk.* Garnierung *f*; *a.* Beilagen *f/pl.*; **2.** ⊕ Beschlag *m*; Zubehör *n*; (Ab-)Dichtung *f*; Futter *n*; *~ones f/pl.* Beschläge *m/pl.*; Armaturen *f/pl.*; ~ *de caucho* Gummidichtung *f*; *a. Kfz.* ~ *de freno* (*de fricción*) Brems- (Kupplungs-)belag *m*; **3.** ⚔ Garnison *f*, Besatzung *f*; (*ciudad con*) ~ Garnison(sstadt) *f*, (Truppen-)Standort *m*; *estar de* ~ in Garnison liegen; *poner* ~ → *guarnicionar* 2; **4.** *Equ.* Geschirr *n*; *~ones* Zaumzeug *n*; **5.** → *guardamano*; **~cionar** ⚔ *v/t.* **1.** in Garnison legen; **2.** mit Garnison belegen; **~cionería** *f* Sattlerei *f*, Geschirrmacherei *f*; **~cionero** *m* Sattler *m*; Geschirrmacher *m*.

guaro *m* **1.** *Vo. Art* Sittich *m*; *Ven.* Papagei *m*; **2.** *Am. Cent.* Zuckerrohrschnaps *m*.

guarrada F *f* → *guarrería*.

guarre|ría F *f* Schmutz *m*; Dreck *m*; Saustall *m* F; *fig.* Schweinerei *f* F; **~ro** *m* Schweinehirt *m*.

guarro I. *adj.* F schweinisch; drekkig; **II.** *m* Schwein *n*; *fig.* Schmutz-, Mist-fink *m*.

¡guarte! *int.* → *¡guarda!*

guarumo ⚘ *m Ant., Am. Cent., Méj. gr. Baum, viele Arten.*

gua|sa F *f* Scherz *m*; de ~ im Scherz; *tener mucha* ~ ein Witzbold sein; **~sada** *f Am.* Ungeschliffenheit *f*; Flegelei *f*; **~sca** *Ke. f Am. Mer., Ant.* Peitsche *f*; **~searse** F *v/r.* s. (gg.-seitig) verulken; ~ *de* spötteln über (*ac.*), *j-n* aufziehen; **~sería** *f Arg., Chi.* → *guasada*.

gua|so *Ke.* **I.** *m* **1.** *Chi.* Bauer *m*; (chilenischer) Gaucho *m*, „Guaso“ *m*; **II.** *adj.* **2.** auf den „Guaso“ bezüglich; **3.** *Arg., Cu., Chi., Ec.* bäurisch, grob, tölpelhaft; **~són** F **I.** *adj.* spaßig; scherzhaft; spottend; **II.** *m* Spaßvogel *m*, Spötter *m*.

guasquear *v/t. Am. Mer.* mit der Riemenpeitsche schlagen.
guata *f* **1.** Watte *f*; Wattierung *f*; **2.** *tex.* Flor *m*; **3.** *Cu.* Lüge *f*, Schwindel *m*; **4.** *Chi.* Bauch *m*.
guata|ca *f Cu. Art* Jäthacke *f*; F großes Ohr *n*; **~co** *adj. Cu. fig.* ungehobelt.
guatea|do *adj.* **1.** mit Watte (aus-) gepolstert; **2.** *fig.* mäßig, gemäßigt; **~r** *v/t.* wattieren; mit Watte (aus-) polstern.
Guate|mala *f* (*a. m*): F *salir de ~ y entrar en Guatepeor* vom Regen in die Traufe kommen; **2malteco** *adj.-su.* aus Guatemala; guatemaltekisch; *m* Guatemalteke *m*.
guateque *m* **1.** F *neol.* (Tanz-)Party *f*; **2.** *Ant., Méj.* (lärmendes) Familienfest *n*; **~ar** F *v/i.* feiern, e-n drauf machen F.
guatu|sa *Zo. f Am. Cent., Ec. Art* Paka *n*; **~sos** *m/pl. Indianerstamm in Nic. u. C.Ri.*
guau *onom.* wau (*Bellen*).
guay *poet. int.* ¡~! wehe!; *tener muchos ~es* viel Weh erleiden; F *iron.* viele Wehwehchen haben F; **~a** *f* Klage *f*, Wehklage *f*.
guaya|ba *f* **1.** ♀ Guajava-, Guavenbirne *f*; Guajavagelee *n*; **2.** *fig. Am. Reg.* Lüge *f*; Schwindel *m*; **3.** F *Am.* → *guayabo* 2; **~bear** F *v/i.* **1.** *Am.* gern zu jungen Mädchen gehen; **2.** *Rpl.* lügen; **~beo** F *m Am.* junge Mädchen *n/pl.*; **~bero** *adj.-su. Am.* verlogen; schwindlerisch; **~bo** *m* **1.** ♀ Guajava-, Guaven-baum *m*; **2.** *fig.* F junges Mädchen *n*, hübsche Krabbe *f* F; **3.** *Col.* grober Kerl *m*; **4.** F *Col.* Katzenjammer *m*, Kater *m* F.
guaya|ca *f* **1.** *Arg., Bol., Chi.* Beutel *m*; **2.** *fig.* Amulett *n*; **~cán** ♀ *m* → *guayaco*; *Col. versch. Hartholzbäume*; *Rpl. versch. Caesalpinien*; **~co** *m* **1.** ♀ Guajakbaum *m*; **2.** Guajakholz *n*, *pharm. lignum n guajaci*; *resina f de ~* Guajakharz *n*; **~col** *pharm. m* Gu(a)jakol *n*.
guayanés *adj.-su.* aus Guayana.
guayo *m Cu.* **1.** Reibeisen *n*; *p. ext.* ♪ Kürbisrassel *f*; *fig.* Katzenmusik *f*; **2.** Rausch *m*.
guazubirá *Zo. m Rpl.* Guazuhirsch [*m*.]
guber|namental **I.** *adj. c* **1.** Regierungs...; *cargo m* (*bzw. destino m*) *~* Stelle *f* bei der Regierung; Regierungsamt *n*; *en círculos ~es* in Regierungskreisen; **2.** der Regierung nahestehend; regierungsfreundlich; **II.** *~es m/pl.* **3.** Regierungsanhänger *m/pl.*; **~nativamente** *adv.* regierungsseitig; von Regierungsseite; **~nativo** *adj.* Regierungs...; Verwaltungs...; *funcionario m ~* Regierungsbeamte(r) *m*; *policía f ~a etwa*: Ordnungspolizei *f*; **~nista** *adj.-su. c Am.* regierungsfreundlich; *m* Regierungsanhänger *m*.
gubia ⊕ *f* Hohl-meißel *m*, -stech- [eisen *n*.]
güecho *m Am. Cent.* Kropf *m*.
guedeja *f* (Haar-)Strähne *f*; (Löwen-)Mähne *f*.
güegüecho **I.** *adj. Am. Cent., Col.* dumm, schwachsinnig; **II.** *m Am. Cent., Méj.* Kropf *m*.
güelde ♀ *m* Zwergholunder *m*.
güeldo *m* Fischköder *m*.
güelfo *hist. adj.-su.* welfisch; *m* Welfe *m*.
güemul *m* → *huemul*.
guepardo *Zo. m* Gepard *m*.
güero *adj. Méj.* blond; *fig.* reizend, [lieb.]
guerra *f* **1.** Krieg *m* (*a. fig.*); *fig.* Kampf *m*, Streit *m*, Fehde *f*; *de ~* kriegsmäßig, Kriegs...; *~ aérea* (*atómica*) Luft- (Atom-)krieg *m*; *~ de agresión*, *~ ofensiva* (*defensiva*) Angriffs- (Verteidigungs-)krieg *m*; *~ caliente* (*fría*) heißer (kalter) Krieg *m*; *~ civil* (*económica*) Bürger- (Wirtschafts-)krieg *m*; *~ de emancipación*, *~ de independencia*, *~ de liberación* Unabhängigkeits-, Befreiungs-krieg *m*; *~ estabilizada*, *~ de posiciones*, *~ de trincheras* Stellungskrieg *m*; *~ de exterminio* (*de fronteras*) Vernichtungs- (Grenz-) krieg *m*; *~ marítima*, *~ naval* Seekrieg *m*; *~ de movimiento(s)* (*de nervios*) Bewegungs- (Nerven-) krieg *m*; *2 mundial* Weltkrieg *m*; weltweiter Krieg *m*; *primera 2 mundial*, *Gran 2*, *2 europea* 1. Weltkrieg *m*; *~ preventiva* (*relámpago*) Präventiv- (Blitz-)krieg *m*; *~ (p)sicológica* psychologische Kriegsführung *f*; *~ submarina* U-Boot-Krieg *m*; *~ de sucesión* Erbfolgekrieg *m*; *~ terrestre* Landkrieg *m*; *atrocidades f/pl. de (la) ~* Kriegsgreuel *m/pl.*; *cansancio m de la ~* Kriegsmüdigkeit *f*; *daños m/pl. de ~* Kriegsschäden *m/pl.*; *derecho m de ~ lt.* jus *n* in bello, Kriegs(völker)recht *n*; *empréstito m de ~* Kriegsanleihe *f*; *Escuela f de 2* Kriegsschule *f* (*früher*); Offiziersschule *f* (*heute*); *instigación f a la ~* Kriegshetze *f*; *Ministerio m de 2* Kriegsministerium *n*; *mutilado m de la ~* Kriegsversehrte(r) *m*; *fig. nombre m de ~* Deckname *m*; *oficio m de la ~* Kriegshandwerk *n*; *responsabilidad f de la ~* Kriegsschuld *f*; *teatro m de la ~* Kriegsschauplatz *m*; *víctima f de la ~* Kriegsopfer *n*; *viuda f de ~* Kriegerwitwe *f*; *armar en ~* für den Krieg ausrüsten; *bsd. Schiff* als Hilfskreuzer ausstatten (*od.* umrüsten); *estar en pie de ~ con*, *hacer la ~ a* Krieg führen mit (*dat.*); *fig.* mit j-m auf Kriegsfuß stehen; F *armar ~* Krach machen F; *tener (la) ~ declarada a alg.* j-s erklärter Feind (*od.* Todfeind) sein; **2.** Ärger *m*, Mühe *f*; *dar ~ a alg.* j-m Ärger (*od.* Mühe) machen; j-m zu schaffen machen; **3.** *~ de bolas od. ~ de palos Art* Billard *n*.
guerre|ador *adj.-su.* kriegerisch; *m* Krieger *m*; **~ar** *v/i.* Krieg führen; *fig.* streiten; **~ra** ⚔ *f* Waffenrock *m*; Feldbluse *f*; **~ro** **I.** *adj.* **1.** kriegerisch; Kriegs...; *espíritu m ~* Kampfgeist *m*; **2.** *fig.* lästig; aufdringlich; mutwillig; **II.** *m* **3.** Krieger *m*.
guerri|lla *f* **1.** Partisanengruppe *f*; Gerilla *f*; **2.** (*guerra f de*) *~(s)* Kleinkrieg *m*; Guerillakrieg *m*; Partisanenkampf *m*; **~llear** *v/i.* Kleinkrieg führen; als Partisan (*od.* Freischärler) kämpfen; **~llero** *m* Freischärler *m*; Guerillakämpfer *m*, Partisan *m*.
gueux *frz. hist. m/pl.* Geusen *m/pl.*
guía **I.** *m* **1.** Führer *m*, Fremdenführer *m* (*Person*); Lehrmeister *m*; *Sp.* Schrittmacher *m*; *~ intérprete* sprachkundiger Reise-, Fremdenführer *m*; **2.** ⚔ Flügelmann *m*; Vordermann *m*; **3.** Leitpferd *n*; Leittier *n*; **II.** *f* **4.** Richt-schnur *f*, -linie *f*; Leitfaden *m* (*Buch*); Reiseführer *m* (*Buch*); Leitkarte *f* (*Kartei*); Fahrplan *m*; *~ de bolsillo* Taschenfahrplan *m*; *~ comercial* **a)** Adreßbuch *n*; **b)** *Rf.* Werbefunk *m*; *~ de ferrocarriles* Kursbuch *n*; *~ telefónica* Telefonbuch *n*; ✝ *~ de tránsito* Zollbegleitschein *m*; **5.** Lenkstange *f* (*Fahrrad*); **6.** ⊕ Lenkung *f*; Führung *f*; Leitschiene *f*; Gleitbahn *f* (*a. Geschütz*); *Wkzm.* *~ del carro* Schlittenführung *f*; *~ de ondas HF* Wellenleiter *m*; *Radar*: Hohlleiter *m*; *~-película* Filmführung *f*; **7.** ⚓ Wurfleine *f*; **8.** Anweisung *f*; Plan *m*; *~ de engrase* Schmierplan *m*; **9.** ♪ *~ principal* führende Stimme *f* (*Melodie*); **10.** *~s f/pl.* Schnurrbartspitzen *f/pl.*
guia|dera ⊕ *f* Führungsstück *n*; Leitschiene *f*; Führungsnut *f*; **~do** *adj.* ✝ mit Zollbegleitschein versehen; *fig. ~ por el* (*od. del*) *deseo* von dem Wunsche geleitet (*od.* beseelt); **~dor** *adj.-su.* führend; *m* Führer *m*; **~ondas** *HF m* (*pl. inv.*) wellenführende Leitung *f*; **~papel** *m* Papieranlage *f* (*Schreibmaschine*).
guia|r [1c] **I.** *v/t. a. fig.* führen, leiten; *Pferde, Wagen* lenken; *Pfl.* ziehen; **II.** *v/i.* führen, voran-gehen, -fahren *usw.*; **III.** *v/r.* *~se* s. leiten lassen (von *dat. por*); s. richten (nach *dat. por*); **~tipos** *m* (*pl. inv.*) Typenführung *f* (*Schreibmaschine*); **~virutas** ⊕ *m* (*pl. inv.*) Spanführung *f*.
gui|ja *f* **1.** Kiesel(stein) *m*; ⚒ *u. Am.* Quarz *m*; **2.** ♀ Platterbse *f*; **~jarral** *m* kieselreiche Stelle *f*; Flußbett *n* mit viel Kieselsteinen; **~jarreño** *adj.* kiesig, Kiesel...; **~jarro** *m* Kiesel(stein) *m*; *Geol.* *~s m/pl.* Geröll *n*; **~jarroso** *adj.* kieselreich; **~jeño** *adj.* **1.** kies(el)artig; schotterartig; **2.** *fig.* hart; grausam; **~jo** *m* **1.** Kies *m*; Schotter *m*; **2.** ⊕ Dorn *m*, Zapfen *m*; **~jón** ⚘ *m* → *neguijón*; **~joso** *adj.* Kiesel...; kieselreich; (stein)hart.
guildivia *f Am.* Rumdestillerie *f*.
güi|lo *adj.-su. Méj.* lahm; kränklich; **~lón** F *adj. Am.* feig.
guilla *f* reiche Ernte *f*; *fig. de ~* in Hülle u. Fülle; **~do** F *adj.-su.* verrückt, bekloppt F; *fig. ~ por* verknallt in (*ac.*) F; **~dura** F *f* Verrücktheit *f*.
guillame *Zim. m* Falzhobel *m*.
guillarse F *v/r.* **1.** verrückt werden, durchdrehen F; **2.** *a. guillárselas* abhauen F, verduften F.
güillín *m* → *huillín*.
guillomo ♀ *m* Fels-birne *f*, -mispel [*f*.]
gilloque ⊕ *m* Guilloche *f*.
guillotina *f* **1.** Guillotine *f*, Fallbeil *n*; **2.** Papierschneidemaschine *f*; Tafelschere *f*; ⊕ *de ~* senkrecht auf- u. abwärts zu schieben (*Schiebefenster*); **~r** *v/t.* **1.** guillotinieren; **2.** *Papier, Furniere u. ä.* beschneiden.
guim|balete *m* Pumpen-hebel *m*, -schwengel *m*; **~barda** *Zim. f* Nuthobel *m*.

güincha *f* → *huincha.*
güinche (*a. guinche*) ⚓ *u. Am. m* Kran *m*, Winsch *f.*
guincho *m* **1.** Stachel *m*, Spitze *f e-s Stocks*; **2.** *Vo. Cu.* Fischsperber *m.*
guinda[1] ⚘ *f* Sauerkirsche *f.*
guinda[2] ⚓ *f* Flaggen-, Mast-höhe *f.*
guinda|da *f* Sauerkirschgetränk *n*; **~do** *m Chi. Art* Maraschino *m.*
guinda|l *m* **1.** → *guindo*; **2.** → **~lera** *f* Sauerkirschpflanzung *f*; **~leza** ⚓ *f* Trosse *f*; **~maina** ⚓ *f* Flaggengruß *m*; **~r** *v/t.* **1.** aufwinden; hissen, ⚓ heißen; **2.** *fig.* F angeln F, ergattern F; **3.** P (auf)hängen.
guindaste *m* ⚓ Schiffs(lade)winde *f*; ✈ Ballonwinde *f.*
guin|dilla *f* **1.** ⚘ span. Pfefferkirsche *f*; *Art* Sauerkirsche *f*; span. roter (scharfer) Pfeffer *m*; **2.** *fig.* F Polizist *m*, Polyp *m* F; **~dillo m de Indias** ⚘ Pfeffer(kirschen)baum *m*; **~do** *m* ⚘ Sauerkirschbaum *m.*
guindola ⚓ *f* **1.** Rettungsboje *f*; **2.** Logscheit *n.*
guine|a *f* Guinee *f* (*21 engl. Schilling*); **~ano** *adj.* auf Guinea bezüglich; aus Guinea; **~o I.** *adj.-su.* **1.** aus Guinea; Guinea...; **II.** *m* **2.** ⚘ Guineabanane *f* (*Staude u. Frucht*); **3.** ♪ *Negertanz.*
guinga *tex. f* Gingham *m*, Gingan *m* (*Schürzenstoff*).
guin|ja *f* (*a. guinjol m*) ⚘ Brustbeere *f*; **~jo(lero)** ⚘ *m* Brustbeerbaum *m.*
guiña|da *f* **1.** (Zu-)Blinzeln *n*; (Zu-)Zwinkern *n*; Wink *m* mit den Augen; **2.** ⚓ Gieren *n*; *dar ~s* gieren; **3.** ✈ Schrauben *n*; **~po** *m a. fig.* Lumpen *m*, Fetzen *m*; *estar hecho un ~* sehr heruntergekommen sein; *ponerle a uno como un ~* j-n fürchterlich heruntermachen; **~poso** *adj.* zerlumpt; *fig.* heruntergekommen; **~r I.** *vt/i.* **1.** blinzeln; *~ los ojos* mit den Augen zwinkern; *~ a uno* j-m zublinzeln; **2.** ⚓ gieren; **3.** P *~la(s)* → *diñarla*; **II.** *v/r.* *~se* **4.** F Reißaus nehmen, verduften F.
guiño *m* Blinzeln *n*, Zwinkern *n*; Grimasse *f*; *hacer ~s* **a)** *mit den Augen* zwinkern; **b)** zublinzeln (*a alg.* j-m).
guiño|l *m* **1.** Puppenspielfigur *f*; (*teatro m*) *~* Kasperletheater *n*; **2.** *fig.* Kasperle *n*, Hanswurst *m*; **~lesco** *adj.* Kasperle... (*a. fig.*).
guión *m* **1.** Führer *m*, Wegweiser *m*; **2.** *Jgdw.* Leithund *m*; **3.** Bindestrich *m*; Trennungsstrich *m*; Gedankenstrich *m*; **4.** *ecl.* Tragkreuz *n*; Kirchen-, Prozessions-fahne *f*; *hist.* Königsbanner *n*; ⚔ Standarte *f*; ⚓ Stander *m*; **5.** ⚔ Korn *n zum Zielen*; **6.** ⚓ *~ del remo* Riemenholm *m*; **7.** *Rf.*, *TV* Manuskript *n*, Skript *n*; *Rf.* *~ radiofónico* Hörspiel *n*; *Film*: *~* (*técnico*) Drehbuch *n*, Skript *n*; **8.** *Vo.* *~ de codornices* Wachtelkönig *m.*
guionista *c* Drehbuchautor *m*; Skriptverfasser *m.*
guipar P *vt/i.* sehen, (be)merken, spannen P, kneisen P.
guipuzcoano *adj.-su.* aus Guipuzcoa; *m* Guipuzcoaner *m*; *das* Guipuzcoanische (*bask. Dialekt*).
güira *f Am.*, *bsd. Ant.* Kürbisbaum *m*; Baumkürbis *m.*
guiri *m* **1.** *desp.* (*in den Karlistenkriegen*) Liberale(r) *m*; **2.** □, P Polyp *m* F, Bulle *m* □; **~gay** F *m* **1.** Kauderwelsch *n*; **2.** Geschrei *n*, lärmendes Durcheinander *n.*
guirizapa P *f Ven.* Krawall *m.*
guirlache *m Art* Turron *m.*
guirnalda *f* **1.** Girlande *f*; Kranz *m*; **2.** ⚘ roter Amarant *m*; **3.** ⚓ Stoßtau *n*; Fender *m.*
güiro *m* **1.** ⚘ *Ant.* Flaschenkürbis *m*, Kürbisliane *f*; **2.** *Cu. fig.* heimliches Verhältnis *n*, Techtelmechtel *n* F; *fig.* F *coger (el) ~* et. Heimliches entdecken; **3.** P Kopf *m*, Birne *f* P.
guisa *f*: *a ~ de* nach Art (*gen.*), nach Art von (*dat.*); als, wie; *de tal ~* derart, dergestalt; *a ~ de prólogo* als Vorwort, anstatt e-s Vorworts.
gui|sado *m* Schmorfleisch *n mit Soße u. Kartoffeln*; Saftbraten *m*; Gericht *n mit Soße*; *~ picante a la húngara* Gulasch *n*; **~sador, ~sandero** *adj.-su.* kochend; *m* Koch *m*; *~a f* Köchin *f.*
guisan|tal *m* Erbsenacker *m*; **~te** *m* Erbse(nstaude) *f*; Gartenerbse *f*; ⚘ *~ de América* Giftbohne *f*; ⚘ *~ de olor* Gartenwicke *f*; *Kchk.* *~s m/pl.* (*verdes*) grüne Erbsen *f/pl.*; *~s secos* gelbe (*od.* getrocknete) Erbsen *f/pl.*; *~s secos molidos en conserva* Erbswurst *f.*
guisar I. *vt/i.* kochen; schmoren; anrichten; *fig. ellos se lo guisan, y ellos se lo coman* wer s. die Suppe eingebrockt hat, soll sie auch auslöffeln; **II.** *v/t. fig. et.* herrichten, zurechtmachen.
güisclacuachi *Zo. m Méj.* Stachelschwein *n.*
guiso *m* Gericht *n*; Geschmorte(s) *n*; warm zubereitete Speise *f mit Soße*; F → **~te** F *m* (Schlangen-)Fraß *m* F.
güisque P *m Méj.* (< *whisky*) Schnaps *m*; **~lite** *m Méj. Art* Artischocke *f.*
guita *f* **1.** Bindfaden *m*, Schnur *f*; **2.** F Geld *n*, Moneten *f/pl.* F.
guita|rra *f* **1.** ♪ Gitarre *f*; *~ baja* (*solista*) Baß- (Solo-)gitarre *f*; *fig. sonar como ~ en un entierro* völlig unpassend (*od.* fehl am Platz) sein; **2.** ⊕ Gipsschlegel *m*; **3.** ⚓ *desp.* altes Schiff *n*, Seelenverkäufer *m*; **4.** *Pe.* Säugling *m*; **5.** *Ven.* Feiertagsstaat *m*; **~rrazo** *m* Schlag *m* mit e-r Gitarre; **~rrear** *v/i. mst. desp.* auf der Gitarre klimpern; **~rreo** *desp. m* Gitarrengeklimper *n*; **~rrería** *f* Gitarren-macherei *f*, -geschäft *n*; **~rrero** *m* **1.** Gitarrenmacher *m*; **2.** → *guitarrista*; **~rresco** F *adj.* Gitarren...; **~rrillo** *m* kl. viersaitige Gitarre *f*; **~rrista** *c* (Berufs-)Gitarrenspieler *m*, Gitarrist *m*; **~rro** *m* → *guitarrillo*; **~rrón** *m* **1.** Baßgitarre *f*; **2.** *fig.* F gerissener Kerl *m*, Gauner *m.*
güito *m* F steifer Hut *m*, Melone *f*; P Kopf *m*, Birne *f* P, Deetz *m* P.
guizacillo ⚘ *m Am. trop. Art* Tropengras *n.*
guizque *m* Hakenstange *f.*
gula *f* Völlerei *f*; Schlemmerei *f*; Gefräßigkeit *f.*
gulden *m* Gulden *m* (*Münze*).
gules ▨ *m/pl.* Rot *n*; *campo m de ~* rotes Feld *n.*
gulusme|ar *v/i.* naschen; **~ro** *adj.* naschhaft.
gullería *f* → *gollería.*
gúmena ⚓ *f* Ankertau *n.*
gumía *f leicht gekrümmter* maurischer Dolch *m.*
gumífero *adj.* Gummi...
gura □ *f* Justizbehörde *f.*
gurbio ♪ *adj.* gekrümmt, gebogen (*Blechinstrument*).
gurbión *m* Kordonettseide *f*; Stoff *m* aus gedrehter Seide.
gurí *m Arg.* Knabe *m* (*Indianer od. Mestizen*).
guripa F *m* **1.** Schlingel *m*; Straßenjunge *m*; **2.** *M* Soldat *m*, Landser *m* F.
gurisa *f Arg.* Mädchen *n* (*vgl. gurí*).
guro □ *m* Polizist *m*, Bulle *m* □.
gurriato[1] *m* **1.** junger Spatz *m*; **2.** *fig.* P Küken *n*, Kleine(r) *m.*
gurriato[2] *adj.-su.* → *escurialense.*
gurru|fero F *m* Schindmähre *f*; **~mina** *f* **1.** F Unterwürfigkeit *f des Ehemannes*; **2.** *Ec.*, *Guat.*, *Méj.* Ärger *m*, Verdruß *m*; **3.** *Col.* Schwermut *f*, Traurigkeit *f*; **4.** *Am. Cent.*, *Méj.* Lappalie *f*; **5.** *Bol.* Spießer *m/pl.*; Gecken *m/pl.*; **~mino** F **I.** *adj.* **1.** elend, erbärmlich; mick(e)rig F; **II.** *m* **2.** Pantoffelheld *m*; **3.** *Am.* Schwächling *m*, Feigling *m.*
gurru|pear *v/i. Ant.*, *Méj.* als Croupier tätig sein; **~pié** *m* → *gurupié.*
guru *Rel. m* Guru *m* (*Hinduismus*).
gurullada *f* F Haufen *m* Pöbel; □ Häscher *m/pl.*
guru|llo *m* → *burujo*; **~pa** *f* → *grupa*[1]; **~pera** *f* → *grupera.*
guru|pí *m Arg.* Strohmann *m b. Auktionen*; **~pié** *m Am. Cent.*, *Méj.* Croupier *m.*
gusa|near *v/i.* kribbeln; wimmeln; brodeln; **~nera** *f* **1.** Wurm-, Raupen-nest *n*; **2.** *fig.* F Brutstätte *f*; **~niento** *adj.* wurmstichig; **~nillo** *m* **1.** Würmchen *n*; *fig.* F Gewissenswurm *m*; „Hungerwurm" *m*; *ya me está picando el ~* ich habe (e-n gehörigen) Appetit; *matar el ~* e-n Schnaps zum (*od.* vor dem) Frühstück trinken; **2.** Wäschebesatz *m u. ä. Stickereien*; **~no** *m* **1.** Wurm *m* (F *a. fig.*); Made *f* (*Angelköder*); P Raupe *f*; *~ (de tierra)* Regenwurm *m*; *~ blanco* Engerling *m*; *~ de luz* Leuchtkäfer *m*, Johanniskäfer *m*; *~ de seda* Seidenraupe *f*; **2.** *fig.* *~ de la conciencia* Gewissenswurm *m*, quälende Reue *f*; *matar el ~* → *gusanillo*[1]; **~noso** *adj.* wurmig, madig; **~rapiento** *adj.* **1.** voller Maden; **2.** *fig.* F schmutzig, unflätig; **~rapo** *desp. m* Eingußtierchen *n.*
gus|go *adj. Méj.* gierig; **~la** *f* → *guzla.*
gusta|ción *f* Kosten *n*, Schmecken *n*; **~dura** *f* Kosten *n*; Auskosten *n*; **~r I.** *v/t.* kosten, schmecken; abschmecken; genießen, auskosten; **II.** *vt/i.* gefallen, behagen; Anklang finden; *~ de hacer a/c.* et. gern tun; *gusta de bromas* er versteht e-n Spaß; er scherzt gern; *les gusta leer* (*od. la lectura*) sie lesen gern; *¡así me gusta!* das gefällt mir!, das ist ganz mein Fall!; *iron.* das hab' ich gern!; *me gustaría + inf.* ich möchte (*od.* wollte) gerne + *inf.*; *¡cuando guste!* wann Sie wollen!; *como gustes* (ganz) wie du willst; *le gustan todas* er ist ein großer

Schürzenjäger; *¿usted gusta? od. ¿si gusta?* darf ich Ihnen (et.) anbieten?, wollen Sie mitessen? (*mst. rhetorisch gemeint*); *si usted gusta* **a**) wenn es Ihnen recht ist; **b**) bitte, recht gern; **~tivo** *adj.* Geschmacks...; *nervios m/pl.* ~*s* Geschmacksnerven *m/pl.*

gus|tazo *m* Riesenfreude *f*; *bsd.* F Schadenfreude *f*; diebische Freude *f* F; Mordsspaß *m* F; **~tillo** *m* Beigeschmack *m*; Nachgeschmack *m*; **~to** *m* **1.** Geschmack *m*; *chocolate m al ~ francés* Schokolade *f* nach frz. Art; **2.** *fig.* Geschmack *m*; Gefallen *m*, Vorliebe *f*; Vergnügen *n*; Behagen *n*; *cuestión f de ~(s)* Geschmackssache *f*; Frage *f* des Geschmacks; *a gusto* **a**) nach Belieben; **b**) behaglich; **c**) gerne; *a su ~ de usted* ganz nach Ihrem Belieben; *a(l) ~ del consumidor* für jedermanns Geschmack; nach Belieben; *de buen ~* geschmackvoll; *de mal ~* geschmacklos; taktlos, kitschig; *mucho ~ od. tanto ~* sehr erfreut, freut mich (*beim Vorstellen*); *con mucho (sumo) ~* sehr (von Herzen) gern; *adv. por ~* **a**) nach Herzenslust; **b**) grundlos; *por mi (tu etc.) ~* (nur) aus (*od.* zum) Spaß; *dar ~* gefallen, Spaß machen (*dat.*); *da ~ hacerlo* man hat Freude an dieser Arbeit; *da ~ oírlo* man hört es gern, es ist Musik für die Ohren; *darse el ~* s. et. (Besonderes) leisten; *darse el ~ de + inf.* es s. leisten, zu + *inf.*; F *éste no es plato de mi ~* das ist absolut nicht mein Fall; *hablar al ~ de alg.* j-m nach dem Munde reden; in j-s Kerbe hauen F; *hacer su ~* sich's bequem (*od.* einfach) machen; nach Belieben handeln; *¿me hará el ~ de tomar una copita conmigo?* darf ich Sie zu e-m Gläschen einladen?; F *hay ~s que merecen palos* Geschmäcker gibt's! F; *sobre ~s no hay disputa (od. no hay nada escrito) od. para cada ~ se pintó un color* über Geschmack (*od.* über Geschmäcker F) läßt s. nicht streiten; *tener el ~ de + inf.* das Vergnügen haben, zu + *inf.*; *tener ~ en + inf. et.* gerne tun; *tener ~ por a/c.* Sinn für et. (*ac.*) haben; *tener ~ para + inf. od. + su.* für *et.* (*ac.*) Geschmack haben; *tomar (od. sacar) ~ a a/c.* Geschmack finden an et. (*dat.*); bei et. (*dat.*) auf den Geschmack kommen; *en la variedad está el ~* in der Abwechslung liegt der Reiz.

gusto|samente *adv.* gern, mit Vergnügen; **~so** *adj.* **1.** schmackhaft; **2.** behaglich; **3.** gern, bereitwillig; *~s le escribimos ...* gern teilen wir Ihnen mit ...

guta|gamba *f* **1.** ⚘ Gummiguttbaum *m*; **2.** *pharm.* Gutti *n*; ⚗ Gummigutt *m, n*; **~percha** *f* Guttapercha *f.*

gutíferas *f/pl.* Guttibaumgewächse [*n/pl.*]

gutural I. *adj. c* kehlig, Kehl...; guttural; *Phon. sonido m ~* → **II.** *f* Kehllaut *m.*

guzla ♪ *f* Gusla *f.*

gymkhana *Sp. m* (*angloindisch*) Gymkhana *n.*

H

H, h (= *hache*) *f* H, h *n*; *Abk.* h (= *hora*[s] h [*Stunde*]); ⚔ *u. fig. la hora H* die Stunde X; → *a. hache.*

ha[1] (→ *haber*) er (sie, es) hat; *lit. treinta años* ~ dreißig Jahre ist es her, vor dreißig Jahren.

¡ha![2] *int.* ah!, ach!

¡ha, ha! *int.* haha!; aha! so ist's recht!; schau, schau!

haba *f* **1.** ⚘ Bohne *f*; (Kakao-, Kaffee-)Bohne *f*; ~ (*común*) Puff-, Saubohne *f*; ~ *de San Ignacio*, ~ *de los Jesuitas* Ignatiusstrauch *m*; *pharm.* Ignatiusbohne *f*; ~ *de las Indias* Gartenwicke *f*; ~ *tonca* (*Am. Mer. a.* ~ *tunca*) Tonka-, Tonga-bohne *f*; *fig.* F (*eso*) *son* ~*s contadas* das ist ein ganz klarer Fall; darauf kannst du Gift nehmen F; *en todas partes cuecen* ~*s* es wird überall mit Wasser gekocht; **2.** *Min.* Steinknoten *m*; **3.** *Folk.* Bohne *f bzw.* Glücksfigur *f*, *bsd. im Dreikönigskuchen*; **4.** ⚕ Quaddel *f*; *vet.* Gaumengeschwulst *f der Pferde.*

haba|nera ♪ *f* Habanera *f* (*Tanz*); **~no I.** *adj.-su.* aus Havanna; *p.ext.* aus Kuba; **II.** *adj.* hellbraun; **III.** *m* Havanna(zigarre) *f.*

habar ⚒ *m* Bohnenacker *m.*

hábeas corpus ⚖ *m* Habeas-Corpus-Akte *f.*

haber [2k] **I.** *Hilfszeitwort* **1.** haben, sein (*zur Bildung der zs.-gesetzten Zeiten aller span. Verben*; *z. B. he caído* ich bin gefallen; F *¡~lo sabido!* hätte ich das (nur früher) gewußt!; **2.** ~ de + *inf.* müssen, sollen (*innere u. äußere Nötigung*); (ganz sicher) werden (*Ausdruck großer Wahrscheinlichkeit*); *habrá de hacerse* es wird (wohl) geschehen müssen; *cuando te lo diga, no has de creerlo* wenn er es dir sagt, darfst du es (*bzw.* wirst du es sicher) nicht glauben; **II.** *v/impers.* **3.** *hay* es gibt, es ist (*bzw.* sind) vorhanden; es ist; *ya no hay pan* es ist kein Brot mehr da (*od.* vorhanden); *¿qué hay?* **a**) was gibt es?, was ist los?; **b**) wie geht's?; *¿qué hay de aquello?* wie steht es mit der (bewußten) Sache?; *no hay quien se atreva* k-r wagt es; *hay quien*(*es*) *no lo cree*(*n*) manche glauben es nicht; *no hay* (*nada*) *que hacer* da kann man nichts machen, da ist nichts zu machen; *algo habrá* (irgend-) etwas muß schon dran sein; es wird schon s-n Grund haben; *¡habrá canalla!* gibt es e-n schlimmeren Schurken (als ihn)?; *no hay tal* (*cosa*) das gibt's nicht!, das stimmt nicht!, keineswegs!; *¡gracias!* — *¡no hay de qué!* danke! — k-e Ursache!; bitte!, gern geschehen!; es *guapa, si las hay* sie ist ganz unvergleichlich hübsch; *esto es de lo que no hay* **a**) sowas gibt's (so schnell) nicht wieder, so etwas findet man selten; **b**) Sachen gibt's, die gibt's gar nicht F, man sollte es nicht für möglich halten; *no hay por qué* es ist kein Grund vorhanden; *no hay como* es geht nichts über (*ac.*), es gibt nichts besseres als (*ac. od.* zu + *inf.*); **4.** *lo habido y por* ~ Gehabte(s) u. Zukünftige(s) *n*; alles; *todos los políticos habidos y por* ~ alle gewesenen u. kommenden Politiker; → *a.* 7, 8; **5.** *hay que* + *inf.* man muß + *inf.*; *no hay que* + *inf.* **a**) man braucht nicht zu + *inf.*; es ist nicht nötig, zu + *inf.*; **b**) man darf nicht + *inf.*; *no hay más que* + *inf.* man braucht nur zu + *inf.*, man muß nur + *inf.*; *no hay que decir que ...* es ist selbstverständlich, daß ...; **6.** *ha* (*lit.*, *statt hace*) → *ha*[1]; **III.** *v/t.* **7.** † haben, bekommen; *lit. ¡mal haya!* er (*bzw.* sie) sei verflucht!, Unglück treffe ihn!; *¡bien haya quien tal hizo!* Heil dem, der solches vollbracht hat!; ⚖ *los hijos habidos en el primer matrimonio* die Kinder aus erster Ehe; **8.** *bsd.* ⚖ *j-n* fangen, *j-s* habhaft werden (*mst. im Passiv*); *los delincuentes no fueron habidos* man konnte der Täter nicht habhaft werden; **IV.** *v/r.* ~se **9.** *habérselas con alg.* es mit j-m zu tun haben (*bzw.* bekommen); s. mit j-m anlegen, mit j-m Streit anfangen; **V.** *m* **10.** ☨ Haben *n* (*Buchhaltung*); Guthaben *n* (*Konto*); *debe y* ~ Soll u. Haben *n*; *el* ~ *a nuestro favor* unser Guthaben; *pasar al* ~, *poner en el* ~ gutschreiben; **11.** *mst.* ~es *m/pl.* Vermögen *n*; Habe *f*, Hab u. Gut *n*; **12.** ~es *m/pl.* Bezüge *pl.*, Gehalt *n.*

habichuela ⚘ *f* (Garten-)Bohne *f.*

habido → *haber*, *bsd.* 4, 7, 8.

habiente ⚖ *adj.-su. c*: *derecho* ~ Berechtigte(r) *m.*

hábil *adj. c* fähig, geschickt; tauglich, geeignet (für *ac. para*); ⚖ berechtigt (zu *dat. para*); *días m/pl.* ~es Werk-, Arbeits-tage *m/pl.*; ~ *para testar* testierfähig; *época f* ~ Jagdzeit *f.*

habili|dad *f* **1.** Geschick *n*, Geschicklichkeit *f*; Tüchtigkeit *f*, Gewandtheit *f*; Kunstfertigkeit *f*; **2.** Kunstgriff *m*, Trick *m*, Kniff *m*; **~doso** *adj.* geschickt; begabt, befähigt.

habilita|ción *f* **1.** *a.* ⚖ Befähigung *f*, Berechtigung *f*; Ermächtigung *f*; **2.** ⚔ Zahlmeisteramt *n*; Zahlmeisterei *f*; **~do I.** *part.* berechtigt, befugt (zu + *inf. od.* + *dat. para*); **II.** *m* Bevollmächtigte(r) *m*; Kassenleiter *m*; *Univ.* Quästor *m*; ⚔ Zahlmeister *m*; **~r I.** *v/t.* **1.** befähigen; ermächtigen (zu + *inf. od.* + *dat. para*); bevollmächtigen; ⚖, *Verw.* ~ *días para actuaciones judiciales* Tage als rechtsgültig für gerichtliche Handlungen erklären; ⚖ ~ *a un menor para contraer matrimonio* e-m Minderjährigen die (amtliche) Erlaubnis zur Eheschließung erteilen; **2.** ausrüsten, versorgen (mit *dat.* de); einrichten, herrichten; vorbereiten (für *ac. para*); ⚓ *Schiff* klarieren; **3.** fundieren, mit Kapital versehen; **II.** *v/r.* ~se **4.** s. ausrüsten (mit *dat.* de); **5.** s. qualifizieren (*fig.*) (für *ac. para*).

hábilmente *adv.* geschickt.

habiloso *adj. Chi.* **1.** → *taimado*; **2.** → *habilidoso.*

habi|table *adj. c* bewohnbar; **~tación** *f* **1.** Wohnung *f*; Wohnraum *m*, Zimmer *n*; ~ *doble* (*individual*) Doppel- (Einzel-)zimmer *n*; **2.** (*derecho m* de) ~ Wohnrecht *n*; **3.** *Biol.* → *habitat*; **~táculo** *m* ⚒ Wohnung *f*; ✈ Raum *m*, Kabine *f*; **~tante** *m* Bewohner *m*; Einwohner *m*; **~tar I.** *v/t.* bewohnen; **II.** *v/i.* wohnen; leben; **~tat** *Biol. m* natürlicher Lebensraum *m.*

hábito *m* **1.** Gewohnheit *f*; **2.** *Rel.* Ordenskleid *n*; ~ (*de penitente*) Büßer-, Buß-gewand *n*; *caballero m de*(*l*) ~ *de ...* Ritter *m* des Ordens von ... (*od.* des ...ordens); *fig. ahorcar* (*od. colgar*) *los* ~*s* die Kutte ablegen; *p. ext.* s-n Beruf an den Nagel hängen; *tomar el* ~ *ecl.* eingekleidet werden; *p. ext.* ins Kloster gehen; *Spr. el* ~ *no hace al monje* die Kutte macht noch k-n Mönch, der Schein trügt; *el* ~ *hace al monje* Kleider machen Leute.

habitu|ación *f* Gewöhnung *f*; **~ado** *m* **1.** (Rauschgift-)Süchtige(r) *m*; **2.** *gal.* (Stamm-)Kunde *m*; **~al I.** *adj. c* gewöhnlich, üblich; gebräuchlich; gewohnt, Gewohnheits...; **II.** *adj.-su. m* (*cliente m*) ~ Stammgast *m*; **~almente** *adv.* gewohnheitsmäßig; **~ar** [1e] **I.** *v/t.* gewöhnen (an *ac. a*); **II.** *v/r.* ~se *a* s. an *et.* (*ac.*) gewöhnen, s. daran gewöhnen, zu + *inf.*; **~d** *f* ⚒ Verhältnis *n e-r Sache zu e-r andern*; *Am.* Gewohnheit *f.*

habla *f* **1.** Sprache *f*; Sprechweise *f*; *Li.* **a**) Sprachgebrauch *m*; **b**) Mundart *f*; *de* ~ *española* spanisch sprechend, spanischsprachig; *a. fig.*

perder el ~ die Sprache verlieren; **2.** Sprechen *n*; Gespräch *n*; *Tel.* *¡al ~!* (selbst) am Apparat; *estar al ~ con alg.* mit j-m im Gespräch sein, mit j-m verhandeln; *ponerse al ~ con alg.* mit j-m Rücksprache nehmen, s. mit j-m in Verbindung setzen; **~d(er)a** *f Am.* Gerede *n*; **~do** *adj.*: *bien ~* beredt; anständig im Ausdruck; höflich; *mal ~* grob im Ausdruck; unflätige Reden führend; **~dor** *adj.-su.* geschwätzig; klatschsüchtig; schwatzhaft; *m* Schwätzer *m*; Klatsch-base *f*, -maul *n*; **~duría** *f* Geschwätz *n*; *~s f/pl.* Klatsch *m*, Gerede *n*, Tratsch *m*; **~nchín** F *adj.-su.* → *hablador*; **~nte** *adj. c*: *hispano ~* spanisch sprechend, spanischsprachig.

hablar I. *vt/i.* **1.** sprechen, reden; *~ (el) alemán* Deutsch sprechen (können); *~ en alemán* deutsch sprechen; *~ a/c.* et. besprechen; F *~ (en) cristiano* (*od. en romance*) verständlich reden; F *¡no hables en chino!* rede kein unverständliches Zeug!; **II.** *v/i.* **2.** sprechen (*abs.*), reden; mitea. sprechen; *~ a* (*od. con*) *alg.* mit j-m sprechen, j-n sprechen; *no ~ a alg.* mit j-m nicht (mehr) sprechen; *~ a alg. de* mit j-m von (*dat. od.* über *ac.*) sprechen; bei j-m ein gutes Wort einlegen für (*ac.*); *~ de* (*od. sobre od. acerca de*) über (*ac.*) *od.* von (*dat.*) sprechen; *~ por ~* ins Blaue hineinreden; *~ claro* deutlich sprechen; *fig.* deutlich werden; *~ consigo mismo*, *~ entre* (*od. para*) *sí* Selbstgespräche führen, mit s. selbst reden; *~ entre dientes* et. in s-n Bart brummen F, brummeln; *~ como un libro* wie ein Buch reden; *~ mal* **a)** nicht korrekt sprechen, s. falsch ausdrücken; **b)** grobe Ausdrücke gebrauchen; **c)** schlecht sprechen (von *j-m od.* über *j-n de*); *~ sin parar* wie ein Wasserfall reden; *¡eso es ~ en plata!* das sind goldene Worte!, das hört man gern!; *~ poco y bien* kurz u. bündig sprechen; *~ por señas* s. durch Zeichen verständigen; *sin más ~* ohne weiteres, kurzerhand; F *~ de trapos* von der (*od.* über) Mode sprechen; *dar que ~* Aufsehen erregen; Anlaß zu(m) Gerede geben; *hacer ~ a alg.* j-n zum Reden (*od.* zum Sprechen) bringen; *no me hagas ~* laß' dir nicht alles zweimal sagen; *fig. hace ~ al violoncelo* das Cello singt unter s-n Händen; *toda la prensa habla de este escándalo* die ganze Presse schreibt über diesen Skandal; *Spr. quien mucho habla, mucho yerra* besser ein Wort zu wenig als ein Wort zu viel; **3.** *~ de* behandeln (*ac.*) (*Thema*), handeln von (*dat.*); **4.** *estar hablando* sprechend ähnlich sein (*Bild*); **5.** *lit.* *~ de* künden von (*dat.*); **III.** *v/r.* *~se* **6.** s. sprechen; s. besprechen; *no ~se* nicht (mehr) mitea. sprechen, mitea. verkracht sein F; *¡no se hable más de ello!* sprechen wir nicht mehr davon!, genug davon!

habli|lla *f* Gerede *n*, Gerücht *n*, Klatsch *m*; (leeres) Geschwätz *n*; **~sta** *c* gewandter Redner *m*; Rede-, Stil-künstler *m*.

habón ⚕ *m* Quaddel *f*.

Habsburgo *hist.*: *los ~s m/pl.* die Habsburger *m/pl.* (*in Span. la Casa de Austria*).

hace|dero *adj.* ausführbar, möglich; **~dor** *m* **1.** Täter *m*; Urheber *m*, Schöpfer *m*; (*Supremo*) ≈ Schöpfer *m*, Gott *m*; **2.** *Arg.* Haziendaverwalter *m*; **~dora** *f Pe.* Chichaverkäuferin *f*.

hacen|dado *adj.-su.* begütert (*Grundbesitz*); *m* Großgrundbesitzer *m*; Gutsbesitzer *m*; *Rpl.* Besitzer *m* e-r Vieh(groß)farm; **~dar** [1k] **I.** *v/t.* Grundstücke übertragen an (*ac.*); **II.** *v/r.* *~se* s. ankaufen, Grundbesitz erwerben; **~dera** *f* Gemeinde-, Nachbarschafts-arbeit *f*; **~dero I.** *adj.* → *hacendoso*; **II.** *m Am.* Farmer *m*; **~dista** *m* Finanzfachmann *m*, Staatswirtschaftler *m*; **~dístico** *adj.* Staatswirtschafts..., Staatsfinanz...; Haushalts...; **~doso** *adj.* arbeitsam, tüchtig; haushälterisch.

hacer [2s] **I.** *v/t.* **1.** (→ *a. hecho*) machen, tun; (er)schaffen; herstellen, anfertigen; (zu)bereiten; erledigen; vollbringen; *Haus* bauen; *Essen* kochen, zubereiten, machen; *Kaffee, Tee* machen; *Brot, Kuchen* backen; *Bett* machen; *Rechnung* ausstellen, schreiben *bzw.* aufstellen; *Koffer* packen; *Prüfung* ablegen, *Examen* machen; *Militärdienst* ableisten; *Gefallen* tun, *Gefälligkeit, Dienst* erweisen; *Besuch* abstatten, machen; *Gebärden* machen; *Gesichter, Grimassen* schneiden; *Geruch* verursachen, hinterlassen; *Unheil* bringen, verursachen; *Wunder* wirken, tun, verrichten; ⚓ *~ agua* **a)** lecken, leck sein; **b)** → 5; F *hacer (alg)una* e-n tollen Streich vollführen; s. sehr daneben benehmen F; *~ el amor a alg.* j-m den Hof machen; F *~la buena* et. Schönes anrichten; *¡buena la he hecho!* da bin ich schön hereingefallen!, da habe ich was Schönes angerichtet!; *~ buena acogida a alg.* j-n gut (*od.* freundlich) aufnehmen; *haces bien* du handelst richtig; es ist recht so; du hast recht; *~ bien + ger. od. + en + inf.* gut daran tun, zu + *inf.*; *haces mal en decírselo* es ist nicht gut, wenn du es ihm sagst; *~ blanco*, *~ diana* e-n Volltreffer erzielen; treffen; *~ burla de alg.* j-n verspotten; *hace como que duerme* er stellt s. schlafend, er tut, als ob er schliefe; *~ cuesta* abschüssig sein; *~ daño a alg.* j-m Schaden zufügen, j-m schaden; *~ dinero* Geld verdienen (*od.* machen); *~ efecto* wirken, Wirkung haben (auf *ac. a, sobre*); *~ explosión* explodieren; *~ que hacemos* so tun, als ob (man et. arbeitete); *~ humo* rauchen, qualmen; *~ a un lado* beiseite schaffen; *~lo mal y excusarse peor* s-n Fehler noch schlimmer machen, die Sache noch verschlimmern; *no ~ más que + inf.* (immer) nur + *inf.*; *¡no haces más que molestarme!* mußt du mich denn dauernd belästigen!, du gehst mir allmählich auf die Nerven!; *~ memoria* s. besinnen; s. erinnern; *~ su negocio* ein gutes Geschäft (dabei) machen; F *~ lo que otro no puede ~ por uno* s. die Hände waschen (*fig.*), zur Tante Meier gehen F; *hizo una de las suyas* das war typisch für ihn!, das war ein für ihn charakteristischer Einfall!; das ist s-e Handschrift! (*fig.*); *fig.* F *~ tiempo* s. *b. Warten* die Zeit vertreiben; (die rechte Zeit) abwarten; ⚓ *~ vela* die Segel setzen; *dar que ~ (a alg.)* (j-m) zu schaffen machen; (j-m) schwerfallen; *dejar ~* tun (*od.* gewähren) lassen (j-n *a alg.*); *¡qué le vamos a ~!*, *¡qué (le) hemos de ~!* was will man da machen!, da ist nichts zu machen!, das läßt s. nicht ändern!; *tener que ~ (mucho)* (viel) zu tun haben; **2.** lassen, veranlassen; *~ que + subj.* veranlassen, daß; bewirken, daß + *ind.*; *esto hace que + subj.* so kommt es, daß + *ind.*; *~ actuar (la) alarma* (den) Alarm auslösen; *~ andar* in Gang bringen (*z. B. Uhr*); *¡hágale entrar!* führen Sie ihn herein!, lassen Sie ihn (bitte) eintreten!; *~ llegar a/c. a alg.* j-m et. zukommen lassen; *~ reír (a alg.)* (j-n) zum Lachen bringen; *~ saber a/c. a alg.* j-n et. wissen lassen, j-n von et. (*dat.*) verständigen; **3.** *Thea., Film*: *Rolle* spielen; *~ el (papel de) malo* die Rolle des Bösewichts spielen; **4.** verwandeln in (*ac.*); *~ pedazos*, *~ añicos* in Stücke (*od.* kurz u. klein) schlagen; **5.** *~ a alg. con (od. de)* j-n ausstatten mit (*dat.*), j-n versehen mit (*dat.*); ⚓ *~ agua* Wasser tanken; *~ carbón* Kohle übernehmen, kohlen; **6.** *~ a alg. a* j-n gewöhnen an (*ac.*); **7.** halten für; *~ inteligente* für intelligent halten; **8.** glauben; *le hacía en Roma* ich glaubte, er sei in Rom; **9.** sein; werden; *hará buen médico* er wird (einmal) ein guter Arzt sein; *~ las delicias de alg.* j-s ganze Freude sein; **10.** *Anzahl, Summe* ausmachen; *7 + 3 = 10, siete y tres hacen diez* sieben u. drei ist zehn; **11.** *Menge* fassen, enthalten; **II.** *v/i.* **12.** handeln; arbeiten, schaffen; **13.** betreffen, ausmachen; *por lo que hace a ...* was ... (*ac.*) angeht, was ... (*ac.*) betrifft; (*no*) *~ al caso* (nicht) zur Sache gehören, et. (nichts) damit zu tun haben; *esto no le hace* darauf kommt es nicht an; das ändert nichts daran; **14.** passen (zu *dat. con*), harmonieren (mit *dat. con*); *~ feo* häßlich aussehen; nicht passen (zu *dat. con*); **15.** machen, spielen (*ac. de*); (tätig) sein, fungieren (als *nom. de*); *~ de árbitro* als Schiedsrichter fungieren; **16.** *~ por*, *~ para* s. bemühen um (*ac.*); s. anstrengen, zu + *inf.*; versuchen, zu + *inf.*; *~ por la vida* s. et. (für das leibliche Wohl) leisten; F essen *bzw.* trinken; **17.** *~ del cuerpo*, *~ del vientre* Stuhlgang haben; **III.** *v/impers.* **18.** *hace bien* (*mal*) das tut gut (das *od.* es tut weh); **19.** sein (*Witterung*); *hace aire* es ist windig; *hace buen tiempo* (*od. bueno*) es ist gutes Wetter, es ist schön; *hace calor (frío)* es ist heiß (kalt); *hace sol* die Sonne scheint; **20.** her sein (*Zeit*); *hace un año* vor e-m Jahr; *hace un año que está aquí* seit e-m Jahr ist er hier; *ayer hizo tres meses* gestern waren es drei Monate; *hace poco* vor kurzem, unlängst; → *a. ha*[1]; **IV.** *v/r.* ~se **21.** tun, machen; veranlassen, lassen; *se hace lo que se puede* man tut, was man kann; *¡esto no se hace!* **a**) das (*od.* so et.) tut man nicht!; **b**) daraus wird nichts; *¡qué se ha de ~!* da kann man nichts machen!; *~se obedecer* s. Gehorsam verschaffen; s-n Willen durchsetzen; *~se odioso* s. verhaßt machen; *~se servir* s. (gern) bedienen lassen; *~se un vestido* s. ein Kleid machen (lassen); **22.** werden; entstehen; zu et. (*dat.*) werden; s. verwandeln in (*ac.*); *se ha hecho solo* er ist aus eigener Kraft et. geworden, er ist ein Selfmademan; *~se viejo* alt werden; **23.** werden; *así se hace que* + *subj.* so kommt es, daß + *ind.*; *se está haciendo tarde* es wird (allmählich) spät; **24.** s. bewegen; *~se a* (*od. hacia*) *un lado* zur Seite treten; ⚓ *~se a la mar* in See stechen; **25.** *fig. et.* spielen; *~se el interesante* s. interessant machen, auffallen wollen; **26.** *hacérsele a alg. que ...* j-m vorkommen, als ob ..., der Meinung sein, daß ...; *se me hace que está lloviendo* ich glaube, es regnet; **27.** *~se a* (*od. con*) s. gewöhnen an (*ac.*), s. einstellen auf (*ac.*), s. anpassen an (*ac.*); **28.** *~se con* s. *et.* verschaffen, s. *et.* aneignen; *~se con el poder* (mit Gewalt) die Macht ergreifen.

hacia *prp. der Richtung* **1.** *Ort*: nach, gegen, zu ... (*dat.*) hin; *~ abajo* abwärts, nach unten; *~ adelante* vorwärts, nach vorn; *~ (a)dentro* nach innen; landeinwärts; *~ (a)fuera* nach außen; *~ allá* dorthin; *~ acá*, *~ aquí* hierher; *~ arriba* aufwärts, hinauf; *~ atrás* rückwärts, nach hinten; *~ la casa* zum Hause hin, auf das Haus zu; **2.** *Zeit*: gegen; *~ el año* (de) *1900* gg. 1900, um das Jahr 1900; *~ la tarde* gg. nachmittag, gg. abend; *~ las ocho* gg. (*od.* etwa um) acht Uhr; **3.** *fig.* zu (*dat.*); *amor ~ alg.* Liebe zu j-m.

hacienda *f* **1.** Landgut *n*, Farm *f*, Besitzung *f*; *Am.* Hazienda *f*; **2.** Vermögen *n*; Besitz *m*; **3.** ♀ (*pública*) Finanzwesen *n*; Staatshaushalt *m*; Finanzverwaltung *f*; *Delegación f de* ♀ Finanzamt *n*; *Ministerio m de* ♀ Finanzministerium *n*; **4.** *prov. u. Am.* Vieh *n*.

hacina *f* 🌾 Hocke *f*, Puppe *f*, Feime *f*; (Heu- *usw.*)Haufen *m*; *p. ext.* Haufen *m*; **~r** *v/t.* 🌾 *Garben* aufschichten; *p. ext.* zs.-tragen, sammeln.

hacha[1] *f* gr. Wachskerze *f*; *~ (de viento)* (Wind-)Fackel *f*.

hacha[2] *f* **1.** Axt *f*; Beil *n*; *a. fig.* (*des*)*enterrar el ~ de* (*la*) *guerra* das Kriegsbeil be- (aus-)graben; **2.** Horn *n des Stiers*; *fig.* F *ser un ~* ein Genie (*od.* ein As F) sein; **~zo** *m* **1.** Axt-, Beil-hieb *m*; *Am. p.ext.* tiefe Wunde *f*; **2.** Hornstoß *m e-s Stiers*; **3.** *Col.* Durchgehen *n e-s Pferdes*.

hache *f* H *n*, *Name des Buchstabens*; *fig.* F *por ~ o por be* aus dem e-n od. andern Grund; *llámele usted ~* das kommt auf dasselbe heraus, das ist gehupft wie gesprungen F.

hache|ar I. *v/t.* mit der Axt bearbeiten; (ab)hacken; **II.** *v/i. mit der Axt* hacken; **~ro**[1] *m* Holzfäller *m*; ⚔ Schanzarbeiter *m*; Pionier *m*; **~ro**[2] *m* Fackelständer *m*; gr. Standleuchter *m*.

hachís[1] *od.* **hachis** *m* Haschisch *n*.

¡hachís![2] *int.* hatschi! *b. Niesen*.

ha|chón *m* (Teer-, Pech-)Fackel *f*; *hist.* Flammenmal *n*, *bsd.* Freudenfeuer *n*; **~chote** ⚓ *m* Windlicht *n*.

hachuela *f* Handbeil *n*.

hada *f* Fee *f*; *cuento m de ~s* Märchen *n*; **~do** *part.-adj.* vom Schicksal verhängt; *mal ~* unglückselig; **~r I.** *v/t.* ✧ verzaubern; **II.** *v/i.* das Schicksal künden.

hado *m* Schicksal *n*, Los *n*.

hagi|ografía *f* Hagiographie *f*; **~ógrafo** *m* Hagiograph *m*.

haiga F *m Span.* **1.** Straßenkreuzer *m* F; **2.** Emporkömmling *m*, Neureiche(r) *m*.

haitiano *adj.-su.* aus Haiti.

¡hala! *int.* heda!, auf!, los!

hala|gador *adj.* schmeichelnd, schmeichlerisch; verheißungsvoll, vielversprechend; **~gar** [1h] *v/t. j-m* schmeicheln, *j-m* schöntun; *j-n* freuen; *me halaga que* + *subj.* es freut mich, daß + *ind.*; **~go** *m* **1.** Schmeichelei *f*; Schmeicheln *n*; **2.** Lust *f*, Vergnügen *n*; Genuß *m*; **~güeño** *adj.* schmeichelhaft; verlockend, vielversprechend.

halalí *Jgdw. m* Halali *n*.

halar ⚓ *v/t.* (ver)holen; (aus)fieren.

hal|cón *Vo. m* Falke *m*; *~ palumbario* Habicht *m*; **~conear** *v/i.* auf Männerjagd gehen, s. herausfordernd benehmen (*Frau*); **~conera** *Jgdw. f* Falkengehege *n*; **~conería** *f* Falken-beize *f*; -jagd *f*; **~conero** *m* Falkner *m*.

hal|da *f* Sackleinen *n*; † *u. prov.* → *falda*; (Rock-)Schoß *m*; **~dada** *f ein* Schoßvoll *m*; **~dear** *v/i.* mit fliegenden Rockschößen eilen; **~deta** *f* kurzer Rockschoß *m*; Frackschoß *m*.

¡hale! *int.* → *hala*.

haleche *Fi. m* Sardelle *f*.

halieto *Vo. m* Seeadler *m*.

hálito *lit. m* Hauch *m*; Atem *m*; *fig. poet. ~ de vida* Lebenshauch *m*.

halo *m* **1.** Hof *m um Sonne, Mond*; *a. Opt., Phot.* Lichthof *m*; **2.** *fig.* Aureole *f*, Nimbus *m*.

ha|lógeno ⚗ *adj.-su.* halogen, salzbildend; *m* Halogen *n*; **~loideo** ⚗ *adj.-su.*: *sal f ~a*, *~ m* Haloid *n*.

halón *Astr. m* Hof *m bzw.* Korona *f der Gestirne*.

halte|ra *f*, **~rio** *m Sp.* Hantel *f*; **~rofilia** *f* Gewichtheben *n*.

hall *engl. m* (Hotel-)Halle *f*.

halla|do *part.-adj.*: *bien* (*mal*) *~* (un)zufrieden; **~dor** *adj.-su.* Finder *m*; ⚓ Berger *m*; **~r I.** *v/t.* **1.** finden; ausfindig machen; vorfinden, (an)treffen; *~ buena acogida* gut (*od.* freundlich) empfangen werden; Billigung (*od.* Anklang) finden; ⚚ honoriert werden (*Wechsel*); *~ su cuenta* (*en a/c.*) (bei e-r Sache) auf s-e Rechnung kommen; **2.** (er)finden, ausdenken; **3.** *~ que* finden, daß; meinen, daß; **II.** *v/r.* ~se **4.** s. befinden, sein (*oft gebraucht wie estar*); s. einfinden; *~se presente* zugegen (*od.* anwesend) sein; **5.** s. befinden, sein, s. fühlen; *no ~se* s. unbehaglich fühlen; **6.** *~se con a/c.* et. haben; *~se con una dificultad* auf e-e Schwierigkeit stoßen; **~zgo** *m* **1.** Auffinden *n*; Entdeckung *f*; Fund *m* (*a. fig.*); ⚖ Fundgg.-stand *m*; (*premio m de*) *~* Finderlohn *m*; **2.** ⚕ Befund *m*.

hallu|lla *f*, **~llo** *m* Aschenbrot *n*.

hamaca *f* **1.** Hängematte *f*; *Am. Reg.* Schaukel *f*; *Rpl.* Schaukelstuhl *m*; **2.** Liegestuhl *m*; **~columpio** *f* Hollywoodschaukel *f*; **~r** [1g] *v/t. Am.* → *hamaquear*.

hamadría|(da), **~de** *Myth.* *f* Dryade *f*, Waldnymphe *f*.

hámago *m* Bienenpech *n*; *fig.* Ekel *m*, Überdruß *m*.

hamamelis ⚘ *f* Hamamelis *f*.

hamaque|ar I. *v/t.* **1.** *Am.* schaukeln; wiegen; **2.** *Am. Reg. ~* (*lo*) *a alg.* j-n immer wieder vertrösten; **II.** *v/r.* ~se **3.** in der Hängematte schaukeln; *fig. Arg. tener que ~se* s. mächtig anstrengen müssen, s. durchschaukeln müssen F; **~ro** *m* **1.** Hängemattenverfertiger *m*; *Am.* (Hängematten-)Träger *m b. Transporten*; **2.** *Am.* Haken *m für Hängematten*.

ham|bre *f* **1.** Hunger *m*; Hungersnot *f*; F *~ de tres semanas* Mordshunger *m* F; *matar el ~* den (*od.* s-n) Hunger stillen; *matar de ~* verhungern lassen (*a. fig.*); *morir* (*od. perecer*) *de ~* verhungern, *lit.* Hungers sterben; *fig. morirse de ~*, *andar muerto de ~* vor Hunger umkommen (*fig.*), ganz ausgehungert sein; *pasar ~* Hunger leiden; *fig. ser más listo que el ~* sehr schlau (*od.* sehr gewitzt) sein; *ser un muerto de ~* ein Hungerleider sein; ⚔ *sitiar* (*od. rendir*) *por* (*el*) *~* aushungern; *tengo ~* ich habe Hunger, ich bin hungrig; F *tengo un ~ que no veo* ich habe e-n Mordshunger F; *Spr. a buen(a) ~ no hay pan duro* Hunger ist der beste Koch; **2.** *fig.* heftiges Verlangen *n*, Streben *n*, Gier *f* (nach *dat.* de); **~brear** *vt/i.* hungern (lassen); *v/i. p.ext.* bettelarm sein; **~briento** *adj.-su.* hungrig; *fig.* begierig (nach *dat.* de); **~brón** F *adj.-su.* sehr hungrig, ausgehungert F; gierig, unersättlich; *m* Nimmersatt *m*; **~bruna** *f Am.* Hungersnot *f*; *hay mucha ~* es herrscht (e-e) schwere Hungersnot.

hambur|gués *adj.-su.* hamburgisch; *m* Hamburger *m*; **~guesa** *f* **1.** Hamburgerin *f*; **2.** Frikadelle *f*, deutsches Beefsteak *n*.

hamletiano *Lit. adj.* Hamlet...; auf Hamlet bezüglich.

ham|pa *f* Gaunertum *n*; (*gente f del*) *~* Gesindel *n*; Gauner *m/pl.*, Ganoven *m/pl.*, Unterwelt *f*; *jerga f del ~* Gaunersprache *f*; **~pesco** *adj.* Gesindel..., Gauner...; Ganoven...; **~pón** *m* Strolch *m*, Ganove *m*; Raufbold *m*.

hámster *Zo. m* Hamster *m*.

hamudíes *m/pl.* Hammudiden *m/pl.* (*span.-arab. Herrscherhaus, 11. Jh.*).

hand ball *engl. Sp. m* Handball *m*.

handicap *engl. m Sp. u. fig.* Handicap *n.*
hangar *m* (Flugzeug-)Halle *f*, Hangar *m.*
Han|sa *hist. f* Hanse *f*; **2seático I.** *adj.* hanseatisch; Hanse...; *ciudad f ~a* Hansestadt *f*; **II.** *m* Hanseat *m.*
haplología *Li. f* Haplologie *f.*
hara|gán I. *adj.* Faulenzer...; *vida f ~ana* Lotterleben *n*; **II.** *m* Faulenzer *m*, Tagedieb *m*; Stromer *m*; **~ganear** *v/i.* faulenzen, ein Lotterleben führen; **~ganería** *f* Faulheit *f*; Müßiggang *m.*
harakiri *m* → *haraquiri.*
hara|mbel *m* Fetzen *m*, Lumpen *m*; **~piento** *adj.* zerlumpt, abgerissen; **~po** *m* **1.** Fetzen *m*, Lumpen *m*; **2.** Nachlauf *m*, letzter Abguß *m* (*Branntwein*); **~poso** *adj.* → *harapiento.*
haraquiri *m* Harakiri *n.*
harca *f Marr.* **1.** Feldzug *m*; **2.** Trupp *m* marrokanischer Aufständischer.
ha|rem, ~rén *m* Harem *m.*
hari|ja *f* Staubmehl *n b. Mahlen od. Sieben*; **~na** *f* **1.** Mehl *n*; Pulver *n*; *~ blanca* (*morena*) Weiß- (Schwarz-)mehl *n*; *~ de flor*, *~ extrafina* Blüten-, Auszugs-mehl *n*; *~ de pescado* Fischmehl *n*; ⊕ *~ fósil* Kieselgur *m*; *fábrica f de ~* Kunstmühle *f*; *fig. estar metido en ~* bis über die Ohren in der Arbeit stecken; F *hacerse ~* zer-brechen, -splittern; *fig. eso es ~ de otro costal* das ist et. ganz anderes; **2.** F Puder *m*; **~nado** *m* dünner Mehlbrei *m*; **~nero I.** *adj.* **1.** Mehl...; Mahl...; *industria f ~a* Mehlindustrie *f*; mehlverarbeitende Industrie *f*; *molino m ~* Getreidemühle *f*; **II.** *m* **2.** Mehlhändler *m*; **3.** Mehlkasten *m*; **~noso** *adj.* mehlig.
harma ♀ *f* Harmelkraut *n.*
harmonía *f u. Abl.* → *armonía u. Abl.*
harne|ar *v/i. Col., Chi.* (aus)sieben; **~ro** *m weitmaschiges* Sieb *n.*
harpa *f* → *arpa*; **~do** *adj.* → *arpado.*
harpía *f Vo., Myth. u. fig.* Harpyie *f.*
harpillera *f* **1.** Auflegebrett *n für Laubsägearbeiten*; **2.** Sackleinwand *f.*
¡harre! → *¡arre!*
harta|da ⚒ *f* → *hartazgo*; **~r I.** *v/t.* **1.** sättigen; *fig.* übersättigen; überhäufen (mit *dat.* de); *me harta* + *inf.* ich habe es satt, zu + *inf.*; *~ de palos* verprügeln; *me harta con sus bobades* ich habe s-e Dummheiten satt; **2.** befriedigen; **II.** *v/r.* *~se* **3.** s. sattessen; s. überessen (an *dat.* con, de); *fig. ~se de et.* satt haben, von *et.* (*dat.*) genug haben; *no ~se de mirar* s. nicht sattsehen können an (*dat.*); *hasta ~se* bis zum Überdruß; *~se de* + *inf.* nach Herzenslust + *inf.*; **~zgo** *m* Übersättigung *f*; *darse un ~* (de) s. den Magen überladen (mit *dat.*); **~zón** *m* Übersättigung *f*, Übermaß *n*; *tiene un ~ de estudiar* er hat das Studieren satt.
har|to I. † *part. irr. v. hartar*; **II.** *adj.* **1.** satt (*a. fig.*); übersatt; *fig.* überdrüssig; *~ de vivir* lebens-müde, -überdrüssig; *estoy ~* (de) ich habe es satt (, zu + *inf.*), ich habe genug davon; **2.** *pl.*, *vorangestellt*: *~as ganas tengo de* + *inf.* ich habe große Lust, zu + *inf.*; **III.** *adv.* **3.** genug, übergenug, allzu; sehr; *~ sé que ...* ich weiß wohl (*od.* zur Genüge), daß ...; **~tón** *adj. Am. Cent.* gefräßig; **~tura** *f* **1.** Übersättigung *f*; **2.** Überfluß *m*; Übermaß *n*; *adv. con ~* (über)reichlich.
hasta I. *prp. u. cj.* bis; *~ aquí* bis hierher; bis jetzt; *desde aquí ~ allí* von hier bis dort; *~ ahora* bisher, bis jetzt; *¿~ cuándo?* wie lange?; bis wann?; *~ tanto* so weit; bis; *~ que* bis (daß); *~ qué punto* inwieweit; wie weit; *¡~ luego!*, *¡~ después!* bis nachher!, auf Wiedersehen!; *¡~ la vista!* auf Wiedersehen! *b. Abschied auf längere Zeit*; *no levantarse ~ las diez* nicht vor (*od.* erst um) 10 Uhr aufstehen; *los torturaron ~ matarlos* sie folterten sie zu Tode; **II.** *adv.* sogar, selbst; *~ Juan lo escribe* sogar (*od.* selbst) Juan schreibt es; *le insultó y ~ llegó a pegarle* er beleidigte ihn, schlug ihn sogar.
hastial *m* **1.** ⚠ Giebel *m*; Giebelwand *f*; **2.** ⚒ Seitenstoß *m e-s Schachts*; **3.** *fig.* grob(schlächtig)er Mann *m.*
has|tiar [1c] **I.** *v/t.* langweilen; anwidern, anekeln; **II.** *v/r.* *~se de e-r Sache* überdrüssig werden, *et.* satt haben; **~tío** *m* Widerwille *m*, Ekel *m*; Überdruß *m.*
hatajo *m* kl. Herde *f*; Trupp *m* Saumtiere; *fig.* F Menge *f*, Haufen *m.*
hate|ar *v/i.* ⚒ s-n Reisebedarf zs.-packen; den Hirten Verpflegung u. Ausrüstung (mit)geben; **~ría** *f* Verpflegung *f* u. Ausrüstung *f für Hirten, Tagelöhner u. Bergleute*; **~ro** *m Cu.* Viehzüchter *m.*
hatillo *m dim. zu hato*².
hato¹ *m* **1.** (kleinere) Herde *f*; *Cu., Ven.* (Vieh-)Farm *f*; **2.** Weideplatz *m*; **3.** → *hatería*; **4.** *fig.* Haufen *m*; Menge *f*; **5.** Bande *f*, Haufen *m.*
hato² *m* (Kleider-)Bündel *n*; Wäsche *f* u. Ausstattung *f für den täglichen Bedarf*; *fig. andar con el ~ a cuestas* oft die Wohnung wechseln; ständig unterwegs sein; *liar el ~* sein Bündel schnüren.
haxix † *m* → *hachís*¹.
hay es gibt; es ist (*bzw.* sind) vorhanden; → *haber 3.*
haya¹ ♀ *f* Buche *f*; Buchenholz *n.*
Haya: *el Tribunal de La ~* der (Haager) Schiedshof.
hayaca *f Ven. Art* gefüllte Maispastete *f.*
ha|yal, ~yedo, ~yucal *m* Buchenwäldchen *n*; **~yuco** *m* Buchecker *f.*
haz¹ *f* (*pl. haces*) Antlitz *n*, Gesicht *n*; *fig.* Vorderseite *f*, Oberfläche *f*; *lit. sobre la ~ de la tierra* auf dem (weiten) Erdenrund (*lit.*).
haz² *m* (*pl. haces*) **1.** Garbe *f*, Büschel *n*, Bündel *n*; *~ de leña* Reisigbündel *n*; *~ de mieses* Getreidegarbe *f*; **2.** ⊕, ⚡ Bündel *n*, Strahl *m*; Garbe *f* (*a.* ⚔ *Geschoß*); *HF ~ catódico* Kathodenstrahl *m*; *HF ~ direccional*, ✈ *~ (de) guía* Leitstrahl *m*; *~ de electrones* Elektronen-bündel *n*, -strahl *m*; *~ de laser* Laserstrahl *m*; *~ de luz* Lichtkegel *m*; Licht-bündel *n*, -garbe *f*; **3.** *Anat. ~ nervioso* Nerven-bahn *f*, -strang *m*; *~ piramidal* Pyramidenbahn *f*; **4.** *hist. haces m/pl.* Liktorenbündel *n.*
haza ⚒ *f* (Stück *n*) Acker *m*, Feld *n.*
haza|ña *f* Großtat *f*, Ruhmestat *f*; *a. iron.* Heldentat *f*; **~ñero** ⚒ *adj.* übertrieben; geziert; **~ñoso** *adj.* heldenhaft, heldenmutig.
hazmerreír F *m* komische Figur *f*; *es el ~ de la gente* er ist das Gespött der Leute.
he I. *adv.*: *~ aquí* hier ist; sieh da; *hétele aquí* da ist er; **II.** *1. Person sg. v. haber.*
hebdomadario I. *adj.-su. lit.* wöchentlich; *m* Wochenschrift *f*; **II.** *m ecl.* Hebdomadar(ius) *m.*
hebén *adj. c* groß u. weiß (*Traubenart*); *fig.* belanglos, gehaltlos.
hebi|jón *m* Dorn *m e-r Schnalle*; **~lla** *f* Schnalle *f*; Schließe *f*; *~ (de zapato)* Schuh-schnalle *f*, -spange *f*; *sujetar con ~s* zuschnallen.
hebra *f* **1.** *a. fig.* Faden *m*; *fig.* F *pegar la ~* ein Gespräch anknüpfen *bzw.* lang ausdehnen; *Chi., Méj. de una ~* in e-m (Atem-)Zug; *Kchk. estar en punto de ~* anfangen, Fäden zu ziehen (*Sirup*); **2.** Faser *f* (*a. tex.*); Fiber *f*; *~ de carne* Fleischfaser *f*; *tabaco m de ~* Fasertabak *m*, *Art* Feinschnitt *m*; → *a. fibra 1*; **3.** *poet. ~s f/pl.* Haare *n/pl.*
he|braico *adj.* hebräisch; **~braísmo** *m* Hebraismus *m*, hebräischer Sprachgebrauch *m*; **~braísta** *c* Hebraist *m*; **~braizante** *adj.-su. c* zum Judentum neigend; **~braizar** [1c *u.* 1f] *v/i.* Hebraismen verwenden; **~breo I.** *adj.* **1.** hebräisch; **II.** *m* **2.** Hebräer *m*; *fig.* F Schacherer *m*; Wucherer *m*; **3.** *das* Hebräische (*Sprache*).
he|broso *adj.*, **~brudo** *bsd. Am. adj.* faserig, Faser...
hecatombe *f a. fig.* Hekatombe *f*; *fig.* Gemetzel *n.*
hectárea *f* Hektar *n.*
héctico ⚕ *adj.* → *hético.*
hectiquez ⚕ *f* zehrendes Fieber *n*; Schwindsucht *f.*
hec|tografiar [1c] *vt/i.* vervielfältigen, hektographieren; **~tógrafo** *m* Hektograph *m*; **~togramo** *m* Hektogramm *n*; **~tolitro** *m* Hektoliter *n, m*; **~tómetro** *m* Hektometer *n, m*; **~tovatio** ⚡ *m* Hektowatt *n.*
hecha *adv.*: *de esta ~* von nun an, seitdem.
hechi|cera *f* Zauberin *f*, Hexe *f*; **~cería** *f* Zauberei *f*; **~cero** *adj.-su.* Zauber...; *fig.* bezaubernd; *m* Zauberer *m*, Hexenmeister *m*; *Ethn.* Medizinmann *m*; **~zar** [1f] **I.** *v/t.* *a. fig.* verzaubern, ver-, be-hexen; *j-n* bezirzen F; **II.** *v/i.* zaubern, hexen; **~zo I.** *adj.* **1.** künstlich, falsch; blind (*Fenster, Tür*); **2.** *Am. Reg.* im Lande hergestellt; **II.** *m* **3.** Zauber *m* (*a. fig.*), Bann *m*; **4.** Zauberspruch *m*; Zaubertrank *m.*
hecho I. *part. irr. v. hacer u. adj.* **1.** gemacht, getan; vollendet, fertig; reif; geworden (*zu et.*); *¡~!* einverstanden!, ja(wohl)!; erledigt!, in Ordnung!; *¡bien ~!* recht so!; in Ordnung! F; *tres años bien ~s* drei volle Jahre (u. noch mehr); *cuerpo m bien ~* wohlgestalteter (*od.* gut proportionierter) Körper *m*;

cosa f ~a vollendete Tatsache *f*; *¡cosa ~a!* abgemacht!; *a cosa ~a* **a)** mit sicherem Erfolg; **b)** absichtlich; *~ y derecho* vollendet; *desp.* ausgemacht; *hombre m ~ y derecho* aufrechter Mann *m*; ganzer Mann *m*; *¡mal ~!* schlecht!, schlecht gemacht!; → *a. 4*; *traje m ~* Konfektionsanzug *m*, Anzug *m* von der Stange F; *a lo ~, pecho od. lo ~, ~ está* geschehen ist geschehen, man kann Geschehenes nicht ungeschehen machen; *hallárselo* (*od. encontrárselo*) *todo ~* keinerlei Schwierigkeiten haben; s. ins gemachte Bett legen (*fig.*); **2.** F *estar ~ ...* aussehen wie ... (*nom.*); der (*bzw.* die) vollendete (*od.* reinste F) ... sein; zu ... (*dat.*) werden; *está ~ una fiera* (*un tigre*) er rast vor Wut; **3.** *~ a* gewöhnt an (*ac.*); *~ para* geschaffen für (*ac.*); **II.** *m* **4.** Tat *f*, Handlung *f*; Geschehnis *n*, Ereignis *n*; *bibl.* *ℒs m/pl. de los Apóstoles* Apostelgeschichte *f*; *~ de armas* Waffentat *f*; *mal ~* Untat *f*, Missetat *f*; ⚖ *agravio m de ~* tätliche Beleidigung *f*; ⚖ *vías f/pl. de ~* Tätlichkeit(en) *f(/pl.)*; *por vías de ~* tätlich; **5.** Tatsache *f*; ⚖ *~s m/pl.* Sachverhalt *m* (*Zivilrecht*); Tatbestand *m* (*Strafrecht*); *adv.* (*a. adj.*): *de ~* tatsächlich; im Grunde (genommen), eigentlich; faktisch, in Wirklichkeit; ⚖ de facto; *de ~ y de derecho* von Rechts wegen; *el ~ es que ...* die Sache ist die, daß ..., Tatsache ist, daß ...; jedenfalls ...; *el ~ de que ...* die Tatsache (*od.* der Umstand), daß ...; *es un ~* es ist (e-e) Tatsache; daran ist nichts zu ändern; *colocar a alg. ante el ~ consumado* j-n vor die vollendete Tatsache stellen.

hechura *f* **1.** Anfertigung *f*; Verfertigung *f*; **2.** Machart *f*, Fasson *f*; Äußere(s) *n*, Aussehen *n*; *a ~ de* nach Art von (*dat.*), ganz ähnlich wie (*nom.*); *dar ~ a* formen (*ac.*), gestalten (*ac.*); **3.** Macherlohn *m*; Schneiderlohn *m*; **4.** *fig.* Geschöpf *n*; Günstling *m*, *bsd. desp.* Kreatur *f*; *somos ~ de Dios* Gott hat uns geschaffen; **5.** Standbild *n*; Plastik *f*; **6.** *Chi.* Einladung *f* zum Trinken.

he|der [2g] *v/i.* stinken (nach *dat. a*), übel riechen; *fig.* unerträglich sein; **~diondez** *f* **1.** Unrat *m*; **2.** Gestank *m*; **~diondo I.** *adj.* **1.** stinkend; ekelhaft; **II.** *m* **2.** ♀ Stinkbaum *m*; **3.** *Zo. Arg.* Stinktier *n*.

hedonis|mo *Phil. m* Hedonismus *m*; **~ta** *adj.-su. c* hedonistisch; *m* Hedonist *m*.

hedor *m* Gestank *m*; Aas-, Verwesungs-geruch *m*.

hegelia|nismo *m* Hegelsche Philosophie *f*; **~no** *adj.-su.* hegelianisch; Hegel...; *m* Hegelianer *m*.

hegemonía *f* Hegemonie *f*, Vorherrschaft *f*.

hé|gira, ~jira *f* Hedschra *f* (*Islam*).

helada *f* Frost *m*; *~ (blanca)* Reif *m*.

Hélade *f* Hellas *n*, *f*.

hela|dera *f Reg.* Sektkübel *m*; *Am.*, *bsd. Arg.* Kühlschrank *m*; **~dería** *f* **1.** Eisdiele *f*; **2.** (Speise-)Eisherstellung *f*; **~dero** *m* Eisverkäufer *m*; Eisdielenbesitzer *m*; **~dizo** *adj.* leicht gefrierend; **~do I.** *adj.* gefroren, vereist; eiskalt, eisig (*a. fig.*); eisgekühlt; *fig.* starr, erstarrt (*Lächeln*); *se quedó ~, le dejó ~* es verschlug ihm die Sprache, er erstarrte; **II.** *m* (Speise-)Eis *n*; *copa f de ~(s)* Eisbecher *m*; **~dor** *adj.* vereisend; eisig; **~dora** *f* Eismaschine *f*; Gefrierfach *n*; **~dura** *f* ⚕ Erfrierung *f*; ⚘ Frostschaden *m*; **~miento** *m* Frieren *n*; Gefrieren *n*; Erfrieren *n*; **~r** [1k] **I.** *v/t.* einfrieren, gefrieren lassen; vereisen; *Wein* frappieren; *p. ext.* durchkälten; *fig.* erstarren lassen (vor *dat. de*); *el aspecto le heló la sangre* der Anblick ließ sein Blut gerinnen; **II.** *v/impers. hiela* es friert, es herrscht Frost; **III.** *v/r.* *~se* gefrieren; zufrieren (*Gewässer*); *a. fig.* erstarren.

hele|chal *m* mit Farn(kraut) bestandenes Gelände *n*; **~cho** ♀ *m* Farn *m*; Farnkraut *n*.

helénico *adj.* hellenisch; griechisch.

helenio ♀ *m* Alant *m*.

hele|nismo *m* Hellenismus *m*; *a. Li.* Gräzismus *m*; **~nista** *c* Hellenist *m*; Gräzist *m*; **~nística** *f* Gräzistik *f*; **~nístico** *adj.* hellenistisch; gräzistisch; **~nizar** [1f] **I.** *v/t.* hellenisieren; **II.** *v/r.* *~se* hellenisiert werden; griechisches Vorbild nachahmen; **~no I.** *adj.* hellenisch; griechisch; **II.** *m* Hellene *m*; Grieche *m*.

hele|ra *f* **1.** Darre *f der Vögel*; **2.** *Arg.* Kühlschrank *m*; **~ro** *Geol. m* Gletscher *m*; *embudo m de ~* Gletschermühle *f*.

helga|do *adj.* zahnlückig; **~dura** *f* Zahnlücke *f*.

helian|tina ⚗ *f* Lackmus *n*; **~to** ♀ *m* Sonnenblume *f*, Helianthus *m*.

hélice *f* Schraubenlinie *f*; (Schiffs-)Schraube *f*; ✈ Propeller *m*; *~ sustentadora* Tragschraube *f*.

helicicultura *f* Schneckenzucht *f*.

heli|coidal *adj. c* schraubenförmig; ⊕ *engranaje m ~* Schneckengetriebe *n*; **~coide** ⚠ *m* Schrauben-, Schnecken-linie *f*; **~cón** ♪ *m* Helikon *n*; **~cóptero** ✈ *m* Hubschrauber *m*, Helikopter *m*.

helio ⚗ *m* Helium *n*; **~céntrico** *Astr. adj.* heliozentrisch; **~física** *f* Solarphysik *f*.

heliogábalo *m* **1.** Fresser *m*; **2.** grausamer Wüstling *m*.

heli|ograbado *m* Lichtdruck(verfahren *n*) *m*, Heliogravüre *f*; **~ografía** *f Astr.* Sonnenbeschreibung *f*; ⚔ Blinkspruchsystem *n*; *Typ.* → *heliograbado*; **~ógrafo** *m Astr.* Heliograph *m*; ⚔ Blinkgerät *n*; **~ograma** ⚔ *m* Blinkspruch *m*; **~olatría** *Rel. f* Sonnenanbetung *f*; **~ómetro** *Astr. m* Heliometer *n*; **~ón** *Phys. m* Heliumkern *m*; **ℒos** *Myth. m* Sonnengott *m*, Helios *m*; **~oscopio** *Astr. m* Helioskop *n*; **~óstato** *Astr. m* Heliostat *m*; **~oterapia** ⚕ *f* Heliotherapie *f*; **~otropio** ♀ *m* → *heliotropo*; **~otropismo** *m* Heliotropismus *m*; **~otropo** *m* Heliotrop ♀, *Farbstoff*, *Geodäsie n*, *Min. m*.

helipuerto *m* Hubschrauberlandeplatz *m*, Heliport *m*.

Hel|vecia *hist. f* Helvetien *n* (*heute Schweiz*); **ℒvecio** *adj.*, **ℒvético** *adj.-su.* helvetisch; schweizerisch; *m* Helvetier *m*; Schweizer *m*.

hemático ⚕ *adj.* Blut...; *cuadro m ~* Blutbild *n*.

hema|tíe *Physiol. m* rotes Blutkörperchen *n*; **~tites** *Min. f* (*pl. inv.*) Hämatit *m*, Blutstein *m*; *~ parda* (*roja*) Braun- (Rot-)eisenstein *m*; **~toblasto** *Physiol. m* Blutplättchen *n*; **~tógeno** *adj.-su.* hämatogen; **~tología** *f* Hämatologie *f*; **~toma** ⚕ *m* Hämatom *n*, Bluterguß *m*; **~turia** ⚕ *f* Hämaturie *f*, Blutharnen *n*.

hem|bra I. *f* **1.** *Zo.* Weibchen *n*; *el águila f ~* das Adlerweibchen; **2.** Weib *n*, Frau *f*; **3.** ♀ *flores f/pl. ~s* weibliche Blüten *f/pl.*; **4.** (Heftel-)Schlinge *f*; Öse *f*; ⊕ (Bolzen-)Mutter *f*; Loch *n*, Buchse *f*; *~ cuadrada* Vierkantloch *n*; **II.** *adj. c* **5.** dünn, schütter; **~braje** *m Am. alle* weiblichen Tiere *n/pl. e-r Herde*; F Weibervolk *n* F; **~brear** *v/i.* **1.** (fast) nur Weibchen zur Welt bringen; **2.** brünstig sein (*Männchen*); **~brilla** *f* (Heftel-)Schlinge *f*; ⊕ Ösenschraube *f*; Schrauben-, Bolzen-mutter *f*; ⚡ Buchse *f*.

heme|rálope, *a.* **~ralope** ⚕ *adj.-su. c* nachtblind.

hemeroteca *f* Zeitungsarchiv *n*.

hemi|ciclo *m* Halbkreis *m*; Halbrund *n*; halbkreisförmiger Saal *m*; **~cránea** ⚕ *f* Hemikranie *f*, Migräne *f*; **~edro I.** *adj.* halbflächig (*Kristall*); **II.** *m* ⚠ Hemieder *n*; **~plejía** ⚕ *f* Hemiplegie *f*, halbseitige Lähmung *f*; **~pléjico** ⚕ *adj.-su.* halbseitig gelähmt; **~sférico** *adj.* halbkugelförmig; Hemisphären...; **~sferio** *m* Hemisphäre *f* (*a. Pol.*), Halbkugel *f*; *Geogr.* Erdhalbkugel *f*; *~ (ant)ártico* nördliche (südliche) Erdhalbkugel *f*; **~stiquio** *Metrik m* Halbvers *m*.

hemo|cito *Physiol. m* Blutkörperchen *n*, Hämozyt *m*; **~filia** ⚕ *f* Bluterkrankheit *f*, Hämophilie *f*; **~fílico** ⚕ *adj.-su.* Bluter *m*; **~globina** *Physiol. f* Hämoglobin *n*; **~lisis** ⚕ *f* Hämolyse *f*; **~patía** ⚕ *f* Blutkrankheit *f*; **~ptisis** ⚕ *f* Blutspucken *n*; **~rragia** ⚕ *f* Hämorrhagie *f*, Blutung *f*; *~ cerebral* Hirnblutung *f*; **~rrágico** ⚕ *adj.* hämorrhagisch; **~rroides** ⚕ *f/pl.* Hämorrhoiden *f/pl.*; **~stasia, ~stasis** ⚕ *f* Blutstillung *f*, Hämostase *f*; **~stático** ⚕ *adj.-su. m* blutstillend(es Mittel *n*); *pinza f ~a* Gefäßklemme *f*.

hena|l *m* Heuboden *m*; **~r** *m* Heuwiese *f*.

henchi|do *adj.* bauschig; *a. fig.* geschwollen; aufgeblasen; *fig.* strotzend (von *dat. de*); **~dura** *f* Schwellung *f*; **~r** [3m; *prt. hinchó, hincheron*; *ger. hinchendo*] **I.** *v/t.* **1.** (an-, auf-)füllen, ausstopfen; vollstopfen; *Kissen* füllen; *~ de lana a.* mit Wolle polstern; **2.** anschwellen lassen; aufblasen; **II.** *v/r.* *~se* **3.** anschwellen; s. *mit Essen* vollstopfen.

hende|dura *f* → *hendidura*; **~r** [2g] **I.** *v/t.* spalten; aufschlitzen; (zer-)teilen; aufreißen; *lit. die Wogen* zerteilen; *~ el aire* durch die Luft fliegen; *~ la muchedumbre* s. e-n Weg durch die Menge bahnen; **II.** *v/r.* *~se* (auf)reißen; bersten.

hendi|ble *adj. c* spaltbar; **~do** *adj.*

gespalten; ♀ geteilt (*Blatt*); **~dura** *f* **1.** Riß *m*, Sprung *m*; Spalt *m*; Spalte *f*, Schlitz *m*; Einschnitt *m*; **2.** ⊕ Falz *m*; Fuge *f*, Kerbe *f*; **3.** *Anat.* Spalt *m*, Spalte *f*; **~ja** *f Am.* Spalt *m*, Ritze *f*; **~miento** *m* Spalten *n*; Auf-schlitzen *n*; -reißen *n*; Riß *m*; **~r** *v/t.* → *hender.*

henequén ♀ *m* am. Agave *f*.

he|nificar [1g] *vt/i.* Heu machen, heuen; **~nil** *m* Heuboden *m*; **~no** *m* Heu *n*; *hacer ~* Heu machen, heuen.

heñir [3h *u.* 3l] *v/t. Teig* kneten.

hepáti|ca ♀ *f* Leberblume *f*; **~co** ⚕ *adj.* Leber...; leberkrank; *cólico m ~* Gallenkolik *f*.

hepatitis ⚕ *f* (*pl. inv.*) Leberentzündung *f*, Hepatitis *f*.

hepta|cord(i)o ♪ *m* Heptachord *m*, *n*; **~edro** ⩓ *adj.-su.* heptaedrisch, siebenflächig; *m* Heptaeder *n*.

hep|tagonal *adj. c* siebeneckig; **~tágono** *m* Siebeneck *n*.

hepta|sílabo *adj.-su.* siebensilbig; *m* Siebensilb(n)er *m*; **~teuco** *bibl. m* Heptateuch *m*.

héptodo *HF m* Heptode *f*.

heráldi|ca *f* Wappenkunde *f*, Heraldik *f*; **~co** *adj.-su.* heraldisch; *m* Heraldiker *m*.

heraldo *m* Herold *m*.

her|báceo ♀ *adj.* krautartig; **~bada** ♀ *f* Seifenwurz *f*; **~baj(e)ar I.** *v/t.* auf die Weide treiben; **II.** *v/i.* weiden, grasen; **~baje** *m* **1.** Futtergras *n*, Weide *f*; Weidegeld *n*; **2.** *tex. bsd.* ⚓ wasserdichtes Wollzeug *n*; **~bario** *m* Herbarium *n*; **~bazal** *m* Wiese *f*, Weide *f*; **~becer** [2d] *v/i.* (hervor)sprießen (*Gras, Kräuter*); **~bicida** *adj. c-su. m* Pflanzen-, Unkraut-vertilgungsmittel *n*; **~bívoro** *Biol. adj.-su.* pflanzenfressend; *m* Pflanzenfresser *m*; **~bolario I.** *m* **1.** Kräutersammler *m*; **2.** Kräuterladen *m*; **II.** *adj.-su.* **3.** F Narr *m*, Spinner *m* F; **~borista** *c* Kräutersammler *m*; *caja f de ~* Botanisiertrommel *f*; **~borizar** [1f] *vt/i.* Kräuter suchen; botanisieren; **~boso** *adj.* grasreich, grasig.

herci|ano *HF adj.* → *hertziano*; **~niano** *Geol. adj.* herzynisch.

hercúleo *adj. a. fig.* herkulisch, Riesen...

Hércules *m* Herkules *m* (*a.* ♀ *fig.*).

here|dabilidad *f* Vererbbarkeit *f*; *Biol.* Erblichkeit *f*; **~dable** *adj. c* vererbbar; erblich; **~dad** *f* Grundstück *n*; Stamm-, Erb-gut *n*; Landgut *n*; **~dado I.** *adj.* **1.** vererbt; ererbt; **2.** begütert; **II.** *m* **3.** Begüterte(r) *m*; **~dar** *v/t. a. Biol.*: *~ a/c.* et. erben (von *dat. de*); *~ a alg.* **a)** j-n beerben; **b)** j-n als Erben einsetzen; **~dera** *f* Erbin *f*; **~dero I.** *adj.* erbberechtigt; → *hereditario*; **II.** *m* Erbe *m*; *~ forzoso* Zwangs-, Not-erbe *m*; Pflichtteilsberechtigte(r) *m*; *~ universal* Allein-, Universal-erbe *m*; *príncipe m ~* Erb-, Kron-prinz *m*; *instituir (por) ~ a alg.* j-n als Erben einsetzen; **~dípeta** *c* Erbschleicher *m*; **~ditario** *adj.* erblich, Erb...; ererbt (*a. fig. Brauch*); *derecho m ~* Erbanspruch *m*; *Biol. factor m ~* Erbfaktor *m*; *Biol. masa f ~a* Erbmasse *f*.

here|je *c* Ketzer *m* (*a. fig.*), Irrgläubige(r) *m*; *fig.* unverschämter Mensch *m*; *fig. cara f de ~* Gaunervisage *f*; unverschämter Kerl *m*; **~jía** *f* Häresie *f*, Irrlehre *f*, *a. fig.* Ketzerei *f*; *fig.* Unsinn *m*, Dummheit *f*; *acusar de ~(s)* der Ketzerei anklagen; *fig.* verketzern; **~jote** *m augm. zu hereje.*

herencia *f* Erbfolge *f*; Erbschaft *f*, Nachlaß *m*; *Biol.* Erbanlage *f*; *a. fig.* Erbe *n*; *dejar en ~* hinterlassen, vererben; *adquirir por ~* (er)erben.

heresiarca *c Rel. u. fig.* Häresiarch *m*; Haupt *n* e-r Sekte.

herético *adj.* häretisch; sektiererisch, *a. fig.* ketzerisch.

heri|da *f* Verletzung *f*, Verwundung *f*; Wunde *f* (*a. fig.*); Beleidigung *f*, Kränkung *f*; *~ de bala* Schuß-verletzung *f*, -wunde *f*; *~ contusa (incisa)* Quetsch- (Schnitt-) wunde *f*; *~ punzante* Stich(verletzung *f*) *m*; *fig. renovar la ~* alte Wunden (wieder) aufreißen; *fig. respirar por la ~* (ungewollt) s-e Gefühle (*od.* s-e geheimen Gedanken) (*durch e-e Äußerung*) verraten; *fig. tocar a alg. en la ~* j-s wunden Punkt berühren; **~do I.** *adj.* **1.** verletzt (*a. fig.*), *bsd.* ⚔ verwundet; getroffen; *como ~ por un rayo* wie vom Blitz getroffen; *mal ~, gravemente ~* schwer verletzt (*od.* verwundet); *~ de muerte* tödlich getroffen; tödlich verwundet; *fig. sentirse ~* verletzt sein; **II.** *m* **2.** Verletzte(r) *m*, *bsd.* ⚔ Verwundete(r) *m*; *~ de guerra* Kriegs-verletzte(r) *m*, -versehrte(r) *m*; **3.** *Chi.* (Abfluß-)Graben *m*; **~r** [3i] *v/t.* **1.** *a. fig.* verwunden, verletzen; treffen; *fig.* kränken, beleidigen; tiefe Wirkung haben auf (*ac.*); **2.** ♪ *Saiten* anschlagen; in *die Saiten* greifen; **3.** bescheinen, scheinen auf (*ac.*) (*Sonne*); treffen (*ac. od.* auf *ac.*) (*Strahl*); *~ los oídos* das Ohr treffen; ins Ohr schrillen (j-m *a alg.*); *~ la vista* blenden; grell in die Augen stechen; *fig.* das Auge beleidigen; *~ el suelo con el pie* auf den Boden stampfen; **4.** *Stk.* *~ al miedo* furchtlos sein.

herma *f* Herme(ssäule) *f*.

hermafrodi|ta I. *adj. c* zweigeschlechtig, Zwitter...; ♀ *flores f/pl. ~s* Zwitterblüten *f/pl.*; **II.** *m* Hermaphrodit *m*, Zwitter *m*; **~tismo** *Biol. m* Hermaphroditismus *m*, Zweigeschlechtigkeit *f*; **~to** *m* → *hermafrodita.*

herma|na *f* **1.** Schwester *f*; Ordensschwester *f*; *~ de la Caridad* Vinzentinerin *f*; *~ de leche* Milchschwester *f*; *media ~* Halbschwester *f*; *~ política* Schwägerin *f*; *vgl. hermano*; **2.** □ Hemd *n*; *~s f/pl.* Ohren *n/pl.*; **~nable** *adj. c* passend (zu *dat. con*); vereinbar (mit *dat. con*); **~nado** *adj.* **1.** zs.-passend; *Chi.* dazugehörig (*Paar*); **2.** ♀ Zwillings... (*Pflanzenorgane*); **~namiento** *m* Verbrüderung *f*; *~ de ciudades* Städtepatenschaft *f*; **~nar I.** *v/t.* **1.** vereinen; zs.-schließen; zs.-stellen; **II.** *v/r.* *~se* **2.** s. verbrüdern; s. verein(ig)en; **3.** zuea. passen; s. mitea. vereinbaren lassen; **~nastra** *f* Stiefschwester *f*; **~nastro** *m* Stiefbruder *m*; **~nazgo** *m* Bruderschaft *f*; Verbrüderung *f*; **~ndad** *f* **1.** *a. fig. u. Rel.* Bruderschaft *f*; Verbrüderung *f*, innige Freundschaft *f*; Brüderlichkeit *f*; **2.** *Span. Art* Genossenschaft *f* (*bsd.* ✓); ♀ *de Labradores* Bauerngenossenschaft *f*; **3.** *hist. Span. Santa* ♀ Wegepolizei *f*, Gendarmerie *f*; **~no I.** *m* Bruder *m*; Ordensbruder *m*; *~s* **a)** Brüder *m/pl.*; **b)** Geschwister *pl.*; *~ político* Schwager *m*; *~ uterino*, *~ de madre* Halbbruder *m* mütterlicherseits; ✝ *López* ♀*s* Gebrüder López; **II.** *adj.* Bruder...; Schwester...; *lenguas f/pl. ~as* Schwestersprachen *f/pl.*; *pueblo m ~* Brudervolk *n*; **~nuco** *desp. m* Laienbruder *m*.

hermenéuti|ca 🕮 *f* Hermeneutik *f*; **~co** *adj.* hermeneutisch.

her|meticidad *f* Dichtigkeit *f*; *fig.* → *hermetismo*; **~mético** *adj.* hermetisch (*a. fig.*), luftdicht; undurchlässig; *fig.* verschlossen; *fig.* unverständlich; **~metismo** *m* Unnahbarkeit *f*, Verschlossenheit *f*, Unverständlichkeit *f*.

hermo|samente *adv.* schön, vortrefflich, großartig; **~seamiento** *m* Verschönerung *f*; **~sear** *v/t.* verschönern, schön(er) machen; ausschmücken; **~sísimo** *sup. adj.* bild-, wunder-schön; **~so** *adj.* **1.** schön; stattlich (*Mann*); *¡~ día!* ein schöner Tag!; *la ~a* die Schöne, die schöne Frau; **2.** *fig.* vortrefflich, großartig; **~sura** *f* Schönheit *f* (*a. fig. Frau*); *fig.* Pracht *f*; *~ de manzana* prachtvoller Apfel *m*.

herni|a ⚕ *f* Bruch *m*, Hernie *f*; *~ inguinal (umbilical)* Leisten- (Nabel-)bruch *m*; **~ado** *adj.-su.* bruchleidend; **~ario** ⚕ *adj.* Bruch...; *tumor m ~* Bruchgeschwulst *f*; **~arse** [1b] *v/r.* s. e-n Bruch zuziehen; **~oso** ⚕ *adj.-su.* → *herniado*; **~sta** *c* Facharzt *m* für Bruch-operationen *od.* -leiden.

Hero|des *bibl. m* Herodes *m*; *fig. ir de ~ a Pilatos* **a)** von Pontius zu Pilatus laufen; **b)** vom Regen in die Traufe kommen; ♀**diano** *adj.* Herodes...

héroe *m* Held *m* (*a. Thea.*); *Myth.* Heros *m*.

hero|icamente *adv.* heldenhaft, heroisch; **~icidad** *f* Heldenmut *m*; Heldentat *f*; **~ico** *adj.* **1.** heldenmütig, heroisch; *acción f ~a* Heldentat *f*; *acto m ~ a.* aufopferndes Handeln *n*; *poema m ~* Heldengedicht *n*; *tiempos m/pl. ~s* Heldenzeitalter *n*; **2.** *a. pharm.* stark wirkend; aufputschend; **~ína** *f* **1.** Heldin *f*; *Thea.* Heroine *f*; **2.** *pharm.* Heroin *n*; **~ísmo** *m* Heroismus *m*; Heldentum *n*.

her|pe(s) ⚕ *m*, *f*(*/pl.*) (Bläschen-) Ausschlag *m*, Herpes *m*, *f*; **~pético** ⚕ *adj.* Herpes...

herra|da *f* Bottich *m*, Bütte *f*; **~dero** *m* Brandmarken *n des Viehs*; *p. ext.* Ort *m* (*u.* Zeit *f*) der Brandmarkung; *fig.* Stierkampf *m* mit regelwidrigem Verlauf; **~dor** *m* Hufschmied *m*; **~dura** *f* **1.** Hufeisen *n*; Hufbeschlag *m*; *en forma de ~* hufeisenförmig; *camino m de ~* Saumpfad *m*; **2.** *Zo.* Hufeisennase *f* (*Fledermaus*); **~je(s)** *m*(*/pl.*) Beschlag *m*, Beschläge *m/pl.*; **~mental I.** *adj. c* **1.** Werkzeug...; **II.** *m* **2.** Werkzeug-tasche *f*, -kasten *m*; *~ para el montaje* Montagekasten *m*; **3.** Werkzeug *n*; **~mienta** *f* **1.** Werkzeug *n*; Gerät *n*; *~s f/pl.* Arbeitsgerät *n*, Handwerkszeug *n*; *~s de minero* Bergmannsgeräte *n/pl.*, Gezähe *n*; *máquina-~*, *~ mecánica* Werkzeugmaschine *f*; **2.** *fig.* Gehörn *n der Tiere*; **3.** F Gebiß *n*; **4.** F Klappmesser *n*; **~r** [1k] *v/t.* **1.** *Pferde usw.*, ⊕ *mit Eisen* beschlagen; *Tiere* (*mit dem Brandeisen*) stempeln; **2.** *hist.* brandmarken.

herrería *f* Schmiede *f*; Hammerwerk *n*; *fig.* Getöse *n*, Tumult *m*.

herreriano *Ku. adj.* Herrera... (*nach Juan de Herrera, 16. Jh.*).

herre|rillo *Vo. m* **a)** Kohlmeise *f*; **b)** Blaumeise *f*; **~ro** *m* Schmied *m*; *~ de grueso* Grobschmied *m*; *Spr. en casa de ~, cuchillo de palo* der Schuster trägt (oft) die schlechtesten Schuhe; **~rón** *desp. m* schlechter Schmied *m*; **~ruelo** *m* **1.** *Vo.* Tannenmeise *f*; **2.** *hist.* Schwarzer Reiter *m der dt. Kavallerie, 17. u. 18. Jh.*; **~te** *m* Nestelstift *m an Schnürsenkeln u. ä.*

herrial *adj. c*: *uva f ~ großbeerige dunkelrote Traubenart.*

herrum|bre *f* **1.** (Eisen-)Rost *m*; Eisengeschmack *m*; **2.** ⚘ Rost *m*; **~broso** *adj.* rostig.

hertz|(io) *HF m* Hertz *n*; **~iano** *HF adj.* Hertz...; *ondas f/pl. ~as* Hertzsche Wellen *f/pl.*

hervi|dero *m* Sieden *n*, Brodeln *n*; Sprudel *m* (*Quell*); *fig.* Gewühl *n*, Gewimmel *n* (*Menschen, Insekten*); **~do I.** *part.-adj.* (auf)gekocht; **II.** *m Am. Kchk.* → *puchero*; **~dor** *m* Kocher *m*; ⊕ Siederohr *n*; *~ eléctrico sumergible* Tauchsieder *m*; **~r** [3i] **I.** *v/i.* **1.** aufkochen, wallen; gären (*Most*); *hirviendo* kochend (heiß); **2.** *fig.* sprudeln; wild bewegt sein (*Meer*); toben (*Leidenschaft*); *le hierve la sangre* sein Blut gerät in (heftige) Wallung; *~ en deseos* s. in glühenden Wünschen verzehren; **3.** wimmeln (von *dat.* de, en); **II.** *v/t.* **4.** (auf)kochen (lassen); auskochen.

hervo|r *m* Sieden *n*, Kochen *n*; *p. ext.* Wallen *n* (*a. fig.*), Brausen *n*; *fig.* Hitze *f*, Feuer *n*, Ungestüm *n*; *dar un ~ al agua* das Wasser aufkochen (*od.* aufwallen) lassen; **~roso** *adj.* kochend; *p. ext.* sprudelnd; *fig.* feurig, ungestüm.

hesitar *lit. v/i.* schwanken, zögern.

Hes|peria *hist. f* Hesperien *n*, *lit.* Spanien *n od.* Italien *n*; **♀périco** *adj.* → *hesperio*; **♀péride I.** *adj. c* **1.** *Myth.* Hesperiden...; **II.** **♀s** *f/pl.* **2.** *Myth.* Hesperiden *f/pl.*; **3.** *Astr.* Siebengestirn *n*; **♀peridio** ⚘ *m e-e Zitrusfrucht*; **♀perio** *adj.-su.* Bewohner *m* Hesperiens.

héspero I. *adj.-su.* → *hesperio*; **II.** ♀ *m poet.* Abendstern *m*; *Myth.* Hesperos *m*.

hetaira *f* → *hetera*.

heteo *adj.-su.* → *hitita*.

hetera *f* Hetäre *f*.

hete|rocíclico ⚘, ⚗ *adj.* heterozyklisch; **~róclito** *adj. Gram.* regelwidrig; *fig.* auffallend, seltsam; **~rodino** *Rf. m* Heterodyn *n*; **~rodoxia** *Rel. u. fig. f* Heterodoxie *f*, Andersgläubigkeit *f*; **~rodoxo** *adj.-su.* andersgläubig, heterodox; **~rogeneidad** 🕮 *f* Verschiedenartigkeit *f*, Heterogenität *f*; **~rogéneo** 🕮 *adj.* anders-, verschieden-artig, heterogen; **~romancia, ~romancía** *f* Wahrsagung *f* aus dem Flug der Vögel; **~romorfo** 🕮 *adj.* heteromorph; **~rónomo** *Phil., Zo. adj.* heteronom; **~roplastia** ⚕ *f* Heteroplastik *f*; **~roscios** *lit. m/pl.* Bewohner *m/pl.* der gemäßigten Zonen; **~rosexual** *adj. c* heterosexuell.

hético *adj.-su.* ⚕ hektisch, schwindsüchtig; *fig.* abgezehrt.

hevea ⚘ *f* Kautschuk-, Gummibaum *m*.

hexa... 🕮 *in Zssgn.* hexa..., sechs...

hexa|cordo ♪ *m* Hexachord *m, n*; **~édrico** △ *adj.* hexaedrisch, sechsflächig; **~edro** △ *m* Hexaeder *n*; **~gonal** *adj. c* sechseckig, ⊕ Sechskant...

hexá|gono △ *m* Sechseck *n*; **~metro** *adj.-su. m* Hexameter *m* (*Metrik*); **~podo** *Ent. adj.-su.* sechsfüßig.

hez *f* Hefe *f* (*a. fig.*), Bodensatz *m*; *fig.* Abschaum *m*; ⚕ *heces f/pl.* (*fecales*) Fäkalien *pl.*, *lt.* Faeces *pl.*; *fig. hasta las heces* bis zur Neige.

hialino *adj.* glasartig, hyalin (*bsd.* ⚕, *Geol.*).

hiato *m Li.*, ⚕ Hiatus *m*; *a. fig.* Spalt *m*.

hiberna|ción *f Biol.* Winterschlaf *m*, Überwintern *n*; ⚕ Heil-, Dauerschlaf *m*; Unterkühlung(stherapie) *f*; **~l** *adj. c* Winter...; **~r** *v/i.* Winterschlaf halten.

hi|bernés, ~bérnico *lit. adj.-su.* → *irlandés.*

hibri|dación *Biol.*, ⚒ *f* Kreuzung *f*, Bastardierung *f*; **~dez** *f*, **~dismo** *m* Hybridismus *m*.

híbrido *Biol. u. fig.* **I.** *adj.* hybrid, Bastard...; ⚒ *maíz m ~* Hybridenmais *m*; *Li. palabra f ~a* Worthybride *f*, Mischbildung *f*; **II.** *m* Hybride *f*, Bastard *m*.

hicaco ⚘ *m* → *icaco*.

hicotea *Zo. f Ant., Méj. e-e Land- u. Süßwasserschildkröte.*

hidal|gamente *adv.* ritterlich; **~go I.** *adj.* adelig (*a. fig.*); *fig.* edel, vornehm; großzügig; **II.** *m* Edelmann *m*, Adlige(r) *m*; *~ rústico* Landjunker *m*; *fig. iron. ~ pobre* heruntergekommene(r) (*od.* verarmte[r]) Adlige(r) *m*; **~guez, ~guía** *f* (niedriger) Adel *m*; *fig.* Edelmut *m*; *~ de ejecutoria* Briefadel *m*; *~ de sangre* Geburtsadel *m*.

Hidra *f* **1.** *Myth., Astr. u. fig.* Hydra *f*; **2.** ♀ *Zo.* **a)** giftige Pazifikschlange *f*; **b)** Armpolyp *m*.

hidrartrosis ⚕ *f* Gelenkwassersucht *f*.

hidra|tación ⚗ *f* Hydra(ta)tion *f*, Hydratbildung *f*; **~tar** ⚗ *v/t.* mit Wasser verbinden, hydratisieren; **~to** ⚗ *m* Hydrat *n*.

hidráuli|ca *f* Hydraulik *f*; **~co I.** *adj.* hydraulisch; Wasser...; Wasserbau...; *obras f/pl. ~as* (*agrícolas*) (landwirtschaftlicher) Wasserbau *m*; *rueda f ~a* Wasserrad *n*; **II.** *m* Wasserbauingenieur *m*; Hydrauliker *m*.

hidro|ala *m* Tragflügelboot *n*; **~avión** *m* Wasserflugzeug *n*; **~carburo** ⚗ *m* Kohlenwasserstoff *m*; **~cefalia** ⚕ *f* Wasserkopf *m*, Hydrozephalus *m*; **~céfalo** ⚕ *adj.-su.* wasserköpfig; **~cele** ⚕ *f* Wasserbruch *m*, Hydrozele *f*; **~dinámica** *Phys. f* Hydrodynamik *f*, Strömungslehre *f*; **~eléctrico** *adj.*: *central f ~a* Wasserkraftwerk *n*.

hidr|ofilia *Biol.*, ⚗ *f* Hydrophilie *f*; **~ófilo** *adj.* hydrophil; *Biol.* wasserliebend; ⚗ wasseranziehend; ⚕ *algodón m ~* Verbandwatte *f*; **~ofobia** *f* Wasserscheu *f*; ⚕ Tollwut *f*; **~ófobo** *adj.-su.* wasserscheu; ⚕ tollwütig; **~ófugo** *adj. Biol.* wassermeidend; wasserabweisend (*tex.*).

hidrogena|ción ⚗ *f* Hydrierung *f*; Verflüssigung *f*; **~do** *adj.* wasserstoffhaltig; **~r** ⚗ *v/t.* hydrieren.

hidrógeno ⚗ *m* Wasserstoff *m*.

hidr|ografía *f* Gewässerkunde *f*; Gewässer *n/pl.*; **~ográfico** *adj.* hydrographisch, Gewässer...; *mapa m ~* Seekarte *f*; **~ógrafo** *m* Hydrograph *m*; **~ólisis** ⚗ *f* Hydrolyse *f*; **~ólogo** *m* Hydrologe *m*; **~ometría** *Phys. f* Hydrometrie *f*; **~ómetro** *m* Hydrometer *n*; **~omiel** *m* Honigwasser *n*; **~ónimo** *m* Gewässername *m*; **~opesía** ⚕ *f* Wassersucht *f*; **~ópico I.** *adj.* ⚕ wassersüchtig; *fig.* sehr durstig; unersättlich (*Durst*); **II.** *m* ⚕ Wassersüchtige(r) *m*; **~oplaneador** *m* Wassersegelflugzeug *n*; **~oplano** ⚓ *m* **1.** Gleitboot *n*; **2.** Wasserflugzeug *n*; **~oquinona** ⚗, *Phot. f* Hydrochinon *n*; **~osoluble** *adj. c* wasserlöslich; **~ostática** *f* Hydrostatik *f*; **~ostático** *adj.* hydrostatisch; **~otecnia** *f* Wasserbautechnik *f*; **~oterapia** ⚕ *f* Wasserheilkunde *f*; **~oterápico** *adj.* hydrotherapeutisch; *tratamiento m ~* Wasserkur *f*; **~ovelero** *m* Wassersegelflugzeug *n*; **~óxido** ⚗ *m* Hydroxyd *n*.

hiedra ⚘ *f* Efeu *m*.

hiel *f* **1.** Galle *f* (*a. fig.*); *fig.* Bitterkeit *f*; Erbitterung *f*; *fig. echar* (*od. sudar*) *la ~* hart arbeiten, s. sehr plagen; *estar hecho de ~* galle(n)-bitter sein; *fig.* sehr gallig sein; *no tener ~ od. ser una paloma sin ~* ein friedliches Gemüt haben; **2.** ⚘ *~ de (la) tierra* Tausendgüldenkraut *n*.

hielo *m* Eis *n*; Frost *m*; *fig.* Kälte *f*; *~(s) flotante(s)* Treibeis *n*; *~ resbaladizo* Glatteis *n*; *~ seco* Trockeneis *n*; *fig. estar hecho un ~* eiskalt sein; (völlig) gefühllos sein; *fig. romper el ~* das Eis brechen.

hiemal 🕮 *adj. c* → *invernal*; *Astr. solsticio m ~ (a. ~ m)* Wintersonnenwende *f*.

hiena *Zo. u. fig. f* Hyäne *f*.

hierático *adj.* hieratisch (*Schrift*); *fig.* ernst, feierlich; zeremoniös.

hierba *f* **1.** Gras *n*; Kraut *n*; *~s f/pl.* Kräuter *n/pl.*; (Futter-)Gras *n*; *~ ballestera* Nieswurz *f*; *~ buena* → *hierbabuena*; *~ caballar*, *~ cana* Vogel-Kreuzkraut *n*; *~ centella* Butterblume *f*; *~ de las coyunturas Art* Meerträubchen *n*; *~ giganta* **a)** Bärenklau *m*; **b)** *Art* Seifenkraut *n*; *~ luisa* Zitronenkraut *n*; *~ medicinal* Heilkraut *n*; *~ sagrada* Eisenkraut *n*, Verbene *f*; *~ de San*

Juan **a)** Johanniskraut *n*; **b)** Mutterkraut *n*; ~ *de las siete sangrías* Steinsame *m*; ~ *de Santa María* **a)** Rainfarn *m*; **b)** Salbei *f*; ~ *tora* Sommerwurz *f*; *mala* ~ Unkraut *n*; *en* ~ noch grün, jung (*Saat*); F ... *y otras* ~*s* usw. (*b. Aufzählungen*); *fig. sentir* (*od. ver*) *crecer la* ~ das Gras wachsen hören; *Spr. mala* ~ *nunca muere* Unkraut verdirbt nicht; **2.** ~*s f/pl.* Kräuter- *bzw.* Gift-trank *m*; ~**buena** ⚘ *f* Minze *f*; ~**jo** *desp. m* Kraut *n*; Unkraut *n*; ~**l** *m* Grasfeld *n*; ~**tero** *m Chi., Méj.* Kräutermann *m*, Heilkundige(r) *m*.

hiero ⚘ *m* → *yero*.

hiero|cracia *f* Hierokratie *f*; ~**glífico** *adj.-su.* → *jeroglífico*.

hierosolimitano *adj.* → *jerosolimitano*.

hie|rra *f Am.* Brennen *n*, Brandmarken *n des Viehs*; ~**rro** *m* **1.** Eisen *n*; *p. ext.* eisernes Werkzeug *n*; Brandeisen *n*; *fig.* Waffe *f*; ~*s m/pl. de armado* Moniereisen *n*; ~ *bruto*, ~ *tocho* Roheisen *n*; ~ *colado*, ~ *fundido* Gußeisen *n*; ~ *magnético* (*perfilado*) Magnet- (Profil-)eisen *n*; ~ *en T* T-Eisen *n*; *a* ~ *y fuego* mit Feuer u. Schwert; F *quítale* ~ halb so wild F, nun mach's mal halblang F; **2.** *fig.* ~*s m/pl.* Fesseln *f/pl.*, Ketten *f/pl.*

hifa *Biol. f* Pilzfaden *m*, Hyphe *f*.

higa *f* † Amulett *n gg. den bösen Blick*; *Gebärde der Verachtung*; P *me importa una* ~ → *higo* 2; ~**dilla** *f*, ~**dillo** *m* **1.** Leber *f*, *bsd. der Vögel*; **2.** *Cu.* Leberkrankheit *f des Geflügels*.

hígado *m* Leber *f*; *fig.* Mut *m*; *fig. echar los* ~*s* s. abrackern; *tener malos* ~*s* böswillig sein; *tener muchos* ~*s* sehr mutig sein.

higi|ene *f* Hygiene *f*; Gesundheitspflege *f*; Gesundheitslehre *f*; ~ *corporal* Körperpflege *f*; ~ *sexual* Sexualhygiene *f*; ~**énico** *adj.* hygienisch; gesund; *papel m* ~ Toilettenpapier *n*; ~**enista** *c* Hygieniker *m*.

higo *m* **1.** Feige *f*; ~ *boñigar Art* breite Feige *f*; ~ *chumbo*, ~ *de tuna* Kaktus-, Nopal-feige *f*; ~ *melar* Honigfeige *f*; ~ *paso* getrocknete Feige *f*; *fig. hecho un* ~ ganz zerdrückt; total kaputt F; **2.** *fig.* nichts; F (*a mí*) *me importa un* ~ *od. no se me da un* ~ das ist mir schnuppe F.

higrómetro *m* Hygrometer *n*, Feuchtigkeitsmesser *m*.

higros|cópico *adj.* hygroskopisch; ~**copio** *m* **1.** Hygroskop *n*; **2.** Wetterhäuschen *n*.

higue|ra *f* Feigenbaum *m*; ~ *chumba*, ~ *de Indias*, ~ *de pala*, ~ *de tuna* Feigenkaktus *m*, Nopal *m*; ~ *del infierno* Rizinus *m*; *fig.* F *estar en la* ~ geistig abwesend (*od.* weggetreten F) sein, dösen; ~**reta**, ~**rilla** ⚘ *f* Rizinus *m*; ~**rón** *Am. trop.*, ~**rote** *Méj.* ⚘ *m* Riesengummibaum *m*.

hija *f* Tochter *f*; ~ *política* Schwiegertochter *f*; ~**stra** *f* Stieftochter *f*; ~**stro** *m* Stiefsohn *m*.

hijo *m* Sohn *m* (*a. fig.*); *p. ext. u. fig.* Kind *n*; *sin* ~*s* kinderlos (*Ehepaar*); ~ *de* (*Madrid*) geboren in (Madrid); ✝ *Serrano* ♀*s* Serrano & Söhne; ~ *adoptivo* **a)** Adoptivsohn *m*; **b)** → ~ *predilecto* Ehrenbürger *m*; ~ *espiritual* Beichtkind *n*; *bibl. el* ~ *del Hombre* der Menschensohn; ~ *de* (*su*) *madre* **a)** (ganz) der Sohn s-r Mutter, (ganz) wie die Mutter; **b)** P Hurensohn *m* P; ~ *político* **a)** Schwiegersohn *m*; **b)** Stiefsohn *m*; P ~ *de puta*, ~ *de tal* Hurensohn *m* P; F *cada* (*od. cualquier*) ~ *de vecino* jeder (beliebige); ~**dalgo** *m* (*pl. hijosdalgo*) Edelmann *m*; ~**putada** V *f* Sauerei *f* P, Hundsgemeinheit *f* P.

hijue|la *f* **1.** *dim. v. hija*; **2.** Erbteilungsschein *m*; Erbteil *n*; **3.** Stichkanal *m*; Bewässerungsrinne *f*; Nebenweg *m*; **4.** Neben-, Zweigstelle *f*; 📯 Landzustellung *f*; **5.** Einsatz *m zum Weitermachen an Kleidungsstücken*; **6.** *kath.* Palla *f*; **7.** *Chi. durch Teilung e-s größeren Besitzes geschaffenes* Gut *n*; ~**lo** *m* **1.** *dim. zu hijo*; **2.** ⚘ Trieb *m*, Schößling *m*.

hila[1] *f* **1.** Reihe *f*; *a la* ~ e-r hinter dem andern; **2.** dünner Darm *m*.

hila[2] *f* Spinnen *n*; ~*s f/pl.* Scharpie *f* (zupfen *hacer*); ~**cha** *f*, ~**cho** *m* Faser *f*, Fussel *f*; ~**choso** *adj.* faserig, fusselig.

hila|da *f* Reihe *f*; Lage *f*, Schicht *f*; ~ *de ladrillos* Backsteinlage *f*, Ziegelreihe *f*; ~**dillo** *tex. m* Florettseide *f*; ~**dizo** *adj.* (ver)spinnbar; ~**do** *tex. m* **1.** Spinnen *n*; ~ *a máquina*, ~ *mecánico* Maschinenspinnerei *f*; **2.** Gespinst *n*; Faden *m*, Garn *n*; ~*s m/pl.* Spinnstoffwaren *f/pl.*; ~ *de algodón* Baumwollgarn *n*; ~**dor** *m* Spinner *m*; ~**dora** *f* **1.** Spinnerin *f*; **2.** Spinnmaschine *f*; ~**ndera** *f* Spinnerin *f*; ~**ndería** *f* **1.** Spinnen *n*; **2.** Spinnerei *f*; Zwirnerei *f*; ~**ndero** *m* Spinner *m*; ~**r** *vt/i.* spinnen; verspinnen; *fig. Gespräch* anknüpfen; *Ränke* spinnen; *fig.* ~ *delgado* (*od. muy fino*) es sehr genau nehmen, sehr pedantisch sein.

hila|rante *adj. c* erheiternd; *gas m* ~ Lachgas *n*; ~**ridad** *f* Heiterkeit *f*.

hila|tura *tex. f* Verspinnen *n*; Spinnverfahren *n*; Gewebe *n*; ~ *a mano* Handspinnen *n*; ~**za** *f* Gespinst *n*; grobe Faser *f*; ~ *de vidrio* Glas-faser *f*, -gespinst *n*; *fig.* F *descubrir la* ~ sein wahres Wesen erkennen lassen, s-e ganze Schäbigkeit zeigen.

hile|ra *f* **1.** Reihe *f*; ⚔ Glied *n*; ~ *de casas* Häuserreihe *f*; *de tres* ~*s* dreireihig; ⚔ ~ *doble* Doppelreihe *f*; **2.** *Zo.* Spinndrüse *f*; **3.** ⊕ **a)** Spinndüse *f*; **b)** (Draht-)Zieheisen *n*; Drahtziehbank *f*; **4.** ⚠ Firstbalken *m*; **5.** ⚒ → *hilo*; ~**ro** ⚓ *m* Stromstrich *m*; Nebenströmung *f*.

hilio *Anat. m* Hilus *m*.

hilo *m* **1.** *a. fig.* Faden *m*; Garn *n*; Schnur *f*; ~ (*retorcido*) Zwirn *m*; ~ *de bordar* Stickgarn *n*; ~ *de Egipto* Makogarn *n*; ~ *de goma* Gummifaden *m*; ~ *de punto* (*de seda*) Strick- (Seiden-)garn *n*; ~ *de telaraña* Spinngewebsfaden *m*; ~ *de trama* (*de urdimbre*) Schuß- (Kett-)faden *m*; ~ *de yute* (*de zurcir*) Jute- (Stopf-)garn *n*; *fig.* ~ *de la vida* (alltäglicher) Lebensablauf *m*; Lebensfaden *m*; *a* ~ ununterbrochen; parallel; *adv.* ~ *a* ~ langsam, aber stetig (*fließend*); *fig. al* ~ *de medianoche* genau um Mitternacht; *fig. coger el* ~ *de a/c.* et. erfassen; *fig. colgar* (*od. estar colgado od. pender od. estar pendiente*) *de un* ~ an e-m (seidenen) Faden hängen; *cortar al* ~ *Gewebe*: fadengerade (*Holz*: in Faserrichtung) schneiden; *fig. cortar el* ~ *de la conversación* die Unterhaltung unterbrechen; *fig. se le cortó el* ~ *od. perdió el* ~ (*del discurso*) er hat den Faden verloren; *fig. tomar el* ~ den Faden wieder aufnehmen; **2.** *tex.* Hanfzeug *n*; (weißes) Leinen(zeug) *n*; (*ropa f de*) ~ Leinenwäsche *f*; **3.** ⊕ feiner Draht *m*; ⚡ ~ (*conductor*) Leitungsdraht *m*; ~ *de platino* Platinfaden *m*; ~ *de zapatero* Pechdraht *m*; **4.** (feiner) Strahl *m*; ~ *de agua* dünner Wasserstrahl *m*.

hilo|morfismo *Phil. m* Hylemorphismus *m*; ~**zoísmo** *Phil. m* Hylozoismus *m*.

hil|ván *m* Heftnaht *f*; *Chi.* Heftfaden *m*; ~**vanar** *v/t.* heften; *fig.* skizzieren, entwerfen; *fig.* F überstürzen.

hime|n *m* **1.** *Anat.* Jungfernhäutchen *n*, Hymen *n*; **2.** *Myth.* ♀ → ~**neo** *lit. m* Hymen(äus) *m*; *fig.* Hochzeit *f*.

himenópteros *Ent. m/pl.* Hautflügler *m/pl.*, Hymenopteren *pl.*

him|nario *m* Hymnensammlung *f*; *ecl.* Hymnar(ium) *n*; ~**no** *m* Hymne *f*; *Rel.* Hymnus *m*; ~ *nacional* Nationalhymne *f*.

himplar *v/i.* brüllen (*Jaguar, Panther*).

hin(nn...) *onom.* (*Wiehern*).

hin|capié *m* Aufstemmen *n* des Fußes; *fig. hacer* ~ *en* beharren auf (*dat.*), s. versteifen auf (*ac.*); Nachdruck legen auf (*ac.*); ~**car** [1g] **I.** *vt/i. Nagel, Pfahl* einschlagen; *Fuß* aufstemmen; *fig.* F ~ *el diente* **a)** zugreifen, einhauen *b. Essen*; **b)** (*a a/c.* an et. *ac.*) herangehen; **c)** (*en*) Schmu machen (mit *dat.*); **d)** (*en alg.* j-n) angreifen, verleumden; *fig.* F ~ *el pico* sterben, ins Gras beißen F; **II.** *v/r.* ~*se* eindringen; ~*se de rodillas* niederknien; ~**cón** *m* Anlegepfahl *m in Gewässern*.

hincha F **I.** *f*: *tener* ~ *a alg.* j-n nicht riechen können F; **II.** *m* Jazz- *bzw.* Fußball-fan *m*; ~**do** *part.-adj.* geschwollen; bauschig; *a. fig.* aufgeblasen; stolz; schwülstig (*Stil*); hochgehend (*See*); ~**miento** *m* **1.** ⊕ Aufschwellung *f*; Quellen *n* (*Holz u. ä.*); **2.** → *hinchazón*; ~**r** **I.** *v/t.* **1.** auf-blasen, -pumpen; (auf-)blähen, auftreiben, anschwellen lassen; **2.** *fig.* aufbauschen, übertreiben; **II.** *v/r.* ~*se* **3.** anschwellen; ~*se* (*por la humedad*) quellen; **4.** s. vollstopfen, viel essen; **5.** viel Geld verdienen, reich werden; **6.** *fig.* s. aufblähen, dick(e) tun F; ~**zón** *f* (An-)Schwellen *n*; Quellen *n*; Schwellung *f*, Beule *f*; *fig.* Aufgeblasenheit *f*; Schwulst *m*, Schwülstigkeit *f des Stils*.

hin|dú *adj.-su. c* (*pl.* ~*úes*) Hindu *m*; *p. ext.* Inder *m*; ~**duismo** *m* Hinduismus *m*.

hiniesta ⚘ *f* Ginster *m*.

hino|jal *m* Fenchelpflanzung *f*; **~jo**[1] ⚘ *m* Fenchel *m*; ~ *marino* Seefenchel *m*.
hinojo[2] *m*: *de ~s* kniend; *hincarse* (*od. postrarse*) *de ~s* niederknien.
hioides *Anat. m* (*pl. inv.*) Zungenbein *n*.
hipar *v/i.* schluck(s)en, den Schluckauf haben; japsen (*Hund*); *fig.* s. abarbeiten; *fig.* F ~ *por* heftig verlangen nach (*dat.*).
hipér|baton *Rhet. m* Hyperbaton *n*; **~bola** ∡ *f* Hyperbel *f*; **~bole** *Rhet. f* Hyperbel *f*, Übertreibung *f*.
hiper|bólicamente *adv.* übertreibend; **~bólico** *adj.* hyperbolisch; hyperbelartig; **~bolizar** [1f] *Rhet. v/i.* Hyperbeln verwenden; **~boloide** ∡ *m* Hyperboloid *n*.
hiperbóreo *Myth., lit. adj.-su.* hyperboreisch, Nord...; *m* Hyperboreer *m*.
hiper|clorhidria ⚕ *f* Superazidität *f*, Hyperchlorhydrie *f*; **~crítica** *f* allzu scharfe Kritik *f*; **~crítico** *adj.-su.* über-, hyper-kritisch; **~estesia** ⚕ *f* Hyperästhesie *f*; **~función** ⚕ *f* Überfunktion *f*; **~metría** *f Metrik*: Hypermetrie *f*; **~metropía** ⚕ *f* Übersichtigkeit *f*; **~saturación** *f* Übersättigung *f*; **~sensibilidad** *f* Überempfindlichkeit *f*; **~sensible** *adj. c* überempfindlich; **~tensión** ⚕ *f* (Blut-)Hochdruck *m*; **~tiroidismo** ⚕ *m* Hyperthyreose *f*; **~trofia** *Biol. u. fig. f* Hypertrophie *f*; **~trofiado, ~trófico** *adj.* hypertroph(iert), zu stark entwickelt.
hípico *adj.* Pferde...; *deporte m* ~ Pferde-, Reit-sport *m*.
hipido *m* Aufschluchzen *n*; ♪ *Andal.* → *jipío*.
hipismo *m* Pferde-, Reit-sport *m*.
hip|nosis ⚕ *f* Hypnose *f*; **~nótico I.** *adj.* hypnotisch; **II.** *m* Schlafmittel *n*; **~notismo** *m* Hypnose *f*; Hypnoselehre *f*; **~notizador** *adj.-su.* Hypnotiseur *m*; **~notizar** [1f] *v/t.* hypnotisieren (*a. fig.*), in Hypnose versetzen.
hipo *m* Schluckauf *m*; Aufschlucken *n*; *fig.* heftiges Verlangen *n* (nach *dat.* de); ↖ *fig.* Wut *f* (auf *ac.* con); *fig.* F *que quita el ~* toll F, großartig; *eso le quitó el ~* da war er platt F; das verschlug ihm die Sprache.
hipocampo *Zo. m* Seepferdchen *n*.
hipocentro *Geol. m* Hypozentrum *n*.
hipo|condría *f* ⚕ Hypochondrie *f*; Melancholie *f*, Schwermut *f*; **~condríaco** *adj.-su.* hypochondrisch; schwermütig; *m* Hypochonder *m*; **~cóndrico** *adj.* **1.** *Anat.* am seitlichen Oberbauch; **2.** → *hipocondríaco*; **~condrio** *Anat. m* Hypochondrium *n*.
hipocorístico *Li. m* Hypokoristikum *n*, Kosename *m*; Verkleinerungsform *f*.
hipocrás *m* Gewürzwein *m*.
hipocrático *adj.* hippokratisch.
hi|pocresía *f* Heuchelei *f*; Scheinheiligkeit *f*; Verstellung *f*; **~pócrita** *adj.-su. c* falsch; heuchlerisch, scheinheilig; *m* Heuchler *m*, Pharisäer *m* (*fig.*).
hipodérmico ⚕ *adj.* subkutan.
hipódromo *m* Rennbahn *f*; Hippodrom *m*.
hipófisis *Anat. f* (*pl. inv.*) Hypophyse *f*.
hipo|función *f* Unterfunktion *f*; **~gastrio** *Anat. m* Unterbauch *m*, Hypogastrium *n*; **~geo** *m* **1.** *Arch.* Hypogäum *n*; **2.** unterirdische Kapelle *f*; unterirdischer Bau *m*.
hipogrifo *poet. m* Hippogryph *m*.
hipólogo *m* Pferdekenner *m*.
hipopótamo *m Zo.* Fluß-, Nilpferd *n*; *fig.* F *etwa*: Rhinozeros *n* (*Schimpfwort*).
hiposo *adj.-su.* schluckend; aufschluchzend; j., der den Schluckauf hat.
hiposoluble ⚗ *adj. c* fettlöslich.
hi|póstasis *Phil., Theol.,* ⚕ *f* Hypostase *f*; **~postático** *adj. Phil., Theol.,* ⚕ hypostatisch; *Phil.* hypostasierend.
hipoteca *f a. fig.* Hypothek *f*; **~ble** *adj. c* (mit e-r Hypothek) belastbar; **~r** [1g] *v/t.* mit e-r Hypothek belasten (*a. fig.*); *fig.* in Frage stellen, gefährden; **~rio** *adj.* hypothekarisch, Hypotheken..., Hypothekar-...; ✝, ⚖ *acreedor m ~* Hypothekengläubiger *m*; *operaciones f/pl. ~as* Hypothekenverkehr *m*.
hipo|tensión ⚕ *f* Hypotonie *f*, niedriger Blutdruck *m*; **~tenusa** ∡ *f* Hypothenuse *f*; **~termia** *f* Untertemperatur *f*.
hi|pótesis *f* Hypothese *f*, Annahme *f*, Unterstellung *f*; **~potético** *adj.* hypothetisch; *Gram. período m ~* Bedingungssatz *m*.
hipo|tiroidismo ⚕ *m* Hypothyreose *f*; **~tónico** ⚕ *adj.-su.* hypotonisch (*a. Lösung*); *m* Hypotoniker *m*; **~trofia** *Biol. f* Hypotrophie *f*, Unterentwicklung *f*.
hip|sograma *m* Höhendiagramm *n*; **~sometría** *f* Höhenmessung *f*; **~sómetro** *m* Höhenmesser *m*.
hiriente *adj. c* verletzend (*bsd. fig.*); beleidigend.
hirsuto *adj.* struppig, borstig; ⚘ stachel(haar)ig; *fig.* rauh, widerborstig.
hirudí|neos, ~nidos *Zo. m/pl.* Blutegel *m/pl*.
hirvien|do *part. v. hervir*; **~te** *adj. c* kochend.
hiso|pada *kath. f* Besprengung *f* mit Weihwasser; **~par** *v/t.* → *hisopear*; **~pazo** *m* **1.** F → *hisopada*; **2.** Schlag *m* (*bzw.* Schwenken *n*) mit dem Weihwedel; **~pear** *vt/i.* mit Weihwasser (be)sprengen; **~pillo** *m* **1.** ⚘ wilder Ysop *m*; **2.** Tränkläppchen *n für Kranke*; **~po** *m* **1.** ⚘ Ysop *m*; **2.** *kath.* Weihwedel *m*; **3.** F *Arg., Col., Chi., Méj.* (gr.) Pinsel *m*.
hispalense *lit. adj.-su. c* sevillanisch; *m* Sevillaner *m*.
hispánico *adj.* (hi)spanisch.
hispa|nidad *f* Hispanität *f*, Spaniertum *n*; spanisches Wesen *n*; **~nismo** *m* **1.** spanische Spracheigentümlichkeit *f*; **2.** Liebe *f* zu Spanien (*od.* zur hispanischen Kultur); **~nista** *c* Hispanist *m*; **~nizar** [1f] *v/t.* hispanisieren, spanisch machen; **~no** *adj.-su.* **1.** *lit.* spanisch; *m* Spanier *m*; **2.** *in Zssgn.* ~(-)... spanisch-...; *~-alemán* spanisch-deutsch (*wenn die Selbständigkeit jedes Wortteils betont wird, mit Bindestrich, sonst ohne Bindestrich*); **~noamericanismo** *m* **1.** spanisch-amerikanische Spracheigentümlichkeit *f*; **2.** Verbundenheit *f* zwischen den spanisch-amerikanischen Ländern unterea. u. mit Spanien; **~noamericano** *adj.-su.* spanisch-amerikanisch; *m* Hispano-Amerikaner *m*; **~nófilo** *adj.-su.* spanienfreundlich; *m* Spanienfreund *m*; **~nófobo** *adj.* spanienfeindlich; **~nohablante, ~noparlante** *adj.-su. c* spanisch sprechend, spanischsprachig.
híspido *adj.* borstig; stachelig.
his|teria *f* Hysterie *f*; **~térico** *adj.-su.* hysterisch; *m* Hysteriker *m*; **~terismo** *m* Hysterie *f*.
his|tología ⚕ *f* Histologie *f*; **~tológico** *adj.* histologisch; **~tólogo** *m* Histologe *m*; **~toquímica** *f* Histochemie *f*.
historia *f* **1.** Geschichte *f* (*a. fig.*); Erzählung *f*; *fig. ~s f/pl.* Klatsch *m*; Ausreden *f/pl.*, Vorwände *m/pl.*; Aufregung *f*, Wirbel *m* F; *~ del arte, ~ de las artes* Kunstgeschichte *f*; *~ antigua* alte Geschichte *f*; ⚕ *~ clínica* Krankengeschichte *f*; *~ cultural, ~ de la civilización* Kulturgeschichte *f*; *~ de la Edad Media* (*de la Edad Moderna*) Geschichte *f* des Mittelalters (der Neuzeit); *~ de la Edad Contemporánea* Neuere (*bzw.* Neueste) Geschichte *f*; *~ de la Iglesia* (*de la literatura*) Kirchen- (Literatur-)geschichte *f*; *~ natural* Naturgeschichte *f*; Naturkunde *f*; *~ sacra, ~ sagrada* Heilsgeschichte *f*; biblische Geschichte *f*; *~ universal* Weltgeschichte *f*; *fig.* de ~ verrufen, mit (e-r bewegten) Vergangenheit; F *¡déjate de ~s!* mach' doch k-e Geschichten!; laß die dummen Ausreden!; *iron. ¡así se escribe la ~!* so geht man um mit der Wahrheit!; und das soll wahr sein!; *hacer ~* **a)** Geschichte machen; **b)** berichten (*ac. od.* über *ac.* de); *fig. la ~ de siempre* immer die alte Geschichte, immer das gleiche Lied; *pasar a la ~* in die Geschichte eingehen (*a. fig.*); *haber pasado a la ~* e-e alte Geschichte sein; längst überholt sein; **2.** Geschichtswerk *n*; **3.** *Mal.* Geschichtsbild *n*; *pintor m de ~* Historienmaler *m*.
historia|do *adj. Typ.* verziert (*Initiale*); *fig.* überladen, kitschig; *Mal.* gut angeordnet (*Figuren im thematischen Zs.-hang*); **~dor** *m* Historiker *m*; *~ de la literatura* Literarhistoriker *m*; **~l I.** *adj. c* geschichtlich, historisch; **II.** *m* geschichtlicher Rückblick *m*; *Verw.* Personalakte *f*; Lebenslauf *m*; *~ (de una casa de comercio)* Firmengeschichte *f*; *~ profesional* beruflicher Werdegang *m*; **~r** [1b] **I.** *v/t.* **1.** e-e genaue Schilderung geben von (*dat.*); e-n geschichtlichen Überblick geben über (*ac.*); **2.** *Am.* durchea.-bringen, verwirren; **II.** *v/i.* **3.** *abs.* Geschichten erzählen *bzw.* schreiben.
his|toricidad *f* Geschichtlichkeit *f*; **~toricismo** 🕮 *m* Histor(iz)ismus *m*; **~tórico** *adj.* geschichtlich, historisch; Geschichts...; *tiempos*

m/pl. ~s historische Zeiträume *m/pl.*; *Gram.* *tiempo m* ~ historische Zeit *f*, Tempus *n* historicum; **~torieta** *f* kurze Geschichte *f*; Kurzgeschichte *f*; **~toriografía** Historiographie *f*; **~toriógrafo** *m* Historiograph *m*, Geschichtsschreiber *m*.
histri|ón *m lit.* Mime *m*, Schauspieler *m*; † Gaukler *m*; *fig.* Hanswurst *m*, Spaßvogel *m*; **~onismo** *m* Komödiantentum *n*; Komödianten *m/pl.*
hita *Jgdw. f* Ende *n*, Sprosse *f am Hirschgeweih.*
hitita *hist. adj.-su. c* hethitisch; *m* Hethiter *m*.
hito I. *adj.* **1.** angrenzend (*Straße, Haus*); **2.** ⚒ fest; *adv. a* ~ fest, unverrückbar; **3.** in der Färbung makellos (*Rappe*); **II.** *m* **4.** Grenz-, Mark-stein *m*; Ziel(punkt *m*) *n*; *fig. marcar un* ~ e-n Markstein bilden; *mirar de* ~ *en* ~ *j-n* scharf ansehen; **5.** Wurfspiel *n*.
hobachón F *adj.* dick u. träge.
hobo ⚘ *m* → *jobo 1.*
hoci|car [1g] **I.** *vt/i.* **1.** → *hozar*; **II.** *v/t.* **2.** F abküssen, abschmatzen F; **III.** *v/i.* **3.** auf die Nase fallen; mit dem Kopf anrennen; **4.** F auf ein (unüberwindliches) Hindernis stoßen; (es) aufgeben; **5.** F herumschnüffeln; **6.** ⚓ mit dem Bug tief im Wasser liegen; **~co** *m* **1.** Schnauze *f*; Rüssel *m* (*Schwein*); F stark aufgeworfene Lippen *f/pl.*; *fig.* F Gesicht *n*, Visage *f* P; P ~*s m/pl.* Maul *n* P, Schnauze *f* P; F *caer* (*od. dar*) *de* ~*s en el suelo* auf die Nase fallen; *quitar* (*od. romperle*) *a alg. los* ~*s* j-m den Hals umdrehen, j-m den Schädel einschlagen P (*Drohung*); *poner* ~ *od. torcer el* ~ den Mund verziehen, die Nase rümpfen; *estar de* (*od. con*) ~ maulen, schmollen; **2.** *Anat.* ~ *de tenca* Muttermund *m*; **~cón** *adj.* **1.** schmollend; **2.** → **~cudo** *adj.* mit großer Schnauze; mit aufgeworfenen Lippen.
hocino *m* **1.** Gärtner-, Reb-messer *n*; **2.** Talschlucht *f*; Engstelle *f e-s Flusses*; Flußdurchbruch *m*.
hocique|ar I. *vt/i.* → *hozar*; **II.** *v/t.* mit der Schnauze anstoßen; beschnüffeln; **~ra** *f Cu., Pe.* Maulkorb *m*.
hockey *Sp. m*: ~ (*sobre hierba*) Hockey *n*; ~ *sobre hielo* Eishockey *n*; ~ *sobre patines* (*de ruedas*) Roll-(schuh)hockey *n*.
hogaño *lit. adv.* in diesem Jahr, heuer; jetzt.
hoga|r *m* **1.** Herd *m*, Feuerstelle *f*; *fig.* ~ (*familiar*) Heim *n*; Leben *n* im Kreis der Familie; ~ *sindical etwa*: Gewerkschaftshaus *n*; *fig. volver al* ~ heimkehren; **2.** ⊕ Feuerung *f*; Feuerraum *m*; **~reño** *adj.* häuslich; Haus...; Herd...; **~za** *f* Laib *m* Brot; Kleienbrot *n*.
hoguera *f* **1.** Scheiterhaufen *m*; **2.** Freuden-, Lager-feuer *n*; ~ *de San Juan* Johannisfeuer *n*.
hoja *f* **1.** ⚘ Blatt *n*; Blumenblatt *n*; Nadel *f* (*Tanne usw.*); ~*s f/pl.* Laub *n*, Belaubung *f*; ~ *de parra* Rebblatt *n*; *fig.* Feigenblatt *n*, schamhafte Verhüllung *f*; *de cuatro* ~*s* vierblättrig; → *a.* 4; *de* ~ *perenne* immergrün; *árboles m/pl. de* ~*s caducas* Laubhölzer *n/pl.*; *fig. poner a alg. como* ~ *de perejil* j-n fertigmachen (*fig.*), kein gutes Haar an j-m lassen; *temblar como las* ~*s en el árbol* wie Espenlaub zittern; **2.** Blatt *n*; Bogen *m* (*Papier*); Formular *n*; ~ *de instrucción* Merkblatt *n*; ~ *de pedidos* Bestellschein *m*; ~ *de ruta* † Laufzettel *m*; 🚃 Begleitschein *m*; ⚔ Aufzeichnung *f* der Marschroute; *Verw.* ~ *de servicios* Personalakte *f*; ~*s f/pl. sueltas* lose Blätter *n/pl.*; ~ *volante* Flugblatt *n*; *fig. desdoblar la* ~ das unterbrochene Gespräch (*bzw.* das Thema) wiederaufnehmen; *doblar* (*od. volver*) *la* ~ **a**) das Blatt (um-) wenden; **b**) *fig.* s-e Meinung ändern; sein Versprechen nicht halten; e-n Rückzieher machen; **c**) das Thema wechseln, von et. anderem reden; *fig. la cosa no tiene vuelta de* ~ das ist nun mal so (*od.* sicher); das steht eindeutig fest; **3.** (dünne) Metallplatte *f*, Folie *f*; ~ *de lata* → *hojalata*; *batir* ~ *Gold u. ä.* schlagen (*Blattgoldherstellung*); **4.** (Fenster-, Tür-, Altar-)Flügel *m*; *de tres* ~*s* dreiteilig (*Wandschirm usw.*); *Zim.* ~ *de madera* Furnier(holz) *n*; **5.** (*Messer- usw.*)Klinge *f*; (*Scher-, Säge-*)Blatt *n*; ~ *de afeitar* Rasierklinge *f*; Rasiermesser *n*; **6.** ~ *de tocino* Speckseite *f*; **7.** Blatt *n*, Teil *n b. Schneidern*; **8.** ⚒ Brachfeld *n*; **9.** *vino m de dos* (*tres*) ~*s* ein-(zwei-)jähriger Wein *m*.
hojala|ta *f* Weißblech *n*; Blech *n*; **~tería** *f* Klempnerei *f*, Spenglerei *f*; **~tero** *m* Klempner *m*, Spengler *m*.
hojal|de *m*, **~dra** *f Reg.* → *hojaldre*; **~drado** *adj.* blätterteigartig; blätterig; **~drar** *v/t.* zu Blätterteig verarbeiten; **~dre** *m*, *f* Blätterteig(gebäck *n*) *m*.
hojaranzo ⚘ *m* → *ojaranzo*.
hojarasca *f* dürres Laub *n*; *fig.* Geschwätz *n*, Gewäsch *n* F.
hojear I. *v/t.* **1.** durchblättern; **II.** *v/i.* **2.** s. bewegen, rauschen (*Laub*); **3.** *Col., Guat.* Blätter treiben.
ho|joso, ~judo *adj.* belaubt; blattreich.
hojuela *f* **1.** Blättchen *n*; **2.** ⚘ Teilblättchen *n*; Kelchblatt *n*; **3.** *Kchk. Art* dünner Fladen *m*; *Cu., Guat.* → *hojaldre*; *fig.* F *es miel sobre* ~*s* das ist ja großartig, das ist noch besser, das ist des Guten beinahe zu viel; **4.** ⊕ Blättchen *n im Metall*; **5.** (Öl-)Tester *m*.
¡hola! *int.* **1.** F Servus! F, Grüß Gott!, guten Tag!; **2.** hallo!, holla!; nanu!, sowas!
ho|lán ⚒ *m* → **~landa** *tex. f* feines Wäscheleinen *n*.
holan|dés I. *adj.* holländisch; *a la* ~*esa* nach holländischer Art; *Buchb. encuadernación f a la* ~*esa* Halbfranzband *m*; **II.** *m* Holländer *m*; *das* Holländische; **~deta, ~dilla** *tex. f* Futter-leinwand *f*, -leinen *n*.
holding † *engl. m* Holdinggesellschaft *f*.
holga|chón F *adj.* arbeitsscheu, faul; **~damente** *adv.* bequem; **~do** *adj.* **1.** (zu) weit, bequem (*Kleidung*); geräumig; **2.** behaglich, sorgenfrei; müßig; **~nza** *f* **1.** Müßiggang *m*; Muße *f*; **2.** Vergnügen *n*; **~r** [1h *u.* 1m] **I.** *v/i.* **1.** müßig sein; feiern, blaumachen F; **2.** stillstehen, nicht in Betrieb sein; **3.** überflüssig (*od.* unnötig) sein, s. erübrigen; *huelgan los comentarios* Kommentar überflüssig; *huelga decir* es erübrigt s., zu sagen; **II.** *v/r.* ~*se* **4.** s. amüsieren; s. freuen (über *ac. de, por*); **~zán** *adj.-su.* träge, faul; *m* Müßiggänger *m*, Faulenzer *m*, Tagedieb *m*; **~zanear** *v/i.* faulenzen, herumlungern; **~zanería** *f* Müßiggang *m*, Faulenzerei *f*, Nichtstun *n*.
hol|gón *adj.-su.* vergnügungssüchtig; **~gorio** F *m* lärmendes Vergnügen *n*, Rummel *m* F, Budenzauber *m* F; *pasar la noche de* ~ die Nacht durchfeiern.
holgura *f* **1.** Weite *f*; freie Bewegung *f*; ⊕ Spiel *n*; toter Gang *m*; **2.** Behaglichkeit *f*; *adv. con* ~ bequem, leicht; *vivir con* ~ behaglich leben, sein gutes Auskommen haben.
holocausto *m Rel.* Brandopfer *n*; *a. fig.* Sühnopfer *n*; *en* ~ als (*od.* zum) Sühnopfer (für *ac. de bzw. por*).
holoceno *Geol. m* Holozän *n*, Alluvium *n*.
hológrafo *adj.-su.* → *ológrafo*.
holómetro *m* Höhenwinkelmeßgerät *n*.
holostérico *adj.*: *barómetro m* ~ Aneroidbarometer *n*.
holoturia *Zo. f* Holothurie *f*, Seewalze *f*, -gurke *f*.
holla|dero *adj.* viel betreten, viel begangen (*Weg*); **~dura** *f* Betreten *n*; Niedertreten *n*; **~r** [1m] *v/t.* betreten; zer-, nieder-treten; *fig.* mit Füßen treten; demütigen; schänden (*fig.*).
hollejo *m* (Trauben-, Bohnen-) Schale *f*.
hollín *m* **1.** Ruß *m*; *cubrirse de* ~ verrußen; **2.** *fig.* F → *jollín*.
hombra|cho *desp. m*, **~chón** F *augm. m* gr. kräftiger Mann *m*, Schrank *m* (*fig.* F); **~da** *f* (mutige) Mannestat *f*, Tat *f* e-s ganzen Kerls; *iron.* Prahlerei *f* (mit Heldentaten).
hombre *m* **1.** Mensch *m*; Mann *m*; P (Ehe-)Mann *m*; ¡~! Mensch!, Menschenskind!; mein Lieber!; um Himmels willen!; na sowas!; nanu!; ⚓; ~ *al agua! od.* ¡~ *a la mar!* Mann über Bord!; *de* ~ *a* ~ von Mann zu Mann; unter vier Augen; ~ *de acción* aktiver Mensch *m*; ~ *bueno* guter Mensch *m*; ⚖ Vermittler *m*, Schiedsmann *m*; *hist.* Gemeinfreie(r) *m*; *buen* ~ guter Kerl *m* F; armer Schlucker *m*; ~ *de bien* → ~ *de pro*; *el* ~ *de la calle* der Mann von der Straße, der Normalverbraucher F; *el* ~ *para* (*el caso*) der rechte Mann (am rechten Platz); ~ *de Estado* Staatsmann *m*; *hist.* Standesherr *m*; Höfling *m*; *gran*(*de*) ~ großer (*od.* bedeutender) Mann *m*; ~ *hecho* erwachsener Mann *m*; erfahrener Mann *m*; ~ *de letras* Literat *m*; ~ *de mundo* Weltmann *m*; ~ *de negocios* Geschäftsmann *m*; F *Am.* ~ *de paja* Strohmann *m*; ~ *de palabra* Mann *m*, der zu s-m Wort steht; ~ *para poco* ängstlicher (*od.* schwungloser) Mensch *m*; ~ *de pro*(*vecho*) recht-

schaffener (*od.* redlicher) Mann *m*; *pobre* ~ armer Kerl *m*; ~ *público* Politiker *m*; *adv. como un solo* ~ wie ein Mann, geschlossen, einstimmig; *hacerse* (*od. llegar a ser*) ~ ins Mannesalter treten, ein Mann werden; *fig. ser* ~ *al agua* (ein) verloren(er Mann) sein; *fig. ser el* ~ *del día* der Held des Tages sein; *ser mucho* ~ (ein Mann) von echtem Schrot u. Korn sein; *ser muy* ~, *ser todo un* ~ ein ganzer Mann sein; *ser poco* ~ wenig mannhaft sein; *mañana serán* ~*s* aus Kindern werden Leute; *Spr. de* ~ *a* ~ *no va nada Sinn mst.*: im Grunde genommen kommt es nur auf das Glück (*od.* auf die Umstände) an; *el* ~ *propone y Dios dispone* der Mensch denkt, Gott lenkt; **2.** *Kart.* Lomber *n*; ~**-anuncio** *m* Werbeläufer *m*, Sandwichman *m* (*engl.*); ~**ar**[1] *v/i.* den Mann spielen (wollen); *fig.* (*a. v/r.* ~se) es andern gleichtun wollen; ~**ar**[2] **I.** *v/i.* die Schultern anstemmen; **II.** *v/t. Col., Méj.* (unter)stützen, fördern; ~**cillo** *m* **1.** *dim.* Männchen *n*; **2.** ⚘ Hopfen *m*; ~**ra** *f* **1.** Achselstück *n* (*Uniform, Rüstung*); **2.** Schulterpolster *n*; **3.** Träger *m* (*Büstenhalter usw.*); ~**-rana** *m* Froschmann *m*; ⚔ Kampfschwimmer *m*; ~**tón** *m augm. zu hombre*; ~**zuelo** *m dim. zu hombre*; Männchen *n*.

hombría *f* Männlichkeit *f*; ~ *de bien* Redlichkeit *f*, Rechtschaffenheit *f*.

hombro *m* Schulter *f*; ⚔ *¡al* ~ — *ar(mas)!* das Gewehr — über!; *arrimar el* ~ die Schulter anstemmen; *fig.* s. anstrengen; s. tüchtig ins Zeug legen; *echar al* ~ auf die Schulter nehmen, schultern; *fig. echarse a/c. al* ~ et. übernehmen, et. auf s. nehmen; *encogerse de* ~*s*, *a. alzar* (*od. levantar*) *los* ~*s* die Achseln zucken; *llevar a* ~*s* auf der Schulter tragen; *mirar a alg. por encima del* ~ (*od. sobre el* ~) j-n über die Achsel ansehen; j-n geringschätzig behandeln; *sacar a* ~*s a alg.* j-n auf den Schultern tragen.

hom|brón *m augm.* grobschlächtiger Kerl *m*, Klotz *m* F; ~**bruno** *adj.* männlich (*Frau*); *mujer f* ~*a* Mannweib *n*.

homenaje *m* **1.** Huldigung *f*, Ehrung *f*; Ehrerbietung *f*; ~ (*dedicado*) *a* Festschrift für (*ac.*); *en* ~ *de* zu Ehren (*gen.*); *rendir* ~ *a alg.* j-m huldigen, *a. fig.* j-m e-e Huldigung darbringen; j-m Achtung zollen; **2.** *hist.* Lehnseid *m*; *torre f del* ~ Bergfried *m*, Hauptturm *m*.

home|ópata *c* Homöopath *m*; ~**opatía** *f* Homöopathie *f*; ~**opático** *adj.* homöopathisch (*a. fig.*).

homérico *adj.* homerisch; *risa f* ~*a*, *carcajada f* ~*a* homerisches Gelächter *n*.

homici|da I. *adj. c* Totschlag(s)..., Mord...; mörderisch; *arma f* ~ Mordwaffe *f*; **II.** *c* Totschläger *m*; ~**dio** *m* Totschlag *m*, Tötung(sdelikt *n*) *f*; ~ *involuntario*, ~ *culposo* fahrlässige Tötung *f*.

homilía *f ecl.* Homilie *f*; *fig.* F Moralpredigt *f*.

homi|nal *Biol. adj. c* auf den Menschen bezüglich, Menschen...; ~**nicaco** F *desp. m* Männchen *n*, (erbärmlicher) Wicht *m*.

homocigoto *Biol. adj.-su.* reinerbig.

homófono *Li.*, ♪ *adj.* homophon.

homo|geneidad 📖 *f* Homogenität *f*, Gleichartigkeit *f*; ~**geneizar** [1f u. 1c] *v/t.* homogenisieren; ~**géneo** *adj.* homogen, gleichartig.

homógrafo *Li. adj.-su. m* Homograph *n*.

homologa|ción *f* **1.** ⚖ Bestätigung *f*; Ratifizierung *f*; Vollziehung *f*; **2.** ⚒ *gal. Sp.* Anerkennung *f e-s Rekords*; (Typ-)Prüfung *f*, Freigabe *f e-s Rennwagens usw.*; ~**r** [1h] *v/t.* anerkennen, amtlich bestätigen; genehmigen, freigeben.

ho|mología *f bsd. Phil., Biol.* Homologie *f*; ~**mólogo** 📖 *adj.* homolog, übereinstimmend.

homónimo I. *adj.* **1.** *Li.* homonym, gleichlautend; **II.** *m* **2.** *Li.* Homonym *n*; **3.** Namensvetter *m*.

homo|pétalo ⚘ *adj.* mit gleichen Kronenblättern; ~**plasia** ⚕ *f* Homo(io)plastik *f*.

homópteros *Ent. m/pl.* Gleichflügler *m/pl.*, Homoptera *pl.*

homosexua|l I. *adj. c* homosexuell; **II.** *m* Homosexuelle(r) *m*; ~**lidad** *f* Homosexualität *f*.

homúnculo *m* Homunkulus *m*; *desp.* Männlein *n*, Wicht *m*.

hon|da *f* Schleuder *f*; *lanzar* (*od. tirar*) *con* ~ *Stein* schleudern; ~**dada** *f* → *hondazo*; ~**damente** *adv.* tief; *fig. a.* ergreifend; ~**dazo** *m* Wurf *m* (*od.* Schuß *m bzw.* Treffer *m*) mit der Schleuder; ~**dear** *vt/i.* loten; ausloten; *Schiff* entladen, leichtern; □ (Gelegenheit) auskundschaften, □ (aus)baldowern; ~**dero** *m* Schleuderer *m*; ~**dillos** *m/pl.* Hosenzwickel *m*, Schritt *m*; ~**do I.** *adj.* **1.** tief; *fig.* tief(gehend); heftig; *lo más* ~ die tiefste Stelle, die Tiefe; **2.** *Cu.* angeschwollen (*Fluß*); **II.** *m* **3.** Tiefe *f*; ~**dón** *m* **1.** Boden *m e-s Behälters*; **2.** Nadelöhr *n*; **3.** *Equ.* Fußraste *f bzw.* Schuh *m des Steigbügels*; **4.** → ~**donada** *f* Niederung *f*, Mulde *f*; Schlucht *f*, Hohlweg *m*; ~**dura** *f* Tiefe *f*; *fig.* F *meterse en* ~*s* s. an Dinge wagen, denen man nicht gewachsen ist; den Neunmalklugen spielen.

hondu|r(eñ)ismo *m* Spracheigentümlichkeit *f* von Honduras; ~**reño** *adj.-su.* aus Honduras.

hones|tidad *f* Anständigkeit *f*, Ehrlichkeit *f*; Rechtschaffenheit *f*; Sittsamkeit *f*, Keuschheit *f*; ~**to** *adj.* ehrlich, anständig; rechtschaffen, zuverlässig; ehrbar; sittsam, keusch; *razones f/pl.* ~*as* ehrenwerte Gründe *m/pl.*

hongo *m* **1.** Pilz *m* (*a. fig.*); Schwamm *m*; *Zo.* ~ *marino* Seeanemone *f*; ~ *de la madera* Holzschwamm *m*; ~ *venenoso* Giftpilz *m*; *fig. darse a/c. como* ~*s* wie Pilze aus dem Boden schießen; *fig.* F *más solo que un* ~ mutterseelenallein; **2.** F Melone *f*, steifer Hut *m*.

hono|r *m* Ehre *f*; Ehrgefühl *n*; Ehrung *f*; Ehrenamt *n*; Ehrentitel *m*; ~*es m/pl.* Ehrenerweisungen *f/pl.*, Ehrenbezeigungen *f/pl.*; *en* ~ *de* zu Ehren (*gen.*); *en* ~ *a la verdad* (um) der Wahrheit die Ehre zu geben; *por el* ~ um der Ehre willen, ehrenhalber; ⚔ *guardia f de* ~ Ehrenwache *f*; ~ *militar* Soldatenehre *f*; *punto m* (*od. cuestión f*) *de* ~ Ehrensache *f*; *tribunal m de* ~ Ehrengericht *n*; *Sp. vuelta f de* ~ Ehrenrunde *f*; *hacer* ~ *a* Ehre antun (*dat.*); *hacer el* ~ *de* + *inf.* die Ehre erweisen, zu + *inf.*; *hacer los* ~*es de la casa* die Gäste begrüßen, die Honneurs machen F; *rendir* ~*es militares a alg.* j-m die militärischen Ehren erweisen; *tener a mucho* ~ s. e-e Ehre daraus machen, s-e Ehre darein setzen; *tengo el* ~ *de* ... ich habe die Ehre, zu ...; *tributarle a alg. los últimos* ~*es* j-m die letzte Ehre erweisen; ~**rabilidad** *f* Ehrenhaftigkeit *f*; ~**rable** *adj. c* ehrenwert, ehrenhaft; ~**rablemente** *adv.* auf ehrenhafte Weise; würdig; ~**rar** ⚒ *v/t.* rühmen; ~**rario I.** *adj.* Ehren..., Honorar...; ⚒ ehrenvoll; *ciudadano m* (*miembro m*) ~ Ehrenbürger *m* (-mitglied *n*); *profesor m* ~ Honorarprofessor *m*; **II.** *m* Ehrensold *m*; ~*s m/pl.* Honorar *n*; ~*s notariales* Notariatsgebühren *f/pl.*; ~**rem** *lt.*: *ad* ~ ehrenhalber; ~**rífico** *adj.* ehrenvoll; *bsd. Am.* Ehren...; *mención f* ~*a* ehrenvolle Erwähnung *f*; Auszeichnung *f*; *a título* ~ ehrenamtlich; ~**ris causa** *lt.* ehrenhalber, honoris causa, *Abk.* h.c.

hon|ra *f* **1.** Ehrgefühl *n*; Ehre *f*; *¡a mucha* ~*!* allerdings (u. ich bin stolz darauf)!; e-e große Ehre für mich!; **2.** Ansehen *n*, guter Ruf *m*; Ehrbarkeit *f*; Zurückhaltung *f*; Sittsamkeit *f*; **3.** ~*s f/pl.* (*fúnebres*) Trauerfeier *f*; *kath.* Seelenmesse *f*, Totenamt *n*; ~**radamente** *adv.* redlich, anständig; ~**radez** *f* Rechtschaffenheit *f*, Anständigkeit *f*, Ehrlichkeit *f*; Ehrbarkeit *f*; *falta f de* ~ Unredlichkeit *f*; ~**rado** *adj.* anständig, ehrlich, redlich, rechtschaffen; ehrbar; ⚚ redlich, reell; ~**rar I.** *v/t.* **1.** ehren, auszeichnen; **2.** ehren; verehren; in Ehren halten; ~ *a Dios* Gott die Ehre geben; **3.** ⚚ *Wechsel usw.* honorieren, einlösen; **II.** *v/r.* ~*se* **4.** ~*se de* (*od. con*) *a/c.* s. et. zur Ehre anrechnen, et. als e-e Ehre ansehen; ~**rilla** *f* (F *negra* ~) falsches Ehrgefühl *n*; *por la negra* ~ aus falschem Ehrgefühl; des Scheines wegen; ~**roso** *adj.* ehrenvoll; würdig.

hontana|l, ~**r** *m* Quellgrund *m*; *fig. lit.* Quelle *f*.

hopa[1] *f* Armesünderhemd *n*; † *langer Kittel m.*

¡hopa![2] *int. Col., Guat., Ur.* → *¡hola!*

hopalanda † *f* Talar *m der Studenten*; *fig.* Deckmantel *m*.

hopo[1] *m* buschiger Schweif *m*; Fuchsschwanz *m*.

¡hopo![2] *int.* weg (hier)!, fort!

hora I. *f* **1.** Stunde *f*; Zeit *f*; Uhr(zeit) *f*; Zeitpunkt *m*; ~ *americana* amerikanische Zeit *f*; ~ *civil* Normalzeit *f*; ~ *del día* Tageszeit *f*; ~*s enteras* stundenlang; ~ *de (la) Europa Central* mitteleuropäische Zeit *f*, *Abk.* MEZ *f*; ⚚ ~*s f/pl. extraordinarias* Überstunden *f/pl.*; ~ *local* Ortszeit *f*; ~*s de negocio*, ~*s de oficina* Geschäftsstunden *f/pl.*; ~*s de ocio* Mußestunden *f/pl.*, Freizeit f; ~s (de) punta Stoßzeit(en) f(/pl.); Hauptverkehrszeit f; ~ suprema Todes-, Sterbe-stunde f; ~ de verano Sommerzeit f; fig. la ~ de la verdad die Stunde der Wahrheit; a la ~ pünktlich; a altas ~s de la noche spät in der Nacht; adv. a buena ~ recht-, früh-zeitig; fig. a buenas ~s (mangas verdes) zu spät; die Gelegenheit ist vorbei; adv. en buena ~ **a)** rechtzeitig, zur rechten Zeit; **b)** meinetwegen; von mir aus; de ~ en ~ stündlich; a 120 kms. por ~ mit 120 Stundenkilometern; por ~s für Stunden, stundenweise; nach Zeit; cada dos ~s zweistündlich; alle zwei Stunden; cada media ~ halbstündlich; a estas ~s jetzt, zur Zeit; ¡en mala ~! zum Teufel!; a todas ~s zu jeder Zeit, immer; a última ~ in letzter Stunde; im letzten Augenblick; schließlich, endlich; a última ~ de la tarde am Spätnachmittag; ¿qué ~ es?, Am. ¿qué ~s son? wie spät ist es?, wieviel Uhr ist es?; dar ~ e-e Zeit bestimmen; e-n Termin geben; dar la ~ (die Stunden) schlagen (Uhr); fig. pünktlich, zuverlässig (bzw. vollkommen) sein; fig. F esto da la ~ (y quita los cuartos) das ist sehr gut, das ist prima F; pedir (od. tomar) ~ s. e-n Termin (an)geben lassen (b. Arzt usw.); fig. se pasa las ~s muertas leyendo beim Lesen vergeht (ihm) die Zeit wie im Flug (od. vergißt er die Zeit); ¡que la ~ sea corta! alles Gute! (zu e-r Frau vor der Entbindung); ya es ~ es ist (an der) Zeit, es ist höchste Zeit; ya es ~ (de) que lo hagas du mußt es jetzt tun, es ist (höchste) Zeit; tiene sus ~s contadas s-e Stunden sind gezählt; **2.** kath. Stundengebet n, Hore f; (libro m de) ~s Gebetbuch n mit Marienmesse u. andern Andachtsübungen; **3.** Myth. 2s f/pl. Horen f/pl.; **II.** adv. **4.** † u. Col. jetzt.

horaciano adj. horazisch.

hora|dar v/t. durchbohren; durchlöchern; lochen; **~do** m **1.** Loch n; **2.** Höhle f.

horario I. adj. **1.** stündlich, Stunden...; cuadro m ~ Aushangfahrplan m; **II.** m **2.** ~ escolar Stundenplan m; 🚂 ~ (de trenes) Fahrplan m; ~ de trabajo Arbeitszeit f; **3.** Stundenzeiger m; **4.** † Uhr f.

hor|ca f **1.** Galgen m; fig. ¡carne f de ~! du Galgenvogel! bzw. ihr Galgenvögel!; **2.** ↗ u. hist. (b. Strafvollzug) Gabel f; ↗ ~ pajera Strohgabel f; **3.** Schnur f mit Zwiebeln usw.; **~cado** adj. gegabelt; **~cadura** f Gabelung f; Verästelung f, Abzweigung f; **~cajad(i-ll)as** adv.: a ~ rittlings; **~cajo** m **1.** Gabeljoch n für Arbeitstiere; **2.** Vereinigungspunkt m von Flüssen od. Bergen; **~co** m → horca 3; **~cón** m ↗ Gabel f; Am. Reg. Stütze f für das Dachgebälk.

horcha|ta f Erfrischungsgetränk n; mst. ~ (de chufa) Erdmandelmilch f; fig. tener sangre de ~ Fischblut (in den Adern) haben; **~tería** f Trinkhalle f.

horda f Horde f, Bande f, Schar f.

ho|rero m Am. Reg. Stundenzeiger m; **~rita** f dim. Stündchen n.

horizon|tal I. adj. c **1.** horizontal, waag(e)recht; ✈ plano m ~ Horizontalebene f; **II.** f **2.** Horizontale f, Waag(e)rechte f; fig. F tomar la ~ s. in die Horizontale begeben F; **3.** fig. P gal. Gunstgewerblerin f F; **~talidad** f waagerechte Lage f; Horizontalität f; **~te** m Horizont m (a. fig.), Gesichtskreis m; Astr., ⚓, ✈ ~ artificial künstlicher Horizont m; ✈ Horizont(kreisel) m; fig. ~(s) m(/pl.) estrecho(s), ~(s) limitado(s) enger Horizont m; fig. de ~s estrechos engstirnig.

horma f **1.** Form f; Hutform f; (Schuh-)Leisten m; Schuhspanner m; poner en (la) ~ auf (od. über) den Leisten schlagen (od. spannen); fig. F hallar la ~ de su zapato **a)** genau das finden, was man sucht; **b)** s-n Meister finden; **2.** → **~za** f Wand f aus Trockenmauerwerk.

hormiga f Ameise f; ~ blanca Termite f; ~ gigante Riesenameise f; ~ león Ameisenlöwe m; fig. ser una ~ sehr emsig sein.

hormi|gón m Beton m; ~ acabado (armado) Fertig- (Stahl-)beton m; ~ pretensado (hidráulico) Spann- (Unterwasser-)beton m; ~ ligero, Am. ~ liviano Leichtbeton m; ~ no revestido Sichtbeton m; **~gonado** ⊕, ▲ m Betonierung f; **~gonar** v/t. betonieren; **~gonera** f Betonmischmaschine f; ~ y mezcladora Beton- u. Mörtelmischer m; **~gos** m/pl. **1.** Art Mandelhonigspeise f; **2.** Graupengrütze f.

hormi|guear v/i. kribbeln; jucken; fig. wimmeln; **~gueo** m Kribbeln n, ⚕ Ameisenlaufen n; Jucken n; fig. Gewimmel n; **~guero I.** adj. Ameisen...; oso m ~ Ameisenbär m; **II.** m Ameisenhaufen m; p. ext. Unkrauthaufen m u. ä. (auf dem Feld abgebrannt, zur Düngung); fig. Menschengewimmel n; **~guilla** f → hormigueo; **~guillo** m **1.** Hautjucken n; fig. F tener ~ nervös (od. kribbelig F) sein; **2.** Hufgrind m der Pferde; **3.** fig. Kette f von Arbeitern zum Weiterreichen von Baumaterial.

hor|món m, **~mona** f Hormon n; ~ folicular (tiroidea) Follikel- (Schilddrüsen-)hormon n; ~ del crecimiento Wachstumshormon n; **~monal** adj. c hormonal; **~monoterapia** ⚕ f Hormontherapie f.

hornablenda Min. f Hornblende f.

horna|cina ▲ f Mauernische f für Statuen usw.; **~cho** m Grube f; **~chuela** f Hütte f.

hor|nada f Backofenvoll m, Schub m; Brennzeit f, Brand m (Keramik); fig. Jahrgang m; **~naza** f **1.** Schmiedeesse f; kl. Werkstattofen m; **2.** gelbe Töpferglasur f; **~nazo** Kchk. m Eierschnecke f; **~near** v/i. Bäcker sein, backen; **~nero** m **1.** Bäcker m; Einschieber m in der Bäckerei; **2.** Vo. ~ (rojo) Töpfervogel m; **~nilla** f Herd-, Ofen-loch n; Nistloch n im Taubenschlag; **~nillo** m **1.** (Koch-)Herd m; Kocher m; Kochplatte f; ~ eléctrico elektrische Kochplatte f; Elektrowärmer m; ~ de gas (de petróleo) Gas- (Petroleum-)kocher m; **2.** kl. Ofen m; **3.** ⚔ **a)** Sprengladung f; **b)** Sprengkammer f e-r Mine.

horno m **1.** allg. (Back-, Brat-)Ofen m; Herd m, Feuerstelle f; Bratröhre f; ~ de panadero Backofen m; Kchk. al ~ im Ofen, in der Röhre, frz. au four; fig. F ¡qué ~! so e-e Bruthitze!, ein Brutofen!; ¡no está el ~ para bollos (od. para tortas)! jetzt ist nicht der richtige Augenblick (zum Scherzen)!; jetzt ist da nichts zu machen!; **2.** ⊕ Ofen m; ~ de afino Frischherd m; alto ~ Hochofen m; ~ de cuba, ~ de cubilote Schachtofen m; ~ de fundición **a)** Gieß(erei)-ofen m; **b)** → ~ de fusión Schmelzofen m; ~ de ladrillos (de mufla) Ziegel- (Muffel-)ofen m; ~ de reverbero Flammofen m; ~ de vacío (de vidrio) Vakuum- (Glasschmelz-)ofen m.

horóscopo m Horoskop n (stellen sacar).

hor|queta f **1.** ↗ Gabelstütze f für Obstbäume; (Ast-)Gabelung f; p. ext. spitzwinkliger Einschnitt m; **2.** Arg. Fluß-, Bach-winkel m; **~quilla** f **1.** gabelförmige Stütze f; ⊕ Gabel f; ⚓ Dolle f; Tel. ~ de conmutación Gabelumschalter m; **2.** ↗ Gabel f, Forke f; **3.** Haarnadel f.

horrendo adj. → horroroso.

hórreo m Gal., Ast. Kornboden m; Scheuer f.

horrero m Wächter m e-r Kornscheuer.

horri|bilísimo sup. adj. ganz entsetzlich; **~ble** adj. c schrecklich, grauenvoll, furchtbar; **~dez** f Entsetzlichkeit f, Scheußlichkeit f.

hórrido lit. adj. → horroroso.

horrífico adj. → horroroso.

horripila|ción f Haarsträuben n; ⚕ Kälteschauer m b. Fieber; fig. Schaudern n, Entsetzen n; **~nte** adj. c haarsträubend; schauerlich, entsetzlich; **~r I.** v/t. die Haare sträuben (dat.); fig. mit Entsetzen erfüllen; **II.** v/r. ~se schaudern.

horrísono lit. adj. schaurig hallend.

horro adj. **1.** freigelassen (Sklave); (be)frei(t) (von dat. de); fig. ~ de instrucción ungebildet, ohne Bildung; **2.** unfruchtbar (Stute usw.); **3.** Tabak minderer Qualität.

horro|r m Schrecken m; Schauder m, Grauen n; Entsetzen n; Abscheu m; Scheußlichkeit f; **~es** m/pl. Schandtaten f/pl.; Greuel m/pl.; fig. gräßliche Worte n/pl., Schauergeschichten f/pl.; F un ~ (de) furchtbar viel; F adv. un ~ od. ~es großartig; sehr; schrecklich; ¡qué ~! (wie) gräßlich!, (wie) schrecklich!, entsetzlich!; me da ~ pensar en ein mir graust beim Gedanken an (ac.); tener ~ a verabscheuen (ac.); **~rizar** [1f] **I.** v/t. mit Entsetzen erfüllen; schaudern machen; **II.** v/r. ~se s. entsetzen (über ac. de); **~rosamente** adv. schauerlich, entsetzlich; fig. F furchtbar, wahnsinnig F, sehr; **~roso** adj. erschreckend; entsetzlich, grauenerregend; abscheulich.

horrura f ⛏ Abfall m, Unrat m; Schlacke f.

hor|taliza f Gemüse n; Grünzeug n; ~s f/pl. secas Trockengemüse n; **~telano I.** adj. **1.** Gartenland...; **II.** m **2.** Gemüsegärtner m; **3.** Vo.

Gartenammer *f*; **4.** ⚘ *amor m de* ~ Klette(nkraut *n*) *f*; **~tense** *adj. c* Garten...; **~tensia** ⚘ *f* Hortensie *f*; **~tera I.** *f* hölzerner (Suppen-)Napf *m*; **II.** *m desp.* Ladengehilfe *m*, Ladenschwengel *m* (*desp.*); **~tícola** *adj. c* Garten(bau)...; *productos m/pl.* ~*s* Gartenbauerzeugnisse *n/pl.*; **~ticultor** *m* (Obst-, Gemüse-) Gärtner *m*; Handelsgärtner *m*; **~ticultura** *f* **1.** Gartenbau *m*; **2.** (Handels-)Gärtnerei *f*; **~tofrutícola** *adj. c* Obst..., Garten...

hosanna *ecl.* **I.** *m* Hosianna *n* (*Palmsonntagshymnus*); *fig. cantar el* ~ Hosianna singen, frohlocken; **II.** *int.* ¡~! hosianna! (*Bitt- u. Freudenruf*).

hosco *adj.* **1.** schwärzlich; **2.** *fig.* finster, mürrisch; abweisend; **~so** *adj.* **1.** struppig, rauh; **2.** ins Rötliche spielend.

hospe|daje *m* Beherbergung *f*; Herberge *f*; Wohnung *f* mit Verpflegung; Kostgeld *n*; **~dar I.** *v/t.* beherbergen; unterbringen; bewirten; **II.** *v/r.* ~*se* Unterkunft finden; absteigen (*in e-m Hotel usw.*); logieren; **~dería** *f* Herberge *f*; Gastzimmer *n in Klöstern*; **~dero** *m* Wirt *m*.

hospi|ciano *m* (*Col., Méj. hospiciante*) Armenhäusler *m*; Waisenkind *n*; **~cio** *m* Armenhaus *n*; Waisenhaus *n*; Hospiz *n*; † → *hospedaje*; *hospedería*.

hospita|l *m* Hospital *n*, Krankenhaus *n*; ~ *militar* Lazarett *n*; ~ *municipal* städtisches Krankenhaus *n*; Gemeindekrankenhaus *n*; ~ *de sangre* Feldlazarett *n*; *fig.* F *esta casa parece* (*od.* es) *un* ~ das ist hier ja das reinste Krankenhaus; **~lario** *adj.* **1.** gastlich, gastfreundlich, gastfrei; **2.** *kath. hist. hermano m* ~ Hospitaliter *m*; **~licio** *adj.* gastfreundlich; **~lidad** *f* Gastfreundschaft *f*; *derecho m de* ~ Gastrecht *n*; **~lización** *f* Einweisung *f* in ein Krankenhaus; **~lizar** [1f] *v/t.* in ein Krankenhaus einweisen (*bzw.* aufnehmen).

hosquedad *f* finsteres (*od.* mürrisches) Wesen *n*.

hos|tal *m* Gasthaus *n*; *neol.* Hotel *n*; feines Eßlokal *n*; **~telería** *f* Gaststättengewerbe *n*; **~telero I.** *adj.* Gaststätten...; **II.** *m* Gastwirt *m*; **~tería** *f* Gasthaus *n*.

hosti|a *f* **1.** *kath.* Hostie *f*; *fig.* P *hacer un pan como* (*unas*) ~*s* e-e Sache vermurksen F; **2.** *Kchk.* Oblate *f*; **~ario** *kath. m* Hostienbehälter *m für nichtkonsekrierte Hostien*; **~ero** *m* **1.** Hostien-, Oblaten-bäcker *m*; **2.** → *hostiario*.

hostiga|miento *m* Züchtigung *f*; Quälerei *f*; ⚔ Feuerüberfall *m*; **~r** [1h] *v/t.* **1.** mit der Peitsche antreiben; *p. ext.* züchtigen; *fig.* anfeinden; (mit Worten) angreifen; reizen, quälen; ⚔ *Feind* mit Störfeuer belegen; **2.** *Col., Chi., Méj., Ven.* → *empalagar*.

hosti|l *adj. c* feindlich; feindselig; **~lidad** *f* Feindschaft *f*; Feindseligkeit *f*; ⚔ *romper* (*suspender*) *las* ~*es* die Feindseligkeiten eröffnen (einstellen); **~lizar** [1f] *v/t.* befeinden; Schaden zufügen (*dat.*).

hote|l *m* **1.** Hotel *n*; **2.** Villa *f*; **~lero I.** *adj.* Hotel...; **II.** *m* Hotelier *m*, Hotelbesitzer *m*; **~lito** *m* Einfamilienhaus *n*; Villa *f*.

hotentote *adj.-su. c* hottentottisch; *fig.* F gemein u. dumm, *m* Hottentotte *m*.

hover-craft *engl. m* Luftkissen-[boot *n*.]

hoy *adv.* heute; jetzt; ~ (*en*) *día* heutzutage; ~ *mismo* heute noch; *de* ~ heutig; *de* ~ *en adelante* von heute an; *por* ~ für heute; ~ *por* ~ vorläufig, im Augenblick, einstweilen; *Briefformel*: *sin más por* ~ für heute; F ~ *por mí, mañana por ti* e-e Hand wäscht die andere; jeder braucht einmal Hilfe.

hoya *f* **1.** Grube *f*; **2.** von Bergen eingeschlossene Ebene *f*; *Col., Chi., Pe.* Flußbecken *n*; **3.** ⚒ (Treib-)Beet *n*; **4.** Grab *n*; **~da** *f* Niederung *f*; Bodensenke *f*; **~nca** F *f* Massengrab *n auf dem Friedhof*.

hoyitos *m/pl. Cu., Chi.* (*a. los tres* ~) *Art* Grübchenspiel *n*.

hoyo *m* **1.** Grube *f*; Loch *n*; Vertiefung *f*; **2.** Grab *n*, Gruft *f*; □ *mandar al* ~ umlegen P, töten; **3.** Blatternarbe *f*.

hoyue|la *Anat. f* Kehlgrube *f*; **~lo** *m* **1.** (Wangen-, Kinn-)Grübchen *n*; **2.** Grübchenspiel *n mit Münzen od. Kugeln*.

hoz[1] *f* (*pl. hoces*) Sichel *f*; *en forma de* ~ sichelförmig; ⚒ *fig.* F *de* ~ *y de coz* rücksichtslos; *Pol.* ♀ *y Martillo* Hammer u. Sichel.

hoz[2] *f* (*pl. hoces*) Engpaß *m*, Talenge *f*; Klamm *f*.

hoza|da *f* Hieb *m* mit der Sichel; Sichelschwaden *m*; **~r** [1f] **I.** *v/t.* mit dem Rüssel aufwühlen; **II.** *v/i.* in der Erde wühlen.

hua... *so beginnende Wörter siehe a. unter gua...*

huaca|lón *adj. Méj.* dick; **~tay** *m Am. Art* Minze *f* (*Gewürz*).

huaco *m Am. Reg.* → *guaco*.

huaico *m Arg., Pe.* Gesteinsrutsch *m*.

huastecas *od. huaxtecas m/pl.* Huaxteken *m/pl.*

hucha *f* Sparbüchse *f*; *fig.* Ersparnisse *f/pl.*, Notpfennig *m*.

hueco I. *adj.* **1.** hohl, leer (*a. fig.*); *acero m* ~ Hohlstahl *m*; **2.** locker; weit (*Kleidung*); **3.** hohl; hallend (*Stimme*); **4.** *fig.* eitel; *ponerse* ~ s. geschmeichelt fühlen, s. aufblasen F; **5.** schwülstig (*Stil*); **II.** *m* **6.** Hohlraum *m*, Höhlung *f*, Vertiefung *f*, Lücke *f* (*a. fig.*); *Vkw.* Parklücke *f*; ⚠ (Treppen-)Schacht *m*; ⊕, *Typ.* Aussparung *f*; Fahrschacht *m* (*Förderkorb, Aufzug*); (Fenster-)Nische *f*; ~ *de la mano* hohle Hand *f*; ~ *del túnel* Tunnelröhre *f*; *fig. hacer* (*un*) ~ Platz machen; *fig. llenar un* ~ e-e Lücke schließen; **~grabado** *Typ. m* Tiefdruck *m*.

huecú *m Chi.* grasbewachsenes Moor *n in den Kordilleren*.

huel|ga *f* **1.** Streik *m*, Ausstand *m*; ~ *de brazos caídos* Sitzstreik *m*; *neol.* ~ *de celo* Bummelstreik *m*; ~ *general* Generalstreik *m*; ~ *por cuestión de salarios* Lohnstreik *m*; ~ *del hambre* Hungerstreik *m*; *declararse en* ~ streiken, in den Streik treten; *día m de* ~ Streiktag *m*; *fig.* blauer Montag *m* F; ⚕ fieberfreier Tag *m*; **2.** † Erholung *f*; **~go** ⚒ *m* **1.** Atem *m*; **2.** Lücke *f*; Weite *f*, Spiel(raum *m*) *n*; **~guista** *c* Streikende(r) *m*; **~guístico** *adj.* Streik...

hue|lla *f* **1.** Spur *f* (*a. fig.*); Fährte *f*; Fußstapfe(n *m*) *f*; *registrar las* ~*s dactilares* (*od. digitales*) die Fingerabdrücke (am Tatort) aufnehmen; *fig. seguir las* ~*s de alg.* in j-s Fußstapfen treten; **2.** (Treppen-, Tritt-) Stufe *f*; **3.** Abdruck *m*; Delle *f*; Einkerbung *f*; **~llo** *m* **1.** Wegspur *f*; **2.** Sohlenplatte *f des Hufs*.

huemul *Zo. m* Andenhirsch *m*.

huérfano *adj.-su.* verwaist; *m*, ~*a f* Waise *f*; ~ *de padre* (*de madre*) vaterlose (mutterlose) Waise *f*, Halbwaise *f*; ~ *de padre y madre* Vollwaise *f*; *quedar* ~ verwaisen; *fig.* F ~ *de enchufes* ohne Beziehungen.

huero *adj.* **1.** *Am.* faul (*bsd. Ei*); **2.** *huevo m* ~ Windei *n*; **3.** *fig.* leer, eitel.

huer|ta ⚒ *f* Obst- u. Gemüseland *n*; *bsd. Val., Murc.* bewässertes Obst- u. Gemüseland *n*; **~tano** *adj.-su.* Gemüsebauer *m*; Besitzer *m* e-r *huerta*; **~tero I.** *adj. Chi.* → *hortense*; **II.** *m Arg., Pe., Sal.* → *huertano*; **~to** *m* Obst- *bzw.* Gemüse-garten *m*.

hue|sa *f* Grab *n*, Gruft *f*; **~secillo** *m* Knöchelchen *n*; **~sera** *f Chi., León* → *osario*; **~sillo** *m Am.Mer.* Dörrpfirsich *m*; **~so** *m* **1.** Knochen *m*; ~*s m/pl.* Gebeine *n/pl.*; ~ *frontal* (*nasal*) Stirn- (Nasen-)bein *n*; ~ *maxilar* Kieferknochen *m*; *fig.* F *la sin* ~ die Zunge; *calado* (*od. mojado*) *hasta los* ~*s* naß bis auf die Haut, patschnaß F; F *dar con sus* ~*s en el santo suelo* (*en la cárcel*) lang hinschlagen (im Gefängnis landen F); *fig. no dejar a uno* (*un*) ~ *sano* kein gutes Haar an j-m lassen; *estar en los* ~*s* klapperdürr (*od.* nur noch Haut u. Knochen) sein; *pinchar en* ~ *Stk.* auf den Knochen stechen; F Pech haben; s. die Zähne (daran) ausbeißen; *romperle a uno los* ~*s* j-m die Knochen (im Leibe) zs.-schlagen; (*ya*) *tener los* ~*s duros* (*para eso*) (schon) zu alt sein (dafür); die alten Knochen machen nicht mehr mit; *fig. tener los* ~*s molidos* wie gerädert sein; **2.** Kern *m* (*Steinobst, Einschluß in weicherer Masse*); *fig.* schwere Arbeit *f*, Schwierigkeit *f*, harte Nuß *f*; *darle a alg. un* ~ *que roer* j-m e-e harte Nuß zu knacken geben; *Sch. ese profesor es un* ~ dieser Lehrer (*bzw.* Professor) prüft sehr scharf; **3.** minderwertiger Kram *m*; **~soso** *adj.* knöchern; knochig; Knochen...

huéspe|d *m* **1.** Gast *m*; Kostgänger *m*; *casa f de* ~*es* (Familien-)Pension *f*; **2.** ⚒ Hauswirt *m*; † → *mesonero*; **3.** ⚕, *Biol.* Wirt *m*; ~ *intermediario* Zwischenwirt *m*; **~da** *f* ⚒ Hauswirtin *f*; *fig. echar la cuenta sin la* ~ *od. no contar con la* ~ die Rechnung ohne den Wirt machen.

hueste *f lit.* Heerschar *f*; *fig. koll.* Anhänger *m/pl.*, Mitläufer *m/pl.*

huesudo *adj.* (stark)knochig.

hue|va *f* Fischeier *n/pl.*, Rogen *m*; ~*s f/pl. de esturión* (echter) Kaviar *m*, Störrogen *m*; **~vecillo** *m dim.* kl. Ei *n*, *bsd.* Insektenei *n*; **~vera** *f* **1.** Eierbecher *m*; **2.** Eierfrau *f*; **~vería** *f* Eierhandlung *f*; **~vero** *m* **1.** Eierhändler *m*; **2.** Eier-behälter *m*, -becher *m*; **3.** Eierstock *m der Vögel*; **~vo** *m* **1.** Ei *n*; *adv.* F *a ~* billig; *~ de cría bzw. ~ para incubar* Brutei *n*; *~ batido* geschlagenes Ei *n*; *Am. ~s chimbos, ~s quimbos Süßspeise aus Eigelb*; *~ duro* hartgekochtes Ei *n*; *~ en cáscara, ~ pasado por agua* weichgekochtes Ei *n*; *~ estrellado, ~ frito* Spiegelei *n*; *~ de gallina* Hühnerei *n*; *~ al plato* Setzei *n*; *~s revueltos* Rühreier *n/pl.*; *~s al vaso* Eier *n/pl.* im Glas; *fig. ir (como) pisando ~s* wie auf Eiern gehen; *fig.* F *límpiate, que estás de ~* du träumst wohl?, nicht dran zu denken! F; *parecerse como un ~ a otro* s. ähneln wie ein Ei dem andern; **2.** Stopfei *n*; **3.** Sohlen-holz *n*, -former *m der Schuster*; **4.** F Klein(st)wagen *m*; Kabinenroller *m*; **5.** *~s m/pl.* V Hoden *m/pl.*; Eier *n/pl.* V; V *costar un ~* sündhaft teuer sein; V *tener ~s* Mut haben.

hugonote *adj.-su.* c hugenottisch; *m* Hugenotte *m*.

hui|da *f* Flucht *f*; *Equ.* Ausbrechen *n*; *fig.* Ausflucht *f*; *Vkw. ~ del conductor (en caso de accidente)* Fahrerflucht *f*; *poner en ~* in die Flucht schlagen; **~dizo** *adj.* flüchtig (*a. fig.*); scheu; fliehend; **~do** *part.-adj.* entflohen; *fig. andar ~* menschenscheu (geworden) sein; **~dor** *adj.* flüchtig, fliehend; **~lón** F *adj. Am.* feige.

huillín *Zo. m* chilenischer Fischotter *m*.

huir [3g] **I.** *v/i.* **1.** fliehen, flüchten; *~ de meiden (ac.)*, aus dem Weg gehen (*dat.*); **2.** *lit.* dahinfliehen, enteilen (*Zeit usw.*); **II.** *v/t.* **3.** fliehen, (ver)meiden; **III.** *v/r.* *~se* **4.** ⚔ (s.) flüchten, fliehen.

hule *m* **1.** Wachstuch *n*; Ölleinwand *f*; *habrá ~ Stk.* der Operationstisch wird wohl benutzt werden (müssen); *fig.* F es ist dicke Luft F; es wird Prügel setzen F; **2.** *Am.*, *bsd. Méj.* Kautschuk *m*; **~ro** *m Am.* Kautschukarbeiter *m*.

hu|lla *f* Steinkohle *f*; *~ blanca* weiße Kohle *f* (= *Elektrizität*); **~llero** *adj.* Steinkohlen...

humada *f* Rauchzeichen *n*.

huma|nal ⚔ *lit. adj.* c → *humano*; **~namente** *adv.* menschlich; *hacer lo ~ posible* das Menschenmögliche tun; **~nar I.** *v/t.* → *humanizar*; **II.** *v/r.* *~se* menschlich werden; *Theol.* Mensch werden; **~nidad** *f* **1.** Menschheit *f*; *fig.* F Menschenmenge *f*; **2.** Menschlichkeit *f*; *tratar con ~* menschlich behandeln; **3.** *~es f/pl.* alte Sprachen *f/pl.*, (klassische) Literatur *f* (*als Studiengebiet*); humanistische Bildung *f*; **4.** F Wohlbeleibtheit *f*; **~nismo** *m* Humanismus *m*; **~nista** c Humanist *m*; **~nístico** *adj.* humanistisch; **~nitario** *adj.* menschenfreundlich, humanitär; **~nitarismo** *m* Menschenfreundlichkeit *f*; humanitäre Bestrebungen *f/pl.*; **~nización** *f* Humanisierung *f*; Vermenschlichung *f*; **~nizar** [1f] **I.** *v/t.* vermenschlichen; gesittet machen, zivilisieren; **II.** *v/r.* *~se* Kultur annehmen; *fig.* freundlicher werden; s. besänftigen lassen; **~no I.** *adj.* **1.** menschlich, Menschen...; *género m ~* Menschengeschlecht *n*; *el ser ~* **a)** das Menschsein; **b)** der Mensch; **2.** human, menschlich; menschenfreundlich; **II.** *~s m/pl.* **3.** Menschen *m/pl.*

huma|razo *m* → *humazo*; **~reda** *f* Rauchwolke *f*; **~zo** *m* **1.** (dichter) Qualm *m*; **2.** Ausräuchern *n v. Ungeziefer.*

humear I. *v/i.* **1.** rauchen, qualmen; blaken (*Lampe*); dampfen; *fig.* schwelen, noch bestehen (*Feindschaft usw.*); **2.** prahlen, angeben; **II.** *v/t.* **3.** *Am.* ausräuchern.

humecta|ción *f* Be-, An-feuchten *n*; Benetzen *n*; *tex. ~ por vapor* Dämpfung *f*; **~nte I.** *adj.* c anfeuchtend; **II.** *~s m/pl.* Netzmittel *n/pl.*; **~r** *lit.*, ⊕ *v/t.* be-, an-feuchten, (be)netzen.

hume|dad *f* Feuchtigkeit *f*; *~ del aire, ~ atmosférica* Luftfeuchtigkeit *f*; **~decer** [2d] *v/t.* be-, an-feuchten, netzen.

húmedo *adj.* feucht; dunstig; *Typ. impresión f ~ en ~* Naß-in-Naß-Druck *m*.

hume|ra F *f* Rausch *m*; **~ral I.** *adj.* c *Anat.* Oberarm(knochen)...; **II.** *m kath.* Humerale *n*; **~ro** *m* Rauchfang *m*.

húmero *Anat. m* Oberarmknochen *m*, Humerus *m*.

humificador *m* Luftbefeuchter *m* (*Dampfheizung*).

humil|dad *f* **1.** Demut *f*; Bescheidenheit *f*; *~ de garabato* falsche Demut *f*; **2.** *~ (de nacimiento)* niedrige Herkunft *f*; **~de** *adj.* c **1.** demütig, unterwürfig; bescheiden; **2.** unbedeutend, gering, niedrig.

humilla|ción *f* Demütigung *f*, Erniedrigung *f*; Unterwerfung *f*; **~dero** *kath. m* Wegekreuz *n*; Bilderstock *m an Ortseingängen*; **~dor** *adj.*, **~nte** *adj.* c erniedrigend, demütigend; kränkend; **~r I.** *v/t.* **1.** demütigen, erniedrigen; kränken; beschämen; **2.** beugen, ducken; **II.** *v/r.* *~se* **3.** s. beugen; s. erniedrigen; *Stk.* den Kopf senken (*Kampfstier*).

humillo *m* **1.** *Art* Rotlauf *m der Ferkel*; **2.** *fig. mst. ~s m/pl.* Dünkel *m*.

humita *f Arg.*, *Bol.*, *Chi.*, *Pe.* Maisgericht *n*.

humo *m* **1.** Rauch *m*; Dunst *m*; *columna f de ~* Rauchsäule *f*; *echar ~* rauchen, qualmen; dampfen; *fig.* → *gastar ~s* wütend sein; *fig. se fue todo en ~* alles ist vorbei; alles hat s. in (eitel) Dunst aufgelöst; *fig. subírsele a alg. el ~ a las narices* wütend werden, die Wut kriegen F; F *tomar la del ~* Reißaus nehmen; **2.** *~s m/pl.* Eitelkeit *f*, Dünkel *m*; *bajarle los ~s a alg.* j-n demütigen, j-n ducken F; *darse ~s de* s. aufspielen als (*nom.*); **3.** † *~s m/pl.* → *casas, hogares*.

humo|r *m* **1.** ⚕ (Körper-)Flüssigkeit *f*, Saft *m*, *lt.* Humor *m*; *~ ácueo, ~ acuoso* Kammerwasser *n des Auges*; *~ vítreo* Glaskörper *m*; **2.** (Gemüts-)Stimmung *f*, Laune *f*; F *~ de mil diablos, ~ de perros* miese Laune *f* F, Stinklaune *f* F; *estar de buen (de mal) ~* guter (schlechter) Laune sein; *estar de ~ para* aufgelegt sein für (*ac.*); *seguirle a uno el ~* auf j-s Laune eingehen; **3.** Humor *m*; *~ macabro, ~ negro* schwarzer Humor *m*; **~racho** F *m* Stinklaune *f* F; **~rada** *f* witziger Einfall *m*; **~rado** *adj.*: *bien (mal) ~* gut (schlecht) gelaunt; **~ral** ⚕ *adj.* c Humoral...; **~rismo** *m* **1.** Humor *m*; **2.** ⚕ Humoralpathologie *f*; **~rista** c Humorist *m*; Spaßmacher *m*; **~rístico** *adj.* humoristisch; *artículo m ~* Scherzartikel *m*; *dibujo m ~* humoristische Zeichnung *f*; Karikatur *f*; *periódico m ~* Witzblatt *n*.

humoso *adj.* rauchig; rauchend.

humus *m* Humus *m*.

hundi|ble *adj.* c versenkbar; **~do** *adj.* eingesunken; versenkt; eingefallen; tiefliegend (*Augen*); **~miento** *m* **1.** Versenken *n*; (Ver-)Sinken *n*; **2.** Einsenkung *f*, Einsinken *n*; Absacken *n e-s Dammes*; Einsturz *m*; *~ de tierra* Erdrutsch *m*; **~r I.** *v/t.* **1.** versenken; zerstören, vernichten; *fig.* vernichten, erledigen F; **2.** ein-treiben, -rammen; (ein)senken; *le hundió el puñal en el pecho* er stieß ihm den Dolch tief in die Brust; **II.** *v/r.* *~se* **3.** (ver)sinken; einsinken; **4.** zs.-brechen, einstürzen, zs.-fallen; absacken; *fig.* untergehen, s. auflösen; F plötzlich verschwinden; *fig. se hunde el mundo* die Welt geht unter.

húngaro I. *adj.* **1.** ungarisch; **II.** *m* **2.** Ungar *m*; *das* Ungarische; F *~s m/pl.* Zigeuner *m/pl.*; **3.** *Vo.* Reisvogel *m*.

huno *adj.-su.* hunnisch; *m* Hunne *m*.

hupe *m* Baum-, Holz-schwamm *m*.

hura|cán *m* Orkan *m*; **~canado** *adj.* orkanartig; **~canarse** *v/r.* zum Orkan werden (*Sturm*).

hura|ñía *f* mürrisches (*od.* ungeselliges) Wesen *n*; Menschenscheu *f*; **~ño** *adj.* mürrisch, ungesellig, menschenscheu.

hur|gador *m* Schüreisen *n*; **~gandilla** *f Hond.* Schnüffler *m*; **~gar** [1h] *v/t.* (*a. v/i. ~ en*) stochern in (*dat.*), schüren (*ac.*); wühlen in (*dat.*); *fig.* aufwühlen; reizen, aufstacheln; *~se las narices* in der Nase bohren; **~gón** *m* Schür-haken *m*, -eisen *n*; *fig.* F Degen *m*; **~gonada** *f* Schüren *n*; *burl.* Degenstich *m*; **~gonazo** *m* Schlag *m* mit dem Schüreisen; **~gonear** *vt/i.* (das Feuer) schüren; *fig.* mit dem Degen stechen; **~guete** *m Arg.*, *Chi.* Schnüffler *m*; **~guetear** *v/t. Arg.*, *Chi.* herumschnüffeln in (*dat.*).

hurí *f* (*pl. ~íes*) Huri *f* (*Islam*).

hu|rón *m Zo.* Frettchen *n*; *fig.* Schnüffler *m*; **~rona** *f* weibliches Frettchen *n*; **~ronear** *v/i. Jgdw.* mit dem Frettchen jagen, frettieren; *fig.* herumschnüffeln; **~ronera** *f* Frettchenbau *m*; *fig.* Schlupfwinkel *m*.

¡hurra! *int.* hurra!; *m* Hurraruf *m*.

hur|tadillas *adv.*: *a ~* heimlich, verstohlen; **~tador** *adj.-su.* Stehler *m*, Dieb *m*; **~tar I.** *v/t.* **1.** stehlen; **2.** *Ufer* annagen, wegschwemmen (*Fluß*); **3.** verstecken, verheimlichen; **4.** ~ *el cuerpo* durch e-e rasche Wendung *e-m Stoß usw.* ausweichen; *fig.* e-r Gefahr ausweichen; *fig.* ~ *el hombro* s. (*bsd. vor e-r Arbeit*) drücken; **II.** *v/i.* **5.** betrügen; stehlen; **III.** *v/r.* ~*se* **6.** s. drücken, kneifen F; ~*se a* s. entziehen (*dat.*), ausweichen (*dat.*); **~to** *m* Diebstahl *m*; Diebesgut *n*; ~ *famélico* Mundraub *m*; *adv. a* ~ heimlich, verstohlen.

húsar *m* Husar *m*.

huserón *Jgdw. m* Spießer *m* (*Hirsch*).

husillo *m* **1.** ⊕ Spindel *f*; Preßschraube *f*; *Kfz.* ~ *de dirección* Lenkspindel *f*; **2.** Abzugsrinne *f*.

husita *adj.-su. c* hussitisch; *m* Hussit *m*.

hus|ma *f Jgdw.* Witterung *f*; *fig. andar a la* ~ *de a/c.* e-r Sache (heimlich) nachgehen; **~mar** *v/t.* → *husmear*; **~meador** *adj.-su.* nachspürend; *m* Spürnase *f*; Schnüffler *m*; **~mear I.** *v/t.* wittern (*a. fig.*); *fig.* herumschnüffeln in (*dat.*); **II.** *v/i.* anfangen, übel zu riechen, muffeln F; **~meo** *m* Wittern *n*; *a. fig.* Schnüffeln *n*; *fig.* Schnüffelei *f*; **~mo** *m* muffiger Geruch *m v. verderbendem Fleisch*; F *estar al* ~ auf der Lauer liegen.

huso *m* **1.** ⊕, *tex.*, *Biol.* Spindel *f*; *fig. ser más derecho que un* ~ kerzengerade sein; schlank u. rank wie e-e Tanne sein; ⩓ ~ *esférico* Kugelzweieck *n*; *Astr.* ~ *horario* Zeitzone *f*; *Anat.* ~ *muscular* Muskelspindel *f*; **2.** ▨ schmale Raute *f*.

huta *f* Jagdhütte *f*.

hutía *Zo. f Ant.* Waldratte *f*.

¡huy! *int.* hui!; pfui!; au!

huyente *adj. c* fliehend.

¡huyuyuy! *int.* toll! F.

I

I, i *f* I, i *n*; *i griega, a. i larga* Ypsilon *n*; *fig. poner los puntos sobre las íes* **a)** das Tüpfelchen auf das i setzen; **b)** ein Pedant sein.
Iah|veh, ~vé *Rel. m* Jahwe *m* (*Gottesname*).
iba|hay *Gua.* ⚘ *m Rpl. Myrtengewächs, gelbe Frucht*; **~ró** *Gua.* ⚘ *m Rpl. Art* Seifenbaum *m*.
ibérico *adj.* iberisch; *fig. a.* typisch spanisch; *Geogr. Península f ~a* Pyrenäenhalbinsel *f*.
ibe|rio *adj.* → *ibérico*; **~rismo** *m bsd. Li.* Iberismus *m*; iberisches Substrat *n*; **~ro** (*a. íbero*) *adj.-su.* iberisch; *m* Iberer *m*; **2roamérica** *f* Iberoamerika *n*; **~roamericano** (*wird die Selbständigkeit der Einzelbegriffe betont, ibero-americano*) *adj.-su.* iberoamerikanisch; *m* Iberoamerikaner *m*.
íbice *Zo. m* Steinbock *m*.
ibídem *lt. adv.* ebenda, *lt.* ibidem.
ibis *Vo. f* (*pl. inv.*) Ibis *m*.
ibón *m Ar.* Gebirgssee *m*.
icaco ⚘ *m Am. Strauch mit reineclaudenähnlich schmeckenden Früchten.*
icáreo *od.* **icario** *Myth. u. fig.* **I.** *adj.* Ikarus...; *juegos m/pl. ~s* Akrobatik *f* am Hochtrapez; **II.** *m* Hochakrobat *m*.
Ícaro *Myth. m* Ikarus *m*.
ice|berg *engl. m* Eisberg *m*; **~field** *engl. m* Eisfeld *n* (*Treibeis*); **~-hockey** *engl. Sp. m* Eishockey *n*.
icneumón *m* **1.** *Zo.* Ichneumon *n*; **2.** *Ent.* Schlupfwespe *f*.
icnografía △ *f* Bauplan *m*; Grundriß *m*.
ico|no *Rel. m* Ikone *f*; **~noclasta** *a. fig. adj.-su. c* ikonoklastisch; *m* Bilderstürmer *m*, Ikonoklast *m*; **~nógeno** *Phot. m* Entwickler(substanz *f*) *m*; **~nografía** 🕮 *f* Ikonographie *f*: **a)** Bilderbeschreibung *f*; Bilderkunde *f*; **b)** Sammlung *f* von Bildnissen *berühmter Persönlichkeiten*; **~nográfico** *adj.* ikonographisch; **~nólatra** *Rel. adj.-su. c* Bilderverehrer *m*; **~nolatría** *f* Ikonolatrie *f*, Bilderverehrung *f*; **~nología** 🕮 *f* Ikonologie *f*; **~nómetro** *Phot. m* Ikonometer *n*, Rahmensucher *m*; **~nostasio** *Rel. m* Ikonostas(e *f*) *m*, Bilderwand *f*.
ictericia ⚕ *f* Gelbsucht *f*, Ikterus *m*; **~do** *adj.-su.* gelbsüchtig, ikterisch; *m* Gelbsucht-, Ikteruskranke(r) *m*.
ictérico ⚕ *adj.-su.* → *ictericiado*.
icti|o... 🕮 *in Zssgn.* Fisch..., Ichthyo...; **~ocola** *f* Fischleim *m*; **~ófago** 🕮 *adj.-su.* fisch-essend *bzw.* -fressend; *m* Ichthyophage *m*, Fischesser *m*; **~ol** *pharm. m* Ichthyol *n*; **~ología** *f* Ichthyologie *f*, Fischkunde *f*; **~ólogo** *m* Ichthyologe *m*; **~osaur(i)o** *Zo. m* Ichthyosaurier *m*; **~osis** ⚕ *f* Fischschuppenkrankheit *f*, Ichthyose *f*; **~smo** ⚕ *m* Fischvergiftung *f*.
ictus *m Metrik u.* ⚕ Iktus *m*; ⚕ *~ apoplético* Schlaganfall *m*.
ichíntal ⚘ *m Am. Cent.* Wurzel *f* der *chayotera*; *fig.* F *echar ~* Altersspeck ansetzen F.
ich|o, ~u (*a. ichú*) *Ke.* ⚘ *m And.* Punagras *n*, Ichu *n*.
ida *f* **1.** Gehen *n*; Gang *m*; Hinweg *m bzw.* Hinfahrt *f*; *~s y venidas f/pl.* Hin- u. Herlaufen *n*; *~ y vuelta* Hin- u. Herweg *n*; Hin- u. Rückreise *f*; *billete m de ~ y vuelta* Rückfahrkarte *f*; **2.** *Jgdw.* Spur *f*, Fährte *f*; **3.** *Fechtk. u. fig.* Ausfall *m*, Angriff *m*; *fig.* plötzliche Anwandlung *f*; *tener unas ~s terribles* furchtbare (Wut-)Ausbrüche haben.
idea *f* **1.** Idee *f*; Gedanke *m*; Vorstellung *f*, Bild *n*; Begriff *m*; *~ directriz* Leitgedanke *m*; *~ fija* Zwangsvorstellung *f*; *~ (fundamental)* Grundgedanke *m*; *~ general* allgemeiner Überblick *m*; Grundwissen *n*; *dar (una) ~ de* e-n Begriff geben von (*dat.*), *et.* veranschaulichen; *formarse (una) ~ de a/c.* s. von e-r Sache e-n Begriff machen, s. ein Urteil bilden über e-e Sache; *no tengo ~* ich habe k-e Ahnung, ich weiß es nicht; *no tienes (od. no puedes hacerte una) ~ de lo malo que es* du kannst dir nicht vorstellen, wie schlecht er ist; *no tengo ni la más remota ~ de* ich habe k-e blasse Ahnung (*od.* k-n blassen Dunst F) von (*dat.*); **2.** Anschauung *f*; Ansicht *f*, Meinung *f*; *eso te hará cambiar de ~s* das wird d-e Meinung ändern; *tener sus ~s* s. s-e Gedanken machen, s-e Meinung haben (über *ac. acerca de*); **3.** falsche Ansicht *f*, Einbildung *f*; *¡son ~s tuyas!* das bildest du dir nur ein!; **4.** Idee *f*, Gedanke *m*, Einfall *m*; *¡qué ~! od. ¡vaya una ~!* ist das (vielleicht) ein Einfall!, so e-e Schnapsidee! F; *le dio la ~ de + inf.* er kam (plötzlich) auf die Idee, zu + *inf.*; **5.** Absicht *f*, Plan *m*; *tener (od. llevar) (la) ~ de + inf.* beabsichtigen, zu + *inf.*; *adv. de mala ~* böswillig; **6.** Plan *m*, Entwurf *m*; **7.** *Phil.* Idee *f*; **8.** schöpferische Gedankenkraft *f*, Geist *m*; *ser hombre de ~* ein eigenständiger Geist sein; **9.** F Winzigkeit *f*, Idee *f* F; *una ~ de sal* ein ganz klein wenig Salz; **~ción** *f* **1.** Herausbildung *f* der Gedanken; **2.** Ausdenken *n*, Erfinden *n*; **~-fuerza** *f* Machtgedanke *m*; Gedanke *m* von gr. Kraft.
idea|l I. *adj. c* **1.** ideal, vollkommen, vorbildlich; *caso m ~* Idealfall *m*; F *lo ~* das Beste; das Passendste; **2.** ideell, (nur) gedacht; **II.** *m* **3.** Ideal *n*; Vorbild *n*; **~lidad** *f* Idealität *f*; **~lismo** *Phil. u. fig. m* Idealismus *m*; **~lista I.** *adj. c* idealistisch; *fig. a.* weltfremd; **II.** *c* Idealist *m*; **~lización** *f* Idealisierung *f*; **~lizador** *adj.* idealisierend; **~lizar** [1f] *v/t.* idealisieren (*a. fig.*); *fig.* verklären; **~lmente** *adv.* **1.** ideal, vollkommen; **2.** ideell, in der Idee; **~r** *v/t.* ersinnen, (s.) ausdenken; planen, entwerfen; *lo estaba ideando* es schwebte ihm vor; **~rio** *m* **1.** Gedankengut *n*; Gedankenwelt *f*; **2.** → *ideología*.
ideático *adj. Am.* → *maniático, lunático*.
ídem *lt. adv.* desgleichen, ebenso, *lt.* idem.
idéntico *adj.* **1.** identisch, völlig gleich, übereinstimmend; gleichlautend; **2.** ganz ähnlich (*dat. a*).
identi|dad *f* **1.** Identität *f*, völlige Gleichheit *f*, Übereinstimmung *f*; ⚖ *prueba f de ~* Identitätsnachweis *m*; **2.** *Verw.* Personalien *pl.*; *carta f (od. tarjeta f) de ~, Span. documento m (nacional) de ~, Am. cédula f de ~* Personalausweis *m*, Kennkarte *f*; *probar su ~* s. ausweisen, s. legitimieren; **~ficable** *adj. c* identifizierbar; **~ficación** *f* **1.** Identifizierung *f*; ⚔ *Am. ficha f de ~* Erkennungsmarke *f*; **2.** *a. Psych.* Identifikation *f*; **~ficar** [1g] **I.** *v/t.* **1.** identifizieren (als *ac. como*); *j-s* Personalien feststellen; **2.** identifizieren, gleichsetzen; **II.** *v/r.* *~se* **3.** mitea. verschmelzen, inea. übergehen; s. gleichsetzen (mit *dat. con*); **4.** *~se con* ganz aufgehen in (*dat.*), eins werden mit (*dat.*); *~se con las ideas de su predecesor* die Gedanken s-s Vorgängers übernehmen.
ide|ografía *f* Bilder-, Begriffsschrift *f*; **~ográfico** *adj.* ideographisch; *escritura f ~a* Bilderschrift *f*; **~ograma** *m* Ideogramm *n*, Begriffszeichen *n*; **~ología** *f* **1.** Ideologie *f*, Ideen-, Begriffs-lehre *f*; **2.** Ideologie *f*, politische Anschauung *f*; **~ológico** *adj.* ideologisch; *desp.* rein theoretisch; weltfremd, schwärmerisch; **~ólogo** *m* Ideologe *m*; *p. ext.* Schwärmer *m*.
idílico *adj.* idyllisch; *fig.* friedlich, einfach.
idilio *m* **1.** *Lit., Ku.* Idylle *f*; Schä-

ferdichtung *f*; Schäferszene *f*; **2.** *fig.* Idyll *n*; romantische Liebe *f*.

idio|ma *m* Sprache *f*; Idiom *n*; ~ *auxiliar universal* Welthilfssprache *f*; ~*s m/pl. extranjeros* Fremdsprachen *f/pl.*; *escuela f de* ~*s* Sprach(en)schule *f*, Sprachinstitut *n*; → *a. lengua* 2; ~**mático** *adj.* idiomatisch, Sprach...

idiosin|crasia *f* **1.** Eigenart *f*, Charakter *m*, Wesen *n*; **2.** *Biol.*, ⚕ *u. fig.* Idiosynkrasie *f*; ~**crásico** *adj.* **1.** ⚕ idiosynkratisch, überempfindlich; **2.** eigentümlich, Charakter..., Temperaments...

idi|ota *adj.-su. c a.* ⚕ idiotisch; blödsinnig; *m a.* ⚕ Idiot *m*; ~**otez** *f a.* ⚕ Idiotie *f*; *fig.* Blödsinn *m*, Dummheit *f*; ~**ótico** *neol. adj.* reich an Eigenheiten (*Sprache*); ~**otipo** *Biol. m* Idiotypus *m*, Erbanlage *f*; ~**otismo** *m* **1.** Dummheit *f*, Stumpfsinn *m*; ⚕ Idiotie *f*; **2.** *Li.* Spracheigentümlichkeit *f*, Idiotismus *m*; ~**otizar** [1f] *neol. v/t.* idiotisch (*od.* blödsinnig) machen.

ido I. *part. v. ir*; **II.** *adj.* **1.** F (*estar*) ~ (*de la cabeza*) verrückt, verdreht, närrisch; **2.** *Am.* (be)trunken.

idólatra *adj.-su. c* abgöttisch; Götzen...; *m* Götzendiener *m*; *fig.* Verehrer *m*; abgöttisch Liebende(r) *m*.

ido|latrar *v/t. a. fig.* abgöttisch verehren; *a. fig.* vergöttern; ~**latría** *f* Götzendienst *m*; *a. fig.* Vergötterung *f*; abgöttische Liebe *f*; ~**látrico** *adj. a. fig.* abgöttisch; *culto m* ~ Götzenkult *m*; ~**latrismo** *m* Götzen-verehrung *f*, -dienst *m*.

ídolo *m Rel. u. fig.* Götze *m*, Abgott *m*, Idol *n*.

idoneidad *f* Tauglichkeit *f*; Eignung *f*, Fähigkeit *f*.

idóneo *adj.* tauglich, geeignet (für *ac. para*); fähig.

idus *m/pl.* Iden *pl.*; *los* ~ *de marzo* die Iden des März.

igarapé(s) *Gua. m*(/*pl.*) Seiten-arm *m*, -kanal *m e-s Flusses im Amazonasbecken*.

iglesia *f* **1.** Kirche *f*; ~ *conventual* Klosterkirche *f*; **2.** Kirche *f*, christliche Gemeinde *f*; *la* ♀ (*católica*) die katholische Kirche *f*; *Theol.* ~ *militante* (*purgante*) streitende (leidende) Kirche *f*; *Estado(s) m(/pl.) de la* ~ Kirchenstaat *m*; *hombre m de* ~ Kirchenmann *m*, Geistliche(r) *m*; *Príncipe m de la* ♀ Kirchenfürst *m*; *fig. no comulgamos en la misma* ~ wir passen nicht zueinander; **3.** Geistlichkeit *f*.

igelita ⚗ *f* Igelit *n*.

ig|lo, ~**lú** *m* Iglu *m*.

ignaciano *adj.* **1.** auf Ignatius von Loyola bezüglich; **2.** den Jesuitenorden betreffend.

ignaro *adj.* unwissend, ungebildet.

ígneo *adj.* **1.** feurig, Feuer...; *roca f* ~*a* Eruptivgestein *n*; **2.** feuerfarben.

ig|nición *f* Glühen *n*; Verbrennen *n*; *Kfz.* Zündung *f*; *en* ~ glühend; → *a. encendido*; ~**nícola** *adj.-su. c* Feueranbeter *m*; ~**nífero** *poet. adj.* feuersprühend; ~**nífugo I.** *adj.* feuer-beständig, -fest; **II.** *m* Flammschutzmittel *n*; ~**nipotente** *poet. adj. c* über (das) Feuer gebietend; ~**nito** *adj.* feurig; glühend; ~**nívomo** *lit. adj.* feuerspeiend.

ignomi|nia *f* Schmach *f*, Schande *f*; Schimpf *m*, Entehrung *f*; ~**nioso** *adj.* schmachvoll, schändlich; schimpflich.

ignora|ncia *f* Unwissenheit *f*, Unkenntnis *f*; Ignoranz *f*; *no pecar de* ~ wohl wissen, was man tut; *Spr.* ~ *no quita pecado* Unkenntnis schützt vor Strafe nicht; ~**nte** *adj.-su. c* unwissend; *m* Unwissende(r) *m*; Dummkopf *m*, Ignorant *m*; ~**ntismo** *m* System *n* der Volksverdummung; ~**ntista** *c* Verteidiger *m* der Ignoranz, Volksverdummer *m* F; ~**ntón** *adj.-su.* Riesendummkopf *m*; ~**r** *v/t.* **1.** nicht wissen, nicht kennen; *no* ~ sehr wohl wissen; *ignoro su paradero* sein Aufenthaltsort ist mir unbekannt; **2.** ignorieren.

ignoto *lit. adj.* unbekannt.

igual I. *adj. c* **1.** gleich; einerlei, eins; gleichförmig; *sus fuerzas no eran* ~*es a su intento* s-e Kräfte waren s-m Vorhaben nicht gewachsen; *fig.* F *me quedo* ~ ich versteh' (immer) nur Bahnhof F; **2.** eben; gleichmäßig; *terreno m* ~ ebenes Gelände *n*; **3.** ∡ gleichwertig; *Geom.* kongruent; *5 + 6 = 11, cinco más seis* (~ *a*) *once* fünf plus sechs (sind) gleich elf; **4.** (s.) gleichbleibend; auf gleicher Stufe stehend, gleichrangig; **5.** gleich(gültig); *es* ~, *da* ~ das ist gleich; *me da* ~ (*que venga hoy o mañana*) es ist mir gleich (, ob er heute oder morgen kommt); *¿te sería* ~ *escribírselo un poco más tarde?* würde es dir et. ausmachen, es ihm ein wenig später zu schreiben?; **6.** *adv. al* ~, *por* ~, F ~ ebenso; gleicherweise; desgleichen; *al* ~ *de* ebenso wie (*nom.*); *en* ~ *de* statt (*gen.*); ~ *que* (*od. como*) *yo* genau wie ich; **II.** *c* **7.** *der, die, das* Gleiche; **III.** *m* **8.** Ebenbürtige(r) *m*; Gleichberechtigte(r) *m*; *su* ~ seinesgleichen; ihres- *bzw.* Ihresgleichen; *tratarle a alg. de* ~ *a* ~ j-n als gleichstehend behandeln; *sin* ~ unvergleichlich, unerreicht; *ser sin* ~, *no tener* ~ unvergleichlich sein, nicht seinesgleichen haben; **9.** ∡ Gleichheitszeichen *n* (=); **10.** ~*es m/pl.* Lose *n/pl. der span. Blindenlotterie*.

igua|la *f* **1.** Vereinbarung *f*; vereinbarte Zahlung *f*; **2.** Meßstock *m der Maurer*; ~**lable** ⚒ *adj. c* vergleichbar; ~**lación** *f* Gleichsetzung *f*; Anpassung *f*; Ausgleich *m*; ~**lado** *adj.* mit schon ausgeglichenem Gefieder (*Jungvögel*); ~**lador** *adj.* gleichmachend; *Soz.* gleichmacherisch; ~**ladora** ⊕ *f* Egalisiermaschine *f*; ~**lamiento** *m* **1.** Angleichung *f*; Ausgleichung *f*; **2.** ⊕ Planierung *f*; Egalisierung *f*; ~**lar I.** *v/t.* **1.** gleichmachen, ausgleichen; *Haare* stutzen; **2.** gleichstellen, für gleichwertig halten; **3.** *Gelände* ebnen, planieren, nivellieren; **II.** *v/i. u.* ~*se v/r.* **4.** e-e Vereinbarung treffen; **5.** gleichen, gleichkommen (*dat. a, con*); ~**ldad** *f* **1.** Gleichheit *f*; Gleichmäßigkeit *f*; Übereinstimmung *f*; ~ *de ánimo* Gleichmut *m*, Ruhe *f*; ~ *de derechos* Gleichberechtigung *f*; *en* ~ *de condiciones* unter gleichen Bedingungen; *adv. en pie de* ~ gleichberechtigt; **2.** Ebenheit *f e-s Geländes*; **3.** *Geom.* Kongruenz *f*; ∡ *signo m de la* ~ Gleichheitszeichen *n*; ~**litario** *Pol. adj.-su.* Verfechter *m* des Prinzips der Gleichheit (vor dem Gesetz); ~**litarismo** *Pol. m* Lehre *f* von der Gleichheit aller Menschen, Egalitarismus *m*; *desp.* Gleichmacherei *f*; ~**lmente** *adv.* ebenfalls, gleichfalls, auch; *¡(gracias)* ~*!* danke, gleichfalls!

igu|ana *f* **1.** *Zo.* Leguan *m*; **2.** ♪ *Méj. Art* Gitarre *f der Landbevölkerung*; ~**ánidos** *Zo. m/pl.* Leguanähnliche(n) *pl.*; ~**anodonte** *Zo. m* Iguanodon *n*.

igüedo *Zo. m* (Ziegen-)Bock *m*.

ija|da *f Anat.* Weiche *f*; *p. ext.* Seitenstechen *n*; *fig.* F *la cosa tiene su* ~ die Sache hat (auch) e-e schwache Seite; ~**dear** *v/i.* keuchen; ~**r** *Anat. m* → *ijada*.

¡ijujú! *int.* juchhe(i)!

ilación *f Rhet.* (Gedanken-)Verbindung *f*; *Phil.* (Schluß-)Folgerung *f*.

ilang-ilang *m* ⚘ Ylang-Ylang *m*, Ilang-Ilang *m*.

ilativo I. *adj.* folgernd; *Gram. conjunción f* ~*a* die Folge angebendes Bindewort *n*; **II.** *m Li.* Illativ *m*.

ilega|l *adj. c* ungesetzlich, gesetzwidrig, illegal; ~**lidad** *f* Gesetzwidrigkeit *f*, Illegalität *f*; ~**lmente** *adv.* wider Recht u. Gesetz, illegal.

ilegible *adj. c* unleserlich.

ile|gitimar *v/t.* für unehelich erklären; die Legitimität nehmen (*dat.*); ~**gitimidad** *f* Unrechtmäßigkeit *f*; Unehelichkeit *f* (*Kind*); ~**gítimo** *adj.* ungesetzlich, illegitim; unehelich, außerehelich; unecht, verfälscht (*Produkte*).

íleo ⚕ *m* Ileus *m*, Darmverschluß *m*.

ileocecal *Anat. adj. c*: *región f* ~ Blinddarmgegend *f*.

íleon *Anat. m* **1.** Krummdarm *m*, Ileum *n*; **2.** → *ilion*.

ilergetes *m/pl.* Ilergeten *m/pl.* (*altspan. Völkerschaft*).

ile|so *adj.* unverletzt; ~**trado** *adj.* ungelehrt, ungebildet; analphabetisch.

ilía|co *od.* **iliaco I.** *adj. Anat.* iliakal; *hueso m* ~ Hüftbein *n*; **II.** *adj.-su.* aus Ilium (*od.* Troja); *m* Trojaner *m*; ♀**da** *lit. f* Ilias *f*.

iliberal *adj. c* engherzig, illiberal.

ilicíneas ⚘ *f/pl.* Stechpalmgewächse *n/pl.*

ilícito *adj.* unerlaubt, nicht statthaft, (gesetzlich) verboten.

ilicitud *f* Unerlaubtheit *f*; Unerlaubte(s) *n*.

ilimita|ble *adj. c* nicht beschränkbar; ~**do** *adj.* unbeschränkt, unbegrenzt; unumschränkt; schrankenlos.

ilion *Anat. m* Darm-, Weichenbein *n.*

ilíquido *adj.* unerledigt, unbezahlt (*Rechnung*).

ilírico *adj.-su.* illyrisch; *m* Illyr(i)er *m.*

iliterato *adj.* ungebildet, unwissend.

ilógico *adj.* unlogisch.

ilogismo *m* Mangel *m* an Logik; Unlogische(s) *n*, Unlogik *f* F.

ilota *c hist. u. fig.* Helot *m*; *fig.* Entrechtete(r) *m*, Paria *m*; *desp.* Sklavenseele *f*.

ilote *m Am. Cent.* grüner Maiskolben *m.*

ilotismo *m hist. u. fig.* Helotentum *n.*
ilumi|nación *f* **1.** Beleuchtung *f* (*a.* ⊕); festliche Beleuchtung *f*; *Opt.* Ausleuchtung *f*; ⚓, ✈ Befeuerung *f*; **2.** *fig.* Aufklärung *f*; *Rel. u. fig.* Erleuchtung *f*; **3.** Ausmalung *f von Handschriften u. Büchern*; **~nado I.** *part.-adj.* **1.** festlich beleuchtet, illuminiert; angestrahlt (*Gebäude*); **2.** *Rel. u. fig.* erleuchtet; *fig.* aufgeklärt; **3.** † *u. Reg.* angeheitert; **II.** *m* **4.** *Rel.* Erleuchtete(r) *m*; Schwärmer *m*, Schwarmgeist *m*; *hist.* Illuminat *m*; **~nador I.** *adj.* **1.** erleuchtend *usw.*; **II.** *m* **2.** Erleuchter *m*; **3.** Ausmaler *m*, Kolorist *m*; **~nancia** *Phys. f* Lichteinfall *m* (*je sec./m² der beleuchteten Fläche*); **~nar** *v/t.* **1.** be-, er-, *bsd. Opt.* aus-leuchten; **2.** festlich beleuchten, illuminieren; *Denkmal usw.* anstrahlen; **3.** ausmalen, kolorieren *bzw.* farbig unterlegen; **4.** *Rel. u. fig.* erleuchten; **~naria** *f* (*mst.* ~*s pl.*) Festbeleuchtung *f*; **~nativo** *adj.* erleuchtend; **~nismo** *m* Illuminatentum *n*, Bewegung *f* u. Lehre *f* der Illuminaten.
ilu|samente *adv.* trügerischerweise; **~sión** *f* **1.** (Sinnes-)Täuschung *f*; Illusion *f*; Selbstbetrug *m*; *hacerse* (*od. forjarse*) ~*ones* s. Illusionen machen; ~ *óptica* optische Täuschung *f*; **2.** große Erwartung *f*; (Vor-)Freude *f*; F *me hizo tanta* ~ ich freute mich so darauf (*bzw.* darüber); **3.** (Täuschung *f* durch ein) Zauberkunststück *n*; **~sionar I.** *v/t.* **1.** ⚒ blenden, täuschen; ~ *a alg. con a/c.* j-m Hoffnungen machen auf (*ac.*); **2.** *me ilusiona* (*este viaje*) ich freue mich sehr auf (diese Reise); **II.** *v/r.* ~*se* **3.** s. Illusionen machen; **4.** ~*se con a/c.* s. et. sehr wünschen; s. sehr auf (*bzw.* über) et. (*ac.*) freuen; **~sionismo** *m* **1.** *Phil.* Illusionismus *m*; **2.** Zauberkunst *f*; **~sionista** *neol.* **I.** *adj. c* **1.** *Phil.* illusionistisch, illusionär; **II.** *c* **2.** *Phil.* Illusionist *m*; **3.** Zauberkünstler *m*; **~so I.** *adj.* getäuscht, betrogen; enttäuscht; **II.** *m* Schwärmer *m*, Träumer *m*; **~sorio** *adj.* trügerisch; illusorisch.
ilus|tración *f* **1.** Bildung *f*; *a. hist.* Aufklärung *f*; **2.** Auszeichnung *f*; Berühmtheit *f*; **3.** Illustration *f*; Abbildung *f*; Bebilderung *f*; Erläuterung *f*, Veranschaulichung *f*; **4.** illustriertes Werk *n*; illustrierte Zeitschrift *f*; **~trado** *adj.* **1.** gebildet; **2.** bebildert, illustriert; *revista f* ~*a* Illustrierte *f*; **~trador I.** *adj.* illustrierend; **II.** *m* Illustrator *m*; **~trar I.** *v/t.* **1.** aufklären, bilden, belehren; der Gesittung zuführen, Kultur bringen (*dat.*); **2.** *a. Rel.* erleuchten; **3.** berühmt machen; **4.** erläutern, veranschaulichen, illustrieren; **5.** illustrieren, bebildern; **II.** *v/r.* ~*se* **6.** s. auszeichnen, berühmt werden; **7.** s. bilden, zu Kenntnissen kommen; **~trativo** *adj.* **1.** erklärend; anschaulich; bildend; **2.** erbaulich, erleuchtend; **~tre** *adj. c* berühmt; erlaucht; **~trísimo** *sup. v. ilustre adj.*; ♀ *Titelanrede an Bischöfe, Konsuln usw.*; *Abk. Ilmo.*
imagen *f* **1.** Bild *n*, Bildnis *n*; ~ *invertida* Kehrbild *n*; ~ *especular* Spiegelbild *n*; *Kino*: *imágenes f/pl. por segundo* Bildwechsel *m*; *Phot.* ~ *visada* Sucherbild *n*; *Opt. dar una* ~ ein Bild erzeugen; **2.** Bild *n*, Ebenbild *n*; **3.** Heiligen-bild *n*, -statue *f*.
imagina|ble *adj. c* denkbar, vorstellbar, erdenklich; **~ción** *f* Einbildungskraft *f*, Phantasie *f*; Vorstellung *f*, Einbildung *f*; *lleno de* ~ phantasievoll; *no pasar por la* ~ nicht in den Sinn kommen; **~r I.** *v/t.* **1.** ausdenken, ersinnen, erdichten; erfinden; **2.** verfallen auf (*ac.*), kommen auf (*ac.*), vermuten, s. vorstellen; *¡ni* ~*lo* (*siquiera*)! kein Gedanke daran; **II.** *v/r.* ~*se* **3.** s. vorstellen, s. denken, s. einbilden; *¡imagínese* (*usted*)! stellen Sie s. nur vor!, denken Sie bloß (einmal)!; **~ria** ⚔ **I.** *f* Ersatz-, Bereitschaftswache *f*; **II.** *m* Wache *f* (*Person*) *in der Kaserne*; **~rio** *adj.* erdacht, eingebildet, *a.* ⅍ imaginär; *mundo m* ~ Traumwelt *f*; *paisaje m* ~ Phantasielandschaft *f*; **~tiva** *f* **1.** Einbildungs-, Vorstellungs-kraft *f*; **2.** gesunder Menschenverstand *m*; **~tivo** *adj.* einfallsreich, erfinderisch, phantasievoll.
imagine|ría *f* **1.** Bildstickerei *f*; **2.** *Ku.* (*Rel.*) Bildschnitzerei *f*; religiöse Bildhauerkunst *f*; Malerei *f* von Heiligenbildern; **~ro** *m* Bildschnitzer *m*; Bildhauer *m*; Maler *m* von Heiligenbildern.
imago *Biol.*, *Psych.*, *Theol. m* [Imago *f.*]
imán¹ *m a. fig.* Magnet *m*; ⚡, ⊕ ~ *de barra* Stabmagnet *m*; ~ *elevador* (*permanente*) Hub- (Dauer-) magnet *m*; ~ *inductor* Feldmagnet *m*; ~ *separador* Magnetscheider *m*.
imán² *m* Imam *m* (*Islam*).
imanato *m* Würde *f* e-s Imams; von e-m Imam regiertes Gebiet *n*.
iman(t)a|ble *adj. c* magnetisierbar; **~ción** *f* Magnetisierung *f*; **~do** *adj.* magnetisch, magnetisiert; **~r** *v/t.* magnetisieren, magnetisch machen.
imbatible *adj. c* unschlagbar, unbesiegbar.
imbebible *adj. c* nicht trinkbar.
im|bécil *adj.-su. c* schwachsinnig, blödsinnig; *m* Geistesschwache(r) *m*; F Dummkopf *m*; **~becilidad** *f* Schwachsinn *m*; *a. fig.* Blödsinn *m*.
imberbe *adj. c* bartlos; *fig.* sehr jung (*Mann*), *desp.* grün.
imbibición *f* Vollsaugen *n* (*z. B. e-s Schwamms*). [einbegriffen.]
imbíbito P *adj. Guat.*, *Méj.* (mit)
imbornal *m* **1.** ⚓ Speigatt *n*; **2.** F *Col.*, *Méj.*, *P. Ri.*, *Ven. irse por los* ~*es* faseln, spinnen F.
imborrable *adj. c* unverwischbar, unauslöschlich, unvergeßlich.
imbrica|ción *f* schuppenförmige Anordnung *f*, Überlappung *f*; ⚠ dachziegelartiges Übereinandergreifen *n*; Dachziegelverband *m*; **~do** *adj.*, **~nte** *adj. c* schuppenförmig (*bzw.* dachziegelartig) angeordnet.
imbui|do *part.*: ~ *en* (*od.* *de*) durchdrungen von (*dat.*); geprägt von (*dat.*); eingenommen von (*dat.*); **~r** [3g] *v/t.* einflößen; einprägen, beibringen; ~ *a alg. en* (*od. de*) *ideologías ajenas* j-m fremde Ideologien einprägen.
imbun|char *v/t. Chi.* **1.** verhexen; **2.** be-, er-schwindeln; **~che** *m Chi.* Hexerei *f*, böser Zauber *m*; *fig.* verwickelte Angelegenheit *f*.
imida ⚗ *f* Imid *n*.
imilla *f Bol.*, *Pe.* indianische [Magd *f.*]
imita|ble *adj. c* nachahmbar; nachahmenswert; **~ción** *f* Nachahmung *f*; *a* ~ *de* nach (dem Beispiel von) (*dat.*); ~ *de cuero od. cuero m de* ~ Kunstleder *n*, Lederimitation *f*; *Theol.* ~ *de Jesucristo* Nachfolge *f* Christi; **~do** *adj.* nachgeahmt, nachgemacht; nachgebildet; unecht, imitiert; **~dor I.** *adj.* nachahmend; *ser muy* ~ alles nachmachen wollen; *desp.* alles nachäffen; **II.** *m* Nachahmer *m*, *lit.* Epigone *m*; Imitator *m*; **~r** *v/t.* nachahmen (*ac.* = *nachmachen*; *dat.* = *j-s Beispiel folgen*, *j-m nachfolgen*); nachmachen; nachbilden; nachdichten; *a.* ⊕ imitieren, kopieren; **~tivo** *adj.* nachahmend; Nachahmungs...
impacien|cia *f* Ungeduld *f*; *adv. con* ~ ungeduldig; *fig. a.* gereizt; erwartungsvoll, neugierig; **~tar I.** *v/t.* ungeduldig machen; **II.** *v/r.* ~*se* ungeduldig werden, die Geduld verlieren; **~te** *adj. c* ungeduldig.
impacto *m* ⚔ Einschlag *m*, Aufschlag *m*; Einschuß *m*; Einschlagloch *n*; Treffer *m* (*a. fig.*); *fig.* Wirkung *f*; ~ *completo* Volltreffer *m*; ~ *de meteoros* Beschuß *m* (*od.* Einschlag *m*) von Meteoren (*Raumfahrt*).
impa|gable *adj. c* unbezahlbar, *a. fig.* nicht zu bezahlen(d); **~go I.** *m* ✝ Nichtbezahlung *f*; **II.** *adj.* F *Arg.*, *Chi.* wem man noch nicht gezahlt hat.
impalpa|bilidad *f* Unfühlbarkeit *f*; **~ble** *adj. c* unfühlbar; nicht greifbar, kaum spürbar; *a.* staubartig (*Substanz*).
impar *adj. c* ungleich; ungerade (*Zahl*); *Biol.* unpaarig (*Organe*).
imparable *adj. c* unaufhaltbar.
imparcia|l *adj. c* unparteiisch, objektiv, gerecht; **~lidad** *f* Unparteilichkeit *f*; *con entera* ~ ganz unparteiisch, völlig objektiv.
impari|dad *f* Ungleichheit *f*; Ungeradheit *f*; **~dígito** *Zo. adj.-su. m* Unpaar-hufer *m*, -zeher *m*; **~sílabo** *Gram. adj.* ungleichsilbig.
imparti|ble *adj. c* unteilbar; **~ción** ⚔ *f*: ~ *de una orden* Befehlserteilung *f*; **~cipable** *neol. adj. c* → *incomunicable*; **~r** *v/t.* **1.** *Verw.* gewähren, bewilligen; **2.** *Verw.*, ⚖ anfordern; **3.** ⚒ *am Besitz* teilnehmen lassen; *Besitz* aufteilen.
impasi|bilidad *f* Unempfindlichkeit *f*; Gleichmut *m*; Unerschütterlichkeit *f*; **~ble** *adj. c* unempfindlich, gefühllos; gleichmütig, gelassen; unerschütterlich.
im|pavidez *f* Unerschrockenheit *f*; **~pávido** *adj.* unerschrocken, furchtlos; *Am. Mer.* dreist, frech.
impeca|bilidad *f* Fehlerlosigkeit *f*, Vollkommenheit *f*; **~ble** *adj. c* tadellos, fehler-los, -frei, einwandfrei; vollkommen (*Stil*).
impedancia ⚡ *f* Scheinwiderstand *m*, Impedanz *f*; *de alta* ~ hochohmig.
impedi|do *adj.-su.* gelähmt, kör-

perbehindert; *m* Körperbehinderte(r) *m*; **~dor** *adj.-su.* hindernd, hemmend, störend; **~menta** ⚔ *f* Troß *m*; **~mento** *m* Hindernis *n*; Hemmung *f*; ⚖ (Rechts-)Hindernis *n*; *vendrá si no hay ~* er wird kommen, wenn nichts dazwischenkommt; ⚖ *~ dirimente* (*impediente*) trennendes (aufschiebendes) Ehehindernis *n*; **~r** [3l] *v/t.* (ver)hindern; hemmen, erschweren, stören; unmöglich machen; *~ que + subj.* (daran) hindern, zu + *inf.*; *~ el paso* den Weg versperren; den Verkehr behindern; **~tivo** *adj.* hinderlich; hemmend, störend; (Ver-)Hinderungs...

impele|nte *adj. c* antreibend, bewegend; anstoßend; *bomba f ~* Druckpumpe *f*; **~r** *v/t.* ⊕ *u. fig.* (an)treiben, bewegen; stoßen, schieben; *~ a escribir* zum Schreiben drängen; zu schreiben veranlassen; *~ido por* (*od. de*) getrieben von (*dat.*), gezwungen durch (*ac.*).

impender ⚒ *lit. v/t. Geld* ausgeben.

impenetra|bilidad *f* Undurchdringlichkeit *f*; *Phys.*, ⊕ Undurchlässigkeit *f*; *fig.* Unerforschlichkeit *f*; **~ble** *adj. c* undurchdringlich (*a. fig.*); *Phys.*, ⊕ undurchlässig, dicht; schußfest (*Panzer*); *fig.* unerforschlich, undurchschaubar.

impeniten|cia *f* Unbußfertigkeit *f*, Verstocktheit *f*; **~te** *adj. c* unbußfertig, verstockt.

impensa(s) ⚖ *f*(*/pl.*) Aufwand *m zur Aufrechterhaltung e-s Besitzes*; *~s suntuarias* (*od. de lujo*) Luxusaufwendungen *f/pl.*

impensa|ble *adj. c* undenkbar, unvorstellbar; **~do** *adj.* unerwartet, unvermutet, plötzlich, unverhofft.

impepinable F *adj. c*: *eso es ~* das ist bombensicher F, daran ist nicht zu rütteln.

impera|dor *adj.* herrschend; **~nte** *adj. c* herrschend; *Astrol. a.* dominierend; **~r** *v/i.* **1.** herrschen, Kaiser (*bzw.* Caesar) sein; **2.** *fig.* herrschen; **~tivo I.** *adj.* gebieterisch, zwingend; bindend, verpflichtend; **II.** *m Gram., Phil.* Imperativ *m*; *fig.* Gebot *n*; **~tor** *hist. m* Imperator *m*; **~toria** ⚘ *f*: *~ romana* Kaiserwurz *f*; **~torio** *adj.* imperatorisch, kaiserlich.

impercepti|bilidad *f* fehlende Wahrnehmbarkeit *f*; Unfühlbarkeit *f*; **~ble** *adj. c* unmerklich, nicht (*bzw.* kaum) wahrnehmbar.

imper|dible I. *adj. c* unverlierbar; **II.** *m* Sicherheitsnadel *f*; **~donable** *adj. c* unverzeihlich.

imperecedero *adj.* unvergänglich, ewig; *gloria f ~a* unvergänglicher Ruhm *m*; *Theol.* ewige Herrlichkeit *f*.

imperfec|ción *f* Unvollkommenheit *f*; **~tamente** *adv.* unvollkommen, unzureichend; ⊕ *~ circular* unrund; **~tibilidad** *f* mangelnde Vervollkommnungsfähigkeit *f*; **~tible** *adj. c* nicht vervollkommnungsfähig; **~to I.** *adj.* unvollendet; unvollkommen, mangelhaft; **II.** *m Gram.* Imperfekt *n*.

imperfora|ble *adj. c* nicht durchbohrbar, ⚕ imperforabel; **~do** ⚕ *adj.* verwachsen, nicht offen (*Körperöffnung*).

imperia|l I. *adj. c* **1.** kaiserlich, Kaiser...; das Imperium betreffend, imperial; **II.** *f* **2.** mit Sitzen versehenes Wagenverdeck *n*; Kutschenhimmel *m*; Betthimmel *m*; **3.** ⚘ Kaiserkrone *f*; **III.** *m* **4.** *hist. los ~es* die Kaiserlichen *m/pl.*; **~lismo** *m* Imperialismus *m*; **~lista** *adj.-su. c* imperialistisch; *m* Imperialist *m*.

impericia *f* Unerfahrenheit *f*; Unfähigkeit *f*.

imperio *m* **1.** Kaiserreich *n*; Imperium *n*; Reich *n*; *el ♀ inglés* das (englische) Empire; *el Sacro ♀ Romano* das Heilige Römische Reich (deutscher Nation); *Ku. estilo m ~* Empirestil *m*; **2.** Kaisertum *n*; **3.** Herrschaft *f*; *fig. bajo el ~ de una mujer* unter der Fuchtel e-r Frau; **4.** *fig.* Stolz *m*; **5.** ⚔ *bsd. Am.* Kasino *n für Offiziere u. Unteroffiziere*; **~so** *adj.* **1.** gebieterisch; **2.** dringend.

impermea|bilidad *f* Undurchlässigkeit *f*; **~bilización** *f* Imprägnierung *f*; **~bilizante** *adj. c-su. m* Imprägnierungsmittel *n*; **~bilizar** [1f] *v/t.* imprägnieren, wasserdicht machen; **~ble I.** *adj. c* undurchdringlich; undurchlässig, dicht; *~ al agua* wasserdicht; *~ al aceite* (*a la luz*) öl- (licht-)undurchlässig; **II.** *m* Regenmantel *m*; Ölhaut *f*.

impermutable *adj. c* nicht vertauschbar; ∢ nicht permutabel.

impersona|l *adj. c a. Gram.* unpersönlich; **~lidad** *f* Unpersönlichkeit *f*; Mangel *m* an Persönlichkeit; **~lizar** [1f] *Gram. v/t.* als unpersönliches Verb verwenden (*z. B. hace frío*).

impertérrito *adj.* unerschrocken, furchtlos.

impertinen|cia *f* Ungehörigkeit *f*, Frechheit *f*, Vorwitz *m*, Impertinenz *f*; **~te I.** *adj. c* **1.** unangebracht, nicht dazugehörig; **2.** unpassend, ungehörig, dreist, unverschämt, impertinent, frech; **II.** *m* **3.** Naseweis *m*; Flegel *m*; **4.** *~s m/pl.* Lorgnette *f*.

imperturba|bilidad *f* Unerschütterlichkeit *f*; **~ble** *adj. c* unerschütterlich.

impétigo ⚕ *m* Eiterflechte *f*, Impetigo *f*.

impetra|ción *f* Erlangung *f durch Bitten*; **~dor** *adj.-su.*, **~nte** *adj.-su. c* Bittende(r) *m*, Ersuchende(r) *m*; **~r** *v/t.* **1.** erbitten, erflehen, flehen um (*ac.*); **2.** erlangen, erwirken.

ímpetu *m* Heftigkeit *f*; Wucht *f*, Schwung *m*; Ungestüm *n*.

impetuo|sidad *f* Ungestüm *n*, Heftigkeit *f*; **~so** *adj.* heftig, ungestüm; wuchtig.

im|piedad *f* Gottlosigkeit *f*; Ruchlosigkeit *f*; Herzlosigkeit *f*; **~pío** *adj.* gottlos; ruchlos; herzlos, unbarmherzig, grausam.

impla † *f* Schleier *m* (*Kopfbedeckung*).

implacable *adj. c* unerbittlich, unversöhnlich; unnachgiebig, unbarmherzig, eisern.

implanta|ción *f* **1.** ⚕ Implantation *f*; **2.** Einführung *f*; **~r** *v/t.* **1.** ⚕ implantieren; **2.** *Neues* einführen.

implementos *Angl.* ⊕ *m/pl.* Gerät *n*, Ausstattung *f*, Zubehör *n*.

implica|ción *f* **1.** Einbeziehung *f*, Verwicklung *f* (*in et.*); **2.** *Phil.* Implikation *f*; *p. ext.* Widerspruch *m*; **3.** ⚖ Teilnahme *f an e-m Delikt*; **~ncia** ⚖ *f Am.* **1.** Unvereinbarkeit *f*; **2.** Befangenheit *f*; **~nte** *adj. c* enthaltend; 🕮 implizierend; **~r** [1g] **I.** *v/t.* **1.** *j-n* verwickeln (in *ac.* en), *j-n* hineinziehen (in *ac.* en); **2.** mit einschließen, bedeuten, 🕮 implizieren; voraussetzen; **3.** mit s. bringen, führen zu (*dat.*); **II.** *v/i.* **4.** widersprüchlich sein; ein Hindernis darstellen; **III.** *v/r.* *~se* **5.** *~se en* s. in *et.* (*ac.*) hineinziehen lassen; *~se con alg.* s. mit j-m einlassen; **~torio** *adj.* mit s. bringend; widersprüchlich, unvereinbar.

implícito *adj.* mit einbegriffen; unausgesprochen, stillschweigend; *bsd. Phil.* implizit.

implora|ción *f* flehentliche Bitte *f*; **~nte** *adj. c* flehend; *con voz ~ suplicó* flehentlich bat er; **~r** *v/t.* anflehen; flehen um (*ac.*).

implosi|ón *Phys., Phon. f* Implosion *f*; **~vo** *Phon. adj.* implosiv.

implume *adj. c* federlos, ungefiedert.

impolítico *adj.* unklug; unhöflich, unfein.

impoluto *lit. adj.* unbefleckt, makellos, rein.

impondera|bilidad *f Phys. u. fig.* Unwägbarkeit *f*; **~ble I.** *adj. c* **1.** unwägbar; **2.** unvergleichlich; **II.** *m* **3.** *~s m/pl.* Unwägbarkeiten *f/pl.*, Imponderabilien *pl.*

impo|nedor I. *adj.* ⚒ → *imponente*; **II.** *m* wer Abgaben auferlegt; *Typ.* Seiteneinrichter *m*; **~nencia** *f Chi.* imponierende Größe *f*; **~nente I.** *adj. c* gewaltig, eindrucksvoll, Ehrfurcht gebietend, imposant; F großartig, toll F; **II.** *m* ✉ Absender *m*; Einleger *m* (*Bank*); **~ner** [2r] **I.** *v/t.* **1.** *Hände* auflegen; *Steuern, Abgaben* erheben; *Auftrag, Amt* geben; *Arbeit, Last, Meinung* aufdrängen, aufzwingen; *Namen* beilegen; *Schweigen* gebieten; *Ehrfurcht* einflößen; *Furcht* einjagen; *~ su autoridad* s-e Autorität durchsetzen; **2.** *Geld* einlegen, einzahlen; **3.** *j-n* (*in Amt, Pflichten usw.*) einweisen; **4.** *Typ.* (die Seiten) einrichten; *Form* (endgültig schließen u.) einheben; **II.** *v/i.* **5.** Eindruck machen, imponieren F; **III.** *v/r.* *~se* **6.** s. aufdrängen; s. aufzwingen; unvermeidlich sein; s. durchsetzen, die Oberhand gewinnen; **7.** *~se de* (*od. en*) *a/c.* Einsicht nehmen in et. (*ac.*), s. vertraut machen mit et. (*dat.*); **~nible** *adj. c* belastbar, besteuerbar.

impopula|r *adj. c* unbeliebt; nicht volkstümlich, unpopulär; **~ridad** *f* Unbeliebtheit *f*.

importa|ble *adj. c* einführbar; **~ción** *f* **1.** Einfuhr *f*, Import *m*; Einfuhrgeschäft *n*; *~ones f/pl. invisibles* unsichtbare Einfuhr *f*; *~ sin pago o compensación* unentgeltliche Einfuhr *f*; *volumen m de ~ones* Einfuhrvolumen *n*; **2.** ⚕ Einschleppung *f e-r Krankheit*; **~dor I.** *adj.* einführend, Einfuhr..., Import...; **II.** *m* Importeur *m*, Einfuhrhändler *m*.

impor|tancia *f* Wichtigkeit *f*, Bedeutung *f*; *de* ~ bedeutend, wichtig; groß, mächtig, einflußreich; schwer (*Verletzung*); *sin* ~ unwichtig, unerheblich, belanglos; *carecer de* ~ belanglos sein; *dar mucha* ~ *a* großen Wert legen auf (*ac.*); viel Aufhebens machen von (*dat.*); *darse* ~ s. wichtig machen; **~tante** *adj. c* wichtig, bedeutend; mächtig, groß, einflußreich; schwer (*Verletzung*); *lo* ~ *es que* ... wichtig ist, daß ..., es kommt darauf an, daß ...; *hacerse el* (*bzw. la*) ~ wichtig tun; **~tar I.** *v/i.* (*u. v/impers.*) **1.** wichtig sein (j-m *od.* für j-n *a alg.*); *importa que lo hagas* es ist wichtig (*od.* es kommt darauf an), daß du es tust; *no importa* das macht nichts, das hat nichts zu (be)sagen; es kommt nicht darauf an; *¿qué importa?* was liegt (schon) daran?; *¿a mí qué (me importa)?* was geht's (denn) mich an?; *no importa quién* irgend jemand, irgendwer; **II.** *v/t.* **2.** bedeuten; mit s. bringen; **3.** betragen, s. belaufen auf (*ac.*); **4.** *Waren, Moden, Sitten* einführen, *Waren* importieren; *Krankheiten* einschleppen; **~te** *m* Betrag *m*, Summe *f*; ~ *de la factura* Rechnungsbetrag *m*; ~ *total* Gesamtsumme *f*, -betrag *m*.

importu|nación *f* Belästigung *f*; **~nar** *v/t.* belästigen, behelligen; zudringlich sein zu (*dat.*); **~nidad** *f* **1.** Zudringlichkeit *f*; Aufdringlichkeit *f*; **2.** Belästigung *f*; **~no** *adj.* lästig, unbequem, ungelegen; aufdringlich.

imposi|bilidad *f* Unmöglichkeit *f*; unüberwindliche Schwierigkeit *f*; *estar en la* ~ *de* + *inf.* nicht in der Lage sein, zu + *inf.*; **~bilitado** *adj.* (*bsd.* körperlich) behindert; gelähmt (an *dat. de*); **~bilitar I.** *v/t.* **1.** unmöglich machen, verhindern, vereiteln; **2.** unbrauchbar machen; unfähig machen; *neol., bsd. Am.* zum Invaliden machen; **II.** *v/r.* **~se 3.** *Am.* gelähmt werden, invalide werden; **~ble I.** *adj. c* **1.** unmöglich (*a. fig.*); *fig.* unerträglich, unausstehlich; *hacer lo* ~ alles aufbieten, alles in Bewegung setzen; *fig. hacer la vida* ~ *a alg.* j-m das Leben sauer machen; **2.** *Col., Chi., P. Ri. estar* ~ **a**) schwer krank sein; invalide sein; **b**) schmutzig, verkommen sein; abstoßend sein; **II.** *m* **3.** Unmögliches *n*; Unmöglichkeit *f*; *pedir* **~s** Unmögliches verlangen.

imposi|ción *f* **1.** Auflegen *n der Hände*; Beilegung *f e-s Namens*; **2.** ✝ Einlage *f*; **~ones** *f/pl. de ahorro* Spareinlagen *f/pl.*; **~ones** *a plazo* (*a la vista*) Termin- (Sicht-)einlagen *f/pl.*; **3.** Belastung *f*, Besteuerung *f*; Auflage *f*; ~ *doble* Doppelbesteuerung *f*; **4.** *Typ.* **a**) Steg *m*, Leiste *f*; **b**) (endgültiges Justieren *n*, Schließen *n* u.) Einheben *n der Form*; **~tor** *Typ. m* Seiteneinrichter *m*.

imposta △ *f* **1.** Kämpfer *m*; **2.** Fries *m*, *horizontales* Band *n*.

impostergable *adj. c* nicht zurückstellbar; nicht übergehbar (*b. e-r Beförderung*).

impos|tor *adj.-su.* betrügerisch; *m* Betrüger *m*; Heuchler *m*; Verleumder *m*; **~tura** *f* Betrug *m*; Lüge *f*; Heuchelei *f*; Verleumdung *f*.

impotable *adj. c* nicht trinkbar; *agua f* ~ kein Trinkwasser *n*.

impoten|cia *f* **1.** Unvermögen *n*, Machtlosigkeit *f*, Ohnmacht *f*; *reducir a la* ~ entmachten, bezwingen; **2.** ⚕ Impotenz *f*, Zeugungsunfähigkeit *f*; **~te** *adj. c* **1.** machtlos (gg. *ac. od.* gg.-über *dat. contra*); kraftlos; unfähig (zu + *inf. para* + *inf.*); **2.** ⚕ impotent.

impractica|bilidad *f* **1.** Undurchführbarkeit *f*; **2.** Unwegsamkeit *f*; **~ble** *adj. c* **1.** nicht ausführbar, undurchführbar; **2.** unwegsam; ungangbar; nicht befahrbar.

impreca|ción *f* Verwünschung *f*; **~r** [1g] *v/t.* verwünschen, verfluchen; **~torio** *adj.* Verwünschungs..., Fluch...

impreci|sión *f* Ungenauigkeit *f*; **~so** *adj.* ungenau, unbestimmt.

impregna|ble *adj. c* imprägnierbar; **~ción** *f* ⚗, ⊕ Imprägnierung *f*; (Durch-)Tränkung *f*; *fig.* Durchdringung *f*; ~ *por inmersión* Tauchimprägnierung *f*; **~do** *adj.* imprägniert; **~nte** ⚗ *m* Imprägnierungs-, Schutz-mittel *n*; **~r I.** *v/t.* imprägnieren; (durch)tränken (mit *dat. de, en*); ~ *de aceite* (ein)ölen; **II.** *v/r.* **~se** s. vollsaugen (mit *dat. de, con*).

impremedita|ción *f* Unüberlegtheit *f*; **~do** *adj.* unüberlegt, unbedacht; absichtslos.

imprenta *Typ. f* Buchdruck *m*; (Buch-)Druckerei *f*; Druck *m*; *p. ext.* Gedruckte(s) *n*; *error m de* ~ Druckfehler *m*; *listo para la* ~ druckfertig; *dar a la* ~ in Druck geben.

imprescindible *adj. c* unumgänglich; unerläßlich, unentbehrlich.

imprescripti|bilidad ⚖ *f* Unverjährbarkeit *f*; **~ble** *adj.* unverjährbar.

impresentable *adj. c* nicht vorzeigbar; *estás* (*od. vas*) ~ *con este abrigo* in diesem Mantel kannst du dich nicht zeigen.

impresi|ón *f* **1.** Abdruck *m*; Aufdrücken *n*; Eindruck *m*; Eindellung *f*; ~ *del sello* Aufdrücken *n* des Siegels; Stempelabdruck *m*; ~ *dactilar* (*od. digital*) Fingerabdruck *m*; **2.** *fig.* Eindruck *m*; ~ *sensorial* Sinneseindruck *m*; *causar* ~ Eindruck machen (auf *ac. a*); *dejar* (*od. hacer, producir*) *buena* ~ e-n guten Eindruck machen; *tener la* ~ (*de*) *que...* den Eindruck haben, daß ...; **3.** *Typ.* Druck *m* (*Drucken, Druckergebnis, Gedrucktes*); Eindruck *m*; ~ *artística* Kunstdruck *m*; ~ *en* (*cuatro*) *colores* (Vier-)Farbendruck *m*; ~ *de obras* (*de remiendos*) Werk- (Akzidenz-)druck *m*; **4.** *Phono* Aufnahme *f*; Bespielen *n* (*Tonband*); ~ *de un disco, de una cinta magnetofónica* Tonaufnahme *f*; ~ *fotográfica del sonido* Lichttonaufnahme *f* (*Tonfilm*); **~onabilidad** *f* (leichte) Beeindruckbarkeit *f*, Empfänglichkeit *f*, Sensibilität *f*; **~onable** *adj. c* für Eindrücke (leicht) empfänglich; leicht zu beeindrucken(d), sensibel; **~onante** F *adj. c* eindrucksvoll; aufregend; großartig; **~onar** *v/t.* **1.** *Film* belichten; *Schallplatte, Tonband* bespielen; **2.** beeindrucken, Eindruck machen auf (*ac.*).

impresionis|mo *Ku. m* Impressionismus *m*; **~ta** *adj.-su. c* impressionistisch; *m* Impressionist *m*.

impreso I. *part.* gedruckt; bedruckt; eingedruckt; **II.** *m* Druck *m* (*Druckerzeugnis, Druckwerk*); Drucksache *f*; Vordruck *m*, Formular *n*; 🖂 **~s** *m/pl.* Drucksache *f*; **~r I.** *adj.*: *mecanismo m* ~ Druckwerk *n* (*e-r Druckmaschine*); **II.** *m* Drucker *m*; ~ (*de*) *offset* Offsetdrucker *m*; **~ra** *f Rpl.* Druckmaschine *f*.

imprestable *adj. c* nicht ausleihbar.

imprevi|sible *adj. c* nicht voraussehbar; **~sión** *f* **1.** Mangel *m* an Voraussicht; Unvorsichtigkeit *f*; **2.** ⚒ Unvorhersehbarkeit *f*; **~sor** *adj.* nicht vorausschauend; unvorsichtig; **~sto I.** *adj.* unvorhergesehen, unvermutet; **II.** **~s** *m/pl.* Unwägbarkeiten *f/pl.*; unvorhergesehene Auslagen *f/pl.*

impri|mación *Mal. f* Grundierung *f*; **~madera** *Mal. f* Grundierspachtel *m, f*; **~mador** *Mal. m* Grundierer *m*; **~mar** *Mal. v/t.* grundieren; **~mátur** *bsd. ecl. m* Imprimatur *n*; **~mible** *adj. c* druckbar; **~mir** (*part. impreso*) *v/t.* **1.** aufdrücken; eindrücken; *fig.* einprägen; ~ *en la memoria* ins Gedächtnis prägen; **2.** drucken; *a. fig.* herausbringen, verlegen; abdrucken; eindrucken; *máquina f de* ~ Druckmaschine *f*; **3.** *Bewegung* übertragen (auf *ac. a*), mitteilen (*dat. a*).

improba|bilidad *f* Unwahrscheinlichkeit *f*; **~ble** *adj. c* unwahrscheinlich; **~ción** *neol. f* → *desaprobación*; **~r** *v/t.* nicht billigen, verwerfen.

improbidad *f* Unredlichkeit *f*.

ímprobo *adj.* **1.** unredlich; **2.** mühselig, hart (*Arbeit*).

improceden|cia ⚖ *f* Unzulässigkeit *f*; **~te** *adj. c* unangebracht, unzweckmäßig; *bsd.* ⚖ unzulässig; unbegründet.

improductivo *adj. a. fig.* unergiebig; unfruchtbar; unwirtschaftlich; unproduktiv; tot (*Kapital*).

impromptu ♪ *m* Impromptu *n*.

impronta *f* Abdruck *m*; Abguß *m*; *fig.* Gepräge *n*, Eigenart *f*.

impronunciable *adj. c* nicht aussprechbar, unaussprechbar (*Laut, Wort*).

improperio *m* Schmähung *f*; *kath.* **~s** *m/pl.* Improperien *pl.*

impro|piedad *f* **1.** Unrichtigkeit *f* in Wortwahl u. Stil; **2.** *Phil.* Uneigentlichkeit *f*; **3.** Unschickliche(s) *n*; Unpassende(s) *n*; **4.** ⚒ Unzweckmäßigkeit *f*; Untauglichkeit *f*; **~pio** *adj.* **1.** unrichtig, nicht passend (*Wortwahl*); falsch angewandt (*Ausdruck*); ungeeignet (für *ac. para*); unzweckmäßig; **2.** unschicklich; **3.** 𝒜 unecht (*Bruch*); **4.** 📖 uneigentlich.

improrrogable *adj. c* was nicht verlängert (*bzw.* vertagt) werden kann; unaufschiebbar.

impróvido *adj.* → *desprevenido*.

improvi|sación *f* **1.** Improvisation *f*; behelfsmäßige Lösung *f*; **2.** Improvisation *f*, aus dem Stegreif Dargebotene(s) *n*; **3.** schnelle Karriere *f*, Glück *n*; **~sado** *adj.* improvisiert; behelfsmäßig; **~sador** *adj.-su.* improvisierend; *m* Improvisator *m*; **~samente** *adv.* → *de improviso*; **~sar** *v/t.* improvisieren; aus dem Stegreif darbieten; **~so** *adj.* unvorhergesehen; *adv. de* (*od. al*) ~ unversehens, überraschend, plötzlich; **~sto** *adj.* → *improviso*; *a la ~a* → *de improviso*.

impruden|cia *f* Unvernunft *f*; Unbesonnenheit *f*; Unvorsichtigkeit *f*; ⚖ Fahrlässigkeit *f*; ~ *temeraria* grobe Fahrlässigkeit *f*; *lesión f por* ~ fahrlässige Körperverletzung *f*; *es* (*una*) ~ *increíble* es ist (ein) bodenloser Leichtsinn; **~te** *adj.-su. c* unklug, unvernünftig; unüberlegt; unvorsichtig; ⚖ fahrlässig.

impúber(o) **I.** *adj. c* (*adj.*) (noch) nicht mannbar, unreif; ⚖ unerwachsen, nicht mündig; **II.** *m* Unreife(r) *m*, Unerwachsene(r) *m*.

im|pudencia *f* Schamlosigkeit *f*; **~pudente** *adj. c* schamlos; unverschämt; **~pudi(ci)cia** *f* Unzucht *f*; unzüchtiges Verhalten *n*; unzüchtige Rede *f*; **~púdico** **I.** *adj.* unzüchtig, unsittlich; schamlos; **II.** *m* unsittlicher Mensch *m*; **~pudor** *m* Schamlosigkeit *f*; (schamlose) Frechheit *f*, Zynismus *m*.

impuesto **I.** *part. zu imponer*; ~ *de* auf dem laufenden über (*ac.*); **II.** *m* Steuer *f*; Abgabe *f*; Gebühr *f*; **~s** *m/pl.* Steuern *f/pl.*; Steuerlast *f*; Steuerwesen *n*; ~ *sobre las bebidas* Getränkesteuer *f*; ~ *sobre los beneficios* Gewinnabgabe *f*; ~ *sobre el café* (*el té, etc.*) Kaffee- (Tee- *usw.*) -steuer *f*; ~ *sobre el capital* Vermögenssteuer *f*; ~ *eclesiástico* (*bzw. de culto od. sobre los cultos*) Kirchensteuer *f*; ~ *de lujo*, ~ *suntuario* Luxussteuer *f*; ~ *de plusvalía* Wertzuwachs- *bzw.* Mehrwert-steuer *f*; ~ *sobre la renta* (*sobre los salarios*) Einkommen- (Lohn-)steuer *f*; ~ *de sociedades* Körperschaftssteuer *f*; ~ *del timbre* Stempelgebühr *f*; ~ *sobre transacciones* (*od. sobre el volumen de negocios*) Umsatzsteuer *f*; ~ *sobre el suelo urbano no edificado* Baulandsteuer *f*; *Span.* ~ *de utilidades* Einkommen- *od.* Lohnsteuer *f*; ~ *sobre las utilidades del capital* Kapitalertragssteuer *f*; ~ *sobre los vehículos de motor* (*od. sobre los automóviles*) Kraftfahrzeugsteuer *f*; *categoría f de ~s* Steuerklasse *f*; *exento* (*od. libre*) *de ~s* steuerfrei.

impugna|ble *adj. c a.* ⚖ anfechtbar; **~ción** *f a.* ⚖ Anfechtung *f*; Bestreitung *f*; Einwand *m*; **~dor** **I.** *adj.* bestreitend; **II.** *m* Gegner *m*, Bestreiter *m*; **~r** *v/t. a.* ⚖ anfechten; bestreiten; bekämpfen.

impul|sar *v/t.* (an)treiben; bewegen, in Bewegung setzen; **~sión** *f* Antrieb *m*; (An-)Stoß *m*; → *a. propulsión*; **~sividad** *f* Impulsivität *f*; **~sivo** **I.** *adj.* **1.** anstoßend; treibend, Treib...; **2.** impulsiv; lebhaft; triebhaft; **II.** *m* **3.** impulsiver Mensch *m*; **~so** *m* **1.** Phys., ⊕ Stoß *m*, Antrieb *m*; Bewegung *f*; Schubkraft *f*; **2.** ⚡ *u. fig.* Impuls *m*; ⚡ Stromstoß *m*; *fig.* Antrieb *m*, Anregung *f*, Anreiz *m*; Schwung *m*; Trieb *m*, Hang *m*; ~ *de la corriente de carga* Ladestromstoß *m*; *dar ~ a* beleben; *dar nuevos ~s a* Auftrieb geben (*dat.*); wieder in Schwung bringen (*ac.*); *ceder al ~ de su corazón* der Regung s-s Herzens folgen; *tomar* ~ Schwung (*od.* [e-n] Anlauf) nehmen; **~sor** **I.** *adj.* antreibend; *mecanismo m* ~ Triebwerk *n*; **II.** *m* ⊕ *u. fig.* Förderer *m*; ⊕ Rutsche *f*; ~ *de vibración* Schüttelrinne *f*.

impu|ne *adj. c* straflos, straffrei; **~nidad** *f* Straflosigkeit *f*.

impu|reza *f*, **~ridad** ⚒ *f* **1.** Unreinheit *f*; *a.* ⚗ Verunreinigung *f*; **~s** *f/pl.* Verschmutzung *f*; **2.** ⚒ Unkeuschheit *f*; **~rificación** *f a.* ⊕ Verunreinigung *f*; **~rificar** [1g] *v/t.* unrein machen; verunreinigen, verschmutzen; **~ro** *adj.* **1.** *a. fig.* unrein; verschmutzt; nicht gediegen (*Metall*); **2.** ⚒ unkeusch.

imputa|bilidad *f* Anrechnungsfähigkeit *f*; **~ble** *adj. c* **1.** ⚚, ⚖ anrechnungsfähig; ... *es ~ al deudor* der Schuldner hat ... (*ac.*) zu vertreten; **2.** zuzuschreiben (*dat. a*); **~ción** *f* **1.** Anrechnung *f*; **2.** Bezichtigung *f*, Beschuldigung *f*; **~dor** **I.** *adj.* **1.** anrechnend; **2.** bezichtigend; **II.** *m* **3.** Bezichtiger *m*; **~r** *v/t.* **1.** *Schuld* zuschreiben, aufbürden; ~ *a/c. a alg.* **a)** j-m die Schuld an et. (*dat.*) geben; **b)** j-n e-r Sache bezichtigen; **2.** ⚚ verbuchen; *a.* ⚖ anrechnen.

imputrescible *adj. c* unverweslich; fäulnissicher.

ina|barcable *adj. c* nicht umfaßbar; nicht begreifbar; unermeßlich; **~bordable** *adj. c a. fig.* unzugänglich; *fig.* unnahbar.

inacaba|ble *adj. c* unendlich, endlos; **~do** *adj.* unvollendet.

inaccesi|bilidad *f a. fig.* Unzugänglichkeit *f*; **~ble** *adj. c* unerreichbar; *a. fig.* unzugänglich; *fig.* unnahbar.

inacción *f* Nichtstun *n*, Untätigkeit *f*; Stillstand *m* (*Maschine*).

ina|centuado *adj.* unbetont; *Gram. a.* ohne Akzent; **~ceptable** *adj. c* unannehmbar; **~costumbrado** *adj.* nicht gewohnt, ungewohnt.

inactínico *Phys. adj.* nicht aktinisch.

inac|tivado ⚗ *adj.* passiviert; **~tividad** *f* Untätigkeit *f*; 📖 Inaktivität *f*; ⚗, *pharm.* Unwirksamkeit *f*; **~tivo** *adj.* untätig; ⚗ inaktiv; *pharm.* unwirksam; **~tual** *adj. c* nicht aktuell.

inadapta|bilidad *f* mangelnde Anpassungsfähigkeit *f*; **~ble** *adj. c* **1.** nicht anwendbar (auf *ac. a*); **2.** nicht anpassungsfähig; schwer erziehbar; **~ción** *f* **1.** Mangel *m* an Anpassungsfähigkeit; **2.** Nichtpassen *n*; **~do** *adj.-su.* nicht angepaßt; kontaktarm; nicht (*z. B. in die soziale Ordnung*) eingefügt; *niños m/pl. física y psíquicamente ~s* körperlich u. geistig behinderte Kinder *n/pl.*

inadecuado *adj.* unangemessen; ungeeignet, unsachgemäß.

inadmisible *adj. c* unzulässig.

inadoptable *adj. c* unannehmbar.

inadver|tencia *f* Unachtsamkeit *f*; *por* ~ aus Versehen; **~tido** *adj.* **1.** unachtsam; *me coges* ~ ich war nicht darauf gefaßt (*od.* vorbereitet); das kommt mir et. überraschend; **2.** unbemerkt; *pasar* ~ übersehen (*od.* nicht bemerkt) werden; *pasó el tiempo* ~ man merkte gar nicht, wie die Zeit verging.

ina|gotable *adj. c* unerschöpflich; **~guantable** *adj. c* unerträglich; **~jenable** *adj. c* unveräußerlich.

inalámbrico ⚡ *adj.* drahtlos.

in albis *lt.* F *adv.*: *dejar ~ a alg.* **a)** j-m nichts sagen (*od.* mitteilen); **b)** j-n leer ausgehen lassen; *estar ~* k-n blassen Schimmer haben F; *quedarse ~* **a)** nicht im Bilde sein (über *ac. de*), nichts erfahren (von *dat. de*); nichts begreifen (von *dat. de*); **b)** leer ausgehen, in die Röhre gucken F.

inalcanzable *adj. c* unerreichbar.

inaliena|bilidad *f* Unveräußerlichkeit *f*; **~ble** *adj. c* unveräußerlich.

inaltera|ble *adj. c* unveränderlich; (immer) gleichbleibend; ~ *al aire* luftbeständig; **~do** *adj.* unverändert, beständig.

inamis|ible *adj. c* unverlierbar; **~toso** *adj.* unfreundlich.

inamovi|ble *adj. c* unabsetzbar (*Beamter*); **~lidad** *f* Unabsetzbarkeit *f*.

inanalizable *adj. c* nicht analysierbar; unzerlegbar.

ina|ne *adj. c* leer, gehaltlos, wesenlos; **~nición** ⚕ *f* Erschöpfung *f*, Entkräftung *f*; Verhungern *n*; **~nidad** *f* Nichtigkeit *f*; Wesenlosigkeit *f*; **~nimado** *adj.* **1.** *a. fig.* leblos, tot; **2.** ohnmächtig.

inapagable *adj. c* nicht (aus)löschbar.

inape|able *adj. c* hartnäckig, halsstarrig; **~lable** *adj. c* ⚖ *u. fig.* unwiderruflich; *fig.* endgültig; *la sentencia es ~* gegen das Urteil kann keine Berufung eingelegt werden.

inapercibido *gal. adj.* → *inadvertido*.

inapeten|cia ⚕ *f* Appetitlosigkeit *f*; **~te** *adj. c* appetitlos.

inaplazable *adj. c* unaufschiebbar; äußerst dringlich.

inaplica|bilidad *f* Unanwendbarkeit *f*; **~ble** *adj. c* unanwendbar; **~ción** *f* Trägheit *f*, Faulheit *f*; **~do** *adj.* träge, faul.

inapreciable *adj. c* **1.** *a. fig.* unschätzbar; **2.** nicht wahrnehmbar.

inaptitud *f* Unfähigkeit *f*; Ungeeignetheit *f*.

inarmónico *adj.* un-, dis-harmonisch.

inarrugable *tex. adj. c* knitterfrei.

inarticula|ble *adj. c* unaussprechbar (*Laut*); **~do** *adj.* unartikuliert.

in artículo mortis *lt.* ⚖ auf dem Sterbebett.

inasequible *adj. c* unerreichbar; unerschwinglich, zu teuer.

inasi|ble *adj. c* nicht greifbar; **~milable** 📖 *adj. c* nicht assimilierbar; **~stencia** *f* **1.** Mangel *m* an Pflege; **2.** ⚒ Nichtanwesenheit *f*; **~stente** *adj. c* abwesend.

inastillable *adj. c* splitterfrei (*Glas*).

inataca|bilidad *f* Unangreifbarkeit *f*; **~ble** *adj. c* unangreifbar; ⚗, ⊕ ~ *por los ácidos* säurefest.

inatento ⚒ *adj.* unaufmerksam.

inau|dible *adj. c* unhörbar; **~dito** *adj.* unerhört; noch nicht (*od.* noch nie) dagewesen; **~guración** *f* Einweihung *f*; Eröffnung *f*; *discurso m de ~* Festrede *f*; Antrittsrede *f*; **~gural** *adj. c* Einweihungs...; Eröffnungs...; Antritts...; *sesión f ~* Eröffnungssitzung *f*; **~gurar** *v/t.* einweihen; eröffnen; *fig.* beginnen.

inaveri|able ⊕ *adj. c* pannenfrei; *~ por empleo incorrecto* mißgriffsicher, narren-, idioten-sicher F; **~guable** *adj. c* unlösbar; unerforschlich.

inca I. *m* **1.** Inka *m*; *p. ext.* Bewohner *m* des Inkareiches; **2.** *peruanische Goldmünze (20 soles)*; **II.** *adj. c* ↖ → **~ico** *adj.* Inka...; *dinastía f ~a* Inkadynastie *f*.

incalculable *adj. c* unberechenbar; unermeßlich.

incalificable *adj. c* unqualifizierbar, niederträchtig.

incambiable *adj. c* nicht (aus-) tauschbar.

incanato *m Pe.* Inkazeit *f*.

incandescen|cia *f* Weißglut *f*; Glühen *n*; *a. fig.* Glut *f*; ⚡ *lámpara f de ~* Glühlampe *f*; **~te** *adj. c* (weiß)glühend, Glüh...

incansable *adj. c* unermüdlich.

incapa|cidad *f* **1.** Mangel *m* an Fassungsvermögen (*Behälter, Raum*); **2.** Unfähigkeit *f*; Untauglichkeit *f*; Beschränktheit *f*; Arbeitsunfähigkeit *f*; ⚖ *~ (de contratar)* Geschäftsunfähigkeit *f*; *~ parcial para el trabajo* Beeinträchtigung *f* der Arbeitsfähigkeit, Erwerbsbeschränkung *f*; **~citado** *adj.* **1.** *Soz.* nicht (voll) eingliederungsfähig; geistig beschränkt; körperlich behindert; arbeitsunfähig; **2.** ⚖ für unfähig erklärt (*z. B. ein Amt zu bekleiden*); entmündigt; **~citar** *v/t.* **1.** unfähig machen; **2.** ⚖ für unfähig erklären; entmündigen; **~z** *adj. c* (*pl.* *~aces*) **1.** unfähig (*a.* ⚖), unbrauchbar; *~ para un cargo* unfähig, ein Amt zu bekleiden; *ser ~ de hacer a/c.* unfähig (*bzw.* nicht in der Lage) sein, et. zu tun; ⚖ *~ de heredar (de testar)* erb- (testier-)unfähig; ⚖ *~ de contratar* geschäftsunfähig; **2.** einfältig, beschränkt, dumm; **3.** *Guat., Méj.* unerträglich, unleidlich.

incasable *adj. c* **1.** ⚖ nicht revisionsfähig; **2.** *esta muchacha es ~* dieses Mädchen wird k-n Mann finden (*od.* wird [wohl] nicht heiraten).

incásico *adj. bsd. Am.* → *incaico*.

incau|tación ⚖ *f* Sicherstellung *f*; Beschlagnahme *f*; **~tarse** ⚖ *v/r.*: *~ de a/c.* et. sicherstellen; et. beschlagnahmen; **~to** *adj.* unbedacht; unvorsichtig; naiv, leichtgläubig.

incendi|ar [1b] *v/t.* anzünden; in Brand stecken; **~ario I.** *adj.* **1.** Brand...; ⚔ *bomba f ~a* Brandbombe *f*; **2.** *fig.* aufrührerisch, aufwiegelnd, Hetz..., Brand...; *discurso m ~* Hetz- (u. Brand)rede *f*; **II.** *m* **3.** Brandstifter *m*; **4.** Unruhestifter *m*, Hetzer *m*; **~o** *m* Brand *m*; Feuersbrunst *f*; *a. fig.* Feuer *n*; ⚖ *~ (criminal)* Brandstiftung *f*; *avisador m de ~s* Feuermelder *m*; *aparato m detector y de alarma de ~s* Feuermeldegerät *n*; *seguro m contra ~s* Feuerversicherung *f*.

incensa|ción *f* Räuchern *n* mit Weihrauch *u. ä.*; *fig.* Beweihräucherung *f*; **~r** [1k] *v/t.* (ein)räuchern; *fig.* beweihräuchern; **~rio** *m* Weihrauchkessel *m*; *fig.* F *romperle a uno el ~ en las narices* j-m Weihrauch streuen, j-m in den Hintern kriechen P.

incensurable *adj. c* tadelfrei.

incentivo *m* Anreiz *m*, Ansporn *m*; Lockmittel *n*; *pharm.* Reizmittel *n*; *fig. no tener ~* k-n Anreiz bieten.

incertidumbre *f* Ungewißheit *f*, Zweifel *m*.

incesa|ble, ~nte *adj. c* unablässig.

inces|to *m* Blutschande *f*, Inzest *m*; **~tuoso I.** *adj.* blutschänderisch, inzestuös, Inzest...; **II.** *m* Blutschänder *m*.

inci|dencia *f* **1.** 𝒜, *Phys.* Einfall *m*, Auftreffen *n*; *ángulo m de ~* Einfallswinkel *m*; **2.** Auswirkung *f*, Folge *f*; **3.** → *incidente 3*; *adv. por ~* beiläufig; zufällig; **~dental** *adj. c* beiläufig; nebensächlich; **~dente I.** *adj. c* **1.** 𝒜, *Phys., Opt.* einfallend; auftreffend (*z. B. Strahl*); **2.** *fig.* Zwischen...; Neben...; **II.** *m* **3.** Nebenumstand *m*; Zwischenfall *m*; *~ fronterizo* Grenzzwischenfall *m*; *~ parlamentario* Zwischenfall *m* im Parlament; **4.** ⚖ Zwischenstreit *m*; **~dentemente** *adv.* beiläufig; **~dir** *v/i.* **1.** *~ en una falta* in e-n Fehler verfallen; **2.** ⚕ einschneiden; schneiden.

incienso *m* **1.** Weihrauch *m*; *fig.* Lobhudelei *f*; *dar ~ a alg.* j-n beweihräuchern; **2.** ⚘ *Am. versch. aromatische Pflanzen*.

incierto *adj.* ungewiß; unsicher.

inci|nerable *adj. c* zur Verbrennung bestimmt; **~neración** *f* Einäscherung *f*; Feuerbestattung *f*; Verbrennung *f*; *~ de basuras* Müllverbrennung *f*; **~nerar** *v/t.* zu Asche verbrennen; einäschern; **~piente** *adj. c* beginnend, angehend.

incircun|ciso *Rel. adj.* unbeschnitten; **~scri(p)to** *adj.* nicht umschrieben; unbegrenzt.

inci|sión *f* **1.** (Ein-)Schnitt *m*, ⚕ *a.* Inzision *f*; **2.** 📖, *Metrik*: Zäsur *f*; **~sivo** *adj.* **1.** schneidend, Schneide...; *a. m (diente m) ~* Schneidezahn *m*; **2.** *fig.* schneidend, bissig; scharf (*Kritik*); **~so I.** *adj.* **1.** *herida f ~a* Schnittwunde *f*; **II.** *m* **2.** Abschnitt *m e-r Schrift, e-s Gesetzes*; *Typ.* Absatz *m*; **3.** *Gram.* **a)** Einschub *m im Satz*; **b)** Komma *n*; **~sura** *Anat. f* Einschnitt *m*, Inzisur *f*.

incita|ción *f* Antrieb *m*; Anstiftung *f*, Aufstachelung *f* (zu *dat. a*); **~dor I.** *adj.* aufreizend; **II.** *m* Anstifter *m*; **~nte** *adj. c* antreibend; aufstachelnd; **~r** *v/t.* antreiben; an-, aufstacheln, aufreizen, aufhetzen (zu *dat. a, para*); *~ a la rebelión* zum Aufruhr anstiften; **~tivo I.** *adj.* anreizend; **II.** *m* Anreiz *m*.

incivi|l *adj. c* unhöflich; ungebildet; **~lidad** *f* Unhöflichkeit *f*; Ungeschliffenheit *f*, Grobheit *f*.

inclasificable *adj. c* nicht klassifizierbar.

inclaustración *f* Eintritt *m* ins Kloster (*od.* in e-n Klosterorden).

inclemen|cia *f* **1.** Ungnade *f* der Götter; **2.** *mst. ~s f/pl.* Rauheit *f* des *Klimas*; Unbilden *pl. der Witterung*; ↖ *a la ~* → *a la intemperie*; **~te** *adj. c* **1.** ungnädig; unbarmherzig; **2.** rauh (*Wetter, Klima*).

incli|nable *adj. c* neigbar; nach oben od./u. unten schwenkbar (*Gerät*); **~nación** *f* **1.** Neigung *f*, Gefälle *n*; **2.** Verneigung *f*, Verbeugung *f*; **3.** ⚓ Schlagseite *f*; **4.** *Astr. usw.* Neigungswinkel *m*; **5.** *Phys.* Ausschlag *m e-r Nadel, e-r Waage*; *Geogr.* Inklination *f der Magnetnadel*; *brújula f de ~* Magnetkompaß *m*; **6.** *fig.* Neigung *f* (zu *dat. por, hacia*); Veranlagung *f*; Tendenz *f*; *tener ~ a + inf.* dazu neigen, zu + *inf.*; **~nado** *adj.* geneigt (*a. fig.*); gebückt; *estar ~ a* geneigt sein zu (*dat. od. inf.*); **~nador** *adj.* neigend; **~nante** *part.* (s.) neigend; **~nar I.** *v/t.* neigen; beugen; (auf- u. ab-)schwenken; *fig.* geneigt machen, veranlassen (zu + *inf. a + inf.*); *fig.* (um)stimmen (zu *dat. od. inf. a*); **II.** *v/r.* *~se* s. (ver)beugen; *fig.* neigen (zu *dat. od. inf. a*); **~natorio** ⚓ *m* Magnetkompaß *m*; **~nómetro** *Geodäsie u.* ✈ *m* Neigungsmesser *m*.

ínclito *adj.* berühmt.

inclu|ir [3g] *v/t.* einschließen; beilegen, beifügen; *~ en una carta* e-m Brief beilegen; ✝ *porte m incluido* einschließlich Porto; **~sa** *f Span.* Findelhaus *n*; **~sero** *adj.-su. Span.* (*niño m*) *~* im Findelhaus aufgezogenes Kind *n*; Findelkind *n*; **~sión** *f* Einschluß *m* (*a.* ⊕); *Geol.* Einlagerung *f*; *fig.* Einbeziehung *f*; **~sivamente, ~sive** *adv.* einschließlich; **~so I.** *adj.* eingeschlossen; beigeschlossen, beiliegend; **II.** *adv.* sogar; ↖ → *inclusive*.

incoa|ción ⚖ *f* Eröffnung *f*, Einleitung *f e-s Verfahrens*; Einleitungsbeschluß *m*; **~gulable** *adj. c* ungerinnbar; **~r** *v/t. fast nur* ⚖ anfangen, beginnen; *Prozeß* anstrengen; *Verfahren* einleiten; **~tivo** *Li. adj.* inchoativ.

incobrable *adj. c* nicht eintreibbar [(*Schuld*).

incoercible *adj. c* unbezwingbar, nicht unterdrückbar; unstillbar (*Blutung, Erbrechen*).

incógni|ta 𝒜 *f* Unbekannte *f*; **~to I.** *adj.* unbekannt; *adv. de ~* inkognito; **II.** *m* Inkognito *n*; *guardar el ~* das (*od.* sein) Inkognito wahren.

incognoscible *Phil. adj. c* unerkennbar.

incoheren|cia *f* Zs.-hanglosigkeit *f*; **~te** *adj. c* unzs.-hängend; lose, locker.

incoloro *adj.* farblos.

incólume *adj. c* unversehrt, heil; *salir ~* heil davonkommen; *salir ~ de a/c.* et. heil überstehen.

incom|binable *adj. c* nicht kombinierbar; **~bustible** *adj. c* un(ver)brennbar; feuersicher.

incomible *adj. c* nicht eßbar, ungenießbar.

incomo|dador *adj.-su.* beschwerlich; (be)lästig(end); **~dar I.** *v/t.* belästigen (*ac.*), lästig sein (*dat.*); stören; unangenehm berühren, ärgern; **II.** *v/r.* *~se* s. ärgern (über *ac. por*); **~didad** *f* Unbequemlichkeit *f*; Beschwerlichkeit *f*; Unannehmlichkeit *f*; Verdruß *m*; **~do** *m* → *incomodidad*.

incómodo *adj.* unbequem; unbehaglich; beschwerlich; lästig, verdrießlich.

incompa|rable *adj. c* unvergleichlich; **~recencia** ⚖ *f* Nichterscheinen *n*; **~rtible** *adj. c* nicht (mit andern) teilbar; **~sible** *adj. c*, **~sivo** *adj.* herzlos; **~tibilidad** *f* Unverträglichkeit *f*; *a.* ⚖ Unvereinbarkeit *f*; Unzulässigkeit *f*; **~tible** *adj. c* unverträglich; unvereinbar (mit *dat. con*).

incompeten|cia *f* Unzuständigkeit *f* (*a.* ⚖); Unfähigkeit *f*; **~te** *adj. c* unzuständig, inkompetent; unmaßgeblich; unfähig.

incomple|jo *adj.* → *incomplexo*; **~to** *adj.* unvollständig; unvollkommen; unfertig, lückenhaft; **~xo** *adj.* einfach, unkompliziert; 🕮 nicht komplex.

incomprehensible *Phil., Psych. adj. c* → *incomprensible*.

incompren|dido *adj.* unverstanden (*a. fig.*); **~sibilidad** *f* Unverständlichkeit *f*; Unfaßbarkeit *f*; **~sible** *adj. c* unverständlich, unbegreiflich; unfaßbar; **~sión** *f* Verständnislosigkeit *f*; **~sivo** *adj.* verständnislos.

incompresi|bilidad *Phys. f* Nichtpreßbarkeit *f*; **~ble** *adj. c* nicht (zs.-)preßbar.

incomunica|ble *adj. c* nicht übertragbar; **~ción** *f* **1.** Unterbrechung *f e-r Verbindung*; **2.** ⚖ Einzelhaft *f*; **~do** *adj.* **1.** ohne Verbindung; *estamos ~s a. abs.* wir sind von der Außenwelt abgeschnitten; **2.** ⚖ (*poner*) ~ in Einzelhaft (legen); **~r** [1g] **I.** *v/t.* **1.** die Verbindung zu (*dat. od.* mit *dat.*) unterbrechen (*od.* abschneiden); **2.** ⚖ Einzelhaft verhängen über (*ac.*); **II.** *v/r.* **~se** **3.** s. absondern.

incon|cebible *adj. c* unfaßbar; unbegreiflich; **~ciliable** *adj. c* **1.** unversöhnlich; **2.** unvereinbar; **~cluso** *adj.* unvollendet; **~cuso** *adj.* unbestreitbar; unbestritten.

incondiciona|l I. *adj. c* bedingungslos; unbedingt; **II.** *m* bedingungsloser Anhänger *m* (*od.* Freund *m*); **~lismo** *m Am.* unbedingte Ergebenheit *f*; Unterwürfigkeit *f*; **~lmente** *adv.* bedingungslos; auf Gnade oder Ungnade.

incone|xión *f* Beziehungslosigkeit *f*; **~xo** *adj.* unzusammenhängend.

inconfe|sable *adj. c* schändlich; unaussprechlich; **~so** *adj. Rel.* ohne Beichte; ⚖ nicht geständig.

incon|fortable *adj. c* unbequem; ohne Komfort; **~fundible** *adj. c* unverwechselbar.

incongru|encia *f* Unstimmigkeit *f*; Mißverhältnis *n*; Zs.-hangslosigkeit *f*; **~ente** *adj. c* zs.-hangslos; unpassend, ungehörig; **~o** *adj.* → *incongruente*.

inconmensurable *adj. c* Ꭿ inkommensurabel; *fig.* unermeßlich.

incon|movible *adj. c* unerschütterlich; *fig.* fest; **~mutable** *adj. c* unveränderlich; unvertauschbar.

inconquistable *adj. c* uneinnehmbar; *fig.* unerbittlich.

inconscien|cia *f* **1.** fehlendes Bewußtsein *n*; Ahnungslosigkeit *f*; **2.** Bewußtlosigkeit *f*; **3.** Leichtfertigkeit *f*; **~te** *adj. c* **1.** unbewußt; unwillkürlich; *lo ~* das Unbewußte; **2.** bewußtlos; **3.** leichtfertig, unbedacht; **~temente** *adv.* unbewußt; unwillkürlich.

inconsecuen|cia *f* Folgewidrigkeit *f*; Inkonsequenz *f*, Unbeständigkeit *f*; Widerspruch *m*; **~te** *adj. c* inkonsequent, nicht folgerichtig; wankelmütig, unbeständig.

inconsidera|ción *f* **1.** Gedankenlosigkeit *f*, Unbesonnenheit *f*; **2.** Rücksichtslosigkeit *f*; **~do** *adj.* **1.** unbedacht, gedankenlos, unbesonnen; **2.** rücksichtslos.

inconsisten|cia *f* Unbeständigkeit *f* (*a. fig.*); *fig.* Haltlosigkeit *f*; **~te** *adj. c a. fig.* unbeständig, veränderlich; *fig.* haltlos, nicht haltbar.

inconsolable *adj. c* untröstlich.

inconstan|cia *f* Unbeständigkeit *f* (*a.* ⊕), Wankelmut *m*; **~te** *adj. c* unbeständig; *a. fig.* schwankend; wankelmütig.

inconstitucional *adj. c* verfassungswidrig.

inconsútil *adj. c* nahtlos.

incon|table *adj. c* **1.** unzählbar; **2.** nicht erzählbar; **~tenible** *adj. c* uneindämmbar; unbezähmbar (*Wunsch usw.*); ⚔ unaufhaltsam (*Offensive*); **~testable** *adj. c* unzweifelhaft, unbestreitbar; **~testado** *adj.* unbestritten (*Recht*); ⚒, ☨ unbeantwortet (*Brief*).

incontinen|cia *f* **1.** Hemmungslosigkeit *f*; mangelnde Enthaltsamkeit *f*; Unkeuschheit *f*; **2.** ⚕ Harnfluß *m*; ~ (*nocturna*) Bettnässen *n*; **~te I.** *adj. c* **1.** hemmungslos; unkeusch; **2.** an Harnfluß leidend; **II.** *adv.* **3.** → **~ti** *adv.* unverzüglich.

incontrastable *adj. c* unüberwindlich; unumstößlich.

incontro|lable *adj. c* unkontrollierbar; nicht beherrschbar (*Verkehr, chem. Prozeß*); **~vertible** *adj. c* unbestreitbar; nicht anfechtbar.

inconve|nible *adj. c* unpassend, nicht angebracht; **~niencia** *f* **1.** Unschicklichkeit *f*, Ungehörigkeit *f*; **2.** Unannehmlichkeit *f*; **~niente I.** *adj. c a. fig.* unpassend, unangebracht; *fig.* ungehörig; **II.** *m* Nachteil *m*; Hindernis *n*, Schwierigkeit *f*, Haken *m* F; *no tener ~ en + inf.* nichts dagegen haben, zu + *inf.*, gerne bereit sein, zu + *inf.*

inconvertible *adj. c* nicht konvertierbar (*Währung*).

incordi|ar F [1b] *v/t.* belästigen, ärgern; *neol.* beschimpfen; **~o** F *m* ⚕ → *bubón*; *fig.* Ärger *m*; lästige Person *f*, Nervensäge *f* F.

incor|poración *f* Einverleibung *f*; Eingliederung *f*; Aufnahme *f in e-e Gemeinschaft*; ⊕ Einbau *m*; ⚔ *bsd. Am.* Einberufung *f*; **~poral** *adj. c* → *incorpóreo*; **~porar I.** *v/t.* **1.** einverleiben; einfügen; ⊕ *a.* einbauen; *in e-e Gruppe* aufnehmen; einstellen; ~ *a* (*od. en*) eingliedern in (*ac.*); **2.** *Oberkörper* aufrichten; **II.** *v/r.* **~se** **3.** s. aufrichten; **4.** s. anschließen (*dat. od.* an *ac. a*); **5.** *~se a sein Amt* antreten; ⚔ s-n Dienst antreten, s. melden bei (*dat.*); *~se a (las) filas* den Wehrdienst antreten; **~poreidad** *f* Unkörperlichkeit *f*; **~póreo** *adj.* unkörperlich.

incorrec|ción *f* Unrichtigkeit *f*, Fehlerhaftigkeit *f*; Verstoß *m*; Unhöflichkeit *f*; **~to** *adj.* unrichtig, fehlerhaft; nicht korrekt; unhöflich.

incorregi|bilidad *f* Unverbesserlichkeit *f*; **~ble** *adj. c* unverbesserlich; verstockt.

incorrosible ⊕ *adj. c* korrosionsfest.

incorrup|tibilidad *f* Unverderblichkeit *f*; Unbestechlichkeit *f*; **~tible** *adj. c* unverweslich; unverderblich; unzerstörbar; unbestechlich; **~to** *adj.* unverwest; *fig.* unverdorben; *fig.* jungfräulich.

Incoterms ☨ *pl.* Incoterms *pl.*

increado *bsd. Theol. adj.* ungeschaffen.

increción ⚕ *f* Inkret *n*.

in|credibilidad *f* Unglaublichkeit *f*; **~credulidad** *f* Ungläubigkeit *f*; **~crédulo** *adj.* ungläubig; **~creíble** *adj. c* unglaublich.

incremen|tar *v/t.* wachsen lassen; vergrößern; verstärken; **~to** *m* Zuwachs *m*; Anwachsen *n*, Zunahme *f*, Vergrößerung *f*; *Li.*, Ꭿ Inkrement *n*; *~ de temperatura* Temperaturanstieg *m*.

increpa|ción *f* scharfer Verweis *m*; **~r** *v/t.* scharf zurechtweisen, rügen.

incrimina|ción *f* Beschuldigung *f*; **~r** *v/t.* beschuldigen, bezichtigen (j-n e-r Sache *a alg. de a/c.*); *fig.* angreifen, inkriminieren.

incruento *adj.* unblutig (*a. Theol.*).

incrusta|ción *f* **1.** Verkrustung *f*; **2.** Belag *m*; Kesselstein(bildung *f*) *m*; **3.** Einlegen *n* (*z. B. v. Metall in Kunststoff*); eingelegte Arbeit *f*; **~r I.** *v/t.* **1.** einlegen, inkrustieren; einbetten; ver-, be-kleiden, überziehen (mit *dat. con*); **II.** *v/r.* **~se** **2.** s. ansetzen; **3.** verkrusten; **4.** *fig. ~se en la memoria* s. tief ins Gedächtnis einprägen; **5.** *fig.* s. einnisten, s. festsetzen.

incuba|ción *f* **1.** Brüten *n*, Aus-, Be-brüten *n*; Brut(zeit) *f*; ⚘ *~ artificial* künstliche Brut *f*; **2.** ⚕ (*período m de*) ~ Inkubationszeit *f*; **~dora** *f* Brutapparat *m*; **~r I.** *v/t. a. fig.* ausbrüten; **II.** *v/i.* brüten.

incubo *m* Inkubus *m*, Buhlteufel *m des Ma.*

incuestionable *adj. c* unbestreitbar; fraglos.

inculca|ción *f* Einprägung *f*; **~r** [1g] **I.** *v/t.* einprägen, beibringen; einschärfen; **II.** *v/r.* *~se en* s. versteifen auf (*ac.*).

inculpa|bilidad *f* Schuldlosigkeit *f*; ⚖ *veredicto m de ~* Freispruch *m der Geschworenen*; **~ción** *f* Beschuldigung *f*; Anschuldigung *f*; **~do I.** *adj.* beschuldigt; † unschuldig; **II.** *m* Beschuldigte(r) *m*, Angeschuldigte(r) *m*; **~r** *v/t.*: *~ a alg. de a/c.* j-n e-r Sache beschuldigen (*od.* bezichtigen), j-m et. zur Last legen.

incul|tivable *adj. c* nicht kulturfähig; ⚘ nicht anbaufähig; **~to** *adj.* ungepflegt; ungebildet; unkultiviert; ⚘ unbebaut; **~tura** *f* Unkultur *f*; Unbildung *f*.

incum|bencia *f* Obliegenheit *f*; Zuständigkeit *f*; *no es (asunto) de su ~* das ist nicht s-e Sache; das fällt nicht in sein Ressort; **~bir** *v/i.*: *~ a alg.* j-m obliegen; *no te incumbe a ti + inf.* es ist nicht deine

Sache (*od.* nicht deines Amtes), zu + *inf.*

incumpli|miento *m* Nichterfüllung *f*; **~r** *v/t. Gesetz, Vertrag, Versprechen* nicht erfüllen.

incunable *adj. c-su. m* Inkunabel *f*, Wiegendruck *m.*

incurable *adj. c* unheilbar (*a. fig.*); *fig.* eres ~ dir ist nicht zu helfen.

incuria *f* Sorglosigkeit *f*, Nachlässigkeit *f*, Unachtsamkeit *f.*

incur|rir *v/i.* verfallen (in *ac.* en); ~ *en (una) falta* e-n Fehler begehen; s. et. zuschulden kommen lassen; ⚖ ~ *en responsabilidad* haftbar (*od.* verantwortlich) gemacht werden; ⚖ ~ *en una multa* e-e Geldstrafe verwirken; **~sión** ⚔ *f* Einfall *m*; ✈ Einflug *m.*

indaga|ción *f* Nachforschung *f*; *~ones f/pl.* Ermittlungen *f/pl.*; **~r** [1h] *v/t.* erforschen, forschen nach (*dat.*); auskundschaften; *bsd.* ⚖ ermitteln; **~toria** ⚖ *f* (uneidliche) Aussage *f des Beschuldigten*; **~torio** ⚖ *adj.* Untersuchungs..., Ermittlungs...

indayé *Vo. m Rpl. Art* Sperber *m.*

indebido *adj.* ungebührlich, ungehörig; ungerechtfertigt.

indecen|cia *f* Unanständigkeit *f*; Ungebührlichkeit *f*; Gemeinheit *f*; **~te** *adj. c* unanständig; ungebührlich; gemein; F unmöglich.

indecible *adj. c* unsagbar, unaussprechlich.

indeci|sión *f* Unentschlossenheit *f*; **~so** *adj.* **1.** unentschieden; unbestimmt; *dejar* ~ dahingestellt sein lassen; **2.** unschlüssig.

indeclinable *adj. c* **1.** unabweisbar; unumgänglich; **2.** *Gram.* undeklinierbar, indeklinabel.

indecoroso *adj.* unanständig, unpassend, ungehörig.

indefectible *adj. c* unausbleiblich, unfehlbar; **~mente** *adv.* unfehlbar, ganz sicher.

indefen|dible, ~sible *adj. c* unhaltbar; **~sión** *f* Wehrlosigkeit *f* (*a. fig.*); **~so** *adj.* wehrlos; schutzlos.

indefini|ble *adj. c* unbestimmbar, undefinierbar; unerklärlich; **~damente** *adv.* auf unbestimmte Zeit; unbestimmt; **~do** *adj.* unbestimmt; unbegrenzt.

indeformable *bsd.* ⊕ *adj. c* nicht verformbar; unverwüstlich.

indehiscente ⚘ *adj. c*: *fruto m* ~ Schließfrucht *f.*

indeleble *adj. c* unauslöschlich; unzerstörbar; *tinta f* ~ Urkunden- *bzw.* Wäsche-tinte *f.*

indeli|berado *adj.* unüberlegt; **~cadeza** *f* Taktlosigkeit *f*; **~cado** *adj.* unfein; taktlos.

indem|ne *adj. c* schadlos; heil; *salir* ~ heil davonkommen; **~nidad** ⚖, *Pol. f* Indemnität *f*; **~nizable** *adj. c* entschädigungsfähig; **~nización** *f* Entschädigung *f*, Schadenersatz *m*; Abfindung *f*; ~ *de guerra* Kriegsentschädigung *f*; **~nizar** [1f] *v/t.*: ~ *a alg.* j-n entschädigen; j-n abfinden; ~ *a alg.* (de) *a/c.* j-n für et. (*ac.*) entschädigen, j-m et. ersetzen.

indepen|dencia *f* Unabhängigkeit *f*; Freiheit *f*; Selbständigkeit *f*; **~derse** *v/r. Am.* → *independizarse*; **~diente I.** *adj. c* unabhängig; frei; selbständig; ~ *de la temperatura* temperaturunabhängig (*z. B. Funktionen e-s Geräts*); **II.** *adv.* → **~dientemente** *adv.* unabhängig (von *dat.* de); ohne Rücksicht (auf *ac.* de); **~dista** *neol. Am.* **I.** *adj. c*: *movimiento m* ~ Unabhängigkeits-, Freiheits-bewegung *f*; **II.** *c* Kämpfer *m* für die Unabhängigkeit; Freiheitskämpfer *m*; **~dizar** [1f] *neol.* **I.** *v/t.* unabhängig (*od.* selbständig) machen; befreien (von *dat.* de); **II.** *v/r.* ~se s. befreien; die Unabhängigkeit (*od.* die Freiheit) erringen.

indes|cifrable *adj. c* nicht zu entziffern; unleserlich; **~criptible** *adj. c a. fig.* unbeschreiblich.

inde|seable *adj. c* unerwünscht; **~signable** *adj. c* nicht (*bzw.* schwer) zu bezeichnen(d).

indes|gastable *adj. c* verschleißfest; **~mallable** *tex. adj. c* maschenfest; **~montable** *adj. c* nicht abmontierbar; **~tructible** *adj. c* unzerstörbar.

indetermi|nable *adj. c* unbestimmbar; **~nación** *f* **1.** Unbestimmtheit *f*; **2.** Unschlüssigkeit *f*; **~nado** *adj.* **1.** *a.* ⅌ unbestimmt; *Phil.* undeterminiert; **2.** unschlüssig; **~nismo** *Phil. m* Indeterminismus *m.*

índex *m* → *índice.*

India *f hist.*: *Consejo m* de ~s Indienrat *m.*

india|da *f Am.* Menge *f* Indianer; Indianer(volk *n*) *m/pl.*; **~na** *tex. f* Zitz *m*, *einseitig bedruckter* Kattun *m*; **~nismo** *m* **1.** indische Spracheigentümlichkeit *f*; Indienkunde *f*, Indologie *f*; **2.** Indianer-eigenart *f*; -tum *n*; indianische Bewegung *f in Kultur u. Politik*; **~nista I.** *c* **1.** Indologe *m*; **2.** Indianerforscher *m*; **II.** *adj. c* **3.** indienkundlich; **4.** indianerkundlich; Indianer...; **~no I.** *m in Amerika reich gewordener u. in s-e Heimat zurückgekehrter* Spanier *m*; **II.** *adj.-su.* † indianisch; *m* Indianer *m.*

indica|ción *f* **1.** Anzeige *f*; Angabe *f* (*a. b. Meßgeräten*); Anweisung *f*; **2.** Hinweis *m*, Fingerzeig *m*; Vermerk *m*; **3.** ⚕ Indikation *f*; **4.** *Chi.* Vorschlag *m*; Rat *m*; **~do** *part.-adj.* angezeigt; geeignet, zweckmäßig; ⚕ indiziert; **~dor I.** *adj.* **1.** anzeigend, Anzeige...; **II.** *m* **2.** Anzeiger *m* (*a. Telegraph*); Zeiger *m*, Zeigegerät *n*; *Kfz.* ~ de (*cambio de*) *dirección* Fahrtrichtungsanzeiger *m*; *Kfz.* ~ *de combustible* Benzinuhr *f*; (*poste m*) ~ *de camino* Wegweiser *m*; **3.** Maßstab *m*; *a.* ⊕, ⚗ Indikator *m*; **4.** Verzeichnis *n*; ~ *de comercio* Handels-, Branchen-adreßbuch *n*; **~r** [1g] *v/t.* **1.** anzeigen; angeben; namhaft machen; **2.** schließen lassen auf (*ac.*); **3.** ⚕ indizieren; **~tivo I.** *adj.* **1.** bezeichnend; ~ de hinweisend auf (*ac.*); **II.** *m* **2.** *Li.* Indikativ *m*; **3.** Kenn-buchstabe *m bzw.* -zeichen *n e-r Station*; **4.** *Rf.* Pausenzeichen *n*; *TV* Erkennungszeichen *n.*

indicción *ecl. f* Ankündigung *f*; Vorschrift *f*; *bula f* de ~ Einberufungsbulle *f* (*Konzil*).

índice *m* **1.** Anzeichen *n*; Merkmal *n*; **2.** Stellmarke *f an e-m Gerät*; Stab *m der Sonnenuhr*; (Uhr-)Zeiger *m*; **3.** Inhaltsverzeichnis *n*; Register *n*; Tabelle *f*; Katalog *m in Bibliotheken*; *a.* Katalogsaal *m*; ~ *alfabético* alphabetisches Register *n*; ~ (*de materias*) Inhaltsverzeichnis *n*; ✝ ~ *de mercancías* Warenverzeichnis *n*; **4.** (*dedo m*) ~ Zeigefinger *m*; **5.** *kath.* ♀ Index *m*; *a. fig. meter* (*od. poner*) *en el* ♀ *j-n od. et.* auf den Index setzen; **6.** ⅌, *Statistik*, ✝ Index *m*; (Index-)Zahl *f*; ⅌, ⊕ *a.* Kennziffer *f*; ⅌ (Wurzel-)Exponent *m*; ⚗ ~ *de acidez* Säurezahl *f*; ~ *de coste de vida* Lebenshaltungsindex *m*; ~ *de octano* Oktanzahl *f* (*Benzin*); *Met.* ~ *pluviométrico* Regenindex *m*; ✝ ~ *de precios* Preisindex *m.*

indici|ado ⚖ *adj.-su.* verdächtig; **~ar** [1b] *v/t.* anzeigen, hinweisen auf (*ac.*), schließen lassen auf (*ac.*); **~ario** ⚖ *adj.*: *prueba f* **~a** Indizienbeweis *m*; **~o** *m* Anzeichen *n* (von *dat.*, für *dat.* de); ⚖ **~s** *m/pl.* Indizien *n/pl.*

índico *adj.* indisch.

indiferen|cia *f* Gleichgültigkeit *f*; *a.* ⊕ Indifferenz *f*; **~te** *adj. c* gleichgültig (gg.-über *dat. a, con*); teilnahmslos; *a.* ⊕ indifferent; **~tismo** *bsd. Rel. m* Gleichgültigkeit *f*, Indifferentismus *m.*

indígena I. *adj. c* eingeboren; einheimisch; **II.** *c* Eingeborene(r) *m*; Einheimische(r) *m.*

indigencia *f* Armut *f*; Bedürftigkeit *f.*

indigenismo *m Am.* "Indigenismo" *m*, *lit. u. kulturell-soziale Bewegung, die Thematik u. Probleme der Welt der Eingeborenen, bsd. der Indianer, entnimmt u. z. T. die Indianer über die Weißen stellt.*

indigente *adj.-su. c* arm, bedürftig; *m* Arme(r) *m.*

indiges|tarse *v/r. a. fig.* schwer im Magen liegen; *se le indigestó la carne* das Fleisch ist s-m Magen nicht bekommen; **~tión** *f* verdorbener Magen *m*; Verdauungsstörung *f*; *fig.* Übersättigung *f*; **~to** *adj. a. fig.* unverdaulich; *fig.* wirr, konfus.

indig|nación *f* Entrüstung *f*, Empörung *f*; **~nar I.** *v/t.* empören, aufbringen; **II.** *v/r.* ~se s. entrüsten; **~nidad** *f* Unwürdigkeit *f*; Schändlichkeit *f*, Niederträchtigkeit *f*; **~no** *adj.* unwürdig; unehrenhaft; schändlich, niederträchtig.

índigo *m* → *añil.*

indi|o I. *adj.* **1.** indisch; **2.** indianisch; **3.** blau; **II.** *m* **4.** Inder *m*; **5.** Indianer *m*; Indianersprache *f*; *fig.* F *hacer el* ~ **a)** s. dumm stellen; **b)** s. albern benehmen, herumalbern, blödeln F; **6.** ⚗ Indium *n*; **~ófilo** *adj.-su.* indianerfreundlich; *m* Indianerfreund *m.*

indirec|ta *f* Anspielung *f*; Wink *m*; Seitenhieb *m*; *la* ~ *del Padre Cobos* ein Wink mit dem Zaunpfahl; *echar* ~*s* Anspielungen machen; *hablar por* ~*s* durch die Blume sprechen; mit dem Zaunpfahl winken; **~to** *adj.* indirekt (*a. Li.*), mittelbar.

indisciplina *f* Disziplinlosigkeit *f*; Ungehorsam *m*; **~do** *adj.* undiszipliniert; ungehorsam; **~rse** *v/r.* s. wider die Disziplin (*od.* wider Zucht u. Ordnung) auflehnen; ungehorsam sein.

indiscre|ción *f* **1.** Indiskretion *f*, Taktlosigkeit *f*; Aufdringlichkeit *f*; **2.** Unklugheit *f*; **~to** *adj.-su.* **1.** indiskret, taktlos; unbescheiden; **2.** unklug, unvorsichtig.
indiscu|lpable *adj. c* unentschuldbar; **~tible** *adj. c* unbestreitbar; unbestritten, unzweifelhaft; **~tiblemente** *adv.* unbestreitbar, fraglos.
indisolu|bilidad *f* Unauflösbarkeit *f*; **~ble** *adj. c* un(auf)löslich; *fig.* unzertrennlich; *fig.* unauflösbar.
indispensable *adj. c* unerläßlich, unumgänglich; unentbehrlich.
indis|poner [2r] **I.** *v/t.* **1.** unfähig machen; *j-s* Wohlbefinden beeinträchtigen; **2.** verstimmen, verärgern; verfeinden, entzweien (mit *dat. con*); **II.** *v/r.* **~se 3.** krank (*od.* unpäßlich) werden; **4. ~se** *con alg.* s. mit j-m entzweien; **~ponible** *adj. c* unverfügbar; unabkömmlich; **~posición** *f* **1.** Unwohlsein *n*; **2.** Unfähigkeit *f*; **~puesto** *adj.* **1.** unwohl, unpäßlich; **2.** nicht aufgelegt (zu *dat. para*), verstimmt; **3.** entzweit, verfeindet (mit *dat. con*).
indisputable *adj. c* unbestreitbar.
indistin|tamente *adv.* **1.** ohne Unterschied; **2.** undeutlich; **~to** *adj.* **1.** undeutlich; **2.** nicht verschieden.
individu|ación *Psych., Phil. f* Individuation *f*; → *individualización*; **~al** *adj. c* **1.** individuell; persönlich; einzeln; ⚖ *derechos m/pl.* **~es** Rechte *n/pl.* der Person, menschliche Grundrechte *n/pl.*; **2.** *Col., Chi., Ven.* → *idéntico*; **~alidad** *f* **1.** Individualität *f*, Eigenart *f*; Persönlichkeit *f*; **2.** individuelle Behandlung *f*; **~alismo** *m* Individualismus *m*; **~alista** *adj.-su. c* individualistisch; *m* Individualist *m*; *p. ext.* Egoist *m*; **~alización** *f* Individualisierung *f*; **~alizar** [1f] *v/t.* **1.** individualisieren, die Eigentümlichkeit(en) *e-r Person, e-r Sache* hervorheben; **2.** einzeln behandeln (*bzw.* aufzählen); **~almente** *adv.* individuell; einzeln; **~ar** *v/t.* spezifizieren; → *individualizar*; **~o** **I.** *adj.* **1.** unteilbar; **2.** individuell; **II.** *m* **3.** Individuum *n*, Einzelwesen *n*; Person *f*; Mitglied *n*; *desp.* Individuum *n* (*desp.*), Kerl *m* (*desp.*); *fig.* F *cuidar bien de su ~* gut für s. selbst sorgen.
indivi|sibilidad *f* Unteilbarkeit *f*; **~sible** *adj. c* unteilbar; **~sión** *f* Ungeteiltheit *f*; ⚖ Gemeinschaft *f*; **~so I.** *adj.* ungeteilt; *a.* ⚖ gemeinschaftlich; **II.** *m* ⚖ Gemeinschaft *f*; *pro ~* zur gesamten Hand.
indo *adj.-su.* indisch; *m* Inder *m*.
indócil *adj. c* unfolgsam; ungelehrig.
indocilidad *f* Unfügsamkeit *f*; Starrsinn *m*, Unbeugsamkeit *f*; Ungelehrigkeit *f*.
indocto *adj.* ungelehrt.
indocumentado *adj.* **1.** *estar ~* k-e Ausweispapiere haben; **2.** *fig.* kaum bekannt, obskur (*Person*); F unwissend.
indochino *adj.-su.* aus Hinterindien; indochinesisch.
indo|europeo *adj.-su.*, **~germánico** ⚒ *adj. Li.* indogermanisch; *los ~s* die Indogermanen.
índole *f* Wesen *n*, Veranlagung *f*; Art *f*, Beschaffenheit *f*; Natur *f*; *de esta* (*od. de tal*) *~* derartig.
indolen|cia *f* Trägheit *f*; Indolenz *f*; Unempfindlichkeit *f*; **~te** *adj. c* gleichgültig, teilnahmslos, *a.* ⚕ indolent, apathisch.
indoloro *adj.* schmerzlos.
indo|mable *adj. c* un(be)zähmbar, unbezwingbar; unbeugsam; **~mado** *adj.* ungebändigt, wild; **~mesticable** *adj. c* unzähmbar.
indómito *adj.* ungebärdig, widerspenstig; unbeugsam.
indo|nésico *adj.*, **~nesio** *adj.-su.* indonesisch; *m* Indonesier *m*; *Li. das* Indonesische.
indos|tanés I. *adj.* hindustanisch; indisch (*im Ggs. zu „pakistanisch"*); **II.** *m* Inder *m* (*im Ggs. zum „Pakistaner"*); **~taní** *Li. m* Hindustani *n*; **~tánico** *adj.* aus Hindustan; **~tano** *adj.-su.* → *indostanés*.
indubitable *adj. c* unzweifelhaft.
induc|ción *f* **1.** Anstiftung *f*, Verleitung *f*; **2.** Folgerung *f*, *Phil.* Induktion *f*; **3.** ⚡ Induktion *f*; **~ido** ⚡ *m* Anker *m*; **~ir** [3o] *v/t.* **1.** anstiften, verleiten (zu *dat. a, en*); *~ en error* irreführen; **2.** *Am.* provozieren; **3.** folgern (aus *dat. de*); **4.** ⚡ induzieren; **~tancia** ⚡ *f* Induktanz *f*; **~tividad** ⚡ *f* Induktivität *f*; **~tivo** *Phil.*, ⚡ *adj.* induktiv; **~tor I.** *adj.* ⚡ induzierend; ⚒ anstiftend; **II.** *m* ⚡ Induktor *m*, Induktionsapparat *m*.
indudable *adj. c* zweifellos, unzweifelhaft.
indulgen|cia *f* **1.** Nachsicht *f*, Milde *f*; Schonung *f*; **2.** *ecl.* Ablaß *m*; **~ciar** [1b] *ecl. v/t. Gebet usw.* mit e-m Ablaß verbinden; **~te** *adj. c* nachsichtig, milde.
indul|tar I. *v/t.* begnadigen; *~ a alg.* de j-m *et.* erlassen; j-n von *et.* (*dat.*) befreien; **II.** *v/r.* **~se** *Bol.* → *entremeterse*; **~to** *m* Begnadigung *f*; Straferlaß *m*; *ecl.* Indult *m*; *derecho m de ~* Begnadigungsrecht *n*.
indumen|taria *f* **1.** Kleidung *f*; Tracht *f*; **2.** Trachtenkunde *f*; **~tario** *adj.* Kleidungs...; **~to** *m* Kleidung *f*.
induración ⚕ *f* Induration *f*, Verhärtung *f*.
industria *f* **1.** Industrie *f*; Gewerbe *n*; *~ aeronáutica* Luftfahrtindustrie *f*; *~ del automóvil*, *~ automovilística* Auto(mobil)-, Kraftfahrzeug-industrie *f*; *~ básica* (*clave*) Grundstoff-(Schlüssel-)industrie *f*; *~ del carbón y del acero* Montanindustrie *f*; *~ de la construcción* Bauindustrie *f*; *~ doméstica* (*eléctrica*) Heim-(Elektro-)industrie *f*; *~ hotelera* Beherbergungsgewerbe *n*, Hotellerie *f*; *~ láctea* milchverarbeitende Industrie *f*; *~ del libro* Buchgewerbe *n*; *~ ligera* (*pesada*) Leicht-(Schwer-)industrie *f*; *~ de mejoramiento*, *~ de perfeccionamiento*, *~ de refinamiento*, *~ de transformación* Veredelungsindustrie *f*; *~ metalúrgica* Metallindustrie *f*; *~ mercantil* (*pequeña*) Handels- (Klein-)gewerbe *n*; *~ del mueble* Möbelindustrie *f*; *~ petrolífera* Mineralölindustrie *f*; *~ relojera* Uhrenindustrie *f*; *~ textil* Textilindustrie *f*; *~ del transporte* Transportgewerbe *n*; *~ del vestido*, *~ de la confección* Bekleidungs-industrie *f*, -gewerbe *n*; *~ del vidrio* Glasindustrie *f*; *Verw. ejercer una ~* ein Gewerbe ausüben; **2.** Betrieb *m*; Unternehmen *n*; **3.** Fleiß *m*; Geschicklichkeit *f*; †, ⚒ Erfindungskraft *f*, Schlauheit *f*; *adv. de ~* absichtlich.
industria|l I. *adj. c* industriell; Industrie...; Gewerbe...; Werk(s)-...; *arte m ~* Kunstgewerbe *n*; *escuela f ~* Gewerbeschule *f*; *explotación f ~* Gewerbebetrieb *m*; *ramo m ~* Industriezweig *m*; Gewerbezweig *m*; *trabajo m ~* (industrielle) Verarbeitung *f*; Industriearbeit *f*; *vía f* (*od. ferrocarril m*) *~* Werksbahn *f*; **II.** *m* Gewerbetreibende(r) *m*; Industrielle(r) *m*; **~lismo** *m* (absolute) Vorherrschaft *f* der Industrie *im wirtschaftlichen u. politischen System*, „Industrialismus" *m*; **~lización** *f* Industrialisierung *f*; **~lizar** [1f] *v/t.* industrialisieren.
industri|arse [1b] *v/r.* s. zu helfen wissen; **~oso** *adj.* fleißig, emsig; geschickt.
inecuación △ *f* Ungleichung *f*.
inédito *adj.* (noch) unveröffentlicht; *fig.* neu, noch nicht bekannt.
ineduca|ción *f* Mangel *m* an Erziehung (*od.* Bildung); Ungezogenheit *f*; **~do** *adj.* unerzogen; ungezogen.
inefable *adj. c* unaussprechlich, unsagbar.
inefica|cia *f* Unwirksamkeit *f*; **~z** *adj. c* (*pl.* **~aces**) unwirksam, wirkungslos.
inejecutable *adj. c* undurchführbar.
inelegan|cia *f* mangelnde Eleganz *f*; **~te** *adj. c* unelegant; taktlos.
inelegible *adj. c* nicht wählbar.
inelu|ctable *adj. c* unvermeidlich, unabwendbar; **~dible** *adj. c* unumgänglich.
inembargable *adj. c* beschlagnahmefrei; k-m Embargo unterworfen.
inenarrable *adj. c* nicht erzählbar; unsagbar, unaussprechlich.
inencogible *adj. c* nicht einlaufend (*Gewebe*).
inep|cia *f bsd. Am.* Albernheit *f*; *Guat., Hond.* → **~titud** *f* Unfähigkeit *f*, Ungeschicklichkeit *f*; Dummheit *f*; **~to** *adj.* untüchtig, unfähig; ungeeignet; albern.
inequívoco *adj.* eindeutig.
iner|cia *f Phys.* Beharrungsvermögen *n*; *allg. u. Phys.* Trägheit *f*; **~cial** *Phys. adj. c* Trägheits...; **~me** *adj. c* waffenlos; *Biol.* dorn- *bzw.* stachel-los; *fig.* wehrlos; **~te** *adj. c* leblos, tot; regungslos; *a. Phys.* träge.
inervación *f Physiol., Anat.* Innervation *f*.
ines|crutable *adj. c* unerforschlich; **~cudriñable** *bsd. lit., Theol. adj. c* unerforschlich.
inesperado *adj.* unerwartet, unverhofft.
inesta|bilidad *f* Schwankung *f*; Unbeständigkeit *f*; *a. Phys.*, ⊕ Instabilität *f*, Labilität *f*; **~ble** *adj. c* unbeständig (*a.* ☂); *Phys.*, ⊕ instabil, labil; *fig.* unsicher.
inestético *adj.* unästhetisch.
inestimable *adj. c* unschätzbar.
inevitable *adj. c* unvermeidlich, unausbleiblich.
inexac|titud *f* Ungenauigkeit *f*;

Unrichtigkeit *f*; **~to** *adj.* ungenau; unrichtig, falsch; unscharf.
inexcusable *adj. c* **1.** unentschuldbar, unverzeihlich; **2.** unabweisbar; unumgänglich.
inexhaus|tible *adj. c* unerschöpflich; **~to** *adj.* unerschöpft.
inexigi|bilidad *f* Uneintreibbarkeit *f*; Unverlangbarkeit *f*; **~ble** *adj. c* uneintreibbar (*Schuld*); unverlangbar.
inexisten|cia *f* Nichtvorhandensein *n*; Fehlen *n*; Nichtbestehen *n*; **~te** *adj. c* nicht bestehend, nicht vorhanden; *fig.* unbedeutend.
inexora|bilidad *f* Unerbittlichkeit *f*; **~ble** *adj. c* unerbittlich; *ser ~* s. nicht erweichen lassen.
inexpe|riencia *f* Unerfahrenheit *f*; **~rimentado** *neol. adj.* (*bsd. Am.*) **1.** noch nicht erprobt; **2.** → **~rto** *adj.* unerfahren, neu.
inexpiable *adj. c* unsühnbar.
inexplicable *adj. c* unerklärlich, unbegreiflich; **~mente** *adv.* unbegreiflich(erweise).
inexplora|ble *adj. c* unerforschlich; **~do** *adj.* unerforscht.
inexplota|ble *adj. c* nicht verwertbar; ⚒ nicht abbaufähig; **~do** *adj.* nicht in Betrieb (befindlich).
inexpre|sable *adj. c* unaussprechlich, unbeschreiblich, unsagbar; **~sividad** *f* Ausdruckslosigkeit *f*; **~sivo** *adj.* ausdruckslos, nichtssagend.
inexpugnable *adj. c* ⚔ uneinnehmbar; *fig.* unüberwindlich.
inexten|sible *adj. c* nicht ausdehnungsfähig; nicht dehnbar; **~so** *adj.* ausdehnungslos.
inextinguible *adj. c* nicht (aus-) löschbar; unauslöschlich; unstillbar (*Durst*). [(*a. fig.*).]
inextirpable *adj. c* unausrottbar
in extremis *lt. adv.* kurz vor dem Tod; im letzten Augenblick.
inextricable *adj. c* unentwirrbar; verworren, vertrackt F.
infali|bilidad *f a. ecl.* Unfehlbarkeit *f*; absolut sichere Wirkung *f*; **~ble** *adj. c* untrüglich; *a. ecl.* unfehlbar; *a.* ⊕ nie versagend; bombensicher F.
infalsificable *adj. c* unverfälschbar.
infa|mación *f* Entehrung *f*; Verleumdung *f*; **~mador I.** *adj.* verleumdend; **II.** *m* Verleumder *m*; Schänder *m* der Ehre; **~mante** *adj. c* schimpflich; entehrend; *pena f ~* entehrende Strafe *f*; **~mar** *v/t.* entehren, schänden; verleumden; **~me** *adj.-su. c* ehrlos; schmählich, schändlich, niederträchtig, gemein; *¡~!* Schuft!, Schweinehund! P; **~mia** *f* Ehrlosigkeit *f*; Schande *f*, Schmach *f*; Verruchtheit *f*; Gemeinheit *f*, Niederträchtigkeit *f*.
infan|cia *f* Kindheit *f*; *fig.* Anfang *m*, Beginn *m*; *koll.* Kinder *n/pl.*; *enfermedades f/pl. de la ~* Kinderkrankheiten *f/pl.*; **~ta** *f* **1.** Infantin *f* (*span. Prinzessin bzw. Frau e-s Infanten*); **2.** *poet., lit.* kleines Mädchen *n*; **~tado** *m* Gebiet *n* e-s Infanten; **~te** *m* **1.** Infant *m* (*ehm. Titel span. u. port. Prinzen*); **2.** *lit.* kl. Knabe *m*; *~ (de coro)* Chor-, Sänger-knabe *m*; **3.** ⚔ Infanterist *m*; *~ de marina* Marineinfanterist *m*; **~tería** ⚔ *f* Infanterie *f*; *~ blindada* Panzergrenadiere *m/pl.*; *~ de marina* Marineinfanterie *f*; **~ticida** *adj.-su. c* Kindesmörder(in *f*) *m*; **~ticidio** *m* Kindestötung *f*.
infanti|l *adj. c* **1.** kindlich; *a.* ⚕ Kinder...; Jugend...; ⚕ infantil; *amor m ~* Kindesliebe *f*; **2.** kindisch; **~lismo** ⚕ *m* Infantilismus *m*.
infanzón *hist. m Art erbeingesessener* Landedelmann *m*, „Infanzón" *m*.
infarto ⚕ *m* Infarkt *m*; *~ del miocardio* Herzinfarkt *m*.
infatigable *adj. c* unermüdlich.
infatua|ción *f* Selbstgefälligkeit *f*; **~rse** [1e] *v/r.* s. et. einbilden (auf *ac. con*). [voll.]
infausto *adj.* unglücklich; unheil-
infebril *adj. c* fieberlos.
infec|ción ⚕ *f* Infektion *f*, Ansteckung *f*; **~cionar** *v/t.* → *inficionar*; **~cioso** *adj.* ansteckend, infektiös; *foco m ~* Infektionsherd *m*; **~tado** *adj.* infiziert; verseucht; **~tar** ⚕ *v/t.* anstecken, infizieren; verseuchen; **~to** *adj.* verseucht (*a. fig.*); schmutzig (*a. fig.*); stinkend.
infecun|didad *f* Unfruchtbarkeit *f*; Unergiebigkeit *f*; **~do** *adj. a. fig.* unfruchtbar.
infeli|cidad *f* Unglück *n*; Unglückseligkeit *f*; **~z I.** *adj. c* (*pl. ~ices*) unglücklich, arm, bedauernswert; **II.** *c* F armer Tropf *m*; gutmütiger Trottel *m* (*desp.*); **~zmente** *adv.* unglücklicherweise; **~zote** F *m* gutmütiger Trottel *m* (*desp.*).
inferencia *f* (Schluß-)Folgerung *f*.
inferio|r I. *adj. c* **1.** untere(r, -s); niedriger, geringer (als *nom. a*); minderwertig; untergeordnet (j-m *a alg.*); unterlegen (j-m *a alg.*); **2.** Unter...; Nieder...; *labio m ~* Unterlippe *f*; **II.** *m* **3.** Untergeordnete(r) *m*; Untergebene(r) *m*; **~ridad** *f* Unterlegenheit *f*; Minderwertigkeit *f*; *~ numérica* zahlenmäßige Unterlegenheit *f*; *Psych. complejo m de ~* Minderwertigkeitskomplex *m*; **~rmente** *adv.* in geringerem Maße.
inferir [3i] **I.** *v/t.* **1.** folgern, schließen (aus *dat.* de, *por*); **2.** *Beleidigung, Verletzung usw.* zufügen; **II.** *v/r.* **~se 3.** *~se de* erhellen aus (*dat.*), hervorgehen aus (*dat.*).
infernáculo *m Art* Hüpfspiel *n*, „Himmel u. Hölle".
infer|nal *adj. c a. fig.* höllisch, Höllen...; ⚕ *piedra f ~* Höllenstein *m*; *ruido m ~* Höllenlärm *m*; **~nar** [1k] *v/t. Rel.* in die Hölle bringen; *fig.* reizen; wütend machen; **~nillo** *m* → *infiernillo*.
ínfero ⚘ *adj.* unterständig.
infes|tación *f* ⚕, ✐ *u. fig.* Verseuchung *f*; *fig.* Heimsuchung *f*; **~tar** *v/t.* ⚕, ✐ *u. fig.* anstecken, verseuchen, befallen; *fig.* heimsuchen, verheeren; *fig.* überschwemmen (*fig.*); unsicher machen (*Räuberbanden*); *~ado de piojos* verlaust; **~to** *poet. adj.* schädlich.
infeuda|ción *hist. f* Belehnung *f*; **~r** *v/t.* belehnen.
inficionar *v/t.* ⚕ *u. fig.* anstecken, infizieren; verseuchen; verderben.
infi|delidad *f* **1.** Untreue *f* (*a.* ⚖); ⚖ Veruntreuung *f*; *~ en la custodia de presos* Entweichenlassen *n* von Gefangenen; **2.** Ungenauigkeit *f z. B. e-r Beschreibung*; **3.** *Rel.* Unglaube *m*; *koll. die* Ungläubigen *m/pl.*; **~el I.** *adj. c* **1.** untreu; treulos; **2.** *fig.* nicht getreu, ungenau; **3.** *Rel.* ungläubig; **II.** *m* **4.** *Rel.* Ungläubige(r) *m*.
infier|nillo *m* Spirituskocher *m*; **~no** *m* **1.** *a. fig.* Hölle *f*; *Rel. a.* Vorhölle *f*; *Myth. mst. ~s m/pl.* Unterwelt *f*; *pena f de ~* Höllenstrafe *f*; *fig. mandar a alg. al ~* j-n zum Teufel schicken; *fig.* F *vivir en el quinto ~* in e-r weit abgelegenen Gegend wohnen, j.w.d. wohnen F; **2.** *Cu. ein Kartenspiel.*
infigurable *adj. c* nicht vorstellbar.
infijo *Gram. m* Infix *n*.
infiltra|ción *f* **1.** Einsickern *n* (*a. Pol.*); *Pol.*, ⚔ Einschleusung *f*; *Pol.* Unterwanderung *f*; **2.** ⚕ **a)** Infiltration *f*; **b)** Infiltrat *n*; **~r I.** *v/t. a. fig. Pol.*, ⚔ infiltrieren; einflößen; *a. fig.* einsickern lassen; **II.** *v/r.* *~se* einsickern, eindringen (in *ac.* en); *fig. Pol. ~se en et.* unterwandern.
ínfimo *adj.* unterste(r, -s), niedrigste(r, -s); *fig.* minderwertigste(r, -s).
infini|dad *f* Unendlichkeit *f*; *fig.* Unmenge *f*, unendliche Zahl *f*; *~ de veces* unendlich oft; **~tamente** *adv.* unendlich; **~tesimal** *adj. c* unendlich klein; Ꭿ Infinitesimal...; *cálculo m ~* Infinitesimalrechnung *f*; **~tivo** *Gram.* **I.** *adj.* Infinitiv...; **II.** *m* Infinitiv *m*; **~to I.** *adj.* unendlich (*a. Opt., Phot.*); endlos; grenzenlos; zahllos; *lo ~* die Unendlichkeit; das Unendliche; *por tiempo ~* endlos lang; ewig; **II.** *m das* Unendliche; Ꭿ Zeichen *n* der Unendlichkeit (∞); **III.** *adv.* äußerst, sehr, unendlich; **~tud** *f* Unendlichkeit *f*.
infirmar ⚖ *v/t.* → *invalidar* 2.
infla|ción *f* **1.** *a.* ⚕ Aufblähung *f*; Aufblasen *n e-s Ballons*; **2.** *fig.* Aufgeblasenheit *f*, Dünkel *m*; **3.** ⚚ Inflation *f*, Geldentwertung *f*; **~cionismo** *m* Inflationspolitik *f*; **~cionista I.** *adj. c* inflationär, inflatorisch, inflationistisch; **II.** *c* Anhänger *m* e-r inflationistischen Wirtschaftspolitik; **~dor** *m* Aufblase-, Füll-gerät *n für Ballons*; Luftpumpe *f*.
inflama|bilidad *f* Entzündbarkeit *f*; **~ble** *adj. c* entzündbar, feuergefährlich; *fig.* leicht entflammt; **~ción** *f* Entzündung *f*; *~ espontánea* Selbstentzündung *f*; ⚕ *~ de las amígdalas* Mandelentzündung *f*; **~r I.** *v/t.* entzünden (*a.* ⚕); entflammen (*a. fig.*); **II.** *v/r.* *~se* s. entzünden (*a.* ⚕); *fig. ~se de (od. en) ira* in Zorn entbrennen; **~torio** ⚕ *adj.* entzündlich.
infla|r I. *v/t.* aufblasen, aufpumpen; *a. fig.* aufblähen; *fig.* hochmütig machen; **II.** *v/r.* *~se a. fig.* s. aufblähen; s. aufspielen F; **~tivo** *adj.* aufblähend; aufblasend.
inflexi|bilidad *f* Unbiegsamkeit *f*; *fig.* Unbeugsamkeit *f*; **~ble** *adj. c* unbiegsam, steif, starr; *fig.* unbeugsam, unnachgiebig; **~ón** *f* **1.** Biegung *f*; Beugung *f*; Tonfall *m*, Modulation *f der Stimme*; *Li.* Flexion *f*, Beugung *f*; *~ (verbal)* Um-

laut *m*; **2.** *Phys.* Ablenkung *f*, Brechung *f*.

infligir [3c] *v/t. Strafe usw.* auferlegen; *Niederlage* bereiten, beibringen; *Kosten* verursachen.

inflorescencia ⚘ *f* Blütenstand *m*; Blüte *f*.

influen|cia *f* **1.** Einfluß *m*; ~*s f/pl. atmosféricas* Witterungseinflüsse *m/pl.*; *tener* ~ Einfluß haben (auf *ac. sobre*); (gute) Beziehungen haben (zu j-m *con alg.*); einflußreich sein; **2.** *Phys.* Influenz *f*; **~ciar** *v/t.* [1b] *bsd. Am.* → *influir*; **~te** *adj. c* beeinflussend.

influenza ⚕ *f* Influenza *f*.

influ|ir [3g] **I.** *v/t.* beeinflussen; **II.** *v/i.* ~ *en* (*od. sobre*) beeinflussen (*ac.*), Einfluß haben auf (*ac.*), einwirken auf (*ac.*); **~jo** *m* Einfluß *m*, Einwirkung *f*; Ansehen *n*; **~yente** *adj. c* einflußreich.

infolio *m* Folioband *m*; Foliant *m*.

informa|ción *f* **1.** Information *f*, Auskunft *f*; Nachricht *f*; Meldung *f*; *Ankündigungsschild*: ~*ones* Auskunft; ~ *gráfica* Bildbericht *m*; *oficina f de* ~*ones* Auskunft(sbüro *n*) *f*; **2.** Untersuchung *f*; ⚖ *abrir una* ~ ein Untersuchungsverfahren (mit dem Zeugenverhör) einleiten; **~dor** *adj.-su.* Informant *m*; Berichterstatter *m*; Reporter *m*.

informa|l *adj. c* **1.** unzuverlässig; **2.** unförmlich, ungezwungen; Umgangs...; **~lidad** *f* **1.** Unzuverlässigkeit *f*; unreelles Verhalten *n*; **2.** Ungezwungenheit *f*.

infor|mante *adj.-su. c* Informant *m*; **~mar I.** *v/t.* **1.** informieren, unterrichten (über *ac. de, sobre*); **2.** *Phil.* Form (*od.* Gestalt) geben (*dat.*); **II.** *v/i.* **3.** *abs.* Bericht erstatten; ⚖ plädieren; e-e Untersuchung einleiten (gg. *ac. contra*); **III.** *v/r.* ~*se* **4.** s. informieren; s. erkundigen (nach *dat. de*); Erkundigungen einziehen (über *ac. sobre*); **~mativo** *adj.* informativ, unterrichtend; Berichts...; *libro m* ~ Ratgeber *m* (*Buch*); **~me**[1] *m* **1.** Auskunft *f*; Erkundigung *f*; Bericht *m*; Gutachten *n*; ~ *pericial* Sachverständigengutachten *n*; ~ *sobre la situación* Lagebericht *m* (*a.* ⚔, †); *dar* ~*s* Auskunft geben (über *ac. sobre, acerca de*); *pedir* ~*s* um Auskunft bitten (j-n *a alg.*); Auskunft suchen (in e-m Buch *de un libro*); *tomar* ~*s* Erkundigungen einziehen; **2.** ⚖ ~ (*oral*) Plädoyer *n*; **3.** ~*s m/pl.* Referenzen *f/pl.* (*b. Stellenangeboten*).

infor|me[2] *adj. c* formlos, unförmig, ungestalt; **~midad** *f* Unförmigkeit *f*.

infortu|nadamente *adv.* unglücklicherweise; **~nado** *adj.* unglücklich; **~nio** *m* Unglück *n*; Schicksalsschlag *m*.

infrac|ción ⚖ *f* strafbare Handlung *f*, Straftat *f*; Verstoß *m* (gg. *ac. de, a*); ~ *a las normas de la circulación* Verkehrsübertretung *f*; **~tor** *adj.-su.* Rechtsbrecher *m*.

infraestructura *f* ⊕ Unterbau *m*; ⚔, † Infrastruktur *f*.

in fraganti *adv.* auf frischer Tat, in flagranti.

infrahumano *adj.* untermenschlich; nicht mehr erträglich (*od.* zumutbar) *für Menschen*.

infran|gible *adj. c* unzerbrechlich; **~queable** *adj. c* unpassierbar, unüberschreitbar; *fig.* unüberwindlich.

infraoctava *kath. f* Infraoktav *f*.

infrarrojo *adj.* Infrarot..., infrarot.

infrascri(p)to I. *adj.* daruntergeschrieben; **II.** *m* Unterzeichnete(r) *m*.

infrasonido *Phys. m* Infraschall *m*.

infrecuente *adj. c* selten.

infringir [3c] ⚖ *v/t.* verstoßen gg. (*ac.*), übertreten (*ac.*), zuwiderhandeln (*dat.*).

infruc|tífero *adj.* unfruchtbar (*a. fig.*); *fig.* nutzlos; **~tuosidad** *f* Nutzlosigkeit *f*; **~tuoso** *adj.* unnütz, nutzlos.

infrutescencia ⚘ *f* Infruteszenz *f*.

ínfula *f kath.* (*mst.* ~*s f/pl.*) *u. hist.* Inful *f*; *fig. tener muchas* ~*s* s. sehr viel einbilden; *tener* ~*s de músico* s. einbilden, ein guter Musiker zu sein.

infumable *adj. c* nicht rauchbar (*Tabak*).

infundado *adj.* grundlos; unbegründet.

infundia *f Am.* → *enjundia*.

infundíbulo *Anat. m* Trichter *m*, Infundibulum *n*.

infun|dio *m* Ente *f* (*fig.*), Lüge *f*, (ausgestreutes) Gerücht *n*; **~dioso** *adj.* lügnerisch; lügenhaft; **~dir** *v/t. Vertrauen, Schrecken usw.* einflößen.

infu|sible *adj. c* unschmelzbar; **~sión** *f* **1.** Aufgießen *n* des Wassers *b. der Taufe*; **2.** ⚕ **a)** Infusion *f*; **b)** Aufguß *m*; (Kräuter-)Tee *m*; **~so** *adj. Theol.* eingegossen, eingegeben; *fig.* angeboren, naturgegeben (*Kenntnis, Eigenschaft*); **~sorio** *Biol. m* Aufgußtierchen *n*; ~*s m/pl.* Infusorien *n/pl.*

ingá ⚘ *m Am. trop.* Zuckerhülsenbaum *m*.

ingenia|r [1b] **I.** *v/t.* ersinnen, ausdenken; **II.** *v/r.* ~*se* s. (hin)durchfinden; auf Mittel sinnen; ~*se por conseguirlo* s. et. einfallen lassen, um es zu erreichen; **~tura** F *f* Erfindungsgabe *f*, Geschick *n*, List *f*.

ingenie|ría *f* Ingenieurtechnik *f*; Ingenieurwissenschaft *f*; *licenciado m en* ~ Diplomingenieur *m*; **~ro** *m* Ingenieur *m*; ⚔ ~*s m/pl.* (*militares*) Pioniertruppe *f*; ~ *aeronáutico* Luftfahrtingenieur *m*; ~ *agrónomo* (*Span.*), *Am. a.* ~ *agrícola* Diplomlandwirt *m*; *Span.* ~ *de caminos, canales y puertos* Straßenbau-, Tiefbau-ingenieur *m*; ~ *civil* (Zivil-) Ingenieur *m*; *Span.* ~ *industrial* Wirtschaftsingenieur *m*; ~ (*en*) *jefe* Chefingenieur *m*, Oberingenieur *m*; ~ *mecánico* Maschinenbauingenieur *m*; ~ *de minas etwa*: Berg-assessor *m bzw.* -ingenieur *m*; *Span.* ~ *de montes etwa*: Forstwirt *m*; *Span.* ~ *naval* Schiffsbauingenieur *m*; ~ *químico etwa*: Chemotechniker *m*; ~ *de sonido* Toningenieur *m*; *Span.* ~ *de telecomunicación* Fernmeldeingenieur *m*.

ingenio *m* **1.** Geist *m*, Witz *m*; Erfindungsgabe *f*; *afilar* (*od. aguzar*) *el* ~ s-n Geist anstrengen; **2.** Genie *n*, großer Geist *m*; geistreicher Mensch *m*; **3.** Kunstgriff *m*; **4.** ⊕ Anlage *f*, Apparatur *f*, Vorrichtung *f*; *Typ.* Beschneidemaschine *f*; *neol.* ⚔ Geschoß *n*, Sprengkörper *m*; † Kriegsmaschine *f*; **5.** *Am.* **a)** Zukkerrohrpflanzung *f*; **b)** Zuckerfabrik *f*; **~sidad** *f* Scharfsinn *m*; Erfindungsgeist *m*; Genialität *f*; *iron.* Verstiegenheit *f*; **~so** *adj.* **1.** erfinderisch, findig F; geistreich, witzig; **2.** sinnreich, durchdacht.

ingénito *adj.* angeboren; von Natur aus vorhanden.

ingente *adj. c* ungeheuer groß, gewaltig.

ingenu|a *Thea. f* Naive *f*; **~idad** *f* Treuherzigkeit *f*; Naivität *f*; **~o** *adj.* arglos; einfältig, naiv.

inge|rencia *f* Einmischung *f* (in *ac. en*); **~rir** [3i] **I.** *v/t.* (hinunter-) schlucken; zu s. nehmen; ⚕ einnehmen, schlucken; **II.** *v/r.* ~*se* → *injerirse*; **~stión** *f* (Hinunter-) Schlucken *n*; Einnahme *f*.

ingle *Anat. f* Leiste *f*, Leistenbeuge *f*.

in|glés I. *adj.* englisch; *damas f/pl.* ~*esas* Englische Fräulein *n/pl.*; **II.** *m* Engländer *m*; *Li. das* Englische; ✎ F Gläubiger *m*; **~glesa** *f* Engländerin *f*; **~glesismo** *m* → *anglicismo*.

inglete ⊕, *Zim. m* Gehrung *f*.

ingobernable *adj. c* nicht zu regieren(d); unlenkbar.

ingra|titud *f* Undankbarkeit *f*; **~to** *adj.* undankbar (*Mensch, Aufgabe, Ackerboden*); unangenehm; *Spr. de* ~*s está el mundo lleno* Undank ist der Welt Lohn.

in|gravidez *Phys. u. fig. f* Schwerelosigkeit *f*; **~grávido** *adj.* schwerelos; gewichtlos, leicht.

ingrediente *m* Bestandteil *m* (*a. pharm.*); Zutat *f*; ~*s m/pl.* Ingredienzen *f/pl.* (*a. Kchk.*).

ingre|sar I. *v/i.* eintreten (in *ac. en*); ⚕ eingeliefert werden; † ~ *en caja* eingehen (*Geld*); ⚔ als Wehrpflichtiger erfaßt werden; **II.** *v/t. Geld* einzahlen; **~so** *m* **1.** Eintritt *m*; ⚕ Einlieferung *f*; Aufnahme *f*; (*examen m de*) ~ Aufnahmeprüfung *f*; **2.** † Eingang *m*; Einnahme *f*; ~*s m/pl.* Einkommen *n*, Einkünfte *pl.*; ~*s fiscales* Staats-, Steuer-einnahmen *f/pl.*; ~*s mensuales* Monatseinkommen *n*.

íngrimo *adj. Am.* (ganz) allein, einsam, verlassen.

inguinal ⚕ *adj. c* Leisten...; *hernia f* ~ Leistenbruch *m*.

ingurgitar *v/t.* (hinunter)schlucken, verschlingen.

inhábil *adj. c* unfähig, ungeschickt; ⚖ *día m* ~ Feiertag *m*.

inhabili|dad *f* Unfähigkeit *f*, Ungeschicklichkeit *f*, Untauglichkeit *f*; **~tación** ⚖ *f* Erklärung *f* der Unfähigkeit *für Ämter, als Zeugen usw.*; ~ *absoluta* Aberkennung *f* der öffentlichen bürgerlichen Ehrenrechte; **~tar** ⚖ **I.** *v/t.* für unfähig erklären; **II.** *v/r.* ~*se para el empleo* s-e Amtsbefugnisse verlieren.

inhabita|ble *adj. c* unbewohnbar; **~do** *adj.* unbewohnt.

inhala|ción ⚕ *f* Inhalation *f*, Einatmung *f*; **~dor** *m* Inhaliergerät *n*, Inhalationsapparat *m*; **~r I.** *v/t.* inhalieren, einatmen; **II.** *v/i. kath.* in Kreuzesform hauchen (*Ölweihe*).

inheren|cia *f* Verbundenheit (mit

dat. a); 🕮, ⊕ Inhärenz *f*; **~te** *adj. c*: ~ (*a*) verbunden, verknüpft (mit *dat.*); innewohnend (*dat.*), 🕮, ⊕ inhärent (*dat.*).

inhibi|ción *f Biol., Psych.* Hemmung *f*; ⚖ Untersagung *f*; Ablehnung *f e-s Richters*; **~r I.** *v/t.* untersagen; *Biol., Psych.* hemmen; **II.** *v/r.* ~*se de* s. aus *et.* (*dat.*) heraushalten; s. enthalten (*gen.*); **~toria** ⚖ *f* Geltendmachung *f* der Unzuständigkeit des Gerichts; **~torio** *adj.* hemmend; ⚖ Verbots...

inhospita|lario *adj.* ungastlich; unwirtlich; **~lidad** *f* Ungastlichkeit *f*.

inhóspito *lit. adj.* → *inhospitalario*.

inhuma|ción *f* Beerdigung *f*; **~nidad** *f* Unmenschlichkeit *f*; **~no** *adj.* unmenschlich; **~r** *v/t.* beerdigen.

inicia|ción *f* **1.** Einweihung *f*, Einführung *f* (in *ac. a, en*); *Ethn., Rel.* Initiation *f*; **2.** Beginn *m*, Inangriffnahme *f*; *Phys.* ~ *de las vibraciones* Schwingungserregung *f*; **~do** *adj.-su.* eingeweiht; *m* Eingeweihte(r) *m*; **~dor I.** *adj.* **1.** einführend; bahnbrechend; **II.** *m* **2.** Förderer *m*, Bahnbrecher *m*, Initiator *m*; Einweihende(r) *m*; **3.** *Ballistik*: ~*es m/pl.* Zündstoffe *m/pl.*; **~l I.** *adj. c* anfänglich, Anfangs...; *velocidad f* ~ Anfangsgeschwindigkeit *f*; **II.** *f* Anfangsbuchstabe *m*, Initiale *f*; **~r** [1b] **I.** *v/t.* **1.** beginnen, anfangen; einleiten, anbahnen; **2.** einführen (in *ac. en*), vertraut machen (mit *dat. en*); einweihen; **II.** *v/r.* ~*se* **3.** ~*se en* s. mit *et.* (*dat.*) vertraut machen; **4.** beginnen; s-n Anfang nehmen; **~tiva** *f* Anregung *f*, Anstoß *m*; Unternehmungsgeist *m*; Initiative *f*; *Pol.* ~ *popular* Volksbegehren *n*; *a* ~ *de* auf Anregung von (*dat.*); *tener mucha* ~ unternehmungslustig sein; viel Initiative haben; *tomar la* ~ (*de a/c.*) den Anstoß geben (zu et. *dat.*), die Initiative ergreifen (zu et. *dat.*).

inicuo *adj.* ungerecht; ruchlos.

in illo témpore *lt. adv. fig.* in alten Zeiten, zu Olims Zeiten F.

inimaginable *adj. c* unvorstellbar; unglaublich.

inimitable *adj. c* unnachahmlich.

inimputa|bilidad *f* Nichtanrechnungsfähigkeit *f*; **~ble** *adj. c* nicht anrechnungsfähig.

ininflamable *adj. c* nicht entzündbar.

ininte|ligible *adj. c* unverständlich; unleserlich; **~rrumpido** *adj.* ununterbrochen.

iniquidad *f* Ungerechtigkeit *f*; Unbilligkeit *f*; Gemeinheit *f*.

injerir [3i] **I.** *v/t.* **1.** *Sonde usw.* einführen; ~ *cemento en las grietas* die Spalten mit Zement ausfüllen; **2.** *fig.* mit einbegreifen; **II.** *v/r.* ~*se* **3.** s. einmischen (in *ac. en*).

injer|tar *v/t.* **1.** ⚘ *Reis* einpfropfen; *Baum* pfropfen; **2.** ⚕ *Gewebe* überpflanzen; **3.** ⊕ *Rohr* ein-, an-setzen; **~tera** ⚘ *f* Baumschule *f*; **~to** *m* **1.** ⚘ **a)** Pfropfreis *n*; **b)** Pfropfen *n*; Okulieren *n*; **2.** ⚕ **a)** Transplantation *f*; **b)** Transplantat *n*; **3.** ⊕ Abzweigrohr *n*.

injuri|a *f* **1.** Beleidigung *f* (*a.* ⚖); Beschimpfung *f*; ⚖ ~ *de obra* (*de palabra*) Real- (Verbal-)injurie *f*; **2.** †, ⚓ *u. Am. Cent.* Schaden *m*; **~ador** *adj.-su.* Beleidiger *m*; **~ante** *adj. c* beleidigend; **~ar** [1b] *v/t.* beleidigen; beschimpfen; †, ⚓ schädigen, beeinträchtigen; **~oso** *adj.* beleidigend; ausfallend, ausfällig.

injus|ticia *f* Ungerechtigkeit *f*; Unrecht *n*; **~tificable** *adj. c* nicht zu rechtfertigen(d); **~tificado** *adj.* ungerechtfertigt; **~to** *adj.* ungerecht; widerrechtlich; unberechtigt; ungerechtfertigt (*a.* ⚖).

inmaculado *adj.* unbefleckt; makellos; *kath. la* ⁓*a Concepción* die Unbefleckte Empfängnis; *Ku. la* ⁓*a* die Immaculata.

inmaduro *adj.* unreif (*a. fig.*).

inmanejable *adj. c* unhandlich; *fig.* unlenksam, störrisch.

inmanen|cia *Phil. f* Immanenz *f*; **~te** *adj. c Phil.* immanent; innewohnend.

inmar|cesible, ~chitable *adj. c* unverwelklich; ewig.

inmateria|l *adj. c* geistig; *Phil.*, ⚖ immateriell; **~lidad** *f* Unkörperlichkeit *f*; **~lismo** *Phil. m* Immaterialismus *m*; **~lizar** [1f] *v/t.* entmaterialisieren; vom Stofflichen befreien.

inmaturo *adj. bsd. fig.* unreif.

inmedia|ción *f* **1.** (unmittelbare) Nähe *f*; ~*ones f/pl.* nächste Umgebung *f*; **2.** ⚖ unmittelbare Rechtsnachfolge *f im Erbrecht*; **~ta** F *f* unmittelbare Folge *f*; **~tamente** *adv.* unmittelbar; sofort, unverzüglich; **~tez** *f* Unmittelbarkeit *f*; **~to** *adj.* **1.** direkt, unmittelbar; unverzüglich; sofortig; *Arg., Bol. adv. de* ~ auf der Stelle; **2.** nächst(gelegen); angrenzend (an *ac. a*); ~ *a* ... neben ... (*dat.*) gelegen.

inme|dicable *adj. c* unheilbar; **~jorable** *adj. c* einwandfrei; unübertrefflich, vorzüglich.

inmemo|rable, ~rial *adj. c* uralt; weit zurückliegend; *desde tiempos* ~(*e*)*s* seit Menschengedenken, seit unvordenklichen Zeiten.

inmen|sidad *f* Unermeßlichkeit *f*; unermeßliche Weite *f*; *fig.* ungeheure Menge *f*; **~so** *adj.* unermeßlich; überaus groß; **~surable** *adj. c* unmeßbar; kaum meßbar.

inmerecido *adj.* unverdient.

inmer|gir [3c] *v/t.* eintauchen; ⊕ tauchen; **~sión** *f a. Astr., Phys.*, ⚕, ⊕ Immersion *f*; Eintauchen *n*; ⚓ Eintauchtiefe *f*; **~so** *adj.* versunken (*bsd. fig.*).

inmigra|ción *f* Einwanderung *f*; **~nte** *c* Einwanderer *m*; **~r** *v/i.* einwandern (in *ac.*, nach *dat. a*); **~torio** *adj.* Einwanderungs...; *corriente f* ~*a* Einwandererstrom *m*.

inminen|cia *f* nahes Bevorstehen *n*; drohende Nähe *f*; ~ *del peligro* unmittelbar bevorstehende Gefahr *f*; **~te** *adj. c* nahe bevorstehend, drohend; *ser* ~ nahe bevorstehen, drohen.

inmis|cible *adj. c* unmischbar; **~cuir** [*inmiscúo, inmiscúes* ... *od.* 3g] *v/t.* mischen; ~*se fig.* s. einmischen (in *ac. en*).

inmobiliario *adj.* Grundstücks..., Immobiliar..., Boden...

inmode|ración *f* Unmäßigkeit *f*; **~rado** *adj.* unmäßig, maßlos; übermäßig; **~stia** *f* Unbescheidenheit *f*; **~sto** *adj.* unbescheiden.

inmódico *adj.* unmäßig; übermäßig.

inmola|ción *f* Opferung *f*; Aufopferung *f*; **~r I.** *v/t. Rel. u. fig.* opfern; **II.** *v/r.* ~*se a. fig.* s. (auf-) opfern (für *ac. por*).

inmora|l *adj. c* unsittlich; unmoralisch; anstößig; (*hombre m*) ~ *m* ausschweifender Mensch *m*; Wüstling *m*; **~lidad** *f* Sittenlosigkeit *f*; Immoralität *f*; **~lismo** *Phil. m* Immoralismus *m*.

inmorta|l I. *adj. c* unsterblich; unvergänglich; **II.** *m* Unsterbliche(r) *m*; **III.** *f* ⚘ Immortelle *f*; **~lidad** *f* Unsterblichkeit *f*; **~lizar** [1f] *v/t.* unsterblich machen; verewigen.

inmotivado *adj.* grundlos, unmotiviert; unberechtigt.

inmovible *adj. c* bewegungsunfähig; unbeweglich.

inmóvil *adj. c* unbeweglich; fest.

inmovili|dad *f* Unbeweglichkeit *f*; Bewegungs-, Regungs-losigkeit *f*; **~smo** *m* Fortschrittsfeindlichkeit *f*; Starrheit *f des Denkens*; **~zación** *f* **1.** Fest-legung *f*, -stellung *f*, Fixieren *n*; Stillegung *f*; **2.** † feste Anlage *f* (*Kapital*); ~*ones f/pl.* Anlagevermögen *n*, -kapital *n*; **3.** ⚕ Ruhigstellung *f*; **4.** ⚖ Immobilisierung *f*; Einschränkung *f* des Rechts auf Veräußerung; **~zar** [1f] *v/t.* **1.** unbeweglich machen; *a. Fahrzeug* stillegen; ⊕ fest-stellen, -legen, fixieren; *fig.* lähmen; **2.** † *Kapital* (fest) anlegen; **3.** ⚕ stillegen, ruhigstellen; **4.** ⚖ *bewegliche Güter* immobilisieren.

inmueble ⚖ **I.** *adj. c* unbeweglich (*Gut*); **II.** *m* Grundstück *n*; Gebäude *n*; ~*s m/pl.* Grundstücke *n/pl.*, Immobilien *pl.*

inmun|dicia *f a. fig.* Schmutz *m*, Unrat *m*; **~do** *adj. a. fig.* unrein, schmutzig; *Rel. espíritu m* ~ unreiner Geist *m*, Teufel *m*.

inmu|ne *adj. c* **1.** ⚕, *Pol.* immun (⚕ gg. *ac. a, contra*); *fig.* unantastbar; **2.** befreit *von gewissen Abgaben, Leistungen*; **~nidad** *f* **1.** ⚕, *Pol., Parl.*, ⚖ Immunität *f* (*Pol., Parl.* aufheben *levantar*); *allg.* Unverletzbarkeit *f*; Unantastbarkeit *f*; **2.** Befreiung *f von gewissen Abgaben usw.*; ~ *fiscal* Steuerfreiheit *f der Diplomaten*; **~nización** ⚕ *f* Immunisierung *f*; **~nizar** [1f] *v/t.* ⚕ *a. fig.* immunisieren, immun machen (gg. *ac. contra*); *allg.* unempfänglich machen (für *ac. contra*); **~nología** *f* Immunbiologie *f*.

inmuta|bilidad *f* Unveränderlichkeit *f*; **~ble** *adj. c* unveränderlich, unwandelbar; stets gleich(bleibend); unerschütterlich; **~ción** *f* **1.** Veränderung *f*, Wandlung *f*; **2.** Bestürzung *f*; **~r I.** *v/t.* **1.** verändern, umwandeln; **2.** aufregen; **II.** *v/r.* ~*se* **3.** verstört werden; *mst. sin* ~*se* ohne s. erschüttern zu lassen, gelassen (bleibend).

inna|tismo *Phil. m* Nativismus *m*; **~to** *adj.* angeboren; Erb...; **~tural** *adj. c* unnatürlich.

innavegable *adj. c* nicht schiffbar.

inne|cesario *adj.* unnötig; **~gable** *adj. c* unleugbar; unbestreitbar;

~gociable ☿ *adj. c* nicht handels- *bzw.* bank- *od.* börsen-fähig.
innoble *adj. c* gemein, niedrig.
innocuo *adj.* → *inocuo.*
innominado *adj.* namenlos; unbenannt; *Anat. hueso m ~* → *ilíaco.*
innova|ción *f* Neuerung *f*; Neuheit *f* (*a.* ⊕); **~dor** *adj.-su.* neuerungsfreudig; *m* Neuerer *m*; Bahnbrecher *m*; **~r** [1m] *v/t.* Neuerungen (*od.* Neuheiten) einführen (*od.* durchführen) in *bzw.* bei (*dat.*).
innumerable *adj. c* unzählig, zahllos; unzählbar.
inobedien|cia *f* Ungehorsam *m*; Nichtbefolgung *f*; **~te** *adj. c* ungehorsam (gg. *ac. a*); nicht Folge leistend (*dat. a*).
inobservancia *f* Nichtbeachtung *f*; Nichtbefolgung *f*.
inocen|cia *f* Unschuld *f*; Harmlosigkeit *f*; **~tada** *f* **1.** naives Wort *n* (*bzw.* Verhalten *n*); **2.** *Folk.* Scherz *m am 28. Dezember, nach Art der Aprilscherze*; *dar ~s* Scherze *dieser Art* machen (vgl. „in den April schicken"); **~te I.** *adj. c* **1.** unschuldig; schuldlos; *~ de* nicht schuldig (*gen.*); **2.** harmlos, unschuldig; einfältig, naiv; **II.** *m* **3.** Unschuldige(r) *m*; *Rel. día de los ♀s* Fest *n* der Unschuldigen Kinder (*28. Dezember*); **~tón** F *adj.-su.* dämlich F, einfältig; *m* Einfaltspinsel *m* F, Naivling *m* F.
inocu|idad *f* Unschädlichkeit *f*; Harmlosigkeit *f*; **~lable** ⚕ *adj. c* (über)impfbar; **~lación** *f* ⚕ (Über-) Impfung *f*; *a. fig.* Einimpfung *f*; **~lar** *v/t.* ⚕ inokulieren; *fig. ~ a alg. a/c.* j-m et. einimpfen, j-n mit et. (*dat.*) anstecken.
inocultable *adj. c* nicht zu verbergen(d).
inocuo *adj.* unschädlich; harmlos.
inodo|ridad *f* Geruchlosigkeit *f*; **~ro I.** *adj.* geruchlos; **II.** *adj.-su. m* (*aparato m*) *~* Geruchbeseitiger *m* (*im WC*); *~ m* WC *n*.
inofensivo *adj.* harmlos (*a. fig.*), unschädlich (*a.* ⚗).
inoficioso *adj.* **1.** ⚖ unter Umgehung der gesetzlichen Erbfolge errichtet (*Testament*); **2.** *Am.* (*außer And. u. Ven.*) nutzlos, unwirksam.
inolvidable *adj. c* unvergeßlich.
inopera|ble ⚕ *adj. c* inoperabel; **~ncia** *f* Wirkungslosigkeit *f*; **~nte** *adj. c* wirkungslos; ⚖ ungeeignet (*Beweismittel*).
inopia *f* Mittellosigkeit *f*, Not *f*; *fig. estar en la ~* zerstreut (*bzw.* ahnungslos) sein.
inopina|ble *adj. c* nicht (als Auffassung) vertretbar; **~do** *adj.* unerwartet, unvermutet; unvorhergesehen.
inoportu|nidad *f* Unzweckmäßigkeit *f*; ungelegene Zeit *f*; **~no** *adj.* ungelegen (*pred. ser* kommen); unpassend, unangebracht.
inorgánico *adj.* **1.** *a.* ⚗ anorganisch; **2.** unorganisch.
inoxidable *adj. c* rostfrei, nichtrostend.
in púribus F: (*estar*) wie Gott sie (*bzw.* ihn *usw.*) geschaffen hat, splitternackt.
inquebrantable *adj. c* unzerbrechlich; *fig.* unverbrüchlich, eisern.
inquie|tador *adj.-su.* beunruhigend; **~tante** *adj. c* beunruhigend; besorgniserregend, bedrohlich; **~tar I.** *v/t.* **1.** beunruhigen, (aus der Ruhe) aufstören; besorgt machen; **2.** ⚖ *im Besitz* stören; **II.** *v/r.* *~se* **3.** s. sorgen, s. Gedanken machen (wegen *gen. con, de, por*); s. Sorgen machen (um *ac. por*); *¡no ~se!* ruhig bleiben!; **~to** *adj.* **1.** unruhig; ruhelos; ängstlich, besorgt; **2.** P *Guat., Hond.* → *aficionado, propenso*; **~tud** *f* Unruhe *f*; Beunruhigung *f*, Besorgnis *f*.
inquili|naje *m Chi.*, **~nato** *m* Mietzins *m*; (*impuesto m de*) *~* Hauszinssteuer *f*; **~no** *m* **1.** Mieter *m*; **2.** *Chi.* Pachtbauer *m*, *der gg. Arbeitsleistung Haus u. Grund zur Eigennutzung erhält*; **3.** *Biol.* Inquilin *m*, Einmieter *m*; **4.** *Am. oft* → *habitante.*
inquina *f* Abneigung *f*; Groll *m*; *tener ~ a alg.* j-n nicht ausstehen können, e-n Pik auf j-n haben F.
inqui|rente *m*, **~ridor I.** *adj.* forschend; untersuchend; **II.** *m* Nachforscher *m*; Untersucher *m*; **~rir** [3i] *v/t.* untersuchen; herausbekommen, erfahren; **~sición** *f* **1.** Nachforschung *f*, Untersuchung *f*; **2.** *hist.* ♀ Inquisition *f*; Kerker *m* der Inquisition; **~sidor I.** *adj.* forschend, prüfend; **II.** *m hist.* Inquisitor *m*; *Gran ♀* Großinquisitor *m*; **~sitivo** *adj.* forschend; **~sitorial** *adj. c*, **~sitorio** *adj. a. fig.* Inquisitions..., inquisitorisch.
INRI *m* I.N.R.I. *n* (*Kreuzesinschrift*); *fig. ponerle a alg. el ♀* j-n verhöhnen (*od.* schmähen).
insaciable *adj. c a. fig.* unersättlich.
insacular *v/t. Lose, Stimmzettel* (in e-e Urne) sammeln.
insalivar *v/t.* einspeicheln.
insa|lubre *adj. c* ungesund; gesundheitsschädlich; **~nable** *adj. c* unheilbar; **~nia** *f* Wahnsinn *m*; **~no** *adj.* wahnsinnig; *barb.* ungesund.
insa|tisfacción *f* Unzufriedenheit *f*; **~tisfecho** *adj.* nicht zufrieden; unzufrieden; **~turable** *adj. c* unersättlich.
inscri|bir [3a; *part. inscri(p)to*] **I.** *v/t.* **1.** einschreiben, eintragen (in *ac. en*); anmelden (zu *dat. para*); ☿ *a.* buchen; **2.** ∡ ein(be)schreiben; *inscripto* einbeschrieben; **II.** *v/r. ~se* **3.** s. eintragen; s. anmelden; **~pción** *f* **1.** Inschrift *f*; *~ funeraria* Grab(in)schrift *f*; **2.** Einschreiben *n*, Eintragung *f*; Anmeldung *f*; **3.** ∡ Einbeschreibung *f*; **~ptor** ⚡ *m*: *~ por chispas* Funkenschreiber *m*.
insecable *adj. c* nicht trocknend; unaustrockenbar.
insec|ticida *adj. c-su. m* insektentötend(es Mittel *n*, Insektizid *n*); *polvos m/pl. ~s* Insektenpulver *n*; **~tívoro** *Biol. adj.-su. m* Insektenfresser *m*; **~to** *m* Insekt *n*; **~tología** *f* Insektenkunde *f*.
insegu|ridad *f* Unsicherheit *f*; Schwanken *n*, Zweifel *m*; **~ro** *adj.* unsicher; unbeständig, schwankend.
insemina|ción *Biol. f*: *~ (artificial)* (künstliche) Befruchtung *f*; *vet.* Besamung *f*; **~r** *v/t.* (künstlich) befruchten; *vet.* besamen.
insensa|tez *f* Tollheit *f*; Verrücktheit *f*; **~to** *adj.-su.* toll; verrückt, unsinnig.
insensi|bilidad *f* Unempfindlichkeit *f*; *a. fig.* Gefühllosigkeit *f*; ⚕ *~ total* vollständige Empfindungslosigkeit *f*; ⊕ *~ a los choques* Stoßunempfindlichkeit *f*; **~bilizador** ⚕ *m* Betäubungsmittel *n*; **~bilizar** [1f] *v/t.* unempfindlich machen; ⚕ *a.* betäuben; **~ble** *adj. c* **1.** empfindungslos; *a. fig.* unempfindlich, gefühllos (gg. *ac. a*); ⊕ *~ a los golpes* schlagunempfindlich; *~ a la luz* lichtecht; **2.** kaum wahrnehmbar (*od.* merklich); unmerklich; **~blemente** *adv.* unmerklich; (nur) allmählich.
inseparable *adj. c* untrennbar; unzertrennlich; **~mente** *adv.*: *~ unidos* untrennbar (*bzw.* unzertrennlich) verbunden.
insepulto *adj.* unbestattet.
inser|ción *f* Einschaltung *f*; Einrücken *n*; Annoncieren *n*, Inserieren *n*; Inserat *n*; *Anat.* Ansatz *m*; **~tar I.** *v/t.* einschalten; einfügen; *a. Getriebe* einrücken; *Anzeige* aufgeben, (*in die Zeitung*) einrücken (lassen); **II.** *v/r. ~se Biol.* einwachsen; *Anat.* ansetzen; **~to** *adj.* eingerückt; ein-, an-gewachsen.
inservible *adj. c* unbrauchbar.
insidi|a *f* Hinterlist *f*; *~s f/pl.* Ränke(spiel *n*) *pl.*; **~ar** [1b] *v/t. j-m* nachstellen; **~oso** *adj.* hinter-listig, -hältig, ränkevoll.
insig|ne *adj. c* berühmt; vorzüglich, ausgezeichnet; **~nia** *f* Abzeichen *n*; Ehrenzeichen *n*; *~s f/pl.* Insignien *pl.*
insignifican|cia *f* Geringfügigkeit *f*; Unbedeutendheit *f*; **~te** *adj. c* geringfügig; unbedeutend; nichtssagend.
insince|ridad *f* Unaufrichtigkeit *f*; **~ro** *adj.* unaufrichtig, treulos, falsch.
insinua|ción *f* **1.** Andeutung *f*, Anspielung *f*; Unterstellung *f*; **2.** Einschmeichelung *f*; *Rhet.* Captatio *f* benevolentiae; **~nte** *adj. c* einschmeichelnd, einnehmend, verführerisch; **~r** [1e] **I.** *v/t.* andeuten, nahelegen; unterstellen, insinuieren; **II.** *v/r. ~se a. fig.* s. einschleichen; **~tivo** *adj.* einschmeichelnd, verführerisch; andeutend.
in|sipidez *f a. fig.* Schalheit *f*, Geschmacklosigkeit *f*; **~sípido** *adj. a. fig.* schal, fade, geschmacklos.
insipiente *adj. c* unwissend; dumm.
insis|tencia *f* Drängen *n*; Nachdruck *m*; Bestehen *n* (auf *dat. en*); **~tente** *adj. c* beharrlich; nachdrücklich, eindringlich; **~tir** *v/i. abs.* darauf bestehen (*od.* beharren); *~ en* auf *et.* (*ac.*) dringen; beharren (*od.* bestehen) auf (*dat.*); *fig. et.* betonen; beharrlich bleiben bei (*dat.*); F *ya que usted insiste* wenn Sie durchaus wollen (, nehme ich's); *¡no insistas tanto!* nun dräng' doch nicht so!; hör' auf mit der Quengelei! F (*zu e-m Kind*).
insobornable *adj. c* unbestechlich.
insocia|bilidad *f* Ungeselligkeit *f*; **~ble, ~l** *adj. c* ungesellig.
insola|ción *f* Sonnenein-wirkung *f*; -strahlung *f*; ⚕ Sonnenstich *m*; **~r**

I. *v/t.* dem Sonnenlicht aussetzen; besonnen; **II.** *v/r.* ~se ⚕ e-n Sonnenstich erleiden.

insoldable *adj. c* nicht lötbar; nicht schweißbar.

insolen|cia *f* Unverschämtheit *f*; Anmaßung *f*; **~tar I.** *v/t.* unverschämt machen; **II.** *v/r.* ~se unverschämt werden (j-m gg.-über *con alg.*); **~te** *adj. c* unverschämt, frech, patzig F.

insólito *adj.* ungewohnt; ungewöhnlich.

insoluble *adj. c* **1.** unlösbar; **2.** ⚗ unlöslich; ~ *en alcohol* nicht alkohollöslich.

insoluto *adj.* unbezahlt (*Schuld*).

insolven|cia *f* Zahlungsunfähigkeit *f*, Insolvenz *f*; **~te** *adj. c* zahlungsunfähig, insolvent.

insom|ne *adj. c* schlaflos; **~nio** *m* Schlaflosigkeit *f*.

insondable *adj. c* nicht auslotbar; *fig.* unergründlich.

insono|rización *Phys.*, ⊕ *f* Schalldämmung *f*; **~rizar** [1f] *Phys.*, ⊕ *v/t.* schalldicht (*bzw.* schalltot) machen; ~*ado* schalldicht; **~ro** *adj.* ton-, klang-los; schalldicht; *Phon.* → *sordo.*

insoportable *adj. c* unerträglich.

insospecha|ble *adj. c* kaum zu vermuten(d), überraschend; **~do** *adj.* unvermutet, unerwartet.

insostenible *adj. c a. fig.* unhaltbar.

inspec|ción *f* **1.** Besichtigung *f*; Beaufsichtigung *f*; *bsd.* ⊕ (Über-)Prüfung *f*; Wartung *f*; Kontrolle *f*, Inspektion *f*; ⚔ Musterung *f*; *Verw.* ~ *aduanera* Zollbeschau *f*; ⊕ ~ *funcional* Funktionsprüfung *f*; ⚖ ~ *ocular* Augenschein(seinnahme *f*) *m*; Lokaltermin *m*; ~ *radiográfica* Durchleuchtung *f v. Material*; *vet.* ~ *de la carne* Fleischbeschau *f*; **2.** Aufsicht *f* (*Amt u. Gebäude od. Raum*); *Am. oft* Kommissariat *n*; **~cionar** *v/t.* besichtigen; inspizieren; beaufsichtigen; untersuchen; ⚔ mustern; *bsd.* ⊕ überprüfen; überwachen; **~tor** *m* Aufseher *m*; Inspektor *m*; ~ *de ferrocarriles* (*de policía*) Eisenbahn-(Polizei-)inspektor *m*; ⚒ ~ *minero* Steiger *m*; ~ *de matadero* Fleischbeschauer *m*; **~toría** *f Chi.* → *comisaría de policía.*

inspira|ción *f* **1.** Einatmung *f*, Inspiration *f*; Atemzug *m*; **2.** *Theol. u. fig.* Inspiration *f*, Eingebung *f*; **~dor I.** *adj.* **1.** inspirierend; begeisternd; **2.** *Anat. músculo m* ~ Atemmuskel *m*; **II.** *m* **3.** Anreger *m*, Inspirator *m*; **~nte** *adj. c* inspirierend; **~r I.** *v/t.* **1.** einatmen; **2.** *fig.* einflößen, eingeben; begeistern, anregen, inspirieren; **II.** *v/r.* ~se **3.** ~se *en s.* Anregung holen bei (*dat.*); s. leiten (*bzw.* begeistern) lassen von (*dat.*); **~tivo** *adj. Anat.* Einatmungs...; *fig.* inspirierend, anregend.

instable *adj. c* → *inestable.*

instala|ción *f* **1.** *a.* ⊕ Einrichtung *f*; Aufstellung *f*; Einbau *m*; **2.** Einführung *f*, Einweisung *f in ein Amt*; Installation *f e-s Geistlichen*; **3.** ⊕ Anlage *f*, Installation *f*; Vorrichtung *f*, Gerät *n*; Einrichtung *f*; Ausstattung *f*; ~ *de traducción simultánea* Simultandolmetschanlage *f*; → *a. aparato, dispositivo*; **~dor** *m* Monteur *m*; Verleger *m v. Kabeln usw.*; **~r I.** *v/t.* **1.** einrichten; **2.** *in ein Amt* einführen, einweisen; **3.** ⊕ einrichten; aufstellen; einbauen, installieren; *al* ~ *el dispositivo* beim Einbau des Geräts; **II.** *v/r.* ~se **4.** s. einrichten; s. niederlassen.

instancia *f* **1.** Gesuch *n*; Eingabe *f*; Ersuchen *n*; *a* ~ *de* auf Ersuchen (*gen.*); ⚖ *a* ~ *de parte* auf Antrag; *hacer* (*od. elevar, presentar*) *una* ~ ein Gesuch einreichen; **2.** dringende Bitte *f*; *a* ~*s de* auf inständiges Bitten (*gen.*); **3.** ⚖ Instanz *f*; *resolver en última* ~ in letzter Instanz entscheiden; *fig.* F *en última* ~ wenn alle Stricke reißen (*fig.* F).

instan|tánea *Phot. f* Momentaufnahme *f*; Schnappschuß *m*; **~táneo** *adj.* augenblicklich; plötzlich, sofortig; plötzlich eintretend; *causar la muerte* ~*a* den Tod auf der Stelle herbeiführen; **~te** *m* Augenblick *m*; *a cada* ~ immer wieder, dauernd; *al* ~ sofort; *en un* ~ im Nu; *por* ~*s* unaufhörlich; schnell.

instar I. *v/t.* **1.** dringend bitten, drängen (, zu + *inf. a* [*od. para*] *que* + *subj.*); **2.** † *Lösung* kritisieren, angreifen; **II.** *v/i.* **3.** dringend (*od.* eilig) sein, eilen; *v/impers. insta que escribas* du mußt sofort schreiben; **4.** ~ *para a/c.* dringend um et. (*ac.*) ersuchen; ~ *por* + *inf.* darauf dringen, zu + *inf.*

instaura|ción *f* Begründung *f*, Errichtung *f*; Wiederherstellung *f*; **~dor** *adj.-su.* Begründer *m*; **~r** *v/t.* errichten, begründen; wiederherstellen, erneuern; *Gesetz u. Recht* einführen; *Ordnung* stiften; **~tivo** *adj.* Begründungs...; Einsetzungs...; Erneuerungs...

instiga|ción *f* Anstiftung *f* (zu *dat. a*); **~dor** *adj.-su.* aufhetzend; *m* Anstifter *m*; **~r** [1h] *v/t.*: ~ (*a*) anstiften (zu *dat.*), aufhetzen (zu *dat.*); antreiben (zu *dat.*).

instila|ción *f* Einträufeln *n*; **~dor** *m* Tropfenzähler *m*; **~r** *v/t.* (ein-)träufeln.

instin|tivo *adj.* instinktiv; unwillkürlich; **~to** *m* Instinkt *m*, (Natur-)Trieb *m*; ~ *de conservación* Selbsterhaltungstrieb *m*; ~ *del ritmo* angeborenes Gefühl für (den) Rhythmus; ~ *sexual* Sexual-, Geschlechtstrieb *m*; *adv. por* ~ aus Instinkt; instinktiv; unwillkürlich.

institu|ción *f* **1.** Ein-, Er-richtung *f*; Stiftung *f*, Gründung *f*; Einsetzung *f*; ⚖ Einsetzung *f in ein Amt*; ⚖ ~ *de heredero* Erbeinsetzung *f*; *Rel.* ~ *de un sacramento* Einsetzung *f e-s Sakraments*; **2.** Anstalt *f*; Institution *f*, Einrichtung *f*; ~*ones f/pl.* (staatliche) Institutionen *f/pl.*; **3.** ~*ones f/pl.* Hand-, Elementarbuch *n*; **4.** *las* ≈*ones* → *Instituta*; **5.** *in der älteren Sprache oft* = *instituto*; **~cional** *adj. c bsd.* ⚖ institutionell; **~idor** *adj.-su.* Stifter *m*, (Be-)Gründer *m*; **~ir** [3g] *v/t.* **1.** stiften, gründen; er-, ein-richten; **2.** einsetzen; ernennen; ~ *a alg.* (*por*) *heredero* j-n zum (*od.* als) Erben einsetzen; **≈ta** *f* (*oft* ~*s f/pl.*) *die römischen* Rechtsinstitutionen *od.* Institutionen *f/pl.* Justinians; **~to** *m* Institut *n*; Anstalt *f*; *ecl. öfter* Gesellschaft *f*, Kongregation *f*; ~(*s*) *m*(*/pl.*) *armado*(*s*) bewaffnete Macht *f als Verfassungsinstrument*; ~ *bancario* Bankinstitut *n*; ~ *de belleza* Schönheits-, Kosmetik-salon *m*; ~ *de enseñanza* Lehranstalt *f* (*Gymnasium, Mittelschule, Berufsfachschule*); ≈ *Español de Moneda Extranjera* Span. Devisenbewirtschaftungsstelle *f*; ~ *de investigación* (*científica*) (wissenschaftliches) Forschungsinstitut *n*; *Span.* ~ *laboral* Berufsfachschule *f*; ~ *religioso* Ordensgesellschaft *f*; unter Ordensleitung stehende Schule *f*; **~tor I.** *adj.-su.* → *instituidor*; **II.** *m Col.* Volksschullehrer *m*; **~triz** *f* Erzieherin *f*, Gouvernante *f*; **~yente** *adj. c* → *instituidor.*

instru|cción *f* **1.** Schulung *f*, Unterricht *m*, Unterweisung *f*; ⚔ ~ (*militar*) Ausbildung *f*; ~ *cívica* Bürger-, Gemeinschafts-kunde *f*; ⚖ ~ *jurídica* Rechtsbelehrung *f*; ~ *primaria* Grundunterweisung *f*; Grundschulunterricht *m*; Volksschulwesen *n*; **2.** (wissenschaftliche) Bildung *f*; Wissen *n*, Kenntnisse *f/pl.*; *sin* ~ ungebildet; **3.** *oft* ~*ones f/pl.* Anweisung *f*, Vorschrift *f*; Verhaltungsmaßregel *f*; *Verw., Dipl.* Weisung *f*, Instruktion *f*; ~*ones f/pl. de servicio* (*od. para el manejo*) Bedienungsanleitung *f*; ~*ones para el uso* Gebrauchsanweisung *f*; *dar* ~*ones* (An-)Weisungen geben (*od.* erteilen); **4.** ⚖ Untersuchung *f*; ~ *previa* (gerichtliche) Voruntersuchung *f*; **~ctivo** *adj.* belehrend; lehrreich, instruktiv; **~ctor I.** *adj.* unterweisend; ⚖ Untersuchungs...; **II.** *m* Lehrer *m*, Instrukteur *m*; ⚔ Ausbilder *m*; ✈ ~ *de vuelo* (*od. de pilotaje*) (Militär-)Fluglehrer *m*; **~ido** *adj.* gebildet; **~ir** [3g] **I.** *v/t.* anweisen, instruieren; unterweisen, unterrichten; belehren (*a.* ⚖); *a.* ⚔ schulen, ausbilden; **II.** *vt/i.* ⚖ *abs.* tätig werden (*Richter*); ~ *el sumario*, ~ (*las*) *diligencias* Ermittlungen anstellen (*od.* in die Wege leiten); **III.** *v/r.* ~se s. bilden; ~se *de* s. über *et.* (*ac.*) informieren.

instrumen|tación ♪ *f* Instrumentierung *f*; **~tal I.** *adj. c* **1.** ♪ Instrumental...; **2.** ⚖ dokumentarisch, Urkunds...; **II.** *m* **3.** Instrumente *n/pl.*, Arbeitsgerät *n*; ⚕ Instrumentarium *n*; Besteck *n*; **4.** ♪ Orchesterbesetzung *f*; **5.** *Li.* Instrumentalis *m*; **~tar** ♪ *v/t.* instrumentieren; **~tista** ♪ *c* Instrumentalist *m*; **~to** *m* **1.** Instrument *n*, Werkzeug *n*, Gerät *n*; ✈ ~*s m/pl. de a bordo* Bordinstrumente *n/pl.*; **2.** ♪ Musikinstrument *n*; ~ *de arco* (*de cuerda*) Streich- (Saiten-)instrument *n*; ~ *de percusión* (*de viento*) Schlag-(Blas-)instrument *n*; **3.** ⚖ Urkunde *f*, Dokument *n*; ~ *público* öffentliche Urkunde *f*; ~ *de prueba* Beweisstück *n*.

insubordina|ción *f* Widersetzlichkeit *f*, Unbotmäßigkeit *f*; *a.* ⚔ Gehorsamsverweigerung *f*; **~do** *adj.-su.* widersetzlich, unbotmäßig; aufständisch; **~r I.** *v/t.* zur Widersetzlichkeit führen; **II.** *v/r.* ~se den Gehorsam verweigern.

insubsanable *adj. c* nicht wiedergutzumachen(d); *fig.* nicht heilbar.

insubstancia|l *adj. c* substanzlos, gehaltlos; unbedeutend; **~lidad** *f* Substanz-, Gehalt-losigkeit *f*; Leere *f*, Bedeutungslosigkeit *f*.

insuficien|cia *f* Unzulänglichkeit *f*; Mangel *m*; *bsd.* ⚕ Insuffizienz *f*; **~te** *adj. c* unzulänglich; nicht ausreichend, ungenügend.

insufla|ción ⚕ *f* Insufflation *f*; **~r** ⚕ *v/t.* einblasen.

insufrible *adj. c* unerträglich; unausstehlich.

ínsula † *f* Insel *f*; *fig. lit.* kl. Reich *n* (*in Anspielung auf Sancho Panzas Insel Barataria im „Quijote“*).

insular *adj. c* Insel...

insuli|na *pharm. f* Insulin *n*; **~noterapia** ⚕ *f* Insulinbehandlung *f*.

insul|sez *f a. fig.* Fadheit *f*, Geschmacklosigkeit *f*; **~so** *adj. a. fig.* fade, geschmacklos; abgeschmackt.

insul|tada *f Am.* (Serie *f* von) Beleidigungen *f/pl.*; **~tador** *adj.-su.* Beleidiger *m*; **~tante** *adj. c* beleidigend; **~tar** *v/t.* beleidigen; **~to** *m* Beleidigung *f*, Beschimpfung *f*.

insumable *adj. c* nicht zs.-zählbar; nicht zs.-faßbar.

insumergible ⚓ *adj. c* unsinkbar.

insumi|sión *f* Widerspenstigkeit *f*; **~so** *adj.-su.* widerspenstig; ungehorsam.

insuperable *adj. c* unüberwindlich; *fig.* unübertrefflich.

insur|gente *adj.-su. c* aufständisch; *m* Aufständische(r) *m*; **~rección** *f* Aufstand *m*, Erhebung *f*, Empörung *f*, Insurrektion *f*; **~reccional** *adj. c* Aufstands...; **~reccionar I.** *v/t.* zum Aufstand treiben; **II.** *v/r.* ~se s. erheben (gg., wider *ac.* contra); **~recto** *adj.-su.* aufständisch; *m* Aufständische(r) *m*, Insurgent *m*; Revolutionär *m*.

insustituible *adj. c* unersetzlich.

inta|cto *adj.* unberührt; unversehrt; **~chable** *adj. c* tadellos, einwandfrei.

intangi|bilidad *f a. fig.* Unberührbarkeit *f*; *fig.* Unantastbarkeit *f*; **~ble** *adj. c* unberührbar; unantastbar.

integérrimo *sup. zu íntegro adj.* ganz makellos (*Charakter*).

integra|ble *adj. c* 𝔄 *u. fig.* integrierbar; **~ción** *f* 𝔄, *Pol.* Integrierung *f*, *a.* ✝, *Soz.* Integration *f*; **~cionista** *Pol. c* Gegner *m* der Rassentrennung; **~l I.** *adj. c* vollständig; 𝔄 Integral...; 𝔄 *cálculo m* ~ Integralrechnung *f*; *pan m* ~ *Art* Vollkornbrot *n*; **II.** *adj.-su. m* (*signo m*) ~ Integralzeichen *n*; **III.** *f* 𝔄 Integral *n*; ~ *principal* Grundintegral *n*.

íntegramente *adv.* vollständig, ganz.

inte|grando 𝔄 *m* Integrand *m*; **~grante** *adj. c* integrierend; wesentlich; *parte f* ~ (integrierender) Bestandteil *m*; wesentlicher Teil *m* (*des Ganzen*); **~grar** *v/t.* **1.** ausmachen, bilden; **2.** 𝔄, *Pol.*, *Soz.* integrieren; *fig.* einfügen (in *ac.* en); **3.** (zurück)erstatten; **~gridad** *f* **1.** Vollständigkeit *f*; *a. fig.* Unversehrtheit *f*; **2.** Unbescholtenheit *f*; Rechtschaffenheit *f*, Redlichkeit *f*, Integrität *f*; **~grismo** *m span. politische Bewegung, konservativ-traditionalistisch.*

íntegro *adj.* **1.** vollständig, ganz; unversehrt; **2.** rechtschaffen, redlich; integer; unbescholten.

intelec|tiva ⚒ *f* Verstandeskraft *f*; **~tivo** *adj.* Verstandes...; **~to** *m* Intellekt *m*; **~tual I.** *adj. c* intellektuell, geistig; Verstandes..., Geistes...; *facultad f* ~ geistige Kraft *f* (*bzw.* Fähigkeit *f*); *trabajador m* ~ Geistesarbeiter *m*; **II.** *m* Intellektuelle(r) *m*; Verstandesmensch *m*; **~tualidad** *f* **1.** Geistigkeit *f*, Verstandesmäßigkeit *f*, Begrifflichkeit *f der Anschauung*; **2.** Intellektuelle(n) *m/pl.*, Intelligenz *f*; **~tualismo** *Phil.*, *Psych. m* Intellektualismus *m*; **~tualista** *adj.-su. c* intellektualistisch; *m* Intellektualist *m*; **~tualizar** [1f] *v/t.* intellektualisieren; *a.* durch- (*bzw.* ver-)geistigen; **~tualmente** *adv.* geistig.

inteli|gencia *f* **1.** Intelligenz *f*; Klugheit *f*, Verstand *m*; *cociente m de* ~ Intelligenzquotient *m*; **2.** Verstehen *n*, Begreifen *n*; Einsicht *f*, Verständnis *n*; *a mayor* ~ *diré ...* zum besseren Verständnis möchte ich sagen ...; **3.** Auffassung *f*, Annahme *f*, Meinung *f*; *lo hice en la* ~ *de ayudarle* ich war der Auffassung, ihm damit zu helfen; **4.** Sinn *m*, Bedeutung *f*; *llegar a la* ~ *de a/c.* die Bedeutung (*od.* den Sinn) e-r Sache erfassen; **5.** *Phil.*, *Theol.* Geist *m*, geistiges Wesen *n*; **6.** Einvernehmen *n*; Verständigung *f*; *llegar a una* ~ s. einigen, zu e-r Verständigung gelangen; *tener ~s con el enemigo* mit dem Feind in Verbindung stehen; **7.** *Am. servicio m de* ~ Nachrichtendienst *m*; **~gente** *adj. c* **1.** denkend, mit Verstand (*od.* Intelligenz) begabt; **2.** einsichtig, verständnisvoll; intelligent, klug, gescheit; bewandert (in *dat.* en); **~gibilidad** *f* **1.** Verständlichkeit *f*; **2.** *Phil.* intelligible Artung *f*; **~gible** *adj. c* **1.** verständlich; vernehmlich; **2.** *Phil.* intelligibel.

intelligentsia *russ. f* Intelligenzija *f*; *fig. die „Intelligenz“*.

intempe|rante *adj. c* zügellos, maßlos; **~rie** *f* Unbilden *pl.* der Witterung; *adv. a la* ~ im Freien, unter freiem Himmel; bei Wind u. Wetter.

intempesti|vamente *adv.* zur Unzeit; **~vo** *adj.* unzeitgemäß; zu unpassender Zeit.

intemporal *neol. adj. c* zeitlos, ewig.

inten|ción *f* **1.** Absicht *f*; Vorsatz *m*, Vorhaben *n*, Plan *m*, Zweck *m*; *Phil.* Intention *f*; *~ones f/pl. para el futuro* Zukunftspläne *m/pl.*; *segunda* ~ Hintergedanke *m*; Hinterhältigkeit *f*; *adv. con* ~ absichtlich; *con (la)* ~ *de* + *inf.* in der Absicht, zu + *inf.*, damit + *ind.*, um zu + *inf.*; *adv. con primera* ~ offen; *adv. con segunda* ~ hinterhältig; *adv. de primera* ~ vorläufig, fürs erste; *curar de primera* ~ *e-m Verletzten* erste Hilfe leisten; *adv. sin* ~ absichtslos; unwillkürlich; *tener (la)* ~ *de* + *inf.* beabsichtigen, zu + *inf.*; *tener malas ~ones* böse Absichten haben; böswillig sein; **2.** *kath. decir una misa por* ~ *de alg.* für j-n e-e Messe lesen; **3.** *fig.* Verschlagenheit *f*, Tücke *f*; *de* ~ bösartig (*Pferd*); **~cionado** *adj.* vorsätzlich (*a.* ⚖); absichtlich; *bien* ~ guten Willens; wohlwollend; ehrlich, aufrichtig; *mal* ~ böswillig; **~cional** *adj. c* absichtlich; *Phil.* intentional.

intenden|cia *f* Verwaltung *f*; ⚔ Intendantur *f*; Beschaffungsamt *n*; **~te** *m* Verwalter *m*; ⚔ Verwaltungsoffizier *m bzw.* -beamte(r) *m*; *hist. Am. Reg.* Bürgermeister *m*; *Span.* ~ *mercantil* Betriebsberater *m*; Betriebswirt *m*.

inten|sidad *f* Intensität *f*, Stärke *f*; Nachdruck *m*; ⊕ Kraft *f*; *Phon.* Druckstärke *f*; 🚂 Streckenbelastung *f*; ⚡ ~ *de campo* Feldstärke *f*; ~ (*de la corriente*) Stromstärke *f*; (*corriente f de*) ~ *baja* Schwachstrom *m*; ~ *del sonido*, ~ *sonora* Lautstärke *f*; **~sificación** *f* Verstärkung *f* (*a. Phot.*); Intensivierung *f*; Ausbau *m* (*Handel*); **~sificador I.** *adj.* verstärkend; **II.** *m* Verstärker *m* (*a. Phot.*); **~sificar** [1g] *v/t.* verstärken, steigern, intensivieren; **~sivo** *adj.* **1.** ✓ *cultivo m* ~ intensive Bewirtschaftung *f*; **2.** ⚒ verstärkend; **3.** → **~so** *adj.* nachdrücklich; stark, tief; intensiv; heftig.

inten|tar *v/t.* **1.** ~ (+ *inf.*) beabsichtigen, vorhaben, versuchen (zu + *inf.*); *Phil.* intendieren; **2.** ⚖ *Prozeß* anstrengen; **~to** *m* Absicht *f*, Vorhaben *n*; Vorsatz *m*; Versuch *m*; *adv. de* ~ absichtlich; **~tona** *f* gewagtes Unternehmen *n*; *Pol.* (*mst.* gescheiterter) Putsch *m*.

ínter I. *adv.*: *en el* ~ → *en el ínterin*; **II.** *prp.* F ~ *nos* unter uns, unter vier Augen.

inter|acción *f* Wechselwirkung *f*; **~aliado** *adj.-su.* interalliiert; die Verbündeten betreffend; verbündet; *hist.* zur „Entente“ gehörig; **~americano** *adj.* interamerikanisch; **~andino** *adj.* interandin; *comercio m* ~ Handel *m* zwischen den Andenländern; **~articular** *adj. c* in (*od.* zwischen) den Gelenken liegend; **~astral** *adj. c* interastral; **~atómico** *adj.* interatomar, zwischen (den) Atomen.

inter|cadente *adj. c* ungleichmäßig; unregelmäßig (*Puls*); **~calar I.** *adj. c* eingeschoben; Schalt...; *día m* ~ Schalttag *m*; **II.** *v/t.* ein-schalten, -schieben; ⊕ *Getriebe* einrücken; ⚡, ⊕ vor-, zwischen-schalten; **~cambiable** *adj. c* austauschbar; **~cambiador** ⊕ *m*: ~ *térmico* Wärmeaustauscher *m*; **~cambio** *m* Austausch *m*; ~ *comercial* Handel(saustausch) *m*; ~ *de opiniones* Meinungsaustausch *m*.

inter|ceder *v/i.* einschreiten, interzedieren (*a.* ⚖); s. verwenden (für *ac.* por); **~celular** *Biol. adj. c* interzellulär; **~cepción** *f* Abfangen *n*; Unterbrechung *f*; ⚔ *cohete m de* ~ Abfangrakete *f*; **~ceptación** *f* *Phys.* Unterbrechung *f*, Hemmen *n*, Auffangen *n e-r Bewegung*; Abfangen *n z. B. e-s Briefs*; Abhören *n e-s Ferngesprächs*; Sperrung *f*, Unterbrechung *f e-r Verbindung*; **~ceptar** *v/t.* unterbrechen, abstoppen, sperren; *Bewegung* auffangen; *Briefe,* ⚔ *Flugzeug, Rakete* abfangen; *Ferngespräch* abhören; **~ceptor I.** *adj.-su. m* **1.** ⚔ (*avión m, caza m*) ~ Abfangjäger *m*; **II.** *m* **2.** ⊕ ~ *de retroceso de la llama* Rückschlagsicherung *f*; **3.** ⚡ *Am. oft für* → *interruptor*; **~cesión** *f* Vermittlung *f*, Fürsprache *f*; Einspruch *m*; Interzession *f* (*a.* ⚖); **~cesor** *m* Vermittler *m*, Fürsprecher *m*; Bürge *m*; **~cesoriamente** *adv.* vermittelnd; als Bürge.

inter|colu(m)nio △ *m* Säulenweite *f*; **~comunal** *adj. c* zwischengemeindlich; **~comunicación** *f* wechselseitige Verbindung *f*; *Tel.* ~ (*en dúplex*) → **~comunicador** *Tel. m* Gg.-sprechanlage *f*; **~conexión** *f* (Zwischen-)Verbindung *f*; ⚡ Verbundschaltung *f*; **~confesional** *Rel. adj. c* inter-, über-konfessionell; **~continental** *adj. c* interkontinental; **~costal** *Anat. adj. c* Interkostal..., Zwischenrippen...; **~cultural** *adj. c*: *relaciones f/pl.* ~*es* Beziehungen *f/pl.* zwischen den Kulturen; **~currente** ⚕ *adj. c* hinzukommend, interkurrierend.

inter|decir [3p] ⚒ *v/t.* verbieten; **~dental I.** *adj. c* ⚕, *Phon.* interdental; **II.** *f*, *m Phon.* Interdental *m*, Zwischenzahnlaut *m*; **~dependencia** *f* gg.-seitige Abhängigkeit *f*; **~dependiente** ⚒ *adj. c* vonea. abhängig (*Politik, Preise*); **~dicción** *f* **1.** Untersagung *f*; Verbot *n*; **2.** ⚖ ~ *civil* Strafentmündigung *f*; **~dicto** *m* **1.** Verbot *n*; *kath.* Interdikt *n*; **2.** ⚖ Entmündigte(r) *m*; **~digital** *Zo. adj. c* zwischen den Fingern (*bzw.* den Zehen); *membrana f* ~ Schwimmhaut *f*.

inter|-empresa *adj.-su. inv.*: *relaciones f/pl.* (de) ~ innerbetriebliche Beziehungen *f/pl.*; **~empresarial** *neol. adj. c* innerbetrieblich.

interés *m* **1.** Interesse *n* (für *ac. por*); Beteiligung *f* (*a.* ⚚), (An-)Teilnahme *f*; *adv. con* ~ interessiert, aufmerksam; *sin* ~ *adj.* unwichtig, uninteressant; *a. adv.* teilnahmslos, uninteressiert; ⚖ ~ *en una causa* Befangenheit *f*; *despertar* ~ Interesse erwecken, Aufmerksamkeit erregen; *sentir* (*od. tener*) ~ *por* Gefallen finden an (*dat.*); *tener* ~ *por* s. interessieren für (*ac.*); daran interessiert sein, zu + *inf.*; *tener* ~ *en* **a)** an *et.* (*dat.*) interessiert sein, s. für *et.* (*ac.*) interessieren; **b)** ⚚ an *e-m Geschäft* beteiligt sein; *tengo* (*mucho*) ~ *en que* + *subj. a.* es liegt mir (viel) daran, daß + *ind.*; **2.** Interesse *n*, Nutzen *m*; Bedeutung *f*, Wichtigkeit *f*; Wert *m*; Vorteil *m*, Gewinn *m*; *Vers.* ~ *asegurado* Versicherungswert *m*; ~*eses creados* Interessenverknüpfung *f*, -verflechtung *f*; ~ *general* allgemeines Interesse *n*; Interesse *n* der Allgemeinheit, Gemeinnutz *m*; *en* ~ *público* im öffentlichen Interesse; *libro m de gran* ~ sehr bedeutendes Buch *n*; *está en su* ~ es liegt in Ihrem Interesse; es *de* (*od. tiene*) ~ *para usted* es ist wichtig für Sie; *es de* ~ *vital* es ist lebenswichtig; **3.** ~ (*personal, particular*) Eigennutz *m*; *obrar por* ~ eigennützig handeln; **4.** Reiz *m*; *el* ~ *de esta música está en la instrumentación* der Reiz dieser Musik liegt in der Instrumentierung; **5.** Neigung *f*, Liebe *f*; **6.** ⚚ Zins(en) *m*(*/pl.*); ~*eses m/pl.* Zinsen *m/pl.*; *a* ~ *adj.* verzinslich; *adv.* auf Zins; *sin* ~ zins-los, -frei; unverzinslich; ~*eses m/pl. acreedores* (*deudores*) Haben-, Passiv- (Soll-, Aktiv-)zinsen *m/pl.*; ~*eses crecidos* hohe Zinsen *m/pl.*; ~ *compuesto* Zinseszins *m*; ~ *efectivo* Effektivverzinsung *f*; ~ *fijo* fester Zins *m*; ~ *legal* **a)** gesetzlicher Zins *m*; **b)** → ~*eses moratorios* (*od. de demora*) Verzugszinsen *m/pl.*; ~ *nominal* Nominalzinsen *m/pl.*; ~ *simple* einfacher Zins *m*; *cómputo m* (*od. cálculo m*) *de* ~*eses* Zinsrechnung *f*; *cupón m de* ~*eses* Zinsschein *m*; *tabla f de* ~*eses* Zinstabelle *f*; *tipo m de* ~ Zins-fuß *m*, -satz *m*; *abonar un* ~ *del* 6 % 6 % Zinsen vergüten; *dar* (*tomar*) *dinero a* ~ Geld auf Zinsen ausleihen (aufnehmen); *dar* (*od. producir, arrojar, devengar*) ~ Zinsen tragen (*od.* abwerfen); *elevar* (*reducir*) *el tipo de* ~ den Zinssatz erhöhen (senken); **7.** † Glücksgüter *n/pl.*; Vermögen *n*.

intere|sable *adj. c* gewinnsüchtig; **~sado I.** *adj.* **1.** interessiert; beteiligt; ⚖ *parte f* ~*a* Beteiligte(r) *m*; Betroffene(r) *m*; Vertragschließende(r) *m*; *empleado m* ~ (am Geschäft) beteiligte(r) Angestellte(r) *m*, Teilhaber *m*; ⚕ *órgano m* ~ betroffenes Organ *n*; *estar* ~ *en a/c.* **a)** an et. (*dat.*) interessiert sein; **b)** an et. (*dat.*) beteiligt sein; ⚚ ~ *en comprar* kauflustig; **2.** selbst-, eigen-süchtig; gewinnsüchtig; **II.** *m* **3.** Interessent *m*; Beteiligte(r) *m*; Betroffene(r) *m*; ⚚ Teilhaber *m*; *auf Formularen*: *firmado por el* ~ eigenhändige Unterschrift *f*, eigenhändig unterschrieben; **4.** Amateur *m*, Liebhaber *m*; **~sante** *adj. c* interessant; wichtig, bedeutsam; **~sar I.** *v/t.* **1.** interessieren, Anteil nehmen lassen; Teilnahme erwekken bei (*dat.*); ~*le a alg. a favor de* (*od. gal. a*) *a/c.* j-n für et. (*ac.*) interessieren; j-n für et. (*ac.*) (zu) gewinnen (suchen); **2.** angehen, betreffen; *esta lesión interesa los riñones* diese Verletzung zieht die Nieren in Mitleidenschaft; **3.** interessieren; reizen, packen, mitreißen; *a. v/i.* spannend (*od.* interessant) sein; **4.** *Geld* anlegen (in *dat. en*); ~ *a alg.* en j-n an *e-m Geschäft* beteiligen; **II.** *v/impers.* **5.** *interesa que* + *subj.* es ist wichtig, daß + *ind.*; **III.** *v/r.* ~*se* **6.** ~*se por a/c.* s. für et. (*ac.*) interessieren; für et. (*ac.*) Anteilnahme (be)zeigen; *bsd.* ⚚ auf et. (*ac.*) reflektieren; **~sencia** *f* persönliche Anwesenheit *f*.

interestelar *Astr. adj. c* interstellar.

inter|fase 🕮, ⊕ *f* Zwischenphase *f*; **~fecto** ⚖ *adj.-su.* getötet.

interfe|rencia *f Phys.* Interferenz *f*; *HF a.* Schwebung *f*; *fig.* Einmischung *f*; Überschneidung *f v. Rechten, Patenten usw.*; **~rir** [3i] **I.** *v/i. Phys.* interferieren; *fig.* s. einmischen; **II.** *v/t.* überlagern; überschneiden; **III.** *v/r.* ~*se* s. überlagern.

inter|foliar [1b] *v/t. Buch* (mit Papier) durchschießen; **~fono** *m* Sprechanlage *f*; ~ *de portería* Türsprechanlage *f*.

inter|gubernamental *adj. c* zwischen den Regierungen, Regierungs...; **~humano** *adj.* zwischenmenschlich, unter den Menschen.

ínterin I. *m* Zwischenzeit *f*; Interim *n*; *en el* ~ → **II.** *adv.* ⚒ inzwischen; **III.** *cj.* ⚒ während, solange.

interi|nar *v/t. Amt* vorübergehend innehaben; **~nato** *m Arg., Chi., Hond.*, **~nidad** *f* Interimslösung *f*; Interim *n*; vorübergehende Vertretung *f e-s Amtes*; **~no I.** *adj.* einstweilig, interimistisch; stellvertretend; Zwischen...; **II.** *m* (Amts-, Stell-)Vertreter *m*.

interio|r I. *adj. c* **1.** innere(r, -s); Innen...; Binnen...; *comercio m* ~ Binnenhandel *m*; *ropa f* ~ Unterwäsche *f*; *vida f* ~ Innenleben *n*; **II.** *m* **2.** *das* Innere; △, ⊕, *Phot.* en ~*es* in Innenräumen; *fotografía f en* ~ Innenaufnahme *f*; *Film*: *fotografías f/pl. de* ~*es* Innenaufnahmen *f/pl.*; **3.** Inland *n*; *Ministerio m del* ~ (*Span. de la Gobernación*) Innenministerium *n*; **4.** *Sp.* ~ *izquierda* Halblinke(r) *m*; **~ridad** *f* Innerlichkeit *f*; ~(*es*) *f*(*/pl.*) private (*od.* interne) Angelegenheiten *f/pl.*; Intimsphäre *f*; **~rizar** [1f] *neol. v/t.* verinnerlichen; **~rmente** *adv.* innen; innerlich.

interjec|ción *Li. f* Interjektion *f*, Empfindungswort *n*; **~tivo** *adj.* als Interjektion, Interjektions...

inter|línea *f Typ.* Durchschuß *m*; interlinear Gedruckte(s) *n* (*od.* Geschriebene[s] *n*); **~lineación** *Typ. f* Durchschießen *n*; Durchschuß *m*; **~lineador** *m* Zeilenschalthebel *m* (*Schreibmaschine*); **~lineal** *adj. c* zwischen den Zeilen; *traducción f* ~ Interlinearübersetzung *f*; **~linear** *v/t.* Eintragungen zwischen den Zeilen *e-s Textes* machen; *Typ.* durchschießen.

interlocuto|r *m* Gesprächs-, Verhandlungs-partner *m*; *Tel.* Gg.-sprechteilnehmer *m*; **~rio** ⚖ *adj.-su.*: *sentencia f* ~*a od.* ~ *m* Zwischenurteil *n*.

intérlope *adj. c* Schmuggel... (*Schiff, Handel in Kolonien*).

interlu|dio ♪ *u. fig. m* kurzes Zwischenspiel *n*; **~nio** *m* Neumond *m*.

interme|diar *v/i.* → *mediar*; **~diario I.** *adj.* Zwischen...; Mittel...; *comercio m* ~ Zwischenhandel *m*; **II.** *m* Zwischenhändler *m*; Vermittler *m*; **~dio I.** *adj.* dazwischenliegend; Zwischen..., 🕮 intermediär; **II.** *m* Zwischenzeit *f*; *Thea.*, ♪ Zwischenspiel *n* (*a. fig.*), Einlage *f*; *por* ~ *de* durch Vermittlung (*gen.*), über (*ac.*); **~zzo** *it. Thea.*, ♪ *u. fig. m* Zwischenspiel *n*, Intermezzo *n*.

interminable *adj. c a. fig.* endlos.

intermi|nisterial *adj. c* interministeriell; **~sión** *f* Unterbrechung *f*, Aussetzen *n*; **~so** *adj.* unterbrochen; **~tencia** *f* kurze Unterbrechung *f*;

⚕ zeitweiliges Aussetzen *n*; Fieberpause *f*; **~tente I.** *adj. c a.* ⚕ aussetzend, intermittierend; *fiebre f* ~ Wechselfieber *n*; *luz f* ~ Blinklicht *n*; **II.** *m Kfz.* Blinker *m*; **III.** *f oft Am.* → *fiebre f* ~.
internación *f* → *internamiento*.
internaciona|l I. *adj. c* international, zwischenstaatlich; **II.** *f* ♀ *Pol.* Internationale *f* (*Organisation u. Hymne*); **III.** *c Sp.* Internationale(r) *m*; **~lidad** *f* Internationalität *f*, Überstaatlichkeit *f*; **~lismo** *m* Internationalismus *m*; **~lista I.** *adj. c* internationalistisch; **II.** *c Pol.* Internationalist *m*; ⚖ Völkerrechtler *m*; **~lización** *f* Internationalisierung *f*; **~lizar** [1f] *v/t.* internationalisieren.
inter|nado I. *adj.* **1.** interniert (⚔, *Pol.*); in festem Hause untergebracht (*Geisteskranker*); **II.** *m* **2.** Internat *n*; Internatsschüler *m/pl.*; **3.** ⚔, *Pol.* Internierte(r) *m*; ~ *civil* Zivilinternierte(r) *m*; **~namiento** *m* Einweisung *f in e-e Klinik usw.*; Verbringung *f ins Internat* (*bzw.* ins Innere *e-s Landes*); ⚔, *Pol.* Internierung *f*; **~nar I.** *v/t.* in ein Internat geben; ins Innere e-s Landes verbringen; (in e-e Klinik *usw.*) einweisen; ⚔, *Pol.* internieren; **II.** *v/r.* ~*se in ein Gebiet, ein Geheimnis* eindringen; s. *in e-n Wissensstoff* vertiefen; **~nista** ⚕ *c* Internist *m*; **~no I.** *adj.* innere(r, -s); innerlich; intern; ⚕ *enfermedades f/pl.* ~*as* innere Krankheiten *f/pl.*; **II.** *m* Internatsschüler *m*, Interne(r) *m*; Assistenzarzt *m im Krankenhaus*; Lehrling *m* (*od.* Angestellte[r] *m*), *der b. Arbeitgeber wohnt.*
inter|nunciatura *Dipl. f* Internuntiatur *f*; **~nuncio** *Dipl. m* Internuntius *m*; **~oceánico** *adj.* interozeanisch, Weltmeere verbindend; **~parlamentario** *adj.* interparlamentarisch.
interpela|ción *f* Aufforderung *f*; ⚖ Vorhalt *m* (*Prozeßrecht*); Mahnung *f* (*Schuldrecht*); *Parl.* gr. Anfrage *f*, Interpellation *f*; **~do** *m* zur Stellungnahme Aufgeforderte(r) *m*; Interviewte(r) *m*; **~nte** *adj.-su. c* Fragesteller *m*; Interpellant *m*; **~r I.** *v/t.* ⚖ *e-m Zeugen* e-n Vorhalt machen; bei *j-m* anfragen; ⚒ bei *j-m* um Beistand ansuchen; **II.** *v/i.* interpellieren.
inter|penetración *f* gg.-seitige Durchdringung *f*; **~planetario** *adj.* interplanetarisch, Weltraum...
Interpol *f* Interpol *f* (*Internationale Kriminalpolizeiliche Organisation*).
interpola|ción ⚲, *Li. f* Interpolation *f*; **~r** *v/t.* ⚲, *Li.* interpolieren; *p. ext.* ein-schalten, -fügen.
interpo|ner [2r] *v/t.* einschieben; dazwischen-stellen, -setzen, -legen; *fig.* geltend machen, einsetzen; ⚖ *Antrag* stellen; *Rechtsmittel* einlegen; ~ (*recurso de*) *apelación* Berufung einlegen; **~sición** *f* Einschiebung *f*; Zwischenstellung *f*.
interpre|nder ⚔ *v/t.* überrumpeln; **~sa** ⚔ *f* Überrumpelung *f*.
interpreta|ble *adj. c* auslegbar, deutbar; ♪, *Thea.* spielbar; **~ción** *f* **1.** Interpretation *f* (*a.* ♪), Auslegung *f* (*a.* ⚖), Deutung *f*; *Film, Thea.* Darstellung *f*, *a.* ♪ Spiel *n*; ~ *extensiva* (*restrictiva*) weite (enge) Auslegung *f*; **2.** Dolmetschen *n*; Verdolmetschung *f*; ~ *consecutiva* Konsekutivdolmetschen *n*; ~ *simultánea* Simultandolmetschen *n*; **~dor** *adj.-su.* Ausleger *m*, Deuter *m*; **~r** *v/t.* **1.** auslegen, deuten, *a.* ♪ interpretieren; *Thea., Film*: darstellen, *a.* ♪ spielen; ~ *mal* falsch verstehen; *fig.* mißverstehen; übelnehmen; **2.** (ver)dolmetschen; **~riado** *neol. m* Dolmetscher-dienst *m*; -wesen *n*; **~tivo** *adj.* Interpretations...; Deutungs...
intérprete *c* **1.** Ausleger *m*, Deuter *m*, *a.* ♪ Interpret *m*; *Thea., Film* Darsteller *m*; *fig.* Sprecher *m*, Dolmetsch *m*; ~ *de la canción moderna* Schlagersänger *m*; **2.** Dolmetscher *m*; ~ *de conferencias* Konferenzdolmetscher *m*.
interpuesto *adj.* eingeschoben; dazwischenliegend.
interregno *m* Interregnum *n*, Zwischenherrschaft *f*.
interroga|ción *f* Frage *f*; (*signo m de*) ~ Fragezeichen *n*; ~ *inicial* (*final*) Fragezeichen *n* am Anfang (am Ende) *des Satzes*; **~dor** *adj.-su.* fragend, prüfend; ⚖ verhörend; **~nte I.** *adj. c* fragend; **II.** *m* (offene) Frage *f*; Fragezeichen *n*; **~r** [1h] *v/t.* aus-, be-fragen; ⚖ *Zeugen* vernehmen, *Beschuldigte* verhören; **~tivo** *adj.* fragend; *Li. oración f* ~*a* Fragesatz *m*; *pronombre m* ~ Fragepronomen *n*; **~torio** ⚖ *m* Vernehmung *f*, Einvernahme *f* (*Zeugen*); Verhör *n* (*Beschuldigte*); Protokoll *n* des Verhörs; ~ *contradictorio*, ~ *cruzado* Kreuzverhör *n*.
interru|mpido *adj.* unterbrochen; **~mpir** *v/t.* unterbrechen; abbrechen; ⚡ ausschalten; **~pción** *f* Unterbrechung *f*; Störung *f*; ⚡ Ab-, Aus-schaltung *f*; *sin* ~ ununterbrochen; **~ptor** *m* Unterbrecher *m* (*a.* ⚡); ⚡ Schalter *m*, Ein-Ausschalter *m*; ~ *de botón* Druck(knopf)-schalter *m*; ~ *de aceite* (*de grupos*) Öl- (Serien-)schalter *m*; ~ *automático* (*basculante*) Selbst- (Kipp-) schalter *m*; ~ *giratorio* Drehschalter *m*; ~ *a distancia* (*de tiro*) Fern- (Zug-)schalter *m*.
intersec|arse [1g] ⚲ *v/r.* s. schneiden; **~ción** ⚲ *f* Schnitt *m*; Schnittpunkt *m bzw.* -linie *f*.
intersideral *Astr. adj. c* zwischen den Sternen; Weltraum...
intersticì|al *Biol. adj. c* interstitiell; **~o** *m* Zwischenraum *m*, Spalt *m*.
intertrigo ⚕ *m* Intertrigo *f*.
inter|tropical *Geogr. adj. c* zwischen den Wendekreisen (gelegen); **~urbano** *Tel. adj.* Fern...; *conferencia f* ~*a* (Inlands-)Ferngespräch *n*; **~valo** *m* Zwischenzeit *f*; Zwischenraum *m*, Abstand *m*; ♪ *u. fig.* Intervall *n*; *a* ~*s* in Abständen; von Zeit zu Zeit; *en el* ~ *de* während (*gen.*), während e-s Zeitraums von (*dat.*).
interven|ción *f* **1.** Eingreifen *n*, Dazwischentreten *n*; Vermittlung *f*; ⚖, *Pol.* Intervention *f* (*a. b. Wechseln*); ✝, ⚕ Eingriff *m*; ✝, *Verw.* Bewirtschaftung *f v. Waren*; Beschlagnahme *f v. Gütern*; **2.** Aufsichtsbüro *n*; **~cionismo** *Pol. m* Interventionismus *m*; **~cionista** *adj.-su. c* interventionistisch; *m* Interventionist *m*; **~ir** [3s] **I.** *v/i.* **1.** eingreifen, intervenieren (*a. b. Wechseln*); vermitteln (in, bei *dat.* en); s. verwenden (für *ac.* por); *desp.* s. einmischen (in *ac.* en); ~ (*en la conversación*) mitreden; **2.** eintreten, s. ereignen; dazwischenkommen; **II.** *v/t.* **3.** *Rechnung* prüfen; *Verwaltung* überprüfen, kontrollieren; *Waren* bewirtschaften; *Güter* beschlagnahmen (*Zoll*); *Konto* sperren; **4.** ⚕ operieren, e-n Eingriff vornehmen an (*dat.*); **~tor I.** *adj.* **1.** intervenierend; eingreifend; **II.** *m* **2.** Kontrolleur *m*, Prüfer *m*; Inspektor *m*; Aufsichtsperson *f*; **3.** Intervenient *m* (*b. Wechseln u.* ⚖); ~ *en caso de necesidad* Notadressat *m*.
inter|viú, **~view** *neol. f* Interview *n*; **~viuvar** *v/t.* interviewen.
intervocálico *Li. adj.* intervokalisch.
intesta|do ⚖ *adj.* ohne ein Testament zu hinterlassen; **~to** ⚖ → *abintestato*.
intesti|nal *adj. c* Darm..., Eingeweide...; **~no I.** *adj.* innere(r, -s); *fig.* intern; *guerra f* ~*a* Bruderkrieg *m*; **II.** *m* Darm *m*; ~ *ciego* (*delgado*) Blind- (Dünn-)darm *m*; ~ *grueso* Dickdarm *m*; ~ *recto* Mastdarm *m*, Rektum *n*; ~*s m/pl.* Eingeweide *n*, Gedärm *n*.
intima F *f*, **~ción** *f* Ankündigung *f*; Mahnung *f*, Aufforderung *f*; ⚖ Vorladung *f*. [zuinnerst.]
intimamente *adv.* innigst, eng;
intima|r I. *v/t.* ankündigen; auffordern, mahnen (zu + *inf. a que* + *subj.*); ~ *a/c.* (*a alg.*) et. (von j-m) fordern; **II.** *v/i.* (enge) Freundschaft schließen (mit *dat.* con); **III.** *v/r.* ~*se* s. anfreunden; *durch poröse Stellen* eindringen; durchtränken; **~torio** ⚖ *adj.* Mahn...; Aufforderungs...
intimi|dación *f* Einschüchterung *f*; **~dad** *f* Intimität *f*; enge Freundschaft *f*; Vertraulichkeit *f*; Gemütlichkeit *f*, Zwanglosigkeit *f*; *en la* ~ im engsten (Freundes-, Familien-) Kreis; *en la* ~ *de su corazón* im tiefsten Herzen; **~dar** *v/t.* einschüchtern; **~sta** *Lit. adj. c etwa*: Gefühls- u. Bekenntnis...
íntimo *adj.* innerste(r, -s); intim; innig, eng; vertraut, gemütlich; *somos* ~*s* wir sind die besten Freunde; *lo más* ~ das Innerste.
intitular *v/t.* betiteln.
intocable *adj. c* unberührbar; *fig. los* ~*s* die Unberührbaren (*Parias*).
intolera|ble *adj. c* unerträglich; unausstehlich; **~ncia** *f* Unduldsamkeit *f*, Intoleranz *f*; **~nte** *adj. c* unduldsam, intolerant.
intonso *adj.* ungeschoren; *Buchb.* unbeschnitten; *fig.* einfältig, dumm.
intoxica|ción *f* Vergiftung *f*; ~ *por carne* (*por humo*) Fleisch- (Rauch-) vergiftung *f*; **~r** [1g] *v/t.* vergiften.
intraatómico *Phys. adj.* intraatomar.
intradós ⚠ *m* Leibung *f* (*Bogen, Gewölbe, Fenster*).

intra|ducible *adj. c* unübersetzbar; **~gable** *adj. c a. fig.* ungenießbar.
intra|muros *adv.* innerhalb der Mauern *e-r Stadt*; *fig.* hier, bei uns; **~muscular** ⚕ *adj. c* intramuskulär.
intranqui|lidad *f* Unruhe *f*; **~lizar** [1f] *v/t.* beunruhigen; **~lo** *adj.* unruhig, ängstlich.
intrans|cendente *adj. c* unwichtig; **~ferible** *adj. c* nicht übertragbar.
intransi|gencia *f* Unnachgiebigkeit *f*; Unversöhnlichkeit *f*; **~gente** *adj.-su. c* unnachgiebig, hart; unversöhnlich; unduldsam; **~table** *adj. c* unwegsam; nicht befahrbar; **~tivo** *Gram. adj.* intransitiv.
intransmisible *adj. c* unübertragbar.
intranuclear *Phys. adj. c* intranuklear.
intratable *adj. c* unzugänglich, abweisend; ungenießbar (*fig.*).
intra|uterino ⚕ *adj.* intrauterin; **~venoso** ⚕ *adj.* intravenös.
in|trepidez *f* Unerschrockenheit *f*, Verwegenheit *f*; **~trépido** *adj.* unerschrocken, beherzt, verwegen.
intriga *f* **1.** Intrige *f*; *~s f/pl.* Ränke *pl.*, Machenschaften *f/pl.* **2.** Verwicklung *f*; **~nte I.** *adj. c* **1.** ränkevoll; **2.** spannend; **II.** *c* **3.** Ränkeschmied *m*, Intrigant *m*; **~r** [1h] **I.** *v/i.* intrigieren, Ränke schmieden; **II.** *v/t.* beunruhigen; neugierig machen; *estoy ~ado por (saber) lo que ...* ich möchte wirklich wissen, was ...
intrinca|ción *f* Verwirrung *f*; **~do** *adj.* dicht, unwegsam (*Wald*); *fig.* verworren, verwickelt; **~r** [1g] *v/t. a. fig.* verwirren.
intrín|gulis F *m* (*pl. inv.*) geheime Absicht *f*; des Pudels Kern *m*; Haken *m*, Schwierigkeit *f*; **~seco** *adj.* innerlich; eigentlich; wesentlich; *valor m ~* innerer Wert *m*; Eigenwert *m*.
introdu|cción *f* **1.** Einführung *f* (in *ac. a*); Einleitung *f*, Vorwort *n*; ♪ Vorspiel *n*; **2.** *a.* ⊕ Einführung *f*; Einschlagen *n*; Hineinschieben *n*; Zufuhr *f*; **3.** Anfang *m*; Eröffnung *f*; **4.** ⚖ (Klage-)Erhebung *f*; **~cido** F *adj.* bestens eingeführt, hier zu Hause; **~cir** [3c] **I.** *v/t.* **1.** *a. Mode, Waren usw.* einführen; hineinführen; *~ a alg. en la casa de X* j-n bei X einführen; **2.** ⊕ zuführen; hinein-stecken, -schieben; einführen; einschlagen; *~ un clavo en la pared* e-n Nagel in die Wand schlagen (*od.* treiben); **3.** hervorrufen, verursachen; *Zwietracht* säen; **II.** *v/r.* *~se* **4.** eindringen; *fig.* s. aufdrängen; **~ctivo** *adj.*, **~ctor I.** *adj.* einführend; einleitend; **II.** *m* Einführer *m*; *Dipl. Span. ~ de embajadores* Chef *m* des Protokolls.
introito *m kath.* Introitus *m*; *fig.* Anfang *m*; Vorspiel *n*.
intro|misión *f* Einmischung *f*; Einführung *f*; **~specciόn** *Psych. f* Innenschau *f*, Selbstbeobachtung *f*; **~spectivo** *adj.* introspektiv; **~versión** *Psych. f* Introversion *f*; **~vertido** *adj.-su.* introvertiert; *m* Introvertierte(r) *m*.
intru|sión *f* (unberechtigtes) Eindringen *n*; unbefugter Eingriff *m*; **~sismo** ⚕ *m* Kurpfuscherei *f*; **~so** *m* Eindringling *m*; Störenfried *m*; ungebetener Gast *m*.
intubación ⚕ *f* Intubation *f*.
intui|ción *f* Intuition *f*; Einfühlungsvermögen *n*; *Theol.* Anschauung *f* Gottes; **~r** [3g] *v/t.* intuitiv erkennen (*od.* erfassen); **~tivo** *adj.* intuitiv; anschaulich; *enseñanza f ~a* Anschauungsunterricht *m*.
intumescen|cia *f* Schwellung *f*; **~te** *adj. c* anschwellend.
ínula ⚘ *f* Alant *m*.
inunda|ción *f a. fig.* Überschwemmung *f*, Überflutung *f*; Hochwasser *n*; ⚒ Absaufen *n e-r Grube*; **~r** *v/t. a. fig.* überschwemmen, überfluten (mit *dat.* de).
inurbano *adj.* unhöflich; ungeschliffen.
inusitado *adj.* ungebräuchlich, ungewöhnlich.
inútil I. *adj. c* unnütz; unbrauchbar, *a.* ⚔ untauglich; wertlos, unbrauchbar; zwecklos; **II.** *m* Taugenichts *m*.
inutili|dad *f* Nutz-, Zweck-losigkeit *f*; Unbrauchbarkeit *f*; Untauglichkeit *f*; **~zar** [1f] *v/t.* unbrauchbar machen; wertlos machen; *Wertzeichen* entwerten; *fig.* e-e Niederlage bereiten (*dat.*), vernichten(d schlagen).
inútilmente *adv.* nutzlos; umsonst, vergeblich.
invadir *v/t.* überfallen; einfallen in (*ac.*); *p. ext.* überfluten (*Wasser u. fig.*); befallen (*Krankheit, Schädlinge, Traurigkeit*); heimsuchen (*Plage, Seuche*).
invaginar ⚕ *v/t.* einstülpen.
invali|dación *f* Ungültigmachen *n*; **~dar** *v/t.* **1.** arbeitsunfähig machen; **2.** ⚖ ungültig machen; für ungültig erklären; *Geschäft, Vertrag* rückgängig machen; **~dez** *f* **1.** Invalidität *f*, Arbeitsunfähigkeit *f*; *~ permanente* Dauerinvalidität *f*; **2.** ⚖ Ungültigkeit *f*.
inválido I. *adj.* **1.** invalide; arbeitsunfähig; dienstuntauglich; **2.** *Verw.*, ⚖ ungültig; **II.** *m* **3.** Invalide *m*; *~ de guerra* Kriegsversehrte(r) *m*.
invaluable *adj. c* von unermeßlichem Wert.
invaria|bilidad *f* Unveränderlichkeit *f*; **~ble** *adj. c* unveränderlich; **~nte** *&* *m* Invariante *f*.
inva|sión *f* Invasion *f*; Einfall *m*; *a. fig.* Eindringen *n*; **~sor** *adj.-su.* eindringend; *m* Eindringling *m*; Invasor *m*; Angreifer *m*.
invectiva *f* Schmäh-schrift *f*, -rede *f*; Beleidigung *f*, Schmähung *f*.
invencible *adj. c* unbesiegbar; *fig.* unüberwindlich.
inven|ción *f* Erfindung *f* (*a. fig.*); *privilegio m de ~* Musterschutz *m*; F *no es de su propia ~* das hat er nicht selbst erfunden, das ist nicht auf s-m Mist gewachsen F; **~dible** *adj. c* unverkäuflich; **~tar I.** *v/t.* erfinden (*a. fig.*); s. ausdenken, erdichten; **II.** *v/r.* *~se* P erfinden, erdichten; **~tariar** [1b] *v/t.* den Bestand aufnehmen von (*dat.*); *a. v/i.* Inventur machen; **~tario** *m* Bestandsaufnahme *f*, Inventur *f*; Inventar *n*; Nachlaßverzeichnis *n*; *hacer ~* Inventur machen; **~tiva** *f* Erfindungsgabe *f z. B. e-s Schriftstellers*; **~tivo** *adj.* erfinderisch; **~to** *m* Erfindung *f*, Entdeckung *f*; **~tor I.** *adj.* Erfinder...; *genio m ~* Erfindergeist *m*; **II.** *m* Erfinder *m*.
inver|na *f Pe.* → *invernada* 2; **~nación** *barb. f* → *hibernación*; **~náculo** *m* Treibhaus *n*, Gewächshaus *n*; **~nada** *f* **1.** Winter(s)zeit *f*; **2.** *Am.* Winterweide *f*; (Zeit *f* der) Wintermast *f*; **3.** *Ven.* → *aguacero*; **~nadero** *m* **1.** Treibhaus *n*; Wintergarten *m*; **2.** Winterweide *f*; **3.** Winterquartier *n*; **~nal** *adj. c* winterlich; Winter...; *estación f ~* **a)** Winter(s)zeit *f*; **b)** Winterkurort *m*; *sueño m ~* Winterschlaf *m*; **~nante** *adj.-su. c* Wintergast *m*; **~nar** [1k] *v/i.* überwintern; *lit. v/impers. invierna* es ist Winterszeit; **~nizo** *adj.* winterlich, Winter...
invero|símil *adj. c* unwahrscheinlich; **~similitud** *f* Unwahrscheinlichkeit *f*.
inver|samente *adv. a.* *&* umgekehrt; **~sión** *f* **1.** Umkehrung *f*, Umstellung *f*; *Opt. ~ de imagen* Bildumkehr *f*; ⊕ *~ de marcha* Gangumkehrung *f*; Umsteuerung *f*; **2.** ♪, ⚗, ⚕, *Gram.* Inversion *f*; **3.** (Geld-)Anlage *f*, Investition *f*; *fondo m de ~ones* Investmentfonds *m*; **4.** (Zeit-)Aufwand *m*; **~sionista** *neol.* † *c* Investor *m*, Anleger *m*; **~sivo** *adj.* Umkehr...; Umstellungs...; **~so** *adj.* umgekehrt; entgg.-gesetzt; *adv. a la ~a* umgekehrt; im Gegensatz (zu *dat.* de); *& en razón ~a* im umgekehrten Verhältnis; *función f circular ~a* Umkehrfunktion *f*; *valor m ~* Kehrwert *m*; **~sor** *m* **1.** ⚡ Umschalter *m*; Stromwender *m*; *~ de fase* Phasenschieber *m*; ⊕ *~ de marcha* Wendegetriebe *n*; **2.** † Investor *m*, Anleger *m*.
invertebrado *Zo. adj.-su.* wirbellos; *~s m/pl.* E-, In-vertebraten *m/pl.*
inverti|do I. *adj.* umgekehrt; ⚗ *azúcar m ~* Invertzucker *m*; **II.** *adj.-su.* homosexuell; *m* Homosexuelle(r) *m*; **~r** [3i] *v/t.* **1.** umkehren; umdrehen, umwenden; **2.** *Geld, Kapital* anlegen, investieren; *a. Zeit* aufwenden, brauchen (für *dat.* en).
investidura *f* Belehnung *f*; *ecl., Pol.* Investitur *f*.
investiga|ción *f* Forschung *f*; **~dor I.** *adj.* forschend; Forschungs...; **II.** *m* Forscher *m*; *~ atómico* Atomforscher *m*; **~r** [1h] **I.** *v/t.* (er)forschen; untersuchen, prüfen; **II.** *v/i.* forschen, Forschung(en) treiben.
investir [3l] *v/t.* belehnen (mit *dat.* de); *~ a alg. de una dignidad* j-m e-e Würde verleihen.
invetera|do *adj.* eingewurzelt; eingefleischt; **~rse** *v/r.* zur festen Gewohnheit werden.
invicto *adj.* unbesiegt.
inviden|cia *f* (*a.* geistige) Blindheit *f*; **~te** *adj. c* (*a.* geistig) blind.
invierno *m* **1.** Winter *m*; *cereales m/pl. de ~* Wintergetreide *n*; *deportes m/pl. de ~* Wintersport *m*; *fruta f de ~* Winter-, Lager-obst *n*; **2.** *Am. Cent., Col., Ec., Ven.* Regenzeit *f*; *Ven.* Regenguß *m*.
inviola|bilidad *f* Unverletzlichkeit *f*; **~ble** *adj. c* unverletzlich; unver-

letzbar; **~do** *adj.* unversehrt; *secreto m* ~ wohlbewahrtes Geheimnis *n*.

invisi|bilidad *f* Unsichtbarkeit *f*; **~ble** *adj. c* unsichtbar.

invita|ción *f* Einladung *f* (*a. Schreiben*); Aufforderung *f*; *fig.* Veranlassung *f*; **~do** *adj.-su.* Eingeladene(r) *m*, Gast *m*; **~dor** *adj.-su.*, **~nte** *adj.-su. c* einladend; *m* Gastgeber *m*; **~r** *v/t.* einladen (zu *dat. od. inf. a*); auffordern („zu + *inf. a* + *inf.*); *fig.* veranlassen, ermuntern; **~torio** *ecl. m* Antiphon *f der Frühmesse*.

invoca|ción *f* Anrufung *f der Heiligen, der Musen usw.*; **~r** [1g] *v/t.* **1.** anrufen; **2.** ⚖ vorbringen, geltend machen; s. berufen auf (*ac.*); **~torio** *adj.* Anrufungs...

involu|ción ⚕, *Biol., Phil. f* Involution *f*; **~crado** ⚘ *adj.* mit e-r Hülle versehen; **~crar** *v/t.* ⚒ vermengen; *Rhet.* in die Rede einflechten; **~cro** ⚘ *m* Hülle *f*.

involuntario *adj.* unfreiwillig; unabsichtlich.

invulnera|bilidad *f* Unverwundbarkeit *f*; **~ble** *adj. c* unverwundbar.

inyec|ción ⚕, ⊕ *f* Injektion *f*, Einspritzung *f*, ⚕ Spritze *f*; *poner una* ~ e-e Injektion (*od.* e-e Spritze) geben; **~table** ⚕ *adj. c-su. m* injizierbar; *m* Ampulle *f*; Injektionsmittel *n*; **~tado** *adj.* entzündet (*Augen, Gesicht*); **~tar** *v/t.* ⚕ einspritzen, injizieren; △ *Zement, Kfz. Kraftstoff* einspritzen; **~tor** ⊕ *m a. Kfz.* Einspritzdüse *f*; Injektor *m*.

iñiguista *adj.-su. c* → *jesuita*.

iodo *m* Jod *n*; **~formo** *m* Jodoform *n*.

ion (*a. ión*) *Phys. m* Ion *n*; *flujo m de ~es* Ionenwanderung *f*.

ionio ⚗ *m* Ionium *n*.

ioniza|ción *f* Ionisation *f*; **~dor** *m* Ionisator *m*; **~r** [1f] *v/t.* ionisieren.

ionosfera *f* Ionosphäre *f*.

iota *f* Iota *n*, Jota *n*; **~cismo** *Gram. m* Jotazismus *m*.

ipecacuana ⚘ *f* Brechwurz *f*.

iperita ⚗ *f* Senfgas *n* (*Kampfstoff*).

ípsilon *m* Ypsilon *n*.

ir [3t] **I.** *v/i.* gehen; kommen; s. *an e-n Ort* begeben; fahren, reisen; **1.** *inf.* ~ *y venir* kommen u. gehen, hin- u. hergehen; *¿quieres ~?* willst du (hin)gehen?; willst du (mit)kommen?; **2.** *mit ger.*: **a)** *inchoativ*: *va amaneciendo* es wird Tag; *ya lo iré aprendiendo* ich werde es schon allmählich lernen; **b)** *durativ*: ~ *corriendo* laufen; ~ *volando* fliegen; in die Luft fliegen (*Sprengung*); **3.** *mit prp.*: **a)** *mit a*: *a)* hingehen, um *et. zu tun*; ~ *a buscar* (*od. a recoger*) *a alg.* j-n abholen; ~ *a ver a alg.* j-n besuchen; *b) Ausdruck v. Wille, Absicht*; *periphrastisches Futur*: ~ *a hacer a/c.* et. gleich tun (werden); et. tun wollen; die Absicht haben, et. zu tun; s. anschicken (*od.* im Begriff sein), et. zu tun; *te lo voy a decir od. voy a decírtelo* ich will dir's sagen; *¡no se lo vayas a decir!* sage es ihm (nur) nicht!; *le iba a pedir un favor* ich hätte Sie gern um e-n Gefallen gebeten; *vamos a ver* (wir wollen) mal sehen; *zu va(n), vamos, vaya, voy vgl. 5*; *c) modal*: ~ *a caballo* reiten; ~ *a pie* zu Fuß gehen; *d) Richtung, Ziel(strebigkeit)*: ~ *al dentista* zum Zahnarzt gehen; ~ *a la escuela* in die Schule gehen; ~ *a comer* essen gehen; ~ *a España* (*a Madrid*) nach Spanien (nach Madrid) fahren (*od.* reisen); *fig.* ~ *a una* einig sein; das gleiche Ziel verfolgen; *¡a eso voy!* darauf will ich hinaus!; das ist (auch) m-e Meinung!; **b)** *mit con*: ~ *con alg.* mit j-m (mit)gehen; *fig.* es mit j-m halten; ~ *con tiento* auf der Hut sein; **c)** *mit contra*: ~ *contra el enemigo* wider den Feind ziehen; **d)** *mit de*: ~ *de acá para allá* herumgehen, -laufen; ~ *de compras* Einkäufe machen; ~ *de viaje* verreisen; → *a. 5c*; **e)** *mit en*: ~ *en bicicleta* radfahren; ~ *en avión* fliegen, mit dem Flugzeug reisen; ~ *en barco* (*en coche, en tren*) mit dem Schiff (dem Wagen, dem Zug) fahren; → *a. 5d*; **f)** *mit hacia*: ~ *hacia una aldea* auf ein Dorf zugehen; **g)** *mit para*: *va para cinco años* es wird wohl fünf Jahre her sein; *iba para los 15 años* er war (schon) bald 15 Jahre alt; ~ *para hombre* heran-reifen, -wachsen; (ein) Mann werden; **h)** *mit por*: ~ *por* (F *a por*) *a/c.* et. holen (gehen); *voy por su amigo* ich hole Ihren Freund; *¡eso va por mi cuenta!* das geht auf meine Rechnung!; F *eso va por usted* das geht auf Sie; *¿dónde habíamos quedado? — vamos por la lección 15* wo waren wir stehengeblieben? — wir stehen bei der 15. Lektion; **i)** *mit tras*: ~ *tras alg.* j-m nachgehen; j-n nicht aus den Augen verlieren; *a. fig.* j-m nachlaufen; ~ *tras a/c.* auf e-e Sache hinarbeiten; **4.** sein, s. befinden (*a. gesundheitlich*; *vgl. estar*); ~ *sentado* sitzen; ~ *equipado con* ausgerüstet sein mit (*dat.*); ~ *cansado* müde sein; *va bien* (*de salud*) es geht ihm gut; *fig. vamos* (*bzw. me, te, etc. va*) *bien* wir sind auf dem richtigen Weg; → *a. 5*; **5.** *besondere Wendungen*: **a)** *va(n), voy*: *¡(ya) voy!* ich komme (gleich), ich bin gleich da!; *¡ahí va!* Vorsicht!; *fig.* jetzt kommt's (*die Pointe usw.*); *un tipo que no va ni viene* ein ganz unschlüssiger Mensch; er weiß nie, was er will; *¿cuánto va?* wieviel gilt die Wette? — *van* (*apostadas*) *cien pesetas a que ...* ich wette hundert Peseten, daß ...; *¡qué va!* ach was!; ach wo!; (das) stimmt nicht!; Unsinn!; *¿quién va?* ⚔ (halt!,) wer da?; *p. ext.* wer ist draußen (an der Tür)?; **b)** *vamos, vaya*: *¡vamos!* **a)** los!, vorwärts!; gehen wir!; **b)** aber ich bitte Sie!; na, hören Sie mal!; *¡vamos despacio!* immer (hübsch) mit der Ruhe!; immer schön langsam; *¡vaya!* los!, auf!; *oft iron.* recht so!; na so was!; *¡vaya jaleo!* ein schönes Durcheinander!; ein toller Wirbel!; *¡vaya y pase! pero ...* das mag noch angehen, aber ...; *¡vaya una pregunta!* was für e-e Frage!, weiß Gott, das ist e-e Frage!; (*esto*) *¡vaya si es una sorpresa!* und ob das e-e Überraschung ist; *¡vaya tío!* ein toller Bursche!; ein unverschämter Kerl!; **c)** *mit de*: *va de por sí* das ist selbstverständlich; *¡lo que va de ayer a hoy!* wie s. die Zeiten ändern!; *lo que va del padre al hijo* wie ungleich (doch) Vater u. Sohn sind; **d)** *mit en*: *mucho va en ese detalle* von diesem Umstand hängt viel ab; *va en broma* es ist ein Scherz; *nada le va en esto* das geht Sie nichts an; *te va la vida en eso* dabei setzt du dein Leben aufs Spiel; **e)** *está ido* er ist ganz u. gar nicht mehr dabei; er ist eingenickt; **6.** ziehen (*Vögel, Wolken*); führen (*Weg*); verlaufen, s. erstrecken (*Grenze, Gebirge usw.*); **7.** stehen, passen (*Kleidung*); *el traje te va bien* der Anzug steht (*od.* paßt) dir gut; **II.** *v/r.* **~se 8.** (weg-)gehen; abreisen; davonfahren; *¡vámonos!* los!, geh'n wir!; F *es la de vámonos* es ist Zeit zum Aufbruch, wir müssen gehen; *¡vete al diablo* (*a paseo, a freír espárragos*)*!* scher dich zum Teufel!; **~se** *abajo* abstürzen; hinunterstürzen; zunichte werden; **~se** *para allá* e-n Bummel machen; **~se** *por esos mundos* (*de Dios*) auf u. davon gehen; **9.** verschwinden; weniger werden; sterben, im Sterben liegen; **10.** entgleiten (*dat. de*); ausrutschen; **~se** *de la memoria* dem Gedächtnis entfallen; *írsele a alg. los pies* ausgleiten; stürzen; *se le fue un suspiro* ihm entfuhr ein Seufzer; **11.** auslaufen (*Flüssigkeit*); ausströmen (*Gas*); verdunsten, verfliegen; **12.** lecken, nicht dicht sein (*Gefäß*); **13.** F zerreißen, s. abnützen; zerbrechen; **14.** P in die Hose machen; e-n fahren lassen P; **15.** *Kart.* **~se** *de un palo* e-e Farbe abwerfen; **III.** *m* **16.** *el ~ y venir* das Kommen u. Gehen.

ira *f* Zorn *m*, Wut *f*; † *¡~ de Dios!* Himmeldonnerwetter!; ~ *sorda* dumpfer Zorn *m*.

iraca ⚘ *f Am.* Irakapalme *f*.

iracun|dia *f* Jähzorn *m*; Zorn(es)-ausbruch *m*; **~do** *adj.* jähzornig; sehr zornig, äußerst gereizt.

ira|ní *adj.-su. c* (*pl.* **~íes**) iranisch; *m* Iraner *m*; **~ni(an)o** *adj.-su.* altiranisch; *m* Altiraner *m*; *Li. el ~* das (Alt-)Iranische.

iraquí *adj.-su. c* (*pl.* **~íes**) irakisch; *m* Iraker *m*.

irascible *adj. c* jähzornig; *Theol.* zornmütig.

iribú *Rpl. m* am. Geier *m*.

iridáceas ⚘ *f/pl.* Schwertliliengewächse *n/pl.*

íride ⚘ *f* Stinkschwertel *f*, Sumpflilie *f*.

iridio *m* Iridium *n*.

irire *m Bol. ein Kürbis* (*Trinkgefäß für chicha*).

iri|s *m* (*pl. inv.*) **1.** ⚘ Iris *f*; **2.** *Anat.* Iris *f*, Regenbogenhaut *f*; **3.** (*arco m*) ~ Regenbogen *m*; **4.** *Phot. diafragma m* ~ Irisblende *f*; **~sación** *f* Irisieren *n*; (buntes) Schillern *n*, Farbenspiel *n*; **~sado** *adj.* schillernd, irisierend; **~sar I.** *v/i.* schillern; **II.** *v/t.* schillern lassen; **~tis** ⚕ *f* Regenbogenhautentzündung *f*, Iritis *f*.

irlandés *adj.-su.* irisch; *m* Ire *m*.

ironía *f* Ironie *f*; ~ *de la suerte* Ironie *f* des Schicksals.

irónico *adj.* ironisch; spöttisch.

ironi|sta *c* Ironiker *m*, ironischer Mensch *m*, Spötter *m*; **~zar** [1f]

I. *v/i.* ironisch werden; **II.** *v/t.* ironisieren, ins Lächerliche ziehen.
iroqués *adj.-su.* irokesisch; *m* Irokese *m.*
irraciona|l I. *adj. c* irrational (*a.* ⩘), vernunftwidrig; *p. ext.* unvernünftig; **II.** *m* nicht mit Vernunft begabtes Wesen *n*, Tier *n*; **~lidad** *f* Vernunftwidrigkeit *f*; 🕮, ⩘ Irrationalität *f*; **~lismo** *Phil. m* Irrationalismus *m*; **~lista** *adj.-su. c* Anhänger *m* des Irrationalismus.
irradia|ción *f* Ausstrahlung *f*; Strahlung *f*; Bestrahlung *f*; ⚕ ~ *postoperatoria* Nachbestrahlung *f*; **~dor** *m*: ~ *acústico* (*térmico*) Schall-(Wärme-)strahler *m*; **~r** [1b] **I.** *v/t. a. fig.* ausstrahlen; bestrahlen; **II.** *v/i.* strahlen.
irrazonable *adj. c* unvernünftig.
irrea|l I. *adj. c a. Phil.*, *Li.* irreal; nicht wirklich, unwirklich; **II.** *m Li.* Irrealis *m*; **~lidad** *f* Irrealität *f*; Nichtwirklichkeit *f*; **~lizable** *adj. c* undurchführbar, nicht zu verwirklichen(d).
irre|batible *adj. c* unwiderleglich; **~conciliable** *adj. c* unversöhnlich; **~cuperable** *adj. c* unwiederbringlich; **~cusable** *adj. c* unabweislich.
irreden|tismo *Pol. m* Irredentismus *m*; **~tista** *adj.-su. c Pol. hist. u. fig.* irredentistisch; *m* Irredentist *m*; **~to** *Pol. adj.* unbefreit (*Gebiet, das aus geschichtlichen od. ethnischen Gründen beansprucht wird*).
irre|dimible *Theol. adj. c* unerlösbar; **~ducible** *adj. c* 🕮 nicht reduzierbar; ⩘ unkürzbar (*Bruch*); *Chir.* irreponibel; **~ductible** *adj. c* nicht zu unterwerfen(d) (*Feind*); nicht mitea. vereinbar; unbeugsam, hart; **~(e)mplazable** *adj. c* unersetzlich.
irreflexi|ón *f* Unüberlegtheit *f*, Unbesonnenheit *f*; **~vo** *adj.* unüberlegt, unbesonnen.
irre|formable ⚖, *Verw. adj. c* unabänderlich; **~frenable** *adj. c* nicht zu zügeln(d); zügellos; **~futable** *adj. c* unwiderlegbar, unleugbar; unumstößlich.
irregula|r *adj. c* **1.** unregelmäßig (*a. Gram.*); ungleichmäßig; irregulär; ungeregelt; **2.** uneben; **~ridad** *f* Unregelmäßigkeit *f*; Ungleichmäßigkeit *f*; Regelwidrigkeit *f*; *p. ext.* Verfehlung *f*; ⚖ Ordnungswidrigkeit *f.*
irreligi|ón *f* Unglaube *m*; **~osidad** *f* unreligiöses Verhalten *n*; nichtreligiöse Einstellung *f*; **~oso** *adj.-su.* irreligiös; ungläubig; *m* Religionslose(r) *m*; *p. ext.* Freidenker *m.*
irre|mediable *adj. c* unheilbar; *fig.* nicht wieder gutzumachen(d); unabänderlich; **~misible** *adj. c* **1.** unverzeihlich; **2.** unerläßlich, unumgänglich; **~parable** *adj. c* nicht wieder gutzumachen(d); unersetzlich; **~prensible** *adj. c* untadelig; **~presentable** *adj. c* unvorstellbar; *Thea.* nicht aufführbar; **~primible** *adj. c* ununterdrückbar; **~prochable** *adj. c* tadellos, einwandfrei; **~sistible** *adj. c* unwiderstehlich; **~soluble** *adj. c* unauflöslich; unlösbar; **~solución** *f* Unentschlossenheit *f*; **~soluto** *adj.* **1.** unentschlossen; **2.** ungelöst.
irres|petuoso *adj.* unehrerbietig, respektlos; **~pirable** *adj. c* nicht zu atmen(d).
irresponsa|bilidad *f* **1.** Unverantwortlichkeit *f*; **2.** Unzurechnungsfähigkeit *f*; **~ble** *adj. c* **1.** nicht verantwortlich, nicht haftbar (für *ac. de*); unzurechnungsfähig; **2.** leichtfertig, unbedacht, verantwortungslos.
irrestañable *adj. c* unstillbar (*Blutung*); *fig.* unaufhaltsam.
irresuelto *adj.* → *irresoluto.*
irreveren|cia *f* Unehrerbietigkeit *f*; **~te** *adj. c* unehrerbietig.
irre|versible *adj. c* 🕮, ⚕, ⚗, *Phys.*, *Biol.* irreversibel, nicht umkehrbar; **~vocabilidad** *f* Unwiderruflichkeit *f*; **~vocable** *adj. c* unwiderruflich.
irriga|ción *f* ⸙ Bewässerung *f*; ⊕, ⚕ Spülung *f*; ⚕ Durchblutung *f*; ⚗ Wässerung *f*; ⚕ ~ *intestinal* Darmeinlauf *m*; **~dor** *m* ⚕ Irrigator *m*; ⚒ Spülvorrichtung *f*; Spritze *f*; **~r** [1h] *v/t.* ⚕ (aus-)spülen; ⸙ *Am.* bewässern.
irri|sible *adj. c* → *risible*; **~sión** *f* Hohnlachen *n*; Spott *m*; *fig. es la ~ de toda la ciudad* er ist das Gespött der ganzen Stadt; **~sorio** *adj.* lächerlich, lachhaft; *precio m ~* Spottpreis *m.*
irrita|bilidad *f a. Physiol.* Reizbarkeit *f*; **~ble** *adj. c a. Physiol.* reizbar; **~ción** *f* Reizung *f* (*a. Biol.*, ⚕); Gereiztheit *f*; Zorn *m*, Wut *f*; **~nte I.** *adj. c* reizend, Reiz...; erregend; sehr ärgerlich; **II.** *m* Reizmittel *n*; **~r¹ I.** *v/t.* **1.** reizen (*a. Biol.*, ⚕); erregen; sehr ärgern, in Harnisch bringen; erbittern; *estar ~ado* gereizt (*bzw.* böse) sein; **2.** ⚒ aufstacheln; **II.** *v/r.* **~se 3.** in Zorn geraten (über *ac. con*); böse werden (auf *ac. contra*); sehr unruhig werden (*See*).
irritar² ⚖ *v/t.* → *invalidar 2.*
írrito ⚖ *adj.* nichtig, ungültig.
irroga|ción *f* Schadenszufügung *f*; **~r** [1h] *v/t. Schaden* verursachen.
irrompible *adj. c* unzerbrechlich.
irru|mpir *v/i.* einbrechen, einfallen; ~ *en el cuarto* ins Zimmer gestürzt kommen; **~pción** *f* feindlicher Einfall *m*; Einbruch *m*; Hineinstürzen *n in e-n Raum*; ⚒ ~ *de aguas* Wassereinbruch *m*; *hist.* ~ *de los moros* Maureneinfall *m*; *hacer ~* eindringen (in *ac. en*).
Isabe|l *npr. f* Isabella *f*, Elisabeth *f*; *hist.* ~ *la Católica* Isabella von Spanien; **♀lino I.** *adj.* **1.** auf Isabella I. *od.* II. (*bzw.* Elisabeth I. *od.* II. *v. England*) bezüglich; *estilo m* ~ span. Empirestil *m*; **2.** isabellfarben; **II.** *m* **3.** Anhänger *m* Isabellas II. *in den Karlistenkriegen.*
isagoge *Rhet. f* Isagoge *f*, Einführung *f.*
isba *f* Isba *f.*
isidoriano *adj.* auf St. Isidor von Sevilla bezüglich.
Isidro *npr. m*: *San ~* (*Labrador*) *Schutzpatron v. Madrid*; *Fiesta de San ~ Madrider Volksfest, 15. Mai*; *fig.* ♀ Teilnehmer *m an diesem Fest*; *p. ext.* Bauer *m*, Provinzler *m.*
isla *f a. fig.* Insel *f.*
Islam *m* Islam *m.*
islámico *adj.* Islam..., islamisch.
islami|smo *m* Islam(ismus) *m*; **~ta** *adj.-su. c* islamitisch; *m* Islamit *m*, Mohammedaner *m*; **~zar** [1f] *v/t.* islamisieren, zum Islam bekehren.
is|landés *adj.-su.*, **~lándico** *adj.* isländisch; *m* Isländer *m*; *Li. das* Isländische.
is|lario *m* Insel-karte *f*; -beschreibung *f*; **~leño** *adj.-su.* Insel...; *m* Inselbewohner *m*; **~lote** *m* (Felsen-)Eiland *n*; *fig. Vkw.* ~ *de separación* Trennungsinsel *f* (*Straße*); *Anm.*: *allg.* Verkehrsinsel *refugio, burladero.*
ismaelita *m* Ismaelit *m.*
isobara *Met. f* = *línea f isobárica* Isobare *f.*
isocromático *adj.* isochrom(atisch).
isócrono *Phys. adj.* isochron.
isogamia *Biol. f* Isogamie *f.*
isógono ⩘ *adj.* gleichwinklig.
isómero ⚗ *adj.* isomer.
isomorfo *Phys.*, ⚗ *adj.* isomorph.
isósceles ⩘ *adj. inv.* gleichschenklig.
iso|térmico *adj.* isotherm; *vagón m ~* Kühlwagen *m*; **~termo** *Phys. adj.* isotherm; *Met.* (*línea f*) **~a** *f* Isotherme *f.*
isó|topo *Phys. m* Isotop *n*; **~tropo** *Phys. adj.* isotrop.
ísquion *Anat. m* Sitzbein *n*, Ischium *n.*
israe|lí *adj.-su. c* (*pl.* ~*íes*) israelisch; *m* Israeli *m*; **~lita** *adj.-su. c* israelitisch; *m* Israelit *m*; **~lítico** *adj.* israelitisch, jüdisch.
istmo *m* **1.** Landenge *f*, Isthmus *m*; **2.** *Anat.* Enge *f*; ~ *de la aorta* Aortenenge *f.*
italia|nismo *m* italienische Spracheigentümlichkeit *f*; (übertriebene) Italienliebe *f*; **~nizar** [1f] *v/t.* italienisieren; **~no** *adj.-su.* italienisch; *m* Italiener *m*; *Li. das* Italienische.
itálico I. *adj.* **1.** italisch; **2.** *Typ.* Kursiv...; *a. f* (*letra f*) **~a** Kursive *f*; **II.** *m* **3.** Italiker *m.*
ítalo *poet. adj.* italienisch.
ítem *lt. adv.* ebenso, desgleichen, item †.
itera|ción *f* Wiederholung *f*; **~r** *v/t.* wiederholen; **~tivo I.** *adj.* wiederholend; wiederholt, nochmalig; *Li.* iterativ; **II.** *m Li.* Iterativ *m.*
itinera|nte *adj. c* Wander...; *embajador m ~* fliegender Botschafter *m*; **~rio** *m* **I.** *adj.* Reise...; **II.** *m* Reiseplan *m*; Marschroute *f*; (Weg-)Strecke *f*; (Flug- *usw.*)Weg *m*; Reisebeschreibung *f*; Reiseführer *m* (*Buch*).
ixtle ⚘ *m Méj.* Agave *f*; *p. ext.* Pflanzenfaser *f.*
izar [1f] **I.** *v/t. Segel* heißen, setzen; *Flagge* hissen; ⚓ *¡iza bandera!* heißt Flagge!; **II.** *v/r.* **~se** F → *amancebarse.*
izote ⚘ *m Am. Cent.*, *Méj. yukkaähnliche* Palme *f.*
izquier|da *f* **1.** linke Hand *f*, Linke *f*; *a* (*od. por*) *la ~* links; *Sp. el extremo ~* der Linksaußen; **2.** *fig. Pol.* **~(s)** *f*(*/pl.*) *die* Linke; **~dear** *v/i.* vom geraden Weg abweichen (*fig.*), nicht richtig handeln; **~dista** *Pol. adj.-su. c* linksgerichtet, linke(r, -s); *m* Linksparteiler *m*, Linke(r) *m*; **~do** *adj.* linke(r, -s); linkshändig; *Equ.* x-beinig; *fig.* krumm.

J

J, j (= *jota*) *f* J, j *n*.

jaba *f* **1.** *Am.* Binsenkorb *m*; Lattenkiste *f*; *Cu.* Bettelsack *m*; *fig.* Buckel *m*; **2.** *Ven.* hohler Kürbis *m*; *fig.* Armut *f*, Elend *n*.

jabalcón △ *m* Strebe *f*.

jaba|lí *Zo. m* (*pl.* ~íes) Wildschwein *n*; Keiler *m*; *Am. a.* Nabel- *bzw.* Bisamschwein *n*; **~lina**[1] *Zo. f* Wildsau *f*, Bache *f*; **~lina**[2] *f Jgdw.* Saufeder *f*; *Sp.* Wurfspeer *m*; *lanzamiento m de* ~ Speerwerfen *n*.

jabardillo *m* summender Insektenschwarm *m*; lärmender Vogelschwarm *m*; *fig.* Menge *f*, Schwarm *m von Leuten*.

jabato *m Zo.* Frischling *m*; *fig.* kühner Draufgänger *m*; Kraftprotz *m*.

jabear P *v/t. Guat.* klauen F.

jábega *f* **1.** *gr.* Zug-, Schlepp-netz *n*; **2.** (Fischer-)Boot *n*.

jabe|guero *m* Schleppnetzfischer *m*; **~que**[1] ⚓ *m* Schebeke *f*; **~que**[2] F *m* Schmarre *f*, Schmiß *m*.

jabí ⚘ *m Art* kl. Wildapfel *m*; *Am. Art* Kopaivabaum *m*.

jabi|lla *f*, **~llo** *m* ⚘ *Am.* Knallschotenbaum *m u. s-e Fruchtkapsel*.

jabirú *Vo. m Am.* Sattelstorch *m*.

jabón *m* **1.** Seife *f*; ~ *de afeitar* Rasierseife *f*; ~ *blando* (*graso*) Schmier-(Fett-)seife *f*; ~ *de olor* parfümierte Seife *f*; ~ *en polvo* Seifenpulver *n*; ~ *de sastre* Schneiderkreide *f*; ~ *de tocador* Toiletten-, Fein-seife *f*; *dar* ~ *a* ein-, ab-seifen (*ac.*); *fig.* *j-m* um den Bart gehen, *j-n* einseifen F; *fig. dar un* ~ *a alg.* → *jabonadura*; **2.** *Méj.*, *P. Ri.*, *Rpl.* Schrecken *m*, Angst *f*; F *Arg. hacer* ~ ängstlich sein.

jabona|da *f Chi.* → *jabonado*; *fig.* F *Méj.* Abreibung *f* (*fig.*); **~do** *m* Einseifen *n*; Wäsche *f* zum Einseifen; **~dura** *f* Einseifen *n*; Seifenschaum *m*; **~s** *f/pl.* Seifen-, Spülwasser *n*; *fig. darle a uno una* ~ j-n (scharf) zurechtweisen, j-m eine Abreibung geben F; **~r** *v/t.* ein-, ab-seifen; *Bart*, *Wäsche* einseifen; *fig.* F *j-n* zurechtweisen.

jabo|ncillo *m* **1.** Stück *n* parfümierte Seife; *Chi.* flüssige *od.* pulverisierte Seife *f*; **2.** Schneiderkreide *f*; **3.** ⚘ Seifenbaum *m u. s-e Frucht*: Seifenbeere *f*; **~nera** *f* **1.** Seifenschale *f*, -behälter *m*; **2.** ⚘ **a)** Seifenkraut *n*; **b)** Seifenwurzel *f*; **~nería** *f* Seifensiederei *f*; Seifenladen *m*; **~nero I.** *adj.* **1.** schmutzigweiß (*Stier*); **II.** *m* **2.** Seifen-sieder *m*; -händler *m*; **3.** ⚘ Seifenbaum *m*; **~neta** *f*, **~nete** *m* → *jaboncillo* 1; **~noso** *adj.* seifig, Seifen...

jaca *f* kl. Reitpferd *n*, Klepper *m* F.

jaca|l *m Guat.*, *Méj.*, *Ven.* Hütte *f*, Schuppen *m*; **~lón** *m Méj.* → *cobertizo*.

jácara *f* gesungene Romanze *f*; *span. Tanz*; *fig.* F Geschichtchen *n*, Schnurre *f*; Lüge *f*, Ente *f* F.

jacarandá ⚘ *m versch. Pfl.*, *am wichtigsten*: *Am. trop.* Jacarandabaum *m*; Palisander(holz *n*) *m*.

jacarandoso F *adj.* lustig.

jacaré *Zo. m Am. Mer. Art* Alligator *m*.

jacare|ar I. *v/i.* Romanzen singen; *fig.* F lärmend durch die Straßen ziehen; randalieren; **II.** *v/t. fig.* F belästigen; **~ro** F *adj.-su.* aufgeräumt, lustig; *m* Bruder *m* Lustig, fideles Haus *n* F.

jácaro *adj.-su.* prahlerisch; *m* Prahler *m*, Großmaul *n* F.

jácena △ *f* Binder(balken) *m*.

jacilla *f* Spur *f*, *die ein Gegenstand auf dem Boden hinterläßt*, Eindruck *m*.

jacinto *m* **1.** *Min.* Hyazinth *m*; **2.** ⚘ Hyazinthe *f*.

jaco *m* Klepper *m* F, Schindmähre *f* F.

jaco|beo *adj.* auf den Apostel Jakobus bezüglich; *año m* ~ *Jubiläumsjahr des Santiago de Compostela*; *ruta f* ~*a* Jakobsweg *m*, *Pilgerweg nach Santiago de Compostela*; **~binismo** *hist. u. fig. m* Jakobinertum *n*; **~bino** *Pol. adj.-su. hist. u. fig.* jakobinisch, Jakobiner...; *m* Jakobiner *m*; *fig.* Fortschrittler *m*; radikaler Demokrat *m*; **~bita** *Rel. u. hist. adj.-su. c* Jakobit *m*.

jacote ⚘ *m Am.* → *jocote*.

jacta|ncia *f* Prahlerei *f*, Großsprecherei *f*; **~ncioso** *adj.-su.* prahlerisch, großsprecherisch; ruhmredig; *m* Großmaul *n* F; **~r I.** *v/t.* † s. brüsten mit (*dat.*); **II.** *v/r.* ~*se* (de) prahlen (mit *dat.*).

jacú *m* **1.** *Bol.* Beikost *f* (*Brot, Yuccafladen od. Bananen*); **2.** *Vo. Arg.* → *yacú*.

jaculatori|a *f* Stoßgebet *n*; **~o** *adj.* kurz u. inbrünstig; *oración f* ~*a* Stoßgebet *n*.

jachalí ⚘ *m Am. Mer. Art* Flaschenbaum *m*.

ja|che, ~chi *m Bol.* Kleie *f*.

jachudo *adj. Ec.* stark, muskulös.

jade *Min. m* Jade *m*.

jade|ar *v/i.* keuchen; **~o** *m* Keuchen *n*; **~oso** *adj.* keuchend, schnaufend.

jaecero *m* Schirrmacher *m*, Sattler *m*.

jaén ⚒ *adj. f*: *uva f* ~ *Traubenart*.

jae|z *m* (*pl.* ~*eces*) Pferdegeschirr *n*; *fig.* Art *f*; Eigenart *f*; *del mismo* ~ vom gleichen Schlag; **~zar** [1f] *v/t.* → *enjaezar*.

jagua ⚘ *f Am. Mer.* Genipabaum *m*.

jagua|r *m*, **~reté** *m Rpl.* Jaguar *m*.

jaguarzo ⚘ *m Art* Zistrose *f*.

ja|guay, ~güey *m Am.* **1.** Süßwasserloch *n am Strand*; *p. ext.* künstliches Wasserloch *n*; Zisterne *f*; **2.** ⚘ *Cu. versch. Ficusarten*; **~güilla** *f* **1.** ⚘ *Ant. Art* Genipabaum *m*; **2.** *Zo. Hond.*, *Nic.* Wildschwein *n*.

jaha|rrar *v/t. Wand* kalken, weißen; mit Gips verputzen; **~rro** *m* Weißen *n*; Gipsverputz *m*.

jahuel *m Arg.*, *Bol.*, *Chi.* → *jagüey*.

jai-alai *bask. m* Pelotaspiel *n*.

jai|ba *f Am.* Krebs *m* (*versch. Arten*); *fig.* F *Ant.*, *Méj. ser una* ~ sehr gerissen sein; **~bero** *m Chi. Art* Krebsreuse *f*.

jaique *m* Haik *m*, Überwurf *m der Araber u. Berber*.

¡ja, ja, ja! *int.* ha, ha, ha! (*Gelächter*).

jal(e) *m Méj.* **1.** *Art* Bimsstein *m*; **2.** goldhaltiger Schwemmsand *m*.

jala *f Col.* Rausch *m*; **~do** *adj.* **1.** *Am.* betrunken; **2.** *Am. Cent.*, *Col.* krank u. bleich ausschauend; **3.** *Méj.* (*nur negativ*): *no ser tan* ~ *para* ... so sehr entgegenkommend doch wieder nicht sein, daß ...

jala|pa *f* ⚘ Jalape(nwinde) *f*; *pharm.* Jalapenwurzel *f*; **~pina** *pharm. f* Jalapenharz *n*.

jalar I. *v/t.* **1.** F ziehen, zu s. heranziehen; *Am.* (her)ziehen; zerren; **2.** F *Col.*, *Ven.* sagen, ausdrücken; **3.** P essen; **II.** *v/i.* **4.** F *Am. Cent.*, *Méj.* flirten, kokettieren (mit *dat. con*); ~*le al aguardiente* den Schnaps lieben, ein Trinker sein; **5.** F *Bol.*, *P. Ri.*, *Ven.* aufbrechen, losziehen F; s. auf u. davon machen; *p. ext.* s. ans Werk machen, loslegen F; **III.** *v/r.* ~*se* **6.** *Am.* s. beschwipsen; **7.** *Méj.*: *no* ~*se con alg.* s. mit j-m schlecht vertragen.

jalbe|gar [1h] *v/t.* tünchen, weißen; **~gue** *m* Kalktünche *f*; *fig.* Schminke *f*.

jalca *f Pe.* Erhebung *f*, Spitze *f im Gebirge*.

jal|(da)do *adj.*, **~de** *adj. c* hochgelb.

jalea *Kchk.*, *pharm.* Gelee *n*; ~ *de membrillo* Quittengelee *n*; *pharm.* ~ *real* Gelee *n* royale; (*Anm.*: Gelee, Sülze → *gelatina*).

jale|ar *v/t. Hetzhunde*, *Tänzer u. Flamencosänger* anfeuern; aufmuntern; *Chi.* belästigen; verspotten; **~o** *m* **1.** Hetzen *n der Hunde*; Anfeuern *n der Tänzer u. Sänger*; **2.** *andal. Volkstanz*; **3.** *fig.* F Rummel *m*, Trubel *m*; Krach *m*, Lärm *m*, Radau *m* F; Durcheinander *n*, Wirrwarr *m*; *hay* ~ es geht hoch her; *armar* ~ Krach machen; *armarse alg. un* ~ s. gewaltig irren F, danebenhauen F.

jaletina *Kchk. f* (Obst-)Gelee *n*; Sülze *f*.

jalifa *m Marr.* „Kalif" *m*, *oberster Vertreter der Marokkaner im ehm. span. Protektorat*; *im Marokkospan.* Stellvertreter *m*; **~to** *m* Würde *f* u. Herrschaftsbereich *m* des *jalifa*.
jalisco I. *adj. Méj.* betrunken; **II.** *m* Jaliscohut *m* (*gr. Strohhut*).
jalocote ⚘ *m* mexikanische Königspinie *f*.
ja|lón[1] *m* Vermessungsstange *f*; Fluchtstab *m*; *fig.* Markstein *m*; **~lón**[2] F *m* **1.** *Am.* Zug *m*, Ruck *m*; *Méj.* kräftiger Schluck *m* (*Schnaps u. ä.*); *de un ~* → *de un tirón*; **2.** *Bol.*, *Chi.*, *Méj.* längeres Stück *n* Weges, Strecke *f*; **3.** *Am. Cent.* Verehrer *m*; **~lona** *adj. Am. Cent.* → *coqueta, casquivana*; **~lonar** *v/t.* **1.** *Weg, Gemarkung usw.* abstecken; **2.** *fig.* säumen (*fig.*); *su vida está ~ada de éxitos* auf s-m Weg steht überall der Erfolg.
jalli|pear □ *v/t.* gierig hinunterschlingen; **~pén** □ *m* Essen *n*; **~pí** □ *m* Hunger *m*; Durst *m*.
jamai|ca *f* **1.** ⚘ *Méj. Art* Hibiskus *m*; Hibiskustrank *m*; **2.** *C. Ri.* Tabaskopfeffer *m*; **3.** *Méj.* Wohltätigkeitsfest *n*; **~cano**, **~quino** *Ant. adj.-su.* aus Jamaika; *m* Jamaikaner *m*.
jamán *m Méj.* weißes Zeug *n*.
jama|ncia P *f* Essen *n*; **~r** [1b] P *v/t.* essen, verdrücken P.
jamás *adv.* nie(mals); je(mals); *¿has visto ~ algo parecido?* hast du je so etwas gesehen (*od.* erlebt)?; *nunca ~, ~ por ~* nie u. nimmer; *por siempre ~* auf ewig; F (*en*) *~ de los jamases* nie u. nimmer, unter gar keinen Umständen.
jamba *f* Fenster- *bzw.* Tür-pfosten *m*; **~je** △ *m* Tür-, Fenster-, Kamin-rahmen *m*.
jamba|rse *v/r. Méj.* s. vollstopfen, schlingen; **~zón** P *m Méj.* Essen *n*; Übersättigung *f*.
jámbico *usw.* → *yámbico*.
jamelgo *m* Schindmähre *f* F, elender Klepper *m* F.
jamerdana *f* Abfallgrube *f* in [Schlachthöfen.]
jamiche *m Col.* Schotter *m*.
jamón *m* Schinken *m*; *~ arrollado* Rollschinken *m*; *~ dulce*, *~ York* (*serrano*) gekochter (roher) Schinken *m*; *fig.* F *¡y un ~ (con chorreras)!* daraus wird nichts!, (das) kommt nicht in Frage!, denkste! F.
jamona F *adj.-su. f* rundliche Frau *f mittleren Alters*; *Ant.* alte Jungfer *f*.
jampón F *adj. Guat.* → *orondo*; *Guat.*, *Hond.* → *obsequioso*.
jamuga(**s**) *f*(*/pl.*) Damensattel *m*.
jamurar *v/t.* ⚓ *Wasser* ausschöpfen; *Col. Wäsche* auswringen.
jan *m Cu.* (Zaun-)Pfahl *m*.
janano *adj. Guat.*, *Salv.* hasenschartig.
jándalo F **I.** *adj.* andalusisch; **II.** *m im kantabrischen Gebiet*: wer andalusische Sitten u. Sprachgewohnheiten angenommen hat.
janear *Cu.* **I.** *v/t.* mit Pfählen einzäunen; *fig.* über *ein Tier* hinwegspringen; **II.** *v/r.* *~se* (plötzlich) stehenbleiben.
janeirino *adj. Am.* aus Rio de [Janeiro.]
jangada *f* **1.** F dummer Einfall *m*; übler Streich *m*; **2.** ⚓ Rettungsfloß *n*; *Am.* Floß *n*.
janiche *adj. c Am. Cent.* → *janano*.
jansenis|mo *Rel. m* Jansenismus *m*; **~ta** *adj.-su. c* jansenistisch; *m* Jansenist *m*.
japonés *adj.-su.* japanisch; *m* Japaner *m*; *das* Japanische.
japuta *f ein eßbarer Mittelmeerfisch* (*Lichia glauca*).
jaque *m* **1.** Schach *n b. Schachspiel*; *dar ~* Schach bieten; *~ mate* schachmatt; *¡~ al rey!* Schach (dem König)!; *fig. tener en ~* in Schach halten; **2.** *fig.* Maulheld *m* F.
jaqué *m Méj.* Cut(away) *m*.
jaquear *v/t. a. fig.* Schach bieten (*dat.*).
jaque|ca *f* (*oft ~s f/pl.*) Kopfschmerzen *m/pl.*, Migräne *f*; *fig.* F *dar ~ a alg.* j-n belästigen, j-n fertigmachen F; **~coso** *adj.* an Migräne leidend; *fig.* lästig.
jaque|l ▨ *m* Feld *n*; **~lado** ▨ *adj.* schachbrettartig.
jaquetón *m* **1.** F Prahlhans *m*, Maulheld *m* F; **2.** *Zo.* Weißhai *m*.
jáquima *f* **1.** Halfter *f*, *n*, *m*; **2.** *Am. Cent.* Rausch *m*.
jaqui|mazo *m* Schlag *m* mit der Halfter; *fig.* übler Streich *m*; schwerer Ärger *m*; **~mero** *m* Halftermacher *m*; **~món** *m Cu.* Halfterstrick *m*; *Chi.* → *jáquima 1*.
jara *f* **1.** ⚘ Zistrose *f*; *Am. versch. Pfl.*; **2.** *Guat.*, *Méj.* Pfeil *m*; **3.** *Bol.* Rast *f*, Marschpause *f*.
jarabe *m* **1.** Sirup *m* (*a. pharm.*); *fig.* F *~ de pico* Geschwätz *n*; leere Versprechen *n/pl.*; *fig.* F *dar ~ a alg.* j-m Honig ums Maul schmieren F; **2.** Jarabe *m*, *mexikanischer Tanz*; **~ar I.** *v/t.* (laufend) Sirup verschreiben (*dat.*); **II.** *v/r.* *~se* Sirup einnehmen.
jaraca|tal *m Guat.* Menge *f*, Haufen *m*; **~te** ⚘ *m Guat. ein gelbblühender Baum, der s. sehr rasch vermehrt.*
jara|gua ⚘ *f Rubiazee* (*Phyllanthus stillans*); **~l** *m* mit Zistrosen bestandenes Gelände *n*; *p. ext.* Gestrüpp *n*; *fig.* Wirrwarr *m*, Dickicht *n*; **~mago** ⚘ *m Art* Rampe *f*; **~mugo** *m* kl. Fisch *m*, Köderfisch *m*.
jara|na F *f* **1.** lärmende Fröhlichkeit *f*, Rummel *m*; *p. ext.* Krach *m*, Radau *m*; Streit *m*, Zank *m*; *fig.* F Lug u. Trug *m*; *hay ~* es geht hoch her; *andar de ~* → *jaranear 1*; **2.** *Bol.*, *Pe.* volkstümliches Tanzvergnügen *n*, Schwof *m* F; *Col.*, *Ec.*, *P. Ri.* Tanzvergnügen *n* im engeren Kreise; **3.** *Am. Mer.*, *Ant.* Scherz *m*, Ulk *m*, Streich *m*; *Col.* Lüge *f*, Schwindel *m*; **4.** *Am. Cent.* Schuld *f*; **5.** *Méj. Art* kl. Gitarre *f*; **~near** F **I.** *v/i.* **1.** lärmen, e-n Rummel veranstalten; poltern, Krach machen; **2.** *Bol.*, *Pe.*, *P. Ri.* e-n Schwof machen, schwofen F; **3.** *Cu.*, *Chi.* scherzen, Spaß machen; **4.** *Guat.* Schulden machen; **II.** *v/t.* **5.** *Am. Cent.*, *Col.* betrügen; **6.** *Col.* belästigen; **~nero I.** *adj.-su.* **1.** immer lustig, stets fidel, stets zum Vergnügen aufgelegt; **2.** *Am. Cent.* Schwindler *m*, Gauner *m*; **II.** *m* **3.** *Méj.* Jaranaspieler *m*; **~nita** *f Méj.* → *jarana 5*; **~no** *m* weißer (*od.* grauer) Filzhut *m*.
jarca *f* **1.** maurische Truppe *f*; **2.** ⚘ *Bol. Art* Akazie *f*.
jarcia *f* **1.** ⚓ Seil *n*, Tau *n*; *oft ~s f/pl.* Takelwerk *n*; Fischgerät *n* (*Netze usw. der Fischer*); **2.** *fig.* Haufen *m*; **3.** *Cu.*, *Méj.* → *cordel*; **~r** *v/t.* → *enjarciar*.
jar|dín *m* **1.** (Zier-)Garten *m*; *~ botánico* botanischer Garten *m*; *~ de infancia* Kindergarten *m*; **2.** Flekken *m auf Smaragden*; **3.** ⚓ Schiffsabort *m*; **~dincillo** *m dim.* Gärtchen *n*; *~ (a la entrada de la casa)* Vorgarten *m*; **~dinera** *f* **1.** Gärtnerin *f*; **2.** Blumenkasten *m*; Blumengestell *n*; **3.** bespannter Korbwagen *m*; offener Straßenbahnanhänger *m*; **~dinera-educadora** *neol. f* Kindergärtnerin *f*; **~dinería** *f* Gärtnerei *f*; Gartenarbeit *f*; **~dinero** *m* Gärtner *m*; *~ paisajista* Landschaftsgärtner *m*.
jare|ar I. *v/i.* **1.** *Bol.* e-e Rast einlegen *auf dem Weg*; **II.** *v/r.* *~se Méj.* **2.** fliehen; **3.** schaukeln; **4.** umkommen vor Hunger; **~ta** *f* **1.** Saum *m zum Durchziehen e-s Gummis usw.*; Biese *f*; *fig.* F *dar ~* viel reden, drauflosschwatzen; **2.** ⚓ Verstärkungstau *n*; **3.** *Ven.* Belästigung *f*; Widerwärtigkeit *f*; **~te** *m Ven.* Paddel *n*.
jari|fe *m* → *jerife*; **~fo** F *adj.* stattlich, prächtig; prunkvoll.
jari|lla ⚘ *f Arg.*, *Chi.* Jarillastaude *f* (*Zaccagnia punctata*); **~llo** ⚘ *m* Aronstab *m*.
jaripeo *m Bauernsport*: *Bol.* Ritt *m* auf e-m Stier; *Méj.* Rodeo *n*.
jaro[1] ⚘ *m* → *jarillo*; **~**[2] *m* Dickicht *n*.
jarocho I. *adj.-su. prov.* barsch; grob; **II.** *m hist. Méj.* Bewohner *m* des Küstenlands bei Veracruz.
jarope F *m* (Arznei-)Sirup *m*; *fig.* F Gesöff *n* F; **~ar** F *vt/i.* (*Hustensäfte u. ä.*) schlucken; **~o** F *m* (häufiges) Einnehmen *n* von Hustensäften *usw.*
jarra *f mst. zweihenkliger* Tonkrug *m* (*Hals u. Mündung weit*); Wasserkrug *m*; *en* (*a. de*) *~s* die Arme in die Seiten gestemmt; *ponerse en ~s* die Arme in die Seiten stemmen; **~zo** *m* gr. Krug *m*; Schlag *m* mit e-m Krug.
jarre|ar *v/i.* mit dem Krug schöpfen; mit e-m Krug zuschlagen; **~ro** *m* Krugmacher *m*; Schöpfmeister *m*; **~ta** *f* kl. Krug *m*; **~tar** *v/t.* die Kraft (*od.* den Mut) nehmen (*dat.*); **~te** *m* Kniekehle *f*; **~tera** *f* Strumpfband *n*; *Orden f de la* ⁓ Hosenbandorden *m*.
jarro *m einhenkliger* Krug *m*; Kanne *f*; *a ~s* im Überfluß; *fig. echarle a alg. un ~ de agua (fría)* j-m e-n Dämpfer geben, j-m e-e kalte Dusche verpassen.
jarrón *m* Blumenvase *f*; gr. Zierkrug *m*; Ornament *n* in Vasen- *od.* Urnen-form; *~ de piedra* Steinvase *f in e-m Park*.
jartera *f Col.* Überdruß *m*.
jasar *v/t.* → *sajar*.
jaspe *Min. m* Jaspis *m*; **~ado** *adj.* marmoriert, gesprenkelt; **~ar** *v/t.* marmorieren; *tex.* jaspieren.
jaspia F *f Guat.* das tägliche Brot; **~r** [1b] F *v/t. Guat.* essen.
ja|ta ⚘ *f Cu. Art* Palmiche-Palme *f*;

~tía ⚘ *f Cu. gr. Baum* (*schwammiges Holz*); **~tico** *m Cu., Guat.* Babykörbchen *n.*
jato *m* Kalb *n.*
¡jau! *int. zum Antreiben von Tieren, bsd. Stieren.*
Jauja *f* (*Stadt u. Region in Peru*); *fig. oft* ♀ Schlaraffenland *n.*
jaula *f* **1.** Käfig *m* (*a.* ⊕); Vogelbauer *n*; *p. ext.* Lattenkiste *f*; ⊕ *a.* Materialbox *f*; (Fahrstuhl-)Korb *m*; ⚒ Förderkorb *m*; Box *f in Garagen*; **2.** Laufstall *m für Kleinkinder*; **3.** 🚃 Viehwagen *m*; **4.** F *P. Ri.* Gefangenenwagen *m*, grüne Minna *f* P.
jauría *Jgdw. f* Meute *f.*
javanés *adj.-su.* javan(es)isch; *m* Javaner *m.*
Javel(le): *agua f de* ~ Eau *n* de Javelle.
jayán *m* ungeschlachter Kerl *m*; Rabauke *m* P.
jáyaro *adj. Ec.* grob, ungebildet.
jazmí|n ⚘ *m* Jasmin *m*; **~neas** ⚘ *f/pl.* Jasmingewächse *n/pl.*
jazz ♪ *m* Jazz *m*; *a.* → **~-band** *m* Jazz-band *f*, -kapelle *f.*
jebe *m* **1.** → *alumbre*; **2.** *Chi., Ec., Pe.* → *caucho.*
jedi|val *adj. c* Khediven...; **~ve** *m* Khedive *m.*
jeep *engl. Kfz. m* Jeep *m* (*engl.*).
jefa *f* Chefin *f*; **~tura** *f* (obere) Behörde *f*; ~ *de policía* Polizeidirektion *f*, -präsidium *n*; ~ *forestal* Forstamt *n*; **~zo** F *m* Boß *m* F; *desp. el gran* ~ der Oberfatzke P.
jefe *m* Vorsteher *m*; Chef *m*, Leiter *m*; Vorgesetzte(r) *m*; Haupt *n*; Führer *m*; ~ *de compras* Chefeinkäufer *m*; *Pol.* ~ *ideológico* Chefideologe *m*; ⚔ ~ *inferior* (*od. subalterno*) Unterführer *m*; *médico m* ~ Chefarzt *m*; Oberarzt *m*; leitender Arzt *m*; ~ *de publicidad* (*de sección*) Werbe- (Abteilungs-)leiter *m*; ~ *de taller* Werkmeister *m*; 🚃 ~ *de tren* Zugführer *m*; ~ *de ventas* Verkaufsleiter *m*, -chef *m.*
jegüite *Na. m Méj.* Gestrüpp *n*; Futtergras *n.*
Jehová *Rel. m* → *Yavé.*
¡je, je, je! *onom.* ha, ha, ha! (*Gelächter*).
jején *m* **1.** *Am.* e-e Stechmücke *f*; *Cu., P. Ri. saber donde el* ~ *puso el huevo* ein Ausbund von Klugheit sein; **2.** *Méj.* Menge *f.*
jeme *m* Spanne *f* (*Handmaß*); *fig.* F *tener muy buen* ~ ein hübsches Gesichtchen haben (*Frau*).
jemiquear *v/i. Chi.* → *gimotear.*
jengibre *m* Ingwer *m.*
jeniquén ⚘ *m* → *henequén.*
jenízaro I. *adj.* hybrid, Misch... (*Rasse*); **II.** *m hist.* Janitschar *m.*
jenny *tex. f* Baumwollspinnmaschine *f.*
jeque *m* Scheich *m.*
jer|arca *m* Hierarch *m*; *fig.* hoher Würdenträger *m*; *desp.* Bonze *m*; **~arquía** *f* Hierarchie *f*; Rangordnung *f*; Rang *m*, Einstufung *f*; **~árquico** *adj.* hierarchisch; Rang... **~árquico** *adj.* hierarchisch; Rang...; *vía f* ~*a* Dienstweg *m*; **~arquizar** [1f] *v/t.* nach Rang (*od.* Bedeutung) einstufen.
jerbo *Zo. m* Springmaus *f.*
jere|miada *f fig.* F Klagelied *n*; ~*s f/pl. Rel.* Klagelieder *n/pl.* des Jeremia; *fig.* Jammerreden *f/pl.*, Jammern *n*; **~mías** *fig.* F *m* ewig jammernder Zeitgenosse *m* F; **~miquear** *v/i. Am., bsd. Cu., Chi., P. Ri.* klagen, jammern; **~miqueo** F *m Am.* Gejammere *n* F.
jerez *m* Jerez(wein) *m*, ✝ *oft* Sherry *m.*
jer|ga¹ *f* grobes Wollzeug *n*; *a.* → *jergón¹*; *Arg., Chi.* Satteldecke *f*; **~ga²** *f* Sondersprache *f*, Jargon *m*; Kauderwelsch *n*; ~ *del hampa* Gaunersprache *f*; ~ *profesional* Berufssprache *f*, Fachjargon *m*; **~gal** *adj. c* Jargon...; **~gón¹** *m* Stroh-, Bettsack *m*; *fig.* F Sack *m* (= *schlecht sitzende Kleidung*); *fig.* F Dickwanst *m*; **~gón²** *Min. m* grüner Zirkon *m*; **~guilla** *tex. f* leichteres Zeug *n aus Seide od./u. Wolle.*
jeribeque *m* Grimasse *f*; *hacer* ~*s* Grimassen schneiden.
jerifalte *m* → *gerifalte.*
jeri|fe *m* Scherif *m*; **~fiano** *adj.* Scherifen...; *su majestad* ~*a Titel des Königs von Marokko.*
jerigonza *f* Kauderwelsch *n*; Gaunersprache *f*; *fig.* F lächerliches Treiben *n.*
jerin|ga *f* ⚕ (Injektions-)Spritze *f*; Klistierspritze *f*; *Kchk.* Krem-, Torten-spritze *f*; Stopftrichter *m b. Wurstmachen*; *fig.* F *¡qué* ~*!* wie lästig!; wie langweilig!; **~gar** [1h] **I.** *v/t.* einspritzen; *j-m* e-e Spritze geben; **II.** *v/r.* ~*se fig.* F s. langweilen; **~gazo** *m* Einspritzung *f*, Spritze *f*; Strahl *m* aus der Spritze; **~gón** P *adj. Am. Reg.* lästig, ärgerlich; **~guear** *v/t. Am.* ärgern, belästigen; **~guilla** *f* ⚕ kl. Injektionsspritze *f*; ⚘ wilder Jasmin *m.*
jeroglífico I. *adj.*: *escritura f* ~*a* Hieroglyphenschrift *f*; **II.** *m* Hieroglyphe *f*; Bilderrätsel *n.*
jerónimo *Rel. adj.-su.* Hieronymiten...; *m* Hieronymit *m.*
jerosolimitano I. *adj.* aus Jerusalem, jerusalemitisch; **II.** *m* Einwohner *m* Jerusalems, Jerusalemit *m.*
jerpa ✂ *f* unfruchtbare Rebe *f.*
jerrycan *engl. m gr.* Benzinkanister *m* (*bsd.* ⚔).
jersey *m* (*pl.* ~*es*) Pullover *m.*
jeruza F *f Guat., Hond.* Gefängnis *n*, Kittchen *n* F.
Jesu|cristo *m* Jesus Christus *m*; **♀ita I.** *adj. c* Jesuiten...; **II.** *m* Jesuit *m*; **♀ítico** *adj. oft desp.* jesuitisch; **♀itina** *kath. f* Angehörige *f* der Kongregation der „Töchter Jesu" (*Missions- u. Schulschwestern*); **♀itismo** *m* Jesuitentum *n*; *fig.* Hinterhältigkeit *f*, Heuchelei *f.*
Je|sús *m*: *¡*~*! int.* Herr Jesus, steh' mir bei!; (Herr)jemine! F (*Überraschung, Schrecken*); Gesundheit!, Gott helf'! (*b. Niesen*); F *en un* (*decir*) ~ im Nu; *fig.* F *hasta verte,* ~ *mío* bis zum letzten Tropfen; **♀susear** F *v/i.* immer wieder „*¡Jesús!*" in s-e Rede mengen.
jet *engl.* ✈ *m Am.* Jet *m* (*engl.*).
je|ta F *f* **1.** dicke Lippe *f*; (Schweins-)Rüssel *m*; Gebrech *n* (*Wildschwein*); P Fratze *f* P, Visage *f* P; *poner* ~ ein schiefes Maul ziehen P; P *no asomes la* ~ *por aquí* laß' dich hier bloß nicht blicken; **2.** V *Span. Reg.* weibliches Geschlechtsorgan *n*; **~tazo** F *m Ar., Ven.* → *mojicón*; **~tón** F *adj.* → *jetudo.*
jetudo *adj.* dicklippig; mit vorspringender Schnauze.
jíbaro¹ *Am.* **I.** *adj. bsd. Cu., Méj., P. Ri.* wild *bzw.* verwildert (*Tier*); *a. su.* vom Lande; bäurisch; ungesellig, menschenscheu; **II.** *m Am.* (*vgl. oben*) „Bauernspanisch" *n* (*bezeichnend s-e vielen Archaismen u. bildhaften Ausdrücke*); *Hond.* kräftiger Mann *m*; *P. Ri.* Mann *m* vom Lande, Bauer *m.*
jíbaros² *m/pl.* Jivaros *m/pl.*, *z. T. noch nicht zivilisierte Indianer, heute noch in Ec., Col., Chi., Pe.*
ji|bia *f* Tintenfisch *m*; *a.* → **~bión** *m* Kalkschulp *m des Tintenfisches.*
jícama ⚘ *f Am. Cent., Méj.* e-e *Knollenfrucht.*
jícara *f* **1.** *Am. Cent., Méj.* Frucht *f* des Kürbisbaums; Trinkschale *f daraus*; **2.** kl. Tasse *f*, *bsd. für Schokolade*; *fig.* Isolator *m an Telegraphenstangen.*
jicarazo *m bsd. Méj.* **1.** Schlag *m* mit e-r *jícara*; **2.** e-e Tassevoll (*Maß b. Ausschank von Agavenschnaps*); **3.** Giftmord *m*; *dar* ~ *j-n* vergiften.
jícaro ⚘ *m Am. Cent., Méj.* Kürbis-, Kalebassen-baum *m.*
jicote *m Am. Cent., Méj. Art* Hornisse *f*; *Méj.* Wespe *f*; **~a** *f Cu.* e-e Wasserschildkröte *f*; **~ra** *f Am. Cent., Méj.* Hornissen-, Wespennest *n*; *Méj. fig.* Summen *n*; *armar una* ~ Krach (*od.* Krawall) machen.
ji|fa *f* Abfall *m b. Schlachten*; **~fería** *f* Schlächterhandwerk *n*; **~fero I.** *adj.* **1.** Schlachthof...; **2.** *fig.* F schmutzig, dreckig F; **II.** *m* **3.** Schlächter *m*; **4.** Schlachtmesser *n.*
jifia *Fi. f* Schwertfisch *m.*
jiguagua *f Cu. Fisch* (*Caranx caranx gus*).
jigüe *Folk. m Cu.* Nix *m* (*Wasserkobold*); **~ra** *f Cu.* **1.** ⚘ → *güira*; **2.** Kalebasse *f.*
jijallo ⚘ *m* Geißklee *m.*
jijona *f ein turrón aus Jijona* (*Span.*).
jilguero *Vo. m* Distelfink *m*, Stieglitz *m.*
jilibioso *Chi. adj.* zimperlich; weinerlich; unruhig (*Pferd*).
jilmaestre ⚔ *m* Schirrmeister *m.*
jilosúchil ⚘ *m Méj.* Engelshaar *n* (*Baum, Blüte u. Frucht*).
jilote *m Am. Cent., Méj.* grüner Maiskolben *m*; **~ar** *v/i. Am. Cent., Méj.* anfangen zu reifen (*Mais*).
jimelga ⚓ *f* (Mast-)Schalung *f.*
jinda(ma) □, P *f* Angst *f*, Schiß *m* P.
jineta¹ *Zo. f* Ginsterkatze *f.*
jine|ta² *f* **1.** Reiten *n* mit kurzen Steigbügeln; **2.** F Reiterin *f*; **3.** ⚔ *Arg.* Tresse *f*; **~te** *m* **1.** Reiter *m*; † Kavallerist *m*; **2.** gutes Reitpferd *n*; **3.** *fig.* F *Cu.* → *sablista*; **~tear I.** *v/i.* reiten; **II.** *v/t. Am. Cent., Méj. Pferde usw.* zureiten; **III.** *v/r.* ~*se Equ. Col.* aufsitzen.
jinglar *v/i.* schaukeln; schwanken.
jingoís|mo *m* Hurrapatriotismus *m*; **~ta** *c* Hurrapatriot *m.*
jínjol ⚘ *m* Brustbeere *f.*
jiote *m Am. Cent., Méj.* **1.** ⚕ → *impétigo*; **2.** ⚘ e-e *Terebinthe.*
ji|pa F *f Am.*, **~pi** F *m* → *jipijapa.*
jipiar [1c] *v/i.* seufzen, schluchzen; schluchzend singen.

jipijapa *m* Panamahut *m*.

jipío ♪ *Folk. m Andal.* Klage *f im cante jondo*.

jiqui|lete *Cu.*, **~lite** *Ant.*, *Méj. m* Indigo *m* (*Pfl. u. Farbstoff*).

jira[1] *f* Fetzen *m*; Bahn *f* (*Tuch*).

jira[2] *f* **1.** Picknick *n*; **2.** Rundreise *f*; *Thea.* Tournee *f*; **3.** † Bankett *n*.

ji|rafa *Zo. f* Giraffe *f*; **~ráfico** *adj.* Giraffen...

jirapliega *pharm. f* Purgierlatwerge *f*.

jirel *m* Schabracke *f*.

ji|rón *m* **1.** Fetzen *m*; *hacer ~ones* zerfetzen; **2.** ▨ Ständer *m*; **3.** ✂ Volant *m*, Besatz *m*; **~ronado** *adj.* **1.** zerfetzt; **2.** ▨ geständert.

jitomate ⚘ *m Méj. Art* (hochrote) Tomate *f*.

jiu-jitsu *Sp. m* Jiu-Jitsu *n*.

Job[1] *m fig.*: *ser un* ♀ *od. ser paciente como ~* (alles) mit Hiobsgeduld tragen.

job[2] *engl. m* Job *m*.

jobo *m* **1.** ⚘ *Am. Cent.*, *Méj.* → *jocote*; **2.** *Méj.*, *Guat. Art* Schnaps *m*.

jocis|mo *m* kath. Arbeiterjugendbewegung *f*; **~ta** *neol. adj.-su. c zu "Juventud Obrera Católica"* (*J.O.C.*) (*Katholische Arbeiterjugend*).

jockey *engl. m* Jockey *m*.

joco *adj. Am. Cent.* sauer, scharf (*in Gärung übergehende Frucht*; *C. Ri. a. Speisen, Getränke, Schweißgeruch*).

jocó *Zo. m* → *orangután*.

jocoque *m Méj.* Sauermilchkrem *f*.

joco|serio *adj.* halb im Spaß, halb im Ernst; **~sidad** *f* Spaß *m*; Schäkerei *f*; **~so** *adj.* spaßig; scherzend; lustig.

joco|súchil ⚘ *m Méj.* Tabaskopfeffer *m*; **~te** ⚘ *m Am. Cent.* am. Kirschbaum *m*.

jocoyote *m Méj.* Jüngste(r) *m*.

jocun|didad *f* Fröhlichkeit *f*; **~do** *adj.* fröhlich, munter.

jo|der V **I.** *v/i.* koitieren, ficken V; **II.** *v/t. fig.* P *j-n* ärgern; *j-m et.* verpatzen; *j-n* zur Sau machen P; *et.* kaputt machen F; (*Wendungen alle* V) *¡~!* verdammt noch mal!; *¡ya no me jode más!* von Ihnen lasse ich mir das nicht mehr bieten!; Sie können mich (*euph.* am Abend besuchen)! P; *¡que se jodan!* zum Teufel mit der Sippschaft!; *le ha jodido el puesto* er hat ihn um s-e Stellung gebracht; *¡no me jodas!* so was (gibt's ja gar nicht)!; *no tener ni una jodida peseta* k-n lumpigen Groschen mehr in der Tasche haben; **~dienda** V *f* Koitus *m*, Fick *m* V; *fig.* V Plackerei *f*, Schinderei *f*; Scheiße *f* P.

jofaina *f* Waschbecken *n*.

jolgorio F *m* Rummel *m*; Jubel *m*, Trubel *m*, Heiterkeit *f* F.

¡jolín! *od.* **¡jolines!** P *int.* (*euph. für joder*) verflixt u. zugenäht! F.

jollín F *m* → *jolgorio*.

jondo *adj.* → *cante ~*.

jónico *adj.-su.* jonisch; Δ *orden m ~* jonischer Stil *m*.

jonio *adj.-su.* jonisch.

jopo *m* **1.** → *hopo*; **2.** *Bol.* gr. Haarnadel *f*.

jora *f Am. Mer.* vergorener Mais *m zur Chichabereitung*.

jor|dán *m fig.* Ort *m* (*od.* Mittel *n*) zur Reinigung u. Einkehr; **~dano** *adj.-su.* jordanisch; *m* Jordanier *m*.

jorfe *m* **1.** Trockenmauerwerk *n*; **2.** steiler Fels *m*, Wand *f*.

jorna|da *f* **1.** Tagereise *f*; **2.** Tagewerk *n*; Arbeitstag *m*; Arbeitszeit *f*; Spieltag *m* (*Lotto usw.*); *~ intensiva* durchgehende Arbeitszeit *f*; *~ (de trabajo) de ocho horas* Achtstundentag *m*; **3.** *Thea. K* Akt *m*; **4.** *~s f/pl.* Tagung *f*; **~dista** *c* Tagungsteilnehmer *m*; **~l** *m* **1.** Tagelohn *m*; **2.** ⚒ Tagwerk *n* (*reg. versch. Ackermaß*); **~lero** *m* Tagelöhner *m*.

joroba *f* Buckel *m*; *fig.* Zudringlichkeit *f*; Belästigung *f*; F *¡~!* verflixt! F; **~do** *adj.* buck(e)lig; *fig.* F lästig; übel dran; **~r** F **I.** *v/t.* belästigen, ärgern; **II.** *v/r.* *~se* s. ärgern; übel dran sein.

jorongo *m Méj. Art* Poncho *m*.

joropo ♪ *Folk. m Col.*, *Ven.* Tanz *m* der "Llaneros".

jo|rrar *v/t.* (Netz) schleppen; *red f de ~* → **~rro** *m* Grundschleppnetz *n*.

jorungo F *m* **1.** *Ven.* → *gringo*; **2.** *Cu.* langweiliger (*od.* lästiger) Mensch *m*.

jose|antoniano *Pol. adj. Span.* auf José Antonio Primo de Rivera (*Gründer der Falange*) bezüglich; **~fino** *adj.-su.* **1.** *hist.* bonapartistisch; **2.** *Chi.* klerikal (*Partei*).

jota[1] *f* J *n* (*Name des Buchstabens*); *fig.* Jota *n*, Winzigkeit *f*; *no le falta una ~* es fehlt nicht das Geringste daran; *no saber (ni) ~* keine Ahnung haben; **~**[2] ♪ *Folk. f* Jota *f*, *Tanz* (*Ar.*, *Nav.*, *Val.*); **~**[3] *Kchk. f Art* Gemüseeintopf *m in Fleischbrühe*; **~**[4] *f Am.* → *ojota*.

jote *m Arg.*, *Chi.*, *Pe. a. fig.* F Geier *m*.

jotero *m* Jotatänzer *m*.

jove|n *adj.-su. c* jung; *m* junger Mann *m*; Jüngling *m*; *f* junges Mädchen *n*; junge Frau *f*; *los jóvenes* die jungen Leute *pl.*; **~nado** *kath. m* Noviziat *n*; **~ncito**, **~nzuelo** *dim. v. joven*; *desp.* Grünschnabel *m* F.

jovia|l *adj. c* heiter, aufgeräumt; jovial; **~lidad** *f* Heiterkeit *f*; Jovialität *f*.

joya *f* **1.** Juwel *n* (*a. fig.*), Kleinod *n*; *fig.* Perle *f*, Kostbarkeit *f*; *iron.* (sauberes) Früchtchen *n* F; *~s f/pl.* Schmuck-, Wert-sachen *f/pl.*; **2.** Δ Säulenring *m*.

joyante *adj. c*: *seda f ~* Glanzseide *f*.

joye|l *m* kl. Schmuckstück *n*; **~ra** *f* Schmuckhändlerin *f*; **~ría** *f* Juwelierladen *m*; **~ro** *m* **1.** Juwelier *m*; **2.** Schmuck-behälter *m*, -schatulle *f*.

joyo ⚘ *m* Lolch *m*.

joyolina F *f Guat.* Kittchen *n* F.

Juan *m*: *fig. ~ Español der Durchschnittsspanier* (*vgl. „deutscher Michel"*); *~ Lanas* gutmütiger Trottel *m*, Pantoffelheld *m*; Schwächling *m*, Wasch-, Jammer-lappen *m*; *~ Pérez* der Mann auf der Straße, der Normalverbraucher F; *Don ~* (*Tenorio*) Don Juan *m*.

jua|na *f fig.* → *damajuana*; *~s f/pl.* Handschuhspanner *m der Handschuhmacher*; ♀**nes** *npr. hist. berühmter toledanischer Waffenschmied*; *lit. la de ~* → *espada*.

juane|te **1.** *Anat.* vorstehender Bakkenknochen *m*; ⚕ Hallux *m* valgus; **2.** ⚓ Bram-, Topp-segel *n*; **3.** *Hond.* → *cadera*; **~tero** ⚓ *m* Toppgast *m*; **~tudo** *adj.* mit vorspringenden Backen- *bzw.* Zehen-Knochen.

juarista *hist. adj.-su. c Méj.* Anhänger *m* des Benito Juárez.

jubete *hist. m Art* Koller *n*.

jubi|lación *f* Versetzung *f* in den Ruhestand; Pensionierung *f*; *p.ext.* Pension *f*, Ruhegehalt *n*; *Univ.* Emeritierung *f*; **~lado I.** *adj.* **1.** im Ruhestand; außer Dienst; pensioniert; *Univ.* emeritiert; **2.** *Cu.* erfahren, gerissen; **3.** *Col.* nicht (mehr) ganz gescheit; **II.** *m* **4.** Pensionierte(r) *m*; **~lar I.** *adj. c* **1.** Jubiläums...; *ecl. año m ~* Jubeljahr *n*; **II.** *v/t.* **2.** in den Ruhestand versetzen, pensionieren; **III.** *v/i.* **3.** *Lit.* frohlocken, jubilieren; **IV.** *v/r.* *~se* **4.** in den Ruhestand versetzt werden, in Pension gehen; s-n Abschied nehmen; **5.** *Col.* herunterkommen (*fig.*); **6.** *Cu.*, *Méj.* Erfahrungen sammeln; **7.** *Guat.*, *Ven.* blau machen; **~leo** *m* Jubiläum *n*; *ecl.* Jubeljahr *n*; *kath. a.* Jubiläumsablaß *m*; *fig.* F *parece que hay ~ aquí* hier geht's zu wie in e-m Taubenschlag.

júbilo *m* Jubel *m*, Freude *f*; *lit.*, *ecl.* Frohlocken *n*.

jubiloso *adj.* jubelnd.

jubón *m* Wams *n*.

júcaro ⚘ *m Ant. Baum, Kombretazee.*

juco I. *m Ec.* Rohr *n*, hohler Stengel *m der Gräser*; **II.** *adj. Hond.* → *joco*.

juda|ico *adj.* jüdisch; judäisch; **~ísmo** *m* Judentum *n*; Judaismus *m*; **~ización** *f* Judaisierung *f*; Annahme *f* des jüdischen Glaubens; Verjudung *f*; **~izante** *adj.-su. c* jüdischem religiösem Brauchtum folgend; **~izar** [1f] *v/i.* die jüdische Religion annehmen; den jüdischen Religionsgebräuchen folgen.

judas *m* (*pl. inv.*) **1.** *fig.* heimtückischer Verräter *m*, gemeiner Lump *m*; *Folk.* Strohpuppe *f*, *die am Karfreitag verbrannt wird*; *beso m de* ♀ Judaskuß *m*; ♀ *Iscariote* Judas Ischariot *m*; **2.** F *Méj.* Namenstag *m*; **3.** Spion *m* (*Guckloch an Türen*).

judeo|cristiano *adj.-su.* judenchristlich; **~español I.** *adj.* judenspanisch; **II.** *m* spanischer Jude *m*, Spaniole *m*; *Li. el ~* das Judenspanische.

judería *f* **1.** Judenviertel *n*; **2.** *hist.* Kopfsteuer *f* der Juden; **3.** *Arg.* → *judiada*.

judía *f* **1.** Jüdin *f*; **2.** ⚘ Bohne *f*; *~s f/pl. verdes* grüne Bohnen *f/pl.*

judia|da *f* (gemeiner) Streich *m*; **~r** ⚒ *m* Bohnenacker *m*.

judi|catura *f* Richter-amt *n*, -gewalt *f*; Richterstand *m*; Gerichtsbarkeit *f*; **~cial** *adj. c* richterlich; gerichtlich; *derecho m ~* Gerichtsverfassungsrecht *n*; *error m ~* Justizirrtum *m*; *gastos m/pl. ~es* Gerichtskosten *pl.*; *por vía ~* auf dem Rechtswege; **~ciario I.** *adj.-su.* † Sterndeuter(...) *m*; **II.** *adj. gal.* → *judicial*.

judío I. *adj.* jüdisch; **II.** *m* Jude *m*; *fig.* Geizhals *m*; Wucherer *m*; *p. ext.*, *bsd. Am. Reg.* skrupelloser Mensch *m*; *fig.* F Ungetaufte(r) *m*; *el ~ errante* der Ewige Jude.

judión ⚘ *m e-e* Stangenbohne(nart) *f*.

judo *Sp. m* Judo *n*; **~ka** *m* Judoka *m*, Judosportler *m*.

juego *m* **1.** *a. fig.* Spiel *n*; Spielen *n*; ~ *de aguas* Wasserspiele *n/pl.*; ~ *de azar* (*de dado*) Glücks- (Würfel-)spiel *n*; ~ *de destreza* (*de entretenimiento*) Geschicklichkeits- (Unterhaltungs-)spiel *n*; **~s** *m/pl. de ingenio* Rätsel *n/pl.*; Geduldsspiele *n/pl.*; ~ *de luces* Lichterspiel *n* (*fig.*); *tex.* Schillern *n*, Changieren *n*; ~ *de manos a. fig.* Taschenspielertricks *m/pl.*; Klatschspiel *n der Kinder*; ~ *de naipes* Kartenspiel *n*; **~s** *olímpicos* Olympische Spiele *n/pl.*; ~ *de palabras* Wortspiel *n*; **~s** *de sociedad* Gesellschaftsspiele *n/pl.*; *fig. doble* ~ Doppelspiel *n*; *terreno m de* ~ Spielplatz *m*; *por* ~ im Spiel, im Scherz; *a. fig. conocerle* (*od. verle*) *a alg. el* ~ j-s Spiel (*od.* j-n) durchschauen; *fig. no dejar entrar en* ~ *a alg.* j-n nicht zum Zuge kommen lassen; *fig. echar* (*od. tomar*) *a* ~ nicht ernst nehmen; *fig. entrar en* ~ mit im Spiel sein; auftreten, in Aktion treten; *fig. estar en* ~ auf dem Spiel stehen; *hacer* ~ *Kart.*, *Roulett* das Spiel eröffnen; weitermachen (*im Spiel*); → *a.* 2; *fig. hacerle a uno el* ~ j-s Spiel spielen; *a. fig. poner en* ~ ins Spiel bringen; einsetzen, aufbieten; *a. fig. ser un* ~ *de niños* ein Kinderspiel sein; *no es cosa de* ~ das ist nicht zum Lachen; *Kart. no tener* ~ nicht ausspielen können; **2.** Satz *m*, Garnitur *f*; Ausstattung *f*, Einrichtung *f*; ⚓ ~ *de banderas* Stell *n* Flaggen; ⊕ ~ *de bolas* Kugellager *n*; ~ *de café* Kaffeeservice *n*; ~ *de mesa* Tafelgeschirr *n*, (Speise-)Service *n*; *hacer* ~ passen (zu *dat. con*); zuea. passen; e-n Satz (*od.* e-e Garnitur) bilden; s. ergänzen; **3.** *bsd.* ⊕ Spiel *n*; Spielraum *m bzw.* toter Gang *m* (*im Getriebe usw.*); *exento de* ~ spielfrei (*Lenkung, Getriebe usw.*); *tener* ~ Spiel haben.

juer|ga *f* lärmendes Vergnügen *n*, Rummel *m*; feuchtfröhliches Vergnügen *n*, Sauferei *f* P; *fig.* Durcheinander *n*, Saustall *m* P; *estar* (*od. ir*[*se*]) *de* ~ s. amüsieren, feiern; *correrse una* ~ e-e Orgie veranstalten; F *tomar a* ~ *a/c.* et. nicht ernst nehmen; **~guearse** F *v/r.* → *estar de juerga*; **~gueo** F *m* → *juerga*; **~guista** *m* (*a. adj.*) Bummler *m*, Nachtschwärmer *m* F; Lebemann *m*.

jueves *m* (*pl. inv.*) Donnerstag *m*; *ecl.* ♀ *Santo* Gründonnerstag *m*; F *no ser cosa del otro* ~ nichts Besonderes sein, nichts Aufregendes (*od.* Welterschütterndes F) sein; F *la semana que no tenga* ~ nie(mals).

juez *m* (*pl.* **~eces**) **1.** *a. fig.* Richter *m*; ⚖ ~ *municipal etwa*: Gemeinde-, Stadtrichter *m*; ~ *de primera instancia etwa*: Amtsrichter *m*; ~ *de paz* Friedensrichter *m*; ~ *unipersonal* Einzelrichter *m*; **2.** *Sp. u. fig.* Schiedsrichter *m*; ~ *de línea* (*od. de cancha*) Linienrichter *m*; ~ *de llegada* (*od. de meta*) Zielrichter *m*; *Arg.* ~ *de raya* Starter *m bzw.* Zielrichter *m b. Pferderennen*; ~ *de salida* Starter *m*.

juga|da *f* Zug *m* (*Spiel*); *fig.* (übler) Streich *m*; *hacerle una mala* ~ *a alg.* j-m übel mitspielen; *¡una* ~ *feliz!* *a. fig.* ein glücklicher Wurf!; ein geschickter Schachzug!; **~dor** *m* Spieler *m*; Glücksspieler *m*; ~ *de ajedrez* (*de tenis*) Schach- (Tennis-)spieler *m*; ~ *de manos* Taschenspieler *m*; **~r** [1h *u.* 1o] **I.** *v/t.* **1.** (aus-)spielen; verspielen; *fig.* aufs Spiel setzen; → *a.* 7; *a. fig.* ~ *una carta* e-e Karte ausspielen; ~ *dinero* um Geld spielen; *p. ext.* Geld aufs Spiel setzen, Geld riskieren; *Thea. u. fig.* ~ *un papel* e-e Rolle spielen; **2.** bewegen; *fig.* einsetzen, spielen lassen; *Säbel* schwingen; **II.** *v/i.* **3.** *a. fig.* spielen; scherzen; ~ *al ajedrez* (*a las damas*) Schach (Dame) spielen; ~ *al fútbol* Fußball spielen; ~ *a la bolsa* (an der Börse) spekulieren; ~ *al alza* auf Hausse spekulieren; *a. fig.* ~ *con alg.* (*a/c.*) mit j-m (et.) spielen; ~ *con a/c. a.* et. spielend beherrschen; ~ *con las cartas boca arriba* die Karten auf den Tisch legen; *Sp.* ~ *de defensa* den Verteidiger spielen; ~ *en a/c.* an et. (*dat.*) beteiligt sein, e-e Rolle bei et. (*dat.*) spielen; ~ *del vocablo* ein Wortspiel machen; ~ *fuerte* hoch spielen; **4.** gehen, funktionieren; *la puerta no juega* die Tür geht nicht; **5.** zuea. passen; **6.** F *euph. Span.* koitieren; **III.** *v/r.* **~se 7.** einsetzen, wetten; *fig.* aufs Spiel setzen, riskieren; verspielen; *se juega hoy* es wird heute ausgespielt; heute ist Ziehung (*Lotterie*); *fig. jugársela a alg.* j-m e-n Streich spielen, j-n hereinlegen; j-n schikanieren; F *me juego la cabeza que ...* ich wette m-n Kopf, daß ...; **~**(*se*) *el todo por el todo* alles riskieren; **~se** *la vida* (*od.* F *el pellejo*) sein Leben riskieren, s-e Haut zu Markte tragen, Kopf u. Kragen riskieren F; **~rreta** *f* Schelmenstreich *m*, Schabernack *m*; *hacerle una* ~ *a alg.* j-m e-n Streich spielen.

jugla|r *m* **1.** Gaukler *m*, Spaßmacher *m*; **2.** *hist.* Spielmann *m*, Troubadour *m*; **~resco** *adj.* Gaukler...; Spielmanns...; *poesía f* **~a** Spielmannsdichtung *f*; **~ría** *f* **1.** Gaukelei *f*; **2.** *hist.* Spielmannsberuf *m*.

jugo *m* Saft *m* (*a. Physiol.*); Brühe *f*; *fig.* Kern *m*, Substanz *f*; ~ *de carne* Fleischsaft *m*; ~ *digestivo* (*gástrico*) Verdauungs- (Magen-)saft *m*; ~ *de fruta*(*s*) Frucht-, Obst-saft *m*; *sin* ~ *a. fig.* saftlos; *fig. sacar* ~ *a a/c.* et. ausnützen; *sacarle el* ~ *a un libro* e-m Buch das Wesentliche entnehmen; **~sidad** *f* Saftigkeit *f*; **~so** *adj.* saftig; *fig.* substanzreich; kernig; echt; kräftig (*Farbe*); ergötzlich; sehr gut (*Geschäft*).

jugue|te *m* **1.** *a. fig.* Spielzeug *n*; ~ *científico* Lehrspielzeug *n*; **~s** *m/pl. para niños* Kinderspielzeug *n*; *fig. ser* (*un*) ~ *de las olas* ein Spielball der Wogen sein; **2.** ⚕ Scherz *m*; **3.** *Thea.* Schwank *m*; **~tear** *v/i.* spielen (*a. fig.*); tändeln; **~teo** *m* Spielerei *f*; **~tería** *f* Spielzeug *n*; Spielwaren *f/pl.*; Spielwaren-handel *m*; -laden *m*; **~tón** *adj.* spielerisch; verspielt (*Kind*).

juicio *m* **1.** Urteilskraft *f*, Vernunft *f*; *de* (*buen*) ~ verständig, klug, gescheit; *muela f del* ~ Weisheitszahn *m*; *estar en su cabal* (*od. entero od. sano*) ~ bei gesunden Sinnen sein, bei vollem Verstande sein; *estar fuera de* ~ von Sinnen sein; *fig.* verblendet sein; *perder el* ~ den Verstand verlieren; *volver* (*od. trastornar od. quitar*) *el* ~ *a alg.* j-m den Kopf verdrehen; **2.** Urteil *n*; Meinung *f*; → *a.* 3; *a mi* ~ *od. a* ~ *mío*, *a. en mi* ~ m-r Meinung (*od.* Ansicht) nach; *hist. u. fig.* ~ *de Dios* Gottesurteil *n*; ~ *de valor* Werturteil *n*; *lo dejo a su* ~ ich überlasse es Ihrer Entscheidung; *hacer*(*se*) *un* ~ ein Urteil fällen, s. ein Urteil bilden (über *ac. sobre*); **3.** ⚖ Verhandlung(stermin *m*) *f*; Prozeß *m*; *en* ~ vor Gericht; *Theol.* ~ *final* (*od. universal*) Jüngstes Gericht *n*; ~ *oral* Hauptverhandlung *f* (*Strafprozeß*); mündliche Verhandlung *f* (*Zivilprozeß*); ~ *contencioso* Streitsache *f*; (Zivil-)Prozeß *m*; *pedir en* ~ *od. llevar a* ~ vor Gericht fordern; **~so** *adj.* vernünftig, verständig; klug.

julay P *m* Patron *m*; Wirt *m*.

julepe *m* **1.** ⚕ Arzneitrank *m*; **2.** (Karten-)Glücksspiel *n*; **3.** *fig.* F Tadel *m*; Strafe *f*; Prügel *pl.*; **4.** *Am. Mer.* Angst *f*; *Am. Cent.*, *Méj.* Arbeit *f*, Plackerei *f* F; **5.** übermäßiger Verschleiß *m*; **~ar** *v/t. Rpl.* erschrecken; *Am. Cent.*, *Méj.* anstrengen; antreiben.

julia|na I. *f* ⚘ Nachtviole *f*, Julienne *f*; **II.** *adj.-su. f Kchk.*: (*sopa f*) ~ Juliennesuppe *f*; **~no** *adj.* julianisch; **~s** *adj.-su. f/pl. Arg.*: (*Fiestas*) ♀ *arg. Unabhängigkeitstag* (*9. Juli 1816*).

julio *m* **1.** Juli *m*; **2.** *Phys.* Joule *n*.

juma F *f* → *jumera*; **~rse** F *v/r. bsd. Am.* s. beschwipsen.

jume *m Chi.* **1.** *Fi.* Blauhai *m*; **2.** ⚘ Salpeterbusch *m*; Aschenlauge *f daraus*.

jumento *m a. fig.* Esel *m*.

jumera F *f* Rausch *m*; P *papar una* ~ s. besaufen P, s. vollaufen lassen P.

jun|cal I. *adj. c* **1.** Binsen...; **2.** *Andal.* anmutig, stattlich; **II.** *m* **3.** → **~car** *m* Binsengebüsch *n*; binsenbestandenes Gelände *n*; **~cia** ⚘ *f* Zypergras *n*; *fig.* F *vender* ~ prahlen; **~ciera** *f* Riechtopf *m für wohlriechende Kräuter*; **~ción** *f Chi.* → *confluencia*; **~co** *m* **1.** ⚘ Binse *f*; ~ (*de Indias*) Spanisches Rohr *n*; ~ *oloroso* Zitronengras *n*; *muebles m/pl. de* ~ Rohrmöbel *n/pl.*; **2.** ⚓ Dschunke *f*; **~coso** *adj.* mit Binsen bestanden.

jungla *f* Dschungel *m*; *fig.* ~ *de asfalto* Asphalt-, Großstadt-dschungel *m*.

junio *m* Juni *m*.

júnior *m* (*pl. juniores*) *a. Sp.* Junior [*m.*]

junípero ⚘ *m* Wacholder *m*.

junquera ⚘ *f* **1.** Binse *f*; **2.** → **~l** *m* → *juncar*.

junquillo *m* **1.** ⚘ Spanisches Rohr *n*, Rotang *m*; ~ *oloroso* Jonquille *f*; **2.** △ feines Stuckgesims *n*; *a. allg. u. Kfz.* Zierleiste *f*; Stäbchen *n*; *Kfz.* ~ *de cromo* Chromzierleiste *f*.

junta *f* **1.** Versammlung *f*; Rat *m*;

Kommission *f*; Sitzung *f*; ~ *directiva* Vorstand *m b. Vereinen u. Gesellschaften*; ~ *general a.* ⚜ Haupt-, General-versammlung *f*; *Pol.* ~ *militar* Militärjunta *f*; ⚔ ~ *de reclutamiento* Musterungskommission *f*; ⚜ ~ *de socios* Gesellschafterversammlung *f*; **2.** ⊕ Fuge *f*; Verbindung *f*; ~ *soldada* Schweißfuge *f*; **3.** ⊕ Dichtung *f*; ~ *de goma* Gummidichtung *f*; *poner* ~*s a* abdichten (*ac.*); **4.** ~*s f/pl. Ant., Arg., Col.* → *confluencia*.

junta|mente *adv.* zusammen; gleichzeitig; ~**r I.** *v/t.* zs.-bringen; versammeln; zs.-fügen; *Hände* falten; *Geld* aufbringen; *Tür, Fenster* anlehnen; *Werkstücke* verbinden, inea.-fügen; ⊕ ~ *con remaches* vernieten; **II.** *v/r.* ~*se* s. anschließen; s. verbinden; s. zs.-tun; s. treffen; s. vereinigen (*a. geschlechtlich*); F zs.-ziehen (*Unverheiratete*).

jun|tera *Zim. f* Kanthobel *m*; ~**tillo** *adv.*: *a pie* ~ *od. a pie(s)* ~*as* mit beiden Füßen zugleich (*springen u. ä.*); *fig.* felsenfest (*glauben, überzeugt sein*); ~**to I.** *adj.* verbunden; vereint; versammelt; gefaltet (*Hände*); nahe; ~*s* zusammen; *barb. Am.* → *ambos*; *las dos familias viven muy* ~*as* die beiden Familien wohnen sehr nahe beieinander; *bailar* ~*s* mitea. tanzen; anea.-geschmiegt tanzen; **II.** *adv.* (*durch prp. usw. näher bestimmt*) in der Nähe; zugleich; zusammen; *Reg. aquí* ~ nebenan; ~ *a Barcelona* bei B.; ~ *a la puerta* an (*od.* bei) der Tür; neben der Tür; *se fue* ~ *a ella* er trat zu ihr hin; *en* ~ insgesamt; im (großen u.) ganzen; (de) *por* ~ im ganzen; alles in allem; *reía y lloraba todo* ~ er lachte u. weinte in e-m Atem.

juntura *f* Gelenk *n*; Verbindung *f*; Fügung *f*; ⊕ Scharnier *n*; Gelenkstück *n*; Fuge *f*; *Zim.* Stoß *m*; ⚓ ~ *de cabos* Spleißung *f*.

jupiteri(a)no *adj.* Jupiter...; jupiterhaft.

juque *m Am. Cent.* → *zambomba*.

jura[1] *f* Eid *m*; Treueid *m*; ⚔ ~ *de la bandera* (*del cargo*) Fahnen-(Amts-)eid *m*; *Pol.* ~ *de la Constitución* Eid *m* auf die Verfassung; 2[2] *Geogr.*: el ~ der Jura; ~**do I.** *adj.* **1.** geschworen; vereidigt; beeidigt (*a. Sachverständiger*); *fig. enemigo m* ~ geschworener Feind *m*, Todfeind *m*; **II.** *m* **2.** Geschworene(r) *m*; *tribunal m de* ~*s* Schwurgericht *n*; **3.** ~ (*calificador*) Jury *f*, Prüfungs-, Preis-gericht *n*; *Span.* 2 *de Empresa* Betriebsrat *m*; ~**dor** *m* gewohnheitsmäßiger Flucher *m*; ⚖ Schwörende(r) *m*; ~**mentado** *m* eidlich Verpflichtete(r) *m*; ~**mentar I.** *v/t.* vereidigen; **II.** *v/r.* ~*se* s. eidlich verpflichten; ~**mento** *m* **1.** Eid *m*, Schwur *m*; *bajo* ~ unter Eid, eidlich; ~ *declarativo* (*de insolvencia*) Offenbarungseid *m*; ~ *falso* Meineid *m*; **2.** Fluch *m*; *soltar* ~*s* fluchen, Verwünschungen ausstoßen; ~**r I.** *v/t.* **1.** schwören; beschwören; ~ *la bandera* (*el cargo*) den Fahneneid (den Amtseid) leisten; F *jurársela a alg.* j-m Rache schwören; **II.** *v/i.* **2.** schwören; ~ *por* (*el nombre de*) *Dios* bei Gott schwören; **3.** fluchen; ~ *como un carretero* (*od. un cochero*) fluchen wie ein Fuhrmann.

jurásico *Geol. adj.* Jura...; *formación f* ~*a* Juraformation *f*.

jurel *m* **1.** *Fi.* Stöcker *m*; **2.** *fig.* F Rausch *m*; *Cu.* Angst *f*.

jurero *m Chi.* falscher Zeuge *m*.

jurgo *m Col.* Menge *f*, Haufen *m*.

juridicidad *f* strenge Bindung *f* an das Recht (*bsd. Pol. u. Soz.*).

jurídico *adj.* juristisch, rechtlich, Rechts...; ⚖ *capacidad f* ~*a* Rechtsfähigkeit *f*.

juris|consulto *m* Rechts-gelehrte(r) *m*, -kundige(r) *m*; ~**dicción** *f* Rechtsprechung *f*; Gerichtsbarkeit *f*; Gerichtsbezirk *m*; ~ *civil* (*penal*) Zivil- (Straf-)gerichtsbarkeit *f*; *fig. tener* ~ *sobre* Macht (*od.* Gewalt) haben über (*ac.*); ~**diccional** *adj. c* Gerichts...; Rechtsprechungs...; *aguas f/pl.* ~*es* Hoheitsgewässer *n/pl.*; ~**perito** *m* Rechtskundige(r) *m*; ~**prudencia** *f* Jurisprudenz *f*; Rechtswissenschaft *f*; Rechtsnorm *f*; Rechtsprechung *f*; ~**ta** *c* Jurist *m*.

juro *m* festes Eigentumsrecht *n*; *adv.* de (*od. por*) ~ sicherlich.

jus|ta *f hist.* Lanzenstechen *n*, Turnier *n*; *fig.* Wettstreit *m*; ~ *literaria* literarischer Wettbewerb *m*; ~**tamente** *adv.* genau; gerade, eben; ~**t(e)ar** *v/i.* im Turnier kämpfen; ~**tedad** *f* Genauigkeit *f*; Knappheit *f*.

justi|cia I. *f* **1.** Gerechtigkeit *f*, Recht *n*; *de* ~ von Rechts wegen; gerechterweise; *adv. en* ~ gerecht; *deber m de* ~ (moralische) Pflicht *f*; *hacer* ~ *a alg.* j-m Gerechtigkeit widerfahren lassen; *fig. usted no se hace* ~ Sie sind zu bescheiden; *pedir* ~ Gerechtigkeit (*bzw.* sein Recht) fordern; es (*de*) ~ es ist recht u. billig; **2.** Rechtspflege *f*; Justiz *f*; Justizbehörde *f*, Gericht *n*; *administrar* ~ Recht sprechen; *tomarse la* ~ *por su mano* s. selbst sein Recht verschaffen; s. rächen; Faustrecht üben; **3.** *fig.* F Hinrichtung *f*; † Todesstrafe *f*; † Galgen *m*; **4.** *fig.* F Polizei *f*; Polizist *m*; **II.** *m* **5.** *hist.* 2 *Mayor* Oberrichter *m des Königreichs Aragonien*; ~**ciable** *adj. c* der Gerichtsbarkeit (*od.* dem Gesetz) unterworfen; aburteilbar; ~**ciar** [1b] *v/t. Am.* → *ajusticiar*; ~**cialismo** *Pol. m* Justizialismus *m*, *pol. u. soziale Doktrin unter Perón in Arg.*; ~**ciero** *adj.* streng rechtlich; gerechtigkeitsliebend.

justifica|ble *adj. c* zu rechtfertigen(d); ~**ción** *f* **1.** Rechtfertigung *f*; Beweis *m*, Nachweis *m*; **2.** *Typ.* **a)** Zeilenlänge *f*; **b)** Justierung *f*; Satzspiegel *m*; ~**do** *adj.* gerechtfertigt; gerecht; ~**nte I.** *adj. c* rechtfertigend; **II.** *m* Beleg *m*; Beweisstück *n*; ~**r** [1g] **I.** *v/t.* **1.** rechtfertigen; nachweisen; dokumentarisch belegen; *el fin justifica los medios* der Zweck heiligt die Mittel; **2.** *Typ. Zeilen, Satzspiegel* justieren; **II.** *v/r.* ~*se* **3.** s. rechtfertigen; s-e Unschuld nachweisen; ~**tivo** *adj.* Rechtfertigungs...; Beweis...; *documento m* ~ Beleg *m*.

justillo † *m* Mieder *n*.

justipre|ciación *f* Abschätzung *f*; ⚜ ~ *de averías* Dispache *f*, Schadensberechnung *f b. Seeschäden*; ~**ciar** [1b] *v/t.* abschätzen; ~**cio** *m* Bewertung *f*, Taxierung *f*.

justo I. *adj.* **1.** gerecht; richtig; genau; ~ *y equitativo* recht u. billig; **2.** *lo* ~ das unbedingt Notwendige; **3.** (*estar*) knapp, eng (anliegend); **II.** *m* **4.** Gerechte(r) *m*; **III.** *adv.* **5.** genau; knapp; richtig; *¡*~*!* stimmt!; ⚜ *calcular muy* ~ scharf kalkulieren.

jutía *Zo. f Cu.* Waldratte *f*.

juven|il *adj. c* jugendlich; Jugend...; ~**tud** *f* Jugend(zeit) *f*.

juvia ⚘ *f Am. trop.* Paranußbaum *m*.

juzga|do *m* **1.** Richteramt *n*; **2.** Gerichtsbezirk *m*; (unteres) Gericht *n*; ~ *municipal etwa*: Gemeinde-, Stadt-gericht *n*; ~ *de primera instancia e instrucción etwa*: Amtsgericht *n*; ~ *de paz* Friedensgericht *n*; ~**r** [1h] **I.** *v/t.* **1.** richten; aburteilen; **2.** beurteilen; ~ (*como*) ansehen als (*ac.*), halten für (*ac. od. adj.*); ~ *mal* falsch beurteilen; **II.** *v/i.* **3.** urteilen; glauben, annehmen, meinen; *a* ~ ... *dem* (*bzw. der usw.*) ... nach zu urteilen; *a* ~ *por las apariencias* anscheinend, dem Anschein nach.

K

K, k (= *ka*) *f* K, k *n* (*vgl. c, qu*).
kaftén F *m Arg.* → *alcahuete.*
kainita ⚗ *f* Kainit *n.*
kaiser *dt. m* Kaiser *m.*
kaki I. *m* **1.** ⚘ Kaki *m* (*Baum u. Frucht*); **2.** Khaki *m bzw. n*; **II.** *adj. inv.* **3.** khaki, gelbbraun.
kaleidoscopio *m* → *calidoscopio.*
kali *m* **1.** ⚘ gemeines Salzkraut *n*; **2.** ⚒ → *potasa.*
kan *m* → *khan.*
kanguro *Zo. m* Känguruh *n.*
kanti|ano *Phil.* **I.** *adj.* auf Kant bezüglich; kantisch; **II.** *m* Kantianer *m*; **~smo** *m* Philosophie *f* Kants.
kaolín *m* Kaolin *n.*
kapok *m* Kapok *m.*
kappa *f* Kappa *n* (*griech. Buchstabe*).
karakul *m* Karakulschaf *n*; Karak(o)ulpelz *m.*
karate *Sp. m* Karate *n.*
karst *Geol. m* Karst *m.*
kar|t *Sp. m* Go-Kart *n*; **~ting** *Sp. m* Go-Kart-Fahren *n.*
katangués *adj.-su.* katang(es)isch; *m* Katangese *m.*
kayac *m* Kajak *n, m.*
kedive *m* → *jedive.*
kéfir *m* Kefir *m.*
kénosis *Theol. f* Kenosis *f.*
kenotrón ⚡ *m* Kenotron *n.*
kepí *od.* **kepis** ⚔ *m* Käppi *n.*
kerati|na *Physiol. f* Keratin *n*; **~tis** ⚕ *f* Keratitis *f.*
kermes *Zo. m* (Kermes-)Schildlaus *f.*
kermes(s)e *f* Kirchweih(fest *n*) *f*, Kirmes *f*; *neol.* Wohltätigkeitsfest *n.*
kero|seno, *a.* **~sene, ~sén** *m* Kerosin *n.*
kha|n *m* Khan *m*; **~nato** *m* Khanat *n.*
kib(b)utz *m* Kibbutz *m.*
kidnap|per *engl. m* Kindesentführer *m*, Kidnapper *m*; **~ping** *m* Menschen-, *bsd.* Kindes-raub *m*, Kidnapping *n.*
kief *m* Kef *m, n.*
kiese|lgur *Min. m* Kieselgur *f*; **~rita** *Min. f* Kieserit *m.*
kif *m* Kif *m* (*haschischartiges Narkotikum*).
kilo *m* → *kilogramo*; **~caloría** *f* Kilo(gramm)kalorie *f*; **~ciclo** *HF m* Kilohertz *n*; **~grámetro** *Phys. m* Meterkilogramm *n*; **~gramo** *m*, *Abk. kg* Kilo(gramm) *n*; **~litro** *m* tausend Liter; **~metraje** *m* Kilometermessung *f*; Kilometer-zahl *f*, -stand *m*; Kilometerleistung *f z.B. v. Reifen*; *gal.* Entfernung *f* in km; **~metrar** *v/t.* nach km (ver)messen; *gal.* kilometrieren, mit Kilometersteinen versehen; **~métrico I.** *adj.* Kilometer...; **II.** *adj.-su.* 🚆 *Span.* (*billete m*) ~ *m* Kilometerheft *n.*
kilómetro *m*, *Abk.* km Kilometer *m, n*; ~ *cuadrado*, *Abk.* km² Quadratkilometer *m*; *a* (*una velocidad de*) *cien* ~*s por hora* (*od.* ~*s/hora*) mit (e-r Geschwindigkeit von) 100 Stundenkilometern.
kilo|pondio *Phys. m*, *Abk. kp* Kilopond *n*; **~vatímetro** ⚡ *m*: ~ *registrador* Kilowattstundenschreiber *m*; **~vatio** ⚡ *m*, *Abk.* kW Kilowatt *n*; ~*-hora m*, *Abk.* kW/h Kilowattstunde *f*; **~voltio** ⚡ *m*, *Abk.* kV Kilovolt *n.*
kilt *m* Kilt *m*, Schottenrock *m.*
kimono *m* Kimono *m*; *mangas f/pl.* (*de*) ~ Kimonoärmel *m/pl.*
kindergarten *dt. m* Kindergarten *m* (*mst. jardín m de* [*la*] *infancia*).
kinesiterapia *f* Krankengymnastik *f.*
kiosko *m* → *quiosco.*
kirial *kath. m* Kyriale *n.*
kirie (eleison) *m Rel.* Kyrieeleison *n*; *fig.* F *cantar el* ~ um Gnade bitten.
kirsch *m* Kirsch(wasser *n*) *m.*
kismet *m* Kismet *n.*
kit *engl.* ⊕ *m* Bestückung *f*; Satz *m*; ~ *de construcción* Bausatz *m zum* (*Selbst-*)*Bauen v. Geräten.*
kitchenette *engl.-frz. f* Kochnische *f.*
klaxon *m* Hupe *f.*
knock-out *m u. adv.*, *Abk.* K.O. *Sp. u. fig.* Knock-out *m*; k.o. (*adv.*); *vencer a alg. por* ~ j-n k.o. schlagen.
koala *Zo. m* Koala *m*, Beutelbär *m.*
kola ⚘ *f* Kola-baum *m*; -nuß *f.*
koljo|s *russ. m* Kolchos *m*; **~siano** *m* Mitglied *n* e-s Kolchos.
Komin|form *Pol. m* Kominform *n*; **~tern** *Pol. f* Komintern *f.*
komsomol *russ. m* Komsomol *m.*
kopek *m* Kopeke *f* (*russ. Münze*).
krach *m* Börsen-, Bank-krach *m.*
kraft *m*: (*papel m*) ~ Kraft-, Sulfitpapier *n.*
krausis|mo *Phil. m* Krausismus *m*, *Lehre des dt. Philosophen Krause*; **~ta** *adj.-su. c* Anhänger *m* der Lehre Krauses.
Krem|lín *m* Kreml *m*; **2linólogo** *Pol. m* Kremlspezialist *m.*
kronprinz *dt. m der dt.* Kronprinz *m.*
kulak *russ. m* Kulak *m.*
kumis *m* Kumyß *m* (*gegorene Stutenmilch*).
kummel *m* Kümmel *m* (*Schnaps*).
kurdo *adj.-su.* kurdisch; *m* Kurde *m.*
kursaal † *dt. m* Kurhaus *n.*
kwas *od.* **kvas** *m* Kwaß *m.*

L

L, l (= *ele*) *f* L, l *n.*

la I. *art.* die; **II.** *pron. pers. f sg.* sie; F ihr (*dat.*) (→ *laísmo*); *elliptische Verwendung in Redensarten*: ¡*me ~ pagarás!* das wirst du mir büßen; **III.** *m* ♪ A *n* (*Ton*); *~ sostenido* Ais *n*; *~ bemol* As *n.*

lábaro *Arch. m* Labarum *n.*

labe|ríntico *adj.* labyrinthisch; *fig.* verworren; **~rinto** *m a. fig. u. Anat.* Labyrinth *n.*

labia F *f* Zungenfertigkeit *f*; *tener mucha* (*od. buena*) *~* ein gutes Mundwerk haben; **~das** ⚘ *f/pl.* Lippenblütler *m/pl.*; **~l I.** *adj. c* Lippen...; labial; **II.** *m, f Li.* Labial *m,* Lippenlaut *m*; **~lizar** [1f] *Li. v/t.* labialisieren, runden.

labiérnago ⚘ *m Art* Steinlinde *f.*

labihendido *adj.* mit gespaltener Lippe; hasenschartig.

lábil *adj. c a. fig.* schwankend, unsicher; *Phys.*, ⊕, ⚗ labil (*a. fig.*), unstabil.

labio *m* Lippe *f*; Lefze *f der Tiere*; *p. ext.* Mund *m*; (*bsd.* Wund-)Rand *m*; *Anat. ~ inferior* (*superior*) Unter-(Ober-)lippe *f*; *Anat.* *~s m/pl.* (*de la vulva*) Schamlippen *f/pl.*; *de ~s de alg.* aus j-s Munde; *cerrar los ~s* schweigen; *morderse los ~s* s. auf die Lippen beißen; **~dental** *Li.* **I.** *adj. c* labiodental; **II.** *m, f* Labiodental *m,* Lippenzahnlaut *m*; **~so** *adj. Am.* mit tüchtigem Mundwerk; *a.* → *ladino 1.*

labor *f* **1.** Arbeit *f*; Werk *n*; *~ doméstica* Hausarbeit *f*; *auf Formularen, unter Beruf*: *sus ~es* Hausfrau; **2.** Land-, Feld-arbeit *f*; *tierra f de ~* Ackerland *n*; *dar una ~ al campo* das Feld (um)pflügen; **3.** (weibliche) Handarbeit *f*; *fig.* † *u. Am.* Mädchenschule *f mit Haus- u. Handarbeitsunterricht*; *~ de ganchillo* (*de punto*) Häkel- (Strick-) arbeit *f*; *profesora f de ~es* Handarbeitslehrerin *f.*

labora|ble *adj. c* **1.** *día m ~* Arbeits-, Werk-tag *m*; **2.** bestellbar (*Land*); **~do** *adj.* ⊕ *no ~* roh, unbearbeitet; **~l** *adj. c* Arbeits...; *Derecho m ~* Arbeitsrecht *n*; *relación f ~* Arbeitsverhältnis *n*; *relaciones f/pl. ~es* Beziehungen *f/pl.* zwischen den Sozialpartnern; **~lista** *m* Arbeitsrechtler *m*; **~nte I.** *part. zu laborar*; **II.** *m* Konspirant *m,* Intrigant *m*; **~r I.** *v/t.* → *labrar*; **II.** *v/i.* s. bemühen, s-e Pläne durchzusetzen; *oft* intrigieren; **~torio** *m* Labor(atorium) *n*; *~ experimental* (*od. de ensayos*) Versuchs-labor *n,* -anstalt *f*; *~ fotográfico* (*lingüístico*) Photo-(Sprach-)labor *n*; *practicante m de ~* Laborant *m.*

labore|ar I. *v/t.* ↖ → *labrar*; ⚒ schürfen; abbauen; **II.** *v/i.* ⚓ über e-e Rolle laufen (*Kabel, Seil*); **~o** *m* 🌾 Feldbestellung *f*; ⚒ Bergbau *m*; Bergwesen *n.*

laborio|sidad *f* Fleiß *m,* Arbeitsamkeit *f*; **~so** *adj.* **1.** arbeitsam, fleißig; **2.** schwierig, mühsam; langwierig.

laboris|mo *Pol. m* Labourbewegung *f* (*England*); **~ta** *Pol.* **I.** *adj. c* Labour...; *Partido m ~* Labourpartei *f*; **II.** *c* Anhänger *m* der Labourpartei.

labra *f* ⊕ Bearbeitung *f*; **~da** 🌾 *f* umgepflügtes Brachland *n*; **~dero, ~dío** *adj.* → *labrantío*; **~do I.** *adj.* gemustert (*Stoff*); ⊕ bearbeitet; geschliffen (*Diamant*); **II.** *m* Ackerland *n*; **~dor I.** *adj.* ackernd; **II.** *m* Landmann *m,* Bauer *m*; **~es** *m/pl.* Bauern(schaft *f*) *m/pl.*; **~dora** *f* Bäuerin *f*; **~doresco** *adj.*, **~doril** *adj. c* bäurisch; Bauern...

labradorita *Min. f* Labradorit *m.*

labran|tín *m* Kleinbauer *m*; **~tío I.** *adj.* angebaut; anbaufähig; **II.** *m* Ackerland *n*; **~za** *f* **1.** 🌾 Ackerbau *m*; Feld-bestellung *f,* -arbeit *f*; Anbaubetrieb *m*; **2.** Landgut *n,* Hof *m*; **3.** †, ↖ → *labor, trabajo.*

labrar I. *v/t.* **1.** gestalten, formen; *Steine* behauen; *a.* ⊕ *Material* bearbeiten, zurichten; *sin ~* unverarbeitet; unbearbeitet; **2.** *Acker* bestellen; ackern, pflügen; **3.** *fig.* betreiben; herbeiführen, bewirken; hinarbeiten auf (*ac.*); *~ la felicidad de alg.* j-n glücklich machen (wollen); **II.** *v/i.* **4.** *fig.* (gr.) Eindruck machen (auf *ac.* en), stark wirken.

labrie|ga *f* Bäuerin *f*; **~go** *m* Bauer *m.*

labrusca ⚘ *f* wilder Wein *m.*

laca *f* Lack *m*; Harzlack *m*; Lackfirnis *m*; *p. ext.* Haarspray *m*; *Mal. ~ amarilla* (*od. verde od. de Venecia*) Gelblack *m*; *~ mate* (*zapón*) Matt-(Zapon-)lack *m*; *~ nitrocelulósica* Nitro(zellulose)lack *m*; *~* (*para uñas*) Nagellack *m.*

laca|yo *m* **1.** *a. fig.* Lakai *m*; **2.** † Zierschleife *f der Frauen*; **~yuno** *desp. adj.* Lakaien..., Knechts...

lacea|dor *m Am.* Lassowerfer *m*; **~r** *v/t.* **1.** mit Bändern schmücken (*od.* schnüren); **2.** *Jgdw.* mit Schlingen fangen; **3.** *Arg.* mit dem Lasso peitschen; *Chi.* → *lazar.*

lacede|món, ~monio *adj.-su.* lazedämonisch, spartanisch; *m* Lazedämonier *m,* Spartaner *m.*

lace|ración *f* Schädigung *f*; Verletzung *f*; **~rado** *K adj.* unglücklich, elend; **~rante** *adj. c fig.* reißend (*Schmerz*); gellend (*Schrei*); **~rar I.** *v/t.* schädigen (*a. fig.*); verletzen (*a. fig.*); quetschen; zerreißen; **II.** *v/i.* ↖ → *sufrir laceria*; **~ria** *f* **1.** Elend *n*; Armut *f,* Dürftigkeit *f*; Leid *n*; *sufrir ~* im Elend leben; **2.** *fig.* mühsame Arbeit *f,* Schufterei *f* F; **3.** † ⚕ Lepra *f.*

lace|ría *f* Bandwerk *n,* Bänder *n/pl.* (*a.* △ *als Ornament*); **~río** *m Arg.* Schleifen *f/pl.*; Schlingen *f/pl.*; **~ro** *m* Lassowerfer *m*; *Jgdw.* Schlingenleger *m*; *p. ext.* Hundefänger *m.*

lacértidos *Zo. m/pl.* Eidechsen *f/pl.*

lacio *adj.* welk; schlaff; kraftlos.

lacón *Kchk. m* (geräucherter) Vorderschinken *m.*

lacónico *adj.* lakonisch; gedrängt [(*Stil*).]

laconi|o *hist. adj.-su.* lakonisch; *m* Lakonier *m*; **~smo** *m* lakonische Ausdrucksweise *f*; Kürze *f des Stils*; Lakonismus *m.*

la|cra *f* **1.** Gebrechen *n*; Mangel *m,* Defekt *m*; **2.** † Narbe *f*; **3.** *Arg.*, *Pe.*, *P. Ri.* Wundschorf *m*; *Am. Reg.* (schwärende) Wunde *f*; **~crar¹** ↖ *v/t.* anstecken; *fig.* schädigen; **~crar²** *v/t.* versiegeln; **~cre** *m* **1.** Siegellack *m*; **2.** ⚘ *Cu.* Siegellackbaum *m.*

lacri|mal *adj. c* Tränen...; *Anat. glándulas f/pl. ~es* Tränendrüsen *f/pl.*; **~matorio** *Arch. adj.-su. m* Tränenkrug *m als Grabbeigabe*; **~mógeno I.** *adj.* tränenerregend; **II.** *m* ⚗ Tränengas *n*; **~mosidad** *f fig.* Rührseligkeit *f*; **~moso** *adj.* tränend; tränenreich; zu Tränen rührend.

lacta|ción *f* **1.** *Physiol.* Milcherzeugung *f*; **2.** Stillen *n,* Säugen *n*; Ernährung *f* mit Milch; **~lbúmina** ⚗ *f* Milcheiweiß *n*; **~ncia** *f* **1.** Säuge-, Still-zeit *f*; **2.** → *lactación*; **~nte** *adj. c-su. m* Säugling *m*; **~r I.** *v/t.* stillen, säugen; mit Milch aufziehen; **II.** *v/i.* ⚕, *Biol.* laktieren, Milch absondern; gesäugt werden; s. von Milch nähren; **~rio I.** *adj.* → *lácteo, lechoso*; **II.** *~s m/pl.* Laktarien *pl.* (*Pilze*); **~sa** ⚗ *f* Laktase *f*; **~to** ⚗ *m* Laktat *n.*

lacteado *adj.*: *harina f ~a* Kinder-[mehl *n.*]

lácteo *adj.* milchig; Milch...; *Astr. Vía f ~a* Milchstraße *f.*

lac|tescencia ⚗, *Biol. f* milchige Beschaffenheit *f,* Lakteszenz *f*; **~ticíneo** *adj.* aus Milch, Milch...

láctico ⚗ *adj.* Milch(säure)...; *ácido m ~* Milchsäure *f.*

lac|tífero *adj.*: *Anat. conductos* (*od. vasos*) *m/pl. ~s* Milchgänge *m/pl.*;

~todensímetro *m* Milchmesser *m*; **~tosa** *Physiol. f* Laktose *f*, Milchzucker *m*.
lactumen ⚕ *m* Milchekzem *n der Säuglinge*.
lacustre *adj. c* See...; *hist. construcciones f/pl.* ~*s* Pfahlbauten *m/pl*.
lach|a *f* **1.** *Fi.* Alse *f*; **2.** *fig.* F Scham *f*; *tener poca* ~ unverschämt sein; **~o** P *m Chi.* → *galán*.
lade|ado *adj.* seitlich geneigt; windschief; **~ar I.** *v/t.* zur Seite neigen; *a. Waffe* verkanten; **II.** *v/i.* ausweichen; vom geraden Weg abkommen; **III.** *v/r.* ~*se* s. zur Seite neigen; *fig.* ~*se con alg.* s. auf j-s Seite stellen; *Arg.* ~*se* → *pervertirse*; *Chi.* → *enamorarse*; **~o** *m* Neigung *f*; Verkantung *f z. B. e-s Gewehrs*; **~ra** *f* Abhang *m*; Berglehne *f*, Flanke *f*; *Col.* Ufer *n e-s Flusses*; **~ro** *m Am.* Stangenpferd *n*.
ladi|lla *Ent. f* Filzlaus *f*; **~llo** *m* Seitenlehne *f e-r Kutsche*; *Typ.* Randtitel *m*; **~no I.** *adj.* **1.** *fig.* verschmitzt; schlau, pfiffig; abgefeimt; **2.** † spanisch; in Sprachen bewandert; *Am.* spanisch sprechend (*Indianer, Neger*); **II.** *m* **3.** *Am. Cent.* Mestize *m*.
lado *m a.* ∡ *u. fig.* Seite *f*; Gegend *f*; ∡ *a.* Kante *f*; Schenkel *m*; *al* ~ nebenan; daneben; ~ *al* ~ Seite an Seite; *el señor de al* ~ der Herr (von) nebenan; *al* ~ *de* neben (*dat. bzw. ac.*); *al otro* ~ jenseits; umstehend (*Seite*); *al otro* ~ *de* jenseits (*gen.*); *a un* ~ seitlich; seitwärts; *¡bromas a un* ~*!* Scherz beiseite!; *de* ~ seitlich; von der Seite; *de cuatro* ~*s* vierseitig; *de este* ~ diesseits; *de mi* ~ *a. fig.* auf m-r Seite; *de un* ~ *a* (*od. para*) *otro* hin u. her; *Opt., Typ.,* ⊕ *de* ~*s invertidos* seitenverkehrt; *en ambos* ~*s* beidseitig; *por el* ~ *paterno* väterlicherseits (*Verwandschaft*); *por el* ~ *político* vom politischen Gesichtspunkt (*od.* Standpunkt) aus; *por ese* ~ dahinaus, diesen Weg; *¡por este* ~*!* herbei!; *por este* ~ diesseits; in dieser Hinsicht; *por otro* ~ andererseits; *por un* ~ ..., *por otro* ~ einerseits ..., andererseits; *por todos* ~*s* von allen Seiten; ringsum; überall; *el* ~ *de abajo* (*de arriba*) die obere (untere) Seite; *fig.* ~ *bueno* richtige Seite *f*; Tuchseite *f b. Stoffen*, Narbenseite *f b. Leder*, Pelzseite *f b. Fellen*, ⊕ Gutseite *f b. Lehren*; ~ *inferior* (*superior*) Unter- (Ober-) seite *f*; ~ *interior* (*exterior*) Innen- (Außen-)seite *f*; *fig.* ~ *malo* linke Seite *f b. Tuch*, Fleischseite *f b. Leder*, *Pelz*, ⊕ Ausschußseite *f b. Lehren*; *fig.* F *comerle un* ~ *a uno* j-m (ständig) auf der Tasche liegen; *fig. dar de* ~ *a alg.* j-m den Rücken kehren; j-n links liegen lassen; *fig. dejar* (*od. echar*) *a un* ~ *od. dejar de* ~ beiseite lassen; *Probleme* ausklammern; *echar* (*od. irse*) *por otro* ~ e-n andern Weg einschlagen; *está de tu* ~ er steht auf deiner Seite; *hacer* ~ Platz machen; *hacerse a un* ~ zur Seite treten; *fig. mirar de* (*medio*) ~ scheel ansehen; *fig. ponerse del* ~ *de alg.* für j-n Partei ergreifen, für j-n eintreten; *fig. tener buenos* (*malos*) ~*s a.* gut (schlecht) beraten sein.
la|dra *f* Gebell *n*; **~drador** *adj.* bellend; **~drar** *v/i.* bellen; *fig.* drohen, *aber nicht handeln*, kläffen F, *aber nicht beißen*; **~drido** *m* Bellen *n*; Gebell *n*.
ladri|llado *m* Ziegelpflaster *n*; **~llar¹** *m* Ziegelei *f*; **~llar²** *v/t.* → *enladrillar*; **~llera** *f* Ziegelform *f*; **~llero** *m* Ziegelbrenner *m*; **~llo** *m* **1.** Ziegel(stein) *m*; *color m* ~ ziegelrot; △ ~ (*recocho*) Backstein *m*; ~ *espumoso de escoria* Leichtbaustein *m*; ~ *hueco* (*perforado*) Hohl- (Loch-)ziegel *m*; ~ *recocido* Klinker *m*; ~ *visto* Zierstein *m*; ~ *vítreo* (*od. de vidrio*) Glasziegel *m*; **2.** *fig.* F Schinken *m* F (*Theaterstück, Roman*); *fig.* dicke Tafel *f* (*Schokolade*).
ladrón I. *adj.* **1.** diebisch; spitzbübisch; **II.** *m* **2.** Dieb *m*; Räuber *m*; Gauner *m*; *bibl.* Schächer *m*; **3.** *p. ext.* Vorrichtung *f* zu heimlicher Wasser-, Strom- *usw.* -entnahme.
ladro|nada *f* Diebesstreich *m*; **~namente** *adv.* wie ein Dieb; verstohlen; **~near** *v/i.* als Dieb umherziehen; **~nera** *f* **1.** Diebesnest *n*; Räuberhöhle *f*; **2.** Dieberei *f*; **3.** ⚒ heimliche Wasserableitung *f b. e-r Stauanlage*; **4.** *fig.* F Sparbüchse *f*; **5.** *fort.* → *matacán*; **~nería** *f* → *latrocinio*; **~nesca** F *f* diebisches Gesindel *n*; **~nesco** F *adj.* Diebs..., Räuber...
laga|r *m* Weinkelter *f*; **~rero** *m* Kelterarbeiter *m*.
lagar|ta *f* **1.** Eidechse *f* (*Weibchen*); **2.** *fig.* F Luder *n* F; **3.** *Ent. Art* Seidenspinner *m* (*Schädling*); **~tera** *f* Eidechsenhöhle *f*; **~tija** *f* Mauereidechse *f*; **~tijero** *adj.-su.*: *Vo.* (*cernícalo m*) ~ *m* Turmfalke *m*; *Stk. media* (*estocada f*) ~*a f* kurzer tödlicher Degenstoß *m*; **~tijo** *m* **1.** → *lagartija*; **2.** *fig.* F *Méj.* → *lechuguino*; **~to** *m* **1.** *Zo.* Echse *f*; gr. Eidechse *f*; *bsd.* Smaragdeidechse *f*; *Am.* ~ (*de Indias*) → *caimán*; *fig. int.* ¡~! unberufen!, toi toi toi!; **2.** *fig.* Schlauberger *m*, Filou *m* F; **~tona** F *f* Luder *n* F, gerissenes Weibsstück *n* F.
lago *m* See *m*.
lagote|ría F *f* (hinterhältige) Schmeichelei *f*; **~ro** *adj.-su.* (hinterlistiger) Schmeichler *m*.
lágrima *f* **1.** Träne *f*; *fig.* F *una* ~ *de aguardiente* ein Schlückchen *n* Schnaps; *fig.* ~*s f/pl.* Ausfluß *m v. Pfl. nach Verletzungen*; ~*s f/pl. de alegría* Freudentränen *f/pl.*; ~*s de Batavia* Glasträne *f*, Knallglas *n*; *arrancar* ~*s a alg.* j-m die Tränen in die Augen pressen; j-n zu Tränen rühren; *deshacerse en* ~*s od. estar hecho un mar de* ~*s* in Tränen zerfließen; *llorar* (*con*) ~*s de sangre* blutige Tränen weinen; *llorar a* ~ *viva* heiße Tränen vergießen; *saltársele a uno las* ~*s* in Tränen ausbrechen; **2.** ⚘ ~*s de David* (*od. de Job*) Tränengras *n*.
lagri|mal ⚕ **I.** *adj. c* Tränen...; *saco m* ~ Tränensack *m*; **II.** *m* Tränenwinkel *m des Auges*; ⚒ Baumgeschwür *n in angerissenen Astgabelungen*; **~mear** ⚕ *v/i.* tränen; **~meo** *m* Tränen *n*; Tränenfluß *m*; **~millo** *m Chi.* frisch gärender Most *m*; **~mones** *m/pl.* dicke Tränen *f/pl.*; **~moso** *adj.* tränend; verweint; weinerlich.
lagu|a *f Bol., Pe.* Brei *m* aus Kartoffelmehl; **~na** *f* **1.** Lagune *f*; (Salzwasser-)Teich *m*; *p. ext.* Sumpf *m*; **2.** *fig.* Lücke *f in Texten u. fig.*; **~nero** *adj.* Lagunen...; **~noso** *adj.* lagunenreich; sumpfig.
lai|cal *adj. c* weltlich; antiklerikal; **~cidad** *gal. f* Weltlichkeit *f*; Freiheit *f* von kirchlicher Bindung; **~cismo** *Pol. m* Laizismus *m*; **~cización** *f* Laizisierung *f*; Verweltlichung *f*, Befreiung *f* von kirchlichem Einfluß; **~cizar** [1f] *v/t.* vom geistlichen Einfluß befreien; den geistlichen Einfluß beschränken; **~co I.** *adj.* laienhaft; weltlich; *Schule a.* frei; **II.** *m* Laie *m*.
lairén I. *adj.*: *uva f* ~ *dickschalige u. großkernige Traubenart*; **II.** *m* ⚘ *Ven. e-e eßbare Wurzel*.
laís|mo *Gram. m*: *dativische Verwendung v. la u. las*; **~ta** *adj.-su.*: *bezieht s. auf den laísmo u. s-e Vertreter* (*z. B. la dijo* er sagte ihr).
laja¹ *f* glatter Stein *m*; ~² *f* **1.** † → *traílla*; **2.** *Cu.* dünner Agavenfaserstrick *m*.
lama¹ *f* **1.** (*bsd.* Gruben-)Schlamm *m*; **2.** Seegras *n*; ~² *Rel. m* Lama *m*; **~ico** *adj.* lamaistisch, Lama...; **~ísmo** *m* Lamaismus *m*; **~ísta** *c* Lamaist *m*; **~sería** *f* Lamakloster *n*.
lambdacismo *Li. m* Lambdazismus *m*.
lam|ber F *v/t. prov. u. Am.* → *lamer*; **~bido I.** *m prov.* → *lamido*; **II.** *adj. Am. Cent.* → *relamido*; *Col., Ec.* → *descarado*.
lambrequín *m* ▧ Helm-, Wappenzier *f*; *gal.* Zackenbehang *m*, Lambrequin *m*.
lame|culos P *m* (*pl. inv.*) Speichellecker *m*, Arschkriecher *m* V; **~dal** *m* Morast *m*; **~dor I.** *adj.* leckend; **II.** *m* Sirup *m*; *fig.* F *dar* ~ schmeicheln.
lameli|branquios *Zo. m/pl.* Blattkiemer *m/pl.*; **~forme** ⚘ *adj. c* lamellenförmig.
lamen|table *adj.* kläglich; jämmerlich; bedauerlich; **~tación** *f* Wehklage *f*; ~*ones f/pl.* F Gejammer *n*; **~tar I.** *v/t.* beklagen; bejammern; bedauern; *lo lamento mucho* es tut mir sehr leid; **II.** *v/r.* ~*se* (*de, por*) jammern (über *ac.*), s. beklagen (über *ac.*); **~to** *m* Wehklagen *n*; **~toso** *adj.* **1.** kläglich; jämmerlich; **2.** jammernd.
lame|platos F *m* (*pl. inv.*) Tellerlecker *m*; *a.* Schmarotzer *m*; **~r** *v/t.* (ab)lecken; *fig.* leicht berühren; ~*se* s. (be)lecken (*Tiere*); *las olas lamen el litoral* die Wellen schlagen (sanft) ans Gestade; *fig.* F *dejar a uno que* ~ j-m großen Schaden zufügen; j-n schlimm zurichten; **~rón** *adj.* naschhaft; **~tón** *m* (gieriges) Lecken *n*.
lamia *f* **1.** *Folk. hist.* Lamia *f*; **2.** *Fi.* → *tiburón*.
lamido I. *adj. fig.* dünn u. blaß; geschniegelt; **II.** *m* Lecken *n*.
lámina *f* **1.** ⊕ (dünne) Platte *f*; Folie *f*; Blech *n*; Blatt *n*; Lamelle *f*; ~ *adhesiva* (*transparente*) Klebe- (Klarsicht-)folie *f*; ⚡ ~ *de contacto*

Kontaktfeder *f*; **2.** *Typ.* Tafel *f in Büchern*; ~ *a todo color* Farbbildtafel *f*.

lamina|ble ⊕ *adj. c* auswalzbar; **~ción** *f* ⊕ Walzung *f*; *tren m de* ~ Walzstraße *f*; **~do I.** *adj.* blätterig; lamelliert; mit Platten belegt; ⊕ gewalzt; **II.** *m* ⊕ Walzen *n*; **~dor** ⊕ *m* **1.** Walzwerksarbeiter *m*; **2.** (*tren*) ~ Walzwerk *n*; **~dora** ⊕ *f* Walz-maschine *f*, -werk *n*; **~r¹** *adj. c.* blätterig, Folien... (*Struktur*); laminar (*Strömung*); **~r²** ⊕ *v/t.* (aus-) walzen; mit Platten (*od.* Folien) belegen; ~ *en caliente* warmwalzen.

lami|naria ⚘ *f* Riementang *m*; **~nero** *adj.-su.* naschhaft; *m* Lekkermaul *n*; **~nilla** *f* Blättchen *n*; Lamelle *f*; kl. Blattfeder *f*; ~(s) *f*(/*pl.*) Flitter *m*; **~noso** *adj.* schichtig, geblättert (*Struktur*).

lamiscar [1g] F *v/t.* (eifrig) (ab-) lecken; schlecken.

lam|oso *adj.* schlammig; **~pacear** *v/t.* ⚓ aufwischen, schwabbern; **~palagua** *m Zo. Am.* Boa *f*; *Myth. Chi. Ungeheuer, das die Flüsse leersäuft*; *fig.* F Nimmersatt *m*.

lámpara *f* **1.** Lampe *f*; Leuchte *f*; *a. HF* Röhre *f*; *HF* ~ *amplificadora* Verstärkerröhre *f*; ~ *de aviso* Warnleuchte *f*; *HF* ~ *biplaca* Doppeldiode *f*; ~ *colgante* Hängelampe *f*; ~ *fluorescente* Leucht(stoff)röhre *f*; ~ *de minero*, ~ *de seguridad* (*para soldar*) Gruben- (Löt-)lampe *f*; *ecl.* ~ *del Santísimo* ewiges Licht *n*; *fig.* F *atizar la* ~ noch e-n einschenken; noch e-n auf den Docht gießen P; **2.** Ölfleck *m in der Kleidung*.

lampa|rero *m* **1.** Lampen-macher *m*; -verkäufer *m*; **2.** Laternenanzünder *m*; **~rilla** *f* **1.** Lämpchen *n*; Nachtlicht *n*; **2.** ⚘ Zitterpappel *f*; F Gläschen *n* Schnaps; **~rín** *ecl. m* Lampen-ring *m*, -halter *m*; **~rita** *f dim.*: ~ *de control* Kontrollämpchen *n*; **~rón** *m* großer Fettfleck *m in der Kleidung*; *~ones m/pl.* ⚕ Skrofeln *pl.*; *vet.* Rotz *m*.

lampazo *m* **1.** ⚘ *m* Purpurklette *f*; F ⚕ *~s pl.* Hitzblattern *f/pl.*; **2.** *fig.* ⚓ Schiffsbesen *m*; **3.** *Col.* Schlag *m*.

lam|piño *adj.* bartlos; ⚘ haarlos, kahl; **~pión** *m* Laterne *f*, gr. Leuchte *f*; Lampion *m*; **~pista** *m* (Elektro-)Installateur *m*; **~pistería** *f* Installations- *bzw.* kl. Elektrogeschäft *n*; **~po** *poet. m* Aufleuchten *n*, Blitz *m*; **~prea** *Fi. f* **1.** Lamprete *f*; **2.** Neunauge *n*; **~prear** *v/t.* **1.** *Kchk. Fleisch* wie e-e Lamprete zubereiten (*erst braten, dann in feiner Gewürzbrühe kochen*); **2.** *Guat.* → *azotar*.

lana¹ *f* Wolle *f*; Wollstoff *m*; ~ *de angora* (*de merino, de oveja*) Angora- (Merino-, Schaf-)wolle *f*; ~ *de borra* Ausschußwolle *f*; ~ *en bruto* Rohwolle *f*; ~ *esquilada* (*sucia*) Schur- (Schweiß-)wolle *f*; ~ *estambrera* (*od. peinada*) Kammgarnwolle *f*; ~ *pura virgen* reine Schurwolle *f*; *fig.* F *cardarle a uno la* ~ j-m gewaltig den Kopf waschen; **~²** *m Guat., Hond.* Mann *m* aus dem Pöbel; Stromer *m*; **~da** ⚔ *f* Wischer *m für Feuerwaffe*; **~do** *adj.* bewollt; wollig; **~r** *adj. c*: *ganado m* ~ Wollvieh *n*; Schafe *n/pl.*; **~ria** ⚘ *f* Seifenkraut *n*.

lancán *m Fil.* Lastenruderer *m* [(*Boot*).]

lance *m* **1.** Werfen *n*; Auswerfen *n des Netzes bzw. das jeweilige Ergebnis*: *der* Fang; Wurf *m bzw.* Zug *m b. Spiel*; *fig. Stk.* Capafigur *f* (*Täuschung des Stiers*); *Arg.* Reihe *f aufea.-folgender Dinge*, Serie *f*; *Chi.* Ausweichbewegung *f*; *echar uno su* ~ sein Glück versuchen *b. Spiel u. fig.*; **2.** Vorfall *m*, Vorkommnis *n*; Glück *n*, Zufall *m*; Abenteuer *n*; *de* ~ **a)** † zufällig; **b)** *adj.* Gelegenheits... (*Kauf*); *a. adv.* antiquarisch (*Buch*); aus zweiter Hand, gebraucht; *K* ~ *amoroso* Liebesabenteuer *n*; ~ *de fortuna* unerwartetes Ereignis *n*; Zufallsglück *n*; **3.** ~ (*apretado*) schwierige (*od.* gefährliche) Lage *f*, kritische Situation *f* (*od.* Sache); **4.** Zs.-stoß *m*, Streit *m*; ~ *de honor* Ehrenhandel *m*, Duell *n*; **5.** Bolzen *n e-r Armbrust*.

lance|ado *adj.* → *lanceolado*; **~ar I.** *v/t.* **1.** mit der Lanze verletzen; **2.** *Stk. den Stier* mit der Capa bearbeiten; **II.** *v/i.* **3.** ↗ *Méj.* sprießen (*Maissaat*); **~olado** ⚘ *adj.* lanzettförmig, Lanzett...; **~ra** *f* Lanzenständer *m*; **~ro** *m* Lanzenreiter *m*; **~ta** *f* **1.** Lanzette *f*; Schnepper *m*; **2.** *Chi., Méj., Pe.* → *aguijón*; **~tada** *f*, **~tazo** *m* Schnitt *m bzw.* Einstich *m* (mit) e-r Lanzette; **~tero** *m* ⚕ Lanzettenetui *n*.

lancina|nte *adj. c* stechend, reißend (*Schmerz*); **~r I.** *v/t.* stechen; zerreißen; **II.** *v/i.* ⚕ stechen, klopfen (*Schmerz, Wunde, Geschwür*).

lan|cha *f* **1.** flacher Stein *m*, dünne Steinplatte *f*; **2.** Boot *n*; Großboot *n*; Schaluppe *f*; Barkasse *f*; *a.* Leichter *m*; → *a. bote, barca*; ~ *aerosuspendida* (*motora*) Luftkissen- (Motor-)boot *n*; ⚔ ~ *de asalto* Sturmboot *n*; ~ *de carga* (*a remolque*) Last- (Schlepp-)kahn *m*; ~ *rápida* (*de alas flotadoras*) (Tragflügel-)Schnellboot *n*; ⚔ ~ *rápida torpedera* Torpedoschnellboot *n*; **3.** *Ec.* Nebel *m*; Reif *m*; **~char¹** *m* Steinbruch *m*, *wo Platten gebrochen werden*; **~char² I.** *v/i. Ec.* s. bewölken (*Himmel*); neblig sein; *v/impers.* reifen; **II.** *v/t. Ven.* → *lincear*; **~chero** *m* Bootseigner *m*; Matrose *m* auf e-r *lancha*.

landa *f* Heide *f*, Ödland *n*.

lan|dgrave *hist. m* Landgraf *m* (*Dtl.*); **~dó** *m* Landauer *m* (*Wagen*).

landre ⚕ *f* Geschwulst *f* (*Lymphknoten*); **~cilla** *f* Drüse *f b. Schlachttieren*; ~ *de ternera* Kalbsbrieschen *n*.

landri|lla *f vet.* Finne *f*; **~lloso** *adj. vet.* finnig.

lane|ría *f* Wollwaren(geschäft *n*) *f/pl.*; **~ro¹** *Vo. adj.-su. m*: (*halcón m*) ~ Berberfalke *m*; **~ro² I.** *adj.* wollen, Woll...; **II.** *m* Wollwarenhändler *m*.

lángaro I. *m* **1.** *Am. Cent.* → *vagabundo*; **2.** *m C. Ri.* → *larguirucho*; **II.** *adj.* **3.** *Méj.* → *hambriento*.

langor *m u. Abl.* → *languidez usw.*

langos|ta *f Zo.* **1.** Grashüpfer *m*, Heupferd *n*; ~ (*migratoria*) (Wander-)Heuschrecke *f*; *fig.* ~ (zerstörende) Plage *f*; *nube f de ~s* Heuschreckenschwarm *m*; *plaga f de la* ~ Heuschreckenplage *f*; **2.** Languste *f*; **~tero** *m* Langustenfischer *m*; **~tín**, **~tino** *m* Kaisergranat *m*; *Kchk. oft* Langustenschwanz *m*; **~tón** *m* Baumhüpfer *m*.

langui|decer [2d] *v/i.* schmachten; dahin-siechen, -welken; verkümmern; *gal.* ~ *de amor* s. in Liebe verzehren; **~dez** *f* (*pl.* *~eces*) Mattigkeit *f*; Kraftlosigkeit *f*; Dahinwelken *n*; ✝ Flaute *f*.

lánguido *adj.* **1.** schlaff, matt; schmachtend; müde, mutlos; **2.** flau, lässig.

lan|guor *m* → *languidez*; **~gustia** □ *f* Finger *m*.

lani|ficación *f* Wollverarbeitung *f*; **~lla** *f* feiner Wollstoff *m*.

lano|lina *pharm. f* Lanolin *n*; **~sidad** *f* Wolligkeit *f*; **~so** *adj.* wollig; flaumig.

lansquenete *hist. m* Landsknecht *m*.

lan|tana ⚘ *f* Wandelröschen *n*; **~terno** ⚘ *m* → *aladierna*.

lanu|do *adj.* wollig; zottig; *fig. Ec., Ven.* grob, ungeschlacht; **~ginoso** *adj. bsd. Biol.* wollartig; mit feinem Flaum besetzt; **~go** *lt. Biol. m* Lanugo *f*.

lanza *f* **1.** Lanze *f*; *fig.* Lanzenkämpfer *m*; -reiter *m*; *hist.* ~ *castellana* Lanzenritter *m* mit s-m Schildknappen u. s-m Jungen; *media* ~ kurze Lanze *f*, *Art* Spieß *m*; *Sp.* ~ *para pescar* Fischspeer *m*; *Turnier*: *correr ~s* Lanzen brechen; *fig. romper una* ~ *por alg.* für j-n e-e Lanze brechen; † *u. Am. ser una* (*buena*) ~ geschickt (*bzw.* gerissen) sein; **2.** ~ (*de coche*) Deichsel *f*; **3.** Mundstück *n e-r Spritze*; Strahlwerfer *m*; **4.** *hist. ~s f/pl. Abgabe an den König* (*Geldablösung anstatt Stellung v. Soldaten*).

lanza|bombas ⚔ *m* (*pl. inv.*) Bombenträger *m*; Bombenabwurfvorrichtung *f*; **~cabos** *m* (*pl. inv.*) Seilwerfer *m* (*Gerät*); **~cohetes** *m* (*pl. inv.*) ⚓ Raketenapparat *m*; ⚔ Raketenwerfer *m*; *buque m* ~ Raketenschiff *n*; **~da** *f* Lanzen-stoß *m*; -stich *m*; **~dera** *f* Schiffchen *n* (*Nähmaschine, Webstuhl*), Schütz (-en) *m* (*Webstuhl*); **~dero** *m* ⊕ Rutsche *f*, Schurre *f*; ~ *de sacos* Sackrutsche *f*; **~dor** *m* Schleuderer *m*; Werfer *m*; ~ *de cuchillos* Messerwerfer *m im Zirkus*; *Sp.* ~ *del disco* (*de* [*la*] *jabalina*) Diskus- (Speer-) werfer *m*; **~dora** *f* **1.** Werferin *f*; Schleuderin *f*; **2.** ⊕ Schleuder(gerät *n*) *f*; **~fuego** ⚔ *hist. m* Lunte *f für Geschütze*; **~granadas** ⚔ *m* (*pl. inv.*) Granatwerfer *m*; **~llamas** ⚔ *m* (*pl. inv.*) Flammenwerfer *m*.

lanza|miento *m* **1.** Werfen *n*; Schleudern *n*; *Sp.* ~ *de la bola* (*bzw. de bolas od. de peso*) Kugelstoßen *n*; *Sp.* ~ *de*(*l*) *martillo* Hammerwerfen *n*; *fig.* ✝ ~ (*al mercado*) Lancierung *f e-s Artikels*; **2.** Abschuß *m*, Start *m*; ~ *por catapulta* Katapultstart *m e-s Flugzeugs*; ~ *de cohetes* Raketen-abschuß *m*, -start *m*; **3.** ⚔ Abschuß *m*; Abwurf *m*; ~ *de bombas* Bombenabwurf *m*; ~ *inactivo* (*od. sin eficacia*) Blindwurf *m*; **4.** ⚖ Zwangsräumung *f*; **~minas** ⚔ *m* (*pl. inv.*) Minenwerfer *m*; **~nieblas** ⚔ *m* (*pl. inv.*) Nebelwerfer *m*; **~r** [1f] **I.** *v/t.* **1.** werfen (auf, in *ac.* a *bzw.* en); schleudern (gg., wider *ac.* contra); schnellen; *p. ext. u. fig.* erbrechen; in Umlauf setzen; lancieren; *Sp. Speer* werfen; *Sp. Kugel* stoßen; *fig. Schrei* ausstoßen; *Mode* aufbringen; ~ *miradas orgullosas* stolze Blicke werfen (auf *ac.* a); † ~ (*al mercado*) auf den Markt werfen (*od.* bringen); **2.** ⚔ *Bomben* abwerfen; *Jgdw. Falken, Hunde* loslassen; ⚔ *Torpedo* abfeuern; *Gase* abblasen; ⚓ *Minen* auslegen; *Raketen* abschießen, starten; ⚓ ~ *al agua Schiff* vom Stapel lassen; **3.** (hin-) austreiben; ⚖ enteignen; exmittieren; ~ *del puesto* aus der Stellung werfen (*od.* vertreiben), hinauswerfen; **II.** *v/r.* ~*se* **4.** s. stürzen (auf *ac. od.* in *ac.* a *bzw.* en *od.* sobre); ~*se al agua* s. ins Wasser stürzen; ins Wasser springen; *fig.* ~*se a* (*od.* en) *especulaciones* s. in Spekulationen einlassen; ~*se a hacer a/c.* s. entschließen (*bzw.* es wagen), et. zu tun; ~*se con (el) paracaídas* mit dem Fallschirm abspringen; ~*se por la vertiente* den Hang hinunterrennen (*bzw.* -reiten *usw.*); **~torpedos** ⚔ *m* (*pl. inv.*) Torpedoträger *m*; ⚓ *tubo m* ~ Torpedoausstoßrohr *n*; **~zo** *m* → *lanzada*.

laña *f* eiserne Klammer *f*; **~r** *v/t.* mit Klammern verbinden (*bzw.* befestigen).

lao □ *m* Wort *n*.

laociano *adj.-su.* laotisch.

lapa *f* **1.** Kahm *m*, Schimmel *m auf Wein usw.*; **2.** ♀ Klette(nkraut *n*) *f*; *Am. Cent.* → *guacamayo*; **3.** *Zo.* Napfschnecke *f*; *Ven.* → *paca*; **4.** *Am. Reg.* aufdringliche Person *f*, Klette *f* F; *Chi.* Soldatenliebchen *n*; **5.** *Ec.* Hut *m* mit flachem Kopf; **~char** *m* versumpftes Gelände *n*.

laparo|scopia ⚕ *f* Laparoskopie *f*; **~tomía** ⚕ *f* Bauchschnitt *m*, Laparotomie *f*.

lapear ⊕ *v/t.* läppen.

lapice|ra *f Chi., Rpl.* → *portaplumas*; *Am.* ~ *fuente* Füllhalter *m*; *Rpl.* ~ *de bolilla* → *bolígrafo*; ~ → **~ro** *m* Bleistifthalter *m*; Bleistift *m*; *Mal.* Pastellstift *m*.

lápida *f* Steintafel *f*; ~ *conmemorativa* Gedenk-tafel *f*, -stein *m*; ~ (*sepulcral*) Grabstein *m*.

lapida|ción *f* Steinigung *f* (*Strafe*); **~r** *v/t.* steinigen; *Am. Reg. Edelsteine* schleifen; **~rio I.** *adj.* Edelstein...; *fig.* lapidar; kurz (u. bündig); **II.** *m* Steinschleifer *m* (*Edelsteine*). [artig.]

lapídeo *adj. bsd.* 🕮 steinern; stein-

lapi|dificar [1g] ⚗ *v/t.* versteinern; **~lli** *it. Geol. m/pl.* Lapilli *pl.*; **~slázuli** *Min. m* Lapislazuli *m*; Lasurstein *m*.

lápiz *m* (*pl.* ~*ices*) (Blei-)Stift *m*; ~ *de alumbre* Alaunstift *m*; ~ *de cejas* (*de labios, de maquillaje*) Augenbrauen- (Lippen-, Schmink-) stift *m*; ~ *de dibujo* (*pastel*) Zeichen-; Reiß- (Pastell-)stift *m*; ⊕ ~ *eléctrico* Elektroschreiber *m*; ~ *litográfico* Litho-stift *m*, -kreide *f*; ~ *de tinta*, ~ *de copia*, ~ *copiativo* (*de tiza*) Kopier- (Kreide-)stift *m*; ~ *vidriográfico* Glasschreiber *m*, Fettstift *m*.

lapizar I. *m* ⚒ Graphitgrube *f*; **II.** *v/t.* [1f] mit Bleistift zeichnen.

lapo F *m* **1.** Schlag *m* mit Riemen *od.* Gerte; *p. ext.* Ohrfeige *f*; **2.** Schluck *m*; *a.* Spucke *f* F; **3.** *Ven.* leichtgläubiger Trottel *m*.

lapón *adj.-su.* lappländisch; *m* Lappe *m*; *Li. das* Lappische.

lap|so *m* **1.** Zeit-raum *m*; -intervall *n*; **2.** → *lapsus*; **3.** *hist. ecl.* Abgefallene(r) *m*; **~sus** *lt. m* Lapsus *m*; *tener un* ~ s. versprechen; ~ *calami u.* ~ *linguae dt. ebenso*.

laque *arauk. m Chi.* Wurfkugel *f*, Bola *f*; **~ar** *v/t.* lacken.

lar *m* **1.** *Myth.* ~*es m/pl.* Laren *m/pl.*; **2.** *fig.* Herd *m*; ~*es m/pl.* Haus u. Hof; Heim(stätte *f*) *n*; **~ario** *Arch. m* Altar *m für die Laren*.

lar|d(e)ar *Kchk. v/t.* spicken; *p. ext.* mit Fett übergießen; **~dero** *adj.* **1.** *kath. Folk. jueves m* ~ Donnerstag *m* vor Fastnachtssonntag, fetter Donnerstag *m* (*Folk.*); **2.** *aguja f* ~*a* Spicknadel *f*.

lar|do *m* Speck *m*; Fett *n*, Schmer *m, n*; **~dón** *m augm.*; *Typ.* F **a)** nicht ausdruckende Stelle *f*; **b)** Korrektur *f* (*Textzusatz*); **~doso** *adj.* speckig, fett.

larga *f* **1.** langer Billardstock *m*; **2.** *dar* ~*s a e-e Sache* hinausziehen (*od.* auf die lange Bank schieben); *et.* verbummeln; **3.** *Li., Metrik*: lange Silbe *f*; **~da** F *f Am.* Loslassen *n*; Nachlassen *n usw.* (*vgl. largar*); **~mente** *adv.* lange; reichlich; umständlich; *tener con qué pasarlo* ~ sein gutes Auskommen haben; **~r** [1h] **I.** *v/t.* **1.** losmachen; loslassen; laufen lassen; *fig.* F *mit e-m Wort, e-r Dummheit* herausplatzen; *Ohrfeige, Hieb* versetzen; *Brieftauben* aufsteigen lassen, auflassen; *Seil* ablaufen (*bzw.* nachkommen) lassen; *¡larga!* laß los!, laß aus!; locker lassen!; *fig.* ~ *a alg.* j-m den Laufpaß geben; **2.** ⚓ *Boot* fieren; *Segel* beisetzen; *Flagge* zeigen; **II.** *v/i.* **3.** ⚓ umschlagen (*Wind*); **III.** *v/r.* ~*se* **4.** ⚓ in See gehen; *fig.* F s. auf u. davon machen, abhauen P; *¡lárgate (de aquí)!* fort von hier!; hau ab! P; *fig.* ~*se con viento fresco* mit vollen Segeln (*od.* schleunigst) Reißaus nehmen; **5.** *Am. a.* → *lanzarse* (*a hacer algo*).

largo I. *adj.* **1.** lang; weit; *fig.* ausführlich; weitläufig; langwierig; zeitraubend; reichlich; großzügig; *¡~ (de aquí)!* fort von hier!, raus!; *a la* ~*a* auf die Dauer; *a la corta o a la* ~*a* über kurz oder lang; mit der Zeit; *a lo* ~ der Länge nach; längs (*gen. od. dat.* de), entlang (*dat.* de); *a lo* ~ *y a lo lejos* weit u. breit; *a paso* ~ mit großen Schritten; *fig.* eilends; *de* ~ *a* ~ der ganzen Länge nach; *por* ~ ausführlich; umständlich; *durante* ~*s años* während langer (*od.* vieler) Jahre; ~ *de pelo* langhaarig; *cayó cuan* ~ *era* er fiel der Länge nach hin; ⚓ *el cabo está* ~ das Tau ist lose (*bzw.* schlecht gespannt); *ir* (*od. vestir*) *de* ~ lange Kleider tragen; *pasar de* ~ weiter-; vorüber-gehen; vorbeifahren; *fig.* unbeachtet lassen; übersehen *bzw.* überspringen; *poner de* ~ *junge Mädchen* in die Gesellschaft einführen; *fig. ser muy* ~ sehr großzügig sein; F *ser* ~ *como pelo de huevo* sehr knickerig sein F; *fig. es* ~ *de manos* die Hand rutscht ihm leicht aus; er schlägt gleich zu; *ser* ~ *en trabajar* arbeitsam sein; *fig.* F *ser* ~ *de uñas* ein Langfinger sein; **II.** *adv.* **2.** weit (entfernt); ~ (*y tendido*) ausführlich, lang u. breit (*sprechen*); **3.** ♪ largo; **III.** *m* **4.** Länge *f*; *tener dos metros de* ~ zwei Meter lang sein; *Sp. le lleva dos* ~*s* er ist ihm um zwei Pferde-, Rad- *usw.* -längen voraus; **5.** ♪ Largo *n*.

lar|gor *m* Länge *f* (*z. B. e-r Straße*); **~gueado** *adj.* (längs)gestreift; **~guero** *m* **1.** *a.* ⊕ Holm *m*; Längsträger *m*; Waagenbalken *m*; Seitenholz *n am Bettgestell*; *Sp.* Torbalken *m*; **2.** gr. längliches Kopfkissen *n*; **~gueza** *f* **1.** Freigebigkeit *f*; **2.** ✎ → *largura*; **~guirucho** F *adj.* lang u. dünn, schlacksig F; **~gura** *f* Länge *f*.

lárice ♀ *m* Lärche *f*.

la|ringe *Anat. f* Kehlkopf *m*; **~ríngea** *Li. f* Kehl(kopf)laut *m*; **~ríngeo** *adj.* Kehlkopf...; **~ringitis** ⚕ *f* Kehlkopfentzündung *f*; **~ringófono** *m* Kehlkopfmikrophon *n*; **~ringólogo** ⚕ *m* Laryngologe *m*; **~ringoscopia** ⚕ *f* Kehlkopfspiegelung *f*; **~ringoscopio** ⚕ *m* Kehlkopfspiegel *m*, Laryngoskop *n*; **~ringotomía** ⚕ *f* Kehlkopfschnitt *m*.

larva *f* **1.** *Biol.* Larve *f*; **2.** † Gespenst *n*; **~do** ⚕ *adj.* larviert; **~l** *Biol. adj. c* larval, Larven...

lasca *f* Steinsplitter *m*; **~r** [1g] *v/t.* **1.** ⚓ lockern; **2.** *Méj.* verletzen.

lasci|via *f* Geilheit *f*, Wollust *f*; Unzüchtigkeit *f*; Schlüpfrigkeit *f*; **~vo** *adj.-su.* wollüstig, geil, lüstern, lasziv; *m* Lüsterne(r) *m*.

laser *Phys. m*: *rayo m* ~ Laserstrahl *m*.

laserpicio ♀ *m* Laserkraut *n*.

la|situd *f* Ermattung *f*; Schlaffheit *f*; **~so** *adj.* matt, kraftlos, schwach; ungezwirnt (*Garn*).

lástex *tex. m* Lastex *n*.

lástima *f* **1.** Mitleid *n*; Bedauern *n*; *dar* ~ leid tun; *(me) da* ~ *verlo od. el aspecto (me) da* ~ der Anblick tut (mir) weh; **2.** *mitleiderregender* Jammer *m*; *estar hecho una* ~ zum Gotterbarmen aussehen; *es una* ~ es ist ein Jammer; es ist jammerschade; (*es*) ~ *que* + *subj.* (wie) schade, daß + *ind.*; *¡qué* ~*!* wie schade!; **3.** *mst.* ~*s f/pl.* Jammer *m*, Klage *f*; Gejammer *n* F.

lasti|madura *f* Verletzung *f*; **~mar I.** *v/t.* **1.** verletzen; ✎ beleidigen; **2.** bedauern, bemitleiden; **II.** *v/r.* ~*se* **3.** s. verletzen (mit *dat.* con); **4.** wehklagen (über *ac.* de); **5.** Mitleid haben (mit *dat.* de); **~mero** *adj.* **1.** klagend; kläglich; mitleiderregend; **2.** ✎ schadend; verletzend; **~moso** *adj.* bedauernswert; bejammernswert; traurig, elend.

las|tra *f* Steinplatte *f*; **~trar I.** *v/t.* **1.** mit Ballast versehen; belasten; beschweren; **2.** (be)schottern; **II.** *v/i.* **3.** ⚓ Ballast einnehmen; **~tre** *m* **1.** *a. fig.* Ballast *m*; *fig. no tener*

~ *en la cabeza* unreif (im Urteil) sein; **2.** ⚠ Kleinschlag *m*; Schotter *m*.

lata *f* **1.** Blechbüchse *f*; Konservendose *f*; **2.** *fig.* F Quatsch *m* F, Blech *n* F; *desp.* Wälzer *m*, Schwarte *f* F; *dar la ~ a alg.* j-n anöden; j-m auf den Wecker fallen P; *es una ~* es ist e-e dumme Geschichte; es ist sterbens- (P stink-)langweilig; **3.** Dachlatte *f*; **4.** *Col. quedarse en la ~* aus dem Elend nicht herauskommen.

lata|nia ⚘ *f Art* Fächerpalme *f*; **~z** *Zo. m nordpazifischer* Pelzotter *m*.

latear I. *v/t. Arg., Chi., P. Ri.* → *dar la lata*; **II.** *v/i. Arg.* schwatzen.

latente *adj. c* verborgen, *a.* ⚕ latent.

late|ral I. *adj. c* seitlich; Seiten...; *parentesco m ~* Verwandtschaft *f* in der Seitenlinie; **II.** *m Kfz.* Seitenwand *f* (*Lkw.*); **~ranense** *adj. c* Lateran... (→ *Letrán*).

látex *m* Latex *m*, Milchsaft *m*.

latido *m* **1.** Klopfen *n* (*a. Schmerz*), Schlagen *n des Herzens*; Pulsieren *n*; **2.** Anschlagen *n v. Hunden*.

latifundi|o *m* Großgrundbesitz *m*; **~sta** *m* Großgrundbesitzer *m*.

latigazo *m* Peitschenhieb *m*; Peitschenknall *m*; *fig.* (Schicksals-) Schlag *m*; *fig.* F Rüffel *m*, Anschnauzer *m* F; P Schluck *m*.

látigo *m* **1.** Peitsche *f*; (Reit-)Gerte *f*; **2.** † *u. Reg.* Befestigungs-schnur *f*, -riemen *m*.

lati|guear I. *v/i.* mit der Peitsche knallen; **II.** *v/t. Am. Reg.* (aus)peitschen; **~guillo** *m* **1.** ⚘ Trieb *m z.B. der Erdbeere*; **2.** Kehrreim *m*; **3.** *fig.* F *Thea., Stk.* de ~ auf Effekt berechnet; *Stk. caída f de ~* Sturz *m* e-s Pikadors auf den Rücken.

latín *m* Latein *n*; *bajo ~, ~ tardío* (*vulgar*) Spät- (Vulgär-)latein *n*; *~ clásico* klassisches Latein *n*; *~ de cocina od. ~ macarrónico* Küchenlatein *n*; F *latines m/pl.* lateinische (*od.* latinisierende) Ausdrücke *m/pl.*; *fig.* F *saber (mucho) ~* gerissen sein.

lati|najo F *m* Küchenlatein *n*; **~s** *m/pl.* lateinische Brocken *m/pl.*; **~namente** *adv.* auf lateinisch; **~near** *v/i.* → *latinizar II*; **~nidad** *f* Latinität *f*; *Baja* ♀ spätlateinische Zeit *f*; Spätlatein *n*, Latein *n* der Verfallszeit; **~niparla** *desp. f* halblateinisches Kauderwelsch *n*; **~nismo** *m* Latinismus *m*; **~nista** *c* Latinist *m*; **~nización** *f* Latinisierung *f*; **~nizar** [1f] **I.** *v/t.* latinisieren; **II.** *v/i.* F viel Latein in s-e Sprache mischen.

latino I. *adj.* lateinisch (*a.* ⚓ *Segel*); *hist.* latinisch; *fig. Li.* romanisch; *América f* ♀*a* Lateinamerika *n*; **II.** *m hist.* Latiner *m*; *Li. das* Lateinische; Lateinkenner *m*, Lateiner *m* F; **~americano** *adj.-su.* lateinamerikanisch; *m* Lateinamerikaner *m*.

latir I. *v/i.* **1.** schlagen (*Herz, Puls*); klopfen (*Herz, Wundschmerz*); pochen (*Herz, Puls*); pulsieren (*Blut*); **2.** anschlagen *bzw.* bellen (*Hund*); **II.** *v/t.* **3.** *Ven.* → *dar la lata*; **4.** *Jgdw. Wild* verbellen.

latitu|d *f* **1.** Breite *f* (*a. Geogr.*); *Geogr. ~ norte* nördliche Breite *f*; **2.** Ausdehnung *f e-s Landes*; *fig.* Weite *f e-s Begriffs, e-r Auffassung*; **~dinal** *adj. c* Breiten...; **~dinario** *Theol. hist. adj.-su.* latitudinarisch.

lato *adj.* breit; weit; *fig. en sentido ~* im weiteren Sinne.

la|tón *m* Messing *n*; *~ blanco* Gelbguß *m*; *~ fundido* Messingguß *m*; **~tonería** ⊕ *f* Messinggießerei *f*; ✝ Messingwaren *f/pl.*; **~tonero** Messing-gießer *m*; -warenhändler *m*; **~toso** F *adj.-su.* lästig; langweilig; unausstehlich; **~tría** *kath. f* Anbetung *f* Gottes; **~trocinio** *m* Diebstahl *m*; Raub *m*.

latvio *adj.-su.* lettisch; *m* Lette *m*; *Li. das* Lettische.

lau|ca *f Chi.* Haarausfall *m*; *p. ext.* Kahlkopf *m*; **~car** [1g] *v/t. Chi.* (kahl)scheren; **~co** *adj. Chi.* kahl; **~cha I.** *f Bol., Chi., Rpl.* Maus *f*; *fig.* Stahldraht *m*; *fig.* F *Chi. aguaitar la ~* e-e günstige Gelegenheit abwarten; **II.** *m Arg.* gerissener Mensch *m*; *Bol.* → *baqueano*; *Chi.* schmächtiger Bursche *m*.

laúd *m* **1.** ♪ Laute *f*; **2.** ⚓ Feluke *f*; **3.** *Zo. Art* Seeschildkröte *f*.

laudable *adj. c* lobenswert.

láudano *pharm. m* Laudanum *n*.

lau|dar ⚖ *v/t.* durch Schiedsspruch entscheiden, schlichten; **~datoria** *Rhet. f* Laudatio *f*; **~datorio** *adj.* Lob...; **~de** ⚒ *f* Grabstein *m*; **~des** *lt. kath. f/pl.* Laudes *f/pl.*; **~do** ⚖ *m ~ (arbitral)* Schiedsspruch *m*.

lau|na *f* **1.** *Min.* Magnesiumtonerde *f*; **2.** † → *lámina (Blech)*; **~ráceo** ⚘ *adj.* lorbeerartig; ♀**reada**: *la ~ de San Fernando span. Tapferkeitsauszeichnung*; **~reado** *adj.* lorbeerbekränzt; *fig.* preisgekrönt; **~rear** *v/t.* mit Lorbeer bekränzen; *fig.* mit e-m Preis auszeichnen; **~redal** *m* Lorbeerhain *m*; **~rel** *m* ⚘ *u. fig.* Lorbeer *m*; ⚘ Lorbeerbaum *m*; *fig.* Siegerkranz *m*; *~ rosa* Lorbeerrose *f*.

láureo *adj.* Lorbeer...

lau|réola, ~reola *f* **1.** Lorbeerkranz *m*; **2.** → *auréola*; **3.** ⚘ Lorbeerkraut *n*; **~ro(s)** *lit. fig. m(/pl.)* Ruhm *m*; **~roceraso** ⚘ *m* Kirschlorbeer *m*; **~to** ⚒ *lit. adj.* reich; üppig.

lava[1] *f* Lava *f*; **~**[2] ⚒ *f* Erzwäsche *f*; **~ble** *adj. c* (ab)waschbar; *seda f ~* Waschseide *f*; **~bo** *m* **1.** Waschbecken *n*, -tisch *m*; **2.** Waschraum *m*; Toilette *f*; *encargada f del ~* Toilettenfrau *f*; **3.** *kath.* Lavabo *n* (*Handwaschung u. Waschbecken u. Kanne dafür*); **~caras** *fig.* F *c (pl. inv.)* Schmeichler *m*, Speichellecker *m*; **~coches** *Kfz. m (pl. inv.)* **1.** Wagenwäscher *m*; **2.** Wagenwasch-anlage *f*; -gerät *n*; **~dero** *m* **1.** Waschplatz *m*; Waschküche *f*; **2.** ⚒ (Erz-)Aufbereiter *m*; Aufbereitungsort *m*; ⊕ Waschanlage *f*, Wäsche *f*; Goldwaschplatz *m der Goldsucher*; **~do I.** *adj.* **1.** *Cu.* rötlichweiß (*Vieh*); **II.** *m* **2.** Waschen *n*; *a.* ⚕ Waschung *f*; ⊕ Wässerung *f*, Spülung *f* (*a.* ⚕); Auswaschen *n*; Schlämmen *n*; *~ en seco* Trockenreinigung *f*; *fig. ~ de cerebro* Gehirnwäsche *f*; **3.** *Mal.* einfarbige Guasch *f*; Tuschen *n*; **~dor I.** *adj. bsd.* ⊕ waschend; **II.** *m* Wäscher *m*; **~dora** *f* Waschmaschine *f*; *~ automática* Waschautomat *m*; **~dura** *f* **1.** Wäsche *f*, Wäschewaschen *n*; **2.** ⊕ Wascherei *f*; Aufbereitung *f von Erzen*; **3.** → *lavazas*; **~frutas** *m (pl. inv.)* Obstwaschschale *f*; **~je** *m* Wollwäsche *f*; *a.* Auswaschen *n von Wunden usw.*; **~manos** *m (pl. inv.)* **1.** Handwaschbecken *n*; **2.** Handwaschmittel *n*; **~miento** *m* Waschen *n*; → *lavativa*.

lavan|co *Vo. m* nordische Wildente *f*; **~da** ⚘ *f* Lavendel *m*.

lavande|ra *f* Wäscherin *f*; **~ría** *f* Waschanstalt *f*; **~ro** *m* Wäscher *m*.

lavándula ⚘ *f* → *lavanda*.

lava|ojos *m (pl. inv.)* Augenschale *f für Augenbäder*; **~piés** *m (pl. inv.)* Fußwaschbecken *n*; **~platos** *m (pl. inv.)* **1.** Tellerwäscher *m*; **2.** Geschirrspülmaschine *f*; **3.** *Chi.* → *fregadero*.

lavar *vt/i.* **1.** waschen; abwaschen; auswaschen (*a.* ⊕, ⚒, ⚕); spülen (*a.* ⚕, ⊕); *Geschirr* spülen, abwaschen; *Zähne* putzen; *a. fig.* reinigen; *fig. Schande* abwaschen; *Schandfleck* tilgen; *agua f de ~* Waschwasser *n*; *trapo m para ~se* Waschlappen *m*; *fig. ~ la cara a alg.* j-m Weihrauch streuen; *fig. ~se las manos* s-e Hände in Unschuld waschen; *fig. ~ con (od. en) sangre* mit Blut sühnen; *~ en seco* trockenreinigen; *dar a ~* in die Wäsche geben; **2.** ab-, aus-schwemmen; schlämmen; *Erze* aufbereiten; *Metalle* läutern; *Tünche* (*mit e-m nassen Tuch*) abreiben; *Zeichnung* in Aquarell ausmalen; *~ con tinta china* (an)tuschen.

lava|tiva *f* ⚕ Klistier *n*, Einlauf *m*; Klistierspritze *f*; *fig.* F Unbequemlichkeit *f*; **~torio** *m* **1.** *kath.* Handwaschung *f des Priesters in der Messe*; Fußwaschung *f am Gründonnerstag*; **2.** ⚒ Waschung *f*; Waschen *n*; **3.** *Am.* → *lavabo 1, 2*; **~vajillas** *f (pl. inv.)* Geschirrspülautomat *m*; **~zas** *f/pl.* Spülicht *n*; ⊕ Abwasser *n*.

lavote|ar F *v/t.* flüchtig waschen; **~o** F *m* Katzenwäsche *f* F.

lax|ación *f* Lockerung *f*; Erschlaffung *f*; **~amiento** *m* Nachlassen *n*; Schlaffheit *f*; **~ante I.** *adj. c* lockernd; ⚕ abführend; **II.** *m* Abführmittel *n*; **~ar** *vt/i.* lockern; ⚕ abführen; **~ativo** ⚕ *adj.-su.* → *laxante*; **~idad** ⚒ *f* → *laxitud*; **~ismo** *m* Laxismus *m* (*Moraltheologie*); **~itud** *f* Schlaffheit *f* (*a. fig.*); **~o** *adj.* schlaff; *fig.* nachsichtig; locker (*Sitten*), lax F.

laya[1] *f* Art *f*, Gattung *f*; *de la misma ~* von gleichem Schlag; *de toda ~* allerlei; **~**[2] *f* (Abstech-)Spaten *m*; zweizinkiger Gabelspaten *m*; **~**[3] *f* □, P → *vergüenza*; **~r** *v/t.* mit dem Spaten abstechen (*od.* umgraben).

laza|da *f* Schleife *f*, Schlinge *f*; **~dor** *m* **1.** Greifer *m* (*Nähmaschine*); **2.** *Cu.* Lassowerfer *m*; **~r** [1f] *v/t.* mit der Schlinge (*bzw.* dem Lasso) fangen; (fest)binden; *Méj.* → *enlazar*.

laza|reto *m* Quarantänestation *f*; (*Anm.: dt.* Lazarett *hospital militar*); **~rillo** *m* Blindenführer *m*; **~rista** *kath. m* Lazarist *m*.

lázaro *m* **1.** abgerissener Bettler *m*;

estar hecho un ~ mit Wunden bedeckt sein; 2. → leproso.

lazo m 1. (a. Schuh-, Hals-)Schleife f; Schleifenornament n; Schlaufe f; Schlinge f; Schleife f, Fliege f F (Krawatte); ⚓ ~ de cable Stropp m; ~ hecho fertige Schleife f, Betonfliege f F; 2. Jgdw. (Fang-)Schlinge f; bsd. Am. Lasso m, n; fig. Schlinge f, Falle f; fig. caer en el ~ in die Falle (od. auf den Leim) gehen; cazar con ~ mit der Schlinge fangen; cazar con el ~ mit dem Lasso jagen; tender ~s a. fig. Schlingen legen; fig. Fallen stellen; 3. fig. verknüpfendes Band n; Verbindung f; Liebes-, Freundschafts-band n; ~s m/pl. de la sangre Blutsbande n/pl.

le dat. u. ac. sg. des pron. él; 1. ihm; ihr; Ihnen; 2. ihn; Sie; (→ leísta).

leader engl. m → líder.

leal adj. c treu; ehrlich; loyal; reell (bsd. Kaufmann); **~tad** f Treue f; Ehrlichkeit f; Ergebenheit f; Loyalität f; Redlichkeit f.

leandras F f/pl. Peseten f/pl., Moneten f/pl. F.

lebeche m Südwestwind m im Mittelmeer.

leberquisa Min. f → pirita magnética.

lebra|da Kchk. f Art Hasenpfeffer m; **~to, ~tón** m Junghase m.

lebre|l adj.-su. m: (perro m) ~ Windhund m; **~ro** adj.-su. zur Hasenjagd abgerichtet (Hund).

lebrillo m Napf m; Waschnapf m.

lebrón F m fig. Hasenfuß m, Feigling m.

lección f 1. Lesen n; Vorlesung f; bsd. ecl. Lesung f (aus dat. tomada de); 2. (Lehr-, Unterrichts-)Stunde f; Unterricht m; ~ de alemán, Deutschstunde f; dar ~ a alg. j-m Unterricht (od. Stunden) geben; dar ~ con alg. bei j-m Unterricht nehmen; → a. clase, enseñanza; 3. Lektion f, (Lehr-)Stück n; Vortrag m bzw. Aufsatz m bei Prüfungen (nach ausgelostem Thema); dar la ~ s-e Lektion aufsagen; tomar la ~ a alg. j-n s-e Lektion hersagen lassen, j-n überhören; 4. Lehre f, Belehrung f; la ~ de la Historia die Lehre(n) der Geschichte; 5. Lehre f, Warnung f; Verweis m; dar una ~ a alg. j-m e-e Lektion erteilen, j-m die Leviten lesen; ¡que le sirva (esto) de ~! lassen Sie sich's e-e Lehre sein!; 6. 📖 Lesart f.

leccio|nario kath. m Lektionar n; **~nista** c Privat-, Nachhilfe-lehrer m.

lecitina ⚗ f Lecithin n.

lec|tivo adj.: año m ~ Vorlesungsjahr n an span. Univ.; **~tor** m 1. Leser m; ⊕ ~ de banda Tonabtaster m b. Tonfilm; 2. Lektor m (ecl., Hochschule, Verlag); **~torado** m Lektorat n; **~toría** ecl. f Lektorat n; **~tura** f 1. Lesen n; Vorlesen n; Lektüre f; Parl. Lesung f; dar ~ a et. verlesen; las malas ~s das Lesen schlechter Druckerzeugnisse; 2. Lektüre f, Lesestoff m; 3. ⊕ Ablesen n von Instrumenten; 4. Belesenheit f; de mucha ~ belesen; 5. † Typ. → cícero.

lecha f Laich(beutel) m der Fische; ~s f/pl. (Fisch-)Milch f; **~da** f bsd. △ Kalkmilch f; Mörtel(brei) m; ⚗ Aufschwemmung f; Brühe f; Papierherstellung: Masse f, Papierbrei m; △ ~ de cemento Zementmilch f; **~l** I. adj. c saugend, Jung... (Tier); milchhaltig (Pfl.); II. m Milchsaft m von Pfl.; Sauger m (Tier); Sauglamm n; **~r¹** adj. c 1. → lechal von Tieren; 2. milcherzeugend; milchend; Milch...; **~r²** v/t. Am. Mer. → ordeñar; Méj. → enjalbegar; **~za** f → lecha; **~zo** m Sauglamm n.

leche f 1. Milch f (a. ⚗, Kosmetik); milchartige Flüssigkeit f; ~ de almendras Mandelmilch f; ~ de cabra (de vaca) Ziegen- (Kuh-)milch f; ~ condensada (embotellada, entera) Kondens- (Flaschen-, Voll-)milch f; ~ materna (od. de mujer) Muttermilch f; ~ en polvo Milchpulver n; fig. F como una ~ zart, mürb (z. B. Braten); fig. estar aún con la ~ en los labios noch nicht trocken hinter den Ohren sein; fig. haberlo mamado (ya) en (od. con) la ~ es schon mit der Muttermilch eingesogen haben; ein alter Hut (für j-n) sein F; no se puede pedir ~ a las cabrillas man kann nichts Unmögliches verlangen; 2. P Sperma n; fig. V ¡~(s)!, ¡qué ~! verdammt (u. zugenäht)! P; verfluchte Sauerei! V estar de mala ~ e-e Saulaune haben P; tener mala ~ ein Schweinehund sein P, schlechte Absichten haben.

leche|cillas f/pl. 1. Kalbsmilch f; Bries n; Kchk. Brieschen pl.; 2. Gekröse n; 3. ~ de pescado → lechas; **~ra** f 1. Milchfrau f; fig. la cuenta de la ~ e-e Milchmädchenrechnung; 2. Milchtopf m; Milchkanne f; 3. ⚘ Kreuzblume f; Am. versch. Wolfsmilchgewächse; **~ría** f Milchgeschäft n; Molkerei f; **~ro** I. adj. Milch...; vaca f ~a Milchkuh f; fig. Melkkuh f; industria f ~a Milchwirtschaft f; II. m Milchhändler m; Milchmann m; **~rón** ⚘ m Arg. Baum, Wolfsmilchgewächs (Sapium aucuparium); **~ruela, ~trezna** ⚘ f Sonnen-Wolfsmilch f.

lechi|gada f Wurf m junger Hunde; Satz m junger Hasen usw.; fig. Gesindel n, Gaunerbande f; **~guana** Ke. f Arg. wilde Honigwespe f.

le|chín m 1. ⚘ Olivenart; 2. → **~chino** m 1. ⚕ hist. Scharpiepfropfen m; 2. kl. Hautgeschwür n der Reittiere.

lecho m 1. lit. Bett n, Lager n; Ruhebett n, Lagerstatt f; fig. Flußbett n; See-, Meeres-grund m; ~ de muerte Sterbebett n; ~ nupcial Brautbett n; Myth. u. fig. ~ de Procusto (od. de Procrustes) Prokrustes-, Folter-bett n; fig. ser un ~ de rosas (von Lebensumständen) auf Rosen gebettet sein; 2. Lage f, Schicht f (a. Geol.); ⚒ Liegende(s) n; 3. ⊕ Bett n; Fundament n e-r Maschine; △ Lager n.

lechón m Spanferkel n; p. ext. (Läufer-)Schwein n.

lecho|sa ⚘ f Am. → papaya; **~so** I. adj. milchhaltig; milchig; II. m ⚘ Am. → papayo.

lechucero m Ec. → noctámbulo.

lechu|ga f 1. ⚘ Lattich m; ↗ Kopfsalat m; 2. fig. F como una ~ frisch u. munter, strotzend vor Gesundheit; F estar fresquito como una ~ taufrisch sein; ser más fresco que una ~ frech wie Oskar sein F; F esa ~ no es de su huerto das ist nicht auf s-m Mist gewachsen F; 3. → lechuguilla 2; **~gado** adj. lattichartig; gekräuselt; **~guilla** f 1. ⚘ wilder Lattich m; Cu. e-e Flußalge; Méj. e-e Agave; 2. Hals- bzw. Ärmelkrause f; **~guino** m 1. ↗ Salatsetzling m; 2. fig. (a. adj.) Gernegroß m; Geck m, Fatzke m F.

lechu|za f Vo. u. fig. (Schleier-)Eule f; **~zo** fig. F m 1. Eule f (als Charakteristikum auf e-n Mann bezogen); 2. Bote m, Vermittler m in nicht ganz einwandfreien Diensten.

ledo ✝ u. poet. adj. fröhlich; vergnügt.

leer [2e] vt/i. lesen; vorlesen; Bücher, Pläne usw. lesen; a. Meßskalen usw. ablesen; fig. F ~ la cartilla a alg. j-m die Leviten lesen; fig. ~ entre líneas zwischen den Zeilen lesen; ~ en la mano aus der Hand lesen.

lega kath. f Laienschwester f (für die Hausarbeit im Kloster).

lega|ción f Gesandtschaft f; Gesandtschaftsgebäude n; päpstliche Legation f; **~do** m 1. päpstlicher Legat m; hist. Legat m (Altrom); 2. ⚖ u. fig. Legat n, Vermächtnis n.

legajo m Aktenbündel n; Aktenstoß m; Faszikel m.

lega|l adj. c gesetzmäßig; gesetzlich; legal; adquirir fuerza ~ rechtskräftig werden; asesinato m ~ Justizmord m; por vía ~ auf legalem Wege; **~lidad** f Gesetzmäßigkeit f; Rechtlichkeit f, Legalität f; fuera de la ~ ungesetzlich; außerhalb der Legalität; **~lista** adj.-su. c gesetzestreu; strenge Legalität wahrend (od. erstrebend); **~lización** f Legalisierung f; amtliche Beglaubigung f; **~lizar** [1f] v/t. legalisieren; (amtlich) beglaubigen.

légamo m Schlamm m, Schlick m; ↗ tonhaltige Erde f.

lega|moso adj. schlammig, schlikkig; **~nal** m Morast m, Schlammpfütze f.

lega|ña f Augenbutter f; **~ñoso** adj. triefäugig, Trief...

lega|r [1h] v/t. 1. ⚖ vermachen; a. fig. hinterlassen, vererben; 2. abordnen; entsenden; **~tario** ⚖ m Legatar m, Vermächtnisnehmer m.

legendario I. adj. a. fig. sagenhaft; legendär; fig. berühmt; II. m Legendensammlung f (Heiligenleben).

leghorn Vo. f Leghorn n (Hühnerrasse).

legible adj. c leserlich; lesbar.

legi|ón f Legion f; fig. Unzahl f; große Menge f; ≈ Extranjera Fremdenlegion f; ≈ de Honor Ehrenlegion f; **~onario** I. adj. Legions...; II. m Legionär m.

legisla|ble adj. c zum Gesetz erhebbar; **~ción** f Gesetzgebung f; ~ de trabajo Arbeits-gesetzgebung f, -recht n; **~dor** adj.-su. gesetzgeberisch; m Gesetzgeber m; **~r** v/i. a. fig. Gesetze erlassen; **~tivo** adj. gesetzgebend; Poder m ≈ gesetzgebende Gewalt f, Legislative f; **~tura** f 1. Legislaturperiode f; 2. Arg., Méj., Pe. Parlament n.

legis|perito m → jurisperito; **~ta** m Rechtsgelehrte(r) m; fig. Jurist m; Rechtsanwalt m.

legítima ⚖ *f* Pflichtteil *m*.

legiti|mación *f* **1.** Rechtmäßigkeitserklärung *f*; Echtheits- *bzw.* Ehelichkeits-erklärung *f*; Legitimierung *f*; **2.** amtlicher Ausweis *m*, Legitimation *f*; Berechtigungsnachweis *m*; Beglaubigungsurkunde *f*; **~mador** *adj.* legitimierend; **~mar I.** *v/t.* für rechtmäßig (*bzw.* ehelich) erklären; legitimieren; ausweisen; **II.** *v/r.* **~se** s. ausweisen; **~mario** ⚖ *adj.-su.* Pflichtteil(s)...; *m* Pflichtteilsberechtigte(r) *m*; **~midad** *f* Legitimität *f*: **a)** Gesetzmäßigkeit *f*; Rechtmäßigkeit *f*; **b)** eheliche Geburt *f*, Ehelichkeit *f*; **~mismo** *Pol. m* Legitimismus *m*; **~mista** *Pol. adj.-su. c* legitimistisch; *m* Legitimist *m*.

legítimo *adj.* legitim; rechtmäßig; berechtigt; ehelich; echt; rein, unverfälscht (*Wein*).

lego I. *adj.* weltlich; *p. ext.* ungeschult; **II.** *m* Laie *m* (*a. fig.*); *ser ~ en la materia* Laie auf dem Gebiet sein, nichts davon verstehen.

legón *m* Hacke *f*.

legra ⚕ *f* scharfer Löffel *m*; **~r** ⚕ *v/t.* ab-, aus-schaben.

legua *f* span. Meile *f* (*5,5727 km*); *p. ext.* Wegstunde *f*; *~ marina* (*od. marítima*) Seemeile *f* = 5,555 km (*Span.*); **~je** *m Am.* Reiseweg *m* in Meilen; *Pe.* Reisekostenzuschuß *m der Abgeordneten*.

legui ⚔ *m* Ledergamasche *f*.

leguleyo *m* Winkeladvokat *m*.

legum|bre ⚘ *f* Hülsenfrucht *f*; *neol. gal. allg.* Gemüse *n*; **~ina** ⚗ *f* Legumin *n*; **~inosas** ⚘ *f/pl.* Hülsenfrüchtler *m/pl.*, Leguminosen *f/pl.*

leí|ble *adj. c* lesbar; leserlich; **~da** F *f* Lesen *n*; **~do I.** *part.*; **II.** *adj.* belesen; *iron.* F *~ y escribido* „gebüldet" F.

leí|smo *Gram. m*: *Gebrauch des pron. le für den ac. sg. jedes männlichen Objekts* (*die Akademie empfiehlt lo für Personal- u. Sachobjekt, so mst. in Am.*; *lit. pflegt man le für das Personal-, lo für das Sachobjekt zu setzen*); *vgl. loísmo*; **~ta** *adj.-su.* Anhänger *m* des *leísmo*.

leitmotiv ♪ *u. fig. m* Leitmotiv *n*.

leja|namente *adv.*: *ni ~* nicht im entferntesten; **~nía** *f* Entfernung *f*; Ferne *f*; **~no** *adj.* entfernt (*a. fig.*), fern; entlegen; *~ de* weit von (*dat.*).

lejí|a *f* **1.** Lauge *f*; *~ de jabón* Seifenlauge *f*; **2.** Eau *f* de Javelle; **~o** *m* Färberlauge *f*.

le|jísimos *adv. sup.* (*inc. lejísimo*) sehr weit entfernt; **~jitos** F *adv.* ziemlich weit; **~jos I.** *adv.* weit (entfernt); *de(sde) ~* von weitem, aus der Ferne; *a lo ~* in der Ferne; *estar ~ (de aquí)* weit weg (von hier) sein; *fig. estar (muy) ~ de + inf.* weit entfernt sein, zu + *inf.*; *fig. está muy ~ de mí* (*od. de mi ánimo*) es liegt mir sehr fern; *ir (demasiado) ~ a. fig.* (zu) weit gehen; *para no ir más ~ a. fig.* um nicht weiter zu gehen; *fig.* um ein auf der Hand liegendes Beispiel zu nennen; **II.** *m* Ferne *f*; *Mal.* Hintergrund *m*, Tiefe *f*; *tener buen ~* von weitem gut aussehen.

le|le *adj. c Am. Cent., Chi.*, **~lo** *adj.-su.* albern, blöde; kindisch; faselig; *está ~* er ist nicht ganz richtig im Kopf.

lema *m* **1.** Sinnspruch *m*; Emblem *n*; **2.** Kennwort *n*; Motto *n*; **3.** ∡ zu beweisender Lehrsatz *m*; **~nita** *Min. f* → *jade*.

lem(m)ing *Zo. m* Lemming *m*.

lemniscata ∡ *f* Lemniskate *f*, liegende Acht *f* (*Kurve*).

lemosín *adj.-su.* limousinisch; *el ~ p. ext.* das Altprovenzalische; *poet. a.* das Katalanische.

lempira *m* Lempira *m*, *Währungseinheit in Hond.*

lempo *Col.* **I.** *adj.* groß, ungeschlacht; **II.** *m* Stück *n*, Brocken *m*.

lémur *m* **1.** *Zo.* Maki *m*; **2. ~es** *m/pl. Myth.* Lemuren *m/pl.*; *p. ext.* Geister *m/pl.*

lence|ra *f* **1.** Händlerin *f* in Weiß- u. Kurzwaren; **2.** Wäschebeschließerin *f im Hotel*; **~ría** *f* Leinen-, Weiß-waren *f/pl.*; Wäschegeschäft *n*; Weiß- (u. Kurz-)warenhandlung *f*; **~ro** *m* Leinwand-, Wäschehändler *m*.

len|drera *f* Nissenkamm *m*; **~droso** *adj.* nissig, verlaust.

lene *lit. adj. c* sanft, mild; leicht.

lengua *f* **1.** Zunge *f* (*a. fig. u. Kchk.*); Sprache *f* (*Li.* → 2); *~ bífida* Spaltzunge *f der Schlangen*; ⚕ *~ cargada* (*od. sucia*) belegte Zunge *f*; *fig. ~ de estropajo* (*od. de trapo*) Gestammel *n*; Gestotter *n*; Lallen *n*; *a.* stotternder Mensch *m*; *bsd. bibl. ~ de fuego* Feuerzunge *f*; *~s f/pl. de gata* Katzenzungen *f/pl.* (*Schokolade*); *Kchk. ~ de ternera* (*de vaca*) Kalbs- (Rinds-)zunge *f*; *fig. largo de ~* dreist, frech, unverschämt; *ligero de ~* schwatzhaft; leichtfertig *im Reden*; *fig. media ~* kindliches Gestammel *n*; Stottern *n*; *a.* Stotterer *m*; *a. fig. adv. con la ~ fuera* (*de la boca*) mit hängender Zunge; *fig. malas ~s f/pl.* Gerede *n der Leute*; *~ de víbora* **a)** fossiler Haifischzahn *m*; **b)** *fig.* F → *~ de serpiente* (⚘ → *3*), *~ viperina*, *~ de escorpión*, *~ de hacha od. mala ~* giftige (*od.* böse, spitze) Zunge *f*, Lästermaul *n*; *fig. andar* (*od. ir*) *en ~s* ins Gerede kommen; das Stadtgespräch sein; *fig. desatar la ~ a alg.* j-m die Zunge lösen; *fig. echar la ~* (*de un palmo*) *por* lechzen nach (*dat.*); *fig. hacerse ~s de alg.* s. zu j-s Lobredner machen; *fig. írsele a alg. la ~ od. echar la ~ al aire* s. verplappern; *a. fig. morderse la ~* s. auf die Zunge beißen; *perder la ~* die Sprache verlieren, stumm werden; *fig. poner ~s en alg. od. llevar* (*od. traer*) *en ~s a alg.* j-n durchhecheln; *sacar la ~ a alg.* j-m die Zunge herausstrecken (*Verhöhnung*); *fig. tener mucha ~* sehr gesprächig sein; *fig.* F *tener la ~ gorda* e-e schwere Zunge haben, betrunken sein; *fig. tirar de la ~ a alg.* j-m die Würmer aus der Nase ziehen F, bei j-m auf den Busch klopfen; **2.** *Li.* Sprache *f*; *~s f/pl. antiguas* (*vivas, muertas*) alte (lebende, tote) Sprachen *f/pl.*; *a. Rhet. ~ clásica* klassische Sprache *f*; *~ de cultura* (*especial*) Kultur- (Sonder-)sprache *f*; *~ escrita*, *~ literaria* (*extranjera*) Schrift- (Fremd-)sprache *f*; *~s hermanas* Schwestersprachen *f/pl.*; *~ madre*, *~ primitiva* (*materna, nativa*) Ur- (Mutter-)sprache *f*; *~s modernas* neue (*als Fach*: Neue[re]) Sprachen *f/pl.*; *~ popular* Volkssprache *f*; **3.** ⚘ *~ de buey* Ochsenzunge *f*; *~ cerval* Zungenfarn *m*; *~ de gato Art* Färberröte *f*; *~ de perro od. ~ canina* Venusfinger *m*; *~ de serpiente* Natterzunge *f*; **4.** *~ del agua* Uferstreifen *m*; Wasserlinie *f e-s schwimmenden Körpers*; *~ de tierra* Landzunge *f*; **5.** ⚒ Klöppel *m*; **II.** *c* **6.** † *u. lit.* Dolmetscher *m*.

lengua|do *Fi. m* Seezunge *f*; **~je** *m* Sprache *f*; Sprachvermögen *n*; Ausdrucksweise *f*, Stil *m*; *~ culto* (*hablado*) gebildete *od.* gehobene (gesprochene) Sprache *f*; *~ escrito* (*mímico*) Schrift- (Gebärden-)sprache *f*; *~ de las flores* (*de los ojos*) Blumen- (Augen-)sprache *f*; *~ técnico* Fachsprache *f*; **~rada** *f* → *lengüetada*; **~raz** *adj.-su. c* (*pl.* **~aces**) böse Zunge *f* (*fig.*); Schwätzer *m*; † Sprach(en)kundige(r) *m*; **~z** *adj. c* (*pl.* **~aces**) geschwätzig.

lengüe|ta *f* **1.** *Anat.* Kehldeckel *m*; **2.** ⊕ Zunge *f* (*a. Waage u.* ♪); Lasche *f am Schuh*; Metallblättchen *n*; *Zim.* Feder *f*; *Chi.* Papiermesser *n*; **3.** *Am.* Schwätzer *m*; **4.** *Méj.* Franse *f* (*Rockbesatz*); **~tada** *f*, **~tazo** *m* Zungenschlag *m*; Lekken *n*; *beber a ~s* auflecken; **~tear** *v/i. Hond.* schwatzen; **~tería** *f* Zungenpfeifen *f/pl. e-r Orgel.*

lengüicorto F *adj.* schüchtern im Sprechen, wortkarg.

leni|dad *f* Milde *f*; **~ficar** [1g] *v/t.* lindern, mildern; **~tivo** *bsd.* ⚕ *adj.-su.* lindernd; *m* Linderungsmittel *n*.

leninis|mo *Pol. m* Leninismus *m*; **~ta** *adj.-su. c* leninistisch; *m* Leninist *m*.

lenocinio *m* Kuppelei *n*; *casa de ~* Bordell *n*.

lente I. *m* Augenglas *n*; **~s** *m/pl.* Brille *f*; **II.** *f Opt., Phot.* Linse *f*; *~ de aumento* Lupe *f*, Vergrößerungsglas *n*; *~ supletoria*, *Phot. ~ de aproximación* Vorsatzlinse *f*; *~s f/pl. de contacto* Haftschalen *f/pl.*

lente|ja ⚘ *f* Linse *f*; *a. bibl. plato m de ~s* Linsengericht *n*; **~jar** ⚒ *m* Linsenpflanzung *f*; **~juela** *f* Flitterplättchen *n*; *~s f/pl. de oro* Goldflitter *m*.

lenti|cular *adj. c* linsenförmig; *Anat.* (*hueso*) *~ m* kleinstes Gehörknöchelchen *n*; *Opt. sistema m ~* Linsensystem *n*; **~go** *m* Leberfleck *m*; **~lla** *Opt. f* kl. Linse *f*; Kontaktlinse *f*.

lentisco ⚘ *m* Mastixstrauch *m*.

len|titud *f* Langsamkeit *f*; ⚚ *~ en los pagos* Säumigkeit *f* im Zahlen; **~to[1]** *adj.* langsam; saumselig; träge (*a. Verstand*); schwerfällig; *pharm.* schleimig; gelind (*Feuer*); langsam wirkend (*Gift*); *hist. u. fig. quemar a fuego ~* bei langsamem Feuer rösten; *fig.* langsam quälen, (lange) in die Zange nehmen (*fig.*); *ser ~ en resolverse* s. nur schwer entscheiden (können); **~to[2]** *it.* ♪ **I.** *adv.* lento; **II.** *m* Lento *n*.

leña *f* Brennholz *n*; *fig.* F (Tracht *f*) Prügel *pl.*; *fig.* F *cargar de ~ a uno* j-m den Buckel vollhauen; *cortar* (*od. hacer*) ~ Holz machen (*od.* fällen); *fig.* F *dar* ~ *a alg.* j-m den Hintern versohlen F; *fig. echar* ~ *al fuego* Öl ins Feuer gießen (*fig.*); ¡~! gib' ihm Saures! P; scharf durchgreifen!; **~dor, ~tero** *m* Holzfäller *m*.

¡leñe! P *int.* zum Teufel (auch)!, verdammter Mist! P.

le|ñera *f* (Brenn-)Holzschuppen *m*; Holzplatz *m*; Holzstapel *m*; **~ñero** *m* Holzhändler *m*; *a.* → *leñera*; **~ño** *m* **1.** abgeästeter Stamm *m* (*Baum*); **2.** (Holz-)Scheit *n*; (Holz-)Kloben *m*; *fig. dormir como un* ~ wie ein Klotz schlafen F; **3.** *fig. poet.* Schiff *n*, Floß *n*; *fig.* F Dummkopf *m*; **~ñoso** *adj.* holzig, holzartig.

Le|o *Astr. m* Löwe *m* (*Sternbild*); **2ón** *m Zo. u. fig.* Löwe *m*; *Am. a.* Puma *m*; ~ *marino* Seelöwe *m*; *domador m de* ~*ones* Löwenbändiger *m*; *Ent. hormiga f* ~ Ameisen-löwe *m*, -fresser *m*; *fig. parte f del* ~ Löwenanteil *m*.

leo|na *f* **1.** *Zo.* Löwin *f*; **2.** *fig.* tapfere (*od.* beherzte) Frau *f*; P Portiersfrau *f*, Hausmeisterin *f*; **~nado** *adj.* falb; fahlrot; **~nera** *f* **1.** Löwenzwinger *m*; *fig.* **a)** Rumpelkammer *f* F; Bruchbude *f* F, Dreckloch *n* F; **b)** Spielhölle *f*; *fig.* F *Arg.*, *Ec.*, *P. Ri.* Gefängnis *n*; **2.** *Col.*, *Chi.* Gesindel *n*, Ganovenbande *f*; *Pe.* Judenschule *f* (*fig.*); **~nero I.** *m* Löwenwärter *m*; *Bol.* → *matadero*; *Méj.* Spielhölle *f mit Bordell*; **II.** *adj. Chi.* → *alborotador*.

leon|ina ⚕ *f* Knotenlepra *f*; **~ino** *adj.* löwenähnlich; Löwen...; ⚖ *u. fig. parte f* ~*a* Löwenanteil *m*; ⚖ *contrato m* ~ Knebelungsvertrag *m*; **~tina** *f* kurze Uhrkette *f*.

Leo|nor *npr. f Spr.*: *renunciar a la mano de doña* ~ „edelmütig" verzichten; **2pardo** *Zo. m* Leopard *m*; ~ *cazador* → *guepardo*; **2poldina** *f Art* Tschako *m*; † hängende Uhrkette *f*.

leotardos *m/pl.* Strumpfhosen *f/pl.*

Lepe: **1.** *fig.* F *saber más que* ~ (, *Lepijo y su hijo*) ein wandelndes Lexikon sein; **2.** *Ven.* 2 *m* leichter Schlag *m*, Nasenstüber *m*; Schluck *m* Schnaps.

lépero *adj.-su. Am. Cent.* Gauner...; schurkisch; *Méj.* pöbelhaft; Gesindel...; *Cu.* verschlagen; gerissen; *Ec.* heruntergekommen.

leperuza F *f Méj.* Straßendirne *f*.

lepi|dio ⚘ *m* Mauerkresse *f*; **~dodendro(n)** ⚘ *m* Schuppenbaum *m* (*fossil*); **~dóptero** *Ent. m* Schuppenflügler *m*; **~dosirena** *Zo. f* Schuppenmolch *m des Amazonas*; **~sma** *Ent. f* Silberfischchen *n*.

le|póridos 🕮 *m/pl. Zo.* Hasen *m/pl.*; **~porino** *adj.* hasenartig; Hasen...; *Anat. labio m* ~ Hasenscharte *f*.

le|pra ⚕ *f* Lepra *f*, Aussatz *m*; **~prosería** *f* Leprastation *f*, Leprosorium *n*; **~proso** *adj.-su.* aussätzig, leprös; *m* Aussätzige(r) *m*.

lepto|nas *f/pl.*, **~nes** *m/pl. Phys.* Leptonen *n/pl.*, *leichte Elementarteilchen*.

lequeleque *Vo. m Bol. Art* Kiebitz [*m.*]

lercha *f* Binse *f als Tragschnur für erlegte Vögel u. Fische*.

ler|da *f* → *lerdón*; **~dear** *v/i. u.* ~*se* *v/r. Am. Reg.* träge sein; langsam machen; **~do** *adj.* schwerfällig, plump; langsam, träge; □ → *cobarde*; **~dón** *vet. m* Kniegeschwür *n*.

lerneo *Myth. adj.*: *la hidra* ~*a* die lernäische Schlange.

les *pron. pl.* ihnen (*dat.*); *a.* sie (*ac.*) → *leísmo*.

lesbi|a(na) *f* Lesbierin *f*; **~anismo** *m* → *amor lesbio*; **~(an)o** *adj.-su.* aus Lesbos; *fig. amor m* ~ lesbische Liebe *f*.

lesera *f Chi.*, *Pe.* Albernheit *f*; Dummheit *f*.

lesi|ón *f* Verletzung *f*; *fig.* Schädigung *f*; ⚕ ~ *cardíaca* Herzfehler *m*; ~ *leve* leichte Verletzung *f* (*in Span.* ⚖ *bis zu 14 Tagen Arbeitsunfähigkeit*); ~ *valvular* Herzklappenfehler *m*; ⚖ ~ *de un contrato* Vertragsverletzung *f*; **~onar** *v/t. a. fig. Vertrag* verletzen; *fig. Interessen* schädigen; **~vo** *adj.* verletzend; *fig.* schädigend. [*Wind*).]

lesnordeste ⚓ *m* Ostnordost *m* (*a.*

leso *adj.* **1.** verletzt; *crimen m de* ~*a majestad* Majestätsbeleidigung *f*; **2.** *Arg.*, *Chi.* wirr im Kopf; geistesgestört.

les|sueste ⚓ *m* Ostsüdost *m*; **~te** ⚓ *m* Ost *m*.

leta|l *adj. c* tödlich, letal (⚕); **~lidad** ⚕ *f* Letalität *f*.

letanía *f Rel.* Litanei *f*; Bittprozession *f*; *fig.* F langweilige Aufzählung *f u. ä.*, Litanei *f* (*fig.*); *kath.* ~ *lauretana* (*od. de la Virgen*) lauretanische Litanei *f*.

le|tárgico ⚕ *adj.* schlafsüchtig; lethargisch (*a. fig.*); **~targo** ⚕ *m* Schlafsucht *f*; Lethargie *f* (*a. fig.*); *Biol.* ~ *invernal* Winterschlaf *f*; **~targoso** *adj.* Lethargie verursachend; **~teo**[1] *Myth. adj.* Lethe...; **2teo** *Myth. m* Lethe *f*; **~tífero** *adj.* todbringend.

le|tificar [1g] *lit. v/t.* erfreuen; erheitern; **~tífico** *adj.* erfreuend; erheiternd.

letón *ad .-su.* lettisch; *m* Lette *m*; *Li. das* Lettische.

letra *f* **1.** *a. fig.* Buchstabe *m*; *p. ext. Phon.* Laut *m*; *a* (*od. al pie de*) *la* ~ (wort)wörtlich; *con* ~ *clara* deutlich (*schreiben*); ~*s f/pl. de imprenta* Druckbuchstaben *m/pl.*; ~ *indicadora* (*od. de marcación*) Kennbuchstabe *m*; *fig. la* ~ *y el espíritu* Geist u. Buchstabe; *escribir* (*od. poner*) *en* ~*s* (in Worten) ausschreiben (*Zahlen*); F *poner cuatro* ~*s* ein paar Zeilen schreiben; *saber a la* ~ wortwörtlich wissen, aus dem ff kennen F; P *saber* (*od. entender*) *de* ~*s* lesen können; → *a.* 6; **2.** (Hand-)Schrift *f*; *Typ.* Letter *f*, Type *f*; ~ *alemana* (*española, griega, rusa*) deutsche (spanische, griechische, russische) Schrift *f*; ~ *normal*, ~ *corriente* Normal-, Latein-schrift *f*; ~*s f/pl. de relieve* erhabene Buchstaben *m/pl.*; Blindenschrift *f*; *Typ.* ~ *de adorno* Zierschrift *f*; ~ *espaciada* Sperrung *f*; ~ *fina* (*supernegra*) magere (fette) Schrift *f*; ~ *florida* künstlerisch verzierte Initiale *f*; ~ *gótica* Fraktur *f*; ~ *de seis* (*ocho*) *puntos* 6- (8-)Punkt-Schrift *f*; ~ *romana* Antiqua *f*; *tener buena* ~ e-e schöne Handschrift haben; **3.** *fig.* Wort *n*, Worte *n/pl.*; Wappenspruch *m*, Devise *f*; Glosse *f* (*Gedicht*); ~ *por* ~ Wort für Wort; *fig.* F *tener mucha* ~ *menuda* sehr schlau sein; es faustdick hinter den Ohren haben F; **4.** ♪ Text *m*; Textbuch *n*; **5.** ⚚ Wechsel *m*; ~ *aceptada* (*aceptada por un banco*) Wechsel- (Bank-) akzept *n*; ~ *en blanco* Blankowechsel *m*; ~ *de cambio*, ~ *girada* gezogener Wechsel *m*, Tratte *f*; ~ *comercial* Handels-, Kunden-wechsel *m*; ~ *de favor* (*a día fijo*) Gefälligkeits- (Tag-)wechsel *m*; ~ *cruzada* (*trayecticia*) Reit- (Distanz-)wechsel *m*; ~ *a tantos días fecha* (*a tantos días vista*) Dato- (Nachsicht-) wechsel *m*; ~ *ficticia* (*financiera*) Keller- (Finanz-)wechsel *m*; ~ *sobre el interior* Inlandswechsel *m*; ~ *nominativa* (*od. intransferible*) Rektawechsel *m*; ~ *al portador* Inhaberpapier *n*, -wechsel *m*; ~ *al propio cargo* Sola-, Eigen-wechsel *m*; ~ *a la propia orden* Eigenorderwechsel *m*; ~ *de Tesorería* Schatzwechsel *m*; ~ *a uno o varios usos* (*a la vista*) Uso- (Sicht-)wechsel *m*; **6.** *pl.* ~*s f/pl.* Geisteswissenschaften *f/pl.*; humanistisches Studium *n*; *Bellas* (*od. Buenas*) 2*s* schöne Wissenschaften *f/pl.*; *bellas* ~*s* Belletristik *f*, schöngeistige Literatur *f*; *fig. las primeras* ~*s* die Grundkenntnisse, das Grundwissen; *seguir las* ~*s* s. e-m geisteswissenschaftlichen Studium widmen; *fig.* F *tener* ~*s* gebildet sein; **7.** *Verw.* ~*s f/pl. patentes* Ernennungsurkunde *f*; **~do I.** *adj.* gelehrt; gebildet; **II.** *m* Gelehrte(r) *m*; Rechtsgelehrte(r) *m*; ~ *defensor* Strafverteidiger *m*.

Letrán *m* Lateran *m* (*Rom*); *Pol. Tratado m de* ~ Lateranverträge *m/pl.* (*1929*).

letrero *m* Aufschrift *f*; Tafel *f*, Schild *n*; Etikett *n*.

letrilla *f Gedichtform*.

letrina *f* Latrine *f*.

letrista ♪ *m* Textdichter *m*.

leu|cemia ⚕ *f* Leukämie *f*; **~cémico** *adj.-su.* Leukämie...; *m* an Leukämie Leidende(r) *m*.

leuco|cito *Biol. m* Leukozyt *m*; **~citosis** ⚕ *f* Leukozytose *f*; **~penia** ⚕ *f* Leukopenie *f*; **~rrea** ⚕ *f* Leukorrhöe *f*, weißer Fluß *m*.

leu|dar I. *v/t. Teig* säuern *bzw.* mit Hefe versetzen; **II.** *v/r.* ~*se* aufgehen (*Teig*); **~do** *adj.* aufgegangen (*Teig*).

leva *f* **1.** ⚓ **a)** Lichten *n* der Anker, Ausfahrt *f*; **b)** Handspeiche *f*; **2.** ⚔ Aushebung *f*; **3.** ⊕ Nocken *m*; *árbol m de* ~*s* Nockenwelle *f*; **4.** *Am.* → *levita*; *Am. Cent.*, *Cu.* Schwindel *m*, Betrug *m*; *Col. echar* ~*s* Drohungen ausstoßen; **~dizo** *adj.* ⊕ abhebbar; *puente m* ~ Zugbrücke *f*; **~dura** *f* Sauerteig *m*; Hefe *f*; *fig.* Keim *m*, Beginn *m*; ~ *de cerveza* Bierhefe *f*; ~ *en polvo* Backpulver *n*.

levanta|carriles 🚃 *m* (*pl. inv.*) Gleisheber *m*; **~dor I.** *adj.* aufhebend; (er)hebend; *fig.* aufwiegelnd; **II.** *m fig.* Aufwiegler *m*; *Sp.* ~ *de pesos* Gewichtheber *m*; **~freno** ⊕ *m* Bremslüfter *m*; **~miento** *m* **1.** Heben *n*; Aufstehen *n*; *a. fig.* Erhebung *f*; *a. fig.* Erhöhung *f*; **2.** ✈ Abheben *n b. Start*; **3.** Aufhebung *f e-s Verbots usw.*; **4.** Aufstand *m*, Aufruhr *m*; ~ *popular* Volksaufstand *m*; **5.** Anlage *f e-s Protokolls*; Aufnahme *f e-s topographischen Plans*; **~r I.** *v/t.* **1.** heben; aufheben; errichten; *a. fig.* erheben; *a. fig.* aufrichten; *Kart.* abheben; *die Hand* erheben (*a. fig.*); *Liegendes od. Umgefallenes* aufrichten; *Vorhang* aufziehen; *Hutkrempe* auf-, hoch-schlagen; *Kleid* hochheben, anheben; *Kind* wecken; *Staub* aufwirbeln; *Wild* auftun, aufstöbern; *Tisch* abräumen; *Kapital* aufbringen, auftreiben; *Blick* erheben; *Sp. Gewichte* stemmen; *Equ. Pferd* hochnehmen *bzw.* galoppieren lassen; ✓ *Ernte* einbringen; ~ *en alto* emporheben (*a. fig.*); ~ *el ánimo* (*od. el espíritu*) Mut zusprechen; Mut fassen; ~ *el estómago* den Magen in Aufruhr bringen (*od.* heben F); ~ *protesta(s)* Protest erheben (*od.* einlegen); ⚔ ~ *la puntería* den Zielpunkt höher legen; höher anschlagen; ~ *falso testimonio* (*una falsa acusación*) falsches Zeugnis ablegen (verleumderische Anklage erheben); **2.** ⊕ heben; anheben; abheben; *Lasten* heben; *Deckel* hochklappen; *Haus* bauen; *Gebäude, Denkmal* errichten; *Wand* (auf)mauern; *Mauer* hochziehen; *Damm* anlegen; ~ *sobre tacos Auto* aufbocken; **3.** *Bericht, Akte* anlegen; *topographische Pläne* aufnehmen; *Protokoll* führen; ~ *acta de a/c.* et. zu Protokoll nehmen; ~ *topográficamente* vermessen; **4.** verursachen; veranlassen; ~ *una ampolla* e-e Blase verursachen; ~ *muchas protestas* viele Proteste veranlassen; **5.** *Truppen* ausheben; *Massen* aufwiegeln; **6.** aufheben; aufgeben; *Belagerung* beenden; *Strafe, Verbot* aufheben; *Sitzung* schließen, aufheben; *Wohnung* aufgeben; *los manteles* (*od. la mesa*) die Tafel aufheben; **II.** *v/i.* **7.** aufklaren (*Wetter*); **III.** *v/r.* **~se 8.** aufstehen, s. erheben (*a. fig. Aufstand*); aufgehen (*Sonne*); aufkommen (*Wind*); aufklaren (*Wetter*); abziehen (*Unwetter*); *~se de la cama* aufstehen; das Bett (*a.* das Krankenbett) verlassen; *estar ~ado* das Bett verlassen haben, aufsein F; *~se con a/c.* mit et. (*dat.*) auf u. davon gehen (*od.* durchbrennen F).

levan|te[1] *m* Sonnenaufgang *m*; Osten *m*; Ostwind *m*; Levante *f*; **~te**[2] ⊕ *m*: ~ *de viruta* Spanabhebung *f*; **~tino** *adj.-su.* morgenländisch; aus der span. Levante; levantinisch; **~tisco** *adj.* unruhig, aufsässig.

levar ⚓ *v/t.*: ~ *anclas* die Anker lichten.

leve *adj. c* leicht; gering; harmlos, verzeihlich (*Verstoß, Sünde*); gnädig (*Strafe*); **~dad** *f* Leichtigkeit *f*.

Leviatán *m Myth.* Leviathan *m*; *fig.* ♀ gr. Waschtrog *m in Textilfabriken.*

leviga|dero ⚗ *m* Absetzsumpf *m*; **~r** [1h] *v/t.* absetzen, abklären *in Flüssigkeiten.*

levirrostros *Vo. m/pl.* Leichtschnäbler *m/pl.*

levi|rato *Rel. m* Leviratsehe *f*; **~ta**[1] *f* Gehrock *m*; Überrock *m*; *fig.* F *cortar ~s a alg.* j-n durch den Kakao ziehen F; **~ta**[2] *m* Levit *m*; **~tación** *f Rel. u. Parapsych.* freies Schweben *n*, Levitation *f*.

levítico I. *adj.* levitisch; *fig.* geistlich, klerikal; **II.** ♀ *m* Levitikus *m*; 3. Buch *n* Mose.

le|vógiro *Opt.*, ⚗ *adj.* linksdrehend; **~vografía** *f* linksläufige Schrift *f*.

levulosa ⚗ *f* Lävulose *f*, Fruchtzucker *m*.

lexicalizar [1f] *Li. v/t.* lexikalisieren.

léxico I. *adj.* lexikalisch; **II.** *m* Lexikon *n*, Wörterbuch *n*; Wortschatz *m*.

lexi|cografía *f* Lexikographie *f*; **~cográfico** *adj.* lexikographisch; **~cógrafo** *m* Lexikograph *m*; **~cología** *f* Lexikologie *f*; Wortkunde *f*; **~cológico** *adj.* lexikologisch; **~cólogo** *m* Lexikologe *m*; **~cón** *m* → *léxico.*

ley *f* **1.** *a. Rel. u. fig.* Gesetz *n*; Satzung *f*; Gebot *n*; *fig.* Treue *f*; Anhänglichkeit *f*; *a ~ de caballero* (*od. de cristiano*) auf mein Wort, auf Ehrenwort; *a toda ~*, F *a la ~* sorgfältig, gehörig; nach allen Regeln der Kunst; F *con todas las de la ~* ordnungsgemäß, wie es s. gebührt; sorgfältig; mit allem, was dazu gehört; *fig.* ordentlich, gehörig, tüchtig; *Rel. la ~ antigua* (*od. de Moisés*) das alte Gesetz, das Gesetz Mosis; ~ *básica* ⚖ Rahmengesetz *n*; *Pol.* Grundgesetz *n*; *Phys.* ~ *de caída* Fallgesetz *n*; *fig.* F ~ *del encaje* willkürlicher Spruch *m* des Richters; ~ *escrita* geschriebenes Gesetz *n*; *bsd. Rel.* die Zehn Gebote; ~ *del más fuerte* Recht *n* des Stärkeren, Faustrecht *n*; *Pol.* ~(*es*) *fundamental*(*es*) (Staats-)Grundgesetz *n*; *fig.* ~ *de la jungla* Gesetz *n* des Dschungels; ~ *moral* (*penal*) Sitten- (Straf-)gesetz *n*; ~ *natural* natürliches Gesetz *n*; Naturrecht *n*; ~ *de la naturaleza* Naturgesetz *n*; *Pol.* ~ *orgánica*, ~ *de bases* Staatsgrundgesetz *n*; *hist.* ~ *sálica* salisches Gesetz *n*; *fig. dar la ~* e-e Norm setzen; Vorbild sein; das Gesetz des Handelns vorschreiben; führen; *echar* (*toda*) *la ~ contra alg.* die (ganze) Strenge des Gesetzes gg. j-n in Anwendung bringen; *estudiar ♀es* Jura (*od.* die Rechte) studieren; *hacer ~* als Norm gelten; †, ✎ *tener ~ a alg.* j-n mögen, j-n gernhaben; *fig.* F *tomar la ~* → *tomar las once*; *hecha la ~, hecha la trampa* für jedes Gesetz findet s. e-e Hintertür; **2.** *p. ext.* Feingehalt *m*; gesetzlich vorgeschriebene Beschaffenheit *f von Waren* (*hinsichtlich Güte, Maß u. Gewicht*); *bajo de ~* nicht vollwichtig (*Münzen*); *a. fig.* minderwertig; *bajar* (*subir*) *de ~* den Feingehalt *von Münzen* herab- (herauf-)setzen; *oro m de ~* reines Gold *n*; *fig. de buena ~* gediegen; ehrbar; treu.

leyenda *f* **1.** Legende *f*; Sage *f*; *fig.* ~ *negra die spanienfeindliche Darstellung der span. Kolonialgeschichte*; **2.** Legende *f*, Text *m zu Abbildungen usw. bzw. von Inschriften.*

lezna *f* Ahle *f*; Schusterpfriem *m*.

lía[1] *f* Espartostrick *m*; **~**[2] *f* (*mst. pl.*) → *heces, poso.*

liana ♀ *f* Liane *f*.

liar [1c] *v/t.* binden; einwickeln; *Zigarette* drehen; *fig.* F *~se* s. einlassen (mit *dat. con*); *a.* → *amancebarse*; F *liárselas od. ~las* einpacken *od.* abhauen F; sterben, abkratzen P; *~se a palos con alg.* s. mit j-m prügeln.

lías *Geol. m* Lias *m, f*.

liásico *Geol.* **I.** *adj.* Lias...; **II.** *m* Lias *m, f*.

liaza *f* (Esparto-)Strick(e) *m*(*/pl.*).

liba|ción *f* **1.** *Rel.* Trankopfer *n*, Libation *f*; **2.** Schlürfen *n*, Nippen *n*; **~men** *m Rel. hist.* Opferguß *m*; Opferspende *f*.

libanés *adj.-su.* libanesisch; *m* Libanese *m*.

libar I. *v/t.* nippen an (*dat.*); schlürfen; **II.** *v/i.* e-e Trankspende darbringen.

libe|lista *m* Libellist *m*; Pamphletist *m*; **~lo** *m* Pamphlet *n*, Schmähschrift *f*, Libell *n*.

libélula *Ent. f* Libelle *f*.

líber ♀ *m* Bast *m*.

libera|ble *adj. c* befreibar; **~ción** *f* **1.** Befreiung *f*; Freilassung *f*; ⚖ ~ *condicional* Entlassung *f* auf Bewährung; ~ *de presos* Gefangenenbefreiung *f*; **2.** † Entlastung *f*, Quittung *f*; Einzahlung *f* (*Aktien*); ~ *total* Volleinzahlung *f* (*Gesellschaftskapital*); **3.** ⚘ *Col.* Entbindung *f*; **~do** *adj.* **1.** befreit; **2.** freigelassen; **3.** † einbezahlt (*Gesellschaftskapital*); **~dor I.** *adj.* befreiend (von *dat.* de); **II.** *adj.-su.* → *libertador.*

libera|l I. *adj. c* liberal, freisinnig; (*a. Pol.*); freiheitlich; großzügig, freigebig; frei (*Künste, Berufe*); **II.** *m Pol.* Liberale(r) *m*; **~lidad** *f*; **1.** Freigebigkeit *f*; Großzügigkeit *f*; Weitherzigkeit *f*; **2.** ⚖ Schenkung *f*; **~lismo** *m* Liberalismus *m*; **~lización** *f* Liberalisierung *f*; **~lizar** [1f] *v/t.* liberalisieren; **~lmente** *adv.* F *Arg. a.* → *rápidamente.*

libera|r *v/t.* befreien; freistellen (von *dat.* de); † *Gesellschaftskapital* einzahlen; **~torio** ⚖ *adj.* befreiend; entlastend.

liberiano *adj.-su.* aus Liberia.

libérrimo *adj. sup. zu libre.*

liber|tad *f* Freiheit *f*; Befreiung *f*; Freilassung *f*; *p. ext.* Handlungsfreiheit *f*; Ungezwungenheit *f*; *~es f/pl.* Freiheiten *f/pl.*, (Vor-)Rechte *n/pl.*; *fig.* F Vertraulichkeiten *f/pl.*, Frechheiten *f/pl.*; *con toda ~* ganz offen; völlig frei; unbefangen; *en ~* frei; ~ *de acción* (*de movimiento*) Handlungs- (Bewegungs-)freiheit *f*; ~ *del comercio y de la industria* (Handels- u.) Gewerbefreiheit *f*; ⚖ (*puesta f en*) ~ *condicional* (*provisional*) bedingte (vorläufige) Entlassung *f aus der Haft*; ~ *de elección* Entscheidungsfreiheit *f*; *Theol.* freier Wille *m*; ~ *de los mares* Freiheit *f* der Meere; ~ *de prensa* Pressefreiheit *f*; *tomarse la ~ de + inf.* s. die Freiheit nehmen, zu + *inf.*; *tomarse unas ~es* s. (zuviel) Freiheiten erlauben; **~tador I.** *adj.* befreiend; **II.** *m* Befreier *m*; *Am. hist.* el ♀ *Simón Bolívar*; **~tar** *v/t.* befreien (von *dat.* de); bewahren (vor *dat.* de); **~tario** *adj.-su.* → *anarquista*; **~ticida** *m* Freiheitsmörder *m*; **~tinaje** *m* **1.** Zügellosigkeit *f*; Liederlichkeit *f*; **2.** Freigeisterei *f*; **~tino I.** *adj.* **1.** zügellos; liederlich; ausschweifend; **2.** freigeistig; **II.** *m* **3.** Wüstling *m*; **4.** † *u. desp.* Freigeist *m*; **~to** *hist. m* Freigelassene(r) *m* (*Altrom*).

líbico *adj.* libysch.

libídine *f* Wollust *f*; Lüsternheit *f*.

libi|dinosidad *f* Wollüstigkeit *f*; Geilheit *f*; **~dinoso** *adj.* lüstern; wollüstig; **~do** 🕮 *f* Begierde *f*, Trieb *m*; ⚕, *Psych.* Libido *f*.

libio *adj.-su.* libysch; *m* Libyer *m*.

liborio *m Symbolname für den* Kubaner (*vgl.* "*Juan Español*", „*deutscher Michel*"); *fig. ein kubanischer Qualitätstabak.*

libra *f* **1.** Pfund *n* (*Gewicht [460 g] u. Währung*); ~ *esterlina* Pfund *n* Sterling; *por* (*od. a*) ~*s* pfundweise; **2.** *Astr.* ♎ Waage *f* (*Sternbild*); **3.** *Güteklasse III des kubanischen Tabaks.*

libración *f Phys.* Schwingung *f*, Ausschwingen *n*; *Astr.* Schwankung *f der Achse e-s Gestirns.*

libraco *desp. m* Schmöker *m*.

libra|do ✝ *m* Bezogene(r) *m*, Trassat *m* (*Wechsel*); **~dor** ✝ *m* Aussteller *m e-s Wechsels*, Trassant *m*; **~miento** *m* **1.** ⊕ Entriegelung *f* (*Waffe*); **2.** ⚒ Befreiung *f*; **3.** ✝ → *libranza*; **~ncista** ✝ *m* Anweisungs-, Wechsel-empfänger *m*; **~nza** ✝ *f* Zahlungsanweisung *f*; Ausstellung *f* (*Wechsel*); *Am.* Postanweisung *f*; **~r I.** *v/t.* **1.** befreien; retten; *Geld* anweisen; *Wechsel*, *Scheck* ausstellen; *Wechsel* ziehen (auf j-n *a cargo de od. contra alg.*); *Schlacht* liefern; ⚖, ✝ ~ *de gravámenes* lastenfrei (*bzw.* schuldenfrei) machen; ⚖ ~ *sentencia* das Urteil ausfertigen; **II.** *v/i.* **2.** *fig. a bien* (*od. buen*) ~ bestenfalls, wenn es gut ausgeht; ~ *bien* (*mal*) *od. salir bien* (*mal*) ~*ado* gut (schlecht) wegkommen *b. e-r Sache*; **3.** entbinden, gebären; **4.** *aus der Klausur* in den Sprechraum treten (*Nonne*); **III.** *v/r.* ~*se* **5.** s. befreien; *¡de buena nos hemos ~ado!* das ging gerade noch gut!, da sind wir noch mit e-m blauen Auge davongekommen F; **~zo** *m* Schlag *m* mit e-m Buch.

libre *adj. c* frei (von *dat.* de); *p. ext. u. fig.* ungebunden; ledig; freimütig; ungehindert; ungehemmt; dreist, frech; hemmungslos; zügellos; *entrada f* ~ Eintritt frei; freier Eintritt *m*; *comercio m* ~ freier Handel *m*; *Sp. estilo m* ~ Freistil *m*; ~ *de impuestos* abgaben-; steuerfrei; ~ *de ruidos* geräuschlos; ~ *de trabas* der Fesseln ledig; unbehindert; es ~ de (*od. para*) + *inf.* es steht ihm frei, zu + *inf.*

librea *f* **1.** Livree *f*; **2.** *Jgdw.* Gefieder *n*; Fell *n*, Balg *m*.

librecambi|o *m* Freihandel *m*; **~smo** *m* Freihandels-lehre *f*; -bewegung *f*; **~sta** *adj.-su. c* Freihandels...; *m* Anhänger *m* des Freihandels, Freihändler *m*.

libre|mente *adv.* frei; **~pensador** *m* Freidenker *m*; **~pensamiento** *m* Lehre *f* der Freidenker; Freidenkertum *n*; *desp.* Freigeisterei *f*.

libre|ría *f* **1.** Buchhandel *m*; Buchhandlung *f*; ~ *de lance* (*od. de ocasión*) Antiquariat *n*; **2.** Bibliothek *f*; Bücherei *f*; ~ *técnica* Fachbücherei *f*; **3.** Bücherregal *n*; **~ril** *adj. c*: *industria f* ~ Buchindustrie *f*, Verlagswesen *n*; **~ro** *m* Buchhändler *m*; ~ *en comisión* Sortimenter *m*; ~ *editor* Verlagsbuchhändler *m*; Verleger *m*; **~sco** *adj.* Buch...; *fig.* trocken, tot; *ciencia f meramente ~a* reines Bücherwissen *n*; **~ta**[1] *f* Notizbuch *n*; Schreibheft *n*; Konto- *bzw.* Lohn-buch *n*; ⚔ Soldbuch *n*; ~ *de ahorros* Sparbuch *n*; **~ta**[2] *f* einpfündiges Brot *n*; *p. ext.* Laib *m* Brot; **~tista** *c* Librettist *m*; **~to** *m* Libretto *n*, Textbuch *n*.

librillo *m* **1.** Päckchen *n* Zigarettenpapier; **2.** ~ *de oro* Päckchen *n* Blattgold; **3.** *Zo.* → *libro* 2.

libro *m* **1.** *a. bibl.* Buch *n*; ✝ ~ *de acciones* (*de balances*, *de caja*) Aktien- (Bilanz-, Kassa-)buch *n*; ✝ ~ *de almacén*, ~ *de existencias* (*de compras*) Lager- (Einkaufs-)buch *n*; *dipl.* ~ *amarillo* (*azul*, *blanco etc.*) Gelb- (Blau-, Weiß- *usw.*)buch *n*; ~ *de anillas* (*de cabecera*) Ring- (Lieblings-)buch *n*; ~ *de cocina* (*de cuentos*) Koch- (Märchen-)buch *n*; ✝ ~*s m/pl. de contabilidad* Geschäftsbücher *n/pl.*; ✝ ~ *de cuentas* (*de deudas*) Rechnungs- (Schuld-) buch *n*; ~ *de fondo* Verlagswerk *n*; *bibl.* ~ *de Job* Buch *n* Hiob (*od. kath.* Job); ~ *de lectura(s)* (*de texto*) Lese- (Schul-)buch *n*; ✝ ~ *mayor* Hauptbuch *n*; ~ *de oro* Goldenes Buch *n*; Adelsregister *n*; ✝ ~ *de pedidos* Auftrags-, Bestell-buch *n*; ~ *de reclamaciones* Beschwerdebuch *n*; *Rel.* ♎*s m/pl. sagrados* Heilige Schrift *f*; ~ *de surtido* Sortimentbuch *n*; ~ (*encuadernado*) *en tela* Leinenband *m*; *feria f del* ~ Buchmesse *f*; *industria f del* ~ Buchgewerbe *n*; *fig. ahorcar los ~s* das Studium an den Nagel hängen; *fig. está fuera de mi* ~ davon verstehe ich nichts; da komme ich nicht mit, das ist mir zu hoch; *hablar como un* ~ sehr gut (u. sachverständig) sprechen; wie ein Buch reden; *fig. hacer* ~ *nuevo* ein neues Leben beginnen; **2.** *Zo.* Blättermagen *m der Wiederkäuer*; **3.** †, ⚒ *fig.* → *impuestos.*

liceísta *c* Mitglied *n* e-s *liceo*.

licencia *f* **1.** Erlaubnis *f*; Genehmigung *f*, Bewilligung *f*; Lizenz *f*; ~ *de armas* (*de caza*) Waffen- (Jagd-) schein *m*; ⚠, ⊕ ~ *de construcción*, ⚠ *a. de obra* (✝ *de importación*) Bau- (Einfuhr-)genehmigung *f*; ⊕ ~ *de fabricación* Fertigungslizenz *f*; ✈ ~ *de piloto* Flugzeugführerschein *m*; ~ *previa* Vorlizenz *f*; vorherige Genehmigung *f*; **2.** Freiheit *f*; *p. ext.* Zucht-, Zügel-losigkeit *f*; Ausschweifung *f*; *Rhet.* ~ *poética* dichterische Freiheit *f*; *tomar demasiada* ~ s. zuviel herausnehmen; **3.** *a.* ⚔ Urlaub *m*; ⚔ Entlassung *f*; Entlassungsschein *m*; ~ *absoluta* endgültige Freistellung *f* vom Wehrdienst; *solicitud f de* ~ Abschiedsgesuch *n*; P *dar la* ~ *a alg.* j-n feuern P; *estar con* ~ Urlaub haben.

licencia|do *m* Akademiker *m*, *der das Staatsexamen abgelegt hat* (*z. B.* ~ *en derecho*); *ecl.* Lizenziat *m*; ⚔, *Gefängnis*: Entlassene(r) *m*; ⚔ Verabschiedete(r) *m*; **~ndo** *m* Staatsexamenskandidat *m*; **~r** [1b] **I.** *v/t.* **1.** e-e Genehmigung (*bzw.* e-e Lizenz) erteilen (*dat.*); **2.** den *akademischen* Grad e-s *licenciado* verleihen (*dat.*); **3.** ⚔ beurlauben; entlassen; verabschieden; **II.** *v/r.* ~*se* **4.** sein Staatsexamen ablegen; **~tura** *f* **1.** Titel *m* e-s *licenciado*; **2.** (Studium *n* zur Ablegung des) Staatsexamen(s) *n*.

licencioso *adj.* ausschweifend, liederlich.

liceo *m* Lyzeum *n* (*Phil. hist.*; *Lehranstalt*; *lit. Gesellschaft*, *Klub*).

licita|ción *f bsd. Am.* Versteigerung *f*; *Am.* Ausschreibung *f*; **~dor** *m Am.* **1.** Versteigerer *m*; **2.** ⚒ → **~nte** *m* Bieter *m b. e-r Auktion*; **~r** *v/t.* **1.** bieten, steigern; **2.** *Am.* versteigern; ausschreiben; **~torio** ⚖ *adj.* Lizitations...

lícito *adj.* erlaubt, zulässig, statthaft.

licitud *f* Zulässigkeit *f*, Statthaftigkeit *f*.

licopodio ⚘ *m* Bärlapp *m*.

lico|r *m* Likör *m*; ⚗ Flüssigkeit *f*; *pharm. a.* Tropfen *m/pl.*; **~rera** *f* Likörständer *m bzw.* -tablett *n*; Likörkaraffe *f*; **~rista** *c* Likörfabrikant *m bzw.* -verkäufer *m*; **~roso** stark (*bzw.* mit Alkohol versetzt) u. aromatisch (*Wein*).

li|cuable ⚗ *adj. c* verflüssigbar; **~cuación** ⚗ *f* Verflüssigung *f*; **~cuadora** *f* Entsafter *m*; **~cuante** ⚗ *m* Verflüssiger *m*; **~cuar** [1d] ⚗ *v/t.* verflüssigen; **~cuefacción** ⚗ *f* Verflüssigung *f*; **~cuefacer** [2s] *v/t.* verflüssigen; **~cuefactible** *adj. c* → *licuable*.

lid *lit. f* Kampf *m*, Streit *m*; *en buena* ~ in ehrlichem Kampf.

líder *Angl. Pol.*, *Soz. m* Führer *m*.

lidera|to *m*, **~zgo** *m bsd. Am.* politisches Führertum *n*, Führung(srolle) *f*.

lidia *f* Kampf *m*; Stierkampf *m*; **~dero** *adj. Stk.* kampfreif *bzw.* Kampf... (*Stier*); **~dor** *m* Kämpfer *m*; Stierkämpfer *m*; **~r** [1b] **I.** *v/i.* kämpfen, streiten; *fig.* s. herumschlagen *bzw.* s-n Ärger haben (mit *dat.* con); *Stk.* als Stierkämpfer auftreten; **II.** *v/t.* mit *e-m Stier* kämpfen.

lidi|o *hist. u.* ♪ *adj.-su.* lydisch; **~ta** ⚗ *f* Lyddit *n* (*Sprengstoff*).

liebre *f a. Astr.* (♎) *u. fig.* Hase *m*; *caza f de ~s* Hasenjagd *f*; *Zo.* ~ *marina* Seehase *m*; *¿cogiste una ~? sagt man, wenn j. aufs Gesicht fällt*; *levantar la* ~ den Hasen aufscheuchen; *fig.* Staub aufwirbeln (*fig.*); (*por*) *donde menos se piensa, salta la* ~ unverhofft kommt oft.

lied *dt.* ♪ *m* Lied *n*.

lien|dre *f* Nisse *f*; *fig.* P *cascarle* (*od. machacarle*) *a uno las ~s* j-m e-e gehörige Abreibung verpassen F; **~zo** *m* Leinwand *f*; Leinen *n*; *p. ext.* (Öl-)Gemälde *n*.

liga *f* **1.** Bund *m*; Bündnis *n*; Liga *f*; ♎ *Árabe* Arabische Liga *f*; ♎ *Internacional de los Derechos del Hombre*

Internationale Liga *f* für Menschenrechte; **2.** Band *n*; Sockenhalter *m*; Strumpfband *n*; **3.** Mischung *f*, Legierung *f*; (Kupfer-)Beimischung *f zu Münz- u. Schmuckmetall*; **4.** *Sp.* Liga *f*; **5.** Vogelleim *m*; **6.** ⚘ → *muérdago*; **7.** *Arg.* Glück(ssträhne *f*) *n b. Spiel*; **~ción** *f* → *ligadura od. liga, mezcla*; **~do I.** *adj.* ⚗ *u. fig.* *estar* ~ gebunden sein; **II.** *m* ♪ Ligatur *f*; Legato *n*; Bindung *f*; *Schrift*: (Ver-)Bindung *f*; **~dura** *f* **1.** *a. Fechtk.* Bindung *f*; Verbinden *n*; Verbindung *f*; *a.* Verschnürung *f*; *fig.* Fessel *f*, Behinderung *f*; **2.** ♪, ⚕ Ligatur *f*; ⚕ Ab-, Unter-bindung *f*; **~men** *ecl. m vorhandene eheliche* Bindung *f* (*die e-e neue Eheschließung unmöglich macht*); **~mento** *m* **1.** *Anat.* Band *n*; **~s** *m/pl. del útero* Mutterbänder *n/pl.*; **2.** *tex.* Bindung *f*; **~mentoso** *Anat. adj.* mit Bändern versehen; **~r** [1h] **I.** *v/t.* **1.** *a. fig.* binden; verbinden; verknüpfen; **2.** *Metall* legieren *bzw.* beschicken; **3.** ♪ binden; verschleifen; **4.** *Kart.* (*a. v/i.*) kombinieren; **5.** *fig.* verpflichten, binden; *Interessen* zs.-führen; **6.** F *Col.* → *sisar, hurtar*; *Cu.* (Ernte) auf dem Halm verkaufen; **II.** *v/r.* **~se** **7.** *a.* ⚗ *u. fig.* s. binden; s. verbinden; ein Bündnis schließen; **~zón** *f* Verbindung *f*; Zs.-fügung *f*; ⚓ Auflanger *m*; *Phon.* Bindung *f*.

lige|rear *v/i. Chi.* eilen; **~reza** *f* Leichtigkeit *f*; Leichtfüßigkeit *f*; Schnelligkeit *f*; Flüchtigkeit *f*; Leicht-fertigkeit *f*; -sinn *m*; **~ro** *adj.* leicht (*an Gewicht, a. fig.*; *p. ext. u. fig.*: *Kleidung, Speise, Tee usw., Wunde, Schlaf, Charakter*); *fig.* flink, hurtig, schnell; oberflächlich; leicht-fertig; -sinnig; locker (*Sitten*); *a la* **~a** leichtsinnig; obenhin, eilig; oberflächlich; ~ *de pies* leichtfüßig, schnell; ~ *en afirmar* rasch mit e-r Behauptung bei der Hand; *iron.* ~ *de ropa* leicht geschürzt; *mano f* **~a** leichte (*bzw.* geschickte) Hand *f*.

lig|nario 🕮 *adj.* Holz...; **~nificación** *f* Verholzung *f*; **~nificar(se)** [1g] *v/t.* (*v/r.*) verholzen *v/t.* (*v/i.*); **~nina** ⚗ *f* Lignin *n*; **~nito** *m* Braunkohle *f*; Lignit *m*.

lígnum crucis *lt. Rel.* Kreuzesholz *n*; *bsd. kath.* Kreuz(es)partikel *f* (*Reliquie*).

liguero *m* Strumpfhalter *m*.

ligur(ino) *adj.-su. c* (*adj.-su.*) ligurisch; *m* Ligurer *m*; *Li. das* Ligurische.

ligustro ⚘ *m* Liguster *m*.

lija *f Fi.* Katzenhai *m*; *p. ext.* Haifischhaut *f zum Schmirgeln*; (*papel m de*) ~ Sand-, Glas-papier *n*; **~dora** ⊕ *f* Schleifmaschine *f für Holz*; **~r** *v/t.* schmirgeln, schleifen.

li|la I. *adj. c* lila; **II.** *f* ⚘ Flieder *m*; **III.** *m fig.* Trottel *m*; **~lailas** F *f/pl.* Schliche *m/pl.*, Kniffe *m/pl.*; **~liáceas** ⚘ *f/pl.* Liliazeen *f/pl.*

liliputiense *adj.-su. c* Liliputaner...; *m* Liliputaner *m*.

lima[1] ⚘ *f* süße Zitrone *f*, Limette *f*; **~**[2] *f* Feile *f*; *a. fig.* Ausfeilen *n*, Vollendung *f*; ⊕ ~ *para agujeros* Lochfeile *f*; ~ *chata*, ~ *plana* (*gruesa*) Flach- (Grob-)feile *f*; ~ *redonda* (*triangular*) Rund- (Dreikant-)feile *f*; *allg.* ~ *de uñas* Nagelfeile *f*; *fig. comer como una* ~ unermüdlich essen; *fig. dar la última* ~ den letzten Schliff geben; *fig. ser una* ~ aufreibend, verzehrend, langsam aber sicher vernichtend sein (*a. Person*); **~**[3] ⌂ *f* Dacheckbalken *m*; ~ *tesa* (Dach-)Grat *m*; **~**[4] □ *f* → *camisa*.

lima|do I. *adj. a. fig.* (aus)gefeilt; **II.** *m* Feilen *n*; **~dor** *m* Feiler *m*; **~dora** ⊕ *f* Feilmaschine *f*; **~dura** ⊕ *f* **1.** Feilen *n*; Feilarbeit *f*; **2.** Feilicht *n*; **~s** *f/pl.* → **~lla(s)** *f*(*/pl.*) Feilspäne *m/pl.*; **~r** *v/t.* feilen; *a. fig.* ausfeilen; *fig.* vollenden; *fig.* aufreiben; **~tón** *m* **1.** grobe Schruppfeile *f*; **2.** *Col., Chi., Hond.* → *lima*[3]; **~za** *f* **1.** *Zo.* Nacktschnecke *f*; **2.** *Ven.* → *limatón*.

limbo *m* **1.** Rand *m*, Saum *m*; **2.** *Theol.*, ⚘, ⊕ Limbus *m*; *Astr.* Hof *m e-s Gestirns*; ⊕ ~ *graduado* Skalenbogen *m*, Teilkreis *m*; *fig.* F *estar en el* ~ geistesabwesend sein.

lime|ño *adj.-su.* aus Lima; **~ro**[1] *m* Feilenhauer *m*; **~ro**[2] ⚘ *m* Limettenbaum *m*.

limita|ble *adj. c* begrenzbar; **~ción** *f* Begrenzung *f*; Beschränkung *f*; Einschränkung *f*; ~ *del número de nacimientos* Geburtenbeschränkung *f*; ⊕ ~ *de tipos* Typenbegrenzung *f*; ~ *de velocidad* Geschwindigkeitsbeschränkung *f*; **~do** *adj.* beschränkt (*a. fig.*); begrenzt; endlich; knapp; **~dor** *m* ⊕, ⚡ Begrenzer *m*; ⚔ ~ *de fuego* Schußsperre *f*; **~r** *v/t.* begrenzen; beschränken; einschränken; **~tivo** *gal. adj.* einschränkend.

límite *m a. fig.* Grenze *f*; ⚖ Limit *n*, Plafond *m*; *fig.* Schranke *f*; 𝔄 (*valor m*) ~ Grenzwert *m*, Limes *m*; ⚖ ~ *de crédito* Kreditgrenze *f*, Limit *n*; *Psych. situación f* ~ Grenzsituation *f*; *fig. tener sus* **~s** s-e Grenzen (*od.* Schranken) haben.

limítrofe *adj. c* angrenzend; Grenz...; *países m/pl.* **~s** Nachbarländer *n/pl.*

lim|nología *f* Seenkunde *f*, Limnologie *f*; **~nólogo** *m* Limnologe *m*.

limo *m* **1.** Schlamm *m*; **2.** ⚘ *Col., Chi.* → *limero*[2]. [zitronengelb.]

limón I. *m* Zitrone *f*; **II.** *adj. inv.*

limo|nada *f* Zitronen-wasser *n*, -limonade *f*; **~nar** *m* **1.** ⚒ Zitronenpflanzung *f*; **2.** *Guat.* → *limonero*; **~cillo** ⚘ *m Am. Pfl., z. B. Cu., C. Ri., Col.* Zitronengras *n*; *P. Ri.* Zitronenholzbaum *m*; **~nera** *f* Gabeldeichsel *f*; **~nero I.** *adj.* **1.** in der Deichsel gehend (*Pferd*); **II.** *m* **2.** ⚘ saurer Zitronenbaum *m*, Limonenbaum *m*; **3.** Zitronenverkäufer *m*; **~nita** *Min. f* Brauneisenstein *m*, Limonit *m*.

limos|na *f* Almosen *n*; **~near** *v/i.* um Almosen betteln; **~nera** *f ecl.* Klingelbeutel *m*; † Almosentasche *f*; **~nero 1.** *adj.* almosenspendend; **2.** *m* **a)** Almosengeber *m*; *hist.* Armenpfleger *m*, Almosenier *m*; **b)** *Arg.* → *mendigo, pordiosero*.

limo|sidad *f* Schlammigkeit *f*; *p. ext.* Zahnbelag *m*, Zahnstein *m*; **~so** *adj.* schlammig; lehmig.

limpia I. *f* Reinigung *f*; ⚒ Reinigen *n des Getreides*; Worfeln *n*; **II.** *m* F → *limpiabotas*; **~barros** *m* (*pl. inv.*) Fuß-, Sohlen-abstreifer *m aus Metall*; **~boquilla** *m* Mundstück-, Düsen-reiniger *m*; **~botas** *m* (*pl. inv.*) Schuhputzer *m*; **~botellas** *m* (*pl. inv.*) Flaschenbürste *f*; **~coches** *m* (*pl. inv.*) Wagenputzer *m*; **~cristales** *m* (*pl. inv.*) Fensterputzer *m*; Fensterputzmittel *n*; **~chimeneas** *m* (*pl. inv.*) Kaminkehrer *m*; **~dientes** *m* (*pl. inv.*) → *palillo*; **~do** *m* Reinigen *n*; **~dor I.** *adj.* reinigend; **II.** *m* Putzer *m*; Reiniger *m* (*Gerät*); *Kfz.* ~ *de bujías* Kerzenreiniger *m*; ~ *de la pipa* Pfeifenreiniger *m*; ~ *de tipos* Typenreiniger *m für Schreibmaschine*; **~dora** *f* **1.** Putz-, Reinigungs-maschine *f*; **2.** Putzfrau *f*; **~dura** *f* Reinigen *n*, Putzen *n*; **~manos** *m* (*pl. inv.*) *Am.* Handtuch *m*; Tellertuch *n*; **~mente** *adv.* sauber; *fig.* einfach; *fig.* F ohne weiteres, glattweg; **~metales** *m* (*pl. inv.*) Metallputz-mittel *n*; -tuch *n*; **~piés** *m* (*pl. inv.*) Fußabstreifer *m*, Abstreifgitter *n*; **~parabrisas** *m* (*pl. inv.*) Scheibenwischer *m* (*Kfz.*); **~plumas** *m* (*pl. inv.*) Federwischer *m*; **~r** [1b] *v/t.* **1.** reinigen, säubern; ausfegen; saubermachen; **2.** *fig.* reinigen; reinwaschen (von *dat.* de); *fig.* F stehlen, klauen P; *a.* im Spiel gewinnen, abstauben P; P *Arg.* → *matar*; *fig.* F *¡límpiate!* kommt nicht in Frage!; kein Gedanke!; **~uñas** *m* (*pl. inv.*) Nagelreiniger *m*; **~ventanas** *m* (*pl. inv.*) Fensterputzer *m*; **~vías** *m* (*pl. inv.*) Schienenräumer *m der Straßenbahn*.

limpidez *f* Klarheit *f*; Reinheit *f*; Lauterkeit *f*.

límpido *poet. adj.* klar; durchsichtig; rein; makellos.

limpieza *f* **1.** Reinheit *f*; Reinlichkeit *f*; Sauberkeit *f*; *fig.* ~ *de corazón* Herzensreinheit *f*; Redlichkeit *f*; *fig.* ~ *de las manos* Redlichkeit *f*, Rechtlichkeit *f*; Unbestechlichkeit *f*; ~ *de sangre* „Reinheit *f* des Blutes“, (*hist., als Terminus der span. Inquisition*: *Abstammung aus e-r rein christlichen Familie*); **2.** Putzen *n*, Reinigen *n*; Säuberung *f*; ~ *pública* Straßenreinigung *f*; ⚔ *operación f de* ~ Säuberungsaktion *f*; *hacer la* ~ putzen, saubermachen.

limpi|o I. *adj.* rein; sauber; fleckenlos; klar; *fig.* rein, lauter; sauber; rechtlich, redlich; *fig.* F regelrecht, gehörig; *en* ~ rein; im reinen; netto; ~ *de toda sospecha* frei von jedem Verdacht; *a grito* ~ mit großem Geschrei; *cara* **~a** sauberes Gesicht *n* (*ohne Pickel u. ä.*); *fig. a.* offenes (*od.* ehrliches) Gesicht *n*; ~ *de corazón* reinen Herzens; *manos f/pl.* **~as** *a. fig.* saubere Hände *f/pl.*; *poner en* ~ ins reine schreiben; *ya lo he puesto en* ~ *a.* nun bin ich damit im reinen; *quedar(se)* ~ sauber werden; *fig.* F kein Geld mehr haben, blank sein F; *fig. sacar en* ~ klären; **II.** *adv.* sauber; ehrlich; richtig; korrekt; *jugar* ~ ehrlich (*Sp.* fair) spielen; *fig.* (ein) faires Spiel treiben; **~ón** F *m* **1.** flüchtige Reinigung *f*; *dar un* ~ *a a/c.* et. schnell (u. oberflächlich) saubermachen; *fig.* F *darse un* ~ noch ein bißchen

warten müssen (*weil man sein Ziel nicht erreicht hat*); *¡date un ~! a.* laß es bleiben (*es hat doch keinen Zweck*); **2.** *Am. Mer.* Putztuch *n.*
limusina *Kfz. f* Limousine *f.*
lináceo ⚘ *adj.* Flachs..., Lein...
lina|je *m* Abstammung *f*; Geschlecht *n*; Gattung *f*; Sippe *f*; **~judo** *adj.* altadlig; aristokratisch.
lina|r ✓ *m* Flachsfeld *n*; **~ria** ⚘ *f* Lainkraut *n*; **~za** *f* Leinsamen *m.*
lin|ce *m* Luchs *m* (*a. fig.*); **~cear** F *v/t.* eräugen; **~chamiento** *m* Lynchjustiz *f*; **~char** *v/t.* lynchen.
lin|dante *adj. c* angrenzend; **~dar** *v/i.* angrenzen (an *ac.* con); **~dazo** *m* Feld-, Gemarkungs-grenze *f*; **~de** *f, a. m* Grenze *f*; Saum *m*; Markscheide *f*; Grenzrain *m*; **~dera** *f* Grenzen *f/pl. e-s Geländes*; **~dero I.** *adj.* Grenz...; **II.** *m* Grenzweg *m*; **~s** *m/pl. a. fig.* Grenze *f*, Rand *m.*
lin|deza *f* Zierlichkeit *f*; Niedlichkeit *f*, Schönheit *f*; Nettigkeit *f*; *iron. fig.* F **~s** *f/pl.* Grobheiten *f/pl.*, Artigkeiten *f/pl.* (*iron.*); **~do I.** *adj.* hübsch; zierlich, niedlich; nett F; *adv.* de lo ~ gründlich; *iron.* gehörig, tüchtig, gewaltig, mächtig; *iron. ¡~as cosas me cuentan de usted!* von Ihnen hört man ja schöne Dinge!; *¡qué ~!* wie hübsch!; schön ist das!; **II.** *m* F *Don* ♀ *od.* ~ *Don Diego* Fatzke *m* F, Geck *m*; **~dura** *f* → *lindeza.*
línea *f* Linie (*a.* ⚙, ⚔, *Phys.*, *Vkw. u. fig.*); Reihe *f*; Zeile *f*; *Vkw. a.* Strecke *f*; *Tel.* Leitung *f*; *a. fig. en toda la ~* auf der ganzen Linie; *Vkw. autobús m* (*od. coche m*) *de ~* Überlandbus *m*; ~ *aérea* ⚡, *Tel.* Frei-, Luft-leitung *f*; ✈ Fluglinie *f*; ~ *de carga* ⚓ Ladelinie *f*; *Diagramm*: Belastungskurve *f*; ⚔ ~ *de centinelas* Posten-linie *f*, -kette *f*; ~ *cero* Nullinie *f*; ~ *de conducta* Verhaltensregel *f*; ~ *directa* Luftlinie *f* (*Entfernung*); *Tel.* direkte Leitung *f*; *Vkw.* direkte Verbindung *f*; *Vkw.* ~ *de enlace*, ~ *de acarreo*, ✈ ~ *intermedia* Zubringerlinie *f*; *Phys.* ~ *de espacio(s) y tiempo(s)* Weg-Zeit-Linie (*od.* -Kurve) *f*; ⚓ ~ *de flotación*, ~ *de agua* Wasserlinie *f*; ⚙ ~ *generatriz* Mantellinie *f*; ⚙ ~ *de intersección* (*bzw. de corte*) Schnittlinie *f*; *Vkw.* ~ *marítima* Schiffahrtslinie *f*; *Opt.*, ⚔ ~ *de mira* Visierlinie *f*; ⚔ *a.* Schußlinie *f*; ~ *principal* (*secundaria*) *bsd. Vkw.* Haupt- (Neben-)linie *f od.* -strecke *f*; ⚔ ~ *principal de lucha* Hauptkampflinie *f* (*Abk.* H.K.L.); ~ *de puntos* punktierte Linie *f*; *Arith.* ~ *de quebrado* Bruchstrich *m*; ⚔ *hist.* ~ (de) *Siegfrido* Westwall *m*; ⚡ ~ *de toma* Abnehmerleitung *f* (*Bahn*); *pasar la ~* die Linie (*od.* den Äquator) überschreiten; über die Grenze gehen; F *¡ponle cuatro ~s* schreib' ihm doch ein paar Zeilen; *Tel. no tengo ~* die Leitung ist besetzt.
lineal *adj. c* linienförmig; geradlinig; ⚙, 📖 linear; ⚘ lang u. schmal (*Blatt*); *dibujo m ~* Linearzeichnen *n bzw.* -zeichnung *f.*
linea|m(i)ento *m* Umriß *m*; Gesichtszug *m*; **~r**[1] ⚘ *adj. c* → *lineal*; **~r**[2] *v/t.* **1.** linieren; **2.** → esbozar.
linero *adj.* Lein(en)...; *industria f ~a* Leinenindustrie *f.*
lin|fa *f* **1.** *Anat.*, ⚕ Lymphe *f*; **2.** *poet.* → *agua*; **~fangioma** ⚕ *m* Lymphangiom *n*; **~fangitis** ⚕ *f* Lymphgefäßentzündung *f*; **~fático** ⚕ *adj.* lymphatisch; **~focito** *Physiol. m* Lymphozyt *m.*
lingote *m* (Metall-)Barren *m*; ~ *de acero* Rohstahlblock *m*; ~ *de oro* Goldbarren *m*; **~ra** ⊕ *f* Gießform *f für Rohlinge*; Kokille *f.*
lingual I. *adj. c* Zungen...; **II.** *f, m Phon.* Lingual *m*, Zungenlaut *m.*
linguete ⚓ *m* Pall *m*, Sperrklinke *f.*
lingü|iforme *adj. c* zungenförmig; **~ista** *c* Linguist *m*, Sprach-wissenschaftler *m*, -forscher *m*; **~ística** *f* Linguistik *f*, Sprachwissenschaft *f*; **~ístico** *adj.* linguistisch, sprachwissenschaftlich; Sprach...; *atlas m ~* Sprachatlas *m.*
linimento *pharm. m* Einreibungsmittel *n*, Liniment *n.*
li|no *m* **1.** ⚘ Flachs *m*, Lein *m*; **2.** *tex.* Rohflachs *m*; **3.** *tex.* Leinen *n*, Leinwand *f*; **~nóleo** *m* Linoleum *n*; **~nón** *tex. m* Linon *m.*
linoti|pia *Typ. Wz. f* Linotype *f*; **~pista** *c* Maschinensetzer *m.*
lin|tel *m* → *dintel*; **~terna** *f* Laterne *f* (*a.* ⚠); ~ *de bolsillo* Taschenlampe *f*; *tex.* ~ *de cartones* Kartenzylinder *m*; ~ *mágica* Laterna *f* magica; ~ *sorda* Blendlaterne *f.*
linyera *m Arg.* Landstreicher *m.*
li|ño ✓ *m* (Baum-, Strauch-)Reihe *f*; **~ñuelo** *m* Seilstrang *m.*
lío *m* **1.** Bündel *n*; **2.** *fig.* F Durchea. *n*; Verhältnis *n*, Techtelmechtel *n* F; **~s** *m/pl. de faldas* Weibergeschichten *f/pl.*; *fig.* F *armar* (*od. hacer*) *un ~* ein Durchea. machen (*od.* anrichten); *hacerse un ~* durchea.-kommen; nicht mehr ein noch aus wissen; *¡menudo ~!* ein tolles Durchea.!
liofiliza|ción *f* Gefriertrocknen *n*; **~r** [1f] *v/t.* gefriertrocknen.
lio|nés *adj.-su.* aus Lyon; ♀**rna** *npr. f* Livorno *n* (*it. Stadt*); *fig.* F ♀ → *alboroto*; **~so** F *adj.* verworren, wirr; (be)trügerisch.
li|pasa ⚗ *f* Lipase *f*; **~pegüe** *m Am. Cent.* → *yapa*; **~pendi** □, P *m* armer Teufel *m*; **~pes** *m Am.* = *piedra f ~* Kupfersulfat *n* (*Erz*); **~pidia** F *f Am. Cent.* Elend *n*, Armut *f*; *Cu.*, *Méj.* **a)** Unverschämtheit *f*; **b)** aufdringlicher Mensch *m*; *Chi.* Magenverstimmung *f.*
lípido ⚗ *m* Lipid *n.*
li|poide ⚗ **I.** *m* Lipoid *n*; **II.** *adj. c* → **~poideo** *adj.* lipoid, fettartig; **~poma** ⚕ *m* Lipom *n*; **~pón** *adj. Ven.* dickbäuchig; **~posoluble** *Physiol. adj. c* fettlöslich.
liquefacción *f* → *licuefacción.*
liquen ⚘, ⚕ *m* Flechte *f.*
liqui|dación *f* **1.** ⚒ Flüssigmachen *n*; **2.** *fig. bsd.* † Abwicklung *f*; Auflösung *f e-r Firma*; Ausverkauf *m*; Liquidation *f*; *p. ext.* Beseitigung *f*, Liquidierung *f*; ⚖ ~ *de la herencia* Erbausea.-setzung *f*; † ~ *de fin de temporada* Saisonschlußverkauf *m*, Ausverkauf *m* F; *p. ext.* ~ *de un problema* Erledigung *f* e-r Aufgabe; † ~ *total* Totalausverkauf *m*; **3.** Begleichung *f e-r Rechnung*; Abtragung *f e-r Schuld*; ~ *total* Gesamtabrechnung *f*; **~dador** ⚖, † *m* Liquidator *m*; **~dámbar** *m* ⚘ Amberbaum *m*; *pharm.* Amberbalsam *m*; **~dar I.** *v/t.* **1.** flüssigmachen, verflüssigen; **2.** abwickeln; auflösen; ausverkaufen; liquidieren; *Konkurs* abwickeln; † ~ *las existencias* das Lager räumen; **3.** *fig.* erledigen; *a. euph.* töten, liquidieren; **4.** † abrechnen; *Zahlung* ausgleichen; *Rechnung* begleichen, liquidieren; **II.** *v/i.* **5.** † in Liquidation sein; **~dez** *f* Flüssigkeit *f* (*Aggregatzustand u.* †); † Liquidität *f.*
líqui|da *Phon. f* Liquida *f*, Fließlaut *m*; **~do I.** *adj.* flüssig; *fig.* † flüssig, verfügbar, liquid (*Geld*); Rein..., Netto... (*Betrag*); *producto m ~* Reinertrag *m*; **II.** *m* Flüssigkeit *f*; *a. Kfz.* ~ *de freno* Bremsflüssigkeit *f.*
liquilique *m Ven.* Bauernkittel *m.*
lira *f* **1.** ♪ Leier *f*, Lyra *f*; **2.** Lira *f* (*Münze*); **3.** *Guat.* Klepper *m.*
líri|ca *f* Lyrik *f*; **~co I.** *adj.* lyrisch; *fig.* F *Am. Reg.* → *utópico*; **II.** *m* Lyriker *m.*
lirio ⚘ *m* Schwertlilie *f*; ~ *atigrado* Tigerlilie *f*; ~ *de los valles* Maiglöckchen *n.*
lirismo *m* **1.** Lyrik *f*; dichterische Sprache *f*; **2.** Begeisterung *f*, Schwärmerei *f*; Gefühlsduselei *f*; Utopie *f.*
lirón *m Zo. u. fig.* Siebenschläfer *m*; *dormir como un ~* schlafen wie ein Murmeltier.
lirondo → *mondo.*
lis *f poet.* Lilie *f*; *flor f de ~* (bourbonische) Wappenlilie *f.*
lisa *Fi.* **1.** Steinbeißer *m*; **2.** *Art* Meeräsche *f.*
lisamente *adv.*: *lisa y llanamente* glatt, ohne Umschweife.
lisbo|eta, ~nense *adj.-su. c*, **~nés** *adj.-su.* aus Lissabon; *m* Lissaboner *m.*
lisia|do *adj.-su.* gebrechlich; verkrüppelt; *m* Krüppel *m*; **~r** [1b] *v/t.* verletzen; zum Krüppel machen.
lisis 📖, ⚕ *f* Lysis *f*; Auflösung *f*; Lösung *f.*
liso I. *adj.* glatt, eben; einfarbig, uni (*bsd. Kleidung*); *fig.* schlicht, einfach; klar, deutlich; F *es ~ y llano* es ist ganz einfach; es liegt (klar) auf der Hand; **II.** *m Geol.* größere ebene Felsfläche *f.*
liso|formo ⚗ *m* Lysoform *n*; **~l** ⚗ *m* Lysol *n.*
lison|ja *f* Schmeichelei *f*; **~jeador I.** *adj.* → *lisonjero*; **II.** *m* Schmeichler *m*; **~jear** *v/t. j-m* schmeicheln; *p. ext. ~ al oído* dem Ohr schmeicheln, ins Ohr gehen F; **~jero** *adj.* (ein)schmeichelnd; schmeichelhaft.
lis|ta *f* **1.** Streifen *m*; **2.** Verzeichnis *n*, Liste *f*; ~ *civil* Zivilliste *f in Monarchien*; ~ *de correos* postlagernd; † ~ *de cotizaciones* Kurszettel *m*; *por orden de ~* nach der Liste; ~ *de platos* Speisekarte *f*; ~ *de precios* (*de presencia*) Preis- (Anwesenheits-)liste *f*; ~ *de sorteo* Gewinnliste *f* (*Lotterie*); *pasar ~* aufrufen (*Anwesenheitsfeststellung*, *bsd. Schule u.* ⚔); **~tado** *adj.* gestreift;

~tar *v/t.* → *alistar*; **~teado** *adj.* → *listado*; **~tear** *neol. v/t.* mit Streifen versehen; **~tel** △ *m* schmale Leiste *f*; **~tero** *m* Vorarbeiter *m*, *der die Anwesenheitsliste führt.*
listeza *f* Lebhaftigkeit *f*; Gewandtheit *f*; Scharfsinn *m*; Schläue *f*.
listín *m* **1.** kl. Liste *f*; Adreßbuch *n*; *a. Tel.* Teilnehmerverzeichnis *n*, Telefonbuch *n* F; ✝ ~ *de bolsa* Kurszettel *m*; **2.** *S. Dgo.* → *periódico.*
listo *adj.* **1.** (*ser*) klug, aufgeweckt; gewandt, geschickt, anstellig; gerieben, gerissen; aalglatt; *pasarse de* ~ zu schlau sein wollen; **2.** (*estar*) fertig, bereit; ⚓, ✈ klar; *fig.* F fertig, erledigt; (*ya*) *está* ~ (*para salir*) er ist fertig (zum Ausgehen); *fig.* F *está* ~ er ist erledigt, es ist aus mit ihm; ⚓ *¡~a el ancla!* klar Anker!; ✈ ~ *para despegar* startklar.
lis|tón *m* **I.** *m tex. fingerbreites* Seidenband *n*; △, *Zim.* Leiste *f*; Latte *f*; **II.** *adj. Stk.* mit weißem Streifen auf dem Rücken (*Stier*); **~tonado** *Zim. m* Lattenrost *m*.
lisura *f* Glätte *f*; *fig.* Arglosigkeit *f*, Naivität *f*.
litar|ge ⚒, **~girio** *Min. m* Bleiglätte *f*.
litera *f* Sänfte *f*; Stockbett *n*; ⚓ [Koje *f*.]
litera|l *adj. c* wörtlich; buchstäblich; **~lidad** *f* Buchstäblichkeit *f*; **~lmente** *adv.* buchstäblich; wortgetreu.
litera|rio *adj.* literarisch; **~to** *m* Literat *m*; **~tura** *f* Schrifttum *n*; Schriftstellerei *f*; Literatur *f*; ~ (*de*) *baja* (*estofa*), ~ *barata* (*od. de pacotilla*) Schundliteratur *f*; ~ *universal* Weltliteratur *f*.
literero *m* Sänften-vermieter *m*; -träger *m*; -benutzer *m*.
litiasis ⚕ *f* Steinleiden *n*, Lithiase *f*.
lítico 📖 *adj.* Stein...
liti|gación *f* Streiten *n vor Gericht*; **~gante** ⚖ **I.** *adj. c* streitend; **II.** *m* Prozeßpartei *f*; **~gar** [1h] *v/i.* streiten; prozessieren, e-n Prozeß führen (mit *dat.*, gg. *ac. con, contra*; wegen *gen. por bzw.* über *ac. sobre*); *fig.* streiten, hadern; **~gio** *m a.* ⚖ Streit *m* (anfangen *entablar*); Prozeß *m*; *en* ~ strittig; *en caso de* ~ im Streitfall; ~ *fronterizo* (*od. de frontera*) Grenzstreit *m*; **~gioso** *adj.* **1.** strittig; **2.** streitsüchtig.
liti|na ⚗ *f* Lithiumoxyd *n*; **~o** ⚗ *m* Lithium *n*.
litis ⚖ *f* (*pl. inv.*) → *pleito, litigio*; **~consorcio** ⚖ *m* Streitgenossenschaft *f*; **~consorte** ⚖ *c* Streitgenosse *m*; **~denuncia** ⚖ *f* Streitverkündung *f*; **~expensas** ⚖ *f/pl.* Prozeßkosten *pl.*; **~pendencia** ⚖ *f* Rechtshängigkeit *f*.
li|tocola *f* Steinkitt *m*; **~tografía** *f* Steindruck *m*, Lithographie *f*; **~tografiar** [1c] *v/t.* auf Stein drucken, lithographieren; **~tográfico** *adj.* lithographisch; **~tógrafo** *m* Lithograph *m*; **~tología** *f* Gesteinskunde *f*.
litoral **I.** *adj. c* Küsten...; **II.** *m* Küsten-gebiet *n*; -streifen *m*; *Biol.* Strandzone *f*.
litosfera *Geol. f* Lithosphäre *f*.
lítote *Rhet. f* Litotes *f*.
litre *m Chi.* ♀ *Art* Terebinthe *f* (*Litraea venenosa*); ⚕ Litrekrankheit *f* (*Ekzem*).
litri F *adj. c* eingebildet, affektiert.
litro[1] *m* Liter *n*, *m*; **~**[2] *m Chi.* grobes Wollzeug *n*.
lituano *adj.-su.* litauisch; *m* Litauer *m*; *Li. das* Litauische.
li|turgia *f* Liturgie *f*; **~túrgico** *adj.* liturgisch.
liudo *adj. Chi.* → *flojo, laxo.*
livia|ndad *f* Leichtfertigkeit *f*; Lüsternheit *f*; **~no** **I.** *adj.* **1.** †, *prov. u. Am., bsd. Rpl.* leicht *an Gewicht*; **2.** leicht-fertig, -sinnig; lüstern, geil; **II.** *m* **3.** Leitesel *m*; **4.** **~s** *m/pl.* → *bofes m/pl.*
lividez *f* Totenblässe *f*.
lívido *adj.* **1.** dunkelviolett, schwarzblau; ~ *de frío* blaugefroren; **2.** fahl, bleich; leichenblaß; ~ *de espanto* schreckensbleich.
living(**-room**) *engl. m* Wohnzim-[mer *n*.]
livonio *adj.-su.* livländisch; *m* Livländer *m*.
livor ⚒ *m* schwarzblaue Farbe *f*; Fahlheit *f*; *fig.* Bosheit *f*; Neid *m*; Haß *m*.
lixiviar [1b] *v/t.* ⚗ ab-, aus-laugen; *Geol.* auswaschen.
li|za *f* Kampf-, Turnier-platz *m*; *a. fig. salir a la* ~ in die Schranken treten; **~zo** *tex. m* (Schaft-)Litze *f*.
lo **I.** *art.* das; ~ *bueno* das Gute; ~ *dicho* das Gesagte; ~ *uno* das Eine; F ~ *del examen* die Sache mit dem Examen; ~ *que es eso* was dies angeht; F ~ *que es él, quiere ...* er (seinerseits) will ...; *cito por* ~ *expresiva* (*bzw. expresivo*) ... wegen ihrer (*bzw.* seiner) Ausdruckskraft zitiere ich ...; **II.** *pron.* es; ihn; (*männliches Sachobjekt im sg.*; → *loísmo*); *¿es usted alemán? — sí,* ~ *soy* sind Sie Deutscher? — ja, ich bin es.
loa *f lit.* Lob *n*; *Thea.* kurzes Festspiel *n*; **~ble** *adj. c* löblich; rühmlich; **~r** *v/t.* loben, rühmen.
loba *f* **1.** Wölfin *f*; **2.** ⚒ Talar *m*; **3.** ⚘ Furchenrain *m*; **~do** **I.** *adj.* ♀, *Anat.* → *lobulado*; **II.** *m vet.* Eitergeschwulst *f*; **~nillo** ⚕ *m* Talggeschwulst *f*, Grützbeutel *m*; **~to** *m* junger Wolf *m*; **~tón** □ *m* Schafdieb *m*.
lobe|ar *v/i. fig.* wie ein Wolf auf Beute lauern; **~lia** ♀ *f* Lobelie *f*; **~ra** *f* Wolfs-versteck *n*; -schlucht *f*; **~ro** **I.** *adj.* wölfisch; Wolfs...; **II.** *m* Wolfsjäger *m*; † *fig.* F Stromer *m*, Gauner *m*; **~zno** *m* junger Wolf *m*.
lo|bina *Fi. f* Wolfsbarsch *m*; **~bo**[1] *m* **1.** *Zo.* Wolf *m*; *p. ext.* Wolfshund *m*; *Fi.* Meergrundel *f*; *Am. Cent., Méj.* → *coyote*; *zorro*; ~ *alemán* deutscher Schäferhund *m*; ~ *canguro* (*od. marsupial*) Beutelwolf *m*; ~ *cerval* Luchs *m*; ~ *marino* Seehund *m*; ~ *de mar Chi.* Seehund *m*; Seelöwe *m*; *fig.* alter Seebär *m*; *Am. Mer.* ~ *de río* Biberratte *f*; *Méj.* ~ *rojo de Méjico* mexikanischer Mähnenwolf *m*; **~s** *m/pl. de la misma camada* Wölfe *m/pl.* eines Wurfs; *fig.* Leute *pl.* (*mst. desp.* Gesindel *n*) vom gleichen Schlag; *fig. boca f de* ~ ⚓ Mastloch *n*; □ Falschspielertrick *m*; *fig.* F (stock)finster; *fig. meterse en la boca del* ~ s. in die Höhle des Löwen begeben; *un* ~ *con piel de cordero* (*od. de oveja*) ein Wolf im Schafspelz; *quien con* **~s** *anda a aullar se enseña* mit den Wölfen muß man heulen; **2.** *Astr.* ♎ Wolf *m*; **3.** □ Dieb *m*; **4.** *tex.* Reißwolf *m*; **5.** F Rausch *m*; *desollar* (*od. dormir*) *el* ~ s-n Rausch ausschlafen; **~bo**[2] ♀, *Anat. m* → *lóbulo.*
lóbrego *adj.* düster, finster; *fig.* traurig, elend.
lobregue|cer [2d] **I.** *v/t.* verfinstern; **II.** *v/i.* finster werden; **~z** *f* Dunkelheit *f*, Finsternis *f*.
lobula|do *adj.*, **~r** *adj. c bsd.* ♀, *Anat.* lappig; gelappt; ⚕ lobulär.
lóbulo 📖 *m* Lappen *m*; △ ~ *de un arco* vorspringender Bogenteil *m*; ♀ *de tres* **~s** dreilappig (*Blatt*); *Anat.* ~ (*de la oreja*) Ohrläppchen *n*; *HF* ~ *principal de* (*la*) *radiación* Strahlungskeule *f* (*Radar*); *Anat.* ~ *pulmonar* (*temporal*) Lungen-(Schläfen-)lappen *m*.
lobuno *adj.* wölfisch; Wolfs...; *Arg.* wolfsfarben (*Pferd*).
loca *fig.* F *f Arg.* schlechte Laune *f*; Anfall *m* von Wut.
loca|ción *f* Verpachtung *f*; Vermietung *f*; **~dor** *m Am. Reg.* Vermieter *m*; Verpächter *m*.
loca|l **I.** *adj. c* örtlich; Orts...; **II.** *m* Lokal *n*; Raum *m*; **~lidad** *f* Örtlichkeit *f*; Lokal(ität *f*) *n*; *Thea.* Eintrittskarte *f*; **~lismo** *m* Gebundenheit *f* an die engere Heimat; *desp.* Lokalpatriotismus *m*; Kirchturmpolitik *f*; *Li.* lokale Redewendung *f*; **~lización** *f* Lokalisierung *f*; Ortung *f*; Suche(n *n*) *f*; Eingrenzung *f*; Feststellung *f*; Auffinden *n* (*a. z. B. v. Vermißten*); **~lizador** ✈ *m* Landekurssender *m*; **~lizar** [1f] *v/t.* **1.** lokalisieren; örtlich bestimmen; ⚔, ✈, *HF* orten; suchen; finden; feststellen; F *no logró* **~te** er erkannte dich nicht, er wußte nicht, wo er dich hintun sollte F; ⚕ ~ *un tumor* den Sitz e-r Geschwulst feststellen; **2.** lokalisieren, räumlich einschränken, örtlich begrenzen.
locamente *adv.* verrückt, toll; *fig.* über alle Maßen.
loca|taria *f* Mieterin *f*; **~tario** *m* Mieter *m*; **~tivo** *Li. m* Lokativ *m*.
loce|ría *f bsd. Am.* → *alfarería, ollería*; **~ro** *m bsd. Am.* → *ollero.*
loción *f* ⚕ Waschung *f*; Spülung *f*; *pharm.* Flüssigkeit *f*; *Kosmetik*: ~ *capilar* (*facial*) Haar-(Gesichts-)wasser *n*, Lotion *f*.
lock-out *engl. m* Aussperrung *f v. Arbeitern.*
loco[1] *arauk. m Chi. eßbare Molluske.*
loco[2] **I.** *adj.* **1.** närrisch; irrsinnig; *a. fig.* F wahnsinnig, toll; verrückt; hirnverbrannt F; F *adv. a lo* ~ toll; überstürzt, Hals über Kopf; ~ *de atar* (*od. de remate*) völlig (*od.* total F) verrückt; F *ser* (*od. estar*) *medio* ~ e-n kl. Sparren haben F; *andar* ~ *por una chica* in ein Mädchen vernarrt sein; *estar* ~ *con, de, por* begeistert sein von (*dat.*), über (*ac.*) *bzw.* für (*ac.*); *estar* ~ *de alegría* vor Freude außer s. sein; *suerte f* **~a** unwahrscheinliches (*od.* tolles F)

Glück *n*; *volver a uno ~ a. fig.* j-n verrückt machen, *fig.* j-n zur Verzweiflung bringen; F *¡me vuelvo ~!* ich werd' verrückt! F; *fig.* F *es para volverse ~* es ist zum Verrücktwerden; **2.** ⚘ wuchernd; *fig.* zu üppig, zu geil; ⊕ lose (*Riemenscheibe*); ⊕ *polea f ~a* Los-, Leerlauf-scheibe *f*; **II.** *m* **3.** Narr *m*; Irre(r) *m*, Wahnsinnige(r) *m*, Verrückte(r) *m*; *fig. casa f de ~s* Tollhaus *n*; *cada ~ con su tema* jedem Narren gefällt s-e Kappe, jedem Tierchen sein Pläsierchen F.

loco|moción *f* Fortbewegung *f*; Lokomotion *f* (*bsd.* ⚕); *medio m de ~* Beförderungsmittel *n*; **~motor** *adj.* fortbewegend; Fortbewegungs-...; lokomotorisch ⚕; **~motora** *f* Lokomotive *f*; *~ de vapor* (*Diesel, eléctrica*) Dampf- (Diesel-, Elektro-)lok(omotive) *f*; **~motriz** *bsd.* 🕮 *adj. f*: *Phys. fuerza f ~* fortbewegende Kraft *f*; **~móvil I.** *adj. c* (*a. locomovible*) fortbewegungsfähig; **II.** *f* Lokomobile *f*; **~tractora** 🚂 *f* Rangierlok *f*.

locro *Kchk. m Am. Mer. Eintopf* (*Maismehl, Fleisch, Kürbis, Pfefferschoten*).

locu|acidad *f* Geschwätzigkeit *f*; **~az** *adj.* (*pl. ~aces*) geschwätzig; redselig; **~ción** *f* Redensart *f*, Redewendung *f*; Redeweise *f*; *Gram. ~ adverbial* adverbialer Ausdruck *m*; **~ela** ↖ *f* individuelle Sprechweise *f*; **~elo** *dim. adj.-su.* leicht närrisch; **~mba** *Pe.* **I.** *adj. c* □ → *loco*; **II.** *m ein Traubenschnaps aus Locumba*; **~ra** *f* **1.** Wahn *m*; *~ amorosa* (*racista*) Liebes- (Rassen)wahn *m*; **2.** *a. fig.* Verrücktheit *f*, Wahnsinn *m*; Irrsinn *m*; verrückter Einfall *m*; F *hacer ~s* verrücktes Zeug treiben; (herum)albern; schäkern.

locuto|r *Rf, TV m* Ansager *m*, Sprecher *m*; **~ra** *f* Ansagerin *f*; **~rio** *m* Sprechzimmer *n in Klöstern u. Gefängnissen*; *Tel.* Sprechzelle *f*; *~ (público)* Sprechstelle *f*.

locha *Fi. f* Grundel *m* (*viele Arten*).

lo|che *m Col.*, **~cho**[1] *m Ven.* → *soche*; **~cho**[2] *adj. Col.* → *bermejo*.

lo|dachar, **~dazal** *m* schlammige Stelle *f*; Morast *m*; **~do** *m* Schlamm *m*; Morast *m*; *a. fig.* Schmutz *m*, Dreck *m* F; *~ (medicinal)* Heilschlamm *m*, Fango *m*.

lodoñero ⚘ *m Am.* Persimone(nbaum *m*) *f*.

lodoso *adj.* schlammig.

loess *Geol. m* Löß *m*.

lofobranquios *Zo. m/pl.* Büschelkiemer *m/pl.*

loganiáceas ⚘ *f/pl.* Logangewächse [*n/pl.*]

loga|ritmación *f* Logarithmierung *f*; **~rítmico** *adj.* logarithmisch; *papel m ~* Logarithmenpapier *n*; **~ritmo** *m* Logarithmus *m*; *tabla f de ~s* Logarithmentafel *f*; *tomar el ~* logarithmieren.

lo|ggia ⚠ *it. f* Loggia *f*; **~gia** *f* Loge *f*, Freimaurerloge *f*.

lógica *f* Logik *f*; *fig.* Denkweise *f*; Gedankengang *m*; *carecer de ~* der Logik entbehren.

logicismo *Phil.*, ⚖ *m* Logizismus *m*.

lógico I. *adj.* logisch (*a. fig.*); *fig.* natürlich, selbstverständlich; **II.** *m* Logiker *m*.

lo|gismo *Phil. m* Logismus *m*; **~gística** *Phil.*, ⚔ *f* Logistik *f*; **~gístico I.** *adj.* logistisch; **II.** *m* Logistiker *m*.

logo|grifo *m* Logogriph *m*, Buchstabenrätsel *n*; *fig.* unverständliche Rede *f*; **~maquia** *f* Wortstreit *m*; Wortklauberei *f*, Haarspalterei *f*; **~patía** ⚕ *f* Sprachstörung *f*; **~pedia** ⚕ *f* Spracherziehung *f*, Logopädie *f*; **~s** *Phil.*, ♀ *Theol. m* Logos *m*.

lo|grar I. *v/t.* erreichen, erlangen; *logro + inf.* es gelingt mir, zu + *inf.*; *~ que + subj.* bewirken, daß, (es) durchsetzen, daß; **II.** *v/r.* *~se* gelingen, geraten; **~grería** *f* Wucher(geschäft *n*) *m*; **~grero** *m* Wucherer *m*; Schieber *m* F; übler Spekulant *m*; *Am. a.* Schmarotzer *m*; **~gro** *m* **1.** Gewinn *m*; Nutzen *m*, Vorteil *m*; **2.** Gelingen *n*, Erfolg *m*; **3.** Wucher(zins) *m*; *prestar a ~* ⚖ auf Zins leihen; *desp.* zu Wucherzinsen leihen.

loi|ca *f Chi. Art* Star *m* (*Sturnella militaris*); *fig.* F Lüge *f*, Schwindel *m*.

loís|mo *Gram. m Verwendung v. lo für den ac. sg. des männl. Personalpronomens* (*vgl. leísmo*); **~ta** *c* Anhänger *m* des *loísmo*.

loja *f Cu.* → *chicha*.

loliáceas ⚘ *f/pl.* Lolchartige(n) *f/pl.*

loló I. *adj.* □ → *rojo*; **II.** *m* F *Arg. hacer ~* das Kind in den Schlaf singen.

loma *f* Hügel *m*; Hügelkette *f*; Bergrücken *m*; **~da** *f Rpl.* Bodenerhebung *f*; Bergrücken *m*; **~je** *m Chi.* Hügellandschaft *f*.

lombar|da *f* **1.** † Lombarde *f* (*Geschütz*); **2.** ⚘ (*col*) *~* Rotkohl *m*; **~dero** † *m* Soldat *m* an e-r Lombarde; **~do I.** *adj.* **1.** lombardisch; **II.** *m* **2.** Lombarde *m*; **3.** *Stk.* dunkelbrauner Stier *m* mit hellbraunem Rumpfoberteil; **4.** ⚚ Lombardbank *f*.

lombri|cida *m* Wurmmittel *n*; **~guera** *f* **1.** ⚘ Eberraute *f*; **2.** Wurmloch *n*; **~z** *f* (*pl. ~ices*) Wurm *m*; *~ (de tierra)* Regenwurm *m*; *~ (intestinal)* Spulwurm *m*.

lome|ar *v/i. Equ.* den Rücken bewegen; **~ra** *f* **1.** *Equ.* Kreuzgurt *m*; **2.** *Buchb.* Lederrücken *m*; **3.** ⚠ Dachfirst *m*; **~río** *m Méj.* Hügelkette *f*.

lomi|enhiesto *adj.* **1.** mit hohem Rücken (*z. B. Maultier*); **2.** *fig.* F hochmütig, anmaßend; **~llería** *f Am. Mer.* Laden *m* für Riemenzeug; **~llo** *m* **1.** Sattelrücken *m*; *~s m/pl.* Packsattelgestell *n*; **2.** Kreuzstich *m*; **3.** *Kchk.* → *solomillo*.

lo|mo *m* **1.** Lende *f* (*a. Kchk.*); *p. ext.* Rücken *m der Tiere*; *~s m/pl.* → *costillas*; *a ~ de mula* auf Maultierrücken; *fig.* F *agachar el ~* s. abrackern; → *fig.* F *bsd. Am. pasar la mano por* (*od. sobar*) *el ~ j-m* um den Bart gehen; schmeicheln; **2.** *fig.* Buch- *bzw.* Messer-rücken *m*; Rücken *m e-r Klinge*; ✎ Furchenrücken *m*; *fig.* F *jugar de ~* s. besten Wohlseins erfreuen; **~mudo** *adj.* mit mächtigem Rücken.

lona *f* Segeltuch *n*; (Zelt-)Plane *f*; Leinwand *f*; *Méj., Rpl.* Sackleinen *n*; *~ de bomberos* Sprungtuch *n*; *Boxen*: *besar la ~* auf die Matte gehen.

lonco *m Chi.* **1.** Kopf *m*; *fig.* Häuptling *m*; **2.** Labmagen *m der Wiederkäuer*; **~tear** *v/t. Arg., Chi.* an den Haaren zerren.

lon|cha *f* **1.** Streifen *m*; Schnitte *f*; **2.** glatter Stein *m*; **~che** *Angl. m Am.* Lunch *m* (*engl.*); **~chería** *f Am.* Speisehalle *f*, Imbißstube *f*; **~cho** *m Col.* → *pedazo, trozo*.

londinense *adj.-su. c* aus London; *m* Londoner *m*.

loneta *f* **1.** ⚓ leichtes Segeltuch *n*; **2.** *Chi.* dünnes Leintuch *n*.

lon|ga ♪ *f* Longa *f* (*Mensuralnotation*); **~ganimidad** *f* Langmut *f*; **~gánimo** *adj.* langmütig; hochherzig, großmütig.

longa|niza *f* Schlackwurst *f*; *Spr. allí tampoco atan los perros con ~(s)* die führen auch kein Schlaraffenleben; es wird überall mit Wasser gekocht; **~res** □ *m* (*pl. inv.*) Feigling *m*.

longe|vidad *f* Langlebigkeit *f*; **~vo** *adj.* langlebig.

longi|ncuo ↖ *adj.* fern; **~tud** *f* Länge *f* (*a. Geogr.*); *Phys. ~ de onda* Wellenlänge *f*; **~tudinal** *adj. c* Längen...; Längs...; *Phys. a.* Longitudinal...; *en sentido ~* in Längsrichtung.

lon|go[1] *adj.*: ⚓ *a ~ de costa* längs der Küste; **~go**[2] *m Ec.* junger Indianer *m*; **~gobardo** *adj.-su.* langobardisch; *m* Langobarde *m*; **~gorón** *Zo. m Cu.* Bohrmuschel *f*; **~guera** *f* schmaler Streifen *m* Land; **~guería** *f* → *dilación*; **~guetas** ⚕ *f/pl.* Verbandstreifen *m/pl.*; **~gui** F *m*: *hacerse el ~* → *hacerse el sueco*.

lon|ja[1] *f* **1.** Schnitte *f*, Scheibe *f* (*Wurst, Schinken, Speck*); Streifen *m*; **2.** *Arg. v. Haar- u. Fleischteilen* gesäubertes Fell *n*; Schmitze *f der Peitsche*; **~ja**[2] ⚚ *f* Warenbörse *f* (*Institution u. Gebäude*); **~jear** *Arg. v/t. Fell* in Streifen schneiden; *p. ext.* F → *azotar*.

lontananza *f* Fernsicht *f*; Ferne *f*; *en ~* fern, in der Ferne.

looping ✈ *engl. m* Looping *m*.

loor *m ecl., lit.* Lob *n*; *ecl. ~es m/pl.* Loblieder *n/pl., lt.* Laudes *f/pl.*

López *m*: *ésos son otros ~* das ist et. ganz anderes.

lopista *c* Kenner *m* Lope de Vegas; Lope-Forscher *m*.

loque|ar *v/i.* **1.** s. wie ein Narr aufführen; Quatsch machen F; **2.** *fig.* schäkern; Mutwillen treiben; herumtollen; **~o** *m* Getöse *n*, Lärm *m*, Herumtollen *n*; **~ra** *f* **1.** Irrenzelle *f*; **2.** Irrenaufseherin *f*; **3.** *Am. a.* → *locura*; **~ría** *f Am.* → *manicomio*; **~ro** *m* Irrenwärter *m*; **~sco** F *adj.* → *alocado bzw. bromista*.

loquincho *adj. Arg.* → *medio loco*.

loquios ⚕ *m/pl.* Lochien *pl.*

lora *f* **1.** *Vo.* Papageienweibchen *n*; *Am.* Papagei *m*; **2.** *Ven.* schwärende Wunde *f*.

Loran ⚓, ✈ *m* = *radionavegación f ~* Lorannavigation *f*, *engl. Long Range Aid to Navigation*; **♀táceas** ⚘ *f/pl.* Mistelgewächse *n/pl.*

lorcha *f* ⚓ *chinesischer* Schnellsegler *m*.

lord *m* (*pl. lores*) Lord *m*.
lordosis ⚕ *f* Lordose *f*.
lorenés *adj.-su.* lothringisch; *m* Lothringer *m*.
loriga *hist. f* Schuppenpanzer *m*; Panzerhemd *n*; Panzer *m für Reittiere.*
loro *m* Papagei *m*; *fig.* F häßliche Frau *f*, Besen *m* F.
los *m/pl.* **I.** *art.* die; **II.** *pron. ac.* sie.
lo|sa *f* Steinplatte *f*; Fliese *f*; *p.ext. aus Steinplatten gebaute* Falle *f*; ~ *funeraria* Grab-stein *m*; -platte *f*; **~sange** *m bsd.* ⧄ Raute *f*, Rhombus *m*; **~sar** *v/t.* → *enlosar*; **~seta** *f* kl. Fliese *f*; *fig.* F *cogerle a uno en la* ~ j-m e-e Falle stellen, j-n hereinlegen.
lota *Fi. f* (Aal-)Quappe *f*, Trüsche *f*.
lote *m* **1.** Anteil *m*, Los *n*; Quantum *n*; Gewinn *m* (*Lotterie*); *Am.* Baugrundstück *n*; ~ *de terreno* Parzelle *f*; **2.** ⚚ Posten *m*, Partie *f*; **3.** F *Arg.* → *imbécil*; **~ar** *v/t.* in Lose aufteilen; *Grundstück* parzellieren; **~ría** *f* Lotterie *f*; ~ (*de cartones*) Lotto *n*; *Administración f de* ≗s Staatliche Lotterieverwaltung *f*; *lista f de la* ~ Gewinnliste *f*; *caerle a uno la* ~ in der Lotterie gewinnen; *fig.* Glück (*od.* Schwein F) haben; *le ha caído la* ~ *fig. a.* jetzt hat es ihn erwischt, jetzt ist er dran; *jugar a la* ~ auslosen; in der Lotterie spielen; **~ro** *m* Lotterieeinnehmer *m*; Losverkäufer *m*.
lo|to ♀ *m* Lotus *m*; *flor f de* ~ Lotusblume *f*; ~ *comestible* Lotusbaum *m*; **~tófagos** *Myth. m/pl.* Lotophagen *m/pl.*
lovaniense *adj. c* aus Löwen (*Belgien*).
loxodromia ⚓, ✈ *f* Loxodrome *f*.
loyar □ *v/t.* nehmen, greifen, packen.
loza *f* Steingut *n*; Tonware *f*; ~ *fina* Feinsteingut *n*; ~ *sanitaria* sanitäres Geschirr *n*; de ~ irden.
loza|near *v/i.* wuchern (*Pfl.*); *fig.* vor Kraft strotzen; munter sein; **~nía** *f* Wuchern *n*; *a. fig.* Vollsaftigkeit *f*; Üppigkeit *f*; **~no** *adj.* üppig, kraftstrotzend, vollsaftig; *fig. a.* munter; keck.
lúa *Equ. f* Espartohandschuh *m zum Striegeln.*
lubina *Fi. f* → *róbalo.*
lubricación *f u. Abl.* → *lubrificación.*
lubricán *m* **1.** ✎ *poet.* → *crepúsculo, alba*; **2.** *Zo.* Luchs *m*.
lubri|cativo *adj.* (ein)schmierend, Schmier...; **~cidad** *f* Schlüpfrigkeit *f*.
lúbrico *adj. bsd. fig.* schlüpfrig.
lubri(fi)ca|ción ⊕ *f* Einölen *n*; Schmierung *f*; Abschmieren *n*; ~ *por circulación de aceite* Ölumlaufschmierung *f*; **~dor I.** *adj.* schmierend, Schmier...; **II.** *m* Schmiervorrichtung *f*; -büchse *f*; -nippel *m*; **~nte I.** *adj. c* Schmier...; **II.** *m* Schmiermittel *n*; **~r** [1g] *v/t.* einölen; (ab)schmieren; einfetten.
lu|cano *Ent. m* Hornkäfer *m*; **~cense** *adj.-su. c* aus Lugo.
lucer|a *f* Dachfenster *n*; Boden-, Giebel-luke *f*; **~na** *f* **1.** † Lampe *f*; ✎ Kronleuchter *m*; **2.** Dachluke *f*; **~nario** *m* **1.** △ Oberlichtausbau *m*; **2.** *Arch.* Lichtschacht *m in Katakomben.*
lucérnula ♀ *f* Schwarzkümmel *m*.
lucero *m* (Abend- *bzw.* Morgen-) Stern *m*; *fig.* Stern *m*, Blesse *f b. Pferden*; *poet. los* ~s die Augen *n/pl.*; ~ *del alba* Morgenstern *m*.
luci|dez *f* Klarheit *f*; Deutlichkeit *f*; Helle *f*; **~do** *adj.* glanzvoll, prächtig; glänzend; großartig; freigebig; *iron. quedarse* ~ s. schön blamieren.
lúcido *adj.* licht, klar; *fig. intervalo* (*od. momento*) *m* ~ lichter Augenblick *m*.
luci|dor *adj.* leuchtend; **~ente** *adj. c* leuchtend, strahlend (*a. Farben*); **~érnaga** *f* Glüh-, Johannis-würmchen *n*, Leuchtkäfer *m*.
Lucife|r *m* Luzifer *m*; *fig. a.* Morgenstern *m*; ≗**rino** luziferisch, teuflich.
lu|cífero I. *adj.* ✎ leuchtend; **II.** *m* Morgenstern *m*; F *Col.* → *fósforo*; **~cífugo** *poet. adj.* lichtscheu; **~cimiento** *m* Glanz *m*, Pracht *f*, Prunk *m*; Freigebigkeit *f*; Großartigkeit *f*; *fig. quedar con* ~ gut abschneiden (*fig.*).
luci|o[1] *m* Hecht *m*; **~o**[2] **I.** *adj.* glänzend; glatt; **II.** *m* Strandlache *f*, Lagune *f*; **~ón** *Zo. m* Blindschleiche *f*; **~operca** *Fi. f* Zander *m*.
lucir [3f] **I.** *v/i.* leuchten; scheinen, gleißen; *a. fig.* glänzen; *fig.* gut (*od.* kostbar) aussehen; *fig.* nutzen, et. einbringen; *fig.* ~ *en sus estudios* ein glänzender (*od.* hervorragender) Student sein; *Isabel luce entre sus amigas* I. glänzt (= *ist die Schönste bzw. die Gescheiteste usw.*) unter ihren Freundinnen; *el trabajo le luce* s-e Arbeit lohnt s.; *fig.* F *te va a* ~ *el pelo* das kann ins Auge gehen F; **II.** *v/t. fig.* leuchten lassen; zur Schau stellen, prangen mit (*dat.*); *Kleider* (*bsd. neue od. festliche*) tragen; *a.* △ → *enlucir*; **III.** **~se** *v/r.* s. hervortun; glänzend abschneiden; *iron.* s. schön blamieren; *¡nos hemos* **~ido!** so eine Blamage (für uns)!
lu|crar I. *v/t.* † → *lograr*; **II.** *v/r.* **~se** Nutzen ziehen (aus *dat.* de); **~crativo** *adj.* einträglich; ⚚ gewinnbringend; Erwerbs...; lukrativ, rentabel; **~cro** *m* Gewinn *m*; Erwerb *m*; Nutzen *m*.
luctuo|sa ⚖ *hist. f* Mortuarium *n*; **~so** *lit. adj.* traurig; Trauer...
lucubra|ción *lit. f* geistige Nachtarbeit *f*; **~r** *lit. v/t.* mühsam (in schlaflosen Nächten) ausarbeiten.
lúcu|ma ♀ *f And. ein pflaumengroßer Breiapfel*; **~mo** ♀ *m And. Art* Breiapfelbaum *m* (*Lucuma obovata*); *a.* → *lúcuma*.
lucha *f* Ringkampf *m*; *p. ext.* Kampf *m*; *fig.* Bekämpfung *f* (*gen. od.* von *dat. contra*); ⚔ ~ *aérea* Luftkampf *m*; ⚕ ~ *antituberculosa* Kampf *m* gegen die Tuberkulose; ~ *a brazo partido* Handgemenge *n*, Ringkampf *m*, Balgerei *f* F; ~ *callejera* Straßenkampf *m*; ~ *contra el cáncer* (*contra el ruido*) Krebs-(Lärm-)bekämpfung *f*; *Sp.* ~ *de la cuerda* Tauziehen *n*; *Sp.* ~ *libre* Freistilringen *n*; *listo para la* ~, *pronto para* (*od. a*) *la* ~ kampfbereit; *Sp.* ~ *de pie* Standkampf *m*; ~ *por la vida*, ~ *por la existencia* Lebenskampf *m*; Kampf *m* ums Dasein.
lucha|dero ⚓ *m* Kante *f*, Saum *m*; **~dor** *m Sp.* Ringer *m*; ⚔ *u. fig.* Kämpfer *m*; *a.* ⚔ ~ *individual* Einzelkämpfer *m*; **~r** *v/i. Sp. u. fig.* ringen; *a. fig.* kämpfen; streiten; ~ *encarnizadamente* erbittert ringen (gg. *ac. contra*; um *ac. por*).
lucharniego *adj.* für die Nachtjagd abgerichtet (*Hund*).
lu|che *Chi. m* **1.** *eßbare Alge*; **2.** *Art* Hupfkastenspiel *n*; **~chicán** *Kchk. m Chi. ein Algengericht* (→ *luche*); **~chón** *adj. Méj.* geldgierig.
ludibrio *m* Hohn *m*, Spott *m*; *hacer* ~ *de a/c.* et. verspotten.
ludi|ón *Phys. hist. m* kartesianisches Teufelchen *n*; **~r** ✎ *v/t.* reiben.
lúe(s) ⚕ *f* Lues *f*.
luego I. *adv.* **1.** nachher; dann, darauf; später; (*muy*) ~ gleich, sofort; auf der Stelle; schnell; *díselo* (*muy*) ~ sage es ihm sogleich; *hasta* ~ bis nachher; auf (baldiges) Wiedersehen!; *desde* ~ selbstverständlich; **II.** *cj.* **2.** *se lo diré* (*tan*) ~ *que venga* ich sage es ihm, sobald er kommt; ~ *de* + *inf.* nachdem + *ind.*; **3.** demnach, also, folglich; **4.** *Arg. tan* ~ → *además bzw. tanto más*; **5.** *Col.* → *algunas veces*; *Chi.* → *cerca*; **6.** *Méj.* ~ ~ geradeaus.
luengo † *u. Reg. adj.* lang.
luético ⚕ *adj.-su.* luetisch, syphilitisch; *m* Luetiker *m*.
lufa ♀ *f* Luffa *f*, Schwammkürbis *m*.
lugano *Vo. m* Zeisig *m*.
lugar *m* **1.** Ort *m*, Platz *m*, Stelle *f*; Stätte *f*; Örtlichkeit *f*; *p. ext.* Ortschaft *f*; Dorf *n*, Flecken *m*; ⚖ ~ *de autos* Tatort *m*; ~ *de cita* Treffpunkt *m*; *fig.* ~ *común* Gemeinplatz *m*; F Abort *m*; ⚚ ~ *de cumplimiento* (*de destino*, *de entrega*) Erfüllungs- (Bestimmungs-, Liefer-)ort *m*; ⚚ ~ *de libranza* Ausstellungsort *m b. Wechsel*; ~ *de reunión* Versammlungs- *bzw.* Tagungs-ort *m*; *los Santos* ~*es* die Heiligen Stätten *f/pl.* (*Palästina*); *de este* ~ hiesig; *en* ~ *de* anstatt (*gen.*), an Stelle von (*dat.*); *en primer* ~ an erster Stelle, erstens; *en segundo* ~ zweitens; *en todo* ~ überall, immer; *fig. estar en su* ~ angebracht sein; *estar fuera de* ~ unangebracht sein, fehl am Platz sein; *fig. póngase en mi* ~ versetzen Sie s. bitte in meine Lage; *fig. poner a uno en su* ~ j-n in s-e Schranken (ver)weisen; *fig. poner a uno en mal* ~ ein schlechtes Licht auf j-n werfen; *tener* ~ stattfinden; **2.** *fig.* Stelle *f*, Rang *m*, Amt *n*, Würde *f*; *ocupar un alto* ~ e-e hohe Stelle einnehmen; e-n hohen Rang haben; **3.** *fig.* Anlaß *m*; *dar* ~ *a* Anlaß geben zu (*dat.*); *esto dará* ~ *a que le castiguen* man wird ihn dafür bestrafen; *no hay* ~ (*de* + *inf.*) es liegt kein Anlaß vor (, zu + *inf.*).
lugar|eño I. *adj.* dörflich; Dorf...; Provinz...; kleinstädtisch; Kleinstadt...; **II.** *m* Dorfbewohner *m*, Dörfler *m*; Kleinstädter *m*; Provinzler *m*; **~tenencia** *f* Stellvertretung *f*; Stellvertreterschaft *f*; **~teniente** *m* Stellvertreter *m*.
lugdunense *adj.-su. c* aus Lyon; *m* Lyoner *m*.

luge *gal. f* Rodelschlitten *m*; **~ar** *v/i.* rodeln.
lugre ⚓ *m* Lugger *m*.
lúgubre *adj. c* traurig, Trauer...; düster; unheimlich; schwermütig, melancholisch; finster, unheilvoll.
lugués *adj.-su.* aus Lugo.
lui|ción *f* (Erbzins-)Ablösung *f*; **~r**[1] [3g] *v/t.* (e-n Erbzins) ablösen; **~r**[2] [3g] *v/t.* **1.** ⚓ → *ludir*; **2.** *Chi.* → *arrugar bzw.* (*Keramik*) *bruñir.*
lui|s *hist. m* Louisdor *m* (*Münze*); **~sa** ⚘: (*hierba f*) ~ *f* Melissenkraut *n*.
lujación ⚕ *f* Verrenkung *f*.
lujo *m* Luxus *m*; Pracht *f*; gr. Aufwand *m* (an *dat.* de); de ~ Pracht..., Luxus...; ⊕ *ejecución f de* ~ Luxusausführung *f*; *no me puedo permitir el* ~ (de + *inf.*) ich kann es mir nicht leisten (, zu + *inf.*); **~so** *adj.* **1.** prächtig; kostspielig, aufwendig; luxuriös; **2.** prachtliebend.
lujuri|a *f* Unzucht *f*; Geilheit *f*; Lüsternheit *f*; Üppigkeit *f*; *bibl.* Fleischeslust *f*; **~ante** *adj. c* üppig wuchernd (*Vegetation*); **~ar** [1b] *v/i.* s. paaren (*Tiere*); *bibl.* der Fleischeslust frönen; **~oso I.** *adj.* unzüchtig; geil; wollüstig; **II.** *m* Lüstling *m*.
lula *Fi. f Gal.* → *calamar.*
luli|ano *adj. Phil.* lullianisch; **~smo** *m* Lullismus *m*, Lehre *f* des Raimundus Lullus; **~sta I.** *adj. c* lullistisch; **II.** *c* Lullist *m*, Anhänger *m* der Philosophie des Raimundus Lullus.
lu|lo I. *adj.* **1.** *Chi.* lang u. dünn; fade; dumm; **II.** *m* **2.** *Chi.* Rolle *f* (*Hülle, Verpackung*); *fig.* Stirnlocke *f*; **3.** ⚘ *Col.* → *naranjilla*; **~lú** *m* Schoßhündchen *n*; **~llir** [3h] *Am. v/t.* → *rozar.*
luma ⚘ *f Chi. Myrtenbaum, bis 20 m hoch*; **~quela** *Geol. f* Lumachelle *f*.
lumba|go ⚕ *m* Hexenschuß *m*, Lumbago *f*; **~r** *adj. c* Lenden..., Lumbal...; *región f* ~ Lendengegend *f*.
lum|bra(ra)da *f* Lohe *f*, Flackerfeuer *n*; **~bre** *f* **1.** (Holz-, Kohlen-) Glut *f*; Feuer *n*; Flamme *f*; † Feuerstrahl *m der Feuersteingewehre*; *pl.* ~*s* Feuerzeug *n* (*Stein, Stahl u. Zunder*); *a(l amor de) la* ~ am Kamin; am Herdfeuer; *fig. a* ~ *mansa* nach u. nach; *fig. a* ~ *de pajas* kurz, flüchtig (wie ein Strohfeuer); *fig.* F *ni por* ~ keineswegs; *encender (apagar) la* ~ Feuer an- (aus-)machen; *echar* ~*(s)* Funken sprühen (*Luntenfeuerzeug u. fig.*); *Raucher*: *dar* ~ Feuer geben; *pedir* ~ um Feuer bitten; **2.** Licht *n*; *p. ext.* Öffnung *f* für den Lichteinfall (*Fenster, Oberlicht, Luke, Tür usw.*), *Ven.* Schwelle *f*; **3.** *fig.* Glanz *m*, Schimmer *m*; Licht *n* (*fig.*); ~ *de agua* Wasserspiegel *m*; *es la* ~ *de sus ojos* er liebt sie sehr, sie ist das Licht s-r Augen; *esto le va a tocar en la* ~ *de los ojos* das wird ihn sehr schmerzlich treffen; **4.** †, ⚒ Klarheit *f*, Deutlichkeit *f*.
lumbrera *f* **1.** leuchtender Körper *m*; *fig.* Leuchte *f* (*fig.*); **2.** △ Dachfenster *n*; Dachluke *f*; Oberlicht *n*; Ochsenauge *n b. Kuppeln*; ~ *del campanario* Schalloch *n*; **3.** ⚓ Oberlicht *n*; Bullauge *n*; **4.** ⊕ Zugloch *n* (*Ofen*); Fenster *n in e-m Werkstück*; Schlitz *m*; **5.** *Méj. Stk.* Loge *f* (→ *palco*).
lum|en *Phys. m* Lumen *n* (*Lichtmaß*); **~ia** P *f Reg.* → *ramera.*
lumina|r *m* Leuchte *f* (*fig.*); **~ria** *f* **1.** Altarlicht *n*; **2.** *oft* ~*s f/pl.* Festbeleuchtung *f*, Illumination *f*; **3.** □ → *ventana.*
lumínico *Phys. adj.* Licht...
lumi|niscencia *f* Nachleuchten *n*, Lumineszenz *f*; **~niscente** *adj. c* lumineszierend; **~nosidad** *f* Leuchten *n*; Leuchtkraft *f*; Leuchtstärke *f*; *Opt.* ~ *de la imagen* Bildhelligkeit *f*; **~noso** *adj.* leuchtend; *Phot.* lichtstark; Leucht...; *a. fig.* lichtvoll; glänzend; Licht...; *Phys. potencia (od. intensidad) f* ~*a* Lichtstärke *f*; **~notecnia** ⊕ *f* Beleuchtungstechnik *f*; **~notécnico I.** *adj.* beleuchtungs-, licht-technisch; **II.** *m* Beleuchtungsfachmann *m*; **~notipia** *Typ. f* Lichtdruck *m*.
luna *f* **1.** Mond *m*; *p. ext.* Mondphase *f*; Mondwechsel *m*; *media* ~ Halbmond *m*; *fig.* Osmanisches Reich *n bzw.* Islam *m*; *Media* ♀ *Roja* Roter Halbmond *m* (*entspricht in Islamländern dem Roten Kreuz*); ~ *llena (nueva)* Voll- (Neu-)mond *m*; *fig.* ~ *de miel* Flitterwochen *f/pl.*; *fig. cara f de* ~ *llena* Vollmondgesicht *n*; *(a la) luz f de la* ~ (im) Mondschein *m*; *noche f de* ~ Mondnacht *f*; *fig. dejar a la* ~ *de Valencia* in s-n Erwartungen enttäuschen; leer ausgehen lassen; *fig. estar de buena (mala)* ~ guter (schlechter) Laune sein; *fig. estar (od. vivir) en la* ~ in den Wolken schweben; nicht bei der Sache sein; mit den Gedanken abschweifen; *fig. ladrar a la* ~ den Mond anbellen; *fig. mirar la* ~ gaffen; *fig. pedir la* ~ Unmögliches verlangen; *fig. quedarse a la* ~ *de Valencia* (*Chi., Pe. a la* ~ *de Paita*) in s-n Erwartungen enttäuscht werden, mit leeren Händen abziehen; **2.** *fig.* Mondsucht *f*; verschrobener Einfall *m*; *tener* ~*s* mondsüchtig sein; *tener sus* ~*s* wunderliche Einfälle haben; **3.** dicke Glasplatte *f*, -scheibe *f*; Spiegelglas *n*; Schrankspiegel *m*; Spiegeltür *f am Schrank.*
luna|ción *f* Umlauf(s)zeit *f* des Mondes, Mondperiode *f*; **~do** *adj.* halbmondförmig; **~r**[1] *m* Muttermal *n*; Tupfen *m* (*Kleidung*); Schönheitsfehler *m*; Schönheitspflaster *n*; *fig.* Schandfleck *m*; **~r**[2] *adj. c* Mond..., 🕮 *a.* lunar(isch); *cuerno m* ~ Spitze *f* der Mondsichel; **~reado** *adj.* getupft (*Kleid*); **~ria** ⚘ *f* Mondraute *f*; **~rio** *adj.* auf die Mondphasen bezüglich.
lunático I. *adj.* mondsüchtig; *fig.* grillenhaft, verschroben; † irrsinnig; **II.** *m* Mondsüchtige(r) *m*; *fig.* verschrobener Kauz *m*.
lunch *engl. m* → *lonche.*
lune|cilla *f dim. v. luna*; Halbmond *m* (*Schmuck*); **~l** ▨ *m* vier vereinigte Halbmonde *m/pl.*; **~s** *m* (*pl. inv.*) Montag *m*; *no trabajar el* ~ *od. hacer* ~ blauen Montag machen; ~ *de carnaval* Rosenmontag *m*; † *u. Reg.* ~ *de los zapateros* blauer Montag *m*; **~ta** *f* **1.** Halbmond *m* (*Schmuck, Zierfigur*); **2.** △, ⊕, *fort.* Lünette *f*; **3.** △ Firstziegel *m*; **4.** *Thea.*: † *u. Am.* Sperrsitzreihen *f/pl.*; **5.** †, ⚒ Linse *f e-s Fernrohrs*; **~to** △ *m* Lichtloch *n*, Lünette *f*.
lunfar|dismo *Li. m* Ausdruck *m* der arg. Gaunersprache; **~do** *Arg.* **I.** *adj.* **1.**: *expresión f* ~*a* → *lunfardismo*; **II.** *m* **2.** Gauner *m*, Ganove *m*; **3.** *Li.* Lunfardo *n*, arg. Gaunersprache *f*.
lunícola *c* Mondbewohner *m*.
lúnula *f* **1.** Möndchen *n an der Nagelwurzel*; **2.** *kath.*, ⚔ Lunula *f*.
lupa *f* Lupe *f*.
lupanar *m* Bordell *n*, Freudenhaus *n*.
lupi|a[1] ⚕ *f* Grützbeutel *m*; **~a**[2] *sid. f* Luppe *f*; **~no I.** *adj.* wölfisch; Wolfs...; ⚘ *uva f* ~*a* Eisenhut *m*; **II.** ⚘ *m* Lupine *f*.
lupuli|na *pharm. f* Hopfenmehl *n*, Lupulin *n*; **~no** ⚘ *m* gelber Klee *m*.
lúpulo ⚘ *m* Hopfen *m*.
lupus ⚕ *m* Lupus *m*, Hauttuberkulose *f*.
luquete *m* **1.** Zitronen- *od.* Orangenscheibe *f* (*die man in den Wein gibt*); **2.** Schwefelfaden *m*; **3.** △ Kalotte *f*; **4.** *Chi.* (kreisförmige) Glatze *f*.
lu|s(itan)ismo *Li. m* Lusitanismus *m*, portugiesische Spracheigentümlichkeit *f*; **~s(itan)o I.** *adj.* **1.** *hist.* lusitanisch; **2.** portugiesisch; **II.** *m* **3.** *hist.* Lusitanier *m*; **4.** Portugiese *m*; **~soamericano** *adj.-su.* portugiesisch-amerikanisch.
lus|trabotas *m* (*pl. inv.*) *Am. Reg.* → *limpiabotas*; **~trado** *m* Polieren *n* (*Möbel*); *tex.* Lüstrieren *n*; **~trar** *v/t.* **1.** (blank) putzen; glätten; *Möbel usw.* polieren; *Stiefel* wichsen; *tex.* lüstrieren; **2.** *Rel. hist.* entsühnen; **3.** † durchwandern; **~tre** *m* Glanz *m* (*a. fig.*); Politur *f*; *fig.* Ansehen *n*; *dar* ~ Glanz verleihen; **~treador** *m bsd. Chi.* → *limpiabotas*; **~trina** *f tex.* Lüster *m*; *Chi.* Schuhwichse *f*; **~tro** *m* Jahrfünft *n*; *Rel. hist.* Lustrum *n*; **~troso** *adj.* glänzend.
lútea *Vo. f* Pirol *m*.
lutecio ⚗ *m* Lutetium *n*.
lúteo *adj.* schlammig.
lutera|nismo *m* Luthertum *n*; **~no** *adj.-su.* luther(an)isch; *m* Lutheraner *m*.
luto *m* Trauer *f*; Trauerflor *m*; Trauerrand *m* (*Anzeige, Zeitung usw.*) ~ *nacional* Staatstrauer *f*; *casa f con* ~*s* Haus *n* im Trauerschmuck; *medio* ~ Halbtrauer *f*; ~ *riguroso* tiefe (*od.* strenge) Trauer *f*; (*traje m de*) ~ Trauerkleidung *f*; *aliviar el* ~ Halbtrauer anlegen; *estar de* ~ *por alg.* um j-n trauern; *llevar (od. ir de)* ~ Trauer tragen (für *ac. od.* wegen *gen. por*).
lutocar *m Chi.* Handmüllwagen *m für Straßenreinigung.*
lutria *Zo. f* → *nutria.*
lux *Phys. m* Lux *n*.
luxa|ción ⚕ *f* Verrenkung *f*; **~r** *v/t.* ver-, aus-renken.
luxemburgués *adj.-su.* luxemburgisch; *m* Luxemburger *m*.
luz *f* (*pl. luces*) **1.** Licht *n*; *p. ext.* Leuchte *f*; Beleuchtung *f*; Lampe *f*; *fig.* Glanz *m*; Schein *m*, Schimmer *m*; *fig.* Licht *n*; Leuchte *f*, Vorbild *n*; Erkenntnis *f*; *luces f/pl. fig.* Bildung *f*; Verstand *m*, Befähigung *f*, Talent *n*; *a. Vkw.* ~ *de*

advertencia (od. de aviso) Warnlicht n, -leuchte f; a. Vkw. ~ amarilla gelbes Licht n; Phot. ~ anterior (od. de frente) Ausleuchtung f vorn; Kfz. ~ antiniebla Nebelscheinwerfer m; Kfz. ~ de aparcamiento Parkleuchte f; Kfz. ~ para marcha atrás Rückfahrscheinwerfer m; Kfz. ~ de carretera od. ~ larga Fernlicht n; 🚂 ~ de cola Schlußleuchte f; Phys. ~ compuesta zs.-gesetztes Licht n; Kfz. ~ de cruce Abblendlicht n; ~ de destello(s) ⚓, ✈ Blinkfeuer n (Leuchtturm usw.); ⚓, ⚔ Blinklicht n (zur Nachrichtenübermittlung); ~ del día Tageslicht n; ~ difusa Flutlicht n; ~ de las estrellas Sternen-licht n, -schein m, -schimmer m; Kfz. ~ de freno Brems-licht n, -leuchte f; ⚓, ✈ ~ giratoria Drehfeuer n; Folk. Rpl. ~ mala → fuego fatuo; Phys. u. fig. (Theol.) ~ natural natürliches Licht n; Astr. ~ del Norte (del Sur) Nord- (Süd-)licht n; fig. ~ de mis ojos mein Augenlicht; Opt. ~ parásita Streulicht n; ~ de pared Wandleuchte f; Kfz. ~ de población Standlicht n; Astr. ~ polar Polarlicht n; Vkw., ✈ ~ de posición Positionslicht n; Vkw. ~ posterior od. ~ trasera Rücklicht n; Schlußlampe f; ⚓ ~ del puerto Hafenfeuer n; Opt. ~ refleja (od. de reflexión) reflektiertes Licht n, Auflicht n; Phot. ~ relámpago Blitzlicht n; a. Vkw. ~ roja rotes Licht n, Vkw. Rotlicht n; ⚓ ~ de situación Positions-laterne f, -leuchte f; ~ de techo Deckenbeleuchtung f; ~ (luces f/pl.) de tráfico Verkehrsampel(n) f(/pl.); a. Vkw. u. fig. ~ verde grünes Licht n; ⚕ baño m de ~ Lichtbad n; Phot. débil (pasado) de ~ unter- (über-)belichtet; Phot. exposición f a plena ~ Freilichtaufnahme f; fig. hombre m de pocas luces geistig beschränkter Mensch m; primera ~ direktes Licht n (vom Tageslichteinfall); fig. siglo m de las luces Aufklärungszeitalter n; Stk. traje m de luces Anzug m des Matadors (in der Arena); a media ~ im Zwielicht; a plena ~ in voller Beleuchtung; a plena ~ del día am hellichten Tage; a prueba de ~ licht-undurchlässig, -dicht; a. lichtecht; fig. a la ~ de la Razón im Licht(e) des Verstandes, vernünftig (od. logisch) betrachtet; a todas luces allem Anschein nach; in jeder Hinsicht; überhaupt; allenthalben; entre dos luces in der (Abend- bzw. Morgen-)Dämmerung, im Zwielicht; fig. F beschwipst; amortiguar la ~, Kfz. dar la ~ de cruce (das Licht) abblenden; dar ~ Licht geben; erhellen (a. fig.); a. → dar la ~; dar buena (mala) ~ viel (wenig) Licht einfallen lassen (Fenster, Vorhang usw.); dar la ~ das Licht anmachen (od. ⚡ einschalten); fig. dar a ~ un libro ein Buch veröffentlichen; fig. dar a ~ (a) un niño e-n Jungen gebären; encender (apagar) la ~ das Licht an- (aus-)machen; fig. hacer ~ en (od. sobre) a/c. Licht in e-e Sache bringen, et. aufklären; sacar a ~ an den Tag (od. ans Licht) bringen; Buch od. ä. herausgeben; salir a ~ ans Licht kommen, aufkommen, bekanntwerden; herauskommen, erscheinen; ver la ~ ans Tageslicht treten, erscheinen; fig. ver la ~ del día das Licht der Welt erblicken; fig. F ¡por la ~ que me alumbra ...! bei Gott ...!, bei meinem Leben ...!; bibl. ¡haya ~! od. ¡hágase la ~! es werde Licht!; **2.** △, ⊕ Öffnung f; Luke f; lichte Weite f; Spannweite f; edificio m de muchas luces Gebäude n mit vielen Fenstern (bzw. mit vielen Luken, mit vielen Scharten); Kfz. ~ libre Bodenfreiheit f; ⊕ ~ de malla Maschenweite f e-r Kette; ~ de un tubo lichte Rohrweite f; **3.** □, Am. P Geld n, Zaster m P.

lynchar v/t. bsd. Am. → linchar.

Ll

Ll, ll (= *elle*) *f das span.* Doppel-L.
llaca *Zo. f Arg., Chi. Art* Beutelratte *f* (*Didelphys elegans*).
lla|ga *f* **1.** offene (*bzw.* schwärende) Wunde *f*; *fig. renovar la* ~ alte Wunden wieder aufreißen; **2.** ⚠ Ziegel-, Quader-fuge *f*; **~gar** [1h] *v/t.* verwunden, verletzen; zum Schwären bringen; **~guear** ⚠ *v/t.* verfugen.
llama[1] *f* Flamme *f*; *fig.* Feuer *n*; Leidenschaft *f*; ~ *libre* offene Flamme *f*; ⚔ *~s f/pl.* (*a la boca de un cañón*) Mündungsfeuer *n*; *Rel. las ~s eternas* (*del Infierno*) das ewige (Höllen-)Feuer.
llama[2] *Zo. f* Lama *n.*
llama|da *f* **1.** Ruf *m*; Rufen *n*; ~ *de socorro* Hilferuf *m* (*a. fig.*); **2.** Zuruf *m*; rufende Gebärde *f*; Herbeiwinken *n*; **3.** Klopfen *n an der Tür*; **4.** *Tel.* ~ (*telefónica*) Anruf *m*; **5.** Aufruf *m*, Appell *m*; Abruf *m*; *Dipl.* Abberufung *f*; *Thea.* Herausrufen *n*, Vor-die-Rampe-Rufen *n*; **6.** Verweisungszeichen *n in e-m Buch usw.*; **~do I.** *adj.* **1.** gerufen; berufen; *estar* ~ *a* + *inf.* zu *et.* (*dat.*) berufen sein; die Aufgabe (*od.* die Pflicht) haben, zu + *inf.*; **2.** sogenannt; **II.** *m* **3.** † *u. Am.* → *llamamiento*; **4.** *Tel. Am.* → *llamada 4*; **~dor** *m* **1.** Rufer *m* (*a. Tel.*); **2. a)** Türklopfer *m*; **b)** Klingel (-knopf *m*) *f*; **~miento** *m* **1.** Aufruf *m*; Vorladung *f*; Appell *m*; *Parl.* ~ *al orden* Ordnungsruf *m*; ~ *a la paz* Friedensappell *m*; **2.** Ruf *m*, Berufung *f*; **3.** ⚔ Aufgebot *n*; Appell *m*; Einberufung *f*; ~ *a filas* Einberufung *f* zum Wehrdienst.
llamar I. *v/t.* **1.** rufen, nennen; heißen; ⚖ be-, er-nennen; *le llaman Juan* er heißt Johannes (*vgl. ~se*); ~ *por nombre* bei (*od.* mit) Namen nennen; ⚖ ~ *heredero* als Erbe benennen; **2.** anrufen; aufrufen; herbeirufen; (er)wecken, wachrufen; *Tiere* (an-, herbei-) locken; *Tel.* anrufen; *Arzt, Hilfe, Taxi* rufen, (herbei)holen; *Versammlung* einberufen; *in ein Amt, an e-e Universität* berufen; *Diplomaten* abberufen; ~ *en ayuda* zu Hilfe rufen; *Pol.* ~ *a Cortes* die Cortes einberufen; *a. fig. ¿quién le ha ~ado a usted?* wer hat Sie gerufen?; *fig.* niemand hat Sie um Ihre Meinung gefragt; ~ *en juicio* vor Gericht laden; **II.** *v/i.* **3.** anklopfen *bzw.* läuten, klingeln *an der Tür*; *llaman* man klopft; *¿llaman?* ist dort jemand?; *¿quién llama?* wer ist da?; **4.** *Col.* F → **III.** *v/r.* **5.** *~se* heißen; ⚓ umschlagen (*Wind*); *fig.* F *así será, o no me llamo* (*folgt Name*) ich will Hans (*od.* Meyer *u. ä.*) heißen, wenn es anders kommt!; *¡esto se llama hablar!* das ist ein Wort!; *¡a esto se llama pega!* das nennt man Pech!; **6.** † *u. Reg.* → *atenerse a.*
lla|marada *f* plötzliches Aufflakkern *n*; Flackerfeuer *n*; Lohe *f*; ⚔ Mündungsfeuer *n*; *fig.* Röte *f* (*Scham, Zorn*); *fig.* F ~ (*de estopa*) Strohfeuer *n*, flüchtige Begeisterung *f*; **~mativo I.** *adj.* auffällig; grell (*Farbe*); dursterregend (*Speise*); **II.** *m* scharfe Speise *f*; *a.* Reiz-, Lock-mittel *n*; **~mazar** 🔧 *m* → *lodazal*; **~meante** *adj. c* flammend; **~mear** *v/i.* flammen; lodern; flakkern.
llamingo *Zo. m Ec.* Lama *n.*
llampo *Ke. m Chi.* ⚒ Erzbrocken *m*; erzhaltiger Staub *m.*
llana *f* **1.** ⚠ Kelle *f*; **2.** Blattseite *f* (*Papier*); **3.** → **~da** *f* Flachland *n*; **~mente** *adv.* schlicht.
llanca *f Chi.* blaugrünes Kupfererz *n.*
lla|nero *m* Bewohner *m* des Tieflandes; *a.* Llanero *m* (*bsd. auf Ven. bez.*); **~neza** *f* Einfachheit *f*, Schlichtheit *f*; Aufrichtigkeit *f*; **~no I.** *adj.* **1.** eben; flach; *p. ext.* glatt (*Masche b. Stricken*); *fig.* schlicht, einfach; deutlich, klar; glatt, einfach, nicht schwierig; *adv. a la* (F *pata la*) *~a* schlicht; ohne Umstände; *es caso* ~ das ist ein klarer Fall, es ist e-e ausgemachte Sache; *Li palabra f ~a* Paroxytonon *n*; **II.** *m* **2.** Ebene *f*, Flachland *n*; Llano *m* (*bsd. Méj., Ven.*); **3.** *~s m/pl.* Stellen *f/pl.* von gleicher Maschenzahl *b. Stricken*; **~note** *adj. c* umgänglich.
llan|ta *f* **1.** ⊕ Flacheisen *n*; **2.** ⊕ Felge *f*; Radkranz *m*; Radreifen *m*; **3.** *Pe.* Sonnendach *n über e-m Verkaufsstand*; **~tén** ⚘ *m* Wegerich *m*; **~tera** F *f* Geschluchze *n*, Gegreine *n*; **~tería** *f Am.*, **~terío** *m Am.* Weinen *n*; Klagen *n mehrerer*; **~tina** F *f* → *llorera, lloriqueo*; **~to** *m* **1.** Weinen *n*, Klage *f*; *~s m/pl.* Wehklagen *n*; **2.** Klage *f*; ~ (*fúnebre*) Totenklage *f*; **3.** ♪ *Cu. schwermütige Volksweise.*
llanura *f* Ebene *f*, Flach-, Tief-land *n*, Plan *m* (*lit.*).
lla|r *m Ast., Sant.* Herd *m mit offenem Feuer*; **~res** *f/pl.* Kesselhaken *m(/pl.) über dem Herdfeuer*; **~reta** ⚘ *f Chi. Strauch, Doldengewächs* (*Lareta acaulis*).
llave *f* **1.** Schlüssel *m* (*a. fig., Sp. u.* ⊕; *fig. vgl. clave*); ~ *anti-robo* Patentschlüssel *m* (*z. B. an e-m Fahrrad*); *Sp.* ~ *de brazo* Armschlüssel *m b. Ringen*; *Kfz.* ~ *de contacto* (*od. del encendido*) Zündschlüssel *m*; ~ *falsa* Nachschlüssel *m*; ~ *maestra* Hauptschlüssel *m*, Passepartout *m* F; *p. ext.* ~ *de la mano* (Hand-) Spanne *f*; ⚠ ~ *en mano od. a* ~ *mano* schlüsselfertig (*Neubau*); *ecl. ~s f/pl. de San Pedro* Schlüssel(gewalt *f*) *m/pl.* Petri; ~ *de la puerta* (*de la casa*) Hausschlüssel *m*; ⚖ *poder m de* ~ Schlüsselgewalt *f*; *bsd. fig. debajo de* (*od. bajo od. tras*) *siete ~s* unter sieben Siegeln; *echar la* ~ abschließen (*et. ac. a, a. fig.*); *fig.* letzte Hand anlegen; □ Erfolg haben; *guardar* (*de*)*bajo* (*de*) ~ unter Verschluß halten, einschließen; **2.** ⊕ Schlüssel *m*; Schraubenschlüssel *m*; ~ *corrediza* Autozange *f*; ~ *inglesa* Engländer *m bzw.* Franzose *m*; ~ *tubular od.* ~ *de vaso* Steckschlüssel *m*; ~ *para tuercas* Schraubenschlüssel *m*; **3.** ⊕ Hahn *m*; Verteiler *m*; *a.* Stöpsel *m*; Taste *f*; ⚡ *a.* Schalter *m*; ~ *de cierre* Absperrhahn *m*; ⚗ *a.* Hahnstopfen *m*; ~ *del gas* Gashahn *m*; ~ *de paso* Hahn *m*; Durchlaß- *bzw.* Ablaßhahn *m*; ~ *de tres pasos* Dreiwegehahn *m*; **4.** ⚠ Schlußstein *m e-s Gewölbes*; **5.** ♪ **a)** ~ *de templar* Stimmschlüssel *m* (*z. B. b. Klavier*); **b)** Klappe *f b. Holzinstrumenten u. Saxophon bzw.* Ventil *n b. Blechinstrumenten*; **6.** ⚕ Zahnstange *f der Zahnärzte*; **7.** *Typ.* eckige (*bzw.* geschweifte) Klammer *f.*
lla|vera *f* Beschließerin *f*; **~vero** *m* **1.** Schlüssel-brett *n*; -schrank *m*; -ring *m*; **2.** Beschließer *m*; Schließer *m in Gefängnissen usw.*; **~vín** *m* kl. Schlüssel *m* (*z. B. für Sicherheitsschloß*).
llegada *f* Ankunft *f*; Eintreffen *n*; *Sp.* Ziel(linie *f*) *n*; *la* ~ *a Bilbao* die Ankunft in Bilbao; *a la* ~ bei der Ankunft.
llegar [1h] **I.** *v/i.* **1.** ankommen; eintreffen; anlangen; gelangen; (heran)nahen; einlaufen (*Zug, Schiff, Post*); an- *bzw.* ein-rücken (*Truppen*); kommen (*Zeit, Gelegenheit*); eintreffen, geschehen; *¡llegamos!* (wir sind) angekommen!; *a. fig.* wir haben's geschafft; *fig. ¿adónde quiere ~?* worauf wollen Sie (damit) hinaus?; *~á un día* es wird e-e Zeit kommen; *está llegando* s-e Ankunft steht bevor; er ist im Anmarsch; *fig.* er ist im Kommen; ~ *con retraso* Verspätung haben (*Zug usw.*); *está por* ~ *de un día a otro* er wird in den nächsten Tagen eintreffen,

er muß jeden Tag kommen F; *le llegó la hora* s-e Stunde hat geschlagen, s-e Uhr ist abgelaufen; *cuando llega* (*bzw. llegue*) *la ocasión* wenn s. die Gelegenheit bietet; *~ado el caso* wenn es dazu kommt, wenn es soweit ist; *ha ~ado el tiempo* (*od. el momento, la hora*) die Zeit ist gekommen, es ist an der Zeit; es ist Zeit F; **2.** *~ a* heranreichen an (*ac.*); s. belaufen auf (*ac.*); *~ a* (*od. hasta*) reichen bis (zu *dat.*, an *ac.*); *~ a algo* zu et. (*dat.*) kommen; *fig.* es zu et. bringen; *~ a un acuerdo* zu e-r Vereinbarung gelangen (*od.* kommen), s. einigen; *~ al alma* zu Herzen gehen; (tief) erschüttern; *llegó a su conocimiento* er brachte (es) in Erfahrung; es kam ihm zu Ohren; er hörte davon; *~ a la cumbre* den Gipfel erreichen (*a. fig.*); *~ a decir que ...* endlich (*bzw.* sogar) sagen, daß ...; *~ a gastar 3000 ptas.* nicht weniger als 3000 Peseten ausgeben; *~ a + inf.* dahin gelangen, zu + *inf.*; (es) erreichen (*od.* schaffen), zu + *inf.*; endlich (*od.* schließlich) + *inf.*; *~ a ministro* es (bis) zum Minister bringen; *las naranjas ~án a medio kilo* die Apfelsinen wiegen vielleicht ein halbes Kilo; *~ a saber* in Erfahrung bringen; durch Zufall erfahren; *~ a ser* (allmählich *bzw.* endlich *od.* schließlich) werden; *fig. no ~á a tanto* es wird nicht soweit kommen; es wird nicht ganz so schlimm werden; *no es necesario ~ a tanto* so weit braucht man nicht zu gehen; so weit braucht es nicht zu kommen; (*no*) *~ a viejo* (nicht) alt werden; *fig. ~ a lo* (*más*) *vivo j-n* sehr treffen (*fig.*); den wunde(ste)n Punkt berühren; *¡hasta ahí podíamos ~!* das wäre ja noch schöner!; *los víveres ~án hasta mañana* die Lebensmittel reichen bis morgen; **II.** *v/t.* **3.** † *u. Reg.* heran-bringen, -holen, -schaffen; heranrücken; **III.** *~se v/r.* **4.** auf-ea. zukommen; s. nähern; gelangen bis (zu *dat. a*); *~se a alg.* s. j-m anschließen; zu j-m stoßen; *a.* s. an j-n heranmachen; *~se a los alrededores del pueblo* e-n Ausflug in die (nähere) Umgebung des Dorfes machen.

llena *f* Anschwellen *n*, Über-die-Ufer-Treten *n e-s Gewässers*; **~do I.** *part. u. adj.* gefüllt; abgefüllt; **II.** *m* Füllen *n*, Füllung *f*; Abfüllen *n*; **~dor** ⚒ *adj. Am.* sättigend; **~dora** *f* (Ab-)Füllmaschine *f*; **~mente** *adv.* reichlich; vollauf; **~r I.** *v/t.* **1.** füllen (mit *dat. con, de, fig. de*); (voll)stopfen; *Pfeife* stopfen; *Lücke, Zeit, Formular* ausfüllen; *a medio ~* halbvoll; **2.** *Aufgabe* erfüllen; *e-m Mangel* abhelfen; *Erwartung, Wunsch, Sehnsucht* befriedigen; **3.** überhäufen (mit *dat.* de); **4.** *Tiere* decken; F schwängern; **II.** *v/i.* **5.** voll werden (*Mond*); **III.** *~se v/r.* **6.** s. füllen; *p. ext.* s. vollstopfen, s. überladen; *fig.* die Geduld verlieren, es satt haben F; F *~se el buche* (*od. el vientre*) s. den Bauch vollschlagen; **7.** *Am. a.* → *mancharse, ensuciarse*; **~zo** *F m Thea.* volles Haus *n*; voller Saal *m* (*Kino, Vortrag*); volle Ränge *m/pl.* (*Stadion, Zirkus*).

lle|ne *m* → *llenado*; **~no I.** *adj.* **1.** voll; gefüllt; (voll)besetzt (*Bahn, Saal usw.*); ⊕ (⚓) *a.* völlig; *cara f ~a* volles (*od.* fülliges) Gesicht *n*; *de ~* völlig; *fig.* zutiefst (*treffen*); *~ de agradecimiento* dankerfüllt; *~ de envidia* neidvoll; *~ de errores* voller Irrtümer; *~ de sí* von s. selbst überzeugt, eingebildet; *dar de ~* voll treffen; ins Gesicht wehen (*Wind*); ins Gesicht scheinen (*Sonne, Licht*); **II.** *m* **2.** gr. Fülle *f*; Überfülle *f*; **3.** *Thea.* volles Haus *n*; *hubo un ~* das Theater *u. ä.* war ausverkauft; **4.** Vollmond *m*; **5.** ♪ Tutti *n*; **6.** ⚓ *~s m/pl.* Rundung *f* des Schiffsbodens; **~nura** *f* Fülle *f*.

lleva|(da) *f* (Davon-)Tragen *n*; **~dero** *adj.* tragbar, erträglich; **~dor** *adj.* tragend; **~r I.** *v/t.* **1.** tragen; (bei s.) tragen, haben; *Kleidung* tragen, anhaben; *Kosten* tragen, bestreiten, übernehmen; *fig.* (er-)tragen, dulden; *~ corbata* (*gafas*) e-n Schlips (e-e Brille) tragen; *~ a cuestas* (*od. sobre las espaldas*) auf der Schulter (*od.* auf dem Rücken) tragen; ⚘ *~ frutos* (Frucht) tragen; *fig. hay que ~lo* (*con paciencia*) man muß es (geduldig) tragen; *~ y traer* hin u. her tragen; *fig.* klatschen, ein Zuträger sein; **2.** *mit part.* haben; *~ una cosa bien estudiada* (*od. bien sabida*) et. gut gelernt haben; **3.** *mit Zeitangabe* (*u. ger. od. adj.*) sein (*vgl. estar*); *ya llevo cinco años en España* ich bin schon fünf Jahre (*od.* seit fünf Jahren) in Spanien; *~ tres semanas enfermo* seit drei Wochen krank sein; **4.** (mit s.) führen; *p. ext. u. fig. Leben*(*sweise*), *Geschäft, Bücher, Buchhaltung, Korrespondenz usw.* führen; *Gut usw.* verwalten; *~ la casa* den Haushalt führen; *~ consigo* bei s. haben; mit s. führen; mit s. bringen; † *~ la cuenta* (die) Rechnung führen; *~ de la mano* an der Hand führen; *fig. ~ por las narices* an der Nase herumführen; *~ las de perder* den kürzeren ziehen; nichts zu erhoffen haben; *el tren lleva retraso* der Zug hat Verspätung; **5.** *a. v/i.* mitnehmen; davontragen; fortschaffen; (hin)führen; (hin)bringen *Arith.* (im Sinn) behalten; *Karten, Dominostein usw.* ziehen *bzw.* kaufen; *fig. j-m et.* voraushaben; *j-m* voraus sein um (*ac.*); *~ adelante* vorwärts führen; weiterführen; *a. fig.* vorantreiben; *fig. te lleva un año* (*la cabeza*) er ist ein Jahr älter ([um] e-n Kopf größer) als du; *~ a cabo* durchführen; ausführen, verwirklichen; *este camino lleva a la ciudad* dieser Weg führt in die Stadt; F *¿cuánto nos lleva usted por ...?* wieviel berechnen Sie uns für (*ac.*)?; *la bala le llevó un dedo* die Kugel riß ihm e-n Finger ab; *fig. dejarse ~* s. hinreißen lassen (*von dat.* de, *por*); *fig. a.* s. gehen lassen; *~ por delante* mitreißen; *~ a efecto* zur Ausführung bringen; *fig. ~lo demasiado lejos* es zu weit treiben; *~ a la práctica* in die Tat umsetzen; verwirklichen; *~ a la puerta* zur Tür bringen; hinausgeleiten; *~ tras sí* mit s. schleppen; *a. fig.* nach s. ziehen; **II.** *v/r.* *~se* **6.** (mit)nehmen; (für s.) nehmen; mitbekommen (auf den Weg); mitreißen; wegreißen; *Preis* gewinnen; nehmen (*b. Kauf*); *~se bien con alg.* mit j-m gut auskommen; s. mit j-m gut vertragen; *~se a cabo* (*od. a efecto*) zustandekommen; *fig. ~se todo por delante* alles mitreißen; Leben in die Bude bringen F; *¡que se lo lleve el demonio!* der Teufel soll's (*bzw.* soll ihn) holen!; *~se una desilusión* e-e Enttäuschung erleben; *Spr. lo que el viento se llevó* (das ist) alles in den Wind geredet, verlorene Liebesmühe; vom Winde verweht.

llora|dor I. *adj.* weinend; **II.** *m* Weinende(r) *m*; **~r I.** *v/i.* weinen; klagen; *fig. ~ con un ojo* Krokodilstränen weinen; *hacer ~* zum Weinen bringen, zu Tränen rühren; *Spr. quien no llora no mama* man muß s. schon melden (, wenn man et. erreichen will); **II.** *v/t.* beklagen; beweinen; trauern um (*ac.*).

llo|rera F *f* (hysterisches) Weinen *n*, Weinkrampf *m*; *le entró una ~* sie heulte wie ein Schloßhund F; **~rica** *c*, **~ricón** F *adj.-su.* weinerlich, Heul...; **~riquear** *v/i.* wimmern; winseln; flennen, greinen F; **~riqueo** *m* Weinen *n*; Geheule *n*, Geflenne *n* F; **~ro** *m* Klage *f*; Weinen *n*; Tränen *f/pl.*; Geheule *n* F; **~rón I.** *adj.* **1.** weinerlich; ⚘ *sauce m ~* Trauerweide *f*; **II.** *m* **2.** weinerlicher Mensch *m*, Heulsuse *f* F; **3.** ⚘ Trauerweide *f*; **4.** *herabhängender* Helmbusch *m*; **~rona** *f* **1.** → *plañidera*; **2.** ⚘ *Am. versch. trauerweidenähnliche Bäume u. Sträucher*; **~roso** *adj.* weinend; weinerlich; verweint (*Augen*).

llove|dero *m Arg.* Dauerregen *m*; **~dizo** *adj.* Regen...; *agua f ~a* Regenwasser *n*; **~r** [2h] **I.** *v/impers.* regnen; *llueve a cántaros* (*od. a chorros, a mares, a torrentes*) es regnet in Strömen, es gießt (wie mit Kübeln F); *fig. escuchar* (*od. oír*) *como quien oye ~* kein Gehör schenken, gar nicht hinhören; *fig. ~ sobre mojado* Schlag auf Schlag kommen (*Mühen, Unglück*); **II.** *v/i. fig. llovían sobre su mujer las atenciones* s-r Frau wurde e-e Aufmerksamkeit nach der andern erwiesen; **III.** *v/r.* *~se*: *el techo se llueve* es regnet durch (die Decke).

llovi|do I. *part. fig.* → *cielo*; **II.** *m* blinder Passagier *m*; **~zna** *f* Sprühregen *m*; **~znar** *v/impers.* nieseln.

llueca *adj.-su. f* → *clueca*.

lluvi|a *f* Regen *m*; *fig.* Unmenge *f*; *Chi.* → *ducha*; *~s f/pl.* Regenfälle *m/pl.*; *fig. ~ de balas* Kugelregen *m*; *fig. ~ de estrellas* Sternschnuppen (-fall *m*) *f/pl.*; *Thea.*, *TV* Starparade *f*; *fig. ~ de oro* Goldregen *m*, gr. Reichtum *m*; ⚘ Goldregen *m*; *fig. ~ de pedradas* Steinhagel *m*; *de escasas ~s* regenarm; *ráfaga f de ~* Regenwand *f*; **~oso** *adj.* regnerisch; Regen...

M

M, m (= eme) *f* M, m *n*; *euph. für* → *mierda.*
mabita *Ven.* **I.** *f Folk.* böser Blick *m*; **II.** *c* Unglücksbringer *m*; Pechvogel *m*.
ma|ca *f* Druckfleck *m am Obst*; *p. ext.* (leichter) Fehler *m*, Makel *m*; *fig.* Kniff *m*; **~cá** *m Rpl. Art* Tauchente *f*; **~cabeos** *m/pl.* Makkabäer *m/pl.*; **~cabro** *adj.* makaber, schaurig; *Ku. danza f ~a* Totentanz *m*.
maca|ca *f Zo.* Makakenweibchen *n*; *fig.* F *Chi.* Rausch *m*, Affe *m* F; **~co**¹ *Zo. m* **1.** Makak *m*; **2.** Meerkatze *f*; **3.** *Am. versch. Affen*; **~co**² **I.** *adj. Cu., Chi.* häßlich; **II.** *m Hond.* Silberpeso *m*; **~dam** *m* → *macadán*; **~damizar** [1f] *v/t.* makadamisieren; **~dán** *m* Makadam *m*; **~do** *adj.* angestoßen, druckfleckig (*Obst*).
maca|gua *Zo. f Ven. ~ (terciopelo) e-e Giftschlange*; **~guá** *Vo. m Rpl.* Brasilfalke *m*; **~güita** ♀ *f* **1.** *Méj. ein* Gummibaum *m*, *Ficusart*; **2.** *Ven.* Dornenpalme *f u. deren Frucht.*
maca|na *Ke. f Am.* **1.** Keule *f bzw.* Schlagstock *m*; **2.** grobes Baumwollzeug *n der Indios*; **3.** *Bol., Chi., Rpl.* Unfug *m*; Scherz *m*; Kniff *m*; **~nazo** *m Am.* **1.** Keulenschlag *m*; *p. ext.* Hieb *m mit e-r Waffe*; **2.** *augm.* riesige Keule *f*; **3.** *fig.* F langweilige Rede *f*; **4.** *fig.* F *Chi., Rpl.* Quatsch *m* F; **~neador** *adj.-su. Arg., Chi.* Aufschneider *m*, Lügner *m*; Spaßmacher *m*; Pfuscher *m*; **~near** *vt/i.* **1.** *hist. Am.* mit der Keule (*bzw.* dem Holzschwert) kämpfen; **2.** ⚒ *Am. Reg.* mit dem Grabstock (be)arbeiten; **3.** *fig.* F *Am. Reg.* **a)** hart arbeiten; **b)** *Geschäft* gut führen; **c)** *Col., Ven. et.* managen F; **4.** *fig.* F *Arg., Chi.* **a)** aufschneiden; lügen; **b)** Unsinn reden (*od.* machen); **c)** *j-m* auf den Wecker fallen F; **~neo** F *m Arg.* Gefasel *n*; **~nero** *m Arg., Chi.* → *macaneador*; **~no** *m Chi. dunkler* Farbstoff *m zum Wollfärben*; **~nudo** F *adj.* **1.** *Arg., Cu., P. Ri.* prima, toll F; **2.** *Arg., Chi.* unsinnig.
maca|o *Zo. m Art* Einsiedlerkrebs *m*; **~quear** **I.** *v/t. Am. Cent.* klauen F; **II.** *v/i. Arg.* Grimassen schneiden wie ein Affe; **~reno** *fig.* F *adj.-su.* → *guapo, majo, baladrón*; **~reo** ⚓ *m* Springflut *f an Flußmündungen od. Engen.*
macarró|n *m* **1.** *Kchk.* **a)** Makrone *f*; **b)** *~ones m/pl.* Makkaroni *pl.*; **2.** ⊕ Isolierschlauch *m*; **3.** P Zuhälter *m*; **~nico** *lit. adj.* makkaronisch; *latín m ~* Küchenlatein *n*.
ma|carse [1g] *v/r.* Druckstellen bekommen, faulen (*Obst*); **~caurel** *f Ven.* gr. Baumschlange *f*.
mace|ar **I.** *v/t.* klopfen; hämmern; **II.** *v/i. fig.* lästig fallen; **~donia** *f*: *~ de frutas* Obst-, Frucht-salat *m*; **~dónico**, **~donio** *adj.-su.* mazedonisch; *m* Mazedonier *m*; **~o** *m* Klopfen *n*, Hämmern *n*.
macera|ción *f* ⊕, ⚗ Einweichen *n*, Weichmachung *f*, Mazeration *f*; *fig.* Kasteiung *f*; **~r** *v/t. pharm.*, ⚗, ⊕ ein-, auf-weichen; auslaugen; einmaischen; mazerieren; *fig.* kasteien.
mace|ta¹ *f* **1.** Blumentopf *m*; Blumenschale *f*; **2.** ♀ Dolde *f*; *Chi.* Blumenstrauß *m*; **3.** P *Méj.* Kopf *m*, Schädel *m* P; **~ta**² ⊕ *f bsd.* ⚒ Fäustel *m*; Holzhammer *m*; **~ta**³ *adj. c Arg.* langsam, schwerfällig; **~tero** *m* Blumen-tisch *m*; -ständer *m*.
mac|farlán, **~ferlán** *m* Pelerinen-mantel *m*.
maci|cez *f* Festigkeit *f*, Dicke *f*; Dichtigkeit *f*; Massivität *f*; **~lento** *adj.* blaß; verhärmt; übernächtig; **~s** *f* Muskat-rinde *f*, -blüte *f*; **~zar** [1f] *v/t.* **1.** ausfüllen; ausstopfen; **2.** zuschütten; **~zo** **I.** *adj.* **1.** massig, voll; dicht, fest; massiv; *llanta f ~a* Vollreifen *m*; **2.** *fig.* gewichtig; **II.** *m* **3.** ⚠ **a)** festes Mauerwerk *n*; **b)** Häuser-, Gebäude-block *m*; **4.** *Geogr., Geol.* Massiv *n*; *~ montañoso* Gebirgs-stock *m*, -massiv *n*; **5.** Gruppe *f* von Bäumen (*od.* Sträuchern *od.* Zierpfl.); *~ de flores* Blumenbeet *n*; **6.** ⚒ *~ de seguridad* Stützpfeiler *m*; **7.** ⊕ Klotz *m*, Quader *m*; Füllstück *n*.
ma|cla ▨ *f* Raute *f* mit rautenförmiger Vertiefung im Zentrum; **~colla** ♀ *f* Ähren-, Stengel-, Blumen-büschel *n*; **~collar** *v/i.* Büschel treiben.
macro|... 🕮, ⊕ *pref.* Makro..., Groß...; **~bio** ☤ *adj.* langlebig; **~biótica** ☤ *f* Makrobiotik *f*; **~cefalia** ☤ *f* Großköpfigkeit *f*; **~céfalo** *adj.-su.* großköpfig; *m* Makrozephale *m*; **~cosmo** *m* Makrokosmos *m*; **~economía** *f* Makroökonomie *f*; **~económico** *adj.* makroökonomisch; **~física** *f* Makrophysik *f*; **~molécula** *Phys. f* Makro-, Fadenmolekül *n*; **~scópico** *adj.* makroskopisch.
macu|co, **~cón** *adj.* **1.** *Arg., Bol., Col.* hochaufgeschossen; **2.** *Arg., Chi., Pe.* großartig, prima F; **3.** *Chi.* schlau; **4.** *Ec.* alt, unnütz.
ma|cuenco *adj. Cu.* mager; schwächlich; **~cuito** *adj.-su. Pe.* schwarz (*Neger*).
mácula *f* **1.** 🕮 *u. lit.* Fleck(en) *m*; ☤ *~ lútea* gelber Fleck *m der Netzhaut*; *Astr. ~s f/pl. solares* Sonnenflecken *m/pl.*; **2.** *fig.* Makel *m*, Fehler *m*; **3.** *fig.* F Betrug *m*.
macula|r *lit. v/t.* → *manchar*; **~tura** *Typ. f* Makulatur *f*.
macuto F *m* Ranzen *m*, Tornister *m*; *Col., Ven.* Bettelsack *m*.
Mach *Phys. m*: *número m (de) ~* Machzahl *f*.
macha *f* **1.** Aufschneiderei *f*; Scherz *m*; **2.** *Chi., Pe. e-e eßbare Muschel (Mesodesma donacia).*
machaca *f* **1.** Stößel *m*, Stampfe *f* (*a.* ⊕); **2.** *fig.* lästige Person *f*; **~dera** *f* Stößel *m*; Stampfer *m*; *Kchk.* (Kartoffel-)Quetsche *f*; **~dora** *f* ⊕ Stampfwerk *n*; Steinbrechmaschine *f*; ⚒ Erzmühle *f*; **~nte** ⚔ F *m* Ordonnanz *f e-s Feldwebels*; **~r** [1g] **I.** *v/t.* (zer)quetschen, zermalmen; (zer)brechen, zerstoßen, *Erz, Gestein* brechen, mahlen; *Flachs* brechen; *Gerste* schroten; *Hanf* schwingen; *Papier* einstampfen; *Kchk. Fleisch* klopfen; *fig.* F einpauken; **II.** *v/i.* lästig fallen; aufdringlich sein.
macha|cón *adj.-su.* aufdringlich; *m* lästiger Mensch *m*; **~conería** *f* unablässiges Wiederholen *n*; Aufdringlichkeit *f*; **~da** *f* **1.** Bock(s)herde *f*; **2.** *fig.* F Albernheit *f*, Unsinn *m*; **~do** *m* (Holzfäller-)Axt *f*; **~martillo**: *clavado a ~* fest an- (*bzw.* zs.-)genagelt; *repetir a ~* unablässig wiederholen; **~quear** *v/t. Am.* → *machacar*; **~queo** *m* **1.** Zerstampfen *n*, Zerstoßen *n*; **2.** *fig.* **a)** Paukerei *f*; **b)** Belästigung *f*; **c)** Quatsch *m* F.
mache|tazo *m* Hieb *m* mit e-m *machete*; **~te** *m* Buschmesser *n*, Machete *f*, *m*; *Jgdw.* Weidmesser *n*; ⚔ Seitengewehr *n*; **~tear** **I.** *v/t.* niedersäbeln; ⚓ *Pfähle* einschlagen; **II.** *v/i.* ⚓ stampfen; *Col.* trotzen; billig verkaufen; *Méj.* pfuschen, hudeln; *Sch.* büffeln; **~tero** *m* **1.** Holzhauer *m*; Zuckerrohrschneider *m*; **2.** *Ant. bsd. hist.* Revolutionär *m*; Guerillakämpfer *m*; **3.** *Méj.* Tagelöhner *m*; *oft* → *patán*; *Sch.* Büffler *m*.
machihembra|do *Zim. m* Verzapfung *f*; **~r** *v/t. Zim.* spunden; nuten u. falzen.
Machín ⚒ *m* **1.** *Myth.* Cupido *m*; **2.** ♀ Kerl *m*; Grobian *m*; **3.** ♀ *Col., Ven.* Kapuzineräffchen *n*.
machina ⚓ *f* Ankerspill *n*; Kran *m*; ⚒ Ramme *f*.
machismo *m* Männlichkeitskult *m*, „machismo“ *m*.

macho[1] **I.** *m* **1.** männliches Tier *n*, Männchen *n*; *p. ext.* männliche Pflanze *f*; *Cu.* Mastschwein *n*; ~ *cabrío* Ziegenbock *m*; ~ *de parada* Leitbock *m e-r Herde*; *rana f* ~ Froschmännchen *n*; **2.** *fig. Zo.* Rübe *f*, Fleischteil *m* des Schwanzes; **3.** ⊕ eindringender (*bzw.* vorragender) Teil *m e-s Werkstücks od. Werkzeugs*; *z. B.* Haken *m*; Schraube *f*; Zapfen *m*; Dorn *m*; Gewindebohrer *m*; Kern *m e-r* (*Gieß-*)*Form*; ⚓ Mast *m* (*im Ggs. zur Stenge*); ~ *de roscar od.* ~ *de* (*a*)*terrajar* Gewindeschneider *m*; ⚓ ~ *del timón* Ruderhaken *m*, Fingerling *m*; **4.** △ Strebemauer *f*; Stützpfeiler *m*; → *machón*; **5.** *fig.* Tölpel *m*; **6.** *Am.* → *modorra*; **7.** *C. Ri.* blonder Ausländer *m*; **II.** *adj. inv.* **8.** dumm; **9.** stark; kräftig; **10.** *bsd. Am.* männlich; mannhaft; *p. ext.* rauh; grob; *mujer f* ~ Mannweib *n*.

macho[2] *m*: ~ (*de forja*) Schmiedehammer *m*; ~ (*de yunque*) Amboß-[block *m*.]

macho[3] *m* Maulesel *m*.

machón I. *m* △ Widerlager *n*; **II.** *adj. Am.* → *marimacho*; P *Arg.* (ewig) besoffen P.

macho|rra *f* unfruchtbares Tier *n*, Gelttier *n*; **~rro** *adj.* unfruchtbar, nicht tragend, gelt; **~ta**[1] *f Andal., Méj.* Mannweib *n*; **~ta**[2] *f*, **~te**[1] *m* Schlägel *m*; **~te**[2] **I.** *adj. c* **1.** F sehr männlich; **II.** *m* **2.** *Am. Cent., Ec., Méj.* **a)** Modell *n*, Entwurf *m*; **b)** Liste *f für Eintragungen*; **3.** echter Mann *m*, ganzer Kerl *m*.

machuca|dura *f*, **~miento** *m* Zerquetschen *n*, Zerstoßen *n*; **~nte** F *m Col.* Person *f*, Subjekt *n* (*desp.*); **~r** [1g] *v/t.* zerstampfen, zerquetschen.

machucho *adj.* **1.** gesetzt; verständig; **2.** alt; altväterisch.

mada|ma *f* **1.** *frz.* Madame *f*; **2.** F *Rpl.* Hebamme *f*; **3.** ❀ *Cu.* → *balsamina*; **~polán** *tex. m* Madapolam *m*.

madeja *f* Strähne *f*, Strang *m*; *p. ext.* Knäuel *n*; Haarbüschel *n*; *fig.* (nach)lässiger Mensch *m*; fauler Kerl *m* F; Schlappschwanz *m* P; ~ *sin cuenta fig.* **a)** verworrene Angelegenheit *f*; **b)** Wirrkopf *m*; *fig. la* ~ *se enreda* die Sache wird immer verwickelter; *hacer* ~ Fäden ziehen (*z. B. Wein*).

madera[1] *f* **1.** Holz *n* (*als Material*); (Stück *n*) Holz *n*; ~ *blanda* (*dura*) Weich- (Hart-)holz *n*; ~ *de construcción* Bauholz *n*; **~s** *f/pl. de cuenta* Schiffsbauhölzer *n/pl.*; ~ *chapada* Furnierholz *n*; **~s** *f/pl. finas* (*od. preciosas*) Edelhölzer *n/pl.*; ~ *de fresno* (*de pino*) Eschen- (Fichten-)holz *n*; ~ *de labrar*, ~ *útil* Nutzholz *n*; ~ *rolliza* (*od. en rollo*) Rundholz *n*; ~ *serradiza* (*od. de sierra*) Schnittholz *n*; *Folk.* ¡*hay que tocar* ~! man muß auf Holz klopfen! *od.* toi, toi, toi!; **2.** *fig.* Fensterladen *m*; **3.** Horn(substanz *f*) *n der Hufe* (*b. Pferden usw.*); **4.** *fig.* Zeug *n*, Begabung *f*; Veranlagung *f*; *ser de* (*od. tener*) *buena* (*mala*) ~ e-n guten (schlechten) Charakter haben; gute (schlechte) Veranlagung(en) haben; *tener* ~ *de abogado* das Zeug zum Anwalt haben.

madera[2] *m* Madeira(wein) *m*.

madera|ble *adj. c* Nutzholz liefernd (*Baum, Wald*); **~da** *f* Flößholz *n*; **~je** △, *Zim.* **1.** → *maderamen*; Zimmerwerk *n*; Sparrenwerk *n*; Gerippe *n*; **2.** Holzbauweise *f*; **~men** *m* Fachwerk *n*; Gebälk *n*; **~r** *v/t. Baum, Wald* zur Holzgewinnung nutzen.

made|ría *f* Holz-lager *n*, -handlung *f*; **~rero I.** *adj.* **1.**: *industria f* **~a** Holzindustrie *f*; **II.** *m* **2.** Holzhändler *m*; **3.** Holzflößer *m*; **~ro** *m* **1.** *Stück* Holz *n*, Langholz *n*; Balken *m*; **2.** *fig.* Klotz *m* F; Tölpel *m*; Dummkopf *m*; **3.** *poet.* **a)** Schiff *n*; **b)** Stamm *m*, Holz *n*; *Rel. el Santo* ♀ der (heilige) Kreuzesstamm.

mador *m* leichte Hautfeuchtigkeit *f*.

madrás *tex. m* Madras *m*.

madra|stra *f* **1.** Stiefmutter *f*; **2.** *fig.* Schädliche(s) *n*; **3.** □ → *cárcel*; **~za** *f* (allzu) zärtliche Mutter *f*.

madre *f* **1.** *a. fig. u. Rel.* Mutter *f*; *int.* ¡~ *mía, qué dolor!* au, tut das weh!; *fig. bsd. Am. Cent.* ~ *de*(*l*) *cacao* Schattenbaum *m*; ~ *política* **a)** Schwiegermutter *f*; **b)** ✎ Stiefmutter *f*; *Rel.* ♀ *de Dios* Gottesmutter *f*; *Reverenda* ♀ Ehrwürdige Mutter (*Anrede*); *fig.* F *como su* ~ *le* (*od. lo*) *echó al mundo* im Adamskostüm F, splitternackt F; *fig. ciento y la* ~ ein Haufen Leute; **2.** Muttertier *n*; *fig.* ¡*ahí está la* ~ *del cordero!* da liegt der Hase im Pfeffer!; **3.** Gebärmutter *f*; **4.** Ursprung *m*; *Pol.* ~ *patria* Mutterland *n*; ⚗ *lejía* (*od. agua*) *f* ~ Mutterlauge *f*; **5.** Fluß-, Bach-bett *n*; Hauptabzugsgraben *m*; *fig. irse de* ~ umschlagen (*Wein*); *salirse de* ~ über die Ufer treten (*Gewässer*); *fig.* über die Stränge schlagen; *sacar de* ~ *a alg.* j-n heftig reizen; **6.** △, ⊕ Hauptträger *m*; Stütze *f*; ⚓ ~ *del timón* Ruderspindel *f*; △ *viga f* ~ Hauptbalken *m*, Träger *m*; **7.** Bodensatz *m*, Hefe *f* (*Wein, Essig*); Kaffeesatz *m*; **8.** *Cu.* Kohlenmeiler *m*; **~arse** *v/r.* Fäden ziehen (*gärende Substanz*); **~cilla** *f* Eierstock *m der Vögel*; **~cita** *dim. f* Mütterchen *n*; **~clavo** ❀ *m* Mutternelke *f* (*Gewürznelke*); **~perla** *f* Perlmutt(er*f*) *n*.

madrépora *Zo. f* Sternkoralle *f*.

madre|ro *adj.* verhätschelt, verwöhnt; *niño m* ~ Muttersöhnchen *n*; **~selva** ❀ *f* Geißblatt *n*; **~vieja** *f And.* trockenes Flußbett *n*.

madri|gado *adj.* **1.** in zweiter Ehe verheiratet (*Frau*); **2.** *Stier, Bock*, der schon weibliche Tiere belegt hat; **3.** *fig.* erfahren, bewandert; **~gal** ♪, *Lit. m* Madrigal *n*; **~galesco** *adj.* madrigalartig; Madrigal...; **~guera** *f* **1.** (Kaninchen-)Bau *m*; **2.** *fig.* Schlupfwinkel *m*; Spelunke *f*; ~ *de bandidos* Räuberhöhle *f*; **~leñismo** *m* Madrider Wesensart *f*; **~leño** *adj.-su.* aus Madrid; *m* Madrider *m*; **~na** *f* **1. a)** Taufpatin *f* (*a. b. e-m Schiff usw.*); **b)** Trauzeugin *f*; **c)** Anstandsdame *f*; **2.** Beschützerin *f*; ~ *de guerra* „Kriegspatin" *f* (*die Patenschaft b. e-m Soldaten übernimmt*); **3.** Leitstute *f*; Leittier *n e-r recua*; **4.** Koppelriemen *m*; **5.** Holzpfeiler *m*; Stütze *f*; **~nazgo** *m* (weibliche) Patenschaft *f*; **~no** *m Arg., Col.* Leittier *n e-s Maultierzugs*.

madro|na *f* **1.** verhätschelnde Mutter *f*; **2.** *fig.* Hauptabzugsgraben *m*; **~ñal** *m* Erdbeerstrauchpflanzung *f*; **~ñera** *f* **1.** → *madroñal*; **2.** ❀ → **~ñero** ❀ *m*, **~ño** *m* **1.** ❀ Erdbeerbaum *m*; **2.** *fig.* Troddel *f*; Noppe *f*.

madru|gada *f* **1.** früher Morgen *m*; *a la* ~ bei Tagesanbruch; *a las tres de la* ~ um drei Uhr nachts; *de* ~ sehr früh am Morgen; **2.** Frühaufstehen *n*; **~gador** *adj.-su.* Frühaufsteher *m*; **~gar** [1h] *v/i.* früh aufstehen; *fig.* F früher aufstehen; *fig.* F s-m Gegner zuvorkommen; **~gón** F **I.** *adj.* früh aufstehend; **II.** *m* sehr frühes Aufstehen *n*.

madura|ble *adj. c* aus-, nach-reifbar; *fig.* ⊕ aushärtbar (*Leichtmetall*); **~ción** *f* (Aus-)Reifen *n* (*a. fig*); Reifung *f* (*a.* ⊕, ⚗); **~dero** ✔ *m* Reifeboden *m*; **~do** *adj.* ausgereift (*a. fig.*); reiflich überlegt; **~mente** *adv.* reiflich; **~nte** *adj. c* reifend; **~r I.** *v/t.* reif machen, zur Reife bringen; *fig.* reiflich überlegen; **II.** *v/i.* reifen, reif werden (*a. fig.*); *fig.* älter werden; vernünftig werden.

madu|rativo I. *adj.* die Reifung bewirkend (*bzw.* beschleunigend); **II.** *m* Reifungsmittel *n*; *fig.* Nachhilfe *f* (*um j-n zu et. zu veranlassen*); **~rez** *f* Reife *f* (*a. fig.*); **~ro** *adj.* **1.** reif (*a.* ✂); ausgereift (*a. fig.*); **2.** *fig.* reif; reiflich; bedächtig; klug, gescheit; **3.** *fig.* reif, ausgewachsen; alt; *edad f* **~a** reife(re)s Alter *n*.

maes|e † *m* Meister *m*; **~tra** *f* **1.** Meisterin *f*; **2.** Lehrerin *f*; *a. fig.* Lehrmeisterin *f*; ~ *de párvulos* Kindergärtnerin *f*; **3.** △ Richtscheit *n der Maurer*; (*línea f*) ~ Richtlinie *f*; **4.** ⚓ Großsegel *n*; **5.** *Ent.* Bienenkönigin *f*; **6.** † Mädchenschule *f*; **7.** □ Dietrich *m*; **~tranza** *f* **1.** † Reiterclub *m des Adels* (*bsd. 18. Jh.*); **2.** ⚔ **a)** Werkstatt *f*; *bsd.* Artilleriewerkstatt *f*; **b)** Feldzeugmeisterei *f*; **c)** Werft *f*; **d)** Personal *n e-r solchen Werkstatt*; **3.** *Chi., Méj.* Eisenbahnwerkstatt *f*; **~trazgo** *hist. m* **1.** Amt *n* (u. Würde *f*) e-s Ordensmeisters; **2.** Ordensgebiet *n b. Ritterorden*; **~tre** *m* **1.** Ordensmeister *m in Ritterorden*; *Gran* ♀ *de Calatrava* (*de la Orden Teutónica*) Großmeister *m* des Calatravaordens (Deutschmeister *m*); **2.** ⚓ *hist. Art* Erster Offizier *m* (*mit den Funktionen e-s Zahlmeisters u. Superkargos*) *auf Handelsschiffen*; **3.** ⚔ *hist.* ~ *de campo* Oberfeldmeister *m der alten span. Miliz*.

maes|tresala *m* **1.** Saalkellner *m*; **2.** *Hofamt*: ~ *de Palacio* Truchseß *m*; **~tría** *f* **1.** Meisterschaft *f* (*nicht Sp.*, → *campeonato*); *a. fig.* gr. Geschicklichkeit *f*, gr. Können *n*, Bravour *f*; **2.** Meister-würde *f*; -titel *m*; *pieza f de* ~ Meisterstück *n e-s Handwerksgesellen*; **~tril** *m* Weiselzelle *f*; **~trillo** *desp. m* Schulmeister *m*; **~tro I.** *adj.* **1.** meisterhaft, meisterlich, Meister...; Haupt...; abgerichtet ([*Jagd-*]*Hund*); *obra f* **~a** Meister-werk *n*, -stück *n*; **II.** *m*

2. Meister *m*; Lehrmeister *m*; ~ *de armas* (*od. de esgrima*) Fecht-meister *m*, -lehrer *m*; ~ *de ceremonias* Zeremonienmeister *m*; *kath.* ~ *de novicios* Novizenmeister *m*; ~ *de postas* Postmeister *m*; *hist.* ♀ *de Postas* (span.) Reichspostmeister *m*; **3.** Lehrer *m*; Magister *m* (*a. alter Titel*); *hist.* ~ *de* (*od. en*) *artes* Magister *m* artium; ~ *de escuela* Schullehrer *m*; ~ *de primera enseñanza*, *Span.* ~ *nacional* Volksschullehrer *m*; **4.** ~ (*de oficio*) Handwerksmeister *m*; ~-*albañil* Maurermeister *m*; *a.* Maurerpolier *m*; ~ *de cocina* Küchenmeister *m*, Chefkoch *m*; ~ *de obras* Bauleiter *m*; ~ *industrial* (*in Fabriken*), ~ *de taller* (*Betrieb*) Werkmeister *m*; *diploma m de* ~ Meisterbrief *m*; **5.** ♪ Meister *m*; Maestro *m* (*it.*); ~ *de capilla* Domkapellmeister *m*, Regens *m* (Chori); ~ *concertador* Korrepetitor *m*, (Hilfs-)Kapellmeister *m*; **6.** ⚓ Großmast *m*; **7.** † *u. Reg.* „Meister" (*Reg., Anrede*).

mafi|a *f* Mafia *f*; **~oso** *m* Mafioso *m*.

magan|cear *v/i. Chi.* faulenzen; **~cería** *f* Betrug *m*, Schwindel *m*; **~cés** *adj.* verräterisch; gefährlich; **~to** *adj.* niedergeschlagen, schwermütig; **~za** F *f Col., Ec.* → *holgazanería*; **~zón** *adj.-su. Col., C. Ri.* Faulenzer *m*, Nichtstuer *m*.

ma|gaña *f* **1.** List *f*; Verschlagenheit *f*; **2.** Fehler *m* im Guß (*e-s Geschützrohrs*); **~garza** ⚘ *f* Mutterkraut *n*; **~garzuela** ⚘ *f* Hundskamille *f*.

magdalena *Kchk. f kl. rundes Gebäck* (*Biskuit*); *fig. está hecha* (*od. llora como*) *una* ♀ sie weint jämmerlich.

maghre|bí (*pl.* **~íes**), **~bino** *adj.-su.* aus dem Maghreb (*Nordafrika*).

magia *f* Zauberei *f*; Magie *f*; *fig.* Zauber *m*; Verführungskraft *f*; ~ *blanca* (*negra*) weiße (schwarze) Magie *f*; *Thea. comedia de* ~ Zauberstück *n*.

magiar *adj.-su. c* Madjar *m*, Ungar *m*.

mági|ca *f* **1.** Zauberkunst *f*; **2.** Zauberin *f*; **~co I.** *adj.* magisch; zauberhaft; Zauber...; **II.** *m* Zauberer *m*; Magier *m*.

magín F *m* Verstand *m*, Köpfchen *n* F; Phantasie *f*.

magíster F *desp. m* Magister *m*, Pedant *m*.

magisteri|al *adj. c* Lehramts...; Lehrer(schaf s)...; **~o** *m* Lehramt *n*; Lehrerschaft *f*.

magistra|do *m höherer* Justizbeamter *m*; *bsd.* Richter *m od.* Staatsanwalt *m*; **~l** *adj. c* **1.** meisterhaft, meisterlich; Meister...; **2.** *Phys.* Präzisions... (*Kontrollgerät*); **3.** *pharm.* nach ärztlicher Vorschrift bereitet; **~lía** *ecl. f* Pfründtnerschaft *f* (*Domherr*); **~lmente** *adv.* meisterhaft; **~tura** *f* **1.** Amt *n* (*bzw.* Amtszeit *f*) *e-s Richters od. Staatsanwalts*; **2.** *hist.* Magistratur *f*; **3.** *Span.* ♀ *del Trabajo* Arbeitsgericht *n*.

magma *Geol.*, ⚒, ⚗ *m* Magma *n*.

magn|animidad *f* Edelmut *m*; Großherzigkeit *f*; Seelengröße *f*; **~ánimo** *adj.* großmütig, hochherzig; **~ate** *m* Magnat *m*.

magn|esia ⚗ *f* Magnesia *f*, Bittererde *f*; **~ésico** *pharm. adj.*: *sulfato m* ~ Magnesiumsulfat *n*, Bittersalz *n*; **~esio** ⚗ *m* Magnesium *n*; **~esita** *Min. f* Magnesit *m*; **~ético** *adj.* magnetisch; Magnet....

magneti|smo *m* Magnetismus *m*; ⚕ ~ *animal* animalischer Magnetismus *m*; ~ *terrestre* Erdmagnetismus *m*; **~ta** *Min. f* Magnetit *m*, Magneteisenstein *m*; **~zable** *adj. c* magnetisierbar; **~zación** *f* Magnetisierung *f* (*a. fig.*); **~zador I.** *adj.* magnetisierend; **II.** *m* Magnetisiergerät *n*; Magnetiseur *m*; **~zar** [1f] *v/t.* magnetisieren (*a. fig.*); *fig.* begeistern.

magne|to *m* Magnet *m*; *Kfz.* Zündmagnet *m*; **~tofón** *m* → *magnetófono*; **~tofónico** *adj.* Magnetophon...; *cinta f* ~*a* Tonband *n*; **~tófono** *m* Tonbandgerät *n*, Magnetophon *n*.

mag|níficamente *adv.* prächtig; großartig; ausgezeichnet; **~nificar** [1g] *ecl., lit. v/t.* rühmen, (lob-)preisen; **~níficat** *ecl. m* Magnifikat *n*; **~nificencia** *f* **1.** Pracht *f*; Herrlichkeit *f*; **2.** Pomp *m*; Prunk *m*; **3.** Freigebigkeit *f*; **4.** *Titel*: Magnifizenz *f*; **~nificente** *adj. c* → *magnífico*; **~nificentísimo** *sup. zu* → **~nífico** *adj.* **1.** prächtig; herrlich; großartig; **2.** freigebig; **3.** *vor e-m Titel*: Magnifizenz *f*; **~nitud** *f* **1.** Größe *f* (*a.* ⚹ *u. fig.*); Größenordnung *f*; **2.** *fig.* Erhabenheit *f*; **~no** *adj. nur fig.* groß; erhaben; gewaltig.

magnoli|a ⚘ *f* Magnolie *f*; **~áceas** ⚘ *f/pl.* Magnoliengewächse *n/pl.*

mago *m* Magier *m*; Zauberer *m*; *los Reyes* ♀*s* die Heiligen Drei Könige.

magosto *m Reg.* **1.** Feuer *n* zum Kastanienrösten; **2.** geröstete Kastanien *f/pl.*

magra *f* Schinkenschnitte *f*.

magrear F *v/t. e-e Frau* befummeln F, betasten.

magrebí → *maghrebí*.

ma|grez *f* Magerkeit *f*; **~gro I.** *adj.* mager; hager; **II.** *m* mageres Fleisch *n*; *bsd.* mageres Schweinekotelettstück *n*; **~grura** *f* → *magrez*.

magua *f Cu., P. Ri.* Possen *m*; Reinfall *m* F.

maguer(a) † *u. Reg. cj.* → *aunque*.

ma|guey ⚘ *m Méj., Ven.* am. (*od.* mexikanische) Agave *f*; **~gueyal** *m Méj.* Agavenpflanzung *f*; **~guillo** ⚘ *m* Holzapfel *m*; **~güira** ⚘ *f Cu. als Heiltee verwendete Pfl.* (*Capraria biflora*).

magu|lladura *f*, **~llamiento** *m* **1.** Quetschung *f*; **2.** Quetschen *n*; Zerdrücken *n*; **~llar** *v/t.* (zer)quetschen; zerdrücken; **~llón** F *u. Am. m* Quetschung *f*.

maguntino *adj.-su.* aus Mainz; *m* Mainzer *m*.

magyar *adj.-su.* → *magiar*.

maharajá *m* Maharadscha *m*.

mahome|tano *adj.-su.* mohammedanisch; *m* Mohammedaner *m*; **~tismo** *m* Islam *m*; **~tizar** [1f] *v/t.* zum Islam bekehren, islamisieren.

ma|hón *tex. m* Nanking *m*; **~hona** *f* türkische Lastgaleere *f*; **~honesa** *f* **1.** *Kchk.* Mayonnaise *f*; **2.** ⚘ *Art* Levkoje *f*.

mai|cena *f* feinstes Maismehl *n*; Maisbrei *m daraus*; **~cero I.** *adj.* Mais...; **II.** *m* Mais-bauer *m*; -händler *m*; *Col.* Einwohner *m* Antioquias (*Spitzname*); **~cillo** *m* **1.** ⚘ *Am. Cent., Méj.* Hirse(art) *f* (*Paspalum stoloniferum*); **2.** *Chi.* Kiessand *m*.

maillot *frz. m* Trikot *n*.

maimón *Zo. m* Mandrill *m*.

mai|nel Δ *m* Zwischenpfeiler *m b. Fenstern*; **~tén** ⚘ *m Chi. Art* Kerzenbaum *m*, Maiten *m*; **~tencito** *m Chi.* Blindekuhspiel *n*; **~tines** *m/pl.* Frühmette *f*.

maître (d'hôtel) *frz. m* Oberkellner *m*.

ma|íz *m* Mais *m*; ~ *de Guinea* Mohrenhirse *f*; *Arg.* ~ *del agua lt.* Victoria regia *f* (*gr. südam. Seerose*); **~izal** *m* Maisfeld *n*.

ma|ja[1] *f Andal., Am.* Mörserkeule *f*; **~ja**[2] *f* schmuckes Mädchen *n*; *neol.* Schönheitskönigin *f*, Miss *f*; **~já** *m Cu. ungiftige* Baumschlange *f* (*Epicrates angulifer*); *fig.* F Faulenzer *m*; *hacerse el* ~ *muerto* s. taub stellen.

maja|da *f* **1.** Pferch *m*; Schafhürde *f*; **2.** Mist *m*; Schafmist *m*; **3.** *Rpl.* Schafherde *f*; **~dear I.** *v/i.* im Pferch übernachten; **II.** *v/t.* düngen; **~derear** *vt/i. Am.* plagen, belästigen; *j-m* zusetzen (mit *dat. con*); **~dería** *f* Albernheit *f*; dummes Geschwätz *n*; Mumpitz *m* F; **~derillo** *m* Klöppel *m für Spitzen*; **~dero I.** *adj.* **1.** albern, dumm; **2.** lästig; **II.** *m* **3.** Stößel *m*; Klöppel *m*; **4.** *fig.* F Dummkopf *m*, Trottel *m* F; **~dor** *m* Stampfer *m*; Stößel *m*, Mörserkeule *f*; **~granzas** F *m* (*pl. inv.*) Tölpel *m*; Einfaltspinsel *m*.

majagua ⚘ *f Ant. versch. Arten* Eibisch *m*.

maja|l *m* Fischschwarm *m*; **~no** *m* Steinhaufen *m auf e-m Feld*; **~r** *v/t.* zerstoßen; hämmern; *fig.* belästigen; **~reta** F *adj.-su. c* → *chiflado, loco*.

majes|tad *f* Majestät *f* (*a. fig.*); *kath. Su Divina* ♀, *Abk.* S.D.M. das Allerheiligste (*Altarssakrament*); Gott *m*; **~tuosidad** *f* Herrlichkeit *f*, Majestät *f* (*fig.*); **~tuoso** *adj.* majestätisch; würdevoll; herrlich.

ma|jeza F *f* **1.** bäurische Eleganz *f*; **2.** Großtuerei *f*; **3.** Geckenhaftigkeit *f*; **~jo I.** *adj.* **1.** schmuck, hübsch, nett, fesch F; **2.** keß F; **3.** herausgeputzt; **II.** *m* **4.** Geck *m*, Stutzer *m*; **5.** *fig.* mutiger (*bzw.* schmucker *od.* stattlicher) Bursche *m*; †, ⚒ Maulheld *m*; Raufbold *m*.

ma|jolar ⚒ *m* junge Rebpflanzung *f*; **~joleta** ⚘ *f* → *marjoleta*; **~joleto** ⚘ *m* → *marjoleto*; **~juela**[1] *f e-e* Hagebutte (*Scheinfrucht des majuelo*); **~juela**[2] *f* Schuhriemen *m*; **~juelo**[1] ⚘ *m eingriffliger* Weißdorn *m*; **~juelo**[2] ⚒ *m* **1.** junger Weinberg *m*; **2.** *schon tragende* Jungrebe *f*.

ma|jzén *arab. m* (marokkanische) Regierung *f*; **~ki** *Zo. m* Maki *m*.

mal I. *adj.* **1.** (*Kurzform für malo vor su. m sg.*); **II.** *adv.* **2.** schlecht, schlimm, übel, unrecht; ~ *que bien* recht u. schlecht; mittelmäßig; *a* ~ *dar* wenigstens; *de* ~ *en peor* immer schlechter (*bzw.* schlimmer); *¡menos ~!* zum Glück!, Gott sei Dank!; *menos ~ que* ... (noch) ein Glück, daß ...; *fig. dejar ~* schlechtmachen; blamieren; *echar* (*od. tomar, llevar*) *a ~ et.* übelnehmen; *eso está ~* das ist schlecht (*bzw.* nicht richtig); das ist unrecht; *estar ~ con alg.* mit j-m verfeindet sein; *estar* (*od. andar*) *~ de dinero* schlecht bei Kasse sein; *no está* (*estaría*) *~* es ist (wäre) nicht übel; *la cosa no está ~* die Sache ist nicht übel; das hört (*bzw.* läßt) s. ganz gut an; *hacer ~* schlecht (*bzw.* falsch *od. a.* unrecht) handeln; *fig. ponerle ~ a alg.* j-n schlechtmachen; *fig. quedar ~* schlecht ausfallen; schlecht dastehen; s. blamieren; *quedar ~ con alg.* es mit j-m verderben; *salir ~* mißlingen; mißraten; übel ausgehen; *se siente ~* ihm (*bzw.* ihr) ist schlecht; *el enfermo va* (*od. está*) *~* dem Kranken geht es schlecht; *no va ~* (*eso*) es geht gut, das klappt nicht schlecht F; **III.** *m* **3.** Übel *n*; Leid *n*; Schaden *m*; *~es m/pl.* Übel *n/pl.*; Leiden *n/pl.*; Ungemach *n*; (*de*) *~ a ~* gewaltsam (= *por fuerza*); *devolver ~ por ~* Böses mit Bösem vergelten; †, ✎ *¡~ haya!* Fluch ihm!; *hacer ~ a alg.* j-m schaden; *el ~ menor* das kleinere Übel; *Folk. ~ de ojo* böser Blick *m*; *bibl. líbranos del ~* erlöse uns von dem Bösen; *no hay ~ que por bien no venga* auch das Unglück hat (s)ein Gutes; *bien vengas, ~, si vienes solo* ein Unglück kommt selten allein; **4.** Krankheit *f*; Leiden *n*; *~ de* (*las*) *altura(s), ~ de montaña* Höhen-, Berg-krankheit *f*; F *~ de barriga* Bauchweh *n* F; *~ de mar* Seekrankheit *f*; *vet. ~ rojo* Rotlauf *m der Schweine.*

mala[1] *Kart. f* zweithöchste Karte *f* [*im Spiel.*]

mala[2] *f auf England od. Frankreich bezogen*: **a)** Postbeutel *m*; **b)** Post *f.*

malaba|r *adj.-su. c* Malabar...; *p. ext. juegos m/pl. ~es* (Jongleur-)Kunststücke *n/pl.*; *fig.* Gaukelei *f*; Seiltänzerkunststücke *n/pl.* (*fig. z. B. in der Politik*); **~rismo** *m* Jongleurkunst *f*; *fig.* gr. Geschicklichkeit *f*; *desp.* Seiltänzerei *f bzw.* Gaukelei *f*; **~rista** *c* Jongleur *m* (*a. fig.*).

malacate *m bsd.* ⚒ Göpel(werk *n*) [*m.*]

mala|cia ⚕ *f* **1.** Malazie *f*, Erweichung *f*; **2.** krankhafter Hunger *m* auf unbekömmliche Substanzen (*z. B. auf Kohle, Erde*); **~citano** *adj.-su. lit.* → *malagueño*; **~codermo** *Zo. m* Weichtier *n*; **~cología** *Zo. f* Malakologie *f.*

mala|consejado *adj.* schlecht beraten; **~costumbrado** *adj.* **1.** von schlechten Gewohnheiten; **2.** verwöhnt; **~crianza** *Am. f* **1.** schlechte Erziehung *f*; **2.** Ungezogenheit *f*; **~cuenda** *f* **1.** grobes Werg *n*; **2.** → *harpillera.*

Málaga: ♀ *m od. vino m de ~* Malaga(wein) *m*; *fig.* F *salir de ~ y entrar en Malagón* aus dem Regen in die Traufe kommen.

mala|gana F *f* → *desmayo*; **~gueña** ♪ *f Volksweise aus Malaga*; **~gueño** *adj.-su.* aus Malaga; **~gueta** ⚘ *f* Tabascopfeffer *m*; **~mente** *adv.* schlecht.

malan|dante *adj. c* unglücklich; **~danza** *f* Unglück *n*; **~drín** *m* Bösewicht *m.*

mala|pata F *c* Pechvogel *m*; **~quita** *Min. f* Malachit *m.*

mala|r I. *adj. c* Wangen...; **II.** *m* → *pómulo*; **~ria** ⚕ *f* Malaria *f*; **~rioterapia** ⚕ *f* Malariabehandlung *f*; **~sombra** F *f* häßliche Person *f.*

malaven|ido *adj.* unverträglich; **~tura** *f* Unglück *n*; **~turado** *adj.* unglücklich; **~turanza** *f* Unglück *n*, Unheil *n.*

mala|xar ⚕ *v/t.* kneten, malaxieren; **~yo** *adj.-su.* malaiisch; *m* Malaie *m.*

malbara|tador *adj.-su.* Verschwender *m*; **~t(amient)o** *m* Verschwendung *f*; **~tar** *v/t.* verschleudern; verschwenden.

mal|carado *adj.* übel aussehend; **~casado** *adj.* **1.** schlecht verheiratet; **2.** s-n ehelichen Pflichten nicht nachkommend; **~casar** *v/t.* schlecht verheiraten.

mal|cocinado *m* **1.** Kaldaunen *pl.*; **2.** Kaldaunenladen *m*; **~comer** *v/i.* schlecht essen; **~comido** *adj.* hungrig, schlecht genährt; **~considerado** *adj.* → *desconsiderado*; **~contentadizo** *adj.* → *descontentadizo*; **~contento** *adj.* unzufrieden.

mal|criado *adj.* ungezogen; unhöflich; **~criar** [1c] *v/t.* schlecht erziehen.

mal|dad *f* **1.** Bosheit *f*; **2.** Schlechtigkeit *f*; **~decido** ✎ *adj.-su.* bösartig (*Person*); **~decidor** *adj.-su.* lästernd; Übles nachsagend; **~decir** [3p; *part. maldecido*; *fut., condicional u. imperativo nach* 3a]; **I.** *v/i.* lästern; fluchen (über *ac.* de); *~ de* boshaft reden über (*ac.*); *j-n* schlechtmachen; **II.** *v/t.* verfluchen; **~diciente I.** *adj. c* lästerhaft; verleumderisch; **II.** *m* Verleumder *m*, Lästermaul *n* F; **~dición** *f* Fluch *m*; *echar una ~ contra alg.* j-n verfluchen; *int. ¡~!* verdammt!; **~digo, ~dije** *usw.* → *maldecir*; **~dispuesto** *adj.* **1.** schlechtgelaunt; **2.** → *indispuesto*; **~dita** F *f* **1.** Zunge *f*; *bsd. fig.* F *soltar la ~* ein loses Mundwerk haben; **2.** *Cu.* Pickel *m*; Geschwür *n*; **~dito I.** *adj.* verflucht, verdammt; verflixt F; *~ de Dios* von Gott verflucht; F gottverdammt F; F *¡~ sea!* zum Teufel mit ihm!; *~ el caso que le hacen* kein Mensch beachtet ihn; *no sabe ~a la cosa* er weiß rein gar nichts; *~ para lo que sirve* er taugt zu gar nichts; *~a la falta que hace* Sie haben uns gerade noch gefehlt!; *¡~a la gracia!* e-e schöne Bescherung!; **II.** *m* Verfluchte(r) *m*; *fig.* F schlechter Kerl; F *el ~* der Teufel.

malea|bilidad *f* Schmiedbarkeit *f*; Geschmeidigkeit *f*; **~ble** *adj. c* ⊕ hämmerbar, schmiedbar; *a.* ⊕ knetbar; geschmeidig; *hierro m ~* Schmiedeeisen *n*; **~do** *adj. bsd. Am.* → *viciado, pervertido*; **~dor** *adj.-su.* → **~nte** F *adj.-su. c* boshaft; hämisch; *m* Bösewicht *m*; Vagabund *m*; *los ~s od. la gente ~* das Gesindel; **~r** *v/t.* verderben; schaden (*dat.*).

male|cón *m* **1.** Damm *m*; Deich *m*; Wasserschutzmauer *f*; **2.** Kai *m*; Mole *f*; **3.** Pier *m*, ⚓ *f*; **~dicencia** *f* üble Nachrede *f*, Verleumdung *f*; **~ficencia** *lit. f* boshafte Gesinnung *f*; **~ficente** *adj. c* → *maléfico*; **~ficiar** [1b] *v/t.* **1.** verderben; schaden (*dat.*); **2.** verwünschen, verhexen; **~ficio** *m* **1.** Schaden *m*; Unheil *n*; **2.** Verhexung *f*; Hexerei *f.*

maléfico I. *adj.* schädlich; unheilvoll; verderblich; **II.** *m* → *hechicero.*

malejo F *adj.* kränklich, nicht auf der Höhe F.

malentendido *m* Mißverständnis *n.*

ma|leolar *Anat. adj. c* Knöchel...; **~léolo** *Anat. m* Knöchel *m.*

malestar *m* **1.** Unwohlsein *n*; Übelsein *n*; **2.** Unbehagen *n.*

male|ta *f* **1.** (Hand-)Koffer *m*; *HF ~ amplificadora* Verstärkerkoffer *m*; *hacer la ~* den Koffer packen; *fig.* F sein Bündel schnüren; **2.** *Kfz.* Kofferraum *m*; **3.** *Am.* Kleiderbündel *n*; *Arg.* → *alforja*; **4.** *fig.* F Tölpel *m*; Pfuscher *m*; *Stk.* schlechter (*bsd.* feiger) Stierkämpfer *m*; *Am. Cent., Méj.* → *bellaco, ruin*; *Méj.* → *perezoso*; *P. Ri.* → *malo, travieso*; **5.** F *Am. Reg.* Buckel *m*; **~tero** *m* **1.** Koffer-macher *m*; -händler *m*; **2.** Gepäckträger *m*; **3.** *Chi.* Taschendieb *m*; **~tín** *m* kl. Handkoffer *m*; (Stadt-)Köfferchen *n*; Reisetasche *f*; Picknickkoffer *m*; Satteltasche *f* (*a. Fahrrad*); Werkzeug- *bzw.* Instrumenten-tasche *f*; **~tón** *m* gr. Koffer *m*; *Ec.* Reisebettsack *m.*

ma|levo *adj. Arg., Bol.* → *malévolo*; **~levolencia** *f* Böswilligkeit *f*, Übelwollen *n*; **~lévolo** *adj.-su.* böswillig; *m* Übelwollende(r) *m.*

maleza *f* **1.** (dichtes) Unkraut *n*; *p. ext.* Gestrüpp *n*; **2.** F *Chi.* → *pus*; **~l** *m Rpl.* Gestrüpp *n*; Dikkicht *n.*

malforma|ción ⚕ *f* Miß-, Fehlbildung *f*; **~do** *adj* fehlgebildet.

mal|gache *adj.-su. c* madagassisch; *m* Madagasse *m.*

mal|gastador *adj.-su.* Verschwender *m*; **~gastar** *v/t.* verschwenden; **~genioso** *adj. Am.* jähzornig; **~hablado** *adj.* unverschämt, mit e-m frechen Mundwerk; **~hadado** *adj.* unglücklich; **~haya** *int.* → *¡mal haya!*; P *Rpl. oft* → *¡ojalá!*; **~hecho I.** *adj.* ungestalt, mißgestaltet; **II.** *m* Übeltat *f*; **~hechor** *adj.-su.* Übeltäter *m*; *bibl.* Schächer *m*; **~herir** [3i] *v/t.* schwer verwunden; **~hojo** *m* Abfall *m* (*Laub*).

malhumo|r *m* → *mal humor*; **~rado** *adj.* schlechtgelaunt; **~rar** *v/t.* in üble Laune versetzen.

malici|a *f* **1.** Bosheit *f*; Bösartigkeit *f*; Arglist *f*; Tücke *f*; *lo dijo sin ~* er sagte es ohne Hintergedanken; **2.** Verschmitztheit *f*; Geriebenheit *f* F; Scharfsinn *m*; *tener mucha ~* es faustdick hinter den Ohren haben; **3.** F *oft pl.* Argwohn *m*, Verdacht *m*; **~able** *adj. c* **1.** verderblich; **2.** vermutbar; **~ar** [1b] **I.** *v/t.* **1.** argwöhnen; **2.** verderben; **II.** **~se** *v/r.* **3.** Schlechtes denken; Argwohn hegen; **4.** *a. fig.* verderben; **~oso** *adj.* **1.** boshaft; tückisch; hämisch; schadenfroh; **2.** verschmitzt; **3.** argwöhnisch.

málico 🕮 *adj.* Apfel...

malig|nar I. *v/t.* verderben, anstecken; *fig.* verschlechtern; **II.** *v/r.* ~se verderben (*v/i.*); s. verschlimmern, bösartig werden (*Krankheit*); **~nidad** *f a.* ⚕ Bösartigkeit *f*; **~no** *adj.-su.* böse; *a.* ⚕ bösartig.
malintencionado *adj.* **1.** übelwollend; **2.** heimtückisch.
malísimo *sup. v. malo* ganz schlecht, hundsmiserabel F.
mal|maridada *adj.-su. f* untreue Ehefrau *f*; **~meter** *v/t.* **1.** vergeuden; schlecht anwenden; **2.** entzweien; **3.** auf den schlechten Weg bringen, verleiten; **~mirado** *adj.* unbeliebt; rücksichtslos; unhöflich.
malo I. *adj.* (→ *mal*) **1.** schlecht; schlimm; übel, arg, böse; *fig. a.* unangenehm; *mal humor m* schlechte Laune *f*; Verdrossenheit *f*; *~a memoria f* schlechtes Gedächtnis *n*; Vergeßlichkeit *f*; *de ~a manera* schlimm; übel; gemein; *por ~as*, *a. bsd. Am. por la ~a od. mal a mal* mit Gewalt; *por ~as o por buenas* im Guten od. im Bösen; gutwillig od. mit Gewalt; *andar* (*od. estar*) *a ~as*, *a. estar a mal con alg.* mit j-m nicht auskommen, mit j-m auf gespanntem Fuß stehen; *asunto m ~ de comprender* schwer begreifliche Sache *f*; F *ni una ~a palabra nos dijo* kein Sterbenswörtchen hat er uns gesagt; *echar a ~a parte* verübeln; übel auslegen; *estar de ~as* Pech haben (*bsd. im Spiel*); *venir de ~as* böse Absichten haben; ungelegen kommen; **2.** (*estar*) in schlechtem Zustand; krank; *ponerse ~* erkranken; **3.** *sittlich* schlecht, verdorben; boshaft; unartig (*Kind*); **4.** schlecht; unbrauchbar; wertlos; unbegabt; **5.** schädlich; nachteilig; gefährlich; *~ para la salud* gesundheitsschädlich; **6.** schlau, gerissen F; **II.** *su.* **7.** *lo ~* das Schlimme; das Üble; *el ~* der Böse(wicht) *m*; F *bsd.* der Böse, der Teufel.
malo|grado *adj.* **1.** frühverstorben (*bsd. Künstler usw.*); **2.** unglücklich; mißlungen; **~gramiento** *m* Mißerfolg *m*; **~grar I.** *v/t.* **1.** versäumen; verfehlen; verpfuschen; **II.** *v/r.* ~se **2.** mißlingen; scheitern, fehlschlagen; **3.** zu früh sterben; **~gro** *m* Fehlschlag *m*; Scheitern *n*, Mißlingen *n*.
malo|ja *f Am.*, **~jo** *m Ven.* Futtermais *m*.
maloliente *adj. c* übelriechend, stinkend.
ma|lón *m Am. Mer.*, *bsd. Rpl.*, *Chi.* Indianereinfall *m*; **~loquear** *v/i. Am.* → *hacer correrías*.
malpara|do *adj.* übel zugerichtet; *salir ~* schlecht davonkommen; **~r** *v/t.* übel zurichten.
malpar|ida *f* Frau *f*, die e-e Fehlgeburt gehabt hat; **~ir** *v/i.* e-e Fehlgeburt haben; **~to** *m* Fehlgeburt *f*.
malpensado *adj.-su.* **1.** argwöhnisch; **2.** übelwollend; *ser ~* immer gleich das Schlechteste annehmen (*od.* denken); immer an Zweideutigkeiten denken.
malpigiáceas *f/pl.* Malpigiazeen *f/pl.*
mal|querencia *f* **1.** Übelwollen *n*; **2.** Abneigung *f*; **~querer** [2u] *v/t. j-m* übelwollen; **~quistar I.** *v/t.* verfeinden; **II.** *v/r.* ~se s. verfeinden (mit *dat. con*); **~quisto** *adj.* verfeindet (mit *dat. con*); verhaßt.
mal|sano *adj.* **1.** ungesund; schädlich; **2.** krankhaft; **~sonante** *adj. c* anstößig (*Wort*); **~sufrido** *adj.* ungebärdig, ungeduldig.
Malta¹ ⚕: *fiebre f de ~* Maltafieber *n*.
mal|ta² *f* **1.** Malz *n*; *~ triturada* Malzschrot *m*; **2.** Malzkaffee *m*; **3.** *bsd. Am.* Malzbier *n*; **~taje** *m* **1.** Mälzen *n*; **2.** Mälzerei *f*; **~te** *m* **1.** Malz *n*; **2.** → *maltaje 1*; **~tear** *v/t.* mälzen; **~tés** *adj.-su.* aus Malta; *m* Malteser *m*; **~tosa** ⚗ *f* Maltose *f*.
maltrabaja *m*: *es un ~* er ist ein Faulpelz.
maltra|tamiento *m* Mißhandlung *f*; **~tar** *v/t.* mißhandeln; *Tiere* quälen; *p. ext.* beschädigen; ruinieren; *fig. a.* anbrüllen; *~ de obra* tätlich mißhandeln; **~to** *m* Mißhandlung *f*.
maltrecho *adj.* übel zugerichtet.
maltusianismo *Pol. m* Malthusianismus *m*.
malucho F *adj.* unpäßlich; kränklich.
mal|va I. *f* ⚘ Malve *f*; *fig. estar criando ~s* tot sein; *fig. ser (como) una ~* herzensgut sein; sehr sanftmütig sein; **II.** *adj. inv.* malvenfarben; **~váceas** ⚘ *f/pl.* Malvengewächse *n/pl.*
malvado *adj.-su.* böse; verrucht; *m* Bösewicht *m*.
malva|rrosa ⚘ *f* Gartenmalve *f*; **~sía** *f* **1.** Malvasiertraube *f*; **2.** Malvasier(wein) *m*; **~visco** ⚘ *m* Eibisch *m*.
mal|vender *v/t.* verschleudern; **~versación** *f*: *~ (de fondos)* Veruntreuung *f*; **~versador** *adj.-su.* Betrüger *m*; **~versar** *v/t.* veruntreuen; **~vezar** [1f] *v/t.* verwöhnen, verziehen.
malvís *Vo. m* Singdrossel *f*.
malvivir *v/i.* erbärmlich leben, dahinvegetieren.
malvón ⚘ *m Méj.*, *Rpl.* → *geranio*.
malla *f* **1.** *tex.*, ⊕ Masche *f*; *~s f/pl. Sp.* Netz *n* (*Tornetz*); *Sp. int.* ¡*~s*! Tor!; *~ de alambre* Drahtnetz *n*; *tex. tejido m de ~* Netz-, Trikotgewebe *n*; *de ~(s) fina(s)* feinmaschig; *de grandes ~s* weitmaschig; **2.** Trikot *n*; *p. ext. Am.* Badetrikot *n*; **~r** *v/i.* → *enmallarse*.
mallo *m* **1.** ⊕ Fäustel *m*, Schlägel *m*; Holzhammer *m*; **2.** *Sp.* → *cricket*.
mallorquín *adj.-su.* mallorkinisch; *m* Mallorkiner *m*; *Li. das* Mallorkinische (*katalanischer Dialekt*).
mama *f* **1.** weibliche Brust *f*; **2.** *Zo.* Brustdrüse *f*; Euter *n*.
mam|á *f*, **~aíta** *dim. f* Mama *f*, Mutti *f*, Mammi *f*.
mama|da *f* **1. a)** Saugen *n an der Mutterbrust*; **b)** *jeweils* angesaugte Milchmenge *f*; **2.** *fig.* F *Am.* müheloser Gewinn *m*; **3.** F *Arg.* Rausch *m*; **~dera** *f* **1.** Milchpumpe *f*; **2.** *Am.* Sauger *m*, Schnuller *m*; **~ntón** *adj.* saugend (*Tierjunges*); **~r I.** *vt/i. an der Mutterbrust* saugen; *p. ext.* F gierig schlucken (*bzw.* schlingen); *fig.* F einheimsen; *dar de ~ Kind* stillen, säugen; *fig.* F *~la* s. einseifen lassen F; **II.** *v/r.* ~se *bsd. Am.* s. betrinken; *~se a alg.* j-n unterkriegen; *bsd. Am. ~se el dedo* leicht betrogen werden; **~rio** *adj.* Brust...; *glándulas f/pl. ~as* Milchdrüsen *f/pl.*
mamarra|chada F *f* **1.** Schmiererei *f*, Sudelei *f*; **2.** Pfuscherei *f*; **3.** gr. Dummheit *f*; **~chista** F *c* Stümper *m*, Pfuscher *m*; **~cho** F *m* **1.** Sudelei *f*, Schmiererei *f*; **2.** Schmarren *m*; Quatsch *m* F; **3.** Flasche *f* F (*Person*).
mambo ♪ *m Cu.* Mambo *m* (*Tanz*).
mambrú ⚓ *m* Schornstein *m der Kombüse*.
mameluco *m* **1.** Mameluck *m*; **2.** *fig.* Tölpel *m*; **3.** *Am.* brasilianischer Mestize *m*; **4.** *Am.* † *u. Reg. Art* Overall *m*.
ma|míferos *m/pl.* Säugetiere *n/pl.*; **~mila** *f* Brustwarze *f*; **~milar** *adj. c* Brust(warzen)...; **~món I.** *adj.* **1.** saugend; **II.** *m* **2.** Säugling *m*; Tierjunge(s) *n*; **3.** Wassertrieb *m an Bäumen*; **4.** *fig.* F Knilch *m* P; **5.** *Am.* F Säufer *m*; **6.** ⚘ *Am. Art* Flaschenbaum *m u. s-e Frucht*; *Rpl.* → *papayo u. papaya*; **7.** *Kchk. Méj. Art* Schaumbiskuit *n, m*.
mamotreto *m* **1.** † Merkbuch *n*; **2.** *fig.* F Wälzer *m*, Schinken *m* P; **3.** *Andal.*, *Am.* ungefüges Möbel *n*; Gerümpel *n*.
mampa|ra *f* Wandschirm *m*; spanische Wand *f*; **~ro** ⚓ *m* Schott *n*.
mamporro F *m* Puff *m* F, Knuff *m* F.
mam|postería *f* **1.** festes Mauerwerk *n*; **2.** Ausmauerung *f z. B. v. Brunnen*; **~postero** *m* Mörtelmaurer *m*; **~puesto** *m* **1.** △ Füllstein(e) *m(/pl.)*; **2.** *p. ext.* Brustwehr *f*; *Am.* Auflage *f für Feuerwaffen*.
mamu|jar *vt/i.* (oft absetzend) saugen, nuckeln (*Kind, Tier*); **~llar** *vt/i.* schmatzend essen; *fig.* F mummeln F.
mamut *Zo. m* Mammut *n*; *fig. empresa f ~* Mammutunternehmen *n*.
maná ⚘ *m a. bibl.* Manna *n*.
manaca ⚘ *f Cu.*, *Hond. versch. Palmenarten*.
mana|da¹ *f* Herde *f* (*Vieh*); Rudel *n* (*Wild*); **~da²** *f* Handvoll *f Ähren u. ä.*; **~dero** *m* Viehtreiber *m*, Hirt *m*.
manager *engl. m* Manager *m* (*a. Sp.*).
mana|ntial I. *adj. c* Quell...; **II.** *m* Quelle *f* (*a. fig.*); *~ acídulo* Sauerbrunnen *m*; *~ de agua medicinal* Heilquelle *f*; *~ (termal)* Thermalquelle *f*; **~r** *vt/i.* quellen; fließen (*Blut*); ausströmen (lassen); *fig.* herrühren.
manatí *Zo. m* Seekuh *f*.
manaza *f* große Hand *f*, Pranke *f* F; **~s** *m* (*pl. inv.*): *ser un ~* zwei linke Hände haben, ein Tölpel sein.
manca|miento *m* **1.** Verkrüppelung *f*; **2.** ⚒ Mangel *m*; **~r** [1g] **I.** *v/t. Glied* verstümmeln; **II.** *v/i.* ⚓ s. legen (*Wind*); **~rrón** *m* **1.** *Am.* Klepper *m*, Mähre *f*; *fig.* F *Reg.* Invalide *m*; **2.** *Chi.*, *Pe.* Wehr *n zur Wasserableitung*.
mance|ba *f* Konkubine *f*; **~bía** *f* **1.** Bordell *n*; **2.** Halbwelt *f*; **~bo** *lit. m* Jüngling *m*; *p. ext.* Junggeselle *m*; (Handlungs-)Gehilfe *m*.
mance|ra *f* Pflugsterz *m*; **~rina** *f* † *u. Am. Reg.* Vorlegeteller *m mit Tassenhalter*.
mancilla *f* Fleck *m*, Makel *m*; **~r** *v/t.* beflecken.

mancipación ⚖ *f* öffentliche Übergabe *f*, Veräußerung *f*.
manco I. *adj.* **1.** einarmig; einhändig; an der Hand verkrüppelt; *fig. no ser* ~ nicht ungeschickt sein, et. können; **2.** *fig.* mangelhaft, unvollständig; **II.** *m* **3.** Einarmige(r) *m*; *lit. el* ♀ *de Lepanto* = *Cervantes*.
manco|mún: *de* ~ gemeinschaftlich; **~munar I.** *v/t. Interessen u. ä.* vereinigen; ⚖ *a.* gemeinschaftlich verpflichten; **II.** *v/r.* **~se** s. zs.-tun; **~munidad** *f* Gemeinschaft *f*; *bsd.* Zweckverband *m*; ♀ *Británica das* (Britische) Commonwealth; ~ *comarcal* Gemeindeverband *m*.
man|cornar [1m] *v/t.* **1.** *Jungstier* bei den Hörnern packen u. zu Boden drücken; **2.** *Rinder* an den Hörnern zs.-binden; **3.** *fig.* F zs.-tun; koppeln, paaren; **~cuerda** *hist. f* Seilfolter *f*; **~cuerna** *f* **1.** an den Hörnern zs.-gebundenes Vieh *n*; **2.** *p. ext.* paarweise Zs.-gebundene(s) *n*; **3.** Koppelstrick *m*; **4.** *Méj.* **~s** *f/pl.* Manschettenknöpfe *m/pl.*
mancha *f* **1.** Fleck *m* (*a. fig.*); Schmutzfleck *m*; ~ *de aceite* Ölfleck *m*; *fig. sin* ~ tadel-, makel-los; *fig. la noticia cundió como (una)* ~ *de aceite* die Nachricht verbreitete s. wie ein Lauffeuer; **2.** *tex.* Tupfen *m*; Punkt *m*; **3.** Muttermal *n*; ~ (*solar*) Sonnenfleck *m*; *Am. tener la* ~ *de plátano* ein typischer Portoricaner sein; **4.** *fig.* Schandfleck *m*; *Mal.* Farbskizze *f*; **5.** *Arg. Art* Wurfspiel *n*; **6.** *vet. Rpl.* Milzbrandkarbunkel *m*; **7.** *Salv.*, *Ven.* Insekten- *bzw.* Heuschreckenschwarm *m*; Fischbank *f*; **~dizo** *adj.* leicht abfärbend; **~do** *adj.* **1.** fleckig; ~ *de sangre* blutbefleckt; **2.** gefleckt; scheckig.
manchar *v/t.* beflecken (*a. fig.*); beschmutzen; abfärben; *Mal.* schattieren.
manchego *adj.-su.* aus der Mancha; (*queso m*) ~ *m* Manchakäse *m*.
manchón *m* **1.** gr. Fleck *m*; **2.** ⚘ dicht bewachsene Stelle *f*; **3.** *Chi.* Muff *m*.
man|chú *hist.* (*pl.* **~úes**), **~churiano** *adj.-su.* aus der Mandschurei.
manda *f* **1.** ⚖ Vermächtnis *n*, Legat *n*; **2.** ⚒ Versprechen *n*; **~dera** *f* Botenfrau *f*; **~dero** *m* Botengänger *m*; **~do I.** *part.* befohlen; ⊕ gesteuert; **II.** *m* Auftrag *m*; Befehl *m*; *hacer un* ~ e-e Besorgung erledigen; **~miento** *m* Gebot *n*; Befehl *m*; *Rel. los* **~s** *de (la ley de) Dios* die zehn Gebote; *fig.* F *los cinco* **~s** die Finger.
mandanga F *f* **1.** Trägheit *f*; **2.** Tun u. Treiben *n*.
manda|nte *m* Auftraggeber *m*; ⚖ Vollmachtsgeber *m*, Mandant *m*; **~r I.** *v/t.* **1.** anordnen, befehlen; *a.* ⚔ befehligen, führen; *p. ext. Pferd, Wagen* fest in der Hand haben; *así lo manda la ley* das ist gesetzlich geboten; *fig.* ~ *a paseo j-m* e-e Abfuhr erteilen; *hacer* ~, *Am. oft* ~ machen lassen; **2.** ⚖ als Legat vermachen; **3.** senden, (zu-) schicken; entsenden; ~ *un aviso a* warnen (*ac.*); Bescheid geben (*dat.*); **4.** ⊕ steuern; ~ *a distancia* fernsteuern; **5.** † → *ofrecer, prometer*; **6.** *Am.* werfen, schleudern; **7.** *Chi. Rennen u. ä.* starten; **II.** *v/i.* **8.** befehlen, gebieten; *¿mande?* wie, bitte?; was steht zu Diensten?; *¡y a* ~*!* zu Ihren Diensten!; ~ *por agua* Wasser holen lassen; **III.** *v/r.* **~se 9.** s. aus eigner Kraft bewegen (*bzw.* s. selbst helfen können) (*bsd. Kranker*); **~se** *por la escalera* die Treppe benutzen; **10.** †, ⚒ *v. Zimmern*: in Verbindung stehen (mit *dat. con*); **11.** *Arg.* **~se** *mudar* weggehen, abziehen F; **12.** *Cu., Chi.* s. davonmachen; **13.** F *Méj.* (auf)essen.
manda|rín *m* Mandarin *m*; **~rina** *f* Mandarine *f*; **~rino** ⚘ *m* Mandarinenbaum *m*.
manda|tario *m* Beauftragte(r) *m*; Bevollmächtigte(r) *m*; Sachwalter *m*; **~to** *m* **1.** Befehl *m*; Auftrag *m*; Vorschrift *f*; ~ *postal* Postauftrag *m*; ⚖ ~ *de detención* Haftbefehl *m*; **2.** *Pol.* Mandat *n*; ~ *legislativo* Wahlmandat *n*; **3.** Geldanweisung *f*; **4.** *kath.* (Gebet *n* b. der) Fußwaschung *f am Gründonnerstag*.
man|díbula *f* Kinnlade *f*; *p. ext.* ⊕ Backen *m*; ~ *inferior* Unterkiefer *m*; *fig.* F *reír(se) a* ~ *batiente* s. kugeln vor Lachen; **~dibular** *adj. c* Kinnbacken...; Kiefer...
mandi|l *m* **1.** (Arbeits-)Schürze *f*, Schurz *m*; ~ (*de los masones*) Freimaurerschurz *m*; **2.** *Equ. Am.* Flanellappen *m zum Abreiben der Pferde*; *Rpl.* Satteldecke *f*; **~lón** F *m* Angsthase *m*.
mandinga I. *m* **1.** **~s** *m/pl. Negervolk in Nordguinea*; **2.** *Am. Reg.* Neger *m bzw.* Mulatte *m*; *Am. der* Teufel; **II.** *adj. inv.* **3.** *Arg.* Teufels...; gerissen, verschlagen.
mandioca *f Am.* **1.** ⚘ Maniokpflanze *f*; **2.** Maniokmehl *n*, Tapioka *f*.
mando *m* **1.** Herrschaft *f*, Macht *f*; *ejercer el* ~ die Herrschaft ausüben; **2.** *a.* ⚔ Befehlsgewalt *f*, Kommando *n*; ⚔ *Alto* ♀ *od.* ♀ *Supremo* Oberkommando *n*; *ejercer el* ~ das Kommando führen (*a. fig.*); *estar al* ~ *de alg.* j-m unterstehen, ⚔ unter dem Befehl j-s stehen; **3.** ⊕ Steuerung *f*; Schaltung *f*; Antrieb *m*; *p. ext.* Bedienungs-, Schalthebel *m*; *Kfz.* ~ *del cambio de velocidad* Getriebeschaltung *f*; ~ *a distancia* Fernsteuerung *f*; *cuadro m de* ~ *Kfz.* Armaturenbrett *n*; ⚡ Schalttafel *f*; *eje m de* ~ Antriebswelle *f*.
mandoble *m* **1.** *fig.* scharfer Verweis *m*; **2.** mit beiden Händen geführter Hieb *m*; **3.** † Zweihänder *m* (*Schwert*).
mandolina ♪ *f* Mandoline *f*.
mandón *adj.* herrschsüchtig, herrisch.
man|dracho † *u. Reg. m* Spielhölle *f*; **~drágora** ⚘ *f* Alraun(e *f*) *m*.
mandria F *m* Schwachkopf *m*; Memme *f*, Waschlappen *m* F.
mandril[1] *Zo. m* Mandrill *m* (*Affe*).
mandri|l[2] ⊕ *m* **1.** (Bohr-, Spann-) Futter *n*; **2.** (Richt-, Drück-)Dorn *m*; **~lar** *v/t.* ausbohren.
manduca F *f* → *manducatoria*; **~ción** F *f* Essen *n*; **~r** [1g] F *v/t.* essen, futtern F; **~toria** F *f* Essen *n*.
manea *f* → *maniota*; **~dor** *m Am.* **1.** → *maniota*; **2.** *Arg.* → *látigo*; **~r I.** *v/t.* die Vorderfüße fesseln (*dat.*); **II.** *v/r.* **~se** *Méj.* straucheln; *fig.* s. verheddern.
manecilla *f* **1.** Zeiger *m* (*Uhr, Skala*); *p. ext.* Kompaßnadel *f*; ~ *luminosa* Leuchtzeiger *m*; **2.** kl. Hebel (*bzw.* Griff) *m*; **3.** Verschlußspange *f an e-m Buch*; **4.** ⚘ Rebranke *f*; **5.** *Typ.* Hinweiszeichen *n* (*weisende Hand*).
mane|jable *adj. c* handlich; geschmeidig; wendig; *poco* ~ unhandlich; **~jado** *part.* **1.** *Mal. bien (mal)* ~ gut (schlecht) gemalt; **2.** ⊕ ~ *a mano* handbedient; **~jar I.** *v/t.* **1.** handhaben; *Instrument, Waffe, Feder, Pinsel* führen; *Mechanismus* betätigen; *¡~ con cuidado!* Vorsicht! (*auf Kisten u. ä.*); ~ *el fusil* ⚔ *a.* Gewehrgriffe machen; **2.** *Maschinen* bedienen; *Pferd* zureiten *bzw.* (geschickt) reiten; *p. ext. u. fig.* umgehen (*bzw.* umzugehen wissen) mit (*dat.*); *Auto* fahren; *Geschäfte usw.* führen, leiten; **II.** *v/r.* **~se 3.** s. (wieder) selbst regen u. bewegen (*nach Krankheit*); **4.** zurechtkommen; s. zu helfen wissen; **~jo** *m* **1.** Handhabung *f*; Betätigung *f*; Behandlung *f*; Bedienung *f*; **2.** Lenken *n e-s Pferdes, Am. a. e-s Fahrzeugs*; *Equ.* Schulreiten *n*; **3.** Verwaltung *f*, Leitung *f e-s Geschäfts*; Management *n* (*engl.*); **4.** ⚒ Verhalten *n*; Zurechtkommen *n*; **5.** *fig.* Machenschaft *f*, Intrige *f*; *mst.* **~s** *m/pl.* Ränke *pl.*; **6.** *Col.* *empleo m de* ~ Amt *n* e-s Steuerbeamten.
manera *f* **1.** (Art u.) Weise *f*; *bsd. Mal.* Manier *f*; ~ *de ver* Betrachtungsweise *f*; *a* ~ *de* als; wie; *a la* ~ *de* nach Art (*gen.*), in Nachahmung (*gen.*); *de* ~ *que* so daß; *de ninguna* ~ keineswegs, durchaus nicht; *de otra* ~ andernfalls; sonst; *de tal* ~ derart; so; *de una* ~ *o de otra* so od. so; *no hay* ~ *de* + *inf.* es ist nicht möglich, zu + *inf.*; *hacer de* ~ *que* es so einrichten, daß; *en gran* ~ in hohem Maß; wesentlich; außerordentlich; *sobre* ~ über die Maßen; überaus; *de todas* **~s** jedenfalls, immerhin; *vgl. a. modo* 1; **2.** Benehmen *n*, Anstand *m*; **~s** *f/pl.* Manieren *f/pl.*
manes *Myth. m/pl.* Manen *pl.*
manezuela *f dim.* Händchen *n*; *fig.* **a)** Bücherschloß *n*; **b)** Griff *m*.
manflor(it)a *adj. c Am.* → *hermafrodita*; *fig.* → *afeminado*.
manga[1] ⚘ *f Art* Mango *m* (*Baum u. Frucht*).
manga[2] *f* **1.** Ärmel *m*; ~ *corta (larga, tres cuartos)* kurzer (langer, dreiviertellanger) Ärmel *m*; ~ *de farol*, ~ *abombada* (*a. de globo*) Puffärmel *m*; *en* **~s** *de camisa* in Hemdsärmeln; *sin* ~ ärmellos; *alle fig.*: *andar* ~ *por hombro* drunter u. drüber gehen; *hacer* **~s** *y capirotes* die Dinge übers Knie brechen; *ser de (od. tener)* ~ *ancha* (allzu) weitherzig sein; *traer a/c. en la* ~ et. aus dem Ärmel schütteln; **2.** Schlauch *m*; ~ *de bombero (de riego)* Feuerwehr- (Wasser-, Spreng-, Garten-)schlauch *m*; **3.** Schlauch- *od.* Sack-ähnliche(s) *n*; ~

de agua Platzregen *m*, Wolkenbruch *m*; ~ *de agua*, ⚓ ~ *marina* Wasserhose *f*; ~ (*del eje*) Achszapfen *m* für das Rad *am Wagen*; ~ *de pesca* Kescher *m*; *a.* Reuse *f*; ✈ ~ (*indicadora*) *de(l) viento* Windsack *m*; ~ *de viento* Windhose *f*; **4.** ⚓ (größte) Schiffsbreite *f*; **5.** † Schar *f* Bewaffneter; *estar* (*od. ir*) *de* ~ unter e-r Decke stecken; **6.** *Rpl.*, *Ven.* Herde *f* (*Vieh*), Menge *f* (*Menschen*); *Cu.*, *Chi.*, *Rpl.* Viehschleuse *f* (*Zaunreihen, die zum Korral usw. führen*); **7.** *Méj.* wasserdichter Poncho *m*.

man|ganato ⚗ *m* Manganat *n*; **~ganesa** *Min. f* Manganerz *n*; **~ganeso** ⚗ *m* Mangan *n*; **~gánico** *adj.* manganhaltig; Mangan...

mangante P *m* **1.** Bettler *m*; **2.** *fig.* Gauner *m*; Dieb *m*; schräger Fürst *m* F.

mang|lar *m* Mangrovendickicht *n*; **~le** ♀ *m* Mangrove *f*.

mango[1] *m* Griff *m*; Stiel *m*; (Messer-)Heft *n*; ~ *aislante* Isoliergriff *m*; ~ *de martillo* (*de pala*) Hammer-(Schaufel-)stiel *m*.

mango[2] ♀ *m* Mango *m* (*Baum u. Frucht*).

mango|nada F *f* Armstoß *m*; **~near** F *v/i.* s. einmischen, mitmischen F; **~neo** F *m* Einmischung *f*.

mangosta *Zo. f* Ichneumon *m*, Manguste *f*.

mangote *m* Ärmelschoner *m*.

mangue □ *pron.* → *yo*.

manguear *v/i. Am.* Vieh (*bzw.* Wild) zs.-treiben; *fig.* F geschickt locken.

mangue|ra *f* **1.** (Wasser-)Schlauch *m*; **2.** *Chi.* Schlauchwagen *m der Feuerwehr*; **3.** *Rpl.* gr. Korral *m*; **~ro** *m* **1.** Spritzenmeister *m*; **2.** ♀ *Méj.* Mangobaum *m*.

mangueta *f* **1.** *Kfz.* Achsschenkel *m*; **2.** Klosettrohr *n*; **3.** Spritzblase *f*.

manguito *m* **1. a)** Muff *m*; **b)** Pulswärmer *m*; **c)** Schlupfhandschuh *m*; **d)** Vorsteckärmel *m*; Ärmelschoner *m*; ~ *incandescente* Glühstrumpf *m* (*Gaslampe*); **2.** ⊕ Muffe *f*; Manschette *f*; Hülse *f*; ~ *acodado* Rohrkrümmer *m*.

maní (*pl.* **~ises**) ♀ *m bsd. Am.* Erdnuß *f*; *fig.* F *Cu.*, *P. Ri.* Geld *n*.

manía *f* **1.** ⚕ Wahn *m*; *a. fig.* Manie *f*, Sucht *f*; ~ *persecutoria* Verfolgungswahn *m*; *dar en la* ~ *de* auf den (verrückten) Gedanken kommen, zu + *inf.*; *tener* ~ *por a/c.* in et. vernarrt sein; **2.** *fig.* F Groll *m*, Feindschaft *f*; *tener* ~ *a alg.* j-n nicht leiden können.

maniabierto *adj.-su.* freigebig.

maníaco ⚕ *adj.* manisch; *locura f* ~*-depresiva* manisch-depressives Irresein *n*.

mani|albo *adj* weißfüßig (*Pferd*); **~atar** *v/t. j-m* die Hände binden; *Tiere* an den Vorderfüßen fesseln.

mani|ático **I.** *adj.* manisch; verrückt (*a. fig.*), wahnsinnig; *fig.* sonderbar; **II.** *m* Verrückte(r) *m* (*a. fig.*); *fig.* Sonderling *m*, Kauz *m* F; **~comio** *m* Irrenanstalt *f*.

mani|corto *adj.-su.* knauserig; **~cura** *f* Maniküre *f* (*Person u. Tätigkeit*); **~curista** *c Am.* Maniküre *f* (*Person*).

manida *Jgdw. f* Lager *n*.

manido *adj.* abgehangen *bzw.* mit leichtem Hautgout (*Fleisch*); überreif (*Obst*); *fig.* abgestanden, abgegriffen.

manierismo *Ku. m* Manierismus *m*.

manifesta|ción *f* **1.** Offenbarung *f*; Bezeigung *f*; *fig.* Äußerung *f*; **2.** Erklärung *f*, Bekundung *f*; **3.** Kundgebung *f*; Veranstaltung *f*; Demonstration *f*; **~nte** *m* Manifestant *m*, Demonstrant *m*; Teilnehmer *m* an e-r Kundgebung; **~r** [1k] **I.** *v/t.* **1.** zu erkennen geben, offenbaren; an den Tag legen, zeigen; äußern; *kath.* (das Allerheiligste) zur Anbetung aussetzen; **2.** (öffentlich) erklären; bekunden; **II.** *v/i.* **3.** demonstrieren; e-e Kundgebung veranstalten; **III.** *v/r* ~*se* **4.** auftreten, erscheinen; **5.** s. äußern.

manifiesto **I.** *adj.* offenkundig; augenfällig, deutlich; *poner de* ~ beweisen, zeigen; offenbaren; **II.** *m* Manifest *n* (*a.* ⚓); *Pol. el* ~ *Comunista* das Kommunistische Manifest.

mani|gero ⚒ *m* Vorarbeiter *m*; **~gua** *f Cu.* Gestrüpp *n*; *fig.* Unordnung *f*; **~ja** *f* **1.** Handstück *n*, Griff *m*; **2.** Heft *n bzw.* Zwinge *f*; **3.** → *maniota*; **4.** *Rpl.* Handschlinge *f* der Peitsche.

manila ⊕: *papel m* ~ elektrotechnisches Papier *n*.

manilargo *adj.* **1.** langhändig; **2.** *fig.* **a)** freigebig; **b)** wer ein Langfinger ist F.

manilla *f* **1.** Armreif *m*; *p. ext.* ~*s f/pl.* Handschellen *f/pl.*; **2.** ⊕ Griff *m*; Hebel *m*, Kurbel *f*; Lenker *m* (*Motorrad*); **~r** *m* Lenkstange *f* (*Fahrrad*).

manio|bra *f* **1.** Handhabung *f*; ⊕ Betätigung *f*; Bedienung *f*; ~ *por relés* Relais-, Schützen-steuerung *f*; *manivela f de* ~ Schaltkurbel *f* (*z. B. b. Straßenbahnen*); **2.** ⚓, ⚔, ⊕, ✈ *u. fig.* Manöver *n*; ⚔ *a.* Operation *f*; *fig.* Kniff *m*, Trick *m*; Machenschaft *f*; *fig.* ~*s* Ränke *pl.*; *a. Vkw.* ~ *de desviación* Ausweichmanöver *n*; *hacer* ~*s* manövrieren; ⚔ *a.* exerzieren; 🚂 rangieren; *fig.* Ränke schmieden; **~brabilidad** ⊕ *f* Bedienbarkeit *f*; Wendigkeit *f*, Manövrierfähigkeit *f* (*Fahrzeuge*); **~brable** *adj. c* manövrierfähig, wendig; **~brar** *v/i.* (*a. v/t.*) **1.** ⚔, ⊕ *u. fig.* manövrieren; 🚂 rangieren; *fig.* Ränke schmieden; **2.** ⊕ steuern; bedienen; **~brero** ⚔ *adj.* gut eingeübt (*Truppe*).

maniota *f* Fußfessel *f für Pferde*.

manipu|lación *f* **1.** Manipulation *f* (*a. pharm. u. fig.*); **2.** Handhabung *f*; Behandlung *f*; Verfahren *n*; **3.** ⊕ *a.* Bedienung *f*; Verarbeitung *f*; Bearbeitung *f*; **4.** *fig.* Machenschaft *f*; **~lador** *m* **1.** *pharm.* Gehilfe *m*; **2.** ⊕ Betätigungsgriff *m*; **3.** ⚡ (Morse-)Taster *m*; **~lados** *m/pl.*: ~ *de alambre* Drahtwaren *f/pl.*; **~lar** *v/t. a.* ⊕ handhaben; betätigen; herumhantieren an (*dat.*); *a. fig.* manipulieren; *fig.* F *Geschäfte* betreiben; *HF* tasten; **~leo** F *m* Handhaben *n*; Betreiben *n* von Geschäften.

manípulo *hist. u. kath. m* Manipel *m*.

maniqueo *Rel. adj.-su.* manichäisch; *m* Manichäer *m*.

maniquí *m* (*pl.* ~*íes*) **1.** Modellpuppe *f*; Schneiderpuppe *f*; **2.** Mannequin *n*.

manir **I.** *v/t. Fleisch* abhängen lassen; **II.** *v/r.* ~*se* anfangen zu riechen (*Fleisch, Fisch*).

manirroto *adj.-su.* verschwenderisch; *m* Verschwender *m*.

manís P *m Méj.* → *mano*[2].

manita *f dim.* Händchen *n*; *hacer* ~*s* Händchen halten; *fig.* ~*s f/pl. de plata* (*od. de oro*) sehr geschickte Hände *f/pl.*

manito[1] *m* Mannaextrakt *m* (*Abführmittel für Kinder*).

manito[2] F *m Méj.* Brüderchen *n*, Freund *m*.

manivacío F *adj.* → *con las manos vacías*.

manivela *f* (Hand-)Kurbel *f*; *Kfz.* ~ *de arranque* Anlaßkurbel *f*; *dar a la* ~ kurbeln, die Kurbel drehen.

manja|r *lit. od. iron. m* Speise *f*; **~rete** *m Cu.*, *Ven. Art* Maispudding *m*.

manjúa *f Cu. Art* Sardine *f*.

mano[1] *f* **1.** Hand *f*; *p. ext.* Handvoll *f*; Handschrift *f*; *fig.* Handfertigkeit *f*; Geschicklichkeit *f*; hilfreiche Hand *f*, Hilfe *f*, Beistand *m*; ~ *de azotes* Tracht *f* Prügel; *fig.* ~*s f/pl. blancas* Frauenhände *f/pl.*; ⚖ ~*s f/pl. muertas die* Tote Hand; ~ *de obra* Arbeitskräfte *f/pl.*; ~ *de obra especializada* Facharbeiter *m/pl.*; F ~ *de santo* Wundermittel *n*; *de* ~ Hand...; ~ *a* ~ **a)** → *de* ~ *a* ~; **b)** → *a solas*; *Stk. corrida f* ~ *a* ~ Kampf *m*, in dem nur zwei Toreros auftreten; *¡*~*s a la obra!* Hand ans Werk!; F nur kräftig eingehauen! *b. Essen*; ~ *sobre* ~ mit den Händen im Schoß, untätig; *a* (*la*) ~ zur Hand; zuhanden; *a* ~ *airada* gewaltsam; *a* ~ *armada* mit Waffengewalt; *a* ~ *derecha* rechts; *a* ~*s llenas* mit vollen Händen; *bajo* (*la*) ~ unterderhand, heimlich; *con larga* ~ freigebig; *con las* ~*s vacías* mit leeren Händen; ergebnislos, erfolglos; *de* ~ *a* ~ von Hand zu Hand; *de* ~ *en* ~ → *por tradición*; *de* ~*s a boca* plötzlich, unvermutet; *de* ~ *maestra* von Meisterhand; *de primera* ~ aus erster Hand (*haben, kaufen usw.*); *de* (*od. en*) *propia* ~ eigenhändig; *en propia* ~ persönlich zu übergeben (*Brief*); *de segunda* ~ aus zweiter Hand; gebraucht, alt; antiquarisch (*Bücher*); *por su* (*propia*) ~ mit eigener Hand; *abrir la* ~ **a)** *Equ.* die Zügel lockern; **b)** *fig.* freigebig (*bzw.* bestechlich) sein; *andar en* ~*s de todos* gewöhnlich (*od.* üblich) sein; allgemein bekannt sein; *apretar la* ~ *j-m* die Hand drücken; *fig.* den Druck verstärken; unter Druck setzen; auf et. dringen; *atar las* ~*s a alg. a. fig.* j-m die Hände binden; *fig.* j-n (*durch Geschenke usw.*) verpflichten; *fig. bajar la* ~ im Preis nachgeben; *caer* (*od. dar*) *en* ~*s de alg.* in j-s Hände fallen; *fig. caerse de las* ~*s* unmöglich (*bzw.* langweilig) sein (*Buch*); *dar* (*od. alargar*) *la* ~ die Hand geben; *fig. j-m* helfen; *fig. darse la* ~ im Zs.-hang stehen (mitea. *a/c. con otra*); *fig. darse las* ~*s* s.

versöhnen; *dar de ~ Arbeit* aufgeben, liegenlassen; *j-n* fallenlassen (*bzw.* aufgeben); *dar la última ~ (a la obra)* letzte Hand anlegen (an *ac.*); *dejado de la ~ de Dios* von Gott verlassen (*a. fig.*); *fig. dejar de la ~* verlassen, aufgeben; *echar ~ a* greifen nach (*dat. od.* zu *dat.*); packen (*ac.*); *¡eche usted una ~!* packen Sie mit an!, helfen Sie mit!; *echar una ~ a alg.* j-m helfen; *echar ~ de* s. *e-r Sache* bedienen; zu *et.* (*dat.*) greifen; *escrito a ~* handschriftlich; *fig. estar en la ~* auf der Hand liegen; *estar en buenas ~s* in guten Händen sein; *hacer algo a ~* et. von Hand machen; *hecho a ~* handgearbeitet; *fig. se le fue la ~* die Hand rutschte ihm aus, er schlug zu; *fig. me lavo las ~s (en inocencia)* ich wasche m-e Hände in Unschuld; *llegar (od. venir) a las ~s* handgemein werden; *meter ~ a a/c.* **a)** et. in Angriff nehmen; **b)** → *meter la ~ en a/c.* ein gutes Geschäft machen bei e-r Sache; *fig. mudar de ~s* den Besitzer wechseln; *pedir la ~ (de la hija)* um die Hand (der Tochter) bitten; *poner ~s a la obra* Hand ans Werk legen; *fig. poner ~ en a/c.* et. in Angriff nehmen; *retorcerse las ~s* die Hände ringen; *fig. salir con una ~ atrás y otra delante* nichts erreichen; *fig. sentar la ~ a alg.* **a)** handgreiflich werden gg. j-n; j-n schlagen; **b)** j-n scharf maßregeln; *ser la ~ derecha de alg.* j-s rechte Hand sein (*fig.*); *ser largo (od. suelto) de ~s* schnell bei der Hand sein mit Ohrfeigen (*od.* Schlägen); *tener buena (mala) ~* **a)** e-e gute (schlechte) Handschrift haben; **b)** e-e glückliche (unglückliche) Hand haben; *fig.* F *tener (mucha) ~ izquierda* (sehr) geschickt zurechtzukommen wissen; (sehr) gerissen sein F; *a. fig. tener las ~s limpias (sucias)* reine *od.* saubere (schmutzige) Hände haben; *fig. tener las ~s largas* ein lockeres Handgelenk haben, gern schlagen; *tener a ~* **a)** zur Hand haben; **b)** *fig.* zügeln, zähmen, bändigen; kurzhalten F; *fig. tener a alg. en su ~* auf j-n fest rechnen können; *tener ~ con alg.* auf j-n Einfluß haben; *tener ~ en a/c.* s-e Hand im Spiel haben; mit dabei sein; ♪ *tocar a cuatro ~s* vierhändig spielen; *traer entre ~s* (*z. B. Geschäft*) vorhaben; *untar la(s) ~(s) a alg.* j-n bestechen, j-n schmieren F; *¡venga esa ~!* gut, schlag (*od.* schlagen Sie) ein!; *fig. venir a alg. en la(s) ~(s)* j-m (unverdient) in den Schoß fallen; *si a ~ viene* gegebenenfalls, vielleicht; *vivir de (od. por) sus ~s* von s-r Hände Arbeit leben; *Spr. una ~ lava la otra* e-e Hand wäscht die andere; **2.** *Zo.* Vorderfuß *m*, -pfote *f*, -lauf *m*; *p. ext.* Rüssel *m des Elefanten*; *Equ. ~ delantera* Vorhand *f*; **3.** Stößel *m*; *~ de mortero* Mörserkeule *f*; **4.** Uhrzeiger *m*; **5.** Vorhand *f im Spiel*; erster Zug *m b. Schach*; *Kart. a.* Partie *f* (spielen *echar*); **6.** Handvoll *f bzw.* Schicht *f*; *bsd. ~ (de pintura)* Anstrich *m*; *dar una ~ de cal* mit Kalk tünchen, kälken; **7.** *~ de papel* Buch *n* (= *100 Bogen*) Papier; **8.** †, ⚔ Gruppe *f*, Trupp *m*; **9.** *Am.* → *lance, aventura*; **10.** *Am.* Anzahl *f v.* (*gleichartigen*) *Dingen*: *Am. Cent.*, *Méj.* fünf, *Chi.* vier, *Ec.* sechs; **11.** *Ant.*, *Am. Cent.* → *gajo de plátanos*.

manojo *m* **1.** Handvoll *f*, Bündel *n*, Bund *n*; (Schlüssel-)Bund *n*; **2.** *Am. Reg.* → *palanca*.

manoletina *Stk. f e-e Finte* („*Muleta*" *hinter dem Rücken des Fechters*).

ma|nométrico ⊕ *adj.* manometrisch; **~nómetro** *m* Manometer *n*.

manopla *f* **1.** Fausthandschuh *m*, Fäustling *m*; Badehandschuh *m*; **2.** † Panzerhandschuh *m e-r Rüstung*; *kurze* Peitsche *f der Postillione*; **3.** *Chi.* Schlagring *m*.

manose|ado *adj.* abgegriffen; zerlesen (*Buch*); *fig.* F verbraucht (*Frau*); **~ar** *v/t.* greifen, betasten; befummeln F; **~o** *m* Betasten *n*, Abgreifen *n*.

mano|tada *f* **1.** Handvoll *f*; **2.** → **~tazo** *m harter* Schlag *m* mit der Hand; **~tear** *v/i.* mit den Händen fuchteln; **~teo** *m* Gestikulieren *n*, Herumfuchteln *n*.

manquedad *f* Einarmigkeit *f*; Einhändigkeit *f*; *fig.* Mangel *m*, Fehler *m*.

mansalva *adv.*: *a ~* **a)** ohne eigene Gefahr; **b)** aus dem Hinterhalt.

mansarda *gal. f* Mansarde *f*.

mansedumbre *f* Sanftmut *f*, Milde *f*.

mansión *lit. f* Aufenthalt *m*; Wohnsitz *n*.

man|so I. *adj.* sanft; mild; zahm (*Tier*); still, ruhig (*Gewässer*); **II.** *m* Leithammel *m*; **~surrón** *desp. adj.* allzu sanft.

man|ta *f* **1.** Decke *f*; *p. ext.* Überwurf *m*; *fig.* F Tracht *f* Prügel; *Am. oft* → *poncho*; *~ eléctrica* Heizdecke *f*; *~ de lana (de viaje)* Woll-(Reise-)decke *f*; *fig. a ~* in Hülle u. Fülle; *a.* sehr, feste F; F *ser un ~* e-e Null sein; *fig. tirar de la ~* (et. Anstößiges) aufdecken; **2.** *Fi.* Teufelsrochen *m*; **~teado** *m Am. Cent.*, *Méj.* Sonnendach *n*; Zelt *n*; **~tear** *v/t.* prellen, wippen, auf e-r Decke emporschnellen.

mante|ca *f* **1.** *tierisches od. pflanzliches* Fett *n*; *~ de cerdo* Schweineschmalz *n*; *~ de palma* Palmbutter *f*; *~ en rama* Flomen *m*; *fig.* F *eso no se le ocurre ni al que asó la ~* das ist völliger Blödsinn; **2.** ⚕, *pharm.*, *Am.*, *Span. Reg.* Butter *f*; *~ de cacao* Kakaobutter *f*; **~cada** *f* Butterkuchen *m*; **~cado** *m* Vanille-Sahne-Eis *n*; *Art* Schmalzgebäck *n*; **~cón** F *m* Weichling *m*; **~coso** *adj.* fett (-haltig); butterartig.

mante|l *m* **1.** Tischtuch *n*; **2.** Altardecke *f*, -tuch *n*; **~lería** *f* Tischzeug *n*, Tafellinnen *n*, Tischwäsche *f*; **~leta** *f* Schultertuch *n*, Umhang *m*; **~lete** *m* **1.** Chorumhang *m der Prälaten*; **2.** *fort.* Blende *f*.

mante|nedor *m* Redner *m* der Jury *b. e-m lit. Wettbewerb*; **~ner** [21] **I.** *v/t.* **1.** halten; er-, unter-halten; ernähren, beköstigen; *~ un ejército* ein Heer (*bzw.* e-e Armee) unterhalten; **2.** halten; festhalten; stützen; behalten; aufrechterhalten; instandhalten; *Unterhaltung, Feuer* in Gang halten; † *Preis* halten; *Recht* behaupten; an *s-r Meinung* festhalten; *Ordnung* aufrechterhalten; *Gewicht, Druck* aushalten; *~ correspondencia con alg.* im Briefwechsel mit j-m stehen; *~ a distancia* fernhalten; **II.** *v/r.* **~se 3.** s-n Lebensunterhalt bestreiten (mit *dat. de*), leben (von *dat. de*); **4.** s. halten; s. behaupten; **~se** *firme* standhalten; festbleiben; beharren (auf *dat. en*); **~nida** P *f* ausgehaltene Geliebte *f*; **~nido** P *m Méj.* Zuhälter *m*; **~nimiento** *m* **1.** Erhaltung *f*; Aufrechterhaltung *f*; **2.** Unterhalt *m*; **3.** ⊕ Wartung *f*; Instandhaltung *f*.

manteo *m* Mantel *m der Geistlichen*.

mante|quera *f* **1.** Butter-frau *f*, -händlerin *f*; **2.** Butter-faß *n*; -form *f*; Butterdose *f*; **~quería** *f* Molkerei *f*; **~quero** *m* Butterhändler *m*; **~quilla** *f* (Tafel-)Butter *f*; *pan m con ~* Butterbrot *n*.

manti|lla *f* **1.** Mantille *f*; **2.** Einschlagtuch *n für Säuglinge*; **~s** *f/pl. a.* Windeln *f/pl.*; *fig. estar en ~s* noch in den Kinderschuhen stekken; **3.** *Typ.* Drucktuch *n*; **4.** *Equ.* Satteldecke *f*; **~llo** ⚒ *m* Gartenerde *f*, Humus *m*; **~llón** *m Méj.* Schabracke *f*; *fig.* F Schmarotzer *m*.

mantisa ⅍ *f* Mantisse *f*.

man|to *m* weiter Mantel *m*; Umhang *m*; *p. ext.* Kaminmantel *m*; *fig.* Vorwand *m*; **~tón** *m* Umschlagetuch *n*; Schultertuch *n*; *~ de Manila* gr. (bestickter Seiden-) Schal *m mit langen Fransen*.

mantuve → *mantener*.

manu|al I. *adj. c* Hand...; handlich; *trabajo m ~* Handarbeit *f*; **II.** *m* Handbuch *n*; Lehrbuch *n*; **~brio** *m* **1.** ⊕ **a)** Kurbel *f*; **b)** Handgriff *m*; **2.** (*piano m de*) *~* Drehorgel *f*.

manucodiata *Vo. f* Paradiesvogel *m*.

manudo *adj. Am.* mit großen Händen.

manue|la *f* offene Kutsche *f* (*Zweisitzer*); **~lino**: *estilo m ~ Architekturstil der Zeit Emanuels I. v. Portugal* (*1469—1521*).

manufactu|ra *f* Manufaktur *f* (*Fabrikation, Produkt u. Fabrik*); **~rados** *m/pl.* Erzeugnisse *n/pl.*; Waren *f/pl.*; **~rar** *v/t.* fertigen, fabrizieren; **~ras** *f/pl.* Fertigwaren *f/pl.*; **~rero** *adj.* Manufaktur...; gewerbetreibend.

manu|misión *f* Freilassung *f v. Sklaven*; **~mitir** *v/t. Sklaven* freilassen; **~scrito I.** *adj.* handschriftlich; **II.** *m* Handschrift *f*; Manuskript *n*; **~tención** *f* Unterhalt *m*; Verpflegung *f*.

manza|na *f* **1.** Apfel *m*; *~ reineta* Renette *f*; *fig. ~ de la discordia* Zankapfel *m*; *sano como una ~* kerngesund; **2.** Häuserblock *m*; **3.** ⚔ Degenknauf *m*; **4.** *Am.* Adamsapfel *m*; **~nal**, **~nar** *m* Apfelbaumpflanzung *f*; **~nera** ⚘ *f* → *maguillo*; **~nero I.** *adj. Zo.* äpfelfressend; **II.** *m Ec.* → *manzano*; **~nil** *adj. c* apfelähnlich (*Frucht*); **~nilla** *f* **1.** ⚘ Kamille *f*; *~ hedionda*, *~ fétida* Hundskamille *f*; **2.** Manzanillawein *m* (*herber andal. Weißwein*); **~no** *m* Apfelbaum *m*.

maña *f* **1.** Geschicklichkeit *f*; *fig.* Schlauheit *f*; List *f*; *darse* ~ s. geschickt anstellen; *tener* ~ *para a/c.* geschickt sein in et. (*dat.*); **2.** ~*s* *f/pl.* ⛏ schlechte Gewohnheit *f*; *malas* ~*s* üble Tricks *m/pl.*; **3.** ⛏ Büschel *n*.

maña|na I. *f* Morgen *m*; Vormittag *m*; *esta* ~ heute morgen; *muy de* ~ sehr früh; *por la* ~ morgens; **II.** *adv.* morgen; *pasado* ~ übermorgen; ~ *por la* ~ morgen früh; ~ *será otro día* morgen ist auch noch ein Tag; *fig. el* ~ die Zukunft; **~near** *v/i.* gewohnheitsmäßig früh aufstehen; **~nero I.** *adj.* frühaufstehend; Morgen...; **II.** *m* Frühaufsteher *m*; **~nica, ~nita**[1] *f* früher Morgen *m*; **~nita**[2] *f* Bettjäckchen *n*.

mañero *adj.* **1.** listig; **2.** → *bien manejable*; **3.** *Am.* störrisch (*Tier*); **4.** *Arg.* → *mañoso*; *fig.* → *tramposo*.

maño F *m* **1.** Aragonier *m*; **2.** *fig.* F *Ar., Chi.* Liebling *m* (*Kosename*); **3.** F *¡~!* → *caramba*.

mañoso *adj.* geschickt.

maoista *Pol. adj.-su. c* maoistisch; *m* Maoist *m*.

maorí *m* Maori *m*.

mapa I. *m* Landkarte *f*; ~ *cuadriculado* Gitter(netz)karte *f*; ~ *mudo* stumme Landkarte *f*; ~ *mural* Wandkarte *f*; *fig.* F *no estar en el* ~ unbekannt sein; **II.** *f* Spitze *f*, Ende *n*; **~mundi** *m* Weltkarte *f*; *fig.* F Hintern *m* F.

mapanare *Zo. f Ven.* Buschmeister *m*.

mapu|che *adj.-su. c* araukanisch; *m* Araukaner *m*; *Li. das* Mapuche, *das* Araukanische; **~chín** *m Col.* Homosexuelle(r) *m*.

maque *m* (Japan-)Lack *m*; **~ar** *v/t.* lackieren.

maque|ta *f* **1.** *bsd.* △, *a.* ⊕ (verkleinertes) Modell *n*; ~ *en madera* Holzmodell *n*; **2.** *Typ.* Layout *n* (*engl.*); **~tista** *neol. c* → *bocetista*; *Typ. a.* Layout-Mann *m*.

maquia|vélico *adj.-su.* machiavellistisch; *m* Machiavellist *m*; **~velismo** *m* Machiavellismus *m*.

maquila *f* **1.** Schüttung *f auf der Mühle*; **2.** Mahlmetze *f* (*Kornmaß*); **3.** Mahlgeld *n*.

maquilla|dor *gal. m* Maskenbildner *m*; Theaterfriseur *m*; **~dora** *f* Kosmetikerin *f*; **~je** *m* Make-up *n* (*engl.*); *Thea.* Schminken *n*; **~r** *v/t.* das Make-up machen; **~se** sein Make-up machen.

máquina *f* **1.** *a. fig.* Maschine *f*; *a* ~ maschinell; mit der Maschine; *Typ. composición a* ~ Maschinensatz *m*; *trabajo m a* ~ Maschinenarbeit *f*; ⊕ *a media* ~ mit halber Kraft; *a toda* ~ ⊕ *u. fig.* mit voller Kraft; ⚓ mit Volldampf; ~ *de coser* **a)** Nähmaschine *f*; **b)** *Typ.* Heftmaschine *f*; ~ *de escribir* (*portátil*) (Reise-)Schreibmaschine *f*; ~ *herramienta* Werkzeugmaschine *f*; ~ *de imprimir* (*de lavar*) Druck- (Wasch-)maschine *f*; ~ *universal* Mehrzweck-, Universal-maschine *f*; ~ *de vapor* Dampfmaschine *f*; **2.** 🚂 Lokomotive *f*, Lok *f*; **3.** ~ (*fotográfica*) Kamera *f*, Fotoapparat *m*; ~ *miniatura* Kleinbildkamera *f*; **4.** *Reg.* Fahrrad *n*; Auto *n*; Flugzeug *n usw.*; **5.** *fig.* **a)** Maschinerie *f*; **b)** Organismus *m*; **c)** gr. Bauwerk *n*; Bau *m* (*a. fig.*); *la* ~ *del mundo* das All, der Weltenbau; **6.** *Thea.* Theatermaschine *f*; *fig. lt. Deus m ex machina*.

maqui|nación *f* Intrige *f*; **~ones** *f/pl.* Ränke *pl.*, Machenschaften *f/pl.*; **~nado** ⊕ *m* Bearbeitung *f* von Teilen; **~nador** *m* Ränkeschmied *m*; **~nal** *adj. c* **1.** ⊕ maschinell; Maschinen...; **2.** unwillkürlich, mechanisch; **~nar I.** *v/t.* ersinnen, aushecken; **II.** *v/i.* intrigieren, Ränke spinnen.

maqui|naria *f* **1.** Maschinen *f/pl.*; Maschinenpark *m*; **2.** Maschinerie *f*; **3.** Maschinenbau(wesen *n*) *m*; **~nilla** *f* **1.** kl. Maschine *f*; Maschinchen *n*; ~ *para cortar el pelo* Haarschneidemaschine *f*; ~ *para liar cigarrillos* Zigarettenwickler *m*; **2.** ~ (*de afeitar*) Rasierapparat *m*; ~ *eléctrica* Elektrorasierer *m*; **~nismo** *m* Maschinenzeitalter *n*; **~nista** *m* **1.** Mechaniker *m*; **2.** Maschinenführer *m*; -meister *m*; **3.** 🚂 Lok(omotiv)führer *m*; **4.** *Thea.* Maschinist *m*; **~nita** *f dim.* Maschinchen *n*.

maquis *m* Untergrundkämpfer *m*(*/pl.*).

mar I. *m*, ⚓ *u.* P *f* Meer *n*, See *f*; ~ *interior* (*marginal*) Binnen- (Rand-)meer *n*; *por tierra y por* ~ zu Lande u. zur See; ~ *adentro* seewärts; *en alta* ~ auf hoher See, auf offenem Meer; ~ *de fondo* Dünung *f*; *echar agua en la* (*od. el*) ~ et. völlig Aussichtsloses versuchen; *hacerse a la* ~ in See stechen; **II.** *f fig.* F e-e Unmenge, jede Menge F; *a* ~*es* in Strömen, reichlich(st); F *la* ~ *de cosas* ein Haufen von Dingen; F *divertirse la* ~ s. mächtig amüsieren F; *ser la* ~ *de tonto* riesig dumm sein.

¡mar! ⚔ *Ausführungskommando*: *¡media vuelta,* ~*!* Abteilung — „kehrt!"

marabú *m Vo.* Marabu *m*.

maraca *f* **1.** *Am.* ♪ Kürbisrassel *f*; Rumbakugel *f*; **2.** *Chi., Pe. ein Würfelspiel*; **3.** *Chi.* Straßendirne *f*.

mara|ña *f* Gestrüpp *n*; Dickicht *n*; *fig.* Verwicklung *f*; Wirrwarr *m*; **~ñero** *m* Ränkeschmied *m*, Unruhestifter *m*.

marañón ♀ *m Am. trop.* Kaschubaum *m*.

marasmo *m* Marasmus *m*; *fig.* Erlahmen *n*, Verfall *m*.

marat(h)ón *m Sp.* Marathonlauf *m*; *Pol.* Marathonsitzung *f*.

maravedí *m alte Münze*; *fig.* Heller *m*.

maravi|lla *f* **1.** Wunder *n* (*nicht Rel.*); Wunderwerk *n*; *a* (*od. de*) ~ wunderbar; *a las mil* ~*s* wunderbar; herrlich; wie am Schnürchen; *las siete* ~*s del mundo* die sieben Weltwunder; *una* ~ *de hombre* ein großartiger Mensch *m*; *fig. la octava* ~ das achte Weltwunder; **2.** Erstaunen *n*; **3.** ♀ **a)** Jalapawinde *f*; **b)** Efeuwinde *f*; **c)** Ringelblume *f*; **~llar I.** *v/t.* in Bewunderung versetzen; wundern; **II.** **~se** *v/r.* s. wundern (über *ac. de*); **~lloso** *adj.* wunderbar.

marbete *m* Aufklebezettel *m* (*Etikett, Kofferzettel u. ä.*).

marca *f* **1.** Merkzeichen *n*; Marke *f* (*a.* ✝); Warenzeichen *n*; Wasserzeichen *n im Papier*; Brandzeichen *n zur Kennzeichnung des Viehs*; *de* ~ ✝ Marken...; *fig.* F groß, Erz...; F *de* ~ *mayor* ganz bsd. groß, Riesen...; ~ *cero* Nullmarke *f* (*z. B. am Pegel*); ✝ ~ *de fábrica* Fabrikmarke *f*; ✝ ~ *registrada* eingetragene Schutzmarke *f*; **2.** *Sp.* Rekord *m*; *batir la* ~ e-n Rekord übertreffen; *superar una* ~ e-n Rekord brechen; **3.** (Grenz-)Mark *f*.

marca|ción *f* **1.** ⚓ Peilung *f*; **2.** ✝, ⊕ Markierung *f*; **~do I.** *adj.* **1.** deutlich (hörbar *od.* sichtbar); **II.** *m* **2.** *Typ.* Anlage *f*; **3.** Einlegen *n der Haare*; **~dor** *m* **1.** Markierer *m*; Abstempler *m*; **2.** Eichmeister *m*; **3.** ⊕ Markierschlägel *m*; *Typ.* Anleger *m*; *Kfz.* ~ *de gasolina* Benzinuhr *f*; **3.** *Sp.* Totalisator *m*, Ergebnistafel *f*; ~ (*del gol*) Torschütze *m*; **~je** *neol. Sp. m* Deckung *f b. Fußball*; **~r** [1g] *v/t.* **1.** kennzeichnen; bezeichnen; markieren; *p. ext. Haare* einlegen; *Tel. Nummer* wählen; *Takt* schlagen; **2.** eichen; **3.** ⊕ markieren; *Zahlen usw.* einschlagen; *Typ. Bogen* anlegen; **4.** *Sp. Ergebnis* anzeigen; **5.** *Fußball*: *Tor* schießen; *Spiel* decken; **6.** *que marca la ley* gesetzlich (vorgeschrieben); **7.** *Karten* zinken.

marceño *adj.* März...

marces|cente ♀ *adj. c* marzeszierend; **~cible** *lit. adj. c* verwelklich (*fig.*).

marcia|l *adj. c* martialisch; kriegerisch; *ley f* ~ Standrecht *n*; **~lidad** *f* martialisches Wesen *n*; **~no** *Astr.* **I.** *adj.* Mars...; **II.** *m* Marsbewohner *m*.

marco *m* **1.** *a.* ⊕ Rahmen *m*; Bilderrahmen *m*; Einfassung *f*; Gestell *n*; Türstock *m*; Fensterrahmen *m*; **2.** ~ (*alemán*) (Deutsche) Mark *f*; ~ *oro* Goldmark *f*; **3.** Mark *f* (*Gold- u. Silbergewicht*: *230 g*); **4.** Eichmaß *n für Maße u. Gewichte*.

marcha *f* **1.** *a.* ⚔, ♪ Marsch *m*; ⚔ Abmarsch *m*; *p. ext.* Abreise *f*; *fig.* Gang *m*; Verlauf *m*; *Sp.* ~ *atlética* (*od. de competición*) (Wett-)Gehen *n*; ♪ ~ *militar* Militärmarsch *m*; *fig.* ~ *de los negocios* Geschäftsgang *m*; ♪ ♀ *Real alte span. Nationalhymne*; ⚔ *a* ~*s forzadas* in Eil- (*od.* Gewalt-)märschen; *fig. sobre la* ~ in aller Eile; nebenbei; *poner en* ~ ⚔ in Marsch setzen; *fig.* in Gang (*od.* ins Werk) setzen; *ponerse en* ~ aufbrechen; **2.** ⊕ Lauf *m*, Gang *m* (*a. Kfz.*); Betrieb *m*; Fahren *n*; Funktionieren *n*; *a. Kfz.* ~ *adelante* (*atrás*) Vor- (Rück-)wärtsgang *m*; ~ *en vacío* Leerlauf *m*; *a toda* ~ mit Vollgas; *dar* ~ *atrás* rückwärts fahren; *fig.* e-n Rückzieher machen; *poner en* ~ in Betrieb (*od.* in Gang) setzen; **3.** Fahrt *f*, (Fahr-)Geschwindigkeit *f v. Fahrzeugen*.

marchador *adj. Am.* **1.** schnell (u. unermüdlich) zu Fuß; **2.** (*caballo*) ~ *m* Paßgänger *m*.

marchamo *m* **1.** Zollplombe *f*; *poner* ~ (*a*) verplomben (*ac.*); **2.** *Rpl.* Schlacht(hof)gebühr *f*.

marchante *m* **1.** Händler *m*, Handelsmann *m*; **2.** F *Andal., Am.* Kunde *m*.

marchar I. *v/i.* **1.** marschieren; gehen; *fig.* gehen (*Geschäft usw.*); vorwärtsgehen; fortschreiten; ⚔ *¡marchen!* vorwärts marsch!; *fig. la cosa marcha (bien)* die Sache geht gut voran; **2.** ↖ → *~se*; ⚔ abmarschieren, abrücken; **3.** ⊕ gehen, laufen; fahren; funktionieren; *el reloj no marcha* die Uhr geht (*od.* funktioniert) nicht; **II.** *v/r.* *~se* **4.** (fort-, weg-)gehen; abreisen.

marchi|tamiento *m* Welken *n*; **~tar I.** *v/t.* welk machen; **II.** *v/r.* *~se* (ver)welken, welk werden; *fig.* kraftlos werden, erschlaffen; **~to** *adj.* welk.

mare|a *f* **1.** Ebbe u. Flut *f*, Gezeiten *pl.*; *~ alta* Flut *f*; *~ baja* Ebbe *f*; *~ viva* Springflut *f*; **2.** ⚓ Seewind *m*; **~ado** *adj.* seekrank; benommen, schwindlig; **~aje** ⚓ *m* **1.** Seefahrt *f*; Schiffahrtskunde *f*; **2.** Schiffskurs *m*, Strich *m*; **~al** *adj. c* Gezeiten...; **~ar I.** *v/t.* **1.** ⚓ *ein Schiff* führen; **2.** krank machen; *p. ext.* schwindlig machen; *fig.* F *j-m* auf die Nerven gehen; **II.** *v/r.* *~se* **3.** seekrank werden; schwindlig werden; *me mareo a.* es wird mir schlecht; **4.** s. e-n (halben) Rausch antrinken; **5.** durch den Seetransport leiden (*Waren*); *Am. a., z. B. b. einigen Weinen,* besser werden; **~jada** *f* **1.** hoher Seegang *m*; **2.** *fig.* Brausen *n*, Tumult *m e-r Menge*; **~jadilla** *f* leichter Seegang *m*; **~-mágnum** *m* Mischmasch *m*; wirre Menge *f*; **~moto** *m* Seebeben *n*.

mare|o *m* Seekrankheit *f*; Schwindel *m*; Übelkeit *f*; **~ógrafo** *m* Pegel-, Flut-messer *m* (*Meer*); **~omotriz** ⚡ *adj. f*: *central f ~* Gezeitenkraftwerk *n*; **~ro** ⚓ *adj.* See...; **~ta** *f* **1.** leichter Seegang *m*; **2.** *fig.* Brausen *n*, Stimmengewirr *n*; **3.** Aufregung *f*; **~tazo** *m* Sturzsee *f*.

marfi|l *m* Elfenbein *n*; *~ vegetal* **a)** vegetabilisches Elfenbein *n*; **b)** ✿ Steinnuß(baum *m*) *f*; *de color de ~* elfenbeinfarbig; **~lado** *neol.*, **~leño** *lit. adj.* aus Elfenbein.

marga[1] *f* Sackleinen *n*.

marga[2] *f* Mergel *m*; **~l** *m* Mergelerde *f*; Mergelgrube *f*; **~r** [1h] ✐ *v/t.* mit Mergel düngen.

margarina *f* Margarine *f*.

margarita *f* **1.** ✿ **a)** Margerite *f*; Gänseblümchen *n*; **b)** *Ec.* → *jacinto*; **2.** *Zo.* Perlmuschel *f*; **3.** *fig.* Perle *f*; *echar ~s a puercos* Perlen vor die Säue werfen.

mar|gen I. *m* (*a. f*) **1.** Rand *m*; *a.* ⊕ Raum *m*, *a. fig.* Spielraum *m*, Bereich *m*; *fig.* Handhabe *f*, Anlaß *m*; *al ~* am Rande; (dr)außen; *dentro del* (*~ del*) *programa* im Rahmen des Programms; *fig. dar ~ para a/c.* Anlaß zu et. (*dat.*) geben; **2.** Ufer *n*; Rain *m*; **II.** *m* **3.** ✝ Spanne *f*, Marge *f* (*frz.*); *~ de beneficios* (*de precios*) Gewinn- (Preis-)spanne *f*; **~ginado** *adj.* mit Rand (*Papierbogen*); ✿ gerandet (*z. B. Stiel*); *fig. los ~s de la sociedad* die am Rande der Gesellschaft lebenden Menschen; **~ginador** *m* Randsteller *m* (*Schreibmaschine*); **~ginal** *adj. c* **1.** Rand...; *nota f ~* Randbemerkung *f*; **2.** *fig.* nebensächlich, unbedeutend, Neben...

margoso *adj.* mergelhaltig.

margra|ve *m* Markgraf *m*; **~viato** *m* Markgrafschaft *f*.

marguera *f* Mergelgrube *f*.

maría *f*: *fig. ~s f/pl. Span.* Kekse *m/pl.*; *Astr. las tres* **2***s* die Gürtelsterne *m/pl.* des Orion; F *Univ. Span.* die drei Fächer: Sport *m*, Religion *f* u. Politik *f*; ⚗, ☂, *Phot. baño m de ~* (warmes) Wasserbad *n*.

maria|nismo *kath. m* Marienverehrung *f*; **~no** *Rel. adj.* marianisch, Marien...

mari|ca I. *f Vo.* Elster *f*; **II.** *m* F weibischer Kerl *m*; Homosexuelle(r) *m*, warmer Bruder *m* P; **2castaña** F: *en tiempos de ~* Anno Tobak; **~cón** P *m* Homo *m* F, warmer Bruder *m* P; *¡~!* Saukerl! P; **~conada** P *f* Hundsgemeinheit *f* P.

mari|dar ↖ **I.** *v/i.* heiraten; ehelich leben; **II.** *v/t. fig.* eng verbinden; **~do** *m* Ehemann *m*; **~macho** F *m* Mannweib *n*; **~mandón** *adj.* herrschsüchtig.

marim|ba *f* afrikanische Trommel *f*; ♪ *Am.* Marimba *f* (*Art Xylophon*); *fig. Arg.* Tracht *f* Prügel.

marimorena F *f* Streit *m*, Krach *m*; *armar la ~* Krawall machen.

mari|na *f* **1.** Marine *f*; *~ de guerra* (*mercante*) Kriegs- (Handels-)marine *f*; **2.** Küstengebiet *n*; **3.** Seeleute *pl.*; **4.** *Mal.* Seestück *n*; **~nar** *v/t.* **1.** *Kchk.* marinieren; **2.** *Schiff* bemannen; **~nera** *f* **1.** Matrosenbluse *f*; **2.** ♪ *Chi., Ec., Pe. ein Volkstanz*; **~nería** *f* Seeleute *pl.*; Matrosen *m/pl.*; **~nero I.** *adj.* **1.** seetüchtig; seefest; seemännisch; Marine-...; **2.** *Kchk. a la ~a* mariniert; mit pikanter Soße (*Muscheln usw.*); **II.** *m* **3.** Seemann *m*; Matrose *m*; *fig. ~ de agua dulce* Landratte *f*; *~ ordinario* (*de primera*) Leicht- (Voll-) matrose *m*.

marinismo *Lit. m* Marinismus *m*.

marino I. *adj.* See...; Schiffer..., Matrosen..., Seemanns...; **II.** *m* Matrose *m*; Seemann *m*.

maripo|sa *f* **1.** Schmetterling *m*; *~ blanca* (*od. de la col*) Kohlweißling *m*; **2.** Nachtlicht *n* (*Öllämpchen*); **3.** ⊕ **a)** Flügelschraube *f*; **b)** Schieber *m*, Klappe *f*; **4.** *Sp. estilo m ~* Schmetterlingsstil *m* (*Schwimmen*); **5.** *euph. für marica*; **6.** *Cu. Art* Buntfink *m*; **~sear** *v/i.* (herum)flattern; *fig.* flatterhaft sein; **~són** F **I.** *adj.* flatterhaft; **II.** *m iron.* Liebhaber *m*; Don Juan *m*.

mari|quita I. *f* **1. a)** Marienkäfer *m*; **b)** *Am.* Kletterpapagei *m*; **2.** *Am.* ♪ *ein Volkstanz*; **II.** *m* **3.** F → *marica*; **~sabidilla** F *f* Blaustrumpf *m*.

marisca|l *m* Marschall *m*; *~ de campo* (General-)Feldmarschall *m*; **~lato** *m*, **~lía** *f* Marschallwürde *f*.

maris|car [1g] *v/i.* Muscheln suchen; **~co** *m jede Art* eßbares Schalentier *n bzw.* eßbare Muschel *f*; **~ma** *f* Marsch *f*, sumpfiges Küstengebiet *n*; **~quero** *m* Muschelverkäufer *m*.

marital *adj. c* **1.** Gatten..., Ehemanns...; **2.** ehelich; Ehe...

marita|ta *f* ⚒ *Bol., Chi., Méj.* Erzsieb *n*; *Am. Mer. ~s f/pl.* → **~tes** *m/pl. Am. Cent., Méj.* Kram *m*.

marítimo *adj.* Meer..., See...; *ciudad f ~a* Seestadt *f*; *por vía ~a* auf dem Seewege.

maritornes F *f* Küchendragoner *m* F, häßliches Dienstmädchen *n*.

marjal *m* sumpfiges Tiefland *n*, Moor *n*.

marjole|ta *f Frucht des* **~to** ✿ *m* eingriffliger Weißdorn *m*.

marmellas □ *f/pl.* Titten *f/pl.* P, Brüste *f/pl.*

marmi|ta *f* Koch-kessel *m*, -topf *m*; ⚔ *Am. ~ de campaña* → *gamella*; **~tón** *m* Küchenjunge *m*.

mármol *m* **1.** Marmor *m*; *~ de Carrara* karrarischer Marmor *m*; *~ estatuario* Bildhauermarmor *m*; schwarzer span. Marmor *m*; *~ de Santiago* weißgeäderter, fleischroter Marmor *m*; *~ de Toledo* grauer span. Glanzmarmor *m*; **2.** Marmorbild(werk) *n*; -skulptur *f*; **3. a)** Gg.-stand *m* aus Marmor; **b)** Marmorgarnitur *f*; **4.** ⊕ *u. Haushalt*: Arbeits-platte *f*, -tisch *m* (*mst. aus Metall od. Kunststoff*); **5.** *fig. ser de ~* kalt (u. gefühllos) sein.

mar|molejo *m* kl. Säule *f*; **~molería** *f* **1.** Marmorarbeit *f*; **2. a)** Bildhauerei *f*; **b)** Bildhauerwerkstatt *f*; **~móreo** *adj.* marmorn; *a. fig.* Marmor...

marmota *f* **1.** *Zo. u. fig.* Murmeltier *n*; **2.** *fig.* F (einfaches) Dienstmädchen *n*.

maro|ma *f* **1.** Seil *n*; Trosse *f*; dicker (Hanf-)Strick *m*; **2.** *Am.* Seiltänzerarbeit *f*; *a. fig. Pol.* Seiltänzerkunststück *n*; **~mear** *v/i. Am.* Seiltänzerkunststücke vorführen (*a. fig.*); **~mero** *m Am.* Seiltänzer *m* (*a. fig.*); *fig.* F *a.* (Gesinnungs-)Lump *m*.

marqués *m* Marquis *m*; Markgraf [*m.*]

marque|sa *f* Marquise *f*; **~sado** *m* **1.** Markgrafschaft *f*; **2.** Titel *m* e-s Marquis; **~sina** *f* **1.** Glas-, Regendach *n*; **2.** Markise *f*, Sonnendach *n*; **~sote** *m Am. Cent., Méj.* feiner Mais- (*od.* Reis-)kuchen *m*.

marqueta *f* Klumpen *m* Rohwachs; *Chi.* Bündel *n* Rohtabak.

marquetería *f* Intarsie *f*; Holzmosaik *n*; eingelegte (Holz-)Arbeit *f*.

marquilla *Typ. f*: *papel m (de) ~ ein span. Bogenformat* (*43,5 × 63 cm*).

marra[1] *f* Schlägel *m*; Stößel *m*.

marra[2] *f* Lücke *f*.

marrajo I. *adj.* **1.** schlau, gerissen; tückisch; **II.** *m* **2.** Heimtücker *m*; **3.** Hai(art *f*) *m*.

marramao *onom. m* Miauen *n*; Maunzen *n*.

marra|na *f* **1.** Mutterschwein *n*, Sau *f*; **2.** ✐ Achse *f des Schöpfrads*; **3.** *fig.* P Schlampe *f* F, Sau *f* V; **~nada** F *f* Schweinerei *f*; **~no I.** *adj.* **1.** schweinisch; schmutzig; **II.** *m* **2.** Schwein *n* (*a. fig.* P); **3.** *in der Inquisitionszeit* (heimlich noch s-m alten Glauben anhängender) jüdischer (Zwangs-)Konvertit *m*.

marraqueta *f* **1.** *Art* gr. Semmel *f*; **2.** *Chi.* Kleienbrot *n*.

marrar F *vt/i.* verfehlen; fehlgehen (*v/i.*); *~ el tiro* danebenschießen.

marras F: *el día de ~* der bewußte Tag; der Tag X.

marrasquino *m* Marraschino [(-likör) *m.*]

marrazo *m Art* Doppelaxt *f*; *Méj.* Bajonett *n*.
ma|rro *m* **1.** Wurfspiel *n*; **2.** Fehler *m*, Schnitzer *m* F; **~rrón**¹ *m* Wurfstein *m b. Wurfspiel.*
marrón² *gal. adj. inv.* braun.
marro|quí (*pl.* ~íes) **I.** *adj.* **1.** marokkanisch; **II.** *m* **2.** Marokkaner *m*; **3.** Saffian(leder *n*) *m*; **~quinería** *f* → *tafiletería.*
marrulle|ría *f* Schlauheit *f*, Verschmitztheit *f*; Gerissenheit *f*; **~ro I.** *adj.* schlau, gerissen; **II.** *m* Schlauberger *m*.
marse|llés *adj.-su.* aus Marseille; *m* Marseiller *m*; **~llesa** *f* Marseillaise *f* (*frz. Nationalhymne*).
marsop(l)a *Fi. f* Tümmler *m*.
marsupial *Zo.* **I.** *adj. c* Beutel...; **II.** ~es *m/pl.* Beuteltiere *n/pl.*
marta¹ *Zo. f* Marder *m*; (~) *cebellina f* Zobel *m*.
Marta² *fig. f*: ~ *la piadosa* Frömmlerin *f*.
Marte *Astr. u. Myth. m* Mars *m*; *poet. los hijos de* ~ die Marssöhne = *die Krieger.*
martelé: *esmalte m* ~ Hammerschlaglack *m*.
martes *m* (*pl. inv.*) Dienstag *m*; ~ *de Carnaval* Karnevals-, Fastnachtsdienstag *m*.
marti|llar *v/t.* hämmern; *fig.* quälen; **~lleo** *m* **1.** Hämmern *n*; Gehämmer *n*; **2.** ⊕ Klopfen *n* (*Verbrennungsmotor*); **~llo** *m* **1.** Hammer *m*; ~ *de adoquinar* Pflaster(er)hammer *m*; ~ *apisonador* Stampfer *m*, Hammer *m*; ~ *mecánico* (*neumático*) Maschinen- (Preßluft-)hammer *m*; ~ *pilón* (Ramm-)Bär *m*; ~ *de remachar* Niethammer *m*; **2.** *Fi. pez m* ~ Hammerfisch *m*.
Martín *m* **1.** *Folk. día m de San* ~ Martinstag *m*; **2.** *Vo.* ♀ *pescador* (*pl.* ♀ *pescadores*) Eisvogel *m*; ♀ *de río* → *martinete*¹.
martinete¹ *Vo. m* Nachtreiher *m*.
martinete² ⊕ *m* Pochhammer *m*; ~ *a vapor* Dampfhammer *m*.
martingala *f* **1.** *Kart.* Kombination *f im monte*; **2.** *fig.* F Trick
mártir *c* Märtyrer(in *f*) *m*; *fig.* Duldner(in *f*) *m*.
marti|rial *adj. c* Märtyrer...; **~rio** *m* Märtyrertod *m*; Martyrium *n* (*a. fig.*); **~rizar** [1f] *v/t.* martern (*a. fig.*); *fig.* quälen; **~rologio** *m* Märtyrerverzeichnis *n*.
marxis|mo *m* Marxismus *m*; ~-*leninismo m* Marxismus-Leninismus *m*; **~ta** *adj.-su. c* marxistisch; *m* Marxist *m*.
marzo *m* März *m*.
mas¹ *m Cat.* Bauernhof *m*, Gehöft *n*.
mas² *lit. cj.* aber, jedoch; sondern.
más I. *adv.* (*komparativisch od. superlativisch, vgl. 5*); **1.** mehr; *sinngemäß*: weiter(hin), ferner, noch; zudem, überdies; besser; länger; lieber; am meisten; am liebsten; am stärksten; **a)** ~ *acá* (weiter) hierher; diesseits (*gen. od.* von *dat.* de); ~ *allá* (weiter) dorthin; jenseits (*gen. od.* von *dat.* de); ~ *bien* eher, vielmehr; ~ *o menos* mehr od. weniger; *poco* ~ *o menos* etwa, ungefähr; *cada vez* ~ *od.* ~ *y* ~ immer mehr; immer stärker *usw.*; *como el que* ~ wie jeder andere (auch); *nadie* ~ sonst niemand; *ni* ~ *ni menos* genauso, freilich, genau F; *Am. no* ~ → *no*; *ya no tenemos* ~ *esperanza* wir haben k-e Hoffnung mehr; *ya no nos veremos* ~ wir werden uns nicht wiedersehen; **b)** *mit adv. u. prp.*: *a* ~ außerdem, darüber hinaus, zusätzlich; *a* (*od. todo*) *lo* ~ bestenfalls, (aller)höchstens; *a* ~ *y mejor* reichlich, tüchtig, gehörig, anständig F; *cuando* ~ höchstens; *cuanto* ~ ..., *tanto* je mehr ..., desto mehr; *cuanto* ~ *rápido, tanto* ~ *económico* je schneller, desto wirtschaftlicher; *de* ~ noch dazu, mehr; zuviel; überflüssig; überzählig; *estar de* ~ überflüssig sein; (*apreciar*) *en* ~ höher (schätzen); *por* ~ *que* + *subj.* wie sehr auch, obwohl, auch wenn + *ind.*; *sin* ~ ohne weiteres; ✝ *sin* ~ *por hoy* ohne mehr für heute (*am Briefschluß*); *sin* ~ *ni* ~ mir nichts, dir nichts; *tanto* ~ *cuanto que* um so mehr als; **c)** *beim Verb*: *él te quiere* ~ er liebt dich mehr; er liebt dich am meisten (→ *5*); *¿qué quiere usted* ~*?* was wollen Sie noch?; **2.** ⅌ plus, *z. B.* *5 + 12 = 17 cinco* ~ *doce igual a diecisiete* fünf plus zwölf gleich siebzehn; ✝ ~ *el embalaje* Verpakkung extra, plus Verpackung; **II.** *b. der Steigerung*: **3.** *comp.* **a)** *Bildung*: ~ + *adj.*, ~ + *adv.*, *z. B.* ~ *barato* billiger; ~ *grande* größer; ~ *lejos* weiter (entfernt); **b)** *Vergleich b. Zahlbegriffen u. Zahlen*: ~ *de* mehr als; über; *no* ~ *que* nicht mehr als, nur; ~ *de cuatro* mehr als vier; *fig.* viele; ~ *de una hora* länger als e-e Stunde; **c)** *Wortvergleich*: *¡(y) ahora* ~ *que nunca!* nun erst recht!; *gastar* ~ *de lo necesario* mehr als nötig ausgeben; *este coche es* ~ *rápido que el tuyo* dieser Wagen ist schneller als deiner; *nadie lo sabe* ~ *que tú* niemand weiß es außer dir; **d)** *Satzvergleich mit Bezug auf ein su., adj., adv.* → *de 8*; **4.** *sup. el* (*la, lo*) ~ *grande* der (die, das) größte; *lo* ~ *pronto posible* so bald wie möglich; *a* ~ *tardar* spätestens; (*ni*) *en lo* ~ *mínimo* nicht im geringsten; *una obra de las* ~ *valiosas editadas en los últimos tiempos* e-e sehr wertvolle neuere Veröffentlichung; *¡qué cosa* ~ *absurda!* so et. Unsinniges!; F *los* ~ *días* die meisten Tage; (*lo*) ~ am meisten; **5.** *Anm.*: *Da Komparativ u. Superlativ formal weitgehend nicht zu unterscheiden sind* (*la ciudad* ~ *importante* die wichtigere, *aber a.* die wichtigste Stadt) *entscheidet der Sinnzusammenhang*; **III.** *m* **6.** ⅌ Plus(zeichen) *n*; **7.** Mehr *n*, Plus *n*; Mehrertrag *m*, Überschuß *m*; *tener sus* ~ *y sus menos* s-e Vorteile u. s-e Nachteile haben.
masa¹ *f* **1.** Masse *f* (*alle Bedeutungen*); *Soz. la* ~ die (breite) Masse; *Met.* ~*s f/pl. de aire* Luftmassen *f/pl.*; ⊕, △, ⚡ ~ *aislante* Isoliermasse *f*; ⚕ ~ *encefálica* Hirnmasse *f*; ⚖ ~ *de la quiebra* Konkursmasse *f*; *en* ~ Massen...; *el pueblo en* ~ das Volk in s-r Masse, das ganze Volk; ✝ *venta f en* ~ Massenverkauf *m*; **2.** Teig *m*; Paste *f*; ~ (*panificable*) Brotteig *m*; *fig. coger con las manos en la* ~ auf frischer Tat ertappen (j-n *a alg.*); **3.** △ Mörtel *m*; **4.** ♪ ~ *coral* Chor(vereinigung *f*) *m*.
masa² *f Ar.* → *masada.*
masacre *gal. m* Massaker *n*.
masada *f* Meierhof *m*, Meierei *f*.
masa|je *m* Massage *f*; *dar* ~ massieren; *darse un* ~ s. massieren lassen; ~ *subacuático* Unterwassermassage *f*; **~jista** *c* Masseur *m*, Masseuse *f*.
masca|da *f* **1.** *Chi.* Bissen *m*, Happen *m*; **2.** *Méj.* Seidentuch *n der Rancheros*; **3.** *Rpl.* Portion *f* Kautabak; **~dura** *f* Kauen *n*; **~r** [1g] *v/t.* **1.** kauen; *fig.* vorkauen (*fig.*); **2.** → *mascullar.*
máscara I. *f* **1.** Maske *f* (*a. Ethn., Typ., Thea.*, ⚕, ⊕ *u. fig.*) (→ *a. careta*); Larve *f*; *p. ext.* Tarnung *f*; *fig.* Deckmantel *m*, Vorwand *m*; ~*s f/pl. a.* Maskerade *f*; (*traje m de*) ~ Maske *f*, Verkleidung *f*; ~ *de gas*, ~ *antigás* Gasmaske *f*; *Sp.* ~ *de pesca submarina* (Atem-)Maske *f* für Unterwasserjäger; *quitarse la* ~ die Maske ablegen (*fig.* fallen lassen); *fig. quitarle a alg. la* ~ j-m die Maske vom Gesicht reißen; **2.** *gal.* Gesichtsmaske *f* (*Kosmetik*); ⚕ Gesichtsverband *m*; **II.** *c* **3.** Maske *f*, Maskierte(r) *m*, Maskierte *f*.
masca|rada *f* Maskerade *f*; Maskentreiben *n*; Mummenschanz *m*; **~rilla** *f* **1.** Halb-, Augen-maske *f*; **2.** *Ku.* Totenmaske *f*; Lebendmaske *f*; **3.** ⊕, ⚕, *Repro.* Maske *f*; ⚕ *a.* Mundtuch *n*; ~ *de oxígeno* Sauerstoffmaske *f*; **~rón** *m* **1.** *augm.* gr. Maske *f*; **2.** △ Maske *f*; ⚓ ~ (*de proa*) Galionsfigur *f*; **3.** *fig.* Fratze *f*; häßlicher Mensch *m*.
mascota *f* Maskottchen *n*, Talisman *m*; *Kfz. a.* Kühlerfigur *f*.
mascujar F *v/t.* schlecht kauen; *fig.* → *mascullar.*
masculi|nidad *f* Männlichkeit *f*; **~nización** *f* Vermännlichung *f*; **~no I.** *adj.* männlich; **II.** *m Gram.* Maskulinum *n*.
mascullar *vt/i.* murmeln, mummeln.
masera *f* (Abdecktuch *n* für den) Backtrog *m*.
masía *f Cat., Arg.* → *mas.*
masifi|cación *f* Vermassung *f*; **~car(se)** [1g] *v/t.* (*v/r.*) vermassen *v/t.* (*v/i.*).
masilla *f* (*bsd.* Glaser-)kitt *m*; **~r** *v/t.* spachteln, verkitten.
masitas *f/pl. And., Rpl.* Teegebäck *n*.
masivo *neol. adj.* massiv, in Massen auftretend, Massen...
maslo *m* Schwanzstummel *m*, Rübe *f der Vierfüßer*; Stengel *m b. Pfl.*
ma|són *m* Freimaurer *m*; **~sonería** *f* Freimaurerei *f*; **~sónico** *adj.* Freimaurer...
masoqui|smo *m* Masochismus *m*; **~ta** *adj.-su. c* masochistisch; *m* Masochist *m*.
mastelero ⚓ *m* Toppmast *m*; Stenge *f*.
mástic *m* **1.** Mastix *m*; **2.** (Spachtel-)Kitt *m*.
mastica|ción *f* Kauen *n*; **~dor** *m* **1.** *Anat.* Kaumuskel *m*; **2.** ⊕ Mastikator *m*; **~r** [1g] *v/t.* kauen.
mástil *m* **1.** Pfahl *m*, Mast *m*; *p. ext.* Fahnen-, Funk-, Schiffs-, Zelt-,

Fernseh-mast *m*; Langbaum *m e-s Wagens*; ⚓ ~-*grúa*, ~ *de carga* Ladebaum *m*; **2.** ⚘ (dicker) Stiel *m*; Stamm *m*; **3.** Griffbrett *n b. Geigen usw.*; **4.** Schaft *m e-r Vogelfeder*; **5.** Schurz *m der Indianer*.

mastín *adj.-su. m* gr. Hirtenhund *m*.

mástique *m* → *mástic*.

mas|titis ⚕ *f* Mastitis *f*; **~todonte** *Zo. m* Mastodon *n*; **~toides** *Anat. adj.-su.*: (*apófisis*) ~ *f* Warzenfortsatz *m des Schläfenbeins*.

mastuerzo *m* **1.** ⚘ (Brunnen-) Kresse *f*; Gartenkresse *f*; **2.** *fig.* Dummkopf *m*.

masturba|ción ⚕ *f* Masturbation *f*; **~rse** *v/r*. masturbieren.

mata[1] *f* Strauch *m*, Busch *m*; Stock *m*, Staude *f*; *Am. a.* Baum *m*; ~*s f/pl.* Buschwerk *n*; *fig.* ~ *de pelo* Haarbüschel *n*.

mata[2] *f* **1.** *Arg., Ec.* → *matadura*; **2.** *Kart.* → *matarrata*.

mata|buey ⚘ *m* Bitterkraut *n*; Hasenöhrchen *n*; **~burro** F *m Col.* starker Schnaps (*od.* Rum) *m*; **~caballo** *Ent. m Chi.* gr. Schabe *f*; **~cán** *m* **1.** *fort.* Pechnase *f*; **2.** ⚘ Brechnuß *f*; **3.** Hundegift *n*; **4.** ⚒ gr. Füllstein *m*; **5.** *Jgdw.* erfahrener Hase *m*, *der es versteht, den Hunden ein Schnippchen zu schlagen*; **~candelas** *m* (*pl. inv.*) Löschhütchen *n für Kerzen*; **~candil** ⚘ *m Art* Rauke *f*; ~*es m/pl.* nickender Milchstern *m*; **~chín** *m* **1.** Raufbold *m*; **2.** † → *matarife*; **~dero** *m* Schlachthaus *n*, -hof *m*; *fig.* Schinderei *f*; F *Am.* Junggesellenwohnung *f*; **~dor I.** *adj.* tödlich; **II.** *m* Totschläger *m*, Mörder *m*; *Kart.* Trumpfkarte *f b. Lomber*; *Stk.* Matador *m*; **~dura** *Equ. f* Druckstelle *f*; **~fuego** *m* Feuerlöscher *m*.

mátalas callando F *m* Leisetreter *m*, Duckmäuser *m*.

mata|lobos ⚘ *m* (*pl. inv.*) gelber Eisenhut *m*; **~lón** *m* Schindmähre *f*, Klepper *m*; **~moros** F *m* (*pl. inv.*) Prahlhans *m*; **~moscas** *m* (*pl. inv.*) Fliegen-klatsche *f*; -fänger *m*.

mata|nza *f* **1.** Töten *n*; Schlachten *n* (*a. fig.*); Gemetzel *n*; ~ *de zánganos* Drohnenschlacht *f der Bienen*; *hacer una* ~ alles niedermetzeln; **2.** Schlachten *n*; Schlachtung *f*; **~pieles** *m* (*pl. inv.*) Nagelhautentferner *m*; **~polvo** *m* Sprühregen *m*.

matar I. *v/t.* **1.** töten; ums Leben bringen, umbringen; *Vieh* schlachten; *Wild* erlegen *bzw.* schießen; ~ *a palos* totprügeln; ~ *a puñaladas* erdolchen, erstechen; ~ *a tiros* erschießen; ~ *de un tiro* mit e-m Schuß töten; **2.** *e-m Pferd od. Arbeitstier* Druckstellen zufügen, wundscheuern (*ac.*); **3.** *fig.* zugrunderichten, vernichten; zerstören, auflösen; *j-m* sehr zusetzen; *j-n* fertigmachen F; *Kart.* **a)** stechen; **b)** zinken; *Durst, Feuer,* ⚒ *Kalk* löschen; *Ecken, Kanten* abrunden *bzw.* abschrägen; *Mal. Farben* dämpfen; *Metalle* matt machen; *Hunger* stillen; *Kälte, Schlaf usw.* überwinden; *Zeit* totschlagen; *Briefmarke* abstempeln, entwerten; *fig. a mata caballo* in aller Hast; übereilt; *estar a* ~ *con alg.* j-m spinnefeind sein; *fig.* ~*las callando* ein Schleicher (*od.* ein Heimtücker) sein; *un calor que mata* e-e furchtbare Hitze; *¡que me maten si lo hago!* das tue ich unter k-n Umständen; *¡que me maten (si no lo hace)!* ich wette mit m-m Kopf dafür (, daß er's tut); **II.** *v/r.* ~*se* **4.** s. umbringen; ums Leben kommen; *se mató en un accidente* er kam bei e-m Unfall um(s Leben); **5.** *fig.* ~*se por* s. umbringen für (*ac.*); alles tun, um zu + *inf.*; *se mata a leer* er liest s. zu Tode (*fig.*); ~*se* (*trabajando*) s. abschuften F, s. abrakkern.

mata|rife *m* Schlächter *m*; **~rrata** *Kart. f Art* Truquespiel *n*; **~rratas** *m* (*pl. inv.*) Rattengift *n*; *fig.* F starker Schnaps *m*; **~sanos** F *m* (*pl. inv.*) *iron.* Arzt *m*, Quacksalber *m* F; **~sellar** *vt/i.* (Briefmarken) abstempeln; **~sellos** *m* (*pl. inv.*) Briefstempel *m*; **~siete** F *m* Raufbold *m*; Prahlhans *m*; **~suegras** *m* (*pl. inv.*) *Scherzartikel* (*Papierspirale, die durch Anblasen hinausschnellt*). [*n.*]

matate *m Am. Cent.* Netz(tasche *f*)

matavivos F *m* → *matasanos*.

mate[1] *adj. c* glanzlos, matt; mattiert.

mate[2] *m* Matt *n* (*Schachspiel*); *dar jaque y* ~ schachmatt setzen.

mate[3] *m* **1.** ⚘ Matestrauch *m*; **2.** Mate *m* (*Tee*); **3.** *Am. Mer.* Kürbisschale *f*; Mategefäß *n*; *fig.* F Kopf *m*, Schädel *m* F.

matemáti|cas *f/pl.* Mathematik *f*; ~ *puras* reine Mathematik *f*; **~co I.** *adj.* mathematisch; **II.** *m* Mathematiker *m*.

materia *f* **1.** Materie *f*, Stoff *m*; **2.** Stoff *m*, Substanz *f*; Werkstoff *m*; Material *n*; *a.* ✝ Gut *n*; Mittel *n*; ~ *fulminante* Zünd-stoff *m*, -mittel *n*; ~ *plástica* Kunststoff *m*; ~ *prima, primera* ~ Rohstoff *m*; **3.** ⚕ Eiter *m*; **4.** *fig.* Stoff *m*; Thema *n*; (Fach-, Sach-)Gebiet *n*; *en* ~ *de* auf dem Gebiet (*gen.*); *entrar en* ~ zur Sache kommen; **~l I.** *adj. c* **1.** materiell (*a. Phil.*); der Materie verhaftet; *veraltend fig.* F *es* ~ es ist unwichtig; **2.** stofflich; sachlich; Sach...; *daño m* ~ Sachschaden *m*; *sentido m* ~ eigentlicher (*od.* konkreter) Sinn *m*; **II.** *m* **3.** Material *n*; (Bau-, Werk-)Stoff *m*; Gut *n*; Betriebsmaterial *n*; Gerät *n*; ~ *bélico* Kriegsmaterial *n*; ~*es m/pl. de construcción* Bau-stoffe *m/pl.*, -material *n*; 🚂 ~ *móvil* (*od. rodante*) rollendes Material *n*; ~ *sintético* Kunststoff *m*.

materia|lidad *f* Stofflichkeit *f*; **~lismo** *m* Materialismus *m*; **~lista** *adj.-su. c* materialistisch; *m* Materialist *m*; **~lización** *f* Materialisierung *f*; Verwirklichung *f*; **~lizar** [1f] *v/t.* materialisieren; in Materie verwandeln; verwirklichen; **~lmente** *adv.*: *ser* ~ *imposible* ganz u. gar unmöglich sein.

mater|nal *adj. c* mütterlich, Mutter...; *amor m* ~ Mutterliebe *f*; **~nidad** *f* **1.** Mutterschaft *f*; *protección f a la* ~ Mutterschutz *m*; **2.** (*casa f de*) ~ Entbindungsanstalt *f*; Wöchnerinnenheim *n*; **~no** *adj.* **1.** mütterlich; Mutter...; *seno m* ~ Mutterbrust *f*; **2.** mütterlicherseits; **~nología** *f* Mutterschaftskunde *f*; *consultorio m de* ~ Mütterberatung(sstelle) *f*.

matero *adj.-su. Am.* Matetrinker *m*.

matidez *f* **1.** *Opt.* Undurchsichtigkeit *f*; Glanzlosigkeit *f*; **2.** ⚕ Dämpfung *f*.

mati|nal *adj. c* morgendlich; Morgen...; **~né(e)** *frz. Thea. m* (*f*) Nachmittagsvorstellung *f*; *Kino*: Matinee *f*.

mati|z *m* (*pl.* ~*ices*) Färbung *f*; Schattierung *f*; Farbton *m*; *fig.* Nuance *f*; **~zar** [1f] *v/t.* schattieren; abtönen; *fig.* nuancieren.

matojo ⚘ *m* **1.** *ein Gänsefußgewächs*; *desp.* Gestrüpp *n*; **2.** *Cu. Art* Batate *f*.

ma|tón *m* Raufbold *m*; Schläger *m* F; **~tonismo** *m* brutale Händelsucht *f*, Rowdytum *n*.

mato|rral *m* Gestrüpp *n*, Dickicht *n*; **~so** *adj.* mit Gebüsch bestanden.

matra|calada *f* wimmelnde (*bzw.* tosende) Menge *f*; **~ca** *f* Knarre *f*; Klapper *f* (*kath. a. Glockenersatz*); *fig.* Stichelei *f*; *dar* ~ sticheln, ärgern; **~quear** F *v/i.* rasseln, klappern; *fig.* belästigen, ärgern, quälen.

matraz *m* (*pl.* ~*aces*) (Glas-)Kolben *m*; Phiole *f*; ⚗ ~ *aforado* Meßkolben *m*.

matrero *adj.* **1.** schlau, gerissen; **2.** mißtrauisch; **3.** *Arg.* vor dem Gesetz *in die Wälder* flüchtend; Räuber...

matri|arcado *m* Mutterrecht *n*; **~arcal** *adj. c* mutterrechtlich; **~caria** ⚘ *f* Mutterkraut *n*; **~cida** *c* Muttermörder(in *f*) *m*; **~cidio** *m* Muttermord *m*.

ma|trícula *f* **1.** Matrikel *f*; Register *n*; **2.** *Verw.* Steuerrolle *f*; Krankenliste *f* (*in Krankenhäusern*); ⚓ Seerolle *f*; ⚔ Stammrolle *f*; *Kfz.* polizeiliches Kennzeichen *n*; **3.** *Sch.* Einschreibung *f*; Immatrikulation *f*; *p. ext.* Studentenzahl *f*; ~ *de honor* summa cum laude (*beste Examensnote*); **~triculación** *Kfz. f* Anmeldung *f*; **~tricular I.** *v/t.* in Register (*bzw.* Stammrolle) einschreiben; *Univ.* immatrikulieren; **II.** *v/r.* ~*se* s. einschreiben (*bzw.* immatrikulieren) lassen.

matrimo|nial *adj. c* ehelich, Ehe...; **~nio** *m* **1.** Heirat *f*; Ehe *f*; ~ *de conciencia* Gewissensehe *f*; ~ *por conveniencia* (*od. por interés*) Vernunftehe *f*; *contraer* ~ die Ehe schließen; **2.** Ehepaar *n*; *cama f de* ~ Ehebett *n*; **3.** *fig.* F Doppelbettcouch *f*.

matritense *lit. adj. c* aus Madrid.

matri|z I. *adj. f* **1.**: *casa f* ~ Stamm-, Mutter-haus *n*; **II.** *f* **2.** *Anat.* **a)** Gebärmutter *f*; **b)** (Nagel-)Bett *n*; **3.** *Typ.* Matrize *f*; **4.** ⊕ Gesenk *n*; Matrize *f*; **~zar** [1f] ⊕ *v/t.* (im Gesenk) schlagen, pressen.

matrona *f* Matrone *f*; † *u.* F Hebamme *f*.

maturran|ga 1. *mst.* ~*s f/pl.* Tricks *m/pl.*, Schwindel *m*; **2.** □ Hure *f*; **~go** *adj.* **1.** *Arg.* schlecht reitend; **2.** *Chi.* schwerfällig; **3.** *Pe.* schlecht (*Pferd*).

matute †, ⚒ *m* **1.** Schmuggel *m*; *pasar de* ~ einschmuggeln; **2.**

Schmuggelware *f*; **3.** Spielhölle *f*; **~ar** † *v/i.* schmuggeln; **~ro** † *m* Schmuggler *m*.

matutino *adj.* Morgen...; Vormittags...; früh.

mau|la *f* **1.** Trödel *m*, Schund *m*; *~s f/pl. a.* ✝ Ladenhüter *m/pl.*; **2.** Schlich *m*, Kniff *m*; **3.** *fig.* F fauler Kunde *m* F; **~lar** F → *paular*; **~lear** *v/i. Chi.* mogeln; **~lería** † *f* Trödelbude *f* (*bsd. Stoffresteverkauf*); **~lero** *m* Trödler *m*; **~lón** *augm.* F *m* gerissener Kerl *m* F.

mau|llar [1c] *v/i.* miauen; **~llido** (*a. maúllo*) *m* Miauen *n*; *dar ~s* miauen.

mauri|cia ♀ *f* Mauritiuspalme *f*; **~tano** *adj.-su.* mauretanisch; *m* Mauretan(i)er *m*.

máuser *m* Mausergewehr *n*.

mausoleo *m* Mausoleum *n*.

maxilar *Anat.* **I.** *adj. c* Kiefer...; **II.** *m* Kinnbacken *m*; *~ inferior* Unterkiefer *m*.

máxi|ma *f* **1.** Grundsatz *m*; Maxime *f*; **2.** Höchsttemperatur *f*; **~me** *adv.* hauptsächlich; vor allem, besonders; **~mo I.** *adj.* sehr groß; größte(r, -s); maximal; Maximal..., Höchst...; ⊕ *rendimiento m ~* Höchstleistung *f*; **II.** *m bsd.* ⩘, ⊕ Maximum *n*; Höchst- *bzw.* Scheitel-wert *m*; *como ~* höchstens; **~mum** *m* Maximum *n*; *das* Äußerste, *das* Höchste.

maya[1] *f* **1.** ♀ Maßliebchen *n*; **2.** *Folk.* Maikönigin *f*.

maya[2] *adj.-su. c* Maya...; *m* Maya *m*; *Li.* Maya *n*.

mayal *m* **1.** Göpelwelle *f in Mühlen*; **2.** Dreschflegel *m*.

mayar *v/i.* miauen.

mayear *v/impers.* Maiwetter sein, maien (*lit.*).

mayestático *adj.* majestätisch.

mayo *m* **1.** Mai *m*; **2.** *Folk.* **a)** Maibaum *m*; **b)** Maistrauß *m*; **c)** ♪ Maiständchen *n*.

ma|yólica *f* Majolika *f*, Fayence *f*; **~yonesa** *Kchk. f* Mayonnaise *f*.

mayor I. *adj. c* **1.** *comp.* größer; bedeutender; gewichtiger; älter; *dos años ~* zwei Jahre älter; *~ que a.* ⩘ größer als; **2.** *sup.* bedeutendste(r, -s); *el ~* der größte; der älteste; *la ~ parte* das meiste; die meisten; **3.** Ober...; Haupt...; Hoch...; Erz...; erwachsen (*Person*); *cocinero m ~* Oberkoch *m*; *iglesia f ~* Hauptkirche *f*; ♪ *tono* (*od. modo*) *m ~* Dur-Tonart *f*; *~ de edad* großjährig; ✝ *al por ~* im großen; *fig. alzarse* (*od. subirse*) *a ~es* überheblich werden; ausfällig werden; **II.** *m* **4.** Vorsteher *m*; Chef *m*; ⚔ Major *m*; **5.** *lit. ~es m/pl.* Vorfahren *m/pl.*; **III.** *f* **6.** *Phil.* Obersatz *m*.

mayoral *m* Oberhirt *m*; Oberknecht *m*; ⚒ Vorarbeiter *m*.

mayoraz|ga *f* Majoratserbin *f*; **~go** *m* **1.** Majorat *n*; **2.** Majoratsherr *m*.

mayordo|ma *f* Verwalterin *f*; Wirtschafterin *f*; **~mía** *f* Gutsverwaltung *f*; **~mo** *m* Haushofmeister *m*; Verwalter *m*; Gutsverwalter *m*; ⚓ Obersteward *m*; *~ mayor* Hofmarschall *m*.

mayo|ría *f* **1.** Mehrheit *f*; Majorität *f*; *la ~ de* die meisten (von *dat.*); *~ de votos* Stimmenmehrheit *f*; *en la ~ de los casos* meistens; **2.** *~* (*de edad*) → **~ridad** *f* Großjährigkeit *f*.

mayor|ista *m* Großhändler *m*; **~mente** *adv.* hauptsächlich; besonders; eigentlich, zumal.

mayoritario *neol. adj.* Mehrheits...; majoritär.

mayúscu|la *Typ. f* Großbuchstabe *m*; **~lo** *adj.* riesig, enorm.

maza *f* **1.** Keule *f*; *Sp. ~ de polo* Poloschläger *m*; **2.** Zeremonienstab *m*; **3.** Klotz *m* (*a. fig.*); Block *m*; **4.** ⊕ Stößel *m*.

mazaco|te *m* **1.** Kalkmörtel *m*, Beton *m*; **2.** *fig.* **a)** trockene u. zähe Speise *f*; **b)** Klotz *m* (*fig.*); **c)** *Am.* Mischmasch *m*; **~tudo** *adj. Am.* plump.

maza|da *f* Keulenschlag *m*; **~morra** *f* **1.** ⚓ Zwiebackbrei *m*; *Am.* Maisbrei *m*; **2.** Zwiebackbrocken *m*(*/pl.*); *fig.* Brocken *m*(*/pl.*); **3.** Beingeschwulst *f b. Pferden*; **~morrero** *m* **1.** *Ven.* Maisbreiverkäufer *m*; **2.** F *Pe. Spitzname der Einwohner Limas*.

mazapán *m* Marzipan *n*.

mazar [1f] *vt/i. die Milch* (*im Schlauch*) buttern.

mazdeísmo *Rel. m* Mazdaismus *m*.

mazmorra *f* unterirdischer Kerker *m*, Verlies *n*.

mazo *m* **1.** *a.* ⊕ **a)** Schlägel *m*; Stampfer *m*, Klopfer *m*; *Kchk. ~ para carne* Fleischklopfer *m*; **b)** *~* (*de madera*) Holzhammer *m*; *Typ.* Klopfholz *n*; **c)** Rammklotz *m*; *Spr. a Dios rogando, y con el ~ dando* hilf dir selbst, so hilft dir Gott; **2.** Bündel *n*; (Blumen-)Strauß *m*; **3.** *fig.* Klotz *m* (*Person*).

mazo|nado ▨ *adj.* gemauert; **~nería** ⚠ *f* **1.** Mauerwerk *n*; **2.** Relief *n*.

mazor|ca *f* **1.** Maiskolben *m*; Kakaoschote *f*; **2.** *hist. Arg. la* ♀ *wurde vom Volk die Sociedad Popular Restauradora unter Rosas genannt*; **3.** *Chi. im 19. Jh. volkstümlich für* Diktatur *f u. deren* Untaten *f/pl.*; **~quero** *hist. m* Angehörige(r) *m* der *mazorca*.

mazorral *adj. c* plump; grob, mürrisch.

mazurca ♪ *f* Mazurka *f*.

mazut *m* Heizöl *n*.

me *pron.* mir; mich.

mea|da P *f* Pissen *n* P; Piß *m* P; Urin-flecken *m/pl.*; -lache *f*; *echar una ~* pinkeln gehen P; **~dero** P *m* Pissoir *n*; **~dos** P *m/pl.* Urin *m*, Pisse *f* P.

meandro *m Geogr.* Krümmung *f* (*Weg, Fluß*); *a. Ku.* Mäander *m*.

me|aperros ♀ *m* (*pl. inv.*) Bocksmelde *f*; **~ar** P **I.** *v/i.* pinkeln P, pissen P; **II.** *v/r. ~se* in die Hose pinkeln P; *fig.* s. totlachen.

meato *Anat. m* Gang *m*.

Meca[1] *f*: *fig. la ~ del cine* = Hollywood.

meca[2] F *f* Tippse *f* F.

¡mecachis! F *int.* Himmeldonnerwetter!; verflixt; na sowas! F.

mecánica *f* Mechanik *f*; Maschinenbautechnik *f*; *Phys. ~ cuántica* Quantenmechanik *f*; ⊕ *~ de precisión* Feinmechanik *f*.

mecanicismo *Phil. m* mechanistische Welt-erklärung *f bzw.* -anschauung *f*.

mecánico I. *adj.* mechanisch; maschinell; **II.** *m* Mechaniker *m*; *~ de automóviles* Autoschlosser *m*; *~ dentista* Zahntechniker *m*.

mecani|smo *m* Mechanismus *m*; Vorrichtung *f*; Gerät *n*; *Typ. ~ impresor* Druckwerk *n*; **~zación** *f* Mechanisierung *f*; ⚒ *~ agrícola* Mechanisierung *f* der Landwirtschaft; **~zar** [1f] *v/t.* mechanisieren; mechanisch bearbeiten; **~no** *m* Baukasten *m*.

meca|nógrafa *f* Stenotypistin *f*; **~nografía** *f* Maschineschreiben *n*; **~nografiar** [1c] *vt/i.* mit der Maschine schreiben; **~nógrafo** *m* Stenotypist *m*.

mece|dor *m* Schaukel *f*; **~dora** *f* Schaukelstuhl *m*; **~dura** *f* Schaukeln *n*.

mece|nas *m* Mäzen *m*; **~nazgo** *m* Mäzenatentum *n*.

mecer [2b] **I.** *v/t.* wiegen; schaukeln; **II.** *v/r. ~se* (s.) schaukeln.

meconio *m* **1.** Mohn(kopf)saft *m*; **2.** ⚕ Kindspech *n*.

mecual *m Méj.* Agavenwurzel *f*.

meci|da F *f*, **~miento** *m* Wiegen *n*; Schaukeln *n*.

mecha *f* **1.** Docht *m*; **2.** Lunte *f*; Zündschnur *f*; *adv. a toda ~* eiligst; *fig. aguantar ~* es geduldig auf s. nehmen, e-n breiten Rücken haben (*fig.*); **3.** *Kchk.* Speck *m* zum Spicken; **4.** Haarsträhne *f*; **5.** *Bol., Ec., Ven.* Hohn *m*, Spott *m*; **~do** *Kchk. m* **a)** Spicken *n*; **b)** Spickbraten *m*; **~dor** *m* Spicknadel *f für Braten*; **~r** *v/t.* spicken; **~zo** ⚒ *m* Verpuffen *n*.

me|chera *f* **1.** (*aguja f*) *~* Spicknadel *f*; **2.** *tex.* Vorspinnmaschine *f*, Flyer *m*; **3.** F Ladendiebin *f*; **~chero** *m* **1.** Brenner *m* (*Gas usw.*); *~* (*de*) *Bunsen* Bunsenbrenner *m*; **2.** Lampentülle *f*; **3.** (Sturm-)Feuerzeug *n*; **~chón** *m* Haarbüschel *n*; **~choso** *adj.* **1.** voller Büschel; **2.** *Col.* zerlumpt.

meda|lla *f* Medaille *f*; *~ militar* Orden *m*; **~llista** *c* Stempelschneider *m*; **~llón** *m a. Kchk.* Medaillon *n*; Kapsel *f*.

medanal *m Chi., Méj., Ur.* sumpfiges Gelände *n*.

méda|no, ~ño *m* **1.** Düne *f*; *Am.* Wanderdüne *f*; **2.** Sandbank *f*.

medanoso *adj.* voller Dünen.

media *f* **1.** Strumpf *m*; *~ corta* (*od. de deportes*) Kniestrumpf *m*; *~ de seda* (*de nylon*) Seiden- (Nylon-)strumpf *m*; **2.** Durchschnitt *m*, Mittel *n*; *~ anual* Jahresmittel *n*; *~ aritmética* arithmetisches Mittel *n*; **3.** *Sp.* Durchschnittsgeschwindigkeit *f*; *Fußball*: Läuferreihe *f*; **4.** halbe Stunde *f*.

media|caña ⚠, *Zim. f* Hohlkehle *f*; **~ción** *f* **1.** Vermittlung *f*; *por ~ de* durch Vermittlung (*gen.*), über (*ac.*); **2.** Schlichtung *f*; **~do** *adj.* halb(voll); *a ~s de junio* Mitte Juni; **~dor I.** *adj.* vermittelnd; **II.** *m* Vermittler *m*; Mittelsmann *m*; **~gua** *f Chi., Rpl.* Pultdach(haus) *n*; **~luna** *f* → *media luna*; **~l** *Li. adj. c* im Wortinnern (*Konsonant*); **~na** *f* **1.** ⩘ Seitenhalbierende *f*; **2.** *Fleischer*: Kotelett- *bzw.* Roastbeefstück *n*; **3.** Deichselriemen *m*; **~ne-**

ría ⚠ *f* Trennmauer *f*; *bsd.* Brandmauer *f*; **~nero I.** *adj.* **1.** dazwischenliegend, Zwischen...; **II.** *m* **2.** Vermittler *m*; **3.** Eigentümer *m* der Hälfte *e-s Doppelhauses*; *Am.* Halbpächter *m*; **~nía** *f* Mittelmaß *n*; Mittelmäßigkeit *f*; **~no** *adj.* von mittlerer Größe; *fig.* mittelmäßig; **~noche** *f* Mitternacht *f*.

mediante I. *adj. c*: *Dios ~* so Gott will; **II.** *prp.* mittels (*gen.*); **III.** *f* ♪ Mediante *f*.

mediar [1b] *v/i.* **1.** in der Mitte liegen; **2.** s. ins Mittel legen, vermitteln; **3.** halb verflossen sein (*Zeit*); inzwischen geschehen.

mediatiza|ción *f* Mediatisierung *f*; **~r** [1f] *v/t. Pol.* mediatisieren; *fig.* entscheidend beeinflussen.

media|to *adj.* mittelbar; angrenzend (an *ac. a*); **~triz** Å *f* Mittelsenkrechte *f*.

medica|ción ⚕ *f* Arzneiverordnung *f*; **~mentar** ⚕ *v/t.* mit Medikamenten versorgen; **~mento** *m* Arznei *f*, Medikament *n*; **~mentoso** *adj.* heilkräftig; medikamentös; **~r** [1g] *v/t.* → *medicinar*; **~stro** *m* Quacksalber *m*.

medici|na *f* Medizin *f*; Arznei *f*; *~ legal, ~ forense (general)* Gerichts- (Allgemein-)medizin *f*; *~ interna* innere Medizin *f*; **~nal** *adj. c* Medizin...; Heil...; **~nar** *v/t. e-m Kranken* Arznei verabreichen.

medición *f* (Ab-, Ver-)Messung *f*; *~ errónea* Fehlmessung *f*.

médico I. *adj.* ärztlich; Heil...; *examen m ~ legal* gerichtsärztliche Untersuchung *f*; **II.** *m* Arzt *m*; *~ de accidentes (de cabecera)* Unfall- (Haus-)arzt *m*; *~ forense (militar)* Gerichts- (Militär-)arzt *m*; *~ de medicina general* praktischer Arzt *m*; (*inspector m*) *~ escolar* Schularzt *m*; **~-director** *m* Kurarzt *m*.

medi|da *f* **1.** Maß *n*; *~ de longitud* Längenmaß *n*; *a ~ de* gemäß (*dat.*); *a ~ que* je nachdem; in dem Maße wie; *Phys. ~ absoluta* absolutes Maßsystem *n*; *fig. con ~* gemessen, maßvoll; *tomar la ~* Maß nehmen; **2.** Maßregel *f*, Maßnahme *f*; *tomar ~s* Maßnahmen ergreifen (*od.* treffen); **~dor** *m* Meßgerät *n*; Messer *m*; *Kfz. ~ de gasolina* Benzinuhr *f*.

mediero *m* **1.** Strumpf-macher *m*; -verkäufer *m*; **2.** *Reg.* → *aparcero*.

medie|val *adj. c* mittelalterlich; **~validad** *f* Mittelalterlichkeit *f*; **~valismo** 🕮 *m* Mediävistik *f*; **~valista** *m* Mediävist *m*; **~vo** *m* Mittelalter *n*.

medio I. *adj.* **1.** halb; Mittel...; durchschnittlich; mittelmäßig; *a las dos y ~a* um halb drei (Uhr); *dos horas y ~a* zweieinhalb Stunden; *litro y ~* anderthalb Liter; *Mal. u. fig. ~s tintas f/pl.* Halbtöne *m/pl.*; **II.** *adv.* **2.** halb; *~ dormido* im Halbschlaf; *a ~as* zur Hälfte; halb u. halb; *fig.* nur halb, oberflächlich; *a ~ cocer* halbgar; *a ~ hacer* halbfertig; *de ~ a ~* vollständig, von A bis Z; *en ~ de* inmitten (*gen.*); mitten unter (*dat. bzw. ac.*); mitten in *od.* auf (*dat. bzw. ac.*); zwischen (*dat. bzw. ac.*); *fig. en ~ de todo* trotz alledem; *ir a ~as* halbpart machen; *ponerse de por ~* s. ins Mittel legen; *Am. día por ~* e-n Tag um den andern; **III.** *m* **3.** Mitte *f*; *Stk. salir a los ~s (den Stier)* in der Mitte der Arena angreifen; **4.** (Hilfs-)Mittel *n*; *~s m/pl.* (Geld-) Mittel *n/pl.*; Vermögensverhältnisse *n/pl.*; *por ~ de* mittels (*gen.*); *falta f de ~s* Mittellosigkeit *f*; *~s m/pl. de comunicación* Verkehrsmittel *n/pl.*; *~s de comunicación (de masas)* Massenmedien *n/pl.*; *~s m/pl. de pago (de producción)* Zahlungs- (Produktions-)mittel *n/pl.*; *~s m/pl. de vida* Lebensunterhalt *m*; **5.** ⚖, *Phys.*, *Opt.* Medium *n*; *Biol.*, *Soz.* Umwelt *f*, Milieu *n*; *~ ambiente, ~ circundante* Umwelt *f*; **6.** (Durch-)Schnitt *m*, Mittel *n* (*a.* Å); **7.** *Fußball*: Läufer *m*; *~ centro* Mittelläufer *m*.

medio|cre *adj. c* mittelmäßig; **~cridad** *f* Mittelmäßigkeit *f*.

medio|día *m* **1.** Mittag *m*; *a ~* mittags; um zwölf Uhr; *hacer ~* Mittagsrast halten; **2.** Süden *m*; *de(l) ~* Süd...; **~evo** *m* → *medievo*; **~paño** *m* Halbtuch *n*; **~pelo** *adj.-su.* Mulatte *m*.

medir [3l] **I.** *v/t.* (ab-, aus-, ver-) messen; *fig.* bemessen; abwägen, (mit Vorsicht) wählen; **II.** *v/r.* **~se** *fig.* s. mäßigen; vorsichtig sein (mit *dat. en*).

medita|bundo *adj.* nachdenklich; **~ción** *f* Nachsinnen *n*; Betrachtung *f*; Meditation *f*; **~dor** *adj.* betrachtend; meditierend; **~r** *vt/i.* nachdenken über (*ac.*, *v/t. od. sobre*); überlegen; meditieren; **~tivo** *adj.* besinnlich.

mediterráneo *adj.-su.* mittelländisch; Mittelmeer...; *fig. descubrir el* ♀ längst Bekanntes entdecken (*od.* erfinden).

médium *m* Medium *n* (*Spiritismus*).

medo *adj.-su.* medisch; *m* Meder *m*.

me|dra *f* Wachsen *n*, Gedeihen *n*; **~drar** *v/i.* wachsen; gedeihen; s. herausmachen F (*Kranker, Kind*); *fig.* vorwärtskommen; **~dro** *m* **1.** → *medra*; **2.** *~s m/pl.* Fortschritte *m/pl.*

medroso *lit.* **1.** furchtsam; *fig.* zag; **2.** fürchterlich, furchterregend.

médula *od.* **medula** *f* Mark *n*; *fig.* Kern *m*; *Anat. ~ espinal (ósea)* Rücken- (Knochen-)mark *n*; *~ oblongada* verlängertes Mark *n*.

medular *adj. c* Rückenmark(s)...

Medusa *f* **1.** *Myth.* Meduse *f*; *cabeza f de ~* Medusenhaupt *n*; **2.** *Zo.* ♀ Meduse *f*; Schirmqualle *f*.

mefistofélico *adj.* mephistophelisch, teuflisch.

mefítico *adj.* mephitisch; Pest...; Gift...; *aire m ~* Stickluft *f*.

megaciclo *HF m* Megahertz *n*.

megáfono *m* Sprachrohr *n*, Megaphon *n*.

mega|lítico *adj.* Megalith...; **~lito** *prehist. m* Megalith *m*; **~lomanía** *f* Größenwahn *m*; **~lómano** *adj.-su.* größenwahnsinnig; *m* Größenwahnsinnige(r) *m*; **~terio** *m* Megatherium *n*; **~tón** *Atom. m* Megatonne *f*.

mehala *f Marr.* reguläres Armeekorps *n*, *arab.* Mahalla *f*.

meiosis *f* **1.** *Biol.* Meiose *f*; **2.** *Rhet.* Meiosis *f*.

mejica|nismo *m a. Li.* Mexikanismus *m*; **~no** *adj.-su.* mexikanisch; *m* Mexikaner *m*.

meji|lla *f* Wange *f*; Backe *f*; **~llón** *Zo. m* Miesmuschel *f*.

mejor I. *adj.* **1.** *comp. ~ que* besser als; *es ~ hacerlo (od. que lo haga)* besser tun Sie's; *fig. pasar a ~ vida* in ein besseres Leben hinübergehen (*fig.*); **2.** *sup. el ~ de todos* der Beste von allen; *lo ~* das Beste; *lo ~ es que le escribas* am besten schreibst du ihm; **II.** *adv.* **3.** *a cual ~* um die Wette; *de ~ en ~, cada vez ~* immer besser; *¡~ que ~!* um so besser!; großartig!; (*tanto*) *~* um so besser; *lo ~ posible* am besten; *a lo ~* womöglich, unter Umständen; vielleicht; *~ dicho, por ~ decir* besser gesagt; *estar ~* s. besser fühlen (*Kranker*); *como ~ pudo* so gut er vermochte; *~ quiero marcharme que ...* lieber will ich gehen, als ...

mejora *f* **1.** Verbesserung *f*; **2.** ⊕ Vergütung *f* (*Stahl*); ↗ Melioration *f*; **3.** Aufbesserung *f*; ⚖ Zuwendung *f*; höheres Gebot *n* (*b. Versteigerung*); **~ble** *adj. c* (ver)besserungsfähig; **~miento** *m* Verbesserung *f*; Verbessern *n*.

mejorana ♀ *f* Majoran *m*.

mejo|rar I. *v/t.* bessern; verbessern; **II.** *v/i.* s. bessern; ⚕ *¡que mejore pronto! od. ¡que se mejore!* gute Besserung!; F *adv. mejorandillo* allmählich et. besser; **~ría** *f* **1.** ⚕ Besserung *f*; **2.** ⚔ **a)** Überlegenheit *f*; **b)** → *mejora, medra*.

mejunje *m* **1.** *desp.* Gebräu *n*; **2.** *fig.* F → *chanchullo*.

mela|da *f* **1.** Honigschnitte *f* (*Brot*); **2.** getrocknete Marmeladebrocken *m/pl.*; **~do I.** *adj.* honigfarben; **II.** *m* eingedickter Zuckerrohrsaft *m*; *Art* Honigküchlein *n*.

melampo *Thea. m* Lampe *f* des Inspizienten.

melan|colía *f* Schwermut *f*, Melancholie *f*; **~cólico** *adj.* schwermütig, melancholisch; **~colizar** [1f] *v/t.* schwermütig machen; *fig.* e-e düstere Färbung geben (*dat.*) (*fig.*).

mela|nesio *adj.-su.* melanesisch; *m* Melanesier *m*; **~nita** *Min. f* Melanit *m*; **~nuria** ⚕ *f* Melanurie *f*.

melaza *f* Melasse *f*; *~ de remolachas* Zuckerrübensirup *m*.

melena[1] ⚕ *f* Melaena *f*; Schwarzruhr *f*.

mele|na[2] *f* Mähne *f*; Haarschopf *m*; **~nudo I.** *adj.* langhaarig; **II.** *m neol.* Gammler *m*.

me|lera ♀ *f* Ochsenzunge *f*; **~lero** *m* **1.** Honigverkäufer *m*; **2.** Honigtopf *m*; **3.** Honigschlecker *m*; **~lífero** *adj.* **1.** Honig enthaltend; **2.** Honig erzeugend (*Biene*); **~lificación** *f* Honigbereitung *f*; **~lifluidad** *fig. f* Süßigkeit *f*, Lieblichkeit *f*; **~lifluo** *adj.* honigsüß.

melin|dre *m* Honigpfannkuchen *m*; Marzipanbaiser *n*; *fig.* Ziererei *f*, Zimperlichkeit *f*; *andar con ~s* → **~drear** *v/i.* s. zieren; **~droso** *adj.* zimperlich; geziert.

meli|sa ♀ *f* Melisse *f*; **~to** *pharm. m* Honigsirup *m*.

meloco|tón *m* Pfirsich *m*; *~ en almíbar* Pfirsichkompott *n*; **~tonar** *m* Pfirsichpflanzung *f*; **~tonero** *m* Pfirsichbaum *m*.

melodía *f* Melodie *f*; Weise *f*.
melódico *adj.* melodisch; Melodie...
melo|dioso *adj.* melodiös; wohlklingend; **~drama** *m a. fig.* Melodram(a) *n*; **~dramático** *adj. fig.* melodramatisch.
melojo ⚘ *m Art* Frühеiche *f*.
melolonta *Ent. m* Maikäfer *m*.
melómano *m* gr. Musikliebhaber *m*.
me|lón *m* **1.** ⚘ (Zucker-)Melone *f*; *fig.* F **a)** Kopf *m*, Birne *f* F; **b)** Dumm-, Schafs-kopf *m*; **2.** *Zo.* Bilch *m*; **~lonada** *f fig.* Dummheit *f*; Tölpelei *f*; **~lonar** *m* Melonenpflanzung *f*; **~lonero** *m* Melonenverkäufer *m*.
melo|pea *f* **1.** F → *borrachera*; **2.** → **~peya** *f* Melopöie *f*.
me|losidad *f* Honigsüße *f*; Lieblichkeit *f*, Süße *f*; **~loso** *adj.* honigsüß; lieblich; schmalzig F; **~luza** *f klebriger* Zuckerrohrsaft *m*.
melva *Fi. f* Schattenfisch *m*.
mella *f* Scharte *f*; Zahnlücke *f*; *fig.* Schaden *m*; *fig. hacer ~ a alg.* auf j-n Eindruck machen; **~do** *adj.* zahnlückig; schartig; **~r** *v/t.* schartig machen; *fig. Ansehen usw.* mindern.
mellizo *adj.-su.* Zwillings...; *m* Zwilling *m*.
membrana *f* Membran *f* (*a. HF*); Häutchen *n*.
membrete *m* **1.** Briefkopf *m*; *papel m de ~* Kopfbogen *m*; **2.** Aufzeichnung *f*; Notiz *f*.
membri|llero ⚘ *m* Quittenbaum *m*; **~llo** ⚘ *m* **1.** Quittenbaum *m*; **2.** Quitte *f*; *carne f de ~* Quittengelee *n*.
membrudo *adj.* stark, stämmig.
memeches *Guat.*: *a ~* rittlings.
memento *m* **1.** *Rel.* Memento *n*; **2.** Merkbuch *n*; **3.** Bildungsbuch *n*.
me|mez *f* Dummheit *f*; **~mo** *adj.* dumm; albern.
memo|rable *adj. c* denkwürdig; **~rándum** *m* Memorandum *n*; **~rar** *lit. v/t.* s. erinnern an (*ac.*); **~ria** *f* **1.** Gedächtnis *n*; Erinnerungsvermögen *n*; *falta f de ~* Gedächtnislücke *f*; schlechtes Gedächtnis *n*; *flaco de ~* vergeßlich; *de ~* aus dem Gedächtnis; auswendig; im Kopf (*rechnen*); *hacer ~* nachdenken; s. erinnern (an *ac.* de); s. besinnen (auf *ac.* de); *se le ha ido de la ~* es ist s-m Gedächtnis entfallen; *perder la ~* **a)** das Gedächtnis verlieren; **b)** vergessen (*et. ac.* de); *traer a la ~* in Erinnerung bringen; **2.** Erinnerung *f*; Andenken *n*; **~s** *f/pl.* Memoiren *pl.*; † Empfehlungen *f/pl.*; **3.** Denkschrift *f*; (Jahres-)Bericht *m*; Sitzungsbericht *m*; *~ de patente* Patentschrift *f*; *~ escolar* Jahresbulletin *n e-r Schule*; **4.** Verzeichnis *n*; **~rial** *m* **1.** Bittschrift *f*; Eingabe *f*; **2.** Gedächtnisstütze *f*, Promemoria *n*; **3. a)** Gedenkbuch *n*; **b)** Berichts-, Mitteilungs-blatt *n*; **~rialista** † *m gewerbsmäßiger* Eingabeschreiber *m*; **~rión** F *m* sehr gutes Gedächtnis *n*; **~rioso** *adj.* ein gutes Gedächtnis habend; **~rismo** *m* Memoriersystem *n im Unterricht*; **~rista** *adj. c*, **~rístico** *adj.*: *método m ~* Memoriermethode *f*; **~rizar** [1f] *v/t.* memorieren.

mena[1] ⚒ *f* Erz *n*.
mena[2] *Fi. f Art* Laxierfisch *m*.
ménade *f* Mänade *f* (*a. fig.*).
menaje *m* Hausrat *m*; *gal.* Haushalt *m*.
menci|ón *f* Erwähnung *f*; *~ honorífica* ehrenvolle Erwähnung *f*; *hacer ~ de* → **~onar** *v/t.* erwähnen; *arriba ~ado* weiter oben erwähnt; *no dejar de ~* nicht unerwähnt lassen.
menda P ich, m-e Wenigkeit (*verbunden mit der 3. Person sg. des Verbs*).
menda|cidad *f* Lügenhaftigkeit *f*; **~z** *adj.* (*pl.* **~aces**) verlogen.
mendelismo *Biol. m* Mendelsche Vererbungslehre *f*.
mendi|cante *adj.-su. c* Bettel...; *m lit.* Bettler *m*; *Rel.* Bettelmönch *m*; **~s** *m/pl.* Bettelorden *m*(*/pl.*); **~cidad** *f* Bettelei *f*; Bettelunwesen *n*; **~ga** *f* Bettlerin *f*; **~gar** [1h] *vt/i.* betteln; erbetteln; **~go** *m* Bettler *m*.
mendrugo *m* Stück *n* Brot.
mene|ar I. *v/t.* schwenken; schütteln; *Kopf* schütteln; mit *dem Schwanz* wedeln; *Kchk.* rühren; *fig.* zurechtkommen mit (*dat.*); *~ la cabeza afirmativamente* zustimmend nicken; *fig. peor es ~lo* besser, nicht daran rühren; **II.** *v/r.* **~se** wackeln (*a. Zahn*); *fig.* s. rühren; s. beeilen; **~o** *m* **1.** Schwenken *n*; Schütteln *n*; Rühren *n*; **2.** *fig.* Bewegung *f*, Betrieb *m*; **3.** *fig.* F *dar un ~ a alg.* j-m den Kopf waschen (*fig.*); j-n verprügeln.
meneste|r *m* **1.** Notwendigkeit *f*; *ser ~* nötig sein; *haber ~ de et.* brauchen; **2.** **~es** *m/pl.* Obliegenheiten *f/pl.*; **3.** **~es** *m/pl.* Geräte *n/pl.*; Handwerkszeug *n*; **~roso** *adj.-su.* bedürftig; notleidend; *m* Bedürftige(r) *m*.
menestra *Kchk. f* Gemüseeintopf *m*; *fig.* Essen *n*; **~s** *f/pl.* Trockengemüse *n*.
menestra|l *m* Handwerker *m*; **~l(er)ía** *f* → *artesanía*.
mengano → *fulano*.
mengua *f* **1.** Abnehmen *n*, Verminderung *f*; Einbuße *f*; *sin ~* ohne Schmälerung; **2.** Schaden *m*; Mangel *m*; *en ~ de* zum Schaden von (*dat.*); **3.** Not *f*; Armut *f*, Elend *n*; **4.** *fig.* Nichtachtung *f*; Schande *f*; **~do I.** *adj.* **1.** dürftig; erbärmlich; **2.** knauserig; **II.** *m* **3.** abgenommene Masche *f b. Stricken*; **~nte I.** *adj. c* abnehmend (*a. Mond*); **II.** *f* Fallen *n des Wassers*; Abnehmen *n des Mondes*; ⚓ Ebbe *f*; *fig.* Rückgang *m*, Abnahme *f*, Verfall *m*; **~r** [1i] **I.** *v/i.* abnehmen; zurückgehen; *fig.* in Verfall geraten; **II.** *v/t.* schmälern; abnehmen *b. Stricken*.
mengue F *m* Teufel *m*.
menhir *m* Menhir *m*.
menina † *f* Edelfräulein *n b. Hofe*.
me|ninge *Anat. f* Hirnhaut *f*; **~níngeo** *adj.* Hirnhaut...; **~ningitis** ⚕ *f* Hirnhautentzündung *f*, Meningitis *f*.
menisco *m Anat.* Meniskus *m*; *Opt.* Punktalglas *n*.
menopausia ⚕ *f* Menopause *f*, Wechsel(jahre *n/pl.*) *m*.

menor I. *adj. c* **1.** *comp.* geringer, kleiner; minder; jünger; *hermano m ~* jüngerer Bruder *m*; *~ que* kleiner als (*a.* Ⱥ); jünger als; **2.** *sup.* kleinste(r, -s); geringste(r, -s); *no hacer el ~ estorbo* nicht im mindesten stören; **3.** Minder...; klein, nieder; *~ de edad* minderjährig; ⚚ *al por ~* im Detail; *comercio m al por ~* Einzelhandel *m*; ♪ *séptima f ~* kl. Septime *f*; ♪ *tono m ~* Molltonart *f*; **II.** *m* **4.** *comp.* Jüngere(r) *m*; Minderjährige(r) *m*; **~es** *m/pl. de veinte años* Jugendliche *pl.* unter zwanzig Jahren; **5.** *sup. el ~* der Kleinste; der Geringste; der Jüngste; **6.** *kath.* **~es** *m/pl.* Minoriten *m/pl.* (*Franziskaner*).
meno|ría *f* **1.** Minderjährigkeit *f*; **2.** geringerer Rang *m*; **~rista** *m Chi., Méj.* Einzelhändler *m*.
menorquín *adj.-su.* von Menorca.
menos I. *adv.* **1.** *comp.* **a)** weniger; minder; *el ~ bueno* der weniger Gute; *cj. a ~ que + subj.* falls nicht + *ind.*; es sei denn (, daß) + *subj.*; *de ~* zuwenig; *cj. por ~ que + subj.* so wenig auch + *ind.*; *tan ~ (que)* umso weniger (, als); *echar de ~* vermissen; *ir a ~* weniger werden; zurückgehen, abnehmen; *no poder ~ de + inf.*, *no poder (por) ~ que + inf.* nicht umhin können, zu + *inf.*, unbedingt + *inf.* müssen; F *es listo ... pero ~* er ist klug, wenn auch nicht ganz so klug; *ya será ~* so schlimm wird es wohl nicht sein; *tener a ~* geringschätzen; *tener (od. apreciar) en ~* weniger schätzen; *venir a ~* verarmen; *fig.* herunterkommen (*fig.*); **b)** *zum Vergleich*: *~ de* (*b. Zahlen*) weniger als; *son ~ de las siete* es ist noch nicht sieben Uhr; *~ que* (*b. sonstigem Vergleich*) weniger als; F *en ~ que se dice* im Nu, im Hui F; *~ mal que* ein Glück noch, daß; zum Glück; **2.** *sup.* am wenigsten; *el ~ caro* der Preiswerteste; *lo ~* **a)** das mindeste, das wenigste; am wenigsten; **b)** wenigstens; mindestens; *lo ~ posible* möglichst wenig; *al (od. por lo) ~* wenigstens; *cuando ~* mindestens; *¡~ a usted!* Ihnen am allerwenigsten!; *cuando ~ se lo imaginaba* als er gar nicht daran dachte, unvermutet; *eso es lo de ~* das ist das allerwenigste; darauf kommt es nicht an; **3.** außer (*dat.*); *bsd.* ⚚ abzüglich; Ⱥ minus, weniger; *cualquier cosa ~ esto* nur das nicht; **II.** *m* **4.** Ⱥ Minus(zeichen) *n*.
menosca|bar *v/t.* **1.** vermindern; **2.** (be)schädigen; **~bo** *m* Verminderung *f*; Beeinträchtigung *f*, Nachteil *m*; Schaden *m*, Verlust *m*; Wertverminderung *f*; *sin ~ de* ohne Schmälerung (*gen.*).
menospreci|able *adj. c* verachtenswert; **~ador** *m* Verächter *m*; **~ar** [1b] *v/t.* unterschätzen; geringschätzen; verachten; **~ativo** *adj.* verächtlich; **~o** *m* Geringschätzung *f*; Verachtung *f*.
mensaje *m a. Pol.* Botschaft *f*; Nachricht *f*; *~ (de) radio* Funkspruch *m*; *~ de socorro* Notmeldung *f*, SOS *n*; **~ría** *f* **1.** † Botendienst *m*; Landpost *f*; **2.** *servicio m de ~s* Paketfahrt *f*; **~ro** *adj.-su.* Bote *m*.

menstru|ación ⚕ *f* Menstruation *f*; **~al** *adj. c* Menstrual...; **~ar** ⚕ *v/i.* menstruieren, die Regel haben.
mensua|l *adj. c* monatlich, Monats-...; **~lidad** *f* **1.** Monatsgeld *n*; Monats-lohn *m*, -gehalt *n*; **2.** Monatsrate *f*; Monatszins *m*.
ménsula *f* △ Kragstein *m*; △, ⊕ Konsole *f*.
mensura ⚒ *f* → *medida*; **~bilidad** *f* Meßbarkeit *f*; **~ble** *adj. c* meßbar; *no* ~ unmeßbar; **~r** *v/t.* → *medir*.
menta *f* ⚘ Minze *f*; Pfefferminze *f*; Pfefferminzlikör *m*.
mentado *lit. adj.* berühmt.
mentagra ⚕ *f* Kinnflechte *f*.
men|tal *adj. c* **1.** innerlich, in Gedanken; *cálculo m* ~ Kopfrechnen *n*; *oración f* ~ stilles Gebet *n*; **2.** *bsd.* ⚕ geistig, Geistes...; *enfermedades f/pl.* ~es Geisteskrankheiten *f/pl.*; *higiene f* ~ Pflege *f* der geistigen Gesundheit *f* (*bzw.* der Geisteskräfte); *someter a alg. a un examen (de estado)* ~ j-n auf s-n Geisteszustand untersuchen; **~talidad** *f* Denkweise *f*; Mentalität *f*; **~talmente** *adv.* innerlich; im Geist; im Kopf; **~tar** [1k] *v/t.* erwähnen; **~te** *f* Geist *m*; Sinn *m*; Verstand *m*; *tener en la* ~ im Kopf haben; *no caber en la* ~ *a alg. et.* nicht fassen können; **~tecatería, ~tecatez** *f* Torheit *f*, Unsinn *m*, Narretei *f*; **~tecato** *adj.-su.* blöde, dumm; töricht; *m* Schwachkopf *m*.
menti|dero F *m* Klatsch-ecke *f bzw.* -lokal *n*; Klatschkolumne *f* (*Zeitung*); **~r** [3i] *v/i.* lügen; *fig.* heucheln; *miente más que habla* er lügt wie gedruckt; *¡miento!* Irrtum!, ich muß mich berichtigen; *no me dejes* ~ strafe mich nicht Lügen; **~ra** *f* Lüge *f*; *fig.* Wahn *m*, Schein *m*; *parece* ~, *pero* es ist kaum glaublich, aber; *¡parece* ~*!* unglaublich!; *de* ~ → **~rijillas**: *de* ~ zum Scherz; **~rilla** F *f* kl. (unschuldige) Lüge *f*; **~rón** F *m* faustdicke Lüge *f*; **~roso** *adj.-su.* lügenhaft, verlogen; trügerisch; *m* Lügner *m*.
mentís *m* Dementi *n*; *dar un (rotundo)* ~ dementieren, richtigstellen; *dar un* ~ *a alg.* j-n Lügen strafen.
mentol ⚗ *m* Menthol *n*.
mentón *m* Kinn *n*.
mentor *m* Mentor *m*.
menú *m* Speisekarte *f*; Menü *n*; ~ *del día* Tagesmenü *n*.
menu|damente *adv.* umständlich; genau; **~dear I.** *v/t.* **1.** oft wiederholen; **2.** *Am.* en détail verkaufen; **II.** *v/i.* **3.** oft vorkommen; **4.** rasch aufea.-folgen, s. jagen; nur so hageln F (*z. B. Schläge*); **5.** umständlich schildern; **~dencia** *f* **1.** Kleinigkeit *f*; *Kchk. Am.* Geschlinge *n*; ~s *f/pl.* Kleinkram *m*; *Kchk.* Kutteln *f/pl.*; **2.** Kleinlichkeit *f*; Pedanterie *f*; **~deo** *m* **1.** Kleinverkauf *m*; **2.** öftere Wiederholung *f*; **~dero** *m* **1.** Kuttelhändler *m*; **~dillo** *m* **1.** *vet.* Köte *f*; **2.** *Kchk.* ~s *m/pl.* Innereien *f/pl.* (*Geflügel, Wild*); ~s *de ganso* Gänseklein *n*; **~do I.** *adj.* **1.** klein, winzig; geringfügig, unbedeutend; fein (*Regen*); F *iron.* riesig, toll F; *ganado m* ~ Kleinvieh *n*; F ~ *susto me has dado* du hast mich ganz schön erschreckt F; F *¡~ lío!* so ein Verhau! F; **2.** kleinlich; pedantisch; schäbig; **3.** *a* ~ oft; *por* ~ haar-klein, -genau; ✝ → *al por menor*; **II.** *m* **4.** Kleingeld *n*; **5.** (Kohlen-)Grus *m*; **6.** *Kchk.* ~s *m/pl.* Blut *n* u. Innereien *f/pl.* (*Schlachtvieh*); Klein *n* (*Innereien, Füße u. Flügel b. Geflügel*); **7.** F *Am.* männliches Glied *n*.
meñique I. *adj. c* F winzig; **II.** *m* kl. Finger *m*.
meo|llo *m* **1.** (Knochen-)Mark *n*; Hirn *n*; ~ *de saúco* Holundermark *n*; **2.** *fig.* Kern *m*, Gehalt *m*; F Verstand *m*, Grips *m* F; **~lludo** *adj.* viel Mark enthaltend.
meón I. *adj.* häufig urinierend; **II.** *m* P Pinkler *m* P; Bettnässer *m*.
mequetrefe F *m* Hansdampf *m*; zudringlicher Naseweis *m*; Laffe *m*.
meramente *adv.* nur, bloß.
merar ⚒ **I.** *v/t. Flüssigkeiten* mischen; **II.** *v/i.* □ krepieren P.
merca|chifle *m* Hausierer *m*; *desp.* Krämer *m*; *fig.* Krämerseele *f*; **~dear** *v/i.* handeln; **~der** *m* **1.** Händler *m*; *Lit. el* ~ *de Venecia* der Kaufmann von Venedig (*Shakespeare*); **2.** □ Marktdieb *m*; **~dería** *f bsd. Am.* (Handels-)Ware *f*; □ Diebesgut *n*, Sore *f* □; **~do** *m* Markt *m*; Marktplatz *m*; Absatzgebiet *n*; ~ *(cubierto)* Markthalle *f*; ~ *de capitales (de créditos)* Kapital- (Kredit-)markt *m*; ♀ *Común* Gemeinsamer Markt *m*; ~ *extraoficial* (Börsen-)Kulisse *f*; ~ *de ganado* Viehmarkt *m*; ~ *interior*, ~ *nacional* (*internacional*) Inlands-, Binnen- (Welt-)markt *m*; ~ *negro* Schwarzmarkt *m*, -handel *m*; ~ *de renta fija (del trabajo)* Renten- (Arbeits-) markt *m*; *análisis m (informe m) del* ~ Markt-analyse *f* (-bericht *m*); *economía f de* ~ Marktwirtschaft *f*; *abrir (od. conquistar) nuevos* ~s neue Märkte erschließen; **~dotecnia** *f* *Am.*, *bsd. Méj.* Marktforschung *f*.
mer|cancía *f* Ware *f*; ~s *f/pl.* Güter *n/pl.*; ~s *f/pl. de gran bulto*, *Am.* ~s *voluminosas* Sperrgut *n*; **~cante** *adj. c* Handels...; **~cantil** *adj. c* kaufmännisch; Handels...; *profesor m* ~ *etwa*: graduierter Betriebswirt *m*; **~cantilismo** *m* Merkantilismus *m*; **~cantilizar** [1f] *v/t.* kommerzialisieren; **~car** [1g] *v/t.* erhandeln, (ab)kaufen; F stehlen.
merce|d *f* **1.** *K* Lohn *m*; **2.** Gnade *f*, Güte *f*; *p. ext.* Willkür *f*; *vuestra* ♀ Euer Gnaden (*Anrede*); ~ *a* dank (*dat.*); *a* ~ auf Gnade u. Ungnade; *estar a* ~ *de* preisgegeben sein (*dat.*); **3.** Gunstbezeigung *f*; Gunst *f*, Gefälligkeit *f*; **4.** *kath.* (*Orden f de la*) ♀ Orden *m* der Mercedarier; **~dario** *kath. adj.-su.* Mercedarier *m*; **~nario I.** *adj.* **1.** Söldner...; *lit.* Lohn...; **II.** *m* **2.** Söldner *m*; **3.** *K u. lit.* Lohnarbeiter *m*; Mietling *m*; **4.** *kath.* → *mercedario*.
mercería *f* Kurzwaren(geschäft *n*) *f/pl.*
mercerizar [1f] *tex. v/t.* merzerisieren.
mer|cero *m* Kurzwarenhändler *m*; **~cología** *neol. f* Warenkunde *f*.
mer|curial I. *adj. c* Quecksilber...; quecksilberhaltig; *Phys. mm (milímetros) m/pl.* ~es Millimeter *pl.* Quecksilbersäule; **II.** *m* ⚘ Speckmelde *f*; **~curialismo** ⚕ *m* Quecksilbervergiftung *f*; **~cúrico** ⚗ *adj.* Quecksilber...; ♀**curio**[1] *Myth., Astr. m* Merkur *m*; **~curio**[2] ⚗ *m* Quecksilber *n*; **~curioso** ⚗ *adj.*: *sulfuro m* ~ Quecksilbersulfid *n*; **~curocromo** ⚗ *m* Chromquecksilber *n*.
merchante † *m* Handelsmann *m*.
merdoso P *adj.* schmutzig, dreckig.
mere|cedor *adj.* verdienstlich; würdig; ~ *de crédito* kreditwürdig; *hacerse (bzw. ser)* ~ *de a/c.* et. verdienen (*fig.*); **~cer** [2d] **I.** *v/t.* **1.** verdienen (*fig.*); einbringen, eintragen; würdig sein (*gen.*); ~ *mucho* hohen Lobes würdig sein, gr. Verdienste haben; *no las merece* k-e Ursache (*Antwort auf Dank*); **2.** lohnen; *no merece la pena* es lohnt s. nicht; **II.** *v/i.* **3.** s. verdient machen (um *ac.* de); ~ *bien de (a. [para] con) alg.* j-n zu Dank verpflichten; **~cidamente** *adv.* verdientermaßen; **~cido I.** *adj.* verdient; *bien* ~ *lo tiene* es geschieht ihm recht; **II.** *m* verdiente Strafe *f*; *llevaron su* ~ es geschah ihnen recht; **~cimiento** *m* Verdienst *n* (*fig.*); verdienstliche Tat *f*.
meren|dar [1k] **I.** *vt/i.* vespern; **II.** *v/r.* ~se: *fig.* F ~se *a/c.* s. et. aneignen; et. über-springen, -gehen; **~dero** Ausflugslokal *n*; **~dola** F, **~dona** F *f* reichliche Futterei *f* F.
merengue *m Art* Baiser *n*, Meringe *f*; *fig.* F *los* ~s *der Fußballklub* Real Madrid *m*.
meretriz *f* (*pl.* ~ices) Hure *f*.
merey ⚘ *m Col., P. Ri., Ven.* → *marañón*.
mer|gánsar, ~go *Vo. m* Gänsesäger *m*.
me|ridiana *f* Diwan *m*; **~ridiano I.** *adj.* Mittags...; **II.** *m Astr., Geogr.* Meridian *m*; Mittagskreis *m*; **~ridiem**: (*b. Uhrzeitangaben*) *Am. ante* ~, *Abk. a.m.* vormittags; *post* ~, *Abk. p.m.* nachmittags; **~ridional I.** *adj. c* mittäglich; südlich; **II.** *m* Südländer *m*.
merienda *f* Vesper(brot) *n*; Picknick *n*; *fig.* F ~ *de negros* tolles Durchea. *n*; *ir de* ~ (*campestre*) picknicken.
merino I. *adj.* **1.** Merino...; *lana f* ~*a* Merinowolle *f*; **II.** *m* **2.** Merinoschaf *n*; **3.** *tex.* Merino(tuch *n*) *m*.
meritísimo *sup. adj.* hochverdient.
mérito *m* Verdienst *n*; Wert *m*; *de* ~ verdienstvoll; großartig; *hacer* ~s s. diensteifrig erweisen, *um ein Ziel zu erreichen*; s. die Sporen verdienen.
meritorio I. *adj.* verdienstvoll; **II.** *m* Volontär *m*; Praktikant *m*; auf Probe Angestellte(r) *m*.
merlo *Vo. m* Seeamsel *f*.
merluza *f Fi.* Seehecht *m*; *fig.* P *coger una* ~ s. besaufen P.
merma *f* **1.** Verkürzung *f*; Verringerung *f*, Schmälerung *f*; Abzug *m*; **2.** Abnahme *f*, Schwund *m*; Verlust *m*; ~ *de peso* Gewichtsverlust *m*; F *estar a la* ~ den Gürtel enger schnallen müssen; **3.** ✝ *a.* Fehlbetrag *m*; Kursverlust *m*; **~r I.** *v/i.*, *a. v/r.* ~se abnehmen, schwinden; **II.** *v/t.* (ver)kürzen; schmälern; herabsetzen (*a. fig.*).

mermelada *f* Marmelade *f*; *fig.* F *Am. brava* ~ Riesendummheit *f*.
mero[1] *Fi. m* brauner Zackenbarsch *m*.
mero[2] **I.** *adj.* **1.** rein, bloß; *por el* ~ *hecho de que* einfach (*od.* nur) weil; **2.** F *Am. Cent., Méj.* eigentlich; **II.** *adv.* **3.** F *Méj.* → *pronto*.
merode|ador *m* Plünderer *m*, Marodeur *m*; **~ar** *v/i.* plündern, marodieren; *p. ext.* s. herumtreiben; **~o** *m* Plündern *n*, Marodieren *n*.
merovingio *hist. adj.-su.* merowingisch; *m* Merowinger *m*.
mes *m* **1.** Monat *m*; *de seis* ~*es* halbjährig; *a principios del* ~ Anfang des Monats; **2.** Monatsgeld *n*; **3.** F Monatsblutung *f*, Regel *f*; F *estar con el* ~ s-e Tage haben.
mesa *f* **1.** Tisch *m*; Tafel *f*; *de* ~ Tisch...; Tafel... (*Wein, Obst*); ~ *de despacho* (Büro-)Schreibtisch *m*; ~ *extensible* (*plegable*) Auszieh- (Klapp-)tisch *m*; ⚓ ~ *de guarnición* Back *f*; ~ *de juego* (⚕ *de operaciones*) Spiel- (Operations-)tisch *m*; ~ *parlante* Tischrücken *n* (*Spiritismus*); ~ *redonda a. fig.* runder Tisch *m*; Tafelrunde *f*; *fig.* Konferenz *f* am runden Tisch; *alzar la* ~ die Tafel aufheben; *levantarse de la* ~ vom Tisch aufstehen; *poner* (*quitar*) *la* ~ den Tisch (ab)decken; *fig. a* ~ *puesta* ohne Arbeit, mühelos; gerade im richtigen Augenblick; *sentarse a la* ~ s. zu Tisch setzen; **2.** Kost *f*, Verpflegung *f*; Essen *n*; **3.** △ Treppenabsatz *m*; **4.** *Pol.* ≈ Vorstand(stisch) *m*; Präsidium *n*; *Verw., bsd.* ⚔ *a.* Ressort *n*; **5.** *Geogr.* → *meseta* 2.
mesada *f* Monatsgeld *n*; monatliche Zuwendung *f*.
mesana ⚓ *f* **1.** (*palo m de*) ~ Besan (-mast) *m*; **2.** Besansegel *n*.
mesar *v/t.*: ~*(se) el pelo de rabia* (s.) vor Wut die Haare raufen.
mescalina ⚗ *f* Meskalin *n*.
mescolanza *f* Mischmasch *m*.
mesegue|ría *f* Flurschutz *m*; **~ro** **I.** *adj.* Flur...; Saat...; **II.** *m* Feldhüter *m*.
mesenterio *Anat. m* Mesenterium *n*, Gekröse *n*.
mese|ta *f* **1.** stufenförmiger Absatz *m*; △ ~ (*de escalera*) Treppenabsatz *m*; *Stk.* ~ *de toril* Zuschauerplatz *m* über dem Stierzwinger; **2.** *Geogr.* Hochebene *f*, Tafelland *n*; **~teño** *m* Tafellandbewohner *m*.
me|siánico *adj. Rel. u. fig.* messianisch; **~sianismo** *m Rel.* Lehre *f* vom Messias; Messiaserwartung *f*; *bsd. fig.* Messianismus *m*; ≈**sías** *m Rel. u. fig.* Messias *m*.
mesilla *f* Podestplatte *f*; ~ *accesoria* Beisetztischchen *n*.
mesita *f dim.* Tischchen *n*; ~ *de noche* Nachttischchen *n*; ~ *de ruedas* Tee-, Servier-wagen *m*.
meso|... 🕮 *pref.* Meso..., Mittel...; ≈**américa** *Ethn. f* Mesoamerika *n*.
meso|carpio ⚘ *m* mittlere Fruchthaut *f*, Mesokarp(ium) *n*; **~dermo** *Anat. m* Mesoderm *n*.
me|són *m* Gaststätte *f*; † Herberge *f*; **~sonero** *m* Gastwirt *m*.
mesopotámico *adj.* mesopotamisch.
mesta *hist. f* kastilische Schafzüchtervereinigung *f*.
Mester *Lit. m*: ~ *de clerecía* Klerikerdichtung *f*; ~ *de juglaría* Spielmanns-dichtung *f*, -kunst *f*.
mesti|zaje *m* **1.** Rassenkreuzung *f*; **2.** *koll.* Mestizen *m/pl.*; **~zar** [1f] *v/t. Rassen* kreuzen; **~zo** **I.** *adj.* mischrassig, Bastard...; **II.** *m* Mischling *m*; Bastard *m*; Mestize *m*.
mestura *f Ar., Am.* Weizenroggenmischung *f*.
mesura *f* **1.** Gemessenheit *f*; **2.** Maß *n*; Mäßigung *f*; **3.** Wohlerzogenheit *f*; **~do** *adj.* **1.** gemessen, ernst; **2.** gemäßigt; **3.** wohlerzogen; **~r** *v/t.* **1.** mäßigen; **2.** *Ec.* → *medir*.
meta[1] *f* Ziel *n*; Tor *n* (*Fußball*).
meta[2]**...** 🕮 *pref.* Meta...
meta|bolismo ⚕ *m* Stoffwechsel *m*; **~carpiano** *Anat. adj.* Mittelhand...; **~carpo** *Anat. m* Mittelhand *f*; **~centro** ⚓ *m* Metazentrum *n*; **~física** *Phil. f* Metaphysik *f*; **~físico** *adj.* metaphysisch; **~fonía** *Li. f* Umlaut *m*.
me|táfora *Rhet. f* Metapher *f*; **~tafórico** *adj.* metaphorisch; übertragen (*od.* bildlich) gebraucht.
metal *m* **1.** Metall *n*; Erz *n*; ♪ Blech *n*; ⊕ ~ *base* (*blanco, duro*) Grund- (Weiß-, Hart-)metall *n*; ~ *ligero* (*pesado*) Leicht- (Schwer-)metall *n*; ~ *no férreo* Nichteisenmetall *n*, NE-Metall *n*; ~ *precioso*, ~ *noble* Edelmetall *n*; **2.** ~ *de voz* Klangfarbe *f*.
me|tálico **I.** *adj.* metallen, Metall...; **II.** *m* Hartgeld *n*; *en* ~ in bar; **~talífero** *adj.* metallhaltig.
meta|lizar [1f] *v/t.* metallisieren; **~lografía** *f* Metallkunde *f*; **~loide** *m* Metalloid *n*, Halbmetall *n*; **~lurgia** *f* Hüttenkunde *f*; **~lúrgico** **I.** *adj.* Metall...; Hütten...; *industria f* ~*a* Metallindustrie *f*; **II.** *m* Metallurge *m*, Hüttenfachmann *m*; **~lurgista** *neol. m* → *metalúrgico*.
metamorfo|sear *v/t.* umgestalten, verwandeln; **~sis** *f* Umwandlung *f*; Metamorphose *f*.
meta|nero *m* Erdgastanker *m* (*Schiff*); **~no** ⚗ *m* Methan *n*.
meta|plasmo *Rhet. m* Redefigur *f*; **~psíquica** 🕮 *f* Parapsychologie *f*; **~psíquico** *adj.* parapsychologisch.
metástasis ⚕ *f* Metastase *f*.
metatarso *Anat. m* Mittelfuß *m*.
metátesis 🕮 *f* Metathese *f*.
metazoos *m/pl.* Metazoen *n/pl.*
mete|dor *m* Schmutztuch *n unter der Windel*; **~dura** F *f* Hineinstekken *n*; F ~ *de pata* Blamage *f*.
metem|psícosis, ~psicosis *Rel. f* Seelenwanderung *f*.
mete|órico 🕮 *adj.* meteorisch; **~orismo** ⚕ *m* Blähung *f*; Meteorismus *m*; **~orito** *m* Meteorit *m*; **~oro** (*a.* *metéoro*) *m* Meteor *m*; **~orología** *f* Meteorologie *f*, Wetterkunde *f*; **~orológico** *adj.* Wetter...; *parte m* ~ Wetterbericht *m*; **~orologista** *m*, **~orólogo** *neol. m* Meteorologe *m*.
meter **I.** *v/t.* stecken; (hin)einstekken; (hinein-)setzen, (-)stellen, (-)legen; (hinein)bringen; (ein-)schieben; hineintun; *p. ext. u. fig. Furcht* einjagen; *Gesuch* einreichen; *Lärm* verursachen (*od.* machen); *viele Sonderbedeutungen in Verbindungen mit Substantiven od. präpositionalen Wendungen*; ⚓ *Segel* beschlagen; *a todo* ~ mit ganzer Kraft; in aller Eile; ~ *en el bolsillo* (*en la maleta*) in die Tasche stecken (in den Koffer packen); *fig.* ~ *en la cabeza* eintrichtern; *¿quién le mete en eso?* was geht Sie das an?; **II.** *v/r.* ~*se* s. begeben (an *ac. en*); *p. ext.* werden; s. versuchen als (*nom. a*), sein wollen (*nom. a*); s. (hin)eindrängen; s. einmischen; s. einlassen (auf *ac. en*); s. stürzen (in *od.* auf *ac. en*); ~*se fraile* (*monja*) Mönch (Nonne) werden, ins Kloster gehen; F ~*se a finolis* den feinen Mann spielen; ~*se a hacer a/c.* s. anschicken, et. zu tun; ~*se con alg.* mit j-m Streit beginnen; ~*se uno donde no le llaman*, ~*se uno en lo que no le toca* (*od. importa*) s. in Dinge einmischen, die e-n nichts angehen; ~*se en* (*la*) *cama* bettlägerig werden; F ~*se en líos* s. in Ungelegenheiten bringen; *fig. no* ~*se en nada* mit nichts zu tun haben wollen; ~*se en vidas ajenas* s. um anderer Leute Dinge kümmern; ~*se por medio* s. dazwischenwerfen; eingreifen.
meticu|losidad *f* Ängstlichkeit *f*; Kleinlichkeit *f*, Pedanterie *f*; **~loso** *adj.* ängstlich; kleinlich, pedantisch, peinlich genau.
metido **I.** *adj.* **1.** gedrängt; voll; *Typ.* kompreß (*Satz*); ~ *en años* hoch in Jahren; ~ *en carnes* beleibt; ~ *en sí* in s. gekehrt, still; *fig.* ~ *para dentro* verschlossen, introvertiert; *la llave está* ~*a* der Schlüssel steckt; *fig. estar muy* ~ *con alg.* sehr intim sein mit j-m; *¿dónde estará* ~*?* wo mag er stecken?; *estar muy* ~ *en a/c.* sehr drinstecken in e-r Sache F; **II.** *m* **2.** Stoß *m*; F Abfuhr *f*; **3.** Windeleinlage *f*; *Typ.* Texteinlage *f*; **4.** *Arg., Chi., Hond.* → *entrometido*.
me|tileno ⚗ *m* Methylen *n*; **~tílico** ⚗ *adj.* Methyl...; **~tilo** ⚗ *m* Methyl *n*.
metimiento *m* Hinein-legen *n*; -stecken *n*.
metódico *adj.* methodisch.
metodi|smo *Rel. m* Methodismus *m*; **~sta** *adj.-su. c* methodistisch; *m* Methodist *m*; **~zar** [1f] *v/t.* planmäßig betreiben.
método *m* **1.** Methode *f*; Verfahrensweise *f*; **2.** Lehrbuch *n*.
metodología 🕮 *f* Methodik *f*.
metomentodo *m* → *entrometido*.
meto|nimia *Rhet. f* Metonymie *f*; **~nímico** *adj.* metonymisch; **~nomasia** *Li. f* Metonomasie *f*.
metopa *od.* **métopa** △ *f* Metope *f*.
metraje *m* ⊕ laufende Meterzahl *f*; Meterlänge *f e-s Films*; → *a. película* 2.
metra|lla ⚔ *f* Schrapnell *n*; Splitter *m(/pl.)*; **~llazo** ⚔ *m* Schrapnellfeuer *n*; *p. ext.* Splitterwirkung *f*; **~lleta** ⚔ *f* Maschinenpistole *f*.
métri|ca *f* Metrik *f*; **~co** *adj.* metrisch; *sistema m* ~ metrisches System.
metrificación *f* → *versificación*.
metritis ⚕ *f* Gebärmutterentzündung *f*.

metro[1] *m* **1.** Meter *n*, *m* (*a.* ~ *lineal*); Metermaß *n*; ~ *cuadrado* (*cúbico*) Quadrat- (Kubik-)meter *n*; ~ *plegable* Zollstock *m*; *por* ~*s* meterweise; **2.** Versmaß *n*.
metro[2] *m* U-Bahn *f*.
metrónomo ♪ *m* Metronom *n*.
me|trópoli *f* **1.** Hauptstadt *f*; Metropole *f*; **2.** Mutterland *n*; **3.** erzbischöflicher Sitz *m*; **~tropolitano I.** *adj.* **1.** hauptstädtisch; **2.** erzbischöflich; **II.** *m* **3.** *Rel.* Metropolit *m*; **4.** → *metro*[2].
mexcal *m Méj.* **1.** ⚘ Mexcalagave *f*; **2.** Mexcalschnaps *m*.
mexicano *etc. Am.* (*Aussprache des x*: *ach-ch*, *dialektal ich-ch*) → *mejicano etc.*
mezcal *m Méj.* → *mexcal*.
mezcla *f* Mischung *f*; △ Mörtel *m*; *tejido m de* ~ Halbwollgewebe *n*; *sin* ~ unvermischt; **~ble** *adj. c* mischbar; **~dor** ⊕ *m* Mischer *m*; **~dora** ⊕, △ *f* Mischmaschine *f*; ~ *de hormigón* Betonmischmaschine *f*; **~miento** *m* Mischen *n*; **~r I.** *v/t.* (ver)mischen; beimischen; *Wein* verschneiden; △ *Beton* mischen; *fig. j-n* hineinziehen (in *ac.* en); **II.** *v/r.* ~*se*: ~*se en a/c.* s. in et. einmischen.
mezcolanza F *f* Mischmasch *m*.
mezqui|ndad *f* **1.** Dürftigkeit *f*; Kargheit *f*; **2.** Knauserei *f*; Schäbigkeit *f*; **~no** *adj.* **1.** karg, dürftig; **2.** winzig, bedeutungslos; **3.** armselig, elend; **4.** geizig, knauserig; schäbig, kleinlich.
mezquita *f* Moschee *f*.
mezquite ⚘ *m Méj.* **1.** Mezquitebaum *m*; **2.** (*hierba f*) ~ Mezquitegras *n*.
mezzo-soprano ♪ *f* Mezzosopran [*m*.]
mi ♪ *m die* Note e, *das* e; ~ *bemol* Es *n*.
mi, mis *pron. poss.* mein, meine.
mí *pron.* (*nach prp.*) mir, mich; *¡a* ~*!* Hilfe!; F *y a* ~ *qué* das ist mir egal.
miaja *f* Krume *f*, Krüm(el)chen *n*; F *una* ~ *miaj(it)a* ein (ganz) klein wenig.
miasma ⚕ *m* giftige Ausdünstung *f*.
¡miau! *onom.* miau.
mica *Min. f* Glimmer *m*; ~ *amarilla* Katzengold *n*.
micado *m* Mikado *m* (*Japan*).
micción *f* Harnen *n*.
micifuz F *m* (*pl.* ~*uces*) Katze *f*, Mieze *f* F.
mico *m langschwänziger* Affe *m*; *fig.* F *dar* ~ *a alg.* j-n sitzenlassen; *se quedó hecho un* ~ er war der Dumme; er stand da wie ein begossener Pudel.
micra *f* Mikron *n*, My *n*.
micro|biano ⚕ *adj.* Mikroben...; **~bio** *m* Mikrobe *f*; **~biología** *f* Mikrobiologie *f*; **~bús** *Kfz. m* Kleinbus *m*; **~cefálico** ⚕ *adj.* mikrozephal, mikrokephal; **~cosmo** *Phil. m* Mikrokosmos *m*; **~economía** *f* Mikroökonomie *f*; **~económico** *adj.* mikroökonomisch; **~film(e)** *m* Mikrofilm *m*; **~física** *f* Atomphysik *f*.
micrófono *m* Mikrophon *n*; ~ *laríngeo* Kehlkopfmikrophon *n*.
micro|fotografía *f* Mikrophotographie *f*; **~fundio** *m* landwirtschaftlicher Kleinbesitz *m*, kl. Betrieb *m*; **~lector** *m* Lesegerät *n* für Mikrofilm; **~métrico** *adj.* Mikrometer...; ⊕ *tornillo m* ~ Mikrometerschraube *f*.
microó|metro *m* Mikrometer *n*, Mikrometerschraube *f*; **~motor** *m* Kleinstmotor *m*.
micro|organismo *m* Mikrobe *f*; **~scopia** *f* Mikroskopie *f*; **~scópico** *adj.* mikroskopisch; **~scopio** *m* Mikroskop *n*; ~ *electrónico* Elektronenmikroskop *n*; **~segundo** *m* Mikrosekunde *f*; **~surco** *Phono m* Mikrorille *f*; *p. ext.* Langspielplatte *f*; **~taxi** *neol. m* Minicar *m*.
micrótomo ⚕ *m* Mikrotom *m*, *n*.
micuré *Zo. m Am. Mer.* Beutelratte *f*.
mi|cha F *f* → *micho*; **~chelín** P *m* Faltenbauch *m*; **~cho** F *m* Katze *f*, Mieze *f* F.
mido *usw.* → *medir*.
mie|ditis F *f* Angst *f*, Manschetten *f/pl.* F; **~do** *m* Furcht *f* (vor *dat.* *a*); ~ *cerval* panischer Schrecken; *de* ~ vor Angst; *fig.* F **a)** *adj.* furchtbar, toll F; **b)** *desp.* lästig; *por* ~ *de* aus Furcht vor (*dat.*); *por* ~ *de que* + *subj.* aus Furcht davor, daß; *dar* ~ Furcht erregen (*od.* einflößen); *da* ~ *verlo* man fürchtet s., es zu sehen; *le entra* ~ Furcht befällt ihn; *tener* ~ *a alg.* s. vor j-m fürchten; j-n fürchten; **~doso** *adj.* furchtsam, ängstlich.
miel *f* Honig *m*; ~ *extraída* Schleuderhonig *m*; *fig.* ~ *sobre hojuelas* fast zu gut; *fig. hacerse de* ~ zu freundlich sein.
mielga[1] ⚘ *f* Luzerne *f*.
mielga[2] ⚒ *f* Worfel *f*.
mielga[3] *Fi. f* Dornhai *m*.
mielgo ⚔ *adj.* Zwillings... (*Person*).
mielitis ⚕ *f* Myelitis *f*.
miembro *m* **1.** Glied *n* (*a.* ⚖); *Anat.* ~ (*viril*) männliches Glied *n*, Penis *m*; **2.** Mitglied *n*; *Estado m* ~ Mitgliedstaat *m*.
miente *f*: *caer en* (*las*) ~*s od. venir a las* ~*s j-m* einfallen; *ni por* ~*s* kommt nicht in Frage; *parar* ~*s en a/c.* achtgeben auf et. (*ac.*); *traer a las* ~*s* an *et.* (*ac.*) erinnern.
mientras I. *prp.* während (*gen.*); **II.** *cj.* während (*zeitl.*); ~ *que* während, wohingegen (*Gg.-satz*); **III.** *adv.*: ~ *tanto* unterdessen, inzwischen; ~ *más* ..., *más* je mehr ..., desto mehr.
miera *f* **1.** Rohharz *n*; **2.** Wacholderöl *n*; **3.** Fichtenterpentin *n*.
miércoles *m* (*pl. inv.*) Mittwoch *m*; ~ *de ceniza* Aschermittwoch *m*; ~ *Santo* Mittwoch *m* vor Ostern.
mier|da V **I.** *f* Scheiße *f* V (*a. fig.*); *¡a mí me importa una* ~*!* das ist mir scheißegal V; *mandarle a alg. a la* ~ j-n zum Teufel schicken; **II.** *m* Scheißkerl *m* V; **~doso** V *adj.* beschissen V, Scheiß... V.
mies *f* reifes Korn *n*, reifes Getreide *n auf dem Halm*; *a. fig.* Ernte *f*; *las* ~*es* die Saat *f*, die Felder *n/pl.*
miga *f* Brotkrume *f*; *fig.* Gehalt *m*; ~*s f/pl.* geröstete Brotwürfel *m/pl.*; *fig. ni una* ~ gar nichts; *fig. de mucha* ~ bedeutend; *fig. tener* ~ gehaltvoll sein; *eso tiene* ~ da ist et. daran, das hat es in s.; *fig. hacer buenas* (*malas*) ~*s con alg.* mit j-m gut (schlecht) auskommen; *fig. estar hecho* ~*s* hundemüde sein; *hacerse* ~*s* (zer)brechen, kaputtgehen; **~ja** *f* Brotkrümel *m*; ~*s f/pl.* Brotreste *m/pl.*; *a. fig.* Brosamen *pl.*; *fig.* Abfall *m*; **~jón** *m* Brocken *m* Brot; *fig.* Kern *m*, Gehalt *m*; Mark *n*; **~r** [1h] *v/t.* zerkrümeln; Brot einbrocken in (*ac.*).
migración *f* (Völker-)Wanderung *f*; Vogelzug *m*; *Phys.* ~ *de iones* Ionenwanderung *f*.
migraña ⚕ *f* Migräne *f*.
migratorio *adj.* Wander...; *Zo. ave f* ~*a* Zugvogel *m*.
Miguel: *día m de San* ~ Michaelis *n*.
mijo ⚘ *m* Hirse *f*.
mil I. *adj. c* tausend; *der* tausendste; ~ *millones* (eine) Milliarde; ~ *veces* tausendmal; *el* ~ *doscientas* der zwölfhundertste; F *llegar a las* ~ *y quinientas* mit e-r Mordsverspätung ankommen F; **II.** *m* Tausend *n*; *a* ~*es* zu Tausenden; ~*es y* ~*es* Tausende *n/pl.* u. aber Tausende.
mila|grería *f* (abergläubische) Wundergeschichte *f*; **~grero** *adj.* zum Wunderglauben neigend; F wundertätig; **~gro** *m* Wunder *n*; *fig. hacer* ~*s* wahre Wunder tun; zaubern; *adv. de* ~ wie durch ein Wunder (*davonkommen*); *fig. vivir de* ~ **a)** kein festes Einkommen haben; **b)** *burl.* gefährlich leben; **~groso** *adj.* wunderbar (*a. fig.*); wundertätig; *fig.* erstaunlich; *kath. imagen f* ~*a* Gnadenbild *n*.
milamores ⚘ *f* (*pl. inv.*) Tausendliebchen *n*.
milanés *adj.-su.* aus Mailand.
milano *Vo. m* Milan *m*; ~ *rojo od. real* Gabelweihe *f*.
mil|deu, ~diú ⚘ *m* Meltau(pilz) *m*.
mile|nario I. *adj.* tausendjährig; **II.** *m* Jahrtausendfeier *f*; **~narismo** *m* Chiliasmus *m*; **~nio** *m* Jahrtausend *n*.
milenrama ⚘ *f* Schafgarbe *f*.
milési|ma *f*: *una* ~ (*de segundo*) e-e tausendstel Sekunde; **~mo I.** *adj.* tausendste(r); **II.** *m* Tausendstel *n*; Tausendste(r) *m*.
milesio *adj.* aus Milet, milesisch.
mili... *pref.* Milli...
miliar[1] ⚕ *adj. c* Miliar...; Friesel...
milia|r[2] *adj. c*, **~rio** *adj.* Meilen...; *piedra f* ~*(a)* Meilenstein *m* (*a. fig.*).
milicia *f* **1. a)** Bürgerwehr *f*, Miliz *f*; **b)** Volksheer *n*; **2.** F Wehrdienst *m*; *Span.* ~*s f/pl. universitarias besonderer* Wehrdienst für Studenten; **~no I.** *adj.* Miliz...; **II.** *m* Milizangehörige(r) *m*.
mi|ligramo *m* Milligramm *n*; **~límetro** *m* Millimeter *n*, *m*.
mili|tante I. *adj.* *c* kämpfend; kämpferisch, militant; **II.** *m* Vorkämpfer *m*; *bsd. Pol.* Aktivist *m*; **~tar**[1] **I.** *adj. c* militärisch; Militär...; Kriegs...; **II.** *m* Soldat *m*; **~tar**[2] *v/i.* **1.** ⚔ im Heere dienen; **2.** s. einsetzen (für *ac. por*); sprechen (für *ac.* *en pro*, *de*, *en favor de*); **~tarismo** *m* Militarismus *m*; **~tarista** *adj.-su.* *c* militaristisch; *m* Militarist *m*.
milonga *Rpl. f* **1.** Milonga *f* (*Volkstanz*); **2.** Volksfest *n mit Tanz*; **3.** *fig.* ~ enredo.
milord *m* (*pl. milores*) englischer [Lord *m*.]
mil|pa *f Am. Cent.*, *Méj.* Mais-

pflanzung *f*; -feld *n*; **~pero** *m Am. Cent., Méj.* Maisbauer *m*.
mil|piés *Ent. m* Kellerassel *f*; **~reis** † *m* Milreis *m* (*bras. Münze*).
milla *f* Meile *f*; ~ *marina* (*Am. náutica*) Seemeile *f* (*1852 m*).
mi|llar *m* Tausend *n*; **~llón** *f* Million *f*; **~llonario** *m* Millionär *m*; **~llonésimo I.** *adj.* million(s)tel; **II.** *m* Million(s)tel *n*.
mima|do *adj.* verhätschelt; verwöhnt; **~r** *v/t.* verwöhnen; verhätscheln.
mim|bral *m* → *mimbreral*; **~bre** *m* ♀ Korbweide *f*; Weidengeflecht *n*; *muebles m/pl.* de ~ Korbmöbel *n/pl.*; **~brear** *v/i.* s. geschmeidig hin u. her bewegen; **~brera** ♀ *f* **1.** Korbweide *f*; **2.** → **~breral** *m* Weidengebüsch *n*; **~broso** *adj.* **1.** aus Weiden; **2.** voller Weiden.
mime *m Am. Art* Stechmücke *f*.
mímesis *Rhet. f* Mimesis *f*.
mi|mético *adj.* Nachahmungs...; Tarnungs...; **~metismo** *m* Mimikry *f*, Tarnung *f*; **~metizar** [1f] *v/t.* tarnen.
mími|ca *f* **1.** Gebärdenspiel *n*; Mimik *f*; **2.** Pantomime *f*; **~co** *adj.-su.* mimisch; *m* Mimiker *m*.
mimo *m* **1.** *Thea. hist.* **a)** Mimus *m*; **b)** Mime *m*; **2.** *fig. mst.* ~*s m/pl.* Liebkosung *f*; Verhätschelung *f*; *hacer ~s a alg.* schöntun mit j-m; **~sa** ♀ *f a. fig.* Mimose *f*; **~sear** *v/t. Rpl.* → *mimar*; **~so** *adj.* **1.** zärtlich; **2.** verhätschelt; zimperlich.
mina *f* **1.** Bergwerk *n*; Stollen *m*; Mine *f*; *fig.* Fundgrube *f*; **2.** ⚔ Mine *f*; ~ *flotante* Treibmine *f*; **~dor** *m* **1.** ⚒ Stollenbauer *m*; **2.** ⚔ **a)** Mineur *m*, Pionier *m*; **b)** ⚓ Minenleger *m*; **~r** *v/t.* **1.** ⚒ Stollen anlegen in (*dat.*); **2.** ⚔ unterminieren; verminen; *fig.* untergraben.
minera *Folk. f Andal.* Bergmannslied *n*; **~l I.** *adj. c* Mineral...; Erz...; *aceite m* ~ Mineralöl *n*; *agua f* ~ Mineralwasser *n*; **II.** *m* Mineral *n*; Erz *n*; ⚒ ~ *en bruto* Roherz *n*; **~es** *m/pl. lapídeos* Steinmineralien *n/pl.*; **~lización** *f Geol.* Mineralisation *f*; ⚒ Erzführung *f*; **~lizar** [1f] **I.** *v/t.* mineralisieren; **II.** *v/r.* ~*se* Mineralstoffe aufnehmen (*Wasser*); **~logía** *f* Mineralogie *f*, Gesteinskunde *f*; **~lógico** *adj.* mineralogisch; **~logista** *m* Mineraloge *m*.
mine|ría ⚒ *f* Bergbau *m*; **~ro I.** *adj.* bergmännisch; Bergbau...; **II.** *m* Bergmann *m*, Knappe *m*, Kumpel *m* F.
miner|va *Typ. f* Tiegel(druckpresse *f*) *m*; **~vista** *Typ. m* Tiegeldrucker *m*.
mini... *in Zssgn.* Mini..., Klein...
miniatu|ra *f* Miniaturbild *n*; *fig.* Miniaturausführung *f*; *en* ~ im Kleinen; **~rista** *c* Miniaturenmaler(in *f*) *m*; **~rización** ⊕ *f* Reduzierung *f* auf das Kleinstformat.
minifalda *f* Minirock *m*.
minifundi|o ⚘ *m* Zwerg-betrieb *m*, -besitz *m*; **~sta** *m* Klein(st)bauer *m*.
mínima ♪ *f* halbe Note *f*.
minimizar [1f] *v/t.* bagatellisieren.
míni|mo I. *adj.* **1.** kleinste(r, -s); sehr geringfügig; winzig; Mindest..., Minimal...; *salario m* ~ Mindestlohn *m*; *como* ~ mindestens; *ni en lo más* ~ nicht im geringsten, durchaus nicht; ⚖ *asunto m* (*od. proceso m*) *de ~a cuantía* Bagatellsache *f*; **II.** *m* **2.** *bsd.* ⊕ Minimum *n*; Mindestzahl *f*; **3.** *kath.* Pauliner(mönch) *m*; **~mum** *m* Minimum *n*.
minio *m* Mennige *f*.
ministe|rial I. *adj. c* ministeriell; Ministerial...; *p. ext.* e-e Regierungspartei stützend; regierungs-treu, -freundlich; **II.** *m* Anhänger *m* der Regierungspartei(en); **~rialismo** *m* regierungstreue Gesinnung *f*; **~rio** *m* **1.** Ministerium *n* (*a. Gebäude*); Ministeramt *n*; *p. ext.* Kabinett *n*; ≈ *de Agricultura* (*de Economía*) Landwirtschafts- (Wirtschafts-) ministerium *n*; ≈ *de Asuntos* (*Am. de Relaciones*) *Exteriores* Außenministerium *n*; ≈ *de Educación y Ciencia* (*Am. de Instrucción Pública*) Unterrichtsministerium *n*; *oft Am.* ≈ *de Fomento* „Förderungsministerium" *n*; ≈ *de la Gobernación* (*Am. del Interior*) Innenministerium *n*; ≈ *de Hacienda* (*de Justicia, del Trabajo*) Finanz- (Justiz-, Arbeits-) ministerium *n*; ≈ *de Obras Públicas* Ministerium *n* für öffentliche Arbeiten; **2.** *lit.* Amt *n* (*a. ecl.*); Aufgabe *f*; *fig.* Handwerk *n*.
minis|trable *Parl.* **I.** *adj. c* für ein Ministeramt geeignet; **II.** *m* Ministerkandidat *m*; **~trante** *m* Verwalter *m*; Gehilfe *m*; **~trar** *vt/i.* **1.** (ein Amt) verwalten; **2.** †→ *suministrar*.
ministro *m* **1.** Minister *m*; *dipl.* ~ (*plenipotenciario*) Gesandte(r) *m*; ~ *de la Guerra* Kriegsminister *m*; *primer* ~ Premierminister *m*; ~ *sin cartera* Minister *m* ohne Geschäftsbereich; **2.** *lit.* Beamte(r) *m*; Richter *m*; **3.** *kath.* Spender *m der Sakramente*; Pfarrer *m*; **4.** Amts-, Gerichts-diener *m*; Kirchendiener *m*; Ministrant *m*; **5.** *lit.* Helfer *m*, Diener *m*.
minoico *Arch. adj.* minoisch.
mino|ración *f* Verminderung *f*; **~rar** *v/t.* vermindern; **~ría** *f* **1.** Minderheit *f*, *bsd. Pol.* Minorität *f*; *problema m de las ~s* (*étnicas*) Minderheitenfrage *f*; *quedar en* ~ überstimmt werden; **2.** ~ *de edad* → **~ridad** *f* Minderjährigkeit *f*; **~rista I.** *adj. c* **1.** ⚚ *comercio m* ~ Einzelhandel *m*; **II.** *m* **2.** ⚚ Einzelhändler *m*; **3.** Geistlicher *m*, der die niederen Weihen empfangen hat; **~ritario** *adj.* minoritär, Minderheits...
minuci|a *f* Kleinigkeit *f*; Spitzfindigkeit *f*; **~osidad** *f* peinliche Genauigkeit *f*; Kleinlichkeit *f*; **~oso** *adj.* eingehend, ausführlich; peinlich genau.
minué ♪ *m* Menuett *n*.
minuendo *Arith. m* Minuend *m*.
minúscu|la *f* Kleinbuchstabe *m*; **~lo** *adj.* winzig.
minu|ta *f* **1.** Entwurf *m*, Konzept *n*; Notiz *f*; **2.** ⚚ Schlußzettel *m* (*Börse*); **3.** Speisekarte *f*; **4.** Liste *f*; **5.** Gebührenrechnung *f* (*Anwalt usw.*); **6.** *Chi.* Trödelladen *m*; **~tar** *v/t. Vertrag* entwerfen; das Konzept *e-r Rede* anfertigen; **~tero** *m* Minutenzeiger *m* (*Uhr*); **~tisa** ♀ *f* Bartnelke *f*; **~to** *m* Minute *f*; *al* ~ **a)** schnell, sofort; **b)** auf die Minute (pünktlich); *está a dos ~s de aquí* es liegt ganz in der Nähe.
miñón *gal. adj. Am.* zierlich.
mío, mía *pron.* mein, meine; **I.** *adj. este libro es* ~ dieses Buch gehört mir; *es muy amigo* ~ er ist ein guter Freund von mir; *es un amigo* ~ es ist e-r m-r Freunde; **II.** *su. el* ~ der mein(ig)e; der Mein(ig)e; *los ~s a.* meine Angehörigen; *lo* ~ das Meine; *de* ~ aus eigner Kraft; von Natur aus (*bin ich* ...); F *ésta es la ~a* das ist (ganz) mein Fall.
miocardi|o *Anat. m* Herzmuskel *m*, Myokard *n*; **~tis** ⚕ *f* Myokarditis *f*.
mioceno *Geol. m* Miozän *n*.
mioma ⚕ *m* Myom *n*.
mio|pe ⚕ *adj.-su. c* kurzsichtig; **~pía** ⚕ *f* Kurzsichtigkeit *f*.
miosis ⚕ *f* Pupillenverengung *f*, Miosis *f*.
mioso|ta ♀ *f*, **~tis** *gal. f* Vergißmeinnicht *n*.
mira[1] *f* **1.** Visier *n*; Visierlatte *f der Feldmesser*; Korn *n am Gewehr*; **2.** *fig. estar* (*od. quedar*) *a la* ~ aufpassen; *poner la* ~ *en* sein Augenmerk richten auf (*ac.*); **3.** Ziel *n*, Zweck *m*; **~s** *f/pl. a.* Absichten *f/pl.*; *con ~s a* im Hinblick auf (*ac.*); *tener ~s elevadas* et. von hoher Warte sehen.
Mira[2] *Astr. f* Mira *f* (*im Sternbild des Walfischs*).
mirabel ♀ *m* **1.** Mirabelle *f*; **2.** → *girasol.*
mira|da *f* Blick *m*; *de una* ~ auf e-n Blick; *echar una* ~ e-n Blick werfen (auf *ac. a, sobre*); **~dero** *m* Aussichtspunkt *m*; *fig.* Gesprächsthema *n* (*Person od. Sache, die in aller Munde ist*); **~do** *adj.* klug, überlegt; umsichtig; zurückhaltend; *bien* ~ **a)** gern gesehen, gut aufgenommen; **b)** richtig betrachtet, genaugenommen; **~dor** *m* Erker *m*; verglaster Balkon *m*; Ausguck *m*; Aussichtspunkt *m*.
miraguano *m* **1.** ♀ Kapokpalme *f*; **2.** *tex.* Kapok *m*.
mira|melindos ♀ *m/pl.* Balsamine *f*; **~miento** *m* Anschauen *n*, Überlegen *n*; Umsicht *f*; Rücksicht(nahme) *f*; Schonung *f*; *después de muchos ~s* nach langer Überlegung; *sin ~s* rücksichtslos.
mirar I. *v/t.* **1.** ansehen, anblicken; hinschauen auf (*ac.*); *¡miren la casa!* schauen Sie (s.) das Haus an!; *fig.* ~ *bien* (*mal*) *a alg.* j-n gern haben (nicht leiden können); P *¡mira éste!* das hat hingehauen, wie? F; *fig.* F *mírame y no me toques* ein Kräutlein Rührmichnichtan; ~ *con la boca abierta* mit offenem Munde anstarren, anstaunen, angaffen; ~ *de arriba abajo a. fig.* von oben bis unten anschauen; kritisch mustern; **2.** beobachten; betrachten; überprüfen; **3.** bedenken, überlegen; berücksichtigen; *¡mire lo que hace!* bedenken Sie, was Sie tun!; *sin* ~ *nada* rücksichtslos; *no* ~ *el precio* nicht auf den Preis sehen; **4.** ansehen (als *ac. como*); zu schätzen wissen, achten; **II.** *v/i.* **5.** sehen; schauen, hinsehen; ~ *a* gehen auf (*ac.*) (hinaus) (*Balkon usw.*); *¡mira!* da schau an!; *¡mire usted!* sehen Sie mal (*Hinweis od. Eröff-*

nungsfloskel e-s Gesprächs); ~ *al espejo* (*al reloj*) in den Spiegel (auf die Uhr) sehen; ~ *hacia atrás* zurückblicken, s. umschauen; **6.** zusehen; aufpassen; überlegen; s. umsehen; abzielen (auf *ac. a*); sorgen (für *ac. por*); s. kümmern (um *ac. por*); *¡mira cómo* (*bzw. a quién*) *hablas!* achte auf d-e Worte!; *¡mire a quién se lo cuenta!* wem sagen Sie das?; *¡mira quién habla!* u. das sagt ausgerechnet er!; *por lo que mira a usted* was Sie angeht; ~ *por sí* auf s-n Vorteil bedacht sein; s. in acht nehmen; **III.** *v/r.* ~*se* **7.** s. ansehen; *fig.* s. in acht nehmen; ~*se unos a otros* ea. verwundert ansehen; *fig.* ~*se en alg.* j-n sehr lieben; *si bien se mira* im Grunde, eigentlich.

mirasol ♀ *m* → *girasol.*

mi|ríada *f* Myriade *f* (*a. fig.*); *fig.* Unzahl *f*; ~**riápodos** *Zo. m/pl.* Tausendfüßler *m/pl.*

mirífico *poet. adj.* wunderbar.

mirilla *f* Guckloch *n an der Tür*, Spion *m* F; ⊕ Guckloch *n*; Skalenfenster *n.*

miriñaque *m* Reifrock *m*, Krinoline *f*; *fig.* F Schnickschnack *m*, Nippes *pl.*

miriópodos *Zo. m/pl.* → *miriápodos.*

mirlo *Vo. m* Amsel *f*; *fig. un* ~ *blanco* ein weißer Rabe.

mirobálano ♀ *m* Myrobalane *f.*

mirón I. *adj.* **1.** gaffend; neugierig; **II.** *m* **2.** Gaffer *m*; **3.** Zaungast *m*; *Kart.* Kiebitz *m*; ~*ones m/pl.* Sehleute *pl.* F *b. Messen.*

mirra *f* Myrrhe *f* (*Baum u. Duftharz*); ~**do** *adj.* mit Myrrhe versetzt.

mir|táceas ♀ *f/pl.* Myrtengewächse *n/pl.*; ~**to** ♀ *m* Myrte *f.*

misa *kath. f* Messe *f*; ~ *del alba* (*od.* F *de los cazadores*) Frühmesse *f*; ~ *cantada* Singmesse *f*; ~ *de cuerpo presente* Totenmesse *f* mit feierlicher Aufbahrung; ~ *de campaña* Feldgottesdienst *m*; ~ *de difuntos* (*od. de réquiem*) Seelen-messe *f*, -amt *n*; ~ *del gallo* Christmette *f*; ~ *mayor*, ~ *solemne* Hochamt *n*; F *de* ~ *y olla* einfältig, unbedarft (*Geistlicher*); *ayudar a* ~ Ministrant sein; *cantar* ~ sein erstes Meßopfer feiern (*Primiziant*); *celebrar* (*la*) ~, *decir* ~ die Messe lesen; *fig. no saber de la* ~ *la media* gar nichts wissen; ~**cantano** *kath. m* Primiziant *m.*

misal *m* Meßbuch *n.*

mis|antropía *f* Menschenhaß *m*; ~**antrópico** *adj.* menschenfeindlich; ~**ántropo** *m* Menschenfeind *m*, Misanthrop *m.*

misceláne|a *lit. f* Vermischte(s) *n*; Miszellen *f/pl.*; ~**o** *adj.* vermischt.

miscible *adj. c* mischbar.

mise|rable I. *adj. c* **1.** elend; verächtlich; **2.** knauserig, schäbig; **II.** *m* **3.** elender Kerl *m*; niederträchtiger Lump *m*, Schurke *m*; ~**rere** *m Rel.* (⚕ *a. cólico m* ~) Miserere *n*, ⚕ Koterbrechen *n*; ~**ria** *f* **1.** Elend *n*, Not *f*; **2.** Erbärmlichkeit *f*; **3.** Knauserei *f*; Schäbigkeit *f*; **4.** Ungeziefer(plage *f*) *n*; **5.** *fig.* (erbärmliche) Kleinigkeit *f*; *cobrar una* ~ e-n Schundlohn erhalten.

misericordi|a *f* **1.** Barmherzigkeit *f*; **2.** Mitleid *n*, Erbarmen *n*; ~**oso** *adj.-su.* barmherzig.

mísero *adj.* elend; unglücklich; geizig; *lit. ¡ay* ~ *de mí!* ich Unglücklicher!

misero F *m* **1.** Kirchenläufer *m* F; **2.** Meßpriester *m.*

misérrimo *sup. zu mísero* erbärmlichst.

misil *Angl. m* Fernlenkwaffe *f.*

misi|ón *f* **1.** *ecl.* Mission *f*; Bußpredigt *f*; Missionshaus *n*; **2.** *fig.* Mission *f* (*a. dipl.*); Sendung *f*; Aufgabe *f*, Auftrag *m*; ⚔ Einsatz *m* (*Kommandos usw.*); ~**onal** *ecl. adj. c* Missions...; ~**onar** *ecl. v/t.* missionieren; ~**onero I.** *adj.* Missions...; **II.** *m* Missionar *m*; ~**va** *f* Sendschreiben *n*; *fig.* Brief *m*; ~**vo** *adj.* Send...; Sendungs...

mis|mamente *adv.* gerade, genau; ~ *allí* eben dort; ~**midad** *Phil. f* Selbstheit *f*; ~**mísimo** *sup. zu* ~**mo** *adj.* **1.** selbst; eigen; gleich; nämlich; *el* ~ derselbe; *lo* ~ dasselbe; *lo* ~ *que* ebenso wie; *por lo* ~ eben deswegen; *da lo* ~ *od. lo* ~ *da* das ist einerlei, es ist egal F; *todo es* (*od. viene a ser*) *lo* ~ alles läuft auf dasselbe hinaus; **2.** *adverbiell*: genau; gerade, eben; noch; *ella* ~*a habló* sie sprach selbst; *así* ~ (genau) so; *le hirió en la* ~*a cara* er traf ihn genau ins Gesicht; *desde España* ~ (*od. misma*) *te lo mandará* er wird es aus Spanien selbst schicken; *le pude hablar en la* ~*a oficina* ich konnte ihn noch im Büro sprechen.

mi|sógamo *adj.-su.* Ehefeind *m*; ~**soginia** *f* Weiberscheu *f*; ~**sógino** *adj.-su.* Frauenfeind *m*; ~**soneísmo** *m* Haß *m* gg. Neuerungen; ~**soneísta** *adj.-su. c* neuerungsfeindlich; *m* Feind *m* aller Neuerungen.

mista|gogo *m* Mystagog(e) *m*; ~**gógico** *adj.* mystagogisch.

mistar *v/i.* → *musitar*; F *sin chistar ni* ~ ohne e-n Mucks(er) F.

mistela *f* **1.** mit Alkohol versetzter Most *m*; **2.** *Art* Grog *m* (*mit Zimtzusatz*).

misterio *m Rel. u. fig.* Mysterium *n*; *fig.* Geheimnis *n*; *adv. con* (*mucho*) ~ geheimnisvoll; ~**so** *adj.* geheimnisvoll.

mística *f* **1.** Mystik *f*; **2.** Mystikerin *f.*

misticismo *m* **1.** Mystik *f*; mystische Bewegung *f*; **2.** mystische Versenkung *f*; **3.** mystische Einung *f.*

místico[1] **I.** *adj.* mystisch; *fig.* schwärmerisch; exaltiert; *Am. a.* geziert, zimperlich; **II.** *m* Mystiker *m.*

místico[2] ⚓ *m* Küstenboot *n* (*mit Dreiecksegel*).

mistifica|ción *f* Täuschung *f*, Mystifizierung *f*; ~**dor** *m* Schwindler *m*; ~**r** [1g] *v/t.* irreführen, täuschen.

mistral *m* Mistral *m* (*Wind*).

mita *Ke. f* **1.** *Am. Mer. hist.* Arbeitsdienstverpflichtung *f der Indianer unter den Inkas*; *unter den Kolonisatoren* Frondienst *m* (*aufgehoben 1720*); **2.** *Bol.* Kokaernte *f*; **3.** *Chi.* F → *turno.*

mitad *f* Hälfte *f*; Mitte *f*; F *cara* ~ *f* bessere Hälfte *f*, Ehehälfte *f*; ~ *y* ~ zu gleichen Teilen, halbpart; *a* ~ *de camino* auf halbem Wege; *adv.* ~ *bueno*, ~ *malo* halb gut, halb schlecht.

mítico *adj.* mythisch; Mythos...

mitiga|ción *f* Milderung *f*; Abschwächung *f*; Linderung *f*; ~**r** [1h] *v/t.* mildern; lindern; beschwichtigen.

mi|tin, ~**tín** *m* (pol.) Versammlung *f.*

mito[1] *m Arg.* Algarrobenharz *n.*

mi|to[2] *m* Mythos *m*; Mythe *f*; ~**tología** *f* Mythologie *f*; ~**tológico** *adj.* mythologisch; ~**tologista**, ~**tólogo** *m* Mythologe *m.*

mitón *m* Pulswärmer *m.*

mitosis *Biol. f* Mitose *f.*

mitote *m Méj.* **1.** *aztekischer Tanz*; **2.** Hausball *m*; **3.** *fig.* **a**) Ziererei *f*; **b**) Zank *m*, Streit *m*; Krawall *m.*

mitra *f* Mitra *f* (*a.* ⚕); *fig.* Bischofswürde *f*; ~**do** *ecl. adj.* berechtigt, die Mitra zu tragen; ~**l** ⚕ *adj. c* mitral; *válvula f* ~ Mitralklappe *f.*

miura: *ser más bravo que un* ~ heimtückisch (*bzw.* sehr mutig) sein.

mixo|matosis *vet. f* Myxomatose *f*; ~**micetos** *Biol. m/pl.* Myxomyzeten *m/pl.*

mix|to I. *adj.* **1.** gemischt; *Li. idioma m* ~ Mischsprache *f*; **II.** *m* **2.** F Zündholz *n*; **3.** 🚂 gemischter Zug *m*; **4.** ⚔ ~ *fumígeno* (*incendiario*) Rauch- (Zünd-)satz *m*; ~**tura** *f* Mixtur *f*; Mischung *f.*

mnemo|tecnia, ~**técnica** *f* Mnemotechnik *f*; ~**técnico** *adj.* mnemotechnisch.

moabita *bibl. adj.-su. c* moabitisch; *m* Moabiter *m.*

moaré *tex. m* Moiré *m*, *n.*

mo|biliario I. *adj.* Mobiliar...; **II.** *m* Mobiliar *n*; Möbel *n/pl.*; → ~**blaje** *m* Hausrat *m.*

moca *m* Mokka *m* (*Kaffee*).

moca|da P *f* Schneuzen *n*, Rotzen *n* P; *echar una* ~ (s. aus)rotzen P; ~**r** [1g] *v/t.* schneuzen.

mocasín *m* Mokassin *m*; *neol.* Slipper *m* (*Schuh*).

mo|cedad *f* **1.** *lit. oft* ~*es f/pl.* Jugendzeit *f*; **2.** *K* Jugendstreich *m*; ~**cetón** *m* kräftiger (*od.* strammer) Bursche *m*; ~**cil** *adj. c* jugendlich, Jugend...

moción *f* **1.** Bewegung *f*; innere Regung *f*; **2.** *Pol.* Antrag *m* (einbringen *presentar*).

moco *m* **1.** Nasenschleim *m*, Rotz *m* P; *fig.* F *se le cae el* ~ er ist (noch) ein richtiger Grünschnabel *m*; F *llorar a* ~ *tendido* Rotz u. Wasser heulen F; P *quitarle los* ~*s a uno* j-m eins auf die Schnauze schlagen P; **2.** Fleischlappen *m am Schnabel des Truthahns*; *fig.* F *no es* ~ *de pavo* das ist nicht zu verachten, das ist nicht von Pappe F; ~**so I.** *adj.* rotzig; **II.** *m* Grünschnabel *m*, Rotznase *f* F; ~**suena** F *adv.*: *a* ~ aufs Geratewohl, nach dem bloßen Klang.

mocheta *f* **1.** Axt-, Messer-rücken *m*; **2.** *Zim.* Anschlag *m b. Tür od. Fenster.*

mochila *f* Rucksack *m*; Tornister *m*; Ranzen *m.*

mocho I. *adj.* **1.** stumpf; ohne Hörner (*Tier*); gestutzt (*Bäume, Gehörn*); *mit gebrochenen Masten* (*Schiff*); *fig.* F kahlgeschoren; **2.** F *Méj.* reaktionär; **II.** *m* **3.** stumpfes Ende *n*; *z. B.* Gewehrkolben *m.*

mochuelo *m* Steinkauz *m*; *fig.* harte (*od.* schwierige) Arbeit *f*; *Typ.* Leiche *f im Satz*; *fig.* F *cargar con el* ~ es ausbaden müssen.

moda *f* Mode *f*; ~ *femenina* (*masculina*) Damen- (Herren-)mode *f*; *última* ~ neueste Mode *f*, letzter Schrei *m*; *de* ~ modern; *a la* ~ *de* nach der Mode von (*dat.*); *estar fuera* (*od. pasado*) *de* ~ außer Mode sein, unmodern sein.

moda|l I. *adj. c Gram., Phil.* modal; **II.** ~*es m/pl.* Manieren *f/pl.*; Benehmen *n*; **~lidad** *f* Modalität *f*; Eigenart *f*; ⊕ ~ *de trabajo* Arbeitsweise *f e-s Geräts.*

mode|lado I. *adj.* modelliert; **II.** *m* Modellierung *f*; **~lador I.** *adj.* modellierend; **II.** *m* → *modelista*; **~lar** *v/t.* formen; modeln; modellieren; **~lista** *m* Modelleur *m*; Modellschreiner *m*; **~lo I.** *m* **1.** Bauart *f*, Modell *n*; **2.** Muster *n*, Modell *n*; Vorbild *n*; *tomar por* ~ s. zum Vorbild nehmen; **II.** *f* **3.** (Photo- *od.* Maler-)Modell *n*; Mannequin *n*.

modera|ción *f* Mäßigung *f*; *todo con* ~ alles mit Maßen; **~do** *adj.* gemäßigt (*a. Pol.*); mäßig, ruhig; **~dor I.** *adj.* mäßigend; **II.** *m* Mäßiger *m*; ⊕ Regler *m v. Geschwindigkeiten u. ä.*; *bsd.* ⚛ Moderator *m*; **~r** *v/t.* mäßigen; herabsetzen; verlangsamen; **~tivo** *adj.* mäßigend; **~to** ♪ *adv. u. m* Moderato *n*.

modernis|mo *m Ku., Lit., Rel.* Modernismus *m*; **~ta** *adj.-su. c* modernistisch; *m* Modernist *m*.

moder|nización *f* Modernisierung *f*; Erneuerung *f*; **~nizar** [1f] *v/t.* modernisieren; erneuern; **~no** *adj.* neuzeitlich; modern; modisch; *a la* ~*a* nach neuestem Geschmack, nach der letzten Mode.

modes|tia *f* Bescheidenheit *f*; Sittsamkeit *f*; *falsa* ~ falsche Bescheidenheit *f*; ~ *aparte* ich will mich ja nicht rühmen (, aber ... *pero* ...); **~to** *adj.* bescheiden. [*u. ä.*]

modicidad *f* Mäßigkeit *f der Preise*

módico *adj.* mäßig, gering; niedrig, billig (*Preis*).

modifica|ble *adj. c* abänderungsfähig; modifizierbar; **~ción** *f* (Ab-)Änderung *f*; **~dor** *adj.* abändernd; **~car** [1g] *v/t.* ändern; umändern; ab-, ver-ändern; 🕮, *bsd. Phil.* modifizieren; **~tivo, ~torio** *adj.* abändernd; Änderungs...; Modifikations...

modismo *Li. m* (spracheigentümliche) Redewendung *f*.

modis|ta I. *f* Modistin *f*; Damenschneiderin *f*; **II.** *m* → *modisto*; **~tería** *f* Modesalon *m*; **~tilla** *f* Nähmädchen *n*; **~to** *m* Damenschneider *m*; Modeschöpfer *m*.

modo *m* **1.** Art *f*, Weise *f*, Modus *m* (*bsd. Phil.*); Möglichkeit *f*, Form *f*; Mittel *n*, Weg *m*; ~ *de empleo* Gebrauchsanweisung *f*; ~ *de ser* Wesen *n*; ~ *de vivir* Lebens-art *f*, -weise *f*; *a* ~ *de* in der Art von (*dat.*); wie (*nom.*); *a mi* ~ *de ver* nach m-r Auffassung, m-s Erachtens; *de cualquier* ~ irgendwie; *de ese* ~ dadurch; *de este* ~ derart; so; *de* ~ *que* so daß; also; F *de* ~ *y manera que* folglich; *de ningún* ~ keineswegs, durchaus nicht; *de otro* ~ anders; andernfalls, sonst; *de tal* ~ derart, dergestalt; *de tal* ~ *que* so daß; *de todos* ~*s* immerhin; auf alle Fälle, jedenfalls; *en cierto* ~ gewissermaßen, sozusagen; *¡qué* ~ *de llorar!* was für ein Geflenne!; **2.** Verfahren *n*, Methode *f*; **3.** *Li.* Aussageweise *f*, Modus *m*; ~ *adverbial* adverbieller Ausdruck *m*; (~) *subjuntivo m* Konjunktiv *m*; **4.** ♪ Tonart *f*; ~ *mayor* (*menor*) Dur- (Moll-)tonart *f*; **5.** ~*s m/pl. a.* Art *f*, Manieren *f/pl.*; Benehmen *n*.

modo|rra *f* **1.** bleierne Müdigkeit *f*; Benommenheit *f*; **2.** Kater *m* F, Katzenjammer *m*; **3.** *vet.* Drehkrankheit *f der Schafe*; **~rrar I.** *v/t.* e-n schweren Kopf machen (*dat.*); **II.** *v/r.* ~*se* pelzig (*bzw.* faulig) werden (*Obst*); **~rrilla** F ⚔ *f* dritte Nachtwache *f*; **~rro** *adj.* **1.** schlaftrunken; **2.** pelzig *bzw.* faulig (*Obst*); **3.** *fig.* dumm, einfältig.

modo|sidad *f* gesittetes Benehmen *n*; **~so** *adj.* gesittet, artig.

modrego F *m* Tölpel *m*.

modula|ción ♪, *Phys. f* Modulation *f*; *HF* ~ *de frecuencia* Frequenzmodulation *f*; **~dor** *HF* **I.** *adj.* modulierend; **II.** *m* Modulator *m*; **~dora** *HF f* Modulationsröhre *f*; **~r** ♪, *Phys. v/t.* modulieren.

módulo *m* **1.** ⚡, △, ⊕ Modul *m*; **2.** Model *m*; Maß *n*; Norm *f*; **3.** ~ *lunar* Mondfähre *f*.

mofa *f* Spott *m*; Verhöhnung *f*; *hacer* ~ *de* verspotten (*ac.*); **~dor** *adj.* spöttisch; **~rse** *v/r.* s. lustig machen (über *ac. de*).

mofeta *f* **1.** ⚒ Grubengas *n*; ~*s f/pl.* schlagende Wetter *n/pl.*; **2.** *Zo.* Stinktier *n*.

mofle|te *m* Pausbacke *f*; **~tudo** *adj.* pausbackig.

mogataz *arab. m* Eingeborenensoldat *m in den* (*ehm.*) *span. Besitzungen Afrikas.*

mogate *m* Glasur *f* (*Keramik*); *fig.* F *de medio* ~ nachlässig.

mogol I. *adj.* † → *mongol*; **II.** *m* Mogul *m*; *Gran* ♀ Großmogul *m*.

mogollón *m* Schmarotzer *m*; *adv. de* ~ umsonst; gratis.

mogón *adj.* einhörnig; mit abgebrochenem Gehörn (*Rind*).

mogote *m* **1.** isolierter Hügel *m*; Kuppe *f*; **2.** ✓ (Holz-, Heu-) Stapel *m*; Garbenbündel *n*, Puppe *f*; **3.** *Jgdw.* Geweihknospe *f*.

mohair *tex. m* Mohair *m*.

moharra *f* Lanzenspitze *f*; Fahnenspitze *f*.

mohicano *m* Mohikaner *m*.

mohín *m* Gebärde *f*; Grimasse *f*; *hacer* ~*ines a.* schmollen.

mohí|na *f* Verdruß *m*; Groll *m*; **~no** *adj.* verdrossen, mißmutig, unwillig.

moho *m* Hausschwamm *m*; Moder *m*; Schimmel *m*; Grünspan *m*; Rost *m*; *mancha f de* ~ Stockfleck *m*; *olor m a* ~ Modergeruch *m*; *criar* ~ modern; schimmeln; kahmig werden (*Wein*); Grünspan ansetzen; rosten; *cubierto de* ~ schimmelig; voller Grünspan; rostig; *fig.* F *no dejar criar* ~ schnell aufbrauchen, nicht verschimmeln lassen F; *oler a* ~ modrig riechen, müffeln; **~searse** *v/r. Am.* → *criar moho*; **~so** *adj.* modrig; schimmelig; kahmig (*Wein*); voller Grünspan; rostig.

moiré *frz. m* Moiré *m, n* (*tex. u. fig., Typ. usw.*).

moisés *m* Tragkörbchen *n für Kleinkinder.*

mojadedo *adv.*: *a* ~ → *a quemarropa.*

moja|do I. *adj.* naß; feucht; befeuchtet; eingeweicht; **II.** *m* → *mojadura*; **~dor I.** *adj.* anfeuchtend; *Typ. rodillo m* ~ Feuchtwalze *f* (*Offset*); **II.** *m* (Finger-, Marken-) Anfeuchter *m*; **~dura** *f* Befeuchtung *f*. [*m.*]

mojama *f* getrockneter Thunfisch

moja|r I. *v/t.* (an-, be-)feuchten; naßmachen; einweichen; ein-tauchen; -tunken; F *¡por dónde pasa, moja!* den Durst löscht es (, *wenn das Getränk auch sonst nicht viel taugt*); **II.** *v/i. fig.* F teilhaben (*an dat.* en); mitmachen (bei *dat.* en); **III.** *v/r.* ~*se* naß werden; **~sellos** (Briefmarken-)Anfeuchter *m*.

mo|je F *m* Soße *f*; **~jí** F *m* → *mojicón* 2; **~jicón** *m* **1.** *Kchk. Art* Marzipankeks *m*; *Art* Krapfen *m zur Schokolade*; **2.** *fig.* F (Faust-)Schlag *m ins Gesicht.*

mojiganga *f* Mummenschanz *m*; *Thea.* Possenspiel *n*; *fig.* affektierter Mensch *m*.

mojiga|tería *f* Heuchelei *f*; Frömmelei *f*; Scheinheiligkeit *f*; **~to** *adj.-su.* scheinheilig; bigott; *m* Frömmler *m*; Scheinheilige(r) *m*.

mojinete △ *m* Dachfirst *m*; *Arg., Chi.* Giebelwand *f*.

mojo *Kchk. m* **1.** *Andal., Am.* Soße *f*; **2.** *Bol. Art* Karbonade *f*.

mo|jón *m* **1.** Grenz-, Mark-stein *m*; Wegweiser *m*; ~ *kilométrico* Kilometerstein *m*; **2.** P Haufen *m* (*a. Kot*); **~jonar** *v/t.* Grenzsteine setzen; **~jonera** *f* Grenz-steine *m/pl. bzw.* -linie *f zwischen Feldern.*

mol *Phys. m* Mol *n*.

molar *adj. c* Mahl...; Mühl...; *a. m* (*diente m*) ~ Backenzahn *m*.

moldar *v/t.* formen, gestalten.

molde *m* **1.** Form *f* (*a. Typ.*); ⊕ Modell *n*; Negativform *f*; Abklatsch *m*; Matrize *f*; Muster *n*; (Gieß-)Mulde *f*; *fig.* F *de* ~ wie gerufen; ⊕ ~ *en cera* Wachsform *f*; Wachsabdruck *m*; ~ *de fundición* Gieß-, Guß-form *f*; **2.** *Kchk.* (Back-)Form *f*; **~able** *adj. c* formbar; **~ado** ⊕ *m* Formerei *f*; **~ador** ⊕ *m* Former *m*; **~adora** ⊕ *m* Formmaschine *f*; **~ar** *v/t.* formen; abformen; abgießen; modellieren; **~ría** ⊕ *f*: ~ *de acero* Stahlgießerei *f*.

moldura *f* **1.** △ Gesims *n*; Sims *n*; Profilleiste *f*; *Zim.* Kehlleiste *f*; **2.** *Ec.* Bilderrahmen *m*; **~dora** *f Zim.* Kehlmaschine *f*; **~r** ⊕ *v/t. Holz, Stein* kehlen.

mole[1] *adj. c Kchk.*: *huevos m/pl.* ~*s* Eiersüßspeise *f*.

mole[2] *f* **1.** (gewaltige) Masse *f* (*a. fig.*); **2.** *Phys.* Masse *f*.

mole[3] *Kchk. m Am. Cent., Méj.* Pfefferfleisch *n*.

mo|lécula *f* Molekül *n*; **~lecular** *Phys. adj. c* Molekular...

mole|dera *f* Mühl-, Mahl-stein *m*; *fig.* F Belästigung *f*; **~dero** *adj.* Mahl...; **~dor I.** *adj. fig.* lästig, zermürbend; **II.** *m* Mühlwalze *f*; **~dura** *f* Zermahlen *n*; **~ndero** *m* Mahlgast *m*; **~ña** *f* → *pedernal*; **~r** [2h] *v/t.* **1.** mahlen; zerreiben; **2.** *fig.* zermürben; strapazieren; belästigen; F ~ (*a palos*) (ordentlich) vertrimmen F, verprügeln.

moles|tar I. *v/t.* **1.** belästigen, lästig fallen (*dat.*); stören; **2.** quälen, plagen; drücken (*Schuh*); **3.** beunruhigen; ärgern; **II.** *v/r.* **~se 4.** s. mühen; **~se en** + *inf.* s. bemühen, zu + *inf.*; *¡no se moleste usted (por esto)!* machen Sie bitte k-e Umstände (deswegen)!; **5.** verletzt sein; eingeschnappt sein F; **~tia** *f* **1.** Belästigung *f*; ~ *por olores* Geruchsbelästigung *f*; **2.** Mühe *f*, Unbequemlichkeit *f*; *tomarse la ~ de* s. die Mühe machen, zu + *inf.*; **3.** Beschwerde *f*, Plage *f*; *sin ~s* beschwerdefrei; **4.** Störung *f*; Beunruhigung *f*; **5.** Unannehmlichkeit *f*, Ärger *m*; **~to** *adj.* **1.** lästig; unbequem, lästig fallend; **2.** belästigend, aufdringlich; **3.** verdrießlich, ärgerlich; **~toso** *adj.* F *Am.* → *molesto*.

moletón *tex. m* Molton *m*.

molibdeno 🜍 *m* Molybdän *n*.

molicie *f* Weichheit *f*; Verweichlichung *f*.

moli|do *adj.* gemahlen; *fig.* F *estoy ~* ich bin wie gerädert; **~enda** *f* **1.** Mahlen *n*; Vermahlung *f*; **2.** Mahlquantum *n*; **3.** → *molino*; **4.** *fig.* F Plackerei *f*; **~ente** *part.* mahlend; → *corriente*.

molificar [1g] *v/t. bsd.* ⚕ erweichen; geschmeidig machen.

moli|miento *m* Mahlen *n*; *fig.* Strapaze *f*; **~nar** *m* Mühl(en)feld *n*; **~nería** *f* Müllerei *f*; Mühlenindustrie *f*; **~nero** *m* Müller *m*; *oficial m ~* Müllergesell(e) *m*; **~nete** *m* **1.** Windrad *n*; **2.** Ventilator *m*; **3.** Windmühlchen *n* (*Spielzeug*); **4.** Drehkreuz *n*; **5.** ⚓ Kreis-, Anker-winde *f*; **6.** Schwingen *n* im Kreise; *z. B.* Kreis-, Zirkel-hieb *m mit dem Säbel*; *hacer ~* (*Waffe, Spazierstock u. ä.*) kreisförmig schwingen; **7.** *Tanz, Stk.* Pirouette *f*; **~nillo** *m* **1.** kl. Mühle *f*; Handmühle *f*; Kaffee-, Pfeffer- *usw.* Mühle *f*; **2.** Quirl *m*; Schneeschläger *m*.

molinis|mo 🕮 *m* Molinismus *m* (*Gnadenlehre des Luis Molina*); **~ta** *adj.-su. c* Anhänger *m* Molinas.

molino *m* Mühle *f*; *a.* ⊕ *~ de aceite (de agua)* Öl- (Wasser-)mühle *f*; *~ arrocero (harinero)* Reis- (Getreide-)mühle *f*; *~ de aserrar (de viento)* Säge- (Wind-)mühle *f*; *~ de cilindros* Walzen-mühle *f*, -stuhl *m*; *ala f (od. aspa f) de ~* (Wind-)Mühlenflügel *m*; *mozo m de ~* Müllerbursche *m*; *fig. llevar el agua a su ~* das Wasser auf s-e Mühle leiten; *fig. luchar contra ~s de viento* gg. Windmühlen kämpfen.

Moloc *m* **1.** (*a. Moloch*) *bibl. u. fig.* Moloch *m*; **2.** ♀ *Zo.* Moloch *m*.

molturar *v/t.* vermahlen.

molusco *Zo. m* Weichtier *n*, Molluske *f*.

molla *f* mageres (Stück *n* am) Fleisch *n*; **~r** *adj. c* **1.** weich (*Obst*); mürbe (*Fleisch*); *almendra f ~* Knack-, Krach-mandel *f*; **2.** *fig.* ergiebig, einträglich.

molle *Ke.* ⚘ *m Am. versch. Terebinthazeen.*

molle|ar *v/i.* weich werden, nachgeben (*Sache*); **~do** *m* **1.** fleischiger Teil *m an Wade, Arm, Schenkel*, Muskelfleisch *n*; **2.** Brotkrume *f*; **~ja**[1] *f* Fleischdrüse *f*; Bries(chen) *n*; **~ja**[2] *f* Kaumagen *m der Vögel*; **~jón**[1] F *m* fetter, träger Mensch *m*; **~jón**[2] *m* Schleifstein *m*.

molle|ra *f* Schädeldach *n*; *fig.* F Verstand *m*, Grips *m* F; *fig. cerrado de ~* schwer von Begriff; *fig. duro de ~* stur; **~ro** F *m* → *molledo 1*; **~ta** *f* **1.** mürbes Weizenbrot *n*; Milchfladen *m*; **2.** *Reg. Art* Graubrot *n*; **~te** *m* kl. Weißbrot *n*.

momen|táneo *adj.* augenblicklich; für den Augenblick; momentan; **~to** *m* **1.** Augenblick *m*, Moment *m*; Zeitpunkt *m*, Moment *m*; *al ~* sofort; *por el ~, en este ~* im Augenblick, zur Zeit; *en los ~s actuales* heutzutage; *agravarse por ~s* zusehends ernster werden; *llega de un ~ a otro* er muß jeden Augenblick kommen; **2.** *Phys. u. fig.* Moment *n*; *fig.* Belang *m*; *Phys. ~ de frenado (de inercia, de rotación)* Brems- (Trägheits-, Dreh-)moment *n*.

momería *f* Mummenschanz *m*, Mummerei *f*.

momi|a *f* Mumie *f*; *fig.* F *ser una ~* spindeldürr sein; **~ficación** ⚕ *u. fig. f* Mumifizierung *f*; **~ficar** [1g] *v/t.* mumifizieren; **~o I.** *adj.* mager (*Fleisch*); **II.** *m* F Zugabe *f*; wohlfeiler Kauf *m*; *de ~* umsonst.

Momo *npr. m*: *früher*: *el dios ~* Prinz Karneval; ♀ *m Folk.* Fratze *f*, lustige Grimasse *f*; Mummerei *f*.

mona[1] *f* Äffin *f*; *fig.* F Rausch *m*, Affe *m* F; F *coger (od. pillar) una ~* s. e-n Rausch holen; *Spr. aunque la ~ se vista de seda, ~ se queda* Kleider allein tun es nicht; ein Aff bleibt ein Aff, er mag König werden od. Pfaff.

mona[2] *Kchk. f Art* Eierschnecke *f*; *~ de pascua Art* Osterfladen *m*.

monaca|l *adj. c* mönchisch, Mönchs...; Kloster...; **~to** *m* Mönchstum *n*.

monada *f* **1.** Äfferei *f*; Affenstreich *m*; **2.** F Kinderei *f*; Drolligkeit *f*; **3.** F *et.* Reizendes; *p. ext.* ein hübsches Mädchen; *¡qué ~!* wie niedlich!

mónada *Phil., Biol. f* Monade *f*.

monadelfo ⚘ *adj.* einbruderig.

monadismo 🕮 *m* leibnizisches Denken *n*.

mona|go F, **~guillo** *kath. m* Ministrant *m*, Meßdiener *m*, Meßknabe *m*.

mo|narca *m* Monarch *m*; **~narquía** *f* Monarchie *f*; **~nárquico I.** *adj.* monarchisch; monarchistisch; **II.** *m* Monarchist *m*; **~narquismo** *m* monarchistische Gesinnung *f*; Monarchismus *m*.

mo|nasterio *m* Kloster *n*; **~nástico** *adj.* Kloster...; Mönchs...; Nonnen...

monda *f* Schälen *n*, Putzen *n*; Schleißen *n v. Federn*; Beschneiden *n der Bäume*; Zeit *f* des Baumschnitts; P *¡esto es la ~!* das ist das Letzte!; das ist das Höchste!; **~dientes** *m* (*pl. inv.*) Zahnstocher *m*; **~dor** *m* Schäler *m*; *~ de patatas* Kartoffelschäler *m*; **~dora** *f* **1.** Schälerin *f*; Schleißerin *f*; **2.** Schälmaschine *f*; **~dura** *f* **1.** Säubern *n*; Ausputzen *n*; Aushülsen *n*; Schälen *n*; **2.** Schale *f*; **~s** *f/pl.* Abfälle *m/pl.*; Obst-, Kartoffel- *usw.* Schalen *f/pl.*; Erbsen- *usw.* Hülsen *f/pl.*; Spreu *f v. Getreide usw.*; **~r I.** *v/t.* **1.** *a. Reis, Obst* schälen; *Erbsen, Bohnen usw.* ent-, aus-hülsen; *Federn* schleißen; *Bäume usw.* (be)schneiden, (*Holzfäller*): entasten; F *Haar* stutzen; **2.** (aus)putzen; säubern, reinigen; *Zähne* reinigen (*mit dem Zahnstocher*); **II.** *v/r.* **~se 3.** *fig.* F s. köstlich amüsieren; *~se (de risa)* s. schütteln vor Lachen.

mondo *adj.* **1.** sauber, rein; unvermischt; *fig.* F *~ y lirondo* lauter, ungeschminkt; **2.** ohne Unreinlichkeiten *bzw.* haarlos (*Gesicht*).

mondon|ga F *desp. f* schmutzige Küchenmagd *f*; **~go** *m* Gedärm *n*; Eingeweide *n*, Gekröse *n*, *Jgdw.* Gescheide *n*; Kuttel(n) *f*(/*pl.*); *hacer el ~* Kutteln zu Wurstfülle verarbeiten; **~guería** *f* Kaldaunenmetzgerei *f*.

moneda *f* **1.** Münze *f*; Geldstück *n*; *~ de oro* Goldmünze *f*; *fig. pagar con (od. en) la misma ~* mit der gleichen Münze heimzahlen; **2.** Geld *n*; Währung *f*; *fig.* Geld *n*, Vermögen *n*; ✝ *~ blanda, ~ débil (fuerte)* weiche (harte) Währung *f*; *~ corriente a. fig.* gängige Münze *f*; *~ extranjera* ausländische Zahlungsmittel *n/pl.*, Devisen *f/pl.*; *~ falsa* Falschgeld *n*; *~ fraccionaria* Scheidemünze *f*; Währung *f*; *~ nacional, Abk. m.n. od. m/n* Landeswährung *f*; *cambio m de ~* Geldwechsel *m*; *Casa f de la* ♀ Münz(stätt)e *f*; *operación f de ~ extranjera* Sortengeschäft *n*; *papel m ~* Papiergeld *n*; *fig. eso es ~ corriente* das ist gängige Münze; das ist nichts Neues (*od.* nichts Besonderes).

monedero *m* **1.** → *portamonedas*; **2.** Münzer *m*; *a. fig. ~ falso* Falschmünzer *m*.

monegasco *adj.-su.* monegassisch; *m* Monegasse *m*.

mone|ría *f* **1.** kindlicher Streich *m*; drolliges Benehmen *n* e-s Kindes; **2.** Kinderei *f*; Spielerei *f*; **3.** Albernheit *f*, Affenkomödie *f* F; **~sco** *adj.* Affen...; äffisch.

monesia ⚘ *f* Goldblatt *n*.

mone|tario I. *adj.* Geld...; Währungs...; Münz...; *sistema m ~* Währungssystem *n*; Geldwesen *n*; **II.** *m* Münzsammlung *f*; Münzkabinett *f*; **~tización** *f* **1.** Monetisierung *f*, Umwandlung *f* in Geld; **2.** Münzprägung *f*; Papiergeldausgabe *f*; **~tizar** [1f] *v/t.* **1.** (zu Geld) prägen; *Noten, Anweisungen* zum öffentlichen Zahlungsmittel erklären; **2.** *fig.* F zu Geld machen, versilbern F.

mongol *adj.-su. c* mongolisch, Mongolen...; *m* Mongole *m*; *Li. das* Mongolische.

mongolfiera *f* Mongolfiere *f*, Heißluftballon *m*.

mon|gólico *adj.* mongolisch; **~golismo** *Li.*, ⚕ *m* Mongolismus *m*; **~goloide** *adj. c* mongoloid.

monicaco *m* **1.** *desp.* → *monigote*; **2.** *Col.* Heuchler *m*.

monición ⚖ *f* Mahnung *f*.

monigote F *m* **1.** Männchen *n*; Witzfigur *f*; *a. fig.* Hampelmann *m*; *fig.* Kleckserei *f*, Pfuscherei *f* (*Bild, Statue*); **2.** † Laienbruder *m im Kloster*; F *Bol., Chi., Pe.* Seminarist *m* (*Priesterseminar*).

mo|nín, ~nino F *adj.* niedlich, hübsch.

monises F *m/pl.* Geld *n*, Moneten *f/pl.* F.

monis|mo *Phil. m* Monismus *m*; **~ta** *adj.-su. c* monistisch; *m* Monist *m*.

moni|tor *m* **1.** Mahner *m*, Warner *m*, Ratgeber *m*; **2.** *Sp.* Vorturner *m*; Riegenführer *m*; Turn-, Fechtlehrer *m*; **3.** ⚔ Küstenpanzerschiff *n*, Monitor *m*; **4.** *bsd. HF, TV* Monitor *m*; **5.** *Zo.* Wüstenwaran *m*; **6.** *Am.* Hilfslehrer *m*; **~toria** *ecl. f* → *monitorio m*; **~torio I.** *adj.* **1.** erinnernd, mahnend; Mahn...; *bsd.* ⚖, *ecl. carta f ~a* Mahnschreiben *n*; **II.** *m ecl.* **2.** Mahnung *f*; schwerer Verweis *m*; **3.** Mahnschreiben *n des Papstes, der Bischöfe*; **4.** Androhung *f* der Exkommunikation.

mon|ja *f* **1.** Nonne *f*, Klosterfrau *f*; **2.** *fig.* **~s** *f/pl.* Papierasche *f*; *Méj. ein Mischgetränk* (*Anis, Absinth*) *mit Wasser u. Honig*; **~je** *m* Mönch *m*; **~jero** F *m* Nonnenfreund *m*; **~jía** *f* Mönchspfründe *f*; **~jil I.** *adj. c* Nonnen...; **II.** *m* Nonnentracht *f*; **~jío** *m* **1.** Klosterfrauenstand *m*; Nonnenwesen *n*; **2.** Eintritt *m* ins Kloster *als Nonne*; Nonnengelübde *n*; **3.** Nonnenkloster *n*; **~jita** *f* **1.** *dim. zu monja*; **2.** *Vo. Rpl.* Nonnensittich *m*.

mono[1] *m* **1.** *Zo.* Affe *m* (*a. fig. desp.*); Nachäffer *m*; Zieraffe *m*; *Zo.* **~s** *m/pl. antropoides* Menschenaffen *m/pl.*; ~ *aullador* (*od. bramador*) Brüllaffe *m*; ~ *capuchino* Kapuzineraffe *m*; ~ *sabio Zirkus*: dressierter Affe *m*; *Stk.* Stierplatzgehilfe *m*; *estar de ~s* schmollen (*bsd. v. e-m Liebespaar*); *ser el último ~* die allerkleinste Rolle spielen (*Person*); **2.** Männchen *n* (*Kritzelzeichnung*); F Zeichnung *f*, Illustration *f*; **3.** Arbeitsanzug *m*, Overall *m*; ~ *de vuelo* Fliegerkombination *f*.

mono[2] *adj.* **1.** hübsch; niedlich; nett; **2.** drollig, possierlich.

mono[3]**...** *pref.* Ein...; Allein...; Einzel...; Mono...

mono|ácido ⚗ *adj.* einsäurig; **~básico** ⚗ *adj.* einbasig; **~carril** *Vkw. m* Einschienenbahn *f*; **~celular** *Biol. adj. c* einzellig; **~cíclico** *adj.* monozyklisch; **~cilíndrico** *Kfz. adj.* einzylindrig; **~citos** ⚕ *m/pl.* Monozyten *m/pl.*; **~cordio** ♪, *Phys. m* Monochord *n*; **~cotiledón(eo)** ⚘ *adj.* einkeimblättrig; **~cromo** *bsd. Typ. adj.* einfarbig; **~cular** ⚕ *adj. c* einäugig.

monóculo *m* Monokel *n*.

mono|cultivo 🌾 *m* Monokultur *f*; **~fásico** ⚡ *adj.* einphasig.

mo|nogamia *f* Einehe *f*, Monogamie *f*; **~nógamo** *adj.* monogam.

mono|grafía *f* Monographie *f*, wissenschaftliche Einzeldarstellung *f*; **~gráfico** *adj.* monographisch; **~grama** *m* Monogramm *n*; **~lítico** *adj.* aus e-m Stein(block); monolithisch (*a. fig., bsd. Pol.*); **~litismo** *gal., bsd. Pol. m* straffe Organisation *f*, absoluter Zs.-halt *m*; **~lito** *m* Monolith *m*.

monólogo *m* Monolog *m*.

mono|manía ⚕ *f* Monomanie *f*; fixe Idee *f*; **~maníaco, ~maniático** ⚕ *adj.-su.* monoman(isch); *m* Monomane *m*; **~metalismo** ✝ *m* Monometalismus *m* (*Währungssystem*); **~motor I.** *adj.* einmotorig; **II.** *m* einmotoriges Flugzeug *n*.

mono|pétalo ⚘ *adj.* monopetal; **~plano** ✈ *m* Eindecker *m*; **~plaza I.** *adj.* ✈ einsitzig; **II.** *m* Einsitzer *m*; **~polar** *adj. c* einpolig; **~polio** *m* Monopol *n*; ~ *de Estado* Staatsmonopol *n*; *situación f de ~* Monopolstellung *f*; **~polista** *adj.-su. c* Monopol...; *m* Monopolist *m*; Monopol-inhaber *m* (*od. bsd. fig.* -herr *m*); **~polizar** [1f] *v/t.* monopolisieren; *fig.* für s. in Anspruch nehmen.

monóptero I. *adj.* 🕮 einflügelig; **II.** *m* ⚠ Monopteros *m* (*Säulentempel, Barocklaube*).

mono|rrimo *adj.* einreimig (*Strophe*); **~sacáridos** ⚗ *m/pl.* Monosacharide *n/pl.*; **~sépalo** ⚘ *adj.* einblätterig (*Blütenkelch*); **~silabismo** *m* Einsilbigkeit *f*; **~sílabo** *adj.-su.* einsilbig; *m* einsilbiges Wort *n*; **~teísmo** *m* Monotheismus *m*; **~teísta** *adj.-su. c* monotheistisch; *m* Monotheist *m*; **~tipia** *Typ. f* Monotypsatz *m*; **~tipo** *Typ. m* Monotype(-Setzmaschine) *f*.

mo|notonía *f* Monotonie *f*, Eintönigkeit *f*; **~nótono** *adj.* eintönig, monoton; **~novalente** ⚗ *adj. c* einwertig.

monroísmo *Pol. m* Monroedoktrin [*f.*]

monseñor *m* Monsignore *m* (*Titel*).

monserga F *f* Kauderwelsch *n*; (dummes) Gewäsch *n* F; **~s** *f/pl.* Geschwätz *n*, Quatsch *m* F; (dumme) Ausreden *f/pl.*

monstruo *m* **1.** Ungeheuer *n*; Monstrum *n*; **2.** Unmensch *m*; Untier *n*; Scheusal *n*; Mißgeburt *f*; **3.** „~ *de la Naturaleza*" *Beiname Lope de Vegas*; **~sidad** *f* Ungeheuerlichkeit *f*; Widernatürlichkeit *f*; Scheußlichkeit *f*; Mißgestalt *f*; **~so** *adj.* **1.** ungeheuer(lich); **2.** widernatürlich; scheußlich; **3.** mißgestaltet; **4.** riesenhaft.

monta *f* **1.** *Equ.* Aufsitzen *n*; ⚔ Befehl *m* zum Aufsitzen (*Signal*); Reiten *n*; Reitkunst *f*; **2.** ⚒ Gestüt *n*; 🌾, *vet.* Beschälung *f*, Dekken *n*; **3.** Summe *f*, (End-)Betrag *m*; *fig.* Wert *m*; Wichtigkeit *f*, Belang *m*; *de poca ~* unbedeutend.

monta|barcos ⚓ *m* (*pl. inv.*) Schiffshebewerk *n*; **~cargas** *m* (*pl. inv.*) (Lasten-)Aufzug *m*.

monta|do *adj.* **1.** beritten; ~ *en bicicleta* auf dem Fahrrad (sitzend); **2.** ⊕ montiert; eingebaut; ~ *oculto* (*od. a escondidas*) verdeckt eingebaut; **~dor** *m* **1.** *Equ.* (Be-)Reiter *m*; Stufe *f zum Erleichtern des Aufsitzens*; **2.** ⊕ Monteur *m*; (Maschinen-)Schlosser *m*; ~ *electricista* Elektromonteur *m*; ~ *de tubos* Rohrleger *m*; **3.** ⚓ Montiervorrichtung *f*; **4.** *Film*: ~ *de escena* Bühnenmeister *m*; **~dura** *f* **1.** (Pferde-)Geschirr *n*; **2.** Fassung *f e-s Edelsteins*; **3.** ⚒ → *monta 1, 2*; **~je** *m* **1.** ⊕ Montage *f*; Zs.-bau *m*; Einbau *m*; Aufstellung *f*; (Rohr-)Verlegung *f*; ~ *en cadena* Fließbandmontage *f*; **2.** (Bearbeitungs-)Vorrichtung *f*; **3.** *Film*: Montage *f*; Feinschnitt *m*; *Phot.* ~ *fotográfico* Photomontage *f*; **4.** ⚔ Lafette *f*.

montane|ra 🌾 *f* (Zeit *f* der) Eichelmast *f*; **~ro** *m* Waldhüter *m*.

montanismo *Rel. m* Montanismus *m*.

montano *adj.* Berg...

montante I. *m* **1.** (Schlacht-)Schwert *n*, Zweihänder *m*; **2.** Pfosten *m*; Ständer *m*, Stütze *f*; ⊕ Maschinenständer *m*; **3.** Zwischenpfeiler *m in Fensteröffnung*; Türfenster *n*; **4.** *gal.* → *importe, suma*; **II.** *f* **5.** ⚓ (steigende) Flut *f*.

monta|ña *f* **1.** Gebirge *n*; Berg *m*; ~ *rusa* Achterbahn *f*, Berg- und Talbahn *f*; **2.** *Span. la* ~ die Provinz Santander; **~ñero** *Sp. m* Bergsteiger *m*; **~ñés I.** *adj.* Gebirgs...; **II.** *adj.-su.* aus Santander (*Provinz*); **III.** *m* Gebirgsbewohner *m*; **~ñismo** *m* Berg-steigen *n*, -sport *m*; **~ñoso** *adj.* bergig; gebirgig.

montaplatos *m* (*pl. inv.*) Speisenaufzug *m*.

montar I. *v/t.* **1.** *Pferd* reiten; besteigen; 🌾, *vet.* beschälen, decken; ⚔ ~ *la guardia* Posten stehen (*od.* beziehen); **2.** ⊕ montieren; aufstellen; bauen; zs.-setzen; *Edelsteine* fassen; *Film* montieren *bzw.* schneiden; *Waffe* spannen; ⊕ ~ *en serie* in Serie (*bzw.* auf dem Fließband) montieren (*od.* zs.-bauen); ~ *en tela z. B. Landkarten* auf Leinen aufziehen; **II.** *v/i.* **3.** steigen; *de ~* Reit...; ~ *a caballo* aufsitzen; reiten; ~ *en bicicleta* radfahren; **4.** ~ *a* betragen (*ac.*), ausmachen (*ac.*) (*Summe*); *fig. tanto monta* es läuft auf dasselbe hinaus.

montaraz (*pl.* **~aces**) **I.** *adj. c a. fig.* wild, ungezähmt; **II.** *m* ⚒ Wald-, Feld-hüter *m*.

montasacos *m* (*pl. inv.*) Sackeleva-[*tor m.*]

monte *m* **1.** Berg *m*; *fig.* schwer zu überwindendes Hindernis *n*; *por ~s y valles* über Berg u. Tal; ~ *de Piedad* Leihhaus *n*, Versatzamt *n*; *Anat.* ~ *de Venus* Schamberg *m*; **2.** Wald *m*; ungerodetes Gelände *n*; *fig.* F ungepflegter dichter Haarschopf *m*; ~ *alto* Hochwald *m*; ~ *bajo* Buschwald *m*; Unterholz *n*; *escuela f de ~s* Forstakademie *f*; **3.** *Am.* freies Gelände *n*; unbebautes Land *n im Vorfeld v. Siedlungen*; **4.** *Kart.* Montespiel *n*; Bank *f im Spiel*; **5.** □ Bordell *n*.

montea *f* **1.** *Jgdw.* Hochjagd *f*; **2.** ⚠ **a)** Aufriß *m in natürlicher Größe*; **b)** Steinschnitt *m b. Gewölbekonstruktionen*; **c)** Bogenhöhe *f*; **~r** *v/t.* **1.** jagen; **2.** ⚠ **a)** den Aufriß zeichnen; **b)** wölben.

montepío *m* **1.** *Span.* berufsgenossenschaftliche Kasse *f*; Witwen-, Waisen-kasse *f*; **2.** *Am.* Leih-, Versatz-amt *n*.

monte|ra *f* **1.** (Tuch-)Mütze *f*; *bsd.* Stierkämpfermütze *f*; **2.** Glasdach *n über Hof, Galerie*; **3.** ⚗ Helm *m e-s Destillierkolbens*; **~ría** *f* **1.** Hochjagd *f*; Jagdwesen *n*; **2.** *Bol., Ec.* Flachboot *n für Wildwasserfahrten*; **3.** *Guat., Méj.* Holzfällerbetrieb *m* im Urwald; **~rilla** † F *m* Dorfschulze *m*; **~ro** *m* Jäger *m*; ~ *mayor* Oberjägermeister *m* (*Hofamt*).

mon|tés *adj.* wild, Wild... (*Tier*); **~tesino** † *adj.* → *montés*.

montículo *m* Hügel *m*.

montilla *m* Montillawein *m*.

montón *m* Haufen *m* (*a. fig.*); gr. Menge *f*; *un ~ de arena* ein Sandhaufen; ein Haufen Sand; *un ~ de cosas* e-e Unmenge von Dingen; *a* (*od.* de, en) ~ unterschiedslos, in Bausch u. Bogen; *a ~ones* haufenweise; *fig.* F *salirse del ~* et. Besonderes sein; *ser del ~* nichts Besonderes sein; ein Dutzendmensch sein.

montone|ra *f Am.* Truppe *f* von (berittenen) Aufständischen; Partisanen *m/pl.*; *p. ext.* Banditen *m/pl.*; **~ro** *m* **1.** Schläger *m* (*der nur dann Streit od. Kampf anfängt, wenn er v. e-r Masse Gleichgesinnter umgeben ist*); **2.** *Am. Mer.* Freischärler *m*, Partisan *m*.

montu|no *adj.* Berg...; *Am.* wild; ungeschlacht; *Cu., Chi., Ven.* Bauern...; **~oso** *adj.* bergig; Gebirgs...

montura *f* **1.** Reittier *n*; Reitzeug *n*; **2.** ⚔ Ausrüstung *f*, Montur *f*; **3.** *Opt.* Fassung *f v. Brillen*; *sin ~* randlos (*Brille*); **4.** ⊕ Halterung *f*.

monumen|tal *adj. c* monumental; großartig, gewaltig; **~to** *m* Denkmal *n*; Baudenkmal *n*; *ecl.* Heiliges Grab *n* (*Karwoche*); *fig.* bemerkenswerte Schöpfung *f* (*od.* Leistung *f*); **~s** *m/pl.* Sehenswürdigkeiten *f/pl. e-r Stadt*; ~ *funerario* Grabmal *n*; *declarar ~ nacional* unter Denkmalschutz stellen.

monzó|n ⚓ *m* Monsun *m*; **~nico** *adj.*: *lluvia f ~a* Monsunregen *m*.

moña[1] *f* Zierschleife *f*; *Stk.* Zopfschleife *der Stierfechter*; Schleife *f am Kennzeichen der Stierzüchterei*.

moña[2] F *f* Schwips *m*, Rausch *m*.

mo|ño *m* **1.** Haarknoten *m*; Nackenzopf *m*; *p. ext.* (Haar-)Schopf *m*; Federbusch *m*; Zierschleife *f*; **~s** *m/pl. desp.* Flitterkram *m* (*vom Aufputz der Frauen*); *fig.* F *ponerse ~s* s. aufspielen; *fig.* F *quitar ~s j-n* von s-m hohen Roß herunterholen (*fig.* F); *fig. tirarse de los ~s* s. in die Haare kriegen (*Frauen*); **2.** Haube *f einiger Vögel*; **~ñón, ~ñudo** *adj.* mit Haube (*Vogel*).

moque|ar *v/i.* laufen (*Nase*); **~o** *m* Nasentropfen *n*; **~ro** *m* Schnupftuch *n*.

moqueta *f tex.* Mokett *m*; (Teppich-)Läufer *m*; Bettvorleger *m*.

mo|quete *m* Faustschlag *m* ins Gesicht (*od.* auf die Nase); **~quillo** *vet. m* Pips *m der Hühner*; Staupe *f der Hunde*; **~quita** *f* Nasentropfen *m/pl.*

mora[1] *f* Maurin *f*.

mora[2] ⚘ *f* **a)** Maulbeere *f*; **b)** Brombeere *f*.

mora[3] ⚖ *f* Verzug *m*.

morada *f* Wohnung *f*; Aufenthalt *m*; *fig. la eterna ~* das Jenseits.

morado *adj.* dunkelviolett; *fig.* F *las he pasado ~as* es ist mir übel ergangen.

morador *m* Bewohner *m*.

moral[1] ⚘ *m* Maulbeerbaum *m*.

mora|l[2] **I.** *adj. c* moralisch; sittlich; Moral...; **II.** *f* Moral *f*; Sittenlehre *f*; *fig.* Mut *m*, Zuversicht *f*; **~leja** *f* Moral *f e-r Fabel*; **~lidad** *f* Sittlichkeit *f*; Moral *f*; **~lismo** *m* Moralismus *m*; **~lista** *m* Sittenlehrer *m*; Moralphilosoph *m*; **~lización** *f* sittliche Festigung *f*; **~lizador I.** *adj.* erbaulich; moralisierend (*a. desp.*); **II.** *m* Sittenprediger *m* (*oft iron.*); **~lizar** [1f] **I.** *v/t.* sittlich heben; **II.** *v/i.* moralisieren; den Sittenprediger spielen.

morapio F *m* (Rot-)Wein *m*.

morar *v/i.* wohnen; s. aufhalten; verweilen.

moratori|a *f* **1.** Stundung *f*; Moratorium *n*; Stillhalteabkommen *n*; **2.** Frist *f*; Aufschub *m*; Verzug *m*; **~o** *adj.* Verzugs...; ✝ *intereses m/pl. ~s* Verzugszinsen *m/pl.*

moravo *adj.-su.* mährisch; *m* Mähre *m*.

morbi|dez *f* Zartheit *f* (*Fleisch, Farben e-s Gemäldes*); **~didad** ⚕ *f* → *morbilidad*.

mórbido *adj.* **1.** krankhaft; kränklich; † → *morbífico*; **2.** zart, weich (*Fleisch, Farben e-s Gemäldes*).

mor|bífico *adj.*: *gérmenes m/pl. ~s* Krankheitskeime *m/pl.*; **~bilidad** *f* Morbidität *f*; Krankenstand *m*; **~boso** *adj.* krankhaft.

morci|lla *f* **1.** *span.* Blutwurst *f*; *fig.* F *¡que te den ~!* hau ab! P; das kannst du e-m andern weismachen! F; **2.** *fig.* F *Thea.* Extempore *n*; **~llero** *Thea. desp. adj.-su.* (gern) extemporierend (*Schauspieler*); **~llo** *adj.* schwarz mit rötlichem Schimmer (*Pferd*); **~llón** *m* grobe Blutwurst *f*.

mordacidad *f* Bissigkeit *f*; beißende Schärfe *f* (*a. fig.*).

mordaga F *f* Rausch *m*, Affe *m* F.

morda|z *adj.* (*pl.* ~aces) ätzend (*z. B. Säure*); bissig (*z. B. Kritik*); **~za** *f* **1.** Knebel *m*; *poner ~ a* knebeln; **2.** ⊕ Backe *f*; Spannfutter *n e-r Bohrmaschine*; *~ de freno* Bremsbacke *f*; **~s** *f/pl. a.* Greifer *m/pl. an Fördermaschinen*.

mor|dedor I. *adj.* bissig (*a. fig.*); **II.** *m fig.* Spötter *m*; **~dedura** *f* Beißen *n*; Biß *m*; Bißwunde *f*; **~dente** ♪ *m* Nachschlag *m b. Triller*; *~ inferior* Mordent *m*; *~ superior* Pralltriller *m*; **~der** [2h] **I.** *vt/i.* **1.** beißen; *fig. ~ el polvo* (*od. la tierra*) ins Gras beißen, sterben; **2.** ätzen; verbrennen, zerfressen; **II.** *v/r.* **~se 3.** s. beißen; *~se las uñas* (an den) Nägel(n) kauen; *no ~se la lengua* kein Blatt vor den Mund nehmen.

mordi|cación *f* Prickeln *n*; Beißen *n*; Ätzen *n*; **~cante** *adj. c* beißend, scharf; *fig.* bissig, ätzend (*z. B. Spott*); **~car** [1g] *v/t.* prickeln; brennen, stechen; **~da** *f* **1.** *Am.* Biß *m*; **2.** *bsd. Méj.* Bestechung(sgeld *n*) *f*; **~do** *adj. fig.* geschmälert; **~ente I.** *adj. c* **1.** beißend (*a. fig.*); **II.** *m* **2.** Ätzmittel *n*; Beize *f*; *Färberei*: Fixiermittel *n*; **3.** *fig.* Zug *m*, Schwung *m*.

mordis|car [1h] *v/t.* knabbern; **~co** *m* **1.** Biß *m*; Bißwunde *f*; **2.** Bissen *m*, Happen *m*; **~quear** *v/t.* beißen, knabbern.

morena[1] *Fi. f* Muräne *f*.

morena[2] *f* **1.** *Geol.* Moräne *f*; **2.** ⚒ Garbenhaufen *m*.

more|na[3] *f* **1.** dunkelhaariges u. dunkeläugiges Mädchen *n*, Brünette *f*; **2.** Schwarzbrot *n*; **~nita** F *f* schwarzbraunes Mägdelein *n* (*Folk.*); **~no** *adj.* **1.** dunkelbraun; **2.** dunkel-äugig, -haarig, -häutig.

morera ⚘ *f* (weißer) Maulbeerbaum *m*; **~l** *m* Maulbeer(baum)-pflanzung *f*.

morería *f* **1.** Maurenviertel *n*; **2.** Maurenland *n*; **3.** *mst. desp.* Maurenvolk *n*.

more|te *m Ec., Méj.*, **~tón** F *m* blauer Fleck *m*.

morfa ⚒ *f* Zitronenpilz *m*.

morfema *Li. m* Morphem *n*.

Morfeo *Myth. m* Morpheus *m*; *fig. hallarse en brazos de ~* in Morpheus' Armen ruhen.

morfi|na ⚗, *pharm. f* Morphin *n*, Morphium *n*; **~nismo** ⚕ *m* Morphinismus *m*; Morphinvergiftung *f*; **~nomanía** ⚕ *f* Morphiumsucht *f*; **~nómano** *adj.-su.* morphiumsüchtig; *m* Morphinist *m*.

morfo|logía 🕮 *f* Morphologie *f*, Formenlehre *f*; **~lógico** *adj.* morphologisch.

morganático ⚖ *adj.* morganatisch, zur linken Hand (*Ehe*).

moribundo *adj.-su.* sterbend, ⚕ moribund; *m* Sterbende(r) *m*.

moriche ⚘ *m* Mauritiuspalme *f*.

morigera|ción *f* Mäßigung *f*; **~do** *adj.* wohlerzogen; sittsam; **~r** *v/t. Affekte* mäßigen.

morir [3k; *part.* muerto] **I.** *v/i.* sterben; umkommen; *fig.* aufhören; verlöschen; ausgehen, erlöschen (*Feuer, Licht*); enden (*Weg, Zug usw.*); *~ de* sterben an (*dat.*); *fig.* sterben vor (*dat.*); *¡muera(n)!* Tod! (*dat.*); nieder mit ihm (*bzw.* ihr, ihnen)!; *el embate de las olas moría en la playa* der Wellenschlag verlief s. allmählich am Strande; *~ de* (*a. a*) *mano airada* e-s gewaltsamen Todes sterben; *~ de sed a. fig.* verschmachten; *~ para el mundo* der Welt absterben; *fig.* F *~ vestido* k-s natürlichen Todes sterben; **II.** *v/r.* **~se** sterben (*a. fig.* vor *dat.* de); absterben; einschlafen (*Glied*); *fig.* umkommen (*fig.*); *es para ~se de risa* es ist zum Totlachen; *~se por* ein starkes Verlangen haben nach (*dat.*); s. in Sehnsucht verzehren nach *j-m*.

moris|co *adj.-su.* maurisch; *m* getaufter Maure *m*, Moriske *m*; **~ma** *f* **1.** Maurenversammlung *f*; Maurensekte *f*; **2.** Mauren *m/pl.*

morisqueta *f* Streich *m*, *den man j-m spielt*.

morito *Vo. m* Sichelreiher *m*.

mor|món *Rel. m* Mormone *m*; **~mónico** *adj.* mormonisch, Mor-

monen...; **~monismo** *m* Mormonentum *n.*
moro I. *adj.* maurisch; *fig.* F unverfälscht (*Wein*); **II.** *m* Maure *m*; F *el ~ Muza* irgendwer (nur nicht ich); *¡hay ~s en la costa!* es ist Gefahr im Verzug; es liegt was in der Luft F; Vorsicht, man hört uns zu; → *a. cristiano.*
morocho *adj. Am. Mer.* dunkel (-häutig).
morondanga F *f* Krimskrams *m*; Mischmasch *m*; Saustall *m* P.
morondo *adj.* kahl.
moro|sidad *f* Saumseligkeit *f*, Langsamkeit *f*; **~so** *adj.* langsam, saumselig; säumig (*Zahler*).
morrada *f* Zs.-prall *m* mit den Köpfen; Ohrfeige *f*, Maulschelle *f*.
morra|l *m* **1.** Futtersack *m*; **2.** Jagdtasche *f*; Brotbeutel *m*; Rucksack *m*; **3.** *fig.* F Flegel *m*, Lümmel *m*; **~lero** *Jgdw. m* Jagdgehilfe *m*.
morralla *f* **1.** Gesindel *n*, Pack *n*; **2.** Plunder *m*; **3.** *Méj.* Kleingeld *n*.
mor(r)ena *Geol. f* Moräne *f*.
morrillo *m* **1.** Fleischwulst *m an Nacken u. Hals b. Rindvieh*; *fig.* feister Nacken *m*; **2.** Rollstein *m*.
morri|ña *f* Viehseuche *f*; Räude *f der Schafe*; **~ñoso** *adj.* **1.** krank (*Vieh*); räudig (*Schaf*); **2.** kränklich.
morrión *m* **1.** *hist.* Sturmhaube *f*; **2.** ⚔ *Art* Tschako *m*.
morro *m* **1.** *Tier u. desp. Mensch*: Schnauze *f*, Maul *n*; wulstige Lippe *f*; *Kchk. ensalada f de ~ de buey* Ochsenmaulsalat *m*; *fig.* F *andar al ~* s. herumprügeln; *beber a ~* (*ohne Gefäß*) von der Quelle trinken; *estar de ~(s)* schmollen; P *hincharle a uno los ~s* j-m eins auf die Schnauze schlagen P; *torcer el ~* ein saures Gesicht machen; **2.** *fig. Rundes, Vorspringendes, z. B.* Schnauze *f* (*fig.*); Knauf *m*; Felskuppe *f*; runder Kieselstein *m*; ⚓ Molenkopf *m*; Schleusenhaupt *n*; ✈ Flugzeugbug *m*; Raketennase *f*.
morrocotudo F *adj.* prima, toll F; *Col.* betucht.
morrocoy(o) *m Cu. Zo. Art* Schildkröte *f* (*Testudo lobulata*); *fig.* unförmige Person *f*.
morrón I. *adj.* ⚓ im Schau (*Flagge*); **II.** *m* F Schlag *m*, Hieb *m*.
morron|go F *m* **1.** Katze *f*; **2.** *Méj.* Diener *m*; Knecht *m*; *fig.* Zigarre *f aus unfermentiertem Tabak*; **~guear** *v/i. Bol.* trinken; *Chi.* schlafen; **~guero** *adj. Cu.* knickrig; feige.
morrudo *adj.* dicklippig.
morsa *Zo. f* Walroß *n*.
mortaja[1] *f* Leichentuch *n*; Totenhemd *n*.
mortaja[2] *f* **1.** *Zim.* Falz *m*, Federnut *f*; Zapfenloch *n*; **2.** ⊕ Fuge *f*, Schlitz *m*.
morta|l I. *adj. c* sterblich; tödlich; Tod...; *fig.* todsicher, untrüglich, gewiß; *enemigo m ~* Todfeind *m*; **II.** *m* Sterbliche(r) *m*; **~lidad** *f* Sterblichkeit *f*, *a.* ⚕ Mortalität *f*; **~lmente** *adv.* tödlich; *odiar ~* auf den Tod hassen; **~ndad** *f* Massensterben *n*.
mortecino *adj.* **1.** verendet (*Tier, Vieh*); *carne f ~a* Fleisch *n* e-s verendeten Tiers; **2.** *fig.* halbtot; kraftlos; erlöschend (*Feuer*); blaß (*Farbe*); fahl, trüb (*Licht*).
morte|ra *f Art* Schüssel *f*; **~rete** *m* Böller *m*; *disparo m de ~* Böllerschuß *m*; **~ro** *m* **1.** Mörser *m* (*a.* ⚔); **2.** ⚠ Mörtel *m*; *~ de cal y arena* Kalkmörtel *m*.
mortífero *adj.* todbringend, tödlich.
mortifica|ción *f* **1.** Abtötung *f*; Kasteiung *f*; **2.** Demütigung *f*; Kränkung *f*; **~dor** *adj.*, **~nte** *adj. c* **1.** zum Absterben bringend; **2.** kränkend; **~r** [1g] **I.** *v/t.* **1.** zum Absterben bringen; **2.** abtöten; kasteien; **3.** demütigen; kränken; **4.** quälen, plagen; ärgern; **II.** *v/r.* **~se 5.** absterben (⚕ *u. Rel.*); s. kasteien; s. kränken.
mortuorio *adj.* Leichen..., Sterbe..., Toten...; *caja f ~a* Sarg *m*; *casa f ~a* Trauerhaus *n*.
morueco *m* Schafbock *m*, Widder *m*.
moruno *adj.* maurisch.
morusa F *f* Moneten *f/pl.* F, Marie *f* F.
mosaico[1] *adj.* Moses...; mosaisch.
mosaico[2] **I.** *adj.* Mosaik...; **II.** *m* Mosaik(arbeit *f*) *n*; Fliesenbelag *m*.
mosaísmo *Rel. m* Lehre *f* des Moses; Judentum *n*.
mosca *f* **1.** Fliege *f*; *~ de la carne* Schmeißfliege *f*; *~ de España* → *cantárida*; *fig.* F *~s f/pl. blancas* Schneeflocken *f/pl.*; *fig. ~ muerta* Schleicher *m*, Duckmäuser *m*; F *cazar ~s* s. mit unnützen Dingen beschäftigen; F *estar ~* auf dem Quivive sein; eingeschnappt sein F; F *estar con* (*od. tener*) *la ~ detrás de la oreja* auf der Hut (*od.* mißtrauisch) sein; F *por si las ~s* für alle Fälle; *¿qué ~ le habrá picado?* was mag nur in ihn gefahren sein?; *estar papando ~s* Maulaffen feilhalten; *se hubiera podido oír volar una ~* man hätte e-e Stecknadel fallen hören können; *fig. no matar una ~* k-r Fliege et. zuleide tun können; **2.** *fig.* F Geld *n*, Moneten *f/pl.* F; *aflojar* (*od. soltar*) *la ~* mit dem Zaster herausrücken F.
moscada: *nuez f ~* Muskatnuß *f*.
moscar|da *f* Schmeißfliege *f*; **~dear** *v/i.* **1.** *Reg.* die Eier ablegen (*Bienenkönigin*); **2.** *fig.* F überall herumschwirren, herumschnüffeln (*fig.* F); **~dón** *m* gr. Schmeißfliege *f*.
moscareta *Vo. f* Fliegenschnäpper *m*.
moscatel I. *m* Muskateller(wein) *m*; **II.** *adj. uva f ~* Muskatellertraube *f*.
moscón *m* → *moscardón*.
mosco|vita I. *adj. c* **1.** → *moscovítico*; **II.** *m* **2.** Moskowiter *m*; Moskauer *m*; **3.** *Min.* Chromglimmer *m*; **~vítico** *adj.* moskowitisch, Moskauer.
mosén *m Span. Reg.* Pfarrer *m*.
mosque|ado *adj.* getüpfelt; **~ador** *m* Fliegenwedel *m*; *fig.* Wedel *m*, Schweif *m* (*Pferd, Rind*); **~ar I.** *vt/i.* die Fliegen verscheuchen; *fig.* verstimmt reagieren; *fig.* F *j-n* vertrimmen F; **II.** *v/r.* **~se** *fig.* F einschnappen; brüsk abwehrend reagieren; **~ro** *m* Fliegenwedel *m*; Fliegenfalle *f*.
mosqueta ⚘ *f* Muskatrose *f*.
mosque|tazo *m* Musketenschuß *m*; **~te** *m* Muskete *f*; **~tero** *m* Musketier *m*; **~tón** *m* **1.** Karabiner *m*; *fig.* *descolgar el ~ contra* gg. *j-n* in den Krieg ziehen; **2.** Karabinerhaken *m*.
mosqui|ta muerta F *f* Duckmäuser *m*; **~tero** *m* Moskitonetz *n*; **~to** *m* **1.** Stechmücke *f*; Schnake *f*; **2.** *fig.* F Moped *n*.
mosta|cera *f*, **~cero** *m* Senf-topf *m*, -gefäß *n*; **~cilla** *Jgdw. f* Vogelschrot *m*.
mosta|cho *m* **1.** F Schnurrbart *m*; *fig.* F Schmarre *f im Gesicht*; **2.** Bugsprietvertäuung *f*; **~chón** *Kchk. m* Mandelplätzchen *n*, Makrone *f*; **~choso** F *adj.* schnurrbärtig.
mostaza *f* **1.** ⚘ Senf(baum) *m*; Senfkorn *n*; **2.** Senf *m*; *p. ext.* Senfsoße *f*; **3.** *Jgdw.* → *mostacilla*; **~l** ⚘ *m* Senfpflanzung *f*.
mos|tazo *m* dicker Weinmost *m*; **~tear** *v/i.* mosten.
moste → *oste*.
moste|la ⚒ *f* Bündel *n*; Garbe *f*; **~lera** *f* Schuppen *m für mostelas*.
mos|tillo *m* **1.** junger Most *m*; **2.** *Kchk.* Würzmost *m* (*mit Anis abgeschmeckt*); Most-Essig-Tunke *f*; **~to** *m* **1.** (Wein-, *p. ext.* Apfel- *usw.*) Most *m*; F Wein *m*; *~ agustín Art* Weinmostsuppe *f*; **2.** Maische *f* (*Bierbrauerei*).
mostra|do *adj.* an et. gewöhnt; **~dor** *m* **1.** Ladentisch *m*; **2.** Schanktisch *m*, Büffet *n*, Theke *f*; **3.** ⚒ Zifferblatt *n*; **~r** [1m] **I.** *v/t.* zeigen, weisen; aufzeigen; **II.** *v/r.* **~se** s. zeigen; sein.
mostrenco *adj.* herrenlos; *fig.* schwerfällig; ⚖ *bienes m/pl. ~s* herrenloses Gut *n*.
mota *f* Knötchen *n*; Fäserchen *n*; *p. ext.* Flecken *m im Spiegel*; Fremdkörper *m im Auge*; *tex.* Noppen *m im Tuch*; *fig. ni* (*una*) *~* kein bißchen.
motacila *Vo. f* Bachstelze *f*.
mote[1] *m* **1.** Wahlspruch *m*, Motto *n*; Devise *f der alten Ritter*; **2.** Spitzname *m*; *poner ~* (*bzw. ~s*) *a alg.* j-m (e-n) Spitznamen geben; **3.** *Chi.* Irrtum *m*.
mote[2] *Ke. m* **1.** *And.* gekochter Mais *m*; **2.** *Chi.* Weizenbrei *m*.
motear *v/t.* tüpfeln.
mote|jar *v/t.* e-n Spitz- (*bzw.* Spott-)namen geben (*dat.*); *desp.* bezeichnen (als *de*); **~jo** *m* Spitz-, Spott-name *m*; (verächtliche) Bezeichnung *f*.
motel *neol. m* Motel *n*.
motete[1] *m* ♪ Motette *f*.
motete[2] *m Am. Mer.* Tragkorb *m*.
motilar *v/t. Haar* scheren, stutzen.
motilidad *Physiol. f* Motilität *f*.
motilón I. *adj.* kahl-geschoren, -köpfig; **II.** *m fig.* Laienbruder *m im Kloster*.
motín *m* Meuterei *f*.
moti|vación *f* **1.** Begründung *f*, Motivierung *f*; **2.** Herbeiführung *f*, Verursachung *f*; **~var** *v/t.* **1.** motivieren, begründen; **2.** verursachen, herbeiführen; veranlassen; **~vo** *m* **1.** *allg., Psych., Ku.,* ♪ Motiv *n*; ♪, *Ku. a.* Thema *n*; *~ principal* Leitgedanke *m*; **2.** *allg. u. Psych.* Motiv *n*; Grund *m*, Beweggrund *m*; Antrieb *m*; Anlaß *m*; *~ de alegría* Grund *m* zur Freude; *~ principal* Hauptgrund *m*; *con ~ de* anläßlich

(*gen.*); wegen (*gen.*); *con mayor ~ cuando* ... umso mehr als ...; *por ~ de* um ... (*gen.*) willen; F (*bsd. Am.*) *inc. por cuyo ~* → *por ~ de lo cual* aus diesem (*od. relativisch*: aus welchem) Grunde; *por este ~* deshalb; *sin ~* unbegründet, grundlos; *carecer de ~* k-e Ursache haben; unbegründet (*bzw.* unberechtigt) sein; *dar ~* Anlaß geben (zu *dat. od. inf. a*); *ser el ~ de* (*od. para*) die Veranlassung sein zu (*dat. od. inf.*); *tener ~ para* ... Ursache haben, zu ... (*dat. od. inf.*); *tener sus ~s* (*para*) s-e Gründe haben (zu + *inf.*).

moto F *f* Motorrad *n*; *a.* Motorroller *m*.

moto|barco ⚓ *m* Motorschiff *n*; **~bomba** *f* Motorpumpe *f*; **~carro** *m* Motorradlieferwagen *m*; **~cicleta** *f* Motor-, Kraft-rad *n*, ⚔ Krad *n*; **~ciclismo** *m* Motorradsport *m*; **~ciclista** *c* Motorradfahrer *m*; **~-cultivo** ✓ *m* maschinelle Bodenbestellung *f*; **~lancha** *f* Motorboot *n*; **~-ligera** *f* Leichtmotorrad *n*.

motón ⚓ *m* Block(rolle *f*) *m*; (Flasche *f* am) Flaschenzug *m*.

moto|náutica ⚓ *f* Motorbootsport *m*; **~nave** ⚓ *f* (gr.) Motorschiff *n*; **~neta** *f* Kabinenroller *m*; → *motocarro*; **~nivelador** *m* Planierraupe *f*; **~propulsión** *f* Motorantrieb *m*; **~pulverizador** ✓ *m* Motorstäuber *m*.

motor I. *adj.* **1.** bewegend, Bewegungs...; *Anat.*, *Psych.* motorisch; *Kfz. bloque m ~* Motorblock *m*; **II.** *m* **2.** Beweger *m*; *el primer ~* der erste Beweger, Gott *m*; **3.** ⊕, *Kfz. u. fig.* Motor *m*; *~ atómico* (*auxiliar*) Atom- (Hilfs-)motor *m*; *~ de carrera corta* Kurzhubmotor *m*; *~ de cilindros antagónicos* Boxermotor *m*; *~ de combustión interna* (*de explosión*) Verbrennungs- (Otto-) motor *m*; *~ de cuatro* (*de dos*) *tiempos* Vier- (Zwei-)taktmotor *m*; *~ de* (*gal. a*) *gasolina* Benzinmotor *m*; ✈ *~ de turbopropulsión* Turbo(prop)maschine *f*; *~ Diesel* (*eléctrico*) Diesel- (Elektro-)motor *m*; *~ en línea* (*fuera bordo*) Reihen- (Außenbord-)motor *m*; *~ térmico* Wärmekraftmaschine *f*; *~ trasero* (*Wagen*), *~ popero* (*Boot*) Heckmotor *m*; *vehículo m de ~* Kraft-, Motor-fahrzeug *n*; *Kfz. agotársele a uno el ~* den Motor abwürgen.

motora *f* Motorboot *n*.

motori|smo *m* **1.** Motorsport *m*; *~ aéreo* Motorflugsport *m*; **2.** Motorenkunde *f*; **~sta** *m* Kraftfahrer *m*; *Span.* Motorradfahrer *m*; **~zación** *f* Motorisierung *f*; **~zado** *adj.* motorisiert; **~zar** [1f] *v/t.* motorisieren.

motorman *engl. m Am.* Trambahn-, Omnibus-fahrer *m*.

motorreactor *m* Düsenmotor *m*.

moto|segadora ✓ *f* Motormäher *m*; **~sierra** *f* Motorsäge *f*; **~silla** *f* Motorroller *m*; **~velero** ⚓ *m* Motorsegler *m*.

motri|cidad *Physiol. f* Motrizität *f*; **~z** *adj. f* (*pl.* ~ices) antreibend, Trieb...; *Phys.* kinetisch; *fuerza f ~* Triebkraft *f*.

move|dizo *adj.* **1.** (leicht) beweglich; bewegbar, verstellbar, versetzbar; **2.** unsicher; veränderlich; **3.** *fig.* unbeständig; wankelmütig; **~dor** *adj.* bewegend; **~r** [2h] **I.** *v/t.* bewegen *bzw.* antreiben (*a. fig.*); *fig.* anregen; *Zwietracht* schüren; *~ la cola* mit dem Schweif wedeln; *fig. ~ a compasión* Mitleid erwekken; *~ a lágrimas* zu Tränen rühren; **II.** *v/r.* **~se** s. bewegen; *a. fig.* s. regen, s. rühren; F *¡anda, muévete!* los, los!; nun mach schon!

movi|ble *adj. c* beweglich; verschiebbar; *fig.* wankelmütig; **~do** *adj.* **1.** bewegt (*a. fig.*); **2.** *Am.Cent.*, *Chi.* schwach, schwächlich; **~ente** *adj. c* **1.** bewegend; **2.** *hist. territorio m ~* Gebiet *n*, das den Lehnsherrn gewechselt hat.

móvil I. *adj. c* **1.** beweglich; fahrbar; verschiebbar; *fig.* beweglich *bzw.* unbeständig; *~ sobre orugas* raupengängig (*Fahrzeug*); **II.** *m* **2.** *Phys.* in Bewegung befindlicher Körper *m*; **3.** Triebfeder *f*; Beweggrund *m*; Ursache *f*; **4.** F Klebe-, Stempel-marke *f*.

movili|dad *f* Beweglichkeit *f*; **~zación** *f* ⚔ *u. fig.* Mobilisierung *f*; Einsatz *m v. Menschen u. Mitteln*; Flüssigmachung *f v. Geldern*; ⚔ *~* (*general*) (allgemeine) Mobilmachung *f*; **~zar** [1f] *v/t.* ⚔ *u. fig.* mobil machen, mobilisieren; *Menschen, Mittel* einsetzen *bzw.* aufbringen *od.* aufbieten; *Kapital* flüssigmachen.

movimiento *m* **1.** *Phys.*, *Physiol.*, ⊕ Bewegung *f*; *~ acelerado* beschleunigte Bewegung *f*; *~ hacia adelante* Vorwärtsbewegung *f*; (*aparato m de*) *~ perpetuo* Perpetuum *n* mobile; *~ rectilíneo* geradlinige Bewegung *f*; *~ de rotación*, *~ rotatorio* Dreh-, Kreis-bewegung *f*; *~ de vaivén* Hin- u. Herbewegung *f*; ⚠ *hacer ~* leicht aus dem Lot gekommen sein; s. setzen (*Wand usw.*); *poner(se) en ~* (s.) in Bewegung setzen; (s.) in Gang setzen (*Mechanismus*); **2.** ⊕ Bewegung *f*, Antrieb *m*; Getriebe *n*, Räder- *bzw.* Uhr-werk *n*; *~ por pedal* Fußantrieb *m*; **3.** Bewegung *f*, Umwälzung *f*, Veränderung *f*; *Geol. ~ orogénico* Gebirgsbewegung *f*; ⚠ *~ de tierras* Erdbewegung *f*; **4.** *Statistik*: Bewegung *f*, Veränderung *f*; *~ demográfico* Bevölkerungsbewegung *f*; **5.** Wechsel *m*; Ablösung *f*; *dipl. ~ diplomático* Diplomatenwechsel *m*; **6.** Bewegung *f*; Verkehr *m*; Betrieb *m*, Treiben *n*, Getümmel *n*; † Umsatz *m*; Umschlag *m*; *~ anual* Jahres-umsatz *m*; -umschlag *m*; *~ de cheques* (*de pagos*) Scheck- (Zahlungs-)verkehr *m*; *~ de mercancías* Warenumsatz *m*; *~ de los precios* Preisbewegung *f*; *tienda f de mucho ~* vielbesuchtes Geschäft *n*; **7.** *Pol.*, *Soz.* Bewegung *f*; Unruhe *f*; Erhebung *f*; *~ clandestino* (*huelguista*) Untergrund- (Streik-)bewegung *f*; *~ nacional* nationale Bewegung *f*; *Span.* ♀ *Nacional* Franco-Erhebung *f*; *~ obrero* (*sindical*) Arbeiter- (Gewerkschafts-)bewegung *f*; **8.** ⚔ Bewegung *f*; Stellungswechsel *m*; *Fechtk. a.* Ausfall *m*; **9.** *Brettspiele*: Gangart *f*; Zug *m*; **10.** ♪ **a)** Tempo *n*; **b)** Satz *m*; **11.** *Psych.* Regung *f*; Anwandlung *f*; Stimmung *f*; *~ de celos* Anwandlung *f* von Eifersucht; *~ de piedad* barmherzige Regung *f*; **12.** *Ku.*, *Lit.* Bewegung *f*, Leben *n*; Lebendigkeit *f* des Ausdrucks.

moya *f* **1.** *Col.* unglasiertes Tongefäß *n zum Salzsieden*; **2.** ⚘ *Cu.* gelbe Margerite *f*; **3.** *Chi.* (Herr) Soundso *m*.

moyuelo *m* feinste Kleie *f*.

moza *f* **1.** Mädchen *n*; *p. ext.* F Magd *f*; F *buena ~* strammes Mädchen *n*; *real ~* schmuckes Mädchen *n*; **2.** *fig.* F **a)** Wäscheprügel *m*; **b)** Pfannenhalter *m*; **c)** *Kart.* letzter Stich *m*; **~lbete** *m* junger Bursche *m*; **~llón** *m* → *mozarrón*.

moz|árabe I. *adj. c* mozarabisch; **II.** *m hist.* Mozaraber *m* (*unter maurischer Herrschaft lebender Spanier*); **~arabía** *f* Mozaraberschaft *f*; Mozaraber *m/pl.*

mozarrón P *m* kräftiger Bursche *m*.

mozartiano *adj.* Mozart...

mo|zo I. *adj.* **1.** jung; **2.** unverheiratet, ledig; **II.** *m* **3.** junger Mensch *m*; Bursche *m*; *buen ~* stattlicher junger Mann *m*; **4.** Diener *m*; Kellner *m*; Bursche *m*; *~ de cuerda* (*od. de cordel*) Dienstmann *m*; *~* (*de estación*) Gepäckträger *m*; **5.** Junggeselle *m*; **6.** ⚔ *erfaßter* Wehrpflichtige(r) *m*; **~zón** *m adj.-su. Pe.* Witzbold *m*; **~zuelo** *m dim.* Bürschlein *n*.

mu[1] *onom.* muh!; *m* Muhen *n*; } [*hacer ~* (*~*) muhen.]

mu[2] *Kdspr. f* Bett *n bzw.* Schlaf *m*; *ir a la ~* in die Heia gehen (*Kdspr.*).

muaré *tex. m* Moiré *m*.

muca|ma *f Arg.*, *Pe.* Dienstmädchen *n*; **~mo** *m Arg.*, *Pe.* Diener *m*.

muceta *f* Robe *f der Professoren, Rechtsanwälte usw.*; *kath.* Mozzetta *f der Prälaten*.

mucila|ginoso *adj.* schleimartig, schleimig; **~go** (*od. mucílago*) *m* (Zellstoff-, Pflanzen-)Schleim *m*.

muco|sa *f* Schleimhaut *f*; **~sanguinolento** ⚕ *adj.* blutig-schleimig; **~sidad** *f* Schleim *m*; **~so** *adj.* schleimig, schleimartig, Schleim...

múcura *f Ven.* Frischhaltekrug *m*.

mucha|cha *f* **1.** Mädchen *n*; **2.** (Haus-, Dienst-)Mädchen *n*; *~ para todo* Mädchen *n* für alles; **~chada** *f* **1.** Kinderei *f*; Jugendstreich *m*; **2.** Kinderschar *f*; **3.** *Arg.* junge Leute *pl.*; **~chaje** *m Am.* → *muchachada* 2, 3; **~chería** *f* Kinderei *f*; **~chez** *f* Knaben- *bzw.* Mädchen-alter *n*; (frühe) Jugend *f*; **~cho** *m* **1.** Junge *m*, Knabe *m*; **2.** Bursche *m*; F junger Mann *m*; *gran ~* netter, sympathischer junger Mann *m*; **3.** (Haus-)Bursche *m*; Diener *m*.

muchedumbre *f* Menge *f*; Volksmenge *f*; *fig.* Volk *n*.

mucho I. *adj.* viel; zahlreich; zuviel; **~s** *pl.* viele, manche; *~as más dificultades* weit mehr Schwierigkeiten; *~ tiempo* lange (Zeit); *~as veces* oft(mals); *es ~ para su edad* das ist (zu)viel für sein Alter; **II.** *adv.* sehr, viel (*vgl. muy*); oft; lange; F *¡~ (que sí)!* aber ja!, doch!, sicher!; *~ antes* (*después*) weit eher (viel später); (*ni*) *con ~* bei weitem (nicht); *ni ~ menos* durchaus nicht, keinesfalls; *por ~ que* + *subj.* wie

(*od.* so) sehr auch + *ind.*; *qué* ~ *que* + *subj.* was (*od.* kein) Wunder, daß + *ind.*; *beber* ~ viel trinken; *esperar* ~ lange warten; *lit.* ~ *ha que* ... es ist lange her, seit ...; *no ha* ~ unlängst; ~ *será que no llegue* er kommt bestimmt; *no es* ~ *que* + *subj.* kein Wunder, daß + *ind.*; *no tardará* ~ *en hacerlo* er wird es bald tun; *tener en* ~ hochschätzen.
muda *f* **1.** Wechsel *m*; Wechseln *n*; **2.** frische Wäsche *f*; Garnitur *f* (*Wäsche, Bettwäsche*); **3.** *Kfz.* Ölmenge *f zum Wechseln*; **4.** Stimmbruch *m*; *estar de* ~ im Stimmbruch sein; **5.** *Zo.* **a)** Mauser *f der Vögel*; **b)** Haarwechsel *m der Pelztiere*; **c)** Häuten *n der Schlangen*; **~ble** *adj. c* veränderlich; **~da** *f Am.* Wechseln *n*; *Arg., Cu., Méj.* Umzug *m*; *C. Ri., Ec., Hond.* Wäschewechsel *m*; **~nza** *f* **1.** Veränderung *f*, Wandel *m*; *a.* ⚕ Wechsel *m*; **2.** Ortswechsel *m*; Wohnungswechsel *m*; Umzug *m*; *camión m de ~s* Möbelwagen *m*; *empresa f de ~s* Umzugsunternehmen *n*; *estar de* ~ umziehen; **3.** Unbeständigkeit *f*; Wankelmut *m*; *hacer ~s* unbeständig sein; **4.** ♪ Tanzfigur *f*; **~r I.** *v/t.* **1.** ändern; wechseln; **2.** e-n (Orts-) Wechsel vornehmen mit (*dat.*); ~ *el aparato a otro piso* das Gerät in ein anderes Stockwerk (ver)bringen; **II.** *v/i.* **3.** *Zo.* **a)** s. mausern (*Vögel*) (= ~ *la pluma*); **b)** das Haar (*od.* den Pelz) wechseln, haaren (*z. B. Hunde*); **c)** s. häuten (*Schlangen*); **4.** ~ *de ideas* s-e Ansichten ändern; *fig.* ~ *de aire* die Tapeten wechseln (*fig.*); ~ *de voz* mutieren; **III.** *v/r.* **~se 5.** s. umziehen (*Kleidung*); *fig. a.* Stuhl entleeren; *~se (de casa)* umziehen; *~se de ropa* die Wäsche wechseln, s. umziehen.
muday *m Chi.* Korn-, Mais-schnaps *m.*
mudéjar I. *adj. c* Mudejar...; *Ku. estilo m* ~ Mudejarstil *m* (*12.—16. Jh.*); **II.** *m* Mudejar *m* (*unter christlicher Herrschaft lebender Maure*).
mu|denco *adj. C. Ri., Hond.* stotternd; **~dez** *f* Stummheit *f*; *fig.* Verstummen *n*; (hartnäckiges) Schweigen *n*; **~do I.** *adj.* stumm; *fig.* stumm; äußerst wortkarg; *Gram. consonante f ~a* Muta *f*; *Gram. letra f ~a* stummer Buchstabe *m*; *Thea. escena f ~a* stumme Szene *f*; **II.** *m* Stumme(r) *m.*
mue|blaje *m* Einrichtung *f*, Möbel *n/pl.*; **~blar** *v/t.* → *amueblar*; **~ble I.** ⚖ *adj. c*: *bienes m/pl. ~s* Mobilien *pl.*, bewegliche Habe *f*; **II.** *m* Möbel *n*; Hausrat *m*; Einrichtungsstück *n*; *p. ext.* kastenförmiges Gerät *n*; *~-bar* Hausbar *f*; *~s m/pl. por elementos, ~s funcionales* Anbaumöbel *n/pl.*; *~s m/pl. metálicos* Stahlmöbel *n/pl.*; ~ *plástico* Kunststoffgehäuse *n* (*Rf., TV*); ~ *radio* Musiktruhe *f*; ~ *radio-fonocaptor* Tonmöbel *n*; ~ *frigorífico* Kühltruhe *f*; *fig.* F *sacar ~s* in der Nase bohren; *fig.* F *ser un* ~ *de la casa* zum Inventar gehören F (*Person*); **~blé** *m* Stundenhotel *n*; Absteigequartier *n*; **~blería** *f* Möbelwerkstatt *f*; Möbelverkauf *m*; **~blista** *m* Möbel-hersteller *m*; -händler *m.*
mueca *f* Grimasse *f*; *hacer ~s* Gesichter schneiden.
muecín *m* Muezzin *m* (*Islam*).
muela *f* **1.** Mühlstein *m*; *p. ext.* Mühlwasser *n* (*zum Antrieb des Mühlrads ausreichende Wassermenge*); **2.** Backenzahn *m*; *p. ext.* Zahn *m*; ~ *cordal* (*od. del juicio*) Weisheitszahn *m*; *echar las ~s* Backenzähne bekommen; *fig.* wütend sein; **3.** Schleifstein *m*; *a.* ⊕ Schleifscheibe *f*; **4.** steile Höhe *f* mit abgeflachter Spitze; *p. ext.* künstlich aufgeschütteter Hügel *m*; **5.** ⚘ (*oft pl.*) Platterbse *f.*
mue|llaje ⚓ *m* Kaigebühren *f/pl.*; **~lle**[1] *m* **1.** Hafendamm *m*; Mole *f*; Kai *m*; Pier *m*, ⚓ *f*; ~ *flotante* Landungsbrücke *f*; **2.** 🚂 Laderampe *f.*
muelle[2] **I.** *adj. c* **1.** weich; zart, mollig; **2.** *fig.* behaglich; **3.** *fig.* weichlich; wollüstig; **II.** *m* **4.** Sprungfeder *f*; Blattfeder *f*; ~ *de reloj* Uhrfeder *f.*
muérdago ⚘ *m* Mistel *f.*
muermo *vet. m* Rotz *m der Pferde*; **~so** *adj.* rotzig (*Pferd*).
muerte *f* Tod *m*; Sterben *n*; Tötung *f*; *fig.* Vernichtung *f*; ~ *aparente* Scheintod *m*; ⚖ † *u. fig.* ~ *civil* bürgerlicher Tod *m*; ~ *por hemorragia* Verbluten *n*; ~ *heroica* Heldentod *m*; ~ *violenta* gewaltsamer Tod *m*; *a ~ (o vida)* auf Leben u. Tod; *de* ~ tödlich; *de mala* ~ elend, erbärmlich; *aborrecer de* ~ auf den Tod verabscheuen; *dar* ~ *a alg.* j-n töten; *estar a dos dedos de la* ~ in unmittelbarer Todesgefahr sein; *hallarse entre la vida y la* ~ zwischen Leben u. Tod schweben, in äußerster Gefahr sein; *ir a la* ~ in den Tod gehen; *fig.* ins Unglück rennen; *morir de* ~ *natural* e-s natürlichen Todes sterben; *fig. ser una* ~ nicht zum Aushalten sein; sterbenslangweilig sein; *tomar la* ~ *por su mano* Hand an s. legen.
muerto I. *part.-adj.* **1.** tot (sein *estar*); gestorben; getötet (werden *ser*); *fig.* F hundemüde F; △ gelöscht (*Kalk*); matt (*Kugel*); ☤ *capital m* ~ totes Kapital *n*; *fig.* ~ *de hambre* halbverhungert, ausgehungert; *fig.* ~ *por alg.* (un)sterblich verliebt in j-n; *más* ~ *que vivo* mehr tot als lebendig; *medio* ~ halbtot (*a. fig.*); *caerse* ~ tot umfallen; *Am. a. fig.* F mit dem Zaster herausrükken F; **II.** *m* **2.** Tote(r) *m*; Verstorbene(r) *m*; *fig. callar como un* ~ schweigen (*od.* verschwiegen sein) wie ein Grab; *fig. contarle a alg. con los ~s* j-n ganz (u. gar) abgeschrieben haben F; *fig.* F *echarle a uno el* ~ j-m den Schwarzen Peter zuspielen (*fig.*); *fig. hacerse el* ~ den toten Mann spielen; nicht auffallen (wollen); **3.** *Zim.* Uferbalken *m b. Brückenbau.*
muesca *f* **1.** Kerbe *f*; Scharte *f*; **2.** ⚔ Kimme *f an der Waffe*; **3.** ⊕, *Zim.* Nut *f*, Falz *f*, Kerbe *f*; Schlitz *m*; Raste *f*; **4.** ⚒ Einschnitt *m* am Ohr *als Besitzzeichen* (*Vieh*).
muestra *f* **1.** Muster *n*; Modell *n*; Vorlage *f*; Vorlegeblatt *n*; Warenprobe *f*; ☤ ~ *sin valor* Muster *n* ohne Wert; *como* ~ zur Ansicht; **2.** Zeichen *n*, Anzeichen *n*; Beweis *m*; *fig.* F *para* ~ *basta un botón* der kleinste Hinweis genügt; **3.** ⚔ → *revista*[1]; **~rio** ☤ *m* Musterbuch *n*; Musterkollektion *f*; Katalog *m.*
mufla *sid. f* Muffel *f.*
muftí *m* Mufti *m* (*Islam*).
mu|gido *m* Gebrüll *n*, Brüllen *n* (*Rinder*); *fig.* Rauschen *n*, Brausen *n*, Tosen *n* (*Wasser, Wind*); **~gidor** *adj.*, **~giente** *part.* brüllend.
múgil *Fi. m* Meeräsche *f.*
mugir [3c] *v/i.* brüllen (*Rind u. fig.*); *fig.* brausen, rauschen; tosen; heulen.
mu|gre *f* Fettfleck *m*; (schmieriger) Schmutz *m*; *tex.* Wollschmutz *m*; **~griento** *adj.* schmierig, schmutzig; schmuddelig F.
mugrón ⚒ *m* Absenker *m*, Rebsteckling *m*; Ableger *m.*
mugroso *adj.* → *mugriento.*
muguete *m* **1.** ⚘ Maiglöckchen *n*; **2.** ⚕ Soor *m.*
mujer *f* Frau *f*; weibliches Wesen *n*, Weib *n*; Ehefrau *f*; *mi* ~ m-e Frau; ~ *de faenas*, ~ *de (la) limpieza* Zugeh-, Putz-frau *f*; ~ *de mundo* Dame *f* von Welt; ~ *pública* (*od. de la vida*) (Straßen-)Dirne *f*; ~ *de vida (alegre)* Lebedame *f*; *tomar* ~ e-e Frau nehmen, heiraten; *ser (muy)* ~ *de su casa* e-e gute Hausfrau sein; *fig. ya es* (*od. está hecha*) *una* ~ sie ist schon zur Frau herangereift.
mujer|cilla *f* liederliches Weib *n*; **~cita** *f* Weibchen *n*; Mädchen *n.*
muje|rear *v/i. Col., P. Ri.* s. mit den Frauen amüsieren; **~rengo** *Arg.*, **~rero** *Am.*, **~riego** *adj.* Frauen...; *hombre m* ~ Frauen-, Weiber-held *m*; *a ~as od. a la ~a* im Damensitz (*reiten*); **~ril** *adj. c* weiblich, Frauen...; weibisch; *trabajos m/pl. ~es* Frauenarbeit *f*; **~río** *m* Frauen *f/pl.*, Weibsleute *pl.* F; **~rona** *f* Mannweib *n*; **~rzuela** *dim. f mst. desp.* Luder *n* F, Flittchen *n.*
mujik *russ. m* Muschik *m.*
mujol *Fi. m* Meeräsche *f*, Mugel *m.*
mula[1] *f* **1.** Maul-tier *n*, -eselin *f*; ~ *de paso* Reitmaultier *n*; **2.** *Méj.* Plunder *m.*
mula[2] *f* Pantoffel *m des Papstes.*
mulada *f* Maultierherde *f*; *fig.* Roheit *f.*
muladar *m* Abfall-, Mist-haufen *m*; Schindanger *m*; *fig.* Brutstätte *f* des Lasters *u. ä.*
muladí *m* (*pl.* ~íes) *hist.* abtrünniger Christ *m im maurisch beherrschten Spanien.*
mular *adj. c* Maultier...; *ganado m* ~ Maultiere u. Maulesel *pl.*
mulatizar [1f] *v/i. Am.* die Farbe e-s Mulatten haben.
mulatero *m* **1.** Maultiervermieter *m*; **2.** → *mulero.*
mulato I. *adj.* **1.** Mulatten...; **2.** dunkelbraun; **II.** *m* **3.** Mulatte *m*; **4.** *Min. Am. Art* dunkles Silbererz *n.*
mulé □: *dar* ~ *a j-n* töten, *j-n* umlegen P.
mulero *m* Maultiertreiber *m*; Maultierjunge *m.*
muleta *f* **1.** *a. fig.* Krücke *f*; **2.** *Stk.* Muleta *f* (*Stab mit rotem Tuch*) *des Stierfechters*; **3.** ⊕ Kniestütze *f.*

muletero *m* Maultiervermieter *m*; Maultiertreiber *m*.

muletilla *f* **1.** *Stk.* Muleta *f*; *fig.* Lieblings-redensart *f*, -wendung *f*; **2.** ⊕ Knebel *m*; Querstift *m*.

mu|leto *m* junger Maulesel *m*; **~llas** *Stk. f/pl.* Maultiergespann *n*; **~lo** *m* Maulesel *m*, Mulo *m*; ~ (*castellano*) Maultier *n*.

mul|sión 🕮 *f* Melken *n*; **~so** *adj.* (mit Honig *od.* Zucker) gesüßt.

multa *f* Geld-strafe *f*, -buße *f*; **~r** *v/t.* mit e-r Geldstrafe belegen (von 100 Peseten *en* [*od. con*] *100 ptas.*).

multi|caule ♀ *adj. c* vielstengelig; **~celular** *adj. c* mehrzellig; **~color** *adj. c* vielfarbig; bunt; *Typ.* Mehrfarben…; **~copista** *f* Vervielfältigungsgerät *n*; **~floro** ♀ *adj.* vielblumig, mit vielen Blüten; **~forme** *adj. c* vielgestaltig; **~lateral** *adj. c* mehrseitig; multilateral; **~millonario** *m* Multimillionär *m*.

multípara *adj.-su. f* Mehrfachgebärende *f*.

múlti|ple I. *adj. c* vielfach; mehrfach; vielfältig; *una cuestión* ~ e-e mehrschichtige Frage; **II.** *m* Vielfache(s) *n*; Mehrfache(s) *n*; **~plex** ⚡ **I.** *adj. inv.* Multiplex…; **II.** *m*: ~ *de frecuencia* Multiplextechnik *f*.

multipli|cación *f* **1.** Vervielfältigung *f*, Vervielfachung *f*; Multiplikation *f* (*bsd.* Ꝗ); **2.** Vermehrung *f*, Fortpflanzung *f*; **3.** ⊕ Übersetzung *f*; **~cador** *m* **1.** Ꝗ, ⊕ Multiplikator *m*; **2.** *Kfz.* Übersetzungsgetriebe *n*; *HF* Vervielfacher *m*; **~cando** Ꝗ *m* Multiplikand *m*; **~car** [1g] **I.** *v/t.* **1.** vervielfältigen, vervielfachen; **2.** Ꝗ multiplizieren (mit *por*); **3.** *Biol. u. fig.* vermehren; **II.** *v/r.* **~se 4.** s. vermehren; **~cativo** *adj.* vervielfachend; **~cidad** *f* Vielfalt *f*; Mannigfaltigkeit *f*.

múltiplo Ꝗ *adj.-su.* vielfach; *m* Vielfache(s) *n*.

multi|polar ⚡ *adj. c* mehrpolig; **~tud** *f* **1.** Menge *f*; **2.** Volksmasse *f*; **~tudinario** *adj.* Massen…; **~vibrador** *HF m* Multivibrator *m*, Vielfachschwinger *m*.

mulli|da *f* Streu *f für Vieh*; **~do I.** *adj.* aufgelockert; **II.** *m* Polstermaterial *n* (*z. B. Wolle, Seegras usw.*); **~r** [3h] *v/t.* **1.** auflockern; aufschütteln; **2.** ✓ *Boden* (auf)lokkern; *Weinberg usw.* häufeln; *fig.* gut vorbereiten; *fig.* F *mullírselas a uno* j-n ordentlich hernehmen (*fig.*).

mun|danal *lit. adj. c* weltlich; Welt…; **~danería** *f* Weltlichkeit *f*; **~dano** *adj.* weltlich, Welt…; **~dial** *adj. c* Welt…; *comercio m* ~ Welthandel *m*; *de proporciones ~es* weltweit; ✝ *casa f de reputación* ~ weltberühmtes Haus *n*, Weltfirma *f*.

mundillo *m* **1.** Klöppelkissen *n*; **2.** Trocken-brett *n*, -ständer *m für Wäsche*; **3.** ♀ Schlingbaum *m*, Schneeball *m*; **4.** Gesellschaft *f*, Welt *f*, Kreise *m/pl*.

mundo *m* **1.** *a. fig.* Welt *f*; *el ~ antiguo* die Alte Welt, das Altertum; die Antike; *el ~ entero* die ganze Welt; *el Nuevo* ♀ die Neue Welt, Amerika *n*; *Theol. el otro ~* die andere Welt, das Jenseits; *fig.* F *este ~ y el otro* Gott u. die Welt (*fig.*); Überfluß *m*, gr. Reichtum *m*; *el ~ técnico* die technische Welt; die Fachwelt; *concepto m del ~* Weltanschauung *f*; F *este pícaro ~* diese schlechte Welt; *fig. así va* (*od. anda*) *el ~* das ist (nun mal so F) der Lauf der Welt; *desde que el ~ es ~* seit die Welt besteht; *en el ~* auf der Welt; *bsd. Rel.* in der Welt; *andar por esos ~s de Dios* die Welt bereisen; (*dar la*) *vuelta al ~* (e-e) Weltreise (machen); *echar al ~* in die Welt setzen; erschaffen (*Gott*); *fig.* F *mandar al otro ~* ins Jenseits befördern; *fig. salir del ~* aus der Welt gehen, sterben; *seguirle a alg. hasta el cabo del ~* j-m bis ans Ende der Welt folgen; F *no ser cosa del otro ~* nichts Besonderes sein; *bibl. u. fig. no ser de este ~* nicht von dieser Welt sein; *venir al ~* auf die Welt kommen; *ver ~* s. die Welt ansehen (*vgl. unter 3.*); *fig.* F *vivir en el otro ~* geistesabwesend sein; **2.** Weltkugel *f*, Globus *m*; **3.** Menschheit *f*; Gesellschaft *f*, Welt *f*; Menge *f* von Menschen; ~ *galante* Halbwelt *f*; *entrar en el ~* in die Gesellschaft eintreten; den gesellschaftlichen Verkehr aufnehmen; *ha visto mucho ~* er ist ein weitgereister Mann; *ver ~* Besuche machen (u. empfangen); *fig.* F *ponerse uno el ~ por montera* sehr selbstherrlich sein; so tun, als ob e-m die Welt gehöre; *lo sabe medio ~* fast alle wissen es; *todo el ~* alle Welt, alle, jeder; **4.** Welt-, Menschen-kenntnis *f*; Welt-, Lebens-erfahrung *f*; Lebensart *f*, Schliff *m* F; *tener* (*mucho*) *~* die Welt (gut) kennen; (gr.) Lebenserfahrung besitzen; **5.** F → *baúl ~*.

mundología F *f* Weltkenntnis *f*; Lebenserfahrung *f*; Lebensart *f*.

munici|ón *f* **1.** Munition *f*; **2.** ⚔ **~ones** *f/pl. de boca* Lebensmittel- u. Futter-vorräte *m/pl.*; ⚔ *de ~* vom Staat gestellt; **~onar** *v/t.* mit Munition versorgen; verproviantieren; *p. ext.* ausrüsten; beliefern (mit *dat. de, con*); **~onero** *m* (Heeres-)Lieferant *m*; ⚔ *a.* → **~onista** ⚔ *m* Muni(tions)-schütze *m*, -kanonier *m*.

municipa|l *adj. c* städtisch, Stadt…; Gemeinde…; *piscina f ~* Stadtbad *n*; *término m ~* Gemeindebezirk *m*; **~lidad** *f* **1.** Gemeindeverwaltung *f*; städtische Verwaltung *f*; **2.** Rathaus *n*.

municipaliza|ción *Verw. f* Übernahme *f* durch die Gemeinde; **~r** [1f] *Verw. v/t.* kommunalisieren; in Gemeindeverwaltung nehmen.

munícipe ⚒ *m* Gemeindeangehörige(r) *m*.

municipio *m* **1.** ~ (*urbano*) (Stadt-)Gemeinde *f*; ~ (*rústico*) (Land-)Gemeinde *f*; **2.** Gemeindebezirk *m*; **3.** Gemeinderat *m*; **4.** Rathaus *n*.

mu|nificencia *f* Großzügigkeit *f*; Prachtentfaltung *f*; **~nificente** *adj. c*, **~nífico** *adj.* großzügig; **~nificentísimo** *sup. adj.* sehr großzügig.

muniqués *adj.-su.* münchnerisch, Münchner; *m* Münchner *m*.

muñe|ca *f* **1.** Handgelenk *n*; Handwurzel *f*; **2.** (Kinder-)Puppe *f*; Schneiderpuppe *f*; **3.** Polierbausch *m der Tischler*; Leinenbausch *m* (*um Kranken den Mund zu erfrischen usw.*); **~co** *m* **1.** (Glieder-)Puppe *f*; **2.** *fig.* Fatzke *m*; Waschlappen *m* F (*Person*).

muñeira ♪ *f* Muñeira *f galicischer Volkstanz*.

muñe|quear *v/i.* aus dem Handgelenk heraus arbeiten (*z. B. beim Fechten*); **~quera** *f* Armband *n für Uhr*; Armriemen *m*; **~quilla** ⊕ *f* Zapfen *m*.

muñi|dor *m* **1.** Bote *m e-r Bruderschaft*; ~ *electoral* Wahlschlepper *m*; **2.** *Reg.* Intrigant *m*; **~r** [3h] *v/t.* **1.** einberufen; **2.** anordnen; zustande bringen, managen F (*engl.*).

mu|ñón *m* **1.** Stumpf *m*, Stummel *m*; ⚕ ~ *de amputación* Amputationsstumpf *m*; **2.** ⊕ Zapfen *m*; Stumpf *m*; ~ *del cigüeñal* Kurbelwellenzapfen *m*.

muquir [3e] □ *v/t.* essen, kacheln [□.]

murajes ♀ *m/pl.* Gauchheil *m*.

mura|l *adj. c* Mauer…, Wand…; **~lla** *f* Stadt- *od.* Wehr-mauer *f*; *p. ext. Am.* dicke Mauer *f* (*od.* Wand *f*); **~llón** *m* dicke Mauer *f*; **~r** *v/t.* ummauern; ver-, zu-mauern.

murciélago *Zo. m* Fledermaus *f*.

murena *Fi. f* Muräne *f*.

mur|ga *f* **1.** Straßen-, Bettel-musikanten *m/pl.*; **2.** *fig.* F Plage *f*; Schinderei *f*; *dar ~ a* belästigen; plagen; **~guista** *m* Straßenmusikant *m*; lästiger Kerl *m*.

muriático † ⚗ *adj.* → *clorhídrico*.

múrice *m* **1.** *Zo.* Purpurschnecke *f*; **2.** *poet.* Purpurfarbe *f*.

murmu|llo *m* **1.** Gemurmel *n*; **2.** Rauschen *n*; Säuseln *n*; **~ración** *f* üble Nachrede *f*, Gerede *n*, Klatscherei *f*; **~rador** *m* Verleumder *m*, Lästerzunge *f*; **~rar** *v/i.* **1.** murmeln; **2.** (*a. v/t.*) murren (wider *ac.*); **3.** rauschen; säuseln; wispern; **4.** (*a. v/t.*) verleumden, reden, lästern, klatschen F; **~rio** *m* **1.** Murmeln *n*; Rauschen *n*; Plätschern *n*; Säuseln *n*; **2.** Murren *n*; Klagen *n*; **3.** → *murmuración*.

muro *m* Mauer *f*; Wand *f*; ~ *frontal* Stirnwand *f*; ~ *de paramento* Blendwand *f*; ~ *de contención* Schutzmauer *f*, -wall *m*; *el* ♀ *de las Lamentaciones* die Klagemauer; ~ *del sonido* Schallmauer *f*.

murri|a F *f* Trübsinn *m*; Niedergeschlagenheit *f*; **~o** F *adj.* niedergeschlagen; trübsinnig.

mur|ta ♀ *f* **1.** Myrte *f*; **2.** □ Olive *f*; **~tal** *m* Myrtenpflanzung *f*; **~tilla** *f* **1.** ♀ chilenischer Myrtenstrauch *m*; **2.** Myrtenbeere *f*; *Chi.* Myrtenwein *m*.

mus *m ein Kartenspiel*.

musa *Myth. u. fig. f* Muse *f*; *templo m de las ~s a. fig.* Musentempel *m*; *fig.* F *le ha soplado la ~* er ist inspiriert.

musáceas ♀ *f/pl.* Musazeen *f/pl.*, Pisanggewächse *n/pl*.

musaraña *f* **1.** *Zo.* (Wald-)Spitzmaus *f*; *p. ext.* kl. Viehzeug *n*; **2.** *fig.* F Männchen *n* (*Karikatur*); **3.** *fig.* F **~s** *f/pl.* Schleier *m* vor den Augen, Augenflimmern *n*; *mirar a las ~s* mit offenen Augen träumen, dösen F; *pensar en las ~s* geistesabwesend sein, nicht dasein F.

muscula|r *adj. c* Muskel...; ⚕ *contracción f* ~ Muskel-zs.-ziehung *f*, -kontraktion *f*; -zuckung *f*; *fibra f* ~ Muskelfaser *f*; **~tura** *f* Muskulatur *f*, Muskelgefüge *n*.

músculo *m* Muskel *m*; Muskelfleisch *n*; ~ *cervical* Nackenmuskel *m*; Zervikalmuskel *m*; ~ *contráctil* Schließmuskel *m*; ~ *estriado* (*liso*) gestreifter (glatter) Muskel *m*.

musculoso *adj.* muskulös; *p. ext.* kräftig.

muselina *tex. f* Musselin *m*.

museo *m* Museum *n*; Kunstsammlung *f*; *fig.* F *ser a/c.* (*od. alg.*) *pieza de* ~ ein Museumsstück sein F; **~logía** *f* Museumskunde *f*.

muserola *Equ. f* Nasenriemen *m*(/*pl.*).

museta ♪ *f* **1.** Sackpfeife *f*, Musette *f* (*frz.*); **2.** Musette *f* (*Tanz bzw. Zwischensatz der Gavotte*); **3.** Musettegruppe *f* (*kleinste Bläsergruppe im Tanzorchester*); **4.** Schwebetonstimmung *f des Akkordeons im Tanzorchester*, Musette *f*.

musgaño *Zo. m* Spitzmaus *f*.

musgo ⚘ *m* Moos *n*.

música ♪ *f* **1.** Musik *f*; ~ *de baile*, ~ *bailable* Tanzmusik *f*; ~ *celestial* Sphärenmusik *f*; *iron.* leere Versprechungen *f/pl.*, kalter Kaffee *m* P; ~ *de fondo* untermalende Musik *f*; ~ *instrumental* (*popular, vocal*) Instrumental- (Volks-, Vokal-)musik *f*; ~ *ligera* leichte Musik *f*, Unterhaltungsmusik *f*; ~ *llana* Gregorianik *f*; ~ *sagrada*, ~ *sacra* Kirchenmusik *f*; *al compás de la* ~ im (*bzw.* zum) Takt der Musik; *fig. bailar al compás de la* ~ *de alg.* nach j-s Pfeife tanzen; *fig. dar* ~ *a un sordo* tauben Ohren predigen; *fig.* F *¡vete con la* ~ *a otra parte!* bring das anderswo an!; versuche dein Glück (damit) anderswo!; **2.** Noten *f/pl.*; **3.** Musik(kapelle) *f*.

musica|l I. *adj. c* musikalisch, Musik...; *tener talento* ~ musikalisch sein; **II.** *m Thea.* Musical *n* (*engl.*); **~lidad** *f* Musikalität *f*; musikalischer Charakter *m*.

music-hall *engl. m* Varieté(theater) *n*.

músico I. *adj.* **1.** musikalisch; Musik...; *instrumento m* ~ Musikinstrument *n*; **2.** ✎ musisch; **II.** *m* **3.** Musiker *m*; ~ *ambulante* Straßenmusikant *m*; ~ *de instrumento de cuerda* (*de viento*) Streicher *m* (Bläser *m*).

musi|cógrafo *m* Musikschriftsteller *m*; **~cología** *f* Musikwissenschaft *f*; **~cólogo** *m* Musikkundige(r) *m*; Musikwissenschaftler *m*; **~comanía** *f* Musikschwärmerei *f*; **~cómano** *m* Musik-schwärmer *m*, -narr *m* F; **~quero** *m* Notenregal *n*; Notenschrank *m*; **~quilla** F *f* Dudelei *f*, Gedudel *n*.

musitar *v/i.* murmeln; raunen; zischeln; brummeln F.

musivo *adj.* musiv, Musiv...; eingelegt, Mosaik...; *zum Bronzieren*: *plata f* ~*a* Musivsilber *n*.

mus|lime *m* Moslem *m*; **~límico** *adj.* moslemi(ni)sch, Moslem...

muslo *m* Oberschenkel *m*; Keule *f der Tiere*.

musmón *Zo. m* Mufflon *n*.

mustang(o) *m Am.* Mustang *m*.

mustela *Zo.* **1.** *Fi.* Meerquappe *f*; **2.** 📖 Wiesel *n*.

mustio *adj.* **1.** mißmutig; traurig, bedrückt; **2.** welk; **3.** *Méj.* falsch, heuchlerisch.

musulmán *adj.-su.* muselmanisch, mohammedanisch; *m* Muselman *m*, Mohammedaner *m*.

muta|bilidad *f* Veränderlichkeit *f*; **~ble** *adj. c* veränderlich; wandelbar; 📖 mutabel; **~ción** *f* **1.** Wechsel *m*, Umschlag(en *n*) *m*; **2.** *Thea.* Szenenwechsel *m*; **3.** *Met.* Witterungswechsel *m*; **4.** *Biol.* Mutation *f*; **5.** *Li.* ~ *consonántica* Lautverschiebung *f*; **~cionismo** *Biol. m* Mutationstheorie *f*.

mutila|ción *f* Verstümmelung *f*; **~do** *m* Krüppel *m*; ~ *de guerra* Kriegsversehrte(r) *m*; **~r** *v/t.* verstümmeln; *fig.* schwer beschädigen.

mutis *Thea. m* Abgang *m*; *in der Regieanweisung*: „geht ab"; *¡~!* Ruhe!; *hacer* ~ abgehen; *fig.* verschwinden; abtreten (von der Bühne), sterben.

mutismo *m* Stummheit *f*; Schweigsamkeit *f*; (hartnäckiges) Schweigen *n*.

mutua|lidad *f* **1.** Gg.-seitigkeit *f*; **2.** gg.-seitige Hilfe *f*; *p. ext.* Verein *m* auf Gg.-seitigkeit; „Bruderhilfe" *f* (*soziale Hilfskasse*); ~ *de crédito* Darlehensverband *m* auf Gg.-seitigkeit; ~ *obrera* Arbeiterhilfe *f*; **~lismo** *m* **1.** gg.-seitige Hilfsbereitschaft *f*; **2.** *Biol.*, *Phil.* Mutualismus *m*; **3.** Vereins- *bzw.* Unterstützungs-wesen *n* auf Gg.-seitigkeit; **~lista I.** *adj. c* Gg.-seitigkeits...; **II.** *m* Anhänger *m* des Mutualismus; Mitglied *n* e-r *mutualidad*.

mutuo *adj.* gg.-seitig; *seguro m* ~ Versicherung *f* auf Gg.-seitigkeit.

muy *adv.* (*vor adj. u. adv.*) sehr; ungemein, höchlich; zuviel; ~ *grande* sehr groß; ~ *temprano* sehr früh; zu früh; ♀ *señor mío*: Sehr geehrter Herr! (*Briefanrede*); *es* ~ *de él* das ist so ganz er, das ist echt er; F ~ *mucho* zu viel.

muzo *adj.-su. f*: (*lima f*) ~*a* sehr feine Feile *f*.

my *f* My *n* (*griechischer Buchstabe*).

N

N, n (= ene) *f* N, n *n*.
naba ⚘ *f* Kohlrübe *f*.
nabab *m* Nabob *m* (*a. fig.*).
nabí *arab. m* Prophet *m* (*Islam*).
nabi|na ✓ *f* Rübsamen *m*; **~za** ⚘ *f* zartes Rübenblatt *n*; Rübchen *n*.
nabo *m* **1.** ⚘ weiße Rübe *f*, Kohlraps *m*; *Arg.* Raps *m*; *~ gallego* Art Rapskohl *m*; **2.** *fig.* Rübe *f z. B. der Pferde*; *fig.* P Penis *m*, Rübe *f* P; **3.** ⚠ Spindel *f e-r Wendeltreppe*.
naborí *m* (*pl.* ~íes) *Am.* indianischer Hausknecht *m* (*Kolonialzeit*); **~a** *hist. Am.* **I.** *f zu Beginn der Conquista eingeführte* Zuteilung *f* von Indianern *zum Hausdienst*; **II.** *c* → *naborí*.
nácar *m* Perlmutt(er *f*) *n*.
na|carado *adj.* perlmutter-farben, -artig; **~cáreo** *adj.* aus Perlmutter; **~carino** *adj.* Perlmutt(er)...
nacedero *adj.* **1.** *Reg.* → *que nace*; **2.** *Am. Cent.*, *Ec.* *cerca f ~a* Hekkenzaun *m*.
nacela ⚠ *f* Hohlkehle *f am Säulenfuß.*
nace|ncia *f* **1.** *Reg.* → *nacimiento*; **2.** Auswuchs *m*, Geschwulst *f*; **3.** *Cu.* Jungtiere *n/pl. e-r Herde* (*bis zu 1 Jahr*); **~r** [2d] **I.** *v/i.* geboren werden; *p. ext.* ausschlüpfen (*Küken usw.*); sprießen (*Vegetation, Haare*); aufgehen (*Gestirn*); anbrechen (*Tag*); entspringen (*Quell, Fluß u. fig.*); *fig.* entstehen, beginnen; hervorgehen (aus *dat.* de); s-n Ursprung haben (in *dat.* de, en); *fig. yo nací primero* ich habe hier die älteren Rechte; *fig.* F *haber ~ido de cabeza* (*de pie[s]*) ein Pechvogel (ein Glückskind) sein; *fig.* F *¡pero (si) usted no ha ~ido ayer!* Sie sind doch nicht von gestern!; so (erz-) naiv können Sie doch gar nicht sein; *fig.* F *haber ~ido tarde* **a)** zu spät dran (*od.* aufgestanden) sein (*fig.* F); **b)** kein Kirchenlicht sein F; *haber ~ido para* geboren (*od.* glänzend begabt) sein für *et.* (*ac.*); **II.** *v/r.* ~*se* ausschlagen, keimen (*Samen, Kartoffeln*); *fig.* ausfransen (*Naht*).
naci|do **I.** *part.-adj.* (an)geboren; gebürtig; entstanden; *bien* (*mal*) ~ guter (schlechter) Herkunft; *mal* ~ ungezogen; *fig.* F *esto viene como* ~ das kommt wie gerufen; **II.** *m* Geborene(r) *m*; Mensch *m*; **~ente** *part.-adj. c* geboren werdend; *p. ext.* aufsprießend (*Vegetation*); aufgehend (*Gestirn*); anbrechend (*Tag*); ⚗ naszierend; *fig.* entstehend, werdend; *fig.* jung (*Ruhm*); **~miento** *m* **1.** Geburt *f*; *de* ~ von Geburt an; *ciego de* ~ blindgeboren; **2.** Herkunft *f*; *de humilde* ~ aus beschiedenen Verhältnissen; **3.** *lit.* Quell *m*, Born *m* (*lit.*); **4.** *fig.* Wurzel *f*, Ansatz *m*, Anfang *m*; **5.** *Rel.*, *mst.* ♀ (Weihnachts-)Krippe *f*.
nación *f* Nation *f*; Volk *n*; *Pol. familia f* (*od. comunidad f*) *de ~ones* Völkergemeinschaft *f*; *Organización f de las ♀ones Unidas*, *Abk. ONU f* Organisation *f* der Vereinten Nationen, *Abk.* UNO *f*; *hist. Sociedad f de ~ones*, *Abk. S.D.N. f* Völkerbund *m*.
naciona|l *adj. c* national; innerstaatlich; inländisch, einheimisch; National...; Volks...; Landes..., Staats...; *Biblioteca f* ~ National-, Staats-bibliothek *f*; *moneda f* ~ Landeswährung *f*; **~lidad** *f* **1.** Nationalität *f*; Volkszugehörigkeit *f*; **2.** Staatsangehörigkeit *f*; **~lismo** *m* Nationalismus *m*; **~lista** *adj.-su. c* nationalistisch; *m* Nationalist *m*; **~lización** *f* **1.** Verstaatlichung *f*; **2.** Einbürgerung *f*; **~lizar** [1f] **I.** *v/t.* **1.** verstaatlichen; **2.** *e-r Sache* nationalen Charakter geben; **3.** einbürgern, naturalisieren; **II.** *v/r.* ~*se* **4.** ~*se* (*español*) die (spanische) Staatsangehörigkeit erwerben.
nacionalsindicalis|mo *Pol. m Span.* Nationalsyndikalismus *m*, Falangismus *m*; **~ta** *adj.-su. c* nationalsyndikalistisch, falangistisch; *m* Nationalsyndikalist *m*.
nacionalsocialis|mo *hist. m* Nationalsozialismus *m*; **~ta** *adj.-su. c* nationalsozialistisch, nazistisch; *m* Nationalsozialist *m*, Nazi *m*.
nada **I.** *f* Nichts *n*; *Phil. el ser y la* ~ das Sein u. das Nichts; **II.** *pron. u. adv.* nichts; durchaus nicht, überhaupt nicht, keineswegs; *in negativem Zs.-hang*: etwas, *z. B. ¿has visto ~ igual?* hast du je etwas Derartiges gesehen?; *no he visto* ~ ich habe nichts gesehen; *desp. un hombre de* ~ irgendwer, jeder; *o todo, o* ~ (entweder) alles od. nichts; ~ *de eso* keineswegs; kommt nicht in Frage; ~ *en absoluto* überhaupt nichts, gar nichts; ~ *más* nichts mehr, weiter nichts; ~ *menos* nichts weniger, sogar; *¡ahí es ~!* (da) schau an!, Donnerwetter!, ein dolles Ding!; *antes de* ~ vor allem, als erstes; *como si* ~ als ob (es) nichts wäre, wie nichts; *¡de ~!* bitte sehr!, keine Ursache! (*Antwort auf ¡gracias!*); *en menos que ~ od. en un ~* im Handumdrehen, im Nu; *más* (*od. antes*) *que* ~ vor allem, ganz besonders; *para* ~ umsonst, für nichts u. wieder nichts, vergeblich; *por ~ del mundo* um nichts in der Welt, um k-n Preis; *¡pues ~!* ja!, also gut!, kurz u. gut!; na dann!; *adv. por* ~ umsonst; *a.* sehr billig; *fig.* F *no te digo* ~ du kannst es dir nicht vorstellen, das ist noch gar nichts; *en ~ estuvo que riñésemos* um ein Haar hätten wir uns gestritten; *~ hace que* + *ind.* gerade eben + *ind.*; *fig.* F *como quien no hace* ~ ganz harmlos; ~ *más llegar* gleich nach der Ankunft; *quejarse por* (*gal. por un*) ~ wegen nichts (*od.* wegen jeder Kleinigkeit) jammern; *no ser* ~ unwichtig sein; nichts zu bedeuten haben; *no ha sido* ~ es war (weiter) nicht schlimm, es ist nichts passiert; *no servir para* ~ nichts taugen; *tener en* ~ für nichts (er)achten.
nada|dera *f* Schwimmblase *f*; Schwimmgürtel *m*; **~dero** *m* Schwimmplatz *m*, zum Schwimmen geeignete Stelle *f*; **~dor** *adj.-su.* schwimmend; *m* Schwimmer *m*; *no* ~ Nichtschwimmer *m*; **~r** *v/i.* schwimmen; *fig.* ~ *en dinero* im Geld schwimmen; *fig.* ~ *en sangre* im Blut waten; *fig.* ~ *entre dos aguas* es mit niemandem verderben wollen, lavieren; *Spr.* ~ *y ~, y a la orilla ahogar* dicht am Ziel scheitern.
nadería F *f* Nichtigkeit *f*, Lapperei *f*.
nadie *pron.* niemand; *in negativem Zs.-hang*: jemand; *fig. un don ♀* e-e Null, e-e Niete F; F *no ser* ~ völlig unbedeutend sein (*Person*).
nadir *Astr. m* Nadir *m*.
nado *adv.*: *a* ~ schwimmend; *atravesar un río a* ~ e-n Fluß durchschwimmen.
nafta ⚗ *f* Naphtha *n*; *Kfz. Rpl.* Benzin *n*; **~leno** *m*, **~lina** *f* ⚗ Naphthalin *n*.
nagual **I.** *c Méj.* Zauberer *m*; Hexe *f*; **II.** *m Méj.* Klotz *m* (*fig.*); Schurke *m*; *Guat.*, *Hond.* ständiges Begleittier *n e-s Menschen*, Maskottchen *n*; **III.** *f* F *Méj.* Lüge *f*.
naguas *f/pl.* → *enaguas*.
nahua *c* Nahua-Indianer *m*; *Ethn. los ~s* die Nahua-Völker *n/pl.*; **~tl** (*besser: náhuatl*) *Ethn. u. Li.* **I.** *adj. c* Nahua...; **II.** *c* → *nahua*; **III.** *m Li.* Nahuatl *n* (*Sprache der Nahua-Völker, Verkehrssprache des Aztekenreichs*); **~tlismo** *Li. m* aus dem Nahuatl übernommener Ausdruck *m* (*z. B. jícara, tomate*); **~tlista** *Li. c* Nahuatlforscher *m*.
nailon *m* Nylon *n*.
naipe *m* (Spiel-)Karte *f*; Kartenblatt *n*; *fig. castillo m de ~s* Kartenhaus *n*; Luftschloß *n*; *a. fig. tener buen* (*mal*) ~ gute (schlechte) Karten haben.
naja *Zo. f* Brillenschlange *f*; P *darse*

de ~ → ~**rse** F *v/r.* abhauen F, verduften F.
nal|ga *f* Hinterbacke *f* (*a. Equ.*); ~*s f/pl.* Gesäß *n*; *fig.* P *cara f de* ~*s* Arsch(backen)gesicht *n* P; ~**gar** *adj. c* Hinterbacken...; ~**gatorio** F *m* Hintern *m*, Po(dex) *m* F; ~**gón** *Am.*, ~**gudo** *adj.* mit dickem Hintern; ~**guear** *v/i.* (heftig) mit dem Gesäß wackeln (*b. Gehen*).
nana[1] *onom. f* **1.** Großmutter *f*, Oma *f* F; **2.** Wiegenlied *n*; **3.** *Am. Cent.*, *Méj.* Amme *f*.
nana[2] *Ke. Kdspr. f Chi.*, *Rpl.* [Wehweh *n*.]
¡nanay! F *int.* denkste! F, kommt nicht in die Tüte! F, nichts da!
nanismo ⚕ *m* Zwergwuchs *m*.
nanita F *f* Großmütterchen *n*; *fig.* F *el año de la* ~ Anno Tobak F.
napa *f* **1.** Nappa(leder) *n*; **2.** *tex.* Flor *m*, Vlies *n*.
napalm ⚔ *m* Napalm *n*.
napias F *f/pl.* Nase *f*, Gurke *f* (*fig.* P).
napoleó|n *m* **1.** † Napoleonstaler *m*; **2.** *fig.* F ~*ones m/pl.* lange Unterhosen *f/pl.*; ~**nico** *adj.* napoleonisch, Napoleons...
napolitano *adj.-su.* neapolitanisch; *m* Neapolitaner *m*.
naran|ja I. *f* Apfelsine *f*, Orange *f*; ~ *confitada* Orangeat *n*; ~ *sanguina* Blutorange *f*; *fig.* F *media* ~ bessere Hälfte *f* F (= *Ehefrau*); *fig.* P *¡*~*s! od. ¡*~*s chinas* (*od. de la China*)! nichts!, von wegen!; **II.** *m* Orange *n* (*Farbe*); **III.** *adj. inv.*: (de color) ~ orange(farben); ~**jada** *f* Orangeade *f*; Orangengetränk *n*; ~**jado** *adj.* orange(nfarbig); ~**jal** *m* **1.** Apfelsinenpflanzung *f*, Orangenhain *m*; **2.** *Chi.*, *Guat.* → *naranjo*; ~**jera** *f* → *trabuco naranjero*; ~**jero I.** *adj.* Apfelsinen...; *puerto m* ~ Hafen *m* für die Apfelsinenverschiffung; ⚘ *zona f* ~*a* Apfelsinenanbaugebiet *n*; **II.** *m* Orangen-züchter *m*, -pflanzer *m*; -händler *m*; ~**jilla** ⚘ *f* **1.** *Am.* Tomatenbaum *m*; **2.** *Ec.*, *Méj.* Baumtomate *f*, *Frucht des naranjillo*; ~**jillada** *f Ec.* Naranjillagetränk *n*; ~**jillo**, ~**jito** ⚘ *m* **1.** *Am. versch. Wildpfl., mit äußerer Ähnlichkeit mit Orangen*; **2.** *Ec. naranjillo*, *Méj. naranjito* Tomatenbaum *m* (*die Frucht hat e-e leicht narkotisch wirkende Säure*); ~**jo** ⚘ *m* Orangenbaum *m*; *invernáculo m de* ~*s* Orangerie *f*.
narci|sismo *Psych. m* Narzißmus *m*; ~**so** *m* **1.** *Myth. u. Psych.* ♀ Narziß *m*; ~ *fig.* Geck *m*; **2.** ⚘ Narzisse *f*.
nar|coanálisis ⚕ *m* Narkoanalyse *f*; ~**cosis** *f* Narkose *f*; ~**cótico** *adj.-su.* narkotisch, betäubend; *m* Narkotikum *n*, Betäubungsmittel *n*; ~**cotismo** ⚕ *m* Narkotismus *m*; ~**cotización** *f* Narkotisierung *f*, Betäubung *f*; ~**cotizar** [1f] *v/t.* narkotisieren, betäuben, einschläfern; *Sp.* dopen; *fig.* (stark) berauschen.
nardo ⚘ *m* Narde *f*.
narguile *m* Nargileh *f*, *n* (*Wasserpfeife*).
nari|gada *f Arg.*, *Chi.*, *Ec.* Prise *f* Schnupftabak; ~**gón I.** *adj.* groß-, dick-nasig; **II.** *m* große (*od.* dicke) Nase *f*; *fig.* Loch *n* in der Nasenscheidewand *für den Führungsring b. Tieren*; ~**gudo** *adj.* mit großer Nase; ~**guera** *f* Nasenring *m der Indianer*; ~**z** *f a. fig.* Nase *f*; ~*ices f/pl.* **a)** Nase *f*; **b)** Nüstern *f/pl.*; *a. fig. buena* ~ gute Nase *f*, Spürnase *f*, guter Riecher *m* F; ~ *chata* Stumpfnäschen *n*; ~ *respingona* Stups-, Himmelfahrts-nase *f* F; F *¡narices!* **a)** verflixt (u. zugenäht)! F; **b)** nichts (da)!, hat s. was! F, von wegen! F, kommt nicht in die Tüte! F; *¡... ni narices! ...* gar nichts!; *en las propias* (*od. mismísimas*) ~*ices de alg.* vor j-s Nase F, vor j-s Augen; F *asomar las* ~*ices* aufkreuzen F; *caerse* (*od. dar*) *de narices* auf die Nase fallen; *fig.* F *algo me da en la* ~ ich hab's in der Nase F, ich habe so e-n Riecher F; *hablar por* (*od. con*) *las* ~*ices* durch die Nase sprechen; *hinchar las* ~*ices* die Nüstern blähen; *fig. pronto se le hinchan las* ~*ices* er geht leicht in die Luft, er ist schnell auf der Palme; *meter las* ~*ices en todo* s-e Nase (*desp.* s-n Rüssel P) in alles stecken; F *¡le voy a romper las* ~*ices!* ich schlag' ihm den Schädel ein! P; *fig. ser más frío que* ~ *de perro* kalt (*od.* gefühllos) sein; *fig.* F *subírsele a uno el humo* (*od. la mostaza*) *a las* ~*ices* wütend werden, e-n Zorn kriegen F; *tener una* ~ *de primera* e-e ausgezeichnete Nase haben, *a. fig.* e-n guten Riecher haben F; *fig. tener a alg. agarrado* (*od. cogido*) *por las* ~*ices* j-n fest an der Kandare haben; *fig. tener a alg. montado en las* ~*ices* **a)** von j-m die Nase voll haben F; **b)** s. von j-m auf der Nase herumtanzen lassen; *tener largas* ~*ices* immer mit der Nase vorneweg sein; e-n guten Riecher haben F; *tener* ~*ices de perro perdiguero* e-e feine Spürnase haben; *fig. no ver más allá de sus* ~*ices* e-n sehr engen Horizont haben; schwer kapieren; → *a. palmo*; ~**zotas** F **I.** *f/pl.* Mordsnase *f* F; **II.** *c inv.* Person *f* mit e-r Riesennase *f*; *fig.* Dummrian *m* F; Tolpatsch *m*.
narra|ción *f* Erzählung *f*; ~**dor** *adj.-su.* Erzähler *m*; ~**r** *v/t. a. Lit.* erzählen; ~**tiva** *f* **1.** Erzählung *f*; **2.** Erzählkunst *f*; *tener mucha* ~ gut erzählen können; ~**tivo**, ~**torio** *adj.* erzählend; Erzähl...
narria *f* Lastenschleife *f*; Anhänger *m für schwere Lasten*; *fig.* F dicke, unförmige Frau *f*.
nártex ⚠ *m* Narthex *m*.
narval *Zo. m* Narwal *m*.
nasa *f* **1.** (Fisch-)Reuse *f*; Fischkorb *m der Angler*; Vorratskorb *m für Lebensmittel*; **2.** *Zo.* Schlammschnecke *f*.
nasa|l I. *adj. c* ⚕, *Phon.* nasal, Nasen...; **II.** *m Anat.* Nasenbein *n*; **III.** *f Li.* Nasal *m*, Nasenlaut *m*; ~**lidad** *Li. f* Nasalität *f*; ~**lización** *Li. f* Nasalierung *f*; ~**lizar** [1f] *Li. v/t.* nasalieren.
násico *Zo. m* Nasenaffe *m*.
naso F *m* gr. Nase *f*, Mordsriecher *m* F; ~**faringe** *Anat. f* Nasen-Rachen-Raum *m*; ~**faríngeo** *adj.* Nasen-Rachen-...
nata *f* **1.** Sahne *f*, Rahm *m*; ~ (*batida*) Schlagsahne *f*; ~*s f/pl.* → *natillas*; **2.** *fig. das* Beste, *das* Erlesenste; *la* (*flor y*) ~ die Spitzen *f/pl. der Gesellschaft*.
natación *f* Schwimmen *n*.
nata|l I. *adj. c* Geburts...; *ciudad f* ~ Geburts-, Heimat-stadt *f*; **II.** *m* ⚒ Geburt(stag *m*) *f*; ~**licio** *adj.-su.* Geburtstags...; *m* Geburtstag *m*; ~**lidad** *f* Geburtenziffer *f*.
na|tátil *adj. c* schwimmfähig; ~**tatorio** *adj.* Schwimm...; *Zo. membrana f* ~*a* Schwimmhaut *f*.
natillas *Kchk. f/pl.* Krem-, Cremespeise *f*.
nati|vidad *f* **1.** ♀ Weihnacht(en *n*) *f*, Christfest *n*; **2.** *Astrol.* Nativität *f*; ~**vismo** *m* **1.** *Phil.* Nativismus *m*; **2.** *Am.* → *indigenismo*; ~**vista** *Phil. adj. c* nativistisch; ~**vo I.** *adj.* **1.** gebürtig (aus *dat.* de); Heimat..., Geburts...; *idioma m* ~ Muttersprache *f*; **2.** angeboren, natürlich, Geburts...; **3.** ⚒, *Min.* gediegen (*Metall*); **II.** *m* **4.** Eingeborene(r) *m*; Einheimische(r) *m*.
nato *adj.* **1.** *fig.* geboren (*fig.*); gebürtig; **2.** *Pol. Mitglied* von Amts wegen, kraft Amtes; *Univ.* geboren (*Mitglied*).
na|trolita *Min. f* Natrolith *m*; ~**trón** *Min. m* Natrit *n*, (Kristall-)Soda *f*.
natura *f* **1.** ⚒ Natur *f*; *a* (*od. de*) ~ → *naturalmente*; *contra* ~ widernatürlich; **2.** *fig. euph.* Scham *f* (*Anat.*); ~**l I.** *adj. c* **1.** natürlich, naturgegeben; natürlich vorkommend; **2.** *fig.* natürlich, schlicht; natürlich, selbstverständlich; **3.** ~ de geboren in (*dat.*); (gebürtig) aus (*dat.*); *p. ext.* wohnhaft in (*dat.*); **4.** natürlich (*lit.*) (= *unehelich*) (*Kind*); **II.** *m* **5.** Naturtrieb *m*; Naturell *n*; **6.** Einwohner *m*; Eingeborene(r) *m*; Landsmann *m*; **7.** *al* ~ (in) natürlich(em Zustand); *Kchk.* im eigenen Saft (*Tomaten, Früchte*); *adv.*, *bsd. Mal. del* ~ nach der Natur; ~**leza** *f* **1.** Natur *f*; Art *f*, Beschaffenheit *f*; Wesen *n*; Charakter *m*, Temperament *n*; *por* ~ → *naturalmente*; *Mal.* ~ *muerta* Stilleben *n*; *amante m de la* ~ Naturfreund *m*; *Spr. la costumbre es otra* (*od. segunda*) ~ der Mensch ist ein Gewohnheitstier F; *euph. pagar tributo a la* ~ der Natur den schuldigen Tribut zahlen, sterben; **2.** Bürger-, Heimat-recht *n*; *carta f de* ~ Einbürgerungsurkunde *f*; *fig. dar carta de* ~ *a alg.* j-m Heimatrecht gewähren; ~**lidad** *f* **1.** Natürlichkeit *f*; Naturgegebenheit *f*; **2.** Schlichtheit *f*; Ungezwungenheit *f*; **3.** ⚖ mit der Geburt gegebenes Heimatrecht *n*; ~**lismo** *m* **1.** *Phil.*, *Lit.* Naturalismus *m*; **2.** *neol.*, *bsd. Am.* Naturgegebenheit *f*, Natürlichkeit *f*; ~**lista I.** *adj. c* **1.** *Phil.*, *Lit.* naturalistisch; **2.** auf die Natur gegründet; **II.** *c* **3.** Naturalist *m*; **4.** Naturforscher *m*; ~**lización** *f* Einbürgerung *f*, Naturalisierung *f*; *p. ext.* Einführung *f*; Heimischmachung *f*; ~**lizar** [1f] **I.** *v/t.* naturalisieren, einbürgern; *p. ext.* einführen; heimisch machen; **II.** *v/r.* ~*se* eingebürgert werden; ~**lmente** *adv.* natürlich; von Natur aus.
natu|rismo *m* **1.** Naturreligion *f*; **2.** Naturbewegung *f*, Naturismus *m*; † → *nudismo*; **3.** Naturheilkunde *f*; ~**rista** *adj.-su. c* **1.** *Rel.* Natur...; **2.** ⚕ Natur(heil)...; **3.** Natur-bewegungs..., -freunde...

naufra|gar [1h] *v/i. a. fig.* Schiffbruch erleiden, scheitern; **~gio** *m a. fig.* Schiffbruch *m*, Scheitern *n*.
náufrago I. *adj.-su.* schiffbrüchig; *m* Schiffbrüchige(r) *m*; **II.** *m Fi.* Hai *m*.
nausea|bundo *adj.* Übelkeit (*od.* Ekel) erregend; **~r** *v/i.* an Übelkeit leiden, ein Würgen im Halse haben.
náuseas *f/pl.* Übelkeit *f*; Würgen *n*; *siento* (*od. tengo*) ~ mir ist übel.
náuti|ca *f* Nautik *f*; **~co** *adj.* nautisch, Seefahrts...; *Sp. deporte m* ~ Segelsport *m*; ⚓ *rosa f ~a* Windrose *f*.
nautilo *Zo. m* Nautilus *m*.
nava *Geogr. f* (*oft ~s f/pl.*) *Reg.* Ebene *f zwischen den Bergen*, Senke *f*.
nava|ja *f* **1.** Taschenmesser *n*; *fig.* F scharfe Zunge *f*, Lästerzunge *f*; ~ *de afeitar* Rasiermesser *n*; ~ *albaceteña* Klappmesser *n*; *corte m de(l) pelo a* ~ Messerschnitt *m*; **2.** Hauer *m des Keilers*; **~jada** *f*, **~jazo** *m* Messerstich *m*; **~jero** *m* **1.** Rasierbesteck *n*; Rasiertuch *n zum Reinigen des Messers*; **2.** Messerschmied *m*; *Pe.* Messerstecher *m*.
naval *adj. c* See...; Schiffs...; Marine...; *combate m* ~ Seegefecht *n*.
navarro *adj.-su.* aus Navarra; *m* Navarrese *m*.
nave *f* **1.** ⚓, ✈ Schiff *n*; ~ *espacial* Raumschiff *n*; ~ *de guerra* Kriegsschiff *n*; *fig. la* ~ *de San Pedro* das Petrusschiff, die Kirche; → *a. barco, buque*; **2.** △ (Kirchen-)Schiff *n*; (Gebäude-)Flügel *m*; Halle *f* (*Fabrik, Ausstellung*); *de varias ~s* mehrschiffig; ~ *lateral* Seitenschiff *n*; ~ *de taller* Werkhalle; **~cilla** *f* **1.** Schifflein *n*, Nachen *m*; **2.** ⚗ kl. Gefäß *n*, Schale *f*; **3.** *ecl.* Weihrauchschiffchen *n*.
navega|ble *adj. c* schiffbar; *aguas f/pl. ~s* Fahrwasser *n*; *rutas f/pl. ~s* Schiffahrtsstraßen *f/pl.*; **~ción** *f* **1.** ⚓, ✈ Schiffahrt *f*; Schiffahrtskunde *f*; ~ (*por aguas*) *interior(es)* Binnenschiffahrt *f*; ~ *de altura* Hochseeschiffahrt *f*; ~ *espacial*, ~ *interplanetaria* (Welt-)Raumfahrt *f*; ~ *fluvial* (*marítima*) Fluß- (See-)schiffahrt *f*; ~ *mercantil* Handelsschiffahrt *f*; ~ *de vapor* (*a vela*) Dampf- (Segel-)schiffahrt *f*; **2.** ⚓, ✈ Navigation *f*; **~dor I.** *adj.* **1.** seefahrend; **2.** navigierend; **II.** *m* **3.** ✈ (*piloto*) ~ Navigator *m*; **4.** → **~gante I.** *adj. c* seefahrend; **II.** *m* Seefahrer *m*; **~r** [1h] *v/i.* **1.** zur See fahren; ⚓ fahren, segeln (nach *dat. a, para*); ✈ fliegen; *acostumbrado a* ~ seefest; *capacidad f para* ~ Seetüchtigkeit *f*; *fig.* F *siempre está ~ando por la casa* immerzu ist er emsig (treppauf, treppab) daheim beschäftigt; **2.** ⚓, ✈ navigieren.
naveta *f* **1.** Schublade *f*; **2.** → *navecilla 3*.
navi|cert *engl.* ✝, ⚓ *m* Navicert *n* (*Geleitschein*); **~cular** *adj. c* kahn-, nachen-förmig.
Navi|dad *f* Weihnacht(en *n*) *f*; Weihnachtszeit *f*; *árbol m de* ~ Weihnachtsbaum *m*; *fig.* F *contar muchas ~es* (viele Jahre) alt sein; **⁀deño** *adj.* weihnachtlich, Weihnachts...; *fruta f ~a für die Weihnachtszeit aufgehobenes* Obst *n*.

na|viero I. *adj.* Schiffahrts...; *compañía f ~a* Schiffahrtsgesellschaft *f*; **II.** *m* Reeder *m*; Schiffsausrüster *m*; **~vío** *m* Schiff *n*; ~ *de alto bordo* Hochseeschiff *n*; † ~ *de línea* Linienschiff *n* (⚔); → *a. barco, buque*.
náyade *Myth. f* Najade *f*.
nazareno *bibl. u. fig.* **I.** *adj.* aus Nazareth; **II.** *m* Nazarener *m*; *fig. Span. a.* Büßer *m in Hemd u. Kapuze b. den Karwochenumzügen*; *fig.* F *está hecho un* ~ er ist böse zugerichtet (*od.* zs.-geschlagen).
nazi *Pol. adj.-su. c* nazistisch; *m* Nazi *m*; **~smo** *m* Nazismus *m*.
nebladura *f* **1.** ✓ Nebelschäden *m/pl.*; **2.** *vet.* Drehkrankheit *f der Schafe*.
neblí *Jgdw. m* Edel-, Beiz-falke *m*.
neblina *f* Dunst *m*, ⚓ Mist *m*; Bodennebel *m*; ⊕ ~ *de aceite* Ölnebel *m*.
nebuliza|ción ⚕ *f* Sprühen *n*; Sprühmittel *n*; **~dor** ⚕ *adj.*: *frasco m* ~ Sprühflasche *f*, Spray *m*.
nebulo|sa *Astr. f* Nebelfleck *m*, kosmischer Nebel *m*; **~sidad** *f* Nebelbildung *f*; leichte Bewölkung *f*; *fig.* Nebel *m*, Schatten *m*; *fig.* Nebelhaftigkeit *f*, Verschwommenheit *f*; **~so** *adj.* dunstig, diesig; *fig.* nebelhaft, verschwommen.
nece|ar F *v/i.* albern reden (*od.* handeln); **~dad** *f* Albernheit *f*, Dummheit *f*; Unsinn *m*.
nece|sario *adj.* notwendig, nötig; erforderlich (für *ac., zu dat. para*); *es* ~ *hacerlo* es muß getan werden; **~ser** *m* Necessaire *n*; **~sidad** *f* **1.** Notwendigkeit *f*; *adv. por* ~ zwangsweise, notgedrungen; *es de* ~ *imperiosa* es ist unbedingt notwendig; *no hay* ~ *de* + *inf.* es ist nicht nötig, zu + *inf.*; **2.** *bsd.* ✝, *oft. ~es f/pl.* Bedarf *m* (an *dat.* de), Bedürfnis *n*; *en caso de* ~ im Bedarfsfall; → *a. 3*; *artículos m/pl. de primera* ~ Güter *n/pl.* des täglichen Bedarfs; *~es f/pl. de energía* Energiebedarf *m*; **3.** Not *f*; *p. ext.* Hunger *m*; *en caso de* ~ im Notfall; *Spr. la* ~ *carece de ley* Not kennt kein Gebot; *hacer de la* ~ *virtud* aus der Not e-e Tugend machen; **4.** *euph.* (*Physiol.*): *hacer sus ~es* sein Bedürfnis verrichten; **~sitado** *adj.-su.* (hilfs)bedürftig; notleidend; *estar* ~ *de a/c.* et. brauchen; et. benötigen; **~sitar I.** *v/t.* **1.** (*a. v/i.* ~ de) benötigen, nötig haben, brauchen, bedürfen (*gen.*); **2.** zwingen; **3.** müssen; *necesito hablarle* ich muß Sie sprechen; **II.** *v/r.* ~*se* **4.** nötig sein; *impers. se necesita corresponsal* Korrespondent gesucht.
necio *adj.-su.* dumm, albern, töricht; *m* Dummkopf *m*, Narr *m*.
nécora *Zo., Kchk. f* Schwimmkrebs *m*.
necrófago *Zo. adj.* aasfressend, [Aas...]
necro|logía *f* Nachruf *m*; **~lógico** *adj.* Nachruf..., Todes...; **~mancía**, **~mancia** *f* Nekromantie *f*.
necrópolis *f* Nekropole *f*; *lit.* Friedhof *m*.
necroscopia ⚕ *f* Nekroskopie *f*, Autopsie *f*.
ne|crósico ⚕ *adj.* → *necrótico*; **~crosis** ⚕ *f* Nekrose *f*; **~crótico** ⚕ *adj.* nekrotisch.

néctar *Myth. u. fig. m* Nektar *m*.
nectáreo *adj.* Nektar...
neerlandés *adj.-su.* niederländisch; *m* Niederländer *m*.
nefa|ndo *adj.* schändlich; **~rio** *adj.* ruchlos; **~sto** *adj.* unheil-voll, -bringend; **~to** P *adj. Ven.* bekloppt P.
nefelio ⚕ *m* Hornhautfleck *m im Auge*.
nefrita *Min. f* Nephrit *m*.
ne|frítico ⚕ *adj.* Nieren...; **~fritis** ⚕ *f* (*pl. inv.*) Nephritis *f*, Nierenentzündung *f*; **~frosis** ⚕ *f* (*pl. inv.*) Nephrose *f*.
nega|ción *f* **1.** Verneinung *f*; *Gram.* Verneinungswort *n*, Negation *f*; **2.** Weigerung *f*; Verweigerung *f*, Ablehnung *f*; **~do** *adj.-su.* unfähig; unbrauchbar; *m* Unbegabte(r) *m*; **~dor I.** *adj.* verneinend; **II.** *m* Verneiner *m*; Verweigerer *m*; **~r** [1h *u.* 1k] **I.** *v/t.* **1.** verneinen; (ab)leugnen; verleugnen; **2.** abschlagen, versagen; verweigern; **II.** *v/i.* **3.** *Col.* versagen (*Waffe*); **III.** *v/r.* ~*se* **4.** s. weigern (, zu + *inf. a* + *inf.*); ~*se al trato* s. dem Umgang entziehen; den Umgang verweigern; **5.** s. verleugnen (lassen); ~*se a sí mismo* s. selbst verleugnen; **~tiva** *f* **1.** Verneinung *f*; Weigerung *f*; abschlägige Antwort *f*, Absage *f*; **2.** *Phot.* Negativ *n*; **~tivo I.** *adj.* verneinend; abschlägig, negativ; **II.** *m Typ., Repro.* Klischee *n*, Negativ *n*; Stereotypplatte *f*; **~trón** *Phys. m* Negatron *n*.
negligen|cia *f* Nachlässigkeit *f*; *a.* ⚖ Fahrlässigkeit *f*; **~te I.** *adj. c* nachlässig; unachtsam (*od.* fahrlässig) handelnd; **II.** *m* fahrlässig Handelnde(r) *m*.
negoci|abilidad *bsd.* ✝ *f* Begebbarkeit *f e-s Wechsels*; ~ *bancaria* Bankfähigkeit *f*; **~able** *adj. c* **1.** umsetzbar, verkäuflich; **2.** übertragbar (*Wertpapier*); begebbar (*Wechsel*); ~ *en bancos* bankfähig; ~ *en Bolsa* börsengängig; **~ación** *f* **1.** *a. dipl.* Verhandlung *f*; **2.** Umsatz *m* (*Bank, Börse*); Begebung *f e-s Wechsels*; ~ *bursátil* Börsen-handel *m*, -umsatz *m*; ~ *de valores* Effektenhandel *m*; **~ado** *m* **1.** *Verw.* Referat *n*; Amt *n*, Geschäftsstelle *f*; **2.** ↯ *u. Reg.* → *negocio*; **3.** *Arg., Chi., Ec., Pe.* Schwarzgeschäft *n*; Kuhhandel *m*, Klüngel *m*; **4.** *Chi.* Geschäft *n*, Laden *m*; **~ador** *adj.-su.* verhandelnd, unterhandelnd; *m* Unterhändler *m*; **~ante** *m* Geschäftsmann *m*; Großhändler *m*; **~ar** [1b] **I.** *vt/i.* **1.** handeln, Handel treiben; *Wechsel* begeben; ~ *con artículos de marca* (*en granos*) mit Markenartikeln (mit Getreide) handeln; **2.** verhandeln; ~ (*de*) *a/c.* et. aushandeln, über et. (*ac.*) verhandeln; **II.** *v/r.* ~*se* **3.** gehandelt werden; **~o** *m* **1.** *a. fig.* Geschäft *n*; *hombre m de ~s* Geschäftsmann *m*; *¡mal ~!* ein schlechtes Geschäft; e-e üble Sache!; *hacer un* ~ ein Geschäft machen; **~oso** *adj.* geschäftig; geschäftstüchtig.
negra *f* **1.** Negerin *f*, Schwarze *f*; **2.** *fig.* Unglück *n*, Pech *n*; *la* ~ *le persigue* er hat e-e Pechsträhne; *adv. con la* ~ ohne Geld; → *a. negro 1*; **3.** ♪ Viertelnote *f*; **~da** *f Am.*

1. Negervolk *n*; *hist.* Negersklavenschar *f*; **2.** Wort *n* (*od.* Tat *f*) e-s Negers.
negre|ar *v/i.* ins Schwarze spielen; **~cer** [2d] *v/i.* schwarz werden; **~ro I.** *adj.* **1.** Neger...; Negersklaven...; **II.** *m* **2.** (Neger-)Sklavenhändler *m*; *fig.* (Menschen-)Schinder *m*, Sklaventreiber *m* (*fig.*); **3.** Sklavenschiff *n*.
negri|lla *f* **1.** *Typ.* (halb)fette Schrift *f*; **2.** ⚘ Schwarzschimmel *m der Oliven u. Zitrusfrüchte*; **3.** *Fi. Art* Muräne *f*; **~llo** *m* **1.** ⚘ Schwarzpappel *f*; **2.** ⚒ *Am. Reg.* Schwarzsilbererz *n*; **~smo** *Lit., Ku. m* Negerkunst *f*; **~ta** *Typ. f* → *negrilla 1*; **~to** *Ethn. m* Negrito *m*.
negro I. *adj.* **1.** *a. fig.* schwarz; *lo ~* das Schwarze; *~a suerte* Unglück *n*, Pech *n*; F *pasarlas ~as* vom Unglück verfolgt werden, Pech haben; F *poner ~ a alg.* j-n in Wut bringen; F *verse ~ para hacer a/c.* größte Schwierigkeiten haben, et. zu tun; **II.** *m* **2.** Neger *m*, Schwarze(r) *m*; *fig.* Sklave *m*; Handlanger *m*; *fig. ~ (literario)* Ghostwriter *m* (*engl.*); *fig.* F *no somos ~s* das lassen wir uns nicht bieten; *fig.* F *trabajar como un ~* mächtig schuften F, s. gewaltig ins Zeug legen; **3.** schwarze Farbe *f*; *~ animal* Knochenkohle *f*; *~ de humo* (Lampen-)Ruß *m*; *~ de huesos* Bein-, Knochen-schwarz *n*; *~ de uña das* Schwarze unter dem Fingernagel, Trauerrand *m* F; *Typ. impresión f (en) blanco y ~* Schwarz-Weiß-Druck *m*; **~ide** *adj. c* negroid; **~r** *m* → *negrura*.
negru|ra *f* Schwärze *f*; **~zco** *adj.* schwärzlich.
neguilla ⚘ *f* **a)** Kornrade *f*; **b)** Frauenhaar *n*.
Negus *m* Negus *m*.
nejayote *m Méj.* Maiswasser *n*.
nematodos *Zo. m/pl.* Fadenwürmer *m/pl.*, Nematoden *pl.*
Némesis *Myth. f* Nemesis *f*; *fig.* ♀ Rache *f*.
nemoroso *poet. adj.* bewaldet; [Wald...]
nemotecnia *f etc.* → *mnemotecnia*.
ne|na *f* kl. Mädchen *n*; *Kosename*: Kind *n*, Mädchen *n*; **~ne** *m* Kind *n*, kl. Junge *m*.
nenúfar ⚘ *m* Seerose *f*.
neo|... *pref.* Neo..., Neu...; **~clasicismo** *m* Klassizismus *m*; **~clásico** *adj.* klassizistisch; **~colonialismo** *m* Neokolonialismus *m*; **~fascista** *Pol. adj. c* neofaschistisch.
neófito *m* Neophyt *m*, Neubekehrte(r) *m*; *fig.* Neuling *m*.
neo|gongorismo *Lit. m* Neugongorismus *m* (*ab 1927*); **~gramático** *m* Junggrammatiker *m*; **~granadino** *hist. adj.-su.* aus Neu-Granada (*Kolumbien unter span. Herrschaft*); **~griego** *adj.* neugriechisch; **~latino** *adj.* neulateinisch; romanisch (*a. Li. Sprache*); **~lítico** *adj.-su.* jungsteinzeitlich; *m* Jungsteinzeit *f*, Neolithikum *n*; **~logismo** *Li. m* Neologismus *m*, Neuwort(bildung *f*) *n*; **~logista** *m* Sprachneuerer *m*; **~menia** *f* **1.** *Astr.* Neumond *m*; **2.** *Arch.* Neumondfest *n*.
neón ⚗ *m* Neon *n*; *lámpara f ~ (de efluvio)* Neonröhre *f*.
neo|nato *m* Neugeborene(s) *n*; **~plasma** ⚕ *m* Neoplasma *n*; **~platónico** *Phil. adj.-su.* neuplatonisch; *m* Neuplatoniker *m*; **~rrealismo** *m* Neorealismus *m* (*Filmkunst*); **~sacerdote** *m* Neupriester *m*; **~scolástica** *Phil. f* Neuscholastik *f*; **~yorquino** *adj.-su.* aus New York; *m* Newyorker *m*; **~zelandés** *adj.-su.* neuseeländisch; *m* Neuseeländer *m*; **~zoico** *Geol. adj.-su.* dem Neozoikum angehörend; *m* Neozoikum *n*, Erdneuzeit *f*.
nepalés *adj.-su.* aus Nepal, nepalesisch; *m* Nepalese *m*.
nepotismo *Pol. m* Vetternwirtschaft *f*, Nepotismus *m*.
nep|túneo *lit. adj.* neptunisch, Meeres...; **~tuniano**, **~túnico** *Geol. adj.* neptunisch; **♀tuno** *Myth., Astr. u. fig. m* Neptun *m*; *fig. poet.* Meer *n*.
nereida *Myth. f* Nereide *f*.
nervadura *f* **1.** ⚘ Blattgerippe *n*; **2.** ⊕, Δ Rippen *f*(/*pl.*).
nervio *m* **1.** *Biol. u. fig.* Nerv *m*; *~ neumogástrico, ~ vago* Vagus *m*; *~ óptico* Sehnerv *m*; *fig. alterar* (*od.* F *atacar od.* F *crispar*) *a alg. los ~s od.* F *poner a alg. los ~s de punta* j-m auf die Nerven gehen F; j-m auf den Nerven herumtrampeln F; *fig. ser un hato* (*od. un manojo*) *de ~s* ein Nervenbündel sein; **2.** *p. ext.* Sehne *f*; *fig.* Kraft *f*; *quitar el ~* Saft u. Kraft nehmen; **3.** ⚘, ⚓, ⊕, Δ Rippe *f*; **~sidad** *f* Nervosität *f*; Unruhe *f*; **~sismo** *m* Nervosität *f*; **~so** *adj.* **1.** *Anat.* Nerven...; *sistema m ~* Nervensystem *n*; **2.** nervös; unruhig; nerven-krank, -leidend; nervös, leicht erregbar (*Temperament*); *ponerse ~* nervös (*od.* unruhig) werden; **3.** nervig; *fig.* kraftvoll; ⚘ gerippt (*Blatt*).
ner|vosidad *f* **1.** Nervosität *f*, Reizbarkeit *f*; **2.** †, ⚡ Energie *f*, Kraft *f*; *fig.* Stärke *f e-s Arguments u. ä.*; **3.** Geschmeidigkeit *f einiger Metalle*; **~voso** *adj.* sehnig (*Fleisch*); **~vudo** *adj.* nervig; sehnig; kraftvoll.
nesciente *lit. adj. c* unwissend.
nesga *f* Zwickel *m in Kleidung*; **~r** [1h] *v/t. Tuch* schräg *zum Fadenlauf* schneiden; Zwickel einsetzen in (*dat.*).
nestoriano *Rel. adj.-su.* nestorianisch; *m* Nestorianer *m*.
ne|tamente *adv.* klar; eindeutig; **~to I.** *adj.* sauber, rein; † Netto..., Rein...; *beneficio m ~* Reingewinn *m*; *precio m ~* Nettopreis *m*; **II.** *m* Δ Säulenfuß *m*.
neumas ♪ *m/pl.* Neumen *f/pl.*
neumáti|ca ⊕ *f* Pneumatik *f*, Luftsteuertechnik *f*; **~co I.** *adj.* **1.** pneumatisch, Luft...; Preßluft...; *bandaje m ~* Luftbereifung *f*; *bomba f ~a* Luftpumpe *f*; **2.** *Theol.* pneumatisch; **II.** *m* **3.** *Kfz.* (Luft-)Reifen *m*, Pneu *m* F; *~s m/pl.* Bereifung *f*; *~ cinturado (de repuesto)* Gürtel-(Ersatz-)reifen *m*.
neumo|coco ⚕ *m* Pneumokokkus *m*; **~nía** ⚕ *f* Lungenentzündung *f*, Pneumonie *f*; **~tórax** ⚕ *m* Pneumothorax *m*, Pneu *m* F.
neu|ralgia ⚕ *f* Neuralgie *f*; **~rálgico** ⚕ *adj.* neuralgisch; **~rastenia** ⚕ *f* Neurasthenie *f*; **~rasténico** *adj.* neurasthenisch; **~ritis** ⚕ *f* (*pl. inv.*) Neuritis *f*, Nervenentzündung *f*; **~rocirugía** *f* Neurochirurgie *f*; **~rocirujano** *m* Neurochirurg *m*; **~rología** ⚕ *f* Neurologie *f*; **~rológico** ⚕ *adj.* neurologisch; **~rólogo** *m* Neurologe *m*; **~roma** ⚕ *f* Neurom *n*; **~rona** *Anat. f* Neuron *n*; **~ropatía** ⚕ *f* Nervenleiden *n*; **~rosis** ⚕ *f* (*pl. inv.*) Neurose *f*; **~rótico** ⚕ *adj.-su.* neurotisch; *m* Neurotiker *m*, Nervenkranke(r) *m*; **~rovegetativo** ⚕ *adj.* neurovegetativ.
neutra|l I. *adj. c* neutral, unparteiisch; **II.** *m Pol.* Neutrale(r) *m*; **~lidad** *f a. fig.* Neutralität *f*; **~lismo** *Pol. m* Neutralismus *m*; Neutralitätspolitik *f*; Parteilosigkeit *f*; **~lista** *Pol. adj.-su. c* neutralistisch; *m* Neutralist *m*; **~lización** *Pol.*, ⚗ *u. fig. f* Neutralisierung *f*; **~lizante I.** *adj. c* neutralisierend; **II.** *m* ⚗ Neutralisierungsmittel *n*; **~lizar** [1f] *v/t.* ⚗, *Pol. u. fig.* neutralisieren; *fig., pharm., Phys.*, ⚗ unwirksam machen, aufheben.
neu|tro I. *adj. a.* ⚗ (*nicht Pol.*) neutral, ⚗ säurefrei; *Gram.* sächlich; **II.** *m Gram.* Neutrum *n*; **~trón** *Phys. m* Neutron *n*.
neva|da *f* Schneefall *m*; **~dilla** ⚘ *f* weißes Blutkraut *n*; **~do** *adj.* be-, ver-schneit; schneeweiß; **~r** [1k] *v/i.* schneien; *v/impers. nieva* es schneit; **~sca** *f* Schnee-gestöber *n*, -sturm *m*; **~tilla** *Vo. f* Bachstelze *f*; **~zo** *m* starker Schneefall *m*; **~zón** *f Arg., Chi., Ec.* → *nevada*.
neve|ra *f* **1.** Eiskeller *m* (*a. fig.*); **2.** Eisschrank *m*; *~ (eléctrica)* Kühlschrank *m*; **3.** F *Col.* Kittchen *n* F; **~ría** ⚡ *f* Eisdiele *f*; **~ro** *m* **1.** *Geol.* Gletscher *m*; **2.** Eis(block)verkäufer *m*.
nevisca *f* feiner Schneefall *m*; **~r** [1g] *v/impers.* leicht schneien.
nevoso *adj.* Schnee...; schneebedeckt.
Newton *Phys. m* Newton *n*, Groß- [dyn *n*.]
nexo *m* Verknüpfung *f*, Zs.-hang *m*; *~ causal* Kausal-zs.-hang *m*, -nexus *m*.
ni *cj.* auch nicht; oder (auch nur), oder gar; *~ ... ~ ...* weder ... noch ...; *~ aun od. ~ siquiera* nicht einmal; *~ que + subj.* wenn auch, selbst wenn; *~ yo tampoco* ich auch nicht.
Nibelungos *Myth. m/pl.* Nibelungen *m/pl.*
nicara|güense *adj.-su. c*, **~güeño** *adj.-su.* aus Nicaragua, nicaraguanisch; *m* Nicaraguaner *m*.
nicoti|na ⚗ *f* Nikotin *n*; **~(ni)smo** ⚕ *m* Nikotin-sucht *f*; -vergiftung *f*.
nic|tálope ⚕ *adj.-su. c* tagblind; **~talopía** ⚕ *f* Tagblindheit *f*.
níctea *Vo. f* Schnee-Eule *f*.
nictitante *Zo. adj.*: *membrana f ~* Nickhaut *f der Vögel*.
nicho *m* Nische *f*; Δ *~ de antepecho* Brüstungslinie *f*.
ni|dada *f* Gelege *n*; Brut *f*; **~dal** *m* **1.** Legenest *n*; *fig.* Lieblings-(schlupf)winkel *m*; **2.** Nestei *n*; **~dificar** [1g] *v/i.* nisten; **~do** *m* **1.** Nest *n*; *~ excavado* Bruthöhle *f*; *Kchk. ~s m/pl. de golondrina* indische Vogelnester *n/pl.*; *~ de pájaro(s) (de ratones)* Vogel- (Mäuse-)

nest *n*; *hacer* ~ nisten; *fig.* F *caerse de un* ~ noch sehr grün, unerfahren u. leichtgläubig sein; **2.** *fig.* Nest *n*; Schlupfwinkel *m*; ~ *de amor* Liebesnest *n*; ⚔ ~ *de ametralladora(s)* MG-Nest *n*; ~ *de discordia* Herd *m* der Zwietracht; ~ *de ladrones* Räuberhöhle *f*; *mesa f de* ~ Satztisch *m* (*e-r aus e-m Satz v. unterea.-geschobenen Tischen*).

niebla *f* **1.** Nebel *m*; ~ *alta* Hochnebel *m*; ~ *finísima* Nebelschleier *m* (*a. b. e-m Zerstäuber*); ~ *helada* Eisnebel *m*, Frostrauch *m*; F ~ *meona* Nieselregen *m*; *hace* (*od. hay*) ~ es ist neblig; ~ *seca* Höhenrauch *m*; **2.** Trübung *f im Auge*; ⚒ Schwarzrost *m des Getreides*; **3.** *fig.* Verwirrung *f*.

niego *m* Nestling *m* (*Raubvögel*).

nie|l *m* Niello *n*; **~lado** *m* Niello-Arbeit *f*.

nie|ta *f* Enkelin *f*; **~to** *m* Enkel *m*; **~s** *m/pl.* Enkelkinder *n/pl.*

nieve *f* **1.** Schnee *m*; **~s** *f/pl.* Schnee *m*; Schneefall *m*; ~ *amontonada* Schneewehe *f*; ~ *granulada* (*penitente, polvorosa*) Graupel- (Büßer-, Pulver-)schnee *m*; *límite m de las* **~s** Schneegrenze *f*; *el abominable hombre de las* **~s** der Yeti; *monigote m* (*od. figura f*) *de* ~ Schneemann *m*; *puente m de* ~ Schneebrücke *f*; *cubrirse de* ~ verschneien; *cae* ~ es schneit, es fällt Schnee; **2.** *fig.* ☐ Kokain *n*, Schnee *m* ☐, Koks *m* ☐; *tomar* ~ koksen F; **3.** *fig.* → *sorbete, helado*.

nigroman|cia, ~cía *f* Nekromantie *f*; **~te** *m* Nekromant *m*.

nigua *f* Sandfloh *m*; *fig.* F *Chi., Pe., P. Ri. pegarse como* ~ nicht wieder loszuwerden sein; s. anwanzen P.

nihilis|mo *m* Nihilismus *m*; **~ta** *adj.-su. c* nihilistisch; *m* Nihilist *m*.

nilón *m* Nylon *n*; *medias f/pl. de* ~ Nylonstrümpfe *m/pl.*

ni|lota *adj. c*, **~lótico** *adj. Geogr.* Nil...

nim|bado *adj.* verklärt; **~bar** *v/t.* mit e-r Aureole umgeben; **~bo** *m* **1.** Heiligenschein *m*, Nimbus *m* (*a. fig.*); **2.** *Met.* Nimbostratus *m*; **3.** *Astr.* Hof *m um Sonne od. Mond*.

nimi|edad *f* **1.** Umständlichkeit *f*; F Ängstlichkeit *f*; **2.** Kleinigkeit *f*; **~o** *adj.* **1.** übertrieben; umständlich; kleinlich; F ängstlich; **2.** unwichtig, unbedeutend.

nin|fa *f* **1.** Nymphe *f*; **2.** *Ent.* Puppe *f*; **3.** *fig.* P Mädchen *n*, Puppe *f* P; **~fea** ⚘ *f* weiße Teichrose *f*; weißer Lotus *m*; **~fo** F *m* (eitler) Geck *m*; **~fómana** *adj.-su. f* mannstoll, nymphoman; *f* Nymphomanin *f*; **~fomanía** *f* Nymphomanie *f*.

ninguno (*vor su. m sg. ningún*) *adj.-pron. indef.* kein; niemand; *adv.* en **~a** *parte* nirgends; *no tener* **~a** *amiga* k-e Freundin haben; *no ha venido* ~ *od.* ~ *ha venido* niemand ist gekommen; *de* **~a** *manera* keineswegs; **~a** *vez* kein einziges Mal, nie.

ninivita *adj.-su. c* aus Ninive; *m* Ninivit *m*.

ninot *m* Strohpuppe *f b. den „Fallas" in Valencia*.

niña *f* Kind *n*, Mädchen *n*; *Andal., Am.* (gnädiges) Fräulein *n*; *Am. la* ~ *María* Fräulein Maria; F ~ *bien* höhere Tochter *f* F; ~ *del ojo Anat.* Pupille *f*; *fig.* Augapfel *m* (*fig.*); **~da** *f* Kinderei *f*; Kinderstreich *m*.

niñe|ar *v/i.* Kindereien treiben; **~ra** *f* Kinder-mädchen *n*; -frau *f*; **~ría** *f* Kinderei *f*; **~ro** *adj.* kinderlieb; *fig.* zu Kindereien aufgelegt; **~z** *f* Kindheit *f*; *niñeces f/pl.* Kinderstreiche *m/pl.*

niño I. *adj.* klein, kindlich; **II.** *m* Kind *n*; *Am.* „gnädiger Herr", „junger Herr"; *de* ~ als Kind, in m-r (d-r *usw.*) Kindheit; *desde* ~ von Kind auf; *fig.* ~ *de la bola* Glückskind *n*; *ecl.* ~ *de coro* Chor-, Sänger-knabe *m*; ~ *de pañales*, ~ *de pecho* Säugling *m*; F *¡anda,* ~! *od. ¡vamos,* ~! nun hör mal!, aber geh!; *¡no seas* ~! sei kein Kind(skopf)!, sei nicht kindisch!; *fig.* F *alegrarse como (un)* ~ *con zapatos nuevos* s. wie ein Schneekönig freuen; *Spr. los* **~s** *y los locos dicen las verdades* Kinder u. Narren sagen die Wahrheit.

niñón *adj.* kindisch.

niopo *m* **1.** ⚘ *Col., Ven.* Niopo *m*; **2.** *Ven. Art* Schnupftabak *m*.

nipa ⚘ *f Fil.* Nipa-Palme *f*.

nipón *adj.-su.* japanisch; *m* Japaner *m*.

níquel *Min. m* Nickel *n*.

nique|lado I. *m* Vernickeln *n*; Vernicklung *f*; **II.** *adj.* vernickelt; **~lador** *m* Vernicklungsgerät *n*; **~lar** *v/t.* vernickeln; **~lífero** *adj.* nickelhaltig; **~lina** *Min. f* Kupfernickel *n*, Nickelin *n*; **~lita** *Min. f* Arsennickel *n*.

nirvana *Rel. m* Nirwana *n*.

nís|pero ⚘ *m* **1.** Mispel *f*; **2.** → **~pola** *f* Mispel *f* (*Frucht*).

nistamal (*richtiger: nixtamal*) *m Méj. in Kalkwasser* halbgargekochter Mais *m für die Tortilla*.

nitidez *f* **1.** Reinheit *f*; **2.** *Phot., Opt., Repro., Typ., TV* Schärfe *f*; *Phot., Typ.* ~ *de los bordes* (*en profundidad*) Rand- (Tiefen-)schärfe *f*.

nítido *adj.* **1.** glänzend; rein; **2.** *Opt. usw.* scharf, rein; *fig.* einwandfrei, klar.

nitra|ción ⚗ *f* Nitrierung *f*; **~l** *m* Salpeter-lager *n*, -vorkommen *n*; **~r** ⚗ *v/t.* nitrieren; **~tar** ⚒ *v/t.* mit Nitraten düngen; **~to** ⚗ *m* Nitrat *n*; ~ *amónico* (*cálcico*) Ammonium- (Kalzium-)nitrat *n*.

nítrico ⚗ *adj.* salpetersauer; *ácido m* ~ Salpetersäure *f*; *ácido m* ~ *y sulfúrico* Nitriersäure *f*.

nitro *m* Salpeter *m*; **~barniz** *m* Nitrolack *m*; **~benceno** ⚗ *m* Nitrobenzol *n*; **~celulosa** *f* Nitrozellulose *f*; **~colorantes** *m/pl.* Nitrofarbstoffe *m/pl.*; **~genación** ⚗ *f*: ~ *del aire* Stickstoffgewinnung *f* aus der Luft; **~genado** *adj.* stickstoffhaltig.

nitrógeno ⚗ *m* Stickstoff *m*; *tricloruro m de* ~ Chlorstickstoff *m*.

nitro|glicerina ⚗ *f* Nitroglyzerin *n*; **~laca** *f* Nitrolack *m*; **~so** *adj.* stickstoffhaltig; salpetrig (*Säure*).

nitru|ración ⊕ *f* Nitrierung *f v. Stahl*; **~rado** *m*: *por* ~ durch Nitrierung; **~rar** *v/t. Stahl* nitrieren; **~ro** ⚗ *m* Nitrid *n*.

nivación *Geol. f* Erosion *f* durch Schnee.

nive|l *m* **1.** ~ (*de agua*) Wasserwaage *f*; ~ *de albañil*, ~ *de burbuja* Maurer-, Setz-waage *f*; *a* ~ waagerecht, in der Waage, im Wasser; **2.** waagerechte Fläche *f*; gleiche Höhe *f*; 🚂 → *paso 5*; **3.** Niveau *n*; Höhe *f*, Pegel *m*; Spiegel *m*; *Geol.* ~ *freático* Grundwasserspiegel *m*; *Phys.* ~ *de audibilidad* Hörschwelle *f*; *HF* ~ *de emisión* Sendepegel *m*; *Geogr.* ~ *del mar* Meeresspiegel *m*; *Geogr.* ~ *normal cero* Normal-Null *n*; *Phys.* ~ *de ruido* Lärm-, Geräusch-pegel *m*; *HF* ~ *del ruido de fondo* Störpegel *m*; *Geogr.* ~ *del terreno* Gelände-, Terrain-höhe *f*; *al* ~ *de* auf gleicher Höhe wie (*nom.*); **4.** Stand *m*, Niveau *n*; Ebene *f* (*fig.*); ~ *estilístico* (*lingüístico*) Stil- (Sprach-)ebene *f*; ~ *de precio* Preisniveau *n*; ~ *de vida* Lebensstandard *m*; *de alto* ~ auf hoher Ebene (*fig.*); **~lación** *f* **1.** Ausrichtung *f* in der Waagerechten, Nivellierung *f*; **2.** Nivellierung *f* (*a. fig.*); Planierung *f*; **3.** *a. fig.* Ausgleich *m*; **~lador I.** *adj.* **1.** nivellierend, ausgleichend; *fig.* gleichmacherisch; **II.** *m* **2.** *Geogr.* Nivellier-instrument *n*, -gerät *n*; **3.** Planierer *m* (*Arbeiter*); **~ladora** ⊕ *f* Planierraupe *f*; **~lar** *v/t.* **1.** waagerecht machen; *a. fig.* ausgleichen, ebnen; **2.** *Geogr.*, ⚠, *Gelände u. fig.* nivellieren; ⚠ planieren; *fig.* gleichmachen.

níveo *poet. adj.* schneeweiß, Schnee-..., wie Schnee.

nivoso I. *adj.* → *níveo, nevoso*; **II.** *m hist.* Nivôse *m* (*4. Monat des frz. Revolutionskalenders*).

no *adv.* **1.** nein; ~, *señor* nein (, mein Herr); *el sí y el* ~ das Ja u. das Nein; *por sí o por* ~ auf alle Fälle, unbedingt; *¡que* ~! nein!; **2.** nicht; ~ *estuve allí* ich war nicht dort; ~ *he visto a nadie* ich habe niemanden gesehen; *cj.* ~ *bien* kaum, sobald, als; ~ *bien amanezca, vaya* gehen Sie hin, sobald es hell wird; ~ *del todo* nicht ganz; ~ *ya* **a)** nicht nur; **b)** ~ ... *ya* → *ya* ~ nicht mehr; *Am.* ~ *más* nur; *Am. deje* ~ *más* lassen Sie (es) nur, bemühen Sie s. nicht; ~ *más que* nur (noch); ~ *por cierto* gewiß nicht; ~ *por eso* nichtsdestoweniger; ~ *porque lo diga usted, pero* ... nicht, weil Sie es sagen, aber ...; ~ ... *sino* nur; erst; ~ ..., *sino que* nicht ..., sondern (vielmehr); *¡a que* ~! etwa nicht?; wetten, daß nicht!; *bsd. Am. ¿cómo* ~? aber gewiß, ja doch; natürlich!; *un* ~ *sé qué* ein gewisses Etwas.

Nobel *npr.* (*betont wird üblicherweise das o*): *Premio m* ~ Nobelpreis *m*; (*titular m del*) *premio m* ~ Nobelpreisträger *m*.

no|biliario I. *adj.* ad(e)lig; Adels...; **II.** *m* Adelsbuch *n*; **~bilísimo** *sup. zu* → **~ble I.** *adj. c* **1.** ad(e)lig; vornehm; **2.** edel(mütig); ⚗ *gas m* ~ Edelgas *n*; **II.** *m* **3.** Adlige(r) *m*; **4.** *Jgdw.* Greifvogel *m*; **~bleza** *f* **1.** Adel *m*; Adelsstand *m*; ~ *de sangre* Erbadel *m*; *Spr.* ~ *obliga* Adel verpflichtet; **2.** *fig.* Adel *m*, Edelmut *m*; Vornehmheit *f*.

noción *f* Begriff *m*; Idee *f*; **~ones** *f/pl. generales* allgemeine Vorstellung *f*; Grundkenntnisse *f/pl.*

noci|vidad *f* Schädlichkeit *f*; **~vo** *adj.* schädlich; *animal m ~* Schädling *m.*
noc|tambular *v/i.* nachtwandeln; **~tambulismo** ⚕ *m* Nachtwandeln *n*; **~támbulo** *adj.-su.* nachtwandelnd; *m* Nachtwandler *m*; F Nachtschwärmer *m.*
noctiluca *Zo. f* **1.** Leuchtinfusorie *f* (*Meeresleuchten*); **2.** → *luciérnaga.*
noctívago *poet. adj.* nachtwandelnd; in der Nacht umherstreifend.
noctúidos *Ent. m/pl.* Eulenfalter *m/pl.*
noctur|nidad *f bsd.* ⚖ Nächtlichkeit *f* (*als erschwerender Umstand*); **~no I.** *adj.* nächtlich (*a. fig.*); Nacht...; **II.** *m kath.* Nokturn *f*; ♪ Notturno *n*, Nachtmusik *f*; *Mal.* Nachtstück *n.*
noche *f a. fig.* Nacht *f*; Abend *m*; Dunkelheit *f*; *fig. ~ blanca* (*od. toledana, vizcaína*) schlaflose Nacht *f*; *hist. ~ de San Bartolomé* Bartholomäusnacht *f*, Pariser Bluthochzeit (*1572*); *~ vieja* Silvester-abend *m*, -nacht *f*; *¡buenas ~s!* guten Abend!; gute Nacht!; *~s enteras* nächtelang; (*a*) *media ~* (um) Mitternacht *f*; (*muy*) *de ~* (spät) nachts; *fig. de la ~ a la mañana* über Nacht, von heut auf morgen; *por la ~* abends; *hacer ~ en* übernachten in (*dat.*); *se hace de ~*, *lit. cierra la ~* es wird Abend, die Nacht sinkt herein; *fig. hacerse ~* verschwinden; *fig. hacer ~ de a/c.* et. verschwinden lassen, et. stehlen; *pasar*(*se*) *la ~ en blanco* kein Auge zumachen, die Nacht schlaflos verbringen; **≈buena** *f* **1.** Weihnacht(sabend *m*) *f*; **2.** ⚘ ≈ Weihnachtsstern *m*; **~bueno** *m* **1.** Weihnachtskuchen *m mit Mandeln, Nüssen usw.*; **2.** Weihnachtskloben *m*, *der traditionsgemäß verbrannt wird*; **~cita** *dim. f* **1.** F unwirtliche Nacht *f*; **2.** *Am.* Abenddämmerung *f*; **~rniego** *adj.* → *noctámbulo*; **~ro** *m* **1.** *Col., Chi.* Nachtwächter *m*; *Guat.* Nachtarbeiter *m*; **2.** *Col.* Nachttisch *m.*
nochote *m Méj.* Getränk *n aus vergorenem Kaktusfeigensaft.*
nodo *Astr., Phys.,* ⚕ *m* Knoten *m.*
no-do *m* (= *Noticiarios y Documentales*) *Span.* Wochenschau *f.*
nodriza *f* **1.** Amme *f*; **2.** ⊕ Hilfskessel *m*; Hilfstank *m*; *avión m ~* Tankflugzeug *n*; *buque m ~* Mutterschiff *n.*
nódulo *bsd.* ⚕ *m* Knötchen *n.*
no|gada *Kchk. f* Nußtunke *f*; **~gal** *m*, **~guera** *f* ⚘ Nußbaum *m.*
nolición *Phil. f* Nichtwollen *n.*
noli me tangere *lt.* **I.** *m* **1.** ⚘ Mimose *f*; **2.** ⚕ bösartiges Geschwür *n*; **II.** *mst. iron. etwa*: das ist (wohl) tabu.
nómada *adj.-su. c* Nomaden...; *m* Nomade *m.*
nomadismo *m* Nomadenleben *n.*
nombra|día *f* Ruf *m*; *de gran ~* berühmt; **~do** *adj.* namhaft, berühmt; **~miento** *m* **1.** Ernennung *f*; Bestallung *f*; **2.** Ernennungsurkunde *f*; **~r** *v/t.* **1.** (be)nennen; **2.** nennen, erwähnen; **3.** ernennen; bestellen; *le nombraron alcalde* er wurde zum Bürgermeister ernannt (*od.* bestellt).

nombre *m* **1.** Name *m*; Vorname *m*, Rufname *m*; *~ de pila* Tauf-, Vorname *m*; *a ~ de X* auf den Namen X (*reservieren*); *por ~ López* namens López; *por mal ~ "Chivato"* mit (dem) Spitznamen „Petzer"; *de ~* dem Namen nach (*kennen*); *dar su ~* s-n Namen nennen; *en ~ de alg.* in j-s Namen, namens (*gen.*); *a. fig. llamar las cosas por su ~* die Dinge bei ihrem Namen nennen; *fig. no tener ~* unerhört sein; **2.** Ruf *m*, Ruhm *m*; Namen *m* (*fig.*); **3.** *Li.* Nomen *n*; Name *m*; Bezeichnung *f*; (*~*) *adjetivo* Adjektiv *n*; *~ colectivo* Kollektivbezeichnung *f*, Sammelname *m*; *~ común* (*propio*) Gattungs-(Eigen-)name *m*; (*~*) *substantivo* Substantiv *n.*
nomen|clador, ~clátor *m* Namenverzeichnis *n*; Katalog *m*; **~clatura** *f* Nomenklatur *f.*
nomeolvides ⚘ *m* (*pl. inv.*) Vergißmeinnicht *n.*
nómina *f* **1.** Liste *f*, Verzeichnis *n*; Namenverzeichnis *n*; Gehaltsliste *f*; **2.** Gehalt *n*, Auszahlung *f.*
nomina|ción *f* → *nombramiento*; **~dor** *adj.-su.* ernennungsberechtigt; **~l** *adj. c* namentlich; nominell, Nenn..., Nominal...; ✝ *valor m ~* Nennwert *m*; **~lismo** *Phil. m* Nominalismus *m*; **~lista** *Phil. adj.-su. c* nominalistisch; *m* Nominalist *m*; **~r** *v/t.* → *nombrar*; **~tivo I.** *adj.* namentlich; Namen(s)...; ✝ *acción f ~a* Namensaktie *f*; **II.** *m Li.* Nominativ *m*, Werfall *m.*
nomparell *Typ. m* Nonpareille *f* (*6-Punkt-Schrift*).
non *m* **1.** ungerade Zahl *f*; *estar de ~* allein übrigbleiben; überzählig sein; **2.** F *decir que ~es* nein sagen; ablehnen.
nona *ecl. f* Non(e) *f.*
nonada *f* Nichtigkeit *f*, Lappalie *f*; rein gar nichts F.
nona|genario *adj.-su.* neunzigjährig; *m* Neunzig(jährig)e(r) *m*; **~gésimo** *num.* neunzigste(r, -s).
nonato 1. *a. fig.* nicht geboren; (noch) nicht vorhanden; **2.** † durch Kaiserschnitt zur Welt gebracht.
noningentésimo *num.* neunhundertste(r, -s).
nonio ⊕ *m* Nonius *m.*
nono *num.* neunte(r, -s); *Pío ~* Pius der Neunte.
non plus ultra *lt. fig. m* Nonplusultra *n.*
non sancta *lt.*: *fig.* (*gente f*) *~ f* sittenloses Volk *n.*
nopal ⚘ *m* Nopal *m*, Feigenkaktus *m.*
noque *m* Lohgrube *f der Gerber*; *Bol., Rpl.* rindsledener Wasser- (*bzw.* Vorrats-)sack *m.*
noquear *v/t. Boxen*: knockout (*od.* k.o.) schlagen.
noray ⚓ *m* Poller *m.*
nordeste *m* Nordost(wind) *m.*
nórdico *adj.* nordisch (*a. Sp. u. Li.*); *muebles m/pl. ~s* Teak(holz)möbel *n/pl.*
nordista *hist. adj.-su. c* Nordstaatler *m* (*USA*).
noria *f* ⚒ Schöpfrad *n*; *fig.* Tretmühle *f*; *~ gigante* Riesenrad *n auf dem Volksfest.*
norma *f* **1.** Winkelmaß *n*; **2.** *a.* ⊕ *u. fig.* Norm *f*; *~ general* Allgemeinregel *f*, Norm *f*; *~s f/pl. industriales* Industrienormen *f/pl.*; *TV ~ de las líneas* Zeilennorm *f*; *según ~* normgerecht; **3.** Richtschnur *f*, Regel *f*; *~s f/pl. de circulación* (*od. de tráfico*) Verkehrsregeln *f/pl.*; *~s f/pl. de seguridad* Sicherheitsvorschriften *f/pl.*; **~l I.** *adj. c* **1.** regelrecht; normal; **II.** *adj.-su.* **2.** (*escuela f*) *~ f* Lehrerseminar *n* (*heute Dtl.* Pädagogische Hochschule *f*); **3.** A̸ *f* Normale *f*; *~ f od. plano m ~* Flächennormale *f*; *~ f od. recta f ~* Senkrechte *f*; **~lidad** *f* Regelmäßigkeit *f*; Normalität *f*; Normalzustand *m*; *volver a la ~* s. normalisieren (*Lage*); **~lista** *adj.-su. c* Lehrerseminars...; *m* Schüler *m* e-s Lehrerseminars; **~lización** *f* Normalisierung *f*; ⊕ Normung *f*; **~lizar** [1f] *v/t.* **1.** normalisieren; *bsd.* ⊕ normen, vereinheitlichen; *~ado* genormt, Norm...; **2.** ⊕ *Stahl* normalglühen; *Werkzeug* anlassen.
normando *Geogr. u. hist. adj.-su.* normannisch; *m* Normanne *m.*
normativo *adj.* normativ, Regel...; *Li. gramática f ~a* normative Grammatik *f.*
norno|rdeste *m* Nordnordost *m*; **~roeste, ~rueste** *m* Nordnordwest *m.*
nor|tada *f* (anhaltender) Nordwind *m*; **~te** *m* Norden *m*; Nord(wind) *m*; *al ~ de* nördlich von (*dat.*).
norteamericano *adj.-su.* nord-, *bsd.* US-amerikanisch; *m* Nord-, *bsd.* US-Amerikaner *m.*
norte|ar ⚓ *v/i.* s. nach dem Nordpunkt richten; nach Norden abweichen (*Kompaßnadel*); **~ño** *adj.-su.* aus dem Norden; nordländisch; *m* Nordländer *m.*
noruego *adj.-su.* norwegisch; *m* Norweger *m*; *Li. das* Norwegische.
nos *pron.* uns; *im nom., als Pluralis majestatis*: *~*, ... Wir, ...; **~otras, ~otros** *pron.* wir; *nach prp.* uns.
noso|comio ⚕ *m* Krankenanstalt *f*; **~fobia** ⚕ *f* pathologische Furcht *f* vor Erkrankung; **~genia** ⚕ *f* Nosogenie *f*; **~logía** ⚕ *f* Nosologie *f*, Krankheitslehre *f*; **~mántica** *f* Besprechen *n v. Krankheiten.*
nos|talgia *f* Heimweh *n*; Sehnsucht *f* (nach *dat.* de); **~tálgico I.** *adj.* Heimweh...; heimwehkrank; sehnsuchtsvoll, sehnsüchtig; **II.** *m* Heimweh- *bzw.* Sehnsucht-kranke(r) *m.*
nostras ⚕ *adj.*: *cólera m ~* Cholera *f* nostras, Brechdurchfall *m.*
nota *f* **1.** Aufzeichnung *f*; Anmerkung *f*, Vermerk *m*, (*a.* Zeitungs-) Notiz *f*; *a. dipl.* Note *f*; ✝ *a.* Schein *m*, Nota *f*; ✝ *~ de cambio* Kurszettel *m*; ✝ *~ de expedición*, *Am. ~ de remesa* Versandzettel *m*; ✝ *~ de entrega* Lieferschein *m*; *Typ. u. fig. ~ marginal* Randbemerkung *f*; ✝ *~ de pedido* Bestellschein *m*; *Typ. ~* (*al pie de la página*) Fußnote *f*; *Lit. las ~s al "Quijote"* die Anmerkungen zum „Quijote"; *~ del traductor* Anmerkung *f* des Übersetzers (*in Büchern usw.*); ✝ *~ de tránsito* Transitvermerk *m*; *dipl. ~ verbal* Verbalnote *f*; *tomar* (*buena*) *~ de a/c.* et. zur Kenntnis nehmen; et. vormerken; *para que tome ~* zur

Kenntnis(nahme); *tomar copiosamente* ~*s* s. reichlich Notizen machen; **2.** ♪ *u. fig.* Note *f*; ♪ *u. fig.* Ton *m*; *fig.* Merkmal *n*, Zeichen *n*; ~ (*particular*) Besonderheit *f*; besondere Note *f*; ~ *dominante* ♪ Dominante *f*; *fig.* wesentliches Merkmal *n*; *HF* ~ *de modulación* Modulationston *m*; *fig. dar la* ~ **a**) den Ton angeben; **b**) s. (vor der Öffentlichkeit) blamieren; *fig. forzar la* ~ übertreiben, zu dick auftragen F; *dar la* ~ *de alegría* e-n frohen Ton hineinbringen; **3.** Note *f*, Zensur *f*; *fig.* Tadel *m*; *sacar malas* ~*s* schlechte Noten bekommen; **4.** Rechnung *f*; ~ *de gastos* Spesenrechnung *f*; **5.** Bedeutung *f*, Wichtigkeit *f*; Ruf *m*, Ruhm *m*; *de* ~ **a**) wichtig; **b**) bekannt, berühmt, bedeutend; *de mala* ~ berüchtigt; *digno de* ~ bemerkenswert.

nota|bilidad *f* **1.** Ansehen *n*; Berühmtheit *f*; **2.** wichtige Persönlichkeit *f*, Berühmtheit *f*, Koryphäe *m, f*; **~ble I.** *adj. c* **1.** ausgezeichnet; bemerkenswert; **2.** beträchtlich, ansehnlich (*z. B. Betrag*); **II.** *m* **3.** *mst.* ~*s m/pl.* Honoratioren *m/pl.*, Prominenz *f*; **4.** *Sch. etwa*: vorzüglich (*Note*); **~ción** *f* **1.** Bezeichnung(sweise) *f*; Zeichen *n*, Symbol *n* (*z. B.* ⚗); Notierung *f*, Notation *f*; ~ *fonética* phonetische Symbolschrift *f*; ~ (*musical*) Notenschrift *f*; ⚗ ~ *química* (chemische) Formel *f*; **2.** ⚒ → *anotación*; **~r** *v/t.* **1.** bezeichnen; auf-, ver-zeichnen, notieren; an-, ver-merken; **2.** bemerken, gewahren; feststellen; *hacer* ~ *a/c. a alg.* j-n auf et. (*ac.*) hinweisen; **3.** tadeln; **~le** *a alg. su conducta* j-s Verhalten tadeln; **~ría** *f* Notariat(sbüro) *n*; **~riado I.** *adj.* **1.** notariell beglaubigt; **II.** *m* **2.** Amt *n* e-s Notars; Notariat *n*; **3.** Notariatskollegium *n*; **~rial** *adj. c* notariell; **~rio** *m* Notar *m*.

notici|a *f* Nachricht *f*; Notiz *f*; ~ *breve* Kurznachricht *f*; ~*s f/pl. deportivas* Sportnachrichten *f/pl.*; ~ *necrológica* Nachruf *m*; *últimas* ~*s od.* ~*s de última hora* neueste (*od.* letzte) Nachrichten *f/pl.*; ⚓ *sin* ~*s* (auf See) verschollen; *dar* ~*s sobre* Nachricht geben über (*ac.*); *tener* ~ *de* von *et.* (*dat.*) Kenntnis haben; von *j-m* Nachricht haben; F *X siempre es* ~ über X gibt es immer et. Interessantes zu berichten; *no tengo* ~*s suyas* ich habe keine Nachricht von ihm; **~ar** [1b] *v/t.* zur Kenntnis geben; **~ario** *m Rf.*, *TV* Nachrichten *f/pl.*; *Film*: Wochenschau *f*; **~ero I.** *adj.* **1.** Nachrichten...; **II.** *m* **2.** Zeitungsberichterstatter *m*; **3.** Nachrichten(blatt *n*) *f/pl.*, *bsd. als Eigenname*; *Am. öfter*: Wochenschau *f*; **~ón** F *m* gr. Neuigkeit *f*; Knüller *m* F; **~oso I.** *adj.* unterrichtet; **II.** *m* → *erudito*.

notifica|ción *f* amtliche Benachrichtigung *f*; Zustellung *f*; *dipl.* Notifizierung *f*; **~r** [1g] *v/t. amtl.*: zustellen; *dipl.* notifizieren.

noto[1] *lit. m* Südwind *m*.

noto[2] *lit. adj.* Bastard...

noto[3] ⚒ *adj.* (*bsd.* allseits) bekannt.

notocordio *Biol. m* Notochordium *n*.

notori|edad *f* Berühmtheit *f*; Offenkundigkeit *f*, *bsd.* ⚖ Notorietät *f*; **~o** *adj.* öffentlich bekannt, offenkundig, ⚖ *u. fig.* notorisch.

nóumeno *Phil. m* Noumenon *n*.

nova *Astr. f* Nova *f*; **~ción** *f* Neuerung *f*; ⚖ Schuldumwandlung *f*; **~dor** *adj.* auf Neuerungen bedacht; neuerungssüchtig; **~r** *bsd.* ⚖ *v/t.* erneuern; *Schuld* umwandeln; **~tada** *f* Streich *m*, *der e-m Neuling gespielt wird*; **~to** *m* Neuling *m*.

nove|centista *adj. c* (im Stil) des 19. Jh.; **~cientos** *num.* neunhundert; neunhundertste(r, -s).

nove|dad *f* Neuigkeit *f*; Neuheit *f*, neue Sache *f*; Neuerung *f*; **~es** *f/pl.* Modewaren *f/pl.*; *adv. sin* ~ **a**) nichts Neues, alles beim alten; **b**) wohlbehalten; *todos seguimos sin* ~ wir sind alle (noch) wohlauf; **~doso** *adj. Am.* neuigkeits- *bzw.* neuerungs-süchtig; **~l** *adj.-su. c* neu(gebacken); angehend; unerfahren; *m* Neuling *m*, Anfänger *m*.

nove|la *f* **1.** Roman *m*; ~ *de anticipación* (*de aventuras*) Zukunfts- (Abenteuer-)roman *m*; ~ *corta* Novelle *f*; ~ *policíaca* Kriminalroman *m*, Krimi *m* F; ~ *rosa* kitschiger Gesellschafts- *od.* Liebes-roman *m*; ~ *de tesis* Tendenz-, Thesen-roman *m*; **2.** Erdichtung *f*; **~lar I.** *v/t.* in Romanform bringen (*od.* erzählen); *biografía f* **~ada** biographischer Roman *m*; **II.** *v/i.* Romane schreiben; Geschichten erzählen; **~lería** *f* **1.** Neuigkeitssucht *f*; **2.** (Roman-) Lesewut *f*; **~lero** *adj.* **1.** neuigkeitssüchtig; *fig.* unbeständig, wetterwendisch; **2.** (roman-)lesewütig; **~lesco** *adj.* romanhaft; Roman...; phantastisch, romantisch; **~lista** *c* Romanschriftsteller *m*, Romancier *m*; Novellist *m*; **~lística** *f* Novellistik *f*; Kunst *f* des Romans; **~lístico** *adj.* novellistisch; den Roman betreffend; **~lón** *m* Schauer- *bzw.* Schund-roman *m*.

nove|na *ecl. f* Novene *f*, *neuntägige Andacht*; Gebetbuch *n* für Novenen; **~nario** *m* **1.** Zeitraum *m* von neun Tagen; *a. un* ~ *de* neun; **2.** *ecl.* **a**) Novene *f* mit Predigt; **b**) neuntägige Trauer *f*; **c**) Neuntageamt *n*; **~no** *num.* neunte(r, -s); *m* Neuntel *n*; **~nta** *num.* neunzig; neunzigste(r, -s); **~ntón** *adj.-su.* neunzigjährig.

novi|a *f* Braut *f*; Freundin *f* F; F *echarse* ~ s. e-e Freundin zulegen F; **~azgo** *m* Brautstand *m*; Brautzeit *f*.

novici|ado *m* Noviziat *n*; *fig.* Lehrzeit *f*; **~o** *m ecl.* Novize *m*; *fig.* Neuling *m*.

noviembre *m* November *m*.

noviero *adj. Am. Cent.* → *enamoradizo*.

novilunio *Astr. m* Neumond *m*.

novi|lla *Zo. f* Färse *f*, Jungkuh *f*; **~llada** *f* **1.** Jungstierherde *f*; **2.** Kampf *m* mit Jungstieren; **~llero** *m* **1.** Hirte *m b. Jungvieh* (*Rinder*); **2.** *Stk.* Kämpfer *m* bei *novilladas*; **3.** *fig.* Schulschwänzer *m*; **~llo** *m* **1.** Jungstier *m*; ~*s m/pl.* Jungstierkampf *m*; *fig. hacer* ~*s* die Schule schwänzen; **2.** *fig.* F Hahnrei *m*, gehörnter Ehemann *m* F.

novio *m* Bräutigam *m*; Freund *m* F, Verehrer *m*; *los* ~*s* das Brautpaar; das junge Paar.

novísimo I. *adj.* ganz neu; **II.** ~*s m/pl. Rel. die* (vier) letzten Dinge *n/pl.*

novocaína *pharm. f* Novocain *n*.

noyó *m* Bittermandellikör *m*.

nuba|(rra)da *f* Platzregen *m*; *fig.* Menge *f*; **~rrado** *tex. adj.* mit wolkenähnlichem Dessin (*Stoff*); **~rrón** *m* gr., dunkle Wolke *f*; Gewitter-, Sturm-wolke *f*.

nube *f* Wolke *f*; *p. ext.* Fleck *m* in der Hornhaut *des Auges*; *fig.* F Unmenge *f*; ~ *de polvo* Staubwolke *f*; ~ *tormentosa* Gewitterwolke *f*; ~ *de verano* **a**) leichte Sommerwolke *f*; **b**) *fig.* Kleinigkeit *f*, Bagatelle *f*; **c**) *fig.* Strohfeuer *n*; *fig.* F *andar por* (*od. estar en*) *las* ~*s* **a**) über den Wolken wandeln, weltfremd sein; **b**) geistesabwesend (*od.* geistig weggetreten F) sein; **c**) k-e Ahnung haben; *andar* (*od. estar*) *por las* ~*s* unerschwinglich (*od.* gesalzen F) sein (*Preise*); *levantar hasta* (*od. poner por*) *las* ~*s* in den Himmel erheben, über alle Maßen (*od.* über den grünen Klee F) loben; *levantarse a las* ~*s vor Ärger usw.* in die Luft gehen F.

nubiense *adj.-su. c* nubisch; *m* Nubier *m*.

núbil *adj. c* heiratsfähig, † mannbar.

nubilidad *f Frau*: Heiratsfähigkeit *f*; Geschlechtsfähigkeit *f*.

nu|blado I. *adj.* bewölkt, wolkig; *a. fig.* trübe; **II.** *m* Gewölk *n*; *fig.* drohende Gefahr *f*; **~blar I.** *v/t.* be-, um-wölken; *fig.* umnebeln, trüben; **II.** *v/r.* ~*se* s. bewölken; *fig.* s. umwölken; s. trüben; **~blo I.** *adj.* → *nubloso*; **II.** *m* ⚘ Rost *m des Getreides*; **~bloso** *adj.* wolkig; *a. fig.* düster; **~bosidad** *Met. f* Bewölkung *f*; **~boso** *adj.* bewölkt.

nuca *f* Nacken *m*; Genick *n*; *rigidez f de la* ~ Genickstarre *f*.

nucle|ar *adj. c a. Phys.*, *Biol.* Kern...; *Phys.* nuklear; *Phys. escisión f* (*od. fisión f od. desintegración f*) ~ Kernspaltung *f*; **~ario** *Biol. adj.* nukleär, Kern...; **~ína** ⚗ *f* Nuklein *n*; **~ínico** ⚗ *adj.*: *ácido m* ~ Nukleinsäure *f*.

núcleo *m* **1.** *Biol.*, *Phys.*, ⊕ Kern *m*; ~ *atómico* (*Biol. celular*) Atom- (Zell-)kern *m*; ⊕ ~ *de muelle* Federkern *m*; ~ *terrestre* Erdkern *m*; **2.** ⚘ Samenkern *m*; Fruchtkern *m*; **3.** *fig.* (innerer) Kern *m*, Herz *n*; Mitte *f*, Zentrum *n*; Stamm *m*, Kern *m*; ~ *de obreros* Arbeiterstamm *m*; ~ *de población* Siedlung *f*.

nucléolo *Biol. m* Kernkörperchen *n des Zellkerns*, Nukleolus *m*.

nucleó|n *Phys. m* Nukleon *n*; **~nica** *Phys. f* Kerntechnik *f*, Nukleonik *f*.

nudillo *m* **1.** *dim.* Knötchen *n*; **2.** Finger-, Zehen-knöchel *m*; **3.** ⚠ (Holz-)Dübel *m*.

nudismo *neol. m* Nudismus *m*, Freikörperkultur *f*; → *a. desnudismo*.

nudo *m* **1.** Knoten *m* (*a. tex.*); Schlinge *f*, Schleife *f*; *tex.* Noppe *f*; *de* ~ geknüpft; ⚓ ~ *de boza* Stopperknoten *m*; ~ *de la corbata* Krawattenknoten *m*; ~ *corredizo* gleitender Knoten *m*, Laufschlinge *f*; ~ *de cruz*, ~ *a escuadra* Kreuzknoten *m*;

F ⚕ ~ *de tripas* Darmverschluß *m*; *fig. cortar el ~ gordiano* den gordischen Knoten durchhauen; *fig. hacérsele a alg. un ~ en la garganta* e-n Knoten (*od.* e-n Kloß) im Halse haben; **2.** ♀ Knorren *m*, Ast *m im Holz*; ♀ Knoten *m im Rohr*; *Anat.*, ⚕ Knoten *m*, Nodus *m*; *exento de ~s* astfrei (*Holz*); **3.** Knotenpunkt *m*; *Geol.* Gebirgsknoten *m*; *Vkw. ~ de comunicaciones* Verkehrsknotenpunkt *m*; **4.** ⚓ Knoten *m* (= *Seemeilen pro Stunde*); *navegar a (razón de) 23 ~s por hora* 23 Knoten Fahrt machen; **5.** *fig.* Knoten *m*, Schwierigkeit *f*; *lit.* Schürzung *f* des Knotens, Intrige *f*; **6.** *fig. los ~s (de amistad)* die Bande (der Freundschaft); **~so** *adj.* knotig (*a.* ⚕); knorrig (*Holz*).

nuégado *m* N(o)ugat *m*, *n*.

nuera *f* Schwiegertochter *f*.

nuestro *pron.* unser; *lo ~* das Unsere; *por ~a parte* unsererseits.

nueva *f* Neuigkeit *f*; Nachricht *f*; *Rel. Buena* ♀ Frohe Botschaft *f*, Frohbotschaft *f*; *fig. coger a alg. de ~s* j-n überraschen; *fig. hacerse de ~s* s. unwissend stellen; **~mente** *adv.* von neuem, nochmals; neuerdings, kürzlich.

nueve *num.* **1.** neun; *a las ~* um neun Uhr; **2.** *el ~* die Neun, der Neuner (*Reg.*); *Kart. el ~ de copas etwa*: die Herz-Neun.

nuevo *adj.* neu; frisch; modern; *fig.* unerfahren; *Año m* ♀ Neujahr *n*; *una ~a máquina* e-e neue Maschine (*Neuanschaffung*); *una máquina ~a* e-e neue (*od.* moderne) Maschine (*Neukonstruktion*); ⊕ ~ *ajuste m* Nachjustierung *f*; *de ~* von neuem, nochmals, wiederum; *fig.* F *ponerle a uno peor que ~ od. ponerle a uno la cara ~a* j-m e-e gehörige Tracht Prügel (*od.* etliche Ohrfeigen) verabreichen; *quedar como ~* wie neu werden (*z. B. Kleid nach der Reinigung*); *sentirse como ~* s. wie neugeboren fühlen.

nuez *f* (*pl.* **~eces**) **1.** (*bsd.* Wal-)Nuß *f*; *~ de coco* Kokosnuß *f*; *~ del Marañón*, *~ del Brasil* Paranuß *f*; *~ vómica* Brechnuß *f*; *carne f de la ~* Nußkern *m*; *pierna f de ~* halber Nußkern *m*; **2.** *fig. Anat. ~ (de la garganta)* Adamsapfel *m*; *fig.* F *apretar la ~ a alg.* j-n (er)würgen; **3.** Nuß (-stück *n*) *f* (*Schlachtfleisch*); **4.** ⊕ (Spann-)Nuß *f* (*z. B. am Schloß*); *tex.* (Ketten-)Nuß *f*, Wirtel *m*; ⚔ *~ de cerrojo* Verschlußriegel *m an Waffen*; **5.** ♪ Frosch *m am Bogen von Streichinstrumenten.*

nueza ♀ *f* Zaunrübe *f*.

nu|lidad *f* **1.** Nichtigkeit *f*, Ungültigkeit *f*; *declaración f de ~* Ungültigkeitserklärung *f*, Annullierung *f*; **2.** Wertlosigkeit *f*; Unfähigkeit *f*; **3.** *fig.* Null *f*, Versager *m*, Niete *f* F; **~lo** *adj. a.* ⚖ nichtig; ungültig; gleich null.

numantino *hist. adj.-su.* numantinisch; *m* Numantiner *m*.

numen *m* **1.** (Walten *n* der) Gottheit *f*; **2.** *fig.* Weihe *f*; Inspiration *f*; Charisma *n*.

numera|ble *adj. c* zählbar; **~ción** *f* **1.** Zählen *n*; (Auf-)Zählung *f*; **2.** Numerierung *f*, Bezifferung *f*; **3.** Bezifferung *f*; Zahlenschreibung *f*; **~dor** *m* **1.** *Arith.* Zähler *m e-s Bruches*; **2.** Zähler *m*, Zählapparat *m*; *Typ.* Numerierwerk *n*; **~l I.** *adj. c* Zahl...; **II.** *m Gram.* (*adjetivo m*) ~ Zahlwort *n*, Numerale *n*; **~r** *v/t.* numerieren, beziffern; zählen; ⚔ *¡~se!* abzählen!; **~rio I.** *adj.* zahlenmäßig; Zahl...; Zähl...; *Verw.* ordentlich (*Mitglied*); **II.** *m* Bargeld *n*; **~tivo** *adj.* Zähl...

numérico *adj.* numerisch, zahlenmäßig, der Zahl nach; Zahlen...; *cálculo m ~* Zahlenrechnen *n*; *cantidad f ~a* Zahlengröße *f*; *factor m ~* Zahl(en)faktor *m*; *relación f ~a* Zahlenverhältnis *n*; *superioridad f ~a* zahlenmäßige Überlegenheit *f*, Überzahl *f*; *valor m ~* Zahlenwert *m*.

número *m* **1.** ⚛ Zahl *f*; *~ abstracto* reine (*od.* unbenannte) Zahl *f*; *Gram. ~s m/pl. cardinales (ordinales)* Grund-, Kardinal- (Ordnungs-) zahlen *f/pl.*; *~ de cinco cifras* fünfstellige Zahl *f*; *~ concreto (od. denominado)* benannte Zahl *f*; *~ cuadrado (cúbico)* Quadrat- (Kubik-)zahl *f*; *~ elevado a diez* Zehnerpotenz *f*; *~ fraccionario*, *~ quebrado* Bruchzahl *f*, gebrochene Zahl *f*; *~ (im)par* (un)gerade Zahl *f*; *~ mixto* gemischte Zahl *f*; *~ primo* Primzahl *f*; *fig. el ~ uno (de la clase)* der Primus, der Klassenerste; *teoría f de los ~s* Zahlentheorie *f*; *Anm. die Ordnungszahlen ab „zehnter" werden im Spanischen meist durch Grundzahlen ersetzt, also*: Alfonso X (= *diez*) Alfons der Zehnte; *el turista once millones* der elfmillion(s)te Tourist; *hacer ~s* et. durchrechnen; **2.** Nummer *f*, ✝ *a.* Numero *f*; Ziffer *f*; *Verw. de ~* ordentlich, in e-r Planstelle ausgewiesen (*bzw.* beschäftigt), etatmäßig; *Tel. ~ del abonado* Teilnehmer-, Ruf-nummer *f*; *~ arábigo (romano)* arabische (römische) Ziffer *f*; ⚛ *~ atómico* Atomnummer *f*, Ordnungszahl *f*; *~ de (la) casa* Hausnummer *f*; *~ clave* Schlüsselzahl *f*; Codenummer *f*; *Kfz. ~ del chasis* Fahrgestellnummer *f*; ⊕ *~ de fábrica* Fabriknummer *f*; *~ de la habitación* Zimmernummer *f* (*in Hotel usw.*); *Kfz. ~ de la matrícula* Kennzeichen- (F Auto-)nummer *f*; *~ de orden* laufende Nummer *f*; *Sp. ~ de salida* Startnummer *f*; *~ de teléfono* Ruf-, Telephon-nummer *f*; **3.** Zahl *f*, Anzahl *f*; Menge *f*; *Kfz. usw. ~ de carreras* Hubzahl *f*; *~ de páginas* Seitenzahl *f*, Anzahl *f* der Seiten; *~ total* Gesamtzahl *f*; *en ~ de* in e-r Anzahl von (*dat.*); *gran ~ de* e-e große Anzahl von (*dat.*); *contar en el ~ de ... zu ...* (*dat.*) zählen; *sin ~* unzählige; **4.** *Li.* Numerus *m*; **5.** *Zeitung usw.*: Nummer *f*; *~ extraordinario* Sondernummer *f*; **6.** *Zirkus usw.*: Nummer *f*; *~ de fuerza* Kraftakt *m*.

numero|logía *f* symbolische (*od.* mystische) Zahlenlehre *f bsd. des Ma.*; **~sidad** *f* große Menge *f*; **~so** *adj.* zahlreich; kinderreich (*Familie*).

numinoso *Rel. u. fig. adj.* numinos; [*lo ~* das Numinose.]

numismáti|ca *f* Münzkunde *f*, Numismatik *f*; **~co** *m* Münzensammler *m*, Numismatiker *m*.

nunca *adv.* nie, niemals; *in negativen Wendungen*: jemals; *~ jamás* nie u. nimmer; nimmermehr; *más que ~* mehr denn je.

nunci|atura *dipl. f* Nuntiatur *f*; **~o** *m* Nuntius *m*; *fig. lit.* Vorbote *m*; *fig.* F *burl. ¡dígaselo al ~!* sagen Sie das wem Sie wollen (, meinetwegen dem Kaiser von China)!

nuncupa|tivo ⚖ *adj.* offen (*Testament*); **~torio** *adj.*: *carta f ~a* **1.** Widmungsschreiben *n*; **2.** Einsetzungsschreiben *n in Amt od. Erbe.*

nuño ♀ *m Chi. versch. Irisgewächse.*

nuñuma *Ke. f Pe. Art* Wildente *f*.

nupcia|l *adj. c* Hochzeits...; Braut...; *lecho m ~* Brautbett *n*; **~s** *f/pl.* Hochzeit *f*; *casado en segundas ~* con in zweiter Ehe verheiratet mit (*dat.*).

nurembergués *adj.-su.* Nürnber-[ger *m.*]

nutria *Zo. f* Fischotter *m*; *~ de mar* Seeotter *m*.

nutri|cio I. *adj. lit.* → *nutritivo*; **II.** *m* Pflegevater *m*, *bibl.* Nährvater *m*; **~ción** *f* Ernährung *f*; ⚕ *~ artificial* künstliche Ernährung *f*; **~do** *adj.* **1.** *bien ~* wohlgenährt; **2.** *fig.* zahlreich; vielköpfig (*Delegation*); umfassend; stark (*Applaus*); *~ de* reich an (*dat.*); **~m(i)ento** *m* Nahrung(smittel *n*) *f*; **~r I.** *v/t.* (er)nähren; *fig.* stärken, kräftigen; **II.** *v/r.* *~se* s. (er)nähren (von *dat.* de); **~tivo** *adj.* nahrhaft; Nahrungs..., Nähr...; *cerveza f ~a* Nährbier *n*; ⚕ *solución f ~a* Nährlösung *f*; *valor m ~* Nährwert *m*.

nylon *engl. tex. m* → *nilón*.

Ñ

Ñ, ñ (= eñe) *f das* spanische ñ.

ña *f Ast., Am.* → *ñora.*

ñacaniná *Zo. f (im Chaco) Giftschlange, Art*: *Spilotes.*

ñacar [1g] *v/i. Arg.* hart zuschlagen.

ñacle ☐ *m* Nase *f.*

ñacundá *Vo. m Rpl. Nachtvogel (Podager ñacunda).*

ñacurutú *Vo. m Rpl. Nachteule (Bubo cassirostris).*

ñame ⚘ *m* **1.** *Am. trop.* Jamswurzel *f*; **2.** ~ de *Canarias, Cu.* ~ *isleño* eßbare Kolokasie *f (Colocasia antiquorum).*

ñandú *Zo.* (*pl.* **~úes**) *m* Nandu *m*, am. Strauß *m.*

ñandutí *tex. f Rpl.* feine Spitze *f.*

ñan|gada *f Am. Cent.* Biß *m*; *fig.* unvernünftige und schädliche Handlung *f*; **~gado** *adj. Cu.* krumm *bzw.* schwächlich (*Glied*); **~go** *adj.* **1.** *Arg., Chi., P. Ri.* → *ñangado*; **2.** *Arg., Chi.* plump; ungeschickt; **3.** *Chi.* kurzbeinig; **4.** *Méj.* schwächlich; schwach auf den Beinen; **5.** *P. Ri.* **a)** dumm; **b)** empfindlich.

ñangué *m* F *Am. lo mismo es ñangá que* ~ das ist gehüpft wie gesprungen F; *fig.* F *Pe. en tiempos de* ♀ Anno Tobak.

ña|ña *f* **1.** *Am. Cent.* menschlicher Kot *m*; **2.** *Arg., Chi.* (ältere) Schwester *f*; **3.** F *Chi., P. Ri.* Amme *f*; Kindermädchen *n*; **~ñería** F *f Ec.* Vertrauen *n*; enge Freundschaft *f.*

ñaño *Ke.* **I.** *adj.* **1.** *Col.* verwöhnt, verhätschelt; **2.** *Pe.* eng befreundet; **II.** *m*, **~a** *f* **3.** *Am. Mer.* (*mst. im dim. ñañito,* **~a**) Herzensbruder *m*; liebes Schwesterlein *n*; *p. ext.* Freund(in *f*) *m*; Kumpel *m* F; **4.** *Arg., Chi.* (älterer) Bruder *m*; → *ñaña* 2; **5.** *Chi.* → *ñoño*; **6.** *Pe.* → *niño, nene.*

ñapa *f Am.* → *yapa.*

ñapan|ga *f Col.* → *criada*; **~go** *adj.-su. Col.* → *mulato.*

ñapindá ⚘ *m Rpl. Art* Akazie *f (Acacia bonaerensis).*

ñaque *m* Gerümpel *n*; Plunder *m.*

ñata(s) *f*(*/pl.*) *Am. Reg.* Nase *f.*

ñato I. *adj.* **1.** *Am.* (*außer Méj.*) stumpfnasig; **2.** *Arg.* häßlich; *fig.* nicht viel wert; treulos, gemein; **3.** *Col.* näselnd; **II.** *m*, **~a** *f* **4.** *Am.* (*außer Méj.*) *Kosewort*: *¡~a mía!* mein liebes Kleines.

ñaure *m Ven.* **1.** ⚘ *ein knorriges Rankengewächs*; **2.** Knüppel *m.*

ñecla *Chi.* **I.** *f* kl. (Papier-)Drachen *m*; **II.** *adj. c* schwächlich; *¡~! int.* F nichts, Pustekuchen! F.

ñénguere *Vo. m Ven. Art* Rohrdommel *f.*

ñenguerė ⚘ *m Cu. eßbarer* Wildkohl [*m.*]

ñeque I. *adj. c* **1.** *Am.* F stark; tüchtig, geschickt; **2.** *Arg.* halbgeschlossen (*Auge*); **II.** *m* **3.** *Am.* F Stärke *f*, Mumm *m* F; *es hombre de* ~ er ist ein richtiger Mann; **4.** *Am. Cent., Méj.* Stoß *m*; Ohrfeige *f*; **~ar I.** *v/t. Méj.* schlagen; **II.** *v/i. Ec.* kraftvoll handeln.

ñifle F *Chi.* **I.** *¡~! int.* nein; nichts; kommt gar nicht in Frage!; **II.** *f* → *ñufla.*

ñiña *f*, **~ño** *m Ec. volkstüml. Respektanrede der Dienstboten an ihre Herrschaften (vgl. in Span. señorito).*

ñiquiñaque F *m* Schnickschnack *m*; Würstchen *n* P (*Person*).

ñire ⚘ *m Chi.* araukanische Buche *f.*

ñisca *Ke. f* **1.** *Pe., Chi.* Stückchen *n*, Bröckchen *n*; *una* ~ *de a.* ein bißchen; **2.** *Am. Cent., Col.* → *excremento.*

ño F *m Am.* → *ñor.*

ñoca *f Col.* Spalte *f in Fußboden od. Fliesen.*

ñoclo *Kchk. m Art* süßes Butter- [gebäck *n.*]

ñoco I. *adj. P. Ri., Ven.* wem e-e Hand *od.* ein Finger fehlt (*vgl. manco*); **II.** *m Chi.* Faustschlag *m* (*entsprechend der* Geraden *b. Boxen*).

ñongarse [1h] *v/r. Col.* s. ducken; s. verrenken; auf der Kante stehen bleiben (*Würfel b. Fallen*).

ñongo F *adj.* **1.** *Col.* nicht so geformt, wie es sein sollte; *Würfel*: mit abgerundeten Kanten; **2.** *Cu.* → (*demasiado*) *ñoño*; **3.** *Chi.* **a)** (zu) bescheiden; **b)** blöde, dumm; **c)** faul; **4.** *Ven.* **a)** in schlechtem Zustand; **b)** beschädigt *bzw.* verletzt; **c)** gemein; **d)** verhängnisvoll.

ño|ñería, ~ñez *f* **1.** Geschwätz *n*; Gefasel *n*; Albernheit *f*; **2.** F Schüchternheit *f*; **~ño I.** *adj.* **1.** fade; kindisch, albern; **2.** sehr bescheiden, demütig; zimperlich; **II.** *m* **3.** Tölpel *m.*

ñoquear *v/i. Arg.* lügen.

ñor *m*, **~a** *f Am.* F *wie ño, ña volkstümliche Abk. der Anrede señor, señora (die Form mit r drückt mehr Respekt aus).*

ñorbo ⚘ *m Am. Cent., Am. Mer.* (*versch. Arten*) Passionsblume *f.*

ñu *Zo. m* Gnu *n.*

ñudillo, ñudo, ñudoso → *nudillo, nudo, nudoso*; *adv. Arg. al ñudo* vergeblich.

ñufla *f Chi.* wertloses Zeug *n*; *Person*: *fulano es un* ~ X taugt nichts; X ist e-e Null.

ñuño P *f Ec., Pe.* Amme *f*; Kindermädchen *n.*

ñuridito *adj. Col.* verkümmert; [kränklich.]

ñusear *v/t. Arg.* stören, belästigen.

ñusta *Ke. f* Prinzessin *f (bei den Inkas).*

ñutir *vt/i. Col.* (an)brummen; knurren; auszanken.

ñuto *Ke. adj. Ec., Pe.* zermahlen; zermalmt; zu Staub geworden.

O

O, o *f* O, o *n*.

o[1] (*zwischen Ziffern* ó; *vor mit o od. ho beginnenden Wörtern u*) *cj*. **1.** oder; *sí* ~ *no* ja oder nein; **2.** ~ ... ~ *od. stärker* ~ *bien* ... ~ *bien* entweder ... oder; ~ *bien* oder auch; oder vielleicht; ~ *sea* das heißt; mit anderen Worten; nämlich.

o[2] † *adv*. → *donde*.

¡o! *int*. → *¡oh!*

oasis *m* (*pl. inv.*) *a. fig.* Oase *f*.

obceca|ción *f* Verblendung *f*; **~do** *adj*. verblendet; geistig blind; **~r** [1h] **I.** *v/t*. (ver)blenden; **II.** *v/r*. **~se** verblendet sein (*bzw.* werden).

obducción *f* Leichenöffnung *f*, Obduktion *f*.

obduración *f* Verstocktheit *f*; Starrsinn *m*.

obede|cedor *adj*. gehorsam; **~cer** [2d] *vt/i*. **1.** gehorchen (*dat.*); *Regeln* beachten, befolgen; *fig.* s. fügen, nachgeben; weichen (*dat.*); *Phys. los cuerpos obedecen a la gravedad* die Körper unterliegen (dem Gesetz) der Schwerkraft; *hacerse* ~ s. Gehorsam verschaffen; **2.** *fig.* ~ *a a/c.* e-r Sache zuzuschreiben sein, zurückzuführen sein auf et. (*ac.*); *eso obedece a que* ... das kommt davon, daß ...; **~cimiento** *m* Gehorchen *n*.

obedien|cia *f* Gehorsam *m*; *p. ext.* Folgsamkeit *f*; Fügsamkeit *f*; Lenksamkeit *f*; *dar la* ~ *a uno* j-m gehorsam sein; s. j-m unterwerfen; *reducir a la* ~ zum Gehorsam bringen; **~cial** *adj. c* Gehorsams...; **~te** *adj. c* gehorsam; folgsam; gefügig.

obelisco *m* Obelisk *m*.

oben|cadura ⚓ *f* Wanten *f/pl.*; **~que** ⚓ *m* Want *f*; Pardun(e *f*) *n*.

obertura ♪ *f* Ouvertüre *f*.

obe|sidad *f* Fettleibigkeit *f*; **~so** *adj.-su.* fettleibig.

óbice *m* Hindernis *n* (*bsd. fig.*).

obis|pado *m* Bischofswürde *f*; Bistum *n*; **~pal** *adj. c* Bischofs...; **~palía** *f* **1.** Bischofssitz *m*; Bischofspalais *n*; **2.** Bistum *n*; **~pillo** *m* **1.** gr. Blutwurst *f*; **2.** Bürzel *m der Vögel*; **~po** *m* Bischof *m*; ~ *auxiliar* Weihbischof *m*; ~ *in partibus infidelium* (*od. de título*) Titularbischof *m*; *fig.* F *trabajar para el* ~ umsonst (*od.* ohne Entgelt) arbeiten.

óbito *lit. m* Tod *m*, Hingang *m*.

obituario *m* **1.** *ecl.* Totenregister *n*; **2.** Todesanzeigen(ecke *f*) *f/pl. in der Zeitung*.

obje|ción *f* Einwand *m*; *a.* ⚖ Einspruch *m*; *hacer ~ones contra* Einwände erheben gg. (*ac.*); **~tante I.** *adj. c* entgg.-haltend; **II.** *m* e-n Einwurf (*od.* Einwürfe) Vorbringende(r) *m*; **~tar** *vt/i*. einwenden, entgg.-halten; *no tenemos nada que* ~ wir haben nichts dagegen; **~tivación** *f* Objektivierung *f*; **~tivamente** *adv*. objektiv; (rein) sachlich; **~tivar** *neol. v/t.* objektivieren; vom Subjekt(iven) lösen; **~tividad** *f* Objektivität *f*, Sachlichkeit *f*; **~tivismo** *m* **1.** *Phil.* Objektivismus *m*; **2.** → *objetividad*; **~tivo I.** *adj.* **1.** objektiv; sachlich, unvoreingenommen; **II.** *m* **2.** Ziel *n* (*bsd.* ⚔); Zweck *m*; ⚔ ~ *fijo* (~ *en movimiento*) feststehendes (bewegliches) Ziel *n*; ⚔ *u. allg. tener como* ~ als (*allg.* zum) Ziel haben; **3.** *Opt., Phot.* Objektiv *n*.

obje|to *m* **1.** Objekt *n*; Gegenstand *m* (*a. fig.*); Ding *n*; **~s** *m/pl. de arte* Kunstgegenstände *m/pl.*; ~ *de* (*un*) *contrato* Vertragsgegenstand *m*; ~ *de estudio* Studienobjekt *n*, Aufgabe *f*; *sin* ~ gegenstandslos; *Phil.* objektfrei; **2.** Zweck *m*, Absicht *f*; Ziel *n*; ~ *principal* Hauptzweck *m*; *con* ~ *de* + *inf.* um zu + *inf.*; *con el* ~ *de* in der Absicht, zu; *sin* ~ zwecklos; nutzlos; *tener por* ~ + *inf.* bezwecken zu + *inf.*; **~tor I.** *adj.* entgg.-stehend; Einwände machend; **II.** *m* Einspruchерhebende(r) *m*; *neol.* ~ *de conciencia* Wehrdienstverweigerer *m aus Gewissensgründen*.

obla|ción *Rel. f* Darbringung *f*; Opferung *f*; **~da** *f* **1.** *Rel.* Totenspende *f an die Kirche* (*Gebäck*); **2.** *Fi.* Oblada *f*; **~ta**[1] *kath. f* **1.** Bereitung *f* der Opfergaben (*Teil der Messe*); **2.** Kelch *m* u. Hostie *f vor der Konsekration*; **3.** Oblation *f*; **~ta**[2] *f*, **~to** *m kath.* Oblate *f*, *m* (*Ordensangehörige*[*r*]).

oblea *f* **1.** *kath., pharm., Kchk.* Oblate *f*; **2.** Siegelmarke *f*.

oblicu|amente *adv*. schief, schräg; **~ángulo** *adj*. schiefwinklig; **~idad** *f* Schrägheit *f*; Schiefe *f*; *Kfz.* Einschlag *m der Räder, der Lenkung*; **~o** *adj.* **1.** schräg; **2.** *Gram.* abhängig; indirekt (*Rede*); *caso m* ~ obliquer Fall *m*, *lt. Casus m obliquus*.

obligación *f* **1.** Verpflichtung *f*; Pflicht *f*, Obliegenheit *f*; ~ *natural* moralische Pflicht *f*; *sin* ~ unverbindlich; *nos incumbe la* ~ *de* + *inf.* wir haben die Pflicht, zu + *inf.*, es obliegt uns, zu + *inf.*; **2.** ✝, ⚖ Obligation *f*; ⚖ Schuldverhältnis *n*; Schuldverschreibung *f*; Schuldschein *m*; Schuld(igkeit) *f*, Verbindlichkeit *f*, Verpflichtung *f*; Obligo *n*; *derecho m de ~ones* Schuldrecht *n*; ⚖ ~ *de aportar* Bringschuld *f*; ~ *comunal* Kommunalobligation *f*; ~ *convertible* (*del Estado*) Wandel- (Staats-)schuldverschreibung *f*; ~ *solidaria* Gesamtschuld *f*; *emitir ~ones* Obligationen ausgeben; **3.** Verbindlichkeit *f*, Dank(espflicht *f*) *m*.

obliga|cionista ✝, ⚖ *m* Inhaber *m* von Obligationen; **~do I.** *adj.* **1.** notwendig; Pflicht..., Zwangs...; *es* ~ + *inf.* es ist nötig, zu + *inf.*; **2.** (an-)gehalten, verpflichtet (zu *dat. od. inf. a*); *verse* ~ *a* s. gezwungen (*od.* genötigt) sehen zu (*dat. od. inf.*); *le estamos* (*od. quedamos*) *muy ~s* wir sind Ihnen zu gr. Dank verpflichtet, wir sind Ihnen sehr verbunden; **3.** ♪ obligat; **II.** *m* **4.** Gemeinde-, Stadt-lieferant *m*; **~r** [1h] **I.** *v/t.* **1.** verpflichten (zu *dat. od. inf. a*); zwingen, nötigen (zu *a*); treiben (zu *a*); **2.** (zur Dankbarkeit) verpflichten (durch *ac. con*); **3.** *Chi., Rpl.* zum Trinken einladen; **II.** *v/r.* **~se 4. ~se** *a* + *inf.* s. verpflichten, zu + *inf.*; **~se** *con* (*od. por*) *contrato* s. vertraglich binden.

obligatori|edad ⚖ *f* Verbindlichkeit *f*; ~ *jurídica* Rechtsverbindlichkeit *f*; **~o** *adj.* verbindlich, verpflichtend, bindend; Pflicht...; Zwangs...; *Sch. asignatura f ~a* Pflichtfach *n*; *Tanzsaal usw.*: *consumición f ~a* Getränkezwang *m*; *Verw. declaración f ~a* (An-) Meldepflicht *f*; *inspección f* (*od. vigilancia f*) *~a* Aufsichtspflicht *f*; Zwangsüberwachung *f*, -aufsicht *f*; *servicio m* ~ Dienstpflicht *f*.

oblitera|ción ⚕ *f* Verstopfung *f*, Verschließung *f*; **~r** ⚕ *v/t.* verschließen, obliterieren.

oblongo *adj*. länglich.

obnubilación ⚕ *f* Benommenheit *f*; Bewußtseinstrübung *f*.

obo|e ♪ *m* Oboe *f*; → **~ísta** *c* Oboist[*m.*]

óbolo *m* Obolus *m*, Scherflein *n*.

obra *f* **1.** Werk *n* (*a. Lit.*); Werkstück *n*; Tat *f*; Leistung *f*; ~ *de arte plástico* Skulptur *f*, Plastik *f*; ~ *de arte* Kunstwerk *n*; *buena* ~ gutes Werk *n*; ~ *cartográfica* Kartenwerk *n*; *lit.* **~s** *f/pl. completas* gesammelte Werke *n/pl.*; ~ *de consulta* Nachschlagewerk *n*; ~ *de joyería* Juwelierarbeit *f*; *Thea.* ~ *de lleno* Zugstück *n*, (Kassen-)Schlager *m*; ~ *maestra* (*mal hecha*) Meister- (Mach-)werk *n*; ~ *de mano* handgefertigtes Werkstück *n*, Handarbeit *f*; *fig.* ~ *de romanos* (*od. del Escorial*) gewaltiges (Bau-)Werk *n*; ungeheure Leistung *f*; *poner por* (*Am. Mer.* en) ~, *Am. Mer.* *meter en* ~ verwirklichen, ausführen; **2.** Arbeit *f*, Tätigkeit *f*, Werk *n*; ⚖ *a.* Tätlichkeit *f*; *mano f de* ~ Arbeitskräfte *f/pl.*; ~ *social* Sozial-, Hilfs-werk *n*; de ~ tatkräftig; *a.* ⚖ tätlich; *¡manos a la* ~*!* Hand ans Werk! 'ran an die Arbeit! F, 'ran an den Speck! (*burl.*); F *a.* nur kräftig eingehauen! F (*Aufforderung, beim Essen gut zuzulangen*); *tal* ~, *tal pago* wie die Arbeit, so der Lohn; **3.** Wirkung *f*, Kraft *f*; *por* ~ de vermöge (*gen.*), kraft (*gen.*); *oft iron. por* ~ *y gracia* de dank (*dat.*); **4.** Bau *m*; Bauarbeit *f*; Bauvorhaben *n*; *Chi.* Ausstattungs- und Installationsarbeiten *f/pl. nach Fertigstellung des Rohbaus*; ~*s f/pl.* Bauten *m/pl.*; Bauarbeiten *f/pl.* (*a. Hinweisschild*); ⚓ ~ *alta* **a)** → ~ *muerta*; **b)** Aufbauten *m/pl.*; ⚔ ~ *avanzada* Vorwerk *n*; ⚠ ~ *bruta* Rohbau *m*; ~*s f/pl. de caminos, canales y puertos* Tiefbau *m*, Straßen- und Wasserbau *m*; ⚔ ~*s f/pl. exteriores* Außenwerke *n/pl.*; ~*s f/pl. hidráulicas* Wasserbau(ten) *m*(*/pl.*); ~*s f/pl. de ingeniería* Ingenieurbau *m*; ⚓ ~ *muerta* (*viva*) Über- (Unter-)wasserschiff *n*; ~*s f/pl. públicas* öffentliche (Bau-)Arbeiten *f/pl.*; ~*s f/pl. subterráneas* Tiefbau *m*; *Arg.* ~*s f/pl. de salubridad* Entwässerung *f* u. Installation *f in Siedlungen*; *Am. Mer.* ~ de teja Dachdecken *n*; *Ankündigung*: *estamos de* ~*s* wir bauen um; *hacer* ~*s* um-, aus-bauen; **5.** *fig.* F *Cu.* List *f*, Kniff *m*, Täuschung(smanöver *n*) *f*.

obra|da ⚒ *f* Tagewerk *n* (*Feldmaß, reg. versch.*); **~dor I.** *adj.* arbeitend; **II.** *m* Arbeitsraum *m*; Werkstatt *f*; **~je** *m* **1.** Verarbeitung *f*; Anfertigung *f*; **2.** Werkstatt *f*, Fertigung *f*; **3.** *hist. Am.* Arbeits-, Fron-dienst *m der Indianer*; **4.** *Bol.* Holzfällerei *f*; **5.** *Méj.* Schweinemetzgerei *f*; **~jero** *m* → *capataz*; **~r I.** *v/t.* **1.** bearbeiten; **2.** tun, verrichten; ~ *buen efecto* gute Wirkung haben; **3.** bauen; **II.** *v/i.* **4.** wirken, handeln; *modo m de* ~ Handlungsweise *f*; ~ *bien* (*mal*) *con alg.* gut (schlecht) gg. j-n handeln; ~ *sobre* einwirken auf (*ac.*); *no le ha* ~*ado die Medizin usw.* hat bei ihm nicht gewirkt; **5.** *Verw.*, † s. befinden, vorliegen; *obra en nuestro poder su atenta de fecha* ... wir haben Ihr Schreiben vom ... erhalten; **6.** F s-e Notdurft verrichten, austreten. [*m.*]

obregón *kath. m* span. Hospitaliter

obrep|ción ⚖ *f* Erschleichung *f*; **~ticio** *adj.* erschlichen.

obre|ra *f* Arbeiterin *f*; **~rada** F *f Rpl.* Arbeiter *m/pl.*; **~ría** *f* **1. a)** Kirchbaugeld *n für Instandsetzung u. Pflege der Baulichkeiten*; **b)** Kirchenbauamt *n*; **2.** Stellung *f* als Arbeiter; **~rismo** *Pol., Soz. m* **1.** Arbeiterbewegung *f*; **2.** Arbeiterherrschaft *f*; **~rista I.** *adj. c* Arbeiterbewegungs...; Arbeiter...; **II.** *m* Anhänger *m* der Arbeiterbewegung; **~ro I.** *adj.* Arbeits...; Arbeiter...; *Soz., Pol. clase f* ~*a* Arbeiterklasse *f*; **II.** *m* Arbeiter *m*; ~ *adiestrado* ausgebildeter (*bzw.* angelernter) Arbeiter *m*; ~ *agrícola* (*auxiliar*) Land- (Hilfs-)arbeiter *m*; ~ *c(u)alificado* gelernter Arbeiter *m*; → ~ *especializado* Facharbeiter *m*; ~ *extranjero* (*industrial*) Gast- (Fabrik-)arbeiter *m*.

obsce|nidad *f* Obszönität *f*; Unzüchtigkeit *f*; Zote *f*; **~no** *adj.* obszön; schamlos; unzüchtig.

obscu... → *oscu...* [Bitte *f*.]

obsecración *lit. f* (beschwörende)

obsecuente *lit. adj. c* willfährig, gehorsam.

obseder *neol. v/t.* → *causar obsesión.*

obsequi|ador *adj.*, **~ante** *adj. c* **1.** aufmerksam, gefällig; **2.** bewirtend; beschenkend; **~ar** [1b] *v/t.* **1.** gastlich aufnehmen; bewirten; ehren, feiern (mit *dat. con*); *dipl. el embajador fue* ~*do con un almuerzo* zu Ehren des Botschafters wurde ein Frühstück gegeben; **2.** beschenken (mit *dat. con*); **3.** s. *j-m* gefällig erweisen; **4.** *Am.* schenken; **~o** *m* **1.** Gefälligkeit *f*, Liebenswürdigkeit *f*; Entgg.-kommen *n*; *en* ~ *de alg.* j-m zu Ehren; **2.** Geschenk *n*, Angebinde *n*; **~osidad** *f* **1.** Gastlichkeit *f*; Freigebigkeit *f*; **2.** Gefälligkeit *f*; Zuvorkommenheit *f*; **~oso** *adj.* **1.** gefällig, zuvorkommend; dienstbereit; **2.** freigebig.

obser|vable *adj. c* zu beobachten(d); wahrnehmbar, feststellbar; **~vación** *f* **1.** Beobachtung *f* (*a.* ⚕); Wahrnehmung *f*; Überwachung *f*; *don m de* ~ Beobachtungsgabe *f*; *estar* (*poner*) *en* ~ unter Beobachtung stehen (stellen); **2.** Be(ob)achtung *f*, Befolgung *f*; †, ⊕ ~ *de los plazos* Terminverfolgung *f*; **3.** Bemerkung *f*; Anmerkung *f*; **~vador I.** *adj.* beobachtend; überwachend; ⚔ *satélite m* ~ Beobachtungssatellit *m*; **II.** *m a.* ⚔, *Pol.* Beobachter *m*; **~vancia** *f* **1.** Befolgung *f*, Einhaltung *f*; *poner en* ~ *a/c.* zu strenger Einhaltung *e-r Vorschrift usw.* verpflichten; **2.** *kath. u. fig.* Observanz *f*; Ordensregel *f*; **~vante I.** *adj. c* **1.** beobachtend; **2.** *kath.* streng (*Orden*); **II.** *m kath.* Observant *m*; **~var** *vt/i.* **1.** beobachten; bemerken, wahrnehmen; überwachen; *hacer* ~ *que* ... darauf hinweisen, daß ...; darauf aufmerksam machen, daß ...; **2.** *Gesetz* (beob)achten; *Regel, Vorschrift* befolgen, s. halten an (*ac.*); *Frist, Verhalten* einhalten; **~vatorio** *m* **1.** Warte *f*, Observatorium *n*; ✈ ~ *aerológico* Luftwetterwarte *f*; ~ *astronómico* Observatorium *n*, Sternwarte *f*; ⚓ ~ *marítimo* (*meteorológico*) See- (Wetter-)warte *f*; **2.** ⚔ Beobachtungs-stand *m*, -stelle *f*.

obse|sión *f* **1.** *Theol. u. fig.* Besessenheit *f*; **2.** ⚕ *u. fig.* Zwangsvorstellung *f*, fixe Idee *f*; *causar* ~ ständig quälen (*Gedanke usw.*); **~sionante** *adj. c* unablässig bohrend, ständig quälend (*Gedanke, Vorstellung*); **~sionar** *v/t. fig.* unablässig beschäftigen *bzw.* ständig plagen (*Gedanke, Sorge*); **~sivo** *adj.* **1.** *Theol.* die Besessenheit betreffend; **2.** ⚕ Zwangs...; **3.** *fig.* → *obsesionante*; **~so** *adj.-su.* besessen; *m* Besessene(r) *m.*

obsidiana *Min. f* Obsidian *m.*

obsole|scente *adj. c* veraltend; **~to** *adj.* veraltet, obsolet.

obs|taculizar [1f] F *inc. v/t.* → *poner obstáculo(s), obstruir*; **~táculo** *m* Hindernis *n*; *poner* ~ behindern, ein Hindernis in den Weg legen; **~tante**: *no* ~ **I.** *adv.* dessenungeachtet, trotzdem; **II.** *prp.* trotz (*gen.*, F *dat.*), ungeachtet (*gen.*); **~tar** *v/i. fig.* entgg.-stehen, hinderlich sein.

obs|tetricia ⚕ *f* Geburtshilfe *f*; **~tétrico** ⚕ *adj.* Entbindungs...

obstina|ción *f* Eigensinn *m*, Halsstarrigkeit *f*; Hartnäckigkeit *f*; Trotz *m*; **~do** *adj.* hartnäckig; eigensinnig; **~rse** *v/r.* s. versteifen (auf et. *ac.* en *a/c.*); ~ *en* + *inf.* hartnäckig darauf bestehen (*od.* beharren), zu + *inf.*

obs|trucción *f a.* ⚕ *u. Vkw.* Verstopfung *f*; Hemmnis *n*; *Pol.* Obstruktion *f*, Verschleppung(staktik) *f*; *Pol. hacer* ~ Obstruktion(spolitik) betreiben; **~truccionismo** *Pol. m* Verschleppungstaktik *f*, -politik *f*; **~truccionista** *Pol.* **I.** *adj. c* Verschleppungs..., Obstruktions...; **II.** *m* Verschleppungstaktiker *m*; **~tructivo** *adj. bsd. Pol.* obstruktiv; **~tructor** *adj.-su.* verstopfend; obstruierend; **~truir** [3g] **I.** *v/t.* verstopfen; versperren; *a. fig.* blockieren; **II.** *v/r.* ~*se* s. verstopfen.

obtemperar ⚖ *v/t.* → *obedecer, asentir.*

obte|nción *f* Erlangung *f*; Beschaffung *f*; *a.* ⚒, ⚒ Gewinnung *f*; ~ *del alquitrán* Teererzeugung *f*; ~ *de velocidades muy elevadas* Erzielung *f* sehr hoher Geschwindigkeiten; **~ner** [2l] *v/t.* **1.** erlangen; erreichen, erzielen; bekommen; ⚒ gewinnen; *difícil de* ~ schwer erreichbar; **2.** erwirken; ~ *que* + *subj.* erreichen, daß ...; durchsetzen, daß ...; **~nible** *adj. c* erzielbar, erreichbar; zu gewinnen(d).

obtura|ción *f bsd.* ⊕ Verschließung *f*; Verstopfung *f*; Dichtung *f*, Liderung *f*; ⚔ Liderung *f bzw.* Verriegelung *f* (*Geschoß bzw. Waffe*); ⚕ Füllung *f von Zähnen*; **~dor I.** *adj.* (ab)schließend; (ver-)stopfend; **II.** *m bsd. Phot. u. Film*: Verschluß *m*; ♪ Kern *m an Orgelpfeifen*; *Anat.* (*músculo*) ~ Schließmuskel *m*, Obturator *m*; ⚕ *a.* Verschlußplatte *f*; ⊕, *bsd. Phot.* ~ *compound* Compurverschluß *m*; ~ *de instantánea* (*de pose*) Moment- (Zeit-)verschluß *m*; ~ *a presión* Druckventil *n am Fahrradschlauch*; **~dor-sector** *m* Sektorenblende *f* (*Kino*); **~r** *v/t.* **1.** *a.* ⊕ verstopfen; (ab)dichten; *a. Zahn* füllen; ⊕ ab-, ver-schließen; lidern; *Fuge* dichten *bzw.* ausgießen.

obtu|sángulo ⚠ *adj.* stumpfwinklig; **~so** ⚠ *adj.* stumpf; *fig.* schwer von Begriff. [Granate *f*.]

obús *m* **1.** Haubitze *f*; **2.** (Mörser-)

obusera ⚓ *adj.*: (*lancha*) ~ *f Art* Kanonenboot *n.*

obvenci|ón *f*, *mst.* ~*ones f/pl.* Nebenverdienst *m*; **~onal I.** *adj. c* Nebenverdienst...; **II.** ~*es m/pl. Sch.* Hörgelder *n/pl.*

obvi|ar [1c] **I.** *v/t.* abwenden; beseitigen; entgg.-treten (*dat.*); vorbeugen (*dat.*); **II.** *v/i.* ⚖ stören; **~o** *adj.* einleuchtend; augenfällig, klar; *es* ~ das liegt auf der Hand.

oc *Li.*: *lengua f* de ~ *das* Altprovenzalische, *die langue d'oc* (*frz.*).
oca[1] *f* **1.** Gans *f*; *fig. paso m de la* ~ Stechschritt *m*; **2.** Oca-Spiel *n* (*Würfelspiel*); *fig.* F *¡esto es la* ~*!* das ist ein tolles Ding! F.
oca[2] *Ke.* ⚘ *f And. kartoffelähnliche Knollenfrüchte der Hochanden.*
ocal[1] *adj. c* **1.** saftig u. schmackhaft (*einige Sorten Obst*); voll u. duftend (*einige Rosensorten*); **2.** *capullo m* ~ Doppelkokon *m der Seidenraupen*; *seda f* ~ Wattseide *f*.
ocal[2] F ⚘ *m Ec., Méj.* → *eucalipto.*
ocari|na ♪ *f* Okarina *f*; **~nista** *c* Okarinaspieler *m*.
ocasión *f* **1.** Gelegenheit *f*; Umstand *m*; Anlaß *m*; *discurso m* de ~ Gelegenheitsrede *f*; *Parl. mayoría f* de ~ Zufallsmehrheit *f*; con ~ de anläßlich (*gen.*); de ~ Gelegenheits...; en ~*ones* gelegentlich; ab u. zu; *en la primera* ~ bei nächster Gelegenheit; *fig.* F *coger* (*od. asir*) *la* ~ *por los cabellos* (*od. por la melena*) die Gelegenheit beim Schopf packen; *dar* ~ Veranlassung geben (zu *dat. od. inf.* a); F *a la* ~ *la pintan calva* man muß die Gelegenheit beim Schopfe fassen; *si se presenta la* ~ bei passender Gelegenheit, wenn es s. gerade (so) trifft; *tener* ~ de Gelegenheit haben zu (*dat. od. inf.*); *tomar* ~ *para* Anlaß nehmen zu (*dat. od. inf.*); **2.** ✝ Gelegenheitskauf *m*; *coche m* de ~ Gebrauchtwagen *m*; de ~ aus zweiter Hand; gebraucht; antiquarisch; **3.** Risiko *n*, Gefahr *f*; **4.** *Theol.* Gelegenheit *f* (zur Sünde), Versuchung *f*.
ocasiona|damente *adv.* aus gutem Grunde; absichtlich; **~do** *adj.* **1.** ⚒ verdrießlich (*Sache*); **2.** gefährlich, gefahrenreich; **~dor I.** *adj.* verursachend; **II.** *m* Veranlasser *m*, Verursacher *m*; **~l** *adj. c* **1.** gelegentlich; **2.** veranlassend; *causa f* ~ (eigentlicher) Anlaß *m*; ⚕ *enfermedad f* ~ Grundleiden *n*; **~lismo** *Phil. m* Okkasionalismus *m*; **~lista** *Phil. adj.-su. c* okkasionalistisch; *m* Okkasionalist *m*; **~lmente** *adv.* gelegentlich; zufällig; **~r** *v/t.* **1.** veranlassen; herbeiführen; verursachen; *Schäden* anrichten; **2.** an-, er-regen; hervorrufen; **3.** † *u. Reg.* gefährden.
ocaso *m Astr. u. fig.* Untergang *m*; *lit. hacia el* ~ gg. Sonnenuntergang, gg. Abend, gg. Westen; *Myth. u. fig. el* ~ *de los dioses* die Götterdämmerung *f*.
occiden|tal I. *adj. c* abendländisch; *a. Pol.* westlich, West...; **II.** *m* Abendländer *m*; *los* ~*es Pol. a.* = *las potencias* ~*es* die Westmächte *f/pl.*; **~talismo** *m* abendländischer Charakter *m*; *a.* westliche Politik *f*; **~te** *m* Abendland *n*; *a. Pol.* Westen *m*.
occi|pital I. *adj. c* Hinterhaupts...; **II.** *m Anat.* Hinterhauptbein *n*; **~pucio** *m* Hinterhaupt *n*.
occi|sión *f* gewaltsamer Tod *m*, Ermordung *f*; **~so** *adj.-su.* ermordet, gewaltsam getötet.
Occi|tania *hist. u. Li. f* Okzitanien *n*; **~tánico** *adj.*, **~tano** *adj.-su.* okzitanisch; *m* Okzitanier *m*; *Li.* ~ *das* Okzitanische; *das* Neuprovenzalische.
oceáni|co *adj.* ozeanisch; **~das** *Myth. f/pl.* Okeaniden *f/pl.*, Ozeaniden *f/pl.*
océano *m* **1.** *Geogr.* Ozean *m*, Weltmeer *n*; ⁀ *Antártico*, ⁀ *Glacial del Sur* Südliches Eismeer *n*; ⁀ *Ártico*, ⁀ *Glacial del Norte* Nördliches Eismeer *n*; ⁀ *Boreal* Nordmeer *n*; **2.** *fig.* Unmenge *f*; *fig.* Meer *n* (*fig.*); *un* ~ *de gente* e-e gewaltige Flut von Menschen.
ocea|nografía *f* Meereskunde *f*; **~nográfico** *adj.* meereskundlich; **~nógrafo** *m* Meereskundler *m*.
oce|lado *Biol. adj.* mit Ozellarflekken; **~lo** *m* **1.** Punktauge *n der Insekten*; **2.** Ozellarfleck *m*.
ocelote *m* Ozelot *m* (*Raubkatze u. Pelz*).
ocena ⚕ *f* Stinknase *f*, Ozaena *f*.
oci|arse [1b] *v/r.* müßig sein, feiern; **~o** *m* Muße *f*; Müßiggang *m*, Nichtstun *n*; ~*s m/pl.* Freizeitbeschäftigung *f*, Unterhaltung *f*; → *los ratos de* ~ die Freizeit *f*; **~osidad** *f* Müßiggang *m*; **~oso** *adj.* müßig; unnütz; *estar* ~ untätig sein; faulenzen, feiern F.
oclo|cracia *Pol. f* Ochlokratie *f*, Pöbelherrschaft *f*; **~crático** *adj.* ochlokratisch.
oclu|ir [3g] ⚕ *v/t.* verstopfen; verschließen; **~sión** *f* ⚕ Verstopfung *f*; ⚕, *Phon.* Verschluß *m*; ⚕ ~ *intestinal* Darmverschluß *m*; **~sivo** ⚕, *Phon. adj.* Okklusiv..., Verschluß...; *Phon.* (*consonante f*) ~*a f* Verschlußlaut *m*, Okklusiv *m*.
oco|tal *m Méj.* Fichtenwald *m*; **~te** ⚘ *m Méj.* Okotefichte *f*; *p. ext.* Kienspan *m*; **~zoal** *Zo. m Méj.* Okoteschlange *f* (*Art Klapperschlange*); **~zol** *Méj.*, **~zote** *Am. Cent. m* → *liquidámbar.*
ocre I. *adj. c* ockerfarben; **II.** *m* Ocker *m*.
ocroso *adj.* ockerhaltig.
octa|édrico △ *adj.* oktaederförmig; **~edro** △ *m* Oktaeder *n*, Achtflächner *m*; **~naje** ⊕ *m* Oktanzahl *f*; **~no** ⚗ *m* Oktan *n*; *índice m* de ~ Oktanzahl *f*; **~nte** △, ⚓ *m* Oktant *m*; **~va** *f ecl.*, ♪, *Lit.* Oktave *f*; ♪ *quinta* ~ *od.* ~ *de 2 pies* 1gestrichene Oktave *f*; *Lit.* ~ *real* Stanze *f*; **~var** ♪ *v/i.* Oktaven greifen (*bzw.* blasen); **~vario** *m* **1.** Zeitraum *m* von acht Tagen; **2.** *ecl.* Oktav(e) *f* (*Feier*).
octaviano *hist. adj.* oktavianisch, augustäisch.
octa|villa *f* **1.** *Typ.* Achtelblatt *n*, Zettel *m*; Handzettel *m*; ~ (*de propaganda*) Flugblatt *n*; **2.** *Lit.* Octavilla *f* (*achtzeilige Strophe aus achtsilbigen Versen*); **~vo I.** *num.* **1.** achte(r, -s); **II.** *m* **2.** Achtel *n*; **3.** *Typ.* Oktav(format) *n*; ~ *mayor* (*menor*) Groß- (Klein-)oktav *n*.
octeto ♪, *Phys. m* Oktett *n*.
octingentésimo *lit. num.* achthundertste(r, -s).
octo|genario *adj.-su.* achtzigjährig; *m* Achtzig(jährig)e(r) *m*; **~gésimo** *num.* achtzigste(r, -s); **~gonal** *adj. c* achteckig.
oc|tógono *m* Achteck *n*, Oktogon *n*; **~tosílabo** *adj.* (*su. m*) achtsilbig(er Vers *m*); **~tóstilo** ⌂ *adj.* achtsäulig.
octu|bre *m* Oktober *m*; **~plicar** [1g] *v/t.* verachtfachen.
óctu|ple *adj. c*, **~plo** *adj.-su.* achtfach, -fältig.
ocu|lar I. *adj. c* Augen...; **II.** *m Opt.* Okular *n*; **~lista** *c* Augenarzt *m*.
ocul|tación *f* **1.** Verbergung *f*; *Astr.* Bedeckung *f*; *p. ext.* Unkenntlichmachung *f*; **2.** Verheimlichung *f*; *p. ext.* (Steuer-)Hinterziehung *f*; **~tador** *Phot. m* Abdekkung *f*, Maske *f*; **~tar I.** *v/t.* **1.** verbergen; verdecken, abdecken; **2.** verhehlen, verheimlichen; *Steuern* hinterziehen; **II.** *v/r.* ~*se* **3.** verschwinden; s. verborgen halten; **~tis** F *adv.*: de ~ heimlich; **~tismo** *m* Okkultismus *m*; **~tista** *adj.-su. c* okkultistisch; *m* Okkultist *m*; **~to** *adj.* geheim; verborgen; de ~ → *de incógnito*; en ~ insgeheim; *vivir* ~ im Verborgenen (*bzw.* als Unbekannter) leben; → *a. ciencia.*
ocumo ⚘ *m Ven.* Karibenkohl *m*.
ocu|pación *f* **1.** Besetzung *f* (*a.* ⚔); Besitznahme *f*; ⚔ Besatzung *f*; *tropas f/pl.* de ~ Besatzungstruppen *f/pl.*; **2.** Beschäftigung *f*; Auslastung *f*; ~ *accesoria* Nebenbeschäftigung *f*; *sin* ~ unbeschäftigt; arbeitslos; *dar* ~ *a alg.* j-n beschäftigen; j-m Arbeit geben; → *a. empleo*; **~pacional** *adj. c Am.*: *enfermedad f* ~ Berufskrankheit *f*; **~pada** *adj. f Reg.* schwanger; **~pador** *m* Inbesitznehmende(r) *m*; **~pante I.** *adj. c* **1.** besetzend; **II.** *m* **2.** Insasse *m*, Fahrgast *m*; **3.** Okkupant *m*; **~par I.** *v/t.* **1.** *a.* ⚔ besetzen; *Raum* einnehmen, anfüllen; *Amt* bekleiden; *Haus* bewohnen; *Zeit* in Anspruch nehmen; *Platz* belegen; *¡ocupado!* besetzt!; *¡no le ocupes con tus bromas!* störe ihn nicht mit deinen Späßen!; **2.** beschäftigen (*a. fig.*); Arbeit geben (*dat.*); **II.** *v/r.* ~*se* **3.** s. beschäftigen, s. befassen (mit *dat.* en, de).
ocu|rrencia *f* **1.** Vorfall *m*, Vorkommnis *n*; **2.** Einfall *m*; lustiger Einfall *m*, Witz *m*; *¡qué* ~*! od. ¡vaya una* ~*!* ist das ein Einfall!; *tener* ~*s* witzige (*bzw.* sonderbare) Einfälle haben; **~rrente** *adj. c* **1.** vorfallend; **2.** → **~rrencioso** F *Reg., Am.*, **~rrido** *Ec., Pe. adj.* witzig; **~rrir I.** *v/i. u. v/impers.* **1.** vorkommen, vorfallen; geschehen; eintreten; widerfahren; *ocurre que ...* es kommt vor, daß ...; *¿qué ocurre?* was gibt's?, was ist los? F; *¿qué le ocurre?* was haben Sie denn?; was fehlt Ihnen?; **2.** ⚒ → *recurrir*; *acudir*; **II.** *v/r.* ~*se* **3.** einfallen; *no se me ocurre la palabra* das Wort fällt mir nicht ein; *ocurrírsele a alg.* + *inf.* auf den Einfall kommen, zu + *inf.*; *no se me ocurre ...* es fällt mir nicht ein ...
ochar I. *v/i. Arg.* bellen; **II.** *v/t. Chi.* **a)** belauern; **b)** aufhetzen.
ocha|va *f* Achtel *n*; **~var** *v/t.* **1.** e-e achteckige Form geben (*dat.*); **2.** *Am. Ecken, Kanten* abflachen; **~vo** *m alte Kupfermünze im Wert v. 2 Maravedís*; *fig.* F Geld *n*.
ochen|ta *num.* achtzig; **~tavo** *adj.-su.* achtzigstel; **~tón** F *adj.-su.* achtzigjährig.
ocho *num.* acht; *dentro de* ~ *días*

binnen e-r Woche, in acht Tagen; *fig.* F *dar* (*od. echar*) *a uno con los* ~*s y los nueves* j-m ordentlich die Wahrheit sagen, j-m gehörig Bescheid stoßen P; ~**centista** *m* Mensch (*bsd.* Künstler) *m* des 19. Jh.; ~**cientos** *num.* achthundert; *el* ~ der achthundertste; das 19. Jh.

oda *f* Ode *f*.

odalisca *f* Odaliske *f*.

odeón *m* Odeon *n*, Odeum *n*.

odi|ar [1b] *v/t.* hassen; ~*ado de* verhaßt bei (*dat.*); ~**o** *m* Haß *m* (gg. *ac. a*); ~ *de clases* Klassenhaß *m*; ~ *entre las naciones* Völkerhaß *m*; *cobrar* ~ *a* (allmählich) hassen (*ac.*); ~**osidad** *f* **1.** Gehässigkeit *f*; **2.** Verhaßtsein *n*; **3.** *Chi.*, *Pe.* Belästigung *f*; Ärger *m*; ~**oso** *adj.* **1.** gehässig, gemein F; **2.** verhaßt; **3.** widerlich, unleidlich; *Chi.*, *Méj.* lästig; ärgerlich; drückend.

Odisea *f lit.* Odyssee *f*; *fig.* ♀ Irrfahrt *f*.

odómetro *m* Schrittzähler *m*; ⛏ → *taxímetro* (*Gerät*).

odon|talgia ⚕ *f* Zahnschmerz *m*; ~**titis** *f* Zahnfäule *f*; ~**tología** ⚕ *f* Zahn(heil)kunde *f*; ~**tólogo** ⛏ *m* Zahnarzt *m*.

odorante I. *adj. c* (wohl)riechend; duftend; **II.** *m* Riechmittel *n*.

odre *m* (Wein-)Schlauch *m*; *fig.* Trunkenbold *m*, Säufer *m*; ~**ro** *m* Schlauchmacher *m*.

oes|noroeste ⚓ *m* Westnordwest *m*; ~**sudoeste** ⚓ *m* Westsüdwest *m*; ~**te** *m* Westen *m*; *el* ♀ *lejano* der Wilde Westen; *hacia* ~ westwärts; *viento m* (*del*) ~ Westwind *m*; *al* ~ *de* westlich von (*dat.*).

ofen|dedor *adj.-su.* → *ofensor*; ~**der I.** *v/t.* **1.** beleidigen, kränken; mißhandeln; ~ *el oído* (*el olfato*) das Ohr (die Nase) beleidigen; ~ *la vista* den Augen wehetun; **2.** †, ⛏ verletzen; *le ofendió* (*en*) *el brazo* er verletzte ihn am Arm; **II.** *v/i.* **3.** widrig (*od.* zuwider) sein (*Geruch, Speise usw.*); **III.** *v/r.* ~*se* **4.** s. beleidigt fühlen (von *dat.*, durch *ac. de, por*); *et.* übel aufnehmen; *fig.* ~*se del aire* an jeder Kleinigkeit Anstoß nehmen; ~**dido** *adj.-su.* beleidigt; *m* Beleidigte(r) *m*; *hacerse el* ~ den Gekränkten spielen; ~**sa** *f* Beleidigung *f*, Kränkung *f*; ~**siva** *f* ⚔ *u. fig.* Offensive *f*, Angriff *m*; *a. fig.* *tomar la* ~ die Offensive ergreifen; zum Angriff übergehen; ~**sivo** *adj.* **1.** angriffslustig; *fig.* beleidigend; **2.** Angriffs..., Offensiv...; *arma f* ~*a* Angriffswaffe *f*; ~**sor** *adj.-su.* beleidigend; *m* Beleidiger *m*.

ofer|ente *m* Anbieter *m*, Offerent *m*; ~**ta** *f* **1.** Angebot *n*, Vorschlag *m*; **2.** ☤ Angebot *n*, Offerte *f*; ~ *y demanda* Angebot *n* u. Nachfrage *f*; *Börse*: Geld u. Brief; ~ *especial*, ~ *extraordinaria* Sonderangebot *n*; ~ *en firme* Festangebot *n*; ~ (*en subasta*) Gebot *n*; *hacer* (*od. someter*) *una* ~ ein Angebot machen.

ofertorio *kath. m* Offertorium *n*, Darbringung *f*.

offset *Typ. m* Offset(druck *m*) *m, n*; *máquina f* ~ Offset(druck)maschine *f*.

offside *engl. Sp. m* Abseits *n*; *a.* Abseitstor *n*.

oficia|l I. *adj. c* **1.** amtlich; dienstlich; offiziell, Amts...; *fig.* förmlich, steif; *Verw.*, ⚖ *acto m* ~ offizielle Feier *f*; *papel m* ~ Amtspapier *n*; ⚖ *proceso m* ~ Offizialverfahren *n*; *vía f* ~ (*od. jerárquica*) Amts- (*od.* Dienst-)weg *m*; **II.** *m* **2.** Offizier *m*; *altos* ~*es m/pl.* höhere Offiziere *m/pl.*; ~ *del día*, ~ *del servicio* Offizier *m* vom Dienst; ~ *del Estado Mayor* Generalstabsoffizier *m*; ⚓ ~ *de la guardia* diensthabender Offizier *m*; ~ *subalterno* (*superior*) Subaltern- (Stabs-)offizier *m*; **3.** (Handwerks-)Geselle *m*; Gehilfe *m*; ~ *de albañil* Maurerpolier *m*; *primer* ~ Altgeselle *m*; Obergehilfe *m*; **4.** †, ⛏ → *empleado, funcionario*; ~**la** *f* Arbeiterin *f*; Sekretärin *f*; (Amts-) Gehilfin *f*; ~ *de farmacia* Apothekenhelferin *f*; ~**lidad** *f* **1.** Offizierskorps *n*; **2.** amtliche Eigenschaft *f*; ~**lizar** [1f] *v/t. neol. bsd. Am.* amtlichen Charakter verleihen (*dat.*); amtlich bestätigen; ~**lmente** *adv.* amtlich; offiziell; ~**nte** *kath.* **I.** *adj. c* zelebrierend; **II.** *m* Zelebrant *m*; ~**r** [1b] **I.** *v/i.* Dienst tun, amtieren, fungieren (als *nom. de*); **II.** *v/t. kath.* zelebrieren.

ofici|na *f* Büro *n*; Amts-, Geschäftszimmer *n*; Kanzlei *f*, Kontor *n*; Offizin *f*; *p. ext. u. fig.* Werkstatt *f* (*a. fig.*); ~ *central* Hauptbüro *n*; ♀ *Internacional de Trabajo* Internationales Arbeitsamt *n*; ~ *de objetos perdidos* Fundbüro *n*; ~ *de patentes* Patentamt *n*; ~ *técnica* (*od. de ingeniería*) Ingenieur-, Konstruktions-büro *n*; ~**nal** *adj. c* offizinell, Arznei..., Offizinal..., Heil...; *salvia f* ~ arzneilich verwendete Salbei *f*; ~**nesco** *mst. desp. adj.* bürokratisch, Amts...; ~**nista** *c* Büroangestellte(r) *m*, Kontorist(in *f*) *m*; Büroangestellte *f*.

oficio *m* **1.** Handwerk *n*; Gewerbe *n* ([be]treiben *ejercer*); Beschäftigung *f*; ~ *de la guerra* (*od. de las armas*) Kriegshandwerk *n*; *iron. haber aprendido buen* ~ ein einträgliches (*wenn auch nicht gerade ehrbares*) Gewerbe gelernt haben; *fig. sin* ~ *ni beneficio* ohne Beruf; *fig. tomar por* ~ *a/c.* et. gewohnheitsmäßig (*od.* häufig) betreiben; **2.** Beruf *m*; Amt *n*; (Amts-)Pflicht *f*; *p. ext.* Dienst *m*; *de* ~ von Amts wegen, amtlich, Offizial...; ⚖ *abogado m de* ~ Armenanwalt *m*; ⚖ *defensor m de* ~ Offizialverteidiger *m*; *a. dipl. ofrecer sus buenos* ~*s* s-e guten Dienste anbieten; **3.** amtliche Mitteilung *f*; Dienstschreiben *n*; **4.** † → *oficina*; **5.** *ecl.* Gottesdienst *m*; ~*s m/pl.* gottesdienstliche Verrichtungen *f/pl.*; *bsd.* Begehung *f* der Karwoche; ~ *divino* Breviergebet *n*; ~ *de difuntos* Totenamt *n*; *hist. el Santo* ~ die Inquisition; ~**samente** *adv.* **1.** geschäftig; **2.** offiziös; ~**sidad** *f* Dienstfertigkeit *f*; Beflissenheit *f*; Emsigkeit *f*; ~**so** *adj.* **1.** dienstfertig; geschäftig; emsig; **2.** halbamtlich, offiziös; *fig. mentira f* ~*a* Notlüge *f*.

ofidios *Zo. m/pl.* Schlangen *f/pl.*

ofita *Min. f* Ophi(oli)th *m*.

ofre|cer [2d] **I.** *v/t.* **1.** anbieten (*a.* ☤); bieten; darbieten; überreichen; *Rel. u. fig.* darbringen, opfern; *Anblick* bieten; *Bankett, Essen* geben; ~ *dificultades* (*peligros*) schwierig (gefährlich) sein; *fig.* F *vamos a* ~ jetzt wollen wir (in der Kneipe) ein Glas trinken; **II.** *v/r.* ~*se* **2.** in den Sinn kommen, einfallen; **3.** vorkommen; unvermutet eintreten; *se le ofrece* ... er hat Aussicht auf ... (*ac.*); es bietet s. ihm *die Gelegenheit usw.* (zu *dat. od. inf.* de); **4.** ~*se a* s. an(er)bieten (*od.* s. melden) zu (*inf. od. dat.*); *¿qué se le ofrece?* Sie wünschen?; womit kann ich dienen?; ~**cimiento** *m* **1.** Anerbieten *n*; Angebot *n*; **2.** *a. Rel.* Darbringung *f*; Gelübde *n*.

ofrenda *f* Opfergabe *f*; Spende *f*; ~**r** *v/t.* opfern; spenden.

oftalmía ⚕ *f* Augenentzündung *f*.

oftálmico ⚕ *adj.* Augen...; augenheilkundlich.

oftal|mología ⚕ *f* Augenheilkunde *f*; ~**mológico** ⚕ *adj.* Augen...; ~**mólogo** ⚕ *m* Augenarzt *m*, Ophthalmologe *m*; ~**moscopio** ⚕ *m* Augenspiegel *m*.

ofusca|ción *f*, ~**miento** *m* **1.** *Opt.* Blendung *f*; Verdunkelung *f* (*z.B. durch Wolkenbildung*); Trübung *f* der Sehfähigkeit; **2.** *fig.* Verblendung *f*; Trübung *f* der Vernunft; ~**r** [1g] *v/t.* **1.** verdunkeln; blenden; **2.** *fig.* (ver)blenden; den Verstand trüben (*dat.*).

ogiva *f* → *ojiva*.

ogro *m Myth.* böser Riese *m*, Menschenfresser *m*; *fig.* Scheusal *n*; brutaler Kerl *m*.

¡oh! *int.* ach!, oh!

ohm|(io) ⚡ *m* Ohm *n*; ~**iómetro** ⚡ *m* Ohmmeter *n*.

oí|ble *adj. c* hörbar; ~**das** *adv.*: *de* (*od. por*) ~*s* vom Hörensagen.

oídio ⚘ *m* Faulschimmel *m der Trauben*.

oído I. *part.*: *nunca* ~ nie gehört; unerhört; **II.** *m* Gehör *n*; Gehörsinn *m*; (inneres) Ohr *n*; *a.* ⚔ *¡*~*!* Achtung!; *¡*~*s que tal oyen!* nein, so etwas!; das hört man gern!; ~ *externo* äußeres Ohr *n*; *medio* ~ Mittelohr *n*; ~ *interno* Innenohr *n*; *al* ~ ins Ohr; *fig.* im Vertrauen (*sagen*); *de* ~ *bsd.* ♪ nach dem Gehör; *abrir los* ~*s* die Ohren auftun, genau hinhören; *aplicar el* ~ aufmerksam zuhören; *cerrar los* ~*s* sein Ohr verschließen; *fig. cerrarle a uno los* ~*s* j-m die Ohren verschließen (= *j-n so umgarnen, daß er sein gesundes Urteil verliert*); *dar* ~*s* (*od. prestar* ~[*s*]) *a* zuhören (*dat.*); Gehör schenken (*dat.*); *decir al* ~ ins Ohr sagen, zuflüstern; *fig. entrar(le) a uno a/c. por un* ~, *y salir(le) por el otro* zum einen Ohr hinein- und zum anderen hinausgehen; *fig. hacer* ~*s de mercader* (*od.* ~*s sordos*) s. taub stellen; *llegar a* ~*s* zu Ohren kommen; ♪ *pegarse al* ~ ins Ohr gehen; *regalar el* ~ dem Ohr schmeicheln; *fig. j-m* schmeicheln; *ser un regalo para los* ~*s* ein Ohrenschmaus sein; *ser todo* ~*s* ganz Ohr sein; *me suenan los* ~*s* es klingt mir in den Ohren; *bsd.* ♪ *tener* (*buen*) ~ ein gutes Gehör haben; *tener el* ~ *fino* ein feines (*od.* scharfes) Gehör haben.

oído|r *m* **1.** ⚒ → *oyente*; **2.** *hist.* ⚖ Oberrichter *m*, Auditor *m*; **~ría** *hist. f* Amt *n od.* Würde *f* e-s *oidor*.
oigo → *oír*.
oíl *Li.*: *lengua f de ~ frz. langue f d'oïl* (*alte Sprache Nordfrankreichs*).
oír [3q] *vt/i.* hören; zuhören (*dat.*); anhören; *fig.* verstehen; *bsd. Rel. a.* erhören; ⚖ (an)hören; *¡oye!* na hör mal!; nein, so was!; *¿oyes?* hörst du?, verstehst du mich?, hörst du auch zu?; sei gefälligst aufmerksam!; verstanden!; *¡oiga!* hören Sie (mal)!; hallo!; *Tel.*: *¡oiga!* — *¡diga!* hallo! (*Anrufender*) — hallo! *od.* sprechen Sie bitte! (*Angerufener*); *fig.* F *le preguntas una cosa, y ¡oiga, pronto! ya tienes la respuesta* du fragst ihn etwas, und ruck-zuck, schon hast du die Antwort; *~ bien* ein gutes Gehör haben; *fig. ser bien oído* Beifall finden (*für s-e Darlegungen*); *hemos oído decir* wir haben sagen hören; *ahora lo oigo* das höre ich zum ersten Mal, das ist mir neu; *hacerse ~* s. Gehör verschaffen; s. vernehmen lassen; *fig.* F *nos oirán* (*od. han de ~*) *los sordos* dem (*od.* denen *usw.*) sage ich gehörig Bescheid (*od.* werde ich mächtig den Marsch blasen F); *parece que no ha oído bien* er hat s. wohl verhört; er hat es sicher falsch verstanden; ⚖ *oídas las partes* nach Anhörung der Parteien; *~ lo que uno quiere decir* heraushören (*od.* verstehen), was jemand sagen will; *no se oye más voz que la suya* man hört nur ihn; *fig.* er führt das große Wort.
oíslo † *u. Reg.* F **I.** *f* bessere Hälfte *f* (*fig.* F); **II.** *c* Schatz *m* (*Geliebter od. Geliebte*).
ojal *m* **1.** Knopfloch *n*; **2.** Öhr *n e-r Axt usw.*; ⚒ Nadelöhr *n*; ⊕ Langloch *n*, Schlitz *m*; Öse *f*; Kausche *f*.
ojalá **I.** *¡~! int.* wolle Gott!; hoffentlich!; wenn nur ...; *¡~ tuvieras razón!* ach, hättest du doch recht!; *~ venga pronto* hoffentlich kommt er bald; **II.** *cj. Arg. ~ + subj.* auch wenn, obwohl + *ind.*
ojala|do *adj.* mit dunklen Augenringen (*Rind*); **~dor** *m* **1.** Knopflochnäher *m*; **2.** Knopflochschere *f*; **~dora** *f* **1.** Knopflochnäherin *f*; **2.** Knopflochmaschine *f*; **~dura** *f* Knopflöcher *n/pl.*; **~r** *v/t.* Knopflöcher machen in (*ac.*).
ojaranzo ⚘ *m* **1.** Weiß-, Hage-buche *f*; **2.** Oleander *m*.
ojeada *f* (flüchtiger) Blick *m*; *echar una ~ a* (*od. sobre*) e-n Blick werfen auf (*ac.*).
oje|ador *Jgdw. m* Treiber *m*; **~ar**[1] *v/t. Wild* aufstöbern, treiben; *fig.* aufschrecken, scheuchen.
ojear[2] *vt/i.* **1.** genau hinsehen, beäugen; **2.** → *aojar*.
ojén *m ein Anislikör.*
ojeo *m Jgdw.* Stöberjagd *f*, Treiben *n*; *echar un ~* ein Treiben veranstalten; *fig.* F *irse a ~* auf (der) Jagd nach et. sein (*fig.*).
oje|ras *f/pl.* Ringe *m/pl.* um die Augen; **~riza** *f*: *tener ~ a alg.* j-n nicht ausstehen können, j-n auf dem Kieker haben F; **~roso** (**~rudo**) *adj.* mit (gr.) Ringen um die Augen.
ojete *m* Schnürloch *n*; *a.* ⊕, ⚡ Öse *f*; *fig.* F After *m*; **~ar** *v/t.* mit Schnürlöchern versehen; **~ra** *f* Schnür-leiste *f*, -rand *m e-s Korsetts.*
ojialegre F *adj. c* mit fröhlichen Augen.
oji|gallo *m Pe.* „Drachenblut" *n* (*Wein mit Schnaps*); **~m(i)el** *pharm. m* Sauerhonig *m*.
oji|moreno F *adj.* braunäugig; **~negro** F *adj.* schwarzäugig; **~to** *m* **1.** *dim.* Äuglein *n*; **2.** *fig.* F *Arg.*: *de ~* um s-r (ihrer *usw.*) schönen Augen willen, umsonst; *novio m de ~* Freund *m*, Verehrer *m*; **~tuerto** *adj.* schielend.
ojiva *f* **1.** △, *Ku.* Spitzbogen *m*; ⊕ Oberteil *n e-r Stahlflasche*; **2.** *~* (*nuclear*) (Atom-)Sprengkopf *m* (*Rakete*); **~l** *adj. c* spitzbogig; *Ku.* gotisch; *estilo m ~* Gotik *f*.
oji|zaino F *adj.* finsterblickend; **~zarco** F *adj.* blauäugig.
ojo *m* **1.** *a. fig.* Auge *n*; *fig.* Sehkraft *f*; augenähnliches Gebilde *n*; *fig.* Vorsicht *f*; *~s m/pl. a.* Augenpaar *n*; *fig.* Fettaugen *n/pl. auf der Brühe usw.*; *fig. ¡~!* Vorsicht!, aufgepaßt!; *a ~* nach (dem) Augenmaß; *fig.* aufs Geratewohl; → *a. cubero*; *a cierra ~s* blindlings; *a ~s vistas* augenscheinlich; zusehends; *al ~* vor Augen, ganz in der Nähe; *con mis* (*sus usw.*) *propios ~s*, *con estos ~s* mit eigenen Augen; *en* (*od. delante de*) *los ~s de alg.* vor j-s Augen; *fig.* (*enamorado*) *hasta los ~s* (verliebt) bis über beide Ohren; *bibl. ~ por ~, diente por diente* Auge um Auge, Zahn um Zahn; *por sus ~s bellidos* um s-r schönen Augen willen, umsonst; *sobre los ~s* überaus, über die Maßen (*schätzen u. ä.*); *¡mucho ~ con ese individuo!* seid auf der Hut vor diesem Subjekt!; *~ de águila a. fig.* Adlerauge *n*; *nur fig.* Falkenauge *n*; *~s m/pl. blandos* (*od. tiernos*) schwache *bzw.* tränende Augen *n/pl.*; Triefaugen *n/pl.*; *~ de cristal* Glasauge *n*; *fig. ~ del culo*, P *~ moreno* After *m*, Arschloch *n* V; *HF ~ electrónico* Elektronenauge *n*; *fig. ~ de gallo* **a)** → *~ de pollo*; **b)** *adj.* mattgolden (*Wein*); *~ de gato a. fig.* Katzenauge *n* (*Halbedelstein u. Rückstrahler*); *~ legañoso*, *~ pitarroso*, F *~ de breque* Triefauge *n*; *a. fig. ~ de lince* Luchsauge *n*; *Rf. ~ mágico* magisches Auge *n*; *~s m/pl. oblicuos* schrägstehende Augen *n/pl.*, Schlitzaugen *n/pl.* F; *~ de pavo real* Pfauenauge *n* (*a. Schmetterling*); *Biol. ~ pineal* Stirn-, Scheitel-auge *n*; *fig. ~ de pollo* Hühnerauge *n*; *HF ~ de radar* Radarauge *n*; *~s m/pl. saltones* Glotzaugen *n/pl.*; *Biol. ~ sencillo* einfaches Auge *n niederer Lebewesen*; Nebenauge *n*; *alzar* (*od. levantar*) *los ~s al cielo* die Augen zum Himmel erheben; Gott von Herzen bitten; *avivar los ~s* die Augen aufhalten (*fig.*), wachsam sein; *bajar los ~s* die Augen senken; *fig.* s. schämen; (demütig) gehorchen; *clavar los ~s en* die Blicke heften auf (*ac.*); *fig. comer con los ~s* mit den Augen essen (*fig.*); *fig.* F *costar* (*valer*) *los ~s* (*od. un ~*) *de la cara* ein Heidengeld kosten; *fig.* F *dormir con los ~s abiertos* selbst im Schlaf die Augen offen halten, äußerst wachsam sein; *fig.* F *entrar a alg. por el ~ derecho* bei j-m gut angeschrieben sein; *fig. estar* (*od. andar*) *con cien ~s* äußerst wachsam (*bzw.* mißtrauisch *od.* argwöhnisch) sein; *fig. estar a/c. tan en los ~s* oft gesehen werden; *hablar con los ~s* mit den Augen sprechen, ein Zeichen mit den Augen geben; *fig. hacer ~* nach e-r Seite ausschlagen, nicht richtig getrimmt sein (*Waage*); *fig.* F *hacer del ~* **a)** zublinzeln; **b)** (durch Zufall) einer Meinung sein; *fig.* F *írsele a uno los ~s tras* heftig verlangen nach (*ac.*); mit den Blicken verschlingen (*ac.*); *levantar los ~s* die Augen erheben, aufsehen; *fig. llenarle a alg. el ~* j-m sehr gefallen (*Sache*); *fig. llevar(se) los ~s* die Aufmerksamkeit auf s. ziehen; *fig. meter a/c. por los ~s* et. aufdrängen; *fig. mirar con buenos* (*malos*) *~s a alg.* (*a a/c.*) j-n (et.) gern haben (j-n [et.] nicht ausstehen können); *fig. mirar con otros ~s* mit anderen Augen ansehen, anders beurteilen; *pasar los ~s por* mit den Augen überfliegen (*ac.*); flüchtig lesen (*ac.*); ⚓ *pasar por ~* mit dem Bug überrennen, rammen; *poner los ~s en* s-e Augen (*a. fig.* sein Begehren) richten auf (*ac.*); *fig. j-n* im Auge haben (*für e-e Aufgabe*); j-n gern haben; *poner los ~s en blanco* die Augen verdrehen; *fig.* (*poniendo*) *un ~ a una cosa, y otro a otra* sehr viel (*od. mst.* zuviel) auf einmal im Auge haben (*fig.*); *fig. quebrar los ~s a alg.* j-m in die Augen stechen (*Sonne*); j-n in s-n tiefsten Gefühlen verletzen; j-n sehr verärgern; *fig.* F *quebrarse los ~s* s. die Augen ruinieren, s-e Augen übermäßig anstrengen *b. Lektüre usw.*; *fig.* F *no saber uno dónde tiene los ~s* keine Augen im Kopf haben F, sehr dumm (*od.* ungeschickt sein; *fig.* F *sacar los ~s a alg.* j-m sehr zusetzen (*mit Bitten, finanziell usw.*); *fig.* F *sacarse los ~s* s. die Augen auskratzen (*fig.*); *fig. salirle a alg. a los ~s a/c.* j-m et. ansehen (können); *fig. ser uno el ~ derecho de otro* höchstes Vertrauen bei j-m genießen; j-s rechte Hand sein; *taparse los ~s a. fig.* die Hände vors Gesicht schlagen; *tener entre ~s* (*od. sobre ~*) → *traer entre ~s*; *tener los ~s* (*od. tener ~*) *en* (*od. a*) *a/c.* et. beobachten; auf et. (*ac.*) achten; *tener ~ clínico* ein guter Diagnostiker sein; *fig.* ein scharfer Beobachter sein; *fig. tener mucho ~* F wachsam (*od.* helle F) sein; *torcer los ~s* die Augen verdrehen; *fig. traer entre ~s* (argwöhnisch) im Auge behalten; *más ven cuatro ~s que dos* vier Augen sehen mehr als zwei; *Spr. ~s que no ven, corazón que no siente* (*od. que no llora*) aus den Augen, aus dem Sinn; *fig.* F *~s que te vieron ir* die Gelegenheit kommt nicht wieder; dich (*bzw.* das Geld *usw.*) sehe ich nicht wieder; *volver los ~s a* (*od. hacia*) die Augen richten auf (*ac. od. gg. ac.*); *Spr. el ~ del amo engorda el caballo* das Auge des Herrn macht die Kühe fett; **2.** *fig.* wie ein Augapfel Gehü-

tete(s) *n*; sehr Wertvolle(s) *n*; sehr Liebe(s) *n*; *mis ~s* mein Lieb, mein Schatz; † *pharm. ~ de boticario die Vitrine mit den wertvollsten Arzneien*; **3.** *fig.* Auge *n*, Öffnung *f*, Loch *n*; Loch *n*, gr. Pore *f in Brot, Käse usw.*; Stielloch *n*, Haus *n b. Axt, Hammer*; Fingerloch *n e-r Schere*; *a.* ⊕ Öhr *n*; ⚓ Gatt *n*; Fenster *n e-r Waage*; Masche *f e-s Netzes*; *~ de la aguja* Nadelöhr *n*; *~ (de la cerradura)* Schlüsselloch *n*; *Met. ~ de la tempestad* Sturmauge *n*; *fig.* F *meterse por el ~ de una aguja* sehr aufdringlich sein, überall mitmischen wollen F; **4.** ⚘ *~ de buey* Wassersternchen *n*; △, ⚓ → *5*; † → *9*; *~s m/pl. de Cristo* Muskathyazinthe *f*; *~ de lobo Art* Lotwurz *f*; *~ de perdiz* Sommeradonis *m*; **5.** △ lichte Öffnung *f*; (Brükken-)Bogen *m*, Durchlaß *m*; (✈ Propeller-, ⚓ Schrauben-)Bohrung *f*; Auge *n in Kuppeln*; *~ de buey* △ Ochsenauge *n*; ⚓ Bullauge *n*; *~ de patio* unbedachter Raum *m* (*Binnenhof*); Lichtschacht *m* (*Hof*); Pluviale *n e-s Atriums*; **6.** *Typ.* (Punze *f* im) Schriftbild *n e-r Letter*; Hinweis *m am Rande*; **7.** *~ (de agua)* Quell *m*; **8.** *dar un ~ a la ropa* die Wäsche einseifen; **9.** † *~ de buey* Dublone *f* (*Münze*).

¡ojó! *int. Ec.* bah!, ganz wurscht! P (*verächtlich*).

ojón *adj. Am.* mit großen Augen.

ojoso *adj.* voller Augen (*Käse usw.*).

ojota *Ke. f Am. Mer.* **1.** Indianerschuh *m*, *Art* Sandale *f*; **2.** Lamaleder *n*.

ojuelo *m dim.* Äuglein *n*; *~s m/pl.* [*prov.* Brille *f*.

O.K. *engl.* F okay, O.K. F.

okapí *Zo. m* Okapi *n*.

ola *f* Woge *f*, Welle *f*; *fig.* → *oleada*; *Met. ~ de calor (de frío)* Hitze-(Kälte-)welle *f*; ⚓ *~ levantada por la proa* Bugwelle *f*; *~ sísmica* Flutwelle *f b. Erdbeben*; *fig. la nueva ~* die neue Welle (*Film, Mode*); **~je** *m* → *oleaje*.

¡ole! *od.* **¡olé!** *int.* bravo!, gut gemacht!, recht so!

oleáceas ⚘ *f/pl.* Oleazeen *f/pl.*, Ölbaumgewächse *n/pl.*

oleada *f* Sturzsee *f*; *fig.* Menge *f* Menschen; *fig.* Welle *f* (*fig., a.* ⚔); wogende Menge *f*.

oleagino|sas ⚒ *f/pl.* Ölfrüchte *f/pl.*; **~so** ⚒ *adj.* ölhaltig; Öl...

oleaje *m* Seegang *m*; Wellen-gang *m*, -schlag *m*; Brandung *f*.

oleandro ⚘ *m* Oleander *m*.

ole|ar *kath. v/t. j-m* die Krankenölung geben; **~ato** ⚗ *m* Oleat *n*; **~ico** ⚗ *adj.*: *ácido m ~* Ölsäure *f*; **~ícola** ⚒ *adj. c* ölfrucht- *bzw.* oliven-anbauend; **~icultura** ⚒ *f* Ölbau *m*; **~ífero** ⚒ *adj.* ölhaltig, Öl...; **~ína** ⚗ *f* Olein *n*.

óleo *m* Öl *n*; *al ~* in Öl (*gemalt*); Öl-...; *cuadro m al ~* Ölbild *n*; *kath. santo ~* Salböl *n*; *los santos ~s* die Krankenölung, die letzte Ölung.

oleo|ducto *m* Ölleitung *f*, Pipeline *f* (*engl.*); **~grafía** *Typ. f* Öldruck *m*; **~hidráulica** ⊕ *f* Ölhydraulik *f*; **~so** *adj.* ölhaltig; ölig.

ole|r [2i] **I.** *v/t.* wittern, riechen; **II.** *v/i.* riechen (nach *dat. a*); **~tear** F *v/t. Pe.* ausschnüffeln (*fig.*).

olfa|tear *vt/i.* (be)riechen; *a. fig.* wittern; *fig.* beschnuppern F; herumschnüffeln; **~teo** *m* Riechen *n*, Wittern *n*; **~tivo** *Anat. adj.* Geruchs...; *nervio m ~* Geruchsnerv *m*; **~to** *m* Geruchssinn *m*; **~torio** *adj.* Geruchs..., Riech...

oliente *adj. c* riechend; *a. fig. mal ~* übelriechend.

oliera *ecl. f* Salbölgefäß *n*.

oli|garca *Pol. m* Oligarch *m*; **~garquía** *Pol. f* Oligarchie *f*; **~gárquico** *Pol.* oligarchisch; **~goceno** *Geol. m* Oligozän *n*.

olimpíada *f* Olympiade *f*.

olímpico *adj.* olympisch.

Olimpo *m* (2 *a. Thea.*) Olymp *m*.

olis|car [1g] **I.** *v/t.* beschnüffeln, beschnuppern; **II.** *v/i.* anfangen zu stinken (*z. B. Fleisch*); **~co** *adj. Arg., Chi.* schon leicht stinkend; **~quear** *v/t.* **1.** wittern; **2.** → *oliscar*.

oli|va *f* **1.** Olive *f* (*Baum u. Frucht*); *fig. (verde) ~* olivgrün; **2.** *K* Ölzweig *m*, Frieden *m*; **3.** *Vo.* → *lechuza*; **~váceo** *adj.* olivenfarben; **~var** ⚒ *m* Ölbaumpflanzung *f*; **~varda** *f* **1.** *Vo. Art* Edelfalke *m*; **2.** ⚘ *Art* Alant *m*; **~varero** *adj.* Oliven...; *región f ~a* Olivenanbaugebiet *n*; **~varse** *v/r.* blasig werden (*Brot b. Backen*); **~veta** ⊕ *f* Schlauchtülle *f*; **~vícola** ⚒ *adj. c* olivenanbauend; **~vicultor** ⚒ *m* Olivenanbauer *m*; **~vicultura** ⚒ *f* Olivenanbau *m*; **~villo** ⚘ *m Art* Steinlinde *f*; **~vo** *m* Öl-, Olivenbaum *m*; Olivenholz *n*; *bibl. Monte m de los 2s* Ölberg *m*; *fig.* F *¡~ y aceituno, todo es uno!* das ist ein u. dasselbe, das ist Jacke wie Hose F; F *tomar el ~* abhauen P, verduften P.

ol|ma *f* große, dichtbelaubte Ulme *f*; **~meda** *f*, **~medo** *m* Ulmenwald *m*; **~mo** ⚘ *m* Ulme *f*.

ológrafo I. *adj.* eigenhändig geschrieben (*z. B. Testament*); **II.** *m* → *autógrafo*.

olo|r *m* Geruch *m*; *ecl. morir en ~ de santidad* im Rufe der Heiligkeit sterben; **~rizar** [1f] *v/t.* durchduften; **~roso** *adj.* wohlriechend.

olote *m Am. Cent., Méj.* Maisspindel *f* (*entkörnter Kolben*).

olvi|dadizo *adj.* vergeßlich; **~dado** *adj.* vergessen; *~ de su deber* pflichtvergessen; **~dar I.** *v/t.* vergessen; verlernen; **II.** *v/r. ~se (de) (et.)* vergessen; *p. ext.* vergessen u. vergeben; *¡que no se te olvide el paraguas!* vergiß den Regenschirm nicht!; *se me ha ~ado* ich habe ganz darauf vergessen; *¡que no se olvide esto!* merken Sie s. das!; **~do** *m* **1.** Vergessen *n*; Vergessenheit *f*; *p. ext.* Übergehung *f*; *~ de sí mismo* Selbstlosigkeit *f*; *caer en (el) ~* in Vergessenheit geraten; *dar (echar) al (od. en) ~* vergessen; *enterrar en el (od. entregar al) ~* für immer vergessen (sein lassen); *poner en ~* vergessen; vergessen lassen; **2.** Vergeßlichkeit *f*; *fig.* Undankbarkeit *f*; **3.** *fig.* Erkalten *n* der Neigung (*od.* der Freundschaft).

olla *f* (Koch-)Topf *m*; *Kchk.* Gemüseeintopf *m*; *~ eléctrica* Elektrokochtopf *m*; *fig.* F *~ de grillos* Judenschule *f* (*fig.* F); Tohuwabohu *n*; gr. Wirrwarr *m*; *Kchk. ~ podrida Gemüseeintopf mit Schinken, Geflügel, Wurst u. Speck*; *~ de (od. a) presión* Dampfdruckkochtopf *m*; *fig.* F *¡no hay ~ sin tocino!* da fehlt noch das Tüpfelchen auf dem i; *fig.* F *tener la cabeza como una ~ de grillos* ganz wirr im Kopf sein.

olla|o ⚓ *m* Gatje *n*, Tauloch *n am Segel*; **~r I.** *adj. c Min.*: *piedra f ~* Topfstein *m*; **II.** *m* Nüster *f der Pferde*.

olle|ra *Vo. f* Specht *m*; **~ría** *f* Töpferei *f*; Topfmarkt *m*; *koll.* Töpfe *m/pl.*; **~ro** *m* Töpfer *m*; Topfhändler *m*; **~ta** *f* **1.** *Col.* **a)** → *chocolatera*; **b)** Wasserloch *n im Flußbett*; **2.** *Kchk. Ven.* Maiseintopf *m*.

ollita *f* **1.** *dim.* kl. Topf *m*; **2.** F *Col., Ven.*: *~ de mono kopfgroße Frucht des Jacapucayobaums*.

olluco ⚘ *m Pe.* Ulluco *m*, *kartoffelähnliche Frucht*.

ombli|go *m a. fig.* Nabel *m*; *fig. cortarle el ~ a alg.* s. j-n geneigt machen; **~guera** ⚘ *f* Nabelkraut *n*; **~guero** *m* Nabelbinde *f*.

ombú ⚘ *m* Ombu *m* (*Pampasbaum*).

omega *f* Omega *n* (*griech. Buchstabe*; *a. fig.*).

omento *Anat. m* Netz *n*.

omeya *hist.* **I.** *adj. c* Omaijaden...; **II.** *los ~s* die Omaijaden (*arabische Dynastie in Spanien*).

ómicron *f* Omikron *n* (*griech. Buchstabe*).

ominoso *adj.* unheilverkündend.

omi|sión *f a.* ⚖ Unterlassung *f*; Übergehung *f*; Auslassung *f*; *Typ.* Leiche *f*; **~so I.** *part. irr.*: *hacer caso ~ de a/c.* et. nicht beachten, et. übergehen; **II.** *adj.* nachlässig, saumselig; **~tir** *v/t.* unterlassen; übergehen, auslassen; *~ + inf.* (es) unterlassen, zu + *inf.*; *no ~ esfuerzos* k-e Anstrengungen scheuen; nichts unversucht lassen.

ommiada *adj.-su. c* → *omeya*.

ómnibus *m* Omnibus *m*; 🚂 *tren m ~* Personenzug *m*.

omnicolor *adj. c* in allen Farben.

omnímodo *adj.* unumschränkt, absolut.

omni|potencia *f* Allmacht *f*; **~potente** *adj. c* allmächtig, allgewaltig; **~presencia** *f* Allgegenwart *f*; **~presente** *adj. c* allgegenwärtig; **~sapiente** *adj. c* allwissend; **~sciencia** *f* Allwissenheit *f*; **~sciente** *adj. c*, **~scio** *adj.* allwissend (*a. fig.*).

ómnium ☤, *Vers., Sp. m* Omnium *n*.

omnívoro *Zo. u. fig. adj.-su. m* Allesfresser *m*.

omóplato *Anat. m* Schulterblatt *n*.

onagra ⚘ *f* Nachtkerze *f*.

onagro *Zo. m* Wildesel *m*, Onager *m*.

onanismo *m* Onanie *f*.

once I. *num.* elf; *fig.* F *estar a las ~* schief sitzen (*Kleidungsstück*); *fig.* F *tomar las ~* e-n Morgenimbiß nehmen; *fig.* F *tener la cabeza a las ~* ganz durchea. sein; e-n mächtigen Brummschädel haben F; **II.** *m a. Sp.* Elf *f*; **~avo** *num.* → *onzavo*.

oncear *v/t.* **1.** nach Unzen abwiegen; **2.** *Ven.* → *tomar las once*.

oncejo *Vo. m* Mauersegler *m*.

onceno *num.* elfte(r, -s); *fig.* F *el ~*: (*no estorbar*) das elfte Gebot: nicht stören!

oncología ⚕ *f* Onkologie *f*.

on|da *f* **1.** Woge *f*, Welle *f*; *poet.* Wasser *n*; **2.** (Haar-)Welle *f*; **3.** *Phys.*, *HF* Welle *f*; ~ *corta* (*larga*, *media*, *ultracorta*) Kurz- (Lang-, Mittel-, Ultrakurz-)welle *f*; ~ *explosiva* (*luminosa*, *sonora*) Explosions- (Licht-, Schall-)welle *f*; ~ *superpuesta* Überlagerungswelle *f*; *Vkw. neol.* ~ *verde* grüne Welle *f*; **~deante** *adj. c* flatternd (*Fahne*); **~dear I.** *v/i.* wogen; flattern, wehen (*Fahne*, *Haar*); wellig sein; *~ado* wellenförmig; gewellt; ⚘ gebuchtet (*Blatt*); **II.** *v/r.* *~se* s. schaukeln; **~deo** *m* Wogen *n*; Flattern *n*; **~dímetro** *Phys. m* Wellenmesser *m*; **~dina** *Myth. f* Nixe *f*, Undine *f*; **~doso** *adj.* wellig.

ondula|ción *f* **1.** Wellenbewegung *f*; *p. ext.* Windung *f e-s Weges usw.*; ⚡ Welligkeit *f*; **2.** Ondulieren *n* (*Haar*); **~do** *adj.* wellig; onduliert (*Haar*); *chapa f ~a* Wellblech *n*; **~r I.** *v/t.* *Haar* in Wellen legen, ondulieren; *fig.* P *¡que te ondulen!* hau ab! P, scher dich zum Kukkuck! F; **II.** *v/i.* wogen; flattern; *lit.* s. winden (*Schlange*, *Weg*); **~torio** *adj. bsd. Phys.* wellenförmig, Wellen...

oneroso *adj.* **1.** beschwerlich, lästig; **2.** kostspielig; ⚖ entgeltlich; mit Auflage.

onfacino *adj.*: *aceite m* ~ Öl *n* aus unreifen Oliven.

ónice *Min. m* Onyx *m*.

onírico *adj.* traumhaft; Traum...

oniromancia *f* Traumdeutung *f*.

ónix *m* → *ónice*.

ono|masiología *Li. f* Onomasiologie *f*; **~mástica** *Li. f* Namenskunde *f*, Onomastik *f*; **~mástico I.** *adj.* Namens...; *índice m* ~ Namensverzeichnis *n*; **II.** *m* Namenstag *m*; **~matopeya** *Li. f* Schallwort *n*; Lautmalerei *f*, Onomatopöie *f*; **~matopéyico** *adj.* lautmalerisch.

onto|genia *Biol. f* Ontogenese *f*; **~genético, ~génico** ontogenetisch; **~logía** *Phil. f* Ontologie *f*; **~lógico** *adj.* ontologisch.

ontólogo *m* Ontologe *m*.

onza[1] *f* Unze *f* (*Gewicht*, *alte Münze*).

onza[2] *Zo. f Am. Mer.* Jaguar *m*. [Unze *f*.]

onzavo *num.* elfte(r, -s); *m* Elftel *n*.

oo|lito *Geol. m* Oolith *m*; **~plasma** *Biol. m* Plasma *n* der Eizelle.

opa[1] *Ke. adj.-su. Arg.*, *Bol.*, *Pe.* dumm; zerfahren, zerstreut.

¡opa![2] *Col. int.* → *¡hola!*

opa|cidad *f* Undurchsichtigkeit *f*; **~co** *adj.* **1.** undurchsichtig; Deck... (*Farbe*); lichtdicht; **2.** *a. fig.* dunkel; düster; belegt (*Stimme*).

opa|lescencia *f* Opaleszenz *f*, Schillern *n*; **~lescente** *adj. c* opalisierend; **~lino** *adj.* opalartig; Opal...; *vidrio m* ~ Opal-; Milchglas *n*.

ópalo *Min. m* Opal *m*.

opción *f* Wahl *f*; Anrecht *n*; ⚖, ✝, *Pol.* Option *f*; ~ *a compra* Kaufoption *f*.

open *engl.* ✈ *m* offener Rückflug *m*.

ópera *f* Oper *f* (*Werk u. Gebäude*); ~ *bufa* (*od. cómica*) komische Oper *f*.

opera|ble *adj. c* **1.** durchführbar; **2.** ⚕ operabel, operierbar; **~ción** *f* **1.** *a.* ⚔, ⚕ Operation *f*; Aktion *f*; ⅍ *las cuatro ~ones* (*fundamentales de aritmética*) die vier Grundrechnungsarten *f/pl.*; ~ *policíaca* Polizeiaktion *f*; ⚕ *mesa f de ~ones* Operationstisch *m*; *plan m de ~ones* Operationsplan *m*; **2.** Tätigkeit *f*; Geschäft *n*; Aktion *f*, Operation *f*; *~ones f/pl. bsd.* (Geschäfts-, Bank-, Börsen-)Verkehr *m*, (-)Tätigkeit *f*; ~ *de bolsa* Börsenoperation *f*, einzelnes Börsengeschäft *n*; **3.** Vorgang *m*; Verfahren *n*; ⊕ ~ (*de trabajo*) Arbeitsgang *m*; **~cional** ⚔ *adj. c* operativ, Operations...; **~do I.** *adj.* **1.** ⊕ betätigt, bedient; ~ *a mano* handbedient; **2.** ⚕ operiert; **II.** *m* **3.** ⚕ Operierte(r) *m*; **~dor** *m* **1.** ⚕ Operateur *m*; **2.** *Film*: Kameramann *m*; *Kino*: Vorführer *m*; **3.** *HF*: ~ *radar* Radarbeobachter *m*; ~ (*de radio*) Funker *m*; **4.** ⊕ Facharbeiter *m*; **~nte** *adj. c* wirkend; wirksam; tätig; ✝ *capital m* ~ Aktivkapital *n*; **~r I.** *v/i. a.* ⚔ operieren; ✝ spekulieren; *bsd.* ⚕ wirken, Wirkung haben; **II.** *v/t.* ⚕ operieren; **III.** *v/r.* *~se* vorgehen, geschehen; ⚕ *~se de apendicitis* am Blinddarm operiert werden; **~ria** *f* Arbeiterin *f*; **~rio** *m* **1.** Arbeiter *m*; **2.** *lit.* Handwerker *m*; **~tivo** *adj.* wirksam, tätig; **~torio** ⚕ *adj.* operativ, Operations...

opérculo *Biol. m* Deckel *m*; Kiemen- *bzw.* Kapsel-deckel *m*.

ope|reta ♪ *f* Operette *f*; **~rista** *c* Opernsänger(in *f*) *m*; **~rístico** *adj.* Opern...

operoso *adj.* mühsam, schwierig; beschwerlich.

opiado *pharm. m* Opiat *n*.

opila|ción ⚕ *f* Verstopfung *f*; **~tivo** ⚕ *adj.* verstopfend.

opimo *adj.* **1.** *lit.* reich; köstlich; ergiebig, groß; **2.** *barb.* dick, fett.

opi|nable *adj. c* denkbar, diskutierbar; **~nante I.** *adj. c* meinend; **II.** *m* s-e Meinung Äußernde(r) *m*; Diskutierende(r) *m*; Abstimmende(r) *m*; **~nar** *v/i.* meinen; glauben; vermuten; *abs.* s-e Meinung äußern; *yo opino que ...* ich bin der Meinung (*od.* der Ansicht), daß ...; ~ *en contra* e-e entgegengesetzte Meinung haben; **~nión** *f* Meinung *f*; *en mi* ~ meiner Meinung nach; (*la formación de*) *la* ~ *pública* die öffentliche Meinung(sbildung) *f*; *fig. casarse con su* ~ von s-r Meinung nicht abzubringen sein; *dar su* ~ s-e Meinung sagen (*od.* äußern); *formarse* (*od. hacerse*) *una* ~ *sobre a/c.* s. e-e Meinung über et. (*ac.*) bilden; *hacer mudar de* ~ *a alg.* j-n umstimmen; *ser de la* ~ *de alg.* j-s Meinung sein; *ser de la* ~ *que ...* der Meinung sein, daß ...; *tener mala* ~ *de alg.* e-e schlechte Meinung von j-m haben.

opi|o *pharm. u. fig. m* Opium *n*; *fig.* F *dar el* ~ gefallen; Eindruck machen; *j-n* becircen F; **~ómano** *m* Opiumsüchtige(r) *m*.

opíparo *adj.* üppig (*bsd. Mahlzeiten*).

oploteca *f* Waffenmuseum *n*; Zeughaus *n*.

oponer [2r] **I.** *v/t.* entgg.-setzen; -stellen; einwenden (gg. *ac. a*, *contra*); *Schwierigkeiten*, *Hindernisse* in den Weg legen; *Widerstand* leisten; **II.** *v/r.* *~se* s. widersetzen; dagegen sein; *~se a a/c.* s. e-r Sache widersetzen, gg. et. (*ac.*) sein; *~se a que* + *subj.* dafür eintreten, daß nicht + *ind.*; *no se opone a la idea* er ist dem Gedanken nicht abgeneigt.

oporto *m* Portwein *m*.

oportu|namente *adv.* rechtzeitig; zu gelegener Zeit; **~nidad** *f* (passende) Gelegenheit *f*; Zweckmäßigkeit *f*; Rechtzeitigkeit *f*; **~nismo** *m* Opportunismus *m*; **~nista** *adj.-su. c* opportunistisch; *m* Opportunist *m*; **~no** *adj.* gelegen; rechtzeitig; zweckmäßig, dienlich; angebracht; günstig; *considerar* ~ (+ *inf.*) (es) für angebracht halten (, zu + *inf.*); *ser* ~ am Platz sein.

oposi|ción *f* **1.** *a. Astr.*, *Li.*, *Pol.*, *Parl.* Opposition *f*; **2.** Gegensatz *m*; Widerspruch *m*; *estar en* ~ *a* in Widerspruch stehen zu (*dat.*); **3.** Widerstand *m*; **4.** Gegenüberstellung *f*; **5.** *~ones f/pl. Span.* Auswahlprüfung *f für Staatsstellen*; *hacer ~ones a una cátedra* s. um ein Lehramt (*bzw.* e-n Lehrstuhl) bewerben; **~cionista** *Parl. c* Mitglied *n* der Opposition; **~tar** *v/i.* an den staatlichen Auswahlprüfungen teilnehmen; **~tor** *m* **1.** Bewerber *m*, Kandidat *m b. den oposiciones*; **2.** Opponent *m*.

opossum *od.* **opósum** *Zo. m* Opossum *n*.

opoterapia ⚕ *f* Opo-, Organotherapie *f*.

opre|sión *f* **1.** Unterdrückung *f*; Zwang *m*; **2.** Angst *f*; Beklommenheit *f*; ~ *de corazón* Herzbeklemmung *f*; **~sivo** *adj.* bedrückend; drückend; beklemmend; **~so** † *part. irr. v. oprimir*; **~sor** *m* Unterdrücker *m*.

opri|mido *adj.* bedrückt; beklommen; unterdrückt; **~mir** *v/t.* drükken; bedrücken; unter-drücken, -jochen; *a.* zs.-drücken.

oprobi|ar [1b] *v/t.* schmähen; **~o** *m* Schande *f*; Schimpf *m*; **~oso** *adj.* schmachvoll; schändlich; schimpflich.

opta|ción *Rhet. f* Optatio *f lt.*; **~r** *vt/i.* **1.** wählen, s. entscheiden (für *ac. por*); ⚖, ✝, *Pol.* optieren; ~ *entre dos candidatos* e-e Wahl treffen zwischen zwei Bewerbern; **2.** ⚒ s-n Anspruch geltend machen (auf *ac. a*); **~tivo I.** *adj.* wahlfrei; Wunsch...; **II.** *Li. m* Optativ *m*.

ópti|ca *f* Optik *f*; ~ *oculista* Augenoptik *f*; **~co I.** *adj.* optisch; Augen...; **II.** *m* Optiker *m*.

optimar ⊕ *v/t.* Höchstleistung anstreben bei (*dat.*).

optimis|mo *m* Optimismus *m*; **~ta** *adj.-su. c* optimistisch; *m* Optimist *m*.

óptimo I. *adj.* beste(r, -s); vortrefflich; **II.** *m neol.* Optimum *n*.

optómetro ⚕ *m* Optometer *n*.

opuesto *adj.* entgg.-gesetzt; gg.-überliegend; gg.-über befindlich (*dat. a*); in Opposition; ⅍ Gegen...

opugnar *v/t.* bekämpfen; *Festung* bestürmen.

opulen|cia *f* gr. Reichtum *m*; Überfluß *m*; Üppigkeit *f*; *vida f en* ~ Wohlleben *n*; **~to** *adj.* sehr reich; überreich; üppig; luxuriös.
opus *m bsd.* ♪ Opus *n*; ♀ *Dei bsd. Span.* Opus *n* Dei (*kath. Laienorganisation*).
opúsculo *m* kl. Werk *n*, Opusculum *n*; Broschüre *f*.
opuse *usw.* → *oponer*.
oque F: de ~ umsonst, gratis.
oque|dad *f* Höhlung *f*, Loch *n*; *fig.* Hohlheit *f*; **~dal** *m* Hochwald *m*; **~ruela** *f* Schlinge(nbildung) *f b. verdrehtem Faden.*
ora ..., ora ... *cj.* bald ..., bald ...
ora|ción *f* **1.** Gebet *n*; *kath.* (*toque m de*) *~ones* Angelusläuten *n*; ~ *dominical* Vaterunser *n*; *fig.* F *eso no es parte de la* ~ das gehört nicht hierher; das ist fehl am Platz; **2.** Rede *f*; *Li. a.* Satz *m*; *Li.* ~ *principal* (*subordinada*) Haupt-(Neben-)satz *m*; *partes f/pl. de la* ~ Redeteile *m/pl.*; **~cional I.** *adj. c Li.* Satz..., Rede...; **II.** *m ecl.* Gebetbuch *n*.
oráculo *m* Orakel *n*.
ora|dor *m* Redner *m*; **~l I.** *adj. c* mündlich; **II.** *m* mündliche Prüfung *f*.
orangután *Zo. m* Orang-Utan *m*.
ora|nte *Ku. adj.-su.* (*estatua f*) ~ *m* Orant *m*; **~r** *v/i.* **1.** beten (für *ac. por*); **2.** ↖ öffentlich reden. [F.]
orate *m* Verrückte(r) *m*, Spinner *m*
orato|ria *f* Redekunst *f*; ~ *sagrada* Kanzelberedsamkeit *f*; **~riano** *kath. m* Oratorianer *m*; **~rio I.** *adj.* **1.** rednerisch; oratorisch; Rede...; **II.** *m* **2.** Bethaus *n*; (Haus-)Kapelle *f*; **3.** ♪ Oratorium *n*.
or|be *m* **1.** Kreis *m*, Zirkel *m*; *kosmische* Sphäre *f der ma. Weltschau*; **2.** ~ (*terráqueo*) Welt *f*; *el* ~ *católico* die katholische Welt; **~bicular I.** *adj. c bsd.* ⚕ kreis-, ring-förmig; orbikular; **II.** *m Anat.* Ringmuskel *m*.
órbita *f* **1.** *Astr., Phys.* Kreisbahn *f*; (Planeten-, Geschoß-)Bahn *f*; ~ *electrónica* Elektronenbahn *f*; *Raumf. poner* (*od. colocar*) *en* ~ auf e-e Umlaufbahn bringen; **2.** *Anat.* Augenhöhle *f*.
orbital *adj. c* **1.** *Phys.* Kreisbahn...; *Raumf. movimiento m* ~ Umlaufbewegung *f*; **2.** ⚕ orbital, Augenhöhlen...
orca *Zo. f* Sturmfisch *m*.
orco *Myth. u. fig. m* Orkus *m*, Unterwelt *f*.
órdago *m Kart.* Einsatz *m b. Musspiel*; *fig.* F *de* ~ großartig, prima F, enorm F, gewaltig F.
ordalías *Ma. f/pl.* Gottesurteil *n*.
orden I. *m* **1.** Ordnung *f*; Regel *f*; *del* ~ *público* (Ordnungs-)Polizei...; *estar* (*poner*) *en* ~ in Ordnung sein (bringen); *salir del* ~ von der Ordnung (*od.* Regel) abweichen; *turbar el* ~ *público* die öffentliche Ordnung stören; **2.** Ordnung *f* (*a. Biol.*, ♣, ⚘); Kategorie *f*, Rang *m*; Gruppe *f*, Klasse *f*, Komplex *m*; (Berufs-) Stand *m*; *de primer* ~ ersten Ranges, erstklassig; *a. Parl.* ~ *del día* Tagesordnung *f*; ~ *de ideas* Gedankenkomplex *m*; *pasar al* ~ *del día* zur Tagesordnung übergehen; **3.** Ordnung *f*, Anordnung *f*; Aufstellung *f*; Reihenfolge *f*; ⚔ *a.* Form *f*; *por* ~ *alfabético* (in) alphabetisch(er Ordnung), nach dem Alphabet; ⚔ ~ *de combate* Gefechtsform *f*; ~ *de marcha* Marschfolge *f*, Fahrordnung *f*; **4.** ⚠ Baustil *m*; Säulenordnung *f*; ~ *dórico* dorische Ordnung *f*; **5.** *Theol.* **a)** (Engel-)Ordnung *f*; **b)** ~ (*sacerdotal*) Priesterweihe *f*; **II.** *f* **6.** *ecl. u. hist.* Orden *m*; ~ *de caballería* Ritterorden *m*; ~ *monástica* Mönchsorden *m*; ~ *de Predicadores*, ~ *de Santo Domingo* Prediger-, Dominikaner-orden *m*; ~ (*de los caballeros*) *de San Juan* Johanniterorden *m*; **7.** Befehl *m*; Weisung *f*, Auftrag *m* (✝ → *8*); Anordnung *f*, Verordnung *f*; *fig.* Gebot *n*; ⚔ ~ *del día* Tagesbefehl *m*; ⚔ ~ *de marcha* Marschbefehl *m*; ⚔ *¡a la* ~*!* jawohl!; zu Befehl!; melde mich zur Stelle!; *¡(siempre) a sus órdenes!* (stets) zu Ihren Diensten!; *por* (*od. de*) ~ *de* auf Befehl (*od.* Anordnung) von (*dat.*); im Auftrag von (*dat.*); ⚔ *consignar las órdenes* die Postenanweisung ausgeben; **8.** ✝ Auftrag *m*, Bestellung *f*; Order *f*; Anweisung *f*; ~ *de pago* Zahlungsanweisung *f*; *papeles m/pl. a la* ~ Orderpapiere *n/pl.*; *según la* ~ (*recibida*) auftraggemäß; *hasta nueva* ~ bis auf weiteres; *a. Verw. por* ~ im Auftrag; per Prokura (✝); *dar* (*od. pasar*) *una* ~ e-n Auftrag erteilen; *despachar* (*od. ejecutar*) *una* ~ e-n Auftrag abwickeln, e-e Bestellung erledigen; **9.** Orden *m*, Auszeichnung *f*; ♀ *del Mérito Militar span.* Kriegsverdienstorden *m*; ♀ *Militar de la Cruz de San Fernando höchste span. Tapferkeitsauszeichnung*; **10.** *ecl.* ~ *de acólito* Weihe *f* zum Akoluth; *órdenes f/pl. mayores* (*menores*) höhere (niedere) Weihen *f/pl.*; *las sagradas órdenes* die (sieben) Weihen zum Geistlichen.
orde|nación *f* **1.** (An-)Ordnung *f*; Regelung *f* (*a. Pol.*, ✝); **2.** *ecl.* Priesterweihe *f*; Ordination *f*; **3.** *Verw.* Amt *n*; *bsd.* Buchhaltung *f*, Zahlstelle *f*; **~nada** ♣ *f* Ordinate *f*; **~nador I.** *adj.* **1.** ordnend; **II.** *m* **2.** Ordner *m*; **3.** Vorsteher *m* e-r *ordenación*, *etwa*: (Ober-)Amtmann *m*; **4.** ⊕ Elektronenrechner *m*, Computer *m*; **~namiento** *m* Ordnung *f*; Anordnung *f*; **~nancista** *adj. c* streng auf Einhaltung der Vorschrift(en) achtend; **~nando** *ecl. m* zu ordinierende(r) Geistliche(r) *m*; **~nanza I.** *f* **1.** Anordnung *f*; Verordnung *f*; ⚔, *Verw.* Dienstanweisung *f*; *~s f/pl.* Vorschrift(en) *f*(*/pl.*); *de* ~ vorschriftsmäßig; **II.** *m* **2.** ⚔ **a)** Ordonnanz *f*; **b)** (Offiziers-)Bursche *m*, Putzer *m*; **3.** Amts- *bzw.* Büro-Bote *m*; **~nar I.** *v/t.* **1.** ordnen; sichten; einrichten; *vida f ~ada* geordnete Lebensführung *f*; ordentliches (*od.* solides) Leben *n*; ~ *por materias* nach Sachgebieten ordnen; **2.** anordnen, verfügen; befehlen; bestimmen, vorschreiben; ⚔, *Verw. ordenamos y mandamos* hiermit wird angeordnet; **3.** ordnen, lenken, ausrichten; ~ *los esfuerzos encaminándolos a* die Anstrengungen ausrichten auf (*ac.*); **4.** *ecl.* ordinieren; zum Priester weihen; **II.** *v/r.* *~se* **5.** *ecl.* ordiniert werden.
orde|ñadero ↗ *m* Melkeimer *m*; **~ñador** *adj.-su.* Melker *m*; **~ñadora** *f* **1.** Melkerin *f*; **2.** Melkmaschine *f*; **~ñar** *v/t.* melken; *p. ext.* *Oliven* mit der ganzen Hand pflücken; **~ñavacas** ↗ *m* (*pl. inv.*) Melker *m*, Schweizer *m*; **~ño** *m* Melken *n*; *p. ext. a* ~ (*Oliven*) mit der ganzen Hand abstreifend (*pflücken*).
órdiga P *int. ¡la* ~*!* nein, sowas! *bzw.* einfach toll! F.
ordinal ♣, *Gram. adj. c* Ordnungs-...; *número m* ~ Ordnungszahl *f*.
ordina|riamente *adv.* üblicherweise; **~riez** *f* Ungeschliffenheit *f*; Grobheit *f*; Unflätigkeit *f*; **~rio I.** *adj.* **1.** ⚖ ordentlich; *asamblea f ~a* ordentliche Versammlung *f*; **2.** gewöhnlich, üblich; alltäglich; *adv. de* ~ gewöhnlich, üblicherweise; **3.** gewöhnlich, gemein, ordinär; **II.** *m* **4.** *nur ecl.* Ordinarius *m*; **~tivo** *adj.* die Ordnung betreffend.
orear I. *v/t.* (aus)lüften; **II.** *v/r.* *~se* frische Luft schöpfen.
orégano ⚘ *m* **1.** Dost *m*; *Spr. no es* ~ *todo el monte* es treten überall Schwierigkeiten auf; *se* (*le*) *hace el campo* ~ (er hat) überall glatte Bahn, es gelingt (ihm) alles; **2.** *Am.* Majoran *m*.
oreja *f* **1.** (äußeres) Ohr *n*; *p. ext.* Gehör *n*; F Ohrmuschel *f*; *aguzar* (*od. alargar*) *las ~s* die Ohren spitzen (*Tiere u. fig.*); *fig.* F *bajar las ~s* klein beigeben; *Stk. conceder* (*el honor de*) *la* ~ *den Torero* durch Verleihung e-s Ohrs des erlegten Stiers ehren; *fig. descubrir* (*od. enseñar*) *la* ~ s. von s-r wahren Seite zeigen; *fig. estar a la* ~ *de alg.* j-m dauernd in den Ohren liegen F; *fig.* F *mojar a alg. la* ~ Händel mit j-m suchen; j-n beleidigen (*od.* anrempeln F); *fig. ponerle a alg. las ~s coloradas* j-m das Blut ins Gesicht treiben; *rascarse las ~s* s. hinter den Ohren kratzen; *fig.* F *tenerle a alg. de la* ~ j-n fest an der Kandare haben; *fig.* F *no valer sus ~s llenas de agua* ganz u. gar nichts taugen (*Person*); *fig.* F *ver las ~s del lobo* in großer Gefahr schweben, in Teufels Küche sein F; *fig.* F *haber visto las ~s del lobo* noch einmal mit einem blauen Auge davongekommen sein (*fig.* F); **2.** ohrenförmiges Gebilde *n*; Seitenteil *n*; Ohr *n*, Henkel *m*, Klappe *f*; Ohrenklappe *f e-r Mütze*; Umschlagklappe *f e-s Buches*; Backe *f e-s Sessels*; **3.** Lasche *f*, Zunge *f e-s Schuhs*; Seitenteil *n des Oberleders b. Schuh*; **4.** *Kchk.* ~ *de abad*, ~ *de monje Art* hauchdünner Pfannkuchen *m*; **5.** ⚘ ~ *de abad* Venusmuschel *f*; ~ *de fraile* Haselwurz *f*; ~ *de oso* Aurikel *f*; ~ *de ratón* Mausohr *n*; **6.** *Zo.* ~ *marina* „Seeohr" *n* (*Muschel*).
ore|jano *adj.* **1.** *Am. Vieh*: ohne Besitzzeichen; herrenlos; *fig.* verwildert; *fig.* mißtrauisch; menschenscheu; **2.** *Ven.* → **~jeado** F *adj.* auf der Hut, gewarnt; **~jear** *v/i.* **1.** die Ohren bewegen (*bzw.* spitzen); *fig.* unwillig arbeiten,

murren; **2.** *Am. Cent., Méj.* horchen, (heimlich) lauschen; **3.** *fig. Méj., P. Ri.* mißtrauisch sein; **~jera** *f* **1.** Ohrenklappe *f b. Mützen usw.*, Ohrenschützer *m*; Ohrschutz *m b. Helmen*; Ohrpflock *m der Indianer*; **2.** (*seitliche*) Klappe *f*, Seitenteil *n*; ⚒ Pflugschürze *f*; **~jón I.** *Am. adj.* **1.** → *orejudo*; *fig.* roh, grob (*Person*); **II.** *m* **2.** *fig.* Hahnrei *m*; **3.** *Kchk.* getrockneter *Aprikosen-, Melonen- usw.* Schnitz *m*; *compota f de ~ones* (Dörr-)Obstkompott *n*; **4.** Ruck *m* an den Ohren; *darle a alg. un ~* j-m am Ohr reißen; **5.** *hist.* Inkaadlige(r) *m*; **6.** F *Col.* Bewohner *m* der bogotanischen Hochebene; **~judo I.** *adj.* langohrig; **II.** *m Zo. großohrige* Fledermaus *f*; **~juela** *f* Henkel *m*; Tab *m* (*engl.*) *b. Karteikarten.*

oreo *m* **1.** sanftes Lüftchen *n*; **2.** Lüftung *f*, Auslüften *n*.

orfan|ato *m* Waisenhaus *n*; **~dad** *f* Verwaisung *f* (*a. fig.*); Waisenstand *m*.

orfebre *m* Goldschmied *m*; **~ría** *f* **1.** Goldschmiede-, Juwelier-arbeit *f*; **2.** Goldschmiedekunst *f*.

orfe|ón ♪ *m* Gesangverein *m*; Chor *m*; **~onista** ♪ *m* Mitglied *n* e-s Gesangvereins (*od.* Chores).

órfico *Myth., Rel. u. fig. adj.* orphisch.

organdí *tex. m* (*pl.* ~*í[e]s*) Organdy *m*.

organelo *Biol. m* Organelle *f*.

organero *m* Orgelbauer *m*.

or|gánico *adj. a. fig.* organisch; Organ...; **~ganigrama** *m* Organisationsschema *n*; Stellenplan *m*.

organi|llero *m* Drehorgelspieler *m*, Leierkastenmann *m*; **~llo** *m* Drehorgel *f*, Leierkasten *m*.

organis|mo *m Biol.*, ⚕, ⚖, *Pol. u. fig.* Organismus *m*; *fig. a.* Verband *m*, Körperschaft *f*; *Verw. ~ consumidor* Bedarfsträger *m*; *Pol.* ♀ *Internacional de Energía Atómica, Abk. OIEA f* Internationale Atomenergie-Organisation *f*, *Abk. IAEO f*; **~ta** ♪ *c* Orgelspieler(in *f*) *m*; Organist(in *f*) *m*.

organiza|ción *f* **1.** Organisation *f*; Einrichtung *f*; *Verw.*, ⚖ *a.* Verband *m*, Verein *m*; *Pol.* ♀ *de Cooperación y Desarrollo Económico, Abk. OCDE f* Organisation *f* für wirtschaftliche Zusammenarbeit und Entwickling, *Abk. OECD f*; ♀ *de Estados Americanos, Abk. OEA* Organisation *f* Amerikanischer Staaten, *Abk. OAS f*; ♀ *Internacional del Trabajo, Abk. OIT* Internationale Arbeitsorganisation *f*; *~ profesional* Berufsverband *m*; *~ superpuesta, ~ central* Dach-verband *m*, -organisation *f*; **2.** Organisation *f*; Aufbau *m*, Gliederung *f*; Einrichtung *f*, Anlage *f*; Verfassung *f*; *~ del trabajo* Arbeits-organisation *f*, -planung *f*; **3.** Organisation *f*, Veranstaltung *f*; **~dor I.** *adj.* organisierend, Organisations...; **II.** *m* Organisator *m*; Veranstalter *m*; **~r** [1f] **I.** *v/t.* **1.** organisieren; aufbauen; gliedern; ordnen, gestalten; einrichten, planen; **2.** organisieren, veranstalten; **II.** *v/r.* **~se 3.** s. organisch zs.-fügen; s. gliedern; s. (zu e-m Verband) zs.-schließen; **4.** in Ordnung kommen; zu e-r festen Regel werden; **5.** F passieren.

órgano *m* **1.** *Biol. u. fig.* Organ *n* (*a. Mitteilungsblatt e-s Verbandes usw.*); ⊕ *~ de mando* Steuerorgan *n*; *Biol. ~s m/pl. sexuales* Geschlechtsorgane *n/pl.*; **2.** ♪ Orgel *f*; *~ de manubrio* → *organillo*.

organo|genia *Biol. f* Organogenese *f*, Organentstehung *f*; **~logía** *f* **1.** *Biol.* Organlehre *f*; **2.** ♪ Orgel(bau)-kunde *f*; **~terapia** ⚕ *f* Organtherapie *f*.

or|gasmo *Biol. m* Orgasmus *m*; **~gástico** *adj.* orgastisch.

or|gía, ~gia *f* Orgie *f*; Ausschweifung *f*, Zügellosigkeit *f*; *fig. a.* Schwelgen *n* (in *dat.* de); **~giaco, ~giástico** *adj.* Orgien...; schwelgerisch; wüst, zügellos.

orgullo *m* Stolz *m*; Hochmut *m*; **~so** *adj.* (*estar*) stolz (auf *ac.* de); (*estar, ser*) hochmütig.

orien|table ⊕ *adj. c* verstellbar, einstellbar (*Richtung*); *horizontal* schwenkbar; **~tación** *f* **1.** *a. fig.* Orientierung *f*; (Aus-)Richtung *f*; *Geol.* Richtung *f*, Strich *m e-r Schicht*; Lage *f e-s Gebäudes nach den Himmelsrichtungen*; *fig. politische* Ausrichtung *f*; ⚓ *~ del aparejo* Segelstellung *f*; **2.** Orientierung *f*, Ortsbestimmung *f*; Peilung *f*, Ortung *f*; **3.** *fig.* Orientierung *f*; Beratung *f*; Übersicht *f*; Übersichtlichkeit *f*; *~ profesional* Berufsberatung *f*; *a título de ~* zur Orientierung; **~tador** *adj.* orientierend; *fig.* richtungweisend; **~tal I.** *adj. c* orientalisch; östlich; Ost...; *Iglesia f ~* Ostkirche *f*; **II.** *m* Orientale *m*, *lit.* Morgenländer *m*; **III.** *f Lit. an orientalischen Themen inspiriertes Gedicht*; **~talismo** *m* **1.** orientalisches Wesen *n*; **2.** Hang *m* zum Orientalischen; **3.** 🕮 Orientalistik *f*; **~talista** *adj.-su. c* orientalistisch; *m* Orientalist *m*; **~tar I.** *v/t.* **1.** *a. fig.* orientieren; lagemäßig (*od. fig.* ideologisch) ausrichten; orten; **2.** ⊕ ein-, ver-stellen, (ein-)richten; *a.* ⚔ *Rohr e-s Geschützes* schwenken; ⚓ trimmen; **3.** *fig.* einweisen; unterrichten, informieren; beraten; **II.** *v/r.* **~se 4.** *a. fig.* s. orientieren; s. zurechtfinden; s. informieren; s. einarbeiten; **5.** peilen; **~te** *m* **1.** Osten *m*, Morgen *m* (*lit.*); **2.** Osten *m*; Orient *m*, Morgenland *n* (*lit.*); **3.** *Pol.* ♀ *Extremo* (*od. Lejano*) Fernost *m*; ♀ *Medio* Mittelost *m*; *Próximo* ♀ Nahost *m*, Vorderer Orient *m*.

orificar [1g] *v/t.* ⚕ *Zahn* mit Gold füllen.

orificio *m* Öffnung *f* (*a. Anat.*), Loch *n*; ⊕ *~ de acceso* Mannloch *n*; ⚓ *~ de carga* Ladeluke *f*; *~ de salida* Austritt *m*; Ausschuß(öffnung *f*) *m b. e-r Schußverletzung*; *Anat. ~ uterino* Muttermund *m*.

oriflama *f hist.* Lilienbanner *n*; *p. ext.* Banner *n*.

origen *m* **1.** Ursprung *m*; Entstehung *f*; Herkunft *f*; Abstammung *f*; *fig.* Quelle *f* (*fig.*); *Biol. el ~ de las especies* die Entstehung der Arten; **2.** ⩘ *u. fig.* Ausgangs-, Nullpunkt *m*; **3.** *fig.* Ursache *f*, Veranlassung *f*.

origina|l I. *adj. c* **1.** ursprünglich; Ursprungs...; Ur...; Original...; urschriftlich; *Theol. pecado m ~* Erbsünde *f*; **2.** sonderbar, originell; **II.** *m* **3.** *a. Typ. u. fig.* Original *n*; Urtext *m*, Urfassung *f*; Urbild *n*; **4.** Kauz *m*, Original *n* F; **~lidad** *f* Ursprünglichkeit *f*; Originalität *f*; Eigentümlichkeit *f*; *fig.* Sonderbarkeit *f*, Kauzigkeit *f*; **~r I.** *v/t.* verursachen, hervorrufen, veranlassen; **II.** *v/i.* ⚒ *u.* **~se** *v/r.* entstehen, erwachsen, entspringen, verursacht werden; **~rio** *adj.* **1.** (her)stammend, gebürtig (aus *dat.* de); **2.** ursprünglich; angeboren; wesensmäßig (mitgegeben); **3.** verursachend; *ser ~ de algo* et. verursachen, Grund sein von et. (*dat.*).

orilla[1] *f* **1.** Rand *m*; Saum *m*; *a la ~* nahebei; *tex.* → *orillo*; **2.** Ufer *n*, Gestade *n*, Strand *m*; (*situado*) *a ~s del Ebro* am Ebro (gelegen); *~ del mar* Meeresufer *n*; *fig. la otra ~* das Jenseits; **3.** *Arg., Méj. ~s f/pl.* Umgebung *f*; Stadtrand *m*.

orilla[2] *f* **1.** ⚒ kühler Wind *m*; **2.** *Ec.* Wetter *n*.

ori|llar *v/t.* **1.** rändern; säumen; verbrämen; **2.** *fig. Geschäft* erledigen; *Gefahr* beseitigen; *Schwierigkeit* überwinden; **3.** *Arg. Thema* streifen; **4.** *Méj. j-n* in die Enge treiben; **~llero** *adj.* **1.** *Am.* am Rande (*bzw.* am Ufer) befindlich; **2.** *Am. Reg.* Vorstadt...; **~llo** *m* Webekante *f*; buntgewebter Saum *m*.

orín[1] *m* Rost *m*; *tomarse de ~* rostig werden, rosten.

orín[2] *m* → *orina*.

ori|na *f* Urin *m*, Harn *m*; *análisis m de ~* Harnanalyse *f*; **~nal** *m* Nachttopf *m*; Uringlas *n*; **~nar** *vt/i.* Harn lassen, urinieren, harnen; **~nes** *m/pl.* → *orina*.

orinque ⚓ *m* Bojenreep *n*.

oriol *m* → *oropéndola*.

Orión *Myth., Astr. m* Orion *m*.

oriundo *adj.* stammend, gebürtig (aus *dat.* de).

orla *f* Saum *m*, Borte *f*; Randverzierung *f*; *Typ. ~ negra* Trauerrand *m*; **~dura** *f* Umrandung *f*; Besatz *m e-r Uniform usw.*; **~r** *v/t.* (ein-)fassen, säumen; *Typ.* mit e-m Schmuck- *bzw.* Trauer-rand versehen.

orlo[1] ♪ *Folk. m* Alphorn *n*.

orlo[2] △ *m* → *plinto*.

orlón *Wz. tex. m* Orlon *n* (*Kunstfaser*).

ornamen|tación *f* Verzieren *n*; Verzierung *f*, Schmuck *m*; **~tal** *adj. c* ornamental; Schmuck...; *arte m ~* Ornamentik *f*; **~tar** *v/t.* verzieren; zieren, schmücken; **~to** *m* Verzierung *f*; Schmuck *m*; Ornament *n*; *~s m/pl.* Schmuckelemente *n/pl.*; *fig. lit.* (zierende) Eigenschaften *f/pl.*; *ecl. ~s* (*sacerdotales*) **a)** Ornat *m*; Priestergewänder *n/pl.*; **b)** Paramente *pl.*

orna|r *v/t.* (ver)zieren; schmücken (mit *dat.* de); **~to** *m* Verzierung *f*, Schmuck *m*; Zierat *m*.

orni|tófilo *m* Vogelzüchter *m*; **~tología** *f* Vogelkunde *f*; **~tólogo** *m* Ornithologe *m*; **~tomancia** *f* Weissagung *f* aus dem Vogelflug; **~torrinco** *Zo. m* Schnabeltier *n*.

oro *m* **1.** *a. fig.* Gold *n*; ~ *arrastrado* Schwemmgold *n der Flüsse*; ~ *en barras* Barrengold *n*; ~ *batido* Schlag-, Blatt-gold *n*; ~ *chapado* Golddublee *n*, Doublé *n*; ⚕ ~ *dental* Zahngold *n*; ~ *de ley* Feingold *n*; *Mal.* ~ *molido (musivo)* Muschel-(Musiv-)gold *n*; ~ *en polvo* Goldstaub *m*; *fig. corazón m de* ~ goldenes Herz *m*; *fig. fiebre f de* ~ Goldfieber *n*; *a. fig. mina f de* ~ Goldgrube *f*; ⚒ *quijo m de* ~ Goldstufe *f*; *fig.* F *como un* ~ blitzsauber; *guardar como* ~ *en paño* wie s-n Augapfel hüten; F *ponerle a uno de* ~ *y azul* j-n fürchterlich herunterputzen; *prometerle a uno montañas de* ~ (*od. el* ~ *y el moro*) j-m goldene Berge (*od.* das Blaue vom Himmel) versprechen; *su palabra es de* ~ er ist ein Mann von Wort, sein Wort ist goldsicher; *el tiempo es* ~ Zeit ist Geld; *ser bueno como el* ~ *od. ser* ~ *molido* goldsicher sein; unbedingt verläßlich sein; *ser otro tanto* ~ *od. valer tanto como* ~ Gold wert sein; *Spr. no es* ~ *todo lo que reluce* es ist nicht alles Gold, was glänzt; **2.** *Kart.* ~*s m/pl. etwa*: Schellen *f/pl.*, Karo *n*.

oroban|ca *f*, ~**que** *m* ⚘ Sommerwurz *f*, Hanfwürger *m*, Orobanche *f*.

orobias *m feiner* Weihrauch *m in Körnern*.

oro|génesis *Geol. f* Gebirgsbildung *f*, Orogenese *f*; ~**genia** *f* Lehre *f* von der Entstehung der Gebirge; ~**génico** *adj.* orogen; ~**grafía** *f* Orographie *f*.

orondo *adj.* bauchig (*Gefäß*); *fig.* F stolz, zufrieden; stolz, aufgeblasen.

oronja ⚘ *f*: ~ *falsa* Fliegenpilz *m*; ~ *verdadera* Butterpilz *m*.

oro|pel *m* Flittergold *n*; *fig.* Tand *m*; Flitter *m*; ~**péndola** *Vo. f* Pirol *m*; ~**pimente** *Min. m* Arsenblende *f*.

oroya *f Bol., Pe.* Hängekorb *m zur Flußüberquerung*.

orozuz ⚘ *m* Süßholz *n*.

orques|ta *f* **1.** ♪ Orchester *n*; Kapelle *f*; ~ *de cámara* Kammerorchester *n*; ~ *sinfónica* Symphonieorchester *n*; **2.** *Thea.* Orchesterraum *m*; ~**tación** ♪ *f* Orchestrierung *f*; ~**tal** *adj. c* Orchester...; ~**tar** ♪ *v/t.* orchestrieren, instrumentieren; ~**tina** ♪ *f* Kapelle *f*, Ensemble *n*.

or|quidáceas ⚘ *f/pl.* Orchideen *f/pl.*; ~**quídea** ⚘ *f* Orchidee *f*; ~**quitis** ⚕ *f* Hodenentzündung *f*, Orchitis *f*.

ortega *Vo. f* Birkhuhn *n*; ~ *f macho* Birkhahn *m*.

orteguiano *Phil.* **I.** *adj.* Ortega...; **II.** *m* Anhänger *m* des span. Philosophen Ortega.

ortiga *f* **1.** ⚘ Nessel *f*; Brennessel *f*; ~ *blanca (muerta)* weiße (rote) Taubnessel *f*; **2.** *Zo.* ~ *de mar* Seeanemone *f*; ~**l** *m* mit Nesseln bestandener Platz *m*.

orto *Astr. m* Aufgang *m*; Sonnenaufgang *m*.

orto|cromático *Phot. adj.* orthochromatisch, farbenempfindlich (*außer Rot*); ~**doncista** ⚕ *m* Kieferorthopäde *m*; ~**doxia** *Theol. f* Orthodoxie *f*; Rechtgläubigkeit *f*; ~**doxo** *Theol. u. fig.* **I.** *adj.* orthodox; rechtgläubig; strenggläubig; **II.** *m* Orthodoxe(r) *m*; ~**dromia** ⚓, ✈ *f* Orthodrome *f*, Großkreis(linie *f*) *m*; ~**fónico** *Rf. adj.* klangrein; ~**gonal** ⨺ *adj. c* rechtwinklig; ~**grafía** *f* Rechtschreibung *f*; ~**grafiar** [1c] *v/t.* orthographisch richtig schreiben; ~**gráfico** *adj.* orthographisch; Rechtschreibungs...; ~**logía** *f* Kunst *f*, grammatisch u. phonetisch richtig zu sprechen; ~**pedia** ⚕ *f* Orthopädie *f*; ~**pédico** ⚕ **I.** *adj.* orthopädisch; **II.** *m* → ~**pedista** ⚕ *c* Orthopäde *m*.

ortópteros *Ent. m/pl.* Geradflügler *m/pl.*

ortos|copia *Opt. f* Orthoskopie *f*; ~**tático** ⚕, ⚠ *adj.* orthostatisch.

oruga *f Zo.*, ⊕ Raupe *f*; *Kfz.* Raupenkette *f*.

orujo *m* Trester *pl.*, Treber *pl. v. Trauben u. Oliven*; *torta f de* ~ Öl-, Trester-kuchen *m* (*Viehfutter*); (*aguardiente m de*) ~ Trester(-schnaps) *m*.

orva|llar *Reg. v/i.* → *lloviznar*; ~**lle** ⚘ *m* → *gallocresta*; ~**llo** *m Reg.* → *llovizna*.

orza[1] *f* Einmachtopf *m* (*Steintopf*).

orza[2] ⚓ *f* **1.** Anluven *n*; *a (od. de)* ~ gg. den Wind, luv; **2.** (Kiel-)Schwert *n der Segelschiffe*.

orzaga ⚘ *f* Salzmelde *f*.

orzar [1f] ⚓ *v/i.* luven.

orzue|la *f Méj.* Haarnadel *f*; ~**lo** ⚕ *m* Gerstenkorn *n*.

os *pron. pers.* euch.

osa *f* Bärin *f*; *Astr.* ♀ *mayor (menor)* großer (kleiner) Bär *m*, (Himmels-)Wagen *m*.

osa|día *f* Kühnheit *f*; Wagemut *m*; Verwegenheit *f*, Dreistigkeit *f*; ~**do** *adj.* kühn, verwegen.

osamenta *f* **1.** Skelett *n*; **2.** Gebeine *n/pl.*, Knochen *m/pl.*

osar[1] *v/i.* wagen; s. erdreisten.

osar[2] †, ⚒ *m*, ~**rio** *m* **1.** Beinhaus *n*; Schädelstätte *f*; **2.** Begräbnis(platz *m*) *n*.

Oscar *m* Oscar *m* (*Filmauszeichnung*).

osci|lación *f* **1.** *Phys. u. fig.* Schwingung *f*; **2.** *a. fig.* ✝ Schwankung *f*; ~**lador** *HF m* Oszillator *m*; ~**ladora** *HF f* Oszillatorröhre *f*; ~**lante** *adj. c* schwingend; ~**lar** *v/i. Phys., Biol.* oszillieren, schwingen; *a. fig.* pendeln; zucken; *a. fig.* schwanken; ✝ *los precios oscilan entre 20 y 50 ptas.* die Preise schwanken zwischen 20 u. 50 Peseten; ~**latorio** *adj.* schwingend; ~**lógrafo** *Phys. m* Oszillograph *m*; ~**lograma** *m* Oszillogramm *n*; ~**loscopio** *m* Oszilloskop *n*.

ósculo *lit., Ku. m*: ~ *de paz* Friedenskuß *m*.

oscu|rantismo *m* Obskurantismus *m*; (systematische Massen-)Verdummung *f*; ~**rantista** **I.** *adj. c* verdummend, Verdummungs...; **II.** *m* Dunkelmann *m*; (Volks-)Verdummer *m*; ~**recer** [2d] **I.** *v/t. a. fig.* verdunkeln; *fig.* verschleiern; **II.** *v/i.* dunkel werden; **III.** *v/r.* ~*se a. fig.* s. verfinstern; s. umwölken; *fig.* verblassen (*z. B. Ruhm*); **IV.** *m*: *al* ~ in der Abenddämmerung; ~**recimiento** *m a. fig.* ⚔ Verdunkelung *f*; Verfinsterung *f*; ~**ridad** *f* **1.** Dunkelheit *f*, Finsternis *f*; **2.** *fig.* Unklarheit *f*; Dunkel *n*; Verborgenheit *f*; Niedrigkeit *f der Abstammung*; ~**ro** *adj. a. fig.* dunkel; *fig.* unbekannt; *a* ~*as* im Dunkeln, im Finstern; *fig.* ahnungslos; *verde* ~ dunkelgrün.

oseína *f* → *osteína*.

óseo *adj.* knochig, Knochen...

osezno *m* Bärenjunge(s) *n*.

osifica|ción *f* Verknöcherung *f*; ~**rse** [1g] *v/r.* verknöchern.

osmanlí *adj.-su. c* (*pl.* ~*íes*) osmanisch; *m* Osmane *m*.

osmático *Biol. adj.* Geruch(sinn)s...

osmio ⚗ *m* Osmium *n*.

ósmosis *u.* **os|mosis** ⚗ *f* Osmose *f*; ~**moterapia** ⚕ *f* Osmotherapie *f*; ~**mótico** ⚗ *adj.* osmotisch.

oso *m* Bär *m*; *fig.* menschenscheue Person *f*; täppischer Kerl *m* F; *Zo.* ~ *blanco (hormiguero, lavador)* Eis-(Ameisen-, Wasch-)bär *m*; ~ *marino* Bärenrobbe *f*, Seebär *m*; ~ *pardo* Braunbär *m*; *fig.* F *hacer el* ~ s. dumm (*od.* täppisch) anstellen; s. zum Gespött der Leute machen.

¡oste! *int.* fort von hier!, ksch, ksch!, husch, husch!; *fig.* F *sin decir* ~ *ni moste* ohne ein Wort zu sagen, ohne e-n Mucksec F.

os|(t)eína *f* Ossein *n*; ~**teítis** ⚕ *f* Ostitis *f*.

osten|sible *adj. c* offensichtlich, deutlich; ~**sivo** *adj.* auffallend; ostentativ; ~**tación** *f* Schaustellung *f*; Prahlerei *f*; *hacer* ~ *de* s. brüsten mit (*dat.*); ~**tar** *v/t. Titel, Amt* (inne)haben; zur Schau stellen; vor-, auf-weisen; *p. ext.* prahlen mit (*dat.*); ~**toso** *adj.* auffallend, prunkhaft, protzend F.

osteo|... *in Zssgn.* Knochen...; ~**logía** ⚕ *f* Osteologie *f*; ~**malacia** ⚕ *f* Knochenerweichung *f*.

ostiario *kath. m* Ostiarius *m* (*Weihegrad*).

ostra *f* Auster *f*; *fig.* F *aburrirse como un* ~ s. fürchterlich langweilen (*od.* mopsen P).

ostracismo *hist u. fig. m* Ostrazismus *m*, „Scherbengericht" *n*.

os|tral *m* Austernbank *f*; ~**trero** **I.** *adj.* **1.** Austern...; **II.** *m* **2.** Austern-fischer *m*; -verkäufer *m*; **3.** Austernbank *f*; ~**trícola** *adj. c* die Austernzucht betreffend; ~**tricultura** *f* Austernzucht *f*.

ostrogodo *adj.-su.* ostgotisch; *m* Ostgote *m*; *Li. das* Ostgotische.

osudo *adj.* knochig.

osuno *adj.* Bären...; bärenhaft.

Otañez *m hist. u.* F Leibwächter *m e-r Dame* (F *a. Don* ~).

otari|a *Zo. f* Ohrenrobbe *f*; ~**o** F *adj. Arg.* dumm, täppisch.

otate *m Méj.* Bambus *m* (*versch. Arten*); *p. ext.* Gerte *f*.

ote|ar *v/t.* (von e-r Höhe aus) beobachten; absuchen; *fig.* überwachen; ~**ro** *m* Anhöhe *f*, Hügel *m*.

oti|atría ⚕ *f* Ohrenheilkunde *f*; ~**tis** ⚕ *f* Ohrenentzündung *f*; ~ *media* Mittelohrentzündung *f*.

otólogo ⚕ *m* Ohrenarzt *m*.

otomano *hist. u. lit. adj.-su.* osmanisch; *m* Ottomane *m*.

otomí *Méj. adj.-su. c* Otomí...; *m* Otomí(indianer) *m*; *Li. das* Otomí.

oto|ñada *f* Herbstzeit *f*; Herbsternte *f*; **~ñal** *adj. c* herbstlich, Herbst...; alt (*Person*); **~ñar** *v/i.* **1.** den Herbst verbringen; **2.** im Herbst keimen (*od.* sprießen); **~ño** *m a. fig.* Herbst *m*; *fin m de* ~ Spätherbst *m*.

otorga|miento *m bsd. Verw.* **1.** Bewilligung *f*, Gewährung *f*; Erteilung *f*; **2.** Ausfertigung *f*; **~nte I.** *adj. c* ausfertigend; bewilligend; **II.** *m* (Vollmacht-)Geber *m*; Aussteller *m e-s Schriftstücks*; **~r** [1h] *v/t.* **1.** ausfertigen; **2.** erteilen; bewilligen; gewähren; *Testament* errichten; *Gesetz usw.* erlassen.

otorrea ⚕ *f* Ohrenfluß *m*.

otorrinolarin|gología ⚕ *f* Hals-, Nasen-, Ohrenheilkunde *f*; **~gólogo** ⚕ *m* Hals-, Nasen-, Ohrenarzt *m*.

otoscopio ⚕ *m* Ohrenspiegel *m*.

otro *adj. pron.* ein anderer; ein zweiter; noch einer, ein neuer F; *¡otra!* noch einmal!, weiter so!; na, so was!; *~s* andere, weitere, sonstige; *~a cosa* et. anderes; *¡~ (bzw. ~a) que tal! mst. desp.* wieder so eine(r)! F; *~ tal* dasselbe; *~ tanto* ebensoviel, noch einmal soviel; *el ~ día* neulich; *al ~ día* am nächsten Tag; *uno(s) a ~(s)* einander, gg.-seitig; *de un lado a ~* hin und her; *en ~a parte* anderswo; *¡hasta ~a!* auf ein andermal!, auf bald!; *por ~a parte* andererseits; *¡y a ~a cosa!* und jetzt (endlich) Schluß damit!; *iron. ¡esa es ~a!* das wird ja immer toller F (*od.* immer besser)!; *ser (muy) ~* (ganz) anders (*od.* verschieden) sein; *fig. ser ~ Cervantes* ein zweiter Cervantes sein.

otro|ra † *adv.* früher, ehemals; **~sí** ⚖ **I.** *adv.* ferner; **II.** *m* ergänzender Antrag *m*.

ova ⚘ *f* Fadenalge *f*.

ovaci|ón *f* Ovation *f*; Beifall(s-sturm) *m*; **~onar** *v/t. j-m* e-e Ovation bringen.

ova|l(ado) *adj.* eiförmig; oval; **~lar** *v/t.* oval machen.

óvalo *m* Oval *n*.

ovari|o *m* ⚘ Fruchtknoten *m*; *Anat.* Eierstock *m*; **~otomía** ⚕ *f* Entfernung *f* der Eierstöcke.

ove|ja *f* Schaf *n*; *fig. la ~ negra* das schwarze Schaf (*fig.*); **~jero I.** *adj.* Schafe hütend; *perro m ~* (*Rpl. ~ m*) Hirten-, Schäfer-hund *m*; **II.** *m* Schäfer *m*; **~juno** *adj.* Schafs...

ove|ra *f* Eierstock *m b. Vögeln*; **~rear** *v/t. Arg., Bol., Par. am Feuer* (goldbraun) rösten; **~ro I.** *adj.* **1.** eifarben; falb; *ojo m ~* Auge *n* mit stark hervortretendem Weiß *des Augapfels*; *fig.* F Glasauge *n*; **2.** *Am.* weiß u. gelb gesprenkelt (*Rind*); *p. ext., bsd. Arg.* bunt; *fig.* F wetterwendisch (*Person*); **II.** *m* **3.** Falbe(r) *m* (*Pferd*).

overol *Angl. m* Overall *m*.

óvidos *Zo. m/pl.* Schafe *n/pl.* u. Ziegen *f/pl.*

oviducto *Biol. m* Legröhre *f des Geflügels*; *Anat.* Eileiter *m*.

ovi|llar I. *v/t.* auf ein Knäuel wikkeln; **II.** *v/r.* *~se* s. zs.-rollen (*Katze usw.*); **~llo** *m* Knäuel *n*; *hacerse un ~* s. zs.-knäueln; *fig.* **a)** s. krümmen; **b)** s. verhaspeln (*z. B. b. Reden*).

ovino *adj.* Schaf...

ovíparo *Zo. adj.* Eier legend.

ovoide(o) I. *adj.* eiförmig; **II.** *m* ⅄ Ovoid *n*.

óvolo △ *m* Ei *n* (*Dekor*).

ovulación *Biol. f* Ovulation *f*.

óvulo *Biol. m* Eizelle *f*; Samenanlage *f der Knospe*.

oxalato ⚗ *m* Oxalat *n*.

oxálida ⚘ *f Art* Sauerklee *m*.

oxear *v/t. Geflügel* scheuchen.

oxhídrico ⚗ *adj.* Sauerstoff-Wasserstoff...

oxida|ble ⚗, ⊕ *adj. c* oxydierbar; ⊕ rostend; **~ción** *f* ⚗ Oxydierung *f*; ⊕ Rostansatz *m*; ⊕ *~ anódica (od. electrolítica)* Eloxierung *f*; **~do** *adj.* **1.** ⚗ oxydiert; sauerstoffhaltig; **2.** ⊕ rostig; **~nte** ⚗ *m* Oxydationsmittel *n*; **~r I.** *v/t.* ⚗, ⊕ oxydieren; **II.** *v/r.* *~se* oxydieren; rosten.

óxido ⚗ *m* Oxyd *n*; *~ de nitrógeno* Stickstoffoxyd *n*.

oxigena|ción ⚗ *f* Sättigung *f* mit Sauerstoff; Sauerstoffaufnahme *f*; **~do** *adj.* sauerstoffhaltig; wasserstoff(superoxyd)blond, gebleicht (*Haar*); *agua f ~a* Wasserstoffsuperoxyd *n*; **~r** *v/t.* ⚗ mit Sauerstoff verbinden.

oxígeno ⚗ *m* Sauerstoff *m*; ⚕ *máscara f (para la inhalación) de ~* Sauerstoffmaske *f*.

oxi|genoterapia ⚕ *f* Sauerstofftherapie *f*; *aparato m de ~* Sauerstoff-Wiederbelebungsgerät *n*; **~hemoglobina** *Physiol. f* Oxyhämoglobin *n*.

oximetría ⚗ *f* Säuremessung *f*.

oxí|moron *Rhet. m* Oxymoron *n*; **~tono** *Gram.* **I.** *adj.* endbetont; (*sílaba f*) *~a f* endbetonte Silbe *f*; **II.** *m* Oxytonon *n*.

¡oxte! *int.* → *¡oste!*

oyamel ⚘ *m* am. Fichte *f* (*Pinus religiosa*).

oye, oyendo, *etc.* → *oír.*

oyente *c* Hörer(in *f*) *m*; *Univ.* Gasthörer(in *f*) *m*; *Rf. ~ m clandestino* Schwarzhörer *m*.

ozocerita *Min. f* → *ozoquerita.*

ozo|nar, ~nificar [1g], **~nizar** [1f] *v/t.* ⚗ ozon(is)ieren; *Wasser* keimfrei machen; **~no** ⚗ *m* Ozon *n*.

ozoquerita *Min. f* Erdwachs *n*.

P

P, p (= *pe*) *f* P, p *n.*

pabellón *m* **1.** Rundzelt *n*; **2.** Altar-, Bett-, Thron-himmel *m*; **3.** Pavillon *m*, Gartenhaus *n*; ~ *de caza* Jagd-schlößchen *n*; -hütte *f*; **4.** Pavillon *m*; (Messe- *usw.*)Halle *f*; ~ *de la fuente* Brunnenpavillon *m*; ~ *de hidroterapia* Kur-halle *f*, -haus *n*; **5.** ⚔ ~ *de armas* (*od.* *de fusiles*) Gewehrpyramide *f*; *¡~ones — armen!* setzt die Gewehre zusammen!; **6.** ⚓ Flagge *f*; *navegar bajo ~ español* unter spanischer Flagge fahren; *~ones m/pl. de conveniencia* billige Flaggen *f/pl.*; **7.** *Anat.* ~ (*de la oreja od.* ~ *acústico*) Ohrmuschel *f.*

pábilo *od.* **pabilo** *m* Docht *m*; (Licht-)Schnuppe *f*; *cortar el ~* ein Licht putzen (*od.* schneuzen).

pablar F *v/i.*: *sin hablar ni ~* ohne ein Wort zu sagen, stumm.

pábulo *m* **1.** ⚒ Nahrung *f*; **2.** *fig.* Anlaß *m*; Gesprächsstoff *m*; *dar ~ a las malas lenguas* den bösen Zungen zu reden geben.

paca[1] *bsd.* ☤ *f* Ballen *m*, Bündel *n.*

paca[2] *Zo.* *f* Paka *n.*

pacana ⚘ *f Am.* Pakkan-Nußbaum *m*; Pakkan-Nuß *f.*

pacato *adj.* friedfertig; still; allzu bescheiden; furchtsam.

pacay ⚘ *m Am. Mer.* Pakay *m*, *Baum u. Frucht.*

pace|dero *adj.* Weide...; **~dura** *f* Weiden *n*, Hüten *n*; **~r** [2d] **I.** *v/i.* weiden, grasen, *Jgdw.* äsen; **II.** *v/t.* abgrasen.

pacien|cia *f* Geduld *f*; Langmut *f*; *fig.* ~ *angelical* (*od.* *de benedictino*) Engelsgeduld *f*; *¡~ y barajar!* Abwarten und Tee trinken! F; **~te** **I.** *adj.* *c* geduldig; **II.** *m* Patient *m*, Kranke(r) *m*; *Phil.* Erleidende(r) *m*; **~zudo** *adj.* äußerst geduldig.

pacifica|ción *f* Befriedung *f*; **~dor** **I.** *adj.* Frieden erstrebend (*od.* stiftend); *bsd. ecl.* irenisch; **II.** *m* Friedensstifter *m*; **~r** [1g] **I.** *v/t.* befrieden; Frieden stiften unter *bzw.* bei (*dat.*); beruhigen, besänftigen; **II.** *v/r.* *~se* ruhig werden; s. beruhigen.

pacífico *adj.* friedfertig; friedliebend; ruhig, sanft (*Wesen*).

pacifis|mo *m* Pazifismus *m*; **~ta** *adj.-su.* *c* pazifistisch; *m* Pazifist *m.*

Paco[1] F *npr. m Koseform für Francisco*; *hist.* ♀ maurischer Freischärler *m.*

paco[2] **I.** *adj.* **1.** *Arg.*, *Chi.* rötlich; (rot)braun; **II.** *m* **2.** *Am.* Rotsilbererz *n*; **3.** *Zo. Am. Mer.* → *alpaca*[1].

pacoti|lla *f* **1.** Ramschware *f*, Schund *m*; *ser de ~* minderwertig sein; **2.** ⚓ Freigepäck *n*; **~llero** *m* **1.** Ramschverkäufer *m*; **2.** *Chi.* Hausierer *m.*

pac|tar **I.** *v/t.* vereinbaren, ausbedingen; *lo ~ado* das Ausbedungene; die Abmachungen *f/pl.*; **II.** *v/i.* paktieren (mit *dat.* *con*); **~to** *m* Vertrag *m*; Pakt *m*; *a. fig.* *hacer un ~ con* e-n Pakt schließen mit (*dat.*).

pacú *Gua. m Rpl.*: *eßbarer Flußfisch* (*Pacu nigricans*).

pacuno *adj.* *Chi.* gewöhnlich, plebejisch; unzivilisiert.

pachamanca *Ke. f Am. Mer.* *in e-r Erdgrube zwischen heißen Steinen gegarter* Braten *m.*

pachol *Méj. m* **1.** wirrer Haarschopf *m*; **2.** Pachol-Indianer *m.*

pacholi *m* **1.** *Méj.* braun gerösteter Maisfladen *m*; **2.** → *pachulí.*

pachón[1] *m Jgdw.* Dachshund *m*; *fig.* F Tolpatsch *m.*

pachón[2] *Na. m Am.* Regenumhang *m aus Palmblättern der Indianer.*

pacho|rra *f* Trägheit *f*; Dickfelligkeit *f*; **~rrudo** *adj.* träge, phlegmatisch; dickfellig.

pachucho *adj.* welk; matschig (*Obst*); *fig.* F erschöpft, total erledigt F (*od.* hin F).

pachulí ⚘ *m* Patschuli *n* (*Pfl. u. Parfüm*); *Col.* billiges Parfüm *n.*

paddock *engl. m* Paddock *m* (*Gehege*).

pade|cer [2d] **I.** *v/t.* erleiden, erdulden; leiden an (*dat.*); *fig.* behaftet sein mit (*dat.*); *fig.* zum Opfer fallen (*dat.*); **II.** *v/i.* leiden; ~ *del estómago* magenkrank sein; **~cimiento** *m* Leiden *n.*

padilla *f* kl. Bratpfanne *f*; kl. Backröhre *f zum Brotbacken.*

padra|stro *m* **1.** Stiefvater *m*; *fig.* Rabenvater *m*; **2.** Niednagel *m*; *fig.* Hindernis *n*; **~zo** F *m* herzensguter Vater *m.*

padre *m* **1.** Vater *m*; *ecl.* Pater *m*; *los ~s* die Eltern; ~ *adoptivo* Adoptivvater *m*; *hist.* *~s m/pl. conscriptos* römische Senatoren *m/pl.*, *lt.* patres *m/pl.* conscripti; *ecl.* ~ *dominico* Dominikanerpater *m*; *ecl.* ~ *espiritual* Beichtvater *m*; Seelsorger *m*; ~ *de familia* Familien-, Haus-vater *m*; *fig.* ~ *político* Schwiegervater *m*; *Santo* ♀ Heiliger Vater *m*, Papst *m*; *los Santos ~s* (*de la Iglesia*) die (Kirchen-)Väter; *los Srs. López ~ e hijo* die Herren López senior und junior; *Theol.* *Dios* ♀ Gott *m* Vater; *fig.* F *escándalo m ~* Riesenskandal *m*; *fig.* F *susto m ~* Mordsschrecken *m* F; *fig.* F *de ~* (*y muy señor mío*) gehörig, gewaltig, nicht von schlechten Eltern; *bibl.* *dormir con sus ~s* zu s-n Vätern versammelt sein; **2.** ⛏ Zucht-hengst *m bzw.* -eber *m*, -bock *m usw.*; **~ar** *v/i.* **1.** s-m Vater nachschlagen; **2.** ⛏ (als Samentier) für die Zucht dienen; **~nuestro** (*a. Padre Nuestro*) *m* Vaterunser *n.*

padri|llo *m Am. Mer.* Zuchthengst *m*; **~nazgo** *m* Patenschaft *f*; *fig.* Schutz *m*, Protektion *f*; **~no** *m* **1.** Taufpate *m*; **2.** Trauzeuge *m*; Brautführer *m*; **3.** Sekundant *m b. Duell*; **4.** *fig.* Gönner *m*; Beschützer *m*; *tener buenos ~s* gute Beziehungen haben.

pa|drón *m* **1.** Einwohnerverzeichnis *n*; Urliste *f*; Stammrolle *f*; **2.** Formular *n*, Liste *f*; **3.** Modell *n*, Muster *n*, Vorbild *n*; *fig. iron.* Schandfleck *m*; *lit.* ~ *de ignominia* Schandmal *n*; **4.** F → *padrazo*; **5.** *Am.*, *außer Méj.* Zuchthengst *m*; *Col.* Zuchtstier *m*; **~drote** *m* **1.** F → *padrazo*; **2.** ⛏ → *padre* 2.

pae|lla *Kchk. f* Paella *f*, *valencianisches Reisgericht mit Gemüse, Muscheln, Fisch u. Fleisch*; **~llera** *f* Paella-Pfanne *f.*

¡paf! *onom.* klatsch!, plumps!

paflón △ *m* Tafel-, Felder-decke *f.*

paga *f* **1.** Zahlung *f*; **2.** Löhnung *f*, Lohn *m*; ⚓ Heuer *f*; ⚔ Sold *m*; *día m de ~* Sold-, Zahl-tag *m*; **3.** *fig.* Belohnung *f*; Vergeltung *f*; **~ble** *adj.* *c* (be)zahlbar; **~dero** *adj.* zahlbar; fällig; **~do** *adj.* **1.** bezahlt; verzollt; franko; *no ~* unbeglichen; **2.** *fig.* ~ *de sí mismo* selbstgefällig, eingebildet; **~dor** *m* Zahler *m*; mit Auszahlungen beauftragte(r) Beamte(r) *m* (*od.* Angestellte[r] *m*) *des Staats*; **~duría** *f* Zahlstelle *f*; **~mento** *m* Zahlung *f.*

paga|na *f* Heidin *f*; **~nismo** *m* Heidentum *n*; **~nizar** [1f] **I.** *v/t.* heidnisch machen; **II.** *v/i.* Heide sein; Heide werden; **~no** **I.** *adj.* heidnisch; **II.** *m* Heide *m*; *fig.* F *burl.* *ser el ~* (*od.* *el paganini*) die Rechnung zahlen müssen.

paga|r [1h] **I.** *vt/i.* **1.** zahlen; bezahlen; auszahlen; ~ *al contado* (*a plazos*) bar (in Raten) zahlen; ~ *por adelantado* (*od.* *por anticipado*) vorauszahlen; *fig.* F *tocan a ~* jetzt heißt es zahlen (*od.* blechen P); **2.** *fig.* ent-, ver-gelten, belohnen; vergelten, heimzahlen; büßen; *¡me la(s) pagará!* das werden Sie mir büßen!; F *quien la hace la paga* wer Schaden anrichtet, muß dafür aufkommen; **II.** *v/r.* *~se* **3.** *~se con* (*od.* *de*) s. abspeisen lassen mit (*dat.*); *~se de* Wert legen auf (*ac.*); eingenommen sein für (*ac.*); *fig.* F *~se de a/c.* mit et. (*dat.*) protzen (*od.* angeben F); **~ré** *m* Schuldschein *m*; *Span. a.* Solawechsel *m*.

pagaya *f* (Kanu-)Paddel *n*.

pagel *Fi. m* Rotbrassen *m*, Pagel *m*.

página *f* Seite *f*; *llevar a la ~ siguiente* (*z. B. Summe*) auf die nächste Seite übertragen; *pasa a la ~ 21* Fortsetzung auf Seite 21; *fig. ~s de gloria* ruhmreiche Taten *f/pl.*

pagina|ción *Typ. f* Paginierung *f*; Seitenbezifferung *f*; **~r** *v/t.* paginieren.

pago[1] *m* Zahlung *f*; Bezahlung *f*; Auszahlung *f*; Begleichung *f e-r Rechnung*; *fig.* Vergeltung *f*; *~ de amortización e intereses* Schuldendienst *m*; *~s m/pl.* (Zahlungs-) Rückstände *m/pl.*; *~ anticipado (parcial)* Voraus- (Teil-)zahlung *f*; *~ de compensación (al contado, ~ en efectivo)* Ausgleichs- (Bar-)zahlung *f*; *~ contra entrega de documentos* Kasse *f* gg. Dokumente; *~ a plazos* Ratenzahlung *f*; *fig. mal ~* Undank *m*; *Verw.* de ~ zollpflichtig; *en ~ de* zum Lohn für (*ac.*); *hacer un ~ suplementario* nachzahlen.

pago[2] *m* **1.** (*bsd.* Wein-)Gut *n*; **2.** *Reg. u. Arg.* Heimat(gau *m*) *f*; Heimatort *m*.

pago[3] *adj.* **1.** F bezahlt; *a. fig. ya está ~* mit dem bin ich quitt; **2.** *Am.* bezahlt; frei; Gratis...

pagoda *f* **1.** Pagode *f*; **2.** Pagode *m, f*.

pagote F *m* Zahler *m*.

pagua ⚘ *f Méj.* Avocadobaum *m*; Avocado(frucht) *f*; **~cha** *f Chi.* ⚘ gr. runder Kürbis *m*; Melone *f*; *fig.* Kopf *m*.

"páguese a" ✝ zahlen Sie an (*ac.*).

paguro *Zo. m* **1.** Einsiedlerkrebs *m*; **2.** Spinnenkrebs *m*, Meerspinne *f*.

pahua *f Chi.* **1.** ⚘ → *pagua*; **2.** F ⚕ → *hernia*.

pai|la *f* Metallbecken *n* (*Wasserbecken od. Pfanne*); *Col.* Bratpfanne *f*; **~lita** *f Col.* weißer Rum *m*; **~lón** *m* **1.** *augm.* großer Kessel *m*; **2.** *Geogr. Bol., Ec., Hond.* Mulde *f*.

painel ⚠ *m* → *panel*.

pai|rar ⚓ *v/i.* beiliegen; **~ro** ⚓ *m* Beiliegen *n*; *estar al ~* beiliegen.

país *m* **1.** Land *n*; Heimat *f*; *del ~* einheimisch; *~ divorcista* Land *n*, in dem Ehescheidung möglich ist; *~ de origen (de procedencia)* Ursprungs- (Herkunfts-)land *n*; *~es m/pl. en (vías de) desarrollo* Entwicklungsländer *n/pl.*; **2.** Landschaftsbild *n*; *p. ext.* Fächerbild *n* (*Darstellung auf der Fächeroberseite*).

paisa|je *m a. Mal.* Landschaft *f*; **~jismo** *m* Landschaftsmalerei *f*; **~jista** *c* Landschaftsmaler *m*; **~jístico** *adj.* Landschafts...; **~naje** *f* Herkunft *f* aus der gleichen Gegend (*Stadt usw.*); **~no** *m* **1.** Zivilist *m*; *ir de ~* Zivil tragen; **2.** Landsmann *m*; **3.** Bauer *m*.

paja *f* Stroh *n*; Strohhalm *m*; *a. fig.* Spreu *f*; *cartón m de ~* Strohpappe *f*; *~ cortada* Häcksel *n, m*; *~ de puna* Punagras *n*; *fig. por un quítame allá esas ~s* wegen (*od.* um) nichts; *no dormirse en las ~s* k-e Gelegenheit versäumen; *fig.* P *hacerse una ~* onanieren; *echarlo a ~s* mit 2 Strohhalmen auslosen; *bibl. la ~ en el ojo ajeno* der Splitter im Auge des Nächsten; **~da** *f* Futterhäcksel *n* mit Kleie; **~l** *m Arg.* mit Punagras bestandene Fläche *f*; **~r** *m* Schober *m*; Scheune *f*; *fig. buscar una aguja en un ~* e-e Nadel im Heuschober suchen.

pájara *f* **1.** → *pájaro*; **2.** (Kinder-) Drachen *m*; Papiervogel *m* (*Faltarbeit*); **3.** *fig. desp.* geriebenes Weibsbild *n* F.

pajare|ar *v/i.* den Vogelfang betreiben; *fig.* herumlungern; **~ra** *f* Vogel-haus *n*; -bauer *m, n*; -hecke *f*; **~ría** *f* **1.** Vogelhecke *f*; Vogelzucht *f*; **2.** Menge *f* von Vögeln; **~ro** **I.** *adj.* F lustig (*Person*); bunt (*Stoff*); *Am. Reg.* leicht scheuend (*Pferd*); **II.** *m* Vogel-fänger *m*; -händler *m*; -züchter *m*.

pajarete *m Art* feiner Jerez *m*.

pajari|lla *f* **1.** (*bsd.* Schweine-)Milz *f*; **2.** ⚘ gemeine Akelei *f*; **~llo** *m dim.* Vögelchen *n*; **~ta** *f* **1.** *~ de las nieves* Bachstelze *f*; **2.** ausgeschnittener Papiervogel *m*; Papierdrache *m*; **3.** Schleife *f*, Fliege *f* (*Krawatte*); **~to** *m* **1.** *dim.* Vögelchen *n*; *fig.* F *quedarse (muerto) como un ~* ganz ruhig sterben, friedlich einschlummern; **2.** ⚘ *~s m/pl.* Kanarienvogelrebe *f*.

pájaro *m* Vogel *m*; *fig.* Schlaukopf *m*; *~ arañero* Mauer-läufer *m*, -specht *m*; ✎ *~ bitango* (Papier-) Drache *m*; *~ bobo, ~ niño* (Riesen-) Pinguin *m*; *~ burlón* Spottdrossel *f*; *~ carpintero* Specht *m*; *~ mosca* Kolibri *m*; *fig.* F *~ de cuenta* gefährlicher Mensch *m*, schlimmer Gauner *m*, schräger Vogel *m* F; *fig. ~ gordo* hohes Tier *n* (*fig.* F); *matar dos ~s de un tiro (od. de una pedrada)* zwei Fliegen mit einer Klappe schlagen; *fig. ha volado el ~* der Vogel ist ausgeflogen (*fig.*).

paja|rota(da) F *f* Schwindel *m*, Lüge *f*, Ente *f*; **~rote** *m augm.* gr. Vogel *m*; **~rraco** *m* gr., häßlicher Vogel *m*; *fig.* durchtriebener Bursche *m*.

pajaza *f* Streu *f*, Schüttstroh *n*.

paje *m* **1.** Edelknabe *m*; Page *m*; **2.** ⚓ Decks-, Schiffs-junge *m*; **3.** Toilettentisch *m mit Spiegel*.

pa|jear *v/i.* **1.** Stroh fressen (*Pferde*); **2.** s. betragen, s. benehmen; **~jí** *Zo. m Chi.* Puma *m*; **~jilla** *f* **1.** Strohhalm *m*; **2.** Maisstrohzigarette *f*; **~jillera** *f* Straßendirne *f*; **~jizo** *adj.* aus Stroh; strohfarben; (*techo*) *m ~* Strohdach *n*.

pajolero *adj.* lästig, verdrießlich.

pa|jón *m* **1.** Stoppelhalm *m*; **2.** *Ant. Art* Pfriemgras *n*; **~jonal** *m* **1.** Stoppelfeld *n*; **2.** *Am.* Savannen- *bzw.* Puna-gras *n*; **3.** *Arg., Chi., Ven.* mit Pfeilgras bestandenes Gelände *n*; **~joso** *adj.* strohig, strohreich; Stroh...; strohähnlich; **~jote** ⚒ *m* Strohmatte *f zum Abdecken der Pfl.*; **~juela** *f* **1.** Strohhälmchen *n*; **2.** Schwefelfaden *m*; **3.** *Am. Reg.* Zahnstocher *m*; *Bol., Méj.* Zündholz *n*.

pajuil ⚘ *m Pe.* Perubalsambaum *m*.

pakistaní *adj.-su. c* pakistanisch; *m* Pakistaner *m*.

pala *f* **1.** Schaufel *f*; Spaten *m*; *~ para arena* Sandschaufel *f*; **2.** Ballschläger *m*; **3.** Ruderblatt *n*; ⊕ Schraubenflügel *m*; Kelle *f*; (⚓ Schrauben-, ✈ Propeller-)Blatt *n*; ⚠ *~ de moldeo* Streichkelle *f*; **4.** *Schuhe*: Vorderblatt *n*; Oberleder *n*; **5.** *fig.* F Fixigkeit *f*; Kniff *m*, Trick *m*; **6.** *a.* ⚔ Achselklappe *f*, Schulterstück *n*.

palabra *f* Wort *n*; *fig.* Rede-gabe *f*, -vermögen *n*; *p. ext.* Wort *n*, Zusage *f*, Versprechen *n*; *¡~s!* schöne (*od.* leere) Worte!; faule Ausreden!; *~s cruzadas* Kreuzworträtsel *n*; *la ♀ Divina* das Wort Gottes, das Evangelium; *dos* (F *a. un par de*) *~s* einige (*od.* ein paar) Worte; *~ de honor* Ehrenwort *n*; *~ de matrimonio* Eheversprechen *n*; *~s mayores* **a)** Schmähworte *n/pl.*; Schimpfreden *f/pl.*; **b)** et. Wesentliches; Taten statt Worte; *la última ~* das letzte Wort *n*; *a.* der letzte Schrei *der Mode usw.*; *¡una ~!* auf ein Wort!; *bajo ~ (de honor)* auf Ehrenwort; *de ~* mündlich (*z. B. Abmachung*); *en pocas ~s* in kurzen (*od.* mit wenigen) Worten; *Pol. libertad f de ~* Redefreiheit *f*; *fig. beberle a alg. las ~s* an j-s Lippen hängen (*fig.*); *coger a alg. la ~* j-n beim Wort nehmen; *dejar a alg. con la ~ en la boca* auf j-n nicht eingehen, j-n (unbeachtet) stehen lassen; *no entender ~* kein Wort verstehen; *tomar la ~* das Wort ergreifen; *medir sus ~s* s-e Worte genau abwägen, s. vorsichtig ausdrücken; *¡son ~s al aire! od. ¡~s hueras!* alles leere Worte!, alles hohles Geschwätz!; alles umsonst geredet!; *ser hombre de pocas ~s* wenig Worte machen, wortkarg sein; kurz angebunden sein; *usted tiene la ~* Sie haben das Wort; Sie müssen selbst entscheiden; *no tener ~* sein Wort nicht halten, wortbrüchig sein.

pala|brear **I.** *v/i.* ✎ schwatzen; **II.** *v/t. Col., Chi., Ec.* j-m die Ehe versprechen; **~breja** *f* schwieriges Wort *n*; **~brería** *f* Wortschwall *m*; leeres Gerede *n*; Geschwätz *n*; **~brero** *adj.* schwatzhaft, geschwätzig; **~brita** F *f* gewichtiges Wörtchen *n*; Wort *n* mit Hintergedanken; **~brota** *f* derbes Wort *n*; Schimpfwort *n*; *decir ~s* fluchen.

pala|cete *m* Jagdschloß *n*; kl. Palais *n*; **~cial** *adj. c* Palast...; **~ciego** **I.** *adj.* höfisch; Hof...; **II.** *m* Höfling *m*; **~cio** *m* Palast *m*, Hof *m*, Residenz *f*; Palais *n*; *♀ de Justicia* Justizpalast *m*; *♀ Real* Königspalast *m*, königliches Schloß *n*; *Am. ♀ Nacional* **a)** Präsidentenpalais *n*; **b)** Parlamentsgebäude *n*.

palada *f* **1.** Schaufel-voll *f*; -wurf *m*; **2.** Ruderschlag *m*; **3.** Umdrehung *f e-s Propellers usw.*

pala|dar *m* **1.** *Anat.* Gaumen *m*; *fig. pegársele a uno la lengua al ~* kein Wort herausbringen können; **2.** *fig.* Gaumen *m*; Geschmack *m*; *hablarle al ~ de alg.* j-m nach dem Munde reden; *tener buen ~* gutes Bukett haben (*Wein*); e-n guten Geschmack haben; ein Kenner sein (in *dat.* en); **~dear** **I.** *v/t.* schmecken; kosten; *fig.* genießen, auskosten; *fig.* schmackhaft machen; **II.** *v/i.* saugen wollen (*Neugebore-*

nes); **~deo** *m* Schmecken *n*; **~dial** *Anat. adj. c* Gaumen...
pala|dín, ~dino[1] *m* Kämpe *m*; Vorkämpfer *m*.
paladino[2] *adj.* offenkundig; öffentlich; *fig. en lenguaje ~* deutlich (*od.* klar) gesprochen.
paladio ⚗ *m* Palladium *n*.
paladión *m a. fig.* Palladium *n*; Schutzbild *n*.
palado ▨ *adj.* gepfählt.
palafito *prehist. m* Pfahlbau(siedlung *f*) *m*.
pala|frén *m* Zelter *m* (*Pferd*); **~frenero** *m* Reitknecht *m*.
palan|ca *f* **1.** Brechstange *f*; Hebel *m*; ⊕ *~ acodada* (*articulada*) Knie- (Gelenk-, Schwenk-)hebel *m*; *~ de mando* ⊕ Steuerhebel *m*; ✈ Steuerknüppel *m*; *~ de maniobra* (*de parada*) Bedienungs- (Abstell-)hebel *m*; *~ reguladora* Einstellhebel *m*; *~ portatecla* Tastenhebel *m an Schreibmaschinen*; **2.** Hebebaum *m*; Tragstange *f*; *~ de remolque* Schleppdeichsel *f*; **3.** Sprungbrett *n*; **4.** *fig.* Einfluß *m*, Beziehung *f*; **~cada** *f* Hebelruck *m*; **~cón I.** *adj. Arg., Bol.* riesengroß *bzw.* sehr hochbeinig (*Tier, Mensch*); **II.** *m Ec.* schmale Hacke *f*.
palanga|na I. *f* **1.** Waschbecken *n*; **2.** *Am. Mer.* Schüssel *f*; Becken *n*; **II.** *m* **3.** *fig.* F *Chi., Pe., Ec. mst. ~s m/pl.* Schwätzer *m*, Angeber *m* F; **~nada** F *f Am. Reg.* Geschwätz *n*, Aufschneiderei *f*; **~near** *v/i. Am. Mer.* schwatzen, angeben F; **~nero** *m* Waschständer *m*.
palangre *m* Legangel *f*; **~ro** *m* Legangelfischer *m*.
palán palán ♀ *Ke. m Art* Tabakstaude *f*.
palanque|ar *v/t. Am.* mit Brechstangen heben; *Boot* staken; *fig.* antreiben; helfen (*dat.*); **~ra** *f* Pfahl-, Palisaden-wand *f*; **~ro** *m* **1.** Blasbalgtreter *m in Schmieden*; **2.** 🚂 *Chi.* Bremser *m*; **~ta** *f* Brech-eisen *n*, -stange *f*.
palan|quín *m* **1.** Tragsessel *m*, Palankin *m*; **2.** ⚓ Geitau *n*; **3.** F Lastträger *m* (*Gelegenheitsarbeiter*); **~quita** ⊕ *f* kl. Hebel *m*.
palastro *m* Schwarzblech *n*.
palata|bilidad *neol. f* angenehmer Geschmack *m*; **~l I.** *adj. c* Gaumen...; *Phon.* palatal; **II.** *f Phon.* Gaumenlaut *m*, Palatal *m*; **~lizar** [1f] *Phon. v/t.* palatalisieren.
palatina *f* Boa *f*, Pelzkragen *m*.
palatino[1] *adj.* **1.** Palast..., Hof...; **2.** Pfalz...; pfälzisch.
palatino[2] *adj.* Gaumen...
palay *m Méj.* ungeschälter Reis *m*.
palazo *m* Schaufelschlag *m*.
palazón *m* Pfahlwerk *n*; *Col.* Palisadenwand *f*.
palca *f Bol.* Straßenkreuzung *f*; Fluß- *bzw.* Ast-gabelung *f*.
palco *m Thea.* Loge *f*; *~ de platea* Parterreloge *f*; *~ presidencial* (*regio*) Präsidenten- (Königs-)loge *f*.
paleadora ⊕ *f* Ladeschaufler *m*.
palenque *m* **1.** Einzäunung *f*, Schranken *f/pl.*; **2.** Turnier-, Festplatz *m*; **3.** *Rpl.* Pfosten *m zum Anbinden v. Pferden usw.*; **4.** *C. Ri.* Indianerdorf *n*; **5.** *Chi.* Ort *m* mit viel Lärm u. Trubel; Radaubude *f* F.
pale|ografía 📖 *f* Paläographie *f*; **~olítico** *adj.-su.* altsteinzeitlich; *m* Altsteinzeit *f*, Paläolithikum *n*; **~ólogo** *m* Paläologe *m*; **~ontología** *f* Paläontologie *f*.
palero *m* ⚓ Kohlentrimmer *m*; P *Méj.* Lügner *m*.
palestino *adj.* aus Palästina.
palestra *f* Palästra *f*; *a. fig.* Kampfplatz *m*.
pale|ta I. *f* **1.** *Mal.* Palette *f*; **2.** kl. Schaufel *f*; Handschaufel *f*; **3. a)** Schüreisen *n*; **b)** Küchen-, Fleisch-spatel *m*; Bratenwender *m*; **c)** Einfüll- (*bzw.* Probier-)schaufel *f*; **d)** ⚠ (Maurer-)Kelle *f*; ⊕ *~ de fundidor* (Gießer-)Krücke *f*; **4.** ⊕ Schaufel *f* (*Wasserrad, Turbine, Luft-, Schiffsschraube, Rührwerk usw.*); *~ agitadora* Rühr-flügel *m*, -schaufel *f*; **5.** *Jgdw.* Schaufel *f* (*Geweih*); **6.** ⚕ *Anat.* → *paletilla 1*; **7.** *Am. Cent., Ant.* Eis *n* am Stiel; **II.** *m* **8.** Maurer *m*; **~tada** *f* Kellevoll *f*; **~tazo** *Stk. m* seitlicher Stoß *m des Stiers*; **~tear** ⚓ *v/i.* schlecht rudern; **~teo** ⚓ *m* schlechtes Rudern *n*, „Klatschen" *n*; **~tero** *m Jgdw.* Spießer *m*; □ Diebeshelfer *m*; **~tilla** *f* **1.** *Anat.* Schulterblatt *n*; **2.** Kerzenleuchter *m*; **~to** *m* **1.** *Zo.* Damhirsch *m*, Schaufler *m*; **2.** *fig.* Tölpel *m*; Flegel *m*.
pal(e)tó *m* Überrock *m*, Paletot *m*.
paletón *m* (Schlüssel-)Bart *m*.
pali *Li. m* Pali *n*.
palia *kath. f* Palla *f*, Kelchabdekkung *f*; **~r** [1b] *v/t.* **1.** bemänteln, vertuschen; **2.** *Schmerzen, Kummer* lindern; *Mängel* beheben; **~tivo I.** *adj.* **1.** lindernd; **2.** bemäntelnd; **II.** *m* **3.** Linderungsmittel *n*; **4.** Notbehelf *m*.
pali|decer [2d] *v/i.* **1.** erbleichen, erblassen; **2.** *fig.* verbleichen; sehr an Wert (*od.* Kraft) verlieren (angesichts *gen. ante*); **~dez** *f* Blässe *f*.
pálido *adj.* bleich, blaß; *amarillo ~* blaßgelb.
paliducho F *adj.* blaß, käsig F.
palier *Kfz. m* Achsschenkel *m*.
pali|llero *m* **1.** Federhalter *m*; **2.** Zahnstocher-behälter *m bzw.* -verkäufer *m*; **~llo** *m* **1.** Stöckchen *n*; *p. ext.* Tabakrippe *f*; *fig.* F *~s m/pl.* **a)** *Andal.* Kastagnetten *f/pl.*; **b)** *Stk.* → *banderillas*; **2.** (Spitzen-)Klöppel *m*; **3.** (Trommel-)Schlegel *m*; **4.** Zahnstocher *m*.
palimpsesto 📖 *m* Palimpsest *m*.
palinge|nesia *f a. Biol.* Palingenese *f*; Wiedergeburt *f*; **~nésico** *Rel. adj.* Wiedergeburts...; **~nético** *bsd. Biol. adj.* palingenetisch.
palinodia *f*: F *cantar la ~* Widerruf leisten; s-n Irrtum bekennen.
palio *m* **1.** Baldachin *m*; **2.** *ecl.* Pallium *n*, Bischofsmantel *m*.
palique F *m* Plauderei *f*, Schwätzchen *n*; *estar de ~* → **~ar** F *v/i.* plaudern.
palisandro *m* Palisanderholz *n*.
palista *m* Paddler *m*, Ruderer *m*.
paliza *f* Tracht *f* Prügel; *fig.* Abfuhr *f* (, *die man s. b. e-m Gespräch od. Streit holt*); *fig.* gr. Mühe *f*; schwere Arbeit *f*; **~da** *f* Pfahlwerk *n*; Pfahl-, Bretter-zaun *m*; Palisade *f*.
palma *f* **1.** 📖 *u. lit.* Palme *f*; ♀ *Méj. versch. Liliengewächse*; *~ de cera* Wachspalme *f*; *~ real* Königspalme *f*; *aceite m de ~* Palmöl *n*; → *a. palmera*; *vino m de ~* Palmwein *m*; **2.** Palmblatt *n*; Palm(en)zweig *m*; **3.** Siegespalme *f*; *llevarse la ~* den Sieg erringen; **4.** Hand-fläche *f*, -teller *m*; *fig. ~s f/pl.* Händeklatschen *n*; *fig.* Beifall *m*; *¡~s!* bravo!; gut so!; hoch!; *batir ~s* in die Hände klatschen, Beifall spenden; **~cristi** ♀ *f* Christpalme *f*, Rizinus *m*; **~da** *f* Schlag *m* mit der Handfläche; *~s f/pl. de aplauso* Beifallklatschen *n*; *dar ~s* in die Hände klatschen (*um z. B. den Kellner zu rufen*); *j-m* (auf die Schulter *en el hombro*) klopfen; **~dita** *f* Klaps *m*; **~do** *adj.* **1.** → *palmeado*; **2.** *fig.* F *estar ~* völlig abgebrannt sein F, kein Geld haben.
palmar[1] **I.** *adj. c* **1.** Anat. **a)** zur Handfläche gehörend, Hand..., Palmar...; **b)** Handspannen..., Spannen...; **2.** *fig.* → *palmario*; **3.** Palm(en)...; aus Palmblatt gefertigt; **II.** *m* **4.** *Anat.* Palmaris *m lt.*; **5.** Palmenwald *m*; *fig.* F *más viejo que un ~* uralt.
palmar[2] F *v/i.* (P *~la*) abkratzen P, sterben.
palma|rio *adj.* handgreiflich, offensichtlich, offenkundig; **~toria** *f* Handleuchte *f*, Kerzenhalter *m*.
palme|ado *adj.* **1.** palmenförmig; **2.** ♀ fingerförmig ausea.-strebend (*Wurzel*); **3.** *Zo.* durch e-e Haut verbunden, Schwimmhaut... (*Zehen*); **~ar I.** *v/i.* **1.** mit der Hand (*od.* nach Spannen) messen; **2.** klatschen; **II.** *v/t.* **3.** *Arg.* auf die Schulter klopfen (*dat*); **4.** □ auspeitschen; **~o** *m* Messen *n* nach Handspannen.
palmer ⊕ *m* Mikrometerschraube *f*.
palme|ra ♀ *f* Dattelpalme *f*; *p. ext.* Palme *f*; **~ral** *m* Dattelpalmenpflanzung *f*; **~ro** *m* **1.** † *ecl.* Palmzweigträger *m* (*Jerusalempilger*); **2.** ♀ *Ec., Méj., Rpl.* → *palmera*; **~sano** *adj.-su.* aus Palma de Mallorca.
palmeta *f* (Zucht-)Rute *f*; Klatsche *f*, Pritsche *f*; *p. ext.* → *palmetazo*; *fig. ganar la ~* früher in die Schule kommen *als andere Kinder*; eher da sein; *a. fig.* den anderen voraus sein; **~zo** *m* Schlag *m* mit der Klatsche; *fig.* schroffe Zurechtweisung *f*, Rüffel *m* F.
palmi|chal, ~char *m Am.* Wald *m* (*od.* Pflanzung *f*) von *palmiches*; **~che** *m* **1.** ♀ *Am. Mer., Ant.* Königspalme *f*; *deren* Frucht *f*; *Am. Cent.* e-e Ölpalme *f*; **2.** *Cu.* leichter Stoff *m für Sommeranzüge*; **~lla**[1] ♀ *f Méj. Sammelname für versch. kl. Palmen, Liliengewächse u. andere, palmenähnliche Pfl.*
palmilla[2] *f* Brandsohle *f*; Einlagesohle *f*.
palmí|pedas *Zo. f/pl.* Schwimmvögel *m/pl.*; **~pedo** *adj.* **1.** *Zo.* Schwimm...; **2.** ⚕ plattfüßig.
palmista *c Ant., Méj.* Handleser(in *f*) *m*.
palmi|ta *f* **1.** *dim.* Händchen *n*; *fig. llevar* (*od. traer*) *en ~s* auf den Händen tragen; **2. a)** Palmenmark *n*; **b)** ♀ *Col. Art* Drachenbaum *m*; **~tieso** *Equ. adj.* hart- und gerad-

hufig; **~to** *m* **1.** Zwergpalme *f*; *Am.* **a)** Palmenherz *n*, Palmkohl *m*; **b)** *bsd. Am. Cent.* Kohlpalme *f*; **2.** *fig. buen ~* hübsches Gesichtchen *n*; nettes Mädchen *n*.
palmo *m* Spanne *f* (*rd. 21 cm*); *a. fig.* Handbreit *f*; *fig. adv. ~ a ~* schrittweise, langsam; Spanne für Spanne, Stück um Stück; *fig. a ~s* **a)** (er-) sichtlich, zusehends; **b)** sehr genau (*kennen*); F *con un ~ de orejas* mit langen Ohren; *hacerle a uno un ~ de narices* j-m e-e lange Nase machen; *quedarse con un ~* (*od.* F *a dos ~s*) *de narices* das Nachsehen haben, leer ausgehen; *ahí le tenéis con un ~ de lengua* da steht er mit langer Zunge (*bzw.* in großer Sehnsucht *u. strengt s. mächtig an*); *tener medido a ~s* jede Handbreit *e-s Geländes usw.* kennen.
palmote|ar I. *v/i.* Beifall klatschen; **II.** *v/t.* auf die Schulter klopfen (*dat.*); *a. Tier* tätscheln; **~o** *m* **1.** (Beifall-)Klatschen *n*; **2.** Schulterklopfen *n*; Tätscheln *n*; **3.** Schlagen *n* mit der Klatsche.
palo *m* **1.** Stock *m*; Pfahl *m*; Stab *m*, Stecken *m*; *Stk.* → *banderilla*; *p. ext.* Stockschlag *m*; *fig. ~s m/pl.* Tracht *f* Prügel; *~ de apoyo* Stütze *f*, Abstützung *f*; *~ del aro* Treibstock *m b. Reifenspiel der Kinder*; *Am. ~ ensebado* Klettermast *m b. Volksfesten*; *Sp. ~ de hierro* Treiber *m*, Eisenschläger *m b. Golf*; *Sp. ~ de juego* (*de hockey*) Hockeyschläger *m*; ✈ *Am. ~ de mando* Steuerknüppel *m*; *~ de la tienda* Zeltstange *f*; *fig. Am. Reg. a ~ entero* betrunken; *fig.* F *andar a ~s* s. herumprügeln; wie Hund u. Katze sein; *dar ~s de ciego* **a)** blind(lings) um s. schlagen; **b)** herum-tasten, -tappen; *dar* (*de*) *~s a alg.* j-n verprügeln; *fig. meter el ~ en candela* e-n Klatsch aufbringen, *der zu Ausea.-setzungen führt*, hetzen; *fig.* F *¡es un ~!* das ist e-e Mordssache! F; → *a. 2*; **2.** Holz *n als Material*; → *a. 3*; entrindeter Stamm *m*; *de ~* aus Holz, hölzern; *pierna f* (F *pata f*) *de ~* Holzbein *n*; *fig.* F *Am. Cent., Ec., Ven. el trabajo se quedó a medio ~* die Arbeit wurde nicht zur Hälfte fertig; *fig. Am. Mer. ser un ~* wichtig sein; **3.** *Bäume u. Hölzer*: *pharm. ~ de águila* **a)** Adlerholz *n* (*Sumachgewächs*); **b)** *oft* → *~ de áloe* Aloeholz *n* (*Räucherholz*); *pharm. ~ amarillo* Fustikholz *n*; *~ dulce* Süßholz *n*; *~ de hierro versch. sehr harte Hölzer*; *~ de jabón* Seifenholz *n* (*Bast des Seifenbaums*); *~ de Judas* Judasbaum *m*; *~ de leche* **a)** *Col. ein Wolfsmilchgewächs*; *Méj. ein Giftstrauch*; **b)** → *~ de vaca*; *Méj. ~ lechón ein Wolfsmilchgewächs*; *~ de rosa* → *jacarandá*; *~ santo* Guajakholz *n*; *~ de vaca* Milchbaum *m*; **4.** Stiel *m e-s Geräts*; *~ de escoba* Besenstiel *m*; **5.** ⚓ Mast *m*; *velero m de tres ~s* Dreimaster *m*; *~ mayor* Großmast *m*; *a ~ seco* mit gerefften Segeln; *fig.* **a)** schlicht, ohne Umstände; **b)** mit hungrigem Magen; *correr a ~ seco* vor Topp u. Takel treiben; **6.** Ober- *bzw.* Unter-länge *f der Buchstaben*; *~ grueso* Grundstrich *m*; *fig. ~s m/pl.* erste Schreibübungen *f/pl.*; *p. ext.* Grundkenntnisse *f/pl.*; **7.** *Kart.* Farbe *f*; *~ favorito* (*od. de favor*) Trumpf-farbe *f*, -karte *f*; *fig. estar del mismo ~* **a)** das gleiche Ziel haben; **b)** unter e-r Decke stecken; **8.** ▨ Balken *m*; **9.** Galgen *m*; Hinrichtungspfahl *m*; Schandpfahl *m*; *p. ext.* Todesstrafe *f am Pfahl*; Hängen *n*; Pfählen *n*; *poner a alg. en un ~* j-n an den Galgen (*bzw.* an den Schandpfahl) bringen; **10.** *Am. Mer. ~ a pique mit Stacheldraht bewehrte* Umzäunung *f*; **11.** P *Ant., Méj.* Koitus *m*, Nummer *f* P; **12.** *Col. ~ de agua* Platzregen *m*.
paloma *f* **1.** *Vo.* Taube *f*; *fig.* Täubchen *n* (*Kosewort*); *fig.* P Straßendirne *f*; *~ doméstica* (*od. mansa*) Haustaube *f*; *~ mensajera* (*moñada*) Brief- (Perücken-)taube *f*; *~ silvestre* (*od. brava*) Wildtaube *f*; *Virgen f de la ~ Stadtpatronin von Madrid*; *soltar ~s* (Brief-)Tauben auflassen; *fig. ser una ~ sin hiel* ein harmloser Mensch sein; **2.** ⚓ *~s f/pl.* Kabbelsee *f*; **3.** *Sp.* Überschlag *m am Bock od. Sprungtisch*; **4.** *Méj.* → *mariposa*; **5.** F *Ven.* Schluck *m* Schnaps; **6.** ☐ Bettlaken *n*; **~dura** ⚓ *f* Saumnaht *f am Segel.*
palo|mar *m* Tauben-haus *n*, -schlag *m*; *fig.* F *alborotar el ~* die Menge (*bzw.* den Verein P) in Aufruhr bringen; **~mariego** *adj.* im Taubenschlag aufgezogen; **~mear** *v/i.* **1.** auf Taubenjagd gehen; **2.** Tauben züchten; **~mera** *f* → *palomar*; **~mero** *m* Tauben-züchter *m*; -liebhaber *m*; -händler *m*; **~milla** *f* **1.** *Ent.* (Korn-)Motte *f*; *p. ext. jeder kl.* Schmetterling *m*; **2.** ⚘ Täubling *m* (*Pilz*); *~ (romana)* (dichtblütiger) Erdrauch *m*; **3.** *Equ.* **a)** Schimmel *m*; **b)** Sattelhöhle *f* (*vorderes Kreuz*); Sattelknopf *m b. Packsätteln*; **4.** *Zim.* Konsölchen *n*; ⊕ Zapfenlager *n für Achsen*; **5.** ⚓ *~s f/pl.* Kabbelung *f*; **~mina** *f* **1.** Taubenmist *m*; **2.** ⚘ Erdrauch *m*; **~mino** *m* junge Taube *f*; *fig.* F Kotfleck *m in der Unterwäsche*; **~mita** *f fig. Am.* Puffmais *m*; **~mo** *Vo. m* **1.** Tauber *m*, Täuberich *m*; **2.** Ringeltaube *f*.
palón ▨ *m* rechteckiges Banner *n mit vier Spitzen.*
palosanto ⚘ *m* Kakifrucht *f*.
palo|tada *f* Schlag *m* mit dem Stock; *fig.* F *no dar ~* k-n Schlag tun (*fig.* F); alles falsch machen, stets danebenhauen F; **~te** *m* kurzer Stock *m*; *fig. ~s m/pl.* erste Schreibübungen *f/pl.*; Gekritzel *n*.
palpa|ble *adj. c a.* ⚕ tastbar, fühlbar; *a. fig.* greifbar; *fig.* deutlich, einleuchtend; **~ción** *f a.* ⊕, ⚕ Abtasten *n*; ⚕ Betasten *n*, Palpation *n*; **~dor** ⊕ **I.** *adj.* Tast...; *aparato m ~* Abtastgerät *n*; **II.** *m* Fühler *m*, Fühl-, Tast-stift *m*; **~r I.** *v/t.* betasten, befühlen; ⚕ ab-, be-, austasten; ⊕ abtasten, abfühlen; **II.** *v/i. fig.* mit Händen greifen; s. vorwärts tasten; **III.** *v/r.* **~se** handgreiflich sein.
pálpebra ⚕ *f* Lid *n*.
palpebral *Anat. adj. c* Augenlid...
palpita|ción *f* ⚕ Schlag *m*, Palpitation *f*; Zuckung *f*; **~ones** *f/pl.* Herzklopfen *n*; **~nte** *adj. c fig.*: *cuestión f ~* brennende Frage *f*; **~r** *v/i.* klopfen, schlagen (*Herz*); zucken; *fig.* s. heftig regen (*Neid, Zorn*); zappeln.
pálpito F *m* Vorgefühl *n*, Riecher *m* P; *me da el ~ de que ...* ich habe so e-e Ahnung, daß ..., mir schwant, daß ...
palpo *Zo. m* Taster *m*, Fühler *m*.
palqui ⚘ *m Chi.* Palqui *m*.
pal|ta ⚘ *f Am. Mer.* → *aguacate* (*Baum u. Frucht*); **~to** ⚘ *m Am. Mer.* → *aguacate* (*Baum*).
palu|cha F *f Cu., Chi.* Geschwätz *n*, Angabe *f* F; **~chear** *v/i.* großtuerisch daherschwatzen.
pa|lúdico I. *adj.* Sumpf...; **II.** *m* Sumpffieberkranke(r) *m*; **~ludismo** *m* Sumpffieber *n*, Malaria *f*.
paludo *adj.* **1.** *Col.* → *pasmado*; **2.** *Col., Méj.* grobfaserig (*Pfl., Früchte*).
palurdo *adj.-su.* tölpelhaft; unwissend; grob; *m* Tölpel *m*.
palustre[1] *m* Maurerkelle *f*.
palustre[2] *adj. c* Sumpf...
palla *Ke. f* **1.** *Pe.* **a)** † Herrin *f* (*Inka-Adlige*); **b)** *Folk.* Volks- (*bsd.* Weihnachts-)sänger(gruppe*f*)*m/pl.*; **2.** ⚘ *Bol.* Kukuritopalme *f*; **3.** *Am.* → *paya*; **~r** ⚘ *m Chi., Pe. Art* Bohne *f* (*Phaseolus pallar*).
pallete ⚓ *m* Matte *f*.
pallón ⚒ *m* Goldprobe *f*.
pamba *Ke. Ec.* **I.** *adj. c* flach; **II.** *f* flaches Gewässer *n*; Lagune *f*.
pamela *f Art* Florentiner Hut *m*.
pamema F *f* **1.** Läpperei *f*; Unsinn *m*; **2.** Ziererei *f*, Zimperlichkeit *f*; *¡déjate de ~s!* hab dich nicht so!; laß doch die Flausen!
pampa *Ke.* **I.** *f Am. Mer.* baumlose Fläche *f*; *bsd. Rpl.* Pampa *f*, Grasebene *f*; *a la ~ Arg.* unter freiem Himmel; *Am.* weit draußen (*od.* auf dem Lande) (*sein*); *fig.* F *tener todo a la ~* s-e Blöße zeigen; **II.** *m Arg., Chi.* Pampaindianer *m*; **~nilla** *f* Schamschurz *m der Indianer.*
pámpano *m* (grüne) (Wein-)Ranke *f*; Weinlaub *n*; *echar ~s* (sich) ranken.
pam|peano I. *adj.* aus der Pampa; Pampa...; **II.** *m* Pampabewohner *m*; **~pear** *Am. Mer. v/i.* die Pampa durchstreifen; **~pero I.** *adj.* **1.** aus der Pampa; Pampa...; **II.** *m* **2.** Pampa-wind *m*, -sturm *m*; **3.** Pampabewohner *m*; **4.** Pampa-kenner *m*, -führer *m*; **~pino** *Chi.* **I.** *adj.* Pampa...; **II.** *m* Pampabewohner *m* (*bsd.* der „Pampa salitrera", der chil. Salpeterwüste).
pampirolada *f Art* Knoblauchbrühe *f mit Brot u. Wasser*; *fig.* F Dummheit *f*; Läpperei *f*.
pamplemusa *f* → *pomelo*.
pampli|na *f* **1.** ⚘ Vogelmiere *f*; **2.** *fig.* F Unsinn *m*; *~s f/pl.* Flausen *f/pl.*, Quark *m* (*fig.*), Quatsch *m* F; *¡no me vengas con ~s!* das ist doch alles Unsinn!; **~nada** F, **~nería** F *f* Dummheit *f*, Quatsch *m* F; **~nero**, **~noso** F *adj.* **1.** zu dummem Geschwätz neigend; **2.** zimperlich; lästig.
pampón *m Pe.* gr. Gehöft *n*.
pam|porcino ⚘ *m* Alpenveilchen *n*; **~posado** F *adj.* faul, träge; **~prin-**

gada *f* Brotschnitte *f* mit Fett, Fettbrot *n*; *fig.* Unsinn *m*.
pampsiquismo *Phil. m* Panpsychismus *m*.
pan *m* **1.** *a. fig.* Brot *n*; ~ *bazo* (*blanco*) Schwarz-, Schrot- (Weiß-)brot *n*; ~ *de centeno* Roggenbrot *n*; ~ *dormido* Bischofsbrot *n* (*Gebäck*); ~ *de especias* Lebkuchen *m*; ~ *de flor* (*od. de lujo*) feinstes Weißbrot *n*; ~ *de Graham* (*de higos, de munición*) Graham- (Feigen-, Kommiß-)brot *n*; ~ *inglés* (*od. de lata*) Kastenbrot *n*; ~ *integral* Vollkornbrot *n*; ~ *de jengibre* Ingwerbrot *n*, Leb-, Gewürz-kuchen *m*; ~ *de mezcla* (*od. de morcajo*) Mischbrot *n*; ~ *de miel* Honigkuchen *m*; ~ *moreno* Schwarzbrot *n*; ~ *pintado* Zuckerbrot *n*, verziertes Würzbrot *n*; ~ *rallado* Paniermehl *n*; ~ *seco* trockenes Brot *n* (*ohne Belag*); ~ *tostado* Röst-, Toast-brot *n*; ~ *trenzado* Zopf *m*, Stollen *m* (*Gebäck*); ~ *de Viena*, *Am.* ~ *francés* Semmel *f*, Brötchen *n*; ~ *abierto* belegtes Brot *n*; *Rel.* ~ *eucarístico* (*od. supersubstancial*) Eucharistie *f*; *Rel.* ~ *de la proposición* Schaubrot *n*; *el* ~ *nuestro de cada día dánosle hoy* unser tägliches Brot gib uns heute; *partir el* ~ das Brot brechen; *a* ~ *y agua* bei Wasser u. Brot (*Strafe*); *fig.* F *no cocérsele a uno el* ~ es nicht erwarten können, vor Ungeduld vergehen; *comer el* ~ *de alg.* j-s Brot essen, in j-s Diensten stehen; *llamar al* ~, ~ *y al vino, vino* die Dinge beim (rechten) Namen nennen; *fig.* F *repartir a/c. como* ~ *bendito* äußerst knauserig damit sein; *ser más bueno que el* ~ herzensgut sein; *fig. ser el* ~ *de cada día* das tägliche Brot sein (*fig.*) (*immer wieder vorkommen*); *ser* ~ *y miel* hervorragend *bzw.* kinderleicht sein; *fig. no tener para* ~ sehr darben müssen; *fig. venderse* (*od. salir*) *como el* ~ (*od. como* ~ *caliente*) weggehn wie warme Semmeln (*Ware*); **2.** *p. ext.* Getreide *n*; Mehl *n*; ♂ *tierra f de* ~ *llevar* Getreide-boden *m*, -feld *n*; **3.** ♀ *árbol m del* ~ Brotbaum *m*; **4.** *fig.* (*von brotähnlicher Form*): ~ *de azúcar* Zuckerhut *m*; ~ *de jabón* gr. Stück *n* Seife; ~ *de oro* Goldplättchen *n*; ♀ ~ *y quesillo* Hirtentäschel(kraut) *n*; *prov.* ~ *de vidrio* Fensterscheibe *f*.
pana[1] *tex. f Art* Plüsch *m*; Cordsamt *m*.
pana[2] *arauk. f Chi.* Leber *f der Tiere*; *fig.* F Kaltblütigkeit *f*.
panacea *f* Allheilmittel *n*, Panazee *f*.
panaco F *m Arg.* Vulva *f*.
panade|ar *v/i.* Brot backen; **~ría** *f* Bäckerei *f*; Bäckerladen *m*; **~ro** *m* Bäcker *m*; ♪ *Folk.* **~s** *m/pl. Art zapateado*.
panadizo ⚕ *m* Panaritium *n*.
panado *Kchk. adj.* mit Röstbrot angemacht (*Brühe*).
panal *m* **1.** Wabe *f*; **2.** *bsd. Andal.* Schaumzucker *m*.
panameño *adj.-su.* panamaisch; *m* Panamaer *m*; Panamahut *m*.
panamerica|nismo *Pol. m* Panamerikanismus *m*; panamerikanische Bewegung *f*; **~nista** *c* Anhänger *m* des panamerikanischen Gedankens; **~no** *adj.* panamerikanisch; *Vkw.* (*Carretera f*) *≗a f* Panamerican Highway *m* (*engl.*; *1936 begonnene Straßenverbindung, vom Süden der USA bis Chile*).
pancarta *f* Plakat *n*, Schild *n*; Transparent *n*; Spruchband *n*.
pancista *c* Opportunist *m*.
pancracio *Sp. hist. m* Pankration *n*.
páncreas *Anat. m* Bauchspeicheldrüse *f*, Pankreas *n*.
pancre|ático ⚕ *adj.* Pankreas...; **~atitis** ⚕ *f* Bauchspeicheldrüsenentzündung *f*.
pancromático *Phot. adj.* panchromatisch.
pancutra *Kchk. f Chi. Art* Spätzlesuppe *f*.
panchitos *m/pl. Span. Reg.* gesalzene Erdnüsse *f/pl.*
pancho *m* **1.** *Fi.* junger Seekarpfen *m*; **2.** F → *panza*; *fig.* F *quedarse tan* ~ s. nicht aus der Ruhe bringen lassen.
panda[1] *Zo. m* Panda *m*.
panda[2] *f* **1.** Galerie *f e-s Kreuzgangs*; **2.** F → *pandilla*.
pandán *gal. m*: *hacer* ~ ein Gg.-stück (*od.* Pendant) bilden.
pandear *v/i. u.* **~se** *v/r.* s. biegen, durchhängen (*Balken, Wand*).
pan|dectas ⚖ *f/pl.* Pandekten *pl.*; **~demia** ⚕ *f* Pandemie *f*; **~démico** ⚕ *adj.* pandemisch; **~demonio**, **~demónium** *m* Pandämonium *n*.
pandeo *m* Durchhang *m*, Durchhängen *n*.
pande|rada *f* Tamburinrasseln *n*; *fig.* F Albernheit *f*, Unsinn *m*; **~razo** *m* Schlag *m* (*od.* Rasseln *n*) mit dem Tamburin; **~reta** *f* Tamburin *n*, Schellentrommel *f*; **~retear** *v/i.* das Tamburin schlagen; **~retero** *m* Tamburin-schläger *m*; -macher *m*; **~ro** *m* Tamburin *n*; *fig.* F *en buenas manos está el* ~ die Sache liegt in guten Händen.
pandi|lla F *f* Bande *f*, Clique *f*; **~llaje** *m* Cliquenwesen *n*; Klüngel *m*; **~llero** *m*, **~llista** *c* Anhänger *m* (*bzw.* Mitglied *n*) e-r Clique.
pando *adj.* **1.** krumm, gebogen; **2.** fast eben (*Gelände zw. Bergen*); **3.** *fig.* gelassen; träge (dahinfließend); seicht (*Gewässer*).
panecillo *m* Brötchen *n*, Semmel *f*; kl. Weißbrot *n*.
pane|gírico I. *adj.* lobrednerisch; Lob(es)...; **II.** *m* Lobrede *f*; Panegyrikus *m*; **~girista** *m* Panegyriker *m*; Lobredner *m*; **~girizar** [1f] *v/t.* *j-n* mit e-m Panegyrikus (*bzw.* in e-r Lobrede) feiern.
panel *m* ⚠ (Tür-, Wand-)Füllung *f*; Feld *n e-r Wand*; *Tel.* ~ *vacío* Blind-, Leer-feld *n*.
panela *f* **1.** *Art* Zwieback *m*; **2.** ⊠ Pappelblatt *n*; **3.** *Col., C. Ri., Méj. Art* Zuckerhut *m von Rohzucker*.
panenteísmo *Rel. m* Panentheismus *m*.
pane|ra *f* **1.** Getreidespeicher *m*; **2.** Mehlkammer *f*; **3.** gr. Brotkorb *m*; **4.** (Fisch-)Reuse *f*; **~ro** *m* **1.** Brottrage *f*; **2.** runde Matte *f*.
pan|eslavismo *m* Panslavismus *m*; **~europeo** *adj.* paneuropäisch.
pánfilo *adj.* **1.** allzu gutmütig; trottelhaft, dumm; **2.** schwerfällig; träge.
panfle|tista *m* Pamphletist *m*; **~to** *m* Pamphlet *n*.
panga *f Am. Cent.* Boot *n*.
pangermanismo *m* Pangermanismus *m*.
paniaguado F *m* Günstling *m*, Protektionskind *n* F.
pánico I. *adj.* panisch; **II.** *m* Panik *f*; *producir un* ~ *entre la gente* die Menschen in Panik versetzen.
pa|nícula ♀ *f* Rispe *f*; **~niculado** *adj.* rispenförmig; **~nículo** *Anat. m*: ~ (*adiposo*) Unterhautfettgewebe *n*.
pani|ego *adj.* ⚒ Brot...; Acker...; *fig.* F *ser* ~ viel Brot essen; **~ficable** *adj. c* zur Brotherstellung geeignet, verbackbar; **~ficación** *f* Brotherstellung *f*; ⚔ *a.* Truppenbäckerei *f*; **~ficadora** *f* Brotfabrik *f*; *Col.* Bäckerei *f*; **~ficar** [1g] *v/t.* **1.** zu Brot verbacken; **2.** ♂ *Weideland* in Getreideacker umwandeln.
panislamismo *m* Panislamismus *m*.
panizo ♀ *m* Hirse *f*; *Reg.* ~ (*de Indias*) Mais *m*.
panocha ♀ *f* (Mais-)Kolben *n*.
panocho *adj.-su* aus Murcia; *m* Murcianer *m*; *Li. der* Dialekt *der Huerta von Murcia*.
panoja *f* **1.** Maiskolben *m*; **2.** ♀ **a)** → *panícula*; **b)** Traube *f*, Büschel *n*.
panoli P **I.** *adj.-su. c* dumm, einfältig; *m* Simpel *m* F.
pan|oplia *f* **1.** volle Waffenausrüstung *f*, *bsd. fig.* Ganzrüstung *f*; **2.** Waffensammlung *f*; **~óptico** *m* Panoptikum *n*; **~orama** *m* Panorama *n*; Rund-blick *m*, -sicht *f*; Rund-gemälde *n bzw.* -aufnahme *f*; *fig.* F *es un* ~ das ist e-e dumme Geschichte; **~orámico** *adj.* Panorama...; *anteojo m* ~ Panoramafernrohr *n*.
panoso *adj.* mehlig, mehlartig.
panpsiquismo *m* → *pampsiquismo*.
pantagruélico *adj.* Schlemmer..., überreichlich.
panta|letas *f/pl. Am.* Damenunterhose *f*; **~lón** *m* Hose *f*; ~ *de montar* Reithose *f*; ~ *vaquero*, ~ *tejano* Niethosen *f/pl.*, Blue jeans *pl.* (*engl.*); *fig. llevar los* **~ones** die Hosen anhaben (*fig.*); **~lonera** *f* Hosenschneiderin *f*.
pantalla *f* **1.** Lampen-, Lichtschirm *m*; **2.** Ofen-, Kamin-schirm *m*; **3.** Abschirmung *f*; **4.** *Kino*: Bildwand *f*, (Film-)Leinwand *f*; *fig. de la* ~ Film...; ~ *panorámica* Breitwand *f*; *llevar a la* ~ verfilmen; **5.** *Radar* (*TV*: ~ [*pequeña*]) Bildschirm *m*; *fig.* Fernsehen *n*; ⚕ ~ *radioscópica* Röntgenschirm *m*.
panta|nal *m* Sumpfgelände *n*; **~no** *m* **1.** Sumpf *m*; Morast *m*; **2.** Talsperre *f*; Stausee *m*; **~noso** *adj.* sumpfig; Sumpf...; Moor...
panteís|mo *m* Pantheismus *m*; **~ta** *adj. -su c* pantheistisch; *m* Pantheist *m*.
pantelismo *Phil. m* Pantelismus *m*.
panteón *m* Pantheon *n*; Ruhmeshalle *f*; ~ (*de familia*) Familiengruft *f*.
pantera *Zo. f* Panther m.
pan|tógrafo *m* **1.** Storchschnabel *m*, Pantograph *m*; **2.** ⚡ (Gitter-)Schere *f*; Schere(nstromabnehmer *m*) *f b.*

E-Lok; **~tómetra** *f*, **~tómetro** *m* Pantometer *n*; **~tomima** *f* Pantomime *f*; **~tomímico** *adj.* pantomimisch; **~tomimo** *m* Pantomime *m.*

pantorri|lla *f* Wade *f*; *enseñar las ~s* die Beine zeigen, kokettieren (*Frau*); **~llera** † *f* falsche Wade *f*; **~lludo** *adj.* mit drallen Waden.

pantuf|la *f*, **~lo** *m* Pantoffel *m*, Hausschuh *m.*

panucho *m Méj.* Maispastete *f mit Bohnen- u. Hackfleischfüllung.*

pan|za *f* **1.** Bauch *m*, Wanst *m*; *fig.* F *~ de burra* **a)** grauer Himmel *m* (*bsd. b. Schneewetter*); **b)** † Pergament *n der Universitätsdiplome*; F *echar ~* Bauch ansetzen; **~zada** F *f*: *darse una ~* s. den Bauch vollschlagen F; **~zón** *m* Wanst *m*; *a. adj.* → **~zudo** *adj.* dickbäuchig.

pañal *m* Windel *f*; *a.* ⚕ Wickel *m*; *fig. estar (aún) en (sus) ~es* noch in den Kinderschuhen stecken.

pañe|ría *f* Tuchhandel *m*; Tuchhandlung *f*; **~ro** *m* Tuchhändler *m*; **~te** *m* **1.** *tex.* Flaus *m*, Fries *m*; **2. a)** → *paño higiénico*; **b)** *~s m/pl.* Lendenschurz *m*; Lendentuch *n* Christi *am Kreuz.*

paño *m*; **1.** *a.* ⚓ Tuch *n*; Stoff *m*, Zeug *n*; *tex. ~ inglés (fuerte) a.* Buckskin *m*; *~ de lana* Wolltuch *n*; *~ militar* Uniformtuch *n*; *~ tirolés* Loden *m*; *fig. Thea. al ~* hinter den Kulissen beobachtend (*od.* soufflierend); de *~* tuchen, Tuch...; *acudir al ~ Stk.* die Muleta annehmen (*Stier*); *fig.* auf den Leim gehen; *fig.* F *conocer el ~* den Rummel kennen F; *fig.* F *cortar ancho del ~ ajeno* aus fremder Leute Leder Riemen schneiden; *fig. Thea. dar (un) ~* einhelfen (*aus der Kulisse heraus Stichworte geben usw.*); *fig. haber ~ que cortar* zur Genüge vorhanden sein; ⚓ *ir con poco ~* mit wenig Tuch segeln; *fig.* F *ser del ~* vom Bau sein; *fig. ser del mismo ~* ein u. dasselbe sein; **2.** Tuch *n*; *~s m/pl. p. ext.* Stoffbehänge *m/pl*; Behang *m*; *fig.* Kleidung *f*; *Mal.* faltenreiche Gewandung *f*; *ecl. ~ del altar* Altartuch *n*; *~ de cáliz* Kelchtuch *n*, Velum *n*; *~ de cocina (de manos)* Küchen- (Hand-)tuch *n*; *~-filtro od. ~ de filtraje* Filtriertuch *n*; *~ higiénico* Damenbinde *f*; *ecl. ~ de hombros* Humerale *n*; *fig. ~ de lágrimas* hilfreiche Seele *f*; *fig. en ~s menores* in der Unterhose; im Hemd; im Negligé; *~ mortuorio* Bahrtuch *n*; *Phot. ~ negro* Einstelltuch *n*; *ecl. ~ de púlpito* Kanzelbehang *m*; *~ de vajilla* Geschirrtuch *n*; *~ de los vasos* Gläsertuch *n*; **3.** ⚕ Tuch *n*, Umschlag *m*; Kompresse *f*; *aplicar ~s calientes* heiße Umschläge machen; *fig.* unzulängliche Maßnahmen ergreifen; allzu gr. Rücksichten nehmen; **4.** Bahn *f bzw.* Breite *f e-s Tuchs*; *p. ext.* Breite *f*; **5.** ✓ *Am.* Fläche *f e-s Ackers*; **6.** △ Füllung *f*, Spiegel *m*; **7.** *fig.* Beschlag *m*, Trübung *f an Gläsern, Spiegeln usw.*; **8.** Muttermal *n*, Leberfleck *m.*

pañol ⚓ *m* Spind *n*, Kammer *f*; *~ de coys* Hängemattenkasten *m*; *~ de carbón* Kohlenbunker *m.*

paño|lería *f* Taschentuchladen *m*; **~lero** *m* Taschentuchhändler *m*; **~leta** *f* Halstuch *n*; Dreiecktuch *n bzw.* Busentuch *n der Damen*; **~lón** *m* Umhang *m*, Schal *m*; → *a. mantón.*

pañuelo *m* Taschentuch *n*; Halstuch *n*; *~ (de cabeza)* Kopftuch *n*; *~ triangular a.* ⚕ Dreiecktuch *n*; *fig.* F *el mundo es un ~* die Welt ist (doch) klein (*b. Zs.-treffen an unerwartetem Ort*).

Papa[1] *m* Papst *m*; *ser más papista que el ~* päpstlicher als der Papst sein.

papa[2] *f Andal., Am.* Kartoffel *f*; *Am. Cent. ~ del aire* wilde Yamswurzel *f*; *~ de caña, ~ real* Erdbirne *f*; *~ dulce* → *batata.*

papa[3] *f* **1.** F → *paparrucha*; **2.** *~s f/pl.* **a)** Brei *m*, Mus *n*; **b)** F, *bsd. Kdspr.* Essen *n*, Papp *m* (*Kdspr.*).

papa[4] *m Méj.* Priester *m im alten Mexiko.*

papá *m* Papa *m*; F *~s m/pl.* Eltern *pl.*

papable *kath. adj. c* zum Papst wählbar, *it.* papabile.

papacla *f Méj.* gr. Bananenblatt *n zum Einwickeln.*

papachar *v/t. Méj.* **1.** sanft kneten; **2.** tätscheln.

papa|da *f* Wamme *f*; **~dilla** *f* Doppelkinn *n.*

papado *m* Papsttum *n.*

papafigo *m* → *papahígo* 2.

papaga|ya *f* Papageienweibchen *n*; **~yo** *m* **1.** *Vo.* Papagei *m*; *fig.* F (*a. adj.*) Schwätzer *m*; **2.** *Fi.* Papageienfisch *m*; **3.** ♀ **a)** Buntwurz *f*; **b)** *Art* Fuchsschwanz *m*; **4.** ⚕ *Arg.* Urinflasche *f.*

papahígo *m* **1.** ⚔ Kopfschützer *m*; **2.** *Vo.* Feigendrossel *f*; **3.** ⚓ Großsegel *n* (*außer Besan*).

papaíto *dim. m* Vati *m*, Papa *m.*

papal[1] *m Am.* Kartoffelfeld *n.*

papal[2] *adj. c* päpstlich.

papalina[1] *f* Ohrenmütze *f*; Schutenhut *m*; Haube *f.*

papalina[2] F *f* kräftiger Schwips *m*, Rausch *m.*

papalino *hist. m* päpstlicher Soldat *m.*

papalón *Na. m Méj.* Frechling *m.*

papalo|ta *Na. f Méj.* Schmetterling *m*; **~te** *m* **1.** *Ant., Méj.* (Papier-)Drache *m*; **2.** *C. Ri., Cu.* Schmetterling *m.*

papa|moscas *m* (*pl. inv.*) *Vo.* Fliegenschnäpper *m*; *fig.* F → **~natas** F *m* (*pl. inv.*) Trottel *m*, Simpel *m* F.

papandujo F **I.** *adj.* **1.** überreif, weich; **2.** schlapp, schlaff; **II.** *m* **3.** Bagatelle *f.*

papar *vt/i.* (breiige Speisen) essen; essen ohne zu kauen; *Kdspr. u.* F essen; *fig.* F *~ moscas (od. viento)* Maulaffen feilhalten, gaffen; *fig. no ~ nada* nichts beachten, über alles leichtfertig hinweggehen.

paparrucha(da) F *f* **1.** Falschmeldung *f*, (Zeitungs-)Ente *f*; **2.** leeres Gerede *n*, Gewäsch *n* F; **3.** wertloser Kram *m*, Plunder *m.*

papave|ráceas ♀ *f/pl.* Mohngewächse *n/pl.*; **~rina** ⚗ *f* Papaverin *n.*

papa|ya ♀ *f* Papajafrucht *f*; † *u. oft Am.* → **~yo** ♀ *m* Papaja *f*, Melonenbaum *m.*

papear *v/i.* lallen, stammeln, stottern.

papel *m* **1.** Papier *n*; *de ~* papieren, aus Papier, Papier...; ⊕ *~ abrasivo* Schleif-, Schmirgel-papier *n*; *~ biblia* Dünndruck-, Bibel-papier *n*; *~ brillante, bsd. Typ. ~ muy satinado* Glanzpapier *n*; *~ para calcar (para correo aéreo)* Paus- (Luftpost-)papier *n*; *~ carbón (colorado)* Kohle- (Bunt-)papier *n*; *~ cebolla* Pauspapier *n*; *Typ. a.* Florpost *f*; *~ de copia, ~ para copias, a. ~ cebolla* Durchschlagpapier *n*; *~ crepé* Krepp-Papier *n*; *~ de embalar* Pack-, Einwickel-papier *n*; *~ engrasado (fino)* Öl- (Fein-)papier *n*; *~ de escribir (de filtro, de fumar)* Schreib- (Filter-, Zigaretten-)papier *n*; *~ heliográfico (higiénico)* Lichtpaus- (Toiletten-)papier *n*; *~ hilo (ministro)* Leinen-, Bütten- (Kanzlei-)papier *n*; ⚗, ⚕ *~ indicador (reactivo)* Indikator- (Reagenz-)papier *n*; *Typ. ~ Kraft* Kraftpapier *n*; Tauenbogen *m*; *~ para multicopista (normal semifino)* Saug- (Normal-)post *f*; *~ de música* Notenpapier *n*; *~ parafinado, ~ encerado* Wachspapier *n*; *~ prensa* Zeitungspapier *n*; *~ registrador* Registrierpapier *n*, Schreibstreifen *m*; *~ de seda* Seidenpapier *n*; ⚖ *~ sellado* Stempelpapier *n*; *Phot. ~ sensible* Kopierpapier *n*; *~ tela* Papierstoff *m*; *p. ext.* Papierwäsche *f*; *~ de tina (od. de mano)* (handgeschöpftes) Büttenpapier *n*; ⚗ *~ de tornasol* Lackmuspapier *n*; *~ transparente* Transparentpapier *n*; Durchschlagpapier *n*; ⊕ *~ de vidrio* Glaspapier *n*; *fig. el ~ todo lo aguanta* Papier ist geduldig; *fig.* F *yo no fumo más que ~* ich rauche nur Zigaretten; *fig.* F *todo esto no es más que ~ mojado* das ist alles nur ein Fetzen Papier; damit ist gar nichts anzufangen; **2.** Papier *n*, Zettel *m*; **3.** *~ (pintado od. ~ de pared)* Tapete *f*; *hoja f de ~* Tapetenbahn *f*; **4.** Papier *n*, Schriftstück *n*, Dokument *n*; *~es m/pl.* Papiere *n/pl.*, *a.* Ausweispapiere *n/pl.*; ⚚ *~es m/pl. de negocios* Geschäftspapiere *n/pl.*; **5.** ⚚ Wertpapier *n* (→ *a. valor, título*); *~ moneda* Papiergeld *n*; **6.** *Thea. u. fig.* Rolle *f*; *primer ~ od. ~ de protagonista* erste Rolle *f*, Hauptrolle *f*; *fig. hacer ~* e-e Rolle spielen (wollen); *fig. hacer buen ~* s. gut aufführen, s. bewähren; *fig. jugar (od. desempeñar) un ~* e-e Rolle spielen (*fig.*); *Thea. representar (od. hacer) un ~* e-e Rolle spielen (*od.* darstellen); *Thea. sacar de ~es* die Rollen ausschreiben; *fig.* F *venir a uno con ~es* j-m schön tun, j-m um den Bart gehen; **7.** F Blatt *n*, Zeitung *f*; *unter Journalisten a.* Beitrag *m*, Artikel *m.*

pape|lada *f Am. Cent., Ec., Pe.* Farce *f*, Humbug *m*; **~lear** *v/i.* **1.** Papiere durchsehen (*od.* durchstöbern); **2.** *fig.* e-e Rolle spielen wollen; *fig.* F *Arg.* Theater spielen; s. nicht durchschauen lassen; **~leo** *m* **1.** Durchstöbern *n* von Papieren; **2.** F Papier-kram *m bzw.* -krieg *m*; **~lera** *f* **1.** Papier-, Akten-schrank *m*; **2.** Papierkorb *m*; **3.** Papierfabrik *f*; **~lería** *f* Papierwaren *f/pl.*; Schreibwarengeschäft *n*; **~lero I.**

adj. Papier...; **II.** *m* Papier- *bzw.* Schreibwaren-händler *m*; **~leta** *f* Zettel *m*; Schein *m*; *Sch.* (ausgeloster Zettel *m* mit dem) Prüfungsthema *n*; *Pol.* ~ *de votación* Stimmzettel *m*; *Verw.* ~ *de empeño* Pfandschein *m*; *fig. tocarle a uno una ~ difícil* vor e-r schwierigen Aufgabe stehen; **~letizar** [1f] *v/t.* verzetteln (*für den Zettelkasten*); **~lillo** *m* **1.** *dim.* Stückchen *n* Papier; Papierröllchen *n*; **2.** Zigarette *f zum Selbstdrehen*; *fig.* F → *papillote*; **3.** *pharm.* Briefchen *n mit Arznei*; **~lista** *m* **1.** Papier-fabrikant *m bzw.* -händler *m*; **2.** → *empapelador*; **3.** F *Arg.* Angeber *m* F; **~lón I.** *adj.* **1.** großsprecherisch; **II.** *m* **2.** dünner Karton *m aus mehreren Lagen Papier*; **3.** *fig.* F Geschreibsel *n*, wertloser Wisch *m* F; **4.** *Thea.* langweilige (*bzw.* undankbare) Rolle *f*; *fig.* F *hacer un ~* s. blamieren; **5.** *Am.* Rohzuckerhut *m*; **~lorio** *desp. m* Haufen *m* wertloser Papiere; **~lote** F *m* Fetzen *m* Papier, Wisch *m* F; Altpapier *n*; **~lucho** *desp. m* unnützes Stück *n* Papier.

papera ⚕ *f* Kropf *m*; **~s** *f/pl.* Mumps *m*, Ziegenpeter *m*.

papero *m* **1.** Breitopf *m*; **2.** Brei *m für Kleinkinder*.

papi|la *Anat. f* Papille *f*; **~lar** *adj. c* Papillen...

papilionáceas ⚘ *f/pl.* Schmetterlingsblütler *m/pl.*

papilo|ma ⚕ *m* Papillom *n*; **~so** *adj.* mit Papillen bedeckt.

papilla *f* **1.** *Kchk.* Brei *m*; *fig.* F *hacer ~ a alg.* j-n kaputtmachen F, j-n erledigen; **2.** *fig.* heuchlerische List *f*.

papillote *m* Haar-, Locken-wickel *m*.

papiro *m* Papyrus *m* (*Pfl., Schreibstoff u. Schriftrolle*).

pápiro F *m* Geldschein *m*.

papis|mo *Rel. m* **1.** *desp.* Papismus *m*; **2.** Papstkirche *f*, römischer Katholizismus *m*; **~ta I.** *adj. c desp.* papistisch; F → *papal*; (→ *a. Papa*); **II.** *m desp.* Papist *m*; F eifriger Anhänger *m* des Papsttums.

papo *m* **1.** ⚘ Haarkrone *f der Korbblütler*; **2.** *Zo.* Kropf *m der Vögel*; Wamme *f der Rinder*; Speisemagen *m der Bienen*; **3.** ⚓ geringe Schwellung *f* des Segels *b. mangelndem Wind*; **4.** V Vulva *f*.

papúa *adj.-su. c* Papua...; *m* Papua *m*.

papudo *adj.* dickkröpfig (*Vogel*).

pápula ⚕ *f* Papel *f*.

paquear *hist.* (*9. Jh.*) *v/i.* aus dem Hinterhalt *gg. die Spanier* schießen (*maurischer Freischärler*).

paque|bote ⚓ *f* **a)** Passagierdampfer *m*; **b)** Postdampfer *m*; **~te I.** *m* **1.** Pack *m*; (*a.* ✉ *u. Aktien*) Paket *n*; Bündel *n*; Päckchen *n*, Schachtel *f* (*a. Zigaretten*); ✉ ~ *postal* Postpaket *n*; **2.** *Typ.* Satzstück *n*; **3.** ⚓ → *paquebote*; **4.** *fig.* F **a)** lästiger Kram *m*; **b)** Rüffel *m*; *meter un ~ a alg.* j-m e-e Zigarre verpassen F; **5.** F Beifahrer *m b. Motorrad*; **6.** ⚒ *u. Arg.* Modenarr *m*; **II.** *adj. c* **7.** *Arg.* elegant, piekfein F; aufgetakelt F; **~tera** *Kfz. f* kl. Lieferwagen *m mit Kasten*; **~tería** *f* Paketgut *n*, Stückgut *n*; **~tero I.** *adj.* **1.** Paket...; **II.** *m* **2.** Paketmacher *m*; **3.** Verteiler *m* der Zeitungspakete *an Boten u. Verkäufer*; **4.** *fig.* F **a)** ⚒ Schmuggler *m*; **b)** *Chi.* Trickbetrüger *m*; **~tito** *m a.* ✉ Päckchen *n*.

paquider|mia ⚕ *f* Pachydermie *f*; **~mo** *Zo. m* Dickhäuter *m*.

paquistaní *adj.-su. c* pakistanisch; *m* Pakistaner *m*.

par I. *adj. c* **1.** gerade (*Zahl*); **2.** gleich; *a la ~* gleichzeitig; ⚕ (al) pari; *a la ~ que* zugleich; *a ~ de* neben (*dat.*), bei (*dat.*); wie, gleichsam; (*abierto*) *de ~ en ~* sperrangelweit (offen); *sin ~* unvergleichlich, einzigartig; *joven a la ~ que muy sensato* sehr jung u. zugleich sehr vernünftig; **II.** *m* **3.** Paar *n*, zwei Stück *n/pl.*; *un ~ de* einige; *a ~es* paarweise; *un ~ de huevos* zwei Eier; *un ~ de pantalones* e-e Hose; ⊕ *~ de ruedas* Rad-, Räder-paar *n*, -satz *m*; *un ~ de tijeras* e-e Schere; *un ~ de zapatos* ein Paar Schuhe; **4.** *Phys.*, ⊕ Paar *n*; ~ (*de fuerzas*) Kräftepaar *n*; ~ (*de giro*) Drehmoment *n*; **5.** Pair *m* (*Adelstitel*).

para *prp. der Richtung u. fig. des Vergleichs*: **1.** *örtlich*: nach (*dat.*); ~ *allá* dorthin; *salir ~ Madrid* nach Madrid abreisen; **2.** *zeitlich*: bis (*dat.*); *todo estará listo ~ agosto* alles wird bis (*od.* zum *od.* bis zum) August fertig sein; *aplazarlo ~ mañana* es auf morgen verschieben; *tener trabajo ~ seis meses* für ein halbes Jahr Arbeit haben; ~ *siempre* für immer; **3.** *modal*: zu (*dat.*), gg.-über (*dat.*), gg. (*ac.*); *estuvo muy amable* (~) *con nosotros* er war sehr freundlich zu (*od.* gg.) uns; **4.** *Zweck, Bestimmung, Verwendung*: **a)** ~ *ella* für sie; ~ *sí mismo* für s. selbst; ~ *eso* dazu, deshalb; zu diesem Zweck, in dieser Absicht; *¿~ qué?* wozu?, zu welchem Zweck?; in welcher Absicht?; *bueno ~ la tos* gut gg. (*od.* für) den Husten; *calzado m ~ niños* Kinderschuhe *m/pl.*; *capaz* (*od. útil*) ~ *el trabajo* arbeitsfähig; *vaso m ~ agua* Wasserglas *n* (*vgl. vaso m de agua* Glas *n* Wasser); *no hay ~ qué subrayar que* ... es ist unnötig, zu unterstreichen, daß ...; **b)** *Bereitschaft*: *estar ~ hacer a/c.* im Begriff stehen (*od.* sein), et. zu tun; *está ~ llover* es wird gleich regnen; *no estoy ~ bromas* ich bin nicht zu Scherzen aufgelegt; *estoy ~ usted* ich stehe Ihnen (gern) zu Diensten (*vgl. estoy por usted* ich bin für Sie); **c)** *mit inf.*: ~ *acabar de una vez* um endgültig Schluß zu machen; kurz u. gut; ~ *hacerlo* um es zu tun; **d)** (*finale cj.*) ~ *que* + *subj.* damit; ~ *que todo salga bien* damit alles gut ausgeht; **5.** *Verhältnis, Vergleich* (*a. Gg.-satz*): ~ *mí* (*lo veo así*) was mich angeht (, sehe ich es so), nach m-r Meinung (verhält es s. so); *está muy bien conservado ~ sus años* für sein Alter (*od.* in Anbetracht s-s Alters) ist er sehr rüstig; *no le pagan ~ el trabajo que hace* s-e Arbeit wird nicht entsprechend bezahlt; *vgl. por*.

parabalas *m* (*pl. inv.*) Kugelfang *m*.

parábasis *Thea. f* Parabase *f*.

parabién *m* Glückwunsch *m*; *dar el ~* beglückwünschen (j-n *a alg.*).

pa|rábola *f bibl.* Gleichnis *n*; ⅄ *u. fig.* Parabel *f*; **~rabólico** *adj.* gleichnishaft, Parabel...; *a.* ⅄ parabolisch, Parabol...; **~raboloide** ⅄ *m* Paraboloid *n*.

para|brisas *m* (*pl. inv.*) Windschutzscheibe *f*; **~caídas** ✈ *m* (*pl. inv.*) Fallschirm *m*; **~caidismo** *m* Fallschirmspringen *n*; **~caidista** *c* Fallschirmspringer *m*; ⚔ Fallschirmjäger *m*; **~choques** *m* (*pl. inv.*) 🚂 Prellbock *m*; *Kfz.* Stoßstange *f*; **~chutista** *m gal.* → *paracaidista*.

parada *f* **1.** Stillstand *m*; Stillstehen *n*, Stehen *n*; ♪ Generalpause *f*; **2.** *a.* ⊕ Anhalten *n*; ⊕ Stillsetzung *f*, Außerbetriebsetzung *f*, Ausschaltung *f*; *mecanismo m de ~* Abstellvorrichtung *f*, Absteller *m*; *a. Vkw. señal f de ~* Haltezeichen *n*; **3.** *bsd.* 🚂 Aufenthalt *m an e-r Station*; Halt(epunkt) *m*; *Straßenbahn*: ~ *discrecional* Bedarfshaltestelle *f*; 🚂 Bedarfshalt *m*; ~ *obligatoria* Zwangshaltestelle *f*; 🚂 planmäßiger Halt *m*; ~ *de taxis* Taxistand *m*; **4.** ⚔ **a)** Parade(aufstellung) *f*; Wachparade *f*; Paradeplatz *m*; *paso m de ~* Paradeschritt *m*; **b)** Rast *f*, Halt *m*; **5.** *Fechtk.* Parade *f*; *Sp. hacer ~s* den Ball halten (*od.* auffangen) (*Torwart*); **6.** Wehr *n in fließendem Gewässer* (*z. B. für e-e Mühle*); **7.** ⚒ Einstell-, Sammelplatz *m bzw.* Zuchtstallung *f*, Gestüt *n für Großvieh*; **8.** Einsatz *m b. Spiel*; **9.** † Ausspann *m*, Wechselstation *f der Überlandpost*; *p. ext.* Wechselpferde *n/pl.*; **10.** *Am. Cent., Méj.* volle Patronenladung *f e-s Gewehrs usw.*; **11.** F *Arg.* Angabe *f* F; **12.** *Méj., P. Ri.* Aufmarsch *m*, Kundgebung *f*; **13.** *Méj., Ven. fig.* großes Wagnis *n*; **14.** *Jgdw.* Vorstehen *n* (*Jagdhund*).

paradentosis ⚕ *f* Paradentose *f*.

paradero *m* **1.** Verbleib *m* (*z. B. v. Sendungen*); *fig.* Ende *n*; **2.** Bleibe *f*, Aufenthaltsort *m*; *de ~ desconocido* unbekannten Aufenthalts; *sin ~ fijo* ohne feste Bleibe (*vgl. domicilio*); **3.** *Cu., Chi., P. Ri.* Busstation *f*; 🚂 Haltepunkt *m*; *Ven.* Gasthaus *n*.

paradig|ma *m* Paradigma *n*, Musterbeispiel *n*; **~mático** *adj.* paradigmatisch.

paradisíaco *adj.* paradiesisch.

parado I. *adj.* **1.** stillstehend (*a. Maschine*); untätig; *fig.* F schlapp; *mal ~* übel zugerichtet; *estarse ~* s. nicht rühren; *quedarse ~* stehenbleiben; *fig. se quedó ~* er war baff (*od.* platt F); ihm blieb die Spucke weg F; **2.** arbeitslos; **3.** *Am.* aufrecht; gerade aufgerichtet; **4.** *fig. Arg.* kalt, blasiert; *Chi., P. Ri.* stolz, hochfahrend; **II.** **~s** *m/pl.* **5.** Arbeitslose(n) *m/pl.*

para|doja *f* Paradoxon *n*, Widersinnigkeit *f*; **~dójico** *adj.* widersinnig, paradox; **~dojismo** *Rhet. m* Paradoxie *f*.

parador *m*: ~ (*de turismo*) staatliches Touristenhotel *n*.

paradoxal *gal. adj. c* → *paradójico*.

paraestatal *adj. c* halbstaatlich (*Unternehmen, Gesellschaft*).

parafango *m* Schutzblech *n am Fahrrad*.

parafernales ⚖: (*bienes*) ~ *m/pl.* Sondergut *n* der Ehefrau.
parafina ⚗ *f* Paraffin *n*; **~je** *m* Paraffinierung *f*; **~r** *v/t.* paraffinieren.
pa|rafrasear *v/t.* umschreiben; **~ráfrasis** *f* (*pl. inv.*) Umschreibung *f*, Paraphrase *f*; **~rafrástico** *adj.* umschreibend, paraphrastisch (*a. Gram.*).
para|goge *Li. f* Paragoge *f*, Buchstabenanfügung *f*; **~gógico** *Li. adj.* paragogisch.
parágrafo ✎ *m* → *párrafo.*
paraguas *m* (*pl. inv.*) Regenschirm *m*; ~ (*plegable*) *de bolsillo* Taschenschirm *m*; ⚘ *Am. Reg.* ~ *de tierra* (Schirm-)Pilz *m.*
paraguayo *adj.-su.* paraguayisch; *m* Paraguayer *m.*
para|guazo *m* Schlag *m* mit e-m Schirm; **~güería** *f* Schirmgeschäft *n*; **~güero** *m* **1.** Schirm-macher *m*; -händler *m*; **2.** (*Am. oft paragüera f*) Schirmständer *m.*
parahúso ⊕ *m* Stahlbohrer *m.*
paraíso *m* **1.** *a. fig.* Paradies *n*; *ave f del* ~ Paradiesvogel *m*; **2.** F *Thea.* Galerie *f*, Olymp *m* F.
paraje *m* Ort *m*, Platz *m*; Gegend *f*; *fig. encontrarse en mal* ~ in schlechtem Zustand sein (*Sache*).
paral ⚓ *m* Ablaufbahn *f.*
para|láctico *Astr. adj.* paralaktisch; Parallaxen...; **~laje** *m* Parallaxe *f.*
parale|la *f* **1.** 𝔄 Parallele *f*; **2.** *Sp.* ~*s f/pl.* Barren *m*; **~lepípedo** 𝔄 *m* schiefer Quader *m*, Parallelepipedon *n*; **~lidad** 𝔄, ⊕ *f* Parallelität *f*, Gleichlauf *m*; **~lismo** *m* 📖 Parallelismus *m*; 𝔄 *u. fig.* Parallelität *f*; **~lo I.** *adj.* **1.** 𝔄 *u. fig.* parallel, gleichlaufend; *fig.* entsprechend; vergleichbar; **II.** *m* **2.** *Astr.*, *Geogr.* Breitenkreis *m*; Breitengrad *m*; **3.** Vergleich *m*, Parallele *f*; Entsprechung *f*; Gg.-überstellung *f*; **~lográmico** *neol. adj.* Parallelogramm...; **~logramo** 𝔄, *Phys. m* Parallelogramm *n*; *Phys.* ~ *de fuerzas* Kräfteparallelogramm *n.*
para|lipómenos 📖 *m/pl.* (*a. bibl.* ♀) (Bücher *n/pl.* der) Chronik *f*; **~lipse,** *mst.* **~lipsis** *Rhet. f* (*pl. inv.*) Paralipsis *f.*
pa|rálisis *f* (*pl. inv.*) ⚕ *u. fig.* Lähmung *f*; *a. fig.* Lahmlegung *f*; ⚕ ~ *espinal infantil* spinale Kinderlähmung *f*; ~ *respiratoria* (*transversal*) Atem- (Querschnitts-)lähmung *f*; **~ralítico** ⚕ *adj.-su.* gelähmt; paralytisch; *m* Gelähmte(r) *m*; Paralytiker *m*; Gichtbrüchige(r) *m* (*bibl.*).
paraliza|ción *f* ⚕ *u. fig.* Lähmung *f*; Erlahmen *n*; *fig.* Lahmlegung *f*; Stockung *f*; ~ *de capital* Kapitalstillegung *f*; **~r** [1f] **I.** *v/t.* ⚕ *u. fig.* lähmen; *fig.* hemmen; zum Stocken bringen; **II.** *v/r.* ~*se* erlahmen; steckenbleiben; stocken.
paralogi|smo *Phil. m* Fehl-, Wahnschluß *m*; Widervernünftigkeit *f*, Paralogie *f*; **~zar** [1f] **I.** *v/t.* mit Fehlschlüssen überreden wollen; **II.** *v/r.* ~*se* Fehlschlüsse vorbringen; *fig. Am.* s. verhaspeln.
paramag|nético *Phys. adj.* paramagnetisch; **~netismo** *Phys. m* Paramagnetismus *m.*
paramen|tar ✎ *v/t.* zieren, schmücken; **~to** *m* **1.** Putz *m*, Zierat *m*; Belag *m*; **2.** Schabracke *f*; **3.** Δ Mauerseite *f*; Vorderseite *f e-s behauenen Steins*; **4.** *ecl.* ~*s m/pl.* Paramente *pl.*
paramera *Geogr. f* Öde *f*, Ödland *n.*
parametritis ⚕ *f* (*pl. inv.*) Parametritis *f.*
parámetro 𝔄 *m* Parameter *m.*
paramilitar *adj. c* militärähnlich; paramilitärisch.
páramo *Geogr. m* Ödland *n*; *bsd.* kahle Hochfläche *f.*
paran|gón *m* Vergleich *m*; **~gonar** *v/t.* vergleichen; *Typ.* justieren.
paraninfo *m* **1.** ✎ Brautführer *m*; *p. ext.* Glücksbote *m*; **2.** akademischer Festredner *m* (*Eröffnungsansprache zum Studienjahr*); **3.** *p. ext.* Aula *f e-r Universität.*
paranoi|a ⚕ *f* Paranoia *f*; **~co** *adj.-su.* paranoisch; *m* Paranoiker *m.*
parapa|ra ⚘ *f Ven.* **1.** Seifenbaumfrucht *f*; *p. ext.* (*café m en*) ~ Kaffeebeeren *f/pl.*; **2.** → **~ro** ⚘ *m Ven.* Seifenbaum *m.*
parape|tarse *v/r.* ⚔ *u. fig.* s. verschanzen; *fig.* s. schützen; **~to** *m* ⚔ Brustwehr *f*; *p. ext.* Brüstung *f.*
para|plasia ⚕ *f* Paraplasie *f*; **~plejía** ⚕ *f* doppelseitige Lähmung *f*, Paraplegie *f*; **~pléjico** ⚕ *adj.-su.* doppelseitig gelähmt; **~psicología** *f* Parapsychologie *f.*
parar I. *v/t.* **1.** anhalten; stoppen; *Gerät, Maschine* abstellen, abschalten; ⊕ *a.* festhalten, arretieren; *Arbeit* einstellen; *Fabrik* stillegen; *Sp. Ball* halten, stoppen; *Schlag, Degenstoß usw.* abfangen, parieren; *Jgdw. Wild* stellen (*Hund*); *fig.* F *¡pare el carro!* nicht so stürmisch!; immer mit der Ruhe!; ~ *en seco Pferd* parieren; **2.** *Aufmerksamkeit* lenken (auf *ac. en*); in e-n Zustand versetzen, zurichten F; *Kart. usw. Einsatz* riskieren, *Geld usw.* setzen; ~ *la atención en* s-e Aufmerksamkeit richten auf (*ac.*); ~ *mientes en a/c.* achten auf et. (*ac.*); **3.** *Am.* auf die Beine stellen; hinstellen; **II.** *v/i.* **4.** aufhören (zu + *inf. de* + *inf.*); halten (*Wagen, Zug*); absteigen, wohnen; *fig.* hinauslaufen, abzielen (auf *ac. a*); *¿adónde irá a* ~ *todo esto?* wohin soll das alles noch führen?; *fig. ¿adónde quieres ir a* ~*?* worauf willst du eigentlich hinaus?; *ir a* ~ *a* (*od. en*) *irgendwo* hin(ein)geraten, *irgendwohin* kommen; *irgendwo* landen F; *el paquete vino a* ~ *a sus manos* das Paket gelangte schließlich in s-e Hände; *la calle va a* ~ *a la plaza* die Straße führt zum (*od.* endet am) Platz; *el coche paró en seco* der Wagen hielt mit e-m Ruck (*bzw.* bremste scharf); *¿cómo va a* ~ *todo eso?* wie soll das (noch) enden?; *fig.* F *déjale correr, que él* ~*á* laß(t) ihn, er wird s. die Hörner schon abstoßen; *no para nunca* er hört u. hört nicht auf; *pero no paran aquí las posibilidades* aber hiermit sind die Möglichkeiten (noch) nicht erschöpft; *sin* ~ unaufhörlich; *no para de hablar* er redet pausenlos; ~ (*en*) *bien* gut auslaufen (*od.* enden); *todo ha ido a* ~ *en sus manos* alles ist schließlich an ihn (*od.* in s-n Besitz) gekommen; **5.** vorstehen (*Jagdhund*); **III.** *v/r.* ~*se* **6.** stehenbleiben (*a. Uhr*); anhalten, haltmachen; innehalten; stocken; stillstehen; abschalten (*v/i.*); ~*se a meditar* besinnlich innehalten, s. Zeit zum Nachdenken lassen; ~*se en discusiones* s-e Zeit mit Diskussionen vertun; *no* ~*se en nimiedades* s. nicht mit (*od.* bei) Kleinkram aufhalten.
pararrayos *m* (*pl. inv.*) *a. fig.* Blitzableiter *m.*
Parasceve *ecl. f* Karfreitag *m*, „Rüsttag" *m.*
para|sitario *adj.* parasitenhaft, parasitär; Parasiten...; **~siticida** *adj. c-su. m* Insektenvertilgungsmittel *n*; **~sítico** *adj. a. fig.* Parasiten..., Schmarotzer...; **~sitismo** *m a. fig.* Parasiten- *od.* Schmarotzer-leben *n.*
parásito *m a. fig.* Parasit *m*, Schmarotzer *m*, Ungeziefer *n*; ~*s m/pl. Rf.* Störungen *f/pl.*; ~*s intempestivos* Gewitterstörungen *f/pl.*; ⚒ ~*s m/pl. vegetales* Pflanzenschmarotzer *m/pl.*
parasi|tología *m* Parasitenkunde *f*; **~tólogo** *m* Parasitenforscher *m.*
parasol *m* Sonnenschirm *m*; *Kfz.*, *Phot.* Sonnenblende *f.*
parata ⚒ *f Arg.* Terrassenbeet *n.*
parataxis *Li. f* (*pl. inv.*) Parataxe *f.*
para|tífico ⚕ **I.** *adj.* Paratyphus...; **II.** *m* Paratyphuskranke(r) *m*; **~tifoidea** *f*, **~tifus** *m* ⚕ Paratyphus *m.*
paratiroides ⚕ **I.** *adj. inv.* Nebenschilddrüsen...; **II.** *f* (*glándula f*) ~ Nebenschilddrüse *f.*
para|ván ⚓ *gal. m*: ~ *protector* Bugschutzgerät *n*; **~vientos** *m* (*pl. inv.*) Windschutzscheibe *f in Booten usw.*; *Kfz.* → *parabrisas.*
Parca *Myth. u. poet. f* Parze *f*; *fig.* Tod *m.*
parce *Sch. m* † *u. Reg.* Fleißkärtchen *n* (*Minuspunkte u. Strafen können damit verrechnet werden*).
parcela *f* Parzelle *f*; Stück *n* Land; **~ción** *f* Parzellierung *f*; **~r** *v/t.* parzellieren; **~rio** *adj.* Parzellen...; ⚒ *concentración f* ~*a* Flurbereinigung *f.*
parcia|l *adj. c* **1.** teilweise, Teil...; *Astr.* partiell (*Finsternis*); ✝ *pago m* ~ Teilzahlung *f*; **2.** parteiisch; **~lidad** *f* **1.** Parteilichkeit *f*; **2.** Gruppenbildung *f*, Zs.-rottung *f*; **3.** † *u. Reg.* Vertraulichkeit *f im Umgang.*
par|cidad *f* → *parquedad*; **~císimo** *sup. adj.* äußerst karg; sehr sparsam; **~co** *adj.* sparsam; mäßig; karg; ~ *en palabras* wortkarg.
parcómetro *Vkw. m* Parkuhr *f.*
parcha ⚘ *f* Passionsblume *f* (*versch. Arten*).
par|char *v/t. Arg.*, *Chi.*, *Méj.* e-n Flicken aufsetzen; **~chazo** *m* ⚓ Killen *n der Segel*; *fig.* F *pegar un* ~ *a alg.* j-m e-n Possen spielen; j-n prellen; **~che** *m* **1.** ⚕ Pflaster *n*; ~ *de ojo* Augenklappe *f*; **2.** Flicken *m*, Fleck *m für Reifen*; *poner* ~*s en neumáticos* Reifen flicken; **3.** ♪ ~ (*de piel*) Trommelfell *n*; *fig.* Trommel *f*; **4.** *fig.* F → *parchazo*; **~chear** *v/t.* flicken, notdürftig reparieren; ⚕ (mit Pflaster) verbinden.

parchís *m urspr. indisches* Würfelspiel *n*; *heute Art* „Mensch ärgere dich nicht".
pardal I. *adj. c* **1.** → *pardillo*; **II.** *m* **2.** *Zo.* Pardelkatze *f*; Leopard *m*, Pardel *m*; † Giraffe *f*; **3.** *Vo. Reg.* Spatz *m*; *a.* → *pardillo*; **4.** ⚘ → *acónito*.
pardear *v/i.* e-n braunen Schimmer haben; braun sein.
¡pardiez! *int.* Potztausend!, Donnerwetter!
par|dillo I. *adj.* bäurisch, tölpelhaft; **II.** *m Vo.* Rotkehlchen *n*; *fig.* F Tölpel *m*; **~do I.** *adj.* **1.** braun; grau- *od.* stumpf-braun; trüb (*Himmel*); klanglos (*Stimme*); *Pol. hist. camisas f/pl. ~as* Braunhemden *n/pl.*; *de ojos ~s* braunäugig; **II.** *m* **2.** Braun *n*; *~ diáfano* Lasurbraun *n*; **3.** *Am.* Mulatte *m*; **~dusco** *adj.* bräunlich.
pare|ado *adj.* gepaart; *Lit.* (*versos*) *~s m/pl.* paarweise gereimte Verse *m/pl.*; **~ar** *v/t.* **1.** paaren, zs.-tun; vergleichen; paarweise aufstellen; **2.** *Stk. den Stier* mit Banderillas reizen.
parecer[1] *m* **1.** Meinung *f*, Ansicht *f*; *de otro ~* anderer Meinung, andersdenkend; *dar su ~* s-e Ansicht äußern; *ser cuestión de ~es* Ansichtssache sein; *ser del mismo ~* der gleichen Meinung sein; *soy del ~ que ...* ich meine, daß ...; **2.** Aussehen *n*; Anschein *m*; *al ~* anscheinend; *por el bien ~* anstandshalber; *tener* (*od. ser de*) *buen ~* gut aussehen.
parecer[2] [2d] **I.** *v/i.* **1.** (zu sein) scheinen; aussehen (wie); dünken; *~ otro* ein anderer zu sein scheinen, anders aussehen; *parece que va a llover* es gibt sicher bald Regen; *a lo que parece* wie es scheint, anscheinend, dem Anschein nach; *como le parezca* wie Sie wollen; *¿le parece que vayamos a la playa?* wie wäre es, wenn wir an den Strand gingen?; *me parece bien* es gefällt mir; ich finde es richtig (*od.* in Ordnung); *me parece que ...* mir scheint, daß ...; ich meine, daß ...; *no me parece mal* es gefällt mir (gar) nicht übel; *¿no os parece que se lo preguntemos?* sollen wir ihn nicht (lieber) danach fragen?; *¿qué te parece?* was meinst du dazu?; was hältst du davon?; *¿qué te parece esta corbata?* wie gefällt dir m-e Krawatte?; *si te parece* wenn du meinst, wenn es dir recht ist; **2.** ✎ erscheinen, s. zeigen; s. sehen lassen; zum Vorschein kommen; → *aparecer u.* ⚖ *comparecer*; *fig.* F *¡ya pareció aquello!* so habe ich es (immer) kommen sehen!; da haben wir die Bescherung! F; **II.** *v/r.* *~se* **3.** ähnlich sein, (s.) ähneln; *esto se le parece* das sieht ihm ähnlich; *~se a j-m* ähneln.
parecido I. *adj.* ähnlich; *bien ~* hübsch, nett aussehend; *mal ~* häßlich, unschön; *o algo ~, o cosa ~a* od. dergleichen; **II.** *m* Ähnlichkeit *f*.
pared *f* Wand *f*; Mauer *f*; *Anat. ~ abdominal* Bauch-wand *f*, -decke *f*; *~ divisor(i)a* Scheide-, Zwischenwand *f*; *~ exterior* (*intermedia, lateral*) Außen- (Zwischen-, Seiten-) wand *f*; *~ maestra* tragende Wand *f*; *de doble ~* doppelwandig; *fig.* F *verstärkend*: *hasta la ~ de enfrente* im höchsten Grade, mit Haut u. Haaren F; *fig.* F *estar con la boca a la ~* auf dem letzten Loch pfeifen; *fig. entre cuatro ~es* zwischen s-n vier Wänden; *fig. a. estar entre cuatro ~es* in der Falle sitzen, nicht mehr ein noch aus wissen; *como si hablara a la ~* vor tauben Ohren predigen, in den Wind reden; *las ~es oyen* die Wände haben Ohren; *poner de cara a la ~* in die Ecke stellen (*Kinderstrafe u. fig.*); *ponerse más blanco que la ~* kalkweiß im Gesicht werden; *fig. quedarse pegado a la ~* beschämt werden; *vivir ~ por* (*od. en*) *medio* Wand an Wand (*od.* Tür an Tür) wohnen; F *sordo como una ~* stocktaub.
pare|daño *adj.* Wand an Wand, benachbart; **~dón** *m* dicke Mauer *f*, dicke Wand *f*; Mauerrest *m*; F *mandar al ~* an die Wand stellen (*erschießen*); *fig.* in die Enge treiben; *Am.* *¡~!* erschießen!, an die Wand stellen!
pare|ja *f* Paar *n*; *p. ext.* Brautpaar *n*; Tanzpaar *n*; Tanzpartner *m*; *fig.* Seitenstück *n*, Entsprechung *f*; ⚡ *~ de cables* Kabelpaar *n*; *Span.* F Zweierstreife *f der Landpolizei*; *a las ~s* gleich; *fig.* F *cada oveja con su ~* gleich u. gleich gesellt sich gern; *fig. correr ~s od. andar de ~* Hand in Hand gehen (*fig.*) (mit *dat. con*); *hacer una buena ~* ein schönes Paar sein; *tener ~s Kart.* gleiche Karten haben; *Würfel* e-n Pasch machen; **~jero I.** *adj.* **1.** *Am. Mer.*, *Ant. fig.* dreist, vorlaut; **2.** *Rpl.*, *Méj.* schnell (*Pferd*); **3.** *Ven.* parvenühaft; **II.** *m ib.* **4.** anmaßender Frechling *m*; **5.** Rennpferd *n*; **~jo** *adj.* ähnlich; gleich; gleichmäßig; *por* (*un*) *~* gleich; F *sin ~* ohnegleichen.
parel ⚓ *m* Ruder *n*, Riemen *m* (*paarweise gebraucht*).
parem|ia *f* Sprichwort *n*, Denkspruch *m*, Parömie *f*; **~iología** *f* Sprichwortkunde *f*.
par|énesis 📖 *f* Ermahnung *f*; Nutzanwendung *f*, Moral *f*; Paränese *f*; **~enético** *adj.* paränetisch.
par|énquima *Anat.*, *Biol. m* Parenchym *n*; **~enquimatoso** *adj.* parenchymatös, Parenchym...
paren|tela *f* (*desp.* F *a.* die liebe) Verwandtschaft *f*; Verwandte(n) *pl.*; **~tesco** *m* Verwandtschaft *f*; verwandschaftliches Verhältnis *n*; *contraer ~* in verwandtschaftliche Beziehungen treten.
par|éntesis *Typ. m* (*pl. inv.*) (runde) Klammer *f*, Parenthese *f*; *entre ~* in Klammern; *fig.* nebenbei bemerkt; *abrir* (*cerrar*) *el ~* Klammer auf(machen) (zu[machen]); *poner entre ~* einklammern, in Klammern schließen; **~entético** *lit. adj.* parenthetisch.
pareo *m* Paaren *n*; Zusammenfügen *n*.
parheli|a *f*, **~o** *m Met.* Nebensonne *f*.
paria *m a. fig.* Paria *m*.
pari|ción *f* Gebären *n*; **~da I.** *adj. f* entbunden; **II.** *f* Wöchnerin *f*.
paridad *f* Gleichheit *f*; *a.* ☤ Parität *f*.
paridera I. *adj. f* fruchtbar (*Weib, Tierweibchen*); **II.** *f* Stelle *f*, wo das Vieh Junge wirft.
parien|ta F *f* Ehefrau *f*; **~te I.** *adj. c* verwandt; **II.** *c* Verwandte(r) *m*, Verwandte *f*; *~s m/pl.* Angehörige(n) *pl.*
parie|tal I. *adj. c* Wand...; *Anat.* parietal; **II.** *m Anat.* Scheitelbein *n*; **~taria** ⚘ *f* Mauerkraut *n*.
parificar [1g] *lit. v/t.* durch ein Beispiel beweisen (*od.* belegen).
parihuela(s) *f*(*/pl.*) Trage *f*; Tragbahre *f*.
pari|ma, ~na *Vo. f Rpl. Art* Reiher *m* (*Phoenicoterus andinus*).
paripé F: *hacer el ~* prahlen, angeben F.
parir *vt/i.* gebären; werfen (*Tiere*); *fig.* hervorbringen; *estar para ~* in die Wochen kommen; *fig.* P *y parió mi abuela etwa*: auf daß das Haus voll werde (*z. B. wenn man ohnehin beengt wohnt u. dann noch unerwartet Besuch auftaucht*); *fig.* F *ponerle a uno a ~* j-n in die Enge treiben, j-n in die Zange nehmen F.
pari|sién F, *oft desp. adj.-su.*, **~siense** *adj.-su. c* aus Paris; Pariser *m*.
parisílabo *Li. adj.* gleichsilbig.
parisino *barb.* → *parisiense*.
paritario *adj.* paritätisch.
parkerizar [1f] *sid. v/t.* parkern.
parking *engl. m* Parken *n*.
parla F *f* Geschwätzigkeit *f*; Wortschwall *m*; **~dor** *adj.* geschwätzig.
parlamen|tar *v/i.* ver-, unter-handeln; parlamentieren; **~tario I.** *adj.* **1.** parlamentarisch; **2.** ⚔ Parlamentärs...; **II.** *m* **3.** Parlamentarier *m*; Parlamentsmitglied *n*; **4.** ⚔ Parlamentär *m*, Unterhändler *m*; **~tarismo** *m* Parlamentarismus *m*, parlamentarisches System *n*; **~to** *m* **1.** Parlament *n* (*a. Gebäude*); *politische* Volksvertretung *f*; **2.** *Thea.* Langtext *m*, Tirade *f*; **3.** ⚔ Unterhandeln *n e-s Parlamentärs*; *bandera f de ~* Parlamentärflagge *f*.
par|lanchín *m* Schwätzer *m*; **~lanchina** ☐ *f* Zunge *f*; *soltar la ~* auspacken P; **~lante** *adj. c* sprechend; *desp.* geschwätzig; **~lar** *v/i.* **1.** plappern; schwatzen; **2.** †, ✎ reden, sprechen; **~latorio** *m* **1.** ✎ Gespräch *n*; **2.** Sprechzimmer *n in Klöstern*; *desp.* Quasselbude *f* P; **~lería** *f* Geschwätz *n*; Klatscherei *f*; **~lero** *adj.* schwatzend; geschwätzig; *fig.* plätschernd (*Bach usw.*); beredt, ausdrucksvoll (*Augen*); *pájaro m ~* Vogel *m*, der sprechen kann; **~lotear** *v/i.* plappern, schwatzen; **~loteo** F *m* Plappern *n*.
parmesano *adj.-su.* aus Parma; (*queso m*) *~ m* Parmesan(käse) *m*.
parna|sia ⚘ *f* Parnassie *f*; **~siano I.** *adj.* parnassisch; *Lit.* Parnassien-..., Parnaß...; **II.** *m Lit.* Parnassier *m*; **~so** *m Geogr. u. fig.* Parnaß *m*.
parné ☐ *m* Zaster *m*, Kies *m*, Kohlen *f/pl.* (*alle* ☐ *od.* P).
paro[1] *Vo. m* Meise *f*; *~ carbonero* Kohlmeise *f*.
paro[2] *m* **1.** Stehenbleiben *n*; Stillstand *m*; **2.** ⊕ Abstellen *n*; (*dispositivo m de*) *~ automático* automa-

tische Abstell(vorricht)ung *f*; **3.** Arbeits-, Betriebs-einstellung *f*; *p. ext.* Aussperrung *f*; ~ *(forzoso)* Arbeitslosigkeit *f*; ~ *parcial* Kurzarbeit *f*; *neol. Pol.* ~ *laboral* nichtpol. Streik *m*.

pa|rodia *f* Parodie *f*; **~rodiar** [1b] *v/t.* parodieren; **~ródico** *adj.* parodistisch; **~rodista** *c* Parodist *m*.

parola F **I.** *f* Wortschwall *m*; Gequatsche *n* F; **II.** *m Chi.* → *fanfarrón.*

pároli *m* Paroli *n im Spiel* (bieten [*hacer*]).

pa|ronimia *Li. f* Paronymie *f*; **~ronímico** *Li. adj.* paronymisch, stammverwandt; **~rónimo** *Li. m* Paronymon *n*; **~ronomasia** *Rhet. f* Paronomasie *f*.

pa|rótida ⚕ *f* Ohrspeicheldrüse *f*; **~rotiditis** ⚕ *f* Parotitis *f*; ~ *epidémica* Mumps *m*, Ziegenpeter *m*.

paro|xismo ⚕ *u. fig. m* Paroxysmus *m*, heftiger Anfall *m*; **~xítono** *Li. adj.-su.* paroxyton; *m* Paroxytonon *n*.

parpade|ar *v/i.* blinzeln; **~o** *m* Lidschlag *m*; Blinzeln *n*.

párpado *m* Augenlid *n*, Lid *n*; ~ *inferior* (*superior*) Unter- (Ober-) lid *n*.

parpar *v/i.* schnattern (*Ente*).

parque *m* Park *m*; ⚔ ~ *de artillería* Artilleriepark *m*, Artillerie-Instandsetzungswerkstatt *f*; ~ *de atracciones* Vergnügungspark *m*, Rummelplatz *m*; ✈ ~ *de aviación* Flug(zeug)park *m*; ~ *de bomberos* Feuerwehrpark *m*; ~ *infantil* Kinderspielplatz *m*; ~ *infantil de tráfico* Verkehrskindergarten *m*; ~ *inglés* englischer Park *m*, Naturpark *m*; ⊕ ~ *de máquinas* Maschinenpark *m*; ~ *móvil* Kraftfahrzeugpark *m* (= ~ *de automóviles*); Fahrbereitschaft *f*; Fuhrpark *m*; ~ *zoológico* Tierpark *m*, Zoo *m*.

parquedad *f* **1.** Sparsamkeit *f*, Genügsamkeit *f*; ~ *en palabras* Wortkargheit *f*; **2.** Zurückhaltung *f*; Nüchternheit *f*.

parque|t (*oft parqué*) *m* Parkett *n*; ~ *pequeño* Kleinparkett *n*; **~tero** *m* Parkettleger *m*; **~tería** *f* Parkettlegerei *f*.

parra *f* Weinranke *f*; Weinlaube *f*; *fig.* F (*es para*) *subirse a la* ~ (man könnte) an den Wänden hochgehen F.

parrafada F *f* Schwätzchen *n*; *echar una* ~ → *párrafo* 2.

párrafo *m* **1.** Paragraph *m* (*Zeichen*: §); **2.** Abschnitt *m*; *Typ.* Absatz *m*; *fig.* ~ *aparte* um von et. anderem zu reden; *b. Diktat*: *¡punto y* ~ *aparte!* (Punkt u.) Absatz!; *fig.* F *echar un* ~ ein Schwätzchen halten; *tenemos que echar un* ~ (*od. un parrafito*) *aparte a.* wir haben noch ein Hühnchen mitea. zu rupfen F.

parragón *m* Silberbarren *m* (*Eichmuster der Münzprüfer*).

parral *m* Weinlaube *f*.

parran|da F *f*: *andar* (*od. irse*) *de* ~ bummeln gehen; **~dear** F *v/i.* auf den Bummel gehen; **~deo** *m* Bummel(n *n*) *m*; **~dero** *adj.* Bummler...; **~dista** F *m* Vergnügungssüchtige(r) *m*, Bummler *m*.

parrici|da *adj.-su. c* Vatermörder *m*; *p. ext.* Gatten- *bzw.* Verwandten-mörder *m*; **~dio** *m* Vater-, *p. ext.* Gatten-, Verwandten-, Kindermord *m*.

parrilla[1] *f* schmaler Krug *m*.

parrilla[2] *f* **1.** (Feuer-)Rost *m*; Grill *m*; ⊕ ~ *de enrejado* Gitterrost *m*; ~ *vibratoria* Schüttelrost *m*; *Kchk. a la* ~ auf dem Rost; gegrillt; *asar a la* ~ grill(ier)en; **2.** Grill-restaurant *n*; -room *m* (*engl.*) *e-s Hotels*.

párroco *m* Pfarrer *m*; Pfarrherr *m*.

parrocha *f* kl. Sardine *f*; **~s** *f/pl. a.* in Salztunke eingelegte Sardinen.

parroqui|a *f* **1.** Pfarre *f*, Pfarrei *f*; Kirchspiel *n*; Pfarrangehörige(n) *m/pl.*; **2.** Pfarrkirche *f*; **3.** ☤ Kundschaft *f*; **~al** *adj. c* Pfarr...; **~ano** **I.** *adj. ecl.* zur Pfarrei gehörig; **II.** *m*, **~ana** *f ecl.* Pfarrkind *n*; ☤ (Stamm-) Kunde *m*, (-)Kundin *f*.

parsec *Astr. m, Abk. pc* Parsek *n* (*3,257 Lichtjahre*).

parsi *Rel., Li.* **I.** *adj. c* parsisch; **II.** *m* Parsi *m*, Parse *m*; *Li.* Parsi *n*.

parsimoni|a *f* **1.** Sparsamkeit *f*; Knauserei *f*; **2.** Umsicht *f*, Bedachtsamkeit *f*; **~oso** *adj.* sparsam (*bsd. fig.*); knauserig.

parsismo *m* parsische Religion *f*; Parsismus *m*.

parte **I.** *f* **1.** Teil *m*, *n*; Stück *n*; Teilstück *n*; Stelle *f*; Bestandteil *m*; Anteil *m*; ~ *delantera* vorderer Teil *m*; Vorderteil *n*; ~ *integral* integrierender Teil *m*; ~ *integrante* Bestandteil *m*; *bsd. fig.* ~ *del león* Löwenanteil *m*; *Geogr.* ~ *del mundo* Erdteil *m*; → *a. oración*; ~ *por* ~ Stück für Stück; gründlich, ohne et. auszulassen; ~ *en peso* Gewichtsteil *m*; *fig.* ~ *superior* des Menschen höherer Teil *m* (*Seele, Geist*); ~ *trasera* hinterer (*od.* rückwärtiger) Teil *m*; Hinterteil *n*; ~ *en volumen* Raum-, Volumen-teil *m*; *las tres cuartas* **~s** Dreiviertel *n*, drei Viertel *n/pl.*; *la mayor* ~ (*de*) die meisten; *de varias* **~s** mehrteilig; *en* ~ zum Teil, teilweise, teils; *en* ~ ..., *en* ~ ... teils ..., teils ...; *en gran* ~ zum gr. Teil, großenteils; beträchtlich; *por la mayor* ~ zum größeren Teil; in der Mehrzahl; *fig. dar su* ~ *al fuego* Ballast abwerfen (*fig.*); *hacer las* **~s** (aus-, ver-)teilen; *fig. entrar* (*od. ir*) *a la* ~ beteiligt sein (*an e-m Geschäft u. ä.*); *fig. llamarse a la* ~ s-n Vorteil wahrnehmen (wollen); *llevarse la mejor* ~ das Beste für s. nehmen; *fig.* am besten abschneiden; *tener* ~ *en* beteiligt sein an (*dat.*); *tomar* ~ *en* teilnehmen an (*dat.*); **2.** Seite *f*; Gegend *f*; *fig.* Partner *m*; ⚖ Partei *f*; *Pol. las Altas* **~s** *Contratantes* die Hohen Vertragschließenden Parteien *f/pl.*; ~ *contraria* Gegenpartei *f*; ~ *contratante* Vertragspartner *m*; *a alguna* ~ irgendwohin; *a esta* ~ hierher; *p. ext. de entonces a esta* ~ seit damals; von damals bis zum heutigen Tag; *a otra* ~ anderswohin; *¿a qué* ~*?* wohin?; *de* ~ *a* ~ von e-r Seite zur andern; durch und durch; *de* ~ *de alg.* von seiten j-s, seitens j-s; im Namen (*od.* im Auftrag) j-s; *¡mil recuerdos a su padre! — gracias, de su* ~ tausend Grüße an Ihren Vater! — danke, ich werde sie ausrichten; *de cualquier* ~ irgendwoher; *de esta* ~ hier; hierher; von hier; *de la otra* ~ *de la orilla* vom jenseitigen Ufer; *de otra* ~ anderswoher; *¿de qué* ~*?* woher?; woher des Wegs?; *de una* ~ *a otra* hin u. her; *de una y otra* ~ beiderseits; *en ninguna* ~ *od. en* ~ *alguna* nirgendwo, nirgends; *en otra* ~ anderswo, anderwärts; *por la* ~ *de* ... was ... (*ac.*) anbetrifft; *por mi* (*tu, etc.*) ~ meiner- (deiner- *usw.*)seits; *por otra* ~ andererseits; *por una* ~ ..., *por otra* ... einerseits ..., andererseits ...; *en* (*od. por*) *todas* **~s** überall; *en todas las* **~s** *del mundo* überall in der Welt; *por* **~s** eins nach dem andern; der Reihe nach; *por* **~s** *iguales* zu gleichen Teilen; (*este camino*) *no conduce a ninguna* ~ dieser Weg führt zu keinem Ziel; *a. fig.* das führt zu nichts; *fig. echar a mala* ~ *od. tomar en mala* ~ übelnehmen; falsch auffassen, mißdeuten; *echar por otra* ~ e-e andere Richtung einschlagen, e-n andern Weg nehmen; *¿de qué* ~ *eres?* woher stammst du?; *estar de* ~ *de alg.* auf j-s Seite stehen; für j-n eintreten; j-s Anhänger sein; *hacer de su* ~ sein Möglichstes tun; *de* ~ *a* ~ *se mandaron regalos* man schickte s. gg.-seitig Geschenke; ⚖ *mostrarse* ~ persönlich erscheinen; *ponerse de* ~ *de alg.* s. auf j-s Seite stellen; *fig. no ser* (*od. no tener*) ~ (*od.* F *arte ni* ~) *en un asunto* nichts mit e-r Sache zu tun haben; *iron. ¡a buena* ~ *vamos!* das kann ja schön werden!; **3.** ♪ Stimme *f*, Part *m*; *Thea.* Rolle *f*, Part *m*; *p. ext.* Darsteller *m bzw.* Sänger *m*; *las medias* **~s** die Mittelstimmen *f/pl.*; ~ *de piano* Pianopart *m*, Klavierstimme *f*; *las primeras* **~s** die ersten Rollen(darsteller *m/pl.*) *f/pl. e-r Theatertruppe*; ~ *de por medio* kl. Rolle *f*; *fig. hacer las* **~s** *de alg.* j-n vertreten; **4.** *in besonderen Wendungen*: Ursache *f*, Veranlassung *f*; *ser* ~ *a que* (*od. para que*) + *subj.* bewirken, daß + *ind.*; dazu beitragen, daß + *ind.*; **5.** **~s** *f/pl. euph.* Geschlechtsteile *n/pl.*, Scham *f* (= **~s** *pudendas*, **~s** *vergonzosas*); **II.** *m* **6.** Bericht *m*; Nachricht *f*; Anzeige *f*, Meldung *f*; Depesche *f*; ⚕ ~ *facultativo* (*od. médico*) ärztliches Kommuniqué *n*; *Chi.* ~ *de luto* Traueranzeige *f*; *Met.* ~ *meteorológico* Wetterbericht *m*; *dar* ~ *de a/c. a alg.* j-m et. (*ac.*) melden (*od.* berichten); **7.** ⚔ Meldung *f*; ~ *oficial* (*de guerra*) amtlicher Heeresbericht *m*; *dar* ~ melden, Bericht erstatten; *dar el* ~ Meldung machen *b. Inspektionen usw.*

partenogénesis 📖 *f* **1.** *Myth.* Parthenogenesis *f*, Jungfrauengeburt *f*; **2.** *Biol.* Parthenogenese *f*, Jungfernzeugung *f*.

partera *f* Hebamme *f*.

parterre *frz. m* Blumenbeet *n*.

parti|ble *adj. c* (auf)teilbar; **~ción** *f* Teilung *f*; ~ *de herencia* Erbteilung *f*.

partici|pación *f* **1.** Teilnahme *f* (an *dat. en*); Beteiligung *f*; Anteil *m*; ☤ ~ *en los beneficios* Gewinn-beteiligung *f*, -anteil *m*; ~ (*en una sociedad*) Geschäftsanteil *m*; Beteiligung *f*; **2.** Mitteilung *f*; Anzeige *f*; ~ *de enlace* Vermählungsanzeige *f*; **~pante I.** *adj. c* teilnehmend; **II.** *m* Teilnehmer *m*; ~ *en el curso* Lehrgangsteilnehmer *m*; **~par I.** *v/t.* mitteilen; **II.** *v/i.* beteiligt sein (an *dat. en, de*); s. beteiligen; teilnehmen; teilhaben; Anteil haben (an *dat. de*); *lit.* ~ *de la belleza* der Schönheit teilhaftig werden; ☤ ~ *de los beneficios* am Gewinn beteiligt sein; ~ *en un curso* an e-m Lehrgang teilnehmen.

partícipe I. *adj. c* beteiligt (an *dat.* de); teilhaftig (*gen.* de); **II.** *c* Beteiligte(r) *m*.

partici|pial *Li. adj. c* Partizipial...; **~pio** *Li. m* Partizip *n*, Mittelwort *n*; ~ *activo* (*pasivo*) Aktiv- (Passiv-) partizip *n*.

partícula *f* **1.** Teilchen *n*, Partikel *f*; *Phys.* ~s *f/pl. alfa* (*elementales*) Alpha- (Elementar-)teilchen *n/pl.*; ~ *cósmica* Ultrastrahlpartikel *f*, kosmisches Staubteilchen *n*; ~ *extraña* Fremdkörperchen *n*; ~s *f/pl. flotantes* (*od. suspendidas*) Schwebstoffe *m/pl.*; ~ *de masa* (*de polvo*) Masse- (Staub-)teilchen *n*; **2.** *Li.* Partikel *f*; ~ *de interrogación* Fragepartikel *f*; **3.** *kath.* kl. Hostie *f*.

particula|r I. *adj. c* **1.** besonders; eigentümlich; merkwürdig, seltsam; *caso m* ~ Sonderfall *m*; *en* ~ im besonderen, insbesondere; *Personalbeschreibung*: *sin señas* ~*es* ohne besondere Kennzeichen; **2.** persönlich; Privat...; *audiencia f* ~ Privataudienz *f*; **II.** *m* **3.** Privatmann *m*, Privatperson *f*; **4.** Angelegenheit *f*, Thema *n*, Frage *f*; *sobre el* ~ zu diesem Punkt; hierzu; *¡pregúntale por el* ~*!* frage ihn danach!; **~ridad** *f* Besonderheit *f*; Eigenheit *f*; Eigentümlichkeit *f*; Merkwürdigkeit *f*; *las* ~*es del caso* die Gegebenheiten *f/pl.*; **~rismo** *m* **1.** Partikularismus *m*; **2.** Vertretung *f* rein persönlicher Interessen; Individualismus *m*; **~rista** *adj.-su. c* partikularistisch; individualistisch; auf rein private Interessen beschränkt; engstirnig; *Pol. a.* kleinstaatlich; **~rizar** [1f] **I.** *v/t.* **1.** in allen Einzelheiten erzählen (*od.* aufzählen); **2.** †, ↖ besondere Zuneigung zeigen für (*ac.*); **II.** *v/r.* ~*se* **3.** s. auszeichnen; *fig.* eigene Wege gehen.

partida *f* **1.** Abreise *f*; Aufbruch *m*; Abmarsch *m*; Abfahrt *f*; *fig. die* letzte Reise, *der* Tod; ☤ *a la* ~ bei Abgang; *fig. punto m de* ~ Ausgangspunkt *m*; **2.** Ausflug *m*, Partie *f*; ~ *de campo* Ausflug *m* aufs Land, Landpartie *f*; ~ *de caza* Jagd-ausflug *m*, -partie *f*; *fig. ser de la* ~ mit von der Partie sein; **3.** *standesamtliche od. kirchliche* Urkunde *f zur Person*; ~ *de bautismo* (*de nacimiento*) Tauf- (Geburts-)schein *m*; ~ *de defunción* (*de matrimonio*) Sterbe- (Heirats-)urkunde *f*; **4.** ☤ Partie *f*, Posten *m* (*Rechnung, Buchhaltung, Ware*); ~ *acreedora* (*od. de abono*) Haben-posten *m*, -position *f*; ~ *arancelaria* Zollposition *f*; ~ *del balance* Bilanzposten *m*; ~ *colectiva* Sammelposten *m*; ~ *deudora* (*od. de adeudo, del debe*) Sollposten *m*; *contabilidad f por* ~ *simple* (*doble*) einfache (doppelte) Buchführung *f*; *venta f en* ~*s* Partieverkauf *m*; **5.** Partie *f*, Spiel *n* (*Karten usw.*; *nicht die modernen Rasenspiele*; → *partido 3*); *fig.* Verhalten *n j-m gg.-über*; *fig. ¡qué* ~*!* großartig (, *wie er s. verhält*)!; *echar* (*od. jugar*) *una* ~ *de dominó* e-e Partie Domino spielen; *fig. jugarle a alg. una mala* ~ j-m übel mitspielen; **6.** Gruppe *f von Spielern*; Trupp *m* (*Bewaffnete, Stierkämpfer, Arbeiter usw.*); ~ *de bandidos* Räuberbande *f*; **7.** *hist. Las Siete* ~s Gesetzbuch *n* Alfons' des Weisen (*13. Jh.*); **8.** † Ort *m*, Gegend *f*; *fig.* (*noch Am. Reg.*) *andar las siete* ~*s* die halbe Welt durchwandern; **9.** (Haar-)Scheitel *m*; **10.** *Kart. Ant., Méj.* Tutespiel (-tisch *m*, -gruppe *f*) *n*; *fig. Méj, Rpl. confesar la* ~ offen sprechen, die Karten auf den Tisch legen.

parti|dario I. *adj.* **1.** parteiisch; **II.** *m* **2.** Parteigänger *m*; Anhänger *m*; Befürworter *m*; *yo soy* ~ *de que se haga* ich bin dafür, daß es gemacht wird; **3.** *Cu., Ec., Pe.* Teilpächter *m*; **~dista** *Pol. adj. c* Partei...; **~do** *m* **1.** *a. Pol.* Partei *f*; *fig. darse a* ~ nachgeben, einlenken; *formar* ~ e-e Partei bilden; e-e Gruppe (*od.* Clique) bilden, s. zs.-tun; *tomar* (*un*) ~ e-n Entschluß fassen; † *u. Reg., bsd. Am. tomar* ~ Partei ergreifen; s. e-r Partei anschließen; ⚔ s. anwerben lassen; *hay que tomar otro* ~ man muß s. für e-n anderen Weg (*od.* für andere Mittel) entscheiden; **2.** *Verw.* Bezirk *m*; ~ *judicial* Amtsbezirk *m*; **3.** *Sp.* Spiel *n*, Partie *f*; *p. ext.* Mannschaft *f* (*Spieler*); ~ *de fútbol* Fußballspiel *n*; *fig. buen* ~ gute Partie *f* (*Heirat*); *sacar* ~ Nutzen ziehen (aus *dat.* de).

parti|dor *m* Teiler *m*; ~ *de leña* Holzhauer *m*; **~ja** *f* **1.** Teilchen *n*; **2.** Teilung *f*; Teil *m*; *p. ext.* Pflicht(erb)teil *n*; ☤ (Waren-)Partie *f*; **~r I.** *v/t.* **1.** teilen, *a.* 𝔄 dividieren; ~ *en dos* (*od. por la mitad*) halbieren; **2.** *a. Holz* hacken, spalten; ausea.-reißen; *Brot* brechen (*a. bibl.*), schneiden; *Nüsse* knacken; *p. ext.* aufschlagen; zerbrechen; zerschmettern; *fig.* ~ *el alma* tief ins Herz schneiden; *se me parte el alma* es zerreißt mir das Herz; ~ *con los dientes* durch-, zer-beißen; ~*se la cabeza al caer* s. beim Hinfallen den Kopf aufschlagen; **II.** *v/i.* **3.** abreisen, aufbrechen (nach *dat. para*); *fig.* ~ *de un supuesto* von e-r Voraussetzung ausgehen; *a* ~ *de hoy* von heute an; *a* ~ *de ese momento* seit damals.

partiquino ♪ *m* Sänger *m* e-r kl. Nebenrolle.

parti|sán, ~sano *gal. m* Partisan *m*, *bsd. des 2. Weltkriegs*.

parti|tivo *adj.* teilbar; Teilungs...; *Gram.* partitiv, Teilungs...; **~tura** ♪ *f* Partitur *f*; ~ *de piano* Klavierauszug *m*.

par|to *m* Geburt *f*; Niederkunft *f*; Wurf *m* (*Tiere*); ~ *sin dolor* schmerzfreie Geburt *f*; ~ *gemelar* (*triple, prematuro*) Zwillings- (Drillings-, Früh-)geburt *f*; *estar de* ~ niederkommen; *ha sido un* ~ *difícil* es war e-e schwere Geburt *a. fig.*; *fig. ¡el* ~ *de los montes!* e-e schwierige Geburt!; **~turienta** *f* Gebärende *f*.

párulis ⚕ *m* Zahnphlegmone *f*, dicke Backe *f* F.

parullar *v/t. Arg.* leicht anbrennen.

parva *f* **1.** ⚒ *zum Dreschen ausgebreitetes* Getreide *n*; *Am. a.* Drusch *m*; **2.** Fastenfrühstück *n*; ⚒ Erntefrühstück *n der Landarbeiter*; **3.** *fig.* Menge *f*, Haufen *m*; **4.** F *Am.* **a)** Tenne *f*; **b)** *fig.* gr. Kinderschar *f*; **5.** *Jgdw.* Gelege *n*, Wurf *m*; **~da** *f* **1.** Dreschgetreide *n*; **2.** *fig.* (Un-) Menge *f*; **3.** *Am.* Vogelschwarm *m*; *p. ext.* Hausgeflügel *n*.

par|vedad *f* **1.** Wenigkeit *f*, Winzigkeit *f*; **2.** Fastenfrühstück *n*; **~vo** *adj.* klein, winzig; gering.

parvulari|a *f bsd. Am.* Kindergärtnerin *f*; **~o** *m* Kindergarten *m*; Vorschule *f*.

párvulo I. *adj.* klein; gering; *fig.* schlicht; unschuldig; einfältig; **II.** *m* kl. Kind *n*; *bibl. u. lit.* Kindlein *n*; *fig. los* ~*s* die Kleinen; die Einfältigen; die Unschuldigen.

pasa¹ *adj.-su. f* (*uva f*) ~ Rosine *f*; ~ *de Corinto* Korinthe *f*; *fig.* F *como una* ~ verrunzelt; zerknittert.

pasa² ⚓ *f* Fahrrinne *f zwischen Untiefen*; **~banda** *Rf. m* Bandfilter *n*; **~ble** *gal.* F *adj. c* annehmbar, passabel F.

pasa|calle ♪ *m* **1.** Passacaglia *f*; **2.** volkstümlicher Marsch *m*; *p. ext.* Umzug *m* mit Musik *b. Volksfesten*; **~cintas** *m* (*pl. inv.*) Durchziehnadel *f für Gummizug u. ä.*

pasa|da *f* **1.** Vorübergehen *n*; Übergang *m*, Durchquerung *f*; Durchgang *m* (⊕ *a. der e-s Werkstücks durch die Maschine*); *de* ~ beiläufig; *fig. dar* ~ zulassen, gestatten; **2.** Darüberhingehen *n* (*Verrichtung*); Wischen *n*; *a.* Rasur *f*; *fig. mala* ~ übler Streich *m*, Schabernack *m*; **3.** lange Naht *f*, Heftnaht *f*; **4.** *fast nur ecl.* knappes Auskommen *n*; **~dera** *f* **1.** Trittstein *m im Bach*; Steg *m*; Badesteg *m am Strand*; **2.** ⚓ Seil *n*, Reep *n*; **3.** *Chi.* Ortswechsel *m*; Parteiwechsel *m*; *Jgdw. Méj.* Wildwechsel *m*; **~dero** *adj.* erträglich, passabel F; vorübergehend; *ser* ~ angehen (*v/i.*); **~día** *ecl. f* → *pasada 4*; **~dillo** *m* durchgehende Stickerei *f*; **~dizo** *m* enger Durchlaß *m*; schmaler Gang *m*, Passage *f*; Lauf-brücke *f*, -galerie *f*; Steg *m*; (Fluß-)Übergang *m*.

pasado I. *adj.* **1.** vergangen; ehemalig; *el lunes* ~ vergangenen Montag; ~ *mañana* übermorgen; ~ *de moda* überholt, veraltet, passé F; aus der Mode gekommen; **2.** überreif; übergar; verdorben (*Lebensmittel*); *Phot.* ~ *de luz* überbelichtet; **II.** *m* **3.** *a. Gram.* Vergangenheit *f*; *como en el* ~ wie früher, wie in vergangenen Zeiten; F *¡lo* ~, ~*!* laß(t) das Vergangene vergangen sein!, Schwamm drüber! F; *son cosas del* ~ das sind längst vergangene Dinge.

pasador *m* **1.** Riegel *m*; Schieber *m*; **2.** ⊕ Splint *m*, Stift *m*; ~ (*de*) *guía*

Führungsstift *m*; **3.** Ordensspange *f*; ~ (*de pelo*) Haarspange *f*; ~ (*de cuello*) loser Kragenknopf *m*; ~ (*de corbata*) Krawattenring *m*; ~ *de correa* Riemenschlaufe *f am Gürtel*; ~*es m/pl.* Durchsteckknöpfe *m/pl.* (*Kragen-, Manschettenknöpfe u.ä.*); **4.** *Kchk.* Passiergerät *n*; Sieb *n*; **5.** Schmuggler *m*.

pasa|je *m* **1.** Durchgang *m*; Durchmarsch *m*; ⚓ Durchfahrt *f*, Straße *f*; ~ *del río* Flußübergang *m*; **2.** Überfahrt *f*; ⚓, ✈ Fahrpreis *m*, Passage *f*; *Am. a.* 🚃 Fahrpreis *m*; ⚓ *p. ext.* Passagiere *m/pl.*; ~ *de avión* Flugschein *m*; ~ *marítimo* Schiffskarte *f*, -passage *f*; **3.** △ Passage *f*, Durchgang *m*; **4.** Stelle *f e-s Buches*, Passus *m*, Passage *f*; **5.** ♪ Übergang *m*; Passage *f*; ~**jero I.** *adj.* vorübergehend; vergänglich; flüchtig; **II.** *m* Reisende(r) *m*; 🚃, *Kfz.* Fahrgast *m*; *Kfz.* Mitfahrer *m*; *bsd.* ⚓ Passagier *m*; ✈ Fluggast *m*; ~ *sin billete* Schwarzfahrer *m*; ⚓, ✈ blinder Passagier *m*.

pasama|nería *f* Posamentier-arbeit *f*; -handwerk *n*; Besatzwirkerei *f*; Posamentengeschäft *n*; ~**nero** *m* Posamentierer *m*; ~**no**[1] *m* Borte *f*, Tresse *f*.

pasamano[2] *m* Geländer *n*; Handlauf *m*, -leite *f*; Treppengeländer *n*; ⚓ offene Reling *f*; Laufbord *m*.

pasamontaña(s) *m* Klappmütze *f* (*Skimütze, Autokappe u. ä.*); Kopfschützer *m*.

pasamuro △, ⊕ *m* Mauerdurchbruch *m für Kabel usw.*; Wanddurchführung *f*.

pasan|te *m in freien Berufen*: Praktikant *m*; Assistent *m*; *Sch.* Repetitor *m*; *Anwaltspraxis*: Bürovorsteher *m*; ~**tía** *f* Praktikantenzeit *f*; Probezeit *f*; Beruf *m* e-s *pasante*.

pasapasa *m* Taschenspielerei *f*.

pasaperro *Buchb. m* mit e-m Riemen gehefteter Pergamentband *m*.

pasaporte *m* (Reise-)Paß *m*; ~ *colectivo* (*diplomático*) Sammel- (Diplomaten-)paß *m*; ⚔ ~ *militar* Wehrpaß *m*; ~ *oficial* (*od. de servicio*) Dienstpaß *m*; *titular m de un* ~ Paßinhaber *m*; *fig.* F *dar* ~ *a alg.* j-m den Laufpaß geben; *Span.* j-n erschießen, j-n abknallen F (*bsd. 1936—39*).

pasapurés *Kchk. m* (*pl. inv.*) Püreepresse *f*.

pasar[1] **I.** *v/t.* **1.** durch-, über-queren; durch-, über-schreiten; durchströmen, -fließen; ~ *el río* über den Fluß gehen (*od.* setzen); *Sp.* ~ *la línea de la meta* über die Ziellinie gehen; **2.** vorbei-gehen, -fahren an (*dat.*); überholen; *fig.* übertreffen (an *dat.*, in *dat. en*); **3.** gleiten lassen (über *ac. por, sobre*); ~ *el cepillo por* (aus-, ab-)bürsten (*ac.*); ~ *la mano por* mit der Hand fahren über (*ac.*); ~ *la navaja por el suavizador* das Messer *am Streichriemen* abziehen; ~ *los ojos por* e-n flüchtigen Blick werfen auf (*ac.*); ~ *el peine* kämmen, *a.* ein paar Striche mit dem Kamm machen (durch das Haar *por el cabello*); ~ *la plancha sobre et.* aufbügeln; *et.* (rasch) überbügeln; **4.** übergeben, abgeben; schicken; überbringen; (über)reichen; bringen; befördern (*a. fig.* F *im Amt*); *Geschäft, Summe* übertragen; *Nachricht* zukommen lassen, geben; *Waren* absetzen; *Falschgeld* an den Mann bringen; *le pasó la gripe* er steckte ihn mit s-r Grippe an; *fig.* ~ *la mano a alg.* j-m schmeicheln; ⚕ ~ *una orden, un pedido* e-n Auftrag geben, Order erteilen; *Sp.* ~ *la pelota* den Ball weitergeben; ~ *un recado a alg.* j-m et. ausrichten; *¡páseme la sal, por favor!* reichen Sie mir das Salz, bitte!; ⚕ ~ *a cuenta nueva* auf neue Rechnung übertragen; F ~ *a inspector* zum Inspektor befördern; ~ *a máquina Manuskript* auf die Schreibmaschine übertragen, tippen F; ~ *en tinta technische Zeichnung u. ä.* mit Tusche ausziehen; **5.** durch-bohren, -stechen; -dringen; **6.** (hin-)durchschicken; sieben; *bsd. Kchk.* durchseihen; passieren; *Speisen, Getränke* (hinunter)schlucken; *Faden* einfädeln; *Waren usw.* (durch-, ein-)schmuggeln; △ ~ *arena por* (*un*) *tamiz* Sand durchsieben; ~ *la hebra por la aguja* die Nadel einfädeln; *fig.* F *no le puede* ~ er kann ihn nicht ausstehen; **7.** hindurchgehen durch (*ac.*), durchmachen; *Hunger* leiden; *Krankheit usw.* erdulden, durchmachen; *Strapazen usw.* aushalten *bzw.* überstehen; ~ *hambre y frío* hungern u. frieren; **8.** *Lehrgang* mit-, durch-machen; studieren, lernen (*als Praktikant bzw. als Schüler b. s-m Chef od. s-m Repetitor*); *Prüfung, Examen* ablegen; **9.** vorüberziehen lassen; *Zeit, Leben* verbringen; *Fehler* durchgehen lassen; *Stk. den Stier* (*mit Hilfe der muleta*) an s. vorbeilenken; *ya le he* ~*ado* (*od. ya le tengo od. llevo* ~*adas*) *muchas* (*faltas*) ich habe ihm schon vieles nachgesehen; ~ *la lista* die Liste durchgehen; ~ *lista* auf-, ab-rufen; ~*lo bien* es s. gut gehen lassen; s. amüsieren; *¡(a)* ~*lo bien!* lassen Sie sich's gutgehen!; *¿cómo lo pasa?* wie geht es Ihnen?, was treiben Sie?; *¡que usted lo pase bien!* alles Gute!; viel Vergnügen!; ~ *en blanco* (*od. en claro*) übergehen; auslassen, nicht erwähnen; ~ *por alto* auslassen, übergehen; **10.** durchgehen (*fig.*); *Sache* (rasch) erledigen; *Schriftstück* durch-gehen, -lesen, -sehen; ~ *a/c. por encima* et. oberflächlich erledigen; **11.** garen; beizen; *Obst bsd. an der Luft* (*od. in der Sonne*) dörren; ~ *con lejía* auslaugen; ablaugen; **II.** *v/i.* **12.** durch-gehen, -kommen, passieren; durch-reisen, -fahren, -ziehen; vorüber-gehen, -kommen; vorbei-, vorüber-fließen; durch-fließen, -strömen (*a.* ⊕, ⚡); (hinweg)gleiten; eintreten, nähertreten; hinüber-gehen, -fahren, -fließen; *fig.* an-, hin-gehen, erträglich sein; aufrücken, weiterkommen; *Verw.*, ⚔ befördert werden; *Sch.* versetzt werden; **a)** *¡pase!* herein!, treten Sie näher!; *fig.* F *a.* na schön, von mir aus!; *el caballo pasó veloz como un rayo* das Pferd stürmte blitzschnell vorüber; **b)** *mit part., ger. od. mit anderem Verb*: ~ *corriendo* vorüberlaufen; ~ *desapercibido* nicht bemerkt werden; ~ *volando* vorüberfliegen; *dejar* ~ durchlassen; vorübergehen lassen; *fig. et.* durchgehen lassen (*fig.*); *hacer* ~ durchzwängen; hineinpressen; (gewaltsam *od.* geschickt) durchdrücken (*a. fig.*); *Falschgeld, falsche Nachrichten od. Parolen* verbreiten; *Ware usw.* einschmuggeln; *fig. puede* ~ es geht an; das geht (schon *od.* gerade) noch; es ist weiter nicht schlimm; **c)** *mit prp.*: ~ *a caballo* vorbeireiten; ~ *a a/c.* zu et. übergehen; (zu) et. werden; ~ *a capitán* (zum) Hauptmann (befördert) werden; *Sch.* ~ *al curso siguiente* versetzt werden; *Pol. u. fig.* ~ *a la oposición* zur Gegenpartei übertreten; in die Opposition gehen; ~ *a otra cosa* zu et. anderm übergehen; von et. anderm reden; ~ *al otro lado* auf die andere Seite gehen (*a. fig.*), hinübergehen; ~ *a otras manos* in andere Hände übergehen (*od.* kommen); ~ *a ser* (zu) et. werden; ~ *a la votación* zur Abstimmung schreiten; ~ *adelante* vorwärtsgehen; weitergehen; ~ *de a/c.* über et. (*ac.*) hinausgehen; et. überschreiten; ~ *de los cincuenta años* über die Fünfzig(er) hinaus sein; *de hoy no pasamos que + subj.* noch heute werden wir + *inf.*; *de ahí no paso* weiter gehe ich nicht (*a. fig.*); ~ *de moda* aus der Mode kommen; unmodern werden; veralten; *no* ~ *de ser* ... nichts weiter sein als ..., nur ... sein; ~ *por* gehen (*od.* kommen *od.* fahren) durch (*ac.*); *fig.* gelten als; ~ *por Madrid* über Madrid reisen (*od.* fahren); *fig. a.* ~ *por a/c.* et. erdulden; *querer* ~ *por* gelten wollen als, s. (aus)geben als; *esto le pasa por la cabeza* das geht ihm durch den Kopf; *mañana* ~*á por su casa* morgen kommt er zu Ihnen (*od.* bei Ihnen vorbei); ~ *por encima de* hinwegfliegen über (*ac.*); *fig.* ~ *por todo* s. alles gefallen lassen; ~ *por tonto* für dumm gelten, als dumm angesehen werden; *usted podría* ~ *por español* man könnte Sie für e-n Spanier halten; *fig. poder* ~ *sin a/c.* et. entbehren können, ohne et. (*ac.*) auskommen können; ~ *sobre el hielo* über das Eis gleiten (*z. B. Schlittenkufen*); **13.** gelten (*Geld*); leicht verkäuflich sein, guten Marktwert haben (*Ware*); *este billete no pasa* der Geldschein ist ungültig; *fig.* F *¡eso no pasa!* das geht (*od.* gilt) nicht!; **14.** *fig.* auskommen, sein Auskommen haben; *vamos pasando* wir schlagen uns durch, es geht uns so leidlich; **15.** vergehen (*Zeit, Zustand*); *p. ext.* veralten; verblühen, verwelken; verblassen, verschießen (*Farben*); *el tiempo pasa como en vuelo* die Zeit vergeht im Fluge; *pasó su cólera* sein Zorn ist verraucht, die Wut ist ihm vergangen F; **16.** passen (*im Spiel*: *z. B. Domino, Kart.*); **17.** s. ereignen, vorgehen, los sein F, passieren F; *¿qué pasa?* was gibt es?, was ist los? F; *¿qué ha* ~*ado?* was ist vorgefallen?, was ist passiert? F; *¿qué te pasa?* was ist mit dir?, was hast du?, was fehlt dir?; *no nos ha* ~*ado nada* uns ist nichts geschehen; **III.** *v/r.* ~*se* **18.** *volkstümlich*: weggehen, s. begeben (von *dat.* ... nach *dat.* de ... *a* ...); geschehen; *mientras* (*que*) *esto se pasaba* während dies vor s. ging; **19.** weggehen, verschwinden; hinübergehen, übertreten (*a. fig.* zu *dat. a*); ~*se al enemigo* (zum Feind) überlaufen; *los dolores se le pasaron pronto* s-e Schmerzen verschwanden bald; *esto se me ha* ~*ado* (*de la memoria*) das habe ich vergessen, das ist m-m Gedächtnis entfallen; *ya se me ha* ~*ado* es ist schon vorüber (*Schmerz, Anwandlung usw.*); **20.** zu weit gehen (*od.* fahren *usw.*); *fig.* über das Ziel hinausschießen; zu weit gehen (*fig.*); 🚆 *nos hemos* ~*ado* (*de la estación*) wir sind zu weit gefahren; ~*se de bueno* allzu gutmütig sein; **21.** altern (*organische Stoffe, Leder, Gummi*); übergar werden (*Speisen*); überreif werden; verderben, schlecht werden (*Lebensmittel*); *se ha* ~*ado el arroz* der Reis ist zerkocht; *se ha* ~*ado la sopa* die Suppe ist ganz verkocht; **22.** überlaufen (*z. B. Milch*); leck sein, rinnen (*Gefäß*); ⚓ *las olas se pasan* die See kommt über; **23.** auskommen; s. behelfen; ~(*se*) *con poco* mit wenig auskommen; **24.** s-e (akademische) Abschlußprüfung machen.

pasar[2] *m* Auskommen *n*; *tener su buen* ~ sein gutes Auskommen haben.

pasarela *f* ⚓, ⊕, *Thea. u. Modenschau*: Laufsteg *m*; ⚓, ✈ *a.* Landungssteg *m*, Gangway *f* (*bsd.* ✈); ⊕ Lauf-bühne *f*, -brücke *f*.

pasa|tiempo *m* Zeitvertreib *m*; ~**toro** *Stk.*: *matar a* ~ den vorüberlaufenden Stier töten.

pasavante ⚓ *m* Geleitschein *m* (*Navicert bzw. Transitschein zur Überführung in e-n neuen Heimathafen*).

pasa|volante *m* **1.** Unbesonnenheit *f*; *p. ext.* Pfuscharbeit *f*; **2.** † Feldschlange *f* (*Geschütz*); ~**voleo** *m* Zurückschlagen *n über das Seil b. Pelotaspiel*.

pascana *f Am. Mer.* **1.** Etappe *f*, Rast *f*; **2.** Gasthaus *n*.

Pas|cua *f* **1.** Ostern *n*(/*pl.*); Passah(-fest) *n*; ~ *del Espíritu Santo* Pfingsten *n*; ~ (*de Resurrección od.* ~ *florida od. de flores*) Ostern *n*; *Domingo m de* ~ Ostersonntag *m*; *víspera f de* ~ Osternacht *f*; *fig.* F *hacer la* 2 *a alg.* j-n ärgern, j-n schikanieren; *fig. inmolar la* 2 das Osterlamm schlachten; **2.** ~*s f/pl.* Zeit *f* zwischen Weihnachten u. Dreikönigsfest; *¡buenas* ~*s!* frohes Fest!; *¡felices* ~*s!* fröhliche Weihnacht!; *fig.* F *¡santas* 2*s!* Schluß jetzt!; damit basta! F; *auch je nach Situation*: m-n Segen habt ihr! (*fig.* F); na, dann prost! (*fig.* F *iron.*); *fig. de* ~*s a Ramos* nur selten, ab u. zu; *dar las* 2*s* zum Fest (*vgl.* 1) Glück wünschen; *fig.* F *estar (contento) como unas* 2*s* s. wie ein Kind (*od.* wie ein Schneekönig) freuen; *tener cara de* 2(*s*) übers ganze Gesicht strahlen; ~**cual** *adj. c* österlich, Oster...; Passah...; *cordero m* ~ Osterlamm *n*; *fig.* Christus *m*.

pase *m* **1.** Durchlaß-, Passier-schein *m*; Frei- *bzw.* Dauer-karte *f*, Passepartout *n* F; Freifahrschein *m*; **2.** *Fechtk.* Finte *f*; *Stk.* Vorbeilenken *n des Stiers* (*Grundfigur des Stk.*); ~ *de muleta* Muletafigur *f*; *p. ext. hacer* ~*s die* Handbewegungen e-s Magnetiseurs machen; **3.** *Fußball usw.*: Zuspiel(en) *n*; **4.** *Kart. usw.*: Passen *n*; **5.** *Mühlen*: ~ *de molienda* Mahlgang *m* (*Arbeitsgang*); **6.** *fig. dar el* ~ *a alg.* j-m den Laufpaß geben.

pase|adero *m* Spazierweg *m*, Promenade *f*; ~**ador I.** *adj.* gern spazierengehend; *Equ. Am.* im weitausgreifenden Schritt laufend; **II.** *m* → *paseadero*; ~**ante** *m* Spaziergänger *m*; *fig.* F ~ *en corte* Pflastertreter *m*, Eckensteher *m*; ~**ar I.** *v/t.* **1.** spazierenführen; **2.** *fig.* herum-reichen, -zeigen; **II.** *v/i.* **3.** spazierengehen; **III.** *v/r.* ~*se* **4.** spazierengehen, lustwandeln (*lit.*); **5.** *Am. Cent.* moralisch verderben; verschleudern, verschwenden; ~**íto** F *m* kl. Spaziergang *m*; *¿vamos a dar un* ~*?* machen wir doch e-n kl. Spaziergang!, wir wollen ein wenig frische Luft schnappen!; ~**o** *m* **1.** Spaziergang *m*; Spazier-fahrt *f*, -ritt *m*; *dar un* ~ e-n Spaziergang machen; *dar un* ~ *por las calles* durch die Straßen schlendern; *fig. Span. dar el* ~ *a alg.* j-n verhaften u. dann erschießen (*1936—39*); *estar* (*od. ir*) *de* ~ spazierengehen; *fig.* F *mandar* (*od. echar*) *a* ~ wegschicken; vor die Tür setzen; abblitzen lassen; schroff abweisen; **2.** Einzug *m der Stierkämpfer*; *Am. Cent.* Maskenzug *m über die Straße*; **3.** Promenade *f*; ~ *marítimo* Strand-, Ufer-promenade *f*.

pase|ra *f* **1.** Obstdarre *f*; **2.** Rosinenverkäuferin *f*; ~**ro**[1] *m* **1.** Rosinenverkäufer *m*; **2.** *Méj.* Pfefferschotendarre *f*.

pasero[2] **I.** *adj. Equ.* im Schritt gehend; **II.** *m Col.* Fährmann *m*.

pasi|bilidad *f* Leidensfähigkeit *f*; ~**ble** *adj. c* leidens-, empfindungsfähig; ⚖ *ser* ~ *de pena* strafbar sein; e-e Strafe verwirkt haben.

pasicorto *adj.* kurze Schritte machend.

pasie|ga F *f* Amme *f*; ~**go** *m* Wanderhändler *m*, Hausierer *m*.

pasiflora ⚘ *f* Passionsblume *f*.

pasillo *m* **1.** Korridor *m*, Flur *m*, Gang *m*; **2.** ⚓ Laufgang *m*; ⊕ Laufbühne *f*; **3.** *Thea.* Kurzstück *n*; Posse *f*; **4.** *ecl.* Karwochenantiphon *f*.

pasión *f* Leiden *n*; Leidenschaft *f*; *Rel. la* 2 die Passion (Christi); *adv. con* ~ leidenschaftlich.

pasio|nal *adj. c* leidenschaftlich; aus Leidenschaft; *crimen m* ~ im Affekt begangenes Verbrechen *n*; ~**naria** ⚘ *f* Passionsblume *f*; ~**nario** *ecl. m* Passionsbuch *n*; ~**nero** *kath. m* **1.** Krankenseelsorger *m in Ordensspitälern*; **2.** → ~**nista** *kath. m* **1.** Passionssänger *m*; **2.** Passionist *m* (*Mitglied des Ordens der Passionisten*).

pasito I. *adv.* behutsam; sachte; leise; **II.** *m dim.*: *dar* ~*s* kl. Schritte machen.

pasi|vidad *f* Passivität *f* (*a.* ⚗ *u. fig.*); Untätigkeit *f*; ~**vo I.** *adj.* **1.** *a.* ⚕, ⚗, *Li., Pol.* passiv; untätig; unbeteiligt; *Soz.* Ruhestands..., Rentner...; ⚕ *deuda f* ~*a* (passive) Schuld *f*, Verschuldung *f*; *Soz. población* ~*a od. clases f/pl.* ~*as* Nichterwerbsbevölkerung *f*; *Pol. resistencia f* ~*a* passiver Widerstand *m*; *Gram. voz f* ~*a* Leideform *f*, Passiv *n des Verbs*; **II.** *m* **2.** ⚕ Passiva *pl.*; Soll *n*; ~ *exigible* eintreibbare Schulden *f/pl.*; **3.** *Gram.* Passiv *n*.

pas|mado *adj.-su.* starr *vor Staunen*; verdutzt, verdattert F; *m* Verdutzte(r) *m*; *p. ext.* Schlafmütze *f* (*fig.* F); ~**mar I.** *v/t.* **1.** *bsd. fig.* erstarren lassen; lähmen; verblüffen; **II.** *v/r.* ~*se* **2.** erstarren (*a. fig.*); (er)staunen; verblüfft sein; *fig.* wie gelähmt sein; **3.** trüb werden *bzw.* nachdunkeln (*Farben, Lacke*); ~**marota** F *f* (übertriebenes) Staunen *n*; Getue *n* F; ~**marote** F *m* Trottel *m* F; Maulaffe *m* F, dummer Gaffer *m*; *hacer de* ~ Maulaffen feilhalten; ~**mazón** F *f* **1.** *Am. Reg.* → *pasmo*; **2.** *Méj.* Scheuerwunde *f der Reit- u. Lasttiere*; ~**mo** *m* **1.** *Art* Grippe *f* mit Schüttelfrost; *p. ext.* Starrkrampf *m*; *Am.* Nervenkrampf *m*; **2.** *fig.* Erstaunen *n*; Hingerissensein *n*, Entrücktsein *n*; Wunder *n* (*Ursache u. Gg.-stand des Staunens*); ~**moso** *adj. fig.* staunenswert, erstaunlich.

paso[1] *adj.* getrocknet, Dörr... (*Obst*); *ciruelas f/pl.* ~*as* Backpflaumen *f/pl.*

paso[2] *m* **1.** *a. fig.* Schritt *m*; Fußstapfen *m*, -spur *f*; Gang(art *f*) *m*; *fig.* Schritt *m*, Maßnahme *f*; ~*s m/pl. Pol. a.* Demarchen *f/pl.*; *¡*~*!* Platz da!; Bahn frei!; ~ *acompasado* Gleichschritt *m*; ~ *atrás* Schritt *m* zurück, Rückschritt *m*; *Equ.* ~ *corto* (*od. de escuela*) Schulschritt *m*; ♪ ~ *doble* Pasodoble *m*; *Sp.* ~ *de escalera* Treppenschritt *m* (*Ski*); *Equ.* ~ *español* Passage *f*; ~ *grave* (*od. circular*) Zirkelschritt *m* (*Tanzschritt*); ⚔ ~ *ligero* (*od. rápido*) Geschwindschritt *m*; *mal* ~ *a. fig.* Fehltritt *m*; *fig. a.* Verlegenheit *f*; ⚔ ~ *de la oca*, F ~ *de ganso* Stechschritt *m*; ⚔, *Sp.* ~ *redoblado* (*od. de carrera*) Laufschritt *m*; *Tanz*: ~ *de tres* Pas *m* de trois (*frz.*); ~ *a* ~ Schritt für Schritt; Zug um Zug; ganz allmählich; *fig. a* ~ *de buey* (*od. de tortuga*) im Schneckentempo; *a cada* ~ auf Schritt u. Tritt; *fig. a dos* (*od. a cuatro*) ~*s* ganz in der Nähe; *fig. a este* ~ so, auf diese Weise; *a* ~*s medidos* gemessenen Schrittes; *fig. al* ~ *que* in dem Maße wie; nach Maßgabe (*gen.*); *de* ~ *en* ~ Schritt für Schritt; nach u. nach; *fig. por sus* ~*s contados* nach s-r gehörigen Ordnung; *alargar* (*od. apretar, avivar*) *el* ~ s-n Schritt beschleunigen; ⚔ *cambiar el* ~ den Tritt wechseln; *a. fig. dar un* ~ e-n Schritt tun; *no dar un* ~ k-n Schritt tun; *fig.* nichts tun; *fig. ya se ha dado un* ~ *adelante* man ist schon e-n Schritt weitergekommen; *dar un* ~ *en falso* mit dem Fuß einknicken; e-n Fehltritt tun (*a. fig.*); *a. fig. dar los* *primeros* ~s die ersten Schritte tun; *dar* ~s *inútiles* s. umsonst anstrengen; *ir a buen* ~ tüchtig ausschreiten; *bsd. fig.* (*no*) *ir al* ~ *de alg.* (nicht) Schritt halten, (nicht) mitkommen mit j-m; ⚔ *llevar el* ~ Tritt halten; *a. fig. marcar el* ~ auf der Stelle treten; *marchar* (*od. andar, ir*) *al* ~ langsam gehen; (im) Schritt fahren; ⚔ *marchar al* ~ *sin compás* ohne Tritt marschieren; *fig. no poder dar* (*un*) ~ nicht vorwärts(kommen) können; *salir al* ~ *j-m* entgegengehen; *fig. j-m* entgegenkommen; *a. j-m* gegenübertreten; *salir de su* ~ aus dem Schritt kommen; *fig.* von s-r Gewohnheit abweichen; *seguir los* ~s *a alg.* j-n verfolgen; j-n überwachen; *fig. seguir los* ~s *de alg.* j-s Beispiel folgen; *volver sobre sus* ~s umkehren; *fig.* s-e Absicht aufgeben; *Spr. el primer* ~ *es el que cuesta* aller Anfang ist schwer; **2.** Durchgang *m*; Durchfahrt *f*; Durchmarsch *m*, Durchzug *m*; Übergang *m*, Hinübergehen *n*; Vorbeiziehen *n*, Umzug *m*; Vorbeifahren *n*; *Zo.* Strich *m* (*Vogelzug*); 🚂 Durchgang *m*, Passage *f*; *derecho m de* ~ Durchgangs- (*bzw.* Durchzugs-)recht *n*; ~ *de coches* Wagendurchfahrt *f*, Fahrverkehr *m*; *Pol.* ~ *a la derecha* Ruck *m* nach rechts; ~ *de la frontera* Grenzüberschreitung *f*; *Sp.* ~ *por la pared* Seilquergang *m b. Bergsteigen*; *a* (*od. en*) *su* ~ *por Madrid* auf s-r Durchreise durch Madrid; *de* ~ im Vorbeigehen; *fig.* nebenbei, beiläufig; *en el* ~ *del siglo XIX al XX* um die Wende vom 19. zum 20. Jahrhundert; *mit Verb*: *arrojarse al* ~ *de un tren* s. vor (*od.* unter) den Zug stürzen (*Selbstmörder*); *coger al* ~ abfangen; *estar de* ~ auf der Durchreise sein; *tener el* ~ Vortritt (*od.* Vorrang) haben; **3.** Durchgang *m*; Übergang *m*; (Gebirgs-)Paß *m*; *Jgdw.* (Wild-)Wechsel *m*; ⚓ Meerenge *f*, Straße *f*; *a.* Fahr-wasser *n*, -rinne *f*; *fig.* Übergang *m*; schwierige Lage *f*, Klemme *f* F; ⚒ Tod *m*; *fig.* F *andar en malos* ~s schlimme Wege gehen (*fig.*); *a.* fremdgehen F; *sacar del mal* ~ *a alg.* j-m aus der Klemme helfen F; **4.** Durchgang *m*; Weg *m*, Bahn *f zu e-m Ziel*; Zutritt *m zu e-m Ort*; *a.* Zutrittserlaubnis *f*; *abrirse* ~ s. Bahn brechen, s. durchschlagen (durch *ac. por entre*); *coger* (*od. tomar*) *los* ~s die Zugänge (*bzw.* Straßen, Verbindungswege) besetzen (*od.* sperren); *hacerse* ~ s. (freie) Bahn (ver)schaffen; s. durchdrängen; s. durchkämpfen; **5.** Übergang(sstelle *f*) *m*; 🚂 *u. Autobahn*: Bahn-kreuzung *f*, -übergang *m*; ~ *a desnivel* Fußgängerunterführung *f*; ~ *a nivel* schienengleicher (*bzw.* straßengleicher) Übergang *m*; ~ *a nivel con* (*sin*) *barrera* (un)beschrankter Bahnübergang *m*; ~ *bajo la carretera* Eisenbahnunterführung *f*; ~ *bajo nivel* Unterführung *f*; ~ *de aduanas* Zolldurchlaß *m* (*in Häfen usw.*); ~ *sin guarda*(*r*) unbewachter Bahnübergang *m*; 🚂 ~ *sobre nivel* Bahnüberführung *f*; **6.** *Buch, Schriftstück*: Passus *m*, *a.* ♪ Stelle *f*, Passage *f*; **7.** *Rel.* Station *f* der Leidensgeschichte Jesu; *b. e-r Prozession* (*bsd. in der Karwoche*) mitgeführtes Heiligenbild *n od.* Gruppe *f aus der Passion usw.*; **8.** *Thea.* Einakter *m*; kurzes Theaterstück *n*, Kurzstück *n*; *a.* (in sich abgeschlossene) Szene *f*; **9.** ⊕ Durchlaß *m*; Durchfluß *m*; Durchsatz *m*; ~ *de aire* Luft-durchlaß *m*, -durchgang *m*; ~ *de la tubería* lichte Rohrweite *f*; **10.** ⊕ Gang *m*, Gewindesteigung *f*; Steigung *f e-r Luftschraube usw.*; Teilung *f* (*b. Zahnrädern, Nieten, Filmrandlochung usw.*); *Kfz.* Achsenabstand *m*; *HF* Stufe *f*; **11.** *tex.* Fach *n*; **12.** Reihstich *m b. Nähen*; **13.** ⚒ *u. Reg.* Treppenstufe *f*; Leitersprosse *f*; **14.** ⚒ *Sch.* Durcharbeiten *n bzw.* Wiederholen *n*; **15.** *Am.* Furt *f*.

paso[3] *adv.* langsam, gemach.

pasodoble ♪ *m* Pasodoble *m* (*Marsch u. Tanz*).

pasoso *adj. Am. Mer.* durchlässig (*bsd. Papier*).

pas|pa(dura) *Ke. f Am. Mer.* Hautschrunde *f*; aufgesprungene Stelle *f an der Lippe*; **~parse** *v/r. ib.* aufspringen (*Haut, Lippen*).

paspartú *m* Passepartout *n* (*Rahmen*).

pas|quín *m* Schmähschrift *f*, Pasquill *n*; **~quinada** *f* beißendes Witzwort *n*.

pássim *lt. adv.* passim, allenthalben.

pasta *f* **1.** Teig *m*; *a.* ⊕ Masse *f*; Brei *m*; Paste *f*; *fig.* P Zaster *m* P, Kies *m* P, Moneten *pl.* F; ~s *f/pl.* (*alimenticias*) Teigwaren *f/pl.*; ~ *blanca* Klebstoff *m*; 🚂 ~ *de cinc* Zinkpaste *f*; ~ *dentífrica* Zahnpasta *f*; ~ *de porcelana* Porzellanmasse *f*; ~ *prensada* Preßstoff *m*; ~ *al sulfito* (*od. al sulfato*) Holzzellulose *f* (*Papierfabrikation*); *fig. de buena* ~ gutmütig (*Mensch*); *Kchk. sopa f de* ~s Nudelsuppe *f*; **2.** ~ (*seca*) *trockenes* Gebäck *n*; ~s *f/pl. de té* Teegebäck *n*; **3.** *Buchb.* Einband *m*; *en* ~ gebunden (*mst. Pappband*); *media* ~ Halbfranzband *m*.

pastar I. *v/t.* auf die Weide führen, weiden; **II.** *v/i.* weiden.

paste|l *m* **1.** Törtchen *n*; Kuchen *m*; Pastete *f*; *fig. Typ.* Zwiebelfische *m/pl.*; F Machenschaften *f/pl.*; Intrige *f*; ~ *de ciruelas* Pflaumenkuchen *m*; *fig.* F *descubrir el* ~ Lunte riechen (*fig.*); die Sache auffliegen lassen; *fig. quitar la hojaldre al* ~ nachstochern, dahinterhaken; **2.** Bunt-, Farb-, Pastell-stift *m*; *p. ext.* Pastell *n*; (*pintura f al*) ~ Pastellmalerei *f*; **3.** ⚘ *hierba f* ~ (Färber-)Waid *m*; **~lería** *f* Konditorei *f*; **~lero** *m* Feinbäcker *m*, Konditor *m*; Patissier *m*; *fig.* F es *un* ~ *etwa*: er hat kein Rückgrat; **~lillo** *m* feines Zuckergebäck *n*; **~lista** *c* Pastellmaler *m*.

paste(u)ri|zación *f* Keimfreimachung *f*; **~zar** [1f] *v/t.* pasteurisieren.

pastiche *frz. m* Plagiat *n*; Pastiche *m*.

pastilla *f* **1.** *pharm.*, ⚕ Pastille *f*; Tablette *f*; **2.** Tafel *f* (*Schokolade*); ~ *de azúcar* Zuckerplätzchen *n*; ~ *de jabón* Stück *n* Seife.

pastinaca *f* **1.** ⚘ Pastinake *f*; **2.** *Fi.* Stechrochen *m*.

pas|tizal ⚘ *m* Weide *f*; **~to** *m* (Vieh-)Weide *f*; Futter *n*; Weiden *n*; *fig.* Nahrung *f* (*fig.*); *ecl.* geistliche Nahrung *f*; *fig. a* ~ im Überfluß; F *a todo* ~ nach Herzenslust; *dar* ~ *a las malas lenguas* den bösen Zungen zu reden geben; *la casa fue* ~ *de las llamas* das Haus brannte ganz ab (*od.* wurde ein Raub der Flammen); **~tor** *m* **1.** Hirt(e) *m*; Schäfer *m*; *ecl.* Seelenhirt *m*, Seelsorger *m*; Pastor *m*; *bibl. el Buen* ♀ der Gute Hirt (= *Jesus*); *cabaña f de* ~(*es*) Hirtenhütte *f*; **2.** Hirten-, Schäfer-hund *m*; **~toral I.** *adj. c* Hirten...; **II.** *f Lit.* Hirten-, Schäfer-dichtung *f*; *ecl.* Hirtenbrief *m*; **~torear** *v/t.* **1.** auf die Weide führen; **2.** *ecl.* (seelsorgerisch) betreuen; **3.** *Am. j-m* auflauern; *Am. Cent.* verwöhnen; *Rpl.* → *cortejar*.

pasto|rela *f* Hirtenlied *n*; *Lit. u.* ♪ Pastorelle *f*; *Folk.* Weihnachtslied *n*; **~reo** *m* Weiden *n*, Weidegang *m*; *derecho m de* ~ Weiderecht *n*, Hut *f*; **~ría** *f* Hirten *m/pl.*; Schäferei *f* (*Beruf*); **~ril** *adj. c* Hirten...; *Lit. novela f* ~ Hirten-, Schäfer-roman *m*.

pastoso *adj.* **1.** teigig (*a. Graphologie*); breiig; *Mal.* pastos; 🚂 *u. Graphologie*: pastös; **2.** *Am.* reich an gutem Weideland; **3.** *Col.* träge.

pasudo *Am. adj.*: (*de pelo*) ~ kraushaarig.

pata[1] *f* Ente *f* (*Weibchen*).

pata[2] *f* Pfote *f*, Tatze *f*; Pranke *f*, Klaue *f*; *fig.* P Hand *f*, Pfote *f* P; Bein *n* (*Tisch, Stuhl*); *p. ext.* F Bein *n*; Fuß *m* (*Möbel, Maschine*); Schenkel *m e-s Zirkels*; *fig.* F ~s *arriba* drunter u. drüber; F *a* ~ zu Fuß; *a cuatro* ~s auf allen vieren; *fig. a la* ~ (*la*) *llana* schlicht, schlecht u. recht; ungezwungen, ohne Umstände; *fig.* ~s *f/pl. de gallo* Krähenfüße *m/pl. an den Augenwinkeln*; *dar la* ~ → *patita*; *fig. enseñar su* (*od. la*) ~ den Pferdefuß (*od.* sein wahres Gesicht) zeigen; *fig.* P *estar* ~s *arriba a.* mausetot sein; *fig.* P *ir a la* ~ *chula* hinken; *fig.* F *meter la* ~ s. blamieren, aus der Rolle fallen F, ins Fettnäpfchen treten F; *poner* ~s *arriba* alles durchea.-bringen; *fig. salir* (*od. quedar*) ~(*s*) patt sein; unentschieden bleiben; gleichziehen; F *estamos* ~ *a.* wir sind quitt; *tener mala* ~ Pech haben; F *ser un hombre de mala* ~ ein Pechvogel sein.

pata|ca ⚘ *f Am.* → *aguaturma*; **~cón** *m* **1.** † Silberunze *f* (*Münze*); **2.** F *Am.* Silberpeso *m*; **3.** *Chi.* ⚘ Distel *f*; **4.** *Ec.* → *patada*.

pata|da *f* Fußstapfen *m*; Fußtritt *m*; Aufstampfen *n*; Hufschlag *m*; *fig.* F *a* ~s in Hülle u. Fülle; F *esto me ha costado muchas* ~s *etwa*: da habe ich mühsam hinkraxeln müssen; P *dar una* ~ *en el culo j-n* in den Hintern treten P; *dar* ~s *en el suelo* auf den Boden stampfen; F *echar a* ~s *j-n* hinaus-werfen, -schmeißen F; *romper a* ~s eintreten, zs.-treten; *fig. tratar a* ~s *j-n* grob behandeln; **~lear** *v/i.* trampeln; (wütend) auf den Boden stampfen; **~leo** *m* Trampeln *n*; Strampeln *n*; *fig.* F *derecho* *m* de ~ nutzloser Protest *m* (protestieren darfst du ja, *nur hat es k-n Nutzen*); **~leta** *f*: *dar ~s* auf dem Rücken liegen u. strampeln (*fig.* F *bezieht man das auf e-n hysterischen Anfall*).

pa|tán F *m* Bauer *m*; *fig.* F Lümmel *m*, Grobian *m*; **~tanería** F *f* Grobschlächtigkeit *f*; Flegelei *f*.

patarata F *f* Albernheit *f*; Getue *n*; Larifari *n* F.

pata|ta *f* **1.** Kartoffel *f*; *~s f/pl. cocidas sin pelar* Pellkartoffeln *f/pl.*; *~s f/pl. deshidratadas* Trockenkartoffeln *f/pl.*; *~s f/pl. fritas* Pommes *f/pl.* frites; *~s f/pl. guisadas* gedünstete Kartoffelwürfel *m/pl.*; *~s f/pl. al horno* Kartoffeln *f/pl.* in der Röhre überbacken; *~ de siembra* (*temprana*) Saat- (Früh-)kartoffel *f*; *puré m de ~s* Kartoffelpüree *n*; **2.** *fig.* F Uhr *f*, Zwiebel *f* (*fig.* F); **~tal, ~tar** *m* Kartoffelfeld *n*.

patatús F *m* leichte Ohnmacht *f*; *le dio un ~* er wurde ohnmächtig.

patay *m Pe., Rpl.* Algarroben- *bzw.* Feigen-brot *n*.

paté *gal. Kchk. m* (Gänseleber-, Fleisch-)Pastete *f*.

patear I. *v/t. a. fig.* mit Füßen treten; P *Thea.* ausbuhen; *fig. Arg.* nicht bekommen (*dat.*), auf den Magen schlagen (*dat.*); **II.** *v/i.* trampeln; *Am.* → *cocear*; *~ de rabia* wütend auf den Boden stampfen.

patén *tex. m* Ringel *m/pl.* (*Muster*).

patena *f ecl.* Patene *f*, Hostienteller *m*; Medaillon *n b. weibl. Bauerntracht*; *fig. limpio como una ~* wie ein Schmuckkästchen, blitzsauber.

paten|table *adj. c* patentfähig; **~tado I.** *adj.* patentiert; **II.** *m* Patentierung *f*; **~tar** *v/t.* patentieren; patentieren lassen; **~te I.** *adj. c* offen; klar; deutlich, offensichtlich, sinnfällig; *hacer ~* offen darlegen; bloßlegen; an den Tag bringen; **II.** *f Verw.*, ⊕ Patent *n*; Bestallungsschreiben *n*; Diplom *n*; Bescheinigung *f*; *dipl. ~ consular* Ernennungsschreiben *n* zum Konsul; *Span. ~ de introducción* Einführungspatent *n*; ⚓ *~ de navegación* Schiffszertifikat *n*; *Verw. ~ de sanidad* Gesundheits-, *a.* Quarantäne-paß *m*; ⚓ *~ sucia* (*~ limpia*) Seuchen(unbedenklichkeits)-bescheinigung *f*; *oficina f de ~s* Patentamt *n*; *protegido por ~(s)* patentgeschützt; **~tizar** [1f] *v/t.* (offen) darlegen; bekunden; beweisen.

pater|familias *lt.* ⚖ *hist. m* Paterfamilias *m* (*lat.*), Hausvater *m*; **~nal** *adj. c* väterlich, Vater...; **~nalismo** *Pol., Soz. m* Paternalismus *m*; **~nidad** *f* Vaterschaft *f*; **~no** *adj.* väterlich, Vater...; *amor m ~* Vaterliebe *f*; *tío m ~* Onkel *m* väterlicherseits.

paternóster *m* **1.** Vaterunser *n*; *fig.* F fest zs.-gezogener Knoten *m*; **2.** ⊕ Paternoster-förderer *m*, -aufzug *m*.

patero I. *adj. Chi.* → *adulador*; *Pe.* → *mentiroso*; **II.** *m Arg.* Entenhaus *n*.

Pateta F *m Folk.* Teufel *m*; *fig.* F ♀ Krumm- *od.* Hinke-bein *n*.

pa|tético *adj.* pathetisch; *lo ~* das Pathos; **~tetismo** *m* Pathos *n*; schwungvolle (*bzw.* übersteigerte *od.* geschwollene) Art *f*; **~thos** *lit. m* Pathos *n*.

pati|abierto *adj.* mit gespreizten Beinen; breitbeinig; **~blanco** *adj.* weißfüßig (*Tier*).

pa|tibulario *adj.* Galgen...; Schafott...; **~tíbulo** *m* Galgen *m*; Schafott *n*.

pati|cojo F *adj.* lahm, hinkend; **~difuso** F *adj.* verblüfft, verdattert F; **~estevado** *adj.* krummbeinig; **~hendido** *Zo. adj.* spalthufig.

patilla I. *f* **1. a)** ♪ *ein Gitarrengriff*; **b)** Klappe *f an der Rocktasche*; **2.** *~s f/pl.* Backenbart *m*; **3.** *Arg.* (*And.*) → *poyo, asiento*; **4.** *Bol.* Balkonbrüstung *f*; **5.** *Chi.* ✐ Absenker *m*; **6.** *Ec.* graue Ameise *f*; **II.** *m* **7.** F *~s* (*pl. inv.*) Teufel *m*.

patín *m* Schlittschuh *m*; *bsd.* ⊕ Gleitschuh *m*; Kufe *f*; ⚓ Katamaran *m* (*Segelboot*); *~ acuático* Tretboot *n*; *~ de ruedas* Rollschuh *m*; (Kinder-)Roller *m*.

pátina *f* Patina *f*.

pati|nadero *m* Eisbahn *f*; Rollschuhbahn *f*; **~nador** *m* Schlittschuh-; Rollschuhläufer *m*; ✈ *m* Gleitschuh *m*; **~naje** *m* **1.** Gleiten *n*, Rutschen *n*; **2.** Schlittschuhlaufen *n*; *~ artístico (sobre hielo)* Eiskunstlauf *m*; *~ sobre ruedas* Rollschuhlaufen *n*; *Sp. figuras f/pl. obligatorias y ~ libre* Pflichtlauf *m* u. Kür *f*; **~nar** *v/i.* **1.** Schlittschuh (*bzw.* Rollschuh) laufen; schlittern; (auf Kufen) dahingleiten; **2.** ⊕ gleiten; rutschen; *Kfz.* schleudern; durchdrehen (*Räder*); **~nazo** *m* Rutschen *n*; Rutsch *m*; *Kfz.* Schleudern *n*; *Kfz. dar un ~* ins Schleudern geraten; *fig.* s. blamieren; **~neta** *f* (Kinder-)Roller *m*.

patio *m* (Innen-)Hof *m*; *Thea. ~ (de butacas)* Parterre *n*, Parkett *n*; ⚔ *~ de armas* (*od. del cuartel*) Kasernenhof *m*; *~ interior* Innenhof *m*; Lichthof *m*; Hinterhof *m*; *fig.* F *¡cómo anda el ~!* so geht das doch nicht!, dabei kann doch nichts Vernünftiges herauskommen!

pati|ta *f dim.*: *dar ~s* Pfötchen geben (*Hund*); *fig.* F *poner a alg. de ~s en la calle* j-n vor die Tür setzen; **~tieso** *adj.* steifbeinig; *fig.* F verblüfft, sprachlos; **~tuerto** F *adj.* krummbeinig, O-beinig; **~zambo** *adj.* X-beinig.

pato[1] *m* **1.** Ente *f*; *fig.* F *estar hecho un ~* pitschnaß sein; *fig. tener que pagar el ~* es ausbaden müssen, die Zeche zahlen müssen; *fig.* (*que*) *salga ~ o gallareta* gleichgültig, was daraus wird; **2.** *Zo.* Taschenkrebs *m*; **3.** ⚕ Urinflasche *f*.

pato[2] F *m* **1.** *Arg.* Kiebitz *m b. e-m Spiel*; **2.** *P. Ri.* wer k-e Stellung nehmen will; *a.* Parteilose(r) *m*.

patochada F *f* Albernheit *f*.

pa|togenia ⚕ *f* Pathogenese *f*, Krankheitsentstehung *f*; **~tógeno** *adj.* pathogen, Krankheits...

pato|jada F *f Am. Cent.* (Haufen *m*) Kinder *n/pl.*; **~jear** *v/i.* watscheln; schleppend gehen; **~jo** F **I.** *adj.* krummbeinig; *Am.* lahm; **II.** *m Am. Cent.* Schlingel *m*, Gassenjunge *m*.

pato|logía ⚕ *f* Pathologie *f*; **~lógico** *adj.* pathologisch, krankhaft.

patólogo *m* Pathologe *m*.

patoso F *adj.* albern; *¡no te pongas ~!* sei nicht so albern! (*versuch' doch nicht witzig zu sein, du schaffst es gar nicht*).

pato|ta F *f Rpl.* Halbstarkenclique *f*, *die randalierend durch die Straßen zieht*; **~tero** F *m Rpl.* zu e-r *patota* Gehörende(r) *m*.

patra|ña F *f* grobe Lüge *f*, Schwindel *m*, Bluff *m*; **~ñero** *m* Schwindler *m*.

patraquear F *v/i. Chi.* klauen F.

patria *f* Vaterland *n*; Heimat *f*; F *~ chica* (engere) Heimat *f*; *~ primitiva* Ursitz *m*, Stammland *n e-s Volkes*; *Madre f ~* Mutterland *n*.

patriarca *m bibl. u. fig.* Patriarch *m*; **~do** *m* Patriarchat *n*; **~l** *adj. c a. fig.* patriarchalisch.

patri|ciado *m* Patriziat *n*; **~cio** *adj.-su.* patrizisch; *m* Patrizier *m*.

patrimo|nial *adj. c* Erb..., Patrimonial...; Vermögens...; Familien...; *bienes m/pl. ~es* Erb-, Stamm-güter *n/pl.*; *derecho m ~* Vermögensrecht *n*; **~nio** *m* Eigentum *n*, Vermögen *n*; *a. fig.* Erbe *n*, Erbteil *n*; Besitz *m*; *~ artístico* Kunstschätze *m/pl. e-s Landes*; *~ nacional* Staatsbesitz *m*; *Real ~* Krongut *n*; *establecido en su ~* erbeingesessen.

patri|o *adj.* vaterländisch, Heimat...; *suelo m ~* Heimatboden *m*; ⚖ *~a potestad f* väterliche Gewalt *f*; **~ota** *c* Patriot(in *f*) *m*; **~otería** *f* Hurrapatriotismus *m*; Chauvinismus *m*; **~otero** *adj.-su.* chauvinistisch; *m* Hurrapatriot *m*; Chauvinist *m*; **~ótico** *adj.* patriotisch, vaterländisch gesinnt; **~otismo** *m* Patriotismus *m*, Vaterlandsliebe *f*.

patrísti|ca *Rel. f* Patristik *f*; **~co** *Rel. adj.* patristisch, Väter...

patroci|nado *m* Schützling *m*; Geförderte(r) *m*; **~nador** *m* Gönner *m*; Förderer *m*; Schirmherr *m*; **~nar** *v/t.* begünstigen, fördern; die Schirmherrschaft übernehmen über (*ac.*); **~nio** *m* Schutz *m*, Beistand *m*; Schirmherrschaft *f*, Protektorat *n*; *kath.* Patrozinium *n*.

patrología *f* Patrologie *f*.

patrón *m* **1.** Beschützer *m*; Schutzheilige(r) *m*, (Schutz-)Patron *m*; **2.** Hauswirt *m*; ⚓ Schiffsführer *m*; *Am.* Arbeitgeber *m*, Chef *m*; **3.** Vorlage *f*, Schablone *f*, Muster *n*; Schnittmuster *n*; Modell *n*; *~ de bordado* Stickmuster *n*; *~ picado* (ausgestochene) Schablone *f* (*z. B. zum Tünchen*); **4.** Lehre *f*, Maß *n*; Eichmaß *n*; Standard *m*; ✝ *doble ~* Doppelwährung *f*; ✝ *~ oro* Goldwährung *f*, -standard *m*; **5.** ✐ Pfropfunterlage *f*.

patro|na *f* **1.** Beschützerin *f*; Schutz-heilige *f*, -patronin *f*; **2.** Hauswirtin *f*; Zimmervermieterin *f*; **3.** Arbeitgeberin *f*, Chefin *f*; **~nal** *adj. c* Schutz..., Patronats...; Arbeitgeber...; **~nato** *m* **1.** Patronat *n*; Patronatsrecht *n*; **2.** Stiftung *f*; Stiftungsausschuß *m*; **3.** Arbeitgeberschaft *f*; **~nazgo** *m* → *patronato* 1, 2; **~nímico** *Li.* **I.** *adj.* patronymisch, Namens...; **II.** *m* Patronymikon *n*; **~no** *m* **1.** Schützer *m*; Schutzherr *m*; *ecl.* Schutzheilige(r) *m*; **2.** Patronatsherr *m*; **3.** Herr *m*, Gebieter *m*; *Span.* Arbeitgeber *m*; Chef *m*; *~s m/pl. y obreros m/pl.* Tarifpartner *m/pl.*

patru|lla *f* Streife *f*, Patrouille *f*; ⚔ Spähtrupp *m*; *~ volante (equipada con radio)* Polizeistreife *f* (Funkstreife *f*); **~llaje** *m Am.* Streife(ndienst *m*) *f*; **~llar** *vt/i.* auf Streife gehen (*bzw.* fahren); ⚔ *a.* (zu mehreren) auf Erkundung gehen; *~ (por) el terreno* das Gelände durchstreifen; **~llero I.** *adj.* Streifen...; **II.** *m* ⚓ Erkundungs-, Streifenboot *n*.

paular¹ F: *sin ~ ni maular* ohne den Mund aufzutun.

paular² *m* Moor(landschaft *f*) *n*.

paulatino *adj.* bedächtig; langsam, allmählich.

paulina I. *f* päpstlicher Bannbrief *m*; *fig.* Schmähbrief *m*; *fig.* F Rüffel *m* F; **II.** *adj.* ⚖: *acción f ~* Gläubigeranfechtung *f b. Konkurs.*

pau|perismo *m* Verarmung *f*; Massenelend *n*; **~perización** *Soz. f* Verarmung *f* der Massen; **~pérrimo** *sup. irr. von pobre.*

pausa *f* **1.** Pause *f*; Ruhe *f*; Langsamkeit *f*; ♪ Pause(nzeichen *n*) *f*; **2.** *Chi. mehrfach zündende* bunte Rakete *f* (*Feuerwerk*); **~do** *adj.* ruhig; langsam; gelassen; abgemessen.

pauta *f* **1.** Linierung *f*; Zeilenlineal *n*; *p. ext.* Lineal *n*; *Am. u. Reg.* → *falsilla*; **2.** *fig.* Regel *f*, Norm *f*; Vor-, Leit-bild *n*; **~do** *adj.* lini(i)ert; *papel m ~ mst.* Notenpapier *n*; **~dor** *m* Linienzieher *m*; **~r** *v/t.* lini(i)eren.

pava *f* **1.** Truthenne *f*; *fig.* dumme Gans *f*; *fig.* F *Span. pelar la ~ veraltend*: e-m Mädchen vor dem vergitterten Fenster den Hof machen; *p. ext.* Süßholz raspeln; **2.** Schmiedeblasbalg *m*; **3.** *Arg.* gr. Gefäß *n für die Matebereitung*; *Chi.* → *orinal*; **~da** *f* Menge *f* Truthahngeflügel; *fig.* Albernheit *f*; *Sp.* Radschlagen *n* (*Kinderspiel*); **~na** *f* **1.** ♪ Pavane *f* (*alter Tanz*); **2.** *Ant.* Prügel *pl.*

pave|ar I. *v/i.* **1.** *Arg.* **a)** s. albern benehmen; **b)** Süßholz raspeln; **2.** *Chi.* spotten; **3.** *Ec.* die Schule schwänzen; **II.** *v/t.* **4.** *Méj. unerfahrenen Spieler* betrügen; **~ra** *f* Truthahnbräter *m* (*Geschirr*); **~ría** *f Arg., Chi.* Albernheit *f*; **~ro I.** *adj.* **1.** pfauenhaft eitel; großspurig; **II.** *m* **2.** Truthahnhändler *m*; **3.** *fig.* F gr. Schlapphut *m*; **4.** *Chi.* Spötter *m*; Spaßmacher *m*.

pavés *m* Langschild *m*; *fig. alzar sobre el ~* auf den Schild heben.

pavesa *f* Flugasche *f*; Fünkchen *n*; *fig.* F *estar hecho una ~* sehr schwach sein; *fig. ser una ~* fügsam sein, kuschen F.

pavezno 🐾 *m* → *pavipollo.*

pavía *f* Paviapfirsich *m*.

pávido *lit. adj.* furchtsam.

pavimen|tar *v/t.* pflastern; mit Platten *usw.* belegen; **~to** *m* Bodenbelag *m*; Pflasterung *f*; Estrich *m*; Steinplattenpflaster *n*; *~ de asfalto (de losas)* Asphalt- (Platten-)belag *m*.

pavi|pollo *m* junger Puter *m*; *fig.* F Dummkopf *m*; **~soso** P *adj.* saudumm P; **~to** *m Ven.* Halbstarke(r) *m*; **~tonto** F *adj.* → *pavisoso.*

pavo *m* Truthahn *m*, Puter *m*; *fig.* Dummkopf *m*; *~ real* Pfau *m*; F *Ec. de ~* → *de gorra*; *fig.* F *está comiendo ~* niemand holt sie zum Tanz, sie ist ein rechtes Mauerblümchen; *fig.* F *Am. comer ~* in s-n Erwartungen enttäuscht werden; *fig.* F *subírsele a uno el ~ od. ponerse hecho un ~* erröten, rot anlaufen.

pa|vón *m* **1.** *Ent.* Pfauenauge *n*; **2.** 🐾 → *pavo real*; **3.** Stahlblau *n*; Brünierung *f*; **~vonado** *m* Brünierung *f*; **~vonar** *v/t.* (blau) anlassen, brünieren; **~vonazo** *m* Dunkelrot *n* (*Freskomalerei*).

pavone|ar *v/i. u. ~se v/r.* s. wie ein Pfau spreizen; einherstolzieren; **~o** *m* Aufplustern *n*, Einherstolzieren *n*.

pavo|r *m* Schreck *m*; Aufschrecken *n*; Entsetzen *n*; **~roso** *adj.* schrecklich, entsetzlich, grauenerregend.

paya *f Rpl., Chi.* Stegreifdichtung *f* der Gauchos (*Lied*); **~da** *f Rpl.* Gauchosang *m*; **~dor** *Folk. m Rpl.* Gauchosänger *m*.

payaso *m* Clown *m*, Hanswurst *m*, Bajazzo *m*, Possenreißer *m*.

payé *Folk. m Rpl.* **1.** Teufel *m*; Zauberer *m*; **2.** Amulett *n*; **3.** Zauberei *f*.

pa|yés *m* Bauer *m* aus Katalonien; **~yo** *adj.* bäurisch; tölpelhaft.

payuelas F *f/pl.* Windpocken *f/pl.*

paz *f* Friede(n) *m*; Friedensschluß *m*; Ruhe *f*; *¡~!* Ruhe!; *¡a la ~ de Dios!* mit Gott! (*Abschiedsformel*); *en tiempo(s) de ~* im Frieden, in Friedenszeiten; F *¡y en ~!* Schluß jetzt!, u. damit basta! F; *por la ~ od. para tener ~* um des (lieben) Friedens willen; *~ impuesta* aufgezwungener Frieden(svertrag) *m*; *~ preliminar (separada)* Vor- (Sonder-)frieden *m*; *amante de la ~* friedliebend; *gente f de ~* friedliche Leute *pl.*; ⚔ gut Freund!; *ruptura f de (la) ~* Friedensbruch *m*; *tratado m de ~* Friedensvertrag *m*; *concluir (od. hacer) la ~* Frieden schließen; *dar la ~ a uno* j-m den Begrüßungskuß (*ecl.* den Friedenskuß) geben; *dejar en ~* in Ruhe lassen; *¡déjame en ~!* laß mich zufrieden!; *¡que en ~ descanse!* er ruhe in Frieden!, Gott hab' ihn selig!; *hacer las paces con alg.* s. mit j-m versöhnen; *meter ~* Frieden stiften (unter *dat. entre*); *fig. quedar en ~* gleichstehen (*im Spiel*); *p. ext.* quitt sein; *restablecer la ~* Frieden stiften (in *dat. en*); → *a. fiesta*; *¡vete en (od. con) la ~ de Dios!* nun geh' mit Gott!; *fig.* gut denn, reden wir nicht mehr davon!; *venir de ~* in friedlicher Absicht kommen.

pazguato *adj.* einfältig.

pazo *m Gal.* Stammhaus *n*.

pazote ⚘ *m* mexikanisches Teekraut *n*.

pe *f* Pe *n* (*Name des Buchstabens*); *de ~ a pa* von A bis Z.

peaje *m* Brücken-, Wege-geld *n*; *neol.* Autobahngebühr *f*; **~ro** *m* Straßenzoll-, Maut-eintreiber *m*.

pea|l *m* **1.** Fußlappen *m*; *fig.* F Taugenichts *m*; **2.** *Am.* Fußfessel *f für Vieh*; **~lar** *v/t. Am. Vieh* fesseln.

peán *lit. m* Päan *m*, Preislied *n*.

pea|na *f* Fußgestell *n*; Sockel *m*; **~tón** *m* Fußgänger *m*; *Vkw. paso de ~ones* Fußgängerüberweg *m*, -gang *m*.

pebe|ta *f Rpl.* kl. Mädchen *n*; **~te** *m* **1.** Räucherkerze *f*; *fig.* F Stinkding *n* F; **2.** ⚘ *~ (de Méjico)* mexikanische Wunderblume *f*; **3.** *Rpl.* kl. Junge *m*; **~tero** *m* Räucherpfanne *f*; *Sp. ~ olímpico* Schale *f mit dem olympischen Feuer.*

pebrada *f od.* **pebre** *m, f* Pfeffertunke *f*; *Reg.* → *pimienta.*

peca *f* Sommersprosse *f*.

peca|ble *adj. c* sündhaft; **~dero** F *m Am.* Sündenpfuhl *m* (*Bar, Spielkasino, Bordell*; *oft a. nur Anspielung auf Orte, wo man viel Geld loswerden kann*); **~do** *m* Sünde *f*; *~ mortal (original)* Tod- (Erb-)sünde *f*; *fig.* F *más original que el ~* mehr als originell; **~dor** *adj.-su.* sündig; *m* Sünder *m*; **~minoso** *adj.* sündhaft; **~nte I.** *adj. c* sündigend, sündig; **II.** *c* Sünder(in *f*) *m*; **~r** [1g] *v/i.* sündigen; fehlen, s. vergehen; *fig.* F *aquí que no peco* das ist die Gelegenheit!; *fig. ~ de a/c.* et. in übertriebener Weise sein (*bzw.* tun); *~ de confiado* allzu vertrauensselig sein; *nunca se peca por demasiado cuidado* man kann nicht vorsichtig genug sein; *no ~ de hermoso* nicht gerade (*od.* alles andere als) schön sein; *~ por severo* übermäßig streng sein.

peca|rí, ~ri *Zo. m* Nabelschwein *n*, Pekari *n*.

pecblenda *f* → *pechblenda.*

peccata *pl.* **minuta** *lt. fig.* F kl. Schönheitsfehler *m*; verzeihlicher Irrtum *m*.

peceño *adj.* pechschwarz (*Rappe*); nach Pech schmeckend.

pecera *f* Goldfischglas *n*.

pecina *f* Schlamm *m*, Schlick *m*; **~l** *m* Schlammloch *n*, Morast *m*.

pecio *m* Wrack(teil) *n*.

pecíolo ⚘ *m* Blattstiel *m*.

pécora *f* **1.** 🐾 Schaf *n*; **2.** *fig.* F *mala (od. iron. buena) ~* übler Kerl *m*; schlechtes Weibsstück *n* F.

pecoso *adj.* sommersprossig.

pectina *f* Pektin *n*.

pectoral I. *adj. c* Brust...; **II.** *m Anat.* Brustmuskel *m*; *kath.* Brustkreuz *n*, Pektorale *n*.

pecuario *adj.* Vieh...; *industria f ~a* Viehwirtschaft *f*; Viehverwertung *f*.

peculado ⚖ *m* Unterschlagung *f* (von Geldern) *im Amt.*

peculia|r *adj. c* eigen(tümlich); charakteristisch; **~ridad** *f* Eigentümlichkeit *f*; Eigengepräge *n*; Besonderheit *f*.

pecu|lio *m* **1.** Spar-pfennig *m*, -groschen *m*; **2.** *lit.* Taschengeld *n*; **~nia** F *f* Geld *n*; **~niario** *adj.* Geld..., pekuniär.

pechacar [1g] P *v/t. Chi.* klauen P.

pechada *f Am.* Stoß *m* mit dem Oberkörper; *Arg.* Rammen *n mit dem Bug des Pferdes*; *Chi.* Anrempeln *n*; Stoß *m*.

pechar[1] *v/i.*: ~ *con Last, Zahlung* übernehmen.
pecha|r[2] *v/t.* **1.** *Bol., Chi., Rpl.* anrempeln; **2.** *Chi., Rpl.* anpumpen F; **~zo** *m* **1.** *Ant.* → *pechada*; *fig.* Frechheit *f*; **2.** *Arg.* Anpumpen *n* F.
pechblenda *Min. f* Pechblende *f*.
peche[1] *m* → *pechina 1*.
peche[2] **I.** *adj. c* **1.** *Am. Cent.* verkümmert, schwächlich; **II.** *m* **2.** P *Arg.* → *petición, solicitud*; **3.** *Chi. e-e* Kartoffel(art) *f*.
peche|ra *f* **1.** Hemdbrust *f*; Vorhemd *n*; Brustlatz *m*; (Blusen-)Einsatz *m*; *fig.* F Busen *m*, Brust *f*; **2.** *Equ.* Brustblatt *n*; ~ *de sostén* Brustriemen *m*; **~ro**[1] *m* Brustlatz *m*.
pechero[2] *hist. adj.-su.* tributpflichtig; *m* Vasall *m*; Hörige(r) *m*.
pechiblanco *adj.* weißbrüstig.
pechina *f* **1.** *Zo.* Rippen-; Venusmuschel *f*; **2.** ⚠ Hängezwickel *m e-r Kuppel.*
pechi|rrojo *Vo. m* Rotkehlchen *n*; **~sacado** F *adj.* hochfahrend, stolz.
pecho[1] *m* **1.** Busen *m*; Brust *f*; *fig.* Mut *m*; *fig.* de ~ mutig, beherzt; *voz f* de ~ Bruststimme *f*; *¡~ al agua! od. ¡buen ~!* Mut!; Kopf hoch!; → *a. hecho 1*; *enfermo del ~* lungenkrank; *Col. a todo ~* lauthals; *apoyado de ~s en la balaustrada* mit dem Oberkörper aufs Geländer gestützt; *fig. no le cabe en el ~* er kann es nicht für s. behalten; *caer de ~s* nach vornüber (*od.* auf die Brust) fallen; *fig. criar a sus ~s* ganz nach s-r Weise erziehen; zu s-m besonderen Schützling machen; an s-m Busen nähren (*lit.*); *dar el ~ a* die Brust geben (*dat.*), stillen (*ac.*); *fig. dar* (*od. poner*) *el ~* (Gefahr) mutig auf s. nehmen; tapfer Widerstand leisten, trotzen; *fig. descubrir* (*od. abrir*) *el ~* sein Herz ausschütten; *echarse a ~s a/c.* s. mit aller Kraft für et. (*ac.*) einsetzen; F *echarse una copita* (*dos salchichas*) *entre ~ y espalda* s. ein Gläschen hinter die Binde gießen F (zwei Würste verdrücken P); *fig.* F *no quedarse con nada en el ~* aus s-m Herzen keine Mördergrube machen, (alles) auspacken F; *fig.* F *ser hombre de pelo en ~* ein ganzer Kerl sein; ein toller Draufgänger (*od.* ein toller Hecht F) sein; *tomar el ~* an der Brust trinken (*Säugling*); *fig. tomar a ~(s)* ernst nehmen; s. zu Herzen nehmen; **2.** Steigung *f*, (Gelände-)Buckel *m*; ~ *arriba* bergauf.
pecho[2] *m* **1.** *hist.* Zins *m*, Tribut *m der Hörigen u. Vasallen*; **2.** → *a. derramar 3.*
pechona P *adj. f* vollbusig.
pechu|ga *f* **1.** *a. Kchk.* Brust *f des Geflügels*; *fig.* F Brust *f*; **2.** *Am. Cent., Col., Chi., Pe.* Schneid *m*, Draufgängertum *n*; Unverschämtheit *f*; **~gón I.** *adj.* F **1.** vollbusig; **2.** *Am.* unverschämt, frech; schamlos; *Chi.* resolut; **II.** *m* **3.** Stoß *m* (*od.* Fall *m*) auf die Brust; Stoß *m* mit dem Oberkörper; *fig.* F große Anstrengung *f*.
peda|gogía *f* Pädagogik *f*; Erziehung *f*; ~ *global* Ganzheitserziehung *f*; ~ *terapéutica* Heilpädagogik *f*; **~gógico** *adj.* pädagogisch; erzieherisch; *método m ~* Erziehungsmethode *f*; **~gogo** *m* Pädagoge *m*, Erzieher *m*.
peda|l ⊕ *m* Fußhebel *m*; Pedal *n*; **~es** *m/pl.* Pedale *n/pl.*; Tretwerk *n*; *Kfz.* ~ *arrancador* Kickstarter *m*; ~ *de embrague* (*de freno*) Kupplungs- (Brems-)pedal *n*; *Kfz. hundir el ~* mit Vollgas fahren; **~lear** *v/i.* die Pedale treten; radeln; **~leo** *m* Radeln *n*.
pe|dáneo ⚖ *adj.* Dorf...; **~danía** *f* ⚖ *Arg.* Bezirk *m e-s juez pedáneo*; *Span. Verw.* Unterbezirk *m* e-r Gemeinde.
pedan|te I. *adj. c* schulmeisterlich; pedantisch; **II.** *m* Haarspalter *m*, Schulmeister *m* (*fig.*); Pedant *m*; **~tear** *v/i.* schulmeistern, dozieren F; **~tería** *f* Schulfuchserei *f*; Pedanterie *f*; **~tesco** *adj.* → *pedante*; **~tismo** *m* **1.** pedantisches Wesen *n*; **2.** → *pedantería*.
pedazo *m* Stück *n*; Bruchstück *n*, abgebrochenes Stück *n*; Fetzen *m*; *un ~ de carne* (*de pan*) ein Stück Fleisch (Brot); *fig.* F *~ de alcornoque* (*de animal, de bruto*) dummes Stück *n* (*fig.* F), Rindvieh *n* P, Hornochse *m* P; *fig.* F *~ del alma* (*del corazón, de mis entrañas*) Liebste(r) *m*; Liebste *f*; Herz(enskind) *n*; *a ~s* stückweise; *fig.* F *caerse a ~s od. estar hecho ~s* wie zerschlagen (*od.* total kaputt F) sein; *fig. comprar por un ~ de pan* für e-n Apfel u. ein Ei kaufen; *fig. ganar(se) un ~ de pan* nur das Lebensnotwendigste verdienen; *hacer ~s* entzweischlagen; zerreißen; zerfetzen; zertrümmern; kaputtmachen F; *hecho ~s* entzwei; zertrümmert; kaputt F; *fig.* F *ser un ~ de pan* sehr gutmütig (und treu) sein.
pederas|ta *m* Päderast *m*; **~tia** *f* Päderastie *f*, Knabenliebe *f*.
pedernal *m* Kieselstein *m*; Feuerstein *m*; *fig.* große Härte *f*; *fig. corazón m de ~* Herz *n* aus Stein.
pedes|tal *m* Fußgestell *n*; Sockel *m*; Piedestal *n*; **~tre** *adj. c* zu Fuß gehend; Fuß...; *fig.* gemein, platt, vulgär; **~trismo** *m* Wandersport *m*; *a.* Wettgehen *n*.
pe|díatra ⚕ *c* Kinderarzt *m*; **~diatría** *f* Kinderheilkunde *f*, Pädiatrie *f*.
pediculado *Biol. adj.* gestielt.
pedicular ⚕ *adj. c* Läuse...
pedículo *Biol. m* Stiel *m*; *Anat.* ~ *pulmonal* Lungenwurzel *f*.
pediculosis ⚕ *f* Verlausung *f*.
pedicu|ra *f* **1.** Fußpflege *f*, Pediküre *f*; **2.** Fußpflegerin *f*, Pediküre *f*; **~ro** *m* Fußpfleger *m*.
pedida *f* → *petición*; Anhalten *n um die Hand e-s Mädchens*; → *a. pulsera*.
pedi|do *m* **1.** ✝ Auftrag *m*, Bestellung *f*; ~ *de prueba* (*od. por vía de ensayo*) Probeauftrag *m*; *a ~ de* auf Bestellung von (*dat.*); *al hacerse el ~* bei (der) Bestellung; *después de hacer el ~* nach Auftragserteilung; *según ~* auftragsgemäß, laut Bestellung; *hacer un ~* (*suplementario*) (nach)bestellen; **2.** ✎ → *petición*; **~dor** *adj.-su.* zudringlich bettelnd, heischend; **~gón** *adj.-su.* → *pedigüeño*.
pedigrí *Angl. m* **1.** Stammbaum *m* (*Tiere*); **2.** Abstammungsnachweis *m*.
pedigüeño I. *adj.* bettelhaft; bettelnd; zudringlich; *ser ~* immer et. haben wollen, immer quengeln (*a. Kinder*); **II.** *m* hartnäckiger Bettler *m*; zudringlicher Mensch *m*.
pediluvio *m* Fußbad *n* (*a. Rel.*).
pe|dimento *m* Ansuchen *n*; ⚖ Eingabe *f*, Bittschrift *f*; **~dir** [3l] *v/t.* verlangen; (er)bitten; ersuchen; fordern; ✝ bestellen; anfordern; ~ *a/c. a alg.* j-n um et. (*ac.*) bitten (*od.* ersuchen); bei j-m um et. (*ac.*) ansuchen; *te lo pido* ich bitte dich darum; *las plantas piden agua* die Pflanzen müssen Wasser haben; ~ *auxilio* um Hilfe bitten (*bzw.* rufen); *a ~ de boca* nach Herzenslust; *la cosa salió a ~ de boca* die Sache hat ganz nach Wunsch geklappt; ✝ *¡~* (*od. pida*) *catálogo gratis!* Gratiskatalog anfordern!; ~ *a Dios que + subj.* zu Gott beten, daß; *le iba a ~ un favor* ich hätte Sie gern um e-n Gefallen gebeten; ~ *limosna* betteln (gehen); ~ *más* um mehr bitten; nachfordern; ~ *mucho* (zu)viel verlangen; F (*que*) *no hay que ~ más* ausgezeichnet, großartig, prima F.
pedo P *m* **1.** Furz *m* P; *despedir ~s od. soltar* (*od. tirar*) *un ~* furzen P; *fig.* P *Méj. echar ~s* mächtig angeben F; **2.** ⚘ ~ *de lobo* Bovist *m* (*Pilz*).
pedo|logía *Geol. f* Bodenkunde *f*; **~lógico** *adj.* bodenkundlich.
pedo|rra V *f* Luder *n* P, Miststück *n* P; **~rrear** V *v/i.* furzen P; **~rreo** V *m* Furz *m* P.
pedrada *f* Steinwurf *m*; *fig.* F *encajar* (*od. caer*) *como ~ en ojo de boticario* genau hinhauen F; *iron.* wie die Faust aufs Auge passen.
pedre|a *f* **1.** Steinigung *f*; **2.** Steinhagel *m*; Kampf *m* mit Steinwürfen; *p. ext.* Hagel(schlag) *m*; **3.** *fig.* F Nebengewinne *m/pl.* (*Lotterie*); **~gal** *m* steiniges Gelände *n*; Steinwüste *f*; **~gón** *m Col., Chi.* → *pedrusco*; **~goso** *adj.* steinig; **~jón** *m* → *pedrusco*; **~ra** *f* Steinbruch *m*; **~ría** *f* Edelsteine *m/pl.*; **~ro** *m* Steinbrucharbeiter *m*; Steinhauer *m*.
pe|drisco *m* Steinhagel *m*; *Met.* Hagel *m*; **~drisquero** *m* Hagelschlag *m*; **~driza** *f* steinige Stelle *f im Gelände.*
Pedro *fig.* F: *como ~ por* (*od. en*) *su casa* ganz ungeniert; ohne jede Hemmung.
pedrusco *m* Steinbrocken *m*; unbehauener Stein *m*.
pe|dunculado *adj.* gestielt (*Pfl.*); **~dúnculo** *m* ⚘ Blütenstiel *m*; *Anat.* Stiel *m*, Schenkel *m*.
peer [2e] P *v/i. u.* **~se** *v/r.* furzen P.
pega[1] *f* **1.** *Vo.* **a)** Elster *f*; **b)** ~ *reborda* (Raub-)Würger *m*; **2.** *Fi.* Schiffshalter *m*.
pega[2] *f* **1.** ✎ → *pegado*; *fig.* de ~ nicht echt, falsch, Schein..., Pseudo...; **2.** Verpichen *n der Fässer, Schläuche, Keramikgefäße usw.*; Pechüberzug *m*; Töpferglasur *f*; *saber a la ~* nach der Verpichung

des Fasses usw. schmecken (*Wein*); *fig.* F e-e schlechte Kinderstube verraten, schlecht erzogen sein; *fig. ser uno de la* ~ zum Abschaum gehören; **3.** Possen *m*, Ulk *m*; *p. ext.* Schikane *f*; Schwierigkeit *f*, Haken *m*; *Sch.* schwierige Frage *f*; *poner* ~*s a alg.* j-n täuschen; j-n schikanieren; j-m Schwierigkeiten in den Weg legen; **4.** *fig.* F Tracht *f* Prügel; ~ *de patadas* Fußtritte *m/pl.*; **5.** ⚒ Zündung *f e-s Sprenglochs*; **6.** *Am.* Vogelleim *m*; *p. ext.* ⚘ → *pegapega*; **7.** *fig.* F *Cu.* Arbeit *f*; **8.** *Chi.* Zeit *f, in der Frauen die höchste Anziehungskraft haben*; Reifepunkt *m*; Ansteckungszeit *f b. Infektionskrankheiten*; *estar en la* ~ in voller Blüte stehen (*fig.*); reif (*bzw.* gar) sein.

pega|dero *m Hond.* Morast *m*; ~**dillo** *m* Pflästerchen *n*; *Ec.* Besatz *m* (*Posament*); ~**dizo** *adj.* **1.** ansteckend (*Krankheit, Laster*); **2.** klebrig; *fig.* aufdringlich; *canción f* ~*a* Gassenhauer *m*; **3.** ✎ → *postizo, imitado*; ~**do I.** *part.* **1.**: ~ *a* (ganz) dicht (*od.* nahe) an (*dat.*); ~ *al cuerpo* hauteng (*Kleider*); *a. fig. estar* ~ *a* kleben an (*dat.*); *fig.* F *estar* ~ *en algo* nichts wissen, keine Ahnung haben; **II.** *m* **2.** (Kleb-)Pflaster *n*; **3.** (An-, Ver-)Kleben *n*; Verkittung *f*; ~**dor** *m* **1.** ⚒ Sprengarbeiter *m*; **2.** *Andal.* → *pega* 2; ~**dura** *f* (An-, Auf-, Ver-)Kleben *n*; Verklebung *f*; F Annähen *n*; ~**joso** *adj.* **1.** klebrig, leimig; **2.** ansteckend; **3.** *fig.* lästig, aufdringlich; ~**lotodo** *m* Alleskleber *m*; ~**mento** *m* Klebstoff *m*; ~ *de porcelana* Porzellankitt *m*; ~**miento** *m* Kleben *n*; Zs.-kleben *n*; Verkitten *n*.

pega|nte *adj. c-su. m* Kleber *m*; Latexkleber *m*; (*sustancia f*) ~ Klebstoff *m*; ~**pega** ⚘ *c* (*mst. f*) *Am. volkstüml. Sammelname für Disteln, Kletten u. Dorngewächse*; *fig.* F *öfter* aufdringliche Person *f*; lästiger Schmeichler *m*.

pegar [1h] **I.** *v/t.* **1.** (an-, auf-)kleben; (an-, ver-, zs.-)leimen; *p. ext.* festmachen; anheften; *fig.* F annähen; ~ *con cola* (ver)leimen; ~ *en* (*od. sobre*) *cartón* auf Karton kleben; *fig.* ~ *los ojos* die Augen schließen; *no* ~ *ojo* kein Auge zutun (*od.* schließen); **2.** schlagen; (ver-)prügeln; *le pegó una bofetada* er versetzte ihm e-e Ohrfeige; er langte ihm eine F; ~ *fuerte* fest zuschlagen, draufhauen; ~*la con alg.* mit j-m in Streit geraten; **3.** *Feuer* anlegen; *Krankheit* übertragen; *Schrei* ausstoßen; *Schuß* abgeben; ⚒ *Sprengloch* zünden; *Sprung* tun, machen; ~ *fuego a et.* in Brand setzen; ~ *la gripe a alg.* j-n mit der Grippe anstecken; **II.** *v/i.* **4.** haften, kleben (bleiben); (an)brennen, zünden (*Feuer*); *fig.* passen (*abs. od.* zu *dat. con*); klappen F, hinhauen F; verfangen, ziehen, einschlagen; *estar* ~*ado al trabajo* von s-r Arbeit nicht aufschauen, nur s-e Arbeit kennen; *fig.* F *eso no pega ni con cola* das ist blühender Unsinn; *esto le pega como un mandil a una vaca* das paßt wie die Faust aufs Auge; F *por si pega* mal sehen, ob es klappt; **III.** *v/r.* ~*se* **5.** festkleben; *a. fig.* hängenbleiben, haften; anbrennen (*Speisen*); steckenbleiben, nicht antworten können; ~*se a alg.* s. an j-n heranmachen, s. j-m aufdrängen; *fig.* F *pegársela a alg.* j-n hereinlegen, j-n auf den Leim führen, j-n betrügen; *a.* j-m Hörner aufsetzen; F ~*se a alg. como una lapa* (*od. como una ladilla*) s. wie e-e Klette an j-n hängen; s. bei j-m anwanzen P; → *a. sábana*; ~*se un tiro* s. e-e Kugel durch den Kopf schießen; *¡que se pegue un tiro!* von mir aus können Sie s. aufhängen (, *lassen Sie mir nur meine Ruhe*)!; ~*se al oído* ins Ohr gehen (*Melodie*); **6.** s. prügeln.

pe|gaseo *lit. adj.* Pegasus..., Musen...; ♀**gásides** *lit. f/pl.* Musen *f/pl.*; ♀**gaso** *Myth., Astr.*, (♀ *Fi.*) *u. fig. m* Pegasus *m*; *fig.* Dichterroß *n*; *montar en* ~ den Pegasus reiten.

pe|gata F *f* Ulk *m*; Betrug *m*, Bluff *m*; Reinfall *m*; ~**go** F: *dar el* ~ → *pegársela a alg.*

pegote *m* Pechpflaster *n*; *fig.* aufdringliche Person *f*; Schmarotzer *m*; überflüssiger Zusatz *m*; Anklebsel *n* F; ~**ar** F *v/i.* schmarotzen, nassauern F; ~**ría** F *f* Nassauern *n* F.

pegual *m Arg., Chi.* Bindegurt *m für Tiere od. Lasten.*

pegue|ra *f* Pechsiederei *f*; ~**ro** *m* Pechsieder *m*; Pechhändler *m*.

peguja|l *m* kl. Bauernwirtschaft *f*; ~**lero** *m* Kleinbauer *m*, Kätner *m*.

pegu|jón, ~**llón** *m* Knäuel *n* (*Wolle, Haare*).

pegun|ta ✎ *f* Pechzeichen *n* (*Viehmarkierung, bsd. der Schafe*); ~**tar** *v/t. Schafe* markieren; ~**toso** *adj.* klebrig.

pe|huén ⚘ *m Chi.* **1.** Schuppenfichte *f*, Araukarie *f*; *p. ext.* → *pino*; **2.** *p. ext.* → *pinar*.

peina *f* (Ein-)Steckkamm *m*; ~**da** *f* Kämmen *n*; *darse una* ~ s. mit dem Kamm durchs Haar fahren; ~**do I.** *adj.* **1.** gekämmt; *fig.* geleckt, geschniegelt; **II.** *m* **2.** Haartracht *f*; Frisur *f*; ~ *estilo paje* Pagenkopf *m*; ~ *de señora* Damenfrisur *f*; **3.** Flachshecheln *n*; *tex.* Kämmen *n*; ~**dor** *m* **1.** Frisiermantel *m*; Rasierumhang *m*; **2.** *tex.* Kammstuhlarbeiter *m*; Kämmer *m*; **3.** *Arg., Chi., Méj.* → *tocador*; ~**dora** *f* **1.** Friseuse *f*; **2.** Hechelmaschine *f*; *tex.* Kämmer *m* (*Maschine*); ~**dura** *f* Kämmen *n*; ~*s f/pl.* ausgekämmtes Haar .

pei|nar *v/t.* **1.** kämmen; auskämmen; *fig. Gebäude usw.* durchkämmen (*Polizei*); *fig. no* ~*se para uno* k-e Partie für j-n sein (*von der Frau in Bezug auf den Bewerber gesagt*); **2.** *tex.* hecheln; kämmen; ~**nazo** *Zim. m* Querleiste *f* (*Tür, Fenster*); ~**ne** *m* **1.** Kamm *m*; ⚔ Ladestreifen *m*; ~ *muy fino* Staubkamm *m*; *fig. a sobre* ~ oberflächlich, obenhin; *fig.* F *buen* ~ *estás* du bist ziemlich durchtrieben, du bist mir der Schlankste (*fig.* F); **2.** *tex.* Kamm *m*; Rechen *m*; Scherkamm *m*; **3.** ⊕ Gewinde-stahl *m*, -schneidbacken *m*; **4.** *Schreibmaschine*: Tastenfeld *n*; **5.** ⚘ ~ *de brujo* (Schierlings-) Reiher-schnabel *m*; ~ *de pastor* (*od.* de *Venus*) Venuskamm *m*; ~**neta** *f* → *peina*; ~**nito** *m* Schuhstrecker *m*.

peje *m Reg.* Fisch *m*; *fig.* F *desp.* Kerl *m*, Gauner *m*; ~**buey** *Zo. m* → *manatí*; ~**gallo** *m von Südchile bis Mexiko vorkommender Fisch* (*Gallorhynchus antarcticus*); ~**palo** *m* geräucherter Stockfisch *m*; ~**rrey** *Fi. m* „Königsfisch" *m, volkstüml. Name versch. Fische* (*bsd. Atherina presbyter*); *Span. bsd.* Ährenfisch *m*; ~**sapo** *Fi. m* Seeteufel *m*

pejiguera F *f* lästige Sache *f*, Unannehmlichkeit *f*.

pekinés → *pequinés*.

pela F *f* Pesete *f*.

pela|da *f* geschorener Schafpelz *m*; *fig.* F *Am. Reg.* Schnitzer *m*, Irrtum *m*; *Chi. la* ♀ der Tod; ~**dera** *f* **1.** Haarausfall *m* (*Krankheit*); **2.** *Am. Cent.* Gerede *n*, Klatscherei *f*; **3.** *P. Ri.* kahles Gelände *n*; ~**dero** *m* **1.** Brühkessel *m b. Schweineschlachten*; *fig.* F Spielhölle *f*; **2.** *Chi.* Ödland *n*; ~**dilla** *f* **1.** Zuckermandel *f*; **2.** Kiesel *m*; ~**do I.** *adj.* **1.** kahl; geschoren; geschält; gerupft; *fig. cincuenta* ~ genau (*od.* gerade) 50 (*runde Zahl*); **2.** *fig.* F (*estar*) ~ blank (sein), ohne e-n Pfennig (sein); *dejarle* ~ *a alg.* j-n rupfen F, j-n bis aufs Hemd ausziehen F; **3.** F *Chi.* geschoren (*desp. v. Geistlichen u. Nonnen*); **4.** *P. Ri.* zynisch, unverschämt; **II.** *m* **5.** Enthaaren *n*; Scheren *n*; Schälen *n*; Rupfen *n*; **6.** *Arg. ein* kl. *fast haarloser* Hund *m*; **7.** *Arg., Chi.* Rausch *m*; **8.** *Méj.* Angehörige(r) *m* der unteren Volksschichten; *desp.* Rüpel *m*; ~**dora** *f* Schälgerät *n*; ~ *de patatas* Kartoffelschälmaschine *f*; ~**dura** *f* **1.** Schälen *n*; ~*s f/pl.* (Obst-)Schalen *f/pl.*; **2.** Haarausfall *m*.

pela|fustán F *m* Taugenichts *m*; ~**gallos** F *m* (*pl. inv.*) Eckensteher *m*, Gelegenheitsarbeiter *m*; ~**gatos** F *m* (*pl. inv.*) armer Schlucker *m*; *oft desp.* Lumpenkerl *m*.

pelagia|nismo *Rel. m* Pelagianismus *m*; ~**no** *Rel. adj.-su.* Pelagianer *m*.

pelágico *lit. u. Biol. adj.* See..., Meeres...

pela|gra ⚕ *f* Pellagra *n*; ~**groso** *m* an Pellagra Erkrankte(r) *m*.

pelaje *m* Haar(wuchs *m*) *n*; Haarfarbe *f*, Fell *n*, Balg *m v. Tieren*; *fig.* F Äußere(s) *n*; *p. ext.* Wesen *n*, Wert *m*, Herkunft *f*; *de mal* ~ übel aussehend; *tener el* ~ *de la dehesa* s-e Herkunft nicht verleugnen können.

pelam|bre *m* (*oft f*) **1.** Behaarung *f*; **2.** Felle *n/pl.*, *die geäschert werden sollen*; Gerberlohe *f*; **3.** kahle Stelle *f durch Haarausfall*; **4.** F *Chi.* Verleumdung *f*; ~**brera** *f* **1.** Äschergrube *f der Gerber*; **2.** dichter Haarwuchs *m*; P Haar *n*; **3.** Haarausfall *m*; ~**brón** *m Am. Mer.* → *descamisado*.

pelamesa F *f* Rauferei *f*.

pelandusca P *f Reg.* Dirne *f*.

pelantrín *m* → *pegujalero*; F *desp. Méj.* Habenichts *m*.

pelapatatas *m* (*pl. inv.*) Kartoffelschäler *m*.

pelapinga F *f Col.* Fusel *m* F.
pelar I. *v/t.* **1.** enthaaren; scheren, *bsd. fig.* rupfen; *fig.* F *hace un frío que pela* es ist bitterkalt; P *eso pela la jeta* das ist ein starkes Stück, das ist starker Tobak F; *Am. fig.* F *~ los dientes* (*od. el diente, C. Ri. la mazorca*) lachen, *bsd.* scheinheilig grinsen F; *Guat. no ~la* es zu nichts bringen, kein Glück haben; **2.** (ab-)schälen; *a.* ✂ (her)ausschälen; *Rinde* abschälen; *Ei usw.* schälen; *fig.* P *~ los ojos* die Augen weit aufreißen (*um genauer hinzusehen*); → *a. duro*; **II.** *v/r.* *~se* **3.** Haare verlieren; haaren (*z. B. Hund*); F *a.* s. die Haare schneiden lassen; *fig.* F *~se de fino* allzu gerissen sein (wollen); V *pelársela* masturbieren, wichsen V; *fig.* F *pelárselas por a/c.* sehr hinter et. (*dat.*) her sein, s. nach et. (*dat.*) die Finger lecken; *fig.* P *¡que se las pele!* er soll (selber) sehen, wie er zurechtkommt!; *fig.* F *bis* P *bailan que se las pelan* sie tanzen wie der Lump am Stecken (*Reg.*); *canta que se las pela* er singt unermüdlich (*bzw.* ganz prima F); **4.** P *Méj.* abhauen P, weglaufen.
pelargonio ⚘ *m* Pelargonie *f.*
pelaza *f* Häcksel *m, n.*
pelaz(g)a F *f* Streit *m*; Rauferei *f.*
peldaño *m* (Treppen-)Stufe *f*; (Leiter-)Sprosse *f.*
pelea *f* Kampf *m*, Streit *m*; Handgemenge *n*; Schlägerei *f*, Keilerei *f*; *~s f/pl. a.* Reibereien *f/pl.*; **~dor** *adj.-su.* Kämpfer *m*; **~r I.** *v/i.* **1.** kämpfen, streiten; *a. fig.* ringen; *~ con alg. por a/c.* mit j-m wegen e-r Sache (*bzw.* um e-r Sache willen) kämpfen; *~ entre sí* widerea. streiten; **2.** streiten, zanken; raufen; **II.** *v/r.* *~se* **3.** s. (herum)schlagen, s. balgen; *están ~ados* sie sind miteinander verzankt.
pelechar *v/i.* Haare (*bzw.* Federn) bekommen (*Tiere*); s. mausern; *fig. no ~* auf k-n grünen Zweig kommen; *fig. ya van pelechando los enfermos* die Kranken sind schon auf dem Wege der Genesung.
pelel *Angl. m* Pale Ale *n* (*helles engl. Bier*).
pelele *m* **1.** Strohpuppe *f*; **2.** *fig.* Trottel *m*; **3.** Strampelhose *f.*
pêle-mêle *frz. m* Durcheinander *n*, Mischmasch *m* F.
pele|ón *adj.-su.* kampflustig; streitsüchtig; *fig.* billig, gewöhnlich (*Wein*); *m* Zänker *m*; Raufbold *m*; **~ona** F *f* Balgerei *f*, Keilerei *f.*
pelerina *gal. f* Pelerine *f.*
pelete *m b. Glücksspielen*: wer nur e-n Zusatzeinsatz riskiert; F armer Schlucker *m*; F *en ~* nackt; **~ría** *f* **1.** Rauch-, Pelz-waren *f/pl.*; **2.** Kürschnerei *f*; Pelzgeschäft *n*; **3.** Pelzhandel *m*; **~ro** *m* **1.** Kürschner *m*; **2.** Pelzhändler *m.*
peli|agudo *adj.* **1.** ⚒ lang- u. feinhaarig; haarig; **2.** *fig.* F heikel, schwierig, kitzlig, haarig (*fig.* F); **~blanco** *adj.* weißhaarig; **~cano**[1] *adj.* grauhaarig.
pe|licano[2], **~lícano** *Vo. m* Pelikan *m.*
pelicorto *adj* kurzhaarig.
película *f* **1.** Häutchen *n*, Film *m*; *a.* ⊕ (hauchdünne) Folie *f*; *Typ. ~ de tinta* Farbfilm *m*, hauchdünne Farbschicht *f*; **2.** *Phot., Kino*: Film *m*; *~ ancha* (*estrecha, normal*) Breit- (Schmal-, Normal-)film *m*; *~ en color(es)* Farbfilm *m*; *~ didáctica* (*sonora*) Lehr- (Ton-)film *m*; *~ estereofónica* Stereophon-, Stereoton-film *m*; *~ de corto* (*de largo*) *metraje* Kurz- (Spiel-)film *m* (abendfüllender Film *m*); *~ en negro* Schwarzweißfilm *m*; *~ para pantalla ancha* Breitwandfilm *m*; *~ policíaca* (*Am. policial*) Kriminalfilm *m*; *~ publicitaria* Werbefilm *m*; ✂ *~ radiográfica* Röntgenfilm *m*; *~ en relieve* (*od. tridimensional*) 3-D-Film *m*; *Phot. ~ reversible* Umkehrfilm *m*; *director m de ~* Filmregisseur *m*; *fig.* F *¡allá ~s!* das ist mir gleich, das ist mir schnorz und piepe P; *fig.* F *de ~* traumhaft, Traum... (*fig.*).
pelicu|lar *adj. c* Film...; **~lón** F *m* Kitschfilm *m*, Schmarren *m*, (sentimentaler *usw.*) Schinken *m* (*fig.* F), Schnulze *f* F.
peliduro *adj.* mit hartem Haar; Drahthaar... (*Hund*).
peli|grar *v/i.* in Gefahr sein (*od.* schweben); *hacer ~* aufs Spiel setzen; gefährden; **~gro** *m* Gefahr *f*; Gefährdung *f*; □ Folter *f*; *~s m/pl.* ⚓ *a.* Untiefen *f/pl.*; *~ de incendio* Brandgefahr *f*; *~ de muerte* Lebensgefahr *f*, lebensgefährlich (*Aufschrift an Hochspannungsleitungen usw.*); *zona f de ~* Gefahrenbereich *m*; -zone *f*; *de ~* schwer (*Erkrankung, Verletzung*); *en caso de ~* im Gefahrenfall; *sin ~* gefahrlos, ungefährlich; *correr (el) ~ de que* + *subj.* Gefahr laufen, daß + *ind.*; *estar en ~* in Gefahr sein, gefährdet sein; *estar fuera de ~* außer Gefahr sein; weit vom Schuß sein (*fig.* F, *oft iron.*); *poner en ~* gefährden, in Gefahr bringen; **~grosidad** *f* Gefährlichkeit *f*; **~groso** *adj.* gefährlich.
peli|largo *adj.* langhaarig; **~llo** *m dim.* Härchen *n*; *fig.* Kleinigkeit *f*, *bsd.* Anlaß *m* zu gg.-seitigem Verdruß; *fig.* F *echar ~s a la mar* s. wieder versöhnen; *fig. pararse en ~s* s. mit (*od.* bei) Kleinigkeiten aufhalten, Haare spalten; **~negro** *adj.* schwarzhaarig; **~rrojo** *adj.* rothaarig; **~rrubio** *adj.* blond(haarig); **~tieso** *adj.* borst(enhaar)ig.
pelitre ⚘ *m* Feuerwurz *f.*
pelma F *c* → *pelmazo*; **~cería** F *f* Schwerfälligkeit *f*; Aufdringlichkeit *f*; **~zo** F *m* aufdringliche Person *f*; schwerfälliger Mensch *m.*
pelo *m* **1.** Haar *n*; Kopfhaar *n*; Behaarung *f*; Flaum *m*; *Equ.* Fell *n*, Farbe *f*; *p. ext.* haarähnliches Gebilde *n*; Faser *f*; *fig.* F Kleinigkeit *f*, Lappalie *f*; *~(s)* Haken *m*, Schwierigkeit *f*; *~ a lo garçon* (*a. a lo garzón*) Bubikopf *m*; *~ postizo* Haarersatz *m*; falsches Haar *n*; *~ a la romana* Pagenkopf *m*; *~ rufo* (F *desp. de cofre, de Judas*) brandrotes Haar *n*; *~ a ~* zu gleichen Teilen; *a ~* ohne Kopfbedeckung; *al ~* mit dem Strich; *fig.* F gelegen; sehr erwünscht, wie gerufen; *Am. ¡al ~!* fabelhaft!, einverstanden!, prima! F; *fig.* F *con (todos sus) ~s y señales* haargenau, haarklein; *a contra ~* gg. den Strich; *de medio ~* nicht (ganz) echt, halbseiden (*fig.*); *Equ. en ~* ohne Sattel; *ni un ~* kaum etwas; kaum spürbar; *fig. por un ~* um ein Haar; *por los ~s* beinahe; gerade noch; *fig.* F *agarrarse* (*od. asirse*) *de un ~* nach e-m Strohhalm greifen, den kleinsten Vorwand benutzen; *fig.* F *andar al ~* s. in die Haare (*od.* in die Wolle) geraten; *fig.* F *buscarle el ~* (*od. ~s*) *al huevo od. buscar ~s en la leche* (*od. en la sopa*) immer et. zu nörgeln (*od.* zu meckern F) haben, ein Haar in der Suppe suchen; *fig.* F *¡se le va a caer el ~!* er wird (noch) et. erleben!; *fig.* F *ser capaz de contarle los ~s al diablo* es faustdick hinter den Ohren haben; *fig.* F *coger por los ~s* gerade noch erwischen; im letzten Augenblick erreichen; *fig. colgar de un ~* an e-m Haar hängen; *fig. cortar un ~ en el aire* überschlau sein; Haarspalterei treiben; *fig.* F *dar a alg. para el ~* j-n verprügeln; *echar buen ~ a. fig.* s. mausern; *fig.* F s. (wieder) machen (*z.B.* genesen); (wieder) auf e-n grünen Zweig kommen; *fig.* F *estar a medios ~s* beschwipst sein; *fig.* F *estoy hasta los ~s de esto* ich bin dieser Sache völlig überdrüssig, das hängt mir zum Halse heraus; *fig.* F *no falta un ~* es fehlt rein gar nichts; ganz genau; *hacer el ~* s. kämmen, s. frisieren; *montar un caballo a(l) ~* ohne Sattel reiten; *peinarse ~ arriba* s. nach rückwärts kämmen; *los ~s se me ponen de punta* die Haare stehen mir zu Berge; *eso te pone los ~s de punta* da sträuben s. dir die Haare; *fig.* → *a. dehesa*; *fig.* F *ésos son ~s de la cola* das sind (doch) kleine Fische! (*fig.*); *fig.* F → *a. pecho*; *ser de mal* (*od. iron. de buen*) *~* ein übler Bursche sein; *ser del mismo ~* vom gleichen Schlage sein; *fig.* F *ser largo como ~ de huevo* sehr knauserig (*od.* schäbig) sein; *fig.* F *tener ~s en el corazón* kein Herz im Leibe haben, ein Unmensch sein; den Teufel nicht fürchten (*fig.*); *fig.* F *tener ~s en la lengua* Haare auf den Zähnen haben; *no tener ~s* (*od. pelillos*) *en la lengua* nicht auf den Mund gefallen sein; *fig.* F *no tener ~ de tonto* nicht auf den Kopf gefallen sein; *tirar de los ~s* an den Haaren ziehen (*od.* zausen); *tirarse de los ~* s. die Haare raufen; *fig. no tocarle a alg. el ~* (*de la ropa*) j-m nicht im geringsten nahetreten; *fig.* F *tomarle el ~ a alg.* j-n zum besten haben, s. über j-n lustig machen, j-n auf den Arm nehmen F; j-n hereinlegen; *fig.* F *venirle al ~ a alg.* j-m höchst gelegen (*od.* wie gerufen) kommen; j-m sehr zupaß kommen; *no se le ve el ~* man sieht ihn nicht (mehr); er läßt s. nicht mehr sehen; → *a. cabello*; **2.** ⊕ *~ de sierra* Laubsägeblatt *n.*
pe|lón I. *adj.* **1.** kahl; *fig.* arm; *Reg. a.* einfältig, dumm; **2.** *Andal.* knickerig; **II.** *m* **3.** Kahlkopf *m*; *fig.* armer Schlucker *m*; *Andal. a.* Geizkragen *m*; **4.** *Col., Chi.* → *desolladura, peladura*; **2lona** F: *la ~* der Tod; **~loso** *adj.* behaart, haarig.
pelo|ta *f* **1.** Ball *m*; *~* (*vasca*) Pelota *f*

(*baskisches Ballspiel*); P ~s *f/pl.* Hoden *m/pl.*; *fig.* P en ~(s) splitternackt; **2.** Ball *m*, Kugel *f*; Knäuel *n*; ⚕ ~ *de manteca kugelförmig geknetetes* Stück *n* Schmalz; **3.** *Am. Mer.* Lederfloß *n für Flußübergänge*; **4.** F → *pelotillero*; **~tari** *Sp. m* Pelotaspieler *m*; **~tazo** *m* Schlag *m* mit dem Ball.

pelote *m* Füllhaar *n für Polster.*

pelo|tear I. *v/i.* Pelota spielen; Fangball spielen; *p. ext.* (hin u. her) werfen; *fig.* zanken, streiten; **II.** *v/t. Rpl. Wasserläufe* im Lederfloß überqueren; **~tera** F *f* Streit *m*; **~tero I.** *adj.* **1.** *Zo. escarabajo m* ~ Pillendreher *m*; **II.** *m* **2.** Ballverfertiger *m*; *Sp.* Balljunge *m*; *fig.* Schmeichler *m*; *fig.* † *u. Reg.* → *pelotera*; *fig. traer a uno al* ~ → *traer a alg. al retortero*; **~tilla** *f fig.* F: *hacer la* ~ *a alg.* j-m um den Bart gehen; **~tillero** *m fig.* F Schmeichler *m*, Speichellecker *m* (*desp.*); *a. Sch.* Streber *m*; **~to** 🌾 *adj.* grannenlos (*Weizen*).

pelotón *m* ⚔ Zug *m*, Trupp *m*; Haufen *m*; *Sp.* Gruppe *f*; ~ *buscaminas* Minensuchtrupp *m*; ~ *de fusilamiento*, ~ *de ejecución* Exekutionskommando *n*; *Sch.* ~ *de los torpes* Eselsbank *f*; *Sp. escaparse del* ~ aus dem Feld ausbrechen (*Radrennen*).

peltre *m* Bleizinn *n* (*Zinnlegierung*); *vajilla f de* ~ Zinngeschirr *n*.

pelu|ca *f* **1.** Perücke *f*; *fig.* F Perückenträger *m*; F *Ec.* lange Haare *n/pl. b. Jugendlichen*; *fig.* F *echar una* ~ *a alg.* j-m die Leviten lesen; **2.** *Chi.* Haarschneiden *n*; **~cón** *m* gr. Perücke *f*.

peluche *tex. m* Plüsch *m*.

peludear *vt/i. Rpl.* **1.** durch sumpfiges Gelände fahren (*od.* reiten); *fig.* Schwierigkeiten überwinden; **2.** *Jgdw.* Gürteltiere jagen.

peludo I. *adj.* **1.** (stark) behaart; **II.** *m* **2.** *Reg.* (Esparto-)Matte *f*; **3.** *Arg. Zo.* Gürteltier *n*; *fig.* F Rausch *m*, Schwips *m*; **4.** *neol. Span.* Gammler *m*.

peluque|ar *v/t. Col., Ven.* die Haare schneiden (*dat.*); **~ra** *f* Friseuse *f*; **~ría** *f* Friseursalon *m*; ~ *para señoras* Damensalon *m*; **~ro** *m* Friseur *m*.

peluquín *m* kl. Perücke *f*; Haarteil *n*; *fig.* F *¡ni hablar del* ~*!* das kommt gar nicht in Frage!

pelu|sa *f* Flaum *m*; *fig.* F → **~silla** *f* feiner Flaum *m*; *fig.* F Eifersucht *f* (*bsd. unter Kindern*); *tener* ~ *de* eifersüchtig sein auf (*ac.*).

pelviano *od.* **pélvico** *Anat. adj.* Becken...

pelvis *Anat. f* Becken *n*; ~ *renal* Nierenbecken *n*.

pella *f* **1.** Klumpen *m*; Kügelchen *n*; *fig.* F *hacer* ~ die Schule schwänzen; **2.** (Blumenkohl-)Kopf *m*; **3.** Schmalzklumpen *m*; **~da** *f* **1.** → *pella*; **2.** △ Kellevoll *f* (*Mörtel, Gips*).

pelle|ja *f* **1.** Fell *n*; Tierhaut *f*; *fig.* F *salvar la* ~ → *pellejo 1*; **2.** *fig.* P Dirne *f*, Nutte *f* P; **~jería** *f* **1.** Herstellung *f* von Weinschläuchen; **2.** Gerberei *f*; **3.** Felle *n/pl.* u. Häute *f/pl.*; **4.** *fig.* F *Rpl.* ~s *f/pl.* Mühe *f*; Widerwärtigkeiten *f/pl.*; **~jero** *m* **1.** Verfertiger *m* von Weinschläuchen; **2.** Fellhändler *m*; Gerber *m*; **~jo** *m* **1.** Fell *n* (*a. fig.* P); *fig. u. Obst*: Haut *f*; *fig.* F *no caber en el* ~ aus der Haut platzen, sehr dick sein; ganz außer s. sein (vor Freude *de alegría*); mächtig aufgeblasen sein (vor Stolz *de orgullo*); F *dar* (*dejar, perder,* P*soltar*) *el* ~ sterben, sein Leben lassen; *fig.* F *mudar el* ~ s. (*bzw.* sein Leben) ändern; *salvar el* ~ s-e Haut (*od.* sein Leben, s-n Hals) retten; **2.** Weinschlauch *m*; *fig.* F Betrunkene(r) *m*; *fig.* F *estar hecho un* ~ blau wie ein Veilchen (*od.* voll wie eine Haubitze) sein F; **~judo** *adj.* mit schwammiger (*bzw.* schlaffer) Haut; *a.* mit dicker Haut.

pelli|co *m* Schafpelz *m* der Hirten; grober Fellmantel *m*; **~za** *f* Pelzjacke *f*; Winterjacke *f* mit Pelzkragen.

pelliz|car [1g] *v/t.* kneifen, zwicken; zupfen; ~*le el brazo a alg.* j-n in den Arm zwicken; *fig.* F ~ *los céntimos* jeden Pfennig dreimal umdrehen; **~co** *m* **1.** Zwicken *n*, Kneifen *n*; Biß *m*; **2.** Bissen *m*, Happen *m*; Prise *f Salz usw.*

pena[1] *f* (Schwung-)Feder *f der Vögel.*

pena[2] *f* **1.** Strafe *f*; ⚖ *bajo* (*od. so*) ~ *de* bei Strafe (*gen.*); ~ *accesoria* (*principal*) Neben- (Haupt-)strafe *f*; ~ *capital* (*od. de muerte*) Todesstrafe *f*; ~ *corporal* Prügelstrafe *f*; ~ *ligera* leichte (*od.* milde) Strafe *f*; ~ *privativa de libertad* Freiheitsstrafe *f*; *la última* ~ die äußerste Strafe; die Todesstrafe; **2.** Kummer *m*, Leid *n*; Gram *m*; *fig.* P Trauerschleier *m*; *¡qué* ~*!* wie schade!, jammerschade!; *da* ~ *verlo* es tut einem (in der Seele) weh, das anzuschauen; *morir de* ~ s. zu Tode grämen; *fig.* F *pasar la* (*od. sufrir*) ~ *negra* in e-r verzweifelten (*od.* in e-r ganz miesen F) Stimmung sein; *fig. sin* ~ *ni gloria* mittelmäßig; **3.** Mühe *f*; Mühsal *f*, Strapaze *f*; *a* ~*s* → *apenas*; *a duras* ~*s* mit knapper Not, mit Hängen u. Würgen F; (*no*) *vale* (*od. merece*) *la* ~ (+ *inf.*) es lohnt s. (nicht) (, zu + *inf.*); **4.** *Am., bsd. Col., Ven., Méj.* Schüchternheit *f*; Befangenheit *f*, Ängstlichkeit *f*; **5.** *Pe. Folk.* ~*s* Geister *m/pl.* (*umgehende „arme Seelen"*).

penable *adj. c* strafbar.

penacho *m* Feder- *od.* Helm-busch *m*; (Rauch-)Wolke *f*; *fig.* F Hochmut *m*, Dünkel *m*; *gal.* Ruhmgier *f*.

penado I. *adj.* bestraft; *fig.* F *Chi.* untrennbar (*Liebende, Freunde*); **II.** *m* Sträfling *m*; **~r** *m* Strafbuch *n der Dorfgemeinden* (*zur Eintragung von Wald- u. Weidefrevel*).

pena|l I. *adj. c* Straf...; ⚖ *código m* ~ Strafgesetzbuch *n*; *derecho m* (*proceso m*) ~ Straf-recht *n* (-prozeß *m*); **II.** *m* Strafanstalt *f*; **~lidad** *f* **1.** Strafe *f*, Mühsal *f*; **2.** ⚖ Strafbarkeit *f*; *vom Gesetz* vorgesehene Strafe *f*; ~*es f/pl.* Strafbestimmungen *f/pl.*; *Sp. esquina f de* ~ Strafecke *f*; **~lista** *m* Strafrechtler *m*; **~lización** *f* Belegung *f* mit Strafe; *Sp.* Bestrafung *f*.

penalty *engl. Sp. m* Strafstoß *m*; *área f de* ~ Strafraum *m* (*Fußball*).

pena|nte *adj. c* Pein leidend; büßend; **~r I.** *v/t.* (be)strafen; züchtigen; **II.** *v/i.* leiden; *kath.* im Purgatorium (*od.* im Feg[e]feuer) büßen; P e-e Strafe verbüßen; *And. Folk. v/impers.* umgehen (*Geister*); **III.** *v/r.* ~*se* (*por*) s. grämen (wegen *gen.*); s. sehnen (nach *dat.*).

penates *Myth. u. fig. m/pl.* Penaten [*pl.*]

pen|ca *f* **1.** fleischiges Blatt *n* (*z.B. von Agave, Feigenkaktus, Kohl usw.*); **2.** *fig.* F *bsd. Arg.* Rausch *m*; † *u. Reg. fig.* F *hacerse de* ~*s* s. zieren; (bloß) so tun F; **~co** F *m* **1.** (Schind-)Mähre *f*; *fig. bsd. Am. Cent., Arg.* Flegel *m*, Lümmel *m*; **2.** *Am.* → *penca 1*; **3.** P miese Nutte *f* P.

pendanga P *f* Flittchen *n* F.

pendejo *m* **1.** † *u.* P Schamhaare *n/pl.*; **2.** P Feigling *m*; *Am. a. adj.* P *bis* V Hosenscheißer *m* P; Blödhammel *m* P; F *Arg. a.* Junge *m*, Schlingel *m*.

penden|cia *f* Zank *m*; Streitigkeit *f*; Schlägerei *f*; **~ciar** [1b] *v/i.* streiten; **~ciero** *adj.-su.* streitsüchtig; *m* Streitsüchtige(r) *m*, Krakeeler *m* F.

pen|der *v/i.* (herab)hängen; abhängen (von *dat. de*); schweben (über *dat. sobre*); *fig.* ~ *de un hilo* (*od. de un cabello*) an e-m Haar hängen; **~diente I.** *adj. c* **1.** hängend; *fig.* unerledigt; (noch) nicht entschieden; schwebend, in der Schwebe (*Entscheidung*); ausstehend (*Zahlung*); anhängig (*Prozeß*); → *a. cuenta 2*; *fig. estar* ~ *de los labios de alg.* an j-s Lippen hängen; **II.** *m* **2.** Ohrring *m*; **3.** ⚒ Hangende(s) *n*; **III.** *f* **4.** (Ab-)Hang *m*; Steigung *f*; 🚂 ~ *de lanzamiento* Ablaufberg *m*; *a. Vkw.* ~ (*pronunciada*) (starkes) Gefälle *n*; (starke) Steigung *f*.

pendil *m* † *u. Reg.* (*a. pendingue m*) Umhang *m* (*der Frauen*); *tomar el* ~ s. aus dem Staube machen.

péndola[1] *f* **1.** Pendel *n*, Perpendikel *m*, *n e-r Uhr*; (*reloj m de*) ~ Pendeluhr *f*; **2.** △ Hängesäule *f*; Hänger *m b. Brücken.*

péndola[2] *f* Gänsekiel *m z. Schreiben*; *poet.* (Schreib-)Feder *f*.

pendolón △ *m* Hängesäule *f*.

pendolaje ⚓ *m* Deckgutprisenrecht *n*.

pendón *m* **1.** Standarte *f*; Banner *n*, Panier *n*; Kirchen-, Prozessionsfahne *f*; *fig. a* ~ *herido* mit aller Kraft; **2.** ⚘ Ableger *m*; **3.** *fig.* F hagere, hochaufgeschossene Person *f*, Bohnenstange *f* F; Schlampe *f* P, Flittchen *n* F.

pendular *adj. c* Pendel...; *movimiento m* ~ Pendeln *n*, Pendelbewegung *f*.

péndulo[1] *Phys.*, ⊕ *m* Pendel *n*.

péndulo[2] *lit. u.* 📖 *adj.* hängend.

pene *Anat. m* Penis *m*.

peneca F *Chi.* **I.** *f* Vorschule *f*; **II.** *m* Vorschüler *m*; *p. ext.* (dummer) Junge *m*.

Penélope *npr. f* Penelope *f*; *fig. tejer la tela de* ~ von Illusionen leben, eitlen Träumen nachhängen.

peneque F *adj. c* betrunken; *estar* ~ *Reg. a.* → *tambalearse.*

penetra|bilidad *f* Durchdringungsfähigkeit *f*; **~ble** *adj. c* **1.** durchdringbar; durchbohrbar; **2.** ergründlich; (leicht) zu verstehen(d); **~ción** *f* **1.** *a. Phys.*, ⊕ Durchdringung *f*; Eindringen *n* (in *ac.* en); ~ *de la radiación* Durchstrahlung *f*; *fuerza f de* ~ Durchschlagskraft *f e-s Geschosses*; **2.** *fig.* Scharfsinn *m*; **~dor I.** *adj.* scharfsinnig; **II.** *m* ⊕ Zapfensenker *m*; **~nte** *adj. c* durchdringend; tief (eindringend); penetrant; scharf (*Verstand*); schrill (*Stimme*); **~r I.** *v/t.* durchdringen; durchschlagen, durchbohren; *fig.* erschüttern, tief bewegen; *fig.* ergründen, entdecken; durchschauen; begreifen; *fig. eso me penetra el corazón* das trifft mich tief; **II.** *v/i.* eindringen (in *ac.* en), *la espada penetró en sus carnes* der Degen drang in s-n Leib; **III.** *v/r.* **~se** s. durchdringen; *fig.* s. gg.-seitig durchschauen; s. überzeugen (von *dat.* de).

pénfigo ⚕ *m* Schälblatter(n) *f*(/*pl.*), Pemphigus *m*.

penicilina *pharm. f* Penicillin *n*.

pen|ínsula *f* Halbinsel *f*; ♀ *de los Balcanes* die Balkan-Halbinsel; ♀ *Ibérica*, *a. nur*: *la* ~ Pyrenäenhalbinsel *f*; **~insular** *adj.-su. c* Halbinsel...; *m* Halbinselbewohner *m*.

penique *m* Penny *m* (*engl. Münze*); *fig.* F *ni un* ~ k-n (roten) Heller.

peniten|cia *f* **1.** Buße *f* (*Rel. u. fig.*); Bußfertigkeit *f*; *p. ext.* selbst auferlegte Buße *f*, *z. B.* freiwilliges Fasten *n*; *fig.* F *a.* bescheidene Mahlzeit *f*; **2.** Bußsakrament *n*; **~ciado** *m* **1.** *hist.* „Büßer" *m* (*von der Inquisition Bestrafter*); **2.** *Am.* Strafgefangene(r) *m*; **~cial** *adj. c* Buß...; *salmos m/pl.* ~*es* Bußpsalmen *m/pl.*; **~ciar** [1b] *vt/i. ecl.* e-e Buße auferlegen (*dat.*); *fig.* F *si quiere* ~ *con nosotros* wenn Sie unser bescheidenes Mahl teilen wollen; **~ciaría**, F *Am. oft* **~ciaria** *f* **1.** *ecl.* Pönitentiarie *f*; **2.** Strafanstalt *f*; Zuchthaus *n*; **~ciario I.** *adj.* **1.** *ecl.* Pönitenziarie...; Pönitenziar...; **2.** ⚖ Straf...; Strafanstalts...; **II.** *m* **3.** *ecl.* Pönitentiar *m*; **4.** Besserungsanstalt *f*; **~te** *Rel. u. fig. adj.-su. c* bußfertig, reuig; *m* Beichtkind *n*; Büßer *m*.

penol ⚓ *m* Nock *n*, *f e-r Rah*.

penoso *adj.* schmerzlich; leidvoll; mühsam, beschwerlich.

pensa|do *part.*: *de* ~ absichtlich; *el día menos* ~ e-s schönen Tages, ganz unvermutet; *ser mal* ~ immer das Schlechteste denken (*od.* annehmen); **~dor** *m* Denker *m*; *libre* ~ Freidenker *m*; **~miento** *m* **1.** Gedanke *m*; Denken *n*; *p. ext.* Vorhaben *n*; Gedankengang *m*; *libre* ~ Freidenkerei *f*; *fig.* F *me bebiste los* ~*s* das war (wirklich) Gedankenübertragung; *encontrarse en* (*od.* *con*) *los* ~*s* den gleichen Gedanken haben; zwei Seelen u. ein Gedanke F; *¡ni por* ~*!* → *¡ni pensarlo!*; **2.** ⚘ Stiefmütterchen *n*.

pen|sante *part.* denkend; **~sar¹** [1k] **I.** *v/t.* **1.** (er)denken; ausdenken; *fig.* F *¡ni* ~*lo!* kein Gedanke!; nicht im Traum!; **2.** vorhaben, (zu tun) gedenken; *pienso hacerlo* ich habe vor (*od.* ich gedenke), es zu tun, ich will es tun; **II.** *vt/i.* **3.** denken (an *ac.* en); ~ *mal* mißtrauisch sein, (immer) das Schlechteste annehmen; ~ *mal de alg.* e-e schlechte Meinung von j-m haben; *libertad f de* ~ Gedankenfreiheit *f*; *modo m de* ~ Denkweise *f*; Denkungsart *f*; *piensa que lo harán* er meint, sie werden es tun; *adv. sin* ~(*lo*) gedankenlos; unvermutet; *piensa mal y acertarás* man kann nie schlecht genug denken; **~sar²** [1k] *v/t. dem Vieh* Trockenfutter vorwerfen; **~sativo** *adj.* nachdenklich; **~seque**, **~séque** F *m* unbedachter Fehler *m*; *fig.* F *¡a* ~ *lo ahorcaron! Sinn*: Vorsicht ist besser als Nachsicht! *bzw.* typischer Fall von „denkste"! F.

pensil I. *adj. c lit.* hängend; in der Luft schwebend; *los jardines* ~*es* die hängenden Gärten *m/pl. der Semiramis*; **II.** *m fig.* Lustgarten *m*.

pensión *f* **1.** Pension *f* (*Kostgeld u. Fremdenheim*); Pensionat *n*; *Arg.* Pension *f*: Essen *n*, Verpflegung *f bzw.* Kostgeld *n*; ~ *completa* Vollpension *f*; *media* ~ Halbpension *f im Hotel*; **2.** Pacht-, Jahr-geld *n* (*auf ein Gut zugunsten Dritter entfallende Last*); **3.** (Sozial-)Rente *f*; Ehrengehalt *n*; Ehrensold *m*; Gnadengeld *n*; *a.* Stipendium *n*; **4.** *Am.* → *aprensión*.

pensio|nado *m* **1.** Pensionär *m* (*vgl. pensión 3*); **2.** Stipendiat *m*; **3.** Pensionat *n*; **~nar** *v/t.* **1.** ein Ehrengehalt zahlen (*dat.*); **2.** ein Stipendium geben (*od.* bewilligen) (*dat.*); **~nario I.** *adj.* aus e-r *pensión* herrührend; **II.** *m* Zahler *m* e-r *pensión* (*vgl. pensión 2, 3*); **~nista** *c* **1.** Internatszögling *m*; *medio* ~ halbexterner Schüler *m*; **2.** ⚒ → *pensionado*.

pensum *Sch. lt. m* Pensum *n*; *oft* Strafarbeit *f*.

pen|taedro ⩘ *m* Pentaeder *n*; **~tágono** *m* **1.** ⩘ Fünfeck *n*; **2.** ♀ Pentagon *n* (*in Washington*); **~tagrama** *m* **1.** Notenlinie *f*; **2.** Pentagramm *n*, Drudenfuß *m*; **~támetro** *m Metrik* Pentameter *m*; **~tasílabo** *adj.* fünfsilbig; **~tateuco** *Theol. m* Pentateuch *m*, *die* fünf Bücher *n/pl.* Mosis; **~tatlón** *Sp. m* Fünfkampf *m*; **~tatónico** ♪ *adj.* pentatonisch.

Pentecostés *Rel. m* Pfingsten *n*.

penúltimo *adj.-su.* vorletzte(r, -s); *Li.* ~*a f* (*sílaba f*) vorletzte Silbe *f*.

penum|bra *f* Halbschatten *m*; Halbdunkel *n*; **~broso** *adj.* halb im Dunkel (*od.* im Schatten) liegend.

penuria *f* Mangel *m*, Not *f* (an *dat.* de).

peña¹ *f* **1.** Fels *m*; Klippe *f*; ~ *viva* gewachsener Fels *m*; *fig. dormir como una* ~ wie ein Klotz schlafen; *durar por* ~*s* sehr dauerhaft sein; *ser una* ~ gefühllos sein; **2.** ⊕ Pinne *f e-s Hammers*.

peña² *f* Freundeskreis *m*; Stammtisch(runde *f*) *m*; Zirkel *m*; Clique *f* F; *fig.* F ~ *deportiva* Sportfans *m/pl.* F; ~ *taurina* Stierkampfklub *m*; □ *¡~s (y buenos tiempos)! warnender Zuruf*: verdufte! P, jetzt nix wie weg! F.

peñaranda F *f* Pfandhaus *n*.

peñarse □ *v/r.* verduften P, abhauen P.

peñas|cal *m* felsiges Gelände *n*; Gefels *n*; **~co** *m* **1.** Felsblock *m*; **2.** Felseneiland *n*; **3.** *Zo.* Purpurschnecke *f*; **4.** *Anat.* Felsenbein *n*; **~coso** *adj.* felsig.

péñola *f* Schreibfeder *f* (*Gänsekiel*).

peñón *m* Fels *m*; Felskuppe *f*; *Span. mst. El* ♀ Gibraltar *n*.

peo P *m* Furz *m* P; *fig.* P Schwips *m*.

peón¹ *m* **1.** Hilfsarbeiter *m*; *Stk.* Stierkämpfergehilfe *m*; ⚠ ~ *de albañil* (*od. de mano*) Handlanger *m*; *Span.* ~ *caminero* Straßenwärter *m*; **2.** *Am.* Arbeiter *m*; Knecht *m*; Peon *m*; **3.** *Schach*: Bauer *m*; *Spielzeug*: (Brumm-)Kreisel *m*; **4.** † Fußsoldat *m*; *burl. a* ~ zu Fuß.

peón² *m* Päon *m*, Päan *m* (*Versfuß*).

peona|da *Am. f* Arbeiterschaft *f* e-s Guts; Arbeiter *m/pl.*; **~r** *Rpl. v/i.*: *andar* (*od. estar*) *peonando* als Peon arbeiten.

peonía ⚘ *f* **1.** Pfingstrose *f*, Päonie *f*; **2.** *versch. Pfl.*, *bsd. e-e pharm. genutzte Liane* (*Abrus precatorius L.*), *in Am. Cent.*, *Ant.*, *Méj.*

peonza *f Spielzeug*: Kreisel *m*; *fig.* F *burl.* zu Fuß, per pedes F.

peo|r *adj. c-adv. comp.* schlechter; übler; schlimmer; ~ *que nunca* schlechter als (*od.* denn) je; ~ *que* ~ *od. tanto* ~ *od.* ~ *todavía* um so (*od.* desto) schlimmer; *en el* ~ *de los casos* schlimmstenfalls; **~ría** *f* Verschlimmerung *f*.

Pepa¹ F *f Kurzform von* Josef(in)a; *int. ¡viva la* ~*!* es lebe das Leben!

pepa² *f Am.* (Obst-)Kern *m*.

Pepe¹ F *m Kurzform von José*; *fig.* F *como un* ~ satt und zufrieden, rund und gesund (*beide fig.* F); *hist.* (Don) ~ *Botella Spottname für José I Bonaparte*.

pepe² F *m* **1.** schlechte Melone *f*, „Gurke" *f*; **2.** F *Bol.*, *Ven.* Geck *m*, Laffe *m* F.

pepe|na *Na. f* **1.** *Méj.* **a)** Nachernte *f*; **b)** Bettlerdasein *n*; **c)** Gekröse *n*; **2.** *Col.* (Küchen-)Fächer *m*, Wedel *m*; **~nado** *Méj. m* Ziehkind *n*; *Méj. Reg. a. Schimpfname*; **~nar** *v/t. Am. Cent.*, *Méj.* aufheben; einsammeln; ernten; ⚒ *Erz* aussondern.

pepi|nar ⚘ *m* Gurken-feld *n*; -beet *n*; **~nazo** F *m* Knall *m* (*Explosion e-s Geschosses*); Schuß *m*; **~nillo** *m dim.*: *Kchk.* ~*s m/pl. en vinagre* Essiggürkchen *n/pl.*; **~no** *m* Gurke *f*; *fig.* F unreife Melone *f*; *fig.* F ~*s m/pl.* blaue Bohnen *f/pl.* (*fig.*); ⚘ ~ *del diablo* Springgurke *f*; *ensalada f de* ~*s* Gurkensalat *m*; ~*s m/pl. en salmuera* Salzgurken *f/pl.*; *fig.* F *me importa* (*od.* [*no*] *se me da*) *un* ~ das ist mir schnuppe F (*od.* piepegal F).

pepi|ta *f* **1.** (Gurken-, Obst-)Kern *m*; *p. ext.* Goldkorn *n*, Nugget *n* (*engl.*); **2.** *vet.* Pips *m der Hühner*; *fig.* F *no tener* ~ *en la lengua* wie ein Wasserfall reden; **~tilla** P *f* Kitzler *m*.

pepito *m Reg.* Bröckchen *n* Fleisch; **~ria** *f Kchk.* Geflügelfrikassee *n*; Hühnerklein *n*; *fig.* F Mischmasch *m*; **~so** *vet. adj.* an Pips erkrankt.

pepona *f* gr. Puppe *f aus Pappmaché.*

pepsina *Physiol. f* Pepsin *n.*

peque F *m* Kind *n*, Kleine(r) *m.*

pequén *Chi. m* **1.** *e-e* Eule *f* (*Stryx cunicularia*); *fig.* F *hacer* ~ *a alg.* j-n übers Ohr hauen F; **2.** *Art* Pastete *f.*

peque|ña *f* Kleine *f*, kl. Mädchen *n*; **~ñez** *f* (*pl.* ~eces) **1.** *a. fig.* Kleinheit *f*; **2.** Kindesalter *n*; **3.** Geringheit *f*; Kleinigkeit *f*, Lappalie *f*; Kleinlichkeit *f*; *mi* ~ meine Wenigkeit *f*; ~ *de miras* wenig Weitblick *m*; kleinlicher Gesichtspunkt *m*; **~ñín** *adj.* ganz klein, winzig; ganz jung (*Kind*); **~ño I.** *adj.* klein; gering; *en* ~ im kleinen; *hay todavía un* ~ *detalle oft iron.* da ist nur noch die Kleinigkeit; **II.** *m a. fig.* Kleine(r) *m*, Junge *m*; Kind *n*; *los* ~*s* die Kleinen, die Kinder; *desde* ~ von Kind auf; **~ño-burgués** *adj.* kleinbürgerlich.

pe|quín *tex. m* Pekingseide *f*; **~quinés** *adj.-su.* aus Peking; *m Li.* Pekingdialekt *m* (*heute chines. Nationalsprache*); *Zo.* (*perro m*) ~ *m* Pekinese *m.*

pera *f* **1.** Birne *f* (*Obst*); *fig.* F *partir* ~*s con alg.* j-m Vertraulichkeiten gestatten; *no quisiera partir* ~*s con él* mit dem ist nicht gut Kirschen essen; *pedir* ~*s al olmo* Unmögliches verlangen; *ponerle a alg. las* ~*s a cuarto* (*od. a ocho*) j-m den Kopf waschen *fig.* F; j-n in die Zange nehmen (= *ihn zu et. zwingen*); **2.** ⊕ Birne *f* (*nicht* ⚡; → *bombilla*); Gebläseball *m*; *a.* ⚕ ~ *de goma* Gummiballon *m*; **3.** □ männliches Glied *n*; **4.** ⚘ *Pe.* → *aguacate*; **5.** *fig.* F † *u. Reg.* **a)** Kinn-, Ziegenbart *m*; **b)** Sinekure *f*, Pfründe *f*; **~da** *f* **1.** Birnenmus *n*; **2.** Birnenmost *m*; **~l** ⚘ *m* Birnbaum *m*; **~leda** *f* Birnengarten *m*; **~lejo** ⚘ *m Am. trop. Malpighiazee, Baum, Rinde, Gerbstoff* (*Malpighia spicata*).

peral|tar △ *v/t. Gewölbe, Kurven, Gleise* überhöhen; **~te** *m* Überhöhung *f*

perborato ⚗ *m* Perborat *n.*

perca *Fi. f* Barsch *m.*

perca|l *tex. m* Perkal *m*; **~lina** *tex. f* Perkalin *n.*

per|cán, ~can *m Chi.* Schimmel (-bildung *f*) *m.*

percance *m* **1.** Zwischenfall *m*; Mißgeschick *n*; *todo se me vuelve* ~*s* alles geht mir schief F; *si no hay* ~ wenn nichts dazwischenkommt; **2.** Sporteln *f/pl.*; Nebenverdienst *m*; **3.** Anfall *m.*

percatar I. *v/t.* → *advertir, considerar*; **II.** *v/r.* ~*se de a/c.* e-r Sache gewahr werden; et. erkennen.

percebe *m Zo.* Entenmuschel *f*; *fig.* F Dumm-, Schafs-kopf *m.*

percep|ción *f* **1.** Erhebung *f v. Steuern, Abgaben u. ä.*; (Steuer-)Einnahme *f*; Bezug *m e-s Gehalts*; **2.** Wahrnehmung *f*; *p. ext.* Begriff *m*; 📖, *a. Biol.* Perzeption *f*; ~ *auditiva* Wahrnehmung *f* durch das Gehör; **~cionalismo** *Phil. m* Perzeptionalismus *m*; **~tibilidad** *f* Wahrnehmbarkeit *f*; Wahrnehmungsfähigkeit *f*; 📖 Perzeptibilität *f*; ~ *acústica* Hörbarkeit *f*; **~tible** *adj. c* wahrnehmbar; vernehmlich; faßbar; *a. Biol.*, ⚕ fühlbar; **~tivo** *adj.* Wahrnehmungs...; **~tor I.** *adj.* Empfangs...; *órgano m* ~ Empfindungsorgan *n*; **II.** *m* Empfänger *m*; Steuererheber *m.*

perci|bir *v/t.* **1.** *Gehalt* beziehen; *Geld* einnehmen; *Steuer* erheben; **2.** *Biol., Psych., Phil.* wahrnehmen; auffassen; empfinden, fühlen; **3.** bemerken; hören; feststellen; *p. ext.* verstehen, begreifen; **~bo** *m* Einnahme *f von Geldern usw.*

perclorato ⚗ *m* Per-, Hyper-chlorat *n.*

percola|dor *m* Kaffeefiltriermaschine *f*; ⊕ Perkolator *m*; **~r** [1m] ⊕ *v/t.* filtrieren.

percudir I. *v/t.* abnutzen; beschmutzen; *Glanz* nehmen; *Teint* verderben; **II.** *v/r.* ~*se* fleckig (*od.* schmuddelig) werden (*Wäsche*).

percu|sión *f* **1.** *Phys.*, ⊕ Schlag *m*, Stoß *m*; Schlagen *n*; *cebo m de* ~ Schlagzünder *m b. Munition*; **2.** ⚕ Beklopfen *n*, Perkussion *f*; *martillo m de* ~ Perkussionshammer *m*; **3.** ♪ *instrumento m de* ~ Schlaginstrument *n*; *neol.* ~ (*mst. noch engl. percussion geschrieben*) Gruppe *f* von Schlaginstrumenten, Perkussion *f*; **~sor** *m* → *percutor*; **~tiente** *adj. c* (stark) stoßend; ⚔ mit Aufschlagzündung (*Geschoß*); **~tir** *v/t.* **1.** stark stoßen; klopfen, schlagen; **2.** ⚕ perkutieren, abklopfen; **~tor** ⚔ *m* Schlagbolzen *m b. Gewehr usw.*

per|cha *f* **1.** Stange *f*; Vogel- *bzw.* Hühner-stange *f*; ⚓ ~ *de carga* Ladebaum *m*; *fig.* F *tener buena* ~ e-e gute Figur haben; **2.** Kleiderbügel *m*; Garderobenhalter *m*; ~ *de sombreros* Hutständer *m*; **3.** *tex.* Rauhmaschine *f*; **4.** *Jgdw.* Schlinge *f für den Fang von Rebhühnern u. dergl.*; **5.** F *desp. Méj.* Clique *f*, Bande *f*; **~char** *tex. v/t.* rauhen; **~chero** *m* Garderobenschrank *m*; **~cherón** *m* schweres Zugpferd *n*, Bräugaul *m* F; **~chón** ⸔ *m* Hauptfechser *m e-r Rebe*; **~chonar** *Jgdw. v/i.* Schlingen legen.

perde|dero *m* **1.** Gelegenheit *f* zum Verlieren; **2.** *Jgdw.* Fluchtstelle *f e-s Hasen*; **~dor** *m* Verlierer *m*; **~r** [2g] **I.** *vt/i.* **1.** *a. fig.* verlieren; versäumen; vergeuden; *Hoffnung* aufgeben; *Gelegenheit, Zug usw.* versäumen; *Zug, Anschluß* verpassen; *Typ.* (Zeilen) einbringen; (*v/i.*) an Ansehen, Geltung *usw.* verlieren; ~ *a/c.* et. verlieren; um et. (*ac.*) kommen; ~ *el curso* durchfallen; das Schul- (*bzw.* Studien-)jahr, das Semester *usw.* verlieren; *no* ~ *la sangre fría* die Fassung (*od.* ruhig Blut) bewahren; *fig.* ~ *terreno* Boden verlieren, ins Hintertreffen geraten; ~ *de vista* aus den Augen verlieren; *echar a* ~ zugrunde richten; zunichte machen; ruinieren; *echarse a* ~ zugrunde gehen, umkommen; verderben (*Lebensmittel*); *echado a* ~ verdorben; *hacer* ~ *a/c.* um et. (*ac.*) bringen; *fig. llevar las de* ~ *od. salir perdiendo* den kürzeren ziehen; *el neumático pierde* der Reifen verliert Luft; ~ *en el juego* beim Spiel verlieren; ~ *en un negocio* bei e-m Geschäft zusetzen; **II.** *v/r.* ~*se* **2.** *a. fig. u. Rel.* verlorengehen; ⚓ *u. fig.* untergehen; zugrunde gehen; umkommen; verderben (*a. Lebensmittel*); s. verlieren; s. ins Verderben stürzen; s. verirren; ♪ aus dem Takt kommen; den Faden verlieren *b. Gespräch usw.*; ~*se a un vicio* s. e-m Laster blind hingeben; ~*se de vista* (s.) aus den Augen verlieren; ~*se en detalles* s. in Einzelheiten verlieren; ~*se por* in Verwirrung geraten durch (*ac.*) *od.* wegen (*gen.*); s. vernarren (*bzw.* sterblich verlieben) in (*ac.*); **3.** ~*se a/c.* s. et. entgehen lassen, et. verpassen F.

perdi|ble *adj. c* verlierbar; **~ción** *f* Verderben *n*; Verderbnis *f*; *p. ext.* schwerer Schaden *m*; *Rel.* Verderben *n*, (ewige) Verdammnis *f*; *fig.* ausschweifendes Leben *n.*

pérdida *f a.* ⚔ Verlust *m*; Schaden *m*; Ausfall *m*; ✈ ~ *de altura* Verlust *m* an Höhe; ✈ ~ *rápida de altura* Absacken *n*; *Phys.* ~ *calorífica* (*od. térmica*) Wärmeverlust *m*; ⸔ ~*s f/pl. causadas por granizo* Hagelschäden *m/pl.*; ~ *de peso* (⚕ *de sangre*) Gewichts- (Blut-)verlust *m*; ⊕ ~ *en vacío* Leerlaufverlust *m*; ⚚ *cuenta(s) f(/pl.) de* ~*s y ganancias* Gewinn- und Verlustkonto *n*; *fig.* F *la calle no tiene* ~ die Straße ist ganz leicht zu finden.

perdi|damente *adv.*: *estar* ~ *enamorado de alg.* sterblich verliebt sein in j-n; *lo hace* ~ sein Tun ist zwecklos; *llorar* ~ trostlos weinen; **~dizo** F *adj.* (scheinbar) unauffindbar; *hacerse el* ~ s. verkrümeln (*fig.* F); **~do I.** *adj.* **1.** verloren; verirrt; verdorben; *fig.* ins Leere gehend, nutzlos; liederlich; *fig. cosa f* ~*a* verlorene Liebesmühe *f*; *a.* unverbesserlicher Mensch *m*; ⚚ *u. fig. a fondo* ~ verloren, à fonds perdu; *dar por* ~ verloren geben; *darse por* ~ s. geschlagen geben; ¡*estamos* ~*s!* es ist aus mit uns!; *estar* ~ verloren sein, geliefert sein F; *fig.* F *estar* (*puesto*) ~ *de polvo* ganz mit Staub bedeckt sein; *fig.* F *ponerse* ~ s. sehr schmutzig machen; *ser un borracho* ~ ein unverbesserlicher Säufer sein; immer sternhagelvoll sein F; **2.** *estar* ~ *por* in *j-n* sterblich (*od.* bis über beide Ohren) verliebt sein; in *et.* (*ac.*) vernarrt sein; **II.** *m* **3.** Taugenichts *m*; moralisch Verkommene(r) *m*; **4.** ⚔ Gefallene(r) *m*; **5.** *Typ.* Zuschuß *m*; **III.** *adv.* **6.** hoffnungslos; sinnlos (*betrunken u. ä.*); **~doso** F: *ser el* ~ (oft) verlieren, ein Pechvogel sein *im Spiel.*

perdi|gar [1h] *Kchk. v/t.* (leicht) anbraten; **~gón**[1] *m* **1.** junges Rebhuhn *n*; **2.** Schrot(korn) *n*; ~*ones m/pl.* Schrot *m* (*Jagdmunition*).

perdigón[2] F *m* **1.** Pechvogel *m*, gr. (*od.* häufiger) Verlierer *m im Spiel*; **2.** Taugenichts *m*, junger Verschwender *m*; **3.** Durchgefallene(r) *m b. e-r Prüfung.*

perdi|gonada *f* Schrot-schuß *m*, -ladung *f*; -verletzung *f*; **~gonera** *f* Schrotbeutel *m* (*Munitionsbeutel*); **~guero** *m* **1.** *Jgdw.* (*perro m*) ~ Hühnerhund *m*; **2.** Wildbret-aufkäufer *m*; -händler *m.*

perdis F *m* Taugenichts *m*.
perdiz *f* (*pl.* ~*ices*) Feld-, Reb-huhn *n*; ~ *blanca* (*roja*) Schnee- (Rot-) huhn *n*; *fig.* F *oler a* ~*ices* (*Wortspiel mit perder*) riskant sein (*Geschäft*).
perdón *m* Verzeihung *f*; Vergebung *f*; Begnadigung *f*; Gnade *f*; *ecl.* Ablaß *m*; ¡~! Verzeihung!; *fig.* F ~*ones m/pl. Süßigkeiten als Mitbringsel von Wallfahrten*; *con* ~ mit Erlaubnis; mit Verlaub; *no merecer* ~ keine Gnade (*od.* Schonung) verdienen; *fig. hacerle a alg. pedir* ~ j-n in die Kniee zwingen; *sin* ~ gnadenlos; *pedir* ~ um Verzeihung bitten.
perdona|ble *adj. c* verzeihlich; ~**dor I.** *adj.*: ~ *de a/c.* et. verzeihend; **II.** *m* Verzeihende(r) *m*; ~**r** *v/t.* **1.** begnadigen; vergeben, verzeihen; hingehen lassen (*fig.*); *Schulden usw.* erlassen; schenken; *fig.* ~ *hecho y por hacer* allzu nachsichtig sein; *comprender es* ~ (alles) verstehen heißt (alles) verzeihen; ¡*perdone* (*usted*)! verzeihen Sie!; Verzeihung!; **2.** (ver)schonen; (er-) sparen; auslassen; *no* ~ *un baile* k-n Tanz auslassen; *no* ~ *gastos* k-e Kosten scheuen; *no* ~ *ocasión* k-e Gelegenheit versäumen; *le han* ~*ado el trabajo* (*la vida*) man hat ihn von der Arbeit freigestellt (man hat sein Leben geschont, man hat ihm das Leben geschenkt); ~**vidas** F *m* (*pl. inv.*) Maulheld *m*, Bramarbas *m*.
perdulario *adj.-su.* schlampig, verkommen; *m* unverbesserlicher Taugenichts *m*.
perdura|ble *adj. c* dauerhaft; ewig; ~**r** *v/i.* dauern, bestehenbleiben.
perece|dero *adj.* vergänglich; ~**r** [2d] **I.** *v/i.* vergehen; zugrunde gehen; umkommen, sterben; *fig.* im äußersten Elend leben; ~ *ahogado* ertrinken; ~ *de hambre* verhungern; *fig.* am Hungertuch nagen; ~ *en un accidente* (tödlich) verunglücken; **II.** *v/r.* ~*se fig.*: ~*se por* schwärmen für (*ac.*); ~*se por hacer algo* et. für sein Leben gern tun.
perecuación *Verw. f*: ~ *de cargas* Lastenausgleich *m*.
peregri|nación *f* **1.** Wallfahrt *f*, Pilgerfahrt *f*; *fig. Rel.* Erdenpilgerschaft *f*; *lugar m de* ~ Wallfahrtsort *m*; **2.** *lit.* Reise *f* ins Ausland; *fig.* Wanderung *f*; ~**nar** *v/i.* pilgern; wallfahren, wallen (*lit. u. Reg.*); *fig.* wandern; ~**no I.** *adj.* **1.** fremdartig; *fig.* seltsam; auffallend; wunderbar; *lo más* ~ *del caso es que* ... das seltsamste dabei ist, daß ...; **2.** Pilger...; Wander...; *Zo. aves f/pl.* ~*as* Zugvögel *m/pl.*; **II.** *m* **3.** Pilger *m*; *fig.* Erdenwanderer *m*; *lit. a.* Fremdling *m*.
perejil *m* ⚘ Petersilie *f*; *fig.* F *mst.* ~*es m/pl.* Schmuck *m*, Putz *m der Frauen*.
peren|dengue *m* Tand *m*; ~**gano** *m* (Herr) Soundso (*vgl. merengano*).
peren|ne *adj. c* ewig; ⚘ immergrün; perennierend; *fig.* zeitlos; ~**nidad** *f* Beständigkeit *f*, Fortdauer *f*.
perentori|edad *f* Dringlichkeit *f*; Endgültigkeit *f*; ~**o** *adj.* dringlich; unaufschiebbar; endgültig; ⚖ *decisión f* ~*a* endgültige Entscheidung *f*.
pereque *m Col.* Frechheit *f*; Streit *m*.
pere|za *f* Faulheit *f*, Trägheit *f*; Schwerfälligkeit *f*; *le da* ~ *empezar* er hat keine Lust anzufangen; *fig.* F ~, ¿*quieres sopas?* du wartest wohl, bis dir die gebratenen Tauben ins Maul fliegen?; *sacudir la* ~ s. aufraffen; ~**zoso I.** *adj.* **1.** faul, träge; schwerfällig; **II.** *m* **2.** Faulenzer *m*, Faulpelz *m* F; **3.** *Zo.* Faultier *n*.
perfec|ción *f* Vollendung *f*; Vollkommenheit *f*; *a la* ~ vollkommen; ¡*eso es la mismísima* ~! das ist schlechthin vollkommen!; ~**cionamiento** *m* Vervollkommnung *f*; Verbesserung *f*; Veredlung *f von Rohprodukten u. Erzeugnissen*; ~**cionar** *v/t.* vervollkommnen; ~**cionismo** *m* Perfektionismus *m*; ~**tamente** *adv.*: ¡~! jawohl!; richtig!; in Ordnung!, prima! F; ~**tibilidad** *f* Vervollkommnungsfähigkeit *f*, Perfektibilität *f*; ~**tible** *adj. c* vervollkommnungsfähig; ~**tivo** *Li. adj.* perfektiv; ~**to I.** *adj.* vollkommen; vorzüglich; **II.** *m Li.* Perfekt *n*.
perfidia *f* Treulosigkeit *f*; Niedertracht *f*; Tücke *f*.
pérfido *adj.* treulos; verräterisch; falsch, niederträchtig.
perfi|l *m a.* ⊕ Profil *n*; Umriß *m*; *de* ~ im Profil; ⊕ ~ *de filete* Gewinde-profil *n*, -querschnitt *m*; ⚓ ~ *de la proa* Heckumriß *m*; ~**lado** *adj. a. fig.* profiliert; scharf geschnitten (*Gesicht*); ⊕ *hierro m* ~ Profileisen *n*; ~**ladora** *Wkzm. f* Profiler *m*; ~**lar I.** *v/t.* umreißen; skizzieren; *a.* ⊕ *u. fig.* profilieren; ⊕ mit Profil versehen; **II.** *v/r.* ~*se fig.* s. abzeichnen.
perfoliado ⚘ *adj.* durchwachsen.
perfo|ración *f* **1.** Bohren *n*; Bohrung *f*; Bohrloch *n*; ~ *de pozos* Schachtabteufen *n*; ~ *sin éxito* nichtfündige Bohrung *f*; **2.** Durchbohrung *f*; *a.* ⚕ Durchbruch *m*; ⚕, *Film, Typ.* Perforation *f*; ~**rado I.** *adj.* durchbohrt; gelocht, Loch...; perforiert; **II.** *m Typ.* Perforieren *n*; ~**rador** *m* Locher *m*; Lochzange *f*; *Typ. filete m* ~ Perforierlinie *f*; ~**radora** *f* Bohrmaschine *f*; ~**rante** ⚔ *adj. c* panzerbrechend (*Geschoß*); ~**rar** *v/t.* (durch)bohren; *a.* ⚕ durchstechen; durchschlagen (*Bolzen, Geschoß*); lochen; *Typ.* perforieren; ⚒ *Schacht* abteufen; ~**rista** *m* Lochkartenspezialist *m*.
perfu|madero *m* Räucherpfanne *f*; ~**mador** *m* (Duft-)Zerstäuber *m*; ~**mar** *v/t.* parfümieren; durchduften; ~**me** *m* Parfüm *n*; Duft *m*, Wohlgeruch *m*; *fig.* Duft *m*, Hauch *m*; ~**mería** *f* Parfümerieartikel *m/pl.*; Parfümerie *f*; ~**mero I.** *adj.* Parfüm...; **II.** *m* → ~**mista** *m* Parfümeur *m*; Parfümeriehändler *m*.
perfusión ⚕ *f* Bad *n*; Durchströmung *f*, Perfusion *f*.
pergamino *m* Pergament *n*.
perge|ñar *v/t.* planen; zustande bringen; ersinnen, entwerfen; ~**ño** *m* **1.** Aufmachung *f*, Aussehen *n*; **2.** *Am. Reg.* Junge *m*, Schlingel *m*.
pérgola *f* Laubengang *m*; Pergola *f*.
peri|antio ⚘ *m* Blütenhülle *f*, Perianth(ium) *n*; ~**cardio** *Anat. m* Perikard *n*, Herzbeutel *m*; ~**carditis** ⚕ *f* Herzbeutelentzündung *f*; ~**carpio** ⚘ *m* Fruchtwand *f*, Perikarp *n*.
perici|a *f* Erfahrung *f*; Sachkenntnis *f*; Geschicklichkeit *f*; ~**al** *adj. c* fachkundig, sachverständig; *dictamen m* ~ Sachverständigengutachten *n*.
peri|co *m* kl. Papagei *m*; *fig.* F Nachtgeschirr *n*; *Col.* Milchkaffee *m*; ~**cón** *m* **1.** *Kart.* Trumpfkarte *f b. Quinolaspiel*; *fig.* F *etwa*: Hans Dampf *m* in allen Gassen, Tausendsassa *m*; **2.** gr. Fächer *m*; **3.** ♪ *Arg. Volkstanz*; ~**cote** *m Am. Mer.* gr. Feldratte *f*; Maus *f*.
peri|feria *f* ⩚ *u. fig.* Peripherie *f*; Kreisumfang *m*; Umkreis *m*; Stadtrand *m*; ~**férico** *adj.* peripher; am Rand liegend, Rand...
perifollo *m* ⚘ Kerbel *m*; *fig.* F ~**s** *m/pl.* Putz *m*, Schmuck *m*.
perifrasear *vt/i.* umschreiben; (gern) Umschreibungen anwenden.
perífrasis *f* (*pl. inv.*) Periphrase *f*, Umschreibung *f*.
perifrástico *adj. Rhet. u. Li.* periphrastisch.
perigallo *m* **1.** Doppelkinn *n*; Halsfalte *f*; *fig.* F Hopfenstange *f* F, lange Latte *f* (*fig.* F); **2.** ⚓ Aufholer *m*.
peri|geo *Astr. m* Erdnähe *f*, Perigäum *n*; ~**gonio** ⚘ *m* Perigon(ium) *n*; ~**helio** *Astr. m* Perihel(ium) *n*, Sonnennähe *f*.
perilla *f* **1.** birnenförmiger Zierat *m*; *fig.* F (*venir*) *de* ~(*s*) höchst gelegen (kommen); gerade recht (kommen); **2.** ~ (*de la oreja*) Ohrläppchen *n*; **3.** Spitzbart *m*; **4.** F ⚡ Knipsschalter *m*; **5.** F *im Mund befindliches* Zigarrenende *n*.
perillán *m* gerissener Gauner *m*.
perimetría ⚕ *f* Gesichtsfeldmessung *f*.
perímetro *m* ⩚, ⚕ Umfang *m*.
perínclito *lit. adj.* hochberühmt, Helden...
perineo *Anat. m* Damm *m*, Perineum *n*.
perinola *f* Kreisel *m* zum Knobeln, Barkreisel *m*; *fig.* F Quirl *m* (*lebhafte kl. Person, Frau*).
peri|odicidad *f* periodische Wiederkehr *f*, Periodizität *f*; ~**ódico I.** *adj.* periodisch, (in) regelmäßig(en Abständen); rhythmisch, taktmäßig wiederkehrend; *publicaciones f/pl.* ~*as* Periodika *n/pl.*; ⚗ *sistema m* ~ Periodisches System *n*; **II.** *m* Zeitung *f*; (*diario m*) ~ Tageszeitung *f*; ~ *semanal* Wochenzeitung *f*; ~**odicucho** F *m* Hetzblatt *n*; Käseblatt *n* F; ~**odismo** *m* Zeitungswesen *n*; -wissenschaft *f*; *escuela f de* ~ Journalistenschule *f*; ~**odista** *c* Journalist *m*; ~ *deportivo* Sportjournalist *m*; ~**odístico** *adj.* journalistisch; Journalisten...; Zeitungs...
período (*a. periodo*) *m* Periode *f* (*a.* ⚕, *Li.*); Zeit(raum *m*) *f*; *fig.* ~ *de guerra* Kriegszeit *f*; ⊕ ~ *de ensayo* Probezeit *f*; ⊕, ✝ ~ *de garantía* Garantiezeit *f*; ⚕ ~ *precoz* Frühstadium *n*; *Kfz.* ~ *de rodaje* Einfahrzeit *f*; ~ *de transición* Übergangszeit *f*.

periosti|o *Anat. m* Knochenhaut *f*, Periost *n*; **~tis** ⚕ *f* Knochenhautentzündung *f*.

peripa|tética *fig.* F: *ser una ~* Gunstgewerblerin sein F, auf den Strich gehen F; **~tético I.** *adj.* peripatetisch; *p. ext.* aristotelisch; *fig.* F gespreizt, lächerlich; **II.** *m* Peripetetiker *m*; Aristotelesanhänger *m*; **~to** *m* Peripatos *m*; Aristotelik *f*.

peri|pecia *f* Wechselfall *m*; Schicksalswendung *f*; Zwischenfall *m*; *Thea.* (dramatische) Wendung *f*, Peripetie *f*; *fig.* Abenteuer *n*; **~plo** *m* Umseglung *f*, Umschiffung *f*; *fig.* Schiffsreise *f*.

períptero △ *adj.-su.* mit umlaufendem Säulengang; *m* Peripteros *m*.

peripuesto F *adj.* geschniegelt u. gebügelt; sehr zurechtgemacht (*Dame*), aufgedonnert F.

peri|quear F *v/i.* **1.** *Am. Cent.* Süßholz raspeln F; flirten; **2.** *Ant.* schwätzen, plaudern; **~quete** F *m* **1.** Fangbecherspiel *n*; **2.** Moment *m*; *en un ~* im Handumdrehen; **~quito** *Vo. m* Wellensittich *m*.

peris|cios *lit. m/pl.* Polbewohner *m/pl.*; **~copio** *m* Periskop *n*, Sehrohr *n*; **~ta** □ *m* Hehler *m*; **~taltismo** *Physiol. m* Peristaltik *f*; **~tilo** △ *m* Säulengang *m*, Peristyl(ium) *n*.

peri|taje *m* Gutachten *n*; Expertise *f*; **~to I.** *adj.* erfahren; sachkundig; **II.** *m* Sachverständige(r) *m*, Experte *m*, Fachmann *m*; *~ industrial* Techniker *m*; *~ mercantil* Absolvent *m* e-r Handelsschule; *~ químico* Chemiker *m*; *~ de soldadura* Schweißfachmann *m*.

perito|neo *Anat. m* Bauchfell *n*; **~nitis** ⚕ *f* Bauchfellentzündung *f*.

perju|dicar [1g] *v/t.* schaden (*dat.*), schädigen (*ac.*); beschädigen; **~dicial** *adj. c* schädlich; nachteilig; verderblich; *~ para la salud* gesundheitsschädlich; **~icio** *m* Schaden *m*; Nachteil *m*, Beeinträchtigung *f*; ⚖ *~ jurídico* Rechtsnachteil *m*; *sin ~ de* unbeschadet (*gen.*); vorbehaltlich (*gen.*); *a (od. con, en) su ~* zu s-m Schaden, zu s-m Nachteil.

perju|rar I. *v/i.* e-n Meineid schwören; † *u. lit. a.* ohne Not schwören; **II.** *v/r.* *~se* meineidig (*fig.* wortbrüchig) werden; **~rio** *m* Meineid *m*; Eidbruch *m*; **~ro** *adj.-su.* meineidig; eidbrüchig; *m* Eidbrüchige(r) *m*.

perla *f* **1.** Perle *f*; *fig.* Juwel *n*, Perle *f*, Kleinod *n* (*alles fig.*); *~ compacta, ~ de cultivo* Zuchtperle *f*; *fig.* F *de ~s* ausgezeichnet; sehr gelegen, wie gerufen; **2.** *Typ.* Diamant *f* (*4-Punkt-Schrift*); **~do** *adj.* perlförmig.

perlático † *adj.* → *paralítico*.

perle|ría *koll. f* Perlen *f/pl.*; **~ro** *adj.* Perl(en)...; *ostra f ~a* Perlmuschel *f*.

perlesía † *f* **1.** → *parálisis*; **2.** Gebrechlichkeit *f*.

perli|no *adj.* perlfarben; *brillo m ~* Perlen-glanz *m*, -schimmer *m*; **~ta** *Min. f* Perlit *m*.

perlón *Wz. tex. m* Perlon *n*.

permane|cer [2d] *v/i.* **1.** (ver)bleiben, (ver)weilen; dableiben, s. aufhalten; *permanecerá aquí* er wird (weiterhin) hierbleiben; **2.** verharren; fortdauern; *~ excitado* erregt bleiben (*Nerv, elektr. Relais*); **~ncia** *f* **1.** Anhalten *n*, Fortdauer *f*; Dauer *f*; **2.** *Phys.*, ⊕ Beharrungszustand *m*; **3.** Bleiben *n*, Verweilen *n*; Verharren *n*; Aufenthalt *m*; *~ en cama* Bettlägerigkeit *f*, Krankenlager *n*; *~ en un lugar* Ansässigkeit *f*; **4.** Permanenz *f*; **~nte I.** *adj. c* bleibend; dauernd; Dauer...; ⚔ stehend (*Heer*); (*de carácter*) *~* ständig; *Typ. composición f ~* Stehsatz *m*; *conserva f ~* Dauerkonserve *f*; *servicio m ~* Dauerbetrieb *m*; durchgehender Dienst *m*; Tag- u. Nachtdienst *m*; *Parl. sesión f ~* Dauersitzung *f*; **II.** *f* Dauerwelle *f*; *~ en frío* Kaltwelle *f*.

perman|ganato ⚗ *m* Permanganat *n*; **~gánico** ⚗ *adj.* übermangansauer.

permea|bilidad *f* Durchlässigkeit *f*; Undichtigkeit *f*; Porosität *f*; *Phys.* Permeabilität *f*; *~ al sonido* Schalldurchlässigkeit *f*; **~ble** *adj. c* durchlässig; undicht; *~ a la luz* lichtdurchlässig.

pérmico *Geol. m* Perm *n*.

permi|sible *adj. c* zulässig, statthaft; **~sivo** *adj.* gestattend; Erlaubnis..., Berechtigungs...; **~so** *m* **1.** Erlaubnis *f*; Genehmigung *f*; Bewilligung *f*; Zulassung *f*; *Kfz. ~ de circulación (del vehículo)* Kraftfahrzeugschein *m*, Zulassung *f* F; *~ de conducir* Führerschein *m*; ✈ *~ de despegue* Starterlaubnis *f*; *~ en feble (en fuerte)* (Münzgewichts-) Toleranz *f* nach unten (nach oben); *~ de importación (de residencia)* Einfuhr- (Aufenthalts-)genehmigung *f*; *con ~* mit Verlaub; gestatten Sie; *¿hay ~?* darf ich?; darf man?; **2.** Urlaub *m*; *estar con (od. de) ~* auf Urlaub sein; **~tente** *part.*: *autoridad f ~* Genehmigungsstelle *f*, genehmigende Behörde *f*; **~tido** *adj.* erlaubt; gestattet; genehmigt; zugelassen; *si es ~ preguntar* wenn die Frage erlaubt ist; **~tir I.** *v/t.* erlauben, gestatten; genehmigen, zulassen; ermöglichen; *~ el café al enfermo* dem Kranken den Kaffeegenuß erlauben; *~ que + subj.* genehmigen, daß + *ind.*; **II.** *v/r.* *~se*: *me permito hacerlo* ich nehme mir die Freiheit, es zu tun; *permítaseme una palabra más* (man gestatte mir) noch ein Wort; *no se permite fumar* Rauchen verboten.

permu|ta *f* Tausch *m*; Umtausch *m*; Umsetzung *f*; *~ (de casa)* Wohnungstausch *m*; **~table** *adj. c a.* 𝔄 ver-, aus-tauschbar; *Arith.* permutabel; **~tación** *f* Auswechslung *f*, Tausch *m*; *Arith.* Permutation *f*, Versetzen *n*; **~tador** ⚡ *m* Umschalter *m*; **~tar** *v/t.* auswechseln, vertauschen; umsetzen; *Arith.* permutieren.

perna *Zo. f* Schinkenmuschel *f*; **~da** *f* Stoß *m* mit dem Bein; Stellangel *f* (*Fischerei*); ⚖ *hist. derecho m de ~* Jus *n* primae noctis (*lt.*), Recht *n* der ersten Nacht.

perne|ar F *v/i.* strampeln; *fig.* s. die Beine ablaufen, herumrennen; **~ra** *f* Hosenbein *n*; **~tas** *f/pl. dim.* Beinchen *n/pl.*; *adv. en ~* mit nackten Beinen, barfuß.

perni|abierto *adj.* mit gespreizten Beinen; **~cioso** *adj.* verderblich; bösartig, ⚕ perniziös; **~corto** *adj.* kurzbeinig.

perni|l *m* **1.** Schinken *m bzw.* Keule *f*; Bein *n*, Schlegel *m* (*Geflügel*); **2.** → *pernera*; **~largo** *adj.* langbeinig.

pernio *Zim. m* Tür-, Fenster-band *n*; Scharnierband *n*; Fenster-, Tür-angel *f*.

perniquebrar(se) [1k] *v/t.* (*v/r.*) (s.) ein Bein (*bzw.* die Beine) brechen (*dat.*).

perno ⊕ *m* Bolzen *m*; Stift *m*; Zapfen *m z. B. e-r Fensterangel*; *~ remachado* Nietbolzen *m*.

pernoctar *v/i.* übernachten; die Nacht verbringen.

pero[1] ♀ *m* **1.** Birnapfel *m*; **2.** *Span. Reg., Arg.* Birnbaum *m*.

pero[2] **I.** *cj.* aber; indes, (je)doch, allein; sondern (*nach verneintem Satz*); *fig. ¿~ dónde vas a parar?* worauf willst du eigentlich (noch) hinaus?; F *ha estado ~ que estupendo* es war einfach großartig; **II.** *m* Einwand *m*, Aber *n*; *no hay ~ que valga* da gibt es gar kein Aber; *a.* keine Widerrede!; *no tiene ~(s)* es ist nichts daran auszusetzen; *poner siempre ~s* immer et. einzuwenden haben.

Pero P *npr. m* → *Pedro*; *Folk. ~ Botero der* Teufel; *las calderas de ~ Botero* die Hölle.

perogru|llada F *f* Binsenwahrheit *f*; **Ⅎllo** *npr. Folk.*: *sonderbarer Kauz* (*legendäre Gestalt*); *verdad f de ~* → *perogrullada*.

perol *m* Schmortopf *m*, gewölbter Kessel *m*; Schöpfkelle *f*.

pero|né *Anat. m* Wadenbein *n*; **~neo** *m* Wadenbeinmuskel *m*.

peronista *Pol. adj.-su. c* peronistisch; *m* Peronist *m*, Anhänger *m* Peróns.

perora|ción *f* Rede *f*; *Rhet.* Zs.-fassung *f*, Schlußwort *n*; **~r** *v/i.* **1.** e-e Rede halten; ein zs.-fassendes Schlußwort sprechen; *fig.* F e-e langweilige Rede halten, salbadern F; **2.** *lit.* inständig bitten; **~ta** *f* langweilige Rede *f*.

peróxido ⚗ *m* Per-, Super-oxyd *n*.

perpen|dicular I. *adj. c* lot-, senkrecht; *tex.* fadengerade; **II.** *f* Lot-, Senk-rechte *f*; 𝔄 *trazar (od. tirar) una ~* ein Lot fällen; **~dículo** *m* **1.** Lot *n*; **2.** 𝔄 Höhe *f*; ⊕ Pendel *n*, Perpendikel *n, m*.

perpetra|ción ⚖ *f* Begehen *n*, Verüben *n e-s Verbrechens*; **~dor** *m* Täter *m*; **~r** *v/t. Verbrechen* begehen.

perpetua ♀ *f* Strohblume *f*.

perpetu|able *adj. c* zu verewigen(d); fortpflanzbar; **~ación** *f* Fortdauer *f*; Verlängerung *f*; Verewigung *f*; Fortpflanzung *f*; **~án** *tex. m* → *sempiterna*; **~ar** [1e] *v/t.* verewigen; Dauer verleihen (*dat.*); fortpflanzen; *~ un error* e-n Irrtum aufrechterhalten; *~ la especie* s. fortpflanzen; **~idad** *f* Fortdauer *f*; *fig.* Ewigkeit *f*; *a ~* lebenslänglich; **~o** *adj.* fortdauernd, unaufhörlich; lebenslänglich (*Strafe*); auf Lebenszeit (*Amt, Rente, Pension*); *fig.* ewig; *aparato m de movimiento ~* Perpetuum *n* mobile.

perple|jidad *f* Verlegenheit *f*; Bestürzung *f*; Verblüffung *f*; **~jo** *adj.* **1.** verlegen, verwirrt, perplex; bestürzt; *quedar ~ ante* bestürzt sein (*od.* s. bestürzt zeigen) bei (*dat.*); **2.** verwirrend; verblüffend.

perquisición *gal. f* genaue Untersuchung *f*.

pe|rra *f* **1.** Hündin *f*; *fig.* F *~ chica* (*gorda*) Fünf- (Zehn-)céntimo-Münze *f*; F *hasta la ~ le parirá lechones* der hat immer (ein) unverschämtes Glück; *fig.* F *tener ~s* Geld (*od.* Zaster P) haben; *llevar una vida* (*de*) *~* ein Hundeleben führen; **2.** *fig.* F **a)** Trotz *m* (*Wutanfall der Kinder*); **b)** Widerborstigkeit *f*; Stinklaune *f* P; **~rrada** *f* **1.** ⚔ Meute *f*; **2.** *fig.* F Hundsgemeinheit *f* F; *hacer una ~ a alg.* j-m gemein mitspielen; **~rramente** F *adv.* hundsgemein F; hundeelend; **~rrengue** F *m* **1.** Trotzkopf *m* (*Kind*); Hitzkopf *m*; **2.** † *desp.* Neger *m*; **~rrera** *f* **1.** Hundehütte *f*; Hundezwinger *m*; 🚃 Hundeabteil *n*; *fig.* F Arrestlokal *n*; *Rpl.* Karren *m* des Hundefängers; **2.** *fig.* F → *perra 2 a*; **3.** *fig.* F Schinderei *f*; Hundeleben *n*; **4.** † *fig.* F schlechter Zahler *m*; **~rrería** *f* **1.** Hunde *m/pl.*, Meute *f*; *fig.* F Gesindel *n*, Meute *f fig.*; **2.** *fig.* Niedertracht *f*, Gemeinheit *f*; Grobheit *f*; **~rrero** *m* Hundeführer *m*; -wärter *m*; -fänger *m*; **~rrillo** *m* **1.** (junges) Hündchen *n*; Schoßhündchen *n*; *fig.* F *~ de todas bodas* wer bei allen Vergnügungsveranstaltungen, Familienfeiern *usw.* anzutreffen ist; **2.** Hahn *m e-r Büchse*; **3.** ⚡ Drahtspanner *m*; **~rrito** *m dim.* Hündchen *n*; *~ de falda* (*od. faldero*) Schoßhündchen *n*; *Méj. ~ de Chihuahua* → *perro de las praderas*.

pe|rro *m* **1.** *Zo.* Hund *m*; *~ de aguas*, *~ de lanas* Pudel *m*; *~ de aguas cocker* Cocker-Spaniel *m*; *~ ártico*, *~ de trineo* Polar-, Schlitten-hund *m*; *~ de carreta* Karren-, Zieh-hund *m*; *~ de caza* Jagdhund *m*; *~ del cortijo* Hof-, Ketten-hund *m*; *Méj. ~ de Chihuahua* Chihuahuahund *m*; *~ chino od. ~ cantonés* Chow-Chow *m*; *~ gran danés* deutsche Dogge *f*; *~ (guía) de ciego* Blindenhund *m*; *Jgdw. ~ de jabalí* Saupacker *m*, Hetzhund *m*; *~ lobo* Wolfshund *m*; *~ de Malta* Malteser *m*; *Am. ~ mudo* **a)** → 2; **b)** → *techichi*; *~ de muestra* Vorstehhund *m*; *~ pastor alemán* dt. Schäferhund *m*; *~ policía* Polizeihund *m*; *~ de Pomerania* Spitz *m*; *~ de presa* Bullenbeißer *m*, Bulldogge *f*, Bluthund *m*; *Jgdw. ~ tejonero* Dachshund *m*, Teckel *m*; *~ de Terranova* Neufundländer *m*; F *~ tranvía* Dackel *m*; **2.** *Zo. Méj. ~ de agua* Katzenotter *m*; *~ de mar* → *tiburón*; *Am. inc. ~ mudo* Waschbär *m*; *Am. ~ de las praderas* Präriehund *m*; **3.** *fig. desp.* Hund *m*; *de ~s* sehr schlecht; *humor m de ~s* mürrische Laune *f*, Stinklaune *f* F; *a. adj. tiempo m* (*de*) *~(s)* Hundewetter *n*; *¡a otro ~ con ese hueso!* das können Sie einem andern erzählen!; machen Sie das einem andern weis! F; *le conocen hasta los ~s* er ist bekannt wie ein bunter Hund; F *dar ~ a alg.* j-n warten lassen; F *darse a ~s* außer s. geraten, toben, fuchsteufelswild werden; *hacer tanta falta que (un) ~* (*od. los ~s*) *en misa* völlig überflüssig (*od.* ganz fehl am Platze) sein; das fünfte Rad am Wagen sein; *fig.* F *ser ~ viejo* ein schlauer Fuchs sein, ein alter Hase sein; *fig. tratar a alg. como a un ~* j-n wie e-n Hund behandeln; *Spr. el ~ del hortelano* (*, que ni come la berza ni la deja comer*) *rügt denjenigen, der andern nur deswegen et. vorenthält, weil er es selbst nicht nutzen kann*; *Spr. ~ ladrador nunca buen mordedor* Hunde, die (viel) bellen, beißen nicht; *Spr. muerto el ~, se acabó la rabia* ein toter Hund beißt nicht mehr; **4.** ⊕ Drehherz *n*; *Zim.* (Parallel-)Zwinge *f*; **5.** *Angl.* F *~s m/pl. calientes* heiße Würstchen *n/pl.*; **~rruno** *adj.* hündisch; Hunde…

persa *adj.-su. c* persisch; *m* Perser *m*.

perse|cución *f* Verfolgung *f*; Christenverfolgung *f*; **~guidor** *adj.-su.* verfolgend; *m* Verfolger *m*; **~guidora** *f* Verfolgerin *f*; *fig.* F *Pe.* Katzenjammer *m*; **~guir** [3l *u.* 3d] verfolgen.

persevera|ncia *f* Beharrlichkeit *f*; Ausdauer *f*; **~nte** *adj. c* beharrlich; standhaft; ausdauernd; **~r** *v/i.* ausharren (in *dat.* en); beharren (auf *dat.* en).

persiana *f* **1.** Jalousie *f*; Rolladen *m*; *~ arrollable* Rolljalousie *f*; *~ automática* Springrollo *n*; **2.** *tex.* Persienne *f* (*geblümter Seidenstoff*).

pérsico I. *adj.* persisch; **II.** *m* ♀ Pfirsich *m* (*Urform, Baum u. Frucht*).

persignarse *Rel. v/r.* s. bekreuzigen, das Kreuz schlagen.

persis|tencia *f* **1.** Andauern *n*, Anhalten *n*; Fortbestand *m*; ⊕ *~ del temple* Härtebeständigkeit *f*; **2.** Beharrlichkeit *f*, Ausdauer *f* (bei *dat.* en); **~tente** *adj. c* andauernd; bleibend; ♀ *hojas f/pl. ~s* Dauerbelaubung *f*; **~tir** *v/i.* andauern, anhalten; *Pol. persiste la mayoría conservadora* die konservative Mehrheit bleibt (*od.* besteht auch weiterhin); *~ en su voluntad* auf s-m Willen bestehen (*od.* beharren).

persona *f* Person *f*; *en ~* persönlich; *dipl. ~ (non) grata* persona *f* (non) grata *lt.*; ⚖ *~ internacional* Völkerrechtssubjekt *n*; ⚖ *~ moral*, *~ jurídica* juristische Person *f*; ⚖ *~ moral de derecho público* Körperschaft *f* des öffentlichen Rechts; ⚖ *terceras ~s f/pl.* Dritte *m/pl.*; *querer hacer de ~* e-e Persönlichkeit sein wollen, et. darstellen wollen F; **~ción** *f* persönliches Erscheinen *n*; Meldung *f b. e-r Behörde*; **~je** *m* (hohe) Persönlichkeit *f*; *Thea. u. lit.* Person *f*; **~l I.** *adj. c* persönlich; personal; **II.** *m* Personal *n*; P Leute *pl.*; *~ especializado* Fachpersonal *n*; *~ de obra od. ~ obrero* (*de plantilla*) Arbeits- (Stamm-)personal *n*; *~ de servicio* (*bzw. de maniobra*) Bedienungspersonal *n*; ✈ *~ volante*, *~ de a bordo* fliegendes Personal *n*, Bordpersonal *n*; *jefe m de(l) ~* Personalchef *m*.

persona|lidad *f* Persönlichkeit *f* (*alle Bedeutungen*); ⚖ *~ jurídica* Rechtspersönlichkeit *f*; **~lismo** *m* **1.** Selbstsucht *f*, Egoismus *m*; **2.** *a. Pol.* Personenkult *m*; **3.** *Phil.* Personalismus *m*; **~lista** *adj. c* egoistisch, selbstsüchtig; *Phil.* personalistisch; **~lizar** [1f] **I.** *v/t.* personifizieren; *Gram.*: *unpersönliches Verb* persönlich verwenden; **II.** *v/i.* persönlich werden.

perso|nalmente *adv.* persönlich; *entregar ~* eigenhändig abgeben, persönlich aushändigen; **~narse** *v/r.* persönlich erscheinen; s. melden; **~nificación** *f* Personifizierung *f*, Verkörperung *f*; **~nificar** [1g] *v/t.* personifizieren, verkörpern.

perspecti|va *f a.* ⚠ *u. fig.* Perspektive *f*; *fig.* Aus-blick *m*, -sicht *f*; *~s f/pl.* Aussichten *f/pl.* (*fig.*); *Zeichnung u. Phot. ~ aérea* Luftperspektive *f*; *Mal.* Pleinair *n*; *~ desde abajo* Froschperspektive *f*; *~ caballera* (*od. convencional*) Kavalierperspektive *f*; *~ de líneas* geometrische Perspektive *f*; *fig. de grandes ~s* aussichtsreich; *en ~* in Aussicht (stehend) (*Geschäft usw.*); *sin ~(s)* aussichtslos; *alegrarse con la ~ de* s. freuen auf (*ac.*); **~vismo** *Phil. m* Perspektivismus *m*; **~vo I.** *adj.* perspektivisch; **II.** *m Mal.* perspektivischer Maler *m*.

perspi|cacia *f*, *a.* **~cacidad** *f* Scharfsinn *m*; Scharfblick *m*; **~caz** *adj. c* (*pl. ~aces*) scharfsinnig; hellsichtig; **~cuidad** *f fig.* Deutlichkeit *f*; **~cuo** *adj. a. fig.* klar, deutlich.

persua|dir I. *v/t.* überreden; überzeugen; *dejarse ~* s. bewegen lassen (zu + *inf. od.* + *dat.* a); *~ a alg. a/c.* j-n von et. (*dat.*) überzeugen; *~ a alg. a hacer a/c.* j-n dazu bewegen, et. zu tun; **II.** *v/r.* *~se*: *~se a a/c.* s. zu et. (*dat.*) entschließen; *~se a hacerlo* s. dazu entschließen, es zu tun; glauben, es tun zu müssen; *~se con* (*od. de, por*) s. durch (*ac. od.* von *dat.*) überzeugen (lassen); *estar ~ido de* von *et.* (*dat.*) überzeugt sein, *et.* fest glauben; **~sible** *adj. c* glaubhaft; **~sión** *f* Überredung *f*; Überzeugung *f*; *don m de ~* → **~siva** *f* Überredungs- *bzw.* Überzeugungs-gabe *f*; **~sivo** *adj.* überredend; überzeugend; **~sor** *adj.-su.* überzeugend; *m* Überzeugende(r) *m*.

perte|necer [2d] *v/i.* dazugehören; gehören (zu *dat.* a); **~neciente** *adj. c* zugehörig (*dat.* a); **~nencia** *f* Zugehörigkeit *f*; Eigentum *n*; Zubehör *n*.

pérti|ga *f* Stange *f*; *Sp. salto m de ~* Stabhochsprung *m*; *~ de medición* lange Meßstange *f der Geometer*; **~go** *m* Deichsel *f*.

pertigue|ar ⚒ *v/t.*: *~ los árboles* die Früchte von den Bäumen schlagen; **~ro** *ecl. m* Schweizer *m in Domen*.

pertina|cia *f* Hartnäckigkeit *f*; **~z** *adj. c* (*pl. ~aces*) hartnäckig, zäh.

pertinen|cia *f bsd. Verw.*, ⚖ Sachgemäßheit *f*; Zulässigkeit *f*, Einschlägigkeit *f*; *Phonologie*: Relevanz *f*; *sin ~* unerheblich, bedeutungslos; rechtsunerheblich; **~te** *adj. c* zur Sache gehörig, sachgemäß; einschlägig; passend, treffend; ⚖

zulässig; rechtserheblich; ⚖ *oficios m/pl.* ~*s* erforderliche Anträge *m/pl.* (*schriftlich*).

pertre|char I. *v/t.* ausrüsten; herrichten; **II.** *v/r.* ~*se con* (*od.* de) s. versehen mit (*dat.*); **~chos** *m/pl.* **1.** Ausrüstung *f*; ~ (*bélicos*) Kriegsgerät *n*; **2.** Geräte *n/pl.*; ⚒ ~ *de siega* Ernte-geräte *n/pl.*; -maschinen *f/pl.*

pertur|bación *f a.* ⚕, *Met.*, *Phys.*, ⊕ Störung *f*; Unruhe *f*; *Rf.* ~*ones f/pl.* Störungen *f/pl.*, Nebengeräusch *n*; *HF* ~ de (*od. por*) *interferencia* Interferenzstörung *f*; ⚕ ~ *mental* (*od. de la razón*) Sinnesverwirrung *f*; *Pol.* ~*ones f/pl. sociales* soziale Unruhen *f/pl.*; **~bador** *adj.-su.* verwirrend; störend; *m* Ruhestörer *m*; **~bar I.** *v/t.* verwirren; stören; beunruhigen; ~ *el orden público* die öffentliche Ordnung stören; **II.** *v/r.* ~*se* in Verwirrung geraten; den Verstand verlieren.

Perú: *fig.* Goldgrube *f*; *fig.* F *valer un* ~ von unschätzbarem Wert sein.

perua|nismo *m* **1.** *Li.* peruanischer Ausdruck *m*; **2.** peruanische Wesensart *f*; Peruanertum *n*; **~nizar** [1f] *v/t.* peruanisch machen; **~no** *adj.-su.* peruanisch; *m* Peruaner *m*.

peru|lero I. *adj.* † → *peruano*; **II.** *m hist. aus Peru als reicher Mann* nach Spanien Heimkehrende(r) *m*; *fig.* Neureiche(r) *m*; **~viano** → *peruano*.

perver|sidad *f* Verderbtheit *f*; **~sión** *f* Verderbnis *f*, Entartung *f*; ~ (*sexual*) Perversion *f*; **~so** *adj.* verderbt; entartet; widernatürlich, pervers; **~tidor** *m* Verführer *m*, Verderber *m*; **~timiento** *m* **1.** Verführung *f*; **2.** Verderbtheit *f*; **~tir** [3i] **I.** *v/t. Sitten, Text* verderben; verführen, pervertieren; *Wahrheit* entstellen, verdrehen; **II.** *v/r.* ~*se* sittlich verkommen; korrupt werden.

pervitina *pharm. f* Pervitin *n*.

pesa *f* **1.** Gewicht *n z. Wiegen*, Gewichtstein *m*; Uhrgewicht *n*; ~ *de contraste* Eichgewicht *n*; ~ *equilibradora* Auswuchtgewicht *n*; **2.** *Sp.* Hantel *f*; **~cartas** *m* (*pl. inv.*) Briefwaage *f*; **~da** *f* Einwaage *f*; **~dez** *f* **1.** Schwere *f* (*a. im Kopf*); ✈ ~ *de cola* Schwanzlastigkeit *f*; **2.** Schwerfälligkeit *f*; Plumpheit *f*; Aufdringlichkeit *f*; **3.** Beschwerlichkeit *f*; **~dilla** *f* Alpdruck *m*; **~do I.** *adj.* **1.** schwer (*a.* ⚛ *Wasser*); Schwer...; schwül, drückend (*Wetter*); ⚓ ~ *de proa* buglastig; **2.** schwerfällig, plump; **3.** lästig; langweilig; aufdringlich; **II.** *m* **4.** Verwiegen *n*; **~dumbre** *f* **1.** Schwerfälligkeit *f*; **2.** Kummer *m*, Gram *m*.

pésame *m* Beileid *n*; *dar el* ~ *a alg.* j-m sein Beileid aussprechen.

pesantez *f* Schwere *f*; ⚒ *Phys.* → *gravedad*.

pesa|personas *adj. inv.*: *báscula f* ~ Personenwaage *f*; **~r¹ I.** *v/t.* **1.** *a. fig.* (ab)wägen; (ab)wiegen; **2.** *Col.*, *Ven. Fleisch* verkaufen; **II.** *v/i.* **3.** wiegen; *fig.* reuen; *mal que le pese* ob er will oder nicht; *mal que me pese* so leid es mir tut; *a* ~ *de* trotz (*dat.*, *gen.*); *a* ~ *de* + *inf.* obschon, obwohl, wenn auch + *ind.*; **~r²** *m* Leid *n*; Gram *m*, Kummer *m*, Sorge *f*; *a* (*gran*) ~ *mío* zu m-m (großen) Bedauern.

pesario ⚕ *m* Pessar *n*.

pesaroso *adj.* **1.** reuig; **2.** betrübt, voller Gram.

pesca *f* **1.** Fischfang *m*, Fischzug *m*; Fischerei *f*; ~ *de* (*gran*) *altura* (Hoch-)Seefischerei *f*; ~ *de arrastre* Schlepp(netz)fischerei *f*; ~ *de bajura* (*costera*) Küstenfischerei *f* mit kl. (mit gr.) Fahrzeugen; ~ *ballenera* Walfang *m*; ~ *fluvial* (*marítima*) Fluß- (See-)fischerei *f*; ~ *submarina* Unterwasserjagd *f*; *barco m de* ~ Fischerboot *n*; *a. fig.* ¡*buena* ~! guten Fang!; Petri Heil!; *derecho m de* ~ Fischereirecht *n*; *paraje m de* ~ Fischgründe *m/pl.*; **2.** Fang *m*, gefangene Fische *m/pl.*; **~da** *f* **1.** *Fi.* **a)** → *merluza*; **b)** *Reg.* → *bacalao*; **2.** □ → *ganzúa*; **~dería** *f* Fischgeschäft *n*; Fischmarkt *m*; **~dero** *m* Fischhändler *m*; **~dilla** *Fi. f* Weißling *m*; **~do** *Kchk. m* Fisch *m* (*gefangen od. zubereitet*); *conservas f/pl. de* ~ Fischkonserven *f/pl.*; ~ *congelado* Gefrierfisch *m*; ~ *en escabeche* (*od. a la marinera*) marinierter (*od.* eingelegter) Fisch *m*; ~ *frito* (*rebozado*) Brat- (Back-)fisch *m*; ~ *de mar* (*de río*) See- (Fluß-)fisch *m*; **~dor** *m* **1.** ~ *de caña* Angler *m*; **2.** Fischer *m*; ~ *de perlas* Perlenfischer *m*; **3.** *Fi.* → *pejesapo*.

pescante *m* **1.** Kutschbock *m*; **2.** ⊕ Ausleger *m*; Kranausleger *m*; **3.** ⚓ (Anker-, Boots-)Davit *m*; ~*s m/pl. ordinarios* Schwenkdavits *m/pl.*

pescar [1g] *vt/i.* fischen; *fig.* (F *a.* ~*se v/r.*) fischen, angeln; *Krankheit* erwischen; ergattern, (auf-)schnappen (*alle fig.* F); ~ *con caña* angeln; *fig.* ~ *en aguas turbias* (*od. en río revuelto*) im trüben fischen; *fig.* F *no sabes lo que te pescas* du hast ja k-e Ahnung, worum es geht; du kommst in Teufels Küche! F; *fig.* ~ *al vuelo* im Fluge auffangen; gleich richtig erfassen; *fig.* F *se pescó un marido* sie hat s. einen geangelt F; *fig.* F ~ *una merluza* s. ansäuseln F.

pes|cozón F *m* Schlag *m* ins Genick; **~cozudo** *adj.* feist-, stier-nackig; **~cuecete** *Chi.*: *ir de* ~ s. umhalsen; **~cuezo** *m* Genick *n*, Nacken *m*; Hals *m*; F (*re*)*torcer el* ~ *a alg.* j-m den Hals (*od.* den Kragen) umdrehen F; *fig.* F *jugarse el* ~ Kopf u. Kragen riskieren F.

pese: ~ *a* trotz (*dat.*, *gen.*).

pesebre *m* ⚒ Krippe *f*; *fig.* Weihnachtskrippe *f*; *fig.* F Futterkrippe *f*, Essen *n*.

peseta *f* Pesete *f*; *fig.* F *cambiar la* ~ (*s.*) erbrechen, s. übergeben.

pésete *m* Fluch *m*, Verwünschung *f*.

pesetero F **I.** *adj.* geizig, knickerig; **II.** *m Am.* → *sablista*.

pesia † *int.*: ¡~ (*tal*)! hol's der Teufel!; **~r** [1b] † *v/i.* fluchen.

pesillo *m* Münz-, Gold-waage *f*.

pesimis|mo *m* Pessimismus *m*; **~ta** *adj.-su. c* pessimistisch; *m* Pessimist *m*.

pésimo *sup.* äußerst schlecht.

peso *m* **1.** Gewicht *n*, Schwere *f*; Last *f*; *fig.* Bürde *f*, Last *f*; *fig.* Gewicht *n*, Bedeutung *f*; *a*(*l*) ~ nach Gewicht (*verkaufen*); *de* ~ vollwichtig; *fig.* (ge)wichtig; bedeutend; *fig. a* ~ *de oro* sehr teuer; *en* ~ † *u. Reg.* mit s-m ganzen Gewicht; freischwebend; *p. ext.* ganz; *fig.* zweifelhaft; *sin* ~ gewichtslos; *Phys.* schwerelos; *fig.* ohne Gewicht; ~*s m/pl.* Grundgewichte *n/pl. b. Treibnetzen*; ~ *atómico* (*molecular*) Atom- (Molekular-)gewicht *n*; ~ *bruto* (*neto*) Brutto- (Netto-)gewicht *n*; *Phys.* ~ *centrífugo* Flieh-, Zentrifugal-gewicht *n*; ~ *cúbico* (*efectivo, real*) Raum- (Ist-)gewicht *n*; ✈ ~ *al despegue* Startgewicht *n*; *Phys.* ~ *específico* spezifisches Gewicht *n*; ⚘ ~*s grandes* (*pequeños*) Schwer- (Leicht-)gut *n*; ⚘ ~ *por pieza* Stückgewicht *n*; ~ *móvil* Lauf-, Schiebe-gewicht *n b. Waagen*; ~ *muerto* totes Gewicht *n*, Totlast *f*; Schlachtgewicht *n*; ~ *propio* Eigengewicht *n*; ~ *útil* Nutzgewicht *n*, -last *f*; ~ *en vacío*, ~ *sin carga* Leergewicht *n*; ~ *en vivo* Lebendgewicht *n*; ✈ ~ (*en orden*) *de vuelo* Fluggewicht *n*; *a.* ⚕ *exceso m de* ~ Übergewicht *n*; ⚘, *Vkw.* Mehrgewicht *n*; Überfracht *f*; *falto de* ~ mindergewichtig; *fig. caer*(*se*) *de su* (*propio*) ~ selbstverständlich sein; ⚘ *dar buen* ~ volles Gewicht geben; *fig.* F *no estar en su* ~ nicht auf dem Damm sein; *levantar en* ~ *j-n* in die Höhe heben; *fig. llevar en* ~ *a/c.* e-e Sache ganz übernehmen; *pagar a* ~ *de oro* mit Gold aufwiegen; *fig. se nos quitó un* (*gran*) ~ *de encima* uns fiel ein Stein vom Herzen; *fig. tener* ~ Gewicht haben, zählen; *tomar a* ~ mit der Hand abwiegen; *fig.* abwägen, prüfen; **2.** Waage *f*; **3.** Peso *m* (*Währungseinheit mehrerer span.-am. Länder*); ~ *oro* Goldpeso *m als Verrechnungseinheit*; *hist.* ~ *duro* (*od. fuerte*) *alter span.* Silbertaler *m*; **4.** *Sp.* **a)** Gewicht *n*; Kugel *f*; *lanzamiento m de* ~ Kugelstoßen *n*; *levantar* ~*s* Gewichte heben; **b)** *Boxen*: ~ (*de*) *gallo* Bantamgewicht *n*; ~ *pesado* (*pluma*) Schwer- (Feder-)gewicht *n*; **5.** ⚕ ~ *gástrico* Magen-druck *m*, -drücken *n*.

pespita *f Guat.* kokettes Mädchen *n*.

pespun|te *m* **1.** Steppen *n*; Stepparbeit *f*; **2.** Steppnaht *f*; **~t(e)ar** *v/t.* **1.** steppen (*nähen*); *p. ext. Gitarre* zupfen; **2.** *Méj.* → *zapatear*.

pesque|ra *f* **1.** Staudamm *m*; Wehr *n*; **2.** *Rf.* Wellensucher *m*; **3.** → **~ría** *f* **1.** Fischgrund *m*; Angelplatz *m*; ~ *de perlas* Perlenbank *f*; **2.** Fischerei *f*, Fischfang *m*; **3.** → *pescadería*; **~ro I.** *adj.* Fischer...; **II.** *m* Fischdampfer *m*; *Reg.* Fischhändler *m*.

pesquis F *m*: *tener mucho* ~ viel Grips haben F; *no tener* ~ dumm sein.

pesqui|sa I. *f* Suche *f*, Nachforschung *f*; Fahndung *f*; ⚖ Ermittlungsverfahren *n*; *hacer* ~*s* Nachforschungen anstellen; **II.** *m Arg.* Geheimpolizist *m*; **~sar** *v/t.* untersuchen; nachforschen nach (*dat.*); **~sidor** *m* Nachforscher *m*; mit der Untersuchung beauftragter Beamte(r) *m*; *oficial m* ~ Ermittlungsbeamte(r) *m*.

pesta|ña *f* **1.** Wimper *f*; *cepillo m de* **~s** Wimpernbürste *f*; *fig.* F *sin mover* ~ → *sin pestañear*; *fig.* F *quemarse las* **~s** wild büffeln F, bis spät in die Nacht arbeiten; **2.** Biese *f an Kleidern*; Franse *f*, Borte *f*; **3.** ⊕ Rad-, Spur-kranz *m*; Falz *m b. Blechen*; **4.** vorstehender Rand *m b. Einbänden*; **5.** *tex.* Zettelende *n b. Tuch*; **~ñear** *v/i.* blinzeln; *fig.* F *sin* ~ ohne mit der Wimper zu zucken; **~ñeo** *m* Blinzeln *n*; **~ñoso** *adj.* mit langen Wimpern; *Biol.* gewimpert.

pes|te *f* ⚕ *u. fig.* Pest *f*; ~ *bubónica* Beulenpest *f*; ⊕ ~ *del estaño* Zinnpest *f*; ~ *neumónica* (*porcina*) Lungen- (Schweine-)pest *f*; *fig. echar* **~s** (*contra*) schimpfen (auf *ac.*), wettern (gg. *ac.*); **~tífero** *adj.* verpestend.

pestilen|cia *f* Pest(ilenz) *f*; **~cial, ~te** *adj. c* scheußlich stinkend, verpestend, pestilenzialisch.

pestillo *m* **1.** (Tür-, Fenster-)Riegel *m*; ~ *de golpe* Schnäpper *m*; **2.** ⊕ Riegel *m*; Sperrklinke *f*; ⚔ Patronenrahmenhalter *m am Gewehr*; ⚔ Schloßriegel *m am M. G.*; Drücker *m am Visier*; ~ *de bloqueo* Sperrriegel *m*.

pestiño *Kchk. m in Honig getauchter* Pfannkuchen *m*.

pestorejo *m* Stiernacken *m*; *fig.* F [Hals *m*.]

pestoso *Am. adj.* Pest...

petaca I. *f* **1.** *Na. Am.* Reisekorb *m*; Lederkoffer *m*; *Col. echarse con las* **~s** → *petaquear*; **2.** Zigarrentasche *f*; Tabaksbeutel *m*; Ledereetui *n*; **3.** P Bett *n*; **II.** *adj. c* **4.** *Chi.* schwerfällig, unbeholfen (*bsd. von Dicken*).

pétalo ⚘ *m* Blütenblatt *n*.

petanque *m Méj.* Silbererz *n*.

petaquear *v/i. u.* **~se** *v/r.* die Lust verlieren, nachlassen.

petar F *v/i.*: *si te peta* wenn du Lust hast.

petar|dear I. *v/t.* **1.** mit Sprengschüssen sprengen; **2.** *fig.* F betrügen, prellen; anpumpen F; **II.** *v/i.* **3.** knattern; **~dero** *m* **1.** Feuerwerker *m*; Sprengmeister *m*; **2.** *fig.* F → **~dista** F *m* Gauner *m*; Pumpgenie *n* F; **~do** *m* **1.** Feuerwerkskörper *m*; Spreng-körper *m*, -kapsel *f*; -schuß *m*; *fig.* F *pegar un* ~ *a alg.* j-n anpumpen (*in der Absicht, nicht zurückzuzahlen*); j-n begaunern; **2.** *neol. fig.* F wertloser Film *m*, Schmarren *m* F.

peta|te I. *m* **1.** *Am. Reg.* **a)** Palmblattmatte *f* (*Schlafmatte usw.*); **b)** Seesack *m der Matrosen*; **2.** F **a)** Bündel *n*; Gepäck *n*; *fig.* F *liar el* ~ sein Bündel schnüren; sterben; **b)** P Pritsche *f* (*Gefängnis usw.*); **3.** † *u. Reg.* Gauner *m*; *a.* Habenichts *m*; **II.** *adj. c* **4.** F *Méj.* dumm, unbeholfen; feige; **~tearse** F *v/r. Méj.* sterben.

petenera *f Folk. andal. Volkslied*; *fig.* F *salir por* **~s** dummes Zeug reden.

peteretes † *u. Reg.* F *m/pl.* Näsche- [reien *f/pl.*]

petici|ón *f* **1.** Bitte *f*, Ansuchen *n*; Anliegen *n*; *a* ~ *de* auf Ersuchen (*od.* Wunsch) (*gen. od.* von *dat.*); ~ *en matrimonio* Anhalten *n um die Hand des Mädchens*; *Log.* ~ *de principio* Zirkelschluß *m*, *lt.* petitio *f principii*; *hacer la* ~ *de mano* um die Hand (*e-s Mädchens*) anhalten; **2.** *Verw.*, ⚖ Gesuch *n*; ⚖ Bittschrift *f*; *Pol.* Petition *f*; *hacer* (*formular, presentar*) *una* ~ ein Gesuch (*bzw.* e-e Petition) einreichen; **~onario** (*Am. a. peticionante*) *m* Bittsteller *m*.

petifoque ⚓ *m* Außenklüver *m*.

petit grain *frz. m*: *esencia f de* ~ Petigrainöl *n*, *Art* Pomeranzenessenz *f zur Parfümherstellung*.

peti|grís *m* Feh *n*, Grauwerk *n*; **~metre** *m* Geck *m*, Fatzke *m* F.

petirrojo *Vo. m* Rotkehlchen *n*.

petiso *Rpl., Chi.* **I.** *adj.* klein u. gedrungen (*Kind, Jungtier*); **II.** *m* (kl.) Reitpferd *n*.

petisú (< *frz. petit-chou*) *Kchk. m* Windbeutel *m* mit Cremefüllung.

petito|ria F *f* Bitte *f*, Ersuchen *n*; **~rio I.** *adj.* Bitt...; *carta f* **~a** Bittschrift *f*; *mesa f* **~a** Sammeltisch *m* für e-e Kollekte; **II.** *m pharm.* Standardliste *f der Apotheken*; *fig.* F dreistes Ersuchen *n*.

pe|to *m* **1.** Brustpanzer *m*; *Zo.* Bauchpanzer *m*; **2.** *Stk.* Brustschutz *m der Pferde*; **3.** Brustputz *m*; **4.** Brustlatz *m*; Oberteil *n e-s Arbeitsanzugs*; *p. ext.* Arbeitsanzug *m* (*z. B. der Gärtner*); **~tral** *Equ. m* Brustriemen *m*.

petrel *m* Sturmvogel *m*.

pétreo *adj. a. fig.* steinern, Stein...

petrifica|ción *f* Versteinerung *f*; **~r** [1g] **I.** *v/t.* versteinern; **II.** *v/r.* **~se** versteinern, zu Stein werden.

petro|glifo *prehist. m* Felszeichnung *f*; **~grafía** *f* Gesteinskunde *f*.

petróleo *m* Erdöl *n*, Petroleum *n*; ~ *de alumbrado* Leuchtöl *n*; ~ *bruto* Rohöl *n*; *pozo m de* ~ Ölquelle *f*, Petroleumschacht *m*.

petro|lero I. *adj.* **1.** Erdöl..., Petroleum...; **II.** *m* **2.** Petroleumhändler *m*; **3.** ⚓ Tanker *m*; **4.** *hist.* Revolutionär *m*, Mordbrenner *m*; **~lífero** *adj.* erdölführend (*Schicht*); Erdöl...

petulan|cia *f* **1.** Ungestüm *n*; Dreistigkeit *f*; **2.** Anmaßung *f*; Eitelkeit *f*; **~te** *adj. c* **1.** ungestüm; dreist; mutwillig; **2.** anmaßend; eitel.

petunia ⚘ *f* Petunie *f*.

peyorativo *Li. adj.* pejorativ, abschätzig.

peyote *Na.* ⚘ *m Méj.* Peyotekaktus *m u. ä. Kakteenarten*; **~ro** *m* Peyotesammler *m*; -händler *m*.

pez¹ *m* (*pl. peces*) Fisch *m*; ~ *de colores* Zierfisch *m*; ~ *dorado* Goldfisch *m*; ~ *espada* Schwertfisch *m*; ~ *macho* Milchner *m*; ~ *de San Pedro* Heringskönig *m*, Petersfisch *m*; → *a. gordo*; *fig. como el* ~ *en el agua* wie der Fisch im Wasser; *fig.* F *estar* ~ *en algo* von et. (*dat.*) k-e Ahnung haben; von et. nichts verstehen; *fig.* F *salga* ~ *o salga rana* auf gut Glück, wie es der Zufall will.

pez² *f* Pech *n*; ~ *aislante* (*de zapateros*) Isolier- (Schuster-)pech *n*.

pe|zón *m* **1.** Brustwarze *f*; Zitze *f*; *p. ext.* ~ *materno* Mutterbrust *f*; **2.** Stiel *m*; Ende *n*; Zipfel *m*; **~zonera** *f* **1.** ⚕ Warzen-, Saughütchen *n*; Brustglas *n*; 🖊 Melkzitze *f*; *Am. Reg.* → *biberón*; **2.** Lünse *f an Radachsen*.

pezuña *f Zo.* Klaue *f der Spalthufer*; ⚒ ⊕ → *garra*; *fig.* P Hand *f*.

pia|da *f* Piepen *n*; *fig.* F *von andern* übernommener Ausdruck *m*, „Nachpiepen" *n* F; **~dor I.** *adj.* piep(s)end; **II.** *m* □ Trinker *m*.

piadoso *adj.* **1.** fromm; andächtig; *ejercicios m/pl.* **~s** Andachtsübungen *f/pl.*; **2.** barmherzig; mitleidig; mild(tätig); *obras f/pl.* **~as** gute Werke *n/pl.*

piafar *v/i.* tänzeln, die Hufe spielen lassen (*Pferd*).

pia|l *Am. m* Lasso *m*, Schlinge *f*, *die um die Beine der Tiere geworfen wird, um diese umzureißen*; *entsprechender* Lassowurf *m*; **~lar** *Am. v/t. die Beine e-s Tieres* mit der Wurfschlinge fesseln.

piamadre *Anat. f* weiche Hirnhaut *f*, Pia Mater *f* (*lt.*).

piamontés *adj.-su.* aus Piemont; *m* Piemontese *m*.

pián ⚕ *m* Himbeerseuche *f*, Fram- [bösie *f*.]

pian(o) *it.* F *adv.* langsam; sachte.

pia|nísimo ♪ *adv.* pianissimo; **~nista** *c* Klavierspieler(in *f*) *m*; Pianist(in *f*) *m*; **~nístico** *adj.* pianistisch; Klavier...; **~no** *m* Klavier *n*; Piano *n*; (*gran*) ~ *de concierto* Konzertflügel *m*; ~ *de cola* Flügel *m*; ~ *de media* (*bzw. de cuarto de*) *cola*, *a.* ~ *colín* Stutzflügel *m*; ~ *cuadrado* Tafelklavier *n*; ~ *vertical* (*od. recto*) Klavier *n*; *tocar el* ~ Klavier spielen; *fig.* F *Pe.* stehlen; **~noforte** † ♪ *m* Klavier *n*, Pianoforte *n*; **~nola** *f* mechanisches (*od.* elektrisches F) Klavier *n*, Pianola *n*.

piar [1c] *v/i.* piep(s)en; *fig.* F ~ *por et.* (unbedingt) haben wollen.

piara *f* Schweineherde *f*; *p. ext. a.* (Maultier-, Rinder- *usw.*)Herde *f*.

piastra *f* Piaster *m* (*Münzeinheit*).

pibe F *m Rpl.* Kleine(r) *m*.

pica¹ *f* **1.** Pike *f*, Spieß *m*, Lanze *f*; *fig. poder pasar por las* **~s** *de Flandes* vollkommen sein, der strengsten Kritik standhalten; *poner una* ~ *en Flandes* et. sehr Schwieriges (*od.* Gefährliches) vollbringen; **2.** Spitzhacke *f*, Pickel *m*; *Sp.* Eis-pickel *m*, -beil *n*; **3.** ⊕ Spitze *f*, Dorn *m*, Stachel *m*.

pica² *f Am. Mer.* Anzapfen *n* der Gummibäume.

pica³ ⚕ *f* → *malacia* 2.

pica|barrenas ⚒ *m* (*pl. inv.*) Abbaubohrer *m*; **~cho** *m* Bergspitze *f*, Spitze *f*; **~chón** *m* Spitzhacke *f*, Pickel *m*; **~da** *f* **1.** (Insekten-)Stich *m*; Schnabelhieb *m*; **2.** Anbeißen *n der Fische*; **3. a)** *Am. künstlich angelegter* Weg *m durch den Urwald*; Waldschneise *f*; **b)** *Arg.* schmale Furt *f*; **4.** *Bol.* Klopfen *n an der Tür*; **5.** *Cu.* → *sablazo*; **6.** *Chi.*, *Pe.* Milzbrand *m des Viehs*; **7.** *Reg.* (*in Am. u. Span.*) → *picado m*; **~dero** *m* **1.** Reitbahn *f*; Reitschule *f*; Tattersall *m*; **2.** *fig.* F Tummelplatz *m*; Junggesellenbude *f*; sturmfreie Bude *f* F; Absteige (-quartier *n*) *f*, Nahkampfdiele *f* (*fig.* P); **3.** ⚓ Kiel-holz *n*, -block *m*; **~s** *m/pl.* Stapel *m*; **4.** *Jgdw.* Brunftplatz *m*; **5.** *Col.* Schlacht-haus *n*, -hof *m*; **~dillo** *m* Hackfleisch *n*; Wurstfülle *f*; ~ *de carne de ternera* Kalbshaschee *n*; *fig.* F *hacerle* ~ *a* *alg.* j-n zu Hackfleisch machen (*fig.* F); j-n gewaltig zs.-stauchen F; **~do I.** *adj.* **1.** angepickt, angefressen (*Obst usw.*); e-n Stich habend (*z.B. Wein*); hohl, faul (*Zahn*); gekränkt, pikiert F; ⚓ kabbelig (*See*); voller Schlaglöcher (*Straße*); ~ *de viruelas* blatternarbig; **II.** *m* **2.** ⊕ Feilenhieb *m*; *Kfz.* Klopfen *n* (*Motor*); **3.** ♪ Stakkato *n*; **4.** ✈ ~ *vertical od. vuelo m en* ~ Sturzflug *m*; **5.** *Cu.* Waldschneise *f*; **6.** *Méj.* Anzapfen *n der Chicozapotebäume zur Kaugummigewinnung*; **~dor** *m* **1.** Zureiter *m*; Kunstreiter *m*; *Stk.* Pikador *m* (*berittener Stierfechter mit Pike*); *fig.* F *tener la cabeza más dura que un* ~ ein Dickschädel sein; **2.** ⚒ ~ (*de minas*) Häuer *m*; **3.** Hackbrett *n*, Gemüseschneider *m*; **4.** ⚓ Block *m zur Kielauflage*; **5.** *Am. Reg.* Kautschukzapfer *m*; **~dora** *f* Fleischwolf *m*; ~ (*de forraje*) Futterschneid- *bzw.* Häcksel-maschine *f*; **~dura** *f* **1.** Stich *m*, Stechen *n*, Picken *n*; Hacken *n*, Häckeln *n von Tabak, Viehfutter*; **2.** (Insekten-) Stich *m*; Anstich *m e-s Fasses*; **3.** angestochene (*bzw.* angestoßene) Stelle *f*, Macke *f* (*z.B. bei Obst*); Mottenfraß *m*; Lochfraß *m b. Metallen*; ~ *de gusanos* Wurmfraß *m*; **4.** (*tabaco m de*) ~ (grober) Schnitttabak *m*, Grobschnitt *m*; **5.** ⊕ Feilenhieb *m*; (Schaft-)Riffelung *f*; **~duría** *f Chi.* Platz *m* zum Holzspalten.

pica|figo *Vo. m* Feigendrossel *f*; **~flor** *m Vo. Am.* Kolibri *m*; *fig.* Schürzenjäger *m*, Don Juan *m*.

pica|jón F, **~joso** F *adj.* reizbar; empfindlich, leicht pikiert F; **~maderos** *Vo. m* (*pl. inv.*) *Art* Grünspecht *m*.

picante I. *adj. c* scharf, *a. fig.* pikant; **II.** *m Am.* stark gewürztes (*bsd.* gepfeffertes) Gericht *n*; **~ría** *f Pe.* Speisewirtschaft *f*, *die vor allem picantes anbietet*.

picaño *adj.* **1.** zerlumpt; verwahrlost; **2.** faul; frech.

pica|pedrero *m* Steinklopfer *m*; Schotterschläger *m*; **~pica** *m* **1.** ⚘ *Am.* Nesselliane *f*; **2.** F Jucken *n*, Juckreiz *m*; *polvos m/pl. de* ~ Juckpulver *n*; **~pleitos** F *m* (*pl. inv.*) Winkeladvokat *m*; **~porte** *m* **1.** (Tür-)Drücker *m*, Klinke *f*; ~ *interior* Gg.-drücker *m b. Autotür*; **2.** *Reg. u. Am. Mer.* Türklopfer *m*; **~puerco** *Vo. m* Mittelspecht *m*.

picar [1g] **I.** *v/t.* **1.** stechen (*Nadel, Insekt usw.*); beißen (*Schlange*); *a. Schablonen, Muster* ausstechen; *Fahrkarte* lochen; *Faß* anzapfen; *Stk. den Stier* mit der Pike stechen; *la pimienta pica el paladar* der Pfeffer brennt am Gaumen; **2.** pikken; mit dem Schnabel hacken; ~ *los ojos* die Augen aushacken; **3.** *Pferd* spornen; *p. ext.* zureiten; **4.** kleinhacken; *Steine* (zer)klopfen *bzw.* zuhauen; ⚒ behauen; ⚓ *Tau* kappen; **5.** klopfen; *Reg. Kleider* ausklopfen; *Mühlstein* aufrauhen, schärfen; *Sense* dengeln; ⊕ *Feilen* hauen; ⚓ ~ *la hora* glasen; **6.** *Pflanzen* pikieren, auspflanzen *bzw.* vertopfen; **7.** ♪ stakkato spielen; **8.** *Billard usw.*: *dem Ball* Effet geben; **9.** *fig.* ärgern, reizen; **10.** *Ant., Méj.* mit dem Buschmesser aushauen; ~ *el monte* e-e Schneise in das Unterholz schlagen; **11.** *Chi., P. Ri. Holz* spalten; *fig.* F *Zeitung usw.* rasch überfliegen; **12.** *Méj.* **~le** schneller gehen (*bzw.* fahren, reiten *usw.*); **II.** *vt/i.* **13.** ✈ (*hacer*) ~ (*v/i.*) *el avión* Tiefensteuer geben, das Flugzeug drücken; **III.** *v/i.* **14.** stechen, brennen (*Körperteil, Pfeffer, Sonne*); jucken, prikkeln; *me pica la pierna* ich habe ein Prickeln im Bein; **15.** (nur) wenig essen, picken (*fig.* F); anbeißen (*Fisch*); *fig.* F *¡eh, tú no me haces* ~! du legst mich nicht herein, in die Falle gehe ich nicht; **16.** † *u. Reg.* anklopfen (an der Tür); *fig.* ~ *muy* (*od. más*) *alto* hoch (*od.* höher) hinaus wollen; ~ *en descaro* (*en poeta, en valiente*) an Frechheit grenzen (beinahe ein Dichter sein; schon tapfer sein); **17.** schnell(er) reiten; ⚓ schnell(er) rudern; **18.** niederstoßen (*Greifvogel*); ✈ im Sturzflug niedergehen, stürzen; **19.** *Chi.* schwatzen; **20.** *P. Ri.* Roulett spielen; **IV.** *v/r.* **~se 21.** von Motten zerfressen werden; anfangen zu faulen; e-n Stich bekommen (*Wein, Fleisch u. ä.*); schimmelig (*od.* stockig) werden (*Getreide*); **22.** in die Brunst kommen (*Tiere*); **23.** unruhig werden (*See*); **24.** *fig.* s. ärgern, pikiert sein F; **~se** *con alg.* j-n (prahlerisch) herausfordern; s. mit j-m verfeinden; **~se** *de a/c.* **a)** s. durch et. (*ac.*) verletzt fühlen; **b)** s. et. zugute tun auf e-e Sache; s. aufspielen als et.; **~se** *de caballero* den feinen Mann herauskehren (wollen); **25.** *Méj., P. Ri.* angesäuselt sein F.

pica|rdía *f* **1.** Gauner-stück *n*, -streich *m*; **2.** Schlauheit *f*, Pfiffigkeit *f*; **~resca** *f* **1.** *Lit.* Schelmenliteratur *f*; **2.** Gaunertum *n*; Gaunerleben *n*; **~resco** *adj.* spitzbübisch; Gauner...: *Lit.* Schelmen...; *novela f* **~a** Schelmenroman *m*.

pícaro I. *adj.* **1.** schurkisch; heimtückisch; **2.** schlau, durchtrieben; *a. fig.* spitzbübisch; Lausbuben...; **II.** *m* **3.** Schurke *m*, Gauner *m*, Galgenstrick *m* F; **4.** Schlingel *m*, Lausbub *m* F; *Lit.* Schelm *m*.

picarón F **I.** *adj. fig., burl.* spitzbübisch, Gauner...; **II.** *m Kchk. Chi., Pe., Méj. Art* Krapfen *m*.

picatoste *m* geröstete Brotschnitte *f*.

picaza[1] *Vo. f* Elster *f*.

pica|za[2] ⚒ *f Reg.* kl. Hacke *f*; **~zo**[1] *m* **1.** Pikenstich *m*; Stichnarbe *f*; **2.** → *picotazo*.

picazo[2] *m* **1.** junge Elster *f*; **2.** Schecke *m* (*Pferd*); *fig.* F *Bol. montar el* ~ zornig aufbrausen.

picazón *f* Jucken *n*; *fig.* F Verdruß *m*, Ärger *m*.

picea ⚘ *f* Rottanne *f*, Fichte *f*.

Picio *fig.* F: *más feo que* ~ grundhäßlich, häßlich wie die Nacht.

pic(k)les *engl. m/pl.* Essiggemüse *n*, Mixpikles *n/pl.*

pic(k)nic(k) *m* Picknick *n*.

pick-up *Phono m* **1.** Tonabnehmer *m*; **2.** Plattenspieler *m*.

pícnico ⚕ *adj.-su.* pyknisch; *m* Pykniker *m*.

pico[1] *m* **1.** Schnabel *m* (*a. fig.* F); *fig.* Mundwerk *n* F; ~ *curvo* Hakenschnabel *m der Raubvögel*; *fig.* ~ *de oro* hervorragender Redner *m*; *Jgdw.* ~ *al viento* gg. den Wind; *iron. de* ~ (nur) mit dem Mund; *fig.* F *cerrar el* ~ den Mund (*od.* den Schnabel F) halten; *darse el* ~ schnäbeln (*fig.* F); *irse a* (*od.* de) **~s** *pardos* **a)** fremdgehen (*fig.* F); **b)** die Zeit vertun, bummeln; *fig. irse del* ~ mit der Sprache herausrücken; s. verplappern; *fig. perder(se) por el* ~ s. durch sein Reden schaden, zuviel reden; *iron. no* (*se*) *perderá por el* ~ alles Angabe! F; *tener buen* ~ ein tolles Mundwerk haben; *Chi. seguirle a alg.* ~ *en cola* j-m auf dem Fuße folgen; **2.** Schnabel *m*, Schnauze *f*, Tülle *f e-s Gefäßes*; Ausguß *m*; ~ *de gas* (offene) Gasflamme *f*; **3.** ⚘ ~ *de cigüeña* Storchschnabel *m*; ~ *de gorrión* Vogelknöterich *m*; **4.** *Zo. Chi. Art* Entenmuschel *f*; **5.** *Sp.* Schnabel *m* (*Bremsfigur b. Eislauf*); **6.** Spitze *f*; *a. Anat.* Zacke *f*; Zipfel *m*; *fig.* Spitze *f* (*höchste Belastung u. ä.*); *fig.* F ein bißchen (darüber); ⚡ ~ *del consumo eléctrico* Spitze *f* des Stromverbrauchs, Stromspitze *f*; ⚓ ~ *de loro* Ankerspitze *f*; ~ *del mantón* Zipfel *m* des Umschlagetuchs; *a las cinco y* ~ kurz nach fünf (Uhr); *tiene sesenta años y* ~ er ist Anfang der Sechziger; *quinientas pesetas y* ~ etwas über 500 Peseten; **7.** Berggipfel *m*, Spitze *f*, Pik *m*; **8.** ⚓ Gaffel *f*; **9.** Spitz-hacke *f*, -haue *f*; (Beil-) Picke *f*; Eispickel *m*; 🚂 ~ *de bateo* Stopfhacke *f*; ~ *de cabra* Geißfuß *m der Bildhauer*; ⚒ ~ *neumático* Abbauhammer *m*.

pico[2] *Vo. m* Specht *m*; Rotspecht *m*; ~ *negro* Schwarzspecht *m*; ~ *verde* Gras-, Grün-specht *m*; *Ven.* ~ *de canoa*, ~ *de frasco* → *tucán*; ~ *grueso* Nußhäher *m*; ~ *de tijera* → *picotijera*.

picofeo *Vo. m Col.* → *tucán*.

pi|cón I. *adj.* **1.** mit überlangen Schneidezähnen (*Pferde usw.*); **II.** *m* **2.** Rupfer *m* (*Pferd*); **3.** kl. Holzkohlen *f/pl. für Kohlenbecken usw.*; **4.** *Reg.* Bruchreis *m*; **5.** *Fi.* **a)** Stichling *m*; **b)** *spitzschnauziger* Rochen *m*; **6.** Ulk *m*, *der j-n zu et. reizen soll*; **7.** ♀ Picon *m* (*frz. Aperitif*); **~conero** *m* Holzkohlenhändler *m*.

picor *m* Jucken *n*, Juckreiz *m*; Brennen *n*; Prickeln *n*, Kribbeln *n*.

picoso *adj.* blatternarbig.

picota *f* **1.** Schandpfahl *m*, Pranger *m*; *a. fig. poner en la* ~ an den Pranger stellen, anprangern; **2.** äußerste Spitze *f* (*Berg, Turm*); **~da** *f*, **~zo** *m* Schnabelhieb *m*; *dar un* ~ *a* picken (*ac.*); zwicken (*ac.*).

picote *tex. m* grobes Zeug *n aus* [*Ziegenhaar.*]

picote|ar I. *vt/i.* **1.** (an)picken; schnäbeln (*Vögel*); nicken (*Pferd*); *fig.* F schwatzen; **2.** *Ant., Méj.* in kl. Stücke schneiden (*bzw.* hacken); **II.** *v/r.* **~se 3.** *fig.* F s. zanken, keifen (*Weiber*); **~ría** F *f* Geschwätzigkeit *f*; **~ro** F *adj.-su.* schwatzhaft; *m* Schwätzer *m*.

picotijera *Vo. m* Scherenschnabel *m*.

picotín *m Reg. Trockenmaß*: *Ar.* 1,4 l; *Cat.* 4,4 l.
picotón F *m Am.* → *picotazo.*
picrato ⚗ *m* pikrinsaures Salz *n*, Pikrat *n.*
pícrico ⚗ *adj.*: *ácido m* ~ Pikrinsäure *f.*
pic|tografía *f* Bilderschrift *f*; **~tórico** *adj.* malerisch; zum Malen geeignet; *arte m* ~ Malkunst *f.*
picu|dilla *Vo. f* Strandläufer *m*; **~do I.** *adj.* **1.** mit Schnabel; **2.** spitzig; **3.** geschwätzig; **II.** *m* **4.** → *espetón.*
picha V *f* Penis *m*, Stange *f* V.
picha|gua ⚘ *f Ven.* Kürbis(baumfrucht *f*) *m*; **~güero** ⚘ *m Ven.* Kalebassenbaum *m.*
piche[1] *m* **1.** *Vo. Am. Cent. Schwimmvogel* (*Totanus flavipes*); *Zo. Arg., Bol.* → *tatú*; **2.** *Col.* Molke *f*; **3.** F *Cu. coger* ~ Angst kriegen F.
piche[2] ⚒ *adj. c-su. m* (*trigo m*) ~ Igelweizen *m.*
pichel *m* hoher Zinnkrug *m*; Henkelkrug *m mit Deckel.*
pichi|catería F *f Am. Cent., Méj.* Geiz *m*; **~cato** F *adj.-su. Am.* geizig, filzig F; *m* Geizkragen *m*, Knauser *m*; **~ciego I.** *adj.* F *Arg.* kurzsichtig; **II.** *m Zo. Arg., Chi. ein knapp 15 cm großes* Gürteltier *n.*
pichin|cha *f Rpl.* **1.** *desp.* Mädchen *n*; **2.** Glückskauf *m*; **~chero** *m Rpl.* j., der gerne Gelegenheitskäufe macht.
pichi|rre F *adj. c Ven.* schäbig, geizig; **~ruche** F *m Chi.* unbedeutende Person *f*, Wicht *m.*
pichole|ar *v/i.* **1.** *Arg., Bol.* schachern; kl. Vorteile ergattern; **2.** *Chi.* s. (laut) vergnügen; auf den Rummel gehen; P koitieren (*Mann*); *a.* masturbieren; **3.** *Guat., Hond.* mit kl. Einsätzen spielen; **~o** F *m bsd. Arg.* kl. Schacher *m*; *Chi.* Rummel *m*, Trubel *m.*
pi|chón I. *m* **1.** junge(r) Taube(r *m*) *f*; *fig.* F *Kosename für den Geliebten* (*Arg. a. Schmeichelwort für e-e Dame*); → *a. tiro*; **2.** *Ant., Méj.* junger Vogel *m*; **3.** *fig.* F *Ant., Arg., Méj.* unerfahrener Spieler *m*; Neuling *m*, Grünschnabel *m* F; harmloser Tropf *m* F; **4.** *fig.* F *Col.* Kind *n*; junger Bursche *m*; **II.** *adj.* **5.** *Cu.* ängstlich; scheu; **~chona** F *f* Täubchen *n* (*Kosename*); **~choncito** F *dim. m* Liebling *m*; **~chonear** *Am. vt/i.* Tauben schießen; *fig.* e-n unerfahrenen Spieler ausnehmen F.
pichulear *v/i. Am. Cent., Arg., Méj.* → *picholear 1, 3.*
pidón F *adj.* zudringlich; bettelhaft.
pie *m* **1.** Fuß *m* (*a. Maß u. fig.*); Pfote *f*; Schuhgröße *f*; ⚲ *u. ä.* Fußpunkt *m*; *Metrik*: Versfuß *m*; *fig. a.* Grund *m*, Anlaß *m*; *Sp.* ~*s m/pl. de pato* Schwimmflossen *f/pl.*; ⚕ ~ (*con los dedos separados*) *en abanico* Spreizfuß *m*; *Kchk.* ~ *de cerdo cocido* Eisbein *n*; ~ *delantero* (*trasero*) Vorder- (Hinter-)fuß *m*; ⚕ ~ *plano* (*valgo*) Platt- (Knick-)fuß *m*; ⚕ ~ *zambo* Klumpfuß *m*; *soldado m de a* ~ Fußsoldat *m*; ~ *adelante* vorwärts; ~ *ante* ~ Schritt für Schritt; ~ *atrás* zurück, rückwärts; ~ *con* ~ dicht gedrängt, ganz nahe beieinander (*Personen*); F *un* ~ *tras otro* (*scherzhafte Verabschiedung*) nun geh(en Sie) schon, da ist die Tür!; *a* ~ zu Fuß; Fuß...; *a* ~ *enjuto* trockenen Fußes; *fig.* ohne Gefahr; ohne Anstrengung; → *a. firme*; *a* ~ *llano* zu ebener Erde (*ohne Stufen zu steigen*); *fig.* ungehindert; *al* ~ *de mil pesetas* rund tausend Peseten; *a(l)* ~ *de* (*la*) *obra* auf der Baustelle, an Ort u. Stelle (*von den Materialkosten bis zum eigentlichen Baubeginn*); *al* ~ *de* am Fuß (*gen.*); ganz in der Nähe von (*dat.*); am Ende, unten (*b. Briefen, Büchern usw.*); *fig. al* ~ *de la letra* wörtlich; *con buen* (*mal*) ~ (un)glücklich; (nicht) erfolgreich; *fig. con los* ~*s* ungeschickt (*od.* ohne Verstand) gemacht (*Arbeit*); *fig. con* ~*s de plomo* sehr behutsam; umsichtig; vorsichtig; *fig. con un* ~ *en el hoyo* (schon) mit einem Fuß im Grabe; *de* ~ stehend (*bsd. Person*); *de* ~*s a cabeza* von Kopf bis Fuß; *de cinco* ~*s* fünffüßig (*Vers*); *de* ~*s ligeros* schnellfüßig; *fig. en buen* ~ in gutem Zustand; in der gehörigen Ordnung; → *a. con buen* ~; *en* ~ *de guerra* auf Kriegsfuß; *fig.* F *arrastrar los* ~*s* altersschwach sein; *fig.* F *buscar cinco* ~*s al gato* immer ein Haar in der Suppe finden; immer Anlaß zum Streit suchen; *a. fig. caer de* ~*s* auf die Füße fallen; (noch einmal) heil davonkommen; *fig. dar* ~ *para* Anlaß geben zu (*dat.*); *fig. le dan el* ~ *y se toma la mano* man reicht ihm den kleinen Finger, und er nimmt (gleich) die ganze Hand; → *a. bola*; *fig.* F *no dar* ~ *ni patada* keinen Streich tun, s. nicht rühren (*in e-r Angelegenheit*); *dar por el* ~ *a a/c.* et. umstürzen; et. abreißen; et. völlig zerstören; *fig.* F *no dejar a alg. sentar el* ~ *en el suelo* j-n (so) in Atem halten (, daß er kein Bein auf die Erde kriegt *fig.* F); *echar* ~ *a tierra* ab-, aus-steigen; ⚓ an Land gehen; *echarse a los* ~*s de alg.* s. j-m zu Füßen werfen; *entrar con el* ~ *derecho* gleich zu Beginn Glück haben; es gleich richtig anfangen; *estar de* ~ stehen; *estar en* ~ fortbestehen; fortdauern; *estar en un* ~ auf e-m Bein stehen; *fig.* F *ganar por* ~*s* schneller laufen, früher ankommen (als *nom. a*); *hacer* ~ Fuß fassen; *a.* ansässig werden; *irse por* (*sus*) ~*s* (*nur wegen s-r schnellen Füße*) entkommen; *mantener en* ~ aufrechterhalten *fig.*; *fig.* F *pensar con los* ~*s* kopflos handeln; (*im Wasser usw. od. fig.*) *perder* ~ den Boden unter den Füßen verlieren; den Faden verlieren (*fig.*); *poner los* ~*s en a/c.* et. betreten; *¡póngame a los* ~*s de su esposa!* m-e Empfehlungen an die verehrte Frau Gemahlin!; *fig.* F *poner* ~*s en pared* hartnäckig bleiben, s. versteifen; mit dem Kopf wider die Wand rennen (*fig.*); *poner en* ~ aufrichten; *ponerse de* ~ aufstehen; *fig. quedarse a* ~ nicht mitfahren können (*weil kein Platz mehr im Wagen ist od. weil der Zug weg ist*); *a.* leer ausgehen; durchfallen (*b. Prüfungen*); *fig.* F *¿*~*s, para qué os quiero?* jetzt nichts wie weg! F; *fig.* F *sacar los* ~*s de las alforjas* (*od. del plato*) s-e Scheu ablegen; frech werden; eigene Wege gehen; *fig.* F *sacar con los* ~*s adelante a uno* j-n zu Grabe tragen; *fig.* F *sacarle a alg. el* ~ *del lodo* j-m aus der Patsche helfen F; *fig.* F *salir con mal* ~ mit dem linken Fuß zuerst aufstehen F; *seguir en* ~ (weiterhin) bestehenbleiben; *fig. ser* ~*s y manos de alg.* j-s rechte Hand sein; *fig. tener* ~*s* gute Beine haben, gut zu Fuß sein; *fig.* F *no tener* ~*s ni cabeza* weder Hand noch Fuß haben; *fig.* F *tener muchos* ~*s* sehr beweglich sein (*bsd. Stier*); *fig. tener un* ~ *en dos zapatos* mehrere Eisen im Feuer haben; *a. fig. tirar los* ~*s por alto* s. aufbäumen; *tomar* ~ *a/c.* Fuß fassen; s. durchsetzen; *fig. tomar* ~ *de a/c.* et. zum Anlaß nehmen; et. als Vorwand benutzen; F *vestirse por los* ~*s* Mann sein; *volver* ~ *atrás* zurückweichen; **2.** ⚘ ~ *de león* **a)** Edelweiß *n*; **b)** Acker-Frauenmantel *m*; ~ *de liebre* Hasenklee *m*; ~ *de rata* gelber Hahnenkamm *m* (*Pilz*); **3.** ⚒ Schößling *m*; Strunk *m*; Wurzelende *n*; Stengel *m*; (junger) Stamm *m*; ~ *de tomatera* Tomatenstämmchen *n*; ~ *de vid* Rebsenker *m*; Rebstock *m*; **4.** Untersatz *m*; Ständer *m*, Gestell *n*; Stütze *f*; *Typ.* Fußsteg *m*; *Zim.* Stützbalken *m*; ⚒ (Gruben-)Stempel *m*; *fig. de* ~ *de banco* unsinnig, verrückt; *fig. ecl.* ~ *de altar* Meßstipendium *n*; Stolgebühr *f*; *Zim.* ~ *de caballete* Bockstütze *f*; **5.** (Unter-)Grund *m*; *Mal.* Grundierung *f*; **6.** *Reg.* Bodensatz *m*; ⚒ *hacer* ~ (*die Menge Oliven od. Trauben*) auf dem Boden der Kelter schichten; **7.** *Thea.* Stichwort *n*; **8.** *Wkz.* ~ *de cabra* Geißfuß *m*; ⊕ Nagelzieher *m*; Brechstange *f*; ⚓ Kenterhaken *m*; ~(*s*) *m*(*/pl.*) *de rey* Schublehre *f.*
piedad *f* **1.** Frömmigkeit *f*; **2.** Erbarmen *n*; Mitleid *n*; *monte m de* ~ Pfandleihe *f*, Leihhaus *n*; **3.** Kindesliebe *f*; *p. ext.* Pietät *f*; **4.** *Ku.* Pieta *f* (*it.*).
piedra *f* Stein *m* (*a.* ⚕); *p. ext.* Hagel *m*; ~ *de afila* (*de amolar*) Wetz- (Schleif-)stein *m*; △ ~ *angular* Eckstein *m*; *fig.* Grundlage *f*, Basis *f*; ~ *arenisca* (*artificial, sintética*) Sand- (Kunst-)stein *m*; ~ *caliza* (*od. de cal*) Kalkstein *m*; ~ *para encendedores*, ~ *de mechero* Feuerstein *m*; *fig.* ~ *filosofal* Stein *m* der Weisen; ~ *machacada* (Stein-)Splitt *m*; ~ *natural* (*preciosa*) Natur- (Edel-)stein *m*; *Folk.* ~ *de rayo* Donnerkeil *m*; ~ *semipreciosa* Halbedelstein *m*; ~ *de sillería* (*de talla*, ~ *labrada*) Quader- (Hau-)stein *m*; *fig.* ~ *de toque* Prüfstein *m*; *mal de* ~ ⚕ Steinleiden *n*; *fig.* F *von Baulustigen u. ihren finanziellen Schwierigkeiten gesagt*; † *u. Reg. niño m de la* ~ Findelkind *n*; *cerrar a* ~ *y lodo* zumauern; *fig.* ganz dicht verschließen; *fig. no dejar* ~ *para mover* alle Hebel in Bewegung setzen; *no dejar* ~ *sobre* ~ keinen Stein auf dem andern lassen, alles völlig zerstören; *poner* (*od. colocar*) *la primera* ~ den Grundstein legen.
piel *f* **1.** *Anat.*, ⚘ Haut *f*; ⚘ *a.* Schale *f*; *fig.* F *dar la* ~ sterben; s-e

Haut zu Markte tragen; **2.** Haut *f*; Fell *n*; Pelz *m*; Leder *n*; ~ *en bruto* Rohhaut *f*; ~ *de cerdo* Schweinsleder *n*; ~ *de cordero* Lammfell *n*; *de* ~*(es)* Pelz...; ~ *de ropa (de Rusia)* Chagrin- (Juchten-)leder *n*; *forrado de* ~*(es)* pelzgefüttert; *fig.* F *ser (de) la* ~ *del diablo* kaum zu bändigen sein (*bsd. Kinder*); sehr aufsässig sein.

piélago *poet. m* Meer *n*.

pielero *m* Pelzhändler *m*.

pielitis ⚕ *f* Nierenbeckenentzündung *f*, Pyelitis *f*.

piel roja *m* Rothaut *f*, Indianer *m*.

pienso[1] **I.** *v/i.* → *pensar*; **II.**: *ni por* ~ nicht im Traum.

pienso[2] *m* (trockenes) Viehfutter *n*.

pierdo *v/t.* → *perder*.

Piérides *f/pl.* **1.** *Myth.* Musen *f/pl.*, Pieriden *f/pl.*; **2.** ♀ *Ent.* Kohlweißlinge *m/pl.*

pierna I. *f* Bein *n*; Unterschenkel *m*; Keule *f von Schlachtfleisch u. Geflügel*; *fig.* Grundstrich *m* (*Unterlänge*) *e-s Buchstabens*; *Kart. Arg. jeder der vier* Barajaspieler *m*; ~*s f/pl. fig. a.* Schenkel *m/pl. e-s Zirkels usw.*; ~ *(de nuez)* Henkel *m* (*Viertel e-r Walnuß*); ~*s f/pl. en O (en X)* O- (X-)Beine *n/pl.*; ~ *del pantalón* Hosenbein *n*; *a media* ~ halblang (*Damenrock*); (*posición f de*) ~*s abiertas* Grätsche(nstellung) *f b. Turnen*; ~ *ortopédica*, ~ *artificial* Beinprothese *f*; *Kchk.* ~ *de ternera* Kalbskeule *f*; F *dormir a* ~ *suelta* sorglos schlafen, s. ausschnarchen F; *fig.* F *echar* ~*s* protzen, angeben F; *ponerse sobre las* ~*s* s. bäumen (*Pferd*); **II.** ~*s m* (*pl. inv.*) F *desp.*: (*ser*) *un* ~*s* e-e Null (*od.* e-e Niete, e-e Flasche F) (sein).

pietis|mo *Rel. m* Pietismus *m*; **~ta** *adj.-su. c* pietistisch; *m* Pietist *m*.

pieza *f* **1.** Stück *n*; Teil *n*; Bestandteil *m*; ⊕ ~ *a comprobar*, ~ *a ensayar* Prüfstück *n*; ⚖ ~ *de convicción* Beweisstück *n*; ⊕ ~ *de examen* Probe-stück *n*, -arbeit *f*; ⊕ ~ *de labor*, ~ *a labrar* Werkstück *n*; ⊕ ~ *de recambio (de repuesto)* Ersatzteil *n*; ~ *de responsabilidad* lebenswichtiges Teil *n an Motoren u. Maschinen*; ⊕ ~ *suelta (suplementaria)* Einzel- (Zusatz-)teil *n*; *fig.* F *iron. buena* ~ sauberer Vogel (*od.* Kunde) *m fig.* F; *de una* ~ (*de dos* ~*s*) ein- (zwei-)teilig; *por* ~*s* stückweise (*verkaufen usw.*); ✝ *cotizarse a la* ~ nach dem Stück notiert werden; *fig.* F *jugarle una* ~ *a alg.* j-m e-n schlimmen Streich spielen; *fig.* F *quedarse de una (od. hecho una)* ~ erstarren, die Sprache verlieren *fig.*; **2.** *Jgdw.* Stück *n* Wild; Fisch *m*; ~*s f/pl. cobradas* Strecke *f*; **3.** Theater-, Musik-stück *n*; **4.** Zimmer *n*, Raum *m*; **5.** Geldstück *n*, Münze *f*; ~ *de cinco pesetas* Fünfpesetenstück *n*; **6.** Stein *m*, Figur *f b. Brettspielen u. ä.*; **7.** ⚔ Geschütz *n*; ~ *antiaérea* Flugabwehrkanone *f*, Flak *f*.

piezgo *m* Fußteil *m e-s Weinschlauchs*; *p. ext.* (Wein-)Schlauch *m*.

pífano ♪ *m* (Trommler-)Pfeife *f*, Pikkolo *f der Trommler- und Pfeifenkorps*; Pikkolospieler *m*.

pifi|a *f* Fehlstoß *m b. Billard*; *fig.* F *dar una* ~ e-n Schnitzer (*bzw.* e-e Dummheit) machen; **~ar** [1b] **I.** *v/i.* ♪ kicksen *b. Flötenspiel*; **II.** *vt/i.* e-n Fehlstoß tun *b. Billard*; *fig.* F e-n Fehler machen, e-n Bock schießen F; *fig.* F *Am. Mer. j-n* auf den Arm nehmen.

pigmen|tación *f* Pigmentierung *f*; **~tar** *v/t.* pigmentieren; **~tario** *adj.* Pigment...; **~to** *m* Pigment *n*; Farbkörper *m*; Farbstoff *m*; *Physiol.* ~ *biliar* Gallenfarbstoff *m*.

pigmeo *Ethn. m* Pygmäe *m*; *a. fig.* Zwerg *m*.

pignora|ción *f* Verpfändung *f*, Beleihung *f*; **~r** *v/t.* verpfänden, beleihen, ✝ lombardieren; **~ticio** *adj.* Pfand...; Lombard...; ✝ *crédito m* ~ Lombardkredit *m*.

pigricia ✎ *f* Faulheit *f*, Trägheit *f*.

pijada P *f* Dummheit *f*; Unsinn *m*; ~*s f/pl.* Quatsch *m* F.

pijama *m* **1.** (*Am. mst. f, oft* ~*s f/pl.*) Pyjama *m*, Schlafanzug *m*; **2.** *Kchk.* Eis *n* mit Pfirsich.

pije F *m Chi.* Modenarr *m*, Geck *m*.

pijibay ⚘ *m Am. Cent.* Pixabay-Palme *f*.

pijo P *m* männliches Glied *n*, *der Kleine* F; **~tada** P *f* Dummheit *f*; *Cu.* → *pizca*; **~tero** P *adj.* kleinlich; knauserig; *desp.* Mist... P, Dreck(s)... P; *iron. hágame el* ~ *favor* vielleicht sind Sie bald so nett F.

pila *f* **1.** Wassertrog *m*; (Spül-)Becken *n*; ~ *bautismal* Taufbecken *n*; ~ *del agua bendita* Weihwasserbecken *n*, -kessel *m*; ~ *de fuente* Brunnenbecken *n*; *sacar de (od. tener en la)* ~ *a alg.* j-n aus der Taufe heben; j-s Taufpate sein; *fig.* P *más bruto que la* ~ *de un pozo* dumm wie Bohnenstroh F; **2.** *Phys.*, ⚡ Batterie *f*; Element *n*; ~ *atómica* Atommeiler *m*; ~ *de bolsillo* Taschenbatterie *f*; ~ *seca* Trockenbatterie *f bzw.* -element *n*; ~ *de selenio* Selenzelle *f*; ~ *(de energía) solar* Sonnenbatterie *f*; ~ *termoeléctrica* Thermoelement *n*; **3.** Stapel *m*, Stoß *m*; ~ *de leña* Holz-stoß *m*, -stapel *m*; **4.** Brückenpfeiler *m*, -joch *n*.

pilar[1] *m* **1.** Pfeiler *m*; einzeln stehende Säule *f*; Wegweiser *m*; Meilenstein *m*; *fig.* Stütze *f*; ⚠ ~ *de fundamento* Grundpfeiler *m*; *Rel. la Virgen del* ♀ Unsere Liebe Frau auf dem Pfeiler (*Saragossa*), *die Schutzpatronin von Spanien*; **2.** *steinernes* (Brunnen-)Becken *n*.

pilar[2] ⚒ *v/t. Getreide* schälen.

pilastra ⚠ *f* Wandpfeiler *m*.

pilca *f Am. Mer.* Lehmmauerwerk *n*.

pilco *m Chi.* Kopföffnung *f des Ponchos*; *Kchk.* → *pirco*.

pilcha *f Chi.*, *Rpl.* Kleidung *f*; ~*s f/pl.* Kleidung *f* u. Reitzeug *n des Gauchos*; *fig.* ~ Geliebte *f*, Schätzchen *n* F.

píldora *f a. fig.* Pille *f*; ⚔ F ~*s f/pl.* blaue Bohnen *f/pl.* (*fig.* F); *pharm.* ~ *antibaby* Antibabypille *f*; *fig.* F *tragar la* ~ hereinfallen, auf den Leim gehen; *fig. dorar la* ~ die Pille versüßen.

pi|leta *f* kl. Becken *n*; Weih(wasser)kessel *m* (*bsd. in Privathäusern*); Schwimmbassin *n*; *Rpl.* Spülbecken *n*; **~lón** *m* **1.** Waschtrog *m*; Brunnentrog *m*; ~ *de abrevadero* Tränkbecken *n*; **2.** Zuckerhut *m*; *Méj. fig.* Zugabe *f b. Kauf*; **3.** Mörser *m* (*Gerät*); **4.** ⚠ Pylon(e *f*) *m*.

pilongo I. *adj.* hager; → *a. castaña*; **II.** *m fig.* F Witzbold *m*.

píloro *Anat. m* Pförtner *m*.

pilo|sidad *f* (starke) Behaarung *f*; **~so** *adj* behaart.

pilo|taje[1] *m* **1.** Steuermanns- *bzw.* Lotsen-kunst *f*; Lotsenkunde *f*; ~ *(de aviación)* Fliegerschulung *f*; **2.** Steuern *n e-s Schiffes od. Flugzeugs*; **3.** Lotsengeld *n*; **4.** *koll.* Steuerleute *pl.*; Lotsen *m/pl.*; **~taje**[2] ⚠ *m* Pfahlwerk *n*, Pfahlrost *m*; ~ *de puente* Brückenjoch *n*; **~t(e)ar** *v/t.* **1.** ⚓ *u. fig.* lotsen; **2.** ✈, *Kfz.* lenken, steuern; **~te** ⚠ *m* (Ramm-)Pfahl *m*; Pfeiler *m*; **~to I.** *m* **1.** ⚓ Steuermann *m*, Zweiter Offizier *m*; (See-)Lotse *m*; *fig.* Führer *m*, Lenker *m*, Lotse *m*; ⚓ *segundo* ~ Steuermannsmaat *m*; **2.** Flugzeugführer *m*, Pilot *m*; ~ *profesor* Fluglehrer *m*; ~ *de prueba(s)* Testpilot *m*; **3.** *Kfz.* Rennfahrer *m*; † *u.* F Fahrer *m*, Fahrzeuglenker *m*; **4.** ✈ Steuergerät *n*; ~ *automático* Autopilot *m*; ~ *giroscópico* Kreiselsteuergerät *n*; **5.** Warnlampe *f*; *a. Kfz.* ~ *de alarma (de avería)* Alarm-, Warn- (Störungs-)lampe *f*; ~ *de freno* (~ *posterior*) Brems- (Heck-)leuchte *f*; **II.** *adj. inv.* **6.** Muster..., Versuchs...; *planta f* ~ Versuchsanlage.

piltra □ *f* Bett *n*.

piltrafa *f* F mageres, schlechtes Fleisch *n*; ~*s f/pl.* (Fleisch-)Abfall *m*.

pilucho F *adj. Chi.* → *desnudo*.

pi|llada *f* **1.** Schurkenstreich *m*; **2.** *Arg.* Erwischen *n*; Erhaschen *n*; Überraschen *n*; **~llaje** *m* **1.** Raub *m*, Plünderung *f*; **2.** Kriegsbeute *f*; **~llar** *v/t.* **1.** rauben; plündern; **2.** F erwischen, kriegen F; fangen; *Arg.*, *Méj.*, *P. Ri.* überraschen, ertappen; *fig.* F *eso me pilla muy lejos* das ist für mich sehr entlegen, das liegt nicht an m-m Weg; *fig.* F *eso no me pilla de nuevo* das läßt mich kalt; **~llastre** F *m* Gauner *m*, Schurke *m*; **~llería** *f* **1.** Gesindel *n*; Gaunerbande *f*; **2.** Schurkenstreich *m*; **~llete** F *m*, **~llín** F *m* Spitzbube *m*, Schlingel *m*; *ser un* ~ *a.* es faustdick hinter den Ohren haben; **~llo** F *adj.-su.* Gauner...; *m* Spitzbube *m*, Gauner *m*; Schurke *m*; **~lluelo** *m* Schlingel *m*; Lausbub *m*.

pimen|tada *f Pe.* Paprikagericht *n*; **~tero** *m* **1.** Pfefferstrauch *m*; **2.** Pfefferdose *f*; **~tón** *m* (gemahlener) Paprika *m*.

pimien|ta *f* Pfeffer *m*; *fig.* F *ser como una* ~ sehr clever u. schlagfertig sein; **~to** *m* Paprika-, Pfefferschote *f*; span. Pfeffer *m*; ~ *morrón* rote Paprikaschote *f*; *fig.* F *nos importa un* ~ das ist uns schietegal P.

pimpampún F *m* Schießbude *f*.

pimpante F *adj. c* elegant (gekleidet); stattlich, stramm; forsch.

pimpinela ⚘ *f* Bibernelle *f*.

pimpollo *m* Schößling *m*; Knospe *f*; *fig.* F (*oft* ~ *de oro*) hübsches Kind *n*.

pina *f* **1.** *spitz zulaufender* Grenzstein *m*; **2.** Felge *f e-s Wagenrads.*
pinabete ⚘ *m* (Edel-, Weiß-)Tanne *f.*
pinacate *Na. m Méj. schabenähnlicher gr. Käfer*; *fig.* F Dummkopf *m.*
pinacoteca *f* Pinakothek *f.*
pináculo *m* Giebel *m*; Zinne *f*; *fig.* Gipfel *m.*
pina|r *m* Kiefern-, Pinien-wald *m*; Nadelwald *m*; **~tífido** ⚘ *adj.* fiederteilig (*Blatt*).
pinaza ⚓ *f* Pinasse *f.*
pince|l *m* Pinsel *m*; **~lada** *f* Pinselstrich *m*; ⚕ ~*s f/pl.* Pinseln *n*; *fig. dar la última ~ a a/c.* e-r Sache den letzten Schliff geben; **~lar** *v/t.* pinseln, anstreichen; malen, porträtieren; ⚕ aus-, be-, ein-pinseln.
pin|char *vt/i.* stechen; *fig.* (auf-)reizen; sticheln, kränken; *Jgdw.* anschießen; *fig. ni cortar ni ~* weder Fisch noch Fleisch sein; **~chaúvas** F *m* (*pl. inv.*) Lausbub *m*, *der auf den Märkten die Trauben herauspickt*; *fig.* Lump *m*, Gauner *m*; **~chazo** *m* Stichwunde *f*; *fig.* Stich(elei *f*) *m*; *Kfz.* Reifenpanne *f*; *~ en el cuello* Genickfang(stich) *m*; **~che** *m* Küchenjunge *m*; Lehrling *m in e-m Geschäft*; **~cho** F *m* Stachel *m*; Dorn *m*; Stecher *m der Zollbeamten.*
pindárico *adj.* auf (den Dichter) Pindar bezüglich.
pindonga F *f* Herumtreiberin *f.*
pineal *Anat. adj. c*: *glándula f ~* Zirbel(drüse) *f.*
pingajo *m* Fetzen *m*; *fig.* F *estar hecho un ~* erledigt (*od.* kaputt F) sein; **~so** *adj.* in Fetzen, zerlumpt.
pinganitos F: *estar en ~* es zu et. gebracht haben.
pingar [1h] **I.** *v/i* **1.** tröpfeln; **2.** springen; **II.** *v/t.* **3.** → *inclinar.*
pingo *m* **1.** F Fetzen *m*; *fig.* Lump *m*; ~*s m/pl.* Fähnchen *n/pl.* F (*Damenkleider*); *ir de ~ wird von Frauen gesagt, die lieber ausgehen oder Besuche machen als ihre Arbeit*; **2.** □ Raufbold *m*; **3.** *Arg.* (feuriges) Pferd *n*; *Méj.* Teufel *m*; **~tear** *Equ. v/i.* springen, Kapriolen machen.
ping-pong *Sp. m* Tischtennis *n*, Pingpong *n.*
pin|güe *adj. c* fett(ig); *fig.* ergiebig; einträglich; groß (*Gewinn*); **~güino** *Vo. m* Pinguin *m.*
pinitos *m/pl. die* ersten Schritte *m/pl. e-s Kindes od. e-s lange Bettlägerigen*; *fig.* erste Versuche *m/pl.*; *hacer ~ a. fig.* die ersten Gehversuche machen.
pinnípedos *Zo. m/pl.* Flossenfüßer *m/pl.*
pino[1] **I.** *adj.* steil; *en ~* aufrecht; **II.** *m*: *hacer el ~* s. *unter Zuhilfenahme der Hände* aufrichten; *hacer ~s* → *hacer pinitos.*
pino[2] *m Baum u. Holz*: *~ (común)* Kiefer *f*; *~ (piñonero)* Pinie *f*; *~ de los alpes (de incienso)* Zirbel- (Terpentin-)kiefer *f*; *~ americano* nordamerikanische Pechkiefer *f*, Pitchpine *f engl.* (*Holz*); *~ blanco* Weißföhre *f*; *~ laricio (resinoso)* Schwarz-, Lärchen- (Pech-)kiefer *f*; *esencia f de hojas de ~* Fichtennadelöl *n*; *fig.* P *plantar un ~* e-n Kaktus pflanzen (*fig.* P); *fig.* F *ser (como) un ~ de oro* schmuck u. stattlich sein.
pinocha *f* **1.** Kiefern-, Pinien-nadel *f*; **2.** *Rpl.* Maiskolben *m.*
pino|late *m Am. Cent.*, *Méj. Getränk aus pinole u. Kakao*; **~le** *m ib.* geröstetes Maismehl *n.*
pinsapo ⚘ *m* span. Edeltanne *f.*
pinscher *m* Pinscher *m* (*Hund*).
pinta[1] **I.** *f* **1.** Flecken *m bzw.* Tupfen *m*; Farbtupfen *m*; *p. ext.* Narbe *f*; *Kart.* Erkennungszeichen *n*; ~*s f/pl. a. Art* Kartenspiel *n*; **2.** *fig.* F Aussehen *n*; Augenschein *m*; *no quitar ~* j-m sehr ähnlich sein (*in Aussehen u. Wesen*); *sacar por la ~* am Aussehen (*bzw.* an e-m besonderen Merkmal) erkennen; *tener buena ~* gut aussehen; *de mala ~* wenig vertrauenerweckend (*aussehen*[*d*]); **II.** *m* **3.** Gauner *m*; *¡vaya un ~!* das ist vielleicht 'ne Type! (*fig.* F).
pinta[2] *f* Pinte *f* (*Flüssigkeitsmaß*); F *tomar una ~ de vino* e-n Schluck Wein trinken.
pinta|da *f* Perlhuhn *n*; **~dera** *f* Kuchenspritze *f*; **~dillo** *Vo. m* Distelfink *m*, Stieglitz *m*; **~do I.** *adj.* bemalt; angestrichen; bunt; *fig.* F *como ~* wie angegossen (*Kleidung*); wie gerufen (*kommen*); *fig.* F *el más ~* der Schlaueste, der Gerissenste; *fig.* F *no poder verle a alg. ni ~* j-n nicht ausstehen können; *papel m ~* Tapete *f*; *~ al duco* spritzlackiert; *~ de negro* schwarzbemalt; schwarz angestrichen; *fig.* F *(que) ni ~* ausgezeichnet, reizend, wunderschön; *recién ~* frisch gestrichen; **II.** *m* Anstreichen *n*; Bemalen *n*; **~monas** F *m* (*pl. inv.*) Farbenkleckser *m*, schlechter Maler *m.*
pinta|r I. *v/t.* malen; anstreichen; *fig.* schildern; ausschmücken; *~ de rojo* rot anstreichen; *fig.* F *no ~ nada* nichts zu sagen (*od.* zu melden, zu bestellen) haben; *ser muy amigo de ~la* gern den Vornehmen spielen; s. wie ein Pfau spreizen; *Spr. no es tan feo el diablo como le pintan* es ist alles halb so schlimm; **II.** *v/i.* s. färben, reifen (*Früchte*); *fig.* s-n Wert (*od.* s-e Bedeutung, sein Wesen) zeigen; **III.** *v/r.* *~se* s. schminken; *fig.* F *~se uno solo para a/c.* in e-r Sache sehr gescheit sein; s. für e-e Sache sehr gut eignen; F *¿qué diablo te pintas tú por aquí?* was treibst du denn hier? F; **~rraj(e)ar** *v/t.* (hin)sudeln, (hin)klecksen; **~rrajo** F *m* Sudelei *f*, Kleckserei *f.*
pintipara|do F *adj.* äußerst ähnlich; *fig.* sehr gelegen (*kommen*); **~r** F *v/t.* vergleichen.
pinto|r *m* Maler *m*; *~ artista* Kunstmaler *m*; *~ de brocha gorda* Anstreicher *m*; **~resco** *adj.* malerisch; **~rrear** F *v/t.* sudeln, schmieren, klecksen.
pintu|ra *f* **1.** Malerei *f*; Anstrich *m*; *~ a la aguada*, *~ de acuarela* Aquarellmalerei *f*; *~ al duco* Spritzlackierung *f*; *~ sobre cristal* Glasmalerei *f*; *~ al esmalte (al fresco)* Email- (Fresko-)malerei *f*; *~ al óleo (al pastel)* Öl- (Pastell-)malerei *f*; *~ de porcelana (al temple)* Porzellan- (Tempera-)malerei *f*; *~ rupestre* Höhlenmalerei *f*; **2.** (Mal- *bzw.* Anstreich-)Farbe *f*; *~ al aceite (a brocha)* Öl- (Streich-)farbe *f*; *~ a la cal (preparada con cola)* Kalk- (Leim-)farbe *f*; *~ de esmalte (de laca)* Email- (Lack-)farbe *f*; *~ fluorescente (od. luminosa)* Leuchtfarbe *f*; *caja f de ~s* Malkasten *m*; *tienda f de ~s* Farbengeschäft *n*; *dar una capa (od. echar una mano) de ~ a et.* einmal überstreichen; **3.** Gemälde *n*, Bild *n*; *fig.* Beschreibung *f*; *fig. hacer la ~ de et.* beschreiben; *fig.* F *no poder verle a alg. ni en ~* j-n ganz u. gar nicht ausstehen können; *fig. ser una ~* bildschön sein; **~rería** *f Arg.* Farbengeschäft *n*; **~rero** F *adj.-su.* geckenhaft; eingebildet; *m* Stutzer *m*, Geck *m.*
pin up *engl. f* Pin-up-girl *n.*
pinza *f* Klammer *f*; Klemme *f*; Kluppe *f*; feine Zange *f*; *~ para la ropa* Wäscheklammer *f*; *~ para pantalón* Hosenstrecker *m*; ~*s f/pl.* Pinzette *f.*
pinzón *Vo. m* Fink *m.*
pinzote ⚓ *m* (Ruder-)Zapfen *m.*
pi|ña *f* **1.** Kiefern-, Pinien-zapfen *m*; *~ de ciprés* Zypressenapfel *m*; **2.** *~ (de América)* Ananas *f*; **~ñata** *f* (Koch-)Topf *m*; *p. ext.* Gefäß *n* mit Süßigkeiten, *das am baile m de ~ (= Maskenball am ersten Fastensonntag) zerschlagen wird*; **~ñón**[1] *m* Pinienkern *m*; *fig.* F *estar a partir un ~ con alg.* mit j-m sehr gut auskommen (*od.* sehr gut freund sein); *fig.* F *boquita f de ~* süße Krabbe *f* F (*Mädchen*).
piñón[2] ⊕ *m* Ritzel *m*; kl. Zahnrad *n*; *Kfz.* *~ del arranque* Anlasserritzel *m*; *~ libre* Freilauf *m z. B. am Fahrrad.*
piñona|ta *f* geraspelte Mandeln *f/pl.* mit Zucker (*Mandelkonserve*); **~te** *m* Gebäck *n* aus Pinienkernen.
pío[1] *adj.* fromm; gütig, gutherzig; ✝, *ecl. obras f/pl.* *~as* fromme Stiftung *f.*
pío[2] **I.** *adj.* scheckig; **II.** *m* Schecke *m.*
pío[3] *m* Piepen *n*, Gepiepe *n*; *fig.* F *no decir ni ~* nicht piep sagen F.
piocha *f* Zitternadel *f* (*weiblicher Kopfputz*).
piógeno ⚕ *adj.* eitererregend.
pio|jera ⚘ *f* Läusekraut *n*; **~jería** *f* Verlausung *f*; *fig.* Elend *n*; **~jillo** *m* Vogellaus *f*; **~jo** *m* Laus *f*; *fig.* F *~ puesto de limpio od. ~ resucitado* schäbiger Emporkömmling *m*; **~joso I.** *adj.* verlaust; *fig.* lausig; schäbig, filzig; **II.** *m* Lumpenkerl *m*, armseliger Wicht *m.*
piola *f* **1.** ⚓ Leine *f*, Hüsing *f*; **2.** *Am. Mer.* Schnur *f*; F *Arg. ser ~* → *ser listo.*
piolet *Sp. frz. m* Eispickel *m.*
pionero *m* (*a. adj.*) Pionier *m* (*fig.*).
pionía *f* roter Samen *m* des Bucarebaums.
piorno ⚘ *m* Spanischer Ginster *m.*
piorrea ⚕ *f* Eiterfluß *m*, Pyrrhöe *f.*
pipa[1] *f* Kern *m von Zitronen, Sonnenblumen usw.*; *fig.* ⊕ Stanzabfall *m*, Butzen *m.*
pipa[2] *Zo. m Ven.* Pipafrosch *m.*
pipa[3] *f* **1.** Weinfäßchen *n*, Pipe *f*; **2.** (Tabaks-)Pfeife *f*; *boquilla f (cabeza f, tapa f, tubo m) de ~* Pfeifen-mundstück *n* (-kopf *m*, -deckel *m*, -rohr *n*); *~ de brezo* Bruyère-Pfeife *f*; *~ de la paz* Friedenspfeife *f*; *preparar (od. llenar) la ~* die Pfeife stopfen; **3.** (Schalmeien-,

Dudelsack-)Mundstück *n*; Rohrflöte *f*, -pfeife *f*; *fig.* Gummikappe *f für Zündkabel* (*Kfz.*); **~r** F *v/i.* Pfeife rauchen, paffen; (gerne e-n) trinken.

pipe-line *engl. m* Pipeline *f*, Ölleitung *f*.

piperáceas ♀ *f/pl.* Pfeffergewächse *n/pl.*

pipe|ría *f* **1.** Fässer *n/pl.*; **2.** ⚓ Behälter *m/pl. für den Trinkwasservorrat*; **~ta** *f* (Stech-)Heber *m*, Pipette *f*.

pipi I. *m* □ Tölpel *m*; *fig.* P einfacher Soldat *m*; F Laus *f*; **II.** *f* F dummes, junges Ding *n*.

pipí[1] *Kdspr. m*: *hacer* ~ Pipi machen.

pipí[2] *Vo. m* → *pitpit*.

pipiar *v/i.* → *piar*.

pipio|la *Na. f* **1.** *Méj.* Kleine *f* (*Kind*); **2.** mexikanische Wachsbiene *f*; **~lo** F *m* **1.** Anfänger *m*; Neuling *m*; **2.** Kleine(r) *m* (*Kind*); **3.** *hist. Chi.* Liberale(r) *m*.

pipiri|gallo ♀ *m* Esparsette *f*; **~pao** F *m* Gelage *n*; *fig. Am.* de ~ wertlos; unbedeutend; **~taña** *f* Rohrflöte *f*.

pipispelo *Vo. m* Fledermaus *f*.

pique[1] *m* **1.** Groll *m*; Eigensinn *m*; *tener un* ~ *con alg.* e-n Groll auf j-n haben; **2.** *Arg.* Schneise *f*; **3.** ⚓ *u. fig. echar a* ~ versenken; *fig.* zugrunde richten; *irse a* ~ untergehen; *estás a* ~ *de caer* du bist drauf u. dran zu fallen.

pique[2] ⚓ *m* **1.** Piekstück *n*; **2.** Einschlag *m*.

piqué *tex. m* Pikee *m* (*Stoff*).

piquera *f* Spund-, Zapf-loch *n*; *Gießerei*: Abstich(loch *n*) *m*.

pique|ta *f* Spitzhaue *f*; Keilhacke *f*; Pickel *m*; **~te** *m* **1.** (Absteck-)Pfahl *m*; Hering *m für Zelt*; **2.** ⚔ Trupp *m*; ~ *de ejecución* Exekutionskommando *n*; **3.** Streikposten *m/pl.* (aufstellen *organizar*).

piqueteado *m* Tätowierung *f*.

pira *f* Scheiterhaufen *m*; *Sch. ir de* ~ die Vorlesungen schwänzen.

pira|gua *f* **1.** Kanu *n*; *p. ext.* Paddelboot *n*; **2.** Einbaum *m der Indios*; **~güero** *m* Kanufahrer *m*; Paddler *m*.

pi|ramidal *adj. c* pyramidenförmig; *fig.* F kolossal; **~rámide** *f a. fig. Soz.* Pyramide *f*.

piraña *Fi. f* Piranha *m*.

pirarse P *v/r.*, *a. pirárselas* abhauen P; ~ *del colegio* die Schule schwänzen.

pira|ta *m* Seeräuber *m*, Pirat *m*; *fig. emisora f* ~ Piratensender *m*; **~tear** *v/i.* der Piraterie nachgehen; **~tería** *f* Seeräuberei *f*, Piraterie *f*.

pirca *f Am. Mer.* → *pilca*.

pirco *Kchk. m Chi. Gericht aus Bohnen, Mais u. Kürbis.*

pirenaico *adj.* pyrenäisch, Pyrenäen...

pirita *Min. f* Schwefelkies *m*; ~ *magnética* Magnetkies *m*.

piro P *m*: *darse el* ~ → *pirarse*.

piro|fórico ⚗ *adj.* luftentzündlich; **~grabado** *m* Brandmalerei *f*.

piró|mano *m* Pyromane *m*; **~metro** *Phys.*, ⊕ *m* Pyrometer *n*.

piro|pear *v/t. e-r Dame* Artigkeiten sagen, *e-m Mädchen* Scherzworte zurufen; **~po** *m* **1.** Granat *m*; Karfunkel *m*; **2.** *fig.* Schmeichelei *f*, Kompliment *n*; *echar* **~***s a* → *piropear*; *fig.* F *ser un* ~ *ambulante* sehr schön sein (*Frau*).

piro|sis ⚕ *f* Sodbrennen *n*; **~tecnia** *f* Feuerwerkerei *f*; **~técnico I.** *adj.* pyrotechnisch; **II.** *m* Feuerwerker *m*; **~xenos** *Min. m/pl.* Pyroxene *m/pl.*

pirrarse F *v/r.* schwärmen (für *ac. por*); hinter et. (*dat.*) her sein.

pírrico *adj. fig.*: *victoria f* **~***a* Pyrrhussieg *m*.

pirue|ta *f* Pirouette *f*; **~tear** *v/i.* pirouettieren.

piru|lí *m* Lutscher *m*; **~lo** *m Reg.* **1.** → *perinola*; **2.** → *botijo*; **3.** *Chi.* **a)** schmächtiges Kind *n*; *mst. kosend*: kl. Kerlchen *n* F; **b)** geschniegelt u. gebügelt Auftretende(r) *m*.

pis F *m*: *hacer* ~ Pipi machen F.

pisa *f* **1.** Treten *n*; *fig.* F Fußtritt *m*; Tracht *f* Prügel; **2.** ⛏ Keltervoll *f* (*Oliven od. Trauben*); **~da** *f* **1.** Fußspur *f*; Fußstapfen *m*; **2.** (Fuß-)Tritt *m*; **~dor** *m* **1.** ⛏ Keltertreter *m*; **2.** *Equ.* Stampfer *m*; **~papeles** *m* (*pl. inv.*) Briefbeschwerer *m*; **~pasos** *m* (*pl. inv.*) Gleitschutz *m*.

pisar I. *v/t.* **1.** treten; betreten; *fig.* schlecht behandeln, treten; *Vorhaben, Vortrag usw.* zuschanden machen, vermasseln F; *me ha* **~***ado usted* Sie sind mir auf den Fuß getreten; *fig.* F ~ *alguna mala hierba* e-n schlechten Tag haben; ~ *los talones* auf die Hacken treten; **2.** stampfen; keltern; (ein)rammen; (nieder)drücken; ♪ kraftvoll in *die Tasten* (*bzw.* in *die Saiten*) greifen; **3.** *das Weibchen* treten (*Vögel*); *fig.* P, *bsd.* ⚓ koitieren, stoßen P; **II.** *v/i.* **4.** stampfen (*Pferd*); **5.** über e-r andern Wohnung liegen.

pisaverde F *m* Stutzer *m*; Fatzke *m* F, Geck *m*.

pis|catorio *adj.* Fischerei...; **~cícola** *adj. c* Fischzucht...; **~cicultor** *m* Fischzüchter *m*; **~cicultura** *f* Fischzucht *f*; **~cina** *f* Schwimmbecken *n*; Badeanstalt *f*; ~ *cubierta* Hallenbad *n*; ~ *termal* Thermalschwimmbad *n*; **♀cis** *Astr. m* Fische *m/pl.*

pisco *Ke.* **I.** *m* **1.** *Col.* Truthahn *m*; **2.** *Pe. berühmter Branntwein*; *p. ext.* Piscokrug *m*; **II.** *adj.* **3.** F *Ven.* betrunken.

piscolabis F *m* (*pl. inv.*) Imbiß *m*, Happen *m*; *Am. Mer.* Aperitif *m*; *Méj.* Geld *n*, Moneten *pl.* F.

piso *m* **1.** Fußboden *m*; (Straßen-)Decke *f*, Belag *m*; *a ras de* ~ bodeneben; ~ *alfombra* Teppichboden *m*; ~ *de cemento* (*de entarimado, de parquet*) Beton- (Parkett-)boden *m*; **2.** Stock(werk *n*) *m*, Geschoß *n*, Etage *f*; ⚒ Sohle *f*; *de dos* **~***s* zweistöckig; ~ *bajo* Erdgeschoß *n*; ~ *principal* erster Stock *m* (*oft ist die Reihenfolge* ~ *bajo*, ~ *principal*, *primer* ~, *etc.*); **3.** Wohnung *f*; *buscar* ~ e-e Wohnung suchen; **4.** *Am.* Weide-, Einstell-gebühr *f*; **5.** *Am. Reg.* Bettvorlage *f*.

pisón *m* ⚠ Handramme *f*; Pflasterramme *f*; ⊕ Stampfer *m der Former*.

piso|tear *v/t.* (zer)treten; *fig.* mit Füßen treten; **~tón** *m* Tritt *m* auf den Fuß.

pispajo 1. Fetzen *m* (*Stoff*); wertloses Zeug *n*; **2.** zurückgebliebenes Kind *n*.

pispar F **I.** *v/t.* klauen F, stibitzen; **II.** *vt/i. Arg.* (be)lauern; *Arg., Chi.* ahnen, erraten; *Chi.* aufschnappen (*fig.*).

pista *f* **1.** Spur *f*, Fährte *f*; *fig. ponerse a la* ~ s. auf die Fährte setzen; *seguirle la* ~ *a alg.* j-m auf den Fersen bleiben, j-m nachspüren; **2.** Bahn *f*, Piste *f*; Fahr-, Reit-, Renn-bahn *f*; Rennstrecke *f*; ✈ Rollfeld *n*; ⚔ Rollbahn *f*; ✈ ~ (*de aterrizaje*) Landebahn *f*; ~ *de baile* Tanzfläche *f*; ~ *de la bolera* (*de hielo, de patines*) Kegel- (Eis-, Rollschuh-)bahn *f*; *Sp.* ~ (*de cenizas*) Aschenbahn *f*; ~ *para ciclistas* Radfahrweg *m*; ✈ ~ *de despegue* (*de emergencia*) Start- (Notlande-)bahn *f*; ~ *de esgrima* Fecht-boden *m*, -bahn *f*; *Kfz.* ~ *de pruebas* Teststrecke *f*; *Film*: ~ *sonora* Tonspur *f*; ~ *de tenis* Tennisplatz *m*.

pistacho *m* Pistazie *f*.

pistero *m* Schnabeltasse *f* für Kranke.

pistilo ♀ *m* Stempel *m*, Pistill *n*.

pisto *m* **1.** *Kchk. span. Gericht aus Tomaten, Paprikaschoten usw.*; *fig.* F schlechtes Essen *n*, Schlangenfraß *m* F; *fig.* F Mischmasch *m*, Durcheinander *n* (*z. B. wirre Rede*); **2.** Fleischsaft *m*; *fig.* F *darse* ~ angeben F.

pisto|la *f* Pistole *f*; ~ *ametralladora* Maschinenpistole *f*; ~ *de juguete* Spielzeugpistole *f*; ~ *lanzacohetes* (*pulverizadora*) Leucht- (Sprüh-)pistole *f*; ~ *para pintar al duco* Spritzpistole *f zum Lackieren*; → *a. Cristo*; **~lera** *f* Pistolen-tasche *f*; -halfter *n*; **~lero** *m* Pistolenschütze *m*; *p. ext.* gedungener Mörder *m*, Killer *m*; Bandit *m*; *desp.* Revolverheld *m*; **~letazo** *m* Pistolenschuß *m*.

pis|tón *m* **1.** ⊕ Kolben *m*; → *a. émbolo*; **2.** ⚔ Zündkegel *m der Zündkapsel*; **3.** ♪ Klappe *f*, Ventil *n der Trompeten usw.*; *cornetín m de* ~ Piston *n*; *fig.* F de ~ großartig, prima F; **~tonudo** F *adj.* prima, pfundig, toll (*alle* F).

pistra|je F, **~que** F *m* fade Brühe *f*; Gesöff *n* F.

pita[1] *f* Klicker *m*, Murmel *f*; Glaskugel *f*.

pita[2] ♀ *f* **1.** Agave *f*; **2.** Pita-, Sisalhanf *m*.

pita, ~, ~ *int.* putt, putt, putt (*Lockruf für Hühner*).

pitada *f* Pfiff *m*; *fig.* F Flegelei *f*; *Sp.* ~ *final* Schlußpfiff *m*; *fig.* F *dar una* ~ aus der Rolle fallen.

Pi|tágoras: ⩓ *teorema m de* ~ Pythagoreischer Lehrsatz *m*; **♀tagórico** *adj.-su.* pythagoreisch; *m* Pythagoreer *m*; **♀tagorismo** *m* Pythagoreertum *n*.

pitanza *f* **1.** Armenspeisung *f*; *fig.* F Alltagskost *f*; *fig.* Entgelt *n*; **2.** *Am. Mer.* Kettenrauchen *n*; *Chi.* → *ganga, ventaja*.

pitar I. *v/i.* **1.** pfeifen; *fig.* F gut laufen, klappen F; in Ordnung sein, funktionieren; *fig.* F *salir pitando* s. schnellstens davonmachen, abhauen P; *fig.* kräftig vom Leder ziehen; **2.** *Am. Mer. vt/i.* rauchen; **II.** *v/t.* **3.** *Reg. u. Méj., P. Ri.* auspfeifen.

pitarroso *adj.* triefäugig.
pitecántropo *prehist. m* Pithekanthropus *m.*
Pitia *npr. f* Pythia *f* (*a. fig.*).
piti|do *m* Pfiff *m*; **~llera** *f* **1.** Zigarettenetui *n*; **2.** Arbeiterin *f* in e-r Zigarettenfabrik; **~llo** F *m* Zigarette *f*, Glimmstengel *m* F.
pito *m* (Triller-, Signal-)Pfeife *f*; *fig.* P Penis *m*, Pfeife *f* P; F → *pitillo*; *fig.* F *me importa un ~* das ist mir schnuppe (*od.* wurscht P); *no tocar ~ en a/c.* nichts damit zu schaffen haben; *no valer un ~* k-n Pfifferling wert sein; **~flero** F *m* schlechter Musiker *m*, Dudler *m* F; Klatschmaul *n* F.
pitón[1] *m* Pythonschlange *f.*
pi|tón[2] *m* **1.** Hornspitze *f*; *p. ext.* Horn *n* (*bsd. e-s Stiers*); **2.** *Jgdw.* Geweihknospe *f*; Spieß *m*; Stange *f*; **3.** Tülle *f*; Strahlmundstück *n*; ⊕ Höcker *m*, Nocken *m*; (Klemm-)Stift *m*; **~tonazo** F *m* (Verletzung *f* durch e-n) Hornstoß *m.*
pitonisa *f* Wahrsagerin *f.*
pitorra *Vo. f* Schnepfe *f.*
pitorre|arse F *v/r.*: *~ de alg.* j-n aufziehen, j-n auf den Arm nehmen F; **~o** *m* Verspottung *f*; Hohn *m.*
pitorro F *m* Schnabel *m*, Tülle *f.*
pitpit *Vo. m Dacnis cayana.*
pituco F *m Rpl.* Geck *m*, Fatzke *m* F.
pituita ⚕ *f* Schleim *m*; **~rio** *adj.* schleimig; (*membrana f*) *~a f* Nasenschleimhaut *f*; *glándula f ~a* Hypophyse *f.*
pivote ⊕ *m* Zapfen *m*; Drehachse *f.*
piza|rra *f* Schiefer *m*; Schiefertafel *f*; Wandtafel *f*; *~ arcillosa* (*bituminosa*) Ton- (Öl-)schiefer *m*; **~rral** *m* Schieferbruch *m*; **~rreño** *adj.* schieferartig; Schiefer...; **~rrero** *m* Schieferdecker *m*; **~rrín** *m* (Schiefer-)Griffel *m*; **~rrón** *m* Wandtafel *f*; **~rroso** *adj.* schieferig; schieferfarben.
pizca[1] *Na.* F *f Méj.* (*bsd.* Mais-) [Ernte *f.*]
pizca[2] F *f* Bißchen *n*; *ni ~* (de) k-e Spur (von *dat.*); *no valer ni ~* k-n Pfifferling wert sein.
piz|car [1g] *v/t.* F kneifen; zwicken; leicht beißen; **~co** F *m* Kneifen *n.*
piz|pereta, ~pireta *f* temperamentvolle Frau *f* (*geistreich u. lebhaft*).
placa *f* Platte *f* (*a. Phot.*); Plakette *f*; (Namens-, Firmen-, Nummern-)Schild *n*; Scheibe *f*; *~ aislante* Isolier-; Dämm-platte *f*; *~ conmemorativa* Gedenktafel *f*; *Phot. ~ deslustrada* Mattscheibe *f*; 🚂 *~ giratoria* Drehscheibe *f*; ⚔ *~ de identidad* Erkennungsmarke *f*; *Rf. ~ vibrante* Schwingmembran *f.*
pláceme *m* Glückwunsch *m*; Zustimmung *f*, Billigung *f.*
placenta *Anat. f* Mutterkuchen *m*, Plazenta *f*; **~rio I.** *adj.* plazentar; **II.** *Zo. m* Plazentalier *m.*
placentero *adj.* behaglich; lustig.
placer[1] **I.** *m* Lust *f*; Vergnügen *n*, Freude *f*; Wunsch *m*, Wille *m*; *a ~* nach Wunsch, nach Belieben; behaglich, bequem; **II.** [2x] *v/i.* gefallen; *¡pluguiera a Dios!* möge Gott es geben!
placer[2] *m* **1.** Sandbank *f*; **2.** Gold-(sand)feld *n*, Placer *n.*
placero *m* **1.** Markthändler *m*; **2.** Pflastertreter *m* (*fig.* F).
plácet *m* Zustimmung *f*, Gutheißung *f*; *dipl.* Agrément *n* (*frz.*).
placi|ble *adj. c* gefällig; **~dez** *f* Sanftheit *f*; Anmut *f.*
plácido *adj.* sanft; ruhig; anmutig; angenehm, gemütlich.
plaga *f* **1.** Plage *f* (*a. bibl.*); Landplage *f*; *fig.* Mühsal *f*, Strapaze *f*; ⚘ *~ de orugas* Raupenplage *f*; **2.** *fig.* F Überfluß *m*, Unmenge *f*; **~do** *adj.* geplagt; verseucht; *fig. ~ de* wimmelnd von (*dat.*).
plagal ♪ *adj. c*: *cadencia f ~* Plagal-, Halb-schluß *m.*
plagar [1h] **I.** *v/t.* heimsuchen, plagen; verseuchen (mit *dat.* de); **II.** *v/r.* *~se* s. anfüllen (mit *dat.* de).
plagi|ar [1b] *v/t.* **1.** plagiieren, abschreiben; **2.** *Am.* zur Erpressung von Lösegeld entführen (*od.* festhalten); **~ario I.** *adj.* plagiatorisch; Plagiat...; **II.** *m* Plagiator *m*; **~o** *m* **1.** Plagiat *n*; **2.** *Am.* Entführung *f.*
plaguicida *m* Pflanzenschutzmittel *n.*
plan *m* **1.** Plan *m* (*a.* △); Entwurf *m*; Grundriß *m*; ⚒ → *nivel, altura*; ⚕ *~ alimenticio* Ernährungsplan *m*; Kostform *f*; ⚔ *~ de batalla* Schlachtplan *m*; *~ cuatrienal* Vierjahresplan *m*; *~ de estudios* Studienplan *m*; *~ financiero* Finanz(ierungs)plan *m*; *Pol. ~ Marshall* Marshallplan *m*; *~ de trabajo* Arbeitsplan *m*; *en ~ experimental* versuchsweise; *sin ~* planlos; *concebir* (*od. trazar*) *un ~* e-n Plan entwerfen; *estar en ~ de + inf.* et. vorhaben; im Begriff sein zu + *inf.*; *hacer el ~ de a/c.* et. entwerfen; *fig.* P *no es ~* das haut nicht hin (*von Vorschlägen u. Absichten*); *tener el ~ de + inf.* beabsichtigen zu + *inf.*; *fig.* F *tener muchos ~es a.* allerlei (zweifelhafte) Freundschaften haben; *trabajar en ~ de director* als Direktor arbeiten; *viajar en ~ de estudios* e-e Studienreise machen; **2.** *Cu., Chi., Méj. Reg.* **a)** planierte Fläche *f*; **b)** flache Klinge *f*; *echar ~ a alg.* j-n mit der flachen Klinge schlagen.
plana *f* **1.** (Blatt-)Seite *f*; *p. ext.* Schreibübung *f*; *Typ. a toda ~* ganzseitig; *primera ~* erste Seite *f*; *a ~ y renglón* seiten- u. zeilengenau (*abschreiben*); *fig.* genauestens; **2.** Ebene *f*, Fläche *f*; **3.** ⚔ *u. fig. ~ mayor* Stab *m*; **4.** *fig. enmendar la ~ a alg.* j-n korrigieren; **~zo** *m Am.* Hieb *m* mit der flachen Klinge.
plancton *Biol. m* Plankton *n.*
plancha *f* **1.** Platte *f*; Blech *n*; *~ de acero* (*de corcho*) Stahl- (Kork-)platte *f*; *~ de madera contrachapeada* Sperrholzplatte *f*; *Kchk. a la ~* auf dem Blech herausgebacken; *hacer la ~* den toten Mann machen *b. Schwimmen*; **2.** ⚓ Laufplanke *f*; **3.** Bügeleisen *n*; *~ automática* Bügelautomat *m*; *~* (*eléctrica*) *de viaje* (elektrisches) Reisebügeleisen *n*; "*no necesita ~*" „bügelfrei"; **4.** *fig.* F Reinfall *m*, Blamage *f*; *tirarse una ~* s. blamieren; **~do I.** *m* **1.** Bügeln *n*; Bügelwäsche *f*; **II.** *adj.* **2.** *Am. Cent.* (allzu) geschniegelt; **3.** *Arg., Chi.* ohne Geld, blank F; **4.** *Méj.* resolut; clever; **~dora** *f* **1.** Büglerin *f*; **2.** Bügelmaschine *f*; *~ eléctrica* Heimbügler *m.*
planchar I. *v/t.* **1.** bügeln, plätten; **2.** *fig. Méj. j-n* versetzen F; **3.** *P. Ri. j-m* schmeicheln; **II.** *v/r.* *~se* **4.** P *e-e Frau* vernaschen F.
plancheta *f* (Karten-)Meßtisch *m.*
plane|ador ✈ *m* **1.** Segelflugzeug *n*; Gleitflugzeug *n*; *~ de carga* Lastensegler *m*; **2.** Segelflieger *m*; **~amiento** *m*, *a. planeación f* Planung *f*; **~ar I.** *v/t.* **1.** planen; organisieren; **2.** ⊕ *~ con fresa* planfräsen; **II.** *v/i.* **3.** gleiten, schweben; ✈ ausschweben, im Gleitflug niedergehen; **~o** *m* Gleitflug *m*; **~ro** ⚓ *m* Vermessungsschiff *n.*
planeta I. *m* **1.** *Astr.* Planet *m*, Wandelstern *m*; **II.** *f kath.* kurze Kasel *f*; **~rio I.** *adj.* Planeten...; **II.** *m* Planetarium *n*; **III.** *adj.-su. m Kfz.* (*engranaje m*) *~* Planetengetriebe *n.*
planicie *f* Ebene *f.*
planifica|ción *f* **1.** Planung *f*; *~ familiar* (*económica*) Familien- (Wirtschafts-)planung *f*; **2.** *neol.* Raumordnung *f*; **~dor** *m* Planer *m*; *ingeniero m ~* Planungsingenieur *m*; **~r** [1g] *v/t.* planen.
planilla *f Am.* **1.** Lohnliste *f*; *Pol.* Wahlliste *f*; **2.** Busfahrschein *m.*
pla|nimetría ⩓ *f* Planimetrie *f*, Flächenmessung *f*; **~nimétrico** *adj.* planimetrisch; **~nímetro** *m* Flächenmesser *m*, Planimeter *n*; **~nisferio** *Astr. m* Sternkarte *f.*
plankton *m* → *plancton.*
plano I. *adj.* **1.** eben; flach; platt, plan; *Opt. ~ cóncavo* (*convexo*) plankonkav (plankonvex); *adv. de ~* geradeheraus; ohne Umstände; *caer de ~* der Länge nach hinfallen; *dar de ~* mit der flachen Hand (*bzw.* mit der flachen Klinge) zuschlagen; **II.** *m* **2.** Fläche *f*; Ebene *f* (*a.* ⩓, *Phys.*); *~ inclinado* schiefe Ebene *f*; ⊕ *~ inclinado vibratorio* Schüttelrutsche *f*; ✈ *~ de sustentación* Tragfläche *f*; *Mal. u. fig. primer ~* Vordergrund *m*; *fig. de segundo ~* zweitrangig; **3.** Plan *m*, Zeichnung *f*; (Grund-)Riß *m*; *~ (de la ciudad)* Stadtplan *m*; *~ de engrase* Schmierplan *m für Maschinen*; *~ general* Übersichtsplan *m*; ⊕ *~ de la pieza* Teilzeichnung *f*; △ *~ en relieve* Aufriß *m.*
planta *f* **1.** Pflanze *f*; Setzling *m*; *~ medicinal* (*pratense, útil*) Arznei- (Wiesen-, Nutz-)pflanze *f*; **2.** (Strumpf-)Sohle *f*; ⩓ Fußpunkt *m*; *~ (del pie)* Fuß-sohle *f*, -fläche *f*; **3.** (Grund-)Riß *m*; Entwurf *m*, Plan *m*; **4.** Stockwerk *n*, Geschoß *n*; △ *~ baja* Erdgeschoß *n*; ⚒ *~ de explotación* Fördersohle *f*; **5.** ⊕ Anlage *f*; Fabrik *f*; *~ de incineración de basuras* Müllverbrennungsanlage *f*; *~ industrial* Industrieanlage *f*, Werk *n*; *casa f* (*usw.*) *de nueva ~* Neubau *m*; **6.** *de ~* von den Grundmauern an; von Grund auf; planmäßig; Stamm...; *~ de obreros* Belegschaft *f*, Arbeiter *m/pl.*; **~ción** ⚘ *f* Pflanzung *f*; Plantage *f*; *~ de café* Kaffeeplantage *f*; **~dor** *m* **1.** Pflanzer *m*; **2.** ⚘ Pflanzholz *n*

(*Gerät*); **~dora** ⚘ *f* Pflanzmaschine *f*; **~gináceas** ⚘ *f/pl.* Wegerichgewächse *n/pl.*

plan|tar I. *v/t.* **1.** (be)pflanzen; aufpflanzen; aufstellen; *Pfahl* einschlagen; *Schlag, Ohrfeige* versetzen; *Zelt* aufstellen; ⚔ *Seitengewehr* aufpflanzen; F *Prozeß* anstrengen; *Lager* aufschlagen; *fig.* ~ *en la calle* auf die Straße setzen; *fig.* F ~ *la carrera* sein Studium (*bzw.* s-n Beruf) aufgeben; *fig.* F ~*le a alg.* j-n lange warten lassen, j-n versetzen F; *j-m* den Laufpaß geben F; **2.** → *plantear*; **II.** *v/r.* ~*se* **3.** (plötzlich) auftauchen; s. aufpflanzen, s. aufbauen (*fig.* F); nicht von der Stelle wollen, störrisch sein (*Tier*); s. widersetzen; ~*se allí en dos horas* in zwei Stunden dort sein; *Sp. u. fig.* ~*se delante* den andern voraus sein, die andern überrunden; **~te** *m* Aufstand *m*, Meuterei *f* (*z. B. in Gefängnissen*); **~teamiento** *m* Aufwerfen *n e-r Frage*; ~ *de la cuestión* Fragestellung *f*; **~tear** *v/t.* entwerfen, aufstellen; *Frage, Problem* aufwerfen, stellen; *Reformen* einführen; **~tel** *m* **1.** Baum-, Pflanz-schule *f*; **2.** Bildungsanstalt *f*; **3.** *fig.* Gruppe *f*, Schar *f*; **~tificar** [1g] *v/t.* anlegen; errichten; → *plantear, establecer*; *fig.* F *Schläge* austeilen; **~tígrados** *Zo. m/pl.* Sohlengänger *m/pl.*; **~tilla** *f* **1.** Brandsohle *f*; Einlegesohle *f*; Strumpfsohle *f*; **2.** Bohrlehre *f*; Kurvenlineal *n*; Schablone *f*; **3.** *Verw.* Stellenplan *m*; de ~ planmäßig; Plan(stellen)...; ~ *de empleados* Belegschaft *f*, Angestellte(n) *m/pl.*; ~ *de profesores* Lehrerstab *m*; **~tío** ⚘ *m* Pflanzung *f*; **~tón** *m* ⚘ Setzling *m*; † ständiger Wachposten *m*; *fig.* F *cansado del* ~ der ewigen Warterei müde F; *fig.* F *dar un* ~ *a alg.* j-n versetzen; j-m e-n Korb geben.

plañi|dera *m* Klageweib *n*; **~dero** *adj.* weinerlich; kläglich; **~r** [3h] *v/i.* wehklagen, jammern.

pla|qué *m* Doublé *n*; **~queado** *m* Plattierung *f* (*Metall*).

plasma *Biol. u. Halbedelstein m* Plasma *n*; ~ *sanguíneo* Blutplasma *n*; **~física** *f* Plasmaphysik *f*; **~r** *v/t.* bilden, gestalten.

plas|ta *f* Teig *m*, weiche Masse *f*; *fig.* gestaltloser Mischmasch *m*; **~te** *m* Gipsleimmasse *f zum Spachteln*; **~tecer** [2d] *v/t.* (ver)spachteln; **~tecido** *m* Verspachtelung *f*; **~tia** ⚘ *f* Plastik *f*.

plástica *Ku. f* Plastik *f*.

plasticidad *f* Plastizität *f*; Bildsamkeit *f*; Bildhaftigkeit *f*.

plástico I. *adj.* bildsam; plastisch; Plastik...; *artes f/pl.* ~*as* bildende Künste *f/pl.*; **II.** *m* Kunststoff *m*; de ~ Plastik...; ~ *explosivo* Plastiksprengstoff *m*.

plastificante ⚗ *adj. c-su. m* Weichmacher *m*; **~lina** *f* Plastilin *n*.

plata *f* **1.** Silber *n*; Silbergeld *n*; de ~ silbern; ~ *alemana* Neusilber *n*; ~ *fulminante*, ~ *explosiva* Knallsilber *n*; ~ *de ley* Münzsilber *n*; *fig.* F *como una* ~ blitzsauber; *fig. hablar en* ~ kurz u. bündig sprechen; **2.** *Am.* Geld *n*; *Col.* ~ *blanca* Bargeld *n*; *Rpl., Chi.* ¡*adiós, mi* ~! schade!; na dann eben nicht!

plata|banda ⊕ *f* Stoßplatte *f*, Verbindungslasche *f*; **~forma** *f a. Pol.* Plattform *f*; ⊕ Bühne *f*; 🚂 Drehscheibe *f*; ~ *alzacoches* Hebebühne *f für Kfz.*; *Geol.* ~ *continental* Festlandsockel *m*; ⊕ ~ *giratoria* Drehbühne *f*; ~ *suspendida* Hängewagen *m*.

platal F *m Am.* → *dineral*.

plata|nal, ~nar *m* Bananenpflanzung *f*; **~nero I.** *adj. Cu.* heftig (*Wind*); **II.** *m* Bananenstaude *f*.

plátano ⚘ *m* **1.** Platane *f*; **2.** Banane *f* (*Staude u. Frucht*).

platea *Thea. f* **1.** Parterre *n*, Parkett *n*; **2.** *Arg.* → *butaca, luneta*.

platea|do I. *adj.* silberfarben; versilbert; silbergrau (*Haare*); **II.** *m* Versilbern *n*; Versilberung *f*; **~r** *v/t.* versilbern.

plate|nse *adj.-su. c* aus den Rio-de-la-Plata-Ländern; **~ñismo** *m* Spracheigentümlichkeit *f* der Rio-de-la-Plata-Länder.

plate|resco *Ku.* **I.** *adj.* plateresk; **II.** *m* Platereskstil *m*; **~ría** *f* **1.** Silberschmiede *f*; **2.** Juweliergeschäft *n*; **~ro** *m* **1.** Silberschmied *m*; **2.** Juwelier *m*; **3.** F ♀ *beliebter Name für silbergraue Esel.*

plática *f* Unterhaltung *f*; *ecl.* Ansprache *f*; Kurzpredigt *f*; ⚓ *pedir* ~ Erlaubnis *f* zum Einlaufen erbitten (*nach Quarantäne*).

platicar [1g] **I.** *v/t.* besprechen; **II.** *v/i.* plaudern; sprechen (über *ac. sobre*), s. unterhalten.

platija *Fi. f* Flunder *f*.

platillo *m* **1.** kl. Teller *m*; Dessertteller *m*; Waagschale *f*; ~ (*de la taza*) Untertasse *f*; *p. ext.* ~ *volante* fliegende Untertasse *f*; **2.** ♪ ~*s m/pl.* Becken *n/pl.*

platina *f* ⊕ (Befestigungs-)Teller *m*; Objekttisch *m b. Mikroskop*; *Typ.* Form-, Satz-bett *n*.

plati|nado I. *adj.* mit Platin belegt; blondgefärbt; **II.** *m* ⚗ platinsaures Salz *n*; **~nar** *v/t.* **1.** mit Platin belegen; **2.** *Haar* platinblond färben; **~no** *m* Platin *n*; *p. ext.* ⚡ (*Kfz.*) ~*s m/pl.* Unterbrecherkontakte *m/pl.*

platirrinos *Zo. m/pl.* Breitnasenaffen *m/pl.*

platito *m* kl. Teller *m*; Schale *f*.

plato *m* **1.** Teller *m*; Waagschale *f*; ⊕ ~ *anular* Ringscheibe *f*; ⊕ ~ *de centrar* Zentrierfutter *n*; ~ *sopero* Suppenteller *m*; ⊕ ~ *de sujeción* (Auf-)Spannplatte *f*; **2.** *fig.* F *comer en un mismo* ~ ein Herz u. eine Seele sein; ¿*cuándo hemos comido en el mismo* ~? wann haben wir mitea. die Schweine gehütet?; *parece que nunca ha roto un* ~ (*en su vida*) der hat, scheint es, nie ein Wässerchen getrübt, der scheint sehr harmlos zu sein; *pagar los* ~*s rotos* es ausbaden müssen, den Kopf dafür hinhalten müssen; *tirarse los* ~ *a la cabeza* e-n mächtigen Familienkrach machen; **3.** *Kchk.* Gericht *n*, Gang *m*; *fig.* F Gesprächsstoff *m*; ~ *del día* (*de pescado*) Tages- (Fisch-)gericht *n*; ~ *único* Eintopf *m*; *fig.* F *nada entre dos* ~*s* nichts von Belang, e-e Lappalie; *éste no es* ~ *de su gusto* das schmeckt ihm nicht (*fig.*); *fig. ser* ~ *de segunda mesa* zur zweiten Garnitur gehören, nicht gebührend beachtet werden; *fig. el* ~ *fuerte* das Wichtigste, der Höhepunkt.

plató *m* Filmkulisse *f*.

pla|tónico *adj.-su.* platonisch; *m* Platoniker *m*; **~tonismo** *Phil. m* Platonismus *m*.

plausible *adj. c* löblich; annehmbar; einleuchtend, stichhaltig; plausibel.

playa *f* Strand *m*; Ufer *n*; Strandbad *n*; Seebad *n*; *Arg.* Hof *m vor dem Rancho*; ⚖ *derecho m de* ~ Strandrecht *n*; *Am.* ~ *de estacionamiento* Parkplatz *m*.

play-boy *engl. m* Playboy *m*.

playe|ra *f* **1.** Muschel-, Fischverkäuferin *f*; **2.** ♪ ~*s f/pl. andal. Volksweise*; **3.** Strandbluse *f*; ~*s f/pl.* Strandschuhe *m/pl.*; **~ro** *m* **1.** Fisch-, Muschel-verkäufer *m*; **2.** ⚓ *Pe.* ~*s m/pl.* Schauerleute *pl.*

plaza *f* **1.** Platz *m*; Markt(platz) *m*; Stelle *f*, Ort *m*; ⚔ ~ *de armas* Exerzierplatz *m*; ⚚ ~ *comercial* Handelsplatz *m*; ~ *de toros* Stierkampfarena *f*; *hacer* ~ Platz machen; *fig. ir a la* ~ einkaufen gehen; **2.** ⚔ Garnison *f*; Festung *f*; ~ *abierta* offene Stadt *f*; ~ *fuerte* fester Platz *m*; *fig.* F *ahora vamos a atacar bien la* ~ jetzt aber feste eingehauen! *b. Essen*; **3.** (Sitz-)Platz *m* (*Kfz.*, ✈ *usw.*); *Kfz. coche m de cinco* ~*s* Fünfsitzer *m*; **4.** (*sacar*) ~ (e-e) Anstellung (bekommen).

plazo *m* Frist *f*; Laufzeit *f*; Rate *f*; ⚖, ⚚ *a corto* (*a largo*) ~ kurz-(lang-)fristig; *a* ~*s* auf Raten; *a tres meses* ~ gg. drei Monate Ziel; *en* (*el*) ~ *de quince días* innerhalb von vierzehn Tagen; *en el* ~ *que marca la ley* innerhalb der gesetzlichen Frist; ~ *de entrega* (*de pago*) Liefer-(Zahlungs-)frist *f*; ~ *de gracia od. de respiro* Schonfrist *f*; ~ *mensual* Monatsrate *f*; ~ *de vencimiento* Lauf-, Verfalls-zeit *f*; *crédito(s) m(/pl.) a un mes de* ~ Monatsgeld *n*; *conceder* (*fijar*) *un* ~ e-e Frist gewähren ([fest]setzen).

pla|zoleta, ~zuela *f* kl. Platz *m*.

pleamar *f* Hochwasser *n*, Flut(dauer) *f am Meer*.

ple|be *f* Plebs *f* (*hist.*), *m* (*fig. desp.*); **~beyez** *f* Plebejertum *n*; Pöbelgesinnung *f*; **~beyo I.** *adj.* plebejisch; *fig.* gemein, pöbelhaft; **II.** *m hist. u. fig.* Plebejer *m*; **~biscito** *Pol. m* Volks-abstimmung *f*, -entscheid *m*.

plega|ble *adj. c* biegsam; faltbar; spreizbar; Klapp...; *bote m* ~ Faltboot *n*; **~dera** *f* Falzbein *n*; **~dizo** *adj.* (leicht) faltbar; zs.-legbar; *caja f* ~*a* Faltschachtel *f*; **~do I.** *adj.* gefaltet; faltig; **II.** *m* Falzen *n*; Falte *f*; Zs.-faltung *f*; ✈ Einziehen *n des Fahrgestells*; **~dor** *m* **1.** *Typ.* Falzer *m*; Falzbein *n*; **2.** *tex.* Weberbaum *m*; ~ *de urdimbre* Kettbaum *m*; **~dora** *f Typ.* Falzmaschine *f*; *tex.* Bäummaschine *f*; **~dura** *f* Falten *n*; Falte *f*; **~miento** *Geol. m* Faltenbildung *f*; Auffaltung *f*; **~r** [1h *u* 1k] **I.** *v/t.* falzen (*a. Typ. u. Klempner*); (zs.-)falten; zs.-legen; kniffen; fälteln, in Falten legen; **II.** *v/r.* ~*se*

fig. nachgeben, s. beugen, s. fügen (*dat.* *a*).
plegaria *f* **1.** (Bitt-)Gebet *n*; **2.** Mittagsgeläut *n*.
pleistoceno *Geol.* *adj.-su.* pleistozän; *m* Pleistozän *n*.
plei|teante *m* Prozeßpartei *f*; **~tear** *v/i.* prozessieren, e-n Prozeß führen; **~tesía** † *f* Pakt *m*, Abmachung *f*; Huldigung *f*, Reverenz *f*; **~tista** **I.** *adj.* *c* prozeß-, streit-süchtig; **II.** *c* Querulant(in *f*) *m*; Prozeßhansel *m* F, -liesel *f* F; **~to** *m* (Zivil-)Prozeß *m*, Rechtsstreit *m*; Ausea.-setzung *f*; Streit *m*, Zank *m*; *estar en* ~ im Streit liegen; *poner* ~ *a alg.* gg. j-n e-n Prozeß anstrengen; *fig.* *poner a* ~ streitig machen; absprechen wollen; *ver el* ~ vor Gericht verhandeln (*Prozeßbeteiligte*).
plenario **I.** *adj.* *Pol.* Plenar..., Voll...; *asamblea f* ~*a* Vollversammlung *f*; **II.** *m* ⚖ Hauptverfahren *n* (*Strafrecht*).
pleni|lunio *m* Vollmond *m*; **~potencia** *f* Vollmacht *f*; **~potenciario** *dipl.* *adj.-su.* bevollmächtigt; *m* Bevollmächtigte(r) *m*.
ple|nitud *f* Fülle *f*; Vollmaß *n*; Vollkraft *f*; ~ *vital* Lebensfülle *f*; ⚕ *sensación f de* ~ Völlegefühl *n*; **~no** **I.** *adj.* voll; völlig; Voll...; ⊕ ~*a carga f* Vollast *f*; *a* ~ *sol* in der prallen Sonne; *Kfz.* ~ *gas m* Vollgas *n*; *gal.* en ~*a calle* auf offener Straße; *en* ~ *día* am hell(icht)en Tage; *en* ~ *invierno* mitten im Winter; *en* ~*a luz* bei vollem Licht; **II.** *m* Vollversammlung *f*; Plenum *n*; *salón m de* ~*s* Plenarsaal *m*; *en* ~ vollzählig, in corpore.
pleo|nasmo *Li.* *m* Pleonasmus *m*; **~nástico** *adj.* pleonastisch.
plepa F *f* ganz miese Person (*od.* Sache) *f* F.
plesímetro ⚕ *m* Plessimeter *n*.
pletina ⊕ *f* Flacheisen *n*; Platine *f*.
plétora *f* Vollblütigkeit *f*; *fig.* Überfülle *f*.
pletórico *adj.* vollblütig; *fig.* strotzend (von *dat.* de).
pleu|ra *Anat.* *f* Brustfell *n*, Pleura *f*; ~ *parietal* Rippenfell *n*; **~resía**, **~ritis** ⚕ *f* Brustfellentzündung *f*, Pleuritis *f*; **~roneumonia** ⚕ *f* Rippenfell- u. Lungenentzündung *f*.
plexiglás *m* Plexiglas *n*.
plexo *Anat.* *m* Plexus *m*, Geflecht *n*; ~ *solar* Solarplexus *m*, Sonnengeflecht *n*.
Pléya|das *f/pl.* → *Pléyades*; **~de** *Lit.* *f* Pléiade *f*; **~des** *Astr.* *f/pl.* Plejaden *f/pl.*, Siebengestirn *n*.
plie|go *m* **1.** *a.* *Typ.* Bogen *m* (*Papier*); **2.** *Buchb.* Heft *n*, Lage *f e-s Buchs*; **3.** Brief-, Post-sendung *f*; ✝ *en este* ~ beiliegend; **~gue** *m* Falte *f*; Einschlag *m*; Kniff *m*; *Geol.* Geländefalte *f*; ~ *del pantalón* Bügelfalte *f*.
ploma|da *f* **1.** Lot *n*; Senkblei *n*; ⚓ *echar la* ~ abloten; **2.** Reiß-stift *m bzw.* -leine *f zum Anreißen* (*z.B. Zim.*); **~do** ⊕ *part.*: ~ *al fuego* feuerverbleit; **~r** *v/t.* plombieren; mit e-m Bleisiegel verschließen.
plombagina *f* **1.** Graphit *m*; **2.** Graphitschmiermittel *n*.
plo|mear *v/i.* *Jgdw.* (gut) streuen (*Schrotschuß*); **~mería** *f* Bleigießerei *f*; Bleidach *n*; **~mero** *m* **1.** Blei-arbeiter *m*; -gießer *m*; Blei(waren)händler *m*; **2.** *Am.* Klempner *m*, Spengler *m*; **~mizo** *adj.* bleihaltig; bleifarbig; bleiern; **~mo** *m* **1.** *Min.* Blei *n*; *monóxido m de* ~ Bleiglätte *f*; **2.** Bleigewicht *n*; Bleilot *n*; *a* ~ lotrecht; **3.** Bleikugel *f*; **4.** (Blei-)Plombe *f*; ⚡ Sicherung *f*; **5.** *fig.* F *ser un* ~ ein langweiliger (*bzw.* lästiger) Kerl sein F.
plugo, **pluguiere**, *etc.* → *placer*.
pluma *f* **1.** Feder *f* (*Vogel-* u. *Schreibfeder*); *fig.* F ~*s f/pl.* *a.* Bett *n*; ~ *estilográfica*, *Am. Mer.* *oft* ~ *fuente* Füllfederhalter *m*; *Sp.* (*peso m*) ~ Federgewicht *n*; *a vuela* ~ schnell *bzw.* flüssig (*schreiben*); *fig.* F *echar buena* ~ s. mausern (*fig.* F); s. wieder aufraffen; *fig.* F *hacer a pelo y a* ~ in allen Sätteln gerecht sein; *llevar la* ~ nach Diktat niederschreiben; *manejar la* ~ die Feder führen; **2.** *fig.* Stil *m*; Schreibtalent *n*; **3.** ⊕ Ausleger *m* (*z.B. b. Kran*); **~da** *f* Federstrich *m*; **~do** *adj.* gefiedert; Feder...; **~je** *m* Gefieder *n*; Federschmuck *m*; Federbusch *m*; **~ria** *adj.-su.f*: (*arte f*) ~ Vogel- u. Federstickerei *f*; **~zo** *m* **1.** F Federstrich *m*; *a.* *fig.* *de un* ~ mit e-m Federstrich; **2.** Federkissen *n*; Federbett *n*.
plúm|beo *adj.* *lit.* bleiern; *fig.* F langweilig; **~bico** *adj.* bleihaltig; ⚗ *ácido m* ~ Bleisäure *f*.
plu|meado *m* Schraffierung *f*; **~mear** *v/t.* schraffieren; **~mero** *m* **1.** Federwisch *m*, Staubwedel *m*; Federbusch *m*; *fig.* F *se le ve el* ~ man merkt die Absicht; Nachtigall, ich hör dir trapsen F; **2.** Federkasten *m*; Schreibmäppchen *n*; *Am.* *oft* → *portaplumas*; **~milla** *f* Spezialfeder *f*, *z. B.* Tuschfeder *f*; ~ *de oro* Goldfeder *f* (*b. Füllfederhaltern*); **~mista** *m* **1.** Schreiber *m*; Mann *m* (von) der Feder; **2.** Federarbeiter *m*; Händler *m* von Federwaren; **~món** *m* **1.** Flaum(feder *f*) *m*; **2.** Federkissen *n*; (*colcha f de*) ~ Federbett *n*.
plura|l *Li.* **I.** *adj.* *c* pluralisch, Plural...; **II.** *m* Mehrzahl *f*, Plural *m*; **~lidad** *f* Mehrheit *f*; Vielfältigkeit *f*; *Pol.* *elegido a* (*od.* *con la*) ~ *de votos* mit Stimmenmehrheit gewählt; **~lismo** *Phil.*, *Soz.* *m* Pluralismus *m*; **~lista** *adj.* *c* pluralistisch; **~lizar** [1f] *v/t.* **1.** *Li.* in den Plural setzen; **2.** mehreren zuschreiben (*was nur einem gebührt*).
pluri|celular *Biol.* *adj.* *c* mehrzellig; **~empleo** *m* gleichzeitige Ausübung *f* mehrerer Berufe; **~partidismo** *Pol.* *m* Mehrparteiensystem *n*.
plus *m* Zuschlag *m*; (Gehalts-)Zulage *f*; ~ *de carestía* Teuerungszulage *f*; **~cuamperfecto** *Gram.* *m* Plusquamperfekt *n*, Vorvergangenheit *f*; **~marca** *Sp.* *f* *bsd.* *Am.* → *récord*, *marca*; **~marquista** *c* Rekord-halter *m*, -inhaber *m*.
plus ultra *lt.* noch weiter hinaus (*Wahlspruch auf den Säulen des Herkules im span. Wappen, seit Karl V.*).
plusvalía *f* Mehrwert *m*; Wertzuwachs *m*; Zugewinn *m*; Kursgewinn *m* (*Börse*); *impuesto m sobre la* ~ Mehrwertsteuer *f*.
plu|tocracia *f* Plutokratie *f*; **~tócrata** *m* Plutokrat *m*; **~tocrático** *adj.* plutokratisch.
plutonio ⚗ *m* Plutonium *n*.
plu|vial *adj.* *c* Regen...; *ecl.* *capa f* ~ Pluviale *n*; **~viómetro** *m* Regenmesser *m*; **~viosidad** *Met.* *f* Niederschlagsmenge *f*; **~vioso** *adj.* → *lluvioso*.
pobla|ción *f* **1.** Bevölkerung *f*; *Biol.* *a.* Population *f*; *Statistik*: ~ *activa* erwerbstätige Bevölkerung *f*; ~ *aviar* Geflügelbestand *m e-s Gebietes od. e-s Landes*; **2.** größere Ortschaft *f*; Stadt *f*; **3.** *Arg.* Haus *n*; *a.* Wohngebäude *n/pl.* *e-r ländlichen Siedlung*; **~cho** F *m* elendes Nest *n*, Kaff *n* F; **~da** *f* *And.* Aufruhr *m*; Menschenmassen *f/pl.*; **~do** **I.** *adj.* **1.** dicht bewohnt; besiedelt; **2.** dicht; buschig; ~ *de árboles* bewaldet; **II.** *m* **3.** bewohnte Gegend *f*; Ortschaft *f*; **~dor** *adj.-su.* An-, Besiedler *m*; Bewohner *m*; Gründer *m* e-r Siedlung; **~no** *adj.-su.* *Am.* → *lugareño*, *campesino*; **~r** [1m] **I.** *v/t.* **1.** bevölkern; be-, an-siedeln; *p. ext.* anfüllen, besetzen; 🐝 *Bienenstock* bevölkern; *Teich* mit Fischen besetzen; ~ *con exceso* übervölkern; **2.** bepflanzen (mit *dat.* de); *Wald* aufforsten; **II.** *v/r.* ~*se* **3.** s. stark fortpflanzen, s. mehren; dicht(er) werden; s. füllen (mit *dat.* de); **4.** s. belauben.
pobo ⚘ *m* Silberpappel *f*.
pobre **I.** *adj.* *c* **1.** arm; ärmlich; ~ *en sal* salzarm; **2.** *fig.* armselig; elend, unglücklich; *fig.* ~ *hombre m* armer Teufel *m*; **II.** *m* **3.** Arme(r) *m*; Bettler *m*; *fig.* Unglückliche(r) *m*; ¡~ *de mí!* ich Armer (*od.* Unglücklicher)!; *fig.* ~ *de solemnidad* ganz Arme(r) *m*; **~te** *adj.-su.* *c* ärmlich; armselig; *m* armer Schlucker *m*; armer Tropf *m*; **~tería** *f* **1.** *koll.* *die* Armen *pl.*; **2.** Armut *f*; **~tón** **I.** *adj.* sehr arm; **II.** *m* F armer Schlucker *m*; **~za** *f* Armut *f*; *a.* *fig.* Dürftigkeit *f* (an *dat.* de); ~ *de espíritu* Gemütsarmut *f*; *Spr.* ~ *no es vileza* Armut schändet nicht.
pobrísimo *sup.* *adj.* äußerst arm.
pocero *m* Brunnen-bauer *m*; -reiniger *m*; *p. ext.* Latrinenreiniger *m*.
pocilga *f* *a.* *fig.* Schweinestall *m*.
pocillo *m* **1.** in die Erde eingelassenes Kühlgefäß *n*; **2.** (Schokoladen-) Täßchen *n*.
pócima *f* Arzneitrank *m*.
poción *f* *pharm.* Arzneitrank *m*; *p. ext.* Trank *m*, Getränk *n*.
poco **I.** *adj.* wenig; gering(fügig); karg, spärlich; ~*a gente f* wenige Leute *pl.*; *fig.* *ser* ~*a cosa* unbedeutend sein; *unos* ~*s* einige (wenige), ein paar; (*y*) *por si fuera* ~ u. zuguterletzt ...; u. obendrein ...; *todo les parece* ~ sie sind nie zufrieden, sie sind ewig unzufrieden; *Spr.* *quien* ~ *tiene*, ~ *teme* wer nichts hat, kann nichts verlieren; **II.** *m*: *un* ~ ein wenig, einiges wenige; *un* ~ *de paciencia* ein wenig (*od.* ein bißchen) Geduld; **III.** *adv.* wenig; *a* ~ gleich darauf; *fig.* F *de* ~ *más o*

menos (reichlich) unbedeutend; *dentro de* ~ in Kürze, bald; *hace* ~ vor kurzem, unlängst; ~ *antes* kurz zuvor; ~ *a* ~ allmählich, nach und nach; sachte; ~ *después* bald darauf; (*sobre*) ~ *más o menos* ungefähr, etwa; *por* ~ beinahe, fast; *a* ~ *de llegar* (*od. de haber llegado*) bald nach der Ankunft; *en* ~ *estuvo que riñésemos* um ein Haar hätten wir uns gezankt; *tener en* ~ *a/c.* (*od. a alg.*) et. (*od.* j-n) geringachten, nicht viel davon (*od.* von j-m) halten; *por* ~ *me caigo* beinahe wäre ich gefallen.

po|cha F *f* **1.** *Am.* US-Amerikanerin *f* mexikanischer Abstammung (*in den alten span. Siedlungsgebieten*); **2.** *Chi.* Bluff *m*, Lüge *f*; **~che** F *m Am.* **1.** → *pocho* 4; **2.** *das verderbte Spanisch der US-Amerikaner span. Abstammung u. p. ext. der Ausländer*; **~cho I.** *adj.* **1.** bleich; **2.** *Reg.* morsch; teigig; gedunsen; **3.** *Chi.* **a)** klein u. sehr dick; **b)** überreif; **c)** schwerfällig; **II.** *m* **4.** *Am.*, *bsd. Méj.* US-Amerikaner *m* mexikanischer Abstammung (→ *pocha 1*); **~chocho** *adj. Chi.* → *pocho 3a*; **~cholada** F *f* Dummheit *f*, Quatsch *m* F.

pochote ⚘ *m Méj.* Wollbaum *m*.

poda *f* Beschneiden *n der Bäume*; **~dera** *f* Rebmesser *n*; Baumschere *f*; **~dora** *f*: ~ *de setos* elektrische Heckenschere *f*.

podagra *f* Podagra *n*, Fußgicht *f*.

poda|r *v/t. Bäume* beschneiden; **~zón** *f* Zeit *f* des Baumschnitts.

poden|co *m Jgdw.* span. Vorstehhund *m*; *fig.* F Trottel *m*; *¡guarda, que es ~!* Holzauge, sei wachsam! (*fig.* F, *burl.*); **~quero** *Jgdw. m* Hundeführer *m*.

poder[1] *m* **1.** *a. Phys.*, ⊕ Können *n*, Vermögen *n*; Fähigkeit *f*, Kraft *f*; ~ *absorbente* Absorptionsvermögen *n*; Saugfähigkeit *f*; ~ *adquisitivo* (*od. de compra*) Kaufkraft *f*; ~ *de ahorro* Sparkraft *f*; ~ *de arranque a. Kfz.* Anzugsvermögen *n*; ~ *calorífico* Heizwert *m*; Wärmeleistung *f*; ~ *perforante* Durchschlagskraft *f* (*Geschoß*); ~ *reductor* Reduktionsvermögen *n*; *a* ~ *de kraft* (*gen.*), durch vieles (*ac.*); *lo que está* (*bzw. esté*) *en mi* ~ was in m-n Kräften steht, nach Kräften; → *a. capacidad*; **2.** Macht *f*; (Staats-)Gewalt *f*; *bsd. Pol.* ~ *absoluto* unumschränkte Gewalt *f*; ~ *aéreo* (*naval*) Luft- (Flotten-)stärke *f*; ~ *ejecutivo* Exekutive *f*, vollziehende Gewalt *f*; ~ *judicial* richterliche Gewalt *f*; ~ *legislativo* Legislative *f*, gesetzgebende Gewalt *f*; ~ *público* öffentliche Gewalt *f*; Staatsgewalt *f*; Behörde(n) *f*(/*pl.*); *entrada f en el* ~ Macht-, Regierungs-antritt *m*; *caer en* (*el*) ~ *de alg.* in j-s Gewalt geraten; *retirarse del* ~ s. von der Regierung zurückziehen; *subir al* ~ an die Macht (*od.* ans Ruder) kommen; **3.** Vollmacht *f*; Ermächtigung *f*; Befugnis *f*; (*plenos*) **~es** *m/pl.* Vollmacht(en) *f*(/*pl.*); ~ *colectivo* (*especial*) Gesamt- (Sonder-)vollmacht *f*; *matrimonio m por* ~*es* Ferntrauung *f*; *por* ~ per procura; *casarse por* ~(*es*) s. ferntrauen lassen; *dar* ~(*es*) *a alg.* j-n ermächtigen; j-m Vollmacht(en) geben; *ejercer un* ~ e-e Vollmacht ausüben; *extender los* ~*es* die Vollmacht(en) ausstellen; *revestir a alg. de* ~ j-n mit e-r Vollmacht ausstatten; *tener amplios* ~*es* große Befugnisse haben; unbeschränkte Vollmacht haben.

poder[2] [2t] **I.** *vt/i.* können, vermögen; mögen; dürfen; *a más no* ~ aus Leibeskräften; im höchsten Grad; was das Zeug hält F; lauthals (*schreien*); *hasta más no* ~ mit aller Gewalt; F ~ *a alg.* j-n bezwingen; j-m überlegen sein; *nadie le puede* niemand kann gg. ihn aufkommen, niemand kann ihm beikommen; *no* ~ *con alg.* (*od. a/c.*) mit j-m (*od.* et.) nicht fertig werden; j-n (*od.* et.) nicht ausstehen können; *no* ~ *más* nicht mehr weiter können; am Ende s-r Kraft sein; *a. fig.* ~ *más* mehr können; stärker sein; *no* ~ *menos de* + *inf.* nicht umhin können, zu + *inf.*; ~*se evitar* s. vermeiden lassen; *¿puedo?* darf ich?; gestatten Sie?; kann ich eintreten?; *esto no puede ser* das darf nicht sein; *si no puedes hacer eso* das darfst du nicht tun; **II.** *v/impers.*: *¿se puede?* darf man eintreten?; *puede ser* vielleicht; das läßt s. hören; *puede* (*ser*) *que* + *subj.* vielleicht + *ind.*; möglicherweise + *ind.*

poder|dante *m* Vollmachtgeber *m*; **~habiente** *m* Bevollmächtigte(r) *m*.

pode|río *m* **1.** Macht *f*; Gewalt *f*; **2.** Besitz *m*; Reichtum *m*; **3.** *Stk.* Kraft *f des Stiers*; **~roso** *adj.-su.* mächtig; *m* Mächtige(r) *m*.

podómetro *m* Schrittzähler *m*.

po|dre *f* → *pus*; **~dredumbre** *f* Fäulnis *f*; Verwesung *f*; **~drido** *adj.* faul, faulig, verdorben; moderig; morsch; verfault; *fig.* verdorben, verkommen; *caer* ~ abfaulen; **~drir** *v/t.* → *pudrir*.

poe|ma *m* (längere) Dichtung *f*; Heldendichtung *f*; **~mario** *m* Gedichtsammlung *f*; **~mático** *adj.* Dichtungs...; **~sía** *f* Gedicht *n*; Dichtung *f*; *a. fig.* Poesie *f*; ~ *lírica* Lyrik *f*; **~ta** *m* Dichter *m*, Poet *m*; *fig.* ~ *de ocasión etwa*: Sonntagsdichter *m*; **~tastro** *desp. m* Dichterling *m*, Verse-, Reimschmied *m* (*desp.*).

poéti|ca *f* Dichtkunst *f*; Poetik *f*; **~co** *adj.* dichterisch; *a. fig.* poetisch; *arte m* ~ Poetik *f*.

poeti|sa *f* Dichterin *f*; **~zar** [1f] *v/t.* dichterisch verklären.

pogrom(o) *m* Pogrom *m*.

póker *m* → *póquer*.

pola|cada F *f* Hinterhältigkeit *f*, Gemeinheit *f* (*Tun*); **~co** *adj.-su.* polnisch; *m* Pole *m*; *das* Polnische.

polaina *f* Gamasche *f*; *fig. Arg.*, *Bol.*, *Hond.* Widerwärtigkeit *f*.

pola|r *adj. c* **1.** *Geogr.* polar; Polar..., Pol...; **2.** Pol...; **~ridad** *f* Polarität *f*; *invertir* (*od. cambiar*) *la* ~ umpolen; **~rización** *Phys. f* Polarisation *f*; **~rizador** *Opt. m* Polarisator *m*; **~rizar** [1f] *v/t.* polarisieren; *Opt. luz f* ~*ada* polarisiertes Licht *n*.

polca ♪ *f* Polka *f*.

polea ⊕ *f* Rolle *f*; Laufrad *n*; Riemenscheibe *f*; ~ *fija* (*loca*) Fest- (Los-)scheibe *f*.

polémi|ca *f* Polemik *f*; **~co** *adj.* polemisch.

polemi|sta *c* Polemiker *m*; **~zar** [1f] *v/i.* polemisieren.

polemonio ⚘ *m* Speerkraut *n*.

polen ⚘ *m* Blütenstaub *m*, Pollen *m*.

polenta *f* Maisbrei *m*.

poli F *f* Polente *f* P.

poliandria *f* Vielmännerei *f*, Polyandrie *f*.

poli|cía I. *f* Polizei *f*; *Span.* ~ *armada* kasernierte Polizei *f*; ~ *secreta* Geheimpolizei *f*; ~ *de tráfico* Verkehrspolizei *f*; → *a. brigada*; **II.** *m* Polizist *m*; **~cíaco**, **~ciaco** *adj.* Polizei...; Detektiv...; **~cial** *adj. c* Polizei...

poli|clínica *f* Poliklinik *f*, Ambulanz *f*; **~cromía** *f* Vielfarbigkeit *f*; *Typ.* Mehrfarbendruck *m*; **~cromo** *adj.* mehrfarbig; bunt.

polichinela *m* Possenreißer *m*; Hanswurst *m*.

poli|edro *m* Polyeder *n*; **~éster** *m* Polyester(harz *n*) *m*; **~estirol** *m* Polystyrol *n*; **~facético** *lit. adj.* viel-gestaltig; -seitig; **~fásico** *adj.* mehrphasig; **~fonía** ♪ *f* Polyphonie *f*, Mehrstimmigkeit *f*; **~fónica** *f* (gr.) Orchester *n*; **~fónico** (*a. polífono*) *adj.* polyphon; mehrstimmig.

po|ligamia *f* Polygamie *f*, Vielweiberei *f*; **~lígamo I.** *adj.* ⚘, *Soz.* polygam; **II.** *m Soz.* Polygamist *m*.

poliglo|ta (*a. políglota*) *m* Polyglotte(r) *m*, Sprachenkenner *m*; **~to** (*a. polígloto*) *adj.* polyglott, mehrsprachig.

poligo|náceas ⚘ *f/pl.* Knöterichgewächse *n/pl.*; **~nal** *adj. c* vieleckig, polygonal.

polí|gono *m* **1.** Polygon *n*, Vieleck *n*; **2.** ⚔ Schießplatz *m*; **3.** ~ *urbano od. residencial* (geschlossene) Wohnsiedlung *f*; Wohnblock *m*; Trabantenstadt *f*; ~ *de descongestión* neugeschaffenes Industriegebiet *n*; **~grafo** *m* Universalgelehrte(r *m*), Polygraph *m*.

polilla *f* Motte *f*; *p. ext.* Holz- *bzw.* Bücher-wurm *m*.

po|limerización *f* Polymerisation *f*; **~límero** **I.** *adj.* polymer; **II.** **~s** *m/pl.* Polymere *pl.*

poli|morfo *adj.* polymorph, vielgestaltig; **~nomio** *m* Polynom *n*.

poliomielitis *f* spinale Kinderlähmung *f*, Poliomyelitis *f*.

pólipo *m* **1.** *Zo.* **a)** Nesseltier *n*; **b)** → *pulpo*; **2.** Polyp *m*.

poli|ptoton *Rhet. m* Polyptoton *n*; **~semia** *Li. f* Polysemie *f*; **~sílabo** *adj.* mehrsilbig; **~spasto** ⊕ *m* Rollenzug *m*; **~síndeton** *Li. m* Polysyndeton *n*; **~sintético** *Li. adj.* polysynthetisch.

polista *Sp. m* Polospieler *m*.

politburó *Pol. m* Politbüro *n*.

poli|técnico *adj.* polytechnisch; *escuela f* ~*a* Polytechnikum *n*; **~teísmo** *m* Polytheismus *m*; **~teísta** *adj.-su. c* polytheistisch; *m* Polytheist *m*.

política *f* Politik *f*; ~ *agraria* (*arancelaria*) Agrar- (Zoll-)politik *f*; ~ *del gran bastón* Big-Stick-Policy *f* (*engl.*; *Theodore Roosevelts gg.-über Lateinamerika*); ~ *de comercio* (*de entendimiento, de precios, de ventas*) Handels- (Verständigungs-, Preis-, Verkaufs-)politik *f*; ~ *crediticia* (*económica, exterior, interior, social*) Kredit- (Wirtschafts-, Außen-, Innen-, Sozial-) politik *f*; ~ *de la tierra quemada* (*de* [*la*] *buena vecindad*) Politik *f* der verbrannten Erde (der guten Nachbarschaft); *fig.* F *tener mucha* ~ sehr gerissen sein.

politicastro *desp.* *m* Politikaster *m*; Biertischpolitiker *m*.

político I. *adj.* **1.** politisch; **2.** Schwieger...; *hermana f* ~*a* Schwägerin *f*; **II. 3.** *m* Politiker *m*; **4.** *fig.* *ser muy* ~ sehr gerissen (*od.* clever) sein F.

politi|cón I. *adj.* übertrieben höflich; **II.** *m* → *politicastro*; **~quear** F *v/i.* politisieren, kannegießern; **~queo** *m* Politisieren *n*.

poli|uria ⚕ *f* Polyurie *f*; **~vinilo** ⚗ *m* Polyvinyl *n*; *cloruro m de* ~, *Abk.* *CPV* *m* Polyvinylchlorid *n*, *Abk.* PVC *n*; **~valencia** *f* ⚗, ⚕ Mehrwertigkeit *f*; Polyvalenz *f*; *fig.* Vielseitigkeit *f*; **~valente** *adj.* *c* mehrwertig; polyvalent; *fig.* vielseitig.

póliza *f Vers., Verw.* Police *f*; Steuer-, Stempel-marke *f*; ~ *de aviso* Laufzettel *m*; ~ *de fletamento* Seefrachtbrief *m*, Chartepartie *f*; ~ *de seguros* Versicherungs-schein *m*, -police *f*.

poli|zón *m* ⚓, ✈ blinder Passagier *m*; *fig.* Stromer *m*; **~zonte** F *m* Polyp *m* P (*Polizist*).

polo *m* **1.** Pol *m*; *Geogr.* ~ *ártico*, ~ *norte* Nordpol *m*; ~ *antártico* Südpol *m*; ⚡ ~ *negativo* (*positivo*) negativer (positiver) Pol *m*; ~ *auxiliar* Hilfs- *od.* Wende-pol *m*; **2.** *Sp.* Polospiel *n*; Polohemd *n*; **3.** Eis *n* am Stiel; **4.** *Fi.* Meeraal *m*; **5.** *Pol. Span.* ~*s m/pl.* *de desarrollo* Entwicklungs-schwerpunkte *m/pl.*, -gebiete *m/pl.*

polo|la F *f Chi., Ec.* kokettes Mädchen *n*; **~lear** F *v/i. Chi.* **1.** flirten; **2.** belästigen, zudringlich sein.

polo|nés *adj.* → *polaco*; **~nesa** *f* **1.** Polonaise *f* (*Tanz*); **2.** Damenstutzer *m* (*Pelzjacke*).

pol|trón *adj.* faul; arbeitsscheu; **~trona** *f* Lehnstuhl *m*; **~tronería** *f* Trägheit *f*, Faulheit *f*; Arbeitsscheu *f*.

polu|ción *f* Pollution *f*, Samenerguß *m*; *Angl.* Verschmutzung *f*; **~to** *poet. adj.* befleckt.

pol|vareda *f* Staubwolke *f*; *a. fig.* *levantar* (*una*) ~ Staub aufwirbeln; **~vera** *f* Puderdose *f*; **~vo** *m* Staub *m*; Pulver *n* (*nicht* ⚔); ~*s m/pl.* Puder *m*; ~*s m/pl. de picapica* Juckpulver *n*; ~*s m/pl. vulnerarios* Wund-, Streu-puder *m*; *fig.* P *echar un* ~ koitieren (*Mann*); *echar un polv*(*ill*)*o de sal* e-e Prise Salz hineintun; *fig.* F *estar hecho* ~ todmüde sein, total fertig sein F; *fig.* F *hacer* ~ *a alg.* j-n fertigmachen, j-n zur Sau machen P; *morder el* ~ in den Staub beißen (*fig.*); *fig.* F *hacer morder* ~ *a alg.* j-n in den Staub treten; *ponerse* ~*s* s. pudern; *quitar* (*od. sacudir*) *el* ~ abstäuben; *fig.* F *sacudir el* ~ *a alg.* j-m die Jacke vollhauen; *tomar un* ~ *de rapé* (e-e Prise Tabak) schnupfen.

pólvora *f* (Schieß-)Pulver *n*; *fig.* *no haber inventado la* ~ das Pulver nicht erfunden haben; *fig.* *gastar la* ~ *en salvas* sein Pulver umsonst verschießen, die Sache am verkehrten Ende anpacken.

polvo|rear *v/t.* bestäuben; bepudern (mit *dat.* *con*); **~riento** *adj.* staubig; **~rín** *m* Pulvermagazin *n*; † Pulverhorn *n*; **~rosa** *f*: *fig.* *poner pies en* ~ Fersengeld geben, Reißaus nehmen; **~roso** *adj.* staubig; staubbedeckt.

polla *f* junge Henne *f*; *fig.* F junges Mädchen *n*; *fig.* P Penis *m*; ~ *de agua* Bläßhuhn *n*; **~da** *f* Brut *f* (*Gelege u. Küken*); **~ncón** *m* kräftiger Jungvogel *m*; *fig.* F kräftiger Bursche *m*; **~stro** F *m* Schlaumeier *m*; **~zón** *f* Gelege *n e-r Henne*; Küken *n/pl.*

polle|ar *v/i.* s. wie ein Halbwüchsiger (*bzw.* ein Backfisch) benehmen; **~ra** *f* **1.** Hühnerhof *m*; **2.** Laufgitter *n für Kinder*; **3.** Krinoline *f*; **4.** *Am. Reg.* Kleiderrock *m der Frauen*; **~ría** *f* Geflügelhandlung *f*; **~ro** *m* **1.** Geflügel-züchter *m*; -händler *m*; **2.** Hühnerhof *m*; **~rón** *m Arg.* Rock *m e-s Reitkleids*.

polli|no *m* (junger) Esel *m*; *fig.* F Dummkopf *m*; **~ta** *f* junges Mädchen *n*, Backfisch *m*; **~to** *m* Kind *n*, Küken *n* (*fig.*).

po|llo *m* junges Huhn *n*; (Vogel-) Junge(s) *n*; *Kchk.* Hühnchen *n bzw.* Hähnchen *n*; *fig.* F junger Bursche *m*; *Kchk.* ~ *asado* (*empanado al horno*) Brat- (Back-)hähnchen *n*; ~ *cebado* Poularde *f*; *fig.* F *calentura f de* ~ Simulieren *n*, Sichkrankstellen *n*; **~lluelo** *m* Küken *n*; Hühnchen *n*.

pomada *f* Pomade *f*; Salbe *f*; ~ *de ácido bórico* Borsalbe *f*.

poma|r *m*, **~rada** *f* Apfel- *bzw.* Obst-garten *m*; **~rrosa** ⚘ *f Am.* Jambusenbaum *m*; Jambuse *f* (*Frucht*).

pomelo ⚘ *m* Grapefruit *f*, Pampelmuse *f*.

pomera|no *adj.-su.* pommer(i)sch; *m* Pommeraner *m*.

pómez *Min.* **I.** *f* (*piedra f*) ~ Bimsstein *m*; **II.** *m* ~ *siderúrgico* Hüttenbims *m*.

pomo *m* **1.** ⚘ *fleischige* Frucht *f*, Apfel *m*; **2.** Riechfläschchen *n*; **3.** Degenknauf *m*; *p. ext.* Tür-knauf *m*, -knopf *m*; **~logía** ✎ *f* Obstkunde *f*, Pomologie *f*.

pom|pa *f* **1.** Pracht *f*, Gepränge *n*; Prunk *m*; Pomp *m*; *feierlicher* (Auf-)Zug *m*; ~*s f/pl.* *fúnebres* Bestattungsinstitut *n*; *con gran* ~ *od. en* ~ mit gr. Gepränge; *hacer* ~ *de* prunken mit (*dat.*); **2.** Rad *n e-s Pfaus*; **3.** Wasserblase *f*; Kleiderbausch *m*; *a. fig.* ~ *de jabón* Seifenblase *f*; **4.** ⚓ Schiffspumpe *f*; **~pear** *v/i. u.* ~*se v/r.* protzen, dicktun F (mit *dat.* *con*).

pompeyano *adj.-su.* pompejisch; *m* Pompejaner *m*.

pompis F *m* Po(po) *m* F, Podex *m* F.

pompo|sidad *f aufwendige bzw. aufdringliche* Pracht *f*; **~so** *adj.* pomphaft, pompös; prunkhaft; Prunk...; *fig.* hochtrabend, geschwollen (*Stil*).

pómulo *m* Backenknochen *m*; *de* ~*s salientes* mit vorspringenden Backenknochen.

ponche *m* Punsch *m*; *p. ext.* Bowle *f*; **~ra** *f* Punschbowle *f*; Bowle(nschale) *f*.

poncho[1] *m Am.* Poncho *m* (*ärmelloser Überwurf*); *fig.* F *Rpl.* *pisar el* ~ herausfordern; *Arg., Bol.* *pisarse el* ~ s. blamieren.

poncho[2] *adj.* **1.** schlaff, träge; **2.** *Col.* untersetzt, pummelig F; **3.** *Ven.* kurz (*Kleid*).

ponde|rabilidad *f a.* ⚗ Wägbarkeit *f*; **~ble** *adj. c* wägbar; **~ración** *f* **1.** Abwägen *n*; Prüfung *f*, (Ein-) Schätzung *f*; *sobre toda* ~ über alle Maßen; **2.** Gleichgewicht *n*; Ausgeglichenheit *f*; **3.** Anpreisung *f*; Lobeserhebung *f*; *p. ext.* Übertreibung *f*; **~rado** *adj.* abgewogen; überlegt; **~rador** *adj.* abwägend; ausgleichend; *p. ext. fig.* anmaßend; **~rar** *v/t.* **1.** abwägen; prüfen, (ein-) schätzen; **2.** ausgleichen; mäßigen; **3.** rühmen, preisen; stark hervorheben; **4.** übertreiben; **~rativo** *adj.* **1.** lobend, rühmend; Lobes...; **2.** übertreibend; **~rosidad** *f* **1.** Schwere *f*, Gewicht *n*; **2.** *fig.* Bedachtsamkeit *f*; Überlegtheit *f*.

pone|dero ✎ *m* Brut-, Lege-nest *n*; Brutkorb *m*; **~dora** *adj.-su.* *f*: (*gallina f*) ~ Legehenne *f*.

ponen|cia *f* Berichterstattung *f*; Sachbericht *m*, Referat *n*; **~tada** ⚓ *f* starker Westwind *m*; **~te** *m* Berichterstatter *m*; Referent *m*; Sachbearbeiter *m*; **~tino**, **~tisco** *adj.* → *occidental*.

poner [2r; *part.* *puesto*] **I.** *v/t.* setzen; stellen; legen; *p. ext.* anbringen; anheften *usw.*; *in Vbdg. mit adj.* machen; *Antrag* einbringen, stellen; *Anzeige, Telegramm* aufgeben; *Aufgabe, Rätsel* (auf)geben; *Brief, Zeilen, Anschrift* schreiben; *Briefmarke usw., Kfz. Plakette* aufkleben; *Diktat, Einfall usw.* niederschreiben; *Eier* legen; *Einsatz* machen *bzw.* *Geld* setzen *b. Spiel*; *Etikett* anhängen *bzw.* aufkleben; *Gedeck*, ⚕ *Pflaster* auflegen; *Gesicht* machen *od.* ziehen; *Gurt, Gürtel* umschnallen; ⚕ *Injektion* geben; *Kleidungsstück, Schuhe* anziehen; *Miene* aufsetzen; *Blick* richten (auf *ac.* *en*); *Namen, Spitznamen* beilegen, geben; *Ordnung* schaffen; *Ring* anstecken; *Schmuck* anlegen; *Schwierigkeiten, Hindernisse* bereiten; *Sorgfalt, Fleiß* aufwenden; *Speisen* auftragen, servieren; *Stempel, Siegel* aufdrücken; *Steuern* auferlegen; *Tisch* decken; ⚔ *Truppen* einsetzen; *Posten* (auf)stellen; *Wohnung* beschaffen *bzw.* einrichten *od.* herrichten; **a)** *¡ponga usted!* *a*) servieren Sie bitte!; *b*) schreiben Sie!; *pongamos que* + *subj.* setzen wir den Fall, daß + *ind.*; *fig.* ~ *barreras al campo* Unmögliches verlangen (*bzw.* erwarten); *pongamos el* (*od. por*) *caso* gesetzt den Fall; ~ *el pensamiento en Dios* s-e Gedanken auf Gott richten; *pongo cien pesetas a que ...* ich wette (um) hundert Peseten, daß ...; *Equ.* ~ *la silla* satteln; **b**) *mit adj.*: machen; ~ *blando* erweichen, weich machen; ~ *igual a.* ♗ gleichsetzen; **c**) *mit prp. u. adv.*: ~ *al descubierto* bloß-, frei-legen; ~ *al fuego* warm stellen; ~ *a oficio* ein Handwerk lernen lassen; ~ *a secar* zum Trocknen aufhängen (*od.* ausbreiten *usw.*); *Tel. póngame con* ... verbinden Sie mich mit ... (*dat.*); ~ *de aprendiz a alg.* j-n in die Lehre geben; ~ *de ladrón* wie e-n Dieb behandeln; als Dieb hinstellen; ~ *de otra manera* anders hinstellen; umlegen; ~ *de su parte* das Seinige tun; ~ *de punta* auf die Spitze stellen; ~ *delante* vorsetzen; ~ *a/c. en alg.* j-m et. anheimstellen; ~ *en acción a.* ⊕ in Tätigkeit setzen; ~ *en cero Skala, Gerät* auf Null stellen; ⚡ ~ *en circuito* in den Stromkreis schalten; ~ *en claro* (deutlich) darlegen; klarstellen; ~ *en comunicación* (*od. en contacto*) in Verbindung setzen (mit *dat. con*); ✓ ~ *en cultivo* urbar machen, bebauen; ~ *en evidencia* beweisen; ~ *en función* in Funktion setzen; betätigen; auslösen; ⚓ ~ *en grada* auf Kiel legen; ~ *en manos de alg.* j-m in die Hände geben; j-m anheimgeben; ~ *en movimiento* in Bewegung setzen; ♪ ~ *en música* in Musik setzen; ~ *en obra* in Angriff nehmen, beginnen; ~ *en mil pesetas* tausend Peseten bieten für (*ac.*) (*Versteigerung*); ✓ ~ *en regadío* bewässern; ~ *en uso* in Gebrauch nehmen; ~ *encima* darüberlegen; (dar)aufsetzen; *fig.* ~ *mal* (*bien*) in ein schlechtes (gutes) Licht setzen; schlechtmachen; *fig.* ~ *por delante* vor Augen halten; klarmachen; ~ *por embustero* als Schwindler hinstellen; *fig.* ~ *por encima* höher stellen; vorziehen; ~ *por medio* dazwischenlegen; in den Weg legen (*Hindernis*); **II.** *v/r.* ~*se* **a**) s. stellen; s. anlegen; *Kleidung, Schuhe* anziehen; s. *in e-n Zustand* (*bzw. in e-e Lage od. an e-n Ort*) (ver)setzen; untergehen (*Sonne, Sterne*); ~*se la corbata* (*el delantal*) die Krawatte anlegen (die Schürze umbinden); ~*se la chaqueta* (*las gafas*) den Rock anziehen (die Brille aufsetzen); *al* ~*se el sol* bei Sonnenuntergang; **b**) *mit adj.* (vorübergehend) werden; ~*se bueno* gesund werden; ~*se derecho* s. aufrichten; *el tiempo se va poniendo lluvioso* das Wetter wird (allmählich) regnerisch; ~*se malo* krank werden; schlecht werden (*Lebensmittel*); ~*se sucio* s. schmutzig machen; *fig.* ~*se tan alto* sehr hochfahrend tun; **c**) *mit adv.*: F *¡no te pongas así!* stell' dich nicht so an!; F ~*se bien* s. gut anziehen, s. fein machen F; ~*se* (*por*) *delante* dazwischenkommen (*Störung, Hindernis*); *fig. no ponérsele a uno nada* (*od. cosa*) *por delante* rücksichtslos sein Ziel verfolgen; s. durch nichts aufhalten lassen; **d**) *mit prp.*: ~*se a* + *inf.* beginnen (*od.* anheben *lit.*), zu + *inf.*; s. anschicken, zu + *inf.*; ~*se a mal con alg.* s. mit j-m verfeinden; ~*se a la ventana* ans Fenster treten; *fig.* ~*se con el más pintado* es mit dem Klügsten aufnehmen; ~*se contra alg.* s. gg. j-n stellen; ~*se de acuerdo sobre a/c.* s. über et. (*ac.*) einigen; ~*se de barro* s. beschmutzen (*Straßenschmutz, Lehm, Schlamm*); ~*se de hollín* verrußen; ~*se de invierno* (*de verano*) s. winterlich kleiden (Sommerkleidung anziehen); ~*se de luto* Trauer(kleidung) anlegen; ~*se de mal humor* schlechte Laune bekommen; ~*se de polvo* staubig werden; ~*se de rodillas* (nieder)knieen; *fig.* ~*se en la calle* s. öffentlich sehen lassen; ~*se en la cama* bettlägerig werden, erkranken; ~*se en camino* s. auf den Weg machen; abreisen; ~*se en comunicación con alg.* s. mit j-m in Verbindung setzen; *fig.* ~*se en lo peor* s. auf das Schlimmste gefaßt machen; ~*se en Vigo en tres horas* nach drei Stunden in Vigo sein, in drei Stunden nach Vigo fahren; **e**) *Am. Cent., Méj. ponérsela(s)* s. betrinken; *Am. Reg. se me pone que* ... mir scheint, daß ..., ich glaube, daß ...; *C. Ri. ponérselas en el cogote, Méj.* ~*se los pies en la cabeza* die Füße in die Hand nehmen *fig.*

poney *m* Pony *n.*

ponga *f Pe.* irdenes Gefäß *n.*

pongo[1] → *poner.*

pongo[2] *Zo. m* Orang-Utan *m.*

pongo[3] *m* **1.** *Bol., Pe. indianischer* Diener *m od.* Knecht *m*; **2.** *Bew. Pe.* Nebenkanal *m*; **3.** *Pe., Ec.* Engpaß *m in den Kordilleren*; Flußdurchbruch *m.*

poniente I. *m* Westen *m*; Westwind *m*; **II.** *adj. c* untergehend (*Sonne*).

ponta|je, ~zgo *m* Brücken-zoll *m*, -maut *f.*

póntico *Geogr. adj. hist.* pontisch; *lit.* Schwarzmeer...

pontifi|cado *m* Pontifikat *n*; päpstliche Würde *f*; **~cal I.** *adj. c* päpstlich; *misa f* ~ Pontifikalamt *n*; → *a. pontificio*; **II.** *m* Pontifikale *n*; *celebrar de* ~ ein Pontifikalamt zelebrieren; *fig.* F *de* ~ → *de etiqueta* (*Anzug*); **~car** [1g] *v/i.* Papst sein (*bzw.* werden); *p. ext.* ein Pontifikalamt halten; *fig.* F große Reden führen, dozieren (*fig.*).

pontífice *m* Erzbischof *m*; Bischof *m*; *hist. u. fig.* Pontifex *m*; *Sumo* ♀ *m* Papst *m.*

pontificio *adj.* päpstlich; oberpriesterlich; (erz)bischöflich; *hist. Estado(s) m(/pl.)* ♀(*s*) Kirchenstaat *m*; *sede f* ~*a* päpstlicher Thron *m*, Stuhl *m* Petri.

pon|tón *m* Ponton *m*; Brückenkahn *m*; *a.* Fährboot *n*; (Lande-)Steg *m*; Ponton-Brücke *f*; **~tonero** *m* Pontonführer *m*; Ponton- *bzw.* Brücken-bauer *m*; ~ *militar* Brückenbaupionier *m.*

ponzo|ña *f a. fig.* Gift *n* (*bsd. v. Tieren*); **~ñoso** *adj.* giftig.

pool ✝, *Pol. engl. m* Pool *m*; ~ *Carbón-Acero* Montanunion *f.*

popa ⚓ *f* Heck *n*; Achterschiff *n*; *fig.* F Hintern *m* F; *a* ~ achtern; *por la* ~ achteraus; *de* ~ *a proa* vom Bug zum Heck; *fig.* F ganz u. gar, vollständig; *viento en* ~ Rückenwind *m*; *adv.* vor dem Wind; *fig.* glänzend, prächtig.

popal *m Méj.* Sumpf *m*, Morast *m.*

popar F *v/t.* **1.** verhätscheln; **2.** verächtlich behandeln.

pope *Rel. m* Pope *m.*

pope|lín *m*, **~lina** *f tex.* Popelin(e *f*) [*m.*]

popoff P *m Méj.* Snob *m.*

popula|chería *f* Beliebtheit *f* beim Straßenvolk; Gunst *f* des Pöbels; **~chero** *desp. adj.* Volks..., Straßen..., Pöbel...; **~cho** *m* Pöbel *m*, Mob *m*; **~r** *adj. c* volkstümlich, populär; beliebt; Volks...; *canción f* ~ Volkslied *n*; **~ridad** *f* Volkstümlichkeit *f*, Popularität *f*; Beliebtheit *f*; **~rizar** [1f] **I.** *v/t.* volkstümlich machen; allgemein verbreiten; **II.** *v/r.* ~*se* allgemein bekannt (*od.* beliebt) werden; Gemeingut werden.

pópulo *m* P *burl.* Volk *n*; *fig.* F *hacer una de* ~ *bárbaro* e-n sehr harten (*bzw.* verrückten F) Entschluß fassen.

populoso *adj.* volkreich.

popurrí *m* ♪ Potpourri *n*; *p. ext.* kunterbuntes Allerlei *n*, Mischmasch *m.*

poquedad *f* **1.** Wenigkeit *f*; Winzigkeit *f*; Knappheit *f*; **2.** Zaghaftigkeit *f.*

póquer *Kart. m* Poker(spiel) *n*; *jugar al* ~ pokern.

poquito *dim. v. poco*: *un* ~ ein bißchen; *a* ~*s* wenig u. oft; *poco a* ~ ganz allmählich; hübsch sachte F; *fig.* F (*de*) ~*a cosa* recht unbedeutend.

por *prp.* (*instrumental-lokativisch-final*): **1.** *Passiv*: von (*dat.*), durch (*ac.*); *diputado m* ~ *Puerto Rico* gewählter Abgeordneter *m* Portorikos; *doctor m* ~ *la Sorbona* Doktor *m* der Sorbonne; ✈ *propulsión f* ~ *turbinas* Turbinenantrieb *m*; *vencido* ~ *Roma* von Rom besiegt; *Anm.*: *b. Autoren von Büchern, Artikeln steht* ~, *b. geistigem Urheber, zum Ausdruck der Begleitung u. in festen Redewendungen steht* de; *vgl.* de; **2.** *Grund, Veranlassung*: durch (*ac.*), wegen (*gen.*); ~ *mera casualidad* rein zufällig; ~ *un descuido* aus Unachtsamkeit, aus Versehen; ~ *falta de dinero* aus Geldmangel; *no puedo leerlo* ~ *lo oscuro que está el cuarto* ich kann es nicht lesen, weil das Zimmer so dunkel ist; ~ *ser temprano* weil es (zu) früh ist; *es despedido* ~ *holgazán* er wird entlassen, weil er faul ist; **3.** *Zweck, Ziel*: um zu (*inf.*), wegen (*gen.*); *hablar* ~ *hablar* reden um zu reden; *ir* ~ (F *a* ~) *a/c.* et. (*ac.*) holen, nach et. (*dat.*) gehen; *mandar* ~ *alg.* j-n holen lassen, nach j-m schicken; **4.** *Weg, Richtung*: durch (*ac.*), über (*ac.*); ~ *montes y* (~) *valles* über Berg u. Tal; ~ *Valparaíso* über (*od.* via) Valparaiso; *deslizarse* ~ *entre las mallas* durch die Maschen schlüpfen; **5.** *Ort, örtliche Erstreckung*: durch (*ac.*), in (*dat.*), in der Gegend von (*dat.*); ~ *aquí*, ~ *ahí* hier; hierherum; ~ *dentro* von innen; (dr)innen; ~ *fuera* von außen; (dr)außen; *andar* ~ *ahí* s. in der Gegend aufhalten; s. herumtreiben; *correr* ~ *el patio* über den Hof laufen; im Hof herumlaufen; *dar una vuelta* ~ *el parque* im Park spazierengehen; *estar* ~ *Franconia* s. in Franken aufhalten; *rodar* ~ *el suelo* über den

Boden rollen; **6.** *Zeit, zeitliche Erstreckung*: für (*ac.*), auf (*ac.*); um ... (*ac.*) herum; ~ *Carnaval* in der Karnevalszeit; (*prestar*) ~ *quince días* für (*od.* auf) vierzehn Tage (leihen *bzw.* entleihen); ~ *Navidad* um Weihnachten; ~ *todo el verano* den ganzen Sommer über; **7.** *Preis, Entgelt, Tausch*: für (*ac.*), um (*ac.*); *comprar muebles* ~ *diez mil pesetas* für 10 000 Peseten Möbel kaufen; *cobrar cien pesos* ~ *el trabajo* 100 Pesos für die Arbeit bekommen; *cambiar a/c.* ~ *otra* e-e Sache durch e-e andere ersetzen, et. gg. et. anderes austauschen; **8.** *Mittel, Vermittlung*: durch (*ac.*), mittels (*gen.*); mit (*dat.*); *recibir algo* ~ (*mediación de*) *alg.* et. durch j-s Vermittlung erhalten; *hablar* ~ *señas* s. durch Zeichen verständigen; **9.** *Vertretung*: für (*ac.*), anstelle *od.* (an)statt (*gen.*); *pagar* ~ *alg.* für j-n (= *an j-s Stelle*) zahlen; *comer* ~ *cuatro* für vier (= *soviel wie vier*) essen; ~ *ti* anstelle von dir, statt deiner; *vgl.* → **10.** *Streben, Interesse, Neigung*: für (*ac.*), zugunsten von (*dat.*), gerichtet auf (*ac.*); um ... (*gen.*) willen; ~ *Dios y* ~ *la Patria* für Gott u. Vaterland; ~ *ti* um deinetwillen (*vgl.* 9); *nach adj. u. su.*: *apasionado* ~ *la música* begeistert für die Musik, musikbegeistert; *inquietud f* ~ *el resultado* Unruhe *f* wegen des Ergebnisses; (banges) Warten *n* auf den Ausgang; *nach Verben*: *estar* ~ *alg.* für j-n sein; auf j-s Seite stehen; *interesarse* ~ *a/c.* s. für et. (*ac.*) interessieren; für et. (*ac.*) Anteilnahme zeigen; *mirar* ~ *su reputatión* auf s-n guten Ruf bedacht sein; *temer* ~ *su vida* um sein Leben fürchten; **11.** *Art u. Weise*: ~ *escrito* schriftlich; ~ *fortuna* glücklicherweise; zum Glück, Gott sei Dank; ~ *un pelo* um ein Haar; *de* ~ *sí* aus eignem Antrieb; **12.** *Eigenschaft*: als; *alzar* ~ *caudillo a alg.* j-n zum politischen (*od.* militärischen) Führer erheben; *pasar* ~ *bueno* als (*od.* für) gut gelten; *la tiene* ~ *madre* sie ist ihm Mutter; **13.** *Verhältnis, Verteilung*: auf (*ac.*), pro, je; ~ *cabeza* pro Kopf, auf den Kopf; *el cinco* ~ *ciento* fünf Prozent; ~ *litro* je (*od.* pro) Liter; **14.** *Entsprechung, Gemäßheit*: gemäß (*dat.*), im Hinblick auf (*ac.*), nach (*dat.*); *guiarse* ~ s. leiten lassen von (*dat.*); *regirse* ~ s. richten nach (*dat.*); **15.** *Multiplikation*: mal; *tres* ~ *cinco son quince* 3 mal 5 gleich 15 (*3 × 5 = 15*); **16.** *mit inf.*: *estar* (*od. quedar*) ~ *hacer* noch zu tun sein (*od.* verbleiben); *estar* ~ *llegar* bald kommen (müssen); **17.** *adverbial u. konjunktional*: ~ *algo* aus irgendeinem (*bzw.* aus gutem) Grunde; nicht umsonst; zu e-m bestimmten Zweck; ~ *donde* weshalb, wodurch, weswegen; ~ *lo cual* weswegen, dadurch; ~ *lo demás* übrigens; ~ *lo dicho* auf Grund des Gesagten, weswegen; ~ (*lo*) *tanto* deshalb; ~ *más que* + *subj.* wie sehr auch; ¿~ *qué?* warum?, weshalb?

porcachón F *adj.-su.* schweinisch, schmutzig, schlampig; ¡*qué* ~*ona!* so e-e Schlampe!

porcelana *f* Porzellan *n*; ~ *china* (*del Japón, de Sajonia*) China- (Japan-, Meißner)Porzellan *n.*

por|centaje *m* Prozentsatz *m*; Anteil *m*; ⊕ *a.* Quote *f*; **~cientos** *m/pl.* Prozente *n/pl.*; ~ *en volumen* Volumenprozente *n/pl.*

porci|cultor *m* Schweinezüchter *m*; **~cultura** *f* Schweinezucht *f*; **~no** *adj.* Schweine...

porción *f* Teil *m*; Anzahl *f*; Menge *f*, Quantum *n*, Portion *f*; ⚕ ~ *alimenticia* Futterration *f.*

Porciúncula *kath. f* Portiunkulaablaß *m.*

porcuno *adj.* Schweine...

porche *m* Laubengang *m*; Vorhalle *f.*

pordiose|ar *v/i.* betteln; heischen; **~o** *m*, **~ría** *f* Bettelei *f*; **~ro** *adj.-su.* bettelhaft; *m* Bettler *m.*

por|fía *f* **1.** Eigensinn *m*, Hartnäckigkeit *f*; **2.** Eifer *m*; Wettstreit *m*; *a* ~ um die Wette; **~fiado** *adj.* hartnäckig; rechthaberisch; trotzig, verbissen; **~fiador** *adj.-su.* streitsüchtig, rechthaberisch; *m* rechthaberischer Starrkopf *m*; **~fiar** [1c] *v/i.* beharren; trotzen; sehr hartnäckig (*bzw.* zudringlich) sein; streiten; ~ *en* (*od. por*) + *inf.* darauf bestehen, zu + *inf.*

porfídico *adj.* Porphyr...

pórfi|do *m*, **~ro** *gal. m* Porphyr *m.*

porfirizar [1f] *v/t. z. B. pharm.* fein zerreiben.

porlán *m* → *portland.*

pormeno|r *m* Einzelheit *f*; **~es** *m/pl.* Einzelheiten *f/pl.*, Details *n/pl.*; **~rizar** [1f] *v/t.* genau beschreiben; in allen Einzelheiten aufzählen.

por|nografía *f* Pornographie *f*; **~nográfico** *adj.* pornographisch; **~nógrafo** *m* Pornograph *m*, pornographischer (*od.* obszöner) Autor *m* (*bzw.* Künstler *m*).

poro *m* Pore *f*; **~sidad** *f* Porosität *f*; Porenweite *f*; *de fina* ~ feinporig; **~so** *adj.* porös, porig.

poro|tada *f Chi.* Bohneneintopf *m*; *p. ext.* F Essen *n*; Lebensunterhalt *m*; **~tera** F *f Chi.* **1.** Mund *m*; **2.** Bockspringen *n* (*Spiel*); **3.** *längerer* Trommelwirbel *m*; **~tero** *adj. Am. Mer.* Bohnen...; bohnenessend; **~to** *Ke. m Am. Mer.* **1.** Bohne *f*; Bohnengericht *n*; *p. ext.* Speise *f*, tägliches Brot *n* (*fig.*); **2.** *fig.* F Knirps *m.*

por|que *cj.* **1.** weil, da; ~ *sí* nur so, ohne besonderen Grund, aus Spaß; **2.** *lit. u. Reg.* ~ + *subj.* damit, daß; **~qué** *m* Warum *n*, Ursache *f*, Grund *m.*

porque|ría *f* Schweinerei *f*; *fig.* F *a.* Bagatelle *f*; minderwertige Ware *f*, Dreck *m* (*fig.* F); *por una* ~ *de pesetas* beinahe umsonst; **~riza** *f* Schweinestall *m*; **~r(iz)o** *m* Schweinehirt *m.*

porra *f* **1.** Keule *f*; *p. ext.* (Gummi-)Knüppel *m*; *fig.* P Penis *m*; *fig.* F *agente m de la* ~ Polizist *m*; **2.** *fig.* F *irse a la* ~ kaputtgehen, eingehen; *mandar a la* ~ zum Teufel jagen F; ¡*vete a la* ~! scher dich (zum Teufel, zum Kuckuck)!; **3.** Zuschlaghammer *m der Schmiede*; **4.** *fig.* F *Kchk.* gr. Ölkringel *m*; **5.** F Letzte(r) *m b. gewissen Kinderspielen*; **6.** lästiger Mensch *m*; **7.** *Arg., Bol.* Haarwuschel *m*; **8.** *Thea., Pol. Méj.* Claque *f*; **~da** *f* Keulenschlag *m*; *fig.* F Riesendummheit *f*; *fig.* F *una* ~ *de* e-e Unmenge von (*dat.*); **~zo** *m* Keulenschlag *m*; Schlag *m* mit e-m Knüppel; *darse un* ~ gg. et. (*ac.*) stoßen.

porrear F *v/i.* zudringlich werden.

porrero *kath. m Chi.* Meßner *m*; assistierender Priester *m.*

porreta *f* Porree *m*; *fig.* F *en* ~(*s*) splitternackt.

porrillo F: *a* ~ in Unmassen, in Hülle und Fülle.

porro F **I.** *adj.* **1.** grobschlächtig; träge; dumm; **II.** *m* **2.** schwerfälliger Mensch *m*; **3.** *Col.* Trommel *f* (*bongoähnlich*); *p. ext.* fröhliches Treiben *n zum Takt dieser Trommel.*

porrón[1] F **I.** *adj.* schwerfällig; starrköpfig; lästig; **II.** *m* Tolpatsch *m.*

porrón[2] *m* **1.** Trinkgefäß *n* aus Glas mit langer Tülle; **2.** → *botijo.*

porta ⚓ *f* Geschützpforte *f.*

porta|algodones ⚕ *m* (*pl. inv.*) Stieltupfer *m*; **~aviones** ⚓ *m* → *portaviones*; **~bandera** *m* Fahnenschuh *m*; **~barrenas** *Zim. m* (*pl. inv.*) Bohrkopf *m*; **~bayoneta** ⚔ *m* Seitengewehrhalter *m*; **~bombas** ✈ *m* (*pl. inv.*) Bombenträger *m*; **~botellas** *m* (*pl. inv.*) Flaschengestell *n*; **~brocas** ⊕ *m* (*pl. inv.*) Bohrfutter *n*; **~caja** ⚔ *f* Trommelriemen *m*, -gehenk *n*; **~cargas** ⊕ *m* (*pl. inv.*) Palette *f*; **~carretes** *Phot. m* (*pl. inv.*) Spulenträger *m*; **~cartuchos** ⚔ *m* (*pl. inv.*) Patronengurt *m zum Umhängen*; **~cierre** ⚔ *m* Bodenstück *n* (*Geschütz*); **~cohetes** *adj.-su. inv.* raketentragend; *m* Raketenträger *m*; **~cruz** *m* (*pl.* ~*uces*) Kreuzträger *m b. Prozessionen*; **~cubiertos** *m* (*pl. inv.*) Besteckkasten *m*; **~cuchillas** ⊕ *m* (*pl. inv.*) Messer-halter *m*, -kopf *m.*

porta|chuelo *m* Engpaß *m zwischen Bergen*; **~da** *f* **1.** Portal *n*; Vorderseite *f e-s Gebäudes*; **2.** *Typ.* Titelseite *f*; -blatt *n*; Titel-, Umschlagbild *n*; **~diapositiva** *m* Diapositivhalter *m*; **~dilla** *Typ. f* Schmutztitel *m*; **~do** *part.*: *bien* (*mal*) ~ von guten (schlechten) Umgangsformen; gut (schlecht) gekleidet; **~dor** **I.** *m* Träger *m* (*a.* ⚕); *a.* Dockarbeiter *m*; ✝, ⚖ Inhaber *m*; Überbringer *m*; ✝ *título m al* ~ Inhaberpapier *n*; **II.** *adj.* Träger...; **~dora** ⚡, *Tel. f* Träger *m.*

porta|equipajes *m* (*pl. inv.*) *Kfz.* Gepäckhalter *m*; 🚃 *usw.* Gepäcknetz *n*; **~espada** ⚔ *m* Degenkoppel *n*; **~estandarte** ⚔ *m* Fahnenträger *m*; **~fusil** ⚔ *m* Gewehr-, Tragriemen *m*; **~gérmenes** ⚕ *m* (*pl. inv.*) Keimträger *m*; **~helicópteros** ⚓ *m* (*pl. inv.*) Trägerschiff *n* für Hubschrauber; **~herramientas** ⊕ *m* (*pl. inv.*) → *portaútil.*

portal *m* **1.** Portal *n*, Vorhalle *f*; Torweg *m*; *fig. zapatero m de* ~ Flickschuster *m*; **2.** Säulengang *m*; **3.** → *belén, nacimiento.*

porta|lámpara(s) *m* Fassung *f*, Lampensockel *m*; **~lápiz** *m* (*pl.* ~*ices*) Bleistifthalter *m*; **~libros** *m* (*pl. inv.*) Bücherriemen *m*; **~ligas** *m* (*pl. inv.*) *Arg.* Strumpfhalter *m*; **~listín** *m* Telefonbuchständer *m.*

portalón *m* **1.** gr. Tor *n*, gr. Einfahrt *f*; **2.** ⚓ Fallreeptür *f*.
porta|mantas *m* (*pl. inv.*) Mantelriemen *m*; Gepäckträger *m b. Fahrrad*; **~minas** *m* (*pl. inv.*) Drehbleistift *m*; Minenhalter *m*; **~monedas** *m*, *Chi.*, *Ven. f* (*pl. inv.*) Geldbörse *f*, Portemonnaie *n* (*a. fig.*); **~negativo** *Phot. m* Filmhalter *m*.
portante *Equ. m* Paß(gang) *m*; *fig.* F *tomar el ~* s. davonmachen.
porta|objeto(s) *m* Objektträger *m b. Mikroskop*; **~ocular** *Opt. m* Augen-, Okular-muschel *f*; **~papeles** *m* (*pl. inv.*) Papier-halter *m*, -ständer *m*; **~paz** *kath. c* Paxtafel *f*, Pacem *n*; **~pliegos** *m* (*pl. inv.*) Ordonnanz-, Akten-mappe *f*; ⚔ Meldekartentasche *f*; **~plumas** *m* (*pl. inv.*) Federhalter *m*.
portar I. † *v/t.* → *llevar*; **II.** *v/r.* *~se* s. betragen, s. benehmen, s. aufführen; *p. ext.* großzügig sein.
porta|satélites *adj. inv.*: *cohete m ~* Trägerrakete *f*; **~sellos** *m* (*pl. inv.*) Stempel-träger *m*, -halter *m*; **~tacos** *m* (*pl. inv.*) Queueständer *m b. Billard*.
portátil *adj. c* tragbar; Reise..., Hand...; ⊕ beweglich, fahrbar; transportabel; ⚔ *arma f de fuego ~* Handfeuerwaffe *f*; *máquina f de escribir ~* Reiseschreibmaschine *f*.
portatipos *m* Typenträger *m* (*b. Schreibmaschinen*).
porta|útil ⊕ *m* Meißel-, Stahlhalter *m*; **~ventanero** *m* Bauschreiner *m für Fenster u. Türen*; **~viandas** *m* (*pl. inv.*) Einsatz *m*, Essen(s)-träger *m*; **~viones** ⚓ *m* (*pl. inv.*) Flugzeugträger *m*; **~voz** *m* (*pl.* *~oces*) *bsd.* ⚔ *u. fig.* Sprachrohr *n*; *fig.* Sprecher *m*, Wortführer *m*; *Pol.* *~ del Gobierno* Regierungssprecher *m*.
portazgo *m* Wegezoll *m*, Maut *f*.
portazo *m* Zuschlagen *n* e-r Tür; *a. fig. dar un ~* die Tür heftig zuschlagen; *fig.* im Zorn weggehen.
porte *m* **1.** Fracht *f zu Lande*; Anfuhr *f*; Fuhr-, Trage-lohn *m*; ✆ Porto *n*; ✆ *~ debido* unfrei; *~ pagado* frei; **2.** Betragen *n*, Benehmen *n*; Haltung *f*, Verhalten *n*; *~ militar* militärische Haltung *f*; **3.** ⚓ Ladefähigkeit *f*; **~ador** *m* Frachtführer *m*; Lastträger *m*; **~ar**[1] **I.** *v/t.* fortbringen; *Fracht* ab- *bzw.* an-fahren; tragen, schleppen; **II.** *v/i. Arg.* → *marcharse*.
portear[2] *v/i.* Tür(en) zuschlagen.
portento *m* Wunder *n*; **~so** *adj.* wunderbar, wundervoll; eindrucksvoll.
porteño *adj.-su.* aus **a)** Buenos Aires; **b)** Valparaiso (*Chi.*); **c)** Puerto Barrios (*Guat.*); **d)** Cortés (*Hond.*); **e)** Veracruz (*Méj.*).
porte|ría *f* **1.** Pförtner-wohnung *f bzw.* -loge *f*; **2.** *Sp.* Tor *n* (*Fußballplatz usw.*); **~ro** *m* (**~ra** *f*) **1.** Pförtner(in *f*) *m*; Hausmeister(in *f*) *m*; **2.** *Sp.* Torwart *m*; **~zuela** *f* (Ofen-) Tür *f*; Tür *f an Fahrzeugen*; 🚂 Abteiltür *f*.
pórtico *m* Säulengang *m*.
porti|lla ⚓ *f* Bullauge *n*; **~llo** *m* **1.** Maueröffnung *f*; Pforte *f*, Pförtchen *n*; Nebentor *n in Ortschaften*; Gittertor *n b. Fabriken usw.*; Tür (-chen *n*) *f in e-m Torflügel*; **2.** Engpaß *m im Bergland*; **3.** ausgebrochene Ecke *f b. Geschirr*.
portland Δ *m* (*Aussprache mst. porlán*) Portlandzement *m*.
portón *m* (Hof- *bzw.* Park-)Tor *n*.
portorriqueño *adj.-su.* aus Puerto Rico, puertorikanisch; *m* Puertoricaner *m*, *a.* Portorikaner *m*.
portuario *adj.* Hafen...; *obras f/pl.* *~as* Hafenbauarbeiten *f/pl.*
portugués *adj.-su.* portugiesisch; *m* Portugiese *m*; *Li. das* Portugiesische.
porvenir *m* Zukunft *f*; *en lo ~* künftig; *fig. un joven de ~* ein junger Mann mit Zukunft; *tener el ~ asegurado* e-e gesicherte Zukunft haben; *fig. sin ~* aussichtslos.
pos *adv.*: *en ~* hinten(nach); *en ~ de alg.* (*de a/c.*) hinter j-m (et. *dat.*) (her); *ir en ~* hinterhergehen, nachgehen.
posa *f* Totengeläut *n*.
posa|da *f* **1.** Gasthaus *n*, Herberge *f*; *tomar ~* absteigen, übernachten; **2.** *Am. Cent.*, *Méj. Art* Hausball *m in der letzten Novene vor Weihnachten*; **~deras** *f/pl.* Gesäß *n*; **~dero** *m* Gastwirt *m*.
posar I. *v/i.* **1.** Modell stehen (*od.* sitzen), posieren; **2.** † *u. Reg.* einkehren; s. ausruhen; **3.** ✈ *u. Vögel* → *~se*; **II.** *v/t.* **4.** *e-e Last* absetzen; **III.** *v/r.* *~se* **5.** s. setzen (*Vögel*, *Schmetterlinge*; *Flüssigkeit*); ✈ landen, aufsetzen.
pos|bélico *adj.* Nachkriegs...; **~comunión** *kath. f* Postcommunio *f* (*lt.*) (*Meßgebet*); **~data** *f* Nachschrift *f*.
pose *f* Pose *f*; Affektiertheit *f*.
pose|edor *m* Besitzer *m*, Inhaber *m*; **~er** [2e] **I.** *v/t.* besitzen; *Sprache* beherrschen; **II.** *v/r.* *~se* s. beherrschen; **~ído I.** *adj.* besessen; *fig.* wie besessen; wütend; *~ de* ganz erfüllt von (*dat.*); **II.** *m a. fig.* Besessene(r) *m*; *fig.* Wütende(r) *m*; **~sión** *f* Besitz *m*; Besitzung *f*; *poner en ~* in den Besitz setzen; *tomar ~* Besitz ergreifen; *tomar ~ de un cargo* ein Amt antreten; **~sional** ⚖ *adj. c* zum Besitz gehörig; Besitz...; **~sionar I.** *v/t.* in den Besitz setzen; **II.** *v/r.* *~se de* von *et.* (*dat.*) Besitz ergreifen; **~sionero** 🐄 *m* Viehzüchter *m*, *der die Weiden in s-n Besitz übernommen hat*; **~sivo** *Li.* **I.** *adj.* besitzanzeigend; **II.** *m* Possessivum *n*; **~so** *adj.-su.* besessen; *m* Besessene(r) *m*; **~sor** *adj.-su.* besitzend; *m* Besitze(nde)r *m*; **~sorio** ⚖ *adj.* Besitz...; *acción f ~a* Besitz(schutz)klage *f*.
pos|fecha *f* Nachdatierung *f*; *poner ~ (a)* nachdatieren (*ac.*); **~festivo** *adj.* → *post festivo*; **~guerra** *f* Nachkriegszeit *f*.
posi|bilidad *f* Möglichkeit *f*; *estar por encima de las ~es* die Kräfte übersteigen; *vivir por encima de sus ~es* über s-e Verhältnisse leben; **~bilitar** *v/t.* ermöglichen; **~ble I.** *adj. c* möglich; *en lo ~* soweit immer möglich; *hacer lo humanamente ~* das Menschenmögliche tun; *hacer todo lo ~* sein möglichstes tun; **II.** *m das* Mögliche; *die* Möglichkeit; *~s m/pl.* Vermögen *n*; Mittel *n/pl.* u. Wege *m/pl.*
posici|ón *f* Stellung *f*; Lage *f*; Haltung *f*; Position *f*; *~ cero* Nullstellung *f auf Skalen usw.*; *~ de disparo* ⚔ Abfeuerungsstellung *f*; *Phot.* Aufnahmestellung *f*; *fig. de ~* hochgestellt, von Rang; *a. fig. en buena ~* in guter Stellung; *tomar ~* ⚔ *u. fig.* Stellung beziehen; *Sp.* s. aufstellen.
positi|va *Phot. f* Positiv *n*; **~var** *Repro. v/t.* positivieren; **~vismo** *Phil. m* Positivismus *m*; **~vista** *adj.-su. c* positivistisch; *m* Positivist *m*; **~vo I.** *adj.* **1.** positiv; reell, wirklich; **2.** handgreiflich; tatsächlich; **II.** *m* **3.** *Gram.* Positiv *m*.
pósito *m öffentlicher* Getreidespeicher *m*; *p. ext.* Genossenschaftshilfe *f*; *~ de pescadores* Konsumladen *m von Fischereigenossenschaften*.
posit(r)ón *Phys. m* Positron *n*.
posma F **I.** *f* **1.** Phlegma *n*; **2.** *Ven.* fauliges Wasser *n*; **II.** *c* (*a. adj.*) **3.** (*ser muy*) *~* (e-e gr.) Schlafmütze (sein).
poso *m* Bodensatz *m*; *fig. hasta los ~s* bis zur Neige.
posología ⚕ *f* Dosierung *f*.
pospo|ner [2r] *v/t.* nachstellen; hintansetzen; **~sición** *f* Nachstellung *f*; Hintansetzung *f*; *Gram.* Postposition *f*; **~sitivo** *Gram. adj.* nachgestellt, postpositiv.
posro|manticismo *Lit. m* Spätromantik *f*; **~mántico** *adj.-su.* spätromantisch; *m* Spätromantiker *m*.
pos|ta I. *f* **1.** *hist.* Post *f*; Poststation *f*; (Post-)Pferde *n/pl.*; Postwagen *m*; Entfernung *f* zwischen zwei Poststationen; *casa f de ~s* Posthalterei *f*; *maestro m de ~s* Posthalter *m*, -meister *m*; (*silla f de*) *~* Postkutsche *f*; *fig.* F *adv. por la ~* in größter Eile; **2.** *Jgdw.* grober Flintenschrot *m*; (Reh-)Posten *m*; **3.** Schnitte *f* (*Fleisch*, *Fisch usw.*); **4.** *Kart. usw.* Einsatz *m*; *adv. a ~* absichtlich; **5.** Δ Volute *f*, Spirallinie *f* (*Ornament*); **6.** † Gedenktafel *f*; **II.** *m* **7.** (Post-)Kurier *m*; □ Büttel *m*; **~tal I.** *adj. c* postalisch; Post...; *a. su.* (*tarjeta f*) *~ f* Postkarte *f*; *fig.* F *como una ~* wunderschön (*bsd. Landschaft*).
postcombustión *f* Nachverbrennung *f* (*z. B. Düsenmotor*).
poste *m* Pfosten *m*; Pfeiler *m*; Mast *m*; *~ distribuidor* Zapfsäule *f* (*Tankstelle*); *~ kilométrico* Kilometerstein *m*; *~ de línea de alta tensión* (🚂 *~ de señales*) Hochspannungs- (Signal-)mast *m*; *~ de sacrificio* Marterpfahl *m der Indianer*; *~ telegráfico* Telegraphenmast *m*; *fig. dar ~ a alg. Sch.* j-n in die Ecke stellen (*Strafe*); *fig.* F j-n ungebührlich lange warten lassen; *fig.* F *oler el ~* Lunte (*od.* den Braten) riechen; *fig.* F *serio como un ~* todernst.
postema *f* ⚕ Schwäre *f*; *fig.* lästige Person *f*.
Poste Restante ✆ *frz.* postlagernd.
posterga|ción *f* Hintansetzung *f*; **~r** [1h] *v/t.* zurück-, hintan-setzen; übergehen (*z. B. bei e-r Beförderung*); *et.* auf-, ver-schieben.
posteri|dad *f* Nachkommenschaft *f*; Nachwelt *f*; **~or** *adj. c* nachheri-

ge(r, -s); spätere(r, -s); hintere(r, -s); Hinter...; ~ *a* nach (*dat.*), später als (*nom.*); folgend (*dat.*); **~oridad** *f* Nachherigkeit *f*; spätere Zeit *f*; Nachwelt *f*; *con* ~ nachträglich.
postescolar *adj. c* nachschulisch; Fortbildungs...
posteta *f Typ.* gefalzter Bogen *m*; *Buchb.* Satz *m Papier.*
postfecha *f* → *posfecha.*
post festivo *adj.* nach e-m Feiertag.
postguerra *f* → *posguerra.*
postigo *m* Hintertür *f*; Pförtchen *n*; Fensterladen *m.*
postilla *f* (Wund-)Schorf *m.*
postillón *m* Postillion *m.*
pos|tín *m* Wichtigtuerei *f*, Angabe *f* F; Aufwand *m*, Luxus *m*; *de* ~ großspurig; elegant, piekfein F; *una modista de* ~ e-e teure Schneiderin; *darse (mucho)* ~ s. aufspielen, angeben F; **~tinero** F *adj.* wichtigtuerisch; geckenhaft.
postizo I. *adj.* künstlich; falsch; nachgemacht; lose (*Kragen*); **II.** *m* Haarteil *n*; falsches Haar *n.*
post|kantiano *Phil. adj.* nachkantisch; **~meridiano** *adj.* Nachmittags...
postónico *Li. adj.* nachtonig.
postoperatorio ⚕ *adj.* postoperativ, nach der Operation.
postor *m* Bieter *m*; *adjudicar (subastar) al mejor* ~ dem Meistbietenden zuschlagen (meistbietend versteigern).
postquemador ⊕ *m* Nachbrenner *m* (*b. Düsenmotoren usw.*).
postra|ción *f* Kniefall *m*; Niedergeschlagenheit *f*; Hinfälligkeit *f*; Daniederliegen *n*; **~do** *adj.* darniederliegend; erniedrigt; **~r I.** *v/t.* **1.** niederwerfen; demütigen; **II.** *v/r.* **~se 2.** s. zu Boden werfen; auf die Knie niederfallen; **3.** die Kräfte verlieren; zs.-brechen; **4.** s. demütigen.
postre I. *adj.* † → *postrero*; **II.** *m* Nachtisch *m*; *a. f a la* ~ hinterdrein; zu guter Letzt; *fig. llegar a los* ~*s* zu spät kommen.
pos|tremo *adj.* → **~trer(o)** *adj. c* (*adj.*) letzte(r, -s); **~trimerías** *f/pl.* *die* letzten Lebensjahre *n/pl.*; *ecl. die* vier letzten Dinge *n/pl.*; **~trimero** *lit. adj.* → *postrero.*
post|romanticismo *m* → *posromanticismo*; **~sincronización** *f Film*: (Nach-)Synchronisierung *f.*
postula|do *m* Postulat *n*; Forderung *f*; **~nta** *kath. f* → **~nte** *c* Bewerber(in *f*) *m*; *kath.* Postulant(in *f*) *m*; **~r I.** *v/t.* nachsuchen um (*ac.*); s. bewerben um (*ac.*); postulieren; **II.** *v/i.* Geld (*od.* Spenden) sammeln.
póstumo *adj.* nachgeboren; nachgelassen (*Werk*); post(h)um; *gloria f* ~*a* Nachruhm *m.*
postura *f* **1.** Stellung *f*; Haltung *f*; Lage *f*; Positur *f*; *fig.* Stellungnahme *f*; *Mal.* ~ *académica* Akt *m*; **2.** Einsatz *m* (*Wette*); Gebot *n b. Versteigerung*; ~ *mejor (od. mayor)* Meistgebot *n*; **3.** Gelege *n bzw.* Legen *n der Vögel*; **4.** *Jgdw.* Ansitz *m.*
pos(t)venta ✝: *servicio m* ~ Kundendienst *m.*
pota|bilidad *f* Trinkbarkeit *f*; **~bilización** *f*: ~ *del agua marina* Gewinnung *f* von Trinkwasser aus Meerwasser; **~bilizador** *adj.*: *instalación f* ~*a de agua del mar* Trinkwasseraufbereitungsanlage *f* für Seewasser; **~bilizadora** *f* Aufbereitungsgerät *n* für Trinkwasser; **~bilizar** [1f] *v/t.* trinkbar machen, *Wasser* aufbereiten; **~ble** *adj. c* trinkbar; *agua f* ~ Trinkwasser *n*; *fig.* F *precios m/pl.* ~*s* annehmbare Preise *m/pl.*
potaje *m* **1.** Brühe *f*; (Gemüse-) Suppe *f*; Fastensuppe *f*; *p. ext.* Gemüseeintopf *m*; minderwertiges Essen *n*; *fig.* Mischmasch *m*; **2.** † *u. Reg.* **a)** Dörrgemüse *n*; **b)** Trunk *m*, Gebräu *n.*
po|tasa *Min. f* Pottasche *f*; Kalidünger *m*; ~ *cáustica* Ätzkali *n*; **~tásico** ⚗ *adj.* kalihaltig; Kali...; **~tasio** *Min. m* Kali(um) *n.*
pote *m* irdener Topf *m*; Blechbüchse *f*; *Kchk.* ~ *gallego* galicischer Eintopf *m mit Bohnen u. Speck*; *fig.* F *a* ~ in Hülle u. Fülle; *fig.* F *darse* ~ → *darse postín.*
potenci|a *f* **1.** *a. Pol.* Macht *f*; *gran* ~ Großmacht *f*; ~ *mundial* Weltmacht *f*; **2.** *a.* ⊕ Kraft *f*, Leistung *f*, Stärke *f*; ~ *aceleradora* Beschleunigungsvermögen *n*; *Kfz.* ~ *fiscal* Steuer-Leistung *f*, Steuer-PS *pl.* F; *Kfz.* ~ *de fren(ad)o* Bremsleistung *f* (*Bremsen bzw. Motor*); ~ *suministrada* Leistungsabgabe *f*; → *a. fuerza, capacidad, rendimiento, poder*; **3.** 🕮, ⚕, ℞, *pharm.* Potenz *f*; *Phil.* Möglichkeit *f*; *Psych.*, *Physiol.* Vermögen *n*, Fähigkeit *f*; ⚕ ~ (*generadora*) Zeugungsfähigkeit *f*; *Psych.* ~*s del alma* Seelenkräfte *f/pl.*; ℞ *elevar a la tercera* ~ zur dritten (*od.* in die dritte) Potenz erheben; **~ación** ℞ *f* Potenzieren *n*; **~al I.** *adj. c* möglich; potentiell; **II.** *m Phys. u. fig.* Potential *n*; ⚡ Spannung *f*; *Li.* Potential(is) *m*; Konditional *m*; **~alidad** *f* Leistungsfähigkeit *f*; *Phil.* Potentialität *f*; **~ómetro** ⚡ *m* Potentiometer *n.*
poten|tado *m* Potentat *m* (*a. fig.*); **~te** *adj. c* gewaltig, mächtig; ⊕ leistungsfähig, stark; ⚕ zeugungsfähig, potent.
poterna *fort. f* Poterne *f.*
potesta|d *f* Gewalt *f*; Befugnis *f*; **~tivo** *adj.* freigestellt, Wahl...; *Sch. materia f* ~*a* Wahlfach *n.*
potingue F *m* Arznei *f* (*flüssig*); *desp.* Gesöff *n* P; *hacer* ~*s* et. zs.-brauen, et. panschen F.
poto *m* **1.** *hist. Am. Mer.* Bergwerk *n unter kgl. Verwaltung*; **2.** F *Arg.*, *Bol.*, *Chi.*, *Pe.* Hintern *m* F; Fuß *m* (*bzw.* unteres Ende *n*) *e-s Gg.-stands*; **3.** *Chi.*, *Ec.*, *Pe.* Schale *f* (*Kürbisgefäß od. Tontopf*); **~co** F *adj. Bol.*, *Chi.* rundlich.
Potosí: *berühmte Silberminenstadt in Bol.*; *fig.* Vermögen *n*; *fig. valer un* ~ unbezahlbar sein.
po|tra *f Zo.* Stutenfohlen *n*; *fig.* F → *hernia, tumor*; *fig.* F *tener* ~ Glück (*od.* Schwein F) haben; **~trada** *f* Fohlenherde *f*; **~tranca** *Zo. f* → *potra*; **~tranco** *m* → *potro*; **~trero** *adj.-su.* Fohlenhirt *m*; → **~tril I.** *adj. c* Fohlen...; **II.** *m* Fohlenweide *f*; **~trillo** *m* junges Fohlen *n*; **~tro** *m* **1.** *Zo.* Fohlen *n* (*bis 4½ Jahre*); **2.** *Sp.* Bock *m* (*Turngerät*); ~ *de herrar* Zwangsstand *m der Hufschmiede*; **3.** *hist.* Folterbank *f*; *fig.* Last *f*, Beschwerlichkeit *f.*
poya ⚖ *f* **1.** Backgebühr *f für das Backen im Gemeindeofen*; **2.** Abfall *m b. Flachsbrechen*; **~l** *m* → *poyo*; **~ta** *f* Abstellbord *n*; Wandschrank *m.*
poyo *m* Steinbank *f am Hauseingang.*
po|za *f* **1.** Pfütze *f*, Lache *f*; tiefe Stelle *f in e-m Fluß*; **2.** Wassergrube *f zum Flachsweichen*; **~zal** *m* **1.** Schöpfeimer *m*; **2.** Brunnenrand *m*; **~zanco** *m* Uferlache *f nach Überschwemmungen*; **~zo** *m* **1.** Brunnen *m*; *p. ext.* tiefe Grube *f*; tiefe Stelle *f* (*Col. a.* Badestelle *f*) *in e-m Fluß*; *agua f de* ~ Brunnenwasser *n*; *Met.* ~ *de aire* Fallbö *f*; ~ *de estiércol (líquido)* Jauchegrube *f*; ~ *negro* Abortgrube *f*; ~ *profundo* Tiefbrunnen *m*; *fig.* ~ *sin fondo* Faß *n* ohne Boden; *fig. caer en el* ~ *airón* für alle Zeiten vergessen werden, für immer verschwinden; *fig. ser un* ~ *de ciencia* hochgelehrt sein; **2.** ⚒ Schacht *m*; Bohrloch *n*; *p. ext.* (Kohlen-)Zeche *f*; ~ *auxiliar (maestro, principal)* Neben- (Haupt-)schacht *m*; ~ *ciego (od. muerto)* Blindschacht *m*; Versatzgrube *f*; ~ *de petróleo* Ölquelle *f*; ~ *de extracción (de ventilación)* Förder- (Wetter-)schacht *m*; **3.** ⚓ Kielboden *m.*
pozo|l *Hond.*, **~le** *Am. Cent.*, *Méj. m* pikanter Maiseintopf *m*; *Reg.* Maisbrühe *f in kaltem Wasser verquirlt.*
pozuelo *m* **1.** → *pocillo*; **2.** → *pozal 1.*
práctica *f* Übung *f*, Gewandtheit *f*; Erfahrung *f*, Praxis *f*; Gebrauch *m*; ~*s f/pl.* Praktikum *n*; ~*s f/pl. de tiro* Schießübungen *f/pl.*; *poner en* ~ bewerkstelligen, verwirklichen.
practica|ble *adj. c* **1.** ausführbar; gangbar; **2.** begehbar; befahrbar; **~nte I.** *adj. c* **1.**: *católico m* ~ praktizierender Katholik *m*; **II.** *m* (*a. c*) **2.** Volontär *m*; ~ (*técnico*) Praktikant *m*; **3.** Wundarzt *m*, Feldscher *m* (*Ausübender der cirugía menor*); Medizinalassistent *m*; *a.* Heilpraktiker *m*; **4.** Apotheken-gehilfe *m*; -helferin *f*; **~r** [1g] **I.** *v/t.* ausüben, betreiben; ausführen; praktizieren; *Sport* treiben; *Loch* bohren; *Operation* durchführen; **II.** *v/i.* praktizieren.
práctico I. *adj.* **1.** praktisch; brauchbar; sinnvoll; **2.** praktisch; ausübend; bewandert, erfahren; **II.** *m* **3.** Lotse *m*; **4.** Praktiker *m.*
practicón *m* Praktiker *m* (*Mann der praktischen Erfahrung*).
pra|dera *f* Wiese *f*, Anger *m*; Grasweide *f*; Prärie *f*; **~dería** *f* Wiese(ngrund *m*, -plan *m*) *f*; **~do** *m* Wiese *f*; (Stadt-)Anger *m.*
prag|mática ⚖ *f* Verordnung *f*; *fig.* Norm *f*; **~mático** *adj.* pragmatisch; *hist.* ♀*a Sanción* Pragmatische Sanktion *f* (*1713*); **~matismo** *Phil. m* Pragmatismus *m*; **~matista** *adj.-su. c* pragmatistisch; *m* Pragmatist *m.*

pra|tense *adj. c* Wiesen...; **~ticultura** ⚘ *f* Wiesen-bau *m*, -wirtschaft *f*.
pravo *lit. adj.* verderbt; ruchlos.
preámbulo *m* Präambel *f*; Vorrede *f*, Einleitung *f*; *sin ~s* ohne Umschweife.
preaviso *Tel. m* Voranmeldung *f*.
prebenda *ecl. u. fig. f* Pfründe *f*; **~do** *m* Pfründner *m*; **~r** *v/t. j-m* e-e Pfründe verleihen.
preboste *m* **1.** *ecl.* Propst *m*; **2.** ⚔ Profos *m*; *capitán m ~* Generalprofos *m*.
precario *adj.* unsicher, schwankend; mißlich, heikel; prekär.
precau|ción *f* Vorsicht *f*; *tomar ~ones* Vorsichtsmaßnahmen treffen; **~cionarse** *v/r.* s. vorsehen (gg. *ac. contra*); **~torio** *adj.* Vorsichts..., Vorbeugungs...; ⚖ *medida f ~a* Sicherungsmaßnahme *f*.
preca|ver I. *v/t.* vorbeugen (*dat.*); verhüten; **II.** *v/r. ~se* s. schützen (gg. *ac.* de); **~vido** *adj.* vorsichtig.
prece|dencia *f* **1.** Vorhergehen *n*; **2.** Vorrang *m*; Vortritt *m*; **3.** Überlegenheit *f*, Vortrefflichkeit *f*; **~dente I.** *adj. c* vorhergehend; früher, vormalig; **II.** *m* Präzedenzfall *m* (schaffen *sentar*); *sin ~s* nie dagewesen; **~der** *vt/i.* voran-, vorher-gehen (*dat.*); *a. dipl.* den Vorrang haben vor (*dat.*); *~ en categoría a* ranghöher sein als (*nom.*); *el ejemplo que precede* das voraufgegangene Beispiel.
precep|tista I. *adj. c* lehrmeisterlich; Unterweisungs...; **II.** *m* Lehrmeister *m*; *literarischer* Theoretiker *m*; **~tivo** *adj.* vorschriftlich; Vorschrifts...; **~to** *m* Vorschrift *f*; Gebot *n*; ⚖, *Verw. ~ dispositivo* (*imperativo, potestativo*) Kann- (Muß-, Ermessens-)vorschrift *f*; *kath.* de *~* geboten (*Feiertag*); **~tor** *m* Erzieher *m*; Hauslehrer *m*; *als Ehrenname*: Lehrer *m*, *lt.* Praeceptor *m*; **~tuar** [1e] *v/t.* vorschreiben.
preces *f/pl.* (Kirchen-)Gebet *n*; *lit.* Bitte(n) *f*(/*pl.*).
preciar [1b] **I.** *v/t.* → *apreciar, estimar*; **II.** *v/r. ~se* (*de*) s. rühmen (*gen.*), s. brüsten (mit *dat.*).
precin|ta *f* **1.** (Steuer-)Banderole *f*; **2.** Lederriemen *m* (*zur Verstärkung an Kisten u. Koffern*); **3.** ⚓ Spund *m*; **~tado** *m* (zollamtliche) Verplombung *f*; **~tadora** *f* Plombiergerät *n*; (*tenazas f/pl.*) *~(s)* Plombierzange *f*; **~tar** *v/t.* (zollamtlich) versiegeln; mit e-r Banderole versehen; **~to** *m* Banderole *f*; Verschluß *m*; (Zoll-)Plombierung *f*; (Firmen-)Siegel *n*, (-)Plombe *f*; *bajo ~ (de aduana)* unter Zollverschluß.
precio *m* ✝ Preis *m*; *fig.* Wert *m*; Ansehen *n*; *~ de compra* (*de coste*) Einkaufs- (Selbstkosten-)preis *m*; *~ al consumidor* (*al productor*) Verbraucher- (Erzeuger-)preis *m*; *~ al contado* Kassa-, Bar-preis *m*; *~ corriente* gängiger Preis *m*; *~ del día* (*del mercado*) Tages- (Markt-)preis *m*; *~ de fábrica* Fabrikpreis *m*; *~ ex fábrica* Preis *m* ab Werk; *~ de favor* (*od. de preferencia*) Vorzugspreis *m*; *~ fijo* (*final*) Fest- (End-)preis *m*; *~ fuerte* (*global*) Laden- (Pauschal-)preis *m*; *~ máximo*, *~ tope* Höchstpreis *m*; *~ al por menor* Einzelhandelspreis *m*; *~ neto* (*bruto*) *por pieza* Netto- (Brutto-)stückpreis *m*; *~ de orientación* Richtpreis *m*; *~ de (re)venta* (Wieder-)Verkaufspreis *m*; *último ~* äußerster Preis *m* (*nach oben od. unten*); *~ único* (*od. uniforme*) Einheitspreis *m*; *~ de usura* Wucherpreis *m*; *~ de venta al público, Abk. p.v.p.* Ladenpreis *m*; *acuerdo m sobre ~s* Preisbindung *f*; *control m de ~s* Preisüberwachung *f*; *indicación f* (*bzw. fijación f*) *del ~* Preisangabe *f*; *a buen ~ od. a poco ~* billig; *a. fig. a cualquier* (*od. a todo*) *~* um jeden Preis; *a mitad de ~* zu halbem Preis; *a(l) ~ de por mayor* zum Großhandelspreis; *al ~ de* für (*ac.*), um (*ac.*); auf Kosten (*gen.*); *al ~ de su salud* auf Kosten s-r Gesundheit; *de todos los ~s* in allen Preislagen; *ofrecer a ~(s) más bajo(s)* unterbieten; *poner a ~* (*la cabeza de un traidor*) e-n Preis (auf den Kopf e-s Verräters) setzen; *fig. tener en* (*mucho*) *~* (hoch)schätzen; *a. fig. no tener ~* unbezahlbar sein.
precio|sidad *f* Kostbarkeit *f*; *fig.* F hübsches Mädchen *n*; **~sismo** *Lit. m* Preziösentum *n*; preziöser Stil *m*; Preziosität *f*; **~sista** *adj. c* preziös; **~so** *adj.* **1.** kostbar; wertvoll; **2.** *fig.* prächtig; reizend, nett; **~sura** F *f Am.* → *preciosidad, bsd. fig.*
precipi|cio *m* Abgrund *m*; **~table** ⚗ *adj. c* (aus)fällbar; **~tación** *f* **1.** Hast *f*, Übereilung *f*, Überstürzung *f*; **2.** *Met.*, ⚗ Niederschlag *m*; ⚗ Ausfällung *f*; **~tado I.** *adj.* **1.** hastig, übereilt; **2.** ⚗ ausgefällt; **II.** *m* **3.** ⚗ Niederschlag *m*, Ausfällung *f*; **~tante** ⚗ *m* Fällungsmittel *n*; **~tar I.** *v/t.* **1.** hinabstürzen; hinunterwerfen; *fig.* ins Verderben stürzen; **2.** stark beschleunigen; übereilen, überstürzen; **3.** ⚗ ausfällen; **II.** *v/r. ~se* **4.** s. stürzen (in *ac. en*); **5.** ⚗ s. niederschlagen.
pre|cípite *lit. adj. c* in Gefahr zu stürzen; **~cipitoso** *adj.* **1.** jäh, abschüssig; **2.** überstürzt, unbesonnen; **~cipuo** *lit. adj.* vorzüglich, hauptsächlich.
preci|samente *adv.* genau; bestimmt; gerade; eigentlich; **~sar I.** *v/t.* **1.** brauchen, benötigen; **2.** präzisieren; genau angeben; **II.** *v/impers.* **3.**: *precisa que lo hagamos* wir müssen es (unbedingt) tun; **III.** *v/r. ~se* **4.** nötig sein; **~sión** *f* Genauigkeit *f*; Feinheit *f*, Präzision *f*; *a. fig.* Schärfe *f*; de *~* Präzisions...; *instrumento m de ~* Präzisionsinstrument *n*; **~so** *adj.* **1.** nötig, notwendig; *es ~ hacerlo* es muß getan werden; *es ~ que lo hagas* du mußt es tun; *si es ~* erforderlichenfalls; **2.** genau; bestimmt; deutlich; präzis; treffend (*Wort*); *poco ~* ungenau; unscharf; **3.** pünktlich; *a la hora ~a* pünktlich, zur festgesetzten Zeit.
pre|citado *adj.* obenerwähnt; vorher genannt; **~cito** *Theol.* **I.** *adj.* verworfen, verdammt; **II.** *m* Verdammte(r) *m*; **~claro** *lit. adj.* berühmt; **~clásico** *adj.* vorklassisch; **~cocidad** *f* Frühreife *f*; Vorzeitigkeit *f*; **~colombi(a)no** *hist. adj.* vorkolumbisch; **~concebido** *adj.* vorbedacht; *tener ideas ~as* vorgefaßte Meinungen (*od.* Vorurteile) haben.
preconiza|ción *f* Lobeserhebung *f*; *ecl.* Präkonisation *f*; **~r** [1f] *v/t.* lobpreisen; *fig.* befürworten; *ecl.* präkonisieren (*Papst*).
pre|contrato *m* Vorvertrag *m*; **~cordial** ⚕ *adj. c* präkordial; **~coz** *c adj.* (*pl. ~oces*) frühreif; *a.* ⚕ Früh...; **~cursor I.** *adj.* vorangehend, bahnbrechend, Vorläufer..., Pionier...; **II.** *m* Vorläufer *m*, Vorbote *m*.
preda|r *v/t.* plündern, rauben; **~torio** *adj.* Plünder(ungs)..., Raub...
prede|cesor *m* Vorgänger *m*; **~cir** [3p] *v/t.* voraussagen; **~finición** *Theol. f* (Gottes) Vorbestimmung *f*; **~finir** *Theol. v/t.* vorbestimmen; **~stinación** *f* Vorherbestimmung *f*; *Theol.* Prädestination *f*; **~stinar** *v/t.* vorherbestimmen; *Theol. u. fig.* prädestinieren; **~terminación** *f Biol.* Prädetermination *f*; *Theol.* Prädeterminismus *m*.
prédica F *f* Predigt *f*; *fig.* F → *perorata*.
predica|bles *Phil. m/pl.* Prädikabilien *n/pl.*; **~ción** *f* Predigen *n*; Predigt *f*; *Phil.* Prädikation *f*; **~do** *Phil., Gram. m* Prädikat *n*; **~dor** *m* **1.** Prediger *m*; *Orden f de* ♀es Prediger-, Dominikaner-orden *m*; **2.** *Ent.* Gottesanbeterin *f*; **~mento** *m* **1.** *fig.* Achtung *f*, Ruf *m*; *muy en ~* in allgemeinem Ansehen; *tener buen ~* e-n guten Ruf haben; beliebt sein; **2.** *Phil. ~s m/pl.* Prädikamente *n/pl.*; **~nte** *m* Prediger *m* (*nicht kath.*); **~r** [1g] *vt/i.* **1.** predigen; *fig.* F ausposaunen; *a.* abkanzeln F; *fig. ~ en desierto* tauben Ohren predigen; **2.** ✎ *Phil., Gram.* prädizieren; **~tivo** *Gram. adj.* prädikativ.
predi|cción *f* Vorhersage *f*; *Ballistik*: Vorhalt *m*; **~ces, ~ciendo, ~go** → *predecir*; **~ctor** ⚔ *m Ballistik*: Vorhaltrechner *m*; **~cho** *adj.* vorhergesagt.
predilec|ción *f* Vorliebe *f* (für *ac. por*); **~to** *adj.* Lieblings...; bevorzugt.
predio ⚖ *m* Grundstück *n*; (Erb-)[Gut *n*.]
predis|poner [2r] *v/t.* vorbereiten; empfänglich machen, prädisponieren (für *ac. para*); **~posición** *f* Anlage *f*; *a.* ⚕ Prädisposition *f*; **~puesto** *adj.* (*estar*) eingenommen; *ser ~ a bsd.* ⚕ neigen zu (*dat.*).
predomi|nación *f* Vorherrschaft *f*; **~nancia** *f* Vorherrschen *n*; **~nante** *adj. c* vorherrschend; überwiegend; **~nar** *vt/i.* vorherrschen; überwiegen; höher sein (als *nom. a*); **~nio** *m* Vorherrschaft *f*; Überlegenheit *f* (über *ac. sobre*).
predorsal *Phon. adj. c* prädorsal, *mit Hilfe des vorderen Zungenrückens gebildet*.
preeminen|cia *f* Vorzug *m*; Überlegenheit *f*; **~te** *adj. c* hervorragend; vorzüglich.
preestablecido *adj.* vorher festgesetzt; *Phil.* prästabiliert.
preexis|tencia *f* Präexistenz *f*, Vorherdasein *n*; **~tente** *adj. c* vorher

bestehend; präexistent; **~tir** *v/i.* vorher dasein; früher dasein (als *nom. a*).

prefabrica|ción *f* Vorfertigung *f*; **~do** *adj.* vorgefertigt; Fertig...; *casa f ~a* Fertighaus *n*; **~r** [1g] *v/t.* vor-fertigen, -fabrizieren.

prefacio *m* Vorrede *f*, Vorwort *n*; *ecl.* Präfation *f*.

prefec|to *m* Präfekt *m*; **~toral** *adj. c* Präfekten..., Präfektur...; **~tura** *f* Präfektur *f*.

preferen|cia *f* **1.** Vorzug *m*; Vorliebe *f*; **2.** Vorrecht *n*, Vorrang *m*; *Vkw. ~ de paso* Vorfahrt(srecht *n*) *f*; **3.** *Thea.* Sperrsitz *m*; **~cial** *Verw. adj. c* Vorzugs...; **~te** *adj. c* bevorrechtet; Vorzugs...; ✝ *acción f ~* Vorzugsaktie *f*.

preferi|ble *adj. c* vorzuziehen(d) (*dat. a*); *sería ~ hacerlo* man sollte es besser tun; **~do** *adj.* Lieblings...; *plato m ~* Lieblingsspeise *f*, Leibgericht *n*; **~r** [3i] *v/t.* vorziehen, bevorzugen; lieber haben (als *ac. a*).

prefigura|ción *f* Präfiguration *f*, Vorausdarstellung *f*; Urbild *n*; **~r** *v/t.* präfigurieren, vorausdeutend darstellen.

prefi|jar *v/t.* vorherbestimmen; im voraus festsetzen; **~jo I.** *adj.* anberaumt, festgesetzt; **II.** *m Li.* Präfix *n*, Vorsilbe *f*; *Tel.* Vorwahlnummer *f*.

pre|financiación *f* Vorfinanzierung *f*; **~formación** *f* **1.** *Biol.* Präformation *f*; **2.** ⊕ Vor(ver)formung *f*.

pre|gón *m* öffentliches Ausrufen *n*; *neol. ~ (literario) etwa*: Fest-, Eröffnungs-rede *f*; **~gonar** *v/t.* öffentlich ausrufen; *fig. ~ (a los cuatro vientos)* (überall) ausposaunen (*fig.*); **~gonero** *m* öffentlicher Ausrufer *m*; Marktschreier *m*; *fig.* F Klatschmaul *n*.

pregun|ta *f* Frage *f*; *fig.* F *andar* (*od.* *estar*) *a la cuarta ~* abgebrannt (*od.* blank) sein F; *fig.* F *dejar a alg. a la cuarta ~* j-m das Fell über die Ohren ziehen (*fig.* F); *hacer una ~* e-e Frage stellen; **~tador** *adj.* → *preguntón*; **~tar** *vt/i.* fragen (nach *dat. por*); **~tón** *adj.-su.* (hartnäckig) fragend; *m* lästiger Frager *m*.

pre|historia *f* Vorgeschichte *f*; **~histórico** *adj.* vorgeschichtlich, prähistorisch; **~incaico** *hist. adj.* vorinkaisch; **~judicial** ⚖ *adj. c* vorläufig; *cuestión f ~* Vorfrage *f*; **~juicio** *m* Vorurteil *n*; *sin ~ de* unbeschadet (*gen.*); **~juzgar** [1h] *v/t.* vorschnell urteilen über (*ac.*); ⚖ präjudizieren.

prela|cía *ecl. f* Prälatenwürde *f*; **~ción** *f* Vorzug *m*; Vorrang *m*, Vorrecht *n*; **~da** *kath. f* Oberin *f*, Äbtissin *f*; **~do** *ecl. m* Prälat *m*; Ordensobere(r) *m*; *~ doméstico* päpstlicher Hausprälat *m*; **~ticio** *ecl. adj.* Prälaten...; Abts...

prelección *f* † *u. in theol. Hochschulen*: Vorlesung *f*.

pre|liminar I. *adj. c* vorläufig; einleitend; Vor...; **II.** *~es m/pl.* Vorverhandlungen *f/pl.*; Präliminarien *n/pl.*; **~ludiar** [1b] **I.** *v/i.* ♪ präludieren; **II.** *v/t. fig.* einleiten; **~ludio** *m* ♪ Präludium *n*; *a. fig.* Vorspiel *n*; *fig.* Einleitung *f*.

prema|rital *adj. c* vorehelich (*Beziehungen*); **~trimonial** *adj. c* vorehelich; **~turo** *adj.* **1.** frühreif; **2.** verfrüht; vorzeitig; Früh...

premedita|ción *f* Vorbedacht *m*; *con ~* vorsätzlich; **~do** *adj.* überlegt, vorbedacht; wissentlich; vorsätzlich (*Verbrechen*); **~r** *v/t.* vorher überlegen; ⚖ vorsätzlich planen.

premi|ación *f Chi., Ec.* Prämiierung *f*; **~ado** *m* Preisträger *m*; **~ador** *adj.-su.* Belohner *m*; Preisverteiler *m*; **~ar** [1b] *v/t.* belohnen; mit e-m Preis auszeichnen, prämiieren.

premier *engl. m* Premier(minister) *m*.

premio *m* **1.** Belohnung *f*; Preis *m*, Prämie *f*; *~ a* Lohn *m* (*gen.*); *en ~ de* als Belohnung für (*ac.*); *~ literario* Literaturpreis *m*; *gran ~* Großer Preis *m*; *repartición f de ~s* Preisverteilung *f*, Prämiierung *f*; *~ de captura* Fangprämie *f*; für die Festnahme ausgesetzte Belohnung *f*; ⚓ Prisengeld *n*; *~ de honor* (*en metálico*) Ehren- (Geld-)preis *m*; *~ nacional* National-, Staats-preis *m*; ♀ *Nobel de la Paz* Nobel-Friedenspreis *m*; **2.** Gewinn *m*, Treffer *m* (*Lotterie*); *el ~ gordo* der Hauptgewinn, das große Los F; **3.** ✝ Prämie *f* (*vgl. prima* 2); Aufgeld *n*, Agio *n*.

premioso *adj.* **1.** beengt, eng; knapp; **2.** drückend; lästig, beschwerlich; **3.** starr; streng; **4.** *fig.* gehemmt; schwerfällig (*z.B. Stil*); unbeholfen.

premi|sa *f* Prämisse *f*; *Log.* Vordersatz *m*; Vorbedingung *f*; **~so** ⚒ *adj.* vorausgesandt; ⚖ *~a la autorización necesaria* nach zuvor erteilter Ermächtigung.

pre|moción *f* Vorantrag *m*; **~molar** *m* Prämolarzahn *m*; **~monitorio** *bsd.* ⚕ *adj.* prämonitorisch, Warn(ungs)...; **~montaje** ⊕ *m* Vormontage *f*.

premo(n)stratense *kath. adj. c-su. m* Prämonstratenser(mönch) *m*.

premo|riencia ⚖ *f* früherer Tod *m*; **~riente** *m*: ⚖ *el ~* der zuerst Sterbende; **~rir** [3k; *part. premuerto*] *v/i.* ⚖ früher sterben.

premura *f* **1.** Dringlichkeit *f*; Eile *f*; *con gran ~* in aller Eile; **2.** Druck *m*, Bedrängnis *f*.

prenatal *adj. c* vorgeburtlich; vor der Geburt, Schwangerschafts...; Umstands... (*Kleidung*).

prenda *f* **1.** Pfand *n*; *fig.* Unterpfand *n*; *fig.* geliebte(s) Wesen *n*; *fig.* F Schatz *m*, Liebchen *n*; *en ~ de* zum Unterpfand (*gen.*), als Zeichen (*gen.*); *juego m de ~s* Pfänderspiel *n*; *resguardo m de ~* Pfandschein *m*; *~ mobiliaria* Faustpfand *n*; *~ pretoria* gerichtlich festgesetzte Pfändungssumme *f*; *fig. no dolerle ~s a uno* s-n Verpflichtungen pünktlich nachkommen; *a.* alles aufbieten (, um zu + *inf. para* + *inf.*); *hacer ~* ein Pfand (*od.* e-e Sicherheit) behalten; *fig.* s. auf j-s Wort (*od.* Tat) stützen; *a. vorwurfsvoll* auf die Einlösung e-s *voreilig gegebenen* Versprechens dringen; *jugar a (las) ~s* Pfänderspiele machen; *sacar ~s* (*bzw. una ~*) pfänden; *fig.* F *soltar ~* s. voreilig verpflichten; *fig.* F *no soltar ~* sehr zugeknöpft sein (*fig.*); *tomar dinero sobre una ~* s. Geld auf Pfand leihen; **2.** *~ (de vestir)* Kleidungsstück *n*; *~ de abrigo* warmes Kleidungsstück *n*; Überkleidung *f*; **3.** gute Eigenschaft *f*, Vorzug *m*; *~s f/pl.* Anlagen *f/pl.*, Eigenschaften *f/pl.*; Geistesgaben *f/pl.*; **~r I.** *v/t.* pfänden; *fig.* für s. gewinnen; **II.** *v/r.* *~se* s. verlieben (in *ac. de*); **~rio** ⚖ *adj.*: *derecho m ~* Pfandrecht *n*.

prende|dero *m* **1.** Spange *f*; Haarband *n*; **2.** Heftel *m*; Häkchen *n*; **~dor** *m* **1.** Brosche *f*; Rocknadel *f*; **2.** Ergreifer *m*; Verhaftende(r) *m*; **~r** [*part. a. preso*] **I.** *v/t.* **1.** anpacken; ergreifen; verhaften, festnehmen; **2.** befestigen, anstecken; be-, fest-stecken; *~se un clavel en el cabello* s. e-e Nelke ins Haar stecken; **3.** *Muttertier* decken; **4.** er-, be-leuchten, hell machen; *Licht, Feuer, Zigarette* anzünden; *~ fuego a a/c.* et. in Brand stecken; **5.** *Am.* → *emprender, comenzar*; **II.** *v/i.* **6.** Wurzel fassen; ⚘ an-, einheilen; angehen (*Impfung*); wirken (*Substanz*); **7.** Feuer fangen; (an-)brennen (*a. Holz*); **III.** *v/r.* *~se* **8.** s. putzen, s. schmücken (*Frauen*); *P. Ri.* s. betrinken.

prende|ría *f* Trödelladen *m*; **~ro** *m* Trödler *m*.

prendido *m* **1.** Frauenputz *m*; Kopfputz *m*; **2.** Stickmuster *n*.

prendimiento *m* Ergreifen *n*; Festnahme *f*; Verhaftung *f*.

prensa *f* **1.** ⊕ Presse *f*; **2.** *Typ.* (Drucker-)Presse *f*; *~ rápida* (*rotativa*) Schnell- (Rotations-)presse *f*; *en ~* im Druck; *dar a la ~* in Druck geben; **3.** Presse *f*, Zeitungswesen *n*; *~ diaria* Tagespresse *f*.

prensa|do I. *part.* gepreßt; **II.** *m* Pressen *n*; Keltern *n*; Glätten *n*; *~ en caliente* Warmpressen *n*; **~dora** *f* Preßmaschine *f*; **~r** *v/t.* **1.** *a.* ⊕ pressen; glätten; ⊕ *a.* spanlos verformen; **2.** auspressen; keltern.

prensil *Zo. adj. c* Greif...; *cola f ~* Greifschwanz *m*.

prensista *m* Druckereigehilfe *m*.

prenupcial *adj. c* vorehelich.

pre|ñado I. *adj.* **1.** *Zo.* trächtig; V schwanger; *fig.* voll; bauchig; *fig. ~ de emoción* gefühlvoll; (herz)bewegend; *~ de agua* regenschwer (*Wolke*); *~ de lágrimas* tränennaß (*Augen*); **II.** *m* **2.** → *preñez*; **3.** → *feto*; **~ñar** *v/t.* *Tiere* decken; V schwängern; *fig.* füllen, schwängern (mit *dat.* de); **~ñez** *f Zo.* Trächtigkeit *f*; Tragezeit *f*; V Schwangerschaft *f*; *fig.* Gefühl *n* drohenden Unheils; Ungewißheit *f*; Schwierigkeit *f*.

preocupa|ción *f* **1.** Besorgnis *f*, Sorge *f* (um *ac. por*); Kummer *m*; Sorgfalt *f*; **2.** Voreingenommenheit *f*; **3.** Zerstreutheit *f*; **~do** *adj.* **1.** stark beschäftigt (mit *dat. con, de*); **2.** besorgt (um *ac.*, wegen *gen. por, con*); **3.** (ganz) in Gedanken versunken; **4.** voreingenommen; **~r I.** *v/t.* **1.** stark beschäftigen, k-e Ruhe lassen (*dat.*); **2.** mit Besorgnis erfüllen, besorgt machen;

3. vorher (*od.* vor e-m andern) in Besitz nehmen, präokkupieren; **4.** befangen machen; einnehmen (für *ac. por*; gg. *ac. contra*); **II.** *v/r.* *~se* **5.** s. kümmern (um *ac. de*); s. sorgen (um *ac. por*); *no ~se de nada* s. um nichts kümmern, s. keine(rlei) Sorgen machen; *no se preocupe* seien Sie unbesorgt; *sin ~se de* + *inf.* ohne s. die Mühe zu machen, zu + *inf.*; **6.** voreingenommen sein (für *ac. por*, gg. *ac. con[tra]*).

pre|operativo ⚕ *adj.* präoperativ; **~opinante** *m* Vorredner *m.*

prepara|ción *f* **1.** Vorbereitung *f*; (Zu-)Bereitung *f*; *tiempo m de ~* Rüstzeit *f*; *en ~* in Vorbereitung; *sin ~* unvorbereitet; aus dem Stegreif; **2.** ⊕, ⚗ *usw.* Aufbereitung *f*; Herrichtung *f*; *~ de la lana* (*de minerales*) Woll- (Erz-)aufbereitung *f*; **3.** Präparierung *f*; ⚗, ⚕, *pharm.* Präparat *n*; ⚗ *~ en estado puro* Reindarstellung *f*; ⚕ *~ por frote* Abstrich(präparat *n*) *m*; **~do I.** *adj.* **1.** bereitet; **2.** bereit, fertig; **3.** präpariert; **II.** *m pharm. usw.* Präparat *n*; Mittel *n*; *~ de contraste* Kontrastmittel *n.*

prepara|r I. *v/t.* **1.** vorbereiten (*a. fig.* auf *ac. para*); **2.** zubereiten; herrichten; *Getränke, Speisen* bereiten; *fig. ~ el terreno a uno* j-m vorarbeiten; **3.** ⊕ aufbereiten (*vgl. preparación* 2); **4.** *pharm.*, ⚗, ⚕ präparieren; *Versuch* ansetzen; *Substanz* darstellen *bzw.* herstellen; **II.** *v/r.* *~se* **5.** s. vorbereiten; s. einrichten, s. rüsten; *~se contra* Vorkehrungen treffen gg. (*ac.*); *~se* (*od. estar ~ado*) *para lo peor* s. auf das Schlimmste gefaßt machen; auf das Schlimmste gefaßt sein; **~tivo I.** *adj.* → *preparatorio*; **II.** *m* Vorbereitung *f*, Rüstung *f*; *mst. ~s m/pl.*: *~s m/pl. de viaje* Reisevorbereitungen *f/pl.*; *hacer ~s para* Anstalten treffen zu (*dat. od. inf.*); **~torio** *adj.* vorbereitend; Vorbereitungs..., Vor...

prepondera|ncia *f* Übergewicht *n*, Überwiegen *n*; Vorherrschen *n*; Vormachtstellung *f*; **~nte** *adj. c* vorwiegend; überwiegend; entscheidend; *tener voto ~* ausschlaggebende Stimme haben; **~r** *v/i.* überwiegen; vorherrschen; den entscheidenden Einfluß haben.

preposi|ción *Gram. f* Präposition *f*, Verhältniswort *n*; **~cional** *adj. c* präpositional; **~tivo** *Gram.* **I.** *adj.* als Präposition gebraucht; **II.** *m* Präpositiv *m.*

prepósito *m* Vorsteher *m*, Präpositus *m e-r religiösen Gemeinschaft.*

prepoten|cia *f* Vorherrschen *n*; Übermacht *f*; **~te** *adj. c* vorherrschend; übermächtig; *Am. a.* anmaßend.

prepucio *Anat. m* Vorhaut *f.*

prerrafaeli|smo *Ku. m* Präraffaelitentum *n*; **~(s)ta** *m* Präraffaelit *m.*

prerrogativa *f* Vorrecht *n*; *fig.* Vorzug *m*, hohe Ehre *f.*

prerromano *adj.* vorrömisch.

prerro|manticismo *Lit. m* Vorromantik *f*; **~mántico** *adj.-su.* vorromantisch; *m* Vorromantiker *m.*

presa *f* **1.** Wegnahme *f*; Fangen *n*; **2.** Beute *f*; Fang *m*; *animal m de ~* Raubtier *n*; *hacer ~* fangen, greifen; *fig.* s-n Vorteil *zum Schaden e-s andern* wahrnehmen; *hacer ~ en* befallen (*ac.*); **3.** *~s f/pl.* Fang-, Reiß-zähne *m/pl. der Hunde usw.*; Fänge *m/pl. der Greifvögel*; **4.** *Sp.* Griff *m*; *~ de brazo* Armhebel *m* (*Ringen, Judo*); *~ de caderas* Hüftgriff *m* (*Rettungsschwimmen*); *~ de tijeras* Beinschere *f* (*Judo*); **5.** ⚓ Prise *f*; ⚖ *derecho m de ~s marítimas* Prisenrecht *n*; *coger una ~* e-e Prise aufbringen, ein Schiff kapern; **6.** (Stau-)Wehr *n*; Talsperre *f*; *~ de compuertas* (*de vertedero*) Schützen- (Überfall-)wehr *n.*

presagi|ar [1b] *v/t.* vorhersagen; voraussehen; **~o** *m* Vorzeichen *n*; Vorbedeutung *f*; Ahnung *f.*

presbicia *f* Weitsichtigkeit *f*; *~ senil* Alterssichtigkeit *f.*

présbi|ta, ~te *adj.-su. c* weitsichtig.

pres|biteriano *ecl. adj.-su.* presbyterianisch; *m* Presbyterianer *m*; **~biterio** *m* Presbyterium *n*; **~bítero** *m* Priester *m.*

presciencia *f* Vorherwissen *n.*

prescin|dencia *f Am.* → *abstracción*; **~dente** *adj. c Am.* → *independiente*; **~dible** *adj. c* entbehrlich; erläßlich; **~diendo** *ger.*: *~ de* abgesehen von (*dat.*); *~ de usted* Sie sind (*od.* bilden) e-e Ausnahme; **~dir** *v/i.*: *~* (*de*) absehen (von *dat.*); verzichten (auf *ac.*); *no poder ~ de* angewiesen sein auf (*ac.*).

prescribir [*part. prescrito*] **I.** *v/t.* **1.** vorschreiben, anordnen; **2.** ⚕ verschreiben, verordnen; **3.** ⚖ durch Verjährung erwerben, ersitzen; **II.** *v/i.* **4.** ⚖ verjähren.

prescrip|ción *f* **1.** Vorschrift *f*; **2.** ⚕ Verschreibung *f*; Verordnung *f*; *según ~ facultativa* nach ärztlicher Verordnung; **3.** ⚖ Verjährung *f*; *~ adquisitiva* Ersitzung *f*; *~ extintiva* (rechtsvernichtende) Verjährung *f*; *~ de la acción penal* (*de la pena*) Verfolgungs- (Strafvollstreckungs-)verjährung *f*; *plazo m de ~* Verjährungsfrist *f*; **~tible** *adj. c* **1.** ⚖ verjährbar; **2.** vorschreibbar.

prescrito (*Am. oft prescripto*) *adj.* **1.** vorgeschrieben; **2.** ⚖ verjährt.

presea *f* Juwel *n*, Kleinod *n.*

preselec|ción *a.* ⊕, *Tel. f* Vorwahl *f*; **~tor** *Tel. m* Vorwähler *m.*

presenci|a *f* **1.** Gegenwart *f*; Anwesenheit *f*; Vorhandensein *n*; *~ de ánimo* Geistesgegenwart *f*; *en ~ de* im Beisein von (*dat.*); angesichts (*gen.*); **2.** Aussehen *n*, Äußere(s) *n*; Figur *f*; *de buena ~* gutaussehend; ansehnlich; **~al** *adj. c*: *testigo m ~* Augenzeuge *m*; **~ar** [1b] *v/t.* beiwohnen (*dat.*), dabeisein bei (*dat.*); Augenzeuge sein von (*dat.*); erleben, mit durchleben.

presenta|ble *adj. c* annehmbar; vorstellbar; anständig; gesellschaftsfähig; *en forma ~* (in) anständig(er Form); *ser ~* s. sehen lassen können; gesellschaftsfähig sein; **~ción** *f* **1.** Vorstellung *f*; *carta f de ~* Einführungs-, Empfehlungs-schreiben *n*; **2.** Vorlegung *f*, Vorzeigung *f*; ☤ *a su ~* bei Vorlage (*Tratte*); *contra ~ de* gg. Vorlage von (*dat.*); **3.** Einreichen *n e-s Gesuchs*; *Chi.*, *Rpl.* Eingabe *f*, Gesuch *n*; **4.** Äußere(s) *n*, Aufmachung *f* (*a. e-s Buches, e-r Ware*); **5.** *Thea.* Aufführung *f*, Inszenierung *f*; *Spielfilm*: Vorspann *m*; **6.** *kath.* ♀ (*de Nuestra Señora*) Mariä Opferung *f* (*21. Nov.*); **~dor** *m* Vorstellende(r) *m*; Vorweisende(r) *m*; Vorzeiger *m*, *TV* Ansager *m.*

presentar I. *v/t.* **1.** vorstellen; einführen, empfehlen; vorschlagen (*für Wahl od. Amt*); (*als Geschenk*) anbieten, überreichen; *~ a/c. por el lado favorable* et. von s-r günstigen Seite aus darstellen; **2.** vorzeigen, vorweisen; vorstellig werden mit (*dat.*); *Beweise* beibringen, liefern; *Gesuch, Klage, Rücktritt* einreichen; ☤ *~ al cobro* (*a la firma*) zur Zahlung (zur Unterschrift) vorlegen; ⚖ *~ una protesta* Einspruch erheben (*od.* einlegen); **3.** aufweisen; bieten; *Wunden* haben, aufweisen; *Schwierigkeiten* machen, bieten; ☤ *~ un balance* e-n Saldo (von *dat. de*) aufweisen; **II.** *v/r.* *~se* **4.** s. vorstellen; auftreten; erscheinen; ⊕ *a.* anfallen; s. anbieten; *~se bien a.* s. gut ausnehmen; ⚔ *~se a filas* einrücken.

presente I. *adj. c* **1.** gegenwärtig, anwesend; jetzig; *¡~!* hier! (*bei Namensaufruf*); *estar ~(s)* anwesend (*od.* zugegen) sein; dabei sein; ⚖ *el ~ contrato* dieser Vertrag; *hacer ~* vergegenwärtigen; vor Augen halten; zu erkennen geben; *tener ~* (*a/c.*) (et.) vor Augen haben; (et.) beachten; (an et. *ac.*) denken; **II.** *m* **2.** Gegenwart *f*; *al ~* jetzt; *hasta el ~* bisher; **3.** *Gram.* Präsens *n*, Gegenwart *f*; **4.** Geschenk *n*; *hacer ~ de* schenken (*ac.*); **III.** *f* **5.** ☤ vorliegendes Schreiben *n*; *por la ~* (*le comunico*) hiermit (teile ich Ihnen mit).

presenti|miento *m* Vorgefühl *n*, (Vor-)Ahnung *f*; **~r** [3i] *v/t.* vorherempfinden; ahnen; *~ su muerte próxima* ein Vorgefühl s-s nahen Todes haben.

presepio ✎ *m* → *pesebre, caballeriza, establo.*

presero *m* Wehr-, Schleusen-wärter *m.*

preserva|ción *f* Bewahrung *f*; Schutz *m*; **~r** *v/t.* bewahren, schützen (vor *dat. de*; ⚕ gg. *ac. contra*); **~tivo I.** *adj.* schützend; **II.** *m* Schutz *m*; Schutz-, Vorbeugungsmittel *n*; Präservativ *n.*

presiden|cia *f* Präsidentschaft *f*; Vorsitz *m*; Präsidentenpalais *n*; **~cial** *adj. c* präsidial, Präsidenten...; *Pol. régimen m ~* Präsidialdemokratie *f*; **~cialismo** *Pol. m* Präsidialsystem *n*; **~cialista** *Pol. adj. c* das Präsidialsystem betreffend; **~ta** *f* **1.** Präsidentin *f*; *kath. Titel der* Oberin *f einiger Gemeinschaften*; **2.** Frau *f* des Präsidenten; **~te** *m* Präsident *m*; Vorsitze(nde)r *m*; *~ por edad* (*de honor*, *~ honorario*) Alters- (Ehren-)präsident *m*; *~ electo* gewählter Präsident *m* (*der sein Amt noch nicht ausübt*); ♀ *Federal* Bundespräsident *m*; ♀ *de la República* Präsident *m* der Republik; Staatspräsident *m*; *Méj. ~ municipal* Bürgermeister *m.*

presi|diario *m* (Zuchthaus-)Sträfling *m*, Zuchthäusler *m* F; **~dio** *m* Zuchthaus *n*.
presidir *v/t.* **1.** den Vorsitz führen bei (*dat.*); vorstehen (*dat.*); **2.** *fig.* allem andern vorangehen bei (*dat.*); vorherrschen bei (*dat. od.* in *dat.*); *el amor lo presidía todo* über allem stand die Liebe.
presidium *Pol. m*: ♀ *del Soviet Supremo* Präsidium *n* des Obersten Sowjets.
presilla *f* Paspelschnur *f*; Schnalle *f*; Spange *f*; ~ *del cinturón* Gürtelschlaufe *f*; ⊕ ~ *de la correa* Riemenschließe *f*; ~ *del manto* Mantelschnur *f bzw.* -schließe *f*.
presi|ón *f a. fig.* Druck *m*; *a* ~ unter Druck; de ~ Druck...; ~ *del aire*, *Met.* ~ *atmosférica* Luftdruck *m*; ⚕ ~ *arterial (sanguínea)* Arterien-(Blut-)druck *m*; *Kfz.* ~ *de los neumáticos* Reifendruck *m*; *fig.* ~ *tributaria* Steuerdruck *m*; ⊕ ~ *del vapor* Dampf-druck *m*, -spannung *f*; *a prueba de* ~ druckfest; *Phys.* *ejercer (una)* ~ e-n Druck ausüben (auf *ac. sobre*); *fig. hacer* ~ *sobre alg.* auf j-n (e-n) Druck ausüben; **~onar** *vt/i.* Druck ausüben (auf *ac. sobre*); ~ *el botón* (auf) den Knopf drücken.
preso I. *part. irr. v. prender*; **II.** *m* Gefangene(r) *m*; Verhaftete(r) *m*; *Span.* ~ *político-social* politischer Häftling *m*.
presta|ción *f* Leistung *f*; ~ *anticipada* Vor(aus)leistung *f*; ~ *de fianza (de juramento, de servicios)* Bürgschafts- (Eides-, Dienst-)leistung *f*; ~ *personal* Fron(dienst *m*) *f*; ~*ones f/pl. del seguro* Versicherungsleistungen *f/pl.*; **~dizo** *adj.* verleihbar; **~do** *adj.* geliehen; de ~ leihweise; *dar* ~ leihen (auf *ac. sobre*); verleihen, borgen; *pedir (od. tomar)* ~ (ent)leihen, (aus)borgen; **~dor** *adj.-su.* (ver)leihend; *m* → *prestamista*.
prestame|ra *ecl. f* Pfründe *f*; *vgl.* → **~ro** *ecl. m* Pfründner *m* (*hist.*: *Empfänger e-r Ritterpfründe für Kriegsdienst zum Nutzen der Kirche bzw. Stipendiat für geistliche Studien*).
prestamista *m* **1.** Darlehensgeber *m*; **2.** Pfandleiher *m*; Verleiher *m*.
préstamo *m* **1.** Darlehen *n*; Ausleihen *n*; ✝ (⚓) ~ *a la gruesa* Bodmerei *f*; *caja f de* ~*s* Darlehenskasse *f*; *contraer* ~*s* Darlehen aufnehmen; *dar a* ~ (auf Pfand) leihen; *recibir en* ~ als Darlehen erhalten; *tomar a* ~ entleihen, borgen; **2.** *Li.* Entlehnung *f*; Lehnwort *n*; ~*s m/pl. lingüísticos* Lehngut *n*.
prestancia *lit. f* Vortrefflichkeit *f*.
prestar I. *v/t.* **1.** (aus-, ver-)leihen; gewähren; leisten; *barb.* → *tomar prestado*; *fig.* geben, (ver)leihen; *Bürgschaft* stellen; *Gehör* schenken; *Hilfe* gewähren, leisten; *Glauben* schenken; ~ *atención a* Aufmerksamkeit schenken (*dat.*); achten auf (*ac.*); ~ *a interés* auf Zins leihen; ~ *juramento* e-n Eid leisten; ~ *paciencia* Geduld aufbringen (*od.* haben); *fig.* F ~ *salud* vor Gesundheit strotzen; ~ *servicio(s)* e-n Dienst (*bzw.* Dienste) leisten; ~ *silencio* schweigen; Schweigen wahren; ~ *sobre a/c.* et. beleihen; **II.** *v/i.* **2.** nachgeben, s. dehnen (*Stoff u. ä.*); **3.** nützlich sein, s. eignen; **III.** *v/r.* ~*se* **4.** s. hergeben (zu *dat. a*); s. bequemen (zu *dat. a*); **5.** s. eignen, geeignet sein (für *ac. a*).
prestatario *m* Darlehnsnehmer *m*; Entleiher *m*.
preste *kath. m der das Hochamt zelebrierende* Priester *m*.
pres|teza *f* Schnelligkeit *f*; **~tidigitación** *f* Taschenspielerei *f*; **~tidigitador** *m* Zauberer *m*, Taschenspieler *m*.
prestigi|ar [1b] *v/t. j-m* Prestige verleihen; **~o** *m* Ansehen *n*; Ruf *m*, Prestige *n*; de ~ *mundial* weltbekannt, von Weltruf; **~oso** *adj.* gewichtig; angesehen; einflußreich; mitreißend (*Redner*).
presto I. *adj.* **1.** geschwind, schnell, rasch; **2.** bereit; *estar* ~ *para partir* zur Abreise bereit sein; **II.** *adv.* **3.** rasch, hurtig.
presumi|ble *adj. c* mutmaßlich; **~do I.** *adj.* eingebildet, anmaßend; **II.** *m* Wichtigtuer *m*; **~r I.** *v/t.* mutmaßen; annehmen, vermuten; voraussetzen; **II.** *v/i.* s. et. einbilden (auf *ac. de*); prahlen, angeben F (mit *dat. de*); eitel sein.
presun|ción *f* **1.** Vermutung *f*, Mutmaßung *f*; Annahme *f*; **2.** Dünkel *m*, Einbildung *f*; **~tivo** *adj.* vermeintlich; mutmaßlich; **~to** *adj.* angenommen, vermutet; vermeintlich, mutmaßlich; angeblich; **~tuosidad** *f* Einbildung *f*, Eigendünkel *m*; **~tuoso** *adj.* dünkelhaft, eingebildet.
presu|poner [2r] *v/t.* **1.** voraussetzen; **2.** veranschlagen; **~posición** *f* → *presupuesto 1*; **~puestar** *v/t.* etatisieren; im Haushalt (*od.* Budget) ansetzen; **~puestario** *adj.* Haushalts..., Budget...; **~puesto I.** *part. zu presuponer*; **II.** *m* **1.** Voraussetzung *f*; (Beweg-)Grund *m*; *Log.* Vordersatz *m*; **2.** Voranschlag *m*, Kostenanschlag *m*; Haushalt *m*, Budget *n*.
presura *f* Eile *f*; Bedrängnis *f*; Eifer *m*.
presurizado ✈ *adj.*: *cabina f* ~*a* Druckkabine *f*.
presuroso *adj.* eilig, hastig.
pretal *m* **1.** *Equ.* Vorderzeug *n*, Brustriemen *m*; **2.** *Hond.* Hosenschnalle *f*.
preten|cioso *gal. adj.* anmaßend; angeberisch; **~der** *vt/i.* **1.** *a.* ⚖ fordern, beanspruchen; Anspruch erheben auf (*ac.*); ~ *algo de alg.* von j-m et. (*ac.*) fordern (*od.* haben wollen F); *no* ~ *nada* keine(rlei) Ansprüche stellen; k-e Rechte geltend machen (wollen); ~ *poco* bescheidene Ansprüche stellen; **2.** erstreben, begehren; ~ + *inf.* versuchen, zu + *inf.*, wollen + *inf.*; streben *od.* trachten nach (*dat.*); (*no*) ~ *hacerlo* (nicht) vorhaben, es zu tun; **3.** s. um *e-e Stellung, den Thron* bewerben; um *e-e Frau* werben; **4.** *gal.* behaupten; vorgeben; **~diente** *m* **1.** (Amts-)Bewerber *m*; Prätendent *m*; ~ *al trono (od. a la corona)* Thronprätendent *m*; **2.** Freier *m*, Bewerber *m*; **3.** ⚖ e-e Forderung Erhebende(r) *m*; Bewerber *m*; Bittsteller *m*.
pretensado △ *adj.*: *hormigón m* ~ Spannbeton *m*.
pretensión *f* **1.** *a.* ⚖ Forderung *f*, Anspruch *m*; ~*ones f/pl. (económicas)* Gehaltsansprüche *m/pl.*; ~ *legal* Rechtsanspruch *m*; *con muchas* ~*ones* (sehr) anspruchsvoll; *sin* ~*ones* anspruchslos; *formular (od. exponer)* ~*ones* Forderungen stellen; Ansprüche erheben; *tener* ~*ones de gran orador* s. einbilden, ein gr. Redner zu sein; **2.** Bewerbung *f* (um *ac. de*); ~ *de la corona* Thronbewerbung *f*; F *andar en* ~*ones* auf Freiersfüßen gehen; **3.** Bestrebung *f*; Streben *n*, Wollen *n*; *con muchas* ~*ones a.* sehr ehrgeizig; **4.** Bitte *f*, Ansuchen *n*, Gesuch *n*; **~sor** *adj.* beanspruchend; verlangend.
pre|terición *f* **1.** Übergehung *f*; Nichtbeachtung *f*; **2.** Auslassung *f*; Übersehen *n*; **3.** *Rhet.* Präterition *f*; **~terir** [3i; *ohne pres.*] *v/t.* übergehen; *estar* ~*ido* übergangen werden (*z. B. b. e-r Beförderung*); **~térito I.** *adj.* vergangen; **II.** *m* *Gram.* Präteritum *n*; *fig.* Vergangenheit *f*.
preternatural *adj. c* ⚕ widernatürlich, praeternaturalis (*lt.*); *a. Theol.* übernatürlich.
pretex|tar *v/t.* vorschützen, vorgeben; **~to** *m* Vorwand *m*, Ausrede *f*; Ausflucht *f*; *so (od. con el)* ~ *de* unter dem Vorwand, zu + *inf.*
pretil *m* **1.** Geländer *n*; Brüstung *f*; **2.** *Ec.* Vorhalle *f*; *Méj., Ven.* → *poyo*.
pretina *f* Gurt *m*, Gürtel *m*; Hosenbund *m*; *fig.* F *meter en* ~ zur Vernunft bringen.
pre|tor *hist. m* Prätor *m*; **~torial** *adj. c* → *pretorio*; **~toriano** *hist. u. fig. adj.-su.* Prätorianer...; *m* Prätorianer *m*; **~torio I.** *adj.* prätorisch; **II.** *m* prätorisches Gericht *n*; Prätorium *n*; **~tura** *f* Prätur *f*.
preu F *m* → **~niversitario** *m* zur Universitätsreife führender Lehrgang *m* (*od.* führendes Schuljahr *n*); Universitätsreife(prüfung) *f*.
prevale|cer [2d] *v/i.* **1.** überwiegen (über *ac. sobre*); den Ausschlag geben; **2.** die Oberhand behalten, siegen (über *ac. sobre*); durchdringen, s. durchsetzen; s. behaupten; *hacer* ~ *su opinión* mit s-r Meinung durchdringen; **3.** ✓ Wurzel schlagen, (an)wachsen; *a. fig.* gedeihen; **~r** [2q] **I.** *v/i.* ⚒ → *prevalecer*; **II.** *v/r.* ~*se de a/c.* s. e-r Sache bedienen, e-e Sache benutzen; et. geltend machen; *prevalido de* gestützt auf (*ac.*).
prevarica|cion ⚖ *f* Rechtsbeugung *f*; Parteiverrat *m*; Pflichtverletzung *f*; **~dor** *m* **1.** pflichtvergessene(r) Beamte(r) *m*; Rechtsbeuger *m*; **2.** Verderber *m*, *der j-n von s-r Pflicht abbringt*; **~r** [1g] *v/i.* **1.** s-e Amtspflicht verletzen; das Recht beugen (*Richter*); Parteiverrat begehen (*Anwalt*); *p. ext.* pflichtwidrig handeln; **2.** *fig.* F Unsinn reden; **~to** ⚖ *m* Amtsmißbrauch *m*; Rechtsbeugung *f*.
preve|nción *f* **1.** Vorkehrung *f*;

⚕, ⚖ Vorbeugung *f*; Verhütung *f* (*gen.* de); *p. ext.* Mund-, Notvorrat *m*; *a* (*od.* de) ~ auf Vorrat, für den Notfall (*z. B. Lebensmittel*); ~ *de accidentes* Unfallverhütung *f*; ~ *contra incendios* Feuerverhütung *f*; *como medida de* ~ vorsichtshalber; **2.** Warnung *f*; **3.** Voreingenommenheit *f*, Befangenheit *f*; *tener* ~ *contra alg.* voreingenommen sein gg.-über j-m; **4.** Polizeigewahrsam *m*; Arrest(lokal *n*) *m*; **5.** ⚔ Kasernenwache *f*; *piquete m de* ~ Bereitschaftswache *f*; **~nido** *adj.* **1.** gewarnt; vorsichtig, bedachtsam; **2.** vorbereitet; *bien* ~ *a.* wohlgefüllt (*Vorratsgefäß, Flasche*); **3.** voreingenommen; **~nir** [3s] **I.** *vt/i.* **1.** vorbereiten, im voraus (*od.* vorbeugend) anordnen; ⚖ erste (*bzw.* vorbeugende) Maßnahmen einleiten; **2.** *Gefahren u. ä.* im voraus erkennen, voraussehen; **3.** vorgreifen (*dat.*), zuvorkommen (*dat.*); vorbeugen (*dat.*); abwenden, verhüten; *a. Gefahr, Schwierigkeiten* überwinden; *para* ~ *errores* um Irrtümer zu vermeiden; *Spr. más vale* ~ *que curar* besser Vorbeugen als Heilen; besser Vorsicht als Nachsicht; **4.** (vorher) benachrichtigen; warnen (vor *dat.* de); ~ *que* + *ind.* darauf aufmerksam machen, daß + *ind.*; *te prevengo que no te atrevas a hacerlo* ich warne dich (davor, es zu tun)!; **5.** beeinflussen, einnehmen; ~ *en favor de* (*contra*) *alg.* für (gg.) j-n einnehmen; **II.** *v/r.* **~se 6.** s-e Vorkehrungen treffen; auf der Hut sein (vor *dat. contra*); s. schützen (gg. *ac.* de, *contra*); **~se** *con* (*od.* de) *lo necesario* s. mit dem Nötigen versehen; **~se** *para un viaje* Reisevorkehrungen treffen; **7.** *se me previene a/c.* et. kommt mir in den Sinn, ich erinnere mich e-r Sache.

preven|tivo I. *adj.* vorgreifend; vorbeugend; Schutz...; *guerra f* **~a** Präventivkrieg *m*; *medida f* **~a** Vorbeugungsmaßnahme *f*; **II.** *m a.* ⚕ Vorbeugungs-, Schutz-mittel *n*; **~torio** *m* Heilstätte *f für vorbeugende Behandlung.*

prever [2v] *v/t.* voraus-, vorher- [sehen.]

previne → *prevenir.*

previo *adj.* vorherig, vorhergehend, Vor...; ~ *aviso* nach vorheriger Mitteilung, ⚚, *Verw.* unter Voranzeige; *a.* ⊕ *tratamiento m* ~ Vorbehandlung *f.*

previ|sible *adj. c* voraussehbar; voraussichtlich; **~sión** *f* **1.** Voraussicht *f*; ⚚ **~ones** *f/pl.* Vorausschätzungen *f/pl.*; *contra toda* ~ wider alles Erwarten; ~ *meteorológica* Wettervorhersage *f*; **2.** Vorsicht *f*; *obrar con* ~ *a.* umsichtig (*od.* fürsorglich) handeln; **3.** Fürsorge *f*; ~ *social* Sozialfürsorge *f*; *caja f de* ~ Fürsorge-, Wohlfahrts-kasse *f*; *Span. Instituto m Nacional de* ♀ *gesetzliche* Krankenversicherung *f*; **~sor** *adj.* vorausschauend; vorsichtig; *hay que ser* ~ man muß Vorsorge treffen.

previsto *adj.* **1.** vorausgesehen; **2.** vorgesehen.

prez *lit. m, f* (*pl.* **~eces**) Ehre *f*, [Ruhm *m.*]

priapismo ⚕ *m* Priapismus *m.*

prieto *adj.* **1.** eng, knapp; **2.** knauserig, geizig; **3.** dunkel, fast schwarz.

prima *f* **1.** (*a.* ~ *hermana*) Kusine *f*, Base *f*; ~ *segunda* Kusine *f* zweiten Grades; *vgl. primo 3*; **2.** *Verw., Vers.*, ⚚ Prämie *f*; Agio *n*; ⚔ ~ *de enganche* Handgeld *n*; ~ *de estímulo* (*z. B.* ✔ Anbau-)Förderungsprämie *f*; ~ *de* (*od. a la*) *exportación* Ausfuhrprämie *f*; ~ *de(l) seguro* Versicherungsprämie *f*; **3.** ♪ höchste Saite *f*, Cantino *m einiger Saiteninstrumente*; e-Saite *f der Geige*; **4.** *kath.* Prim *f* (*Frühgebet*); erste Tonsur *f der Neugeweihten*; **5.** *hist.* **a)** erster Tagesabschnitt *m* (*1. bis 3. Stunde nach Sonnenaufgang*); **b)** ⚔ erste Nachtwache *f* (*20 bis 23 h*); **6.** *Jgdw.* Falkenweibchen *n*; **7.** □ Hemd *n.*

prima|cía *f* Vorrang *m*; Primat *m*, *a. n*; Überlegenheit *f*; **~cial** *adj. c* Primat...; Primas...

primada F *f* Dummheit *f*; Hereinfall *m*; *fig. pagar la* ~ für s-e Dummheit (*od.* Naivität) zahlen müssen.

prima|do *ecl.* **I.** *adj.* Primats..., Primas...; **II.** *m* Primas *m*; **~rio** *adj.* erste(r, -s); ursprünglich; primär; Primär...; ⚕ *afección f* **~a** Primäraffekt *m*; **~te** *m* **1.** → *prócer*; **2.** *Zo.* Primat *m*; **~vera** *f* **1.** *a. fig.* Frühling *m*; **2.** ⚘ Primel *f*; **3.** *tex.* geblümter Seidenstoff *m*; **~veral** *adj. c* Frühlings...

prime|r *adj. Kurzform für primero vor su. sg. m* (*selten f*); *de* ~ *orden* erstklassig; *el* ♀ *Ministro* der Ministerpräsident; *el* ~ *violín* die erste Geige; der erste Geiger, der Primgeiger; **~ra** *f* **1.** ⚚ ~ (*de cambio*) Primawechsel *m*; ~ (*hipoteca f*) erste Hypothek *f*; *fig.* F *a las* **~s** *de cambio* plötzlich, unerwartet; bei der ersten Gelegenheit; **2.** *de* ~ 🚃 *Fahrkarte usw.* erster Klasse; *fig.* F erstklassig, prima F; **3.** *Kfz.* ¡*pon la* ~! leg' den ersten Gang ein!; **4.** *Kart.* Primspiel *n*; **~s** *f/pl.* Serie *f* von Stichen gleich zu Beginn des Spiels, *die zum Gewinn führt*; **~riza** *f a.* Erstgebärende *f*; zum erstenmal werfendes Muttertier *n*; **~rizo I.** *adj.* (als) erster, Erstlings...; **II.** *m* Neuling *m*; Anfänger *m*; **~ro I.** *num.-adj.* (*a. su.*) erste(r, -s); *a* **~s** *de diciembre* Anfang Dezember; *de* **~a** *calidad* erstklassig, von bester Güte (*od.* Qualität); *el capítulo* ~ das erste Kapitel; *Typ.* **~a** *edición f* Erstausgabe *f*; **~as** *materias f/pl.* Rohstoffe *m/pl.*; *el* ~ *de mes* der Erste des Monats, der Monatserste; *la* **~a** *vez* das erste Mal; *lo* ~ die Hauptsache; das Erstbeste; das Nächste; *fue la* **~a** *en escribirle* sie hat ihm zuerst geschrieben; *el* ~ *que llegue lo tendrá* der erste beste wird es bekommen; *bibl. los* **~s** *serán los postreros* die Ersten werden die Letzten sein; *ser el* ~ *entre* (*sus*) *pares* der Erste unter Gleichen (*od. lt.* Primus *m* inter pares) sein; *volver a su estado* ~ s-n ursprünglichen Zustand wiedererlangen; **II.** *adv.* zuerst; als erster; erstens; ~ *morir que ser traidor* lieber sterben als ein Verräter sein; *barb.* ~ *de* → *antes de.*

primi|cia *f* Erstlingsfrucht *f*; Erstling *m*; *Rel.* Erstlingsopfer *n*; *ecl. hist.* Erstlingsabgabe *f*; *fig.* **~s** *f/pl.* Anfänge *m/pl.*; erste Erfolge *m/pl.* (*od.* Ergebnisse *n/pl.*); Vorgeschmack *m* (*fig.*); **~cial** *adj. c* Erstlings...; **~genio** *lit. adj.* → *primitivo, originario.*

primípara ⚕ *f* Erstgebärende *f.*

primiti|vismo *m* **1.** *Ku.* Primitivismus *m*; **2.** *neol.* wenig entwickelter (*od.* primitiver) Zustand *m*; Primitivität *f*; **~vo I.** *adj.* ursprünglich; urtümlich; urwüchsig; (noch) unentwickelt; primitiv; Ur...; Grund...; *causa f* **~a** Urgrund *m*; *idea f* **~a** Grund-, Ausgangs-gedanke *m*; *pueblo m* ~ Urvolk *n*; *texto m* ~ Urtext *m*; *voz f* **~a** Stamm-, Wurzel-wort *n*; *Theol.* **~a** *falta f* Erbsünde *f*; **II.** *m Ku.* Primitive(r) *m* (*Vorrenaissancemaler bzw. Anhänger des Primitivismus*); *Ethn.* **~s** *m/pl.* Primitive(n) *m/pl.*

primo I. *adj.* **1.** *in einigen Verbindungen* = *primero*; *materia f* **~a** Rohstoff *m*; *Arith. número m* ~ Primzahl *f*; † *u. Reg. a* **~a** *noche* bei Anbruch der Nacht; **2.** †, ✎ → *primoroso, excelente*; **II.** *m* **3.** Vetter *m*; ~ *hermano od.* ~ *carnal* (~ *segundo, tercero*) Vetter *m* ersten (zweiten, dritten) Grades; *fig.* F *ser* ~ *hermano de* ganz ähnlich sein (*dat.*) (*od.* aussehen wie *nom.*; *Dinge*); **4.** *fig.* F Einfaltspinsel *m*, Gimpel *m*; Opfer *n e-s* Gauners; *le cogió de* ~ er hat ihn angeführt; *hacer el* ~ (wie ein Gimpel) auf den Leim gehen; **5.** □ Wams *n*; **III.** *adv.* **6.** † erstens.

primo|afección ⚕ *f* Primäraffekt *m*; **~génito** *adj.-su.* erstgeboren; *m* Erstgeborene(r) *m*; **~genitura** *f* Erstgeburt *f*; Erstgeburtsrecht *n*; **~infección** ⚕ *f* Primärinfekt *m.*

primor *m* Geschicklichkeit *f*; Vollkommenheit *f*; *fig.* F *lobend*: ... *que es un* ~ daß es e-e (wahre) Freude ist; *ser un* ~ *a.* ein (wahres) Meisterstück sein.

primordial *adj. c* **1.** ursprünglich; uranfänglich; *estado m* ~ Urzustand *m*; **2.** grundlegend; wesentlich; *fig.* elementar; Haupt...

primo|rear I. *v/i.* meisterhaft arbeiten (*od.* ♪ spielen); **II.** *v/t. Reg.* verschöne(r)n; **~roso** *adj.* vorzüglich; hervorragend, vortrefflich; schön, entzückend.

prímula ⚘ *f* Primel *f.*

primuláceas ⚘ *f/pl.* Primelgewächse *n/pl.*

princesa *f* Fürstin *f*; Prinzessin *f.*

principa|da F *f* Gewaltstreich *m*; Amts-anmaßung *f bzw.* -mißbrauch *m*; **~do** *m* **1.** Fürstentum *n*; Fürstenstand *m*; Fürstentitel *m*; *el* ♀ = Katalonien; *Rel.* **~s** *m/pl.* Fürstentümer *n/pl.* (*7. Engelsordnung*); **2.** Prinzipat *m*; *fig.* Vorrang *m.*

principa|l I. *adj. c* **1.** hauptsächlich; wesentlich; ausgezeichnet; Haupt...; Grund...; *lo* ~ die Hauptsache *f*; *lo* ~ *del trabajo* die Hauptarbeit *f*; *acreedor m* ~ Hauptgläubiger *m*; *objeto m* ~ Hauptanliegen *n*; Hauptzweck *m*; *Gram. tiempos m/pl.* **~es** Haupt-tempora *n/pl.*, -zeiten *f/pl.*; **2.** †, ✎ adlig, vornehm; *p. ext.* angesehen; **II.** *adj.-su. m* **3.** erster Stock *m*; *Thea.* 2. Rang *m*; **III.** *m* **4.** *angelegtes* (Grund-)Kapital *n ohne Zinsen*; **5.** Geschäftsinhaber *m*, Prinzipal *m*; *p. ext.* → *jefe*; **6.** ✝ → *poderdante*; **~lidad** *f* erster Rang *m*; Erstrangigkeit *f*, hohe Bedeutung *f*; **~lmente** *adv.* insbesondere, im wesentlichen, hauptsächlich.

príncipe *m* **I.** Fürst *m*; Prinz *m*; *Folk. u. fig.* ~ *azul*, *bsd. iron.* ~ *encantador* Märchenprinz *m*; *ecl. el* ~ *de los Apóstoles* der Apostelfürst (*Petrus*); *el* ♀ *de Asturias* Prinz *m* von Asturien (*ehm. span. Kronprinz*); ~ *electivo* Wahlfürst *m*; *fig.* ~ *de los poetas* Dichterfürst *m*; ~ *real od.* ~ *de la sangre* Prinz *m* königlichen Geblüts *im Alten Frankreich*; *fig. vivir como un* (*od. a lo*) ~ leben wie ein Fürst, auf gr. Fuße leben; **II.** *adj.* → *edición*.

principesco *adj.* fürstlich (*a. fig.*), Fürsten...

principi|ante *m* Anfänger *m*; **~ar** [1b] **I.** *vt/i. a. abs.* anfangen, beginnen (zu + *inf. a* + *inf.*; mit *dat. con, en, por*); **II.** *v/r.* ~*se* beginnen (*v/i.*); **~o** *m* **1.** Anfang *m*; Ausgangspunkt *m*; *p. ext.* Prinzip *n*, Grundsatz *m*; ~*s m/pl.* Anfänge *m/pl.*; Grundregeln *f/pl.*; *al* ~ am Anfang; *a* ~*s de mes* zu (*od.* am) Monatsbeginn; *a* ~*s del siglo* zu Anfang des Jahrhunderts; *del* ~ *al fin* von Anfang bis zu Ende; *en* (*su*) ~ im Grunde genommen; *desde un* ~ von Anfang an, von vornherein; *en* (*od. por*) ~ grundsätzlich, prinzipiell; *en el* ~ zu Anbeginn; *en un* ~ anfänglich; *Phys.* ~ *de conservación de la masa* Massenerhaltungsprinzip *n*; *Log.* ~ *de contradicción* Satz *m* vom Widerspruch; *dar* ~ beginnen (*ac. od.* mit *dat. a*); *ser cuestión de* ~*s* e-e Grundsatz- (*od.* e-e Prinzipien-) frage sein; **2.** (Grund-)Bestandteil *m*, Element *n*; **3.** Urwesen *n*, Element *n*; **4.** Haupt-gericht *n*, -gang *m e-r Mahlzeit*.

prin|gar [1h] **I.** *v/t.* **1.** in Fett (*bzw.* in fette Speisen *od.* Soßen) tauchen; *hist.* mit siedendem Fett übergießen (*Strafe*); **2.** einfetten, mit Fett beschmieren; *a. fig.* besudeln; *fig.* F ~*la* die Sache verpatzen; Pech haben; ~*las* → *4*; **3.** *fig.* blutig schlagen; **II.** *v/i.* **4.** *fig.* F ~(*las*) s. mächtig ins Zeug legen, schuften F; **5.** † *u. Reg.* F s-e Finger mit darin haben, mitmachen (bei *dat. en*); **III.** *v/r.* ~*se* **6.** *fig.* F: ~*se a/c.* et. unterschlagen, s. et. unter den Nagel reißen P; ~*se en a/c.* (*bsd.* unerlaubten) Nutzen aus et. (*dat.*) ziehen, fett werden an et. F (*dat.*); **~gón I.** *adj.* schmierig; schmutzig; **II.** *m* Fettfleck *m*; Beschmieren *n* mit Fett; **~goso** *adj.* fettig; **~gue** *m* (*a. f*) Fett *n* (*Braten, Speck*); *fig.* Schmiere *f*; Schmutz *m*; *fig.* Plackerei *f*; Schmutzarbeit *f*; *lleno de* ~ fettig; schmierig.

prio|r *ecl. m* Prior *m*; *Gran* ♀ Großprior *m* (*Johanniterorden*); **~ra** *ecl. f* Priorin *f*, Oberin *f*; **~ral** *adj. c* Prior...; Abts...; **~rato** *m* **1.** *ecl.* Priorat *n*; Konvent *m der Benediktiner*; **2.** Wein *m aus der Region gleichen Namens* (*Tarragona*); **~ri** *lt.*: *a* ~ von vornherein, a priori; **~ridad** *f* **1.** Priorität *f*: **a)** zeitliches Vorgehen *n*; **b)** Vorrang *m*; Vorrecht *n*; Dringlichkeit *f*; *derecho m de* ~ Vorzugsrecht *n*; **2.** *Vkw.* ~ (*de paso*) Vorfahrt(srecht *n*) *f*.

prisa *f* Eile *f*; *a toda* ~ in aller Eile; *con mucha* ~ sehr (*od.* ganz) eilig; *de* ~ eilig; *de* ~ *y corriendo* schleunigst, in Windeseile; Hals über Kopf; *sin* ~*s* gemächlich, in aller Ruhe; *corre* (*od. da*) ~ es ist eilig; *darse* ~ s. beeilen; *estar de* ~, *tener* ~ es eilig haben; *meter* ~ *a alg.* (*a a/c.*) j-n zur Eile drängen (et. beschleunigen); *no corre* ~ es hat (noch) Zeit; *tener* ~ *por* + *inf.* es nicht abwarten können, zu + *inf.*; sehr neugierig darauf sein, zu + *inf.*; *no me vengas con* ~*s* dräng mich nicht; *vivir de* ~ schnellebig sein.

priscilianismo *Rel. m* Priszillianertum *n* (*span. Schwärmersekte des 4. Jh.*).

prisi|ón *f* Verhaftung *f*; Haft *f*; Gefängnis *n* (*a. fig.*); ~*ones f/pl.* Fesseln *f/pl.* (*a. fig.*); *fig.* Bande *n/pl.*; ~ *por deudas* (*celular*) Schuld- (Zellen-)gefängnis *n*; ~ *mayor* Zuchthaus(strafe *f*) *n von 6 bis zu 12 Jahren*; ~ *menor* Haft *f von 6 Monaten bis zu 6 Jahren*; ~ *preventiva* Untersuchungshaft *f*; *recurso m contra el auto de* ~ Haftbeschwerde *f*; *reducir a* ~ *a alg.* j-n ins Gefängnis setzen; → *a. arresto, reclusión*; **~onero** *m a. fig.* Gefangene(r) *m*; ~ *de guerra* Kriegsgefangene(r) *m*; *caer* (*od. quedar*) ~ in Gefangenschaft geraten; *darse* ~ s. gefangengeben; *hacer* ~ gefangennehmen.

pris|ma ⚗, *Opt. m* Prisma *n*; ~ *ocular* (*triangular*) Okular- (Dreikant-)prisma *n*; *colores m/pl. del* ~ Spektralfarben *f/pl.*; *fig. por el* ~ *del amor* durch die Brille des Verliebten; **~mático** *Opt.* **I.** *adj.* Prismen..., prismatisch; **II.** ~*s m/pl.* Feldstecher *m*; ~*s de noche* Nachtglas *n*.

priste *Fi. m* Schwertfisch *m*.

prístino *lit. adj.* ursprünglich; uralt; längst vergangen.

pri|vación *f* Beraubung *f*; Vorenthaltung *f*; ⚖ *a.* Aberkennung *f*; *a.* ⚖ Entziehung *f*; ~*ones f/pl.* Entbehrung(en) *f* (*/pl.*); Mangel *m*, Dürftigkeit *f*; ~ *de alimento* Nahrungsentzug *m*; ~ *de libertad* Freiheits-entzug *m bzw.* -beraubung *f*; ~ *de la vista* Verlust *m* der Sehfähigkeit; *vida f de* ~*ones* entbehrungsreiches Leben *n*; **~vada** F *f Reg.* Abort *m*; Kothaufen *m* auf der Straße, Nachtwächter *m* F; **~vado I.** *adj.* **1.** ~ de beraubt (*gen.*); **2.** privat, Privat...; vertraulich; persönlich; *en* ~ vertraulich, im engeren Kreis, privatim; **3.** *Reg.* ohnmächtig, betäubt; **II.** *m* **4.** Günstling *m*; Vertraute(r) *m*; **~vanza** *f* Gunst *f*; vertraulicher Umgang *m*; *estar en* ~ *con* in vertraulichem Umgang stehen mit (*dat.*); **~var I.** *v/t.* **1.** entziehen (*dat.*) (*et.* de); ~ *a alg. de a/c.* i-n e-r Sache berauben; j-m et. nehmen; j-m et. aberkennen; j-n *s-s Amtes* entheben; ⚕ ~ *de toxicidad* entgiften; **2.** *a. fig.* betäuben; **3.** *Säugling, Jungtier* absetzen; **II.** *v/i.* **4.** (sehr) beliebt sein; (sehr) gefallen; ~ *a alg.* + *inf.* gern + *inf.*; *la modestia que priva en ellos* die ihnen eigne Bescheidenheit; *la moda que priva ahora* die jetzt herrschende Mode; **5.** ~ *con* in Gunst stehen bei (*dat.*), zu *j-s* Vertrauten zählen; **III.** *v/r.* ~*se* **6.** ~*se de a/c.* auf et. (*ac.*) verzichten; s. et. versagen; *no* ~*se de nada* s. nichts abgehen lassen; **7.** betäubt werden; ohnmächtig werden; **~vativo** *adj.* **1.** entziehend; ⚖ *a.* ausschließend; *Li.* verneinend (*Partikel, Vorsilbe*); **2.** eigentümlich; ausschließlich; kennzeichnend (für *ac.* de); ~ *de* vorbehalten (*dat.*).

privilegi|ado *adj.-su.* bevorrechtigt; *m* Bevorrechtete(r) *m*, Privilegierte(r) *m*; **~ar** [1b] *v/t.* bevorrechtigen; bevorzugen, *j-m* e-e Sonderstellung einräumen; **~o** *m* Vorrecht *n*; Sonderrecht *n*; Privileg *n*; Vorzug *m*; *hist.* Gnade(nbrief *m*) *f des Königs usw.*; ~*s m/pl. fiscales* Steuervergünstigungen *f/pl.*

pro *m, f* **1.** *el* (*los*) ~(*s*) *y el* (*los*) *contra*(*s*) das Für u. Wider; *hombre m de* ~ tüchtiger (*od.* trefflicher *lit.*) Mann *m*; *en* ~ *de* zum Nutzen von (*dat.*), für (*ac.*); **2.** † *u. Reg.* ¡*buena* ~! wohl bekomm's! (*zum Essenden od. Trinkenden gesagt*).

proa ⚓ *f* Bug *m*, Vorschiff *n*; *de* ~ *a popa* von vorn nach achtern; *por la* ~ voraus; *fig. poner la* ~ *a a/c.* (*a alg.*) et. im Auge haben, ein Ziel verfolgen (es auf j-n abgesehen haben, j-m schaden wollen).

proba|bilidad *f* Wahrscheinlichkeit *f*; ⚗ *cálculo m de* ~ Wahrscheinlichkeitsrechnung *f*; *neol.* Hochrechnung *f*; *Vers. usw.* ~*es f/pl. de vida* Lebenserwartung *f*; **~bilismo** *Phil. m* Probabilismus *m*; **~bilista** *adj.-su. c* probabilistisch; *m* Probabilist *m*; **~ble** *adj. c* wahrscheinlich, voraussichtlich; mutmaßlich; glaubwürdig; probabel; *opinión f poco* ~ Meinung *f*, die wenig für s. hat; *no es* ~ das wird kaum eintreten; *es* ~ *que venga* er könnte kommen, vielleicht kommt er; **~blemente** *adv.* wahrscheinlich.

proba|ción *f* **1.** *kath.* Probezeit *f der Novizen*; **2.** → *prueba*; **~dero** *m Ballistik*: Schießkanal *m*; **~bado** *adj.* erprobt; bewährt; **~dor** *m* **1.** ⊕ Prüfgerät *n*; *Kfz.* ~ *de frenos* Bremsenprüfstand *m*; **2.** (An-) Probierkabine *f* (*Schneider usw.*); **~nza** ⚖ *f* Beweis(material *n*) *m*; **~r** [1m] **I.** *v/t.* **1.** erproben, prüfen; versuchen, (aus)probieren; ⊕ *usw.* testen; *fig.* auf die Probe stellen; *fig.* (an s.) erfahren; *Gewehr* einschießen; *Anzug, Kleid* anprobieren; *Speisen* kosten; *no* ~ *bocado* k-n Bissen zu s. nehmen; **2.** beweisen; erweisen, dartun; ⚖ ~ *la coartada* sein Alibi nachweisen; **II.** *v/i.* **3.** versuchen (, zu + *inf. a* + *inf.*); kosten (von *dat.* de); **4.** bekommen; zusagen; guttun.

probática *bibl. adj. f*: *piscina f* ~ Teich *m* Bethesda.

probatori|a ⚖ *f* Termin *m* für die

Beweisaufnahme; Beweis *m*; **~o** *adj.* Probe...; Beweis...; *fuerza f ~a* Beweiskraft *f*.

probeta *f* **1.** ⚗ Reagenzglas *n*; *~ graduada* Meß-becher *m bzw.* -zylinder *m*; **2.** ⊕ Prüf-, Probestab *m b. Materialprüfung*; **3.** *Phot.* Entwicklerschale *f*.

probidad *f* Rechtschaffenheit *f*; Redlichkeit *f*.

proble|ma *m* Aufgabe *f*; Problem *n*, Frage *f*; *a. fig.* Problem *n*, Schwierigkeit *f*; *~ (de aritmética)* Rechenaufgabe *f*; *plantear (resolver) un ~* ein Problem (*od.* e-e Aufgabe) stellen (lösen); *Sch. sacar el ~* die (Rechen-)Aufgabe lösen; **~mática** *f* Problematik *f*; Problemkomplex *m*; **~mático** *adj.* fraglich, fragwürdig; problematisch.

probo *adj.* rechtschaffen; redlich; unbescholten.

procacidad *f* Unverschämtheit *f*; Frechheit *f*; Dreistigkeit *f*.

procaína *pharm. f* Prokain *n*.

procaz *adj. c* (*pl. ~aces*) unverschämt; frech, unverfroren; dreist.

proce|dencia *f* Herkunft *f*; Ursprung *m*; **~dente** *adj. c* **1.** *~ de* (her)stammend *od.* kommend aus (*dat.*); herrührend von (*dat.*); **2.** ⚖ berechtigt (*Klage usw.*); *p. ext.* vernünftig, passend; *creer ~* (+ *inf.*) (es) für angebracht halten (, zu + *inf.*); *no es ~* es ist nicht ratsam; es ist unstatthaft; **~der I.** *m* **1.** Verhalten *n*; Handlungsweise *f*; Benehmen *n*; Verfahren *n*, Vorgehen *n*; **II.** *v/i.* **2.** (her)kommen, stammen (aus *dat.* de); herrühren (von *dat.* de); **3.** schreiten, übergehen (zu *dat. a*); *~ a* + *inf.* dazu übergehen, zu + *inf.*; *~ a la lectura de et.* verlesen; **4.** verfahren, handeln; vorgehen; s. aufführen; *manera f* (*od. modo m*) *de ~* Handlungsweise *f*; ⚖ *~ (judicialmente) contra alg.* gerichtlich vorgehen gg. j-n, j-n gerichtlich belangen; **III.** *v/impers.* **5.** *procede* es scheint angebracht, es erscheint geboten; es gehört s.; *~ía ir con tiento* man sollte vorsichtig handeln; **~dimiento** *m* **1.** *a.* ⊕, ⚗ Verfahren *n*; Methode *f*, Vorgehen *n*; *a.* ⚗ Vorgang *m*; Handlungsweise *f*; *Verw.*, ⚚ *~ aduanero* Zollverfahren *n*; Ꭿ *~ de cálculo* Rechenverfahren *n*; Rechnungsgang *m*; ⚗, ⊕ *~ de fabricación* Herstellungsverfahren *n*; **2.** ⚖ Verfahren *n*; Rechtsgang *m*; *~ criminal* Strafverfahren *n*; *~s m/pl. judiciales* gerichtliche Maßnahmen *f/pl*.

proce|laria *Vo. f* → *petrel*; **~loso** *adj.* stürmisch.

prócer I. *m* hochgestellte Persönlichkeit *f*; Magnat *m*; *fig.* Führer *m*, Vorkämpfer *m*; **II.** *adj.* → *proceroso*.

proce|rato *m hist.* Magnaten-würde *f bzw.* -stand *m*; **~ridad** *f* Höhe *f*; Üppigkeit *f*; vornehmes Wesen *n*; **~ro(so)** (*a. prócero*) *adj.* hoch, von hohem Wuchs; hoch, erhaben; hochragend.

proce|sado *m* Angeklagte(r) *m*; **~sal** *adj. c* Prozeß...; *costas f/pl. ~es* Prozeß-, Gerichts-kosten *pl.*; **~samiento** *m* gerichtliche Verfolgung *f*; **~sar** *v/t.* gerichtlich verfolgen (wegen *gen. por*); **~sión** *f* **1.** *Rel.* Prozession *f*; feierlicher Umzug *m*; *fig.* F Reihe *f*, Menge *f*, Prozession *f* (*fig.* F); *Rel. ~ rogativa* Bitt-gang *m*, -prozession *f*; *fig. la ~ (le, me, etc.) anda* (*od. va*) *por dentro* er zeigt (*bzw.* ich zeige *usw.*) s-e (*bzw.* m-e *usw.*) Gefühle nicht; er (*usw.*) hat e-n geheimen Kummer; er läßt s. s-n Zorn nicht anmerken; **2.** *Theol.* Hervorgehen *n der göttlichen Personen ausea.*; **3.** † Entstehen *n*, Abstammung *f*; **~sional** *adj. c* prozessionsartig; **~so** *m* **1.** *a.* ⚗, ⚕, ⊕ Prozeß *m*, Vorgang *m*; Verlauf *m*; *~ asimilatorio* Assimilationsprozeß *m*, *Biol.* Stoffwechsel *m*; ⚗, ⚒ *~ preparatorio* Aufbereitung *f*; Aufschließung *f*; *~ de trabajo* Arbeitsprozeß *m*; **2.** ⚖ Prozeß *m*; Rechtsstreit *m*; *~ sensacional* Sensations- *bzw.* Schau-prozeß *m*; *gal. ~ verbal* Protokoll *n*; *formar* (*od. seguir un*) *~* e-n Prozeß anhängig machen (gg. *ac. contra*).

procla|ma *f* Aufruf *m*; öffentliche Bekanntmachung *f*; Aufgebot *n von Brautleuten*; **~mación** *f* Proklamation *f*, Ausrufung *f*; Bekanntmachung *f*, Verkündigung *f*; **~mar I.** *v/t.* **1.** ausrufen, proklamieren; verkündigen; *Wahlen* ausschreiben; *Brautleute* aufbieten; **2.** † → *aclamar*; **II.** *v/r.* *~se* **3.** *Pol.* s. aufwerfen zu (*dat.*); **4.** aufgeboten werden (*Brautpaar*).

proclítico *Li. adj.* proklitisch.

proclive *adj. c* (*mst. zum Bösen*) neigend (zu *dat. a*).

pro|comunista *adj. c* kommunistenfreundlich; **~cónsul** *m* Prokonsul *m*.

procrea|ción *Biol. f* Fortpflanzung *f*; *~ entre consanguíneos* Inzucht *f*; **~r** *v/t.* zeugen, fortpflanzen.

procura *f* → *procuraduría u.* → **~ción** *f* **1.** Beschaffung *f*; **2.** † *u. Reg.* Geschäftsführung *f*, Prokura *f* (→ *gestión u. poder*); **3.** → *porcuraduría*; **~dor** *m* Bevollmächtigte(r) *m*; Sachwalter *m*; ⚖ Prozeßbevollmächtigte(r) *m*, Anwalt *m*; Prokurator *m*; *kath.* Verwalter *m e-s Klosters*; *Pol. Span. ~ en Cortes* Mitglied *n* der Cortes; **~duría** *f kath.* Verwaltung *f e-s Klosters* (*Amt u. Büro*); ⚖ Amt *n e-s procurador*; **~r** *v/t.* **1.** besorgen, ver-, be-schaffen; **2.** besorgen; betreiben; *~* + *inf.* versuchen, zu + *inf.*; **3.** verursachen, bereiten.

prodiga|lidad *f* Verschwendung *f*; Überfluß *m*; *con ~* verschwenderisch, reichlich; **~r** [1h] **I.** *v/t.* verschwenden; vergeuden, vertun; *fig. ~ a/c. a alg.* j-n mit et. (*dat.*) überschütten; **II.** *v/r.* *~se* s. allzusehr in Szene setzen.

prodigio *m* Wunder *n*; *niño m ~* Wunderkind *n*; *realizar verdaderos ~s* wahre Wunder wirken; **~sidad** *f* Erstaunlichkeit *f*, Wunderbare(s) *n*; **~so** *adj.* wunderbar; staunenswert, außerordentlich; *fig.* großartig, gewaltig.

pródigo I. *adj.* verschwenderisch; *bibl. el hijo ~* der verlorene Sohn; **II.** *m* Verschwender *m*.

proditorio *adj.* Verräter...

prodrómico ⚕ *adj.* Prodromal...; *síntoma m ~* → *pródromo*.

pródromo *m* ⚕ Prodrom *n*, ⚕ *u. fig.* Vorbote *m*, erstes Anzeichen *n*.

producción *f* **1.** Bildung *f*, Erzeugung *f*, Zustandekommen *n*; *~ de fenómenos* Zustandekommen *n* von Erscheinungen, Phänomenbildung *f*; **2.** *Verw.*, ⚖ Vorlegung *f von Urkunden u. Beweisen*; *~ de pruebas* Beweisantritt *m*; **3.** ⊕, ⚚, ↗ Erzeugung *f*; Herstellung *f*, Fertigung *f*; (Produktions-)Leistung *f*; Erzeugnis *n*; *a. Film*: Produktion *f*; *~ agraria* (*od. agrícola*) Agrarproduktion *f*; *~ excesiva* Überproduktion *f*; *~ hullera* Steinkohlenförderung *f*; *~ industrial* gewerbliche Fertigung *f*; Industrieproduktion *f*; *~ones f/pl. literarias* literarische Werke *n/pl.*; *~ en masa* Massenfertigung *f*; *~ mundial (total)* Welt- (Gesamt-)produktion *f*; *~ propia* Eigenproduktion *f*, Selbsterzeugung *f*; *~ en serie* Serienherstellung *f*; *~ones f/pl. del suelo (del subsuelo)* Bodenerzeugnisse *n/pl.* (Ausbeute *f* an Bodenschätzen).

produ|cente I. *adj. c* erzeugend; **II.** *m Am. Reg.* → *productor* Erzeuger *m*; **~cible** *adj. c* zu erzeugen(d), herstellbar; **~cir** [3o] **I.** *v/t.* **1.** erzeugen; herstellen; produzieren; hervorbringen; hervorrufen, bewirken; leisten; *Früchte* tragen; *Gewinn* bringen; *Nutzen* abwerfen; *Wunde, Verletzung* beibringen; verursachen; *~ una escara* verschorfen (*Wunde*); **2.** ⚖, *Verw. Beweise* vorbringen; *Dokumente* vorlegen; **II.** *v/r.* *~se* **3.** vorkommen, auftreten; s. ereignen, eintreten; **4.** anfallen (*v/i.*); **5.** s. äußern; **6.** s. aufführen, s. benehmen.

produc|tividad *f* Leistung *f*; Produktivität *f*; **~tivo** *adj.* ergiebig, einträglich; produktiv; ⊕ *rendimiento m ~* Produktionsleistung *f*; **~to** *m* **1.** *a.* ⚗ Produkt *n*; Erzeugnis *n*; *~ acabado* (*od. elaborado*) Fertigprodukt *n*; *~s m/pl. agrícolas* landwirtschaftliche Erzeugnisse *n/pl.*; *~s m/pl. de belleza* Kosmetik(artikel *m/pl.*) *f*; *~ bruto* Rohprodukt *n*; *~ de máxima calidad*, *a. ~ cumbre* Spitzenerzeugnis *n*; ⚗ *~ derivado* Derivat *n*, Nebenprodukt *n*, Abkömmling *m*; *~s m/pl. farmacéuticos* Arzneimittel *n/pl.*; *~ final* Enderzeugnis *n*, Fertigprodukt *n*; *~ natural* Naturprodukt *n*; *~s m/pl. naturales* Naturalien *pl.*; ⚕ *~ del vómito* Erbrochene(s) *n*; **2.** Ertrag *m* (*a. Zinsen*), Erlös *m*; *fig.* Ergebnis *n*; ⚚ *~ neto* (*od. líquido*) Reinertrag *m*; *~ medio (total)* Durchschnitts- (Gesamt-)ertrag *m*; *~ social* Sozialprodukt *n*; **3.** Ꭿ Produkt *n*, Multiplikationsergebnis *n*; **~tor I.** *adj.* **1.** erzeugend; herstellend; *clase f ~a* Erwerbs-, Nähr-stand *m*; *país m ~* Erzeugerland *n*; **II.** *m* **2.** Erzeuger *m*; Hersteller *m*; *a. Film*: Produzent *m*; **3.** *Span. Pol.* Arbeiter *m*; *los ~es* die Schaffenden, die erwerbstätige Bevölkerung *f*; **4.** ⚖ Vorbringende(r) *m*; *~ de la prueba* Beweisführer *m*; **~tora** *f* (Film-)Produktionsfirma *f*.

produje, produzco, *etc.* → *producir*.

proemio *m* Vorrede *f*; Proömium *n*.
proeza *f* Großtat *f*, Heldentat *f*; *fig. a. iron.* gr. Leistung *f*; *Am. oft* Aufschneiderei *f*.
profa|nación *f* Entweihung *f*; Schändung *f*; **~nador** *adj.-su.* entweihend; *m* Schänder *m*; **~nar** *v/t.* entweihen; *fig.* verunehren, schänden; herabwürdigen; **~no I.** *adj.* profan; weltlich; uneingeweiht; *fig.* laienhaft; **II.** *m* ~ *(en la materia)* Uneingeweihter *m*; Laie *m*; Nichtfachmann *m*.
profase *Biol. f* Prophase *f*.
profazar [1f] *v/t.* **1.** heftig tadeln; **2.** verwünschen, verfluchen.
profe F *desp.* (*Abk. v. profesor*) *m* Pauker *m* F.
profecía *f* Prophezeiung *f*.
proferir [3i] *v/t.* aussprechen; äußern; *Laut* hervorbringen; *Verwünschungen* ausstoßen.
profesa *kath. f* Klosterfrau *f*, *die ihre Ordensgelübde abgelegt hat*, Professa *f* (*lt.*).
profesar I. *v/t.* **1.** *Beruf* ausüben; *Gewerbe* betreiben; *Kunst*, *Fachgebiet* lehren; *e-n Lehrstuhl* innehaben; ~ *la medicina* Mediziner (*od.* Arzt) sein; Medizin lehren; **2.** *Rel. u. fig.* s. bekennen zu (*dat.*); bekunden; ~ *amistad a alg.* j-m in Freundschaft zugetan sein; **II.** *v/i.* **3.** *kath.* die Ordensgelübde ablegen.
profesi|ografía, ~ología *neol. f* Berufskunde *f*; **~ón** *f* Beruf *m*; Bekenntnis *n*, Bekundung *f*; *kath.* Gelübde *n*, Profeß *f*; ~ *de fe religiöses od. politisches* Glaubensbekenntnis *n*; **~ones** *f/pl.* *liberales* freie Berufe *m/pl.*; de ~ Berufs...; *hacer* ~ *de a/c.* **a)** et. berufsmäßig betreiben; **b)** s. zu et. (*dat.*) bekennen; **c)** mit et. (*dat.*) prahlen; **~onal I.** *adj. c* berufsmäßig; Berufs..., Fach...; *orientación f* ~ Berufsberatung *f*; **II.** *m* Fachmann *m*; *Sp.* Berufsspieler *m*, Profi *m* F; **~onalismo** *Sp. u. fig. m* Profitum *n*.
profeso *kath.* **I.** *adj.* wer die Ordensgelübde abgelegt hat; *casa f* ~*a* Ordensniederlassung *f b. Jesuiten*; **II.** *m* Profeß *m*.
profeso|r *m* (**~ra** *f*) Lehrer(in *f*) *m*; Dozent(in *f*) *m*; ~ *de automovilismo od.* ~ *de conducción (de gimnasia)* Fahr- (Turn-)lehrer *m*; ~ *universitario* Universitätsdozent *m*; → *a. maestro*; **~rado** *m* Lehramt *n*; Lehrerschaft *f*; Lehrkörper *m*; **~ral** *adj. c* lehrhaft, professoral; Professoren...
pro|feta *m* Prophet *m*; **~fético** *adj.* prophetisch; **~fetisa** *f* Prophetin *f*; **~tismo** *m* Prophetismus *m*; Seher-, Propheten-tum *n*; **~fetizar** [1f] *v/t.* prophezeien, weissagen; voraussagen.
proficiente *adj. c* Fortschritte machend.
profi|láctica ⚕ *f* → *profilaxis*; **~láctico** ⚕ *adj.* prophylaktisch, vorbeugend; **~laxia, ~laxis** ⚕ *f* Prophylaxe *f*, Vorbeugung *f*.
prófugo I. *adj.* flüchtig; **II.** *m* ⚔ Überläufer *m*.
profun|didad *f* Tiefe *f*; Vertiefung *f*; **~dizar** [1f] *vt/i.* vertiefen; eindringen (in *ac.* en); ⚒ *Schacht* abteufen; *fig.* ~ *(en)* auf den Grund gehen (*dat.*), ergründen (*ac.*); **~do** *adj. a. fig.* tief; *reverencia f* ~*a* **a)** gr. Ehrfurcht *f*; **b)** tiefe Verbeugung *f*.
profu|sión *f* Verschwendung *f*; Übermaß *n*; Überfluß *m*, *fig. con gran* ~ *de documentos* mit e-m großen Aufwand von Urkunden; **~so** *adj.* verschwenderisch; reichlich; übermäßig.
progeni|e *f* Geschlecht *n*; Sippe *f*; **~tor** *m* Ahn(e) *m*, Vorfahr *m*; Vater *m*; **~es** *m/pl.* Eltern *pl.*; Ahnen *pl.*; **~tura** *f* Nachkommenschaft *f*.
prognatismo ⚕ *m* Prognathie *f*.
prognosis *f* (*bsd.* Wetter-)Vorhersage *f*.
programa *m* Programm *n*; Plan *m*; *Thea.* Spiel-, *Rf.* Sende-plan *m*; ~ *de construcción* Bauprogramm *n*; ~ *(de cursos y conferencias)* Vorlesungsverzeichnis *n*; ~ *de estudios* Lehrplan *m*; ~ *del partido* Parteiprogramm *n*; *Rf.*, *TV* ~ *recreativo (de televisión)* Unterhaltungs-(Fernseh-)programm *n*; *a.* ⊕ ~ *de trabajo* Arbeits-plan *m*; -programm *n*; *fuera de* ~ Zugabe *f b. Konzert usw.*; **~ción** *f* Programmierung *f*; **~dor** *m* Programmierer *m*; **~r** *v/t.* programmieren; *enseñanza f* ~*ada* programmierter Unterricht *m*.
progre|sar *v/i.* Fortschritte machen; fortschreiten; s. entwickeln; **~sión** *f* Fortschreiten *n*; Folge *f*; *a.* ℞, ♪, ⚕ Progression *f*; *Arith.* Reihe *f*; ~ *de ideas* Gedankenfolge *f*; *Arith.* ~ *continua* stetig zunehmende Reihe *f*; **~sismo** *Pol. m* Fortschritts-lehre *f bzw.* -bewegung *f*, *bsd. des span. Liberalismus*; **~sista** *Pol. u. fig. adj.-su. c* fortschrittlerisch; fortschrittlich; *m* Fortschrittler *m*; **~sivo** *adj. a.* ℞ progressiv; (in Stufen) fortschreitend; **~so** *m* Fortschritt *m*; *hacer* ~*s* Fortschritte machen.
prohibi|ción *f* Verbot *n*; *hist. Am. la* ~ die Prohibition; *Vkw.* ~ *de adelantar (de aparcar)* Überhol- (Park-)verbot *n*; ~ *de transmitir o publicar informaciones* Nachrichtensperre *f*; **~cionismo** *Pol. m* Politik *f* mit prohibitiven Maßnahmen; *z. B.* Handels-, Einfuhrsperre *f*; **~cionista** *Pol. adj.-su. c* Prohibitionist *m*; **~bido** *adj.* verboten; *¡(es[tá]) ~ fumar!* Rauchen verboten!; *Kart. jugar a los* ~*s* verbotene Spiele spielen; **~r** *v/t.* verbieten; *¡se prohibe el paso!* Durchgang (*od.* Durchfahrt) verboten!; **~tivo** *adj.* Verbots...; *bsd.* ✝ prohibitiv; *fig. precios m/pl.* ~*s* unerschwingliche Preise *m/pl.*; **~bitorio** *adj.* → *prohibitivo*.
prohijar *v/t.* an Kindes Statt annehmen; *fig. Meinungen* übernehmen.
prohombre *m* Obmann *m*; angesehener Mann, Prominente(r) *m*.
pro indiviso ⚖ *lt.*: vor der Teilung (*Erbe*).
proí|s, ~z ⚓ *m* Befestigungspfosten *m*.
prójі|ma F *f* Mensch *n* (*Reg.* P), Nutte *f* P; **~mo** *m* Nächste(r) *m*, Mitmensch *m*.
prole *f* Nachkommenschaft *f*, Kinder *n/pl.*; Sippe *f*.
prolegómenos *lit. m/pl.* Prolegomena *n/pl.*
proletari|ado *m* Proletariat *n*; **~o** *adj.-su.* proletarisch; *m* Proletarier *m*.
pro|liferación *f* Vermehrung *f durch Zellteilung u. p. ext. allg. u. fig.*; ⚕ Wucherung *f*; *fig.* Wuchern *n*; *Pol.* (*no*) ~ (Nicht-)Weiterverbreitung *f v. Atomwaffen*; **~liferar** *v/i.* s. vermehren; **~lífico** *Biol. u. fig. adj.* fruchtbar.
proli|jidad *f* Weitschweifigkeit *f*; **~jo** *adj.* weitschweifig, umständlich; *fig.* schwerfällig; lästig.
prologar [1h] *v/t.* zu *e-m Buch* die Einführung (*bzw.* das Vorwort) schreiben.
prólogo *m* Vorrede *f*; Vorwort *n*; *Thea.* Vorspiel *n*; Prolog *m*.
prologuista *c* Verfasser *m* e-s Prologs (*bzw.* e-s Vorworts).
prolonga ⚔ *f Art.* Langtau *n*, Lafettenseil *n*; **~ble** *adj. c* kann verlängert werden; ✝ prolongierbar (*Wechsel*); **~ción** *f* **1.** Verlängerung *f*; Dehnung *f*; Ansatz *m*; **2.** Verlängerung *f*; Aufschub *m*; ✝ Stundung *f*; Prolongation *f* (*Wechsel*); **~do** *adj.* **1.** verlängert; ✝ prolongiert (*Wechsel*); **2.** ausgedehnt, lang(e dauernd); weitläufig; **3.** länglich; **~r** [1h] **I.** *v/t.* **1.** verlängern; ausdehnen; in die Länge ziehen; aufschieben; **2.** ✝ stunden; prolongieren (*Kredit*, *Wechsel*); **II.** *v/r.* **3.** ~*se* s. in die Länge ziehen; lange dauern.
promedi|ar [1b] **I.** *v/t.* **1.** halbieren; **II.** *v/i.* **2.** s. ins Mittel legen; **3.** zur Mitte gelangen; *antes de* ~ *el mes* vor Monatsmitte; **~o** *m* Durchschnitt *m*; *Arith.* Mittelwert *m*; *en* ~ im Durchschnitt, durchschnittlich; ~ *por hora* Stundendurchschnitt *m*.
prome|sa *f* Versprechen *n*; *Rel.* Gelübde *n*; ~ *de matrimonio (de pago)* Heirats- (Zahlungs-)versprechen *n*; ⚖ ~ *de recompensa* Auslobung *f*; *dar una* ~ *positiva* e-e feste Zusage geben; **~tedor** *adj.* vielversprechend; **~ter I.** *v/t.* **1.** versprechen; *Rel.* geloben; **II.** *v/i.* **2.** vielversprechend sein; *este muchacho promete* von diesem Jungen ist einiges zu erwarten; ~ *y no dar* viel versprechen u. nichts halten; **III.** *v/r.* ~*se* **3.** s. Hoffnungen machen; *prometérselas (muy) felices* s. (e-n) gr. Erfolg versprechen; **4.** s. verloben; **~tida** *f* Verlobte *f*, Braut *f*; **~tido** *m* Verlobte(r) *m*, Bräutigam *m*.
prominen|cia *f* (Boden-)Erhebung *f*; ⚕ Auswuchs *m*; (*Anm.*: *dt. fig.* Prominenz *personas destacadas, notables*); **~te** *adj. c* hervorragend; hervorstehend.
promis|cuar [1d, † 1e] **I.** *v/i. kath.* (an Fasttagen) Fisch u. Fleisch essen; **II.** *v/t. desp.* durchea.-mengen, (ver)mischen; **~cuidad** *f* Promiskuität *f*; Durchea. *n*; **~cuo** *adj.* (durchea.-)gemischt; zweideutig.
promisión *f* Verheißung *f*; *bibl. u. fig. tierra f de* ~ *das* Gelobte Land.
promo|ción *f* **1.** Jahrgang *m*, *der gleichzeitig s-e Abschlußprüfung bestanden od. sein Amt angetreten hat*; **2.** Versetzung *f*; Beförderung *f*; *fig.*, *bsd.* ✝ Förderung *f*; *a. Pol.* Besserstellung *f*; *la* ~ *obrera* die

(soziale) Besserstellung der Arbeiter; (*Anm.*: *dt.* Promotion *doctorado*); **3.** *de la ~ de 1930* geboren 1930; **~cionar** *v/t.* fördern; besserstellen.
promontorio *m* Vorgebirge *n.*
promo|tor, ~vedor *adj.-su.* treibende Kraft *f*; Förderer *m*; Anstifter *m*; *~ m de disturbios* Unruhestifter *m*; **~ver** [2h] *v/t.* **1.** fördern; befördern (*im Amt usw.*); **2.** herbeiführen, verursachen; *Schwierigkeiten* bereiten; *se promovió un altercado* es kam zu e-m Streit.
promulga|ción ⚖ *f* Verkündung *f*; **~dor** *adj.-su.* verkündend; *m* Bekanntgeber *m*; **~r** [1h] *v/t. Gesetz* verkünden; (feierlich) bekanntgeben; *fig.* veröffentlichen, verbreiten.
pro|nación ⚕ *f* Einwärtsdrehung *f der Hand*; **~no** *adj.* **1.** allzu geneigt (zu *dat. a*); **2.** ⚕ *decúbito m ~* Bauchlage *f.*
prono|mbre *Li. m* Fürwort *n*, Pronomen *n*; *~ indeterminado* (*od. indefinido*) unbestimmtes Fürwort *n*, Indefinitpronomen *n*; **~minal** *Gram. adj. c* pronominal; *forma f ~* reflexive Form *f des Verbs.*
pro|nosticar [1g] *vt/i.* vorhersagen; ⚕ die Prognose stellen; **~nóstico** *m* Vorhersage *f*; Voraussage *f*, Prophezeiung *f*; ⚕ Prognose *f*; *Astrol.* Horoskop *n*; *de ~ reservado* schwer, ernst (*Verletzung, Krankheit*); *~ del tiempo* Wettervorhersage *f.*
pron|titud *f* Schnelligkeit *f*; Lebhaftigkeit *f*; rasche Auffassungsgabe *f*, Scharfsinn *m*; **~to I.** *adj.* **1.** schnell, behend, flink; lebhaft; kurz entschlossen; *al ~* im ersten Augenblick; *Arg. a. de ~* plötzlich, auf einmal; *lo más ~ posible* baldigst; *por lo* (*od. por de*) *~* einstweilen, vorläufig; **2.** willig; (*estar*) bereit, fertig (sein); † *~ para el envío* versandfertig; **II.** *adv.* **3.** bald; schnell, prompt; *cj. tan ~ como llegue* sobald er eintrifft; **4.** *Reg.* früh (am Morgen); **III.** *m* **5.** F plötzliche Anwandlung *f*; Aufwallung *f* (*Zorn usw.*); plötzlicher Einfall *m* (*bzw.* Entschluß *m*); *le dio un ~* es kam plötzlich über ihn.
prontuario *m* Hand-, Nachschlagebuch *n*; Notiz-, Merk-buch *n.*
prónuba *poet. f* Brautführerin *f.*
pronuncia F *f* schlechte Aussprache *f*; **~ble** *adj. c* aussprechbar; **~ción** *f* **1.** *Phon.* Aussprache *f*; *~ figurada* Aussprachebezeichnung *f*; **2.** ⚖ Urteilsverlesung *f*; Urteilseröffnung *f*; **~do I.** *adj. gal.* ausgesprochen, ausgeprägt; **II.** *m hist.* Verschwörer *m* (*Putsch*); **~miento** *m* **1.** *Pol.* (Militär-)Putsch *m*; **2.** ⚖ *~ (de sentencia)* Urteilsfällung *f*; **~r** [1b] **I.** *v/t.* **1.** aussprechen; *Rede* halten; ⚖ *Urteil* fällen, erlassen; *Trinkspruch* ausbringen; **II.** *v/r.* *~se* **2.** *~se (en contra de)* s. verschwören, e-n Putsch anzetteln (gg. *ac.*); **3.** *gal.* → *declararse, manifestarse.*
propaga|ción *f* **1.** *Biol., Phys.* Ausbreitung *f*; Fortpflanzung *f*; *Phys. ~ del sonido* Schallausbreitung *f*; **2.** Weitergabe *f*; Verbreitung *f*; Umsichgreifen *n*; ⚕ *~ de una enfermedad infecciosa* Ver-, Durchseuchung *f*; **3.** *ecl.* Verkündigung *f des Glaubens*; **~dor I.** *adj.* fortpflanzend; verbreitend; **II.** *m* Verbreiter *m*; **~nda** *f* Propaganda *f*; Werbung *f*; Aufklärung *f*; *~ (comercial)* Werbung *f*, Reklame *f*; (*material m de*) *~* Propagandamaterial *n*; *hacer (la) ~ de* werben für (*ac.*); → *a. publicidad*; **~ndista** *c* Propagandist *m*; Werber *m*; **~ndístico** *adj.* propagandistisch; Werbe...; **~r** [1h] **I.** *v/t. Biol. u. fig.* fortpflanzen; verbreiten; *Krankheitskeime* verschleppen; **II.** *v/r.* *~se* s. fortpflanzen; s. verbreiten; um s. greifen; *fig.* bekannt werden; **~tivo** *adj.* fortpflanzungs- *bzw.* verbreitungs-fähig.
propalar I. *v/t.* ans Licht bringen; verbreiten, ausposaunen F; **II.** *v/r.* *~se* ruchbar werden.
propano ⚗ *m* Propan *n.*
proparoxítono *Li. adj.-su. m* Proparoxytonon *n.*
propasar I. *v/t.* ✎ (*die gebotenen Grenzen*) überschreiten; **II.** *v/r.* *~se* zu weit gehen; *~se a* s. hinreißen lassen zu (*dat.*).
propedéuti|ca *Phil. usw. f* Propädeutik *f*; **~co** *adj.* propädeutisch; Einführungs..., Anfangs..., Vorbereitungs...
propen|der *v/i.* geneigt sein, neigen (zu *dat. a*); **~sión** *f* Neigung *f*; Hinneigung *f*; Hang *m*; ⚕ Veranlagung *f* (zu *dat. a*); **~so** *adj.* (hin)neigend; zugetan; geneigt, bereit (zu *dat. od. inf. a*); *ser ~ a* neigen zu (*dat.*); *a.* ⚕ anfällig sein für (*ac.*).
propiamente *adv.* eigentlich; *~ dicho* genau gesagt; eigentlich.
propi|ciación *Rel. f* Sühnopfer *n*; **~ciar** [1b] *v/t.* **1.** geneigt machen; besänftigen; versöhnen; **2.** *Am.* begünstigen; → *a. patrocinar u. proponer*; **~ciatorio I.** *adj.* versöhnend; Sühn(e)...; *víctima f ~a* Sühnopfer *n*; Opferlamm *n*; **II.** *m bibl. goldene* Deckplatte *f* der Bundeslade; *Theol.* Versöhnungsmittel *n*; **~cio** *adj.* gnädig, huldvoll; geneigt, gewogen; günstig (*a. Wetter*).
propie|dad *f* **1.** Eigentum *n*; (Grund-, Land-)Besitz *m*; *derecho m de ~* Eigentumsrecht *n*; *piso m de ~* Eigentumswohnung *f*; *~ horizontal* Wohnungseigentum *n*; *~ industrial* gewerbliches Eigentum *n*; Patentwesen *n*; *~ intelectual* geistiges Eigentum *n*; Urheberrecht *n*; ⚖ *nuda ~* mit e-m Nießbrauch belastetes Eigentum *n*; *~ pública* Gemeingut *n*; *dar en ~* zu eigen geben; *es ~* alle Rechte vorbehalten (*Urheberrecht*); ... *es (de) ~ de* ... gehört (*dat.*); **2.** *a. Phys.* Eigenschaft *f*; Beschaffenheit *f*, Qualität *f*; Eigentümlichkeit *f*; Fähigkeit *f*; **3.** Angemessenheit *f*; Richtigkeit *f*; *hablando con ~* eigentlich; *a.* offen gestanden; *hablar con ~* das treffende Wort anwenden; e-e Sprache richtig sprechen; *un retrato que tiene mucha ~* e-e sehr treffende Wiedergabe (*Bildnis, Beschreibung*); **~tario** *m* Eigentümer *m*; (Haus-, Grund-)Besitzer *m.*
propileo(s) *m(/pl.)* Vorhalle *f e-s Tempels*; Propyläen *pl.*
propina *f* Trinkgeld *n*; *de ~* als Zugabe, obendrein; **~r** *v/t.* zu trinken geben (*dat.*); ein Trinkgeld geben (*dat.*); *fig.* F *Prügel* verpassen F; *fig. ~se a/c.* s. et. genehmigen.
propin|cuidad *lit. f* Nähe *f*; nahe Verwandtschaft *f*; **~cuo** *lit. adj.* nahe; nahe verwandt.
propio I. *adj.* **1.** eigen; selbst; Eigen...; *alabanza f ~a* Eigenlob *n*; *el ~* derselbe; *lo ~* dasselbe (wie *que*); das Eigentliche, das Charakteristische; *adv. al ~* richtig, genau; treffend; *al ~ tiempo (que)* zur gleichen Zeit (wie), gleichzeitig (mit *dat.*); *con (su) ~a mano* eigenhändig; *en ~a mano* persönlich (*übergeben*); *en el sentido ~ de la palabra* im eigentlichen Sinne des Wortes; **2.** (*ser*) *~ para* geeignet (sein) für (*ac. od.* zu *dat.*); **II.** *m* **3.** *~s m/pl.* Gemeindebesitz *m*; Allmende *f.*
propóleos 🐝 *m* Bienenharz *n.*
propone|dor *adj.-su.* vorschlagend; *m* Vorschlagende(r) *m*; **~nte** *m* Antragsteller *m*; **~r** [2r] **I.** *v/t.* vorschlagen; vorbringen; *Frage* aufwerfen; *Aufgabe* stellen; ⚖ *Beweis* anbieten, antreten; *Trinkspruch* ausbringen; *~ + inf.* vorschlagen (*od.* anregen), zu + *inf.*; *~ a alg. por (od. de) candidato* j-n als Kandidaten vorschlagen; *~ para la discusión* zur Erörterung stellen; *Spr. el hombre propone, y Dios dispone* der Mensch denkt, und Gott lenkt; **II.** *v/r.* *~se* (+ *inf.*) s. vornehmen (, zu + *inf.*); vorhaben, beabsichtigen (zu + *inf.*); wollen (+ *inf.*).
proporci|ón *f* **1.** *a.* ⩘ Verhältnis *n*; Proportion *f*; *~ de polvo* Staubgehalt *m*; ⊕ *~ de transmisión* Übersetzungsverhältnis *n*; *Arith. regla f de ~* Kettenrechnung *f*; *de buenas ~ones* gut proportioniert; ebenmäßig, ausgeglichen; wohlgebaut; *a.* ⩘ *en ~ a* im Verhältnis zu (*dat.*); ⩘ proportional mit (*dat.*); *no estar en (od. no guardar) ~ones con* nicht im rechten Verhältnis stehen zu (*dat.*); *tomar ~ones alarmantes* beunruhigende Ausmaße (*od.* Formen) annehmen; **2.** (günstige) Gelegenheit *f*; **3.** *ser una buena ~* e-e gute Partie sein (*Heirat*); **~onado** *adj.* angemessen; gleichmäßig; proportioniert; gebaut (*a. Person*); **~onal** *adj. c* anteil(mäß)ig; verhältnismäßig; *a.* ⩘ proportional (*dat. a*); *Pol. elección f ~* Verhältniswahl *f*; *Gram. nombre m ~* Verhältniszahlwort *n*; **~onalidad** *f* Proportionalität *f*; Verhältnisgleichheit *f*; *Pol. a.* Proporz *m*; **~onar** *v/t.* **1.** anpassen (*dat. od.* an *ac. a*); nach Verhältnis einrichten (*bzw.* aufteilen *usw.*); *~ la mezcla* nach Verhältnis mischen; **2.** ver-, be-schaffen, besorgen; **3.** verursachen.
pro|posición *f* **1.** Vorschlag *m*; Antrag *m*; *~ de casamiento* Heiratsantrag *m*; ⚖ *absolver ~ones (de un interrogatorio)* Fragen (in e-m Verhör) beantworten; **2.** *Gram.* Satz *m*; → *a. oración*; *Log.* Satz *m*, Propositio *f* (*lt.*); ⩘ Lehrsatz *m*; *Rhet.* Darlegung *f*; ♩ Thema *n e-r Fuge*; *~ afirmativa Log.* bejahender Satz *m*, Behauptung *f*; *Gram.* Aussagesatz *m*; **~pósito** *m* Vorsatz *m*; Absicht *f*, Plan *m*, Vorhaben *n*; Zweck *m*; *a ~* beiläufig (gesagt);

übrigens; was ich noch sagen wollte, apropos; *gal. a ~* de über (*ac.*) (*sprechen*); *a ~ de automóviles* übrigens (*od.* zum Thema) Kraftwagen; *¿a ~ de qué?* zu welchem Zweck?; *con el ~ de + inf.* in der Absicht, zu + *inf.*; de (*od. a*) ~ vorsätzlich, absichtlich; *ser a ~* zweckentsprechend sein; brauchbar (*od.* geeignet) sein (für *ac. od.* zu *dat. para*); **~puesta** *f a. Parl.* Vorschlag *m*; Antrag *m*; *~ de candidatos* Aufstellung *f* von Bewerbern, Besetzungsvorschlag *m für ein Amt*; *a ~ de* auf Vorschlag von (*dat.*); **~puesto** *part. irr. von proponer.*

propug|náculo † ⚔ *u. fig. m* Bollwerk *n* (→ *baluarte, bastión*); **~nación** *f* Verfechten *n*, Eintreten *n*; **~nador** *m* Verteidiger *m*, Verfechter *m*; **~nar** *v/t.* verfechten, verteidigen, eintreten für (*ac.*).

propul|sar *v/t.* **1.** *a.* ⊕, ✈ antreiben; **2.** † → *repulsar*; **~sión** *f* Antrieb *m* (*Fortbewegung*); *Kfz.*, ✈, ⚓ *~ por cadena (por cohetes)* Ketten-(Raketen-)antrieb *m*; *~ por hélice* ⚓ Schrauben-, ✈ Propeller-antrieb *m*; *~ a chorro, ~ a (od. de, por) reacción* Düsenantrieb *m*; *Kfz. ~ delantera (total, trasera)* Vorder-(Vier-, Hinter-)radantrieb *m*; *~ nuclear* Atomantrieb *m*; **~sor** *m* **1.** Triebwerk *n*; ⚓, ✈ → *hélice*; *~ de cohetes* Raketentriebwerk *n*; **2.** *fig.* Förderer *m*.

propuse → *proponer.*

prorra|ta *f* Anteil *m*; *a ~* anteilmäßig; **~tear** *v/t* anteilig aufteilen; **~teo** *m* anteilige Aufteilung *f* (*bzw.* Verrechnung *f*).

prórroga *f* Verlängerung *f* (*zeitlich*); Stundung *f*; Vertagung *f*; ⚖ *~ de (la) jurisdicción* Vereinbarung *f* der Zuständigkeit; *~ (del plazo)* Fristverlängerung *f*; Aufschub *m*.

prorroga|ble *adj. c* aufschiebbar; **~ción** *f bsd.* ⚖ Prorogation *f*; Aufschub *m*; Vertagung *f*; Verlängerung *f e-s Abkommens*; *a.* → *prórroga de jurisdicción*; **~r** [1h] *zeitlich, z.B. Frist, Vereinbarung* verlängern; aufschieben; *Termine* verschieben, vertagen; *Zahlungen* stunden; *Wechsel* prolongieren; ⚖ prorogieren.

prorrumpir *v/i.* **1.** hervorbrechen; **2.** ausbrechen (in Gelächter *en una carcajada*); *~ en denuestos* Schmähungen ausstoßen.

prosa *f* **1.** Prosa *f* (*a. fig.*); *fig.* F *gastar mucha ~* viel schwätzen, viel unnützes Zeug reden; **2.** *ecl.* Hymne *f* (*Sequenz*); **~ico** *adj.* prosaisch (*a. fig.*); *fig.* alltäglich, banal; **~ísmo** *m* prosaische Nüchternheit *f von Versen u. fig.*; *fig.* Banalität *f*.

prosapia *f* Her-, Ab-kunft *f*; Stamm *m*.

proscenio *Thea. m* Proszenium *n*; *fig.* Vordergrund *m*.

pros|cribir [*part. proscrito*] *v/t. a. fig.* ächten; verbannen; **~cripción** *f* Ächtung *f*; Verbannung *f*; **~cripto** → *proscrito*; **~criptor** *adj.-su.* ächtend; verbannend; Ächtungs...; **~crito** *m* Geächtete(r) *m*; Verbannte(r) *m*.

prose|cución *f* **1.** Verfolgung *f e-r Absicht*; **2.** Fortsetzung *f*; Beibehaltung *f*; **~guible** *adj. c* fortsetzbar; **~guir** [3d *u.* 3l] **I.** *v/t. Absicht* verfolgen; *Bericht, Reise* fortsetzen; **II.** *v/i.* fortfahren, weitermachen.

pro|selitismo *m* Bekehrungseifer *m*; *desp.* Proselytenmacherei *f*; **~selitista** *adj. c* proselytenmacherisch; **~sélito** *m* Bekehrte(r) *m*, Jünger *m*, *oft desp.* Proselyt *m*.

prosénquima *Biol. m* Prosenchym *n*.

prosi|ficar [1g] *v/t.* in Prosa umsetzen; **~sta** *c* Prosaschriftsteller *m*, Prosaist *m*.

pro|sodia *Gram. f* Prosodie *f*; **~sódico** *adj.* prosodisch.

prosopopeya *f Rhet.* Prosopopöie *f*; *fig.* (übertriebene) Feierlichkeit *f*; hohles Pathos *n*.

prospec|ción *f* ⚒ Schürfung *f*; Prospektieren *n*; *fig.* ✝ Markterkundung *f*, -sondierung *f*; **~tar** *v/t.* schürfen, aufsuchen; *Markt* erforschen; **~to** *m* Prospekt *m*; *~ de propaganda* Werbeprospekt *m*.

prospe|rar I. *v/i.* gedeihen; (guten) Erfolg haben; auf-, er-blühen (*fig.*); *hacer ~ Geschäft* emporbringen; **II.** *v/t.* † → *hacer ~*; **~ridad** *f* Gedeihen *n*; Glück *n*; Wohlstand *m*, Prosperität *f*; Blüte *f* (*fig.*); *período m de ~* Blütezeit *f* (*fig.*).

próspero *adj.* gedeihlich, glücklich; blühend (*fig.*); *¡~ Año Nuevo!* viel Glück im neuen Jahr!; prosit Neujahr!

próstata *Anat. f* Prostata *f*.

pros|tático ⚕ *adj.* Prostata...; **~tatitis** ⚕ *f* Prostataentzündung *f*.

prosternarse *v/r.* → *postrarse.*

prostíbulo *lit. m* Bordell *n*.

prostitu|ción *f* Prostitution *f*; *a. fig.* Schändung *f*; **~ir** [3g] **I.** *v/t.* prostituieren; *a. fig.* schänden, entehren, preisgeben; **II.** *v/r.* **~se** gewerbsmäßige Unzucht treiben; *fig.* s. wegwerfen; **~ta** *f* Prostituierte *f*.

protagoni|sta *c* **1.** Held(in *f*) *m*; Vorkämpfer(in *f*) *m*; **2.** *Thea.* Hauptdarsteller(in *f*) *m*; *fig.* Hauptperson *f*; **~zar** [1f] *v/i.* die Hauptrolle spielen (*a. fig.*).

prótasis *f* Exposition *f b. Drama*; *Gram.* Vordersatz *m*.

protec|ción *f* Schutz *m*; ⚔ *a.* **a)** Panzerung *f*; **b)** Sicherung *f* (*taktisch*); *fig.* Gönnerschaft *f*, Protektion *f*; *~ a las embarazadas* Schwangerenfürsorge *f*; *~ antigás* Gasschutz *m*; *~ civil* Zivilverteidigung *f*; *~ contra el ruido (contra incendios)* Lärm- (Feuer-, Brand-)schutz *m*; ⚔ *~ de fuego* (✝ *de marcas*, ⚖ *de menores*) Feuer- (Marken-, Jugend-)schutz *m*; ✈ *~ de vuelo* Flugsicherung *f*; *~ propia* Selbstschutz *m*; *con ~ legal* gesetzlich geschützt (gg. *ac. contra*); *fig. retirar la ~ a alg.* die (schützende) Hand von j-m abziehen; **~cionismo** *Pol. m* Schutzzollsystem *n*; **~cionista** *adj.-su. c* protektionistisch; *m* Anhänger *m* des Schutzzollsystems; **~tor I.** *adj.* schützend, Schutz...; *careta f ~a* Schutzmaske *f*; *traje m ~* Schutzanzug *m*; **II.** *m* Schützer *m*, Gönner *m*; Schirmherr *m*; *bsd. Pol.* Protektor *m*; **~torado** *m* Schirmherrschaft *f*; *Pol.* Protektorat *n*.

prote|ger [2c] *v/t.* (be)schützen (vor *dat. contra*); begünstigen, protegieren F; **~gido** *m* Schützling *m*; Günstling *m*, Protegé *m*.

proteí|na ⚗ *f* Protein *n*; **~nico** *adj.* Protein...

protervo *lit. adj.* dreist; ruchlos.

protésico *m*: *~ dental* Zahntechniker *m*.

prótesis *f* (*pl. inv.*) **1.** ⚕ Prothese *f*, Ersatz(glied *n usw.*) *m*; **2.** *Li.* prothetische Bildung *f*, Prothese *f*.

protes|ta *f* **1.** *bsd. Pol.* Protest *m*; Einspruch *m*; Verwahrung *f*; ⚖ *~ de mar* Seeprotest *m*; *formular (una) ~* Verwahrung einlegen; **2.** Beteuerung *f*, (feierliche) Bekundung *f*; *~ de amistad* Freundschaftsversicherung *f*; **~tación** *f* **1.** *bsd.* ⚖ Verwahrung *f*; **2.** *Rel. ~ de la fe* Glaubensbekenntnis *n*; **~tante** *adj.-su. c Rel.* protestantisch; ⚒ protestierend; *m Rel.* Protestant *m*; ⚒ Protestler *m*; **~tantismo** *Rel. m* Protestantismus *m*; **~tar I.** *v/t.* **1.** öffentlich bekennen; **2.** ✝ *Wechsel* zu Protest gehen lassen; **II.** *v/i.* **3.** protestieren (gg. *ac. contra*); s. verwahren, Verwahrung einlegen (gg. *ac. contra*); *dipl. ~ cerca de un Gobierno contra* bei e-r Regierung Einspruch (*od.* Protest) erheben gg. (*ac.*); **4.** *~ de* (nachdrücklich) beteuern (*ac.*); **~tatario** *neol. m* Teilnehmer *m* an e-r Protestkundgebung, Protestler *m* (*neol.*); **~tativo** *adj.* Protest...; **~to** ✝ *m* Protest *m*; *~ (de una letra)* Wechselprotest *m*; *ir al ~* zu Protest gehen; *presentar al ~* → *protestar* 2.

protético *Li. adj.* prothetisch.

protoco|lar I. *v/t.* → *protocolizar*; **II.** *adj. c* → **~lario** *dipl. adj.* protokollarisch; **~lizar** [1f] *v/t.* zu Protokoll nehmen; **~lo** *m* (Verhandlungs-)Bericht *m*, Protokoll *n*; *dipl.* Protokoll *n*; *jefe m del ~* Protokollchef *m*.

proto|fitas ⚘ *f/pl.* Protophyten *f/pl.*; **~historia** *f* Frühgeschichte *f*; **~mártir** *ecl. m* Erzmärtyrer *m*.

protón *Phys. m* Proton *n*.

protóni|ca *Li. f* vortonige Silbe *f*; **~co** *Li. adj.* vortonig.

proto|plasma *Biol. m* Protoplasma *n*; **~tipo** *m* Urbild *n*, *a.* ⊕ Prototyp *m*.

protóxido ⚗ *m* Oxydul *n*.

proto|zo(ari)os *Biol. m/pl.* Protozoen *pl.*; **~zoico** *Biol. adj.* Protozoen...

protráctil *Zo. adj. c* vorschnellbar [(*Zunge*).

protuberan|cia *f* Vorsprung *m*; Wulst *m*; Buckel *m*; *Astr.* Protuberanz *f*; **~te** *adj. c* vorspringend.

provecho *m* **1.** Vorteil *m*; Nutzen *m*, Profit *m*; **~s** *m/pl. a.* Nebeneinnahmen *f/pl.*; *¡buen ~!* guten Appetit!; *¡buen ~ (le haga)!* wohl bekomm's!; *de ~* brauchbar; ordentlich (*Mensch*); *nada de ~* nichts Brauchbares *n*; nichts Vernünftiges *n*; *~ propio* Eigennutz *m*; **2.** Fortschritt *m*; **~so** *adj.* nützlich, vorteilhaft; einträglich.

prove|edor *m* Lieferant *m*; **~eduría** *f* Proviantamt *n*; **~er** [2e; *part. provisto*] **I.** *vt/i.* **1.** versehen (mit *dat.* de); ⚖ *~ de poderes* mit e-r Vollmacht ausstatten; **2.** sorgen (für *ac. a*); *¡Dios proveerá!* es steht in Gottes Hand!; *~ a las necesi-*

dades de alg. j-n versorgen; **3.** *Amt* besetzen, vergeben; *Geschäft* erledigen; **4.** ⚖ vorläufig anordnen; *para mejor ~ Einleitungsformel e-s „proveimiento"*; **II.** *v/r.* *~se* **5.** s. versorgen, s. versehen (mit *dat.* *de*); s. zulegen (*ac.* *de*); einkaufen (in *dat.* *en*); **~ído** ⚖ *m* (vorläufiger) richterlicher Bescheid *m*, Zwischenurteil *n*; **~imiento** *m* **1.** ⚖ einstweilige Verfügung *f*; **2.** Versorgung *f*.

prove|niente *part.* herkommend; herrührend; **~nir** [3s] *v/i.* herkommen, stammen, rühren (von *od.* aus *dat.* *de*).

provenza|l *adj.-su.* *c* provenzalisch; *m* Provenzale *m*; *Li.* *das* Provenzalische; **~lismo** *m* Provenzalismus *m*; **~lista** 🕮 *c* Provenzalist *m*.

prover|bial *adj.* *c* sprichwörtlich; **~bio** *m* Sprichwort *n*; *bibl.* *el Libro de los* ♀*s* die Sprüche Salomons; **~bista** F *c* Spruchbeutel *m* F.

providen|cia *f* **1.** (göttliche) Vorsehung *f*; *p. ext.* *la* ♀ die Vorsehung (= *Gott*); *fig.* *ser la ~ de los pobres* der Engel der Armen sein (*fig.*); **2.** Vorsorge *f*; Vorkehrung *f*; Maßnahme *f*; Vorschrift *f*; **3.** ⚖ vorläufiger Bescheid *m*; Entschluß *m*; *tomar (una) ~* e-n Entschluß fassen; **~cial** *adj.* *c* vorsorglich; von der Vorsehung bestimmt, providentiell; *caso m ~* Schickung *f*; **~cialismo** *Rel.* *m* Vorsehungsgläubigkeit *f*; **~cialista** *adj.-su.* *c* vorsehungsgläubig; **~ciar** [1b] *v/t.* (vorläufig) entscheiden; **~te** *adj.* *c* vorsichtig; umsichtig, klug.

próvido *adj.* vorsorglich; günstig; gütig, gnädig.

provincia *f* Provinz *f*; *kath.* (Ordens-)Provinz *f*; **~l I.** *adj.* *c* provinziell; Provinzial..., Provinz...; **II.** *kath.* *m* (**~la** *f*) Provinzial(in *f*) *m*; **~lismo** *m* Provinzialismus *m* (*bsd.* *Li.*); Provinzlertum *n*; **~no** *adj.-su.* Provinz...; *m* Provinzler *m*.

provine → *provenir*.

provisión *f* **1.** Vorrat *m*; *~ones f/pl.* *a.* Proviant *m*; **2.** ✝ *~ (de fondos)* Deckung *f*; *por falta de ~* mangels Deckung; (*Anm.*: *dt.* Provision *f comisión*); **3.** Maßnahme *f*; Verfügung *f*; Maßregel *f*; **4.** *Verw.* Besetzung *f e-s Amts*.

provi|sional *adj.* *c* vorläufig, provisorisch; *Gobierno m ~* provisorische Regierung *f*, Interimsregierung *f*; *puente m ~* Behelfs-, Not-brücke *f*; **~sor** *m* **1.** *kath. Kloster*: Besorger *m*, Schaffner *m*; *~ (de diócesis)* Vikar *m* (*bischöflicher Vikariatsrichter*); **2.** *Reg.* → *proveedor*; **~sora** *kath.* *f* Schaffnerin *f e-s Klosters*; **~sorio** *adj.* *Am.* → *provisional*.

provisto *part.*: *~ de* versehen mit (*dat.*); ausgestattet mit (*dat.*).

provoca|ción *f* **1.** Herausforderung *f*, Provokation *f*; Aufreizung *f*, Anstiftung *f*; Aufwiegelung *f*; **2.** ⚕ (künstliche) Auslösung *f* (*bzw.* Hervorrufung *f*); **~dor I.** *adj.* herausfordernd; ⚕ auslösend; *agente m ~* Lockspitzel *m*; **II.** *m* Hetzer *m*, Provokateur *m*; **~r** [1g] **I.** *v/t.* **1.** herausfordern; aufreizen; anstiften; provozieren; **2.** veranlassen, bewirken; *Wirkungen* hervorrufen; ⚕ *Krankheit, Fieber usw.* (künstlich) hervorrufen; *Geburt* (künstlich) einleiten; **II.** *v/i.* **3.** F (s.) erbrechen; *tengo ganas de ~* mir ist (spei)übel; **~tivo** *adj.* herausfordernd; aufreizend; provozierend.

proxe|neta *c* Kuppler(in *f*) *m*; **~nético** *adj.* Kuppel...; **~netismo** *m* Kuppelei *f*.

próximamente *adv.* **1.** nächstens, bald; **2.** ungefähr, annähernd, bald, etwa.

proximidad *f* Nähe *f* (zu *dat.* *a*).

próximo *adj.* (*lokal u. temporal*) **1.** nahe (bei *dat.* *a*); nahe bevorstehend; *de ~* → *próximamente*; *~ pasado* letztverflossen *b. Daten*; *estar ~* in Aussicht stehen; *estar ~ a + inf.* drauf u. dran sein, zu + *inf.*; **2.** nächste(r, -s); *~ pariente m* nächste(r) Verwandte(r) *m*; *la ~a semana od. la semana ~a* in der nächsten Woche.

proyec|ción *f* **1.** *Phys.*, *a.* ⊕ Werfen *n*, Schleudern *n*; Wurf *m*; *~ de la sombra (bzw. de sombras)* Schattenwurf *m*; **2.** *a.* ⚔, △, *Kartographie, Film*: Projektion *f*; *p. ext.* Lichtbild *n*; *~ones f/pl.* *a.* Umrisse *m/pl.*; *~ horizontal* Horizontalprojektion *f* (*z.B. Geol.*); *~ de películas od. ~ cinematográfica* Filmvorführung *f*; *Psych.* *~ sentimental* Einfühlung *f*; *aparato m (pantalla f) de ~* Projektions-apparat *m* (-schirm *m*); *cabina f de ~* Vorführkabine *f* (*Film*); *conferencia f con ~ones* Lichtbildervortrag *m*; **3.** *fig.* Einfluß *m*; **~tante I.** *adj.* *c* projizierend; projektierend; **II.** *f* ⚔ Projektions-linie *f*, -gerade *f*; **~tar I.** *v/t.* **1.** schleudern, werfen; *bsd.* ⚔ *u. Opt.* projizieren; *Film, Lichtbilder* vorführen; *Schatten* werfen (auf *ac.* *sobre, en*); **2.** projektieren, entwerfen; planen; vorsehen; **II.** *v/r.* *~se* **3.** *~se en (od. sobre)* fallen auf (*ac.*) (*Schatten*); **~til** *m* Geschoß *n*, Projektil *n*; *~ de cohete* Raketengeschoß *n*: *~ fumígeno (incendiario)* Nebel- (Brand-)geschoß *n*; *~ de guerra* scharfes Geschoß *n*; → *a.* *bala, granada, bomba*; **~tista** *m* **1.** (Er-)Bauer *m*; (Entwurfs-)Konstrukteur *m*, Projektingenieur *m*; **2.** *Typ.* Gestalter *m*, Lay-outer *m* (*engl.*); **3.** Pläne- (*hist.* Projekte-)macher *m*; **~to I.** *adj.* ✎ bildlich dargestellt, schaubildlich; **II.** *m* Entwurf *m*; Projekt *n*; Plan *m*, Vorhaben *n*; Absicht *f*; *en ~* geplant; *~ de contrato (de ley)* Vertrags- (Gesetz-)entwurf *m*; *~ malogrado* Fehlschlag *m*; **~tor** *m* **1.** (*nicht Kfz.*) Scheinwerfer *m*; ⊕ Werfer *m*, Spritzgerät *n*; *~ de agua y espuma* Schaum- u. Wasserwerfer *m b. Feuerwehr*; ⊕ *~ luminoso* Lichtwerfer *m*; **2.** Projektor *m*, Bildwerfer *m*; *~ (cinematográfico, ~ de cine)* Film-, Kino-projektor *m*, Vorführgerät *n*.

pruden|cia *f* Klugheit *f*; **~cial** *adj.* *c* klug, vernünftig; angemessen (*z.B. Frist*); Sicherheits...; F *cálculo m ~* Überschlag *m* (*Berechnung*); **~cialmente** *adv.* vorsichtigerweise; **~ciar** [1b] **I.** *v/i.* *Am.* klug (*od.* vorsichtig) sein; gelassen bleiben; **II.** *v/r.* *~se* *Col., Cu., C. Ri.* s. gedulden; **~te** *adj.* *c* klug, vernünftig; angebracht, ratsam; *creer ~ (+ inf.)* (es) für ratsam halten (, zu + *inf.*); **~temente** *adv.* klugerweise, wohlweislich.

prueba *f* **1.** Beweis *m*; Nachweis *m*; *~s f/pl.* *a.* Adelsurkunden *f/pl.*; *~ de confianza* Vertrauensbeweis *m*; ⚖ *~ documental (testifical)* Urkunden- (Zeugen-)beweis *m*; ⚖ *carga f de ~* Beweislast *f*; ⚖ *práctica f de ~* Beweis-aufnahme *f*, -erhebung *f*; *dar ~s de a/c.* et. beweisen (*od.* unter Beweis stellen), Beweise liefern für (*ac.*); *hacer ~ de generosidad* für Edelmut zeugen; *por falta de ~s* aus Mangel an Beweisen; **2.** *a.* ⚔, *Phys.*, ⚗, ⚕, ⊕ Probe *f*; Erprobung *f*, Prüfung *f*; *Psych.*, ⚕, ⊕ Test *m*; *ecl.* Versuchung *f*; *a ~* stichhaltig; *de ~* sicher, zuverlässig; → *a.* 4; *a toda ~* (wohl)erprobt; bewährt; *~ de aptitud (od. de idoneidad)* Eignungsprüfung *f*; ⊕, ⚕ *~ de carga* Belastungsprobe *f*; *~ de duración* Dauer-probe *f bzw.* -erprobung *f*; ⊕ *~ de dureza (de golpe)* Härte- (Schlag-)prüfung *f* (*Material*); ⚕ *~ de la ebullición* Kochprobe *f* (*Harnuntersuchung*); *~ de fuerza* Kraftprobe *f*; ⚕ *~ de la función hepática (renal)* Leber- (Nieren-)funktionsprüfung *f*; *Phys.* *~s f/pl. nucleares* Kernversuche *m/pl.*; ⊕, *Sp.* *~ de resistencia* Leistungsprüfung *f*; *~ de salvamento* Rettungsübung *f z.B. der Feuerwehr*; *ma.* *~ de(l) fuego*, *fig.* *mst.* *~ suprema* Feuerprobe *f*; ⚕ *~ testigo (od. de control)* Kontrollversuch *m*; (*marcha f de*) *~* Probefahrt *f*; *Soz.* *matrimonio m a ~* Ehe *f* auf Probe (-zeit); *período m de ~* Probezeit *f*; *a ~* stichhaltig; *a ~ de agua (de aire, de ruidos)* wasser- (luft-, schall-)dicht; *a ~ de balas (de bomba)* kugel- (bomben-)sicher; *a ~ de fuego* feuerfest; *a ~ de ladrones* diebstahlsicher; *estar a ~ de* geschützt sein gg. (*ac.*); unempfindlich sein gg. (*ac.*); s. nichts machen aus (*dat.*) F; *poner a ~* auf die Probe stellen; *¡pongámoslo a ~!* machen wir die Probe aufs Exempel!; *someter a (una) ~* e-r Prüfung unterziehen (*od.* unterwerfen); **3.** Anprobe *f* (*Kleidung*); *¿está ya de ~ mi traje?* kann ich m-n Anzug schon anprobieren?; **4.** Probe *f*, Muster *n*; Kostprobe *f*; ⚒, *Geol.* *~ de mineral* Gesteinsprobe *f*; ✝ *envío m de ~* Probesendung *f*; *a título de ~* zur Probe; versuchsweise; *como ~* als Probe; *de ~* auf Probe; Probe...; ✝ *a.* zur Ansicht; **5.** *Phot.* Abzug *m*, Kopie *f*; *Typ.* *~ (de imprenta)* (Probe-)Abzug *m*, Korrekturbogen *m*; *Phot.*: *~ positiva* Positiv *n*; *~ negativa* Negativ *n*; *Phot., Typ.* *sacar una ~* e-n Abzug machen; **6.** *Am.* Trick *m*, *z.B. mit Karten.*

pruebista *Am.* *c* → *gimnasta, volatinero.*

pruri|ginoso ⚕ *adj.* juckend; **~go** ⚕ *m* Prurigo *f*, Juckflechte *f*; **~to** *m* Hautjucken *n*; *fig.* Kitzel *m*, Gelüst *n*.

prusia|no *adj.-su.* preußisch; *m* Preuße *m*; **~to** ⚗ *m* cyansaures Salz *n*, Prussiat *n*.

prúsico ⚗ *adj.*: *ácido m* ~ Blausäure *f*.
¡pse! *int*. pah! (*Verachtung, Gleichgültigkeit*).
(p)sico|análisis *f* Psychoanalyse *f*; **~analista** *c* Psychoanalytiker *m*; **~analítico** *adj*. psychoanalytisch; **~délico** *adj*. psychedelisch; **~física** *f* Psychophysik *f*; **~logía** *f* Psychologie *f*; ~ *animal* Tierpsychologie *f*; ~ *individual* (*profunda, social, sexual*) Individual- (Tiefen-, Sozial-, Sexual-)psychologie *f*; **~lógico** *adj*. psychologisch.
(p)sicólogo *m* Psychologe *m*; ~ *de empresa* Betriebspsychologe *m*.
(p)sico|motor *adj*. psychomotorisch; **~neurosis** ⚕ *f* (*pl. inv.*) Psychoneurose *f*.
(p)sicópata ⚕ *c* Psychopath(in *f*) *m*.
(p)sico|patía ⚕ *f* Seelenkrankheit *f*, Psychopathie *f*; **~pático** ⚕ *adj*. psychopathisch; **~sis** ⚕ *f* (*pl. inv.*) Psychose *f*; ~ *carcelaria* Haftpsychose *f*; ~ *de los exámenes* (*od. de los examinandos*) Examenspsychose *f*, Prüfungsangst *f*; **~somático** ⚕ *adj*. psychosomatisch; *medicina f* ~*a* Psychosomatik *f*; **~tecnia** *f* Psychotechnik *f*; **~técnico** *adj*. psychotechnisch; *examen m* ~ psychologische Eignungsprüfung *f*; **~terapeuta** ⚕ *c* Psychotherapeut *m*; **~terapia** ⚕ *f* Psychotherapie *f*.
(p)si|cótico ⚕ *adj*. psychotisch; **~cotónico** ⚕ **I.** *adj*. die Psyche kräftigend; **II.** *m* Psycho-pharmakon *n*, -tonikum *n*.
Psi|que, ~quis *f npr*., ♀ *Psych*., ⚕ Psyche *f*.
(p)si|quíatra ⚕ *c* Psychiater *m*, Facharzt *m* für Psychiatrie; **~quiatría** ⚕ *f* Psychiatrie *f*; **~quiátrico** *adj*. psychiatrisch.
(p)síquico *adj*. psychisch, seelisch.
psiquismo *m* Psyche *f*.
(p)sitacosis ⚕ *f* Papageienkrankheit *f*.
(p)soriasis ⚕ *f* Schuppenflechte *f*.
¡psss...! → *pse*.
ptolemaico *Astr. adj*. ptolemäisch.
¡pu! *int*. → *¡puf!*
púa *f* **1.** *a. Zo. u. fig*. Stachel *m*; *fig*. geheimer Kummer *m*, Stich *m*; *alambre m de* ~*s* Stacheldraht *m*; **2.** Zahn *m*, Zinke *f e-s Kamms*; Gabelzinke *f*; Spitze *f*, Fußzwinge *f e-s Kreisels*; ♪ Plektron *n*; *fig*. F Schlaumeier *m* F; *de cuatro* ~*s* vierzinkig; *fig*. F *saber uno cuántas* ~*s tiene un peine* recht gerieben sein; **3.** ✐ Pfropfreis *n*; **4.** ⊕ Dorn *m*; Spitze *f*; *Sp., Kfz*. Spikes *pl*. (*engl*.); *neumáticos m/pl. con* ~*s* Spikesreifen *m/pl*.
púber *adj*. *c* (*a. púbero adj*.) mannbar; geschlechtsreif.
pubertad *f* Pubertät *f*; Geschlechtsreife *f*.
pu|bes *m* → *pubis*; **~bescencia** *lit. f* → *pubertad*; **~bescente** *c* **I.** *part. zu pubescer*; **II.** *adj*. *c* ⚘ behaart (*Blatt*); **~bescer** [2d] *v/i*. geschlechtsreif werden; **~bis** *Anat. m* (*pl. inv.*) Schambein *n*; *pelos m/pl. del* ~ Schamhaare *n/pl*.
publica|ción *f* **1.** Bekanntmachung *f*; Veröffentlichung *f*; **2.** Herausgabe *f*, Publizierung *f*; **3.** Veröffentlichung *f*, Publikation *f*, (Verlags-) Werk *n*; **~dor** *m* Veröffentlicher(r) *m*; **~no** *bibl. m* Zöllner *m*; **~r** [1g] **I.** *v/t*. **1.** bekannt-machen, -geben; *Brautpaar* aufbieten; **2.** veröffentlichen, herausgeben; **II.** *v/r*. ~*se* **3.** erscheinen, herauskommen (*Buch, Schrift*); *acaba de* ~*se* soeben erschienen.
publici|dad *f* **1.** Öffentlichkeit *f* (*z.B. e-r Versammlung*); **2.** Werbung *f*; ~ *luminosa* Lichtreklame *f*; ~ *radiada* Rundfunkwerbung *f*; *departamento m de* ~ Werbeabteilung *f*; **~sta** *c* Publizist *m*; **~tario** *adj*. Werbe..., Werbungs...; *técnico m* ~ Werbefachmann *m*.
público I. *adj*. öffentlich; Staats... *bzw*. Gemeinde... *usw*.; *p. ext*. allgemein bekannt; *caja f* ~*a* Staats- (*bzw*. Stadt- *usw*.)kasse *f*; *en* ~ öffentlich, vor aller Welt; *hacer* ~ bekannt-geben, -machen; *hacerse* ~ an die Öffentlichkeit kommen; **II.** *m* Publikum *n*; Leute *pl*.; Zuschauer *m/pl*.; Zuhörer *m/pl*.
pucha[1] **1.** *Cu*. bunter Strauß *m* (*Blumen*); **2.** *Hond*. geringe Menge *f*; (kl.) Stück *n* (*z.B. Ackerland*); **3.** *Méj*. Brezelbrot *n*.
pucha[2] *Am*. **1.** F → *puta*; **2.** P *bsd. Rpl*. *¡~!* *int*. Donnerwetter!; verflixt!; pfui!
pu|chada *f* **1.** Breiumschlag *m*; **2.** Mastfutter *n für Schweine*; **~chera** F *Kchk*. → *cocido*; **~cherazo** *m* Schlag *m* mit e-m Topf; *fig*. F Wahlschwindel *m b. Auszählen der Stimmen*; **~chero** *m* **1.** Kochtopf *m*; *Kchk*. → *cocido*; *fig*. F Wahlurne *f*; **2.** *fig*. *hacer* ~*s* ein weinerliches Gesicht machen, e-e Schippe ziehen F; *meter la cabeza en un* ~ nicht einsehen wollen, daß man auf dem falschen Wege ist, Scheuklappen anhaben (*fig*. F); *se le ha salido el* ~ er hat s-n Plan nicht durchsetzen können; **3.** *fig. der* Lebensunterhalt, *das* tägliche Brot; **~ches** *m/pl. od. f/pl*. Brei *m*, Schleim *m*.
pucho *m* **1.** *Am*. Zigarrenstummel *m*; Rest *m*, Abfall *m*; *p. ext. un puch(it)o* ein bißchen; **2.** P *Chi*. Penis *m*.
pude → *poder*.
pudela|do *sid. m* Puddeln *n*, Frischen *n*; **~r** *v/t*. puddeln, frischen; *acero m* ~*ado* (*od. de pudelaje*) Puddelstahl *m*.
pu|dendo *adj*. schamerregend; *partes f/pl*. ~*as* Schamteile *m/pl*.; **~dibundez** *f* übertriebene Schamhaftigkeit *f*, Prüderie *f*; **~dibundo** *adj*. (übertrieben) schamhaft; verschämt; prüde.
pudicicia *f* Schamhaftigkeit *f*; Keuschheit *f*, Züchtigkeit *f*.
púdico *adj*. → *pudoroso*.
pudiente *adj*. *c* wohlhabend, vermögend, reich.
pu|dín *m* Pudding *m*; **~dinera** *f* Puddingform *f*.
pudinga *Geol. f* Konglomerat *n*.
pudo|r *m* Scham *f*, Schamhaftigkeit *f*; Züchtigkeit *f*; ⚖ *atentado m al* ~ unzüchtige Handlung *f*; **~roso** *adj*. schamhaft.
pudri|dero *m* **1.** Mistgrube *f*; **2.** Faulkammer *f*; **~miento** *m* (Ver-) Faulen *n*; **~r I.** *v/t*. in Fäulnis bringen; *fig*. abhärmen, verzehren; **II.** *v/i*. *fig*. im Grabe liegen, (längst) tot sein; **III.** *v/r*. ~*se* (ver)faulen; *fig*. vergehen, sterben (vor *dat. de*); *fig*. F *no pudrírsele a uno las cosas en el pecho* nichts verschweigen können, nicht dichthalten (*fig*. F); F *¡que se pudra!* geschieht ihm ganz recht!
pudú *Zo*. (*richtiger pudu*) *m Chi*. Zwerg-, Gems-hirsch *m der Anden*.
pue|blerino *adj.-su*. Dorf...; *m* Provinzler *m*; **~blero** *Am. adj.-su*. (klein)städtisch; *m* (Klein-)Städter *m*; **~blo** *m* **1.** Volk *n*; *bibl. el* ~ *de Dios* (*od. elegido*) das Gottesvolk, das auserwählte Volk; **2.** Ortschaft *f*; ~ *natal* Heimatort *m*; *de* ~ *en* ~ von Ort zu Ort; **3.** Dorf *n*; *fig. desp. de* ~ bäurisch, tölpelhaft.
puedo → *poder*.
puelche *Chi*. **I.** *adj*. *c* **1.** Puelche...; **II.** *m* **2.** Puelcheindianer *m*; **3.** *Li*. Puelche *n*; **4.** Ostwind *m*.
puente *m* († *f*) **1.** *a*. ⊕, *fig. u*. ⚕ Brücke *f*; ⚓ *a*. Deck *n*; *vgl. a. cubierta*; *Pol*. ~ *aéreo* Luftbrücke *f*; ~ *de barcas* (*od. de pontones*) Schiffs-, Ponton-brücke *f*; ~ *colgante* (*flotante, levadizo*) Hänge- (Schwimm-, Zug-)brücke *f*; ~ *de fábrica* Steinbrücke *f* (*gemauert*); ~ *ferroviario* Eisenbahnbrücke *f*; ⚓, ⊕ ~ *de mando* Kommandobrücke *f*; ⊕ Leitstand *m*; 🚂 ~ (*transversal*) *de señales* Signalbrücke *f*; ~ *transportador* (*transbordador*) Förder- (Verlade-)brücke *f*; *fig*. *hacer* ~ an e-m Werktag zwischen zwei Feiertagen ebenfalls nicht arbeiten; *a. fig*. *tender un* ~ e-e Brücke schlagen; **2.** ♪ Steg *m der Saiteninstrumente*; **3.** (Brillen-)Steg *m*; **~-grúa** *m* Laufkran *m*.
puer|ca *f* Sau *f*, Mutterschwein *n*; *fig*. F Schlampe *f*; **~co I.** *adj*. schweinisch; schmutzig; **II.** *m a. fig*. Schwein *n*; *Spr. a cada* ~ *le llega su San Martín* jeder kommt einmal an die Reihe; das dicke Ende kommt noch; ~ *espín* Stachelschwein *n*.
pueri|cia *f* Knabenalter *n*; **~cultora** *f* Säuglingsschwester *f*; Kindergärtnerin *f*; **~cultura** *f* Säuglings-, Kinder-pflege *f*; **~l** *adj*. *c* Kindes...; kindisch; dumm, läppisch; **~lidad** *f* Kinderei *f*.
puérpera *f* Wöchnerin *f*.
puerpe|ral *adj*. *c* Kindbett...; ⚕ *fiebre f* ~ Kindbettfieber *n*; **~rio** *m* Wochenbett *n*.
puerro ⚘ *m* Lauch *m*, Porree *m*.
puerta *f* Pforte *f*; Tür *f*; Tor *n*; *fig*. Zutritt *m*, Zugang *m*; *casa f de las* ~*s abiertas fig*. Haus *n* der offenen Türen; ~ *de la calle* Haustür *f*; ~ *caediza* (*od. de guillotina*) Falltür *f*; ~ *de comunicación* Verbindungstür *f*; ~ *corrediza* (*giratoria*) Schiebe- (Dreh-)tür *f*; ~ *de entrada* Eingangstür *f*; Einfahrt(stor *n*) *f*; ~ *de escape* Hintertür *f* (*fig*.); ~ *de esclusa* Schleusenschieber *m bzw*. -tor *n*; ~ *falsa* Geheim-, Tapeten-tür *f*; ~ *oscilante* (*od. de vaivén*) Schwingtür *f*; *Pol. hist. la Sublime* ♀ die Hohe Pforte; ~ *de servicio* Hintereingang *m*; ~ *trasera* (*vidriera*) Hinter- (Glas-) tür *f*; *fig. a* ~*s abiertas* öffentlich; *a* ~ *cerrada* bei verschlossener Tür; unter Ausschluß der Öffentlichkeit;

a las ~s de la muerte an der Schwelle des Todes; andar de ~ en ~ von Tür zu Tür gehen, betteln; fig. F dar a alg. con la ~ en la cara (od. P en los hocicos, en las narices, en los ojos) j-m die Tür vor der Nase zuschlagen; fig. F echar las ~s abajo stark klopfen (od. läuten); fig. enseñarle a uno la ~ (de la calle) j-m die Tür weisen; estar a la ~ vor der Tür stehen, fig. (unmittelbar) bevorstehen; llamar a la ~ de alg. bei j-m anklopfen; fig. j-n um Hilfe bitten; fig. quedarse por (od. a) ~s bettelarm werden; fig. tener todas las ~s abiertas überall mit offenen Armen aufgenommen werden; überall beste Möglichkeiten vorfinden.

puerto m 1. Hafen m; fig. Zuflucht(sort m) f; ~ fluvial (marítimo, ~ de mar) Binnen- (See-)hafen m; ~ franco Freihafen m (Zoll); ⚓ ~ de matrícula Heimathafen m; ~ pesquero (tra[n]satlántico) Fischerei- (Übersee-)hafen m; ~ de recreo (de transbordo) Jacht- (Umschlag-)hafen m; a. fig. llegar a ~ den sicheren Hafen erreichen; ⚓ tomar ~ e-n Hafen anlaufen; 2. (Gebirgs-)Paß m.

puertorriqueño adj.-su. aus Puerto Rico; m Puertoricaner m.

pues cj. (a. in adverbialer Funktion u. oft einleitend od. emphatisch) denn; also, folglich; da; daher; einschränkend: zwar; ahora ~ nun wohl; ¡~! natürlich!; ¿~? nun?, bitte?; ¡~ bien! nun denn!; ¿~ cómo? wieso (denn)?; ~ ... como iba a decirte (nun) ... was ich dir (noch od. mal) sagen wollte; ¡~, lo que había dicho! na also, (genau) wie ich's gesagt hatte!; ¡~ no faltaba más! das hat gerade noch gefehlt!; ~ que cj. da; daß; wenn; ¡~ que suba! er soll (schon) einsteigen!; ¡~ qué! na also!; ~ sí doch, natürlich, freilich.

puesta f 1. Einsatz m (Spiel); 2. Grundbedeutung: Setzen n, Setzung f; ⊕ ~ a cero Nullstellung f; Löschung f b. Rechenmaschinen; ⊕ ~ a punto Einregulierung f, Justierung f; ⚡ ~ a tierra Erdung f; ⚓ ~ de la quilla Kiellegung f; ⚡ ~ en cortocircuito Kurzschließen n; ~ en función Auslösung f, Betätigung f; ~ en marcha Ingangsetzung f; Inbetriebnahme f; Kfz. Anlassen n; ~ en obra Inangriffnahme f, Beginn m; ~ en práctica Ausführung f, Verwirklichung f; ~ en servicio Inbetriebnahme f; ~ en valor (wirtschaftliche) Erschließung f; ⚔ primera ~ Erstausstattung f b. der Einkleidung e-s Rekruten; 3. Vögel: Legen n, Ei(er)ablage f; Gelege n; 4. Astr. Untergang m; ~ del sol Sonnenuntergang m; 5. Arg. totes Rennen n, Unentschieden n (b. Pferderennen).

pueste|ar v/i. 1. Col. lauern; 2. Méj. e-n Verkaufsstand betreiben; **~ro** m 1. Jgdw. Jäger m auf Ansitz mit Lockvogel; 2. Méj. Händler m an e-m Verkaufsstand; 3. Rpl. a) Oberhirt m (für e-n größeren Teil des Viehbesitzes e-s Guts verantwortlich); b) Pächter m, der Viehzucht auf eignes Risiko betreibt.

puesto I. part. zu poner u. adj. 1. gelegt; gestellt usw.; habitación f bien ~a ordentlich eingerichtetes Zimmer n; mal ~ übel zugerichtet; 2. angezogen; bien (mal) ~ gut (schlecht) gekleidet; 3. ✝ lieferbar; frei; ~ a domicilio frei Haus; ~ en ésta frei ab hier; ~ en (la) estación frei (Bahn-)Station; ~ en fábrica ab Werk; ~ en muelle ab Kai; ~ sobre vagón frei Waggon; II. m 4. Platz m; Stelle f; 🚂 ~ de enclavamiento Stellwerk n; ~ de honor a. fig. Ehrenplatz m; ~ de incendios Hydrant m für Löschwasser; ~ de mando ⊕ Bedienungsplatz m; ⊕, ⚔ Leitstand m; ⚔ Befehlsstand m; ~ (telefónico) Sprechstelle f; ~ de trabajo Arbeitsplatz m; 5. Stelle f, Stellung f, Posten m; Amt n; ~ de confianza Vertrauensstellung f; 6. (Verkaufs-)Stand m; ~ volante fliegender Stand m; 7. Sitz m; Jgdw. Anstand m; 8. ⚔ usw. Posten m; ~ de guardia Wachlokal n; ~ de policía Polizeirevier n, Wache f; ~ de socorro Unfallstation f; III. cj. 9. ~ que da ja, weil (nämlich).

¡puf! int. pfui!

pufo F m 1. → petardo; 2. → deuda; dejar de ~ Schulden machen.

púgil m Boxer m, Faustkämpfer m.

pugi|lato m Faustkampf m, Boxen n (→ boxeo); fig. heftige Diskussion f; **~lista** m Boxer m.

pugna f fig. Kampf m, Widerstreit m; estar en ~ con im Widerspruch stehen zu (dat.); **~cidad** ⚒ f Kampflust f; **~r** v/i. streiten; kämpfen; ~ con widerstreben (dat.); ~ por ringen um (ac.); verzweifelte Anstrengungen machen, (um) zu + inf.

puja f Gewaltanstrengung f; höheres Gebot n b. Versteigerung; fig. F sacar de la ~ a alg. a) j-m überlegen sein; b) j-m aus der Patsche helfen F; **~dor** m Überbietende(r) m b. Versteigerung; **~me(n)** ⚓ m untere Segelkante f; **~nte** adj. c kräftig; gewaltig, mächtig; **~nza** f Gewalt f, Wucht f; Stoßkraft f; Schwung m (fig.); ~ industrial industrielle Stärke f; **~r** I. vt/i. 1. erzwingen (wollen); 2. Am. Reg. ~ para adentro die Zähne zs.-beißen (fig.); II. v/i. 3. gewaltsame Anstrengungen machen; ~ con (od. contra) (an)kämpfen gg. (ac.); ~ por s. angestrengt (bzw. krampfhaft) bemühen, zu + inf.; 4. stocken; zaudern, innehalten; 5. fig. F den Mund verziehen (vor dem Weinen); 6. höher bieten b. Versteigerung.

pu|jido Am. m 1. → pujo; 2. Klage f, Jammern n; **~jo** † u. Reg. m ⚕ → tenesmo; fig. Drang m; heftiges Verlangen n; F Versuch m; fig. F a ~s (nur) schwierig u. langsam.

pul|critud f Sauberkeit f; Sorgfalt f; (gestochene) Schärfe f e-s Drucks, e-r Photographie; **~cro** adj. sauber, sorgfältig; schön, tadellos; genau.

pulchinela m Hanswurst m.

pulga f 1. Floh m; ~ (acuática) Wasserfloh m; picada f de ~ Flohstich m; 2. fig. no aguantar (od. no sufrir) ~s s. nichts gefallen lassen; leicht aufbrausen; echarle a uno la ~ detrás de la oreja j-m e-n Floh ins Ohr setzen (fig.); hacer de una ~ un camello (od. un elefante) aus e-r Mücke e-n Elefanten machen; F cada uno tiene su modo de matar ~s jeder treibt's auf s-e Weise; tener la ~ tras de la oreja sehr unruhig sein; tener malas ~s k-n Spaß verstehen; unleidlich sein.

pulga|da f Zoll m (Maß); Daumenbreite f; **~r** m Daumen m; **~rada** f 1. Prise f Tabak; 2. → pulga; 3. Nasenstüber m; Kopfnuß f; **♀rcito** npr. m Däumling m (Märchenfigur).

pul|gón m Blattlaus f; **~goso** adj. verlaust (Blattläuse); voller Flöhe; **~guera** f 1. Flohnest n; 2. ⚘ Flohkraut n; 3. Armbrustende n; 4. ~s f/pl. Daumenschrauben f/pl. (Folter); **~guero** m 1. Am. → pulguera; 2. fig. F C. Ri., Ven. Gefängnis n, Knast m P; **~guillas** F m (pl. inv.) reizbarer Mensch m, Hitzkopf m.

puli|do I. adj. ⊕ poliert, blank; fig. nett, fein; hübsch; ⊕ ~ al brillo hochglanzpoliert; II. m ⊕ Polieren n, Schleifen n; a. fig. Glätten n; **~dor** ⊕ m Polierer m; Schleifer m; **~dora** ⊕ f Poliermaschine f; **~mentar** v/t. polieren, glätten; **~mento** m Glätte f; Politur f; Polierung f; **~r** v/t. ⊕, Zim. blankreiben, polieren; (ab)schleifen; a. fig. glätten; Sitten verfeinern; Stil (aus)feilen; fig. P klauen P.

pul|món m Anat. Lunge f; ~ acuático Unterwasseratemgerät n; ⚕ ~ de acero eiserne Lunge f; ⚕ corazón-~ m artificial Herz-Lungen-Maschine f; **~monado** Zo. I. adj. Lungen... (von Gliedertieren); II. ~s m/pl. Lungenschnecken f/pl.; **~monar** ⚕ adj. c Lungen...; afección f ~ Lungenkrankheit f; **~monía** ⚕ f Lungenentzündung f; **~moníaco** ⚕ adj. Lungenentzündungs...; **~motor** m Lungenautomat m (Rettungsgerät).

pul|pa f Fruchtfleisch n; (Pflanzen-)Mark n; Pulpe f; ~ de almidón Stärke(masse) f; Anat. ~ dentaria Zahn-pulpa f, -mark n; ~ de madera Papiermasse f; ~ seca de remolachas trockene Rübenschnitzel n/pl.; ~ de tomate Tomatenmark n; **~padora** ⊕ f Holländer m; **~pejo** m 1. ~ (del dedo) Fingerkuppe f; ~ (de la mano) Handballen m; ~ (de la oreja) Ohrläppchen n; 2. Equ. weicher Teil m des Hufs.

pulpe|ría f Am. Mer., P. Ri. Kramladen m mit Alkoholausschank; **~ro** m ib. Inhaber m e-r pulpería.

púlpito m Kanzel f; fig. Kanzelberedsamkeit f; ministerio m del ~ Predigeramt n.

pulpo Zo. m Polyp m, Krake m; fig. Tölpel m; fig. F poner como un ~ a j-n gehörig verdreschen F; **~so** adj. fleischig; mit viel Mark.

pulque m Méj. Agavenschnaps m, Pulque m.

pul|sación f Pulsschlag m; Anschlag m (Schreibmaschine); Phys. Schwebung f; **~sador** I adj. puls(ier)end; II. m (Druck-, Bedienungs-)Knopf m; ~ del timbre Klingelknopf m; **~sar** I. v/t. 1. ⊕ Knopf, Taste(r) drücken; ♪ Saiten schla-

gen; *fig.* sondieren; **2.** → *tomar el pulso*; **II.** *v/i.* **3.** puls(ier)en; schlagen (*Herz*); *Phys.* schweben (*Schwingung*); **~sátil** *adj. c* pulsierend; klopfend.
pulsatila ⚘ *f* Küchenschelle *f*.
pul|sativo *adj.* → *pulsátil*; **~sera** *f* Armband *n*; *Span.* ~ *de pedida* Verlobungsarmband *n* (*Geschenk des Bräutigams an die Braut*); **~so** *m* Puls(schlag) *m*; *fig.* Kraft *f* in der Faust; Behutsamkeit *f*; ⚕ ~ *débil* (*precipitado*) schwacher (beschleunigter) Puls *m*; *fig.* ~ *firme* ruhige Hand *f* (*z. B. b. Schießen*); *a* ~ freihändig (*a. zeichnen*); *fig. conseguir a/c. a* ~ et. durch eigne Kraft erreichen; *fig. quedarse sin* ~*(s)* tausend Ängste ausstehen, sprachlos sein *vor Schrecken*; *me tiembla el* ~ die Hand zittert mir; *tomar el* ~ *a alg.* ⚕ j-m den Puls fühlen; *fig.* j-m auf den Zahn fühlen.
pulular *v/i.* **1.** keimen, sprießen; **2.** s. rasch vermehren; wuchern; *fig.* wimmeln.
pulve|rizable *adj. c* pulverisierbar; zerstäubbar; **~rización** *f* Pulverisieren *n*; Zermahlen *n*; Zerstäuben *n*; *Typ.* Bestäubung *f*; **~rizador** **I.** *adj.* zerstäubend; **II.** *m* Zerstäuber *m*; Spritzgerät *n*; **~rizar** [1f] *v/t.* **1.** pulverisieren; zerreiben; *fig.* vernichten; **2.** zerstäuben; *Typ.* bestäuben; **~rulento** *adj.* staubig.
pulvígeno *adj.* stauberzeugend; staubig.
pulla *f* **1.** Zote *f*; **2.** → *puya* 2.
¡pum! *onom.* bums!; bum!
puma *Zo. m* Puma *m*, Silberlöwe *m*.
pumpernickel *m* Pumpernickel *m*.
puna *Ke. f And.* **1.** Hochsteppe *f*, Puna *f*; **2.** ⚕ Höhenkrankheit *f*.
punción *f* (Ein-)Stich *m*; ⚕ Punktieren *n*; Punktion *f*; *practicar una* ~ *a alg.* j-n punktieren.
pundono|r *m* **1.** Ehr-gefühl *n*, -liebe *f*; **2.** Ehrensache *f*; **~roso** *adj.* ehrliebend; voll Ehrgefühl.
pun|gente *adj. c* → *punzante*; **~gir** [3c] *v/t.* **1.** → *punzar*; **2.** *fig.* (an-)reizen.
puni|ble *adj. c* strafbar; **~ción** *f* Bestrafung *f*; **~tivo** *adj.* Straf...; *justicia f* ~*a* strafende Gerechtigkeit *f*; Strafjustiz *f*.
punta *f* **1.** *a.* ⚔ *u. fig.* Spitze *f*; Zacken *m*; *p. ext.* Horn *n des Stiers*; *fig.* ein bißchen; *fig.* Pointe *f*; *una* ~ *de cuchillo a.* e-e Messerspitze voll; ~ *del consumo eléctrico* Strom-(verbrauchs)spitze *f*; → *a. diamante*; ~ *de la nariz* Nasenspitze *f*; *Vkw. horas f/pl.* (de) ~ Spitzenverkehrs-, Stoß-zeit *f*; *Am. a* ~ *de* mittels (*gen.*); de ~ auf (den) Zehenspitzen; de ~ *a cabo* von A bis Z; de ~ *a* ~ durch u. durch, völlig; *de* ~ *en blanco* † in voller Bewaffnung; *fig.* F geschniegelt u. gebügelt, piekfein F, tipptopp F; *acabar en* ~ spitz zulaufen; *fig.* F *acabarse en* ~ sterben; *fig. estar de* ~ *con alg.* mit j-m zerstritten sein; *hacer* ~ *a. fig.* die Spitze bilden; *fig.* übertreffen (*ac.*); entgg.-treten (*dat.*); *ponerse en* ~ *con alg.* Streit mit j-m bekommen; *se me ponen los pelos de* ~ die Haare stehen mir zu Berge; *sacar* ~ *a a/c.* et. (*z. B. Bleistift*) anspitzen; *fig.* **a)** e-e Sache ins Lächerliche ziehen; **b)** e-r Sache e-e witzige Wendung geben; *fig. ser de* ~ hervorragend sein; s. sehen lassen können; *tener una* ~ *de loco* leicht närrisch sein; *fig. lo tengo en la* ~ *de la lengua* es liegt mir auf der Zunge; *fig.* F *tocar a alg. en la* ~ *de un cabello* j-n leicht verletzen (*od.* beleidigen *bzw.* verstimmen); **2.** *Geogr.* ~ (*de tierra*) Landzunge *f*; **3.** ⊕ Stift *m*; Nadel *f*; ~ (*de París*) Drahtstift *m*; ~ *seca* Graviernadel *f*; **4.** *fig.* säuerlicher Geschmack *m* (*z. B. b. umschlagendem Wein*); **5.** Zigarrenstummel *m*; **6.** *Am.* Anzahl *f*; Menge *f*; Trupp *m*, Bande *f*; *bsd. Am. Cent. adv.* en ~ zs.; **7.** *Arg.* Quelle *f e-s Flusses*; ~*s f/pl.* Quellgebiet *n*; **~da** *f* **1.** (Nadel-)Stich *m*; *fig. echar una* ~ ein (andeutendes) Wort fallen lassen; **2.** *Am.* **a)** Stich *m*; stechender Schmerz *m*; **b)** Seitenstechen *n*.
puntal *m* **1.** Stützbalken *m*; Träger *m*; *fig.* Stütze *f*; ~ *de carga* Ladebaum *m*; **2.** ⚓ ~ *de arqueo* Vermessungshöhe *f*; ~ *de bodega* Raumtiefe *f*.
puntapié *m* Fußtritt *m*; *a* ~*s* mit Fußtritten.
punte|ado **I.** *adj.* **1.** getüpfelt; punktiert; *fig.* besät (mit *dat.* de); bestreut (mit *dat.* de); **2.** *fig.* F *Arg., Pe. estar* ~ e-n kl. Schwips haben; **II.** *m* **3.** Punktierung *f*; Tüpfelung *f*; **4.** ⊕ Punktung *f b. Schweißen*; **5.** ♪ Zupfen *n der Gitarre*; Klimpern *n auf e-m Saiteninstrument*; *a.* Pizzikato *n*; **~ar** *v/t.* **1.** punktieren; tüpfeln; *Mal.* pointillieren; ✝ *Posten* abstreichen; **2.** ♪ *bsd. Gitarre* zupfen; *a. v/i.* klimpern (*v/t.* auf *dat.*); **3.** ⊕ punkten; **~o** ♪ *m* Zupfen *n*.
puntel *m* Blasrohr *n der Glasbläser*.
puntera *f* Vorderkappe *f b. Schuh od.* Schuhspitze *f*; Ballenverstärkung *f am Strumpf*; *fig.* F Fußtritt *m*.
puntería *a.* ⚔ *f* **1.** Zielen *n*, Richten *n b. Geschütz*; ~ *sin apoyo* freihändiger Anschlag *m*; *tener buena* ~ ein guter Schütze sein; **2.** Zielverfahren *n*; **3.** Visier *n*; ~ *antiaérea* Flakvisier *n*.
puntero *m* **1.** Stichel *m*; Körner *m*; **2.** Locher *m*, Pfriem *m*; **3.** Zeigestock *m*.
puntiagudo *adj.* scharf, spitz.
punti|lla *f* **1.** schmale Spitze(n-borte) *f*; **2.** *Stk.* Genick-stoß *m*, -fang *m*; Genickfänger *m*; *Stk. u. fig. dar la* ~ den Gnadenstoß geben; *fig.* F *eso le dio la* ~ das gab ihm vollends den Rest; *fig.* F *¡es la* ~*!* das ist doch die Höhe!; **3.** ⊕ Spitzbohrer *m*; **4.** *de* ~*s* auf Zehenspitzen; *fig.* ganz leise; *ponerse de* ~*s* s. auf die Zehenspitzen stellen; *fig.* F hartnäckig bei s-r Meinung beharren; **~llero** *Stk. m* Stierfechter *m, der dem Stier den Gnadenstoß gibt*.
puntillis|mo *Mal. m* Pointillismus *m*; **~ta** *adj.-su. c* pointillistisch; *m* Pointillist *m*.
puntillo *m* **1.** Ehrenpunkt *m*; *p. ext.* Empfindlichkeit *f*; wunder Punkt *m*; **2.** ♪ Punkt *m*; ~ *doble* Doppelpunkt *m* (*Verlängerungszeichen*); **~so** *adj.* überempfindlich, heikel.
puntiseco *adj.* trocken an der Spitze (*bsd. Pfl.*).
punto *m* **1.** *a. Typ.* (*Maß*) *u. fig.* Punkt *m*; Stelle *f*; Zeitpunkt *m*; Verlust- *bzw.* Gewinn-punkt *m b. Prüfungen, im Sport*; Punkt *m*, Thema *n*; *fig.* kl. Pause *f*; ein bißchen, e-e Kleinigkeit; *Gram. dos* ~*s* Doppelpunkt *m*; ⚠ *medio* ~ Rundbogen *m*; ~ *de apoyo a.* ⊕ Auflage- *bzw.* Halte-punkt *m*; Stützpunkt *m* (*a. fig.*); *fig. a.* Anhaltspunkt *m*; ~ *de ataque* Angriffsstelle *f*; Druckpunkt *m* (*Mechanik*); *los* ~*s cardinales* die (vier) Himmelsrichtungen *f/pl.*; ~ *céntrico* (*cero*) Mittel- (Null-)punkt *m*; *Gram.* ~ *y coma* Strichpunkt *m*, Semikolon *n*; *Phys.* ~ *de congelación* Gefrierpunkt *m*; ⚕ ~ *de costado* Seitenstechen *n*; ~ *crítico* kritischer Punkt *m*; *a.* springender Punkt *m*; ⚡ ~ *de encendido* Zündpunkt *m*; ~ *fijo* Fest-, Fix-punkt *m*; *a. fig.* ~ *final* Schlußpunkt *m*; ~ *de giro*, *a.* ~ *eje* Drehpunkt *m*; *Verw.* ~*s m/pl. por hijos* Kinderzulage *f*; ~ *de honra* Ehrensache *f*; *bsd.* ⩚ ~ *de inflexión* (*de intersección, de inversión*) Wende-(Schnitt-, Umkehr-)punkt *m*; ⊕ *u. fig.* ~ *muerto* toter Punkt *m*; *Kfz.* Leerlauf(stellung *f*) *m*; ~ *de partida* (*od. de salida*) Ausgangspunkt *m* (*a. fig.*); ~ *de referencia*, ⩚ ~ *base* Bezugspunkt *m*; ~ *de reunión* Treffpunkt *m*; *Gram.* ~*s m/pl. suspensivos* Auslassungspunkte *m/pl.*; ~ *de vista* Gesichts- *bzw.* Stand-punkt *m*; *a* ~ bereit; *al* ~ sofort, sogleich; *a* ~ *fijo* genau; *de todo* ~ völlig, ganz und gar; *desde el* ~ *de vista económico* vom Standpunkt der Wirtschaft, wirtschaftlich gesehen; ⊕ *desde el* ~ *de vista de la producción* fertigungstechnisch; *en* ~ pünktlich; *a las seis en* ~ Punkt 6 Uhr; *en* ~ *de* was ... (*ac.*) anbetrifft; *hasta cierto* ~ bis zu e-m gewissen Grade; *hasta qué* ~ inwieweit; *hasta tal* ~ *que* so sehr, daß ...; *dar* (*od. hacer*) ~ *a a/c.* Schluß machen mit et. (*dat.*), et. beenden; *Kchk. dejar hasta que esté en su* ~ garen (*bzw.* ziehen) lassen; *estar a* (*tomar el*) ~ *Kchk.* gar sein (werden); *fig.* fertig sein; *llegar a un* ~ *muerto* auf e-m toten Punkt anlangen; *poner* ~ *final a a/c.* et. beenden; e-n Schlußstrich unter et. (*ac.*) ziehen; *fig. poner a/c. en su* ~ et. ordentlich (*od.* gründlich) machen; et. klären; *fig. subir de* ~ (an)wachsen; s. verschlimmern; *¡vamos por* ~*s!* gehen wir (schön) der Reihe nach!; **2.** Stich *m* (*Nähen*); Masche *f* (*Strumpf, Trikot*); ~ *de cadena* (*de encima*) Ketten-(Überwendlings-)stich *m*; *camiseta f de* ~ Trikot *n*; **3.** ~ (*de mira*) Korn *n am Gewehr*; *a. fig.* Zielpunkt *m*; *fig.* Ziel *n*, Absicht *f*, Zweck *m*; **4.** ⚓ Schiffsposition *f nach dem Besteck*; **5.** ⊕ Spitzkörner *m*, Punkt *m*; **6.** *fig.* Ehrgefühl *n*; **7.** Droschkenstand(platz) *m*; → *a. coche*. **8.** *Kart.* **a)** Stich *m*, Punkt *m*; **b)** Spieler *m* gg. den Bankhalter. **9.** *fig.* Individuum *n* (*desp.*).

puntuación *f Gram.* Zeichensetzung *f*; *Sp.* Punkt-wertung *f*, -zahl *f*.
puntua|l *adj. c* pünktlich; richtig, genau; *llegar* ~(es) pünktlich ankommen; **~lidad** *f* Pünktlichkeit *f*; Genauigkeit *f*; *falta f de* ~ Unpünktlichkeit *f*; mangelnde Genauigkeit *f*; **~lizar** [1f] *v/t.* genau einprägen; im einzelnen darlegen; vollenden; richtig-, klar-stellen.
puntuar [1e] *v/t.* **1.** *Gram.* interpunktieren; *Li. z.B. hebräische Texte* punktieren; **2.** ⚒ nach Punkten bewerten.
puntura *f* **1.** Stich(wunde *f*) *m*; **2.** *Typ.* Punktur *f*, Haltestift *m*.
punza|da *f* Stich *m*; stechender Schmerz *m*, Stechen *n*; **~nte** *adj. c* stechend; Stich...; **~r** [1f] *v/t.* stechen; zwicken.
punzó *adj. inv.* hochrot, leuchtend-[rot.]
pun|zón *m* **1.** Pfriem *m*; Stichel *m*; Punzen *m*; **2.** ⊕ Durchschlag *m*, Körner *m*; **3.** (Stahl-, Präge- *bzw.* Stanz-)Stempel *m*; **~zonado** ⊕ *m* Lochen *n*; Drücken *n*; **~zonadora** ⊕ *f* Lochstanze *f*; **~zonar** ⊕ *v/t.* (an)körnen; lochen (*mit e-m Dorn*); stanzen.
puña|da *f* Faustschlag *m*; *darse de ~s* mit den Fäusten aufeinander einschlagen; **~do** *m a. fig.* Handvoll *f*; kleine Menge *f*.
puña|l *m* Dolch *m*; *fig. está con el ~ en la garganta* ihm sitzt das Messer an der Kehle (*fig.*); **~lada** *f* Dolchstich *m*, -stoß *m*; *fig. dar una ~ trapera a alg.* j-m in den Rücken fallen; j-m sehr übel mitspielen; *fig.* F *no ser ~ de pícaro* nicht eilig (*od.* dringlich) sein; **~lero** *m* Dolchmacher *m*.
puñe|ta *f* **1.** V Onanie *f*, Wichsen *n* V; *hacer la ~* masturbieren, wichsen V; **2.** *fig.* P *¡(es la) ~!* verdammte Schweinerei! P; das ist doch das Letzte!; *hacer la ~ a alg.* j-n schikanieren; j-m übel mitspielen; *me importa una ~* das ist mir scheißegal V; *¡no me hagas la ~!* laß mich in Ruhe!; *¡vete a la ~!* scher dich zum Teufel!; *vivir en la quinta ~* j. w. d. wohnen F; **~tazo** *m* Faust-hieb *m*, -schlag *m*; *a ~s* mit Fausthieben; **~te** ⚒ *m* **1.** → *puñetazo*; **2.** → *pulsera*; **~tero** P **I.** *m* Onanist *m*; *fig.* Schweinehund *m* P; **II.** *adj.* gemein, verdammt P.
puño *m* **1.** Faust *f*; *fig. apretar los ~s* s. gewaltig anstrengen, s. mächtig am Riemen reißen F (, um zu + *inf. para*); *como un ~* faustgroß, faustdick; *adv. a ~ cerrado* blindlings (*glauben*); mit der Faust (*schlagen*); *de mi (tu, su) ~ y letra* eigenhändig; *fig. está con el alma en un ~* er kommt um vor Angst; *fig.* F *meterle a alg. en un ~* j-n ins Bockshorn jagen; j-n in die Enge treiben; j-n kirre machen; **2.** (Hand-)Griff *m* (*Degen, Fahrrad, Pistole*); *~ de bastón* Stock-griff *m bzw.* -knauf *m*; *~ giratorio de cambio* (*~ mando gas*) Schalt- (Gas-)drehgriff *m* (*Motorrad*); **3.** Manschette *f*; Ärmelaufschlag *m*; **4.** Handvoll *f*; *Reg. a.* → *puñetazo*; **5.** ⚔ *~ de acero* Panzerfaust *f*.
pupa *f* **1.** Lippenausschlag *m*; Pustel *f*; **2.** *Kdspr.* Wehweh *n*.
pupi|la *f* **1.** ⚕, *Opt.* Pupille *f*; Sehloch *n*; *contracción f* (*dilatación f*) *de la ~* Pupillen-verengung *f* (-erweiterung *f*); *fig. tener ~* gerissen sein; **2.** ⚖ Mündel *n weibl. Geschlechts*; **~laje** *m* **1.** ⚖ Status *m* e-s Mündels; **2.** Kosthaus *n*; Kostgeld *n*; *Kfz.* (laufende) Wartung *f*; **~lar** *adj. c* **1.** ⚕ Pupillen...; *reacción f ~* Pupillenreaktion *f*; **2.** ⚖ Mündel...; minderjährig; *con garantía ~* mündelsicher (*Gelder*); **~lero** *m* Kostgeber *m* (*vgl. pupilaje* 2); **~lo** *m* **1.** ⚖ Mündel *n männl. Geschlechts*; **2.** Zögling *m*; Kostgänger *m*.
pupitre *m a.* ⊕ Pult *n*; ⊕ *~ de control* (*de mando, de radar*) Prüf- (Steuer-, Radar-)pult *n*; *Rf., TV usw. ~ de mezclas* Mischpult *n*.
puposo *adj.* voller Pusteln; grindig, schorfig.
puramente *adv.* nur, bloß.
puré *m* Püree *n*, Brei *m*.
pureza *f a. fig.* Reinheit *f*.
purga *f* Abführmittel *n*; Abführen *n*; *Pol.* (politische) Säuberung *f*; **~ción** *f* **1.** ⚕ **a)** Abführung *f*; **b)** → *menstruación*; F *~ones f/pl.* Tripper *m*; **2.** *Pol.* Säuberung *f*; **~do** ⊕ *m* Abblasen *n von Dampf*; Ablassen *n*; **~dor** ⊕ *m* Ablaßhahn *m*; **~nte** *m* ⚕ Abführmittel *n*; ⊕ Reinigungsmittel *n*; **~r** [1h] **I.** *v/t.* **1.** ⚕ abführen; reinigen; **2.** ⊕ *Dampf* abblasen; *Flüssigkeit* ablassen *bzw.* klären; *Pol.* säubern; **3.** *Schuld* abbüßen; *Strafe* verbüßen; **II.** *v/i.* **4.** ⚕ Eiter, Wundsekret *usw.* abstoßen (*Wunde*); **5.** büßen; *Rel.* im Fegfeuer büßen; **III.** *v/r.* *~se* **6.** abführen; *~se con a/c.* et. zum Abführen einnehmen; **~tivo** *adj.* abführend; **~torio** *Rel. u. fig. m* Feg(e)feuer *n*, Purgatorium *n*.
puridad *f* **1.** Reinheit *f*, Lauterkeit *f*; **2.** Geheimnis *n*; ⚒ *en ~* offen, unverhüllt, ohne Umschweife; † → *en secreto*.
purifica|ción *f a.* ⊕ *u. fig.* Reinigung *f*; Läuterung *f*; *kath. la* ♀ Lichtmeß *f*; **~dor I.** *adj.* **1.** reinigend, ⊕ Klär...; **II.** *m* **2.** ⊕, ⚗ Vorlage *f zum Reinigen*; *~ de aceite* (*de aire*) Öl- (Luft-)reiniger *m*; **3.** *kath.* Kelchtuch *n*; **~nte** *m* Reinigungsmittel *n*; **~r** [1g] *v/t. a.* ⊕ *u. fig.* reinigen; läutern; klären; *a.* ⚖ *~ de una sospecha* von e-m Verdacht reinigen; **~torio** *adj.* reinigend, Reinigungs...
Purísima *kath.*: *la ~* die Jungfrau [Maria.]
puris|mo *m* Purismus *m*; **~ta** *adj.-su. c* puristisch; *m* Purist *m*, Sprachreiniger *m*.
purita|nismo *Rel. u. fig. m* Puritanertum *n*; **~no** *adj.-su.* puritanisch; *m* Puritaner *m*.
purito *m* Zigarrillo *m, n*.
puro I. *adj.* **1.** rein; **2.** keusch; **3.** lauter; echt; *Min.* gediegen (*Metall*); **4.** bloß; ausschließlich; (*lo dijo*) *de ~ boba* aus bloßer (*od.* reiner *od.* lauter) Dummheit (sagte sie es); *de ~a cortesía* aus reiner (*od.* vor lauter) Höflichkeit; *se cae de ~ viejo* er ist ein hinfälliger Greis; **II.** *adj.-su. m* **5.** (*cigarro m*) *~* Zigarre *f*.
púrpura *f* **1.** Purpurschnecke *f*; **2.** Purpur *m* (*Farbe, Gewand*); *fig.* Kardinals- (*hist.* Kaiser-, Königs-) würde *f*.
pur|purado *m* Purpurträger *m*; *kath.* Kardinal *m*; **~purar** *v/t.* **1.** mit Purpur färben; **2.** mit dem Purpur bekleiden; **~púreo** *adj.* → *purpurino*; **~purina** *f* Bronzefarbe *f*; *~ oro* Goldpulver *n*; *~ de aluminio od. ~ "plata"* Aluminiumpulver *n*; **~purino** *adj.* purpurfarben.
pu|rrela F *f* Tresterwein *m*; dünner Wein *m*; *p. ext.* Gesöff *n* F; *fig.* übles Zeug *n*; Gesindel *n*, Pack *n*; **~rriela** F *f* Schund *m*, Mist *m* F.
purulen|cia *f* Eitern *n*; **~to** *adj.* eiternd.
pururú *m* **1.** *Rpl.* Puffmais *m*; **2.** *Arg. fig.* Prasseln *n*; *fig.* F schrill und hastig Redende(r) *m*.
pus *m* Eiter *m*.
puse → *poner*.
pusil|ánime *adj.-su. c* kleinmütig; verzagt; *m* Verzagte(r) *m*; **~animidad** *f* Kleinmut *m*, Verzagtheit *f*, Ängstlichkeit *f*.
pústula ⚕ *f* Pustel *f*; *~ maligna* Milzbrandkarbunkel *m*; *~ vacunal* Impfpustel *f*.
pustuloso *adj.* voller Pusteln.
pusuque|ar *Arg. v/i.* nassauern F; **~ro** *m Arg.* Nassauer *m* F, Schmarotzer *m*.
puta P *f* Hure *f* P; *irse de ~s* (herum)huren P; **~da** P *f* Gemeinheit *f*; **~ísmo**, *a.* **~nismo** *m* **1.** Hurenleben *n*; Hurenwirtschaft *f*; **2.** Hurenvolk *n*; **3.** ⚒ Bordell *n*.
putativo *adj.* vermeintlich; ver-[mutlich.]
putear *v/i.* fluchen.
putero P *m* Hurenbock *m* P.
puto P *adj.* mies F; verdammt P.
pu|trefacción *f* Fäulnis *f*; Verrottung *f*; Verwesung *f*; **~trefacto** *adj.* verfault; verwest; verrottet; **~trescente** *adj. c* faulend; verwesend; **~tridez** *f* Fäulnis *f*; Modergeruch *m*.
pútrido *adj.* verfault, morsch; [faulig.]
putsch *dt. m* Putsch *m*.
puya *f* **1.** Spitze *f des Ochsenstachels*; *Stk.* Lanzenspitze *f des Pikadors*; **2.** *fig.* Stich(elei *f*) *m*, gehässige Bemerkung *f*; *echar ~s* (*a alg.*) sticheln; (j-n) durch Stichelreden kränken; **3.** *Pan.* → *machete*; **~da** *f Hond.* Stierkampf *m*; **~dor** *Stk. m Guat., Hond.* Pikador *m*; **~r I.** *v/t. Am. Ochsen* (an)stacheln; *Stk.* mit der Pike stechen; **II.** *v/i. Chi. a. fig.* kämpfen, s. durchschlagen; **~zo** *Stk. m* Lanzenstich *m*.
puyo *Rpl. m kürzerer* Poncho *m*.
puyón *m* **1.** *Am. Cent., Ven.* **a)** Spitze *f e-s Kreisels*; **b)** Knospe *f*; Schößling *m*; **2.** *Bol.* kl. Geldsumme *f*, Sümmchen *n* F.

Q

Q, q (= *ku*) *f* Q, q *n.*

quan|ta *Phys. m/pl.* → *cuanta*; **~tum** *Phys. m* Quantum *n*; ~ *de energía* Wirkungsquantum *n.*

que I. *pron. rel.* welche(r, -s); der, die, das; **1.** *el* (*la, lo*) ~ der- (die-, das-)jenige, welcher (welche, welches); *los* (*las*) ~ diejenigen, die; *lo* ~ was; *el mes* ~ *viene* der nächste Monat; im nächsten Monat; *el* ~ *lo haya hecho* wer es getan hat; *lo* ~ *usted dice* Sie haben (sicher) recht; **2.** *mit prp.*: *a* ~ wozu, woran, wonach; *del* ~, *de la* (*lo*) ~ wovon, davon; *en el* (*la, lo, los, las*) ~ worin, darin; *por lo* ~ weshalb, weswegen, darum; **3.** ~ + *inf., z. B. tener* ~ + *inf. et. tun* müssen; *tener* ~ *decir a/c.* et. zu sagen haben; **II.** *cj.* **4.** daß, damit; *¡~ se alivie!* gute Besserung!; ~ *lo diga* ~ *no lo diga* ob er es nun sagt oder nicht; *¡~ no se repita eso!* daß (mir) das nicht wieder vorkommt!; *¡~ venga!* er soll kommen!; ~ *no* + *subj.* ohne (daß), *z. B.*: *no voy a ningún sitio* ~ *no tropiece con ese individuo* ich mag gehen, wohin ich will, immer treffe ich den Kerl da F; *elliptisch*: *¡a que no (lo sabes)!* wetten, daß (du es) nicht (weißt)!; **5.** *einführend od. hervorhebend*: es ~ nämlich; *le iba a pedir un favor y es* ~ ... ich hätte Sie gern um e-n Gefallen gebeten, nämlich ...; **6.** denn; (*por-*) ~ weil; *déjame en paz,* ~ *no tengo tiempo* laß mich in Ruhe, (denn) ich habe k-e Zeit; **III.** *Komparativpartikel*: **7.** als, denn († *u. lit.*); wie; *lo mismo* ~ *antes* dasselbe wie früher; *lo mismo* ~ *yo od. igual* ~ *yo* genau wie ich; *él es mejor* ~ *ella* er ist besser als sie; *no había más* ~ *él* nur er war da; *no tener más* ~ *cien ptas.* nur 100 Peseten haben (*vgl. de, más, menos*); **IV.** *konjunktivisch*: **8.** *a no ser* ~ + *subj., no sea* ~ + *subj.* wenn nicht *od:* es sei denn (, daß); *antes* (*de*) ~ + *subj.* bevor, ehe; *como* ~ weil, da; → *a. como*; *el momento* ~ *los vea, los mato* (so)wie ich sie sehe, töte ich sie; *para* ~ + *subj., a fin de* ~ + *subj.* damit + *ind.*, um zu + *inf.*; *sin* ~ + *subj.* ohne daß; **9.** *bei Verben der Willensbekundung u. des Affekts*: *me alegra* ~ *todos estéis aquí* es freut mich, daß ihr alle hier seid; *dice* ~ *le manden la factura* er sagt, man soll(e) ihm die Rechnung schicken; **10.** *in Bedingungssätzen*: *sería una falta* ~ *no lo hiciéramos* es wäre ein Fehler, wenn wir es nicht täten; **V.** *Hervorhebung e-s Gg.-satzes*: **11.** ~ *no* bestimmt nicht, nein (doch); *stark betontes* nicht; *suya es la falta,* ~ *no mía* er hat den Fehler gemacht, nicht ich; *trabajo pedimos,* ~ *no limosna* Arbeit wollen wir, kein Almosen; ~ *sí* ja doch, jawohl, gewiß; *no basta* ~ *se lo digas, sino* ~ ... es genügt nicht, daß du es ihr sagst, (sondern) ...; **VI.** *pleonastisch*: **12.** *aussagend*: *decir* ~ *no* nein sagen; *eso sí* ~ *no* das bestimmt nicht; **13.** *rückfragend*: *¿~ no lo ha explicado bien?* hat er es (etwa) nicht gut erklärt?; ~ *¿qué ha dicho?* was er gesagt hat?; **14.** *Dauer, Intensität*: *corre* ~ *corre* in einem fort, ununterbrochen; *corre* ~ *vuela* er läuft (*bzw.* fährt *usw.*) rasend schnell; F *estar escribe* ~ *escribe* immerzu weiterschreiben; *firme* ~ *firme* eisern *in e-m Entschluß*; ganz fest; F *y todos grita* ~ *te gritarás* u. alle schreien (unaufhörlich) aus vollem Halse; **VII.** *Sonderbedeutungen*: **15.** *yo* ~ *tú* ich an d-r Stelle; *uno* ~ *otro* dieser u. jener.

qué: *¿~? pron. interr.* (*a. indirekt fragend*) welche(r, -s)?; was?; *int. ¡~!* welch!, was für (ein)!; *bei adj. u. adv.* wie!; **1.** *el* ~ *dirán* das Gerede (der Leute); *un no sé* ~ ein gewisses Etwas; *¡no sabes* ~ *a destiempo vienes!* du weißt gar nicht, wie ungelegen du kommst!; *no saber* ~ *decir* k-e Worte finden; *¿~ dices?* was sagst du?; was meinst du dazu?; *¿de* ~ *estás hablando?* wovon redest du (eigentlich); *gracias — no hay de* ~ danke! — bitte; gern geschehen, k-e Ursache!; *¡~ de gente!* (*¡~ de libros!*) so e-e Menge Menschen! (e-e Masse Bücher!, wieviel Bücher!); *¡~ guapa (que) está!* wie schick sie aussieht!; *¿para ~?* wozu?; *¿por ~?* warum?, weshalb?; F *¿~ hay de su vida?* was machen Sie (noch)?, was treiben Sie (Schönes)?; *¿~ tal?* wie geht's?; *¿~ tal tu hermano?* wie geht es d-m Bruder?; *Col. ¡~ tal, si ...!* Schlimmeres wäre passiert, wenn ...; **2.** F, P (*die genaue Bedeutung hängt von der jeweils gegebenen Situation ab*): *¿a mí ~?* was geht das mich an?; das ist mir wurscht! P; P *¡~ boda ni* ~ *narices* (*od. vulgärer ni* ~ *niño muerto*)*!* von wegen Hochzeit!; *¡pues ~!* was ist schon dabei!; na und!; na also!; *¡pues y ~!* warum denn nicht!; aber überhaupt nicht!; (*bueno,*) *¡y ~!* na und!; und wenn schon!; *no saber de* ~ nicht wissen, worum es geht; k-n blauen Dunst davon haben F; *sin* ~ *ni para* ~ (*od. ni por* ~) ganz grundlos; mir nichts, dir nichts; *desp. od. iron. tú ¿~ has de saber?* was weißt (*od.* verstehst) du denn schon (davon)!; *¡~ va!* **a**) was denn!; ach wo!; Unfug!, Quatsch! F; stimmt nicht!; kein Vergleich!; **b**) das will ich meinen!; das glaube ich gern!

quebra|chero *adj.* Quebracho...; **~cho** ⚘ *m* Quebracho-baum *m*; -rinde *f.*

quebra|da *f* Bergschlucht *f*; zerklüftetes Gelände *n*; Klamm *f*, Tobel *m*; **~dero** F: ~(*s*) *m*(/*pl.*) *de cabeza* Sorge *f*, Kummer *m*; Kopfzerbrechen *n*; **~dizo** *adj.* (leicht) zerbrechlich; ⊕ ~ *en caliente* warmbrüchig; **~do I.** *adj.* **1.** zerklüftet; holperig; gebrochen (*Linie, Zahl*); *fig.* bankrott; *color m* ~ gebrochene Farbe *f*; blasse Gesichtsfarbe *f*; **II.** *m* **2.** *Arith.* Bruch *m*; ~ *aparente* (*común*) scheinbarer (gemeiner) Bruch *m*; ~ (*no*) *equivalente* (un)gleichnamiger Bruch *m*; ~ (*im*)*propio* (un)echter Bruch *m*; ~ *invertido* umgekehrter Bruch *m*, reziproker Wert *m*, Kehrwert *m*; *vgl. fracción*; **3.** ✝ Konkurs-, Gemein-schuldner *m*; **4.** *bsd.* ⊕ Bruch *m*; Knick *m*; **~dor I.** *adj.* brechend; **II.** *m* Zerbrecher *m*; Gesetzesbrecher *m*; **~dura** *f a.* ⚕ Bruch *m* (*a. Jgdw.*), Riß *m*; **~ja** *f* Spalte *f*; **~joso** *adj.* rissig.

quebranta|dor I. *adj.* (zer)brechend; **II.** *m* Gesetzesbrecher *m*; **~dora** ⊕ *f* Steinbrech(maschin)e *f*, Gesteinsmühle *f*; **~dura** *f* → *quebrantamiento*; **~huesos** *m* (*pl. inv.*) *Vo.* Bart-, Lämmer-geier *m*; *p. ext.* F Fischadler *m*; *fig.* F zudringliche Person *f*; **~miento** *m* **1.** Zerbrechen *n*, Brechen *n*; **2.** *fig.* Bruch *m* (*z. B. des Friedens*); Übertretung *f e-s Gesetzes*; ⚖ ~ *de condena* Verhinderung *f* des Strafvollzugs; **3.** ⚕ Kräftezerfall *m*; (völlige) Ermattung *f*; **~olas** ⚓ *m* (*pl. inv.*) *altes Schiff, mit Steinen gefüllt u. versenkt, als* Wellenbrecher *m*; **~piedras** ⚘ *m* (*pl. inv.*) *Art* graues Bruchkraut *n.*

quebran|tar *v/t.* **1.** zerbrechen; zermalmen; zerschmettern; **2.** ⊕ zerschlagen, zer-klopfen, -stükkeln; *Gestein, Erz* brechen, pochen; **3.** *fig. Frieden, Gesetz, Vertrag usw.* brechen; *Willen* (zer)brechen; *Kraft, Geduld usw.* zermürben; *Organismus* entkräften; **~to** *m* **1.** Zerbrechen *n*; **2.** *fig.* Zerrüttung *f*; Zusammenbruch *m*; *ligero* ~ Knacks *m* F; **3.** Erschöpfung *f*; Mattigkeit *f*; Kummer *m*; Niedergeschlagenheit *f.*

quebrantón *Vo. m* → *quebrantahuesos.*
quebra|r [1k] **I.** *v/t.* (zer)brechen; (zur Seite) biegen, ab-, ver-biegen; *fig. le han* ~*ado las alas* sie haben ihm allen Schwung genommen; sie haben ihn erledigt (*od.* kaputtgemacht P); **II.** *v/i.* brechen; ⚕ Konkurs machen; *Spr. antes doblar que* ~ der Klügere gibt nach; **III.** *v/r.* ~*se* (zer)brechen; (zer)springen (*z. B. Glas*); ~*se una pierna* s. ein Bein brechen; ~**zas** *f/pl.* Scharten *f/pl.*, Risse *m/pl. in e-r* (*Degen-*) *Klinge.*
queche(marín) ⚓ *m* zweimastiges Küstenschiff *n*, Ketch *f* (*engl.*).
quechol *Vo. m Méj. flamingoähnlicher Vogel* (*Platalea mexicana*).
quechu|a I. *adj. c* Ketschua...; *fig.* inkaisch; peruanisch; **II.** *c* Ketschuaindianer *m*; **III.** *m Li.* Ketschua *n*; ~**ismo** *m* Ketschuismus *m*; dem Ketschua entnommenes Wort *n*; ~**ista I.** 🕮 *adj. c* ketschuistisch; Ketschua...; **II.** *Li. c* Ketschuakenner *m.*
queda *f lit. u.* † Abendläuten *n*; *lit.* Abendstille *f*; (*toque m* de) ~ Sperrstunde *f*; ⚔ Zapfenstreich *m*; ~**da** *f* **1.** ⚒ Verweilen *n*, Verbleiben *n*; **2.** *Am.* unverheiratet Gebliebene *f*; ~**do** *adj. Am.* träge, indolent; ~**mente** *adv.* leise; mit leiser Stimme.
quedar I. *v/i.* bleiben; verbleiben; zurückbleiben; übrigbleiben; noch vorhanden sein; ~ *ist Funktionsverb u. tritt häufig für „resultar" u. „estar" ein*; ~ + *part. od. adj.* werden *bzw.* sein; *Typ.* ¡*queda!* bleibt stehen! *b. Korrekturen*; ~ *a deber una cantidad* e-e Summe schuldig bleiben; *fig. no* ~ *a deber nada* Gleiches mit Gleichem vergelten; *le* ~*ía muy agradecido que* (*od. si*) + *subj. impf.* ich wäre Ihnen sehr dankbar, wenn ...; ¡*quede esto aquí!* möge es dabei sein Bewenden haben!; *a. fig.* ~ *atrás* zurückbleiben; ~ *bien* (*mal*) gut (schlecht) ausfallen (*Arbeit*); gut (schlecht) abschneiden (*z. B. bei e-m Wettbewerb*); e-n guten (schlechten) Eindruck hinterlassen (bei *dat. con*); *hacer* ~ *muy mal a alg.* j-n in e-m sehr ungünstigen Licht erscheinen lassen; ¡*quede* (*od. quédese*) *usted con Dios!* leben Sie wohl!; ~ *con vida* am Leben bleiben; ~ *condenado a* verurteilt werden zu (*dat.*); *quedamos conformes* wir haben uns geeinigt; *quedamos de ustedes afmos. y s.s.* wir verbleiben hochachtungsvoll (*Briefschluß*); ~ *de alcalde* Bürgermeister werden; ~ *de* (*od. en*) *hacer a/c.* verabreden (*od.* übereinkommen), et. zu tun; *como queda dicho* wie gesagt; ¿*dónde habíamos* ~*ado?* wo waren wir stehengeblieben?; ~ *con alg. en a/c.* mit j-m et. verabreden; s. einigen (über *ac.*); ¿*quedáis, pues, en volver a casa?* ihr wollt also heimkehren?; ~ *en que* ... vereinbaren, daß ...; ¿*en qué quedamos?* was wollen wir nun ausmachen?; wie wollen wir nunmehr verbleiben?; *queda entendido que* ... es wird vereinbart, daß ...; wohlverstanden, ...; ~ *heredero* (*testamentario*) zum Erben (zum Testamentsvollstrekker) eingesetzt werden; ~ *huérfano* verwaisen; *quedamos iguales* jetzt sind wir quitt; *no te queda más tiempo* du hast k-e Zeit mehr; *queda mucho* es fehlt noch viel; *queda mucho hasta allí* bis dahin hat es noch gute Weile; ~ *muerto* tot auf dem Platz bleiben; ~ *por* s. verbürgen für (*ac.*), haften für (*ac.*); ~ *por* (*od. que*) *hacer* noch zu tun sein (*od.* bleiben); *la partida quedó por ellos* die Partie ging an sie (*od.* wurde ihnen zugeschlagen) *b. e-r Versteigerung*; *fig. no* ~ *por corta ni mal echada* alle Hebel in Bewegung setzen, alles tun; ~ *por inútil* als unbrauchbar ausgeschieden werden; *eso queda por ti* das mußt du (noch) erledigen; *por mí no* ~*á*, *por mí no ha(brá) de* ~, *por mí que no quede* an mir soll es nicht liegen; ich will alles Erforderliche tun; ~ *por resolver* noch gelöst werden müssen; ~ *sin acabar* noch nicht fertig sein, unabgeschlossen sein; *la carta queda todavía sin* (*od. por*) *contestar* der Brief ist noch nicht beantwortet; *quedan sólo ruinas de la catedral* von der Kathedrale sind nur noch Trümmer übrig; **II.** *v/r.* ~*se* bleiben; verweilen; zurückbleiben; *bei funktionaler Verwendung*: sein *bzw.* werden; → *a.* I; *fig.* ~*se a oscuras* (*od. a buenas noches*) s-n Besitz verlieren; sein Ziel nicht erreichen, leer ausgehen; nicht begreifen, nicht dahinterkommen; *fig. no* ~*se ahí parado* es nicht dabei bewenden lassen; ~*se huérfano* verwaisen; ~*se con a/c.* et. behalten; et. nehmen; *im Geschäft*: et. nehmen, et. kaufen; *fig.* F ~*se con alg.* j-n hintergehen, j-n betrügen; ~*se con el sombrero puesto* den Hut aufbehalten; ~*se en un ataque de corazón* nach e-m Herzanfall sterben; *fig.* ~*se fresco* angeschmiert werden F; hereinfallen F; *fig.* ~*se frío* e-e große Pleite erleben F; kalte Füße kriegen (*fig.* F); höchst unangenehm überrascht werden *von e-r Nachricht usw.*; *quédese sentado aquí* setzen Sie s. bitte hierher *bzw.* bleiben Sie hier sitzen; *hoy nos hemos* ~*ado sin comer* heute haben wir nichts gegessen (*bzw.* nichts zu essen bekommen); *fig.* ~*se tieso vor Kälte, Schreck usw.*, ~*se yerto vor Schreck* erstarren; *fig.* ~*se entre Pinto y Valdemoro* zwischen zwei Stühlen sitzen.
quedo I. *adj.* ruhig; still; leise; **II.** *adv.* leise (*sprechen*).
quehacer *m* Arbeit *f*; Aufgabe *f*; ~*es m/pl.* Beschäftigung *f*, Obliegenheiten *f/pl.*; *los* ~*es de casa* die Hausarbeit.
que|ja *f* **1.** Klage *f*; **2.** *a.* ⚖ Beschwerde *f* (einlegen *formar*); *fig.* Unzufriedenheit *f*, Groll *m*; *Verw.* Dienstaufsichtsbeschwerde *f* (einlegen *elevar*); *tener* ~ *de* unzufrieden sein mit (*dat.*); ~**jarse** *v/r.* jammern (über *ac.* de); ~*se de a/c. a alg.* s. bei j-m über et. (*ac.*) beklagen (*od.* beschweren); *sin* ~*se* klaglos; ~**jica** *Am. adj.-su. c*, ~**jicoso** *adj.* wehleidig; ewig unzufrieden; ~**jido** *m* Jammern *n*, Klagen *n.*
queji|gal *m* Bergeichenwald *m*; ~**go** ⚘ *m* Bergeiche *f.*
que|joso *adj.* unzufrieden (mit *dat.* de); ~**jumbroso** *adj.* **1.** jämmerlich; wehleidig; zimperlich; **2.** verdrießlich.
quelite ⚘ *m Méj. versch. Gänsefuß- und Fuchsschwanzgewächse*; *p. ext.* F *Kchk.* Gemüse *n*; *fig.* F *tener cara de* ~ leichenblaß sein; *poner a alg. como* ~ → *ponerle verde a uno.*
que|ma *f* Verbrennung *f*; Niederbrennen *n*; Abbrennen *n* (*Feuerwerk*); Brand *m*; Feuertod *m*; *fig. huir de la* ~ e-r Gefahr ausweichen; *Bol. hacer* ~ ins Schwarze treffen; ~**madero I.** *adj.* zum Verbrennen bestimmt; **II.** *m* Scheiterplatz *m* (*z. B. Hinrichtungsstätte der Inquisition*); ~**mado** *m* **1.** Brandlichtung *f im Wald*; F Verbrannte(s) *n*; *oler a* ~ brenzlig riechen; **2.** ⊕ ~ *de pinturas* Farbabbrennen *n*; **3.** *Ec.* Punsch *m*; ~**mador** ⊕ *m* Brenner *m*; ~**madura** *f* Verbrennung *f*; Brandwunde *f*; ~**majoso** *adj.* brennend, sengend (*Schmerz*); ~**mar I.** *v/t.* **1.** (ver)brennen; niederbrennen; versengen; *fig.* ~ *las naves* die Schiffe (hinter s.) verbrennen; *fig.* ~ *la sangre* das Blut in Wallung bringen, den Kopf heiß machen; *fig.* ~ *etapas* Zwischenstufen überspringen; **2.** *fig.* ärgern; wurmen F; **3.** verschleudern; *Vermögen* durchbringen; **II.** *v/i.* **4.** brennen *a. am Gaumen usw.*, *Gewürz u. ä.*; brennend heiß sein; stechen (*Sonne*); **III.** *v/r.* ~*se* **5.** verbrennen, vom Feuer verzehrt werden; *fig.* (in Leidenschaft) entbrennen; ~*se los dedos* s. die Finger verbrennen; *fig. b. Spielen*: ¡*que te quemas!* (ganz) heiß! (*wenn der Suchende nahe beim Versteck ist*); ~**marropa** *adv.*: *a* ~ aus nächster Nähe (*Schuß*); ~**mazón** *f* **1.** Brennen *n*; *fig.* große (*od.* übermäßige) Hitze *f*; **2.** *fig.* Anzüglichkeit *f*, Stichelei *f*; **3.** *fig.* Beschämung *f*; Verdruß *m*, Groll *m*; **4.** *fig.* F → *comezón*; ~**món** *m Méj.* Schußverletzung *f.*
quena *Ke. f And.* indianische Flöte *f.*
quepis ⚔ *m* (*pl. inv.*) Käppi *n.*
queque *Angl. m* **1.** *Am.* (süßer) Kuchen *m*; Teekuchen *m*; **2.** *Ant.*, *Méj.* Keks *m aus Brotresten*; **3.** *Chi.*, *C. Ri.*, *Am. Cent. Reg.* → *bollo*; ~**tear** P *v/i. Arg.* zittern.
quera|tina *Anat. f* Horngewebe *n*; ~**titis** ⚕ *f* Hornhautentzündung *f.*
quere|lla *f* **1.** Klage *f* (anhängig machen *presentar*); ⚖ Strafantrag *m* (stellen *presentar*); ~ *suplementaria* Nachtragsanklage *f*; **2.** Streit *m*; ~**llador** *adj.*, ~**llante** ⚖ **I.** *adj. c* klagend; **II.** *m* Beschwerdeführer *m*; Kläger *m*; Strafantragsteller *m*; ~**llarse** *v/r.* s. beklagen; *Verw. u.* ⚖ Beschwerde führen; klagen; Strafantrag stellen; ~**lloso** *adj.-su.* Querulanten...; zänkisch; *m* Querulant *m*; Stänker *m* F.
queren|cia *f* **1.** Anhänglichkeit *f*; Zuneigung *f*; **2.** Heimattrieb *m*; Stalltrieb *m der Tiere*; *fig. tiene* ~ *por* es zieht ihn nach (*dat.*); ~**cioso** *adj.* s. nach Stall, Nest *usw.* sehnend, anhänglich (*Tier*); ~**dón** *Am.*

I. *adj.* sehr zärtlich; II. *m* zärtlich Liebende(r) *m*; *Arg.* Liebhaber *m*.
querer *m* Wollen *n*; Mögen *n*; Lieben *n*; *fig.* Liebe *f*.
querer [2u] *vt/i.* 1. (gerne) wollen, mögen; wünschen; ~ *decir* besagen wollen, bedeuten, heißen (sollen); meinen; *quiere decir* das heißt; *quiera Dios que + subj.* wolle Gott, daß + *ind.*; *quiere llover* es wird bald regnen; *quisiera (que) fuese suyo* er möchte es für s. haben; *quisiera hacerlo* ich würde es gern tun; *(que) quiera o no quiera* mag er nun wollen od. nicht; *así me lo quiero* so will ich's haben; das hab' ich gern! (*a. iron.*); *a todo* ~ durchaus; mit aller Kraft; *como quien no quiere la cosa* so (ganz) nebenbei; so mir nichts, dir nichts; *cj. como quiera que* weil, da; *como usted quiera* wie Sie wollen; meinetwegen; *höfliche Aufforderung*: *cuando quiera(n)* a) gehen wir; b) wir können anfangen; *es un artista, no así como quiera* er ist nicht irgendein (*od.* ein x-beliebiger F) Künstler; *¿qué más quieres?* was willst du noch mehr?; ... *pero que si quieres* ... aber umsonst, ... (aber) da ist nichts zu machen; *¿qué quieres que haga?* was soll ich (denn) tun?; *¿qué quiere que le hagamos?* was soll man da machen? (*es ist alles zwecklos*); *iron.* *¡que si quiere!* das hätten Sie wohl gern!; das ist nicht ganz so einfach!; *sea como quiera* wie dem auch sei; *adv. sin* ~*(lo)* unabsichtlich; *Spr.* ~ *es poder* wo ein Wille ist, ist auch ein Weg; 2. lieben; mögen; liebhaben; ~ *bien a alg.* j-m wohlwollen; j-n mögen; j-n liebgewinnen; ~ *mal a alg.* j-m übel wollen; j-m feindlich gesinnt sein; j-n hassen; *hacerse* ~ s. beliebt machen (bei *dat.* de).
queresa *f* → *querocha*.
queri|da *f mst. desp.* Geliebte *f*; ~**do** I. *adj.* lieb; geliebt; ~ *de* (*od.* *por*) *todos* überall beliebt; II. *m* Geliebte(r) *m*.
querindanga F *desp. f* Geliebte *f*.
quermes *m* 1. *Ent.* Kermes *m* (*koschenilleähnlich*) 2. *pharm.* ~ (*mineral*) Kartäuserpulver *n* (*Hustenmittel*).
querocha *f* Bienenbrut *f*; ~**r** *v/i.* Eier ablegen (*Bienen*).
queroseno ⚗ *m* Kerosin *n*.
quersoneso *hist. Geogr. m* Chersones *f*.
querubín *Rel. m* Cherubim *m*.
que|sadilla *f* Käsekuchen *m*; *Am. a.* mit Käse gefüllte Maispastete *f*; ~**sear** *v/i.* käsen, Käse machen; ~**sera** *f* 1. Käsemacherin *f*; Käsehändlerin *f*; 2. Käseform *f*; 3. Käseglocke *f*, -teller *m*; ✓ *a.* Käsekammer *f*; ~**sería** *f* 1. Käserei *f*; 2. Käsegeschäft *n*; ~**sero** *m* Käsemacher *m*; Käsehändler *m*; ~**so** *m* 1. Käse *m*; ~ *de bola (de cerdo)* Edamer Käse *m* (*Art* Fleischkäse *m*); ~ *con hierbas (para extender)* Kräuter- (Streich-)käse *m*; ~ *manchego* Mancha-Käse *m* (*span. Spezialität*); ~ *suizo* Schweizer Käse *m*; *hacer* ~ Käse machen, käsen; 2. *fig.* P ~*s m/pl.* Füße *m/pl.*, (Schweiß-) Quanten *pl.* P; P *darla con* ~ *a alg.* j-n *mit faulen Versprechungen od. Tricks* hereinlegen, j-n ködern; 3. ⚓ Mastknopf *m*.
quetzal *m* 1. *Am. trop.* Quetzal-Vogel *m* (*Wappenvogel Guat.*); 2. ♀ *m guatemaltekische Währungseinheit*.
queve|desco *adj.* charakteristisch für (den span. Autor) Quevedo; in der Art Quevedos; ~**dos** *m/pl.* Kneifer *m*, Zwicker *m* (*Brille*).
¡quiá! *int.* F keineswegs!, i wo!
qui|cial *Zim. m* 1. Tür- *od.* Fensterpfosten *m*; 2. *a.* → ~**cio** *m* Tür-, Fenster-angel *f*; *fig. sacar de* ~ *a alg.* j-n aus dem Gleis (*od.* aus dem Häuschen F) bringen; j-n verrückt machen (*fig.*); *fig. sacar de* ~ *a/c* et. übertreiben.
quiché *adj.-su. c* Quiché...; *m* Quiché-Indianer *m* (*Guat.*); *Li.* [Quiché *n*.]
quichua → *quechua*.
quid F *m* wesentlicher Punkt *m*, des Pudels Kern *m*; *dar en el* ~ ins Schwarze treffen; *este es el* ~ (*de la cosa*) hier liegt der Hase im Pfeffer.
quídam F *m* ein gewisser Jemand.
quiddidad *Phil. f* Quiddität *f*.
quie|bra *f* 1. Riß *m*; Erdspalte *f*; 2. ✝ Bankrott *m*, Konkurs *m* (*machen hacer, dar en*); ~ *fraudulenta* betrügerischer Bankrott *m*; ~**bro** *m* 1. Krümmung *f*, Biegung *f*; 2. Ausbiegen *n*; ausweichende Bewegung *f*; *fig.* F *dar el* ~ *j-n* abwimmeln F; 3. ♪ Triller *m*.
quien *pron. rel.* (*nur auf Personen bezogen*) wer; welche(r, -s); der, die, das; *hay* ~ manch einer; einige; *hay* ~ *dice* einige behaupten; *no ser* ~ *para hacer a/c.* nicht befugt (*od.* nicht der richtige Mann sein), et. zu tun.
¿quién? *pron. interr.* wer?; ⚔ *¿~ vive?* (halt,) wer da?
quienquiera *pron. indet.* irgendwer; wer auch immer; ~ *lo hace* das kann jeder.
quietis|mo *Rel. m* Quietismus *m*; ~**ta** *adj.-su. c* quietistisch; *m* Quietist *m*.
quie|to *adj.* ruhig; *¡estáte ~!* sei ruhig!; ~**tud** *f* Ruhe *f*.
quija|da *f*, ~**l** *m*, ~**r** *m* Kinnbacken *m*; Kiefer *m*.
quijones ♀ *m/pl. Art* Nadelkerbel *m*.
quijongo ♪ *m* → *taramba*.
quijo|tada *f* Versteigenheit *f*; phantastisches Unternehmen *n*; sinnloser Streich *m*, tolles Stück *n*; ~**te**[1] *m* 1. Beinschiene *f e-r Rüstung*; 2. oberer Teil *m* des Kreuzes *b. Pferd*; ~**te**[2] *m fig.* Phantast *m*, idealistischer Träumer *m*; verstiegener Narr *m*; ~**tear** *v/i.* s. wie „Don Quijote" aufführen; phantasieren, den Verstand verlieren; ~**tería** *f* Donquichotterie *f*, Phantasterei *f*; ~**tesco** *adj.* auf Don Quijote bezüglich; *fig.* phantastisch; abenteuerlich; hochfliegend; bizarr; ~**tismo** *m* Donquichotterie *f*: a) weltfremd idealistische Torheit *f*; gut gemeinte, aber sinnlose Tat *f*; b) übertriebene Ritterlichkeit *f*; lächerlicher Stolz *m*.
quila|tar *v/t.* → *aquilatar*; ~**te** *m* Karat *n*; Feingehalt *m*.
qui|lificación *Physiol. f* Chylusbildung *f*; ~**lo** ⚕ *m* Chylus *m*; *fig.* F *sudar el* ~ s. abrackern F, s. schinden.
quilla *f* 1. ⚓ Kiel *m*; 2. *Anat.* Brustbein *n der Vögel*.
quillango *m Bol.* Reitzeug *n*; *Rpl.* Fell-, *mst.* Guanaco-Decke *f od.* -Umhang *m der Indianerinnen*.
quillay ♀ *m Am.* (*bsd. Chi.*) 1. *Art* Seifenbaum *m*; 2. *Chi.* Seifenrinde *f*; 3. Grog *m* (*bzw.* Warmbier *n*) mit Zitrone.
quillo|tra F *f* Geliebte *f*; ~**trar** F I. *v/t.* 1. reizen, anstacheln; verlocken; 2. verliebt machen; verführen; 3. überdenken; II. *v/r.* ~**se** 4. s. verlieben, s. verknallen F; 5. s. herausputzen; 6. s. beklagen; jammern; ~**tro** F *m* 1. (An-)Reiz *m*; 2. (An-)Zeichen *n*; 3. Verliebtheit *f*, Verschossenheit *f* F; 4. Kompliment *n*, Schmeichelei *f*; 5. Freund *m*, Gspusi *n* (*Reg.*); 6. Putz *m*, Schmuck *m*.
quimba *Ke. f* 1. *Arg.* Anmut *f*; 2. *Col. mst.* ~*s f/pl.* schwierige Lage *f*; 3. *Col.*, *Ec.*, *Ven.* Bauernschuh *m*; 4. *Chi.*, *Bol.*, *Pe.* Hüftwiegen *n b. Tanz* (*Lockung od. Abweisung*), *b. Gehen*.
quimbo *Am. m* 1. *Ant.* → *quingombó*; 2. *Cu.* → *machete*; 3. *Kchk. Arg.*, *Chi.* (*huevos m/pl.*) ~*(s)* *Art* Eierkrem *f*.
quimbombó *m bsd. Cu.* → *quin-* [*gombó*.]
qui|mera *f* 1. Hirngespinst *n*, Chimäre *f*; 2. *Fi.* Seekatze *f*; ~**mérico** *adj.* phantastisch, absonderlich.
quími|ca *f* Chemie *f*; ~ *(in)orgánica* (an)organische Chemie *f*; ~**co** I. *adj.* chemisch; ⚔ *agresivos m/pl.* ~*s* (chemische) Kampfstoffe *m/pl.*; II. *m* Chemiker *m*.
quimioterapia *f* Chemotherapie *f*.
quimo *Physiol. m* Chymus *m*, Speisebrei *m*.
quimono *m* → *kimono*.
quina *f* 1. Chinarinde *f*; (*vino m de*) ~ Chinawein *m*; *fig. tragar* ~ die bittere Pille schlucken, s-n Ärger verbeißen; 2. ♀ a) China-, Fieberbaum *m*; b) *Am. zahlreiche Pflanzen u. Bäume, die fieberlindernde Stoffe liefern, z. B. cascarilla f od.* ~ *blanca* (*Croton niveus Jacq.*).
quinario I. *adj.* 1. fünfteilig; II. *m* 2. Fünfergruppe *f*; 3. Quinar *m* (*altrömische Münze*).
quincajú *Zo. m Am. Mer.* Wickel- [bär *m*.]
quincalle|ría *f* 1. Blechwaren *f/pl.* (*a.* = *quincalla f*); Blechwarenhandel *m*; 2. Klempnerei *f*; 3. Haushaltswaren(handel *m*) *f/pl.*; ~**ro** *m* 1. Klempner *m*, Spengler *m*; 2. Hausierer *m*.
quince *num.* fünfzehn; *dentro de* ~ *días* in vierzehn Tagen; ~**avo** *bsd.* ⚘ *m* → *quinzavo*; ~**na** *f* 1. vierzehn Tage *m/pl.*; 2. zweiwöchentliche Zahlung *f*; 3. Mandel *f* (*15 Stück*); 4. Rätsel *n* von fünfzehn Fragen; ~**nal** *adj. c* vierzehntägig.
quincua|genario I. *adj.* 1. fünfzigteilig; 2. fünfzigjährig; II. *m* 3. Fünfzigjährige(r) *m*; ~**gésima** *ecl. f* Quinquagesima *f*; ~**gésimo** *num.* fünfzigste(r, -s).
quincha *Ke. f* 1. *Am. Mer.* Wand *f aus Schilf u. Lehm*; *Chi.*, *Rpl.* Umzäunung *f*; 2. *Vo. Col.* → *colibrí*.

quingentésimo *num.* fünfhundertste(r, -s).
quingombó ♀ *m Am. Art* Eibisch *m*; *in Kch.* (*Gelatine*), *pharm. u. tex. verwendet.*
quinie|la *f* Totoschein *m*; ~s *f/pl.* (Fußball-)Toto *n*; **~lista** *c* Totospieler *m.*
quinientos *num.* fünfhundert.
quini|na *pharm. f* Chinin *n*; **~no** ♀ *m* China-, Fieberrinden-baum *m.*
quinoa ♀ *f* Reismelde *f.*
quínola *f ein Kartenspiel*; *fig.* Seltsamkeit *f*, Extravaganz *f*; F *estar de* ~s buntscheckig (gekleidet) sein.
quinqué *m* Öl-, Petroleum-lampe *f*; *fig.* F *tener mucho* ~ es faustdick hinter den Ohren haben, recht durchtrieben sein.
quinque|nal *adj. c* fünfjährig; *plan m* ~ Fünfjahresplan *m*; **~nio** *m* Zeitraum *m* von fünf Jahren.
quinqui F *m* Landstreicher *m*, *krimineller* Penner *m* P.
quinta *f* **1.** Landhaus *n*; Villa *f*; **2.** ♪ Quinte *f*; **3.** ⚔ Wehrerfassung *f*; Jahrgang *m*; *entrar en* ~s einrücken, einberufen werden.
quinta|columnista *Pol. adj.-su. c* zur fünften Kolonne gehörig; *m* Angehörige(r) *m* der fünften Kolonne; **~dor** ⚔ *m* Ausheber *m.*
quintaesenci|a *f* Quintessenz *f*; **~ar** [1b] *v/t.* die Quintessenz herausziehen aus (*dat.*); ausklügeln.
quintal *m* span. Zentner *m* (= *46 kg*); ~ *métrico* Doppelzentner *m.*
quintar ⚔ *vt/i.* (Wehrpflichtige) auslosen.
quintero *m* Gutspächter *m.*
quinteto ♪ *m* Quintett *n.*
quinti|lla *f* Strophe *f* von fünf Versen (*mst. Achtsilber*); **~llizos** *m/pl.* Fünflinge *m/pl.*; **~llo** *m ein Kartenspiel*; **~llón** *m* Quintillion *f.*
Quintín: *fig. se armó la de San* ~ es gab mächtigen Rabatz P, es kam zu gr. Streit.
quinto **I.** *num.* fünfte(r, -s); **II.** *m* erfaßte(r) Wehrpflichtige(r) *m*; Rekrut *m*; *fig.* F Tölpel *m.*
quintral ♀ *m* **1.** rote amerikanische Mistel *f*; **2.** Rotschimmel *m der Melonen, Bohnen usw.*
quintuplicar [1g] *v/t.* verfünffachen.
quíntuplo **I.** *adj.* fünffach; **II.** *el* ~ das Fünffache.
quinzavo *m* Fünfzehntel *n.*
qui|ñador *m Pe., Chi.* Kreisel *m*; **~ñar** *v/t.* **1.** *Pe.* Löcher *ins Holz* schlagen; **2.** *Pe., Chi. Kreisel durch Schläge* antreiben; **~ñazo** *m Am.* **1.** Schlag *m* auf den Kreisel; **2.** *fig.* F heftiger Stoß *m*, Knuff *m*; Zs.-prall *m*; **~ño** *m* **1.** *And.* **a)** Schlagspiel *n der Kinder*; **b)** → *quiñazo*; **2.** *Pe.* Kerbe *f*, Loch *n im Holz*; *p. ext.* Blatternarbe *f.*
quiñón *m* **1.** ⚒ Anteil *m b. e-r Verteilung*; **2.** *Fil.*: *Feldmaß* (*rd. 3 ha*).
quiosco *m* Kiosk *m*; Pavillon *m*; Zeitungs-, Blumen-stand *m*; ~ *de aseo* Bedürfnisanstalt *f.*
quipo *m* Kipu *m* (*Knotenschrift Altperus*).
quiquiriquí *onom. m* Kikeriki *n.*
quiragra ⚕ *f* Handgicht *f.*
quirguiz *adj.-su.* kirgisisch; *m* Kirgise *m.*
quírico *m Ven.* Bote(njunge) *m*; *fig.* Taugenichts *m*, Dieb *m.*
quirófano ⚕ *m* Operationssaal *m.*
quirógrafo ⚖ *adj.* eigenhändig unterfertigt (*ohne notarische Beglaubigung*); *acreedor m* ~ (*od. quirografario*) Buchgläubige(r) *m.*
quiro|mancia, **~mancía** *f* Chiromantie *f*, Handlesekunst *f*; **~mántica** *f* Handleserin *f*; **~mántico** *adj.-su.* Handlese...; *m* Chiromantiker *m*; **~práctico** *m* Chiropraktiker *m.*
quirúrgico ⚕ *adj.* chirurgisch.
quis|ca *f Arg.* Borste *f*, grobes Haar *n*; *Chi.* Kakteenstachel *m*; **~cal** *m* **1.** *elsterähnlicher Vogel Amerikas*; **2.** *Chi.* Kakteenfeld *n*; **~co** ♀ *m Chi. ein* Kaktus *m* (*Cereus peruvianus*); **~cudo** *adj. Chi.* stachlig; *fig.* borstig; grobsträhnig (*Haar*).
quisicosa F *f* Rätsel *n*; knifflige Sache *f*; innere Unruhe *f.*
quisling *neol. Pol. m* Quisling *m*, Verräter *m.*
quisque *lt.* F: *cada* ~ jeder.
quisqui|lla *f* **1.** F Kleinigkeit *f*; Lappalie *f*; **2.** *Zo.* Sägegarnele *f*; **~lloso** *adj.* **1.** empfindlich; zimperlich; **2.** kleinlich; nörglerisch.
quiste ⚕ *m* Zyste *f.*
quisto *part. irr.*: *bien* (*mal*) ~ (un-)beliebt.
quita ⚖ *f* Schuld(en)erlaß *m*; **~ción** *f* Bezahlung *f*, Besoldung *f*; ⚖ → *quita*; **~esmalte** *m* Nagellackentferner *m*; **~manchas** *m* (*pl. inv.*) Fleckenentferner *m*; Fleckenwasser *n* (F *a. quitamanchao m*); **~meriendas** ♀ *f* (*pl. inv.*) *Art* Herbstzeitlose *f*; **~miedos** F *m* (*pl. inv.*) Sicherheitsvorrichtung *f* (*z. B. Geländer, Halteseil usw.*); **~motas** F *c* (*pl. inv.*) Schmeichler(in *f*) *m*; **~nieves** *m* (*pl. inv.*) Schneepflug *m*; Schneeräumer *m.*
quitanza † *u. Reg. f* Quittung *f*; *dar* ~ quittieren.
quita|pesares F *m* (*pl. inv.*) Sorgenbrecher *m*, Trost *m*; **~pinturas** *m* (*pl. inv.*) Farbentferner *m*; **~pón** *m* Kopfzierat *m der Maultiere.*
quitar **I.** *v/t.* **1.** nehmen, wegnehmen; entfernen; *Deckel usw.* abheben; *Flecken* entfernen; *Tisch* abdecken, abräumen; *Unart* abgewöhnen; F *¡quita!* nicht doch!; pfui!; laß los!; F *¡quita allá!* hör' doch auf (damit)!; Unsinn!; F *quitando ...* abgesehen von ... (*dat.*), außer ... (*dat.*); *fig.* F *por un quítame allá esas pajas* wegen e-r Geringfügigkeit, wegen nichts u. wieder nichts (*Streit anfangen u. ä.*); *fig.* ~*le a/c. de la cabeza a alg.* j-n von e-r Sache abbringen; *fig.* P *te voy a* ~ *la cara* (*od. los mocos od. hocicos*) ich reiß' dir den Kopf ab; gleich kriegst du eins aufs Maul P; *eso le quita las ganas* das nimmt ihm alle Lust, da(mit) ist er bedient F; ~*le a alg. el gusto* j-m den Geschmack verleiden; ~ *de en medio* aus dem Weg räumen; *a. fig.* beseitigen, töten; ~*le a alg. los méritos* j-m s-e Verdienste absprechen; *no* ~ *ojo de* kein Auge wenden von (*dat.*); *una cosa no quita la otra* eines verhindert das andere nicht; *me quita usted la palabra de la boca* Sie nehmen mir das Wort aus dem Munde, ich wollte genau dasselbe sagen; ~ *la vida a alg.* j-m das Leben nehmen; *fig.* j-n sehr ärgern, j-m hart zusetzen; **2.** abnehmen; abziehen; *Fechtk.* ablenken; **3.** entwenden, stehlen; **4.** *Anm.*: *Wiedergabe durch dt.* ab ...: ⊕ ~ *afilando* abschleifen; ~ *a martillazos* abklopfen; ~ *con la lima* abfeilen; **II.** *v/r.* ~*se* **5.** s. befreien (*od.* losmachen) (von *dat.* de); ~*se a alg.* (*od. a/c.*) *de encima* s. j-n (*od.* et.) vom Leibe halten, s. j-n (*od.* et.) vom Halse schaffen; *fig. se me ha* ~*ado un peso de encima* mir ist ein Stein vom Herzen gefallen; *fig. quitárselo de la boca* es s. vom Munde absparen; *fig.* P *no saber ni siquiera* ~*se los mocos* mehr als dämlich sein F, rotzdoof sein P; **6.** *Kleidungsstücke* ausziehen; *Mantel usw.* ablegen; *Hut, Brille* abnehmen; **7.** s. zurückziehen; aus dem Wege gehen; F *¡quítate de ahí* (*od. de delante od. de en medio*)*!* mach, daß du wegkommst!, hau ab! P.
quita|sol *m* **1.** Sonnenschirm *m*; **2.** ♀ *Méj. ein Pilz*; **~solillo** ♀ *m Cu.* **1.** Wassernabel *m* (*2 Arten*); **2.** *ein eßbarer Pilz*; **~sueño** F *m* (schlaflose Nächte verursachender) Kummer *m.*
quita y pon: ⊕ *oft* abnehmbar; *de* ~ zum Wechseln; *palanca f de* ~ An- u. Abstellhebel *m.*
quite *m Fechtk.* Parade *f*; *Stk.* Ablenkung *f*; *fig. estar al* ~ bereit sein (, j-m beizuspringen).
quiti|na *Biol. f* Chitin *n*; **~noso** *adj.* chitinhaltig; Chitin...
quiyapí *m Rpl. indianische* Bekleidung *f aus* (*Otter-*)*Fell.*
quiz *Angl. m* Quiz *n.*
quizá(s) *adv.* vielleicht (*span.* + *subj.*, *dt.* + *ind.*); F ~ *y sin* ~ unter allen Umständen, ganz bestimmt.
quórum (*Aussprache*: ['korun]) *m* Quorum *n*, Mindeststimmenzahl *f*; *alcanzar el* ~ beschlußfähig sein (*Versammlung*).

R

R, r (= *ere*) *f* R, r *n*.
rabadán *m* Oberschäfer *m*.
rabadilla *f* Steißbein *n*; Sterz *m*, Bürzel *m der Vögel*. [mer *n*.]
rabalera *f* ordinäres Frauenzim-
raba|nera *f* Rettichverkäuferin *f*; *fig.* F grobes (*bzw.* unverschämtes) Weibsstück *n* P; **~nero I.** *adj. fig.* F sehr kurz (*Kleid*); grob, unverschämt; **II.** *m* Rettichhändler *m*; **~nillo** *m* **1.** ⚒ Radieschen *n* (*a.* ~ *picante*); ⚘ Ackerrettich *m*; **2.** *fig.* Stich *m des Weines*; **3.** *fig.* **a)** Sprödigkeit *f*, Barschheit *f im Umgang*; **b)** *unwiderstehlicher* Drang *m*, Kitzel *m*; **~niza** *f* Rettichsamen *m*.
rábano ⚘ *m* (⚒ *a.* ~ *largo*) Rettich *m*; ~ *picante* Meerrettich *m*; *fig.* F *a mí me importa un* ~ das ist mir schnuppe F, das ist mir wurscht F; *fig. tomar el* ~ *por las hojas* das Pferd beim Schwanz aufzäumen.
rabárbaro ⚘ *m* → *ruibarbo*.
rabear *v/i.* mit dem Schwanz wedeln.
rabel[1] *Folk. m dreisaitige* Hirtengeige *f*; *einsaitige* Spielzeuggeige *f* (*Resonanzkörper*: *Schweinsblase*).
rabel[2] F *m* Hintern *m* F, Po(po) *m* F.
rabe|o *m* Wedeln *n*, Schwänzeln *n*; **~ra** *f* hinterer Teil *m*; Griff *m*, Stiel *m versch. Geräte*; Schaftende *n e-r Armbrust*.
rabí *Anredeform*: Rabbi.
rabia *f* **1.** Wut *f*; Zorn *m*; *dar* ~ ärgern, wütend machen; *tener* ~ *a* (*od. contra*) *alg.* **a)** auf j-n wütend sein; **b)** j-n nicht ausstehen können; **2.** *vet.*, ⚕ Tollwut *f*; **~r** [1b] *v/i.* wüten, toben; *fig.* P *pica que rabia* es brennt fürchterlich (*scharf Gewürztes*); *adv. fig.* F *a* ~ entsetzlich viel; *fig.* F ~ *de impaciencia* vor Ungeduld brennen; ~ *por a/c.* auf et. (*ac.*) (sehr) erpicht sein; ~ *por* + *inf.* vor Begierde brennen, zu + *inf.*
rabiatar *v/t. Tiere* am Schwanz anbinden.
rábico ⚕ *adj.* Tollwut...
rabi|caliente V *adj. c* geil; **~corto** *adj.* kurzschwänzig; *fig.* sehr kurz (*Kleid*).
rábida *f* → *rápita*.
rabieta I. *f* Wutanfall *m*; kindische Wut *f*; **II.** **~s** *c* (*pl. inv.*) Hitzkopf *m*, jähzorniger Mensch *m*.
rabi|horcado *Vo. m* Fregattvogel *m*; **~largo I.** *adj.* langschwänzig; **II.** *m Vo.* Blauelster *f*; **~llo** *m dim.* **1.** ⚘ **a)** Stiel *m*, Stengel *m*; **b)** Taumellolch *m*; **2.** Westen- *bzw.* Hosen-schnalle *f*; **3.** ~ *del ojo* Augenwinkel *m*; *mirar con el* ~ *del ojo* von der Seite (*od.* mißtrauisch) ansehen.

ra|bínico *Rel. adj.* rabbinisch, Rabbiner...; **~binismo** *m* Lehre *f* der Rabbiner; **~bino** *m* Rabbiner *m*.
rabioso *adj.* **1.** ⚕ tollwütig; *fig.* wütend; **2.** heftig (*Schmerz*, *Verlangen*); *fig.* F schreiend, knallig F (*Farbe*); scharf (*Gewürz*).
rabi|salsera F *adj. f* keß u. frech (*Frau*); **~za** *f* Spitze *f der Angelrute*; ⚓ Schwieking *f*.
rabo *m* **1.** Schwanz *m*, Schweif *m* (→ *a. cola*); *fig. alles Schwanzähnliche*; *fig.* **~s** *m/pl. de gallo* Feder-, Zirrus-wolke *f*; *fig.* ~ *del ojo* → *rabillo 3*; *fig.* F *Ant.*, *Méj.* ~ *verde* lebenslustige(r) Alte(r) *m*; *Jgdw.* ~ *a viento* mit dem Wind im Rücken (*Wild*); *fig.* F *asir por el* ~ falsch (*od.* ungeschickt) anpacken (*fig.*); *ir(se con el)* ~ *entre piernas* beschämt abziehen, den Schwanz einziehen (*fig.* P); *aún queda* (*od. falta*) *el* ~ *por desollar* das Schwierigste kommt noch; *a.* das dicke Ende kommt noch F; F *aún te ha de sudar el* ~ du wirst noch ganz schön ins Schwitzen kommen (*a. fig.* F); *volver de* ~ ganz anders (als erwartet) kommen; **2.** ⚘ ~ *de zorra* Fuchsschwanz *m*; **3.** V Penis *m*, Schwanz *m* P.
ra|bón *adj.* **1.** schwanzlos; kurzschwänzig; **2.** *Am.* sehr (*od.* zu) kurz (*z. B. Kleid*); **3.** *Chi.* nackt; **4.** F *Méj.* erbärmlich; völlig unbedeutend; **~bona** *f fig.* F: *hacer* ~ die Schule schwänzen; P *hacer* ~ *a alg.* j-n versetzen F; **~boso** *adj.* ausgefranst.
ra|botada F *f* Frechheit *f*, Grobheit *f*; scharfe (*bzw.* unverschämte) Antwort *f*; **~botear** *v/t. Lämmern* den Schwanz stutzen (*dat.*); **~boteo** *m* Schwanzstutzen *n* (*Vorgang u. Zeit*); **~budo** *adj.* lang- *bzw.* dick-schwänzig. [bulist *m*.]
rábula *m* Rechtsverdreher *m*, Ra-
racial *adj. c* Rassen...
racimo *m* Traube *f*; Büschel *n*; *fig.* Schar *f*, Schwarm *m*; **~so** *adj.* mit vielen (Blüten-)Trauben.
racioci|nar *v/i.* vernunftgemäß denken; **~nio** *m* Urteilsfähigkeit *f*; Überlegung *f*; Gedankengang *m*.
ración *f* **1.** Ration *f*; Zuteilung *f*; Portion *f*; ~ *de carne* Fleischportion *f*; ~ *de hambre* Hungerration *f*; *fig.* Hunger-geld *n*, -lohn *m*; **2.** *ecl. Reg.* Pfründe *f*.
raciona|l *adj. c* **1.** rational; **2.** rationell, zweckmäßig; sparsam; **~lidad** *f* Vernünftigkeit *f*; Zweckmäßigkeit *f*; **~lismo** *m* Rationalismus *m*; **~lista** *adj.-su. c* rationalistisch; *m* Rationalist *m*; **~lización** *f* Rationalisierung *f*; **~lizador** *neol. m* Rationalisator *m*; **~lizar** [1f] *v/t.* rationalisieren.
raciona|miento *m* **1.** Bewirtschaftung *f*, Rationierung *f*; **2.** Ausgabe *f* der Rationen, Zuteilung *f*; **~r** *v/t.* **1.** rationieren; **2.** ⚔ die Rationen ausgeben an (*ac.*).
racis|mo *m* Rassen-lehre *f*, -wahn *m*, Rassismus *m*; **~ta** *c* **I.** *adj.* rassistisch; rassenpolitisch; **II.** *m* Rassen-fanatiker *m*; -politiker *m*.
racor ⊕ *m* Anschlußstutzen *m mit Gewinde*; ~ *de lubri(fi)cación* Schmiernippel *m*.
racha *f* Windstoß *m*, Bö *f*; *fig.* Reihe *f*, Serie *f*; *buena* (*mala*) ~ Glücks- (Pech-)strähne *f*.
rada ⚓ *f* Reede *f*.
radar *od.* **rádar** *HF m* Radar *m*, *n*; *antena f* (*instalación f*) ~ Radar-antenne *f* (-anlage *f*); *sistema m de guiado por* ~ Radarleitsystem *n*; *técnico m* (*od. operador m*) *de* ~ Radartechniker *m*.
radiación[1] *Phys. f* Strahlung *f*; *calor m de* ~ Strahlungswärme *f*; ~ *acústica* (*od. sonora*) Schallabstrahlung *f*, Beschallung *f*; ~ *solar* Sonnenstrahlung *f*; *Met.* Sonneneinstrahlung *f*, -bestrahlung *f*.
radiación[2] *gal. f Am.* Streichung *f*, Löschung *f*.
radia|ctividad *Phys. f* Radioaktivität *f*; **~ctivo** *adj.* radioaktiv; **~do I.** *adj.* strahlenförmig; Strahlen...; Funk...; *discurso m* ~ Rundfunkrede *f*; **II.** **~s** *m/pl. Zo.* Strahlentiere *n/pl.*; **~dor** *m* **1.** Heizkörper *m*, Radiator *m*; *Kfz.* Kühler *m*; **2.** *Phys.* Strahler *m*; **~l I.** *adj. c Anat.*, ⊕, 𝔄 radial; strahlen-, speichen-förmig; **II.** *m Anat.* Speichenbeuger *m* (*Muskel*); **~nte** *adj. c* strahlend; Strahlungs...; *fig.* ~ (*de alegría*) (vor Freude) strahlend; **~r**[1] [1b] **I.** *v/t. Phys.* aus-, abstrahlen; *Rf. usw.* funken; ausstrahlen, senden; **II.** *v/i.* strahlen, leuchten, glänzen.
radiar[2] [1b] *gal. v/t. Am. in e-r Liste usw.* streichen.
radica|ción *f* **1.** Wurzeltreiben *n*; *a. fig.* Ein-, Ver-wurzelung *f*; **2.** 𝔄 Wurzelziehung *f*; **~l I.** *adj. c* **1.** gründlich, von Grund auf; Grund...; radikal; Wurzel...; *Li. sílaba f* ~ Stammsilbe *f*; **II.** *m* **2.** *Pol.* Radikale(r) *m*; **3.** *Li.* Wurzel *f*; Stamm *m*; Radikal *m*; **4.** 𝔄 Wurzelzeichen *n*; **5.** *Psych.*, ⚗ Radikal *n*; **~lismo** *m* Radikalismus *m*; **~lización** *f* Radikalisierung *f*; **~ndo** 𝔄 *m* Radikand *m*; **~r** [1g] **I.** *v/i.* wurzeln; s-n Stammsitz haben; *fig.*

~ en beruhen auf (*dat.*); bestehen in (*dat.*); **II.** *v/r.* ~se festen Fuß fassen, s. niederlassen.
radícula *f* **1.** ♀ Wurzelkeim *m*; **2.** *Anat.* Nervenwurzel *f*.
radieste|sia *Psych. f* Radiästhesie *f*, Strahlenfühligkeit *f*; **~sista** *c* (Wünschel-)Rutengänger *m*; Pendler *m*.
radio[1] *m* **1.** ⩓ *u. fig.* Radius *m*, *nur* ⩓ Halbmesser *m*; *fig.* (Um-)Kreis *m*; ~ *de acción* (✈ *de vuelo*) Aktions- (Flug-)radius *m*; ~ *focal* Brennstrahl *m* (*z. B. e-r Ellipse*); ✝ ~ *internacional de venta* internationaler Absatzkreis *m*; ~ *visual* Gesichtskreis *m*; **2.** *Anat.*, ⊕ Speiche *f*; ~ *de rueda* Radspeiche *f*; **3.** → *radiograma*.
radio[2] ⚗ *m* Radium *n*.
radio[3] **I.** *f* (*Span.*, *Arg.*), *m* (*Am.*) Radio *n* (*Rundfunk u. Rundfunkgerät*); *calma f de* ~ Funkstille *f*; ⊕ *guiado por* ~ funkgesteuert; *cuota f de* ~ Rundfunkgebühr *f*; ~ *portátil* Kofferradio *n*; **II.** *m* Funker *m*.
radio|aficionado *m* Funkamateur *m*; **~astronomía** *f* Radioastronomie *f*; **~audición** *f* Rundfunkhören *n*; -konzert *n*; -darbietung *f*; **~baliza** ⚓, ✈ *f* Funkbake *f*; **~biología** *f* Radiobiologie *f*; **~-compás** ✈ *m* Bordpeiler *m*; **~comunicación** *Fmw. f* Radio-, Funk-verbindung *f*; Funkgespräch *n*; **~conductor** *m HF* Fritter *m*; *Tel.* Empfänger *m* für drahtlose Telegraphie; **~diagnóstico** ⚕ *m* Röntgen-diagnose *f*; -diagnostik *f*; **~difundir** *v/t.* senden; **~difusión** *f* Rundfunkübertragung *f*; ~ *sonora* Tonfunk *m*; **~electricidad** *f* Radioelektrizität *f*; **~eléctrico** *adj.* radioelektrisch; drahtlos; **~elemento** ⚗ *m* radioaktives Element *n*; **~emisora** *f* (Rund-)Funksender *m*; ~ *clandestina* Schwarzsender *m*; **~-emisión** *f* (Rund-)Funksendung *f*; **~enlace** *m* (*dirigido*) (Richt-)Funkverbindung *f*; **~escucha** *c* Rundfunkhörer(in *f*) *m*; **~experimentador** *m* Funk-amateur *m*; -bastler *m*; **~faro** ⚓, ✈ *m* Funkbake *f*; Funk-, Richt-feuer *n*; **~fonía** *f* → *radiotelefonía*; **~fónico** *adj.* Sprechfunk...; Rundfunk...; *pieza f* ~ Hörspiel *n*; **~frecuencia** *f* Radiofrequenz *f*; **~goniometría** *f* Funkpeilung *f*; **~goniómetro** *m* Funkpeilgerät *n*.
radio|grafía ⚕, ⊕ *f* Röntgen-aufnahme *f*; -bild *n*; **~grafiar** [1c] *v/t.* **1.** ⚕, ⊕ röntgen, durchleuchten; **2.** *Fmw.* funken; **~gráfico** *adj.* röntgenographisch; **~grama** *m* Funkspruch *m*.
radio|isótopo ⚗ *m* Radiumisotop *n*; **~lario** *Zo. m* Strahlentierchen *n*; **~localización** *f* Funkortung *f*; Radar *n*.
radi|ología ⚕ *f* Röntgenologie *f*; Strahlenforschung *f*; **~ológico** ⚕ *adj.* röntgenologisch, Röntgen...; **~ólogo** ⚕ *m* Röntgenologe *m*; Radiologe *m*.
radi|omensaje *m* Funkspruch *m*; Rundfunkbotschaft *f*; **~ometría** *HF f* Funkmeßtechnik *f*; **~ómetro** *Phys. m* **1.** Radiometer *n*; **2.** *HF a.* → *radiotelémetro*.
radio|navegación ⚓, ✈ *f* Funk-navigation *f*, -ortung *f*; **~operador** *m* Funker *m*; **~-patrulla** *f* Funkstreife *f*; **~química** *f* Radiochemie *f*; **~-relé** *m* Relaisstation *f*; **~rreceptor** *m* (Rund-)Funkempfänger *m*; **~scopia** ⚕ *f* Durchleuchtung *f*; **~scópico** ⚕ *adj.* Durchleuchtungs...; Röntgen...; **~sensible** *adj. c* strahlenempfindlich.
radioso *adj.* strahlend, leuchtend.
radio|sonda *Met. f* Radiosonde *f*; **~taxi** *m* Funktaxi *n*; **~teatro** *m* Rundfunk-theater *n*; -bühne *f*; Hörspiel *n*; **~técnica** *f* (Rund-)Funktechnik *f*; **~técnico I.** *adj.* radio-, funk-technisch; **II.** *m* Radio-, Rundfunk-techniker *m*.
radiote|lecomunicación *f* Funk-(melde)wesen *n*; **~lefonía** *f* Sprechfunk *m*; **~léfono** *m* Funksprechgerät *n*; **~legrafía** *f* drahtlose Telegraphie *f*; Funkverkehr *m*; Funken *n*; **~legrafista** *m* Funker *m*; **~lémetro** *m* Funkmeßgerät *n*; **~levisado** *adj.* über Funk u. Fernsehen (gesendet).
radioterapia *f* Strahlenbehandlung *f*; ~ *profunda* Tiefenbestrahlung *f*.
radiotransmi|sión *f* Funkübertragung *f*; **~ones** *f/pl.* Funkwesen *n*; ~ *de imágenes* Bildfunk *m*; ~ (*por vía*) *telefónica* Drahtfunk *m*; **~sor** *m* Funksender *m*.
radio-vector ⩓ *m* Leitstrahl *m*, Radiusvektor *m*.
radioyente *c* Rundfunkhörer(in *f*) *m*; ~ *clandestino* Schwarzhörer *m*.
radón ⚗ *m* Radon *n*.
rae|dera *f* Schabeisen *n*; Schabemesser *n*; **~dura** *f* Schaben *n*; Abschabsel *n*; **~r** [2z] *v/t.* **1.** (ab)schaben; *fig.* ausrotten, (aus)tilgen; **2.** → *rasar 1 fig.*
ráfaga *f* Windstoß *m*; ⚔ Feuerstoß *m*; *en* **~s** stoßweise, in Stößen; ~ *de ametralladora* Maschinengewehrgarbe *f*; ~ *de luz* Aufblitzen *n*, Lichtstrahl *m*.
rafia *f* ♀ Raphiapalme *f*; Raphiabast *m*; *p. ext.* Bast *m*.
raglán *m* Raglan *m*; *manga f* ~ Raglanärmel *m*.
ra|gout *frz.*, **~gú** *gal. Kchk.* Ragout *n*.
raído *adj.* abgeschabt; abgetragen (*Kleidung*); *fig.* unverschämt.
rai|gambre *f* Wurzelwerk *n*; *fig.* Verwurzelung *f*; *tener* ~ verwurzelt sein; **~gón** *m* starke Wurzel *f*; *Anat.* Zahnwurzel *f*.
rail *od.* **raíl** *m* (Eisenbahn-)Schiene *f*; ~ *de corredera* Laufschiene *f b. Schiebetür.*
raíz *f* **1.** ♀ *u. fig.* Wurzel *f*; *fig.* Ursprung *m*; ~ *aérea* (*pivotante*) Luft-(Pfahl-)wurzel *f*; *a* ~ *de* nahe bei (*dat.*), dicht an (*dat.*), dicht über (*dat.*); *fig.* unmittelbar (*od.* kurz) nach (*dat.*); auf Grund von (*dat.*), zufolge *od.* gemäß (*dat.*); *adv.* de (*od. a*) ~ *a. fig.* von der Wurzel her; mit der Wurzel; *fig.* ganz u. gar, von Grund aus; mit Stumpf u. Stiel; *a. fig. echar raíces* Wurzel schlagen; *a. fig. tener raíces* fest verwurzelt sein; **2.** *Li.*, ⩓ Wurzel *f*; ~ *cuadrada* (*cúbica*) Quadrat-(Kubik-)wurzel *f*; **3.** (*bienes m/pl.*) *raíces f/pl.* Liegenschaften *f/pl.*; **4.** *Anat.* ~ *de la uña* Nagelwurzel *f*.
raja *f* **1.** Riß *m*, Spalt *m*; Sprung *m*; Spalte *f*; Schlitz *m*, Ritze *f*; **2.** Span *m*, Splitter *m*; *fig.* F *hacerse* **~s** s. allzusehr einsetzen, s. zerreißen (*fig.* F); **3.** Schnitz *m* (*Melone usw.*); Scheibe *f* (*Brot, Wurst usw.*); *fig.* F *sacar* ~ s-n Schnitt machen.
rajá *m* (*pl.* **~aes**) Radscha *m*.
raja|broqueles F *m* (*pl. inv.*) Maulheld *m*; **~da** F *f Am.* **1.** Rückzieher *m* F, Wortbruch *m*; **2.** P Vulva *f*, Schlitz *m* P; **~diablos** F *m* (*pl. inv.*) *Chi.* Teufelskerl *m*; *iron.* → *rajabroqueles*; **~dizo** *adj.* splissig; zum Bersten (*od.* Zerspringen) neigend; **~do** *adj.* **1.** rissig; geborsten, zersprungen; **2.** *fig.* F *Am.* wenig verläßlich, wortbrüchig; feige; **~dor** *m* **1.** (Holz-)Spalter *m*; **2.** Spaltklinge *f der Böttcher*; Reißer *m der Korbmacher*; **~dura** *f* Spaltbildung *f*; Riß *m*; Sprung *m*; **~r I.** *v/t.* **1.** spalten; ausea.-brechen; schlitzen; (ein)ritzen; zerlegen; in Schnitze teilen; **2.** *fig.* F **a)** *Reg. u. Am. j-n* durchhecheln, *j-n* zerreißen F; **b)** *Arg.* hinauswerfen; **c)** *Am. Reg. j-n* fertigmachen F; *b. e-r Prüfung* durchfallen lassen; **II.** *v/i. fig.* F **3.** (s.) großtun, prahlen; **4.** schwatzen; *Reg. u. Am.* hecheln (*fig.* F); **III.** *v/r.* **~se 5.** reißen, (zer)springen; platzen; aufspringen (*Haut*); *fig.* F **~se** *de risa* s. totlachen; **~se** *por* s. zerreißen wegen (*dat.*) F, s. abrackern für (*ac.*); **6.** *fig.* F e-n Rückzieher machen, kneifen F; **7.** *Am. Reg.* viel Geld ausgeben (bei *dat.*, für *ac. con*); **8.** F *Arg.*, *Col.* s. irren; **9.** *Cu.* (*Bol.* ~ *la tierra*) s. auf u. davon machen.
rajata|bla *adv.*: *a* ~ sehr streng; unbedingt, um jeden Preis; **~blas** F *m* (*pl. inv.*) *Col.* scharfer Verweis *m*, Rüffel *m*.
ralea *f* **1.** *desp.* Sippe *f*, Gezücht *n* (*desp.*); **2.** Art *f*, Sorte *f*.
ralear *v/i.* dünn werden (*Tuch*); dünn stehen (*Saaten*); s. lichten (*Haare, Laub, Wald*); weniger werden (*Zähne*).
ralentí *m Phot.* Zeitlupe *f*; *Kfz.* (*reglaje m de la*) *marcha f en* ~ Leerlauf(einstellung *f*) *m*.
ralo[1] *adj.* spärlich; dünn, fadenscheinig; licht (*Laub, Wald*); licht, schütter (*Haar*).
ralo[2] *Vo. m* Ralle *f*.
ra|llador *m* Reibe *f*, Reibeisen *n*; ⊕ Reibstuhl *m*; **~lladora** *f*: ~ *de patatas* Kartoffelreibe *f* (*Maschine*); **~lladura** *f* **1.** Reiben *n*, Raspeln *n*; **2.** Reibsel *n*; **~llar** *v/t.* reiben, raspeln; aufrauhen; zerreiben; *fig.* belästigen; **~llo** *m* **1.** Reibe *f*; Raspel *f*; *fig.* F *cara f de* ~ blatternarbiges Gesicht *n*; **2.** Kühlgefäß *n*.
rallye *Sp. m* Rallye *f*, Sternfahrt *f*.
rama[1] *f* **1.** *a.* ⩓, *Ballistik*: Ast *m*; Zweig *m*; *p. ext.* Linie *f* (*Stammbaum*); *fig. adv. de* ~ *en* ~ ziellos; ständig wechselnd; *fig. andarse por las* **~s** abschweifen; *fig. asirse a las* **~s** lahme Entschuldigungen (*bzw.* faule Ausreden) suchen; **2.** *fig.* → *ramo 3*; **3.** *en* ~ *b. best. Stoffen*: Roh...; *Buchb.* noch nicht gebunden; *algodón m en* ~ Rohbaumwolle *f*.

rama² *f Typ., tex.* Rahmen *m*; *Typ.* ~ de cierre Schließrahmen *m*.
ramada *f* → *ramaje*.
ramadán *Rel. m* Ramadan *m*.
ramaje *m* Astwerk *n*, Geäst *n*; Gezweig *n*; Reisig *n*.
rama|l *m* **1.** (Seil- *usw.*) Strang *m*; *Equ. usw.* Halfter(strick *m*) *f*; **2.** Abzweigung *f*; Seiten-arm *e-s Flusses*, -kanal *m e-s Bewässerungsgrabens*; Seiten-weg *m*, 🚂 -linie *f*; Ausläufer *m e-s Gebirges*; *Vkw. a.* Stich-bahn *f bzw.* -straße *f*; 🚂 ~ de vía Stichgleis *n*; **3.** ⚘ Ranke *f*, Gabel *f*; **4.** ⊕ Abzweigstutzen *m*; Zweigleitung *f*; Abzweigung *f*; △ Treppenflügel *m*; **5.** ⚒ Gang *m*, Ader *f*; **~lazo** *m* **1.** Hieb *m*, Schlag *m mit e-m Strick*; *fig.* plötzlicher Schmerz *m*, Stich *m*; Anfall *m*; **2.** Striemen *m*; *p. ext.* blauer Fleck *m*; **~zón** *f* Astholz *n*; abgehauene Äste *m/pl.*, Reisig *n*.
rame|ado *adj.* mit Ranken- u. Blumenmustern (*Stoff*, *Tapete usw.*); **~al** ⚘ *adj. c* Zweig...; **~ra** *f* Hure *f*, Dirne *f* (*a. fig.*); **~ría** *f* **1.** Hurenhaus *n*; **2.** Hurerei *f*.
ramifi|cación *f a. fig.* Verzweigung *f*; **~car(se)** [1g] *v/t.* (*v/r.*) (s.) verzweigen.
rami|lla *f* Zweig(lein *n*) *m*; *fig.* F kl. Hilfsmittel *n*, Strohhalm *m* (*fig.*); **~llete** *m* **1.** (Blumen-)Strauß *m*; *fig. u. lit.* Auslese *f*, *et.* Kostbares *n*; **2.** ⚘ (Blüten-)Strauß *m* (*Blütenstand*); **3.** Tafelaufsatz *m*; **~lletera** *f* Blumenbinderin *f*.
ramio *m* **1.** ⚘ Chinagras *n*, Ramie *f*; **2.** *tex.* (tejido *m* de) ~ Grasleinen *n*.
rami|to *m* Sträußchen *n*; **~za** *f* Gezweig *n*; Reisig *n*; aus Zweigen Geflochtene(s) *n*.
ramno ⚘ *m* Kreuzdorn *m*.
ramo *m* **1.** Zweig *m*; ~ (de flores) Blumenstrauß *m*; *a. fig.* ~ de olivo Ölzweig *m*; **2.** Strauß *m e-r Straußwirtschaft*; **3.** *fig.* Fach *n*, Zweig *m*, Gebiet *n*; ✝ Branche *f*; ~ de artes gráficas graphisches Gewerbe *n*; ~ del automóvil Auto(mobil)branche *f*; ~ de (la) construcción Baugewerbe *n*, -fach *n*; **~jo** *m* Astabfälle *m/pl.*, Reisig *n*.
ra|món *m* Reisigabfall *m b. Ausästen*; **~monear** *v/i.* Bäume (*od.* Sträucher) verbeißen (*Wild*); **~moneo** *m* Verbiß *m* (*Wild*); **~moso** *adj.* (viel)ästig, astreich.
rampa *f* Rampe *f*; Auf-, Zu-fahrt(s-rampe) *f*; ~ de lanzamiento Abschußrampe *f für Raketen*; **~nte** ▨ *adj. c* aufgerichtet (*Wappentier*).
ram|plón **I.** *adj.* grob gearbeitet (*bsd. Schuh*); *fig.* grob, ungehobelt; abgerissen, schäbig; **II.** *m* Stollen *m e-s Hufeisens*; **~plonería** *f* grobe (*od. a.* pfuscherhafte) Arbeit *f*; *fig.* Grobheit *f*, Ungeschliffenheit *f*.
rampo|jo *m* (Trauben-)Kamm *m*; **~llo** *m* Schößling *m*, Fechser *m*.
rana *f* **1.** *Zo.* Frosch *m*; ~ de San Antonio Laubfrosch *m*; *Fi.* ~ pescadora, ~ marina Seeteufel *m*; ~ temporaria (verde común) Gras- (Wasser-)frosch *m*; ~ de zarzal Unke *f*; *fig.* F cuando la ~ críe pelos an Sankt Nimmermehr, nie; salir (*od.* ser) ~ s. als Niete erweisen (*Person*, *Unternehmen*); no ser ~ aufgeweckt (*od.* auf Draht F) sein; **2.** ⚕, *vet.* ~s *f/pl.* → *ránula*; **3.** ⊕ ~ (de mordazas) Froschklemme *f*; **4.** Froschspiel *n* (*Wurfspiel*); **5.** P warmer Bruder *m* P, Schwule(r) *m* P.
ranci|arse [1b] *v/r.* ranzig werden; **~dez**, **~edad** *f* Ranzigkeit *f*; *fig.* Alter *n bzw.* Altüberkommene(s) *n*; *desp.* Altmodische(s) *n*, alter Zopf *m* (*fig.*); **~o** *adj.* **1.** ranzig; *fig.* altmodisch; **2.** (ur)alt; alt u. stark (*Wein*); de ~ abolengo uralt (*Adel*).
ran|chada **I.** *adj. Col.* mit Laubdach (*Boot*); **II.** *f Arg.* Ziehen *n* von Rancho zu Rancho; **~char** *Am.* **I.** *v/t.* → *ranchear 3*; **II.** *v/i. Arg.* von Rancho zu Rancho ziehen (*um zu feiern*); *Col.* über Nacht lagern; übernachten; **~chear** **I.** *v/i.* **1.** lagern; s. Hütten bauen; **2.** e-e Eßgemeinschaft (*od.* ⚔ e-e Korporalschaft, ⚓ e-e Backschaft) bilden; **II.** *v/t.* **3.** *Am. feindliche Niederlassungen* plündern; **~chera** ♪ *f Am. Reg. Volksweise*; **~chería** *f*, *Am. a.* **~cherío** *m* **1.** Hüttensiedlung *f*; *p. ext.* Lager *n*; Horde *f*; **2.** Truppen- (*bzw.* Gefängnis-)küche *f*; Stelle *f* zum Abkochen; **~chero** *m* **1.** ⚔ Koch *m*, Essenausgeber *m*; ⚓ Backmeister *m*; **2.** Besitzer *m* e-s Ranchos; *Am.* Siedler *m*; *p. ext.* (*oft* ungebildeter) Landbewohner *m*; **~cho** *m* **1.** *bsd.* ⚔ Verpflegung *f*, (Mannschafts-)Kost *f*; *p. ext.* ⚔ Korporalschaft *f*, ⚓ Back(schaft) *f*; *fig.* F (Zs.-kunft *f* e-r) Clique *f*; ⚔ ¡formar para el ~! Essenholer 'raus!; ⚔ hacer el ~ abkochen; *fig.* F hacer ~ aparte s. absondern, e-e Extrawurst gebraten haben wollen F; *Am. a.* s. selbständig machen; heiraten; **2.** (Feld-, Hirten-, Zigeuner-) Lager *n*; ⚓ ~s *m/pl.* de la tripulación Mannschaftsräume *m/pl.*; F asentar el ~ Rast (*od.* Lager) machen; s-e Hütte bauen, s. ansiedeln; **3.** *bsd. Gal. u. Am. Reg.* (Lehm-, Feld-)Hütte *f*; *Am.* Viehfarm *f*, Ranch *f* (*engl.*); Rancho *m* (*reg. verschieden*); *Ant.* Hütte *f*; *Méj.*, *Rpl.* Farm *f*; *Pe.* Land-haus *n*, -sitz *m*; *P. Ri.*, *Méj. Reg.* Unterstand *m*; Schuppen *m*.
randa **I.** *f* (Noppen-)Spitze *f*; **II.** *m fig.* F Gauner *m*; □ Taschendieb *m*; **~r** □ *v/t.* stehlen.
ranero *m* Gelände *n*, wo es viele Frösche gibt.
ran|ga *f Col.*, **~go¹** *m Col.*, *Ec.* Schindmähre *f*.
rango² *m* **1.** Rang *m*; Rangstufe *f*, Kategorie *f*; Stand *m*; de alto ~ hohen Ranges; hochgestellt; **2.** *Am. Reg.* Pracht *f*, Prunk *m*; Großzügigkeit *f*.
rangua ⊕ *f* Spur-, Stütz-lager *n*; Wellenlager *n*.
ranilla *f* **1.** Frosch *m am Huf der Pferde*; **2.** *vet.* Klauenseuche *f*.
ránula ⚕, *vet.* *f* Fröschleingeschwulst *f*, Ranula *f*.
ra|nunculáceas ⚘ *f/pl.* Hahnenfußgewächse *n/pl.*; **~núnculo** ⚘ *m* Hahnenfuß *m*; Ranunkel *f*.
ranura *f* Nut *f*, Rille *f*, Fuge *f*; Schlitz *m*; Einwurfschlitz *m e-s Automaten*; ~ del alza Visierkimme *f e-r Waffe*; ⊕ ~ (de) guía Führungsnut(e) *f*; **~r** *v/t.* nuten; schlitzen.
raña *Jgdw.*, *silv.* bewaldete Ebene *f*.
rapabarbas F *m* (*pl. inv.*) Bartscherer *m* F.
rapa|ces *Zo. f/pl.* Raub-, *Jgdw.* Greif-vögel *m/pl.*; **~cidad** *f* Raubgier *f*.
rapa|piés F *m* (*pl. inv.*) Schwärmer *m* (*Feuerwerkskörper*); **~polvo** F *m* Rüffel *m*, Anschnauzer *m* F; echar un ~ a alg. j-n rüffeln.
rapa|r F *v/t. Bart* stutzen; *Haar* ganz kurz schneiden; rasieren; *fig.* F stehlen, klauen F; *fig.* **~ado** abgenutzt; schäbig; **~terrones** P *m* (*pl. inv.*) Bauernlümmel *m* (*desp.*); **~velas** F *m* (*pl. inv.*) Kirchendiener *m*.
rapaz¹ *adj. c* (*pl.* ~aces) raubgierig; ave *f* ~ Raubvogel *m*.
rapa|z² *m*, **~za** *f Reg.* Junge *m*; Bengel *m*; Mädchen *n*; Range *f*.
rape¹ *Fi. m* Seeteufel *m*.
rape² *m* schnelle Rasur *m*; *fig.* F Rüffel *m*; al ~ kurzge-schnitten, -schoren (*Haar*).
rapé *m* Schnupftabak *m*; toma *f* de ~ Prise *f* Schnupftabak; tomar (un polvo de) ~ schnupfen, e-e Prise Schnupftabak nehmen.
rapel *gal. Sp. m*: descenso *m* en ~ Abseilen *n*.
rapidez *f* Schnelligkeit *f*.
rapidillo F 🚂 *m* Nahschnellverkehrszug *m*.
rápido **I.** *adj.* **1.** schnell, behend; Schnell...; reißend (*Strömung*); ⚔ pieza *f* de tiro ~ Schnellfeuergeschütz *n*; **II.** *m* **2.** 🚂 Eilzug *m*; **3.** Stromschnelle *f*.
rapi|ña *f* Raub *m*; ave *f* de ~ Raubvogel *m*; **~ñar** F *v/t.* rauben; (s.) grapschen F.
rápita *f Marr.* Kloster *n*; *hist.* islamisches Wehrkloster *n*.
ra|po ⚘ *m* Rapskohl *m*, Kohlrübe *f*; **~pónchigo** ⚘ *m* Rapunzel *f*.
rapo|sa *f* **1.** Fuchs *m als Gattungsname*; *fig.* Schlaumeier *m*; **2.** Füchsin *f*; **~sera** *f* Fuchsbau *m*; **~sero** *Jgdw. adj.*: perro *m* ~ Dachshund *m*; **~so** *m a. fig.* Fuchs *m*.
rapso|da *m* Rhapsode *m*; *fig.* Dichter *m*; **~dia** *f* Rhapsodie *f*.
rap|tar *v/t.* entführen; rauben; **~to** *m* **1.** Entführung *f*; Raub *m*; ~ de una mujer Frauenraub *m*; Entführung *f* e-r Frau; **2.** *a.* ⚕ Anfall *m*, Raptus *m*; en un ~ de cólera in e-m Wutanfall; **3.** *Myst.* Verzückung *f*; **~tor** *m* Entführer *m*.
raque *m* Strandraub *m*; andar al ~ → **~ar** *v/i.* Strandraub treiben; **~ro** *m* Strandräuber *m*.
raqueta¹ ⚘ *f* Rauke *f*.
raque|ta² **I.** *f* **1.** (*bsd. Tennis-*) Schläger *m*, Rakett *n*; ~ para el juego del volante Federballschläger *m*; **2.** ⚾ Schlagballspiel *n* (*allg.*); **3.** Rechen *m des Croupiers*; **4.** ~ (de nieve) Schnee-reifen *m*, -teller *m*; **5.** ⊕ Gangregler *m* (*b. Uhren*); **II.** *m* **6.** Tennis- (*bzw.* Federball-)spieler *m*; **~tazo** *m* Schlag *m* mit dem Rakett; **~tero** *m* Rakettenmacher *m*.
ra|quialgia ⚕ *f* Schmerzen *m/pl.* am Rückgrat; **~quídeo** ⚕ *adj.* Rückgrats..., Spinal...; **~quis** *m* *Anat.* Rückgrat *n*, Wirbelsäule *f*; ⚘ Spindel *f*; Mittelrippe *f e-s*

Blattes; ~**quítico** ⚕ *adj.* rachitisch; *fig.* verkümmert; ~**quitis** ⚕ *f*, ~**quitismo** ⚕ *m* Rachitis *f*; *fig.* Verkümmerung *f*.
rara *lt.*: ~ *avis* ein seltener Vogel *m*, ein weißer Rabe (*fig.*).
ra|ramente *adv.* selten; ~**refacción** *f* Verdünnung *f*; ~**refacer** [2s] *v/t.* → *rarificar*; ~**refacto** *part. irr. zu rarefacer*; ~**reza** *f* **1.** Seltenheit *f*; **2.** Seltsamkeit *f*, Eigenheit *f*; Absonderlichkeit *f*; ~**rificación** *Phys. f* Verdünnung *f*; ~**rificar** [1g] *v/t.* verdünnen; ~**rificativo** *adj.* verdünnend; ~**ro I.** *adj.* **1.** selten; knapp; selten vorkommend (*od.* auftretend); ⚗ *gases m/pl.* ~*s* Edelgase *n/pl.*; **2.** außergewöhnlich, singulär; einzigartig (*Eigenschaften*); **3.** seltsam, sonderbar, eigentümlich; merkwürdig; *¡qué* ~*!* (wie) merkwürdig!; **4.** dünn (*bsd. Luft*); **II.** *pronominal* **5.** ~*s m/pl.* wenige, nur einige.
ra|s *m* ebene Fläche *f*, auf gleicher Höhe befindliche Fläche *f*; *a* ~ *de* dicht über (*dat.*); *a* ~ *del suelo*, *a* ~ *de tierra* dicht am Boden; (beinahe) zu ebener Erde; ~ *con* ~, *a.* ~ *en* ~ in gleicher Höhe; gestrichen voll; *Zim. usw.* bündig; ~**sa** *f* kahle Hochfläche *f*; Lichtung *f im Wald*; ~**sadura** *f* Zerstörung *f*; ~**sancia** *f* Rasanz *f e-r Geschoßbahn usw.*; ~**sante I.** *adj. c* rasant, flach (*Flugbahn e-s Geschosses*, *Neigungswinkel*); **II.** *f Wegebau*: Neigung *f*; ~**sar I.** *v/t.* **1.** abstreichen *mit dem Abstreichholz*; ⚔ bestreichen (*Artilleriefeuer*); *fig.* zerstören, ausradieren (*fig.*); **2.** streifen, leicht berühren; **II.** *v/r.* ~*se* **3.** s. aufhellen (*Himmel*).
rasca|cielos *m* (*pl. inv.*, ⚠ *oft rascacielo*) Hochhaus *n*, Wolkenkratzer *m*; ~**dera** *f* **1.** → *rascador*; **2.** F *Equ.* Striegel *m*; ~**do I.** *adj.* F *Am. Cent.* reizbar, kribbelig F; **II.** *m* ⊕ Schaben *n*; *a prueba de* ~ kratzfest; ~**dor** *m* **1.** *a.* ⊕ Schab-, Kratz-eisen *n*; Schaber *m*; *Typ.* Rakel(messer *n*) *f*; *Zim.* Ziehklinge *f*; **2.** ✓ Entkörner *m für Mais usw.*; *allg.* (Pfeifen-)Auskratzer *m*; Küchen-schaber *m*, -schrapper *m*; ~**dora** *f* Reibfläche *f für Zündhölzer*; ~**dura** *f* **1.** Kratzen *n*; *fig.* F Herumkratzen *n auf e-m Saiteninstrument*; **2.** Kratzer *m* (*a. fig.* F).
rasca|r [1g] **I.** *v/t.* **1.** kratzen; *a.* ⊕ aufrauhen; *p. ext.* scharren, aufwühlen; *a.* ⊕ ab-, auf-kratzen; abschaben; *fig.* F ~ *la guitarra* auf der Gitarre (herum)klimpern; *fig.* F ~ *el violín* auf der Geige kratzen; *fig.* F *llevar* (*od. tener*) *qué* ~ nicht so leicht darüber hinwegkommen, daran zu knabbern haben (*fig.*F); ⚓ ~ *la tierra* dicht bei Land segeln; **II.** *v/r.* ~*se* **2.** s. kratzen, s. jucken; *fig.* F *no tener tiempo ni para* ~*se* k-e freie Minute haben; ~*se la faltriquera* ein Knicker sein; *Bol.* den Beutel locker machen, zahlen; *Arg.* ~*se juntos* s. zs.-tun, unter e-r Decke stecken; *siempre se rasca para adentro* er arbeitet immer in die eigene Tasche; **3.** *fig.* F *Am. Mer.* s. beschwipsen; ~**rrabias** F *c* (*pl. inv.*) *Am. Reg.* → *cascarrabias*; ~**tripas** F *desp. c* (*pl. inv.*) drittklassiger Spieler *m e-s Saiteninstruments*, mieser Fiedler *m* (F *desp.*); ~**zón** *f* Jucken *n*, Kitzeln *n*.
ras|cle *m* Gerät *n* zum Korallenfischen; ~**cón I.** *adj.* herb, scharf *von Geschmack*; *vino m* ~ Krätzer *m* F; **II.** *m Vo.* Wasserralle *f*; ~**cuñar** *v/t.* → *rasguñar*.
rasero *m* Abstreichholz *n*; *fig. medir por el mismo* ~ über e-n Kamm scheren.
ras|gado I. *adj.* geschlitzt; groß, weit offen (*Fenster*, *Balkon*); bis zum Fußboden reichend (*Fenster*, *Glastür*); breit (*Mund*); mandelförmig (*Auge*); *fig.* F → *desenvuelto*; *Col.* großzügig; **II.** *m* → *rasgón*; ~**gar** [1h] **I.** *v/t.* zerreißen; (auf-)schlitzen; **II.** *v/r.* ~*se* P *Col.* sterben, abkratzen P; ~**go** *m* **1.** Federzug *m*; Strich *m*; Linienführung *f*, Duktus *m*; *fig. a grandes* ~*s* in gr. Zügen; **2.** Wesens-, Charakter-zug *m*; **3.** ~*s m/pl.* Gesichtszüge *m/pl.*; **4.** *fig.* (kühne) Tat *f*; (geistreicher) Einfall *m*; ~**gón** *m* Riß *m in Stoff od. Kleidung*.
ras|gueado *m* → *rasgueo*; ~**guear I.** *v/t. die Gitarre* schlagen; in die Saiten *e-s Instrumentes* greifen; **II.** *v/i.* e-n Federstrich machen; ~**gueo** ♪ *m* Arpeggieren *n b. Gitarrespiel*; ~**guñar** *v/t.* (zer)kratzen; ritzen; *Mal.* skizzieren; ~**guño** *m* Kratzwunde *f*, Kratzer *m* F; *Mal.* Skizze *f*; ~ *de bala* Streifschuß *m*.
rasilla *f* **1.** *ein* dünner Wollstoff, *Art* Lasting *m*; **2.** Fliese *f*; Hohlziegel *m*.
raso I. *adj.* **1.** flach; niedrig, dicht über dem Boden fliegend (*od.* s. bewegend); glatt; wolkenlos; gestrichen voll (*Gefäß usw.*); ohne Rücken (*Stuhl*); *campo m* ~ freies Feld *n*, offenes Gelände *n*, Blachfeld *n* (*lit.*); *soldado m* ~ Gemeine(r) *m*; *quedar* ~ aufklaren; **II.** *m* **2.** *tex.* Atlas *m*; **3.** freies Feld *n*; *dormir al* ~ im Freien schlafen; **4.** Durchsicht *f*, Schneise *f*; **5.** □ Geistliche(r) *m*.
raspa I. *f* **1.** ⚘ Granne *f e-r Ähre*; *Reg.*: Spindel *f des Maises usw.*; (Trauben-)Kamm *m*; *p. ext.* Faser *f* (*die in e-r Schreibfeder hängenbleibt*); **2.** (*bsd.* Mittel-)Gräte *f*; *fig.* P *tender la* ~ s. hinhauen P; **3.** (*chapa f*) ~ Raspelblech *n*, Reibfläche *f*; **4.** □ **a)** Straßendirne *f*; **b)** → *raspadillo*; *fig.* F *ir a la* ~ auf Raub ausgehen; **5.** *Am. Mer.* Verweis *m*; **6.** *Ant.*, *Méj.* Überbleibsel *n*; **7.** *Méj.* (lärmender) Unfug *m*; lärmende (u. Unfug treibende) Menge *f*; Gesindel *n*; *echar* ~ Unfug treiben; **8.** ♪ Raspa *f* (*Tanz*); **II.** *c* **9.** F Kratzbürste *f* F; **10.** *Arg.* (Taschen-)Dieb(in *f*) *m*.
raspa|da F *Méj. f* boshafte Anspielung *f*, Stich *m*; ~**dillo** □ *m* Falschspielertrick *m*; ~**do** *m* **1.** ⊕ (Ab-)Schaben *n*; Raspeln *n*, Schleifen *n* (*Holz*); **2.** ⚕ Aus-kratzung *f*, -schabung *f*; ~**dor** *m* **1.** Radiermesser *n*; **2.** ⊕ Kratzer *m*, Schaber *m*; ~**dura** *f* **1.** Radieren *n*; radierte Stelle *f*; **2.** *a.* ⊕ Abschaben *n*; *p. ext.* Abschabsel *n*(*/pl.*); ~**jo** *m* (Trauben-)Kamm *m*; ~**r I.** *v/t.* **1.** *a.* ⊕ abschaben; raspeln; *Flachs* ribbeln; *fig.* F stehlen, *Am. Mer.* anschnauzen; *Méj.* anpflaumen F; **2.** aufrauhen; ⚕ aus-kratzen, -schaben; **3.** radieren; **4.** streifen, leicht berühren; **II.** *v/i.* **5.** kratzen (*a. z. B. Wein am Gaumen*); **6.** *fig.* F *Ven.* abhauen F.
ras|pear *v/i.* spritzen (*Schreibfeder*); ~**petón**: *de* ~ → *de refilón*; ~**pilla** ⚘ *f* Scharfkraut *n*; ~**pón** *m* **1.** *Col.* Strohhut *m der Bauern*; **2.** → ~**ponazo** Kratzwunde *f*; Streifschuß *m*.
rasque|ta ⊕ *f* Schaber *m*; *Kfz.* ~ *del limpiaparabrisas* Scheibenwischerblatt *n*; ~**tear** ⊕ *v/t.* schaben, tuschieren, abziehen.
ras|tra *f* **1.** (Schlepp-)Spur *f*; *a. fig.* Spur *f*; **2.** ✓ Egge *f*; → *rastro 1*; **3.** Lastenschleife *f*; Lastkarre *f*; *geschleppte* Last *f*; *fig.* Folge(last) *f* (*Ergebnis*, *Buße*); *adv. a* ~*s* schleppend; kriechend; *fig.* widerwillig; **4.** ⚓ Dreggtau *n*; ✓ eingefädeltes Trockenobst *n*; ~**tracueros** *m* (*pl. inv.*) *Arg.* Hochstapler *m*; ~**treador I.** *m* Fährtensucher *m*; **II.** *adj.-su. m* (*perro m*) ~ Spürhund *m*; ~**treaminas** ⚓ *m* (*pl. inv.*) Minensuchgerät *n*; ~**trear I.** *v/t.* **1.** *j-m* nachspüren, *e-r Sache* nachforschen; *j-m* nachschleichen, *j-n* beschleichen; **2.** *Last*, *Grundnetz* schleppen; ⚓ dreggen; ⚓ *Minen* räumen; **II.** *v/i.* **3.** harken; eggen; **4.** dicht über dem Boden fliegen; ~**treo** *m* Fischerei *f* mit dem Grundnetz; ~**trera** ⚓ *f* Unterleesegel *n*; ~**trero** *adj.* schleppend; kriechend; dicht am Boden fliegend (*Vogel*); *fig.* niedrig, gemein; verächtlich; *perro m* ~ Spürhund *m*; *planta f* ~*a* Kriechpflanze *f*.
rastri|llada ✓ *f* ein Rechenvoll *m*; ~**llado** *m* → *rastrillaje*; ~**lladora** *tex. f* Hechelmaschine *f*; ~**llaje** *m* Harken *n*; Eggen *n*; Hecheln *n des Hanfs*; ~**llar** *v/t.* ✓ harken; eggen; *Hanf* hecheln; ⚔ *Gelände* durchkämmen; ~**llo** *m* **1.** ⊕, *a. Suchgerät u. Spielbank*: Rechen *m*; ✓ → *rastro 1*; Hechel *f für Flachs*; ~ (*de forraje*) (Futter-)Raufe *f*; **2.** Fallgatter *n e-r Burganlage usw.*
rastro *m* **1.** ✓ Rechen *m*; Harke *f*; ~ *para el heno* Heurechen *m*; **2.** *Jgdw. u. fig.* Spur *f*; Fährte *f*; *Jgdw.* ~ *de sangre* Schweißspur *f*; *sin dejar* ~ spurlos; *seguir el* ~ *a alg.* j-m nachspüren; *sentir el* ~ wittern, spüren, die Spur aufnehmen (*Hund*); **3.** † *u. prov.* Fleischmarkt *m*; Schlachthaus *n*; *el* ♀ Trödelmarkt *m* (*bsd. in Madrid*); **4.** ⚒ ✓ Ab-leger *m*, -senker *m*; ~**jar** ✓ *vt/i.* stoppeln; ~**jo** *m* Stoppeln *f/pl.*; Stoppel-feld *n*, -acker *m*.
rasura *f* **1.** Radieren *n*; **2.** Rasieren *n*; **3.** (Ab-)Schabsel *n*; ~**ción** *f* **1.** Rasieren *n*, Abscheren *n*; **2.** Abschabsel *n*; ~**dor** *m* (Elektro-)Rasierer *m*; ~**r** *v/t.* **1.** rasieren; **2.** abschaben; radieren.
rata[1] **I.** *f* Ratte *f*; *fig.* F ~ *de biblioteca* Bücherwurm *m*; *ser más pobre que una* ~ (*de iglesia*) arm sein wie e-e Kirchenmaus; **II.** *m* P Dieb *m*.
rata[2] *adv.*: *por* ~ *parte* → *a prorrata*.
ratafía *f* Ratafia *m* (*Fruchtlikör*).

rataplán *onom.* *m* Bumbum *n*, Trommelschlag *m*.
ratear[1] *v/t.* (nach Verhältnis) aufteilen.
ratear[2] *v/t.* mausen, stibitzen.
ratear[3] *v/i.* (auf dem Bauch) kriechen.
rate|ría *f* Diebstahl *m*; Beutelschneiderei *f*; schäbige Gesinnung *f*; **~ro I.** *adj.* niederträchtig; **II.** *m* (Taschen-)Dieb *m*; *¡cuidado con los ~s!* vor Taschendieben wird gewarnt!
raticida *adj. c-su. m* Rattengift *n*.
ratifi|cable *adj. c* ratifizierbar; **~ción** *f* Bestätigung *f*; Genehmigung *f* (*Akt u. Urkunde*); *Pol.* Ratifizierung *f*; **~cador** *m* Ratifizierende(r) *m*; **~car** [1g] *v/t.* bestätigen; genehmigen; *p. ext.* vollziehen; *Pol.* ratifizieren; **~catorio** *adj.* Bestätigungs...; Genehmigungs...; Ratifizierungs...
ratihabición ⚖ *f* Bestätigung *f* der Rechtsgültigkeit *des Handelns e-s Beauftragten*.
ra|tito *dim. m* Weilchen *n*; **~to**[1] *m* Weile *f*; Augenblick *m*; *a ~s od. de ~ en ~* bisweilen, dann u. wann; *a cada ~* alle Augenblicke; *al (poco) ~* kurz darauf; *~s m/pl. libres* Freizeit *f*; *adv. a ~s perdidos* in der Freizeit; *¡hasta otro ~!* auf bald!; *hay para ~* das kann noch (einige Zeit) dauern; *darse (un) mal ~* s. Sorgen machen, bekümmert sein (wegen *dat. por*); *para pasar el ~* zum Zeitvertreib; *he pasado un buen (mal) ~* es ist mir gut (übel) ergangen; *pasar el ~* s. die Zeit vertreiben; F *sabe un ~ (largo) de esto* er versteht e-e ganze Menge davon.
rato[2] ⚖ *adj.*: *matrimonio m ~* gültig geschlossene (*aber nicht vollzogene*) Ehe *f*.
ra|tón *m* **1.** *Zo.* (Haus-)Maus *f*; *~ almizclero (campestre)* Bisamspitz- (Feld-)maus *f*; *fig.* F *~ de archivo od. ~ de biblioteca(s)* Bücherwurm *m*; **2.** ⚓ blinde (*od.* verborgene) Klippe *f*; **~tona** *f weibliche* Maus *f*; **~tonar I.** *v/t.* benagen, anknabbern; **II.** *v/r.* *~se* s. an Mäusen überfressen haben (*Katze*).
rato|ncito *m* **1.** Mäuschen *n*; **2.** *Bol.* Blindekuhspiel *n*; **~nera** *f* **1.** Mause-, Ratten-falle *f*; *fig.* Hinterhalt *m*, Falle *f*; **2.** Mauseloch *n*; **~nero I.** *adj.* Mause...; *fig. música f ~a* Katzenmusik *f*; **II.** *m* Rattenfänger *m* (*Hund*); **~nesco** *adj.*, **~nil** *adj. c* Mause..., Mäuse...
rauco *poet. adj.* rauh, heiser.
rau|dal *m a. fig.* Strom *m*; Flut (-welle) *f*; *fig.* Schwall *m*; (Über-)Fülle *f*; *a ~es* in Hülle u. Fülle; **~do** *adj.* schnell, ungestüm; reißend; jäh.
ravioles *Kchk. m/pl.* Ravioli *m/pl.* (*it.*).
raya[1] *f* **1.** Strich *m*, Linie *f*; Grenze (Grenzlinie) *f e-s Besitzes, e-s Bezirks u. fig.*; *Gram.* Gedankenstrich *m*; ⚔ Zug *m im Lauf e-r Feuerwaffe*; *fig. a.* (Gewinn-)Punkt *m*; *a ~* in (den gebührenden) Grenzen; *a ~s* strichweise; Strich...; → *a.* 2; *de puntos y ~s* strichpunktiert (*Linie*); *~ de quebrado* Bruchstrich *m*; *~ doble* Doppelstrich *m*; *tres m en ~* Mühle (-spiel *n*) *f*; *fig.* F *dar quince (od. ciento) y ~ a uno* j-m weit überlegen sein (in *dat.* en); *fig. echar ~ a alg.* es mit j-m aufnehmen, mit j-m konkurrieren; *fig. hacer ~* hervorragend sein; Epoche machen; *fig. pasar (de) la (od. de) ~* zu weit gehen; *pasar la ~ a.* den entscheidenden Schritt tun, s. entscheiden; *poner (od. tener) a ~* in die Schranken weisen; in Schach halten; **2.** Streifen *m* (*Stoff, Fell*); *de (od. con) ~s (rojas)* (rot)gestreift; **3.** Scheitel *m* (*Haar*); *~ (del pantalón)* Bügelfalte *f*; *~ al lado (a la mitad)* Seiten- (Mittel-)scheitel *m*; *hacerse (od. abrirse, peinarse) la ~* sein Haar scheiteln; **4.** Brand-, Feuerschneise *f im Wald*; **5.** *Art* Jerez (-wein) *m*; **6.** *Rpl.* Start *m* u. Ziel *b. Rennen*; **7.** *Méj.* Furche *f b. Pflügen*; **8.** *Méj.* Zahlung *f*, Entlohnung *f*.
raya[2] *Fi. f* Rochen *m*.
raya|do I. *adj.* **1.** gestreift (*Tuch, Fell*); gestrichelt; schraffiert; lini(i)ert (*Papier*); **2.** gezogen (*Lauf*); **II.** *m* **3.** Streifen *m/pl.*; Schraffierung *f*; Ritzen *n*; **4.** Züge *m/pl.*, Drall *m e-s Waffenlaufs*; **~dor** *m* **1.** *Méj.* Zahlmeister *m auf Großgütern*; **2.** *Sp. Chi.* Schiedsrichter *m*; **3.** *Vo. Am. Mer. Seevogel* (*Rhynchops nigra*); **~no** *adj.* (an)grenzend (an *ac.* en).
ra|yar I. *v/t.* **1.** (ein)ritzen; verkratzen; *fig.* P *Ven.* stechen, verwunden; **2.** lini(i)eren; schraffieren; **3.** (aus-, durch-)streichen; **4.** ⊕ *a.* riffeln; *Lauf* mit Zügen versehen; **5.** *Am. Cent. Pferd* anspornen; *Arg., Méj. Pferd* in vollem Lauf anhalten (*od.* parieren); **6.** *Méj.* entlohnen; **II.** *v/i.* **7.** *~ con* (an)grenzen an (*ac.*); *fig. ~ en* grenzen an (*ac.*); **8.** nahe sein; *al ~ el alba* im (*od.* beim) Morgengrauen; **9.** *Equ. Am. Cent.* lospreschen; **10.** *Méj.* Lohn erhalten; **III.** *v/r.* *~se* **11.** ⊕ (s. fest)fressen (*Lager*); **~yero** *m Arg.* Start- u. Zielrichter *m b. Pferderennen*.
ray-grass ⚘ *m* Raigras *n*.
rayo *m* **1.** Blitz(strahl) *m*; *fig.* (Schicksals-)Schlag *m*; *~ de bola* Kugelblitz *m*; *~ difuso* Flächenblitz *m*; → *a.* 2; *¡~s!* Donnerwetter!; *¡~s y centellas!* Himmeldonnerwetter!; *fig. con la rapidez del ~* blitzschnell; *fig. caer como un ~ sobre sus enemigos* wie der Blitz über s-e Feinde kommen; *fig.* F *echar ~s (y centellas)* Gift u. Galle speien, vor Wut schäumen; *fig.* P *que mal ~ te parta (los riñones)!* der Teufel soll dich holen!; **2.** *Phys.* Strahl *m*; *HF ~s m/pl. anódicos (catódicos)* Anoden- (Kathoden-)strahlen *m/pl.*; *~ de calor (de luz)* Wärme- (Licht-)strahl *m*; *~s m/pl. difusos* Streustrahlen *m/pl.*; *Opt. ~ emergente (incidente)* aus- (ein-)fallender Strahl *m*; ⚔ *~s m/pl. de la muerte* Todesstrahlen *m/pl.*; *~ de luna a.* Mondschein *m*; *Opt. ~ reflejado* Abstrahl *m*; *~ solar (od. del sol)* Sonnenstrahl *m*; *HF*, ⚕, ⊕ *~s X (od. Röntgen)* Röntgenstrahlen *m/pl.*; *despedir (od. emitir) ~s* Strahlen aussenden, strahlen; **3.** (Rad-)Speiche *f*; *p. ext.* ⊕ Arm *m*, Strebe *f*; *~ de (la) rueda* Rad-speiche *f*, -arm *m*; **~-guía** *a. HF m* Leitstrahl *m*.
ra|yón *m*, *a.* **~yona** *f tex.* Reyon (*a.* Rayon) *m*, *n*.
rayoso *adj.* streifig, gestreift.
rayuela *f* Münzwurfspiel *n nach e-r Ziellinie auf dem Boden*; *a.* Hüpfspiel *n*.
rayuelo *Vo. m* Moorschnepfe *f*.
raza[1] *f* Rasse *f*; *p. ext.* Volk *n*; *fig.* Geschlecht *n*; *de ~* rassig; *~ canina (od. de perros)* Hunderasse *f*; *~s f/pl. humanas* Menschen-, Völkerrassen *f/pl.*; *~ negra (blanca, amarilla)* schwarze (weiße, gelbe) Rasse *f*; *~ india (od. roja), Am. oft ~ de cobre (od. de bronce)* indianische (*od.* rote) Rasse *f*.
raza[2] *f* **1.** Riß *m*, Spalte *f*; *vet.* Hufriß *m*; **2.** *tex.* dünne Stelle *f im Gewebe*; **3.** *durch e-e Öffnung fallender* Lichtstrahl *m*.
razón *f* **1.** Vernunft *f*; Verstand *m*; *~ de Estado* Staatsräson *f*; *fuera de ~* unsinnig; verrückt; *sin ~* unvernünftig; *fig. les asiste la ~* die Vernunft steht auf ihrer Seite, sie haben recht; *cargarse (od. llenarse) de ~* alles gründlich (u. mit großer Geduld) überlegen (*od.* durchdenken); *entrar (od. ponerse) en (od. rendirse a la) ~* zur Einsicht (*od.* Vernunft) kommen; *hacer entrar (od. meter, poner) en ~ (od. traerle a la ~) a alg.* j-n zur Vernunft bringen; j-m den Kopf zurechtsetzen; *perder la ~* den Verstand verlieren; *privar de (la) ~* der Sinne berauben; *puesto en ~* vernünftig (geworden); → *a.* 4; **2.** Grund *m*, Ursache *f*; (Beweg-)Grund *m*; (Beweis-)Grund *m*; (Zweck-)Grund *m*; *~ones f/pl.* Rede *f* u. Gegenrede; Erklärungen *f/pl.*; Einwände *m/pl.*; *~ contraria* Gegengrund *m*; *~ de más* ein Grund mehr (zu *dat. od. inf. para*); *en ~ de* auf Grund von (*dat.*), wegen (*gen.*); *por ~ de* wegen (*gen.*); *por es(t)a ~* deshalb, deswegen; *por ~ones del espacio (de seguridad)* aus Raum- (Sicherheits-)gründen; *por ~ones fundadas* aus guten Gründen; *alcanzar de ~ones a alg.* j-n durch gewichtige Argumente zum Schweigen bringen; *envolver en ~ones a alg.* j-n (*so*) verwirren, *daß er nichts zu entgegnen weiß*; j-n mit s-r Beweisführung zudecken F; *sin exponer ~ones* ohne Angabe von Gründen; *ponerse a ~ones con alg.* s. mit j-m ausea.-setzen; *tener ~ para + inf.* Grund haben, zu + *inf.*; *venirse a ~ones* beipflichten; **3.** Recht *n*; Berechtigung *f*; Billigkeit *f*; *~ de ser* Daseinsberechtigung *f*; *con (mucha) ~* mit (vollem) Recht; *de buena ~* mit gutem Recht; *en ~* nach Recht u. Billigkeit; *sin ~* unrechtmäßig (-erweise); *dar la ~ a alg.* j-m recht geben; → *a.* 5; *(no) llevar (od. tener) ~* (un)recht haben; **4.** Verhältnis *n* (*a.* Å); vernünftiges Verhältnis *n*; Å *~ geométrica (~ por cociente, aritmética)* geometrisches (quotienten-, arithmetisches) Verhältnis *n*; *a ~ de x pesetas por metro* zu x Peseten je Meter; *a ~ de seis por ciento* zu sechs Prozent;

a. ⚖ en ~ directa (inversa) in direktem (umgekehrtem) Verhältnis; por ~ nach Verhältnis; puesto en ~ nach dem rechten Verhältnis, annehmbar (Preis, Vereinbarung); asegurar a ~ de cien mil marcos mit 100 000 Mark versichern; ponerse en (la) ~ zu e-r vernünftigen Vereinbarung kommen; **5.** Äußerung f; Auskunft f; Nachricht f; z. B. in e-r Anzeige: ~ en la portería Auskunft beim Pförtner; zu erfragen beim Portier; dar ~ Auskunft geben; dar ~ a alg. de a/c. j-m et. berichten; dar ~ de sí s-e Sache gut machen; **6.** † Wort n; Satz m; Bericht m, Erzählung f, Geschichte f; **7.** Sonderfälle: en ~ de bezüglich (gen.), betreffs (gen.), hinsichtlich (gen.); dank dem Umstande, daß ...; entre ~ y ~ zwischen jedem Wort; ⚖ ~ social im Handelsregister eingetragener Firmenname m; Firma f.

razo|nable adj. c vernünftig, angemessen, angebracht; annehmbar; mäßig (Preis); **~nado** adj. wohldurchdacht; systematisch, methodisch; wohlbegründet; **~nador** adj.-su. Argumentierende(r) m, Diskutierende(r) m; Denker m; **~namiento** m Gedankengang m; Überlegung f; Beweisführung f, Argumentation f; Erörterung f, Diskussion f; **~nar I.** v/i. vernünftig urteilen; diskutieren, argumentieren; **II.** v/t. begründen; mit Vernunftgründen erklären (od. ausea.-legen).

razzia f **1.** hist. bewaffneter Einfall m der Mohammedaner; p. ext. Raub-, Beute-zug m; **2.** fig. (Polizei-)Razzia f.

re ♪ m d n; ~ bemol des n; ~ sostenido dis n.

rea f Beschuldigte f; Angeklagte f.

reabastecimiento ⚔ m Nachschub m (Versorgung).

reabsor|ber v/t. wieder aufsaugen, resorbieren; **~ción** f Resorption f.

reacci|ón f **1.** Gg.-, Rück-wirkung f; a. ⚗, ⚕, Pol. Reaktion f; ⚕ a. Probe f, Test m; ⚗ a. Verhalten n; entrar en ~ reagieren, ansprechen; fig. s. erwärmen, warm werden (Körper); Phys., ⚗ u. fig. ~ en cadena Kettenreaktion f; a. ⚕ ~ de defensa Abwehrreaktion f; Phys., ⚗ ~ térmica Wärme-reaktion f, -verhalten n; ⚗, ⚕ ~ testigo Kontroll-probe f, -test m; ⚕ ~ de Wassermann Wassermannsche Reaktion f; **2.** Phys. Rückwirkung f; Gg.-druck m (a. Statik); Rückstoß m (a. ⊕); HF, Rf. Rückkopplung(swirkung) f; **~onabilidad** f Reaktionsfähigkeit f; **~onable** adj. c reaktionsfähig; **~onal** adj. c bsd. ⚕ reaktiv; **~onar** v/i. **1.** a. ⚗ reagieren (auf ac. a); ansprechen (auf ac. a); **2.** zurückwirken, einwirken (auf ac. en, sobre); **~onario** Pol. adj.-su. reaktionär; m Reaktionär m.

reacio m abgeneigt, abhold (dat. a); widerspenstig, störrisch (gegen ac. a).

reac|tancia ⚡ f Reaktanz f; Drosselung f; ~ inductiva Blindwiderstand m; **~tivar** v/t. reaktivieren; bsd. ☤ wiederbeleben; **~tivo** ⚗ **I.** adj. reagierend; **II.** m Reagens n, Reagenz n; **~tor** m Phys. Reaktor m; ✈ Schubtriebwerk n; ✈ Düsenflugzeug n; ~ nuclear Kernreaktor m; ~ reproductor Brutreaktor m, Brüter m.

readapta|ción f Wiederanpassung f; Umschulung f von Versehrten usw., Rehabilitation f; **~r** v/t. wieder anpassen; Versehrte usw. umschulen, rehabilitieren.

readmi|sión f Wiederzulassung f; **~tir** v/t. wieder zulassen.

readqui|rir v/t. wieder-, rückerwerben; **~sición** f Wieder-, Rückerwerb m.

reafilar v/t. nach-schärfen, -schleifen.

reagravar(se) v/t. (v/r.) (s.) (erneut) verschärfen.

reagrupación f Umgruppierung f, Neu-ordnung f, -einteilung f.

reagudo adj. sehr scharf (bzw. schrill); dolor m ~ äußerst heftiger Schmerz m.

reajus|tar v/t. **1.** wieder angleichen; **2.** ⊕ neu einstellen; nach-stellen, -justieren; **~te** m **1.** Neuanpassung f; **2.** ⊕ Nachjustierung f, Nachstellung f; Neueinstellung f e-s Geräts usw.

real[1] **I.** adj. c wirklich; tatsächlich; a. Phil. real; Arith. reell (Zahl); ⚖ a. dinglich (Recht); Sach...; Phil., ⚖ Real...; Phil. definición f ~ Realdefinition f; ⚖ injuria f ~ tätliche Beleidigung f, Realinjurie f; ⚖ usura f ~ Sachwucher m; **II.** Phil. m/pl. ~es Real(i)en pl.

real[2] **I.** adj. c **1.** königlich; Königs...; p. ext. prächtig; Titel: Alteza f ⚲ königliche Hoheit f; cámara f ~ Audienzzimmer n im Königspalast; F ~ mozo m prächtiger (od. strammer) Bursche m; **II.** m **2.** hist. los ~es die Königstreuen m/pl., die Royalisten m/pl. (Partei); **3.** Real m (Münze; Span. heute: 25 céntimos; Am. † u. Reg.: 10 centavos); fig. un ~ sobre otro bis auf den letzten Pfennig (od. Heller); **4.** Heer-, Feld-lager n; p. ext. Festwiese f; alzar (od. levantar) el ~ (od. los ~es) das Lager abbrechen (od. aufheben); (a)sentar el ~ (od. sus ~es) das Lager aufschlagen; fig. F s. (häuslich) niederlassen.

reala f → rehala.

realce m **1.** erhabene Arbeit f; Mal. aufgesetztes Licht n; Mal. a. Drukker m; bordar de ~ erhaben sticken; fig. sehr übertrieben schildern, dick auftragen; **2.** fig. n Ansehen n, Glanz m; Ruhm m; dar ~ a Ansehen geben (dat.); heben (ac.), verschönern (ac.); rühmen (ac.).

reale|ngo I. adj. **1.** hist. frei (= unmittelbar der Krone unterstellt) (Stadt, Gemeinde); Staats..., Domänen... (Ländereien); **2.** Pe. nicht belastet (Grundstück); **3.** Méj., P. Ri. herrenlos (Tier); Ven. Faulenzer...; F Bol. estar ~s (mitea.) quitt sein; **II.** m **4.** † kgl. Besitz m; de ~ der Krone zinspflichtig (Güter); **~za** f königliche Würde f; fig. Pracht f, Prunk m; Herrlichkeit f.

rea|lidad f Wirklichkeit f; Realität f; en ~ od. la ~ es que in Wirklichkeit, eigentlich; tomar ~ s. verwirklichen; **~lismo**[1] m Realismus m (a. Lit.).

realismo[2] m Royalismus m; Königspartei f.

realista[1] adj.-su. c realistisch; m Realist m.

realista[2] **I.** adj. c königstreu, royalistisch; **II.** m Königstreue(r) m, Royalist m.

realiza|ble adj. c durch-, aus-führbar, realisierbar; möglich; erreichbar; ☤ a. verwertbar bzw. verkäuflich; **~ción** f **1.** Verwirklichung f, Realisierung f; **2.** Aus-, Durchführung f; Bewerkstelligung f; **3.** ☤ Verwertung f; Verkauf m, Absatz m; ser de fácil ~ leicht abzusetzen sein (Ware); **~dor** Film, TV m Regisseur m; **~r** [1f] **I.** v/t. **1.** verwirklichen, realisieren; möglich machen; Wunsch, Hoffnung erfüllen; **2.** aus-, durch-führen; bewerkstelligen; Versuche u. ä. anstellen; Gewinn erzielen; Reise unternehmen; ⚔ ein Ziel ansprechen, ausmachen; **3.** ☤ tätigen, a. ⊕ abwickeln; verwerten; Waren absetzen, verkaufen; (Geld-)Mittel flüssigmachen; ~ (en dinero) verwerten, zu Geld machen; **II.** v/r. ~se **4.** s. verwirklichen; stattfinden; in Erfüllung gehen (Wunsch usw.); **5.** abgewickelt werden (Arbeit, Geschäft).

realmente adv. wirklich; tatsächlich, in der Tat; offen gestanden, aufrichtig.

realquilar v/t. untervermieten.

real|zado adj. erhaben (Arbeit); fig. vgl. → **~zar** [1f] v/t. **1.** a. fig. erheben, erhöhen; fig. heben, verschönern; **2.** Mal. Lichter aufsetzen auf (ac.).

reamunicionamiento ⚔ m Munitionsergänzung f.

reanima|ción f a. fig. Wiederbelebung f; fig. Fassen n neuen Muts; **~r** v/t. wiederbeleben; fig. beleben, neuen Mut einflößen (dat.); ⚕ esfuerzos m/pl. para ~ a alg. Wiederbelebungsversuche m/pl. an j-m.

reanuda|ción f Wiederaufnahme f; **~r** v/t. wieder aufnehmen; wieder anknüpfen.

reapa|recer [2d] v/i. wieder erscheinen; erneut auftreten; **~rición** f Wiedererscheinen n; erneutes Auftreten n.

reapertura f Wiedereröffnung f; Wiederbeginn m; ⚖ Wiederaufnahme f des Verfahrens.

reapuntar ⚔ v/t. Geschütz nachrichten.

rear|mar I. v/t. **1.** Waffe durchladen; **2.** wiederbewaffnen; **II.** v/i. **3.** aufrüsten; **~me** m **1.** Durchladen n e-r Waffe; **2.** Wiederbewaffnung f; (Wieder-)Aufrüstung f.

reasegu|rar v/t. rückversichern; **~ro** m Rückversicherung f.

rea|sumir v/t. wieder aufgreifen (od. aufnehmen); ⚖ wieder aufnehmen; übernehmen (höhere Instanz); **~sunción** f Wiederaufnahme f.

reata f **1.** Koppelriemen m; **2.** Koppel f; Zug m (Saumtiere); Vorspann m; adv. de ~ koppelweise (angespannt); fig. **a)** blindlings gehorchend; **b)** gleich darauf; hinterea.; **~r** v/t. wieder (an)binden; Saumtiere anea.-koppeln.

reato ⚖, *Theol.* *m* Anklagezustand *m*; Schuld *f*.
reavi|vación *f* ⚕ *u. fig.* Wiederbelebung *f*; *fig.* Neubelebung *f*; Wiederaufflammen *n*; **~var I.** *v/t.* wiederbeleben; neubeleben; **II.** *v/r.* **~se** aufleben; *fig.* aufflammen.
rebaba *sid.*, ⊕ *f* Grat *m*; Guß- *bzw.* Preß-naht *f*.
reba|ja *f* Rabatt *m*; Abzug *m*; Preisnachlaß *m*; Ermäßigung *f*; *hacer* ~ Rabatt (*od.* e-n Preisnachlaß) gewähren; **~jador** *Phot.* *m* Abschwächungsbad *n*; **~jar I.** *v/t.* **1.** glätten; abhobeln; *a. Zahn* abschleifen; **2.** *Mal.*, *Phot.* abschwächen; **3.** *Preis*, *Wert* herabsetzen; verbilligen; *fig.* erniedrigen; mindern, schmälern; dämpfen; **4.** ⚔ *von e-m Dienst* freistellen; **II.** *v/r.* **~se 5.** *fig.* s. herabwürdigen; s. wegwerfen; **~se** *a* + *inf.* s. (so weit) erniedrigen, daß + *ind.*; **~je** ⚔ *m* *bsd. Am.* Freistellung *f* *von e-m Dienst*; *ausgezahltes* Verpflegungsgeld *n*; **~jo** *m* Einschnitt *m*; Falz *m*; Abschrägung *f*; Hohlkehle *f*.
rebal|sa *f* **1.** Stauwasser *n*; *a.* Lache *f*; *p. ext.* Staubecken *n*; **2.** ⚕ Flüssigkeitsstauung *f* *im Körper*; **~sar I.** *v/t.* (an)stauen; **II.** *v/i. u.* **~se** *v/r.* s. stauen; **~se** *m* **1.** Stauen *n*; **2.** → *rebalsa*.
rebana|da *f* Scheibe *f*, Schnitte *f*; *bsd.* ~ (*de pan*) Brotschnitte *f*; *Méj.* geröstete Brotschnitte *f*; **~r** *v/t.* ab-, durch-, zer-schneiden; in Scheiben schneiden.
rebaña|dera *f* Brunnenhaken *m*; **~dura(s)** *f*(/*pl.*) (*mst.* angeklebte) Reste *m/pl.* *an Tellern usw.*; **~r** *v/t.* zs.-raffen; *Teller* leeressen.
reba|ñego *adj.* Herden...; **~ño** *m a. fig.* Herde *f*.
rebarbar *sid.*, ⊕ *v/t.* ent-, ab-graten, *Guß* putzen.
rebasa|dero ⚓ *m* natürliche Fahrrinne *f* *bei e-r Untiefe*; **~r** *v/t.* (*a. v/i.* ~ *de*) *e-e best. Grenze* überschreiten, -steigen; ⚔ *Hindernisse* nehmen, stürmen; *über die Ufer* treten (*Fluß*); ✝ *Kredit* überziehen; ⚓ *Klippe* klaren, überwinden; *la fiebre no* ~*á* (*de*) *este punto* das Fieber wird nicht noch stärker werden.
reba|te *m* Gefecht *n*; Streit *m*, Schlägerei *f*; **~tible** *adj. c* **1.** widerlegbar; strittig; **2.** *Am. u. oft* ⊕ (ab)klappbar; kippbar; Klapp...; **~timiento** *m* **1.** Zurückschlagen *n*; **2.** Zurück-, Ab-weisung *f*; Widerlegung *f*; **3.** Zurückklappen *n*; ⚒ Umklappen *n b. Projektionszeichnen*; **~tiña** *f* Rauferei *f um et.*; F *andar a la* ~ s. um et. (*ac.*) reißen; **~tir** *v/t.* **1.** zurückschlagen; glatt klopfen; **2.** umklappen; **3.** *fig.* ab-, zurück-weisen; bestreiten; *Gründe* widerlegen; **~to** *m* **1.** Alarm(glocke *f*) *m*; (*toque m de*) ~ Sturmläuten *n*; *tocar a* ~ Sturm läuten; Lärm schlagen; *fig.* Alarm schlagen (*fig.*); **2.** *fig.* (plötzliche) Aufregung *f*; jähe Aufwallung *f*; **3.** ⚔ Überfall *m*, Überraschungsangriff *m*; *fig.* F *de* ~ plötzlich; unvermutet.
rebautizar [1f] *v/t.* umtaufen; wiedertaufen.
rebeca *f* Strick-jacke *f*, -weste *f*.
rebeco[1] *Zo.* *m* (Pyrenäen-)Gemse *f*.
rebeco[2] *m Méj.* Halbstarke(r) *m*.
rebel|arse *v/r.* s. auflehnen; s. empören (gg. *ac.* *contra*); **~de I.** *adj. c* rebellisch, aufrührerisch, aufsässig, störrisch, widerspenstig; hartnäckig; schwierig; ⚖ säumig (*Partei*); **II.** *m* Rebell *m*, Aufständische(r) *m*; ⚖ säumige Partei *f*; **~día** *f* **1.** Widerspenstigkeit *f*, Aufsässigkeit *f*; Rebellion *f*; Unbotmäßigkeit *f*; *por* ~ wegen Unbotmäßigkeit; **2.** ⚖ Nichterscheinen *n* *des Geladenen*; *en* ~ in Abwesenheit; *procedimiento m* (*sentencia f*) *de* ~ Versäumnis-verfahren *n* (-urteil *n*; *Strafrecht*: Abwesenheitsurteil *n*).
rebe|lión *f* Aufruhr *m*, Aufstand *m*, Rebellion *f*; *en* ~ aufständisch; **~lón** *Equ. adj.* störrisch.
reben|cazo *m* Schlag *m* mit der Peitsche; *vgl.* → **~que** *m hist.* (Zucht-)Peitsche *f* *für Galeerensträflinge*; *Am.* (schwere) Reitpeitsche *f*; ⚓ Tauende *n*.
rebisabuelo *m* Ururgroßvater *m*.
reblande|cer [2d] **I.** *v/t.* erweichen; *a.* ⚘ weich machen; auflockern; **II.** *v/r.* **~se** weich werden; **~cimiento** *m* Erweichung *f* (*a.* ⚕); Auflockerung *f*; ⚕ Einschmelzung *f*.
rebobina|do *m* Rück-, Um-spulen *n*; ⚡ Neuwickeln *n*; **~je** *m* Umspulung *f*; Umwicklung *f*; **~r** *v/t.* rück-, um-spulen; umwickeln.
rebo|lledo *m* Zerreichenwald *m*; **~llo** ☘ *m* Zerreiche *f*; **~lludo** *adj.* stämmig.
rebombar *v/i.* laut hallen; stark widerhallen.
reborde *m* vorspringender (*bzw.* verstärkter) Rand *m*; Wulst *m*; ⊕ Krempe *f*; Randleiste *f*; **~ar** *v/t.* bördeln; umbördeln.
rebo|sadero *m* Überlauf *m* (*Wasser*); *sid.* Steiger *m*; Steigetrichter *m*; Überlaufrohr *n*; Überlauf *m e-s Staubeckens*; **~sar** *v/i.* (*a. v/r.* **~se**) überlaufen; über die Ufer treten; übervoll sein; ~ (*hirviendo*) überkochen; ~ *de* (*od.* *en*) *a/c.* (sehr) reich sein an et. (*dat.*); viel ... (*ac.*) haben; *fig.* ~ *de alegría* übersprudeln vor Freude; *fig.* ~ *de salud* vor Gesundheit strotzen; *fig.* ~ *de ternura* überströmen von Zärtlichkeit; *fig.* *rebosa en* (*od.* *le rebosa el*) *dinero* er ist steinreich; **~se** ⊕ *m* Überlauf *m*.
rebo|tadura *f*, **~tamiento** *m* → *rebote*; **~tar I.** *v/t.* **1.** *Ball usw.* zurück-schlagen, -stoßen; *Tuch* aufrauhen; *Nägel* (kr)um(m)schlagen; *fig.* verärgern; **2.** *Col.*, *Méj.* *Wasser* trüben; *Méj. a.* → *embotar*; **II.** *v/i.* **3.** abprallen *bzw.* wieder aufprallen (*Ball*, *Geschoß*); ~ *en* prallen an (*ac.*), (an)schlagen an (*ac.*); **4.** *fig.* (*a. v/r.* **~se**) kollern (*gärender Wein*); umschlagen (*Wein u. ä.*), s. *in Farbe u. Qualität* ändern; **III.** *v/r.* **~se 5.** *fig. a.* s. (mächtig) aufregen F; **~tazo** F *m*, **~te** *m* **1.** Zurückschnellen *n*; Rück-, Ab-prall *m*; Rückstoß *m*; *de* ~ b. Zurückschnellen; *fig.* als Folge; **2.** ⚔ Querschläger *m*; *tiro m de* ~ Prellschuß *m*.
rebo|zadamente *adv.* versteckt, heimlich; **~zado I.** *adj.* **1.** vermummt; *fig.* verhüllt; undurchsichtig; *a.* arglistig; **2.** *Kchk.* paniert; überbacken; ~ *con chocolate* mit Schokolade übergossen; **II.** *m Kchk.* *Méj.* **3.** Panieren *n*; Überbacken *n*; überbackenes (*bzw.* paniertes) Gericht *n* (*Spezialität*); **~zar** [1f] **I.** *v/t.* **1.** *Gesicht* vermummen; *a. fig.* verhüllen, verschleiern; **2.** *Kchk.* panieren; überbacken; **II.** *v/r.* **~se 3.** s. vermummen, sein Gesicht verhüllen; **~zo** *m* (Mantille *f* zur) Verhüllung *f* des Gesichts; ~(*s*) *m*(/*pl.*) *fig.* Maske *f*, Verstellung *f*; Bemäntelung *f*; *adv.* *de* ~ versteckt, heimlich; *adv.* *sin* ~(*s*) aufrichtig, offen.
rebu|far *v/i.* stark schnauben (*od.* schnaufen); **~fe** *m* Schnauben *n des Stiers*; **~fo** *m* Mündungswirbel *m b. Feuerwaffen*.
rebu|jar(se) *v/t.* (*v/r.*) → *arrebujarse*; **~jina** F, **~jiña** F *f* Gezänk *n*; Tumult *m*; **~jo** *m* **1.** Verschleierung *f der Frauen*; *de* ~ heimlich; **2.** *unordentliches* Bündel *n*; Knäuel *m*, *n*.
rebulli|cio *m* Lärm *m*, Getöse *n*; Tumult *m*, Radau *m* F; **~r** [3h] **I.** *v/i.* aufwallen; (auf)sprudeln; **II.** *v/r.* **~se** s. rühren; unruhig werden; F *sin* **~se** ganz still.
rebusca *f* **1.** Nachlese *f*; Ährenlese *f*; **2.** Nachforschung *f*; **3.** Ausschuß *m*, Abfall *m*; **~do** *adj.* gesucht, gekünstelt (*Ausdruck*, *Stil*); **~miento** *m* **1.** → *rebusca*; **2.** gekünstelte Art *f*, Mache *f* (*Stil*); **~r** [1g] *vt/i.* Nachlese halten; nachspüren (*dat.*); *Ähren* lesen; suchen, sammeln; ~ (*en*) herumsuchen in (*dat.*), durchsuchen (*ac.*).
rebuz|nar *v/i.* schreien, iahen (*Esel*); *fig.* *ese tipo rebuzna* dieser Kerl ist ein Flegel; **~no** *m* Eselsschrei *m*, Iah *n*.
recabar *v/t.* *durch Bitten*, *Gesuche usw.* erreichen, erlangen (bei *od.* von j-m *de alg.*); ansuchen um (*ac.*).
reca|dera *f* Botenfrau *f*; **~dero** *m* Bote(ngänger) *m*; *Span.* *privater* Frachtunternehmer *m für den Paketdienst*; **~do** *m* **1.** Besorgung *f*; Bestellung *f*; Nachricht *f*; **~s** *m/pl.* *a.* Grüße *m/pl.*; *fig.* F (*iron.*) *¡buen* ~! nette Bescherung! (*fig.* F); *fig.* F *mal* ~ **a)** (übler) Streich *m*; **b)** (arge) Unachtsamkeit *f*; *dar* (*un*) ~, *llevar un* ~ e-e Nachricht überbringen; Nachricht (*od.* Bescheid) geben; e-e Bestellung ausrichten; *le haré el* ~ ich werde es ihm ausrichten; *fig.* F *llevar* ~ s-n Rüffel (*bzw.* s-e Strafe *od.* sein Fett P) weghaben F; *pasar* ~ Bescheid sagen (lassen); *b. Besuchen*: (an-)melden; **2.** Ausrüstung *f*, Ausstattung *f für best. Zwecke*; *Am.* Reitzeug *n* (u. Ausrüstung *f*); ~ *de escribir* Schreibzeug *n*; **3.** (Tages-)Vorrat *m*, Einholbedarf *m für den Tag*; **4.** *Typ.* Stehsatz *m*; **5.** ✝ (*veraltend*): Beleg *m*, *bsd. für e-e Rechnung* → *recaudo* **1**; **6.** Geschenk *n* (*im Begleitbrief hieß es*: *con un* ~ mit e-m Angebinde).
reca|er [2o] *v/i.* fallen (auf *ac.* *en*, *sobre*) (*Gespräch*, *Schuld*, *Verantwortung*, *Verdacht usw.*); *abs.* ⚖ rückfällig werden; ⚕ e-n Rückfall

erleiden; ~ *en* anheimfallen (*dat.*); (zurück)fallen an (*ac.*) (*Erbschaft*); (ent)fallen auf (*ac.*), entsprechen (*dat.*); ⚖ ergehen gg. (*ac.*) (*Urteil*); ~ *en el error* erneut in den Fehler verfallen; **~ída** *f a.* ⚕, ⚖ Rückfall *m.*

recala|da ⚓ *f* Ansteuerung *f des Landes usw.*; **~r I.** *v/t.* durchtränken, durchsickern durch (*ac.*); → *a. calar*; **II.** *v/i.* ⚓ ~ *en Land usw.* ansteuern, anlaufen; *fig.* F ~ (*en* [*casa de*]) landen, aufkreuzen (in *dat. od.* bei *dat.*); **III.** *v/r.* **~se** durch-sickern, -kommen (*Flüssigkeit*); durch u. durch naß werden.

recalca|da ⚓ *f* Krängen *n*; **~do** *adj.* gestaucht; **~r** [1g] **I.** *v/t.* **1.** zs.-pressen; vollstopfen; **2.** ⊕ stauchen; **3.** *fig.* stark betonen; **II.** *v/i.* **4.** ⚓ (stark) krängen; **III.** *v/r.* **~se 5.** *fig.* F *Worte usw.* immer wieder (genüßlich) wiederholen; **6.** → *arrellanarse.*

recalcitra|nte *adj. c* störrisch, widerspenstig; verstockt; **~r** *v/i.* zurückweichen; *fig.* s. widersetzen; starrköpfig sein, bocken F.

recalenta|dor ⊕ *m* Überhitzer *m*; Vorwärmer *m*; **~miento** *m* Überhitzung *f*; **~r** [1k] **I.** *v/t.* **1.** *a.* ⊕ überhitzen; *a. fig.* erhitzen; ⊕ *Kesselwasser* vorwärmen; **2.** *fig. Tiere* brünstig machen; *p. ext.* sinnlich reizen; **II.** *v/r.* **~se 3.** s. überhitzen; ⊕ *a.* heißlaufen; **4.** durch Hitzeeinwirkung (in Gärung geraten u.) verderben; **5.** *fig.* brünstig werden; **~se** (*los hígados*) (sehr) hitzig werden.

recalmón ⚓ *m* plötzliche Flaute *f.*

recal|que ⊕ *m* Stauchung *f*; **~zar** [1f] *v/t.* 🌱 häufeln; △ stützen; untermauern; **~zo** *m* △ Untermauerung *f.*

recama|do *m* Reliefstickerei *f*; **~r** *v/t.* (erhaben be)sticken.

recámara *f* **1.** Kleiderkammer *f*; Ankleideraum *m*; *Am. Reg.* Schlafzimmer *n*; *fig.* F *tener mucha* ~ es (faust)dick hinter den Ohren haben; **2.** ⚔ Ladungs-, Kartuschraum *m bzw.* Patronenlager *n der Waffe.*

recambi|able *adj. c* auswechselbar; **~ar** [1b] *v/t.* wieder umtauschen; austauschen, auswechseln; **~o** *m* **1.** Umtausch *m*; Austausch *m*, Auswechseln *n*; Ersatz *m*; *a.* ⊕ *de* ~ austauschbar, zum Auswechseln, Ersatz...; (*pieza f de*) ~ Ersatzteil *n*; **2.** † Rückwechsel *m*; Delkredere *n.*

recancanilla *f* Hinken *n* (*Verstellung der Kinder*); *fig.* F Nachdruck *m b. Sprechen.*

recantón *m* Prell-, Eck-stein *m.*

¡recaña! *euph. int.* → *recoño.*

reca|pacitar *vt/i.* in s-n Gedanken zs.-fassen; genau überdenken; **~pitulación** *f* (kurze) Wiederholung *f*; **~pitular** *v/t.* zs.-fassen, rekapitulieren.

recar|ga *f* **1.** Nachfüllung *f*; Nachladung *f*; ⚡ Aufladung *f*; *Phot.* ~ *a la luz del día* Tageslichtpackung *f*; **2.** zusätzliche Last *f*; **~gado I.** *adj. fig.* überladen; übertrieben; geschmacklos; **II.** *m* ⊕ → *recargue*; **~gar** [1h] **I.** *v/t.* **1.** überladen, *a. fig.* überlasten (mit *dat. de*); auf den Preis aufschlagen; *Strafmaß, Steuern u. ä.* heraufsetzen; *fig.* geschmacklos ausschmücken, überladen; dick auftragen (*fig.*); **2.** ⊕ *Material* auftragen; **3.** *Gewehr* nach- *bzw.* durch-laden; **II.** *v/r.* **~se 4.** s. verschlimmern (*Fieber u. fig.*); **~go** *m* **1.** Überladung *f*; Belastung *f*; Zuschlag *m* (*Steuer, Gebühren*); Aufschlag *m* (*Preis*); ⚔ zusätzliche Dienstzeit *f*; ~ *de pena* Strafverschärfung *f*; **2.** ⚕ Fieberzunahme *f*; **~gue** ⊕ *m* Auftragung *f von Material.*

recata *f* nochmaliges Kosten *n* (*od.* [Probieren *n*).

reca|tado *adj.* **1.** vorsichtig; zurückhaltend; zurückgezogen; **2.** ehrbar; sittsam, züchtig; **~tar**[1] **I.** *v/t.* verdecken, verbergen; verhehlen; **II.** *v/r.* **~se** vorsichtig (*bzw.* unschlüssig) sein; s. zurückhalten; s. hüten (vor *dat. de*).

recatar[2] *v/t.* nochmals kosten.

recato *m* **1.** Vorsicht *f*, Zurückhaltung *f*; Scheu *f*; **2.** Ehrbarkeit *f*, Sittsamkeit *f.*

recatonear → *regatear*[1].

recauch(ut)a|do, ~je *m* Aufvulkanisieren *n*; *Kfz.* Runderneuerung *f v. Reifen*; **~r** *v/t.* runderneuern.

recau|dación *f* Erhebung *f v. Steuern u. ä.*; Einnahmebezirk *m*; (*caja f de*) ~ (*de contribuciones*) Steuerzahlstelle *f*; **~dador** *m* (Steuer-)Einnehmer *m*; **~dar** *vt/i.* **1.** *Steuern, Gebühren* erheben; *Geldbeträge* einziehen; *Geld* (*a. abs.*) sammeln; **2.** in Sicherheit bringen; verwahren; **~datorio** *adj.*: *oficina f* **~a** Einnahme- *od.* Hebe- *bzw.* Sammel-stelle *f*; **~do** *m* **1.** Vorsicht *f*, Behutsamkeit *f*; Sicherheit *f*; *a buen* ~ wohlverwahrt; *poner a buen* ~ in Verwahr(ung) nehmen; **2.** → *recaudación*; **3.** *Chi., Guat., Méj.* Suppengrün *n* u. Gewürze *n/pl.*

recavar 🌱 *vt/i.* erneut umgraben.

recazo *m* Degen-, Säbel-, Messerrücken *m.*

rece|bar *v/t. Straße* mit Feinkies eindecken; **~bo** *m* feiner Steinkies *m.*

rece|char *Jgdw. v/i.* pirschen; **~cho** *Jgdw. m* Pirsch *f.*

rece|lador *m* Probierhengst *m*; **~lar I.** *vt/i.* **1.** argwöhnen, (be-)fürchten; ~ *las medidas de alg.* j-s Maßnehmen mißtrauisch gg.-überstehen; *no* ~ *de nada* keinerlei Argwohn hegen; **2.** den Probierhengst zur Stute lassen; *Stute* probieren; **II.** *v/r.* **~se 3. ~se** (*de a/c.*) (et.) befürchten; **~lo** *m* Argwohn *m*; Mißtrauen *n*; Besorgnis *f*; *tener* ~ *de alg.* j-m nicht trauen; **~loso** *adj.* argwöhnisch, mißtrauisch; ängstlich, besorgt.

recen|sión *f* Rezension *f*; **~sor** *m* Rezensent *m.*

recentísimo *adj. sup. zu reciente* allerneueste(r, -s).

recep|ción *f* **1.** Empfang *m* (*a. gesellschaftlicher bzw. dipl.*); Aufnahme *f*; ⚖ ~ *de los testigos* Zeugenvernehmung *f*; *día m de* ~ Empfangstag *m*; *sala f de* ~ Empfangszimmer *n*; Audienzsaal *m*; *hacer una* ~ *a alg.* j-m e-n Empfang bereiten; **2.** *a.* † Empfang *m*, Erhalt *m*; †, ⊕ *a.* Abnahme *f*; *a la* ~ bei Empfang (*gen. de*); ~ *de(l) material* Materialabnahme *f*; **3.** *Rf., HF, TV* Empfang *m*; *de* ~ Empfangs...; ~ *dirigida*, ~ (*uni*)*direccional* (*omnidireccional*) Richt- (Rund-)empfang *m*; *corregir la* ~ den Empfang entzerren; **4.** Rezeption *f*; Empfang(sbüro *n*) *m im Hotel*; **~cionista** *f* Empfangsdame *f*; ✈ Groundhostess *f* (*engl.*).

recep|tación ⚖ *f* Hehlerei *f*; **~táculo** *m* **1.** Behälter *m*, Behältnis *n*; Sammelbecken *n*; **2.** ⚘ Blütenboden *m*; **~tar** *v/t.* **1.** (ver)hehlen *bzw.* verbergen; **2.** ✎ → *recibir, acoger*; **~tividad** *f a.* ⚕ Empfänglichkeit *f*; **~tivo** *adj.* empfänglich; **~to** *m* Zufluchtsort *m*; **~tor** *m* **1.** *Rf. usw.* Empfänger *m*, Empfangsgerät *n*; Radio *n*; *Tel.* Hörer *m* (*Gerät*); ~ *de batería* (*enchufable a la red*) Batterie- (Netz-)empfänger *m*; ~ *de ondas cortas* Kurzwellenempfänger *m*; → *a. radio*[3]; **2.** † Empfänger *m e-r Ware*; *establecimiento m* ~ (Toto-)Annahmestelle *f*; **3.** ⚖ Asservaten- (*bzw.* Gebühren-)beamte(r) *m*; Schatzbeamte(r) *m*; **~toría** *f* Schatzamt *n.*

recesi|ón *f* Konjunkturrückgang *m*, Rezession *f*; **~vo** *Biol. adj.* rezessiv

receso *m Am.* Ferien *pl.* (*Behörden usw.*).

rece|ta *f* Rezept *n* (*Kchk., pharm.,* ⚕ *u. fig.*), Verschreibung *f*; **~tador** *m* Rezeptaussteller *m*; **~tar** *v/t.* ⚕ verschreiben, verordnen; *fig.* F ~ *largo* ein langes Rezept von Wünschen haben, viele Wünsche anmelden F; **~tario** *m* Arzneibuch *n*; *fig.* Kochbuch *n*; **~tor,** *etc.* → *receptor 3, etc.*

reci|bí *m* Empfangsquittung *f*; „~" „(dankend) erhalten"; **~bidor** *m* **1.** Empfänger *m*; **2.** Empfangs-, Vor-zimmer *n*, Diele *f*; **3.** Sprechzimmer *n in Internaten*; **~bimiento** *m* Empfang *m*; Empfangs-, Vorzimmer *n*; **~bir I.** *v/t.* **1.** erhalten, bekommen; empfangen; aufnehmen; *Schaden* erleiden; †, ⊕ *a.* abnehmen; *autorizado m para* ~ Empfangsberechtigte(r) *m*; † **~ida** *su estimada carta del* ... im Besitz Ihres geehrten Schreibens vom ...; ~ *al Señor* das hl. Abendmahl empfangen; **2.** *Stk. Stier* zum Todesstoß in den Degen rennen lassen; **II.** *v/i.* **3.** empfangen, Besuch annehmen; Sprechstunde haben; *fig.* F *hoy le tocará* ~ heute geht es ihm an den Kragen F; **III.** *v/r.* **~se 4.** Anstellungstitel (*od.* Approbation) erwerben; **~se** *de abogado* (*de licenciado, de médico*) als Anwalt zugelassen werden (s-e Staatsprüfung ablegen, s-e Approbation als Arzt erhalten).

recibo *m* **1.** Empfang *m*, Erhalt *m*; *acusar* ~ *de* ... den Empfang ... (*gen.*) bestätigen; *ser de* ~ in ordnungsmäßigem Zustand (*od.* in Ordnung) sein; **2.** Empfangsbescheinigung *f*, Quittung *f*; *dar* ~ *de a/c.* et. quittieren; **3.** Empfang(stag) *m*; **4.** → *recibidor 2.*

recidiva ⚕ *f* Rückfall *m*, Rezidiv *n*; **~r** *v/i.* rezidivieren.

reciedumbre *f* Heftigkeit *f*, Wucht *f*; Kraft *f*; Derbheit *f.*

recién *adv.* **1.** *mit part. u. adj.*: Neu..., frisch(...), neu(...); soeben; ~ *casado* neuvermählt; ~ *cocido* frisch gebacken (*Brot*); *el* ~ *nacido* das Neugeborene; *fig.* F der Neugebackene; ⚕ *los* ~ *operados* die frisch Operierten *m/pl.*; *los* ~ *venidos* die Neuankömmlinge *m/pl.*; **2.** *Am. Reg. inc.* F → *recientemente bzw. sólo bzw. luego.*

reciente *adj. c* frisch; jüngst geschehen; neu; neuartig, modern; *de* ~ *publicación* soeben erschienen (*Buch*); **~mente** *adv.* vor kurzem, kürzlich, unlängst, neulich.

recinto *m* umgrenzter Platz *m*; Bereich *m*, Umkreis *m*; Gehege *n im Tiergarten*; *p. ext.* Raum *m*; ~ *de la feria* Messegelände *n*.

recio I. *adj.* **1.** stark, kräftig; *p. ext.* zäh, ausdauernd; fruchtbar (*Boden*); **2.** hart, schwer; streng; *en lo más* ~ *del invierno* (mitten) im strengsten Winter; **3.** ungestüm; reißend (*Strömung*); heftig (*Regen, Wind*); **4.** rauh, hart (*Wesen*); derb, kraß; **5.** knorrig, urwüchsig; **II.** *adv.* **6.** (de) ~ stark; heftig; ungestüm; derb, feste F; *hablar* ~ laut sprechen.

recipien|dario *m* zur Aufnahme anstehendes Mitglied *e-r Akademie usw.*, Neumitglied *n*; **~te** *m* Gefäß *n*; Behälter *m*.

re|cíproca: *a la* ~ wechselseitig; *y a la* ~ u. umgekehrt; *quedar a la* ~ zu Gg.-diensten (gern) bereit sein; **~ciprocidad** *f* Gg.-seitigkeit *f*; Wechselseitigkeit *f*, Reziprozität *f*; **~cíproco** *adj.* gg.-, wechsel-seitig; Gg.-...; Wechsel...; reziprok; ♪ *valor m* ~ Kehrwert *m*.

recita|ción *f* Vortrag *m*, Rezitation *f*; **~do** ♪ *m* Rezitativ *n*, Sprechgesang *m*; **~dor** *m* Vortragskünstler *m*; **~l** *m* **1.** (Solo-)Konzert *n*; ~ *de violonc(h)elo* Cello-konzert *n od.* -abend *m*; **2.** Dichterlesung *f*, Vortragsabend *m*; **~r** *vt/i.* hersagen; vortragen, rezitieren; ~ *maquinalmente* herunter-rasseln, -leiern F; **~tivo** ♪ *adj.* Rezitativ...

reclama|ción *f* **1.** *a.* ⚖ Einspruch *m*; Beschwerde *f*, Beanstandung *f*; Reklamation *f*; ~ (*por vicios de la mercancía*) Mängelrüge *f*; *no se admiten* **~ones** (nachträgliche) Beanstandungen werden nicht berücksichtigt; *formular* (*od. hacer, presentar*) *una* ~ (*bzw.* **~ones**) Beschwerde erheben; vorstellig werden; *Pol. presentar* **~ones** Vorstellungen erheben; **2.** *a.* ⚖ Zurückforderung *f*; Anspruch *m*; ~ *de daños y perjuicios* Schadenersatz (-forderung *f*) *m*; ~ (*de deuda*) Mahnschreiben *n*; **~da** *Jgdw. f* → *reclamo 1b*; **~dor I.** Beschwerde...; **II.** *m* → **~nte** ⚖ *c* Beschwerdeführer *m*; **~r**[1] **I.** *v/t.* **1.** zurückfordern; anmahnen; fordern, verlangen; reklamieren; ⚖ unter s-e (*bzw.* ihre) Zuständigkeit fordern (*Gericht, Behörde*); *Aufmerksamkeit* erheischen; um *Hilfe* ersuchen; **~ado** *por la justicia* steckbrieflich gesucht; **2.** *Jgdw.* locken; **II.** *v/i.* **3.** Einspruch erheben (gg. *ac. contra*); s. beschweren, reklamieren; ~ *contra a/c. a.* et. beanstanden; **4.** *poet.* → *resonar*; **III.** *v/r.* **~se** **5.** s. locken (*Vögel*, [*Jgdw.*] *a. andere Tiere*); ⚖ **~se** (*en queja*) s. beschweren.

recla|mar[2] ⚓: *izar a* ~ die Segel pressen; **~me** ⚓ *m* Scheibengatt *n*.

reclamo *m* **1.** *Jgdw. u. fig.* **a)** Lockvogel *m*; **b)** Lockruf *m*; **c)** Lockpfeife *f*; *caza f con* **~(s)** Lockjagd *f*; *fig. acudir al* ~ in die Falle (*od.* auf den Leim) gehen; **2.** Reklame *f*; → *a. propaganda, publicidad.*

reclina|ble *adj. c* neigbar; **~r I.** *v/t.* an-, zurück-lehnen; **II.** *v/r.* **~se** s. anlehnen; s. aufstützen; **~torio** *m* Betstuhl *m*.

reclu|ir [3g] *v/t.* ein-schließen, -sperren; **~sión** *f* **1.** Einschließung *f*; Haft *f*; ~ *mayor* (*menor*) Zuchthaus(strafe *f*) *n v. 20—30* (*12—20*) *Jahren*; ~ *militar* Festungshaft *f*; ~ *perpetua* lebenslängliches Zuchthaus *n*; **2.** *fig.* Zurückgezogenheit *f*; *Rel. u. fig.* Einsiedlerleben *n*; **3.** †, ⚒ Ort *m* der Einsperrung; **~so I.** *adj.* eingeschlossen; **II.** *m* Sträfling *m*; *ecl.* Rekluse *m*; **~sorio** *m* ⚒ **1.** → *reclusión 3*; **2.** *lit.*, *ecl.* Haftanstalt *f bzw.* Gefängnis *n*; *a.* Karzer *m*.

recluta I. *f* **1.** ⚔ Aushebung *f*; **2.** *Rpl.* Zs.-treiben *n des Viehs zur Markierung usw.*; **II.** *m* **3.** Rekrut *m*; **~dor** *m* Ausheber *m*, Werber *m*; Anwerber *m v. Arbeitern*; ⚓ Heuerbaas *m*; **~miento** *m* **1.** ⚔ **a)** Aushebung *f*, Musterung *f*; **b)** Rekrutenjahrgang *m*; **2.** Anwerbung *f v. Arbeitskräften*; **~r** *v/t.* **1.** ⚔ ausheben, mustern, rekrutieren; **2.** *Arbeitskräfte* anwerben; *Matrosen* anheuern; **3.** *Rpl. das Vieh* zs.-treiben (*vgl. recluta* 2).

recoba *f* → *recova* 2.

reco|brar I. *v/t.* **1.** *a. fig.* wiederbekommen, -erlangen; ~ *las fuerzas* wieder zu Kräften kommen; wieder zu s. kommen; ~ *el juicio* (wieder) zur Besinnung kommen; ~ *la salud* wieder gesund werden; **2.** *verlorene Zeit* wieder einholen; *Verluste* einbringen; **II.** *v/r.* **~se** **3.** s. schadlos halten (für *ac.* de); **4.** s. erholen (von *dat.* de); wieder zu s. kommen; **~bro** *m* **1.** Wiedererlangung *f*; **2.** (Wieder-)Erholung *f*.

reco|cer [2b *u.* 2h] **I.** *v/t.* lange kochen; auskochen; durchbacken; ⊕ (aus)glühen; **II.** *v/r.* **~se** übergar werden; *fig.* s. abquälen; **~cida** ⊕ *f bsd. Am.* → *recocido m*; **~cido I.** *adj.* ausgekocht; ⊕ geglüht; *fig.* erfahren, bewandert; **II.** *m* ⊕ Glühen *n*; ~ *con afino* Tempern *n*; **~cina** *f* Nebenzimmer *n* e-r Küche.

reco|dadero *m* Lehnstuhl *m*; Armlehne *f*; **~dar I.** *v/i.* **1.** e-e Biegung machen (*Weg, Fluß*); **2.** ⚒ = **II.** *v/r.* **~se** **3.** s. auf den (*bzw.* die) Ellbogen stützen; **~do** *m* Biegung *f* (*bsd. Fluß, Straße*); Krümmung *f*; Knie *n*, Winkel *m*; *Vkw.* Kehre *f*; Einbuchtung *f*, Bucht *f*.

recoge|dero *m* **1.** Sammelplatz *m*; *z. B.* ~ *de bolas* Einwurf *m* für Kegelkugeln; Kugelrinne *f*; **2.** Sammler *m* (*Gerät, Schaufel u. ä.*) *für Abfall*; → *a.* **~dor I.** *adj.* **1.** Sammel..., Auffang...; **II.** *m* **2.** Sammler *m bzw.* Fänger *m*; *z. B.* ~ (*de pelotas*) Balljunge *m b. Tennis*; **3.** Sammler *m* (*Gerät*); ~ (*de basura*) Kehr(icht)-, Abfall-schaufel *f*; → *a. recogedero*; **~gotas** *m* (*pl. inv.*) Tropfenfänger *m*; **~migas** *m* (*pl. inv.*) Tischbesen *m*; **~pelotas** *m* (*pl. inv.*) Balljunge *m b. Tennis*; **~pliegos** *Typ. m* (*pl. inv.*) (*a. dispositivo m* ~) Bogenfänger *m*.

recoger [2c] **I.** *v/t.* **1.** in Empfang nehmen; aufnehmen (j-n bei s. *a alg. en su casa*); abholen; *ir a* ~ *a alg.* j-n abholen; **2.** *a. Ball* (auf-) fangen; ergreifen; (ein)sammeln; *Auskünfte* einholen, einziehen; *Geld* abheben *bzw.* (zs.-)sparen; ⚔ *Gerät* aufnehmen; ⚔ *Material, Tote usw.* einsammeln; *Netz* einholen; ⚔ *Truppen* zs.-ziehen; *Müll* abfahren; ✉ ~ *las cartas* die Briefkästen leeren; ~ (*del suelo*) (vom Boden) aufheben; **3.** pflücken; ernten; **4.** einziehen, verengen; *Atem* anhalten; *Bauch* einziehen; *Hose* hochziehen; *Kleid* raffen; ⚓ *Segel* einziehen; *Vorhang* (zs.-)raffen; **5.** weg-räumen, -schließen; zurückziehen; aus dem Verkehr (*bzw.* aus dem Dienst) ziehen; *Plan* fallenlassen, zurückziehen; *Veröffentlichung* aus dem Verkehr ziehen *bzw.* beschlagnahmen; **6.** wieder nehmen; wieder-, zurück-nehmen; **II.** *v/r.* **~se** **7.** s. zurückziehen; **a)** *abends* nach Hause gehen; s. zur Ruhe begeben; **b)** *bsd. Rel.* s. (*im Gedanken an Gott*) sammeln; **8.** s. *in s-n Ausgaben* einschränken.

recogi|da *f* **1.** Sammeln *n*; Sammlung *f*; Einsammeln *n*; Abholen *n*; ~ *de basura(s)* Müllabfuhr *f*; ~ *de opiniones* Einholen *n* von Meinungen; **2.** ✝ Abnahme *f v. Waren*; Entgegennahme *f e-r Sendung*; **3.** ✉ Leerung *f*; **4.** † *kath.* stille Büßerin *f*; **~do** *adj.* **1.** klein, schmal (*Sache*); untersetzt, gedrungen; **2.** zurückgezogen; gesammelt (*fig.*); andächtig; **~miento** *m* **1.** Zurückgezogenheit *f*; **2.** innere Sammlung *f*; **3.** *kath.* Bußkloster *n*, Magdalenenstift *n*.

recolec|ción *f* **1.** Einsammeln *n*; Sammlung *f*; **2.** Bei-, Ein-treibung *f*; **3.** Ernte *f*; Erntezeit *f*; **4.** Sammlung *f*, Sammelwerk *n*; **5.** *Rel.* Sammlung *f*, Einkehr *f*; **6.** *ecl.* Kloster *n* strenger Observanz; *fig. Rel.* Einkehrhaus *n*; **~tar** *v/t.* ernten; **~tor** *m* **1.** Sammler *m*, Eintreiber *m*; **2.** 🌱 Pflücker *m*; *Ethn.* (*pueblos m/pl.*) **~es** Sammler *m/pl.*

recoluta P *f Rpl.* → *recluta* 2.

recomenda|ble *adj. c* empfehlenswert; ratsam; vertrauenswürdig; **~ción** *f* **1.** Empfehlung *f*; Befürwortung *f*, Fürsprache *f*; (*carta f de*) ~ Empfehlungsschreiben *n*; *por* ~ auf Empfehlung; *tener buenas* **~ones** *a.* gute Beziehungen haben; **2.** Empfehlung *f*, Rat (-schlag) *m*; **~do I.** *adj.* empfohlen; vorschriftsgemäß (*z. B. in Bedienungsanweisungen*); **II.** *m* Empfohlene(r) *m*; Schützling *m*, Protegé *m*; **~nte** *m* Empfehlende(r) *m*; **~r** [1k] *v/t.* empfehlen; **~torio** *adj.* Empfehlungs...

recomenzar [1f *u.* 1k] *v/t.* erneut anfangen, noch einmal beginnen.

recompensa *f* Belohnung *f*; Entschädigung *f*; en ~ de zum Lohn (*bzw.* als Ersatz) für (*ac.*); **~ble** *adj. c* entgeltbar; ersetzbar; belohnungswürdig; **~r** *v/t.* belohnen; vergelten, vergüten; entschädigen (für *ac.* de).
recompo|ner [2r] *v/t.* wiederherstellen; instandsetzen; reparieren; *Typ.* neu setzen; **~sición** *f* Wiederherstellung *f*; *Typ.* Neusatz *m.*
reconcentra|ción *f* **1.** äußerste Konzentration *f*; Sammlung *f* (*a. fig.*); **2.** ⚚ Rückverflechtung *f* (*Trust*); **~do** *adj.* zurückhaltend; **~miento** *m* = reconcentración, *bsd.* Vertiefung *f* (in *ac.* en); innere Sammlung *f*; **~r I.** *v/t.* auf e-n Punkt zs.-drängen; konzentrieren (*fig.* auf *ac.* en); ⚚ *Trust* wiederverflechten; *fig.* ~ su ira s-n Zorn in s-r Brust verschließen; **II.** *v/r.* ~se s. (innerlich) sammeln.
reconcilia|ble *adj. c* versöhnbar; **~ción** *f* Versöhnung *f* (mit *dat.* con *od.* unter *dat.* entre); Aussöhnung *f*; ⚖ intento *m* de ~ Sühneversuch *m*; **~r** [1b] **I.** *v/t. a. ecl.* versöhnen; **II.** *v/r.* ~se s. versöhnen; s. aussöhnen (mit *dat.* con); *Rel.* ~se con Dios s-n Frieden mit Gott machen.
reconco|merse F *v/r.* s-n Zorn verbeißen; **~mio** *m* Groll *m.*
recóndito *adj.* geheim; tiefverborgen (*Geheimnis*); en lo más ~ del corazón im tiefsten Herzen.
recondu|cción ⚖ *f* Verlängerung *f* *e-s Vertrages*; **~cir** [3o] *v/t. Vertrag* verlängern.
recono|cedor I. *adj.* (an)erkennend; ⚔ Aufklärungs...; **II.** *m* ⚔ Aufklärer *m*; **~cer** [2d] **I.** *v/t.* **1.** wiedererkennen; erkennen (an *dat.* por); reconociendo ... in der Erkenntnis ...; unter Berücksichtigung ...; **2.** *a.* ⚖, *Pol.*, *dipl.* anerkennen; **3.** anerkennen, dankbar sein für (*ac.*); **4.** bekennen, zugeben; **5.** *a.* ⚔ *Gelände usw.* erkunden; **6.** *a. zollamtlich usw.* überprüfen; *a.* ⚕ untersuchen; **II.** *v/r.* ~se **7.** zu erkennen sein; ya se reconoce que ... jetzt sieht (*od.* merkt) man, daß ...; **8.** s. bekennen (als) + *adj.*; s. bezeichnen als (+ *adj.*); **9.** wissen, wer man ist (*fig.*); s. s-s Wertes (*bzw.* s-r Stärke, s-r Verdienste *usw.*) bewußt sein; **~cible** *adj. c* (er)kenntlich, (er)kennbar; **~cido** *adj.* **1.** *a.* ⚖, *Pol.*, *dipl.* anerkannt; **2.** geprüft; untersucht; **3.** erkenntlich, dankbar; **~cimiento** *m* **1.** Wiedererkennen *n*; Erkennen *n*; *Thea.* (momento *m* de) ~ Erkennungsszene *f*; **2.** Anerkennung *f* (*alle Bedeutungen*, *a. Pol.*); ⚖ ~ contractual Anerkennungsvertrag *m*; ⚚ ~ de deudas Schuldanerkenntnis *n*; *Pol.* ~ "de facto" ("de jure") De-facto- (De-jure-)Anerkennung ⚖ ~ de la paternidad Vaterschaftsanerkennung *f*; *a. Pol.* no ~ Nichtanerkennung *f*; **3.** Erkundung *f*, ⚔ Aufklärung *f*; ⚔ ~ aéreo (fotográfico) Luft(bild)aufklärung *f*; vuelo *m* de ~ Erkundungs-, Aufklärungsflug *m*; **4.** Untersuchung *f* (*a.* ⚕), Prüfung *f*; ~ de aduana Zolluntersuchung *f*; *a.* ⊕ ~ de defectos Mängelüberprüfung *f*; *a.* Fehlererkennbarkeit *f*; Musterung *f* (*od.* Sortierung *f*) *der Kampfstiere*; ⚔ ~ (de reclutas) Musterung *f*; ⚕ (resultado *m* del) ~ Befund *m.*
reconquista *f* Wiedereroberung *f*; Rückgewinnung *f*; *hist.* ♀ Reconquista *f* (*Rückeroberung der von den Mauren besetzten Gebiete Spaniens, 718—1492*); **~r** *v/t.* zurückerobern (*a. fig.*).
reconsti|tución *f* Wiederherstellung *f*; ⚕ Wiederaufbau *m*; **~tuir** [3g] *v/t.* **1.** wiederherstellen; ⚕ kräftigen; **2.** → reconstruir 4; **~tuyente** *m* ⚕ *u. fig.* Kräftigungsmittel *n.*
recons|trucción *f* **1.** Wiederaufbau *m*; **2.** Umbau *m*; **3.** Wiederherstellung *f des ursprünglichen Zustands u. fig.*; **4.** Nachbildung *f*; *a.* ⚖ *u. fig.* Rekonstruktion *f*; **~tructivo** *adj.* Wiederaufbau...; Umbau...; Rekonstruktions...; **~tructor** *m* Wiederaufbauer *m*; Nachbilder *m*; **~truir** [3g] *v/t.* **1.** wiederaufbauen; **2.** umbauen; umarbeiten; **3.** wiederherstellen; **4.** *a.* ⚖ *u. fig.* rekonstruieren; nachbilden.
recontar [1m] *v/t.* nachzählen; nacherzählen; wieder erzählen; *Pol. Stimmen* zählen.
recontento I. *adj.* estar ~ (de) äußerst zufrieden sein (über *ac. od.* mit *dat. bzw.* zu + *inf.*); **II.** *m* große Zufriedenheit *f.*
reconvalecer [2d] *v/i.* wieder genesen.
reconve|nción *f* **1.** Verweis *m*, Rüge *f*; **2.** ⚖ Wider-, Gg.-klage *f*; **~ncional** ⚖ *adj. c*: actor *m* ~ Widerkläger *m*; **~nido** ⚖ *m* Widerbeklagte(r) *m*; **~nir** [3s] *v/t.* **1.** tadeln (wegen *gen.* de, por); **2.** ⚖ Gg.-klage erheben gg. (*ac.*).
reconversión *f* Wiederumwandlung *f* (in *ac.* en); ⚚ Anpassung *f.*
¡recoño! P *int.* verdammt! P.
recopila|ción *f* Zs.-stellung *f*, Sammlung *f* (*z. B. von Gesetzestexten*); **~dor** *m* Zs.-steller *m*, Sammler *m*, Rekopilator *m*; **~r** *v/t.* zs.-stellen; sammeln.
récord (*oft* record) *m a. fig.* Rekord *m*; ~ mundial Weltrekord *m*; batir el ~ den Rekord schlagen; establecer (*od.* marcar) un ~ e-n Rekord aufstellen.
recorda|ble *adj. c* denkwürdig; **~ción** *f* Erinnern *n*; Gedenken *n*; de feliz ~ seligen Angedenkens; **~r** [1m] **I.** *v/t.* **1.** ins Gedächtnis rufen; in Erinnerung bringen; erinnern, mahnen; ~ a/c. a alg. j-n an et. (*ac.*) erinnern; ~ a/c. s. an et. (*ac.*) erinnern; an et. (*ac.*) denken; si mal no recuerdo wenn ich mich recht erinnere; **2.** † *u. Am.* (auf)wecken; **II.** *v/i.* **3.** (wieder) zu s. kommen; **4.** (*a. v/r.* ~se) † *u. Reg.* erwachen; **~tivo I.** *adj.* erinnernd; facultad *f* ~a Erinnerungsvermögen *n*; **II.** *m* → **~torio** *m* **1.** Mahnung *f*, Erinnerung *f*; **2.** Gedächtnishilfe *f*; *dipl.* Aide-mémoire *n*; *a.* Lesezeichen *n*; **3.** Andenken *n*; **4.** *kath.* Kommunionbild(chen) *n*; Totenzettel *m u. ä. Erinnerungszeichen.*
recordman *engl. Sp. m bsd. Am.* Rekordinhaber *m.*
reco|rrer *v/t.* **1.** durch-laufen, -wandern; bereisen; *a. Phys.*, ⊕ *Strecke, Weg* zurücklegen; **2.** *Text* über-, durch-lesen; *Buch* rasch durchblättern; ~ (con la vista) (mit den Augen) überfliegen; **3.** *fig.* durchsehen, überprüfen; ausbessern; *Typ.* die Satz- (*bsd.* die Umbruch-)korrektur vornehmen; **~rrido** *m* **1.** *zurückgelegte od. zurückzulegende* Strecke *f*; (Weg- *bzw.* Fahr-)Strecke *f* (zurücklegen hacer); ⊕ ~ del émbolo Kolbenhub *m*; ~ al frenar Bremsweg *m*; **2.** Durchwanderung *f*; Fahrt *f*; **3.** Ausbesserung *f*; *Typ.* Umbruch(korrektur *f*) *m*; *a.* ⚓ Überholung *f*; dar un ~ al motor den Motor überholen; **4.** *fig.* F Rüffel *m*; Prügel *pl.*; dar un (buen) ~ a alg. j-m (ordentlich) den Kopf waschen; j-n (gehörig) verprügeln.
recor|tado *m* **I.** *adj.* **1.** ausgeschnitten; ausgezackt (*Blatt*); **2.** *Cu.*, *Méj.* klein (*Gestalt*); **II.** *m* **3.** Be-, Aus-, Zu-schneiden *n*; **4.** ausgeschnittene Papierfigur *f*; **5.** *Arg.* lange Reiterpistole *f*; **~tadura** *f* Abfall *m*, Schnitzel *n*; → *a.* recortado, recorte; **~tar I.** *v/t.* beschneiden (*a. fig.*); abschneiden; ausschneiden; zu(recht)stutzen; auszacken; ⊕ zuschneiden; **II.** *v/r.* ~se s. abzeichnen (*Umrisse*); **~te** *m* **1.** Abschneiden *n*; ⊕ Zuschnitt *m*; **2.** Abschnitt *m*; Ausschnitt *m*; ausgeschnittene Figur *f*; *fig.* F *Méj.* kritische Bemerkung *f*; ~s *m/pl.* de periódico(s) Zeitungsausschnitte *m/pl.*; **3.** ~s *m/pl.* (de papel) Papierschnitzel *n/pl.*; ~s *m/pl.* ⊕ *a.* Abfall *m*; **4.** rasche Ausweichbewegung *f des Stierkämpfers.*
reco|ser *v/t.* nachnähen; *Wäsche usw.* ausbessern, flicken; **~sido** *m* Flicken *n*; Flicken *m.*
recosta|dero *m* Ruheplatz *m bzw.* Ruhesessel *m*; **~r** [1m] **I.** *v/t.* zurücklehnen; anlehnen, aufstützen; **II.** *v/r.* ~se s. zurücklehnen; s. lehnen (auf, an *ac.* en).
reco|va *f* **1.** Aufkauf *m von Geflügel, Eiern usw. b. den Bauern*; *p. ext.* Geflügelmarkt *m*; **2.** *Jgdw.* Meute *f* (*Jagdhunde*); **~var** *v/t. Andal.*, *Am. Reg. Landesprodukte* aufkaufen *bzw.* mit *ihnen* handeln.
recoveco *m* **1.** Biegung *f*, Krümmung *f* (*Straße*); Windung *f* (*Fluß*); Winkel *m*, Versteck *n*; **2.** *fig.* Winkelzüge *m/pl.*; (übler) Trick *m*; *fig.* P *Méj. sehr verschnörkelte* Verzierung *f an Kleidern, Möbeln*; Firlefanz *m* (F *desp.*).
recre|ación *f* **1.** Belustigung *f*; Zerstreuung *f*, Entspannung *f*, Zeitvertreib *m*; Erquickung *f*, Erfrischung *f*; **2.** Spiel-, Unterrichtspause *f*; **~ar I.** *v/t.* **1.** ergötzen; erquicken; entspannen; **2.** wieder (er)schaffen; **II.** *v/r.* ~se **3.** s. erfrischen; s. erholen; s. unterhalten, s. entspannen (bei *dat.* con *od. ger. od.* en + *inf.*); **~ativo** *adj.* unterhaltend, amüsant; entspannend; Vergnügungs...; lectura *f* ~a Unterhaltungslektüre *f*; velada *f* ~a bunter Abend *m.*
recrecer [2d] **I.** *v/i.* zunehmen; größer werden; **II.** *v/r.* ~se Mut fassen.

recreo *m* **1.** Erholung *f*; Entspannung *f*; Vergnügen *n*; (Schul-) Pause *f*; de ~ Frei... *bzw.* Vergnügungs...; *casa f* de ~ Wochenend-, Ferien-haus *n*; **2.** † *u. Reg.* Vergnügungsort *m*.

re|cría ⚘ *f* (Auf-)Zucht *f*; **~criar** [1c] *v/t.* aufziehen.

recrimina|ción *f* Anschuldigung *f*; Gg.-beschuldigung *f*, Gg.-klage *f*; **~dor** *m* Beschuldiger *m*; **~r** *v/t.* *j-m* Vorwürfe machen; Gg.-beschuldigungen erheben gg. (*ac.*); **~torio** *adj.* mit Gg.-beschuldigungen.

recristalización *f* Umkristallisierung *f*.

¡recristo! P *int.* verflucht!, gottverdammt! P.

recru|decer [2d] **I.** *v/t.* (wieder) verschärfen, verschlimmern; **II.** *v/i.* *n* **~se** *v/r.* s. wieder verschlimmern (*z. B. Krankheit*); s. verschärfen (*z. B. Frost*); wieder aufflackern (*Fieber*); wiederaufleben (*Leidenschaft*; *Kämpfe*); **~decimiento** *m* Verschlimmerung *f*; Verschärfung *f*; ⚕ *a.* Aufflackern *n*, Rekrudeszenz *f*; **~descencia** *bsd.* ⚕ *f* → *recrudecimiento*; **~descente** *adj. c* s. verschlimmernd.

rec|ta △ *f* Gerade *f*, gerade Linie *f*; *Sp.* ~ *de meta* Zielgerade *f*; **~tal** ⚕ *adj. c* rektal; **~tangular** *adj. c* rechteckig; **~tángulo** *m* Rechteck *n*.

rectifica|ción *f* **1.** Berichtigung *f*; Verbesserung *f*; **2.** Begradigung *f* (*Fluß*, *Kurve*); *HF* Gleichrichtung *f*; **3.** ⊕ Schleifen *n*; Schliff *m*; **~do** ⊕ **I.** *adj.* geschliffen; **II.** *m* Schleifen *n*; Schliff *m*; ~ *hueco* Hohlschliff *m*; **~dor I.** *adj.* berichtigend; begradigend *usw.*; **II.** *m* *HF* Gleichrichter *m*; **~dora** ⊕ *f* Schleifmaschine *f*; **~r** [1g] *v/t.* **1.** berichtigen; verbessern; **2.** begradigen; *HF* entzerren; **3.** ⊕ (fein-) schleifen; **4.** ⚗ rektifizieren; ⚡ gleichrichten; **~tivo** *adj.* richtigstellend; Berichtigungs..., Verbesserungs...

rec|tilíneo *adj.* geradlinig; *fig.* rechtschaffen, aufrichtig; **~titud** *f* **1.** Geradlinigkeit *f*; **2.** *fig.* Redlichkeit *f*, Rechtschaffenheit *f*; **3.** Richtigkeit *f*; **~to I.** *adj.* **1.** gerade; **2.** recht(schaffen), redlich; **3.** recht, richtig; **II.** *adj.-su. m* **4.** *Anat.* (*intestino m*) ~ Mastdarm *m*; **5.** △ (*ángulo m*) ~ rechter Winkel *m*; **6.** *Typ.* Vorderseite *f*.

recto|r *m* **1.** Rektor *m*; ~ *magnífico* Magnifizenz *f*; **2.** *kath.* Pfarrherr *m*; **~rado** *m* Rektorat *n*; **~ral** *adj. c* Rektorats...; *prov. casa*(*s*) *f*(*/pl.*) **~es** Pfarrhaus *n*; **~ría** *f* Rektorwürde *f*; *a.* Rektorat(sbüro) *n*.

rectoscopia ⚕ *f* Rektoskopie *f*.

recua *f* Reihe *f*, Zug *m von Saumtieren*; *fig.* Reihe *f*, Menge *f*; *fig.* F *con toda la* ~ mit der ganzen Familie, mit Kind u. Kegel F.

recuadro *m* Rahmen *m*, Kästchen *n*, Kasten *m um e-n Text*; *Typ.* Schriftfeld *n*.

recubierto *part. v. recubrir.*

recubri|miento *m bsd.* ⊕ **1.** Verkleidung *f*; Überzug *m*; Über-, Abdeckung *f*; *a.* Überlappung *f*; **2.** Neubeziehung *f* (*z. B. von Reifen*); **~r** [*part. recubierto*] *v/t.* überziehen; verkleiden (mit *dat.* de); überdecken (mit *dat.* de); *Kabel usw.* umspinnen; *a.* überlappen.

recue|lo *m* **1.** starke Lauge *f*; **2.** zweiter Aufguß *m*; *fig.* F dünner Kaffee *m*; **~nto** *m* (Nach-)Zählung *f*; ~ (*de votos*) Stimmzählung *f*; *hacer el* ~ *de a/c.* et. (nach)zählen.

recuerdo I. *adj.* **1.** † *u. Col.* wach; **II.** *m* **2.** Erinnerung *f bzw.* Andenken *n* (an *ac.* de); Reiseandenken *n*, Souvenir *n*; **~**(*s*) *m*(*/pl.*) *de amor* liebe Erinnerung(en) *f*(*/pl.*); *traer al* ~ in Erinnerung bringen; **3.** **~s** *m/pl.* Grüße *m/pl.*, Empfehlungen *f/pl.*; *dar* **~s** *a alg.* j-m Grüße ausrichten.

recuero *m* Führer *m e-s Maultiertrupps*, Treiber *m*.

recuesta *f* → *requerimiento, intimación.*

recuesto *m* Abhang *m*, Gefälle *n*.

recu|lada *f* Zurück-weichen *n*; -laufen *n*; Rückstoß *m e-r Waffe*; **~lar** *v/i.* zurückprallen; *a. fig.* zurück-weichen; -schrecken (vor *dat. ante*); e-n Rückstoß verursachen (*Waffe*); **~lo** *adj.* schwanzlos (*Huhn*); **~lones** F *adv.*: *a* ~ rückwärts, im Krebsgang.

recupera|ble *adj. c* wiedererlangbar; *no* ~ unbezahlt (*Urlaub*); **~ción** *f* **1.** Wiedererlangung *f*; Zurückgewinnung *f*; ~ *de la salud* Wiedergesundung *f*; **2.** ⚓ Bergung *f*; *zona f de* ~ Bergungszone *f* *z. B. e-r Weltraumkapsel*; **3.** *fig. a.* ☿ Erholung *f*; Wieder-aufbau *m* *bzw.* -aufstieg *m*; ☿ Wiederanziehen *n der Preise*; **4.** ⊕ Rückgewinnung *f* *zur Wiederverwendung*; **~dor** ⊕ *m* Rekuperator *m*; **~r I.** *v/t.* **1.** wiedererlangen, -gewinnen, -bekommen; *Kosten* wieder hereinholen; *Zeit* wieder einholen *bzw.* nachholen; ⚔ *Gelände usw.* wiederbesetzen; **2.** ⊕ rückführen, wiedergewinnen; **II.** *v/r.* **~se** **3.** s. erholen.

recu|rrente I. *adj. c* rückläufig; rückfällig; 🕮 rekursiv; ⚕ *fiebre f* ~ Rückfallfieber *n*; *Anat. nervio m* ~ Rekurrens *m*; **II.** *m* ⚖, ☿ Regreß-, Rekurs-nehmer *m*; **~rrir** *v/i.* **1.** ~ *a* s. wenden an (*ac.*); in Anspruch nehmen (*ac.*); greifen zu (*dat.*); *Gericht usw.* anrufen; **2.** ⚖ ein Rechtsmittel einlegen (gg. *ac. contra*, de; bei *dat. a*).

recurso *m* **1.** Zuflucht *f*; Hilfe *f*, Hilfsmittel *n*; *fig.* Ausweg *m*; *a.* ⚕ ~ *de urgencia* Notbehelf *m*; **2.** ☿, ⚖ Regreß *m*, Rückgriff *m*; **3.** ⚖ Rechts-mittel *n*; -behelf *m*; *Verw.* Eingabe *f*; ⚖ *interponer un* ~ *ante* ein Rechtsmittel einlegen bei (*dat.*); **4.** **~s** *m/pl.* Hilfsquellen *f/pl.*; **~s** (*económicos*) **a)** (Geld-)Mittel *n/pl.*; **b)** Wirtschaftspotential *n*; **~s** *fiscales* Steuerquellen *f/pl.*; *sin* **~s** mittellos; **5.** *Geol.* **~s** *m/pl.* Vorkommen *n/pl.*; **6.** ⚒ Ablauf *m*.

recusa|ble *adj. c* ablehnbar; verwerflich; **~ción** *f* Ablehnung *f*, Zurückweisung *f*; Verwerfung *f*; ⚖ Ablehnung *f wegen Befangenheit*; **~r I.** *v/t.* ab-, zurück-weisen; verwerfen; ⚖ *Richter, Zeugen usw.* (*als befangen*) ablehnen; **II.** *v/r.* **~se** ⚖ s. für befangen erklären.

recha|zar [1f] *v/t.* **1.** *a. fig.* ab-, zurück-weisen; ablehnen; zurückstoßen; abprallen lassen; *Feind* abwehren *bzw.* zurückwerfen; *Hieb* abwehren, parieren; *Wasser usw.* abstoßen; *Ball* zurück-schlagen *bzw.* -werfen; *a. fig.* ser **~ado** abprallen; abgewiesen werden; **2.** von s. weisen; ablehnen; nicht annehmen; verweigern; **3.** ablehnen; widersprechen (*dat.*) *bzw.* bekämpfen; *p. ext.* widerlegen; **~zo** *m* **1.** Rückprall *m*; Rückstoß *m*; Rückschlag(en *n*) *m* (*z. B. e-r Flamme*); de ~ durch Rückprall; Rückprall...; *fig.* **a)** indirekt; **b)** gelegentlich; **2.** Ab-, Zurück-weisung *f*; Abwehr *f*.

rechifla F *f* Auspfeifen *n*; Spott *m*, Hohn *m*; *dar una* ~ *a* → **~r I.** *v/t.* auspfeifen; verhöhnen; **II.** *v/r.* **~se** *de alg.* j-n verhöhnen.

rechi|namiento *m* Knarren *n*; Knirschen *n*; Quietschen *n*; Schrillen *n*; **~nar** *v/i.* **1.** knarren (*Tür*, *Leder*); knirschen (*Feile*, *Sand*, *Zähne*); quietschen, (*Türangeln*, *Bremsen usw.*); *a. fig.* ~ *los dientes* mit den Zähnen knirschen; **2.** *fig.* (nur) widerstrebend handeln; **~n(id)o** *m* → *rechinamiento*.

rechistar F *v/i.* (s.) mucksen; *mst.* *sin* ~ ohne Widerspruch; ohne s. zu mucksen.

rechoncho F *adj.* rundlich, pummelig F.

rechupete F *adj.*: *de* ~ großartig, köstlich; prima F, dufte P.

red *f* Netz *n* (*alle Bedeutungen*); *fig.* *a.* Schlinge *f*; Fallstrick *m*; ~ *de alumbrado* Licht-, Beleuchtungsnetz *n*; *Tel.* ~ (*telefónica*) *automática* (Selbst-)Wählnetz *n*; ~ *de carreteras* (Land-)Straßennetz *n*; *red*(*ecilla f*) *para cazar mariposas* Schmetterlingsnetz *n*; ~ *de comunicaciones* Verkehrs- (*bzw.* Post- u. Fernmelde-)netz *n*; ~ *de coordenadas* Gitternetz *n e-r Karte*; ⚡ ~ *de corriente*, ~ *eléctrica* Stromnetz *n*; ~ *de distribución* Verteilernetz *n*; ~ *frigorífica* Kühlkette *f*; *Anat.* ~ *de nervios* Nervengeflecht *n*; ~ *de pesca* Fischernetz *n*; *Tel.* ~ *telefónica* Fernsprechnetz *n*; *Vkw.* ~ *de vías* Schienennetz *n*; ⚡ *aparato m enchufable a la* ~ Netzgerät *n*; *servicio m alimentado por la* ~ Netzbetrieb *m*; *fig. caer en la* ~ ins Garn (*od.* in die Falle) gehen; *a. fig.* *echar la* ~ das Netz auswerfen; *hacer* **~es** Netze knüpfen.

redac|ción *f* **1.** Abfassung *f*, Ausarbeitung *f*; Aufsatz(übung *f*) *m*; **2.** Schriftleitung *f*; Redaktion *f*; *de* ~ redaktionell; **~tar** *v/t.* abfassen, aufsetzen; redigieren; **~tor** *m* Verfasser *m*; Schriftleiter *m*; Redakteur *m*; ~ *gráfico* Redakteur *m* für den Bildteil; Bildberichterstatter *m*; ~ *jefe* Chefredakteur *m*; Hauptschriftleiter *m*.

redada *f a. fig.* Fischzug *m*; ~ (*de la policía*) Razzia *f*; *fig.* F *coger una buena* ~ e-n guten Fang machen; *fig. tender una* ~ e-e Falle stellen.

redaño *m Anat.* Gekröse *n*; *fig.* P **~s** *m/pl.* Kraft *f*; Mumm *m* P.

redargüir [3g] *vt/i.* widerlegen; F den Spieß umdrehen; ⚖ zurück-, ab-weisen.

redecilla *f* **1.** Haarnetz *n*; 🚗 ~ (*para el equipaje*) Gepäcknetz *n*; **2.** Netzmagen *m der Wiederkäuer.*
rededor *m* Umkreis *m*; *adv. al* ~ ringsherum.
reden|ción *f* **1.** Loskauf *m*, Ablösung *f*; *fig.* Ausweg *m*; **2.** *Rel.* (*christlich*: ♀) Erlösung *f*; **~tor** *m Rel. u. fig.* Erlöser *m*; Retter *m*; *el* ♀ der Erlöser, Christus; **~torista** *Rel. adj.-su. c* Redemptoristen...; *m* Redemptorist *m.*
redero *m* Netzknüpfer *m*; Vogelsteller *m.*
redes|contar [1m] ✝ *v/t.* rediskontieren; **~cubrimiento** *m* Wiederentdeckung *f*; **~brir** *v/t.* wiederentdecken; **~cuento** ✝ *m* Rediskont *m.*
redhibi|ción ⚖ *f* Wandelung *f*; **~torio** ⚖ *adj.* redhibitorisch; *vicio m* ~ Gewährsmangel *m.*
redicho F *adj.* gekünstelt, affektiert *b. Sprechen.*
rediente *m* ⚔ Vorsprung *m e-r Befestigung*; *Ku.* **~s** *m/pl.* Maßwerk *n.*
¡rediez! F *int.* verflixt noch mal!
redil *m* Pferch *m*; Hürde *f*; *fig. volver al* ~ heimfinden; wieder auf den rechten Weg kommen.
redimi|ble *adj. c* ab-, ein-lösbar; tilgbar; *Rel.* erlösbar; **~r** *v/t.* los-, zurück-kaufen; ablösen; *Rel.* erlösen.
redingote *m* Redingote *f.*
rédito *m* Kapitalertrag *m*; Rendite *f*; **~s** *m/pl.* Einkünfte *pl.*; *dar* ~ Zinsen bringen.
reditua|ble, *a.* **~l** *adj. c* zinsbringend; einträglich; **~r** [1e] *vt/i.* Zinsen bringen.
redivivo *adj.* (wieder)auferstanden.
redo|blado *adj.* (ver)doppelt; *fig.* untersetzt; **~blamiento** *m* Verdoppelung *f*; **~blante** *m* **1.** (Landsknechts-, Marsch-)Trommel *f*; **2.** Trommler *m*; **~blar I.** *v/t.* **1.** verdoppeln; **2.** *Nagelspitze* umbiegen; **3.** wiederholen; **II.** *v/i.* **4.** ♪ e-n Wirbel schlagen; **5.** zunehmen, heftiger werden; **III.** **~se 6.** s. verdoppeln; zunehmen; **~ble** *m* **1.** Verdoppelung *f*; **2.** ♪ (Trommel-)Wirbel *m.*
redolor *m* dumpfer Schmerz *m*; Nachschmerz *m.*
redoma *f* Phiole *f.*
redomado F *adj.* schlau; gerissen; ausgemacht (*Gauner*).
redomón *adj.-su.* **1.** *Am.* halbwild (*Pferde, Kühe usw.*); **2.** *fig. Méj.* ungeschliffen, *a. Chi.* unerfahren; neu im Land (*Greenhorn*).
redon|da *f* **1.** Umkreis *m*; *p. ext.* Weide *f*; *a la* ~ rundherum; weit u. breit; **2.** ♪ ganze Note *f*; **~deado I.** *adj.* **1.** rund(lich); **2.** ab-, aufgerundet; **II.** *m* **3.** ⊕ Abrundung *f*; Rundung *f*; **~dear I.** *v/t. a.* ⊕ *u. fig.* abrunden; **II.** *v/r.* **~se** *fig.* F s. (finanziell) sanieren, sein Schäfchen ins Trockene bringen; **~del 1.** *m* Kreis *m*; *Stk.* Arena *f*; ~ *de cuero* Luft-, Sitz-ring *m* (*Kissen*); **2.** † runde „Capa" *f*; **~dez** *f* Runde *f*; Rundung *f*; **~dilla** *f* **1.** *Strophe* (*4 Achtsilbner*); **2.** *Typ.* (*letra*) ~ Rundschrift *f*; **~dillo** *m* **1.** 🌾 *e-e rundkörnige Weizenart*; **2.** *Ven.* **a)** Arena *f*; **b)** *Kchk.* Roulade *f*; **~do I.** *adj.* rund (*a. Zahl*); *a. fig.* abgerundet; *fig.* vollkommen; glatt (*Geschäft*); reinblütig (*Edelmann*); ~ *como una bola* kugelrund; *en* ~ in die (*bzw.* in der) Runde, rundherum; *caer* ~ lang hinschlagen; F bewußtlos umfallen; *se lo he dicho (en)* ~ ich habe ihm's rundheraus (*od.* klipp u. klar) gesagt; **II.** *adv.* rundweg; **III.** *m* Rundung *f*; ⊕ ~(*s*) *m(/pl.) de acero* Rundstahl *m.*
redopelo *m* Gegenstrich *m*; *fig.* Kinderstreit *m*; *a(l)* ~ **a)** gg. den Strich; **b)** ganz gg. die natürliche Art; gewaltsam; verkehrt; *traer al* ~ *a alg.* j-n schikanieren.
redro F *adv.* rückwärts, zurück.
redrojo *m* 🌱 Spätfrucht *f*; *fig.* Kümmerling *m* (*kränkliches Kind*).
redropelo *m* → *redopelo.*
redruejo *m* → *redrojo*; *bsd.* Spätling *m* (*Traube*).
reducción *f* **1.** *hist., Log.,* ℞, 🕮, ⚗, ⊕ Reduktion *f*; ~ *de carbono* Frischen *n* (*Stahl*); **2.** Abbau *m*, Minderung *f*; Verminderung *f*, Verringerung *f*; Kürzung *f*, Einschränkung *f*; Reduzierung *f*; ~ *de personal* Personalabbau *m*; **3.** *a.* ⊕, ⚡ Herabsetzung *f*; Ermäßigung *f*; Nachlaß *m*, Rabatt *m*; *Pol.* Herabsetzung *f z. B. des Wahlalters*; ~ *de precios* Preisnachlaß *m*; **4.** *a. Phot.* Verkleinerung *f* (*bsd.* = ~ *de tamaño*); Verringerung *f*; Verjüngung *f* (*Schmälerwerden*); **5.** ℞ Umrechnung *f*, Umwandlung *f*; ⚗ Umwandlung *f*, Umsetzung *f*; Reduktion *f*; *Arith.* ~ *de quebrados* Bruchkürzung *f*; Einrichten *n* von Brüchen; ✝, ℞ *tabla f de* ~ Umrechnungstabelle *f*; **6.** *Chir.* Einrichtung *f e-s Bruches*; **7.** Zurückführung *f* (auf *ac. a*).
redu|cible *adj. c* zurückführbar; zerlegbar; reduzierbar; *vgl. reducir*; **~cido** *adj.* klein; gering; niedrig (*Preis*); verkleinert; *en* (*od. de*) *tamaño* ~ verkleinert (*Lichtbild, Modell usw.*); *cabeza f* **~a** Schrumpfkopf *m*; **~cir** [3o] **I.** *v/t.* **1.** zurückführen (auf *ac. a*); 🕮 *usw.* reduzieren (*vgl. reducción 1, 2, 3*); *Aufständische, Feinde, Staaten* unter-, niederwerfen; ~ *al absurdo* ad absurdum führen; ~ *a la miseria* (*al silencio*) ins Elend *bzw.* an den Bettelstab (zum Schweigen) bringen; **2.** abbauen, vermindern; verringern, kürzen; ver-, zer-kleinern; *Kosten* senken; *Personal* abbauen; ~ *a ceniza(s)* zu Asche verbrennen; ~ *a polvo* zu Staub machen (*bzw.* werden lassen); *fig.* vernichten; **3.** herabsetzen, ermäßigen, reduzieren; **4.** verkleinern; verringern *bzw.* schmäler werden lassen; ~ *de escala* in kleinerem Maßstab wiedergeben; **5.** ✝ umrechnen (in *ac. a*); *a.* ℞ umwandeln (in *ac. a*); *Gleichungen usw.* kürzen; ℞ *Ausdruck* zerlegen; *Brüche* einrichten; **6.** *a.* ⚗ umsetzen; ⚗, *sid.* reduzieren; *Erze a.* läutern; ~ *a dinero* zu Geld machen, in Geld umsetzen; **7.** *Chir. Bruch* einrichten; **8.** †, ⚒ *Bericht usw.* zs.-fassen; **II.** *v/r.* **~se 9.** s. einschränken *in s-r Lebensführung, in s-n Ausgaben*; s. beschränken (auf *ac. a*); **10.** s. zs.-ziehen; *a.* einlaufen; **11.** s. fügen; s. entschließen *bzw.* s. (doch noch) bereit erklären (zu *inf. a*); **12.** ⚒ s. kurz fassen.
reduc|tible *bsd.* 🕮 *adj. c* → *reducible*; **~to** *m* **1.** *fort. ehm.* Reduit *n*; *noch*: Kernwerk *n*; *gut ausgebaute* Schanze *f*; *p. ext.* schwer zu erobernder Platz *m* (*bsd. im Bergland*); ~ *natural* Naturfestung *f*; **2.** *fig. gal.* verstecktes Plätzchen *n*; **~tor I.** *adj.* **1.** reduzierend (*alle Bedeutungen, vgl. reducir*); **II.** *m* **2.** ⚗, *pharm.* Reduktionsmittel *n*; **3.** *Phot.* Abschwächer *m*, Verzögerer *m*; **4.** *Chir.* Einrenker *m* (*Apparat*); **5.** ⊕ Untersetzungsgetriebe *n.*
redunda|ncia *f* Überfluß *m*; *Li.* Redundanz *f*; Wortschwall *m*; **~nte** *adj. c* überflüssig; weitschweifig; überschwenglich, bombastisch; **~r** *v/i.* **1.** ⚒ überlaufen; **2.** ~ *en* gereichen zu (*dat.*), s. auswirken zu (*dat.*); ~ *en beneficio de todos* für alle vorteilhaft sein.
reduplica|ción *f* Verdoppelung *f*; *Li.* Reduplikation *f*; **~r** [1g] *v/t.* verdoppeln; *Li.* reduplizieren; **~tivo** *Li. adj.* reduplizierend.
reedición *Typ. f* Neuauflage *f.*
reedifi|cación *f* Wiederaufbau *m*; Neubau *m*; **~car** [1g] *v/t.* wieder aufbauen.
reeditar *v/t. Buch* neu herausgeben, neu auflegen.
reedu|cación *f* **1.** Umschulung *f*; *a. Pol.* Umerziehung *f*; **2.** ⚕ Heilgymnastik *f*; **~car** [1g] *v/t.* **1.** umschulen; *a. Pol.* umerziehen; **2.** ⚕ *gelähmte Gliedmaßen usw.* heilgymnastisch behandeln.
reelaboración *f* Wiederverarbeitung *f.*
reele|cción *f* Wiederwahl *f*; **~gible** *adj. c* wiederwählbar; **~gir** [3c *u.* 3l] *v/t.* wiederwählen.
reem|barcar [1g] *v/t.* wiederverschiffen; rückverladen; **~bolsar** *v/t.* → *rembolsar*; **~plazar** [1f] *v/t.* → *remplazar.*
reencar|nación *Rel. f* Reinkarnation *f*; **~nar** *v/i. u.* **~se** *v/r.* e-n neuen Leib annehmen (*Seelenwanderung*).
reencauchar *v/t.* → *recauchar.*
reen|cuadernar *v/t. Buch* neu einbinden; **~cuentro** *m* Zusammenstoß *m*; ⚔ bewaffnete Auseinandersetzung *f*, Treffen *n*; **~ganchar I.** *v/t.* ⚔ wieder anwerben; **II.** *v/r.* **~se** ⚔ s. *freiwillig* weiter verpflichten; F s-n Arbeitsvertrag verlängern; *fig.* F → *reengancharse*; **~ganche** ⚔ *m* Wiederanwerbung *f*; **~sayar** *v/t.* erneut versuchen; *Thea.* erneut proben; neu einstudieren; **~sayo** *Thea. m* neue Probe *f*; **~viar** [1c] *v/t.* weiterbefördern; **~vidar** *v/t.* überbieten *b. Spiel*; **~vío** *m* Weiterversand *m*; **~vite** *Kart. usw. m* Überbieten *n.*
reestre|nar *v/t. Thea.* wiederaufführen; **~no** *m* Wiederaufführung *f.*
reex|aminar *v/t.* nochmals prüfen, überprüfen; **~pedición** *f* Weiterbeförderung *f*; **~pedir** [3l] *v/t.* weiterbefördern; nachsenden; 📯 *¡reexpídase!* bitte nachsenden!; **~portación** *f* Wiederausfuhr *f*; **~portar** *v/t.* wieder ausführen.
refacci|ón *f* **1.** Imbiß *m*; *fig.* F Zugabe *f b. Kauf*; **2.** ✝ Refaktie *f*; **3.** *bsd. Am.* → *refección*; **4.** *Ant., Méj.* Betriebskosten *pl. für ein Gut*

od. *e-e Zuckerfabrik*; **~onar** *Am.* *v/t.* **1.** Kredit geben (*dat.*); finanziell unterstützen; **2.** *bsd. Col., Méj.* reparieren; **~onario** ⚖ *adj.* Aufbau... *bzw.* Reparatur...; *crédito m* ~ Aufbau- *bzw.* Förderungs-kredit *m.*
refajo *m ehm. u. b. Bauerntracht*: kurzer, hinten aufgeschürzter Rock *m*; Unterrock *m.*
refec|ción *f* **1.** Imbiß *m*; **2.** Ausbesserung *f*, Reparatur *f*; **~cionario** ⚖ *adj.* → *refaccionario*; **~torio** *m* Refektorium *n in Klöstern usw.*
refe|rencia *f* **1.** Bericht *m*; Bezug *m*; *con ~ a* mit Bezug auf (*ac.*); *de ~* genannt, erwähnt; Berichts...; *~ bibliográfica* Literaturangabe *f*; ✝ *~s f/pl. bancarias* Bankverbindungen *f/pl.*; **2.** Referenz *f*, Auskunft *f*, Empfehlung *f*; *saber a/c. por ~s* et. (nur) von andern wissen; **~rendario** *m* → *refrendario*; **~réndum** *m Pol.* Referendum *n*; *dipl.* Ersuchen *n* um neue Weisung; *Gewerkschaft*: Urabstimmung *f*; **~rente** *adj. c* bezüglich; *~ a* in bezug auf (*ac.*), bezüglich (*gen.*); über (*ac.*); **~rir** [3i] **I.** *v/t.* erzählen, berichten, referieren; erwähnen, sagen; **II.** *v/r.* *~se a* s. beziehen auf (*ac.*); *por* (*od.* *en*) *lo que se refiere a* ... was ... (*ac.*) betrifft, bezüglich... (*gen.*).
refilón *adv.*: *de ~* schräg; *fig.* beiläufig, flüchtig.
refina|ción *f* Verfeinerung *f*; Veredelung *f best. Produkte*; *a.* ⚗ Raffination *f*; *~ del azúcar* Zuckerraffination *f*; **~do** *adj. a. fig.* raffiniert; *fig.* hochfein; *azúcar m ~* Kristallzucker *m*, Raffinade *f*; **~miento** *m* Verfeinerung *f*; Feinheit *f*; F Raffinesse *f.*
refinancia|ción *f*, **~miento** *m* ✝ Refinanzierung *f.*
refi|nar *v/t.* **1.** verfeinern; läutern; *fig.* (aufs höchste) vollenden; **2.** ⊕ *Produkte* läutern, *Zucker, Erdöl* raffinieren; **~nería** ⊕ *f* Raffinerie *f*; *~ de aluminio* (*de azúcar*) Aluminium- (Zucker-)raffinerie *f*; **~no** **I.** *adj.* **1.** sehr fein; hochfein; **II.** *m* **2.** ⊕ Raffination *f*; *a.* Raffinade *f*; **3.** ✝ Kakao-, Zucker- u. Schokoladenbörse *f.*
refistole|ría F *f* **1.** *Cu., Méj., P. Ri.* Dünkel *m*; **2.** *Ven.* Scharlatanerie *f*; Intrigantentum *n*; **~ro** *adj.-su. m* **1.** *Cu., Méj., P. Ri.* Fatzke *m* F; **2.** *Am. Cent., Ven.* Schwätzer *m*; gerissener Kerl *m.*
refitolero *m* Speisemeister *m e-s Klosters*; † *u. Reg. fig.* F cleverer Kerl *m* F, Hansdampf *m* (in allen Gassen).
reflec|tar *Phys. vt/i.* → *reflejar*; **~tor** *m* Reflektor *m*, Scheinwerfer *m* (*Kfz.* → *faro, luz*); *HF ~ de antena* Antennenreflektor *m*; *~ frontal* Stirnreflektor *m der Ärzte.*
refle|jar *vt/i.* zurückstrahlen; *a. fig.* (wider)spiegeln; *~se* s. widerspiegeln; **~jo** **I.** *adj.* überlegt, bedacht; *Li.* reflexiv; *Phys.* Reflex...; *Physiol.* reflektorisch, Reflex...; *movimiento m ~* Reflexbewegung *f*; **II.** *m* Abglanz *m*, (Wider-)Schein *m*; Spiegelung *f*; *Phys., Physiol.* Reflex *m*; *~ de luz* Lichtschein *m*; Lichtreflex *m*; ⚕ *~ cutáneo* (*pupilar*) Haut- (Pupillen-)reflex *m.*

reflexi|ón *f* **1.** *Phys.* Zurückstrahlung *f*; Spiegelung *f*; Reflexion *f*; *~ de la luz* Lichtreflexion *f*; *sin ~ones* reflexions- *od.* rückstrahlungs-frei; **2.** Überlegung *f*, Nachdenken *n*; Reflexion *f*; *sin ~* unbedacht, unüberlegt; *hacer ~ones* Erwägungen anstellen; *a. j-m* zureden; **~onar** *vt/i.* überlegen; nachdenken; erwägen; mit s. zu Rate gehen; *~ antes de obrar* erst überlegen, dann handeln; **~vo** *adj.* **1.** nachdenklich; überlegt; gedankenvoll; **2.** *Gram.* reflexiv, rückbezüglich.
reflorecer [2d] ⚘ *v/i.* wiederholt blühen.
reflu|ir [3g] *v/i.* zurückfließen; **~jo** *m* Rück-fluß *m*, -strom *m*; Ebbe *f.*
refocilar **I.** *v/t.* ergötzen; **II.** *v/r.* *~se* (*con*) s. weiden (an *dat.*); s. gütlich tun (an *dat.*).
reforestación *f Am.* Wiederaufforstung *f.*
refor|ma *f* **1.** Reform *f*; Umgestaltung *f*, Erneuerung *f*; Umarbeitung *f*; △ *~s f/pl.* Umbau *m*; *~ agraria* Agrar-, Boden-reform *f*; *~ monetaria* (*tributaria*) Währungs- (Steuer-)reform *f*; **2.** *Rel.* ♀ Reformation *f*; **~mable** *adj. c* **1.** verbesserungsfähig; ⊕ *a.* umformungsfähig; **2.** reformbedürftig; **~mación** *f* Umgestaltung *f*; **~mado** *adj.* **1.** *Rel.* reformiert; **2.** † abgedankt (*Offizier*); **~mador** *m* Reformator *m* (*bsd. Rel.*); Erneuerer *m*, Reformer *m*; *oft iron.* *~es* Weltverbesserer *m/pl.*; **~mar** **I.** *v/t.* umgestalten; umarbeiten; ⊕ *a.* ab-, um-ändern; verbessern; reformieren; **II.** *v/r.* *~se* umgestaltet werden; anders werden; *fig.* s. bessern; in s. gehen; **~matorio** **I.** *adj.* um-, neugestaltend (*a. reformativo*); reformatorisch; **II.** *m* Besserungsanstalt *f*; **~mista** **I.** *adj. c* Reform..., Erneuerungs...; **II.** *m* Reformer *m*, Erneuerer *m.*
reforza|do **I.** *adj.* verstärkt; **II.** *m* Verstärkung(sband *n*) *f*; **~dor** *Phot. m* Verstärker *m*; **~miento** *m* Verstärkung *f*; Versteifung *f*; Verstrebung *f*; **~r** [1f *u.* 1m] **I.** *v/t.* **1.** *a.* ⊕ verstärken; *~ con puntales* verstreben; **2.** *fig.* bestärken, ermutigen; **II.** *v/r.* *~se* **3.** *fig.* Mut fassen.
refrac|ción *Phys. f* Brechung *f*, Refraktion *f*; **~tado** *Opt. m* (Strahlen-)Brechung *f*; **~tar** *Phys. v/t.* brechen; **~tario** *adj.* **1.** wider-spenstig, -strebend; abweisend, spröde; *fig. ser ~ a* ... **a)** ein Gegner ... (*gen.*) sein; **b)** nicht begabt sein für ... (*ac.*); **2.** ⚕ refraktär; **3.** feuerfest; *tierra f ~a* Schamott(e)erde *f*; **~tivo** *Opt. adj.* strahlenbrechend; **~tor** *Phys. m* Refraktor *m.*
re|frán *m* Sprichwort *n*; **~franero** *m* Sprichwörtersammlung *f.*
refrangible *Opt. adj. c* brechbar.
refre|gar [1h *u.* 1k] *v/t.* (ab)reiben; *fig.* F *~* (*por las narices*) unter die Nase reiben F; **~gón** *m* F (Ab-)Reiben *n*; Spur *f* des Reibens; ⚓ Bö *f.*
refrena|miento *m a. fig.* Zügeln *n*; *fig.* Bändigung *f*, Zähmung *f*; **~r** **I.** *v/t. a. fig.* zügeln; *fig.* zähmen; **II.** *v/r.* *~se* s. im Zaume halten.
refren|da *Ec. f*, **~dación** *f* → *refrendo*; **~dar** *Verw.*, ⚖ *v/t.* gg.-zeichnen; abzeichnen; *Paß* beglaubigen *bzw.* visieren; **~dario** *m* Gegenzeichner *m*; **~do** *Verw.*, ⚖ *m* Gg.-zeichnung *f.*

refres|camiento *m* Erfrischung *f*; **~cante** *adj. c* erfrischend; **~car** [1g] **I.** *v/t.* erfrischen; abkühlen; *a. fig.* auffrischen; *fig.* erneuern; **II.** *v/i.* abkühlen, kühl werden (*Wetter*); auffrischen (*Wind*); *fig.* neue Kraft gewinnen; **III.** *v/r.* *~se* s. erfrischen; *a.* frische Luft schöpfen; abkühlen; auffrischen (*v/i.*); **~co** *m* **1.** Erfrischung *f*; *a.* Abkühlung *f*; erfrischendes Getränk *n*; *a.* kl. Imbiß *m*; **2.** *de ~* neu (hinzutretend), Ablösungs..., Verstärkungs...; ⚔ *a.* Ersatz...; **~quería** *f Méj.* Erfrischungshalle *f.*
refriega *f* ⚔ Treffen *n*, Plänkelei *f*; [F Streit *m.*]
refrige|ración *f a.* ⊕ (Ab-)Kühlung *f*; *~ por* (*corriente de*) *aire* Luftkühlung *f*; *agua f de ~* Kühlwasser *n*; **~rado** ⊕ *adj.* gekühlt; *~ por aire* luftgekühlt; **~rador** *m* Kühlanlage *f*; Kühlschrank *m*; ⊕ Kühler *m*; *~ de absorción* (*de compresor*) Absorber- (Kompressor-)kühlschrank *m*; **~radora** *f*: *~ eléctrica* elektrischer Kühlschrank *m*; **~rante** **I.** *adj. c* **1.** kühlend; Kühl...; *mueble m ~* Kühltruhe *f*; **II.** *m* **2.** ⚗ Kühlmittel *n*; *pharm.* kühlendes Mittel *n*; **3.** ⊕ → *refrigerador*; **~rar** **I.** *v/t.* (ab)kühlen; erkalten lassen; ⚒ *fig.* erfrischen; **II.** *v/r.* *~se* ⚒ *fig.* → *refocilarse*; **~rio** *m* **1.** Kühlung *f*, *a. fig.* Linderung *f*; **2.** Erfrischung *f*, Imbiß *m.*
refringen|cia *Opt. f* Lichtbrechung(svermögen *n*) *f*; **~te** *adj. c* brechend.
refuerzo *m* **1.** *a.* ⊕ *u. Phot.* Verstärkung *f*; Versteifung *f*; Verstrebung *f*; **2.** *fig.*, *a.* ⚔ Verstärkung *f*, Hilfe *f*; *bsd.* ⚔ Nachschub *m.*
refugi|ado *m* Flüchtling *m*; **~ar** [1b] **I.** *v/t.* ⚒ Zuflucht gewähren (*dat.*), aufnehmen; **II.** *v/r.* *~se* s. flüchten; fliehen (nach *dat.* *en*); Schutz suchen; *a.* s. unterstellen; *~se al bosque* im Wald Zuflucht suchen (*bzw.* finden); **~o** *m* **1.** Zuflucht *f*; *fig.* Schutz *m*, Schirm *m*; *p. ext.* Zufluchtsstätte *f*; Asyl *n*, Freistatt *f*; *puerto m de ~* Nothafen *m*; **2.** Schutzraum *m*; Unterstand *m*; Bunker *m*; *~ antiaéreo* Luftschutzraum *m*, -keller *m*, -bunker *m*; *~ antiatómico* Atombunker *m*; **3.** *~* (*alpino*, *~ de montaña*) Schutzhütte *f*; *a.* gr. Berggasthof *m*; **4.** Wartehäuschen *n der Straßenbahn usw.*; **5.** Verkehrsinsel *f.*
reful|gencia *f* Glanz *m*; Gleißen *n*; Schimmer *m*; **~gente** *adj. c* glänzend, schimmernd; **~gir** [3c] *v/i.* glänzen, schimmern; leuchten, strahlen.
refundi|ción *f* **1.** ⊕ Umschmelzen *n*; Einschmelzen *n*; Umgießen *n*; **2.** *fig.* Umarbeitung *f* (*Aufsatz, Rede*); Neubearbeitung *f* (*Buch*); **~dor** *m fig.* Bearbeiter *m*; **~r** **I.** *v/t.* **1.** ⊕ umschmelzen; umgießen; **2.** *fig. lit. Werk u. ä.* umarbeiten; neubearbeiten; **3.** *barb. Am.* verkramen; **II.** *v/i.* **4.** † *u. Reg.* → *redundar*; **III.** *v/r.* *~se* **5.** *barb. Am.* abhanden kommen; *Am. Reg.* s. verirren.

refunfu|ñador → *refunfuñón*; **~ñar** *v/i.* brummen, murren; brummeln; **~ño** *m* Brummen *n*, Gebrumme *n*; Gemurmel *n*; **~ñón** F *adj.-su.* brummend; *m* (alter) Brummbär *m* F.

refuta|ble *adj. c* widerlegbar; **~ción** *f* Widerlegung *f*; **~r** *v/t.* widerlegen.

rega|dera *f* **1.** Gießkanne *f*; Sprengkopf *m*, Brause *f*; *~ automóvil* Sprengwagen *m*; *~ mecánica del césped* Rasensprenger *m*; *fig.* F *estar como una ~* verrückt sein; **2.** Berieselungsgraben *m*; Gerinne *n*; **~dío** **I.** *adj.* bewässerbar; bewässert; **II.** *m* Bewässerung *f*; (*terreno m* [*de*]) *~* Bewässerungsgelände *n*; **~dizo** *adj.* bewässerbar; **~dor** *m* Berieseler *m*; **~jo** *m* Lache *f*, Pfütze *f*; Rinnsal *n*.

regala ⚓ *f* Schandeckel *m*; Dollbord *m e-s Bootes.*

regalada *f* kgl. Marstall *m*.

regala|do **1.** *a. fig.* F geschenkt; **2.** köstlich; herrlich; behaglich, bequem; verwöhnt; **~r** **I.** *v/t.* **1.** schenken; beschenken (mit *dat. con*); bewirten; **2.** ergötzen; schmeicheln (*dat.*); **II.** *v/r.* *~se* **3.** schwelgen; schmausen; *~se con a/c.* s. et. leisten.

regalía *f* **1.** *hist.* (kgl.) Hoheitsrecht *n*, Regal *n*; *p. ext.* Gehaltszulage *f best. Beamter*; *fig.* F Nebeneinnahme *f*; **2.** *Arg., Chi.* → *regalillo*; *fig.* F *a.* Kleinigkeit *f*; **3.** *fig.* F *Ven.* Pracht *f*; *¡qué ~ de mujer!* e-e wunderschöne Frau!

regalillo † *u. Reg. m* Muff *m*.

regali|z *m*, **~za** *f* **1.** Süßholz *n*; **2.** Lakritze *f*.

rega|lo *m* **1.** Geschenk *n*; **2.** Wohlleben *n*; Behaglichkeit *f*; **3.** Festessen *n*, -schmaus *m*; *fig.* Leckerbissen *m*; Vergnügen *n*; *es un ~* es ist e-e wahre Freude; es ist (einfach) herrlich; **~lón** F *adj.* verhätschelt, verwöhnt.

regan|charse F ⚔ *v/r.* nachfassen *b. der Essensausgabe*; **~che** *m* Nachschlag *m*.

rega|ñadientes *adv.*: *a ~* zähneknirschend, widerwillig; **~ñado** *adj.* **1.** knurrend, mit gefletschten Zähnen; *fig.* F zerstritten, verzankt; **2.** F nicht ganz schließend (*Mund, Auge*); **~ñar** **I.** *v/i.* **1.** knurren u. die Zähne fletschen (*Hund*); **2.** aufspringen (*Brot, Maronen*); **3.** F zanken; murren, nörgeln; s. zerstreiten; **II.** *v/t.* **4.** F (aus)schelten; **~ñir** [3h *u.* 3l] *v/i.* dauernd heulen *od.* winseln (*Hunde usw.*); **~ño** *m* böses Gesicht *n*; *p. ext.* F Rüffel *m*; *~s m/pl.* Geschimpfe *n*; **~ñón** *adj.-su.* mürrisch, bärbeißig; *m* Griesgram *m*.

regar [1h *u.* 1k] *v/t.* **1.** (be)wässern; (be)gießen; *Gelände* durchfließen; *Felder* berieseln; *Straße* sprengen; *Wäsche* einsprengen; **2.** *fig.* vergießen; aus-, be-streuen, *a.* aussäen; **3.** *fig.* F zum Essen trinken, begießen (*fig.* F); *fig.* P bitter beweinen; *fig.* V koitieren (*Mann*).

regata *Sp. f* Regatta *f*; *~ a vela (de remos)* Segel- (Ruder-)regatta *f*.

regate *m* schnelle Ausweichbewegung *f* (*z. B. Ballspiel, Stk.*); *Jgdw.* Haken *m*; *fig.* Ausflucht *f*; Absprung *m*, Kneifen *n* (*fig.*); **~ar**[1] **I.** *vt/i.* feilschen, schachern (um *ac.*); verhökern; *fig. ~ a/c.* mit et. (*dat.*) geizen; *~ las palabras* wortkarg sein; *no ~ esfuerzo(s)* k-e Anstrengung scheuen; *~ a/c. a alg.* j-m et. absprechen; **II.** *v/i.* schnelle *seitliche* Ausweichbewegungen machen; *Sp.* dribbeln.

regatear[2] *v/i.* an e-r Regatta teilnehmen.

regateo *m* **1.** Feilschen *n*, Schachern *n* (um *ac. sobre*); **2.** Ausweichbewegungen *f/pl.*; **3.** *Sp.* Dribbeln *n*.

regato *m* Rinnsal *n*; tiefe Stelle *f in e-m Bach.*

regatón[1] *m* (Stock-, Lanzen-) Zwinge *f*; Ortband *n am Seitengewehr.*

regatón[2] *adj.-su.* Krämer *m*; Schacherer *m*.

regazo *m a. fig.* Schoß *m*; *acoger en su ~ a alg.* j-n schützen, j-n bergen; *tener en el ~ ein Kind* auf dem Schoß haben.

regencia *f* Regentschaft *f*.

regenera|ción *f* Erneuerung *f*; Wiederherstellung *f*; Auffrischung *f*; Wiedergeburt *f*; *bsd. Biol., Phys.*, ⚗ Regeneration *f*; ⊕ Regenerierung *f*; ⚡ Erholung *f* (*Akku, Batterie*); *HF a.* Rückkopplung *f*; **~do** *m* Regenerierung *f*; **~dor** **I.** *adj.* regenerierend; **II.** *m* regenerierender Faktor *m*; ⊕ Regenerator *m*; *~es m/pl.* Regeneriermittel *n/pl.*; **~r** **I.** *v/t.* regenerieren (*alle Bedeutungen*); erneuern; auffrischen; wiederherstellen; **II.** *v/r.* *~se Biol.*, ⚕ nachwachsen, s. erneuern (*a. fig.*), ⚗, ⊕ regeneriert (*bzw.* aufgefrischt) werden; *fig. z. B. Rel.* wiedergeboren werden; **~tivo** *a.* ⚗ *adj.* regenerativ.

regen|ta *f* **1.** Frau *f* Regentin; **2.** Regentin *f* (*Studienrektorin in Klosterschulen*); **~tar** *vt/i.* **1.** *Amt* verwalten; *Ehrenamt* innehaben; *Rektorat* innehaben (*Kloster-, Ordensschule*); *e-r Anstalt* vorstehen; **2.** *fig.* F das Wort führen; herumkommandieren F; **~te** **I.** *c* Regent(in *f*) *m*; Verwalter(in *f*) *m*; **II.** *m* Regens *m e-s Priesterseminars*; Studienrektor *m e-r Kloster- od. Ordensschule*; *pharm.* Provisor *m*; *Typ.* Faktor *m*.

regici|da *adj.-su. c* Königsmörder *m*; **~dio** *m* Königsmord *m*.

regi|dor **I.** *adj.* **1.** regierend; leitend; **II.** *m* **2.** *hist.* Vogt *m*; **3.** Ratsherr *m*, Gemeinderat *m* (*Person*); *Thea.* Inspizient *m*; **~doría** *f*, **~duría** *f* Stadtverordnetenamt *n*.

régimen *m* (*pl. regímenes*) **1.** *Pol.* Regime *n*; Regierungs- *bzw.* Staatsform *f*; *a. fig.* Herrschaft *f*; *~ eclesiástico* Kirchenregiment *n*; *~ feudal* Feudalsystem *n*, Lehnswesen *n*; *~ policíaco* Polizeiregime *n*; *p. ext. a.* Polizeistaat *m*; *~ presidencial* Präsidial-demokratie *f*, -system *n*; **2.** System *n*; Ordnung *f*, Regelung *f*; Einrichtung *f*; Bereich *m*, *in Zssgn. a.* ...wesen *n*; *~ arancelario de aduanas* Zolltarifordnung *f*; ⚖ *~ de bienes matrimoniales* Ehegüterrecht *n*; *Verw. ~ de (intervención de) divisas* Devisen-bewirtschaftung *f*, -kontrolle *f*; *~ escolar* Schulwesen *n*; *dipl., Pol. ~ lingüístico* Regelung *f* der Sprachenfrage; **3.** Stand *m*; Zustand *m*; Verhältnisse *n/pl.*; ⊕ *~ de carga* Belastungszustand *m e-r Maschine*; *~ de trabajo* **a)** Arbeitsstand *m*; **b)** Beschäftigungsgrad *m*; **c)** Arbeitszustand *m e-r Maschine*; **4.** Lebensweise *f*; ⚕ Diät *f*; *~ alimenticio, ~ dietético* Kostform *f*, Diät *f*; *~ de fruta* Obstkur *f*; *~ suave* Schonkost *f*; *guardar (od. estar od. comer a) ~* Diät (ein)halten; *poner a ~ a alg.* j-n auf Diät setzen, j-m Diät vorschreiben; **5.** ⊕ Funktionsweise *f*; Leistungsbereich *m*; Betrieb *m*, Gang *m*, Lauf *m e-r Maschine*; *~ (de revoluciones)* Drehzahl *f*; **6.** *Geol.* Bewegung(s-) *f bzw.* Strömung(s-weise) *f*; **7.** *Li.* Rektion *f*; verlangte Präposition *f bzw.* verlangter Kasus *m*; *p. ext.* ✎ Ergänzung *f*, Objekt *n*; **8.** Büschel *n* (*Bananen, Datteln*).

regi|mentar [1k] *v/t.* in ein Regiment eingliedern; *~ guerrillas* Freischärlergruppen zu Regimentern (*od.* in Verbänden) zs.-fassen; **~miento** ⚔ *m* Regiment *n*.

regio *adj. a. fig.* königlich; *fig.* prächtig, herrlich.

regi|ón *f* **1.** Gegend *f*, Landschaft *f*, Landstrich *m*; Region *f*; **2.** Gebiet *n*, Region *f*; ⚔ *~ militar* Wehrbereich *m* (*in Span.* 7); **3.** *Astr.*, ⚕ Gegend *f*, Region *f*; *Astr. ~ celeste* Himmelsgegend *f*; *Anat. ~ lumbar (renal)* Lenden- (Nieren-)gegend *f*; **~onal** *adj. c* landschaftlich, Landes-..., Volks...; regional; ⚕ regionär; *teatro m ~* Heimat-theater *n*, -spiele *n/pl.*

regionalis|mo *m Pol., Li.* Regionalismus *m*; *Lit.* Heimatkunst *f*; **~ta** **I.** *adj. c Pol.* regionalistisch; regional, Heimat...; *novela f ~* Heimatroman *m*; **II.** *c Pol.* Regionalist *m*; *Lit.* Heimatschriftsteller *m*.

regir [3l *u.* 3c] **I.** *v/t. a. Li.* regieren; leiten; regeln; **II.** *v/i.* gelten, Gültigkeit haben (*Gesetz usw.*); *en el año que rige* im laufenden Jahr; **III.** *v/r.* *~se* s. richten (nach *dat. por*).

regiro † *m* **1.** Rückwechsel *m*; **2.** *a.* Wechselreiterei *f*.

regis|trado **I.** *adj.* eingetragen (*a.* ⚖ *Schutzmarke*); **II.** *m* Registrierung *f*; **~trador** **I.** *adj.* **1.** Registrier...; *caja f ~a* Registrierkasse *f*; **II.** *m* **2.** Registerbeamte(r) *m*; **3.** ⊕ Registriergerät *n*, Schreiber *m*; *~ (electro)fonográfico* (elektrischer) Schallaufzeichner *m*; **~trar** **I.** *v/t.* **1.** auf-, ver-zeichnen; eintragen; registrieren; aufnehmen (*auf Platten, Tonband*); **2.** (*a.* polizeilich *usw.*) durchsuchen; **II.** *v/r.* *~se* **3.** zu verzeichnen sein, da sein; **~tro** *m* **1.** Verzeichnis *n*, Register *n*; *Verw. ~ mercantil* Handelsregister *n*; *~ de la propiedad (inmueble)* Grundbuch *n*; *~ de la propiedad industrial, ~ de patentes* Patentregister *n*, -rolle *f*; **2.** Eintragung *f*, Registrierung *f*; **3.** (*oficina f de*) *~* Registratur *f*; *~ civil* Standesamt *n*; **4.** Aufnahme *f*, Protokoll *n v. Vorgängen*; **5.** *Rf., TV, Phono* Aufzeichnung *f*, Aufnahme *f*; *p. ext.*

a. Aufnahmegerät *n*; ~ *en cinta magnética* Magnetbandaufzeichnung *f*; **6.** Lesezeichen *n*; **7.** ♪, *Typ.* Register *n*; *fig.* F *salir por otro* ~ andere Saiten aufziehen (*fig.*); ♪ *u. fig.* F *tocar* (*od. echar*) *todos los* ~*s* alle Register ziehen, *nur fig.* alle Hebel in Bewegung setzen; **8.** ⊕ **a)** Gangregler *m* (*Uhr*); **b)** Klappe *f*, Schieber *m*; **c)** Einstiegöffnung *f* (*Kanalisation*); **9.** *a.* ⚖ Durchsuchung *f*; ~ *domiciliario* Haussuchung *f*; **10.** *Arg., Bol.* Großhandlung *f in Textilien*; **11.** □ Spezialität *f* e-s Berufsverbrechers.

regla *f* **1.** Regel *f*; Norm *f*, Richtschnur *f*; Grundsatz *m*, Prinzip *n*; Ordnung *f*; Ą *las cuatro* ~*s* die vier Grundrechnungsarten *f/pl.*; ⚖ ~ *jurídica* Rechtsnorm *f*; Ą ~ *de porcentaje* Prozentrechnen *n*; ~ *práctica* (*od. empírica*) Faustregel *f*; *Arith.* ~ de tres Regeldetri *f*; *conforme a la* ~ ordnungsgemäß; *contrario a la*(*s*) ~(*s*) regelwidrig; en ~ in Ordnung; regelrecht; *por* ~ *general* gemeinhin, im allgemeinen; *salir de* (*la*) ~ s. regelwidrig verhalten; zu weit gehen; **2.** F ⚕ ~*s f/pl.* Regel *f*, Menstruation *f*; **3.** Lineal *n*; *Typ. a.* Leiste *f*; *Typ.* ~ *de cabecera* Kopfleiste *f* (*z. B. e-r Zeitung*); ~ *de cálculo* Rechen-schieber *m*, -stab *m*; *falsa* ~ Linienblatt *n*; ~ de T Reißschiene *f*.

reglaje ⊕ *m* Regelung *f*; Einstellung *f*; ⚔ ~ *del tiro* Einschießen *n*.

reglamen|tación *f* Regelung *f*; Ordnung *f*; **~tar** *v/t.* regeln; (durch Vorschriften) ordnen; **~tario** *adj.* vorschriftsmäßig, vorgeschrieben, ordnungsgemäß; **~to** *m* Vorschrift *f*; Verordnung *f*; Dienstanweisung *f*; (Haus-, Betriebs-)Ordnung *f*; ⚖, *Verw.* ~ (*de régimen*) *interior* Geschäftsordnung *f*; ⚒ ~ *de policía minera* bergbehördliche Bestimmungen *f/pl.*; ~ *de tráfico* Verkehrsordnung *f*.

reglar I. *v/t.* **1.** lini(i)eren (*mit Lineal od. ä.*); **2.** Regeln (*od.* Vorschriften) unterwerfen; regeln, ordnen; **II.** *v/r.* ~*se* **3.** ⚒ ~*se a la ley* s. nach dem Gesetz richten; ~*se por el ejemplo de alg.* s. nach j-s Beispiel richten.

regle|ta *f* kl. Lineal *n*; *Typ.* Reglette *f*; ⚡, *Tel., HF* Leiste *f*, Schiene *f*; **~tear** *v/t.* *Typ.* durchschießen, spati(on)ieren.

reglón *m* gr. (Stahl-)Lineal *n*; ⊕ Wange *f*; △ Ziehlatte *f*.

regoci|jado *adj.* erfreut; froh, lustig; fröhlich; **~jar I.** *v/t.* Spaß (*od.* Freude) machen (*dat.*), erfreuen; **II.** *v/r.* ~*se* s. freuen (über *ac. por*); Freude (*od.* Spaß) haben (an *dat. con*); **~jo** *m* Freude *f*; Jubel *m*; Fröhlichkeit *f*; Lustbarkeit *f*.

regodear *Chi.* **I.** *v/t.* → *escatimar*; **II.** *v/r.* ~*se* sehr heikel (*bzw.* wählerisch) sein.

rego|dearse F *v/r.* s. ergötzen (an *dat. con*); s. gütlich tun (an *dat. con*); Spaß treiben; **~deo** F *m* Vergnügen *n*; Behagen *n*; (ausgelassenes) Fest *n*; *adv.* con ~ mit (*oft* boshaftem) Vergnügen.

rego|deón *Col., Chi.,* **~diento** *adj. ib.* verwöhnt; heikel, wählerisch; schwer zufriedenzustellen(d).

regoldana ⚘: (*castaña f*) ~ *f* Roßkastanie *f* (*Frucht*).

regoldar [1m] P *v/i.* rülpsen.

regoldo ⚘ *m* Roßkastanienbaum *m*.

regoldón P *adj.* rülpsend.

regol|far I. *v/i.* zurückfließen; **II.** *v/r.* ~*se* s. stauen; abgelenkt werden (*Wind durch ein Hindernis*); **~fo** *m* Stauung *f*; kl. Bucht *f*.

regordete F *adj.* rundlich, untersetzt.

regre|sar *v/i.* **1.** zurückkehren (P *bsd. Am. a.* ~se *v/r.*); **2.** *ecl.* wieder in den Genuß *e-r Pfründe usw.* kommen; **~sión** *f* Rückgang *m*, Regression *f*; *Li.* Rückbildung *f*; **~sivo** *adj.* rückläufig; regressiv; Rück...; **~so** *m* Rückkehr *f*; (*viaje m* de) ~ Rückreise *f*; de ~ bei (*bzw.* nach) der Rückkehr.

regüeldo P *m* Rülpser *m*.

regue|ra *f* Bewässerungsgraben *m*; **~ro** *m* **1.** Rinne *f*; Rinnsal *n*; Spur *f* *von Vergossenem*; *fig. los* ~*s de sangre* das vergossene Blut; *fig. propagarse como un* ~ *de pólvora* s. wie ein Lauffeuer verbreiten; **2.** *Reg.* → *reguera*.

régula △ *f* Tropfenplatte *f*.

regula|ble *adj. c* einstellbar, regulierbar; regelbar; **~ción** *f a.* ⊕ Regulierung *f*, Einstellung *f*; Regelung *f*; ⚚ ~ *del cambio* Kursregulierung *f*; de ~ *automática* selbstregulierend; *técnica f de* ~ (*automática*) Regeltechnik *f*; **~do** *adj.* geregelt; richtig, vorschriftsmäßig; ⊕ gesteuert; **~dor I.** *adj.* **1.** regulierend; ⊕ *a.* Regel...; **II.** *m* **2.** ♪ dynamisches Zeichen *n*; **3.** ⊕, ⚡, *HF usw.* Regler *m*; ~ *de aire* Windkessel *m*; **~r I.** *v/t.* **1.** regeln, ordnen; **2.** ⊕ *usw.* einstellen; regulieren; regeln; ~ *con precisión* fein einstellen; **II.** *adj. c* **3.** regelmäßig (*a. Gram.,* Ą); geordnet; fahrplanmäßig (*Zug*); **4.** gewöhnlich; regulär; *fig.* (mittel)mäßig; *por lo* ~ gewöhnlich, üblicherweise; **5.** *kath.* Ordens...; (*clérigo m*) ~ Ordensgeistliche(r) *m*; **III.** *adv.* F **6.** → *regularmente*; (so) leidlich; so(so) lala F; **~ridad** *f* **1.** Regel-; Gleich-mäßigkeit *f*; **2.** ⚖ Ordnungsmäßigkeit *f*; **3.** (genaue) Befolgung *f e-r Verpflichtung*; **~rización** *f* Regelung *f*, Ordnung *f*; **~rizar** [1f] *v/t.* in Ordnung bringen, regeln, ordnen; **~rmente** *adv.* **1.** regelmäßig; **2.** üblicherweise; **3.** einigermaßen, halbwegs, leidlich.

régulo *m* **1.** Duodezfürst *m*; **2.** *Vo.* → *reyezuelo*; **3.** *Min.* (♁ *Astr.*) Regulus *m*; **4.** Basilisk *m* (*Fabeltier*).

regurgitar *v/t.* wieder auswürgen.

rehabilita|ble *adj. c* rehabilitierungsfähig; **~ción** *f* Wiedereinsetzung *f*; Ehrenrettung *f*; *bsd.* ⚖, ⚕ Rehabilitierung *f*; **~do** *adj.-su.* rehabilitiert; *m* Rehabilitierte(r) *m*; **~r** *v/t.* wiedereinsetzen; *a.* ⚕ rehabilitieren.

rehacer [2s] **I.** *v/t.* **1.** noch einmal machen; **2.** wieder zs.-bauen; wiederherstellen; **3.** umarbeiten; **II.** *v/r.* ~*se* **4.** *a.* ⚚ s. erholen (von *dat.* de).

rehago *usw.* → *rehacer*.

rehala *f* ✓ **1.** Sammelherde *f*; **2.** *Jgdw.* Meute *f* (*Hunde*).

rehe|cho I. *part. zu rehacer*; **II.** *adj.* gedrungen, stämmig; **~chura** *f* Aufarbeitung *f*, Reparatur *f*.

rehén *m* Geisel *m*; *quedar en* ~ *rehenes* als Geisel (*bzw. fig.* als Unterpfand) zurückbehalten werden.

rehenchir [3h *u.* 3l] *v/t.* ausstopfen, auspolstern (mit *dat. con*).

reherir [3i] *v/t.* zurück-schlagen; -treiben.

reherrar [1k] *v/t. Pferde usw.* neu beschlagen.

rehice, rehiciste, *etc.* → *rehacer*.

rehi|lamiento *m* Schwirren *n e-s Pfeils*; *Phon.*: *in Teilen Südspan. u. Rpl. übliche* Aussprache *f* von *y od. ll* als ž (*frz. g in génie*); **~landera** *f* Windmühle *f* (*Kinderspielzeug*); **~lar** *v/i.* flattern, zittern; *p. ext.* schwirren, sausen (*Pfeil*); *Phon. y od. ll* wie ž aussprechen (→ *rehilamiento*); **~lete** *m* **1.** Papierpfeil *m* mit Spitze (*für Zielwurfspiele*); **2.** Federball *m*; **3.** *Stk.* kl. Banderilla *f*; *fig.* Stichelei *f*; **~letero** *Stk. m* → *banderillero*.

rehílo *m* Zittern *n*, Flattern *n*.

rehogar [1h] *v/t.* schmoren, dünsten, dämpfen.

rehu|ida *f* **1.** Zurückscheuen *n*; Verschmähen *n*; Abschlagen *n*; **2.** Widerwille *m*, Ekel *m*; **~ir** [3g] *v/t.* verschmähen; ablehnen; zurückscheuen vor (*dat.*); vermeiden; aus dem Wege gehen (*dat.*).

re|humedecer [2c] *v/t.* gut befeuchten; **~hundir** *v/t.* ein-, versenken; *fig.* verschwenden, verschleudern; **~hurtarse** *Jgdw. v/r.* Haken schlagen (*Wild*); **~husar** *v/t.* *Bitte* abschlagen; ablehnen; verweigern.

rei|dero F *adj.* (immer wieder) zum Lachen reizend; lächelnd (*Lippen*); **~dor I.** *adj.* (gern) lachend; **II.** *m* Lacher *m*.

reim|presión *Typ. f* Neudruck *m*; Nachdruck *m*; ~ *clandestina* Raubdruck *m*; **~primir** (*part. reimpreso*) *v/t.* neudrucken; nachdrucken.

reina *f* **1.** Königin *f*; *a. Kart., Schach*: Dame *f*; (*abeja f*) ~ Bienenkönigin *f*; ~ *madre* Königinmutter *f*; ~ *viuda* Königinwitwe *f*; **2.** *kath.* ♀ *de los ángeles*, ♀ *del cielo* Himmelskönigin *f*; *fig.* ~ *de* (*la*) *belleza* (*de la vendimia*) Schönheits- (Wein-)Königin *f*; ¡~! mein Liebling!; **3.** ⚘ ~ *luisa* **a)** Melissenkraut *n*; **b)** *e-e* Zinnie *f* (*Cinnia elegans*); ~ *margarita* Gartenaster *f*; ~ *de la noche* **a)** Königin *f* der Nacht (*versch. Kakteen*); **b)** (südam.) Stechapfel *m*; ~ *de los prados* Geißbart *m*; **~do** *m* Regierung(szeit) *f*; *fig.* Herrschaft *f*, Macht *f*; **~nte** *adj. c* regierend; herrschend; **~r** *v/i.* regieren; *fig.* herrschen.

reinci|dencia ⚖ *f* Rückfall *m*; **~dente** *adj. c* rückfällig; **~dir** *v/i.* zurückfallen (in *ac.* en); ⚖ rückfällig werden; ⚕ e-n Rückfall erleiden.

reincorpora|ción *f* Wiederein-verleibung *f*; -gliederung *f*; **~r I.** *v/t.* wiederein-verleiben; -gliedern (in *ac. a*); **II.** *v/r.* ~*se* wieder eintreten; wieder aufgenommen werden.

reineta ⚘ *f* Renette *f* (*Apfelsorte*).

reinfección ⚕ *f* Neu-, Wiederansteckung *f*.

reingre|sar *v/i.* wiedereintreten; wieder aufgenommen werden (in *ac.* en); **~so** *m* Wiedereintritt *m*; Wiederaufnahme *f*.
reino *m* Königreich *n*; *a. fig.* Reich *n*; ~ *animal (mineral, vegetal)* Tier- (Mineral-, Pflanzen-)reich *n*; ~ *de los cielos* Himmelreich *n*.
reinstalación *f* Wiedereinsetzung *f*; Wiedereinrichtung *f*.
reinte|grable *adj. c* ersetzbar; **~gración** *f* Wiedereinsetzung *f*; Rückvergütung *f*; **~grar I.** *v/t.* wiedereinsetzen (in *ac. a*); **II.** *vt/i.* ~ (de) *Verlust* ersetzen; rückvergüten; zurückerstatten; **III.** *v/r.* ~*se a* wieder zurückkehren (in *ac.*, nach *dat.*, an *ac.*); ~*se de a/c.* et. wiederbekommen; **~gro** *m* **1.** Wiedereinsetzung *f*; **2.** Ersatz *m*; (Rück-)Erstattung *f*; **3.** Rückzahlung *f* des Lospreises (*Lotterie*); **4.** Auszahlung *f am Bankschalter*.
reintroducción *f* Wiedereinführung *f*.
reír [3m] **I.** *v/t.* belachen; **II.** *v/i.* lachen; *dar que* ~ s. lächerlich machen; *echarse a* ~ loslachen; *hacer* ~ zum Lachen bringen; ~ *llorando* halb lachend, halb weinend; *le reían los ojos cuando me dijo ...* mit lachenden Augen sagte er mir ...; *Spr. quien ríe último, ríe mejor* wer zuletzt lacht, lacht am besten; **III.** *v/r.* ~*se de a/c.* (*de alg.*) s. über et. (j-n) lustig machen; et. (j-n) nicht ernst nehmen; ~*se a solas* (*od. por lo bajo od. para sus adentros*) s. ins Fäustchen lachen; innerlich lachen; *¡me río de los peces de colores!* ich pfeife auf das ganze Brimborium!; ~*sele en la cara a alg.* j-m ins Gesicht lachen; *fig.* ~*se de medio mundo* auf die ganze Welt pfeifen F.
reitera|ción *f* Wiederholung *f*; ⚖ Rückfall *m*; **~damente** *adv.* wiederholt; **~r** *v/t.* wiederholen, erneuern; **~tivo** *adj.* wiederholend.
reivindica|ble *adj. c* zurückforderbar; **~ción** *f* Anspruch *m*, Forderung *f*; ⚖ Rückforderung *f*, Eigentumsanspruch *m*; **~r** [1g] *v/t.* ⚖ zurückfordern; *bsd. Pol.* beanspruchen, fordern; **~torio** *adj.* Rückforderungs...; beanspruchend; Forderungs...
reja *f* **1.** Gitter *n*; Fenstergitter *n*; *Am. Reg.* Gefängnis *n*; *entre* ~*s* hinter Gittern; hinter Schloß u. Riegel; **2.** *Chi.* Gitterwagen *m für den Viehtransport*; **3.** ⚒ Pflugschar *f*; *fig.* Umpflügen *n*.
rejalgar *Min. m* Rauschrot *n*; *fig.* F *saber a* ~ sehr schlecht schmecken.
rejega *f Cu.*, *Méj.* Milchkuh *f*.
rejilla *f* **1.** *a.* ⊕ (Schutz-, Einsatz-, Beobachtungs-)Gitter *n*; *kath.* Beichtstuhlgitter *n*; **2.** ⚡, *HF*, *Rf.*, *Kristallographie*: Gitter *n*; **3.** (Ofen-)Rost *m*; *p. ext.* Kohlenbecken *n*; **4.** Strohgeflecht *n*; *bsd.* geflochtener Stuhlsitz *m*; **5.** 🚂 Gepäcknetz *n*.
re|jo *m* **1.** Stachel *m*; Bienenstachel *m*; *fig.* Stärke *f*, Kraft *f*; Schneid *m*; F *tener mucho* ~ zäh(lebig) sein; **2.** ⚘ Wurzelkeim *m*; **3.** *Am. Cent.*, *Am. Mer.* Peitsche *f*; *dar* ~ *a* auspeitschen (*ac.*); *fig.* F *Ven.* ~ *tieso* fester Charakter *m* (*Person*); **4.** *Ec.* Melken *n*; Milchkühe *f/pl.*; **~jón** *m* **1.** Stachelspieß *m*; *bsd.* Spieß *m* der *rejoneadores*; **2.** Spitze *f e-s Kreisels*; **~joneador** *Stk. m* Stierkämpfer *m* zu Pferde; **~jonear** *Stk. vt/i.* zu Pferde kämpfen; **~joneo** *Stk. m* Stierkampf *m* zu Pferde; **~judo** *adj. Col.* zäh, dickflüssig.
rejuela *f* **1.** Gitterchen *n*; **2.** Fußwärmer *m* (*kl. Kohlenbecken*).
rejuvene|cer [2d] **I.** *v/t.* verjüngen; **II.** *v/r.* ~*se* wieder jung werden; **~cimiento** *m* Verjüngung *f*.
relabrar *v/t. Stein, Holz* neu behauen.
relación *f* **1.** Beziehung *f*, Verhältnis *n*; Zs.-hang *m*; *con* ~ *a od. en* ~ *con* bezüglich (*gen.*), in bezug auf (*ac.*); im Verhältnis zu (*dat.*); ⚖ ~ *de dependencia* Abhängigkeitsverhältnis *n*; ~ *entre causa y efecto* Kausalzs.-hang *m*; ⚖ ~ *jurídica* (*laboral*) Rechts- (Arbeits-)verhältnis *n*; ~ *de parentesco* verwandtschaftliches Verhältnis *n*; ✝ ~*ones f/pl. de intercambio* Austauschrelationen *f/pl.*, Terms of trade (*engl.*); ~ *recíproca* Wechselbeziehung *f*; ⊕ ~ *de reducción* (*de transmisión*) Unter- (Über-)setzungsverhältnis *n*; *no guardar* ~ *con* in k-m Verhältnis stehen zu (*dat.*); *hacer* ~ *a a/c.* s. auf et. (*ac.*) beziehen; *poner en* ~ *con* in Beziehung setzen zu (*dat.*); → *a.* 2; **2.** *mst.* ~*ones f/pl.* Beziehungen *f/pl.* (*a. fig.*); Verbindungen *f/pl.*; ~*ones de amistad* freundschaftliche Beziehungen *f/pl.*; → *a.* 3; ~*ones f/pl. comerciales* Handels-, Geschäftsverbindungen *f/pl.*, -beziehungen *f/pl.*; ~*ones diplomáticas* diplomatische Beziehungen (aufnehmen *entrar* en); ~*ones sociales* gesellschaftliche Beziehungen *f/pl.*; gesellschaftlicher Umgang *m*; *entablar* (*od. establecer*) ~*ones* Beziehungen aufnehmen; *ponerse en* ~ *con alg.* mit j-m Verbindung aufnehmen; *gal. tener muchas* ~*ones* e-n gr. Bekanntenkreis haben; **3.** ~*ones f/pl.* (*amorosas*) Liebesverhältnis *n*; *pedirle* ~*ones a* s. (ernsthaft) um *e-e Frau* bewerben; **4.** Bericht *m*; Beschreibung *f*; ~ *bancaria* Bankausweis *m*; ~ *de ciego Folk.* Moritat *f*; *fig. iron.* rührende (*bzw.* abstruse) Geschichte *f*; *hacer una* ~ Bericht erstatten; **5.** Liste *f*, Aufstellung *f*, Verzeichnis *n*; *según* ~ *al pie* wie unten vermerkt (*auf Abrechnungen u. ä.*).
relaciona|do: *bien* ~ mit guten Beziehungen; *estar bien* ~ gut eingeführt sein; gute Beziehungen haben; **~r I.** *v/t.* in Verbindung bringen (mit *dat. con*); in Beziehung setzen (zu *dat. con*); **II.** *v/r.* ~*se* (zuea.) in Beziehung stehen; in Beziehungen (zuea.) treten; *abs.* viele Bekannte (*bzw.* gute Beziehungen) haben.
relaja|ción *f* **1.** Erschlaffung *f*; Lockerung *f*; *a. fig.* Entspannung *f*; ~ *muscular* Entspannung *f* der Muskeln; Muskelschlaffheit *f*; *manifestar* ~ nachlassen (in *dat.* en); **2.** Zügellosigkeit *f*; Sittenlosigkeit *f*; **3.** *Rel.*, ⚖ Erlassung *f e-s Eides usw.*, Entlassung *f aus e-r Verpflichtung*; **4.** † ⚕ → *hernia*; **~do** *adj.* schlaff, erschlafft; *a. Physiol.*, *Phon. u. fig.* entspannt; *fig. a.* liederlich, ausschweifend; **~miento** *m* → *relajación*; *Phon.* Reduktion *f*; **~r I.** *v/t.* **1.** schlaff machen; lockern, entspannen; **2.** *ecl. zum Tode Verurteilte* dem weltlichen Arm übergeben (*Inquisition*); **3.** ⚖ *Strafe* mildern; *Eid* erlassen *bzw. von e-r Pflicht* entbinden; **II.** *v/r.* ~*se* **4.** erschlaffen; locker werden; nachlassen; ⚕ *a.* erlahmen; **5.** nachgeben (*Abstützung*); (ab)bröckeln (*Mauer*); **6.** zügellos (*od.* ausschweifend) werden.
relajo *m Am.* Durchea. *n*, Saustall *m* P.
rela|mer I. *v/t.* lecken, abschlekken; **II.** *v/r.* ~*se* s. die Lippen lecken (*fig.* nach *dat.* de); ~*se de fig. a. et.* in vollen Zügen genießen; **~mido** *adj. fig.* geschniegelt; affektiert.
re|lámpago *m* **1.** Blitz *m*, Wetterleuchten *n*; *fig.* ⚔ *guerra f* ~ Blitzkrieg *m*; ⚓ *luz f de* ~ Blitzfeuer *n*; *Phot. bombilla f* ~ *od.* ~ *de vacío* Vakuumblitz *m*; *adv. como un* ~ blitzschnell; **2.** □ Schlag *m*; Prügel *pl.*; **~lampaguear** *v/i.* (auf-)blitzen; wetterleuchten; **~lampagueo** *m* (Auf-)Blitzen *n*; Wetterleuchten *n*.
relan|ce *m* erneuter Wurf *m*; Zurückwerfen *n*; Glücksfall *m*; *adv.* de ~ **a)** *fig.* P bar; **b)** → **~cina** P *adv.*: de ~ *Arg.*, *Col.*, *Ec.* zufällig(erweise).
relanzar [1f] *v/t.* zurückwerfen; zurück-schleudern, -stoßen.
relapso *adj.-su.* rückfällig; *m* Rückfällige(r) *m*.
relata|dor *m* Erzählende(r) *m*; **~r** *v/t.* erzählen; berichten.
relati|vidad *f* Relativität *f*; Bedingtheit *f*; *teoría f de la* ~ Relativitätstheorie *f*; **~vismo** *Phil. m* Relativismus *m*; **~vista** *adj.-su. c* relativistisch; *m* Relativist *m*; **~vizar** [1f] *v/t.* relativieren; **~vo** *adj.* **1.** bezüglich (auf *ac. a*); bezogen (auf *ac. a*); relativ, Relativ...; *Li. pronombre m* ~ Relativpronomen *n*; **2.** relativ; einschlägig.
rela|to *m* Erzählung *f*; Bericht *m*; Schilderung *f*; **~tor** *m* **1.** Erzähler *m*; **2.** ⚖, *Pol.* Berichterstatter *m*; Referent *m*; **~toría** *f* Referat *n*, Amt *n* e-s *relator*.
relavado *m* Nachwäsche *f*.
relé ⚡ *m* Relais *n*.
releer [2e] *v/t.* wieder lesen.
relega|ción *f* Verbannung *f* (*Zuweisung e-s bestimmten Aufenthaltsortes*); Landesverweisung *f*; *fig.* Übergehung *f*; Beseitigung *f*; **~r** [1h] *v/t.* ver-, aus-weisen, *a. fig.* verbannen; *fig.* übergehen *bzw.* kaltstellen (*fig.*); beseitigen; *fig.* ~ *al olvido* der Vergessenheit anheimgeben; *fig.* ~ *a un segundo plano* in den Hintergrund (ab)drängen.
releje *m* **1.** Fahrspur *f*; **2.** Belag *m auf Zähnen od. Lippen*; **3.** Schliff *m* (*Schleifspur*) *e-s Messers*; **4.** Verjüngung *f* (*Damm, Mauer, Geschützrohr*).
relente *m feuchtkühle* Nachtluft *f*; *fig.* Frechheit *f*; **~cer** [2d] *v/i.* weich werden.

rele|vación *f* **1.** Erleichterung *f*; Entlastung *f*; Ablösung *f von Truppenverbänden*; Entlassung *f aus Pflicht od. Amt*; **2.** ⚖ Befreiung *f*, Enthebung *f*; **3.** *bsd.* ⚖ Relevanz *f*; **~vador** ⚡ *m* **1.** → relé; **2.** *HF* Relaisstation *f*; **~vancia** 🕮 *f* Relevanz *f*; **~vante** *adj. c* hervorragend; erheblich; *a.* ⚖ relevant; **~var I.** *v/t.* **1.** (*a. Ku. u. fig.* plastisch) hervortreten lassen; *fig.* hervorheben; übertreiben; *gal. Fehler* rügen; **2.** *Mühe usw.* erleichtern; ~ *a alg. con dinero* j-m mit Geld helfen; **3.** *e-r Mühe usw.* entheben; *von e-m Eid* entbinden; *Abgabe, Schuld, Strafe* erlassen; **4.** *Posten, Truppe* ablösen; *p. ext.* ablösen, entlassen; **II.** *v/i.* **5.** s. abheben, plastisch hervortreten (*Skulptur*); **III.** *v/r.* **~se 6.** s. (*od.* ea.) ablösen; **~vo** *m* **1.** ⚔ *usw.* Ablösung *f* (*a. Person*); Vorspann *m*; *a. Sp.*, ⚔ de ~ Ersatz...; **2.** *Sp.* Staffel *f*; *carrera f de ~(s)* Staffellauf *m*.

relicario *m Rel.* Reliquien-kammer *f bzw.* -schrein *m*; F *Andal., Am.* Medaillon *n*.

relicto ⚖: *bienes m/pl.* **~s** Hinterlassenschaft *f*.

relieve *m* **1.** Relief *n*; *de ~* erhaben, Relief...; *fig.* wichtig, bedeutend, angesehen; *alto* (*bajo, medio*) ~ Hoch-, (Flach-, Mittel-)relief *n*; *Typ. impresión f en ~* Hochdruck *m*; *en bajo ~* vertieft (*a. Druck, Gravur*); *fig. dar ~ a* Bedeutung geben (*dat.*); betonen (*ac.*); *poner de ~* hervorheben; **2.** **~s** *m/pl.* (Essen-)Reste *m/pl.*

religi|ón *f* Religion *f*; Konfession *f*; Frömmigkeit *f*; religiöse Gemeinschaft *f*; Orden(sgemeinschaft *f*) *m*; Gg.-stand *m* der Verehrung; ~ *de(l) Estado* (*od. oficial*) Staatsreligion *f*; ~ *natural* Vernunftreligion *f*; Weltfrömmigkeit *f*; ~ *reformada* **a)** reformierter Orden *m*; **b)** Protestantismus *m*; *sin ~* religions-, glaubens-los; konfessionslos; *entrar en ~* ins Kloster gehen; *hacerse una ~ de a/c.* et. als s-e höchste Pflicht ansehen; et. zum Gg.-stand s-r größten Verehrung machen; **~osa** *f* Nonne *f*; **~osidad** *f* Frömmigkeit *f*; Gewissenhaftigkeit *f*; **~oso I.** *adj.* **1.** religiös; gottesfürchtig, fromm; andächtig; **2.** Ordens...; **3.** *fig.* gewissenhaft; **II.** *m* **4.** Mönch *m*, Ordensangehörige(r) *m*.

relimpio F *adj.* blitzblank; blitzsauber, schmuck.

relin|char *v/i.* wiehern; **~cho** *m* Wiehern *n*.

reliquia *f Rel. u. fig.* Reliquie *f*; *fig. a.* Nachwehen *f/pl.* (*fig.*).

reloj *m* **1.** Uhr *f*; ~ *de la estación* (*de arena*) Bahnhofs- (Sand-)uhr *f*; ~ *autocuerda* (*calendario*) Uhr *f* mit Selbstaufzug (Datumsuhr *f*); ~ *de bolsillo* (*de pulsera, de cocina, de cuclillo*) Taschen- (Armband-, Küchen-, Kuckucks-)uhr *f*; ~ *de Flora* Blumenuhr *f* (*Gartenlage*); ~ *de hora oficial* Normal(zeit)uhr *f*; ~ *de música, a. ~ de carillón* Spieluhr *f*; ~ *de péndola*, ~ *de péndulo* Pendeluhr *f*; ~ *de pesas* (*de pie, de sobremesa*) Gewichts- (Stand-, Tisch-)uhr *f*; ~ *registrador* Stech-, Stempel-, Registrier-uhr *f*; ~ *regulador* Regulator *m*; Normaluhr *f*; ~ *de repetición* (*de sol*) Repetier- (Sonnen-)uhr *f*; ~ *de trinquete* (*od. de paro*) Stoppuhr *f*; *contra ~* gg. die Uhr, gg. die Zeit; *cristal m de ~* Uhrglas *n*; *mecanismo m de(l) ~* Uhrwerk *n*; *muelle m de ~* Uhrfeder *f*; *girar en el sentido* (*contrario*) *de las agujas del ~* s. im (*bzw.* entgegen dem) Uhrzeigersinn drehen; *fig.* F *¡todo va como un ~!* alles läuft wie ein Uhrwerk!; alles klappt wie am Schnürchen!; **2.** *Ent.* ~ *de la muerte* Pochkäfer *m*, Totenuhr *f*; **3.** ⚘ **~es** *m/pl.* Schierlingsreiherschnabel *m*.

reloje|ría *f* **1.** Uhrmacherhandwerk *n*; **2.** Uhrmacherei *f*, Uhrmacherwerkstatt *f*; Uhrengeschäft *n*; **3.** (*mecanismo m de*) ~ Uhrwerk *n*; Zeitzünder *m* (*Sprengladung*); **~ro I.** *adj.* Uhren...; **II.** *m* Uhrmacher *m*.

relu|ciente *adj. c* glänzend, leuchtend; **~cir** [3f] *v/i. a. fig.* glänzen, leuchten, strahlen; ~ *por su belleza* in Schönheit strahlen; *fig.* F *sacar a ~* herausrücken mit (*dat.*); *alte Geschichten* wieder aufwärmen.

reluctancia ⚡ *f* Reluktanz *f*.

relum|brante *adj. c* glänzend, leuchtend; **~brar** *v/i.* (hell) leuchten; stark glänzen, gleißen; **~brón** *m* Aufleuchten *n*; *dar un ~* aufleuchten, -blitzen; *de ~* blendend; wertlos, kitschig; in Flitter (*gekleidet*); **~broso** *adj.* leuchtend, glänzend.

rella|nar I. *v/t.* (wieder) einebnen; **II.** *v/r.* **~se** sich's bequem machen; **~no** *m* (Berg-)Terrasse *f*; Treppenabsatz *m*.

relle|na *f Col., Méj.* Schweinswurst *f*; **~nado** ✈ *m* Betankung *f*; **~nar** *v/t.* füllen (*a. Kchk.*); vollstopfen; polstern; auffüllen; *Graben* zuwerfen; *Formular* ausfüllen; *fig.* F zu essen geben (*dat.*), füttern; △ ~ *con fábrica* zumauern; **~no I.** *adj.* (ganz) voll; *a. Kchk.* gefüllt; **II.** *m a. Kchk.*, ⊕ Füllung *f*; Aus-, Auf-füllung *f*; Füllstoff *m*.

rema|chado ⊕ *m* (Ver-)Nietung *f*; **~chadora** *f* Nietmaschine *f*; **~char** *v/t.* plattschlagen; ⊕ (ver)nieten; *fig.* (immer wieder) betonen, herumreiten auf (*ac.*) F; **~che** ⊕ *m* Vernieten *n e-s Nagels*; Niete *f*, Niet *m, n*.

remada *f* Ruderschlag *m*.

remake *engl. f* Neuverfilmung *f*; Remake *n*.

remallar *v/t.* Laufmaschen aufnehmen an (*dat.*).

remanen|cia *Phys.* , *Physiol. f* Remanenz *f*; **~te** *m* Rest *m*.

remanga *f* Krabbennetz *n der Fischer*.

reman|sarse *v/r.* s. (an)stauen; **~so** *m* Stauwasser *n*; ruhige Stelle *f in e-m Fluß*.

remar *v/i.* rudern; *fig.* F schuften.

remarcable *gal. adj. c* bemerkenswert.

rema|tado *adj.* **1.** hoffnungslos verloren (*od.* krank); ⚖ *nach Erschöpfung aller Rechtsmittel* rechtskräftig verurteilt; **2.** *fig.* F ausgekocht (*Schuft*); ausgemacht, vollendet; *¡es ~!* daran ist nicht zu rütteln! F; **~tador** *m* Versteigerer *m*; **~tante** *m* Höchstbietende(r) *m b. Versteigerungen*; **~tar I.** *v/t.* **1.** abschließen; vollenden; beenden (mit *dat. con*); **2.** *a. Stk.* den Gnadenstoß (*Jgdw.* den Fang-stoß *bzw.* -schuß) geben (*dat.*), *fig.* den Rest geben (*dat.*) F; **3.** zuschlagen *b. Versteigerung*; *Am.* ver- *bzw.* er-steigern; **II.** *v/i.* **4.** enden; *fig.* ins Tor treffen (*Fußball*); ~ *en punta* in e-r Spitze enden, spitz auslaufen; **III.** *v/r.* **~se 5.** (völlig) zugrunde gehen; zerstört (*od.* vernichtet) werden; **~te** *m* **1.** Abschluß *m*, Ende *n*; *a.* ⊕, △ Abschluß(stück *n*) *m*; *Stk.* Todesstoß *m*; △ Giebelabschluß *m*; *de ~* völlig, total, heillos; *para ~* noch obendrein; *por ~* schließlich, zum Schluß; *fig.* F ~ *de cabeza* Kopfstoß *m* ins Tor (*Fußball*); **2.** Höchstgebot *n*; Zuschlag *m b. e-r Versteigerung*; *Am.* Versteigerung *f*; Ausverkauf *m*.

rembol|sar *v/t.* zurückzahlen; einlösen; **~so** *m* Rückzahlung *f*; Rückerstattung *f*; *contra ~* gg. Nachnahme.

remecer [2b] *v/t.* schütteln, rütteln; *Am.* schwenken.

remeda|dor *m* Nachahmer *m*; **~r** *v/t.* nach-ahmen, -machen, nachäffen.

Remedi|adores *kath.*: *los* (*Folk. Siete bzw. Catorce*) ~ die Vierzehn Nothelfer *m/pl.*; **♀ar** [1b] *v/t.* **1.** abhelfen (*dat.*); abstellen; **2.** (ver)hindern; *no poder ~lo* nichts daran ändern können; **♀avagos** F *m* (*pl. inv.*) Eselsbrücke *f* F (*Repetitorium*); **♀o** *m* Heilmittel *n*; *fig.* Mittel *n*, Abhilfe *f*; ⚖ Rechtsmittel *n*; ~ *casero* Hausmittel *n*; *sin ~* rettungslos; unheilbar (*Kranker*); hoffnungslos (*Schmerz, Kummer*); *fig.* F *no hay ~* daran ist nichts zu ändern; *no hay más ~* (*que*) es bleibt nichts anderes übrig (, als); *ni para un ~* nicht um Geld u. gute Worte (*zu haben sein*); *poner ~ a a/c.* e-e Sache abstellen, e-r Sache abhelfen; *no tienen ni para un ~* sie sind ganz arm, es fehlt an allem; *¡qué ~* (*queda*)*!* was ist daran (schon) zu ändern!; *no tiene ~* **a)** er ist unverbesserlich, ihm ist nicht zu helfen; **b)** → (*la cosa*) *no tiene ~* da ist nichts zu machen; es muß sein; es läßt s. nicht (mehr) ändern.

remedo *m* Nachahmung *f*.

reme|llado *adj.* gespalten (*Lippen, Augenlider*); **~llar** *v/t. Felle* abschaben (*Gerber*).

rememora|ción *f* (Rück-)Erinnerung *f*; **~r** *v/t.* s. *et.* ins Gedächtnis rufen; *e-r Sache* gedenken; **~tivo** *adj.* erinnernd; Gedenk..., Erinnerungs...

remen|dado *adj.* geflickt; gefleckt (*z. B. Fell*); **~dar** [1k] *v/t.* flicken; aus-, ver-bessern; **~dería** *Typ. f*: (*mst. trabajo m de*) ~ Akzidenzdruck *m*; **~dista** *Typ. m* Akzidenzdrucker *m bzw.* -setzer *m*; **~dón** *m* (*zapatero m*) ~ Flickschuster *m*; (*sastre m*) ~ Flickschneider *m*.

reme|ra *f* Schwungfeder *f der Vögel*; **~ro** *m* Ruderer *m*.

remesa ✝ *f* Sendung *f*; *a. bsd. Am.* Rimesse *f*.

remesar[1] *v/t.* (die Haare) ausraufen.

remesar[2] ✝ *v/t.* ver-schicken, -senden; remittieren.
remesón[1] *m* Büschel *n* ausgeraufter Haare.
remesón[2] *m Equ.* plötzliches Anhalten *n*; *Fechtk. e-n Ausfall vortäuschende* Finte *f*.
remeter *v/t. z. B. Bettlaken* weiter einstecken.
remezón *Am. m* heftiges Schütteln *n*; *kurzer heftiger* Erdstoß *m*.
remiendo *m* **1.** Flicken *m*; Fleck *m*; *echar un ~ (a)* e-n Flicken aufsetzen (auf *ac.*); *fig.* Flickarbeit machen, zu kitten versuchen (*fig.*); **2.** *Typ.* *~s m/pl.* Akzidenzen *f/pl.*
rémige *adj.-su. f (ala f) ~* → *remera.*
remil|gado *adj.* geziert; zimperlich; **~garse** [1h] *v/r.* s. zieren; **~go** *m* Ziererei *f*; Getue *n*; *¡no andes con tantos ~s!* (nun) hab' dich (mal) nicht so!
remilitarizar [1f] *v/t.* remilitarisieren.
reminiscencia *f* (Wieder-)Erinnerung *f*; Reminiszenz *f*.
remira|do *adj.* (sehr) bedächtig; (äußerst) umsichtig; (liebevoll und) behutsam; **~r I.** *v/t.* sorgfältig ansehen; bedenken; **II.** *~se v/r.* umsichtig (*od.* bedachtsam) vorgehen; sich vorsehen; sich liebevoll versenken (in *ac. en*).
remi|sible *adj. c* verzeihlich; **~sión** *f* **1.** Sendung *f*; **2.** Erlaß *m e-r Strafe, e-r Schuld*; *ecl.* Vergebung *f*; *fig.* ⚖ *~ condicional* Strafaussetzung *f* zur Bewährung; *fig. sin ~* unbarmherzig; rettungslos (*od.* unwiederbringlich) (*verloren*); **3.** Verweisung *f in e-m Buch od. Schriftstück*, ⚖ *an ein anderes Gericht*; Hinweis *m*; **4.** Nachlassen *n*; **~sivo** *adj.* **1.** nachlassend; **2.** verweisend; *Typ. nota f ~a* Verweis *m*; **~so** *adj.* (nach)lässig; schlaff, schlapp; unentschlossen; **~sorias** ⚖ *f/pl.* Verweisung *f an ein anderes Gericht*; **~tente I.** *adj. c* **1.** nachlassend; **2.** absendend; **II.** *m* **3.** Absender *m*; **~tido** *m* Zuschrift *f als Anzeige an Zeitungen*; **~tir I.** *v/t.* **1.** über-, zusenden; abschicken, ab-, versenden; **2.** verweisen (an *bzw.* auf *ac. a*); **3.** *Strafe, Schuld(en)* erlassen; *Sünden* vergeben; **II.** *v/i.* **4.** nachlassen (*Kraft, Fieber, Blutung usw.*); **III.** *v/r. ~se* **5.** s. fügen; s. berufen (auf *ac. a*), s. halten (an *ac. a*).
remo *m* Ruder *n*, Riemen *m*; Rudern *n*; *hist.* Galeerenstrafe *f*; *fig.* Arm *m od./u.* Bein *n*; *los ~s a.* → *remera*; *a ~ y vela* mit Ruder u. Segel; *fig.* mit allen Kräften; *embarcación f de ~* Ruderboot *n*; *andar al ~* schuften (wie ein Sträfling) F; *hacer fuerza de ~s* aus Leibeskräften rudern; *fig. tomar el ~* die Führung übernehmen.
remoción *f* Entfernung *f*; Beseitigung *f*; Umrühren *n*; *Verw.* Entfernung *f* aus dem Amt; Absetzung *f*.
remo|jar *v/t.* einweichen; wässern; *fig.* F *Ereignis* begießen, feiern; **~jo** *m* Einweichen *n*; Wässern *n*; *poner (od. tener) a ~* → *remojar.*
remola|cha ♂ *f* Rübe *f*; *bsd. ~ (azucarera)* Zuckerrübe *f*; *~ colorada* rote Beete *f*; *~ forrajera* Futterrübe *f*; **~chero** *adj.* (Zucker-)Rüben...
remolca|dor ⚓ *m* Schlepp(dampf-)er *m*; **~je** *Kfz. m* Abschleppen *n*; **~r** [1g] *v/t.* ⚓ schleppen; *Kfz.* abschleppen; *fig.* zu s-r Überzeugung bekehren, ins Schlepptau nehmen (*fig.* F).
remo|ler [2h] *vt/i.* fein (zer)mahlen; *fig.* (*v/i.*) *Chi., Pe.* s. amüsieren, auf den Bummel gehen; *fig.* (*v/t.*) *Pe.* zermürben; schikanieren; **~linar** *v/t.* (umher)wirbeln; **~linear** *v/t.* wirbeln; quirlen; **~lino** *m Wasser*: Strudel *m*, *a. Wind, Staub*: Wirbel *m*; Haarwirbel *m*; *fig.* Menschenauflauf *m*; Aufregung *f*, Wirbel *m* (*fig.* F).
remolón[1] *m* Hauer *m e-s Keilers*; Höcker *m e-s Zahns* (*Pferd*).
remo|lón[2] F **I.** *adj.* träge, arbeitsscheu; **II.** *m* Faulpelz *m*; Drückeberger *m*; *hacerse el ~* → **~lonear** F *v/i.* s. drücken F.
remolque *m* **1.** *bsd.* ⚓ *u. fig.* Schleppen *n*; *Kfz. a.* Abschleppen *n* *Kfz. servicio m de ~* Abschleppdienst *m*; *a ~ a. fig.* im Schlepp; *fig. a.* ungern, widerwillig; *llevar a ~* schleppen; *fig.* mitschleppen; **2.** ⚓ Schlepptrosse *f*; **3.** ⚓ (*lancha f de*) *~* Schleppkahn *m*; **4.** *Straßenbahn, Kfz.* Anhänger *m*; *~ articulado* Sattelschlepper *m*; *~ (de camping)* Wohn-, Campinganhänger *m*; *~ volquete* Kippanhänger *m*; **~-vivienda** Wohnwagen *m*.
remon|ta *f* **1.** Besohlen *n*; *p. ext.* Aufmachen *n von Kleidungsstücken*; **2.** *Equ.* Aufpolstern *n von Sätteln*; **3.** ⚔ Remontierung *f*; *fig.* Ergänzungspferde *n/pl.*, Remonte *f*; Pferdezucht *f*; **~tar I.** *v/t.* **1.** *Jgdw. Wild* vergrämen; **2.** *Fluß* hinauffahren; *Hindernis* überwinden; **3.** *Kleidungsstück* (*bsd. Hosenboden*) ausbessern; **4.** ⚔ *Pferde* remontieren; **II.** *v/r. ~se* **5.** s. emporschwingen; **6.** zurückgehen (auf *ac. a*); zurückgreifen (auf *ac. a*); **7.** betragen, s. belaufen auf (*ac.*).
remoquete *m* Faustschlag *m ins Gesicht*; *fig.* (arge) Stichelei *f*; P Spitzname *m*; *fig.* F *dar ~ a alg.* j-n aufziehen.
rémora *f Fi.* Schiffshalter *m*; *fig.* Hindernis *n*; Zeitverlust *m*.
remor|dedor *adj.* (innerlich) quälend, beunruhigend; **~der** [2h] **I.** *v/t. Gewissen* beunruhigen, quälen; **II.** *v/r. ~se* Reue bekunden; **~dimiento** *m mst. ~s m/pl.* (*de conciencia*) Gewissensbisse *m/pl.*
remo|tamente *adv.* entfernt (*a. fig.*); *fig.* dunkel, vage; *parecerse ~ a alg.* e-e entfernte Ähnlichkeit mit j-m haben; *ni ~* → *ni por lo más remoto*; **~to** *adj.* entlegen; (weit) entfernt; *fig. a.* unwahrscheinlich; *ni por lo más ~* nicht im entferntesten; *no tengo ni la más ~a idea* ich habe nicht die leiseste Ahnung.
remover [2h] **I.** *v/t.* **1.** umrühren; quirlen; umgraben; *fig.* aufwühlen, aufrütteln; **2.** ver-, weg-rücken; *Hindernis* wegräumen; **3.** *Verw.* absetzen; **II.** *v/r. ~se* **4.** heftig wallen; *a. fig.* aufgewühlt werden.
remozar [1f] *v/t.* verjüngen.
rempla|zante *adj. c* ersetzend; vertretend; Ersatz...; **~zar** [1f] *v/t.* ersetzen; an *j-s* Stelle treten; vertreten; **~zo** *m* Ersetzung *f*; Ersatz *m*.
rempu|jar *v/t.* (weg)stoßen; **~jo** *m* **1.** Stoß *m*, Schubs *m*; **2.** ⚓ Segelhandschuh *m*; **~jón** F *m* heftiger Stoß *m*.
remunera|ción *f* Vergütung *f*, Entgelt *n*; *~ por rendimiento* Leistungslohn *m*; **~dor** *adj.* einträglich; lohnend; **~r** *v/t.* belohnen; vergüten; **~tivo** *adj.* → *remunerador*; **~torio** *adj.* zur Belohnung *bzw.* als Entgelt (gegeben).
remus|gar [1h] *v/i.* et. wittern, e-n Argwohn haben; **~go** *m* **1.** Ahnen *n*; Vermutung *f*; Argwohn *m*; **2.** *scharfer u. kalter* Wind(hauch) *m*.
rena|centista *adj. c* Renaissance...; **~cer** [2d] *v/i.* wiedergeboren werden; zu neuem Leben erwachen; **~cimiento** *m* Wiedergeburt *f*; ♀ Renaissance *f*; *estilo m* ♀ Renaissancestil *m*.
renacuajo *m Zo.* Kaulquappe *f*; *fig.* F *desp.* Knirps *m*.
renal *Anat. adj. c* Nieren...
renano *adj.* rheinisch, Rhein...; *m* Rheinländer *m*.
renci|lla *f* Streiterei *f*; **~lloso** *adj.* streitsüchtig.
renco *adj.* → *rengo.*
renco|r *m* Groll *m*; *guardar ~ a alg.* (*por a/c.*) j-m et. nachtragen, j-m grollen (wegen *gen.*); **~roso** *adj.* grollend; nachtragend.
renda ♂ *f* → *bina.*
rendaje *Equ. m* Riemenzeug *n*.
rendar ♂ *v/t.* → *binar.*
ren|dición *f* **1.** Bezwingung *f*, Überwindung *f*; **2.** Übergabe *f*; Ergebung *f*, Kapitulation *f*; **3.** Erschöpfung *f*; **4.** Hingabe *f*; *con ~* ergeben; mit Hingabe; **5.** *~ (de cuentas)* Rechnungslegung *f*, Abrechnung *f*; **6.** ⚒ → *rendimiento 1*; **~dido** *adj.* **1.** bezwungen; **2.** hingebend; ergeben; äußerst verliebt; **3.** willfährig; **4.** erschöpft; *estoy ~ od. voy ~* ich bin todmüde; ich bin wie gerädert; ich bin fix u. fertig F.
rendija *f* Spalt *m*, Riß *m*, Ritze *f*; *~ de la puerta* Türspalt *m*.
rendimiento *m* **1.** Ertrag *m*; Ausbeute *f*; Leistung(sfähigkeit) *f*; Leistungs-, Wirkungs-grad *m*; *Rf.* Leistung *f*, Reichweite *f*; *~ (de trabajo)* (Arbeits-)Leistung *f*; *~ (útil)* (Nutz-)Leistung *f*; *~ del capital* (♂ *del suelo*) Kapital- (Boden-)ertrag *m*; *~ máximo* Höchstleistung *f*; *~ neto* Nettoleistung *f*; *a.* ✝ Nettoertrag *m*; *de escaso ~* unwirtschaftlich; *máquina f de alto ~* Hochleistungsmaschine *f*; **2.** Unterwürfigkeit *f*, Ergebenheit *f* (gg.-über *dat. hacia*); Hingabe *f*; **3.** Erschöpfung *f*.
rendir [3l] **I.** *v/t.* **1.** bezwingen, überwinden; ⚔ (*wegen Bedeutung 3. mst. durch Zusätze, z. B. „enemigo", verdeutlicht*); *~ una plaza (enemiga)* e-e Festung zur Übergabe zwingen; **2.** ermüden; entkräften, erschöpfen; **3.** *j-m das ihm Zukommende* geben *bzw.* erweisen; zurückerstatten; *a.* ⚔ (*a. Wache*) übergeben; *a.* ⊕, *Physiol. Arbeit* leisten; *Bedeutung* beimessen; *Dank* abstatten; *Geist* aufgeben; *Ehrfurcht*

usw. bezeigen; *Ehre, Gefälligkeit usw.* erweisen; *Ertrag* abwerfen; *Gewinn* einbringen, abwerfen; *Speise* erbrechen; ~ *el alma (a Dios)* s-e Seele aushauchen; ⚔ ~ *el arma (la bandera)* den Degen (die Flagge) senken (⚓ die Flagge dippen) (*Ehrenbezeigung*); ⚔ ~ *las armas* die Waffen strecken, kapitulieren; ~ *cuenta(s)* † Rechnung legen; *fig.* Rechenschaft ablegen; ~ *fruto* Frucht tragen (*fig.*); ~ *homenaje a* huldigen (*dat.*); Achtung zollen (*dat.*); ~ *obsequios a* bewirten (*ac.*); beschenken (*ac.*); ehren (*ac.*); **4.** ⚓ *Fahrt, p. ext. Am. Arbeit* beenden; **II.** *v/i.* **5.** s. bezahlt machen; s. rentieren; leistungsfähig sein; **6.** *Am. a.* aufgehen, (auf)quellen (*z. B. Hefe, Reis*); **III.** *v/r.* ~*se* **7.** *a.* ⚔ s. ergeben; s. unterwerfen; s. unterkriegen lassen F; s. beugen (*dat. a*); **8.** ermatten; schlappmachen F; ~*se de (la) fatiga* s. überanstrengen; von (der) Müdigkeit übermannt werden; ~*se de tanto trabajar* s. überarbeiten.

renega|do I. *adj.* abtrünnig; *fig.* F schroff, barsch (*Person*); **II.** *m* Renegat *m*; *fig.* Verräter *m*; *Kart. Art* Lomber *n*; **~dor** *m* Abtrünnige(r) *m*; Flucher *m*; **~r** [1h *u.* 1k] **I.** *v/t.* **1.** ableugnen; abschwören; **2.** verabscheuen; **II.** *v/i.* **3.** fluchen (über *ac. de*); F schimpfen; ~ *de* verfluchen (*v/t.*); ~ *de haber nacido* den Tag s-r Geburt verwünschen; **4.** abtrünnig werden (*dat. de*), abfallen (von *dat. de*); ~ *de a/c.* e-r Sache abschwören; ~ *de alg.* s. von j-m lossagen.

renegrido *adj.* schwärzlich.

rengífero *m* → *reno.*

ren|glón *m* **1.** Zeile *f*; Reihe *f*; *fig. a* ~ *seguido* gleich darauf; *fig. dejar entre* ~*ones* ungesagt lassen; *escribir cuatro* ~*ones* ein paar Zeilen schreiben; *leer entre* ~*ones* zwischen den Zeilen lesen; **2.** Posten *m*, (Einzel-)Betrag *m*; **~glonadura** *f* Lini(i)erung *f*; **~glonar** *v/t.* lini(i)eren.

ren|go *adj.* (kreuz)lahm, hinkend; *fig.* F *hacer la de* ~ den Lahmen (*od.* Kranken) spielen, s. drücken F; **~guear** *v/i. Arg.* lahmen.

reniego *m* **1.** Verleugnung *f*; **2.** Fluch *m*.

renio ⚗ *m* Rhenium *n*.

reniten|cia *f* Widersetzlichkeit *f*; **~te** *adj. c* widersetzlich, widerspenstig.

reno *Zo. m* Ren *n*, Rentier *n*.

renom|brado *adj.* berühmt; **~bre** *m* Ruhm *m*, Renommee *n*; Berühmtheit *f*; Ruf *m*; *de* ~ *mundial* von Weltruf, weltberühmt.

reno|vación *f* Erneuerung *f*; Auffrischung *f*; Renovierung *f*; **~vador I.** *adj.* erneuernd; auffrischend; **II.** *m* Erneuerer *m*; ~ *de aire* Luftverbesserer *m*; **~val** *silv. m* Schonung *f*; **~vante** *adj. c* erneuernd; **~var** [1m] *v/t.* erneuern; *a. fig.* auffrischen; modernisieren; renovieren; ~ *la amistad* die (alte) Freundschaft erneuern.

renque|ar *v/i.* hinken; **~ra** *Am. f* Lahmen *n*, Hinken *n*.

renta *f* **1.** Rente *f* (*Kapitalertrag*); Zins *m*; Ertrag *m*; *p. ext.* Einkommen *n*; *de* ~ *fija* festverzinslich; *impuesto m (Span. contribución f) sobre la* ~ Einkommensteuer *f*; ~ *nacional* Volkseinkommen *n*; *vivir de sus* ~*s* von den Zinsen s-s Kapitals leben, privatisieren; **2.** (Miet-, Pacht-)Zins *m*; *a* ~ in Pacht.

ren|tabilidad *f* Rentabilität *f*; Wirtschaftlichkeit *f*; **~table** *adj. c* rentabel, wirtschaftlich; lohnend, einträglich; **~tar I.** *v/t. Zins, Pacht, Gewinn* eintragen, bringen; **II.** *v/i.* Ertrag bringen, s. rentieren; **~tero I.** ✎ *adj.* **1.** zins-, pacht-pflichtig; **2.** → *tributario*; **II.** *m* **3.** ✎ Pächter *m*; **~tista** *c* **1.** Rentier *m*, Privatier *m*; **2.** ✎ Finanzexperte *m*; **~tístico** *adj.* Renten...

renuente *adj. c* widerwillig; widerspenstig.

renuevo *m* **1.** ⚘ Schößling *m*; (neuer) Trieb *m*; **2.** ✎ → *renovación.*

renun|cia *f* Verzicht *m*; Entsagung *f*; ~ *al uso de la fuerza* Gewaltverzicht *m*; *bajo* ~ *a* unter Verzicht (-leistung) auf (*ac.*); ⚖ ~ *a la acción* Klageverzicht *m*; *presentar su* ~ abdanken, zurücktreten; **~ciable** *adj. c* worauf verzichtet werden kann; **~ciar** [1b] *vt/i.* verzichten (auf *ac. a*); *Kart.* nicht bedienen, passen; *Amt* niederlegen; *Angebot* ausschlagen; **~ciatorio** ⚖ *m* derjenige, zu dessen Gunsten die Verzichtleistung erfolgt; **~cio** *m Kart.* Fehlfarbe *f*, Renonce *f*; Passen *n*; *fig.* F *coger a alg. en (un)* ~ j-n Lügen strafen.

reñi|dero *m* Kampfplatz *m* (*bsd. für Hahnenkämpfe*); **~do** *adj.* (mitea.) verfeindet; erbittert (*Kampf, Konkurrenz*); unvereinbar; *no está* ~ das eine schließt das andere nicht aus; *estar* ~ *con la vida* lebensüberdrüssig sein; **~r** [3h *u.* 3l] **I.** *v/t.* aus-schelten, -zanken; *Kampf* führen, austragen; **II.** *v/i.* s. zanken; s. streiten (mit j-m *con alg.*); *a.* s. schlagen (*Zweikampf, Gefecht*).

reo I. *adj.* schuldig; *ser* ~ *de* schuldig sein (*gen.*); **II.** *c* Beschuldigte(r) *m*; Angeklagte(r) *m*; *la* ~ die Angeklagte.

reoca F *f*: *es la* ~ das ist höchst ungewöhnlich; das ist das Letzte!

reóforo *Phys. m* Stromleiter *m*.

reojo: *mirar de* ~ verstohlen (*bzw.* mißtrauisch) ansehen.

reómetro *Phys. m* Strom- (*bzw.* Strömungs-)messer *m*.

reorganiza|ción *f* Neuordnung *f*; Umstellung *f*; Reorganisation *f*; † *a.* Sanierung *f*; **~dor** *adj.-su.* Neugestalter *m*; Reorganisator *m*; **~r** [1f] *v/t.* neuordnen; neugestalten; umgestalten; re-, um-organisieren; † *a.* sanieren.

reorien|tación *f* Umstellung *f*; **~tar(se)** *v/t.* (*v/r.*) (s.) umstellen; (s.) neuorientieren.

reóstato ⚡ *m* Regelwiderstand *m*, Rheostat *m*.

repanchigarse [1h] F *v/r.* s. bequem zurücklehnen; s. rekeln.

repanocha F *f*: *¡es la* ~*!* das ist ein dolles Ding! *bzw.* das ist das Letzte!

repantigarse [1h] F *v/r.* → *repanchigarse.*

repa|rable *adj. c* **1.** ersetzbar; wiedergutzumachen(d); **2.** beachtenswert; **~ración** *f* **1.** Ausbesserung *f*, Reparatur *f*; *taller m de* ~*ones* Reparaturwerkstatt *f*; **2.** *Pol.* Wiedergutmachung *f*; ~*ones f/pl.* Reparation(szahlung)en *f/pl.*; **3.** Genugtuung *f*; Ehrenerklärung *f*; **~rada** *f* Scheuen *n e-s Pferdes*; **~rador I.** *adj.* **1.** kräftigend; kräftig, aufbauend (*Nahrung*); **2.** ersetzend, Ersatz...; **3.** Entschuldigungs...; **II.** *m* **4.** Ausbesserer *m*; Auffrischer *m* (*z. B. Flüssigkeit zum Auffärben od. Lackieren*); **5.** Besserwisser *m*, Nörgler *m*; **~rar I.** *v/t.* **1.** ausbessern; reparieren; *Kfz. Schlauch* flicken; **2.** kräftigen; *fig.* auffrischen; **3.** ersetzen; (wieder)gutmachen; *a.* ~ *una injuria* s. Genugtuung für e-e Beleidigung verschaffen; **4.** *Schlag, Degenstich* parieren; *e-r Gefahr* begegnen; **II.** *v/i.* **5.** ~ *en a/c.* et. bemerken (*od.* gewahren); merken (*od.* sehen, achten) auf et. (*ac.*); *fig.* Anstand nehmen an et. (*dat.*); et. kritisieren; *no* ~ *en (los) gastos* nicht auf die Kosten sehen, k-e Kosten scheuen; **III.** *v/r.* ~*se* **6.** s. beherrschen, s. zs.-nehmen; **7.** *Am.* (*oft* ~ *v/i.*) bocken (*Reit-, Lasttier*); **~ro** *m* **1.** ✎ *u. Reg.* **a)** Reparatur *f*; Abhilfe *f*; **b)** Stärkungsmittel *n*; **2.** Einwand *m*, Bedenken *n*; Einwendung *f*; *no andar con* ~*s* k-e Bedenken tragen, nicht zweifeln; *sin* ~ anstands-, bedenken-los; *poner* ~*s a a/c.* gg. et. Bedenken (*od.* Einwände) erheben; *no tener* ~ *en decir* nicht anstehen zu sagen; **~rón** F *adj.-su.* nörgelnd; *m* Nörgler *m*, Meckerer *m* F.

repar|tible *adj. c* verteilbar; **~tición** *f* Verteilung *f*; Austeilung *f*; **~tida** *f bsd. Am.* → *reparto*; **~tidamente** *adv.* verteilt; **~tidor** *m a.* ⊕ Verteiler *m*; Zuteiler *m*; ⊕ Setzhammer *m* (*Schmiede*); ✎ → **~tidora** ✎ *f* Verteiler *m*; Streuer *m*; **~timiento** *m* Aus-, Ein-, Auf-teilung *f*; *hist. Am.* Zuteilung *f* von Indios *als Arbeitskräfte an Spanier*; **~tir** *v/t.* aus-, ver-, auf-teilen; einteilen; ✉ austragen, *a. Ware* zustellen; *Gewinn, Dividende* ausschütten; *Thea. Rollen* besetzen; ⚓ *Ladung* verstauen; **~to** *m* Verteilung *f*; Ausgabe *f*; Lieferung *f*, Zustellung *f* (*Waren*); ✉ Zustellung *f*, Austragung *f*; Ausschüttung *f* (*Gewinn, Dividende*); *a.* Umlegung *f von Abgaben usw.*, Umlage *f*; *Thea. usw.* Besetzung *f*; *Kfz. camión m (bzw. camioneta f) de* ~ Lieferwagen *m*.

repa|sador *m Arg.* Geschirrtuch *n*; **~sadora** *f* Flickschneiderin *f*; **~sar** *v/t.* **1.** nochmals durchgehen, durchsehen; wiederholen; durch-, über-lesen; ♪ durchspielen; **2.** durch-, nach-sehen, überprüfen; † *al* ~ *mis libros* bei Durchsicht meiner Bücher; **3.** *bsd. Wäsche* flicken; **4.** ⊕ nacharbeiten, überholen; *a.* veredeln, vergüten; **~sata** F *f* Rüffel *m*, Abreibung *f* F; **~so** *m* **1.** Durchsicht *f*; Überprüfung *f*; ⊕ Überholung *f*; ~ *general* Generalüberholung *f*; **2.** Durch-, Überlesen *n*; *Thea.* *dar un ~ a su papel* s-e Rolle (noch einmal) überfliegen; **3.** Wiederholung *f*; *curso m de ~* Repetitorium *m*.

repatri|ación *f* Rückführung *f*, Repatriierung *f*; **~ar** [1b] **I.** *v/t.* heimschaffen, repatriieren; **II.** *v/r.* ~se heimkehren.

repecho *m* Böschung *f*; kurzer Steilhang *m*.

repeinarse *v/r.* s. sorgfältig kämmen; sein Haar aufkämmen.

repelar *v/t.* **1.** an den Haaren ziehen, (zer)zausen; *fig.* F *Ausgaben* beschneiden; **2.** *Méj.* auszanken.

repe|lente *adj. c* abweisend; ⚕, ⊕ *u. fig.* abstoßend; *fig.* widerwärtig; *~ al agua* wasserabstoßend; **~ler** *v/t.* zurücktreiben; abweisen; ⊕, ⚕ *u. fig.* abstoßen; **~lo** *m* Gg.-strich *m*; *fig.* Widerwille *m*; *a ~* gg. den Strich; *~ de frío* Schüttelfrost *m*; *~ de la uña* Niednagel *m*; **~lón** *m* Haarzupfer *m*; *fig.* F Fetzchen *n*; *Equ.* plötzliches Vorpreschen *n*; *fig.* F *Méj.* Verweis *m*, Rüffel *m*; *fig.*: *a ~ones*, *a. a ~* mit Mühe u. Not, mit Hängen u. Würgen; *adv.* *de ~* flüchtig.

repe|luco F, **~lús** F, **~luzno** F *m* Schauder(n *n*) *m*; Schüttelfrost *m*.

repensar [1k] *v/t.* nochmals überlegen; durchdenken.

repen|te I. *adv.*: *de ~* plötzlich; *a.* aus dem Stegreif; **II.** *m* F Aufwallung *f*; *en un ~ de ira* in e-m Wutanfall; **~tino** *adj.* **1.** plötzlich, unerwartet; **2.** improvisiert; **~tista** *m* Improvisator *m*; **~tizar** [1f] *vt/i.* ♪ vom Blatt spielen (*bzw.* singen); aus dem Stegreif dichten *usw.*; improvisieren.

repercu|sión *f* **1.** Rück-stoß *m*, -prall *m*; Widerhall *m*; **2.** *fig.* Rückwirkung *f*; Echo *n*, Widerhall *m* (*fig.* finden *tener*); **~tir** *v/i.* **1.** zurückprallen; **2.** widerhallen; *fig.* ein Echo haben; Anklang finden; Rückwirkungen haben, s. auswirken (auf *ac. en*).

repertorio *m* **1.** Verzeichnis *n*; (Sach-)Register *n*; **2.** *Thea.* Spielplan *m*; *a.* ♪ Repertoire *n*; *fig.* F *siempre el mismo ~* immer das gleiche.

repe|sar *v/t.* nachwiegen; **~so** *m* Nachwiegen *n*; Gewichtskontrolle *f*.

repeti|ción *f* **1.** Wiederholung *f*, Repetition *f*; *de ~ a.* Repetier...; *Sch.* Nachhilfe...; **2.** Schlagwerk *n* (*Uhr*); **3.** ⚖ Rückforderung *f*; **~do** *adj.* wiederholt; mehrmalig; *~as veces f/pl.* (*oft adv.*) mehrmals, wiederholt; **~dor I.** *adj.* **1.** wiederholend; **II.** *m* **2.** Wiederholer *m*; *Sch.* Sitzengebliebene(r) *m*; **3.** Repetitor *m*; Nachhilfelehrer *m*; **4.** ⚓, ✈ Kompaß- *bzw.* Kreisel-tochter *f*; *Tel.* Verstärker *m*; *TV* Relais-Station *f*; **~dora** *Jgdw.* *f* Repetiergewehr *m*; **~r** [3l] **I.** *vt/i.* **1.** wiederholen; repetieren (*a. Uhr*); nochmals nehmen *b. Essen usw.*; ⚔ (Essen) nachfassen; ⚚ *~ los pedidos* Nachbestellungen machen; **II.** *v/i.* **2.** aufstoßen *b. Essen*; **3.** ⚖ *~ contra alg.* Rückgriff nehmen gg. j-n; **III.** *v/r.* ~se **4.** s. wiederholen; wiederkommen; ⚚ *me repito de usted affmo.* ich verbleibe Ihr ergebener ...; *¡que se repita!* noch einmal!; ♪ da capo!

repicar [1g] **I.** *v/t.* **1.** kleinhacken; (ganz) zerstückeln; **2.** *Glocken* (an-)schlagen, *in schneller Folge* läuten; *Kastagnetten u. ä.* schlagen; **II.** *v/i.* **3.** anschlagen, (heftig) läuten (*Glocken*); klappern (*Kastagnetten usw.*); *fig.* F *Reg.*, *bsd. Am.* *cuando repican (muy) gordo (od. fuerte)* an (hohen) Feiertagen, in Festzeiten; *Spr.* *no se puede ~ y estar en la procesión* man kann nicht gleichzeitig auf zwei Hochzeiten tanzen; **III.** *v/r.* ~se **4.** (de) s. rühmen (*gen.*), prahlen (mit *dat.*).

repin|tar I. *vt/i.* nach-, über-malen; *Typ.* abschmieren; **II.** *v/r.* ~se *Typ.* abschmieren; *fig.* F s. stark schminken; **~te** *m* *Mal.* Übermalen *n*.

repipi F *adj. c* affektiert; *niña f ~* dumm-schnippische Göre *f* F.

repique *m* Glockenläuten *n*; *fig.* F Zänkerei *f*; **~te** *m* **1.** Läuten *n*, Bimmeln *n der Glocken*; Klappern *n der Kastagnetten*; *Chi.* Zwitschern *n*; **2.** Zs.-stoß *m* (*Streit, Gefecht*); ⚓ kurzes Lavieren *n*; *Col.* Groll *m*; **~tear I.** *v/t.* läuten; *mit Kastagnetten usw.* klappern; **II.** *v/r.* ~se *fig.* F s. gg.-seitig beschimpfen; **~teo** *m* → *repiquete 1*; *fig.* F Gezänk *n*.

repisa *f* △ Kragstein *m*; Konsol *n*; Fensterbank *f*; Abstellbord *n*.

repi|sar *v/t.* feststampfen; nochmals (*bzw.* immer wieder) treten; **~so** *m* Tresterwein *m*.

replana *f* *peruanische* Gaunersprache *f*.

replanificación *f* Umplanung *f*.

replan|tación *f* Neubepflanzung *f*; Umpflanzung *f*; **~tar** *v/t.* wieder bepflanzen; umpflanzen; **~tear** △ *v/t.* trassieren; *fig. Frage, Problem* wieder stellen *od.* aufwerfen; **~teo** △ *m* Trassierung *f* (*Gelände*).

repleción *bsd.* ⚕ *f* Füllung *f*; *a.* Vollblütigkeit *f*; *~ de estómago* Magenüberladung *f*.

replegar [1h *u.* 1k] **I.** *v/t.* **1.** nochmals falten; zs.-falten; *~ hacia dentro* einstülpen; **2.** zurückbiegen; **II.** *v/r.* ~se **3.** ⚔ s. (geordnet) zurückziehen (*Truppen*).

reple|tar I. *v/t.* ausfüllen, vollstopfen; **II.** *v/r.* ~se s. vollessen; **~to** *adj.*: *estar ~* bis obenhin voll sein (von *dat. od.* mit *dat. de*); überfüllt sein.

réplica *f* Erwiderung *f*; Widerrede *f*; schlagfertige Antwort *f*; ⚖ Gg.-rede *f*; Einrede *f*; ⚖, *Ku.* Replik *f*.

repli|cador I. *adj.* → *replicón*; **II.** *m* Widerspruchsgeist *m* F; **~car** [1g] *v/t.* erwidern; schlagfertig antworten; widersprechen; **~cón** F **I.** *adj.* stets widersprechend; **II.** *m* → *replicador*.

repliegue *m* **1.** *a. Anat.* Falte *f*; Knick *m*; **2.** ⚔ (geordneter) Rückzug *m*.

repobla|ción *f* Wiederbevölkerung *f*; *hist.* Wiederbesiedlung *f im Zuge der Reconquista*; *silv.*: *~ de animales*, *~ venatoria* Aussetzen *n* von Tieren; *~ forestal* Wiederaufforstung *f*; **~r** [1m] *v/t.* wiederbevölkern; wiederaufforsten.

repo|llar *v/i.* Köpfe ansetzen (*Kohl, Salat*); **~llo** *m* Kohl(kopf) *m*; *bsd.* Weißkohl *m*; *Am.* *~ morado* Rotkohl *m*; **~lludo** *adj.* wie ein Kohlkopf (*Pfl.*); *fig.* F gedrungen.

reponer [2r] **I.** *v/t.* **1.** wieder hinstellen; *Kleidung* weghängen; ersetzen *nach Verbrauch*; *Lagerbestände* auffüllen; *Holz usw.* nachlegen (*Feuer*); **2.** versetzen, erwidern; **II.** *v/r.* ~se **3.** s. (wieder) erholen; **4.** s. (wieder) versehen (mit *dat.* de).

report ⚚ *m* Reportgeschäft *n*; Kurszuschlag *m*.

repor|taje *m* Reportage *f*; Bericht (-erstattung *f*) *m*; *~ gráfico* Bildbericht *m*; **~tamiento** *m* Zurückhaltung *f*; **~tar I.** *v/t.* **1.** zurückhalten, zügeln; **2.** *Nutzen, Gewinn* bringen, eintragen; **3.** *Typ.* *Lithographie* überdrucken; **II.** *v/r.* ~se **4.** s. mäßigen, s. beherrschen; **~te** *m* **1.** ⚒ Bericht *m*; *bsd.* Klatsch *m* F; **2.** *Typ.* (lithographischer) Überdruck *m*.

repórter *engl.* *m* → *reportero*.

repor|teril *adj. c* Reporter...; **~terismo** *m* Reportertätigkeit *f*; **~tero** *m* Berichterstatter *m*, Reporter *m*; *~ gráfico* Bildreporter *m*; **~tista** *Typ.* *m* Lithofachmann *m* für Überdrucke.

reposa|dero ⊕ *m* Grundstein *m* *e-s Gießofens*; **~do** *adj.* ruhig, gelassen; abgelagert (*Wein, Flüssigkeit*); **~piés** *m* Fuß-stütze *f*, -auflage *f*; **~r I.** *v/i.* **1.** ruhen, rasten; schlafen; **2.** (im Grabe) ruhen; **3.** lagern (*Wein, u. ä.*); **II.** *v/t.* **4.** F *~ la comida* s-e Mittagsruhe halten; **III.** *v/r.* ~se **5.** s. setzen (*Flüssigkeit*).

reposera *f* *Arg.* Liegestuhl *m*.

repo|sición *f* **1.** Wiedereinsetzung *f*; Rückstellung *f*; ⚖ *~ a la anterior situación* Wiedereinsetzung *f* in den vorigen Stand; **2.** Ersetzung *f*; ⚚ Auffüllen *n der Lagerbestände*; Rückerstattung *f*; **3.** *Physiol. u. fig.*, *a.* ⚚ Erholung *f*; Beruhigung *f*; **4.** ⚚ *~ones f/pl.* Rücklagen *f/pl.*; **5.** *Thea.* Neuinszenierung *f*; **~sitorio** *m* Aufbewahrungsort *m*; **~so** *m* **1.** Ruhe *f*; *fig.* Gelassenheit *f*; ⚕ *cura f de ~* Liegekur *f*; *~ en cama* Bettruhe *f*; *Phys.*, ⊕ *en ~* in Ruhe; im Stillstand; *a.* ⚕ *en posición de ~* in Ruhestellung; **2.** Stehenlassen *n* *bzw.* Lagern *n e-r Flüssigkeit*; **3.** (Grabes-)Ruhe *f*.

repostar *v/t. u.* ~se *v/r.* (neue Vorräte) aufnehmen; nachtanken.

reposte|ría *f* **1.** Konditorei *f* (*Laden u. Beruf*); **2.** Konditor(ei)waren *f/pl.*; **3.** *Restaurant usw.*: Anrichteraum *m*, Office *n*; ⚓ Pantry *f* (*engl.*); Silberkammer *f in Palästen usw.*; **~ro** *m* **1.** Konditor *m*; **2.** *ehm.* Küchenmeister *m*; **3.** *ehm.* Schabracke *f*; Balkonbehang *m*.

repren|der *v/t.* tadeln, rügen; *~le a alg. a/c.* j-m et. vorwerfen; **~sible** *adj. c* tadelnswert; **~sión** *f* Tadel *m*, Rüge *f*; **~sivo** *adj.*, **~sor** *adj.-su.* tadelnd, rügend; *m* Tadler *m*.

represa *f* **1.** *a. fig.* Stauung *f*; Stauwasser *n*; *fig. bsd.* Affekt-stauung *f* *bzw.* -unterdrückung *f*; Groll *m*; *fig.* F *moler de ~* doppelt eifrig arbeiten; s. austoben (*fig.* F); **2.** *Reg. u. Am.* Stau-damm *m*; -werk *n*; -wehr *n*.

represalia *f*, *mst.* ~*s f/pl.*, Repressalien *f/pl.*; Vergeltung(smaßnahme(n) *f* (/*pl.*) (ergreifen *tomar*).
represar *v/t.* **1.** *Wasser* stauen; *fig.* aufhalten, hemmen; unterdrücken; **2.** ⚓ s. *e-s gekaperten Schiffes* wieder bemächtigen.
representa|ble *adj. c Thea.* aufführbar; ~**ción** *f* **1.** *a.* ✗, *Statistik*: Darstellung *f*; *fig.* Verkörperung *f*; *Phys.*, ⊕ ~ *de recorrido y tiempo* Weg-Zeitbild *n*; **2.** *Thea.* Vorstellung *f*; Aufführung *f*; Darstellung *f*; **3.** Vorstellung *f*, Idee *f*, Begriff *m*; **4.** *begründete* Eingabe *f*, Gesuch *n*; *hacer* ~*ones a a.* vorstellig werden bei (*dat.*); **5.** *a.* ✝ *u. Pol.* Vertretung *f*; *Pol. u. fig.* Repräsentation *f*; ~ *comercial* (*corporativa*) Handels- (Stände-)vertretung *f*; ~ *diplomática* diplomatische Vertretung *f*; ~ *en el Extranjero* Auslandsvertretung *f*; ~ *exclusiva* (*general*) Allein- (General-)vertretung *f*; *Pol.* ~ *nacional* Volksvertretung *f*; *Pol.* ~ *proporcional* Verhältniswahlrecht *n*; *derecho m de* ~ Repräsentations-, Vertretungs-recht *n*; *fig. de* ~ von großem Ansehen; repräsentativ; *en* ~ *de* in Vertretung (*gen. od.* von *dat.*); *por* ~ (durch e-n Beauftragten) vertreten.
represen|tador I. *adj.* darstellend; vertretend; II. *m* ✎ → *representante 4*; ~**tante** I. *adj. c* **1.** vertretend; **2.** darstellend; II. *m* **3.** Vertreter *m*; ~ *general* Generalvertreter *m*; **4.** Darsteller *m*; ~**tar** I. *v/t.* **1.** vorstellen; darstellen; bedeuten; *p. ext.* schildern; *fig.* verkörpern; *fig.* zeigen, bekunden; *Thea. u. fig.* ~ *bien su papel* s-e Rolle gut spielen; ~ *gráficamente* ✗ *usw.* graphisch darstellen; *fig.* plastisch schildern; *modo de* ~ Darstellungsweise *f*; **2.** ~ *menos edad que su amigo* jünger aussehen als sein Freund; **3.** *Thea.* aufführen; **4.** ⚖, *Pol.*, ✝ vertreten; ~ *los intereses de su país* die Belange (*od.* Interessen) s-s Landes vertreten (*od.* wahrnehmen); **5.** *la bandera representa la nación* die Fahne versinnbildlicht die Nation; II. *v/i.* **6.** † *u. Behördenstil*: ~ *sobre* über *et.* (*ac.*) berichten; III. *v/r.* ~**se 7.** s. *et.* vorstellen; **8.** *Thea.* aufgeführt werden; ~**tativo** *adj.* **1.** *a. Pol.* repräsentativ; parlamentarisch; *encuesta f* ~*a* Repräsentativbefragung *f*; *Pol. sistema m* ~ parlamentarische Demokratie *f*, Repräsentativsystem *n*; **2.** kennzeichnend (für *ac. de*); symbolhaft; **3.** markant; bedeutend, wichtig.
repre|sión *f* **1.** Abwehr *f*; Bekämpfung *f*; **2.** Unterdrückung *f*; Niederhaltung *f*; ~**sivo** *adj.* beschränkend; eindämmend; repressiv; Abwehr...; Unterdrückungs..., Straf...; ~**sor** *adj.-su.* unterdrückend; niederhaltend; *m* Unterdrücker *m*.
repri|menda *f* (scharfer) Verweis *m*; ~**mir** I. *v/t.* unterdrücken; bekämpfen; niederkämpfen; niederhalten; verdrängen; II. *v/r.* ~**se** s. bezwingen.
reprise *frz. f* **1.** *Thea.*, *Film*: Wiederaufführung *f*, Reprise *f*; **2.** *Kfz.* Beschleunigung *f*.
reproba|ble *adj. c* tadelnswert; verwerflich; ~**ción** *f* Verwerfung *f*; Mißbilligung *f*; ~**do** I. *adj.* verworfen; unzulässig; tadelnswert; *ser* ~ im Examen durchfallen; II. *m* Durchgefallene(r) *m*; ~**dor** *adj.* verwerfend; tadelnd; ~**r** [1m] *v/t.* mißbilligen; tadeln, rügen; *a. Theol.* verwerfen, verdammen; im Examen durchfallen lassen; ~**torio** *adj.* mißbilligend; Mißbilligungs...
réprobo *adj.-su.* verworfen; verdammt; *m* Verworfene(r) *m*, Verdammte(r) *m*.
repro|chable *adj. c* tadelnswert; ~**chador** *adj.* tadelnd; ~**char** *v/t.* vorhalten, tadeln; ~*le a alg. a/c.* j-m et. vorwerfen; ~**che** *m* Vorwurf *m*, Tadel *m*; *sin* ~ tadellos.
reprodu|cción *f* **1.** Wiedererzeugung *f*; Wiedergabe *f*; Vervielfältigung *f*; Nachbildung *f*; Nacherzählung *f*; Nachdruck *m*; *derecho m de* ~ Reproduktions-, Wiedergabe-, Nachdruck-, Vervielfältigungsrecht *n*; *Typ. película f de* ~ Reprofilm *m*; ~ *estereofónica* Stereo(ton)wiedergabe *f*; **2.** *Biol.*, ✓ Fortpflanzung *f*; ✓ (Vermehrungs-)Zucht *f*; Nachwuchs *m*; *órganos m/pl. de la* ~ Fortpflanzungsorgane *n/pl.*; ~**cible** *adj. c* nachbildungsfähig; reproduzierbar; ~**cir** [3o] I. *v/t.* **1.** wiedererzeugen; wiedergeben; nachbilden; *bsd. Typ.* vervielfältigen; reproduzieren; **2.** Biol., ✓ fortpflanzen; II. *v/r.* ~**se 3.** s. wiederholen; **4.** s. fortpflanzen.
repro|ductivo *adj.* reproduktiv; wiedererzeugend; gewinnbringend; ~**ductor** I. *adj.* **1.** Fortpflanzungs...; II. *m* **2.** ✓ männliches Zuchttier *n*; **3.** Wiedergabegerät *n*; ~ *de banda* Lichttongerät *n* (*Film*); ~ *sonoro* (*od. del sonido*) Tonanlage *f*; ~**ductora** *f* **1.** ✓ weibliches Zuchttier *n*; **2.** *Typ.* Vervielfältigungsgerät *n*; ~**técnica** *Typ. f* Repro(duktions)-technik *f*.
reps *tex. m* Rips *m*.
rep|tación *f* Kriechen *n*; ~**tar** *v/i.* kriechen (*a. fig.*); ⚔ robben; ~**til** *m* Reptil *n*.
república *f* Republik *f*; ~ *federal* (*popular*) Bundes- (Volks-)republik *f*; *fig. la* ~ *de las letras* die Welt der Literatur.
republica|nismo *m* republikanische Gesinnung *f*; ~**no** *adj.-su.* republikanisch; *m* Republikaner *m*.
repúblico ✎ *m* Politiker *m*; Patriot *m*; *a.* → *estadista*.
repudi|ar [1b] *v/t.* verstoßen; *Erbschaft* ausschlagen; ~**o** *m* Verstoßung *f*; Ablehnung *f*; Ausschlagung *f*.
repudrir I. *v/t.* zu starkem Faulen bringen; II. *v/r.* ~*se fig.* s. grämen.
repuesto I. *part.* **1.** wieder hingestellt; ersetzt; II. *adj.* **2.** zurückgezogen, entfernt, versteckt; III. *m* **3.** Vorrat *m*; Ersatz *m*; (*pieza f de*) ~ Ersatzteil *n*; *de* ~ Ersatz..., Reserve...; zum Wechseln (*Kleidung*); ~ *de víveres* Lebensmittelvorrat *m*; Vorratskammer *f*; **4.** Anrichte *f*.
repugna|ncia *f* Widerwille *m* (gg. *ac. a*); Ekel *m* (vor *dat. a*); *causar* ~ Ekel erregen; ~**nte** *adj. c* abstoßend; ekelhaft, widerlich; ~**r** I. *vt/i.* **1.** abstoßen (*ac.*), zuwider sein (*dat.*), anekeln (*ac.*); *repugna* es ist widerlich; **2.** widerstreiten; bestreiten; ~ *a* zuwiderlaufen (*dat.*); II. *v/r.* ~**se 3.** in Widerstreit liegen.
repu|jado ⊕ *m* getriebene Arbeit *f*; Ziselierung *f*: ~**jar** *v/t. Metall* treiben, ziselieren; *Leder usw.* punzen.
repul|gado *fig.* F *adj.* geziert, affektiert; überängstlich; ~**gar** [1h] *v/t.* umsäumen; ~**go** *m* **1.** *umgelegter* Saum *m*; Doppelnaht *f*; **2.** Kuchenrand *m*; *fig.* F ~*s m/pl. de empanada* Lappalien *f/pl.*; übertriebene Bedenken *n/pl.*
repuli|do *adj. fig.* geziert; F geleckt (*fig.* F); ~**r** *v/t.* nachpolieren; neu polieren; *fig.* auf Hochglanz bringen; ~*se* s. herausputzen.
repul|sa *f* Weigerung *f*; Abweisung *f*, Abfuhr *f* F; ~**sar** *v/t.* zurück-, ab-weisen; verweigern; ~**sión** *f* **1.** Rückstoß *m*; *a.* ⚡ Abstoßung *f*; **2.** Zurück-, Ab-weisung *f*; **3.** Widerwille *m*, Abneigung *f*; Ekel *m*; ~**sivo** *adj.* **1.** zurück-, ab-stoßend; **2.** widerlich, ekelhaft.
repullo *m* **1.** Wurfpfeil *m*; **2.** heftiges Zs.-zucken *n b. Schreck usw.*
repun|ta *f* **1.** Landspitze *f*, Kap *n*; **2.** *fig.* erstes Anzeichen *n*; **3.** F Groll *m*; Zwistigkeit *f*; ~**tar** I. *v/i.* ⚓ anfangen zu steigen (*bzw.* zu sinken) (*Wasser b. Ebbe bzw. Flut*); II. *v/r.* ~*se* umschlagen (*Wein*); *fig.* F pikiert sein F; ~**te** ⚓ *m* Einsetzen *n* von Ebbe *bzw.* Flut, Stillwasser *n*.
repuse → *reponer*.
reputa|ción *f* Ruf *m*, Name *m*, Ansehen *n*; Leumund *m*; *de buena* ~ angesehen; *de* ~ *mundial* von Weltruf; ~**do** *adj.* gut beleumundet; berühmt; ~**r** *v/t.* **1.** schätzen, erachten (als *ac. por*); ~ (*de*) + *adj.* halten für + *adj.*; **2.** schätzen, würdigen.
reque|brador *adj.-su.* Hofmacher *m*, Kurschneider *m* F; Schmeichler *m*; ~**brajo** F (*desp. zu requiebro*) *m* Schmus *m*; ~**brar** [1k] *v/t.* Komplimente machen (*dat.*); schmeicheln (*dat.*).
reque|mado *adj.* schwärzlich; stark verbrannt; ~**mar** I. *v/t.* **1.** anbrennen lassen; versengen; *Pfl.* ausdörren; *fig.* in Wallung bringen; **2.** → *resquemar*; II. *v/r.* ~**se 3.** anbrennen; versengen; aus-, verdorren; *fig.* s. innerlich grämen (*bzw.* ärgern); ~**mazón** *f* → *resquemo*.
requeri|miento *m* Ersuchen *n*; Aufforderung *f*, Mahnung *f*; Antrag *m*; ✝, ⚖ ~ *de pago* Zahlungsaufforderung *f*; ~**r** [3i] *v/t.* **1.** auffordern, ersuchen; mahnen; ⚖ *Strafe* beantragen; ~ *de amores* s-e Liebe antragen (*dat.*); **2.** bekanntgeben; anordnen; **3.** (nach)prüfen; **4.** erfordern, notwendig machen, verlangen; ~ *mucho tiempo* zeitraubend sein.
requesón *m* Quark *m*, Topfen *m*.
reque|te... F *Steigerungsvorsilbe*: sehr; ~**té** *Pol. m Span.* **1.** Karlist *m* (*Anhänger des Don Carlos, bsd. in Navarra*); **2.** Requetépartei *f*; ~**tebién** F *adv.* ausgezeichnet, hervorragend.

requiebro *m* Schmeichelei *f*, Kompliment *n*.
réquiem *m* Requiem *n*; Trauergottesdienst *m*.
requilorios F *m/pl.* Umschweife *m/pl.*, Umstände *m/pl.*; *no andarse con* ~ nicht lange fackeln.
requin|tar *v/t.* **1.** *fig.* (weit) überlegen sein; **2.** ♪ *Saite(n)* um e-e Quinte höher (*od.* tiefer) stimmen; **3.** *Am.* spannen; **4.** *Col.*, *Méj.* s. durchsetzen bei (*dat.*), zum Gehorsam zwingen; **~to** *m* **1.** kl. Gitarre *f*; **2.** Diskantklarinette *f*.
requi|sa *f* **1.** ⚔ Requisition *f*; **2.** ⚒ *Verw.* Untersuchung *f*, Überprüfung *f*, Inspektion *f*; **~sar** ⚔ *v/t.* beitreiben, requirieren; **~sición** *f* **1.** Forderung *f*; **2.** ⚒ ⚔ → *requisa 1*; **~sicionar** *v/t.* → *requisar*; **~sito** *m* **1.** Erfordernis *n*; Forderung *f*, Bedingung *f*; ~ *básico* (*od. primordial*) Grundbedingung *f*; **2.** Formalität *f* (erfüllen *llenar*); *fig.* F *con todos sus* ~*s* mit allem Drum u. Dran; **~sitoria** *f* Ersuchen *n*; **~sitorio** ⚖ **I.** *adj.* ansuchend; (*carta f*) ~*a f* **a)** Steckbrief *m*; **b)** Fahndungsblatt *n*; **II.** *m* Anklagerede *f des Staatsanwalts*.
res[1] *f* Stück *n* Vieh; *a.* Stück *n* Schalenwild; *Am.* Rind *n*; → *a. ganado*; ~ *de vientre* trächtiges Tier *n* (*Vieh*).
res[2] ⚖ *lt. f* (*pl.* res): ~ *judicata* abgeurteilte Sache *f*.
resa|ber [2n] *v/t.* sehr gut wissen; **~biado** *adj.* schlechte Angewohnheiten habend; **~biar** [1b] **I.** *v/t.* **1.** verderben (*ac.*), schlechte Gewohnheiten beibringen (*dat.*); **II.** *v/r.* ~*se* **2.** verdrießlich (*bzw.* zornig) werden; **3.** ~*se de* s. *et.* (*ac.*) angewöhnen; **~bido** *adj.* neunmalklug; **~bio** *m* **1.** übler Nachgeschmack *m*; **2.** schlechte Angewohnheit *f*; **~bioso** *adj. bsd. Am.* → *resabiado*.
resaca *f* **1.** Dünung *f am Meeresufer*; *p. ext.* Brandung *f*; *Arg. nach Hochwasser zurückbleibender* Schlick *m*; **2.** ✝ (*letra f de*) ~ Rückwechsel *m*; *cuenta f de* ~ Rückrechnung *f*; **3.** F Kater *m* F, Katzenjammer *m* F; **4.** *Am. Cent.*, *Col.*, *Méj.* bester Branntwein *m*; *fig. iron. Méj.* Auslese *f*; **5.** *Cu.*, *P. Ri.* Prügel *pl.*; **~do** *m Am. Reg.* bester Branntwein *m*.
resalado F *adj.* sehr witzig, geistreich; allerliebst.
resal|tante *adj. c* vorspringend; *fig.* in die Augen springend; *fig. Am.* hervorragend; **~tar** *v/i.* **1.** vorspringen, vorstehen; s. abheben; *fig.* in die Augen springen; *fig. hacer* ~ hervorheben, betonen; **2.** abspringen, zurückprallen; **~te** *m* **1.** ⊕ Ansatz *m*; Dorn *m*, Stift *m*; **2.** → **~to** *m bsd.* ⊕, △ Vorsprung *m*; Absatz *m*; ⚔ Patronenanschlag *m*.
resaludar *v/t. j-s* Gruß erwidern.
resanar *v/t. schadhafte Vergoldung*, *p. ext. Beschädigung* ausbessern.
resarci|ble *adj. c* ersetzbar; **~miento** *m* Entschädigung *f*; Ersatz *m*; **~r** [3b] **I.** *v/t.* entschädigen (für *ac.* de); ersetzen (j-m et. *a alg. de a/c.*); **II.** *v/r.* ~*se de a/c.* s. für et. (*ac.*) schadlos halten; für et. (*ac.*) Ersatz finden (in *dat. con*).
resba|ladero I. *adj.* **1.** → *resbaladizo*; **II.** *m* **2.** rutschige Stelle *f*; Schlitter- *bzw.* Rodel-, Schlittenbahn *f*; **3.** *a.* ⊕ Gleitbahn *f*; Rutsche *f*; *silv.* (Weg-)Riese *f*, Rutsche *f für geschlagene Stämme*; **~ladizo** *adj.* rutschig, glitschig, schlüpfrig; **~ladura** *f* Gleitspur *f*; **~lamiento** *m* **1.** Gleiten *n*; *bsd.* ⊕ Schlupf *m*; **2.** *a. Kfz.* Rutschen *n*; Schleudern *n*; **~lar I.** *v/i.* **1.** gleiten; *bsd.* ausgleiten, -rutschen (auf *dat. con, en, sobre*); *a. Kfz.* rutschen *bzw.* schleudern; *fig.* e-n Fehltritt tun (*fig.*); ~ *por* (*od. sobre*) *el hielo* über das Eis gleiten (*od.* schlittern); **2.** *a.* ⊕ (ab)gleiten; ⊕ *bsd.* schlüpfen, Schlupf haben; **II.** *v/r.* ~*se* **3.** entgleiten (*dat.* de, entre); **4.** → *resbalar*; **~lón** *m* **1.** Ausgleiten *n*; *fig.* Fehltritt *m*; Entgleisung *f* (*fig.* F); **2.** ⊕ Drückerfalle *f im Schloß*; **~losa** *Arg.* **1.** *Fi. Art* Wels *m*; **2.** *ein Volkstanz*; **~loso** *adj.* → *resbaladizo*.
resca|tador *adj.* ⚖ ablösend, Ablösungs...; *fig.* erlösend, befreiend; **~tar** *v/t.* **1.** (*hist.*: *Gefangene*) auslösen, loskaufen; *fig.* befreien; *bsd. Rel.* erlösen; **2.** zurückkaufen; ⚖ ablösen; *fig.* wiedergewinnen; *verlorene Zeit usw.* einholen; **3.** *Am. Mer.*, *Ant.* handeln (*fahrender Händler*); **~te** *m* **1.** Loskauf *m*; Lösegeld *n*; *fig.* Erlösung *f*, Befreiung *f*; *Rel.* Erlösung *f*, Rettung *f*; **2.** Einlösung *f*; ⚖ Ablösung *f*; Rückkauf *m*; **3.** *Arg.* Wurfscheibenspiel *n* (→ *marro*).
resci|ndible *adj. c* kündbar (*Vertrag*); **~ndir** *v/t. Vertrag, Urteil* aufheben; rückgängig machen; **~sión** *f* ⚖ Aufhebung *f*; Kündigung *f e-s Vertrages*; **~sorio** ⚖ *adj.* aufhebend; *cláusula f* ~*a* Aufhebungsklausel *f*.
rescol|dera *f* Sodbrennen *n*; **~do** *m* glühende Asche *f*; *fig.* F Gewissensbisse *m/pl.*, Skrupel *pl.*; Besorgnis *f*, Kummer *m*; *fig.* Funke *m* (*z. B.* [*v.*] *Hoffnung*).
rescontrar [1m] ✝ *v/t.* stornieren.
rescripto *m* Reskript *n*; Erlaß *m*, Verfügung *f*.
rescuentro ✝ *m* Storno *m*.
resecar[1] [1g] *v/t.* austrocknen.
resec|ar[2] [1g] *v/t.* ⚕ operativ entfernen; **~ción** ⚕ *f* Resektion *f*.
reseco *adj.* völlig trocken, strohtrocken F; ausgedörrt.
reseda ⚘ *f* Reseda *f*, Resede *f*.
resellar *v/t.* nachprägen; umstempeln; wieder versiegeln.
resenti|do *adj.* **1.** empfindlich (*fig.*); **2.** nachtragend, voll Ressentiments; **~miento** *m* Unwille *m*; Empfindlichkeit *f* (*fig.*); Ressentiment *n*; **~rse** [3i] *v/r.* **1.** (ver)spüren; ~ *de a/c.* die Nachwirkungen von et. (*dat.*) verspüren; et. unangenehm zu spüren bekommen; ~ *con(tra) alg.* j-m böse sein, j-m grollen; ~ *del* (*od. en el*) *costado* Seitenstechen haben; ~ *por a/c.* in e-r Sache empfindlich sein; s. über et. (*ac.*) ärgern; s. wegen et. (*gen.*) beleidigt fühlen; **2.** (allmählich) nachlassen, nachgeben; zerfallen, bersten (*z. B. Mauerwerk*); **3.** *gal.* ~ *de un defecto* e-n Fehler haben.
reseña *f* **1.** Anzeige *f bzw.* Besprechung *f*, Rezension *f e-s Buchs*; **2.** Personenbeschreibung *f in Pässen usw.*; (kurze) Beschreibung *f wesentlicher Züge*, Charakteristik *f*; **3.** Zs.-fassung *f*; **4.** *kath. Chi.* Prozession *f am Passionssonntag*; **~dor** *m* Rezensent *m*; **~r** *v/t.* **1.** *Buch* besprechen, rezensieren; **2.** *Person usw.* beschreiben; **3.** (*kurz u. zs.-fassend*) berichten.
resero *m Rpl.* Vieh-treiber *m*; -aufkäufer *m*.
reserva I. *f* **1.** ✝ Reserve *f*, Rücklage *f*; Bestand *m*; ~*(s) bancaria(s)* Bank-rücklagen *f/pl.*, -reserven *f/pl.*; ~ *de divisas* Devisen-reserve *f*, -bestand *m*; ~ *legal* gesetzliche Rücklage *f*; ~*s oro* Gold-reserve *f*, -deckung *f*; ~ *pública*, ~ *manifiesta* (*tácita, oculta*) offene (stille) Rücklage *f*; **2.** Reserve *f*, Ersatz *m*; *fig.* Rückhalt *m*; ~*s f/pl.* Vorrat *m*; *depósito m de* ~ Reservebehälter *m*; *Kfz.* Reservetank *m*; *en* ~ in Reserve; auf Vorrat; als Ersatz; ✝ vorrätig, auf Lager; **3.** ⚔, *Sp.* Reserve *f*; ⚔ ~*s f/pl.* Reserve *f*, Ergänzungsmannschaften *f/pl.*; ~*s generales* Heeres-reserve *f*, -truppen *f/pl.*; ~ *territorial* Landsturm *m*; *oficial m de* ~ Reserveoffizier *m*; *pasar a la* ~ zur Reserve abgestellt werden; **4.** Reservierung *f*; Buchung *f*; 🚂 ~ (*de asiento*) Platzreservierung *f*, -karte *f*; ~ *de habitación* Zimmer(vor)bestellung *f*; **5.** *a.* ⚖ Vorbehalt *m*, Reserve *f*; ~ *de dominio* Eigentumsvorbehalt *m*; ~ *hereditaria* Sondererbfolge *f*; ~ *mental* stillschweigender Vorbehalt *m*; ⚖ *a.* Mentalreservation *f*; *a* ~ (*od. con la*) ~ *de* vorbehaltlich (*gen.*); *a* ~ *de que* + *subj.* vorausgesetzt, daß + *ind.*; *bajo* (*od. con*) *la* ~ *usual* unter üblichem Vorbehalt; *con* ~*(s)* unter Vorbehalt; *adv. sin* ~*s* vorbehaltslos; **6.** ⚖ Altenteil *n*, Ausgedinge *n*; **7.** Reservat(ion *f*) *n*, Schutzgebiet *n*; ~ (*biológica*) Naturschutzgebiet *n*; ~ (*de indios*) Indianerreservat(ion *f*) *n*; **8.** Zurückhaltung *f*, Reserve *f*; Takt *m*; *con la mayor* ~ mit größter Zurückhaltung (*bzw.* Vorsicht); *guardar la* ~ s. zurückhalten; verschwiegen (*od.* diskret) sein; (j-n) taktvoll (*od.* ehrerbietig) behandeln; **9.** *kath.* (feierliche) Aufbewahrung *f* des verhüllten Altarsakraments *im Tabernakel*; *Reg. a.* → *reservado 6*; **II.** *m* **10.** Ersatzmann *m*; Vertreter *m*; *a. Sp.* Ersatzspieler *m*.
reser|vación *f* **1.** Reservierung *f*; ✈, *Hotel*: Buchung *f*; **2.** Vorbehalt *m*, Reservat(ion *f*) *n*; **3.** ⚒ *Angl.* (Indianer-)Reservat(ion *f*) *n*; **~vadamente** *adv.* im Vertrauen; **~vado I.** *part.-adj.* **1.** reserviert; ⚖ vorbehalten; *quedan* ~*s todos los derechos* alle Rechte vorbehalten; **2.** zurückhaltend, reserviert; taktvoll; **3.** behutsam, vorsichtig; **4.** vertraulich, geheim; "~*a*" „vertraulich" (*über e-m Brief*); **II.** *m* **5.** *a. fig.* Reservat *n*; **6.** abgetrennter Raum *m bzw.* abgesperrtes Gelände *n für Sonderzwecke*; Nebenzimmer *n in Lokalen*; † Chambre *n* séparée; 🚂 Sonderabteil *n*; *silv.* Wildschonung *f*; **~var I.** *v/t.* **1.** re-

servieren; zurückbehalten; vorausbestellen; *Platz* belegen; *Tisch* bestellen; *Zimmer usw.* vorbestellen; **2.** (auf)sparen; zurücklegen; aufschieben; **3.** vorbehalten; ausnehmen (von *dat.* de); **4.** verheimlichen (vor *dat.* de); *et. für s.* behalten; **5.** *kath. das (vorher ausgestellte) Allerheiligste* verhüllen (*bzw.* im Tabernakel verschließen); **II.** *v/r.* ~se **6.** s. *et.* vorbehalten; **7.** s. *bis auf weiteres* zurückhalten; s-e Kräfte schonen; **8.** s. vorsehen (vor *dat.* de); **~vativo** ⚖ *adj.* vorbehaltlich; Reservat(s)...; *censo m* ~ Vorbehaltserbzins *m*; **~vista** ⚔ **I.** *adj. c* Reserve...; **II.** *m* Reservist *m*; **~vón** F *adj.* zugeknöpft (*fig.* F).

resfri|adera *f Cu.* Kühlbehälter *m für den Zuckerrohrsaft*; **~ado I.** *adj.*: *estar* ~ erkältet sein; e-n Schnupfen haben; F *Arg. ser muy* ~ nichts für s. behalten können; **II.** *m* Erkältung *f*; Schnupfen *m*; *contraer* (*od.* F *pescar*) *un* ~ s. e-n Schnupfen holen; **~adura** *vet. f* Schnupfen *m*; **~ar** [1c] **I.** *v/t.* abkühlen; **II.** *v/i.* kühl werden; **III.** *v/r.* ~se ⚕ s. erkälten; *fig.* abkühlen (*Gefühl*).

resguar|dar I. *v/t.* **1.** bewahren; verwahren; sicherstellen; **2.** schütten (vor *dat.* de); **II.** *v/r.* ~se **3.** s. schützen; s. hüten (vor *dat.* de); s. unterstellen; **~do** *m* **1.** Schutz *m* (*a. fig.*); Obdach *n*; **2.** Verwahrung *f*; Sicherstellung *f*; **3.** Zollaufsicht *f* (*Posten*); **4.** Empfangsschein *m*, Quittung *f*; Schein *m* (*Beleg*); ~ *de depósito* Depotschein *m*; ~ *de entrega* Hinterlegungsschein *m*; Liefer-schein *m*, ~quittung *f*.

resi|dencia *f* Wohnsitz *m*; Aufenthaltsort *m*; Sitz *m*, Residenz *f*; Amtssitz *m*; *Art* Gästehaus *n*; ~ *campestre* Landsitz *m*; ~ *real* (*od. lit. regia*) Herrschersitz *m*, Königspalast *m*; ~ *señorial* (*veraniega*) Herrschafts- (Sommer-)sitz *m*; ~ *universitaria* (*od. de estudiantes*) Studentenheim *n*; **~dencial** *adj. c* **1.** Wohn...; *barrio m* ~ Wohnviertel *n*; **2.** *ecl.* an die persönliche Anwesenheit gebunden (*Pfründe*); **~dente I.** *adj. c* **1.** wohnhaft; ansässig; **II.** *m* **2.** (Devisen-)Inländer *m*; **3.** *Pol.*, *Verw.* Resident *m*; ~ *general* Generalresident *m*; **~dir** *v/i.* wohnen, ansässig sein; residieren; *fig.* ~ *en alg.* j-m innewohnen (*Kräfte, Fähigkeiten*); *aquí reside la dificultad* hier liegt (*od.* hierauf beruht) die Schwierigkeit.

resi|dual *adj. c* Rest...; Abfall...; *aguas f/pl.* ~es Abwässer *n/pl.*; **~duo** *m* Rest *m*; Rückstand *m*; Abfall *m*; Bodensatz *m*; Ablagerung *f*; ⚗ ~ *de ácido* Säurerest *m*; ~s *m/pl. de combustión* Abbrand *m*, Verbrennungsrückstände *m/pl.*; ~s *radiactivos* Atommüll *m*.

re|siega ⚘ *f* Nachmahd *f*; **~siembra** ⚘ *f* Nachsaat *f*.

resigna *ecl. f* Resignation *f*, Rücktritt *m vom Amt*; **~ción** *f* Verzicht *m*; Ergebung *f*, Resignation *f*; **~nte** ⚖ *m* Verzichtende(r) *m*; **~r I.** *vt/i.* abtreten (an *ac.* en); *Amt usw.* niederlegen; **II.** *v/r.* ~se resignieren; ~se *en a/c.* s. in et. (*ac.*) schicken; ~se *con a/c.* s. mit et. (*dat.*) abfinden; **~tario** ⚖ *m* der, zu dessen Gunsten Verzicht geleistet wird.

resi|na *f* Harz *n*; ~ *natural* (*sintética*) Natur- (Kunst-)harz *n*; **~nación** *f* Harzgewinnung *f*; **~nar** *v/t.* Harz abzapfen von (*dat.*); **~nato** ⚗ *m* Resinat *n*; **~nero I.** *adj.* Harz...; *industria f* ~*a* Harzindustrie *f*; **II.** *m* Harzzapfer *m*; **~nífero** *adj.* harzliefernd; **~nificación** *f* Verharzung *f*; **~noso** *adj.* harzig; *astilla f* ~*a* Kienspan *m*.

resisten|cia *f* **1.** *a.* ⚡, ⚖ Widerstand *m*; Widerstands-kraft *f*, -fähigkeit *f*; *a.* ⊕ Festigkeit *f* (*a. Statik*); Ausdauer *f*; Haltbarkeit *f*; Beständigkeit *f*; ~ *a los ácidos* Säurebeständigkeit *f*; ~ *del aire* Luftwiderstand *m*; ⊕ ~ *al choque* Stoßfestigkeit *f*; ~ *al frío* (*al fuego*) Kälte- (Feuer-)festigkeit *f*; ⊕ ~ *contra golpes* Schlagfestigkeit *f*; *Kfz.* ~ *al picado* Klopffestigkeit *f*; ⚖ ~ *al poder del Estado* Widerstand *m* gg. die Staatsgewalt; *HF* ~ *de rejilla* Gitterwiderstand *m*; *sin* ~ widerstandslos; *encontrar* ~ auf Widerstand stoßen; *oponer* (*od. ofrecer, hacer*) ~ Widerstand leisten; **2.** *Pol.* Widerstand(sbewegung *f*) *m*; **~te I.** *adj. c* widerstehend; widerstandsfähig, zäh, ausdauernd; dauerhaft; haltbar; beständig; ⚕ resistent (*Bakterien*); ~ *al fuego* (*a la intemperie*) feuer- (wetter-)fest; ~ *al calor* hitzebeständig; ~ *al lavado* (*a la luz*) wasch- (licht-)echt; **II.** *m Pol.* Mitglied *n* e-r Widerstandsbewegung.

resis|tero *m* Mittagshitze *f im Sommer*; *fig.* Bruthitze *f*; der Sonnenglut ausgesetzter Platz *m*; **~tible** *adj. c* erträglich; **~tir I.** *vt/i.* Widerstand leisten (*dat. a od. abs.*); widerstehen (*dat.*); standhalten (*dat.*); aushalten, ertragen; *Leidenschaften u. ä.* widerstehen (*dat.*); *a.* ⊕ ~ (*a*) *la presión* dem Druck standhalten; *¡no hay quien lo resista!* das hält niemand aus!; wer soll so et. aushalten! F; **II.** *v/r.* ~se *abs.* Widerstand leisten; s. sträuben, s. weigern (zu + *inf. a* + *inf.*); widerstreben; *Col.* bocken (*Pferd*); ~se *a hacer a/c.* s. (dagegen) sträuben, et. zu tun; ~se *a sus deseos* s-n Wünschen widerstreben.

resistividad ⚡ *f* Widerstand *m*.

resistrón *TV m* Bildwandlerröhre *f*.

res|ma *f* Ries *n* (*Papiermaß*); **~milla** *f* kl. Ries *n* (*Briefbogen*).

resobado *adj.* abgedroschen; abgegriffen.

resobri|na *f*, **~no** *m* Groß-nichte *f*, -neffe *m*.

reso|l *m* **1.** Abglanz *m*, Widerschein *m*; **2.** Abstrahlung *f* der Sonnenhitze; **~lana** *f* → *resol* 2; **~lano** *adj.-su.* (*sitio m*) windgeschützt(er) u. sonnig(er Platz *m*); Gluthitze *f*; → *resol* 2.

resolu|ble 𝔄 *adj. c* (auf)lösbar; **~ción** *f* **1.** Auflösung *f* (*a.* ⚕); Lösung *f*; Lösung *f e-r Frage usw.*; Behebung *f e-s Zweifels*; (Auf-)Lösung *f e-r Gleichung*; **2.** Entschließung *f*, Entschluß *m*; *Pol.* Resolution *f*; *a.* ⚖ Entscheidung *f* (über *ac.* de); Beschluß *m*; *en* ~ schließlich; ⚖ ~ *provisional* Einstweilige Verfügung *f*; *Pol. adoptar una* ~ e-e Entschließung annehmen; *tomar una* ~ e-n Entschluß fassen; **3.** Entschlossenheit *f*; *adv. con* ~ entschlossen; *ser hombre de mucha* ~ ein Mann von gr. Entschlußkraft sein; **~tivo** *adj. bsd.* ⚕ auflösend, zerteilend; 𝔄 (Auf-)Lösungs...; *método m* ~ analytische Methode *f*; **~to** *adj.* entschlossen (zu *a*); → *resuelto*; **~torio** ⚒ *adj.* entscheidend.

resolve|nte *m* ⚕ auflösendes (*bzw.* zerteilendes) Mittel *n*; **~r** [2h; *part. resuelto*] **I.** *v/t.* **1.** *a.* ⚕ auflösen; zerlegen, teilen; auflösen, zerstören (*Erosion u. ä.*); *Chir.* zerteilen; *fig.* analysieren; **2.** *Fragen, Rechenaufgaben* lösen; *Schwierigkeiten* beheben; *Zweifel* klären, beseitigen; **3.** beschließen (zu + *inf.* ~ + *inf.*); *a. v/i.* entscheiden; **4.** (kurz) zs.-fassen (in *dat.* en); **II.** *v/r.* ~se **5.** s. entschließen (zu *dat. od. inf. a*); s. entscheiden (für *ac. por*); ⚖ ~se *en última instancia* in letzter Instanz entschieden werden; **6.** *a.fig.* s. auflösen; ⚕ *a.* schwinden (*Krankheits- bsd. Entzündungsprozesse*); *¿cómo se resuelve esto?* wohin soll das (noch) führen?; ~se *en agua* s. in Wasser auflösen, zu Wasser werden; *el agua se resuelve en vapor* das Wasser wird zu Dampf (*bzw.* zu Dunst).

resollar [1m] *v/i.* schnaufen; keuchen; *fig.* F von s. hören lassen, ein Lebenszeichen (von s.) geben.

resona|dor *m* Schallverstärker *m*, Resonator *m*; Klopfer *m*; **~ncia** *f* Resonanz *f*; Nach-, Wider-hall *m*; *fig.* Anklang *m*, Echo *n*; **~nte** *adj. c* nachhallend; *fig.* nachhaltig; bedeutend (*Ereignis*); **~r** [1m] *v/i.* nachklingen; *a. fig.* nachhallen; widerhallen; ertönen, erklingen, erschallen.

reso|plar *v/i.* schnauben; **~plido** *m* Schnauben *n*.

resor|ber ⚕ *v/t.* resorbieren; **~ción** ⚕ *f* Resorption *f*.

resorte *m bsd.* ⊕ Spannfeder *f*; Sprungfeder *f*; *fig.* Triebfeder *f*; Spannkraft *f*; Mittel *n zu e-m Zweck*; F ~s *m/pl.* Mittel u. Wege *pl.*; ⊕ ~ *anular* (*en espiral*) Ring- (Spiral-)feder *f*; ~ *de compresión* Druckfeder *f*; ~ *de cuerda* (~ *motor*) Aufzug- (Trieb-)feder *f* (*Uhrwerk*); ~ *de hoja* (*de lámina*) gr. (kl.) Blattfeder *f*; ~ *de torsión* Torsionsstabfeder *f*; ⊕ *armar el* ~ die Feder spannen; *fig.* F *tocar todos los* ~s alle Hebel in Bewegung setzen.

respal|dar[1] *m* Rücklehne *f*; **~dar**[2] **I.** *v/t.* **1.** auf die Rückseite schreiben (*bsd. e-r Besuchskarte*); **2.** *a. fig. j-m* den Rücken decken; *fig. j-n* dekken; **II.** *v/r.* ~se **3.** s. an- (*od.* zurück-)lehnen; *fig.* s. Rückendekkung verschaffen; **~do** *m* Rücklehne *f*; Rückseite *f e-s Schriftstücks*; *fig.* Rückendeckung *f*; Unterstützung *f*.

respec|tar *v/i.* [*def.*]: ~ *a* angehen, betreffen; *por* (*od.* en) *lo que respecta a él* was ihn betrifft (*od.* angeht); **~tivo** *adj.* betreffend, entsprechend; verschieden, jeweilig; diesbezüglich; **~to** *m* Hinsicht *f*,

Beziehung *f*; ~ *a* (*od.* de) *od.* *con* ~ *a* bezüglich (*gen.*), hinsichtlich (*gen.*); *a* este ~ in dieser Hinsicht; *al* ~ de im Verhältnis zu (*dat.*); *con* ~ *a* eso, *al* ~ diesbezüglich.

résped(e) †, ⚒ *m* Schlangenzunge *f*; Giftstachel *m*; *fig.* giftige Bemerkung *f*.

respe|tabilidad *f* Achtbarkeit *f*; **~table I.** *adj. c* achtbar; ansehnlich; *a. iron.* *a* ~ *distancia* in (*bzw.* aus) respektvoller Entfernung; **II.** *m* F Publikum *n b. Veranstaltungen, Stk. usw.*; **~tar I.** *v/t.* achten, respektieren; (ver)ehren; Rücksicht nehmen auf (*ac.*); (ver)schonen; *hacerse* ~ s. Respekt verschaffen; **II.** † *v/i.* → *respectar*; **~to** *m* Achtung *f*, Respekt *m*; Ehrerbietung *f*; Ehrfurcht *f*; Rücksichtnahme *f*; ~(s) *humano(s)* **a)** Anstandsregeln *f/pl.*; **b)** Menschenfurcht *f* (*bsd. bibl.*); ~ *de sí mismo* Selbstachtung *f*; *¡mis* ~*s a su señora!* empfehlen Sie mich bitte Ihrer Frau Gemahlin!; de ~ achtunggebietend, *fig.* bedeutend; Respekts...; Fest..., Gala..., *bsd.* ⚓ Ersatz..., Not...; *adv.* *sin* ~ respektlos; *coche m de* ~ Galakutsche *f*; *falta f de* ~ Mißachtung *f*; *coger* ~ *a alg.* vor j-m Achtung (*od.* Respekt) bekommen; *faltar al* ~ *a alg.* j-m gg.-über die Achtung (*bzw.* den Anstand) verletzen; j-n beleidigen; **~tuoso** *adj.* ehrfurchtsvoll; ehrerbietig; rücksichtsvoll; taktvoll.

réspice F *m* schroffe Antwort *f*; Rüge *f*, Rüffel *m* F.

respigón *m* **1.** Niednagel *m*; *vet.* Steingalle *f*; **2.** ⚘ ~*ones m/pl.* Kletten *f/pl.*

respin|gado *adj.*: *nariz f* ~*a* → *respingón*; **~gar** [1h] *v/i.* s. sträuben, bocken *bzw.* knurren (*Tier u. fig.*); *fig.* F *a.* abstehen, schlecht anliegen (*Rock, Kleidung*); **~go** *m* **1.** Auffahren *n*; Aufbäumen *n*, Bocken *n*; Ruck *m*; *fig.* Gebärde *f* des Widerstrebens; **2.** *Chi., Méj.* Vorspringende(s) *n*, Abstehende(s) *n*; *bsd.* abstehender (*od.* hochgerutschter) Rock *m*; **~gón** *adj.* bockig (*Tier*); *fig.* (*nariz f*) ~*ona f* Stupsnase *f*; **~goso** *adj. Am.* bockig (*Tier*).

respira|ble *adj. c* atembar; **~ción** *f* Atmen *n*, Atmung *f*; ~ *artificial* künstliche Atmung *f*, (künstliche) Beatmung *f*; ~ (*artificial*) *de boca a boca* Mund-zu-Mund-Beatmung *f*; ~ *abdominal* (*branquial, cutánea*) Zwerchfell- (Kiemen-, Haut-)atmung *f*; ~ *profunda* Durchatmen *n*, Tiefatmung *f*; ✈ *careta f de* ~ Atemmaske *f*; *contener la* ~ den Atem anhalten; *fig.* *se quedó sin* (*od. se le cortó la*) ~ der Atem stockte ihm.

respi|radero *m* Luft- (*od.* Entlüftungs-)loch *n*; *Sp.* Schnorchel *m*; *fig.* Atempause *f*; *fig.* F Atmungsorgane *n/pl.*, Blasebalg *m* (*fig.* F); **~rador I.** *adj.* ⚕ Atmungs...; *músculo m* ~ Atemmuskel *m*; **II.** *m* Atemgerät *n*; *a.* Atemschutzmaske *f*; **~rar I.** *v/i.* atmen, einatmen; *fig.* aufatmen; *fig.* s. erholen, verschnaufen; ausruhen; *no respiró fig.* F *a.* er sprach kein Wort; *fig.* *no dejar* ~ *a alg.* j-m k-e Ruhe gönnen; j-n ständig in Atem halten; *sin* ~ ohne Atem zu holen; *fig.* **a)** unermüdlich; **b)** mit gespannter Aufmerksamkeit; **II.** *v/t.* einatmen; **~ratorio** *adj.* respiratorisch (⚕); Atmungs...; Atem...; *tubo m* ~ Atemschlauch *m*; *Sp.* Schnorchel *m*; **~ro** *m* Atmen *n*; *fig.* (Verschnauf-)Pause *f*; Aufatmen *n* (*fig.*); (Verlängerung *f* e-r Zahlungs-)Frist *f*.

resplan|decer [2d] *v/i.* (er)glänzen, strahlen; schimmern; **~deciente** *adj. c* glänzend, strahlend (vor *dat.* de); **~decimiento** *m* Glänzen *n*; **~dor** *m* Glanz *m*; (heller) Schein *m*; Schimmer *m*.

respon|der I. *v/t.* **1.** antworten, erwidern; *auf Anruf od. Klopfen* antworten, s. melden; *me respondió dos palabras* er antwortete mir mit ein paar Worten; **II.** *v/i.* **2.** antworten; ~ *a* beantworten (*ac.*), antworten auf (*ac.*); ~ *por el nombre de X* auf den Namen X hören (*z. B. Hund*); **3.** ~ (*a*) entsprechen (*dat.*); (den Erwartungen *od.* Anforderungen) entsprechen; *Hoffnungen* erfüllen; *el aparato responde bien* das Gerät bewährt s.; *este suelo responde* dieser Boden ist ergiebig (*od.* fruchtbar; *responde a* er zeigt s. dankbar für (*ac.*); ⚕ ~ *a una excitación* auf e-n Reiz reagieren; **4.** verantworten (et. de); haften, bürgen (für *ac.* de); ~ *de a/c. con toda su fortuna* für et. (*ac.*) mit s-m ganzen Vermögen haften (*od.* einstehen); ~ *por alg.* für j-n bürgen; ⚖ ~ *solidariamente* gesamtschuldnerisch haften; **5.** ~ *al este* nach Osten gelegen sein (*Gebäude usw.*); **~dón** F **I.** *adj.* widerspruchslustig; rechthaberisch; schnippisch; **II.** *m* Widerspruchsgeist *m* (*Person*).

responsa|bilidad *f* Verantwortlichkeit *f*; Verantwortung *f* (für *ac.* de); Haftung *f* (für *ac.* de); Regreßpflicht *f*; ~ *civil* Haftpflicht *f*; ~ *por defectos* Mängelhaftung *f*; *sociedad f de* ~ *limitada* Gesellschaft *f* mit beschränkter Haftung; **~bilizarse** [1f] ⚖ *v/r. Am.* die Haftung übernehmen (für *ac.* de); **~ble I.** *adj. c* verantwortlich; haftbar; *hacerse* ~ *de a/c.* für et. (*ac.*) die Verantwortung übernehmen; *ser* ~ verantwortlich sein (für *ac.* de); haften (für *ac.* de); schuld sein (an *dat.* de); **II.** *m* Verantwortliche(r) *m*; Haftende(r) *m*.

respon|sar *kath.* *v/i.* Respons beten (*od.* singen); **~so** *kath. m* Respons *f für die Verstorbenen*; *fig.* F *echar un* ~ *a alg.* j-n rügen; **~sorio** *ecl. m* Responsorium *n*.

respuesta *f* Antwort *f*; Erwiderung *f*, Entgegnung *f*; *HF* ~ (*de frecuencia*) Frequenzgang *m*; *en* ~ *a* in Beantwortung (*gen.*); ✉ ~ *pagada* Rückantwort bezahlt.

resquebra|(ja)dura *f* Ritze *f*, Spalt *f*; Rißbildung *f*; Reißen *n*; **~jadizo** *adj.* spröde (*z. B. Holz*); **~jar I.** *v/i.* aufspringen; Risse bekommen; **II.** *v/r.* ~*se* aufspringen, spröde werden (*Haut*); **~joso** *adj.* brüchig; rissig; **~r** [1k] *v/i.* (zer)springen.

resque|mar I. *vt/i.* prickeln; brennen (*Pfeffer usw.*); **II.** *v/r.* ~*se fig.* s. sehr ärgern; s. abhärmen; **~mazón** F *f*, **~mo** *m* Prickeln *n*; Brennen *n*; Jucken *n*; **~mor** *m* **1.** Kummer *m*; **2.** *Reg.* → *resquemo*.

resquicio *m* Ritze *f*, Spalte *f*; *fig.* F gute Gelegenheit *f*.

resta ⅔ *f* Subtrahieren *n*; Rest *m*.

restable|cer [2d] **I.** *v/t.* wiederherstellen; **II.** *v/r.* ~*se* s. erholen, genesen; **~cimiento** *m* Wiederherstellung *f*; Genesung *f*; *a. fig.* Gesundung *f*.

restallar *v/i.* knallen (*z. B. Peitsche*); klatschen (*Geräusch*); krachen; knistern.

restante I. *adj. c* übrigbleibend, restlich, Rest...; **II.** *m* Überrest *m*; Restbetrag *m*.

resta|ñador *m* blutstillender Stift *m*; **~ñar** *vt/i.* **1.** *Blut* stillen; ~(*se*) gestillt werden, aufhören zu fließen (*Blut*); **2.** ⚒ *Wasser* anstauen; *fig.* anhalten, unterbinden; **~ñasangre** *Min. f* Karneol *m*, Blutstein *m*; **~ño** *m* Blutstillen *n*; ⚒ Anstauung *f*.

restar I. *v/t.* **1.** wegnehmen, entziehen; *Ansehen, Ruhm, Verdienst usw.* schmälern; **2.** ⅔ subtrahieren, abziehen (von *dat.* de); abrechnen; *fig.* ~*se años* als jünger gelten wollen; **3.** *Pelotaspiel*: (den Ball) zurückschlagen; **II.** *v/i.* **4.** (übrig)bleiben; ~ *a pagar* noch zu zahlen sein; *en todo lo que resta de mes* bis (zum) Monatsende; F *y lo que resta* u. was noch dazugehört.

restaura|ción *f* Wiederherstellung *f*, Restaurierung *f* (*Ku.*); *Pol.*, *HF* Restauration *f*; **~dor** *adj.-su. m* Wiederhersteller *m*; *bsd. Ku.* Restaurator *m*; **~nte I.** *part. zu restaurar*; **II.** *m* Gaststätte *f*, Eßlokal *n*, Restaurant *n*; ~ *automático* Automatenrestaurant *n*, Schnellgaststätte *f*; **~r I.** *v/t.* (*a. Pol. alte Ordnung usw.*) wiederherstellen; kräftigen; *Kunstwerke* restaurieren; **II.** *v/r.* ~*se* s. erholen, wieder zu Kräften kommen; **~tivo I.** *adj.* wiederherstellend; **II.** *m* Stärkungsmittel *n*.

restinga ⚓ *f* Untiefe *f*, Sandbank *f*; **~r** ⚓ *m* Seegebiet *n* voller Untiefen.

restitu|ción *f* Rückgabe *f*, Herausgabe *f*; Rückerstattung *f*; *p. ext.* Vergütung *f*; *fig.* Wiederherstellung *f*; **~ible** *adj. c* ersetzbar; wieder herstellbar; **~ir** [3g] **I.** *v/t.* zurückgeben, -erstatten; *p. ext.* ersetzen, vergüten; *fig.* wiederherstellen; **II.** *v/r.* ~*se lit.* ~*se a su casa paterna* in sein Vaterhaus zurückkehren; **~torio** ⚖ *adj.* auf Erstattung bezüglich; Rückerstattungs...

resto *m* **1.** Rest *m*; Überrest *m*; *el* ~ *a.* das übrige; *todo el* ~ alles übrige; *los* ~*s a.* die Ruine(n *f/pl.*) *f*; ⚓ Wrack(trümmer *pl.*) *n*; *los* ~*s mortales* die sterbliche Hülle *f*; **2.** *Kart. festgelegter* Gesamteinsatz *m e-s Spielers*; ~ *abierto* unbegrenzter Einsatz *m*; *fig.* *a* ~ *abierto* unbeschränkt, völlig frei; *fig.* *echar* (*od. envidar*) *el* ~ sein Letztes hergeben; alles aufbieten; **3.** *Pelotaspiel*: Rückschlagen *n des Balls*; Rückschlagspieler *m*; Stelle *f*, v. der aus der Rückschlag erfolgt.

restre|gar [1h *u.* 1k] **I.** *v/t.* kräftig

reiben; *a.* ⊕ scheuern, abkratzen; **II.** *v/r.* ~se s. wetzen (*Tiere*); ~*se los ojos* s. die Augen reiben; **~gón** *m* (heftiges) Reiben *n*; *dar un* ~ *a* kräftig (ab)reiben (*ac.*).

restric|ción *f* Ein-, Be-schränkung *f*; Restriktion *f*; *fig.* Vorbehalt *m*; ⚡ ~*ones f/pl. de corriente* Strom-einschränkungen *f/pl.*; -sperre *f*; ☿ ~*ones f/pl. de importaciones* Einfuhrbeschränkungen *f/pl.*; ~ *mental* stiller Vorbehalt *m*, Mentalrestriktion *f* ⚖; *sin* ~ uneingeschränkt; **~tivo** *adj.* ein-, beschränkend; hemmend; *bsd.* ☿ restriktiv; **~to** *adj.* beschränkt, begrenzt.

restrin|gente *part.* einschränkend; **~gible** *adj. c* einschränkbar; **~gir** [3c] *v/t.* **1.** ein-, be-schränken; ~ *a* begrenzen auf (*ac.*); **2.** ⚕ → *astringir.*

restriñir [3h] ⚕ *v/t.* → *astringir.*

resucita|ción *bsd. Am. f* Wiedererweckung *f*, -belebung *f*; ⚕ Wiederbelebung *f*; **~do** *adj.* von den Toten erweckt; *fig.* zu neuem Leben erwacht; *bibl.* *el* ♀ der Auferstandene; **~dor I.** *adj.* auferweckend; *fig.* neu belebend; **II.** *m* Totenerwecker *m*; *fig.* Neubeleber *m*; **~r I.** *v/t.* vom Tode erwecken; *fig.* zu neuem Leben erwecken; wieder auf die Beine bringen (*fig.* F); **II.** *v/i. Rel. u. fig.* (wieder)auferstehen; *fig.* zu neuem Leben erwachen; genesen.

resudar *v/i.* leicht schwitzen.

resuel|tamente *adv.* entschlossen; energisch; **~to I.** *part. zu resolver*; **II.** *adj.* (*estar*) entschlossen (zu *dat. od. inf. a*); (*ser*) rasch (entschlossen), flink (zupackend), resolut; tatkräftig; beherzt, mutig.

resuello *m* **1.** lautes Atemholen *n*; Keuchen *n*; Schnaufen *n*; *fig.* F *meterle a alg. el* ~ *en el cuerpo* j-n einschüchtern, j-m e-n Dämpfer aufsetzen; **2.** □ Geld *n*.

resulta *f* **1.** (End-)Ergebnis *n*; *p. ext.* Folge *f*; *de* ~*s de* infolge (*gen.*); **2.** *Verw.* **a)** frei werdende Planstelle *f*; **b)** ~*s f/pl.* Budgetvortrag *m*.

resul|tado *m* Ergebnis *n*, Resultat *n*; Erfolg *m*; ~ *del examen médico* ärztlicher Befund *m*; ~ *final* Endergebnis *n*, -resultat *n*; *dar (buen)* ~ s. bewähren; *dar mal* ~ mißlingen; s. nicht bewähren; *llevar a buen* ~ glücklich beenden; *¿os ha dado* ~*?* habt ihr Erfolg damit gehabt?; hat er (*usw.*) s. bewährt?; *sin* ~ ergebnislos; erfolglos; unnütz; **~tandos** ⚖ *m/pl.* Entscheidungsgründe *m/pl.*; Tatbestand *m im Urteil*; **~tante** *Phys. f* Resultierende *f*, Resultante *f*; **~tar** *v/i.* **1.** s. ergeben; s. herausstellen als, s. erweisen als; sein (für *ac. a*); entspringen; ~ *barato (caro)* billig (teuer) sein; ~ *caro a.* teuer zu stehen kommen; ~ *en beneficio de alg.* j-m zum Vorteil ausschlagen, für j-n von Vorteil sein; *resultó muerto en un accidente* er verunglückte tödlich; *resultó ser ...* es stellte s. heraus, daß er ... (*nom.*); *resulta que ...* es ergibt s., daß ...; es ist so, daß ...; demnach *od.* folglich ...; *Am. fig.* F es kommt vor, daß ... *od.* oft ...; *resultando que ...* so daß ...; *a.* in Anbetracht des Umstandes, daß ...; *resultaron seis víctimas entre muertos y heridos* es kam zu sechs Toten u. Verletzten; **2.** gelingen, einschlagen, Erfolg haben; taugen, brauchbar sein; **3.** *fig.* F *no* ~*le a alg.* j-m nicht passen.

resu|men *m* Zs.-fassung *f*; Übersicht *f*; Resümee *n*; *en* ~ kurz (zs.-gefaßt); kurz u. gut; alles in allem; **~midero** *m Am.* → *sumidero*; **~miendo** *ger.* (*adv.*) zs.-fassend; **~mir** *v/t.* kurz zs.-fassen; *en* ~*idas cuentas* kurz (u. gut); alles in allem; *todo se resume en alles liegt in* (*dat.*); alles läuft hinaus auf (*ac.*).

resu|rgir [3c] *v/i.* wiedererscheinen; wieder(auf)erstehen; **~rrección** *f Rel. u. fig.* Auferstehung *f*; *ecl.* ♀ Auferstehung(sfeier) *f*; *Pascua f de* ♀ Ostern *n*(*/pl.*).

reta|blero *m* Meister *m* e-s Altarbildes; **~blo** *m* Altaraufsatz *m*, Retabel *n*; Altarbild *n*.

reta|cado ⊕ *m* Nietverstemmen *n*; *repasar el* ~ nachstemmen; **~car** [1g] *v/t.* nachstoßen (*Billard*); **~co** *m* Stutzen *m* (*Gewehr*); *kurzer* Billardstock *m*; *fig.* F Stopfen *m* (*Person, fig.* F).

retador I. *adj.* herausfordernd; **II.** *m* Herausforderer *m*.

retaguardia ⚔ *f* Nachhut *f*, Nachtrupp *m*; Etappe *f*; *a* ~ rückwärts; *comunicación f de* ~ rückwärtige Verbindung *f*; *enlace m a* ~ Verbindung *f* nach rückwärts; *adv. por la* ~ von hinten.

retahíla *f* lange Reihe *f*; *fig.* e-e ganze Menge *f*.

reta|jar *v/t.* rundschneiden; *ehm.* *Gänsekiel* zurechtschneiden; *Am. Reg. Tier* kastrieren; **~jina** *f* Span *m*, Schnitzel *n* (*v. Preßstoff u. ä.*); **~jo** *m* Abfall *m*.

retal *m* Abfall *m b. Zuschneiden*; *bsd.* ☿ ~*es m/pl.* (Stoff-)Reste *m/pl.*; *p. ext.* ~ *de tierra* Stück *n* Land.

retallo ⚘ *m* neuer Trieb *m*.

reta|ma ⚘ *f* Ginster *m*; ~ *de escobas* Besenginster *m*; ~ *de olor* spanischer Ginster *m*; ~ *espinosa* Igelkraut *n*; **~mal, ~mar** *m* Ginsterfeld *n*; **~milla** ⚘ *f Chi. versch. Leingewächse*; *Méj. versch. Sauerdorngewächse*; **~mo** ⚘ *m oft Am.* → *retama.*

retar *v/t.* herausfordern; *fig.* F ausschelten; *Chi.* beschimpfen.

retarar *v/t. Gewichte usw.* nacheichen.

retar|dación *f* Verzögerung *f*; Verschub *m*; **~dador** *m Film:* Zeitlupe *f*; ⚗, ⊕ Verzögerer *m*; ⚓ Retarder *m*; **~dar I.** *v/t.* verzögern; aufschieben; *Uhr* nachstellen; **II.** *v/r.* ~*se* s. verspäten; **~datario** *adj.* verzögernd; hemmend; **~datriz** *adj. f*: *fuerza f* ~ hemmende Kraft *f*; **~do** *m* Verzögerung *f*, Hemmung *f*; Verlangsamung *f*; Aufschub *m*; *Kfz.* ~ *del encendido* Spätzündung *f*.

retazo *m* Stoffrest *m*; Tuchabfall *m*; *fig.* Fragment *n e-s Textes usw.*; *Chi.* Stück *n*; *Méj.* Stück *n* Fleisch.

retejar *v/t.* das Dach ausbessern; *fig.* F neu einkleiden.

retemblar [1m] *v/i.* erzittern, erbeben.

retén *m* **1.** Rücklage *f*, Ersatz *m*; ⚔ Ersatztruppen *f/pl.*; Feldwache *f*; **2.** ⊕ Dichtungsring *m für Wellen u. Kugellager*; **3.** Brandwache *f nach e-m Brand.*

rete|nción *f* **1.** Zurückhaltung *f*; *fig.* Mäßigung *f*; **2.** ⊕ Festhalten *n*; Hemmung *f*; ⚕ Verhaltung *f*; ⚕ ~ *biliar* Gallenabschluß *m*; ⚕ ~ *de orina* Harnverhaltung *f*; **3.** ⚖ Einbehaltung *f v. Lohn od. Gehalt*; Zurückbehaltung *f*; Vorenthaltung *f*; *a.* Beibehaltung *f e-s Amtes*; Aufenthaltsbeschränkung *f bzw.* Haft *f*; **~ner** [2l] **I.** *v/t.* **1.** zurück-, ein-(be)halten; *Lohn usw.* einbehalten; festhalten; aufbewahren; beibehalten; *Tränen* zurückhalten; *Atem* anhalten; ⚖ *a.* s. die Zuständigkeit vorbehalten; ~ *en la escuela a.* nachsitzen lassen; ~ *en la memoria* im Gedächtnis behalten; **2.** ⊕, ⚕ auf-, zurück-halten; festhalten; **II.** *v/r.* ~*se* **3.** s. zurückhalten; s. mäßigen.

retenida ⊕ *f* Sperrkette *f*, Sperrung *f*; Bremsbalken *m*; Rahmen-, Magazin-halter *m b. Waffen*; ⚓ Stopper *m*; **~mente** *adv.* zurückhaltend.

reteno ⚗ *m* Reten *n*.

retenti|va *f* Gedächtnis *n*, Erinnerungsvermögen *n*; **~vo I.** *adj.* zurückhaltend; behaltend; hemmend; **II.** *m* ⚕ Verhaltungsmittel *n*.

reteñir [3h *u.* 3l] *v/t.* auffärben; nachfärben (*a. Haar*).

reticen|cia *f* Verschweigung *f*; absichtliche Auslassung *f*; *Rhet.* Abbrechen *n*, Schweigen *n*; *hablar con* ~*s* s. in versteckten (*od.* dunklen) Anspielungen ergehen; **~te** *adj. c* dunkel anspielend.

rético I. *adj.* rhätisch; **II.** *m Li.* *das* Rhätische; *das* Rhätoromanische.

retícula *f* kl. Netz *n*; *oft* (*bsd. Opt., Typ.*) → *retículo*; *Typ.* Raster *m*; *de* ~ Raster...

reticula|ción *Phot., Typ. f* Rasterung *f*; **~do I.** *adj.* **1.** netz-artig, -förmig; **2.** *Opt., Phot., Typ.* gerastert; Raster...; *papel m* ~ Rasterpapier *n*; **II.** *m* **3.** *öfter* → *retícula, retículo*; **~r** *adj. c* Netz...; Raster...; *Anat.* retikulär; *Opt.* *cruz f* ~ Fadenkreuz *n*; *Phot.* *placa f* ~ Rasterplatte *f*.

retículo *m* **1.** *Anat., Biol.* Netzwerk *n*, -gewebe *n*; *Zo.* Netzmagen *m der Wiederkäuer*; *Min.* ~ (*cristalino*) Kristallgitter *n*; **2.** *Opt., a.* ⚔ ~ (*de líneas cruzadas*) Fadenkreuz *n*; Fadengitter *n*; **3.** *Opt., Phot., Typ.* Raster *m*.

reti|na *Anat. f* Netzhaut *f des Auges*; **~niano** *adj.* Netzhaut...

retinte[1] *m* zweite Einfärbung *f*; Auffärben *n*; Nachfärben *n*.

retin|te[2], **~tín** *m* Klingen *n*; Klirren *n*; *p. ext.* Unterton *m der Stimme*; *hablar con* ~ mit e-m (geheimnisvollen) Unterton sprechen; *fig.* F sticheln.

retinto *adj.* schwarzbraun (*bsd. Pferd, Stier*).

reti|ración *Typ. f* Umschlagen *n*; Widerdruck *m*; **~rada** *f* **1.** Rückzug *m* (*a. fig.*); Entzug *m*; Zurückziehung *f*; *Verw.* Entziehung *f des Führerscheins*; **2.** ⚔ (geordneter) Rückzug *m*; Absetzen *n*; (*toque m* de) ~ *a.* Zapfenstreich *m*; *a. fig.* *cortar la ~ a alg.* j-m den Rückzug abschneiden; *a. fig. cubrirse la ~* s. die Möglichkeit zum Rückzug offenhalten; *tocar la ~* **a)** *a. fig.* zum Rückzug blasen; **b)** den Zapfenstreich blasen; **~rado I.** *adj.-su.* **1.** außer Dienst, *Abk.* a. D., pensioniert; **II.** *adj.* **2.** abgelegen; abseits gelegen; **3.** zurückgezogen (*Leben*); **~rar I.** *v/t.* **1.** zurückziehen; herausziehen; entziehen; wegnehmen; entfernen; *Typ.* umschlagen; *Auftrag, Berechtigung, Kredit, Vollmacht, Erlaubnis* entziehen; *Kapital* abziehen; ⚔ *Posten* aufheben; *Truppen* abziehen, herausnehmen; ⚓ *Ware* in Empfang nehmen; ✉ *Sendung* abholen; *Wechsel* einlösen; *Geld, Zinsen* abheben; *Versprechen* zurücknehmen; *a. fig. ~ la mano* die Hand zurückziehen; *~ al muchacho del colegio* den Jungen von der Schule (herunter)nehmen; *~ la palabra* das Wort entziehen; **II.** *v/r.* *~se* **2.** s. zurückziehen; zurücktreten (von *dat.* de); *fig.* zu Bett gehen; **3.** ⚔ zurückgehen, s. absetzen, räumen; *p. ext.* s-n Abschied nehmen; "¡~se!" „weggetreten!".

retiro *m* **1.** Zurückgezogenheit *f*; Einsamkeit *f*; Ruhesitz *m*; *el (Buen)* ♀ der Retiro-Park (*Madrid*); **2.** ⚔ Abschied *m*; Ruhestand *m*; Ruhegehalt *n*; *allg.* F Pension *f*; *en ~* außer Dienst; **3.** *ecl.* Exerzitien *n/pl.*

reto *m* Forderung *f zum Zweikampf*; Herausforderung *f*; *fig.* Drohung *f*; *Am. a.* Beschimpfung *f*; *echar ~s* drohen.

reto|bado *adj.* **1.** *Am.* starrköpfig; störrisch (*a. Tier*); **2.** *Am. Mer.* verschmitzt; (heim)tückisch; **~bar** *Am. v/t.* **1.** *Leder* in Streifen schneiden; mit Lederstreifen bedecken (*bzw.* überziehen); **2.** *Am. Reg.* → *adobar, curtir.*

retoca|do *m* Ausbesserung *f*; Überarbeitung *f*; Retusche *f*; **~r** [1g] *v/t.* nach-, über-arbeiten; aus-, nach-bessern; *Phot.* retuschieren.

reto|ñar *v/i.* ⚘ wieder treiben; *fig.* wieder zum Vorschein kommen, erneut auftreten; **~ño** *m* ⚘ Schößling *m*; *fig.* Nachwuchs *m*, Sprößling *m* F (*Kleinkind*).

retoque *m* **1.** Retusche *f*; Überarbeitung *f*; Nachbesserung *f*; Berichtigung *f*; **2.** leichter Anfall *m e-r Krankheit.*

retor *m* derbes Baumwollzeug *n*, Zwilch *m*.

rétor *m* Rhetor *m*; † *u. fig.* → *orador.*

retor|cedora *f* Zwirnmaschine *f*; **~cer** [2b *u.* 2h] **I.** *v/t. a. fig. Worte* verdrehen; winden; krümmen, verbiegen; *Schnurrbart* drehen *od.* zwirbeln; *Garn* zwirnen; (aus-)wringen; ⊕ (ver)winden; P *~ el pescuezo* den Hals (*od.* den Kragen) umdrehen; **II.** *v/r.* *~se* s. krümmen, s. winden (vor *dat.* de); **~cido I.** *adj.* gekrümmt; verdreht; spiralig; *tex.* gezwirnt; *fig.* hinterhältig, falsch; **II.** *m tex.* Zwirnen *n*; **~cimiento** *m* Verdrehen *n*; Verwinden *n*; ⊕ Verwindung *f*.

retóri|ca *f* Rhetorik *f*; *desp.* (wortreiches) Pathos *n*; *fig.* *~s f/pl.* Wortgeklingel *n*; Wortklauberei *f*; **~co** *adj.* rhetorisch; rednerisch.

retor|nar I. *v/t.* umwenden, umdrehen; zurückgeben; erwidern; **II.** *v/i.* zurückkehren; **~nelo** ♪ *m* Ritornell *n*; **~no** *m* **1.** Rückkehr *f*; Rück-führung *f*, -leitung *f*; Rücksendung *f*; de ~ Rück...; **2.** Tausch *m*; Entgelt *n*; herausgegebenes Geld *n*; **3.** *Span.* Einfuhrsteuer *f*.

retorro|mano, *Li. a.* **~mánico** *adj.-su.* rätoromanisch; *m* Rätoromane *m*; *Li. das* Rätoromanische.

retorsi|ón *f* **1.** Verdrehung *f*; Krümmung *f*; **2.** *fig.* Vergeltung *f*; **~vo** *adj.* verdrehend.

retor|ta ⚗ *f* Retorte *f*; **~tero** F *m* (Herum-)Drehen *n*; *fig.* F *andar* (*od. ir*) *al ~* ruhelos hin u. her laufen; hin u. her hetzen; *traer al ~ a alg.* j-n an der Nase herumführen; **~tijar** *v/t.* (stark) verdrehen; hin u. her winden; **~tijón** *m* Hinundherwinden *n*; *~ de tripas od. ~ones m/pl.* Leibschneiden *n*.

retosta|do *adj.* stark geröstet; angebrannt; dunkelbraun; **~r** [1m] *v/t.* erneut (*bzw.* stark) rösten.

reto|zar [1f] *v/i.* hüpfen; spielen, tollen; Unfug treiben; **~zo** *m* Hüpfen *n*; Tollen *n*; Mutwille *m*, Unfug *m*, Allotria *pl.*; **~zón** *adj.* ausgelassen, mutwillig.

retrac|ción *f* Zurückziehen *n*; ⚕ (Gewebe-, Narben-)Schrumpfung *f*; **~table** *adj. c* widerrufbar, zurücknehmbar; **~tación** *f* Widerruf *m*; *hacer ~ (pública)* (öffentlich) Widerruf leisten; **~tar I.** *v/t.* widerrufen, zurücknehmen; **II.** *v/r.* *~se* sein Wort zurücknehmen; s-e Aussage widerrufen; *~se de et.* widerrufen.

retráctil *adj. c Zo. u.* ⊕ *fig.* einziehbar (*Krallen*).

retracto ⚖ *m* Rück-, Wieder-kauf *m*; *derecho m de ~* **a)** Rücktrittsrecht *n e-s Mieters, Pächters*; **b)** Vorkaufsrecht *n*; **c)** Wieder-, Rückkaufsrecht *n*.

retra|er [2p] **I.** *v/t.* **1.** zurück-, einziehen; abbringen (von *dat.* de); **2.** zurück-, wieder-bringen; **3.** ⚖ zurücknehmen; *derecho m a ~* → *derecho de retracto*; **4.** ⚔ → *retratar*; **II.** *v/r.* *~se* **5.** s. zurückziehen; s. flüchten; **~ído** *adj.* **1.** zurückgezogen (*a. fig.*); zurückhaltend; **2.** ⚕ geschrumpft; **~imiento** *m* Zurückgezogenheit *f*; Zurückhaltung *f*.

retranca *f* **1.** Schwanzriemen *m der Pferde*; **2.** *Am. Reg., Andal.* (Wagen-)Bremse *f*; *p. ext.* Sperre *f an e-r Maschine*; **~r** [1g] *v/t. Am. Reg. a. fig.* bremsen.

retransmi|sión *Rf., HF f* (Weiter-)Übertragung *f über Relais*; *~ por hilo* Drahtfunk *m*; *~ en directo* Direktübertragung *f*; **~tir** *v/t.* weitersenden; *HF* (weiter)übertragen.

retra|sado *adj.* zurückgeblieben (*a. fig. geistig*); im Rückstand; verspätet; **~sar I.** *v/t.* aufhalten, verzögern; auf-, hinaus-schieben; *Termin* hinausschieben; **II.** *v/i.* zurückbleiben (*bzw.* -gehen) (*fig.*); nachgehen (*Uhr*); ⚡ nacheilen (*Strom*); **III.** *v/r.* *~se* s. verzögern; 🚂 s. verspäten; **~so** *m* **1.** Verzögerung *f*; Verzug *m* (bei *dat.* en); 🚂 Verspätung *f* (haben [*Zug*] *traer, llevar*); **2.** *fig.* Verspätung *f* (*fig.*); Rückgang *m*; Rückstand *m*; Rückständigkeit *f*.

retra|tador *m* → *retratista*; **~tar** *v/t.* porträtieren; *Phot. Personen* aufnehmen; *p. ext. lit.* schildern; nachahmen, nachmachen F; **~tería** P *f Am.* Photoatelier *n*; **~tista** *c* Porträtmaler(in *f*) *m*; **~to** *m* Porträt *n*; Abbild *n*; Schilderung *f*; *~ de busto (de cuerpo entero)* Brust-(Voll-)bild *n* (*Phot.* Ganzaufnahme); *~ de medio cuerpo* Kniestück *n*; *~ al óleo* Ölbildnis *n*; *~ en perfil* Profil-bild *n bzw.* -aufnahme *f*; *fig. el vivo ~ de su padre* das (lebendige) Ebenbild s-s Vaters.

retreche|ría F *f* **1.** Drückebergerei *f*; Durchtriebenheit *f*; **2.** *Ven.* Geiz *m*; **~ro** F *adj.* **1.** durchtrieben, gerissen; **2.** lockend, verführerisch (*z. B. Augen*); **3.** *Ven.* knauserig.

retrepa|do *part.* weit zurückgelehnt; **~rse** *v/r.* s. hintenüberlehnen.

retre|ta *f* **1.** ⚔ Zapfenstreich *m*; **2.** *noch Am.* Abendmusik *f* (*Militärkapellen*); **~te** *m* Klosett *n*, Abort *m*.

retribu|ción *f* Vergütung *f*; Entgelt *n*; *~ horaria (por pieza)* Stunden- (Stück-)lohn *m*; **~ir** [3g] *v/t.* vergüten; belohnen; bezahlen.

retro|activo *adj.* rückwirkend; *adv. con efecto ~* rückwirkend; **~carga:** *de ~* Rücklade... (*Waffe*); **~ceder I.** *v/i.* zurückweichen; zurücklaufen; **II.** *v/t.* ⚖ wieder abtreten; **~cesión** ⚖ *f* Wiederabtretung *f*; **~cesivo** ⚖ *adj.* Wiederabtretungs...; **~ceso** *m* **1.** Rückschritt *m*; Zurückweichen *n*; *fig.* Rückschlag *m* (*a. bei e-r Krankheit*); **2.** *bsd. Phys.*, ⊕ Zurücklaufen *n* (*Bewegungsumkehr*); ⊕, ⚔ Rücklauf *m*; ⊕ Rückschlag *m*; ⚔ Rückstoß *m e-r Waffe b. Schießen*; *Billard:* Zurückläufer *m* (*Billardstoß*); *~ del carro* Wagenrücklauf *m* (*Schreibmaschine*); *~ del gas (de la llama)* Gas- (Flammen-)rückschlag *m*; *sin ~ (del cañón)* rückstoßfrei (*Waffe*); **~cohete** *m* Rückkehrrakete *f*; **~gradar** *v/i. Astr.* s. scheinbar rückläufig bewegen; ⚔ zurückweichen.

re|trógrado *adj.* rückläufig; rückschreitend; *fig.* rückschrittlich; ⚕ *amnesia f ~a* retrograde Amnesie *f*; **~trogresión** *f* → retroceso.

retronar [1m] *v/i.* (laut) widerhallen.

retro|propulsión ⊕ *f*: *técnica f de ~* Rückstoßantriebstechnik *f*; **~spectivo** *adj.* rück-blickend, -schauend; **~traer** [2p] *v/t.* vordatieren; **~vender** *v/t.* rückverkaufen; **~venta** ⚖ *f* Rück-, Reukauf *m*; **~versión** *f* ⚕ Rückwärtsbeugung *f von Organen*; **~visor** *Kfz. m* Rückspiegel *m*.

retruécano *m* Wortspiel *n*.

retruque *m* Rückstoß *m* (*Billard u. ä.*); *Kart.* Überbieten *n b. Truquespiel.*

retum|bante *adj. c* dröhnend; *fig.* hochtönend (*Rede*); **~bar** *v/i.* widerhallen; dröhnen; **~bo** *m* Widerhall *m*; Dröhnen *n*.

reu|ma *od.* **reúma** ⚕ *m* Rheuma *n*;

~ *articular* Gelenkrheumatismus *m*; **~mático I.** *adj.* rheumatisch; **II.** *m* Rheumaleidende(r) *m*; **~matismo** ⚕ *m* Rheumatismus *m*.

reuni|dora *tex. f* Wickelmaschine *f*; **~ficación** *f bsd. Pol.* Wiedervereinigung *f*; *Soz.* Zs.-führung *f*; **~ficar** [1g] *v/t.* wiedervereinigen; *Soz. Familien* zs.-führen.

reu|nión *f* **1.** Vereinigung *f*; Gesellschaft *f*; **2.** Versammlung *f*; Sitzung *f bzw.* Tagung *f*; ~ *de trabajo* Arbeitstagung *f*; *Pol.*, ⚖ *derecho m de* ~ Versammlungsrecht *n*; **3.** gesellschaftliche (*od.* festliche) Zs.-kunft *f*; Gesellschaftsabend *m*; ~ *familiar* Familienfest *n*; **4.** Ansammlung *f*; ⚔ Sammeln *n*; "¡~!" „sammeln!"; **~nir I.** *v/t.* **1.** sammeln; versammeln; verein(ig)en; verbinden, zs.-fügen; *Bedingungen* erfüllen (*zur Ausübung e-r Tätigkeit*); *Mittel* aufbringen; *Beweise* sammeln; **2.** *tex.* (auf)wickeln; **II.** *v/r.* ~*se* **3.** s. versammeln; s. treffen; zs.-kommen; zs.-treten (*Ausschuß usw.*); tagen.

reutiliza|ción *f* Wiederbenutzung *f*; **~r** [1f] *v/t.* erneut benutzen.

revacuna|ción ⚕ *f* Nachimpfung *f*; **~r** *v/t.* nachimpfen.

reválida *f* **1.** *Span.* Abiturschlußprüfung *f*; Schlußexamen *n*; *certificado m de* ~ Abitur-, Reife-zeugnis *n*; **2.** → *revalidación*.

revalida|ción ⚖ *f* Anerkennung *f*, Bestätigung *f*; *bsd.* Anerkennung *f e-s ausländischen Titels od. Diploms*, Nostrifikation *f*; **~r** ⚖ **I.** *v/t.* anerkennen, bestätigen; nostrifizieren; **II.** *v/r.* ~*se* anerkannt werden; die amtliche Anerkennung (*od.* Approbation) erhalten.

reva|lorización *f* Aufwertung *f*; ~ *de la moneda* Geldaufwertung *f*; **~lorizar** [1f] *v/t.* aufwerten; **~luación** *f* → *revalorización*.

revan|cha *gal. f* Revanche *f* (*a. fig.*); → *a. desquite*; **~chismo** *gal. m* Revanchismus *m*.

reveje|cer [2d] *v/i.* vor der Zeit altern; **~cido** *adj.* früh gealtert; **~cimiento** *m* vorzeitiges Altern *n*.

reve|lación *f* Enthüllung *f*; *a. Rel.* Offenbarung *f*; **~lado** *Phot. m* Entwicklung *f*; **~lador I.** *adj.* aufschlußreich; **II.** *m Phot.* Entwickler *m*; **~lar I.** *v/t.* enthüllen; ent-, aufdecken; *a. Rel.* offenbaren; *Phot.* entwickeln; **II.** *v/r.* ~*se* an den Tag kommen; ~*se* + *adj.* s. herausstellen als + *adj.*

revellín *fort. m* Außenschanze *f*, Vorwerk *n*.

revende|dor *m* Wiederverkäufer *m*; **~r** *v/t.* wiederverkaufen, weiterverkaufen.

reve|nido ⊕ *m* Anlassen *n von Werkzeug*; **~nir** [3s] **I.** *v/t.* ⊕ *Werkzeug* anlassen; **II.** ✎ *v/i.* zurückkommen; **III.** *v/r.* ~*se* eintrocknen, einschrumpfen; s-e Feuchtigkeit verlieren (*z. B. Mauerwerk*); *fig.* sauer werden (*Getränke*); *fig.* F nachgeben, klein beigeben F.

reventa *f* Wieder-, Weiter-verkauf *m*.

reven|tadero *m* **1.** steiles und unwegsames Gelände *n*; *fig.* F schweres Stück *n* Arbeit, Plackerei *f* F; **2.** Brandungsküste *f*; **3.** Sprudel *m* (*Quelle*); **~tado** *adj. fig.* F: *estar* (*od. venir, etc.*) ~ völlig erledigt (*od.* total kaputt F) sein; **~tar** [1k] **I.** *v/i.* platzen, bersten; krepieren; explodieren; s. brechen (*Wellen am Fels*); *fig.* P krepieren (*Tiere u. fig.* P); *Kfz.* platzen (*Reifen*); *fig.* F ~ *de risa* vor Lachen platzen; **II.** *v/t.* zum Platzen bringen; *Pferd u. fig.* zu Tode hetzen; *fig.* F umbringen, kaputtmachen F; sehr ärgern, rasend machen F; **III.** *v/r.* ~*se* aufspringen, aufplatzen, bersten; zerplatzen; *fig.* F s. zu Tode arbeiten; kaputtgehen (*fig.* P); *fig.* P *¡que se reviente, pues!* soll er doch die Platze kriegen! P; **~tón I.** *adj.* bald aufplatzend (*z. B. Knospe*); hervorquellend (*Augen*); **II.** *m* Aufplatzen *n*; ⚔ ~ *prematuro* Rohrkrepierer *m*; ~ *de tubería* Rohrbruch *m* (*Gas, Wasser*); F *Kfz.* Platzen *n* e-s Reifens; *tengo un* ~ ich habe e-n Platten F.

rever [2v] *v/t.* wiedersehen; durchsehen, überprüfen; *a.* ⚖ revidieren.

reverbe|ración *f* Rückstrahlung *f*; ⚗ Kalzination *f im Flammofen*; **~rante** *adj. c* zurückstrahlend; nachhallend; **~rar** *v/i.* zurückstrahlen; **~ro** *m* Lichtspiegel *m*; Reflexlicht *n*; Straßenlaterne *f*; Scheinwerfer *m*; *Am. a.* Spirituskocher *m*.

reverde|cer [2d] *v/i.* wieder grünen; **~cimiento** *m* neues Ergrünen *n*.

reveren|cia *f* **1.** Ehrfurcht *f*; **2.** Verbeugung *f*; *hacer una* ~ (*profunda*) s. (tief) verneigen; **3.** *ecl.* ~ Euer Hochwürden (*Anrede*); **~ciable** *adj. c* verehrungswürdig; **~cial** *adj. c* ehrerbietig; **~ciar** [1b] *v/t.* verehren; **~dísimo** *ecl. adj.* hochehrwürdig (*Titel*); *Su* ~*a* S-e Hochehrwürden; **~do** *adj.* (*fast nur ecl.*) ehrwürdig; *ecl. Anrede*: ~ *Padre* Ehrwürdiger Vater; **~te** *adj. c* ehrerbietig, respektvoll.

rever|sa *Kfz. f Am. Reg.* Rückwärtsgang *m*; **~sibilidad** *f bsd. Phys.*, ⚗, ⊕ Umkehrbarkeit *f*; **~sible I.** *adj. c* **1.** umdreh-, umkehrbar; umstellbar; ⚕ reversibel; **2.** Klapp..., Kipp...; *Phot.* Umkehr...; **II.** *m* **3.** Wendemantel *m*; **~sión** *f* Rückfall *m*; Umkehrung *f*; *Phot.* de ~ Umkehr...; **~so** *m* Rückseite *f*; *a. fig.* Kehrseite *f*; *fig. el* ~ *de la medalla* die Kehrseite der Medaille; *fig. a.* das genaue Gg.-teil des andern (*Person*); **~ter** [2g] *v/i.* überfließen; **~tir** [3i] ⚖ *v/i.*: ~ *a* zurückfallen an (*ac.*).

re|vés *m* (*pl.* ~*eses*) **1.** Rück-, Kehrseite *f*; linke Seite *f* (*Stoff*); *al* ~ umgekehrt; verkehrt; *fig. el mundo al* ~ die verkehrte Welt; *salir al* ~ fehlschlagen; **2.** *a.* ⚔ Rückschlag *m*; Mißgeschick *n*; ~*eses m/pl. de la fortuna* Schicksalsschläge *m/pl.*; **3.** Schlag *m* mit dem Handrücken; *Sp.* Rückhandschlag *m* (*Tennis*); **~vesa** ⚓ *f* Rückströmung *f*; **~vesado** *adj.* **1.** verwickelt, verzwickt F; **2.** störrisch; ungezogen (*Kind*).

reves|tido ⊕ *adj.* überzogen *bzw.* umwickelt (mit *dat.* de); **~timiento** △, ⊕ *m* Ver-, Aus-kleidung *f*; Belag *m*, Überzug *m*; **~tir** [3l] **I.** *v/t.* **1.** △, ⊕ ver-, be-, aus-kleiden; überziehen; *Kabel a.* umwickeln; *Mauer* verblenden; ~ *de losas* mit Fliesen belegen; ~ *de tablas* mit Brettern verschalen; **2.** *Amtstracht u. fig.* anlegen, s. kleiden in (*ac.*); **3.** annehmen; haben; bekommen; ~ *importancia* bedeutungsvoll sein; ~ *un aspecto diferente* s. anders darstellen; **4.** ausstatten (mit *dat.* de) (*bsd. mit Vollmachten*); **5.** Aussehen geben (*dat.*); ~ *un discurso* e-e Rede (poetisch) ausschmücken; **II.** *v/r.* ~*se* **6.** Amtstracht anlegen; *fig. lit.* ~*se de una idea* ganz von e-r Idee durchdrungen sein; *fig.* ~*se de paciencia* s. mit Geduld wappnen; ~*se de valor* Mut zeigen.

reviejo *adj.* ur-, stein-alt.

revi|sada *f Am.* → *revisión*; **~sar** *v/t.* nach-, durch-sehen; nach-, über-prüfen, ⊕ überholen; *Paß a.* stempeln; revidieren; **~sión** *f* **1.** Durchsicht *f*; Überprüfung *f*; Revision *f*; ⊕ Überholung *f*; *Kfz.* Inspektion *f*; 🚂 *usw.* (Fahrkarten-)Kontrolle *f*; ~ *de aduanas* Zolldurchlaß *m in Häfen usw.*; **2.** ⚖ (*recurso m de*) ~ (Antrag *m* auf) Wiederaufnahme *f des Verfahrens*; **3.** *Pol.* Änderung *f* (*Verfassung, Vertrag*); **~sionismo** *Pol. m* Revisionismus *m*; **~sionista** *adj.-su. c* revisionistisch; *m* Revisionist *m*; **~sor** *m* Nachprüfer *m*; Revisor *m*; Kontrolleur *m*; 🚂 Schaffner *m*; ~ *de cuentas* Buchprüfer *m*; **~soría** *f* Stelle *f od.* Amt *n* e-s Revisors.

revis|ta *f* **1.** ⚔ Truppenbesichtigung *f*; *pasar* ~ (*a las tropas*) die Truppe besichtigen (*ac.*); die Ehrenkompanie abschreiten; *fig. pasar* ~ *a* überprüfen (*ac.*); in e-m Überblick zs.-fassen (*ac.*); **2.** *Thea.* Revue *f*; ~ *sobre hielo* Eisrevue *f*; **3.** Zeitschrift *f*; ~ *técnica* (*od. especializada*) Fachzeitschrift *f*; **4.** ⚖ erneute Verhandlung *f e-s Prozesses*; **~tar** ⚔ *v/t.* besichtigen; **~teril** ♪ *adj. c* leicht, Unterhaltungs...; **~tero** *m* **1.** Berichterstatter *m*, Mitarbeiter *m* an e-r Zeitschrift; **2.** Zeitungsständer *m*.

revi|talizar [1f] *v/t.* neues Leben geben (*dat.*); **~vificación** *f* Wiederbelebung *f*; **~vificar** [1h] *v/t.* wiederbeleben (→ *reanimar*); **~vir I.** *v/i.* ins Leben zurückkehren; wieder aufleben (*a. Streit usw.*); **II.** *v/t.* wiederbeleben.

revo|cabilidad *f* Widerruflichkeit *f*; **~cable** *adj. c* widerruflich; **~cación** *f a.* ⚖ Widerruf *m*; Aufhebung *f*, Zurücknahme *f*; ☤ Zurückziehung *f e-r Bestellung od. Lieferung*; **~car** [1g] **I.** *vt/i.* **1.** *a.* ⚖ widerrufen; aufheben, zurücknehmen; absagen; abberufen; *fig. z. B. Rauch* vertreiben; **2.** ☤ abbestellen, stornieren; **3.** △ tünchen, kalken; bewerfen; **II.** *v/i.* **4.** abziehen (*Rauch*); **~catorio** *adj.* Wiederrufs..., Abberufungs...; ⚖ *decreto m* ~ Aufhebungserlaß *m*; **~co** △ *m* → *revoque*.

revol|cadero ✗, *Jgdw. m* Suhle *f*; **~car** [1g *u.* 1m] **I.** *v/t.* zu Fall bringen; *fig.* F besiegen; fertigmachen P; durchfallen lassen *b. e-r Prüfung*; **II.** *v/r.* ~*se* s. (herum)wälzen; s. wälzen *bzw.* s. suhlen (*Tiere*);

fig. F herumreiten *fig.* F (auf *dat.* en); **~cón** F *m* Herumwälzen *n*; *fig.* Durchfall *m* F *b. Examen.*
revo|lear I. *v/i.* herumfliegen (*Vögel*); **II.** *v/t. Rpl. Lasso od. Wurfkugeln usw.* über dem Kopf schwingen; **~lotear** *v/i.* (umher)flattern; **~loteo** *m* Flattern *n*.
revol|tijo, ~tillo *m* **1.** wirrer Haufe *m*; *fig.* Wirrwarr *m*; **2.** Kaldaunen *f/pl.*; **~tina** *f* → *revoltillo 1*; **~toso I.** *adj.* **1.** aufsässig; **2.** unruhig, ungebärdig; ungezogen (*Kind*); **II.** *m* **3.** Aufrührer *m*.
revolu|ción *f* **1.** *Pol. u. fig.* Revolution *f*; Umwälzung *f*; *~ cultural* Kulturrevolution *f* (*China*); *fig. una ~ artística* e-e Revolution der Kunst; **2.** *Astr.* Umlauf *m*; Umlaufszeit *f*; ⊕ Umdrehung *f*, Tour *f*, Umlauf *m*; *número m de ~ones* Dreh-, Touren-zahl *f*; *de alto número de ~ones* → **~cionado** ⊕ *adj.*: *muy ~* hochtourig, schnelldrehend; **~cionar** *v/t. Pol. u. fig.* revolutionieren; aufwiegeln; *die* (*bestehende*) *Ordnung* umstürzen; **~cionario I.** *adj. Pol. u. fig.* revolutionär; Umsturz..., Umbruch...; **II.** *m a. fig.* Revolutionär *m*; Aufrührer *m*, Umstürzler *m*.
revólver *m* Revolver *m*; *~ de barrilete* Trommelrevolver *m*; *Opt. diafragma m ~* Revolverblende *f*.
revolver [2h; *part. revuelto*] **I.** *v/t.* **1.** umrühren, umwälzen; verrühren; quirlen; aufwühlen; *~ en la mente* immer wieder überlegen; **2.** (herum)drehen; *Pferd* herumreißen (*auf engem Raum*); *Augen* verdrehen; **3.** ein-, ver-wickeln; **4.** ⚘ auflockern; umgraben *bzw.* umpflügen; *Getreide* worfeln; **5.** durch-wühlen, -stöbern; *Bücher usw.* durchblättern, wälzen F *zum Nachschlagen*; **6.** hin u. her schütteln; *fig.* in Aufruhr bringen; *a. fig.* durchea.-bringen; *a. Gemüt* aufwühlen; verfeinden (mit *dat. con*); **II.** *v/i.* **7.** wenden (*Reiter*); wieder umkehren; **III.** *v/r.* **~se 8.** *a. Astr.* s. drehen; s. rühren; s. hin u. her bewegen; umschlagen (*Wetter*); s. (ruhelos) *im Bett* hin u. her wälzen.
revoque △ *m* Kalkbewurf *m*; Verputz *m*; ⚡ *bajo ~* unter Putz.
revuelco *m* (Umher-)Wälzen *n*; Suhlen *n* (*Sauen usw.*).
revuelo *m* **1.** erneutes Auffliegen *n* (*Vögel*); *Am.* Sporenhieb *m e-s Kampfhahns*; de *~* rasch, im Fluge; **2.** Rückflug *m*; **3.** *fig.* Durchea. *n*; Skandal *m*; Aufruhr *m*; *producir gran ~* alles in Aufruhr bringen (*z. B. Nachricht*).
revuel|ta *f* **1.** Aufruhr *m*, Revolte *f*; *fig.* Streit *m*; Aufregung *f*; **2.** Richtungsänderung *f*; *bsd.* Krümmung *f* (*Weg, Fluß*); Windung *f*; **3.** *fig.* neue Wendung *f*; Meinungsänderung *f*; Umschwung *m*; **~to I.** *part. irr. v. revolver*; **II.** *adj.* **1.** aufgewühlt; **2.** unruhig; zappelig; aufgeregt; verwickelt, verworren; drunter u. drüber.
rey *m* (*a. Schach*) König *m*; F (kl.) Liebling (*zu Kindern*); *los ~es* das Königspaar; *hist. los* ♀*es Católicos* das Katholische Königspaar (*Ferdinand von Aragonien u. Isabella von Kastilien*); *bibl.* (*Libro de los*) ♀*es* (das Buch der) Könige; *los* ♀*es Magos* die Heiligen Drei Könige; *fig.* F *en tiempos del ~ que rabió* (*burl. por gachas*) in uralten (*od.* zu Olims) Zeiten; F *es del tiempo del ~ que rabió* das sind olle Kamellen F, (das hat) so 'nen Bart (*fig.* F); *no temer ~ ni roque* weder Tod noch Teufel fürchten; *fig. tirar con pólvora del ~* mit fremden Mitteln arbeiten; *a cuerpo de ~* wie ein Fürst (*leben*); *fig. no quitar ni poner ~* s. nicht einmischen, neutral bleiben.
reyerta *f* Streit *m*, Zank *m*.
reyezuelo *m* **1.** *Vo.* **a)** Zaunkönig *m*; **b)** Goldhähnchen *n*; **2.** Stammeshäuptling *m*.
rezado *kath.* **I.** *adj.*: *misa f ~a* stille Messe *f*; **II.** *m* Brevier-beten *n*; -gebet *n*; **~r I.** *adj.* (*oft desp.*) viel betend; fromm; **II.** *m desp.* Betbruder *m*; **~ra** *Zo. f* Gottesanbeterin *f*.
reza|gado *m* Nachzügler *m*; **~gar** [1h] **I.** *v/t.* **1.** hinter s. lassen; *fig.* überflügeln; **2.** aufschieben; **II. ~se** *v/r.* **3.** nachhinken; zurückbleiben; **~go** *m* Rückstand *m*.
rezar [1f] **I.** *vt/i.* **1.** beten (zu *dat. a*; für *ac. por*); *Messe* lesen (*stille Messe*); *fig.* F *rezamos porque todo te salga bien* wir drücken dir die Daumen (, daß alles gut geht); **2.** F besagen; *el libro lo reza* das Buch sagt es, es steht so im Buch; **II.** *v/i.* **3.** lauten (*Text*); **4.** *fig.* F passen (zu *dat. con*); zutreffen (auf *ac. con*); *esto no reza con nosotros* das ist nichts für uns; **5.** ⚒ murren.
rezno *m* **1.** *Zo.* Zecke *f*; **2.** ⚘ → *ricino*.
rezo *m* **1.** Beten *n*; Gebet *n*; **2.** *ecl.* Tagesoffizium *n*; *a.* → *rezado*.
rezón ⚓ *m* Bootsanker *m*, Dragge *f*.
rezon|gador F *m* Brummbär *m* F, Murrkopf *m* F; **~gar** [1h] *v/i.* murren, brummen, knurren; aufmukken; **~go** *m* → *refunfuño*; **~gón** F *adj.* brummig; bärbeißig; mißvergnügt; **~gueo** F *m Am.* Gebrummel *n*; Geknurre *f*; **~guero** *adj.* brummig.
rezuma|dero *m* lecke Stelle *f*; Lache *f von Ausgeronnenem*; **~r I.** *v/t.* ausschwitzen (*Gefäß, Wand*); **II.** *v/i.* verdunsten (*durch Poren*); *a. v/r. ~(se)* durchsickern (*a. fig.*).
Rhesus: ⚕ *factor m (de) ~* Rhesusfaktor *m*.
rho *f* Rho *n* (*griech. Buchstabe*).
ría *usw.* → *reír*.
ría *f* Ria *f* (*fjordähnliche Trichtermündung f der Flüsse in Galicien*); Flußmündung *f* (*Bilbao*).
ria|chuelo *m* Flüßchen *n*; Bach *m*; **~da** *f* Überschwemmung *f*; Hochwasser *n*; Flutwelle *f*; *fig.* Schwall *m*.
ribazo *m* Anhöhe *f*, Abhang *m*.
ribe|ra *f* **1.** Ufer *n*; Strand *m*; **2.** Ufer-, Tal-landschaft *f*; **~reño I.** *adj.* Ufer...; Strand...; **II.** *m* Uferbewohner *m*; **~te** *m* **1.** Saum *m*; Besatz *m*; Paspel *m, f*; **2.** *a. fig.* Verzierung *f*; Ausschmückung *f*; *fig. tener (sus) ~s de artista* e-e künstlerische Ader haben; **~teado** *adj. fig.* entzündet (*Auge*); **~tear** *v/t.* (be)säumen; paspelieren; einfassen; umranden.
rica *f* Kleine *f*, Liebling *m* (*Kosewort*); **~cho, ~chón** *m desp.* reicher Protz *m*; **~mente** *adv.* reichlich; herrlich; bestens F; *aquí estamos sentados ~ a.* hier sitzen wir urgemütlich; *fig. y tan ~...* (u.) so mir nichts, dir nichts ...
ricardito P *m* Strohhut *m*, Kreissäge *f* (*fig.* F).
ricino ⚘, *pharm. m* Rizinus *m*; *aceite m de ~* Rizinusöl *n*.
rico I. *adj.* **1.** reich; reichlich; reichhaltig; fruchtbar (*Boden*); *un hombre ~* ein reicher Mann *m*; *un ~ programa* ein reichhaltiges Programm *n*; *ser ~* reich sein; *fig. ~ en* (*od.* de) reich an (*dat.*); **2.** herrlich, prächtig; köstlich; schmackhaft, lecker F; *la sopa está muy ~a* (*od. riquísima*) die Suppe schmeckt köstlich; **3.** niedlich, reizend; *¡qué criatura más ~a!* ist das ein reizendes Kind!; **II.** *m* **4.** Reiche(r) *m*; *nuevo ~* Neureiche(r) *m*; **5.** *Kosewort*: Schatz *m*, Liebling *m*.
ri|di F *m*: *hacer el ~* s. lächerlich machen; **~diculez** *f* Lächerlichkeit *f*; **~diculizar** [1f] *v/t.* lächerlich machen; **~dículo I.** *adj.* **1.** lächerlich (*a. fig. z. B. Preis u. ä.*); *hacer el ~* s. lächerlich benehmen; **II.** *m* **2.** Lächerlichkeit *f*; *caer* (*od. quedar od. ponerse*) *en ~* s. lächerlich machen, s. blamieren; *poner en ~* ins Lächerliche ziehen; lächerlich machen; **3.** † Ridikül *n* (*Beutel*).
riego *m* **1.** Bewässerung *f*; Berieselung *f*; *~ por acequias* (*por aspersión*) Kanal- (Sprüh-)bewässerung *f*; *~ municipal* Straßensprengung *f*; **2.** ⚕ *~ sanguíneo* Durchblutung *f*; **3.** *~ asfáltico* Asphaltierung *f*.
riel *m* (Bahn-)Schiene *f*; (Metall-)Barren *m* (*bsd. Roheisen*); *~es m/pl.* Gardinenstangen *f/pl.*
rielar *poet. v/i.* flimmern; glitzern.
rienda *f a. fig.* Zügel *m*; *Equ. ~ de mano* Trensenzügel *m*; *a ~ suelta* mit verhängten Zügeln; *fig.* **a)** spornstreichs; **b)** zügellos; *a. fig. aflojar la ~* die Zügel lockern; *fig. dar ~ suelta a a/c.* e-r Sache freien Lauf lassen; *fig. llevar* (*od. tener*) *las ~s* die Zügel in der Hand haben; *a. fig. soltar la(s) ~(s)* die Zügel schießen lassen; *a. fig. tirar la ~* zügeln; *fig. volver las ~s* umkehren.
ries *usw.* → *reír*.
riesgo *m* Gefahr *f*; Wagnis *n*; Unsicherheit *f*; ⚓, *Vers. u. fig.* Risiko *n*; *a ~ de que + subj.* auf die Gefahr hin, daß + *ind.*; *a propio ~* auf eigene Gefahr; ⚓ *~s marítimos* Seegefahr *f*; *correr (el) ~ (de)* Gefahr laufen (, zu + *inf.*).
rifa *f* **1.** Verlosung *f*, Tombola *f*; *~ benéfica* Wohltätigkeitstombola *f*; **2.** Zank *m*; **~r I.** *v/t.* aus-, ver-losen; **II.** *v/i.* s. zanken; **III.** *v/r.* **~se** ⚓ zerreißen (*Segel*); *fig.* s. um *et. od. j-n* reißen.
rifeño *Geogr.* **I.** *adj.* aus dem Rif; **II.** *m* Rifbewohner *m*.
rifirrafe F *m* Zank *m*, Streit *m*, Rauferei *f*.
rifle *m* Büchse *f* (*Gewehr*); *~ de repetición* Repetierbüchse *f*.
rigidez *f a.* ⊕ Starrheit *f*; Starre *f*; *fig.* Härte *f*, Strenge *f*.
rígido *adj. a.* ⊕ starr; *fig.* hart; streng.

ri|gor *m* Strenge *f*, Härte *f*; en ~ strenggenommen; ~ *científico* Akribie *f*; *ser de* ~ unerläßlich (*bzw.* vorgeschrieben) sein; *fig.* F *ser el* ~ *de las desdichas* vielen Schicksalsschlägen ausgesetzt sein; **~gorismo** *m* übermäßige Strenge *f*, Rigorismus *m*; **~gorista I.** *adj. c* übermäßig streng; **II.** *m* Rigorist *m*; **~gurosidad** *f* Strenge *f*; **~guroso** *adj.* streng; hart; unerbittlich; *Thea. estreno m* ~ Uraufführung *f*.

rija[1] ⚕ *f* Tränenfistel *f*.

ri|ja[2] *f* Streit *m*; **~joso** *adj.* **1.** streit-, händel-süchtig; **2.** brünstig, geil (*Tier*); *fig.* sinnlich.

rima[1] *f* → *rimero.*

rima[2] *f* Reim *m*; ~*s f/pl.* Verse *m/pl.*; *diccionario m de la* ~ Reimwörterbuch *n*; ~ *aguda* (*grave, pareada*) männlicher (weiblicher, gepaarter) Reim *m*; ~ *alterna* Wechselreim *m*; ~ *asonante* Assonanz *f*; ~ *consonante* (*od. perfecta*) (Voll-)Reim *m*; **~dor** *m* Reimschmied *m*; **~r I.** *v/i.* reimen; s. reimen (auf *ac. con*); **II.** *v/t.* reimen lassen (auf *ac. con od. en*).

rimbomba|ncia *f* Bombast *m*; hochtönende Art *f*; **~nte** *adj. c* hochtönend; schallend; *fig.* prunkvoll (überladen); **~r** *v/i.* widerhallen, schallen.

rim(m)el *m* Wimperntusche *f*.

rimero *m* Haufen *m*, Stapel *m*.

rin|cón *m* Winkel *m*, Ecke *f*; *fig.* stilles Plätzchen *n*; ~ *cocina* Kochnische *f*; **~conada** *f* Winkel *m* (*von zwei Häusern od. Straßen*); **~conera** *f* Ecktisch *m*; Eckschrank *m*; *Radar*: ~ *reflectante* Tripelreflektor *m*.

ring *engl. Sp. m*: ~ (*de boxeo*) (Box-)[Ring *m*.]

rin|gl(er)a *f* Reihe *f*; **~glero** *m* Schreiblinie *f*; **~gorrango** F *m* großer Schnörkel *m b. Schreiben*; *fig.* Firlefanz *m*; Flitterkram *m*.

ri|nitis ⚕ Nasenkatarrh *m*, Schnupfen *m*; **~noceronte** *Zo. m* Nashorn *n*; **~noplastia** *Chir. f* Nasenplastik *f*.

riña *f* Zank *m*, Streit *m*; ~ *de gallos* Hahnenkampf *m*.

ri|ñón *m Anat.* Niere *f*; *fig.* Herz *n*, Innere(s) *n e-s Landes*; **~ones** *m/pl. a.* Nierengegend *f*, Kreuz *n*; ~ *flotante* Wanderniere *f*; *fig.* F *costar(le a uno) un* ~ (j-n) ein Heidengeld kosten, (für j-n) sündhaft teuer sein; *fig.* F *echar los* ~*ones* s. abrackern, s. (halb)tot arbeiten; *fig. tener el* ~ *bien cubierto* viel Geld haben, gut betucht sein; *fig.* F *tener* ~*ones* Mut (*od.* Schneid) haben; **~ñonada** *f* Nierenfett(gewebe) *n*; Nierengegend *f*; *Kchk.* gedämpfte Nieren *f/pl.*; Nierenbraten *m*; *fig.* F *costar una* ~ → *riñón.*

río *m* Fluß *m*, Strom *m*; ~ *abajo* (*arriba*) fluß-abwärts (-aufwärts); □ *irse al* ~ die Diebsbeute verstecken.

rioja *m span.* Riojawein *m*.

rioplatense I. *adj. c* La Plata...; **II.** *m* Einwohner *m* des (Rio-de-) La-Plata-Gebiets.

riostra △ *f* Strebe *f*, Spreize *f*.

ripi|a *f* Zaun-, Dach-latte *f*; *a.* Schindel *f*; **~ar** [1b] **I.** *v/t.* **1.** △ (*b. Mauern*) mit Ziegelsplitt *u. ä.* auffüllen; **2.** *Cu., P. Ri.* zerstückeln; **II.** *v/r.* ~*se* **3.** *Ant.* verlieren (*bsd. b. Spiel*); **~o** *m* Bauschutt *m*; Ziegelsplitt *m*; *p. ext.* Kieselstein *m*; Abfall *m*; *fig.* Flickwort *n*, Füllsel *n*; F *meter* (*mucho*) ~ dummquatschen P; F *no perder* ~ s. kein Wort entgehen lassen; k-e Gelegenheit auslassen; **~oso** *adj. fig.* voller Flickwörter.

riqueza *f* Reichtum *m* (*a. fig.*); Ergiebigkeit *f des Bodens*; ~*s f/pl.* Schätze *m/pl.*; ⚚ Güter *n/pl.*; ~*s f/pl. del subsuelo* Bodenschätze *m/pl.*

risa *f* Lachen *n*; Gelächter *n*; ~ *falsa* (*od.* F *de conejo*) falsches (*od.* gezwungenes *bzw.* verstelltes) Lachen *n*; ~ *forzada* gezwungenes Lachen *n*; ⚕ Zwangslachen *n*; *dar* ~ zum Lachen sein; *llorar de* ~ Tränen lachen; *caerse* (*od.* P *mearse*) *de* ~ s. tot- (*od.* krank- *od.* kaputt-) lachen; *mover a* ~ zum Lachen reizen; *¡qué* ~ (*da*)! da muß man (aber) wirklich lachen!; *ser una verdadera* ~ urkomisch sein; *tomar a* ~ scherzhaft auffassen; nicht ernst nehmen.

risco *m* Fels *m*; Klippe *f*; Grat *m*; **~so** *adj.* felsig; klippig.

ri|sible *adj. c* lächerlich; **~sorio** *Anat. m* = *músculo m* ~ Lachmuskel *m*; **~sotada** *f* schallendes Gelächter *n*.

rispidez ⚒ *u. Reg. f* Rauheit *f*; Barschheit *f*.

ríspido *adj.* rauh; barsch; *Am.* struppig.

ristra *f* Schnur *f* (*mit Knoblauchzwiebeln usw.*); Reihe *f*.

ristre *m ehm.* Lanzenschuh *m*; **~l** △ *m* Knagge *f*.

risueño *adj.* **1.** lachend; lächelnd; strahlend (*Gesicht, Augen*); *fig.* lieblich; *poet. campo m* ~ lachende Flur *f*; **2.** heiter; froh, vergnügt; lustig; **3.** *fig.* günstig, verheißungsvoll; *un* ~ *porvenir* e-e glückliche Zukunft.

ritmar *v/t.* rhythmisch gestalten.

rítmi|ca *f* Rhythmik *f*; **~co** *adj.* rhythmisch.

ritmo *m* Rhythmus *m*; Tempo *n*; ⊕ *u. ä. oft* Takt *m* (*vgl. compás*); ~ *acelerado* beschleunigtes Tempo *n*; ⚚ ~ *de incremento* Zuwachstempo *n*.

ri|to *m Rel. u. fig.* Ritus *m*; **~tual I.** *adj. c* rituell; **II.** *m* Ritual *n*; **~tualista** *m* **1.** *Rel.* Ritualist *m*; **2.** *fig.* F Pedant *m*, Formalist *m*.

riva|l *c* Rivale *m*; Nebenbuhler *m*; *no tener* ~ nicht seinesgleichen haben; **~lidad** *f* Rivalität *f*; Feindschaft *f*; Eifersüchtelei *f*; Wetteifer *m*; **~lizar** [1f] *v/i.* wetteifern, rivalisieren (mit *dat. con*).

ri|zado I. *adj.* lockig; gekräuselt; gefältelt; **II.** *m* Kräuselung *f*; Fälteln *n*; **~zador** *m* Brennschere *f*; **~zar** [1f] *v/t.* kräuseln; fälteln; *fig.* ✈ ~ *el rizo* mehrere Loopings hinterea. fliegen; **~zo I.** *adj.* kraus; *tex.* (*a. su. m*) *terciopelo m* ~ Noppenplüsch *m*; **II.** *m* (Haar-)Locke *f*; Falte *f*; ⚓ Reff *n*; ✈ Looping *m*; *hacer el* ~ e-n Looping fliegen; ⚓ *tomar* ~*s* die Segel reffen.

rizocár|peas, ~picas ⚘ *f/pl.* Wurzelfarne *m/pl.*

rizófora ⚘ *f* Mangrove(nbaum *m*) *f*.

rizoma ⚘ *m* Wurzelstock *m*, Rhizom *n*.

rizoso *adj.* kraus, lockig (*Haar*).

roano I. *adj.* hellbraun, weiß u. grau (*Pferd*); *caballo m* ~ → **II.** *m* Rotschimmel *m*.

róbalo *Fi. m* Wolfsbarsch *m*.

robar *vt/i.* rauben; stehlen; (*v/t.*) berauben, bestehlen; *Kart.* kaufen.

robinetería ⊕ *f* (Kessel-Dampf-Wasser-)Armaturen *f/pl.*

robinia ⚘ *f* Robinie *f*.

roblar *v/t.* (ver)nieten.

roble ⚘ *m* Eiche *f*; **~dal, ~do** *m* Eichenwald *m*.

ro|blón ⊕ *m stärkerer* Niet *m*; Verbindungsbolzen *m*; **~blonar** *v/t.* (ver)nieten.

robo[1] *m* Raub *m*; Diebstahl *m*; Entführung *f*; ~ *con fractura* Einbruch (-diebstahl) *m*; ~ *con escala* Einsteigediebstahl *m*; ~ *con homicidio* Raubmord *m*; *Kart. usw. ir al* ~ (Karten *usw.*) kaufen; *fig.* F *ser un* ~ glatter Diebstahl sein (*fig.* F).

robo[2] *m Chi.* Schlamm *m*, Schlick *m*.

robora|nte *adj. a.* ⚕ stärkend, kräftigend; **~r** *v/t.* stärken; *fig.* → *corroborar.*

robot *m* Roboter *m*.

robus|tecer [2d] **I.** *v/t.* stärken, kräftigen; **II.** *v/r.* ~*se* erstarken; **~tecimiento** *m* Kräftigung *f*, Erstarkung *f*; **~tez** *f* Kraft *f*; Stärke *f*; Rüstigkeit *f*; **~to** *adj.* stark; kräftig; rüstig; robust; haltbar.

roca *f* Fels *m* (*a. fig.*); Gestein *n*; *cristal m de* ~ Bergkristall *m*.

rocadero *m ehm.* Büßermütze *f der Inquisitionsgefangenen.*

rocalla *f* Steingeröll *n*; Steinsplitter *m*; △ Muschelstil *m*.

roce *m* Streifen *n*; Reibung *f*; *fig.* Umgang *m*; *tener* ~ *con* in Berührung kommen mit (*dat.*); verkehren mit (*dat.*); *fig.* ~*s* Reibereien *f/pl.*

rocia|da *f* **1.** Besprengung *f*; *p. ext.* Platzregen *m*; *fig.* Unmenge *f*, Flut *f*; Hagel *m v. Steinen usw.*; **2.** Tau *m*; **3.** *fig.* F Anpfiff *m* F, *echar* (*od. soltar*) *una* ~ *a alg.* j-m den Kopf waschen F; **~do I.** *adj.* benetzt; betaut; **II.** *m* Besprengung *n*; Abbrausen *n*; ~ *con asfalto* Asphaltieren *n*; **~dor** *m* (Wäsche-)Sprenger *m*; **~miento** *m* Berieselung *f*; **~r** [1c] **I.** *v/i.* tauen; nieseln; sprühen; **II.** *v/t.* besprengen; berieseln; *Pfl.* besprühen; *Wäsche* einsprengen; **III.** *v/r.* ~*se fig.* F s. beschwipsen.

ro|cín *m* Gaul *m*, Mähre *f*; **ᴤcinante** *npr. m* Rosinante *f*, *m* (*Pferd des Don Quijote*); *fig.* ᴤ Schindmähre *f*.

ro|cío *m* Tau *m*; *p. ext.* Sprühregen *m*; Spray *m*, *n*; ~ *invisible* (Haar-) Spray *m*; *kath. procesión f del* ᴤ Flurbegehung *f mit der Bitte um Regen*; *cae* ~ es taut; **~ción** *m* Spritzwasser *n*.

roco|có *Ku. m* Rokoko *n*; **~so** *adj.* felsig.

rocha *f* Rodung *f*; *fig.* F *Bol., Chi.* Aufpassen *n* F; *Bol. hacer* ~ → *hacer novillos.*

roda ⚓ *f* Vor(der)steven *m*.

rodaballo *m Fi.* Steinbutt *m*; *fig.* F Schlaumeier *m*.

roda|da *f* **1.** Rad-, Wagen-spur *f*; ⊕ Spur *f*; *Kfz.* ~ *delantera* Spur *f* der Vorderräder; **2.** *Equ. Méj., Rpl.* Sturz *m*; **~do** *adj.* **1.** scheckig (*Pferd*); **2.** *Vkw.* Fahr..., Wagen...; *tráfico m* ~ Fahr-, Wagen-verkehr *m*; *fig.* F *venir* ~ wie gerufen kommen; **3.** angeschwemmt (*Gestein*); **4.** *fig.* glatt, geschliffen (*Stil, Worte usw.*); **~dura** *f* Abrollen *n*; Rollen *n*; ~ *final* Ausrollen *n* (*Fahrzeug*).

roda|ja *f* Scheibe *f* (*a.* ⊕); runde Schnitte *f*; ⊕ Butzen *m*; (Dreh-)Rolle *f*; *Equ.* Sporenrädchen *n*; **~je** *m* **1.** ⊕ Radsatz *m*; Räderwerk *n* (*Uhr*); Rädergetriebe *n*; **2.** *Kfz.* Einfahren *n*; (*régimen m de*) ~ Einfahrzeit *f*; *en* ~ wird eingefahren; **3.** *Film*: Dreharbeiten *f/pl.*; ~ *de exteriores* Außenaufnahmen *f/pl.*

rodal *m kleinere, s. v. der Umgebung abhebende* Fläche *f im Gelände.*

rodamiento ⊕ *m* (Wälz-)Lager *n*; ~ *de bolas* (*de rodillos*) Kugel-(Rollen-)lager *n*.

roda|nte *adj. c* rollend; ⚔ *cocina f* ~ Feldküche *f*; 🚂 *material m* ~ rollendes Material *n*; **~pié** ⌂ *m* Fußkranz *m*; -leiste *f*; **~r** [1m] **I.** *v/i.* **1.** rollen; s. drehen, s. wälzen; *fig.* F s. herumtreiben; *fig.* F *estar rodando* (*por el*) *mundo* auf der Walze sein; *echar a* ~ **a)** losrollen (*v/i.*); **b)** rollen lassen; *fig. echarlo todo a* ~ alles über Bord werfen, e-e furchtbare Wut haben; das ganze Geschäft verderben; **2.** herunterfallen, -rollen; *Méj., Rpl.* nach vorn stürzen (*Reiter u. Pferd*); **II.** *v/t.* **3.** rollen, wälzen; **4.** *Film* drehen; *Kfz.* einfahren.

rodear I. *v/t.* **1.** umgeben (mit *dat.* de); umringen; **2.** *Am. das Vieh* zs.-treiben *bsd. zur Aussonderung*; **II.** *v/i.* **3.** e-n Umweg machen; *fig.* Umschweife machen; **III.** *v/r.* **~se** **4.** s. tummeln.

rodela *f ehm.* Rundschild *m*; *Chi.* → *rosca, rodete.*

rodeo *m* **1.** Umweg *m*; *fig.* Ausflucht *f*; *sin* **~s** ohne Umschweife; *andar con* **~s** Umschweife machen; wie die Katze um den heißen Brei herumgehen; *dar* **~s** *a a/c.* von e-r Sache viel Aufhebens machen; **2.** *Am.* Zs.-treiben *n* des Viehs, Rodeo *m*; *dar* ~ → *rodear* 2.

rode|ra *f* Radspur *f*; **~te** *m* **1.** Haarkranz *m*; Tragpolster *n für Kopflasten*; **2.** ⊕ Läufer(scheibe *f*) *m*; Kreiselrad *n*; Schaufelrad *n* (*Turbine, Ventilator*).

rodezno *m* Mühlrad *n*.

rodi|lla *f* **1.** Knie *n*; *de* **~s** kniend; *doblar* (*od. hincar*) *la* ~ das Knie beugen; *fig.* j-m huldigen; s. demütigen; *hincarse de* **~s** niederknien; **2.** Scheuerlappen *m*; **3.** † *u. Reg.* Tragpolster *n*; **~llada** ⚒ *f* **1.** Kniefall *m*; **2.** → **~llazo** *m* Stoß *m* mit dem Knie; **~llera** *f* **1.** Knieschützer *m* (*a. Motorrad u. Sport*); Knieleder *n*; **2.** Kniеflicken *m* (*Hose*); ausgebeulte Hose *f* (*Knie*); **3.** *Equ.* Knieverletzung *f b. Sturz* (*Pferd*); **~llo** *m* **1.** *a.* ⊕, ⚘ Walze *f*; Rolle *f*; *Typ.* ~ *dador* Auftragwalze *f*; **2.** Nudelholz *n*.

rodio ⚗ *m* Rhodium *n*.

rodo *m* ⚒ → *rodillo*; *fig. Reg. a* ~ haufenweise, in Mengen. [F *m.*]

rododendro ⚘ *m* Rhododendron *n*,

rodrigón *m* ⚘ Rebpfahl *m*; Hopfen-, Bohnen-stange *f*; *ehm. u. fig.* Tugendwächter *m*; Anstandsdame *f*.

Rodríguez *span. Familienname*; *fig.* F (*estar en plan de*) ♂ Strohwitwer *m* (sein).

ro|edor I. *adj.* nagend; **II.** *m Zo.* Nagetier *n*; **~edura** *f* Nagen *n*; **~er** [2za] *v/t.* (be-, ab-)nagen; anfressen; *a. fig.* nagen an (*dat.*); **~(se)** *las uñas* an den Nägeln kauen.

roga|ción *f* Bitten *n*; *bsd. kath.* Bittgang *m*; **~ones** *f/pl.* Bettage *m/pl.* (*mst.* Triduum *n*) *mit Bittprozessionen*; **~do** *adj.*: *ser muy* ~ s. (immer) sehr bitten lassen; **~dor I.** *adj.* bittend, flehend; **II.** *m* Bittende(r) *m*; **~nte** *adj. c* bittend; flehend; **~r** [1h u. 1m] **I.** *vt/i.* bitten; *se lo he* **~ado** ich habe ihn darum gebeten; *hacerse* (*de*) ~ s. bitten lassen; **II.** *v/i.* beten; **~tiva** *ecl. f* Bittgebet *n*; **~s** *f/pl.* Bittprozession *f*; **~torio** *adj.* Bitt...; ⚖ *comisión f* **~a** *internacionales* Rechtshilfeersuchen *n*.

ro|jear *v/i.* rötlich schimmern; rot durchschimmern; **~jete** *m* Rot *n* (*Schminke*); **~jez** *f* Röte *f*; **~jizo** *adj.* rötlich; **~jo I.** *adj.* rot (*a. Pol.*); rotblond; ~ *cereza* (*claro, subido*) kirsch- (hell-, hoch-)rot; ⊕ (*caliente*) *al* ~ rotglühend; *fig.* F *ponerse más* ~ *que una amapola* (*od. un tomate*) feuer- (*od.* puter-)rot werden; **II.** *m* Rot *n*; *Pol.* Rote(r) *m*.

rol *m* **1.** ⚓ Mannschaftsliste *f*; **2.** *gal.* Rolle *f* (→ *papel* 6).

roldana ⊕ *f* Lauf-, Seil-rolle *f*; *p. ext.* Flaschenzug *m*.

ro|llizo I. *adj.* walzenförmig; *fig.* rundlich; stramm, drall; **II.** *m Zim.* Rundholz *n*; **~llo** *m* **1.** Rolle *f*; Wickel *m*; Walze *f*; ~ *de moneda* (*de papel*) Geld- (Papier-)rolle *f*; *Zim.* **~s** *m/pl.* Rund-, Stamm-holz *n*; **2.** (Buch-, Pergament-)Rolle *f*; *Phot.* Rollfilm *m*; **3.** *fig.* F ermüdendes Gerede *n*, alte Platte (*fig.* P); langweiliger Schmarren *m* (*od.* Schinken *m*) F (*Buch, Film*); *colocar* (*od. echar*) *un* ~ *a alg.* j-m e-n langweiligen Sermon halten; **~llona** F *f* Kindermädchen *n*. [*m.*]

romadizo ⚕ *m* (Stock-)Schnupfen

romana *f* Läufer-, Schnell-waage *f*.

romance I. *adj. c* **1.** romanisch; † *u. fig.* spanisch; **II.** *m* **2.** † *u. fig.* spanische Sprache *f*; *hablar en buen* ~ deutlich (*od.* allen verständlich) sprechen; **3.** *Lit. u. fig.* F Romanze *f*; ~ *de ciego* Bänkelsängerlied *n*, Moritat *f*; **4.** *mst.* **~s** *m/pl.* Geschwätz *n*, Roman *m* (*fig.*); Ausflüchte *f/pl.*; **~(re)sco** *adj.* romanhaft; **~ro** *m* **1.** Romanzen-dichter *m*; -sänger *m*; **2.** Romanzero *m*, Romanzensammlung *f*.

ro|mánico *Ku., Li. adj.* romanisch; **~manista** ⚖, *Li. c* Romanist(in *f*) *m*; **~mano I.** *adj.* römisch; *ecl.* römisch-katholisch; *balanza f* **~a** → *romana*; **II.** *m* Römer *m*.

ro|manticismo *m* Romantik *f*; **~mántico** *adj.-su.* romantisch; *m* Romantiker *m*; **~manza** ♪ *f* Romanze *f*.

rombo *m* Rhombus *m*, Raute *f*; **~edro** ⟁ *m* Rhomboeder *n*; **~idal** *adj. c* rhomboid, rautenförmig; **~ide** ⟁ *m* Rhomboid *n*.

rome|ría *f* Wallfahrt *f*; Pilgerfahrt *f*; *p. ext.* Volksfest *n kirchlicher Lokaltradition*; **~ro**[1] *m* Pilger *m*.

romero[2] ⚘ *m* Rosmarin *m*.

romí *adj. c* ⚘: *azafrán m* ~ Saflor *m*.

romo *adj.* stumpf; stumpfnasig.

rompe|cabezas *m* (*pl. inv.*) **1.** Totschläger *m* (*Waffe*); **2.** *fig. schwieriges* Rätsel *n*; Geduld(s)spiel *n*; **~dero** *adj.* zerbrechlich; **~dor** *adj.* brisant, Brisanz... (*Geschoß*); **~hielos** ⚓ *m* (*pl. inv.*) Eisbrecher *m*; Eissporn *m*; **~nueces** *m* (*pl. inv.*) Nußknacker *m*; **~olas** *m* (*pl. inv.*) Wellenbrecher *m*.

romper [*part. roto*] **I.** *v/t.* **1.** (zer-)brechen; zerreißen; durch-, abbrechen; aufbrechen; ⚘ *a.* roden; *fig. a.* eröffnen; ⚓ *Blockade* (durch-)brechen; ⚔ *Feuer, Feindseligkeiten* eröffnen; ~ *el vuelo* auffliegen (*Vogel*); ⚔ ~ *filas* wegtreten; ~ *la marcha* **a)** ⚔ abmarschieren; **b)** den Zug eröffnen; **2.** abbrechen (*fig. a. dipl. Beziehungen*); unterbrechen; *Fasten, Zauber,* (*Still-*)*Schweigen* brechen; *Gespräch* abbrechen; **II.** *v/i.* **3.** anbrechen (*Tag*); aufbrechen (*Knospe*); *al* ~ *el día* b. Tagesanbruch; **4.** (plötzlich) anfangen (zu + *inf. a*); loslegen F; *fig. hombre m de rompe y rasga* (stürmischer) Draufgänger *m*; ~ *a correr* losrennen; ~ *a llorar* in Tränen ausbrechen; ~ *con alg.* (*od. con a/c.*) mit j-m (*od.* mit et.) brechen; *fig.* P *¡rompe de una vez!* heraus damit!; nun schieß' (schon) los! F; **III.** *v/r.* **~se** **5.** zerbrechen; zerreißen; zerspringen; platzen; entzweigehen; **6.** s. *ein Bein usw.* brechen; s. aufreißen; s. verletzen; **~se** *la cabeza* s. den Kopf aufschlagen; *fig.* s. den Kopf zerbrechen.

rom|pible *adj. c* brechbar; zerbrechlich; **~piente** *m* natürlicher Wellenbrecher *m* (*Riff, Küste u. ä.*); *p. ext.* ⚓ Brandung *f*; Brecher *m*; **~pimiento** *m* **1.** (Zer-)Brechen *n*; Aufbrechen *n*; Sprung *m*, Riß *m*; *fig.* Bruch *m*; **2.** *Mal.* Durchblick *m*; *Thea.* Vorhang *m, der e-n Durchblick freigibt.*

ron *m* Rum *m*.

ronca *f* Röhren *n e-s Damhirsches*; *fig.* F prahlerische Drohung *f*; **~dor** *m* Schnarcher *m*; **~r** [1g] *v/i.* **1.** schnarchen; röhren (*Hirsch*); *fig.* F prahlerische Drohungen ausstoßen; **2.** brausen (*Sturm, Brandung*); brummen (*Baßgeige u. fig.* F); knarren (*Dielen*); schnarren, schnurren (*Räder u. ä.*).

ronce|ar *v/i.* trödeln; nur widerwillig an et. herangehen; *fig.* F schmeicheln, herumschwänzeln F (*um et. zu erreichen*); ⚓ nur langsame Fahrt machen; *Am.* → *ronzar*[2]; **~ría** *f* Trödeln *n*, Bummelei *f*; Unlust *f*; ⚓ langsame Fahrt *f*; **~ro** *adj.* bummelig; unlustig; ⚓ langsam u. schwerfällig (*Schiff*).

ron|co *adj.* heiser, rauh (*Stimme*); **~cón** ♪ *m* Schnurrpfeife *f* (*Baßton der Dudelsackpfeife*).

ron|cha *f* **1.** Schwellung *f*, Beule *f*; Quaddel *f*; Striemen *m*, blauer Fleck *m*; *fig.* F Gaunerei *f* (*Geldenschwindelung*); *levantar* **~s** Blasen ziehen *od.* Quaddeln bilden (*In-*

sektenstich usw.); *fig.* F treffen, verletzen (*scharfes Wort*); quälen, Kummer machen; **2.** *dünne u. runde* Schnitte *f*; **~char¹ I.** *v/t.* knabbern; **II.** *v/i.* knacken, krachen *b. Kauen*; **~char²** *v/i.* Beulen (*od.* Striemen) verursachen.
ronda *f* **1.** *a.* ⚔ Runde *f*; Nachtrunde *f*; Streife *f*; *p. ext.* Rundgang *m*; *Pol.* (✝) ☐ *Kennedy* Kennedy-Runde *f*; *hacer la* ~ ⚔ die Posten abgehen; *fig.* F e-r Frau den Hof machen; **2.** (Gruppe *f* von) Burschen *m/pl.*, *die ein* (*nächtliches*) *Ständchen bringen*, „Ronda" *f*; *p. ext.*: *a.* ♪ (Abend-, Nacht-) Ständchen *n*; Rundgesang *m*; *andar de* ~ in der *Ronda* singen; *fig.* F auf Liebesabenteuer ausgehen; **3.** Runde *f* (*Bewirtung mit Wein u. Zigaretten in fröhlichem Kreis*) (zahlen, ausgeben *pagar*); **4.** Ringstraße *f*, -boulevard *m*; **~calles** F *m* (*pl. inv.*) (Nacht-)Bummler *m*; **~dor** *m* **1.** Nachtschwärmer *m*; *fig.* F Verehrer *m*, Freier *m*; **2.** *Ec. Art* Pansflöte *f*.
rondalla *f* **1.** *stud.*, *z. B. Sal.* Straßen- (*mst.* Gitarren- u. Mandolinen-)musik *f*; **2.** Märchen *n*, Lüge *f*, Schwindel *m*.
ron|dar I. *v/i.* **1.** die Runde machen; *fig.* F ~ *por los cincuenta* um die Fünfzig sein; **2.** nachtschwärmen, bummeln; ein (Nacht-)Ständchen bringen (*vgl. ronda* 2); **II.** *v/t.* **3.** umkreisen; ~ *la luz* um das Licht fliegen (*z. B. Schmetterling*); **~del** *Lit. m* Rondeau *n*; **~dín** *m* Wächter *m*; **~dó** ♪ *m* Rondo *n*; **~dón** *adv.*: *entrar de* ~ überraschend, unangemeldet (bei j-m) erscheinen.
ron|quera *f* Heiserkeit *f*; **~quido** *m* Schnarchen *n*; Schnarren *n*, Schrillen *n* (*Säge*); Brausen *n* (*Sturm*); Brüllen *n*, Toben *n* (*Elemente*).
ronrone|ar *v/i.* schnurren (*Katze u. fig.*); **~o** *m* Schnurren *n*.
ronza ⚓ *f*: *ir a la* ~ vor dem Wind treiben.
ron|zal¹ *m* Halfterstrick *m*; **~zal²** ⚓ *m* Spiere *f*; **~zar¹** [1f] *v/t.* knabbern, knuspern; **~zar²** ⚓ *v/t.* hebeln.
ro|ña *f* **1.** *a. fig.* Räude *f*; Blasenrost *m* (*Pfl.-krankheit*); **2.** Schmutz (-kruste *f*) *m*; Unflat *m*; *fig.* Geiz *m*; **3.** Kiefernrinde *f*; **~ñ(os)ería** F *f* Schäbigkeit *f*, Knauserei *f*; **~ñoso** *adj.* räudig; schmutzig; unflätig; *fig.* F schäbig, knauserig.
ropa *f* Kleidung *f*; (Leib-)Wäsche *f*; ~ *blanca* Weißzeug *n*, Wäsche *f*; ~ *de cama*, ~ *de dormir* (*de color*) Bett-(Bunt-)wäsche *f*; ~ *exterior* Oberbekleidung *f*; **~s** *f/pl. hechas* Fertigkleidung *f*; ~ *interior* (*sucia*) Unter-(Schmutz-)wäsche *f*; ~ *vieja* gebrauchte Kleidung *f*; *fig.* altes Zeug *n*; *Kchk.* ausgekochtes Suppenfleisch *n*; aus Fleischresten *vom Vortag* bereitetes Essen *n*; *fig. a quema* ~ aus unmittelbarer Nähe (*bsd. Schuß*); unvermittelt, urplötzlich; *cambiar la* ~ *de cama* ein Bett (*od.* die Betten) frisch beziehen; *fig.* F *¡hay* ~ *tendida!* Vorsicht, man kann uns hören!; *fig.* (*nadar y*) *guardar la* ~ äußerst behutsam vorgehen; kein Risiko eingehen wollen; *fig. tentarse* (*od. palparse*) *la* ~ (es) s. gründlich überlegen; *no tocar la* ~ *al cuerpo a uno* Angst haben, vor Angst schlottern.
ropa|je *m* Kleidung *f*; Robe *f*; Amtstracht *f*; **~vejería** *f* Trödlerladen *m*; **~vejero** *m* Trödler *m*.
rope|ría *f* **1.** Kleiderhandel *m*; **2.** Kleiderkammer *f*; **~ro** *m* **1.** Kleiderschrank *m*; **2.** Kleidersammelstelle *f für karitative Zwecke*; **3.** Kleiderhändler *m*.
roque *m* ▨ *u. Schach*: Turm *m*; *fig.* F *quedarse* ~ fest einschlafen; **~dal** *m* felsiges Gelände *n*; **~ño** *adj.* felsig; **~ro** *adj.* Felsen...
roquete *ecl. m* Chorhemd *n*.
rorro F *m* Baby *n*, Säugling *m*.
ros ⚔ *m* Käppi *n*.
rosa I. *f* Rose *f*; † *u. Reg.* → *rosal*; *fig.* ⚠, *Diamanten u. ä.*: Rosette *f*; Hautröte *f* (*Flecken*); *agua f de* **~s** Rosenwasser *n*; ⚓ ~ *náutica* (*od. de los vientos*) Wind-, Kompaßrose *f*; ~ *de té* Teerose *f*; *fig. es un lecho de* **~s** *od. dormir sobre un lecho de* **~s** auf Rosen gebettet sein; *fig. verlo todo de color de* ~ alles in rosigem Licht sehen; *fig. como una* ~ frisch (u. gesund) (*Person*); *fig. en todos los puntos de la* ~ überall; *Spr. no hay* **~s** *sin espinas* k-e Rose ohne Dornen; **II.** *m* Rosa *n*; **III.** *adj. inv.* rosa(farben).
rosáce|as ⚘ *f/pl.* Rosengewächse *n/pl.*; **~o** *adj.* rosenfarbig.
rosa|do *adj.* Rosen...; rosenrot; rötlich; rosig; *Am.* kommunistisch; *Casa f* ☐*a Präsidentenpalast in Buenos Aires*; (*vino*) ~ *m* Rosé *m*; **~l** *m* Rosen-strauch *m*; -stock *m*; **~leda** *f* Rosengarten *m*, Rosarium *n*.
rosario *m* **1.** *ecl.* Rosenkranz *m*; Rosenkranzgebet *n*; Rosenkranzbeter *m/pl.*; *fig. acabar como el* ~ *de la aurora* ein schlechtes Ende nehmen; **2.** ⊕ Paternoster(aufzug) *m*; ~ *de cangilones* Schöpfwerk *n*.
rosbif *Kchk. Angl. m* Roastbeef *n*.
ros|ca *f* **1.** ⊕ Gewinde *n*; ~ *exterior* (*interior*) *od.* ~ *macho* (*hembra*) Außen- (Innen-)gewinde *n*; *hacer* ~ gewindeschneiden; *pasarse de* ~ **a)** s. ausleiern (*Gewinde*); **b)** *fig.* F überschnappen F; zu weit gehen; **2.** Windung *f* (*Schlange, Spirale*); *Kchk.* Schnecke *f* (*Gebäck*); *fig.* F Rückgrat *n*; *hacer la* ~ s. zs.-rollen (*Hund, Schlange*); *fig.* F *hacer la* ~ (*de galgo*) s. aufs Ohr legen, s. hinhauen F (*zum Schlafen*); *fig.* F *hacer la* ~ *a alg.* j-m um den Bart gehen; **~cado** ⊕ **I.** *adj.* mit Gewinde versehen; **II.** *m* Gewindeschneiden *n*; **~car** [1g] ⊕ *v/t.* gewindeschneiden; **~cón** *m* (Marzipan-)Schnecke *f* (*Gebäck*).
roséola ⚕ *f* Roseola *f*.
rosero *m* Safranpflücker *m*.
rose|ta *f* **1.** Röschen *n*; Rosette *f*; Brause *f an der Gießkanne*; ⊕ Bund *m am Werkzeug*; **2.** *Kchk.* **~s** *f/pl.* Puffmais *m*; **~tón** ⚠, *Jgdw. m* Rosette *f*.
rosi|cler *m* **1.** Morgenrot *n*; Wangenrot *n*; *el* ~ *de los Alpes* Alpenglühen *n*; **2.** *Min.* Arsensilberblende *f*; **~cultor** *m* Rosenzüchter *m*; **~cultura** *f* Rosenzucht *f*; **~llo** *adj.* hellrot; hellkupferrot (*Pferd*).
rosita *dim. f* Röslein *n*; **~s** *f/pl.* → *roseta* 2; *fig.* F *de* **~s**, *bsd. Am. de* ~ umsonst; mühelos; *Arg.*, *Méj. estar de* ~ nichts tun; streiken.
roso¹ *adj.* abgeschabt; haarlos, kahl; *adv. fig. a* ~ *y velloso* wie Kraut u. Rüben (durchea.); rücksichtslos; völlig.
roso² † *adj.* → *rojo*.
rosquilla *f* (Zucker-)Brezel *f*; *fig.* F *no saber a* ~ kein Honiglecken sein.
ros|trituerto *adj.* mürrisch, griesgrämig; **~tro** *m* Gesicht *n*; Antlitz *n*; *a* ~ *firme* frei ins Gesicht, ohne jede Verlegenheit; *dar en* ~ *a alg. con a/c.* j-m et. ins Gesicht sagen; *hacer* ~ *al enemigo* dem Feind die Stirn bieten; *tener* ~ s. erdreisten, die Stirn haben (, zu + *inf. de*).
Rota¹ *f* Rota *f*, *oberste Gerichtsbehörde der röm.-katholischen Kirche*.
rota² ⚘ *f* Rotang *m*, Rohrpalme *f*.
rotación *f* Drehung *f*; Umdrehung *f*; *Phys.* Rotation *f*; ⚒ ~ *de cultivos* Fruchtwechsel *m*; *Astr.* ~ *terrestre* Erddrehung *f*.
rotacismo *Li. m* Rhotazismus *m*.
rota|rio *m* Rotarier *m*, Mitglied *n* des „Rotary Club"; **~tiva** *Typ. f* Rotation(smaschine) *f*; **~tivo I.** *adj.* Dreh...; *Kfz. motor m* ~ Wankel-, Drehkolben-motor *m*; **II.** *m* Zeitung *f*; **~torio** *adj.* drehend, rotierend (*vgl. giratorio*).
roto I. *part. zu romper u. adj.* **1.** zerbrochen; zersprungen; entzwei, kaputt F; **2.** liederlich; zerlumpt; abgerissen; **II.** *m* **3.** Riß *m in der Kleidung usw.*; *p. ext.* abgerissener Kerl *m*; *Spr. no falta un* ~ *para un descosido etwa*: gleich u. gleich gesellt sich gern; *a.* ein Armer findet immer e-n noch Ärmeren; **4.** *Chi.* Prolet(arier) *m*; **5.** *Arg.*, *Pe. desp.* Chilene *m* (*Spottname*); **6.** *Méj.* Möchtegern *m*, Fatzke *m* F, feiner Lump *m*, *der mst. v. Hochstapelei lebt*.
rotograbado *Typ. m* Rotationstiefdruck *m*.
rotoide ⩘ *m* Dreh-, Rotationskörper *m*.
rotonda *f* Rundbau *m*; Rotunde *f*.
rotor ⊕ *m* Rotor *m*.
rotoso *adj. Am. Reg.* zerlumpt.
rótula *f Anat.* Kniescheibe *f*; ⊕ Knie-, Kugel-gelenk *n*; Wellenknie *n*.
rotu|lación *f* Beschriftung *f*; Etikettierung *f*; Einkopieren *n* von Untertiteln (*Film*); **~lado** *m* → *rotulación*; *rótulo*; **~lador** *m* Beschrifter *m*; Schriftschablone *f*; Filzschreiber *m*; (*aparato m*) ~ Etikettiermaschine *f*; **~lar** *v/t.* betiteln; beschriften; etikettieren; *Film* mit Untertiteln versehen; **~lista** *adj. c*: *pintor m* ~ Schildermaler *m*.
rótulo *m* Aufschrift *f*; Anschlag *m*; (Firmen-)Schild *n*; (Klebe-)Etikett *n*; Untertitel *m* (*Film*); ~ *luminoso* Leuchtschild *n*.
rotun|damente *adv.* rund-weg, -heraus; glatt F (*abschlagen*); **~didad** *f* Rundung *f*; Bestimmtheit *f e-r Absage u. ä.*; **~do** *adj.* **1.** volltönend (*Sprache*); **2.** *fig.* ganz, völlig; entschieden, kategorisch, glatt F (*Nein, Absage usw.*); **3.** † → *redondo*.

rotura *f* Brechen *n*; Bruch *m*; *a.* ⚕ Sprung *m*; Riß *m*; ⊕ *a prueba de* ~ bruchsicher; ⚕ ~ *del folículo* Follikelsprung *m*; *tex.* ~ *del hilo* (⊕ *del muelle*) Faden- (Feder-)bruch *m*; ⚕ ~ *muscular* Muskelriß *m*; **~ción** ⚒ *f* Urbarmachung *f*, Rodung *f*; **~r** ⚒ *v/t.* urbarmachen, roden; umbrechen.

ro|ya *f* Rost *m* (*Pflanzenschädling*); **~yo** ⚘ *adj.*: *pino m* ~ Kiefer *f*, Föhre *f*.

royalty *engl.* ⚚, ⊕ *f* Royalty *f*.

roza *f* **1.** ⚒ Rodung *f*; Rod(ungs)-acker *m*; **2.** ⚒ Schram *m*; Schrämen *n*; **~dora** ⚒ *f* Schrämmaschine *f*; **~dura** *f* Anstreifen *n*, Schrammen *n*; Schramme *f*, Kratzer *m* F; **~gante** *adj.* **1.** † überaus prächtig (*Kleidung*); **2.** *fig.* eingebildet, hochnäsig; **~miento** *m a.* ⊕ *u. fig.* Reibung *f*; Anea.-reiben *n*, Scheuern *n*; (leichte) Berührung *f*, Streifen *n*; *p. ext.* Rascheln *n*; **~r** [1f] **I.** *v/t.* **1.** ⚒ roden; ausjäten; abrupfen *bzw.* abgrasen (*Tiere*); **2.** reiben, scheuern; *Stoffe* durchscheuern, abwetzen; ankratzen, schrammen; **3.** abschaben; ⚒ schrämen; **4.** (leicht) berühren, streifen; **II.** *v/i.* **5.** streifen; *fig.* ~ *por los setenta* so um die Siebzig sein; **III.** *v/r.* **~se 6.** s. reiben; s. durchscheuern; **7.** *a. fig.* stolpern (über *ac.* en); *fig.* s. gleichen, ähnlich gelagert sein; *fig.* F **~se** *con alg.* mit j-m vertrauten Umgang haben.

roz|nar I. *v/t.* knabbern; knuspern; **II.** *v/i.* → *rebuznar*; **~nido** *m* **1.** Knabbern *n*; Knuspern *n*; **2.** → *rebuzno*.

rozno *m* Eselchen *n*.

rozo *m* **1.** → *roza*; **2.** Reisig *n*; **3.** □ Speise *f*; *fig.* F *ser de buen* ~ mächtig einhauen F.

ruano *adj.*: (*caballo m*) ~ Graufuchs *m*.

rubéola ⚕ *f* Röteln *pl.*

rubeta *Zo. f* Unke *f*.

rubí *m* Rubin *m*; ⊕ Lagerstein *m* (*Uhren u. ä.*).

rubia *f* **1.** ⚘ Färberröte *f*; Krapp *m*; **2.** Blondine *f*; F ~ *de frasco* Wasserstoffblonde *f* F; **3.** *fig.* F Pesete *f* (*Münze*); **4.** F *Kfz.* Kombiwagen *m*; **~les** F *m* (*pl. inv.*) blonder Mann *m*.

Rubicón *hist. u. fig.*: *pasar el* ~ den Rubikon überschreiten.

rubi|cundez *f* Röte *f*; **~cundo** *adj.* rotblond; rotwangig; von blühendem Aussehen; **~o I.** *adj.* **1.** blond; goldgelb; **2.** hell (*Bier, Tabak*); **II.** *m* **3.** *Fi.* gestreifter Seehahn *m*; **4.** *Stk.* **~s** *m/pl.* Mitte *f* des Stierrückens.

rublo *m* Rubel *m*.

rubo|r *m* Röte *f*; Scham(gefühl *n*) *f*; **~rizarse** [1f] *v/r.* erröten; schamrot werden; **~roso** *adj.* schamrot; leicht errötend.

rúbrica *f* **1.** Schnörkel *m am Namenszug*; Namenszeichen *n*; **2.** Überschrift *f*; *ecl.* Rubrik *f*; *fig. ser de* ~ üblich sein.

rubrica|ción *dipl. f* Paraphierung *f*; **~r** [1g] *v/t.* mit dem (Namens-) Schnörkel versehen; ⚚ abzeichnen; *dipl.* paraphieren.

rubro *m Am.* → *rótulo, epígrafe, título*.

rucio I. *adj. Tiere*: grau; weißlich; hellbraun; **II.** *m* Grauschimmel *m*; F Esel *m*, Grautier *n* F; ~ *rodado* Apfelschimmel *m*.

ruda ⚘ *f* Raute *f*; *fig.* F *ser más conocido que la* ~ überall bekannt sein.

ruderales ⚘ *f/pl.* Schuttpflanzen [*f/pl.*]

rudeza *f* **1.** Rauheit *f*; Schroffheit *f*, Härte *f*; **2.** Derbheit *f*; Plumpheit *f*, Ungeschicklichkeit *f*.

rudimen|tal *adj. c* Elementar...; **~tario** *adj.* rudimentär; unentwickelt; *Biol.* verkümmert; **~to** *m* Rudiment *n*; Anfang *m*, Ansatz *m*; erste Anlage *f*; *fig.* **~s** *m/pl.* Grundbegriffe *m/pl.*

rudo *adj.* **1.** roh, rüde; **2.** rauh, hart (*a. Winter*); schroff; **3.** plump, schwerfällig; **4.** ungebildet.

rueca *f* Spinnrocken *m*, Kunkel *f*; ⚘ ~ *de Venus* Venusrocken *m*.

rueda *f* **1.** Rad *n* (*a. Pfau u. ma. Strafe*); *Sp.* Radlänge *f b. Rennen*; ⊕ ~ *catalina* (*od. de Santa Catalina*) Sperrad *n* (*Uhrwerk*); ~ *delantera* (*dentada, trasera*) Vorder- (Zahn-, Hinter-)rad *n*; ~ *de la fortuna* Glücksrad *n*; ~ *libre* Freilauf *m* (*Fahrrad*); ~ *de molino* (*de paletas*) Mühl- (Schaufel-)rad *n*; ~ *de recambio*, ~ *de repuesto* Ersatz-, Reserverad *n*; *Kfz. de cuatro* **~s** *motrices* mit Vierradantrieb; *fig. no andar ni con* **~s** ganz offensichtlich nicht der Wahrheit entsprechen; *fig. comulgar con* **~s** *de molino* das Unglaublichste glauben, alles schlucken F; *hacer la* ~ ein Rad schlagen (*Pfau*); *fig. todo marcha sobre* **~s** alles läuft wie am Schnürchen; (*móvil*) *sobre* **~s** fahrbar; **2.** Kreis *m*, Runde *f*; *en* ~ in der Runde, im Kreis; ⚖ ~ *de presos* Identifizierungsparade *f*; *hacer* (*la*) ~ im Kreise herumsitzen; herumstehen; *p. ext.* s. herumsprechen, die Runde machen; **3.** Scheibe *f*; **4.** *Fi.* Mondfisch *m*; **5.** ~ *de prensa* Pressekonferenz *f*; **~mundos** F *m* (*pl. inv.*) Weltenbummler *m*.

rue|decita *dim. f* Rädchen *n*; **~dero** *m* Radmacher *m*, Wagner *m*; **~do** *m* **1.** Umkreis *m*; **2.** Saum *m langer Gewänder*; **3.** *Stk.* Arena *f*; *echarse al* ~ in die Arena treten; *fig.* in die Schranken treten; *dar la vuelta al* ~ die Ehrenrunde in der Arena machen.

ruego *m* Bitte *f*; Ersuchen *n*; Fürbitte *f*; *a* **~s** *de* auf Ersuchen (*gen.*).

rufi|án *m* Zuhälter *m*; Gauner *m*, Lump *m*; **~anería** *f* Gaunerei *f*; **~nesco** *adj.* Gauner...; Zuhälter...; **~nismo** *m* Zuhälterei *f*.

rufo *adj.* rothaarig; krausköpfig; *fig.* eingebildet; angeberisch.

ru|gido *m* Brüllen *n*; Krachen *n*; Brausen *n*, Toben *n*; Kollern *n der Eingeweide*; Knurren *n des Magens*; **~gir** [3c] *v/i* brüllen; krachen; brausen, toben; *fig.* ruchbar werden; *fig.* F kollern (*Eingeweide*); F *está que ruge* er wütet, er tobt.

rugo|sidad *f* Runzligkeit *f*; Runzel *f*; **~es** *f/pl.* Unebenheiten *f/pl.*; **~so** *adj.* runzlig; rauh, uneben.

ruibarbo ⚘ *m* Rhabarber *m*.

ruido *m* **1.** Lärm *m*; Geräusch *n*; *HF* Rauschen *n*; **~s** *m/pl. callejeros* Straßenlärm *m*; **~(s)** *parásito(s)* Nebengeräusch *n*; ~ *de fondo* Geräuschkulisse *f*; **~s** (*perturbadores*) *nocturnos* nächtliche Ruhestörung *f*; *hacer* (*od. meter*) ~ Lärm machen; *fig.* Aufsehen erregen; *Spr. mucho* ~ *y pocas nueces* viel Lärm um nichts; **2.** *p. ext.* Streit *m*; *fig.* F *querer* ~ streitsüchtig sein; *fig. quitarse de* **~s** s. aus allem heraushalten (, *was gefährlich werden könnte*); **3.** *fig.* Widerhall *m*, Gerücht *n*; **~so** *adj.* lärmend; geräuschvoll; aufsehenerregend.

ruin I. *adj. c* **1.** schäbig, knauserig; **2.** niederträchtig, gemein; **II.** *m* **3.** Geizkragen *m*; **4.** Lump *m*, Schuft *m*; *fig.* F letzter Schwanzwirbel *m der Katzen*.

ruina *f* **1.** Einsturz *m*; Ruine *f* (*a. fig.* F); **~s** *f/pl.* Ruinen *f/pl.*, Trümmer *pl.*; *fig.* F Speisereste *m/pl.*; *amenazar* ~ einzustürzen drohen; **2.** Ruin *m*; Zs.-bruch *m*; Verderben *n*; *estar en la* ~ ruiniert sein.

ruindad *f* **1.** Schäbigkeit *f*, Knauserei *f*; **2.** Gemeinheit *f*, Niedertracht *f*.

ruinoso *adj.* baufällig; schädlich, verderblich; ⚚ ruinös, Verlust...; *estado m* ~ Baufälligkeit *f*.

ruiseñor *m* Nachtigall *f*.

ruleta *f* **1.** Roulette *f* (*Spiel*); **2.** ⊕ Rändelrad *n*.

rulete|ra *f Méj.* Prostituierte *f*; **~ro** *m Méj.* Taxichauffeur *m*.

rulo *m* **1.** Walze *f*; ~ (*agrícola*) Ackerwalze *f*; **2.** Lockenwickler *m*; **~ta** *gal. f* Wohnwagenanhänger *m*.

rumano *adj.-su.* rumänisch; *m* Rumäne *m*, *Li. el* ~ das Rumänische.

rumba *f* **1.** ♪ Rumba *f* (*Tanz*); **2.** *Am. Cent., Ant.* ausgelassenes Fest *n*; *ir de* ~ → *rumbear*[2] 2.

rumbea|dor *Rpl. m* Pfadfinder *m*; **~r**[1] *v/i. Am. Reg.* s. im Gelände orientieren; *And., Rpl.* e-e bestimmte Richtung einschlagen.

rumbear[2] *v/i.* **1.** F Rumba tanzen; **2.** *Am. Cent., Ant.* auf den Bummel gehen; feiern.

rumbero *m Col., Ven.* → *rumbeador*.

rumbo[1] *m* Weg-, Fahrt-richtung *f*; ⚓ Windrichtung *f*, Strich *m* der Windrose, Kompaßstrich *m*; ⚓, ✈ Kurs *m*; *fig.* Weg *m*, Richtung *f*, Ziel *n*, Kurs *m*; *fig. dar otro* ~ *a la conversación* dem Gespräch e-e (neue) Wendung geben; ⚓ *corregir el* ~ den Kurs berichtigen; ⚓, ✈ *hacer* ~ *a od. ir con* ~ *a* Kurs nehmen auf (*ac.*); *perder el* ~ ⚓, ✈ *u. fig.* vom Kurs abkommen, ✈ s. verfliegen, s. verfranzen F; *tomar otro* ~ *a. fig.* (*z. B. Pol.*) e-n neuen Kurs einschlagen; *fig.* e-e Wendung vornehmen.

rum|bo[2] *m* **1.** Pracht *f*, Prunk *m*; *de* ~ → *rumboso*; **2.** *Am. Cent.* → *rumba* 2; **~bón** *adj.* großzügig; **~boso** *adj.* prächtig, prunkvoll; freigebig; prahlerisch.

rumí *m b. den Mauren*: Christ *m*.

rumi|a *f a. fig.* Wiederkäuen *n*; **~ante I.** *adj. c* wiederkäuend; **II.** *m* Wiederkäuer *m*; **~ar** [1b] *vt/i.* wiederkäuen; *fig.* s. reiflich überlegen; *a.* immer wiederholen; *fig.* F *a.* brummeln.

rumo|r *m* **1.** Stimmengewirr *n*;

Brausen *n*; Rauschen *n*; **2.** Gerücht *n*, Gemunkel *n*; *corren ~es de que* man hört gerüchtweise, daß; **~rear I.** *v/t.* munkeln; **II.** *v/r.* *~se* gerüchtweise verlauten, ruchbar werden; **~reo** *m* Rauschen *n*; Flüstern *n* (*des Windes, des Waldes*); **~roso** *adj.* **1.** geräuschvoll; lärmend; brausend; rauschend; **2.** ruchbar.

runa *f* Rune *f*.

rúnico *adj.* Runen...; *escritura f ~a* Runenschrift *f*.

run|rún *m* **1.** Gemurmel *n*; **2.** F → *rumor 2*; **~runear I.** *v/i.* → *ronronear*; **II.** *v/r.* *~se* F gerüchtweise verlauten.

rupestre *adj. c* Felsen...; *Arch. pintura f ~* Fels-, Höhlen-malerei *f*.

rup|tor ⚡ *m* Unterbrecher *m*; *Kfz.* Zündunterbrecher *m*; **~tura** *f* **1.** Bruch *m*; Abbruch *m* (*a. dipl. der Beziehungen*); **2.** ⚕ Ruptur *f*; ⚕, ⚔ Durchbruch *m*.

rural I. *adj. c* ländlich; Land...; landwirtschaftlich; **II.** *~es m/pl. Méj. berittene* Landpolizei *f*.

ru|sa *f* Russin *f*; **~so I.** *adj.* russisch; **II.** *m* Russe *m*; *Li. el ~* das Russische; *~ blanco* Weißrusse *m*; **~sófilo** *adj.-su.* russenfreundlich; *m* Russenfreund *m*.

rusticidad *f* bäurisches Wesen *n*; *fig.* (ländliche) Einfachheit *f*.

rústico I. *adj.* **1.** ländlich, Land...; *estilo m ~* Bauernstil *m*; rustikaler Stil *m*; **2.** *fig.* derb, grob; ungeschliffen, ungebildet; *en ~a* broschiert (*Buch*); **II.** *m* **3.** Landmann *m*.

rustiquez *f* bäurisches Wesen *n*; *fig.* Derbheit *f*; Ungeschliffenheit *f*.

ruta *f* (Reise-)Weg *m*; *bsd.* ⚓, ✈ Route *f*; *~ marítima* Seeweg *m*.

rutáceas ⚘ *f/pl.* Rautengewächse *n/pl.*

ruteno *adj.-su.* ruthenisch.

rutila|nte *adj. c* glänzend, schimmernd; **~r** *v/i.* glänzen, schimmern.

rutina[1] ⚗ *f* Rutin *n*.

ruti|na[2] *f* Routine *f*; *de ~* Routine...; **~nario** *adj.* routinemäßig, (rein) gewohnheitsmäßig; **~nero** *m* Gewohnheitsmensch *m*; Routinier *m*.

S

S, s (= ese) *f* S, s *n*; *en forma de (una)* **s** S-förmig; *vgl.* ese.
sábado *m* Samstag *m*, Sonnabend *m*; ♀ *Santo od.* ♀ *de Gloria* Kar-, Oster-samstag *m*.
sábalo *Fi. m* Mittelmeerfinte *f*.
sábana *f* Bettuch *n*, Laken *n*; *fig.* F *pegársele a alg. las* ~*s (al cuerpo)* nicht aus dem Bett (*od.* aus den Federn) kommen; verschlafen.
sabana *f Am.* Savanne *f*, Grassteppe *f*; *fig.* F *Ven. ponerse en la* ~ (plötzlich) zu gr. Vermögen kommen.
sabandija *f* Gewürm *n*; *a. fig.* Geschmeiß *n*.
sabane|ar *v/i. Col., Ven.* die Savanne durchstreifen (*bsd. Viehhirten*); **~ra** *f Ven., Am. Cent.* e-e Schlange *f* (*Schädlingsvertilger*); **~ro** *Am.* **I.** *adj.* Savannen...; **II.** *m* Savannenbewohner *m*; *fig.* F *Am. Cent.* Raufbold *m*.
sabanilla *f* kl. Leintuch *n*; Altartuch *n*.
sabañón *m* Frostbeule *f*; *fig.* F *comer más que un* ~ ein Vielfraß sein F.
sa|bático *adj.* Sabbat...; *descanso m* ~ Sabbatruhe *f*; **~batino** *adj.* Samstag...; Sabbat...; **~batismo** *Rel. m* Beobachtung *f* des Sabbats; **~batizar** [1f] *v/i.* den Sabbat halten.
sabe|dor *adj.* unterrichtet (über *ac.* de); **~lotodo** F *m* (*pl. inv.*) Besserwisser *m*.
saber [2n] **I.** *vt/i.* **1.** wissen; kennen; können (= *gelernt haben*); verstehen; erfahren; ~ *por la prensa* aus der Presse erfahren; ~ *escribir* schreiben können; *fig.* F ~*las todas od.* ~*las muy largas* es faustdick hinter den Ohren haben F; ~ *lo que es bueno* **a)** wissen, was gut ist; **b)** gern (gut) essen; *fig.* ~ *más que siete od.* ~ *mucho* ein schlauer Fuchs sein; ~ *su oficio* sein Handwerk verstehen; *a* ~ **a)** *bei Aufzählungen*: u. zwar, nämlich; **b)** es bleibt abzuwarten, es fragt s. (nur); *¡a* ~ *cuándo llegará, vendrá!* (wer weiß, wann er kommt,) er wird schon noch kommen!; *y es de* ~ *que* ... man muß nämlich wissen, daß ...; *está por* ~ *si* ... es fragt s., ob ...; *hacer* ~ *a/c. a alg.* j-n et. wissen lassen, j-n von et. (*dat.*) benachrichtigen; *sin* ~*lo* unwissentlich; *sin* ~*lo yo* ohne mein Wissen; *va a* ~ *quién soy yo* ich werde ihm zeigen, mit wem er es zu tun hat; *¡vete (od. vaya usted) a* ~*!* wer soll das wissen!, das ist schwer zu sagen!; *no* ~ *de* nichts wissen (*bzw.* nichts hören) von (*dat.*); *fig.* F *no* ~ *de sí* nicht zu Atem kommen, vor Arbeit umkommen; *fig.* F *no* ~ *por dónde (se) anda* s. gar zu dumm (*od.* ungeschickt) anstellen F; *el Señor no sé cuántos* Herr Soundso; *lo supe ayer* ich erfuhr es gestern; *no que yo sepa* nicht, daß ich wüßte; F *¡para que lo sepas!* daß du es nur weißt!, daß du (einmal) Bescheid weißt! F; *por (od. a) lo que sé* meines Wissens; *¡qué sé yo!* was weiß ich?, k-e Ahnung!; *que yo sepa* soviel ich weiß; *¿quién sabe?* wer weiß?, wer soll das wissen!; *¿sabes?* weißt du?; verstehst du?; *fig.* F merk dir das!; *¡si lo sabré yo!* das weiß ich (allerdings) nur zu gut!; wem sagen Sie das!; *un no sé qué* irgend et.; *tener un no sé qué (de) atrayente* et. Anziehendes (an sich) haben; das gewisse Etwas haben; F *y qué sé yo bei Aufzählungen*: u. vieles andere mehr *od.* und so P; *fig.* F *ya no sé dónde estoy* ich bin noch ganz wirr (im Kopf); **2.** F *Arg., Ec., Pe.* ~ + *inf.* pflegen zu + *inf.*, gewöhnt sein, zu + *inf.*; **II.** *v/i.* **3.** *a. fig.* schmecken (nach *dat.* a); *fig.* ~ *a más* nach mehr (*od.* ganz hervorragend) schmecken; *fig. esto me sabe muy mal* das ärgert (*bzw.* kränkt) mich sehr; *a.* es tut mir sehr leid; **III.** *v/r.* ~*se* **4.**: *ya se sabe que* ... bekanntlich ...; **IV.** *m* **5.** Wissen *n*; Kenntnis *f*; Können *n*; *según mi (tu, etc.) leal* ~ *y entender* nach bestem Wissen u. Können; nach bestem Wissen u. Gewissen.
sabi|do *adj.* **1.** bekannt (*dat.* de); offenbar; *de* ~ gewiß, bestimmt; *ser cosa* ~*a* bekannt sein; selbstverständlich sein; **2.** F sehr gescheit; **~duría** *f* Weisheit *f*; Wissen *n*; *mi* ~ *no llega a más* ich bin mit m-r Weisheit (*od.* mit m-m Latein) am Ende; **~endas** *adv.*: *a* ~ wissentlich, absichtlich; bewußt; **~hondo** F *m* Besserwisser *m*, Naseweis *m*; **~o I.** *adj.* weise; gelehrt; abgerichtet (*Tier*); **II.** *m* Weise(r) *m*; Gelehrte(r) *m*; *Reg.* Heilkundige(r) *m*.
sa|blazo *m* Säbelhieb *m*; *fig.* F Anpumpen *n*, Pump(versuch) *m*; F *dar un* ~ *a alg.* j-n anpumpen; **~ble** *m* Säbel *m*; *fig.* F Geschicklichkeit *f* im Anpumpen; **~bleador** *adj.-su.*, *mst.* **~blista** *adj.-su. c* Pump...; *m* Pumpgenie *n* F.
sabo|r *m* Geschmack *m* (nach *dat.* a); *fig. a.* Anhauch *m*; *a. fig. dejar mal* ~ *de boca* e-n üblen Nachgeschmack haben; **~rear** *v/t.* genießen; schmackhaft machen.
sabo|taje *m* Sabotage *f*; **~teador** *adj.-su.* Sabotage...; *m* Saboteur *m*; **~tear** *v/t. a. fig.* sabotieren.
sabroso *adj.* schmackhaft, köstlich.
sabu|cal *m* Holundergebüsch *n*; **~co** ⚘ *m* → *saúco*.
sabueso *m Jgdw.* Schweißhund *m*; *fig.* Schnüffler *m*, Spürhund *m*.
sabu|rra ⚕ *f* Magenverschleimung *f*; Zungenbelag *m*; **~rroso** ⚕ *adj.* verschleimt (*Magen*); belegt (*Zunge*).
saca[1] *f* gr. Sack *m*; ✉ Postsack *m*.
saca[2] *f* **1.** Herausnehmen *n*; Entnahme *f*; Ziehen *n*; **2.** Ausfuhr *f*; **3.** Abschrift *f e-r Urkunde*.
saca|bocados ⊕ *m* (*pl. inv.*) Locheisen *n*; Lochzange *f*; **~botas** *m* (*pl. inv.*) Stiefelknecht *m*; **~buche** *m* ♪ (Zug-)Posaune *f*; ⚓ Handpumpe *f*; *fig.* F Knirps *m*; **~clavos** *m* (*pl. inv.*) Nagelzieher *m*, Kistenöffner *m*; **~corchos** *m* (*pl. inv.*) Korkenzieher *m*; **~mantas** F *m* (*pl. inv.*) Steuereintreiber *m*; **~muelas** F *m* (*pl. inv.*) Zahnklempner *m* P; *fig.* Quacksalber *m*; *mentir más que un* ~ das Blaue vom Himmel herunterlügen; *hablar más que un* ~ reden wie ein Wasserfall; **~muestras** ⚒, *Zoll m* (*pl. inv.*) Probenehmer *m*; **~puntas** *m* (*pl. inv.*) Bleistiftspitzer *m*.
sacar [1g] *vt/i. Grundbedeutung*: heraus-ziehen, -holen, -nehmen; entnehmen; (weg- *bzw.* ab-)nehmen; entreißen; *Sp.* anspielen, anstoßen, geben; **a)** *zahlreiche Verbindungen, z. B. Auge* ausschlagen; *Eintrittskarte, Fahrkarte* lösen; *Erze usw.* fördern, gewinnen; *Fleck* entfernen; *Folgerung* ziehen; *Gewinn, Vorteil* herausholen; *Nutzen* ziehen; *Geld* machen *bzw.* aus der Tasche ziehen; *Phot. Aufnahme* machen; *Los* ziehen; *Kopf, Zunge* herausstrecken; *Mode, Neuheit* herausbringen; *Öl (aus den Oliven)* auspressen; *Wäsche* spülen; *Wasser* schöpfen; *Wein* abziehen; *Zahn* ziehen; *fig.* F ~*le el alma (od. el corazón) a alg.* j-n gehörig schröpfen, j-n ausnehmen F; ~ *azúcar de las remolachas* Zucker aus Rüben gewinnen; *Mal., Phot.* ~ *bien (Abgebildetes)* gut treffen; ~ *una copia* e-e Abschrift anfertigen; *Phot., Typ.* e-n Abzug machen; ~ *fichas* Zettel ausschreiben; Exzerpte machen; ~ *fuego* Feuer schlagen; ~ *una máquina a.* e-e Maschine herausbringen; ~ *el niño de la escuela* das Kind von der Schule nehmen; ~*le a alg. la verdad* j-m die Wahrheit entlokken (*bzw.* entreißen); **b)** *mit ger., prp. u. adv.*: ~ *rascando* (her)auskratzen; ~ *a bailar* zum Tanz auffordern *bzw.* führen; *Mal.* ~ *a pulso*

freihändig zeichnen; ~ *al sol* der Sonne aussetzen; ~ *adelante* helfen vorwärtszukommen; vorantreiben; *fig.* F *no se lo vas a* ~ *ni con pinzas* aus dem ist nichts herauszuholen, der schweigt eisern; F ~ *de un apuro* aus der Klemme helfen F; ~ *de paseo* spazieren führen; *fig.* F ~ *de sí (od. de sus casillas) a alg.* j-n verrückt machen, j-n aus dem Häuschen bringen; ~ *en claro* klarstellen; bereinigen; herausbekommen; *con su trabajo no saca para comer* mit s-r Arbeit kann er nicht das Essen verdienen.

saca|rífero *adj.* zuckerhaltig; **~rificar** [1g] *v/t.* verzuckern; **~rina** *f* Süßstoff *m*, Saccharin *n*; **~rosa** *f* Saccharose *f*; **~roso** *adj.* zuckerig.

sacarremaches ⊕ *m* (*pl. inv.*) Nietenzieher *m*.

saca|rruedas *Kfz. m* (*pl. inv.*) Radabdrücker *m*; **~vainas** *m* (*pl. inv.*) Hülsenauszieher *m* (*Waffe*).

sacer|docio *m a. fig.* Priester-amt *n*; -stand *m*; **~dotal** *adj. c* priesterlich; Priester...; **~dote** *m* Priester *m*; ~ *obrero* Arbeiterpriester *m*; ~ *regular (secular)* Ordens- (Welt-)geistliche(r) *m*; **~dotisa** *f* Priesterin *f*.

saci|able *adj. c* zu sättigen(d); **~ar** [1b] **I.** *v/t.* sättigen; befriedigen; **II.** *v/r.* ~*se* satt werden; befriedigt werden; **~edad** *f* Sättigung *f*; Übersättigung *f*; *hasta la* ~ bis zum Überdruß.

saco *m* **1.** Sack *m*; ~ *de arena (de dormir)* Sand- (Schlaf-)sack *m*; ~ *de harina* Sack *m* Mehl; *Anat.* ~ *lagrimal* Tränensack *m*; ~ *(de mano)* Reisetasche *f*; *bsd.* ⚔, ⊕ ~ *terrero* Erd-, Sand-sack *m*; ~ *(de) viaje* Reisesack *m*; *fig.* F *no echar a/c. en* ~ *roto* et. beherzigen, et. wohl beachten; *fig.* F *como un* ~ plump (*Person*); **2.** Plünderung *f*; *entrar a* ~ plündern; ⚔ *poner a* ~ plündern (lassen); **3.** *Sp.* → *saque*; **4.** *Am.* Sakko *m*.

sacramen|tal I. *adj. c* **1.** sakramental; *fig.* feierlich; **2.** *p. ext. fig.* herkömmlich, üblich; **II.** *f* **3.** *Span.* Begräbnisbruderschaft *f mit eigenem Begräbnisplatz*; *p. ext.* Friedhof *m*; **~tar** *v/t. ecl. Kranken* (mit den Sterbesakramenten) versehen; *fig.* F verheimlichen; *kath. Jesús* ~*ado der* im Altarsakrament gegenwärtige Christus; **~to** *m* Sakrament *n*; *kath. Santísimo* ♀ *od.* ~ *del altar* Altarsakrament *n*; *los (últimos)* ~*s* die Sterbesakramente *n/pl.*

sacratísimo *sup. zu sagrado* hochheilig.

sacre *Vo. m* Würgfalke *m*.

sacrifi|cadero *m* **1.** *ehm.* Opferstätte *f*; **2.** Schlachtplatz *m*; **~cado** *adj.* aufopfernd, opferwillig; **~cador** *m* Opferpriester *m*; **~car** [1g] **I.** *v/t. a. fig.* opfern; *Vieh* schlachten; **II.** *v/r.* ~*se* s. (auf)opfern (für *ac. por*); **~cio** *m* **1.** *Rel. u. fig.* Opfer *n*; **2.** Schlachtung *f*; ~ *clandestino* Schwarzschlachtung *f*; *para* ~ Schlacht...

sa|crilegio *m* Kirchen- *bzw.* Tempel-schändung *f*, *a. fig.* Sakrileg *n*, Entweihung *f*; *p. ext.* Frevel *m*; **~crílego I.** *adj.* gotteslästerlich; frevelhaft, Frevel...; **II.** *m* Frevler *m*.

sacris|tán *m* Küster *m*; Mesner *m*; *fig. ser un* ~ *de amén* zu allem Ja u. Amen sagen; **~tanía** *f* Küsteramt *n*; **~tía** *f* **1.** Sakristei *f*; **2.** → *sacristanía*.

sacro *adj.* heilig; religiös (*Kunst*); *Anat. a. su. (hueso m)* ~ Kreuzbein *n*; **~santo** *adj.* hochheilig, *a. fig.* sakrosankt.

sacudi|da *f* Erschütterung *f*; Stoß *m*, Schlag *m*; ⚕ ~ *muscular* Muskelzuckung *f*; *a* ~*s* ruck-, stoß-weise; **~do** *adj.* **1.** störrisch, unlenksam; **2.** keck, frech; **~dor** *m* Teppichklopfer *m*; ⊕ Klopfer *m*; Rüttler *m*; **~miento** *m* Erschütterung *f*; Rütteln *n*, Schütteln *n*; (Aus-)Klopfen *n*; ~ *(de tierra)* Erdstoß *m*; **~r I.** *v/t.* rütteln, schütteln; erschüttern; *a. fig.* abschütteln; (aus-)klopfen; *Teppiche* klopfen; *pharm.* ~ *antes de usar(lo)* vor Gebrauch schütteln; *fig.* F Vorsicht! (*Warnung vor e-r Person, die*) „mit Vorsicht zu genießen" (*ist*); ~ *el agua* s. abschütteln (*Hund usw.*); ~ *el polvo (a)* ausklopfen, abstauben; *fig.* F verprügeln; *fig.* V → ~ *petróleo* koitieren (*Mann*); **II.** *v/r.* ~*se* s. (ab-)schütteln; *fig.* F zahlen; *fig.* ~*se de et. od. j-n* von s. abschütteln.

sachar ⚒ *v/t.* jäten.

sachet *gal. m* Kräuterkissen *n*, Sachet *n*.

sádico *adj.-su.* sadistisch; *m* Sadist *m*.

sadismo *m* Sadismus *m*.

saduceo *bibl. u. fig. adj.-su.* saduzäisch; *m* Saduzäer *m*.

sae|ta *f* **1.** (*a.* ♀ *Astr.*) Pfeil *m*; *p. ext.* Uhrzeiger *m*; Magnetnadel *f*; *Typ.* ~ *indicadora* Hinweispfeil *m*; *fig.* F *echar* ~*s* sticheln; **2.** *Folk. Andal. gesungenes Stoßgebet b. den Prozessionen der Karwoche*; **~tada** *f*, **~tazo** *m* Pfeilschuß *m*; **~tera** *f* Schießscharte *f*; *p. ext.* Lichtscharte *f*; **~tero** *m* Pfeilschütze *m*; **~tilla** *f* Uhrzeiger *m*; ⚘ → *sagitaria*.

safari *m* Safari *f*; ~ *fotográfica* Photo-Safari *f*; **~sta** *c* Safariteilnehmer *m*.

saga *Lit. f* nordische Sage *f*, Saga *f*.

saga|cidad *f* Scharfsinn *m*; Spürsinn *m*; **~z** *adj. c* (*pl.* ~*aces*) schlau; scharfsinnig.

sagita ♐ *f* Bogen-, Sehnen-höhe *f*; **~ria** ⚘ *f* Pfeilkraut *n*; ♀**rio** *Astr. m* Schütze *m*.

sagra|do I. *adj.* heilig; ehrwürdig; *orador m* ~ Kanzelredner *m*; **II.** *m* Weihestätte *f*; Freistätte *f*, Asyl *n*; geweihte Stätte *f*; **~rio** *kath. m* **1.** Sanktuar(ium) *n*; **2.** Sakramentshäuschen *n*; Tabernakel *n*.

sagú *m* Sago *m*.

sahu|mador *m* Räucher-pfanne *f*, -faß *n*; **~madura** *f* → *sahumerio*; **~mar** *v/t.* räuchern; parfümieren; **~merio** *m* (Aus-)Räuchern *n*; Räucher-pulver *n*, -werk *n*.

sa|ín *m* tierisches Fett *n*; Fettrand *m an Kleidungsstücken*; **~inar** [1c] *v/t.* mästen; *bsd. Gänse* stopfen.

sainete *m* **1.** *Thea.* Schwank *m*; **2.** ✎ → *saín*; **3.** Würze *f*; Wohlgeschmack *m*; **~ro** *m* Schwankdichter *m*; **~sco** *adj.* Schwank...; *fig.* volkstümlich.

saja|dor *m* Schröpfeisen *n*; **~dura** *f* Einschnitt *m*; Schröpfen *n*; **~r** *v/t.* einschneiden; schröpfen.

sa|jón *adj.-su.* sächsisch; *m* Sachse *m*; **~jonia** *f od. porcelana f de* ♀ Meißner Porzellan *n*.

sal¹ *f* Salz *n*; *fig.* ~ *(y pimienta)* Witz *m*, Mutterwitz *m*, Schlagfertigkeit *f*; Anmut *f*; *mina f de* ~ Salzbergwerk *n*; ~ *alcalina (amarga)* Laugen- (Bitter-)salz *n*; *de acederas* ~ *(de asta de ciervo)* Klee- (Hirschhorn-)salz *n*; ~ *de cocina*, ~ *común* Koch-, Speise-salz *n*; ~ *común bruta* Viehsalz *n*; ~ *gema (volátil)* Stein- (Riech-)salz *n*; *fig. deshacerse como la* ~ *en el agua* s. schnell in Nichts auflösen; *fig.* F *¡*~ *quiere el huevo!* (er *usw.*) sucht nach Anerkennung.

sal² → *salir*.

sala *f* Saal *m*; Raum *m*; Empfangszimmer *n*; ⚖ Kammer *f*; ~ *de audiencia* Gerichtssaal *m*; ~ *de audiencias* Audienzsaal *m*; ⚖ ~ *de lo civil (de lo criminal)* Zivil- (Straf-)kammer *f bzw.* -senat *m*; ~ *de espera* Wartesaal *m*; Wartezimmer *n*; ~ *de estar* Wohnzimmer *n*; ~ *de fiestas (de sesiones)* Vergnügungs- (Versammlungs-)lokal *n*; ~ *de proyecciones* Vorführungssaal *m* (*Kino*).

salacidad *f* Geilheit *f*.

salacot *m* Tropenhelm *m*; Sonnenhut *m*.

sala|dar *m* **1.** Salz-lache *f*; -teich *m*; **2.** Salzsteppe *f*; **~dería** *f Rpl.* Pökelfleischindustrie *f*; **~dero** *m* **1.** Pökelhaus *n*; Pökelfaß *n*; *fig.* F *ehm. volkstümlicher Name e-r Madrider Strafanstalt*; **2.** *Col.* → *salegar*; **3.** *Rpl.* Salzfleischfabrik *f*; *p. ext. a.* Großschlachthaus *n*; **~dilla** ⚘ *f* blaue Melde *f*; **~dillo** *adj.-su.* (schwach) gesalzen (*Speck*); Salz... *von Salzmandeln usw.*; **~do** *adj.* salzig; (ein)gesalzen; Salz...; *fig.* witzig, geistreich, schlagfertig; drollig (*Kind*); **~dura** *f* → *salazón 1*.

salaman|dra *f* **1.** *Zo.* Salamander *m*; Molch *m*; ~ *común* Feuersalamander *m*; ~ *acuática* Kammolch *m*; **2.** Dauerbrandofen *m*; **~dria** *Zo. f* → *salamanquesa*.

salamanqués *adj.-su.* aus Salamanka (*Person*); *m* Salmantiner *m*.

salamanquesa *Zo. f* (Mauer-)Gecko *m*; ~ *de agua* Wassermolch *m*.

salar¹ *m Arg.* Salzlagune *f*; Salzsteppe *f*, -wüste *f*.

salar² *v/t.* **1.** salzen; ~ *(demasiado)* versalzen; **2.** einsalzen; (ein)pökeln; **3.** *fig. Am. Cent.* ins Unglück bringen, verderben; *Cu.* entehren.

salari|al *adj. c* Lohn...; **~o** Lohn *m*; → *a. sueldo, paga*; ~ *a destajo (en especies)* Akkord- (Natural-)lohn *m*; ~ *base (mínimo)* Grund- (Mindest-)lohn *m*; *espiral f* ~*s/precios* Lohn-Preis-Spirale *f*; *ola f de aumentos de* ~*s* Lohnwelle *f*.

salaz *adj. c* (*pl.* ~*aces*) geil, lüstern.

sala|zón *f* **1.** Einsalzen *n*, Pökeln *n*; *agua f de* ~ Lake *f*; **2.** ~*ones f/pl.* Salz-fleisch *n*; -fische *m/pl.*; **3.** Pökelindustrie *f*; **4.** *fig.* F *Am. Cent., Ant.* Unglück *n*, Pech *n* F; **~zonero** *adj.* Pökel(ungs)...

salbanda *Geol. f* Salband *n*.

salco|char *v/t.* (nur) in Salzwasser kochen; **~cho** *m Am.* → *sancocho*.

salchi|cha *f* (Brüh-)Würstchen *n*;

~chería *f* Wurst-fabrik *f*; -geschäft *n*; **~chero** *m* Wurst-macher *m*; -verkäufer *m*; **~chón** *m* (Hart-, Dauer-)Wurst *f*.

sal|dar ✝ *v/t.* **1.** saldieren; begleichen; verrechnen; *Konto a.* ausgleichen; *fig. Differenzen, Streit* beilegen; **2.** abstoßen, ausverkaufen; **~do** ✝ *m* **1.** Saldo *m*; Ausgleich *m*; ~ *acreedor* (*pasivo*) Haben-(Passiv-)saldo *m*; ~ *activo* Aktivsaldo *m*, Guthaben *n*; ~ *anterior*, ~ *a nueva cuenta* Saldovortrag *m*; ~ *de compensación* Verrechnungsspitze *f*; ~ *en contra*, ~ *deudor* Soll-, Debet-, Schuld-saldo *m*; ~ *a nuestro* (*a su*) *favor* Saldo *m* zu unsern (Ihren) Gunsten, Nostroguthaben *n* (Ihr Guthaben *n*); *por* ~ *de la factura* zum Ausgleich der Rechnung; **2.** ~(s) *m*(/*pl.*) Ausverkauf *m*; *fig.* ~*s m/pl.* Ladenhüter *m/pl.*

saledizo △, ⊕ **I.** *adj.* vorragend, vorspringend; **II.** *m* Vorbau *m*; Stirn-, Trauf-brett *n*.

sale|gar I. *m* Salzlecke *f für Vieh*; **II.** [1h] *v/i.* Salz lecken (*Vieh*); **~ro** *m* Salzfaß *n*; Salzlager *n*; ✎ → *salegar I*; *fig.* Mutterwitz *m*; Anmut *f*, Charme *m*; **~roso** F *adj.* witzig, geistreich; anmutig; charmant.

sale|sa *kath. f* Salesianernonne *f*; **~siano** *adj.-su.* Salesianer...; *m* Salesianer *m* (*Mönch*).

saleta *f* **1.** ✎ Sälchen *n*; Vorzimmer *n*; **2.** ⚖ Berufungsgericht *n*.

salgue|ra *f*, **~ro** *m* ⚘ Salweide *f*.

salida *f* **1.** *a. fig.* Ausgang *m*; Ausfahrt *f*; *in Kasernen u. ä.*: Ausgang *m* (*Freizeitausgang*); *p. ext.* Ausgang *m*, Vorfeld *n e-r Ortschaft*; *fig.* Abschluß *m*; (Auf-)Lösung *f*; ~ *para coches* (Wagen-)Ausfahrt *f*; ~ *de emergencia* (*od. de urgencia*) Notausgang *m*; ~ *excusada* Hintertür *f*; *a la* ~ *de los espectáculos* nach Schluß der Vorstellung; **2.** Abfahrt *f* (*a.* 🚂); Abreise *f*; Ausreise *f*; ⚔ Abmarsch *m*, Abrücken *n*; *Sp.* Start *m*; *Fußball*: Anstoß *m*; ~ *en falso* Fehlstart *m*; *dar la* ~ das Abfahrtzeichen (*Sp.* das Startzeichen) geben; *fig. dar* ~ *a su sorpresa* s-r Überraschung Luft machen; **3.** Aufgang *m der Gestirne*; *Thea.* Auftreten *n*; Durchbruch *m von Zähnen*; Austreten *n e-s Flusses*; **4.** *a.* ⊕ Austritt *m*; Ausgang *m*, Abgang *m*; Abfluß *m*; Ablauf *m*; *Typ.* Auslage *f*, Ausleger *m*; ⊕ ~ *de aire* Luftaustritt *m*; ~ *del humo* Rauchabzug *m*; *Schach*: Anzug *m*; **5.** ⚔ Ausfall *m*; **6.** Austritt *m*; *a.* ✝ Ausscheiden *n*; **7.** ✝ Ausgang *m*; Absatz *m*; *de buena* (*de lenta*) ~ gut (schwer) absetzbar (*Artikel, Ware*); *tener* ~ Absatz finden; **8.** (witziger) Einfall *m*; (Verteidigungs-)Argument *n*; ~ *de tono* unangebrachte (*bzw.* schroffe) Bemerkung *f*; *fue una* ~ *de tono a.* er hat s. im Ton vergriffen; **9.** Ausrede *f*, Ausflucht *f*; **10.** △ Vorsprung *m*; **11.** ~ *de baño* Badeumhang *m*; ~ *de teatro* Theater-, Abend-mantel *m*.

sali|dizo △ *m* vorspringender Gebäudeteil *m*, Erker *m*; **~do** *adj.* △ vorspringend; *Zo.* (*estar*) läufig, brünstig; **~ente I.** *adj. c* **1.** vorspringend (*a.* ∡ *Winkel*); (her)vorstehend; vorquellend (*Augen*); **2.** △ ausladend, auskragend; **3.** *Pol.* ausscheidend; **II.** *m* **4.** Vorsprung *m*; *b. Waffen u. Geräten*: Nase *f*; Ausleger *m am Kran*; **5.** ✎ Osten *m* (*Himmelsrichtung*).

sali|na *f* Saline *f*; Salz-grube *f*, -bergwerk *n*; **~nero I.** *adj.* **1.** Salinen..., Salz...; **2.** gesprenkelt (*Vieh*); **II.** *m* **3.** Salinenarbeiter *m*; Salz-sieder *m*; -händler *m*; **~nidad** *f* Salzgehalt *m*; **~no** *adj.* salzig; salzartig; *baños m/pl.* ~*s* Solbäder *n/pl.*; *agua f* ~*a* Sole *f*.

salir [3r] **I.** *v/i. Grundbedeutung* (*vgl. a. ir*): herauskommen; **1.** ausgehen (*abs.*); hinausgehen; fort-, weg-gehen; aufbrechen (nach *dat. para*); abreisen, abfahren (nach *dat. para*); ⚓ auslaufen; *Sp.*, ✈ starten; ⚔ *usw.* abmarschieren, abrücken; *fig.* einstehen (für j-n *por alg.*); **a)** *a. fig.* ~ *adelante* vorwärtskommen; **b)** *mit prp.*: ~ *a la calle* auf die Straße treten; ~ *a la plaza* in den Platz einmünden (*Straße*); ~ *a la superficie* auftauchen (*z. B. U-Boot*); *fig.* ~ *a volar* in der Öffentlichkeit bekannt werden; ~ *de la cama* aus dem Bett steigen; *fig.* ~ *con alg.* mit j-m gehen (*fig.* F); ~ *de casa* (*de la oficina*) das Haus (das Büro) verlassen; *fig.* ~ *de juicio* den Verstand verlieren; *¡que no salga de nosotros!* das muß ganz unter uns bleiben!; ~ *de paseo* (*od. a pasear*) spazieren-gehen, -reiten, -fahren; *fig. no* ~ *de uno a/c. a)* über et. schweigen; *b) vgl. 5*; ~ *en coche* (mit dem Wagen) wegfahren, ausfahren; ~ *tras alg.* j-m nacheilen; j-n verfolgen; **c)** *mit ger.*: ~ *corriendo* hinauslaufen; loslaufen; ~ *volando* auf-, fort-fliegen; *fig.* schleunigst hinauslaufen; **2.** *a.* △ (her)vorragen, vor-springen, -treten; **3.** heraustreten; s. bieten (*Gelegenheit usw.*); aufgehen (*Saat, Gestirn*); herauskommen, erscheinen (*Zeitung, Buch, Los; Blätter, Blüten*); *Thea.* **a)** auftreten (als *nom.* de); **b)** ab(gehen); gezogen werden (*Los*); *Wahl*: gewählt werden zu (*dat.*); *fig.* F herausrücken (mit *dat. con*); *sale agua* es kommt Wasser heraus; *le sale bigote* er bekommt e-n (Schnurr-)Bart; F *¡ya salió (aquello)!* da haben wir's; ~ *con una tontería* e-e Dummheit machen; Unsinn reden; ~ *en público* s. in der Öffentlichkeit zeigen; **4.** ⚔ e-n Ausfall machen; angreifen (*j-n contra*); *allg.* ~ *contra alg.* s. j-m widersetzen, j-m entgg.-treten; **5.** hervorgehen (aus *dat.* de); herrühren, stammen (von *dat.* de); hervorgehen als; s. erweisen als (*nom.*); *Sieger usw.* bleiben; ~ *ileso* unversehrt bleiben; mit heiler Haut davonkommen; **6.** *Sp.* anspielen; anstoßen; *Kart.* ausspielen; *Schach*: anziehen, den Anzug haben; **7.** weg-, heraus-gehen (*Flecken*); ⊕ ausfahren (*v/i.*) (*z. B. Kranarm*); *dejar* ~ herauslassen; *Flüssigkeit, Dampf* ablassen; *hacer* ~ (*z. B.* ✈: *Fahrwerk*) ausfahren; **8.** frei werden (von *dat.* de); ~ de ✝ *Ware* abstoßen, verkaufen; *Amt* aufgeben; *et.* loswerden; ~ *de apuros* aus der Verlegenheit herauskommen; ~ *de tutor* nicht länger Vormund sein; **9.** ausfallen; geraten; aufgehen (*Rechnung*); bestehen (*Prüfung*); ~ *bien* gut ablaufen, gelingen; ~ *mal* schlecht ausgehen, fehlschlagen; *a lo que salga* auf gut Glück, in den Tag hinein, ins Blaue; *fig. estar a lo que salga* auf e-e Gelegenheit *zur Arbeit* warten; ~ *apurado* gerade noch durchkommen *b. Prüfungen*; ~ *mal parado* übel (*od.* böse) ausgehen; *no le sale* es gelingt ihm nicht, er kriegt es nicht hin F; *salga lo que salga* (*od. lit. lo que saliere*) wie es auch immer ausgehen mag; unter allen Umständen; *todo ha* ~*ido al revés* es ist alles schief gegangen; **10.** ~ *a alg.* (*a a/c.*) j-m (e-r Sache) ähneln; **11.** ~ (*a*) zu stehen kommen (auf *ac.*, j-n *a alg.*), kosten (*ac.*); *salimos a 200 ptas. por cabeza* wir kommen auf 200 Peseten je Person; *a. fig. eso te va a* ~ *caro* das wird dich teuer zu stehen kommen; **II.** *v/t.* **12.** F *le salieron* er ist gegangen worden F, man hat ihn gefeuert F; **III.** *v/i. u.* ~*se v/r.* **13.** überlaufen *bzw.* überkochen (*z. B. Milch*); leck werden, lecken; rinnen; undicht sein; auslaufen; ~(*se*) (*de madre*) über die Ufer treten (*Fluß*); **14.** herausspringen (*Schalterknopf usw.*); austreten (*bsd. aus Organisationen*); ~*se de los rieles* aus den Schienen springen, entgleisen; **15.** abweichen (von *dat.* de); s. nicht halten (an *ac.* de); ~*se con a/c.* et. durchsetzen; et. durchkämpfen; F ~*se con la suya* s-n Kopf (*od.* Willen *bzw.* s-n Dickkopf) durchsetzen; ~*se del compás* aus dem Takt kommen; ~(*se*) *del camino* vom Weg abkommen; ~*se del tema* vom Thema abschweifen; ~(*se*) *de tono* s. im Ton vergreifen, aus der Rolle fallen (*fig.*)

sali|trado *adj.* mit Salpeter versetzt; **~tral** *m* Salpetergrube *f*; **~tre** *m* Salpeter *m*; ~ *explosivo* Sprengsalpeter *m*; **~trera** *f* → *salitral*; **~trería** *f* Salpeterwerk *n*; **~trero I.** *adj.* Salpeter...; **II.** *m* Salpeterarbeiter *m*; **~troso** *adj.* salpeterhaltig.

sali|va *f* Speichel *m*; *fig. gastar* ~ völlig unnütz reden, s. s-e Worte sparen können; *fig. tragar* ~ s-n Ärger herunterschlucken; **~vación** *Physiol. f* Speichelfluß *m*; **~v(ad)era** *f Am. Mer.* Spucknapf *m*; **~vajo** *m* → *salivazo*; **~val**, *a.* **~var**[1] *adj. c* Speichel...; **~var**[2] *v/i.* Speichel bilden; spucken; **~vazo** *m* Spucke *f*; **~vera(s)** *Equ. f*(/*pl.*) Schaumkette *f*; **~voso** *adj.* speichelreich.

salmanti|cense *lit. adj.-su. c.*, **~no** *adj.-su.* aus Salamanka, salmantinisch; *m* Salmantiner *m*.

salmear *v/i.* Psalmen beten (*od.* singen).

salme|r △ *m* Kämpfer *m e-s Bogens*; **~ra** *adj.-su. f*: (*aguja f*) ~ Packnadel *f*; **~rón** *adj.-su. m*: (*trigo m*) ~ grobkörniger Berberweizen *m*.

sal|mista *m* Psalmist *m* (*a. fig. bibl.* = *David*); Psalmensänger *m*; **~mo**

m Psalm m; **~modia** f Psalmengesang m; fig. F Litanei f (fig.), Geleier n F; **~modiar** [1b] **I.** v/i. Psalmen singen; **II.** v/t. fig. F (herunter)leiern, plärren.
sal|món I. m Fi. Lachs m, Salm m; **II.** adj. inv. lachsfarben; **~monado** adj. Lachs...; *trucha* f *~a* Lachsforelle f; **~monera** f Lachsnetz n; **~monete** Fi. m Rotbarben m; **~monicultura** f Lachszucht f; **~mónidos** Zo. m/pl. Lachse m/pl.
sal|morejo m **1.** Kchk. Beize f *für Sauerbraten (bsd. für Kaninchen)*; Andal. Art *gazpacho*; **2.** fig. F Rüffel m F, Abreibung f F; **~muera** f (Salz-)Lake f; *huevo* m (*conservado*) *en ~* Solei n.
salobre I. adj. c salzig, Salz...; *agua* f *~* Brackwasser n; ⚒ Sole f; **II.** m ⚘ Meermelde f; **~ño** adj. brackig; salzhaltig.
saloma ⚓ f Singsang m (*Arbeitslied der Seeleute*); **~r** ⚓ v/i. *im Rhythmus der Arbeit* singen.
Salo|món npr. m bibl. u. fig. Salomo(n) m; **♀mónico** adj. salomonisch (a. *Urteil*); ⚠ gewunden (*Säule*).
salón[1] m Saal m; Salon m; Besuchszimmer n; neol. Wohnzimmer n (a. *Möbel*); *~ de actos* Sitzungssaal m; Festsaal m; Aula f *e-r Schule*; *~ del automóvil* Automobil-salon m, -ausstellung f; *~ de baile* Tanz-, Ball-saal m; *~ de contrataciones* Börsensaal m; 🚃 *~ corrido* Groß-, Gesellschaftsraum m; *~ de fiestas* Festsaal m *mit Bühne*; Kabarett n; *~ de sesiones* Sitzungssaal m; *~ de té* Teesalon m, Tea-room m (*engl.*).
salón[2] ⚒ m Salz-fisch m, -fleisch n.
salonci|llo m Gesellschaftszimmer n *in Theatern usw.*; **~to** m kl. Wohnzimmer n.
salpa Fi. f Goldstriemen m.
salpi|cadera f Streubüchse f; Spraydose f; **~cadero** Kfz. m Spritzwand f; Instrumentenbrett n; **~cado** adj. gesprenkelt; meliert; fig. *~ado de estrellas* sternenbesät; **~cadura** f **1.** Bespritzen n; **2.** Spritzer m; Spritzfleck m; **~car** [1g] v/t. bespritzen, beschmutzen (mit *dat. con, de*); besprenkeln; bestreuen; verspritzen; fig. durchsetzen; würzen (fig.) (mit *dat. con, de*); einstreuen (fig.); *~ado de barro* schmutzüberspritzt; fig. *~ la lectura de un libro* wahllos bald hier, bald dort in e-m Buch lesen; **~cón** m **1.** ⚒ → *salpicadura*; **2.** Kchk. Fleischsalat m; Tatar n; p.ext. z. B. gehacktes Rindfleisch n mit Salat; Ec. Fruchtsaftkaltgetränk n.
salpi|mentar [1k] v/t. mit Pfeffer u. Salz anrichten; a. fig. würzen (mit *dat. con*); **~mienta** f Pfeffer m u. Salz n (*Mischung*).
salpingitis ⚕ f Eileiterentzündung f.
salpinodia ⚘ f Vogelknöterich m.
salpique m → *salpicadura*.
salpre|sar v/t. einsalzen *zum Haltbarmachen*; **~so** adj. eingesalzen; Salz...; Selch...; Pökel...
salpulli|do m leichter Hautausschlag m; Flohstiche m/pl.; **~r(se)** v/t. (v/r.) Hautausschlag verursachen (*dat.*) (bekommen).
salsa f Tunke f, Soße f; Brühe f; fig. Würze f; fig. F Reiz m, Anmut f; Mutterwitz m; Kchk. *~ alemana* Art Mehlschwitze f; *~ picante* pikante Soße f; Remouladensoße f; *~ verde* Kräutertunke f; *~ (a la) vinagreta* Essigsoße f; fig. *~ de San Bernardo der* Hunger; fig. *en (su) propia ~* im eigenen Milieu, in s-m Element; fig. P *ponerle a alg. hecho una ~* j-m e-e mächtige Abreibung verpassen F.
salse|dumbre f Salzigkeit f; **~ra** f Soßenschüssel f, Sauciere f; **~reta, ~rilla** Mal. f Farbenschale f; **~ro I.** adj. für Soßen gut geeignet; feinblütig (*Thymian*); **II.** m Chi. Salzhändler m.
salsifí ⚘ m Wiesenbocksbart m; ⚘ *~ negro* Schwarzwurzel f.
salsoláceo ⚘ adj. salzkrautartig.
salta m Saltaspiel n (*Brettspiel*); *salta tú y dámela tú Kinderspiel nach Art des dt.* „Es geht ein Bu(t)zemann in unserm Kreis herum".
salta|bancos m (pl. inv.) Taschenspieler m, Gaukler m; fig. Scharlatan m; **~bardales, ~barrancos** m (pl. inv.) Springinsfeld m; Draufgänger m.
salta|ble adj. c überspringbar; sprengbar; **~cabrilla** f Bockspringen n (*Kinderspiel*); **~charquillos** F c (pl. inv.) *etwa*: Trippler m, *der affektiert auf den Zehenspitzen geht*; **~dero** m **1.** Absprungstelle f; *Ski*: Sprungschanze f; **2.** ⚒ Springbrunnen m; **~dizo** adj. (leicht) abspringend, spröde; **~dor I.** adj. springend; sprengend; **II.** m Springer m; Sp. *~ de altura (de esquí, de longitud, de pértiga)* Hoch- (Schi-, Weit-, Stabhoch-)springer m; **~montes** Zo. m (pl. inv.) Wanderheuschrecke f; Heuschrecke f; **~ojos** ⚘ m (pl. inv.) Adonisröschen n; **~pajas** m (pl. inv.) prov. → *saltamontes*; **~paredes** F c (pl. inv.) → *saltabardales*.
saltar I. v/i. **1.** springen, hüpfen; abspringen, abplatzen; (zer)springen, platzen; laufen (*Masche*); reißen (*Band usw.*); abprallen (von *dat. de*); vorspringen (z. B. ⚠ *Gesims*); ⊕ a. herausspringen (a. *Sicherung*); schlagen, schleudern; abbrechen (*Bleistift- usw. Spitze*); sprühen (*Funken*); fig. *estar a la que salta* die Gelegenheit abpassen, auf e-e günstige Gelegenheit warten; fig. P *estar al que salte* k-n Mann finden können (*Mädchen*); *hacer ~* → 4, 5; *~ al agua (a la calle)* ins Wasser (auf die Straße) springen; fig. *~ a la vista (od. a los ojos)* ins Auge springen (fig.); fig. *~ de una cosa a otra* von e-r Sache zur andern springen; *~ en pedazos* in Stücke springen; *~ en tierra* auf den Boden springen; ⚓ an Land springen; *~ por la ventana* aus dem Fenster springen; **2.** fig. auffahren; dazwischenfahren; *~ con* herausplatzen mit (*dat.*), et. vorbringen; **3.** *unter Überspringung von Zwischenstufen* (direkt) befördert werden (zu *dat. a*); **4.** s-e Stellung (in *dat. de*) verlieren; *hacer ~ aus dem Amt* drängen; **II.** v/t. **5.** a. fig. *Fragen* überspringen; *Zahn, Auge* ausschlagen; (*hacer*) *~* (in die Luft) sprengen; fig. F *este problema te va a ~ los sesos* die Frage wird dir (den Kopf) mächtig heiß machen; **6.** *Stute* bespringen, beschälen; *Hündin* decken; **7.** Kart. usw.: (*hacer*) *~ die Bank* sprengen; **III.** v/i. u. *~se* v/r. **8.** *Seiten, Zeilen usw.* überspringen, auslassen; **IV.** v/r. *~se* **9.** *los ojos se le saltaban de las órbitas* die Augen wollten ihm aus den Höhlen quellen.
saltarín m Tänzer m; fig. F Luftikus m, Windhund m.
salta|rregla Zim. f Stellwinkel m; **~triz** f (pl. *~ices*) (Seil-)Tänzerin f, Akrobatin f.
saltea|do Kchk. adj. leicht angeröstet, Schwenk...; *riñones* m/pl. *~s* Bratnieren f/pl; **~dor** m Straßenräuber m; **~r** v/t. **1.** überfallen; **2.** Kchk. anbraten; **3.** (a. v/i.) et. unvollständig (bzw. mit Unterbrechungen) tun.
salterio m a. ♪ Psalter(ium n) m.
sal|tígrado Zo. adj. Spring...; **~timbanqui** m Gaukler m; fig. F Luftikus m, Windhund m.
salto m **1.** Sprung m, Satz m; *Schach*: Sprung m; p. ext. heftiges Herzklopfen n; Überspringen n, Auslassen n; fig. Beförderung f außer der Reihe (*unter Überspringung der Zwischenstufen*); *Schach u. Rätsel*: *~ de caballo* Rösselsprung m; *Equ.* *~ de carnero* Bocken n (*Abwerfversuch*); ⚡ *~ de corriente* Stromstoß m; fig. *~ de lobo* Wolfsgrube f; Trennungsgraben m; fig. *~ de mal año* glückliche Wende f; *a ~s* in Sprüngen; hüpfend; fig. sprungweise, mit Unterbrechungen; adv. *a ~ de mata* schleunigst; in größter Hast; *al ~* Cu. in bar; *en (od. de) un ~* mit einem Satz; fig. blitzschnell; *por ~* außer der Reihe (*Beförderung*); *dar* (F *pegar*) *un ~* e-n Sprung tun, springen, e-n Satz machen F; *dar un ~ hacia atrás* zurückspringen; fig. *dar un ~ atrás* zurückfallen, nachlassen; *dar un ~ de campana* s. überschlagen (*vom Stier erfaßter Torero, Auto usw.*); → a. 4; *dar ~s de contento* vor Freude in die Luft springen; *¡qué ~s le dio el corazón!* sein Herz schlug ihm bis zum Halse; **2.** abschüssige Stelle f, Absturz m; Schlucht f; Gefälle n *b. Stauwerken*; *~ (de agua)* Wasserfall m; ⊕ Talsperre f; **3.** Sp. Sprung m; → a. 4, 5; *~(s)* m(/pl.) a. Springen n; *~ de altura (de longitud)* Hoch-(Weit-)sprung m; *~ en cuclillas (od. entre manos)* Hocke f; *~ mortal hacia atrás* (Doppel-)Salto m rückwärts; *Kinderspiel*: *~ de la muerte*, Sp. *~ del potro* Bockspringen n; *~ de (a. con) pértiga* Stabhochsprung m; *~ del pez* Hechtrolle f; *~ triple* Dreisprung m; **4.** *Schwimmen*; *~s* m/pl. *artísticos* Kunstspringen n; *~ (con entrada) de cabeza*, *~ recto* Kopfsprung m; *~ de campana* Überschlag m; *~ de (la) carpa* Hechtsprung m; *~ de trucha* Handstandsprung m; *Akrobaten*: Salto m aus Rückenlage *über Handstand*; → a. 5; *Equ.* *~ de anchura y altura* Hochweitsprung m; **5.** *Tanz*: *~ y encaje* Kapriole f mit angezogenem rech-

ten Fuß; ~ *de trucha* Luftsprung *m mit geschlossenen Füßen*; **6.** ~ *de cama* **a)** Morgenrock *m*; **b)** Bettvorleger *m*.
sal|tómetro *Sp. m* Sprungständer *m*; **~tón I.** *adj.* hervorstehend; herausspringend; *ojos m/pl.* ~*ones* Glotzaugen *n/pl.*; **II.** *m* Heuschrecke *f*; **~to-viraje** *Ski m* Quersprung *m*.
salu|bérrimo *sup. zu* **~bre** *adj. c* gesund, zuträglich; heilsam; **~bridad** *f* Heilsamkeit *f*, Zuträglichkeit *f*; *Am. a.* → *higiene*.
salud *f* **1.** Gesundheit *f*, Wohlsein *n*; F *¡~!* Grüß Gott!; wohl bekomm's!, prosit!; F *¡~ y pesetas!* prost!; Hals- und Beinbruch!; *¡a su ~!* auf Ihr Wohl!, prosit!; *en plena ~* kerngesund; *estar bien de ~ od.* F *gastar ~* s. wohl befinden (*od.* fühlen); *estar con mediana ~* s. nicht recht gesund fühlen; F *vender ~* vor Gesundheit strotzen; **2.** *Rel.* ~ (*del alma*) (Seelen-)Heil *n*; **3.** ~*es f/pl.* † *u. lit.* Grüße *m/pl.*
saluda|ble *adj. c* heilsam; gesund; **~dor** *m* Quacksalber *m*; Gesundbeter *m*.
salu|dar *vt/i.* **1.** (be)grüßen; s-n Gruß entbieten (*dat.*); ⚓ ~ *con la bandera* die Flagge dippen; ⚔ ~ *con salvas* (*de ordenanza*) Salut schießen; **2.** gesundbeten; **~do** *m* Gruß *m*; Begrüßung *f*; *dar ~s* Grüße ausrichten; *déle ~s de mi parte* grüßen Sie ihn von mir!
salumbre *Min. f* Salzblüte *f*.
salu|tación *f* Begrüßung *f*; Gruß *m*; *kath.*: Mariengruß *m im Rahmen e-r Predigt*; ~ *angélica* Englischer Gruß *m bzw.* Avemaria *n*; **~tífero** *lit. adj.* heilsam; heilbringend; nützlich; **~tista** *Rel. c* Heilsarmist(in *f*) *m* (*Mitglied der Heilsarmee*).
salva *f* ⚔ Salve *f*; ~*s f/pl. de ordenanza* Salutschüsse *m/pl.*; *tiro m de ~s* Salvenfeuer *n*.
salva|barros *m* (*pl. inv.*) Spritzleder *n*; *Reg. a.* → *guardabarros*; **~cabina** *Lkw. m* Schutzwand *f*, verlängerte Stirnwand *f*; **~ción** *f* **1.** Rettung *f*, Bergung *f*; *a. fig. tabla f de ~* rettende Planke *f*; **2.** *Rel.* Errettung *f*, Erlösung *f*; *Ejército m de* (*la*) ² Heilsarmee *f*.
salvadera *f* **1.** Streusandbüchse *f*; **2.** ⚘ *Cu.* Havillabaum *m*.
salvado *m* Kleie *f*; ~ *grueso* Schrotkleie *f*.
salvador I. *adj.* rettend; heilend; erlösend; **II.** *m* Retter *m*; Helfer *m* aus der Not; *a.* Rettungsschwimmer *m*; *Rel.* Erlöser *m*, Heiland *m*.
salvadoreño *adj.-su.* salvadorianisch; *m* Salvadorianer *m*.
salva|guardar *gal. v/t.* bewahren, hüten; beschützen; *Recht* sicherstellen; **~guardia** *f* Schutzwache *f*; sicheres Geleit *n*; Schutzbrief *m*; *fig.* Schutz *m*; Wahrung *f von Rechten*.
salva|jada *f* Roheit *f*; **~je I.** *adj. c* wild; *fig.* roh; scheu; *animal m ~* Wildtier *n*; *hacerse ~* verwildern; **II.** *m* Wilde(r) *m*; *fig.* Rohling *m*; **~jería** *f* Roheit *f*, Wildheit *f*; **~jina** *f* Wild *n*; Wildbret *n*; **~jino** *adj.* Wild...; **~jismo** *m* Wildheit *f*, Roheit *f*; Grausamkeit *f*.
salvamano: *a ~* → *a mansalva*.
salvamanteles *m* (*pl. inv.*) Untersetzer *m für heiße Schüsseln usw.*
salvam(i)ento *m* **1.** Rettung *f*; *bsd.* ⚓ Bergung *f*; ~ *por uno mismo* Selbstrettung *f*; ⚓, ✈ *balsa f de ~* Rettungsfloß *n*; *equipo m de ~* Rettungs-gerät *n*; -mannschaft *f*; ⚓ *remolcador m de ~* Bergungsdampfer *m*; *servicio m de ~* Rettungs- *bzw.* Bergungs-dienst *m*; ~ *de montaña* Bergwacht *f*; **2.** Zuflucht *f* (*Ort u. fig.*); *el buque llegó a ~* das Schiff erreichte den schützenden Hafen.
salvapuntas *m* (*pl. inv.*) (Bleistift-)Hülse *f*, Schoner *m*.
salvar I. *v/t.* **1.** *a. Rel. u. fig.* retten; *Rel. a.* erlösen; *bsd.* ⚓ bergen; ~ *a alg. de un peligro* j-n aus e-r Gefahr (er)retten; **2.** überschreiten; *Schwierigkeit, Hindernis* überwinden; *Zaun usw.* überspringen, (hinweg)setzen über (*ac.*); ⛏ höher sein als *anderes Hohe*, überragen; *Strecke, Entfernung* zurücklegen; ~ *el umbral a. fig.* die Schwelle überschreiten; **3.** vermeiden; ausnehmen, absehen von (*dat.*); *salvando a los presentes* mit Ausnahme der Anwesenden; **4.** ⚖ *Zusätze od. Streichungen in Dokumenten* (*durch Gutheißungsvermerk*) bestätigen; **II.** *v/i.* **5.** *hist.* vorkosten; **III.** *v/r.* ~*se* **6.** s. retten; *Rel.* gerettet werden; F ~*se por* (*los*) *pies* s. durch die Flucht retten; *¡sálvese quien pueda!* rette s. wer kann!
salvarruedas *m* (*pl. inv.*) Prellstein *m*.
salvarsán *pharm. m* Salvarsan *n*.
salvavidas *m* (*pl. inv.*) Rettungsring *m*, -boje *f*; Fangvorrichtung *f der Straßenbahn*; *nachgestellt*: *cinturón m ~* Rettungsgürtel *m*; (*chaleco m*) ~ Schwimmweste *f*.
salve *lt.* **I.** *imp. poet.* sei(d) gegrüßt!; **II.** *f kath.* Salve *n* (*Mariengebet, -lied*).
salvedad *f* Vorbehalt *m*; Ausnahme *f*; *con la ~ de que* ... mit dem Vorbehalt (*bzw.* für den Fall), daß ...
salvia ⚘ *f* Salbei *f*, *m*.
salvilla *f* Servierteller *m*; Gläsergestell *n*.
salvo I. *adj.* **1.** unbeschädigt; heil; *a ~ od. en ~* ungefährdet; in Sicherheit; *euph. golpear en ~a sea la parte* auf den Allerwertesten schlagen F; *dejar en ~* frei (be)lassen; ungefährdet lassen; *estafar a su ~* ungestraft (*bzw.* nach Herzenslust) gaunern; *poner en* (*od. a*) ~ in Sicherheit bringen; sichern; retten; *salir a ~* (noch) glücklich ausgehen; **2.** ausgenommen; *dejar a ~* ausnehmen; (s.) vorbehalten; **II.** *adv.*, *prp.* **3.** vorbehaltlich; außer (*dat.*); ⚚ ~ *buen cobro*, ~ *buen fin* unter dem üblichen Vorbehalt; ⚚ ~ *error u omisión*, *Abk. S.E.u.O.* Irrtum (od. Auslassung) vorbehalten; ohne Gewähr; *todos ~ uno* alle außer einem.
salvo|conducto *m* Passierschein *m*; Geleitbrief *m*; **~honor** F *m* Allerwerteste(r) *m* F, Hintern *m* F.
sallar *v/t.* **1.** → *sachar*; **2.** *Holz* auf Balken lagern (*Holzlager*).
Sam *m*: *el tío ~* Onkel *m* Sam (*Symbolfigur der USA*).
sámaga *f* Splintholz *n*.
sámara ⚘ *f* Flügelfrucht *f*.
samarilla ⚘ *f* Quendel *m*.
samarita *adj.-su. c*, **~no** *bibl. adj.-su.* aus Samaria, samaritanisch; *m* Samarit(an)er *m*.
samba ♪ *f*, *a. m* Samba *f*, *m*.
sambenito *m* **1.** *hist. Inquisition*: **a)** Büßerhemd *n der Verurteilten*; **b)** Anschlag *m mit Namen u. Strafen der Verurteilten*; **2.** *fig.* Schandfleck *m*; *cargarle el ~ a alg.* j-m et. unterstellen.
sambum|bia *f* **1.** *Am. Reg.* Erfrischungsgetränk *n*: *Cu. aus Zuckerrohrsaft u. Ajípfeffer*; *Méj. aus gerösteter Gerste u. Melassenzucker*; **2.** *Col.* Maisbrei *m*; *desp. a. Méj.* Mischmasch *m bzw.* Gesöff *n*; **~biería** *f Cu.* Sambumbia-Ausschank *m*.
samovar *russ. m* Samovar *m*.
samoyedo *adj.-su.* samojedisch; *m* Samojede *m*.
sampán *m* Sampan *m* (*chinesisches Hausboot*).
samuga *Equ. f* Damensattel *m*.
samurai *m hist. u. fig.* Samurai *m*.
samu|rera *koll. f Ven.* Schar *f* von Geiern; *fig.* F Aasgeier *m/pl.* (*fig.* F *bsd. auf Juristen bezogen*); **~ro** *Vo. m Col.*, *Ven.* → *aura*.
San *adj. m Kurzform für Santo vor Namen*, aber: *Santo Domingo*, *Santo Tomás*).
San Bernardo: (*perro m de*) ~ Bernhardiner(hund) *m*.
sana|ble *adj. c* heilbar; **~co** F *adj. Cu.* albern; **~lotodo** F *m* Allheilmittel *n*; **~r I.** *v/t.* heilen; **II.** *v/i.* (zu)heilen; gesund werden; **~tivo** *adj.* heilend; **~torio** *m* Sanatorium *n*; Heilstätte *f*.
san|ción ⚖ *u. fig. f* **1.** gesetzliche Bestimmung *f*, Gesetz *n*; Statut *n*; *hist. ~ pragmática* pragmatische Sanktion *f*; **2.** Strafbestimmung *f*; **3.** Strafe *f*, Sanktion *f*; **4.** Bestätigung *f*, Genehmigung *f*; **~cionar** *v/t.* sanktionieren; bestätigen, gutheißen; bestrafen; strafen, ahnden.
sanco *Ke. m Chi.* Brei *m aus geröstetem Mehl*; **~chado** *Kchk. m Am. Reg. Art cocido mit Frischfleisch*; **~chadura** *f Col.* → *sancocho 1*; *gekochtes* Schweinefutter *n*; **~char** *v/t.* **1.** *bsd. Fleisch* halbgar kochen; **2.** *fig.* F *Col. j-m* lästig werden; *j-n* ärgern; **~cho** *m* **1.** *in schwachem Salzwasser* Halbgargekochte(s) *n* (*bsd. Fleisch*); **2.** *Am. schwachgewürzter* Suppenfleischeintopf *m*; **3.** *Cu.* Speisereste *m/pl.*
sanctasanctórum *m Rel. u. fig. das* Allerheiligste; *fig. a.* als höchstes Geheimnis zu Betrachtende(s) *n*.
Sancho *npr. m*: ~ *Panza* Sancho Panza (*od.* Pansa), *Name des Schildknappen Don Quijotes*; *Sinnbild e-s bauernschlauen Materialismus*; **²pancesco** *adj.* nach Art Sancho Panzas; *fig.* ohne jede idealistische Regung.
sandalia *f* Sandale *f*.
sandalino *adj.* Sandel...
sándalo ⚘ *m* Sandel-baum *m*; -holz *n*.
sandáraca *f* Sandarak(harz) *n*.
sandez *f* Einfältigkeit *f*; Dummheit *f*; Abgeschmacktheit *f*; *sandeces f/pl.* Unsinn *m*, Quatsch *m* F.

san|día ⚘ *f* **1.** Wassermelone *f*; **2.** *Am. versch. Passionsblumen u. Kürbisgewächse*; **~dial, ~diar** *m* Wassermelonenpflanzung *f*.
sandiego ⚘ *m Cu. violett blühendes Fuchsschwanzgewächs*.
sandun|ga F *f* **1.** Witz *m*, Mutterwitz *m*; Anmut *f*; **2.** *Chi.* lärmende Fröhlichkeit *f*; **3.** *Guat., Méj. Reg. Volkslied u. Tanz*; **~guearse** F *v/r. Arg.* s. in den Hüften wiegen; **~guería** *f* aufreizendes Verhalten *n von Frauen*; **~guero** F *adj.* witzig; schelmisch; anmutig.
sandwich *engl. m* Sandwich *n*; **~man** *engl. m* Sandwichman *m* (*Plakatträger*).
sane|ado *adj.* saniert, hygienisch (wieder) einwandfrei; ✝ saniert; lastenfrei (*Einkommen, Vermögen*); **~amiento** *m* ⚕, ✝ *u. fig.* Sanierung *f*; *a.* Entseuchung *f bzw.* Entgasung *f*; ~ *de los barrios viejos* Altstadtsanierung *f*; **~ar** *v/t.* (wieder) gesund machen; *a. fig.* sanieren.
sangra|dera *f* **1.** ⚕ Schnäpper *m*, Schnepper *m*; Gefäß *n* zur Blutaufnahme *b. Aderlaß*; **2.** *Bew.* Abzugsgraben *m*; **~do** *Typ. m* Einzug *m*, Einrücken *n*; ~ *natural* Einrükken *n* der ersten Zeile; **~dor** *m* **1.** Bader *m*, Aderlasser *m*; *p. ext.* Schnepper *m*; **2.** *Typ.* Zeilenausrichter *m b. Setzmaschinen*; **~dura** *f* **1.** Armbeuge *f*; **2.** Aderlaß *m*; **3.** Abzapfung *f*; **4.** *sid.* → *sangría 3*; **~r I.** *v/t.* **1.** *a. fig.* zur Ader lassen; schröpfen; **2.** *Bew. Wasser* entziehen *od.* abzweigen, anzapfen; *sid. Gießofen usw.* abstechen; **3.** *Typ.* einrücken; **II.** *v/i.* **4.** bluten, *Jgdw.* schweißen; *sangra por la nariz od. le sangran las narices* er hat Nasenbluten; *fig.* F *la cosa está sangrando* das ist ganz frisch (*bzw.* ganz neu); *a.* das ist (doch) ganz klar; **III.** *v/r.* **~se 5.** s. e-n Aderlaß machen lassen; **~za** *f* verdorbenes Blut *n*.
sangre *f* **1.** Blut *n*; *fig.* Geblüt *n*; Herkunft *f*; de ~ Blut...; von Geblüt; ⚒ bespannt (*Fahrzeug*); de ~ *azul* blaublütig, adlig, von Adel; ⚕ *esputo m de* ~ Blut-spucken *n*, -auswurf *m*; *falta f de* ~ Blutarmut *f*; *fig. Am.* ~ *ligera* freundliche (*od.* sympathische) Person *f*, geselliger Mensch *m*; *la* ~ *moza* das junge Volk, die neue Generation *f*; *fig. Am.* ~ *pesada* unfreundlicher (*od.* lästiger) Mensch *m*; *Zo. animales m/pl. de* ~ *fría* Kaltblüter *m/pl.*; (*caballo m de*) *pura* ~ Vollblut (-pferd) *n*; *la voz de la* ~ die Stimme des Blutes (*fig.*); *a* ~ *fría* kaltblütig; gelassen; *a* ~ *y fuego* mit Feuer u. Schwert (verwüsten *entrar*); *a primera* ~ sobald Blut fließt; *chorreando de* ~ bluttriefend; *fig.* F *estar chorreando* ~ *a/c.* ganz neu (*od.* frisch) sein; *fig. dar la* ~ *de sus venas por* sein Herzblut hingeben für (*ac.*); *echar* ~ bluten; *echar* ~ *de* (*od. por*) *la nariz* Nasenbluten haben; *fig.* F *encenderle* (*od. quemarle*) *a alg. la* ~ j-n wütend machen, j-n auf die Palme bringen F; *fig. escribir con* ~ voller Erbitterung (*od.* erfüllt von blinder Wut) schreiben; *escupir* ~ Blut spucken; *fig.* F s-n Adel sehr hervorkehren; *guardar su* ~ *fría* s-e Kaltblütigkeit bewahren; *a. fig. hacer* ~ verletzen, verwunden; *hacerse mala* ~ s. graue Haare wachsen lassen, s. schweren Kummer machen (wegen *gen. por*); *Typ. imprimir a* ~ abfallend (*d. h. ohne Rand*) drucken; *fig.* F *no llegará la* ~ *al río* es wird nicht ganz so schlimm werden; *llevarlo* (*od. tenerlo*) *en* (*la masa de*) *la* ~ es im Blut haben, angeboren sein; *fig.* F *sacar* ~ *j-n* quälen *bzw.* sehr erbittern; *fig. es la misma* ~ es ist sein eigen Fleisch u. Blut; *sudar* ~ Blut schwitzen; *fig.* F *tener* ~ *en el ojo* **a)** sehr pflichtbewußt sein; **b)** s. rächen wollen; *fig.* F *tener* ~ *blanca* (*od.* ~ *de horchata*) *en las venas* kein Temperament haben, Fischblut haben; *fig.* F *tener* ~ *de chinches* ein äußerst lästiges Subjekt sein; *fig. tener la* ~ *gorda* phlegmatisch (*od.* schwerblütig) sein; *tener mala* ~ e-n schlechten Charakter haben; *Chir. tomar la* ~ die Blutung zum Stehen bringen; **2.** ⚘, *pharm.* ~ *de drago* Drachenblut *n*; **3.** ~ *y leche* roter Marmor *m* mit gr. weißen Flecken; **~azulado** *adj.* blaublütig (*fig.*).
sangría *f* **1.** *a. fig.* Schröpfen *n*; Aderlaß *m*; *a. fig. hacer una* ~ schröpfen, zur Ader lassen; **2.** Armbeuge *f*; **3.** Anzapfung *f*; *sid.* Abstich *m*; **4.** *Typ.* Einzug *m*, Einrücken *n*; **5.** „Sangria" *f*, *typisch span.* Rotweinbowle *f*.
sangri|ento *adj.* blutig; blutgierig; *hecho m* ~ Bluttat *f*; *fig. burla f* ~*a* (mehr als) derber Spaß *m*; **~ligero** *adj. Am. Reg.* nett F, sympathisch (*Person*); **~pesado** *adj. Am.* lästig, unsympathisch; **~za** *f Reg.* → *menstruación*.
sanguaraña *Pe. f ein Volkstanz*; *fig.* F ~*s f/pl.* Umschweife *pl*.
sanguijue|la *f* Blutegel *m* (*ansetzen poner, aplicar*); *fig.* Erpresser *m*, Geldschneider *m* F; **~lero** *m* Blutegel-händler *m*; -setzer *m*.
sanguina *Mal. f* Rotstift *m*; Rotstiftzeichnung *f*; **~ria** *f* **1.** *Min.* Blutstein *m* (*Art Achat*); **2.** ⚘ Blutkraut *n* (= ~ *del Canadá*); ~ *mayor* Vogelknöterich *m*; **~rio** *adj.* blutgierig, blutdürstig; grausam; rachsüchtig.
sanguíneo *adj.* **1.** vollblütig; sanguinisch (*Temperament*); (*hombre m*) ~ Sanguiniker *m*; **2.** blutfarben; **3.** bluthaltig; Blut...; ⚕ (*nivel m del*) *calcio m* ~ Blutkalk(spiegel) *m*.
sangui|nolento *adj.* bluthaltig; blutig; blutbefleckt; blutrot; **~noso** *adj.* blutähnlich; *fig.* ⚒ → *sanguinario*.
sanguis *lt. Rel. m das* Blut Christi *in der Eucharistie*.
sanguisorba ⚘ *f* Bibernelle *f*.
sanícula ⚘ *f*: ~ (*macho*) Bruchkraut *n*; ~ (*hembra*) Sterndolde *f*.
sanidad *f* Gesundheit *f*; Gesundheitswesen *n*; ⚔ Sanitätswesen *n*; *certificado m de* ~ Gesundheitszeugnis *n*; *delegación f de* ~ Gesundheitsamt *n*; *en* ~ vollkommen gesund.
sani|e(s) ⚕ *f* Jauche *f*; **~oso** ⚕ *adj.* jauchig.
sanitario I. *adj.* gesundheitlich, Gesundheits...; sanitär; *policía f* ~*a* Gesundheitspolizei *f*; **II.** *m* ⚔ Sanitäter *m*.
sanjua|nada *f* **1.** Johannisfeier *f*; **2.** *die* Tage *m/pl.* um Johannis (*24. Juni*); **~nero** *adj.* Johannis... (*von Früchten, die im letzten Junidrittel reifen*); **~nista I.** *adj. c* Johanniter...; **II.** *m* Johanniter *m*, Ritter *m* des Johanniterordens.
sanmartiniano I. *adj.* auf den General San Martín, *den arg. Freiheitshelden*, bezüglich; **II.** *m* Anhänger *m* San Martíns.
sanmigue|lada *f die* Tage *m/pl.* um Michaelis (*29. Sept.*); *a.* Altweibersommer *m*; **~leño** *adj.* Ende September reifend, Michaelis...
sano *adj.* gesund (*a. fig.*); heilsam; zuträglich; heil; ganz, unbeschädigt; sicher, ohne Risiko (*Geschäft*); ~ *de espíritu* bei vollem Verstand(e); *fig. más* ~ *que una manzana* gesund wie ein Fisch im Wasser; ~ *y salvo* (wohlbehalten,) gesund u. munter; mit heiler Haut (davonkommen *salir*); *fig. cortar por lo* ~ energische Maßnahmen ergreifen, drastisch durchgreifen.
San Quintín → *Quintín*.
sánscrito *Li. m* Sanskrit *n*.
sanseacabó *a. y San Seacabó* F Schluß jetzt!, basta!, Punktum!
sansimo|niano *Soz. adj.-su.* saint-simonistisch; *m* Saint-Simonist *m*; **~nismo** *Soz. m* Saint-Simonismus *m*.
sansirolé F *m* Dummkopf *m*.
santa *f* Heilige *f*.
santabárbara ⚓ *f* Pulver-, Munitions-kammer *f*.
Santángel: *Castillo m de* ~ die Engelsburg *f in Rom*.
Santelmo *od.* **San Telmo**: ⚓ *fuego m de* ~ Sankt-Elmsfeuer *n*.
sante|ra *f* Betschwester *f*; **~ría** F *f* Scheinheiligkeit *f*, Gleisnerei *f*; **~ro** *m* Heiligtumsaufseher *m*; F Betbruder *m*; Scheinheilige(r) *m*; □ Diebeshelfer *m*.
Santiago *m* **1.** *npr.* Jakobus *m Apostel, Schutzpatron Spaniens u. der Pilger*; *hist.* → *cerrar* 3; *Orden f militar de* ~ Orden *m* der Sankt-Jakobsritter; **2.** *camino m de* ~ Pilgerweg *m* der Jakobspilger *durch Spanien*; *Astr.* Milchstraße *f*; **3.** † *u. lit. dar un* ♀ angreifen.
santia|gueño *adj.* um Jakobi reifend, Jakobs... (*Früchte*); **~güero** *m P. Ri.* Gesundbeter *m*, Quacksalber *m*; **~guista** *m* Sankt-Jakobsritter *m*; Santiagopilger *m*.
santiamén F *m*: *en un* ~ im Nu.
santidad *f* Heiligkeit *f*; Su ♀ S-e Heiligkeit (*Titel*).
santifica|ble *adj. c* wer *od.* was geheiligt werden kann; **~ción** *f* **1.** Heiligung *f*; Weihung *f*; **2.** Heilighaltung *f*; **3.** Heiligsprechung *f*, Sanktifikation *f*; **~do** *part.-adj.* geheiligt; **~dor I.** *adj.* heiligmachend; **II.** *m* Heiligmacher *m*; **~r** [1g] *v/t.* **1.** heiligen; *fig.* F *Reg.* rechtfertigen, entschuldigen; **2.** weihen; **3.** *Festtag, p. ext. Andenken* heilighalten; **4.** *kath.* heiligsprechen; **~tivo** *adj.* heiligend.
santi|guada *f* Bekreuzigen *n*; † *u.*

Reg. *¡para* (*od.* *por*) *mi* ~! so wahr mir Gott helfe!; **~guadera** *f* **1.** Besprechen *n von Krankheiten usw.*; **2.** → *santiguadora*; **~guador** *m* Besprecher *m*, Gesundbeter *m*; **~guamiento** *m* Bekreuz(ig)en *n*; **~guar** [1i] **I.** *v/t.* ein Kreuz schlagen über (*dat.*); segnen; *fig.* F ohrfeigen; **II.** *v/r.* ~*se* s. bekreuz(ig)en; **~guo** *m* → *santiguamiento*.

santimonia *f* **1.** †, ⚒ Heiligkeit *f*; *desp.* Scheinheiligkeit *f*; **2.** ⚘ gelbe Margerite *f*.

santísimo **I.** *adj. sup.* heiligster; ♀ *Padre* Allerheiligster Vater (*Titel des Papstes*); *fig.* P *hacer la* ~*a* Krawall machen; **II.** *m bsd. kath. das* Allerheiligste, *lt. das* Sanktissimum.

santo **I.** *adj. Rel. u. fig.* heilig; selig; heiligmäßig; *p. ext.* fromm; heilsam; heilkräftig; *fig.* grundgütig; F treuherzig, einfältig; *a lo* ~ heiligmäßig, wie ein Heiliger; *Año m* ♀ Heiliges Jahr *n*; ♀*a Faz f* Schweißtuch *n* der Veronika; ♀*a Iglesia f* (*Católica*) katholische Kirche *f*; *la Sábana* ♀*a* (*de Turín*) das Turiner Leichentuch (Christi); *fig.* F *todo el* ~ *día* den lieben langen Tag; *¡~ Dios!* mein Gott!; *fig.* F *por su* ~ *gusto* zu s-m Vergnügen, ganz wie es ihm in den Kram paßt; *mi* ~*a madre* m-e Mutter selig; ~*as y buenas* (*tardes*) Grüß Gott!; ~ *y bueno* gut so, in Ordnung; F *¡*♀*as Pascuas!* ach, du lieber Himmel!; zum Donnerwetter!; *fig.* F *le dio una* ~*a bofetada* er langte ihm e-e (gewaltige Ohrfeige); *¿quieres hacer el* ~ *favor de callarte?* würdest du gefälligst den Mund halten?; **II.** *m* Heilige(r) *m*; *kath.* Namenspatron *m*; *p. ext.* Namenstag *m*; Heiligenbild *n*; *fig.* F Bild *n*, Illustration *f*; † ⚔ ~ *y seña* Losung(s-wort *n*) *f*; ~ *titular* Schutz-heilige(r) *m*, -patron *m*; (*el día de*) *Todos los* ♀*s* Allerheiligen *n*; *¡por todos los* ~*s!* um Himmels (*od.* Gottes) willen!; *¿a* ~ *de qué?* mit welcher Begründung?; mit welchem Recht?; *fig.* F *alzarse* (*od. cargar od. salirse*) *con el* ~ *y la limosna* (*od. la cera*) alles mitgehen heißen, mit allem auf u. davon gehen; *a.* die Rosinen aus dem Kuchen herauspicken; *desnudar* (*od. desvestir*) *un* ~ *para vestir otro* ein Loch aufreißen, um das andere zu stopfen; *dio con el* ~ *en tierra es* (*die Kristallschale usw.*) ist ihr aus den Händen geglitten, sie hat es hingeschmissen F; *dormirse como un* ~ fest einschlafen; *encomendarse a buen* ~ e-n guten Schutzengel haben; *fig. se le ha ido el* ~ *al cielo* er ist steckengeblieben *in s-r Rede usw.*; *fig.* F *quedarse para vestir* ~*s* sitzenbleiben, k-n Mann finden; *no saber a qué* ~ *encomendarse* nicht aus noch ein wissen; *no es* ~ *de mi devoción* er liegt mir nicht, ich kann ihn nicht ausstehen; *jugar con uno al* ~ *mocarro* (*od. macarro*) j-n foppen; *puede hacer perder la paciencia a un* ~ bei ihm kann selbst ein Heiliger die Geduld verlieren; *quedar con mil* ~*s* wütend werden, fluchen u. toben; *rogarle a uno como a un* ~ (*od. por todos los* ~*s*) j-n anflehen, j-n himmelhoch bitten F; *soy como* ♀ *Tomás: lo que no veo y toco* (ich bin) ein ungläubiger Thomas; *fig.* F *eres un* ~ du bist ein Engel (*od.* ein Schatz F); *a* ~ *tapado* heimlich, verstohlen; *tener* ~*s en la corte* gute Fürsprecher haben; *tener al* ~ *de espaldas* (*de cara*) immer Pech (Glück) haben.

santolina ⚘ *f* Zypressenkraut *n*.

santón *m* mohammedanischer Heilige(r) *m*; *fig.* F → *santurrón*; einflußreiche Person *f innerhalb e-r Gruppe*.

santonina ⚗ *f* Santonin *n*.

san|toral *m* Heiligenlegende *f* (*Sammlung*); Heiligenverzeichnis *n*; Chorbuch *n mit den Heiligenantiphonen*; **~tuario** *m* Heiligtum *n*; *kath.* Sanktuar(ium) *n*, Altarraum *m*; **~turrón** *adj.-su.* frömmelnd, bigott; *m* Frömmler *m*; Scheinheilige(r) *m*.

sa|ña *f* **1.** (blinde) Wut *f*, Raserei *f*; Grausamkeit *f*; **2.** (schwerer) Groll *m*; Erbitterung *f*; **~ñoso**, **~ñudo** *adj.* wütend, voller Grimm.

sapán ⚘ *m Am. Mer.* Sapan *m*.

sapidez *f* → *sabor*.

sápido ⚒ *adj.* schmackhaft.

sapien|cia *f* → *sabiduría*; *bibl. Libro m de la* ♀ Buch *n* der Weisheit; **~cial** *adj. c* Weisheits...; **~te** ⚒ *adj. c* → *sabio*; **~tísimo** *adj. sup. oft iron.* hochgelehrt; allweise.

sapindáceas ⚘ *f/pl.* Seifennußgewächse *n/pl.*, Sapindazeen *f/pl.*

sapo **I.** *m* **1.** *Zo.* Kröte *f*; Unke *f*; ~ *marino* südam. Riesenkröte *f*; *Fi.* Sternseher *m*; *fig.* F *echar* ~*s y culebras* (*por la boca*) Gift u. Galle speien, fluchen, wettern; *fig. pisar el* ~ spät aufstehen; **2.** *fig.* F **a)** häßliches Tier *n*, Gewürm *n*, Viehzeug *n* F; **b)** schwerfällige Person *f*; **c)** *Chi.*, *Méj.* Giftzwerg *m* F; **3.** *Am.* ~*s m/pl.* (*mst. sapitos*) Mundentzündung *f*; **4.** *fig.* F *Am. Reg.* Dingsda *n* F; *z. B.* Flecken *m in e-m Edelstein*; Geschwulst *f*; Keil *m*; ⚡ Verteilerdose *f*; **5.** *Arg.* (Huppe-)Froschspiel *n der Kinder*; **II.** *adj.* **6.** *Chi.* schlau; *Méj.* rundlich.

sapo|naria ⚘ *f* Seifenkraut *n*; **~nificación** ⚗ *f* Verseifung *f*; Seifenbereitung *f*; **~nificar** [1g] *v/t.* verseifen.

sapote ⚘ *m* → *zapote*.

saprófitos ⚘ *m/pl.* Fäulnispflanzen *f/pl.*

saque *m Sp.* Anspielen *n*, Anstoß *m* (*Fußball*); Aufschlag *m* (*Tennis*); ~ *de esquina* Eck-ball *m*, -stoß *m*; ~ *libre* Frei-, Straf-stoß *m*; *fig.* F *tener buen* ~ tüchtig zulangen *bzw.* e-n guten Zug haben *b. Essen u. Trinken*; **~ador** *adj.-su.* Plünderer *m*; **~ar** *v/t.* plündern; **~o** *m* Plünderung *f*.

saque|ra *adj.-su. f*: (*aguja f*) ~ Sack-, Pack-nadel *f*; **~ría** *f* Sackfabrik *f*; Sackwaren *f/pl.*; **~río** *m* Säcke *m/pl.*; **~ro** **I.** *adj.* Sack...; Sackmacher...; **II.** *m* Sack-näher *m*; -händler *m*; **~te** *m dim.* Säckchen *n*.

saquí ⚘ *m Ec. Art* Agave *f*.

saragua|te *Am. Cent.*, **~to** *Méj. Zo. m* Wollhaaraffe *m*.

sarampi|ón ⚕ *m* Masern *pl.*; **~onoso** *adj.* masernartig.

sarao *m* Abendgesellschaft *f*.

sarape *m Méj.*, *Guat.* Überwurf *m aus e-m Stück*.

sarasa P *m* Schwule(r) *m* P.

sar|casmo *m* Sarkasmus *m*; **~cástico** *adj.* sarkastisch, scharf, höhnend; **~cófago** *m* **1.** Sarkophag *m*, Prunksarg *m*; **2.** *Ent.* Aasfliege *f*; **~coma** ⚕ *m* Sarkom *n*.

sardana ♪ *Folk. f* Sardana *f* (*cat. Reigentanz*).

sardanés *adj.-su. f Geogr.* aus der Cerdagne.

sardesco *adj.* **1.** *asno m* (*caballo m*) ~ Zwergesel *m* (Bergpony *n*); **2.** *fig.* F abweisend; mürrisch.

sardi|na *f* Sardine *f*; ~*s f/pl. en aceite* Ölsardinen *f/pl.*; *como* ~*s en banasta* (*od. en conserva*) wie die Heringe (in der Tonne), eng zs.-gepfercht; **~nal** *m* Sardinennetz *n*; **~nero** **I.** *adj.* Sardinen(fang)...; **II.** *m* Sardinenhändler *m*; **~neta** ⚔ *f* Doppeltresse *f der span. Unteroffiziere auf dem Uniformärmel*.

sardo *adj.-su.* sardisch, aus Sardinien; *m* Sarde *m*; Sardinier *m*; *Li. el* ~ das Sardische.

sar|donia ⚘ *f* Gift-Hahnenfuß *m*; **~dónice** *Min. f* Sardonyx *m*; **~dónico** *adj.* sardonisch (*a.* ⚕ *Lachen*); verzerrt, krampfhaft.

sarga[1] *tex. f* Serge *f*, Köper *m*.

sarga[2] ⚘ *f* Mandelweide *f*; **~dilla** ⚘ *f Art* Gänsefuß *m*; **~l** *m* mit Weiden bestandenes Gelände *n*; **~tillo** ⚘ *m* Spitzweide *f*; **~zo** ⚘ *m* Beerentang *m*.

sargen|tear *vt/i.* ⚔ als Unteroffizier führen; *fig.* F herumkommandieren; **~to** ⚔ *m* Unteroffizier *m*; Sergeant *m*; ~ *mayor* Feldwebel *m*, Wachtmeister *m*; ~ *primero* Oberfeldwebel *m*, -wachtmeister *m*; ~ *segundo* Unterwachtmeister *m*; **~tona** F *f* Mannweib *n*; Küchendragoner *m* F.

sargo *Fi. m gr.* Geißbrassen *m*.

sarmen|tar [1k] *v/i.* das Rebholz auflesen; **~tera** *f* **1.** Rebholz-, Reben-schnitt *m*; **2.** Schuppen *m bzw.* Ecke *f* für das Rebholz; **~toso** *adj.* rebholzartig, Ranken...; *fig.* sehnig (*Arm, Hand*).

sarmiento *m* Weinrebe *f*; Rebranke *f*; Rebholz *n*.

sar|na ⚕ *f* Krätze *f*; Räude *f*; *fig.* F *ser más viejo que la* ~ steinalt sein, so alt wie Methusalem sein; **~noso** ⚕ *adj.* krätzig; räudig.

sarpulli|do *m* → *salpullido*; **~r** [3h] *v/t.* stechen (*Floh*).

sarra|ceno **I.** *adj.* sarazenisch; ⚘ *trigo m* ~ Buchweizen *m*; **II.** *m* Sarazene *m*; **~cina** *f* Schlägerei *f*, Tumult *m*; **~cino** *adj.* → *sarraceno*.

sarro ⚕ *m* Zahnstein *m*; Zungenbelag *m*; **~so** *adj.* belegt (*Zähne, Zunge*).

sarta *f* (*a.* Perlen-)Schnur *f*; Reihe *f*; *fig.* F *una* ~ *de disparates* e-e Menge Blödsinn F.

sar|tén *f* Stielpfanne *f*; Tiegel *m*; *fig.* F *caer* (*od. saltar*) *de la* ~ (*y dar*) *en la brasa* aus dem Regen in die Traufe kommen; *fig.* F *tener la* ~ *por el mango* das Heft in der Hand (*od.* in Händen) haben; **~tenada** *f* Pfannevoll *f*; **~teneja** *dim. f* **1.** kl. Pfanne *f*; **2.** *fig. Ec.*, *Méj.* Risse

m/pl. im ausgedörrten Erdreich; Fußstapfen *f/pl. im Morast;* Gelände *n* mit vielen kl. Unebenheiten; *Méj. a. kl., aber tiefer* Sumpf *m.*
sarura *Zo. f Ven.* → *boa.*
sasafrás ⚘ *m* Sassafras *m.*
sas|tra *f* Schneiderin *f;* **~tre** *m* Schneider *m;* ~ *(de señoras)* Damenschneider *m; traje m* ~ (Schneider-)Kostüm *n;* **~trería** *f* Schneiderei *f.*
Sa|tán *m,* **~tanás** *m* Satan *m,* Teufel *m; fig.* F *darse a* ~ von e-r Mordswut gepackt werden F; **2tánico** *adj.* teuflisch, satanisch.
satélite *m* Trabant *m;* Satellit *m (a. Pol. u. fig.);* ⊕ **~s** *m/pl.* Planetenräder *n/pl.;* ~ *estafeta,* ~ *de comunicaciones* Nachrichtensatellit *m.*
sa|tén, *Am. a.* **~tín** *m* Satin *m;* **~tinado** *adj.* satiniert; *papel m* ~ Glanzpapier *n;* **~tinar** *v/t. Tuch, Papier* glätten; satinieren.
sátira *f* Satire *f;* Spottschrift *f.*
satírico I. *adj.* satirisch; *poeta m* ~ Satirendichter; **II.** *m* Satiriker *m.*
satirión ⚘ *m* Knabenkraut *n.*
satirizar [1f] *v/t.* verspotten, geißeln.
sátiro I. *adj.* Satyr...; **II.** *m Myth.* Satyr *m; fig.* Wüstling *m.*
satis|facción *f* Genugtuung *f;* Ehrenerklärung *f,* Satisfaktion *f;* Befriedigung *f,* Zufriedenheit *f,* Freude *f* (über *ac. de*); Abfindung *f;* Bezahlung *f;* ~ *de sí mismo* Selbstgefälligkeit *f; no* ~ Nichtbefriedigung *f; a* ~ (sehr) gut; zur Zufriedenheit; *a la (bzw. a nuestra, etc.) completa (od. entera)* ~ zur (*bzw.* zu unserer *usw.*) vollen Zufriedenheit; *dar (pública)* ~ (öffentlich) Genugtuung leisten, (öffentlich) Abbitte tun; *tenemos una verdadera* ~ *en + inf.* es ist uns e-e aufrichtige Freude, zu + *inf.; tomar* ~ s. Genugtuung verschaffen; Genugtuung empfinden (über *ac. de*); **~facer** [2s] **I.** *v/t.* genugtun (*dat.*), Genüge leisten (*dat.*); zufriedenstellen; (be-)zahlen; abfinden; *Anfrage usw.* beantworten; *Durst, Hunger* stillen; *Wünschen, Anforderungen* entsprechen (*dat.*); *Zweifel* zerstreuen; *Beleidigung* rächen; *a. Gläubiger* befriedigen; *a fin de* **~le** um Sie zufriedenzustellen, um Ihnen entgg.-zukommen; ~ *sus deseos* s-e Lust befriedigen (*od. lit.* büßen); ~ *la penitencia por sus pecados* für s-e Sünden büßen; **II.** *v/i.* Genugtuung leisten; befriedigen; sättigen (*Speise*); *Rel.* Buße tun (für *ac. por*); **III.** *v/r.* **~se** s. begnügen, zufrieden sein (mit *dat. con*); s. schadlos halten (für *ac. de*); s. Genugtuung verschaffen (für *ac. por*); **~factorio** *adj.* befriedigend, zufriedenstellend; *poco* ~ unbefriedigend; **~fecho** *adj.* zufrieden, befriedigt; satt; *no* ~ unbefriedigt; *darse por* ~ s. zufriedengeben (mit *dat. con*).
sativo ⚘ *adj.* angebaut; *plantas f/pl.* **~as** Kulturpflanzen *f/pl.*
sátrapa *m hist.* Satrap *m; fig. lit.* Tyrann *m; fig.* F Schlauberger *m.*
satu|ración *f* Sättigung *f (a. Phys.,* ⚗ *u. fig.);* ✝ ~ *del mercado* Marktsättigung *f;* **~rado** *adj.* gesättigt (*fig.*); ⚗ *no* ~ ungesättigt (*Lösung*); **~rar** *v/t. bsd. fig.* sättigen; anreichern.
satur|nal *f fig. lit.* Orgie *f;* **2es** *f/pl.* Saturnalien *pl. in Altrom;* **~nia** *Ent. f* Nachtpfauenauge *n;* **~nino** *adj. in best. Zssgn.:* Blei...; *fig.* mürrisch; finster; **~nismo** ⚕ *m* Bleivergiftung *f;* **2no** *m Astr., Myth.* Saturn *m; fig.* 2 Blei *n.*
sauce ⚘ *m* Weide *f;* ~ *blanco (cabruno, llorón, mimbrero)* Silber-(Sal-, Trauer-, Korb-)weide *f; flor f del* ~ Weidenkätzchen *n;* **~da** *f,* **~dal** *m,* **~ra** *f* Weidengebüsch *n.*
saúco ⚘ *m:* ~ *(negro)* Holunder *m; (infusión de) flor f de* ~ Fliedertee *m.*
sauna *f* Sauna *f (Bad).*
sauquillo ⚘ *m* gemeiner Schneeball[m.]
saurio *Zo. m* Saurier *m.*
savia *f* Pflanzensaft *m; fig.* Kraft *f,* Mark *n; sin* ~ saft- *bzw.* kraft-los.
saxífraga ⚘ *f* Steinbrech *m.*
sa|xofón, ~xófono ♪ *m* Saxophon *n;* ~ *alto (tenor)* Alt- (Tenor-)saxophon *n;* **~xofonista** *c* Saxophonist *m.*
sa|ya *f* Kleiderrock *m;* **~yal** *m* grobes, wollenes Tuch *n;* Loden *m;* **~yo** *m* Kittel *m;* Wams *n;* Büßergewand *n; fig.* F *cortar a uno un* ~ j-n durchhecheln (*fig.* F) *in s-r Abwesenheit; decir para su* ~ für s. sagen (*od.* denken).
sayón *m* Henker(sknecht) *m; fig.* F Rabauke *m* F.
sayuela *f* grobes Hemd *n* der [*Mönche.*]
sa|zón I. *f* Zeitpunkt *m;* Reife *f; fig.* Schmackhaftigkeit *f,* Würze *f; a la* ~ damals; *en* ~ zur rechten Zeit; *(no) estar en* ~ (un)reif sein; *fuera de* ~ unreif; vorzeitig; **II.** *m* F *Am. Cent., Méj. tener buen* ~ gut kochen können; **~zonado** *adj.* schmackhaft; reif; würzig; witzig; **~zonamiento** *m* Heranreifen *n;* Würzen *n;* **~zonar** *v/t.* reifen lassen; *Kchk.* würzen; zubereiten.
scooter *engl. m* Motorroller *m.*
scou|t *engl. m* Pfadfinder *m;* **~tismo** *m* Pfadfinderbewegung *f.*
script-girl *engl. f* Skript-Girl *n.*
se[1] *pron.* sich; *impers.* man, *z. B. se dice que* man sagt, daß.
se[2] *pron. dat. vor e-m pron. im ac.* ihm, ihr, ihnen, Ihnen; *z. B.* ~ *lo da* er gibt es ihm (ihr, ihnen, Ihnen).
sé ich weiß (→ *saber*); sei (→ *ser*).
sebá|ceo *Physiol.,* ⚗ *adj.* talgartig, Talg...; **~cico** ⚗ *adj.* Talg...; *ácido m* ~ Talg-, Sebacin-säure *f;* Fettsäure *f.*
sebo *m* Talg *m;* Unschlitt *m;* Schmiere *f;* **~so** *adj.* talgig.
seca *f* Dürre *f;* **~dero** *m* Trockenplatz *m;* -raum *m; a.* ⊕ Trockenanlage *f;* **~dillo** *m Art* Mandelkonfekt *n;* **~do I.** *part.:* ~ *al aire* luftgetrocknet; **II.** *m* Trocknung *f;* Trocknen *n, Typ.* Wegschlagen *n* der Farbe; **~dor** *m* ⊕ Trockner *m; Phot.* Trockenständer *m;* Trockenhaube *f (Friseur);* ~ *(de mano)* Fön *m;* **~dora** *f* Trockenmaschine *f;* ~ *centrífuga* Wäscheschleuder *f;* **~firmas** *m (pl. inv.)* Tintenlöscher *m;* **~no** *m* **1.** ⚒ unbewässertes Land *n; cultivo m de* ~ Trockenkultur *f,* Dryfarming *n (engl.);* **2.** Geest(land *n*) *f;* **3.** ⚓ *über das Wasser ragende* Sandbank *f.*
secante[1] **I.** *adj. c* **1.** trocknend; **II.** *adj.-su. m* **2.** *(papel m)* ~ Löschpapier *n;* **III.** *m* **3.** Trockenstoff *m,* Sikkativ *n (a. Mal.);* **4.** *Sp.* Deckungsmann *m.*
secante[2] ⊿ **I.** *adj. c* schneidend; **II.** *m* Sekans *m;* **III.** *f* Sekante *f.*
secapelo(s) *m* Haartrockner *m,* Fön *m.*
secar [1g] **I.** *v/t.* **1.** trocknen; *Obst* dörren; *Schweiß* abtrocknen; ~ *a la estufa* am Ofen trocknen; ~ *al horno Obst* darren; **II.** *v/r.* **~se** **2.** s. abtrocknen; **3.** trocknen, abbinden (*Leim usw.*), wegschlagen (*Druckfarbe*); dörren (*Obst*); **4.** vertrocknen; aus- *bzw.* ein-trocknen; verdorren (*Pflanzen*); versiegen (*Quelle*); *fig.* abmagern.
secci|ón *f* **1.** Einschnitt *m;* Abschnitt *m;* **~ones** *f/pl. de trayecto* Teilstrecken *f/pl.;* **2.** Querschnitt *m;* Schnitt *m (Zeichnung);* 🕮 *a.* Stelle *f;* **3.** *a.* ⚔, ✝ Abteilung *f;* ⚔ Zug *m;* ✝ ~ *de personal (de venta)* Personal- (Verkaufs-)abteilung *f;* **~onar** *v/t.* **1.** durchschneiden; im Schnitt darstellen; **2.** in Abschnitte einteilen.
secesión *f* Entfernung *f,* Trennung *f; Pol.* Spaltung *f.*
seco *adj.* trocken; getrocknet; gedörrt, Dörr... (*Obst, Fleisch*); herb (*Wein*), trocken (*Sekt*); dürr (*a. fig.* F); *fig.* ungeschminkt, bloß; rauh, klanglos (*Stimme*); kurz angebunden, einsilbig; rauh, hart (*im Umgang*); frostig (*fig.*); *a* **~as** schlechtweg; kurz; in dürren (*od.* nüchternen) Worten; *en* ~ auf dem Trockenen (*a. fig.*); ⚓ gestrandet; *fig.* grundlos; (ur)plötzlich; *golpe m* ~ (schneller, harter u.) dumpfer Schlag *m; fig.* F *más* ~ *que una pasa* sehr mager, rappeldürr (*fig.* F); *ramas f/pl.* **~as** Reisig *n; tos f* **~a** trockener Husten *m; fig.* F *dejar* ~ töten, umlegen F; *a.* verblüffen; *fig.* F *quedar* ~ plötzlich sterben, tot umfallen; *a.* sprachlos sein; *me tiene* ~ er ödet mich an.
secoya ⚘ *f* Sequoie *f,* Mammutbaum *m.*
secráfono *Tel. m* Verschlüsselungs-[gerät *n.*]
secre|ción *f* Sekretion *f;* Sekret *n;* Absonderung *f;* **~tar** ⚕ *v/t.* absondern.
secreta|ria *f* Sekretärin *f;* ~ *de dirección (jefe, particular)* Direktions- (Chef-, Privat-)sekretärin *f;* **~ría** *f* **1.** Sekretariat *n;* **2.** Amt *n* e-s Sekretärs; **~riado** *neol. m (bsd.* fliegendes) Sekretariat *n (für Tagungen usw.);* **~rio** *m* Sekretär *m;* Geschäftsführer *m (a. Parl. der Fraktion);* ~ *de archivos* Registraturbeamte(r) *m,* Archivar *m;* ~ *de embajada* Botschaftssekretär *m;* 2 *(del Departamento) de Estado* Außenminister *m (in USA);* ~ *de Estado je nach Land:* Minister *m;* Staatssekretär *m;* ~ *general (adjunto)* (stellvertretender) Generalsekretär *m.*
secre|tear *v/i.* tuscheln; **~teo** F *m* Geheimniskrämerei *f;* Getuschel *n;* **~ter** *m* Sekretär *m (Möbel);* **~tista** F *c* Geheimniskrämer *m;* **~to I.** *adj.*

1. geheim; heimlich; Geheim...; *sociedad f* ~*a* Geheimbund *m*; *de* ~ im geheimen; in der Stille; ohne äußeres Gepränge; *en* ~ insgeheim; *mantener en* ~ geheimhalten; **II.** *m* **2.** Geheimnis *n*; Heimlichkeit *f*; *Verw.*, ⚔ *usw.* Geheimsache *f*; ~ *bancario* (*comercial*, ~ *de negocios*) Bank- (Geschäfts-)geheimnis *n*; *ecl.* ~ *de confesión* Beichtgeheimnis *n*; ~ *de Estado* (*de guerra*) Staats- (Kriegs-)geheimnis *n*; ~ *postal* (*profesional* → *a. 3*) Brief-, Post- (Berufs-)geheimnis *n*; ~ *a voces* offenes Geheimnis *n*; *mantenimiento m del* ~ Geheimhaltung *f*; *no hacer ningún* ~ *de a/c.* aus e-r Sache kein Geheimnis machen; *ocultarle un* ~ *a alg.* vor j-m ein Geheimnis haben; **3.** Verschwiegenheit *f*; Geheimhaltung *f*; ~ *más estricto* strengste Geheimhaltung *f*; ~ *profesional* berufliche Schweigepflicht *f*; **4.** Geheimfach *n*; Geheimverschluß *m*; F Gesäßtasche *f*; **5.** ♪ Resonanzdecke *f* (*Klavier u. Orgel*).

secretor(io) ⚕ *adj.* absondernd, Sekretions...

secta *f Rel. u. fig.* Sekte *f*; ~**rio I.** *adj.* Sekten...; **II.** *m* Sektierer *m*; ~**rismo** *m* Sektenwesen *n*.

sector *m* △ *u. fig.* Sektor *m*; △ Kreis- (*bzw.* Kugel-)ausschnitt *m*; *fig.* Gebiet *n*; Zweig *m*, (Sach-) Bereich *m*; *en el* ~ *de* im Bereich (*gen.*); *el* ~ *público* die öffentliche Hand *f*.

secuaz *adj.-su. c* (*pl.* ~*aces*) Anhänger...; *m* Anhänger *m*; Mitläufer *m*.

secuela *f* Nachspiel *n*; Folge *f*; Folgerung *f*; *a.* ⚕ Folgeerscheinung *f*.

secues|trador ⚖ *adj.-su.* Beschlagnahmende(r) *m*; Entführer *m*; ~**trar** *v/t.* beschlagnahmen; *widerrechtlich* der Freiheit berauben; *Kind* entführen; ~**trario** *adj.* Beschlagnahmungs...; Entführungs...; ~**tro** ⚖ *m* Beschlagnahme *f*; Freiheitsberaubung *f*; Menschenraub *m*.

secula|r *adj. c* **1.** hundertjährig; *fig.* uralt; **2.** *bsd. ecl.* weltlich, Welt...; ~**rización** *f* Säkularisierung *f*; Verweltlichung *f*; ~**rizado** *adj.* säkularisiert; verweltlicht; ~**rizar** [1f] *v/t.* säkularisieren; verweltlichen; *Kirchengüter* einziehen; *Priester* in den Laienstand versetzen.

secun|dar *v/t.* unterstützen, beistehen (*dat.*); begünstigen; sekundieren; ~**dario** *adj.* **1.** nachgeordnet, zweitrangig; nebensächlich; sekundär; Neben...; **2.** ⚡ induktiv; ~**dinas** ⚕ *f/pl.* Nachgeburt *f*.

sed *f a. fig.* Durst *m*; *fig. a.* Drang *m* (nach *dat. de*); *desp.* Gier *f*, Sucht *f*; ~ *de aventuras* Abenteuerlust *f*, Tatendrang *m*; ~ *de gloria* Streben *n* nach Ruhm; *desp.* Ruhmsucht *f*; ~ *de matar* Mordlust *f*; ~ *de oro* Goldgier *f*; ~ *de placeres* Vergnügungssucht *f*; ~ *de sangre* Blutdurst *m*, -rünstigkeit *f*; *que quita la* ~ durststillend; *dar* (*excitar*, *hacer*) ~ durstig machen, Durst erregen; *morir de* ~ verdursten; *fig. morirse de* ~ vor Durst umkommen (*fig.*); *tener* ~ Durst haben, durstig sein, dürsten (*lit.*); *fig.* gieren (nach *dat. de*); *tener* ~ *de venganza* rachedurstig sein.

seda *f* Seide *f*; (Schweins-)Borste *f*; *de* ~ seiden, Seiden...; *de toda* ~ *od. de* ~ *pura* reinseiden; *fig.* F *como una* ~ seidenweich; schmiegsam; federleicht; gefügig; ~ *de acetato* (*de azache*) Acetat- (Flock-) seide *f*; ~ *artificial* (*crespón*, *natural*) Kunst- (Krepp-, Natur-)seide *f*; ~ *brillante* Glanzstoff *m*; ~ *de coser* (*de bordar*) Näh-(Stick-)seide *f*; ~ *cruda* (*od. en rama*) Rohseide *f*; ~ *chape* Schappe *f*; ~ *viscosa* → *rayón*; *fig.* F *hecho una* ~ gefügig wie ein Lamm; *fig.* F *ir* (*od. marchar*) *como una* ~ glatt (*od.* wie am Schnürchen) laufen F.

sedación ⚕ *f* Beruhigung *f*; Schmerzlinderung *f*.

sedal *m* Angelschnur *f*; *Chir.*, *vet.* Haarschnur *f*; *a.* Pechdraht *m der Schuhmacher*.

sedán *Kfz. m* Limousine *f*.

seda|nte ⚕ **I.** *adj. c* beruhigend; lindernd; **II.** *m* Beruhigungsmittel *n*; Sedativ(um) *n*; ~**tivo** ⚕ *adj.* schmerzstillend, beruhigend.

se|de *f* Sitz *m*; *la Santa* ♀ der Heilige Stuhl *m*; ~ *vacante* Sedisvakanz *f*; ~**dentarias** *Zo. f/pl.* Standvögel *m/pl.*; ~**dentario** *adj.* seßhaft; häuslich; alteingesessen; ⚕ *vida f* ~*a* sitzende Lebensweise *f*; ~**dente** *adj. c* sitzend.

sedeño *adj.* seidig, seidenartig; Seiden... [borsten.]

sedera *f* Bürste *f aus Schweins-*

sede|ría *f* Seiden-fabrik *f*; -handel *m*; -waren *f/pl.*; ~**ro** *adj.* Seiden...

sediciente *gal. adj. c* angeblich, sogenannt.

sedici|ón *f* Aufstand *m*, Aufruhr *m*; ~**oso** *adj.-su.* aufrührerisch; *m* Aufrührer *m*.

sedientes ⚖ *adj.-su. m/pl.* (*bienes m/pl.*) ~ Liegenschaften *f/pl.*

sediento *adj.* durstig, dürstend; *fig.* ~ *de sangre* blutdürstig; *estar* ~ dürsten (*ac.*; *fig.* nach *dat. de*).

sedimen|tación *f* Bodensatzbildung *f*; ⚗, *Geol.* Ablagerung *f*; ⚕ ~ *de los glóbulos rojos* Blutsenkung *f*; ~**tar** *v/t.* ablagern; absetzen, niederschlagen; ~**tario** *adj.* Ablagerungs...; Niederschlags...; *Geol. rocas f/pl.* ~*as* Sedimentgestein *n*; ~**to** *m* Bodensatz *m*; Ablagerung *f*; *bsd.* ⚗ Niederschlag *m*; Sediment *n*; ~*s m/pl.* Sinkstoffe *m/pl.*

sedoso *adj.* seidenartig, seidig.

seduc|ción *f* Verführung *f*; Verlockung *f*, Versuchung *f*; ~**ir** [3o] *v/t.* **1.** verführen; verlocken, verleiten; versuchen; **2.** reizen; bezaubern; bestechen; ~**tivo** *adj.* verführerisch; bezaubernd; ~**tor I.** *adj.* verführerisch; verlockend; **II.** *m* Verführer *m*.

sefar|dí, ~**dita I.** *adj. c* sephardisch; **II.** *m* (*pl.* ~*íes*) Sephardit *m*, Sepharde *m* (*Jude span. od. port. Abstammung*).

sega|ble ⚒ *adj. c* schnittreif, mähbar; ~**dor** *m* Schnitter *m*; ~**dora** *f* Mähmaschine *f*; ~**dora-(a)gavilladora** *f* Selbstbinder *m*; ~**dora-atadora** *f* Mähbinder *m*; ~**dora-trilladora** *f* Mähdrescher *m*; ~**r** [1h *u.* 1k] *v/t.* mähen; *fig.* abschneiden; zerstören; ~ (*con hoz*) (ab)sicheln; *fig.* ~ *en flor* im Keim ersticken; ~**zón** *f* Schnitt *m*, Mahd *f*; Erntezeit *f*.

seglar I. *adj. c* weltlich; **II.** *m* Laie *m*.

segmen|tación *Biol. f* Furchung *f*; ~**to** *m* △, ⊕ Segment *n*; Kreis- (*bzw.* Kugel-)abschnitt *m*; *Zo.* Körperglied *n der Würmer u. Gliederfüßer*; ⚘ (Pflanzen-)Abschnitt *m*; ⊕ *a.* Kolbenring *m*; ⊕ ~ *dentado* Zahn-segment *n*, -bogen *m*; △ ~ *rectilíneo* AB Strecke *f* AB.

segrega|ción *f* **1.** *a.* ⚗ Absonderung *f*, Ausscheidung *f*; **2.** Trennung *f*; *Pol.* ~ *racial* Rassentrennung *f*; ~**cionismo** *Pol. m* Politik *f* der Rassentrennung; ~**cionista** *adj.-su. c* Rassentrennungs...; *m* Anhänger *m* der Rassentrennung; ~**r** [1h] *v/t.* **1.** *a.* ⚗, *Physiol.* ausscheiden, absondern; **2.** trennen; ~**tivo** *adj.* absondernd.

segue|ta *f* Laubsäge *f*; Laubsägeblatt *n*; ~**tear** *v/i.* Laubsägearbeiten machen.

segui|da *f* **1.** †, ⚒ Folge *f*, Reihe *f*; ♪ *hist.* Suite *f*; **2.** *de* ~ ununterbrochen; *en* ~ sofort; gleich; ~**damente** *adv.* anschließend; sogleich; ~**dilla** *f* Seguidilla *f* (*Dichtungsform*); ♪ *Folk.*: *Volkslied u. Tanz*; *fig.* F ~*s f/pl.* Durchfall *m*, Dünnschiß *m* P; ~**do** *adj.* ununterbrochen; aufea.-folgend; hinter-, nachea.; *acto* ~ auf der Stelle; *todo* ~ in e-m fort; immer geradeaus; *tres días* ~*s* drei Tage hintereinander; ~**dor** *m* Verfolger *m*; Bewerber *m*, Liebhaber *m*; Anhänger *m*; *Folk. polvos m/pl.* ~*es* Liebesmittel *n*; ~**miento** *m* Nachfolge *f*; ⊕ Nachlauf *m*; Verfolgung *f*; Gefolge *n*.

seguir [3l *u.* 3d] **I.** *v/t.* folgen (*dat.*); *Rat*, *Anweisung usw.* befolgen; (nach)folgen (*dat.*); *j-m* nachgehen; *Pol. a. j-n* beschatten; fortsetzen; *Beruf* ausüben; *den Darlegungen*, *e-r Rede usw.* folgen; *Geschäft*, *Kunst* betreiben; *Laufbahn*, *Studium* einschlagen; *Politik* verfolgen; *e-e Religion* (*od. Konfession*) haben, *e-r pol. bzw. rel. Richtung* angehören; *e-r Richtung*, *e-r Spur* folgen; *s. e-r Sache* widmen; *e-m Weg* folgen; *e-n Weg* verfolgen *bzw.* fortsetzen; ⚖ ~ *una causa* e-n Prozeß führen; ~ *la moda* s. nach der Mode richten, die Mode mitmachen; ~ *los estudios* dem Studiengang folgen; beim Studium mitkommen; *¡síganme ustedes!* folgen Sie mir!, mir nach!; ~ *el viaje* weiterreisen; **II.** *v/i.* fortfahren; weiter-gehen, -fahren, -fliegen, -reisen, -reiten *usw.*; weiterhin arbeiten; ⊕ nachlaufen; an-, fort-dauern; (ver)bleiben; weiterhin wohnen (*bzw.* s. befinden *od.* sein); *fig.* mit- *bzw.* nach-kommen (*b. Arbeit*, *Geschäft*, *Studium*); **a)** *lo que sigue* das Folgende; das Nachstehende; *en lo que sigue* im folgenden; *y lo que sigue* und so weiter; *punto y sigue* Punkt (u. weiter) (*b. Diktat*); *el tiempo sigue lluvioso* das Wetter bleibt regnerisch; *¿cómo sigue usted?* wie geht es Ihnen?; *¡que usted siga bien!* (weiterhin) alles Gute!; auf Wiedersehen!; *hacer* ~ hinterherschicken; nachsenden; **b)** *mit prp.*: ~ *con a/c.* et. weiterhin tun; ~ *en su intento* bei s-r Absicht bleiben; *los volúmenes siguen sin cortar* die Bände sind (immer) noch nicht aufgeschnitten; **c)** *mit ger.*: fortfahren zu + *inf.*; ~ *ardiendo* weiterbrennen; ~ *haciendo a/c.* et. weiter tun, et. fortsetzen; *Carmen sigue (siendo) soltera* Carmen ist noch (immer) unverheiratet; *los precios siguen subiendo* der Preisanstieg hält (*od.* dauert) an; **III.** *v/r.* ~*se* aufeinanderfolgen; folgen (aus *dat.* de); die Folge sein (von *dat.* de); *de esto se sigue* daraus folgt.

según I. *prp.* nach, gemäß (*dat.*), laut (*gen.*, *unmittelbar folgendes artikelloses Substantiv beugungslos*); ~ *aviso* nach Anzeige; laut Bericht; ~ *sus deseos* nach Ihren Wünschen, wunschgemäß; ~ *él* nach ihm; nach s-r Meinung; ~ *eso* demnach; ~ *yo* m-r Meinung nach; **II.** *adv. u. cj.* je nach(dem); so (wie); sobald, sowie; so viel, soweit; ~ *(que)* in dem Maße wie; ~ *y como od.* ~ *y conforme* je nachdem; genauso wie; ~ *lo que dice* nach dem, was er sagt *od.* wie er sagt; nach s-r Meinung; ~ *lo que diga* je nachdem, was er sagt; ~ *se encuentre el enfermo* (je) nach dem Befinden des Patienten; ~ *veamos* je nachdem, was wir feststellen (*od.* erleben) *od.* warten wir's ab!; *vendrá o no vendrá,* ~ er kann kommen od. auch nicht, (ganz) je nachdem!; *creí que reventaba,* ~ *estaba hinchado* ich dachte, er müsse platzen, so aufgeblasen war er (*a. fig.* F).

segun|da *f* **1.** zweites Umdrehen *n des Schlüssels u. dazu notwendiger Mechanismus*; *fig.* Hintergedanke *m*; *hablar con* ~ doppelsinnig reden; **2.** 🚃 *usw.* zweite Klasse *f*; ✝ ~ *de cambio* Sekundawechsel *m*; **3.** ♪ Sekunde *f*; *Fechtk.* Sekund(hieb *m*) *f*; ~**dar I.** *v/t.* (gleich) noch einmal tun, wiederholen; **II.** *v/i. gal.* sekundieren; ~**dero I.** *adj.* zweite(r) (*von der zweiten Frucht mehrmals im Jahr tragender Pfl.*); **II.** *m* Sekundenzeiger *m*; ~**do I.** *adj. num.* zweite(r, -s); *sin* ~ ohnegleichen; **II.** *m* Sekunde *f*; ~**dogénito** *adj.-su.* zweitgeboren; ~**dogenitura** ⚖ *f* Zweitgeburt(srecht *n*) *f*; ~**dón** *m* Zweitgeborene(r) *m* (*p. ext.* nachgeborene[r] Sohn *m*) *e-s Adelshauses.*

segur *lit. f* Beil *n*; Sichel *f*; *hist.* Liktorenbeil *n*.

segu|ridad *f a.* ✝ Sicherheit *f*; Sicherung *f*; Gewähr *f*; Sicherheit *f*, Überzeugung *f*; ~ *del Estado* Staatssicherheit *f*; *a.* ⊕ ~ *de funcionamiento* Betriebs-, Funktionssicherheit *f*; *Span. Dirección f General de* ♀ Oberste Polizeidirektion *f*; *adv. con toda* ~ ganz gewiß; *para mayor* ~ sicherheitshalber, zur Sicherheit; ~**ro I.** *adj.* **1.** sicher (*a.* ✝); gewiß; fest, solide (gebaut, verankert *u. ä.*); ⊕ ~ *contra empleo incorrecto* mißgriffsicher, „narrensicher"; ⊕ ~ *contra rotura* bruchsicher; *el clavo está* ~ der Nagel sitzt fest, der Nagel hält; *está* ~ *de sí* er ist s-r Sache sicher; *no estamos* ~*s aquí* hier sind wir nicht sicher; hier ist es nicht geheuer; *estoy* ~ *de que vendrá* ich bin sicher (*od.* davon überzeugt), daß er kommt; *fig.* F *ser tan* ~ *como el evangelio* unweigerlich feststehen, tod- (*od.* bomben-)sicher sein F; **II.** *m* **2.** † *u. in best. Vbdgn*: Sicherheit *f*; sicherer Platz *m*; Geleitbrief *m*; *bsd.*: *a buen* ~ *od.* de (*a. al*) ~ sicher(lich); *en* ~ geborgen, in Sicherheit; *ir sobre* ~ sichergehen; kein Risiko eingehen; *fig.* F *irse del* ~ (unüberlegt) Risiken eingehen; **3.** Sicherung *f an Waffen, Geräten, Maschinen*; ~ *contra sobrepresión* Überdrucksicherung *f*; **4.** Versicherung *f*, Assekuranz *f* († *u. Reg.*); ~ *contra accidentes* Unfallversicherung *f*; ⚓ ~ *de casco* Kaskoversicherung *f*; ~ *contra daños (contra el granizo, contra el robo)* Schaden(s)- (Hagel-, Einbruchdiebstahl-)versicherung *f*; ~ *de enfermedad (de responsabilidad civil)* Kranken- (Haftpflicht-)versicherung *f*; ~ *marítimo (social)* See- (Sozial-)versicherung *f*; ~ *mutuo* Versicherung *f* auf Gegenseitigkeit; ~ *obligatorio (privado, real)* Pflicht- (Privat-, Sach-)versicherung *f*; ~ *de paro (de personas)* Arbeitslosen- (Personen-)versicherung *f*; *Kfz.* ~ *a todo riesgo* (Voll-) Kaskoversicherung *f*; ~ *de vejez e invalidez* Alters- und Invalidenversicherung *f*; ~ *de (od. sobre la) vida* Lebensversicherung *f*; *agencia f (agente m) de* ~*s* Versicherungsagentur *f* (-agent *m*); *contratar un* ~ e-e Versicherung abschließen.

seis *num.* sechs; sechste(r, -s); *el* ~ die Sechs *f*; ~**avado** ⩕ *adj.* sechseckig; ~**avo** *m* Sechstel *n*; ~**cientos** *m num.* sechshundert; *el* ~ der sechshundertste.

sei|se *m* Chorknabe *m der Kathedrale von Sevilla u. einiger anderer Kirchen*; ~**sillo** ♪ *m* Sextole *f*.

selec|ción *f* Auswahl *f*; Auslese *f*; Aussortierung *f* (*bsd.* ✝); *Tel.* ~ *(inter)urbana* Orts- (*bzw.* Fern-) wahl *f*; *Sp.* ~ *nacional* National-, Länder-mannschaft *f*; *Biol.* ~ *natural* natürliche Auslese *f*; *a.* ⊕ ~ *previa* Vorwahl *f*; Vorwahlschaltung *f b. automat. Getriebe*; Vorwähleinrichtung *f* (*Tel.*); *hacer una* ~ e-e Auswahl vornehmen (*od.* treffen); ~**cionado I.** *adj.* **1.** ausgewählt; *Sp. equipo m* ~ Auswahlmannschaft *f*; **II.** *m* **2.** *Sp.* Mitglied *n* e-r Auswahl- (*bsd.* e-r Länder- *od.* National-)mannschaft; Auswahl- *bzw.* National-spieler *m b. Fußball usw.*; **3.** *Am.* → *selección*; ~**cionar** *v/t.* **1.** *gal.* auswählen; **2.** aussortieren; *HF* trennen, aussieben; *Züchtung*: selekti(oni)eren; ~ *previamente* (vor)wählen (*z. B. b. automat. Getriebe*); ~**tividad** *HF f* Selektivität *f*; Trennschärfe *f*; Scharfeinstellung *f*; ~**tivo** *adj.* e-e Auswahl ermöglichend; *Rf.* trennscharf; (*curso m*) ~ Auswahl- (Vorbereitungs-)lehrgang *m*; ~**to** *adj.* ausgewählt, erwählt; *lo más* ~ das Beste, das Erlesenste; die Elite; *lit. obras f/pl.* ~*as* ausgewählte Werke *n/pl.*; ~**tor** ⊕, *HF* **I.** *adj.* (aus)wählend; *Tel. disco m* ~ Wählerscheibe *f*; **II.** *m* Wähler *m*, Schalter *m*; *Kfz.* ~ *de cambio de marcha* Gang-wähler *m*, -schalter *m b. Automatik*; *Rf.* ~ *de tecla* Wähltaste *f*.

Sele|ne *f Myth. u. poet.* Selene *f* (*Mondgöttin*), *fig.* Mond *m*; ♀**nio** ⚗ *m* Selen *n*; *HF célula f (od. pila f) de* ~ Selenzelle *f*; ♀**nita I.** *f Min.* Gips(spat) *m*, Selenit *m*; *in Tafeln*: Marienglas *n*; **II.** *c Myth.* Mondbewohner *m*; ♀**nología** *f* Mondforschung *f*, -kunde *f*; ♀**nológico** *adj.* selenologisch, mondkundlich; ♀**nólogo** *m* Mondforscher *m*.

self-... *engl. in Zssgn.*; (*statt auto...*) Selbst...; *bsd. gebräuchlich*: *Psych. self-control m* Selbstbeherrschung *f*; *Pol. self-government m* Selbstverwaltung *f*; ⚡ *self-inducción f* Selbstinduktion *f*; ✝ *self-service m* Selbstbedienung *f*; *Soz. self-made-man m* Selfmademan *m*.

Seltz: *agua f de* ~ *od.* ♀ *m* Selterswasser *n*; *p. ext.* Soda-, Tafelwasser *n*.

sel|va *f ausgedehnter* Wald *m*; ~ *frondosa* Laubwald *m*; ~ *virgen*, *Am.* ~ Urwald *m*; ~**vático** *adj.* waldig; *fig.* wild; grob, ungeschlacht; ~**voso** *adj.* waldreich.

sella|do I. *part.*: *papel m* ~ Stempelpapier *n*; **II.** *m* (Ab-)Stempelung *f*; Versiegeln *n* (*a. von Fußböden usw.*); ~**dor I.** *adj.* siegelnd; stempelnd; **II.** *m* Versiegelnde(r) *m*; Stempelnde(r) *m*; *fig.* Besiegler *m*, Vollender *m*; ~**dura** *f* (Ver-)Siegelung *f*; ~**r** *v/t.* (ver)siegeln; stempeln; *Flaschen, Behälter, Möbel, Räume usw.* (*a.* ⚖) *u.* ⚠ *Fußböden* versiegeln; *fig. a. Schicksal* besiegeln; ~ *el labio* schweigen, Schweigen bewahren.

sello *m* **1.** Siegel *n*; Handsiegel *n*, Petschaft *n*; Stempel *m*; *p. ext.* ♀ Stempelbehörde *f*; ~ *ajustable* Drehstempel *m*; ~ *de asiento (de la casa, de caucho)* Buchungs- (Firmen-, Gummi-)stempel *m*; *ehm.* ~ *de cera (de plomo)* Wachs- (Blei-)siegel *n*; ~ *del Estado* Staatssiegel *n*; ~ *de contraste (de franqueo)* Eich- (Frankier-)stempel *m*; ~ *impreso* eingedrucktes Siegel *n*; ✉ Freimarkenstempel *m auf Postkarten*; ~ *de lacre* (Lack-)Siegel *n*, Siegelabdruck *m im Siegellack*; ~ *oficial* Amts-siegel *n*, -stempel *m*; ~ *de Salomón a. fig. u. Folk.* Siegel *n* Salomons (*Davidstern*); ⚘ Weißwurz *f*; *grabador m de* ~*s* Stempelschneider *m*; ⚖ *ruptura f de* ~*s* Siegelbruch *m*; *bajo el* ~ *del secreto (od. de la discreción)* unter dem Siegel der Verschwiegenheit; *(cerrado) bajo siete* ~*s* unter (*od.* hinter) sieben Siegeln (verschlossen); *cerrar con un* ~ versiegeln; *echar (od. poner) el* ~ *a* (ver)siegeln (*ac.*) *bzw.* (ab)stempeln (*ac.*); *fig.* das Siegel der Vollendung aufdrücken (*dat.*); ⚖ *poner* ~*s* versiegeln; *fig. tener un* ~ *especial* ein besonderes Gepräge haben; **2.** Beitragsmarke *f*;

~ (*fiscal*) Stempel-, Gebührenmarke *f*; ✉ ~ *de alcance* Zuschlagmarke *f für schnellere Abfertigung*; ~ (*postal*, ~ *de correo*) Briefmarke *f*; ~ *móvil* Marke *f* (*im Ggs. zu „Stempel"*); ✉ ~ *de urgente Klebezettel*: Durch Eilboten/Exprès; *cuaderno m* (*hoja f*) *de* ~*s* Briefmarken-buch *n* (-bogen *m*); *zu 1 u. 2 vgl. timbre*; **3.** *pharm.* Oblate *f*, (Oblaten-)Kapsel *f*.

semáforo *m* 🚂 ~ (*de ferrocarril*) (Flügel-, Form-)Signal *n*; *Vkw.* ~ (*de tráfico*) Verkehrsampel *f*; ~ *intermitente* Blinkampel *f*; *pasarse un* ~ *en rojo* bei Rot über die Kreuzung fahren.

sema|na *f* Woche *f*; ~ *inglesa* Fünftagewoche *f*; *Rel.* ♀ *Santa* Karwoche *f*; *entre* ~ wochentags, in (*od.* unter) der Woche; *fig.* F *la* ~ *que no tenga jueves* nie, an St. Nimmerlein F; **~nal I.** *m* Wochenlohn *m*; **II.** *adj. c* wöchentlich; *revista f* ~ → **~nario** *m* Wochenschrift *f*.

semantema *Li. m* Semantem *n*, Bedeutungselement *n*.

semánti|ca *Phil. u. Li. f* → *semasiología*; **~co** *adj.* → *semasiológico*; *campo m* ~ Wortfeld *n*.

sema|siología *Phil. u. Li. f* Semasiologie *f*, Semantik *f*; **~siológico** *adj.* semantisch, semasiologisch; **~siólogo** *m* Semasiologe *m*; **~tológico** *adj.* → *semasiológico*.

semblan|te *m* Gesicht *n*; Miene *f*, Gesichtsausdruck *m*; Aussehen *n*; Anschein *m*; **~tear** *v/t. Chi.*, *Méj.* *j-m* fest ins Gesicht sehen; *p. ext.* genau beobachten; **~za** *f* Lebensbild *n*.

sembra|dera 🌱 *f* Drillmaschine *f*; **~dío** 🌱 *adj.* für e-e Bestellung geeignet, Saat..., Acker... (*Am. oft de* ~); **~do** *m* Saat-, Acker-feld *n*; ~ *de otoño* Wintersaat *f*; **~dor** *adj.-su.* säend; *m* Sämann *m*; **~dora** *f* **1.** Säerin *f*; **2.** Sämaschine *f*; **~dura** *f* Säen *n*; Aussaat *f*; **~r** [1k] *v/t.* 🌱 *u. fig.* (aus)säen; *p. ext.* ausstreuen; bestreuen (mit *dat. con, de*); *fig.* verbreiten; *fig.* ~ *en la arena* auf Sand bauen (*fig.*); ~ *la discordia* (*odio*) Zwietracht (Haß) säen.

seme|jante I. *adj. c* ähnlich (*a.* ⩓); solch, so ein; *no es posible correr a* ~ *velocidad* so schnell kann man nicht laufen; ~ *cosa* so etwas; **II.** *c* Nächste(r) *m*, Mitmensch *m*; *mis* (*tus, etc.*) ~*s* meines- (deines- *usw.*) gleichen; **~janza** *f* **1.** Ähnlichkeit *f*; *a imagen y* ~ genau nach Vorbild; *tener* ~ *con* ähnlich sein (*dat.*); **2.** Gleichnis *n*, Parabel *f*; **~jar I.** *v/t.* ähneln (*dat.*), ähnlich sein (*dat.*); aussehen wie (*nom.*), scheinen (*nom.*); **II.** *v/i. u.* **~se** *v/r.* ~ *uno a otro* j-m (*od.* et.) ähnlich sein (in *bzw.* an *dat. en*).

semen *Biol. m* Same(nflüssigkeit *f*) *m*; **~contra** *pharm. m* Wurmsame(n) *m*; **~tal I.** *adj. c* Saat...; Zucht...; **II.** *m* Vater-, Zucht-tier *n*; Hengst *m*.

semes|tral *adj. c* halbjährlich; halbjährig; **~tre** *m* Semester *n*, Halbjahr *n*.

semi... *in Zssgn.* Halb..., ⚒ Semi...

semi|circular *adj. c* halbkreisförmig; **~círculo** *m* Halbkreis *m*; **~conductor** ⚡ *m* Halbleiter *m*; **~corchea** ♪ *f* Sechzehntelnote *f*; **~culto** *Li. adj.* halbgelehrt; **~diós** *m* Halbgott *m*; **~diosa** *f* Halbgöttin *f*; **~eje** ⩓, ⊕ *m* Halbachse *f*; **~elaborado** *adj.* halbbearbeitet (*Werkstück*); halbfertig (*Ware*); **~esfera** ⩓, *Geogr. f* Halbkugel *f*; **~estatal** *adj. c* halbstaatlich; **~final** *Sp. f* Vorschlußrunde *f*, Halbfinale *n*; **~fondo** *Sp. m*: *carrera f de* ~ Mittelstreckenlauf *m*; **~fusa** ♪ *f* Vierundsechzigstelnote *f*; **~graso** *adj.* halbfett; **~líquido** *adj.* halbflüssig.

semi|lla *f* Same *m*; Samenkorn *n*; ~*s f/pl. a.* Sämereien *f/pl.*; **~llero** *m* Baumschule *f*; Pflanzschule *f*; *fig.* ~ (*del vicio*) Brutstätte *f* des Lasters; **~nal** *adj. c* Samen...

semina|rio *m* Seminar *n*; Priesterseminar *n*; **~rista** *m* Seminarist *m*.

semi|negra *Typ. f* halbfette Letter *f*; **~permeable** *adj. c* halbdurchlässig *für Wasser u. ä.*; **~pleno** ⚖: *comerciante m* ~ Halbkaufmann *m*; **~producto** *m* Halbfabrikat *n*; **~rremolque** *Kfz. m* Sattelanhänger *m*; Sattelschlepper *m*; **~rrígido** *adj.* halbstarr; **~sótano** *m* Halbsouterrain *n*; Erdhaus *n* (*z. B. in Gärtnereien*).

se|mita *adj.-su. c* semitisch; *m* Semit *m*; **~mítico** *adj.* semitisch; **~mitismo** *m* **1.** semitische Wesensart *f*; **2.** *Li.* Semitismus *m*; **~mitista** *Li. c* Semitist *m*.

semitransparente *adj. c* halbdurchlässig (*für Licht*).

sémola *f* Grieß *m*.

semolilla *f* (Mühlen-)Dunst *m*.

semovientes ⚖: *bienes m/pl.* ~ bewegliche (= *s. selbst fortbewegende*) Güter *n/pl.* (*Tiere*).

sempervirente ♀ *adj. c* immergrün.

sempiter|na ♀ *f* Immergrün *n*; **~no** *adj.* immerwährend; ewig.

sen ♀ *m* Sennesstrauch *m*; ~ *de España* Spanische Cassia *f*; *pharm. hojas f/pl. de* ~ Sennesblätter *n/pl.*

sena|do *m* Senat *m*; Senatsgebäude *n*; **~dor** *m* Senator *m*; **~duría** *f* Senatorenwürde *f*; **~torial** *adj. c*, **~torio** *adj.* Senats...; Senatoren...

senci|llamente *adv.* einfach; kurz u. gut; **~llez** *f* Einfachheit *f*; Schlichtheit *f*; *fig.* Arglosigkeit *f*, Treuherzigkeit *f*; Aufrichtigkeit *f*; **~llo** *adj.* **1.** einfach; schlicht; bescheiden (lebend); **2.** aufrichtig; treuherzig, einfältig.

sen|da *f* Pfad *m* (*a. fig.*); *schmaler Weg m*; Fußweg *m*; *fig. seguir la* ~ *trillada* auf ausgetretenen Pfaden wandeln; **~derear I.** *v/t.* (auf dem Pfad) führen; Pfade anlegen in (*dat.*); **II.** *v/i.* (über e-n Pfad) gehen (*od.* schlendern); *fig.* ungewöhnliche Wege einschlagen (*fig.*); **~dero** *m* → *senda*; ~ *enarenado* Kiesweg *m im Park usw.*

sendos *m*, **~as** *f adj. num.* je ein; jeder (s)ein; F *inc.* mächtig, gewaltig; *dio a los tres* ~ *puñetazos* er versetzte jedem der drei e-n Faustschlag.

Séneca *npr. m* Seneca *m*; *fig.* hochgelehrter Mann *m*.

senec|io ♀ *m* Kreuz-, Greis-, Jakobs-kraut *n*; **~tud** *f* Greisenalter *n*.

senegalés *adj.-su.* senegalesisch; *m* Senegalese *m*.

senequis|mo *m* Lehre *f* des Philosophen Seneca; *p. ext.* stoische Geisteshaltung *f* u. Wesensart *f*; **~ta** *adj.-su. c* in der Nachfolge Senecas (*bzw.* des *senequismo*) stehend.

senesca|l *hist. m* Seneschall *m*; Oberhofmarschall *m*, Truchseß *m*; **~lado** *m* **1.** Gebiet *n* e-s Seneschalls; **2.** → **~lía** *f* Würde *f* e-s Seneschalls.

senescen|cia *f* Vergreisung *f*; **~te** *adj. c* alternd.

seni|l *adj. c* greisenhaft, senil; Alters...; **~lismo** ⚕ *m* Senilität *f*.

sénior *lt.* (*pl. seniores*) *adj.-su. c bsd. Sp.* Senior *m*.

seno *m* **1.** Busen *m*; Ausbuchtung *f*; *bsd. Anat.* Höhle *f*, Vertiefung *f*; Meerbusen *m*; *fig.* Schoß *m*; ~ *de Abraham Rel. u. fig.* Abrahams Schoß *m*, *Rel.* Limbus *m*, Vorhölle *f*; *en el* ~ *de la familia* (*de la sociedad, de la tierra*) im Schoß (*od.* im Kreis) der Familie (in der Obhut der Gesellschaft, im Innern der Erde); ~ *materno* Mutterschoß *m*; Mutterbrust *f*; ~ *de la ola* (*bzw. Phys. de la onda*) Wellental *n*; ⚓ *formar* ~ schlaff sein (*Tau*); *Anat.* ~ *esfenoidal* (*frontal, maxilar*) Keilbein- (Stirn-, Kiefer-)höhle *f*; ~ *mamario* Busen *m*, Brust *f*; **2.** ⩓, *Phys.* Sinus *m*; ~ (*in*)*verso* Sinus *m* versus; ~ (*primero*) Sinus *m*; ~ *recto* Sinus *m* rectus; ~ *segundo* → *coseno*; **~idal** ⩓, *Phys. adj. c* sinusförmig; Sinus...; *función f* ~ Sinusfunktion *f*; ♪ *tono m* ~ Sinuston *m* (*elektronische Musik*); **~ide** ⩓, *Phys. f* Sinus-kurve *f*, -linie *f*.

sensaci|ón *f* **1.** Sinneseindruck *m*; Empfindung *f*, Gefühl *n*; ~ *de angustia* Angstgefühl *n*; ~ *táctil* Tast-, Berührungs-empfindung *f*; **2.** Aufsehen *n*, Sensation *f*; *causar* (*od. hacer, producir*) ~ Aufsehen erregen; **~onal** *adj. c* sensationell, aufsehenerregend; *neol.* F prima F, toll F; **~onalismo** *neol. m* Sensationsgier *f*; **~onalista** *adj. c* sensationslüstern; *prensa f* ~ Sensationspresse *f*; *periódico m* ~ Revolverblatt *n* F.

sensa|tez *f* Besonnenheit *f*, Verständigkeit *f*; **~to** *adj.* besonnen, vernünftig.

sensibili|dad *f a.* ⚕, *Phot.*, *Opt.* ⊕ Empfindlichkeit *f*; Empfindungs-fähigkeit *f*, -vermögen *n*; Empfindsamkeit *f*; Sensibilität *f*; *Phot.* Licht-, Farb-empfindlichkeit *f e-s Films*; *de alta* ~ hochempfindlich; ~ *auditiva* (*ocular*) Hör- (Augen-)empfindlichkeit *f*; ⊕ ~ *al choque* Stoßempfindlichkeit *f*; *Phot.* ~ *al* (*a. para el*) *rojo* Rotempfindlichkeit *f*; *tener demasiada* ~ allzu empfindlich (*bzw.* empfindsam) sein; **~zación** *f* Sensibilisierung *f*; **~zador I.** *adj.* sensibilisierend; **II.** *m Phot.* Sensibilisator *m*; **~zar** [1f] *v/t.* empfindlich machen, sensibilisieren, *Phot.* lichtempfindlich machen.

sensible *adj. c* **1.** *a.* ⚕, ⊕, *Phot.* empfindlich (gg. *ac. a*); *Phot.* lichtempfindlich; empfänglich, reizbar; ~ *al agua* (*al aire, al color, Phot. a los colores*) wasser- (luft-, hitze-, farb-)empfindlich; ⊕ ~ *a la percusión* klopf-, schlag-empfindlich; ♪ *nota f* ~ Leitton *m*; **2.** sinnlich (wahrnehmbar); *a. fig.* fühlbar, spürbar, merklich; *fig.* schmerzlich, bedauerlich; *me es muy* ~ es schmerzt mich sehr, es tut mir sehr leid; **3.** gefühlvoll, weichherzig; mitfühlend; zartbesaitet; **~mente** *adv.* merklich, spürbar; **~ría** *f* übertriebene (*bzw.* falsche) Empfindsamkeit *f*; Gefühlsduselei *f*; **~ro** *adj.* sentimental, gefühlsduselig.

sensiti|va ⚘ *f* Mimose *f*; **~var** *v/t. Phot. Beschichtung* sensitivieren; **~vo I.** *adj.* empfindlich, feinfühlig; sensitiv; ⚕ feinnervig, empfindsam; ⚕ sensibel (*Nerv*); **II.** *m Parapsych.* Sensitive(r) *m*.

sensitómetro *Phot. m* Empfindlichkeitsmesser *m*, Sensitometer *n*.

senso|rial *adj. c* **1.** Sinnes..., Empfindungs..., sensoriell; *Anat. célula f* (*nervio m, órgano m*) ~ Sinnes-zelle *f* (-nerv *m*, -organ *n*); **2.** zum Sensorium gehörend; **~rio I.** *adj.* → *sensorial 1*; **II.** *m* Sensorium *n* (*Großhirnrinde*).

sensua|l *adj. c* sinnlich; Sinnen...; *apetito m* ~ → **~lidad** *f* Sinnlichkeit *f*; **~lismo** *m* **1.** *Phil.* Sensualismus *m*; **2.** (Hang *m* zur) Sinnlichkeit *f*; **~lista** *Phil. adj.-su. c* sensualistisch; *m* Sensualist *m*.

senta|da *f* **1.** „Sitz" *m* F, „Sitzung" *f* F, *z. B. de una* ~ auf e-n Sitz F; *leer la novela en dos* ~*s* den Roman in zwei Ansätzen lesen; **2.** *Equ. Col.* Ruck *m* am Zügel; **3.** *neol.* Sit-in *n* (*engl.*); **~dero** *m* Sitzgelegenheit *f*, *z. B. Stein usw. vor e-m Haus*; **~do** *part.-adj.* gesetzt; sitzend; ⚘ ungestielt (*Blatt*); altbacken (*Brot*); *fig.* gesetzt; ruhig, bedächtig; *fig. dar por* ~ als wahr annehmen, unterstellen; *fig. dejar* ~ feststellen; *estar* ~ sitzen; *estar bien* ~ gut sitzen; *fig.* F fest im Sattel sitzen *bzw.* e-e gute Stellung haben; *tengo* ~*a la comida en el estómago* das Essen liegt mir schwer im Magen; **~r** [1k] **I.** *v/t.* (hin)setzen; *j-n* Platz nehmen lassen; festsetzen, aufstellen; aufschreiben, eintragen; *Naht* glattbügeln; *Sand usw.* (*im Sack o. ä.*) zs.-rütteln (, *damit er s. setzt*); *fig.* F ~ *la mano a alg.* j-n schlagen; *p. ext.* j-n herunterputzen (*fig.* F); ~ *mano dura* hart zupacken, *a. fig.* F dazwischenhauen; ~ *el pie en el suelo* auftreten; *la humedad ha* ~*ado el polvo* die Feuchtigkeit hat den Staub niedergeschlagen (*od.* gebunden); ~ *un principio* e-n Grundsatz aufstellen; **II.** *v/i.* ~ (*a alg.*) bekommen (*dat.*) (*Speise, Trank*); gefallen (*dat.*), behagen (*dat.*) *bzw.* sitzen (*dat.*), passen (*dat.*) (*Kleidung*); guttun (*dat.*); *j-m* anstehen; *le sienta bien fig.* F *a.* es geschieht ihm recht; **III.** *v/r.* ~*se* s. setzen (auf *ac.* en, *sobre*); s. (ab-) setzen (*Staub, Niederschlag*); lagern (*Bier, Wein*); s. *z. B. im Bett* aufsetzen; *¡siéntese!* setzen Sie s. (her)!

senten|cia *f* **1.** *bsd.* ⚖ Urteil *n*; Entscheidung *f*; ~ *arbitral* Schiedsspruch *m*; ~ *arbitraria* Willkürurteil *n*; ~ *condenatoria* Verurteilung *f*; ~ *firme* rechtskräftiges Urteil *n*, Endurteil *n*; ~ *de muerte* Todesurteil *n*; ~ *provisional* Zwischen-bescheid *m*, -urteil *n*; *dictar* (*od. fallar, pronunciar*) *la* ~ das Urteil fällen (*od.* erlassen); **2.** Sentenz *f*; Aus- *bzw.* Denk-spruch *m*; **~ciar** [1b] *vt/i.* ⚖ (ver)urteilen; entscheiden; *fig.* (be)urteilen, richten; ~ *a muerte* zum Tode verurteilen (wegen *gen. por*); ~ *un pleito* in e-m Rechtsstreit entscheiden; **~cioso** *adj.* sentenzenreich; sentenziös; lehrhaft, schulmeisterlich.

sentido I. *adj.* **1.** empfindlich; reizbar; **2.** schmerzlich, schmerzhaft; wehmütig; **3.** tiefempfunden, innig; **4.** *Am. Reg. bsd. vom Gehör, z. B. bei Hunden*; von feinen (*od.* scharfen) Sinnen; **II.** *m* **5.** Sinn *m*; Verstand *m*, Urteilskraft *f*, Einsicht *f*; ~ *artístico* Kunst-sinn *m*, -verstand *m*; *buen* ~ Vernunft *f*, Vernünftigkeit *f*; ~ *común* gesunder Menschenverstand *m*; ~ *de los colores* (*de la orientación*) Farben- (Orientierungs-)sinn *m*; ~ *del gusto* (*del oído, del olfato, del tacto, de la vista*) Geschmacks- (Gehör-, Geruchs-, Tast-, Gesichts-)sinn *m*; *fig.* F *el sexto* ~ der sechste Sinn *m*; *fig.* F *costar un* ~ (*od. los cinco* ~*s*) sündhaft teuer sein; *perder el* ~ das Bewußtsein verlieren; *quedar sin* ~ bewußtlos werden *fig. poner sus cinco* ~*s en a/c.* ganz (*od.* mit ganzem Herzen) bei e-r Sache sein; (*no*) *tener* ~ (k-n) Sinn haben, sinnvoll (sinnlos) sein; **6.** Sinn *m*, Bedeutung *f*; *doble* ~ Doppel-sinn *m*, -bedeutung *f*; *de* ~ *contrario* (*od. opuesto*) von entgg.-gesetzter Bedeutung; *a.* ℞ *de* ~ *múltiple* vieldeutig; *en cierto* ~ in gewissem Sinne, gewissermaßen; *en el* ~ *estricto de la palabra* nach dem strengen Wortsinn; *en* ~ *figurado* in übertragener Bedeutung; *en todos* (*los*) ~*s* in jeder Hinsicht; *abundar en el* ~ *de alg.* ganz j-s Meinung sein; *hablar sin* ~ Unsinn reden; **7.** Seite *f*; Richtung *f*; ⊕ ~ *de corte* Schnittrichtung *f*; ~ *longitudinal* (*transversal*) Längs- (Quer-) richtung *f*; ~ *opuesto* Gg.-richtung *f*; *en el* ~ (*contrario*) *de las agujas del reloj* im (*bzw.* entgg. dem) Uhrzeigersinn; **8.** *Am. Reg.* **a**) Schläfe *f*; **b**) Ohr *n*.

sentimenta|l *adj.-su. c* gefühlvoll, empfindsam; sentimental; (*hombre m*) ~ Gefühlsmensch *m*; Sentimentale(r) *m*; *Thea. la* ~ die Sentimentale; *fig.* F *echar la de* ~ den Empfindsamen spielen; **~lismo** *m* Sentimentalität *f*; Empfindsamkeit *f*; Rührseligkeit *f*.

sentimiento *m* **1.** Gefühl *n*, Empfindung *f*, Regung *f*; ~ *de debilidad* Schwächegefühl *n*; **2.** Bedauern *n*; Schmerz *m*, Verdruß *m*; *tener el* ~ *de* + *inf.* bedauern, zu + *inf.*; **3.** Groll *m*.

sentina *f* ⚓ Kielraum *m*, Bilge *f*; *fig.* Kloake *f* (*fig.*); *fig.* ~ *de vicios* Sündenpfuhl *m*.

sentir I. *m* **1.** Fühlen *n*, Gefühl *n*; **2.** Meinung *f*; *en mi humilde* ~ nach meiner unmaßgeblichen Meinung; **II.** [3i] *v/t.* **3.** fühlen; empfinden; (ver)spüren, merken; bedauern; leiden unter (*dat.*); ~ *alegría* (*miedo*) Freude (Furcht) empfinden; ~ *cansancio* ermüden; *siente las fatigas* die Strapazen machen s. bei ihm bemerkbar; ~*lo en la carne propia* es am eigenen Leibe (ver)spüren; *siento lo mismo que usted a.* ich kann es Ihnen nachfühlen; *fig.* ~ *bien una poesía* ein Gedicht gut (*od.* richtig empfunden) vortragen; ~ *mucha sed* großen Durst verspüren; *sentiremos siempre la muerte de nuestro amigo* der Tod unseres Freundes wird uns immer in schmerzlicher Erinnerung bleiben; *lo siento mucho* (*od. en el alma*) es tut mir sehr leid; wie schade; ich bedaure es sehr; *¡cuánto lo siento!* wie schrecklich!; *siento que* + *subj.* ich bedaure, daß + *ind.*; *siento tener que decirle* leider muß ich Ihnen sagen; *dar que* ~ Kummer machen; teuer zu stehen kommen (*fig.*); *le hicieron* ~*lo* sie haben es ihn fühlen lassen; *hacerse* ~ fühlbar werden; s. bemerkbar machen; *sin* ~*lo* ohne es zu merken, unbewußt; **4.** vernehmen, (gerade noch) wahrnehmen können, hören; **5.** meinen, dafürhalten; *dice lo que siente* er sagt, was er meint, er sagt offen s-e Meinung; **III.** *v/i.* **6.** ~ *con alg.* mit j-m Mitgefühl haben; **IV.** *v/r.* ~*se* **7.** ~*se* (*bien, mal*) s. (gut, schlecht) fühlen; ~*se capaz de* + *inf.* s. in der Lage fühlen, zu + *inf.*; s. für befähigt halten, zu + *inf.*; *¿cómo te sientes?* wie fühlst du dich?; wie ist dir zumute?; ~*se con fuerzas de* + *inf.* s. stark genug fühlen, zu + *inf.*; ~*se poeta* e-e dichterische Ader haben; s. zum Dichter berufen fühlen; **8.** wahrgenommen (*od.* vernommen) werden; *fig.* F *no se siente una mosca* es ist totenstill; **9.** leiden (an *dat.* de), Nachwirkungen spüren (von *dat.* de); ~*se del pecho* Schmerzen in der Brust haben; **10.** Risse bekommen (*od.* haben).

seña *f* **1.** Zeichen *n*; Anzeichen *n*; Erkennungszeichen *n*; Wink *m*; Gebärde *f*; *Chi.* (Glocken-)Läuten *n*; ~*s f/pl. mortales fig.* untrügliche Anzeichen *n/pl.*; ~*s f/pl.* besondere Kennzeichen *n/pl. b. Personenbeschreibung in Pässen usw.*; ~*s f/pl. personales* Personenbeschreibung *f*; *kath. Reg. la Santa* ♀ die Kreuzesfahne *bzw.* das (Prozessions-)Kreuz; *por las* ~*s* allem Anschein nach; *por más* ~*s* um das Bild zu vervollständigen; F (und) außerdem; *hacer* ~*s* Zeichen (*od.* Gebärden) machen; winken; **2.** ~*s f/pl.* Anschrift *f*, Adresse *f* (schreiben *poner*).

señá P *f* → *señora*.

señal *f* **1.** Merkmal *n*; Kennzeichen *n*; Zeichen *n*; Grenz- *bzw.* Besitzzeichen *n*; Lesezeichen *n*; *Rel.* (Wunder-)Zeichen *n*; *p. ext.* Zeichen *n*, Spur *f*, Narbe *f*, Wundmal *n*; *liturgisch*: ~ *de la cruz mit der Hand* geschlagenes Kreuz

(-zeichen) *n*; ~ *de enrase* Eichmarke *f bei Gläsern usw.*; *Typ.* ~ *de referencia* Verweisungs- (*od.* Bezugs-) zeichen *n*; ~ *de tronca* Besitzzeichen *n* (*Ohrverstümmelung, b. Vieh*); ~ *de vida* Lebenszeichen *n*; *en* ~ *de* zum Zeichen (*gen. od.* von *dat.*); *ni* ~ k-e Spur, spurlos verschwunden; *dar* ~ *de que* ... aufzeigen, daß ...; *fig.* F *explicar con pelos y* ~*es* bis ins kleinste ausmalen; **2.** *Vkw. usw.* Signal *n*, Zeichen *n*; ~ *acústica* (*od. fónica, sonora*) akustisches Signal *n*, Schallzeichen *n*; ~ *de alarma* Alarmzeichen *n*; Not-, Warn-signal *n*; ⚓, ⚔ ~ *de banderas* Flaggensignal *n*; ~ *a brazos* Winkspruch *m*; ~ *horaria Rf.* Zeitzeichen *n*; ⚓ Zeitball *m*; *Vkw.* ~ *informativa* Hinweisschild *n*; ~ *luminosa* Leucht-, Licht-signal *n*; *Tel.* ~ *de llamada* Rufzeichen *n*; ~ *de mando* Schaltbefehl *m* (*Elektronik*); *Tel.* ~ *de marcar* (*de ocupación*) Frei- (Besetzt-)zeichen *n*; ~*es f/pl. Morse* Morsezeichen *n/pl.*; *Vkv.* ~ *obligatoria*, ~ *preceptiva* Gebotszeichen *n*; ~ *de partida* 🚂 Ausfahrzeichen *n*; Abfahrtssignal *n*; *Sp.* Startzeichen *n*; ~ *de paso a nivel* Warnkreuz *n* vor schienengleichen Bahnübergängen; ~ *de pausa* Pausenzeichen *n* (*in Schulen usw.*); ~ *de prohibición de estacionamiento* Parkverbotszeichen *n*; ~ *prohitiva* Verbotszeichen *n*; ~ *de proximidad* Warnkreuz *n*, Bake *f vor Übergang*; ~ *de salida* 🚂 Ausfahrzeichen *n*; 🚂, ⚓ Abfahrtzeichen *n*, ⚓ *a.* Blauer Peter *m* (*Flaggensignal*); ~ (*marítima*) *de socorro* (See-)Notruf *m* (*SOS*); ⚓ ~ *de temporal* Sturmball *m*; Sturmwarnung *f*; ~ *de tráfico* Verkehrszeichen *n*; ⚓ *código m de* ~*es* Signalbuch *n*; 🚂 *dar* (*bzw. poner*) *la* ~ *de salida* das Abfahrtzeichen geben; das Signal auf Abfahrt stellen; ⚓, ⚔ *hacer* ~*es* winken, Flaggenzeichen geben; **3.** Anzahlung *f*, Handgeld *n*; *pagar una* ~ e-e Anzahlung leisten; **4.** Flascheneinsatz *m*.

señala *Chi.*, ~**da** *Arg. f* Viehmarkierung *f*.

seña|ladamente *adv.* besonders; ~**lado** *part.-adj.* ge-, be-zeichnet, bestimmt; ausgezeichnet; bedeutsam; *el día* ~ am anberaumten Tage; *fig. dejar a uno* ~ j-n zeichnen (*fig.*); j-m e-n Denkzettel geben; ~**lador** *m* ⚓, ⚔ Winker *m bzw.* Blinker *m*, ⚓ Signalgast *m*; ~**lamiento** *m* **1.** Bezeichnung *f*; Markierung *f*; **2.** Benennung *f*, Bestimmung *f*; Festsetzung *f*; *Verw.* Anberaumung *f e-r Frist*; *Verw.* Anweisung *f e-r Besoldung*; ⚖ (Verhandlungs-)Termin *m*, (Gerichts-)Verhandlung *f*; ⚖ *el* ~ *del pleito es para mañana* die Verhandlung (*od.* der Prozeß) ist auf morgen anberaumt; **3.** *bsd.* ⚔, ✈ Signalisierung *f*; ~**lar I.** *v/t.* **1.** kennzeichnen; markieren; (aus-) zeichnen; *Hieb* vortäuschen *bzw.* androhen; ~ *una estocada* e-e Finte schlagen; **2.** weisen; zeigen (*od.* hinweisen) auf (*ac.*); anzeigen; **3.** anzeigen; melden; signalisieren; **4.** benennen, bezeichnen (als *ac. como*); festsetzen, *a.* ⚖ anberaumen; *Verw. Besoldung* anweisen; **5.** zeichnen, brandmarken, verunstalten *durch Degenstich, Hieb usw.*; ~*le con la espada* (*en la cara*) (sein Gesicht) mit dem Degen zeichnen; **6.** *Kart.* (Gewinnpunkte) aufschreiben; **7.** ⚒ abzeichnen, unterschreiben; **II.** *v/r.* ~*se* **8.** s. hervortun; s. auszeichnen (in *dat. en*; durch *ac. por*).

señali|sta *m* 🚂 *usw.* Signal- u. Weichenwärter *m*; *a.* → *señalador*; ~**zación** *f bsd.* 🚂, *Vkw.* Signalisierung *f*; Signalsystem *n*; (Strecken-) Meldedienst *m*; Strecken- *bzw.* Wege- *od.* Fahrbahn-markierung *f*; ~**zador** *adj.* Signal...; *antorcha f* ~*a* Signalfackel *f*; ~**zar** [1f] *v/t. Straßen* mit Zeichen, Markierungen *usw.* versehen.

señero[1] *adj.* ⚒ einsam, abgelegen; *fig.* einzigartig, unvergleichlich.

señero[2] *hist. adj.* bannerführend *b. den Königsproklamationen* (*Territorium*).

señor I. *m* Herr *m* (*a. Rel.* ♀); Besitzer *m*; *noch Reg. u.* F Schwiegervater *m*; ¡~! (mein) Herr!; ¡~*es*! m-e Herren!; m-e Herrschaften! (*noch Reg. u.* F); *el* ~ (*Abk. Sr.*) *López, Anrede*: ♀ *López* Herr López; *los* ~*es* (*Abk. Sres.*) *López* Herr u. Frau López; *a.* die Familie López; P ~ *Antón*, ~*a Felicia* Herr Anton, Frau Felizia (*korrekt steht in Span. vor Vornamen immer don* [*Abk. D.*] *bzw. doña* [*Abk. D.a*]); *Briefanrede*: *Muy* ~ *mío*: (*bsd.* ✝); *Estimado* ~: *od. Distinguido* ~:, *a.* ♀: Sehr geehrter Herr!; *höfliche Antwort*: *sí* ~, *no* ~ ja (mein Herr), nein (mein Herr); *el* ~ *y dueño de* der Herr u. Gebieter von (*dat.*); *ehm. u. fig. gran* ~ Standesherr *m*; Grandseigneur *m* (*bsd. fig.*); *hist.* Großherr *m* (*Osmanisches Reich*); *un gran* ~ ein vornehmer (*bzw.* ein hoher) Herr; ⚖ (*hist.*) ~ *de horca y cuchillo* Herr *m* über Leben u. Tod (*nicht Rel.*); Feudalherr *m* im Besitz der Hoch- (*od.* Hals-)gerichtsbarkeit; *fig.* (blutiger) Tyrann *m*; *bibl. el* ♀ *de los Ejércitos* der Herr der Heerscharen; *bibl. el* ~ *de vida y muerte* der Herr über Leben u. Tod; *Nuestro* ♀ Unser Herr (*mst.* = *Christus*); *kath. fig.* F *le han llevado el* ♀ er ist (mit dem hl. Sakrament) versehen worden; *a lo* (*gran*) ~ wie ein (großer) Herr; vornehm; *fig.* F großartig, prächtig (*angezogen sein, speisen, wohnen usw.*); *a tal* (*od. todo*) ~, *tal* (*od. todo*) *honor od. a gran* ~, *gran*(*de*) *honor* Ehre, dem Ehre gebührt; *fig. hacer el* ~ den (gr.) Herrn spielen; ⚔ *u. fig. quedar* ~ *del campo* Herr des Schlachtfeldes bleiben; *ser* ~ Herr sein, frei verfügen können; *ser* ~ *de sí mismo* s. in der Hand haben, s. beherrschen; *ser todo un* ~ ein Gentleman sein; ein hoher Herr sein; ein hohes Tier sein F; **II.** *adj.* stattlich; F mächtig, gehörig; *una* ~*a mujer* e-e stattliche Frau *f*; *una mujer* ~*a* e-e (wirkliche) Dame; F *le dio un* ~ *disgusto* es ärgerte ihn mächtig; *le pegó una* ~*a bofetada* (*od. una bofetada de muy* ~ *mío*) er gab ihm e-e gewaltige Ohrfeige.

señora *f* Herrin *f*; Dame *f*; Frau *f*; *vorm Vornamen*: *doña*; *zur Anrede vgl.* *señor*; Gebieterin *f*; *noch Reg. u.* F Schwiegermutter *f*; ¡~*s y señores*! m-e Damen u. Herren!; ~ (*mía*) gnädige Frau!; *Rel. Nuestra* ♀ Unsere Liebe Frau, *die* Muttergottes; *mehr* F *su* ~ Ihre Frau (Gemahlin).

seño|reante *part.* beherrschend; ~**rear I.** *v/t.* **1.** (be)herrschen; unterjochen; *p. ext.* meistern; *fig.* überragen; **2.** F *j-n* (unangebrachterweise) mit „Herr" anreden; **II.** *v/r.* ~*se* **3.** ~*se de a/c.* s. e-r Sache bemächtigen; et. in Besitz nehmen; *a.* e-e Sache meistern; ~**ría** *f* Herrschaft *f*; *hist.* Signorie *f*; *Su* (*bzw. Vuestra*) ♀ Euer Gnaden!; Euer Hochwohlgeboren!; ~**rial** *adj. c a. fig.* herrschaftlich; *casa f* ~ Stamm- *bzw.* Herren-, Guts-haus *n*; ~**ril** *adj. c* dem Herrn gehörig, herrschaftlich; ~**río** *m* **1.** Herrschaft *f*, Gewalt *f*; **2.** herrschaftlicher Besitz *m*; Domäne *f*; Rittergut *n*; **3.** (vornehme) Würde *f*; **4.** *fig.* (Selbst-)Beherrschung *f*; **5.** vornehme Herrschaften *f/pl.*; *desp. das* reiche Volk (*desp.*).

seño|rita *f* Fräulein *n*; junge Dame *f*; *Anrede* (*v. Dienstboten u. ä. auch an die Hausfrau*): (gnädiges) Fräulein!; ~**ritingo** F *desp. m* verhätschelter junger Mann *m*; feiner Pinkel *m* P; ~**ritismo** *m* snobistisch-parasitäre Lebensweise *f* gewisser Reicher; ~**rito** *m* (*v. Dienstboten u. ä. auch als Anrede an den Hausherrn*) junger Herr *m*; *p. ext.* F Geck *m*, Stutzer *m*, Playboy *m*; *los* ~*s* die Herrschaften *f/pl.*; ~**rón** *m* (*a. adj.*) vornehmer Herr *m*, Grandseigneur *m*; ~**rona** *f* vornehme Dame *f*.

señuelo *m Jgdw. u. fig.* Lockvogel *m*; Köder *m*; *Arg., Bol.* Leitochsen *m/pl. bzw.* Leittiere *n/pl. e-r Herde.*

seo *f Ar., Cat.* **1.** Bischofssitz *m*; **2.** Kathedrale *f*.

sépalo ⚘ *m* Kelchblatt *n*.

separa|bilidad *f* (Ab-)Trennbarkeit *f*; ~**ble** *adj. c* (ab)trennbar; ~**ción** *f* Trennung *f*; Sonderung *f*; Spaltung *f*, Teilung *f* (→ *escisión, división*); Absonderung *f*, *a.* ⚒ Abscheidung *f*; Aussortierung *f*; *Verw.* Austritt *m aus dem Dienst*; ~ (*del cargo*) Entlassung *f*; Amtsenthebung *f*; ⚖ ~ *de bienes* Gütertrennung *f*; ~ *por centrífuga* (*por cristalización, por lavado*) Ausschleuderung *f* (-kristallisierung *f*, -waschung *f*); *Pol.* ~ *de la Iglesia y el Estado* Trennung *f* von Kirche u. Staat; ⚖ ~ *matrimonial*, *a.* ~ *de mesa y lecho* (*od. de cuerpos*) Ehetrennung *f*, Trennung *f* von Tisch u. Bett; *Pol.* ~ *de poderes* Gewaltenteilung *f*; ⚖ *vivir en* ~ in Trennung (*od.* getrennt) leben; ~**damente** *adv.* getrennt; einzeln; abseits; ~**do** *adj.* getrennt; einzeln; ausea.-liegend; separat; *no* ~ ungetrennt; ungeteilt; *por* ~ besonders; Extra-...; mit getrennter Post; ~**dor I.** *adj.* trennend; **II.** *m* ⊕ Abscheider *m*; Abstreifer *m*; Trenner *m*; Milchzentrifuge *f*; *HF* Trennstufe *f*; Separator *m*; ~ *centrífugo* Trennschleuder(maschine) *f*; ~ *magnético* Magnetscheider *m*.

separar I. *v/t.* **1.** *a. Gram. Wort* trennen; absondern, (ab)scheiden; aussortieren, klauben; ⊕ *a.* abstellen *bzw.* abklappen; ausrücken; *Begriffe* ausea.-halten; *Pol.* ~ *una región anexionada* die Annexion e-s Gebietes rückgängig machen; *a.* ⊕, ⚒ ~ *a golpes* (*od. a mano*) ab-, losschlagen; mit der Hand trennen *bzw.* auslesen, aussondern; ~ *con criba* (*con la sierra*) aussieben (absägen); ~ *un punto del orden del día* e-n Punkt von der Tagesordnung absetzen; **2.** (aus dem Dienst) entlassen; *aus dem Amt* entlassen; **II.** *v/r.* ~*se* **3.** *a.* ⊕, ⚖ s. trennen; s. lösen; **4.** s. zurückziehen; ausscheiden (aus dem Dienst); ~*se de alg. a.* s. von j-m lossagen.

separata 🕮 *f* Sonderdruck *m*, Separatum *n*.

separatis|mo *m* Separatismus *m*; ~**ta** *adj.-su. c* separatistisch; *m* Separatist *m*.

separativo I. *adj.* trennend; **II.** *m Li.* Separativ *m*.

sepelio *lit. m* Bestattung *f*, Begräbnis *n*. [Sepia *f*.]

sepia *f* Tintenfisch *m*, Sepia *f*; *Mal.*

sepsis ⚕ *f* Sepsis *f*.

septembri|no *adj.* September...; ~**sta** *hist.* **I.** *adj. c* Septembristen...; **II.** *m* Septembrist *m*, Septemberverschwörer *m* (*geplante Ermordung Bolivars in der Nacht zum 25. Sept. 1828*).

septe|nario I. *adj.* **1.** siebenfach; **II.** *m* **2.** Zeit(raum *m*) *f* von sieben Tagen; **3.** Septenar *m* (*Vers*); ~**nio** *m* Jahrsiebent *n*.

septentri|ón *lit. m Astr.* (♀) *der* Große Wagen *m*; *fig.* Norden *m*, Mitternacht *f* (*fig.*); ~**onal** *adj. c* nördlich, Nord...

septeto ♪ *m* Septett *n*.

septi|cemia ⚕ *f* Blutvergiftung *f*, Septikämie *f*; ~**cémico** *adj.* Blutvergiftungs...; ~**cidad** *f* septischer Zustand *m*.

séptico ⚕ *adj.* septisch; keimhaltig.

septi|embre *m* September *m*; ~**forme** *Myth. u. Theol. adj. c* siebengestaltig; ~**llo** ♪ *m* Septole *f*.

sépti|ma ♪ *f* Septime *f*; ~**mo** *num.* siebente(r, -s).

septingentésimo *num.* siebenhundertste(r, -s); *m* Siebenhundertstel *n*.

septua|genario *adj.-su.* siebzigjährig; *m* Siebzigjährige(r) *m*; ~**gésima** *ecl. f* (Sonntag *m*) Septuagesima *f*; ~**gésimo** *num.* siebzigste(r, -s).

septuplica|ción *f* Versiebenfachung *f*; ~**r** [1g] *v/t.* versiebenfachen.

séptuplo I. *adj.* siebenfach; **II.** *m das* Siebenfache.

sepul|cral *adj. c a. fig.* Grab(es)..., Toten...; *fig. silencio m* ~ Grabes-, Toten-stille *f*; *urna f* ~ Grab-, Aschen-urne *f*; *fig. voz f* ~ Grabesstimme *f*; ~**cro** *m* Grab(stätte *f*) *n*; Gruft *f*; Grablege *f od.* Begräbnis *n*; *kath.* „Heiliges Grab" *n in Kirchen* (*an den letzten Tagen der Karwoche*); *fig.* ~ *blanqueado* Pharisäer *m*, Scheinheilige(r) *m*; *el Santo* ♀ das Heilige Grab; *bajar al* ~ ins Grab sinken, sterben; *fig.* F *ser un* ~ verschwiegen sein wie ein Grab; *kath. visitar los* ~*s* das „Heilige Grab" besuchen (*vielerorts ist es üblich, dies in sieben Kirchen od. Kapellen zu tun*); ⚖ *profanación f de* ~(*s*) Grabschändung *f*; ~**tar** *v/t.* begraben (*a. fig.*), beisetzen; *p. ext.* vergraben; *fig. a.* totschweigen; ~**tura** *f* Bestattung *f*, Beisetzung *f*; Grablegung *f*; Grab *n*; *dar* (*cristiana*) ~ *a alg.* j-n bestatten, j-m ein christliches Begräbnis geben; *fig. estar con un pie* (*aquí y otro*) *en la* ~ mit e-m Fuß im Grabe stehen; *hasta la* ~ bis ans Grab; ~**turero** *m* Totengräber *m*; Leichenträger *m*.

seque|dad *f* Trochenheit *f*; Dürre *f*; *fig.* Unfreundlichkeit *f*; *con* ~ unwirsch; ~**dal**, ~**ral** *m* trockenes Gelände *n*; ~**ro** *m* → *secadero*.

se|quía *f* Dürre *f*; Trockenperiode *f*; F *Andal.*, *Arg.* Durst *m*, Brand *m* (*fig.* F); ~**quillo** *m Art* Zuckerbrezel *f*; Zuckerzwieback *m*; ~**quío** *m* unbewässertes Land *n*; Geest *f*.

séquito *n* Gefolge *n*, Begleitung *f*; Geleit *n*, Zug *m*; Ehrengeleit *n*.

sequizo *adj.* leicht (aus)trocknend; zum Verdorren neigend.

ser I. [2w] *v/i.* sein; „*ser*" *tritt als selbständiges Zeitwort u. als Hilfsverb auf; man beachte die Abgrenzung des Gebrauchs von* „*ser*" *u.* „*estar*"; „*ser*" *bezeichnet dauernde, d. h. wesentliche, innewohnende od. charakteristische Eigenschaften, z. B. Wesen, Nationalität, religiöses Bekenntnis, Herkunft, Beruf, Material; es steht ferner bei Zeit- u. Zahlenangaben, außerdem in unpersönlichen Ausdrücken, u. es dient auch in weitaus der Mehrzahl der Fälle als Satzband* (*kopulative Verwendung; vgl. hierzu* 1 d); *demgg.-über bezeichnet* „*estar*" *vorübergehendes Sein,* (*augenblicklichen*) *Zustand, räumliches u. körperliches Sichbefinden, Sichaufhalten, Verweilen u. dgl.* (*vgl. auch* 1 d); **1.** *zu* „*ser*" *u.* „*estar*": **a**) *z. B. el cielo es azul* der Himmel ist (*üblicherweise*) blau; *el cielo está azul* der Himmel ist (*im Augenblick*) blau (, *weil s. die Wolken verzogen haben*); *es bueno* er ist gut; es ist artig (*Kind*); *usw.* → *bueno*; *está bueno* (*de salud, de una enfermedad*) er ist gesund: er ist bei guter Gesundheit *bzw.* er ist von e-r Krankheit genesen, er ist wieder gesund; *Anm.*: *üblicherweise heißt es immer*: ~ *feliz, dichoso* (*bzw. desgraciado, desdichado, infeliz*) (un)glücklich sein; *aber*: *estar contento, satisfecho* zufrieden sein; **b**) *Passiv mit* „*ser*" *u.* (*beim Zustandspassiv*) „*estar*": *es admirado* er wird bewundert; *está admirado* er ist verwundert; *la puerta es cerrada a las diez* die Tür wird um zehn Uhr geschlossen; *la puerta está cerrada* die Tür ist geschloseen; **c**) *Sonderfälle*: *es a 15 km de aquí* es liegt 15 km von hier (entfernt); *es aquí od. aquí es* hier ist es; *demgg.-über*: *aquí está* hier liegt der Fehler *bzw.* hier ist der entscheidende Punkt; *era en Buenos Aires* es war (*od.* die Begebenheit spielte) in Buenos Aires; *demgg.-über*: *estaba en Buenos Aires* es war (*od.* es befand s.) in Buenos Aires; **d**) *Anm.*: *kopulativ kann neben* „*ser*" *bei adj., part. u. adv.* „*estar*" *auftreten, bei su.* (*Berufsbezeichnungen*) *dagegen nur* „*estar de*"; *z. B. ser aprendiz* Lehrling sein, *aber*: *estar de aprendiz en una papelería* als Lehrling in e-r Schreibwarenhandlung beschäftigt sein; **2.** *weitere Beispiele zur Verwendung von* „*ser*": **a**) *fig.* F *o somos o no somos* wir müssen zeigen, wer wir sind; wir müssen jetzt handeln (, *denn man erwartet das von uns*); *lit.* ~ *o no* ~ (*éste es el dilema od. ésta es la cuestión*) sein oder nicht sein (, das ist hier die Frage); *fig.* F ~ *uno quien es* der (richtige *od.* zuständige) Mann dazu sein; ~ *comerciante* (*alemán, católico*) Kaufmann (Deutscher, Katholik) sein; *Tel. soy García* hier spricht García; *fig.* F *él será burro, pero más eres tú* er mag ein Esel sein, aber du bist ein noch größerer (Esel); *era* (*od. mst. érase*) *una vez od. érase una vez que se era*, *a. érase, érase* es war einmal (*Märchenanfang*); *éramos treinta, ellos eran más* wir waren (unser) dreißig, sie (*od. lit.* ihrer) waren mehr; *¿eres tú?* bist du's?; *¿es hermosa? — lo es* (*od. ¡que si lo es!*) ist sie schön? — sie ist es (*od.* das will ich meinen!); *¡eso es!* richtig!; gut so!; stimmt!; in Ordnung!; du hast (*od.* Sie *usw.* haben) recht!; F *¡eso* ~*á si yo lo consiento!* das kann geschehen, wenn ich damit einverstanden bin; *¡sea!* sei's denn!; meinetwegen! *bzw.* von uns aus!; *todo es mío* (*tuyo*) alles ist mein (dein), alles gehört mir (dir); **b**) *mit Fragewörtern*: *¿cómo es eso?* wie kommt (denn) das?; *oft*: *¡cómo es eso!* *Sinn mst.*: nimm dir (bloß) nicht zuviel heraus! F, sei nur nicht zu dreist!; *¿cómo fue el caso?* wie war die Sache?, was ist geschehen?; F *¡cómo ha de* ~*!* was soll's schon!; wie Gott will!; was ist schon daran zu ändern! (*Resignation*); aber natürlich! (*Einverständnis*); ⅍ *¿cuántos son dos por tres?* wieviel ist zwei mal drei?; *¿qué es?* was gibt's?; *¿hoy, qué día es? — hoy es domingo* welcher Tag ist heute? — heute ist Sonntag; *¿qué hora es? — es la una* (*son las dos*) wieviel Uhr ist es? — es ist ein (zwei) Uhr; *¿quién es? — soy yo* wer ist da? — ich bin es; *¿si* ~*á él?* ob er es (wohl) sein wird?; **c**) *Hervorhebung*: *el asesino era él* er (nämlich) war der Mörder; *es él quien debe saberlo* er (allerdings) muß es wissen; *es que* ... nämlich; zwar; *es que no se trata de eso* darum geht es nämlich nicht; *y es que* ... die Sache ist nämlich die, daß ..., u. zwar geht es um folgendes ...; nämlich...; **d**) *adverbiale u. konjunktionale Verbindungen*: *a no* ~ *que* + *subj.* ... falls nicht + *ind.*; außer wenn + *ind.*; es sei denn, daß + *subj. impf.*; *de no* ~ *así* andernfalls, sonst; *esto es od. es decir* (*Abk.* e.d.) das heißt (*Abk.* d.h.); *no sea que* + *subj.* damit nicht + *ind.*; sonst + *ind.*; *o sea* oder, mit andern Worten; das heißt, nämlich; *sea(n) ..., sea(n) ...* sei(en) es ..., sei(en) es ...; teils ..., teils ...; *sea como sea* (*od. lit. fuere*) wie dem auch sei, jedenfalls; *sea lo que sea* (*od. lit. fuere*) was es auch sei, auf alle Fälle; *si fuera* (*od. fuese*) *por mí* ... wenn es von mir abhinge ...; wenn es auf mich ankäme ...; meinetwegen könnte...; **3.** *mit prp.*; **a)** *¿a cómo es?* was kostet (es)?; wie teuer ist (es)?; **b)** *soy contigo* (*con usted*) e-n Augenblick bitte (noch)!, ich stehe gleich zu d-r (*bzw.* zu Ihrer) Verfügung; **c)** ~ *de* gehören zu (*dat.*); stammen (*od.* sein) aus (*dat.*); bestehen aus (*dat.*), *lit.* s. schicken (*od.* ziemen) für (*ac.*); F los sein mit (*dat.*) F; (aus)machen (*ac.*), betragen (*ac.*) (*Summe*); ~ *del Club* Mitglied des Klubs sein; ~ *de piedra* aus Stein sein (*od.* bestehen); *es de admirar* es ist zu verwundern; *¿qué ~á de la casa?* was wird aus dem Haus (werden)?, was wird mit dem Haus (geschehen)?; *¿es de creer?* soll man es für möglich halten?, es ist kaum zu glauben!; *es de día* (*de noche*) *a*) es ist Tag (Nacht); *b*) es (*usw.*) findet tags (abends) statt; *Am. es de divertido* (*de goloso, etc.*) *Verstärkung des Prädikatbegriffs*: er ist ein fideles Haus F (er ist ein großes Leckermaul *usw.*); F *eso es muy de él* das sieht ihm ganz ähnlich, das ist seine Handschrift (*fig.*); *no es* (*cosa*) *de ellos* es ist nicht ihre Sache; F *esto es de lo que no hay* das hat nicht seinesgleichen, das gibt's nur einmal; *no somos de los que exageran* wir übertreiben (wirklich) nicht gern; *es de pensar* man muß es überlegen; *es de suponer* es ist anzunehmen; *¿qué es de ti?* (*od. de tu vida*) was treibst du?, wie geht es dir?; *¡era de verla bailar!* man mußte sie tanzen sehen!; **d)** *no soy para ello* dazu eigne ich mich nicht; dazu gebe ich mich nicht her; ~ *para poco* wenig taugen; *a.* k-e Kraft (*bzw.* k-n Mut) haben; **4.** *mit anderen Verben*: *acabó siendo ...* zuletzt war (*od.* wurde) er ...; *llegar a* ~ werden; *puede* (~) *que* + *subj.* möglicherweise + *ind.*, vielleicht + *ind.*; *no puede* ~ es ist unmöglich; *¿qué quieres* (*od. a. ¿qué vas a*) *~?* was willst du werden?; **5.** *Anm.*: *das pretérito indefinido von „ser" wird auch für „ir" verwendet*; *z. B. anoche fui al teatro* gestern abend bin ich ins Theater gegangen; **II.** *m* **6.** Sein *n*; Wesen *n*; (eigentlicher *od.* innerer) Wert *m*; *filosofía f del* ~ Seinsphilosophie *f*; *~es m/pl. animados* (*humanos*) beseelte (menschliche) Wesen *n/pl.*; *~es m/pl. vivientes* Lebewesen *n/pl.*; *dar el* ~ das Leben schenken, ins Dasein treten lassen.

sera *f* gr. Korb *m*; Kohlenkorb *m*; Kiepe *f*.

se|ráfico *adj.* engelhaft, seraphisch; *Rel. fig. vida f ~a* Leben *n* in Armut, Demut u. Keuschheit; **~rafín** *m* Seraph *m*; Engel *m*.

ser|ba *f* Vogelbeere *f*; **~bal, ~bo** ⚘ *m* Vogelbeerbaum *m*.

serena *f* **1.** † ♪ Nachtlied *n*; **2.** → *sereno¹ 1*; F *a la* ~ → *al sereno*.

serenar I. *v/t.* aufheitern; beruhigen; aufhellen; *a. trübes Wasser u. ä.* abstehen lassen; **II.** *v/r.* *~se* s. aufhellen (*Wetter*); s. beruhigen (*Meer usw.*), s. legen (*Aufregung*); s. klären (*trübe Flüssigkeit*).

serenata ♪ *f* Serenade *f*, Nachtmusik *f*; (Abend-)Ständchen *n*; *dar una ~ a alg.* j-m ein Ständchen bringen; *fig.* F *darle la ~ a alg.* j-m in den Ohren liegen, j-m auf die Nerven gehen F.

sere|nidad *f* **1.** Heiterkeit *f*; Gemütsruhe *f*; Gelassenheit *f*; Fassung *f*; Ruhe *f*, Geistesgg.-wart *f*; **2.** *ehm. Su* ♀ S-e Durchlaucht (*Titel*); **♀nísimo** *ehm. adj.*: *Alteza f ~a od.* ~ (*Señor*) *m* Serenissimus *m* (*Titel der Kronprinzen in Span.*).

sereno¹ *m* **1.** † *u. poet.* Abendtau *m*, Nachtkühle *f*; *al* ~ (nachts) im Freien; **2.** Nachtwächter *m*.

sereno² *adj.* heiter; wolkenlos; *fig.* heiter (*Gemüt*); gefaßt, gelassen; geistesgg.-wärtig.

sergas † *lit. f/pl.* (Helden-)Taten *f/pl.*

seria|ble ⊕ *neol. adj. c* serienreif; **~l** *m* Fortsetzungsroman *m*; *TV, Rf.* Sendereihe *f*.

seriamente *adv.* ernst(lich).

seri|cícola *adj. c* Seidenbau...; **~(ci)cultor** *m* Seidenbauer *m*; **~(ci)cultura** *f* Seidenzucht *f*; **~(cí)geno** *Zo. adj.*: *glándula f ~a* Spinndrüse *f der Seidenraupen u. Spinnen*.

sérico¹ ⚒ *adj.* seiden.

sérico² ⚕ *adj.* Serum...

serie *f a. Biol.*, ⚹, ⊕ Reihe *f*; Folge *f*; *a.* ⊕ Serie *f*; ~ *de conferencias* (*Rf., TV* ~ *de emisiones*) Vortrags-(Sende-)reihe *f*; *en* ~, *de* ~ *a.* ⊕, ⚡ Serien...; ⊕ *de la* ~ serienmäßig (gefertigt), Serien...; *en* ~ *continua* in laufender Fertigung; *casas f/pl. de* ~ Reihenhäuser *n/pl.*; ⚹ ~ *aritmética* (*geométrica, logarítmica*) arithmetische (geometrische, logarithmische) Reihe *f*; ~ *de números* Zahlenfolge *f*; ~ *en gran escala* Großserie *f*.

seriedad *f* **1.** Ernst *m*; Ernsthaftigkeit *f*; **2.** Zuverlässigkeit *f*; Redlichkeit *f*.

seri|grafía *Typ. f* Seidendruck *m*; **~gráfico** *adj.* Seiden(druck)...

serio *adj.* ernst; ernsthaft; *en* ~ im Ernst; *¡hablemos en ~!* Scherz beiseite!; *tomar a/c. en* ~ et. ernst nehmen; *tomar a/c. por lo* ~ et. allzu ernst nehmen.

ser|món *m* Predigt *f*; *fig.* Rede *f*, Sermon *m* (*desp.* F); *fig.* F Strafpredigt *f*; *bibl. el* ♀ *de la Montaña* die Bergpredigt *f*; *fig.* F; *ése es el tema de mi* ~ das habe ich ja schon immer gesagt; *echar un ~ a alg.* → **~monear** F *v/t.* j-m die Leviten lesen, j-m e-e Standpauke halten F; **~moneo** F *m* Strafpredigt *f*, Standpauke *f* F.

seroalbúmina ⚕ *f* Bluteiweiß *n*.

sero|ja *f*, **~jo** *m* dürres Laub *n*; Reisig *n*.

se|rología ⚕ *f* Serologie *f*; **~rológico** ⚕ *adj.* serologisch; **~rólogo** ⚕ *m* Serologe *m*.

serón *m* gr. Korb *m*; *bsd.* Tragkorb *m für Lasttiere*.

serondo † *u.Reg.* ⚘ *adj.* spätreifend.

sero|sa *Anat. f* seröse Haut *f*, Serosa *f*; **~sidad** *f* seröse Flüssigkeit *f*; Lymphe *f*, Serum *n*; **~so** ⚕ *adj.* serös **~terapia** ⚕ *f* Serumtherapie *f*.

serpear *v/i.* → *serpentear*.

serpen|taria ⚘ *f* **1.** Drachenwurz *f*; **2.** Virginische Schlangenwurz *f*; **♀tario I.** *m Astr.* Ophiuchus *m*; **II.** *adj. Am.*: *instituto m* ♀ Schlangenfarm *f*; **~teado** *adj.* geschlängelt; **~teante** *adj. c* gewunden (*bsd. Weg*); **~tear** *v/i.* s. schlängeln, s. winden (*a. Weg, Fluß*); **~tín** *m* Spiral-, Schlangen-rohr *n*, Schlange *f*; ~ (*de refrigeración*) Kühlrohr *n*; *bsd.* ⚗ Kühlschlange *f*; **~tina** *f* **1.** Schlangenlinie *f*; Serpentine *f*; **2.** Papierschlange *f*; **3.** *Min.* Serpentin *m*, Schlangenstein *m*; **4.** ⚘ ⚒ Osterluzei *f*; **5.** *ehm.* **a)** Luntenstock *m bzw.* Luntenschloß *n*; **b)** Spieß *m mit gewundener Spitze*; **~tino** *adj.* **1.** Schlangen...; schlangenförmig; Serpentin...; **2.** *poet.* (s.) schlängelnd; **~tón** *m* gr. Schlange *f*.

serpiente *f* **1.** *Zo.* (*Astr.* ♀) Schlange *f*; *Zo.* ~ *acuática* Ringelnatter *f*; *~s f/pl. de agua* (Süß-)Wasserschlangen *f/pl.*; ~ *de anteojos* (*de cascabel, de coral*) Brillen- (Klapper-, Korallen-)schlange *f*; ~ *de mar* Seeschlange *f*; Streifen(ruder)schlange *f*; *fig.* (Zeitungs-)Ente *f*; ~ *venenosa* Giftschlange *f*; ~ *de vidrio* Glasschleiche *f*; *oft* (*a.* ~ *quebradizo*) Blindschleiche *f*; *hombre-~ m* Schlangenmensch *m*; **2.** *fig. Rel., Folk.* ♀ *der* Teufel, *die* Schlange; **3.** *fig.* falsche Schlange *f*, böses Weib *n*; Verleumder *m*, Lästermaul *n* F.

serpigo ⚕ *m* (Wund-)Flechte *f*.

serpol ⚘ *m* Quendel *m*.

serpo|llar *v/i.* nachtreiben; Schößlinge treiben; **~llo** *m* Schößling *m*; Trieb *m aus alter Schnittstelle*.

serradella ⚘ *f* Klauenschote *f* (*Futterpflanze*).

serra|dero *m* Säge-platz *m*; -werk *n*; **~dizo** *adj.* sägbar; *madera f ~a* Sägeholz *n*; **~do** *adj.* gezahnt, gezackt; **~dor** *m* Säger *m*; **~dura** *f* Einsägung *f*; *~s f/pl.* → *serrín*.

serrallo *m* Serail *n*.

serra|na *f* **1.** Gebirglerin *f*; **2.** *Lit. altspan. Lyrikform*; **~nía** *f* Gebirgs-, Berg-land *n*, Gebirge *n*; **~niego** *adj.* Berg..., Gebirgs...; **~nilla** *Lit. f aus der "serrana" hervorgegangene lyrische Dichtungsform des 15. Jh.*; **~no I.** *adj.* **1.** Berg..., Gebirgs...; † *u. lit. partida ~a* übler Streich *m*; **II.** *m* **2.** Bergbewohner *m*, Gebirgler *m*; **3.** *Fi.* Zackenbarsch *m*.

se|rrar [1k] *v/t.* (zer)sägen; **~rrátil** ⚒ *u.* ⚕ *adj. c* Säge...; *Anat.* sägeförmig; **~rrato** *Anat. m* Sägemuskel *m*.

serre|ría *f* Sägewerk *n*; **~ta** *Equ. f* Kappzaum *m*.

serrijón *Geogr. m* Kleingebirge *n*.

serrín *m* Sägemehl *n*; ~ *de corcho* Korkmehl *n*; ~ *de turba* Torfmull *m*; *fig.* F *tener la cabeza llena de* ~ ein Hohlkopf sein.

serrucho *Zim. usw. m* Blattsäge *f*; ~ (*de carpintero od.* ~ *tronzador*) Fuchsschwanz *m*; ⚘ ~ (*para podar*) Baum-, Astsäge *f*.

sertão *Geogr. m Bras.* (Trocken-) Wald- u. Buschgelände *n*, Sertão *m*.

servador *Myth., poet. m* Bewahrer *m*, Erhalter *m*, Retter *m*.
serval *Zo. m* Serval *m*.
serventesio *Lit. m* Sirventes *n*, „Dienstlied" *n*.
servi|ble *adj. c* brauchbar; **~cial** *adj. c* dienst-willig, -fertig; gefällig, entgegenkommend, verbindlich; *no* (*od. poco*) *~* ungefällig.
servicio *m* **1.** Dienst *m* (*alle Bedeutungen*); Dienstleistung *f*; *a.* ✝, ⊕ Dienst *m*, Betrieb *m bzw.* Verkehr *m*; ⚔ Dienst(zeit *f*) *m*; ✝, ⊕ *usw.* Kundendienst *m*; *bsd. Verw.* Dienst(zweig) *m*, Abteilung *f*; Dienst-, Verwaltungs-stelle *f*; de *~* diensttuend, diensthabend; Dienst-...; *en ~* im Dienst; *a.* in Betrieb; *fuera de ~* außerdienstlich; *a.* ⊕ außer Betrieb; *a.* ⚔ *~ de acarreo* Nachschub(dienst) *m*, Versorgungswesen *n*; ⚔ *~ de acecho*, *~ de alerta aérea* Luftwarndienst *m*; ⊕ *~ de asesoramiento técnico* technischer Beratungsdienst *m*; *Tel. ~ automático* Selbstwähl-betrieb *m*, -verkehr *m*; *Rf. usw. ~ de batería* Batteriebetrieb *m*; ✝ *~ de capital* Kapitaldienst *m*; *a. dipl. ~ de cifrado* Chiffrier-dienst *m*, -abteilung *f*; *~ consular* konsularischer Dienst *m*; *~ continuo* durchgehender Dienst *m*; ⊕ Dauer-betrieb *m*, -einsatz *m*; *~ de correos*, *~ postal* Postdienst *m*; *~ del Correo* Kurier-dienst *m*, -abteilung *f in Ministerien usw.*; *~ de día*, *~ diurno* Tag(es)dienst *m*; *~ de emergencia* Not-dienst *m bzw.* -betrieb *m*; *Kfz. ~ de engrase*, *~ de lubri(fi)cación* Abschmierdienst *m*; ⚔ *~ en el frente* (*en la retaguardia*) Front- (Etappen-)dienst *m*; *~ gubernamental* Verwaltungsstelle *f*; *~ de identificación* Erkennungsdienst *m der Polizei usw.*; *~ de incendios* Feuerlöschdienst *m*, Feuerwehr *f*; *~ de informaciones* Nachrichtendienst *m*; ✈ *~ informativo aeronáutico od. ~ de protección aérea* Flugmeldedienst *m*; *~ lingüístico* Sprachendienst *m in Ministerien usw.*; ⊕ *~ de mantenimiento* (*od. de entretenimiento bzw. de conservación*) Wartungsdienst *m*; *~ médico de urgencia* ärztlicher Notdienst *m*; *~ militar* Wehrdienst *m*; *~ militar obligatorio* Wehrpflicht *f*; *~ móvil* Bereitschaftsdienst *m* (*Polizei usw.*); *~ nocturno* Nacht-dienst *m bzw.* -betrieb *m*; *~ obligatorio* Dienstpflicht *f*; *in Ministerien*: *~ del personal* Personalabteilung *f*; *~ de prensa* Presse-dienst *m bzw.* -abteilung *f*; ✈ *~ de protección de vuelo* Flugsicherungsdienst *m*; *dipl.* ♀ *de Protocolo* Protokoll(abteilung *f*) *n*; *~ público* öffentlicher Dienst; *Vkw.* öffentlicher Verkehr *m*; ♀(s) *Público(s)*, *Span. Abk.* S.P. Öffentlicher Dienst *m bzw.* öffentliche Dienstleistungen *f/pl.*; *~ (radio-) meteorológico* (Funk-)Wetter-dienst *m bzw.* -bericht *m*; *~ radiotelefónico* Funksprechdienst *m*, Sprechfunk *m*; ✝, 🚌 *usw. ~ de reparto de mercancías* Zubringerdienst *m* (*Warenverkehr*); *~ de sanidad* Gesundheitsdienst *m*; ⚔ *~ sanitario* Sanitätswesen *n*; *~ secreto* Geheimdienst *m*; ⚔ *~ sustitutivo* Ersatzdienst *m für Wehrdienstverweigerer*; *~ telefónico*, *~ de conferencias* (*telegráfico*) Fernsprech- (Telegraphen-)dienst *m*; *~ de tranvías* (*de trenes*) Straßenbahn- (Zug-)verkehr *m*; *~ de vigilancia fiscal* Steuerfahndung *f*; *Verw.*, ⚔ *años m/pl.* de *~* Dienstjahre *n/pl.*; *contrato m de ~s* Dienst-(leistungs)vertrag *m*; *reglamento m de ~* Dienst-anweisung *f*, -vorschrift *f*; *sujeto al ~ militar* wehrpflichtig; *tiempo m de ~* Dienstzeit *f*; *vivienda f de ~* Dienstwohnung *f*; *entrar en (el) ~* in (den) Dienst treten; *estar al ~ de alg.* in j-s Dienst(en) stehen; *estoy a su ~* ich stehe zu Diensten; *estar de* (*od. en*) *~* im Dienst sein; Dienst tun, Dienst haben (*bsd.* ⚔); *estar en el ~* den Wehrdienst ableisten, dienen; ⚔ *hacer ~* Dienst tun; *hacer buen (mal) ~* (un)brauchbar sein, gute (k-e brauchbaren) Dienste leisten; *poner en ~* in Dienst stellen; *prestar* (*od. hacer*) *~s* Dienste leisten; **2.** Gottesdienst *m*, Kult *m*; *fig. ~ de boca* Lippendienst *m*, nur (leere) Worte *n/pl.*; *~ divino* Gottesdienst *m*; *a. gal.* Messe *f*; *~ fúnebre* Trauergottesdienst *m*; *lit. consagrarse al ~ de los altares* Priester werden (*bzw.* sein); **3.** Bedienung *f*; Aufwartung *f*; *a.* ⊕ Handhabung *f*; Bedienungs- *od.* Haus- *bzw.* Maschinen-personal *n*; *personal m de ~ bsd.* ⊕ Bedienungspersonal *n*; **4.** Gedeck *n*; auf einmal Aufgetragene(s) *n* (*z.B. Frühstück*); Gang *m*; Geschirr *n*, Service *n* (*frz.*); *~ de café* (*de té*, *de mesa*) Kaffee- (Tee-, Tisch-) geschirr *n*; Kaffee- (Tee-)service *n*; *~ de fumador* Rauchservice *n*; *~ a la* (*bzw. de*) *mesa* Servieren *n*; Tischbedienung *f*; *carrito m de ~* Servier-, Tee-wagen *m*; **5.** ⚠ (Licht-, Wasser-, Kraft-, Fernheiz-) Anschluß *m*; **6.** *Sp.* Anspielen *n*; *bsd.* Aufschlag *m* (*Tennis*) *bzw.* Servieren *n* (*Volley-Ball*); **7.** *euph.* **a)** Nachtgeschirr *n*; **b)** Toilette *f*, W.C. *n*; **8.** Klistier *n*.
servi|dero *adj.* **1.** †, ↖ dienlich; **2.** *ecl.* an die persönliche Anwesenheit gebunden (*Pfründe*); **~do** *part.-adj.* **1.** abgetragen (*Kleid*); **2.** *¡los señores están ~s!*, *¡la mesa está ~a! od. ¡está ~!* es ist aufgetragen (*od.* angerichtet)!, zu Tisch, bitte!; *su curiosidad está ~a* s-e Neugier ist befriedigt; *fig.* F *¡estamos (bien) ~s!* wir sind hereingefallen!, wir sind ganz schön bedient! (*fig.* F); *¡sea usted ~!* bitte sehr!, zu dienen!; bedienen Sie s., bitte!; **~dor** *m* **1.** Diener *m*; *p. ext.* Verehrer *m*, Kavalier *m*; *fig. ~ de usted(es)* bitte, gern geschehen; k-e Ursache; *a.* → *un ~* m-e Wenigkeit, ich; *Briefschluß*: *quedo de usted atento y seguro ~*, *Abk. quedo de Vd. atto. y s. s.* (verbleibe ich) Ihr (sehr) ergebener; **2.** Bedienende(r) *m*; **3.** *Sp.* Einschenker *m b. Kricket*; **4.** F *bsd. Reg.* → servicio 7 *a*; **~dora** *f* **1.** Dienerin *f*; *fig. una ~* m-e Wenigkeit, ich (*Frau, Mädchen*); **2.** Maschinenbedienung *f* (*mst. angelernte Arbeiterin*); **~dumbre** *f* **1.** Dienstbarkeit *f*; *a. fig.* Knechtschaft *f*; Hörigkeit *f*; *~ de (la) gleba* Schollen-, Grund-hörigkeit *f*; *~ (personal od. social)* Leibeigenschaft *f*; *~ personal (od. corporal)* Frondienst *m*; **2.** Dienerschaft *f*; Gesinde *n*; **3.** ⚖ Dienstbarkeit *f*, † Servitut *n*; *~ inmobiliaria* Grunddienstbarkeit *f*; *~ de luces* Beschränkung *f* der Höhe *e-s Gebäudes*.
servi|l **I.** *adj. c* knechtisch; sklavisch; unterwürfig; servil; **II.** *m Span.* „Servile(r)" *m*, *Spottname der Liberalen für die Anhänger der absoluten Monarchie im 19. Jh.*; **~lismo** *m* knechtische Gesinnung *f*; Unterwürfigkeit *f*; **~lón** *adj.-su. augm. desp. zu servil.*
servilleta|ta *f* Serviette *f*; Serviertuch *n*; *fig.* F *doblar la ~* sterben; **~tero** *m* Servietten-ring *m bzw.* -ständer *m*.
servio *adj.-su* serbisch; *m* Serbe *m*.
serviola ⚓ *f* Davit *m*, Boots- (*bzw.* Anker-)kran *m*; *p. ext.* Wache *f* (*od.* Ausguck *m*) am Davit.
servir [3l] **I.** *v/t.* dienen (*dat.*); bedienen; servieren, auftragen *bzw.* anrichten; *Speisen, Getränke* auftragen, servieren; *Getränke* einschenken, vorsetzen; *Amt* versehen; ✝ bedienen; *a. Waren* liefern; *Aufträge* erledigen; *j-m* e-n Dienst leisten; *j-m* e-n Gefallen tun; *Sp. Ball* (*bsd.* „*Pelota vasca*" *u. Tennis*) ausspielen *bzw.* zurückschlagen *od.* einschenken (*b. Volley-Ball*); *Kart.* (*Farbe*) bekennen, bedienen; den Ofen anheizen (*Bäcker, Töpfer*); *~ de beber* Getränke auftragen, et. zum Trinken bringen; *~ la buena causa* (*la patria*) der guten Sache (dem Vaterland) dienen; *~ a la patria* für das Vaterland dienen, Soldat sein; *~ a los clientes* die Kunden bedienen; *~ a Dios* Gott dienen; Gott verehren; *¿en qué puedo ~le(s)?* womit kann ich (Ihnen) dienen?; *¿le han ~ido a usted ya?* werden Sie schon bedient?; *¡para ~le!* zu (Ihren) Diensten!; *fig.* F *no le conozco sino para ~le* ich kenne ihn nicht näher; *~ las pasiones de alg.* j-s Leidenschaften begünstigen; ⚔ *~ una pieza* ein Geschütz bedienen; *~ una portería* das Pförtneramt versehen; **II.** *v/i.* dienen (bei *dat.* en); servieren; *fig.* † *u. Reg. ~ a e-r Frau* den Hof machen; *~ de* dienen als; *~ para* (*od. a*) dienen zu (*dat.*); taugen (*od.* brauchbar sein) für (*ac.*); (*este aparato*) *ya no sirve* (dieses Gerät) taugt nichts mehr (*od.* ist unbrauchbar); *~ (a la mesa)* (bei Tisch) servieren; *¿a qué sirve todo eso?* wozu das alles?; *de nada sirve que protestemos* Protestieren hilft uns nicht (*od.* führt zu nichts); *¿de qué me sirve?* was soll ich damit schon tun? *od.* dafür kann ich mir nichts kaufen (*fig.* F); *~ en filas* beim Militär dienen; *(yo) no sirvo para eso* dazu tauge ich nicht; dazu gebe ich mich nicht her; *fig. no ~ para descalzar a alg.* j-m nicht das Wasser reichen können (*fig.*); *~ para el caso* zweckentsprechend sein; *no me sirve para nada* damit kann ich nichts anfangen; das ist wertlos für mich; *~ por la comida* für s-e Arbeit *als Dienstbote usw.* das Essen bekom-

men, s. fürs Essen verdingen; **III.** *v/r.* ~se s. bedienen (*gen.* de); zugreifen, zulangen (*b. Tisch*); serviert werden; ~se de s. *et.* zunutze machen, *et.* ausnutzen; *¡sírvase usted (con) carne!* nehmen Sie (doch) bitte Fleisch!; ~se *hacer a/c.* freundlicherweise et. tun; *sírva(n)se + inf.* möchten Sie freundlicherweise + *inf.*; *¡sírva[n]se* (*od.* *le[s] ruego se sirva[n]*) *leer la carta* lesen Sie bitte den Brief.

servita *kath.* *c* Servit(in *f*) *m* (*Angehörige[r] des Ordens der „Diener Mariens", lt. Abk. OSM*).

servo|... ⊕ *in Zssgn.* Servo...; **~accionado** ⊕ *part.* servo-betätigt, -angetrieben; **~accionamiento** *m* Servoantrieb *m*; **~dirección** *Kfz. m* Servolenkung *f*; **~freno** *m* Servobremse *f*; **~mando** ⊕ *m* Servosteuerung *f*; **~mecanismo** *m* Servo-mechanik *f*; -gerät *n*; **~motor** *m* Servo-, Stell-motor *m*; **~rregulación** *f* Servoregelung *f*.

sesada *f* Hirn *n e-s Tiers*; *Kchk.* gebackenes Hirn *n*.

sésamo[1] ♀ *m* Sesam *m*; *aceite m de* ~ Sesamöl *n*.

Sésamo[2]: *a. fig.* *ábrete* ~ Sesam, öffne dich!

sesear *v/i. das span. „z" u. „c" (z. B. „zorro", „cielo") als „s" aussprechen (bsd. in Andal. u. Am.)*.

sesen|ta *num.* sechzig; sechzigste(r, -s); **~tón** F *adj.-su.* sechzigjährig.

seseo *m* Aussprache *f* von „z" u. „c" wie „s" (*vgl. sesear*).

sesera *f* Hirnschale *f der Tiere*; *fig.* F Gehirn *n*.

ses|gado *adj.* schräg; schief; **~gadura** *f* schräger Schnitt *m*; **~gar** [1h] *v/t.* schräg schneiden; schräg abbiegen, zur Seite biegen; ⊕ auf Gehrung schneiden; **~go I.** *adj.* schräg; schief; *al* ~ schief; quer, überzwerch; *fig.* heimlich; **II.** *m* Schräge *f*; ⊕ Gehrung *f*, Gehre *f*; *fig.* Mittelweg *m*, Kompromiß *m*, *n*; Gang *m*, Entwicklung *f bzw.* Wende *f*; *tomar buen* ~ e-n guten Verlauf nehmen; s. gut anlassen.

sesi|ón *f* **1.** Sitzung *f*; Tagung *f*; Beratung *f*; *p. ext.* Sitzungsperiode *f* (= *período m de* ~*ones*); ~ *plenaria* Plenarsitzung *f*; ~ *secreta* (*od.* *a puerta cerrada*) Geheimsitzung *f*, Sitzung *f* hinter verschlossenen Türen; ~ *de trabajo* Arbeitssitzung *f*; *celebrar (una)* ~ tagen; *levantar (suspender) la* ~ die Sitzung aufheben (unterbrechen); **2.** *Kino*: Vorstellung *f*; ~ *continua* Dauervorstellung *f*; **~onar** *neol. v/i. bsd. Am.* tagen.

seso[1] *m* Gehirn *n*; *fig.* Verstand *m*; ~*s m/pl. Kchk.* Hirn *n*, Brägen *m*; *perder el* ~ den Kopf (*bzw.* den Verstand) verlieren; *fig.* F *devanarse* (*od.* *torturarse*) *los* ~*s* s. den Kopf zerbrechen, s. das Hirn zermartern F; *fig.* F *hacer perder el* ~ *a alg.* j-m den Kopf verdrehen (*fig.* F); *fig.* F *sorber los* ~*s a uno* j-n völlig beherrschen (*anderer Mensch, a. Gedanken, Sorgen usw.*).

seso[2] *m* Stein *m od.* Eisen *n* zum Unterkeilen *des Kochtopfs* (*b. offenem Herdfeuer*).

sesqui|... anderthalb(fach); *z. B.* **~centenario** *m* 150-Jahrfeier *f*.

ses|tear *v/i.* Mittagsruhe (*od.* Siesta) halten; im Schatten ruhen (*Vieh auf der Weide*); **~tero, ~til** *m* schattiger Ruheplatz *m für das Vieh*.

sesu|dez *f* → *sensatez*; **~do** *adj.* besonnen; vernünftig, gescheit.

seta[1] *f* Pilz *m*, Schwamm *m*; *fig.* F (Licht-)Schnuppe *f bzw. v. e-r brennenden Kerze* abtropfendes (*u. dann erstarrtes*) Wachs *n*; *fig.* P Schnecke *f* (*fig.* P) (= *weibliche Scham*); ~ *común* (*od.* *de campo*), F ~ Feldchampignon *m*; ~ *del diablo* Satanspilz *m*; *ir a buscar* ~*s* Pilze suchen (*od.* sammeln).

seta[2] *f* (Schweins-)Borste *f*.

setáceo *adj.* borsten-ähnlich *bzw.* -förmig.

setal *m* Stelle *f*, an der Pilze wachsen; Pilzgarten *m*.

setecientos *num.* siebenhundert; siebenhundertste(r, -s).

seten|ta *num.* siebzig; siebzigste(r, -s); **~tón** F *adj.-su.* Siebzig(jährig)er *m*.

setiembre *m* → *septiembre*.

seto *m* Zaun *m*; Einfriedigung *f*, Einzäunung *f*; ~ *vivo* Hecke *f*.

setter *m* Setter *m* (*Hund*).

seu|do... Pseudo...; **~dónimo** *adj.-su.* pseudonym; *m* Pseudonym *n*; **~dópodos** *Biol. m/pl.* Scheinfüßchen *n/pl.*; **~doprofeta** *bibl. u. fig. m* falscher Prophet *m*.

seve|ridad *f* Strenge *f*; Unnachsichtigkeit *f*; **~ro** *adj.* streng, hart; genau.

sevicia *f* wilde Grausamkeit *f*.

sevilla|na *f* Sevillanerin *f*; ~*s f/pl.* ♪, *Folk. Tanzweise der Provinz Sevilla*; **~no** *adj.-su.* sevillanisch, *m* Sevillaner *m*.

sexa|genario *adj.-su.* sechzigjährig; *m* Sechzigjährige(r) *m*; **~gésimo** *num.* sechzigste(r, -s).

sexaje ✓ *m* Geschlechtsbestimmung *f* (*bsd. b. Küken*).

sex-appeal *engl. m* Sex-Appeal *m*.

sex|centésimo *num.* sechshundertste(r, -s); **~enio** ✎ *m* Jahrsechst *n*.

sexmo *Verw. m* **1.** Gemeindeverband *m* mehrerer Dörfer; **2.** † *e-e Steuer*.

sexo *m* Geschlecht *n*; Sexus *m*, Sex *m*; ⚕ *determinación f del* ~ Geschlechtsbestimmung *f*; *proporción f por* ~*s* numerisches Verhältnis *n* der Geschlechter (*Statistik*); *fig.* F ~ *bello od. débil* (*feo od. fuerte*) *das* schöne *od.* schwache (häßliche *od.* starke) Geschlecht; **~logía** *f* Sexualkunde *f*, -wissenschaft *f*; **~lógico** *adj.* sexualkundlich.

sex|ta ♪ *f* Sext(e) *f*; **~tante** ⚓, ✈ *m* Sextant *m*; **~teto** ♪ *m* Sextett *n*; **~tina** *Lit. f* Sextine *f*; **~to I.** *adj.* sechste(r, -s); **II.** *m* Sechstel *n*.

séxtuplo *adj.* sechsfach; *el* ~ das Sechsfache.

sexua|do *Biol. adj.* mit Geschlechtsorganen versehen; geschlechtlich (*Fortpflanzung*); **~l** *adj. c* geschlechtlich, sexuell, Sexual..., Geschlechts...; *Biol., Psych.,* ⚕, ⚖ *apetito m* (*bzw. placer m*) ~ Geschlechtslust *f*; *asesinato m por motivos* ~*es* Sexualmord *m*; *caracteres m/pl.* ~*es* Geschlechtsmerkmale *n/pl.*; *crimen m* (*od.* *delito m*) ~ Sexualverbrechen *n*; *educación f* ~ Sexualerziehung *f*; *a.* → *iniciación f* ~ sexuelle Aufklärung *f*; *moral f* (*od.* *ética f*) ~ Sexualethik *f*; **~lidad** *f* Geschlechtlichkeit *f*, Sexualität *f*; **~lismo** *m* übertriebene Wertung *f* des Sexuellen, Sexualismus *m*.

sexy *engl. adj. inv.* sexy.

shah *m* Schah *m* (*Persien*).

sherardización ⊕ *f* Sherardisierung *f* (*Verzinkung*).

sheriff *engl. m* Sheriff *m* (*engl.*).

shock ⚕ *m* Schock *m*; *tratamiento m por* ~ Schock-behandlung *f*, -therapie *f*.

shoddy *tex. m bsd. Am.* Reißwolle *f*.

shorts *engl. m/pl.* Shorts *pl.*

shrapnel ⚔ *m* Schrapnell *n*.

shullo *Ke. m Pe.* Ohrenmütze *f der Ketschuas* (*aus Zweckmäßigkeitsgründen vielfach übernommen*).

shunt ⚡ *m* Shunt *m*, Nebenschlußwiderstand *m*.

si[1] ♪ *m* (*pl. sis*) h *n* (*Ton*); ~ *bemol* b *n* (*Ton*); ~ *mayor* (*menor*) H-Dur, (h-Moll).

sí I. *adv.* ja; jawohl; (F *que*) ~ gewiß, natürlich; selbstverständlich; genau F; *Am.* F *inc.* ~ *que* → *sino también*; ~ *señor(a) höfliche Antwort*: ja (, mein Herr, m-e Dame); ~, *es así* ja, so ist es; ~ *por cierto* ja(wohl), (gewiß) doch; *iré,* ~, *aunque* ... gewiß (*od.* aber sicher F) gehe ich hin, wenn auch ...; *lo hizo,* ~, *pero* ... er hat es zwar getan, aber ...; ~ *que lo sabía yo* ich habe es ja (*bzw.* zwar) (immer) gewußt; *esto* ~ *que es bueno* das ist in der Tat gut; ~ *tal* ja doch; *por* ~ *o por no* auf alle Fälle, unter allen Umständen; *pues* ~ na ja, na also; *un día* ~ *y otro no* jeden zweiten Tag; F *un día* ~ *y otro también* tagaus, tagein; immer; *creo que* ~ ich glaube, ja; *decir que* ~ ja sagen; **II.** *m* Ja *n*; Ja(wort) *n*; *dar el* ~ sein Jawort geben; *fig.* F *sin faltar un* ~ *ni un no* bis ins kleinste, sehr eingehend.

sí[2] *pron.* sich; *a* ~ an s., sich (*dat.*); *entre* ~ unter s.; unterea.; zu s. selbst; (*Anm.*: ~ *nach con immer nur in der Form consigo* mit s.); *de* ~ von s.; von selbst; von s. aus; an s.; *de por* ~ an u. für s.; an s., für s. allein (genommen); *para* ~ für s.; für s. bestimmt, an s. gerichtet; zu (*od.* bei) s. selbst; *por* ~ für s., um seinetwillen; selbst, allein; *Phil. el ente en* ~ das Ding an sich; *finalidad f en* ~ Selbstzweck *m*; *abastecerse a* ~ *mismo* Selbstversorger sein; *dar de* ~ s. ausdehnen, s. weiten (*z. B. Stoffe*); *estar sobre* ~ selbstbewußt sein; † *u. Reg.* auf der Hut sein, vorsichtig sein; *tener para* ~ *que* ... dafür halten, daß ..., der Meinung sein, daß ...; *fig.* F *Reg. tener a alg. sobre* ~ für j-n zu sorgen haben, für j-n aufkommen müssen; *tener dinero sobre* ~ Geld bei sich haben.

si *cj.* **1.** wenn; falls; *por* ~ (*acaso*) wenn vielleicht, falls etwa; für alle Fälle; ~ *no* wenn (*od.* falls) nicht; sonst, andernfalls; widrigenfalls; ~ *no es que* falls (*od.* wofern) nicht, es sei denn, daß ...; F *un* ~ *es no es* ein bißchen, ein (ganz klein F) wenig; ~ *tengo tiempo* wenn ich Zeit habe; ~ *tuviese* (*od. tuviera*) *tiempo, lo haría* (*od.* F *emphatisch*: *lo hago*) wenn ich Zeit hätte, würde ich es tun; *le dije que le daría mil pesetas* ~ *me decía dónde estaba ella* ich sagte ihm, er bekomme tausend Peseten, wenn er mir sage, wo sie sei; *se lo escribo por* ~ *le interesa* ich schreibe es Ihnen, weil Sie s. vielleicht dafür interessieren; **2.** doch, ja, wirklich; ~ *lo dice él* er sagt es (aber) doch; ~ *se lo he dicho ya mil veces* ich habe es Ihnen ja (*od.* doch) schon tausendmal gesagt; *es poeta* ~ *los hay* er ist wirklich (ein großer) Dichter; **3.** ob; *ignoro* ~ *es rico o pobre* ich weiß nicht, ob er reich od. arm ist; *¿~ le habrán visto?* ob man ihn (wohl) gesehen hat?; *¿~ estaré yo tonto?* bin ich denn (vielleicht) ein Narr?, *mst.* = ich müßte ein Narr sein (, *wenn ich das täte u. ä.*)!; *¡~ es guapa!* u. ob sie hübsch ist!, wie hübsch sie (doch) ist!; *tú sabes* ~ *te quiero* du weißt, wie (sehr) ich dich liebe; **4.** *K u.* F u. wenn, wenn ... auch; *lit.* ~ *bien* wenn ... auch.

siamés I. *adj.* siamesisch; ⚕ *hermanos m/pl.* **~eses** siamesische Zwillinge *m/pl.*; **II.** *m* Siamese *m.*

siba|rita I. *adj. c fig.* sybaritisch; **II.** *m* Sybarit *m, bsd. fig.* Schlemmer *m*; **~rítico** *adj.* → *sibarita*; **~ritismo** *m* Genußsucht *f*, Schwelgerei *f*, Schlemmerei *f.*

siberiano *adj.-su.* sibirisch; *m* Sibirier *m.*

sibila *Myth. u. fig. f* Sybille *f.*

sibilante *Li.* **I.** *adj. c* Zisch...; **II.** *f* Zischlaut *m.*

sicalíptico *adj.* F pikant; P unanständig.

sicario *m* (gedungener) Meuchelmörder *m.*

sico..., *etc.* → *psico...*, *etc.*

sico|fanta, ~fante *lit. m* Verleumder *m*, Denunziant *m*, Sykophant *m*; **~moro** ♀ *m* Sykomore *f.*

sico|te *m Cu., C.Ri., P.Ri.* übler Fuß(schweiß)geruch *m*; **~tudo** *ib. adj.* mit übelriechenden Füßen.

sidecar *Angl. m* Beiwagen *m am Motorrad.*

si|deral *adj. c*, **~déreo** Stern(en)...; **~derita**[1] ♀ *f Art* Gliedkraut *n.*

side|rita[2] *Min. f* Eisenspat *m*, Siderit *m*; **~rurgia** *f* Eisenhüttenkunde *f*, Siderurgie *f*; **~rúrgico** *adj.* Eisenhütten...; *industria f* **~a** eisenschaffende Industrie *f*; *productos m/pl.* **~s** Eisen- u. Stahlerzeugnisse *n/pl.*

sidra *f* Apfelwein *m*; ~ *achampañada* (*od. espumante*) Apfelsekt *m.*

siega ⚒ *f* Getreideernte *f*; Ernte (-zeit) *f*, Mahd(zeit) *f.*

siembra ⚒ *f* Säen *n*; Saatzeit *f*; Saat *f.*

siempre *adv.* **1.** immer, stets; ~ *jamás* immerwährend, immerdar; *de* ~ von jeher; *a. adj.* langjährig (*z. B. Freund*); *de una vez para* ~ ein für allemal; *lo de* ~ immer (wieder) dasselbe, immer die alte Geschichte F; *para* ~ auf immer, auf ewig; *por* ~ immerdar, ewig; *Kistenaufschrift*: ~ *de pie* nicht kanten; *cj.* ~ (*y cuando*) *que* + *subj.* vorausgesetzt, daß + *ind.*, sofern + *ind.*; **2.** F *inc.* **a)** noch; **b)** *Am. Reg.* sicher, bestimmt.

siempre|tieso *m* Stehaufmännchen *n*; **~viva** ♀ *f* Immortelle *f*; ~ *mayor* Immergrün *n.*

sien *f* Schläfe *f.*

sie|na *f* Siena *f* (*Farbe*); **~nita** *Min. f* Syenit *m.*

sierpe *f poet.* Schlange *f*; *fig.* böse u. grausame (*od./u.* häßliche) Person *f*; F schlangenähnlich s. Windende(s) *n*; *p. ext. fig.* Wurzelsproß *m e-s Baumes.*

sierra *f* **1.** Säge *f*; ~ *alternativa* (Säge-)Gatter *n*; ~ *de arco* (*de bastidor*) Bügel- (Spann-, Stell-)säge *f*; ~ *mecánica* (*circular*) Motor- (Kreis-)säge *f*; ~ *de carpintero* (*de contorn*[*e*]*ar, de marquetería*) Bund-, Schrot- (Laub-)säge *f*; ~ *de leñador* (*de cinta, de tracción*) Baum- (Band-, Zug-)säge *f*; ~ *a mano* (*para metales*) Hand- (Metall-)säge *f*; → *a. serrucho*; **2.** Bergkette *f*; Gebirge *n.*

sierrahuesos F *desp. m* (*pl. inv.*) Metzger *m* (*übler Chirurg*).

siervo *m* **1.** Leibeigene(r) *m*; Sklave *m*; *hist.* ~ *por naturaleza* Sklave *m* von Natur aus, geborener Sklave *m*; **2.** *lit.* Diener *m*; *Rel. un* ~ *del Señor* ein Diener des Herrn.

sieso *m* Ende *n* des Rektums, After *m.*

sies|ta *f* Mittagsruhe *f*, Siesta *f*; *dormir la* ~ Mittagsruhe halten; **~tecita** F *f dim.*: *echarse su* ~ s. mittags ein bißchen aufs Ohr legen F.

siete I. *num.* sieben; sieb(en)te(r); ~ *veces* siebenmal; *son las* ~ es ist sieben Uhr; *fig.* F *más que* ~ gewaltig (*essen, trinken u. ä.*); **II.** *m* Sieben *f*; *fig.* Triangel *m* (*Riß*); *Kart. el* ~ *de copas etwa*: Herz-Sieben *f*; *hacerse un* ~ *en* ... s. e-n Triangel in ... (*ac.*) reißen; **III.** *f*: *las* ~ *y media ein span. Kartenspiel*; **~colores** *Vo. m* (*pl. inv.*) *Arg., Chi. Art* Tangare *f*; **~cueros** *m* (*pl. inv.*) *Am.* Fersenfurunkel *m*; *p. ext.* Nagelbettentzündung *f*; **~mesino I.** *adj.* Siebenmonats...; *fig.* schwächlich, unterentwickelt; **II.** *m* Siebenmonatskind *n.*

sífilis ⚕ *f* Syphilis *f.*

sifilítico ⚕ *adj.-su.* syphilitisch; *m* Syphilitiker *m.*

sifón *m* (Saug-)Heber *m*; Wassersack *m*; ⊕, *Kchk.* Siphon *m*; ~ *inodoro* Geruchsverschluß *m*, Traps *m*; *Kchk. vino m con* ~ Schorle(morle) *f, n.*

sifué *Equ. m* Übergurt *m am Sattel.*

sigilo *m* Geheimnis *n*; Verschwiegenheit *f*; *hist.* Siegel *n*; ~ *profesional* (*ecl. sacramental*) Berufs-, Amts- (Beicht-)geheimnis *n*; **~so** *adj.* verschwiegen; geheim.

sigla *f* Sigel *n*, Abkürzung *f.*

siglo *m* Jahrhundert *n*; *p. ext.* Zeitalter *n*; *ecl.* Welt *f im Ggs. zur Kirche*; *hist.* ~ *de las luces* Aufklärung *f*; *el* ~ *XVIII* (*dieciocho*) das 18. (*achtzehnte*) Jahrhundert; *el* ♀ *de Oro* das Goldene Zeitalter; *entre los* **~s** *od. en el paso del* ~ *XIX al XX* um die Jahrhundertwende *od.* an der Wende vom 19. ins 20. Jh.; *por los* **~s** *de los* **~s** in alle Ewigkeit; *ecl. retirarse del* ~ s. aus der Welt zurückziehen; *fig. ir con el* ~ mit der Zeit gehen.

sigma *f* Sigma *n* (*griech. Buchstabe*).

signa|r I. *v/t.* unterzeichnen; signieren; **II.** *v/r.* **~se** s. bekreuzigen, ein Kreuz schlagen; **~tario I.** *adj.* Unterzeichner..., Signatar...; **II.** *m* Unterzeichner *m*; Signatar *m* (*bsd. Pol.*); **~tura** *f* Bezeichnung *f*; *Typ. u. Bibliothekswesen*: Signatur *f.*

significa|ción *f* Bedeutung *f*; Sinn *m*; Andeutung *f*; *fig.* Wichtigkeit *f*; ~ *de la(s) palabra(s)* Wortbedeutung *f*; **~do I.** *adj.* bedeutend, wichtig; **II.** *m* Bedeutung *f*; Sinn *m*; *Li.* Bezeichnete(s) *n* (*Vorstellung*); **~dor** *adj.* bezeichnend, anzeigend; **~nte I.** *adj. c* bedeutungsvoll; bezeichnend; **II.** *m Li.* Bezeichnende(s) *n* (*Lautbild*); **~r** [1g] **I.** *v/t.* bedeuten; bezeichnen; andeuten; **II.** *v/r.* **~se** s. auszeichnen; **~tivo** *adj.* bezeichnend (für *ac.* de); kennzeichnend; bedeutsam.

signo *m* **1.** *a. Astr., Gram., Rel.* Zeichen *n* (Ꝝ → 2; ♪ → 3); Anzeichen *n* (für *ac.* de); Vorzeichen *n*; *p. ext.* Sinnbild *n*, Zeichen *n*; → *a. señal*; *nacido bajo el* ~ *de Aries* unter dem (*od.* im) Zeichen des Widders geboren; *Gram.* ~ *de admiración* (*de interrogación*) Ausrufe- (Frage-)zeichen *n*; **~s** *m/pl. convencionales* Zeichen *n/pl.*, Symbole *n/pl. auf Zeichnungen, Plänen usw.*; Karten-zeichen *n/pl.*, -signatur *f auf Landkarten*; *Rel.* ~ *de la cruz* Kreuz(es)zeichen *n*; *Li.* ~ *fonético* phonetisches Symbol *n*, Lautzeichen *n*; **~s** *m/pl. de la gente del hampa* Gaunerzinken *f/pl.*; ⚕ ~ *patológico* Krankheitszeichen *n*; **~s** *m/pl. de puntuación Gram.* Interpunktionszeichen *n/pl.*; *Li. a.* diakritische Punkte *m/pl.*; ⚕ *sin* ~ *especial* ohne Befund; *poner los* **~s** *de puntuación* interpunktieren; **2.** Ꝝ Zeichen *n*; Vorzeichen *n*; ~ *de adición*, ~ (*de*) *más* Additions-, Pluszeichen *n*; ~ *de aproximación* Ungefährzeichen *n*; ~ *contrario a. fig.* entgg.-gesetztes (*od. bsd. fig.* umgekehrtes) Vorzeichen *n*; ~ *de* (*la*) *diferencial* Differentialzeichen *n*; ~ *de división* (*de multiplicación*) Divisions-, Teilungs- (Multiplikations-, Mal-)zeichen *n*; ~ *de grado* (Winkel- *bzw. Phys.* Wärme-)Gradzeichen *n*; ~ *de igualdad* (*de infinidad*) Gleichheits- (Unendlichkeits-) zeichen *n*; ~ *de mayor* (*menor*) *que* Zeichen *n* für größer (kleiner) als; ~ *negativo* (*positivo*) negatives (positives) Vorzeichen *n*, Minus- (Plus-) zeichen *n*; ~ *de radio* Radius-, Halbmesser-zeichen *n*; ~ *de sustracción*, ~ (*de*) *menos* Subtraktions-, Minuszeichen *n*; ~ *de tanto por ciento* Prozentzeichen *n*; **3.** ♪ (Vor-)Zeichen *n*; ~ *de duración* Halt-, Ruhe-zeichen *n*; **~s** *m/pl. musicales* Noten-, Musik-zeichen *n/pl.*

sigo, sigues, *etc.* → *seguir.*

sigua ♀ *m Am.* Sigua *m*, *versch. Bäume, Hartholz.*

siguiente *part.* folgend; *lo* ~ folgendes; das Folgende; *¡el* ~*!* der Nächste, bitte.

sílaba *f* Silbe *f*; ~ *libre* freie Silbe *f*; ~ *marcada* betonte Silbe *f im Vers.*

sila|bario *m* Abc-Buch *n*; Fibel *f*; **~bear** *vt/i.* Silbe für Silbe sprechen; **~beo** *m* Syllabieren *n*.
silábico *adj.* silbisch; Silben...
sil|ba *f* Auszischen *n*; *el público le dio una ~* er wurde ausgepfiffen (*od.* ausgezischt); **~bar** *vt/i.* pfeifen (*a. Kugeln, Star*); zischen (*a. Gänse, Schlangen*); heulen (*Sirene*); *nur v/t.*: aus-zischen, -pfeifen; *~ (con la boca) en una llave* auf e-m Schlüssel pfeifen; *fig.* F *¡a ~ a la vía!* jetzt kannst du heulen!; **~bato** *m* **1.** Pfeife *f*; *~ de señales* Signal-, *oft* Triller-pfeife *f*; *~ de vapor* Dampfpfeife *f der Lokomotiven usw.*; *tocar el ~* pfeifen; **2.** feiner Riß *m*, *aus dem Luft usw. entweicht*; **3.** *Am.* (schrilles) Pfeifen *n bzw.* Pfiff *m e-r Lokomotive usw.*; **~bido** *m* **1.** Pfeifen *n*; Pfiff *m*; Zischen *n e-r Schlange*; **2.** *~ de oídos* Ohrensausen *n*; **~bo** *m* **1.** → *silbido 1*; Pfeifen *n*, Sausen *n des Windes*; **2.** *Sp.* (*Span.* F) Schiedsrichter *m*; **~bón** *Vo. m krickentenähnlicher Schwimmvogel*; **~boso** *adj.* pfeifend; zischend.
silen|ciador ⊕ *m* Schalldämpfer *m*; *Kfz.* *~ (de escape)* Auspufftopf *m*; **~ciar** [1b] *v/t.* **1.** verschweigen, geheimhalten; (stillschweigend) übergehen; **2.** ⊕ *Schall* dämmen; **3.** *p. ext.* zum Schweigen bringen (*a.* = *töten*); **~ciario** *bsd. ecl.* **I.** *adj.* unterm Schweigegebot stehend; **II.** *m* → **~ciero** *m* Überwacher *m* der gebotenen Stille *bsd. in Kirchen*; **~cio** *m* Schweigen *n*; Stillschweigen *n*; Ruhe *f*, Stille *f*; Silentium *n*; ♪ Pause *f*; *¡~!* Ruhe!; ♪ *~ de blanca (de redonda)* halbe (ganze) Pause *f*; ♪ *~ de corchea (de negra)* Achtel-(Viertel-)pause *f*; *~ general* allgemeines Schweigen *n*; ♪ Generalpause *f*; *fig.* *~ de tumba* (*od. de muerte*) Grabes-, Toten-stille *f*; *adv.* *en ~* stillschweigend; *entregar al ~* (geflissentlich) vergessen; *guardar ~* Schweigen bewahren; still sein, schweigen; *imponer ~* Schweigen gebieten; *romper el ~* das Schweigen brechen; **~cioso I.** *adj.* still, lautlos; schweigsam; ⊕ geräuschlos (arbeitend); **II.** *m* ⊕, *bsd. Kfz.* Schalldämpfer *m*; *Kfz.* Auspufftopf *m*.
sileno *m* **1.** *Myth.* Silen *m*; **2.** ✿ Klatschnelke *f*.
silepsis *Gram., Rhet. f* Syllepse *f*.
silería *f* Siloanlage *f*.
silesiano *adj.-su.* schlesisch; *m* Schlesier *m*.
sílex *Min. m* (*pl. inv.*) Feuerstein *m*, Silex *m*, Flint *m*.
silfa *Ent. f* Aaskäfer *m*.
sílfide *Myth. f* Elfe *f* (*a. fig.*), Sylph(id)e *f*; *de ~s* elfenhaft, Elfen...
silfo *Myth. m* Elf *m*, Sylphe *m*; *danza f de ~s* Elfenreigen *m*.
silicato ⚗ *m* Silikat *n*.
sílice *f* **1.** *veraltend*: → *sílex*; **2.** ⚗ Kiesel(erde *f*) *m*.
si|líceo *adj.* kieselerdehaltig; Kiesel...; *Min. roca f ~a* Kieselschiefer *m*; **~licio** ⚗ *m* Silizium *n*; **~liconas** ⚗ *f/pl.* Silikone *pl.*; **~licosis** ⚕ *f* Silikose *f*, Staublunge *f*.
silo ⚒ *usw. m* Silo *m*; *~ alto* Hochsilo *m*; *~ para forrajes (para hormigón)* Futter- (Zement-)silo *m*.
silogismo *Phil. m* Syllogismus *m*.
silueta *f* Silhouette *f*, Schattenriß *m*; **~r** *vt/i.* e-e Silhouette zeichnen; *Typ.* *~ado* freistehend (*Buchstabe*).
si|luriano, ~lúrico *Geol. adj.-su.* silurisch; *m* Silur *n*.
siluro *Fi. m* Wels *m*, Waller *m*.
silvestre I. *adj. c Zo.*, ✿ wild, Wild...; *plantas f/pl. ~s* Wildpflanzen *f/pl.*; **II.** *m*: *noche f de San ♀* Silvester (-nacht *f*) *n*.
silvicul|tor *m* Forstwissenschaftler *m*; Waldbauer *m*; **~tura** *f* Waldbau *m*, Forstwirtschaft *f*; Forstwissenschaft *f*.
silvoso *adj.* Wald...; waldreich.
silla *f* **1.** Stuhl *m*; Sitz *m*; *Sp.* *~ del árbitro (od. del juez)* Schiedsrichterstuhl *m b. Tennis usw.*; *~ de cocina (de jardín, de oficina)* Küchen- (Garten-, Büro-)stuhl *m*; ⚓ *~ de cubierta* Decksstuhl *m*; *~ de extensión* Liegestuhl *m*; *~ giratoria (plegable, ~ de tijera)* Dreh- (Klapp-) stuhl *m*; *~ de inválido* Krankenfahrstuhl *m*; *~ de manos* Tragstuhl *m*, Sänfte *f*; *a.* → *~ de la reina*; *~ de mimbres (de ruedas)* Korb- (Roll-) stuhl *m*; *~ de (od. para) niños* Kinderstuhl *m*; *~ de la reina*, *a. ~ turca* Kreuzgriff *m*, *aus den verschränkten Händen zweier Personen gebildeter Sitz*; *fig.* F *de ~ a ~* unter vier Augen; **2.** *Equ.* *~ (de montar)* Sattel *m*; *~ inglesa* englischer Sattel *m*; *~ militar* Armeesattel *m*; *~ de paseo (de señora)* Bock- (Damen-)sattel *m*; *fig. ser hombre de todas ~s* in allen Sätteln gerecht sein; **3.** ⊕ Auflage *f*, Sattelplatte *f*.
sillar *m* **1.** Δ Quader(stein) *m*, Werkstein *m*; *~ frontal* Stirnquader *m, f*; *fig. aportar ~es de construcción* Bausteine beitragen; **2.** Sattelrücken *m* (*Teil des Pferderückens, auf dem der Sattel aufliegt*).
sille|ra *ecl. f* Stuhlbesorgerin *f* (*Aufsicht u. Pflege der Kirchenstühle*); **~ría** *f* **1. a)** Gestühl *n*; Chorgestühl *n*; **b)** Stuhlmacherei *f*; **c)** Sattlerei *f*; **2.** Δ **a)** Quader-, Werkstein-bau *m*; **b)** Quader(n *f/pl.*) *m/pl.*; **~ro** *m* **1.** Stuhlmacher *m*; **2.** Sattler *m*; **3.** *Equ. Arg.* Sattelpferd *n*; **~ta** *f* **1.** Stühlchen *n*; **2.** Stechbecken *n für Kranke*; **3.** ⊕ Bock *m für Lager*; **~tazo** *m* Schlag *m* mit e-m Stuhl.
si|llico *m* Nachtstuhl *m*; **~llín** *m* kl. Sitz *m*; kl. Sattel *m*; *bsd.* Fahrrad- *od.* Motorrad-sattel *m*; Traktorsitz *m*; *~ plegable* Falthocker *m für Camping usw.*; **~llita** *f* Stühlchen *n*; *~ (de ruedas) plegable* Klappwagen *m* (*Kinderwagen*); **~llón** *m* **1.** Lehnstuhl *m*, (Arm-)Sessel *m*; *~ de mimbres (de peluquería)* Korb- (Friseur-)sessel *m*; *~ de operaciones (de ruedas)* Operations- (Roll-)stuhl *m*; *~ de playa* Strandkorb *m*; **2.** *Span.* *~ (académico)* Sitz *m als Mitglied der Real Academia Española*.
sima *f* Erdloch *n*; Abgrund *m*, Schlund *m*.
simbi|osis *f* Symbiose *f*, *biologische* Lebensgemeinschaft *f*; **~ótico** *adj.* symbiotisch, in Symbiose lebend.
simbólico *adj.* symbolisch, sinnbildlich.
simboli|smo *m a. Lit.* Symbolismus *m*; Symbolik *f*; Sinnbildlichkeit *f*; **~sta I.** *adj. c* symbolistisch; **II.** *m* Symbolist *m*; Symboliker *m*; **~zación** *f* Versinnbildlichung *f*; **~zar** [1f] *v/t.* versinnbildlichen; symbolisieren; symbolisch darstellen.
símbolo *m* **1.** Sinnbild *n*, Symbol *n*; *a.* ⚗, ▨, ⊕ *usw.* Zeichen *n*, Symbol *n*; *Arith.* *~s m/pl. algebraicos* allgemeine (*od.* algebraische) Zahlen *f/pl.*; **2.** *ecl.* Glaubensformel *f*; *el ♀ de los Apóstoles* das Apostolische Glaubensbekenntnis.
simbología *neol. f* Symbolkunde *f*.
si|metría *f* Symmetrie *f*; **~métrico** *adj. a.* ✕ symmetrisch.
simia *lit. f* Äffin *f*.
simiente *f* Samen *m*; Saatgut *n*; Saatkorn *n*; *p. ext.* Seidensame *m*, Raupenei *n*; ✿ *~ de papagayos* Saflor *m*; *fig.* F *no haber de quedar para ~ de rábanos* bald am Ende sein; bald sterben müssen.
simiesco *adj.* affen-artig, -ähnlich, äffisch.
símil I. *adj. c* ähnlich; **II.** *m* Vergleich *m*; Gleichnis *n*.
simi|lar *adj. c* gleichartig, ähnlich; **~litud** *f* Ähnlichkeit *f*; **~lor** *gal. m* Knittergold *n*.
simio *Zo. m* Affe *m*.
simón *m* Pferdedroschke *f*, Fiaker *m*.
simo|nía *f Rel. u. fig.* Simonie *f*; **~níaco, ~niático** *adj.* simonistisch.
sim|patía *f* (*a. ~s f/pl.*) Sympathie *f*; Zuneigung *f*; ⚕ Mitleidenschaft *f von Organen*; *gozar de general ~* allgemein beliebt sein; **~pático I.** *adj.* sympathisch; nett, freundlich; ♪ *cuerda f ~a* Resonanzsaite *f*; *tinta f ~a* Geheimtinte *f*; **II.** *adj.-su. m Anat.* (*nervio m*) *~*, *Gran ~* Sympathikus *m*; **III.** *m* F *¡adiós ~!* grüß Gott, alter Freund!; **~paticón** F *m* netter Kerl *m*, prächtiger Bursche *m*; **~patizante I.** *adj. c* sympathisierend; Gesinnungs...; **II.** *m* Sympathisierende(r) *m*; Gesinnungsgenosse *m*; **~patizar** [1f] *v/i.* sympathisieren (mit *dat. con*); anea. Gefallen finden, s. befreunden.
simple I. *adj. c* **1.** *a.* ✕, ⚗ einfach; schlicht; bloß; *a.* ⚡ Einfach...; *a ~ vista* mit dem bloßen Auge; *de ~ efecto* einfachwirkend; ⚗ *cuerpo m ~* Element *n*, Grundstoff *m*; *Gram. oración f ~* einfacher Satz *m*; *Gram. palabra f ~* einfaches (*nicht zs.-gesetztes*) Wort *n*, Simplex *n*; *una ~ pregunta* e-e schlichte Frage; bloß e-e Frage; **2.** einfältig, schlicht; dumm, albern; **II.** *m* **3.** *Sp.* *~ de caballeros* Herreneinzel *n* (*Tennis*); **4.** *pharm.* Einzelingrediens *n*; *~s m/pl. a.* Arzneipflanzen *f/pl.*; **5.** einfältiger Mensch *m*, Simpel *m* F; **~za** *f* Einfalt *f*; Dummheit *f*; einfältiges Zeug *n*.
simpli|cidad *f* **1.** Einfachheit *f*; ⊕ *~ de funcionamiento* Einfachheit *f* im Betrieb; **2.** Schlichtheit *f*; Einfältigkeit *f*, Arglosigkeit *f*; Einfalt *f*; **~císimo** *adj. sup.* einfachst; **~cista** *adj.-su.* → *simplista*; **~ficación** *f* Vereinfachung *f*; ✕ Kürzen *n bzw.* Einrichten *n*; ⊕ *~ de manejo*

Bedienungserleichterung *f*; **~ficador I.** *adj.* vereinfachend; **II.** *m a. desp.* Vereinfacher *m*; **~ficar** [1g] *v/t.* vereinfachen; erleichtern; ⚙ kürzen *bzw.* einrichten.

sim|plísimo *adj. sup.* äußerst einfältig; erzdumm; **~plista I.** *adj. c* (grob) vereinfachend; sehr einseitig; *propaganda f* ~ primitive Propaganda *f*; **II.** *m* (grober) Vereinfacher *m*; **~plón** F *adj.-su.* Einfaltspinsel *m* F, Simpel *m* F.

simpo|sio, ~sium *m* Symposium *n*.

simula|ción *f* Verstellung *f*; Vortäuschung *f*; *a.* ⚕ Simulieren *n*; ⊕ Simulation *f*, Nachbildung *f*; ⊕ *a.* Nachahmungs- (*bzw.* Simulator-) training *n*; **~cro** *m* Trugbild *n*; ⚔ ~ *de combate* Gefechtsübung *f*, Scheingefecht *n*; **~do** *adj.* vorgetäuscht; Schein...; ✈ *vuelo m* ~ Flugtraining *n* im Simulator; **~dor** *m a.* ⚕ Simulant *m*; ⊕ Simulator *m* (*Gerät*); **~r** *vt/i.* heucheln, vortäuschen; vorspiegeln; *a.* ⚕, ⊕ simulieren.

simul|tanear *vt/i.* gleichzeitig betreiben; *Kurse verschiedener Fachrichtungen od. Studiengänge* gleichzeitig besuchen; **~taneidad** *f* Gleichzeitigkeit *f*; Simultaneität *f*; **~táneo I.** *adj.* gleichzeitig; Simultan...; *interpretación f* **~a** Simultandolmetschen *n*; *partidas f/pl.* **~as** Simultanpartien *f/pl.* (*Schach*); *teatro m* ~ Simultanbühne *f*; **II.** *adj.-su. m Sp.*: (*marcador m*) ~ Ergebnistafel *f*.

sin *prp.* **1.** ohne (*ac.*); ~ *color* farblos; ~ *competencia* konkurrenzlos; ohnegleichen; ~ *fin* endlos; ✝ ~ *fondos* ungedeckt (*Scheck*); ~ *más* ohne weiteres; ~ *decir palabra* wortlos; *estar* ~ *hacer* noch nicht gemacht sein; noch zu tun sein; ~ *montar* ungefaßt (*Brillenglas, Edelstein*); ~ *querer* ungewollt; unwillkürlich; (ganz) absichtslos; **2.** *adv.* ~ *embargo* trotzdem, jedoch, indes(sen); *cj.* ~ *que* + *subj.* ohne daß.

sin... *pref.* Syn...

sinagoga *f* Synagoge *f*.

sinapismo *m pharm.* Senfpflaster *n*; *fig.* lästiger Mensch *m*.

since|rar I. *v/t.* rechtfertigen, entschuldigen; **II.** *v/r.* **~se** *a.* s. aussprechen (mit j-m *con alg.*); s. verantworten (wegen *dat. de*); **~ridad** *f* Aufrichtigkeit *f*; Ehrlichkeit *f*; *falta f de* ~ Unaufrichtigkeit *f*; **~ro** *adj.* aufrichtig; ehrlich, rechtschaffen.

sinclinal *Geol.* **I.** *adj. c* synklinal; **II.** *m* Synklin(al)e *f*.

síncopa *Li.*, ♪ *f* Synkope *f*.

sinco|pado *adj.* **1.** ♪, *Li.*, *Metrik*: synkopiert; synkopisch, Synkopen...; **2.** ⚕ ohnmächtig, kollabiert; **~pal** ⚕ *adj. c*: *fiebre f* ~ Fieber *n* mit Ohnmachtsanfällen; **~par** *v/t.* synkopieren.

síncope ⚕ *m* Ohnmacht *f*, Kollaps *m*; *p. ext.* Herztod *m*.

sin|cotilia ⚘ *f* Einkeimblättrigkeit *f*; **~crético** 📖, *bsd. Rel. adj.* synkretistisch; **~cretismo** *Phil., Li. m* Synkretismus *m*; **~cronía** *Li. f* Synchronie *f*; **~crónico** *adj.* gleichzeitig; *bsd.* ⊕ synchron; **~cronismo** *m a. Phys.*, ⊕ Gleichzeitigkeit *f*, Synchronismus *m*; **~cronización** *f* Gleichschaltung *f*, Synchronisierung *f* (*Anm.*: *b. Fremdsprachentexten für Filme mst. doblaje*); **~cronizado** *adj.* gleichgeschaltet, synchronisiert; *Kfz. plenamente* ~ vollsynchronisiert (*Getriebe*); *Vkw. luces f/pl.* **~as** grüne Welle *f*; **~cronizar** [1f] *v/t.* synchronisieren, gleichschalten; (*Anm.*: *Filmtexte* synchronisieren *mst. doblar*); **~croscopio** *HF m* Synchroskop *n*; **~crotrón** *Phys. m* Synchrotron *n*, Teilchenbeschleuniger *m*.

sin|déresis *f Phil.* Synteresis *f*; *p. ext.* Gewissensangst *f*; **~dético** *Li. adj.* syndetisch; **~deticón** *m* Fischleim *m*, Syndetikon *n Wz.*

sindica|ble *adj. c* fähig, ein *sindicato* zu bilden; **~ción** *f* Zs.-schluß *m* in Syndikaten (*bzw.* in Gewerkschaften); **~do** ⚖ *m* Anwaltskonsortium *n*; Anwaltschaft *f*; **~l** *adj. c* **1.** Syndikus...; **2.** Syndikats...; **3.** Gewerkschafts...; **~lismo** *m* Syndikalismus *m*, Gewerkschaftsbewegung *f*; ~ *criminal* Verbrechersyndikate *n/pl.*; **~lista** *adj.-su. c* syndikalistisch, gewerkschaftlich; *m* Gewerkschaftler *m*; **~r** [1g] **I.** *v/t.* **1.** anschuldigen; verdächtigen; **2.** *Kapital, Wertpapiere, Waren* (*zur Erfüllung best. Verpflichtungen*) binden, festlegen; **3.** in Syndikaten (*od.* Gewerkschaften) zs.-schließen; **II.** *v/r.* **~se 4.** s. zu e-r Gewerkschaft zs.-schließen; **~to** *m* **1.** *veraltend*: → *sindicado*; **2.** Syndikat *n*, Konsortium *n*; **3.** Berufsverband *m*; ~ (*obrero*) Syndikat *n*, Gewerkschaft *f*; **4.** *Span.* Syndikat *n* (*Arbeitnehmer u. Arbeitgeber in* e i n e m *Verband*); **5.** *Am.* ~ *del crimen* Verbrechersyndikat *n*.

síndico ⚖ *m* **1.** Syndikus *m*; *bsd.* ~ (*de la quiebra*) Konkursverwalter *m*; **2.** *S. Dgo.* Bürgermeister *m*.

síndrome ⚕ *u. fig. m* Syndrom *n*.

sinécdoque *Rhet. f* Synekdoche *f*.

sinecura *f* Pfründe *f*, Sinekure *f*; Druckposten *m* F.

sinedrio *hist. m* **1.** *griech.* Synedrion *n*; **2.** *bibl.* Synedrium *n*, Hoher Rat *m*.

sine qua non *lt.* unabdingliche Voraussetzung *f*, (Conditio *f*) sine qua non *n*.

sinéresis *f Prosodie, Metrik*: Synärese *f*.

sin|ergia *Physiol. u. fig. f* Synergie *f*; **~érgico** ⚕ *adj.* synerg(et)isch; synergistisch; **~ergismo** *m Physiol., pharm. m* Zs.-wirken *n*.

sínesis *Gram. f* sinngemäße Wortfügung *f*.

sinestesia *Psych. f* Synästhesie *f*.

sin|fín *m* Unmenge *f*; *p. ext.* (*cinta f*) ~ ⊕ Endlosband *n*, laufendes Band *n*, Fließband *n*; **~finidad** *barb. f* → *infinidad*.

sínfi|sis ⚕ *f* Symphyse *f*; ~ *del pubis* Scham(bein)fuge *f*; **~to** ⚘ *m* Schwarzwurz *f*; ~ (*menor*) Beinheil *n* (*Futterpflanze*); ~ *mayor* Schwarzwurzel *f*.

sin|fonía *f* ♪ Symphonie *f*, Sinfonie *f*; Vorspiel *n zu Theaterstücken*; *fig.* Farbensymphonie *f*; Harmonie *f*; **~fónica** *adj.-su. f* (*orquesta f*) ~ Symphonieorchester *n*; **~fónico** *adj.* symphonisch; Symphonie..., Sinfonie...; *concierto m* ~ Symphoniekonzert *n*; **~fonista** *m* Symphoniker *m* (*Komponist bzw. Orchestermitglied*); **~fonola** *f* Musikbox *f*.

singenético *Biol., Geol. adj.* syngenetisch.

singla|dura ⚓ *f* Etmal *n*, Tagereise *f*; *fig.* Kurs *m*; **~r** ⚓ *v/i.* segeln, fahren (= *e-n best. Kurs halten*).

singula|r I. *adj. c* **1.** einzeln; **2.** einzig(artig); eigentümlich; außergewöhnlich; seltsam; **II.** *m* **3.** *Li.* (*número m*) ~ Einzahl *f*, Singular *m*; **~ridad** *f* **1.** Eigenart *f*; Eigentümlichkeit *f*; **2.** Einzigartigkeit *f*; Sonderbarkeit *f*; **~rizar** [1f] **I.** *v/t.* **1.** herausheben; auszeichnen; **2.** *Li. ursprüngl. nur im Plural Gebräuchliches* in den Singular setzen (*z. B. parrilla, rehén*); **II.** *v/r.* **~se 3.** s. auszeichnen; s. absondern.

sinhueso F *f* Zunge *f*; *bsd.* Mundwerk *n* F; *soltar la* ~ drauflosschwadronieren; *mst.* sein Lästermaul aufreißen F.

sinies|trado *adj.-su.* verunglückt; von e-m Unfall betroffen; *Vers.* geschädigt *bzw.* beschädigt; *el coche* ~ der Unfallwagen; *los* **~s** die Verunglückten *m/pl.*; die Opfer *n/pl. e-r Katastrophe usw.*; *Vers.* die Geschädigten *m/pl.*; **~tro I.** *adj.* **1.** *lit.* linke(r, -s); *la* (*mano*) **~a** die Linke *f* (*Hand*); **2.** *fig.* unheil-voll; -bringend; verhängnisvoll; unheimlich; finster, düster (*fig.*); **II.** *m* **3.** ⚒ Fehler *m*, Laster *n*; *häufiger von Tieren*: **~s** *m/pl.* schlechte Eigenschaften *f/pl.*; **4.** Unglück(sfall *m*) *n*; *Vers.* Schadensfall *m*.

sinistró|giro *adj.* linksläufig (*Schrift*); **~rsum** ⊕ *usw. adj. inv.* linksläufig; mit Linksdrall.

sinnúmero *m* Unzahl *f*; *un* ~ *de gente(s)* e-e Unmenge von Menschen.

sino[1] *m* Schicksal *n*; *era su* ~ es war sein Schicksal.

sino[2] **I.** *prp.* **1.** außer (*dat.*); *nadie lo sabe* ~ *él* niemand weiß es außer ihm, nur er weiß davon; **II.** *cj.* **2.** sondern; ~ *que betont den Gg.-satz stärker als einfaches* ~; *no te pido* ~ *una cosa* ich bitte dich nur um eins; *no quiero* ~ *que me dejen en paz* ich will nur m-e Ruhe, sonst nichts; *no sólo ...,* ~ *también* nicht nur ..., sondern auch; **3.** *inc. für si no* (*in Am. u. in Ostspanien a. sinó geschrieben*).

sino...[3] *adj. in Zssgn.* Chinesisch-.

si|nodal *ecl.* **I.** *adj. c* synodal; **II.** *m* Synodale *m*; **III.** *f* Synodalbeschluß *m*; **~nódico** *adj.* synodisch, synodal.

sínodo *m* Synode *f*; Konzil *n*; *el Santo* ♀ der Heilige Synod *der Ostkirche*.

si|nología 📖 *f* Sinologie *f*; **~nológico** *adj.* sinologisch; **~nólogo** *m* Sinologe *m*.

si|nonimia *f* Synonymie *f*; Synonymik *f*; **~nónimo I.** *adj.* sinnverwandt; gleichbedeutend (mit *dat. de*); synonym; **II.** *m* Synonym *n*.

sinople ▨ *adj.-su. m* Grün *n*.

si|nopsis *f* (*pl. inv.*) **1.** Überschau *f*, Übersicht *f*; Zs.-fassung *f*, Auszug *m*; **2.** *Theol.* Synopsis *f*; **~nóptico I.** *adj.* **1.** zs.-gefaßt, Übersichts...;

cuadro m ~ Übersichtstabelle *f*; **2.** *Theol.* synoptisch; **II.** *adj.-su. m* **3.** *los (Evangelistas)* ~*s* die Synoptiker *m/pl.*
sinovi|a *Physiol. f* Gelenkschmiere *f*; ~**al** *adj. c* synovial; Gelenk...; *Anat. (membrana f)* ~ *f* Gelenkhaut *f*; ~**tis** ⚕ *f* Gelenkentzündung *f.*
sin|razón *f* Unrecht *n*; Unvernunft *f*; Unsinn *m*, Widersinn *m*; ~**sabor** *m* Ärger *m*, Verdruß *m*; Unannehmlichkeit *f*; ~**sombrerista** *burl. adj. c* „unbehutet", *grundsätzlich k-n Hut tragend.*
sinsonte *Vo. m* Spottdrossel *f.*
sinsorgo F *adj. Span. Reg.* unzuverlässig, leichtsinnig.
sin|táctico *Li. adj.* syntaktisch, Syntax...; ~**tagma** *Li. m* Syntagma *n*; ~**taxis** *f* Syntax *f*; Satzlehre *f.*
sinteri|zación *sid. f* Sinterung *f*; ~**zar** [1f] *v/t.* sintern; *acero m* ~*ado* Sinterstahl *m.*
síntesis *f (pl. inv.)* Synthese *f*; Aufbau *m*; Zs.-stellung *f*; *fig.* Inbegriff *m*; *Phil.* Synthese *f (bsd. Hegel)*, Synthesis *f (Kant)*; en ~ kurz (-gefaßt); insgesamt.
sintético *adj. a.* ⚗, ⊕, *Li., pharm.* synthetisch; zs.-fassend; aufbauend, zs.-setzend; künstlich; Kunst...; *resumen m* ~ kurze Zs.-fassung *f* des Wesentlichen.
sintetiza|ble *adj. c* zs.-faßbar; ⚗ *usw.* (künstlich) aufbaubar; ~**r** [1f] *v/t.* zs.-fassen; zs.-stellen; *fig.* verkörpern, Inbegriff sein *(gen.)*; ⚗ *usw.* (künstlich) aufbauen; synthetisieren.
sínteton *Li. m* Syntheton *n.*
sintoís|mo *Rel. m* Shintoismus *m*; ~**ta** *adj.-su. c* shintoistisch; *m* Shintoist *m.*
síntoma *m* Anzeichen *n*, Symptom *n*; ⚕ *u. fig.* ~ *acompañante (od. concomitante)* Begleiterscheinung *f.*
sintomático *adj. a.* ⚕ symptomatisch; bezeichnend.
sin|tonía *HF f* Syntonie *f*, Abstimmung *f (Zustand)*; ~**tónico** *adj.* syntonisch, abgestimmt; ~**tonismo** *m* → *sintonía.*
sintoniza|ción *HF f* Abstimmung *f (Feineinstellung)*, Syntonisierung; ~**dor** *HF m* Abstimmer *m*; Abstimmknopf *m*; ~**r** [1f] *v/t.* **1.** *Phys. verschiedene Systeme* in einheitliche Schwingung setzen; **2.** *HF, Rf.* abstimmen, syntonisieren; *Sender bzw. Programm* einstellen; *(aquí) sintoniza Radio Madrid* hier ist Radio Madrid.
sinuo|sidad *f* Windung *f*; Krümmung *f*; Gewundenheit *f*; Einbuchtung *f*; ~**so** *adj.* **1.** geschlängelt; gewunden; gekrümmt; **2.** *fig.* gewunden; undurchsichtig; gerieben, schlau.
sinusitis ⚕ *f* Nebenhöhlenentzündung *f*; *bsd.* ~ *(frontal)* Stirnhöhlenentzündung *f.*
sinusoi|dal ⟁ *adj. c* sinusförmig; Sinuslinien...; ~**de** ⟁ **I.** *adj. c* sinusartig; **II.** *f* Sinus-linie *f*, -kurve *f.*
sinver|gonzón F *adj.-su.* → *sinvergüenza*; ~**güencería** F *f* Unverschämtheit *f*; ~**güenza** *f* **I.** *adj. c* unverschämt; **II.** *c* unverschämter Kerl *m*; unverschämtes Weib(s-stück) *n* F.
sionis|mo *m* Zionismus *m*; ~**ta** *adj.-su. c* zionistisch; *m* Zionist *m.*
sionona *pharm. f* Sionon *n.*
sipo|tazo *m* **1.** *C. Ri.* Schlag *m* auf den Handrücken; **2.** *Ven.* Schlag *m*, Hieb *m*; ~**te** *Na. m* **1.** P *Méj.* Beule *f*; **2.** *Salv.* Gassenjunge *m*; *Ven.* Lump *m*, Taugenichts *m.*
siquiatra *m*, **síquico** *adj., etc.* → *psiquiatra, psíquico, etc.*
siquiera I. *cj.* auch wenn; ob nun; *hazlo por mí,* ~ *sea la última vez* tu's für mich, u. wenn es das letzte Mal ist; ~ *vaya,* ~ *(od. o) no vaya* mag er nun hingehen *od.* nicht (hingehen); **II.** *adv.* wenigstens; *ni* ~ nicht einmal; *tan* ~ (nur) wenigstens; *¡dame (tan)* ~ *un pedazo!* gib mir (doch) wenigstens ein Stück (davon)!
sirena *f* **1.** *Myth. u. fig.* Sirene *f*; *fig.* Verführerin *f*; *canto m de las* ~*s* Sirenengesang *m*; **2.** ⊕ Sirene *f*; ~ *antiaérea* Luftschutzsirene *f*; *tocar la* ~ die Sirene pfeifen *(bzw.* heulen) lassen; ~**zo** *m* F Sirenenton *m*; ~*s m/pl. a.* Sirenengeheul *n.*
si|rénidos, ~**renios** *Zo. m/pl.* Seekühe *f/pl.*
sirga ⚓ *f* Schlepptau *n*; *a la* ~ im Schlepp; *camino m de* ~ Treidelpfad *m*; ~**dor** *m* Treidler *m*; ~**r** [1h] *v/t.* ⚓ bugsieren, schleppen; treideln.
siriaco *(bsd. auf das Syrien des Altertums bezogen) adj.-su.* syrisch; *m* Syrer *m*; *Li. das* Syrische.
sirimba F *f Cu.* Ohnmacht(sanfall *m) f.*
sirimiri *m Span. Reg.* Nieselregen *m.*
sirin|ga *f* **1.** *poet.* ♪ Pansflöte *f*; **2.** ⚘ *Am. Mer.* Gummi-, Kautschuk-baum *m*; ~**ge** *Zo. f* Syrinx *f der Vögel*; ~**guero** *m Am. Mer.* Kautschukzapfer *m.*
Sirio[1] *Astr. m* Sirius *m.*
sirio[2] *adj.-su.* syrisch; *m* Syr(i)er *m.*
siripita *fig.* F *f Bol.* aufdringlicher kl. Kerl *m.*
sirle *m* Schafmist *m*; Ziegenkot *m.*
siroco *m* Schirokko *m (Südostwind).*
sirria *f* → *sirle.*
sirte *lit. f* Sandbank *f*; Sandbucht *f.*
siruposo *adj.* sirupartig.
sirventés *m* → *serventesio.*
sirvien|ta *f* Magd *f*; Dienstmädchen *n*; ~**te I.** *adj. c* **1.** ⚖ dienend *(Grundstück)*; **II.** *m* **2.** Diener *m*; **3.** *bsd.* ⚔ Bedienende(r) *m an Waffe od. Gerät*; *a.* Kanonier *m*; ~*s m/pl.* Bedienung(smannschaft) *f bsd. am Geschütz.*
sisa[1] *f* Ätz-, Zinnober-grund *m für Vergoldungen.*
sisa[2] *f* Ärmelloch *n bzw.* Westenausschnitt *m b. Zuschnitt*; *p. ext.* Stück *n* Zeug, *das der Schneider für s. behält*; *fig.* F Schmu(geld *n*) *m b. Einkaufen*; ~**dor** *m* Schmumacher *m b. Einkaufen.*
sisal *m* Sisal(hanf) *m.*
sisar *v/t.* Ärmelloch *u. ä.* ausschneiden *b. Zuschnitt*; *p. ext.* ein Stück Zeug für s. zurückhalten *(Schneider[in])*; *fig.* F *b. Einkaufen usw.* unterschlagen, Schmu machen F.
sise|ar *vt/i.* (aus)zischen; ~**o** *m* Gezisch *n*; Auszischen *n.*
Sísifo *Myth. npr. m* Sisyphos *m*, Sisyphus *m*; *bsd. fig. trabajo m de* ~ Sisyphusarbeit *f*; *rodar la piedra de* ~ e-e Sisyphusarbeit leisten.
sisimbrio ⚘ *m* Rauke *f*; *mst.* → *jaramago.*
sísmico *adj.* Erdbeben..., seismisch; *sacudida f* ~*a* Erdstoß *m.*
sis|mógrafo *m* Seismograph *m*; ~**mograma** *m* Seismogramm *n*; ~**mología** *f* Erdbebenkunde *f*, Seismik *f.*
sisón[1] *Vo. m* Strandläufer *m.*
sisón[2] F *adj.* oft Schmu machend F.
siste|ma *m* System *n*; Verfahren *n*; Arbeits- *bzw.* Bau-weise *f*; ~ *de alarma* Alarmanlage *f*; *Rf.* ~ *de antena direccional* Richtstrahler *m*; ~ *arancelario* Zollsystem *n*; ~ *bancario* Bankwesen *n*; Bankensystem *n*; *Kfz.* ~ *de freno bicircuito* Zweikreis-Bremssystem *n*; *Phys.* ~ *cegesimal,* ~ *C.G.S.* ZGS-System *n*, Zentimeter-Gramm-Sekunde-System *n*; ⟁ ~ *de coordenadas* Koordinatensystem *n*; *Anat.* ~ *digestivo* Verdauungsapparat *m*; ⚕ ~ *excitoconductor* Reizleitungssystem *n*; ⚗ ~ *de filtros* Filteraggregat *n*; *Li.* ~ *fonético* Lautsystem *n*; *Geogr.* ~*s m/pl. de grutas* Höhlensysteme *n/pl.*; ⊕ ~ *hidráulico* Hydraulik *f*; *Geogr.* ~ *hidrográfico* hydrographisches System *n*, Gewässer *n/pl.*; *Anat.* ~ *linfático* Lymph-gefäßsystem *n*, -bahn *f*; *Pol.* ~ *(de elecciones) mayoritario* Mehrheitswahlrecht *n*; ~ *de monedas* Münzwesen *n*; ⊕ ~ *de montaje por unidades (normalizadas)* Baukastensystem *n*; *Anat.* ~ *muscular (óseo, respiratorio, vascular)* Muskel- (Knochen-, Atmungs-, Gefäß-)system *n*; *Anat.* ~ *nervioso (central)* (Zentral-)Nervensystem *n*; ~ *óptico (de la cámara fotográfica)* (Aufnahme-) Optik *f*; *Geogr.* ~ *orográfico,* ~ *montañoso* Gebirgssystem *n*, orographisches System *n*; ~ *de pagos* Zahlungssystem *n*; -wesen *n*; ⚗ ~ *periódico* periodisches System *n der Elemente*; *Pol.* (✝) ~ *de preferencia* Meistbegünstigungssystem *n*; ✈, *Fahrzeuge u. ä.* ~ *de propulsión* Antrieb(ssystem *n*) *m*; ⚔ ~ *de puntería* Richtverfahren *n*; ~ *de retículo* Fadenkreuz-, *Jgdw.* Absehen-, *Typ.* Rastersystem *n*; ~ *de señales bzw.* ~ *de señalización* Signalsystem *n*; *Astr.* ~ *solar (planetario)* Sonnen- (Planeten-)system *n*; *Fußball:* ~ *WM* WM-Aufstellung *f od.* -System *n*; *con* ~ systematisch, planmäßig; *falto de* ~, *sin* ~ planlos, unsystematisch; *carecer de* ~ planlos sein; unsystematisch vorgehen; ~**mático** *adj.* systematisch, planmäßig; System...; ~**matización** *f* Systematisierung *f*; Systematik *f*; ~**matizar** [1f] *v/t.* in ein System bringen; planmäßig ordnen; systematisieren.
sístole *Metrik,* ⚕ *f* Systole *f.*
sistro ♪ *hist. m* Sistrum *n.*
sita *Vo. f* Kleiber *m*, Spechtmeise *f.*
sitiado *m* Belagerte(r) *m*; ~**r** *m* Belagerer *m.*
sitial *m* Amts- *bzw.* Thron-sessel *m*; Ehrensitz *m*; *ecl. a.* Chorstuhl *m.*
sitiar [1b] *v/t. a. fig.* belagern.
sitibundo *poet. adj.* dürstend.

sitiero *m Cu., Méj. Reg. kleinerer* Farmer *m.*
sitio[1] *m* **1.** Platz *m*; Stelle *f*; Lage *f*; Ort *m*; Gegend *f*; *Kfz.* ~ *de aparcado* Abstellplatz *m*; ~ *de honor* Ehrenplatz *m*; *en su* ~ an (*bzw.* auf) s-m (*bzw.* s-n) Platz; *en cualquier* ~ irgendwo; *dejar a uno en el* ~ j-n auf der Stelle töten; *ya no hay* ~ es ist kein Platz mehr da; *hazle* ~ mach ihm Platz!; *¿en qué* ~ *lo pusiste?* wohin hast du es gelegt?; *fig. poner las cosas en su* ~ et. richtigstellen; *fig. quedarse en el* ~ auf dem Platz bleiben (*fig.*); plötzlich umkommen (*durch Unfall usw.*); fallen (*im Kampf*); **2.** †, ✎ *kleinerer* Landsitz *m*; *bsd.* Erholungs-, Sommer-sitz *m des Adels usw.*; **3.** *Arg., Chi.* Grundstück *n*; *Col.* bewohnte Gegend *f*; *Cu., Méj. Reg. kleinere* (Vieh-)Farm *f.*
sitio[2] ⚔ *u. fig. m* Belagerung *f*; *guerra f de* ~ Belagerungs-, Festungs-krieg *m*; *levantar el* ~ die Belagerung aufheben; *poner* ~ *a* belagern (*ac.*).
sito *adj.* gelegen, befindlich; ~ *en la colina* auf dem Hügel gelegen.
situ *lt. adv.*: *in* ~ an Ort u. Stelle.
situación *f* **1.** Lage *f*; ⚕ → *3*; ⚓ Position *f*; ⚓ Besteck *n*; *fijar la* ~ ⚓ die Position bestimmen; das Besteck machen (*bzw.* gissen); *a.* ✈ den Kurs absetzen; **2.** Lage *f*; Stand *m*, Zustand *m*; Verhältnisse *n/pl.*; Situation *f*; *Verw.* ~ *activa* (aktive) Dienstzeit *f e-s Beamten*; ~ *pasiva* Ausfallzeiten *f/pl., Zeit, während der ein Beamter k-n Dienst leistet* (*Wartestand, Ruhestand*); ✈, ⚔ ~ *aérea* Luftlage *f*; ~ *económica* Wirtschaftslage *f*; ~ *financiera* Finanz-, Vermögens-lage *f*; ⚚ ~ *del mercado* Marktlage *f*; ~ *de partida* Ausgangslage *f*; *Am. de* ~ reduziert (*Preise*); (*no*) *estar* (*od. encontrarse*) *en* ~ *de* + *inf.* (nicht) in der Lage sein, zu + *inf.*; **3.** ⚕ ~*ones f/pl. del feto* Kindslagen *f/pl.*; ~ *de cara* (*de extremidad pélvica*) Gesichts- (Bekkenend-)lage *f*; ~ *de nalgas* (*de occipucio*) Steiß- (Hinterhaupt-)lage *f.*
situa|do I. *part.-adj.* liegend, gelegen; *Sp.* plaziert; *bien* ~ wohlhabend, gut situiert; *estar* ~ liegen, gelegen sein; **II.** *m* Rente *f* (*bsd. aus landwirtschaftlicher Produktion*); **~r** [1e] **I.** *v/t.* legen; stellen; ⊕ anbringen, verlegen; *Geld* (für best. Auslagen) verwenden; ⚔ *Truppen* (ver-)legen (nach *dat.* en); *eso me sitúa en la posibilidad de* das versetzt mich in die Möglichkeit, zu + *inf.*; **II.** *v/r.* ~*se* e-n Platz einnehmen; stattfinden; s. abspielen (*Handlung*); *Sp.* s. plazieren; *fig. a.* auf s-n Vorteil bedacht sein; ⚓ s-e Position ausmachen; *fig.* e-e gute Stellung bekommen.
sítula *prehist. f* Situla *f* (*Grabgefäß*).
si|útico F *adj.-su. Chi.* → *cursi*; **~utiquería** *f ib.* → *cursilería.*
Siva *Rel. npr. m* Schiwa *m.*
skating *engl. Sp. m bsd.* ~ (*de ruedas*) Rollschuhlaufen *n.*
skeleton *Sp. m* Skeleton *m* (*Schlitten*).
sketch *Thea. m* Sket(s)ch *m.*
ski-(k)joering *Sp. m* Schikjöring *n.*
slalom *od.* **slálom** *Sp. m* Slalom *m*, Torlauf *m*; ~ *gigante* Riesenslalom *m.*
slip *engl. m* Slip *m*; Badehose *f*; ~(*s*) *m*(*/pl.*) kurze Unterhose(n) *f*(*/pl.*).
slogan *engl. m* Slogan *m*, Schlagwort *n*; ~ *publicitario* Werbeslogan *m.*
slums *engl. m/pl.* Slums *m/pl.*
smash *engl. m Tennis*: Schmetterball *m.*
smoking *m* Smoking *m.*
snack-bar *engl. m* Imbißstube *f*, Snackbar *f.*
sno|b *engl.* **I.** *adj. c* snobistisch; **II.** *m* Snob *m*; **~bismo** *m* Snobismus *m.*
snorkel ⚓ *m* Schnorchel *m der U-Boote.*
so[1] (†, *in best. Vbdgn. u. burl.*) *prp.* unter; ~ *capa od.* ~ *color, a.* ~ *pretexto* unter dem Vorwand; ~ *pena* bei Strafe; *burl.* ~ *pena de romperte la crisma* ich reiße dir den Kopf ab.
so[2] F (*zur Verstärkung v. Schimpfwörtern*): *¡*~ *burro!* Sie (*od.* du) Rindvieh!
¡so![3] hü!, halt! (*Fuhrmannsruf*).
so...[4] *pref. entspricht mst. sub..., selten sobre...*
soasar *v/t. Kchk.* anbraten; leicht braten.
soba *f* (Durch-)Kneten *n*; *fig.* F *darle una* ~ *a alg.* **a**) j-m das Fell gerben (*fig.* F); **b**) j-n abkanzeln; **~co** *m* Achselhöhle *f*; **~do I.** *adj. a. fig.* abgegriffen; abgedroschen (*fig.*); **II.** *m* (Durch-)Kneten *n*; Walken *n der Felle*; **~dor** *m* **1.** Walke *f der Gerber*; **2.** Kneter *m*, Walker *m*; *fig.* F *bsd. Am.* Masseur *m*; *Am.* → *algebrista*; **~jar**, *Am. a.* **~jear** *v/t.* **1.** kräftig (durch)kneten; *p. ext.* zerknüllen; **2.** F (plump) betatschen; **3.** *Arg., Ec., Méj.* demütigen; **~jeo** *m* Kneten *n*; Knautschen *n.*
sobandero *m Col.* Quacksalber *m.*
soba|quera *f* **1.** Schweißblatt *n*; Achselunterlage *f*; **2.** Pistolenhalfter *f*; **~quina** *f* Achselschweißgeruch *m.*
sobar *v/t.* **1.** *Teig usw.* (durch)kneten; *a. Felle* walken; *Ec.* (ab)reiben; *p. ext.* F massieren; **2.** F befummeln (*Reg.*), abknutschen F; *fig.* F belästigen; *p. ext.* (ver)prügeln; **3.** *Am. Knochen* einrenken; *p. ext.* besprechen, „heilen"; **4.** *fig. Ec., Méj., Pe.* vor *j-m* katzbuckeln.
sobarba *f* Doppelkinn *n*; **~da** *f* Ruck *m* am Zügel; *fig.* F Rüffel *m*, Anschnauzer *m* F.
sobarbo *m* Schaufel *f e-s Wasserrads.*
sobarcar [1g] *v/t.* unter dem Arm tragen; *Kleider* unterm Arm zs.-raffen.
sobeo F *m bsd. Am.* → *sobajeo.*
sobera|namente *adv.* höchst, äußerst; überaus; F mächtig, gewaltig; **~nía** *f* **1.** Souveränität *f*; Hoheit(srecht *n*) *f*; ~ *aduanera* (*aérea, económica, espiritual*) Zoll- (Luft-, Wirtschafts-, Religions-)hoheit *f*; ~ *exterior* (*interna od. interior*) äußere (innere *od.* staatsrechtliche) Souveränität *f*; ~ *fiscal* (*judicial, militar, monetaria*) Finanz- (Justiz-, Wehr-, Währungs-)hoheit *f*; ~ *nacional* Staatshoheit *f*, nationale Souveränität *f*; ~ *del pueblo* Volkssouveränität *f*; ~ (*en materia*) *de tarifas* Tarifhoheit *f*; *actos m/pl.* (*derechos m/pl.*) *de* ~ Hoheits-akte *m/pl.* (-rechte *n/pl.*); *dar plena* ~ (die) volle Souveränität geben; *hist.* immediatisieren; *toda la* ~ *emana del pueblo* alle (Staats-)Gewalt geht vom Volke aus; **2.** Ober-, Schutzherrschaft *f*, Oberhoheit *f*; *hist.* ~ *feudal* Suzeränität *f*; **3.** Überlegenheit *f*; *fig.* Stolz *m*, Hochmut *m*; ⚖ ~ *jurídica* Rechtsvorrang *m*; **~no I.** *adj.* souverän, Hoheits...; *fig.* erhaben, herrlich; höchst; hoheitsvoll; F riesig; *fig.* erhaben, unübertrefflich (*Schönheit*); **II.** *m* Souverän *m*, Herrscher *m*; *fig.* König *m.*
sober|bia *f* **1.** Stolz *m*, Hochmut *m*; **2.** Empörung *f*, Zorn *m*; **3.** Herrlichkeit *f*, Pracht *f*; **~bio** *adj.* **1.** stolz, hochmütig; hochfahrend; **2.** empört, zornig; **3.** herrlich, prächtig; *fig.* groß.
sobón *m Am. Reg.* → *soba*; F *de un* ~ auf e-n Schlag, auf einmal.
sobor|do ⚓ *m* Frachtliste *f*; **~nable** *adj. c* bestechlich; **~nal** *m* Zusatzlast *f*; **~nar** *v/t.* bestechen, schmieren F; **~no** *m* **1.** Bestechung *f*; **2.** *Bol., Chi., Arg.* Zusatzlast *f*; *de* ~ zusätzlich.
sobra *f* **1.** Rest *m*; ~*s f/pl.* Überbleibsel *n/pl.*; *bsd.* Speisereste *m/pl.*; **2.** Übermaß *n*; Überfluß *m*; *de* ~ im Überfluß; übermäßig; nur (all-)zu gut; überflüssig (*a. fig.*); *¡estás de* ~ *aquí!* du bist hier ganz u. gar überflüssig!; *saber de* ~ *que ...* nur allzu gut wissen, daß ...
sobra|dillo *m* Schutz-, Wetter-dach *n über Fenstern u. Balkonen*; **~do I.** *adj.* übermäßig; überreichlich; überreich (an *dat.* de); *estar* ~ *de recursos* über beträchtliche Mittel verfügen; **II.** *adv.* übermäßig; überreichlich; **III.** *m* Dachboden *m*; *Arg. a.* → *vasar.*
sobran|cero *adj.-su.* Gelegenheitsarbeiter *m*; *desp.* Tagedieb *m*; **~te I.** *adj. c* übrigbleibend; überschüssig, überzählig; überflüssig; *z. B.* ⊕ ~ *al ancho* zu breit; **II.** *m* Überrest *m*; Restbetrag *m*; *a.* ⊕, ⚚ Überschuß *m*; Übermaß *n.*
sobrar I. *v/i.* übrigbleiben; *a.* ⊕ überstehen (= *nicht bündig sein*); überflüssig sein (*a. fig.*), nicht (mehr) nötig sein; s. erübrigen; *les sobra tiempo para todo* sie haben für alles Zeit; *tiene razón que le sobra* er hat mehr als recht; **II.** *v/t.* ✎ → *exceder, aventajar.*
sobrasada *f* feine Paprikastreichwurst *f* (*bsd. typisch für die Balearen*).
sobre[1] *m* Briefumschlag *m*; Umschlag *m*; Aufschrift *f*; *en* ~ *aparte* unter besonderem Umschlag; ~ *de ventana* Fensterumschlag *m.*
sobre[2] *prp.* **1.** auf (*ac. bzw. dat.*) (*vgl. a, en, encima de, por*); *in best. Vbdgn.* nach (*Reihenfolge, zeitlich*); ~ *comida* nach dem Essen, nach Tisch; ~ *la mesa* auf dem (*bzw.* den) Tisch; *daño* ~ *daño* Schaden auf (*od.* über) Schaden; *escribir* ~ *papel* auf Papier schreiben; ~ *esto* hierauf, danach, dann; ~ *lo cual* worauf, dann; *tomar* ~ *sí et.* auf s. nehmen; *et.* verantworten; **2.** über, von; über (*vgl.* [*por*] *encima*); *hablar* ~ über ... (*ac.*) (*od.* von ... *dat.*)

sprechen; *mano ~ mano* e-e Hand über der andern; *fig.* müßig; *~ todo* vor allem; besonders; **3.** außer; *~ eso* außerdem, darüber hinaus; *~ haberle engañado, se burló de él* nachdem er ihn betrogen hatte, machte er s. (auch noch) über ihn lustig; **4.** an, gg., ungefähr; gg. (*vgl. contra*); ⚔ *avanzar ~ Zaragoza* auf (*od.* gg.) Saragossa vorrücken; *~ las once* gg. elf (Uhr); *~ poco más o menos* etwa, ungefähr; † *u. gal. situado ~ el* (*statt a orillas del*) *río* am Fluß gelegen; **5.** *gal.* ✝ *~ demanda* auf Anfrage.

sobre...[3] *in Zssgn.* Über..., über...

sobre|abundancia *f* Überfülle *f*; **~alimentar** *v/t.* überernähren; **~calentar** [1k] *v/t.* überhitzen; **~cama** *f* Steppdecke *f*; Deckbett *n*; *a.* Paradebett *n*, Zierdecke *f*; **~caña** *vet. f* Überbein *n am Vorderfuß v. Pferden*; **~carga** *f* Überladung *f*; Überlast(ung) *f*; Mehrbelastung *f*; **~cargado** *adj.* über(be)lastet; höchst beansprucht; **~cargar** [1h] *v/t.* überladen; überlasten; überanstrengen; **~cargo** ⚓ *m* Ladungsoffizier *m*; Superkargo *m*; *a.* Proviant-, Zahl-meister *m*; **~ceja** *f* Stirn *f* über den Augenbrauen; **~cejo** *m* Stirnrunzeln *n*; *de ~* finster (*blicken*); *poner ~* die Stirn runzeln; **~cincha** *Equ. f* Übergurt *m.*

sobrecito *dim. m* kl. Umschlag *m*; ✝ Beutel *m* (*z. B. für Puddingpulver usw.*).

sobre|claustra *f*, **~claustro** *m* Wohnung *f* über e-r Klausur (*od.* e-m Kloster); **~cogedor** *adj.* überraschend; **~coger** [2c] **I.** *v/t.* überraschen; überrumpeln; **II.** *v/r.* *~se* zs.-fahren, erschrecken; **~cogimiento** *m* Überraschung *f*; Schreck *m*; **~cubierta** *Buchb. f* Schutzumschlag *m*; **~cuello** *Equ. m* Halsriemen *m*; **~edificar** [1g] △ *v/t.* überbauen; darüberbauen; **~excitación** *f* Überreizung *f*; *HF* Übersteuerung *f*; **~excitar** *v/t. Phys., Physiol.* übererregen, *Physiol.* überreizen; *HF* übersteuern; **~exponer** [2r] *Phot. v/t.* überbelichten; **~exposición** *Phot. f* Überbelichtung *f*; **~falda** *f ehm. u. Tracht: kurzer* (Frauen-)Überrock *m*; **~faz** *f* (*pl.* *~aces*) Oberfläche *f*; **~flete** *m* Überfracht *f*; **~hilado** *m* überwendlicher Stich *m*; **~hilar** *v/t.* überwendlings nähen; **~hueso** *m* Überbein *n*; *fig.* F Hindernis *n*; Schwierigkeit *f*; **~humano** *adj.* übermenschlich; **~impresión** *Phot. f* mehrfach belichtete Aufnahme *f*; **~imprimir** [*part. sobreimpreso*] *v/t. Typ.* überdrucken; **~industrialización** *f* Überindustrialisierung *f*; **~industrializado** *adj.* überindustrialisiert.

sobre|lecho △ *m* Auflagefläche *f e-s Werksteins*; **~llave I.** *f* **1.** Sicherheits-schlüssel *m*; -schloß *n*; **2.** Schlüsselverwaltung *f*; **II.** *m* **3.** Oberschlüsselmeister *m in Schlössern*; **~llevar** *v/t.* **1.** *Last* tragen helfen; erleichtern; **2.** geduldig ertragen; **~manera** *adv.* außerordentlich, überaus; über die Maßen; **~mangas** *f/pl.* Ärmelschoner *m/pl.*; **~medida** *f* Übermaß *n*, Übergröße *f*; **~mesa** *f* Tischdecke *f*; † *u. Reg.* Nachtisch *m*; *de ~* nach Tisch; Tisch...; *discurso m de ~* Tischrede *f*; **~mesana** ⚓ *f* Kreuzmarssegel *n*; **~modo** *adv.* äußerst, in höchstem Maße; **~natural** *adj. c* übernatürlich; **~nombre** *m* Beiname *m*; Spitzname *m.*

sobrentender [2g] **I.** *v/t.* stillschweigend mit einbegreifen; mit darunter verstehen; **II.** *v/r.* *~se* s. von selbst verstehen.

sobr(e)entrenado *adj.* übertrainiert.

sobre|paga *f* Zulage *f* (*Auszahlung*); **~paño** *m* Übertuch *n*; **~parto** ⚕ *m* Wochenbett *n*; **~pasado** *adj.* überholt (*fig.*); **~pasar** *v/t.* hinausgehen über (*ac.*); übertreffen; übersteigen; *a.* überschreiten; **~pelo** *Equ. m Rpl.* Satteldecke *f*; **~pelliz** *ecl. f* Chorhemd *n*; **~peso** *m* Übergewicht *n*; **~pintarse** *v/r.* → *repintarse*; **~poner** [2r] **I.** *v/t.* darüberlegen; aufsetzen (auf *ac. en*); hinzufügen; **II.** *v/r.* *~se a* s. hinwegsetzen über (*ac.*); die Oberhand gewinnen über (*ac.*); **~precio** *m* Preisaufschlag *m*; Aufpreis *m*; **~prima** *Vers. f* Prämienaufschlag *m*; **~producción** *f* Überproduktion *f*; **~puerta** *f* **1.** Türsims *m*; *p.ext.* Türvorhang *m*; **2.** △ (*Ku.*) Sopraporte *f*; **~puesto I.** *adj.* aufgesetzt; aufgelegt; **II.** *m* Aufsatz *m* (*Überlage, Abdeckung*); Applikation *f* (*Aufnäharbeit*); **~pujamiento** *m* Übertreffen *n*; Überbieten *n*; **~pujanza** *f* übergroße Macht *f*; **~pujar** *v/t.* übertreffen; ✝ *u. fig.* überbieten; *j-n* ausstechen; **~quilla** ⚓ *f* Kielschwein *n.*

sobre|ro I. *adj. Reg. u.* ⚒ überflüssig; überzählig; Ersatz...; **II.** *m Stk.* Ersatzstier *m*; **~rrienda** *f Am.* Ersatzzügel *m.*

sobresali|enta *Thea. f* Ersatzschauspielerin *f*; **~ente I.** *adj. c* herausragend; *bsd. fig.* hervorragend; *Bewertung*: sehr gut; F *burl. ~ con tres eses* durchgefallen *b. Examen*; **II.** *m Stk., Thea.* Ersatzmann *m*; **~r** [3r] *v/i.* herausstehen, überragen; *bsd. fig.* hervorragen; weit vorspringen (*Sims usw.*); *fig. ~ en conocimientos* hervorragende Kenntnisse haben; *a. fig. ~ entre todos* alle überragen.

sobresal|tar I. *v/t.* (plötzlich) erschrecken; **II.** *v/i.* (lebendig) hervortreten (*bsd. Gestalten e-s Gemäldes*); **III.** *v/r.* *~se* (*con, de, por*) plötzlich erschrecken (bei *dat.*, über *ac.*), auffahren (bei *dat.*, wegen *gen.*), bestürzt sein (wegen *gen.*, über *ac.*); **~to** *m* jäher Schrecken *m*; Bestürzung *f*; *p. ext.* Überstürzung *f*; *de ~* ganz unerwartet, plötzlich; *me dio* (*od. tuve*) *un ~* ich erschrak (*od.* ich fuhr erschreckt zs.).

sobresaturación *f a.* ✝ Übersättigung *f.*

sobre|scri(p)to *m* Aufschrift *f* (*Adresse*); **~(e)sdrújulo** *Li. adj.-su.* → *proparoxítono.*

sobrese|er [2e] **I.** *v/i.* ⚒ *u. Verw.* Abstand nehmen (von *dat. en*); **II.** *vt/i.* ⚖ *~ (en) Verfahren* einstellen; *a.* aussetzen *bzw.* aufschieben, vertagen; **III.** *v/r.* *~se* eingestellt werden; *s.* erledigen (*z. B. durch Verjährung*); **~imiento** *m* ⚖ Einstellung *f des Verfahrens*; *auto m de ~* Einstellungs-beschluß *m*, -urteil *n.*

sobrestadía ⚓ (✝) *f* Überliegetag *m.*

sobrestante *m* Aufseher *m*, *a.* Arbeits-inspektor *m bzw.* -leiter *m*; ⊕ *etwa*: Oberwerkmeister *m*; 🚂 *~ (de) ferrocarriles* Chef *m* e-r Bahnmeisterei (*Inspektor, Amtmann*).

sobrestimar *v/t.* überschätzen.

sobre|sueldo *m* (Lohn- *bzw.* Besoldungs-)Zulage *f*; **~tarde** *f* Spätnachmittag *m*; **~tasa** *f* Zuschlag *m*; Sondertaxe *f*; ✉ *~ de franqueo* Nach-gebühr *f*, -porto *n*; Zuschlag *m*; **~tensión** ⚡ *f* Überspannung *f*; **~todo** *m* Überzieher *m*; **~tonos** *Phys.* (*Akustik*) *m/pl.* Obertöne *m/pl.*; **~venida** *f* Dazukommen *n*; unerwartete Ankunft *f*; unvermutetes Eintreten *n* (*od.* Geschehen *n*); **~venir** [3s] *v/i.* dazukommen; plötzlich eintreten (*od.* geschehen, erfolgen); niedergehen (*Unwetter*); **~vidriera** *f* Drahtgitter *n* (*Glasfensterschutz*); **~vigilancia** *f* Oberaufsicht *f*; **~viviente** *c* → *superviviente*; **~vivir I.** *v/t.* überleben; **II.** *v/i.* am Leben bleiben, überleben; **~volar** *v/t.* überfliegen.

sobriedad *f* Genügsamkeit *f*; Mäßigkeit *f*; Nüchternheit *f.*

sobri|na *f* Nichte *f*; **~no** *m* Neffe *m*; *~s m/pl.* Geschwisterkinder *n/pl.*

sobrio *adj.* mäßig (in *dat. en*); nüchtern; schmucklos; sparsam, karg; *~ de palabras* wortkarg.

socai|re *m* ⚓ Leeseite *f*; *al ~ de* im Schutz (*gen. od.* von *dat.*); **~ro** ⚓ *adj.* arbeitsscheu.

socalar *v/t. Am. Cent., Col., Ven.* → *socolar.*

socali|ña *f* Prellerei *f*; Schwindel *m*, Gaunerei *f*; List *f*, Trick *m*; **~ñar** *v/t.* prellen; ablisten, abgaunern; **~ñero** *adj.-su.* gaunerhaft; *m* Gauner *m*, Schwindler *m.*

socapa F *f* Vorwand *m*; *a ~* heimlich, verstohlen; *a.* → *so capa.*

socarrar *v/t.* ansengen; anbrennen; anrösten.

socarrén △ *m* Vor-, Trauf-dach *n.*

soca|rrina F *f* → *chamusquina*; **~rrón** *adj.* schlau, verschmitzt, gerieben; hinterlistig; **~rronería** *f* Schlauheit *f*, Geriebenheit *f*; Gaunerstück *n*; Schelmerei *f.*

soca|va *f* Unterhöhlung *f*; ⚘ → *alcorque*[2]; **~vación** *f* ⚒ Unterspülen *n*; → **~vado** *m* Unterspülung *f*; **~vadora** ⚒ *f* Schrämmaschine *f*; **~var** *v/t.* **1.** unterhöhlen; untergraben *bzw.* unterminieren; ⚒ schrämen; **2.** *Geogr.* unterspülen, auskolken; **~vón** *m* ⚒ Galerie *f*, *horizontaler* Stollen *m*; *Vkw.* tiefes Schlagloch *n*; **~vonero** ⚒ *m Chi.* Stollenarbeiter *m.*

socia *f* → *socio*; **~bilidad** *f* Geselligkeit *f*; **~ble** *adj. c* gesellig, umgänglich; *poco ~* ungesellig, menschenscheu; unfreundlich.

social *adj. c* **1.** gesellschaftlich, Gesellschafts...; sozial, Sozial...; *cargas f/pl. ~es* Sozial-abgaben *f/pl. bzw.* -lasten *f/pl.*; *ciencias f/pl. ~es* Sozialwissenschaften *f/pl.*; *prestaciones f/pl. ~es* Sozialleistungen

f/pl.; *reforma f* ~ Sozialreform *f*; **2.** † Gesellschafts...; ⚖ *escritura f* ~ Gesellschaftsvertrag *m* (*Urkunde*).
social|democracia, ~-democracia *f* Sozialdemokratie *f*; **~demócrata** *adj.-su. c* sozialdemokratisch; *m* Sozialdemokrat *m*.
socialero F (*oft desp.*) *m* Sozi *m* F (*oft desp.*).
sociali|smo *m* Sozialismus *m*; **~sta** *adj.-su. c* sozialistisch; *m* Sozialist *m*; **~zación** *f* Sozialisierung *f*; Vergesellschaftung *f*; Verstaatlichung *f*; **~zar** [1f] *v/t.* sozialisieren; vergesellschaftlichen; verstaatlichen.
sociedad *f* **1.** Gesellschaft *f*; Verein *m*; → *a. asociación*; ~ *afiliada a.* † Zweiggesellschaft *f*; *hist.* ²es *f/pl.* de *Amigos del País im 18. Jh. gegründete* „Gesellschaften *f/pl.* der Freunde des Landes" *zur Förderung des wirtschaftlichen u. kulturellen Fortschritts*; ~ *de beneficencia* Wohltätigkeitsverein *m*; *Soz.* ~ *burguesa de prosperidad* bürgerliche Wohlstandsgesellschaft *f*; ~ *sin clases* klassenlose Gesellschaft *f*; ~ *filarmónica* Musikverein *m*; ~ *industrial* (*de masas*) Industrie-(Massen-)gesellschaft *f*; *ehm. Pol.* ² *de Naciones* Völkerbund *m*; *Pol.* ~ *obrera* Arbeiterverein *m*; ~ *protectora de animales* Tierschutzverein *m*; *Pol.* ~ *de trabajadores* Gesellschaft *f* der Werktätigen; 🚃 *coche m de* ~ Gesellschaftswagen *m*; **2.** † ~ *anónima* (*od. por acciones*), *Abk.* S.A. Aktiengesellschaft *f*, *Abk.* AG; ~ *armadora* Reederei *f*; ~ *bancaria* (*mercantil*) Bank- (Handels-)gesellschaft *f*; ~ *colectiva* offene Handelsgesellschaft *f*, *Abk.* OHG; ~ *en comandita* (*od. comanditaria*) (*por acciones*) Kommanditgesellschaft *f* (auf Aktien), *Abk.* KG(aA); ~ *comercial* (*mayorista*) (Groß-)Handelsgesellschaft *f*; ~ *distribuidora* (*filial*) Vertriebs- (Tochter-)gesellschaft *f*; ~ *de financiación*, ~ *financiera* Finanzierungsgesellschaft *f*; ~ *financiera* (*od. de inversiones*) Investmentgesellschaft *f*; ~ *de responsabilidad limitada*, *Abk.* S.(R.)L., *Am.* Ltda. Gesellschaft *f* mit beschränkter Haftung, *Abk.* GmbH; *establecer* (*od. formar*) *una* ~ e-e Gesellschaft gründen.
societario *adj.* Gesellschafts..., Vereins...; *bsd.* Arbeitervereins...
socio *m* (**~a** *f*) **1.** Genosse *m* (Genossin *f*); F (*in Span. fast immer mit desp. Beiklang*) Freund *m*, Genosse *m* (*fig.* F); *socia f häufig desp.* Person *f*, Weibsstück *n* (*desp.*); **2.** † Gesellschafter *m*, Teilhaber *m*, Sozius *m* † u. F; ~ *capitalista* Geld-, Kapital-geber *m*; ~ *colectivo* Komplementär *m*; ~ *comanditario* Kommanditist *m*; ~ *pasivo* (*od. tácito*) stiller Teilhaber *m*; *admitir un* ~ e-n Teilhaber aufnehmen; **3.** Mitglied *n e-s Vereins, e-r Akademie usw.*; ~ *adherente* zahlendes (*od.* förderndes) Mitglied *n*; ~ *de número* ordentliches Mitglied *n*.
soci|ografía *Soz. f* Soziographie *f*; **~ograma** *Soz. m* Soziogramm *n*; **~ología** *f* Soziologie *f*; **~ológico** *adj.* soziologisch; **~ologismo** *m* Soziologismus *m*; **~ólogo** *m* Soziologe *m*; **~opolítico** *neol. adj.* sozialpolitisch.
soco *m Am. Mer., P. Ri.* (Baum-, Glied-)Stumpf *m*; *p. ext.* Verkrüppelte(r) *m, dem Hand, Fuß, Arm od. Bein fehlen.*
socobe *m Am. Cent.* Kürbisgefäß *n*.
socola *f Am. Cent., Col.* Abholzen *n*; **~r** *v/i. Am. Cent., Col.* Unterholz abholzen. [(*so*¹).]
socolor *m* Vorwand *m*; → *so color*
soco|llada ⚓ *f* Killen *n der Segel*; plötzliches Stampfen *n des Schiffs*; **~llón** *m Cu.* heftiger Stoß *m*.
socoro *m* Chorkrypta *f*.
soco|rredor I. *adj.* helfend; **II.** *m* Helfer *m*; **~rrer** *v/t.* unterstützen; *j-m* helfen; *j-m* Hilfe leisten; *j-m* (hilfreich) unter die Arme greifen (*fig.*); ⚔ *Festung* entsetzen; **~rrido** *adj.* **1.** hilfsbereit; **2.** *fig. la ciudad es muy* ~*a* in der Stadt ist alles vorhanden; **3.** *fig.* → *manoseado, trillado*; **~rrismo** *m* Erste Hilfe *f*; Rettungswesen *n*; (*curso m de*) ~ Unterricht *m* in Erster Hilfe; *técnica f de* ~ Rettungstechnik *f*; **~rrista** *c* Retter *m*, Helfer *m*; Rettungsschwimmer *m*; ~ *de la Cruz Roja* Rote-Kreuz-Helfer *m*, Rote-Kreuz-Schwester *f*; **~rro** *m* Hilfe *f*; Rettung *f*; Unterstützung *f*; Beistand *m*; ⚔ Entsatz *m*; ⚔ ~*s m/pl.* Entsatz-truppen *f/pl.*; -material *n*; ¡(*al*) ~! (zu) Hilfe!; ~ *a los huelguistas* Streikunterstützung *f*; ~(*s*) *m*(*/pl.*) *de urgencia* Erste Hilfe *f*; *agua*(*s*) *f*(*/pl.*) *de* ~ *od. bautizo m de* ~ Nottaufe *f*; *bandera f* (*od. pabellón m*) *de* ~ Notflagge *f*; *caseta f de* ~ Rettungsstation *f auf e-r Ausstellung usw.*; *voces f/pl.* (*od. gritos m/pl.*) *de* ~ Hilfe-rufe *m/pl.*, -schreie *m/pl.*; *acudir en* ~ *de alg.* j-m zu Hilfe eilen; *pedir* ~ um Hilfe bitten (*bzw.* rufen).
socoyo|ta *f*, **~te** *m* F *Méj.* die (*bzw.* der) Jüngste, das jüngste Kind *e-r Familie.*
so|crático *Phil. adj.-su.* sokratisch; *m* Sokratiker *m*; **~cratismo** *m* Sokratik *f*.
sochantre *ecl. m* Kantor *m*, Vorsänger *m*.
soche *m Zo. Col., Ec.* andiner Zwerghirsch *m*; *Col. gegerbtes* Hirsch-, Schafs- *od.* Ziegen-fell *n*.
soda *f* Soda *f, n*; Sodawasser *n*.
sódico ⚗ *adj.* Natrium...; *sal f* ~*a* Natriumsalz *n*.
sodio ⚗ *m* Natrium *n*; *cloruro m de* ~ Chlornatrium *n*.
sodo|mía *f* Sodomie *f*; **~mita I.** *adj. c* sodomitisch; **II.** *m* Sodomit *m*.
soez *adj. c* (*pl.* ~*eces*) gemein, niederträchtig; obszön; vulgär.
sofá *m* Sofa *n*; **~-cama** *m* Bettcouch *f*.
so|fisma *m* Sophisterei *f*; Spitzfindigkeit *f*; **~fismo** *m* → *sufismo*; **~fista** *Phil. u. fig. m* Sophist *m*; **~fística** *f* Sophistik *f*; *fig.* spitzfindiges Scheinwissen *n*; **~fisticación** *Phil. f* Sophistikation *f*; **~fisticado** *adj.* affektiert; **~fisticar** [1g] **I.** *v/t.* verdrehen, verfälschen; **II.** *v/i.* klügeln, Spitzfindigkeiten vorbringen; **~fístico** *adj.* sophistisch; spitzfindig; Schein...
sofito (*oft inc. sófito*) △ *m* Deckengetäfel *n*; Windbrett *n am Giebel.*
sofla|ma *f* **1.** schwache Flamme *f*; rückstrahlende Glut *f*; *fig.* fliegende Röte *f*; **2.** *fig.* F Fopperei *f*; *a.* langweilige Rede *f*; Schmus *m* F; **~mar I.** *v/t.* **1.** erröten machen; **2.** mit Worten begaunern (wollen); foppen; **3.** *Kchk. Geflügel* absengen; **II.** *v/r.* ~*se* **4.** anbrennen; **~mería** *f* Schmus *m* F; **~mero** *adj.-su.* Schmusmacher *m* F.
sofoca|ción *f* Ersticken *n*; **~nte** *adj. c* erstickend; **~r** [1g] **I.** *v/t.* den Atem (*od.* die Luft) nehmen (*dat.*); *Feuer usw.* ersticken; *p. ext.* unterdrücken; *fig. a. j-m* arg zusetzen; *j-n* verdrießen; *j-n* beschämen; **II.** *v/r.* ~*se* ersticken; *fig.* s. schämen; s. aufregen.
sofocleo *Lit. adj.* sophokleisch, Sophokles...
sofo|co *m* Erstickungsanfall *m*; *fig.* → **~cón** F *m*, **~quina** F *f* schwerer Verdruß *m*.
sofreír [3m] *v/t.* anbraten; leicht rösten.
sofrena|da *f* Ruck *m* am Zügel; *fig.* F Rüffel *m*, Anschnauzer *m* F; **~r** *v/t.* am Zaum reißen; zügeln; *fig.* F anschnauzen F.
so|ga *f* Seil *n*; Strick *m*; *fig.* F geriebener Bursche *m*, Strick *m* (*fig.* F); *fig.* F *la* ~ *tras el caldero* die Unzertrennlichen *pl.*; *dar* ~ das Seil kommen lassen (*od.* allmählich nachlassen); *fig.* F *dar* ~ *a alg.* j-n (sein Lieblingsthema) erzählen lassen *bzw.* j-n ermuntern; *a.* j-n hereinlegen, j-n foppen; *fig. echar la* ~ *tras el caldero* die Flinte ins Korn werfen; *fig.* F *tiene la* ~ *al cuello* ihm sitzt das Messer an der Kehle, er ist in arger Bedrängnis; *fig.* F *traer* (*od. llevar*) *la* ~ *arrastrando* in ewiger Angst vor Bestrafung leben; **~guería** *f* Seilerei *f*; **~guero** *m* Seiler *m*; **~guilla I.** *f* Espartostrick *m*; dünnes Haarzöpfchen *n*; **II.** *m* F Laufbursche *m*; Gepäckträger *m*.
soirée *frz. f* Soirée *f*; Abend-gesellschaft *f*; -vorstellung *f*.
soja ⚘ *f* Soja(bohne) *f*.
sojuzga|dor *adj.-su.* Unterjocher *m*; **~r** [1h] *v/t.* unterjochen.
sol¹ *m* **1.** Sonne *f*; Sonnenschein *m*; *Stk.* (Plätze *m/pl.* auf der) Sonnenseite *f*; *fig.* F Schönheit *f* (*Frau*); F *als Anrede*: Pracht- (*od.* Gold-)stück *n* F; ~ *de alturas*, ⚕ ~ *artificial* Höhensonne *f*; ~ *con lluvia*, *Reg.* ~ *de brujas* Giftregen *m* (*fig.* F); ~ *boreal* Mitternachtssonne *f*; ~ *naciente* aufgehende Sonne *f*; ² *Naciente das* Sonnenbanner Japans; *p. ext.* Japan *n*; ~ *poniente* untergehende Sonne *f*; *fig.* Abend *m* (*fig.*), Westen *m*; ~ *y sombra Stk.* Plätze *m/pl.* zwischen Sonnen- u. Schattenseite; *fig.* F *bsd. Am. heller Branntwein mit dunklerem Rum*; *Span. halb Kognak, halb Anislikör*; *hist. Imperio m del* ² Reich *n* der Sonne (= *Alt-Perú*); *fig.* F *como un* ~ *od. más hermoso que el* ~ prächtig; bildhübsch; *nada nuevo bajo el* ~ nichts Neues unter der Sonne, alles schon (einmal) dagewesen; *al caer el* ~ bei Sonnenuntergang; *de* ~ *a* ~ den ganzen

Tag; *fig.* F *arrimarse al ~ que más calienta* ein Opportunist sein; *fig. no dejar a uno a ~ ni a sombra* j-m wie sein Schatten folgen; *fig. meter a uno donde no vea el ~* j-n hinter schwedische Gardinen bringen; *fig. ¡salga el ~ por Antequera!* (ich tu's,) mag geschehen, was immer will!; *fig.* F *ser más claro que el ~* sonnenklar sein; *tomar el ~* s. sonnen; ⚓ den Sonnenstand aufnehmen; **2.** Sol *m* (*peruanische Währungseinheit*).

sol² ♪ *m die Note* g *n*; *~ bemol mayor* Ges-Dur; *la (cuerda de) ~2-bordón* die G-Saite *f e-r Geige*; *~ mayor* G-Dur; *~ sostenido* gis *n*.

sol³ ⚗ *m* Sol *n*, kolloide Lösung *f*.

solado ⚠ *m* Estrich *m*; Fliesenboden *m*; *~ flotante* schwimmender Estrich *m* (*Wärme- u. Schallisolierung*); *~r m* Fliesen-, Platten-leger *m*.

solamente *adv.* **1.** nur, bloß, lediglich; → *a. sólo*; **2.** erst; *lo recibí ~ ayer* ich erhielt es erst gestern.

solana *f* sonniger Platz *m*; ⚠ Sonnenzimmer *n*; Glaserker *m*; → *solano²* 2.

sola|náceas ⚘ *f/pl.* Nachtschattengewächse *n/pl.*; **~no¹** ⚘ *m* Nachtschatten *m*; *~ furioso* Tollkirsche *f*.

solano² *m Span.* **1.** heißer Ostwind *m*; **2.** Sonnenseite *f im Gebirge*.

solapa *f* Klappe *f*, Umschlag *m*, Revers *m an Anzug od. Kleid*; *p. ext.* Buch-, Umschlag-klappe *f*; *fig.* Vorwand *m*; ⊕ *a.* → *solapadura*; **~do** *adj. fig.* arglistig; hinterhältig; **~dura** ⊕ *f* Überdeckung *f*; Überlappung *f*; **~r** *v/t.* mit Klappen versehen; ⊕ überlappen; überdecken; *fig.* hinterm Berge halten mit (*dat.*).

solar¹ *m* **1.** Baugelände *n*; Bauplatz *m*; **2.** Stammsitz *m e-r Adelsfamilie*; Stammschloß *n*; **3.** *Am. Cent., Ven.* → *trascorral*; **4.** *Cu.* Mietshaus *n*.

solar² *adj. c* Sonnen...; *mancha f ~* Sonnenfleck *m*.

solar³ [1m] *v/t.* **1.** den Fußboden *e-s Zimmers* belegen (mit *dat. con*); **2.** *Schuh* besohlen.

solariego *adj.* altadlig; Stamm...; *casa f ~a* Stammsitz *m*.

solario *m* Sonnenterrasse *f*.

sola|z *m* Erquickung *f*; Labsal *n*; Lust *f*, Ergötzung *f*; *lit. a ~* mit innerer Freude; **~zar** [1f] **I.** *v/t.* ergötzen; erquicken, laben; **II.** *v/r.* *~se* s. entspannen, s. erholen.

solazo F *m* Sonnenglut *f*; *p. ext.* Sonnenstich *m*.

soldable ⊕ *adj. c* löt- *bzw.* schweiß- [bar.]

solda|da *f* Lohn *m*, Sold *m*; ⚔ Wehrsold *m*; **~dera** *f Méj.* † *mit der Truppe ziehende* Soldatenfrau *f*; F *desp.* (Soldaten-)Dirne *f*; **~desca** *f* Soldateska *f*; **~desco** *adj.* Soldaten...; **~ditos** *m/pl.*: *~ de plomo* Zinnsoldaten *m/pl.*; **~do** *m* Soldat *m*; *~ raso* Gemeine(r) *m*, Schütze *m usw.*; *~ de primera* Oberschütze *m usw.*

sol|dador ⊕ *m* **1.** Schweißer *m*; *~ de arco* (*~ autógeno*) Elektro-(Autogen-)schweißer *m*; **2.** Lötkolben *m*; **~dadura** ⊕ *f* **1.** Lötung *f*; Lötstelle *f*; Löten *n*, Löttechnik *f*; *~ amarilla* Hartlötung *f*; *~ blanda (fuerte)* Weich- (Hart-)lot *n*; **2.** Schweißung *f*; Schweißtechnik *f*; (*costura f od. cordón m de*) *~* Schweißnaht *f*; **~dar** [1m] **I.** *v/t.* **1.** löten *bzw.* schweißen; *alambre m de ~* Löt-, Schweiß-draht *m*; *lámpara f (líquido m) para ~* Löt-lampe *f* (-wasser *n*); *~ sin costura* nahtlos schweißen; *~ a (od. con) estaño (a[l] latón)* weich-, zinn- (hart-)löten; **2.** verkleben; verschmelzen; *a. fig.* verschweißen, zs.-schweißen; *fig.* (wieder) in Ordnung bringen; wiedergutmachen; **II.** *v/r.* *~se* **3.** verkleben; zuschmelzen; zs.-wachsen, verheilen (*Knochenbruch, Wunde*); **~deo** ⊕ *m* Schweißen *n*; *~ autógeno* Autogenschweißen *n*; *~ por costura (por puntos)* Naht-(Punkt-)schweißung *f*.

soleá ♪ *Folk. f* (*pl. soleares*) *Andal. schwermütige Volksweise u. -tanz.*

solea|do *adj.* sonnig; **~miento** *m* Sonnen *n*; **~r** *v/t.* sonnen; *Wäsche* in der Sonne bleichen.

solecismo *Gram., Rhet. m* Solözismus *m*, grober Sprach- (*bsd.* Syntax-)fehler *m*.

soledad *f* Einsamkeit *f*; Verlassenheit *f*; Schwermut *f*; ♪ → *soleá*.

solejar *m* → *solana*.

solem|ne *adj. c* feierlich; festlich, Fest...; ⚖ formgebunden; F riesig; gehörig F; F *una ~ tontería* e-e Riesendummheit; **~nidad** *f* Feierlichkeit *f*; Förmlichkeit *f*; F *de ~* ausgemacht, notorisch; F *pobre de ~* armer Schlucker *m*; **~nizar** [1f] *v/t.* feiern; feierlich (*od.* festlich) begehen.

sóleo *Anat. m* Soleus *m*, Wadenmuskel *m*.

soler¹ [2h; *def.*] *v/i.* pflegen; *como suele decirse* wie man zu sagen pflegt, wie man so sagt; *suele hacerlo* er pflegt es zu tun, üblicherweise macht er es.

sole|r² ⚓ *m* Bodenbelag *m des Kielraums*; **~ra** *f* **1.** ⚠ Unterlage *f*, Träger *m*; Balkenschuh *m*; **2.** ⊕, ⚠ Boden *m*, *a.* ⚒ Sohle *f*; Bodenstein *m* (*Mühle*); **3.** Weinhefe *f*; *fig.* Alter *n*, Tradition *f*; *fig. de ~* alt, bewährt; großartig, prächtig; **~ría** *f* **1.** ⚠ Boden(belag) *m*; **2.** Material *n* für Schuhbesohlung; **~ta** *f* Strumpfsohle *f*; Füßling *m*; *fig.* F *apretar od. tomar (od. picar de) ~* ausreißen (*fig.* F); **~te** *m* (kl.) Liebling *m*.

solevantar *v/t.* (an)heben; *fig.* (auf-)reizen.

solfa *f* Gesangsübungen *f/pl.*; *p. ext.* P Musik *f*; *fig.* F *poner en ~* **a)** ins Lächerliche ziehen; **b)** *et.* kunstgerecht erledigen; *fig.* F *tocar la (od. dar una) ~ a alg.* j-n verprügeln.

solfatara *Geol. f* Solfatara *f*.

solfe|ar ♪ *v/t.* Tonleitern üben, solfeggieren (*Sänger*); *fig.* F *j-n* verprügeln; *a. j-m* den Marsch blasen (*fig.* F); **~o** *m* ♪ Gesangsübungen *f/pl.*, Solfeggio *n*; *fig.* F Tracht *f* Prügel.

solicita|ción *f* **1.** Ansuchen *n*; Bewerbung *f*; **2.** ⚖ Betreibung *f*; **3.** *Phys.*, ⊕ Beanspruchung *f*; **~dor** *m* Bewerber *m*; **~nte** *c* Antragsteller *m*; **~r** *v/t.* **1.** s. bemühen um (*ac.*), s. bewerben um (*ac.*); umwerben; nachsuchen um (*ac.*); *Verw. Patent* anmelden; *~le a alg. a/c.* j-n um et. ersuchen; bei j-m et. beantragen; *~ a/c. de alg.* von j-m et. erbitten (*bzw.* verlangen *od.* fordern); *estar ~ado* **a)** begehrt (*od.* umworben) sein; **b)** *v. Waren*: gesucht (*od.* gängig) sein, verlangt werden (= *ser ~ado*); **2.** *Angelegenheit, Rechtshandel* betreiben; **3.** *Phys. u. fig.* anziehen; ⊕ statisch beanspruchen.

solícito *adj.* emsig, eifrig; geschäftig, betriebsam; hilfsbereit; gewissenhaft; besorgt.

solicitud *f* **1.** Sorgfalt *f*, Gewissenhaftigkeit *f*; Eifer *m*, Fleiß *m*; Fürsorge *f*; **2.** Eingabe *f* (machen an *ac. dirigir a*); Gesuch *n*; Antrag *m* (stellen *presentar*); Beantragung *f*; *~ de oferta* Anfrage *f*, Einholung *f* e-s Angebots; *~ de patente* Patentanmeldung *f*; **3.** *~ (de empleo)* Bewerbung(sschreiben *n*) *f*.

solida|r *v/t.* verdichten; verstärken, festigen; *Behauptung* erhärten; **~ridad** *f* Solidarität *f*; Gemeinschaftsgeist *m*; ⚖, † Gesamthaftung *f*; ⚖ *~ de obligaciones* Gesamtschuldverhältnis *n*; **~rio** *adj.* solidarisch; mitverantwortlich (für *ac. de*); ⚖ gemeinsam (haftend); †, ⚖ gesamtschuldnerisch; *acreedor m ~* Gesamtgläubiger *m*; **~rismo** *Soz. m* Solidarismus *m*; **~rizarse** [1f] *v/r.* s. solidarisch erklären (mit *dat. con*).

solideo *ecl. m* Scheitelkäppchen *n*.

soli|dez *f* **1.** *a.* ⊕ Festigkeit *f bzw.* Haltbarkeit *f*; Festigkeit *f*, Derbheit *f*; *p. ext.* Gediegenheit *f*; *~ del color* Farb-beständigkeit *f*, -echtheit *f*; **2.** Zuverlässigkeit *f*; Gründlichkeit *f*; **~dificar** [1g] **I.** *v/t.* verfestigen; verdichten; festigen; **II.** *v/r.* *~se* fest werden; erstarren *b. Abkühlen*.

sólido **I.** *adj.* **1.** dicht; fest; haltbar; solide, massiv; echt (*Farbe*); *a. fig.* gediegen; **2.** *fig.* zuverlässig; gründlich; solide; stichhaltig; **II.** *m* **3.** ⚫ Körper *m*; *Phys.* fester Körper *m*.

soliloqui|ar [1b] F *v/i.* Selbstgespräche führen; **~o** *m* Selbstgespräch *n*.

solio *m* Thron *m* mit Thronhimmel.

so|lípedo *Zo. adj.-su.* einhufig; *m* Einhufer *m*; **~lista** *c* ♪ Solist(in *f*) *m*; *fig.* F, *bsd. Am.* unausstehliche Person *f*, *die e-m ständig in den Ohren liegt.*

solitari|a *f* Bandwurm *m*; **~o** **I.** *adj.* **1.** einsam; einsiedlerisch; **II.** *m* **2.** Einsiedler *m*; *Kart. hacer ~s* Patiencen legen; **3.** Solitär *m* (*Edelstein*).

sólito *adj.* gewohnt; gewöhnlich, üblich; *como de ~* wie gewöhnlich.

soli|viantar *v/t.* aufreizen, empören; aufhetzen; *~se* s. empören; **~viar** [1b] **I.** *v/t.* an-, auf-heben; F *Arg.* stehlen; **II.** *v/r.* *~se* s. halb aufrichten; **~vio** *m* Anheben *n*; **~vión** *m* heftiger Ruck *m*, *um e-e Sache freizumachen.*

solo **I.** *adj.* allein; einzig; einzeln; alleinstehend; einsam, verlassen; *a ~as* (ganz) allein; F *una suerte como para él ~a* ein Glück, wie nur er es haben kann; *por sí ~* (*bzw.* *~a*) für s. allein; wegen s-r (*bzw.* ihrer) allein; *por sí* ~ für s. allein (genommen), an sich; *una* ~*a vez* nur einmal; **II.** *m Kart.*, ♪ Solo *n*; *fig.* F *Arg.* → *lata* (*fig.* F).

sólo *adv.* nur, bloß; erst; ~ *que* ... nur, daß ...; *no* ~ ..., *sino también* ... nicht nur ..., sondern auch ...; *tan* ~ nur, wenigstens.

solo|millo *m* Filet *n*, Lendenstück *n*; ~**mo** *m* (Kalbs-)Lende *f*; gepökelter Schweinsrücken *m*.

solsticio *Astr. m* Sonn(en)wende *f*; ~ *estival*, ~ *de verano* (*hiemal*, ~ *de invierno*) Sommer- (Winter-)sonnenwende *f*.

solta|dizo *adj. fig.* geschickt hingeworfen (*Wort, Satz*), *um j-n auszuhorchen*; ~**dor** *m*: ~ *del carro* Wagenlöser *m an der Schreibmaschine*; ~**r** [1m] **I.** *v/t.* los-machen, -lassen; nachlassen, lockern; fallen lassen; *fig.* F von s. geben, vom Stapel lassen (*fig.* F); *Worte, bsd. Verwünschungen* ausstoßen; *Pfeil* abschießen; *Bremse* lockern, lösen; *Gefangenen* losbinden *bzw.* freilassen; *Schwierigkeit* beheben; *fig.* F ~*le una fresca a alg.* j-m e-e Frechheit an den Kopf werfen; ~ *el llanto* in Tränen ausbrechen, losheulen F; *fig.* P ~ *la pasta* mit dem Zaster herausrücken P; F ~ *piropos* Komplimente drechseln; *fig. no* ~ *prenda* über et. schweigen; ~ *la risa* auf-, los-lachen; *fig.* F ~ *el trapo* laut auflachen; laut aufweinen; s. ganz s-m Gefühlsausbruch hingeben; **II.** *v/r.* ~*se* s. loslösen; s. befreien; s. losreißen; s. lockern, s. lösen (*Bremse*); aufgehen (*Knoten, Masche*); *fig.* aus s. herausgehen; ~*se a andar* zu gehen anfangen; ~*se en escribir* e-e gewisse Fertigkeit im Schreiben erreichen; schon recht gut schreiben können; *soltársele a uno de las manos* j-m aus der Hand gleiten; *la palabra se le soltó* das Wort entschlüpfte ihm.

solte|ra *f* lediges Mädchen *n*; *quedar* ~ ledig bleiben (*Mädchen*); ~**ría** *f* Ledigenstand *m*; *certificado m de* ~ Ledigenzeugnis *n*; ~**ro I.** *adj.* ledig, unverheiratet; **II.** *m* Junggeselle *m*; ~**rón** *m* alter Junggeselle *m*, Hagestolz *m*; ~**rona** *f* alte Jungfer *f*.

soltura *f* **1.** Gewandtheit *f*, Fertigkeit *f*, Behendigkeit *f*; *hablar con* ~ frei reden (können); **2.** Ungezwungenheit *f*; Dreistigkeit *f*.

solu|bilidad *f* Löslichkeit *f*; ~**bilizar** [1f] *v/t.* löslich machen; ~**ble** *adj. c* löslich; ⚗, *pharm. difícilmente* (*fácilmente*) ~ schwer- (leicht-)löslich; ~ *en los ácidos* (*en agua, en alcohol*) säure- (wasser-, alkohol-)löslich; ~**ción** *f* **1.** *a.* ♟ Lösung *f*; *a.* ♟ Auflösung *f*; ~ *de continuidad* Unterbrechung *f*; ~ *amistosa* freundschaftliche Lösung *f*, gütliche Regelung *f e-s Streitfalls*; ~ *de emergencia* Notlösung *f*; ~ *forzosa* Zwangslösung *f*; *de fácil* (*de difícil*) ~ leicht (schwer) zu lösen(d); *sin* ~ nicht zu lösen(d), unlösbar; *llegar a una* ~ zu e-r Lösung gelangen; *dejar sin* ~ ungelöst lassen; dahingestellt sein lassen; *encontrar* ~ *a una dificultad* e-e Schwierigkeit beheben; *no queda más* ~ es bleibt nichts anderes übrig; es muß sein; **2.** ⚗, ⊕, *pharm.* Lösung *f*; *Typ.* ~ *ácida* Ätzflüssigkeit *f*; ~ *acuosa* wäßrige Lösung *f*; ⚕ ~ *fisiológica de cloruro sódico* physiologische Kochsalzlösung *f*; ~ *matriz*, ~ *original* (*normal*) Stamm- (Normal-)lösung *f*; ~ *tipo od.* ~ *standard* Standardlösung *f*; ~**cionar** *v/t.* lösen; erledigen; ~**tivo** ⚕ *adj.* (auf)lösend; *oft* = *purgante*.

solven|cia *f* Zahlungsfähigkeit *f*; Solvenz *f*; ~**tar** *v/t.* **1.** *schwierige Angelegenheit* in Ordnung bringen; *heikle Frage* lösen; *Streit* schlichten; **2.** *Schuld, Rechnung* begleichen; ~**te** *adj. c* zahlungsfähig, solvent.

solla *Fi. f* Scholle *f*.

sollamar *v/t.* (ab)sengen; flämmen.

sollas|tre *m* Küchenjunge *m*; *fig.* Schelm *m*; ~**tría** *f fig.* Schelmenstück *n*.

sollo F *m* Stör *m*; *prov. a.* Hecht *m*.

sollo|zar [1f] *v/i.* schluchzen; ~**zo** *m* Schluchzen *n*; *prorrumpir en* ~*s* (auf)schluchzen.

soma ⚕, *Psych. m* Soma *n*, Körper *m*.

soma|nta F *f* kräftige Abreibung *f* (*fig.* F); Tracht *f* Prügel; ~**tar** F *Am. Cent.* **I.** *v/t.* gehörig verprügeln; **II.** *v/r.* ~*se* sehr schwer stürzen.

somatén *m Cat.* Bürgerwehr *f*; *fig.* F Radau *m*, Krawall *m*; *fig.* (*tocar a*) ~ (die) Sturmglocke (läuten).

so|mático ⚕, *Psych. adj.* somatisch; ~**matología** 📖 *f* Somatologie *f*.

sombra *f* **1.** *a. fig.* Schatten *m*; Dunkelheit *f*; *Stk.* (Plätze *m/pl.* auf der) Schattenseite *f der Arena*; *Mal.* (*mst. pl.*) Schatten *m*, Schattierung *f*; *fig.* Schatten *m*, Makel *m*; Schatten(bild *n*) *m*, Geist *m*, Gespenst *n*; *fig.* Schatten *m*, Schutz *m*; Einfluß *m*; ~*s f/pl. lit.* Finsternis *f*; Schatten(gebilde *n/pl.*) *m/pl.*; *ni* ~ k-e Spur; *¡ni por* ~*!* nicht im Traum!; ~ *de ojos* Lidschatten *m/pl.*; ~ *propia*, ~ *absoluta* (*proyectada*) Kern- (Schlag-)schatten *m*; ~*s f/pl. chinescas* Schattenspiele *n/pl.*; *Myth. u. poet. el reino de las* ~*s* das Schattenreich; *a* (*od. bajo*) *la* ~ *del poder* im (*od.* unter dem) Schutz (*od. a.* Schatten) der Macht; *darse* (*od. hacerse*) ~ *con la mano a* (*od. en*) *los ojos* s-e Augen mit der Hand beschatten; *fig. desconfiar hasta de su* ~ s-m eignen Schatten nicht trauen, äußerst mißtrauisch (*bzw.* ängstlich) sein; *echar* (*od. hacer, arrojar bzw. proyectar*) ~ Schatten werfen; *estar a la* ~ im Schatten sein (*od.* liegen *usw.*); *fig.* F einsitzen, im Kittchen sitzen F; *fig. hacer* ~ *a alg.* j-n in den Schatten stellen; *fig.* F *ponerle a la* ~ *a alg.* j-n einbuchten F, j-n einlochen F; *fig.* F *quedar* (*como*) *sin* ~ ganz mißmutig (*od.* schwermütig) werden; *fig. ser la* ~ *de alg.* j-s Schatten sein, j-m wie sein Schatten folgen; *fig. no ser* (*ni*) ~ *de lo que era* längst nicht (mehr) das sein, was er (*usw.*) einmal war (*Person, Sache*); *fig.* F *tener* (*buena*) ~ sympathisch sein, e-n guten Eindruck machen; Charme haben; Glück haben; *tener mala* ~ unsympathisch sein, e-n üblen Eindruck machen; *no tener* (*ni*) ~ *de valor* k-e Spur von (*od.* überhaupt k-n) Mut haben; *esto no tiene* (*ni*) ~ *de verdad* das ist ganz u. gar unwahr; *fig. vivir en la* ~ im Schatten (*od.* im Dunkeln) leben (*fig.*); *a.* (in geistiger Unmündigkeit) dahinvegetieren; **2.** *Mal.* Umbra *f*; ~ *de hueso* Beinschwarz *n*; **3.** *Am. Cent., Arg. Reg., Chi.* → *falsilla*; *Chi.* → → *quitasol*; *Méj.* → *toldo*.

som|braje *m* Sonnenschutz *m aus Zweigen u. ä.*; ~**brajo** *m* **1.** → *sombraje*; *fig.* F *se le caen los palos del* ~ das Herz fällt ihm in die Hosen F; **2.** *fig.* F *hacer* ~*s j-m* in der Sonne (*od.* im Licht) stehen; ~**brar** ✎ *v/t.* → *sombrear* 1; ~**breado** *m* Schattierung *f*; ~ (*de cruces*) Schraffur *f*; ~**brear I.** *v/t.* **1.** beschatten, Schatten werfen auf (*ac.*); **2.** schattieren; *a.* schraffieren; **II.** *v/i.* **3.** Schatten werfen; *fig.* F *ya le sombrea el labio superior* auf s-r Oberlippe zeigt s. schon der erste Flaum.

sombre|rada *f* Hutvoll *m*; ~**razo** *m* **1.** riesiger Hut *m*; **2.** Schlag *m* mit dem Hut; **3.** F Lüften *n* des Hutes; Gruß *m* durch Ziehen des Hutes; ~**rera** *f* **1.** Hutmacherin *f*; **2.** Hutschachtel *f*; **3.** ⚘ Roßpappel *f* (*Malve*); ~**rería** *f* Hutgeschäft *n*; Hutmacherwerkstatt *f*; ~**rete** *m* ⚠ Wetterhaube *f auf Schornsteinen*; ⊕ Lagerdeckel *m*; ~**rillo** ⚘ *m* **1.** Hut *m e-s Pilzes*; **2.** Venusnabel *m*; ~**rero** *m* Hutmacher *m*; ~**ro** *m* Hut *m*; ~ *de caballero* (*de señora*) Herren- (Damen-)hut *m*; *Myth.* ~ *alado* Flügelhut *m* (*z. B. des Hermes*); (~) *castoreño* Biber-, Kastorhut *m*; *Stk.* Pikadorhut *m*; ~ *de muelles* Klappzylinder(hut) *m*; ~ *de copa* Zylinder(hut) *m*; ~ *de fieltro* (*de paja, de playa*) Filz- (Stroh-, Strand-)hut *m*; ~ *flexible* weicher Hut *m*; ~ *gacho* Schlapphut *m*; ~ *hongo* Melone *f* (*fig.*); *Am.* ~ *jíbaro* Bauernhut *m* (*Palmblatthut*); ~ *de Panamá* (*de rafia*) Panama- (Bast-)hut *m*; ~ *de tres picos* Dreispitz *m*; *hist.* ~ *sueco* schwedischer Schlapphut *m* (*17. Jh.*); ~ *de teja* (*od. de canoa*) Schaufel-, Priester-hut *m*; ~ *de velillo* (Damenhut *m* mit) Halbschleier *m*.

som|bría *f* schattiger Platz *m*; ~**brilla** *f* **1.** Sonnenschirm *m*; ~ *de jardín* Gartenschirm *m*; **2.** *Zo.* Schirmqualle *f*; ~**brío** *adj.* schattig; *fig.* düster; schwermütig; *ponerse* ~ gedrückt werden (*Stimmung*); ~**broso** *adj.* schattig; schattenspendend.

somelier *frz. m* Kellermeister *m*; Weinkellner *m*.

somero *adj.* oberflächlich, seicht; flüchtig.

some|ter I. *v/t.* **1.** unterwerfen; **2.** unter-ziehen, -werfen; ~ *a un examen* e-r Prüfung unterwerfen (*od.* unterziehen); **3.** unterbreiten, vorlegen; anheimstellen; **II.** *v/r.* ~*se* **4.** s. unterwerfen; s. fügen (*dat. a*); ~**timiento** *m* Unterwerfung *f*; Unterbreitung *f*.

sommelier *m* → *somelier*.

som(m)ier *frz. m* Sprungfedermatratze *f*.

som|námbulo *adj.-su.* → *sonámbulo*; **~nífero** *m* Schlafmittel *n*; **~nolencia** *f* Schläfrigkeit *f*; ⚕ Schlafsucht *f*, Somnolenz *f*; **~noliento** *adj.* → *soñoliento*.

somorgu|jar I. *v/t.* untertauchen; **II.** *v/i. u.* *~se v/r.* tauchen; **~jo** *m Vo.* Taucher *m*, *mst.* = *~ mayor* Krontaucher *m*; *~ menor* Tauchentchen *n*; *fig. a (lo) ~* unter Wasser; *p. ext.* heimlich; im Untergrund; **~jón** *Vo. m* Taucher(vogel) *m*.

sompancle 🌿 *m Méj. Baum, bsd. Schattenbaum in Kaffeepflanzungen (Erythrina coralloides, Dc.)*.

son *m* Klang *m*; Laut *m*; Gerücht *n*; Vorwand *m*; Sinn *m*; ♪ *Folk. Am.* Tanzweise *f*; Sound *m*; *a ~ de piano* mit Klavierbegleitung; *al ~ de la guitarra* zum Klang der Gitarre; *a (od. por) este ~* auf diese Weise, so; *¿a(l) ~ de qué?* mit welcher Begründung?; warum?; *en ~ de* auf die Art wie, als; *en ~ de amenaza (de burla)* drohend (spöttisch); *en ~ de guasa* im Scherz; *en ~ de conquista* um Eroberungen zu machen; *en ~ de paz* in friedlicher Absicht; *sin ~* grundlos; ohne Sinn; *fig.* F *bailar a cualquier ~* sehr wetterwendisch (*in s-n Neigungen u. Meinungen*) sein; *fig.* F *no venir el ~ con la castañeta* nicht harmonieren; fehl am Platz sein.

sona|dera *f* Schneuzen *n der Nase*; **~do** *adj.* aufsehenerregend; vernehmlich; F *hacer una que sea ~a* (*mst.* unliebsames) Aufsehen erregen; **~dor I.** *adj.* klingend, tönend, hallend; **II.** *m noch Reg.* Schnupftuch *n*; **~ja** *f* (Trommel-, Tamburin-)Schelle *f*; *Folk.* ♪ Schellenrassel *f* (*viele Arten*); *Reg. a.* → *sonajero*; *fig. ser una ~* ein heiteres Gemüt haben; **~jera** *f Chi.* → *sonaja u.* **~jero** *m* Rassel *f* (*Kinderspielzeug u.* ♪); Klapper *f*.

son|ambulismo ⚕ *m* Nacht-, Schlaf-wandeln *n*, Somnambulismus *m*; **~ámbulo I.** *adj.* nachtwandelnd, somnambul, mondsüchtig F; **II.** *m* Nacht-, Schlaf-wandler *m*.

sonante I. *adj. c* klingend; **II.** *Li. m* Sonant *m*.

sona|r [1m] **I.** *v/t.* erklingen lassen; mit *dem Tamburin* rasseln; **II.** *v/i.* (er)klingen; (er)tönen; schellen, läuten; *~ a* klingen nach (*dat.*); anklingen an (*ac.*); anspielen (*od.* hindeuten) auf (*ac.*); F *¡así como suena!* ganz wie ich sage *bzw.* in des Wortes wahrster Bedeutung; *es un gamberro, así como suena* er ist ein (richtiger) Halbstarker, darauf können Sie Gift nehmen F; *~ a hueco (a metal, fig. a rebelión)* hohl (metallisch, nach Aufruhr) klingen; *fig. (no) me suena* das kommt mir (nicht recht) bekannt vor; *sonaban pasos (tiros)* es hallten (*od.* man hörte) Schritte (Schüsse); *ha ~ado el timbre* es hat geläutet; **III.** *v/r.* *~se* s. die Nase putzen, s. schneuzen; *a. se suena que ...* es verlautet, daß ...; **~ta** ♪ *f* Sonate *f*; **~tina** ♪ *f* Sonatine *f*.

son|da *f* ⚕, ⊕ *usw.* Sonde *f*; ⚓ *a.* Senkblei *n*, Lot *n*; ⚕ *~ de botón* Knopfsonde *f*; *Raumf.* *~ lunar* Mondsonde *f*; ⚓ *~ acústica* Echolot *n*; ⚕ *~ flexible* (Magen-) Schlauch *m*; **~dable** *adj. c* sondierbar; auslotbar; **~dador** ⚓, ⚔ *m*: *~ acústico* Schallmeßgerät *n*; **~daleza** ⚓ *f* Lotleine *f*; **~deador** *Phys.*, ⊕ *m* Sondiergerät *n*; Sonde *f*; **~d(e)ar** *v/t. a. fig.* sondieren; loten; ⚕ sondieren; katheterisieren; ⚒ nach Erdöl (*od.* Erdgas) bohren; *fig.* ausfragen, ausholen; **~deo** *m a. fig.* Sondierung *f*; Lotung *f*; ⚒ (Probe-)Bohrung *f*; *cohete m de ~ (cósmico)* Weltraumsonde *f*; ⚒ *pozo m de ~* Bohrloch *n*; *fig. hacer ~s* vorfühlen.

sone|tista *c* Sonett(en)dichter *m*; **~to** *m* Sonett *n*.

son|ga *Am. Reg. f* Spott *m*; Ironie *f*; Ulk *m*; F *adv. a la ~* verstohlen, im geheimen; **~go** *adj. Am. Cent., Méj.* verschmitzt; heimlich.

sonido *m* **1.** Ton *m*; Laut *m*; Klang *m*; Schall *m*; *~s m/pl. agudos* hohe (*bzw.* spitze *od.* schrille) Töne *m/pl.*; *Phys.* Hochtöne *m/pl.*; *Li. ~ articulado* artikulierter Laut *m*, Sprech-, Sprach-laut *m*; *Phono ~ estereofónico* Stereo-, Raum-ton *m*; *Li. ~ final* Auslaut *m*; *~s m/pl. graves* tiefe Töne *m/pl.*, *Phys.* Tieftöne *m/pl.*; *~ silencioso* Ultraschall *m*; *Rf.*, *TV ingeniero m, técnico m del ~* Ton-ingenieur *m bzw.* -meister *m*; **2.** ⚓ *a.* Windstoß *m*.

soniquete *m* → *sonsonete*.

so|nometría *f* Schallstärkemessung *f*; **~nómetro** *m* Schallstärkemesser *m*; *a.* → *audiómetro, fonómetro*.

sono|ridad *f* Klangfülle *f*; Wohlklang *m*; *Phon.* Stimmhaftigkeit *f*, (Stimm-)Ton *m*; **~rización** *f Li.* Sonorisierung *f*; *Rf.* Beschallung *f*; **~rizar** [1f] **I.** *v/t. Li.* sonorisieren; *Rf.* beschallen; **II.** *v/r.* *~se Li.* stimmhaft werden; **~ro** *adj.* **1.** klangvoll; wohlklingend; Ton...; **2.** *Phon.* stimmhaft; **3.** mit guter Akustik (*Raum*).

son|reír [3m] **I.** *v/i.* lächeln; *fig. la suerte le sonríe* das Glück lächelt ihm; **II.** *v/r.* *~írse* lächeln; *~írse de* belächeln (*ac.*); **~riente** *adj. c* lächelnd; *fig.* strahlend, heiter; **~risa** *f* Lächeln *n*; *forzar una ~* gezwungen lächeln.

sonro|jar I. *v/t.* erröten machen; **II.** *v/r.* *~se* erröten; **~jo** *m* **1.** Röte *f*, Erröten *n*; Schamröte *f*; *sin ~* schamlos; **2.** Beschämung *f*; Schande *f*; **~sado** *adj.* rosig, rosenrot; **~sar** *v/t.* röten; **~sear I.** *v/t.* → *sonrosar*; **II.** *v/r.* *~se* → *sonrojarse*.

sonsaca *f* Entlocken *n*; listiges Aushorchen *n*; **~r** [1g] *v/t.* entwenden, entlocken; wegschnappen; *fig. j-n* ausfragen, *j-n* ausholen.

sonsonete *m* taktmäßiges Getrommel *n*; anhaltendes, unangenehmes Geräusch *n*; Plärren *n* (*eintöniges Sprechen*); *onom.* Singsang *m*.

soña|ción F *f*: *fig. ni por ~* nicht im Traum, beileibe nicht; **~dor I.** *adj.* träumerisch; **II.** *m* Träumer *m*; *fig.* Schwärmer *m*; Phantast *m*; **~r** [1m] **I.** *v/t.* träumen; *fig.* F *~ a alg.* j-n als e-n Alpdruck empfinden; *fig.* F *yo le haré que me sueñe* er wird noch an mich denken F, ich werde es ihm noch heimzahlen; F *¡ni ~lo!* kein Gedanke!; **II.** *v/i.* träumen; *~ despierto* mit offenen Augen träumen; *a. fig. ~ con* (↖ *fig. en*) träumen von (*dat.*); *~ con que* träumen, daß; *~ con hacer a/c.* davon träumen, et. zu unternehmen.

so|ñarrera F *f* dumpfer Schlaf *m*; *a.* → **~ñera** *f* gr. Schlaflust *f*; Schlafsucht *f*; **~ñolencia** *f* → *somnolencia*; **~ñoliento** *adj.* **1.** schläfrig; einschläfernd; **2.** ⚕ schlafsüchtig, somnolent.

sopa *f* **1.** Suppe *f*; *Kchk. ~ de ajo (de leche, de pasta, de pollo)* Knoblauch- (Milch-, Nudel-, Hühner-) suppe *f*; *~ de albondiguillas* Suppe *f* mit Fleischklößchen; *~ blanda*, ⚕ *a. ~ mucilaginosa* Schleimsuppe *f*; *~ boba* Wassersuppe *f*; *~ borracha* Weinkaltschale *f*; *~ espesa* legierte Suppe *f*; dicke Suppe *f*; *~ de fideos* Nudelsuppe *f* (*Fadennudeln*); *~ de guisantes* Erbsensuppe *f* (*grüne Erbsen*); *~ madrileña* Brotsuppe *f* mit Ei; *cubito m de ~* Suppenwürfel *m*; *fig.* F *comer la ~ boba* umsonst mitessen, nassauern F; *fig.* F *encontrar a/c. hasta en la ~* überall et. finden; **2.** Stück *n* Brot *zum Einbrocken*; eingetunktes Stück *n* Brot; *fig.* F *estar hecho una ~* **a)** patschnaß sein F; **b)** betrunken (*od.* vollgelaufen F) sein; *fig.* F *se cayó la ~ en la miel* die Sache hat bestens geklappt.

sopaipa *f Art* Honigwaffel *f*.

sopanda *f* Stützbalken *m*.

sopa|p(e)ar F *v/t.* ohrfeigen; **~pina** F *f* Ohrfeigensalve *f*; **~po** *m* Klaps *m* unters Kinn; F Ohrfeige *f*.

sop(e)ar *v/t. Brot* einweichen, einbrocken.

sope|ra *f* Suppenschüssel *f*; **~ro** *adj.* Suppen...; *plato m ~* Suppenteller *m*.

sopesar *v/t.* in der Hand abwiegen; *fig.* abwägen.

sopetear[1] *v/t. fig.* mißhandeln.

sope|tear[2] *v/t. Brot* (immer wieder) in die Brühe stippen; **~teo** *m* Eintunken *n*; **~tón**[1] *m in Öl getauchtes* Röstbrot *n*.

sopetón[2] *m* plötzlicher u. heftiger Schlag *m*; *de ~* unversehens; plötzlich.

sopié *Kfz. m* Radneigung *f*, Sturz *m*.

sopla|dero *m* Lüftungsloch *n*; **~do I.** *adj.* **1.** geblasen; *como ~* wie angehaucht (*Farben*); **2.** *fig.* F **a)** eingebildet; **b)** betrunken; **II.** *m* **3.** Blasen *n*; *sid.* Blasverfahren *n*; *~ del vidrio* Glasblasen *n*; **4.** ⚒ tiefer Erdspalt *m*; **~dor I.** *adj.* **1.** Blas...; **II.** *m* **2.** *~ (de vidrio)* (Glas-)Bläser *m*; **3.** ⊕ Gebläse *n*; *~ de chorro de arena* Sandstrahlgebläse *n*; **4.** *fig.* Hetzer *m*; F Zuträger *m*, Ohrenbläser *m*; *Ec.*, *Guat.* Souffleur *m*; **~dura** *f* Blasen *n*; **~mocos** F *m* (*pl. inv.*) Nasenstüber *m*; Ohrfeige *f*.

soplar I. *v/t.* **1.** aufblasen; ⊕ *a. Glas* blasen; anblasen; wegblasen; aufwirbeln, verwehen (*Wind*); *Feuer* anfachen; **2.** *fig.* inspirieren, eingeben (*Muse*); *p. ext. Sch.* vor-, ein-sagen; angeben, verpfeifen (□ *u.* F), *Sch.* verpetzen; **3.** *Dame, Schach*: *Stein, Figur* wegnehmen; *fig.* F wegschnappen; klauen F, stibitzen F; *Braut* ausspannen F;

4. *fig.* F verprügeln; *bsd.* ohrfeigen; **II.** *v/i.* **5.** blasen; wehen (*Wind*); *p. ext.* pusten; prusten, keuchen; F *¡sopla(r)!* potztausend!; was denn!; **6.** *fig.* F schlingen (*fig.* F); **III.** *v/r.* ~se **7.** hinunterschlingen *b. Essen u. Trinken*; *~se dos copas de vino* zwei Glas Wein hinunterstürzen (*od.* -kippen).

so|plete *m* **1.** ⊕ Gebläse *n*; Brenner *m*; *bsd.* ~ (*de soldar*) Löt-gebläse *n*, -rohr *n*; Schweißbrenner *m*; ~ (*de cortar*) Schneidbrenner *m*; ~ *oxhídrico* Knallgasgebläse *n*; **2.** Luftrohr *n des Dudelsacks*; **~plido** *m* Blasen *n*; *a.* Hauch(en *n*) *m*; *HF* Rauschen *n*; **~plillo** *m* **1.** *dim.* leichter Hauch *m*; *fig. Art* Schaumgebäck *n* (*Biskuit*); *tex.* sehr leichter Stoff *m*; **2.** Feuerwedel *m*; **~plo** *m a. fig.* Hauch *m*; Blasen *n*; Wehen *n*; *fig.* Hinweis *m*, Wink *m*; *apagar de un* ~ ausblasen; **~plón** F *adj.-su.* Zwischenträger *m*; Denunziant *m*; Spitzel *m*; *Sch.* Petzer *m*; **~plonear** F *v/t.* denunzieren, anzeigen.

soponcio F *m* Ohnmachtsanfall *m*.

sopo|r *m* Schlafsucht *f*; starke Benommenheit *f*; **~rífero I.** *adj. a. fig.* einschläfernd; *fig.* (zum Gähnen) langweilig; **II.** *m* (starkes) Schlafmittel *n*; **~roso** *adj.* schlafsüchtig, soporös.

sopor|table *adj. c* erträglich; *pharm. a.* verträglich; **~tal** △ *m* Säulenvorbau *m*; gedeckte Auffahrt *f*; *~es m/pl.* Kolonnaden *f/pl.*; **~tar** *v/t.* **1.** *a.* ⊕, △ stützen; tragen; **2.** ertragen; dulden; **~te** *m* ⊕ Träger *m*; Lager *n*; Bodenplatte *f*; *a.* ⊕ Stütze *f*; Unterlage *f*; Ständer *m*; Kippständer *m an Fahr- u. Motorrad*; ~ *de bicicletas* Fahrradständer *m*; ✝ ~ *para sombreros* Hutständer *m*; ~ *del eje* Wellen-lager *n*, -bock *m*.

soprano ♪ **I.** *m* Sopran *m*; **II.** *c* Sopranist(in *f*) *m*; ~ *ligera* Soubrette *f*.

sopuntar *v/t.* Punkte setzen unter (*ac.*).

Sor *ecl. f Anrede*: Schwester *f*.

sorbe|r *v/t.* (ein-, aus-)schlürfen; trinken; ein-, auf-saugen; aufschnupfen; *fig.* verschlingen; *fig.* begierig aufnehmen; *fig.* F *~se los mocos* schnüffeln (*Kind*); **~te** *m* Sorbett *n*; Fruchteis *n*; *P. Ri., Ur.* Trinkhalm *m*.

sorbo *m* Schlürfen *n*; Schluck *m*; *a ~s* in (kleinen) Schlucken.

sordera *f* Taubheit *f*; Schwerhörigkeit *f*.

sordidez *f a. fig.* Schmutz *m*; *fig.* Geiz *m*.

sórdido *adj. a. fig.* schmutzig; *fig.* schäbig, geizig.

sor|dina *f* Ton-, Schall-dämpfer *m*; Dämpfer *m b. Musikinstrumenten*; *fig.* F *a la* ~ leise, sachte; heimlich; *echar la* ~ leise reden; leise machen; *fig. poner* ~ *a* mäßigen, dämpfen; **~do I.** *adj.* **1.** taub (gg. *ac. a*); schwerhörig; *hacerse (el)* ~ s. taub stellen; F *¡el diablo sea ~!* unberufen!, toi, toi, toi!; **2.** klanglos, dumpf; laut-, geräusch-los; *fig.* gefühllos; **II.** *m* **3.** Taube(r) *m*; **~domudo** *adj.-su.* taubstumm; *m* Taubstumme(r) *m*.

sorimbo F *adj. Méj.* betrunken.

sorites *Log. m* (*pl. inv.*) Kettenschluß *m*, Sor(e)ites *m*.

sorna *f* (bewußtes) Phlegma *n*; *fig.* Ironie *f*; hämischer Tonfall *m*; **~r** ☐ *v/i.* → *dormir*.

soro|charse *v/r. Am. Mer.* bergkrank werden; **~che** *Ke. m* **1.** *Am. Mer.* Berg-, Höhen-krankheit *f der Anden*; **2.** *Min. Bol., Chi.* Bleiglanz *m*; **3.** *Chi.* Röte *f*; Erröten *n*.

sororicidio *m* Schwestermord *m*.

sorpre|ndente *adj. c* überraschend; erstaunlich; **~nder** *v/t.* **1.** überraschen; überrumpeln; ertappen; **2.** in Erstaunen (ver)setzen; *me sorprende* es befremdet mich; **~sa** *f* **1.** Überraschung *f*; Überfall *m*; *coger de* ~ überraschen; überrumpeln; **2.** Überraschung *f*, Erstaunen *n*; **~sivo** *adj. Am. Reg.* überraschend.

sorra ⚓ *f* Sandballast *m*.

sorte|able *adj. c* auslosbar; **~ar** *vt/i.* **1.** (aus-, ver-)losen; das Los entscheiden lassen über (*ac.*); **2.** *Stk.* (den Stier) zu Fuß bekämpfen; **3.** *fig. Schwierigkeiten usw.* (ver-)meiden (*ac.*), ausweichen (*dat.*), aus dem Wege gehen (*dat.*); **~o** *m* Verlosung *f*, Auslosung *f*; Ziehung *f* (*Lotterie*); ~ *de Navidad span.* Weihnachtslotterie *f*; *por ~(s)* durch das Los, durch Auslosung.

sortija *f* (Schmuck-)Ring *m*; (Haar-)Locke *f*.

sortilegio *m* Wahrsagerei *f*; *p. ext.* Zauberei *f*; *hacer* ~ wahrsagen.

sosa *f* **1.** Soda *f*; Natron *n*; ~ *alcalina* Natronlauge *f*; ~ *cáustica* Ätznatron *n*; **2.** ⚘ Queller *m*; **~da** F *f* Abgeschmacktheit *f*; Albernheit *f*.

sosega|do *adj.* ruhig, gelassen; still, sanft; **~r** [1h *u.* 1k] **I.** *v/t.* beruhigen; beschwichtigen; **II.** *v/i.* ruhen; schlafen; **III.** *v/r.* *~se* s. beruhigen; Ruhe halten.

soser(í)a F *f* Fadheit *f*, Geschmacklosigkeit *f*.

sosiego *m* Ruhe *f*, Gelassenheit *f*; Frieden *m*, Stille *f*.

sosla|yar *v/t.* **1.** *Gg.-stand* quer- *od.* schräg-stellen *bzw.* -halten; **2.** *fig. Schwierigkeiten* beiseiteschieben; → *sortear 3*; s. hinwegsetzen über (*ac.*); **~yo** *adj.* **1.** ✎ → *oblicuo*; **2.** *al* ~ schräg, schief; *de* ~ schief; windschief; schräg; quer; *mirar de* ~ schief ansehen; hinschielen (nach *dat. a*).

soso *adj.* ungesalzen, *a. fig.* fade; geschmacklos; langweilig.

sosobre ⚓ *m* Skysegel *n*.

sospe|cha *f* **1.** Verdacht *m*; Mißtrauen *n*; Argwohn *m*; *inspirar ~(s)* Verdacht erregen; **2.** Vermutung *f*; Ahnung *f*; Mutmaßung *f*; *tener ~s* Vermutungen hegen; **~char I.** *v/t.* vermuten; fürchten; **II.** *v/i.* ~ *de* beargwöhnen (*ac.*); mißtrauen (*dat.*); verdächtigen (*ac.*); Verdacht schöpfen gg. (*ac.*); *no ~ de nadie* niemanden in Verdacht haben; **~choso I.** *adj.* **1.** verdächtig (*gen. de*); verdachterregend; zweifelhaft; *hacerse* ~ s. verdächtig machen; **2.** mißtrauisch; argwöhnisch; **II.** *m* **3.** Verdächtige(r) *m*.

sosquín *m* Schlag *m* aus dem Hinterhalt.

sostén *m* **1.** ⊕ Träger *m*; Stützbalken *m*; *a. fig.* Stütze *f*; **2.** Büstenhalter *m*, *BH m* F; ~ *sin tirantes* Büstenheber *m*, trägerloser BH *m* F.

soste|ner [2l] **I.** *v/t.* **1.** (unter)stützen; halten, tragen; unterhalten; *Kampf* bestehen; *Ordnung* aufrechterhalten; *Gespräch*, ⚖ *Prozeß* führen; **2.** behaupten; *Meinung* verfechten, verteidigen; ~ *que* ... behaupten, daß ...; **II.** *v/r.* *~se* **3.** s. halten; s. behaupten; **~nido** ♪ **I.** *adj.* erhöht; *do m* ~ *die Note* cis *n*; **II.** *m* Kreuz *n*; Erhöhungszeichen *n*; *doble* ~ Doppelkreuz *n*; **~nimiento** *m* **1.** Stützung *f*, Unterstützung *f*; *de* ~ Stütz...; **2.** Unterhalt *m*; **3.** Aufrechterhaltung *f*, Erhaltung *f*; **4.** ⊕ Unterhaltung *f*, Wartung *f*; **5.** Behauptung *f*.

sota *f* **1.** *Kart.* Bube *m*, Bauer *m*; *fig.* P Dirne *f*; *fig.* F *~, caballo y rey* immer dasselbe! (*Essen*); **2.** *Chi.* → *sobrestante*.

sotabanco △ *m* **1.** Giebelzinne *f*; Giebelwohnung *f*; Dachwohnung *f*; **2.** Balkenträger *m*.

sotana *ecl. f* Soutane *f*.

sótano *m* Keller(geschoß *n*) *m*; Kellerwohnung *f*.

sotavento ⚓ *m* Leeseite *f*; *a* ~ in Lee, im Windschatten.

sotechado *m* (offener) Schuppen *m*; überdeckter Raum *m*.

soterrar [1k] *v/t.* **1.** vergraben, verscharren; verschütten; **2.** △, ⊕ unter der Erde (*od.* unterirdisch) verlegen; **3.** △ *a.* einrammen.

soto *m* Gehölz *n*, Wäldchen *n*; Gestrüpp *n*, Dickicht *n*.

sotreta P *f Arg., Bol.* **1.** Schindmähre *f*; **2.** Krüppel *m* (*Schimpfwort*).

so|viet *m*: ♀ *Supremo* Oberster Sowjet *m*; **~viético I.** *adj.* sowjetisch; Sowjet...; Räte...; **II.** *~s m/pl.* Sowjets *m/pl.*; **~vietizar** [1f] *v/t.* sowjetisieren.

soya *f* → *soja*.

spaccato *Sp. m* Spagat *m*, *n*.

spaghetti *it. m/pl.* Spaghetti *pl.*

sparring partner *engl. Sp. m* Sparringspartner *m*.

sprinter *Sp. m* Sprinter *m*.

squaw *Ethn. f* Squaw *f*.

staccato ♪ **I.** *adv.* staccato; **II.** *m* Stakkato *n*.

stajanovis|mo *m* Stachanow-System *n*; **~ta** *m* Stachanowist *m*.

stalinis|mo *Pol. m* Stalinismus *m*; **~ta** *adj.-su. c* stalinistisch; *m* Stalinist *m*.

stand ✝ *m* (Messe-)Stand *m*.

standar|d *m* Standard *m*; Standard...; ⊕ *equipo m* ~ Standardausrüstung *f*; **~dización** ⊕ *usw. f* Normung *f*; **~dizar** [1f] *v/t.* normen, standardisieren.

stock ✝ *m* (*mst. ~s pl.*) Lagerbestand *m*, Vorrat *m*.

stress *engl.* ⚕ *m* Stress *m*.

su, sus *pron.* sein(e); ihr(e); Ihr(e).

suabo *adj.-su.* schwäbisch; *m* Schwabe *m*.

suaheli I. *adj. c* Suaheli...; **II.** *m* Suaheli *m*; *Li. das* Suaheli (*od.* Kisuaheli).

suarda *tex. f* (Woll-)Schweiß *m*.

suarismo *Phil. m* Lehre *f* des Francisco Suárez (*16. Jh.*).

suasorio *adj.* Überzeugungs..., Überredungs...

sua|ve *adj. c* **1.** weich (u. glatt); geschmeidig; **2.** sanft; mild, lind;

sacht; **~vidad** *f* **1.** Geschmeidigkeit *f*; Weichheit *f* (u. Glätte *f*); **2.** *fig.* Sanftheit *f*; Milde *f*; **~vizador** *m* Abzieh-, Streich-riemen *m*; **~vizar** [1f] **I.** *v/t.* geschmeidig machen; *Stahl, Rasiermesser* abziehen; *Holz* glätten *bzw.* nachschleifen; *fig.* abschwächen; mildern; **II.** *v/r.* ~se geschmeidig werden; s. einlaufen (*Maschine*).
suba *f Arg.* Steigen *n* der Preise.
sub|acetato ⚗ *m*: ~ *de plomo* Bleiessig *m*; **~afluente** *m* Nebenfluß *m* e-s Nebenflusses, Flüßchen *n*; **~agencia** *f* Unter-, Neben-stelle *f od.* -agentur *f*; **~alimentación** *f* Unterernährung *f*; **~alimentado** *adj.* unterernährt; **~alterno I.** *adj.* untergeordnet; subaltern; **II.** *m* Untergebene(r) *m*; niedere(r) Beamte(r) *m*.
suba|rrendar [1k] *v/t.* weiter-, unter-verpachten; **~rrendatario** *m* Unterpächter *m*; **~rriendo** *m* Untervermietung *f*, Unterpacht *f*.
subasta *f* Versteigerung *f*, Auktion *f*; Ausschreibung *f*; ~ *forzosa* Zwangsversteigerung *f*; ~ *pública* öffentliche Versteigerung *f*; *sacar a* ~ versteigern (lassen); ausschreiben; **~dor** *m* Versteigerer *m*, Auktionator *m*; **~r** *v/t.* versteigern, unter den Hammer bringen.
sub|campeón *Sp. m* Vizemeister *m*; **~clase** *f* Unterklasse *f b. wissenschaftl. Einteilungen*; **~comisión** *f* Unterausschuß *m*; **~consciencia** *f* Unterbewußtsein *n*; **~consciente I.** *adj. c* unterbewußt; *lo* ~ das Unterbewußte; **II.** *m* → *subconsciencia*; **~cutáneo** ⚕ *adj.* subkutan.
sub|delegación *f* Subdelegation *f*; Abtretung *f* von Befugnissen; **~delegar** [1h] *v/t. Befugnisse* abtreten; zu Subdelegierten (*od.* Unterabgeordneten) ernennen; **~director** *m* stellvertretender Direktor *m*.
súbdito *m* Untergebene(r) *m*, Untertan *m*; Staatsangehörige(r) *m*.
subdivi|dir *v/t.* unterteilen; **~sión** *f* Unterteilung *f*; Unterabteilung *f*; Abteilung *f*.
sub|enfriar [1c] *v/t.* unterkühlen; **~especie** *f* Unterart *f*; **~estación** *f*: ⚡ ~ *de transformación* Umspannungswerk *n*; **~estimar** *v/t.* unterschätzen; **~estructura** *f* Unterbau *m*; **~exponer** [2r] *Phot. v/t.* unterbelichten; **~exposición** *f* Unterbelichtung *f*.
subibaja *m* (Kinder-)Wippe *f*.
subi|da *f* **1.** Steigen *n*; (An-)Steigen *n e-s Flusses*; Aufstieg *m*; Auffahrt *f*; *Vkw.* Einsteigen *n* (*in ac. a*); ~ *al cielo* Himmelfahrt *f*; ~ *al monte* Bergbesteigung *f*; ~ *de los precios* Preis-erhöhung *f*, -steigerung *f*; *en la* ~ beim Aufstieg; beim Steigen; **2.** Anhöhe *f*; **3.** *fig.* Erhöhung *f*, Vermehrung *f*; Steigerung *f*; **~do** *adj.* hoch *bzw.* angestiegen (*Preis*); hochgeschlagen (*Kragen*); kräftig, intensiv, leuchtend (*Farbe*); scharf (*Geruch*); *rojo* ~ grellrot.
subinquilino *m* Untermieter *m*.
subir I. *v/t.* hinauf-bringen *bzw.* -fahren, -heben, -tragen, -schaffen; hinaufrücken; *a.* aufrücken lassen im Rang, befördern (zu *dat. a*); ⊕ heben; *Antenne, Leiter usw.* aus-, hoch-fahren; ⚠ *Wände usw.* höher machen; *Farbe* verstärken; *Mantelkragen* hochschlagen; *Preise* erhöhen, steigern; *Wert* anheben; *¡sube esa cabeza!* halte d-n Kopf hoch!; ~ *la cuesta* die Steigung hinauf-gehen (*od.* -fahren *usw.*); ~ *el equipaje al cuarto* (*a la rejilla*) das Gepäck aufs Zimmer bringen (ins Gepäcknetz heben); ~ *a un niño en brazos* ein Kind auf den Arm nehmen; **II.** *v/i.* (an)steigen; einsteigen (in *ac. a*); hinauf-gehen *bzw.* -fahren, -steigen; (an)wachsen; hinaufrücken; aufrücken *im Dienstgrad*; stärker werden, s. verstärken (*Farbe, Ton*); s. weiterverbreiten (*Seuche*); steigen (auf *ac. a*) *bzw.* s. belaufen (auf *ac. a*) (*Summe*); aufgehen (*Teig*); ~ *y bajar* auf- u. niedergehen; *la fiebre sube* das Fieber steigt; ~ *a caballo* zu Pferd steigen; ~ *al cielo* zum Himmel auffahren; *fig.* ~ *de tono* hochfahrend daherreden; ~ *en un 15%* um 15% steigen (*z. B. Mietpreis*); ~ *por los aires* in die Luft schweben; ~ *por la pared* an der Wand hochklettern; **III.** *v/i. u.* ~*se v/r.* (hinauf)klettern (auf *ac. a*); ~(*se*) *por la ventana* durch das Fenster hinaufklettern; **IV.** *v/r.* ~*se*: *las lágrimas se le suben a los ojos* die Tränen treten ihm in die Augen; *la sangre* (*el vino*) *me sube a la cabeza* das Blut (der Wein) steigt mir in den Kopf; *fig.* F ~*se a predicar* die Zunge(n) lösen (*Wein, Alkohol*); *fig.* F *se le subieron los humos a la cabeza* das (*bzw.* sein Erfolg *usw.*) ist ihm zu Kopf gestiegen.
súbi|tamente *adv.* unversehens, auf einmal; **~to** *adj.-adv.* plötzlich, jäh; *adv. de* ~ plötzlich.
subjeti|var *v/t.* subjektivieren; **~vismo** *Phil. m* Subjektivismus *m*; **~vista** *adj.-su. c* subjektivistisch; *m* Subjektivist *m*; **~vo** *adj.* subjektiv.
subjuntivo *Gram. m* Konjunktiv *m*.
subleva|ción *f*, **~miento** *m* Aufstand *m*; **~do** *adj.-su.* Aufständische(r) *m*; **~r I.** *v/t.* aufwiegeln; empören; **II.** *v/r.* ~*se* s. erheben, rebellieren.
subli|mación *f* ⚗, *Psych.* Sublimation *f*; Sublimierung *f*; *fig.* Erhebung *f*; Überhöhung *f*; **~mado** ⚗ *m* Sublimat *n*; **~mar** *v/t.* ⚗, *Psych.* sublimieren; *fig.* erheben, überhöhen; **~matorio** *adj.* Sublimations...; **~me** *adj. c* erhaben, hehr, hoch; prächtig; *lo* ~ das Erhabene, das Hohe; **~midad** *f* Erhabenheit *f*.
sub|lingual ⚕ *adj. c* sublingual; **~lunar** *adj. c* sublunarisch.
submari|nismo *m* Unterwassersport *m*; **~nista** *m* Sporttaucher *m*; **~no I.** *adj.* unterseeisch; Untersee...; Unterwasser...; *cable m* ~ See-, Unterwasser-kabel *n*; *caza f* ~*a* (*cazador m od. pescador m* ~) Unterwasser-jagd *f* (-jäger *m*); *guerra f* ~*a* U-Bootkrieg *m*; *Phot. máquina f* ~*a* Unterwasserkamera *f*; **II.** *m* Unterseeboot *n*, U-Boot *n*; ~ *atómico* Atom-U-Boot *n*; ~ *minador* (*torpedero*) Minen- (Torpedo-) U-Boot *n*.
sub|normal I. *adj. c* unter der Norm liegend; *a.* ⚕ *temperatura f* ~ Untertemperatur *f*; *escuela f para niños* ~*es* Sonderschule *f*; **II.** *f* ⩓ Subnormale *f*; **~ocupación** *f* Unterbeschäftigung *f*; **~oficial** ⚔ *f* Unteroffizier *m*.
subordina|ción *f* Unterordnung *f*; Gehorsam *m*; **~do I.** *adj.* untergeordnet; unterstellt; *Li.* (*proposición*) ~*a f* Nebensatz *m*; **II.** *m* Untergebene(r) *m*; **~r I.** *v/t.* unterordnen; unterstellen; **II.** *v/r.* ~*se* s. unterordnen; s. fügen; ~*se a alg.* s. j-m unterstellen.
sub|partida † *f* Unterposition *f b. Buchung*; **~prefecto** *m* Subpräfekt *m*; **~producto** *m* Neben-erzeugnis *n*, -produkt *n*.
subrayar *v/t. a. fig.* unterstreichen; *fig.* hervorheben.
subrepción ⚖ *f* Erschleichung *f*.
subrepresentante † *m* Untervertreter *m*.
subrepticio *adj.* erschlichen; heimlich.
subroga|ción ⚖ *f* Einsetzung *f* in fremde Rechte; **~r** [1h] *v/t.* in *fremde* Rechte einsetzen; an *e-s anderen* Stelle setzen.
subs... → *a. sus...*
subsana|ble *adj. c* wiedergutmachbar, behebbar; **~ción** *f* Wiedergutmachen *n*; Behebung *f*; **~r** *v/t.* wiedergutmachen, beheben; ⚖ *Rechtsmangel* heilen.
subsecretario *m* Unterstaatssekretär *m*; *Span.* Staatssekretär *m*.
subse|cuente *adj. c* → *subsiguiente*; **~guir** [3d *u.* 3l] **I.** *v/i.* unmittelbar folgen (auf *ac. a*); *de ello subsigue* daraus ergibt s.; **II.** *v/r.* ~*se* nachea. (*od.* aufea.-)folgen.
subsi|diario *adj.* subsidiär, subsidiarisch: **a**) unterstellt; Hilfs...; **b**) Zuschuß..., Hilfs...; **~dio** *m* Beihilfe *f*, Unterstützung *f*, Zuschuß *m*; Zulage *f*; ~*s m/pl.* Hilfsgelder *n/pl.*, Zuschuß *m*; ~ *de educación* Erziehungs- (*od.* Studien-) beihilfe *f*; ~ *de enfermedad* Krankengeld *n*; ~ *familiar* Familienzulage *f*; ~ *por gastos de representación* Aufwandsentschädigung *f*; ~ *de orfandad* Waisengeld *n*; ~ *de paro* Arbeitslosenunterstützung *f*; ~ *de vejez* Altersrente *f*.
subsiguiente *adj. c* nach-, darauffolgend.
subsis|tencia *f* **1.** Fortbestand *m*; **2.** Lebensunterhalt *m*; Verpflegung *f*; **~tente** *adj. c* (noch) bestehend; **~tir** *v/i.* **1.** (fort-, weiter-)bestehen; **2.** *Biol. unter den gegebenen Verhältnissen* (*voll*) lebensfähig sein; *fig.* sein Leben fristen; **3.** noch in Kraft sein (*Gesetz usw.*).
subsónico *Phys. adj.* Unterschall...
subst(r)... *usw.* → *sust(r)...*
sub|strato 🕮, *bsd. Phil. u. Li. m* Substrat *n*; **~suelo** *m* Untergrund *m*; **~te** F (*Abk.*) *m Rpl.* U-Bahn *f*; **~tender** [2g] ⩓ *v/t.* durch e-e Sehne verbinden; **~teniente** ⚔ *m* Leutnant *m*; **~terfugio** *m* Vorwand *m*; Ausflucht *f*; **~terráneo I.** *adj.* **1.** unterirdisch; *agua f* ~*a* Grundwasser *n*; **II.** *m* **2.** unter der Erde gelegener Platz *m*; Kellergeschoß *n*; **3.** *Am.* Untergrundbahn *f*; **~título** *m* Unter-, Neben-titel *m*; **~tropical** *adj. c* subtropisch.

subur|bano I. *adj.* vorstädtisch, Vorstadt...; *línea f ~a* Vorort-bahn *f bzw.* -bus *m*; **II.** *m* Vorstädter *m*; **~bio** *m* Vorstadt *f*; Vorort *m*.

sub|vención *f* Subvention *f*; Zuschuß *m*; **~vencionar** *v/t.* subventionieren; finanziell fördern; **~venir** [3s] *vt/i.*: ~ (*a*) *los gastos de a/c.* die Kosten e-r Sache bestreiten (*od.* subventionieren).

subver|sión *f* Umsturz *m*; **~sivo** *adj.* subversiv; Umsturz...; *movimiento m* ~ Umsturz- *bzw.* Untergrund-bewegung *f*; **~tir** [3i] *v/t.* umstürzen; zerrütten.

subyacente *adj. c* darunterliegend.

subyuga|ción *f* Unterjochung *f*; **~r** [1h] *v/t.* unter-jochen, -drükken; bezwingen.

succino *m* gelber Bernstein *m*.

succi|ón *f* (An-, Aus-)Saugen *n*; **~onar** *v/t.* → *chupar, aspirar.*

sucedáneo I. *adj.* Ersatz...; **II.** *m* Ersatz(produkt *n*) *m*, Surrogat *n*.

suce|der *v/i.*: ~ *a* **1.** folgen auf (*ac.*); *j-n* beerben; *j-s* Nachfolger werden; ~ *a alg. en el trono* j-s Nachfolger auf dem Thron sein; **2.** geschehen; zustoßen (*j-m a, con*); *¿qué sucede?* was ist los?; **~dido** F: *lo* ~ Geschehnis *n*, Vorfall *m*; **~sible** *adj. c* erblich; **~sión** *f* **1.** Folge *f*; Aufea.-folge *f*; *HF usw.* ~ *de impulsos* Impulsfolge *f*; **2.** Erbfolge *f*; ~ (*al trono*) Thronfolge *f*; *guerras f/pl. de* ~ Erbfolgekriege *m/pl.*; **3.** Nachlaß *m*; Erbschaft *f*; **4.** Nachkommen(schaft *f*) *m/pl.*; **~sivamente** *adv.* nachea.; nach u. nach; laufend; *y así* ~ u. so fort; **~sivo** *adj.* folgend; *en lo* ~ von nun an, künftig; *tres días* ~*s* drei Tage hinterea.; **~so** *m* **1.** Vorfall *m*, Geschehnis *n*, Begebenheit *f*, Ereignis *n*; **2.** Verlauf *m*; **3.** † *u. lit.* Ausgang *m*, Ergebnis *n*; †, ⚒ *gal.* Erfolg *m*; **~sor** *m* Nachfolger *m*; Erbe *m*; Nachkomme *m*; **~sorio** *adj.* Nachfolge...; Erb...; ⚖ *derecho m* ~ Erbrecht *n*.

suciedad *f* Schmutz *m*; Verschmutzung *f*.

sucinto *adj.* gedrängt, kurz; *gramática f ~a* Kurzgrammatik *f*.

sucio I. *adj.* **1.** schmutzig; unsauber; ⚕ belegt (*Zunge*); *en* ~ im unreinen; Roh...; *a. fig. tener las manos ~as* schmutzige Hände haben; **2.** *fig.* schmutzig; unflätig; **3.** *a. adv.* unfair (*Spiel*); **II.** *m* F **4.** Schmutzfink *m*.

súcubo *Rel. m* Sukkubus *m*.

suculento *adj.* saftig; fett, nahrhaft; ♀ *planta f ~a* Sukkulente *f*.

sucumbir *v/i. a.* ⚖ unterliegen; erliegen (*dat. a*); sterben (an *dat. a*).

sucursal I. *adj. c* Neben..., Filial...; **II.** *f* Filiale *f*; Zweiggeschäft *n*.

súchil *m Am. volkstümlich für versch. schönblühende Gewächse, bsd. Magnolien u. Plumerien.*

sud I. *in Zssgn. statt sur*; **II.** *m oft Am.* → *sur.*

sudadero *m* **1.** Schweißtuch *n*; *a.* Schweißblatt *n*; **2.** *Equ.* Unterlagedecke *f* (*Sattelunterlage*); **3.** Schwitzraum *m in Bädern*; *p. ext.* Schwitzbad *n*; **4.** Abtraufstelle *f*.

sud|africano *adj.-su.* südafrikanisch; *m* Südafrikaner *m*; **~americano** *adj.-su.* südamerikanisch; *m* Südamerikaner *m*.

sudanés *adj.-su.* sudanesisch; *m* Sudanese *m*.

suda|r *vt/i.* schwitzen; ausschwitzen; *fig.* F ~ *la hiel od.* ~ *tinta (negra)* schuften (*od.* s. placken), daß der Schweiß nur so läuft; ~ *a mares* Ströme von Schweiß vergießen; *fig.* F *hacerle* ~ *a alg. a.* j-n ordentlich bluten lassen (*fig.* P); **~rio** *m* Schweißtuch *n*; Leichentuch *n*; *el Santo* ♀ das Leichentuch Christi.

sudes|tada *f Arg.* Südostwind *m mit starken Regenfällen*; **~te** *m* Südosten *m*.

sudista *m* Südstaatler *m* (*USA*).

sudoeste *m* Südwesten *m*.

sudo|r *m a. fig.* Schweiß *m*; Schwitzen *n*; Schweißausbruch *m*; **~es** *m/pl.* Ströme *m/pl.* von Schweiß; starker Schweißausbruch *m*; *fig.* F fliegende Hitze *f in den Wechseljahren*; ~ *sanguíneo* (*od. de sangre*) Blutschwitzen *n*; *chorreando* ~ schweißtriefend; *un* ~ *se le iba y otro se le venía* es überlief ihn abwechselnd heiß u. kalt; *fig.* F *con el* ~ *de su frente* im Schweiße s-s Angesichts; **~ración** ⚕ *f* Schweißbildung *f*; Schweißausbruch *m*; **~riento** *adj.* schweißnaß; Schweiß...; **~rífero** *adj.*, **~rífico** *adj.*(*-su. m*) schweißtreibend(es Mittel *n*); Schwitz...; *envoltura f ~a* Schwitzpackung *f*; **~ríparo** ⚕ *adj.*: *glándulas f/pl. ~as* Schweißdrüsen *f/pl.*; **~roso** *adj.* schweißbedeckt.

sue|ca *f* Schwedin *f*; *neol. fig. Span. allg.* junge, ausländische Touristin *f*; **~co I.** *adj.* schwedisch; **II.** *m* Schwede *m*; *Li. das* Schwedische; *fig.* F *hacerse el* ~ s. taub stellen; den Dummen spielen.

sue|gra *f* Schwiegermutter *f*; *fig.* F *cuéntaselo a tu* ~ das mach gefälligst e-m andern weis!; (*limpiar solamente*) *lo que ve la* ~ nur ganz oberflächlich (saubermachen); **~gro** *m* Schwiegervater *m*; ~*s m/pl.* Schwiegereltern *pl.*

suela[1] *f* **1.** (Schuh-)Sohle *f*; ~ *exterior* (*interior*) Lauf- (Innen-)sohle *f*; ~ *de (goma) crepé* Kreppsohle *f*; *poner medias ~s a los zapatos* die Schuhe besohlen; *fig.* F *de siete (a. de cuatro) ~s* Erz...; *ladrón m de siete ~s* Erzdieb *m*; *no llegarle a la* ~ *del zapato* ihm das Wasser nicht reichen können (*fig.*); **2.** *fig.* F zähes Kotelett *n*.

suela[2] *f* Seezunge *f*.

sueldo *m* Gehalt *n*; Sold *m*; *a* ~ gedungen (*Mörder*); *sin* ~ unbezahlt (*Urlaub*); ~ *de hambre* Hungerlohn *m*.

suelo *m* **1.** (Erd-, Fuß-)Boden *m*; Grund *m* u. Boden *m*; (Gefäß-)Boden *m*; ~ *alto* Dach-boden *m*, -geschoß *n*; ⚒ ~ *arcilloso* Lehmboden *m*; ~ *de cemento* Zementboden *m*, Estrich *m*; ~ *falso* (*intermedio*) Blind-, Fehl- (Zwischen-)boden *m*; ~ *de mosaico* Mosaikboden *m*; ~ *natal* Heimat(boden *m*) *f*; *caer al* ~ auf den Boden fallen; *colocar* (*od. poner*) *en el* ~ auf den Boden stellen; *dormir a* ~ *raso* auf dem blanken Erdboden schlafen; *fig.* F *echar por el* ~ zunichte machen; zerstören, ruinieren; *fig.* F *echarse por los ~s* s. zu billig machen; kriechen (*fig. desp.*); s. wegwerfen (*fig.*); *fig.* F *estar* (*od. andar*) *por los ~s* spottbillig sein; *estar por los ~s a.* zu nichts (mehr) zu gebrauchen sein; F *¡del* ~ *no pasa!* tiefer fällt's nicht mehr!, alle neune!, gut Holz! (*wenn z. B. Geschirr gefallen ist*); *fig.* F *poner por los ~s* verleumden, schlechtmachen; *venirse al* ~ zu Boden fallen; einstürzen; *fig.* fehlschlagen; ruiniert werden; **2.** (Pferde-)Huf *m*; **3.** Bodensatz *m*; *p. ext. b. der Ernte auf dem Feld* stehengebliebenes Korn *n od. nach dem Drusch* auf der Tenne verbliebene Reste *m/pl.*

suelta *f* Loslassung *f*, Freilassung *f*; Auflassen *n v. Tauben*; Abbrennen *n e-r Rakete bzw.* Abschuß *m e-s Böllers*; Spannstrick *m für Reittiere*; *dar* ~ (*a*) *z. B. Hunde* loslassen; *p. ext.* freien Lauf lassen (*dat.*); F e-e kurze Erholung gönnen (*dat.*); *fig.* F *dar* ~ *a la lengua* frei von der Leber weg reden; kein Blatt vor den Mund nehmen.

suelto I. *part.-adj.* **1.** losgelassen; frei herumlaufend; losgelöst, lose; ungefaßt (*Edelstein*); *vientre m* ~ dünnflüssiger Stuhl *m* (*Diarrhöe*); **2.** einzeln (*v. Zs.-gehörigem*); Einzel...; ⊕ *pieza f ~a* Einzelteil *n*; *zapato m* ~ einzelner Schuh *m*; **3.** gelöst, offen (*Haar*); aufgeknöpft (*Rock*); **4.** flink, behend; gewandt, geschickt; flüssig (*Sprache, Stil*); leicht hingeworfen (*Skizze, Gemälde*); *talle m* ~ schlanker Wuchs *m*; **5.** zwanglos, ungeniert; ausgelassen; *a.* frech; **II.** *m* **6.** Kleingeld *n*; *¿no tiene ~?* haben Sie es nicht kleiner?; *no tengo* ~ ich habe kein Kleingeld (= *ich kann nicht herausgeben*); **7.** (kurzer) Zeitungsartikel *m*.

sueño *m* Schlaf *m*; Traum *m*; *como un* ~ traumhaft; *en ~s* im Traum; *entre ~s* im Halbschlaf; *¡ni por (a. en) ~s!* nicht im Traum!; ~ *dorado* goldener Traum *m*, tiefste Sehnsucht *f*; *el* ~ *eterno* der ewige Schlaf, der Tod; ~ *ligero* (*profundo*) leichter (tiefer) Schlaf *m*; ~ *de muerte*, ~ *de plomo* todähnlicher Schlaf *m*; *Psych.* ~ *en vigilia* Wachtraum *m*; ⚕ *enfermedad f del* ~ Schlafkrankheit *f*; *caminar en ~s* schlafwandeln; *descabezar* (*od. quebrantar*) *el* ~ ein Nickerchen machen; *dormir en un* ~ (fest) durchschlafen; *echar un sueñ(ecit)o* ein Schläfchen machen; *estar en siete ~s* im tiefsten Schlaf liegen; *tener* ~ schläfrig sein; *el* ~ *se volvió* (*od. se tornó*) *al revés* der Traum ist aus.

suero *m* **1.** Molke *f*; ~ *de mantequilla* Buttermilch *f*; **2.** ⚕ Serum *n*; ~ *antidiftérico* (*curativo*) Diphtherie- (Heil-)serum *n*; **~so** *adj.* serös; **~terapia** *f* Serumtherapie *f*.

suerte *f* **1.** Schicksal *n*, Los *n*; Zufall *m*; (*buena*) ~ Glück *n*; *¡buena ~!* viel Glück!, Glück zu!; *mala* ~ Unglück *n*, Pech *n* (*fig.* F); *quiso la* ~ *que* ... es fügte s. (nun) so, daß ...; *tener* (*traer*) ~ Glück haben (bringen); **2.** (Lotterie-)Los *n*; *caer en* ~ zuteil werden (*dat. a*); *echar ~s* losen; *echar a* ~ aus-, ver-losen; *fig. la* ~ *está echada* die Würfel sind gefallen; *elegir por* ~ *a alg.* j-n durch das Los bestimmen; *entrar en* ~ verlost werden; **3.** *Stk.* Phase *f*, Gang *m*, Runde *f*; ~ *de capa* Mantelparade *f* (*Vorspiel*); ~ *de varas* Lanzengang *m* (*1. Runde*); ~ *de banderillas* Runde *f* der Banderillas (*2. Runde*); ~ *de matar*, ~ *suprema* Todesrunde *f* (*3. u. letzte Runde*); **4.** Art *f*; *K de baja* ~ von niederem Rang, von gemeiner Herkunft; *de esta* (*od. de tal*) ~ derart, so; *de ninguna* ~ keineswegs; *de otra* ~ sonst; *de* ~ *que* ... derart, daß ..., so, daß ...; *toda* ~ *de vino(s)* alle Arten (von) Wein; **~ro** *m* **1.** *Am.* Glückspilz *m*; **2.** *Pe.* Lotterielosverkäufer *m*.

sues|tada *f Arg.* → *sudestada*; **~te** ⚓ *m* Südwester *m*.

suéter *m* (*pl.* ~*es*) Sweater *m*.

suevos *hist. m/pl.* Sueben *m/pl.* (*germanische Völkergruppe*).

suficien|cia *f* Eignung *f*, Brauchbarkeit *f*; *fig.* Selbst-genügsamkeit *f*, -zufriedenheit *f*; *aire m de* ~ anmaßende Selbstgefälligkeit *f*; **~te** *adj. c* **1.** ausreichend, genügend; **2.** fähig, geeignet.

sufi|jación *Li. f* Suffigierung *f*; **~jo** *m* Suffix *n*, Nachsilbe *f*.

sufismo *Rel. m* Sufismus *m*.

sufra|gáneo *ecl. adj.* Suffragan...; *obispo m* ~ Weihbischof *m*; **~gar** [1h] **I.** *v/t. Kosten* bestreiten; helfen (*dat.*), unterstützen (*ac.*); **II.** *v/i. Am. Mer.* wählen (*ac. por*); **~gio** *m* **1. a)** Wahlstimme *f*; **b)** Wahlrecht *n*; ~ *femenino* Frauenwahlrecht *n*; ~ *restringido* (*universal*) beschränktes (allgemeines) Wahlrecht *n*; **2.** *ecl.* Fürbitte *f für die Verstorbenen*; *en* ~ *de alg.* für j-s Seelenheil (*Messe*); **~gismo** *Pol. m* Frauenwahlrecht(sbewegung *f*) *n*; **~gista** *c* Stimmrechtler(in *f*) *m*, Suffragette *f*.

sufri|ble *adj c*, **~dero** *adj.* erträglich; **~do I.** *adj.* geduldig *im Ertragen*; nachsichtig; zäh; **II.** *m* F nachsichtiger Ehemann *m*; **~miento** *m* Leiden *n*, Erdulden *n*; Geduld *f*, Nachsicht *f*; **~r** *vt/i.* leiden, erleiden; dulden, ertragen; *Änderung* erfahren; *Prüfung* bestehen; ~ *una desgracia* von e-m Unglück betroffen werden; ~ *interrupción* unterbrochen werden; *no lo sufro* ich dulde das nicht; *no poder* ~ *a alg.* j-n nicht ausstehen können; *hacer* ~ peinigen; *sin* ~ schmerzlos.

sufusión ⚕ *f*: ~ *sanguínea* Blutunterlaufung *f*.

suge|rir [3i] *v/t.* nahelegen; vorschlagen; *él me sugirió la idea* er brachte mich auf den Gedanken; **~stión** *f* Einwirkung *f*, Beeinflussung *f*; Anregung *f*; Suggestion *f*; *Psych.* ~ *colectiva* (*od. en masa*) Massensuggestion *f*; **~stionable** *adj. c* beeinflußbar, suggestibel; **~stionar** *v/t.* suggerieren, einflüstern; **~stivo** *adj.* suggestiv; anregend; eindrucksvoll, fesselnd.

suici|da I. *c* Selbstmörder(in *f*) *m*; **II.** *adj. c a. fig.* selbstmörderisch; **~darse** *v/r.* Selbstmord begehen; **~dio** *m* Selbstmord *m*, Suizid *n*, *m*.

suidos *Zo. m/pl.* Schweine *n/pl.*

sui géneris *lt.* eigener Art, sui generis.

suite *f Hotel u.* ♪ Suite *f*.

sui|za *f* **1.** Schweizerin *f*; **2.** *Am. Cent.*, *Ant.* Seilspringen *n*; **~zo I.** *adj.* schweizerisch, Schweizer; **II.** *m* Schweizer *m*; *p. ext.* Schweizer(gardist) *m*; (*bollo*) ~ *ein kugelförmiges Gebäck*.

sujeción *f* **1.** Unterwerfung *f*; Abhängigkeit *f*; Knechtschaft *f*; *con* ~ *a la ley* nach dem (*od.* laut) Gesetz; **2.** ⊕ Befestigung *f*; Aufspannung *f*; Halterung *f*; **3.** *Rhet.* Subjektion *f*.

sujeta|cables ⚡ *m* (*pl. inv.*) Kabelhalter *m*, -klemme *f*; **~corbata(s)** *m* Krawattenhalter *m*; **~dor** *m a.* ⊕ Clip *m*; Halter *m*; Spanner *m*; Befestigungsklammer *f*; ~ *del cuello* (umlegbarer) Kragenknopf *m*; ~ *de periódicos* Zeitungshalter *m*; **~mantel** *m* Tischtuchklammer *f*; **~mayúsculas** *m* (*pl. inv.*) Umschaltfeststeller *m an Schreibmaschinen*; **~papeles** *m* (*pl. inv.*) Büroklammer *f*.

sujetar *v/t.* **1.** unterwerfen; bändigen; **2.** *a.* ⊕ befestigen; festhalten; einspannen; ~ *con clavos* an-, festnageln; ~ *con tacos* verdübeln; ~ *con tornillos* verschrauben.

sujeto I. *adj.* **1.** unterworfen; ~ *a aduana* zollpflichtig; ~ *a averías* störungsanfällig (*Geräte*); ~ *a vencimiento* fristgebunden, terminbedingt; **2.** *a.* ⊕ befestigt; **II.** *m* **3.** Stoff *m*, Gg.-stand *m*, Sujet *n*; **4.** Person *f*, Subjekt *n*; *Li.* Subjekt *n*; ⚕ *usw.* ~ *de experimentación* Versuchsperson *f*.

sula *Vo. f*: ~ *loca* Guanovogel *m*.

sulfamida ⚗ *f* Sulfonamid *n*.

sul|fatar ⚒ *v/t.* schwefeln; **~fato** ⚗ *m* Sulfat *n*; **~fito** ⚗ *m* Sulfit *n*; **~furación** ⚗ *f* Schwefelung *f*, Sulfuration *f*; **~furar I.** *v/t.* ⚗ mit Schwefel verbinden, sulfurieren; *fig.* reizen; **II.** *v/r.* ~*se fig.* s. giften, giftig werden; **~fúrico** ⚗ *adj.* Schwefel...; *ácido m* ~ (*fumante*) (rauchende) Schwefelsäure *f*; **~furo** ⚗ *m* Sulfid *n*; **~furoso** *adj.* schwefelhaltig; schweflig (*Säure*).

sul|tán *m* Sultan *m*; **~tanato** *m*, **~tanía** *f* Sultanat *n*.

suma *f* **1.** 𝔄, † Summe *f*; (Geld-) Betrag *m*; † ~ *anterior* Vortrag *m*; ~ *asegurada* Versicherungssumme *f*; *en* ~ kurz (u. gut); **2.** 𝔄 Addition *f*; **3.** *fig.* Hauptinhalt *m*; Abriß *m*; *Scholastik*: Summe *f*; *fig. en* ~ kurz, gedrängt.

suma|dora *f* Addiermaschine *f*; *p. ext.* Rechenmaschine *f*; **~mente** *adv.* höchst, äußerst; **~ndo** 𝔄 *m* Summand *m*; **~r I.** *v/t.* **1.** zs.-zählen, addieren; (Summe von ...) ausmachen, s. belaufen auf (*ac.*); † *suma y sigue* Übertrag (*b. Buchungen usw.*); **II.** *v/r.* ~*se* **2.** s. summieren, zs.-kommen; **3.** *fig.* ~*se a* s. *j-m* (*bsd. e-r Partei od. e-r Lehre*) anschließen.

suma|ria ⚖ *f* (Prozeß-)Protokoll *n*; *b. Militärgericht*: Voruntersuchung *f*; **~rio I.** *adj.* **1.** zs.-gefaßt, abgekürzt; summarisch; **II.** *m* **2.** Inhalts-angabe *f*, -verzeichnis *n*; Auszug *m*, Zs.-stellung *f*; **3.** ⚖ Ermittlungsverfahren *n*; **~rísimo** *adj. sup.* äußerst zs.-gedrängt; ⚖ *juicio m* ~ Schnell(gerichts)verfahren *n*.

sumer|gible I. *adj. c* tauchfähig; **II.** *m* Unterseeboot *n*, U-Boot *n*, Tauchboot *n*; **~gido** *adj.* getaucht, unter Wasser; ⚓ blind (*Riff*); **~gir** [3c] **I.** *v/t.* **1.** (ein-, unter-)tauchen; *a. fig.* versenken (in *ac.* en); **2.** überfluten, überschwemmen; **II.** *v/r.* ~*se* **3.** tauchen; versinken; **~sión** *f* Untertauchen *n*; Tauchen *n*; Untersinken *n*.

sumidero *m* Abzug-graben *m bzw.* -loch *n*; Abfluß *m*; Schlammfang *m*; Gully *m*, *n*.

sumiller *m* Kellermeister *m bzw.* Kammerherr *m b. Hof.*

suminis|trador I. *adj.* Liefer...; *casa f* ~*a* Lieferfirma *f*; **II.** *m* Lieferant *m*; **~trar** *v/t. Waren, Daten, Beweise* liefern; *Arznei* verabreichen; **~tro** *m* Lieferung *f*; Anlieferung *f*; *contrato m de* ~ Liefervertrag *m*; *dificultades f/pl. de* ~ Versorgungsschwierigkeiten *f/pl*; *hacer el* ~ *de a/c.* et. liefern.

sumir I. *v/t.* **1.** versenken; (ein-, unter-)tauchen; *fig.* ~ *en una mar de confusiones* in e-n Abgrund von Verwirrung stürzen; **2.** *kath. die Hostie nach der Wandlung* zu s. nehmen (*Priesterkommunion*); **II.** *v/r.* ~*se* **3.** versinken; *p. ext.* ablaufen; verschwinden; *fig.* einfallen (*Wangen*); s. *in Verzweiflung u. ä.* stürzen; ~*se en el vicio* im Laster verkommen.

sumi|sión *f* Unterwerfung *f*; Ergebenheit *f*; Gehorsam *m*; Ergebung *f* (in *ac.* a); **~so** *adj.* unterwürfig; ehrerbietig; ergeben, gehorsam.

sumista *Theol.* **I.** *adj. c* Summen...; Abriß...; **II.** *m* Summenschreiber *m*; *desp.* Theologe *m*, *der sein Fachwissen nur aus Handbüchern bezieht.*

sumo *sup.* höchste(r, -s); größte(r, -s); *a lo* ~ höchstens, allenfalls; *en* ~ *grado* im höchsten Grade.

súmulas *f/pl.* Abriß *m* der Logik.

sun|na *Rel. f* Sunna *f*; *p. ext.* mohammedanische Orthodoxie *f*; **~nita** *m* Sunnit *m*.

suntu|ario *adj.* Luxus...; Pracht...; **~osidad** *f* Pracht *f*, Aufwand *m*; Luxus *m*; **~oso** *adj.* **1.** prächtig, prunkvoll, luxuriös; **2.** prachtliebend.

supe|dáneo *m* Suppedaneum *n*: **a)** Stützbrett *n am Kreuz*; **b)** oberste Altarstufe *f*; **~ditación** *f* Unterwerfung *f*; **~ditar** *v/t.* niedertreten; unter-werfen, -jochen; *fig.* in Abhängigkeit bringen (von *dat.* a); *Verw.* ~ *a/c. a la condición de que* + *subj.* et. davon abhängig machen, daß + *ind.*

super... *in Zssgn.* Über..., Super...; → *a. sobre... in Zssgn.*

superable *adj. c* überwindbar.

superabundan|cia *f* Überfluß *m*; **~te** *adj. c* überreichlich.

superación *f* Überwindung *f*.

superar I. *v/t.* übertreffen; überwinden; *Sp.* ~ *la marca* den Rekord schlagen; **II.** *v/r.* ~*se* s. überwinden; ~*se a sí mismo* s. selbst übertreffen.

superávit *m* Überschuß *m*; ~ *presupuestario* Haushaltsüberschuß *m*.

super|bidón *m* Zusatz-behälter *m*, -tank *m*; **~cargador** *m* Turbolader *m*; **~clase** *Sp. m* Spitzensportler *m*.
superche|ría *f* Hinterlist *f*, Betrug *m*; **~ro** *adj.* hinterlistig, betrügerisch.
super|dimensionado *adj.* übergroß, überdimensioniert; **~directa** *Kfz. f* Schnellgang *m*; **~elástico** *adj.* hochelastisch; **≗estado** *m* Überstaat *m*; **~estatal** *adj. c* überstaatlich; **~estructura** *f Soz.* Überbau *m*; 🚂 Oberbau *m*; ~(s) *f*(/*pl.*) ⚓ Aufbau(ten) *m*(/*pl.*); **~fecundación** ⚕ *f* Überschwängerung *f*.
superfi|cial *adj. c a. fig.* oberflächlich; Oberflächen...; **~cialidad** *f* Oberflächlichkeit *f*; **~ciario** ⚖ *adj.-su.* Nutznießer *m* e-r Bodenfläche; **~cie** *f* Oberfläche *f*; Fläche *f*; *medida f de ~s* Flächenmaß *n*; 🌾 *~ cultivada* Anbaufläche *f*; *~ plana* ebene Fläche *f*, Ebene *f*; *Geogr. ~ terrestre* Erdoberfläche *f*; *~ útil* Nutzfläche *f*.
super|fino *adj.* hochfein, allerfeinste(r, -s); **~fluencia** *f* Überfülle *f*, Überfluß *m*; **~fluidad** *f* Überflüssigkeit *f*; Entbehrlichkeit *f*; Überflüssige(s) *n*; **~fluo** *adj.* überflüssig; entbehrlich; unnötig; **~fosfato** ⚗, 🌾 *m* Superphosphat *n*; **~grande** *adj. c* übergroß; **~héroe** *m* Überheld *m*; **~heterodino** *Rf. adj.-su. m*: (*receptor m*) ~ Superhet(-, Überlagerungs-empfänger) *m*; **~hombre** *m* Übermensch *m*.
superintenden|cia *f* Superintendentur *f*; **~te** *m* Superintendent *m*; *Anm.: diese beiden Wörter bezeichnen hohe leitende Funktionen in Verwaltung u. Wirtschaft, wobei die Tätigkeitsbereiche v. Land zu Land wechseln; in Arg. z. B. ist der superintendente* Chef *m* e-r Eisenbahndirektion.
superio|r I. *adj.* **1.** höher; höchst; Ober...; *p. ext.* überlegen; *fig.* vortrefflich, vorzüglich, hervorragend; *piso m ~* Obergeschoß *n*; *precio m ~ al nuestro* höherer Preis *m* als der unsere; *ser ~ a* übertreffen (*ac.*), überlegen sein (*dat.*); **II.** *m* **2.** *ecl.* (**~a** *f*) (Ordens-)Obere(r) *m* ([Ordens-]Oberin *f*); (Kloster-)Vorsteher(in *f*) *m*; Superior *m* (*lt. Superiorissa f*); **3.** *m* Vorgesetzte(r) *m*; **~rato** *ecl. m* Superiorat *n*, Amt *n* e-s Klostervorstehers *bzw.* e-r Oberin; **~ridad** *f* Überlegenheit *f*; Vortrefflichkeit *f*; ⚔ Übermacht *f*.
superlativo I. *adj.* Superlativ...; hervorragend, ausnehmend, vorzüglich; **II.** *m Gram.* Superlativ *m*; *~ absoluto* Elativ *m*.
super|lubrificante *m* Hochleistungsschmierstoff *m*; **~mercado** ⚚ *m* Supermarkt *m*; **~microscopio** *m* Übermikroskop *n*; **~numerario** *Verw.* **I.** *adj.* überzählig; außerplanmäßig; außerordentlich; **II.** *m* außerplanmäßige(r) Beamte(r) *m*; **~población** *f* Übervölkerung *f*.
super|poner [2r] *v/t.* darüberlegen; *a. HF* überlagern; **~posición** *f* Überdeckung *f*; Überlappung *f*; Überlagerung *f* (*Getriebe*); Überblendung *f* (*Film*); **~producción** *f* Überproduktion *f*; *Kino:* Monsterfilm *m*; **~puesto** *adj.* überea.-liegend; **~regional** *adj. c* überregional; **~saturar** ⚗ *v/t.* übersättigen; **~sónico** *Phys. adj.* Überschall...; *avión m* (*estallido m*) *~* Überschallflugzeug *n* (-knall *m*); ⚕ *tratamiento m ~* Ultraschallbehandlung *f*; **~sonido** *m* → *ultrasonido*.
superstici|ón *f* Aberglaube *m*; **~oso** *adj.-su.* abergläubisch; *m* Abergläubische(r) *m*.
supérstite ⚖ *adj. c* überlebend, hinterblieben.
super|strato 📖 *m* Superstrat *n*; **~suministro** *m* Überbelieferung *f*; **~vivencia** *f* Überleben *n*; **~viviente** *adj.-su. c* überlebend; *m* Überlebende(r) *m*; Hinterbliebene(r) *m*.
supi|nación ⚕ *f* Rückenlage *f*; **~no I.** *adj.* auf dem Rücken liegend; *fig. ignorancia f ~a* gröbste Unwissenheit *f*; **II.** *m Li.* Supinum *n*.
suplanta|ción *f* Verdrängung *f*; Ersatz *m*; **~r** *v/t.* **1.** aus dem Amt verdrängen; an *j-s* Stelle treten; *j-n* ersetzen; *fig.* F ausstechen; **2.** *Urkunde u. ä.* (durch Einschübe) fälschen.
suple *m Chi.* Vorschuß *m*; **~faltas** F *m* (*pl. inv.*) Sündenbock *m* F; Lückenbüßer *m*; **~mentario** *adj.* ergänzend; zusätzlich; Ergänzungs-...; Zuschlags...; Extra...; ⚚ *pago m ~* Nachzahlung *f*; *pedido m ~* Nachbestellung *f*; **~mento** *m* Ergänzung *f*; Nachtrag *m*; Zuschlag *m*; ⊕ Einsatz *m bzw.* Einlage *f*; *Typ.* Ergänzungsband *m*; Beilage *f*; 📐 Supplementwinkel *m*; 🚂 *~ de velocidad* Schnellzugzuschlag *m*.
suplen|cia *f* Stellvertretung *f*; Vertretungszeit *f*; *p. ext.* → *suplente II*; **~te I.** *adj. c* stellvertretend, Ersatz-...; **II.** *m* Stellvertreter *m*, Ersatzmann *m*; Hilfslehrkraft *f*.
supletorio *adj.* ergänzend; zusätzlich; stellvertretend; suppletorisch.
súplica *f* Gesuch *n*; Bittschrift *f*; ⚖ *a.* Klageantrag *m*; inständige Bitte *f*; *a fuerza de ~s* durch inständiges Bitten.
suplica|ción *f* **1.** Bitte *f*; **2.** *Kchk.* dünne Waffel *f* (*Eistüte u. ä.*); **~nte** *c* Bittsteller(in *f*) *m*; **~r** [1g] *vt/i.* (dringlich) bitten; flehen; *Verw.* ersuchen; *~ por* bitten für (*ac.*); *¡se lo suplico!* ich bitte Sie sehr darum!; **~toria** ⚖ *f* schriftliche Einwendung *f*; Ersuchen *n e-s Gerichtes an die höhere Instanz*; **~torio** *adj.* Bitt...
suplicio *m* Strafe *f an Leib od. Leben*; Folter *f*; *p. ext.* Folterstätte *f*; Schafott *n*; *fig.* Qual *f*; *dar ~ a alg.* j-n foltern; *ehm. ~ del palo* Pfählen *n*; *último ~* Todesstrafe *f*.
suplir *v/t.* ergänzen; ersetzen; vertreten; *~ a Mangel od. Fehler* wettmachen; *suma f ~ida* aufgelegte Summe *f*; ✉ *¡súplase el franqueo!* bitte Porto ergänzen!
supo|ner [2r; *part. supuesto*] *v/t.* **1.** voraussetzen; annehmen; vermuten; *~* + *adj.* halten für + *adj.*; *suponiendo que ...* angenommen, daß ...; unter der Voraussetzung, daß ...; *como era de ~* wie anzunehmen war; *eso se supone* das ist (ganz) selbstverständlich; **2.** bedeuten, voraussetzen, verursachen; *eso supone gastos enormes* das verursacht riesige Unkosten; **~sición** *f* **1.** Voraussetzung *f*; **2.** Annahme *f*, Vermutung *f*; **3.** Unterstellung *f*; **4.** † *u. Reg.* F *de ~* bedeutend; **~sitivo** *adj.* mutmaßlich; **~sitorio** ⚕ *m* Zäpfchen *n*, Suppositorium *n*.
supra... *pref.* Über..., Supra...; *so beginnende Wörter → a. super...*
supra|dicho *adj.* obig, obenerwähnt, besagt; **~nacional** *adj. c* supra-, über-national; **~natural** *Phil. adj. c* übernatürlich; **~rrealismo** *m* → *surrealismo*.
supra|rrenal *Anat. adj. c* Nebennieren...; *cápsulas f/pl. ~es* Nebennieren *f/pl.*; **~rrenina** ⚗ *f* Suprarenin *n*; **~sensible** *adj. c* hochempfindlich; **~terrestre** *adj. c* überirdisch.
Suprema *hist. f* Hochrat *m* des Ketzergerichts (*Inquisition*).
supre|macía *f* **1.** Überlegenheit *f*; ⚔ *~ aérea* (*naval*) Luft- (See-)herrschaft *f*; **2.** Vorrang *m*, Oberhoheit *f*; **~mo** *adj. sup.* oberste(r, -s), höchste(r, -s); *fig. hora f ~a* Todesstunde *f*; *el Ser* ≗ das Höchste Wesen (*Gott*).
su|presión *f* **1.** Unterdrückung *f*; **2.** Abschaffung *f*; Wegfall *m*; Aufhebung *f*, Streichung *f*; Abbau *m*; *~ de ministerios* Abbau *m* von Ministerien; **3.** Auslassung *f*; Verschweigung *f*; **4.** Behebung *f*, Beseitigung *f*; *HF ~ de interferencias* Funkentstörung *f*; **~primir I.** *v/t.* verbieten; unterdrücken; aufheben; abschaffen; abbauen; auslassen; *Kosten* sparen; **II.** *v/r.* *~se* weg-, ent-fallen.
supuesto [*part. zu suponer*] **I.** *adj.* vermeintlich, vermutlich; angeblich, vorgeblich; *~ que ...* vorausgesetzt, daß ...; unter der Annahme, daß ... **II.** *m* Voraussetzung *f*, Annahme *f*; *por ~* selbstverständlich; freilich, allerdings.
supura|ción ⚕ *f* Eiterung *f*; **~do** *adj.* vereitert; **~nte** *adj. c* eit(e)rig; **~r** *v/i.* eitern, schwären; **~tivo** *adj.* e-e Eiterung fördernd.
suputa|ción *f* Berechnung *f*, Überschlag *m*; **~r** *v/t.* berechnen, überschlagen.
sur *m* Süden *m*; Südwind *m*; *polo m ~* Südpol *m*; *al ~ de* südlich (*gen. od.* von *dat.*); *del ~* südlich, Süd...; *en el ~* (*de*) im Süden (*gen.*); *hacia el ~* südwärts.
surá *tex. m* feines Seidenzeug *n*.
sura(**ta** *f*) *m* Sure *f des Korans.*
sural *Anat. adj. c* Waden...
sur|car [1g] *v/t.* Furchen ziehen in (*dat.*); *fig.* (durch)furchen, durchschneiden, -queren, -messen; *fig. ~ado* runzelig (*Stirn*); *~ las aguas* die Wogen pflügen (*Schiff*); **~co** *m a. Anat.* Furche *f* (🌾 *ziehen abrir*); *Phono* Rille *f*; *p. ext.* Rinne *f*, Rille *f*; *vet.* Augengrube *f der Pferde*; *fig.* Runzel *f*, Falte *f*; *Phono ~ fonético, ~ sonoro* Ton-rille *f*, -spur *f*; 🌾 *~ para la semilla* Saatfurche *f*; *fig. lleno de ~s* runz(e)lig (*Stirn*); *fig.* F *echarse en el ~* schlappmachen; aufgeben, die Flinte ins Korn werfen.
surculado ⚘ *adj.* einstielig.
súrculo *m* Pflanzenstengel *m* ohne Schößling.

sure|ño *Chi.*, **~ro** *Arg.*, *Bol. adj.-su.* aus dem Süden; *m* Mann *m* aus dem Süden; *a.* Südwind *m.*
surgi|dero ⚓ *m* Ankerplatz *m*; **~r** [3c] *v/i.* **1.** hervor-quellen, -sprudeln; *fig.* auftauchen, erscheinen; *surge una dificultad (una duda)* es ergibt s. e-e Schwierigkeit (es erhebt s. e-e Frage); **2.** ⚓ ankern.
suripanta *burl. f* **1.** *Thea.* Choristin *f bzw.* Statistin *f*; **2.** *desp.* Dirne *f.*
surrealis|mo *Lit.*, *Ku. m* Surrealismus *m*; **~ta** *adj.-su. c* surrealistisch; *m* Surrealist *m.*
sur(r)umato F *adj. Méj.* → *tonto.*
sursuncorda (*a. súrsum corda*) F *m* Kaiser *m* von China (*fig.* F); *no iré aunque me lo mande el (mismo)* ~ ich gehe nicht hin, u. wenn es Gott weiß wer von mir verlangt.
sur|tida *f* **1.** heimlicher Ausfall *m v. Belagerten*; *p. ext.* Ausfall-, Schlupf-tor *n*; **2.** Geheim-, Tapeten-tür *f*; **3.** ⚓ Stapelplatz *m*; **~tidero** *m* **1.** Abflußrinne *f e-s Teichs od. Beckens*; **2.** Springbrunnen *m*; **~tido I.** *adj.* sortiert; gemischt (*Ware*); *bien* ~ gut sortiert, reichhaltig; *Kchk. fiambres m/pl.* ~*s* kalte Platte(n) *f*(*/pl.*); **II.** *m* Sortiment *n*, Auswahl *f*, Vorrat *m*, Lager *n*; *gran* ~ de reichhaltige Auswahl an (*dat.*); **~tidor** *m* **1.** Wasserstrahl *m*, Sprudel *m*; Springbrunnen *m*; **2.** *Kfz.* ~ *de aceite* Ölpumpe *f*; ~ *de gasolina* (*Am. oft de nafta*) Zapfsäule *f*; Tankstelle *f*; **~tir I.** *v/t.* versorgen, beliefern, versehen (mit *dat.* de); *p. ext.* ~ *efecto(s)* (s-e) Wirkung tun; ⚖ gültig sein; **II.** *v/i.* (hervor)sprudeln (*Quell, Springbrunnen*); ⚓ ankern; **III.** *v/r.* ~*se* (de) s. eindecken (mit *dat.*); s. versehen (mit *dat.*); **~to** *part. irr. v. surtir*; ⚓ ankernd; *estar* ~ vor Anker liegen.
surubí *m Rpl.*, *Bol. gr. welsähnlicher Flußfisch* (*Platystoma pardalis*).
surucucú *m Arg.*, *Bol.* Buschmeister *m* (*Giftschlange*).
suru|mpe *Pe.*, **~pí** *Bol. m* Schneeblindheit *f.*
¡sus! *int.* auf, auf!; wohlan!; auf geht's! (*Reg.*); Gesundheit!, prost.
suscepti|bilidad *f* Empfindlichkeit *f*, Reizbarkeit *f*; Empfänglichkeit *f*; *Phys.* Aufnahmefähigkeit *f*; Anfälligkeit *f*; ~ *a* (*od. a. para*) *enfermedad* (Krankheits-)Anfälligkeit *f*; *falta f de* ~ Unempfänglichkeit *f*; Unempfindlichkeit *f*; **~ble** *adj. c* empfindlich, reizbar; empfänglich *bzw.* anfällig (für *ac. a*); fähig (zu *dat.* de): ~ *de enmienda* (*de mejora*[*r*]) (ver)besserungsfähig; *no* ~ unempfänglich; *la sentencia es* ~ *de apelación* gg. das Urteil kann Berufung eingelegt werden; **~vo** *adj.* → *susceptible.*
suscita|ción *f* Aufreizung *f*, Erregung *f*; Hervorrufung *f*; Anstiftung *f* (zu *dat. a*); **~r** *v/t.* aufreizen, erregen; hervorrufen, verursachen; *Fragen* aufwerfen; *Hindernisse* in den Weg legen.
sus|cribir [*part. suscrito*] **I.** *v/t.* unterschreiben; abonnieren, bestellen; subskribieren; *Anleihe* zeichnen; *el que suscribe* der Unterzeichnete; **II.** *v/r.* ~*se e-n Beitrag, e-e Anleihe* zeichnen; ~*se a a/c.* et. abonnieren (*od.* bestellen); **~cripción** *f* Unterzeichnung *f*; Abonnement *n*, Bestellung *f*; Zeichnung *f e-r Anleihe, e-s Beitrags*; Bezug *m v. Wertpapieren*; Subskription *f*; *precio m de* ~ Subskriptionspreis *m b. Büchern usw.*; **~cri(p)to** *part. zu suscribir*; ✝ *totalmente* ~ voll gezeichnet (*Anleihe, Kapital*); **~criptor** *m* Unterzeichner *m*; Zeichner *m v. Anleihen*; Abonnent *m*, Bezieher *m e-r Zeitschrift*; Subskribent *m z. B. e-r Buchreihe.*
susodicho *adj.* obengenannt.
suspen|dedor I. *adj.* unterbrechend; **II.** *m* Unterbrechende(r) *m*; Aufhebende(r) *m*; **~der I.** *v/t.* **1.** aufhängen (an *dat.* de, *a. por*); ~ *en lo alto* oben aufhängen; ~ *sobre el suelo* über dem Boden schwebend befestigen; **2.** *a. Sitzung, dipl. Beziehungen* unterbrechen; aufschieben; (vorläufig) einstellen; ⚖ *Urteilsvollstreckung* aussetzen; ✝ *Verkauf, Zahlung* einstellen; *Verkehr*, ✝ *Einfuhren* sperren; *Atem* anhalten; *Verw.*, *a. ecl.* (des Amtes) (vorläufig) entheben, (vom Dienst) suspendieren; *Sch.* F ~ *el curso* sitzenbleiben, durchfallen; ~ *el juicio* mit der Meinung zurückhalten; ⚖ ~ *la pena* Strafaufschub gewähren; ~ (*la publicación d*)*el periódico a.* die Zeitung (vorübergehend) verbieten; **3.** *Prüfling* durchfallen lassen; **4.** *fig. K* erstaunen; ~ *el ánimo* in Staunen (ver)setzen; **II.** *v/r.* ~*se* **5.** hängen; ~*se de* (*od.* en) *lo alto* oben hängen; **6.** *Equ.* s. auf die Hinterhand stellen; **~dido** *part.-adj.*: ~ *entre (el) cielo y (la) tierra* zwischen Himmel u. Erde schwebend; *servicio m* ~ (vorübergehend) eingestellter Dienst *m*; *tren m* ~ (vorläufig) eingestellte Zugverbindung *f*; *estar* ~ hängen; *quedar(se)* ~ erstaunt (*od.* verblüfft) sein; *ser* ~ durchfallen *b. Prüfungen*; *el aspecto le tiene* ~ der Anblick fesselt ihn sehr; **~se** *engl. m* Spannung *f*, „Suspense" *m* (*bsd. b. Film*); **~sión** *f* **1.** *bsd.* ⊕ Aufhängung *f*; (Auf-)Hängevorrichtung *f*, Hänger *m*; *bsd. Kfz.* Aufhängung *f*, Federung *f*; Tragriemen *m*(*/pl.*) *der alten Kutschen*; *Kfz.* ~ *por barras de torsión* Drehstabfederung *f*; ~ *de contrapeso* Schnurzugpendel *n*; Lampenaufzug *m*; ~ *delantera (trasera)* Vorder- (Hinter-)radfederung *f* (*Motorrad*); ~ *elástica (inflexible, rígida)* federnde *od.* elastische (starre) Aufhängung *f*; *Kfz.* ~ *independiente* (*od. individual*) Einzelaufhängung *f*; *cable m de* ~ Aufzug- (⚒ Förder-)seil *n*; (*mantener*) *en* ~ in der Schwebe (halten); **2.** Unterbrechung *f*; Aussetzung *f*; Stillstand *m*; Einstellung *f*; vorübergehendes Verbot *n*; Amtsenthebung *f*, Suspendierung *f* (*a. ecl.*); Nichtbestehen *n*, Durchfallen *n* F *b. e-r Prüfung*; *Parl.* Aufhebung *f der Immunität*; ✝ ~ *de créditos* Kredit-sperre *f*, -stop *m*; ⚕ *u. fig.* ~ *del desarrollo* Verkümmerung *f*; ⚖ ~ *de la ejecución de la pena* Strafaussetzung *f*; ⚔ ~ *de hostilidades* vorübergehende Einstellung *f* der Feindseligkeiten, Waffenruhe *f*; ✝ ~ *de pagos* Zahlungseinstellung *f*; ~ *del trabajo* Arbeits-einstellung *f bzw.* -niederlegung *f*; **3.** Schwebe (-zustand *m*) *f*; ⚗ Aufschwemmung *f*, Suspension *f*; *pharm.* Schüttelmixtur *f*; **4.** *fig.* ✎ Ungewißheit *f*, Spannung *f*; *K* Verwunderung *f*, Erstaunen *n*; *a.* Unschlüssigkeit *f*; vorsichtiges Zurückhalten *n e-r Meinung*; **5.** *Rhet.* Innehalten *n*; Hinhalten *n zur Erhöhung der Spannung*; **6.** ♪ Aushalten *n e-r Note*; **~sivo** *adj.* aufschiebend; ⚖ *efecto m* ~ aufschiebende (*od.* hemmende) Wirkung *f*; *Typ. puntos m/pl.* ~*s* Auslassungs- *bzw.* Gedanken-punkte *m/pl.*; **~so I.** *adj.* **1.** unschlüssig; *en* ~ in der Schwebe, in Ungewißheit; unentschieden; *tener en* ~ hinhalten; auf die Folter spannen (*fig.*); **2.** erstaunt; *quedar* ~ staunen, weg sein (*fig.* F); **3.** durchgefallen (*Prüfling*); *ser* ~ nicht bestehen, durchfallen F; **II.** *m* **4.** nicht bestanden (*Prüfungsnote*); F *sacar un* ~ durchfallen *b. e-r Prüfung*; **~sores** *m/pl. Am. Mer.* Hosenträger *m/pl.*; **~sorio** ⚕ *m* Suspensorium *n.*
suspica|cia *f* argwöhnisches Wesen *n*; Mißtrauen *n*; **~z** *adj. c* (*pl.* ~*aces*) argwöhnisch, mißtrauisch.
suspi|rado *adj. fig.* ersehnt, erträumt; **~rar** *v/i.* seufzen; *fig.* ~ *por a/c.* et. ersehnen; ~ *de amores por alg.* sich in Sehnsucht nach j-m verzehren; **~ro** *m* **1.** Seufzer *m*; ~ *muy hondo* Stoßseufzer *m*; *dar un* ~ e-n Seufzer ausstoßen; *dar el último* ~ s-n letzten Atemzug tun; *fig. recoger el postrer* ~ *de alg.* j-m in der Todesstunde zur Seite stehen; *fig.* F *es su último* ~ jetzt pfeift er auf dem letzten Loch; jetzt ist alles hin für ihn; **2.** *Art* Baiser *n* (*Zuckerwerk*); *Méj. Art* süßes Milchbrötchen *n*; ~ *de Granada* Windbeutel *m* (*Gebäck*); ~ *de monja* Windbeutel *m mit Kremfüllung*; **3.** ♪ Achtelpause *f* (*a. Zeichen*); **4.** ⚘ **a)** *Am. Reg.*, *Andal.* Stiefmütterchen *n*; **b)** *Arg.* Trichterwinde *f*; **5.** kl. Glasflöte *f* (*Art Flageolett*); **~rón** F *adj.* viel seufzend; **~roso** *adj.* schwer seufzend.
sustancia (*oft, bsd.* 🕮 *u. Phil. substancia*) *f* Substanz *f*, Stoff *m*; Substanz *f*, Wesen *n*; Substanz *f*, Kern *m*, Gehalt *m*; F *Kchk.* Geschmack *m*; Nährwert *m*; *de* ~ gehaltvoll; wesentlich *bzw.* grundlegend; bedeutend, wichtig; *en* ~ im wesentlichen; eigentlich; *sin* ~ gehaltlos, leer; unwesentlich; geistlos; ~ *accesoria* Zusatzstoff *m*; ⚗, *Biol.* ~ *activa* Wirkstoff *m*; ~ *aromática* Duftstoff *m*; *Anat.* ~ *cerebral* Hirnsubstanz *f*; ~ *contagiosa* Ansteckungsstoff *m*, Contagium *n*; ~ *de* (*od. para el*) *crecimiento a.* ✍ Wuchs-, Wachstums-stoff *m*; ⚗, *Phys.*, *Physiol.* ~ *energética* energieliefernde Substanz *f*; *Biol.*, ⚗ ~ *estructural* Baustoff *m*, Bauelement *n*; *Physiol.* ~ *excitante* Reizstoff *m*; ⚗ ~ *flotante* (*od. suspendida*) Schwebstoff *m*; ~ *fulminante* Knallsatz *m in Sprengladungen*; ~ *fundida* Schmelze *f*; *a. Anat.* ~ *gris* graue Substanz *f*;

⚗, *Physiol.* ~ *inhibidora* Hemmstoff *m*; ~ *iniciadora* Zündmittel *n* (*Atom., Ballistik*); *a. Physiol.* ~ *de lastre* Ballaststoff *m*; ~ *luminosa* Leuchtstoff *m*; ~ *natural* (*odorífera, tóxica*) Natur- (Riech-, Gift-)stoff *m*; ~ *de origen* Ausgangsstoff *m*; ~ *química* Chemikalie *f*; ~ *seca* Trokkensubstanz *f*; ~ *sólida* (*volátil*) fester (flüchtiger) Stoff *m*; *Biol.* ~ *de sostén* Stützsubstanz *f*.

su(b)stan|ciación *f Phil.* Substantiierung *f*; ⚖ Erledigung *f*, Spruchreifmachung *f e-r Rechtssache*; **~cial** *adj. c* **1.** 📖 substantiell; **2.** wesentlich, gehaltvoll; **~cialidad** *f* **1.** Substantialität *f*; **2.** Wesentlichkeit *f*; **~cialismo** *Phil., Psych. m* Substantialismus *m*; **~cialista** *adj.-su. c* substantialistisch; *m* Substantialist *m*; **~ciar** [1b] *v/t. Phil.* substantiieren, als Substanz unterlegen; 📖 begründen; ⚖ spruchreif machen; **~cioso** *adj.* substanzreich; nahrhaft, kräftig; wesentlich; gehaltvoll; bedeutsam, wichtig.

sustanti|vación *Li. f* Substantivierung *f*; **~var** *v/t.* substantivieren; **~vidad** *Li. f* Funktion *f* als Substantiv, substantivischer Charakter *m*; **~vo I.** *adj.* **1.** ✒ (*mst. substantivo*) eigenständig, Substanz..., Wesens...; **2.** *Li.* substantivisch, hauptwörtlich; **II.** *Li. m* **3.** Substantiv *n*, Hauptwort *n*.

susten|tación *f* **1.** *bsd.* ✈ Auftrieb *m*; *Schwimmen*: ~ *en el agua* Wassertreten *n*; **2.** → *sustento, sustentáculo, Rhet. suspensión*; ⚕ *medio m de* ~ Erhaltungsmittel *n*; **~táculo** ⊕ *m* Untergestell *n*; *a.* Unterlager *n*; **~tador** *adj.* stützend; Auftrieb verleihend, haltend; Trag...; **~tamiento** *m* **1.** Nahrung *f*; **2.** Unterstützung *f*, Halt *m*; **~tante I.** *adj. c* **1.** *bsd. Statik*: tragend; **II.** *m* **2.** △ tragendes Bauelement *n*; **3.** 📖, ⚖ Verteidiger *m*, Vertreter *m e-s Schriftsatzes, e-r These usw.*; **~tar I.** *v/t.* **1.** stützen; *Statik*: tragen, abfangen; 📖, ⚖ *Schriftsatz, These usw.* verteidigen, vertreten; **2.** unterhalten, beköstigen; **II.** *v/r.* **~se 3.** s. tragen; **4.** s. erhalten, leben; *fig.* **~se** *del* (*od. con*) *aire* von der Luft leben, sehr wenig essen; **~se** *de esperanzas* von (trügerischen) Hoffnungen leben; **~to** *m* Nahrung *f*, Lebensunterhalt *m*; *trabajar para ganar el* ~ *diario* für sein tägliches Brot arbeiten.

susti|tución *f* (Stell-)Vertretung *f*; Ersetzung *f*, Austausch *m*; Ersatz *m*; *Verw.*, ⚖ Einsetzung *f an Stelle e-s andern*; ⚖ ~ *fideicomisaria* Einsetzung *f* als Nacherbe; ⚖ ~ *de un niño* (*bzw. de niños*) Kindesunterschiebung *f*; **~tuible** *adj. c* einsetzbar; austauschbar; **~tuir** [3g] *v/t.* ersetzen; einsetzen (für *ac. por*); (im Amt) vertreten; **~tutivo I.** *adj.* Ersatz...; Vertretungs...; **II.** *m* Austauschmaterial *n*; Ersatzstoff *m*; **~tuto** *m* Stellvertreter *m*; Vertreter *m*; ⚖ Staatsanwaltsvertreter *m*; *bsd.* ☤ Substitut *m*.

susto *m* Schreck(en) *m*; F *cara f de* **~s** erschrockenes Gesicht *n*; *coger de* ~ überraschen; *dar* (*od. pegar*) *un* ~ (*a*) e-n Schrecken einjagen (*dat.*); erschrecken (*ac.*); *fig.* F *dar un* ~ *al miedo* abstoßend häßlich sein; *llevarse* (*od. pasar*) *un* ~ erschrecken, e-n Schrecken kriegen F.

sustra|cción *f* **1.** Entziehung *f*; **2.** Entwendung *f*; Unterschlagung *f*; **3.** Ɐ Abziehen *n*, Subtraktion *f*; **~endo** Ɐ *m* Subtrahend *m*, Abziehzahl *f*; **~er** [2p] **I.** *v/t.* **1.** Ɐ abziehen, subtrahieren; **2.** entziehen; **3.** unterschlagen; **II.** *v/r.* **~se 4.** s. entziehen (*dat. a, de*); s. zurückziehen; **~se** *de la obediencia* den Gehorsam verweigern.

susu|rración *f* → *susurro*; **~rrar** *v/i.* säuseln; flüstern, murmeln; munkeln; **~rrido** *m* Säuseln *n*; **~rro** *m* Säuseln *n*; Murmeln *n*, Rauschen *n*; Wispern *n*, Flüstern *n*; Raunen *n*; **~rrón** F *adj.-su.* Klatschbase *f*, -maul *n*.

su|tache, ~tás *m* Besatzschnur *f*, Soutache *f* (*frz.*).

sute F **I.** *adj. c Col., Ven.* schwächlich, kränklich; verkümmert; **II.** *m Col.* Fasel-, Läufer-schwein *n*.

suti|l *adj. c* **1.** dünn, fein; zart; *fig.* schwierig, heikel; subtil; **2.** scharfsinnig; spitzfindig, ausgeklügelt; subtil; **~leza** *f* **1.** Dünne *f*, Feinheit *f*; **2.** Scharfsinn *m*; Spitzfindigkeit *f*, Klügelei *f*; Haarspalterei *f*, Tüftelei *f*; **~lidad** *f* Subtilität *f*; → *sutileza*; **~lizador I.** *adj.* **1.** verfeinernd; **2.** spitzfindig; **II.** *m* **3.** Grübler *m*, Spinner *m* (*fig.* F *desp.*); Wortklauber *m*; Tüftler *m*; **~lizar** [1f] *v/t.* **1.** fein ausarbeiten; verfeinern; **2.** ausklügeln; austüfteln.

sutu|ra ⚕ *f* Naht *f*; *sin* ~ nahtlos; [**~r** ⚕ *v/t.* nähen.]

suyo[1], **suya** *pron.* sein(e); ihr(e); Ihr(e); *lo* ~ das Sein(ig)e; sein Eigentum *n*; s-e Besonderheit *f*; s-e Pflicht *f*; sein Beitrag *m bzw.* s-e Arbeit *f*; *los* **~s** die Seinen, s-e Angehörigen *m/pl.*; *de* ~ von selbst; von Natur (*od.* von Hause) aus; *gastar lo* ~ *y lo ajeno* eigenes u. fremdes Gut vergeuden; *hacer* **~(s)** (*bzw.* **~a[s]**) s. zu eigen machen; *fig.* F *hacer* (*una*) *de las* **~as** e-n Streich (*bzw.* Streiche) spielen; *ir a lo* ~ auf s-n eigenen Vorteil bedacht sein; *llevar la* **~a** *adelante* sein Vorhaben vorwärtstreiben.

su|yo[2], **~yu** *Ke. m Pe. in Zssgn.* Land *n*, Gebiet *n*.

suzarro □ *m* Diener *m*, Knecht *m*.

svástica *f* Swastika *f* (*altindische Bezeichnung des Hakenkreuzes*).

swap *engl.* ☤ *m* Swap *m* (*Devisenaustauschgeschäft*).

sweater *engl. m* → *suéter*.

sweepstake *engl. m* Rennlotterie *f*.

swimming-pool *engl. m* Schwimmbecken *n*, Swimming-pool *m*, *n*.

swing *engl.* ♪, ☤ *m* Swing *m*, ☤ Kreditgrenze *f b. Handelsverträgen*.

switch *engl.* ☤ *m* Switch *m*; *operación f* ~ Switchgeschäft *n*.

Syllabus *ecl. m* Syllabus *m*.

T

T, t (= te) *f* T, t *n*; ⊕ *hierro m de doble T* Doppel-T-Eisen *n*; *viga f en T* T-(Eisen-)Träger *m*.
¡ta! **1.** *int.* ei!; halt! **2.** *onom.* tapp! *od.* poch! (*Klopfen*).
taba *f* **1.** *Anat.* Sprungbein *n*; **2.** *mst.* ~*s f/pl.* Taba-, Knöchel-spiel *n*.
taba|cal *m* Tabakpflanzung *f*; **~calera** *f Span.* Tabakregie *f*; F *Andal.* Tabakarbeiterin *f*; **~calero I.** *adj.* Tabak(s)...; **II.** *m* Tabak-pflanzer *m*; -händler *m*; **~co I.** *m* **1.** Tabak *m*; *p. ext.* Zigarre *f*; ~*s m/pl.* Tabak-, Rauch-waren *f/pl.*; ~ *para* (*od.* *de*) *fumar* (*de mascar, de pipa*) Rauch- (Kau-, Pfeifen-)tabak *m*; ~ *en polvo* → *rapé*; ⚘ ~ *de montaña* Arnika *f*; *fig.* F *se me acabó el* ~ ich habe kein Geld mehr, bei mir ist Ebbe F; **2.** ✗ Rotfäule *f*; **II.** *adj. inv.* **3.** (*color*) ~ tabakfarben; **~coso** F *adj.* stark schnupfend; voller Tabakflecken.
tabalada F *f* Schlag *m*; Klatsch *m*, Plumps *m*; Ohrfeige *f*.
tabalario F *m* → *tafanario*.
tabale|ar I. *v/t.* hin u. her bewegen; pendeln lassen; **II.** *v/i.* mit den Fingern trommeln; stampfen (*Pferd*); **~o** *m* Hin- u. Herbewegen *n*, Schaukeln *n*; Trommeln *n mit den Fingern*.
tabanazo F *m* Schlag *m* mit der Hand; Ohrfeige *f*.
tabanco *m* **1.** Straßenbude *f*; **2.** Freibank *f*; **3.** *Am. Cent.* → *desván*.
tabanera *f* Bremsennest *n*.
tábano *m Ent.* Bremse *f*; *fig.* F aufdringlicher Kerl *m*.
tabanque *m* Tretrad *n* der Töpferscheibe; *fig.* F *levantar el* ~ sein Bündel schnüren (*fig.* F); die Sitzung aufheben (*fig.* F).
tabaque[1] *m* Binsenkörbchen *n* (*bsd. für Handarbeiten*).
tabaque[2] *m* Zwecke *f* (*Nagel mit breitem Kopf*).
taba|quera *f* **1.** Tabakdose *f*; Tabaksbeutel *m*; **2.** Pfeifenkopf *m*; **3.** Tabak-arbeiterin *f*; -händlerin *f*; **~quería** *f* **1.** Tabakladen *m*; **2.** *Cu.*, *Méj.* Tabakfabrik *f*; **~quero I.** *adj.* **1.** Tabak...; **II.** *m* **2.** Tabak-arbeiter *m*; -händler *m*; **3.** *Méj. ein Tabakschädling*; **~quillo** ⚘ *m Am. zahlreiche Pfl., oft medizinisch genutzt.*
tabardillo F *m* **1.** ⚕ **a)** Typhus *m*; **b)** Sonnenstich *m*; **2.** *fig.* F schwerer Ärger *m*; Nervensäge *f* F (*Person*).
tabardo *m* **1.** † Mantel *m der Bauern*; **2.** ⊠ Wappenrock *m*, Heroldsmantel *m*.
taba|rra F *f*, **~rrera** F *f Reg.* → *lata fig.* F; **~rro** *m Reg.* Bremse *f*.
taberna *f* Schenke *f*, Taverne *f*.
tabernáculo *m* **1.** *bibl.* Hütte *f*, Zelt *n*; Stiftshütte *f*; *fiesta f de los* ≗*s* Laubhüttenfest *n*; **2.** *ecl.* Tabernakel *n*; **3.** *fig.* P weibliche Scham *f*.
taber|nario *adj.* Wirtshaus..., Schenken...; Sauf...; *fig.* gemein, niedrig; *canción f* ~*a* Sauflied *n*; **~nero** *m* Schenkwirt *m*; **~nucho** *m* elende Kneipe *f*, Kaschemme *f* F.
ta|bes ⚕ *f*: ~ (*dorsal*) Tabes *f* (dorsalis), Rückenmarksschwindsucht *f*; **~bético** *adj.-su.* tab(et)isch; *m* Tabetiker *m*.
tabi|ca *Zim. f* Futterstufe *f*; Setzstufe *f b. Treppen*; **~car** [1g] *v/t.* ver-, zu-mauern; verschalen; *fig.* sperren; **~que** *m* **1.** △, *Zim.* Zwischen-, Scheide-, Trenn-wand *f*; ~ *corredizo* Schiebewand *f*; F *vivir* ~ *por medio* Wand an Wand wohnen; **2.** *Anat.* Scheidewand *f*; ~ *nasal* Nasenscheidewand *f*.
tabla *f* **1.** Brett *n*, Bohle *f*, Planke *f* (*bsd.* ⚓); △, *Zim.* ~ *de armadura* Schalbrett *n*; ~ *de dibujo* (*de lavar*) Zeichen- (Wasch-)brett *n*; ⚓ ~ *exterior* Außenhautplanke *f*; *Kchk.* ~ *de picar* Schneide-, Hack-brett *n*; ~ *de planchar* (*mangas*) (Ärmel-) Bügelbrett *n*; *fig.* ~ *de salvación* letzte Rettung *f*, letzte Zuflucht *f*; *fig. salvarse en una* ~ wie durch ein Wunder davonkommen; **2.** *fig. Stk.* Plankenumzäunung *f des Stierkampfplatzes*; „Plankenabschnitt" *m* (*der unmittelbar an diesen Zaun grenzende Teil der Arena*); **3.** *Thea.* ~*s f/pl.* Bühne *f*, Bretter *n/pl.* (*fig.*); *pisar bien las* ~*s* s-e Rolle mit großer Natürlichkeit spielen; *salir a las* ~*s* auftreten; **4.** Tricktrack *n*, Puff (-spiel) *n*; *Brettspiel u. fig.*: *hacer* (*od. quedar*) ~*s* Remis machen, patt bleiben; **5.** Platte *f*, Tafel *f*; *Col. a.* Tafel *f* (*Schokolade*); → *a. tablero* 2; ~ *de la mesa* Tischplatte *f*; **6.** Tafel *f*, Tabelle *f*; *Astr. hist.* ~*s f/pl. alfonsinas* Alfonsinische Tafeln *f/pl.*; ~ *de cálculo* (*de dividir*) Rechen- (Divisions-)tabelle *f*; *Sp.* ~ *finlandesa vergleichende* Leistungstabelle *f* (*Leichtathletik*); ~ *graduada* Skalentafel *f an Geräten usw.*; *bibl. las* ~*s de la Ley* die Gesetzestafeln; *Arith.* ~*s f/pl. logarítmicas* Logarithmentafeln *f/pl.*; ~ *de materias* Inhaltsverzeichnis *n*; Sachregister *n*; *Statistik*: ~ *de mortalidad* Sterblichkeitstabelle *f*; ~ *de multiplicar*, *Sch. oft* ~ Einmaleins *n*; 𝔄 ~ *pitagórica* Pythagoreische Tafel *f*; *Phil.* ~ *de valores* Wertetafel *f*; *Rel.* ~ *votiva* Votivtafel *f*; *fig. por* ~ auf Umwegen; **7.** ⚒ Tafel *f*, Tisch *m*; *Lit. los Caballeros de la* ≗ *Redonda* die Ritter von der Tafelrunde (*des Königs Arthus*); *fig.* → *raja* ~; **8.** Gemälde *n auf Holz*, Tafel *f*; **9.** *Mal.* (*Perspektive*): Bildfläche *f*; *fig. a la* ~ *del mundo* vor aller Augen, öffentlich; **10.** Fleisch-bank *f*; -theke *f*; **11.** *Mode*: Kellerfalte *f*; ~*s f/pl. encontradas* Quetschfalten *f/pl.*; **12.** ✗ Beet *n*; Rabatte *f*; **13.** *Equ.* **a)** Seite *f des Halses*; **b)** Reibefläche *f der Zähne*; **14.** *Phil.*, *Psych. u. fig.* ~ *rasa lt.* Tabula *f* rasa, unbeschriebenes Blatt *n* (*fig.*); *fig. hacer* ~ *rasa* (*de algo*) tabula rasa (*od.* reinen Tisch) machen (mit et. *dat.*); **15.** *Geogr.* breit u. ruhig dahinfließender Flußabschnitt *m*; **~-clavijero** *f* Stimmstock *m b. Klavier*.
tabla|do *m* **1.** Podium *n*; Parkett *n*; Tribüne *f*; **2.** Gerüst *n*; Gestell *n*; Arbeitsbühne *f*; **3.** Bühne *f*; **4.** Schafott *n*; **~je** *m* **1.** Bretterwerk *n*; **2.** †, ⚒ Spielhölle *f*; **~jería** † *u. Reg. f* Fleischbank *f*; **~jero** *m* **1.** Zimmermann *m* (*bsd. für Gerüst- u. Tribünenbau*); **2.** Kassierer *m der Benutzungsgebühr von tablados*; **3.** Fleischbankbesitzer *m*; **~o** *Folk. m* Bühne *f für Flamenco*; **~zo** *m* **1.** Schlag *m* mit e-m Brett; **2.** *Geogr.* flacher Teil *m e-s Gewässers*; **~zón** ⚓ *m* Plankenwerk *n*.
table|ado I. *adj.*: *falda f* ~*a* Faltenrock *m*; **II.** *m* Falten *f/pl.* (*Kleid*); **~ar** *v/t.* **1.** *Stämme, Holz* in Bretter schneiden; **2.** Falten einnähen in *ein Kleid*; **3.** ✗ in Beete ab-, einteilen; *a.* glattziehen, (flach)eggen; **4.** *Eisen* plattschlagen (*Schmied*).
tableau *frz. m* Bild *n*, Schauspiel *n*.
tablero I. *adj.* **1.** geeignet, Bretter daraus zu schneiden (*Holz*); **II.** *m* **2.** Tafel *f*; Platte *f*; *Zim.* ~ *contrachapeado* (*de fibra prensada*) Sperrholz- (Hartfaser-)platte *f*; ~ *de dibujo* Zeichen-, Reiß-brett *n*; *a. Kfz.*, ✈ ~ *de instrumentos* Armaturenbrett *n*; ⚡ ~ *de números* Nummerntafel *f*, Tableau *n*; **3.** Tischplatte *f*; **4.** (Schul-, Wand-)Tafel *f*; **5.** Arbeitstisch *m* (*z. B. an Maschinen*); Ladentisch *m*; Schneidertisch *m*; **6.** Spielbrett *n*; ~ *de ajedrez* (*de damas*) Schach- (Dame-) brett *n*; **7.** Spieltisch *m*; *bsd.* Billardtisch *m*; † *u. Reg.* → *garito*; *fig. poner* (*od. traer*) *al* ~ aufs Spiel setzen; **8.** ✗ Beete *n/pl.*; **9.** △, ⊕ Feld *n*, Tafelfläche *f*; Säulenplatte *f*; *Zim.* Füllung *f*; Belag *m*, Fahrbahn *f e-r Brücke usw.*; Sohle *f e-s Staubekkens*; **10.** Laufsteg *m*, Umlauf *m*; **11.** ⚘ Schachblume *f*.

tablestaca *Zim. f* Spundwandbohle *f*; **~do** *m* Spundwand *f*.

table|ta *f* **1.** Brettchen *n*; Täfelchen *n*; Tafel *f Schokolade*; *Zim.* ~ *para tejar* Pfette *f*, Dachsparren *m*; **2.** *pharm.* Tablette *f*; **3.** ~*s f/pl.* → *tablillas de San Lázaro*; **4.** *Arg.* Pfefferkuchen *m*; **~tear** *v/i.* klappern (*a. Storch*); rattern; **~teo** *m* Klappern *n*; Rattern *n*.

tablilla *f* Täfelchen *n*; Tafel *f Schokolade*; ⚕ Schiene *f*; ⊕ Putzeisen *n der Former*; *hist.* ~*s f/pl. de San Lázaro* Klapper *f der Aussätzigen*; *sobre* ~ auf Holzbrett (gespannt *od.* geklebt *usw.*), *z. B. Zeichnung, Schmetterlinge.*

ta|blón *m* Bohle *f*, starkes Brett *n*; *p. ext.* → *trampolín*; *fig.* F Rausch *m*; ~ *de anuncios* Anschlagbrett *n*, Schwarzes Brett *n*; **~bloncillo** *m fig.* F höchster Sitzplatz *m in der Stierkampfarena*; Abortsitz *m*.

ta|bú *m* (*a. adj.*; *pl. tabúes*) *Ethn. u. fig.* Tabu *n*; ~ *lingüístico* Sprachtabu *n*; **~buco** *m* elende Bude *f*, Loch *n* (*fig.* F); **~buizar** [1f] *v/t.* zum Tabu machen, tabuisieren.

tabula|dor *m* Tabulator *m an Schreibmaschinen*; **~r I.** *adj. c* brettförmig; **II.** *v/t.* tabellieren; **~tura** ♪ *f* Tabulatur *f*.

taburete *m* Hocker *m*, Schemel *m*; ~ *de piano* Klavierstuhl *m*; ~ *de bar* Barhocker *m*.

tac *onom.* tack.

taca[1] *f* kl. Wandschrank *m*.

taca[2] *sid. gal. f* Gußplatte *f*.

taca[3] *f Chi. eßbare* Venusmuschel *f*.

taca|ñear *v/i.* knausern, knickern; **~ñería** *f* Knauserei *f*; **~ño** *adj.-su.* knauserig, geizig; *m* Geizhals *m*.

tacarigua ❦ *f Salv., Ven.* Königspalme *f*.

tacataca *m* Laufstühlchen *n* für [Kinder.]

tacín *m* Wäschekorb *m*.

tacita *dim. f* Täßchen *n*; *fig.* F *como una* ~ *de plata* blitzsauber.

tácito *adj. a.* ⚖ stillschweigend.

tacitur|nidad *f* Schweigsamkeit *f*; **~no** *adj.* **1.** schweigsam; **2.** in sich gekehrt; schwermütig.

taco *m* **1.** (kurzes) Holzrohr *n*; *p. ext.* Knallbüchse *f der Kinder*; **2.** Dübel *m*, Pflock *m*; Zapfen *m*; Stollen *m* (*z. B. unter Fußballschuh*); ~ *para calzar* Unterlegklotz *m*; **3.** Schimpfwort *n*, derber Ausdruck *m*; *fig.* F *soltar* ~*s* fluchen; **4.** † ⚔ Pfropfen *m der Vorderlader*; Ladestock *m*; **5.** Abreiß-, Kalender-block *m*; **6.** Queue *n* (*Billard*); **7.** *Am. Mer., P. Ri. oft* → *tacón*; **8.** □ Jahr *n*.

tacó|grafo *Kfz. m* Fahrtenschreiber *m*; **~metro** *m* Tachometer *m*.

ta|cón *m* Absatz *m* (*Schuh*); ~ *alto* hoher Absatz; ~ *aguja* Pfennigabsatz *m*; **~conazo** ⚔ *m*: *dar un* ~ die Hacken zs.-schlagen; **~conear I.** *v/i.* (mit dem Absatz) aufstampfen; **II.** *v/t. Chi.* verdübeln, abdichten; **~coneo** *m* Aufstampfen *n b. Gehen od. Tanzen.*

tácti|ca *f* Taktik *f*; **~co** *adj.-su.* taktisch; *m* Taktiker *m*.

táctil *adj. c* berührbar; taktil, Tast...; *sensación f* ~ Tastempfindung *f*.

tac|tismo *Biol. m* Reaktionsbewegung *f auf äußeren Reiz*; **~to** *m* **1.** Gefühl *n*, Tastsinn *m*; **2.** Takt *m*, Anstand(sgefühl *n*) *m*; *falta f de* ~ Taktlosigkeit *f*; **3.** *bsd.* ⚕ Austasten *n*; Touchieren *n*; *al* ~ beim Berühren.

tacua|cín, ~zín *Zo. m Am. Cent.* [Opossum *n*.]

tacurú *Gua. m Rpl.* **1.** *winzige Ameisenart*; **2.** *bis zu 2 m hoher alter* Ameisenhügel *m* (*bsd. in regelmäßig überschwemmtem Gelände*).

tacha[1] *f* Nagel *m mit dickem Kopf*, Zwecke *f*.

tacha[2] *f* Fehler *m*, Makel *m*; Tadel *m*; *sin* ~ makellos; *poner* ~(*s*) *a* et. auszusetzen haben an (*dat.*); **~r** *v/t.* **1.** (aus)streichen; **2.** tadeln; beanstanden.

tacho *m Am.* Kessel *m*; Sudpfanne *f der Zuckersiedereien*; *Arg., Pe.* Mülleimer *m*.

tachón[1] *m* Zier-, Polster-nagel *m*.

tachón[2] *m* **1.** (Feder-)Strich *m durch Geschriebenes*; **2.** Tresse *f*, Borte *f*; Besatz(schnur *f*) *m*.

tacho|nar *v/t.* **1.** mit Ziernägeln beschlagen; *fig.* ~*ado de estrellas* sternbesät; **2.** mit Tressen besetzen; **~nería** *f* **1.** Ziernagelbeschlag *m*; **2.** Tressen *f/pl.*

tachoso *adj.* fehlerhaft, voller [Mängel.]

tachuela *f* kl. Nagel *m*, Zwecke *f*.

tafanario F *m* Allerwerteste(r) *m* (*fig.* F).

tafetán 1. Taft *m*; *fig.* ~*anes m/pl.* Fahnen *f/pl.*; bunte (*od.* festliche) Kleider *n/pl. der Damen*; **2.** ~ *inglés* Englischpflaster *n*; Heftpflaster *n*.

tafia *f Arg., Bol., Ven.* Zuckerrohrschnaps *m*.

tafilete *m* Saffianleder; *p. ext.* Schweißleder *n* (*Hut*); *Buchb. medio* ~ Halbfranzband *m*.

tagarnina *f* **1.** ❦ Golddistel *f*; **2.** *fig.* F schlechte Zigarre *f*, Stinkadores *f* F; schlechter Tabak *m*.

tagarote *m* **1.** *Vo.* Steinfalke *m*; **2.** *fig.* Schreiber(seele *f desp.*) *m*; *fig.* F langer Lulatsch *m* F; † adliger Hungerleider *m*.

tagua *f* **1.** ❦ Steinnuß *f*; **2.** *Chi.* Bläßhuhn *n*.

tahalí *m* (*pl.* ~*íes*) **1.** ⚔ Wehrgehänge *n*; **2.** *kath.* (ledernes) Reliquienkästchen *n*.

taho|na *f* **1.** Roßmühle *f*, *von Pferden über Göpel angetriebene* (Getreide-)Mühle *f*; **2.** Bäckerei *f*; **~nero** *m* **1.** Roßmüller *m*; **2.** Bäkker *m*.

ta|húr *m* (Gewohnheits-)Spieler *m*; *bsd.* Falschspieler *m*; **~hurería** *f* **1.** Spielhölle *f*; **2.** Spielwut *f der Glücksspieler*; **3.** Mogelei *f im Spiel.*

taifa *f* **1.** *hist.* Parteiung *f*; *Span. los Reinos de* ~ *od. las* ~*s* die Teilreiche *od.* die Taifas (*nach 1031 entstanden*); **2.** *fig.* F Bande *f*, Pack *n*, Gesindel *n*.

tailandés *adj.-su.* thailändisch; *m* Thai(länder) *m*.

tai|ma *f* → *taimería*; **~mado** *adj.* schlau, verschmitzt; gerieben; verschlagen; **~mería** *f* Durchtriebenheit *f*, Verschmitztheit *f*, Abgefeimtheit *f*.

taita *m* **1.** *Kdspr. u. Reg.* Papa *m*; **2.** *Cu., P. Ri. Anrede für alte Neger*; *Chi., Pe., Rpl. Anrede für Respektspersonen*; **3.** *Rpl.* (*Gauchos*) → *matón*.

taja *f* **1.** (Ein-)Schnitt *m*; **2.** Schild *m*; **~da** *f* **1.** Schnitte *f*, Scheibe *f*; *fig.* F *sacar* ~ e-n Schnitt (*od.* s-n Rebbach P) machen; **2.** *fig.* F **a)** Schwips *m*; **b)** Husten *m*, Heiserkeit *f*; **~dera** *f* **1.** *Kchk.* Wiegemesser *n*; **2.** ⊕ Schrotmeißel *m*; **~dilla** *Kchk. f* Ragout *n aus Innereien*; **~do** *adj.* steil abfallend (*Hang, Küste*); ▨ schräggeteilt; *fig.* F angetrunken, beschwipst; **~dor I.** *adj.* **1.** schneidend, Schneide...; **II.** *m* **2.** Hackklotz *m bsd. für Fleisch*; **3.** Schneidegerät *n*; **~dora** *f* **1.** Hack-, Fleisch-messer *n*; **2.** ⊕ Schrothammer *m*; **~dura** *f* Schneiden *n*; Schnitt *m*.

tajamanil *Na. m Méj.* Schindel *f*.

tajamar *m* **1.** Eis-, Wellen-brecher *m an Brücken usw.*; **2.** ⚓ Schaft *m*, Schegg *m*; **3.** *Am. Reg.* → *malecón*; **4.** ⛏ *Rpl.* Zisterne *f*.

ta|jante I. *adj. c* **1.** *bsd. fig.* scharf, schneidend; **2.** *fig.* endgültig; kategorisch; **II.** *m* **3.** *Reg.* Schlachter *m*; **~jar I.** *v/t.* (auf-, ver-)schneiden; in Scheiben schneiden; ⊕ *Feilen* (auf)hauen; **II.** *v/r.* ~*se* F s. betrinken; **~jo** *m* **1.** Schnitt *m*; Schmiß *m*, Schmarre *f*; **2.** Schneide *f* (*z. B. e-r Axt*); **3.** *Fechtk.* Hieb *m* von rechts nach links; **4.** (Gelände-)Einschnitt *m*; Steilhang *m*; **5.** Hackblock *m*, -brett *n*; ~ *de carnicero* Schlachtbank *f*; **6.** Richtblock *m*; **7.** ⚒ Abbau *m*; ~ *de carbón* Kohlenstoß *m*; ~ *de mina* Ort *n*; **8.** ⚒ *u. Arbeit im Gelände*: Tagewerk *n*, Schicht *f*; **9.** † *u. Reg.* Arbeit *f*, Aufgabe *f*; **10.** *Col., Ven.* Saumpfad *m*.

ta|jón *m* Hackklotz *m für Fleisch*; **~jona** *f Cu. Folk.* **1.** *bongoähnliche* Trommel *f*; **2.** *Volkslied u. Tanz*; *p. ext.* Jubel u. Trubel *m*, Rummel *m*.

tal I. *adj.-pron.* solche(r, -s); derartige(r, -s); so beschaffene(r, -s); **a)** *el* ~ besagter; *los* (*bzw. las*) ~*es* besagte *pl.*, diese; *un* ~ (*López*) ein gewisser (López); *fig.* F *una* ~ „so eine" *od.* e-e Dame von der gewissen Sorte (*fig.* F); *vivir en la calle de* ~ in der X-Straße wohnen; *en* ~ *parte* da u. da, irgendwo; *en* ~ *situación* in e-r solchen (*od.* in dieser) Lage; *hacer otro* ~ das gleiche tun, es genauso machen; *¿quién dice* ~*?* wer sagt das?, wer behauptet dergleichen?; ~ (*cosa*) e-e solche Sache, so etwas; ~*es cosas* dergleichen, derlei, solcherlei; ~ *habrá que lo afirme* mancher wird (*od.* etliche werden) es behaupten; ~ *es su opinión* das ist s-e Meinung; ~ *y* ~ (*cosa*) dies u. das; **b)** *mit como*: (~*es*) *como son* beispielsweise, als da sind; *no hay* (~) *como* es gibt nichts Besseres (*od.* k-n besseren Weg), als; **c)** *mit cual*: *ambos son* ~ *para cual* die beiden sind e-r wie der andere; ~ *cual* *a*) nichts Besonders, durchschnittlich (*Person*); *b*) der e-e od. andere, einige (wenige), manche; *lo dejamos* ~ *cual estaba* wir beließen es in s-m Zustand; *le prefiero* ~ *cual* es ich habe ihn lieber, so wie er ist; ~ *era su vida cual ahora ha sido su muerte* sein Leben war genau so, wie jetzt sein Tod gewesen ist; *una solución* ~ *cual* e-e fragwürdige Lösung; **II.** *adv. así como ..., ~ ...* (so) wie ..., so ...; *como si ~ cosa* mir nichts dir nichts *od.* mit der größten Leichtigkeit; *no ~* das nicht; *Verstärkung von no*: ganz u. gar nicht; *por ~ → por (lo) tanto* deswegen; *¿qué ~?* wie steht's?, wie ist ...?; *¿qué ~ su trabajo?* wie steht es mit Ihrer Arbeit?; *sí ~* das freilich; *Verstärkung von sí*: allerdings, jawohl; *~ como* wie etwa, beispielsweise; *~ cual* so wie; einigermaßen, leidlich, ziemlich; mittelmäßig, soso F; † *u. Am. ~ cual vez* gelegentlich, ab u. zu; *~ estaba de contento que ...* er war so zufrieden, daß ...; *~ vez* etwa; vielleicht; *~ vez venga mañana* vielleicht kommt er morgen; *K ~ vez ..., ~ (vez) ...* bald ..., bald ...; *y ~* u. so (fort); *¡y ~!* genau!, das will ich meinen!; **III.** *cj. con ~ que + subj.* vorausgesetzt, daß + *ind.*; wenn + *ind.*; *con ~ de + inf.* wenn + *ind.*

tala[1] *f* **1.** Holz(ein)schlag *m*; *fig.* Verwüstung *f*; ⚔ Baumsperre *f*; **2.** Tala-, Klipper-spiel *n der Kinder*; Klipper *m*, Holzschlegel *m b. diesem Spiel.*

tala[2] ⚘ *f Rpl.* Talabaum *m.*

talabardo ⚘ *m* Alpenrose *f.*

talabarte *m* Wehrgehänge *n*; **~ría** *f* Sattlerei *f*; Riemergeschäft *n*; **~ro** *m* Sattler *m*, Gürtler *m*, Riemer *m.*

talador *m* Holzfäller *m.*

tala|drado *m* Bohren *n*; ⊕ *~ previo* Vorbohren *n*; **~drador** *m* Bohrer *m* (*Mann u. Gerät*); ⊕ *~ eléctrico* Elektrobohrer *m*; **~dradora** *f* Bohrmaschine *f*; *~ automática* Bohrautomat *m*; **~drar** *v/t.* **1.** (durch)bohren; lochen; *Loch* bohren; *fig. ~ los oídos* in den Ohren gellen (*od.* schrillen); **2.** *fig. Absicht* durchschauen; **3.** *Col.* begaunern, ausnehmen; **~drina** ⊕ *f* Bohr-öl *n bzw.* -flüssigkeit *f*; **~dro** *m* **1.** Bohrer *m* (*Gerät*); **2.** Bohrung *f*, Bohrloch *n*; *isla f de ~* Bohrinsel *f*; **3.** *Ent.* Bohr-, Holz-wurm *m.*

talaje *m* **1.** *Arg.* abgeweidetes Gelände *n*; **2.** *Chi.* Weiden *n*; Weidegeld *n.*

tálamo *m lit.* Brautbett *n*; ⚘ Frucht-, Blüten-boden *m*; *Anat. ~ óptico* Sehhügel *m.*

talán *onom. m*: *~ ~* bim, bam (*Geläut*).

talanquera *f* **1.** Bretterwand *f*; Schranke *f*, Schutz *m*; *fig.* Zuflucht(sort *m*) *f*; **2.** *Col.* Rohrgeflecht *n* (*Wand, Zaun*).

talante *m* **1.** Art *f*, Weise *f*; **2.** Wesen *n*, Charakter *m*; **3.** Aussehen *n*; Beschaffenheit *f*, Zustand *m*; Stimmung *f*, Laune *f*; *estar de mal ~* schlechter Laune sein.

talar[1] *v/t.* **1.** *Bäume* fällen, schlagen; **2.** verwüsten; dem Erdboden gleichmachen; **3.** *Arg. Weideland* bis auf die Wurzeln abgrasen.

talar[2] **I.** *adj. c* schleppend (*Gewandung*); *traje m ~* Robe *f*; **II.** *Myth. m/pl. ~es* Flügelschuhe *m/pl. des Merkur.*

talar[3] *m Rpl.* Wald *m* von Talabäumen.

talayote[1] *m Megalithdenkmal (niedriger Turm) auf den Balearen.*

talayote[2] *m Méj.* **1.** ⚘ → *tlalayote*; **2.** *fig.* P *~s m/pl.* Hoden *m/pl.*

talco *Min. m* Talk(um *n*) *m*, Speckstein *m*; *polvos m/pl. de ~* Talkum (-puder *m*) *n.*

taled *m* Gebetsmantel *m*, Tallith *m* [*der Juden.*]

tale|ga *f* Beutel *m*, Tasche *f*; † Haarbeutel *m*; † Beutel *m* (*Betrag von 1.000 Silberduros*); *fig.* Geld *n*, Vermögen *n*; *fig.* F zu beichtende Sünden *f/pl.*; Untertuch *n*, Unterziehhose *f* für Kleinkinder; **~gada** *f* Sackvoll *m*; **~gazo** *m* Schlag *m* mit e-m Beutel (*od.* e-m Sack); *fig.* F Hinschlagen *n*, Plumps(er) *m* F; **~go** *m* (Leinwand-)Sack *m*; Geldsack *m*; *fig.* ungestalter Mensch *m*; *tener ~* Geld haben; **~guilla** *f* **1.** Beutel(chen *n*) *m*; *fig.* F *~ de la sal* Geld *n* für die täglichen Ausgaben; **2.** *Stk.* Hose *f der Stierkämpfer.*

talen|to *m* **1.** *hist.* Talent *n* (*Gewicht u. Geld*); **2.** Begabung *f*, Talent *n*; *fig.* Verständnis *n*; *tener ~ para la música* musikalisch sein; *no tener ni pizca de ~* ganz u. gar unbegabt sein; *de ~* begabt; **~toso, ~tudo** *adj.* talentiert, begabt.

talio ⚗ *m* Thallium *n.*

talión *m* = *ley f del ~* (Gesetz *n* der Wieder-)Vergeltung *f.*

talismán *m* Talisman *m.*

talmente *adv.* dergestalt; sozusagen; genau, geradezu.

Tal|mud *Rel. m* Talmud *m*; **2múdico** *adj.* Talmud...; **2mudista** *m* Talmudist *m.*

talo ⚘ *m* Thallus *m*; **~fitas** ⚘ *f/pl.* Thallophyten *m/pl.*

talón[1] *m* **1.** Ferse *f* (*Anat. u. Strumpf*) *p. ext.* Fleischteil *m des Pferdehufs*; Hufknorpel *m*; (Hinter-)Kappe *f* (*Schuh*); ⊕ Stollen *m*, Nase *f an Maschinenteilen*; Absatz *m auf e-r Fläche*; ⚒ Nase *f*, Sohle *f am Pflug*; *Kfz.* Reifenwulst *m*, *f*; *tex. ~ alto* Hochferse *f am Strumpf*; ⚓ *~ (de quilla)* Kielhacke *f*; *Equ. golpear con los ~ones* mit den Fersen anspornen; *fig.* F *mostrar (od. levantar, apretar) los ~ones* Fersengeld geben; *fig.* F *tener el juicio en los ~ones* die Weisheit nicht mit Löffeln gegessen haben F; **2.** ✝ Abschnitt *m*; Schein *m*; *~ de embarque* Schiffszettel *m*; *~ de entrega (de equipaje)* Liefer- (Gepäck-) schein *m*; *~ de expedición (od. de facturación)* Frachtbrief *m*; Aufgabeschein *m*; *~ de ferrocarril* Frachtbriefduplikat *n*; *~ de renovación* Erneuerungsschein *m*, Talon *m*; **3.** F *Span.* Scheck *m.*

talón[2] ✝ *m* Währung *f*, Standard *m.*

talona □ *f* Kneipe *f.*

talonada *Equ. f* Schlag *m* mit dem Absatz, Fersenstoß *m.*

talonario **I.** *adj.* Kupon..., Abreiß...; *libro m ~* Kupon-heft *n*, -block *m*; **II.** *m* ✝ *~ de cheques* Scheckheft *n*; *~ de entrega* Lieferscheinbuch *n*; *~ de recibos* Quittungsblock *m*; 🚂 *~ de billetes* Fahrscheinheft *n.*

talone|ar **I.** *v/i. fig.* F rasch gehen; *bsd. Am.* (ziellos) durch die Gegend rennen F; **II.** *v/t. Equ. Chi., Méj., Rpl.* mit den Fersen anspornen; **~ra** *f Am.* Kappenverstärkung *f am Schuh.*

talonero □ *m* Wirt *m.*

talpa(ria) ⚕ *f* Speckbeule *f im Kopfgewebe.*

talud *m* Böschung *f*; *Geol. ~ detrítico* Schutt-, Geröll-halde *f*; ⚔ *~ interior* Schulterwehr *f.*

taludín *Zo. m Guat. Art* Kaiman *m.*

talvina *f* Mandelmilchbrei *m.*

talweg *Geogr. m* Talsohle *f.*

talla[1] *f* **1.** Wuchs *m*; Gestalt *f*, Statur *f*; *p. ext.* Größe *f* (*a. Konfektionsmaß*); Meß-gerät *n*, -stock *m zur Feststellung der Körpergröße*; *fig. de ~* bedeutend; *de poca (od. de escasa) ~* von kleinem Wuchs; *fig.* unbedeutend; ⚔ *dar la ~* tauglich sein; **2.** Schnitzerei *f*; *a.* Bildhauerarbeit *f*; *p. ext.* Schneiden *n*, Schneidearbeit *f*; ⊕ → *a. tallado 4*; *~ dulce (dura)* Kupfer- (Stahl-) stich *m*; *~ en madera* Holzschnitt *m*; *media ~* Halbrelief *n*; *de ~* geschnitzt; **3.** Prägemaß *n*, Münzfuß *m*; **4.** *Kart.* Abziehen *n* der Karte; *Montespiel usw.*: Partie *f*, Spielchen *n*; *Reg.*, *bsd. Am.* Ausspielen *n*; Halten *n* der Bank; **5.** ⚕ *~ (vesical)* Blasenschnitt *m*; **6.** *hist.* Lösegeld *n für Gefangene*; Kopfgeld *n für Flüchtige*; *poner ~ a alg.* auf j-s Kopf e-n Preis setzen; **7.** *Am. Cent.* → *embuste*; **8.** *Arg., Chi.* → *charla, conversación.*

talla[2] ⚓ *f* Talje *f*, Hebezeug *n.*

talla|do **I.** *adj.* **1.** geschnitzt; geschnitten; gemeißelt (*z. B. in Marmor*); **2.** gewachsen; *bien (mal) ~* gut (schlecht) gewachsen; **II.** *m* **3.** Schnitzarbeit *f*; **4.** ⊕ Schneiden *n von Gewinden, Zahnrädern u. ä.*; *~ de roscas* Gewindeschneiden *n*; **~dor** *m* **1.** Graveur *m*; Schnitzer *m*; *~ en cobre* Kupferstecher *m*; **2.** *Kart. usw. Rpl.* Bankhalter *m*; **~dura** *f* Einkerbung *f.*

tallar[1] **I.** *adj.* schlagbar; *monte m ~* schlagreifer Holzbestand *m* (*Wald*); **II.** *m* Gehau *n*, Holzschlag *m*; **~**[2] **I.** *v/t.* **1.** einkerben; einschneiden; **2.** ⊕ schneiden *bzw.* drücken; *~ roscas* Gewinde schneiden; **3.** schnitzen (in Holz *usw. en madera, etc.*); schneiden; *in Stein* meißeln; *in Kupfer usw.* stechen, radieren; *Edelsteine* schleifen; **4.** *Kart.* abziehen, die Bank halten (*Montespiel usw.*); **5.** (ab)schätzen, (be)werten; **6.** *j-s* Körpergröße messen; **7.** † *u. Reg.* mit Abgaben belegen; **II.** *v/i.* **8.** *Arg., Chi.* plaudern; *Chi.* Süßholz raspeln F, flirten.

tallarín *m* Bandnudel *f für Suppen.*

talle *m* **1.** Gestalt *f*, Figur *f*; **2.** Taille *f*, Gürtel(linie *f*) *m*; **3.** Schnitt *m*, Sitz *m e-s Kleides.*

tallecer [2d] ⚘ *v/i.* → *echar tallo.*

taller *m* Werkstatt *f*; Betrieb *m*; *~ escuela* Lehrwerkstatt *f*; *~ de fundición* Gießerei *f.*

tallista *m* **1.** Bildschnitzer *m*; Bildhauer *m*; **2.** Kunststecher *m*, Graveur *m*; *~ y pulidor de piedras* Edelsteinschleifer *m.*

ta|llo ⚘ *m* Stengel *m*, Stiel *m*; Sproß *m*, Keim *m*; *~ de roten* Peddigrohr (-stock *m*) *n*; *echar ~* e-n Stiel bekommen; Stengel treiben; *echar ~s a.* (aus)keimen (*z. B. Kartoffeln*); **~lludo** *adj.* langstielig; *fig.* hochgeschossen; verblüht (*Mensch*).

tama|l *Na. m Am.* Maispastete *f*; *fig. Ant., Méj.* Durchea. *n*; Intrige *f*; **~lada** F *f Méj.* Imbiß *m* von

Maispasteten; **~layote** ⚘ *m Méj.* Tamalayotekürbis *m*; **~lear** *Méj.* **I.** *v/i.* Maispasteten machen (*bzw.* essen); **II.** *v/t. fig.* P abknutschen F; **~lera** *f Bol. fig.* Kopftuch *n bei Zahnweh*; **~lería** *Am. f* Maispasteten-bäckerei *f*, -verkauf *m*; **~lero** *m Am.* Maispastetenhändler *m*; *fig.* F *Méj., Am. Mer.* Intrigant *m*; *Chi.* Mogler *m b. Spiel.*

taman|duá, *a.* **~dúa** *Gua. Zo. m Am.* Ameisenbär *m*.

tamango *m Arg., Chi. Art* Riemen- *od.* Wickel-schuh *m der Bauern.*

tamaño I. *adj.* so (sehr) groß; derartig; **II.** *m* Format *n*; Größe *f*; *de ~ natural* in natürlicher Größe; lebensgroß; *en gran ~* vergrößert.

támara *f* Reisig *n*.

tamarindo ⚘ *m* Tamarinde *f*.

tamarisco ⚘ *m* Tamariske *f*.

tamba|learse *v/r.* hin u. her schwanken; baumeln; taumeln; **~leo** *m* Schwanken *n*, Wackeln *n*; Baumeln *n*, Schaukeln *n*.

también *adv.* auch; ebenfalls, ebenso; F *un día sí y otro ~* immer; immer dasselbe.

tambo ((< *Ke. tampu*) *m* **1.** *And.* (wie *Ke.*) Rast-, Gast-haus *n an den Straßen*; **2.** *Col.* einsam gelegenes Gehöft *n*; **3.** *Chi. a.* Bordell *n*; **4.** *fig.* F *Pe. ~ de tíos* lärmende Lustbarkeit *f*; **5.** *Rpl.* Melkstall *m bzw.* Molkerei *f*.

tambo|r *m* **1.** *a.* ⊕ Trommel *f*; *~es m/pl. y pífanos* Spielmannszug *m*; ⚔ *~ cargador* Ladetrommel *f b. Waffen*; ⊕ *~ del freno* Bremstrommel *f*; *adv. a ~ batiente* unter Trommelwirbel; mit klingendem Spiel; *fig. pregonar a ~ batiente et.* ausposaunen; **2.** Trommler *m*; **3.** Stickrahmen *m*; **~ra** *f* gr. Trommel *f*, Pauke *f*; **~rear** *v/i.* mit den Fingern trommeln.

tambori|l *m* kl. Handtrommel *f*; *fig.* F *~ por gaita* gehüpft wie gesprungen (*fig.*); **~lada** *f*, **~lazo** *fig.* F **1.** Plumps *m*, Aufschlag *m*; **2.** Schlag *m* auf Schulter (*od.* Kopf); **~lear I.** *v/i.* die Handtrommel schlagen; trommeln (*a. fig. z. B. Regen*); **II.** *v/t. Typ.*: *die Form* klopfen; *fig. j-n* sehr rühmen; **~leo** *m* Trommeln *n*; **~lero** *m* Handtrommelschläger *m*; **~lete** *Typ. m* Klopfholz *n der Drucker.*

tambo|rín *m* → *tamboril*; **~rino** *m* → *tamboril u. tamborilero.*

tami|z *m* (*pl.* **~ices**) feineres Sieb *n*; *~ fino* (*od. tupido*) Haarsieb *n*; *fig. pasar por el ~* genau überprüfen; **~zar** [1f] *v/t.* fein sieben; *fig.* **~ado** gedämpft (*Licht*).

tamo *m* Spreu *f auf der Tenne*; Fasern *f/pl.*, Abfall *m beim Flachsbrechen usw.*; Staubflocken *f/pl. unter Möbeln.*

tamojo ⚘ *m* → *matojo 1.*

tampoco *adv.* auch nicht, ebensowenig; (*ni*) *yo ~* ich auch nicht.

tam|pón *m* **1.** Stempelkissen *n*; **2.** ⚕ Tampon *m*; Tupfer *m*; Watterolle *f*; **3.** ⊕, *Pol.* Puffer *m*; *Pol. Estado m ~* Pufferstaat *m*; ⚗ *substancia f ~* Puffersubstanz *f*; **~ponaje** ⚡ *m* Pufferung *f v. Batterien*; **~ponar** *v/t.* (ab)stempeln; ⚕ tamponieren.

tam-tam ♪ *m* Tamtam *n*, Gong *m*.

tamu|ja *f* Tamujonadeln *f/pl.*; **~jo** ⚘ *m Wolfsmilchgewächs, Zweige zum Besenbinden benutzt* (*Colmetroa buxifolia*).

tan[1] *adv.* (*nicht auf Verben bezogen*) so; so sehr; ebenso; F *¡y ~ amigos! nach e-r Ausea.-setzung*: (u.) nichts für ungut! (*wir bleiben Freunde wie zuvor!*); *~ difícil* so schwierig; *¿es seguro?* — *¡y ~ seguro!* stimmt das? — aber ganz gewiß!; *~ siquiera* wenigstens; *ni* (*~*) *siquiera* (noch) nicht einmal; *no nos ofreció ~ siquiera una copita de coñac* nicht einmal ein Gläschen Weinbrand hat er uns angeboten.

tan[2] *m* Steineichenrinde *f*.

tan[3] *onom. m, mst. ~ ~* Trommel- *bzw.* Becken-schlag *m*.

tanaceto ⚘ *m* Rainfarn *m*.

tanagra *f* **1.** *Ku.* Tanagrafigur *f*; **2.** *Vo.* Tangare *f*.

tanalbina *pharm. f* Tannalbin *n*; **~to** ⚗ *m* gerbsaures Salz *n*.

tanate *m* **1.** *Méj., Am. Cent.* Körbchen *n*; Tasche *f*, Ranzen *m*; *fig.* F *cargar con los ~s* sein Bündel packen (*fig.*); **2.** *Am. Cent.* Bündel *n Wäsche usw.*

tancaje *m* Tanklagerung *f*; ✈ *a.* Betankung *f*.

tanda *f* **1.** Reihe *f*, Serie *f*, Partie *f*; *por ~* der Reihe nach; ♪ *~ de bailables* Tanzsuite *f*; F *~ de palos* Tracht *f* Prügel; *Reg. hacer ~* anstehen, Schlange stehen (*fig.* F); **2.** ⚒ (Arbeits- *bzw.* Feier-)Schicht *f*; Turnus *m*; (Arbeits-)Pensum *n*; ↗ Bewässerungsturnus *m*; *caballos m/pl. de ~* Wechselpferde *n/pl.*; *por ~s* schichtweise; *fig.* F *estar de ~* an der Reihe sein; **3.** *b. einigen Spielen, bsd. Billard* Partie *f*; *Kart. a.* Zahl *f* der Stiche *b. e-m Spiel*; **4.** ✈ Schicht *f*, Lage *f*; **5.** *Thea. Am.* (Serien-)Vorstellung *f*; *Chi.* Posse *f bzw.* Einakter *m*; *teatro m por ~s* Stundentheater *n*; **6.** *Arg.* Manie *f*, (schlechte) Angewohnheit *f*.

tándem *m* Tandem *n*.

tangani|llas: *en ~* wankend; wackelig; **~llo** *m* Stütze *f*; Unterlage *f* (*z. B. unter e-m Stuhlbein, damit der Stuhl nicht wackelt*).

tanganito *adj. Méj.* untersetzt, gedrungen.

tángano *m* Wurfscheibe *f*.

tan|gará *Gua. Vo. m Arg.* Tangare *f*; **~gáridos** *Vo. m/pl.* Tangaren *f/pl.*

tangen|cia ⩘, 📖 *f* Berührung *f*; **~cial** *adj. c* Tangential...; → **~te** ⩘ **I.** *adj. c* berührend; **II.** *f* **a)** Tangente *f*; **b)** Tangens *m*; *ser ~* berühren, tangieren; *fig.* F *salir (-se)* (*od. escapar[se]*) *por la ~* ausweichen (*fig.*), kneifen (*fig.* F), s. drücken (*fig.* F).

tangible *adj. c* berührbar.

tan|go *m* **1.** Tango *m* (*Tanz*); **2.** Klipperspiel *n*; **~guear** *v/i. Chi.* schlingern (*Schiff*); *Ec.* torkeln (*Betrunkener*); **~guista** *c* Kabarett-Tänzer(in *f*) *m bzw.* -Sänger(in *f*) *m*; *fig.* Person *f*, die ein unsolides Leben führt.

tanino *m* Gerbsäure *f*, Tannin *n*.

tano *mst. desp. adj.-su. Arg.* italienisch; *m* Italiener *m*.

tanque *m* **1.** Tank *m*, Behälter *m*; **2.** ⚔ Panzer(kampfwagen) *m*, Tank *m* F.

tantalio ⚗ *m* Tantal *n*.

tántalo *m* **1.** *Vo. ~* (*africano*) Nimmersatt *m*; **2.** ⚗ → *tantalio.*

tantán *m* Tamtam *n*, Gong *m*.

tantarantán *onom. m* Trommelschlag *m*; F starker Schlag *m*.

tante|ador *Sp., Kart. usw. m* (Punkte-)Zähler *m*, Markör *m*; Anzeigetafel *f*; Toranzeiger *m*; **~ar** *v/t.* **1.** abtasten; *fig.* sondieren, prüfen; *j-s* Absicht erforschen, *j-n* aushorchen; *j-m* auf den Zahn fühlen (*fig.* F); *~ el suelo* den Boden abtasten (*z. B. Blinder mit s-m Stock*); *fig. ~ el terreno* (*od. el vado*) vorfühlen, (das Gelände) sondieren; *Col. ¡tantee usted!* stellen Sie s. vor!; *Méj. tanteársela a alg.* j-n auf den Arm (*od.* auf die Schippe) nehmen (*fig.* F); **2.** ausmessen; abschätzen, berechnen, überschlagen, peilen (*fig.* F); **3.** *Sp. u. Kart. Punkte* aufschreiben; **4.** *Mal. Skizze* anlegen; **5.** ⚖ zurückkaufen *bzw.* ablösen (*auf Grund e-r Option*); **~o** *m* **1.** Schätzung *f*, Prüfung *f*; Überschlag *m*; *al ~* überschläglich, über den Daumen gepeilt (*fig.* F); **2.** *Sp., Kart.* Punktzahl *f*; *a.* Torzahl *f*; **3.** ⚖ Rückkauf *m od.* Ablösung *f*; *derecho m de ~* Vorkaufsrecht *n*.

tanto I. *adj.-pron.* **1.** so viel; so groß; so manche(r, -s); *~s m/pl.* einige, etliche; *algún ~ od. un ~* etwas, ein wenig, ein bißchen; *otro ~* noch einmal so viel; ebensoviel; dasselbe, ein gleiches; *otros ~s* (wieder *od.* noch) andere; *~s a ~s* in gleicher Anzahl, zahlenmäßig gleich; *fig. a las ~as* sehr spät; *~s otros* viele andere; F *¡~ bueno!* viel Glück!; Grüß Gott!; F *¡~ bueno por aquí!* nett, dich (*bzw.* Sie) zu treffen!; F *¡~ como eso, no!* das nicht!, das kommt nicht in Frage!; *¡~a(s) cosa(s)!* soviel!; F *un tío con ~a pistola* ein Kerl mit e-r Mordspistole (*od.* mit so 'ner Pistole) F; *~as sillas como personas* so viele Stühle wie Personen; *~as veces* so oft; *de ~ que he leído* vom vielen Lesen; *no diría yo ~* das möchte ich nicht gerade sagen; F *por ~a nieve como cae* wegen starken Schneefalls; *te daré ~ dinero cuanto quieras* ich gebe dir soviel Geld, wie du willst; *~a gente dice* so mancher sagt; *trabaja ~ como tú* er arbeitet soviel wie du; *mil y ~s* tausend u. etliche, mehr als (*od.* über) tausend; *a ~s de diciembre* am soundsovielten Dezember; **II.** *adv.* **2.** so, so sehr; ebenso (sehr); derart; so viel, soviel; so lange; *~ más* um so mehr; *~ mejor* um so besser; F *~ y cuanto* soundsoviel; *al ~* **a)** zum gleichen Preis; **b)** bei dieser Gelegenheit; *en ~* unterdessen; *entre ~* → *entretanto*; F *¡ni ~ así!* (*mit entsprechender Gebärde*) nicht soviel!; keine Spur! (*fig.* F); i wo! F; F *ni ~ ni tan calvo* (ganz) so schlimm (*bzw.* so viel) ist es nicht; *ni ~ ni tan poco* weder zuviel, noch zu wenig; F nur nicht übertreiben!; *fig.* F *¡y ~!* na, und ob!; das können Sie mir glauben!; *dos veces ~, a. dos ~* zweimal so viel;

estar od. quedar (poner) al ~ auf dem laufenden sein (halten), Bescheid wissen; F *no es (od. no hay) para* ~ so schlimm ist es nicht; *no esperará* ~ er wird nicht so lange warten; **III.** *cj.* **3.** *con* ~ *mayor motivo que* ... mit um so größerer Berechtigung, als ...; → *a. cuanto 1, 2*; *en* ~ *que* während, solange; bis; ~ *más (menos) que* um so mehr (*bzw.* weniger) als; **IV.** *m* **4.** (festgesetzte) Menge *f bzw.* Summe *f*; ~ *(alzado)* Pauschale *f*; ~ *por palabra* Worttaxe *f*; *a* ~ *alzado* pauschal, Pauschal...; *pagar a* ~ *la hora* stundenweise zahlen; **5.** Anteil *m*; ~ *por ciento* Prozentsatz *m*; ~ *en volumen* Volumenanteil *m*, Volumprozent *n*; *en su* ~ entsprechend, im rechten Verhältnis; **6.** *Sp. u. fig.* Punkt *m*; *Fußball usw.* Tor *n*; *fig. apuntarse un* ~ e-n (Plus-)Punkt für s. verbuchen können; *le dio 6* ~*s de ventaja* er gab ihm 6 Punkte vor; **7.** Spielmarke *f*, Zahlpfennig *m*; **8.** ⚖ ~ *de culpa* belastende Angaben (*od.* Aussagen) *f/pl.*, Sündenregister *n* F; **9.** Abschrift *f*, Kopie *f*.

Tantum ergo *lt. m kath. Sakramentshymnus*: Tantum ergo *n*; *fig.* F *llegar al* ~ ganz zum Schluß (*od.* viel zu spät) kommen.

tanza *f* Angelschnur *f*.

tanzaniano *adj.-su.* aus Tansania.

ta|ñedor *m* Spieler *m e-s Instruments*; **~ñer** [2f] **I.** *v/t. Instrument* spielen; *Glocken* läuten; ~ *a muerto* die Totenglocke läuten; **II.** *v/i.* ⚒ (mit den Fingern) trommeln; **~ñido** *m* Spielen *n* (*Klang e-s Instruments*); Schall *m*, Ton *m*, Klang *m e-s Instruments*; ~ *de (las) campanas* Glockengeläute *n*; **~ñimiento** *lit. m* Spielen *n* (*Musik*).

tao[1] ▨ *m* Antoniter- *bzw.* Johanniter-kreuz *n*.

tao[2] *Phil. m* Tao *n*; **~ísmo** *m* Taoismus *m*; **~ísta** *adj.-su. c* taoistisch; *m* Taoist *m*.

tapa *f* **1.** Deckel *m*; ~ *de (la cazoleta de) pipa* Pfeifen(kopf)deckel *m*; ~ *del retrete* Klosettdeckel *m*; ~ *de los sesos* Hirnschale *f*; *fig.* F *levantar(se) (od. saltar[se]) la* ~ *de los sesos* (s.) e-e Kugel in den Kopf jagen, (s.) erschießen; *j-n* abknallen P; **2.** ⊕ Deckel *m*, Verschluß *m*; Abdeckung *f*; Kappe *f*; ♪ ~ *armónica* (Schall-)Decke *f* (*Cello usw.*); ~ *elástica* Sprungdeckel *m* (*Uhr*); ~ *de registro* Einstiegschachtdeckel *m für die Kanalisation*; ~ *roscada* Schraubkappe *f*; **3.** *Buchb.* Einband-, Buch-deckel *m*; **4.** *Col., Chi.* → *tapadera u. tapón*; **5.** *Kchk.* ~*s f/pl.* (pikante) Vorspeisen *f/pl.*; Appetithappen *m/pl.*

tapa|boca *m fig.* F schroffe Antwort *f*; *fig.* P Maulschelle *f*; ⚔ (*a.* ~*s*) Mündungsschoner *m*; † → **~bocas** *m* (*pl. inv.*) Schal *m*, Halstuch *n*; **~camino** *m* **1.** *Vo. Méj.* Ziegenmelker *m* (*mehrere Arten*); **2.** ⚘ *Cu. versch. Pfl., Unkraut*; **~cubo(s)** *Kfz. usw. m* Achs-, Naben-, Rad-kappe *f*; *Kfz.* ~ *embellecedor* Zier-kappe *f*, -deckel *m*; **~da** *f* **1.** verschleierte Frau *f*; **2.** *Cu.* → *tapado 6*; **3.** *Méj.* → *mentís*; **~dera** *f* Topfdeckel *m*; ⊕ Deckel *m*; *fig.* Tarnung *f*; Aushängeschild *n* (*fig.*); **~dillo** *m* **1.** Vermummung *f*, Verschleierung *f der Frauen*; *de* ~ verschleiert; *fig.* verstohlen, heimlich; *fig.* F *andar con* ~*s* Heimlichkeiten haben; **2.** ♪ gedecktes Register *n*; **~do I.** *adj.* **1.** be-, ver-deckt; zugedeckt; **2.** *Am.* dumm, beschränkt; täppisch; **3.** *Chi., Rpl.* einfarbig (*Vieh*); **II.** *m* **4.** *Am.* (vergrabener) Schatz *m*; **5.** *Am. Cent., Arg., Chi.* Umhang *m bzw.* Schal *m*; **6.** *Méj.* Hahnenkampf *m* ohne Vorstellung u. Qualifizierung *der Hähne*; *p. ext.* blinder Tausch(handel) *m*; **~dor** *m* **1.** Stöpsel *m*, Verschluß *m*; **2.** □ **a)** Frauenrock *m*; **b)** Bordellwirt *m*; **~dura** *f* Zudecken *n*; **~fugas** *Kfz. m* (*pl. inv.*): ~ *del radiador* Kühlerdichtungsmittel *n*; **~llamas** ⚔ *m* (*pl. inv.*) Mündungsdämpfer *m*; **~miento** *m* Bedecken *n*; Abdecken *n*.

tapar I. *v/t.* **1.** zudecken; abdecken; *fig.* P koitieren (*Mann*); **2.** verstopfen, zustopfen; *Fugen* abdichten; *a. fig.* ~ *la boca a alg.* j-m den Mund stopfen; **3.** verhüllen, verdecken; *fig.* verbergen, verhehlen; **II.** *v/r.* ~*se* **4.** s. bedecken; s. zudecken; *fig.* ~*se los oídos* s. die Ohren zuhalten; **5.** s. verhüllen; s. verschleiern (*Frau*); **6.** *Stk.* s. ungünstig stellen (*Stier*).

tapa|ra *f Ven. Art* Baumkürbis *m*; **~ro** ⚘ *m Art* Kürbisbaum *m*.

taparrabo *m* Lendenschurz *m*; F *kurze* Badehose *f*.

tapera *Gua. f Rpl.* Trümmer *pl. v. Behausung od. Siedlung*; *fig.* halbzerfallenes Haus *n*.

tapete *m* Tischdecke *f*; ~ *verde* Spieltisch *m*; *fig. estar sobre el* ~ zur Erörterung stehen; *fig. colocar (od. poner) sobre el* ~ aufs Tapet bringen, anschneiden (*fig.*); *fig. quedar sobre el* ~ unerörtert bleiben.

tapia *f* Lehmwand *f*; Umfassungs- (*z. B.* Garten- *bzw.* Friedhofs-) mauer *f*; *fig.* F *más sordo que una* ~ stocktaub; **~l** *m* **1.** Lehmmauer *f*; *a.* einfaches Ständerfachwerk *n*; **2.** Lehmmauerverschalung *f*; **~r** [1b] *v/t.* (um-, ver-, zu-)mauern.

tapice|ría *f* **1.** Behang *m*; (Stoff-) Tapeten *f/pl.*; Draperie *f*; Wandteppiche *m/pl.*; Tapisserie *f*; ~*s f/pl.* Tapisseriewaren *f/pl.*, Dekorationsstoffe *m/pl.*; *bordado m en* ~ Teppichstickerei *f*; ~ *de cañamazo* Gittergrundstickerei *f*, Tapisserie *f*; **2.** Tapezier-, Polster-, Dekorationsgeschäft *n*; ~ *de coches* Autopolsterei *f*; **~ro I.** *adj.* **1.** Tapezier..., Tapisserie...; *industria f* ~*a y alfombrista* Tapisserie- u. Teppichindustrie *f*; **II.** *m* **2.** Tapetenmacher *m*; Teppichwirker *m*; **3.** Tapezierer *m* (*für Stoffmöbel*); Dekorateur *m*; Polsterer *m*.

tapioca *f* Tapioka *f*, Maniok(stärkemehl *n*) *m*.

tapir *Zo. m* Tapir *m*.

tapisca *Na. f Am. Cent., Méj. Reg.* Maisernte *f*; **~r** [1g] *vt/i. ib.* (Mais) ernten; (Maiskolben) auskörnen.

tapi|z (*pl.* ~*ices*) *m* (Wand-)Teppich *m*; (Stoff-)Tapete *f*; **~zado** *m* Polstern *n*; **~zar** [1f] **1.** austapezieren, behängen; *p. ext. Fläche* auslegen (*od.* auskleiden); *fig.* bestreuen (mit *dat. con, de*); ~*ado de luto* schwarz verhängt (*b. Trauerfall*); **2.** *Möbel* beziehen, polstern.

tapón *m* **1.** Korken *m*, Pfropfen *m*, Stöpsel *m*; ~ *de corona* Kronenkorken *m*; ~ *de corcho* Kork(pfropf)en *m*; ~ *de cristal (de goma)* Glas- (Gummi-)stöpsel *m*; *Kfz.* ~ *depósito* Tankverschluß(deckel) *m*; ~ *engomador* Gummierstift *m* (*Büro*); ~ *roscado para tubos* Tubenverschraubung *f*; ⚓ ~ *suavizador* Puffer *m*, Fender *m*; *Kfz.* ~ *de vaciado del aceite* Ölablaßschraube *f*; *Spr. ¡al primer* ~*, zurrapas!* es ist noch kein Meister vom Himmel gefallen; **2.** ⚕ **a)** Pfropf *m*; **b)** Tampon *m*; ~ *de algodón* Wattebausch *m*; ~ *de gasa* Mulltupfer *m*; ~ *de cerumen (mucoso)* Ohrenschmalz- (Schleim-) pfropf *m*; **3.** *fig.* F kl., dicke Person *f*, Stöpsel *m* F; **4.** Verkehrsstauung *f*.

tapo|nadora *f* **1.** Spundbohrer *m der Böttcher*; **2.** Korkenverschließmaschine *f*; **~namiento** *m* **1.** Verstöpselung *f*; Zustopfen *n*, Abdichten *n*; **2.** ⚕ Tamponade *f*; **~nar** *v/t.* **1.** verkorken; verstöpseln; *Loch* stopfen, abdichten; (aus)spunden (*Böttcher*); **2.** ⚕ tamponieren; **~nazo** *m* Pfropfenknall *m*; **~nería** *f* **1.** Pfropfen *m/pl.*; **2.** Pfropfen-fabrik *f*; -geschäft *n*; Korkindustrie *f*; **~nero** *adj.* Pfropfen..., Kork...

tapsia ⚘ *f* Böskraut *n*.

tapu|jar I. *v/t.* verhüllen, vermummen; **II.** *v/r.* ~*se* s. vermummen; **~jo** *m* Verhüllung *f*, Vermummung *f*; *fig.* Verheimlichung *f*; ~*s m/pl.* Heimlichkeiten *f/pl.*; *andar con* ~*s* heimlichtun; *fig.* F *pensión f de* ~ Absteige *f*; *adv. sin* ~*s* klipp u. klar.

taque *m* **1.** Türklappen *n*; **2.** Anklopfen *n an der Tür*.

taqué *Kfz. m* Stößel *m*.

taquera *f* Queueständer *m* (*Billard*).

taquia *f Bol.* Lamamist *m* (*Brennmaterial*).

taqui|cardia ⚕ *f* Herzjagen *n*, Tachykardie *f*; **~grafía** *f* Stenographie *f*, Kurzschrift *f*; **~grafiar** [1c] *v/t.* stenographieren; **~gráfico** *adj.* stenographisch.

taquígrafo *m* Stenograph *m*.

taqui|lla *f* **1.** (Karten-)Schalter *m*; 🚂 *usw.* Fahrkartenverkauf *m*; ~ *de apuestas* Wettannahme *f*, Wettbüro *n*; **2.** (Akten-)Schrank *m*; ⚓ Kasten *m*, Kammer *f*; **3.** *p. ext.* Tageskasse *f*, -einnahme *f*; **~llero I.** *m* Schalterbeamte(r) *m*; Kartenverkäufer *m*; **II.** *adj.* Erfolgs...; *película f* ~*a* Kassenschlager *m*.

taquimeca F *f*, **~nógrafa** *f*, **~nógrafo** *m* Stenotypist(in *f*) *m*.

taquímetro *m* **1.** Tacho(meter *n*) *m*; **2.** Entfernungs- u. Winkelmesser *m*, Tachymeter *n*.

tara *f* **1.** Tara *f*, Verpackungsgewicht *n*; Leergewicht *n*; *fig.* F *¡menos la* ~*!* bitte, nicht ganz so dick auftragen!; nun zieh schon die Bremse an! (*fig.* F); **2.** ⚕ Belastung *f*; *mst.* ~ *hereditaria* erbliche Belastung *f*; **3.** *p. ext.* Mängel *m/pl.*; **4.** ⚘ Färberstrauch *m*.

tarabilla *f* **1.** *Zim.* Fensterwirbel *m*; Spannholz *n b. Sägen*; **2.** Mühl-

klapper *f*; *fig.* F Geplapper *n bzw.* Plappermaul *n*; **3.** *Vo.* ~ *de collar* Weißhals *m.*
tarabita *f* **1.** Dorn *m e-r Schnalle*; **2.** *Am. Mer.* Fährseil *n.*
taracea *f* Einlegearbeit *f*, Intarsie *f*; Mosaik *n*; ~ *de madera* Holzmosaik *n.*
tarado *adj.* ⚕ belastet; erbkrank; *p. ext.* fehlerhaft.
taramba ♪ *f Hond.* Taramba *f*, *ein Schlag- u. Rasselinstrument.*
tarambana F *c* verrückte Person *f.*
tarando *Zo. m* **1.** Ren *n*; **2.** Schaufler *m* (*Hirsch*).
tarángana *f* gewöhnliche Blutwurst *f.*
tarantín F *m Am. Cent.* Kram *m*, Klamotte *f* F.
tarántula *Zo. f* Tarantel *f*; *picado de la* ~ von der Tarantel gestochen; *fig.* F geschlechtskrank.
tarapé ♀ *m* → *taropé.*
tarar *v/t.* **1.** ausgleichen; tarieren; **2.** *Instrumente* eichen.
tara|rá *onom. m a. fig.* Trara *n* F; Trompetensignal *n*, Fanfare *f*; **~rear** *vt/i.* trällern; **~reo** *m* Geträller *n*; **~rira** F **I.** *f* **1.** Trara *n* (*fig.* F); Radau *m*; **2.** *onom.* tralala; **II.** *m* **3.** lustiger Bruder *m* (*fig.* F).
taras|ca *f* Drachenbild *n*; *fig.* Drachen *m* (*fig.* F), Xanthippe *f*; **~cada** *f* Biß *m*; Bissen *m*; *fig.* F schroffe (*od.* freche) Antwort *f*; **~car** [1g] *v/t.* beißen; *fig.* F anschnauzen; **~cón** *augm. m* **1.** Drachen *m*; **2.** *Chi.*, *Rpl.* kräftiger Biß *m.*
taray ♀ *m* Französische Tamariske *f.*
tara|zar [1f] *v/t.* **1.** (ab)beißen; **2.** *fig.* F plagen, belästigen; **~zón** *m* Brocken *m*; Schnitte *f*, Scheibe *f.*
tar|danza *f* **1.** Verzögerung *f*; Verspätung *f*; *sin más* ~ unversäumt; kurzerhand; **2.** Saumseligkeit *f*; **3.** Wartezeit *f*; **~dar** *v/i.* **1.** zögern; säumen; *¡no tardes!* halte dich nicht auf!, bleib' nicht zu lang(e)!; komm bald!; *sin* ~ unverzüglich; ~ *en* zögern mit (*dat.*), nicht gleich + *inf.*; lange nicht fertig werden mit (*dat.*); **2.** auf s. warten lassen; lange ausbleiben; **3.** (lange) dauern; *a más* ~ spätestens; *¿cuánto (tiempo) se tarda de aquí a la estación?* wie lange braucht man von hier (bis) zum Bahnhof?
tarde I. *adv.* spät; zu spät; *de* ~ *en* ~ von Zeit zu Zeit; selten; *se me hace* ~ es wird mir zu spät; es dauert mir zu lange; ich habe es eilig; *llegar* ~ (zu) spät kommen; *Spr. más vale* ~ *que nunca* besser spät als nie; *a. iron.* spät kommt Ihr, doch Ihr kommt ...!; **II.** *f* Nachmittag *m*; (früher) Abend *m*; *¡buenas* ~*s!* guten Tag! (*am Nachmittag*); guten Abend! (*am frühen Abend*); *esta* ~ heute abend; *hacia la* ~ gg. Abend; *por la* ~ nachmittags, am Nachmittag; **~cer** [2d] *v/i.* Abend werden; **~cita** *f* Spätnachmittag *m*; Dämmerstunde *f.*
tardígrados *Zo. m/pl.* Faultiere *n/pl.*
tar|dío I. *adj.* **1.** spät, Spät...; verspätet; *animal m* ~ Spätling *m*; **2.** zögernd, säumig; langsam; *ser muy* ~ *en el andar* ein recht langsamer Fußgänger sein; **II.** *m* ⚒ **3.** *mst.* ~*s m/pl.* Spätsaat *f*; **~dísimo** *adv.* sehr spät; **~do** *adj.* **1.** langsam; schwerfällig; träge; ~ *de comprensión* beschränkt(en Geistes); ~ *de oído* schwerhörig; **2.** (zu) spät, nachträglich; **~dón I.** *adj.* träge; schwer von Begriff; **II.** *m* Zauderer *m*; Faulenzer *m.*
tarea *f* **1.** Arbeit *f*; *a. Sch.* Aufgabe *f*; *p. ext.* Mühe *f*; *Am. trabajar por* ~ gg. die Uhr arbeiten; **2.** → *a. deber.*
targui *adj.-su. c sg.* Targi *m* (*Angehöriger der Tuareg, Afrika*; → *tuareg*).
tárgum *Rel. m* Targum *n.*
tarifa *f* **1.** Tarif *m*, Satz *m bzw.* Sätze *m/pl.*; Gebühr *f*; Tarif *m*, Preisliste *f*; ~ *aduanera (escalonada, graduada)* Zoll- (Staffel-)tarif *m*; ~ *mínima (única)* Minimal- (Einheits-)tarif *m*; ~*s f/pl. de publicidad* Anzeigenpreise *m/pl.* (*Zeitung usw.*); ~ *de salarios* Lohntarif *m*; ~ *de transporte* Gütertarif *m*, Frachtsatz *m*; **2.** Fahrpreis *m*; **~r I.** *v/t.* den Tarif (*bzw.* den Preis) festsetzen für (*ac.*); tarifieren, den Tarif anwenden auf (*ac.*); **II.** *v/i.* F s. verfeinden, s. verkrachen F; **~rio** *adj.* Tarif...
tarima *f* **1.** Podium *n*, Bühne *f*; **2.** (Fenster-)Tritt *m*; Fußbank *f*; **3.** Pritsche *f*; **~dor** *Zim. m* Podienbauer *m.*
tar|ja *f* **1.** Tartsche *f* (*gr. Schild der Ritterzeit*); **2.** Kerb-holz *n*, -stock *m*; *p. ext.* Kerbe *f als Kaufzeichen*; *fig. beber sobre* ~ s. die Getränke anschreiben lassen, auf Pump trinken F; **3.** *Reg.* → *contraseña, ficha*; **4.** *fig.* F Schlag *m*, Hieb *m*; **5.** *Reg.* → *tarjeta*; **~jar** *v/t.* **1.** ankerben, *p. ext.* anschreiben; **2.** *Chi.* ausstreichen; **~jero** *m* Anschreibende(r) *m*; **~jeta** *f* Karte *f*; ✈ ~ *de embarque* Bordkarte *f*; ~ *de expositor* Ausstellerausweis *f* (*b. Messen*); ~ *de identidad* Kennkarte *f*; ~ *neumática od. tubular (perforada)* Rohrpost- (Loch-)karte *f*; (~) *postal f ilustrada* Ansichts(post)karte *f*; (~) *postal f con respuesta pagada* bezahlte Antwortpostkarte *f*; ~ *de visita* Visitenkarte *f*; **~jetearse** F *v/r.* ea. Karten schreiben; **~jetera** *f oft Am.* → **~jetero** *m* Visitenkartentäschchen *n*; Besuchskartenschale *f.*
tarlatana *tex. f* Baumwollgaze *f*, Tarlatan *m*; Steif- *bzw. Buchb.* Heft-gaze *f.*
tármica ♀ *f* weißer Dorant *m.*
taro¹ *Vo. m Arg.* am. Geier *m.*
taro² ♀ *m Ven.* Karibenkohl *m.*
taropé *Gua.* ♀ *m Arg.*, *Bol. Victoria f regia.*
tar|quín *m* Setz-, Teich-schlamm *m*; **~quina** ⚓ *adj.-su. f (vela)* ~ Sprietsegel *n*; **~quinada** *fig.* F *f* Vergewaltigung *f*, Notzucht *f*; **~quino** *adj. Arg.* von guter Rasse (*Rind*).
tarraconense *adj.-su. c* aus Tarragona; *hist. España f* ~ *lt. Hispania f Tarraconensis.*
tárrago ♀ *f* Wiesensalbei *m/f.*
tarreñas *f/pl. Art* Kastagnetten *f/pl.*
tarro *m* **1.** Einmach-topf *m bzw.* -glas *n*; Topf *m*, Tiegel *m*; ~ *de vidrio roscado* Schraubglas *n*; **2.** *Ant., Méj.* → (*a. fig.*) *cuerno*; **3.** F *Col.* ~ (*de unto*) Zylinder(hut) *m.*
tarso *Anat. m* Fußwurzel *f.*
tarta *f* Torte *f*; ~ *de frutas* Obst-torte *f*, -törtchen *n*; -kuchen *m.*
tártago *m* Unglück *n*; Verdruß *m.*
tarta|joso *adj.* stotternd; **~lear** F *v/i.* wackeln, schwanken; ins Stokken geraten (*b. Sprechen*); **~mudear** *v/i.* stottern; **~mudez** *f* Stottern *n*, Stammeln *n*; **~mudo** *adj.-su.* stotternd; *m* Stotterer *m.*
tartana *f* **1.** Tartane *f* (*Segelboot*); **2.** zweirädriger Planwagen *m* (*bespannt*).
tartanchar *v/i. Arg.* stottern.
tartáreo *adj.* Unterwelt..., Höllen..., Teufels...
tartari|nada *f* erfundenes (*od.* übertriebenes) Abenteuer *n*; **~nesco** *adj.* großtuerisch übertreibend.
Tártaro¹ *Myth. m* Tartaros *m*, Unterwelt *f*; Hölle *f.*
tártaro² *m* **1.** ⚗ Weinstein *m*; *pharm.* ~ *emético* Brechweinstein *m*; **2.** Zahnstein *m.*
tártaro³ *adj.-su.* → *tátaro.*
tartera *f* **1.** → *tortera*; **2.** Kochtopf *m*; Eßgeschirr *n.*
tartrato ⚗ *m* Tartrat *n.*
tártrico ⚗ *adj.* Weinstein...; *ácido m* ~ Weinsteinsäure *f.*
tartu|fería *f* Scheinheiligkeit *f*; **~fo** *m* Heuchler *m*, Scheinheilige(r) *m.*
tarugo *m* Pflock *m*; Dübel *m*; Zapfen *m*; Holznagel *m*; Holzwürfel *m*; *fig.* F Dickschädel *m.*
tarumba F *f* ⚒ (heillose) Verwirrung *f*; *fig. volver a uno* ~ j-n total verrückt machen F.
tas ⊕ *m* Einsteckamboß *m*, Stöckel *m.*
tasa *f* **1.** Gebühr *f*, Taxe *f*; Taxpreis *m*; Abgabe *f*; ~*s f/pl.* Gebühren *f/pl.*; *precio m de* ~ (amtlich) festgesetzter (Tax-)Preis *m*; *Rpl.* ~ *de compensación (para importaciones)* (Import-)Ausgleichsabgabe *f*; **2.** → *tasación*; **3.** *fig.* Maß *n*, Richtschnur *f*; *sin* ~ maßlos; *poner* ~ mäßigen, beschränken; **4.** *Tel.* Fernsprechgebühr *f*; **5.** Rate *f*; *a.* Zinsfuß *m*; ~ *de crecimiento* Wachstumsrate *f*; **~ble** *adj. c* abschätzbar; taxierbar; **~ción** *f* Schätzung *f*, Taxierung *f*; Taxe *f*; ~ (*de los impuestos*) Veranlagung *f* (*Steuer*); **~dor** *m* (amtlicher) Schätzer *m*, Taxator *m.*
tasajo *m* Dörrfleisch *n*; Selchfleisch *n*; *p. ext.* Schnitte *f* (*Fleisch*).
tasar *v/t.* schätzen, taxieren; (*zur*) *Steuer* veranlagen.
tasca *f* **1.** F Kneipe *f*; **2.** Spielhölle *f*; □ Haus *n*; P → *riña*; **3.** *Pe.* Brandung *f.*
tasca|dor ⚒ *m* Hanfbreche *f*; **~r** [1g] *v/t. Hanf, Flachs* brechen; *p. ext. das Futtergras* zwischen den Zähnen zerknacken (*Weidetiere*).
tastana ⚒ *f* **1.** Verkrustung *f des Bodens* (*b. Dürre*); **2.** Scheidewand *f* (*b. einigen Früchten*).
tasto *m* muffiger *od.* ranziger (Nach-)Geschmack *m verdorbener Lebensmittel.*
tata I. *f Kdspr.* Kindermädchen *n*; *Reg. Kosename für* kl. Schwester *f*; **II.** *m Reg. u. Am.* (*bsd. And. oft Respektsanrede*) Vater *m*, Papa *m* F.
tatara|buela *f* Ururgroßmutter *f*; **~buelo** *m* Ururgroßvater *m*; **~nieto** *m* Ururenkel *m.*

tataré ⚘ *m Rpl.* Mimosenbaum *m.*
tatarear *v/i.* (e-e Melodie) summen.
tátaro *adj.-su.* tatarisch; *m* Tatar *m.*
tatas F: *andar a* ~ Gehversuche machen (*Kind*); auf allen vieren kriechen.
¡tate! *int.* ei!; sieh da!; sachte!; F [*a.* ja, freilich!] F
tato¹ *m Reg. u. Chi. Kosename für* kl. Bruder *m bzw. für* Kind *n.*
tato² *adj.* stotternd, e-n Sprachfehler habend (*wenn s u. c wie t ausgesprochen werden*).
tatú *Zo. m Chi., Rpl.* Gürteltier *n.*
tatua|je *m* Tätowierung *f*; **~r** [1d] *v/t.* tätowieren.
tatusa *f Arg., Bol.* Mädchen *n*; *desp.* Weibsstück *n.*
tau I. *m* Taw *n* (*hebräischer Buchstabe*); **2.** → *tao¹*; **II.** *f* **3.** Tau *n* (*griech. Buchstabe*).
taujía *f* → *ataujía.*
tauma|turgia *f* Wundertätigkeit *f*; **~túrgico** *adj.* wundertätig; **~turgo** *m* Wundertäter *m*, Thaumaturg *m.*
tau|rino *adj.* Stier...; Stierkampf...; *fiesta f* **~a** Stierkampf *m*; **♀ro** *Astr. m* Stier *m*; **~rófilo** *m* Stierkampfliebhaber *m*; **~rómaco I.** *adj.* → *tauromáquico*; **II.** *m* Kenner *m* des Stierkampfs; **~romaquia** *f* Stierfechterkunst *f*; **~romáquico** *adj.* Stierkampf...
tauto|logía *f* Tautologie *f*; **~lógico** *adj.* tautologisch.
taxáceas ⚘ *f/pl.* Eibengewächse [*n/pl.*]
taxativo *adj.* beschränkend.
taxi *m* Taxi *n*; *fig.* P *hacer el* ~ auf den Strich gehen P.
taxider|mia *f* Ausstopfen *n von Tieren*; **~mista** *m* Präparator *m.*
ta|xímetro *m* Fahrpreisanzeiger *m*, Taxameter *m*; **~xista** *c* Taxifahrer(in *f*) *m.*
taya *f* **1.** *Pe.* **a)** Amulett *n der Jäger u. Fischer*; **b)** ⚘ *tara 3*; **2.** *Col.* Giftviper *f* (*Bothrops lanceolatus*).
taylorismo *m* Taylorsystem *n* (*Arbeitsteilung*).
tayuyá ⚘ *Gua. f Rpl. melonenähnliche Pfl.* (*Cayaponia tayuya*).
taz: ~ *con* ~ gleich; *quedar* ~ *con* ~ gleichstehen (*Ergebnis*).
ta|za *f* Tasse *f*; *p. ext.* Schale *f*, Becken *n*; Klosett- *bzw.* Pissoirbecken *n*; **~zón** *m* gr. Tasse *f* (*mst. ohne Henkel*); Napf *m*; *p. ext.* (Brunnen-)Becken *n.*
te¹ *pron.* dir, dich.
te² *f* T *n* (*Buchstabe*); → *a.* T.
té *m* **1.** ⚘ Teestrauch *m*; **2.** Tee *m*; ~ *de China* Chinatee *m*; ~ *de Méjico* → *pazote*; ~ *del Paraguay* (*od. de los jesuitas*) Mate *m*; *fig.* F *dar el* ~ belästigen.
tea *f* Kien-span *m*; -fackel *f.*
team *engl. m* Team *n*: Arbeitsgruppe *f bzw.* Mannschaft *f.*
teatino *kath. m* Theatiner(mönch) *m.*
tea|tral *adj. c* theatralisch; Theater...; **~tralidad** *f* **1.** Bühnenfähigkeit *f*; Bühnengemäßheit *f*; **2.** theatralisches Gehabe *n*; **~tro** *m a. fig.* Theater *n*; *fig. a.* Schauplatz *m*; *a. fig.* de ~ Theater...; ~ *de aficionados, a.* ~ *casero* (*de bolsillo*) Liebhaber- (Zimmer-)theater *n*; ~ *al aire libre* Freilichtbühne *f*; ~ *ambulante* Wanderbühne *f*; *fig.* ~ *de guerra* (*od. de operaciones*) Kriegsschauplatz *m*; ~ *de variedades* Varieté *n*; *p. ext.* el ~ *de Lope de Vega* die Dramen (*od.* die Bühnenwerke) *n/pl.* Lope de Vegas.
tebaico *adj.* **1.** aus Theben (*Altägypten*); **2.** *pharm.*: *extracto m* ~ Opiumextrakt *m.*
té-baile *m* Tanztee *m.*
te|baína ⚗ *f* Thebain *n*, Paramorphin *n*; **~bano** *Geogr.* (*Griechenland*) *adj.-su.* thebanisch; *m* Thebaner *m.*
tebeo F *m* Kinderzeitschrift *f* mit „*comic strips*"; *desp.* „Blättchen" *n*; *fig.* F *más conocido que el* ~ bekannt wie ein bunter Hund F.
teca *f* Teak(holz) *n.*
tecla *f* ♪, ⊕, ⚡ Taste *f*; Klappe *f*; Klinke *f*; *fig.* kitzlige Sache *f*; ~ *muerta* Leertaste *f* (*z. B. Schreibmaschine*); ~ *pulsadora* Druckknopftaste *f b. Geräten*; ~ *de retroceso* Rück(lauf)taste *f* (*b. Schreibmaschinen*); ~ *selectora* Wählertaste *f*; *fig.* F *dar en la* ~ den Nagel auf den Kopf treffen; *fig.* F *dar en la* ~ *de* + *inf.* auf den Tick verfallen, zu + *inf.*; ⊕ *pulsar* (♪ *tocar*) *una* ~ e-e Taste drücken (♪ anschlagen); *fig.* F *tocar todas las* **~s** alle Register ziehen, kein Mittel unversucht lassen; **~do** *m Geräte*: Tastatur *f*; ♪ Tasten *f/pl.*; *Orgel*: Manual *n*; Tastenfeld *n* (*Schreibmaschine*).
tecle¹ ⚓ *m* Flaschenzug *m mit nur einer Rolle.*
tecle² *adj. c Chi.* → *enclenque, tembleque.*
tecle|ar I. *v/i.* die Tasten anschlagen; F (auf e-m Instrument) herumklimpern; (mit den Fingern) trommeln; **II.** F *v/t.* befummeln F; *e-e Sache* deichseln F, managen F; **~o** *m* Geklimper *n.*
técnica *f* Technik *f*; ~ *de aprender* Lerntechnik *f*; ~ *de medición* Meßtechnik *f*; ~ (*musical*) *del piano* Technik *f* des Klavierspiels.
tecnicismo *m* Fachausdruck *m*; Fachsprache *f.*
técnico I. *adj.* **1.** technisch; fachlich, Fach...; *revista f* **~a** Fachzeitschrift *f*; **II.** *m* **2.** Techniker *m*; ~ *de la construcción* Bautechniker *m*; **3.** Fachmann *m*, Experte *m*; *los* **~s** die Fachleute *pl.*
tec|nicoeconómico *adj.* wirtschaftstechnisch; **~nicotipográfico** *Typ. adj.* drucktechnisch; **~nócrata** *m* Technokrat *m*; **~nología** *f* Technologie *f*; Berufskunde *f*; **~nológico** *adj.* technologisch; technisch.
teco F *m Méj.* Schwips *m*; **~lote** *Na. Vo. m Am. Cent., Cu., Méj.* Eule *f.*
tecomate *Na. m* **1.** *Méj.* irdenes Gefäß *n*; Steintopf *m*; Kalebasse *f* (*Kürbisgefäß*); **2.** ⚘ **a)** *Méj.* Kalebassenbaum *m u. s-e Frucht*; **b)** *Am. Cent.* Flaschenkürbis *m*;
techa|do *m* Dach *n*, Bedachung *f*; **~dor** *m* Dachdecker *m*; **~r** *v/t.* bedachen, decken.
techichi *Na. m Méj.* „Steinhund" *m*, *kl. fast haarlose Hunderasse der Azteken.*
te|cho *m* **1.** Dach *n*; Zimmerdecke *f*; → *a. tejado*; *fig.* Heim *n*; *Kfz.* ~ *arrollable* (*plegable, corredizo*) Roll- (Falt-, Schiebe-)dach *n*; ~ *macizo* Massivdecke *f*; ⚒ ~ *pendiente* Hangende(s) *n*; ~ *voladizo* Kragdecke *f*; freitragendes Pultdach *n*; **2.** *Ballistik*: ✈ Steig-, Gipfelhöhe *f*; **~chumbre** *f* **1.** △ Dachverband *m*, -werk *n*; **2.** Dächer *n/pl. e-r Stadt.*
Tedéum *ecl. m* Te Deum *n.*
tedio *m* **1.** Langeweile *f*; **2.** Überdruß *m*; Widerwille *m*, Ekel *m*; **~so** *adj.* **1.** langweilig; **2.** fade; zuwider.
teína ⚗ *f* Thein *n.*
teís|mo *Phil. m* Theismus *m*; **~ta** *adj.-su. c* theistisch; *m* Theist *m.*
teja *f* Dach-ziegel *m*, -pfanne *f*; *cubierta f de* ~ Ziegeldach *n*; *fig.* (*sombrero m de*) ~ Priester-, Schaufelhut *m*; △ ~ *acanalada* Hohlpfanne *f*; ~ *con borde* (*od. de encaje*) *od.* ~ *ribeteada* Falz-ziegel *m*, -pfanne *f*; ~ *de caballete* (*od. del remate*) Firstziegel *m*; ⚔ ~ *de carga* Lademulde (*Waffe*); ~ *de cresta* (*od. de copete*) Grat-, Walm-ziegel *m*; ~ *hueca, a.* ~ *vana* Hohlziegel *m*; ~ *plana* (*de doble falda*) Biberschwanz(doppeldeckung *f*) *m*; *a* ~ *vana* unter dem Dach; *fig.* ins Blaue hinein, unbegründet; *fig. a toca* ~ bar auf den Tisch, in barem Geld; *de* **~s** *abajo* hier auf Erden; nach dem natürlichen Lauf der Dinge; *de* **~s** *arriba* im Himmel; nach Gottes Willen.
teja|dillo *m* (Wetter-)Dach *n*; Wagendach *n*; ~ *del muro* Mauerdach *n*; **~do** *m* Dach *n*; Bedachung *f*; Dachverband *m*; *con* ~ überdacht; ~ *de tejas* Ziegeldach *n*; ~ *a cuatro aguas* (*od. de copete*) Walmdach *n*; ~ *a* (*od. de*) *dos aguas*, ~ *de* (*od. a*) *dos vertientes* Satteldach *n*; ~ *de caña* (*de chillas, de paja*) Schilf- (Schindel-, Stroh-)dach *n*; ~ *de cartón alquitranado*, ~ *de cartón asfáltico* Pappdach *n*; ~ *imperial* Zwiebel-haube, -kuppel *f*; ~ *de una sola vertiente* Pultdach *n*; ~ *de pizarra* (*de cristal*) Schiefer- (Glas-)dach *n*; ~ *plano* Flachdach *n*; ~ *real* (*od. de corona*) Ritter- (*od.* Kronen-)dach *n*; *fig.* F *la pelota está en el* ~ die Sache ist noch nicht entschieden, es ist noch alles in Fluß; **~dor** *m* Dachdecker *m*; **~manil** *m bsd. Am. Mer.* Schindelplatte *f.*
tejano *adj.-su.* texanisch, aus Texas; *m* Texaner *m.*
tejar¹ *m* Ziegelei *f*; **~²** *v/t.* (mit Ziegeln, *p. ext.*: *mit anderem Material*) decken; bedachen.
teje|dor *m* **1.** Weber *m*; **2.** *Vo.* **~es** *m/pl.* Webervögel *m/pl.*; **~dora** *f* Weberin *f*; **~dura** *f* Weben *n*; Webart *f*; **~duría** *f* Weberei *f*; ~ *en crudo* Weißweberei *f*; ~ *de terciopelo* Samtweberei *f*; **~maneje** *m* Fixigkeit *f*; *fig.* F Intrigenspiel *n*; **~r** *v/t.* weben; wirken; flechten; *Am. a.* stricken; *fig. Ränke* schmieden; *bsd. Am. Gerüchte* in Umlauf setzen.
teje|r(í)a *f* Grobkeramik *f*; Ziegelei *f*; **~ro** *m* Ziegelbrenner *m.*
tejido *m* Gewebe *n*; *tex.* **~s** *m/pl.* Textilien *pl.*; ~ *de punto* Trikot *n*; △ ~ *metálico* Metallgeflecht *n*, Stahlgewebe *n*; *Anat.* ~ *adiposo* (*muscular, óseo*) Fett- (Muskel-, Knochen-)gewebe *n.*

tejo[1] ⚘ *m* Eibe *f*, Taxus *m*.
tejo[2] *m* **1.** Holz- *bzw.* Metall-scheibe *f*; *p. ext.* Beilke- *od.* Klipper-spiel *n*; **2.** Münzplatte *f*; **3.** Goldbarren *m*.
tejocote ⚘ *m* mexikanischer Weiß-[dorn *m*.]
tejoleta *f* Ziegelstück *n*; F Klamotte *f* F; ~**s** *f/pl. a.* → *tarreñas*.
te|jón *Zo. m* Dachs *m*; ~**jonera** *f* Dachsbau *m*.
tejue|la *f* Dachziegel *m*; *Equ.* Schaft *m des Sattelgestells*; ~**lo** *m* **1.** Ziegelstück *n*; **2.** *Buchb.* Rückentitel *m*; *a.* Schildchen *n* (*zum Aufkleben v. Titel u. Kennummern b. Büchern e-r Bibliothek*); **3.** ⊕ Wellen- *bzw.* Zapfen- *od.* Spur-lager *n*; Unterlager *n*; **4.** *vet.* Hufbein *n der Pferde usw.*
tela *f* **1.** Gewebe *n*; Zeug *n*, Stoff *m*; *p. ext.* Leinen *n*, Leinwand *f*; *tex. a.* Aufzug *m*; *fig.* F Stoff *m*, *a.* Thema *n*; P Geld *n*, Zaster *m* P; ~ *de araña* → *telaraña*; ~ *de embalaje* Rupfen *m*, Sackleinwand *f*; ~ *encerada* Wachstuch *n*; ~ *filtrante* Filtertuch *n*; *de* ~ *fina* aus feinem Zeug; ~ *de goma a. Typ.* Gummituch *n*; ~ *de lana* Wollstoff *m*, Tuch *n*; ~ *metálica* (*od. de alambre*) Drahtgeflecht *n*; Maschendraht *m*; Fliegengitter *n*; ~ *de recubrimiento* Bespannstoff *m*; ~ *tupida* dichtgewebter Stoff *m*; engmaschiges Drahtgitter *n*; *fig. estar en* ~ *de juicio* unsicher sein (*Zutreffen, Erfolg*); F *haber* ~ *para rato* kein Ende nehmen, lange vorhalten (*z. B. Arbeit*), sehr ergiebig sein (*z. B. Thema usw.*); F *hay mucha* ~ das gibt viel zu tun, da steckt e-e Menge Arbeit drin F; F *hay* ~ *cortada* die Sache läuft nicht so richtig F; *poner en* ~ *de juicio* anzweifeln; bestreiten, in Abrede stellen; genau prüfen (wollen); **2.** ⚘ Schalhaut *f*; *Anat.* (Gehirn- *usw.*) Haut *f*; Hornhaut *f auf dem Auge*; ⚘ Kernhaut *f des Granatapfels*; Häutchen *n* (*z. B. Schimmelbildung auf Flüssigkeiten*); ~ *de cebolla* Zwiebelhaut *f*; *fig.* F hauchdünner Stoff *m bzw.* fadenscheiniges Zeug *n*; *fig.* F *llegarle a uno a las* ~**s** *del corazón* j-n im Innersten treffen, j-m sehr an die Nieren gehen F; **3.** † (Turnierplatz-) Schranken *f/pl.*; *p. ext.* † *u. Reg.* Turnier- *bzw.* Fest-platz *m*; **4.** *Jgdw.* **a)** Jagdtuch *n*; **b)** Einstellplatz *m b. e-r Zeugjagd*; *caza f con* ~**s** Zeugjagd *f*; **c)** *p. ext. Reg.* → *sabogal*.
telar *m* **1.** Webstuhl *m*; ~ *automático* Webautomat *m*; ~ *casero* (*Jacquard*) Haus- (Jacquard-)webstuhl *m*; **2.** *Buchb.* Heftlade *f*; **3.** △, *Thea.* Schnürboden *m*.
telara|ña *f* Spinngewebe *n*; *fig.* F *tener* ~**s** *en los ojos* k-e Augen im Kopf haben, ein Brett vorm Kopf haben F; ~**ñoso** *adj.* voller Spinnweben.
tele[1] F *f* Fernsehen *n*.
tele...[2] 📖, ⊕ *pref.* Tele..., Fern...
tele|brújula *f* Fernkompaß *m*; ~**cabina** *f* Kabinenlift *m* (*Ski*); ~**cámara** *f* Fernkamera *f*; ~**cinema** *m* Fernkino *n*; ~**comunicación** *f* **1.** *mst.* ~**ones** *f/pl.* Fernmeldewesen *n*; **2.** ⚒ Fernverbindung *f*; ~**conectar** ⚡ *v/t.* fern(ein)schalten; ~**conector** ⚡ *m* Fernschalter *m*; ~**conexión** ⚡ *f* Fernschaltung *f*; ~**control** *m* Fernkontrolle *f*; Fernsteuerung *f*; ~**diario** *TV m* Tagesschau *f*; ~**dinamia** *Phys. usw. f* Fernwirkung *f*; ~**dinámico** *adj.* durch Fernwirkung; ~**dirigido** *adj.* ferngelenkt, -gesteuert; Fernlenk...; ⚔ *arma f* ~**a** Lenkwaffe *f*; ~**enseñanza** *f* Fern(seh)unterricht *m*; ~**férico** *m* Drahtseilbahn *f*; Seilschwebebahn *f*.
tele|fonazo F *m* Anruf *m*; *dar un* ~ *a alg.* j-n anrufen; ~**fonear** *vt/i.* telephonieren, anrufen; ~**fonema** ☎ *m* telephonische Durchsage *f*; ~**fonía** *f* Telephonie *f*, Fernsprechwesen *n*; ~ *automática* Selbstwählverkehr *m*; ~**fónica** *adj.-su. f* Telephongesellschaft *f* (*a. Gebäude*); ~**fónico** *adj.* telephonisch, fernmündlich; *cabina f* ~**a** Fernsprechzelle *f*; *central f* ~**a** ☎ Fernsprechamt *n*; Vermittlung(szentrale) *f*; ~**fonista** *c* Telephonist(in *f*) *m*.
teléfono *m* Fernsprecher *m*, Telephon *n*; ~ *automático* Selbstwählanschluß *m*; ~ *en derivación*, ~ *supletorio* Neben-anschluß *m*, -stelle *f*; ~ *de pared* Wandapparat *m*; ~ *de mesa* Tischtelephon *n*; ~ *público* öffentliche Sprechstelle *f*.
tele|foto *Phot. f* Fernaufnahme *f*; ~**fotografía** *f* Telephotographie *f*; *a.* Fernbildübertragung *f*; ~**gobernar** [1k] *v/t.* fernsteuern; ~**gobierno** *m* Fernbedienung *f*; ~**grafía** *f* Telegraphie *f*; ~ *de imágenes* Bildtelegraphie *f*; ~ *sin hilos*, *Abk. T.S.H.* drahtlose Telegraphie *f*; ~**grafiar** [1c] *v/t.* telegraphieren; drahten *bzw.* funken; ~**gráfico** *adj.* telegraphisch, Telegraphen...; Draht...; *estilo m* ~ Telegrammstil *m*; *hilo m* ~ Telegraphen- (*od.* Leitungs-)draht *m*; ~**grafista** *c* Telegraphist(in *f*) *m*; ⚓, ✈, *oft* ⚔ Funker *m*.
telégrafo *m* Telegraph *m*; ☎ ~ *automático* (*bzw. por cinta perforada*), ⚓ ~ *de máquinas* Maschinentelegraph *m*; *poste m de* ~**s** Telegraphenmast *m*.
tele|grama *m* Telegramm *n* (aufgeben *poner*); ~ *de adhesión*, ~ *de simpatía* (*de felicitación*, *de lujo*) Gruß- (Glückwunsch-, Schmuck-) telegramm *n*; ~**guiar** [1c] *v/t.* fern-lenken, -steuern; ~**impresor** *m* Fernschreiber *m*; ~**indicador** *m* Fernanzeiger *m*; ~**interruptor** ⚡ *m* Fernschalter *m*; ~**kinesia** *Psych. f* Telekinese *f*; ~**kino** *m* Fernkino *n*; ~**lectura** *f* Fernablesung *f*; ~**mando** ⊕ *m* Fern-steuerung *f*, -bedienung *f*; ~**mecánico** *adj.* durch Fernsteuerung (betätigt); ~**metría** *f* **1.** ⚡ Fernmeßtechnik *f*; **2.** ⚔ Entfernungsmessen *n*; ~**métrico** *adj.* fernmeßtechnisch.
te|lémetro *m a. Phot.* Entfernungsmesser *m*; ~**le(e)misora** *TV f* Fernsehsender *m*; ~**lenovela** *TV f* Fernsehspiel(serie *f*) *n*; ~**leobjetivo** *Phot. m*: ~ (*superangular*) (Weitwinkel-)Teleobjektiv *n*.
teleo|logía *Phil. f* Teleologie *f*; ~**lógico** *adj.* teleologisch.
teleósteos *Zo. m/pl.* Knochenfische *m/pl.*
telépata *Psych. m* Telepath *m*.
tele|patía *Psych. f* Telepathie *f*; Gedankenübertragung *f*; ~**pático** *adj.* telepathisch; ~**proyectil** *m* Ferngeschoß *n*.
tele|ra *f* **1.** Lenkscheit *n an Pflug u. Wagen*; ⚔ Lafettenriegel *m*; **2.** Plankenpferch *m für Vieh*; **3.** *Buchb.*, *Zim.* Backe *f e-r Zwinge*; **4.** *Méj. Art* Weißbrot *n od.* Einback *m*; ~**ro** *m* Runge *f*; Leiterwagensprosse *f*.
tele|rreglaje ⚡ *m* Fernregelung *f*; ~**rreportaje** *m* Fern(seh)reportage *f*.
teles|cópico *adj.* ausziehbar; ~**copio** *m* Teleskop *n*, Spiegelfernrohr *n*; Fernrohr *n*.
telesilla *f* Sessellift *m*.
telesis *Soz. f*: ~ *social* gesellschaftliche Planung *f* (*vgl. planificación*).
tele|spectador *m* Fernseh-zuschauer *m*, -teilnehmer *m*; ~**squí** *m* Skilift *m*; ~**técnica** *f* Fernwirktechnik *f*; ~**termómetro** *m* Fernthermometer *n*; ~**texto** *m* Fernschreiben *n*; ~**tipo** *m* Fernschreiber *m*; ~**trineo** *m* Schlittenlift *m*; ~**vidente** *c* Fernsehteilnehmer *m*; ~**visar I.** *v/t.* im Fernsehen übertragen (*od.* bringen); **II.** F *v/i.* fernsehen; ~**visión** *f* Fernsehen *n*; ~ *en colores* Farbfernsehen *n*; ~**visivo** *adj.* Fernseh...; ~**visor** *m* Fernsehgerät *n*, Fernseher *m* F; ~ *de color* Farbfernsehgerät *n*.
telex *m* Fernschreibverkehr *m*; [Telex *n*.]
telilla *f* **1.** dünnes (Woll-)Zeug *n*; **2.** Haut *f* (*Milch, Schimmel u. ä.*).
te|lón *m* **1.** *Thea.* Vorhang *m*; ~ *de foro* Zwischenvorhang *m*; ~ *metálico* eiserner Vorhang *m*; *sube od. se levanta* (*baja*) *el* ~ der Vorhang geht auf (fällt); **2.** *fig. Pol.* ~ *de acero* Eiserner Vorhang *m*; ~ *de bambú* Bambusvorhang *m*; ~**lonera** *Thea. f* Vorhang *m* vor dem Eisernen Vorhang (*mst. zu Reklamezwecken benutzt*).
telson *Biol. m* Telson *n*.
te|lúrico *adj.* tellurisch, erdhaft; ~**lurio** ⚗ *m* Tellur(ium) *n*; ~**lurismo** *m* Tellurismus *m*; Erdabhängigkeit *f*; Erdhaftigkeit *f*; ~**luro** *Min. m*: ~ *gráfico* Schrifterz *n*.
telli|z *m* Pferdedecke *f*, Schabracke *f*; ~**za** *f* (schwere) Bettüberdecke *f*.
tema I. *m* **1.** *a.* ♪ Thema *n*; Gesprächsstoff *m*; Gg.-stand *m*, Sujet *n*; Aufgabe *f*; ~ *de concurso* Preisaufgabe *f*, -frage *f*; *desarrollar un* ~ ein Thema behandeln (♪ entwikkeln); **2.** *Li.* Thema *n*; Stamm *m*; ~ *nominal* (*verbal*) Nominal- (Verbal-) stamm *m*; **II.** *m*, *K u. Reg. f* **3.** fixe Idee *f*; Schrulle *f*, Spleen *m*; *a.* Steckenpferd *n*; *tomar* ~ s. et. in den Kopf setzen; **4.** Abneigung *f*, Widerwille *m*; *tener* ~ *a* (*od. contra*) *alg.* j-n nicht mögen; ~**rio** *m* Themen-liste *f*, -kreis *m*.
temáti|ca *f* Thematik *f*; ~**co** *adj.* thematisch; Thema..., Themen...; *Li.* Stamm...; *Li. vocal f* ~**a** Thema-, Stamm-vokal *m*.
tem|bladera *f* **1.** ⚘ Zittergras *n*; *Pe. Art* Schachtelhalm *m*; **2.** *Zo.* Marmorrochen *m*; **3.** Tümmler *m* (*Gefäß*); **4.** → *tembleque 3*; **5.** *Am.* Zittern *n*; **6.** *Arg.* (*And.*) Zitter-

krankheit *f* (*Pferdeseuche*); **7.** *Am.* → **~bladero** *Am. m* → *tremedal*; **~blador I.** *adj.* **1.** bebend, zitternd; **II.** *m* **2.** Zitterer *m*; *Rel.* Quäker *m*; **3.** Wobbler *m der Angler*; **~blar** [1k] *v/i.* zittern; beben; *p. ext.* s. fürchten; bangen (um *ac.* *por*); ~ *como una hoja* (*od.* *como un azogado*) zittern wie Espenlaub; ~ *de espanto* vor Schrecken beben; *fig.* F *dejar* (*estar, quedar*) *temblando* fast leeren (beinahe leer sein) (*Glas nach e-m kräftigen Schluck usw.*); *hacer* ~ erzittern lassen; *le tiemblan todos los miembros* er schlottert an allen Gliedern; *no tiene miedo ni tiembla ante nadie ni nada* er fürchtet nichts u. niemanden; *todo me tiembla* mir zittern alle Glieder; **~bleque I.** *adj. c* **1.** ⚒ *u. Reg.* → *temblón, trémulo*; **II.** *m* **2.** Zittern *n*; **3.** Zitternadel *f* (*Schmuck*); **~blequear** F *v/i.* ständig zittern; am ganzen Leibe zittern, bibbern F; *temblequeante* zitternd, (sch)wabbelig F; **~blequera** F *f* Schlottern *n*; **~blón** *adj.* zitternd; ✿ *álamo m* ~, *a.* ~ *m* Zitterpappel *f*; **~blor** *m* Zittern *n*; ~ *de mar* (*de tierra*) See- (Erd-)beben *n*; **~bloroso** *adj.* zitterig; ~ *de miedo* angstzitternd.

teme|dero *adj.* zu fürchten(d); **~dor** *adj.-su.* fürchtend; ~ *de un castigo* aus Furcht vor Strafe.

tememe *m Méj.* *indianischer* (Last-)Träger *m*.

te|mer *vt/i.* fürchten; *nur v/t.* befürchten; ~ *a Dios* Gott fürchten; gottesfürchtig sein; ~ *por su vida* für sein Leben fürchten; *temo* (*od.* F *me temo*) *que* + *subj. od.* + *fut.* ich fürchte, daß + *ind.*; **~merario** *adj.* verwegen, waghalsig; tollkühn, vermessen; gewagt; leichtfertig, voreilig (*Behauptung*); **~meridad** *f* **1.** Verwegenheit *f*, Tollkühnheit *f*; **2.** Vermessenheit *f*; Frevel *m*; Wahnsinn *m*; **3.** höchst leichtfertige (*od.* *a.* voreilige) Behauptung *f*; **~meroso** *adj.* furchtsam, ängstlich; zaghaft; ~ *de et.* fürchtend; ~ *de Dios* gottesfürchtig; **~mible** *adj. c* furchtbar; fürchterlich, zu fürchten(d).

temiche ✿ *m Ven.* Temichepalme *f*.

temole *Na. Kchk. m Méj.* Pfefferfleisch *n*; Chili-Tomaten-Tunke *f*.

temor *m* **1.** Furcht *f*, Angst *f*; Scheu *f*; ~ *al castigo* Angst *f* vor Strafe; ~ *de Dios* Gottesfurcht *f*; ~ *de* (*od.* *a*) *la muerte* Furcht *f* vorm Tod(e); *con* ~ ängstlich; scheu; (sehr) verlegen; *por* ~ *de* aus Furcht vor (*dat.*); *sin* ~ furchtlos, unverzagt; *desechar todo* ~ alle Furcht ablegen; mutig handeln; *le tiene mucho* ~ er fürchtet ihn sehr; **2.** Befürchtung *f*, Besorgnis *f*; Argwohn *m*; (bange) Ahnung *f*; *tener el* ~ *de que* + *subj.* (be)fürchten, (daß) + *ind.*

tempana|dor ↗ *m* Zeidelmesser *n der Imker*; **~r** *v/t.* *Bienenstock* abdecken; *Boden* einsetzen *b. Fässern.*

témpano *m* **1.** ♪ Pauke *f*; **2.** ⚠ → *tímpano* 2; **3.** ↗ Abdeckung *f der Bienenstöcke*; **4.** Faßdeckel *m*; *a.* Faßboden *m*; **5.** Scholle *f*, flacher Brocken *m*; ~ (*de hielo*) Eisscholle *f*; *~s m/pl.* *de hielo a.* Packeis *n*; **6.** *Metzgerei*: Seite *f* Speck.

tempe|ración *f* Mäßigen *n*; Mäßigung *f*; **~ramental** *adj. c* Temperaments..., Charakter...; **~ramento** *m* Temperament *n*; *de* ~ *colérico* (*od.* *bilioso, nervioso*) cholerisch, aufbrausend, zornmütig; leicht reizbar; **~rancia** *f* Mäßigung *f*; **~rante** *adj. c* mäßigend; **~ratura** *f* Temperatur *f*; *a.* → *temperie*; *Phys.* ~ *absoluta* Absoluttemperatur *f*; ⊕ ~ *al blanco* (*al rojo*) Weiß- (Rot-)gluthitze *f*; ~ *ambiente* Umgebungstemperatur *f*; Raum-, Zimmer-temperatur *f*; ~ *máxima* Temperatur- (*od.* Wärme-)maximum *n*; ~ *propia* (*superficial*) Eigen- (Oberflächen-)temperatur *f*; *a.* ⚕ *curva* (*bzw.* *gráfica*) *f de la* ~ Temperatur-, ⚕ Fieber-kurve *f*; ⚕ *tener mucha* ~ hohes Fieber haben.

tempe|rie *f* Witterung *f*; **~ro** ↗ *m* gute Saatzeit *f* (*nach den Regenfällen*).

tempes|tad *f* (starker) Sturm *m*; Unwetter *n*; Gewitter *n*; *fig.* Unruhe *f*, Sturm *m*; Flut *f v. Verwünschungen*; heftige Ausea.-setzung *f*; ~ *de arena* Sandsturm *m*; ~ *de aplausos* Beifallssturm *m*; *levantar* *~es* gr. Unruhe stiften, den Aufruhr entfesseln; **~tividad** *f* Rechtzeitigkeit *f*; Schicklichkeit *f*; **~tivo** *adj.* passend, gelegen; **~tuoso** *adj.* stürmisch; Sturm...; Gewitter...

templa[1] *f Mal.* Tempera *f*.

templa[2] ⚒ *f hist.*: *~s f/pl.* Schläfen *f/pl.*

tem|plabilidad ⊕ *f* Härtbarkeit *f*; **~pladero** *m* Kühlkammer *f* (*Glasfabrikation*); **~plado** *part.-adj.* **1.** ♪ gestimmt; *fig.* F *estar bien* (*mal*) ~ gut (schlecht) gelaunt sein; **2.** *fig.* F *Bol., Chi., Col.* verliebt; **3.** ⊕ gehärtet; ~ *al* (*od.* *de*) *soplete*, ~ *por flameado* im Brennstrahl gehärtet; *a. su. m* Brennstrahlhärtung *f*; **4.** maßvoll, gemäßigt; **5.** lau(warm), überschlagen; gemäßigt, mild (*Klima*); **6.** kaltblütig; *fig.* F tapfer, kühn; *fig.* P abgefeimt, verschlagen; *Am. Cent., Méj.* klug, geschickt; *Col., Ven.* streng; **~plador** ♪ *m* Stimmschlüssel *m*; **~planza** *f* **1.** Mäßigkeit *f*; Enthaltsamkeit *f*; *Mal.* Farbabstimmung *f*, Farbenharmonie *f*; ♪ Tonharmonie *f*; *sociedad f de* ~ Temperenzlerverein *m*; **2.** mildes Klima *n*; **~plar I.** *v/t.* **1.** mäßigen; temperieren; *Heißes* abkühlen; *Kaltes* anwärmen; *Starkes* (ab)schwächen *bzw.* verdünnen; *p. ext.* *Schraube, Kabel* mäßig anziehen; *fig.* mäßigen, mildern, besänftigen; **2.** ♪ stimmen; *Mal.* *Farben* abstimmen; **3.** ⊕ abschrecken (mit *dat.* en); *Metall, Glas, Keramik* härten; *fig.* stählen; *sin* ~ ungehärtet; **4.** ⚓ *Segel dem Wind entsprechend* einrichten; **5.** *Col., Ec.* *j-n* zu Boden werfen; *C. Ri.* verprügeln; *Ec., Pe.* töten; **II.** *v/i.* **6.** nicht mehr so kalt sein; wärmer werden (*Wetter*); **7.** *Cu.* → *10*; **III.** *v/r.* *~se* **8.** s. mäßigen; *~se en beber* mäßig trinken; **9.** *Bol., Col., Chi.* s. verlieben; **10.** *Cu., Méj.* fliehen; **11.** *Chi., Méj.* s. den Bauch vollschlagen (*fig.* P); s. hinreißen lassen; **12.** *Ec.* s. ermannen, tapfer sein.

tem|plario *hist. m* Templer *m*, Tempelritter *m*; *los* *~s* → **~ple**[1] *m* Tempelorden *m*, Templer *m/pl.*

temple[2] *m* **1.** Witterung *f*; Temperatur *f*; **2.** Charakteranlage *f*; *de mal* ~ bösartig; **3.** ♪ Stimmung *f*; *fig.* F *mal* ~ Mißstimmung *f*; **4.** ⊕ Härtung *f*; ~ *al aceite* (*al aire*) Öl- (Luft-)härtung *f*; ~ *en frío* Kalthärtung *f*; ~ *vítreo* Glashärte *f* (*Stahl*); *color m de* ~ Anlauffarbe *f*.

templete ⚠ *m* Tempelchen *n*; Pavillon *m*; ~ *de la música* Konzertpavillon *m*.

templista *c* Temperamaler *m*.

templo *m* Tempel *m*; Kirche *f*; *fig.* F *como un* ~ haushoch; riesengroß.

tempo|rada *f* **1.** Zeitraum *m*; Zeit (-lang) *f*; **2.** Jahreszeit *f*; Saison *f*; *Thea.* Spielzeit *f*; *de* ~ Saison...; ~ *de* (*los*) *baños* Bade-zeit *f*, -saison *f*; *Met.* ~ *de lluvias* Regenzeit *f*; **~ral I.** *adj. c* **1.** zeitlich; zeitweilig, zeitweise; **2.** zeitlich, weltlich; *hist.* *brazo m* ~ weltlicher Arm *m* (*bsd.* = Staatsjustiz *f als ausführendes Organ der Inquisition*); **3.** *Anat.* Schläfen...; **II.** *m* **4.** Sturm *m*; † *u.* *Reg.* Unwetter *n*; ⚒ Witterung *f*; *Met.* Regenzeit *f*; **5.** *Anat.* Schläfenbein *n*; **~ralidad** *f* Zeitlichkeit *f*; Weltlichkeit *f*; **~ralizar** [1f] *v/t.* vergänglich machen; verweltlichen; **~ralmente** *adv.* vorübergehend; **~ráneo** ⚒, **~rario** ⚒ *adj.* zeitweilig.

témporas *ecl. f/pl.* Quatember (-fasten *n*) *m*.

temporejar ⚓ *v/t.* beidrehen (*b.* [*Sturm*]).

tempo|rero I. *adj.* auf Zeit angestellt, temporär; **II.** *m* Saisonarbeiter *m*; Aushilfskraft *f*; **~rizar** [1f] *v/i.* **1.** die Zeit verbringen; **2.** s. fügen.

tempra|nal ↗ **I.** *adj. c* Früh...; **II.** *m* Frühkultur *f*; **~nero** *adj.* frühreif; früh- (*bzw.* vor-)zeitig; Früh...; **~no I.** *adj.* früh(zeitig); Früh...; **II.** *adv.* (zu) früh; *mañana* ~ morgen früh.

temu ✿ *m Chi.* Muskatmyrte *f*.

ten F: *ir con mucho* ~ *con* ~ äußerst behutsam zu Werke gehen.

tenaci|dad *f* **1.** Zähigkeit *f*; *a.* Reißfestigkeit *f*; **2.** Hartnäckigkeit *f*, Starrsinn *m*; **~llas** *f/pl.* kl. Zange *f*; Brennschere *f*; Pinzette *f*.

tenante ▨ *m* Schildhalter *m*.

tena|z *adj. c* (*pl.* *~aces*) **1.** zäh; *a.* dickflüssig; reißfest; **2.** beharrlich; unbeugsam; hartnäckig, starrsinnig; **~za** *f* → (*mst.*) *tenazas*; **~zada** *f* Packen *n* mit der Zange; Zangengeräusch *n*; *fig.* heftiges Zubeißen *n*; **~zas** *f/pl.* Zange *f*; ~ *articuladas* Hebelzange *f*; ~ *de corte* (*bzw.* *de sujeción*) Kneifzange *f*; ~ *para tubos* Rohrzange *f*; *fig.* F *eso no puede cogerse ni con* ~ das mag man nicht einmal mit der Zange anfassen; F *manos f/pl. como* ~ Pranken *f/pl.* (*fig.* F).

tenca *f Fi.* Schleie *f*; *fig.* P Rausch *m*.

tencolote *m Méj.* Tragkorb *m der Indianer*.

ten|dajo *m* → *tendejón*; **~dal** *m* **1.** Sonnendach *n*; Plane *f*; **2.** auf dem Trockenplatz Liegende(s) (*od.* Hängende[s]) *n*; **3.** ↗ Auffangtuch *n b. Olivenabschlagen*; **4.** *Reg.* → *tendedero*; **5.** *Am.* → *tendalera*;

6. *Am. Reg.* Trockenplatz *m für Kaffeebohnen*; **7.** *Arg.* Scherplatz *m für Schafe*; **8.** *Chi.* Textilladen *m*; **~dalera** *f* (unordentlich) auf dem Boden Herumliegende(s) *n*, Durchea. *n*; **~dalero** *m* → **~dedero** *m* **1.** Trockenplatz *m* (*a. für Gartenerzeugnisse u. Fleisch*); **2.** ~ (*de ropa*) Bleiche *f*; Trockenboden *m*; Wäscheständer *m*; **~dejón** F *m* Kramladen *m*; (elende) Bude *f*; **~del** ⚠ *m* Meßschnur *f der Maurer*; Mörtelschicht *f zwischen den Backsteinlagen.*

tenden|cia *f* Neigung *f*; Richtung *f*; Bestrebung *f*; Tendenz *f*; ☤ ~ *alcista* steigende Tendenz *f*, Haussestimmung *f* (*Börse*); ~ *para averías* (*a reparaciones*) Stör- (Reparatur-)anfälligkeit *f*; ~ *de precios* Preis-tendenz *f*, -trend *m*; ~ *al vicio* Hang zum Laster, Lasterhaftigkeit *f*; **~cioso** *adj.* tendenziös, gefärbt; **~te** *adj. c* tendierend, strebend (nach *dat. a*); hinzielend (auf *ac. a*).

tender [2g] **I.** *v/t.* **1.** (aus)spannen; ausbreiten; auslegen; ausstrecken; ♂ (aus)streuen; ⚠ bewerfen; tünchen; *Brücke* schlagen; *Draht, Kabel* spannen, *a. Leitung usw.* verlegen; *Wäsche* aufhängen; *a. fig. Schlingen* legen; *a. fig. die Netze* auswerfen; ~ *la mano* die Hand aus- (*bzw.* entgegen-)strecken; ~ *al suelo* (*od. por tierra*) niederstrecken; ~ *por el suelo* umherstreuen; ⚠ ~ *con yeso* (*con cal*) gipsen (tünchen, kalken); **II.** *v/i.* **2.** neigen (zu *dat. a*); streben (nach *dat. a, hacia*); abzielen (auf *ac. a*); **III.** *v/r.* **~se** **3.** s. spannen; **4.** s. hinlegen; s. (aus)strecken; *fig.* F s. um nichts kümmern (*b. e-m Geschäft*); *estar tendido* liegen; **5.** ♂ s. (um)legen (*Getreide nach Unwetter*); **6.** *Equ.* s. strecken (*b. Galopp*); **7.** *Kart.* alle Karten zeigen (*z. B. Nullouvert*).

ténder 🚂 *m* Tender *m* (*Anm.* Tender ⚓ *aviso*).

tende|rete *m* **1.** Verkaufsstand *m*; Marktzelt *n*; **2.** *Kart.* Krämerspiel *n*; **3.** F → *tendalera*; **~ro** *m* **1.** Ladeninhaber *m*; Kleinhändler *m*; Krämer *m*; **2.** Zeltmacher *m.*

tendi|da *Equ. f Arg.* Scheuen *n*, Ausbrechen *n*; **~do** *m* **1.** Ausbreiten *n*; Aufhängen *n v. Wäsche*; *p. ext.* aufgehängte Wäsche *f*; **2.** ⚡ *usw.* Verlegung *f v. Leitungen*; 🚂 ~ *de vías* Gleisverlegung *f*; **3.** ⚠ Bewurf *m*; ~ *con yeso* Gipsen *n*, Verputzen *n*; **4.** *Stk.* Sperrsitz *m.*

ten|dinoso *adj.* sehnig; **~dón** *Anat. m* Sehne *f*; **~dovaginitis** ⚕ *f* Sehnenscheidenentzündung *f.*

tendré *usw.* → *tener.*

tendu|cha *f*, **~cho** *m* (elender) Kramladen *m.*

tenebro|sidad *f* Finsternis *f*; **~so** *adj.* finster; *a. fig.* dunkel.

tene|dor *m* **1.** Gabel *f*; ~ *para servir la ensalada* Salatgabel *f*; ~ *para tomar ostras* Austerngabel *f*; **2.** ⚖ Inhaber *m*; ☤ Wechselnehmer *m*; ☤ ~ *de libros* Buchhalter *m*; **~duría** ☤ *f* Buchhaltung *f*; ~ *de libros por partida doble* doppelte Buchführung *f.*

tenencia *f* **1.** Innehaben *n*; Besitz *m*; ~ *de armas* Waffenbesitz *m*; F *a.* Waffenschein *m*; **2.** Stellvertreter(schaft *f*) *m*; ~ *de alcaldía* Bezirksbürgermeisteramt *n*; Amt *n* des Zweiten Bürgermeisters.

tener [2l] **I.** *v/t.* **1.** *et.* haben (*vgl. haber*); besitzen; (fest)halten; an-, zurück-halten; *Gedanken, Gefühle* hegen; *Versammlung, Schule usw.* (ab)halten *bzw.* haben; *Versprechen* halten; *Gespräch* führen; sorgen für (*ac.*); **a)** *fig.* F *¡tened y tengamos!* leben u. leben lassen!; ~ *afecto a alg.* j-m gewogen (*od.* zugetan, geneigt) sein; ~ *algo de bueno* et. Gutes haben; ~ *algo de la madre* einiges Vermögen von der Mutter haben; (*gal.*) et. (*Gesichts-, Charakterzüge usw.*) von der Mutter haben *bzw.* der Mutter ähnlich sehen; **~le** *a alg.* j-n halten; j-n bewirten; *a.* = **~le** *en casa* ihn bei sich aufgenommen haben; ~ *años* (*od. días*) bei Jahren sein, betagt sein; ~ *treinta años* dreißig Jahre alt sein; ~ *el caballo* das Pferd halten (*bzw.* anhalten); *tengo calor* (*frío*) mir ist warm (kalt); *fig.* F ~ *cosas* Schrullen (*od.* e-n Tick) haben; ~ *escape* entweichen können (*z. B. Rauch, Dampf*); undicht sein (*z. B. Kessel*); ~ *fiesta* feiern; frei haben; ~ *habilidad* geschickt sein; ~ *hambre* (*sed*) Hunger (Durst) haben; ~ *invitados* (geladene) Gäste haben; ~ *la lengua* den Mund halten; ~ *cinco litros* fünf Liter fassen (*Gefäß*); *fig.* ~ *mano en* die Finger in e-r Sache haben; *fig.* ~ *muchas manos* sehr geschickt sein; ~ *tres metros de largo* drei Meter lang sein; ~ *el perro a.* den Hund zurückhalten; ~ *la risa* das Lachen unterdrücken; *tendremos una tempestad* wir werden ein Gewitter bekommen; *le tengo simpatía* ich mag ihn gern; *aquí tiene usted ...* hier haben Sie ...; hier sehen Sie ...; *¡aquí tiene usted! od. ¡tenga usted!* nehmen Sie bitte!; *aquí me tiene(n) usted(es)* hier bin ich; ich stehe zu Ihrer Verfügung; *fig.* F *cada uno tiene lo suyo* jeder hat (so) s-e Fehler (*od.* s-e Marotten); F *conque ésas habíamos tenido* also darauf wolltest du (*od.* wollten Sie *usw.*) hinaus; *no* ~ *de qué pagar* nicht zahlen können; kein Geld haben; *fig. no* ~ *nada suyo* sehr großzügig (*od.* freigebig) sein, sein letztes Hemd verschenken (*fig.* F); *¡no nos tenga así* (*en suspenso*)*!* spannen Sie uns nicht (so lange) auf die Folter!, machen Sie es nicht so spannend! F; *¿qué tienes?* was hast du?; *a.* was fehlt dir? *od.* ist dir nicht wohl?; **b)** *mit part. u. adj. tengo escrita la carta* ich habe den Brief geschrieben, der Brief liegt fertig vor; *me tienes intrigado* ich bin gespannt, du machst mich neugierig; *eso le tiene preocupado* das beunruhigt ihn, das läßt ihm k-e Ruhe; ~ *puesto* (*Kleidung, Schuhwerk*) anhaben; *Hut* auf dem Kopf haben; **c)** *mit prp. u. adv.*: ~ *a bien* + *inf.* so freundlich sein zu + *inf.*; ~ *a honra* es s. zur Ehre anrechnen; ~ *a mano* zur Hand haben; ~ *a la vista* vor Augen haben; im Auge haben (*fig.*); vorhaben; in Aussicht haben; *¿qué tiene contra usted?* was hat er gegen Sie?; warum mag er Sie nicht?; ~ *de* + *inf. Reg. u.* F → ~ *que*, **1d**; F **~le** *a uno de plantón* j-n lange warten lassen; ~ *en bien* für gut befinden; *Kart.* ~ *en buenas* Trümpfe (*für den Eventualfall*) zurückhalten; ~ *en* (*od.* entre) *manos* unter den Händen (*bzw.* in Aussicht) haben; in Arbeit haben; ~ *en más* höher achten; vorziehen; ~ *en* (*od. a*) *mucho* hochachten; ~ *para sí* dafürhalten ..., der Meinung sein ...; ~ *por bien* für gut (*od.* ratsam) halten; ~ *por bueno* für gut halten; ~ *por el mango* am Griff (*od.* Stiel) (fest)halten; ~ *por objeto* bezwecken; **~le** *a uno sin sosiego* j-m k-e Ruhe lassen (*fig.*); ~ *sobre sí una responsabilidad* e-e Verantwortung tragen; **d)** *mit que*: ~ *que* + *inf.* müssen (*vgl. haber de*); *no* ~ *que* + *inf.* nicht + *inf.* müssen (*od.* sollen); nicht (zu) + *inf.* brauchen; ~ *algo que perder a. fig.* einiges zu verlieren haben; (*no*) ~ *que ver con* (nichts) zu tun haben mit (*dat.*); P ~ *que ver con una mujer* ein intimes Verhältnis haben; **II.** *vt/i.* **2.** begütert (*od.* reich) sein, (Besitz) haben; *con eso no tengo ni para empezar* damit (allein) kann ich nichts anfangen; das langt nicht einmal für den Anfang; *no saber uno lo que tiene* ungeheuerlich reich sein, ein Krösus sein; **III.** *v/r.* **~se** **3.** s. halten (an *ac. bzw. dat. a bzw. en*); s. fest- (*od.* an-)halten (an *dat. en*); (festen) Halt haben *od.* stehen (auf *dat. en*); standhalten, widerstehen; s. halten (für *ac. od. adj. por*), s. dünken (*por*); **~se** *a lo prescrito* s. an die Vorschrift halten; **~se** *bien* s. gut halten; **~se** *bien a caballo* ein guter Reiter sein; **~se** *en mucho* sehr von s. eingenommen sein; **~se** *en pie* s. aufrecht halten; **~se** *fuerte* standhalten; auf s-r Meinung bestehen; F *está que no se tiene* er ist betrunken; **4.** (inne)halten; *¡tente!* halt ein!; bleib stehen!

tenería *f* Lohgerberei *f.*

tenesmo ⚕ *m*: ~ *rectal* (*vesical*) Stuhl- (Harn-)zwang *m.*

tengo *usw.* → *tener.*

tenguerengue F *m* ⊕ Labilität *f*; *adv.* en ~ wackelig, wenig stabil; auf der Kippe.

tenia *f* **1.** ⚕ Bandwurm *m*; **2.** ⚠ Kyma(tion) *n*, Zier-band *n*, -leiste *f*; ~ *de óvulo* Eierstabkyma *n.*

tenida *f* **1.** *Am.* Sitzung *f e-r Freimaurerloge*; **2.** *Chi.* Kleidung *f.*

teniente **I.** *adj. c* **1.** (inne)habend; **2.** † *u. Reg.* noch nicht reif (*Obst*); **3.** F schwerhörig; *fig.* F knauserig; **II.** *m* **4.** *Verw.* Stellvertreter *m*; *ecl.* (Pfarr-)Vikar *m*; ~ *de alcalde* Beigeordnete(r) *m*; Zweiter Bürgermeister *m*; **5.** ⚔ *Span.* ~ *general* General *m der Infanterie usw.* ⚓ ~ *de navío* Kapitänleutnant *m*; (*primer*) ~ *od.* ~ (*primero*) Oberleutnant *m*; *segundo* ~ Leutnant *m.*

tenífugo *pharm. m* Bandwurmmittel *n.*

tenis *Sp. m* Tennis(spiel) *n*; **~ta** *c* Tennisspieler(in *f*) *m.*

teno|r *m* **1.** ♪ Tenor *m*; ~ *cómico* Tenorbuffo *m*; (*saxófono m*) ~ Tenorsaxophon *n*; ~ *dramático* Heldentenor *m*; **2.** Wortlaut *m*, Inhalt *m*, Tenor *m*; *a* ~ de nach Maßgabe (*gen.*), laut (*gen., dat., vor bloßem Hauptwort oft beugungslos*); *a este mismo* ~ genau dergleichen, genau so; **~rino** *it.* ♪ *m* Falsettenor *m.*

tenorio *m* Don Juan *m*, Schürzenjäger *m.*

ten|sar ⊕ *v/t.* straffen, spannen; **~sión** *f* **1.** *a.* ⊕, ⚡ *u. fig.* Spannung *f*; ⚡ *alta* ~ Hochspannung *f*; *HF* ~ *alterna de la rejilla* Gitterwechselspannung *f*; *a. Pol. disminución f de la* ~ Entspannung *f*; **2.** F ☤ Blutdruck *m*; **~so** *adj.* gespannt; prall.

tensón *Lit. f* Tenzone *f.*

tensor ⊕ **I.** *adj.* Spann...; *dispositivo m* ~ Spannvorrichtung *f*; **II.** *m* Spanner *m* (*a. Anat.* = Spannmuskel *m*); Spanneisen *n*; Spannschloß *n*; ~ *de la cadena* Kettenspanner *m am Fahrrad.*

ten|tación *f* Versuchung *f*; (Ver-)Lockung *f*; *caer en (la)* ~ in Versuchung fallen; **~taculado** *Zo. adj.* mit Fühlern versehen; **~tacular** *adj. c* Fühler..., Fühlhorn...; Fangarm...; **~táculo** *Zo. m Ent.* Fühler *m*; *Schnecken*: Fühlhorn *n*; *Mollusken*: Fangarm *m*; **~tadero** *Stk. m* Probe-platz *m bzw.* -pferch *m für Jungstiere*; **~tador I.** *adj.* verführerisch, verlockend; Verführungs...; **II.** *m* Versucher *m*; **~tadura** ⚒ *f* Erz-, *bsd.* Silber-probe *f* (*Erzstück u. Versuch*); **~tar** [1k] *v/t.* **1.** befühlen, betasten; aus-, ab-greifen; **2.** versuchen; verlocken, verführen; **3.** prüfen, untersuchen; *Wunde* mit der Sonde untersuchen; **4.** versuchen, unternehmen; *fig.* F ~ *la paciencia a alg.* j-n belästigen, j-m auf die Nerven gehen; **~tativa** *f* **1.** Versuch *m*; Probe *f*; **2.** ⚖ Versuch *m*; ~ *de conciliación* Sühneversuch *m*; ~ *de delito imposible* untauglicher Versuch *m*; ~ *de robo* versuchter Diebstahl *m.*

ten|temozo *m* **1.** Stütze *f*; Karrenstütze *f*; Wagenstütze *f* (*b. zweirädrigen Gefährten*); **2.** Stehaufmännchen *n*; **~tempié** F *m* Imbiß *m*, Stärkung *f*; **~tenelaire** *od.* *tente-en-el-aire* **I.** *c Am.* Mischling *m* (*Einstufung Reg. u. hist. verschieden*); **II.** *m Rpl., Pe. Reg* → *colibrí*; **~tetieso** F *m* → *tentemozo 2.*

tentón F *m* (plötzliches) Befühlen *n*, Befummeln *n* P.

tenu|e *adj. c* dünn; fein; schwach; **~idad** *f* Dünne *f*; Zartheit *f*; Schwäche *f.*

tenuta ⚖ *f* vorläufige Nutznießung *f* (*bis zur gerichtlichen Entscheidung*).

te|ñido *m* Färben *n*; **~ñir** [3h *u.* 3l] *v/t. a. fig.* färben; (ab)tönen; ~ *de negro* schwarz färben.

teobroma ⚘ (*nur* 🕮) *m*, *a. f* Kakaobaum *m.*

teo|cali *m* Teocalli *n*, *altmexikanische Tempelpyramide*; **~cote** *Na.* ⚘ *m* Ocotefichte *f.*

teo|cracia *Pol. f* Theokratie *f*; *p. ext.* Priesterherrschaft *f*; **~crático** *adj.* theokratisch; **~dicea** *Phil. f* Theodizee *f.*

teodolito ⊼ *m* Theodolit *m.*

teo|gonía *Myth. f* Theogonie *f*; **~logal** *adj. c*: *virtudes f/pl.* **~es** theologische Tugenden *f/pl.* (*Glaube, Hoffnung, Liebe*); **~logía** *f* Theologie *f*; *facultad f de* ~ theologische Fakultät *f*; *fig.* F *no meterse en ~s* nicht über Dinge reden, von denen man nichts versteht (*bzw.* nichts verstehen kann); **~lógico** *adj.* theologisch; **~logizar** [1f] *v/i.* theologisieren.

teólogo *m* Theologe *m.*

teo|manía ☤ *f* Theomanie *f*, religiöser Wahn(sinn) *m*; **~maníaco** *adj.-su.* theomanisch; *m* Theomane *m*, an religiösem Wahn Leidende(r) *m.*

teomel *Na. m Méj.* „Götteragave" *f* (*nennen die Agavenschnapsbrauer die Agave, die den besten „Pulque" liefert*).

teo|rema *m* Theorem *n*, Lehrsatz *m*; **~rético** *adj.* kontemplativ, spekulativ, theoretisch; **~ría** *f* Theorie *f* (*alle Bedeutungen*); *adv.* en ~ theoretisch; ~ *atómica* Atomtheorie *f*; ~ *de las combinaciones* Kombinatorik *f*; ~ *de la descendencia* Abstammungslehre *f*; *Phil.* ~ *del conocimiento* Erkenntnis-lehre *f*, -theorie *f*; ~ *del Estado* Staatslehre *f*; ~ *de los números* Zahlentheorie *f.*

teórico I. *adj.* theoretisch; *valor m* ~ Sollwert *m*; **II.** *m* Theoretiker *m.*

teoriza|nte *adj. c* theoretisierend; **~r** [1f] *vt/i.* theoretisch behandeln; Theorien aufstellen; theoretisieren.

te|osofía *f* Theosophie *f*; **~osófico** *adj.* theosophisch; **~ósofo** *m* Theosoph *m.*

teosúchil *Na.* ⚘ *m Méj.* „Götterblume" *f* (*Vmed. u. Folk.*).

tepalcate *m Méj.* Scherbe *f.*

tepe *m* Rasenplatte *f*, Plagge *f.*

tequesquite *Na. Min. m Méj.* „Leuchtstein" *m* (*wie Natron verwendet*).

tequila *m Méj.* Tequila *m*, *f Agavenschnaps.*

tera|peuta ☤ *c* Therapeut *m*; **~péutica** ☤ *f* **1.** Therapeutik *f*; **2.** Therapie *f*, (Heil-)Behandlung *f*; ~ *hormonal (química)* Hormon- (Chemo-)therapie *f*; ~ *de ondas cortas* Kurzwellenbehandlung *f*; **~péutico** ☤ *adj.* therapeutisch; **~pia** ☤ *f* → *terapéutica 2.*

terce|r *adj. Kurzform zu tercero vor su. m sg.*; **~ra** *f* **1.** ♪, *Fechtk.* Terz *f*; *Fechtk.* ~ *alta (baja)* Hoch- (Tief-)terz *f*; ♪ ~ *mayor* gr. Terz *f*; **2.** ✝ ~ *de cambio* Tertiawechsel *m*; **3.** 🚃 dritte Klasse *f*; **~ro I.** *adj.* dritte(r, -s); ⚖ *deudor m* ~ Drittschuldner *m*; **II.** *m* Vermittler *m*; Mittelsmann *m*; ⚖ Dritte(r) *m*; Drittberechtigte(r) *m*; **~rola** *f* **1.** kurzer Karabiner *m*; Terzerol *n*; **2.** kl. Faß *n*; **3.** *fig.* F 🚃 *Reg.* Wagen *m* dritter Klasse; **~rón** *m*, **~rona** *f* *Am. Reg.* Terzerone *c* (*Mischling aus Weißem u. Mulattin od. umgekehrt*); **~to** *m* **1.** *Lit.* Terzett *n*; Terzine *f*; **2.** ♪ Terzett *n*; Trio *n.*

ter|cia *f* **1.** *kath.* Terz *f* (*Stundengebet*); **2.** Drittelelle *f* (*Maß*); **3.** Drittel *n*; **4.** ♪ → *tercera 1*; **~ciado I.** *adj.* **1.** *azúcar m* ~ brauner Farinzucker *m*; *madera f* ~*a* Sperrholz *n*; **2.** ▨ ~ *en faja* mit Balken; ~ *en palo* mit Pfahl; **3.** mittelgroß (*Stier*); **II.** *m* **4.** Kurzschwert *n mit breiter Klinge*; *Zim.* Sparren *m*, Latte *f*; **~ciana** ☤ *f* Dreitage-, Tertian-fieber *n*; **~cianela** *tex. f* doppelter Taft *m*; **~ciar** [1b] **I.** *v/t.* **1.** dritteln; **2.** ⚒ dreibrachen, dreiern; *Weinberg* zum drittenmal behacken; *Hecke, Strauch* stutzen; **3.** *Gewehr* quer umhängen, schultern; *Hut* schief aufsetzen; *Mantel* quer umnehmen; *Schärpe* quer (*über Brust u. Rücken*) umbinden; **4.** *Saumtierlast* verteilen; *Col., Méj.* auf den Rücken laden; **5.** *Am.* *Milch, Wein* pan(t)schen; *p. ext.* mischen; **II.** *v/i.* **6.** vermitteln; eingreifen (in *ac.* en); s. beteiligen, mitmachen; *ins Gespräch* einfallen; **III.** *v/r.* ~*se* **7.** s. ergeben (*Gelegenheit*); F *donde se tercia* wo s. gerade e-e Gelegenheit ergibt; *si se tercia* gelegentlich.

ter|ciaria *kath. f* Terziarin *f*; **~ciario I.** *adj.* **1.** ⚒ dritte(r, -s) *nach Reihenfolge od. Rang*; **2.** *Geol.*, ☤ Tertiär...; ☤ *período m* ~ Tertiärstadium *n*; **3.** *kath.* Tertiarier...; **II.** *m* **4.** *Geol.* Tertiär *n*; **5.** *kath.* Terziar *m*, Tertiarier *m*, *Angehöriger e-s Dritten Ordens*; **~ciazón** ⚒ *f* Dreibrachen *n*; **~cio I.** *adj.-su.* **1.** ⚒ → *tercero*; **II.** *m* **2.** Drittel *n*; *fig. mejorado en* ~ *y quinto* äußerst günstig weggekommen, bevorzugt; **3.** *kath.* Teil *m* des Rosenkranzes (*insgesamt drei*); **4.** (Dreizehntel-)Glas *n*, kl. Seidel *n*; **5.** Wadenteil *m*, Länge *f e-s Strumpfs*; **6.** *Fechtk.* ~ *flaco (de fuerza)* schwächerer (stärkerer) Teil *m* der Klinge; *ganar los* ~*s de la espada* den Degen des Gegners binden; **7.** *fig. hacer* ~ mitmachen (bei *dat.* en); *hacer buen (od. mal)* ~ *a uno* j-m förderlich (*bzw.* hinderlich) sein; F *hacer mal* ~ *a uno* j-m e-n bösen Streich spielen; **8.** *Sp.* Spieldrittel *n* (*z. B. b. Eishockey*); *Stk.* **a)** Arenadrittel *n*; *bsd.* mittleres Drittel *n* der Kampffläche; **b)** → *suerte 3*; **9.** (Freiwilligen-)Legion *f*; *span.* Fremdenlegion *f*; Abteilung *f* der *guardia civil*; *hist. Span.* Regiment *n im 16. u. 17. Jh.*; *hist. u. fig.* ~*s m/pl.* Truppen *f/pl.*; ⚓ (⚔) ~ *naval* Marineabteilung *f*; **10.** Matrosen- u. Fischerinnung *f* (*Fischereigenossenschaft der Reeder, Schiffs- [bzw. Netz-]eigentümer u. der abhängigen Fischer*); **11.** ~*s m/pl.* (kräftige) Gliedmaßen *f/pl.*; **12.** *Equ.* **a)** Gangart *f b. Galopp*; **b)** ~ *anterior (medio, posterior)* Vor- (Mittel-, Hinter-)hand *f*; **13. a)** Pack(en) *m e-r Saumtierlast*; *p. ext.* Hälfte *f* der Last (*wenn in Ballen transportiert wird*); **b)** *Am.* Bündel *n*, Ballen *m* (*Gewicht reg. verschieden*); *Cu.* Ballen *m* Rohtabak (*rd. 46 kg*); **14.** *Andal.* (*Folk.*) ♪ Flamencovers *m*; **15.** *fig.* F *Ven.* Person *f*, Kerl *m* F.

terciopelo *tex. m* Samt *m*; Velours *m*; ~ *de algodón* Manchester(stoff) *m*; ~ *frisado* Velvet *m*; ~ *de lana* Wollsamt *m*, Plüsch *m*; ~ *de seda* Seidensamt *m*; *Kosmetik*: *borla f de* ~ Plüschquaste *f.*

terco *adj.* starrköpfig; trotzig, verbissen; hart, zäh.

terebin|táceas ⚘ *f/pl.* Terebinthazeen *f/pl.*; **~to** ⚘ *m* Terebinthe *f.*

terebrante *adj.* *c* bohrend (*Schmerz*).
teres|(ian)a[1] *kath.* Theresianerin *f* (*Nonne*); **~siana**[2] ⚔ *f Art* Käppi *n*; **~siano** *kath. adj.* theresianisch; die hl. Theresia *v. Avila* verehrend.
tergiversa|ción *f* (Wort-)Verdrehung *f*; Winkelzug *m*; **~r I.** *v/t. Tatsachen, Meinungen, Worte* verdrehen, verkehren; **II.** *v/i.* Winkelzüge machen.
terliz *tex. m* kräftiger Drillich *m*.
ter|mal *adj. c* Thermal...; Bäder...; *aguas f/pl.* **~es** Thermalquelle(n) *f(/pl.)*; **~mas** *f/pl.* Thermalquellen *f/pl.*; Thermen *f/pl.*
termes *Ent. m* (*pl. inv.*) Termite *f*.
termia *Phys.*, ⊕ *f* Thermie *f* (*Abk.* th).
térmica *Met. f* Thermik *f*.
termicidad *Phys. f* Wärmeinhalt *m*.
térmico *adj.* thermisch; Wärme...; ⚡ *central f* **~a** Wärmekraftwerk *n*; *Met.*, ✈ *manga f* **~a** Thermikschlauch *m*.
termina|ble *adj. c* beendbar; endend; **~ción** *f* **1.** Beendigung *f*; Ende *n*, Abschluß *m*; **2.** *Li.* Endung *f*.
termina|cho F, **~jo** F *m* derber (*bzw.* falsch verwendeter) Ausdruck *m*.
termi|nado I. *part.* abgeschlossen; gemacht; vorbei, aus; **II.** *m* ⊕ Fertigbearbeitung *f*; **~nal I.** *adj. c* **1.** End..., Schluß...; ⚘ gipfelständig (*Blüte*); **II.** *m* **2.** *a.* ⊕ Abschlußstück *n*; Ende *n*, Endstück *n*; ⚡ Kabel-, Pol-schuh *m*; ⊕ Lötstift *m*; Lötöse *f*; **3.** ✈ Abfertigung(sgebäude *n/pl.*) *f für Fluggäste u. Gepäck*; Stadtbüro *n*; **~nante** *adj. c* entscheidend; entschieden, aus-*od.* nach-drücklich; **~nantemente** *adv.* (ganz) entschieden; *queda* ~ *prohibido* es ist strengstens verboten; **~nar I.** *v/t.* beenden; (ab-)schließen; zu Ende führen; erledigen; ⊕ *a.* fertigbearbeiten; ausbauen; *Gebäude* fertigstellen; ~ *la carta* den Brief schließen (*bzw.* zu Ende schreiben); *Typ.* ~ *la impresión de la tirada* die Auflage ausdrucken; **II.** *v/i.* zu Ende gehen; enden; ab-, aus-laufen (*Frist, Vertrag*); enden (in *od.* mit *dat.* en, *con, por*); ausklingen (in *dat.* en); enden *bzw.* abklingen (*Krankheit, Schmerz usw.*); *al* ~ *el siglo* am Ende des Jhs., um die Jahrhundertwende; *terminó escribiendo* ... zum Schluß schrieb er ...; ~ *de* + *inf.* aufhören, zu + *inf.*; **III.** *v/r.* **~se** hinauslaufen *bzw.* abzielen (auf *ac.* en); zu Ende sein; **~nativo** abschließend, End...
terminista *c* Wortdrechsler *m* F, wer gern geschraubte Wendungen benutzt.
término *m* **1.** Ende *n*, Schluß *m*; Ende *n*, Ziel *n*; Zweck *m*; *antes de* ~ vorzeitig; *en último* ~ letzten Endes; *estación f* ~ Endstation *f*; *dar* ~ *a a/c.* et. abschließen, et. beenden; *llegar a* ~ ein Ende nehmen; ablaufen (*Frist*); *llegar a* ~ *feliz en a/c.* et. glücklich beenden; *llevar a buen* (*bzw. mal*) ~ zu e-m guten (*bzw.* schlechten) Ende führen; *poner* ~ *a a/c.* e-r Sache Einhalt gebieten; **2.** Grenze *f* (*in Zeit u. Raum*); Schranke *f* (*fig.*); Grenzstein *m*; *Sp. gal.* Mal *n*; Grenzsäule *f*, Terme *f*; *p. ext.* △ von e-m Kopf gekrönter Stützpfeiler *m*; **3.** *bsd. Verw.* Gebiet *n*, Bezirk *m*; Gemarkung *f*; Weichbild *n e-r Stadt*; Bannmeile *f*; *a. fig.* Ort *m*, Bereich *m*; ~ *municipal* Gemeinde- *bzw.* Stadt-gebiet *n*; ~ *redondo* abgerundeter Besitz *m e-s Gutsherrn*; *Verw.* nur der eigenen Verwaltung u. Gerichtsbarkeit unterstellt (*ohne Enklaven*); **4.** *Mal., Thea.* Bild- *bzw.* Spiel-ebene *f*; *a. fig. en primer* ~ im Vordergrund; vorrangig; **5.** Endpunkt *m*; Frist *f*; Termin *m*; *bsd.* ⚖, † ~ *de una audiencia* Pause *f* zwischen zwei aufea.-folgenden Terminen; *Astr.* ~ *eclíptico* Knotenabstand *m* (*Abstand des Mondes v. e-m der beiden Knoten s-r Bahn*); ~ *fatal* (*perentorio*) Notfrist *f* (äußerster Termin *m*); ~ *judicial* (Gerichts-)Termin *m*; *operaciones f/pl. a* ~ Termingeschäfte *n/pl.*; Terminmarkt *m*; *en el* ~ *de quince días* binnen vierzehn Tagen; **6.** (Fach-)Ausdruck *m*; *Chi.* F *oft*: gesuchter (*od.* geschwollener) Ausdruck *m bzw.* hohle Phrase *f*; *Li.* Terminus *m*; Glied *n* (*syntaktisch*); 𝔄 Ausdruck *m*, Glied *n*; *Phil., Log.* Begriff(swort *n*) *m*, Terminus *m*; Glied *n*, Satz *m e-r Schlußfolgerung*; **~s** *m/pl. a.* Worte *n/pl.*, Wortlaut *m*; *p. ext.* Redeweise *f*, Sprache *f*; ~ *de comparación* Vergleichswort *n*, -begriff *m*; Vergleichspunkt *m*; Maßstab *m*; ~ *genérico* Sammelbegriff *m*; *Log.* ~ *mayor* (*menor*) Ober- (Unter-)begriff *m*; ~ *medio* Durchschnitt(szahl *f*) *m*, Mittel *n*; *Log.* Mittelbegriff *m*; *fig. a.* Mittelweg *m*; Mittelding *n*; Kompromiß (-lösung *f*) *m*; *medios* **~s** *m/pl.* Umschweife *m/pl.*, Ausflüchte *f/pl.*; **~s** *m/pl. de una suma* Summanden *m/pl.*; ~ *técnico* Fachausdruck *m*, *lt.* terminus *m* technicus; *en buenos* **~s** gelinde gesagt; eigentlich; freundschaftlich (→ *a.* 7); *en* **~s** *generales* im allgemeinen; *en otros* **~s** mit andern Worten; *en propios* **~s** richtig (*od.* genau) ausgedrückt; wörtlich; *por* ~ *medio* im Durchschnitt, durchschnittlich; *no hay* **~s** *medios* Halbheiten gibt es nicht; *no quisiera emplear* **~s** *altisonantes* ich möchte keine gr. Worte machen; *sacar el* ~ *medio* 𝔄 das Mittel errechnen; ⊕ *u. fig. a.* den Durchschnitt herausholen; **7.** *mst.* **~s** *m/pl.* Zustand *m*, Verhältnis *n*, Lage *f*; Beziehungen *f/pl.*; *p. ext. a.* Auftreten *n*, Benehmen *n*; **~s** *m/pl. hábiles* Möglichkeiten *f/pl.*, et. zu erreichen (*od.* durchzuführen); † **~s** *m/pl. del intercambio* Austauschrelationen *f/pl.*, *engl.* Terms *pl.* of Trade; *Astr.* **~s** *m/pl. necesarios* nötige Gestirnstellung *f* (*für Sonnen- od. Mondfinsternis*); *en tales* **~s** unter solchen Umständen (*od.* Bedingungen); *en* **~s** *de no poder* ... so (*od.* in e-r Lage), daß man nicht ... kann; *estar en buenos* **~s** *con alg.* mit j-m auf gutem Fuß stehen; *llegar a* **~s** *de* ... soweit kommen, daß ...; **8.** ⚒ *u. Reg.* Aussehen *n*, Anschein *m*.
termino|logía *f* Terminologie *f*; **~lógico** *adj.* terminologisch; **~te** F *m* geschraubter (*bzw.* ungebräuchlicher) Ausdruck *m*.
termiónico ⚗ *adj.* thermionisch.
termita[1] *f* Thermit *n*.
termi|ta[2] *m, f*, **~te** *m Ent.* Termite *f*; **~tera** *f* Termitenhügel *m*.
termo...[1] *in Zssgn.* Thermo..., Wärme...
termo[2] *m* **1.** Thermosflasche *f*; **2.** F → *termosifón*.
termo|acumulador *m* Wärmespeicher *m*; **~cauterio** ⚕ *m* Thermokauter *m*; **~dinámica** *Phys. f* Thermodynamik *f*; **~dinámico** *adj.* thermodynamisch; **~electricidad** *Phys. f* Thermo-, Wärmeelektrizität *f*; **~elemento** *Phys. m* Thermoelement *n*; **~estable** ⊕ *adj. c* hitzebeständig, thermostabil; **~lábil** ⊕ *adj. c* hitzeempfindlich, thermolabil; **~logía** *Phys. f* Wärmelehre *f*; **~metría** *f* Wärmemessung *f*; **~métrico** *adj.* Thermometer...
termómetro *m* Thermometer *n*; ~ *de alcohol* (*de varilla*) Weingeist-(Stab-)thermometer *n*; ⚕ ~ *clínico* Fiebermesser *m*; ~ *de máxima y mínima* Maximum-Minimum-Thermometer *n*; ~ *de* (*columna de*) *mercurio* Quecksilberthermometer *n*; ~ *registrador* Registrierthermometer *n*.
termo|nuclear *Phys. adj. c* thermonuklear; **~plástico I.** *adj.* thermoplastisch; **II.** *m* Thermoplast *m*, warm verformbarer Kunststoff *m*; **~química** ⚗ *f* Thermochemie *f*; **~-regulador** *m* Wärmeregler *m*; **~rresistente** *adj. c* hitzebeständig; **~sensible** *adj. c* hitzeempfindlich; **~sifón** *m* Boiler *m*, Warmwasserbereiter *m*.
ter|mostato *m* Thermostat *m*; **~motecnica** *f* Wärmetechnik *f*; **~moterapia** ⚕ *f* Wärmetherapie *f*.
terna *f* **1.** Dreiervorschlag *m* (*Kandidaten für ein Amt*); **2.** Dreier *m* (*auf Würfeln*); **3.** *fig.* Dreigespann *n*, Triumvirat *n*; **~rio I.** *adj.* dreizählig; aus drei Elementen bestehend; dreifüßig (*Vers*); **II.** *m ecl.* dreitägige Andacht *f*.
terne|ra *f* Kuhkalb *n*; *Kchk.* Kalbfleisch *n*; **~ro** *m* (Stier-)Kalb *n*.
terne|rón F *adj.* rührselig; **~za** *f* Zartheit *f*; Sanftheit *f*; **~s** *f/pl.* Schmeicheleien *f/pl.*; Zärtlichkeiten *f/pl.*
terni|lla *f* Knorpel *m*; **~lloso** *adj.* [knorpelig.]
ternísimo *adj. sup.* zu *tierno*.
terno *m* **1.** Dreizahl *f*; Terne *f*, Terno *m* (*b. Lottospiel*); **2.** dreiteiliger (Herren-)Anzug *m* (*Rock, Weste u. Hose*); **3.** F Kraftausdruck *m*, Fluch *m*; *soltar* **~s** wettern, fluchen.
ternura *f* **1.** Sanftheit *f*; Zärtlichkeit *f*; Liebe *f*, Innigkeit *f*; *con* ~ zärtlich, liebevoll; **2.** Schmeichelwort *n*.
tero *Vo. m Arg.* → *teruteru*.
terosaurio *Zo. m* Pterosaurier *m* (*Ordnung der Vorweltflugechsen*).
terquedad *f* Starrsinn *m*.
terracota *f* Terrakotta(figur) *f*.
terrado △ *m* flaches Dach *n*; (Dach-)Terrasse *f*.
terra|ja ⊕ *f* Schneideisen *n*, Klup-

pe *f*; ~ *para roscar tubos* Gewindeschneider *m*, Rohrkluppe *f*; **~jar** ⊕ *vt/i*. gewindeschneiden.

terral *adj.-su. m* Landwind *m*.

terramicina *pharm. f* Terramycin *n*.

terranova *m* Neufundländer *m* (*Hund*).

terra|plén *m* (Erd-)Aufschüttung *f*; (Straßen-, Bahn-)Damm *m*; ebene Fläche *f*, Esplanade *f*; Wall *m*; ⚒ Versatz *m*; **~plenar** *v/t*. mit Erde *od*. Gestein auffüllen; aufschütten; zuschütten.

terráqueo *adj*. Erd...; *globo m* ~ Erd-, Welt-kugel *f*.

terra|rio *m* Terrarium *n*; **~teniente** *c* (Groß-)Grundbesitzer *m*; **~za** *f* **1.** Gartenbeet *n*; **2.** Terrasse *f*; ~ *de verano* Freilichtkino *n*; **3.** *zweihenkliges, glasiertes* Tongefäß *n*.

terraz|go ⚘ *m* **1.** Stück *n* Ackerland; **2.** Pachtzins *m für dieses Land*; **~guero** *m* (Erbzins-)Pächter *m*.

terra|zo[1] *m Mal*. Gelände-, Erdpartie *f e-s Gemäldes*; **~zo**[2] ▲ *m* Terrazzo *m* (*Fußbodenbelag, Kunststein*).

terre|moto *m* Erdbeben *n*; ~ *tectónico* tektonisches Beben *n*; **~nal** *adj. c* irdisch; *Paraíso m* ~ Irdisches Paradies *n*; *vida f* ~ Erdenleben *n*; **~no I.** *adj*. **1.** → *terrenal, terrestre*; **II.** *m* **2.** *a*. ⚔ Gelände *n*; Boden *m*, Grund *m*; **~s** *m/pl*. Ländereien *f/pl*.; Liegenschaften *f/pl*.; ~ *arenoso* Sandboden *m*; *Fechtk*. ~ *de asalto* Fecht-bahn *f bzw*. -boden *m*; ~ *bajo* Niederung *f*; ~ *cerril* (*montañoso*) Hügel- (Gebirgs-)land *n*; ⚒ ~ *de cobertura* Deckgebirge *n*; ⚘ ~ *cultivable* anbaufähiger Boden *m*, Kulturland *n*; ▲ ~ *edificable* Bauland *n*; ⚒ ~ *esponjoso* quellendes Gebirge *n*; **~s** *m/pl*. *fiscales* Staatsländereien *f/pl*.; *fig*. ~ *del honor* Austragungsplatz *m e-s* Duells; *Sp*. ~ *de juego* Spielfeld *n*; ~ *llano* ebenes Gelände *n*; Flachland *n*; ~ *natural* natürliches Gelände *n*; *a*. ▲ gewachsener Boden *m*; ⚔ *ejercicios m/pl*. (*od. maniobras f/pl*.) *en el* ~ Geländeübung(en *f/pl*.) *f*; *sobre* ~ *llano* auf ebenem Boden; *vehículo m* (*para*) *todo* ~ geländegängiges Fahrzeug *n*; Geländewagen *m*; *a. fig. ganar* ~ Boden gewinnen; vorwärtskommen; *fig. ir al* ~ *del honor* s. duellieren; *fig. medir el* ~ sondieren; *fig. minar el* ~ *a alg*. j-s Möglichkeiten untergraben; *a. fig. perder* ~ (*fig*. an) Boden verlieren; ⚔ *u. fig. reconocer el* ~ das Gelände erkunden; *fig*. → *tantear el* ~ vorfühlen, (das Gelände) sondieren; **3.** *fig*. Bereich *m*, Gebiet *n*.

térreo *adj*. erdig.

terre|ra *f* **1.** Kahlfläche *f*; **2.** 🐦 *Vo*. Lerche *f*; **~ro I.** *adj*. **1.** irdisch; *p. ext*. niedrig fliegend (*gewisse Vogelarten*); niedrig gehend (*Reittier*); *fig*. niedrig; bescheiden, gemein; **2.** Erd...; *cesta f* **~a** Tragkorb *m für den Erdtransport*; *piso m* ~ Estrich *m*, Lehmfußboden *m*; *a*. ⚔ *saco m* ~ Sandsack *m*; **II.** *m* **3.** Erdhaufen *m*; Erdaufschüttung *f*; *p. ext*. Kugelfang *m*; Dorfplatz *m*; **4.** Schwemmland *n*; **5.** → *terrado*; **~stre** *adj. c* Erd...; irdisch; Land...; *transporte m* ~ Landtransport *m*; **~zuela** *f* schlechter Boden *m*.

terri|bilidad *f* Schrecklichkeit *f*; Fürchterlichkeit *f*; **~ble** *adj. c* schrecklich, furchtbar; gewaltig, riesig, enorm F, schrecklich.

terrícola *adj.-su. c* erdbewohnend; *m* Erdbewohner *m*.

terrier *m* Terrier *m* (*Hund*).

terrí|fico *adj*. schreckenerregend; **~geno** *lit*. **I.** *adj*. erdgeboren; **II.** *m* Erdensohn *m*.

territori|al *adj. c* Gebiets..., Bezirks...; Landes..., Grund...; *bsd. Pol., Verw*. Hoheits...; Territorial..., territorial; *mar m* ~ Küsten-, Territorial-meer *n*; *aguas f/pl*. **~es** Hoheitsgewässer *n/pl*.; **~alidad** *f* Territorialität *f*, Zugehörigkeit *f* zu e-m Staatsgebiet; **~o** *m* Gebiet *n*; *Pol*. Hoheits-, Staats-gebiet *n*; Territorium *n*, Land *n*; ~ *federal* (*nacional*) Bundes- (Staats-)gebiet *n*; ~ *bajo fideicomiso* Treuhandgebiet *n*; ~ *libre* freies Territorium *n*, Freistaat *m*; ~ *nullius* herrenloses Gebiet *n*, *lt*. territorium *n* nullius

terrón *m* **1.** Erdklumpen *m*; Erdscholle *f*; Klumpen *m*; Stück *n*, Brocken *m*, Würfel *m* (*z. B. Salz, Zucker*); ⚘ *a rapa* ~ dicht überm Boden (*abmähen*); *fig*. F von Grund aus, ganz u. gar; *burl. Col. meter los* **~ones** Furcht einjagen; **2.** Öltrester *m/pl*.; **3.** *fig*. F (kl.) Stück *n* Acker; *Reg*. **~ones** *m/pl*. Grundstück(e) *n*(*/pl*.), Land *n*; *fig*. P *destripar* **~ones** s. hart plagen (müssen).

terrone|ra *burl. f Col*. Furcht *f*, Entsetzen *n*; **~ro** *m* Schollenacker *m*; Ort *m* (*od*. Gegend *f*) voller (Erd-)Brocken.

terro|r *m* Schrecken *m*, Entsetzen *n*; *bsd. Pol*. Terror *m*; ⚔ *ataque m aéreo de* ~ Terrorangriff *m*; **~rífico** *adj*. schreckenerregend; **~rismo** *m* Schreckensherrschaft *f*, Terrorismus *m*; *actos m/pl. de* ~ Terrorakte *m/pl*.; **~rista I.** *adj. c* terroristisch, Terror...; *grupo m* ~ Terroristengruppe *f*; **II.** *m* Terrorist *m*; *hist*. **~s** *m/pl*. Schreckensmänner *m/pl*.; **~rizar** [1f] *v/t*. terrorisieren.

te|rroso *adj*. erdig; erdhaltig; erdfarben; **~rruño** *m* Erdreich *n*, Boden *m*, (Acker-)Scholle *f*; *fig*. Heimaterde *f*; (engere) Heimat *f*; *amor m* (*od. apego m*) *al* ~ Heimatliebe *f*; *sabor m al* ~ Erdgeschmack *m des Weins*; *fig*. lokale Färbung *f* (*z. B. e-r Dichtung*).

ter|sar *v/t*. glätten; polieren; **~so** *adj*. **1.** glatt; sauber, glänzend (*z. B. Spiegel*); runzelfrei; **2.** *fig*. flüssig (*Stil*); geschliffen (*Sprache*); **~sura** *f* Glätte *f*; *fig*. Geschliffenheit *f* (*Sprache, Stil*).

tertu|lia *f* **1.** *geschlossene* Gesellschaft *f*; *p. ext*. Abendgesellschaft *f*; ~ *de literatos* Literatenverein *m*; **2.** Kränzchen *n*; Stammtisch *m*; ~ *con baile* Tanzkränzchen *n*; ~ *literaria* literarischer Stammtisch *m*; **3.** † *u. Reg*. **a**) Spielsalon *m bzw*. Spielerecke *f in den Cafés*; **b**) *Thea*. Galerie *f*; *Arg*. Parkett(sitz *m*) *n*; **~liano** *adj.-su*., **~liante** *adj. c* Stammtisch...; Kränzchen...; Gesellschafts...; *m* Teilnehmer *m* an e-r *tertulia*; (Stammtisch-)Mitglied *n*; **~liar** [1b] *v/i*. *Arg., Col., Chi*. plaudern; bei e-r *tertulia* versammelt sein; **~lio** *adj*. → *tertuliano*.

teruteru *m Vo. Am. Mer*. *Art* Schreivogel *m* (*Vanellus cayenensis*); *fig*. F *Bol., Rpl. gaucho m* ~ gerissener Bursche *m*.

tesa|lonicense *adj.-su. c*, **~lónico** *adj.-su*. aus Saloniki; *m bibl*. Thessalonicher *m*.

tesar I. *v/t*. ⚓ straffen, steifholen; **II.** *v/i*. rückwärtsgehen (*Ochsen unterm Joch*).

tescal *Na. m Méj*. Basaltgelände *n*; Lavagestein *n*.

tesela *f* Mosaikstein(chen *n*) *m*.

tesina *Univ. f etwa*: Diplom-, Zulassungs-arbeit *f*.

tesis *f* (*pl. inv*.) These *f*; ~ *doctoral* Doktorarbeit *f*, Dissertation *f*; *de* ~ Tendenz...

tesitura *f* ♪ Stimmlage *f*; *fig*. (Gemüts-)Stimmung *f*, Verfassung *f*.

te|so I. *adj*. straff, stramm; **II.** *m* flacher Hügel *m*; kl. Unebenheit *f*; **~són** *m* Beharrlichkeit *f*, Unbeugsamkeit *f*; Unnachgiebigkeit *f*, Hartnäckigkeit *f*; Zähigkeit *f*.

teso|rería *f* Schatzamt *n*; Kasse *f e-r Körperschaft od. e-s Vereins*; † *letra f de* ♀ Schatzwechsel *m*; **~rero** *m* Schatzmeister *m*; Kassenwart *m e-s Vereins*; *ecl*. Aufseher *m* der Schatzkammer (*z. B. e-r Kathedrale*); **~ro** *m* **1.** *a. fig. u*. ⚖ Schatz *m*; Sammelwerk *n*; ▢ Thesaurus *m*; *fig. ser* (*od. valer*) *un* ~ Geld (*od*. Gold) wert sein; **2.** ♀ Schatzamt *n*; ♀ (*público*) Staatskasse *f*, Fiskus *m*.

Tes|píades *lit. f/pl*. Musen *f/pl*.; **♀pio** *adj*. Thespis...; **~pis** *Thea*.: *carro m de* ~ Thespiskarren *m*.

test *engl. m* Test *m*.

tes|ta *f* **1.** ~ *coronada* gekröntes Haupt *n*; ~ *de ferro* → *testaferro*; **2.** F Kopf *m*; *fig*. Verstand *m*, Köpfchen *n* F; **~táceos** *Zo. m/pl*. Schalentiere *n/pl*.

testa|do ⚖ *adj*. mit Hinterlassung e-s Testaments; **~dor** *m* Erblasser *m*.

testaferro *m fig*. Strohmann *m*; *tomar a alg. de* ~ j-n vorschieben.

testal *f Méj*. Maisteigkugel *f*.

testamen|taría *f* (F *Am*. **~tería**) Testamentsvollstreckung *f*; **~tario** *adj*. letztwillig, testamentarisch; Testaments...; **~to** *m* ⚖ Testament *n*, letztwillige Verfügung *f*; *bibl. Antiguo* (*Nuevo*) ♀ Altes (Neues) Testament *n*; ~ *abierto* (*od. público*) öffentliches Testament *n*; *p. ext*. ~ *político* politisches Vermächtnis *n*; *por* ~ testamentarisch; *hacer* (*od. otorgar*) ~ sein Testament machen (*od*. errichten).

testar I. *v/i*. ein Testament errichten, testieren; **II.** *v/t*. → *borrar*; F *Ec*. → *subrayar*.

testa|rada *f* Stoß *m* mit dem Kopf; *fig*. F Dickköpfigkeit *f*; **~rrón** F *adj*. → *testarudo*; **~rudez** *f* Starrköpfigkeit *f*, Eigensinn *m*; **~rudo** *adj*. starrköpfig, halsstarrig; eigensinnig, bockbeinig F.

teste|ra *f* Vorderseite *f*; Kopfende *n*; ⊕ *a*. Kopf- *bzw*. Quer-träger *m*; *Kfz*. Vordersitz *m*; **~rada** F *f*, **~razo** F *m* → *testarada*; **~ro** ⊕ *m* Kopfstück *n*; Stirnfläche *f*.

tes|ticular *adj. c* Hoden...; **~tículo** *m* Hode(n) *m*, Testikel *m*.
testifica|ción *f* Bezeugung *f*; Bescheinigung *f*; **~l** *adj. c* Zeugen...; **~r** [1g] *v/t.* bezeugen, bekunden, beweisen; bescheinigen; *fig.* bezeigen, dartun; **~tivo** *adj.* bezeugend, beweisend.
testigo *c* Zeuge *m*; Zeugin *f*; ⚖ ~ *auricular* (*ocular*) Ohren- (Augen-)zeuge *m*; ~ *de cargo* (*bzw. de descargo*) Be- (*bzw.* Ent-)lastungszeuge *m*; *presión f ejercida sobre el* ~ (*bzw. los* ~*s*) Zeugenbeeinflussung *f*; *presentar* ~*s* Zeugen stellen; *ser* ~ *de a/c.* et. bezeugen; *p. ext.* et. miterleben *bzw.* miterlebt haben; dabei (gewesen) sein.
testimo|nial I. *adj. c* als Zeugnis dienend; Zeugen...; **II.** ~*es f/pl. vom Bischof ausgestelltes* Führungszeugnis *n*; **~niar** [1b] *v/t.* bezeugen; **~niero** *adj.* falsches Zeugnis gebend (*Person*); **~nio** *m* Zeugnis *n*; Bescheinigung *f*; Zeugenaussage *f*; ⚖ ~ *de firmeza* Rechtskraftzeugnis *n*; *en* ~ *de* zum Zeugnis (*od.* als Beweis) für (*ac.*); *dar* ~ *de* Zeugnis ablegen von (*dat.*); *levantar falsos* ~*s* falsches Zeugnis ablegen.
testo P *adj. Méj.* (über)voll.
testosterona ⚕ *f* Testosteron *n*.
testuz *m* (*Andal. f*) Stirn *f bzw.* Nacken *m von Tieren*.
tesura *f* → *tiesura*.
teta *f* **1.** Zitze *f*; Euter *n* (*Kuh*); P *weibliche* Brust *f*; **2.** spitze Bodenerhebung *f*.
te|tania ⚕ *f* Tetanie *f*; **~tánico** ⚕ *adj.* tetanisch; **~tanismo** ⚕ *m* → *tetania*.
tétano(s) ⚕ *m* Tetanus *m*, Wundstarrkrampf *m*.
tetar ✎ *v/t. Kind* stillen.
tete|ra *f* **1.** Teekanne *f*; Teekessel *m*; *Am. Mer.* Kanne *f*, Kessel *m mit Tülle, z. B.* Wasserkessel *m*; → *cafetera*; **2.** *Col.* Schnabeltasse *f*; **3.** P *weibliche* Brust *f*, Titten *f/pl.* F; **4.** *Am. Cent., Méj., P. Ri.* → **~ro** *m Am. Reg., Col.* Babyflasche *f*.
tetilla *f männliche* Brustwarze *f*.
tetorra P *f* Mordsbusen *m* F.
tetra... *in Zssgn.* Tetra..., Vier...
tetra|cordio ♪ *m* Tetrachord *m, n*; **~edro** Δ *m* Tetraeder *n*.
tetrágono Δ *m* Viereck *n*.
tetra|grama *m* **1.** ♪ Vierliniensystem *n der Gregorianik*; **2.** ✎ → **~grámaton** *Rel. m* Tetragramm(aton) *n*; **~logía** *Thea. f* Tetralogie *f*; **~motor** *adj.* viermotorig; **~óxido** ⚗ *m* Tetroxyd *n*.
tetrar|ca *m hist.* Tetrarch *m*, *bibl.* Vierfürst *m*; **~quía** *f* Tetrarchie *f*.
tetra|rreactor *m* Vierdüsenmotor (-flugzeug *n*) *m*; **~sílabo** *adj.-su.* viersilbig; *m* Viersilber *m*.
tetrástrofo *m* vierzeilige Strophe *f der „cuaderna vía"*.
tetravalente ⚗ *adj. c* vierwertig.
tétrico *adj.* trübselig; finster; düster, unheimlich.
tetuda P *adj. f* vollbusig.
te|urgia *f* Theurgie *f*; **~úrgo** *m* Theurg *m*, Zauber(priest)er *m*.
teutón(ico) *adj.* teutonisch; *lit. od. desp.* deutsch; *fig.* F *comer como un teutón* sehr viel essen.
textil I. *adj. c* Textil...; *fábrica f* ~ Textilfabrik *f*; *maquinaria f* ~ Textilmaschinen *f/pl.*; **II.** ~*es m/pl.* Textilien *pl.*
tex|to *m* **1.** Text *m*; Wortlaut *m*; *Tel.* ~ *abierto* (*od. no cifrado*) Klartext *m*; *libro m de* ~ Lehr-, Schulbuch *n*; *el Sagrado* ♀ die Heilige Schrift *f*; *fig. poner el* ~ das Wort führen, den Ton angeben; **2.** Zitat *n*; Bibelspruch *m*; **~tual** *adj. c* textgetreu; wörtlich; **~tualmente** *adv.* wortgetreu; wörtlich.
textura *f* **1.** Gewebe *n*, Faserung *f*; **2.** Struktur *f*, Gefüge *n*; **3.** *Geol.*, ⊕ Textur *f*; **4.** Weben *n*.
tez *f* Gesichts-, Haut-farbe *f*, Teint *m*.
tezontle *Na. Min. m Méj. Art* roter Tuff *m*.
ti *pron. pers.* (*nach prp.*) dir; dich.
tía *f* Tante *f*; F Tante *f*, Weib(sbild) *n* (*desp.*); *fig.* (*no hay*) *tu* ~ kein Gedanke!; kommt nicht in Frage!; nichts zu machen!; k-e Ausrede!; *fig.* F *quedar(se) para* ~ e-e alte Jungfer bleiben.
tianguis *m Méj.* (Wochen-)Markt *m*.
tiara *kath. f* Tiara *f*; *fig.* Papstwürde *f*.
tiberio F *m* Krach *m*, Radau *m*.
tibetano *adj.-su.* tibet(an)isch; *m* Tibet(an)er *m*.
tibi|a *Anat. f* Schienbein *n*; **~al** *adj. c* Schienbein...
tibi|eza *f* Lauheit *f*; Lässigkeit *f*; Behaglichkeit *f*; **~o** *adj.* lau(warm); wohlig, behaglich; *fig.* lau, lässig; indifferent; flau F.
tiburón *m* Hai(fisch) *m*.
tic *m* Tick *m*; *hacer* ~ *tac* ticken.
ticket *engl. m* (Fahr-)Schein *m*; Eintrittskarte *f*; Abschnitt *m*, Schein *m*, Kupon *m*.
tiempo *m* **1.** Zeit *f*; (Zeit-)Dauer *f*; Zeitraum *m*; *Li.* Tempus *n*, Zeit *f*; ~*s m/pl.* Zeiten *f/pl.*, Zeitläuf(t)e *pl.*; *ahorro m* (*pérdida f*) *de* ~ Zeit-ersparnis *f* (-verlust *m*); ~ *de coagulación* Gerinn(ungs)zeit *f*; ⊕ ~ *a destajo* Akkordzeit *f*; ⚔ *usw.* ~ *de instrucción* Ausbildungszeit *f*; ~ *libre* Freizeit *f*; ~ *perdido* verlorene Zeit *f*; ⊕ ~ *improductivo* Verlustzeit *f*; ~*s m/pl. primitivos* Urzeit *f*; *Astr.* ~ *solar* (*universal*) Sonnen- (Welt-)zeit *f*; *a* ~ rechtzeitig; *a su* ~ im geeigneten Augenblick; *al mismo* ~ *od. a un* ~ gleichzeitig; *al* ~ *de* im Augenblick (*gen.*); *antes de(l)* ~ vorzeitig; F *cada poco* ~ alle Augenblicke, recht häufig; *con el* ~ mit der Zeit; *con* ~ früh genug, rechtzeitig; *de* ~ *en* ~ von Zeit zu Zeit; in Abständen; *demasiado* ~ allzulange; *desde hace mucho* ~ seit geraumer Zeit; *durante algún* ~ e-e Zeitlang; (*durante*) *mucho* ~ lange; *en otros* ~*s* sonst, früher; vorzeiten; *en su* ~ zu s-r Zeit, seinerzeit; *en* ~*s de* zur Zeit von (*dat.*); *fuera de* ~ zur Unzeit; *andando el* ~ mit der Zeit; später (einmal); *dar* ~ *a alg.* j-m Zeit geben; *dar* ~ *al* ~ s. Zeit lassen, abwarten (können); nichts überstürzen; *fig. darse buen* ~ s. amüsieren; *¡dejémoslo al* ~*!* überlassen wir es der Zeit!; *exigir* (*od. requerir*) *mucho* ~ zeitraubend sein; *ganar* ~ Zeit gewinnen; *hay mucho* ~ *para hacerlo* es steht viel Zeit für die Erledigung zur Verfügung; *no hay* ~ *que perder* es ist k-e Zeit zu verlieren; *hace* ~ *que* ... es ist (schon) lange her, seit (*od.* daß) ...; *hace mucho* ~ vor langer Zeit; *hacer* ~ s. die Zeit zu vertreiben suchen; *ya se va haciendo* ~ es wird allmählich Zeit; *fig. ir* (*od. andar*) *con el* ~ mit der Zeit gehen; *el* ~ *pasa como en un vuelo od. el* ~ *va volando* die Zeit vergeht im Fluge; *pasado* (*od. transcurrido*) *este* ~ nach Ablauf dieser Zeit (*od.* Frist); *para pasar el* ~ zum Zeitvertreib; *perder (el)* ~ Zeit verlieren; ~ *quieren las cosas* alles braucht s-e Zeit; *ya es* ~ *de* + *inf. od. que* + *subj.* es ist Zeit, zu + *inf. od.* daß + *ind.*; *le sobra* ~ *para todo* er hat immer (reichlich) Zeit; *tener el* ~ *muy limitado* sehr wenig Zeit haben; *no tener* ~ k-e Zeit (*iron.* kein Geld) haben (, zu + *inf. de* + *inf.*); *tomarse el* ~ s. die (notwendige) Zeit nehmen; **2.** Wetter *n*; ~ *de lluvias* anhaltendes Regenwetter *n*; *fig.* F ~ *de perros* Hundewetter *n*; ⚓ *mal* ~ Unwetter *n*; *hace buen* (*mal*) ~ es ist gutes (schlechtes) Wetter; *Spr. a mal* ~, *buena cara* gute Miene zum bösen Spiel (machen); **3.** ♪ **a)** Zeitmaß *n*, Tempo *n*; **b)** Satz *m*; **c)** Taktteil *m*; ~ *fuerte* betonter Taktteil *m*; *fig.* F *echar los* ~*s a alg.* j-m die Leviten lesen; **4.** Phase *f*, Abschnitt *m bzw. jeweiliger* Handgriff *m od.* (*a.* ⚔) Griff *m b. der Bedienung e-r Maschine usw.*; Tempo *n bei Schwimmbewegungen usw.*; **5.** *Motor:* Takt *m*; *motor m de dos* (*cuatro*) ~*s* Zwei- (Vier-)taktmotor *m*; **6.** *Sp.* (*medio*) ~ Halbzeit *f*; *primer* ~ erste Halbzeit *f*.
tienda *f* **1.** Laden *m*, Geschäft *n*; Marktbude *f*, Stand *m*; ~ *de modas* (*de venta al detalle*) Moden- (Einzelhandels-)geschäft *n*; *Span.* ~ *de ultramarinos* Kolonialwarengeschäft *n*; *fig.* F *ir de* ~*s* bummeln gehen (*Frauen*); **2.** ~ (*de campaña*) Zelt *n*; ⚕ ~ *de oxígeno* Sauerstoffzelt *n*; **3.** † *u. Reg.* Plane *f bzw.* Sonnensegel *n*.
tiene *usw.* → *tener*.
tienta *f* **1.** ⚕ Sonde *f*; *fig.* F Schlauheit *f*, Pfiffigkeit *f*; *a* ~*s* aufs Geratewohl; *andar a* ~*s* tappen, tappen; *fig.* im Dunkeln tappen; **2.** *Stk.* Stierprüfung *f auf der Weide*.
tiento *m* **1.** Befühlen *n*; Abtasten *n*; *fig.* F Schluck *m*; *fig.* F Schlag *m*, Stups *m*; *a* ~ tappend, tastend; *fig.* F *dar un* ~ *a Getränk* probieren; *a.* prüfen, sondieren *bzw.* auf den Zahn fühlen; F *dar un* ~ *al jarro usw.* e-n Schluck nehmen (*od.* tun); **2.** Behutsamkeit *f*, Vorsicht *f*; *adv. sin* ~ unvorsichtig; *adv. con* ~ behutsam; **3.** Balancierstange *f*; Stock *m der Blinden*; *Mal.* Mal(er)stock *m*; *Zo.* Fühler *m bzw.* Fangarm *m*; **4.** ♪ *Folk.* Lauf *m*, einleitender Akkord *m*; Stegreifspiel *n*; **5.** *Am., bsd. Méj.* Riemen *m am Sattel*; *Chi., Rpl.* (*mst.* ungegerbter) Riemen *m*; **6.** *Arg.* Imbiß *m*; **7.** *Rpl. tener* (*od. llevar*) *a los* ~*s et.* immer in Reichweite (*bzw.* immer bei sich) haben; *j-n* nicht aus den Augen verlieren, ein wachsames Auge auf *j-n* haben; *tiene la vida en un* ~ sein Leben hängt an e-m Faden.

tierno I. *adj.* **1.** *Kchk. u. fig.* zart; mürbe; weich; jung (*Gemüse*); *colchón m* ~ weiche Matratze *f*; (*tener los*) *ojos* ~*s* tränende Augen (haben), triefäugig (sein); *pan m* ~ mürbes (*bzw.* frisches) Brot *n*; **2.** zärtlich; gefühlvoll; ~ *de corazón* weichherzig; **3.** *Chi., Ec.* unreif (*Obst*); **II.** *m* **4.** *Am.* Säugling *m*.

tierra *f a. Astr., Geol.*, 🌾, ⚡ Erde *f*; Land *n* (*Ggs. zu Wasser od. Luft*); Grund u. Boden *m*; Ackerland *n*; Heimat *f*; ~*s f/pl.* Ländereien *f/pl.*; *lit.* Lande *n/pl.*; ~ *de alfareros* Töpfererde *f*; ~ *baja* Niederung *f*, Senke *f*; *a. fig.* Tiefland *n*; ~*s f/pl. bajas* Flachland *n*, Tiefebene *f*; *Geogr.* (*Klimazonen der Andenländer*): ~ *caliente* (*templada, fría*) tropische Andenniederung *f* (gemäßigte Andenzone *f*, andines Hochland *n*); ~ *cocida* Terrakotta *f*; ~*s f/pl. colorantes* Farberden *f/pl.*; 🌾 ~ (*puesta*) *en cultivo* Kulturboden *m*, bebautes Land *n*; ~*s f/pl. decolorantes* Bleicherden *f/pl.*; ~ *firme* Festland *n*; ~ *de infusorios* (*od. de diatomeas*) Kieselgur *f*; ⚔ ~ *de nadie* Niemandsland *n*; ~ *negra* Humus *m*; 𝔖 *Santa* Heiliges Land *n*; *Mal.* ~ *de Siena* Siena (-erde *f*) *n*; 🌾 ~ *vegetal* Mutterboden *m*; *colores m/pl. de* ~ Erdfarben *f/pl.*; ⚒ *primera* ~ Abraum *m*; ⚓ *¡a* ~*!* abgesessen! (*Reiterei*); (*navegar*) ~ *a* ~ ⚓ in Landsicht (segeln); *fig.* höchst vorsichtig; ~ *adentro* landeinwärts; ⚒ *a flor de* ~ über Tage; *bajo* ~ unter (der) Erde; ⚒ unter Tage; *fig.* F *como* ~ reichlich, im Überfluß; *de la* ~ einheimisch, Inland(s)...; *en* ~ am Boden; ⚓ an Land; *fig.* darnieder; *en* ~ *firme* auf dem Festland; *fig.* F *en toda* ~ *de garbanzos* überall; *por* ~ über Land; zu Lande; Land..., *z. B. ruta f por* ~ Landweg *m*; *por* ~*s de León* durch (*bzw.* in)León; *fig. por debajo de* ~ heimlich; *sobre* ~ *a.* ⊕ über (der) Erde; *fig.* F *besar la* ~ hinfallen; *caer a* ~ hinfallen; auf den Boden fallen; *fig.* F *estar comiendo* (*od.* P *mascando*) ~ ins Gras gebissen haben (*fig.*); ⚡ *conectar con* ~ *od. poner a* ~ (*b. Antennen: aterrar*) erden; *dar* ~ *a alg.* j-n begraben; *dar en* ~ umfallen; niedersinken; *dar en* ~ *con od. echar por* ~ umwerfen (*a. fig.*); *Reiter* abwerfen; *fig.* zunichte machen; 🌾 *echar* ~ *a la vid* den Rebstock aufhäufeln; *fig. echarle* ~ *a* (*od. sobre*) *un asunto* e-e Sache begraben, Gras über e-e Sache wachsen lassen; *fig.* F *echar* ~ *a los ojos de alg.* j-m Sand in die Augen streuen; *fig. echarse a* (*od. en, por*) ~ s. demütigen; s. ergeben; *fig.* F *echarse* (*la*) ~ *a los ojos* s. ins eigene Fleisch schneiden; *a. fig. ganar* ~ Boden gewinnen; *meter bajo* ~ ein-, ver-graben; *perder* ~ aus-, ab-rutschen; den (festen) Boden (unter den Füßen) verlieren; ⚓ *pisar* ~, *poner pie en* ~, *a. ir a* ~ an Land gehen; *fig.* F *poner* ~ *en medio* s. aus dem Staub machen; *fig. quedarse en* ~ nicht mitkommen (*b. Eisenbahn usw.*); *fig.* F *sacar a/c. de debajo de la* ~ alle Mühe aufwenden, *um et. zu bekommen*; ⚓, ✈ *tomar* ~ landen; *fig. se lo tragó la* ~ er ist wie vom Erdboden verschwunden; *ver* ~*s* s. in der Welt umsehen; *fig. volver a la* ~ sterben.

tierrafría *Col. c* Bewohner *m des andinen Hochlands.*

tierruca *dim.* F *f* Ländchen *n*; Heimat *f*; *la* 𝔖 das kantabrische Bergland *in der span. Provinz Santander.*

tieso I. *adj.* **1.** *a.* ⊕ *u. fig.* steif, starr; straff, stramm; *fig.* steif, hölzern; ~ *como un huso* (*od. una vela,* P *un ajo*) kerzengerade; stocksteif F; *fig.* P *dejar* ~ töten, umlegen *fig.* P; **2.** fest; hart; *fig.* unbeugsam; *fig. tenérselas* ~*as* s-e Meinung hartnäckig verteidigen (gg. *ac. con, a*); *fig.* ¡*tente* ~*!* halt die Ohren steif!, bleib fest!; **3.** *fig.* mutig, tapfer; **4.** †, ⛏ stark; hartnäckig; **II.** *adv.* **5.** straff; *dar* ~ kräftig (*od.* fest) zuschlagen.

tiesto *m* Scherbe *f*; Blumentopf *m*; *fig.* P *mear fuera del* ~ an der Sache vorbeireden.

tiesura *f* Straffheit *f*; *a. fig.* Steifheit *f*; Starre *f*.

tifoideo ⚕ *adj.* typhoid, Typhus...; *fiebre f* ~*a* → *tifus*.

tifón *m* Taifun *m*.

tifus ⚕ *m* Typhus *m*; ~ *exantemático* Fleckfieber *n*.

ti|gre *m* **1.** *Zo.* Tiger *m*; *fig.* Tiger *m* (*fig.*), Löwe *m* (*fig.*); Wüterich *m*; *fig.* ~ *de papel* Papiertiger *m*; **2.** *Zo. Am. Mer.* Jaguar *m*; ~ *cebado* Jaguar *m*, der schon einmal Menschenfleisch gekostet hat; **3.** *Zo. Méj.* Ozelot *m*; *Am. Cent. oft* → *tigrillo*; *Am.* † *u. Reg.* → *puma*; **4.** *Ec.* Tigervogel *m*; ~**grero** *m Am.* Jaguar- *usw.* -jäger *m*; ~**gresa** *Zo. f* Tigerin *f*; ~**grillo** *Zo. m Am. Name versch. Wildkatzen, darunter* Ozelot *m u.* Chulul *m*; ~**grito** *Zo. m Ven.* Tigerkatze *f*.

tija ⊕ *f* (Schlüssel-)Stiel *m*, Schaft *m*; ~ *del sillín* Sattelstange *f* (*Fahrrad*).

tije|ra *f* (⊕ *oft sg., sonst, a. Sp., pl.*) **1.** Schere *f*; ~*s f/pl. corta-alambre*(*s*) Drahtschere *f*; ~*s para esquilar* Schaf- *od.* Woll-schere *f*; ~*s para* (*cortar*) *papel* Papierschere *f*; ~*s para podar* Baum- *bzw.* Hecken-schere *f*; ~(*s*) *de* (*od. para*) *trinchar* (*aves*) Tranchierschere *f*; ~*s de uñas* Nagelschere *f*; *cama f* (*mesa f, silla f*) *de* ~ Klapp-bett *n* (-tisch *m*, -stuhl *m*); *fig.* F *buena* ~ starker Esser *m*; (*a.* ~) Verleumder *m*, Lästermaul *n* F; *fig. cortado por la misma* ~ *e-m andern* ganz ähnlich, wie aus dem Gesicht geschnitten; *obra f de* ~ zs.-gestoppeltes Werk *n*; **2.** *Zim.* Säge- *bzw.* Rüst-bock *m*; **3.** Flußwehr *n zum Auffangen von Treibholz*; 🌾 Abzugsgraben *m*; ~**ral** *Zim. m Am., bsd. Chi.* Kreuzbalken *m*; *fiesta f de* (*los*) ~*es* Richtfest *n*; ~**retada** *f*, ~**retazo** *m* Schnitt *m* mit der Schere; ~**reta**(**s**) *dim. f*(/*pl.*) **1.** kl. Schere *f*; **2.** Rebranke *f*; **3.** *Ent.* (*sg.*) Ohrwurm *m*; **4.** *fig.* F *decir* ~*s* dummdreist auf s-r Meinung bestehen; ~**retear** *vt/i.* zerschneiden (*mit der Schere*), schnippeln; *fig.* F (*bsd. Am.*) kritisieren, verreißen F, schlechtmachen; ~**reteo** *m* Schneiden *n mit der Schere*; Scherengeklapper *n*; *fig.* F (dreiste) Einmischung *f* in fremde Angelegenheiten; *Am.* Schlechtmachen *n*; ~**rilla** ⚘ *f* Rebranke *f*; ~*s f/pl.* Lerchensporn *m* (*Pfl.*).

tila *f* Lindenblüten(tee *m*) *f/pl.*; ⛏ → *tilo*.

tílburi *m* Tilbury *m* (*Wagen*).

til|dar *v/t.* **1.** mit Tilde (*od.* Akzent) versehen; **2.** durch-, aus-streichen; **3.** bezeichnen (als *ac. de*); ~ *a alg. de a/c.* j-n et. (*ac.*) heißen (*od.* nennen); an j-m et. auszusetzen haben; **4.** tadeln, rügen; beschuldigen, zeihen (*gen. de*); ~**de I.** *f, m Gram.* Tilde *f*; *p. ext.* Akzent *m*; **II.** *f* Tüttel *m*, Lappalie *f*; Bißchen *n*; *fig.* leichte Rüge *f*; *fig. poner* ~*s* auf Kleinigkeiten herumreiten F; *poner* ~*s a* et. auszusetzen haben an (*dat.*).

tiliáceas ⚘ *f/pl.* Lindengewächse *n/pl.*

tiliches *m/pl. Am. Cent., Méj.* **1.** Sachen *f/pl.*, Geräte *n/pl.*; Kram *m*; **2.** Trümmer *pl.*, Scherben *f/pl.*

tilín *m* Geklingel *n*; F *hacer* ~ klingkling machen; *fig.* F gefallen, Anklang finden; anlocken; *no me hace* ~ es gefällt (*bzw.* liegt) mir nicht.

tilo ⚘ *m* Linde *f*; *Arg., Chi.* → *tila*.

tillado *m* Dielenboden *m*; *a.* Parkett(ierung *f*) *n*.

tima|dor *m* Trickbetrüger *m*, Gauner *m*; ~**r I.** *v/t.* begaunern, übers Ohr hauen (*fig.* F); abschwindeln; **II.** *v/r.* ~*se* F s. zublinzeln; *p. ext.* (mitea.) flirten.

timba F *f* **1.** Gruppe *f* von Spielern; Spielhölle *f*; **2.** *Am. Cent., Méj.* Bauch *m*, Wanst *m* F.

timba|l *m* **1.** ♪ (Kessel-)Pauke *f*; **2.** Pastetenform *f*; Fleischpastete *f*; ~**lero** *m* Paukenschläger *m*.

timbi|riche *m* **1.** *Méj.* ⚘ „Timbiriche", wilde Ananas *f*; *p. ext. Cu., Méj.* Timbirichewein *m*; **2.** *Cu., Méj.* Bude *f*, Kneipe *f*; ~**rimba** F *f Ant., Méj.* Glücksspiel(ergesellschaft *f*) *n*; Spielhölle *f*.

timbo F *m Col.*: *del* ~ *al tambo* von Pontius zu Pilatus.

timbó ⚘ *m Rpl. Baum, Schiffsholz* (*Pithecolobium scalare*).

tim|brado *adj.* mit Steuermarke versehen; *papel m* ~ Stempelpapier *n*; ~**brador** *m* Stempler *m*; Stempeleisen *n*; ~**brar** *v/t.* (ab)stempeln; ~**brazo** F *m* starkes (An-)Klingeln *n*; ~**bre** *m* **1.** (*bsd.* Trocken-)Stempel *m*; *p. ext.* Stempel- (*od.* Steuer-)marke *f*; *Am. a.* Briefmarke *f*; ~ *de caucho* (*od. de goma*) Gummistempel *m*; *Verw.*, ✝ *ley f del* ~ Stempelgesetz *n*; **2.** *a. Tel.* Klingel *f*; 🚂 *usw.* Läutewerk *n*; ~ *de alarma* Alarmklingel *f* (*z. B. in Krankenzimmern*); *p. ext.* Alarmknopf *m*; F 🚂 *usw. a.* Notbremse *f*; *Tel.* ~ *de* (*aviso de*) *llamada* (An-)Rufklingel *f*; ~ *nocturno* Nachtglocke *f*; *tocar el* ~ klingeln, läuten; **3.** ♪, *Phon. charakteristischer* Klang *m*; Klangfarbe *f*, Timbre *n*; **4.** ⛉ Helm *m*, Adelsinsignie *f*; Spruchband *n bzw.* Wappenspruch *m über dem Wappen*; *fig.* gr. Tat *f*; ~ *de gloria* Ruhmestat *f*; **5.** *Méj.* **a)** ⚘ Piche-Akazie *f*; **b)** *urspr. mit piche gegerbtes* Leder *n*.

timbusca *Ke. f Col., Ec.* Brühe *f*, Suppe *f*.
timidez *f* Furchtsamkeit *f*; Schüchternheit *f*.
tímido *adj.* furchtsam, ängstlich; schüchtern, scheu.
timo¹ *m Anat.* Thymusdrüse *f*; *Kchk.* ~ *de ternera* Kalbs-milch *f*, -brieschen *n*.
timo² *m* Schwindel *m*, Betrug *m*; Gaunerei *f*; Gaunertrick *m*; *dar un ~ a alg.* j-n begaunern (*od.* hereinlegen F).
timo|cracia *Pol. f* Timokratie *f*; **~crático** *adj.* timokratisch.
ti|món *m* ⚓, ✈ *u. fig.* Steuer *n*, Ruder *n*; *p. ext.* Deichsel *f*; ⚒ Pflugbalken *m*; *fig.* Leitung *f*; ✈ *~ones m/pl.* Leitwerk *n*; ✈ *u. U-Boot ~ horizontal* Tiefenruder *n*; ✈ *~ lateral* (*od. de dirección*) Seitenruder *n*, -leitwerk *n*; *~ de profundidad* Höhen- (*od.* Tiefen-)ruder *n* (geben *dar*); **~monaje** ⚓ *m* (Ruder-)Steuerung *f*; **~monear** ⚓ *v/i.* am Ruder stehen, steuern; **~monel** ⚓ *m* Steuermann *m*, Rudergänger *m*; Bootsführer *m*; **~monera** *f* Schwanzfeder *f e-s Vogels*; **~monería** ⚓, ✈ *f* Rudergestänge *n*; *p. ext.* Gestänge *n*; **~monero I.** *adj.*: ⚒ *arado m ~ gewöhnlicher* (Balken-) Pflug *m*; **II.** *m* ⚓ → *timonel*.
timorato *adj.* gottesfürchtig; furchtsam.
timpani|tis ⚕ *f* Trommel-, Blähsucht *f*, Tympanitis *f*; **~zado** *part.* aufgetrieben; **~zarse** ⚕ *v/r.* s. (auf)blähen (*Leib*).
tímpano *m* **1.** ♪ Hackbrett *n*, Cymbal *n*; (Hand-)Pauke *f*; Zimbel *f*; **2.** △ Giebelfeld *n*, Tympanon *n*; **3.** *Anat.* Pauke(nhöhle) *f*; *p. ext.* Trommelfell *n*; **4.** *Typ.* Drucktiegel *m*; *Büro*: Druckkissen *n e-r Adrema*; **5.** Faßdeckel *m*.
timujanó □ *m* Wahrsager *m*.
tina *f* **1.** *a.* ⊕ Bütte *f*, Bottich *m*, Zuber *m*, Schaff *n*, Kufe *f*; Trog *m*; Wanne *f*; *Färberei*: Küpe *f*; *~ para el agua de lluvia* Regentonne *f*; *~ de cinc* Zinkwanne *f*; *~ de clarificación* Klärbottich *m* (*z. B. Brauerei*); *~ de colada* Laugen-faß *n*, -wanne *f*; *~ de lavar* Wasch-zuber *m*, -bütte *f*, Schaff *n*; *~ de mezcla* Mischbottich *m*; *~ de mosto* Mostkufe *f*; *Brauerei*: Würzpfanne *f*, Hopfenkessel *m*; **2.** *Maß*: Kufe *f* (*258 l*); **~co** *m* **1.** kl. Holzkufe *f*; **2.** Ölhefe *f*; **~ja** *f* gr. Tonkrug *m*; gr. irdener Behälter *m*; **~jero** *m* **1.** Hersteller *m* von *tinajas*; **2.** Gelaß *n usw.* für die Aufbewahrung von *tinajas*; *Span. Reg., Am. Reg.* Schrank *m* (*bzw.* Gestell *n*) für Krüge.
tinca|r [1g] **I.** *v/t. Arg., Chi. Murmel* schnellen; *p. ext.* e-n Nasenstüber geben (*dat.*); **II.** *v/i. fig.* F (so) e-e Ahnung haben, es im Urin haben (*fig.* P); **~zo** *ib. m* Anstoß *m*, Schnellen *n*; *p. ext.* Nasenstüber *m*.
tinción ⚗, ⚕ *f* Färbung *f*.
tinerfeño *Geogr. adj.-su.* aus Teneriffa.
tingible *adj. c bsd.* ⚗, ⚕ färbbar.
tingitano *adj.-su. hist. u. lit.* aus Tanger.
tingla|dillo ⚓ *m* dachziegelförmige Verlegung *f* der Beplankung, Dachziegelwerk *n*; **~do** *m* Bretterschuppen *m*; (offener) Schuppen *m*; Gestell *n*; *fig.* F Durchea. *n*; Intrigen *f/pl.*, Klüngel *m*; *fig.* F Laden *m*, Schuppen *m* F (*Geschäft, Lokal*); P *~de putas* Hurenstall *m* P; *armar un ~* alles durchea.-bringen; P *montar un ~* e-n Laden aufziehen F.
tingle *m* Kittmesser *n der Glaser*.
tinieblas *f/pl. a. fig.* Finsternis *f*, Dunkel(heit *f*) *n*; *kath.* (*oficio m* de) *~* Rumpelmette *f am Karfreitag*.
tino¹ *m* **1.** Takt *m*; Feingefühl *n*; F Fingerspitzengefühl *n*; *perder el* (*sacar de*) *~* aus der Fassung geraten (bringen); **2.** Geschick *n*; Treffsicherheit *f a. b. Schießen*; *sin ~* ohne Maß u. Ziel.
tino² *m* **1.** → *tina*; *bsd.* (Farb-)Küpe *f*; **2.** *prov.* → *lagar*.
tino³ ⚘ *m* Steinlorbeer *m*.
tinta *f* **1.** Tinte *f*; *Mal. u. fig.* (Farb-)Ton *m*; *~ de copiar*, *a. ~ copiativa* (*estilográfica*) Kopier- (Füllhalter-)tinte *f*; *~ china* Tusche *f*; *media ~* Halbton *m*, Halbdunkel *n*; *fig. medias ~s f/pl.* Unklarheiten *f/pl.*; Halbheiten *f/pl.*; *pasar en* (*a. a*) *~* (mit Tusche) ausziehen; *fig. recargar las ~s* übertreiben; *fig. saber de buena ~* aus guter (*od.* sicherer) Quelle wissen; *fig.* F *sudar ~* (*negra*) schwer arbeiten, schuften F; **2.** *~* (*de timbrar*) Stempelfarbe *f*; *~ para imprimir* (*od. ~ tipo[lito]gráfica*) Druckfarbe *f*; *~* (*de imprenta*) Druckerschwärze *f*; *~ para tampones* Stempelkissenfarbe *f*; *~* (*muy*) *brillante* (Hoch-)Glanzfarbe *f*; *~ de bronce* Bronzefarbe *f*; *impresión f con ~*(*s al*) *carbón* Karbondruck *m*.
tin|taje *Typ. m* **1.** Einfärbung *f*; **2.** *mecanismo m de ~* Farbwerk *n*; **~tar** ⚒ *v/t.* → *teñir*; **~te** *m* **1.** Farbe *f*, Färbemittel *n*; *~ de base* Grundfarbe *f*; *~s m/pl. para el pelo* (*para tejidos*) Haar- (Textil-)färbemittel *n/pl.*; **2.** Färben *n*; Farbtränkung *f*; **3.** Färbung *f*; *fig.* Anstrich *m*, Anflug *m*; **4.** Färberei *f*; F chemische Reinigung *f*; **~terillo** F *m Am.* Winkeladvokat *m*; **~tero** *m* Tintenfaß *n*; *Typ.* Farbkasten *m*; → *tintaje* 2; *fig. dejar(se)* (*od. quedársele a alg.*) *a/c. en el ~* et. (ganz u. gar) vergessen; et. verschwitzen F; *¡déjelo mejor en el ~!* lassen Sie das (mal) lieber sein!
tin|tín *onom. m* Klingeln *n*; Klingklang *m*, Geklingel *n*; Klingen *n bzw.* Klirren *n*; Klimpern *n*; *hacer ~* → **~tin(e)ar** *v/i.* klirren; klingeln; bimmeln, läuten; klingen (*Glas*); **~tineo** *m* Geklirr *n*; Geklingel *n*; Bimmeln *n*; Klingen *n*.
tinto *adj.* **1.** gefärbt; **2.** schwärzlichrot (*Traube, Wein*); (*vino m*) *~ m* Rotwein *m*; **3.** *Col.* schwarz (*Kaffee*).
tintóreo *adj.* Farb...; *maderas f/pl. ~as* Farbhölzer *n/pl.*
tinto|rera *f* **1.** Färberin *f*; **2.** *Fi.* Blauhai *m*; **~rería** *f* Färberei *f*; chemische Reinigung *f*; **~rero** *m* Färber *m*; **~rro** F *m* (gewöhnlicher) starker Rotwein *m*, Rotspon *m* F.
tintu|ra *f* **1.** Färben *n*; **2.** Färbemittel *n*; Schminke *f*; *fig.* F oberflächliche Kenntnis *f*, Schimmer *m* F, Ahnung *f* F; **3.** Tinktur *f*; *~ de yodo* Jodtinktur *f*; **~rar** *v/t.* **1.** → *teñir*; **2.** *fig. ~(se)* (s.) oberflächlich unterrichten (über *ac.* de).
tinya *Ke. f* „Tinya" *f*, kl. indianische Handtrommel *f*.
ti|ña *f* **1.** *Ent.* Bienen-, Wachsmotte *f*; **2.** ⚕ Grind *m*; *fig.* F Knauserei *f*, Schäbigkeit *f*; *fig.* F *más viejo que la ~* uralt; **~ñoso** *adj.* grindig; *fig.* F knauserig, schäbig.
tío *m* **1.** *a. fig.* Onkel *m*, Oheim *m* (*lit.*); Gevatter *m* (*a. Anrede*); *Reg.* Stiefvater *m*; *Arg.* alter Neger *m*; *~ abuelo* Großonkel *m*; *~ carnal* (*tercero*) leiblicher Onkel *m*, Onkel *m* ersten (dritten) Grades; F *el ~ ric(ach)o de América* der gute (*od.* reiche) Onkel aus Amerika, der Erbonkel *fig.* F; F *el ~ del saco* Kinderschreck *m*, Bu(tze)mann *m*; *~ vivo* → *tiovivo*; *fig.* F *en casa del ~* nicht zu finden(d); *bsd.* verpfändet, versetzt; **2.** *fig.* F *bis* P Type *f* F, Kerl *m* F, Scheich *m* P; *ser un ~ flojo* e-e Flasche F (*od.* e-e trübe Tasse F) sein; *anerkennend od.* (*selten*) *abfällig*: *¡son unos ~s!* das sind Kerle!; *¡vaya* (*un*) *~!* ein ganzer Kerl!; so ein Kerl!; *verstärkend* (*desp.*): *¡~ tunante!* (Sie *bzw.* du) Erzgauner!
tiovivo *m* Karussell *n*; *fig.* F *dar más vueltas que un ~* von Pontius zu Pilatus gehen.
tipario *m* Tastenfeld *n e-r Schreibmaschine.*
tipejo F *m* sonderbarer Kauz *m*; schräger Vogel *m* (*fig.* F); Knilch *m* P.
tipi *Ethn. m* Tipi *n*, Indianerzelt *n*.
tipiadora *f* **1.** → *máquina de escribir*; **2.** → *mecanógrafa*.
tipici|dad ⚖ *f* Tatbestandsmäßigkeit *f*, Typizität *f*; **~smo** *m* → *tipismo*.
típico *adj.* **1.** typisch, eigentümlich, kennzeichnend, unverkennbar (für *ac.* de); **2.** ⚖ Tatbestands...; *atributos m/pl. ~s* Tatbestandsmerkmale *n/pl.*
tipismo *neol. m* (unverkennbare) Eigentümlichkeit(en) *f(/pl.)*; eigene Note *f*; Folklore *f*.
tiple ♪ *f* Sopranistin *f*; *primera ~* Primadonna *f*.
tipo *m* **1.** *Phil., Rel., Biol.*, ⚕, 📖 Typ(us) *m*; Urbild *n*; Gattung *f*; Vorbild *n*, Beispiel *n*; *~ de hermosura* Urbild *n* der Schönheit; Vorbild *n* an Schönheit, vorbildliche Schönheit *f*; *Psych. ~ ideal* Idealtypus *m*; *psicología f de los ~s* Typenpsychologie *f*; *fig.* F *no es mi ~* er (*bzw.* sie) ist nicht mein Geschmack (*od.* mein Typ F); **2.** Wuchs *m*, Körperbau *m*, Figur *f*; *tener buen ~* gut gewachsen sein; *fig. jugarse el ~* sein Leben riskieren; alles auf e-e Karte setzen; **3.** *fig.* Individuum *n*, Person *f*, Kerl *m* F; Original *n*, Type *f* F; F *¿quién es ese ~?* was ist denn das für einer? F; **4.** *bsd.* † *u.* ⊕ Typ(e *f*) *m*, Klasse *f*; Art *f*; Typ *m*, Muster *n*, Modell *n*; *~ de construcción* Bau-art *f*, -form *f*, -muster *n*; *~ corriente* (*od. standard*) normale Bauart *f*, Standardmodell *n*; **5.** *Bankw.* Satz *m*; Kurs *m*; *~ de cambio* (*libre, oficial*) (freier, amtlicher) Wechselkurs *m*; *~ de comisión* (*de*

fletes) Provisions- (Fracht-)satz *m*; ~ de descuento Diskont-, Bank-satz *m*; ~ de emisión (de suscripción) Ausgabe- (Zeichnungs-)kurs *m*; ~ de interés Zins-fuß *m*, -satz *m*; ~ legal gesetzlicher Zins(fuß) *m*; ~ máximo (mínimo) Höchst- (Mindest-)satz *m*; **6.** ⚖ Tatbestand *m*; error *m* destructivo del ~ legal Tatbestandsirrtum *m*; **7.** *Typ.* Type *f*, Letter *f*; *p. ext.* ~s *m/pl.* *od.* ~ Schrift-, Lettern-satz *m*, Schrift *f*; ~ gótico gotische Schrift *f*, gotische Letter *f*; ~ de (letra de) doce puntos 12-Punkt-Schrift *f*.

tipogénesis *Biol. f* Typogenese *f*.

tipo|grafía *f* Buchdruckerkunst *f*; Buchdruck *m*; **~gráfico** *Typ. adj.* Buchdruck...; drucktechnisch; unidad *f* ~a typographische Einheit *f*.

tipógrafo *m* Buchdrucker *m*.

tipo|logía 📖 *f* Typologie *f*; **~lógico** *adj.* typologisch.

tipómetro *Typ. m* Typometer *n*.

tipoy *Gua. m Rpl.*: *langes, ärmelloses Hemd der Indianerinnen u. der weibl. Landbevölkerung.*

tíquet *od.* **tiquete** *m Am.* → ticket.

Tiquicia *burl. f Am. Cent.* = Costa Rica.

tiquismiquis *m/pl.* Getue *n* F; geschraubte Komplimente *n/pl.*; Fisimatenten *pl.*

tira I. *f* Streifen *m*; *a.* Lasche *f zum Ziehen*; ~ para abertura rápida (Auf-)Reißlasche *f b. Verpackung*; ~ de control Kontrollstreifen *m*; ~ de papel Papier-streifen *m bzw.* -bahn *f*; ~ perforada Lochstreifen *m*; **II.** *m* ~ y afloja → tirar 7; **~bala** *m* Knallbüchse *f der Kinder*; **~botas** *m* (*pl. inv.*) Stiefelknecht *m*; **~buzón** *m a. fig.* Kork(en)zieher *m*; ✈ Trudeln *n*; ~ chato Flachtrudeln *n*; *fig.* sacar a/c. a alg. con ~ et. (mühsam) aus j-m herausholen (*fig.*).

tirada *f* **1.** Wurf *m*; *p. ext.* Tirade *f*, Schwall *m* (*desp.*) *v. Worten, Versen usw.*; a largas ~s in langen Zügen (*trinken*); de una ~ in e-m Zuge; **2.** Abstand *m*; Wegstrecke *f*; Zeitraum *m*; Zwischenzeit *f*; **3.** *Typ.* Abzug *m*; Auflage *f*; de corta ~ in geringer Auflage (erscheinend); ~ aparte Sonderdruck *m*; ~ en masa Massenauflage *f*; **4.** *Jgdw.* Schießen *n*; Jagd *f*.

tirade|ra *f* **1.** langer Pfeil *m der Indianer*; **2.** *Am. Cent., Cu., Chi.* → tirantes; **~ro** *Jgdw. m* Ansitz *m*.

tirado I. *adj.* **1.** gestreckt; gespannt; **2.** flott (*Schrift*); **3.** spottbillig, geschenkt (*fig.* F); **II.** *m* **4.** ⊕ (Draht-)Ziehen *n*; *Typ.* ⚒ → tirada 3.

tirador *m* **1.** *a.* ⚔ Schütze *m*; *Fechtk.* Fechter *m*; ⚔ ~ ametrallador Maschinengewehrschütze *m*, MG-Schütze *m*; *Fechtk.* ~ de florete (de espada) Florett- (Degen-)fechter *m*; ⚔ ~ elegido (infante, tanquista) Scharf- (Infanterie-, Panzer-)schütze *m*; ~ de pistola Pistolenschütze *m*; ⚔ *u. Volksfest*: compañía *f* de ~es Schützenkompanie *f*; equipo *m* de ~ Schützenausrüstung *f*; *Fechtk.* Fechtanzug *m*; **2.** ~ (de goma) (Gabel-)Schleuder *f*; **3.** Reiß-, Ziehfeder *f*; **4.** (Zug-, Zieh-)Griff *m*; Klingelzug *m*; Türgriff *m*; ♪ ~es *m/pl.* manuales Druckknöpfe *m/pl.* für die Handregistratur (*Orgel*); ~ del retrete Klosettzug *m*, Abzug *m*; **5.** ⊕ ~ de oro Golddrahtzieher *m*; **6.** *Typ.* ⚒ Drucker *m*; **7.** *gal. Am.* Schublade *f*; **8.** *Rpl.* breiter Schmuckgürtel *m der Gauchos.*

tira|fondo *m* gr. Holzschraube *f*; langer Bolzen *m*; *Chir.* Kugelzange *f*; **~frictor** ⚔ *m* Abriß-leine *f am Geschütz*, -schnur *f b. Handgranaten*; **~gomas** *m* (*pl. inv.*) *prov. u. Am.* Gummi-, Gabel-schleuder *f*.

tiraje *gal. m* **1.** *Phot.* Bodenauszug *m*; **2.** *Am.* → tirada 3.

tira|lanzas *Ethn. m* (*pl. inv.*) Speerschleuder *f*; **~líneas** *m* (*pl. inv.*) Reißfeder *f*; **~miento** *m* Ziehen *n*; Strecken *n*, Spannen *n*.

tiramira † *u. Reg. f* **1.** *schmaler Gebirgszug m*; **2.** Reihe *f*, Kette *f*; **3.** ⚒ Entfernung *f*.

tiramollar ⚓ *v/i.* e-e Leine verfahren.

tira|na *f* Tyrannin *f*; **~nía** *f hist. u. fig.* Tyrannei *f*; **~nicida** *c* Tyrannenmörder *m*; **~nicidio** *m* Tyrannenmord *m*.

tiránico *adj.* tyrannisch, Tyrannen....

tira|nización *f* Tyrannisierung *f*; **~nizar** [1f] *v/t.* tyrannisieren, knechten; **~no** *m hist. u. fig.* Tyrann *m*; Gewaltherrscher *m*.

tiran|ta F *f Col.* → tirantes; **~te I.** *adj. c* **1.** gespannt (*a. fig.*); straff; prall; **II.** *m* **2.** Zugriemen *m*; Tragriemen *m*; Schulterriemen *m*; *p. ext.* Stiefelstrippe *f*; **3.** ⊕, *Zim.* Binder *m*, Bindebalken *m*; Zuganker *m*; Zugstrebe *f*; *p. ext.* Hemmkette *f bzw.* Hemmvorrichtung *f*; **4.** Träger *m am* (*Unter-*)*Kleid usw.*; ~s *m/pl.* Hosenträger *m/pl.*; **~tez** *f a. fig. u. Pol.* Spannung *f*; Straffheit *f*; Gespanntheit *f*; ⚕ Ziehen *n*.

tirapié *m* Knieriemen *m der Schuster.*

tirar I. *v/t.* **1.** werfen; weg-, ab-, hinaus-werfen; *a.* ⊕ auswerfen, austreiben; hinwerfen; zu Boden werfen; *p. ext.* umstürzen; niederreißen; *Baum* fällen; *Gebäude* abreißen; *Ware* verschleudern; *Glas Wein* trinken; *fig.* vergeuden, verprassen; verleiten, verführen; ~ al aire (*od.* a lo alto) hochwerfen, in die Höhe werfen; *fig.* F ~ su dinero (a la calle) *od.* ~ la casa por la ventana sein Geld (sinnlos) verschwenden (*bzw.* durchbringen); *fig.* F ~la de rico den reichen Mann spielen; *fig.* ~ de (*od.* por) largo mit vollen Händen hinauswerfen, verschwenden; ~ piedras Steine (*od.* mit Steinen) werfen (auf *ac.* a); **2.** (an- *bzw.* ab-)ziehen; wegziehen; *Wagen, Messer, Waffe* ziehen (*mst. mit* de); *fig.* F eso no me tira das zieht bei mir nicht, das läßt mich kalt; **3.** schießen; Schuß abgeben; *p. ext.* ~ un mordisco (patadas; un pellizco) zuschnappen (*Hund*) (treten; kneifen, zwicken); *Phot.* F ~ una foto knipsen F, schießen F; **4.** ⊕ *Draht* ziehen; *bsd.* ~ oro (plata) (en hebras) Gold- (Silber-)fäden ziehen; **5.** *Typ., Phot.* abziehen; *Typ.* drucken; *Typ.* ~ las pruebas die Korrekturabzüge machen; **II.** *v/i.* **6.** *a. fig.* ziehen (*a. Zigarette usw., Ofen*); *fig.* a todo ~ höchstens, bestenfalls; *Kfz.* el coche tira bien der Wagen zieht gut (*od.* hat ein gutes Anzugsvermögen); *fig.* F esta chaqueta (no) tirá otro verano dieser Rock wird (k)einen weiteren Sommer (aus)halten; *fig.* F ir tirando gerade auskommen (mit *dat.* con), s. (so) durchschlagen (*fig.* F); s. hinschleppen (*Kranker*); (nur) mühsam vorwärtskommen; juego *m* de tira y afloja Bänderspiel *n* (*ein Pfandspiel*); tira y afloja *adv. fig.* F mit Ab- u. Zugeben, (vorsichtig u.) mit viel Geschick; *m bsd. Pol.* Tauziehen *n*; ~ a (*od.* por) la derecha nach rechts einbiegen (*od.* gehen); *fig.* F ~ al monte Heimweh haben; el imán tira del acero der Magnet zieht den Stahl an; ~ de los cabellos an den Haaren zerren; ~ (d)el coche den Wagen ziehen; ~ de la cuerda an der Schnur ziehen; ~ (de) la espada den Degen ziehen; ~ de las orejas an den Ohren zupfen; *fig.* ~ por un camino e-n Weg einschlagen; **7.** schießen (mit *dat.* a, con); fechten; ~ largo (zu) weit schießen; *fig.* zu weit gehen; ~ más allá del blanco *a. fig.* über das Ziel hinausschießen; ~ al blanco aufs Ziel schießen; ~ a matar (*od.* a dar) scharf (*bzw.* gezielt) schießen; **8.** *fig.* ~ a neigen zu (*dat.*); Freude (*od.* Lust) haben an (*dat.*); (*oft* insgeheim) hinarbeiten auf (*ac.*), et. (*ac.*) erstreben; ~ a azul ins Blaue spielen (*Farbe*); ~ al grotesco aufs Groteske hinauslaufen; tira a mejorar e-e Besserung bahnt s. bei ihm an; ~ a ser comisario gern Kommissar werden wollen; ~ a viejo ältlich aussehen; **III.** *v/r.* ~se **9.** geworfen werden; gedruckt werden; *Typ.* ¡tírese! druckfertig, maschinenfertig (*Satz, Manuskript*); **10.** s. (zu)werfen, s. (hin)werfen (auf *ac.* a); s. stürzen (in *ac.*, auf *ac.* a); s. hinaus- (*od.* hinunter-)stürzen; in die Tiefe springen; ✈ mit dem Fallschirm abspringen; ~se el día leyendo den Tag mit Lesen zu- (*od.* ver-)bringen; ~se unas vacaciones bárbaras ganz groß in Ferien gehen; ~se al agua ins Wasser springen; *fig.* F ~se a muerto den dummen August machen (*fig.* F); ~se del avión aus dem Flugzeug abspringen; F ~se de la cama aus dem Bett springen; *fig.* F ~se de risa s. biegen vor Lachen; F tirársela(s) de s. aufspielen als (*ac.*); F ~se en la cama s. ins Bett legen; **11.** *Zo.* bespringen, decken; *p. ext.* P *Frau* vernaschen, aufs Kreuz legen V; **12.** *Cu.* zu weit gehen.

tiratrón *HF m* Thyratron *n*.

tirilla *f* Hemdbund *m*; *Chi.* Fetzen *m*, Lumpen *m*.

tirio I. *adj.* tyrisch, aus Tyrus; **II.** *m* Tyrer *m*; *fig.* ~s y troyanos Vertreter *m/pl.* entgg.-gesetzter Meinungen.

tirisuya *Pe. f* ♪ *Folk. Art* Schalmei *f*.

tirita ⚕ *f* Schnellverband *m* (*Wz.*).

tiritaña F *f* Geringfügigkeit *f*.

tiri|tar *v/i.* frösteln, schaudern (*vor Kälte*); **~tera** *f* → tiritona; **~tón** *m* starker Frostschauer *m*; **~tona** F *f* Frösteln *n*, Zittern *n*.

tiro *m* **1.** Wurf *m*; Wurfweite *f*;

p. ext. Stoffbreite *f*; Schulterbreite *f* (*Kleidung*); Stock *m* (*b. Hemdenzuschnitt*); Schritt(weite *f*) *m e-r Hose*; *fig. a un* ~ *de piedra* e-n Steinwurf weit; **2.** ⚔ *usw.*, *a. Sp.* Schuß *m*; Schießen *n*; Beschuß *m*; ⚔ Feuer *n*; *p. ext.* Scheibenstand *m* (*Schießstand*); *fig.* Streich *m*; verletzendes (*od.* bissiges) Wort *n*; boshafte Anspielung *f*; (schwerer) Schlag *m* (*fig.*); *a* ~ auf Schußweite; *fig.* in nächster Nähe, in Reichweite; *adv. al* ~ sofort; *adv. ni a* ~*s* nicht um alles in der Welt; *a* ~ *hecho* genau zielend; *fig.* treff-, ziel-sicher, genau; *fig. a* ~ *limpio* mit Waffengewalt; *fuera de(l)* ~ *a. fig.* außer Schußweite; ~ *al arco* (*al blanco*) Bogen- (Scheiben-) schießen *n*; ~ *errado* (*od. fallado, perdido*) Fehlschuß *m bzw.* Ausreißer *m*; *b. Scheibenschießen* Fahrkarte *f* (*fig.* F); ~ *de flanco* Flankenbeschuß *m*, Feuer *n* von der Seite; ~ *de gracia* Gnadenschuß *m*; ~ *de pichón*, *Am.* ~ *a la paloma* Taubenschießen *n*; ~ *al plato* Wurf- (*od.* Ton-)taubenschießen *n*; ~ *rápido* Schnellfeuer *n*; ~ *en el vacío* Schuß *m* in die Luft; *polígono m de* ~ Schießstand *m*; *acertar el* ~ treffen, *a. fig.* sein Ziel erreichen; *dirigir el* ~ zielen (auf *ac. a*); *fig. sin disparar un* ~ kampflos; *fig.* F *estar* (*od. andar*) *a* ~*s con alg.* mit j-m verkracht sein F; *pegar(se) un* ~ (s.) e-e Kugel durch den Kopf jagen; *fig.* P *¡(que) mal* ~ *te peguen!* verrecken sollst du! P; *fig.* F *poner a/c. a* ~ et. weitgehend vorbereiten; *fig.* F *le salió el* ~ *por la culata* der Schuß ging nach hinten los; *fig.* F *sentarle a/c. a alg. como un* ~ (zu) j-m überhaupt nicht passen (*Kleidungsstück usw.*); j-m schwer im Magen liegen (*Speise u. fig.*); *a. fig. venir a* ~ *hecho* genau in die Schußlinie kommen; **3.** Zug *m*, Gespann *n*; ~ *de cuatro caballos* Viererzug *m*; *de* ~ Zug...; ~ *en tándem* Tandem *n* (*Gespann*); **4.** *Equ.* Zugleine *f*, Strang *m*; *fig.* F *de* ~*s largos* piekfein F; **5.** Zugseil *n*, Lastenzug *m* (*Seilrolle*); ⚔ ~*s m/pl.* Wehrgehänge *n*; *Arg. a.* Hosenträger *m/pl.*; **6.** Zug *m im Ofen usw.*; *p. ext.* ~ *de humo* Rauchabzug *m*; **7.** ⚠ Treppen-stück *n*, -lauf *m*; **8.** ⚒ Bodenschacht *m*; Schachttiefe *f*; **9.** *vet.* Verbeißen *m der Pferde b. Futterraufen*; **10.** *Typ.* †, ✎, *öfter Am.* Auflage *f*.

tiroi|deo ⚕ *adj.* Schilddrüsen...; **~des** ⚕ *adj.-su. f inv.* (*glándula f*) ~ Schilddrüse *f*.

tirolés *adj.-su.* tirol(er)isch; *m* Tiroler *m*.

tirón[1] *m* Zug *m*, Ruck *m*, Zerren *n*; *de un* ~ auf einmal; *fig.* F *ni a dos* (*od. a tres*) ~*ones me sacan de aquí* k-e zehn Pferde bringen mich von hier weg F; *dar un* ~ *de orejas a alg.* j-n an den Ohren ziehen.

tirón[2] *lit. m* Anfänger *m*.

tirona *f* **1.** *Art* Wurfnetz *n zum Fischen*; **2.** *fig.* P (Amateur-)Nutte *f* P.

tironear *v/i. Am.* rucken.

tironiano *adj.*: *hist. u. lit. notas f/pl.* ~*as* tironische Noten *f/pl.*; *lit.* Kurzschrift *f*.

tiroriro *onom.* F *m* Trara *n* (*Klang der Blasinstrumente*).

tirote|ar *vt/i.* mit Gewehrfeuer belegen; ~(se) plänkeln, *fig.* hadern; **~o** *m* Schießerei *f*; Gewehrfeuer *n*; Geplänkel *n*.

tirreno *Geogr. adj.* tyrrhenisch.

tirria F *f* Widerwille *m*; Ärger *m*, Groll *m*; *tener* ~ *a alg.* e-n Pik auf j-n haben F.

tirso *m* Thyrsus *m*, Stab *m* der Bacchantinnen.

¡tírte! † *u. Reg. int.* hinaus mit dir!, scher' dich!

tisana *f* **1.** Heiltee(aufguß) *m*; **2.** Bowle *f*, kalte Ente *f*.

tísico ⚕ *adj.-su.* schwindsüchtig; *m* Schwindsüchtige(r) *m*.

tisis ⚕ *f* Schwindsucht *f*, Phthisis *f*; ~ *pulmonal* Lungenschwindsucht *f*.

tiste *m* **1. a)** *Am. Cent.*, *Méj.* Maiskakaogetränk *n*; **b)** *Guat. Getränk aus Maismehl, Achiote u. Zucker*; **2.** *Am. Mer.* Warze *f*.

tisú *m* Gold- (*bzw.* Silber-)stoff *m*; Brokat *m*.

tita *Kdspr. f* Tante *f*.

ti|tán *m Myth. u. fig.* Titan *m*; **~tánico** *adj.* titanisch, *fig.* riesenhaft; **~tanio** ⚗ *m* Titan *n*.

títere *m* Gliederpuppe *f*; *a. fig.* Hampelmann *m*; *a. fig.* Marionette *f*; (*teatro m de*) ~*s m/pl.* Marionetten- (*bzw.* Kasperle-)theater *n*; *fig.* F *no dejar* ~ *con cabeza* alles kurz u. klein schlagen; *no quedó* ~ *con cabeza* da blieb nichts heil.

tití *Zo. m* Seidenäffchen *n*; Springäffchen *n*; *fig.* F *Am. Mer. más feo que un* ~ urhäßlich.

titilar *v/i.* zittern; flackern; flimmern.

titiritero *m* Puppenspieler *m*; *p. ext.* F Akrobat *m*.

titoís|mo *Pol. m* Titoismus *m*; **~ta** *adj.-su. c* titoistisch; *m* Titoist *m*.

titube|ar *v/i.* wanken, schwanken; *fig.* zögern, unschlüssig sein (zu + *inf. od.* bei *dat.* en); **~o** *m* Schwanken *n a. fig.*

titu|lación *f* **1.** *Typ.* → *titulado*; **2.** ⚗ Maßanalyse *f*, Titrierung *f*; **~lado** *m* **1.** Inhaber *m* e-s (akademischen) Titels, Diplomierte(r) *m*; **2.** *Typ.* (*a. bsd. Am. titulaje m*) Betitelung *f*, Überschrift *f*; **~lar I.** *adj. c* **1.** betitelt; Titular...; *letra f* ~ Titelbuchstabe *m*; *profesor m* ~ Ordinarius *m*, Lehrstuhlinhaber *m*; **II.** *c* **2.** ⚖ Träger(in *f*) *m*, Inhaber(in *f*) *m*; ~ *de una cuenta* Kontoinhaber(in *f*) *m*; ⚖ *anterior* ~ *de un derecho* Rechtsvorgänger *m*; *los* ~*es a.* die Ordinarien *pl.*; **III.** *m* **3.** *Zeitung*: Überschrift *f*, Schlagzeile *f*; *figurar en los* ~*es de los periódicos* Schlagzeilen machen; **IV.** *v/t.* **4.** betiteln, benennen; *j-m* e-n Titel verleihen; **5.** betiteln, überschreiben; **6.** ⚗ titrieren; **V.** *v/i.* **7.** e-n (Adels-)Titel erhalten; **~larizar** [1f] *v/t.* zum Inhaber (*od.* Träger) machen; zum Ordinarius (*bzw.* zum Titularbischof *usw.*) ernennen.

titulillo *m Typ.* Kolumnentitel *m*; *fig.* Lappalie *f*.

título *m* **1.** Titel *m*, Überschrift *f*; *Film*: ~*s m/pl.* Vorspann *m*; *Buchwesen*: Titelei *f*; *Typ.* ~ *a dos columnas* Zwei-Spalten-Überschrift *f*; **2.** ⚖ Titel *m* (*Abschnitt, Kapitel e-s Gesetzbuchs usw.*); **3.** Titel *m*; Diplom *n*; *fig.* Rang *m*, Name(n) *m*; ~*s m/pl. a.* Titulatur *f*, Betitelung *f*, Rangbezeichnung *f*; ~ *de dignidad* Amtstitel *m*; Würdename *m*; ~ *de doctor* Doktortitel *m*; ~ *de nobleza* Adelstitel *m*; Adels-brief *m od.* -diplom *n*; *sacar un* ~ e-n Titel erlangen; **4.** *p. ext.* hoher Titelträger *m*; Adlige(r) *m*; **5.** ⚖ *usw.* (Rechts-)Titel *m*, Rechtsanspruch *m*; (Berechtigungs-)Urkunde *f*; *p. ext.* Berechtigung *f*, Anspruch *m*; *fig.* Grund *m*, Begründung *f*, Anlaß *m*; *mst.* ~*s m/pl.* Befähigung *f*, Fähigkeit *f*; ~ *hipotecario* Schuldverschreibung *f*; ~ *legal* Rechtstitel *m*; ~ *de propiedad* Besitzurkunde *f*; *a* ~ *de* mit dem Recht (*gen.*); in m-r (*usw.*) Eigenschaft als (*nom.*); als (*nom. bzw. ac.*); unter dem Vorwand von (*dat.*); *a* ~ *de compensación* als Ausgleich; *a* ~ *de información* zur Kenntnisnahme; *¿a* ~ *de qué?* mit welchem Recht?; aus welchem Anlaß?; ⚖, *Verw. a* ~ *gratuito* kostenlos, unentgeltlich; *con justo* ~ wohlberechtigt; **6.** † Wertpapier *n*, Papier *n* F (= ⚖ ~-*valor*); → *valor* 2; ~*s m/pl. amortizables* kündbare Werte *m/pl.*; ~ (*sin los cupones*) Mantel *m*; ~*s m/pl. depositarios en garantía* lombardierte Wertpapiere *n/pl.*; ~*s m/pl. de la Deuda* (*Pública*) Staatspapiere *n/pl.*; ~ *de renta fija* Renten-papier *n*, -brief *m*; **7.** ⚗ *usw.* Gehalt *m*, Stärkegrad *m*; ~ *de alcohol* Alkoholgrad *m*; ~ *legal* gesetzlicher Feingehalt *m e-r Münze*.

titulomanía *f* Titelsucht *f*.

tiza *f* Kreide *f*; ~ *en polvo* Schlämmkreide *f*; *marcar con* ~ ankreiden.

tiz|na *f* Schwärze *f*; **~nadura** *f* Berußen *n*; Schwärze *f*; **~nar** *v/t.* schwärzen; *fig.* anschwärzen; ~*se* verrußen; **~ne** *m*, ✎ *f* Kienruß *m*; Ruß *m*; **~nón** *m* Rußfleck *m*.

ti|zo *m* halbverbranntes Scheit *n*; Rauchkohle *f*; □ Polizist *m*; **~zón** *m* **1.** halbverbranntes Scheit *n*; Feuerbrand *m*; *p. ext.* Sturmzündholz *n*; *fig.* Schandfleck *m*; **2.** ✎ Brand *m* (*Schädlingspilz*); **3.** ⚠ Binder *m* (*Mauerstein*); **~zona** *f* **1.** ♀ *hieß das Schwert des Cid*; **2.** *fig.* F Degen *m*, Plempe *f* F; **~zonada** *f fig.* F (*mst.* ~*s f/pl.*) Höllenpein *f im Jenseits*; **~zonear** *v/i.* das Feuer schüren.

tlacoyo *m Méj.* gr. gefüllte Tortilla *f*.

tlacuache *Zo. m Méj.* Opossum *n*.

tlalayote ⚘ *m Méj. versch. Schwalbenwurzgewächse*.

tlapa ⚘ *f Méj.* **1.** Stechapfel *m*; **2.** Rizinus *m*.

tlapalería *f Méj.* Drogen- u. Farbenhandlung *f* (*heute oft auf Handwerkerbedarf ausgedehnt*).

tlascal *m Méj.* Maisfladen *m*.

tlaxcalteca (*oft tlascalteca*) *Méj. adj.-su. c* tlaxcaltekisch; *m* Tlaxcalteke *m*.

tmesis *Gram. f* Tmesis *f*, Trennung *f*.

toa|lla *f* Handtuch *n*; ~-*esponja* Frottiertuch *n*; **~llero** *m* Handtuchständer *m*; -halter *m*; **~lleta** *f* **1.** kl. Handtuch *n*; **2.** → *servilleta*.

toar ⚓ *v/t.* bugsieren, schleppen.

toba *f* **1.** *Min.* Tuff(stein) *m*; **2.** ⚕ Zahnstein *m*; **3.** ⚘ Eselsdistel *f*.
tobera *f* Düse *f*; ~ *de propulsión* Schubdüse *f b. Raketen*; ~ *pulverizadora* Zerstäuberdüse *f*.
tobi|llera † F *f* junges Mädchen *n*; **~llo** *m* Fußknöchel *m*; *hasta los ~s* knöchellang (*Kleid*).
tobogán *m* Rodelschlitten *m*; *fig.* Rodelbahn *f*; Rutschbahn *f*.
toca *f* Haube *f*; Schwesternhaube *f*; *~s f/pl. fig. Art* Witwen- (*od.* Waisen-)geld *n*.
toca|ble *adj. c* anrührbar; spielbar; **~da** *Hk. f Am.* Hieb *m*, bei dem kein Blut fließt; **~discos** *m* (*pl. inv.*) Plattenspieler *m*; ~ *portátil* Phonokoffer *m*; **~do**[1] *part.*: *estar* ~ nicht mehr ganz in Ordnung sein (*Sache*); F *estar* ~ *de la cabeza* nicht ganz richtig im Kopf sein.
tocado[2] *m weiblicher* Kopfputz *m*; Frisur *f*; Haaraufsatz *m*.
tocador[1] *m* Toiletten-, Frisiertisch *m*; Toilette(nzimmer *n*) *f*.
to|cador[2] *m* Spieler *m e-s Instruments*; **~camiento** *m* Berührung *f*; Abtupfen *n*; **~cante** *part.* berührend; (*por lo od. en lo*) ~ *a* bezüglich (*gen.*), was ... (*ac.*) angeht; **~car**[1] [1g] **I.** *v/t.* **1.** be-, an-rühren; rühren an (*dat.*); betasten, anfühlen; ⚕ touchieren; *Mal.* retouchieren; *Ehre usw.* antasten; *Kapital* angreifen; *Argument, Thema* berühren, anschlagen; *¡no ~!* nicht berühren!; ~ *con la mano* mit der Hand berühren; *fig.* ganz nahe daran sein; *¡tócala!* schlag' ein!, die Hand drauf!, topp!; **2.** *Instrument* spielen; *Glocken* läuten; *Trommel, Alarm* schlagen; *fig. Herz* rühren; *Flöte* blasen; *Geige, Klavier, Walzer* spielen; ~ *la bocina* hupen; ~ *el timbre* klingeln, läuten; **3.** *Hafen* anlaufen; 🚂 einfahren; **II.** *v/i.* **4.** spielen (*Instrument, Musiker*); läuten (*Glocke*); *ecl.* einläuten (*et. a*); *tocan* es läutet (*Glocke[n] od. Türklingel*); *fig.* F *tocan a comer* (*a pagar*) auf zum Essen! (jetzt heißt es zahlen!); ⚔ (*Kavallerie*) *u. fig.* ~ *a degüello* zum Angriff blasen; *tocan a matar Stk.* man gibt das Zeichen zum letzten Abschnitt des Stierkampfs (*Aktion des Matadors*); *fig.* F jetzt wird es ernst!; ~ *a misa* (*a muerto, a oración*) zur Messe (zum Gebet, die Totenglocke[n]) läuten; *fig.* F (*oft iron.*) *¿a rebelar tocan?* so, aufsässig möchte man werden?; **5.** zufallen (*Los, Gewinn*; *Aufgabe*; *Schicksal*); zukommen, gebühren; *ahora le toca a usted* (*el turno od. la vez*) jetzt sind Sie an der Reihe, jetzt sind Sie dran F; *a mí si me toca el gordo* wenn ich das große Los gewinne ...; *te toca de cerca* es geht besonders dich an; *le toca el honor* ihm gebührt die Ehre (, zu + *inf. de*); *le tocó en suerte* + *inf.* es traf ihn, zu + *inf.*; *por lo que toca a* ... was ... (*ac.*) betrifft; **6.** Berührung haben; s. berühren, zs.-stoßen (mit *dat. con*); ⚓ leichte Grundberührung haben; *fig.* F *adv. toca, no toca* ganz eng beiea.; ~ *en tierra* ⚓ an Land gehen; ✈ landen; **7.** verwandt (*bzw.* eng verbunden) sein (mit *dat. a*); **III.** *v/r.* *~se* **8.** s. berühren; anea.-stoßen; Mann an Mann stehen; anea.-grenzen; *fig.* F *tocárselas* Reißaus nehmen.
tocar[2] [1g] **I.** *v/t. Haar, Frisur* zurechtmachen; **II.** *v/r.* *~se* s. frisieren; Schleier, Haube, († *u. Reg.* Kopfbedeckung) aufsetzen.
tocata ♪ *f* Tokkata *f*.
tocateja *adv.*: *a* ~ (in) bar(em Geld).
toca|ya *f*, **~o** *m* Namens-schwester *f*, -bruder *m*; *es mi* ~ *od. somos ~s* wir haben den gleichen Namen.
toci|nería *f* Speckladen *m*; Selcherei *f*; **~no** *m* Speck *m*; Speckseite *f*; *fig.* F dicker, fauler Mensch *m*; ~ *del cielo Art* Eierkonfekt *n*.
toco *m* **1.** *Arg.* **a)** ⚘ *e-e* am. Zeder *f*; **b)** □ Beuteanteil *m*; *p. ext.* P Stück *n*, Brocken *m*; **2.** *Pe.* Nische *f b. Inkabauten*; **3.** *Ven.* → *tocón*.
to|cología ⚕ *f* Geburtshilfe *f*; **~cólogo** ⚕ *m* Geburtshelfer *m*.
tocón *m* Baumstumpf *m*; *a.* Gliedstumpf *m*.
tocotoco *Vo. m Ven.* Pelikan *m*.
tocuyo *tex. m Am. Mer. ziemlich grobes* Baumwollzeug *n*.
tocho I. *adj.* grob; roh; plump; **II.** *m sid.*, ⊕ Block *m*.
todabuena ⚘ *f Art* Johanniskraut *n*.
todavía *adv.* noch (immer); (je-)doch, immerhin; ~ *no* noch nicht.
to|dito *adj.* F *dim. zu* → **~do I.** *adj.* ganze(r, -s); jede(r, -s) (*vgl. cada*); alles; *~a clase de* alle Art von (*dat.*); allerlei, allerhand, alles mögliche; ~ *hombre* jeder Mensch, alle Menschen; ~ *el hombre od. stark betont*: *el hombre* ~ der ganze Mensch; *~s los hombres* alle Menschen; *fig.* F ~ *Madrid* die Prominenz (von Madrid); ~ (*od.* *~a*) *España* ganz Spanien; *Spr.* (*o*) ~ *o nada* (entweder) alles od. nichts; *~s ustedes* Sie alle; ~ *junto* (ins)gesamt; ~ *lo que od.* ~ *cuanto* alles was; *~s juntos* sämtliche, alle zs., alle mitea.; *~s los días* alle Tage, jeden Tag, täglich; *~s y cada uno* alle (samt u. sonders); F ... *y* ~ (*stark hervorhebend*) sogar *u. ä., z. B. ¡volcó el coche y ~!* der hat doch den (ganzen) Wagen umgeworfen!; *a* ~ *correr* in vollem Lauf; *con* ~ *esto* (*od. eso*) trotzdem, dessenungeachtet; ~ *era(n) llantos* man hörte nur Jammern; *este pescado es* ~ *raspas* der Fisch (hier) ist e-e einzige Gräte (*fig.* F); *esta sopa es ~a* (*od.* ~, *vgl. III*) *agua* die Suppe ist das reinste Wasser (*fig.* F); ~ *es uno* (*oft iron.*) es ist alles dasselbe; *fig. ~s son unos* sie sind alle gleich, *mst. desp.* es ist alles dasselbe Gelichter; *vino ~a alborotada* sie kam ganz aufgeregt (daher); **II.** *m* Ganze(s) *n*; *p. ext.* Lösungswort *n e-r Scharade*; *fig.* F Hauptperson *f*; *in adverbieller Funktion*: *ante* ~ vor allem, in erster Linie; *así y* ~ trotzdem, immerhin; *con* ~ (je)doch, freilich; (*de* ~) *en* ~ in allem, völlig; (*no*) *del* ~ (nicht) ganz, (nicht) völlig; *en* (*y por*) ~ ganz u. gar, in jeder Hinsicht, absolut; **III.** *adv.* ganz, gänzlich, völlig; ~ *amarillo* ganz gelb; *Anm.*: *die unbedenkliche Verwendung v. „todo" als Adverb wird v. vielen als Katalanismus od. Gallizismus angesehen.*
todo|poseroso *adj.* allmächtig; *Rel. el* ♀ der Allmächtige; **~terreno** *neol. adj.-su.* geländegängig; *m* Geländefahrzeug *n*.
tofo *m* **1.** ⚕ Gichtknoten *m*; **2.** *Min. Chi.* Schamotte *f*.
toga *f* Toga *f*; Robe *f*; Talar *m*; ~ *de doctor* Doktortalar *m*; **~do** *m* Roben- *bzw.* Talar-träger *m*; Amtsperson *f*; Richter *m*.
Toisón *m*: ~ *de Oro* Goldenes Vlies *n* (*Orden*).
tojal *m* (Ginster-)Heide *f*.
tojino ⚓ *m* Klampe *f*; Knagge *f*.
tojo[1] ⚘ *m* Ginster *m*; ~ *gateño* Stachelginster *m*.
tojo[2] *Bol.* **I.** *m Vo.* → *calandria*; **II.** *adj.* Zwillings...
tojosa *Vo. f Am. Cent., Ant.* Sperlingstaube *f*.
tokai *m* Tokajer *m* (*Wein*).
tola ⚘ *f Am. Mer. e-e Färberstaude* (*Baccharis tola*).
tolanos *m/pl.* **1.** Nackenhaare *n/pl.*; **2.** *vet.* Zahnfleischfäule *f*.
tol|dilla ⚓ *f* Hütte *f*; erhöhtes Quarterdeck *n*; **~dillo** *m* Tragsessel *m* mit Schutzdach; **~do** *m* **1.** Sonnen-dach *n*, *bsd.* ⚓ -segel *n*; Vordach *n*; (Wagen-)Plane *f*; *P. Ri.* Moskitonetz *n*; **2.** Tanzzelt *n*; (Strand-)Zelt *n*; *Arg., Bol., Chi.* Indianer-zelt *n bzw.* -hütte *f*; **3.** † *u. Reg.* Dünkel *m*.
tole *m* (Zeter-)Geschrei *n*; *levantar el* ~ Sturm laufen (gg. *ac. contra*); zetern; *fig.* F *tomar el* ~ davonlaufen, ausreißen.
toledano I. *adj.* aus Toledo; *hoja f ~a* Toledoklinge *f*; *fig. noche f ~a* schlaflose (*bzw.* im Freien verbrachte) Nacht *f*; **II.** *m* Toledaner *m*.
tolera|ble *adj. c* erträglich; zulässig; **~do** *adj.* zulässig; *Thea. usw.*: ~ (*para*) *menores* jugendfrei; **~ncia** *f* Duldsamkeit *f*; *a.* ⊕ Toleranz *f*; ~ *de peso* Gewichtstoleranz *f*; *dar ~s* tolerieren; **~nte** *adj. c* duldsam; tolerant (*bsd. Rel., Pol.*); **~ntismo** *Pol., Rel. m* Religionsfreiheit *f*; Toleranzpolitik *f*; **~r** *v/t.* dulden, zulassen; vertragen (*Magen, Organismus*); tolerieren.
tolon|dro I. *adj.* † *u. Reg.* dumm; **II.** *m* Beule *f*; **~drón** *m* Beule *f*; *fig. a ~ones* stoß-, ruck-weise.
tolteca *Méj. adj.-su. c* toltekisch; *m* Tolteke *m*.
tolú *m* ⚘ Tolubaum *m*; *pharm.* Tolubalsam *m*.
tolu|eno, ~ol ⚗ *m* Toluol *n*.
tolva *f* Mühl- *bzw.* Füll-trichter *m*; trichterförmiger Bunker *m*; **~nera** *f* Staub-wirbel *m*, -wolke *f*.
to|lla *f* **1.** *prov.* Moor *n*; **2.** *Ant.* Tränke *f* (*Trog*); **~lladar** *m* Sumpf *m*; **~llina** F *f* Tracht *f* Prügel; **~llo**[1] *m* **1.** *Jgdw.* versteckter Anstand *m* (*Erdloch, Jagdschirm*); **2.** Morast *m*.
tollo[2] *m* **1.** *Fi.* **a)** Hausen *m*; **b)** Hundshai *m*; **2.** Filetstück *n* (*Hirschfleisch*).
tollón *m* Engpaß *m*.
tom-tom ♪ *m* Tomtom *n*.
toma *f* **1.** Nehmen *n*; Übernahme *f*; Entnahme *f*; Aufnahme *f e-s Darlehens usw.*; (Arznei-)Gabe *f*, Dosis *f*; Prise *f*; ~ *de un acuerdo* Vereinbarung *f*, Beschlußfassung *f*; ⚖ ~ *de declaración* Vernehmung *f*;

Verhör *n*; ~ de(l) hábito Einkleidung *f* (*Ordensleute*); ~ de juramento Vereidigung *f*; ✝, *Verw.* ~ de muestras Probeentnahme *f*; *Pol.* ~ del poder Machtübernahme *f*; ~ de posesión ⚖ Besitznahme *f*; Übernahme *f*; *Verw.* Amtsantritt *m*; Amtseinführung *f*; *Sp.* ~ de posiciones Einnahme *f* der Stellungen; *Verw.* ~ de razón Eintragung *f* ins (*Handels-usw.*) *Register*; **2.** ⚔ Einnahme *f*, Eroberung *f*; **3.** ⊕ Nehmen *n*; Entnahme *f*; Entnahmestelle *f*; Anzapfung *f*; Eingriff *m*; Ent- *bzw.* Auf-nahmevorrichtung *f*; Anschluß *m*; ~ de agua Wasserentnahme *f*; Wasseranschluß *m*, Hydrant *m*; 🚂 *usw.* Wasseraufnahme *f*; ~ de aire (de vapor) Luft- (Dampf-) entnahme *f* *bzw.* -einlaß *m*, -eintritt *m*; *HF* ~ de antena Antennenanschluß *m*; ~ a distancia *Film usw.*: Fernaufnahme(gerät *n*) *f*; *a.* Teleobjektiv *n*; ~ para fonocaptor Tonabnehmer *m b. Rundfunkgerät*; *TV*, *Film* ~ simultánea de imágenes y sonidos Bild-Ton-Aufnahme (-kamera) *f*; *Phono.* ~ de(l) sonido Tonaufnahme *f*; ~ de tierra ⚡ Erdung *f*; Erdanschluß *m*; Erdleitung *f*; ✈ Aufsetzen *n*, Landung *f*.

toma|-corriente ⚡ *m* Stromabnehmer *m*; Steckdose *f*; Anschlußdose *f*; **~da** ⚡ *f Am.* Steckdose *f*.

toma|dero *m* **1.** Griff *m*; **2.** Abstich *m e-s Teichs usw.*; **~do** *adj.* benommen; *fig.* F belegt (*Stimme*); ~ (del vino) betrunken; ~ (de orín) rostig, verrostet; estar ~a gedeckt sein (*Stute*); **~dor** *m* **1.** Nehmer *m*; Entnehmer *m*; □ Taschendieb *m*; *fig.* F *Arg.*, *Chi.* Trinker *m*; **2.** ✝ Wechselnehmer *m*, Remittent *m*; **3.** *Typ.* Farbhebewalze *f*; **4.** ⚓ Seising *f*; **~dura** *f* **1.** Nehmen *n*; *fig.* F ~ de pelo Necken *n*, Fopperei *f* F; **2.** ⚕ Dosis *f*.

tomahawk *Ethn. m* Tomahawk *m*.

tomaína ⚗ *f* Leichengift *n*, Ptomain *n*.

tomar I. *v/t.* **1.** nehmen; annehmen; abnehmen; einnehmen; entnehmen; mitnehmen; wegnehmen; hinnehmen; übernehmen; *Kart.* e-n Stich machen, gewinnen; abtrumpfen; *Am.* (*bsd. Arg.*, *Chi.*) *vt/i.* gewohnheitsmäßig trinken *od.* *a.* s. betrinken; *Eid* abnehmen; *Entschluß*, *Beschluß* fassen; *Essen*, *Trinken* zu s. nehmen; *Kaffee usw.* trinken; *Festung*, *Stadt* einnehmen; *Kraftstoff* zapfen, tanken; *Fahrkarte* lösen; *Personal* einstellen; *Weg* einschlagen; *Wohnung*, *Taxi*, *Sp. Kurve*, *Zug usw.* nehmen; *Maßnahmen* ergreifen; *Darlehen* aufnehmen; *Sitten* annehmen; *Zo. Weibchen* decken; *Befehl* übernehmen; ⚔ ~ acantonamiento Quartier beziehen; ~ agua Wasser schöpfen (*bzw.* *a.* ⚓, ⊕ einnehmen, fassen); *a. fig.* ~ aliento Atem schöpfen; ✈ ~ altura steigen; ⚓ ~ la altura peilen; ~ un ángulo auf e-n Winkel einstellen; ~ ánimo (fuerzas) Mut (Kraft) schöpfen; ~ las armas zu den Waffen greifen; ⚔ *a.* ins Gewehr treten; ~ a su cargo übernehmen; ~ a contrata in (Pauschal-)Vertrag nehmen; ~ cariño (odio) a alg. j-n liebgewinnen (hassen); ~ confianza Vertrauen fassen; ~ frío (un resfriado) durch u. durch kalt werden (s. erkälten); ~ informes Erkundigungen einziehen; ~le a uno un desmayo (plötzlich) ohnmächtig werden; ~le a uno la noche von der Nacht überrascht werden; le tomó la risa (el sueño) er mußte lachen (er schlief ein); ⚓ ~ la mar in See stechen; ⚓ ~ marcaciones peilen; ~ parte (en) teilnehmen (an *dat.*); beteiligt sein (an *dat.*); ~ la pelota den Ball (ab-, auf-)fangen; ~ la pluma zur Feder greifen, schreiben; ~ prestado leihen, borgen; ~ resolución s. entschließen; ~ sobre sí auf s. nehmen; ~ la responsabilidad die Verantwortung übernehmen (für *ac.* de); ✈ ~ tierra aufsetzen, landen; *fig.* F *int.* ¡toma! sieh mal an!; *a.* da hast du es!; ¡toma, pues si es sencillísimo! das ist wirklich ganz einfach! (*wenn man es einmal begriffen hat*); ~la con alg. s. mit j-m anlegen; *Spr.* más vale un toma (*burl. a.* una toma) que dos te daré der Sperling in der Hand ist besser als die Taube auf dem Dach; **2.** auffassen; (auf-) nehmen; halten (für *ac.* por); ~ a bien gut (*od.* wohlwollend) aufnehmen; ~ a la (*od.* de) ligera leicht (*od.* auf die leichte Schulter) nehmen; ~ a mal übelnehmen; ~ a risa (*od.* en broma) als Scherz auffassen; ~ las cosas como caen die Dinge nehmen wie sie kommen(*od.* wie sie sind); ~ en serio ernst nehmen; ~ por (ladrón) für (e-n Dieb) halten; **II.** *v/i.* **3.** ~ hacia (*od. mst.* por) la izquierda nach links gehen (fahren, reiten *usw.*); **III.** *v/r.* ~se **4.** s. *et.* nehmen; ~se (de moho; de orín) anlaufen; rostig werden; *fig.* P ~se (del vino) s. beschwipsen, s. volllaufen lassen (*fig.* P); *int.* F ¡tómate esa! da hast du's!; das hat gesessen!; ~se con alg. mit j-m anbinden, mit j-m Streit anfangen; ~se de polvo staubig werden; ~se interés por s. interessieren für (*ac.*); Anteil nehmen an (*dat.*).

toma|tada *Kchk. f* Tomatengericht *n* (*gebacken*); **~tal** *m* Tomatenpflanzung *f*; *Am. a.* → tomatera; **~te** *m* **1.** Tomate *f*; *fig.* F Loch *n* in der Ferse (*Strumpf*), Kartoffel *f* (*fig.* F); poner (el culo) como un ~ a ordentlich durchprügeln (*ac.*); ponerse como un ~ puterrot werden; **2.** *fig.* F hay mucho ~ das ist viel Arbeit; das ist e-e ganze Menge; da ist was los; **~tera** ⚘ *m* Tomatenstaude *f*; **~tero** *m* Tomatenhändler *m*.

tomavistas *m* (*pl. inv.*) Filmkamera *f*.

tómbola *f* Tombola *f* (*Verlosung*).

tomento *m* Hanfwerg *n*; *fig.* ⚘ Filz (-behaarung *f*) *m der Pfl.*

tomi|llar ✓ *m* Thymianpflanzung *f*; **~llo** ⚘ *m* Thymian *m*; ~ común (*od.* salsero) Gartenthymian *m*.

tomis|mo *Phil. m* Thomismus *m*; **~ta** *adj.-su. c* thomistisch; *m* Thomist *m*.

tomiza *f* (Esparto-)Strick *m*.

tomo *m* Band *m*, Buch *n*; de dos ~s zweibändig; *fig.* de ~ y lomo umfänglich, mächtig; bedeutend, wichtig.

ton F *m*: sin ~ ni son *od.* sin ~ y sin son ohne Grund u. Anlaß; wirr, durchea.

tona|da *f* **1.** Lied *n*, Weise *f*; **2.** *Arg.*, *Chi.* → tonillo; **~dilla** *f* Liedchen *n*; Couplet *n*; *Art* Singspiel *n*; **~dillera** *f* Chanson-, Couplet-sängerin *f*; **~lidad** *f* **1.** ♪ Tonfarbe *f*; Tonart *f*; **2.** *Mal.*, *Typ.*, *Phys.* Tönung *f*; **~r** *poet. v/i.* → tronar.

tone|l *m* Tonne *f*; Faß *n*; por ~es faßweise; ~ sin fondo *a. fig.* Faß *n* ohne Boden; *fig.* F gr. Trinker *m*; **~lada** *f* **1.** (Gewichts-)Tonne *f*; ~ métrica *od.* ~ metro Metertonne *f*; ⚓ ~ de arqueo (*od.* de registro) bruto Brutto-Register-Tonne *f*; **2.** ⚓ Tonnenvorrat *m*; **~laje** *f* **1.** ⚓ Tonnengehalt *m*, Tonnage *f*; Ladegewicht *n*; Wasserverdrängung *f*; **2.** ⚓ Tonnengeld *n* (*Abgabe*); **3.** *a.* *Kfz.* Gesamtgewicht *n*; **~lería** *f* **1.** Böttcherei *f*, Faßbinderei *f*; **2.** Tonnenvorrat *m*; **~lero** *m* Böttcher *m*, Faßbinder *m*; **~lete** *m* **1.** Fäßchen *n*; **2.** kurzes Röckchen *n der Kinder*, *Tänzerinnen usw.*

tonga[1] ⚘ *f* Tongabohne *f*.

tonga[2] *f Ant.*, *Méj.*, **~da** *f* Haufen *m*, Stapel *m*; Schicht *f*, Lage *f*.

tongo *m* **1.** F *Sp.* Schiebung *f* F; **2.** *Chi.* Eispunsch *m* (*Scherbett*); **3.** *Chi.*, *Pe.* Melone *f* (*Hut*).

tongone|arse F *v/r. Am. u.* **~o** F *m* *Am.* → contonearse *u.* contoneo.

tónica *f* **1.** ♪ Tonika *f*, Grundton *m*; **2.** *Li.* Tonsilbe *f*; **3.** *fig.* Grundcharakter *m*; **4.** Tonic Water *n* (*engl.*).

tonicidad ⚕ *f* Tonus *m*, Spannung(szustand *m*) *f*.

tónico I. *adj.* **1.** *Li.* betont, Ton...; acento *m* ~ Silbenakzent *m*; **2.** ⚕ kräftigend; **3.** ♪ tonisch; nota *f* ~a Grundton *m*; tríada *f* ~a Dreiklang *m*; **II.** *m* **4.** ⚕ Tonikum *n*; ~ cardíaco Herzmittel *n*.

toni|ficar [1g] ⚕ *v/t.* stärken; **~llo** *m* eigentümlicher (*od.* emphatischer) Tonfall *m*; Singsang *m*.

tonina *Fi. f* **1.** (frischer) Thunfisch *m*; **2.** *prov.* Delphin *m*.

tono *m* **1.** ♪, *Mal. u. fig.* Ton *m*; ♪ *u. fig.* Tonart *f*; *a. Mal. u. fig.* (Ab-)Tönung *f*; *fig.* Redeweise *f*; Stil(ebene *f*) *m*; Benehmen *n*; *fig.* de mal ~ geschmacklos, ungehörig; ♪ cuarto *m* de ~ Viertelton *m*; *Rf.* control *m* de los ~s agudos (graves) Diskantkontrolle *f* (Baßabstimmung *f*) *am Empfangsgerät*; serie *f* de ~s Tonfolge *f*; *fig.* el buen ~ der gute Ton, der Anstand; ♪ *u. fig.* ~ mayor (menor) Dur- (Moll-)tonart *f*, Dur *n* (Moll *n*); medio ~ Halbton *m*; a ~ ♪ richtig gestimmt; einstimmig; *fig.* übereinstimmend; passend; a este ~ auf diese (*od.* auf solche) Art; ♪ bajo de ~ tief gestimmt; *fig.* F de gran ~ vornehm, fein; *fig.* bajar el (*od.* de) ~ den Ton mäßigen; klein beigeben; dar el ~ *a. fig.* den Ton angeben; *fig.* tonangebend sein; *fig.* darse ~ s. wichtig machen, angeben F; s. aufspielen (als *ac.* de); *fig.* F decírselo a alg. en todos los ~s es j-m in jeder erdenklichen Weise sagen (*bzw.* beibringen wollen); *fig.* estar a ~ **a)** gelegen sein, passen; **b)** s.

wohlfühlen; *mudar el* (*od.* de) ~ *a. fig.* e-e andere Tonart anschlagen; *fig.* andere Seiten aufziehen; *poner a* ~ ♪ stimmen; *fig.* abstimmen (*fig.*); auf das richtige Maß zurückführen (*fig.*); *fig. ponerse a* ~ s. anpassen, mitmachen; *fig. subir(se) de* ~ auftrumpfen; s. aufs hohe Roß setzen; **2.** ♪ **a)** Kammerton *m*; **b)** Bogen *m der Blechblasinstrumente*; ~ *de fa* F-Bogen *m*; **c)** Lied *n*, Weise *f*; **3.** *Mal.* Ton *m*, Farbengrund *m*; Farbton *m*; ~*s m/pl. a. Typ.* Farbtöne *m/pl.*; *Typ.* Farbwerte *m/pl.*; *a. fig. medios* ~*s m/pl.* Halbtöne *m/pl.*; **4.** ⚕ **a)** Ton *m*; **b)** Tonus *m*, Spannung *f*; *p. ext.* Spannkraft *f*; ~*s m/pl. cardíacos* Herztöne *m/pl.*; ~ *muscular* Muskeltonus *m*.

tonómetro ⚕ *m* Blutdruckmesser *m*.

tonsi|la *Anat. f* Tonsille *f*, Gaumen-, Rachen-mandel *f*; ~**lar** *adj. c* tonsillar, Tonsillen...; ~**lectomía** ⚕ *f* Tonsillektomie *f*.

tonsura *f* Haarschur *f*; *ecl.* Tonsur *f*; ~**do** *m fig. kath.* Geistliche(r) *m*.

ton|tada *f* Albernheit *f*; ~**taina** F *adj.-su. c* Dummkopf *m*; ~**ter(í)a** *f* **1.** Dummheit *f*, Albernheit *f*; **2.** *fig.* Kleinigkeit *f*, Lappalie *f*.

tontillo *m* **1.** Reifrock *m*, Krinoline *f*; **2.** Hüftenwulst *m* (*alte Mode*).

tonto I. *adj.* **1.** dumm; albern, töricht; *a* ~*as y a locas* ohne Sinn u. Verstand; wie Kraut u. Rüben (durchea.); *estar como* ~ *en vísperas* dastehen wie der Ochse vorm neuen Scheunentor; *ponerse* ~ s. eitel (*bzw.* starrköpfig) zeigen; **II.** *m* **2.** Dummkopf *m*; *fig. hacer el* ~ s. dumm (*od.* wie ein Narr) benehmen; *hacerse el* ~ s. dumm stellen; **3.** F weibliches Geschlechtsorgan *n*.

tonudo F *adj. Arg.* prächtig.

topacio *m Min.* Topas *m*; *fig. poet.* Blau *n des Himmels*; ~ *ahumado* Rauchtopas *m*.

topa|da *f* → *topetada*; ~**dor** *adj.* stößig (*Böcke usw.*); ~**r I.** *vt/i.* **1.** zs.-stoßen; (an)stoßen an (*ac.*); stoßen (*Tiere*); ~ (*con*[*tra*], *en*) stoßen auf (*ac. bzw.* gg. *ac.*); *p. ext.* ~ *a* (*od. con*) *j-n* treffen, *j-m* (zufällig) begegnen; **II.** *v/t.* **2.** ⚓ *Mast* zs.-setzen; **3.** *Am. Hähne od. andere Tiere* mitea. kämpfen lassen (*Probekampf*); **III.** *v/i.* **4.** *fig.* F gelingen; *por si topa* für alle Fälle; **5.** ~ en bestehen in (*dat.*); beruhen auf (*dat.*); **6.** *Kart.* (mit)halten; pari bieten; **IV.** *v/r.* ~*se* **7.** s. treffen; mit den Köpfen (*od.* Hörnern) aufea. losgehen (*Tiere*); *p. ext. Reg. u. Am.* (s.) raufen; **8.** *Arg., Chi.* Nebenbuhler sein (*mst. andar topándose*); ea. gleich(gestellt) sein; *fig.* F *iron., desp.* (se) *han* ~*ado con* ~*las* da haben s. die Richtigen gefunden!

tope *m* **1.** Spitze *f*, Ende *n*; ⚓ Topp *m*; ⚓ *fig.* Ausguck(posten) *m* im Topp (*Matrose*); *fig.* Höchst...; *cifra f* ~ Höchstzahl *f*; *de* ~ *a* ~ von e-m Ende (bis) zum andern; *hasta los* ~*s* vollgefüllt; ganz u. gar; *fig.* F *estar hasta los* ~*s* die Nase voll haben (von *dat.* de) F; es satt (*od.* dick P) haben; **2.** ⊕ Anschlag(stift) *m*; Ansatz *m*, Nase *f*; Spitze *f*; *carril m de* ~ Anschlagschiene *f*; ~ *de arrastre* Mitnehmer *m*; ~ *de detención* Arretierung *f*; ~ *marginal* Randauslöser *m b. Schreibmaschinen*; ~ *de retenida* Haltestollen *m b. Gewehr*; **3.** 🚂 *usw.* Puffer *m*; Prellbock *m*; *fig.* Schwierigkeit *f*; **4.** Vorderkappe *f b. Schuhen*; **5.** Krone *f b. Messern u. Wkz.*; **6.** → *topetón*; *fig.* Streit *m*, Rauferei *f*.

tope|ador *Chi. m* zur *topeadura* abgerichtetes Pferd *n*; ~**adura** *Equ. f Chi.* „Rempeln" *n*, → ~**ar I.** *Equ. v/t. Chi.* „anrempeln" (*ein Reiter versucht den anderen aus dem Sattel zu heben*); **II.** *v/i. Arg.* → *topar*.

topera *f* Maulwurfs-loch *n*, -hügel *m*.

tope|tada *f*, ~**tazo** *m* Stoß *m* mit dem Kopf (*od.* den Hörnern); ~**t(e)ar** *vt/i.* (mit Kopf *od.* Hörnern) stoßen; mit dem Geweih aufspießen, forkeln; *a.* (an)stoßen; ~**tón** *m* **1.** Zs.-stoß *m*; **2.** → *topetada*.

tópi|ca *Rhet. f* Topik *f*; ~**co I.** *adj.* **1.** *bsd.* ⚕ topisch, örtlich; **II.** *m* **2.** ⚕ örtlich wirkendes Heilmittel *n*; **3.** allgemeiner Gesprächsstoff *m*; Gemeinplatz *m*.

topinambur ♣ *m* Topinambur *m*, [Erdbirne *f*.]

topinera *f* → *topera*.

topino *Equ. adj.*: *caballo m* ~ Zehengänger *m*.

topo *Zo. m* Maulwurf *m*; *fig. más ciego que un* ~ stockblind, blind wie ein Maulwurf.

to|pografía *f* Topographie *f*; ~**pografiar** [1c] *v/t.* aufnehmen; ~**pográfico** *adj.* topographisch; ~**pógrafo** *m* Topograph *m*.

topolino *adj.*: *zapato m* ~ Schuh *m* mit Keilabsatz.

topo|logía Å *f* Topologie *f*; ~**nimia** *f* Ortsnamen(kunde *f*) *m/pl.*; Toponymie *f*; ~**nímico** *adj.* Ortsnamen...

topónimo *Li. m* Ortsname *m*.

toque *m* **1.** Berührung *f*; (leichter) Schlag *m*; ⚕ Betupfen *n*; *Mal. u. fig.* (leichter) Pinselstrich *m*; *Mal.* ~ *de luz* (aufgesetztes) Licht *n*; ⚕ *dar* ~*s* betupfen; *fig. dar el último* ~ *a* den letzten Schliff geben (*dat.*), (die) letzte Hand legen an (*ac.*); **2.** (Horn-)Signal *n*; Tusch *m*; ~ (*de tambor*[*es*]) Trommelschlag *m*; ~ (*de campanas*) Geläut(e) *n*; ~ (*de la*[*s*] *hora*[*s*]) Stunden-, Uhrenschlag *m*; *al* ~ *de las doce* Schlag zwölf (Uhr); ⚔ *usw.* ~ *de alarma* Alarmzeichen *n*; Warnung *f* (*a. Luftschutz*); *dar el* ~ (*de cese*) *de alarma* (ent)warnen; *ecl.* ~ *del alba* (*de mediodía*) Morgen- (Mittags-) läuten *n*; ~ *de agonía* Sterbegeläut *n*; *a.* Läuten *n* der Armsündergiocke; ⚔ *u. fig.* ~ *de atención* Warnsignal *n*; *fig.* Warnung *f*; ~ *de clarín*, ~ *de trompeta* Trompetenstoß *m*, -signal *n*; **3.** Prüfung *f* von Gold u. Silber *mit Hilfe des Prüfsteins*; *fig.* Wesentliche(s) *n*, wesentlicher Punkt *m*; *fig. dar un* ~ auf die Probe stellen.

toquilla *f* **1.** kl. Hals- *od.* Schultertuch *n*; kl. Kopftuch *n*; Haarnetz *n*; **2.** *Bol., Ec., Pan.* **a)** ♀ Jipijapa-Palme *f*; **b)** Stroh *n daraus für Panamahüte*; **c)** Panamahut *m*.

to|rácico *adj.* Brust(korb)...; *caja f* ~*a* Brustkorb *m*; ~**racoplastia** *Chir. f* Thorakoplastik *f*.

tora|da *f* Stierherde *f*; ~**l I.** *adj. c in best. Zssgn.* Haupt...; ⚠ *arco m* ~ Hauptbogen *m e-r Kuppel*; **II.** *m* (Form *f* für) Kupferbarren *m*.

tórax *m* Brustkorb *m*, Thorax *m*; ⚕ ~ *de pichón* Hühnerbrust *f*.

torbellino *m* Wirbel *m*; Strudel *m*; Wirbelwind *m* (*a. fig.*).

torca *f* Fels-, Erd-trichter *m*; ~**z** *adj. c* (*pl.* ~*aces*): *paloma f* ~ → ~**za** *f Am.* Ringeltaube *f*; ~**zo** F *adj. Col.* dumm.

torce|cuello *Vo. m* Wendehals *m*; ~**dera** ⊕ *f* Wringmaschine *f*; ~**dor** *m* **1.** Spindel *f*; **2.** *Ent.* Wickler *m* (*Schädling*); ~**dora** *f* (Wäsche-) Schleuder *f*; ~**dura** *f* **1.** Drehung *f*; Wringen *n*; Krümmung *f*; Durchbiegung *f*; ⊕ *a.* Drehverformung *f*; **2.** ⚕ Zerrung *f*; **3.** Tresterwein *m*.

torcer [2b *u.* 2h] **I.** *v/t.* **1.** drehen, winden; *a. fig. Worte usw.* verdrehen; *Hände* ringen; *Wäsche* (aus-) wringen; *Weg, Reise-, Flug-richtung* ändern; *Zigarre* wickeln; *Absichten* falsch deuten *bzw.* vereiteln; *fig. das Recht* beugen; ~*le a alg. el cuello* j-m den Hals umdrehen; ~ *la esquina* um die Ecke biegen; *fig.* ~ *el gesto* (*od. el semblante*) das Gesicht verziehen; e-e saure Miene machen; ~ *la voluntad de alg.* j-n von s-r Meinung abbringen; **2.** *a.* ⊕ krümmen; verbiegen; verziehen; ⊕ drehverformen; *Schraube* überdrehen; *Gewehr usw.* verkanten; **3.** *tex.* drehen, spinnen; ~ *hilo* zwirnen; **4.** ⚕ verrenken; verzerren; verstauchen; **II.** *v/i.* **5.** abbiegen (nach *a*); s-e Richtung ändern; *el coche* (*se*) *torció hacia la cuneta* der Wagen fuhr in den Graben; **III.** *v/r.* ~*se* **6.** s. verbiegen; s. krümmen; *fig.* auf Abwege geraten (*fig.*); *fig.* F nicht gelingen, schiefgehen F; **7.** ~*se* (*el pie*) s. (den Fuß) verstauchen (*od.* verrenken *od.* vertreten); **8.** gerinnen (*Milch*); sauer werden (*Wein, Bier usw.*).

torci|da *f* (Lampen-)Docht *m*; *fig.* F *Am. Reg.* Parteigänger *m/pl.*; Clique *f*; ~**dillo** *m* Knopflochseide *f*; ~**do I.** *adj.* **1.** *a. fig.* verdreht, verbogen; krumm; schief; ⊕ *a.* windschief *bzw.* verwunden; *tex.* gezwirnt; gewunden (*Weg*); ~ *por la punta* mit krummer Spitze; **2.** falsch, hinterlistig; **3.** *Am. Cent., Méj.* empfindlich, reizbar; verdrossen; *Am. Reg. a.* verfehlt, falsch; unglücklich; **II.** *m* **4.** Drehen *n*, Winden *n*; Verdrehen *n*; *tex.* Zwirnen *n*; *p. ext.* Zwirn *m*; *Arg.* gedrehter Lasso *m*; ~ *de algodón* Baumwollzwirn *m*; **5.** gewundenes (*u. mst.* gefülltes) Backwerk *n*; **6.** Lokkenwickler *m*; **7.** *Am. Cent., Méj.* **a)** Verziehen *n* des Gesichts; **b)** Clique *f*.

torci|jón *m Reg.* → *torozón* 1; ~**miento** *m* Drehen *n*, Verdrehen *n*; Krümmung *f*; ⊕ → *torsión*; *fig.* Abweichung *f*; Umschweife *m/pl.*

tor|della *Vo. f* Krammetsvogel *m*; ~**dillo** *Equ.* **I.** *adj.* apfelgrau (*Pferd*); **II.** *m* Apfel-, Schwarzschimmel *m*; ~**do I.** *adj.* **1.** brandfleckig, apfelgrau (*Pferd*); (*caballo m*) ~ *m* Apfelschimmel *m*; **II.** *m* **2.** *Vo.* ~ (*común*) (Sing-)Drossel *f*; ~ *de agua* „Wasserdrossel" *f*; ~ *alirrojo* (*mayor*) Rot- (Mistel-)drossel *f*; ~ *loco* Blaumerle *f*; **3.** *Fi.* ~ *de mar* Pfauenschleimfisch *m*; **4.** *Am. Reg. oft inc. für* Star *m*; *fig.* F Mensch *m* von sehr dunkler Hautfarbe.

tore|ador *m bsd. Am.* F Stierkämpfer *m*; **~ar** *vt/i.* **1.** mit Stieren kämpfen, als Stierkämpfer auftreten; **2.** die Stiere zu den Kühen lassen (*zur Fortpflanzung*); **3.** *fig.* F hänseln; zum besten haben; belästigen, triezen F; *j-m* auf der Nase herumtanzen F; ~ *a/c.* e-r Sache mit Geschick aus dem Wege gehen; **~o** *m* Stierkampf *m*; Stierfechtkunst *f*; **~ra** *f* **1.** Stierkämpferin *f*; F Flittchen *n*; Nutte *f* P; **2.** *Art* Bolero *m* (*Damenjäckchen*); **3.** *Turnen*: Kehre *f* am Pferd; **~ro I.** *adj.* Stierkämpfer...; Stierkampf...; **II.** *m* Stierkämpfer *m*, Torero *m*; *fig. no se lo salta un* ~ das ist kaum zu übertreffen; **~te** *m* Jungstier *m*; *fig.* F gr. Schwierigkeit *f*; allgemeines Gesprächsthema *n*.

toréutica *f* Toreutik *f*.

toril *m* Stierzwinger *m bei der Stierkampfarena.*

tormen|ta *f a. fig.* Sturm *m*; Unwetter *n*; Gewitter *n*; *fig.* Unheil *n*; ~ *de arena* (*de granizo*) Sandsturm *m* (Hagelunwetter *n*); **~tario** ⚔ *hist. adj.* Kriegsmaschinen...; *arte f* ~*a* alte Artillerie *f*; **~tilla** ⚘ *f* Tormentill *m*; **~to** *m a. fig.* Folter *f*, Marter *f*; *fig.* Qual *f*, Pein *f*; *hist.* ~ *de toca* Wasserfolter *f* (*Wasserschlucken*); *cuestión f de* ~ peinliche Befragung *f*; *potro m* (*od. caballete m*) *de* ~ Folterbank *f*; *dar* ~ *a alg.* j-n foltern; *fig.* j-n quälen; *confesar en el* ~ in (*od.* unter) der Folter gestehen; *fig. confesar sin* ~ ohne weiteres zugeben; *poner en el* ~ auf die Folterbank spannen; **~toso** *adj.* stürmisch, Sturm...

tormo *m* **1.** *kegelförmiger, einzelnstehender* Felsblock *m*; **2.** → *terrón.*

torna *f* **1.** Rückgabe *f*; *fig.* ~*s f/pl.* Vergeltung *f*; *fig. volver las* ~*s* (mit gleicher Münze) heimzahlen; *se han vuelto las* ~*s* das Glück (*od.* das Blatt) hat s. gewendet; **2.** ⚒ Rückkehr *f*; **3.** 🌾 Stau-, Ablenk-vorrichtung *f*.

torna|boda *f* Tag *m* nach der Hochzeit; *hist. regalo m de* ~ Morgengabe *f*; **~chili** ⚘ *m Méj.* Sommerchili *m*; **~da** *f* Rückkehr *f*; **~dera** 🌾 *f* Heu-, Wende-gabel *f*; **~dizo** *adj. a. Pol.* wankelmütig, wetterwendisch; **~do** *m* Tornado *m*, Wirbelsturm *m*; **~fiesta** *f* Tag *m* nach dem Fest; **~guía** *Verw. f* Rückzoll-, Passier-schein *m*; **~lecho** *m* Betthimmel *m*; **~mesa** 🚂 *f Chi.* → *tornavía*; **~punta** *Zim. f* Binder *m*.

tornar *lit. u. Reg.* **I.** *v/t.* zurückgeben; ~ *blanco* weiß machen; **II.** *v/i.* zurückkehren; umkehren; wenden; ~ *a hacer a/c.* et. wieder tun; ~ *en sí* wieder zu s. kommen; **III.** *v/r.* ~*se* s. verwandeln (in *ac. en*); ~*se azul* blau werden.

tornaso|l *m* **1.** ⚘ **a)** Lackmusflechte *f*; **b)** Sonnenblume *f*; **2.** ⚗ Lackmus *n*; *papel m de* ~ Lackmuspapier *n*; **3.** Schillern *n*; *tex.* Changieren *n*; **~lado** *adj.* schillernd; *tex.* changierend; **~lar I.** *v/t.* zum Schillern bringen; **II.** *v/i.* schillern.

tornátil *adj. c* **1.** gedrechselt; **2.** *poet.* s. leicht drehend; *fig.* wetterwendisch.

torna|trás *c* Mischling *m* mit atavistischer Dominanz *e-r s-r Ursprungsrassen*; **~vía** 🚂 *f Reg.* Drehscheibe *f*; **~viaje** *m* Rückreise *f*; Heimkehrergepäck *n*; **~voz** *m* (*pl.* **~oces**) Schalldeckel *m e-r Kanzel*; Schalltrichter *m*; Schalloch *n*; *Thea.* F *Reg.* Souffleurkasten *m*.

torne|ado ⊕ *m* Drehen *n*; ~ *cilíndrico* Lang-, Rund-drehen *n*; **~ador** *m* Turnierkämpfer *m*; **~adura** *f* Drehspan *m*; **~ar I.** *v/t.* **1.** *Holz* drechseln; *Metall* drehen; ⊕ ~ *forma* form- *od.* profil-drehen; **II.** *v/i.* **2.** im Turnier kämpfen; **3.** s. drehen; *fig.* s-e Gedanken (immer wieder) kreisen lassen; **~o** *m* **1.** Turnier *n* (*nicht Equ.*); Wettkampf *m*; ~ (*de ajedrez* Schachturnier *n*; **2.** *vet.* → *modorra 4*; **3.** □ Folter *f*; **~ra** *f* Klosterpförtnerin *f*; **~ría** *f Beruf u. Werkstatt*: Drechslerei *f*; Dreherei *f*; **~ro** *m* Dreher *m*; ~ (*de od. en madera*) Drechsler *m*.

torni|llazo *m Equ.* (Kehrt-)Wendung *f*; *fig.* F Fahnenflucht *f*; **~llero** F *m* Fahnenflüchtige(r) *m*.

tornillo *m* **1.** Schraube *f* (anziehen *apretar*); ~ *de ajuste* (*de apriete*) Stell- (Klemm-)schraube *f*; ~ *avellanado* Senk(kopf)schraube *f*; ~ *redondo* (*calibrado*) Rundkopf- (Paß-)schraube *f*; ~ *cuadrado* ([*h*]*exagonal*) Vier- (Sechs-)kantschraube *f*; ~ *de mariposa* ([*para*] *madera*) Flügel- (Holz-)schraube *f*; ~ *sin fin* endlose Schraube *f*, Schnecke *f*; ~ *micrométrico* (*Kfz. purgador cárter*) Mikrometer- (Ölablaß-)schraube *f*; *fig. apretar a alg. los* ~*s* j-n an die Kandare nehmen; j-n in die Enge treiben; *fig.* F *le falta un* ~ *od. tiene flojos los* ~*s* bei ihm ist e-e Schraube locker F; **2.** ~ (*de banco*) Schraubstock *m*; ~ *de mordazas*, ~ *articulado* (Flach-)Schraubstock *m*; **3.** *fig.* F Fahnenflucht *f*; **~-fresa** *m* Schneckenfräser *m*; **~-tapón** *m* Verschlußschraube *f*.

tor|niquete *m* **1.** Drehkreuz *n*; **2.** *bsd. Am.* Spannschloß *n*; Drahtspanner *m*; **3.** ⚕ Aderpresse *f*; **4.** *fig. dar* ~ *a una frase* den Sinn e-s Satzes verdrehen; **~niscón** F *m* Ohrfeige *f mit dem Handrücken*; *Am.* drehendes Kneifen *n*; *dar un* ~ kneifen.

torno *m* **1.** Welle *f*, Spindel *f*; Winde *f*; ~ *de arrastre* Zugwinde *f*; *Wkzm.* Mitnehmerspindel *f*; ~ *de tambor* Trommelwinde *f*; **2.** ⊕ Drehbank *f*; ~ *automático* Automat(endrehbank *f*) *m*; ~ *rápido* ([*de*] *revólver*) Schnell- (Revolver-)drehbank *f*; **3.** ⊕ Schraubstock *m*; *Zim.* Zwinge *f*; **4.** Tretrad *n*; Töpferscheibe *f*; Seiler-haspel *f*, -rad *n*; ⚕ *zahnärztliche* Bohrmaschine *f*; ~ (*de hilar*) Spinnrad *n*; **5.** *in Klöstern*: Drehfenster *n*; *p. ext.* Sprechzimmer *n im Nonnenkloster*; **6.** *adv.* *en* ~ **a)** ringsherum; **b)** dagg., dafür; *en* ~ *a* über (*ac.*), von (*dat.*); *en* ~ *de* um (*ac.*); *uno en* ~ *del otro* umea.; **7.** Handbremse *f an Pferdefuhrwerken*; **8.** Flußbiegung *f*; **9.** □ Folter *f*.

toro[1] *m* (*Astr.* ♉) Stier *m*; Bulle *m*; *fig.* F kräftiger Mann *m*; ~*s m/pl.* Stierkampf *m*; *Folk.* ~ *de fuego* „Feuerstier" *m* (*stierförmiges Gerüst mit Feuerwerkskörpern*); ~ *de lidia* Kampfstier *m*; ~ *padre* Zuchtbulle *m*; *fig.* ¡*al* ~ (*por los cuernos*)! ran an den Feind!; frisch zugepackt!; ¡*ciertos son los* ~*s*! sicher ist sicher!; so hat es kommen müssen!; F ¡*otro* ~! sprechen wir von et. anderem!; *a. fig. coger* (*od. tomar*) *al* ~ *por las astas* den Stier bei den Hörnern packen; *fig. dejar en las astas del* ~ in der (höchsten) Not im Stich lassen; *echarle* (*od. soltarle*) *el* ~ *a alg.* den Stier auf j-n loslassen; *fig.* j-n barsch anfahren, j-n zur Sau machen P; *fig.* (*y dicho y hecho,*) *se fue al* ~ *derecho* er ging geradewegs auf sein Ziel zu; *fig. hubo* ~*s y cañas* es ging hart zu; es gab Mord u. Totschlag; *fig. huir del* ~ *y caer en el arroyo* vom Regen in die Traufe kommen; *fig. murió en los cuernos del* ~ die Sache hat ihn Kopf u. Kragen gekostet; *fig.* ¡*que salga el* ~! fangt endlich an! (*Thea. usw.*); *fig.* F ¡*ahora van a soltar al* ~! gleich geht's los!; gleich fängt der Tumult (*od.* das Affentheater [*burl.*]) an!; *fig. ser un* ~ *corrido* es faustdick hinter den Ohren haben; *fig. le salió la vaca* ~ *etwa*: da werden Weiber zu Hyänen!

toro[2] *m* △, ⚘ Torus *m*; △ Wulst *m*; Rundstab *m*.

toron|ja *f* **1.** Bergamottzitrone *f*; **2.** *Reg.* Pampelmuse *f*; **~jil** ⚘ *m* Melisse *f*; **~jo** ⚘ *m* Bergamottbaum *m*.

torozón *m* **1.** *vet.* Kolik *f der Pferde*; *p. ext.* F Bauchgrimmen *n*; **2.** *fig.* F Unbehagen *n*, Verdruß *m*.

torpe *adj. c* **1.** ungeschickt, linkisch; schwerfällig, plump; **2.** eckig, hölzern, steif; **3.** geistlos; läppisch; dumm, dumpf, stumpfsinnig; *Sch. banco m de los* ~*s* Eselsbank *f*; **4.** unzüchtig (*a.* ⚖), unsittlich; **5.** roh, klobig F; häßlich; **6.** schändlich, infam.

torpe|deamiento ⚔ *m* Torpedierung *f*; **~dear** *v/t. a. fig.* torpedieren; **~dero** *m* Torpedoboot *n*; *avión m* ~ Torpedoflugzeug *n*; **~dista** *m* Torpedoschütze *m*; **~do** *m* **1.** *Fi.* Zitterrochen *m*; **2.** ⚔ Torpedo *m*; ~ *de trayectoria aérea* Lufttorpedo *m*; ~ *fijo* Grund-, See-mine *f*.

torpeza *f* **1.** Ungeschicklichkeit *f*; Schwerfälligkeit *f*; Plumpheit *f*; **2.** Steifheit *f*; **3.** Geistlosigkeit *f*; Stumpfsinn *m*; **4.** Unanständigkeit *f*; **5.** Schändlichkeit *f*.

torpor ⚕ *m* Torpor *m*.

torra|do *m* geröstete Kichererbse *f*; **~r** *v/t.* sengen; rösten; dörren.

torre *f* Turm *m* (*a. fort. u. Schach*); ⚡ (Turm-)Mast *m*; *prov.* Villa *f*; ~ *de agua* Wasserturm *m*; *Sp.* ~ *de los árbitros* (*de arranque*) Kampfrichter- (Anlauf-)turm *m b. Skispringen*; ⚔ (*fort. u.* ⚓) ~ *artillera od.* ~ *de cañones* (*blindada, acorazada*) Geschütz- (Panzer-)turm *m*; ~ *de las campanas* (*de la iglesia*) Glocken- (Kirch-)turm *m*; ~ *central* Vierungsturm *m* (*Romanik*); ✈ *usw.* ~ *de control od. de vigilancia* Kontrollturm *m*; △ *Arch.* ~ *de escalones* Stufenturm *m*; ~ *humana* Pyramide *f* (*Artisten*); *fig. Rel., lit.* ~ *de marfil* elfenbeinerner Turm *m*; *fort.*, ⚓, ✈, ⊕ ~ *de mando* Kommandoturm *m*; ⊕ (*Raumf.*) ~ *de montaje* (*de los cohetes*) (Raketen-) Montageturm *m*; ~ *de la muralla od.* (*bsd. Burg*) ~ *albarrana* Mauerturm *m der Stadtbefestigungen*; ⚒ ~ *de perforación* (*del pozo, de extracción*) Bohr(Förder-)turm *m*; ~ *de prácticas* Übungsturm *m* (*z. B. der Feuerwehr*); ⚡ ~ *reticular* Gittermast *m*; ~ *de saltos* Sprungturm *m* (*für Schwimmsport*); ~ *de televisión* Fernsehturm *m*; *Burg* ~ *de vela* Wartturm *m*; ⚓ ~ *de vigía* Ausgucktonne *f*; **~ar** *v/t.* mit Türmen bewehren; **~cilla** *f* **1.** Türmchen *n*; **2.** ⚓ Kastell *n*; **3.** ✈ ~ *de ametralladora* Maschinengewehrkanzel *f*.

torrefacción *f* Rösten *n*; Röstung *f*.

torrejón *m* kl. Turm *m*.

torren|cial *adj. c* gießbachähnlich; strömend (*Regen*); **~te** *m* Gieß-, Sturz-bach *m*; Wildwasser *n*; *fig.* Strom *m*, Schwall *m*; **~tera** *f* Klamm *f*, Bergwasserschlucht *f*.

torre|ón *m* dicker Turm *m*; *bsd.* Festungsturm *m*; **~ro** *m* Türmer *m*; Turmwächter *m*; Leuchtturmwärter *m*; **~ta** *f* kl. Turm *m*; *bsd.* ⚔ (*fort., Panzer,* ⚓) Geschütz- *od.* Panzerturm *m*; ~ *de mando* Kommandoturm *m* (*bsd. U-Boot*).

torrez|nada *Kchk. f* geröstete Speckschnitten *f/pl.*; **~nero** F *m* Faulenzer *m*; **~no** *m* gebratene Speckscheibe *f*.

tórrido *adj.* heiß (*bsd.* [*Klima-*] *Zone*).

torrijas *Kchk. f/pl. Art* arme Ritter *m/pl.*

torrontés *adj. c*: *uva f* ~ *weiße, feinschalige Gewürztraubenart.*

tórsalo *m Mückenlarve, die s. unter der Haut v. Mensch u. Tier entwikkelt.*

tor|sión *f* Verdrehung *f*, Verwindung *f*, Torsion *f*; Drehung *f*; Drall *m*, *tex.* Draht *m*; ~ *hacia la derecha* Rechtsdrall *m*; *a prueba de* ~ verwindungssteif; *a. Kfz. barra f de* ~ Dreh-, Torsions-stab *m*; ⊕, *tex.* ~ *del cable* Seil-schlag *m*, -drall *m*; *Sp.* ~ *de tronco* Rumpfdrehen *n*; **~sional** *adj. c* Torsions-...; *Statik,* ⊕ Verwindungs...; **~so** *m* Torso *m*.

tor|ta *f* **1.** Torte *f*; Fladen *m*; Kuchen *m*; *ser* ~*s y pan pintado* gar nicht so schwierig (*od.* schlimm *bzw.* lästig) sein *im Vergleich zu et. anderem*, das reinste Zuckerlecken sein (*fig.*); **2.** *fig.* F Ohrfeige *f*; *le pegó una* ~ er haute ihm e-e herunter F, er klebte ihm eine F; **3.** ⊕, ⚗ Kuchen *m* (*Masse bzw. Preßrückstände*); **4.** *Typ.* **a)** Schriftenpaket *n*; **b)** zur Ablage bestimmter Satz *m*; F *a.* Stehsatz *m*; **~tada** *f* **1.** *Kchk.* gr. Pastete *f*; **2.** △ Mörtelschicht *f*; **~tera**[1] *f* Haspel *f an der Spindel*; **~tera**[2] *f* Pastetenform *f*; Kuchen-form *f bzw.* -blech *n*; **~tero** *m* Kuchen-bäcker *m*; -händler *m*.

tortícolis ⚕ *f*, *m* steifer Hals *m*.

torti|lla *f Kchk.* **1.** Omelett(e *f*) *n*; ~ (*de patatas a la*) *española* spanisches Kartoffelomelett *n*; ~ *francesa* Omelette *f* (nature); ~ *de hierbas* span. Kräuteromelett *n*; ~ *de patatas* Kartoffelpuffer *m*; *fig.* F *hacer* ~ *a/c.* (*a alg.*) et. (j-n) zs.-schlagen; *se ha vuelto la* ~ das Blatt hat s. gewendet; **2.** *Am.* (*mst.* Mais-)Fladen *m*; ~ *de harina* (Weizen-)Mehlfladen *m*; **~llear** *v/i.* **1.** ⚒ *Am.* (Mais-)Fladen backen; **2.** *fig.* P ~ *od. mst.* ~*se* es lesbisch treiben F; **~llera** *f* **1.** *Am.* (Mais-)Fladenbäckerin *f*; -händlerin *f*; **2.** *fig.* P Lesbierin *f*; **~llería** *Am. f* Maisfladen-bäckerei *f*; -stand *m*; **~llero** *Am. m* (Mais-)Fladen-händler *m*; -bäcker *m*.

tórto|la *f*, **~lo** *m* Turtel-taube *f*, -tauber *m*; *fig.* F *m* sehr verliebter Mann *m*; *f* sehr verliebte Frau *f*; *Col.* Dummkopf *m*.

tortor *m* Knebel *m zum Straffen e-s Seils bzw.* ⚕ *zum Abpressen e-r Ader*; Knebel-, Schrauben-drehung *f*.

tortuga *f* Schildkröte *f*; ~ *de carey* (*gigante*) Karett- (Elefanten-) schildkröte *f*; ~ *de mar* See-, Suppen-schildkröte *f*; *fig. a paso de* ~ im Schneckentempo.

tortuo|sidad *f* Krümmung *f*, Windung *f* (*Weg, Fluß*); **~so** *adj.* geschlängelt, *a. fig.* gewunden; *a. fig.* krumm; *fig.* verschlungen; undurchsichtig; heimtückisch.

tortura *f* Folter *f*; *fig.* Pein *f*, Qual *f*, Marter *f*; **~dor** *adj.* qualvoll; **~r** *v/t.* foltern, *a. fig.* peinigen, martern.

torunda ⚕ *f* Wundbausch *m*; Tupfer *m*.

toruno *m Chi.* **1.** *fig.* F älterer, aber noch sehr rüstiger Herr *m*; **2.** Seelöwe *m*.

torva *f* Regensturm *m*; Schnee-bö *f*, -sturm *m*.

torvisco ⚘ *m* Kellerhals *m*, Zeiland *m*.

torvo *adj.* finster (*Blick*); wild, schrecklich.

tor|zal *m* Kordonett-, Näh-seide *f*; Zwirnfaden *m*; Schnur *f*; Strohband *n*; ~ *de cera* Wachsstock *m*; **~zón** *vet. m* → *torozón 1.*

torzuelo *Jgdw. m* Falke(nmännchen *n*) *m*, Terzel *m*.

tos *f* Husten *m*; ~ *espasmódica* (*irritativa*) Krampf- (Reiz-)husten *m*; ~ *ferina* Keuchhusten *m*; *remedio m contra la* ~ Hustenmittel *n*.

toscano *adj.-su.* toskanisch; *m* Toskaner *m*; *Li. das* Toskanische; *p. ext. die* italienische Sprache.

tosco *adj.* unbearbeitet, roh; *fig.* grob; ungehobelt, ungeschliffen.

tose|cilla *f* (*a.* affektiertes) Hüsteln *n*; **~r** *v/i.* husten; *fig. a mí nadie me tose* ich lasse mir nichts gefallen; *no hay quien le tosa* niemand kann es mit ihm aufnehmen; *fig.* F ~ *fuerte* angeben F, protzen.

tósigo *m* Gift *n*; *fig.* beklemmende Angst *f*; schwerer Kummer *m*.

tosigoso[1] **I.** *adj.* ⚒ giftig; vergiftet; **II.** *m Ven. fig.* ekelhafter Kerl *m*.

tosi|goso[2] *adj.-su.* an Husten leidend; **~quear** *v/i.* hüsteln.

tosquedad *f* Ungeschlachtheit *f*; Grobheit *f*, Ungeschliffenheit *f*.

tosta|ción ⊕, ⚗, ⚒ *f* Darren *n*; Rösten *n*; Kalzinieren *n*; **~da** *f* Toast(brot *n*) *m*; *fig.* F *pegar una* ~ *j-n* prellen; *j-m* übel mitspielen; **~dero** *m* **1.** *sid.* Röstofen *m*; *fig.* Brutofen *m* (= *heißer Raum*); **2.** Rösterei *f*; **~do I.** *adj.* **1.** geröstet; **2.** sonnenverbrannt, braun; **II.** *m* **3.** *bsd. sid.* Rösten *n*; **4.** *fig. escribir más que el* ~ unendlich viel schreiben (u. veröffentlichen); **~dor** *m* Röster *m*; ⊕ *usw. a.* Darre *f*; ~ *de pan* Toaster *m*, Brotröster *m*; **~dora** *f*: ~ *de café* Kaffeeröstmaschine *f*; **~dura** *f* Rösten *n*; Röstung *f*; **~r** [1m] **I.** *v/t.* rösten; bräunen; *sid. usw. a.* fritten; **II.** *v/r.* ~*se* rösten (*v/i.*); *sid. a.* anfritten; braun werden; *fig.* F ein Sonnenbad nehmen.

tos|tión *sid. f* Erzröstung *f*; **~tón** *m* **1.** geröstete Kichererbse *f*; *in Öl* gerösteter Brotwürfel *m*; *Kchk.* Spanferkel *n*; **2.** allzu scharf Gebratene(s) (*od.* Geröstete[s]) *n*; *fig.* F et. Unausstehliches; Schmöker *m* (*Buch*), (langweiliger) Schinken *m* (*fig.* F *Buch, Theaterstück, Film*); *Andal. u. Am. Reg.* aufdringlicher Schwätzer *m*; Klette *f* (*fig.* F); **3.** *Méj.* Münze *f v.* $^1/_2$ *Peso.*

tota *adv. Chi.*: *a* ~ huckepack.

total I. *adj. c* ganz, völlig; Gesamt..., Total..., total; *en* ~ insgesamt; *importe m* ~ Gesamtbetrag *m*; **II.** *adv.* alles in allem; also; ~, *que lo hace* kurz u. gut, er macht es (also); **III.** *m* Gesamtsumme *f*; ~ *de impuestos* Steueraufkommen *n*; ~ *de ventas* Gesamtumsatz *m*.

totali|dad *f* Gesamtheit *f*; **~tario** *Pol. adj.* totalitär; **~tarismo** *Pol. m* Totalitarismus *m*; **~zación** *f* Totalisierung *f*; Vervollständigung *f*; **~zador** *m* Zählwerk *n*; Totalisator *m*; **~zar** [1f] *v/t.* zs.-zählen; insgesamt betragen.

totay ⚘ *m Am. Mer.* Totaypalme *f*.

tótem *Ethn. m* Totem *n*.

to|témico *adj.* Totem...; *mástil m* ~ Totempfahl *m*; **~temismo** *Rel. m* Totemismus *m*; **~temista** *adj. c* totemistisch.

totora *Ke.* ⚘ *f Am. Mer. schmalblättriger* Rohrkolben *m*; **~l** *m* Rohrkolbenfeld *n*.

totovía *Vo. f* Heidelerche *f*.

totu|ma *f* **1.** *Am. Reg.* Kürbisgefäß *n*; Kürbis(baumfrucht *f*) *m*; *fig.* F Kopf *m*; **2.** *Chi. fig.* F Beule *f*; Buckel *m*; **~mo** ⚘ *m Am. Reg.* → *güira.*

to|xemia ⚕ *f* Blutvergiftung *f*; **~xicidad** ⚕ *f* Giftigkeit *f*, Toxizität *f*.

tóxico I. *adj.* giftig, toxisch; **II.** *m* Gift *n*.

toxi|cología ⚕ *f* Toxikologie *f*; **~cológico** *adj.* toxikologisch; **~cólogo** ⚕ *m* Toxikologe *m*; **~comanía** *f* Rauschgiftsucht *f*; **~cómano** *adj.-su.* (rauschgift)süchtig; *m* (Rauschgift-)Süchtige(r) *m*; **~cosis** ⚕ *f* Toxikose *f*; **~na** ⚕ *f* Toxin *n*, Gift *n*; ~ *vegetal* Pflanzengift *n*.

to|za *f prov.* Rindenstück *n*; Baumstumpf *m*; **~zar** [1f] *v/i. prov.* stoßen (*Bock*); *fig.* F bockbeinig sein (*fig.* F); **~zo** *adj.* zwergenhaft; **~zudez** *f* Halsstarrigkeit *f*; **~zudo** *adj.* dickköpfig, halsstarrig; **~zuelo** *m* dicker Nacken *m einiger Tiere.*

traba *f* **1.** *a. fig.* Band *n*, Fessel *f*; *fig.* Hindernis *n*, Hemmnis *n*; *poner ~s a* fesseln (*ac.*), *fig.* hemmen (*ac.*); *j-m* Knüppel zwischen die Beine werfen (*fig.* F); *fig. sin ~s* ungehemmt; **2.** Beinfessel *f für Pferde*; **3.** Bremsklotz *m*; Hemmschuh *m*; **4.** ⚖ Hindernis *n*; Vollstreckungsvereitlung *f*; **5.** □ Idee *f*; Plan *m*; **~cuenta** *f* Rechenfehler *m*; *fig.* Ausea.-setzung *f*; Streit *m*; **~dero** *m* → *traba 2*; **~do** *adj.* **1.** gehemmt; *Li.* gedeckt (*Silbe*); **2.** gedrungen, stämmig; **~dura** *f* Fesseln *n*; Fessel *f*; Verbindung *f*, Verknüpfung *f*.

traba|jado I. *adj.* **1.** abgearbeitet, ermüdet; **2.** worauf viel Mühe verwendet wurde; **II.** *m* **3.** ⊕ Verarbeitung *f*; Bearbeitung *f*; **~jador I.** *adj.* arbeitsam, fleißig; **II.** *m* Arbeiter *m*; *~ estacional, ~ de temporada* (*eventual*) Saison- (Gelegenheits-)arbeiter *m*; *~ a destajo* (*a domicilio*) Akkord- (Heim-)arbeiter *m*; *~ industrial* (*intelectual*) Industrie- (Kopf-, Geistes-)arbeiter *m*; *~ manual* (*del metal, extranjero*) Hand- (Metall-, Gast-)arbeiter *m*; → *a. obrero.*

trabajar I. *v/i.* **1.** arbeiten, schaffen; *capaz de ~* arbeitsfähig; *hacer ~ su dinero* sein Geld arbeiten lassen (*od.* anlegen); *los que quieren ~* die Arbeitswilligen *m/pl.*; *tiempo m ~ado* Arbeitszeit *f*; *fig.* F *~ como un negro* (*carguero*), *~ como un enano* wie ein Pferd arbeiten, schuften; *~ de albañil* als Maurer arbeiten, Maurer sein; *~ en* (*od. por*) + *inf.* s. bemühen (*od.* daran arbeiten), zu + *inf.*; *~ para comer, ~ para vivir* s-n Lebensunterhalt erarbeiten; *~ por conseguir un empleo* s. um e-e Anstellung bemühen; *~ por cuatro* für vier arbeiten, s. gewaltig ins Zeug legen F; *~ por nada* umsonst (*od.* ohne Entgelt) arbeiten; *~ por mil ptas.* für 1000 Peseten arbeiten; ⚓ *~ por el pasaje* s-e Überfahrt abarbeiten; **2.** arbeiten, funktionieren (*Gerät usw.*); **3.** arbeiten *bzw.* s. werfen *usw.* (*Holz, Wand usw.*); **II.** *v/t.* **4.** bearbeiten; verarbeiten; *fig. j-n* plagen; *sin ~* unbearbeitet; **5.** *Pferd* zureiten; **III.** *v/r.* *~se* **6.** s. sehr bemühen (, zu + *inf. por, en*).

trabajo *m* **1.** Arbeit *f* (*alle Bedeutungen*); *a.* ⚕, ⛫ Tätigkeit *f*; *~ estacional* (*od. de temporada*) Saisonarbeit *f*; *~ físico* (*intelectual*) körperliche (geistige) Arbeit *f*; *~ forzado* Gewaltanstrengung *f*; *~s m/pl. forzados* (*od. forzosos*) Zwangsarbeit *f*; *~ muscular* Muskelarbeit *f*; ⚕ Muskeltätigkeit *f*; *~ nocturno* (*a mano, ~ manual*) Nacht- (Hand-)arbeit *f*; *~ útil* nützliche Arbeit *f*; ⊕ Nutzarbeit *f*, -leistung *f*; *~ a destajo* (*a domicilio, a máquina*) Akkord- (Heim-, Maschinen-)arbeit *f*; *~ de día* Tag-arbeit *f*, -schicht *f*; *Phys.*, ⊕ *~ de frenado* Brems-arbeit *f*, -aufwand *m*; *~ de repaso* Nach(be)arbeit(ung) *f*; ⚒ *~ de sondeo* Bohrarbeit *f*; *Verw. autorización f* (*od. permiso m*) *de ~* Arbeitserlaubnis *f*; *cantidad f de ~* Arbeitsaufwand *m*; *Pol. Confederación f Nacional de ~, Abk. C.N.T.* Nationale Arbeiterkonföderation *f* (*anarchosyndikalistische Arbeiterorganisation in Span., unter Franco verboten*); *condiciones f/pl. de ~* Arbeitsbedingungen *f/pl.*; *continuidad f de ~* Arbeitsfluß *m*; *fase f* (*od. operación f*) *de ~* Arbeitsgang *m*; *Verw. Am. libreta f de ~* Arbeitsbuch *n*; *local m de ~* Arbeitsraum *m*; *volumen m de ~*(*s a ejecutar*) Arbeits-anfall *m*, -umfang *m*; *con mucho ~* mühsam, mühselig; *en condiciones de ~* betriebsfähig (*Fabrik usw.*); *inútil para el ~* arbeitsunfähig; *sin ~* arbeitslos; F *los sin ~* die Arbeitslosen *m/pl.*; *Spr. el ~ es sagrado od. el ~ es el encanto de la vida* Arbeit macht das Leben süß; *fig.* F *ser un ~ bárbaro* e-e Heiden- (*od.* Mords-)arbeit sein; *tener mucho ~ por delante* (noch) viel Arbeit haben; viel vorhaben; **2.** *p. ext.* Schwierigkeit *f*; *oft ~s m/pl.* Drangsal *f*, Mühsal *f*, Strapaze *f*; *pasar muchos ~s en esta vida* viel durchmachen müssen.

trabajoso *adj.* **1.** mühsam, mühselig; kümmerlich; schwierig; **2.** † *u. Reg.* fehlerhaft; kränklich; **3.** *Arg., Méj.* schwierig (*Person*); *Col.* streng, unbeugsam; anspruchsvoll; *Chi.* lästig, ärgerlich.

traba|lenguas *m* (*pl. inv.*) Zungenbrecher *m*; **~miento** *m* Fesseln *n*, Festbinden *n*; Hemmen *n*; Verbindung *f*, Verknüpfung *f*; Verstrikkung *f*; **~r I.** *v/t.* **1.** verbinden, verkoppeln; mitea. verknüpfen, zs.-fügen; verstricken; ⚓ zurren; spleißen; **2.** (an-, fest-)binden, fesseln; fassen, festnehmen; hemmen; ⚖ beschlagnahmen; *Vollstreckung* vereiteln; **3.** *Zim. Am.* Säge schränken; *Kchk.* eindicken; **4.** *fig.* anknüpfen, beginnen; anfangen; *~ batalla* e-e Schlacht liefern; *~* (*una*) *conversación* ein Gespräch anknüpfen; **II.** *v/r.* *~se* **5.** s. verfangen, s. verheddern; s. verstricken; hängenbleiben (mit et. *a/c.*, in *od.* an *dat.* en); *se le traba la lengua* er bricht s. (dabei) die Zunge ab; *fig. ~se con alg.* s. mit j-m anlegen, mit j-m streiten; *~se de palabras* mit Worten streiten; **6.** *Kchk.*, ⛫ dick werden; **7.** *fig.* anfangen, s. entspinnen.

tra|bazón *f* **1.** Verbindung *f*; ⚠ Verband *m*; ⚓ *usw.* Spleißung *f*, Spliß *m* (⚓); *fig.* (innere) Verknüpfung *f*; *a. Min.* Gefüge *n*; Zs.-halt *m*, Einheitlichkeit *f*; ⚠ *~* (*en*) *espinapez* Fischgratverband *m*; *~ mixta* Quadermauer *f*; **2.** *Kchk.*, ⛫ Eindickung *f*; **~billa** *f* **1.** Halteriemen *m*; Schnallriemen *m*; **2.** Steg *m der Hose od. Gamasche*; **3.** Laufmasche *f b. Stricken.*

trabu|ca *f* Frosch *m* (*Feuerwerkskörper*); **~caire** *m hist.* katalanischer Freischärler *m*; *fig.* Prahlhans *m*; **~car** [1g] **I.** *v/t.* umstürzen, auf den Kopf stellen; durchea.-bringen, verwirren; *fig.* verwechseln; **II.** *v/r.* *~se* s. versprechen; *~se al leer* s. verlesen; **~cazo** *m* Schuß *m* aus e-m Stutzen; *fig.* F unerwarteter Ärger *m* (*od.* Schreck *m*); **~co** *m* **1.** Steinschleuder *f* (*alte Kriegsmaschine*); **2.** Stutzen *m* (*älteres Gewehr*); *~ naranjero* Blunderbüchse *f*; **3.** *fig. Art* Zigarre *f* (*Stumpen*).

traca *f* **1.** ⚓ Plankenreihe *f*; Gang *m*, Platte *f*; **2.** anea.-gereihte Feuerwerkskörper *m/pl.*

trácala F *f* **1.** *Méj., P. Ri.* Betrug *m*, Schwindel *m*; **2.** *Ec.* → *tracalada*[1].

tracalaca *Chi.*: *a la ~* rittlings; auf der Hüfte.

tracalada[1] F *f Arg., Col., Méj.* Herde *f*, Menge *f*; **~**[2] *f Méj.* → *trácala 1.*

tracción *f* **1.** *a.* ⊕ Ziehen *n*, Zug *m*; Antrieb *m*; *~ animal* (*od. de sangre*) Betrieb *m* durch Zugtiere; *a. Kfz. ~ Bowden* Bowdenzug *m*; *~ por cable* Seil-zug *m*, -betrieb *m*; *~ delantera* Vorderradantrieb *m*; *~ de vapor* Dampf-antrieb *m*, -betrieb *m*; **2.** *Phys.*, ⊕ Zug *m*; (*fuerza f de*) *~* Zugkraft *f*; *resistencia f a la ~* Zugfestigkeit *f*.

tracio *adj.-su.* thrakisch; *m* Thraker *m.*

tracoma ⚕ *m* Trachom *n*.

trac|tivo ⚒ *adj.* Zug...; **~to-camión** *Kfz. m* → *tractor semi-remolque*; **~tor I.** *adj.* ⚒ Zug...; **II.** *m* Traktor *m*, Schlepper *m*; *~ agrícola* (*semi-remolque*) Acker- (Sattel-)schlepper *m*; **~torista** *c* Traktorfahrer(in *f*) *m*, Traktorist(in *f*) *m*; **~tor-oruga** *m* Raupenschlepper *m*.

tradición *f* **1.** Tradition *f*, Überlieferung *f*; *~ popular* Volksüberlieferung *f*; *a.* überlieferte Geschichte *f*, Sage *f*; **2.** ⚖ Übergabe *f*, Auslieferung *f*.

tradicio|nal *adj. c* überliefert; herkömmlich, traditionell; **~nalismo** *m* **1.** Traditionsgebundenheit *f*; Festhalten *n* an den alten Sitten; **2.** *Pol., ecl.* Traditionalismus *m*; *Span.* Carlismus *m*; **~nalista I.** *adj. c* traditionsgebunden, konservativ; *Span.* königstreu; **II.** *m* Anhänger *m* des Traditionalismus; Konservative(r) *m*; **~nista** *c* Erzähler *m bzw.* Sammler *m* von Überlieferungen.

tra|ducción *f* Über-setzung *f*, -tragung *f* (in *ac. a*); *fig.* Auslegung *f*, Deutung *f*; *~ libre* freie Übersetzung *f*; *~ a máquina* (*simultánea*) Maschinen- (Simultan-)übersetzung *f*; ⚖ *derecho m de ~* Übersetzungsrecht *n*; **~ducible** *adj. c* übersetzbar; **~ducir** [3o] *v/t.* über-setzen, -tragen; *Gefühle* ausdrücken; Ausdruck geben (*dat.*); *fig. ~se* (s-n *usw.*) Ausdruck finden (in *dat. en*); **~ductor** *m* Übersetzer *m*; *a. fig.* Interpret *m*, *fig.* Dolmetsch *m*; **~ductora** *f* Übersetzerin *f*.

trae|dizo *adj.* herholbar; *agua f ~a* herantransportiertes Wasser *n*; **~dor** *m* Bringer *m*; **~r** [2p] **I.** *v/t.* *Grundbedeutung* (*Richtungssinn beachten!*): herbringen; bei s. tragen; **1.** (her)bringen; her-, mit-, überbringen; herbeischaffen; *Jgdw.* apportieren; *Glück* bringen; ⚒ *Eisen* anziehen (*Magnet*); *Beispiele, Gründe* anführen, beibringen; heranziehen; *fig.* herbeiführen, mit s. bringen; nach s. ziehen, verursachen; *¡tráigame un café, por favor!* bringen sie mir bitte e-n Kaffee!; *fig.* F

~ *cola* (unangenehme) Folgen haben; ~ *consigo* mit s. bringen; *fig.* *¿qué buen viento le trae por aquí?* wie schön, daß wir uns hier treffen!; *una cosa trae la otra* eins bringt das andere mit s.; ein Wort gibt das andere; *volver a* ~ zurückbringen; ~ *y llevar* hin u. her tragen; *fig.* F klatschen (*fig.* F); *fig.* ~ *a camino* auf den rechten Weg bringen; ~ *a la desesperación* in Verzweiflung stürzen; ~ *a/c. a la memoria* an et. erinnern; ~ *a uno a partido* j-n überreden (*od.* überzeugen); j-n zum Einlenken bewegen; j-n bei der Stange halten (F); *fig.* F ~ *a alg. de acá para allá* j-n hin u. her hetzen; j-n in Atem halten; ~ *de cabeza* viel Sorge (*od.* Mühe) machen; **2.** (bei s.) haben; ~ + *part.* getan haben (*bsd. die Volkssprache verwendet traer häufig statt des statischen tener*); *Kleidung, Schmuck usw.* anhaben, tragen; *¿trae usted algo para mí?* haben (*od.* bringen) Sie et. für mich?; *ya lo traigo acabado* ich bin schon fertig damit; F *traigo una hambre que no veo* ich habe e-n Mordshunger F; *lo trae de herencia* das liegt in der (*hier*: in s-r *bzw.* ihrer) Familie; *el tren trae retraso* der (*ankommende*) Zug hat Verspätung; ~ *puestas las botas* s-e Stiefel anhaben; **3.** F ~ + *adj.* machen; *fig.* ~ *a alg. arrastra(n)do* j-n sehr anstrengen (*od.* strapazieren F); *me trae loco* (*nervioso*, F *frito*) es (*bzw.* er, sie) macht mich verrückt (*od.* nervös); es (*usw.*) fällt mir auf den Wecker (*fig.* F); **4.** vorhaben; im Schilde führen (*fig.*); ~*(se) a/c. en* (*od. entre*) *las manos* et. vorhaben; et. unter den Händen haben; *fig.* F *Rpl.* ~ *algo bajo el poncho* Hintergedanken haben, et. im Schilde führen; **5.** *in best. W.*: handhaben, behandeln; F ~ *a mal* mißhandeln; scharf anfassen; **II.** *v/r.* ~*se* **6.** ~*se bien* (*mal*) s. gut (schlecht) kleiden, gut (nachlässig) angezogen sein; **7.** vorhaben, beabsichtigen; bezwecken; → *a.* 4; *fig.* F *traérselas* Hintergedanken haben; *es un problema que se las trae* diese Frage hat es in sich.

tráfago *m* **1.** Geschäfte *n/pl.*, Arbeit(slast) *f*; F *andar en muchos* ~*s* unheimlich geschäftig sein; **2.** F Betrieb *m*, Gewühl *n*, Rummel *m* F.

trafagón F **I.** *adj.* betriebsam; **II.** *m* Wühler *m* (*fig.* F).

trafallón *adj.* schlampig; wirr.

trafica|nte *m* **1.** †, ⚒ Händler *m*; **2.** *desp.* Händler *m*, Krämer *m* (*desp.*); Schleich-, Schwarz-händler *m*, Schieber *m*; ~**r** [1g] *v/i.* handeln, Handel treiben, *desp.* schachern (mit *dat.* en); *fig.* F geschäftig (*od.* betriebsam) sein; ~ *con su crédito* s-n Kredit für Geschäfte nützen.

tráfico *m* **1.** (*außer in best. Vbdgn. heute in Span. mst. desp.*) Handel *m*; Schacher *m* (*desp.*); ~ *de esclavos* Sklavenhandel *m*; ~ (*ilícito*) Schleichhandel *m*, Schiebung *f*; **2.** Verkehr *m*; ~ *de camiones* Lastwagenverkehr *m*; ~ *comercial od. mercantil* (*transoceánico*) Handels-(Übersee-)verkehr *m*; ~ *fronterizo* kl. Grenzverkehr *m*; ~ *interurbano* (*local, urbano*) Fern- (Orts-, Stadt-) verkehr *m*; ~ *portuario* (*rodado*) Hafen- (Fahr-)verkehr *m*; ~ *sobre rieles* Schienenverkehr *m*; ~ *terrestre* (*marítimo, aéreo*) Land- (See-, Luft-)verkehr *m*; *centro m de* ~ Verkehrsknotenpunkt *m*; *incremento m del* ~ Verkehrszunahme *f*; *luces f/pl. de* ~ Verkehrsampel *f*; *patrulla f* (*policía f*) *de* ~ Verkehrsstreife *f* (-polizei *f*); *regulación f del* ~ Verkehrsregelung *f*.

tragabolas *m* (*pl. inv.*) Kugelschlucker *m* (*Spielzeug*).

tragacanto ⚘ *m* Tragant *m*.

traga|deras F *f/pl.* Schlund *m*; *fig.* F *tener buenas* ~ **a)** ein tüchtiger Esser sein; **b)** sehr leichtgläubig sein, alles schlucken (*fig.* F); **c)** ein weites Gewissen haben; ~**dero** *m* Schlund *m*; ~**dor** F *m* Fresser *m* F; ~**hombres** F *m* (*pl. inv.*) Großmaul *n*, Eisenfresser *m*.

trágala *m hist.*: *Spottlied der Liberalen gg. die Absolutisten im 19. Jh.* (*es beginnt*: ~ *tú, servilón ...*); *fig.* F *cantarle a alg. el* ~ j-n verspotten, *der klein beigeben muß*; *p. ext.* auf j-n einreden (*od.* j-n beknien F *od.* belatschern F) *bis er nachgibt*.

traga|(a)ldabas F *m* (*pl. inv.*) Vielfraß *m*, Freßsack *m* P; ~**leguas** F *m* Kilometerfresser *m*; ~**libros** *m* (*pl. inv.*) Bücherwurm *m*; ~**luz** *m*, *Arg. f* (*pl.* ~*uces*) Dachfenster *n*; Luke *f*; ⚓ Bullauge *n*.

tragan|te *sid. m* Gicht *m*; ~**tón** F *m* Fresser *m*; ~**tona** F *f* **1.** Fresserin *f*; **2.** Fresserei *f* F, Schlemmerei *f*; *darse una* ~ s. den Bauch vollschlagen; **3.** *fig.* F Gewaltanstrengung *f*, *die man macht*, um et. Unglaubliches (*bzw.* kaum Zumutbares) zu glauben (*bzw.* zu erlauben); *¡qué* ~*!* *etwa*: man muß es eben (mit Gewalt) schlucken! (*fig.* F).

tragaperras F *m* (*pl. inv.*) Spielautomat *m*.

tragar [1h] **I.** *v/t. u.* ~*se v/r.* schlukken; verschlucken, *a. fig.* verschlingen; *p. ext.* viel essen; *fig.* F einstecken, (herunter)schlucken; naiverweise (*od.* leichtfertig) glauben; *fig.* F *no poder* ~ *a alg.* j-n nicht ausstehen können; *el mar (se) tragó el barco* das Schiff wurde von der See verschlungen; *fig.* F *ésta no la trago* (*od. no me la haces* ~) **a)** das glaube ich nicht, darauf falle ich nicht herein; **b)** das lasse ich mir nicht gefallen; *fig.* F *tragárselas* alles (hinunter)schlucken; s. wie e-n Lumpen behandeln lassen; *fig.* F *las traga como puños* er läßt s. alles aufbinden, er schluckt alles; *fig. se lo tragó la tierra* es ist wie vom Erdboden verschwunden; *haberse* ~*ado a/c.* et. Unangenehmes vorausahnen (*od.* kommen sehen) **II.** *v/r.* ~*se Col.* s. verlieben.

traga|santos F *c* (*pl. inv.*) *desp.* Frömmler(in *f*) *m*; ~**vientos** ⚓ *m* (*pl. inv.*) Windfänger *m*; ~**virotes** F *m* (*pl. inv.*) *ein* Mann *m*, steif wie ein Ladestock; ~**zón** F *f* Gefräßigkeit *f*.

tragedia *f a. fig.* Tragödie *f*, Trauerspiel *n*; *fig. parar en* ~ traurig ausgehen, ein schlimmes Ende nehmen.

trágico I. *adj.* tragisch, *fig.* traurig, erschütternd; *fig.* F *¡no te pongas* ~*!* nun tu bloß nicht so!, stell' dich nicht so an!; *tomarlo por lo* ~ es tragisch nehmen; **II.** *m* Tragiker *m*, Tragödiendichter *m*; Tragöde *m*.

tragi|comedia *f a. fig.* Tragikomödie *f*; ~**cómico** *adj.* tragikomisch.

tra|go *m* Schluck *m*; *fig.* Unannehmlichkeit *f*; *a* ~*s* schluckweise; *de un* ~ auf e-n Zug, mit e-m Schluck; *fig.* auf einmal; *echar un* (*buen*) ~ e-n (kräftigen) Schluck nehmen; e-n heben F; *fig. pasar un* ~ *amargo* Bitteres durchmachen; ~**gón** F *adj.-su.* gefräßig; *m* Fresser *m*; *está hecho un* ~ er ist ein Vielfraß; ~**gon(er)ía** F *f* Gefräßigkeit *f*.

traici|ón *f* Verrat *m*; ~ (*a la Patria*) Landesverrat *m*; *alta* ~ Hochverrat *m*; *a* ~ durch Verrat, verräterischerweise; meuchlings; *hacer* ~ *a* → ~**onar** *v/t.* verraten; ~**onero** *adj.* verräterisch; treulos, falsch; heimtückisch.

traí|da *f* Überbringung *f*; (Her-) Bringen *n*; ~ *de aguas* Wasserzufuhr *f*; ~**do** *part.-adj.* **1.** gebracht; getragen; *fig.* F *bien* ~ gelegen, günstig; **2.** abgetragen (*Kleidung*).

trai|dor I. *adj.* verräterisch; treulos, falsch; (heim)tückisch; **II.** *m*, ~**dora** *f* Verräter(in *f*) *m*; Treulose(r) *m*, Treulose *f*; ~**doramente** *adv.* durch Verrat; hinterrücks, meuchlings.

traíl ☐ *m* Fährte *f*, Spur *f*.

trailer *engl. m* **1.** *Kfz.* Sattelschlepper *m*; **2.** *Film*: Vorspann *m*.

tra|ílla *f* **1.** *Jgdw.* **a)** Koppelriemen *m*; **b)** Meute *f*; **2.** Egge *f*; **3.** ⊕ Schrapper *m*; **4.** Peitschenschnur *f*; ~**illar** [1c] ✓ *v/t.* eggen; ~**ína** *f* Schleppnetz *n für den Sardinenfang*.

trainer *engl. Sp. m* Trainer *m*.

trainera *f* Sardinenkutter *m*.

trajano *adj.*: *columna f* ~*a* Trajanssäule *f in Rom*.

traje *m* Anzug *m*; Kleid *n*; Tracht *f*; ~ *amianto* (*protector*) Asbest- (Schutz-)anzug *m*; ~ *de baño* (*de calle, de casa, de buzo*) Bade- (Straßen-, Haus-, Taucher-)anzug *m*; ~ *de caza* (*de deporte*) Jagd- (Sport-)kleidung *f*; ~*s m/pl. confeccionados* Konfektion(skleidung) *f*; ~ *chaqueta* Jackenkleid *n*; ~ *sastre* (Damen-, Schneider-)Kostüm *n*; ⚓ ~ *de encerado* Ölzeug *n*; ~ *de esgrima* (*de etiqueta, de gimnasia*) Fecht-(Gesellschafts-, Turn-) anzug *m*; ~ *estratosférico* Raum- (fahrer)anzug *m*; ~ *de luces* bestickte Stierkämpfertracht *f*; ~ *a* (*Rpl. sobre*) *medida* Maßanzug *m*; ~ *de noche* Abendkleid *n*; ~ *de penado* (*de playa*) Sträflings- (Strand-)anzug *m*; ~ *regional* Trachtenkostüm *n*; ~ *sport* sportliche Kleidung *f*; ~*s m/pl. semi-confeccionados* Maßkonfektion *f*; ~ *de trabajo*, *Am. oft* ~ *de labor* Arbeitsanzug *m*; *fig.* F *cortar* ~*s* hecheln, klatschen; *hacerse un* ~ s. e-n Anzug machen (lassen); ~**ar** *v/t.* (ein)kleiden.

trajín *m* lebhafter Verkehr *m*; eifrige Geschäftigkeit *f*; *fig.* F (toller) Betrieb *m*, Lauferei *f*, Hetze *f*; *la hora del* ~ Hochbetrieb *m*.

traji|nante *m* **1.** Fuhrmann *m*;

2. † *u. Reg.* Händler *m*; **~nar I.** *v/t.* **1.** befördern; fortschaffen; **2.** *Chi.* durch-suchen, -wühlen; *fig.* F *Arg., Chi.* *~(se) a alg.* j-n betrügen, j-n übers Ohr hauen F; j-n (*a.* sexuell) mißbrauchen; **II.** *v/i.* **3.** sehr beschäftigt sein; herumwirtschaften; **~nería** *f* Fuhrwesen *n*; **~nero** *m* → *trajinante*; **~nista** F *adj. c Arg., P. Ri.* emsig.

tralla *f* Peitsche(nschnur) *f*; Schmitze *f*; **~zo** *m* Peitschen-hieb *m*; -knall *m*; *fig.* F Rüffel *m*.

trama *f* **1.** *Weberei*: Schuß *m*, Einschlag *m*; *p. ext.* Tramseide *f*; **2.** *fig.* **a)** Komplott *n*, Intrige *f*; **b)** *Lit.* Plan *m*, Anlage *f*; Knoten *m* (*Drama*); **3.** Baumblüte *f* (*bsd. Oliven*); **4.** *Kino, TV,* (*Typ. bsd. Am.*) Raster *m*; **~r I.** *v/t. Weberei*: einschlagen, (an)zetteln; *fig.* anstiften, anzetteln; anspinnen; geschickt erledigen; **II.** *v/i.* blühen (*Bäume, bsd. Olive*).

tramita|ción *Verw. f* Amts-, Dienst-weg *m*; amtliche Erledigung *f*, Formalitäten *f/pl.*; ⚖ Instanzenweg *m*, -zug *m*; **~r** *v/t. Verw.* weiter-geben, -leiten; *amtlich* bearbeiten.

trámite *m* **1.** ⛏ Übergang *m*, Weg *m*; **2.** *Verw.*, ☤ Dienstweg *m*; Instanz *f*; Geschäftsgang *m*; Erledigung *f*, Bearbeitung *f*; Formalitäten *f/pl.*; *asuntos m/pl. de ~* (Routine-)Geschäfte *n/pl.*, (-)Angelegenheiten *f/pl.*; *~s m/pl. aduaneros* Zollformalitäten *f/pl.*

tramo *m* **1.** *abgegrenztes* Stück *n* Land; **2.** Abschnitt *m*; *a. Kanal*, 🚂 Strecke *f*; Wegstrecke *f*; △ Treppen-stück *n*, -lauf *m*; ⊕, ⚡ *~ de cable* Kabelstrang *m*; *~ de ferrocarril a.* Stichbahn *f*; *~ de puente* Brücken-abschnitt *m*, -glied *n*; *~ de tubería (de vía)* Rohr- (Schienen-)strang *m*.

tramojo *m* **1.** ⸙ Stroh-, Garbenband *n*; *fig.* F Not *f*, Plage *f*; **2.** *Am.* „Hemmknüppel" *m* (*Querholz, das Tieren die Beiß- od. Bewegungsmöglichkeit nehmen soll*).

tramonta|na *f* Nordwind *m*; *fig.* Eitelkeit *f*; *fig.* F *perder la ~* den Kopf verlieren; **~no** *adj.* jenseits der Berge; **~r** *v/i.* das Gebirge überschreiten; hinter den Bergen untergehen (*Sonne*).

tramo|ya *f Thea.* Bühnenmaschine (-rie) *f*; ⊕ Einschütttrichter *m*; *fig. armar una ~* intrigieren; e-e Falle stellen; **~yista** *m Thea.* Maschinist *m*; Kulissenschieber *m*; *fig.* F Intrigant *m*.

trampa *f* **1.** *a.* ⊕ *u. fig.* Falle *f*; *Jgdw. a.* Wildgrube *f*; *fig.* F Schwindel *m*, Mogelei *f*; Schlich *m*, Kniff *m*; *TV ~ de iones* Ionenfalle *f*; *armar una ~* e-e Falle aufstellen (*od.* spannen); *fig.* F *hacer ~s* schwindeln, mogeln; **2.** Falltür *f*; Bodenklappe *f*; Ladentischklappe *f*; **3.** *fig.* F *~s f/pl.* Schulden *f/pl.*; *tener más ~s que pelos en la cabeza* mehr Schulden als Haare auf dem Kopf haben F; **4.** *~s f/pl.* Treppen *f/pl.* (*fig.* F *b. Haarschnitt*).

trampal *m* → *tremedal.*

tram|pantojo F *m* Blendwerk *n*, Gaukelei *f*; *fig.* Mumpitz *m* F; **~pear** F **I.** *v/t.* bemogeln F; betrügen; **II.** *v/i.* betrügen, schwindeln F; *ir trampeando* s. durchschwindeln; **~pilla** *f* **1.** Bodenklappe *f*; (Fall-)Klappe *f*; *Lkw. ~s f/pl.* abklappbare Seitenwände *f/pl.*; **2.** Hosenlatz *m*; **3.** Ofentür *f*; **~pista** F *c* → *tramposo.*

trampolín *m* Sprungbrett *n*; Trampolin *n*; Sprungschanze *f*; *~ de un metro* Einmeterbrett *n in Schwimmbädern.*

tramposo *adj.-su.* betrügerisch; *m* Betrüger *m*; Lügner *m*, Schwindler *m*; Falschspieler *m*.

tranca *f* Knüppel *m*; Sperrbalken *m*; *Am. oft* → *tranquera 2*; *fig.* P Rausch *m*; *a ~s y barrancas* mit Ach u. Krach; **~da** *f* langer Schritt *m*, Stelzschritt *m*; F Hopser *m*; **~nil** ⚓ *m* Stringer *m*; **~r** [1g] F **I.** *v/t.* verriegeln; **II.** *v/i.* lange Schritte machen, stelzen F; **~zo** *m* Knüppelschlag *m*; F ⚕ Grippe *f*.

trance *m* **1.** (*a. fig.* kritischer) Augenblick *m*; *fig. ~ apurado* arge Klemme *f* F; *~ mortal* Lebensgefahr *f*; Sterbestunde *f*; *fig.* äußerst kritischer Augenblick *m*; *a todo ~* um jeden Preis, unbedingt; **2.** ⚖ Zwangsverkauf *m*; **3.** *Hypnose*: Trance *f*.

tranco *m* langer Schritt *m*; *p.ext.* langer Stich *m b. Nähen*; *fig.* F *a ~s* rasch u. oberflächlich; *en dos ~s* mit drei Schritten, schnell.

trangallo *m* „Hemmholz" *n*, *das Hunde während der Jungtieraufzucht des Wildes an der freien Kopfbewegung hindern soll.*

tranque|ra *f* **1.** Pfahlzaun *m*; Bretterwand *f*; **2.** *Am.* Umzäunungstür *f*; **~ro** *m Col., Ven.* → *tranquera.*

tranqui|l △ *m* Senkrechte *f*, Lot *n*; *arco m por ~* aufsteigender (*bzw.* einhüftiger) Bogen *m*; **~lar** *v/t.* **1.** ☤ *Posten* abstreichen (*Buchhaltung*); **2.** † → *tranquilizar.*

tranqui|lidad *f* Ruhe *f*; Stille *f*; Gelassenheit *f*; *para ~ de usted* zu Ihrer Beruhigung; **~lizador I.** *adj.* beruhigend; *poco ~* beunruhigend, unheimlich; **II.** *m pharm.* Tranquilizer *m* (*engl.*); **~lizante** *pharm. m* Beruhigungsmittel *n*; **~lizar** [1f] *v/t.* beruhigen; beschwichtigen; **~lo** *adj.* ruhig; still; gelassen; unangefochten (*Besitz*); *fig.* F *tener una flema como Pepe* ♀ die Wurschtigkeit gepachtet haben (*fig.* F); *eso me tiene ~* das ist mir einerlei.

tran|quilla *f* Stellstift *m*; Riegel *m*; *fig.* Fallstrick *m* (*bsd. ein zu best. Zweck aufgebrachtes Gerücht*); **~quillo** *m prov.* Türschwelle *f*; *fig.* Kniff *m* F, Dreh *m* F; *fig.* F *cogerle el ~ a un trabajo* den Kniff bei e-r Arbeit heraushaben; **~quillón** ⸙ *m* Mischkorn *n*; **~quiza** F *f Méj.* Tracht *f* Prügel.

trans... *pref.* über ... hinaus, jenseitig; Um...; Trans...; → *a. tras...*

trans|acción *f* **1.** ⚖ Vergleich *m*, Übereinkunft *f*; Vertrag *m*; **2.** ☤ Geschäft *n*, Transaktion *f*; *~ones f/pl. a.* Umsatz *m*; *~ bancaria* (*comercial*) Bank- (Handels-)geschäft *n*; *~ones f/pl. en el Extranjero* Auslandsgeschäfte *n/pl.*; **~alpino** *adj.* jenseits der Alpen (gelegen), transalpin; **~andino** *adj.* jenseits der Anden (gelegen); (*ferrocarril*) ♀ *m* (Trans-)Andenbahn *f*.

transar *vt/i. Am.* → *transigir.*

trans|atlántico I. *adj.* überseeisch; **II.** *m* Überseedampfer *m*; **~bordador** *m* **1.** Fährschiff *n*, (Eisenbahn-, Auto-)Fähre *f*; **2.** ⊕ Schiebebühne *f*; **~bordar I.** *v/t.* umladen; *Güter* umschlagen; übersetzen, überfahren (*über Fluß usw.*); **II.** *v/i.* umsteigen; **~bordo** *m* Umladung *f*; Umsteigen *n*; (Güter-)Umschlag *m*; *~ anual* Jahresumschlag *m*; *~ de bultos* Stückgutverladung *f*; 🚂 *vagón m de ~* Umladewagen *m*.

transcaucásico *adj.* transkaukasisch.

trans|cendencia *usw.* → *trascendencia*; **~conexión** *Tel. f* Durchschaltung *f*; **~continental** *adj. c* transkontinental; **~cribir** [*part. transcrito*] *v/t.* abschreiben; umschreiben; *Li.* transkribieren; ♪ bearbeiten, arrangieren; **~cripción** *f* Abschrift *f*; *a. Li.* Umschrift *f*, *Li.* Transkription *f*; ♪ Bearbeitung *f*; **~culturación** *Ethn. f* Kulturübernahme *f*, Transkulturation *f*; **~currir** *v/i.* verstreichen, vergehen; **~curso** *m* Verlauf *m*; *con el ~ del tiempo* mit der Zeit; *en el ~ de este año* im Laufe des Jahres; **~cutáneo** ⚕ *adj.* trans- *od.* per-kutan.

transeúnte I. *adj. c* vorübergehend; *Phil.* transeunt; *socio m ~* Gastmitglied *n e-s Vereins*; **II.** *m* Vorübergehende(r) *m*, Passant *m*; Durchreisende(r) *m*.

trans|ferencia *f* **1.** Übertragung *f*, Übereignung *f*, Abtretung *f*; **2.** ☤ Überweisung *f*; Transfer *m*; *~ bancaria* Banküberweisung *f*; *~ de capital* Kapitaltransfer *m*; **~feribilidad** *f* Übertragbarkeit *f*; **~ferible** *adj. c* übertragbar; überweisbar; *~ por endoso* indossierbar (*Wechsel*); **~feridor** ☤ *m* Girant *m*; **~feridora** ⊕ **I.** *adj. f*: *vía f ~* Fertigungsstraße *f*; **II.** *f* Transfer-, Fließtakt-maschine *f*; **~ferir** [3i] *v/t.* **1.** übertragen, übereignen; *Eigentum a.* überschreiben; **2.** ☤ überweisen; transferieren; **3.** *Insassen e-r Anstalt usw.* verlegen; *Termin usw.* verlegen, verschieben; *Tel. Anruf* umlegen, umschalten.

trans|figuración *f* Umgestaltung *f*; Verwandlung *f*; *Rel. u. fig.* Verklärung *f*; *Rel., Ku.* ♀ Verklärung *f* Christi, Transfiguration *f*; **~figurar I.** *v/t.* umgestalten, verwandeln; *Rel. u. fig.* verklären; **II.** *v/r.* *~se Rel. u. fig.* s. verklären; **~fijo** *adj.* durch-bohrt, -stochen; **~fixión** *f* Durch-bohrung *f*, -stechung *f*; *fig.* bohrender Schmerz *m*; *kath.* ♀ Fest *n* der 7 Schmerzen Mariens; **~flor** *Mal. m* Metallmalerei *f*; **~florar I.** *v/t. Mal.* durchzeichnen; **II.** *v/i. u.* *~se v/r.* durch-scheinen, -schimmern; **~florear** *v/t.* auf Metall malen.

transfor|mación *f* **1.** Umbildung *f*; Umformung *f*; Verwandlung *f*; Umwandlung *f*; Wandel *m*; **2.** ⊕ Verarbeitung *f*; ⚡ Umformung *f*; Umspannung *f*; ⚗ Umsetzung *f*;

~mador I. *adj.* umformend; *industria f ~a* Verarbeitungsindustrie *f*; **II.** *m* ⚡ Umformer *m*; Transformator *m*, Trafo *m* F; *~ de tensión* Spannungswandler *m*; **~mar I.** *v/t.* **1.** umformen, umbilden, umgestalten; verwandeln; **2.** ⊕ verarbeiten; ⚡ umformen *bzw.* umspannen; ⚗ umsetzen (in *ac.* en); **II.** *v/r.* *~se* **3.** s. (ver-, um-)wandeln (in *ac.* en, aus *dat.* de); **~mativo** *adj.* umgestaltend; **~mismo** *Biol. m* Transformismus *m*, Deszendenztheorie *f*; **~mista** *m* **1.** *Biol.* Anhänger *m* der Abstammungslehre; **2.** Verwandlungskünstler *m*.

tránsfu|ga *c*, **~go** *m* ⚔ *u. fig.* Überläufer *m*, Fahnenflüchtige(r) *m*, Deserteur *m*.

transfu|ndir I. *v/t.* um-gießen, -füllen; ⚕ *Blut* übertragen; **II.** *v/r.* *~se* überströmen; *fig.* s. (allmählich) verbreiten; **~sible** *adj. c* umgießbar *usw.*; **~sión** *f* Umfüllung *f*; ⚕ *~ (de sangre)* Blutübertragung *f*, Transfusion *f*; **~sor** *adj.*: *aparato m ~* Umfüll- *bzw.* Transfusionsgerät *n*.

transgre|dir [*def.*] ⚖ *v/t.* übertreten; **~sión** *f* Übertretung *f*; **~sor** *m* Übertreter *m*.

tran|shumante *adj. c* → *trashumante*; **~siberiano** *adj.* transsibirisch.

transición *f* Übergang *m*; *de ~* Übergangs...; *sin ~* übergangslos.

transido *adj.* erstarrt (*bsd.* vor *Kälte* de); *p. ext.* erschöpft; *fig.* ✎ elend; *~ de dolor* schmerzerfüllt.

transi|gencia *f* Nachgiebigkeit *f*; Versöhnlichkeit *f*; **~gente** *adj. c* nachgiebig; versöhnlich; **~gir** [3c] *v/i.* nachgeben, einlenken; s. vergleichen; *~ con* eingehen auf (*ac.*), einverstanden sein mit (*dat.*).

transilvano *adj.* aus Siebenbürgen.

transistor *HF m* Transistor *m*; *p. ext.* Transistor(gerät *n*) *m*; *amplificador m con ~es* Transistorverstärker *m*; *~ fotosensible* Phototransistor *m*.

transi|tabilidad *f* Befahrbarkeit *f*; Passierbarkeit *f*; **~table** *adj. c* gangbar; befahrbar; **~tar** *v/i.* durchgehen, -reisen; verkehren; **~tario** ✝ *m* Transithändler *m*; **~tivo** *Li. adj.* transitiv (*Verb*).

tránsito *m* **1.** Durchgang *m*, Transit *m*; Verkehr *m*; Rast(station) *f auf e-r Reise*; *de ~* auf der Durchreise, auf der Durchfahrt; ✝ *mercancías f/pl. de ~* Transit-, Durchgangs-güter *n/pl.*; **2.** ⚖ (*transporte m* [*bzw. repatriación f*] *por*) *~s de justicia* Schub *m*; **3.** Übergang *m*; Hinscheiden *n* (*bsd. v. Heiligen*); *kath.* ♀ (*de la Virgen*) Mariä Heimgang *m*; Mariä Himmelfahrt *f*.

transito|riedad *f* **1.** zeitlich beschränkte Geltung *f*; **2.** Vergänglichkeit *f*; **~rio** *adj.* **1.** vorübergehend; Übergangs...; *período m ~* Übergangszeit *f*; **2.** vergänglich, hinfällig.

trans|lación *f* → *traslación*; **~lador** *Tel. m* Translator *m*; **~limitación** *f* **1.** Übertretung *f* der Grenzen; Zuwiderhandlung *f*, Verstoß *m*; **2.** unabsichtliche (*bzw.* autorisierte) Überschreitung *f* fremder Landesgrenzen *durch Militär*; **~lucidez** *f* Durchsichtigkeit *f*; Durchscheinen *n*; **~lúcido** *adj.* durchscheinend; **~marino** *adj.* überseeisch; **~migración** *f* Abwanderung *f*; Übersiedelung *f*; *Rel. ~ de las almas* Seelenwanderung *f*; **~misible** *adj. c* übertragbar; **~misión** *f* **1.** *a.* ⚖ Übertragung *f*; ⚕ *~ de gérmenes* Keimverschleppung *f*; *~ del pensamiento* Gedankenübertragung *f*; **2.** *Phys.*, *Biol.*, *HF* Übertragung *f*; Fortleitung *f*; *~ acústica (térmica)* Schall- (Wärme-)übertragung *f*; *Biol. ~ de estímulos* Reizleitung *f*; *HF*, *Biol. ~ de impulsos* Impulsübertragung *f*; *~ por radio* Rundfunkübertragung *f*; ⚔ (*tropa f de*) *~ones f/pl.* Nachrichtentruppe *f*; ⚔ ♀*ones f/pl.* Nachrichtenwesen *n*; **3.** ⊕ Übertragung *f*, Trieb *m*; Getriebe *n*, Vorgelege *n*; Übersetzung *f*; Transmission *f*; *~ por cadena (por correa)* Ketten- (Riemen-)übertragung *f*, -(an)trieb *m*; *~ (de fuerza)* Kraftübertragung *f*; *~ por ruedas dentadas* Zahnrad-übersetzung *f*, -übertragung *f*; *árbol m de ~* Vorgelegewelle *f*; *relación f de ~* Übersetzungsverhältnis *n*.

trans|misor I. *adj.* **1.** (über)sendend; übertragend; ⊕ *mecanismo m ~* Triebwerk *n*, Transmission *f*; **II.** *m* **2.** Absender *m*; Übermittelnde(r) *m*; Zustellende(r) *m*; **3.** ⚡, *HF*, *Rf.* Geber *m*, Übertrager *m*, Sender *m*; Übertragungsgerät *n*; *Tel. ~ Morse* Morsegeber *m*; *~ de radio portátil* transportabler Rundfunksender *m*; *TV ~ de video* Bildübertrager *m*; *~-receptor m* Sender-Empfänger *m*; **~mitir** *v/t.* **1.** übertragen, übergeben; weitergeben, übermitteln; übersenden; ⚖ *Besitz* übereignen (*od.* überlassen); **2.** ⊕ *Kraft*, *Bewegung* übertragen; **3.** *Biol.*, ⚡, *HF*, *Rf.* übertragen; geben; senden; *~ impulsos* Impulse (weiter)geben.

trans|mudar *v/t.* **1.** → *trasladar*; **2.** → *transmutar*; **~mutable** *adj. c* ver-, um-wandelbar; **~mutación** *f* Um-, Ver-wandlung *f*; *Biol.* Transmutation *f*; *Alchemie*: Verwandlung *f*; **~mutar** *v/t.* verwandeln; **~mutativo**, **~mutatorio** *adj.* ver-, um-wandelnd; **~oceánico** *adj.* jenseits des Ozeans (gelegen), überseeisch; **~parencia** *f* Durchsichtigkeit *f*; Durchlässigkeit *f*; Transparenz *f*; **~parentarse** *v/r.* durchscheinen; **~parente I.** *adj. c* **1.** durchsichtig; durchlässig; transparent; *papel m ~* Transparentpapier *n*; *~ al sonido* schalldurchlässig; **II.** *m* **2.** Ölpapier *n*; **3.** Transparent *n*: **a)** Leuchtbild *n*; **b)** Spruchband *n*.

transpira|ble *adj. c* schwitzfähig; **~ción** *f* Ausdünstung *f*; Schwitzen *n*; Schweiß *m*; **~r** *v/i.* ausdünsten; schwitzen; *fig.* durchsickern.

trans|pirenaico *adj.* jenseits der Pyrenäen (gelegen); **~poner** [2r] **I.** *v/t.* verlegen, ver-, um-lagern; versetzen; übersteigen; (Schwelle) überschreiten; **II.** *v/r.* *~se* verschwinden (*hinter et.*, *unterm Horizont*); *fig.* einnicken.

transpor|table *adj. c* transportfähig; transportabel; tragbar; fahrbar; **~tador I.** *adj.* **1.** (be)fördernd, Förder...; **II.** *m* **2.** ⊕ Förderer *m*, Fördergerät *n*; *~es m/pl.* Fördermittel *n/pl.*; *~ de carga* Ladeförderer *m*; *~ de cinta* Förderband *n*; *~ sin fin* Förderschnecke *f*; **3.** Transporteur *m* (*z. B. an Nähmaschinen*); Zubringerhebel *m* (*z. B.* ⚔ *am M.G.*); **4.** ⩘ Winkelmesser *m*; **~tar I.** *v/t.* fortschaffen; befördern, transportieren; ✝ *Saldo* vortragen; ♪ transponieren; **II.** *v/r.* *~se fig.* außer s. geraten; **~te** *m* **1.** Fortschaffung *f*; Ab- *bzw.* An-fuhr *f*; Beförderung *f*, Transport *m*; *~s m/pl.* Verkehr(swesen *n*) *m*; *~ colectivo* Sammeltransport *m*; *~ a (corta) distancia* Fern- (Nah-)verkehr *m*; *~ ferroviario (marítimo)* Eisenbahn- (See-)transport *m*; *~ interurbano* Fernverkehr *m*; ⚓, ✈ *~ de pasajeros* Fahr- *bzw.* Fluggastbeförderung *f*; *~s m/pl. públicos* öffentlicher Verkehr *m*; *~ suburbano* Vorstadt-, Nah-verkehr *m*; *bsd.* 🚂 *~ de viajeros* Beförderung *f* von Reisenden, Personenverkehr *m*; (*operaciones f/pl. de*) *~* Transportgeschäft *n*; *gastos m/pl. de ~* Frachtkosten *pl.*; (*ramo m de*) *~s m/pl.* Transportgewerbe *n*; **2.** ⚓ (Truppen-)Transporter *m*; Frachtschiff *n*; *Kfz.* (*camión m especial para el*) *~ de automóviles* Autotransporter *m*; **3.** ⊕, ⚒ Förderung *f*; *~ por cadena (por cinta sin fin)* Ketten- (Band-)förderung *f*; ⚒ *~ intensivo* Großraumförderung *f*; *~ a mano* Handförderung *f*; *~ de materiales* Material-bewegung *f*, -transport *m*; *Typ. ~ del papel* Papiertransport *m* (*Arbeitsgang u. Maschinenteil*); **4.** ✝ Übertrag *m*; **5.** ♪ Transponieren *n*; **6.** *fig.* (leidenschaftliche) Regung *f*; Anfall *m*; *~s de alegría* Freudentaumel *m*; **~tista** *m* Transportunternehmer *m*, Spediteur *m*.

trans|posición *f* Versetzung *f*; (Wort-)Umstellung *f*; *Phys.*, *Anat.*, ⚗ Um-, Ver-lagerung *f*; Umsetzung *f*; **~positivo** *adj.* umstellungsfähig; **~radio** *m* Überseefunk *m*; **~terminante** ⚖ *part.* unter die Zuständigkeit e-s anderen Gerichtes fallend.

transubstanci|ación *bsd. Theol. f* Transsubstanziation *f*; **~al** *adj. c* s. völlig verwandelnd; **~ar(se)** [1b] *v/t.* (*v/r.*) (s-e) Substanz völlig verwandeln.

transuranio ⚗ *m* Transuran *n*, [Berkelium *n*.]

transverberación *f* → *transfixión*.

transver|sal *adj. c* quer; seitlich; Quer...; **~sar** *v/t.* um-, ab-füllen; **~so** *adj.* schräg; (seitlich) quer.

tran|vía *m* Straßenbahn *f*; *~ aéreo* Schwebe-, Drahtseil-bahn *f*; F *perro m ~* Dackel *m*; *tren m ~* Nahverkehrszug *m*; **~viario I.** *adj.* Straßenbahn...; **II.** *m* Straßenbahner *m*.

trapa[1] *kath. f* Trappistenorden *m*.

trapa[2] ⚓ *f* Halteleine *f*; *~s f/pl.* Bootsbefestigung *f auf dem Schiff*; *~ de retenida* Wurfleine *f*.

trapa[3] *onom. f* Getrampel *n*; *p.ext.* Stimmengewirr *n*; Lärm *m e-r Menge*.

trapace|ar *v/i.* betrügen, schwin-

deln; **~ría** *f* Betrug *m*, Schwindelei *f*; **~ro** *m* Betrüger *m*, Schwindler *m*.
trapajo *m* alter Fetzen *m*; Aufwischlappen *m*; **~so** *adj.* **1.** zerlumpt, abgerissen; **2.** stotternd, radebrechend.
trápala[1] *onom. f* **1.** Getrappel *n*; Trampeln *n*; Lärm *m e-r Volksmenge*; **2.** Hufschlag *m*.
trápala[2] **I.** *f* Betrug *m*, Schwindel *m*; **II.** *m* Schwatzsucht *f*; Geschwätz *n*; **III.** *c* Schwätzer(in *f*) *m*; Lügner(in *f*) *m*, Schwindler(in *f*) *m*; Betrüger(in *f*) *m*; Scharlatan *m*.
trapalear[1] *v/i.* trampeln; trappeln.
trapa|lear[2] *v/i.* **1.** schwatzen, plappern; **2.** lügen; schwindeln; **~lero, ~lón** *adj.-su.* schwatzhaft; lügnerisch; betrügerisch; *su.* → *trápala*[2] *III.*
trapatiesta F *f* Lärm *m*, Krach *m*, Radau *m*; Zank *m*, Streit *m*, Krawall *m*; *armar una ~* Radau machen; e-e Keilerei beginnen.
trapaza *f* Gaunertrick *m*; Schwindelei *f*, Betrug *m*; *fig.* F *el bachiller ≈s nennt man e-n Intriganten, Gauner u. Winkeladvokaten*; **~r** [1f] *v/i.* → *trapacear*.
trape *m Chi.* Wollstrick *m*.
trapea|dor *m Méj.* Scheuer-, Putztuch *n*; **~dora** *f* Putz-, Scheuer-frau *f*; **~r** *v/t.* **1.** *Am. Reg. Boden* putzen; **2.** *fig.* F *Am. Cent. j-n* herunterputzen F; *j-m* das Fell gerben (*fig.* F).
trape|cial ⩓ *adj. c* trapezförmig; Trapez...; **~cio** *m* **1.** ⩓, *Sp.* Trapez *n*; **2.** *Anat.* **a)** Trapezbein *n*; **b)** Kapuzenmuskel *m*; **~cista** *c* Trapezkünstler(in *f*) *m* (*Artist[in]*); Turner(in *f*) *m am Trapez*.
trapense *kath. adj.-su. c* trappistisch; *c* Trappist(in *f*) *m*.
trape|ría *f* Lumpen *m/pl.*; Lumpen-kram *m*, -handel *m*; **~ro** *m* Lumpensammler *m*.
trapezoi|dal ⩓ *adj. c* Trapezoid...; **~de** *m* ⩓ Trapezoid *n*; *Anat.* Trapezoidbein *n*.
trapiche *m* Zucker- (⚒ Öl-)mühle *f*; *Am.* Zuckersiederei *f*; *Arg., Chi.* Pochwerk *n*; **~ar** F *v/i.* **1.** auf Mittel u. Wege (*bzw.* auf Schliche u. Kniffe) sinnen; klügeln; spintisieren; intrigieren; **2.** Kleinhandel treiben, schachern (*mst. desp.*); **3.** *Arg.* s. (mehr schlecht als recht) durchs Leben schlagen; s. in dunkle Geschäfte einlassen; **~o** F *m* **1.** Klügeln *n*; Spintisieren *n*; Ränkespiel *n*, Intrige *f*; **2.** Handeln *n*, Schachern *n*; **~ro** *m* Arbeiter *m* in e-m *trapiche*.
tra|pillo *m* **1.** *dim. zu trapo*; *de ~* schlicht (*od. a.* schlecht) gekleidet; **2.** † *u. Reg.* **a)** Liebhaber *m bzw.* Geliebte *f* niederen Standes; **b)** Sümmchen *n* (ersparten Geldes); **~pío** *m* **1.** ⚓ Tuch *n*, Segel *n/pl.*; **2.** *fig.* F (*mujer f*) *de* (*buen*) ~ fesch(e Frau *f*); **3.** *Stk.* gutes Aussehen *n e-s Stiers*; *tener ~* kampflustig sein (*Stier*).
trapison|da *f* **1.** Radau *m*, Krach *m*, Krawall *m*, Stunk *m* P; **2.** Ränke *pl.*, Intrigen *f/pl.*; **3.** † Kabbelsee *f*; **~dear** F *v/i.* krakeelen F; Ränke schmieden; **~dista** *m* Intrigant *m*; Krakeeler *m* F.
trapito *m* Fetzen *m*; *fig.* F Fähnchen *n* (*fig.* F); *los trap(it)os de cristianar* Sonntagsstaat *m* F.
trapo *m* **1.** Lumpen *m*; Lappen *m*; *fig.* F *mst. desp.* **~s** *m/pl.* Kleider *n/pl.*, Fähnchen *n/pl.* (*fig.* F); Zeug *n*; *~ de limpieza* Staub- *bzw.* Wisch-tuch *n*; *a.* ⊕ Putzlappen *m*; *fig.* F *hablar de ~s* über Mode (*od.* Kleider) sprechen; *fig. poner* (*od. dejar*) *a alg. como un ~* j-n (fürchterlich) herunterputzen; *fig. sacar* (*todos*) *los ~s a la colada* (*od. a relucir*) die schmutzige Wäsche waschen, auspacken F; *fig.* F *soltar el ~* laut auflachen, loslachen; *a.* los-heulen, -flennen F; **2.** ⚓ Segel(werk *n*) *n/pl.*, Tuch *n*; *a todo ~* mit vollen Segeln; *fig.* aus allen Kräften; mit allem Nachdruck; *navegar a todo ~* ⚓ alles Tuch an den Masten haben; *fig.* F sein Letztes hergeben; **3.** *fig.* F *Stk.* rotes Tuch *n*; **4.** *fig.* F *Thea.* Bühnenvorhang *m*.
traposo *adj.* **1.** *Chi., P. Ri.* → *trapiento*; **2.** *Chi.* **a)** stotternd; **b)** zäh (*Fleisch*); **3.** *Méj.* schmutzig; gemein.
traque *onom. m* Knall *m*; Geknatter *n*; Lauffeuer *n*; *fig.* F *a ~ barraque* jeden Augenblick; aus jedem beliebigen Anlaß.
tráquea *Anat. f* Luftröhre *f*.
traqueal *adj. c Anat.* Luftröhren...; *Zo.* Tracheen...
traque|ar **I.** *v/i.* → *traquetear*; **II.** *v/t. Am.* viel begehen (*od.* befahren); oft aufsuchen (*a. Wild*); *fig.* F *j-n* in Atem halten; *p. ext. j-m* auf den Zahn fühlen; *et.* praktisch erproben; **III.** *v/r.* **~se** *fig.* F *P. Ri.* s. betrinken; *Ven.* → *chiflarse*; **~o** *m* → *traqueteo*.
traqueotomía *Chir. f* Luftröhrenschnitt *m*.
tra|quetear **I.** *v/t.* rütteln; schütteln; *fig.* F oft benutzen; oft handhaben; **II.** *v/i.* knattern; knallen; **~queteo** *m* **1.** Geknatter *n*; **2.** Rütteln *n*; Schütteln *n*; **~quido** *m* **1.** Knall *m e-r Feuerwaffe*; **2.** Knistern *n*; Knarren *n*, Knacken *n*; Prasseln *n*; Krachen *n*.
traquita *Min. f* Trachyt *m*.
trarigüe *arauk. m Chi.* Wollschärpe *f der Indianer*.
tras[1] (*a. ~ de*; *vgl. detrás*) **I.** *prp.* nach (*dat.*); hinter (*dat. bzw. ac.*); *~ larga ausencia* nach langer Abwesenheit; *~ una esquina* hinter e-r (*bzw.* e-e) Ecke; *fig. andar* (*od. ir*) *~* hinter *et.* (*dat.*) (*bzw. j-m*) her sein; *uno ~ otro* hinterea., e-r hinter dem andern; *a. fig. correr ~ alg.* j-m nachlaufen; hinter j-m her sein; *~ de + inf.* außer daß + *ind.*; nicht genug, daß + *ind.*; **II.** *m* F → *trasero*.
tras[2] *onom.* (*Klopfen, Trampeln*): tapp, tapp; poch, poch; klapp, klapp; trapp, trapp.
tras...[3] *pref.* um-, durch-, über-, trans-; → *a. trans...*
tras|abuelo *m* → *tatarabuelo*; **~alcoba** *f* Bettnische *f*; Kammer *f hinterm Alkoven*; **~anteanoche** *adv.* vorvorgestern am Abend; **~anteayer** *adv.* vorvorgestern; **~atlántico** *adj.-su.* → *transatlántico*.
trasbarrás *onom. m* Plumps *m*, Aufklatschen *n*.
tras|bocar [1g] *vt/i.* **1.** *Am. Mer.* → *vomitar*; **2.** *Chi., P. Ri.* → *trasegar u. trastornar*; **3.** *Méj.* → *equivocar*; **~bordo** *m* → *transbordo*.
trasca *f geschmeidiger* (Rindleder-) Riemen *m für Pferdegeschirr*.
trascantón *m* **1.** Eck-, Prell-stein *m*; *fig.* F *dar ~ a alg.* j-m geschickt entwischen; **2.** Gelegenheitsarbeiter *m*, „Eckensteher" *m*.
trascen|dencia *f* **1.** *Rel., Phil.* Transzendenz *f*; Übersinnlichkeit *f*; **2.** Wichtigkeit *f*, Bedeutung *f*, Tragweite *f*; **~dental** *adj. c* **1.** *Phil.* transzendental; **2.** übergreifend, weit(er)reichend; bedeutend, wichtig; folgenschwer; *iron.* welterschütternd; **~dentalismo** *Phil. m* Transzendentalismus *m*; **~dente** *Phil.*, ⩓ *adj. c* transzendent; **~der** [2g] **I.** *v/i.* **1.** durchdringen, sehr scharf (*od.* penetrant) sein (*Geruch*); **2.** übergreifen *bzw.* abfärben, wirken (auf *ac. a*); **3.** bekannt (*bzw.* ruchbar) werden; **4.** *Phil.* transzendieren; **II.** *v/t.* **5.** ausfindig machen, ergründen; **6.** erkennen lassen, verraten; **~dido** *adj.* scharfsinnig (*Person*).
tras|cocina *f* Nebenraum *m* e-r Küche; **~coda** ♪ *f* Saite *f* zur Befestigung des Saitenhalters; **~colar** [1m] **I.** *v/t.* durchseihen; **II.** *v/r.* **~se** durch-rinnen, -laufen; *fig.* durchschlüpfen; **~conejar** **I.** *v/r.* **~se** **1.** *Jgdw.* die Hunde *durch Dukken usw.* geschickt an s. vorbeilaufen lassen (*Kaninchen usw.*); **2.** *fig.* F s. ducken; j-n unterlaufen; **3.** abhanden kommen; **II.** *v/t.* **4.** *fig.* F verlegen, verkramen; **~cordarse** [1m] *v/r.* s. nicht mehr (genau) erinnern (an *ac. de*).
tras|coro *ecl. m* Raum *m* hinterm Chor; **~corral** *m* Neben-hof *m*, -gehege *n*; *Am.* Nebenkorral *m für die b. e-m aparte ausgesonderten Tiere*; *fig.* F *Am. andar por ~es* Umschweife machen; **~dós** ⚠ *m* Bogen-, Gewölbe-rücken *m*; Wandpfeiler *m hinter e-r Säule*; **~dosear** ⚠ *v/t.* an der Rückseite verstärken.
trase|char *v/t. j-m* e-n Hinterhalt bereiten, *j-m* e-e Falle stellen; **~gar** [1h *u.* 1k] *v/t.* **1.** umkehren, umstürzen; **2.** *Flüssigkeit* um-, ab-füllen; *~ (por bomba)* umpumpen.
trase|ra *f* Rückseite *f e-s Wagens, e-s Hauses usw.*; **~ro** **I.** *adj.* hintere(r, -s); Hinter...; zurückbleibend; **II.** *m* F Hintern *m* F.
trasfollo *vet. m* Galle *f*.
trasfondo *m* ⚘ *u. fig.* Hintergrund *m*.
tras|go *m* Poltergeist *m*, Kobold *m*; **~guear** *v/i.* spuken; *bsd.* den Poltergeist spielen.
tras|hoguero *m* **1.** Herd-platte *f*, -wand *f hinter dem Ofen*; **2.** dickes Scheit *n*, Kloben *m*; **3.** F Stubenhocker *m*; **~humación** *f* Wandern *n der Schafherden*; **~humancia** *f* Weidewechsel *m*; **~humante** ✓ *adj. c* Wander...; *ganado m ~* Wanderherde *f*; **~humar** *v/i.* wandern (*Herde*).
trasiego *m* **1.** Um-, Ab-füllen *n* (*bsd. v. Flüssigkeiten*); **2.** ⚒ Umstürzen *n*.

trasijado *adj.* mit eingefallenen Flanken (*Tier*); *p. ext.* mager, (spindel)dürr.

trasla|ción *f* **1.** Verschiebung *f*; Versetzung *f*; Überführung *f*; Fahren *n e-s Krans u. ä.*; **2.** Fortschaffung *f*, Beförderung *f*; **3.** *Phys.* Translation *f*; **4.** Übertragung *f*, Übersetzung *f*; **5.** *Rhet.* Metapher *f*; *Gram.* übertragener Gebrauch *m* der Zeiten *b. Verb*; **~dador** *HF m* Umtaster *m* (*Gerät*); **~dar I.** *v/t.* **1.** bewegen, überführen; *Truppen, fig. Termine* verlegen, verschieben (nach *dat. bzw.* auf *ac.* *a*); *Bevölkerung* aussiedeln; **2.** ver-, um-rükken; *a.* ✈, ⊕ verschieben; *a. Verw.* versetzen; **3.** abschreiben, übertragen; überschreiben; ✝ übertragen (*Buchhaltung*); **4.** übertragen, übersetzen; **II.** *v/r.* **~se 5.** s. begeben (nach *dat.* *a*); um-, fort-ziehen, übersiedeln (nach *dat.* *a*); verlegt werden (*Truppen*); **~do** *m* **1.** Verrücken *n*; Verschiebung *f* (*a. v. Truppen*); **2.** Verlegung *f* (*Geschäft, Truppen, Termin*); Wohnungswechsel *m*, Umzug *m*; Übersiedelung *f*; Überführung *f*; ~ *de habitantes* Aussiedlung *f*; **3.** *a. Verw.* Versetzung *f*; ~ *disciplinario* Strafversetzung *f*; **4.** Abschrift *f*; Übertragung *f*; **5.** ✝ Übertrag *m*; **6.** *HF* Umtastung *f*.

trasla|po *m* Überlappung *f*; **~ticio** *adj.* übertragen, metaphorisch; **~tivo** ⚖ *adj.* übertragend, Berechtigungs...

tras|lucirse [3f] *v/r.* durchscheinen; durchleuchten; *fig.* durchblicken; *se me trasluce* es wird mir allmählich klar, es dämmert mir; **~lumbrar I.** *v/t.* blenden; **II.** *v/r.* **~se** *fig.* blitzschnell vorüberhuschen (*bzw.* verschwinden); **~luz** *m* (*pl.* **~uces**) durchscheinendes Licht *n*; Durchlicht *n* (*z. B. b. Mikroskop*); Widerschein *m*; *al* ~ gg. das Licht; im Durchlicht; **~mallo** *m* System *n v. 3 überea. angeordneten Fischnetzen*; **~mano** *c Kart.* Hinterhand *f*; *a* ~ außerhalb der Reichweite der Hand; *fig.* ganz entlegen.

trasnocha|da *f* vergangene Nacht *f*; Nachtwache *f*; ⚔ nächtlicher Überfall *m*; **~do** *adj.* abgestanden (*Speisen, Getränke*); *fig.* veraltet, überholt; F verkatert; vergammelt F; **~dor** *m* Nachtschwärmer *m*; **~r I.** *v/i.* **1.** die Nacht schlaflos verbringen; s. die Nacht um die Ohren schlagen F; **2.** übernachten; **II.** *v/t.* **3.** s. die Nacht um die Ohren schlagen mit Gedanken über (*ac.*).

tras|oír [3q] *v/i.* falsch hören, s. verhören; **~ojado** *adj.* hohläugig.

tras|pal(e)ar *v/t.* umschaufeln; **~papelar I.** *v/t.* *Papiere* verlegen, verkramen; **II.** *v/r.* **~se**: *se me ha ~ado la carta* ich habe den Brief verkramt; **~pasar I.** *v/t.* **1.** überschreiten; *Gesetz* übertreten; **2.** bringen, tragen, befördern, fahren (nach *dat.* *a*); übermitteln; ⚖ *Rechte usw.* übertragen (an *ac.*, auf *ac.* *a, en*); ✝ abgeben, übergeben (an *ac.* *a*); ablösen; **3.** *a. fig.* durchbohren; durchdringen; **II.** *v/r.* **~se 4.** zu weit gehen (in *dat.* *en*); **~paso** *m* **1.** Überschreitung *f*; Übertretung *f e-s Gesetzes*; **2.** ⚒ Hinüberschaffen *n*; -gehen *n*; ✝ *hacer el ~ de las cuentas* abrechnen; **3.** ⚖, ✝ Übertragung *f*; Abtretung *f*; Ablösung *f*; Abstand(ssumme *f*) *m*; **4.** Durchbohrung *f*; *fig.* Schmerz *m*, Kummer *m*; **5.** † Trick *m*; **~patio** *m Am.* Hinterhof *m*; **~peinar** *v/t.* nachkämmen; **~pié** *m* Stolpern *n*; *dar un ~* fehltreten; *a. fig.* e-n Fehltritt tun; *fig.* et. falsch machen; *dar ~s* umhertaumeln; herumstolpern F; *dar a uno un ~* j-m ein Bein stellen; **~pintar I.** *v/t.* **1.** *Kart.* täuschen (*indem man e-e andere Karte ausspielt, als man zu erkennen gab*); **II.** *v/r.* **~se 2.** *fig.* F anders ausfallen (*od.* ausgehen), *als man glaubt*; **3.** *gg. das Licht gehalten*, durchscheinen (*bsd. Schrift*).

trasplan|table *adj. c* ✓ *u. fig.* verpflanzbar; *Chir.* überpflanzbar; **~tar I.** *v/t.* **1.** umpflanzen, versetzen (in *ac.* *a, en*); *a. fig.* verpflanzen; umtopfen; **2.** *Chir.* überpflanzen, transplantieren; **II.** *v/r.* **~se 3.** *fig.* in ein anderes Land gehen; **~te** *m* **1.** Verpflanzen *n*; **2.** *Biol.*, *Chir.* Transplantation *f*; ~ *cardíaco* (*od.* *de[l] corazón*) Herztransplantation *f*; **3.** *fig.* Übersiedelung *f*.

tras|pontín *m* **1.** → *traspuntín*; **2.** F Hintern *m* F; **~puesta** ⚒ *f* **1.** Fortschaffung *f*; **2.** *natürliches* Sichthindernis *n* (*Anhöhe u. ä.*) *im Gelände*; **3.** Flucht *f bzw.* Verbergen *n e-r Person*; **4.** Hintergebäude *n*; Hof *m bzw.* Stallungen *f/pl.*; **~puesto** *part. v. transponer.*

traspulsión *f* Rückkopplung *f b. Elektronik.*

traspunte *Thea. m* Inspizient *m*.

traspuntín *m* 🚂, *Kfz.* Klapp-, Notsitz *m*.

trasqui|la *f* → *trasquiladura*; **~lador** *m* (Schaf-)Scherer *m*; **~ladura** *f* Scheren *n*, Schur *f*; **~lar** *v/t.* scheren; *fig.* F scheren, stutzen, abschneiden; *Spr.* F *¡~, y no desollar! Sinn*: nur nicht übertreiben (*in den Forderungen*)!; **~limocho** F *adj.* kahlgeschoren; **~lón** *m* Schur *f*; *fig.* F ergaunertes Geld *n*.

trastabi|llar *v/i.* → *trastrabillar*; **~llón** *m Arg., Chi.* Stolpern *n*.

trasta|da *f* übler Streich *m*; **~zo** *m* derber Hieb *m*.

tras|te¹ *m* ♪ *Gitarre u. ä.* Griffbrettleiste *f*, Bund *m*; *fig.* F *Andal., Am. Reg.* *ir fuera de ~s* Unsinn reden (*od.* machen); e-n Bock schießen (*fig.* F); nicht alle Tassen im Schrank haben (*fig.* P); **~te²** *m* **1.** *Andal., Am.* Gerät *n*; **2.** F *Chi.* Hintern *m* F; **3.** *fig.* F *dar al ~ con a/c.* et. kaputtmachen F; et. zerschmeißen (*od.* zerteppern F); **~teado** ♪ *m* Griffbrettleisten *f/pl.*; **~teante** ♪ *adj.-su. c* geschickt die Finger über das Griffbrett *der Gitarre usw.* gleiten lassend; **~tear¹** ♪ *v/t.* **1.** mit Griffbrettleisten versehen; **2.** die Saiten *der Gitarre usw.* anschlagen; **~tear² I.** *vt/i.* **1.** (Möbel) hin u. her rücken; **2.** *Stk.* (Stier) hin u. her treiben; **3.** *fig.* F *et.* geschickt anfangen (*bzw.* ausführen); *j-n* geschickt behandeln; **4.** *fig.* F befingern; **II.** *v/i.* **5.** kramen, stöbern; hin u. her laufen; **6.** *fig.* lebhaft (u. witzig) plaudern; **7.** *Am. Reg.* umziehen.

trastejar *v/t.* *das Dach* ausbessern; *fig.* F *et.* nachsehen, reparieren.

trasteo *m* **1.** *Stk.* Stierhetze *f* (*od.* Arbeit *f*) mit der *muleta*; **2.** *fig.* lebhaftes (u. witziges) Plaudern *n*; **3.** *fig.* F geschickte Ausführung *f bzw.* Behandlung *f*; **4.** *fig.* F Befingern *n*.

traste|ra *f* Rumpelkammer *f*; Abstell-, Geräte-kammer *f*; **~ría** *f* Trödelladen *m*; **~ro** *m* Trödler *m*.

trastienda *f* rückwärtiger Ladenraum *m*; Raum *m* hinter dem Laden; *fig.* F *tener mucha ~* wohlüberlegt zu Werke gehen; es faustdick hinter den Ohren haben F.

trasto *m* **1.** Hausgerät *n*; *p. ext. Thea.* Dekoration *f*, Versatzstück *n*; *desp.* Trödelkram *m*; *fig.* F Nichtsnutz *m*; ~*(s)* *m(/pl.)* *viejo(s)* altes Gerümpel *n*, Plunder *m*; **2.** **~s** *m/pl.* Handwerkszeug *n*; Gerät(e) *n(/pl.)*; F Siebensachen *pl.*; **~s** (*de matar*) Gerät *n* des Stierfechters (*Degen u. muleta*); *fig.* F *tirar los ~s* den (ganzen) Kram hinschmeißen F; *fig.* F *tirarse los ~s a la cabeza* s. mächtig in den Haaren liegen; *a.* e-n tollen Haus- (*od.* Ehe-)krach haben; **3.** *fig.* P Penis *m*, Zebedäus *m* (*fig.* P).

trastor|nado *part.*: *fig.* *estar ~* wirr (*od.* durchea.) sein; **~nar I.** *v/t.* **1.** *a. fig.* umstürzen; umwerfen; verdrehen; durchea.-bringen; *a.* ⚕ stören; **2.** *die Ordnung, die Nerven* zerrütten; **3.** *fig.* bestürzen; verwirren; verrückt machen; **II.** *v/r.* **~se 4.** verwirrt werden; betäubt werden; verrückt werden; **~no** *m* Um-kehrung *f*, -stürzung *f*, gr. Unordnung *f*; Verwirrung *f*; Umsturz *m*; *a.* ⚕ Störung *f*; Schaden *m*; Verkehrtheit *f*; ⚕ ~ *digestivo* (*funcional*) Verdauungs- (Funktions-)störung *f*; ~ *del juicio* geistige Verwirrung *f*; Verrücktheit *f*; ⚕ ~ *del lenguaje* (*de la marcha*) Sprach- (Geh-)störung *f*; ~ *mental* Bewußtseinsstörung *f*; **~s** *m/pl.* *políticos* politische Wirren *pl.* (*od.* Unruhen *f/pl.*).

tras|trabar I. *v/t.* → *trabar*; **II.** *v/r.* **~se** e-n Sprachfehler haben, anstoßen (*Zunge*); **~trabillar** *v/i.* stolpern; wanken, taumeln; stottern; **~trás¹** F *m der* Vorletzte *b. best. Knabenspielen*; **~trás²** *onom.* (*m*) *etwa*: ritscheratsche.

tras|trocar [1g *u.* 1m] *v/t.* vertauschen; *fig.* auf den Kopf stellen; **~trueco, ~trueque** *m* Vertauschung *f*; Verwechslung *f*.

trasuda|ción *f* leichtes Schwitzen *n*, ⚕ Transsudation *f*; **~do** ⚕ *m* Transsudat *n*; **~r** *vt/i.* leicht schwitzen; ausschwitzen; durchsickern.

trasun|tar *v/t.* abschreiben; *a.* → *compendiar*; **~to** *m* Abschrift *f*; Abbild *n*; Nachbildung *f*.

trasva|sar *v/t.* umgießen; um-, abfüllen; **~se** *m* Umfüllung *f in Behälter.*

tras|vinarse *v/r.* durchsickern; langsam auslaufen; **~volar** [1m] *v/t.* überfliegen.

trata *f* Sklavenhandel *m*; ~ *de blancas* Mädchenhandel *m*.

trata|ble *adj. c* umgänglich; verträglich; gefällig; **~dista** 📖 *m* Autor *m gelehrter Abhandlungen*, Gelehrte(r) *m*; **~do** *m* **1.** Abhandlung *f*; Hand-, Lehr-buch *n*; **2.** *bsd. Pol.* Vertrag *m*; ~ *de comercio* (*de paz*) Handels- (Friedens-)vertrag *m*; ~ *de no agresión* Nichtangriffspakt *m*; ~ *de no proliferación de armas atómicas* (*por separado*) Atomsperr- (Separat-)vertrag *m*.

tra|tamiento *m* **1.** *a.* ⊕, ⚕ Behandlung *f*; ⚗, *Min.* ~ *preliminar* Aufbereitung *f*; ~ *previo* (*posterior*) Vor- (Nach-, Weiter-)behandlung *f*; **2.** Anrede *f*, Titel *m*; **~tante** *m* Händler *m*; ~ (*de ganado*) Viehhändler *m*; ~ *de caballos* Pferdehändler *m*; ~ *en productos agrícolas* Landesproduktenhändler *m*; **~tar I.** *v/t.* **1.** *a.* ⊕, ⚕ behandeln; ⚗ aufschließen, *a. sid. Erze* aufbereiten; ~ *a alg. como a un loco* j-n wie e-n Narren behandeln; ⊕, *a. tex.* ~ *con vapor Holz, Stoffe* dämpfen; **2.** umgehen mit (*dat.*); verkehren mit (*dat.*); (näheren) Umgang haben mit (*dat.*); *saber* ~ *las armas* mit (den) Waffen umgehen können; **3.** *Stoff, Thema* behandeln, *Fragen, Themen* erörtern; **4.** betreiben, *Geschäft* vorhaben *od.* abschließen; **5.** ~ *de* nennen (*ac.*); anreden mit (*dat.*); nennen (*ac.*), heißen (*ac.*); ~ *de tú* duzen; ~ *de usted* mit Sie anreden, siezen F; ~ *a alg. de bandido* j-n e-n Gauner heißen; **II.** *v/i.* **6.** ~ (*acerca*) *de* (*od. sobre*) *a/c.* über et. sprechen; von et. (*dat.*) handeln (*Buch usw.*); **7.** ~ *con alg.* mit j-m verkehren; **8.** ~ *de* + *inf.* versuchen, zu + *inf.*; **9.** ~ *en a/c.* handeln mit et. (*dat.*); ~ *en lanas* mit Wolle handeln; **III.** *v/r.* **~se 10.** s. handeln (um *ac. de*); *¿de qué se trata?* worum geht es?; wovon ist die Rede?; *se trata de* es handelt s. um (*ac.*); es geht um (*ac.*); es kommt darauf an, zu + *inf.*; **11.** mitea. verkehren; *bsd.* ein (Liebes-)Verhältnis haben (mit *dat. con*); **12.** s. betragen, s. aufführen; **13.** *fig.* F **~se bien** es s. gut sein lassen.

trato *m* **1.** Behandlung *f*; Betragen *n*, Benehmen *n*; *buen* ~ *a.* gute Bewirtung *f*; gute Küche *f*; ~ *doble* Doppelzüngigkeit *f*; ~ *de nación más favorecida* Meistbegünstigung *f in Handelsverträgen*; *dar buen* ~ *a alg.* j-n gut behandeln; j-n freundlich bewirten; **2.** Umgang *m*; ~ *de gentes* Erfahrung *f* im Umgang mit Menschen, gesellschaftliche Erfahrung *f*; *casa f de* ~ Freudenhaus *n*; **3.** Verhandeln *n*; Handel(sverkehr) *m*; ~ *en ganado* Viehhandel *m*; ~*s m/pl. verbales* Verhandlungen *f/pl.*; Rücksprache *f*; *estar en* ~*s* in Verhandlung(en) (*od.* in Unterhandlung) stehen; **4.** Abmachung *f*, Vereinbarung *f*, Vertrag *m*; *¡~ hecho!* abgemacht!; *hacer* (*od. cerrar*) *un* ~ ein Geschäft abschließen; **5.** Anrede *f*; *darle a alg.* ~ *de usted* j-n mit Sie anreden.

trau|ma *bsd. Psych. m* Trauma *n*; **~mático** ⚕, *Psych. adj.* traumatisch; **~matismo** ⚕ *m* Trauma *n*.

traversa *f* Querbalken *m*, Traverse *f am Wagen*; ⚓ Stag *m*.

travertino *Min. m* Travertin *m*.

través *m* **1.** Schräge *f*; *fig.* Mißgeschick *n*; *a(l)* ~ quer, ⚓ dwars; *a* ~ *de a. fig.* durch (*ac.*); *fig.* über (*ac.*), (quer) über (*ac.*); *de* ~ schräg; *fig.* von der Seite; **2.** *Zim.* Dach- *bzw.* Gerüst-balken *m*, *a. fort.* Traverse *f*.

tra|vesaño *m* **1.** *Zim.* Querbalken *m*; *bsd.* ⊕ Traverse *f*; **2.** Keilkissen *n*; langes Kopfkissen *n*; **~vesero I.** *adj.* Quer...; **II.** *m* Keilkissen *n*; **~vesía** *f* **1.** Querstraße *f*; **2.** Überquerung *f*; Überfahrt *f*; Durchfahrt *f*; ~ (*atlántica*) Atlantiküberquerung *f*; ✈ *vuelo m de* ~ Überland- *bzw.* Transkontinental-flug *m*; **3.** Seereise *f*; ⚓ ~ *de placer* Kreuzfahrt *f*; **4.** Entfernung *f zwischen zwei Geländepunkten*; **~vesío I.** *adj.* auf ortsfremde Weide gehend (*Vieh*); von der Seite wehend (*Wind*); **II.** *m* Durchgangsort *m*, Durchzugsweg *m*; **~vesura** *f* Keckheit *f*; Mutwille *f*; Streich *m*; *hacer* ~*s* Mutwillen treiben; ausgelassen sein (*bsd. Kinder*); **~viesa** *f* **1.** 🚂 *Span.* Schwelle *f*; **2.** Querbaum *m*; *Zim.* Quer-balken *m*; -latte *f*; Dachbalken *m*; Querholm *m b. Eisenbahnwagen*; **3.** △ tragende Wand *f* (*außer Giebelwand u. Brandmauer*); **4.** ⚒ Querschlag *m*; **5.** *Kart.* Einsatz *m e-s Nichtspielers für e-n Spieler*; **6.** Quere *f*; → *travesía 4*; **~vieso** *adj.* **1.** quer; schräg; *a. fig.* verkehrt; *de* ~ schräg; scheel; **2.** keck; mutwillig, ausgelassen; unartig (*Kind*).

trayecto *m a.* 🚂 Strecke *f*; Weg *m*; ⚕ ~ *de una bala* Schußkanal *m*; **~ria** *f* Flug-, Geschoß-bahn *f*; *Phys. a.* Bahnkurve *f*; *fig.* (Lebens-) Weg *m*; ⚓, ✈ ~ *balizada* markierter Kurs *m*.

tra|za *f* **1.** △, ⊕ (An-)Riß *m*; Plan *m*; **2.** Trasse *f*, Strecke(nführung) *f*; **3.** ⚟ Schnitt *m mit e-r Projektionsebene*; **4.** *fig.* Entwurf *m*, Plan *m*; Gestalt(ung) *f*; Aussehen *n*; *por las* ~*s* anscheinend; wie es aussieht; dem Aussehen nach; *darse* ~*s* s. zu helfen wissen; *darse* ~ *para* Mittel u. Wege finden, zu + *inf.*; *llevar buena* ~ s. gut anlassen, gut aussehen (*fig.*), in Ordnung gehen F; *tener* (*od. llevar*) ~*s de* + *inf.* so aussehen, als ob + *subj.*; **~zado I.** *adj.* **1.** *bien* (*mal*) ~ wohl- (miß-) gestaltet; **II.** *m* **2.** Entwurf *m*; (Auf-, An-)Riß *m*; Anreißen *n*; *Graphologie*: Duktus *m*; ~ *de división* Teilstrich *m an Meßgeräten*; ~ *geométrico* zeichnerische Konstruktion *f*; **3.** Fluchtlinie *f*; Verlauf *m*, Führung *f*; 🚂 Trassierung *f*; ~ *fronterizo* Grenzziehung *f*; **~zador I.** *adj.* Leuchtspur...; **II.** *m* △, ⊕ Anreißer *m*; Reißnadel *f*; *Vkw.* ~ *de ruta* Kursschreiber *m*; **~zadora** *f* Anreißerin *f*; ⚔ Leuchtspur *f*; **~zar** [1f] *v/t.* **1.** ⊕, △, *Zim.* anreißen; *Linie, Strich* ziehen; *Kreis* beschreiben; *Zeichnung* anlegen; *Bahn, Weg, Fluchtlinie* abstecken; *Straße, Strecke* trassieren; *fig.* mit Worten zeichnen, umreißen; **2.** entwerfen; planen; **~zo** *m* Schriftzug *m*; Strich *m*; Umriß *m*; *Mal.* Falte *f der Gewandung*; ~ *fino* (*magistral, vertical od. grueso*) Haar- (Grund-, Ab-) strich *m e-s Buchstabens*; ~ *marcado* Strichmarkierung *f*; ~ *y raya* langer u. kurzer Strich *m* (*z. B. b. Straßenmarkierung*); *en* ~*s* gestrichelt; *dibujar al* ~ e-e Strichzeichnung machen; *marcar con un* ~ anstreichen; *marcar con* ~*s y puntos* strichpunktieren.

trazumarse *v/r.* → *rezumarse*.

trébedes *f/pl.* **1.** Dreifuß *m*; **2.** *in Teilen Altkastiliens* Zimmer *n/pl.* mit Unterfußbodenheizung *nach altrömischer Art*.

trebejo *m* Gerät *n*, Geschirr *n*; Spielzeug *n*; ~*s m/pl. a.* Handwerkszeug *n*.

trébol *m* ⚘ Klee *m*; *Vkw.* Kleeblatt *n*.

trebolar *m* Kleeacker *m*.

trece *num.* dreizehn; dreizehnte(r, -s); *fig.* F *mantenerse* (*od. seguir*) *en sus* ~ hartnäckig bei s-r Meinung bleiben; **~ntista** *adj. c* zum 14. Jh. gehörig.

trecho *m* Strecke *f*; Stück *n* Weges; *a* ~*s* streckenweise; Stück für Stück; zeitweise; *de* ~ *en* (*a. a*) ~ ab u. an; in (gewissen) Abständen.

trefe *adj. c* schwach, flau; falsch, geringwertig (*Münze*).

trefi|lado ⊕ *m* (Draht-)Ziehen *n*; **~lador** ⊕ *m* Drahtzieher *m*; **~ladora** ⊕ *f* Drahtziehmaschine *f*; **~lar** ⊕ *vt/i.* Draht ziehen (aus *dat.*); **~lería** ⊕ *f* Drahtzieherei *f*.

tregua *f* **1.** Waffenruhe *f*; *hist.* ♀ *de Dios* Gottesfrieden *m*, *lt.* Treuga *f* Dei; **2.** *fig.* Erholung *f*; Rast *f*, Pause *f*; *no dar* ~ k-e Ruhe lassen; k-n Aufschub dulden; *no darse* ~ s. k-e Ruhe gönnen; *sin* ~ unermüdlich; unablässig.

trein|ta *num.* dreißig; dreißigste(r, -s); **~tena** *f* Dreißigstel *n*; dreißig Stück.

treme|bundo *adj.* schrecklich, furchterregend; **~dal** *m* Sumpf-, Zitter-boden *m*; **~ndo** *adj.* fürchterlich; schrecklich; gewaltig; *fig.* F riesig, (einfach) toll F.

trementina *f* Terpentin *n*.

tremesino *adj.* Dreimonats...

tremielga *Fi. f* Zitterrochen *m*.

tre|mó, ~mol *m* Pfeilerspiegel *m*, Trumeau *m*; Pfeilertischchen *n*.

tremo|lar I. *v/t. Fahne* schwingen, flattern lassen; **II.** *v/i.* flattern; **~lina** *f* Brausen *n*; *fig.* Lärm *m*, Krach *m*; Radau *m*, Krawall *m*.

tré|molo ♪ *m* Tremolo *n*; **~mulo** *adj.* zitternd, bebend.

tremulación ⚕ *f* Flattern *n*.

tren *m* **1.** 🚂 Zug *m*; → *a. ferrocarril*; ~ *automotor* Triebwagenzug *m*; ~ *discrecional* (*especial*) Einsatz- (Sonder-)zug *m*; ~ *de enlace* (*de pasajeros*) Anschluß- (Reise-)zug *m*; (~) *expreso* (*in Span. langsamer als* ~ *rápido*) Schnellzug *m*; ~ *fantasma*, ~ *del infierno* Geisterbahn *f auf Rummelplätzen*; ~ *hospital* Lazarettzug *m*; ~ (*de*) *juguete* Spielzeugeisenbahn *f*; ~ *de mercancías* (*Am. de mercaderías*) Güterzug *m*; ~ *mixto* gemischter Zug *m für Personen u. Güter*; ~ *ómnibus* Personenzug *m*, Bummelzug *m* F; ~ *rápido* (*de largo recorrido*) (Fern-)Schnellzug *m*; *circulación f* (*bzw. servicio m*) *de* ~*es* Zugverkehr *m*; *¡señores* *pasajeros al ~!* (alles) einsteigen, bitte!; *fig. a todo ~* in vollem Tempo; so richtig im Zuge (*fig.* F); *a buen ~* recht schnell (*gehen, fahren usw.*); 🚂 *formar ~es* verschieben, rangieren; *coger (od. tomar) el ~ (de la mañana)* mit dem (Früh-)Zug fahren; **2.** *Vkw.* (Auto-)Kolonne *f*; ⚓ *~ de barcazas* Bootsflotille *f*; *Kfz. ~ de camiones* Lastzug *m v. Lkws.*; **3.** ⊕ Zug *m*; (Fertigungs-)Straße *f*; Aggregat *n*, Werk *n*; *~ de cintas transportadoras* Bandstraße *f*; *~ de engranajes* Rädergetriebe *n*; *~ de fabricación* Fertigungsstraße *f*; *~ laminador (od. de laminación)* Walz-straße *f*, -werk *n*; *HF ~ de onda* Wellenzug *m*; *~ radial* Drehgestell *n e-r Lokomotive*; *~ de rodaje* Fahrgestell *n*, Chassis *n*; *bsd.* 🚂 *~ de ruedas* Radsatz *m*; **4.** ✈ *~ de aterrizaje fijo* festes (*od.* starres) Fahrgestell *n* (*od.* Fahrwerk *n*); *~ de flotadores* Schwimmer(gestell *n*) *m/pl.*; **5.** Reiseausrüstung *f*, Gepäck *n für Expeditionen u. ä.*; ⚔ Troß *m*, Train *m* († *u.* F); ⚔ *~ de combate* Gefechtstroß *m*; **6.** Gefolge *n*; **7.** Aufwand *m*, Gepränge *n*; **8.** *fig.* Zuschnitt *m*; *~ (de vida)* Lebensweise *f*; **9.** *fig.* F *estar como un ~* blendend aussehen.

trena *f* **1.** † **a)** Wehrgehänge *n*; Gürtel *m*; **b)** gebranntes Silber *n*; **2.** P Gefängnis *n*, Knast *m* P, ⚔ Bau *m* F; *fig.* F *Reg. meter en ~* kleinkriegen; kirre machen.

trenado *adj.* netz- *od.* flechtenförmig.

tren|ca¹ *f* **1.** Hauptwurzel *f der Rebe*; **2.** Rahmenleiste *f für Waben im Bienenstock*; **~ca²** *Am. f = engl. duffle-coat m (kurzer Wettermantel)*.

trenci|lla *f* **1.** Tresse *f*, Litze *f*, Paspel *f*; Zierspitze *f*; *~s f/pl.* Schnüre *f/pl.*; **2.** Peitschenschnur *f*; **~llo** *m* **1.** → *trencilla*; **2.** Hutschnur *f*.

trente ⚒ *m* Kartoffelforke *f*.

trenza *f* **1.** Flechte *f*; Zopf *m*; *p.ext. a.* ⊕ geflochtene Schnur *f*; Geflecht *n*; **2.** Tresse *f*; **~dera** *f* geflochtene Schlinge *f*; **~do I.** *adj.* **1.** gezwirnt (*Faden*); **II.** *m* **2.** Zopf *m*; Haarflechte *f*; *a.* ⊕ Flechtwerk *n*; Umflechtung *f* (*z.B. v. Kabeln*); **3.** *Equ., Tanz*: Sprungschritt *m*; **~dora** ⊕ *f* Flechtmaschine *f*; **~r** [1f] **I.** *v/t.* **1.** *Haare, Schnüre, Weiden, Draht, Kabelumhüllungen* (über Kreuz) flechten; *Fußball*: *~ pases* hervorragend zuspielen; **II.** *v/i.* **2.** tänzeln (*Pferd*); Sprungschritte machen (*Tanz*); **III.** *v/r.* *~se* **3.** *Am.* s. die Haare flechten (*Frau*); **4.** *Am.* s. inea. verklammern; mitea. ringen.

trepa *f* **1.** Klettern *n*; F Purzelbaum *m*; **2.** Maserung *f* (*Holz*); **3.** Borte *f*, Kleiderbesatz *m*; **4.** *fig.* F Schlauheit *f*, Geriebenheit *f*; **5.** *fig.* F Tracht *f* Prügel; **~dera** *Am. f* Steigeisen *n/pl.*; Steiggurt *m der Palmfruchtsammler usw.*; **~do I.** *adj.* **1.** zurückgelehnt; **2.** kräftig (u. nicht zu groß) (*Tier*); **II.** *m* **3.** Falbel *f*, Besatz *m*; **4.** Perforierung *f*, Zackung *f* (*Papier, Briefmarke*); **~dor I.** *adj.* **1.** kletternd, Kletter...; **II.** *m* **2.** *~es m/pl.* Steig- *bzw.* Kletter-eisen *n/pl.*; **3.** *Vo.* Klettervogel *m*; **~dora** ⚘ *f* Kletterpflanze *f*.

trepanar *Chir. v/t.* trepanieren; *~ con escoplo* aus-, auf-meißeln.

trépano *m* **1.** *Chir.* Trepan(iermeißel) *m*; **2.** ⚒ Meißel *m*; *~ de sondeo* Bohrmeißel *m*.

trepar¹ *v/i.* klettern (auf *ac. a*); s. ranken (um *ac. por*) (*Kletterpfl.*); **~²** **I.** *v/t.* **1.** durchbohren; **2.** *Kleid* mit Falbeln besetzen; **II.** *v/r.* *~se* **3.** s. zurücklehnen.

trepe F *m* Rüffel *m*.

trepida|ción *f* **1.** Beben *n*, Zittern *n*; Zucken *n*; Stampfen *n*; **2.** Erschütterung *f*; **~r** *v/i.* beben, zittern; stampfen; *Chi. fig.* schwanken, zögern.

tres *num.* drei; *fig.* F *como ~ y dos son cinco* völlig klar (der Fall); so sicher, wie zwei mal zwei vier ist.

tresañejo *adj.* dreijährig.

tresbolillo *adv.*: *a(l) ~* auf Lücke, versetzt.

tres|cientos *num.* dreihundert; dreihundertste(r, -s); **~doble** *adj. c* dreifältig; dreimal größer.

tresi|llista *Kart. c* Tresillospieler *m*; **~llo** *m* **1.** *Kart.* Tresillospiel *n*; **2.** ♪ Triole *f*; **3.** Sofagarnitur *f* (*Sofa u. 2 Sessel*); Garnitur *f v. drei Steinen* (*Schmuckstück*).

tresmesino *adj.* → *tremesino*.

tresnal ⚒ *m* Garbenhocke *f*; Schober *m*.

trestanto I. *adv.* dreimal soviel; **II.** *m das* Dreifache.

treta *f* List *f*, Kniff *m*, Trick *m*; *Fechtk.* Finte *f*.

trezavo I. *adj.* dreizehntel; **II.** *m* Dreizehntel *n*.

tría † *u. Reg. f* Wahl *f*; Aussortierung *f*.

triaca *f pharm. hist.* Theriak *m*; *fig.* Gg.-gift *n*, Heilmittel *n*.

triada 🕮 *f* Dreiheit *f*, Trias *f*.

tri|angulación *f* trigonometrische Vermessung *f*, Triangulierung *f*; **~angular** *adj. c* dreieckig, Dreieck(s)...; dreikantig, Dreikant...; *a.* ⚕ *paño m ~* Dreiecktuch *n*; **~ángulo** *m* **1.** *a.* ⚐ Dreieck *n*; *Vkw. ~ de peligro* Warndreieck *n*; **2.** ♪ Triangel *m*; **3.** *fig.* (*a. el eterno ~*) Dreiecksverhältnis *n*, Ehe *f* zu dritt.

triar [1c] † *u. Reg.* **I.** *v/t.* (aus)wählen, aussuchen; sortieren; **II.** *v/i.* häufig aus- u. einfliegen (*Bienen*); **III.** *v/r.* *~se* durchsichtig werden (*Tuch*).

triarvejonero ⚒ *m* Trieur *m*.

trías *Geol. m* Trias *f*.

triásico *Geol. adj.-su.* triassisch, Trias...; *m* Trias *f*.

tri|bal *adj. c* Stammes...; **~bu** *f* Stamm *m*; *jefe m de ~* Stammeshäuptling *m*.

tribulación *f* Drangsal *f*; Widerwärtigkeit *f*; Leid *n*.

tríbulo ⚘ *m* → *abrojo*.

tribuna *f* Tribüne *f*; Empore *f* (*Kirche*); **~do** *m* Tribunat *n*; **~l** *m* **1.** ⚖ Gericht(shof *m*) *n*; *Am. mst. corte*; → *a. juzgado 2, audiencia 3*; *~ administrativo (especial, de excepción)* Verwaltungs- (Sonder-)gericht *n*; *~ de apelación (de arbitraje, ~ arbitral)* Berufungs- (Schieds-)gericht *n*; *~ de comercio (de guerra)* Handels- (Kriegs-)gericht *n*; *~ de cuentas* Rechnungshof *m*; *♀ Europeo de Derechos del Hombre* Europäischer Gerichtshof *m* für Menschenrechte; *~ ordinario* ordentliches Gericht *n*; *~ de garantías constitucionales* Verfassungsgericht *n*; *~ de honor (de menores)* Ehren- (Jugend-)gericht *n*; *♀ Internacional de Justicia* Internationaler Gerichtshof *m*; *♀ Internacional de presas* Internationales Prisengericht *n*; *~ de jurados (de regidores)* Schwur- (Schöffen-)gericht *n*; *♀ de Justicia de las Comunidades Europeas* Gerichtshof *m* der Europäischen Gemeinschaften; *~ laboral (marítimo)* Arbeits- (See-)gericht *n*; *Span. ♀ de Orden Público* Sondergericht *n für pol. Straftaten*; *~ popular* Volksgericht(shof *m*) *n*; *hist. ~ de la sangre* Blutgericht *n*; *♀ Supremo* Oberster Gerichtshof *m*; *llevar ante el (bzw. los) ~(es)* vor Gericht bringen (*od.* anhängig machen); **2.** Prüfungskommission *f*; *~ (calificador)* Preisgericht *n*.

tri|bunicio *adj.* **1.** tribun(iz)isch; **2.** *fig.* Volksredner...; **~búnico** *adj.* Tribunen...; **~buno** *m* **1.** Tribun *m*; *hist. u. fig. ~ de la plebe* Volkstribun *m*; **2.** *fig.* Volksredner *m*.

tribu|table *adj. c* abgabe-, besteuerungs-fähig; **~tación** *f* Besteuerung *f*; *sujeto a ~* steuerpflichtig; **~tar** *v/t.* als Steuer zahlen; *fig. Lob, Verehrung* zollen; **~tario I.** *adj.* Steuer...; steuerpflichtig; **II.** *m* Nebenfluß *m*; **~to** *m a. fig.* Tribut *m*; Steuer *f*, Abgabe *f*; *fig. lit. pagar ~ a la muerte* sterben.

tricahue *m Chi. Vo.* grüner Papagei *m*; *fig.* F *saliva f de ~* nicht gehaltenes Versprechen *n*, kalter Kaffee *m* (*fig.* P).

tri|céfalo *adj.* dreiköpfig; **~cenal** ⚒ *adj. c* dreißigjährig; alle dreißig Jahre stattfindend.

tríceps *Anat. m* dreiköpfiger Muskel *m*.

tri|ciclo *m* Dreirad *n*; *~ de reparto* Lieferdreirad *n*; **~color** *adj. c* dreifarbig; *bandera f ~* Trikolore *f*; **~cornio** *m* Dreispitz *m*.

trico|t *m* Trikot *m, n* (*Stoff*); Trikot *n*; **~ta** *f Arg.* Trikot *n*; **~tar** *tex. vt/i.* wirken.

tri|cotomía 🕮, *Phil. f* Trichotomie *f*, Dreiteilung *f*; **~cótomo** 🕮 *adj.* dreigeteilt; **~cromía** *Typ. f* Dreifarbendruck *m*; **~cúspide** *Anat. f* Tricuspidalklappe *f*; **~dente** *m* Dreizack *m*.

tridentino *ecl.*: *Concilio m ♀* Konzil *n* von Trient, *lt.* Tridentinum *n* (*1545—1563*).

tridimensional *adj. c* dreidimensional.

tri|duo *ecl. m* dreitägige Andacht *f*; **~enal** *adj. c* dreijährig; **~enio** *m* Zeitraum *m* von drei Jahren; **~era** *f* → *trirreme*.

tri|fásico ⚡ *adj.* dreiphasig; Dreiphasen..., Dreh...; **~folio** ⚘ *m* → *trébol*; **~forio** ⛪ *m* Triforium *n in Kirchen*; **~forme** *adj. c* dreigestaltig.

trifulca *f* **1.** ⚒ *ehm.* Gebläsewerk *n*; **2.** *fig.* Wirrwarr *m*; Keilerei *f*.

triga *f* Dreigespann *n*.

trigal *m* Weizenfeld *n*.

tri|garante *adj. c* dreifache Garantie bietend; **~gémino** *Anat. m* Trigeminus *m*; **~gésimo** *num.* dreißigste(r, -s).

trigo *m* Weizen *m*; *fig.* F Geld *n*, Moos *n* F; ~ *candeal*, ~ *común* Weichweizen *m*; ~ *duro* Hartweizen *m*; ~ *fanfarrón Art* Hartweizen *m* (*Triticum Linneanum*); ~ *marzal*, ~ *tremesino* (*otoñal*, ~ *de invierno*) Sommer- (Winter-)weizen *m*; ~ *mocho ein* grannenloser Weizen *m*; ~ *mor(un)o* Berberweizen *m*; ~ *sarraceno* (*od. negro*) Buchweizen *m*; *fig.* F *echar por los* ~*s de Dios* (*od. por esos* ~*s*) den rechten Weg (*od. a.* den inneren Halt) verlieren; *fig.* F *no ser* ~ *limpio* nicht ganz in Ordnung (*od.* nicht sauber [*fig.*]) sein.

trigón *m* **1.** *Fi.* Feuerrochen *m*; **2.** ♪ *hist. Art* Leier *f*.

trígono 📐, *Astr. m* Trigon *n*.

trigono|metría 📐 *f* Trigonometrie *f*; **~métrico** *adj.* trigonometrisch.

trigue|ño *adj.* bräunlich; dunkelblond, brünett; **~ro I.** *adj.* Getreide...; Weizen...; **II.** *m* Getreidesieb *n*; ⚖ Getreidehändler *m*.

trilingüe *adj. c* dreisprachig.

trilla[1] *Fi. f* → *salmonete*.

trilla[2] 🌾 *f* **1.** Dreschen *n*, Drusch *m*; Dreschzeit *f*; **2.** → *trillo 1*; **3.** *Col.* Tracht *f* Prügel; **4.** *Cu.* → *trillo 2*; **~do** *adj.* ausgedroschen; *fig.* abgedroschen; ausgetreten (*Weg u. fig.*); **~dor** *m* Drescher *m*; **~dora** *f* Dreschmaschine *f*; **~dura** *f* Dreschen *n*; Drusch *m*; **~r** *v/t.* (aus)dreschen; *fig.* immer wieder betreiben, durchackern; *fig.* F mißhandeln.

trillizos *m/pl.* Drillinge *m/pl.*

trillo *m* **1.** 🌾 Dreschbrett *n*; **2.** *Ant.* (Trampel-)Pfad *m*.

tri|llón *m* Trillion *f*; **~membre** *adj. c* dreigliedrig; **~mensual** *adj. c* dreimal im Monat (erscheinend *usw.*); **~mestral** *adj. c* Dreimonats-...; **~mestre** *m* **1.** Vierteljahr *n*, Quartal *n*; Trimester *n*; **2.** Vierteljahres-miete *f bzw.* -zahlung *f*.

tri|morfo *adj.* dreigestaltig; **~motor I.** *adj.* dreimotorig; **II.** *m* ✈ dreimotoriges Flugzeug *n*.

tri|nado *m* **1.** Trillern *n*; ♪ → *trino*; **2.** Tirilieren *n*, Zwitschern *n der Vögel*; **~nar** *v/i.* ♪ trillern; tirilieren (*Vogel*); *fig.* F *está que trina* er tobt vor Wut.

trinca *f* Dreiergruppe *f*; *Sp.* Dreiermannschaft *f*; *fig.* F Kleeblatt *n*, Dreigestirn *n*.

trincar[1] [1g] *v/t.* zerteilen, zerstückeln; **~**[2] [1g] *v/t.* **1.** umklammern; *fig.* P **a)** *oft* ~*se* essen, acheln P; **b)** töten, umlegen (*fig.* P); **2.** ⚓ festzurren; **~**[3] [1g] F *vt/i.* zechen, bechern F.

trincha *f* (Hosen-)Schnalle *f*.

trincha|dor *m* Vorschneider *m*, Tranchierer *m*; **~nte** *m* **1.** Vorschneider *m*; **2.** Tranchier-messer *n*; -gabel *f*; **3.** Spitzhammer *m für Steinhauer*; **~r** *v/t.* tranchieren.

trinche|ra *f* **1.** ⚔ (Schützen-)Graben *m*; **2.** *künstlicher* Geländeeinschnitt *m zur Durchführung e-r Straße usw.*; **3.** Trenchcoat *m*; **~ro I.** *adj.*: *plato m* ~ Vorlegeteller *m*; **II.** *m* Vorlegetisch *m*; **~te** *m* Schusterkneif *m*.

trineo *m* **1.** Schlitten *m*; ~ *de caballo(s)* (*de motor, de perros, de vela*) Pferde- (Motor-, Hunde-, Segel-)schlitten *m*; *ir en* ~ Schlitten fahren; **2.** Schleife *f* zum Abschleppen (*z. B. Jgdw.*); **3.** ⊕ Schlitten *m*, Gleitstück *n*.

tringa *Vo. f* Strandläufer *m*.

trini|dad *f* **1.** *Rel.* (*als Dogma*: ♀) Dreifaltigkeit *f*, Trinität *f*; *fig. mst. desp.* Dreieinigkeit *f*, Dreierclique *f* (*desp.*); *ecl.* ♀ Dreifaltigkeitssonntag *m*, Trinitatis (*ohne Artikel*); *Orden f de la* ♀ Trinitarierorden *m*; **2.** 🌿 *flor f de la* ♀ → **~taria** *f* **1.** 🌿 Stiefmütterchen *n*; **2.** *kath.* Trinitarierin *f*; **~tario** *Rel. adj.-su.* trinitarisch; *m* Trinitarier *m*.

trino[1] *adj.* **1.** *Rel.* dreieinig; **2.** dreifach; dreizählig.

trino[2] *m* Triller *m*.

tri|nómico 📐 *adj.* trinomisch; **~nomio** 📐 *m* Trinom *n*.

trinque|te[1] ⚓ *m* Fock-mast *m*, -rahe *f*; -segel *n*; **~te**[2] ⊕ *m* Gesperre *n*, Klinke *f*; **~te**[3] *m* (Hallen-)Ballspiel *n*; **~te**[4] F *m*: *a cada* ~ → *a cada trique*; **~tilla** ⚓ *f* Stagfock *f*.

trinquis F *m* Schluck *m* (*Wein usw.*).

trí|o *m* ♪ *u. fig.* Trio *n*; **~odo** *HF m* Triode *f*.

Triones *Astr. m/pl.* Gr. Wagen *m*.

trióxido ⚗ *m* Trioxyd *n*.

tripa *f* **1.** Darm *m*; F Bauch *m* (*a. e-s Gefäßes*); *fig.* Einlage *f b. Zigarren*; *fig.* F *echar* ~ (e-n) Bauch ansetzen; *fig.* P *hacer una* ~ *a alg.* j-m ein Kind machen P; *fig.* F *sacar la* ~ *de mal año* s. (ordentlich) den Bauch vollschlagen P; *¿qué* ~ *se te ha roto?* was hast du denn auf einmal?; **2.** ~*s f/pl.* Eingeweide *n(/pl.)*; *fig.* Innere(s) *n*; *fig.* F *echar las* ~*s* s. die Seele aus dem Leib kotzen P; *fig. hacer de* ~*s corazón* **a)** s. ermannen, s. ein Herz fassen; **b)** in den sauren Apfel beißen; **c)** aus der Not e-e Tugend machen; *fig.* F *rallarle* (*od. revolverle*) *a uno las* ~*s* j-m äußerst widerlich sein, j-n ankotzen P; *fig.* F *sacar las* ~*s a alg.* j-n gewaltig schröpfen; *tener malas* ~*s* bösartig (*od.* grausam) sein; **~callos** *m/pl.* → *callos*; **~da** F *f* → *panzada*.

triparti|r *v/t.* dritteln; **~to** *Pol. adj.*: *Pacto m* ~ Dreierpakt *m*.

tripe *tex. m* Tripp *m*, Halbsamt *m*.

tri|pero *m* **1.** Kaldaunenhändler *m*; **2.** F Bauchbinde *f*; **~pita** *dim. f*: *fig.* P *salir con* (*una*) ~ schwanger werden.

triple I. *adj. c* dreifach; **II.** *m das* Dreifache.

triplica|do *m* Drittausfertigung *f*; *por* ~ in dreifacher Ausfertigung; **~r** [1g] *v/t.* verdreifachen.

trípode *m* Dreifuß *m*; Stativ *n*.

tripolar ⚡ *adj. c* dreipolig.

tripoli(ta)no *adj.-su.* aus Tripolis; *m* Tripolitaner *m*.

tríptico *m* **1.** Triptychon *n*, dreiteiliges Altarbild *n*; **2.** *Kfz.* Triptyk *n*.

triptongo *Phon. m* Triphthong *m*, Dreilaut *m*.

tripudo F *adj.* dickbäuchig.

tripula|ción ⚓, ✈ *f* Besatzung *f*, Schiffs-, Flug-mannschaft *f*; *sin* ~ unbemannt; **~nte** ⚓, ✈ *c* Mitglied *n* der Besatzung; **~r** *v/t.* **1.** bemannen; **2.** *fig.* F *Chi.* pan(t)schen.

trique *m* **1.** Knall *m*; Knacken *n*; F *a cada* ~ jeden Augenblick; alle Augenblicke; **2.** *Ant.*, *Méj.* Mühle (-spiel *n*) *f*; *fig.* Trick *m*; **3.** *Chi.* **a)** grob gemahlenes Mehl *n bzw.* Kleie *f*; **b)** 🌿 Tiquebaum *m*; Purgierschwertel *f*; **4.** *Méj. mst.* ~*s* → *trastos*; **~te** *m dim. zu trique 1*.

triqui|na *f* Trichine *f*; **~nosis** ⚕ *f* Trichinose *f*.

triquiñuela F *f* Ausflucht *f*; List *f*; *andar con* ~*s* immer e-e Ausrede haben.

triquitraque *m* Knattern *n*, Rattern *n*; Klirren *n*; Knallfrosch *m*; *a cada* ~ → *a cada trique*.

trirreme ⚓ *hist. m* Dreiruderer *m*.

tris *m* Knacks *m*; *fig.* Anlaß *m*; *onom.* ¡~! knacks!; ~, *tras* ping, pang; poch, poch; *en un* ~ im Nu, im Hui; *estar en un* ~ beinahe; *estuvo en un* ~ *de caerse* um ein Haar wäre er gefallen; **~ca** *f* Knakken *n*; *p. ext.* Lärm *m*, Radau *m*; **~car** [1g] **I.** *v/i.* trippeln; herumspringen, hüpfen; **II.** *v/t.* **1.** durchea.-bringen, verheddern; **2.** *Säge* schränken.

trismo ⚕ *m* Kiefer-, Kinnbackenkrampf *m*.

triste I. *adj. c* traurig (*a. fig. desp.*); betrübt, niedergeschlagen; (*ser*) trübsinnig, schwermütig; finster, düster; *mst. vorangestellt fig.* armselig, elend; *¡ay,* ~ *de mí!* ach, ich Arme(r)!; *un* ~ *consuelo* ein armseliger Trost *m*; *estar* ~ traurig (gestimmt) sein; *es* ~ das ist traurig; **II.** *m* ♪ *Arg.*, *Pe. Folk. schwermütiges* (*Liebes-*)*Lied*; **~za** *f* Traurigkeit *f*; Trauer *f*, Betrübnis *f*; Wehmut *f*; Schwermut *f*, Trübsinn *m*.

tritu|ración *f* Zermalmung *f*; Zerreibung *f*, Zermahlung *f*; **~rador** ⊕ *m* Brecher *m*; ~ *de basura* Müllzerkleinerer *m*; **~radora** ⊕ *f* Brecher *m*; ⚒ Stampfwerk *n*; 🌾 Schrotmühle *f*; **~rar** *v/t.* zermalmen, zerquetschen; zerkleinern, zermahlen; *pharm.* verreiben; ⊕ brechen; *Erze* (ver)mahlen; *fig. Argumente u. ä.* zerpflücken; 🌾 *cebada f* ~*ada* Gerstenschrot *m*.

triun|fador I. *adj.* siegreich, triumphierend; **II.** *m* Sieger *m*; **~fal** *adj. c* Triumph..., Sieges...; *arco m* ~ Triumphbogen *m*; *corona f* ~ Siegeskrone *f*; **~falismo** *m* Selbstgefälligkeit *f*; *Pol.* (offizieller) Zweckoptimismus *m*; **~fante** *adj. c* triumphierend (*a. Kirche*), siegreich; **~far** *v/i.* triumphieren; siegen; *Kart.* e-n Trumpf ausspielen; **~fo** *m* Triumph *m*; Sieg *m*; *Kart.* Trumpf *m*; *a. fig. echar un* ~ e-n Trumpf ausspielen.

triunvi|ral *hist. u. fig. adj. c* Triumvirats...; **~rato** *m* Triumvirat *n*; **~ro** *m* Triumvir *m*.

trivalen|cia ⚗ *f* Dreiwertigkeit *f*; **~te** *adj. c* dreiwertig.

trivi|al *adj. c* platt, alltäglich, abgedroschen, trivial; **~alidad** *f* Plattheit *f*; Gemeinplatz *m*; **~o** *m* **1.** *Ma.* Trivium *n*; **2.** Dreiweg *m*, dreifacher Kreuzweg *m*.

triza *f* Stück *n*; Fetzen *m*; F *hacer* ~*s* zerstückeln, zerfetzen; kurz u. klein schlagen; *hecho* ~*s* entzwei, kaputt F; **~r** [1f] *v/t.* zerfetzen.

trocaico *adj.* trochäisch (*Vers*).
trocar[1] *Chir. m* Trokar *m.*
trocar[2] [1g *u.* 1m] **I.** *v/t.* **1.** (um-, ein-)tauschen (für, gegen *ac. por*); (aus-, ein-)wechseln; **2.** vertauschen; **3.** verwandeln; **II.** *v/r.* **~se 4.** s. ändern; s. wenden; s. verwandeln (in *ac. en*).
tro|cear *v/t.* in Stücke teilen; **~ceo** *m* **1.** Teilung *f* in Stücke; **2.** ⚓ Rack *n*; **~cito** *dim. m* kl. Stückchen *n.*
trocla *od.* **trócola** *f* Flaschenzug *m.*
trocha *f* **1.** Pfad *m*, Steig *m*; **2.** 🚂 *Am.* Spurweite *f.*
trochemoche: *a ~ od. a troche y moche* aufs Geratewohl, auf gut Glück; kreuz u. quer, wie Kraut u. Rüben.
trofeo *m* **1.** Trophäe *f*; (Sieges-) Preis *m*; **2.** Waffenschmuck *m*; **3.** *fig.* Sieg *m*, Triumph *m.*
trófico ⚕ *adj.* trophisch, Ernährungs...
troglo|dita *c* Höhlenbewohner(in *f*) *m*; *fig.* Barbar *m*; **~dítico** *adj.* Troglodyten...; *habitación f ~a* Höhlenwohnung *f.*
troica *f* Troika *f.*
troj(e) (*Am. a. troja*) *f* Korn- *bzw.* Oliven-kammer *f.*
trole *m* **1.** ⚡ Stromabnehmer *m b. Straßenbahnen*; *~ de arco* Kontaktbügel *m*; **2.** F → **~bús** *m* Obus *m.*
trom|ba *f Met.* Wasserhose *f*; *fig. adv.* en *~* **a)** in hellen Haufen (u. mit gr. Gewalt); **b)** in Windeseile; **~bón** ♪ *m* **1.** Posaune *f*; *~ de pistones* (*de varas*) Ventil- (Zug-)posaune *f*; **2.** Posaunenbläser *m*, Posaunist *m.*
trombosis ⚕ *f* Thrombose *f.*
trompa I. *f* **1.** ♪ (Wald-)Horn *n*; *~ de caza* Jagdhorn *n*; *~ gallega* Brummeisen *n*; *~ marina* Maultrommel *f*; **2.** *Zo.* Rüssel *m* (*Schwein, Elefant, Tapir, Insekten*); *fig.* gr. Nase *f*; vorspringender Mund *m*, *bsd.* Schmollmund *m e-s Unzufriedenen*; **3.** *fig.* F Rausch *m*; *estar ~* e-n Affen (*od.* e-n sitzen) haben F; **4.** *Anat.* → *Falopio*; *Eustaquio*; **5.** Brummkreisel *m*; **6.** ⊕ Strahlpumpe *f*; **7.** ⚠ Trompe *f*; **8.** ⚓ → *tromba*; **9.** 🚂 *Am.* Räumgitter *n*; **II.** *m* **10.** Waldhornbläser *m*, Hornist *m.*
trompa|da *f*, **~zo** F *m* **1.** Zs.-stoß *m*; Zs.-prall *m mit den Köpfen*; *p. ext.* derber Stoß *m*; Faustschlag *m*; F *hay que andar a ~s* (*od. a ~ limpio*) *con él* man muß ihn sehr hart anfassen; **2.** ⚓ Rammstoß *m.*
trompero *adj.* trügerisch.
trompe|ta I. *f* Trompete *f*; ⚓ *~ de niebla* Nebelhorn *n*; *fig.* P *¡~s!* Unsinn!; *al son de (las) ~(s)* bei Trompetenschall; **II.** *m* Trompeter *m*; **~tazo** *m* Trompetenstoß *m*; *fig.* F gr. Albernheit *f*; **~tear** *v/i.* trompeten; **~tería** ♪ *f* Trompetenregister *n* (*der Orgel*); **~tero** *m* Trompetenmacher *m*; Trompeter *m*; **~tilla** *f* Hörrohr *n.*
trompi|car [1g] **I.** *v/t.* stolpern lassen, stoßen; **II.** *v/i.* straucheln; **~cón** *m* Straucheln *n*; Stoß *m*; *a ~ones* stoßweise.
trompis F *m* Faustschlag *m.*
trom|po *m* **1.** Kreisel *m*; *fig.* F Hohlkopf *m*; *fig.* F *ponerse como un ~* s. vollstopfen (*b. Essen u. Trinken*); *roncar como un ~* schnarchen wie ein Ochse; **2.** *Zo.* Spitzkreiselschnecke *f*; **~pón**: *de (a. a) ~* unordentlich, liederlich.
trona|da *f* Gewitter *n*; **~do** F *adj.* heruntergekommen; abgebrannt (*fig.*); verkracht (*fig.* F); **~dor** *m* Kanonenschlag *m* (*Feuerwerksrakete*); **~r** [1m] **I.** *v/i.* donnern; *fig.* wettern (gg. *ac. contra*); *fig.* F toben, brüllen; *~ con alg.* s. mit j-m verkrachen; **II.** *v/t.* *Guat., Méj.* erschießen; **III.** *v/r.* **~se** *fig.* abwirtschaften, Pleite machen F.
tron|cal *adj. c* Stamm...; **~car** [1g] *v/t.* → *truncar*; **~co** *m* **1.** *a. fig. u. Li.* Stamm *m*; *fig.* Klotz *m*; *fig.* Abstammung *f*, Ursprung *m*; *Reg. u. Ec.* → *troncho*; *~ (de árbol)* Baumstamm *m*; *Anat. ~ arterial* Arterienstamm *m*; *Anat. ~ nervioso* Nerven-stamm *m*, -strang *m*; *fig.* F *estar hecho un ~* steif u. unbeweglich sein wie ein Klotz; *dormir como un ~* schlafen wie ein Klotz; **2.** *bsd.* ⩘ Stumpf *m*; *~ de columna* (⩘ *de cono*) Säulen- (Kegel-)stumpf *m*; **3.** Rumpf *m*, Oberkörper *m*; **4.** Deichselgespann *n*; *caballo m de ~* Deichselpferd *n*; **~cocónico** *adj.* kegelstumpfförmig; **~cón** *m* Baumstumpf *m.*
tron|cha *f Arg., Chi., Pe.* Schnitte *f*; Stück *n*; **~char I.** *v/t.* abreißen; (um)knicken; **II.** *v/r.* **~se** zerbrechen; *~se (de risa)* s. totlachen; **~cho I.** *adj. Arg.* → *trunco*; **II.** *m* Strunk *m.*
tronera I. *f* **1.** Schießscharte *f*; ⚓ Geschützluke *f*; *p. ext.* (Dach-) Luke *f*; Turmluke *f*; **2.** Billardloch *n*; **3.** Klatsche *f*, Schlagschwärmer *m* (*Kinderspielzeug*); **II.** *m* **4.** F Windhund *m* (*fig.* F).
tro|nido *m* Donner *m*; *fig.* F Ruin *m*, Bankrott *m*; *Andal. u. fig.* P *a.* → **~nío** *m* Prunk *m*, Pracht *f*; Stolz *m*, Dünkel *m*; Angabe *f* F.
trono *m a. fig. u. Rel.* Thron *m*; *Rel. ~s m/pl.* Throne *m/pl.* (*Engelordnung*); *subida f al ~* Thronbesteigung *f*; *ocupar el ~, subir al ~* den Thron besteigen.
tronquista *m* Kutscher *m b. Deichselgespann.*
tronza|dor *Zim.*, ⊕ *m* Ablängsäge *f*; **~r** [1f] *v/t.* **1.** zerbrechen; *Stoff* fälteln; *fig.* zermürben; **2.** *Zim.*, ⊕ ablängen.
tro|pa *f* **1.** Haufe *m*; Trupp *m*; *Am. Mer., bsd. Rpl.* Wanderherde *f*; Zug *m* von Lasttieren; **2.** ⚔ Truppe *f*; Mannschaft *f*; *p. ext.* Zeichen *n* zum Sammeln; *~s f/pl. aeroportadas (de a pie)* Luftlande- (Fuß-) truppen *f/pl.*; **~pel** *m* **1.** Haufe *m*, Herde *f*, Schwarm *m*, (Menschen-) Menge *f in Bewegung*; Trappeln *n*, Getrappel *n e-r Menge*; wirres Durchea. *n*; en *~* haufenweise; in wilder Hast; **2.** □ Gefängnis *n*; **~pelero** □ *m* Straßenräuber *m*; **~pelía**[1] *f* **1.** wilde Hast *f*; **2.** Gewalttat *f*; Pöbelei *f*; **3.** Übertölpelung *f.*
tropellista ✎ *m* Gaukler *m.*
trope|ña *f Ec.*, **~ra** *f Am. Cent. mit den Freischärlertruppen ziehende* Soldatenfrau *f*; **~ro** *m Rpl.* Führer *m* e-r Wanderherde *usw.*
trope|zar [1f *u.* 1k] **I.** *v/i.* **1.** stolpern, straucheln (*a. fig.*); **2.** zs.-stoßen (mit *dat. con*); *~ con a/c.* s. an et. (*dat.*) stoßen; *~ con alg.* j-n unvermutet treffen; **3.** stoßen (auf *ac. con, en*); **II.** *v/r.* **~se 4.** s. treten (*od.* streichen) (*Tiere, bsd. Pferde*); *fig.* F zs.-stoßen; **~zón** *m* Stolpern *n*; *a ~ones* stolpernd; stockend; stotternd; *dar un ~* stolpern.
tropical *adj. c* tropisch, Tropen...
trópico *Geogr. m* Wendekreis *m*; *~s m/pl. die* Tropen *pl.*; *Astr. ~ de Cáncer (de Capricornio)* Wendekreis *m* des Krebses (des Steinbocks).
tropiezo *m* **1.** Anstoß *m*; Hindernis *n*; F Zs.-stoß *m*; Streit *m*; **2.** Schwierigkeit *f*; **3.** *fig.* Fehltritt *m*, Entgleisung *f* F; *dar un ~, dar ~s* straucheln (*a. fig.*); **4.** *fig.* F *~s m/pl.* Fleischstückchen *n/pl. im Eintopf usw.*
tropilla *f Rpl.* Trupp *m* Pferde.
tro|pismo *Biol. m* Tropismus *m*; **~po** *Rhet. m* Tropus *m*, Trope *f.*
troque|l *m* Münz-, Präge-stempel *m*; Stanzwerkzeug *n*; **~lado** *m* Stanzen *n*; **~ladora** *f* Prägepresse *f für Münzen*; Stanzmaschine *f*; **~lar** *v/t.* (präge)stanzen.
tro|taconventos *fig.* F *f* (*pl. inv.*) Kupplerin *f*; **~tada** *f Am.* Trab *m*; (im Trab zurückgelegtes Stück *n*) Weg *m*; **~tamundos** *m* (*pl. inv.*) Weltenbummler *m*, Globetrotter *m*; **~tar** *v/i.* traben, trotten (*a. fig.*); *fig.* umherlaufen; **~te** *m Equ. u. fig.* Trab *m*; *p. ext.* Hufschlag *m*; *fig.* F schwere (u. schnell zu erledigende) Arbeit *f*; *al ~* im Trab (*a. fig.*); *Equ. de ~ duro* hochtrabend; *fig.* F *para todo ~* für den Alltagsgebrauch; *Equ. ~ corto (largo)* kurzer (verstärkter) Trab *m*; *Equ. ~ cochinero* kurzer u. schneller Trab *m*, Schweinsgalopp *m* F; *fig.* F *andar a ~ corto* trippeln; *ir al ~* im Trab reiten; **~tinar** *v/i. Am. Cent.* → *trotar*; **~tón** *Equ. m* Traber *m*; *Am.* Klepper *m*; **~tona** *f fig.* F Gesellschaftsdame *f*; *desp.* P Nutte *f* P.
trotzkismo *Pol. m* Trotzkismus *m.*
tro|va *Lit. f* Gedicht *n*, Lied *n*, Trove *f*; **~vador** *m* Troubadour *m*; **~vadoresco** *adj.* Troubadour...; **~var I.** *v/i.* Verse *nach Art der Troubadours* schreiben; **II.** *v/t. fig. et.* umdeuten; **~vero** *Lit. m* Trouvère *m*; **~vo** *Lit. m altspan.* (Liebes-)Lied *n.*
Troya *Myth. npr. f* Troja *n*; *fig. ¡arda ~!* u. wenn der Himmel einstürzt! (*es wird trotzdem durchgeführt*); *burl.* jetzt kann's losgehn!; *iron.* F *¡aquí (od. allí) fue ~!* da haben wir die Bescherung!; **2no I.** *adj.* trojanisch; *Myth. u. fig. el caballo ~* das trojanische Pferd; **II.** *m* Tro(jan)er *m.*
troza[1] *f Sägerei*: abgelängter Baumstamm *m.*
troza[2] ⚓ *f* Rack *n.*
tro|zar [1f] *v/t.* zerbrechen, zerstückeln; *Baumstamm* ablängen; **~zo** *m* Stück *n*; *a ~s* stückweise.

trúa F *f Arg.* Rausch *m*; *estar en* ~ e-n sitzen haben (*fig.* F).

truco *m* **1.** Trick *m*; **2.** *Arg., Bol., Chi.* → *puñada, puñetazo*; **3.** *Arg. ein Kartenspiel.*

truculen|cia *f* Schauergeschichte *f*, Moritat *f* F; **~to** *adj.* grausam, schaurig; blutrünstig.

tru|cha *f* **1.** Forelle *f*; *fig.* Schlaukopf *m*; ~ *de mar* Lachsforelle *f*; *fig.* F *pescar una* ~ patschnaß werden; **2.** *Am. Cent.* Stand *m*, kl. Laden *m*; **~chero I.** *adj.* **1.** Forellen...; **II.** *m* **2.** Forellen-fischer *m bzw.* -händler *m*; *Reg. u. Am.* Forellenwasser *n*; **3.** *Am. Cent.* Krämer *m*.

trueco *m* → *trueque*.

trueno *m* Donner *m*; Knall *m*; *fig.* F Krach *m*, Streit *m*; ~ *gordo* Knalleffekt *m*; Knüller *m* F; Riesenskandal *m*.

trueque *m* **1.** Tausch *m*; Tauschhandel *m*; *a* ~ *de* gg. (*ac.*), für (*ac.*); **2.** *Col. mst.* **~s** *m/pl.* herausgegebenes Geld *n*.

trufa *f* Trüffel *f* (*Pilz*); *fig.* F Lüge *f*, Ente *f*; ♀ *falsa* ~ Kartoffelbovist *m*; **~dor** F *m* Lügner *m*, Schwindler *m*; **~r I.** *v/t.* mit Trüffeln füllen; **II.** *v/i. fig.* F flunkern, lügen, schwindeln.

tru|hán *m* Gauner *m*; **~hanería** *f* Gaunerei *f*; **~hanesco** *adj.* spitzbübisch.

truja *f* Olivenkammer *f in Ölmühlen*; **~l** *m* Ölpresse *f*.

trujamán † *m* Dolmetsch *m*, Dragoman *m*; Vermittler *m*.

trulla[1] *f* Lärm *m*, Getöse *n*; ⚒ Schwarm *m*.

trulla[2] *f* Kelle *f*.

trullo[1] *Vo. m* Krickente *f*.

trullo[2] *m Reg.* Kelter *f*.

trun|cado *adj.* verstümmelt; ⩓ *cono m* ~ Kegelstumpf *m*; **~camiento** *m* Verstümmelung *f*; **~car** [1g] *v/t.* abschneiden, kappen; verstümmeln; **~co** *adj.* ⚒ → *truncado*; *Am.* → *incompleto*.

trust ✝ *m* Trust *m*.

tse-tsé *f* (*a. mosca f* ~) Tsetsefliege *f*.

tú *pron. pers.* du; F ~ *y tu(s)* ... (*Vorwurf*): ¡~ *y tus quejas!* du u. d-e (ewigen) Beschwerden!

tu *pron. pos.* dein.

tuareg *Ethn. m/pl.* Tuareg *pl.* (*Stamm*).

tuáutem F *m* Hauptperson *f*; Hauptsache *f*.

tuatúa ♀ *f e-e Wolfsmilchstaude.*

tuba[1] ♪ *f* (Baß-)Tuba *f*.

tuba[2] *f Fil.* Palmwein *m*.

tuberculi|na ⚕ *f* Tuberkulin *n*; **~nizar** [1f] *v/t.* die Tuberkulinprobe machen an (*dat.*); **~zar** [1f] *v/t.* tuberkulisieren.

tubérculo *m* Höcker *m*, Vorsprung *m*; Knolle *f*; (*bsd.* Tuberkulose-) Knötchen *n*.

tuberculo|sis ⚕ *f* Tuberkulose *f*; ~ *pulmonal* Lungentuberkulose *f*; **~so** *adj.-su.* tuberkulös; *m* an Tuberkulose Erkrankte(r) *m*.

tubería *f* (Rohr-)Leitung *f*; ~ *a gran distancia* Rohrfernleitung *f*; ~ *de distribución* Verteiler(rohr)netz *n*; ~ *de entrada* (*de gas*) Zugangs-(Gas-)leitung *f*.

tuberosa ♀ *f* Tuberose *f*; ~ *blanca* (mexikanische) Nachtlilie *f*.

tubero|sidad ⚕ *f* Knolle *f*; Höcker *m*; *a.* Knollenbildung *f*, Geschwulst *f*; **~so** *adj.* knollenförmig; ♀ *planta f* **~a** Knollengewächs *n*.

tu|biforme *adj. c* röhrenförmig; **~bo** *m* **1.** *a.* ⚡, *TV*, *HF* Röhre *f*; Rohr *n*; *a. Opt.* Tubus *m*; ⊕ ~ *acodado* Knierohr *n*, Krümmer *m*; ~ *acústico* Hör- *bzw.* Schall-, Sprach-rohr *n*; *HF* ~ *amplificador* Verstärkerröhre *f*; ~ *aspirante* Saugrohr *n*; ~ *bajante* (*od. de bajada, de caída*) Fallrohr *n*; ~ *de derrame* Überlaufrohr *n*; *Anat.* ~ *digestivo* (*intestinal*) Verdauungs-(Darm-)kanal *m*; *TV* ~ *electrónico de imagen* Elektronenbildröhre *f*; *Opt.* ~ *de enfoque* Einstelltubus *m*; ~ *de escape Kfz.* Auspuff-, ⊕ Ablaß-rohr *n*; ♀ ~ *fecundante* Befruchtungsschlauch *m*; ~ (*flexible*) Schlauch *m*; ⚡ ~ *fluorescente* Leuchtstoffröhre *f*; ~ *de gas* Gasrohr *n*; Gasschlauch *m*; ~ *montando* (*od. de subida*) Steigrohr *n*; ~ *de Roentgen*, ~ *de rayos X* Röntgenröhre *f*; ~ *en T* T-Rohr *n*, Dreischenkelrohr *n*; *HF* ~ *de vacío* Vakuumröhre *f*; **2.** ⊕ *a.* (*nicht mot. u. Typ.*) Zylinder *m*; Stahlflasche *f*; ♪ Orgelpfeife *f*; **3.** Röhrchen *n*; Hülse *f*; Tube *f*; Lockenwickler *m*; ~ *capilar* Haarröhrchen *n*; ~ *de ensayo* Reagenzglas *n*; ~ *graduado* Meßbecher *m*; ~ *de papel* Papphülse *f*; **4.** ~ (*de cristal*, ~ *de lámpara*) Lampenzylinder *m*.

tubula|dura *f bsd. Am.* Rohrstutzen *m*; **~r** *adj. c* röhrenförmig.

tucán *Vo. m* Tukan *m*.

tudel ♪ *m* Röhrenende *n e-s Blasinstruments* (*zum Aufsetzen des Mundstücks*).

tudesco I. *adj.* altdeutsch, germanisch; *lit. u. desp.* deutsch; **II.** *m oft desp.* Germane *m*, Deutsche(r) *m*; *fig.* F *modales m/pl.* **~s** *mst. desp.* grobschlächtige Manieren *f/pl.*; *beber* (*comer*) *como un* ~ übermäßig trinken (essen).

tuerca ⊕ *f* (Schrauben-)Mutter *f*; ~ *mariposa* (*tapón, tensora*) Flügel-(Überwurf-, Spann-)mutter *f*; *fig. tiene una* ~ *floja* bei ihm ist e-e Schraube locker F.

tuerto I. *adj.* **1.** krumm, schief; *fig.* F *a* **~as** verkehrt; *a* ~ *o a derecho od. a* **~as** *o a derechas* (mit) Recht *od.* Unrecht; so oder so; **2.** einäugig; blind (*Fensterhälfte*); *a. fig.* F scheel (*fig.* F, *z. B. mangelhafte Autobeleuchtung*); ~ *del ojo derecho* auf dem rechten Auge blind; **II.** *m* **3.** Einäugige(r) *m*.

tueste *m* **1.** Rösten *n*; **2.** P → *twist*.

tuétano *m* (Knochen-)Mark *n*; *fig.* F *hasta los* **~s** bis aufs Mark; *enamorado hasta los* **~s** bis über beide Ohren verliebt.

tu|farada *f* durchdringender Geruch *m*; **~fillas** F *m* (*pl. inv.*) leicht aufbrausender Mensch *m*; **~fillo** F *m* Gerüchlein *n*; **~fo**[1] *m* Ausdünstung *f*; scharfer Geruch *m*; Mief *m* F; ~ (*de carbón*) Kohlendunst *m*; ⚒ Kohlengas *n*; *fig.* F *oft* **~s** *m/pl.* Dünkel *m*; *tener muchos* **~s** s. Gott weiß was einbilden.

tufo[2] *m* Schläfenlocke *f*; Haarbüschel *n*.

tufo[3] *Min. m* Tuff(stein) *m*.

tugurio *m* (Schäfer-)Hütte *f*; *fig.* ärmliche Behausung *f*; *desp.* Loch *n*; Kaschemme *f*.

tul *tex. m* Tüll *m*; ~ *ilusión* feinster Tüll *m*.

tula *arauk. f Chi.* weißer Reiher *m*.

tuli|pán ♀ *m* Tulpe *f*; **~p(an)ero** ♀ *m* Tulpenbaum *m*.

tullido I. *adj.* gelähmt; lahm; *quedó* ~ *de un brazo* ein Arm blieb steif; **II.** *m* Gelähmte(r) *m*; Krüppel *m*.

tullidura *Jgdw. f* Losung *f der Raubvögel.*

tulli|miento *m* Gliederlähmung *f*; **~r** [3h] **I.** *v/t.* lähmen; zum Krüppel schlagen; **II.** *v/r.* **~se** lahm werden.

tumba *f* **1.** Grab(stätte *f*) *n*; Grabmal *n*; *kath.* Tumba *f* (*Katafalk*); *a.* „Heiliges Grab" *n* (*an Karfreitagen u. Karsamstagen*); *fig. mudo como una* ~ stumm wie ein Grab; *reposo m de la* ~ Grabesruhe *f*; **2.** rundes Verdeck *n* (*Pferdewagen*); **3.** Purzelbaum *m*; **4.** *Ant.* Rodung *f*; **5.** *Arg.* Armeleuteessen *n* (*schlecht zubereitetes Fleisch u. ä.*).

tumbacuartillos F *m* (*pl. inv.*) Zechbruder *m*, Trunkenbold *m*.

tumbaga *f* Tombak *m* (*Schmucklegierung*).

tum|bar I. *v/t.* **1.** umwerfen; zu Boden werfen; niederstrecken; ⚓ *Schiff* kielholen; *Ant. Bäume* fällen; **2.** P *Frau* verführen, umlegen P; **II.** *v/i.* **3.** hinpurzeln; **III.** *v/r.* **~se 4.** s. (nieder)fallen lassen; s. hinlegen; **5.** *fig.* nachlassen *in der Arbeit*; nicht mehr weitermachen (*b. e-r Arbeit*); **~bavasos** P *m* Säufer *m* P; **~billa** *f* Bettwärmer *m*; **~bo** *m* Fall *m*; Taumeln *n*; *dar un* ~ taumeln; hinfallen; **~bón**[1] *m* Kasten *m*, Truhe *f mit gewölbtem Dekkel*; **~bón**[2] *adj.* verschmitzt; hinterhältig; faul; **~bona** F *f* Lotterbett *n*.

tume|facción ⚕ *f* Schwellung *f*; **~facer** [2s] ⚕ *v/t.* anschwellen lassen; **~facto** *adj.* geschwollen.

tumescen|cia *f* (An-)Schwellung *f*; **~te** *adj. c* (an)schwellend.

túmido *adj.* geschwollen; *fig.* schwülstig; ⩓ *arco m* ~ Schwellbogen *m*.

tumor ⚕ *m* Geschwulst *f*, Tumor *m*; ~ *blanco* Gelenkabszeß *m*.

tumulario *adj.* Grab..., Grabhügel-...; *piedra f* **~a** Grabstein *m*.

túmulo *m* Grabhügel *m*; Grabmal *n*; Katafalk *m b. Trauerfeiern.*

tumul|to *m* Aufruhr *m*, Tumult *m*; Krawall *m*; Getümmel *n*; **~tuario, ~tuoso** *adj.* tumultuarisch; aufrührerisch; stürmisch; geräuschvoll, lärmend.

tun *Folk. m Guat.* Holztrommel *f*.

tuna[1] *f* **1.** Faulenzerleben *n*; *correr la* ~ ein Lotterleben führen; **2.** *Span.* Studentenkapelle *f in historischer Tracht.*

tuna[2] ♀ *f* Feigenkaktus *m*; Kaktus-, Opuntien-feige *f*; **~l** *m* ♀ Feigenkaktus *m*; mit Opuntien bestandenes Gelände *n*.

tunan|tada *f* Gaunerei *f*; **~te I.** *adj. c* spitzbübisch; Gauner...; **II.** *m* Ganove *m*; Gauner *m*; Faulenzer *m*; **~tear** *v/i.* faulenzen; ein Lotter-

leben führen; **~tesco** *adj.* Faulenzer...; Gauner...
tunar *v/i.* faulenzen; herumzigeunern.
tunda *f* **1.** *tex.* Schur *f*, Scherung *f*; **2.** *fig.* F Tracht *f* Prügel.
tundi|do *tex. m* Scheren *n*; **~dor** *m* Tuchscherer *m*; **~dora** *f tex.* Schermaschine *f*; *p. ext.* Rasenmäher *m*; **~r** *v/t. Tuch* scheren; *Rasen* schneiden; *fig.* F verprügeln.
tundra *Geogr. f* Tundra *f*.
tunduque *Zo. m Chi., Rpl.* gr. Andenmaus *f*.
tunear *v/i.* umherstrolchen, gammeln.
tune|cí, ~cino *adj.-su.* tunesisch; *m* Tunesier *m*.
túnel *m* Tunnel *m*; ⊕ ~ *aerodinámico* (*de prueba*) Windkanal *m*; ~ *de carretera* Straßentunnel *m*; ~ *ferroviario* Eisenbahntunnel *m*.
tunero *m Am.* Kaktusfeigenverkäufer *m*.
tungsteno *Min. m* Wolfram *n*.
túnica *f* Tunika *f*; Leibrock *m*; *Biol.* Häutchen *n*; ⚘ ~ *de Cristo Art* Stechapfel *m*.
tuni|cados *Zo. m/pl.* Manteltiere *n/pl.*; **~cela** *kath. f* Tunizella *f*.
tuno[1] ⚘ *m Col., Cu.* Feigenkaktus *m*.
tuno[2] **I.** *adj.* **1.** → *tunante*; **II.** *m* **2.** Spitzbube *m*; **3.** *burl.* Mitglied *n* e-r *tuna*.
tuntún: *al* (*buen*) ~ aufs Geratewohl, ins Blaue hinein.
tupé *m* Stirnlocke *f*; Schopf *m*; Toupet *n*; *fig.* F Frechheit *f*.
tu|pí, ~pi *Ethn. adj.-su. c* Tupi...; *m* Tupiindianer *m*; *Li. m* Tupi (-sprache *f*) *n*.
tupi|ción *f Am.* **1.** Dickicht *n*; **2.** Menge *f*; **~do** *adj.* dicht (*Haar, Laub, Gewebe*); engmaschig; *fig.* stumpf (*Verstand, Sinne*); **~r I.** *v/t.* zs.-pressen; **II.** *v/r.* **~se** sich übersättigen; sich volltrinken; *fig. a.* abstumpfen (*Verstand, Sinne*); *Am. Reg. a.* verlegen werden.
turba[1] *f* Torf *m*; Torfdüngermischung *f*; *extracción f de* ~ Torfstich *m*.
turba[2] *f* Haufen *m*, Menge *f*; Schwarm *m*; *desp.* Pöbel *m*.
turba|ción *f* Aufregung *f*; Beunruhigung *f*, Störung *f*; Unruhe *f*, Bestürzung *f*; **~dor I.** *adj.* aufregend; beunruhigend; **II.** *m* Störer *m*, Störenfried *m*.
turbal *m* Torfmoor *n*.
turbamulta *f* Gewühl *n*, Gedränge *n*; Menge *f*, Menschenmassen *f/pl.*
turbante *m* Turban *m*; ⚘ ~ *de moro* Turbankürbis *m*.
turba|r I. *v/t.* **1.** *Ablauf, Arbeit, Ordnung, Ruhe* stören; *Wasser* trüben; **2.** in Unruhe (*od.* in Aufregung) versetzen; bestürzen; **II.** *v/r.* **~se 3.** in Aufregung (*bzw.* Verlegenheit) geraten; bestürzt werden; **~tivo** *adj.* beunruhigend.
turbera *f* Torfmoor *n*; Torfgrube *f*, Torfstich *m*.
turbina ⊕ *f* Turbine *f*; ~ *de gas* (*de vapor*) Gas- (Dampf-)turbine *f*; ~ *hidráulica* Wasserturbine *f*.
turbinto ⚘ *m Am.* falscher Pfefferbaum *m*.
turbi|o *adj.* trüb; unklar, verworren; getrübt, schwach (*Sehkraft*); *fig.* unsauber, schmutzig (*Geschäft usw.*); **~ón** *m* Regenguß *m*; Staubwirbel *m*; *fig.* Hagel *m* (*fig.*).
turbo|batidor *m* Mixer *m*; **~bomba** *f* Turbopumpe *f*; **~generador** *m* Turbogenerator *m*, Generatorturbine *f*; **~motorizado** *adj.* turboangetrieben.
turbonada *f* Regen-bö *f*, -sturm *m*.
turbo|propulsión *f* Turboantrieb *m*; **~propulsor** *m* Propellerturbine *f*; ✈ Turbomaschine *f*; **~rreactor** *m* Strahl-turbine *f*, -triebwerk *n*.
turbulen|cia *f* **1.** Aufregung *f*; Verwirrung *f*; **2.** ⊕ Wirbelung *f*; **3.** Ungestüm *n*; Ausgelassenheit *f*, Mutwille *m* (*z. B. der Kinder*); **~to** *adj. a.* ⊕ wirbelnd (*Strömung*); aufgeregt; turbulent, wildbewegt, wild; ausgelassen.
tur|ca *f* Türkin *f*; *fig.* F Schwips *m*; *coger una* ~ s. beschwipsen; **~co I.** *adj.* **1.** türkisch; F *Am. p. ext. aus dem Bereich des ehm. Osmanischen Reiches stammend, also* syrisch, arabisch *usw.*; **II.** *m* **2.** Türke *m*; F *Am. p. ext.* Syrer *m*, Araber *m*, Levantiner *m usw.*; *Rpl. oft* Händler *m*, Krämer *m*; **3.** *Li. das* Türkische; **4.** *hist. Gran* ♀ Großtürke *m*; *fig.* F *cabeza f de* ~ Opfer *n*, Prügelknabe *m* F; **~cople** *c* Mischling *m* (*türkischer Vater u. griechische Mutter*).
túrdiga *f* Lederriemen *m*; *Am.* Fetzen *m*, Streifen *m*; *fig.* F *sacar a* **~s** *el pellejo de alg.* aus j-s Fell Riemen schneiden (*fig.* P).
turgen|cia *f* ⚕ Anschwellung *f*, Blutreichtum *m*; *p. ext.* Geschwulst *f*; Schwellung *f*, Wölbung *f*; *fig.* Schwulst *m* (*lit.*); **~te** *adj. c* schwellend, strotzend; *p. ext.* (hoch)gewölbt; *fig.* geschwollen (*Stil*).
túrgido *adj.* geschwollen; schwülstig.
tu|rismo *m* **1.** Fremdenverkehr *m*; Touristik *f*; *oficina f de* ~ Fremdenverkehrsamt *n*; *fomento m local del* ~ Verkehrsverein *m*; **2.** *Kfz.* Personenwagen *m*, *Abk.* Pkw. *m*; **~rista** *c* Ausflügler(in *f*) *m*; Tourist(in *f*) *m*; **~rístico** *adj.* touristisch; Fremdenverkehrs...
turma *f* **1.** ⚘ Trüffel *f*; ~ *de ciervo* Hirsch-trüffel *f*, -brunst *f*; **2.** → *testículo*.
turmalina *Min. f* Turmalin *m*.
tur|nar I. *v/i.* abwechseln; **II.** *v/r.* **~se** s. ablösen; **~no** *m* **1.** Reihe(nfolge) *f*; Ordnung *f*; *es su* ~ *od. le toca el* ~ Sie sind an der Reihe; **2.** Ablösung *f im Dienst*; Schicht *f*; *de un solo* ~ Einschicht...; *por* ~(s) schichtweise; abwechselnd; ~ *de día* (*de noche*) Tag- (Nacht-)schicht *f*; *estar de* ~ Dienst haben, an der Reihe sein; *de* ~ dienstbereit (*Apotheke usw.*).
turón *Zo. m* Iltis *m*.
turpial *Vo. m Am.* „Gilbvogel" *m* (*versch. drossel- u. starartige Vögel*).
tur|quesa *f* Türkis *m*; **~quí** *adj. c*, **~quino** *adj.* türkisblau.
tu|rrón *m* „Turron" *m*, *Süßigkeit, in Span. beliebtes Weihnachtsgeschenk*; *reg. v. sehr verschiedener Zs.-setzung*; *fig.* F Versorgung *f*, Anstellung *f in e-m Amt*; **~rronería** *f* Turronhandlung *f*; **~rronero** *m* Turronhändler *m*.
turulato F *adj.* verblüfft, baff; dumm; *quedar* ~ sprachlos sein.
turullo *m* Hirtenhorn *n*.
tururú *m Kart.* Dreiertrumpf *m* (*drei Karten e-r Farbe*); *iron.* F *a.* ¡~! Quatsch!
¡tus! *int.* hierher! (*zum Hund*); F *sin decir* ~ *ni mus* ohne e-n Mucks zu sagen.
tusa[1] *f* Hündin *f*.
tu|sa[2] *f* **1.** *Am. Mer., P. Ri. entkörnter* Maiskolben *m*; **2.** *Am. Cent., Cu.* Maishülse *f*; *fig.* F leichtfertiges Mädchen *n*, Dirne *f*; **3.** *Col.* Pockennarbe *f*; *fig.* F täppische Person *f*, Taps *m* F; **4.** *Chi.* Mähnenhaar *n* (*Pferd*); Pfl.-haare *n/pl.* (*bsd. b. Maiskolben*); **5.** *Cu.* Maisstrohzigarette *f*; *fig.* F *Ec.* Kummer *m*; **~sar** *v/t. Am. Haar der Tiere* stutzen, glätten; *fig.* F *Haar* schlecht schneiden *b. Menschen*; *Guat.* durchhecheln (*fig.* F).
tusilago ⚘ *m* Huflattich *m*; ~ *mayor* Roßpappel *f*.
tuso[1] F *m* Hund *m*, Köter *m* F; ¡~! *int. um Hunde zu locken od. zu scheuchen.*
tuso[2] *adj.* **1.** *Ast., Ant.* stummelschwänzig; **2.** *Col.* pockennarbig.
tute *m Art* Kartenspiel *n*; *fig.* F Arbeit *f*; Mühe *f*, Sorge *f*; *fig.* P *a.* unangenehme Situation *f*; Tracht *f* Prügel; *fig.* F *darse un* ~ s. (für e-e Weile) abrackern.
tutear *v/t.* duzen.
tute|la *f* Vormundschaft *f*; Bevormundung *f*; *Pol.* Treuhandschaft *f*; *fig.* Schutz *m*; *Pol. Consejo m de* ♀ Treuhänderrat *m*; *tribunal m de* **~s** Vormundschaftsgericht *n*; *poner bajo* ~ entmündigen; *sometido a* ~ entmündigt; **~lar** *adj. c* Vormundschafts...; Schutz...; *Pol.* Treuhänder...; ⚖ *juez m* ~ Vormundschaftsrichter *m*; *Rel. santo m* ~ Schutzheilige(r) *m*.
tuteo *m* Duzen *n*.
tutía *f* **1.** *pharm.* (*hist.*) Zinkoxydpräparat *n* (*Augensalbe*); **2.** *fig.* F *no hay* ~ dagegen ist kein Kraut gewachsen.
tutiplén F: *a* ~ vollauf.
tu|tor *m* ⚖ Vormund *m*; ⚒ Stützpfahl *m für Pfl.*; **~toría** *f* Vormundschaft *f*.
tutú *m Arg. ein Raubvogel.*
tutumo ⚘ *m Am.* Kalebassenbaum *m*.
tuturuto F **I.** *Am. adj.* **1.** beschwipst; **2.** → *turulato*; **II.** *m* **3.** *Chi.* Kuppler *m*.
tuturutú *onom. m* Tätärätä *n*.
tuve → *tener*.
tuya ⚘ *f* Lebensbaum *m*, Thuja *f*.
tuyo, tuya *pron. pos.* dein(e); *lo* ~ das deine; das Dein(ig)e.
tuza *Zo. f Am. Art* Erdratte *f* (*Geomys mexicanus*); *Méj.* ~ *real* → *agutí*.
twist ♪ *m* Twist *m* (*Tanz*).
tychismo *Phil. m* Tychismus *m*.
tzompantli *Na. Rel. hist. m* Schädelgerüst *n auf den Tempelpyramiden.*

U

U, u *f* U, u *n*.
u *cj.* (*vor e-m mit o od. ho beginnenden Wort* = o) oder; *siete* ~ *ocho* 7 od. 8.
ubajay ⚘ *m Rpl. Baum, Myrtengewächs u. s-e quittenförmige Frucht* (*Eugenia edulis*).
ubérrimo *adj. sup.* sehr fruchtbar; überreich (an Ertrag).
ubi|cación *f* **1.** Anwesenheit *f*; **2.** Δ Lageplan *m*, Grundriß *m*; **3.** *Am.* Lage *f*; Örtlichkeit *f*; Standort *m*; **4.** *Am.* Unterbringung *f*; *oficina de* ~ Wohnungsamt *n*; **5.** *Am.* Lokalisierung *f*; **~cado** *part. Am.*: *estar* ~ liegen, gelegen sein; **~car** [1g] *Am.*, *bsd. Arg.*, *Chi.* **I.** *v/t.* **1.** unterbringen; aufstellen; *Kfz.* parken; **2.** lokalisieren, ausfindig machen; **II.** *v/i.* **3.** ✎ → **III.** *v/r.* **~se 4.** s. (auf)stellen; s. befinden; **~cuidad** *Rel. u. fig. f* Allgegenwart *f*; **~cuo** *adj.* allgegenwärtig.
ubre *f* Euter *n*.
ucase *hist. u. fig. m* Ukas *m*.
ucrani(an)o *adj.-su.* ukrainisch; *m* Ukrainer *m*.
uchu|va ⚘ *f Col. Frucht des* **~vo** ⚘ *m* Ananaskirsche *f*.
¡uf! *int.* ach!, puh!, uff! (*Müdigkeit, Unwillen*).
ufa|narse *v/r.* stolz werden; ~ *de* (*bzw. con*) s. brüsten mit (*dat.*), s. rühmen (*gen.*); **~nía** *f* Aufgeblasenheit *f*; Selbstgefälligkeit *f*; **~no** *adj.* **1.** hochmütig; selbstgefällig; **2.** stolz, zufrieden.
ufo ✎ F: *a* ~ ungerufen, ungebeten.
ugrio *adj.-su.* ugrisch; *m* Ugrier *m*.
ugrofinés *adj. bsd. Li.* finnisch-ugrisch.
ujar *v/t.* hassen, verabscheuen.
ujier *m* Saaldiener *m*; Gerichts-, Amts-diener *m*.
ukás *od.* **ukase** *m* → *ucase*.
ulano ⚔ *hist. m* Ulan *m*.
úlcera ⚕ *f* Geschwür *n*; ~ *del estómago* Magengeschwür *n*.
ulce|ración *f* Geschwürsbildung *f*, Schwären *n*; **~rado** *adj.* schwärig; **~rar I.** *v/t.* zur Geschwürsbildung führen; *fig.* sehr treffen, tief verletzen (*fig.*); **II.** *v/r.* **~se** schwären, ulzerieren; **~roso** *adj.* schwärend.
ulema *m* Ulema *m*, *islamischer Rechts- u. Gottesgelehrte(r)*.
uliginoso *adj.* sehr feucht, sumpfig; ⚘ Sumpf... [*n/pl.*]
ulmáceas ⚘ *f/pl.* Ulmengewächse
ulpo *m Chi.*, *Pe. Getränk aus geröstetem Mehl mit Wasser* (*u. Zucker*).
ulterior *adj. c* **1.** jenseitig; Hinter...; **2.** weitergehend; weiter, ferner; später; *desarrollo m* ~ Weiterentwicklung *f*; *medidas f/pl.* **~es** weitere Maßnahmen *f/pl.*; **~mente** *adv.* **1.** ferner; außerdem; **2.** später; nachträglich.
ultílogo *lit. m* Nachwort *n* (*Buch*).
ulti|mación *f* Beendigung *f*; Abschluß *m*; **~mar** *v/t.* beenden, abschließen; vollenden; zum Abschluß bringen; **~mátum** *m* Ultimatum *n*; **~midad** *f* Letztlichkeit *f*; Zuletztsein *n*.
último *adj.* letzte(r, -s); **~a** *capa f* letzte Schicht *f*; letzter Anstrich *m*, Deckanstrich *m*; ~ *fin m* letztes Ziel *n*, Endziel *n*; ✝ *lo* ~ *de la temporada* die letzte Neuheit (der Saison); *el* ~ *de* (*od. entre*) *todos* der allerletzte; *a* **~a** *hora od. en el* ~ *momento* in letzter Minute, (ganz) zuletzt; *a* (*la*) **~a** *moda od.* F *a la* **~a** nach der neuesten Mode; *a* **~s** *de octubre* Ende Oktober; *con* **~a** *precisión* mit allergrößter Genauigkeit; *en* ~ *término od. en* ~ *lugar* zuletzt; letzten Endes; *por* ~ zuletzt; schließlich, endlich; *por* ~ *recurso* als letztes Mittel; zu guter Letzt; *está a lo* ~ er ist am Ende; *fig.* F *está en las diez de* **~s** mit ihm ist es (bei) Matthäi am letzten; *está en las* **~as** (*od. en* [*od. a*] *los* **~s**) er liegt in den letzten Zügen; *fig.* F er ist abgebrannt (*fig.* F); *Kart. hacer las diez de* **~s** die zehn Punkte beim letzten Stich gewinnen (*b. einigen Spielen*); *fig.* F sein gestecktes Ziel nicht erreichen; *llegamos los* **~s** wir kamen zuletzt an; F *es lo* ~ das ist das Letzte F.
ultra...[1] *in Zssgn.* ultra..., Ultra...; Über...; äußerst; jenseits (liegend).
ultra[2] **I.** *adv.* außerdem; **II.** *prp.* außer (*dat.*), nebst (*dat.*); **III.** *m neol. bsd. Pol.* Extreme(r) *m*, Extremist *m*, *a.* Ultra *m*.
ultra|centrífuga *Phys.*, ⊕ *f* Ultrazentrifuge *f*; **~filtro** *m* Ultrafilter *n*; **~forzado** ⊕ *adj.* höchstbeansprucht; **~ísmo** *Lit. m lit. Erneuerungsbewegung im span. Sprachraum* (*1919 aufbrechend*); **~ísta** *c* Anhänger *m* des *ultraísmo*.
ultra|jador I. *adj.* beleidigend; **II.** *m* Beleidiger *m*; Schänder *m*; **~jante** *adj. c* beleidigend; schändend; **~jar** *v/t.* beleidigen; schänden; beschimpfen, schmähen; **~je** *m* Beleidigung *f*, Schimpf *m*; Ehrenkränkung *f*; Schmach *f*, Schande *f*.
ultra|mar *m* Übersee *f*; *de* ~ überseeisch; **~marino I.** *adj.* überseeisch; **II.** **~s** *m/pl.* Kolonialwaren *f/pl.*; **~microscopio** *m* Ultramikroskop *n*; **~moderno** *adj.* hochmodern; **~montano I.** *adj.* **1.** jenseits der Berge wohnend; **2.** *Pol.* ultramontan; **II.** *m* **3.** *Pol.* Ultramontane(r) *m*; *fig.* Erzkonservative(r) *m*; **~mundano** *adj.* überweltlich. [Tod; *fig.* aufs äußerste.]
ultranza: *adv. a* ~ auf Leben u.
ultra|pesado ⊕, ⚔ *adj.* überschwer; **~pirenaico** *adj.* jenseits der Pyrenäen (gelegen); **~puertos** *m* (*pl. inv.*) Gebiet *n* jenseits e-s Gebirgspasses; **~rradiación** *Phys. f* Ultrastrahlung *f*; **~rrápido** *adj.* überschnell; äußerst schnell; **~rrojo** *Phys. adj.* ultrarot; **~sensible** *adj. c* überempfindlich; höchstempfindlich; **~sónico** *Phys. adj.* Überschall...; **~sonido** *Phys. m* Ultraschall *m*; **~tumba** *f* jenseits des Grabes, Jenseits *n*; **~violeta** *adj. c* ultraviolett; **~virus** *Biol. m* Ultravirus *n*.
ulula|r *v/i.* heulen; johlen; schreien; **~to** *m* Geheul *n*; Gejohle *n*; Geschrei *n*.
umbe|la ⚘ *f* Dolde *f*; **~líferas** ⚘ *f/pl.* Doldengewächse *n/pl.*
umbili|cado *adj.* nabelförmig; **~cal** *adj. c* Nabel...; *Anat. cordón m* ~ Nabelschnur *f*.
umbráculo *m* Sonnenschutzmatte *f* (*Flechtwerk od. Zweige*); luftdurchlässiges Sonnendach *n*.
umbral *m* **1.** Türschwelle *f*; *pisar el* ~ über die Schwelle treten; **2.** *fig.* Schwelle *f*; *Physiol.* ~ *de excitación* Reizschwelle *f*; *a. Psych. valor m* ~ Schwellenwert *m*; *estar en los* **~es** *de la juventud* am Beginn der Jugendzeit stehen.
um|brático *adj.* schattenspendend; **~bría** *f* Schattenseite *f im Gelände*; Nordhang *m*; **~brío** *adj.* schattig; dunkel; **~broso** *adj.* schattig.
un, una *unbestimmter Artikel*: ein, eine; *vgl.* *uno*.
un|ánime *adj. c* einmütig; einstimmig; **~ánimemente** *adv.* einstimmig; **~animidad** *f* Einmütigkeit *f*; Einstimmigkeit *f*; Einhelligkeit *f*; *por* ~ einstimmig.
unau *Zo. m Pe. Art* Faultier *n*.
uncial *adj.*: (*letras*) **~es** *f/pl.* Unzialschrift *f*.
unción *f* **1.** ⚕ Einsalbung *f*; Einreibung *f*; → *untura*; **2.** *ecl.* Salbung *f*; **3.** *fig.* Salbung *f*; Andacht *f*, Inbrunst *f*; *con* ~ salbungsvoll; inbrünstig.
uncir [3b] *v/t.* ins Joch spannen.
undé|cimo *adj.* elfte(r, -s); **~a** *parte f* Elftel *n*; **~cuplo** *adj.* elffach.
un|dísono *poet. adj.* rauschend; wogend; plätschernd; **~doso** *adj.* voller Wellen; **~dulación, ~dular,** *etc.* → *ondulación, ondular, etc.*

un|gido *part.*: *bibl.* el ♀ *del Señor* der Gesalbte des Herrn; **~gimiento** *m* Salben *n*; Einsalbung *f*; **~gir** [3c] *v/t.* salben; *ecl.* ~ *a un enfermo* e-e Krankenölung vornehmen; **~güento** *m* **1.** Salbe *f*; *pharm.* ~ *amarillo* (*bórico*) Königs- (Bor-)salbe *f*; **2.** *fig.* Balsam *m*, Linderung *f*.

unguis ⚕ *m* Nagelbein *n*.

ungula|do I. *adj.* hufig; **II.** *Zo.* **~s** *m/pl.* Huftiere *n/pl.*; **~r** *Anat. adj. c* Nagel...

uni... *in Zssgn.* Ein..., ein..., 📖 [uni..., Uni...]

uniato *Rel.* **I.** *adj.* uniert; *griego* ~ griechisch-uniert; **II.** *m* Unierte(r) *m*.

uni|celular *Biol.* **I.** *adj. c* einzellig; **II.** *m* Einzeller *m*; **~cidad** *f* Einzigkeit *f*.

único *adj.* **1.** einzig; einzigartig; *fig.* einmalig; **2.** Einheits...; *Kchk. plato m* ~ Eintopf *m*.

uni|color *adj. c* einfarbig; **~cornio** *Myth. m* Einhorn *n*.

unidad *f* **1.** *a.* ⊕, ⚔, *pharm.* Einheit *f*; ~ *monetaria* Währungseinheit *f*; ⊕ ~ *normalizada* genormte Baugruppe *f*; *Phys.* ~ *de tiempo* Zeiteinheit *f*; **2.** A Einer *m*; Einheit *f*.

uni|direccional *HF*, ⊕ *adj. c* einseitig (*Richtung*); **~do** *adj.* verbunden; *HF* gekoppelt; **~(fica)ble** *adj. c* vereinigungsfähig; was vereinheitlicht werden kann.

unifi|cación *f* **1.** Vereinheitlichung *f*; **2.** Vereinigung *f*, Zs.-schluß *m*; **3.** Einigung *f*; **~cador I.** *adj.* vereinheitlichend; vereinigend; **II.** *m* Einiger *m*; **~car** [1g] **I.** *v/t.* **1.** vereinen; **2.** vereinheitlichen; **II.** *v/r.* **~se 3.** s. zs.-schließen.

unifor|mador *adj.* einförmig (*bzw.* gleichmäßig) machend; **~mar** *v/t.* **1.** einheitlich gestalten; gleichförmig machen; **2.** vereinheitlichen; **3.** einheitlich kleiden; in e-e Uniform stecken, uniformieren; **~me I.** *adj. c* **1.** gleichförmig; gleichmäßig; **2.** einförmig; **3.** einheitlich; Einheits...; **II. 4.** *m bsd.* ⚔ Uniform *f*; Schwesterntracht *f*; Schultracht *f*; *de* ~ uniformiert; ~ *de gala* (*od. de etiqueta*) Gala-, Parade-uniform *f*; ~ *de trabajo* Arbeits-anzug *m*, -zeug *n*; **~memente** *adv.* gleichförmig; **~midad** *f* **1.** Einförmigkeit *f*; **2.** Gleichförmigkeit *f*; Gleichmäßigkeit *f*.

uni|génito *adj.* einzig (*Kind*); *bibl.* eingeboren; **~lateral** *adj. c a.* ⚖ einseitig; **~lateralidad** *f* Einseitigkeit *f*; *fig.* → *parcialidad*.

uni|ón *f* **1.** Vereinigung *f*; Verbindung *f*; *fig.* ~ *conyugal* eheliche Verbindung *f*, Ehebund *m*; Heirat *f*; *lazo m de* ~ Band *n* (*fig.*); **2.** Einigkeit *f*; Einheit *f*; **3.** Verein *m*, Bund *m*, Union *f* (*bsd. Pol.*); ~ *aduanera* Zollunion *f*; ~ *de Estados* Staatenunion *f*, Staatenstaat *m*; ♀ *Francesa* Französische Union *f* (*bis 1958*); ♀ *Patriótica span. Staatspartei unter Primo de Rivera*; ~ *personal* Personalunion *f*; ~ *real* Realunion *f*; ♀ *de Europa Occidental*, *Abk. UEO* Westeuropäische Union *f*, *Abk.* WEU; ♀ *Internacional de Estudiantes*, *Abk. UIE* Internationaler Studentenbund *m*, *Abk.* ISB; ♀ *Internacional de Socorro*, *Abk. UIS* Welthilfsverband *m*; ♀ *Postal Universal* Weltpostverein *m*; *hist. La* ~ *protestante y la Liga católica* Union *f* u. Liga *f* (*1608/09*); **4.** *bsd.* ⊕, *Zim.* Verbindung *f*; (Ver-)Laschung *f*; Stoß *m*; ~ *en ángulo* Winkelverbindung *f*; ⚗ ~ *atómica* Atomverband *m*; ~ *atornillada* Verschraubung *f*; ⚡ ~ *de cables* (*de tubos*) Kabel- (Rohr-)verbindung *f*; *Zim.* ~ *a caja y espiga* einfacher Zapfen *m*; 🚂 ~ *de carriles* Schienenstoß *m*; ⚡ ~ *de fases* Phasenverkettung *f*; ~ *remachada* Vernietung *f*; ~ *por soldadura* Verschweißung *f*; ~ *a tope* stumpfer Stoß *m*; **~onista** *Pol. m* Unionist *m*.

unípede *adj. c* einfüßig.

uni|personal *adj. c* aus einer Person bestehend; ⚖ *juez m* ~ Einzelrichter *m*; **~polar** *adj. c* einpolig; **~polaridad** *f* Einpoligkeit *f*.

unir I. *v/t.* (ver)einigen; verbinden; zs.-fügen; zs.-fassen; ~ *por tornillos* (*por clavijas*) ver-schrauben (-stiften); **II.** *v/r.* **~se** s. vereinigen; **~se** *a alg.* s. j-m anschließen; **~se** *en matrimonio* s. ehelich verbinden.

uni|sexual *Biol. adj. c* eingeschlechtig; **~són I.** *adj.* → *unísono*; **II.** *m* ♪ einstimmiges Stück *n*; **~sonancia** *f* ♪ Einstimmigkeit *f*; ♪ *u. fig.* Einklang *m*.

unísono ♪ *adj.* gleichstimmig; einstimmig; *fig.* eintönig; *a. fig. al* ~ einstimmig, unisono.

unita|rio *bsd. Rel. u. Pol.* **I.** *adj.* einheitlich, Einheits...; **II.** *m* Unitarier *m*; **~rismo** *Rel.*, *Pol.*, ⚕ *m* Unitarismus *m*.

unitivo *adj.* (ver)einigend; verbindend; *Myst. vía f* **~a** Weg *m* der Einung.

uni|valente ⚗ *adj. c* einwertig; **~valvo** *Biol. adj.* einschalig (*Molluske*).

universa|l *adj. c* **1.** allgemein; universal; *Phil. la discusión de los* **~es** der Universalienstreit; *principio m* ~ allgemeingültiger Grundsatz *m*, *a.* ⚖ Universalprinzip *n*; **2.** vielseitig; (all)umfassend; *erudición f* ~ umfassende Gelehrsamkeit *f*; *genio m* ~ allumfassender Geist *m*; Alleskönner *m*; Universalgenie *n*; *hombre m* ~ vielseitiger (*od.* vielseitig begabter) Mann *m*; **3.** weltumfassend, Welt...; universell; *Historia f* ~ Weltgeschichte *f*; *iglesia f* ~ weltumfassende Kirche *f*, Weltkirche *f*; *renombre m* ~ Weltruhm *m*, weltweiter Ruhm *m*; **4.** ⊕ vielseitig verwendbar; Mehrzweck...; Universal...; universell; *máquina f* ~ Mehrzweckmaschine *f*; *motor m* ~ Universalmotor *m*; **~lidad** *f* **1.** Allgemeinheit *f*; Unbeschränktheit *f*; allumfassende Geltung *f*; **2.** Vielseitigkeit *f*; **3.** Universalität *f*; **~lismo** 📖 *m* Universalismus *m*; **~lista** *c* Universalist *m*; **~lizar** [1f] *v/t.* weiteste Verbreitung geben (*dat.*); aufs stärkste verallgemeinern.

universi|dad *f* Universität *f*; Hochschule *f*; *la* ♀ *Central* die Universität Madrid; ~ *comercial* Handelshochschule *f*; *Span.* ~ *laboral* Fachhochschule *f*; ~ *popular* Volkshochschule *f*; ~ *técnica* Technische Hochschule *f*; *estudiante c de* ~ Student(in *f*) *m*, Hochschüler(in *f*) *m*; *la* ♀ *de verano Ferienkurse für Ausländer*; **~tario I.** *adj.* Universitäts-...; *autonomía f* **~a** Universitätsautonomie *f*; *grado m* ~ akademischer Grad *m*; *profesor m* ~ Universitätsdozent *m*; **II.** *m* Akademiker *m*; Universitätsangehörige(r) *m*.

universo I. *adj.* **1.** Welt...; Gesamt-...; **II.** *m* **2.** Weltall *n*; Universum *n*; *fig. sus estudios eran su* ~ s-e Studien waren s-e Welt; **3.** *Statistik*: Grundgesamtheit *f*.

univitelino *Biol. adj.* eineiig (*Zwillinge*).

univoca|ción *Phil. f* Eindeutigkeit *f*; *Gram.* Gleichnamigkeit *f*; **~rse** [1g] *v/r.* eindeutig sein; gleichbedeutend sein.

unívoco *adj.* **1.** *Phil.* eindeutig; einnamig; univok; **2.** *Gram.* gleichlautend; **3.** ♪ gleichnamig.

¡unjú! *int. Am.* soll das wahr sein?; P ja, ja!; hm!; meinst du?

uno I. *pron.* ~, **~a** eine(r, -s); jemand; man; ein u. derselbe; *a una* gemeinsam; gleichzeitig; *cada* ~ jeder(mann); *de una vez od. emphatisch* F *de una* auf einmal; ein für allemal; gleich; *hasta la una* bis um eins (*Uhrzeit*); *ir a una* gemeinsam handeln; *tres en* ~ dreieinig; (*todo*) *es* ~ es ist ganz einerlei; F *¡váyase lo* ~ *por lo otro!* damit sind wir quitt!; ~ *a* ~ e-r nach dem andern, der Reihe nach; **~(s)** *con otro(s)* mitea.; eins ins andere gerechnet; durchschnittlich; **~s** (*cuantos*) einige (wenige), ein paar; ~ *de mis amigos* e-r meiner Freunde, ein Freund von mir; ~ *se dice* man sagt s.; *una de dos*: *o ... o ...* eins von beiden: entweder — oder; *¡una de gritos que hubo!* es gab ein furchtbares Geschrei!; ~ *de tantos* einer von den Vielen; ein Dutzend- (*od.* Alltags-)mensch; ~ *por* ~ einzeln; Stück für Stück; Mann für Mann; ~ *que otro* mancher, manch e-r, hie u. da e-r; **~(s)** *sobre otro(s)* überea.; ~ *tras otro* e-r hinter dem andern, hinterea.; *una y la misma cosa* ein u. dasselbe; *una y no más* einmal u. nicht wieder; ~ *y otro* beide; *Spr. una no es ninguna* einmal ist keinmal; **II.** *m* Eins *f*.

un|tada *f prov.* bestrichenes (*od.* belegtes) Brot *n*; **~tadura** *f a. fig.* Schmieren *n*; **~tar I.** *v/t.* **1.** salben; (ein)schmieren; ~ *con crema* mit Creme einreiben; ~ *con manteca* mit Schmalz bestreichen; *pan m* (*untado*) *con* (*od. de*) *mantequilla* Butterbrot *n*; **2.** *fig.* (F ~ *la mano*) bestechen, schmieren; **II.** *v/r.* **~se 3.** s. einsalben (mit *dat. con*); s. beschmieren; *fig.* F s. bereichern, abstauben (*fig.* P); **~to** *m* **1.** Schmiere *f*; tierisches Fett *n*; Schmeer *m*; Fett *n*; *fig.* Bestechung *f*, Schmieren *n* F; ~ *de carro* Wagenschmiere *f*; *fig.* Bestechungssumme *f*; ⊕ ~ *de moldes* Schwärze *f* (*Formerei*); *fig.* F ~ *de Méjico* (*od. de rana*) Geld *n*; Bestechungssumme *f*, Schmiergelder *n/pl.*; **2.** *Chi.* Stiefelschmiere *f*, Wichse *f*; **3.** *Méj.*, *Pe.* → *untadura*, *untura*.

untu|osidad *f* **1.** Schmierigkeit *f*; Fettigkeit *f*; **2.** Schlüpfrigkeit *f*, Geschmeidigkeit *f*; **~oso** *adj.* schmierig; geschmeidig, schlüpfrig; **~ra** *f* **1.** Einschmieren *n*; Einreiben *n*; *dar una ~ a j-n* einreiben; **2.** Salbe *f*.

uña *f* **1.** (Finger-, Zehen-)Nagel *m*; Huf *m*; *a. fig.* Klaue *f*; Kralle *f*; Stachel *m e-s Skorpions*; *la ~ del león* die Klaue des Löwen; *fig.* F *a ~ de caballo* spornstreichs; *fig. descubrir* (*od. enseñar, mostrar, sacar*) *la ~* s-e Krallen zeigen; *fig. empezar a afilarse las ~s* an die Arbeit gehen, in die Hände spukken (*fig.* F); *estar de ~s* auf gespanntem Fuß leben; *todo el santo día se está mirando las ~s* er tut überhaupt nichts, er ist stinkfaul F; *ser ~ y carne* ein Herz u. e-e Seele sein; *ser largo de ~s* ein Langfinger sein; *quedarse soplando las ~s* s. die Finger verbrennen (*fig.*); *tener algo en la ~* et. ganz fest im Griff haben, et. genauestens kennen, et. bestens verstehen; P *vivir de la ~* von Diebstahl leben; **2.** *Zo.* Meerdattel *f*; **3.** ♀ *~ de gato Art* Fetthenne *f*; *Am. versch. Pfl. mit gr. Stacheln*; **4.** ⊕ Kralle *f*, Klaue *f*; Greifer *m*; Klinke *f*; Dorn *m*; Kerbe *f*; *~ del trinquete* Sperrklinke *f*.

uña|da *f*, **~rada** *f* Kratzwunde *f*, Kratzer *m* F.

uñe|ro *m* **1.** Nagelentzündung *f*; Nagelgeschwür *n*; **2.** eingewachsener Nagel *m*; **~ta** *f* **1.** *dim.* kl. Nagel *m*; *fig.* ♪ *Chi.* Plektron *n*; **2.** ⊕ Greifer *m*; kleinere Sperrklinke *f*; **3.** Münzwerfen *n* (*Spiel*).

uñoso *adj.* mit langen Nägeln.

upa I. *f* F *Col.*: *en tiempos de ~* Anno Tobak F; **II.** *¡~! int.* auf!, hopp! (*zu Kindern*); **~cho** P *m Arg.* Kuß *m*.

upar F *v/t.* auf die Beine helfen (*dat.*).

upas *m* Upas *n* (*Pfeilgift*).

uppercut *engl. m* Uppercut *m* (*Boxen*).

upupa *Vo. f* Wiedehopf *m*.

ura *f Rpl.* Made *f* (*in den Scheuerwunden der Tiere*).

uralaltaico *Li. adj.* uralaltaisch.

ura|nífero *adj.* uranhaltig; Uran...; **~nina** *Min. f* Uranpechblende *f*; **~nio** ⚗ *m* Uran *n*; **~nografía** ✧ *f* → *cosmografía*.

urato ⚗ *m* Urat *n*.

urba|nidad *f* Höflichkeit *f*; Gewandtheit *f*, Weltläufigkeit *f*; **~nismo** *m* Städteplanung *f*; Städtebau *m*; **~nista** *m* Städte-bauer *m*, -planer *m*; **~nística** *f* Stadtbauwesen *n*; **~nización** *f* **1.** Verstädterung *f*; Verfeinerung *f* der Sitten; **2.** ⚠ Bebauung *f*, Erschließung *f*; Städteplanung *f*; *plan m de ~* Bebauungsplan *m*; **3.** Villenkolonie *f*; Bauerschließungs-, Siedlungsgebiet *n*; **~nizar** [1f] *v/t.* **1.** ⚠ erschließen, bebauen; **2.** städtisch machen; feinere Sitten einführen bei (*od.* in *dat.*); bilden; **~no I.** *adj.* **1.** städtisch; Stadt..., Orts...; **2.** wohlgesittet; höflich; **II.** *m* F (Stadt-)Polizist *m*.

urbe *f* Großstadt *f*; Weltstadt *f*; *moderne* Wohnsiedlung *f*.

ur|demalas F *m* Ränkeschmied *m*, Intrigant *m*; **~dido** *tex. m* Zetteln *n*; **~didor** *m tex.* Zettler *m*; *fig.* Anstifter *m*; **~didora** *tex. f* Haspelmaschine *f*; Zettelmaschine *f*, Scherbank *f*; **~didura** *lit. f* → *urdido*; **~dimbre** *f tex.* (Web-)Kette *f*, Zettel *m*; *fig.* Intrige *f*, Komplott *n*; **~dir** *v/t. tex.* zetteln, scheren; *fig.* anzetteln.

urdu *Li. m* Urdu *n*.

urea *f* Harnstoff *m*.

uremia ⚕ *f* Urämie *f*, Harnvergiftung *f*.

urémico *adj.* urämisch.

urente *adj. c* brennend (*Schmerz*).

uréter ⚕ *m* Harnleiter *m*.

ure|tra ⚕ *f* Harnröhre *f*; **~tritis** ⚕ *f* Harnröhrenentzündung *f*.

uretro|scopio ⚕ *m* Urethroskop *n*; **~tomía** ⚕ *f* Harnröhrenschnitt *m*.

urgen|cia *f* Dringlichkeit *f*; *Pol. moción f de ~* Dringlichkeitsantrag *m*; *plan m de ~* Notstandsplan *m*; **~te** *adj. c* dringend; eilig; dringlich; ✉ *carta f ~* Eilbrief *m*.

urgir [3c] *v/i.* dringend sein; *urge hacerlo* es muß schleunigst getan werden.

uría *Vo. f* Lumme *f*.

Urías *npr. bibl. m* Urias *m*; *fig. carta f de ~* Uriasbrief *m*.

úrico *adj.*: ⚗ *ácido m ~* Harnsäure *f*; ⚕ *cálculo m ~* Harnstein *m*.

uri|nal *adj. c* Harn...; **~nario I.** *adj.* Harn...; *Anat. vías f/pl. ~as* Harnwege *m/pl.*; **II.** *m* Pissoir *n*; **~nífero** *adj.*: *Anat. conducto m ~* Harngang *m*.

urna *f* Urne *f*; Glaskasten *m*, Vitrine *f*; *Pol. ~ electoral* Wahlurne *f*.

uro *Zo. m* Auerochs *m*, Ur *m*.

urobilina *Physiol. f* Urobilin *n*.

urogallo *Vo. m* Auerhahn *m*.

uro|genital ⚕ *adj. c*: *aparato m ~* Urogenitalapparat *m*, Harn- u. Geschlechtsorgane *n/pl.*; **~logía** *f* Urologie *f*.

urólogo ⚕ *m* Urologe *m*.

uroscopia ⚕ *f* Harnuntersuchung *f*.

urraca *Vo. f* Elster *f*; *fig.* F *hablar más que una ~* geschwätzig wie e-e Elster sein; *ser más ladrón que una ~* wie ein Rabe stehlen.

úrsidos *Zo.* 🕮 *m/pl.* Bären *m/pl.*

ursulina *kath. f* Ursulinernonne *f*.

urti|cáceas ♀ *f/pl.* Nesselpflanzen *f/pl.*; **~cante** *adj. c* stechend, Nesselbrennen verursachend; ♀ Brenn-..., Nessel...; *pelos m/pl. ~s* Nesselhaare *n/pl*; **~caria** ⚕ *f* Nesselausschlag *m*, -fieber *n*.

urubú *Vo. m Rpl.* am. Geier *m*.

uruguayo *adj.-su.* uruguayisch; *m* Uruguayer *m*.

usa|do *adj.* **1.** gebraucht, abgenutzt; abgetragen (*Kleidung*); **2.** üblich; **~dor I.** *adj.* benutzend; **II.** *m* Benutzer *m*.

usagre ⚕ *m* Milchschorf *m*.

usa|nza *f* Brauch *m*, Sitte *f*, Gepflogenheit *f*; *a la antigua ~* nach altem Brauch; **~r I.** *v/t.* **1.** gebrauchen, benutzen; anwenden; *Kleidung* tragen; *~ gafas* e-e Brille benutzen; **2.** abnützen; **II.** *v/i.* **3.** *~ + inf.* pflegen zu + *inf.*; **4.** *~ de* Gebrauch machen von (*dat.*); *~ (de) clemencia* Gnade walten lassen; **III.** *v/r.* *~se* **5.** gebraucht werden; *pronto para ~se* gebrauchsfertig; **6.** üblich (*od.* gebräuchlich) sein; (in) Mode sein.

usar|cé, ~ced (= *Vuestra merced*) *Anrede*: Euer Gnaden.

usencia (= *Vuesa reverencia*) *Anrede*: Euer Ehrwürden.

us(eñor)ía *Anrede*: Euer Hochwohlgeboren.

usina *gal. f Rpl. oft für* E-Werk *n*.

uso *m* **1.** Gebrauch *m*, Benutzung *f*; Verwendung *f*; *~ de razón* Vernunftgebrauch *m*; vernünftiges Alter *n b. Kindern*; *Span. ~s m/pl. y consumos* Verbrauchssteuer *f*; *de ~ general* für den Allgemeingebrauch; *en pleno ~ de sus facultades* im Vollbesitz s-r geistigen Kräfte; *para* (*od. al*) *~ de la enseñanza* für Unterrichtszwecke; *pharm. para ~ externo* (*interno*) äußerlich (innerlich) anzuwenden; *para el propio ~ od. para el ~ personal* für den persönlichen Gebrauch; *hacer ~* Gebrauch machen (von *dat. de*); *hacer ~ de la palabra* das Wort ergreifen; *ya le viene el ~ de la razón* es wird allmählich vernünftig (*Kind*); **2.** Brauch *m*, Sitte *f*; Mode *f*; Gewohnheit *f*; *~ comercial* Handelsbrauch *m*, Usance *f*; *~s m/pl. y costumbres* Brauchtum *n*, Sitte *f*; *~s m/pl. de (la) guerra* Kriegsbrauch *m*; *al ~* dem Brauch (*bzw.* der Sitte) gemäß; *al ~ español* nach spanischer Sitte (*bzw. Kchk.* Art); *de ~ general* allgemein üblich; *según (el) ~ del lugar* ortsüblich; *andar al ~* s. der herrschenden Sitte (*bzw.* Mode) anpassen; *entrar en los ~s* die geltenden (*bzw.* ortsüblichen) Gewohnheiten annehmen; *ser de ~* gebräuchlich (*od.* üblich) sein; **3.** Abnutzung *f*; Nutzungsstand *m*; Zustand *m*; *en buen ~* in gutem Zustand (*Gebrauchtes, Getragenes*).

ustaga ⚓ *f* Blockrolle *f*.

usted, *Abk.* *Ud., Vd., V. Höflichkeitsanrede*: Sie; *~(es pl.) dirá(n)* Sie haben jetzt das Wort; Sie haben die Wahl; *tratar de ~* Sie sagen zu (*dat.*), siezen (*ac.*) F.

us|tilagináceas ♀ *f/pl.* Brandpilze *m/pl.*; **~torio** *adj.*: *espejo m ~* Brennspiegel *m*.

usu|al *adj. c* gebräuchlich; üblich; herkömmlich; weit verbreitet; **~ario** *m Verw.* Benutzer *m*; ⚖ *a.* Nutzungsberechtigte(r) *m*; Verkehrsteilnehmer *m*; **~capión** ⚖ *f* Ersitzung *f*; **~fructo** *m* Nießbrauch *m*, Nutznießung *f*; **~fructuar I.** *v/t.* die Nutznießung (*od.* den Ertrag) haben von *et.* (*dat.*); **II.** *v/i.* Nutzen (*od.* Ertrag) bringen; **~fructuario I.** *adj.* Nutznießungs...; **II.** *m* Nutznießer *m*.

usu|ra *f* Wucher *m*; *interés m de ~* Wucherzins *m*; **~rario** *adj.* wucherisch; **~rear** *v/i.* auf Zins leihen, wuchern; **~rero** *m* Wucherer *m*; Halsabschneider *m* F.

usurpa|ción *f a. fig.* Usurpation *f*; widerrechtliche Aneignung *f*; *a.* ⚖ Anmaßung *f*; **~dor** *adj.-su. bsd. Pol.* Usurpator *m*; **~r** *v/t.* usurpieren; *bsd. die Staatsgewalt usw.* (widerrechtlich) an s. reißen; *p. ext.* s. anmaßen, zu Unrecht in Anspruch nehmen; **~torio** *adj.* usurpatorisch; widerrechtlich.

usuta *Ke. f Am. Mer.* indianische Sandale *f*.

utensilio *m* Gerät *n*; ~*s m/pl. a.* Utensilien *pl.*; Handwerkszeug *n*; ~*s m/pl. para limpiar* Putzzeug *n*; ~*s m/pl. domésticos* Haushaltsgeräte *n/pl.*

uterino *adj.* Gebärmutter...; *Anat. cuello m* ~ Gebärmutterhals *m*; *furor m* ~ Mannstollheit *f*; *hermano m* ~ Halbbruder *m* (mütterlicherseits).

útero *Anat. m* Gebärmutter *f*, Uterus *m* (*lt.*); ⚕ *prolapso m del* ~ Gebärmuttervorfall *m*.

útil I. *adj. c* **1.** nützlich, dienlich; brauchbar; tauglich; förderlich; *lit.* ~ *a la Patria* zum Nutzen des Vaterlands; *día m* ~ Arbeitstag *m*; *madera f* ~ Nutzholz *n*; *tiempo m* ~ Nutzungszeit *f*; *Verw.* anrechnungsfähige Zeit *f*; *trabajo m* ~ nützliche Arbeit *f*; *Phys.*, ⊕ Nutzarbeit *f*; *hay que saber unir lo* ~ *con lo agradable* man muß das Angenehme mit dem Nützlichen verbinden; **2.** tauglich, fähig, geeignet; arbeitsfähig; dienstfähig; *p. ext.* heil, gesund, unverletzt; ~ *para el servicio* dienstfähig; **II.** *m* **3.** Werkzeug *n*; *bsd.* ~*es m/pl.* Handwerkszeug *n*; Gerät *n*; ⚒ Gezähe *n*.

utilería *Thea. f Am.* Dekorationsmaterial *n*.

utili|dad *f* **1.** Nutzen *m*; Vorteil *m*; **2.** Nutzbarkeit *f*; Tauglichkeit *f*; Dienlichkeit *f*; Zweckmäßigkeit *f*; ~ *material* materielle Nutzbarkeit *f*; *de* ~ *pública* gemeinnützig; ~**dades** *f/pl.* Einkünfte *f/pl.*; Einkommen *n*; ~**tario** *adj.* Nützlichkeits...; Nutz...; auf Nutzen bedacht (*Person*); ~**tarismo** *m* Utilitarismus *m*; Nützlichkeitsprinzip *n*; ~**tarista** *adj.-su. c* utilitaristisch; *m* Utilitarist *m*; ~**zable** *adj. c* brauchbar; nutzbar, verwertbar; *área f* ~ Nutzfläche *f*; ~ *de nuevo* wiederverwendbar; ~**zación** *f* **1.** Benutzung *f*; Verwendung *f*; Inanspruchnahme *f*; **2.** Nutzung *f*; Ausnützung *f*, Verwertung *f*; ~ *de la energía atómica con fines pacíficos* Nutzung *f* der Atomenergie zu friedlichen Zwecken; ~ *comercial* kommerzielle Verwertung *f*; ~ *del espacio* Raumausnützung *f*; ~**zador I.** *adj.* (aus-, be-)nutzend; **II.** *m* (Be-)Nutzer *m*; ~**zar** [1f] *v/t.* benutzen; ver-, anwenden; *Patent* auswerten; *Zeit* nutzen; *no* ~*ado* nicht genutzt; unbenutzt; nutzlos; ~ *los retales* die Stoffreste verwerten; *a.* ⚔ ~ *el terreno* das Gelände ausnutzen; *todo puede* ~*se* alles ist verwendbar (*bzw.* verwertbar).

utillaje *gal. m* Werkzeug *n*; Ausrüstung *f* (*Industrie*).

utopía *f* Utopie *f*; *fig.* (Wunsch-)Traum *m*.

utópico *adj.* utopisch; Wunsch...

utopis|mo *m* Utopismus *m*, zu Utopien neigendes Denken *n*; ~**ta I.** *adj. c* zu Utopien neigend; *pensar m* ~ Denken *n* in Utopien; **II.** *c* Utopist *m*; (Zukunfts-)Träumer *m*, Schwärmer *m*.

utraquista *Rel. hist. adj.-su. c* utraquistisch; *m* Utraquist *m* (*Hussit*).

utrero *m* zweijähriges Stierkalb *n*.

utricularia ⚘ *f* Wasserhelm *m*.

utrículo ⚕ *m* schlauchförmiges Gebilde *n*, Zyste *f*.

uva *f* Traube *f*; ~ *albilla* Gutedeltraube *f*; ~ *blanca* weiße (*od.* helle) Traube *f*; ~*s f/pl. de mesa* Tafeltrauben *f/pl.*; ~ *tempran(ill)a* Frühtraube *f*; ~ *tinta* blaue (*od.* dunkle) Traube *f*; *fig.* F *mala* ~ schlechte Laune *f*; Hintergedanken *m/pl.*; schlechte Absichten *f/pl.*; Ärger *m*; Unannehmlichkeit *f*; ⚘ ~ *crespa*, *a.* ~ *espín* Stachelbeere *f*; ~ *de gato* (*od. de perro, de pájaro*) Mauerpfeffer *m*, scharfe Fetthenne *f*; ~ *lupina* (*od. de lobo*) Eisenhut *m*; ~ *marina* (*od. de mar*) Meerträubel *n*; ~ *de oso* Bärentraube *f*; ~ *de playa* Strandtraube *f*; ~ *de raposa od. de zorro* Einbeere *f*; *fig.* F *entrar por* ~*s* s. heranwagen; *estar hecho una* ~ (*bsd. Arg. una uvita*) sternhagelvoll sein F; F *de* ~*s a peras* sehr selten.

uva|da *f* reiche Weinernte *f*; ~**l** *adj. c* traubenähnlich; ~**duz** ⚘ *f* Bärentraube *f*; ~**te** *m* eingemachte Trauben *f/pl.*, Traubenkonserve *f*.

uve *f* V *n* (*Name des Buchstabens*); *doble* ~ W *n*.

uvero I. *adj.* Trauben...; **II.** *m* ⚘ *Am.* Strandtraubenbaum *m*.

uvi|forme *adj. c* traubenförmig; ~**lla** ⚘ *f* **1.** *Am.* → *uvero*; **2.** *Chi. Art* wilde Johannisbeere *f*.

úvula *Anat. f* Zäpfchen *n*.

uvula|r *adj. c Anat., Phon.* Zäpfchen...; *Phon. R f* ~ Zäpfchen-R *n*; ~**ria** ⚘ *f Art* Mäusedorn *m*.

uxorici|da *m* Gattenmörder *m*; ~**dio** *m* Mord *m* an der Ehefrau, Gattenmord *m*.

¡uy! *int.* ach!, nanu!; unglaublich!

uzear *v/i. Chi.* (mit der Hand) klopfen, schlagen.

V

V, v *f* (= uve) V, v *n.*
va, *etc.* → *ir.*
vaca *f* **1.** Kuh *f*; ⚒ ~ *de labor* Arbeitskuh *f*; ⚒ ~ *reproductora* Zuchtkuh *f*; *fig.* F *ser la ~ de la boda* die melkende Kuh sein (*fig.*); *fig. las ~s flacas (gordas)* die mageren (fetten) Jahre *n/pl.*; **2.** *Kchk.* (*carne f de*) ~ Rindfleisch *n*; ~ *cocida* Suppenfleisch *n*; *asado m de ~* Rinder-, Rinds-braten *m*; *lomo m (pierna f) de ~* Rinder-lende *f* (-keule *f*); **3.** (*cuero m de*) ~ Rind(s)-leder *n*; **4.** *Zo.* **a)** ~ *marina* Seekuh *f*; ~ *de montaña* (*od. de ante*) → *tapir*; **b)** *Fi.* Flughahn *m*; **c)** *Ent.* ~ *de San Antón* Marienkäfer *m*; **5.** ⚘ *Am. Mer. árbol m de ~* Milch-, Kuh-baum *m*.
vacaci|ón ⚒ *f* **1.** Ruhezeit *f*; **2.** → *vacante II*; **~ones** *f/pl.* Ferien *pl.*; Urlaub *m*; ~ *escolares* Schulferien *pl.*; ⚖ ~ *judiciales* Gerichtsferien *pl.*; *estar de ~* in Ferien sein; *irse de ~* in (die) Ferien fahren; eine Urlaubsreise machen.
vacada *f* Rinderherde *f*.
vaca|ncia *f* → *vacante II*; **~nte I.** *adj. c* unbesetzt, erledigt, frei (*Stelle*); frei (*Zimmer*); *dejar ~ e-e Stelle usw.* nicht mehr besetzen; **II.** *f* offene Stelle *f*; *producirse una ~* frei werden (*Stelle, Amt*); **~r** [1g] *v/i.* **1.** unbesetzt sein (*Amt, Stelle*); **2.** s-e Tätigkeit vorübergehend nicht ausüben; **3.** ~ *a* (*od. en*) s. widmen (*dat.*); Zeit haben für (*ac.*); **4.** ⚒ ermangeln (*gen. de*).
vacarí †, ⚒ *adj. c* (*pl.* ~íes) aus Rindleder.
vacatura *f* Vakanz(zeit) *f*, Zeit *f* der Amtsverwaisung.
vaccí|neo ⚕, **~nico** ⚕ *adj.* Impfstoff...; *inoculación f ~a* Überimpfung *f*.
vacia|dero *m* **1.** Ausguß *m*, Abfluß *m*; **2.** Ausgußschale *f*; **3.** Gosse *f*; **~dizo** *adj.* (ab)gegossen *in Metall*; **~do I.** *adj.* **1.** ausgeräumt, entleert; *a.* luftleer (*Raum, Behälter*); **2.** gegossen, abgeformt *in Gips, Metall usw.*; **3.** geschliffen, geschärft; **II.** *m* **4.** Entleeren *n*; Ausräumen *n*; ~ *con bomba* Leerpumpen *n*; **5.** Abguß *m*, Guß *m in Gips, Bronze usw.*; ~ *en molde* Abformung *f*, Modellierung *f*; **6.** △ **a)** Ausheben *n*; **b)** *abgeformtes* Stuckornament *n*; **c)** Rille *f am Säulenfuß*; **7.** Schleifen *n*, Schärfen *n*; ~ *hueco* Hohlschleifen *n*; Hohlschliff *m*; **~dor** ⊕ *m* **1.** Gießer *m*; Schmelzer *m*; ~ *de velas* Kerzengießer *m*; ~ *en metales* (Metall-)Gießer *m*; **2.** Schleifer *m*, Schärfer *m*; **3.** Instrument *n* zum Schärfen; ~ *de hojas* Klingenschärfer *m*; **4.** Gießkelle *f*.
vaci|ante *f* sinkende Flut *f*, Ebbe *f*; **~ar** [1c] **I.** *v/t.* **1.** (aus-, ent-)leeren; (aus)räumen; wegschaffen; (aus-)gießen; (aus)schöpfen; *fig.* sehr ausführlich (*bzw.* weitschweifig) erläutern; *Auge* ausschlagen, ausstechen *usw.*; *Pfeife* ausklopfen; *Faß* leeren *bzw.* abzapfen; ⊕ *Pumpe* entlüften; ~ *con bomba* aus- *od.* leer-pumpen; **2.** ⊕ *Gips, Metall, Wachs, Figur usw.* gießen; ~ *en molde* abformen, gießen; **3.** *Messer, Scheren* schärfen, schleifen; ~ (*hueco*) hohlschleifen; **4.** aushöhlen; **II.** *v/i.* **5.** s. ergießen, münden (in *ac.* en); **III.** *v/r.* **~se 6.** s. entleeren; abfließen; *fig.* F sein Herz ausschütten; s. verplappern.
vaciedad *f* Leere *f*; Albernheit *f*, Plattheit *f*.
vacila|ción *f* **1.** Schwanken *n*, Wanken *n*; Wackeln *n*; **2.** *fig.* Schwanken *n*; Zaudern *n*; Unschlüssigkeit *f*; **~nte** *adj. c a. fig.* schwankend; unsicher; flackernd (*Licht*); **~r** *v/i.* schwanken (*a. fig.*); *fig.* zaudern, unschlüssig sein; *sin ~* unverzagt; ohne Bedenken; ~ *en hacer a/c.* zögern, et. zu tun.
vacío I. *adj.* **1.** leer; hohl; *Phys.* ~ (*de aire*) luftleer; ⚒ *hembra f ~a* nicht trächtiges (*mst.* unfruchtbares) Muttertier *n*; *peso m en ~* Leergewicht *n*; *andar en ~* (*bsd. fig.*), *marchar en ~* (*Maschine*) leer laufen; *volver de ~* leer (*od.* unbeladen) zurückkommen; **2.** unbewohnt; leer(stehend); nicht besucht; **3.** inhaltslos; nichtssagend; albern; leer, müßig; **4.** eitel, aufgeblasen; **II.** *m* **5.** Leere *f*; *a. fig.* Lücke *f*; *Zim.*, ⊕ Aussparung *f*; *p. ext.* freier Arbeitsplatz *m*; *fig. dejar un ~* e-e *schmerzlich empfundene* Lücke reißen; *a. fig. llenar un ~* e-e Lücke ausfüllen; **6.** *Anat.* Weiche *f*, Flanke *f*, Seite *f*; Weichengegend *f*; **7.** *Phys.*, ⊕ Vakuum *n*, luftleerer Raum *m*; *hacer el ~* ein Vakuum herstellen; *fig. hacer el ~ a uno* e-n luftleeren Raum um j-n schaffen (*fig.*); j-n gesellschaftlich verfemen.
vaco[1] *burl. m* → *buey*.
vaco[2] *adj.* unbesetzt (*Stelle*).
vacuidad *f* Leere *f*; Leerheit *f*.
vacuna ⚕ *f* Impfstoff *m*, Vakzine *f*; ~ *tífica* Typhusimpfstoff *m*; **~ción** ⚕ *f* (Schutz-)Impfung *f*; ~ *antirrábica* (*antivariólica*) Tollwut- (Pocken-)schutzimpfung *f*; ~ *obligatoria* Impfpflicht *f*; *certificado m de ~* Impfschein *m*; **~r** *v/t.* impfen (gg. *ac. contra*).
vacuno *adj.* Rind(s)..., Rinder...; ⚒ *ganado m ~* Rindvieh *n*.
vacunoterapia ⚕ *f* Vakzinebehandlung *f*.
vacu|o I. *adj.* → *vacío*; **II.** *m* Leere *f*; Lücke *f*; Vakuum *n*; **~ómetro** *Phys.*, ⊕ *m* Unterdruckmesser *m*, Vakuummeter *n*.
vacuola *Anat. f* Vakuole *f*.
vade *m* Schulmappe *f*.
vade retro *lt. bibl. u. fig.* weiche von mir!
vadea|ble *adj. c* durchwatbar; seicht (*Gewässer*); *fig.* überwindlich; **~dor** *m* Furtenkenner *m*; **~r I.** *v/t. Fluß* durchwaten; *fig. Schwierigkeit* überwinden; abtasten, sondieren; **II.** *v/r.* **~se** † → *manejarse*.
vademécum *m* Notizbuch *n*; Taschenbuch *n*; Vademekum *n*, Leitfaden *m*.
va|dera *f* breite Furt *f*; **~do** *m* **1.** Furt *f*; *fig.* Ausweg *m*; **2.** *Vkw.* abgeflachte Stelle *f am Rinnstein*; ~ *permanente* Halteverbot *n vor Ausfahrten*; **~doso** *adj.* furtenreich; durchwatbar (*Fluß*).
vagabun|daje *gal. m* → *vagabundeo*; **~dear** *v/i.* umherstreichen, s. herumtreiben; **~deo** *m*, **~dería** F *f*, **~dez** ⚒ *f* Streunen *n*; Landstreicherei *f*; Gammeln *n*; **~do I.** *adj.* umherstreifend; *a. fig.* schweifend, vagabundierend; **II.** *m* Landstreicher *m*, Vagabund *m*; Fahrende(r) *m* (*bsd. Zigeuner*).
vaga|mente *adv.* verschwommen, vage; **~mundo** F *adj.-su.* → *vagabundo*; **~ncia** *f* **1.** Müßiggang *m*; **2.** Landstreicherleben *n*; Vagabundentum *n*; **~nte I.** *part.* umherstreifend, schweifend; **II.** *m* ⚒ Vagant *m*; **~r**[1] [1h] *v/i.* umherstreifen; *fig.* s. vage ausdrücken; ~ *por las calles* durch die Straßen streifen (*bzw.* irren); **~r**[2] **I.** [1h] *v/i.* Muße haben; müßiggehen, faulenzen; **II.** *m* Muße *f*; *andar de ~* müßig sein; **~roso** *poet. adj.* schweifend, unstet.
vagido *m* Schreien *n*, Quäken *n* F *des Säuglings*; *el primer ~* der erste Schrei *des Neugeborenen*.
vagi|na *Anat. f* Scheide *f*; **~nal** *Anat. adj. c* Scheiden...; **~nitis** ⚕ *f* Scheidenentzündung *f*.
vago I. *adj.* **1.** umherschweifend, vagabundierend; **2.** unbestimmt, undeutlich, verschwommen; unstet, flüchtig; vage; *estrella f ~a* **a)** Wandelstern *m*; **b)** Sternschnuppe *f*; *en ~* ohne Stütze; wacklig (*Möbelstück*); *fig.* vergeblich; ins Leere (*fig.*); **3.** müßig, faul; träge, faul; **II.** *m* **4.** Herum-

treiber *m*; Landstreicher *m*, Stromer *m*; *Verw.* Asoziale(r) *m*; **5.** Faulpelz *m*, Faulenzer *m*; *hacer el* ~ faulenzen; **6.** *Anat.* Vagus(nerv) *m*.

vagón *m* (Eisenbahn-)Wagen *m*, Waggon *m*; *bsd.* Güterwagen *m* (🚃 Personenwagen *m in Span. oft coche*); ~ *basculante* (*lateralmente*) (Seiten-)Kippwaggon *m*, (Seiten-)Kipper *m*; ~-*cama*, *Am.* ~ *dormitorio* Schlafwagen *m*; ~ *cerrado* gedeckter (*od.* geschlossener) Wagen *m*; ~ *de cine* Filmvorführwagen *m*; ~ *cisterna od.* ~ *tanque* Tankwagen *m*; ~ *para ganado* Viehwagen *m*; ~ *jaula* Käfigwagen *m für Raubtiere usw.*; ~ *de mercancías* (*bzw. de carga*) Güterwagen *m*; ~ *plataforma* offener Güterwagen *m*; ~ *de plataforma baja* (*de pasajeros*) Tieflade-(Personen-)wagen *m*; ~ *tolva* Bunkerwagen *m*; *fábrica f de* ~*ones* Waggonfabrik *f*.

vago|nada *f* Wagen- *od.* Waggonladung *f*; **~nero** ⚒ *m* Schlepper *m*; **~neta** ⊕ *f* Kippwagen *m*, Lore *f*; ⚒ Förderwagen *m*, Lore *f*, Hund *m*.

vagotonía ⚕ *f* Vagotonie *f*.

vagra ⚓ *f* Unterspant *n*; ~*s f/pl.* Wegerung *f*.

vaguada *Geogr. f* (Tal-)Sohle *f*.

vague|ar *v/i.* s. herumtreiben, herumstreunen; **~dad** *f* Verschwommenheit *f*; Unbestimmtheit *f*; ~*es f/pl. a.* unklares Gerede *n*.

váguido † *u. Am. m* → *vahído*.

vaguido I. *adj.* † schwindelig; ohnmächtig; **II.** *m* → *vahído*.

vaha|rada *f* Dunstwolke *f*; Schwaden *m*; Atemdunst *m*; **~rera** ⚕ *f* Ausschlag *m* in den Mundwinkeln *b. Kleinkindern*.

vahear *v/i.* ausdünsten, dampfen; Schwaden bilden.

vahído ⚕ *m* Schwindel *m*; kurze Ohnmacht *f*; *me dio un* ~ ich erlitt plötzlich e-n Schwindelanfall.

vaho *m* Dampf *m*, Dunst *m*; Brodem *m*; Ausdünstung *f*; *el* ~ *de la respiración* der dampfende Atem.

vaído △ *adj.*: *bóveda f* ~*a* Kreuzrippengewölbe *n*.

vaina *f* **1.** (Messer-, Degen-)Scheide *f*; *p. ext.* (schmäleres) Futteral *n*; **2.** *Anat.* (Mark-)Scheide *f*; Stachelscheide *f der Bienen*; ~ *sinovial* (*de los tendones*) Sehnenscheide *f*; **3.** ⚘ (Samen-)Hülse *f*, Schote *f*; ⚔ Geschoßhülse *f*; **4.** Segel- *bzw.* Flaggen-saum *m* (*zum Durchziehen der Leinen*); **5. a)** *Am. Cent.*, *Am. Mer.* Unannehmlichkeit *f*; **b)** *Ant.*, *Am. Cent.*, *Ven.* *ser un(a)* ~ *nur Am.* ein unangenehmer Bursche sein; *a. Span.* ein Gauner sein; **c)** *ib. in adj. Funktion*: lästig; unangenehm; ungelegen; **d)** P *ib. u. Arg.*, *Méj. sowie Span.* □ Koitus *m*; *echar una* ~ koitieren, ficken P.

vainazas P *m* (*pl. inv.*) Schlappschwanz *m*; schlampiger Kerl *m*.

vainica *f* Hohlsaum *m*.

vaini|lla *f* Vanille *f* (*Pfl. u. Kchk.*); *bastoncillo m de* ~ Vanillestange *f*; **~llera** ⚘ *f* Vanille *f*; **~llina** ⚗ *f* Vanillin *n*; **~llón** ⚘ *m Am. Mer.*, *Méj.* großschotige wilde Vanille *f*; *C. Ri.* wilde Vanille *f*.

vainita ⚘ *f Ven.* grüne Bohne *f*.

vaivén *m* Hin u. Her *n*; Auf u. Ab *n*; Hin- u. Herbewegung *f*; 🚃 Pendelverkehr *m*; *puerta f de* ~ Pendeltür *f*.

vaivoda *m* Woiwode *m*.

vajilla *f* (Tafel- u. Koch-)Geschirr *n*; ~ *de peltre* (*de cocina*) Zinn-(Küchen-)geschirr *n*.

val *m prov. u. in Zssgn.* → *valle*.

valar *adj. c* Zaun...; Wall...

valdense *Rel. hist. adj.-su. c* waldensisch; *m* Waldenser *m*.

valdivia *f* **1.** ⚘ *Col. Bittereschengewächs*; *pharm. Brech- u. Purgiermittel*; **2.** *fig.* F *Chi. de* ~ umsonst; **3.** *Vo. Ec. ein Klettervogel, dessen schwermütige Melodie als böses Omen gilt*; **~no** *Kchk. m Chi. Art* Zwiebelfleisch *n aus charqui*.

vale[1] *m* **1.** Gutschein *m*, Bon *m*; Freikarte *f*; Bezugschein *m*; **2.** *fig.* P *Méj.* Kumpel *m* F.

vale[2] *lt.* (*m*) Lebewohl *n*; lebe wohl!; *bsd. in Briefen gebräuchlich*: ~ der Obige, *Abk.* d.O.

¡vale![3] F *int.* gut so!; (geht) in Ordnung!

vale|dero *adj.* geltend, gültig; ⚖ rechtskräftig; **~dor** *m* **1.** Beschützer *m*; Gönner *m*; **2.** Bürge *m*; **3.** P *Méj.* → *vale*[1] 2.

valen|cia 🕮, *Biol.*, ⚗ *f* Valenz *f*, Wertigkeit *f*; **~tía** *f* **1.** Mut *m*, Tapferkeit *f*; Kühnheit *f*; *fig.* Schwung *m*, schwungvolle Art *f*, *zu schreiben od. zu gestalten* (*Schriftsteller*, *Künstler*); **2.** tapfere Tat *f*; **3.** *iron.* Ruhmredigkeit *f*, Prahlerei *f*; **~tísimo** *sup. adj.* äußerst tapfer; *fig. escritor m* ~ vollendeter Künstler *m des geschriebenen Wortes*; **~tón I.** *adj.* großsprecherisch; **II.** *m* Prahlhans *m*, Großmaul *n*; **~tona(da)** *f* Aufschneiderei *f*, Prahlerei *f*.

valer[1] [2q] **I.** *v/t.* **1.** *Erfolg*, *Ruhm*, *Nutzen*, *Einkommen*, *Schwierigkeiten*, *Tadel* einbringen, eintragen; nützen; *todo esto no me vale nada* das alles nützt mir nichts; **2.** kosten (*Waren*); betragen, s. belaufen auf (*ac.*) (*Rechnung*); *Summe* (aus)machen; wert sein; den Wert haben von (*dat.*); entsprechen (*dat.*); *5 más 7 valen 12* 5 plus 7 macht 12; *¿cuánto vale?* wieviel kostet es?; **II.** *vt/i.* **3.** wert sein; gelten; gültig sein; *aquí no vale perder tiempo* hier ist k-e Zeit zu verlieren; *este billete no vale* diese Banknote (*bzw.* dieser Fahrschein *usw.*) ist ungültig; *este ejemplo vale por todos* dieses Beispiel gilt (*od.* steht) für alle; *¡eso no vale!* das gilt nicht! (*z. B. b. Spiel*); so geht es nicht!; *hacer* ~ zur Geltung bringen; *a.* ⚖ geltend machen; *más vale así* (es ist) besser so; desto besser; *más vale* + *inf.* es ist besser zu + *inf.*; *Spr. más vale un "por si acaso" que un "¿quién pensara?"* besser Vorsicht als Nachsicht; *¿no vale más?* k-r bietet mehr? *b. Versteigerungen*; *fig.* F *no vale el pan* (*od. lo*) *que come* er ist nicht wert, daß ihn die Sonne bescheint; *no* ~ *nada* nichts wert sein; ungültig sein; nichts gelten; *fig. sabe lo que vale* er ist s. s-s Wertes bewußt; *vale más que se lo diga* sagen Sie es ihm lieber!; *vale la pena leer el libro* es (ver)lohnt s., das Buch zu lesen; ~ *mucho* viel wert sein; *fig.* ausgezeichnet (*od.* wertvoll) sein; sehr tüchtig sein (*Person*); ~ *por dos* soviel wert sein wie zwei; *fig.* ~ (*en oro*) *lo que pesa* nicht mit Gold aufzuwiegen sein; *fig.* ~ *un tesoro* (*od. un Perú, un Potosí*) unendlich wertvoll sein (*a. fig.*); *K u. Reg.* *¡valga lo que valiere!* um jeden Preis, auf alle Fälle, was auch kommen mag; **4.** taugen; brauchbar sein; *demostró lo que valía* er zeigte, was in ihm steckt (*fig.*); *no vale lo que tú* er ist nicht so tüchtig wie du; *esta máquina no vale para nada* diese Maschine taugt gar nichts; ~ *para a.* kompetent sein für (*ac.*); Befugnis (*bzw.* die Macht) haben zu (*dat. od. inf.*); **5.** helfen; nützen; (be)schützen, bewahren; *ahora no te valdrán excusas* jetzt helfen (*od.* nützen) dir k-e Ausreden; *¡válgame Dios!* Gott steh' mir bei!; mein Gott!; Herrgott, was sagen Sie da!; nein, so was!; *¡válganos el cielo!* möge uns der Himmel bewahren!; *¡valga! od. mst. ¡válgate! int.*: *¡válgate con el hombre!* ist das ein Mann!; so ein Kerl!; *¡válgate qué disgusto!* ein Mordsärger!; *¡válgate qué mujer!* so e-e Frau!; e-e tolle Frau! F; **III.** *v/r.* ~*se* **6.** ~*se de a/c.* s. e-r Sache bedienen; zu et. (*dat.*) greifen, et. benützen; von et. (*dat.*) Gebrauch machen; ~*se de alg.* bei j-m Hilfe suchen, auf j-n zurückgreifen, zu j-m s-e Zuflucht nehmen; ~*se de todos los recursos* s. aller Mittel bedienen; alle Hebel in Bewegung setzen (*fig.*); *no poder* ~*se* s. nicht helfen (*od.* nicht bewegen) können; s. nicht zu helfen wissen.

valer[2] *m* Wert *m*; Verdienst *n*; Ansehen *n*, Einfluß *m*; Tüchtigkeit *f*.

valeriana ⚘ *f* Baldrian *m*; **~to** ⚗ *m* baldriansaures Salz *n*.

valero|sidad *f* Tapferkeit *f*; Tüchtigkeit *f*; **~so** *adj.* **1.** tapfer; wacker; **2.** → *valioso*.

valetudinario *adj.* siech, kränkelnd, kränklich.

valí *m* Wali *m* (*Islam u. hist.*).

valía *f* **1.** Wert *m*; *de gran* ~ von hohem Wert; *mayor* ~ höherer Wert *m*; höherer Preis *m*; **2.** Gunst *f*; *tener gran* ~ *con alg.* bei j-m hoch in Gunst stehen.

vali|dación *bsd.* ⚖ *f* **1.** Gültigmachung *f*; Gültigkeitserklärung *f*; **2.** (Erlangung *f* der) Rechtsgültigkeit *f*; **~dar** *v/t.* gültig machen; für gültig erklären; **~dez** *f* Geltung *f*; Gültigkeit *f*; ~ (*jurídica*) Rechtsgültigkeit *f*; ~ *general* Allgemeingültigkeit *f*.

válido *adj.* **1.** gültig; geltend; *ser* ~ gültig sein, gelten; **2.** gesund; arbeitsfähig.

valido I. *ad* . **1.** gestützt (auf *ac. de*); **2.** angesehen; in Gunst stehend; **II.** *m* **3.** Günstling *m*; *bsd. Pol. hist.* Favorit *m e-s Fürsten*, allmächtiger Minister *m*.

valiente *adj. c* **1.** tapfer, mutig; **2.** tüchtig; gehörig; *iron.* schön, nett, so ein ...; *¡~ amigo eres!* du bist mir ein schöner Freund!; *¡~ granuja!* so ein Lump!

vali|ja *f* **1.** Handkoffer *m*; Reisetasche *f*; **2.** Postbeutel *m*; **3.** Kurier-tasche *f*, -gepäck *n*; *~ diplomática* Diplomaten-koffer *m*, -gepäck *n*; **4.** *p. ext.* Kurier *m*; **~jero** *m* **1.** Landbriefträger *m*; **2.** † Kurier *m*.

vali|miento *m* **1.** Gönnerschaft *f*, Schutz *m*; Fürsprache *f*, Rückhalt *m*; **2.** Ansehen *n*, Gunst *f*; **~oso** *adj.* **1.** wertvoll; tüchtig; tatkräftig; **2.** †, ⚒ **a)** prächtig, kostbar; **b)** vermögend; mächtig.

val(l)isoletano *adj.-su.* aus Valladolid.

va|lón *adj.-su.* wallonisch; *m* Wallone *m*; *Li. das* Wallonische; † *~ones m/pl.* wallonische Pluderhosen *f/pl.*; **~lona** *f* **1.** Wallonin *f*; **2.** † wallonischer Kragen *m* (*breiter Hemdkragen*); **3.** *Col., Ec., Ven.* gestutzte Mähne *f der Reittiere*; **4.** *Méj.* **a)** → *valimiento*; **b)** ♪ *e-e Volksweise in der Art des cante flamenco*; **~lonear** *v/i. Am. Cent.* s. (beim Reiten) vorbeugen, *um et. zu ergreifen.*

valor *m* **1.** Wert *m*; de ~ Wert...; wertvoll; *de escaso ~* von geringem Wert; minderwertig; *sin ~* wertlos; *Verw. declaración f de ~* Wertangabe *f*; *Phil. filosofía f del ~* Wertphilosophie *f*; *por ~ de* im Wert(e) von (*dat.*); *~ adquisitivo* (*cumbre, límite*) Anschaffungs- (Spitzen-, Grenz-)wert *m*; ✉ *~es m/pl. declarados* Wert-brief *m*; -sendung *f*; *~ efectivo* (*exigido*) Effektiv-, Ist- (Soll-)wert *m*; ✝ *~ (en) efectivo* Barwert *m*; ⚒, *Phys. ~ final* (*Physiol. nutritivo, alimenticio*) End- (Nähr-)wert *m*; *~ informativo* (*de orientación*) Anhalts- (Richt-)wert *m*; *~ máximo* (*medio, mínimo*) Höchst- (Mittel-, Mindest-)wert *m*; *~ medido* gemessener Wert *m*; *Phys.*, ⊕ Meßwert *m*; ✝ *~ nominal* Nennwert *m*; *~ normal* (*nulo, cero*) Normal- (Null-)wert *m*; ✝ *~ oro* Goldwert *m als Grundlage*; *a.* Goldwährung *f*; *~ práctico* praktischer Wert *m*; *b. Berechnungen usw.* → *~ empírico* Erfahrungswert *m*; *~ psíquico*, *~ emocional* Gemütswert *m*; *~ real* Istwert *m*; ✝ Barwert *m*; Sachwert *m*; *a.* ⚒ reeller Wert *m*; *a. Statistik*: *~ de referencia* Bezugswert *m*; *~ teórico* theoretischer Wert *m*, Sollwert *m*; *~ útil* Nutz(ungs)wert *m*; **2.** ✝ *~es m/pl.* Werte *m/pl.*, Wertpapiere *n/pl.*, Effekten *pl.*; *~es m/pl. admitidos* (*a negociación en Bolsa*) börsenfähige Wertpapiere *n/pl.*; *~es de arbitraje* Arbitrage-Werte *m/pl.*; *~es bancarios* (*mineros*) Bank- (Minen-)werte *m/pl.*; *~es bursátiles* (*de dividendo*) Börsen- (Dividenden-)papiere *n/pl.*; *~es en cartera* Effektenbestand *m*; *~es extranjeros* Devisen *f/pl.*; *~es de inversión* Anlagewerte *m/pl.*; *~es negociados al contado* Kassawerte *m/pl.*; *~es a la orden* (*al portador*) Order- (Inhaber-)papiere *n/pl.*; *bsd.* ⚖ *títulos-~es m/pl.* Wertpapiere *n/pl.*; **3.** Mut *m*; *~ cívico* Zivilcourage *f*; *tener ~ para + inf. p. ext. a.* die Dreistigkeit haben, zu + *inf.*; *cobrar ~* Mut fassen.

valo|ración *f* **1.** Wertbestimmung *f*, Wertung *f*; **2.** Bewertung *f*; (Ab-)Schätzung *f*; **3.** Auswertung *f*; **~rar** *v/t.* schätzen; bewerten; beurteilen; ⚒ *Kurve* auswerten; **~rización** *f* (Be-)Wertung *f*; Aufwertung *f*; **~rizar** [1f] *v/t.* **1.** → *valorar, evaluar*; **2.** aufwerten.

val|s ♪ *m* Walzer *m*; **~sar** *v/i.* Walzer tanzen.

valua|ción *f* Schätzung *f*; Bewertung *f*; **~dor** *adj.* schätzend, bewertend; **~r** [1e] *v/t.* schätzen.

válvula *f* **1.** ⊕, *Anat.* Klappe *f*; *~ de aire* (*no viciado*) (Frisch-)Luftklappe *f*; *Anat. ~ aórtica* (*cardíaca*) Aorten- (Herz-)klappe *f*; *~ de luz* Lichtschleuse *f*; ⚓ *~ de inundación* Flutklappe *f* (*U-Boot*); *Kfz. ~ de mariposa* Drosselklappe *f*; **2.** ⊕ *u. Orgel* Ventil *n*; de ~ ⊕ Ventil...; *fig.* F umsonst; hintenherum; *~ de admisión* (*de descarga, de salida*) Einlaß- (Ablaß-)ventil *n*; *~ de escape* Auslaßventil *n*; *fig.* Ausflucht *f*; Ausweg *m*; *Kfz. usw. ~ de neumático* Schlauchventil *n*; *~ de plato* Tellerventil *n*; *~ de regulación* (*de seguridad*) Regel-, Ausgleich- (Sicherheits-)ventil *n*; **3.** *HF* Röhre *f*; → *a. tubo*; *~ amplificadora* Verstärkerröhre *f*; Audion *n*; *~ electrónica* (*emisora*) Elektronen- (Sende-)röhre *f*; *~ de excitación* (*de alta frecuencia*) Steuer- (Hochfrequenz-)röhre *f*; *~ de potencia* (*de reactancia*) Leistungs- (Reaktanz-)röhre *f*; *~ termoiónica* Vakuumröhre *f*.

valvu|lar ⊕, ⚕ *adj. c* Klappen...; *bsd.* ⊕ Ventil...; ⊕ *cámara f ~* Ventilkammer *f*; ⚕ *defecto m ~* (*del corazón*) (Herz-)Klappenfehler *m*; **~litis** ⚕ *f* Herzklappenentzündung *f*.

valla *f* **1.** Zaun *m*; Umzäunung *f*; **2.** Palisade *f*; **3.** Hürde *f*; *fig.* Hindernis *n*; *Sp. carrera f de ~s* Hürdenlauf *m*; *fig. poner una ~* e-n Damm (*od.* e-e Schranke) errichten (*fig.*); ein Hindernis in den Weg legen (*fig. dat. a*); **4.** *Ant.* Hahnenkampfplatz *m*; **~dar** *m* Umzäunung *f*; Wall *m*, Verschanzung *f*; *fig.* Hindernis *n*; **~dear** *v/t.* umzäunen; mit e-m Wall umgeben; **~do** *m* Zaun *m*; Einzäunung *f*; **~r I.** *adj.* → *valar*; **II.** *m* → *valladar*; **III.** *v/t.* einzäunen; mit e-m Wall umgeben.

valle *m* Tal *n*; Flußtal *n*; Tallandschaft *f*; *fig. ~ de lágrimas* (irdisches) Jammertal *n*.

vam|p *engl. f*, **~piresa** F *f* Vamp *m*; **~pirismo** *Folk. m* Glaube *m* an Vampire; **~piro** *m Zo. u. Folk.* Vampir *m*; *fig.* Blutsauger *m*.

vanadio ⚗ *m* Vanadium *m*.

vanaglori|a *f* Ruhmsucht *f*; Eitelkeit *f*, Dünkel *m*; **~arse** [1b] *v/r.* s. rühmen, s. brüsten (*gen.* de); prahlen (mit *dat.* de); **~oso** *adj.* ruhmsüchtig; prahlerisch; eitel, dünkelhaft.

vana|mente *adv.* **1.** vergeblich; umsonst; **2.** ohne vernünftige Begründung; **3.** dünkelhaft; **~rse** ⚘ *v/r. Col., Chi.* taub geraten (*Nüsse usw.*).

vanda ⚘ *f Orchideenart.*

van|dalaje *m Am.* → *vandalismo*; **~dálico** *adj. a. fig.* vandalisch; **~dalismo** *m* Zerstörungswut *f*, Vandalismus *m*.

vándalo *m hist. u. fig.* Vandale *m*.

vandeano *adj.-su.* aus der Vendée; *fig.* erzreaktionär.

vanguar|dia *f* ⚔ Vorhut *f*; *fig.* Avantgarde *f*, Vorkämpfer *pl. in Lit. u. Ku.*; *fig. Lit., Ku.* de ~ avantgardistisch; **~dismo** *m* Avantgardismus *m*; **~dista** *adj.-su. c* avantgardistisch; *m* Avantgardist *m*.

vani|dad *f* **1.** Nichtigkeit *f*, Wahn *m*; **2.** Eitelkeit *f*, Dünkel *m*; **3.** Gehaltlosigkeit *f*, Nichtigkeit *f*; **~doso** *adj.* eitel, dünkelhaft, eingebildet.

va|nilocuencia *f* (eitle) Geschwätzigkeit *f*; **~nilocuente** *adj. c* → **~nílocuo I.** *adj.* geschwätzig; **II.** *m* (eitler) Schwätzer *m*, Fas(e)ler *m*; **~niloquio** *m* eitles Geschwätz *n*; **~nistorio** F *m* **1.** lächerlicher Dünkel *m*; **2.** Erzprahler *m*.

vanillina ⚗ *f* Vanillin *n*.

vano I. *ad*. **1.** eitel, nichtig; wertlos; leer; hohl; taub (*Nuß u. ä.*); **2.** grundlos; unbegründet; vergeblich; *en ~* umsonst, vergebens; nutz-, zweck-los; **II.** *m* **3.** Maueröffnung *f*; **4.** lichte Weite *f*, Spannweite *f*.

vapo|r *m* **1.** Dampf *m*; Dunst *m*; *~es m/pl.* Dämpfe *m/pl.*, Schwaden *m/pl.*; *fig.* F *al ~* mit Dampf (*fig.* F), schnell; ⊕ *u. fig. a todo ~* mit Volldampf; *~ acuoso* (*od. de agua*) Wasserdampf *m*; *~ de escape* (*od. de descarga*) Abdampf *m*; *~es m/pl. de gasolina* Benzindämpfe *m/pl.*; *fuerza f de(l) ~* Dampfkraft *f*; *emitir ~* dampfen; *someter a la acción del ~* dämpfen; **2.** ⚓ Dampfer *m*; *~ de altura* (*od. de alta mar*) Hochseedampfer *m*; *~ costero* (*mercante, piloto, rápido*) Küsten- (Handels-, Lotsen-, Schnell-)dampfer *m*; *~ frutero* Frucht-, Obst-, F Bananendampfer *m*; *~ de hélice* (*de lujo, de ruedas, de turbinas*) Schrauben- (Luxus-, Rad-, Turbinen-)dampfer *m*; *~ de pesca od. ~ pesquero* (*de recreo*) Fisch- (Ausflugs-, Vergnügungs-)dampfer *m*; **3.** † *u. Reg.* Schwindel- *bzw.* Ohnmachts-anfall *m*; † *~es m/pl.* hysterischer Anfall *m*; Launen *f/pl.*; **~rario** *m* Dampfbad *n*; Dampfraum *m*.

vaporiza|ble *adj. c* verdampfbar; **~ción** *f* **1.** Verdunstung *f*; Verdampfen *n*; **2.** Zerstäubung *f*; **3.** Dämpfung *f*; **~do** *m* **1.** Dämpfen *n*; **2.** Zerstäuben *n*; **~dor** *m* **1.** Zerstäuber *m*; **2.** Dämpfer *m*; **~r** [1f] **I.** *v/t.* **1.** eindampfen, verdampfen; verdunsten lassen; **2.** *bsd. Parfüm* zerstäuben; **3.** ⚒ dämpfen; **II.** *v/r.* **4.** *~se* verdampfen; verdunsten.

vaporoso *adj.* **1.** dampfend; dunstig; **2.** *fig.* leicht; duftig; luftig (*Kleid*).

vapu|lación *f*, **~lamiento** *m* Prügel *pl.*; **~lar** *v/t. od. mst.* **~lear** F *v/t.* durchprügeln; **~leo** F *m* Tracht *f* Prügel.

vaque|ra *f* Kuhhirtin *f*; Sennerin *f*; **~ría** *f* **1.** Kuhstall *m*; **2.** Milchgeschäft *n*; Milchtrinkstube *f*; **3.** → *vacada*; **~riza** *f* Kuhstall *m*; **~rizo I.** *adj.* Rinder...; **II.** *m* → *vaquero m*; **~ro I.** *adj.* Rinderhirten...; **II.** *m* Rinderhirt *m*; Senn(e) *m*; *mit Bezug*

auf Am. Vaquero *m bzw.* Cowboy *m*; **~ta** *f* Rind(s)leder *n*.
váquira *Ven.*, **vaquira** *Col. Zo. f* Nabelschwein *n*.
vara *f* **1.** Stab *m*; Stange *f*; Deichselstange *f*; Leiterholm *m*; ~*s f/pl.* Gabeldeichsel *f*; **2.** Rute *f*, Gerte *f*; Blütenstengel *m* (*Stengel mit Blüte*); ~ *de nardo* Nardenstengel *m*; ⚘ ~ *de San José* (*od. de oro*) Goldrute *f*; **3.** Amtsstab *m*; Kommandostab *m*; ~ *de Esculapio* Äskulapstab *m*; *hist. fig.* ~ *de Inquisición* Beauftragte(r) *m* der Inquisition; ~ *de Mercurio* Merkurstab *m*; *fig. doblar la* ~ *de la Justicia* das Recht beugen; *tener alta* ~ *en a/c.* in e-r Sache gr. Einfluß haben; **4.** *Stk.* Stoßlanze *f*, Pike *f*; *p. ext.* Lanzenstoß *m* des Pikadors; *fig.* F *picar de* ~ *larga* auf Nummer Sicher gehen; *tomar* ~*s* gg. die Lanze des Pikadors anrennen (*Stier*); *fig.* F gern mit Männern anbändeln (*Frau*); **5.** *Ma.* Elle *f* (*in Cast. 0,835 m*); *fig. medirlo todo con la misma* ~ alles über e-n Kamm scheren, alles über e-n Leisten schlagen; **6.** *Am.* ~ *de la fortuna, Arg., Col., C. Ri.* ~ *de premio* Klettermast *m b. Volksfesten*.
vara|da ⚓ *f* **1.** Strandung *f*; **2.** → *varadura*; **~dero** ⚓ *m* Stapelplatz *m*; **~do** *adj.-su. Chi.* ohne feste Beschäftigung; **~dura** ⚓ *f* Aufschleppen *n e-s Schiffs* (*auf den Schiffsstapelplatz*).
varal *m* **1.** dicker Stab *m*; lange Stange *f*; *fig.* F lange Latte *f*, Hopfenstange *f* (*fig.* F); **~es** *m/pl.* Deichselstangen *f/pl.*; **2.** Rüstholz *n b. Schiffsbauten*.
varano *Zo. m* Waran *m*.
varapalo *m* **1.** lange Stange *f*; **2.** Schlag *m* mit e-r Stange; *fig.* F Verlust *m*, Schaden *m*, Schlag *m* (*fig.*); Verdruß *m*.
varar ⚓ **I.** *v/t.* auf Strand setzen; an Land ziehen, aufschleppen; **II.** *v/i.* Grund berühren, auflaufen; stranden; *fig.* steckenbleiben; **III.** *v/r.* **~se** *Am.* stranden.
va|razo *m* Ruten-hieb *m*, -streich *m*; **~rear I.** *v/t.* **1.** *Obst usw.* (vom Baum) abschlagen; **2.** *Stk.* mit der Pike stechen (*Pikador*); **3.** mit der Elle messen; nach Ellen verkaufen (*od.* zuteilen); **4.** *Rpl. Reittier* einreiten *für Rennen*; **II.** *v/r.* **~se 5.** *fig.* → *enflaquecer*.
varec ⚘ *m* Tang *m*, Seegras *n*.
varenga ⚓ *f* Wrange *f*; **~je** ⚓ *m* Wrangen *f/pl.*; Randsomhölzer *n/pl.*; Bodenplatten *f/pl.*; *p. ext.* Auflanger *m/pl.*
vare|o *m* Abschlagen *n der Baumfrüchte*; **~ta** *f* **1.** kl. Stange *f*; kl. Spieß *m*; *fig.* Anspielung *f bzw.* Stichelei *f*; *fig.* F *echar una* ~ e-e Anspielung machen; sticheln, anpflaumen F (*j-n a*); **2.** Leimrute *f*; *fig.* F *estar* (*od. irse*) *de* ~*s* Durchfall haben; **3.** *tex.* Streifen *m im Zeug*; **~tazo** *Stk. m* seitlich geführter Hornstoß *m*; **~tear** *tex. v/t.* Streifen (ein)weben; **~tón** *Jgdw. m* Spießer *m* (*Hirsch*).
varganal *m* Pfahlzaun *m*.
Vargas *npr.*: *fig.* *¡averígüelo ~!* das mag der Kuckuck (*od.* der Teufel) wissen!
vari|a *lt. m/pl.* Varia *pl.*, Verschiedene(s) *n*; **~abilidad** *f* Veränderlichkeit *f*; **~able I.** *adj. c* **1.** *a. Met.* veränderlich; wandelbar; unbeständig, wechselvoll; ⊕ *a.* verstellbar; **2.** wankelmütig; unstet; **II.** *f* **3.** 𝔄 Veränderliche *f*, Variable *f*; **~ación** *f* **1.** (Ver-)Änderung *f*, Wechsel *m*; Abweichung *f*, Schwankung *f*; 📖, ♪ Variation *f*; ~ *magnética* (Gesamt-)Abweichung *f* (*od.* -Mißweisung *f*) der Magnetnadel; **2.** Abwechslung *f*; **~ado** *adj.* **1.** mannigfach; verschiedenartig; abwechselnd; **2.** vielseitig; abwechslungsreich, reichhaltig; bunt; buntfarbig; **~ador** ⊕ *m* Regelgetriebe *n*, Wandler *m*; ~ (*de velocidad*) *sin escalones* stufenlos regelbares Getriebe *n*; **~ante I.** *adj. c* wechselnd; **II.** *f* Variante *f*; *Biol.* Abart *f*; *Textkritik*: abweichende Lesart *f*, Variante *f*; **~ar** [1c] **I.** *v/t.* (ab-, ver-) ändern; variieren; **II.** *v/i.* wechseln, s. wandeln, s. ändern; abweichen, variieren; verschieden sein.
varice, *a.* **várice** ⚕ *f*, ⚒ *m* Krampfader *f*.
varicela ⚕ *f* Wind-, Wasser-[pocken *f/pl.*]
varico|cele ⚕ *m* Varikozele *f*, Krampfaderbruch *m*; **~sidad** ⚕ *f* Krampfaderbildung *f*; **~so** ⚕ *adj.* varikös; Krampfader...
varie|dad *f* **1.** Mannigfaltigkeit *f*; Vielfalt *f*; Verschiedenartigkeit *f*; **2.** *Biol.* Abart *f*, Variante *f*; *Gartenbau*: Sorte *f*; **~tés** *f/pl.* Varieté(vorstellung *f*) *n*.
varilla *f* **1.** Gerte *f*, Rute *f*; dünne Stange *f*; Latte *f*, Leiste *f*; *p. ext.* Vorhangstange *f*; ~*s f/pl. a.* ⊕ Gestänge *n*; **2.** ~ *mágica* (*od. adivinadora*) Zauberstab *m* (*a.* ~ *de virtudes*); Wünschelrute *f*; **3.** Stab *m*; *a.* ⊕ Fächer-, Schirm-stab *m*; ~ *de ballena* Fischbein(stäbchen) *n*; ~ *de calefacción eléctrica* elektrischer Heizstab *m*; ~ *de cristal*, ~ *de vidrio* Glasstab *m*; ~ (*metálica*) Stativstab *m*, Spreize *f*; ~ *roscada* Gewindestift *m*; **4.** *Méj.* Warenauswahl *f der Hausierer*; **~je** *m a.* ⊕ Gestänge *n*; ~ *de(l) paraguas* Schirmgestänge *n*.
varillar *v/t. Ven.* → *varear 4.*
varillero *m Méj.* Hausierer *m*.
vario *adj.* **1.** verschieden; ~*s m/pl.* manche; einige, mehrere; **2.** veränderlich, wechselhaft, unstet.
variolo|ide ⚕ *f* falsche Blattern *f/pl.*; **~so** ⚕ **I.** *adj.* Blattern...; pockenkrank; **II.** *m* an (den) Blattern Erkrankte(r) *m*.
variómetro *Phys.*, ⚡ *m* Variometer [*n*.]
variopinto F *adj.* bunt.
varita *f* **1.** kl. Stab *m*; **2.** → *varilla 2.*
variz ⚕ *f* → *varice*.
va|rón I. *adj.* **1.** männlich(en Geschlechts); (von) männlich(er Wesensart); **II.** *m* **2.** Mann *m*; männliches Wesen *n*; F *santo* ~ herzensguter, et. einfältiger Mann *m*; **3.** ⚓ Ruderkette *f*; **~ronía** *f* männliche Linie *f*; **~ronil** *adj. c* männlich; Mannes...; mannhaft, mutig.
varsoviano *adj.-su.* aus Warschau; *m* Warschauer *m*.
vasa|llaje *m hist.* Lehnspflicht *f*; *a. fig.* Vasallentum *n*; *fig.* Knechtschaft *f*; Abhängigkeit *f*; **~llo I.** *adj.* lehnspflichtig; **II.** *m hist.* Vasall *m*, Lehnspflichtige(r) *m*; *fig.* Abhängige(r) *m*, Unterstellte(r) *m*.
vasar *m* Abstellbord *n*; Küchenbord *n*.
vas|co *adj.-su.* baskisch; *m* Baske *m*; *Li. das* Baskische; **~cón** *adj.-su.* aus dem alten Baskenland; **~congado** *adj.-su.* aus den baskischen Provinzen; **~cónico** *adj.* altbaskisch; **~cuence I.** *adj. c* baskisch; **II.** *m Li. das* Baskische; *fig.* F Unverständliche(s) *n*; *fig.* F *es* ~ *para mí* das ist Chinesisch für mich (*fig.* F).
vascu|lar *Biol.*, ⚕ *adj. c* Gefäß...; **~larización** *f* Gefäßbildung *f*; **~loso** *adj.* → *vascular*.
vaseli|na *pharm. f* Vaseline *f*; **~noso** F *adj.* schmalzig, schnulzig.
va|sera *f* Geschirrbord *n*; **~sija** *f* Gefäß *n*; ~ *aforadora* Meßgefäß *n*; ~ *con rosca* Schraubglas *n*; **~sillo** *m* Wabenzelle *f der Bienen*.
vaso *m* **1.** *a.* ⚕ Gefäß *n*; ⚕ ~ *capilar* (*sanguíneo*) Haar-, Kapillar- (Blut-) gefäß *n*; ⌂ *usw.* ~ *colector* Sammelgefäß *n*; *Phys.* ~*s m/pl. comunicantes* kommunizierende Röhren *n/pl.*; *Rel.* ~ *de elección* Auserwählte(r) *m* (*od.* Auserwählte *f*) des Herrn; **2.** (Trink-)Glas *n*; ~ *de agua* Glas *n* Wasser; ~ *para agua* Wasserglas *n*; *a* ~*s* glasweise; **~constricción** ⚕ *f* Gefäßverengung *f*; **~dilatación** ⚕ *f* Gefäßerweiterung *f*; **~-medida** *m* Meßbecher *m*; **~motor** ⚕ *adj.* vasomotorisch.
vasquista *m* Baskologe *m*.
vástago *m* **1.** ⚘ Schößling *m*; *a. fig.* Sprößling *m*; ~ *rastrero* Ausläufer *m*, Fechser *m*; **2.** ⊕ Schaft *m*; Stößel *m*; Zapfen *m*; Stab *m*; ~ *de émbolo* Kolbenstange *f*; ~ *del remache* Nietenschaft *m*.
vas|tedad *f* Weite *f*; Geräumigkeit *f*, Ausdehnung *f*; **~to** *adj.* weit, ausgedehnt; geräumig, groß; umfassend; groß, großartig; *el* ~ *mar* das weite Meer, die unendliche See.
vate *m lit.* Dichter *m*; Seher *m*, Künder *m*.
vatica|nista *adj. c* auf die Politik des Vatikans bezüglich; auf die Politik des Vatikans eingeschworen; **~no I.** *adj.* vatikanisch; päpstlich; (*Biblioteca*) ⁓*a f* Vatikanische Bibliothek *f*; **II.** ⁓ *m a. fig.* Vatikan *m*.
vatici|nador I. *adj.* wahrsagend; prophezeiend; prophetisch; **II.** *m* Wahrsager *m*; Prophet *m*; **~nar** *v/t.* wahrsagen, prophezeien; voraus-, vorher-sagen; **~nio** *m* Wahrsagung *f*, Prophezeiung *f*; Voraussage *f*.
va|tímetro ⚡ *m* Wattmeter *n*; **~tio** ⚡ *m* Watt *n*.
vaya[1] **1.** → *ir* [3t]; **2.** *int.* *¡~!* aber (geh)!; na so etwas!; so ein ...!; *¡~ pareja!* ist das (vielleicht) ein Paar!
vaya[2] *f* Spott *m*, Frozzelei *f* F; Spaß *m*; *darle* ~ *a alg.* j-n aufziehen, j-n frozzeln F.
vecero *m* (Stamm-)Kunde *m*.
vecin|al *adj. c* **1.** Gemeinde...; *camino m* ~ Ortsverbindung(sweg *m*) *f*, Vizinalweg *m*; **2.** nachbarlich; **~dad** *f* **1.** Nachbarschaft *f*; *Pol. relaciones f/pl. de buena* ~ gutnachbarliche Beziehungen *f/pl.*; **2.** Mit-

bewohner *m/pl.*, Nachbarn *m/pl. e-s Hauses, e-s Viertels*; *p. ext.* → *vecindario*; **3.** Nähe *f*, Umgebung *f*; **4.** Gemeindebürgerrecht *n*, Anerkennung *f* als Bürger *e-r Gemeinde*; **~dario** *m* Einwohnerschaft *f*; Einwohnerschaftsverzeichnis *n*.
vecino I. *adj.* **1.** benachbart (mit *dat. a*); **2.** ansässig (in *dat.* de); **II.** *m* **3.** Nachbar *m*; **4.** Einwohner *m*.
vecto|r Ⱥ **I.** *adj.*: *radio m* ~ Radiusvektor *m*, Fahr-, Leit-strahl *m*; **II.** *m* Vektor *m*, Richtungsgröße *f*; *Raumf.* Trägerrakete *f*; **~rial** *adj. c* vektoriell, Vektor...
veda *f* **1.** *Jgdw.*, *Fischerei*: Schonzeit *f*; **2.** Verbot *n*; **~do** *m* **1.** *Jgdw.* Gehege *n*; Privatjagd *f*; **2.** *silv.* Schonung *f*; **~r** *v/t.* verbieten; (ver)hindern.
Vedas *m/pl.* Veden *m/pl.*
védico *adj.* vedisch; Veden...
vedija *f* Wollflocke *f*; *fig.* Rauchwölkchen *n*, -spirale *f*.
vee|dor *m* Inspektor *m* (*Beamter, der die Gemeindeversorgung kontrolliert*; *hist. Hofamt*); **~duría** *f* Inspektorat *n*.
vega *Geogr. f* (Fluß-)Aue *f*.
vegeta|ción *f* Pflanzenwuchs *m*, Vegetation *f*; **~l I.** *adj. c* pflanzlich, vegetabil(isch), Pflanzen...; **II.** *m* Pflanze *f*; **~r** *v/i.* wachsen; *fig.* vegetieren; **~rianismo** *m* Vegetariertum *n*; **~riano I.** *adj.* vegetarisch; **II.** *m* Vegetarier *m*; **~tivo** *adj.* **1.** wachsend; Pflanzen...; *órgano m* ~ Wachstums- *bzw.* Fortpflanzungs-Organ *n*; **2.** *fig.* vegetierend; *rein leiblich* sein Leben fristend; **3.** ⚕ vegetativ; *sistema m nervioso* ~ vegetatives Nervensystem *n*.
veguero I. *adj.* **1.** Vega..., Flur...; **II.** *m* **2.** Vegabauer *m*, Flurarbeiter *m*; **3.** (*aus e-m Blatt ohne Einlage gewickelte*) Zigarre *f*; **4.** *Cu.* Tabakpflanzer *m*.
vehemen|cia *f* Heftigkeit *f*; Ungestüm *n*; *fig.* Kraft *f*, Feuer *n des Ausdrucks*; **~te** *adj. c* **1.** heftig; ungestüm; **2.** *fig.* kraftvoll, feurig (*Stil*); **3.** †, ⚒ stark, begründet (*Verdacht*).
vehículo *m* **1.** Fahrzeug *n*; ~ *acuático* (*aerodeslizante*, *industrial*) Wasser- (Luftkissen-, Nutz-)fahrzeug *n*; ~ *de carretera* (*sobre rieles*) Straßen- (Schienen-)fahrzeug *n*; ~ *de motor*, ~ *automóvil* Motor-, Kraft-fahrzeug *n*, *Abk.* Kfz. *n*; ~ (*para*) *todo terreno* Geländefahrzeug *n*; ~ *de tracción animal* Fuhrwerk *n*; **2.** *fig.* Träger *m*, Vehikel *n*; Vermittler *m*, ⚕ Überträger *m*.
vein|tavo I. *adj.* zwanzigstel; **II.** *m* Zwanzigstel *n*; **~te** *num.* zwanzig; zwanzigste(r, -s); *de* ~ *años* zwanzigjährig; **~tena** *f* zwanzig Stück; *una* ~ etwa 20 Stück.
veja|ción *f* Belästigung *f*; Plage *f*; **~dor** *adj.* quälend; **~men** *lit. m* **1.** → *vejación*; **2.** bissige Zurechtweisung *f*; beißende Stichelei *f*.
veja|ncón F, **~rrón** F **I.** *adj.* steinalt; **II.** *m* Tattergreis *m* F.
veja|r *v/t.* belästigen; quälen, plagen; drangsalieren; **~torio** *adj.* quälend; drückend (*Bedingung*).
veje|storio *desp. m* **1.** alter Plunder *m*; **2. a)** alter Knacker *m* F; **b)** alte Schachtel *f* F, altes Reff *n* P; **~te** *m* altes Männchen *n*.
vejez *f* **1.** (Greisen-)Alter *n*; Lebensabend *m* (*lit.*); *pensión f* (*od. renta f*) de ~ Altersrente *f*; *Spr. a la* ~, *viruelas* Alter schützt vor Torheit nicht; alles hat s-e Zeit; **2.** Altern *n*; *p. ext.* Altersbeschwerden *f/pl.*; seniles Verhalten *n*; **3.** *fig.* greisenhafte Geschwätzigkeit *f*; abgedroschene Geschichte *f*, alter Kohl *m* F.
veji|ga *f* **1.** *Anat.*, ⚕ Blase *f*; ~ *de cerdo* Schweinsblase *f*; ~ *de la hiel* Gallenblase *f*; ~ (*urinaria*) Harnblase *f*; *levantar* ~*s* Blasen bilden (*od.* ziehen) (*Haut b. Brandwunden usw.*); **2.** ⚘ ~ *de perro* Blasenkirsche *f*; **~gatorio** ⚕ *m* Zugpflaster *n*; **~goso** *adj.* voller Blasen.
vela[1] *f* **1.** Segel *n*; *a.* Sonnensegel *n*; ~ *de abanico* (*de cuchillo*) Spriet- (Schrat-)segel *n*; ~ *de batículo* Treiber(segel *n*) *m b. Jollen*; ~ *cuadrada* (*mayor*) Rah- (Groß-)segel *n*; ~ *latina* lateinisches Segel *n*; ~ *de mesana* Besan(segel *n*) *m*; ~ *suplementaria* Beisegel *n*, Spinnaker *m*; ~ *de temporal* (*od. de capa*) Sturmsegel *n*; *avión m a* ~ → *velero 3*; *barco m* (*od. buque m*) de ~ Segelschiff *n*; *a toda(s)* ~*(s) od. a* ~*s llenas* (*od. desplegadas od. tendidas*) *a. fig.* mit vollen Segeln; *alzar* (*od. bsd. fig. levantar*) ~*s* Segel setzen; *fig.* (plötzlich) aufbrechen; s. davonmachen; *apocar las* ~*s* weniger Segel(fläche) setzen; *cambiar la* ~ das Segel in den Wind drehen; *estar a la* ~ unter Segel stehen; *fig.* bereit sein; *hacerse a la* ~, *a. dar* ~ *od. largar las* ~*s* unter Segel gehen, absegeln; fahren; *navegar a* ~ segeln; *poner* ~*s* Segel setzen; *recoger* (*od. amainar*) ~*s* die Segel einziehen (*od.* streichen, *a. fig.*); *tender las* ~*s* die Segel in den Wind spannen; *fig.* die Gelegenheit nützen; **2.** *fig.* Segel (-schiff) *n*; Segler *m*; **3.** *fig.* F ~*s f/pl.* herabhängende(r) Rotz *m* P.
vela[2] *f* **1.** Wachen *n*; Nachtwache *f*; † ✕ Nachtposten *m*; *en* ~ schlaflos; wach(end); *pasar la noche en* ~ die Nacht durchwachen; **2.** *kath.* Anbetung *f* vor dem Allerheiligsten; **3.** Kerze *f*; ~ *de sebo* Talglicht *n*; *fig. derecho como una* ~ kerzengerade; *economías f/pl. de cabos de* ~ Sparen *n* am falschen Ende, Knauserei *f*; *fig.* F *entre dos* ~*s* leicht angetrunken; *fig. entre cuatro* ~*s* im Sarg; *fig.* F *nadie te da* ~ *en este entierro* hier hast du gar nichts zu suchen; hier hast du nichts verloren; *fig.* F *estar a dos* ~*s* mittellos (*od.* blank F) sein; *fig.* F *encender una* ~ *a Dios* (*od. a San Miguel*) *y otra al diablo* auf zwei Sätteln reiten (*fig.* F); *encender una* ~ *a la Virgen vor dem Bild* der Muttergottes e-e Kerze aufstecken; *fig. tener la* ~ Helfershelfer sein; j-m in s-n Liebesnöten helfen; den Kuppler machen; *fig.* F *tener una* ~ *encendida por si otra se apaga* auf alle Fälle sicher gehen, ein weiteres Eisen im Feuer haben (*fig.*).
velación[1] *f* Verhüllung *f* mit dem Schleier; *kath.* Bedeckung *f* mit dem Brautschleier (*Trauungszeremoniell*); ~*ones f/pl.* kirchliche Trauung *f*; *p. ext.* Trauzeit *f*.
velación[2] ⚒ *f* → *vela*[2] *1 u. velorio*.
velacho ⚓ *m* Vortoppsegel *n*.
velada[1] *f* Verschleierte *f*.
velada[2] *f* **1.** ⚒ Aufbleiben *n*; Nachtwache *f*; **2.** (Abend-)Veranstaltung *f*; Abendgesellschaft *f*; (gemütlicher) Abend *m*; ~ *musical* (*poética*) Musik- (Dichter-)abend *m*.
velado *part. a. Phot.* verschleiert.
velador I. *adj.* **1.** wachend; wachsam; **II.** *m* **2.** Hüter *m*, Wächter *m*; **3.** rundes Tischchen *n*; Kaffeehaustisch *m*; Leuchtertisch *m*; *Chi.* Nachttisch *m*; **4.** Nachttischlampe *f*.
veladura *Mal. f* Lasur(farbe) *f*; Übermalen *n*.
vela|je, **~men** ⚓ *m* Segel(werk *n*) *n/pl.*; **~ndria** *f Col.* Spott *m*.
velar[1] *Phon.* **I.** *adj. c* velar, Hintergaumen...; **II.** *m* Velar *m*, Hintergaumenlaut *m*.
velar[2] **I.** *v/t.* **1.** bewachen; wachen bei *e-m Kranken, e-r Leiche*; *p. ext.* Totenwache halten bei (*dat.*); *fig.* aufmerksam beobachten; ~ *las armas hist.* Schwertwache halten; *fig.* beginnen; **II.** *v/i.* **2.** wachen, nachts aufbleiben; nachts arbeiten; **3.** wachen (über *ac. por*); wachsam sein; sorgsam achtgeben (auf *ac. sobre*); ~ *en defensa de sus privilegios* s-e Vorrechte wachsam verteidigen; **4.** *kath.* eucharistische Wache (*od.* Andacht) halten *vor dem Allerheiligsten*; *a.* am „ewigen Gebet" teilnehmen; **5.** ⚓ über die Oberfläche ragen (*Klippe od. anderes Hindernis*).
velar[3] **I.** *v/t.* **1.** verschleiern (*a. fig*); *fig.* verhüllen; trüben; *con voz* ~*ada* mit umflorter Stimme; **2.** *kath.* feierlich trauen; **3.** *Mal.* lasieren, übermalen; *Phot.* Schleierbildungen verursachen (*durch Fehlbelichtung*); **II.** *v/r.* ~*se* **4.** s. verschleiern; **5.** *kath.* feierlich getraut werden; **6.** *fig.* e-n dumpfen (*od.* trüben *bzw.* traurigen) Klang annehmen (*Stimme*); *Phot.* Schleierbildungen zeigen (*durch Fehlbelichtung*).
velarizar [1f] *Li. v/t.* velarisieren.
velatorio *m* Toten- *od.* Leichenwache *f*.
¡ve|lay! F *int.* **1.** † *u. Reg.* jawohl!, natürlich; **2.** *Arg.*, *Bol.* → *he aquí od. aquí* (*lo*) *tiene usted b. Überreichung od. Vorstellung*; **3.** *Col.* → *¡eso no!*, *¡no faltaba más!* (*abwehrend*).
velazqueño *adj.* auf (den span. Maler) Velázquez bezüglich.
veld(t) *Geogr. m* Veld *n* (*südafrikan. Steppe*).
velei|dad *f* **1.** Anwandlung *f*; Laune *f*, Willkür *f*; Gelüst *n*; **2.** Launenhaftigkeit *f*; **~doso** *adj.* wankelmütig; wetterwendisch, launisch.
veleria[1] ⚓ *m* Segelmacherwerkstatt *f*; Segelboden *m*.
velería[2] *f* Kerzengeschäft *n*; Kerzengießerei *f*.
velero[1] ⚓ *m* **1.** Segelmacher *m*; **2.** Segelschiff *n*; Schnellsegler *m*, Klipper *m*; ~ *de cuatro palos* Viermaster *m*; **3.** ✈ (~) *planeador m* Segelflugzeug *n*.
velero[2] *m* Lichtzieher *m*; Kerzengießer *m*.

velero[3] *kath. m* Wallfahrer *m*; Teilnehmer *m* an e-r *vela*; → *vela*[2] 2.
veleta I. *f* **1.** Wetterfahne *f*; **2.** ⚔ *Equ.* Lanzenwimpel *m*; **3.** Schwimmer *m* der Angelschnur; Gleitpose *f*; **II.** *c* **4.** *fig.* wetterwendischer Mensch *m*.
veli|llo *tex. m* hauchzarter Flor *m*; **~to** *m* kl. Hutschleier *m*.
velívolo *poet. adj.* im Fluge dahinsegelnd (*Schiff*).
velo *m* **1.** Schleier *m* (*Gesichts-, Hut-, Nonnenschleier u. fig.*; *Phot. u. Repro.*); *p. ext. Photo* 📷 Schleierbildung *f*; ~ *contra las abejas* Bienen- (*od.* Imker-)schleier *m*; ~ *de cristianar* (*de gasa, de luto, de novia, de viuda*) Tauf- (Gaze-, Trauer-, Braut-, Witwen-)schleier *m*; *poner el* ~ s. verschleiern; *fig. tener un* ~ *ante los ojos* e-n Schleier vor den Augen haben; **2.** *tex.* Flor *m*, Vlies *n*; ~ *de fibras* Faservlies *n*; ~ *peinado* Kammzug *m*; **3.** *Anat.* Segel *n*, Velum *n*; ~ *del paladar* Gaumensegel *n*; **4.** Hülle *f*; Schein *m*; Deckmantel *m*; Vorwand *m*; *fig. bajo el* ~ *de la amistad* unter dem Deckmantel der Freundschaft; *fig.* (*des*)*correr el* ~ den Schleier wegziehen, enthüllen; bloßlegen; *fig. correr* (*od. echar*) *un* ~ *sobre* e-n Schleier breiten über (*ac.*), verhüllen (*ac.*); **5.** *kath.* **a)** „Trauschleier" *m* (*dieser Schleier wird b. Trauungszeremoniell als Symbol der ehelichen Bindung über die Schultern des Bräutigams u. den Kopf der Braut gebreitet*); **b)** Nonnenschleier *m*; *fig.* → *velorio 3*; *fig. tomar el* ~ den Schleier nehmen, Nonne werden; **c)** Velum *n* (*Schultertuch des Priesters bzw. Kelchabdeckung*); **6.** feinmaschiges Fischnetz *n*.
velo|cidad *f* Geschwindigkeit *f*; *cambio m de* ~ Geschwindigkeitswechsel *m*; *Kfz.* Gang(schaltung *f*) *m*; *Kfz. cambio m de cuatro* **~es** Viergangschaltung *f*; 🚂 *por gran* (*pequeña*) ~ (als) Eil- (Fracht-)gut *n*; *Phys.* ~ *angular* (*propia*) Winkel- (Eigen-)geschwindigkeit *f*; ⚓, ✈ ~ *comercial*, ✈ ~ *de crucero* Reisegeschwindigkeit *f*; ~ *máxima* Höchstgeschwindigkeit *f*; ~ *media* mittlere Geschwindigkeit *f*; Durchschnittsgeschwindigkeit *f*; ⚕ ~ *de* (*la*) *sedimentación globular* (*od. sanguínea*) Blutsenkungsgeschwindigkeit *f*; (*lanzado*) *a toda* ~ mit rasender Geschwindigkeit; **~címetro** *m* Geschwindigkeitsmesser *m*; ⚓ Fahrtmesser *m*; *Kfz.* Tacho (-meter *n*) *m*; **~cípedo** *m* Velo(ziped) *n*, Fahrrad *n*; 🚂 ~ (*para vía férrea*) Draisine *f*; **~cista** *Sp. c* Sprinter(in *f*) *m*.
velódromo *m* Radrennbahn *f*, Velodrom *n*.
velomotor *m* Mofa *n* (*Motorfahrrad*).
velón *m* **1.** † (mehrflammige) Öllampe *f* (*auf Ständer, drehbar u. nach oben u. unten verschiebbar*); **2.** † *u. Reg.* → *candelero*; **3.** *Bol., Chi., Méj., Pe.* dicke Unschlittkerze *f*.
velorio *m* **1.** abendliches Dorfvergnügen *n mit Musik u. Tanz*; **2.** Totenwache *f* (*bsd. b. e-m Kind*); **3.** *kath.* feierliche Profeß *f* e-r Klosterfrau; **4.** *Arg.* langweilige Veranstaltung *f*; *int.* ¡~! *etwa*: wäre ja ganz schön, aber ...; **5.** *Ven.* → *ventorrillo*.
veloz *adj.* (*pl.* **~oces**) schnell; flink, behende.
veludo *m* → *velludo m*.
velum ⚘ *m* Velum *n*, Schleier *m b. Pilzen*.
ve|llera *f* Haarauszupferin *f* (*Kosmetikerin*); **~llo** *m* Flaum(haar *n*) *m* (*a.* ⚘); Körperhaar *n*; **~llocino** *m* Schaffell *n*, Vlies *n*; *Myth. el* ♀ *de oro* das goldene Vlies; **~llón** *m* Schaffell *n*; Schurwolle *f*; Wollflocke *f*; **~llorí(n)** *m* mittelfeines Tuch *n*; **~llorita** ⚘ *f* **1.** Maßliebchen *n*; **2.** Schlüsselblume *f*; **~llosidad** *f* (dichte) Behaarung *f*; **~llosita** ⚘ *f* Mausohr *n*, langhaariges Habichtskraut *f* (*Hieracium Pilosella*); **~lloso** *adj.* stark behaart; haarig; wollig, zottig; **~lludillo** *tex. m* Velvet *m, n, glatter* Halb- *od.* Baumwoll-samt *m*; **~lludo I.** *adj.* → *velloso*; **II.** *m tex.* Seidenplüsch *m*, Felbel *m*; **~llutero** *tex. m* Seidenplüsch-Facharbeiter *m*.
vena *f* **1.** *a. fig.* Ader *f*; ⚘ (Blatt-) Rippe *f*; **~s** *f/pl. a.* Aderung *f*, Maserung *f b. Holz u. Marmor*; ~ *de agua* Wasserader *f*; ~ *metálica* Erzader *f*; *fig.* ~ (*poética*) dichterische Ader *f*; *fig. le dio la* ~ er kam auf den verrückten Einfall (, zu + *inf.* de + *inf.*); ihn packte die Wut; *estar en* ~ im Zuge (*bzw.* in Stimmung *od.* gut aufgelegt) sein; *no estar en* ~ *de* (*od. para*) + *inf.* nicht in der rechten Stimmung sein, zu + *inf.*; *tener* ~ *de a/c.* e-e Ader (*od.* Begabung) für et. (*ac.*) haben; *tener* ~ *de loco* unberechenbar sein; übergeschnappt sein F; **2.** *Anat.* Vene *f*, Blutader *f*; ~ *cava* Hohlvene *f*; ~ *porta* Pfortader *f*.
vena|blo *m* (Jagd-)Spieß *m*; *fig. echar* **~s** wüten, toben; **~dero** *Jgdw. m* Lager *n* des Hochwilds; **~do** *m* Hirsch *m* (*a. Kchk.*); Rotwild *n*; Hirschleder *n*; **~dor** *m* Jäger *m*.
vena|je *m* Wasseradern u. Quellen *f/pl. e-s Flusses*; **~l**[1] *adj. c* Ader...
vena|l[2] *adj. c a. fig.* käuflich; *fig.* bestechlich; **~lidad** *f* Käuflichkeit *f*; Bestechlichkeit *f*.
venático F **I.** *adj.* halbverrückt, übergeschnappt F; **II.** *m* närrischer Kerl *m*.
venatorio *lit. adj.* Jagd...
vencedero ⚖ *adj.* fällig.
vencedor I. *adj.* siegreich; **II.** *m* Sieger *m*.
vencejo[1] *Vo. m* Mauersegler *m*.
vencejo[2] *m* (Garben-)Band *n*; Strick *m*.
vencer [2b] **I.** *v/t.* **1.** besiegen; siegen über (*ac.*); überwältigen; bezwingen; (be)meistern; *Hindernis, Schlaf, Unpäßlichkeit, Widerstand* überwinden; *Schwierigkeit* meistern; ⚖ ~ *a los competidores* die Konkurrenz aus dem Felde schlagen; *el sueño le ha vencido* der Schlaf hat ihn übermannt; *no dejarse* ~ nicht nachgeben; s. nicht unterkriegen lassen F; *se dieron por vencidos* sie gaben nach; sie gaben klein bei; **II.** *v/i.* **2.** siegen; Sieger bleiben; *Spr. vine, vi y vencí, oft lt. veni, vidi, vici* ich kam, sah u. siegte; **3.** *bsd.* ⚖ ablaufen (*Frist, Vertrag*); verfallen (*Wechsel*); fällig werden (*bzw.* sein); **III.** *v/r.* **~se 4.** s. beherrschen; **~se** *a sí mismo* s. selbst überwinden; **5.** ⚒ verkantet sein; verbogen sein; überhängen; **6.** *Chi.* verschleißen.
vencetósigo ⚘ *m* Schwalbenwurz *f*.
venci|ble *adj. c* besiegbar; **~da** *f* ⚒ → *vencimiento*; *ir de* ~ besiegt werden; ablaufen (*Frist*); *a la tercera* (*od. a las tres*), *va la* ~ beim drittenmal klappt es; einmal muß es doch klappen (*Ermutigung*); wenn es zum drittenmal geschieht, ist die Strafe fällig (*Warnung*); **~do** *adj.* **1.** besiegt; **2.** fällig; **3.** schief; verkantet; **~miento** *m* **1.** Besiegung *f*; **2.** Verfall(stag) *m*; Fälligkeit *f*.
venda *f* Binde *f*; *hist.* Stirn-band *n*, -binde *f* (*Zeichen der Königs- od. Priesterwürde*); ⚕ ~ *de Esmarch* (*de gasa*) Stau- (Mull-)binde *f*; ⚕ ~ *escayolada*, ~ *enyesada* (*umbilical*) Gips- (Nabel-)binde *f*; ⚕ ~ *de goma* Gummibinde *f* (*Bandage*); ~ *de los ojos* Augenbinde *f*, *damit man nichts sehen kann, z. B. b. Blindekuhspiel*; *fig. se le ha caído la* ~ *de los ojos* ihm fiel es wie Schuppen von den Augen; *fig. hacerle caer la* ~ *de los ojos* j-m die Augen öffnen; *fig. tener una* ~ *en los ojos* mit Blindheit geschlagen sein; **~je**[1] ⚕ *m* Verband *m*; Bandage *f*; ~ *de brazo* (*de cabeza, de emergencia*) Arm- (Kopf-, Not-) verband *m*; ~ *compresor*, ~ *de compresión* (*contentivo, escayolado*) Druck-, Kompressions- (Stütz-, Gips-)verband *m*; ~ *de gelatina con óxido de cinc* (*de urgencia*) Zinkleim- (Schnell-)verband *m*; ~ *quirúrgico* Operationswäsche *f*.
vendaje[2] *m* **1.** ⚒ Provision *f*; **2.** *Am. Mer., Cu.* Zugabe *f b. Kauf*.
vendar I. *v/t.* verbinden; zubinden; *a. fig. con los ojos* **~ados** mit verbundenen Augen; **II.** *v/r. fig.* **~se** *los ojos* s-e Augen vor der Wirklichkeit verschließen.
vendaval *m* starker See- *bzw.* Südwest-wind *m*; *p. ext.* Sturm *m*.
vende|dor *m* Verkäufer *m*; *agente m* ~ Verkaufsvertreter *m*; ~ *ambulante* Straßenhändler *m*; fliegender Händler *m*; → ~ *a domicilio* Hausierer *m*; ~ *callejero* Straßenhändler *m*; ~ (*de décimos*) *de lotería* Losverkäufer *m*; ~ *de frutas* Obsthändler *m*; ~ *de helados* Eis-verkäufer *m*, -mann *m* F; **~dora** *f* Verkäuferin *f*; *sociedad f* ~ Verkaufsgesellschaft *f*; ~ *de almacén* Ladenverkäuferin *f*; ~ *de novedades* Neuheitenverkäuferin *f in Warenhäusern usw.*; **~humos** F *m* (*pl. inv.*) Großmaul *n*, Schaumschläger *m*.
ven|der I. *v/t.* verkaufen, absetzen, vertreiben; *fig.* verraten; *fig.* ~ *cara su vida* sein Leben teuer verkaufen; ~ *a precios ruinosos Ware* verschleudern; ~ *al por menor* im Kleinhandel vertreiben (*od.* absetzen); ~ *por* (*od.* ⚒ *en*) *mucho dinero* für (*od.* um ⚒) teures Geld verkaufen; **II.** *v/r.* **~se** s. verdingen; s. bestechen (*od.* schmieren F) lassen; *fig.* s. ausgeben (als *por*); s.

verraten; s. verplappern F; **~dí** *m* Verkaufsbescheinigung(*Herkunfts-, Preisbescheinigung*) *f*; **~dible** *adj. c* verkäuflich, absetzbar; **~dido** *part. fig.* *¡aquí estamos (como) ~s!* hier sind wir (doch) verraten u. verkauft!

vendimia *f* Weinlese(zeit) *f*; *fig.* Ernte *f*, Frucht *f* (*fig.*); **~dor** *m* Weinleser *m*; **~r** [1b] *vt/i.* Trauben (*od.* Wein) lesen; *fig.* ernten (*bsd. da, wo man nicht gesät hat*), den Gewinn haben; *fig.* F töten.

venduta *f* **1.** *Rpl., Cu.* Versteigerung *f*; **2.** *Cu.* → *verdulería.*

veneciano *adj.-su.* venezianisch; *m* Venezianer *m.*

vendré *usw.* → *venir.*

venencia *f* Stechheber *m der Küfer.*

veneno *m a. fig.* Gift *n*; *fig. a.* Bosheit *f*; Zorn *m*; *~ para flechas* Pfeilgift *n*; **~sidad** *f* Giftigkeit *f*; **~so** *adj.* giftig; *seta f ~a* Giftpilz *m.*

venera[1] *f* **1.** *Zo., Rel.* Pilger-, Jakobs-muschel *f*, *Zo.* Venusmuschel *f*; **2.** *fig.* Ehrenkreuz *n versch. Ritterorden*; *fig.* F *no se te caerá la* (*od. ninguna*) *~* es wird dir kein Stein aus der Krone fallen; *fig. empeñar la ~* sein Bestes tun.

venera[2] ⚒ *f* Quell *m.*

venera|ble **I.** *adj. c* **1.** ehrwürdig; *a. kath.* verehrungswürdig; **II.** *c* **2.** *kath.* Ehrwürden *m bzw.* Ehrwürdige Mutter *f* (*Titel*); Venerabilis *m* (*Stufe der Kanonisation*); **III.** *m* **3.** *el ~* das Venerabile, das Sanktissimum; **4.** Hochmeister *m e-r Loge* (*Freimaurer*); **~ción** *f* Verehrung *f*; **~r** *v/t.* verehren.

venéreo ⚕ *adj.* venerisch, Geschlechts...

venero *m* **1.** Quell *m*; ⚒ Erzader *f*; *fig.* Urquell *m*; **2.** Schatten-, Stunden-strich *m e-r Sonnenuhr*; **3.** *fig.* wissenschaftlicher Nachwuchs *m.*

véneto *adj.-su.* Veneter *m*; Venezianer *m.*

venezola|nismo *m* venezolanische (Sprach-)Eigentümlichkeit *f*; **~no** *adj.-su.* venezolanisch, venezuelisch; *m* Venezolaner *m.*

venga|ble *adj. c* was Rache verdient; **~dor** **I.** *adj.* rächend; *espíritu m ~* Rachegeist *m*, Rächer *m*; **II.** *m* Rächer *m*; **~dora** *f* Rächerin *f*; *fig.* P Halbweltdame *f*; ♀ *Myth.* Rachegöttin *f*; **~nza** *f* Rache *f* (für *ac. de, por*); † Strafe *f*; *acto m de ~* Racheakt *m*; *espíritu m de ~* Rachegeist *m*, Rachgier *f*; *~ de sangre* Blutrache *f*; *clamar* (*od. pedir*) *~* nach Rache schreien; **~r** [1h] **I.** *v/t.* rächen; ahnden, strafen; **II.** *v/r.* *~se* s. rächen, Rache nehmen, Vergeltung üben (für *ac. de*; an *dat. en*); **~tivo** *adj.* rachsüchtig; rächend; *justicia f ~a* strafende Gerechtigkeit *f.*

vengo *usw.* → *venir.*

venia *f* **1.** †, ⚒ Verzeihung *f*; *p ext.* Erlaubnis *f*; *con la* (*od. su usw.*) *~* mit Verlaub (gesagt); *dar ~* erlauben; **2.** leichte Verneigung *f*; ⚔ Gruß *m*; **~l** *adj. c* verzeihlich; *bsd. Theol.* läßlich (*Sünde*); **~lidad** *f* Verzeihlichkeit *f*; Läßlichkeit *f e-r Sünde.*

venida *f* **1.** Ankunft *f*; Kommen *n*; *a la ~ de la noche* bei Anbruch der Nacht; **2.** *Fechtk.* Ausfall *m*; *fig.* Ungestüm *n*; Anwandlung *f*, Einfall *m*; **3.** ⚒ Rückkehr *f*; **~dero** **I.** *adj.* kommend; (zu)künftig; **II.** *m* Kommende(r) *m*; *los ~s* die Nachkommen *m/pl.*; die Nachfolger *m/pl.*; die künftigen Geschlechter *n/pl.*

venir [3s] **I.** *v/i.* **1.** kommen; s. einstellen, erscheinen; einfallen (*Gedanke*); **a)** *¡ven acá!* komm' her!; *fig.* F aber!; nun sei (doch) vernünftig (= *das war* [*od. ist*] *nicht recht!*); *¡venga!* los!; her damit!; *¡venga el libro!* her mit dem Buch!; *¡venga esa mano!* gib (*od.* geben Sie) mir die Hand!; schlag' ein!, topp!; *¡venga pan!* Brot her!; *¡venga lo que venga* (*od. lit. lo que viniere*)! was auch (immer) komme(n mag)!; unter allen Umständen; auf jeden Fall; *¡que venga!* er soll kommen; *va a ~ una desgracia* es wird ein Unglück geben; *el mes que viene* nächsten Monat; *fig.* F *ni va ni viene* er ist unschlüssig; *le vino el deseo de estudiar* er bekam Lust zu studieren; *vino la noche* die Nacht brach herein; **b)** *mit ger. u. part.*: *según viene diciendo* wie er (schon oft) gesagt hat; *eso venimos diciendo* darauf (*od.* auf das, was Sie gesagt haben) wollen wir hinaus; *~ volando* (an)geflogen kommen; **c)** *mit prp. a) mit a*: *~ a caballo* (*a pie*) zu Pferd (zu Fuß) kommen; *~ al caso* (*od. a propósito*) dahingehören, angebracht sein; *¡vengamos al caso!* kommen wir (wieder) zur Sache!; *fig.* F *le viene a contrapelo* es geht ihm gg. den Strich; es ist ihm zuwider; es paßt ihm nicht; *~ a cuentas* zur Abrechnung kommen, abrechnen; *al cabo vienes a lo que yo digo* schließlich bist du doch m-r Ansicht; *~ a la memoria* einfallen; *~ a menos* abnehmen; herunterkommen (*fig.*); *~ido a menos fig. a.* verarmt; *~ a partido* zu e-m Entschluß (*od.* zu e-r Vereinbarung) kommen; *~ a paz y concordia* zu Frieden u. Eintracht gelangen; *¿a qué viene eso?* was soll das?, worauf zielt das ab?; *hacer ~ al suelo a alg.* j-n zu Boden strecken; *~ a + inf.* dahin gelangen, zu *+ inf.*; *~ a buscar* holen; *vengo a decir que no es así* ich möchte sagen, daß es s. so nicht verhält; *~ a hacer a/c.* schließlich et. tun; et. erreichen; *~ a ser* werden; zu et. (*dat.*) werden; *~ a ser igual* (*od. lo mismo*) auf dasselbe hinauslaufen; *~ a tener mil marcos* etwa tausend Mark haben; *~ a verle a alg.* j-n auf- (*od.* be-)suchen; *b) mit con*: *fig.* F *¡no me vengas con cuentos!* erzähl' mir k-e Geschichten!; *fig. viene conmigo* er steht auf m-r Seite; *c) mit de*: *~ de casa* (*de Madrid*) von daheim (aus Madrid) kommen; *Typ. viene de la página 7* Fortsetzung von Seite 7; *als gal. gilt*: *~ de hacer a/c.* et. soeben getan haben; → *a.* 2; *d) mit en*: *~ en avión* (*en barco*) mit dem Flugzeug (mit dem Schiff) kommen; *~ en ayuda* zu Hilfe kommen; *~ en compensación* ein Ausgleich sein; *~ en conocimiento de a/c.* et. in Erfahrung bringen, et. kennenlernen; *cuando le venga en gana* wann immer Sie Lust haben; *~ en la idea* auf den Einfall kommen; *Verw. vengo en conferir* ich verleihe (hiermit); *~ en declarar* e-e Erklärung abgeben; *~ en decretar* ver-, an-ordnen, bestimmen; *e) mit por*: *~ por carretera* (*por mar*) über die Straße, per Achse (auf dem Seeweg) kommen; *el Estado por ~* der künftige Staat, der Staat der Zukunft; *en lo por ~* künftig; *~ por* (*od.* F *a por*) *a/c.* et. (ab)holen (wollen); *f) mit sobre*: *mil desdichas vinieron sobre la familia* tausendfach brach das Unglück über die Familie herein; **2.** abstammen (von *dat. de*); herrühren (von *dat. de*); *~ de buena familia* aus gutem Hause stammen; **3.** *fig.* sitzen, stehen (*Kleidung*); passen, entsprechen; *in der Zeitung* stehen; *fig.* F *le vendría muy bien* es (*od.* das) wäre genau das Richtige für ihn; *el traje le viene bien* (*estrecho*) der Anzug steht Ihnen gut (ist Ihnen zu eng); *fig. ~le ancha una cosa a alg.* e-r Sache nicht gewachsen sein; et. (*bsd. ein Amt*) nicht ganz verdientermaßen bekommen haben; *fig.* F *~ clavada una cosa a otra* vorzüglich zuea. passen; **II.** *v/r.* *~se* **4.** *volkssprachlich u. in best. W.*: kommen, gehen; *~(se) abajo* einstürzen; *fig.* erdröhnen, wackeln, einfallen (*fig.* F) (*Raum v. Lärm, Beifall usw.*); *no se vienen bien* sie sind s. nicht einig; *~se a (las) buenas* s. gütlich vergleichen; nachgeben; *~se cayendo* beinahe fallen; *se te vienen lágrimas a los ojos* dir kommen die Tränen (in die Augen); *hacer ~se al suelo* zu Fall bringen; *~se a tierra* zs.-brechen, einstürzen.

venoso *adj.* **1.** ⚕ Venen...; venös; **2.** aderig; geädert.

venta *f* **1.** Verkauf *m*; Absatz *m*; *~(s) f(/pl.)* Umsatz *m*; *~ al contado* Barverkauf *m*; *~ anticipada* (*de localides*) Vorverkauf *m v. Karten usw.*; (*casa f de*) *~s f/pl. por correspondencia* Versandgeschäft *n*; *~s f/pl. en la fábrica* Werkshandel *m*; ⚖ *~ forzada* Zwangsverlauf *m*; *~ judicial* gerichtliche Versteigerung *f*; *~ (al) por mayor y por menor* Groß- u. Kleinverkauf *m*; *~ a plazo* (*a plazos*) Verkauf *m* auf Ziel (auf Ratenzahlung); *~ simulada* (*total*) Schein- (Aus-)verkauf *m*; *condiciones f/pl. de ~* Verkaufsbedingungen *f/pl.*; *facilidad f* (*od. posibilidad f*) *de ~* Verkäuflichkeit *f*; *imposibilidad f de ~* Unverkäuflichkeit *f*; *impuesto m sobre la ~* Verkaufssteuer *f*; *producto m de la(s) ~(s)* Verkaufserlös *m*; *sección f* (*od. departamento m*) *de ~s* Verkaufsabteilung *f e-s Werks*; *de ~ fácil* leicht verkäuflich, gut abzusetzen(d); *estar* (*od. hallarse*) *a la ~* verkäuflich sein, vorrätig sein, zu haben sein; *estar de ~* verkauft werden; *poner a la* (*od. en*) *~* in den Handel bringen; **2.** Wirtshaus *n*, Gasthof *m am Wege od. im freien Gelände*; *fig.* F *Reg.* unwirtliche Gegend *f*; **3.** *Chi.* Verkaufsstand *m.*

ventada *f* heftiger Windstoß *m.*

venta|ja *f* **1.** Vorzug *m*; Überlegenheit *f*; *llevar* ~ e-n Vorteil haben; im Vorteil sein; *a. fig. llevarle* ~ *a alg.* vor j-m e-n Vorsprung haben; *sacar* ~ *en un asunto* Vorteil (*od.* Gewinn) bei e-r Sache haben; **2.** *Sp., Kart.* Vorgabe *f*; *jugar con* ~ *a. fig.* versteckte Trümpfe (in der Hand) haben; **3.** Vorzugsprämie *f*, Sondergehalt *n*; **~jero** *m* **1. a)** F Streber *m*; **b)** F *Am.* Gauner *m*, geriebener Kunde *m* F; **2.** *Arg.* Glückspilz *m*; **~jismo** *m Am.* Gaunerei *f*, skrupellose Geschäftemacherei *f*; **~jista** *adj.-su. c Am.* Gauner *m*, skrupelloser Geschäftemacher *m*; **~joso I.** *adj.* vorteilhaft; gewinnbringend; **II.** *m Am.* → *ventajista*.

ventalla *f* **1.** ♀ halbe Samenkapsel *f*; **2.** † Ventil *n*.

venta|na *f a.* ⚕, ⊕ Fenster *n*; Sichtglas *n b. Gasmaske, Taucherhelm usw.*; ~ *corrediza* (*doble, enrejada*) Schiebe- (Doppel-, Gitter-) fenster *n*; ~ *de las flores* (*od. de las plantas*) Blumenfenster *n*; ~ *de fuelle* Kippflügelfenster *n*; ~ *giratoria* (*móvil*) Ausstell-, Schwenk- (Klapp-)fenster *n*; ~ *de guillotina* Schiebefenster *n*; *Anat.* ~ *de la nariz* Nasen-öffnung *f*, -loch *n*; ~ *de arco ojival* Spitzbogenfenster *n* (*Gotik*); Δ ~ *redonda* Rundfenster *n* (*Romanik*); ~ *de ventilación* Lüftungsklappe *f*; *Phot.* ~ *del visor* Ausblickfenster *n* (*Sucher*); *vano m de* ~ Fensteröffnung *f*; *fig. tirar a* ~ *conocida* (*od. señalada*) auf j-n anspielen; *tirar por la* ~ aus dem Fenster werfen (*a. fig.*), *fig.* verschwenden; **~nal** *m* gr. Fenster *n*; **~nazo** *m* Zuschlagen *n* e-s Fensters; **~near** F *v/i.* oft am Fenster stehen; im Fenster liegen; **~neo** F *m das* Sich-am-Fenster-Zeigen; **~nero** F **I.** *adj.* s. oft am Fenster zeigend; nach Frauen in den Fenstern Ausschau haltend; **II.** *m* Fensterschreiner *m*.

venta|nilla *f* **1.** Fensterchen *n*; ~ *de corredera* kl. Schiebefenster *n*; **2.** *Fahrzeug u.* ✈ Fenster *n*; ⚓ Bullauge *n*; *Kfz.* ~ *giratoria* (*trasera*) Ausstell- (Heck-)fenster *n*; **3.** Schalter(fenster *n*) *m*; ~ *de cambios* Wechselschalter *m auf der Bank*; **4.** Nasenloch *n*; **~nillo** *m* **1.** Fensterchen *n*, Luke *f*; ~ *de servicio* Durchreiche *f* (*z. B. von der Küche zum Eßzimmer*); **2.** Dachgaubenfenster *n*; ⚓ Oberlicht *n*, Luke *f*; Bullauge *n*; **3.** Guckloch *n in der Wohnungstür*; **~nuca** F *f*, **~nuco** F *m*, **~nucha** *f*, **~nucho** F *m desp.* elendes kl. Fenster *n*, Luke *f*.

ven|tar [1k] **I.** *v/t.* **1.** lüften; **II.** *v/i.* **2.** wehen (*Wind*); **3.** wittern, winden (*Tiere*); *a. fig.* herumschnüffeln; **~tarrón** F *m* starker Wind *m*; heftiger Windstoß *m*; **~teadura** *f* Wind-spalt *m*, -kluft *f im Holz*; **~tear I.** *vt/i.* **1.** wittern, winden (*v/i.*) (*Jgdw.*); schnobern; aufspüren; *fig.* (aus)schnüffeln; **2.** lüften; **II.** *v/impers.* **3.** *ventea* der Wind geht, es windet (*lit.*); **III.** *v/r.* **~se 4.** rissig werden, springen; blasig werden (*Ziegel b. Brand*); **5.** unter dem Einfluß der Luft verderben; **6.** → *ventosear*; **7.** F *Chi.* oft außer Hause sein; *desp.* s. draußen herumtreiben.

ventero *m* (Schank-)Wirt *m*.

ventila|ción *f* Lüftung *f*, Belüftung *f*, Ventilation *f*; ⚒ Wetterführung *f*; **~dor** *m* Ventilator *m*; Gebläse *n* (⊕ *oft u. Kfz.*); ~ *calefactor* Heizlüfter *m*; **~r** *v/t.* (aus-, ent-, be-) lüften; *fig.* erörtern, ventilieren; *fig.* F **~le** *a alg. las orejas* j-n ohrfeigen.

ventis|ca *f* heftiges Schneegestöber *n*; Schneesturm *m*; **~car** [1g], **~quear** *v/impers.* stürmen u. schneien; **~quero** *m* **1.** → *ventisca*; **2.** Gletscher *m*; **3.** Schneegrube *f im Gebirge*.

ven|tolera *f* **1.** starker Windstoß *m*; **2.** Windmühle *f* (*Spielzeug*); **3.** *fig.* F Angabe *f* F; verrückter Einfall *m*; **~tor** *adj.-su.* Spür... (*von Tieren*); (*perro m*) ~ *m* Spürhund *m*.

ventorr(ill)o F *m* elendes Gasthaus *n*, Spelunke *f* (*desp.*).

vento|sa *f* **1.** Luft-, Wind-loch *n* (*zur Belüftung*); **2.** *a. Zo.* Saugnapf *m*; ⊕ Gummisaugnapf *m*, Saugteller *m zum Befestigen*; **3.** ⚕ Schröpfkopf *m*; *pegar a alg. una* ~ j-m e-n Schröpfkopf aufsetzen, *a. fig.* j-n schröpfen; **~sear** *v/i.* ∿ **~se** *v/r.* Winde streichen lassen, furzen P; **~sidad** ⚕ *f* Blähung *f*; **~es** *f/pl.* Winde *m/pl.*, Gas *n*; **~so** *adj.* **1.** windig; **2.** ⚕ blähend.

ven|tral *adj. c Anat.* Bauch...; **~trecillo** *m dim.* Bäuchlein *n*; **~trecha** *f* Bauch(speck) *m bzw.* Innereien *pl. der Fische*; **~tregada** *Zo. f* Wurf *m*; **~trera** *f* Leibbinde *f*; *Equ.* Bauchgurt *m*; **~trículo** *m* **1.** *Anat.* Ventrikel *m*, Höhlung *f*; **~s** *m/pl. cerebrales* Hirnhöhlen *f/pl.*; **~s** *m/pl. del corazón* Herzkammern *f/pl.*; **2.** *Zo.* Blättermagen *m der Wiederkäuer*; **~tril** *m* Richtbalken *m e-r Ölmühle*; **~trílocuo** *adj.-su.* Bauchredner...; *m* Bauchredner *m*; **~triloquia** *f* Bauchrednerei *f*; **~troso**, **~trudo** *adj.* dickbäuchig.

ventu|ra *f* **1.** Glück *n*; glückliches Ereignis *n*; *buena* ~ → *buenaventura*; *mala* ~ Unglück *n*; *a la* (*buena*) ~ auf gut Glück, aufs Geratewohl; *por* ~ **a)** glücklicherweise; **b)** vielleicht; *sin* ~ ohne Glück, unglücklich; *poner en* ~ aufs Spiel setzen; *probar* ~ sein Glück versuchen; **2.** Wagnis *n*; **~rado**, **~roso** *adj.* glücklich.

ver[1] [2v] **I.** *vt/i.* **1.** sehen; *p. ext.* erleben; sehen nach (*dat.*); nachsehen, durchsehen; **a)** *¡ya se ve!* allerdings, freilich, natürlich!; *vea usted si le va este jersey* versuchen Sie einmal, ob Ihnen dieser Pullover paßt!; *¡veamos!* sehen wir einmal zu!; *fig. no lo veo claro* es ist mir nicht (ganz) klar; *no veo dos pasos* ich kann die Hand vor den Augen nicht sehen (*z. B. im Nebel*); ~ *bien* (*mal*) gut (schlecht) sehen; *fig. e-r Sache* wohlwollend (übelwollend) gegenüberstehen; *bsd. fig.* ~ *claro* klar sehen; *fig.* F *¡verá usted lo que es bueno!* jetzt werden Sie et. zu sehen kriegen!; ~ *de conseguirlo* zusehen (*od.* versuchen), es zu erreichen; **b)** *¡veremos! abwartend, ausweichend od. mit Vorbehalt zustimmend*: wir werden sehen; warten wir es ab!; na, schön!; *sin más* ~ ohne nähere Untersuchung (der Umstände); *ya veremos* wir wollen einmal sehen (, was s. tun läßt); *ya* (*lo*) *veremos* wir werden es (schon *od.* noch) erleben; **c)** *¡a ver! auffordernd*: mal sehen!; auf!, los!; zeig' mal her!, laß mal sehen!; herzeigen!; hergeben!; her damit!; *¡vamos a* ~*!* wir wollen mal sehen, sehen wir einmal zu!; *¡a* ~ *el libro!* gib (*od.* geben Sie) das Buch (doch) mal her!; *a* ~ *si lo sabe usted* nun, vielleicht wissen Sie es; *Aufforderung im Unterricht*: *a* ~ *la Srta. Sánchez, usted me podría decir* ... nun, Frl. Sánchez, können Sie mir vielleicht sagen ...; **d)** *¡a* (*od. hasta*) *más* ~*!* auf Wiedersehen!; *a mi modo* (*od. manera*) *de* ~ meiner Ansicht (*od.* Meinung) nach; *fig. lo estoy viendo* das ist (für mich) offensichtlich; *es como si lo viera* es ist, als ob ich es vor mir sähe; das kann ich mir ganz genau vorstellen; *fig.* F *no haberlas visto* (*nunca*) *más gordas* nie davon gehört haben; F *ni quien tal vio Verstärkung e-r Negation*: *no lo hizo él ni quien tal vio* er hat es bestimmt nicht getan; *fig. si te vi*, (*ya*) *no me acuerdo Sinn*: er tut, als ob er mich nie gesehen hätte (, *u. dabei hat er mir soviel zu verdanken*); *¡viera qué sorpresa!* die Überraschung hätten Sie erleben müssen!; (*Santo Tomé*,) ~ *y creer* ein ungläubiger Thomas sein; ~ *y esperar* abwarten u. Tee trinken; ~ *la oreja* das „Eselsohr“ (doch) sehen; *Spr.* (*K si a Roma fueres*,) *haz como vieres* mit den Wölfen muß man heulen; **e)** *le vimos entrar* (*od. entrando*) wir sahen ihn eintreten (*od.* beim Eintreten); *fig.* F **~las** *venir* et. (voraus)ahnen; *Kart.* F „Monte“ spielen; *fig.* (beobachtend) auf der Lauer liegen; *fig.* F *te veo venir* ich habe d-e Absichten erkannt, ich habe dich durchschaut; **f)** *darse a* ~ s. kurz sehen lassen; *dejarse* ~ s. sehen lassen, s. zeigen; (*bien*) *se echa de* ~ *que* ... man sieht sofort, daß ...; *estar por* ~ noch unbestimmt (*od.* zweifelhaft) sein; F ... *que no había más que* ~ es war e-e ganz eigenartige Sache; *¡hay que* ~*!* unglaublich!, nein, so etwas!; *hacer* ~ sehen lassen, zeigen; schließen lassen auf (*ac.*); aufweisen; deutlich machen; dartun, erklären; *le haré* ~ *quién soy yo* ich werde ihm zeigen (*od.* beibringen F), mit wem er es zu tun hat; (*llegar a*) **~lo** es (noch) erleben (werden); *fig. no poder* ~ *a alg.* j-n nicht ausstehen können; *ser de* (*od. para*) ~ sehenswert sein; (*no*) *tener* (*nada*) *que* ~ *con* (*od. en*) (nichts) zu tun haben mit (*dat.*); F *¡tendría que* ~*!* das würde noch fehlen!; *volver a* ~ wiedersehen; **2.** auf- *od.* be-suchen; *ir* (*od. venir*) *a* ~ besuchen; ~ *mundo* Reisen machen, s. die Welt ansehen; *p. ext.* gesellschaftliche Veranstaltungen besuchen, unter die Leute gehen; **3.** ⚖ *Prozeß* verhandeln, abhalten; *Zeugen* hören; **II.** *v/r.* **~se 4.** zu sehen sein; s. befinden; s. gg.-seitig besuchen; *se* *ve que a.* es ist klar, daß; *~se con alg.* s. mit j-m treffen, mit j-m zs.-kommen; *¡habráse visto!* unerhört!; *véase más abajo* (*más arriba*) siehe weiter unten (weiter oben); *fig.* F *nos veremos las caras* wir haben noch ein Wörtchen mitea. zu reden; *se ve que no lo harán* man sieht (*od.* man erkennt), daß sie es nicht tun werden; *~se en un apuro* in e-r schwierigen Lage sein; *~se en el espejo* s. im Spiegel sehen; *~se forzado* (*od. obligado*) *a* s. gezwungen sehen zu (*inf. od. dat.*); *~se pobre* (plötzlich) verarmen; *fig.* F *tener que ~se y desearse para hacer a/c.* nur mit größter Mühe et. tun können; *fig. vérselas con alg.* mit j-m zu tun haben.

ver² *m* **1.** Sehen *n*; **2.** Aussehen *n*; *de buen ~* gutaussehend; **3.** Meinung *f*; *a mi ~* nach m-r Ansicht.

vera¹ *f* Rand *m*, Saum *m*; Seite *f*; *a la ~ de* neben (*dat.*); *a la ~ del camino* am Weg(es)rand.

vera² ⚘ *f Am. guajakähnlicher Baum* (*Zygophyllum arboreum*).

veracidad *f* Wahrhaftigkeit *f*.

veralca *f Chi.* Guanakofell *n* (*Teppich, Zudecke*).

verana|da ⚒ *f* Zeit *f* der Sommerweide; *Rpl.* → **~dero** ⚒ *m* Sommerweide *f*.

veranda *neol. f* Veranda *f*.

vera|neante *adj.-su. c* Sommerfrischler...; *m* Sommerfrischler *m*; **~near** *v/i.* den Sommer(urlaub) verbringen; **~neo** *m* **1.** Sommerfrische *f*; **2.** ⚒ → *veranadero*; **~nero I.** *m* **1.** ⚒ Sommerweide *f*; **2.** *Vo. Ec.* → *pardillo*; **II.** *adj.* **3.** *öfter Am.* → **~niego** *adj.* sommerlich, Sommer...; *fig.* F oberflächlich; flüchtig; unbedeutend; **~nillo** *m* Nachsommer *m*; *Span. ~ de San Martín* → **~nito** *m Am.*: *~ de San Juan* Altweibersommer *m*.

verano *m* Sommer *m*; *fig.* F *de ~* laß mich in Ruhe! *od.* ich bin jetzt nicht zu sprechen (*wenn man auf et. nicht eingehen will*); *fig. pasar como una nube de ~* rasch vorübergehen (*Anwandlung, Begeisterung, Leidenschaft*); *vestirse de ~* s. sommerlich kleiden.

veras *f/pl.* Wahrheit *f*; Wahrhaftigkeit *f*; *de ~* im Ernst, wirklich; ernsthaft; aufrichtig; *hacer a/c. muy de ~* s. für et. ganz einsetzen.

veratro ⚘, *m* weiße Nieswurz *f*.

veraz *adj.* (*pl. ~aces*) wahrhaft(ig); wahrheitsliebend.

verba *f* → *labia, verbosidad*; **~l** *adj. c* mündlich; *Gram.* verbal, Verb...; ⚖ *contrato m ~* mündlich vereinbarter Vertrag *m*; **~lismo** *m* 🕮 Verbalismus *m*; Vorherrschaft *f* des Wortes (*z. B. im Unterricht*); *desp.* Wortklauberei *f*; **~lista I.** *adj. c* zum Verbalismus neigend; **II.** *m desp.* Wortklauber *m*.

verbasco ⚘ *m* Königskerze *f*.

verbe|na *f* **1.** ⚘ Eisenkraut *n*; **2.** *Span.* Volksfest *n*, Kirmes *f*; *p. ext.* (Sommernachts-)Ball *m* (*mst. zu Wohltätigkeitszwecken*); ≗ *de San Juan, de la Paloma* (*dies in Madrid*) *bsd. bekannte religiöse Volksfeste am Vorabend der genannten Patrone*; **~náceas** ⚘ *f/pl.* Eisenkrautgewächse *n/pl.*; **~near** *v/i. fig.* wimmeln; s. rasch vermehren.

verberar *v/t.* peitschen, geißeln (*a. fig. Wind, Wellen*).

verbigracia zum Beispiel.

Verbo¹ *Rel. m*: *el ~* das Wort, der Logos; *el ~ Divino* das Göttliche Wort, das Gotteswort.

verbo² *m* **1.** *Li.* Verb *n*, Zeitwort *n*; *~ activo* (*od. transitivo*) transitives Verb *n*; *~ factitivo* faktitives Verb *n*, bewirkendes Zeitwort *n*; *~ impersonal* unpersönliches Verb; *~ intransitivo* (*od. neutro*) intransitives Verb *n*; *~ reflexivo* (*od. reflejo*) reflexives Verb *n*, rückbezügliches Zeitwort *n*; **2.** *poet.* Wort *n*; **~rragia** F, **~rrea** F *f* Wortschwall *m*; Geschwätzigkeit *f*; **~sidad** *f* Wortschwall *m*; **~so** *adj.* wortreich.

verdacho *m* Blaßgrün *n* (*Erdfarbe*).

verda|d *f* Wahrheit *f*; *~es f/pl. fig.* bittere Wahrheiten *f/pl.*; *la ~ al desnudo od. la ~ sin adornos* die reine (*od.* ungeschminkte) Wahrheit; *¿(no es) ~?* nicht wahr?; *a la ~* in der Tat; *de ~* im Ernst; *en ~* wahrhaftig; tatsächlich; *la ~ ...* eigentlich...; *a decir ~* eigentlich; offen (*od.* ehrlich) gesagt; *faltar a la ~* die Unwahrheit sagen; *hay un grano de ~ en la cosa* es ist et. Wahres (*od.* ein Körnchen Wahrheit) an der Sache; *es ~* es ist wahr; das stimmt; *~ es que od. bien es ~ que ...* zwar ..., (aber *pero*); *fig.* F *decirle a uno cuatro ~es* j-m ordentlich die Meinung sagen; *fig.* F *decirle a uno las ~es del barquero* j-m gehörig den Kopf waschen (*fig.* F); *no todas las ~es son para dichas* es ist nicht immer ratsam, die Wahrheit zu sagen; *Eidesformel*: *la ~, sólo la ~ y nada más que la ~* die reine Wahrheit, ohne et. hinzuzufügen noch et. zu verschweigen; **~dero** *adj.* wahr; wahrhaftig; wirklich; eigentlich; echt; *la historia resultó ~a* die Geschichte erwies s. als wahr.

verdal *adj. c* grünlich (*Pfl. u. Früchte*).

verdasca *f* Gerte *f*, Rute *f*.

verde I. *adj. c* **1.** grün; *urb. faja f ~* Grünstreifen *m* (*Grünanlagen*); *Vkw. onda f ~* (*de los semáforos*) Grüne Welle *f*; *urb. zona f ~* grüne Zone *f*, Grüngürtel *m der Städte*; *fig.* F *ponerle a uno ~* j-n gewaltig abkanzeln F; **2.** *fig.* grün, unreif; herb (*Wein*); frisch (*Gemüse*); grün, jung; im Saft stehend, geil; *fig.* F schlüpfrig, pikant; *fruta f ~* unreifes Obst *n*; *joven m muy ~ aún* ein noch recht unreifer junger Mann *m*; *viejo m ~* geiler Alter *m*; Lustgreis *m*; *viuda f ~* lustige Witwe *f*; *Spr. ¡están ~s!* die Trauben sind mir (*usw.*) zu sauer!; **II.** *m* **3.** Grün *n* (*Farbe u. Vegetation*); *p. ext.* Grünfutter *n*; *fig.* Herbe *f* (*des Weins*); *Min. ~ de montaña* Malachit *m*; *~ (de) malaquita* Malachitgrün *n*; *~ oscuro* Dunkelgrün *n*; *fig.* F *darse un ~* einmal ausspannen, s. einmal verschnaufen; **~ar I.** *v/i.* **1.** ins Grüne spielen; **2.** grün werden, sprießen; **II.** *v/t.* **3.** ⚒ *Reg. Oliven, Trauben* (für den Verkauf) pflücken; **~azul** *adj. c* blaugrün; **~celedón** *adj.* blaßgrün; **~cer** [2d] *v/i.* (er)grünen; **~cillo** *Vo. m* → *verderón*; **~guear** *v/i.* → *verdecer*; **~oscuro** *adj.* dunkelgrün; **~rol**, **~rón** *Vo. m* Grünfink *m*; **~te** *m* Grünspan *m*.

ver|dín *m* **1.** grünlicher Schimmer *m auf Pfl. u. Bäumen, wenn sie zum Sprießen ansetzen*; zartes erstes Grün *n* (*Vegetation*); **2.** Baummoos *n*; *p. ext.* Schimmel *m*; Grünspan *m*; **~dinegro** *adj.* tiefdunkelgrün; **~diseco** *adj.* halbdürr (*Vegetation*).

verdolaga ⚘ *f* Portulak *m*.

ver|dor *m* frisches Grün *n* (*Farbe u. Pflanzenwuchs*); *fig.* Jugendkraft *f*; **~doso** *adj.* grünlich.

verdu|gada △ *f* → *verdugo 4*; **~gazo** *m* Gertenschlag *m*; **~go** *m* **1.** Reis *n*, Trieb *m*; Gerte *f*; **2.** *p. ext.* Peitsche *f*; *fig.* Strieme *f*; **3.** *a. fig.* Henker *m*; **4.** △ Lage *f* von Ziegelsteinen *zwischen anderm Mauerwerk*; **5.** *Vo.* Raubwürger *m*; **~gón** *m* **1.** stärkere Gerte *f*; **2.** (Peitschen-)Strieme *f*; **~guillo** ⚒ *m* **1.** *dim. zu verdugo*; **2.** *gallapfelähnlicher* Auswuchs *m an Blättern*; **3.** schmales Rasiermesser *n*; **4.** Ohrring *m*.

verdule|ra *f* Gemüsefrau *f*; *a. fig. desp.* Marktweib *n*; **~ría** *f* Obst- u. Gemüsehandlung *f*; *fig.* F Zote *f*; **~ro** *m* Gemüsehändler *m*.

verdu|ra *f* **1.** Grün *n* (*Farbe u. Vegetation*); **2.** Laub *n*, Belaubung *f*; *Mal. u. Gobelin*: Verdure *f* (*frz.*); **3.** Grünzeug *n*; Gemüse *n*; Suppenkraut *n*; **4.** *fig.* F Schlüpfrigkeit *f*; Pikanterie *f*; Obszönität *f*; *~s f/pl. Col.* derbe Schimpfwörter *n/pl.*; **~sco** *adj.* schwärzlichgrün.

verecun|dia *lit. f* Schamhaftigkeit *f*, Schamgefühl *n*, Scheu *f*; **~do** *adj.* schamhaft.

vereda *f* **1.** Fußweg *m*; *~ de bosque* Schneise *f*; *fig. meter* (*od. poner*) *en ~* auf den rechten Weg (*od.* ins richtige Gleis) bringen; **2.** *Am. Mer., Cu.* Bürgersteig *m*.

veredicto *m* ⚖ *u. fig.* Verdikt *n*; Spruch *m* der Geschworenen; *fig.* Urteil *n*, Meinung *f*.

verga *f* **1.** männliches Glied *n*, *Zo.* Rute *f*; **2.** ⚓ Rahe *f*; **3.** Bogen *m e-r Armbrust*; **~jo** *m* Ochsenziemer *m*.

vergé *frz. adj.*: *papel m ~* rippiges Papier *n*.

vergel *m* (Obst-)Garten *m*; Ziergarten *m*.

vergencia *Opt., Geol. f* Vergenz *f*.

vergeteado ⛉ *adj.* gestreift.

vergon|zante *adj. c*: *pobre m ~* verschämte(r) Arme(r) *m*; **~zoso I.** *adj.* **1.** beschämend; schändlich, schandbar; *acción f ~a* Schandtat *f*; **2.** schamhaft; geschämig; schüchtern, verlegen; *partes f/pl. ~as* Schamteile *m/pl.*; **II.** *m* **3.** Schüchterne(r) *m*; **4.** *Zo. Art* Gürteltier *n*.

vergüenza *f* **1.** Scham *f*; Schande *f*; *hombre m de ~* Mann *m* mit Ehrgefühl; *me da ~* ich schäme mich; *es una ~* es ist e-e Schande; *sacar a la ~* an den Pranger stellen; *sin ~* schamlos; *a.* → *sinvergüenza*; *tener ~* s. schämen; schüchtern sein (*bsd. Kinder*); *no tener ~* schamlos (*bzw.* unverschämt) sein; **2.** *~s f/pl.* Schamteile *m/pl.*

vericueto *m* Bergpfad *m*.

verídico *adj.* wahr; wahrheitsgetreu.
verifica|ble *adj. c* nachweisbar; **~ción** *f* **1.** (Nach-, Über-)Prüfung *f*, Kontrolle *f*; ~ *de cuentas* Rechnungsprüfung *f*; ~ *(por pruebas) al azar* Stichprobe(nkontrolle) *f*; **2.** Nachweis *m*, Feststellung *f*; ~ *de daños* Schadensnachweis *m*; **~dor** *m* Prüfer *m* (*a. Gerät*); ~ *de contadores* Zählerprüfer *m*, Kontrolleur *m für Wasseruhren usw.*; *Kfz.* ~ *de presión de aire* Luftdruckprüfer *m*; **~r** [1g] **I.** *v/t.* **1.** bewahrheiten; beglaubigen, bestätigen; feststellen, nachweisen; **2.** (nach-, über-)prüfen, kontrollieren; ~ *al azar* e-e Stichprobe machen; ~ *una medida* et. nachmessen; **3.** aus-, durchführen; verwirklichen; **II.** *v/r.* ~*se* **4.** s. bewahrheiten; bestätigt (*od.* nachgewiesen) werden; **5.** stattfinden; **~tivo** *adj.* nachweisend; beweisend; bestätigend, beurkundend.
verija *f* **1.** Unterleib *m*; Schamteile *m/pl.*; **2.** *Am.* Weichen *f/pl.* (*Pferd*).
veri|l ⚓ *m* Rand *m* (e-r Untiefe); **~lear** ⚓ *v/i.* an e-r Untiefe entlangfahren.
veris|mo *Ku. m* Verismus *m*; **~ta** *adj.-su. c* veristisch; *m* Verist *m*.
verja *f* **1.** Gitter *n*; Gatter *n*; ~ *extensible* Scherengitter *n*; **2.** Gittertür *f*; Fenstergitter *n*.
verjurado *adj.* → *vergé*.
ver|me ⚕ *m* Wurm *m*; **~micida** ⚕ *adj. c-su. m* → *vermífugo*; **~micular, ~miforme** *adj. c* wurmförmig; **~mífugo** *pharm.* **I.** *adj.* wurmabtreibend; **II.** *m* Wurmmittel *n*.
ver|mú, ~mut *m* Wermut(wein) *m*; *Thea. Am. fig.* Nachmittagsvorstellung *f*.
vernáculo *adj.* einheimisch; *lengua f* ~*a* Heimat-, Landes-sprache *f*.
vernal *adj. c* Frühlings...
vernier 𝔸, ⊕ *m* Nonius *m*.
vero 🐾 *m* Feh *n*.
verónica *f* **1.** ⚘ Ehrenpreis *m*; **2.** Schweißtuch *n* der Veronika; **3.** *Stk. Figur, bei welcher der Stierkämpfer mit geschlossenen Beinen u. ausgebreiteter capa den Stier erwartet u. an s. vorbeilenkt*; ~ *de rodillas die gleiche Figur kniend ausgeführt*; **4.** *Chi.* schwarzer Umhang *m für Frauen*.
vero|símil *adj. c* wahrscheinlich; glaubhaft; **~similitud** *f* Wahrscheinlichkeit *f*.
verra|co *m* Eber *m*; Keiler *m*; **~quear** *v/i.* **1.** *fig.* F schimpfen, knurren, grunzen (*fig.* F); **2.** heulen, brüllen (*Kind*); **~quera** F *f* Trotzweinen *n* (*Kind*).
verrion|dez *f* **1.** Brunst(zeit) *f* (*bsd. b. Eber*); **2.** *fig.* F Halbgarsein *n* (*Gemüse*); **~do** *adj.* brünstig; *fig.* F halbroh (*Gemüse*).
verru|ga *f* Warze *f*; **~go** F *m* Knicker *m*, Knauser *m*; **~goso** *adj.* warzig; **~gueta** □ *f* Mogeln *n b. Kartenspiel*.
versado *adj.* bewandert, beschlagen, geschickt, versiert (in *dat. en*).
versa|l *Typ. adj.-su. f* Großbuchstabe *m*, Versal *m*; **~litas** *Typ. f/pl.* Kapitälchen *n/pl.*
versallesco *adj.* auf Versailles bezüglich (*bsd. auf das ehemalige frz. Hofleben dort*); *fig.* (modisch) geziert.
ver|sar **I.** *v/i.* s. drehen; *p. ext.* handeln (von *dat. sobre*); **II.** *v/r.* ~*se* s. üben; **~sátil** *adj. c* drehbar; *fig.* wetterwendisch; wankelmütig; **~satilidad** *f* **1.** Wankelmut *m*, Sprunghaftigkeit *f*; Charakterlosigkeit *f*; **2.** ⊕ *öfter*: Vielseitigkeit *f*.
versícu|la *ecl. f* Chorbuchschrank *m*; **~lo** *m* Bibelvers *m*.
versifica|ción *f* Versbau *m*; Verskunst *f*, -lehre *f*; Übertragung *f* in Versen; **~dor** *m* Versemacher *m*, Verskünstler *m*; **~r** [1g] **I.** *v/t.* in Verse bringen; **II.** *v/i.* Verse machen; reimen.
versión *f* **1.** ⚕ Wendung *f b. Geburtshilfe*; **2.** Version *f*; Darstellung *f*; *a. fig.* Lesart *f*; *a.* ⊕ Ausführung(sweise) *f*; **3.** Übersetzung *f* (*bsd. in die Muttersprache*); **4.** *Film a.* Fassung *f*.
verso¹ *m* Vers *m*; ~ *blanco* (*od. suelto*) Blankvers *m*; ~ *libre* freier Vers *m*; *drama m en* ~ Versdrama *n*; *hacer* ~*s* Verse machen (*od.* schmieden); *fig.* F *Méj. echar* ~ schöne Reden führen.
verso² *adj.*: (*folio m*) ~ *m* Verso *n*, Rückseite *f e-s Blattes*; 𝔸 *seno m* ~ Umkehrfunktion *f* des Sinus, Kosekans *m*.
verso³ † *m* Feldschlange *f* (*Geschütz*).
versta *russ. f* Werst *f* (*1,067 km*).
vértebra *Anat. f* Wirbel *m*; ~ *lumbar* (*sacra*) Lenden- (Kreuzbein-)wirbel *m*.
verte|brado **I.** *adj.*: *animal m* ~ Wirbeltier *n*; **II.** *m/pl.* ~*s* Wirbeltiere *n/pl.*; **~bral** *adj. c* Wirbel...; *columna f* ~ *a. fig.* Rückgrat *n*.
verte|dera ⚒ *f* Streichbrett *n am Pflug*; **~dero** *m* **1.** Ablaufbahn *f*; Ablaufrinne *f*; **2.** Überfall *m an e-m Stauwehr*; **3.** Müll-, Schuttabladeplatz *m*; Müllgrube *f*; Kehrichtwinkel *m*; Müllkasten *m*; **~dor** *m* **1.** Abzugsrinne *f*; ~ *inclinado* Rutsche *f*; **2.** Löffel *m e-s Baggers*; **3.** ⚓ Wasser-, Kahn-schaufel *f*; Schiffspumpe *f*; **~r** [2g] **I.** *v/t.* **1.** (aus-, ein-)gießen; ver-gießen, -schütten; auskippen; ~ *sus aguas* s. ergießen (*Fluß*; in *ac. a*, en); *fig.* ~ *salud* vor Gesundheit strotzen; **2.** übersetzen (*bsd. in die Muttersprache*; in *ac. a, a.* en); **II.** *v/i.* **3.** herab-, hinab-fließen; s. ergießen, münden (in *ac. a*); **III.** *v/r.* ~*se* **4.** ausfließen; umkippen (*Behälter*).
vertica|l **I.** *adj. c* senkrecht, lotrecht; **II.** *f* 𝔸, ⊕ Senk-, Lot-rechte *f*; *estar fuera de la* ~ vom Lot abweichen; überhangen; **III.** *m Astr.* Vertikal(kreis) *m*; **~lidad** *f* senkrechte Lage *f* (*od.* Richtung *f*); lotrechter Verlauf *m*.
vértice *m* **1.** Scheitel *m* (*Wirbel*); *a. fig.* Höhepunkt *m*; **2.** 𝔸 Scheitel (-punkt) *m*; *Anat.* Spitze *f*; ~ *del pulmón* Lungenspitze *f*.
ver|ticidad *f* Drehbarkeit *f*, Beweglichkeit *f*; **~tiente** **I.** *adj. c* **1.** herabströmend (*Wasser*); **II.** *f* **2.** Dachschräge *f*, Abdachung *f*; **3.** Hang *m*; Gefälle *n*; *p. ext.* Einzugsgebiet *n e-s Flusses*; **4.** *Arg., Chi.* → *fuente, manantial*.
vertigino|sidad *f das* Schwindelerregende; **~so** *adj.* **1.** schwindelig; **2.** schwindelnd (*Höhe*); schwindelerregend (*a. fig.*); *fig.* atemberaubend.
vértigo *m* ⚕ Schwindel *m*; *fig.* Rausch *m*; ⚕ ~ *de las alturas* Höhen-schwindel *m*, -taumel *m*; ~ *giratorio* Drehschwindel *m*; *fig.* de ~ rasend (*Tempo*); atemberaubend.
vertimiento *m* Ausgießen *n*; Er- *bzw.* Ver-gießen *n*.
ve|sania *lit. f* Geistesstörung *f*, Irrsinn *m*; **~sánico** *lit. adj.* irrsinnig.
ve|sicación ⚕ *f* Blasenbildung *f*; **~sical** *Biol. adj. c* Blasen...; **~sicante** ⚕ *adj. c* blasenziehend; *cataplasma m* ~ Umschlag *m* mit Zugsalbe; **~sícula** *Biol.*, ⚕ *f* Bläschen *n*; ~ *biliar* Gallenblase *f*; ~ *seminal* Samenbläschen *n*.
vespertino *adj* abendlich, Abend...
vesre *m Arg. im arg. Argot häufige Art, Wörter umzubilden, indem man sie umkehrt* (vesre = revés).
vestíbulo *m* **1.** △ Vorhalle *f*; Diele *f*, Flur *m*; *Thea.* Foyer *n*; **2.** *Anat.* Vorhof *m* (*b. Mund, Nase, Ohr, Scheide usw.*).
vesti|do *m* (Frauen-)Kleid *n*; Kleidung *f*; Tracht *f*; **~dura** *f* Kleidung *f*; Gewand *n*; *ecl.* ~*s f/pl. litúrgicas* (*od. sagradas*) liturgische Gewandung *f*.
vestigio *m a. fig.* Spur *f*; *fig. no quedaron* ~*s de* es blieb k-e Spur (*od.* nichts) von ... (*dat.*) erhalten.
vestimenta *f* Gewandung *f*; ~*s f/pl.* (*eclesiásticas*) Paramente *pl.*
vestir [3l] **I.** *v/t.* (be)kleiden; anziehen; *Kleidung* tragen, anhaben; ⚔ *Rekruten* einkleiden; *p. ext.* schmücken; drapieren; *Möbel usw.* beziehen (mit *dat.* de); *fig. Wahrheit* verhüllen; *cuarto de* ~ Ankleideraum *m*; *ecl.* ~ *el altar* den Altar schmücken; ~ *la damajuana de paja* die Korbflasche mit Stroh umhüllen; *fig.* ~ *el discurso* die Rede ausschmücken (*od.* rhetorisch ausgestalten); *fig.* F *quedar para* ~ *imágenes* (*od. santos*) e-e alte Jungfer werden; *fig.* ~ *el rostro de alegría* e-e freudige Miene zeigen; *Spr. vísteme despacio, que estoy de prisa* eile mit Weile! *od.* immer langsam voran!; **II.** *v/i.* s. kleiden; (gut) stehen; *bien vestido* gut angezogen, gut gekleidet; *vestido de blanco* (*de luto*) weiß gekleidet (in Trauerkleidung); *fig.* F *irse al cielo vestido y calzado* bestimmt (*od.* spornstreichs) in den Himmel kommen; *de mucho* ~ sehr kleidsam; ~ (*de*) *corto* kurz(e Kleider) tragen; ~ *de máscara* ein Maskenkostüm anhaben; ~ *de paisano* (*de uniforme*) Zivil(kleidung) (Uniform) tragen; *fig.* F *soy* (*bzw.* es) *el mismo que viste y calza* ich bin's, u. kein anderer (er ist's, wie er leibt und lebt); **III.** *v/r.* ~*se* s. ankleiden, s. anziehen; *fig.* s. bedecken (mit *dat.* de); ~*se a la moda* s. modisch kleiden; ~*se con el mejor sastre* beim besten Schneider arbeiten lassen; *fig. los árboles se visten con flores* die Bäume ziehen ihren Blütenschmuck an; ~*se de cura* geistliche Kleidung anlegen.

vestuario *m* **1.** Kleidervorrat *m*; Kleidung(sstücke *n/pl.*) *f*; **2.** *a.* ⚔ Kleiderkammer *f*; **3.** *Thea.* Kostümfonds *m*; **4.** (Künstler-)Garderobe *f*.

vesubiano *adj.* Vesuv...; *fig.* vulkanisch.

veta *f* **1.** Maser(ung) *f* (*Holz, Marmor*); **2.** ⚒ Ader *f*, Gang *m*; ~ *metálica* Erzader *f*; *p. ext.* ~ *de tocino magro* Streifen *m* (*od.* Schicht *f*) mageren Specks (*im fetten Speck*); **3.** *Ec.* Band *n*; P *tirar de* ~ koitieren.

vetar *Am. v/t.* → *vedar, poner veto.*

vete|ado *adj.* gemasert; geädert; marmoriert; **~ar** *v/t.* masern; marmorieren.

vetera|nía *f* Veteranenschaft *f*; **~no I.** *adj.* altgedient; **II.** *m* Veteran *m*; Kriegsteilnehmer *m*; *fig.* alter Hase *m* (*fig.* F); ~ *de servicio* im Dienst Ergraute(r) *m*.

veterinari|a *f* Tierheilkunde *f*; **~o** *adj.-su.* Tierarzt *m*, Veterinär *m*.

veto *m* Einspruch *m*, Veto *n*; *poner* ~ Einspruch (*od. bsd. Pol.* Veto) einlegen; *derecho m de* ~ Vetorecht *n*.

vetus|tez *f* hohes Alter *n*; **~to** *adj.* (sehr) alt, uralt.

vez *f* (*pl.* veces) **1.** Mal *n b. Aufzählung*; Reihe(nfolge) *f*; **a)** *pl.* → *b*; *(alg)una que otra* ~ bisweilen, gelegentlich; hin u. wieder; *a la* ~ zugleich, gleichzeitig; *a mi (tu, su)* ~ meiner- (deiner-, seiner-)seits; *cada* ~ jedesmal; *cada* ~ *más* immer mehr; immer stärker; immer lauter *usw.*; *cj. cada* ~ *que* jedesmal wenn; *de una* ~ mit einemmal, auf einmal; *de una* ~ *(para siempre) od. una* ~ *por todas* ein für allemal; *de* ~ *en cuando* gelegentlich, hin u. wieder; *prp. en* ~ *de* statt (*gen.*), anstelle von (*dat.*); *la otra* ~ beim letzten Mal, neulich; *otra* ~ ein andermal; noch einmal, nochmal(s); wieder; *por primera* ~ *od. por* ~ *primera* zum (aller)ersten Mal; *por* ~ der Reihe nach; *rara* ~ selten, kaum; *tal* ~ etwa, vielleicht; *tal cual* ~ *od. tal y tal* ~ ganz gelegentlich, selten; *una* ~ einmal; irgendwann; *una* ~ *acabado el trabajo* sofort nach Fertigstellung der Arbeit; *Spr. una (~) no es ninguna* (~) einmal ist keinmal; *una* ~ *más* noch einmal; *cj. una* ~ *que* + *ind.* da einmal; weil nämlich; *cj. una* ~ *que* + *subj.* wenn erst einmal; sobald; ~ *y media* anderthalbfach; *era (od. érase) una* ~ *(que se era)* es war einmal (*Märchenanfang*); *es mi* ~ jetzt bin ich an der Reihe; *te ha llegado la* ~ *de hablar* jetzt bist du an der Reihe zu sprechen; *pedir la* ~ die Reihennummer verlangen (*in Warteräumen usw.*); *tomar la* ~ *de alg.* j-s Stelle einnehmen; *fig.* F *tomarle a uno la* ~ j-m zuvorkommen; j-m den Rang ablaufen; **b)** *veces*: *a veces* zuweilen, gelegentlich; *¿cuántas veces?* wie oft?; *las más veces od. (en) la mayoría de las veces* meist(ens); *much(ísim)as veces* (sehr) oft; *tantas veces* so oft; *cj. todas las veces que* (*mit ind.*) immer wenn; (*mit subj.*) sobald; *varias veces* verschiedentlich, mehrmals, mehrfach; *¡las veces que te lo tiene dicho tu padre!* wie oft hat dein Vater dir das schon gesagt!; *hacer las veces de alg.* j-s Stelle vertreten; *hacer las veces de tutor* Vormundstelle einnehmen; **2.** ⚘ *Reg.* Gemeindeherde *f* (*Schweineherde e-r Dorfgemeinde*).

veza ⚘ *f* Wicke *f*.

vezar [1f] *v/t.* → *avezar, acostumbrar.*

vía I. *f* **1.** Weg *m*; *a.* ⊕ Bahn *f*; Straße *f*; *fig.* (*a. Verw.*) Weg *m*, Mittel *n*; ~ *acuática* Wasserweg *m*; ~ *administrativa* Verwaltungsweg *m*; ~ *de agua* Leck(age *f*) *n*; ⊕ ~ *de cinta (transportadora)* Bandstraße *f*; ~*s f/pl. de comunicación* Verkehrswege *m/pl.*; ⚖ ~ *contenciosa* Prozeßweg *m*; ⚖ ~ *ejecutiva* Vollstreckungsverfahren *n*; ~ *fluvial* Wasserweg *m* (*Fluß*); *Verw.* ~ *jerárquica* Dienstweg *m*; ~ *navegable (od. de navegación)* Schiffahrtsstraße *f*; ~ *oficial* Amtsweg *m*; *Verw.* ~ *pública* (öffentliche) Straße *f*, Verkehrsweg *m*; ⊕ ~ *de rodillos* Rollen(lauf)bahn *f*; *Rel.* ~ *sacra* → *Vía crucis*; ⚖ ~ *sumaria* abgekürztes Verfahren *n*, Schnellverfahren *n*; ⊕ ~ *transferidora (od. de transferidoras)* Transferstraße *f*; ⚓ *¡a la* ~*!* gut (*od.* recht) so!; *fig. en* ~*s de* im Begriff zu + *inf.*; *por la* ~ *acostumbrada (od. usual)* auf dem üblichen Wege; *por* ~ *aérea* auf dem Luftwege; mit (*od.* per) Luftpost; *por* ~ *diplomática* auf diplomatischem Wege; ✈ *por la* ~ *más económica* auf dem billigsten Wege; als Frachtgut; *por* ~ *de ensayo* probeweise; *por* ~ *marítima* auf dem Seewege, über See; *por* ~ *postal* über die Post; *por* ~ *de seguridad* sicherheitshalber; *por* ~ *terrestre* auf dem Landwege; *enviar por* ~ *de Francia* über Frankreich (zu)senden; **2.** 🚂 Bahn *f*; Strecke *f*; Gleis *n*; Spur *f*; *Kfz.* Spur(weite) *f*; 🚂 *ancho m de* ~ Spurweite *f*; *cruce m de* ~*s* Bahn-, Gleis-kreuzung *f*; *de doble* ~ zwei-, doppel-gleisig; *de una* ~ eingleisig, einspurig; ~ *aérea (od. colgante, suspendida)* Hängebahn *f*; ~ *ancha* Breitspur *f*; F Normalspur *f*; ~ *(de ancho) normal* Normalspur *f*; *Kfz.* ~ *delantera (od. anterior)* Vorderspur *f*; ~ *de empalme* Anschlußgleis *n*; Gleisanschluß *m*; ~ *de enlace (od. de acarreo)* Zubringer *m*; ~ *estrecha* Schmalspur *f*; *lit.* ~ *férrea* Eisenbahn *f*; → *a. ferrocarril*; ~ *industrial (od. de fábrica)* Werksbahn *f*; ~ *lateral* Nebengleis *n*; Zweigstrecke *f*; Zweigbahn *f*; ~ *de maniobras (od. de formación)* Aufstellgleis *n*, Verschiebekopf *m*; ⚒ ~ *de mina* Grubenbahn *f*; ~ *muerta* totes Gleis *n*; Abstellgleis *n*; ~ *de grandes pendientes* Bergstrecke *f*; Bergbahn *f*; ~ *portátil* Feldbahn *f*; Feldbahngleis *n*; ~ *de salida* Ausfahrgleis *n*; Abfahrtsgleis *n*; 🚂 *partir de la* ~ *9* von Gleis 9 abfahren; *fig. poner en la* ~ ins Geleise bringen; **3.** ⚕ Weg *m*, Bahn *f*, Kanal *m*; *por* ~ *bucal* durch den Mund, peroral; ~*s f/pl. digestivas* Verdauungs-wege *m/pl.*, -trakt *m*; ~*s f/pl. respiratorias (urinarias)* Atem- (Harn-)wege *m/pl.*; ~ *sanguínea* Blutbahn *f*; ~ *sensitiva* Gefühlsbahn *f*, sensible Bahn *f*; **4.** *Lit. cuaderna* ~ *wichtigste Strophenform des span. Ma.* (*einreimige Vierzeiler in Alexandrinern*); **II.** *adv.* **5.** über, via; ~ *Buenos Aires* über (*od.* via) Buenos Aires; ~ *recta* geradeswegs.

via|bilidad *f* **1.** Lebensfähigkeit *f*; **2.** Durchführbarkeit *f*; **~ble** *adj. c* **1.** lebensfähig; **2.** durchführbar; *fig.* annehmbar; gangbar; **3.** *gal.* begehbar, befahrbar.

Vía crucis *m* (*pl. inv.*) *Rel. u. fig.* Kreuzweg *m* (*a. Andacht u. Andachtsbuch*); *fig.* Leidensweg *m*; Drangsal *f*, Plackerei *f*.

via|dor *Theol. m* der Erdenwanderer *m*; **~ducto** *m* Viadukt *m*, Überführung *f*.

via|jante *m* (Geschäfts-)Reisende(r) *m*; ~ *de comercio* Handlungsreisende(r) *m*; **~jar I.** *v/i.* reisen; **II.** *v/t.* reisen in (*dat.*) (*Vertreter*); **~je** *m* Reise *f*; *p. ext.* Gang *m*; Fahrt *f*; Reisebericht *m*, -buch *n*; *¡buen* ~*!* glückliche Reise!; ~ *aéreo (bzw. por avión)* Luft-, Flug-reise *f*; ~ *de bodas*, ~ *de novios (de exploración)* Hochzeits- (Forschungs-)reise *f*; ~ *colectivo* Gesellschaftsreise *f*; ~ *de ida y vuelta* Hin- u. Rückfahrt *f*; ~ *interplanetario (interurbano)* Raum- (Überland-)fahrt *f*; ~ *de inauguración (de prueba)* Jungfern- (Versuchs-, Probe-)fahrt *f*; ~ *de retorno* Rückreise *f*; ~ *sorpresa* Fahrt *f* ins Blaue; *estar de* ~ reisefertig sein; verreist sein; ✈ auf Reisen sein; *fig.* F Bescheid wissen, im Bilde sein; *hacer un* ~ e-e Reise machen, verreisen; **~jero I.** *m* Reisende(r) *m*; Passagier *m*; Fahrgast *m*; 🚂 *¡señores* ~*s, al tren!* bitte einsteigen!; **II.** *adj.* wanderlustig.

via|l I. *adj. c* Straßen...; **II.** *m* ⚒ Allee *f*; **~lidad** *f* **1.** Begehbarkeit *f*; Befahrbarkeit *f*; **2.** Wegebauwesen *n*.

vianda *f* Speise *f*, Eßware *f*; *mst.* ~*s f/pl.* Lebensmittel *n/pl.*

viandante *m* Reisende(r) *m*; Wanderer *m*.

viaraza ⚒ *f* ⚕ Durchfall *m*; *fig.* unüberlegte Tat *f*.

viático *m* **1.** Reise(un)kosten *pl.*; Wegzehrung *f*; ~*s m/pl.* Reisegelder *n/pl.*; **2.** *kath.* *el* ~ die letzte Wegzehrung; *administrar el* ~ die Sterbesakramente spenden.

víbora *f Zo.* Viper *f*; Kreuzotter *f*; *Am.* Schlange *f*; *fig.* Giftschlange *f* (*Person*); *fig. criar la* ~ *en el seno* e-e Schlange am Busen nähren.

viborezno *m* junge Viper *f*

vibra|ción *Phys. f* Schwingung *f* (*a. Phon.*), Vibration *f*; **~dor** *m Phys.*, ⊕ Vibrator *m*; ⚡ Summer *m*; *Rf.* Zerhacker *m*; ⊕ Rüttler *m*; ⚕ Vibrationsgerät *n*; *HF* ~ *sincrónico* Synchronzerhacker *m*.

vibra|nte *adj. c* **1.** *Phys.*, ⊕ schwingend; rüttelnd; vibrierend; **2.** *fig.* schwungvoll (*z. B. Rede*); **~r** *vt/i.* rütteln; schwingen; vibrieren.

vi|brátil *adj. c* schwingungsfähig; *Biol. pestañas f/pl.* ~*es* Flimmerhärchen *n/pl.*; **~brato** ♪ *m* Vibrato *n*; **~bratorio** *adj.* schwingend; vibrierend; **~brisas** *Anat. f/pl.* Nasenhärchen *n/pl.*; **~brógrafo** *Phys. m* Schwingungsschreiber *m*.

viburno ⚘ *m* Schneeball *m*.

vica|ria *kath. f* Vikarin *f*, zweite

Oberin *f*; **~ría** *ecl. f* Pfarrverweserstelle *f*; Vikariat *n*, Pfarramt *n*; **~riato** *ecl. m* Vikariat *n* (*Amt u. Amtszeit*); **~rio** *m ecl. u. hist.* Vikar *m*; *fig.* Stellvertreter *m*; *fig. ecl.* Pfarrer *m*; ~ *general* Generalvikar *m*; ~ *general castrense* Militärbischof *m*; ~ *de Jesucristo* Statthalter *m* Christi.

vice|almirante ⚓ *m* Vizeadmiral *m*; **~canciller** *m* Vizekanzler *m*; **~cónsul** *m* Vizekonsul *m*; **~consulado** *m* Vizekonsulat *n*; **~gerente** *m* stellvertretender Geschäftsführer *m*; **~gobernador** *m* Vizegouverneur *m*; **~jefe** F *m* Stellvertreter *m* des Chefs, Vize *m* F; **~presidente** *m* Vizepräsident *m*; **~rrector** *m* Prorektor *m*, stellvertretender Rektor *m*; Konrektor *m*; **~secretaría** *f* Vizesekretariat *n*; **~secretario** *m* Vizesekretär *m*; **~tiple** *f* Revue- *bzw.* Chor-girl *n*; Ballettratte *f* F.

viceversa *adv.* umgekehrt.

vicia ⚘ *f* Wicke *f*.

vici|able *adj. c* verderblich; **~ado** *adj.* **1.** verdorben (*a. fig.*); schlecht (*Luft*); **2.** fehlerhaft; **~ar** [1b] **I.** *v/t.* **1.** verderben; verfälschen; **2.** ⚖ ungültig machen; **II.** *v/r.* ~se **3.** sittlich verkommen; **4.** schadhaft werden; verdorben (*od.* verfälscht) werden; **~o** *m* **1.** Laster *n*; *p. ext.* schlechte Angewohnheit *f*; *el* ~ *de la lectura* die Lesewut *f*; *de* ~ aus reiner Gewöhnung; (bloß) gewohnheitsmäßig; **2.** ✝, ⚖ Mangel *m*, Fehler *m*; **~oso** *adj.* **1.** verdorben; lasterhaft; *fig.* schlecht erzogen; **2.** fehlerhaft, mangelhaft; schadhaft; **3.** ⚘ üppig wuchernd.

vicisitu|d *f* Wechselfall *m*; *las ~es de la vida* das Auf u. Ab (*od.* die Schicksalsschläge *m/pl.*) des Lebens; **~dinario** *adj.* wechselvoll.

víctima *f Rel. u. fig* Opfer *n* (*Person, Tier*); *fig.* Geschädigte(r) *m*; *hubo treinta ~s entre muertos y lesionados* dreißig Opfer an Toten u. Verletzten waren zu beklagen; *ser ~ de una intriga* e-r Intrige zum Opfer fallen.

victimario *m* Opferpriester *m im Heidentum.*

víctor → *vítor.*

victori|a *f* Sieg *m*; *fig. cantar* ~ Siegeshymnen anstimmen, jubilieren; **~oso** *adj.* siegreich; sieghaft.

vicuña *Zo f* Vikunja *f*.

vichar P *v/t. Rpl.* → *espiar.*

viche I. *adj. c Col.* grün, unreif (*Obst*); *fig.* schwächlich; **II.** *m* ⚘ *Am. versch. Arten* Cassia *f*.

vid ⚘ *f* Weinstock *m*, Rebe *f*.

vida *f* Leben *n*; Lebendigkeit *f*; Lebhaftigkeit *f*; Lebens-art *f*, -weise *f*; *p. ext.* Lebensunterhalt *m*; Leben(sbeschreibung *f*) *n*; Lebenslauf *m*; ~ *afectiva* Gemüts-, Gefühls-leben *n*; ~ *familiar* Familienleben *n*; Häuslichkeit *f*; ~ *interior* Innen-, Seelen-leben *n*; ⚕ ~ *intrauterina* Leben *n* im Mutterleib; *¡~ mía!* mein Liebling!, mein Schatz!; F *la ~ y milagros de alg.* j-s Tun u. Treiben *n*; *iron. la ~ pasada de alg.* j-s (nicht ganz saubere) Vergangenheit *f*; *fig.* F ~ *de perros* Hundeleben *n*; ~ *privada* Privatleben *n*; *compañero m de ~* Lebensgefährte *m*; *contento de la ~* lebensfroh; *estilo m lleno de ~* lebendiger Stil *m*; *seguro m de ~* Lebensversicherung *f*; *a ~ y muerte* auf Leben u. Tod; *de por ~* auf Lebenszeit; *durante la ~ od. por* (*od. para*) *toda la ~* zeitlebens; *en ~* bei Lebzeiten; *vorangestellt*: *en mi ~* (*he visto tal cosa*) noch nie in m-m Leben (habe ich so et. gesehen); *¡por ~!* um Himmels willen!; *¡por ~ mía!* so wahr ich lebe!, bei m-m Leben!; *abrazar la ~ religiosa* ins Kloster gehen; *consumir la ~ a alg.* j-n allmählich zugrunderichten; *me está dando mala ~* er macht mir das Leben schwer; *darse buena ~* s. gütlich tun; *dejar con ~* am Leben lassen; *fig. echarse a la ~ od. ser de la ~* Dirne werden (*od.* sein); *escapar con ~* mit dem Leben davonkommen; *fig.* F *hacer ~ con alg.* mit j-m zs.-leben; s. mit j-m (gut) verstehen; F *hacer por la ~* essen; *les va la ~ en este detalle* diese Einzelheit ist für sie lebenswichtig; *llevar una ~ ancha* ein freies (*od.* lockeres) Leben führen; *llevar la ~ jugada* sein Leben aufs Spiel setzen; verspielt haben (*fig.*); *fig.* F *pasar la ~* s. (so) durchschlagen (*fig.* F); *pasar a mejor ~* in ein besseres Jenseits abtreten, sterben; *fig. les está quitando la ~* er bringt sie noch ums Leben (*fig.*); *fig. tienen la ~ en un hilo* ihr Leben hängt an e-m seidenen Faden; *fig. tener siete ~s* (*, como los gatos*) zäh sein (wie e-e Katze).

vidalita ♪ *f Arg. schwermütige Volksweise.*

vidente *c* Seher(in *f*) *m*.

video *TV m* Fernsehkamera *f*.

vido|rra F *f* genüßliches (*od.* geruhsames) Leben *n*; **~rria** F *f* **1.** *Arg.* → *vidorra*; **2.** *Ven.* Hundeleben *n* (*fig.* F).

vidri|ado I. *adj.* **1.** glasiert; **II.** *m* **2.** Glasur *f b. Keramik*; **3.** glasiertes Geschirr *n*; **~ar** [1b] **I.** *v/t. Keramik* glasieren; **II.** *v/r.* ~se glasig werden; brechen (*Auge*); **~era** *f* **1.** Glasfenster *n*; Glastür *f*; Glasdach *n*; **2.** Kirchenfenster *n*; ~ *de colores* buntes Glasfenster *n*; **3.** *Am.* Schaufenster *n*; *Ant.* Tabakkiosk *m*; **~ería** *f* **1.** Glaserei *f*; **2.** Glasbläserei *f*; Glas-hütte *f*, -fabrik *f*; **~ero** *m* Glaser *m*; Glasarbeiter *m*.

vidrio *m* Glas *n*; Glas-, Fensterscheibe *f*; *~s m/pl.* Glaswaren *f/pl.*; ~ *alambrado*, ~ *armado* (*compuesto, dúplex, estriado*) Draht- (Verbund-, Zweischichten-, Riffel-)glas *n*; ~ *catedral* (*de cristal*) Kathedral- (Kristall-)glas *n*; ~ *fundido* Glasschmelze *f* (*Masse*); ~ *opaco*, ~ *esmerilado* (*opalino*) Matt- (Milch-)glas *n*; ~ *de reloj* (*de seguridad*) Uhr- (Sicherheits-)glas *n*; ~ *soluble* Wasserglas *n* (*Masse*); ~ *a prueba de tiros* Panzerglas *n*; ~ *de* (*od. para*) *ventanas* Fensterglas *n*; *lana f de* ~ Glaswolle *f*; *fig.* F *tener que pagar los ~s rotos* die Zeche bezahlen müssen, dafür geradestehen müssen; **~so** *adj.* glasig (*a. Augen*); zerbrechlich; (spiegel)glatt, rutschig; *fig.* empfindlich; *con ojos ~s a.* mit brechendem Auge.

vieira *Zo. f* Vieira *f* (*Muschelart*).

vie|ja *f* Alte *f*, alte Frau *f*; **~jo I.** *adj.* alt; *p. ext.* abgenutzt, verbraucht; ausgedient; *fig.* F *se está haciendo ~* (*als Antwort auf die Frage ¿qué hace?*) *etwa*: er sieht zu, wie er alt wird (*Sinn*: *er geht aller Arbeit aus dem Wege*); **II.** *m* Alte(r) *m*; *un ~ experimentado* ein erfahrener Alter, ein alter Hase *m* (*fig.* F).

viene *usw.* → *venir.*

vienés *adj.-su.* wienerisch; *m* Wiener *m*.

viento *m* **1.** Wind *m*; ♪ *instrumentos m/pl. de ~* Blasinstrumente *n/pl.*; *Met.* ~ *en altura* Höhenwind *m*, Aufwind *m*; *Met.*, ✈ *~s m/pl. ascendentes* Aufwinde *m/pl.*; ~ *de cola* (*de costado, de frente*) Rücken- (Seiten-, Gg.-)wind *m*; ⊕, ✈ ~ *de la hélice* Propellerwind *m*; ~ *en popa* Rückenwind *m*; *adv.* ⚓ vor dem Wind; *fig.* großartig, prächtig; *con ~ contrario* gg. den Wind (*a. fig.*); *contra ~ y marea* ⚓ gg. Wind u. Seegang; *fig.* allen Widerständen zum Trotz; *dejar atrás los ~s* schneller sein als der Wind; F aus Leibeskräften rennen; *ir* (*od. correr*) *como el ~* schnell wie der Wind laufen; *fig. moverse a todos ~s* ein schwankendes Rohr im Wind sein (*fig.*); e-e Wetterfahne sein (*fig.*); *fig.* F *papar ~* Maulaffen feilhalten; ⚓ *poner en ~* in den Wind drehen, vollbrassen; *Spr. quien siembra ~s recoge tempestades* wer Wind sät, wird Sturm ernten; **2.** *Jgdw.* Wind *m*, Witterung *f*; *fig.* Wind *m*, Gerücht *n*; *tener buenos ~s* e-e gute Nase haben (*Jagdhund*); *tomar el ~* Witterung aufnehmen (*Jagdhund usw.*); *fig.* F *¿conque de ahí sopla el ~, eh?* also dorther weht der Wind (, wie)?; **3.** *fig.* Eitelkeit *f*, Ruhmsucht *f*, Angabe *f* F.

vientre *m* Bauch *m*; Leib *m*; ~ *caído* (*od. bsd.* ⚕ *colgante, péndulo*) Hängebauch *m*; ~ *materno* Mutterleib *m*; *fig. desde el ~ de su madre* von s-r Geburt an; *hacer de(l) ~* Stuhlgang haben; *Spr.* ~ *ayuno no oye a ninguno* (*od. no tiene orejas*) Not kennt kein Gebot; F *sacar el ~ de mal año* s. einmal ordentlich sattessen; *Theol. u. fig.* F *servir al ~* der Bauchesl ust frönen; ordentlich schlemmen.

viernes *m* Freitag *m*; ♀ *Santo* Karfreitag *m*; *fig.* F *cara f de ~* verhärmtes Gesicht *n*; *comida f de ~* fleischlose Kost *f*.

vierteaguas △, *Kfz. m* (*pl. inv.*) Regenleiste *f*.

vietnamita *adj.-su. c* vietnamesisch; *m* Vietnamese *m*.

viga *f* Balken *m*; Träger *m*; ~ *maestra* Hauptbalken *m*; Binder *m*, Bindebalken *m*; *~s f/pl. del tejado* Dachgebälk *n*; *fig.* F *estar contando las ~s* ins Leere starren, (vor s. hin)dösen F.

vigen|cia *f* Rechtskraft *f*; Gültigkeit *f*, Geltung *f*; **~te** *adj. c* gültig; rechtskräftig; *según las leyes ~s* nach den geltenden Bestimmungen.

vi|gesimal *adj. c* Zwanziger..., Vigesimal...; **~gésimo** *num.* zwanzigste(r, -s); *m* Zwanzigstel *n.*

vigía I. *f* Wache *f*; ⚓ über das Wasser ragende Klippe *f*; **II.** *m, a. f* Wächter *m*, Wachhabende(r) *m*; **III.** *m* ⚓ ~ (*de tope*) Ausguck *m.*

vigi|lancia *f* Wachsamkeit *f*; Be-, Über-wachung *f*; Aufsicht *f*, Beaufsichtigung *f*; *bajo ~ de la policía* unter Polizeiaufsicht; *sometido a ~* unter Aufsicht gestellt; **~lante I.** *adj. c* wachsam; aufmerksam; **II.** *m* Wächter *m*; Überwacher *m*; Aufseher *m*; *Am.* Schutzmann *m*; *~ de piscina* Bademeister *m*; 🚂 *~ de vía* Streckenwärter *m*; **~lar** *vt/i.* (be)wachen; überwachen; **~lativo** *adj.* wach erhaltend; **~lia** *f* **1.** Nachtwache *f*; *fig.* geistige Nachtarbeit *f*; **2.** *ecl.* Vigil *f*, Vorabend *m e-s Festes*; *~ de bodas* Polterabend *m*; *~ de Navidad* Weihnachtsabend *m*; **3.** *fig.* Abstinenz(speise) *f*; *comer de ~* Abstinenz halten; *p. ext.* fasten.

vigo|r *m* **1.** Kraft *f*; *fig.* Nachdruck *m*; *fig. estar en pleno ~* in s-r Vollkraft stehen; **2.** ⚖ Gültigkeit *f*; Gesetzeskraft *f*; *entrar* (*poner*) *en ~* in Kraft treten (setzen); **~rizar** [1f] *v/t.* kräftigen, stärken; *fig.* beleben; **~roso** *adj.* **1.** kräftig, stark; rüstig; **2.** forsch, kernig; **3.** *fig.* nachdrücklich; heftig, stürmisch.

vigota ⚓ *f* Klampbock *m.*

vigue|ría △ *f* Balkenwerk *n*; *~ de madera* Holzgebälk *n*; **~ta** △ *f* kl. Balken *m*; Träger *m.*

vihue|la ♪ *f* Leier *f*; *fig.* F *tocar la ~* müßig gehen, faulenzen; **~lista** *c* Leierspieler *m.*

vikingo *hist. m* Wikinger *m.*

vil *adj. c* **1.** niedrig; gemein; **2.** treulos; niederträchtig, elend, schurkisch; *~ ingratitud f* schnöder Undank *m.*

vilano ⚘ *m* Feder-kelch *m*, -krone *f* (*z. B. Distelblüten*).

vileza *f* Gemeinheit *f*; Niederträchtigkeit *f.*

vilipen|diar [1b] *v/t.* **1.** geringschätzen; verächtlich behandeln; **2.** verleumden; heruntersetzen (*fig.*); **~dio** *m* Geringschätzung *f*; Verleumdung *f*; **~dioso** *adj.* verächtlich; verleumderisch.

vilo: *en ~* in der Schwebe; im Ungewissen; *fig.* F *estar en ~* in Ungewißheit schweben; (wie) auf heißen Kohlen sitzen (*fig.* F); *levantar en ~* hochheben; *llevar en ~* auf den Armen tragen.

vilordo *adj.* schwerfällig; faul, träge.

vilor|ta *f* **1.** Zwinge *f bzw.* Eisenring *m an Pflug od. Karren*; **2.** Weiden-, Binsen-strick *m*; **3.** *tennisähnliches Schlagballspiel* (*mit Holzball*); **4.** ⚘ → *vilorto 1*; **~to** *m* **1.** ⚘ *Art* Waldrebe *f*; **2.** → *vilorta 1*; **3.** Ballschläger *m für das Vilortaspiel.*

villa *f* **1.** Kleinstadt *f*; **2.** Stadt *f mit historischem Stadtrecht*; *la ~ y Corte* = Madrid; **3.** Villa *f.*

Villadiego (*Ortsname*): *tomar* (*od. coger*) *las de ~* Reißaus nehmen, Fersengeld geben.

villana|je *m* Bauernschaft *f* (*im Ggs. zum Adel*); **~mente** *adv.* bäurisch; *fig.* gemein.

villancico *Folk. m rel. Volksweise, bsd.* Weihnachtslied *n.*

villanes|ca ♪ *f* Bauern-tanz *m*, -lied *n*; **~co** *hist adj.* Bauern...

villa|nía *f* Gemeinheit *f*, Niederträchtigkeit *f*; **~no I.** *adj.* **1.** bäurisch (*im Ggs. zu adlig*); **2.** grob, unhöflich; niedrig, gemein; **II.** *m* **3.** *hist.* Gemeinfreie(r) *m*, Nichtadlige(r) *m* (*Bürger u. Bauer*); *fig.* F *~ harto de ajos* ungebildeter Klotz *m* (*fig.*); **~r** *m* kl. Ort *m.*

villorrio *desp. m* elendes Nest *n*, Kaff *n* F.

vina|grada *f* Essigwasser *n* mit Zucker (*Erfrischung*); **~gre** *m* Essig *m*; *~ de vino* Weinessig *m*; *fig.* F *cara f de ~* Griesgram *m*; *poner cara de ~* ein saures (*od.* langes) Gesicht machen; **~grera** *f* Essigflasche *f*; **~s** *f/pl.* Essig- u. Ölgestell *n*, Menage *f*; **~grero** *m* Essighändler *m*; **~greta** *Kchk. f* Essigtunke *f*; **~grón** F *m* umgeschlagener Wein *m*; **~groso** *adj.* essigartig (*Geschmack*); *fig.* sauertöpfisch griesgrämig; **~jera** *kath. f* Meßkännchen *n.*

vinal ⚘ *m Arg. Art* Johannisbrot-[baum *m.*]

vina|riego *m* Winzer *m*; **~tería** *f* Wein-handlung *f*; -handel *m*; **~tero I.** *adj.* Wein...; *industria f ~a* Weinbau *m*, Weinhandel *m* u. weinverarbeitende Industrie *f*; **II.** *m* Weinhändler *m*; **~za** *f* Tresterwein *m*; **~s** *f/pl.* Schlempe *f*; **~zo** F *m* kräftiger, dickfließender Wein *m.*

vinca ⚘ *f Am.* **1.** → *nopal*; **2.** → **~pervinca** ⚘ *f* Judenmyrte *f.*

vincu|lable *adj. c* vinkulierbar; fideikommißbar; **~lación** *f* **1.** Verknüpfung *f*; enge (Ver-)Bindung *f*; ✝ Sperre *f*, Vinkulation *f*; **2.** ⚖ Fideikommiß(vermächtnis) *n* (*z. B.* „*Erbhof*“); **~lar** *v/t.* **1.** (ver)binden; (ver)knüpfen; verpflichten; in enge Verbindung bringen (mit *dat. a*); *el contrato nos vincula* der Vertrag bindet uns; *~ sus esperanzas en* s-e Hoffnungen knüpfen an (*ac.*); **2.** ✝ vinkulieren, sperren; **3.** ⚖ unveräußerlich machen, als Fideikommiß (*bzw.* Majorat *usw.*) vermachen.

vínculo *m* **1.** Verbindung *f*; *fig.* Bindung *f*, Band *n*; **~s** *m/pl. de sangre* Blutsbande *n/pl.*; *~ matrimonial* eheliche Verbindung *f*; **2.** ⚖ Bindung *f*, Verpflichtung *f*; *p. ext.* Sicherheitsklausel *f*; *~ enfitéutico* Bindung *f* an Erbpacht; *gravar los bienes a ~ para perpetuarlos en la familia* s-e Güter durch rechtliche Bindungen zum unveräußerlichen Erbe innerhalb der Familie machen.

vincha *f Arg., Bol., Pe.* Stirnband *n der Indianer*; Haarband *n.*

vinchuca *f* **1.** *Bol., Chi., Ec., Pe., Rpl. geflügelte* Wanze *f*; **2.** *Chi.* kl. Wurfpfeil *m.*

vindica|ción *f* **1.** Rache *f*; Sühne *f*, Genugtuung *f*; **2.** (*bsd.* schriftliche) Verteidigung *f* (*gg. Verleumdung*); **3.** ⚖ Zurückforderung *f*; **~dor** *adj.* rächend; Sühne heischend; **~r** [1g] *v/t.* **1.** rächen, Genugtuung fordern für (*ac.*); **2.** verteidigen; wieder zu Ehren bringen; **3.** ⚖ zurückfordern; **~tivo** *adj.* **1.** rächend; rachsüchtig; *justicia f ~a* strafende Gerechtigkeit *f*; **2.** verteidigend, ehrenrettend; **~torio** *adj.* **1.** Rache...; Sühne...; **2.** gg. Verleumdung verteidigend; **3.** ⚖ *a.* → *reivindicatorio.*

vindicta *f* Rache *f*, Sühne *f*; Ahndung *f*, Strafe *f.*

vindobonense *lit. adj. c* → *vienés.*

vine *usw.* → *venir.*

vinería *f Rpl., Chi.* Weinhandlung *f.*

vínico *bsd.* ⚗ *adj.* Wein...; *ácido m ~* Weinsäure *f.*

vi|nícola I. *adj. c* Weinbau...; **II.** *m* → *vinariego*; **~nicultor** *m* Weinbauer *m*; **~nicultura** *f* Weinbau *m*; **~nífero** ⚒ *adj.*: *zona f ~a* Wein(an)baugebiet *n*; **~nificación** *f* Weinbereitung *f.*

vi|nílico ⚗ *adj.* Vinyl...; **~nilo** ⚗ *m* Vinyl *n.*

vino *m* Wein *m*; *~ atabernado* (*aromático*) Schank- (Würz-)wein *m*; *~ blanco* (*dulce, espumoso, tinto*) Weiß- (Süß-, Schaum-, Rot-)wein *m*; *~ caliente* (*embotellado*) Glüh- (Flaschen-)wein *m*; *~ de propia cosecha* Eigenbau *m*; *~ de Chile* (*de garrote*) Chile- (Kelter-)wein *m*; ⚕ *~ ferruginoso* (*medicinal*) Eisen- (Medizinal-)wein *m*; *~ fuerte* (*ligero*) starker *od.* schwerer (leichter) Wein *m*; *~ generoso* feiner Tafelwein *m*; → *~ fino*, *~ de postre* Dessertwein *m*; *~ de lágrima* Ausbruch *m*, Vorlauf *m*; *~ mezclado* (*nuevo*) verschnittener *bzw.* gemischter (neuer *od.* junger) Wein *m*; *kath. ~ de misa* Meßwein *m*; *~ natural, gal. ~ de origen* Naturwein *m*, naturreiner Wein *m*; F *~ de una oreja* (*od. steigernd: de dos orejas*) ganz hervorragender Wein *m*; *~ pardillo* halbdunkler Wein *m* (*dunkler Rosé*); F *~ peleón* ganz gewöhnlicher Wein *m*, Krätzer *m* F; *~ picante* (*raspante*) prickelnder (herber, spritziger) Wein *m*; *~ de quina* Chinawein *m*; *~ seco* herber Wein *m*; trockener Wein *m b. Schaumweinen u. schweren Südweinen*; *~ en pipas* Faßwein *m*; *~ con sifón* Weinschorle *f*; *~ de solera* (*de yema*) guter alter (bester) Wein *m*; *carta f* (*od.* ✝ *lista f*) *de ~s* Weinkarte *f*; *fig.* F *bautizar* (*od. cristian[iz]ar*) *el ~* den Wein taufen F; *fig. dormir el ~* s-n Rausch ausschlafen; *encabezar el ~* den Wein *mit stärkerem Wein od. mit Alkohol* verschneiden; *le sirvieron el ~ de honor* man reichte ihm den Ehrentrunk; *fig.* F *tener el ~ agrio* (*alegre*) vom Wein böse (lustig) werden; *fig.* F *tener mal ~* in der Trunkenheit anfangen, Krakeel zu machen F; *a.* s. beschwipsen.

vino|lencia *lit. f* Unmäßigkeit *f* im Weintrinken; **~lento** *adj.* unmäßig (Wein trinkend); **~sidad** *f* Weinartigkeit *f*; **~so** *adj.* weinartig; weinrot; *voz f ~a* Säuferstimme *f.*

vi|ña *f* Weinberg *m*; *fig.* Goldgrube *f* (*fig.*); *fig.* F *de mis ~s vengo* ich habe mit der Sache nichts zu tun; mein Name ist Hase; *Spr. de todo tiene la ~* (*del Señor*) *Sinn*: jeder hat s-e Fehler; niemand ist vollkommen; **~ñadero** ⚒ *m* Weinbergsaufseher *m*; **~ñador** *m*, **~ñatero** *Am. Mer. m* Winzer *m*; **~ñedo** ⚒ *m* Weinberg *m*; Weingarten *m.*

viñe|ta *Typ.* *f* Vignette *f*, Randverzierung *f*, Zierleiste *f*; **~tero** *Typ.* *m* Vignettenschrank *m*; Vignettendrucker *m*.
viola[1] ♪ *f* Viola *f*, Bratsche *f*.
vio|la[2] ⚘ *f* → *violeta*; **~láceas** ⚘ *f/pl.* Veilchengewächse *n/pl.*; **~láceo** *adj.* veilchenartig; violett.
viola|ción *f* **1.** *a. fig.* Schändung *f*; Vergewaltigung *f*; **2.** Verletzung *f*; ~ *de patente* Patentverletzung *f*; ~ *del secreto de correspondencia* Verletzung *f* des Briefgeheimnisses; **~do**[1] *adj.* vergewaltigt; verletzt (*Recht u. ä.*).
violado[2] *adj.* violett.
vio|lador I. *adj.* **1.** Gewalt antuend; **2.** *Gesetz u. ä.* verletzend; **II.** *m* **3.** *a. fig.* Schänder *m*; **4.** Verletzer *m*; ~ *de la ley* Gesetzesbrecher *m*; **~lar** *v/t.* **1.** vergewaltigen; *a. fig.* schänden; **2.** verletzen; *Gebot* übertreten; **3.** *fig.* entweihen; *Andenken* entweihen; *Grab* schänden; **~lencia** *f* **1.** Gewalt *f*; Zwang *m*; Nötigung *f*; Vergewaltigung *f*; *emplear la* ~ Gewalt anwenden; tätlich werden; *hacer* ~ *a* Gewalt antun (*dat.*); nötigen (*ac.*); **2.** Heftigkeit *f*, Wucht *f*; **~lentar I.** *v/t.* Gewalt antun (*dat.*); *Gewissen* zwingen, vergewaltigen; *Tür* aufbrechen, sprengen; *Worte* verdrehen; **II.** *v/r.* ~*se* s-m Herzen Gewalt antun; s. wider Willen entschließen (müssen); **~lento** *adj.* **1.** gewaltig; heftig; wuchtig; **2.** aufbrausend; jähzornig; **3.** gewalttätig; *acto m* ~ Gewalttat *f*; *p. ext. interpretación f* ~*a* gewaltsame (*od.* entstellende) Deutung *f*; *¡es (muy)* ~*!* das ist ein starkes Stück!; *fig. estar (od. sentirse)* ~ s. gehemmt fühlen (*in e-r Umgebung*).
viole|ta I. *f* ⚘ Veilchen *n*; **II.** *m* Violett *n* (*Farbe*); **III.** *adj. inv.* violett; **~tera** *f* Veilchenverkäuferin *f*; *p. ext.* Blumenverkäuferin *f*.
vio|lín *m* **1.** Geige *f*, Violine *f*; ~ *de Ingres mit Erfolg gepflegtes* Steckenpferd *n* (*od.* Hobby *n*); **2.** Geiger *m*; **~linista** *c* Geiger(in *f*) *m*; **~lón** ⚘ *m* **1.** Baßgeige *f*, Kontrabaß *m*; *fig.* F *tocar el* ~ faulenzen, nichts tun; Unsinn treiben; den Verrückten spielen; **2.** Baßgeiger *m*; **~loncelista** ♪ *c* Cellist(in *f*) *m*; **~lonc(h)elo** ♪ *m* (Violon-)Cello *n*.
viperino *adj.* Viper...; *fig.* F *lengua f* ~*a* Lästerzunge *f*.
vira *f* **1.** ✎ feiner, spitzer Pfeil *m*; **2.** Brandsohle *f*.
vira|da *f* Schwenkung *f*; Drehung *f*, Wendung *f*; Kehre *f*; **~do** *Phot.* *m* Positivtönung *f*.
virago *f* Mannweib *n*.
vi|raje *m* **1.** *bsd.* ⚓, ✈ Wendung *f*, Schwenkung *f*; *Kfz.* Wendung *f*; Kurve *f*; *a. Kfz.* (*círculo m de*) ~ Wendekreis *m*; *hacer un* ~ e-e Schwenkung machen, *Kfz.* e-e Kurve nehmen; **2.** *p. ext. bsd. Am.* Kurve *f*, Kehre *f*; **3.** *fig.* Umschwung *m*; **~rar I.** *v/i.* **1.** drehen, wenden; e-e Kurve nehmen (*a. Kfz.*); ⚓, ✈ abdrehen; **II.** *v/t.* **2.** ⚓ **a)** drehen, schwenken; **b)** aufwinden; **3.** *Phot. Negative* (positiv) tönen.
viravira *Ke.* ⚘ *f Am. Mer.* ein Wollkraut *n*.
virazón *m* **1.** *regelmäßig wechselnder* Landwind *m* (*nachts*) *u.* Seewind *m* (*tagsüber*); **2.** *Viz. im Sturm* umschlagender Wind *m*; **3.** *fig.* plötzlicher Umschwung *m*; Kurswechsel *m*.
virgen I. *adj. c* **1.** jungfräulich; *fig.* unberührt, rein, unschuldig; makellos (*Ruf*); **2.** *p. ext.* Roh..., Ur...; unbetreten, unerforscht; *aceite m* ~ Jungfernöl *n*, Ausbruch *m*; *cera f* ~ Jungfernwachs *n*; *miel f* ~ Jungfernhonig *m*; *selva f* ~ Urwald *m*; *tierra f* ~ Neuland *n*; **II.** *f* **3.** *a. Rel.* Jungfrau *f*; *p. ext.* Marien-bild *n*, -gemälde *n*, -statue *f*; *la* ♀ (*María od. la Santísima* ♀) die (heilige) Jungfrau Maria; *fig.* F *fíate de la* ~ *y no corras etwa*: dreist u. gottesfürchtig (*wenn jemand s-m Glück allzu sehr vertraut*); *fig.* F *viva la* ~ *m* Tagedieb *m*; sehr unzuverlässiger Patron *m*; **4.** *fig.* Richtbalken *m e-r Ölmühle*.
virgi|nal *adj. c* jungfräulich; *fig.* rein, unbefleckt; **~niano** *adj.-su.* aus Virginia; **~nidad** *f* Jungfräulichkeit *f*.
virgo *m* **1.** *Astr.* ♀ Jungfrau *f*; **2.** P † *u. Reg.* **a)** Jungfernschaft *f*; **b)** Hymen *n*.
virguería F *f* Plunder *m*, Schnörkel(verzierung *f*) *m*, Flitterkram *m*.
vírgula *f* Stäbchen *n*; ⚕ Vibrio *m*.
virgulilla *f* **1.** kl. Strich *m*; **2.** *Gram. etwa*: (Bei-)Strich *m* (*Sammelname für Komma, Apostroph, Cedille u. Tilde*).
viril[1] *m* Lunula *f e-r Monstranz*; Glas-gehäuse *n*, -sturz *m*.
viri|l[2] *adj. c* männlich; mannhaft; **~lidad** *f* **1.** Männlichkeit *f*; Mannbarkeit *f*; **2.** Mannesalter *n*; Manneskraft *f*; **3.** Mannhaftigkeit *f*; **~lismo** ⚕ *m* Virilismus *m*; Vermännlichung *f* der Frau; **~potente** *adj. c* **1.** mannbar (*Frau*); **2.** → *vigoroso, potente*.
virofijador *Phot.* *m* Tonfixierbad *n*.
virol ▨ *m* Horn *n* (*Schalltrichterumriß*).
virola ⊕ *f* Zwinge *f*; Metallring *m*; (Schrumpf-)Ring *m*.
virolento I. *adj.* pockennarbig; **II.** *m* Pockenkranke(r) *m*.
viro|logía ⚕ *f* Viruskunde *f*; Virusforschung *f*; **~sis** ⚕ *f* Virose *f*, Viruserkrankung *f*.
virote *m* Armbrustbolzen *m*; *fig.* F „Bolzen" *m* (*fig.* F), junger Tunichtgut *m*, *b. Frauen etwa* „Feger" *m* (*fig.* F); *a.* lächerlich-ernste Person *f*, aufgeblasener Wicht *m*.
virrei|na *f* Vizekönigin *f*; **~nal** *adj c* Vizekönigs...; **~n(at)o** *m* **1.** Vizekönig-reich *n*; -tum *n*; **2.** Regierungszeit *f* e-s Vizekönigs.
virrey *m* Vizekönig *m*.
virtua|l *adj. c* wirkungsfähig; 🕮, *Phys., Psych.* virtuell; der Möglichkeit nach, anlagemäßig; *fig.* verborgen, schlummernd; *Opt. imagen f* ~ virtuelles (*od.* scheinbares) Bild *n*; **~lidad** *f* innewohnende Kraft *f* (*od.* Möglichkeit *f*).
virtu|d *f* **1.** Fähigkeit *f*; *a. bibl.* Kraft *f*; *fig.* Vorzug *m*; ~ (*de curar*) Heilkraft *f*; *en* ~ *de* kraft (*gen.*), vermöge (*gen.*); aufgrund von (*dat.*); *en* ~ *de lo cual* weswegen, demzufolge; *fig. ser un hombre lleno de* ~*es* ein Mann mit sehr vielen Vorzügen sein; *tener* ~ Wirkung haben; **2.** Tugend *f*; Rechtschaffenheit *f*; Sittsamkeit *f*; ~ *moral* (moralische *od.* ethische) Tugend *f*; *lleno de* ~*es a.* sehr tugendhaft; **~osidad** *f* hohe Kunstfertigkeit *f*, Virtuosität *f*; Meisterschaft *f*, meisterliche Beherrschung *f* (*e-s Fachs, e-s Instruments usw.*); **~osismo** *m* **1.** Virtuosentum *n*; Effekthascherei *f*; **2.** → *virtuosidad*; **~oso I.** *adj.* **1.** tugendhaft; **2.** virtuos, meisterlich; **II.** *m* **3.** Virtuose *m*; *un* ~ *del violín* ein Violinvirtuose.
viruela ⚕ *f* **1.** Pocken *f/pl.*, Blattern *f/pl.*; ~*s f/pl. locas* → *varicela*; **2.** Blatter *f*, Pocke *f*, Pustel *f*.
virulé: *a la* ~ *v. Knie abwärts* zs.-gerollt (*Strümpfe*).
virulen|cia *f* ⚕ Giftigkeit *f*, Ansteckungskraft *f*, Virulenz *f*; *fig.* Boshaftigkeit *f*; Bösartigkeit *f*; **~to** *adj.* **1.** virulent, giftig; **2.** bösartig; boshaft.
virus ⚕ *m* Virus *n*; *fig.* Ansteckungskeim *m*.
viruta *f* **1.** Span *m*; ~*s f/pl.* (Hobel-)Späne *m/pl.*; ~*s f/pl. metálicas* Metallspäne *m/pl.*; *desprendimiento m de las* ~*s* Spanabhebung *f b. Wkzm.*; **2.** *Col.* Schafmist *m*.
vis *f*: ~ *cómica* Komik *f*.
visa *f oft Am.*, **~do** *m* Visum *n*, Sichtvermerk *m*; ~ *de permanencia* Aufenthaltserlaubnis *f*; ~ *de tránsito* Durchreisevisum *n*.
visaje *m* Fratze *f*; Grimasse *f*; *hacer* ~*s* Fratzen schneiden; **~ro I.** *adj.* (gern) Gesichter schneidend; **II.** *m* Fratzenschneider *m*.
visar *v/t.* **1.** *Urkunde, Paß* visieren, mit e-m (Sicht-)Vermerk versehen; **2.** *a. fig.* (an)visieren; zielen auf (*ac.*).
vis-a-vis *gal. adv.* gg.-über.
víscera *Anat.* *f* Eingeweide *n*, Weichteile *m/pl.*
visceral ⚕ *adj. c* viszeral, Eingeweide...
visco *m* Leimrute *f für den Vogelfang.*
visco|sa ⚗ *f* Viskose *f*; **~sidad** *f* Klebrigkeit *f*; Zähflüssigkeit *f*; ⚗, ⊕ Viskosität *f*; **~so** *adj.* klebrig; zähflüssig, schleimig; *fig.* schlüpfrig.
visera *f* **1.** *hist.* Visier *n e-r Rüstung*; ⚔ Sehschlitz *m e-s Panzers*; **2.** Mützenschirm *m*; ~ *antideslumbrante* Blendschutzschirm *m*.
visi|bilidad *f* Sichtbarkeit *f*; *Vkw.* Sicht *f*; *a (od. con) plena* ~ bei voller (*od.* klarer) Sicht; **~bilizar** [1f] *v/t.* sichtbar machen; **~ble** *adj. c* sichtbar, wahrnehmbar; offenkundig.
visi|godo *adj.-su.* westgotisch; *m* Westgote *m*; *Li. das* Westgotische; **~gótico** *adj.* westgotisch.
visillo *m* Scheibengardine *f*.
visión *f* **1.** Sehen *n*; *Opt.*, ⚕ Sicht *f*; ⚕ Sehvermögen *n*; *fig.* Vorstellung *f*, Idee *f*; *con certera* ~ mit sicherem Blick; ~ *de conjunto* Gesamtbild *n*; Übersicht *f*; **2.** *Rel.*: ~ *beatífica* (selige) Anschauung *f* Gottes; **3.** Gesicht *n*, Vision *f*: **a)** Traumbild *n*; **b)** Erscheinung *f*; *fig.* F *estar (od. quedarse) como viendo*

~*ones* s-n Augen nicht trauen, sprachlos sein; *fig.* F *ver ~ones* s. et. nur einbilden, Gespenster sehen; **4.** *fig.* F lächerliche Gestalt *f*, Spottfigur *f*.

visionario I. *adj.* **1.** visionär; **2.** phantastisch; von (üb)erhitzter Einbildungskraft; **II.** *m* **3.** Visionär *m*; **4.** Geisterseher *m*; Schwärmer *m*; Träumer *m*, Phantast *m*.

visi|r *m* Wesir *m*; *Gran ~* Großwesir *m*; **~rato** *m* Wesirat *n*.

visi|ta *f* **1.** Besuch *m*; *~ de condolencia, de duelo, de pésame* (*de despedida*) Beileids-, (Abschieds-)besuch *m*; *~ de cortesía* (*de cumplido*) Höflichkeits- (Anstands-, Routine-) besuch *m*; *~ a domicilio* Hausbesuch *m v. Ärzten, Vertretern usw.*; *~ oficial* offizieller Besuch *m*; *Pol.* Staatsbesuch *m*; *primera ~* (*a. dipl., in Am. a. ~ de llegada*) Antrittsbesuch *m*; *~ relámpago bsd. Pol.* Blitzbesuch *m*; *kath. ~ al Santísimo Sacramento* kurze Andacht *f* vor dem ausgesetzten Allerheiligsten, Sakramentsbesuch *m*; *pagar la ~* den Besuch erwidern; *hacer una ~* e-n Besuch machen (*od.* abstatten); **2.** Besuch(er) *m*; *tener ~(s) en casa* Besuch daheim haben; **3.** Besuch *m*, Besichtigung *f*; Untersuchung *f*; ⚕ Visite *f*; *ecl. ~* (*pastoral*) Visitation *f*; ⚖ *~ domiciliaria* Haussuchung *f*; *~* (*guiada*) Führung *f* (*Besichtigung*); *~ del médico* Visite *f* (*bsd. im Krankenhaus*); *fig.* F *~ de médico* Stippvisite *f* (F); ⚕ *~ de sanidad* Quarantänebesichtigung *f*; *pasar la ~ de aduanas* durch die Zolluntersuchung gehen; **Ꝍtación** *ecl. f* Mariä Heimsuchung *f* (*2. Juli*); **~tador** *m* **1.** (häufiger) Besucher *m*; Besichtiger *m*; **2.** Untersuchungs-, Kontroll-beamte(r) *m*; *a.* Fürsorgebeamte(r) *m*; *ecl.* Visitator *m*; **~tadora** *f* **1.** *Span.* Sozialfürsorgerin *f*; **2.** F *Hond., Ven.* Klistier *n*; **~tante** *c* Besucher(in *f*) *m*; *~ ferial* (*od. de la feria*) Messebesucher *m*; **~tar** *v/t.* **1.** besuchen; besichtigen; **2.** besichtigen, untersuchen; (zoll)amtlich durchsuchen, kontrollieren; *Arzt*: e-n Krankenbesuch machen *od.* Visite machen (*bsd. in Krankenhäusern*); zu Fürsorgezwecken aufsuchen (*Fürsorger[in]*); *el doctor no visita hoy* heute ist k-e Sprechstunde; **3.** *Rel.* heimsuchen, prüfen (*Gott*); **~teo** *m* häufiges Besuchen *n*; **~tero** F *m* häufiger Besucher *m*.

visivo *adj.* Seh...; *potencia f ~a* Sehkraft *f*.

vislum|brar *v/t.* (undeutlich) sehen, (gerade noch) ausmachen; *fig.* mutmaßen; ahnen; **~bre** *f* Abglanz *m*; (schwacher) Schimmer *m*; *fig.* Mutmaßung *f*; Ahnung *f*; *fig.* F *no tener ni una ~ siquiera* k-n blassen Schimmer (*od.* Dunst) haben (*von dat.* de).

Visnú *Rel. npr. m* Vischnu *m*.

viso *m* **1.** Schillern *n*, *bsd.* Changieren *n* (*Stoff*); *fig.* Anflug *m*, Schimmer *m*; *mst. ~s m/pl.* Anschein *m*; Gesichtspunkte *m/pl.*; *oft*: Nebenabsichten *f/pl.*; *fig. a dos ~s* in zwei (ganz) verschiedenen Absichten; *fig.* de *~* angesehen; *hacer buen* (*mal*) *~* s. gut (schlecht) ausnehmen; *hacer ~s* schillern, changieren (*Stoff*); *tener ~s de* den Anschein haben von (*dat.*); **2.** *tex.* Moiréfutter *n*; **3.** *kath.* Tabernakel-tafel *f*, -abdeckung *f*; **4.** † Anhöhe *f*, Aussichtspunkt *m*.

visón *m* Nerz *m* (*Tier u. Pelz*).

viso|r *m* **1.** *Opt.* (⚔) Visier *n*; ⚔ *~ de bombardeo* Bombenzielgerät *n*; **2.** *Phot.* Sucher *m*; **~rio** *adj.* Seh..., Gesichts...

víspera *f* Vorabend *m*; *p. ext.* Vortag *m*; *ecl. ~s f/pl.* Vesper *f*; *en ~s de* am Vorabend von (*dat.*); kurz vor (*dat.*); in Erwartung (*gen.*).

vista I. *f* **1.** Gesicht *n*, Sehen *n*; Sehvermögen *n*; *bsd. fig. ~ de águila* (*de lince*) Adler-, (Luchs-)auge(n) *n*(*/pl.*); *corto de ~* kurzsichtig; ⚕ *graduación f de la ~* Sehprobe *f*; *segunda ~ das* Zweite Gesicht *n*; *sentido m de la ~* Gesichtssinn *m*; *a simple ~* mit dem bloßen Auge; *tener buena ~* ein gutes Auge haben, gut sehen; **2.** Blick *m*; Anblick *m*; Ansicht *f*; Aussicht *f*; *bsd.* ✝ Sicht *f*; *Phot.* Aufnahme *f*; *fig.* Absicht *f*; ✝ *giro m* (*pagadero*) *a la ~* Sichttratte *f*; *punto m de ~* Gesichts-, Blick-punkt *m*, Sicht *f*; ⚔ "*~ a la de — re(cha)!*" „die Augen — rechts!"; *vista aérea* Luftbild *n*, Luftaufnahme *f*; *~ de atrás, ~ por atrás, ~ trasera* Rückansicht *f*; *~ exterior* (*lateral, parcial*) Außen- (Seiten-, Teil-)ansicht *f*; *~ frontal, ~ de cara, ~ de frente* Vorderansicht *f*; *~ del interior* (*de interiores*) Innenansicht *f* (Innenaufnahme *f*); *~ panorámica* Rundblick *m*; *~ total* Gesamtbild *n*; Übersichtsbild *n*; ✝ *a la ~* bei Sicht; Sicht...; *fig.* F sofort; *al alcance de la ~* in Sehweite; im Blickfeld; überschaubar, übersichtlich; *a ~ de* angesichts (*gen.*); *a ~ de testigos* vor Zeugen; *a ~ de pájaro* aus der Vogelschau; *a ~ perdida od. a pérdida de ~* unabsehbar; *a primera ~* auf den ersten Blick; ✝ *a tres meses ~* drei Monate nach Sicht; de *~* von Ansehen, vom Sehen (her); *Opt., Phot.* de *~ correcta* seitenrichtig; en *~* de in Anbetracht (*gen.*); en *~* de *lo cual bsd. Verw.* weswegen; woraufhin; wozu *od.* zu diesem Behuf; zu Urkund dessen; *¡hasta la ~!* auf Wiedersehen!; *iron.* auf Nimmerwiedersehen!; *aguzar la ~* den Blick schärfen; *apartar la ~* wegsehen; *clavar la ~* en den Blick heften auf (*ac.*); *fig.* F *comérsele* (*od. tragársele*) *a alg. con la ~* j-n mit den Augen verschlingen; *dirigir la ~ a* den Blick richten auf (*ac.*), *j-n* anblicken; *echar una ~ a → vistazo*; *estar a la ~* auf der Hand liegen (*fig.*); *estar a la ~ de a/c.* gespannt auf et. warten; *fig.* F *hacer la ~ gorda* ein Auge zudrücken; so tun, als sähe man nichts; *se me va la ~* es flimmert mir vor den Augen; *tener ~(s) al mar* Aussicht aufs Meer haben; *fig. tener buena ~* gut aussehn (*z. B. Anzug*); *fig.* F *tener* (*mucha*) *~* ein schlauer (*od.* cleverer) Bursche sein; *fig. tener ~ para* ein Auge haben für (*ac.*); ♪ *tocar de ~* vom Blatt spielen; *tomar ~s bsd. Film*: Aufnahmen machen, Einzeleinstellungen drehen; *volver la ~* den Blick wenden; s. umschauen; *fig. volver la ~ atrás* den Blick zurückgehen lassen (in die Vergangenheit), zurückdenken; **3.** ⚖ Gerichtsverhandlung *f*; *día m de ~* Verhandlungstag *m*; **4.** *~s f/pl.* **a)** Aussicht *f*; **b)** Fenster(öffnungen *f/pl.*) *n/pl.*; **c)** Kragen, Brust u. Manschetten *pl.* e-s Hemdes; **d)** Zs.-kunft *f*; **e)** Brautgeschenke *n/pl.*; **II.** *m* **5.** Zollbeamte(r) *m*.

vistazo *m*: *dar* (*od. echar*) *un ~ a* e-n (flüchtigen) Blick werfen auf (*ac.*).

vistear *Rpl. v/i.* e-n Scheinkampf aufführen.

visto I. *adj.* gesehen; *está ~ que* es liegt klar zutage, daß; es ist offensichtlich, daß; *~ que* in Anbetracht dessen, daß; da ja, da nun einmal; *bien* (*mal*) *~* (un)beliebt; *fig. ni ~ ni oído* blitzschnell; *nunca ~* nie dagewesen; unerhört; *por lo ~* augenscheinlich, offensichtlich, offenbar; *sin ser ~* ungesehen; **II.** *m*: *~ bueno* Genehmigungsvermerk *m*; Sichtvermerk *m*; **~so** *adj.* ansehnlich; auffällig; prächtig.

visu *lt.*: de *~* aus (eigener) Anschauung; augenscheinlich; **~al I.** *adj. c* Seh..., Gesichts...; *rayo m ~* Sehstrahl *m*; **II.** *f Opt.* Sehlinie *f*; **~alidad** *f* **1.** Pracht *f*, Stattlichkeit *f*, schöner optischer Eindruck *m*; **2.** Überblickbarkeit *f*; **~alizar** [1f] *v/t.* veranschaulichen; graphisch darstellen.

vita|l *adj. c* Lebens...; vital; *cuestión f ~* lebenswichtige Frage *f*; *energía f ~* Lebenskraft *f*; **~licio** *adj.* lebenslänglich (*Amt, Rente; nicht Strafe → perpetuo*); *funcionario m ~* Beamte(r) *m* auf Lebenszeit; *renta f ~a* Leibrente *f*; **~lidad** *f* Lebensfähigkeit *f*; Lebenskraft *f*; Vitalität *f*; **~lismo** *Phil. m* Vitalismus *m*; **~lista** *Phil. adj.-su. c* vitalistisch; *m* Vitalist *m*; **~lizar** [1f] *v/t.* beleben; verjüngen; **~mina** ⚕ *f* Vitamin *n*; **~minado** *adj.* mit Vitaminzusatz; **~mínico** *adj.* Vitamin...; **~min(iz)ar** [1f] *v/t.* mit Vitaminen anreichern; vitaminisieren.

vitando I. *adj.* verabscheuungswürdig; zu meiden(d); **II.** *m ecl.* im Bann Stehende(r) *m*, Ausgestoßene(r) *m*.

vite|la *f* **1.** Kalbleder *n*; **2.** Velin *n*; **~lina** *Biol. f* Vitellin *n*; **~lo** *Biol. m* (Ei-)Dotter *m*.

vitícola 🍇 *adj. c* Weinbau...

viti|cultor *m* Winzer *m*; **~cultura** *f* Weinbau *m*; **~vinícola I.** *adj. c* weinbautreibend, weinbauend; **II.** *m* Weinbauer *m*.

vitola *f* Bauchbinde *f* (*Zigarre*).

vítor *m* Hochruf *m*.

vitorear I. *v/t.* hochleben lassen; **II.** *v/i.* hurra (*od.* hoch) rufen.

vitral *m* Kirchenfenster *n*.

vítreo *adj.* gläsern, Glas...; glasartig; *Anat. cuerpo m ~* Glaskörper *m*.

vitrifica|ción *f* **1.** ⚗ Verglasung *f*; **2.** Sinterung *f* (*Keramik usw.*); **~r** [1g] **I.** *v/t.* verglasen; glasieren, sintern; **II.** *v/r.* *~se* verglasen (*v/i.*).

vitri|na *f* **1.** Glasschrank *m*; **2.**

Schaukasten *m*, Vitrine *f*; **3.** ⚗ Abzug *m*, Glaskasten *m*; **~olo** ⚗ *m* (Kupfer-)Vitriol *n*; ~ *verde* Eisenvitriol *n*.
vitua|llar *v/t.* mit Lebensmitteln versehen; **~llas** *f/pl.* Lebensmittel *n/pl.*; Proviant *m*.
vítulo marino *Zo. m* Seekalb *n*.
vitupe|rable *adj. c* tadelnswert, verwerflich; **~rador** *adj.-su.* Tadler *m*; **~rar** *v/t.* tadeln, rügen; schmähen; verwerfen; **~rio** *m* Tadel *m*, Rüge *f*; Schmähung *f*.
viu|da *f* Witwe *f*; **~dez** *f* Witwen- *bzw.* Witwer-stand *m*; **~dita** F *f* junge, *mst. lebenslustige*, Witwe *f*; **~do** *adj.-su.* verwitwet; *m* Witwer *m*; *quedarse* ~ Witwer werden.
viva I. *¡~!* hurra!, hoch!, *¡~ el Papa!* es lebe der Papst!; **II.** *m* Hoch *n*, Hochruf *m*; *lanzar ~s* hoch rufen; **~cidad** *f* Lebhaftigkeit *f*; Lebendigkeit *f*.
vivales F ♀ (*pl. inv.*): *ser un ~* ein gerissener Bursche sein.
vivandero *m* ⚔ Marketender *m*; *Am. Reg.* Marktkrämer *m*.
vivaque ⚔ *m* Biwak *n*; **~ar** ⚔ *v/i.* biwakieren.
[Fischteich *m*.]
vivar *m* **1.** Kaninchenbau *m*; **2.**
vi|varacho *adj.* sehr lebhaft; lebenslustig; P gerissen F; **~vaz** *adj.* (*pl.* ~*aces*) **1.** lebhaft; **2.** lebenskräftig, langlebig; widerstandsfähig; immergrün; ausdauernd (*Pfl.*); **~vencia** *Psych.*, *Phil. f* Erlebnis *n*.
víveres *m/pl.* Lebensmittel *n/pl.*; Proviant *m*.
vivero *m* Baumschule *f*; Fisch-teich *m*, -weiher *m*; *fig.* Brutstätte *f*.
vivérridos *Zo. m/pl.* Schleichkatzen *f/pl.*
viveza *f* **1.** Lebhaftigkeit *f* (*a. fig.*, *z. B. von Farben*); Rührigkeit *f* (*des Wesens u. Handelns*); Heftigkeit *f* (*z. B. der Empfindung*); **2.** Scharfsinn *m*; *p. ext.*, *desp.* Gerissenheit *f*.
vivi|dero *adj.* bewohnbar; **~do** *adj.* erlebt; aus dem Erleben gestaltet (*Darstellung*).
vívido *lit. adj.* **1.** lebhaft, lebendig; **2.** lebendig, wirksam; **3.** scharfsinnig.
vividor I. *adj.* **1.** regsam, fleißig; **2.** → *vivaz*; **II.** *m* **3.** Genußmensch *m*; Lebemann *m*.
vivienda *f* **1.** Wohnung *f*; ~ (*gran*) *confort* Wohnung *f* mit (allem) Komfort; Komfortwohnung *f*; *construcción f* (*od. sistema m*) *de ~s protegidas* sozialer Wohnungsbau *m*; *intervencionismo m de la ~* Wohnraumbewirtschaftung *f*; *Oficina f de la ~* Wohnungsamt *n*; *~ unifamiliar* Einfamilienhaus *n*; **2.** Lebensweise *f*.
vivi|ente I. *adj. c* lebend, lebendig; *ser m ~* Lebewesen *n*; **II.** *m* lebendes Wesen *n*; **~ficador** *adj.*, **~ficante** *adj. c* belebend; **~ficar** [1g] *v/t.* beleben, lebendig machen; kräftigen; **~ficativo** *adj.* belebend.
viví|fico *lit. adj.* lebendig; Leben spendend; **~paro** *Zo. adj.* lebendgebärend.
vivir¹ *m* **1.** Lebensweise *f*; Lebenswandel *m*; *de mal ~* schlecht, verrufen; **2.** Leben *n*, Auskommen *n*.
vivir² I. *v/t.* leben; erleben; verleben; *~ su vida* sein (eigenes) Leben leben; s-n Neigungen leben; s. ausleben; **II.** *v/i.* leben; wohnen; s. ernähren; *p. ext.* leben, lebendig bleiben; dauern; *¡(que) viva(n)!* hoch!; er soll (sie sollen) leben!; → *a. viva*; *¡vive quien vence!* *etwa*: der Sieger hat immer recht; man soll immer auf die besten Pferde setzen (*fig.*)!; *~ al día* in den Tag hinein leben; von der Hand in den Mund leben; *~ honradamente* ein ehrbares (*od.* ehrliches) Leben führen; *fig. ~ para ver* man wird noch sehen, die Zukunft wird es zeigen (*od.* lehren); ⚔ *dar el quién vive* anrufen (*Posten*); *de esto vivo* davon lebe ich; *fig.* das ist mein täglich(es) Brot, damit muß ich mich täglich herumschlagen F; *¡esto es ~!* das heißt leben!, so kann man's aushalten F!; *iron.* u. das nennt man Leben!; ⚔ *¿quién vive?* wer da?; *tener apenas para ~* kaum das zum Leben Notwendige haben; *tener con qué ~* sein Auskommen haben; *¡y a ~!* nun wird aber gelebt!; u. jetzt hinein ins Vergnügen!; *Spr. no se vive más que una vez* man lebt nur einmal; *Spr. ~ y dejar ~* leben u. leben lassen.
vivisec|ción ⚕ *f* Vivisektion *f*; **~tor** *m* Vivisezierende(r) *m*.
Vivis|mo *Phil. m* Lehre *f* des Luis Vives (*1492—1540*); **♀ta** *adj.-su. c* auf Vives bezüglich; *m* Anhänger *m* des Philosophen L. Vives.
vivito *dim. adj.*: ✝ *~ y coleando* lebendfrisch (*Fisch*); F *estar ~* recht lebendig (u. zappelig) sein.
vivo¹ *m* Biese *f* (*an Uniformen usw.*).
vivo² I. *adj.* **1.** lebendig; lebhaft; *p. ext.* flink; ungelöscht (*Kalk*); scharf (*Kante*); spitz (*Winkel*); frisch, leuchtend (*Farbe*); *agua f ~a a. bibl.* lebendiges Wasser *n*; ⚓ *aguas f/pl. ~as* Flut *f*; *estilo m ~* lebendiger (*od.* packender) Stil *m*; *piedra f ~a* Naturstein *m*; *recuerdo m ~* frische Erinnerung *f*; lebendiges Andenken *n*; *a ~a fuerza* mit Gewalt; *al ~ od. a lo ~* nach dem Leben (*Schilderung*, *Zeichnung*); heftig, kräftig; *fig. como de lo ~ a lo pintado* wie Tag und Nacht, ganz u. gar verschieden; *de ~a voz* mündlich; *enterrar ~* lebendig begraben; *está ~* er lebt (noch); er ist gerettet; sie gilt (noch) (*Vorschrift*); *herir en lo ~* ins Leben (*od.* ins Fleisch) schneiden; *fig.* den wunden Punkt treffen, verletzen (*fig.*); *fig. llegar a* (*od. tocar en*) *lo más ~* an die wundeste Stelle rühren, im Tiefsten treffen; *quedar ~* am Leben bleiben; *Thea. representar cuadros ~s* lebende Bilder aufführen (*od.* stellen); *era su ~ deseo que + subj.* er wünschte lebhaft, daß + *subj.*; **2.** F gescheit, auf Draht (*fig.* F); gerissen (*fig.* F), clever F; **II.** *m* **3.** Lebend(ig)e(r) *m*; **4.** *fig.* F geriebener Kunde *m* (*fig.* F).
vizca|cha *Zo. f* Pampashase *m*, Vizcacha *f*; **~chera** *f* **1.** Schlupfloch *n* des Pampashasen; *fig. Arg.* Rumpelkammer *f* (*a. fig.*); **2.** ⚘ *And.* Art Federgras *n* (*giftig für Vieh*).
vizcaíno *adj.-su.* biskayisch; *m* Biskayer *m*.
vizcon|dado *m* **1.** Vizegrafschaft *f*; **2.** Titel *m* e-s Vicomte; **~de** *m* Vicomte *m*; **~desa** *f* Vizegräfin *f*.
voca|blo *m* Wort *n*; Ausdruck *m*; Vokabel *f*; **~bulario** *m* **1.** Wörterverzeichnis *n*, Vokabular *n*; Wortschatz *m*; *fig. no necesitar de ~* k-n Ausleger benötigen; **2.** F Redeweise *f*; **~bulista** *m* Wortschatzforscher *m*.
vocaci|ón *f* Berufung *f*; Bestimmung *f*; *errar la ~* s-n Beruf verfehlen; *sentir ~ literaria* s. zur Literatur berufen fühlen; *tener ~* berufen sein (zu *dat. por*); *p. ext.* zum Priester(amt) berufen sein; **~onal** *Angl. adj. c* Berufs...
vo|cal I. *adj. c* mündlich; Stimm...; *a.* ♪ Vokal...; ♪ *música f ~* Vokalmusik *f*; **II.** *m* stimmberechtigtes Mitglied *n in e-m Gremium*; Vorstandsmitglied *n*; **III.** *f Li.* Vokal *m*; **~cálico** *Phon. adj.* vokalisch, Vokal...; **~calismo** *Li. m* Vokalismus *m*, Vokalsystem *n*; **~calista** ♪ *m* (*bsd.* Refrain-)Sänger *m*.
vocaliza|ción *f* **1.** *Li.* Vokalisation *f*; Vokalisierung *f*; **2.** ♪ Stimmübung *f*; **~r** [1f] *v/i. Li.* vokalisieren; ♪ Stimmübungen machen.
vocativo *Li. m* Vokativ *m*.
voce|ador *m* Ausrufer *m*; Schreier *m*; **~ar I.** *v/i.* schreien; **II.** *v/t.* (laut) verkünden; *fig.* F ausposaunen; *Waren* ausrufen; **~jón** F *m* rauhe, heisere Stimme *f*; **~río** *m* Geschrei *n*.
vocifera|ción *f* Schreien *n*, Kreischen *n*, Zetern *n*; **~r** *v/i.* schreien, zetern.
vocingle|ría *f* Geschrei *n*, Gekreisch *n*; **~ro I.** *adj.* schreiend, kreischend; *p. ext.* aufdringlich geschwätzig; **II.** *m* Schreihals *m*; *p. ext.* aufdringlicher Schwätzer *m*.
vodevil *m Am.* Varieté *n*.
volada 1. Auffliegen *n*; kurzer Flug *m e-s Vogels*; **2.** △ Auskragung *f*; *a.* ⊕ Ausleger *m*; **3.** *fig.* F **a)** *Ec.* Prellerei *f*; **b)** *Rpl.* Gelegenheit *f*.
vola|dera *f* Radschaufel *f* (*Wasserrad*); **~dero I.** *adj.* flügge; *bsd. fig.* flüchtig, rasch enteilend; **II.** *m* Absturz *m*, Steilhang *m*.
vola|dizo △ **I.** *adj.* vorspringend; fliegend; **II.** *m* Auskragung *f*; Vorsprung *m*, Vorbau *m*; **~do** *adj.* **1.** *Typ.* hochgestellt; **2.** *Am.* jähzornig (*Temperament*).
vola|dor I. *adj.* **1.** fliegend; **2.** *aparato m ~* Fluggerät *n*; **II.** *m* **3.** *Zo.* fliegender Fisch *m*; **4.** Rakete *f* (*Feuerwerkskörper*); **5.** ⚘ *Am. versch. Bäume u. Pfl.*; **~dora** *f* Läuferstein *m e-r Mühle*; **~dura** *f* Sprengung *f*.
volan|das: *en ~* fliegend; *fig.* wie im Fluge; **~dera** *f* **1.** ⊕ Scheibe *f an der Radachse*; Zwischenscheibe *f*; → *voladora*; **2.** F Schwindel *m*, Ente *f*; **~dero** *adj.* flügge; flatternd; *fig.* unstet; **~do** *ger.-adv.* eiligst; **~te I.** *adj. c* **1.** fliegend; umherirrend; ⚔ *cuerpo m ~* fliegendes Korps *n*, Einsatzkorps *n*, „Feuerwehr" *f* F; *fig. hilos m/pl. ~s* Sommerfäden *m/pl.*; *mesa f ~* Spiritisten-

tischchen *n*; *Zo.* *perro m* ~ Flederhund *m*, Flugfuchs *m*; **II.** *m* **2.** *Kfz.* Lenkrad *n*; *tomar el* ~ s. ans Steuer setzen; **3.** *Typ.*, † Flugblatt *n*; Handzettel *m*; Begleitschein *m*; **4.** ⊕ Schwungrad *n*; Unruhe *f e-r Uhr*; Bandrolle *f* (*Bandsäge*); **5.** Federball(spiel *n*) *m*; **6.** *Sp.* Läufer *m* (*Fußball*); **7.** Volant *m bzw.* Rüsche *f am Kleid.*

volan|tín *m* **1.** Wurfangel(schnur) *f*; **2.** *Am.* Überschlag *m*, Salto *m*; **3.** *Arg.*, *Cu.*, *Chi.*, *P. Ri.* (Papier-) Drache *m*; **4.** *Bol.* Schwärmer *m* (*Feuerwerk*); **~tón I.** *adj.* flügge; **II.** *m* flügger Vogel *m*; *Ec.* *fig.* Stromer *m.*

volapié *m* **1.** *Stk. der dem stehenden Stier aus dem Lauf heraus versetzte* Degenstoß *m* (*man nennt das dar una estocada a* ~); **2.** *a* ~ hüpfend u. flatternd (*Vögel*); bald schwimmend, bald gehend (*z. B. b. e-m Flußübergang*)

volar [1m] **I.** *v/i.* **1.** fliegen; auffliegen; *fig.* eilen; ✈ ~ *en crucero* mit Reisegeschwindigkeit fliegen; *echar a* ~ auf-, weg-fliegen; ~ *sobre la ciudad* die Stadt überfliegen; *hacer* ~ → *volar 3*; **2.** verfliegen, s. verflüchtigen; *p. ext.* verschwinden; **II.** *v/t.* **3.** (in die Luft) sprengen; *fig.* aufbringen, reizen; **4.** *Jgdw.* *Federwild* aufscheuchen; **5.** *Typ.* (*als Exponent od. Index*) hochstellen; **III.** *v/r.* **~se 6.** auf-, weg-fliegen; entfliegen; *fig.* F *se le volaron los pájaros* mit s-n Plänen (*od.* Hoffnungen *usw.*) ist es aus; *a.* die Gäule gingen mit ihm durch; **7.** *Am.* wütend aufbrausen.

vo|latería *f* **1.** Falkenjagd *f*, Falknerei *f*; † *u. Reg.*: *de* ~ wie im Flug, durch reinen Zufall; *hablar de* ~ ins Blaue hinein schwätzen; **2.** Geflügel *n*; **~látil I.** *adj.* *c* ⚗ flüchtig; *fig.* flatterhaft; **II.** *m* Federvieh *n*; Stück *n* Geflügel.

volatili|dad ⚗ *f* Flüchtigkeit *f*; **~zación** ⚗ *f* Verflüchtigung *f*; **~zar(se)** [1f] *v/t.* (*v/r.*) (s.) verflüchtigen.

volatín[1] ⚓ *adj.*: *hilo m* ~ Segelgarn *n.*

vola|tín[2] *m* **1.** Seiltänzerkunststück *n*; **2.** → **~tinero** *m* Seiltänzer *m.*

vol-au-vent *frz.* *Kchk.* *m* Blätterteigpastete *f.*

volcador *adj.-su.* Kipper..., Kipp...; (*mecanismo m*) ~ *m* Kippanlage *f.*

vol|cán *m a. fig.* Vulkan *m*; **~cánico** *adj.* vulkanisch; **~canismo** *m* Vulkanismus *m.*

volcar [1g *u.* 1m] **I.** *v/t.* **1.** umwerfen; umstürzen; kanten, kippen; *Gefäß* umstülpen, stürzen; *¡no ~!* nicht stürzen! *b. Frachtgut*; **2.** *p. ext.* benommen machen (*Dunst, Geruch*); **3.** *fig.* *j-n* umstimmen; *Gesinnung* umwenden; *fig.* F in Wut bringen; **II.** *v/i.* **4.** um-stürzen, -kippen (*Wagen*); kippen (*a.* ✈); **III.** *v/r.* **~se 5.** aus-, um-, über-kippen; *fig.* F sein Bestes tun, sein Letztes geben; *~se sobre alg.* s. über j-n ausklatschen; *fig.* *~se con alg.* j-n stürmisch feiern; s. um j-n reißen.

vole|ar *v/t.* *bsd.* *Ball* im Fluge schlagen; **~o** *m* Schlag *m* (*Ballspiel*); *a* ~ 🌾 breitwürfig (*säen*); *fig.* haufenweise; *de un* ~ im Nu.

volframi|o ⚗ *m* Wolfram *n*; **~ta** *Min.* *f* Wolframit *m.*

volición *f* Wollen *n.*

volitar *v/i.* → *revolotear.*

volitivo *Phil.* *adj.* Willens...

volovelis|mo ✈ *m* Segelflugwesen *n*; **~ta** *c* Segelflieger *m.*

volque|o ⊕ *m* Kippen *n*; **~te** *m* Kipplore *f.*

voltaje ⚡ *m* Spannung *f*, Voltzahl *f.*

volte|ada *f* *Arg.* Abtrennung *f e-s Teils der Viehherde*; **~ador** *m* **1.** Luftakrobat *m*, Voltigeur *m*; *Am.* Kunstreiter *m*; **2.** ⊕ Kant-, Wendevorrichtung *f*; **~ar I.** *v/t.* **1.** herumdrehen; umkehren; *Schleuder usw.* schwingen; *Glocken* läuten; **2.** *Am.* umwerfen, stürzen; kippen; **3.** *Méj.*, *Col.*, *P. Ri.* → *volver*; **II.** *v/i.* **4.** s. herumdrehen; s. überschlagen; voltigieren *im Zirkus*; **III.** *v/r.* **~se 5.** *Am. Reg.* → *chaquetear 1*; **~jear** ⚓ **I.** *v/t.* (um)wenden; **II.** *v/i.* beim Winde segeln; **~o** *m* **1.** Umdrehen *n*, Wenden *n*; ⊕ Kippen *n*; **2.** Luftsprung *m*; **3.** Läuten *n der Glocken*; **~reta** *f* **1.** Purzelbaum *m*; Luftsprung *m*; *dar ~s* Purzelbäume schlagen; Zirkussprünge machen; **2.** *Kart.* Volte *f*; **3.** *fig.* plötzlicher Umschlag *m*, unerwarteter Wechsel *m.*

vol|tímetro ⚡ *m* Spannungsmesser *m*, Voltmeter *n*; **~tio** ⚡ *m* Volt *n.*

volu|bilidad *f* **1.** ~ *de la lengua* Zungenfertigkeit *f*; **2.** Unbeständigkeit *f*, Flatterhaftigkeit *f*; *a.* ⚗ Flüchtigkeit *f*; **~ble** *adj.* *c* **1.** unbeständig, unstet; wetterwendisch; **2.** *a.* ⚗ flüchtig.

volu|men *m* (*pl.* *volúmenes*) **1.** Umfang *m*, Menge *f*; Rauminhalt *m*; Volumen *n*; † ~ *comercial* Handelsvolumen *n*; Δ ~ *de edificación* umbauter Raum *m*; ⚒ ~ *de esfera* Kugelinhalt *m*; ⚕ ~ *por latido* Schlagvolumen *n des Herzens*; † ~ *de negocios*, ~ *de ventas* (Geschäfts-, Waren-)Umsatz *m*; † ~ *de pedidos* Auftragseingang *m*; **2.** *Typ.* Band *m*; **3. a)** *Rf.* Tonstärke *f*; **b)** ♪ Klangfülle *f*, Lautstärke *f*; **~minoso** *adj.* umfangreich, voluminös.

volunta|d *f* Wille *m*; Belieben *n*; Lust *f*; Zuneigung *f*; *a* ~ nach Belieben; *con poca* ~ halb freiwillig, halb gezwungen; ~ *de trabajo* Arbeits-wille *m*, -lust *f*; *buena* ~ guter Wille *m*; *buena* (*mala*) ~ Wohl-(Übel-)wollen *n*; Zu- (Ab-)neigung *f*; *última* ~ letzter Wille *m*, Testament *n*; F *hacer su sant(ísim)a* ~ s-n Kopf durchsetzen; *b. Gelegenheitsdienstleistungen*: *¿qué le debo?* was bekommen Sie? — *Antwort*: *¡~!* nach Belieben!; *quitarle a alg la* ~ j-m die Lust nehmen, j-m et. ausreden; *tenerle mucha* ~ *a alg.* e-e große Zuneigung zu j-m haben; **~riedad** *f* Freiwilligkeit *f*; Willkür *f*; **~rio I.** *adj.* freiwillig; **II.** *m* Freiwillige(r) *m*; **~rioso** *adj.* eigenwillig; zäh, zielstrebig; **~rismo** *Phil.* *m* Voluntarismus *m*; **~rista** *adj.-su.* *c* voluntaristisch; *m* Voluntarist *m.*

voluptuo|sidad *f* Wollust *f*; *poet.* Lust *f*; **~so** *adj.* lustvoll; sinnenfreudig; wollüstig.

voluta ⚒, Δ *f* Schnecke *f*, Spirale *f*, Volute *f*; *en ~s* schnecken-, schrauben-förmig.

volve|dera 🌾 *f* Garbenwender *m*; **~dor** ⊕ *m* Wendeeisen *n*; Drehwerk *n.*

volver [2h; *p rt.* *vuelto*] **I.** *v/t.* **1.** drehen, (um)wenden, umkehren; (um)lenken; *a. z. B. Kleidung* wenden; ~ *al revés* umstülpen; umkehren; ~ *de canto* (*de plano*) hochkant stellen (flachlegen); ~ *hacia una dirección* in e-e Richtung lenken; *bsd. fig.* ~ *lo de arriba abajo* das Unterste zuoberst kehren, alles auf den Kopf stellen; ~ *la mirada al cielo* den Blick zum Himmel wenden; **2.** zurück-geben; -schicken; **3.** verwandeln (in *ac.* *en*); ~ + *adj.* zu et. machen; F *~le a uno tarumba* j-n verwirren; j-n ganz verrückt machen; **II.** *v/i.* **4.** umkehren; zurück-kommen, -kehren; zurückfahren; ~ *a* + *inf.* wieder + *ind.*; *si vuelves a hacerlo* wenn du es noch einmal tust; ~ *a apretar Schraube* nachziehen; ~ *a casa* heimkehren; nach Hause kommen; ~ *a contar* nachzählen; *volviendo al caso* um auf die Sache zurückzukommen; *no* ~ *de su sorpresa* aus s-r Überraschung nicht herauskommen; nicht darüberkommen (*fig.*); ~ *en sí* wieder zu sich kommen; ~ *por* s. einsetzen für (*ac.*); ~ *por sí* s-e Ehre verteidigen; ~ *sobre el asunto* auf die Angelegenheit zurückkommen; ~ *sobre sí* in s. gehen, s. besinnen; **5.** abbiegen; s. kehren (nach *dat.* *a*, *hacia*); *el río vuelve hacia la izquierda* der Fluß macht e-e Biegung nach links; **III.** *v/r.* **~se 6.** (s.) (um)drehen; *fig.* sauer werden (*Milch usw.*); *~se al público* s. zum (*od.* ans) Publikum wenden; *~se contra alg.* s. gg. j-n wenden, j-n angreifen; auf j-n losgehen; *todo se le vuelve en contra* (*od.* *del revés*) alles geht ihm schief (*fig.*); *~se hacia la pared* s. zur Wand kehren; **7.** *~se* + *adj* werden; *~se pálido* bleich werden, erblassen; *~se de todos los colores* s. verfärben.

vólvulo ⚕ *m* Darmverschluß *m.*

volley-ball *Sp.* *m* Volleyball *m.*

vómer *Anat.* *m* Pflugscharbein *n.*

vómico ♀, *pharm.* *adj.*: *nuez f ~a* Brechnuß *f.*

vomi|tado F *adj.* hundeelend, sterbenskrank; *fig.* urhäßlich; *está* ~ *a.* er sieht aus wie gekotzt P; **~tador** *adj.-su.* s. erbrechend; **~tar** *vt/i.* (er)brechen; *fig.* (aus)speien; *ganas f/pl. de* ~ Brechreiz *m*; **~tivo** *pharm.* *m* Brechmittel *n.*

vómito ⚕ *m* (Er-)Brechen *n.*

vomi|tón F *adj.* zum Erbrechen neigend; **~tona** F *f* heftiges Erbrechen *n*; **~torio** Δ *m* Vomitorium *n* (*in Altrom usw.*).

voracidad *f* Gefräßigkeit *f.*

vorágine *f a. fig.* Strudel *m.*

vórtice *m* **1.** Wirbel *m*, Strudel *m*; **2.** *Anat.* Wirbel *m*, *lt.* Vortex *m.*

voraz *adj.* (*pl.* *~aces*) *a. fig.* gefräßig.

vo|s *pron.*: *als Anrede an e-e Einzelperson* († *od. feierlich*) Ihr; *in den am. Sprachgebieten mit* „voseo“, *z. B. Rpl.*: du; **~sear** *v/t.* mit „*vos*“ anreden; **~seo** *m* Anrede *f* mit „*vos*“.
vosotros *pron.* ihr (*pl.*).
vo|tación *Parl. f* Abstimmung *f*; ~ *a mano alzada* Abstimmung *f* durch Erheben der Hände (*od.* durch Handzeichen); ~ *de desempate* Stichwahl *f*; *poner a* ~ zur Abstimmung stellen; **~tante** *m* Abstimmende(r) *m*; Stimmberechtigte(r) *m*; **~tar I.** *vt/i.* abstimmen über (*ac.*); *Gesetz* verabschieden; *acto m de* ~ Abstimmung *f*, Wahlvorgang *m*; **II.** *v/i.* geloben; schwören; F *¡voto a tal!* zum Kuckuck!, verflucht (noch mal)! P; **~tivo** *adj.* angelobt; Votiv...; *misa f* ~**a** Votivmesse *f*; **~to** *m* **1.** Gelübde *n*; ~*s m/pl. monásticos* Mönchsgelübde *n/pl.*; *hacer* ~*s para que* ... innigst wünschen, daß ...; beten, daß ...; **2.** *Pol.* Stimme *f*, Votum *n*; ~ *por aclamación* Wahl *f* durch Zuruf (*od.* durch Akklamation); ~ *de censura* (*de confianza*) Mißtrauens- (Vertrauens-)votum *n*; ~ *por correspondencia* Briefwahl *f*; ~ *nulo* ungültige Stimm(abgab)e *f*; ~ *obligatorio* Wahl-, Stimm-zwang *m*; *con* (*sin*) *derecho a* ~ (nicht) stimmberechtigt; *por 23* ~*s contra 17 con 9 abstenciones* mit 23 gg. 17 Stimmen bei 9 (Stimm-)Enthaltungen; *7* ~*s* (*emitidos*) *a favor* (*en contra*) *de alg.* 7 (abgegebene) Stimmen für (gg.) j-n; *tener derecho de* ~ Stimmberechtigung haben.
voy *usw.* → *ir.*
voz *f* (*pl. voces*) **1.** Stimme *f*; Ruf *m*; Laut *m*, Ton *m*, Schrei *m*; Klang *m*; *fig.* Gerücht *n*; *voces f/pl. a.* Geschrei *n*; *voces al viento* (*od. en el desierto*) in den Wind (*fig.*), umsonst; ~ *argentina* Silberstimme *f*; ~ *cascada* gebrochene Stimme *f* (*Stimmbruch*); ⚔ ~ *de mando* Kommando *n*, Befehl *m*; ♪ ~ *principal* (*acompañante*) Haupt-, Solo- (Begleit-)stimme *f*; ♪ *primera* (*segunda*) ~ erste (zweite) Stimme *f*; *fig.* ~ *pública die* Stimme des Volkes; ~ *quebrada* gebrochene (*od.* matte) Stimme *f*; *la* ~ *de la razón* die Stimme der Vernunft; ♪ ~ *del violín* Violinstimme *f*; Violinklang *m*; ⚓ *a la* ~ in Rufweite; *a media* ~ (mit) halblaut(er Stimme); *a una* ~ einstimmig; *a* ~ *en cuello* (*od. en grito*) aus vollem Halse, lauthals; *de* ~ *débil* von schwacher Stimme, stimmschwach; ♪ *de dos* (*tres*) *voces* zwei- (drei-)stimmig; *en alta* (*baja*) ~ laut (leise); *aclararse la* ~ s. räuspern; *alzar* (*od. levantar*) *la* ~ die Stimme erheben, lauter sprechen; *fig.* anschreien, in ungebührlichem Ton anreden (j-n *a alg.*); *fig. se le anudó la* ~ er konnte (*vor Aufregung usw.*) nicht sprechen, es verschlug ihm die Stimme; *apagar la* ~ *a.* ♪ die Stimme (*bzw.* den Klang) dämpfen; *fig. corre la* ~ *que* ... es geht das Gerücht (um), daß ...; *dar la* ~ ⚔ anrufen (*Posten*); *fig. abs.* et. (*od.* es) bekannt machen; es den Leuten sagen; *dar voces* rufen; schreien; *dar voces de socorro* (laut) um Hilfe rufen; *fig. estar en* ~ bei Stimme sein (*Redner*); *fig. hacer correr la* ~ das Gerücht weitergeben; es weitersagen; *llevar la* ~ *cantante* ♪ die erste Stimme singen (*od.* spielen); *fig.* den Ton angeben, die erste Geige spielen; *fig. no se oye más* ~ *que la suya* er führt das große Wort; *fig. poner mala* ~ *a alg.* j-n in Mißkredit (*bzw.* in Verruf) bringen; ♪ *ponerse en* ~ *od. romper la* ~ s. einsingen; ♪ *tener* (*buena*) ~ e-e gute Stimme haben; *fig. tener* ~ *en el capítulo* ein Wörtchen mitzureden haben; *tomar* ~ *bsd.* ⚔ Erkundigungen einziehen; **2.** *Gram.* **a)** Wort *n*, Vokabel *f*; **b)** Form *f* des Verbs; ~ *activa* (*media, pasiva*) Aktiv *n* (Medium *n*, Passiv *n*); **3.** *Parl.* beratende Stimme *f* (= ~ *consultiva od.* ~ *sin voto*); *nur fig. u. lit.* Stimme *f*, Votum *n*; *fig. sin* ~ *ni voto* ohne jeden Einfluß.
vozarrón F *m* laute, rauhe Stimme [*f.*]
vuece(le)ncia *f Anrede*: Euer Exzellenz.
vuelco *m* Überschlag *m* (*a. Kfz.*, ✈); ⊕ ~ *automático* automatische Entleerung *f*; *dar un* ~ s. überschlagen; *fig. el corazón me dio un* ~ es gab mir plötzlich e-n Stich (*Vorahnung, Angst usw.*); das Herz schlug mir bis zum Hals.
vuelo *m* **1.** Flug *m*; *fig.* Aufschwung *m*; ~ *acrobático* Kunstflug *m*; ~ *de aproximación* Anflug *m*; ~ *bajo* (*od. rasante od. a baja cota*) Tiefflug *m*; ~ *sin escala(s)* Nonstopflug *m*; ~ *espacial* (*od. interplanetario*) *tripulado* bemannter Weltraumflug *m*; ~ *sin motor* (*od. a vela*) Segelflug *m*; ~ *nocturno* (*planeado*) Nacht- (Gleit-)flug *m*; ~ *orográfico* Gleitflug *m* am Hang; ~ *térmico* Aufwindflug *m*, Gleitflug *m*; ~ *sin visibilidad* Blindflug *m*; *al* ~ im Fluge; *fig.* so nebenbei, so nebenher; *de alto* ~ hochfliegend; schwungvoll; *en* (*a. a*) ~ im Flug; F *cogerlas* (*od. cazarlas*) *al* ~ alles gleich aufschnappen (*od.* mitbekommen), alles sofort begreifen; *emprender el* ~ weg-; ab-fliegen; ✈ *levantar* ~ vom Boden abheben; *Jgdw. tirar al* ~ im Flug schießen, aus der Luft herunterschießen; *tocar a* ~ *las campanas* alle Glocken (*od.* mit vollem Geläut) läuten; *tomar* ~ hinaufschweben; auffliegen; *fig.* s. aufschwingen; gut vorankommen, gedeihen; **2.** *a. fig.* Schwinge *f*, Flügel *m*; Schwungweite *f*; *alzar* (*od. levantar*) *el* ~ **a)** auffliegen (*Vo.*); **b)** *fig.* s. auf u. davon machen; **c)** → *levantar los* ~*s* s. Höherem zuwenden; eingebildet werden; *fig. cortar los* ~*s a alg.* j-m die Schwingen stutzen; **3.** △ Ausladung *f*; **4.** Weite *f* (*Damenrock*); *falda f de poco* ~ ziemlich enger Rock *m*; **5.** Ärmelaufschlag *m*; Spitzenmanschette *f*.
vuelta *f* **1.** *a.* ⊕ (Um-)Drehung *f*; *a.* ⊕ Wende *f*, Wendung *f*; *a.* ⊕, ⚡ Windung *f*; *Sp.* Kehre *f* (*a. Turnen*); *Equ.* Volte *f*; *Kart.* Runde *f*, *a. Sp.* Tour *f*; *fig.* F Tracht *f* Prügel; *fig.* F *¡*~*!* schon wieder!, immer dieselbe Leier! F; ⚔ “*media* ~!” „kehrt!“; *Ski*: *media* ~ *a pie firme od.* ~ *María* (Kehrt-)Wendung *f*; *otra* ~ noch einmal; ⚓ ~ *de cabo* Stek *m*, Knoten(schlinge *f*) *m*; *Vkw.* ~ (*de camino*) Kehre *f*; ~ *de campana* Luftsprung *m*, Salto *m*; Überschlag *m*; ✈ Looping *m*; ⊕ ~ *helicoidal* Schnecken-, Schrauben-windung *f*; ⊕ ~ *de manivela* Kurbeldrehung *f*; ⚕ ~ *de venda* Bindetour *f*; *a la* ~ umstehend, umseitig; *a la* ~ *de la esquina* gleich um die Ecke; *a la* ~ *de pocos años* einige Jahre später; ✉ *a* ~ *de correo* postwendend; *fig. a* ~ *de insistir y más insistir* (, *le convenció*) durch immer stärkeres Drängen (, überredete er ihn schließlich); *de* ~ auf der Rückseite; *fig.* F *andar a* ~*s* s. herumprügeln; *fig.* F *buscar las* ~*s a alg.* es auf j-n abgesehen haben; j-m eins auswischen wollen; *fig.* F *coger las* ~*s a alg.* j-n zu nehmen wissen; *dar* ~ wenden; (um)drehen; *Equ. dar* ~ *al caballo* die Volte reiten; *fig. ya dará la* ~ *la tortilla* das Blatt wird s. schon wenden, es wird noch anders kommen; *dar media* ~ kehrtmachen; *le dio una* ~ er drehte ihn um (*a la llave* den Schlüssel); *fig.* F er verprügelte ihn; *dando* ~*s* durch (Ver-)Drehen; *dar* ~*s* **a)** s. drehen; s. herumwälzen; **b)** drehen (*et. a*); *fig.* F *dar cien* ~*s a alg.* j-m haushoch überlegen sein; *fig. no hay que darle* (*od. que andar con*) ~*s* man darf nicht um die Sache herumreden; *por más que doy* ~*s* (*od. por más* ~*s que* [*le*] *doy al asunto*), *no veo ninguna solución* ich mag es drehen u wenden wie ich will, ich sehe k-e Lösung; *la cabeza me da* ~*s od. las cosas me dan* ~*s* mir dreht s. alles vor den Augen, mir ist ganz schwindelig; *fig.* F *encontrar la* ~ den Ausweg (*od.* den Dreh P) finden; *fig. guardar las* ~*s* s. vorsehen, auf der Hut sein; *fig.* F *poner a alg. de* ~ *y media* j-m gehörig die Meinung sagen; F *ser de muchas* ~*s* viele Kniffe (u. Schliche) kennen; *fig. tener* ~*s* launisch sein; ⚓ *tomar la* ~ *a tierra* auf Landkurs gehen; **2.** Runde *f*; Spaziergang *m*, Bummel *m* F; Rundreise *f*; ~ *al ruedo* Runde *f* um die Arena (*Parade des Stierkämpfers*); *dar una vuel(teci)ta* e-n (kl.) Spaziergang machen; *dar la* ~ *al mundo* e-e Weltreise machen; **3.** Wiederkehr *f*; Rückkehr *f*; Heimkehr *f*; 🚂 Rück-fahrt *f*, -reise *f*; ⚕ ~ *a la vida* Wiederbelebung *f*; *estar de* ~ zurück sein *v. e-r Reise*; *fig.* F (schon) im Bilde sein; **4.** Rückgabe *f*; (*herausgegebenes*) Wechselgeld *n*; *no tener* ~ nicht herausgeben können; *¡quédese con la* ~*!* behalten Sie den Rest! (*als Trinkgeld*); *dar de* ~ zurückgeben, herausgeben; **5.** Kehrseite *f*; *la* ~ *de la medalla* die Kehrseite der Medaille; **6.** ⚒ Umpflügen *n*; **7.** Aufschlag *m* (*Kleid*); Umschlag *m*, Stulp *m* (*Kleidung, Schuhwerk*); **8.** Maschenreihe *f b. Stricken.*
vuelto I. *part. v. volver*; **II.** *m Am.* Wechselgeld *n*.
vuestro *pron. pos.* euer.
vulca|nicidad *Geol. f* Vulkanismus

m; **~nismo** *m* Vulkanismus *m*; Plutonismus *m*; **~nista** *hist. m* Anhänger *m* des Plutonismus.
vulcaniza|ción ⊕ *f* Vulkanisierung *f*; **~r** [1f] *v/t.* (auf)vulkanisieren.
vulga|cho *desp. m* Pöbel *m*, Mob *m*; **~r** *adj. c* **1.** gemein, alltäglich; Volks...; **2.** gemein, niedrig; **3.** vulgär; **~ridad** *f* Gemeinheit *f*; Trivialität *f*; Gemeinplatz *m*; **~rismo** *m* Ausdruck *m* der (derberen) Volkssprache; vulgärer Ausdruck *m*; **~rizador** *m* Populärwissenschaftler *m*; **~rizar** [1f] *v/t.* allgemein verbreiten, zum Gemeingut machen; *Kenntnisse* verbreiten; allgemeinverständlich darstellen; **~rmente** *adv.* gemeinhin.
Vulgata *f* Vulgata *f* (= *lateinische Bibel*).
vulgo *m* gemeines Volk *n*; Pöbel *m.*
vulnera|bilidad *f* Verwundbarkeit *f*, Verletzlichkeit *f*; **~ble** *adj. c* verwundbar, verletzlich; anfällig; **~ción** ✂ *f* → *herida, lesión*; **~r** *v/t.* verwunden; *a. fig.* verletzen; **~ria** ⚘ *f* Wund-kraut *n*, -klee *m*; **~rio** *m* Wundspiritus *m*; Wundmittel *n*.
vul|peja *Zo. f* Fuchs *m*; Füchsin *f*, Fähe *f*; **~pino I.** *adj.* Fuchs...; *fig.* schlau wie ein Fuchs; **II.** *m* ⚘ Fuchsschwanz *m*.
vultuoso ⚕ *adj.* verquollen u. entzündet (*Gesicht*).
vultúridos *Zo. m/pl.* Geier *m/pl.*
vul|va *Anat. f* weibliche Scham *f*, Vulva *f*; **~varia** ⚘ *f* Bocksmelde *f*; **~vitis** ⚕ *f* Vulvitis *f*; **~vovaginal** *Anat. adj. c* vulvovaginal.

W

W, w (= *doble ve*) *f* W, w *n*.
wagneriano ♪ **I.** *adj.* Wagner...; **II.** *m* Wagnerianer *m*, Verehrer *m* der Musik Richard Wagners.
walkiria *Myth. f* Walküre *f*.
Wamba *npr.* (*Westgotenkönig in Span.*); *fig. en tiempos del rey ~* zu Olims Zeiten, Anno Tobak F.
water(closet) *m*, *oft wáter* Klosett *n*, WC *n*.
waterpolo *Sp. m* Wasserball *m*.
wat ⚡ *m* Watt *n*.
week-end *engl. m* Weekend *n*, Wochenende *n*.
wellingtonia ⚘ *f*: ~ (*gigante*) Mammutbaum *m*, Wellingtonie *f*.
whisky *m* Whisky *m*; ~ *con soda* Whisky-Soda *m*.
whist *Kart. m* Whist *n*.
wigwam *m* Wigwam *m*.
winchester *m* Winchester(büchse) *f* (*Gewehr*).
wintergreen *m*: *esencia f de ~* Methylsalizylat *n* (*zur Parfümherstellung*).
wobulador *Tel., HF m* Wobbler *m*.
wolfram(io) ⚗ *m* Wolfram *n*.
wulfenita *Min. f* Wulfenit *m*.
wurtembergués *adj.-su.* württembergisch; *m* Württemberger *m*.
wurtzita *Min. f* Strahlenblende *f*, Wurtzit *m*.

X

X, x (= *equis*) *f* X, x *n*; (*in* [ ] *stehen die entsprechenden Lautzeichen der API*); ⚕ *rayos m/pl.* X Röntgenstrahlen *m/pl.*
xana [ʃ] *Folk. f* Quell- u. Bergnymphe *f des asturischen Volksglaubens.*
xantina ⚗ *f* Xanthin *n*.
xanto|fila *Biol. f* Xanthophyll *n*; **~ma** ⚕ *m* Xanthom *n*, Gelbknoten *m*.
xaría [ʃ] *arab. f* Scharia *f* (*islamisches Gesetz*).
xe|nocracia *Pol. f* Fremdherrschaft *f*; **~nofilia** *f* Vorliebe *f* für Fremde; **~nófilo** *adj.* fremdenfreundlich; **~nofobia** *f* Fremdenfeindlichkeit *f*; **~nófobo** *adj.* fremdenfeindlich.
xenón ⚗ *m* Xenon *n* (*Edelgas*).
xerófilo ⚘ *adj.* xerophil, die Trokkenheit liebend.
xero|ftalmía ⚕ *f* Xerophthalmie *f*, Augendarre *f*; **~grafía** *Typ. f* Xerographie *f* (*Trockendruckverfahren*).
xifoi|deo *Anat. adj.* Schwertfortsatz...; **~des** *Anat. adj.-su. m* Schwertfortsatz *m*.
xiíes *Rel. m/pl.* Schiiten *m/pl.*
xi|lofón, ~lófono ♪ *m* Xylophon *n*; **~lofonista** ♪ *m* Xylophonspieler *m*; **~lografía** *f* Holzschneidekunst *f*; Holzschnitt *m*; **~lógrafo** *m* Holzschnittkünstler *m*; **~lol** ⚗ *m* Xylol *n*; **~lolita** *f* Xylolith *m* (*Kunststein*); **~losa** ⚗ *f* Holzzucker *m*, Xylose *f*.
xión □ *adv.* → *sí*.
xix [ʃiʃ] *m Guat., Méj.* Bodensatz *m* von Getränken *usw.*
xoco(atole) *m Méj. stark* gesalzene Maispastete *f*.
xocosóchil ⚘ *m* → *jocosúchil*.

Y

Y, y (= *i griega od. ye*) *f* Y, y *n.*

y *cj.* und; und zwar; *bueno, ¿~ qué?* na schön, was ist denn schon dabei!; na und? F; *Anm.*: *zur Verwendung v.* e *statt* y → e².

ya *adv.* schon; jetzt; gleich, sofort; *¡~!* ach so!; *~, ~* ja, ja (so ist es); *~ ... ~ ...* bald ..., bald ...; entweder ... oder ...; *~ no* nicht mehr; *no ~ ..., sino ...* nicht nur ..., sondern (auch *od.* vielmehr) ...; F *¡pues ~!* aber freilich!, klarer Fall!; *oft iron.* natürlich!; *cj. ~ que* da ja, da (nämlich), weil; *~ lo creo* das will ich meinen!; *si ~ te lo he dicho mil veces* ich habe es dir doch schon tausendmal gesagt; *~ me lo imaginaba yo* das habe ich mir doch gleich gedacht; *~ llorando, ~ riendo* bald weinend, bald lachend; *~ nadie se acuerda de ella* niemand denkt mehr an sie; *~ lo sabe usted* Sie wissen ja (schon); *~ es hora de marcharnos* es wird Zeit, daß wir gehen; *~ voy* ich komme gleich; *~ nos veremos* wir sehen uns bald (wieder); **~acabó** *Vo. m Am. Mer ein insektenfressender Vogel*; *folk. gilt er als Unglücksvogel.*

yac *Zo. m* Yak *m.*

yacaré *Zo. m Am.* Alligator *m.*

yace|dor *m* Nachthirt *m*, Pferdehüter *m, der die Tiere auf die Nachtweide treibt*; **~nte I.** *part.* liegend; **II.** ⚒ *m* Liegende(s) *n*; **~r** [2y] *v/i.* **1.** *lit.* liegen; **2.** begraben sein; *aquí yace* hier ruht; **3.** ⚘ auf der Nachtweide sein (*Pferde*).

yaci|ja *f* **1.** Lager *n*, Bett *n*; *fig.* F *ser de mala ~* schlecht schlafen; *p. ext.* ein übler Kunde sein; **2.** Grab-stätte *f*, -lege *f*; **~miento** *m* ⚒ Fundort *m*, Lager(stätte *f*) *n*, Vorkommen *n*; Fund-stelle *f*, -ort *m b. Fossilien*; ⚒ **~s** *m/pl. petrolíferos* Erdölvorkommen *n/pl.*

yacú *Zo. m* (*oft yacutinga f od. yacutoro m*) Jakuhuhn *n.*

yacht *engl.* ⚓ *m* → *yate.*

ya(g)ru|ma *f Ant.*, **~mo** *m P. Ri., Ven. Fruchtbaum, dessen Stamm zum Einbaumbau benutzt wurde* (*Cecropia peltata L.*).

yagua ⚘ *f* **1.** *Ant., Ven.* **a)** Königspalme *f*; **b)** *die große Blattscheide f der Königspalme*; **2.** *Am. Reg. versch. Palmen.*

yagual *m Am. Cent., Méj.* Trag-, Kopf-ring *m der Lastträger.*

yagu|ané *Gua. m Rpl.* **1.** *Zo.* → *zorrillo*; **2.** Rind *n* (*od.* Pferd *n*) *v. verschiedener Färbung an verschiedenen Körperteilen*; **3.** *a. Bol.* → *piojo*; **~ar** *Zo. m Ec.* → *jaguar*; **~aré** *Zo. m Par., Ur.* → *yaguané 1.*

yak *m* → *yac.*

yámbico *adj.* jambisch.

yambo¹ *m Metrik*: Jambus *m.*

yambo² ⚘ *m Ant.* Jambusenbaum *m.*

yana|cón *m Am. Mer.*, **~cona** *m* **1.** *Am. Mer. hist.* dienstverpflichteter Indianer *m*; **2.** ⚘ *Bol., Pe.* (indianischer) Halbpächter *m.*

yanqui I. *adj. c* nordamerikanisch, Yankee...; **II.** *m* Yankee *m.*

yantar ⚒ **I.** *m* Speise *f*; **II.** *v/t.* essen, speisen.

yapa *Ke f Am. Mer.* **1.** Zugabe *f*, Beigabe *f*; Zusatz *m*; **2.** ⛏ Zugabe *f*; *p. ext.* Trinkgeld *n*; *de ~* als Zugabe; obendrein; umsonst.

yaraví *Ke.* ♪ *m Am. Mer. schwermütige Volksweise indianischen Ursprungs.*

yarda *f* Yard *n* (*engl Längenmaß*: *0,9144 m*).

yatay ⚘ *m Rpl.* Yataypalme *f.*

yate ⚓ *m* Jacht *f.*

yautía ⚘ *f Cu., P. Ri.* Karibenkohl *m.*

Yavé *Rel. npr. m* Jahwe *m.*

yaya¹ *prov. f* Großmutter *f*, Oma *f* F.

yaya² ⚘ *f Cu., P. Ri., Ven. Baum, Anonazee.*

yaya³ *f Pe.* leichter Schmerz *m*; Wunde *f*; Narbe *f*; *Cu. dar ~* verprügeln.

yayo *m prov.* Großvater *m*, Opa *m* F.

yaz *m* → *jazz.*

yeco *Vo. m Chi. Art* Wasserrabe *m* (*Graculus brasilianus*).

yedra ⚘ *f* Efeu *m.*

ye|gua I. *f* **1.** Stute *f*; **2.** *Am. Cent., Bol.* Zigaretten-, Zigarren-stummel *m*; **II.** *adj. c* **3.** *Am. Reg.* riesig, mächtig; dumm; **~guada** *f* **1.** Pferdeherde *f*; **2.** *Am. Cent.* Unsinn *m*, Eselei *f*; **~guar** *adj. c* Stuten...; **~güería** *f* → *yeguada*; **~güerizo I.** *adj.* → *yeguar*; **II.** *m* → **~güero** *m* Stutenhirt *m.*

yeís|mo *m Aussprache v.* ll *als* y; **~ta** *adj. c wer* ll *als* y *ausspricht.*

yelmo *hist. m* Helm *m*; Sturmhaube *f.*

yema *f* **1.** Knospe *f*; ⚘ *~ frutal* Fruchtknoten *m*; *Anat.* *~s f/pl. gustativas* Geschmacksknospen *f/pl.*; **2.** Eigelb *n*, Dotter *m*; *~ (mejida)* geschlagenes Eigelb *n* mit (Milch u.) Zucker; **3.** *~ (del dedo)* Finger-kuppe *f*, -beere *f*; **4.** *fig. das* Beste, *das* Feinste; ⚒ *fig. die* Mitte; *fig. dar en la ~* den Nagel auf den Kopf treffen (*fig.*); **~ción** *Biol. f* → *gemación.*

yeme|ní *od. mst.* **~nita** *adj.-su. c* jemenitisch; *m* Jemenit *m.*

yen|do *ger.* gehend; **~te** ⚒ *part.*: *~s y vinientes pl.* Gehende u. Kommende *pl.*

yerba *f* **1.** Gras *n*; Kraut *n*; Heu *n*; → *a. hierba*; *~ mate* Matestrauch *m*; Mate(tee) *m*; **2.** *Am.* Mate *m* (→ *~ mate*).

yer|bajo *desp. m* Kraut *n*; **~bal** *m Am.* Matepflanzung *f*; **~batero** *m Am.* **1.** Matesammler *m*; **2. a)** Kräutersammler *m*; **b)** → *curandero*; **~bear** *v/i. Arg.* Mate trinken; **~bera** *f Rpl.* Mategefäß *n.*

yer|mar *v/t.* brach liegenlassen; entvölkern; **~mo I.** *adj.* unbewohnt; öde, wüst; **II.** *m* Ödland *n*

yerno *m* Schwiegersohn *m*; *los ~s* die Schwiegerkinder *n/pl.*

yero ⚘ *m* Erve *f*, Linsenwicke *f.*

yerra *f Rpl., Chi.* Markierung *f* des Viehs mit dem Brandeisen.

yerro *m* Irrtum *m*, Mißgriff *m*; Fehltritt *m.*

yerto *adj.* starr, steif (vor de) (*bsd. Kälte- u. Leichenstarre*).

yervo ⚘ *m* → *yero.*

yesa|l, ~r *m* Gipsgrube *f.*

yesca *f* **1.** Zunder *m*; Feuerschwamm *m*; *lumbre f* (*od. conjunto m*) *de ~ od. ~s f/pl.* Feuerzeug *n* (mit Stahl, Stein u. Zunder); **2.** *fig.* Anreiz *m*; was zum Trinken reizt.

ye|sera *f* Gipsgrube *f*; **~sería** *f* Gipsbrennerei *f*; **~sero** *m* Gipsarbeiter *m*; **~so** *m* **1.** Gips *m*; **2.** Gipsabguß *m*; **3.** (Schul-, Tafel-) Kreide *f*; **~són** *m* abgefallener Gips *m*, Gipsbrocken *m*; **~soso** *adj.* gipsig, gipsartig.

yesquero *m* Zunder-, Feuerschwamm-behälter *m*; *hongo m ~* Zunderschwamm *m.*

yeta *it. f Rpl.* Unglück *n*, Pech *n* F; **~r** *it. v/t. Arg.* mit dem bösen Blick verhexen; **~tore** *it. m Arg.* wer den „bösen Blick" hat.

yeyuno *Anat. m* Leerdarm *m*, Jejunum *n.*

yiddish *Li. adj.-su. c* jiddisch; *m das* Jiddische.

yo *pron.* ich; *~ mismo* ich selbst; *Tel.* „(selbst) am Apparat"; *~ que tú* ich an d-r Stelle.

yo|dado *adj.* jodhaltig; **~dato** ⚗ *m* Jodat *n*, jodsaures Salz *n*; **~dhidrato** ⚗ *m* Jodhydrat *n*; **~dífero** *adj.* jodhaltig; **~dismo** ⚕ *m* Jodvergiftung *f*; **~do** ⚗ *m* Jod *n*; *tintura f de ~* Jodtinktur *f*; **~doalbúmina** *Physiol. f* Jodeiweiß *n*; **~doformo** ⚗ *m* Jodoform *n*; **~duro** ⚗ *m* Jodverbindung *f.*

yo|ga *m* Joga *m*, Yoga *m*; **~gui** *m* Jogi *m.*

yoghurt *m* Joghurt *n.*

yola ⚓ *f* Jolle *f.*
yóquey *m* Jockey *m.*
yotacismo *Li. m* Itazismus *m.*
yoyo *m* Yo-Yo *n* (*Spiel*).
yperita ☠ *f* Yperit *n* (*Kampfgas*).
ypsilón *f* Ypsilon *n* (*griech. Buchstabe*).
yuca ⚘ *f* Maniok *m*; Jukka *f*; **~l** *m* Jukkapflanzung *f.*
yucateco *adj.-su.* aus Yukatan; *m* Yukateke *m.*
yudo *m* → *judo.*
yugada *f* **1.** Gespann *n* Ochsen; **2.** *Feldmaß*: Tagwerk *n.*
yuglandáceas ⚘ *f/pl.* Walnußgewächse *n/pl.*
yugo *m* **1.** *a. fig.* Joch *n*; *ecl.* Trauschleier *m*; *fig.* ~ *opresor* Joch *n* der Unterdrückung; *sacudir el* ~ das Joch abschütteln; *someterse* (*od. sujetarse*) *al* ~ *de alg.* s. j-m unterwerfen; **2.** ⚠ Joch *n*; Glockenstuhl *m*; ⚓ Worp *m*; ⚡ ~ *polar* Poljoch *n* (*b. Magneten*).
yugo(e)slavo *adj.-su.* jugoslawisch; *m* Jugoslawe *m.*
yuguero *m* Ackerknecht *m.*
yugular I. *adj. c* Kehl...; *vena f* ~ Halsader *f*; **II.** *v/t.* köpfen; zum Stillstand bringen; abwenden.
yungas *Ke. f/pl. And. die heißen Andentäler u. Niederungen im Gebiet des alten Inkareichs.*
yungla → *jungla.*
yunque *m a. Anat.* Amboß *m*; *fig.* Arbeits-pferd *n*, -tier *n*; ⊕ ~ *estampador* Gesenkamboß *m.*
yun|ta *f* Joch *n*, Gespann *n*; **~tar** ⚒ *v/t.* → *juntar*; **~tería** *f* Gespanne *n/pl.*; *p. ext.* Stall *m* für die Gespanne; **~to I.** *adj.* → *junto*; **II.** *adv.* ⚒: *arar* ~ engfurchig pflügen.
yurta *f* Jurte *f* (*Lappenhütte*).
yusera *f* Bodenstein *m b. Ölmühlen.*
yusión ⚖ *f* Geheiß *n*, Befehl *m.*
yuso † *adv.* unten.
yuta[1] *m* **1.** Utahindianer *m*; **2.** Utahsprache *f.*
yuta[2] *f Chi.* Nacktschnecke *f.*
yute *m* Jute *f.*
yuxta|poner [2r] *v/t.* nebenea.-stellen; **~posición** *f* Nebenea.-stellung *f*; Anea.-reihung *f.*
yu|yal *m Rpl.* mit Gras u. Gestrüpp bewachsenes Gelände *n*; **~yo, ~yu** *Ke. m* **1.** *Am. Cent. e-e* Kräutertunke *f*; **2.** *Arg., Bol., Chi.* Unkraut *n*; Gestrüpp *n*; **3.** *C. Ri.* Blasen *f/pl. bzw.* Hühneraugen *n/pl. u. ä. an den Füßen*; **4.** *Chi.* Raps *m*; *Ec., Pe.* Gemüse *n.*
yuyuba ⚘ *f* Brustbeere *f.*

Z

Z, z *f* (= *zeda od. zeta*) Z, z *n*.
¡za! *int.* weg da!, pfui! (*zum Verscheuchen v. Hunden usw.*).
zabarcera † *u. Reg. f* Obst- u. Gemüsekleinhändlerin *f*, Hökerin *f*.
zabor|da ⚓ *f* Strandung *f*; **~dar** *v/i.* stranden; **~do** *m* Stranden *n*.
zabullir *v/t. u. Abl.* → *zambullir, etc.*
zaca|tal *m Am. Cent., Méj.* Weide *f* (→ *pastizal*); **~te** *m Am. Cent., Fil., Méj.* Gras *n*; Grünfutter *n*; Rasen *m*; *Méj. a.* Futter-stroh *n bzw.* -pflanze *f*.
zacateca *m Cu.* Beauftragte(r) *m* e-s Beerdigungsinstituts; Totengräber *m*.
zacatín † *u. Reg. m* Trödelmarkt *m*.
zafacón *m Ant.* Abfalleimer *m*.
zafa|do I. *adj. Andal., Am.* unverschämt, dreist; P *Méj.* verrückt, plemplem P; **II.** *m* F Lästermaul *n*; **~dura** *f Am.* Verrenkung *f*; **~duría** *f Arg., Chi., P. Ri.* Unverschämtheit *f*, Frechheit *f*.
zafar[1] *v/t.* schmücken, verschönen, zieren; ausstatten.
zafar[2] **I.** *v/t.* **1.** ⚓ *Schiff* klarmachen; *Schiff* flottmachen; **2.** *Waffe* entsichern; **3.** *p. ext.* freimachen, befreien; **II.** *v/r.* **~se 4.** ⚓ freikommen (*Schiff*); **5.** *p. ext.* **a)** s. lösen, abrutschen; **b)** entfliehen; **c)** s. verbergen; s. drücken (von, vor *dat.* de); **6.** *Am. Reg.* s. verrenken.
zafarí *adj.* sehr süß u. weich, Honig... (*Feige, Granatapfel*).
zafarrancho *m* **1.** ⚓ Klarmachen *n*, Klarschiff *n*; *¡~ de combate!* klar zum Gefecht!; **2.** *fig.* Streit *m*, Krach *m*; *armar ~* Krach schlagen.
zafio *adj.* **1.** grob; derb; **2.** ungebildet; flegelhaft.
zafi|rina *f* Saphirin *m*; **~rino** *adj.* saphirblau; **~ro** *m* Saphir *m* (*a. b. Plattenspieler*).
zafo *adj.* **1.** ⚓ klar (zum Gefecht); **2.** *fig.* (heil u.) ohne Schaden.
zafra *f* **1.** Zucker(rohr)ernte *f*; *~ azucarera* Zuckerrohrkampagne *f*; **2.** ⚒ Abraum *m*; **3.** Ölbehälter *m bzw.* Abtropfgefäß *n der Ölhändler*.
zaga *f* Hinterteil *n* (*z. B. e-s Wagens*); Hinterlast *f*; *Spiel*: Hintermann *m*; *a. fig. a la ~* hintenan; hinterdrein; *a. fig. ir a la ~* zurückbleiben; *Kfz. irse de ~* hinten ausbrechen; *fig. no quedarse en ~ a alg.* j-m nicht nachstehen.
zaga|l *m* **1.** Hirtenjunge *m*; Schäferknecht *m*; **2.** *Reg. u. lit.* Bursche *m*; **3.** *a.* ⚔ Stangenreiter *m*; **~la** *f* **1.** Hirtenmädchen *n*; **2.** *Reg. u. lit.* Mädchen *n*; **~lejo** *m* **1.** Hirtenjunge *m*; **2.** Flanellunterrock *m der Bäuerinnen*; **~lón** *m* kräftiger Bursche *m*.
zagua ⚘ *f Art* Salzkraut *n*.
zagual *m* (Kanu-)Paddel *n*.
zagu|án *m* **1.** Flurportal *n*, Vorhalle *f*; **2.** Diele *f*, Hausflur *m*; **~anete** *hist. m* (Wachstube *f* der) Leibwache *f*.
zaguero *m* Nachzügler *m*; *Ballspiel*: Hintermann *m*.
zahareño *adj.* **1.** menschenscheu; **2.** scheu, spröde; **3.** unlenksam; störrisch.
zaharrón *m* Harlekin *m*; Hanswurst *m*.
zaheri|dor *m* Tadler *m*; **~miento** *m* Tadeln *n*, Heruntermachen *n*; **~r** [3i] *v/t.* rügen, heftig tadeln; abkanzeln F, herunterputzen F; *~le a alg. con a/c.* j-m et. vorhalten.
zahón *m*: *zahones m/pl.* Überhosen *f/pl. der Landarbeiter, Jäger usw.*
zahonado *adj.* andersfarbig (*Fuß des Viehs*).
zahondar I. *v/t.* aufgraben; **II.** *v/i.* (mit den Füßen) einsinken.
zahúrda *f a. fig.* Schweinestall *m*, Koben *m*.
zaino *adj.* **1.** falsch, hinterhältig; tückisch; *mirar de* (*od. a lo*) *~* verstohlen anblicken; **2.** dunkelbraun (*Pferd*); schwarz (*Rind*).
zalá *f*: *fig. hacer la ~ a alg.* j-m schmeicheln; j-m den Hof machen.
zalagarda † *u. fig. f* **1.** Hinterhalt *m*; *fig.* Schlinge *f*, Falle *f*; **2.** Scharmützel *n* (*Reitergefecht*).
zalame|ría *f* Schmeichelei *f*, Schöntuerei *f*; **~ro I.** *adj.* schmeichlerisch; aufdringlich; **II.** *m* Schmeichler *m*.
zálamo *m* Beißkorb *m*.
zalea *f* Schafpelz *m*.
zamacuco F *m* **1.** Schlauberger *m*; **2.** Dummkopf *m*, Simpel *m* F; **3.** *fig.* Schwips *m*; Rausch *m*.
zamacueca ♪ *f Am. Mer., bsd. Chi. Volkstanz.*
zamarra *f* **1.** (Hirten-)Pelz *m*; Pelzweste *f*; **2.** *sid.* Luppe *f*.
zamarre|ar *v/t.* hin u. her schütteln; herumzerren; zerzausen; **~o** *m* Zerren *n*, Zausen *n*.
zama|rrico *m* Vorrats- *od.* Schulter-tasche *f aus Schaffell der Hirten*; **~rrilla** ⚘ *f Art* Gamander *m* (*Teucrium capitatum*); **~rro** *m* **1.** Lammfell *n*; **2.** Pelzjacke *f der Bauern u. Hirten*; **~s** *m/pl. Col., Ven. Art* Überhose *f zum Reiten*; **3.** *fig.* Tölpel *m*; Flegel *m*; **4.** *C. Ri., Hond., Ven.* Gauner *m*; heimtückischer Mensch *m*.
zamba ♪ *f Am. Mer.* → *zamacueca*.
zambarco *m* Brustriemen *m der Zugpferde*.
zam|bear *v/i.* X-beinig sein; **~bo I.** *adj.* **1.** krummbeinig, X-beinig; **II.** *m* **2.** X-Beinige(r) *m*; **3.** Zambo *m* (*Mischling v. Neger u. Indianerin od. vice versa*); **4.** *Zo. Am. ein* Greifschwanzaffe *m* (*Ateles hybridus*).
zambom|ba *f* **1.** Schnarr-, Hirtentrommel *f*; *int.* F *¡~!* Donnerwetter! (*Überraschung*); **2.** *prov.* aufgeblasene Schweinsblase *f*; **~bo** F *m* Tölpel *m*.
zambor(r)otudo F **I.** *adj.* dick; grob; ungeschlacht; **II.** *m* dicker Kerl *m*; *fig.* Pfuscher *m*.
zambra *f* Volksfest *n der Mauren od. Zigeuner*; *fig.* Trubel *m*; Rummel *m*.
zambu|car [1g] F *v/t.* verbergen, rasch verschwinden lassen; **~co** F *m* Verstecken *n*, Verschwindenlassen *n*.
zambulli|da *f* Untertauchen *n*; Kopfsprung *m*; *dar una ~* e-n Kopfsprung machen; *p. ext.* baden gehen; **~miento** *m* (schnelles) Eintauchen *n*; **~r** [3h] **I.** *v/t.* (schnell) eintauchen; untertauchen; ins Wasser werfen; *fig.* F *~ en la cárcel* einlochen F, einbuchten F; **II.** *v/r.* **~se** (unter)tauchen; *fig.* s. verbergen, untertauchen (*fig.*).
zampa *f* (Ramm-)Pfahl *m*.
zampa|bollos F *m* (*pl. inv.*) Vielfraß *m*; **~limosnas** F *desp. m* (*pl inv.*) Bettler *m*, Fechtbruder *m* F.
zampar I. *v/t.* **1.** (rasch u. unauffällig) verschwinden lassen; **2.** (hinunter)schlingen, fressen; **II.** *v/r.* **~se 3.** hineinschlüpfen; plötzlich erscheinen, auftauchen, hereinplatzen F; **4.** hinunterschlingen.
zampatortas F *m* (*pl. inv.*) **1.** Fresser *m*; **2.** Lümmel *m*; Tölpel *m*.
zampe|ado ⚠ *m* Pfahldamm *m*; Pfahl-werk *n*, -gründung *f*; **~ar** ⚠ *v/t.* verpfählen.
zampón F *adj.-su.* gefräßig; *m* Fresser *m*, Vielfraß *m*.
zampoña *f* Hirten-, Pans-flöte *f*.
zampu|zar [1f] *v/t.* **1.** ein-, untertauchen; **2.** F rasch verbergen; **~zo** *m* Eintauchen *n*.
zanahoria *f* Mohrrübe *f*, gelbe Rübe *f*, Möhre *f*, Karotte *f*; *fig. nariz f de ~* Säufer-, Schnaps-nase *f*.
zanca *f* **1.** Ständer *m*, Vogelbein *n*; *fig.* F Bein *n*, Stelze *f* F; **2.** Treppenwange *f*; *~ exterior* Freiwange *f e-r Treppe*; **3.** *fig.* F *por ~s o por barrancas* irgendwie; wenn's sein muß, mit Gewalt; schneidig, forsch; **~da** *f* langer Schritt *m*; *fig.*

en dos ~s schnell; **~dilla** *f*: *echar* (*od. poner*) *la ~ a alg.* j-m ein Bein (*od. fig.* e-e Falle) stellen; **~do** *adj.*: *salmón m ~* Magerlachs *m* (*abgelaichtes Lachsweibchen*); **~jear** *v/i.* (geschäftig) herumrennen; *fig.* F s. abrackern; **~jera** *f* Auftritt *m*, Wagentritt *m*, Trittbrett *n*; **~jiento** *adj.* → *zancajoso*; **~jo** *m* **1.** Fersenbein *n*; Ferse *f*, Hacken *m*; *fig.* F *darle al ~* rennen, die Beine unter den Arm nehmen F; *no llegar al ~* (*od. a los ~s*) *de alg.* j-m nicht das Wasser reichen (können); *roer a alg. los ~s* kein gutes Haar an j-m lassen; **2.** *fig.* Ferse *f*, Hacken *m*, Absatz *m an Strumpf od. Schuh*; **3.** *fig.* F **a)** Fuß *m*; **b)** → *zancarrón 1*; **~joso** *adj.* **1.** krumm-, säbel-, O-beinig; **2.** mit gr. Hacken; *p. ext.* mit Löchern in der Strumpfferse; **~rrón** F *m* **1.** gr., abgenagter Knochen *m* (*bsd. Röhrenbein*); **2.** alter, häßlicher Kerl *m*; *p. ext.* unwissender Schulmeister *m*.

zan|co *m* **1.** Stelze *f*; *andar* (*od. ir*) *en ~s* auf Stelzen gehen; **2.** *fig.* F *andar* (*od. estar*) *en ~s sozial* aufgestiegen sein; *poner en ~s sozial* aufbessern; *ponerse* (*od. subirse*) *en ~s sozial* vorankommen, es zu et. bringen; **3.** ⚓ Wimpelstock *m*; **~cudas** *Vo. f/pl.* Stelzvögel *m/pl.*; **~cudo** **I.** *adj.* stelzbeinig; *Zo. ave f ~a* Stelzvogel *m*; **II.** *m Am.* Stechmücke *f*.

zanfonía *f* Dreh-geige *f*, -leier *f*.

zanga *f Art Kartenspiel zu viert.*

zangala *tex. f Art* Steifleinen *n*.

zanga|manga F *f* Kniff *m*, Schlich *m*; Klüngel *m*; **~nada** F *f* **1.** Dreistigkeit *f*; **2.** Dummheit *f*, Unsinn *m*.

zangan|dongo F, **~dullo** F, **~dungo** F *m* **1.** Tolpatsch *m*; **2.** Faulenzer *m*.

zangane|ar F *v/i.* herumlungern; **~ría** F *f* Faulenzerei *f*.

zángano *m a. fig.* Drohne *f*; *fig.* Schnorrer *m* F.

zangarilleja F *f Reg.* verwahrlostes Mädchen *n*, Streunerin *f*.

zangarrear F *v/i.* auf der Gitarre klimpern.

zangarriana *f* **1.** *vet.* Wassersucht *f der Schafe*; **2.** *fig.* F **a)** leichte, oft wiederkehrende Krankheit *f*; *p. ext.* Wehwehchen *n* F; **b)** Mißmut *f*, Kopfhängerei *f* F; **c)** Nachlässigkeit *f*, Schlamperei *f*.

zangarro *m Méj.* Krämerladen *m*, Bude *f*.

zangarullón F *m* fauler Kerl *m*.

zangolote|ar F **I.** *v/t.* schlenkern; (heftig) schütteln; **II.** *v/i.* umherschlendern, flanieren; **III.** *v/r.* **~se** schlottern, schlackern (*z. B. schlecht Verpacktes*); **~o** *m* Schlenkern *n*; Schlottern *n*.

zangolotino F *m* kindischer Bursche *m*, Gernegroß *m*.

zan|gón F *m* fauler Bengel *m*; **~gotear** F *vt/i.* → *zangolotear*.

zanguan|ga F *f* **1.** Krankspielen *n*, Drückebergerei *f*; *hacer la ~* s. krank stellen (, *um s. drücken zu können*); **2.** → *zalamería*; **~go** F *m* Faulenzer *m*, Drückeberger *m*.

zanguayo F *m* junger Drückeberger *m*, *der den Simpel spielt*; langes Laster *n* (*fig.* F).

zan|ja *f* Graben *m*; Baugrube *f*; ⚔ ~ *de comunicaciones* Laufgraben *m*; ~ *de desagüe* Abflußgraben *m*; *abrir una ~* e-n Graben (*bzw.* e-e Baugrube) ausheben; *fig. abrir las ~s* den Grund legen, e-n Anfang machen; **~jadora** ⚠ *f* Grabenbagger *m*; **~jar** *v/t.* Graben (*bzw.* Baugrube) ausheben; *fig. Schwierigkeit* beseitigen; *Streitfrage* bereinigen; *Streit* schlichten; **~jón** *m* **1.** tiefer Graben *m*, tiefes Bett *n* (*z. B. e-s Gießbachs*); **2.** *Arg.*, *Chi.* Abgrund *m*; Schlucht *f*.

zanque|ador **I.** *adj.* spreizbeinig; **II.** *m* unermüdlicher Fußgänger *m*; **~amiento** *m* **1.** Spreizen *n* der Beine; **2.** tüchtiges Ausschreiten *n*; **~ar** *v/i.* **1.** die Beine spreizen; **2.** umherlaufen; *fig.* s. abrackern.

zanqui|largo F *adj.* stelzbeinig; **~llas** F *m* (*pl. inv.*) **1.** Person *f* mit kurzen, dünnen Beinen; **2.** kl. Mensch *m*, Knirps *m*; **~tuerto** F *adj.* krummbeinig; **~vano** F *adj.* storch-, spindel-beinig.

zapa[1] *f* **1.** Haifischhaut *f zum Schmirgeln*; Reibleder *n*; **2.** *Art* Chagrinleder *n mit eingepreßtem körnigem Narben*; *p. ext.* Metallarbeit *f mit chagrinlederähnlicher Oberflächenbearbeitung.*

zapa[2] *f* **1.** Grabschaufel *f*, Pionierspaten *m*; **2.** ⚔ Sappe *f*; Laufgraben *m*; Stollen *m*; *caminar a la ~* Sappen vortreiben; *fig. trabajos m/pl. de ~* Wühlarbeit *f*; **~dor** ⚔ *m* Pionier *m*; ~ *pontonero* Brückenpionier *m*.

zapa|llo *m Am. Mer.* **1.** ✿ **a)** Kürbis-, Kalebassen-baum *m*; **2.** *fig.* F *Arg.*, *Chi.* Zufallstreffer *m*, Glück *n*, Schwein *n* F; **3.** *Ec.* rundliche u. kl. Person *f*; **~llón** F *adj. Arg.*, *Chi.*, *Pe.* pummelig F.

zapa|pico *m* Kreuzhacke *f*; Picke *f*, Pickel *m*; **~r** *bsd.* ⚔ **I.** *v/i.* schanzen; graben; **II.** *v/t.* untergraben.

zaparras|trar F *v/i.* die Kleider nachschleppen; **~troso** F *adj.* → *zarrapastroso*.

zaparrazo *m* Kratzer *m*, Kratzwunde *f*.

zapa|ta *f* Hemmschuh *m*; Bremsklotz *m*; ~ *polar* Polschuh *m b. Elektromotor*; **~tazo** *m* **1.** Schlag *m* (*od.* Tritt *m*) mit e-m Schuh; *fig.* dröhnender Schlag *m*; *fig.* F *tratar a uno a ~s* j-n wie ein Stück Vieh behandeln F; **2.** ⚓ Wappern *n der Segel*; **~teado** ♪ *m Volkstanz* (3/4-*Takt mit „taconeo“*); **~tear** *vt/i.* **1.** *j-m* e-n Tritt versetzen; *fig.* mißhandeln; schikanieren, schurigeln F; **2.** stampfen, trampeln; **3.** ♪ im Takt mit dem Fuß aufstampfen u. in die Hände klatschen (*als Begleitung zu Gitarre, Tanz u. Gesang*); **4.** s. treten *bzw.* stolpern (*Reittier*); **5.** ⚓ anschlagen, wappern (*Segel*); **~tería** *f* **1.** Schuhgeschäft *n*; **2.** Schuhmacherwerkstatt *f*; **3.** Schuhmacherhandwerk *n*; **~tero** *m* Schuhmacher *m*; *Kart. quedar ~* im Schneider bleiben; k-n Stich machen; *Spr. ¡~ a tus zapatos!* Schuster bleib bei d-m Leisten!; **~teta** *f* **1.** Schlag *m* auf den Schuh *b. Tanzsprung*; *¡~!* potztausend! (*Überraschung, Freude*); **2.** Freudensprung *m* (machen *dar*).

zapatiesta F *f* → *trapatiesta*.

zapa|tilla *f* Hausschuh *m*; Pantoffel *m*; Ballettschuh *m*; ~ *de baño* Badeschuh *m*; ~ (*de gimnasia*) Turnschuh *m*; **~tillero** *m* Pantoffelmacher *m*; **~to** *m* **1.** Schuh *m*; ~ *bajo* Halbschuh *m*; ~ *de baile* Tanzschuh *m*; *a.* → ~ *de noche* Abendschuh *m für Damen*; ~ *de caballero* (*de señora*) Herren- (Damen-)schuh *m*; ~ *de cordones* Schnürschuh *m*; ~ *de cuero* (*de lona*) Leder- (Segeltuch-)schuh *m*; ~ *para deportes* (*con hebilla*) Sport- (Schnallen-)schuh *m*; ⚡ ~ *polar* Polschuh *m* (*Elektromotor*); *fig. sé donde te aprieta el ~* ich weiß, wo dich der Schuh drückt; *no quisiera estar en sus ~s* ich möchte nicht in s-r Lage sein; *vivimos como tres en un ~* bei uns geht es sehr beengt (und ärmlich) zu; **2.** ✿ ~ *de Venus* Frauenschuh *m*.

za|pe: *¡~! int.* pfui! (*um Katzen zu verscheuchen*); **~pear** *v/t.* Katzen scheuchen; *fig.* F verjagen, verscheuchen; *Kart.* nicht bedienen.

zapote ✿ *m* Breiapfel *m*, Sapote *m*.

zaque *m* kl. Weinschlauch *m*; *fig.* F Säufer *m*; *estar hecho un ~* blau sein (*fig.* F).

zaquizamí *m* (*pl.* ~íes) Dachkammer *f*; *fig.* schmutziges Kämmerchen *n*, elendes Loch *n* (*fig.* F).

zar *m* Zar *m*.

zarabanda ♪ *f* Sarabande *f Tanz*; *fig.* Lärm *m*, Rummel *m*, Tanz *m*.

zarafache *m* Teich *m*, Weiher *m*.

zaraga|ta F *f* Lärm *m*; Rauferei *f*, Krakeel *m* F; **~tero** *adj.* streitsüchtig.

zaran|da *f* Sieb *n a. für Getreide u. Obst*; **~dajas** *f/pl.* Siebsel *n/pl.*; *fig.* F Lappalien *f/pl.*, Nebensachen *f/pl.*; **~dear** **I.** *v/t.* **1.** sieben; *fig.* schütteln, zausen; **II.** *v/r.* **~se** *fig.* F **2.** s. tummeln; geschäftig sein, sich abplagen; **3.** *Andal.*, *Méj.*, *P. Ri.*, *Ven.* s. wiegen *b. Gehen*; **~deo** *m* Sieben *n*; Schütteln *n*; **~dillo** *m* kl. Sieb *n*; *fig.* F Quirl *m* (*Person*); *fig.* F *traerle a alg. como un ~* j-n hin u. her hetzen.

zaratán † *u. Reg. m* Brustkrebs *m*.

zaraza *tex. f* feiner Kattun *m*.

zarazas *f/pl.* Rattengift *n*; Gift *n für Hunde, Katzen usw.*

zarazo *adj. Andal.*, *Am.* halbreif (*Obst*).

zarcillo[1] *m* **1.** Ohrring *m*; **2.** ✿ Ranke *f*; **3.** *Arg.* Ohrschnitt *m* (*als Besitzerzeichen b. Vieh*).

zarcillo[2] ⚒ *m* Jäthacke *f*.

zarco *adj.* **1.** blau; *bsd.* blauäugig; **2.** *Arg.* rotäugig (*Albino*); **3.** *Chi.* trüb (*Auge*).

zarda ♪ *f* → *czarda*.

zarigüeya *Zo. f* Beutelratte *f*, Opossum *n*.

zarina *f* Zarin *f*.

zar|pa *f* Pranke *f*, Tatze *f*; *fig.* F Hand *f*, Pranke *f* P; *fig. echar la ~* zupacken; haschen; wegschnappen; klauen F, s. unter den Nagel reißen (*fig.* F); **~pada** *f* **1.** Prankenhieb *m*; **2.** ⚓ Lichten *n* der Anker; **~par** ⚓ *vt/i.* die Anker lichten; auslaufen, in See stechen (nach *dat. para*); **~pazo** *m* **1.** Prankenhieb *m*; **2.** Plumps *m*, Platschen *n*; Geklirr *n*;

~**pear** *v/t. C. Ri., Méj., Salv.* mit Schmutz bespritzen; ~**poso** *adj.* schmutzig, beschmutzt.
zarraca|tería *f* Heuchelei *f*, Speichelleckerei *f*; ~**tín** F *m* Trödler *m*.
zarramplín F *m* ungeschickter Tölpel *m*; Pfuscher *m*.
zarrapas|trón F, ~**troso** F *adj.* zerlumpt; schmutzig, schlampig.
zarria[1] *f* Riemen *m* am Bauernschuh.
zarri|a[2] *f* **1.** Schmutzspritzer *m*; Schmutzklümpchen *n*; **2.** Fetzen *m*, Lumpen *m*; ~**ento** *adj.* schmutzig, kotig.
zarza *m* **1.** Dornbusch *m*; **2.** → *zarzamora*; ~**l** *m* Dorngestrüpp *n*.
zarza|mora ♀ *f* Brombeere *f*; ~**parrilla** ♀ *f* Sassaparille *f*; ~**perruna** ♀ *f* **1.** Hecken-, Hunds-rose *f*; **2.** Hagebutte *f*; ~**rrosa** ♀ *f* wilde Rose *f*, Heckenrose *f* (*Blüte*).
zarzo *m* flaches Weiden- *od.* Rohrgeflecht *n*; Hürde *f*; *fig.* F *menear a uno el* ~ j-m das Fell gerben, j-n verbimsen F.
zarzoso *adj.* voller Dorngestrüpp.
zarzuela[1] *Kchk. f Fischgericht aus versch. Fischen mit Spezialtunke.*
zarzue|la[2] ♪ *f typisch* span. Singspiel *n*; ~**lista** *m* Komponist *m od.* Librettist *m* e-r *zarzuela*.
¡zas! *int.* (*onom.*) klatsch!, patsch!, paff!, schwupps! (*Schlag*).
zascandi|l F *m* Ränkeschmied *m*, Intrigant *m*; Schwindler *m*, Gauner *m*; ~**lear** *v/i.* s. herumtreiben, ziellos herumlaufen.
zazo(so) *adj.*, stotternd; mit der Zunge anstoßend, lispelnd.
ze|da *f* → *zeta*; ~**dilla** *f* Cedille *f*.
zéjel *m* (*pl.* zéjeles) *Metrik*: *hispanoarabische strophisch gegliederte Volksdichtungsform mit Kehrreim.*
zelota *hist. m* Zelot *m* (*jüdischer Nationalist*).
zeni|t *Astr. m* Zenit *m*; ~**tal** *adj. c* → *cenital*.
zenzontle *Na. m* → *cenzontle*.
zep(p)elín *m* Zeppelin *m*.
zeta *f Name des Buchstabens* z.
zeu(g)ma *Rhet. f* Zeugma *n*.
zigo|mático *Anat. adj.* Jochbein...; *hueso m* ~ Jochbein *n*; ~**morfo** ♀ *adj.* zygomorph; ~**spora** ♀ *f* Zygospore *f*; ~**te**, ~**to** *Biol. m* Zygote *f*.
zigza|g *m* Zickzack *m*; en ~ zickzackförmig; *máquina de coser en* ~ Zickzacknähmaschine *f*; ~**guear** *v/i.* im Zickzack gehen (*od.* fahren); torkeln (*Betrunkener*); ~**gueo** *m* Zickzackbewegung *f*; Zickzacklaufen *n*, -gehen *n bzw.* -fahren *n*.
zi|masa *Physiol. f* Zymase *f*; ~**mógeno** *m* Zymogen *n*.
zin|c *m* Zink *n*; ⚕ *pomada f de óxido de* ~ Zinksalbe *f*; ~**car** [1g] *v/t.* verzinken; ~**cífero** *adj.* zinkhaltig; ~**cograbado** ✎ *m* → *cincograbado*.
zingiberáceas ♀ *f/pl.* Ingwergewächse *n/pl.*
zíngaro → *cíngaro*.
zipizape F *m* Schlägerei *f*; Radau *m*, Krakeel *m*.
¡zis, zas! *int.* klitsch, klatsch! (*Schlag*).
zoantropía *f* Wahnglaube *m*, in ein Tier verwandelt zu sein, ⚕ Zoanthropie *f*.
zócalo *m* Sockel *m*, Unterbau *m*; Sockel *m*, Fuß *m*; Sockel *m*, Grundgestell *n b. e-r Maschine.*
zoca|tearse *v/r.* teigig werden, einschrumpfen (*reife Frucht*); ~**to** *adj.* **1.** teigig, morsch (*Frucht*); **2.** F → *zurdo*.
zoc(l)o I. *m* **1.** → *zueco u. chanclo*; *fig.* F (*andar*) *de* ~*s en colodros* immer schlimmer (werden); **2.** → *zócalo*; **II.** *nur zoco adj.* F **3.** → *zurdo*.
zoco *arab. m Marr.* Markt(platz) *m*.
zocolar *v/t. Ec.* roden.
zo|diacal *Astr. adj. c* Tierkreis...; ~**díaco** *Astr. m* Tierkreis *m*.
zolocho F **I.** *adj.* dumm, einfältig; **II.** *m* dummer Tropf *m*, Simpel *m* F.
zompancle ♀ *m* → *zumpancle*.
zompo *adj.* dumm, tölpelhaft.
zona *f* **1.** *Geogr., Met.* Zone *f*; Erdgürtel *m*; Landstrich *m*; Klimagebiet *n*; ~ *glacial* (*od. fría, helada*) kalte Zone *f*; ~ *depresionaria* Unterdruckzone *f*; ~ *de precipitaciones* (*od. de lluvias*) Niederschlagsgebiet *n*; ~ *templada* (*tórrida*) gemäßigte (heiße) Zone *f*; *por* ~*s* strichweise; **2. a)** (gürtelähnlicher) Streifen *m*; **b)** ⚕ Gürtelrose *f*; **3.** *a.* ⚔, ⊕, ⚕, *Pol.* Zone *f*; Gebiet *n*; Bereich *m*; ~ *de abastecimiento* Versorgungsgebiet *n* (*a. Energiewirtschaft*); ~ *aérea prohibida* Luftsperrgebiet *n*; *urb.* ~ *ajardinada*, ~ *verde* Garten-, Grünzone *f*; *Vkw.* ~ *azul* Kurzparkzone *f*; ⚔ ~ *batida* bestrichener (*od.* unter Beschuß liegender) Raum *m*; ⚔ ~ *de combate* Kampfgebiet *n*; ~ *costera* Küstengebiet *n*; ⊕ ~ *de máximo desgaste* Stelle *f* des höchsten Verschleißes; ✝ ~ *del dólar* Dollarblock *m*; ⚒ ~ *de explotación* Abbaugebiet *n*; ~ *de ensanche* Ausweitungs-, Ausbau-gebiet *n* (*Städteplanung usw.*); ~ *franca* Freizone *f* (*Zollausschluß*); ~ *fronteriza* (*monetaria, necesitada*) Grenz-(Währungs-, Notstands-)gebiet *n*; ~ *de libre cambio* (*od. de libre comercio*) Freihandelszone *f*; ~ *limítrofe* Grenzbereich *m*; ⚓ ~ *de las tres millas* Dreimeilenzone *f*; ~ *de ocupación* Besatzungszone *f*; ~ *no ocupada* unbesetztes Gebiet *n*; ~ *de operación* Tätigkeitsfeld *n*; ⚔ ~ *de operaciones* Operationsgebiet *n*; *Phys., Physiol.* ~ *de perceptibilidad* Wahrnehmungsbereich *m*; ~ *prohibida* (*al vuelo*) (Flug-)Sperrgebiet *n*; *z. B.* ⚘ ~ *protegida contra los vientos* windgeschütztes Gebiet *n*, Windschatten *m*; ⊕ ~ *de rotura* Bruchzone *f*; *Pol.* ~ *rusa* (*od. soviética*) Sowjetische Besatzungszone *f*, Ostzone *f*; ~ *de silencio Vkw.* hupfreie Zone *f*; *Rf., TV* Funkschatten *m*; ⊕ ~ *tolerada* (*od. de tolerancia*) Toleranzfeld *n*; *Verw.* ~ *de validez* Gültigkeitsbereich *m* (*für bestimmte Gebiete*); ~ *de venta* Absatzgebiet *n*; *por* ~*s* stellenweise; nach Gebieten.
zonal *adj. c bsd.* ⚕ gürtelförmig, zonal.
zon|cer(í)a *f Am.* Albernheit *f*; Abgeschmacktheit *f*; Dummheit *f*; ~**zo I.** *adj.* (*auf e-e Person bezogen*) *Am.* **1.** fade, reizlos; geschmacklos; **2.** tölpelhaft, dumm; **3.** langweilig; **II.** *m* **4.** *Vo.* Rohr-ammer *f*, -spatz *m*.
zoo[1] F *m* Zoo *m*, Tiergarten *m*.
zoo...[2] Tier..., Zoo...
zo|ófito *Biol. m* Zoophyt *m*; ~**grafía** *f* Tierbeschreibung *f*; ~**olatría** *Rel.* Tierkult *m*; ~**ología** *f* Tierkunde *f*, Zoologie *f*; ~**ológico** *adj.* zoologisch; ~**ólogo** *m* Zoologe *m*; ~**onosis** ⚕ *f* Zoonose *f*; ~**oparásito** *m* auf Tieren lebender Schmarotzer *m*; ~**oplancton** *Biol. m* Zooplankton *n*; ~**opsia** ⚕ *f* Zoopsie *f*; ~**ospermo** *Biol. m* Samentierchen *n* (= *espermatozoide*); ~**ospora** ♀ *f* Zoospore *f*; ~**otecnia** *f* Tierzucht *f*; ~ *menor* Kleintierzucht *f*; ~**otécnico** *adj.* tierzüchterisch; ~**otomía** *vet. f* Tieranatomie *f*.
zopenco F *m* Trottel *m*; Trampeltier *n* (*fig.* F).
zopilote *m* **1.** *Vo. Méj.* Aasgeier *m*; **2.** ♀ *Am. Cent. versch. Nachtschattengewächse.*
zopo *adj.* an Hand (*od.* Fuß) verkrüppelt.
zoque|ta ⚘ *f* Handschutz *m der Mäher*; ~**te**[1] *m* **1.** (Abfall-)Klotz *m*, Holzklötzchen *n*; *p. ext.* Brocken *m* (*od.* Kanten *m*) Brot; **2.** *fig.* F **a)** kl. dicker Bursche *m*, *der e-n üblen Eindruck macht*; Giftproppen *m* (*fig.* P); **b)** Klotz *m* (*fig.* F); Tölpel *m*, Trottel *m*; ~**te**[2] *m* **1.** *Am. Cent., Ant., Méj.* (Körper-)Schmutz *m* (*bsd. an den Füßen*); Schmutz *m*, Dreck *m*; **2.** F *Arg.* Menschenkot *m*, Haufen *m* (*fig.* P); ~**te**[3] *m Arg.* Söckchen *n*; ~**tero** F *m* (Brot-)Bettler *m*; ~**tudo** *adj.* **1.** roh, grob; **2.** ungeschliffen (*Person*).
zoquite *Na. m Méj.* Schlamm *m*, Morast *m*; Schmutz *m*.
zorcico ♪ *m baskischer Tanz* (*5/8 Takt*).
zorito *adj.* → *zurito*.
zoroastrismo *Rel. m* Lehre *f* Zarathustras.
zorollo ⚘ *adj.* halbreif geschnitten (*Weizen*).
zorongo *m* **1.** Kopftuch *n der aragonesischen Bauern*; **2.** *flacher* Haarwulst *m* (*Haarknoten*); **3.** ♪ *schneller andalusischer Volkstanz.*
zorra[1] *f* **1.** *Zo.* Fuchs *m*; Füchsin *f*; ~ *argentada* Silberfuchs *m*; ~ *azul* Blaufuchs *m*; (*piel f de*) ~ Fuchsbalg *m*, -pelz *m*; **2.** *fig.* F **a)** gerissene Person *f*; **b)** P Dirne *f*, Nutte *f* P; **3.** F Rausch *m*; *desollar* (*od. dormir*) *la* ~ s-n Rausch ausschlafen; *pillar una* ~ s. e-n Rausch antrinken; *fig.* F *esta no es la primera* ~ *que hemos desollado* das ist ein alter Hut für uns (*fig.* F); **4.** → *zorrera* 2.
zorra[2] *f* **1.** Block-, Roll-wagen *m*; **2.** *Arg.* Lore *f*.
zorra|l *adj. c Am. Cent., Col.* lästig; aufdringlich; *Ec.* unfreundlich; frech; hartnäckig, halsstarrig; ~**strón** F *m* gerissener Schlaukopf *m*.
zorrear I. *v/t. Kleider* ausklopfen; **II.** *v/i.* schlau handeln; *Chi.* auf den Strich gehen F.
zorre|ra *f* **1.** Fuchsbau *m*; **2.** *fig.* F schwerer Kopf *m* (*fig.*); **3.** *fig.* F verräucherte Bude *f* F; ~**ría** F *f* Schlauheit *f*, List *f*; Durchtriebenheit *f*; ~**ro**[1] **I.** *adj.* **1.** arglistig, durchtrieben; **II.** *m Jgdw.* **2.** Fuchs-,

Dachs-hund *m*; **3.** Raubzeugvernichter *m*.

zorrero[2] *adj.* **1.** ⚓ schwerfällig segelnd; **2.** *fig.* F schwerfällig, langsam.

zorri|lla *f Col., Pan.*, **~llo** *Am.*, **~no** *Rpl. m Zo.* Stinktier *n*.

zorro I. *m* **1.** *Zo.* Fuchs *m*; ~ *rojo* Rotfuchs *m*; ~ *volador* Flug-, Flederhund *m*; **2.** ~*s m/pl.* Fuchsschwänze *m/pl. zum Abstäuben*; Klopfpeitsche *f der Sattler*; neunschwänzige Katze *f* (*fig.*); **3.** *fig.* schlauer Fuchs *m fig.*; *hacerse el* ~ s. dumm stellen; F *estar hecho un(os)* ~*(s)* total fertig sein F; *ser un* ~ *viejo* ein alter Fuchs sein; **II.** *adj.* **4.** listig, verschlagen; **~cloco** F *m* **1.** Schlaumeier *m* (*, der nicht so dumm ist, wie er aussieht*), ausgekochter Bursche *m*; **2.** (hinterlistige) Schmeichelei *f*; **3.** *Kchk. Reg.* ~*s m/pl. Art* Mandelgebäck *n*; **~na** F *f* Dirne *f*.

zorruno *adj.* Fuchs...; fuchsartig.

zorza|l *m* **1.** *Vo.* Drossel *f*; *Fi.* ~ *marino* (*od. de mar*) Meerpfau *m*; **2.** *fig.* F Schlaumeier *m*; **3.** *Arg., Bol., Chi.* Dummkopf *m*; **~lada** *f Chi.* Dummheit *f*, Kinderei *f*; **~lear** *v/t. Chi.* anpumpen; **~leño** *adj.*: *aceituna f* ~*a* Drosselolive *f* (*kl. Olivenart*); **~lero** *m* Drosseljäger *m*.

zote I. *adj. c* dumm, schwer von Begriff; schwerfällig; **II.** *m* Dummkopf *m*.

zozo|bra *f* **1.** ⚓ Scheitern *n*; Kentern *n*; Gefahr *f* des Kenterns *durch umschlagende Winde*; **2.** *fig.* innere Unruhe *f*, Aufregung *f*; Besorgnis *f*, Angst *f*; Kummer *m*; **~brar I.** *v/i.* **1.** *a.* ~*se v/r.* ⚓ scheitern; kentern; **2.** *fig.* s. ängstigen; **II.** *v/t.* **3.** *Schiff* zum Kentern bringen; *a fig.* scheitern lassen.

zuavo *m* Zuave *m*.

zubia *f* Wasser-fang *m*, -gefälle *n*.

zuda (*od. zúa*) *f* (Fluß-)Wehr *n*.

zueco *m* **1.** Holz-schuh *m*; -pantine *f*; **2.** Schuh *m* mit Holz- *od.* Korksohle.

zuingliano *adj.-su.* → *zwingliano*.

zulaque *m* Teerkitt *m für Wasserbau u. ä.*; **~ar** *v/t.* mit Teerwerg verkitten.

zulú (*pl. zulúes*) *adj.-su. c* Zulu...; *m* Zulu *m*.

zulla[1] ⚘ *f* Blutklee *m*.

zu|lla[2] ⚒ F *f* (Menschen-)Kot *m*; **~llarse** P *v/r.* (in die Hosen) kakken P; furzen P; **~llón** P **I.** *adj.* **1.** furzend; **II.** *m* **2.** alter Furzer *m* P; **3.** Blähung *f*, Furz *m* P.

zumaque ⚘ *m* Sumach *m*.

zumaya *Vo. f* **1.** Ziegenmelker *m*; **2.** Baumeule *f*.

zumba *f* **1.** gr. Kuhglocke *f*; Glocke *f* des Leittiers; **2.** (Hirten-, Kinder-)Schnarre *f*; **3.** *fig.* F Neckerei *f*; Stichelei *f*, Frozzelei *f*; *dar* ~ *a alg.* j-n necken; **4.** *Am.* Tracht *f* Prügel; **5.** *Am.* Rausch *m*; **6.** *Col. int.* ¡~! pfui! (*um Hunde zu scheuchen*); **~dor I.** *adj.* **1.** schnarrend; schnurrend; brummend; surrend; sausend; **II.** *m* **2.** ⚡ (*z. B. Tel.*) Summer *m*; **3.** *Ethn.* Schnarre *f*; *a.* Schwirrholz *n*; **4.** F *Vo. Ant., Méj.* Kolibri *m*; *Méj. Art* Ziegenmelker *m*; **~dora** *f Am. Cent.* „Waldteufel" *m* (*Art Klapperschlange*); **~r I.** *v/i.* **1.** *a.* ⊕ brummen; summen; surren; brausen (*a. Wind*), sausen; schwirren; *a.* ⚕ *me zumban los oídos* es braust mir in den Ohren; ⚕ ich habe Ohrensausen; *fig.* F *Méj.* die Ohren klingen mir (= *da muß j.* [*schlecht*] *von mir gesprochen haben*); *ir zumbando* dahinsausen; *llegar zumbando* heranschwirren (*z. B. Speer*); *pasar zumbando* vorbeibrausen (*Zug*), vorübersausen (*Wagen*); *fig.* F *ya le zumban los sesenta años* er ist schon nahe an den sechzig; **II.** *v/t.* **2.** *j-n* necken; **3.** F *Schlag* versetzen; *Schaden* zufügen; *Am.* verprügeln; ~*le una bofetada a alg.* j-m eine (Ohrfeige) herunterhauen F; **4.** *Col. Hunde* verjagen, scheuchen; **5.** *Col., Méj., P. Ri.* (weg-) werfen, (-)schleudern; **III.** *v/r.* ~*se* **6.** ~*se con alg.* s. mit j-m herumraufen; ~*se de* verspotten (*ac.*); s. lustig machen über (*ac.*); **7.** *Col., Cu.* (*a.* ~ *v/i.*) heimlich (*bzw.* in aller Eile) verschwinden.

zumbel *m* **1.** Kreiselschnur *f*; Kreiselstock *m*; **2.** *fig.* F verkniffener Gesichtsausdruck *m*; Stirnrunzeln *n*; finsteres Gesicht *n*.

zum|bido *m* **1.** Summen *n*; *a.* ⚕ ~ (*de oídos*) Ohrensausen *n*; **2.** ⚡ Summton *m*, Brummen *n*; ~ *de la red* Netzbrummen *n*; **3.** *fig.* F Schlag *m*; Stoß *m*; **~bón I.** *adj.* neckisch, spöttisch; **II.** *m* Spötter *m*; Spaßvogel *m*.

zumeles *Chi. m/pl.* Araukanerstiefel *m/pl.*, „Gauchostiefel" *m/pl.*

zu|millo *m* **1.** *dim. von zumo*; **2.** ⚘ **a)** Schlangenkraut *n*; **b)** Laser-, Bös-kraut *n*; **~mo** *m* (Frucht-)Saft *m*; *fig.* Gewinn *m*, Nutzen *m*; ~ *de frutas* Fruchtsaft *m*; ~ *de limón* (*de manzana, de naranja, de uva, de verdura[s]*) Zitronen- (Apfel-, Orangen-, Trauben-, Gemüse-) saft *m*; ~ *de parras* (*od. de cepas*) Rebensaft *m*, Wein *m*; ~ *de regaliz* eingedickter Lakritzensaft *m*, Lakritze *f*; *fig. de aquello no sacas* ~ davon hast du k-n Nutzen; daran ist nichts zu verdienen; → *a. jugo*; **~moso** *adj.* saftreich.

zumpancle *Na.* ⚘ *m Méj. Baum, Leguminose* (*Erythrina coralloides, DC.*; *Erythrina americana, Mill*).

zun|chado ⊕ *m* Halterung *f*, Klammerung *f*; Aufschrumpfung *f*; ~ *de cajas* (Kisten-)Umreifung *f*; **~char** *v/t.* klammern; umreifen; aufschrumpfen, aufziehen; ziehen; **~cho** ⊕, *Zim. m* (Eisen-)Klammer *f*; (Mantel-)Ring *m*; Zwinge *f*.

zunzún *m Cu.* **1.** *Vo. Art* Kolibri *m*; **2.** *fig. Kinderspiel*: ~ *de la carabela* Plumpsack *m*.

zupia *f* **1.** Bodensatz *m* des Weins; *p. ext.* umgeschlagener Wein *m*; **2.** *desp.* (trübe) Brühe *f*; Gesöff *n* P; **3.** *fig.* F Abfall *m*, Mist *m* (*fig.* F).

zurci|do *m* Stopfen *n*; Flicken *n*; *a.* ⊕ Flicknaht *f*; Flickerei *f*; **~dor** *m* Flicker *m*; (Kunst-)Stopfer *m*; **~dora** *f* Flickerin *f*; (Kunst-)Stopferin *f*; **~dura** *f* **1.** Stopf- (*bzw.* Flick-)stelle *f*; **2.** → *zurcido*; **~r** [3b] *vt/i.* **1.** flicken; stopfen; zunähen; *fig.* P *¡anda que te zurzan!* scher dich zum Kuckuck!; **2.** *fig.* **a)** fein zs.-flicken; zs.-stoppeln F; **b)** s. et. zs.-lügen.

zur|der(í)a *f* **1.** Linkshändigkeit *f*; **2.** *fig.* Ungeschick *n*; Plumpheit *f*; **~do I.** *adj.* **1.** linkshändig; **2.** *fig.* ungeschickt; linkisch; plump; **II.** *m* **3.** Linkshänder *m*; **4.** *fig.* F *no es* ~ der kann was F, der hat was auf dem Kasten P.

zu|rito *adj.*: (*paloma*) ~*a f* Wildtaube *f*; **~ro**[1] *adj.* wild (*Taube*).

zuro[2] *m* entkörnter Maiskolben *m*, Maisspindel *f*.

zurra *f* **1.** Gerben *n*; **2.** *fig. etwa*: Dreschen *n* F (*unermüdliche Fortsetzung e-r Arbeit*); *p. ext.* Plackerei *f*; **3.** Tracht *f* Prügel; Prügelei *f*; **~dera** *f* Gerberhobel *m*; **~dor** *m* Gerber *m*.

zurra|pa *f* **1.** Bodensatz *m*; **2.** *fig.* **a)** Ausschuß *m*, Schund *m*; **b)** mieses (*bzw.* verkümmertes) Subjekt *n* F; **~poso** F *adj.* trübe; *fig.* liederlich, schlampig, mies F.

zurrar I. *v/t.* **1.** gerben; **2.** prügeln; *fig.* F ~ *la badana* (*od. la pandereta, Am. Reg. la pavana*) *a alg.* j-m das Fell gerben (*fig.* F); **3.** *fig.* F *j-n* anschnauzen (*od.* herunterputzen); **II.** *v/r.* ~*se* **4.** P (*z. B. vor Angst*) in die Hose scheißen V.

zurria|ga *f* Peitsche *f*; Knute *f*; **~gar** [1h] *v/t.* peitschen; **~gazo** *m a. fig.* Peitschenhieb *m*; *fig.* Schlag *m* (*plötzliches Unglück*); **~go** *m* **1.** Peitsche *f*; **2.** Kreiselriemen *m der Kinder*; *p. ext.* Plumpsack *m* (*Kinderspiel*).

zurriar [1b] *v/i.* summen, brummen.

zurribanda F *f* Prügel *pl.*; Prügelei *f*; *armar una* ~ Krakeel machen F.

zurriburri F *m* **1.** Wirrwarr *m*; Krawall *m*; **2.** Gauner *m*, Lump *m*; **3.** Gesindel *n*.

zurrido[1] F *m* Hieb *m*, Stockschlag *m*.

zurri|do[2] *m* **1.** *a.* ⊕ Summen *n*, Brummen *n*; Surren *n*; *a.* ⚕ Sausen *n*; **2.** *fig.* F verworrenes Getöse *n*; **~r** *v/i.* surren; brummen, summen.

zu|rrón *m* **1.** Hirtentasche *f*; ~ *de mendigo* Bettelsack *m*; Schnappsack *m*; **2.** ⚘ ~ *de pastor* Hirtentäschel *n*; **3.** *Biol.* **a)** ⚘ (Frucht-) Sack *m*; **b)** *Zo.* Schafhaut *f*, Eihaut *f des Embryos*; **~rrona** F *f* Schlampe *f*; gerissene Nutte *f* P; **~rronero** *Jgdw. m* Wilderer *m*.

zurruscarse [1g] P *v/r.* → *zurrarse*.

zurullo *m* Klumpen *m* Teig *u. ä.*; Klumpen *m* Kot, Haufen *m* P.

zurumbático *adj.* **1.** *Reg.* baff, verblüfft; **2.** *Am.* benommen; beschwipst.

zurumbela *f Am. Mer. ein Singvogel*.

zurupeto F *m* Winkelmakler *m*, Bönhase *m* F (*an der Börse*).

zutano *m* ein gewisser Herr X; *fulano, mengano y* ~ Herr X, Herr Y u. Herr Z; *fulano,* ~, *mengano y perengano* der u. der u. dieser u. jener.

¡zuzo! *int.* faß(t)! (*zu Hunden*).

zuzón ⚘ *m* Graues Grindkraut *n*.

zwingliano *Rel.* **I.** *adj.* Zwingli...; zwinglianisch; **II.** *m* Zwinglianer *m*.

Spanische Eigennamen

Nombres propios españoles

A

Abisinia *f* Abessinien *n.*
Abrahán *m* Abraham.
Adán *m* Adam.
Adelaida *f* Adele, Adelheid.
Adén *m* Aden *n.*
Adolfo *m* Adolf.
Afganistán *m* Afghanistan *n.*
África *f* Afrika *n.*
Ágata *f* Agathe.
Agustín *m* Augustin(us).
Alarcón *span. Dramatiker (1580 bis 1639).*
Albaicín *m Zigeunerviertel in Granada.*
Albania *f* Albanien *n.*
Albéniz *span. Komponist (1860 bis 1909).*
Alberto *m* Albert.
Alcázar *m maurische Burg, Festung.*
Alejandría *f* Alexandria *n.*
Alejandro *m* Alex(ander).
Alemania *f* Deutschland *n*; **la ~ del Norte (del Sur)** Nord- (Süd-) deutschland *n*; **la ~ occidental (oriental)** West- (Ost)deutschland *n*; **la República Federal de ~** die Bundesrepublik Deutschland; **~ central** Mitteldeutschland *n.*
Aleutianas *f/pl.* Aleuten *pl.*
Al(f)onso *m* Alfons.
Alfredo *m* Alfred.
Alhambra *f Schloß der maurischen Könige in Granada.*
Alicia *f* Alice.
Alpes *m/pl.* Alpen *f/pl.*
Alsacia *f* Elsaß *n.*
Alto Volta *m* Obervolta *n.*
Amazonas *m* Amazonenstrom *m*, Amazonas *m.*
Amberes *f* Antwerpen *n.*
América *f* Amerika *n*; **~ Central** Mittelamerika *n*; **~ del Norte** Nordamerika *n*; **~ del Sur** Südamerika *n.*
Ana *f* Anna.
Andalucía *f* Andalusien *n.*
Andes *m/pl.* Anden *pl.*
Andorra *f* Andorra *n.*
Andrés *m* Andreas.
Antillas *f/pl. die* Antillen *pl.*; **~ Mayores** *die* Großen Antillen; **~ Menores** *die* Kleinen Antillen.
Antonio *m* Anton.
Antuerpia *f* Antwerpen *n.*
Apeninos *m/pl.* Apennin *m.*
Aquisgrán *m* Aachen *n.*
Arabia *f* Arabien *n.*
Arabia Saudita *f* Saudi-Arabien *n.*
Aragón *m* Aragonien *n.*
Argel *m* Algier *n.*
Argelia *f* Algerien *n.*
Argentina *f* Argentinien *n.*
Armenia *f* Armenien *n.*
Arturo *m* Art(h)ur.
Asia *f* Asien *n*; **~ Menor** Kleinasien *n.*
Asiria *f* Assyrien *n.*
Asturias *f/pl.* Asturien *n.*
Asunción *Hauptstadt von Paraguay.*
Atenas *f* Athen *n.*
Atlántico *m* Atlantik *m.*
Augusto *m* August.
Australasia *f* Südseeländer *n/pl.*
Australia *f* Australien *n.*
Austria *f* Österreich *n.*
Auvernia *f* Auvergne *f.*
Azores *m/pl.* Azoren *pl.*
Azorín *span. Essayist u. Erzähler (geb. 1874).*

B

Babilonia *f* Babylon *n.*
Balkanes *m/pl.* Balkan *m.*
Baleares *f/pl. die* Balearen *pl.*
Báltico *m* Ostsee *f.*
Barbada *f*: **(isla** *f*) **~** Barbados *n.*
Barbarroja *m* (Kaiser) Barbarossa *m.*
Barcelona *f* Barcelona *n.*
Baroja *span. Romanschriftsteller (1872—1956).*
Basilea *f* Basel *n.*
Baviera *f* Bayern *n*; **Alta ~** Oberbayern *n*; **Baja ~** Niederbayern *n.*
Bayona *f* Bayonne *n.*
Beatriz *f* Beatrix.
Belén *m* Bethlehem *n.*
Bélgica *f* Belgien *n.*
Belgrado *m* Belgrad *n.*
Benavente *span. Dramatiker (1866 bis 1954).*
Bengala *f* Bengalen *n.*
Benito *m* Benedikt.
Berlín *m* Berlin *n.*
Berna *f* Bern *n.*
Bernardo *m* Bernhard.
Birmania *f* Birma *n.*
Bizancio *m* Byzanz *n.*
Blasco Ibáñez *span. Romanschriftsteller (1867—1928).*
Bogotá *Hauptstadt von Kolumbien.*
Bohemia *f* Böhmen *n.*
Bolívar *Befreier Südamerikas von der span. Herrschaft.*
Bolivia *f* Bolivien *n.*
Bolonia *f* Bologna *n.*
Borgoña *f* Burgund *n.*
Bósforo *m* Bosporus *m.*
Bosnia *f* Bosnien *n.*
Brabante *m* Brabant *n.*
Brandeburgo *m* Brandenburg *n.*
Brasil *m* Brasilien *n.*
Bratislava *f* Preßburg *n.*
Brígida *f* Brigitte.
Brujas *m* Brügge *n.*
Brunswick *f* Braunschweig *n.*
Bruselas *f* Brüssel *n.*
Buenos Aires *Hauptstadt von Argentinien.*
Bulgaria *f* Bulgarien *n.*
Burdeos *f* Bordeaux *n.*

C

Cabo *m*: **(Ciudad de) El ~** Kapstadt *n.*
Cabo *m* **de Buena Esperanza** Kap *n* der Guten Hoffnung.
Cabo *m* **de Hornos** Kap *n* Horn.
Cachemira *f* Kaschmir *n.*
Cádiz *m* Cádiz *n.*
Cairo *m* Kairo *n.*
Calderón de la Barca *span. Dramatiker (1600—1681).*
Calpe *m* Kalpe *n (antiker Name Gibraltars).*
Camboya *f* Kambodscha *n.*
Canadá *m* Kanada *n.*
Canal *m* **de la Mancha** Ärmelkanal *m.*
Canal *m* **de Panamá** Panamakanal *m.*
Canal *m* **de Suez** Sueskanal *m.*
Canarias *f/pl.* Kanarische Inseln *f/pl.*
Cantábrico *m*: **(Mar** *m*) **~** Golf *m* von Biscaya; **Sistema** *m* **~** Kantabrisches Bergland.
Caracas *Hauptstadt von Venezuela.*
Carintia *f* Kärnten *n.*
Carlos *m* Karl.
Carlota *f* Charlotte.
Carmelo *m*: **(Monte** *m*) **~** (Berg) Karmel *m.*
Caronte *Myth. m* Charon *m.*
Cárpatos *m/pl.* Karpaten *pl.*
Casimiro *m* Kasimir *m.*
Caspio *m* Kaspisches Meer *n.*
Castilla *f* Kastilien *n*; **~ la Nueva** Neukastilien *n*; **~ la Vieja** Altkastilien *n.*
Catalina *f* Katharina, Käthe.
Cataluña *f* Katalonien *n.*
Catón *m* Kato *m.*
Cáucaso *m* Kaukasus *m.*
Cayena *f* Cayenne *n.*
Ceilán *m* Ceylon *n.*
Cerdeña *f* Sardinien *n.*
Cervantes Saavedra *berühmtester span. Dichter, Verfasser d. „Don Quijote de la Mancha" (1547 bis 1616).*
César *m* Cäsar.
Cid Campeador *span. Nationalheld (um 1043—1099).*
Coblenza *f* Koblenz *n.*
Colombia *f* Kolumbien *n*; **~ Británica** Britisch-Kolumbien *n.*
Colón *m Kolumbus.*
Colonia *f* Köln *n.*
Conrado *m* Konrad, Kurt.
Constantinopla *f* Konstantinopel *n.*
Constanza *f* a) Konstanz *n*; **Lago** *m* **de ~** Bodensee *m*; b) Konstanze *f.*
Copenhague *f* Kopenhagen *n.*
Córcega *f* Korsika *n.*
Córdoba *f* Córdoba *n.*
Corea *f* Korea *n.*
Corinto *m* Korinth *n.*
Cortés *span. Eroberer Mexikos.*
Costa Azul *f* Côte d'Azur *f.*
Costa Brava *f* Costa Brava *f.*
Costa *f* **de Marfil** Elfenbeinküste *f.*
Costa *f* **de Oro** Goldküste *f.*
Costa Rica *f* Kostarika *n.*
Crimea *f* Krim *f.*
Cristo *m* Christus *m.*
Cristóbal *m* Christoph.
Cuba *f* Kuba *n.*

Ch

Chaco *m*: **el Gran ~** Chacogebiet *n*, Gran Chaco *m.*
Champán *m* Champagne *f.*
Checoeslovaquia *f* Tschechoslowakei *f.*
Chile *m* Chile *n.*

China *f* China *n*; **la ~ nacionalista** Nationalchina *n*; **la ~ roja** Rotchina *n*.
Chipre *m* Zypern *n*.

D

Dalmacia *f* Dalmatien *n*.
Damasco *m* Damaskus *n*.
Danubio *m* Donau *f*.
Dardanelos *m/pl.*: **(el estrecho de) los ~** Dardanellen *pl.*
Darío *südamerikanischer Lyriker* (*1867—1916*).
Diego *m* Jakob.
Dinamarca *f* Dänemark *n*.
Dolomitas *f/pl.* Dolomiten *pl.*
Don Juan *span. Sagengestalt*; *Sinnbild ungestillter sinnlicher Leidenschaft.*
Don Quijote *Meisterwerk des Cervantes*; *Sinnbild des die Wirklichkeit verkennenden, in einer phantastischen Eigenwelt verstrickten Schwärmers und Idealisten.*
Dorotea *f* Dorothea.
Duero *m span. Fluß.*
Dunquerque *m* Dünkirchen *n*.
Durero [Dürer] *dt. Maler* (*1471 bis 1528*).

E

Ecuador *m* Ekuador *n*.
Echegaray *span. Dramatiker* (*1832 bis 1916*).
Edimburgo *m* Edinburg *n*.
Edmundo *m* Edmund.
Eduardo *m* Eduard.
Egeo *m* Ägäisches Meer *n*.
Egipto *m* Ägypten *n*.
Elba *m* Elbe *f* (*Fluß*); Elba *n* (*Insel*).
Elena *f* Helene.
Emilio *m* Emil.
Enrique *m* Heinrich.
Ernesto *m* Ernst.
Escafusa *f* Schaffhausen *n*.
Escalda *m* Schelde *f*.
Escandinavia *f* Skandinavien *n*.
Escocia *f* Schottland *n*.
Eslovaquia *f* Slowakei *f*.
Esmirna *f* Smyrna *n* (*heute*: Szmir).
España *f* Spanien *n*.
Esparta *f* Sparta *n*.
Espira *f* Speyer *n*.
Estados Unidos de América *m/pl.* Vereinigte Staaten von Amerika *m/pl.*
Esteban *m* Stephan.
Estiria *f* Steiermark *f*.
Estocolmo *m* Stockholm *n*.
Estonia *f* Estland *n*.
Estrasburgo *m* Straßburg *n*.
Etiopía *f* Äthiopien *n*.
Eugenio *m* Eugen.
Europa *f* Europa *n*; **(la) ~ Central** Mitteleuropa *n*.

F

Falla *span. Komponist* (*1876—1946*).
Federico *m* Friedrich.
Felipe *m* Philipp.
Fernando *m* Ferdinand.
Filipinas *f/pl.* Philippinen *pl.*
Finlandia *f* Finnland *n*.
Flandes *m* Flandern *n*.
Florencia *f* Florenz *n*.
Francfort-del-Meno *m* Frankfurt am Main *n*.
Francia *f* Frankreich *n*.
Francisco *m* Franz.
Franco *span. General und Staatsoberhaupt.*
Frisia *f* Friesland *n*.

G

Gabón *m* Gabun *n*.
Galdós *span. Romanschriftsteller* (*1845—1920*).
Gales *m* Wales *n*.
Galicia *f* Galicien *n* (*span. Provinz*); Galizien *n* (*Osteuropa*).
Gante *m* Gent *n*.
García Lorca *span. Dramatiker* (*1898—1936*).
Garona *m* Garonne *f*.
Gascuña *f* Gaskogne *f*.
Génova *f* Genua *n*.
Gerardo *m* Gerhard.
Gerona *f* Gerona *n*.
Gibraltar *m* Gibraltar *n*.
Gil *m* Ägidius.
Ginebra *f* Genf *n*.
Gironda *m* Gironde *f*.
Góngora y Argote *span. Lyriker, Vertreter des Schwulststils* (*1561 bis 1627*).
Gotinga *f* Göttingen *n*.
Goya y Lucientes *span. Maler* (*1746—1828*).
Granada *f* Granada *n*.
Gran Bretaña *f* Großbritannien *n*.
Grecia *f* Griechenland *n*.
Greco *span. Maler* (*1541—1625*).
Grisones *m/pl.* Graubünden *n*.
Groenlandia *f* Grönland *n*.
Guadalquivir *m span. Fluß.*
Guadiana *m span. Fluß.*
Gualter(i)o *m* Walt(h)er.
Guatemala *f* Guatemala *n*.
Guido *m* Veit.
Guillermo *m* Wilhelm.
Gustavo *m* Gustav.

H

Haití *m* Haiti *n*.
Hamburgo *m* Hamburg *n*.
Haya *f* Den Haag *m*.
Hébridas *f/pl.* Hebriden *pl.*
Hispanoamérica *f* Spanisch-Amerika *n*.
Holanda *f* Holland *n*.
Honduras *f* Honduras *n*.
Hungría *f* Ungarn *n*.

I

Iberia *f* Iberien *n*.
Ibiza *f* Ibiza *n*.
Ignacio de Loyola *Begründer des Jesuitenordens.*
India *f* Indien *n*; **las ~s Occidentales** Westindien *n*; *hist.* **las ~s** Spanisch-Amerika *n der Kolonialzeit.*
Indonesia *f* Indonesien *n*.
Indostán *m* Hindustan *n*.
Inés *f* Agnes.
Inglaterra *f* England *n*.
Irak *m* Irak *m*.
Irán *m* Iran *m*.
Irlanda *f* Irland *n*.
Isabel *f* Isabella; Elisabeth.
Islandia *f* Island *n*.
Islas *f/pl.*: **~ Bahamas** Bahama-Inseln *pl.*; **~ Baleares** Balearen *pl.*; **~ Bermudas** Bermudas *pl.*; **~ de Cabo Verde** Kapverdische Inseln *pl.*; **~ Canarias** Kanarische Inseln *pl.*
Italia *f* Italien *n*.

J

Jaime *m* Jakob.
Japón *m* Japan *n*.
Jerónimo *m* Hieronymus.
Jerusalén *f* Jerusalem *n*.
Jesús *m* Jesus.
Jiménez *span. Lyriker* (*1881—1958*).
Joaquín *m* Joachim.
Jordán *m* Jordan *m* (*Fluß*).
Jordania *f* Jordanien *n*.
Jorge *m* Georg.
José *m* Joseph.
Juan *m* Johann(es), Hans.
Julio *m* Julius.

K

Kremlín *m der* Kreml *m*.

L

La Habana Havanna, *Hauptstadt von Kuba.*
Lago *m* **de los Cuatro Cantones** Vierwaldstätter See *m*.
La Paz *Hauptstadt von Bolivien.*
Laponia *f* Lappland *n*.
Lausana *f* Lausanne *n*.
Leningrado *m* Leningrad *n*.
León *m* Leo.
Leonardo *m* Leonhard.
Leonor *f* Eleonore, Leonore.
Letonia *f* Lettland *n*.
Levante *m* Levante *f*.
Líbano *m* Libanon *m*.
Liberia *f* Liberien *n*.
Libia *f* Libyen *n*.
Lieja *f* Lüttich *n*.
Lima *Hauptstadt von Peru.*
Lisboa *f* Lissabon *n*.
Lituania *f* Litauen *n*.
Loira *m* Loire *f*.
Lombardía *f* Lombardei *f*.
Lope de Vega *span. Dramatiker* (*1562—1635*).
Londres *m* London *n*.
Lorena *f* Lothringen *n*.
Lotario *m* Lothar.
Lucerna *f* Luzern *n*.
Luis *m* Ludwig.
Luxemburgo *m* Luxemburg *n*.

M

Macedonia *f* Makedonien *n*.
Madrid *m* Madrid *n*.
Magallanes: Estrecho *m* **de ~** Magellanstraße *f*.
Maguncia *f* Mainz *n*.
Mahoma *m* Mohammed.
Málaga *f* Málaga *n*.
Malasia *f* Malaysia (*Staatenbund in Südostasien*).
Malí *m* Mali *n*.
Mallorca *f* Mallorca *n*.
Malvinas *f/pl.* Falklandinseln *pl.*
Managua *f Hauptstadt von Nikaragua.*
Manuel *m* Emanuel, Immanuel.
Mar *m* **Adriático** Adriatisches Meer *n*, Adria *f*.
Mar *m* **Báltico** Ostsee *f*.
Mar *m* **Caribe** Karibisches Meer *n*.
Mar *m* **Caspio** Kaspisches Meer *n*.
Mar *m* **de las Indias** Indischer Ozean *m*.
Mar *m* **del Norte** Nordsee *f*.
Mar *m* **Glacial** Eismeer *n*.
Mar *m* **Mediterráneo** Mittelmeer *n*.
Mar *m* **Muerto** Totes Meer *n*.
Mar *m* **Negro** Schwarzes Meer *n*.
Mar *m* **Rojo** Rotes Meer *n*.

Margarita *f* Margarete, Grete.
María *f* Maria.
Marruecos *m/pl.* Marokko *n.*
Marsella *f* Marseille *n.*
Mateo *m* Matthäus.
Matías *m* Matthias.
Martinica *f* Martinique *n.*
Mauricio *m* Moritz.
Mauritania *f* Mauretanien *n.*
Mediterráneo *m* Mittelmeer *n.*
Méjico *m* Mexiko *n.*
Menéndez Pidal *span. Literarhistoriker („Das Spanien des Cid").*
Menéndez y Pelayo *span. Literarhistoriker, Kritiker und Übersetzer.*
Meno *m* Main *m.*
Menorca *f* Menorca *n.*
Miguel *m* Michael.
Milán *m* Mailand *n.*
Miño *m span.-port. Grenzfluß.*
Misisipí *m* Mississippi *m.*
Misurí *m* Missouri *m.*
Moisés *m* Moses.
Moldáu *m* Moldau *f.*
Mongolia *f* Mongolei *f.*
Montevideo *Hauptstadt von Uruguay.*
Moravia *f* Mähren *n.*
Mosa *m* Maas *f.*
Moscú *m* Moskau *n.*
Mosela *m* Mosel *f.*
Mulhacén *m höchster Berg der Pyrenäenhalbinsel.*
Munich *f* München *n.*
Murcia *f* Murcia *n.*
Murillo *span. Maler (1618—1682).*

N

Nápoles *m* Neapel *n.*
Nicaragua *f* Nikaragua *n.*
Nicolás *m* Nikolaus.
Nilo *m* Nil *m.*
Niza *f* Nizza *n.*
Noé *m* Noah.
Noruega *f* Norwegen *n.*
Nueva Guinea *f* Neuguinea *n.*
Nueva York New York.
Nueva Zelandia *f* Neuseeland *n.*
Núñez de Balboa *span. Seefahrer und Entdecker.*
Nuremberg *f* Nürnberg *n.*

O

Oceanía *f* Ozeanien *n.*
Océano Atlántico *m* Atlantischer Ozean *m*, Atlantik *m.*
Océano Glacial *m* Eismeer *n.*
Océano Índico *m* Indischer Ozean *m.*
Océano Pacífico *m* Stiller Ozean *m*, Pazifik *m.*
Orcadas *f/pl.* Orkneyinseln *pl.*
Orfeo *m* Orpheus.
Oriente *m*: **Extremo ~** Ferner Osten *m*; **~ Medio** Mittlerer Osten *m*; **Próximo ~** Naher Osten *m.*
Orlando *m* Roland.
Ortega y Gasset *span. Philosoph (1883—1955).*
Otón *m* Otto.

P

Pablo *m* Paul.
Países Bajos *m/pl. die* Niederlande *n/pl.*
Pakistán *m* Pakistan *n.*
Palacio Valdés *span. Erzähler (1853—1938).*
Palatinado *m* Pfalz *f.*
Palestina *f* Palästina *n.*
Panamá *m* Panama *n.*
Paraguay *m* Paraguay *n.*
París *f* Paris *n.*
Pedro *m* Peter.
Pekín *m* Peking *n.*
Peloponeso *m* Peloponnes *m.*
Pensilvania *f* Pennsylvanien *n.*
Perú *m* Peru *n.*
Pirineos *m/pl.* Pyrenäen *pl.*
Pizarro *span. Eroberer Perus.*
Polinesia *f* Polynesien *n.*
Polonia *f* Polen *n.*
Pompeya *f* Pompeji *n.*
Portugal *m* Portugal *n.*
Praga *f* Prag *n.*

Q

Quevedo y Villegas *span. Philosoph und Schriftsteller (1580 bis 1645).*
Quintana *span. Dichter und Streiter gegen Napoleons Fremdherrschaft (1772—1857).*
Quito *Hauptstadt von Ekuador.*

R

Rafael *m* Raphael.
Ramón *m* Raimund.
Raquel *f* Rachel.
Ratisbona *f* Regensburg *n.*
Reinaldo *m* Reinhold.
Reino Unido de Gran Bretaña e Irlanda del Norte Vereinigtes Königreich von Großbritannien und Nordirland.
Renania *f* Rheinland *n.*
República *f*: **~ Árabe Unida** Vereinigte Arabische Republik *f*; **~ Dominicana** Dominikanische Republik *f*; **~ Malgache** Madagassische Republik *f*; **~ Popular de Mongolia** Mongolische Volksrepublik *f.*
Ribera *span. Maler (1590—1652).*
Ricardo *m* Richard.
Rin *m* Rhein *m.*
Roberto *m* Robert.
Ródano *m* Rhone *f.*
Rodas *f* Rhodos *n.*
Rodesia *f* Rhodesien *n.*
Rodolfo *m* Rudolf.
Rodrigo *m* Roderich.
Roma *f* Rom *n.*
Rumania *f* Rumänien *n.*
Ruperto *m* Ruprecht.
Rusia *f* Rußland *n.*

S

Saboya *f* Savoyen *n.*
Sajonia *f* Sachsen *n.*
Salónica *f* Saloniki *n.*
Salvador (El) Salvador *n.*
San Gotardo *m* Sankt Gotthard *m.*
San José *Hauptstadt von Kostarika.*
Santander *m* Santander *n.*
Santiago *Hauptstadt von Chile.*
Santiago *m* der Heilige Jakobus.
Sarasate *span. Violinvirtuose (1844 bis 1908).*
Sarre *m* Saar *f.*
Segovia *f* Segovia *n.*
Sena *m* Seine *f.*
Servia *f* Serbien *n.*
Sevilla *f* Sevilla *n.*
Siberia *f* Sibirien *n.*
Sibila *f* Sibylle.
Sicilia *f* Sizilien *n.*
Siracusa *f* Syrakus *n.*
Siria *f* Syrien *n.*
Sofía *f* Sophie.
Suabia *f* Schwaben *n.*
Sudán *m* Sudan *m.*
Suecia *f* Schweden *n.*
Suez: Canal *m* **de ~** Sueskanal *m.*
Suiza *f* Schweiz *f.*

T

Tailandia *f* Thailand *n.*
Tajo *m span. Fluß.*
Támesis *m* Themse *f.*
Tanganica *f* Tanganjika *n.*
Tánger *m* Tanger *n.*
Tasmania *f* Tasmanien *n.*
Tejas *m* Texas *n.*
Tenerife *f* Teneriffa *n.*
Teodorico *m* Dietrich.
Teodoro *m* Theodor.
Teresa *f* Therese.
Terranova *f* Neufundland *n.*
Tesalia *f* Thessalien *n.*
Tirso de Molina *span. Dramatiker (1571—1648).*
Toledo *m* Toledo *n.*
Tolón *m* Toulon *n.*
Tolosa *f* Toulouse *n.*
Tomás *m* Thomas.
Trento *m* Trient *n.*
Tréveris *m* Trier *n.*
Túnez *m* Tunis *n.*
Turingia *f* Thüringen *n.*
Turquía *f* Türkei *f.*

U

Ucrania *f* Ukraine *f.*
Ulises *m* Odysseus.
Unamuno *span. Philosoph (1864 bis 1936).*
Unión *f* **de Repúblicas Socialistas Soviéticas** Union der Sozialistischen Sowjetrepubliken.
Unión *f* **Sudafricana** Südafrikanische Union.
Uruguay: República *f* **Oriental del ~** Uruguay *n.*

V

Valencia *f* Valencia *n.*
Valera *span. Schriftsteller (1824 bis 1905).*
Valle Inclán *span. Lyriker und Erzähler (1870—1936).*
Varsovia *f* Warschau *n.*
Vascongadas (Las) Baskische Provinzen *f/pl.*
Vaticano *m* Vatikan *m.*
Velázquez *span. Maler (1599 bis 1660).*
Venecia *f* Venedig *n.*
Venezuela *f* Venezuela *n.*
Versalles *f* Versailles *n.*
Vesubio *m* Vesuv *m.*
Vicente *m* Vinzenz.
Viena *f* Wien *n.*
Vístula *m* Weichsel *f.*
Vizcaya *f* Biscaya *f.*
Vosgos *m/pl.* Vogesen *pl.*

W

Westfalia *f* Westfalen *n.*
Wurtemberg *m* Württemberg *n.*
Wurtzbergo *m* Würzburg *n.*

Y

Yugoeslavia *f* Jugoslawien *n.*

Z

Zaragoza *f* Saragossa *n.*
Zorrilla y Moral *span. Lyriker und Dramatiker (1817—1893).*
Zurbarán *span. Maler (1598 bis 1664).*

Spanische Abkürzungen

Abreviaturas españolas

A

A Alteza *Hoheit*; Aprobado *Bestanden* (*Prüfungsnote*).
a área *Ar* (*Flächenmaß*).
(a) alias *alias, anders, sonst.*
AA autores *Autoren.*
ab. abad *Abt.*
ab.^{l} abril *April.*
a.c. año corriente *laufendes Jahr.*
a/c. a cargo *zu Lasten*; a cuenta *auf Rechnung.*
A.C. o **A. de C.** Año de Cristo *im Jahre des Herrn.*
acr. acreedor *Gläubiger.*
adj. adjunto *anliegend.*
Adm. administración *Verwaltung.*
a/f. a favor *zu Gunsten.*
af.^{mo} afectísimo *sehr ergeben.*
af.^{to} afecto *ergeben.*
Ag.^{n} Agustín *Augustin.*
ag.^{to} agosto *August.*
AIA Asociación Internacional del Automóvil *Internationaler Automobilclub.*
a.J. antes de Jesucristo *vor Jesus Christus.*
a la v/ a la vista *Sicht...*
Alej.^{o} Alejandro *Alexander.*
Alf.^{o} Alfonso *Alfons.*
Al.^{o} Alonso *span. Taufname.*
Álv.^{o} Álvaro *span. Taufname.*
AME Acuerdo Monetario Europeo *Europäisches Währungsabkommen.*
am.^{o} amigo *Freund.*
ANI Agencia Internacional de Información *Internationales Nachrichtenbüro.*
Ant.^{o} Antonio *Anton.*
ap. aparte *beiseite.*
ap.^{ca}, **ap.**^{co} o **aplica., aplico.** apostólica, apostólico *apostolisch.*
art. o **art.**^{o} artículo *Artikel.*
arz. o **arzbpo.** arzobispo *Erzbischof.*
AS Auxilio Social *Volkswohlfahrt.*
atmo., atm.^{o} atentísimo *ergebenst.*
atta. atenta *geehrt* (*Schreiben*).
atte. atentamente *hochachtungsvoll.*
Aud.^{a} Audiencia *Gerichtshof.*
a/v. a vista *auf Sicht.*
av.^{a} avería *Havarie.*
Avda. Avenida *Avenue.*
AVIACO Aviación y Comercio *Luftfahrt und Handel.*

B

B Bueno *Gut* (*Prüfungsnote*).
Bar.^{mé} Bartolomé *Bartholomäus.*
BARNA Barcelona.
Bco. Banco *Bank.*
Bern.^{o} Bernardo *Bernhard.*
B.L.M. o **b.l.m.** besa la mano *küßt die Hand.*
B.^{mo} **P.**^{e} Beatísimo Padre *Heiliger Vater* (*Papst*).
B.O. Boletín Oficial *Amts-, Gesetzblatt.*
Br. o **br.** bachiller *Bakkalaureus, Abiturient.*
brl. barril *Faß.*
bs. bolsa *Sack.*
bto. bulto *Gepäckstück*; bruto *brutto.*

C

c. capítulo *Kapitel.*
c.a. corriente alterna *Wechselstrom.*
c/ cargo *zu Lasten.*
c/a cuenta abierta *offenes Konto.*
c.^{a} compañía *Gesellschaft.*
cap. o **cap.**^{o} capítulo *Kapitel.*
cap.^{n} capitán *Kapitän.*
Card.^{l} Cardenal *Kardinal.*
c/c cuenta corriente *laufende Rechnung.*
c.c. corriente continua *Gleichstrom.*
CC. Código Civil *Bürgerliches Gesetzbuch.*
c/d con descuento *mit Skonto.*
C.D. Comisión Directiva *Vorstand.*
C. de C. Código de Comercio *Handelsgesetzbuch.*
C. de J. Compañía de Jesús *Jesuitenorden.*
C. de S. Consejo de Seguridad *Sicherheitsrat.*
c.^{do} contado *bar.*
C.E.C.A. Comunidad Europea del Carbón y del Acero *Europäische Gemeinschaft für Kohle und Stahl* (*Montanunion*).
CEDE Compañía Española de Electricidad *Spanische Elektrizitätsgesellschaft.*
C.E.E. Comunidad Económica Europea *Europäische Wirtschaftsgemeinschaft* (*Gemeinsamer Markt*).
C.E.E.A. Comunidad Europea de Energía Atómica *Europäische Atomgemeinschaft* (*EURATOM*).
cents. centavos *Centavos.*
cénts. céntimos *Céntimos.*
c.f.(y)s. coste, flete y seguro *c.i.f.*
cg centigramo, -s *Zentigramm.*
CGT Confederación General del Trabajo *Allgemeiner Gewerkschaftsbund.*
Cía. Compañía *Gesellschaft.*
C.I.O.S.L. Confederación Internacional de Organizaciones Sindicales Libres *Internationaler Bund Freier Gewerkschaften* (*Brüssel*).
C.I.S.C. Confederación Internacional de Sindicatos Cristianos *Internationaler Bund Christlicher Gewerkschaften* (*Brüssel*).
cl centilitro, -s *Zentiliter.*
cm centímetro, -s *Zentimeter.*
CM. Código Mercantil *Handelsgesetzbuch.*
C.N.S. Confederación Nacional de Sindicatos *Spanischer Gewerkschaftsbund.*
Col. colección *Kollektion.*
col. o **col.**^{a} columna *Spalte.*
comis.^{o} comisario *Kommissar.*
comp.^{a} compañía *Gesellschaft.*
consig.^{n} consignación *Konsignation.*
cons.^{o} consejo *Rat.*
Const. Constitución *Verfassung.*
const.^{l} constitucional *verfassungsmäßig.*
conv.^{te} conveniente *zweckmäßig, vorteilhaft.*
corr.^{te} corriente *laufend.*
CP. Código Penal *Strafgesetzbuch*; contestación pagada *Antwort bezahlt.*
cs. céntimos *Céntimos*; centavos *Centavos.*
CSIC Consejo Superior de Investigaciones Científicas *Forschungsrat.*
c.^{ta} cuenta *Rechnung.*
c.^{ta} **c.**^{te} cuenta corriente *laufende Rechnung.*
c.^{to} cuarto *vierter.*
cts. céntimos *Céntimos*; centavos *Centavos.*
CV caballo de vapor *Pferdestärke* (*PS*).

Ch

ch. cheque *Scheck.*

D

D Debe *Soll.*
D. Don *Herr* (*vor dem Vornamen*).
d/ días *Tage.*
D.ª Doña *Frau, Fräulein* (*vor dem Vornamen*).
D.C. Derecho Civil *Bürgerliches Recht.*
DCA Defensa contra aviones *Luftabwehr.*
DD doctores *Doktoren.*
dep. departamento *Departement.*
D.F. Distrito Federal *Bundesdistrikt.*
Dg decagramo, -s *Dekagramm.*
dg decigramo, -s *Dezigramm.*
dha., dho. dicha, dicho *besagte, besagter.*
dhas., dhos. dichas, dichos *besagte.*
Dicc. diccionario *Wörterbuch.*
dic.^{e}, **10**^{e}, **10**^{bre} diciembre *Dezember.*
Dir. Dirección *Direktion.*
d.J. después de Jesucristo *nach Jesus Christus.*
Dl decalitro, -s *Dekaliter.*
dl decilitro, -s *Deziliter.*
D.M. Derecho mercantil *Handelsrecht.*
Dm decámetro, -s *Dekameter.*
dm decímetro, -s *Dezimeter.*
Dn. Don *Herr* (*vor dem Vornamen*).
d^{na} docena *Dutzend.*
Doct. Doctor *Doktor.*
docum.^{to} documento *Dokument.*
Dom.^{o} o **dom.**^{o} domingo *Sonntag.*
d/p días plazo *Tage Frist.*
dpdo. duplicado *doppelt.*
Dr. o **dr.** doctor *Doktor.*
dra., dro. derecha, derecho *rechte, rechter.*
dras., dros. derechas, derechos *rechte.*
d.^{to} descuento *Abzug, Rabatt*; depósito *Depot, Lager.*
d./v. días vista *Tage Sicht.*

E

E este *Osten.*
EA Ejército del Aire *Luftstreitkräfte.*
e/c en cuenta *in Rechnung.*
ec.ª, ec.º eclesiástica, -o *kirchlich.*
Ed. Edición *Ausgabe, Auflage.*
Edit. Editorial *Verlag.*
EES El Ejército de Salvación *Heilsarmee.*
EE.UU. Estados Unidos *Vereinigte Staaten.*
E.M. Estado Mayor *Generalstab.*
Em.ª Eminencia *Eminenz.*
Em.^{mo} o **Emmo.** Eminentísimo *Eminenz.*
ENE estenordeste *Ostnordost.*
en.º enero *Januar.*
E.P.D. en paz descanse *ruhe in Frieden.*
E.P.M. en propia mano *eigenhändig.*
escrit.ª escritura *Urkunde.*
ESE estesudeste *Ostsüdost.*
esq. esquina *Ecke.*
ET Ejército Tierra *Landstreitkräfte.*
etc. etcétera *und so weiter* (*usw.*).
Eug.º Eugenio *Eugen.*
Evang.º Evangelio *Evangelium.*
Exc.ª Excelencia *Exzellenz.*
excl. exclusive *ausschließlich.*
Exc.^{ma} o **Excma.** Excelentísima; **Exc.^{mo}** o **Excmo.** Excelentísimo *Exzellenz.*
exp. expreso *Eilgut.*

F

F fulano *ein gewisser.*
Fasc. fascículo *Heft.*
fact. factura *Rechnung.*
f/c ferrocarril *Eisenbahn.*
fcha. fecha *Datum.*
F.^{co} Francisco *Franz.*
F. de T. fulano de tal *ein gewisser.*
feb.º febrero *Februar.*
Fern.^{do} Fernando *Ferdinand.*
FET Falange Española Tradicionalista *Konservativer Flügel der spanischen Staatspartei.*
fha. fecha *Datum.*
f/m fin de mes *Ende des Monats.*
FMI Fondo Monetario Internacional *Internationaler Währungsfonds.*
FN Fuerzas Navales *Seestreitkräfte.*
f.º o **fol.** folio *Seite.*
Fran.^{co} Francisco *Franz.*
FSM Federación Sindical Mundial *Weltgewerkschaftsbund.*

G

G/ giro *Giro.*
g gramo *Gramm.*
G.B. Gran Bretaña *Großbritannien.*
Genl general *General.*
G.º Gonzalo *span. Taufname.*
Gob.^{no} gobierno *Regierung.*
gral. general *allgemein.*
Guill.º Guillermo *Wilhelm.*
g/v/ gran velocidad *Eilgut.*

H

H Haber *Haben.*
ha hectárea, -s *Hektar.*
Hg. hectogramo, -s *Hektogramm.*
hip. hipoteca *Hypothek.*
Hl. hectolitro, -s *Hektoliter.*
Hm. hectómetro, -s *Hektometer.*
Hno., Hnos. hermano, -s *Bruder, Brüder, Gebrüder.*

I

ib. ibídem *ebendort.*
ICH Instituto de Cultura Hispánica *Spanisches Kulturinstitut.*
id. ídem *dasselbe.*
i.e. id est (esto es) *das heißt* (*d.h.*).
I.E.M.E. Instituto Español de Moneda Extranjera *Spanisches Deviseninstitut.*
igl.ª iglesia *Kirche.*
Ign.º Ignacio *Ignaz.*
Ildef.º Ildefonso *Ildefons.*
Il.^{e} Ilustre *Hochwürden.*
Il.^{ma}, Il.^{mo}, Ilma., Ilmo. ilustrísima, ilustrísimo *Hochwürdigste*(*r*).
imp. importe *Betrag.*
incl. inclusive *einschließlich.*
INI Instituto Nacional de Industria *Staatliches Institut für Industrie.*
Inst. Instituto *Institut.*
intend.^{te} intendente *Verwalter.*
ít. ítem *ebenso.*
izq.ª, izq.º izquierda, izquierdo *linke, linker.*

J

Jac.^{to} Jacinto *Hyazinth.*
J.C. Jesucristo *Jesus Christus.*
J.D. Junta Directiva *Vorstand.*
Jerón.º Jerónimo *Hieronymus.*
JOC Juventud Obrera Católica *Katholische Arbeiterjugend.*
juev. jueves *Donnerstag.*
Jul.^{n} Julián *Julian.*

K

Kg. kilogramo, -s *Kilogramm.*
Kl. kilolitro, -s *Kiloliter.*
Km. kilómetro, -s *Kilometer.*

L

L., L.^{do} licenciado *Lizentiat.*
l ley *Gesetz*; libro *Buch*; litro, -s *Liter.*
L/ letra de cambio *Wechsel.*
£ libra *Pfund Sterling.*
lb. libra *Pfund* (*Gewicht*).
Lic., lic. licenciado *Lizentiat.*
lín línea *Linie.*
Lor.º Lorenzo *Lorenz.*
L.S. locus sigilli (lugar del sello) *Platz für das Siegel.*
lun. lunes *Montag.*

M

M. Madre *Titel einer Äbtissin*; Majestad *Majestät*; Madrid.
m metro, -s *Meter*; minuto, -s *Minute.*
m^2 metro cuadrado *Quadratmeter.*
m^3 metro cúbico *Kubikmeter.*
m/ mi, mis *mein, meine.*
M.ª María *Marie.*
Man.^{l} Manuel *Immanuel.*
Marg.^{ta} Margarita *Margarete.*
mart. martes *Dienstag.*
m/c mi cuenta *meine Rechnung*; mi cargo *zu meinen Lasten.*
m/c.c. mi cuenta corriente *mein laufendes Konto.*
M.C.E. menos de carro entero *Stückgut.*
Merc., mercs. mercaderías *Waren.*
m/f mi favor *zu meinen Gunsten.*
m/fact. mi factura *meine Rechnung.*
mg miligramo, -s *Milligramm.*
miérc. miércoles *Mittwoch.*
Mig.^{l} Miguel *Michael.*
min.º ministro *Minister.*
m/l mi letra *mein Wechsel.*
Mm. miriámetro, -s *Myriameter.*
mm milímetro, -s *Millimeter.*
M.º Ministerio *Ministerium.*
m/o mi orden *meine Order.*
Mons. Monseñor *Monsignore* (*Anrede der Kardinäle, Bischöfe usw.*).
m/P mi pagaré *mein eigener Wechsel.*
Mrn. Martín *Martin.*
M.S. manuscrito *Manuskript.*
M.SS. manuscritos *Manuskripte.*
mtd. mitad *Hälfte.*
mts. metros *Meter.*
m/v. meses vista *Monate Sicht.*

N

N norte *Norden.*
n noche *Nacht.*
n/ nuestra, -s *unsere*; nuestro, -s *unser, unsere.*
nal. nacional *National...*
N.ª S.ª Nuestra Señora *Jungfrau Maria.*
N.B. nota bene *übrigens.*
n/c nuestra cuenta *unser Konto.*
n/c.c. nuestra cuenta corriente *unser laufendes Konto.*
n/cgo. nuestro cargo *zu unseren Lasten.*
NE nordeste *Nordosten.*
n/l nuestra letra *unser Wechsel.*
NNE nornordeste *Nordnordost.*
NNO nornordoeste *Nordnordwest.*
NO noroeste *Nordwesten.*
n/o nuestra orden *unsere Order.*
nº número *Nummer* (*Nr.*).
nov.^{e}, 9e, 9bre noviembre *November.*
n/p nuestro pagaré *unser Eigenwechsel*; nuestro pago *unsere Zahlung.*
nra., nras. nuestra, nuestras *unsere.*
nro., nros. nuestro, nuestros *unser, unsere.*
N.S. Nuestro Señor *Unser Herr* (*Jesus Christus*).
N.S.J.C. Nuestro Señor Jesucristo *Unser Herr Jesus Christus.*
N.T. Nuevo Testamento *Neues Testament.*
ntra., ntras. nuestra, nuestras *unsere.*
ntro., ntros. nuestro, nuestros *unser, unsere.*
N.U. Naciones Unidas *Vereinte Nationen.*
núm. o **núm.º** número *Nummer.*
núms. o **núm.^{s}** números *Nummern.*

O

O oeste *Westen.*
o orden *Order.*
ob. u **obpo.** obispo *Bischof.*
oct.^{e}, 8^{e}, 8bre octubre *Oktober.*
O.C.D.E. Organización de Cooperación y Desarrollo Económico *Organisation für wirtschaftliche Zusammenarbeit und Entwicklung.*
O.E.A. Organización de los Estados Americanos *Organisation der amerikanischen Staaten.*
OECE Organización Europea de Cooperación Económica *Organisation für europäische wirtschaftliche Zusammenarbeit.*
OIT Organización Internacional del Trabajo *Internationale Arbeiterorganisation* (*Genf*).

ONO oesnoroeste *Westnordwest.*
O.N.U. Organización de las Naciones Unidas *UNO.*
ONUECC Organización de las Naciones Unidas para la Educación, la Ciencia y la Cultura *UNESCO.*
O.P. Obras Públicas *Öffentliche Arbeiten.*
o/s oro sellado *Gold...* (*Arg.*).
OSO oessudoeste *Westsüdwest.*
O.T.A.N. Organización del Tratado Atlántico Norte *NATO.*

P

P. Papa, Padre *Papst, Pater.*
P. o **p.** pagaré *eigener Wechsel.*
p. por *für.*
P.A. por ausencia *in Abwesenheit*; por autorización *im Auftrage* (*i.A.*).
p.^{a} para *für.*
pág., págs. página, -s *Seite, Seiten.*
párr. párrafo *Abschnitt, Absatz.*
pbro. presbítero *Priester.*
p/c por cuenta *auf Rechnung.*
P.D. posdata *Nachtrag.*
pdo. pasado *vergangen.*
P^{e} Padre *Pater.*
p.ej. por ejemplo *zum Beispiel.*
p.m/c por mi cuenta *auf meine Rechnung.*
PMM Parque Móvil Ministerial *Ministerielle Fahrbereitschaft.*
pmo. próximo *nächster.*
p.n/c por nuestra cuenta *auf unsere Rechnung.*
P.O. por orden *im Auftrage.*
P.^{o} Pedro *Peter.*
p.^{o} pero *aber.*
p% por ciento *Prozent.*
P.P. por poder *in Vollmacht*; porte pagado *frachtfrei.*
ppdo. próximo pasado *letztvergangen.*
p.^{r} por *für.*
pral. principal *hauptsächlich.*
presb. presbítero *Priester.*
prod. líq. producto líquido *Reinertrag.*
prof. profesor *Professor.*
pról. prólogo *Prolog.*
prov.^{a} provincia *Provinz.*
P.S. post scriptum *Nachschrift, Nachtrag.*
p.s/c por su cuenta *auf seine* (*Ihre*) *Rechnung.*
p.s/o por su orden *in seinem* (*Ihrem*) *Auftrage.*
ps. pesos *Pesos.*
pta. peseta *Peseta.*
ptas. pesetas *Pesetas.*
p.^{te} parte *Teil.*
p.^{to} puerto *Hafen.*
p.v. pequeña velocidad *Frachtgut.*
P.V.P. precio de venta al público *Ladenpreis.*
pxmo. próximo *nächster.*
pzs. piezas *Stücke.*

Q

q^{e} que *welcher.*
q.e.p.d. que en paz descanse *ruhe in Frieden.*
q.e.s.m. que estrecha su mano *der Ihre Hand drückt.*
q.m. quintal métrico *Doppelzentner.*
q^{n} quien *welcher.*

R

R. Reverendo *Ehrwürden.*
R respuesta *Antwort* (*Gebetbuch, Liturgie*).
R.A.E. Real Academia Española *Königlich Spanische Akademie.*
RENFE Red Nacional de Ferrocarriles Españoles *Staatliches Netz der spanischen Eisenbahnen.*
Rev. Revista *Zeitschrift.*
Rfa.^{l} Rafael *Raphael.*
R.^{bí} recibí *Quittung.*
Rda.M Reverenda Madre *ehrwürdige Mutter.*
Rdo.P Reverendo Padre *ehrwürdiger Vater.*
R.M. Reverenda Madre *ehrwürdige Mutter*; Registro Mercantil *Handelsregister.*
RNE Radio Nacional de España *Spanischer staatlicher Rundfunk.*
R.P. Reverendo Padre *ehrwürdiger Vater.*
r.p.m. revoluciones por minuto *Umdrehungen pro Minute.*
R.T.E. Radiotelevisión Española *Spanischer Rundfunk und Fernsehen.*
rúst. rústica *broschiert.*

S

S Sur *Süden.*
S. San, Santo *heilig.*
s/ su, sus *sein, ihr, seine, ihre.*
Sa. señora *Frau.*
S.A. Su Alteza *Seine Hoheit*; Sociedad Anónima *Aktiengesellschaft.*
sáb. sábado *Sonnabend.*
s/c su cuenta *seine* (*Ihre*) *Rechnung.*
S.C. Sociedad Colectiva *Offene Handelsgesellschaft.*
s/c.c. su cuenta corriente *sein* (*Ihr*) *laufendes Konto.*
S.E. Su Excelencia *Seine Exzellenz.*
SE sudeste *Südost.*
SEAT Sociedad Española de Automóviles Turismo *Spanische FIAT-Werke.*
secret.^{a} secretaría *Sekretariat.*
S. en C. Sociedad en Comandita *Kommanditgesellschaft.*
sept.^{e}, **7**^{e}, **7**^{bre} septiembre *September.*
serv.^{or} servidor *Diener.*
set.^{e} setiembre *September.*
s.e.u.o. salvo error u omisión *Irrtum vorbehalten.*
s/f su favor *zu seinen Gunsten*; sin fecha *ohne Datum.*
s/fact. su factura *Ihre Rechnung.*
sig.^{te} siguiente *folgende*(*r*).
s/l su letra *sein Wechsel.*
s.l.n.a. sin lugar ni año *ohne Ort und Jahr.*
S.M. Su Majestad *Seine Majestät.*
s/n sin número *ohne Hausnummer.*
Sn San *Heiliger.*
SO sudoeste *Südwesten.*
s/o su orden *seine* (*Ihre*) *Order.*
S.P. Servicios Públicos *Öffentliche Dienste.*
s/P su pagaré *sein* (*Ihr*) *Eigenwechsel.*
s/p su pago *seine* (*Ihre*) *Zahlung.*
s/r su remesa *seine* (*Ihre*) *Sendung.*
Sr. Señor *Herr.*
Sra., Sras. Señora, Señoras *Frau, Frauen.*
Sres. o **S.**^{res} Señores *Herren.*
Sría. Secretaría *Sekretariat.*
S.R.L. Sociedad de Responsabilidad limitada *Gesellschaft mit beschränkter Haftung.*
Sr.^{ta} o **Srta.** Señorita *Fräulein.*
S.S. Su Santidad *Seine Heiligkeit.*
SSE sudsudeste *Südsüdost.*
SSO sudsudoeste *Südsüdwest.*
S.S.S. su seguro servidor *Ihr sehr ergebener.*
Sta. Santa *Heilige.*
Sto. Santo *Heiliger.*
supl.^{te} suplente *Stellvertreter.*

T

T. tomo *Band.*
t. tarde *nachmittags.*
TAF Tren Automotor Fiat *spanischer Triebwagenzug.*
TALGO Tren Articulado Ligero Goicoechea Oriol *spanischer Gliederzug aus Leichtmetall.*
ten.^{te} teniente *Oberleutnant.*
test.^{mto} testamento *Testament.*
test.^{o} testigo *Zeuge.*
tít. o **tít.**^{o} título *Titel.*
t.^{o} o **tom.** tomo *Band.*
ton.^{s} toneles *Fässer.*
tpo. tiempo *Zeit.*
trad. traducción *Übersetzung.*
trib.^{l} tribunal *Gericht.*
T.S. Tribunal Supremo *Oberster Gerichtshof.*
T.S.H. telegrafía sin hilos *drahtlose Telegraphie.*
T.V. Televisión *Fernsehen.*

U

U o **Ud.** Usted *Sie* (*sg.*).
Uds. Ustedes *Sie* (*pl.*).
U.E.O. Unión de Europa Occidental *Westeuropäische Union.*
UEP Unión Europea de Pagos *Europäische Zahlungsunion.*
URSS Unión de Repúblicas Socialistas Soviéticas *Union der Sozialistischen Sowjetrepubliken.*

V

V Usted *Sie* (*sg.*); véase *siehe.*
v vale *Gutschein*; versículo *Gesangbuchvers.*
vd. velocidad *Geschwindigkeit.*
Vda viuda *Witwe.*
Vd(s). Usted(es) *Sie* (*sg.* [*pl.*]).
V.E. Vuestra Excelencia *Euer Exzellenz.*
venct.^{o} vencimiento *Verfallstag.*
vg. verbigracia *zum Beispiel* (*z. B.*).
v.g. o **v.gr.** verbigracia *zum Beispiel.*
Vic.^{te} Vincente *Vinzenz.*
vier. viernes *Freitag.*
V.^{o} **B.**^{o} visto bueno *gesehen und genehmigt.*
vol. volumen *Band.*
vols. volúmenes *Bände.*
v/r valor recibido *Wert erhalten.*
vra., vro., vras., vros. vuestra, vuestro, vuestras, vuestros *eure, euer, eure.*
V.S. Vueseñoría o Usía *Anrede an hochgestellte Persönlichkeiten.*
v.^{ta}, **v.**^{to} vuelta, vuelto *umseitig.*
VV. Ustedes *Sie* (*pl.*).

X

Xpo. Cristo *Christus.*

Y

yds. yardas *Yards.*

Konjugation der spanischen Verben

Die den Verben im Wörterbuch in eckigen Klammern beigefügten Zahlen und Buchstaben [1b, 1c, 1d usw.] verweisen auf die folgenden Erläuterungen zur Konjugation der spanischen unregelmäßigen Verben. Nicht aufgeführte Formen werden regelmäßig gebildet.

Den Erläuterungen zur Konjugation der unregelmäßigen Verben sind Paradigmen der drei regelmäßigen Konjugationen vorangestellt. Auf sie wird im Wörterbuch nicht verwiesen, so daß hinter Verben fehlende Verweisziffern bedeuten, daß das betreffende Verb regelmäßig konjugiert wird.

pres. de ind. = presente de indicativo; *pres. de subj.* = presente de subjuntivo; *impf. de ind.* = imperfecto de indicativo; *impf. de subj.* = imperfecto de subjuntivo; *pret. indef.* = pretérito indefinido; *fut. de ind.* = futuro de indicativo; *fut. de subj.* = futuro de subjuntivo; *cond.* = condicional; *imp.* = imperativo; *ger.* = gerundio; *part.* = participio.

Erste Konjugation

A. Regelmäßige Konjugation der Verben auf -ar

Der Stamm bleibt in Schrift und Aussprache unverändert.

Indicativo

pres.: mando, mandas, manda, mandamos, mandáis, mandan

impf.: mandaba, mandabas, mandaba, mandábamos, mandabais, mandaban

pret. indef.: mandé, mandaste, mandó, mandamos, mandasteis, mandaron

fut.: mandaré, mandarás, mandará, mandaremos, mandaréis, mandarán

cond.: mandaría, mandarías, mandaría, mandaríamos, mandaríais, mandarían

Subjuntivo

pres.: mande, mandes, mande, mandemos, mandéis, manden

impf. I: mandara, mandaras, mandara, mandáramos, mandarais, mandaran

impf. II: mandase, mandases, mandase, mandásemos, mandaseis, mandasen

fut.: mandare, mandares, mandare, mandáremos, mandareis, mandaren

Imperativo

manda (no mandes), mande Vd., mandemos, mandad (no mandéis), manden Vds.

Infinitivo mandar — **Gerundio** mandando

Participio mandado

Die Bildung der **zusammengesetzten Zeiten** des Aktivs *aller* Verben erfolgt mit den Formen von haber [2k] und dem Partizip, das unverändert bleibt.

[1b] **cambiar** — Das *i* des Stammes ist unbetont; das Verb ist regelmäßig. Ebenso werden alle Verben auf *-iar* konjugiert, sofern sie nicht zum Typ *variar* [1c] gehören

[1c] **variar** — Das *i* wird in den stammbetonten Formen mit dem Akzent versehen. *pres. de ind.* varío, varías, varía, variamos, variáis, varían — *pret. indef.* varié — *pres. de subj.* varíe, varíes, varíe, variemos, variéis, varíen

[1d] **evacuar** — Das *u* des Stammes ist unbetont; das Verb ist regelmäßig. Ebenso werden alle Verben auf *-uar* konjugiert, sofern sie nicht zum Typ *acentuar* [1e] gehören

[1e] **acentuar** — Das *u* wird in den stammbetonten Formen mit dem Akzent versehen. *pres. de ind.* acentúo, acentúas, acentúa, acentuamos, acentuáis, acentúan — *pret. indef.* acentué — *pres. de subj.* acentúe, acentúes, acentúe, acentuemos, acentuéis, acentúen

[1f] **cruzar** — Der Stammauslaut *z* wird vor *e* in *c* verwandelt. Ebenso werden alle Verben auf *-zar* konjugiert. *pres. de ind.* cruzo — *pret. indef.* crucé, cruzaste, cruzó, cruzamos, cruzasteis, cruzaron — *pres. de subj.* cruce, cruces, cruce, crucemos, crucéis, crucen

[1g] **tocar** — Der Stammauslaut *c* wird vor *e* in *qu* verwandelt. *pres. de ind.* toco — *pret. indef.* to**qu**é, tocaste, tocó, tocamos, tocasteis, tocaron — *pres. de subj.* to**qu**e, to**qu**es, to**qu**e, to**qu**emos, to**qu**éis, to**qu**en

[1h] **pagar** — Der Stammauslaut *g* wird vor *e* in **gu** (*u* stumm!) verwandelt. Ebenso werden alle Verben auf *-gar* konjugiert. *pres. de ind.* pago — *pret. indef.* pa**gu**é, pagaste, pagó, pagamos, pagasteis, pagaron — *pres. de subj.* pa**gu**e, pa**gu**es, pa**gu**e, pa**gu**emos, pa**gu**éis, pa**gu**en

[1i] **fraguar** — Der Stammauslaut *gu* wird vor *e* in *gü* (*u* mit Trema lautend!) verwandelt. Ebenso werden alle Verben auf *-guar* konjugiert. *pres. de ind.* fraguo — *pret. indef.* fra**gü**é, fraguaste, fraguó, fraguamos, fraguasteis, fraguaron — *pres. de subj.* fra**gü**e, fra**gü**es, fra**gü**e, fra**gü**emos, fra**gü**éis, fra**gü**en

[1k] **pensar** — Betontes Stamm-*e* wird in *ie* verwandelt. *pres. de ind.* p**ie**nso, p**ie**nsas, p**ie**nsa, pensamos, pensáis, p**ie**nsan — *pret. indef.* pensé — *pres. de subj.* p**ie**nse, p**ie**nses, p**ie**nse, pensemos, penséis, p**ie**nsen

[1l] **errar** — Betontes Stamm-*e* wird, weil es am Anfang des Wortes steht, in *ye* verwandelt. *pres. de ind.* **ye**rro, **ye**rras, **ye**rra, erramos, erráis, **ye**rran — *pret. indef.* erré — *pres. de subj.* **ye**rre, **ye**rres, **ye**rre, erremos, erréis, **ye**rren

[1m] **contar** — Betontes Stamm-*o* wird in *ue* (*u* lautend!) verwandelt. *pres. de ind.* c**ue**nto, c**ue**ntas, c**ue**nta, contamos, contáis, c**ue**ntan — *pret. indef.* conté — *pres. de subj.* c**ue**nte, c**ue**ntes, c**ue**nte, contemos, contéis, c**ue**nten

[1n] **agorar** — Betontes Stamm-*o* wird in *üe* (*u* mit Trema lautend!) verwandelt. *pres. de ind.* ag**üe**ro, ag**üe**ras, ag**üe**ra, agoramos, agoráis, ag**üe**ran — *pret. indef.* agoré — *pres. de subj.* ag**üe**re, ag**üe**res, ag**üe**re, agoremos, agoréis, ag**üe**ren

[1o] **jugar** — Betontes Stamm-*u* wird in *ue* verwandelt. Der Stammauslaut *g* wird vor *e* in *gu* (*u* stumm!) verwandelt (vgl. pagar [1h]); *con-*

jugar und *enjugar* sind regelmäßig. *pres. de ind.* juego, juegas, juega, jugamos, jugáis, juegan — *pret. indef.* jugué, jugaste, jugó, jugamos, jugasteis, jugaron — *pres. de subj.* juegue, juegues, juegue, juguemos, juguéis, jueguen

[1p] **estar** — *pres. de ind.* estoy, estás, está, estamos, estáis, están — *impf. de ind.* estaba — *pret. indef.* estuve, estuviste, estuvo, estuvimos, estuvisteis, estuvieron — *fut. de ind.* estaré — *cond.* estaría — *pres. de subj.* esté, estés, esté, estemos, estéis, estén — *impf. de subj.* estuviera (estuviese), estuvieras (estuvieses), estuviera (estuviese), estuviéramos (estuviésemos), estuvierais (estuvieseis), estuvieran (estuviesen) — *fut. de subj.* estuviere, estuvieres, estuviere, estuviéremos, estuviereis, estuvieren — *imp.* está (no estés), esté Vd., estemos, estad (no estéis), estén Vds. — *ger.* estando — *part.* estado

[1q] **andar** — Unregelmäßig sind nur die Formen des *pret. indef.* und Ableitungen: anduve, anduviste, anduve, anduvimos, anduvisteis, anduvieron

[1r] **dar** — Unregelmäßig sind außer der 1. Person des *pres. de ind.* und der 1. und 3. Person des *pres. de subj.* (Akzent) nur die Formen des *pret. indef.* und Ableitungen: *pres. de ind.* doy, das, da, damos, dais, dan — *pret. indef.* di, diste, dio, dimos, disteis, dieron — *pres. de subj.* dé, des, dé, demos, deis, den

Zweite Konjugation

A. Regelmäßige Konjugation der Verben auf -er

Der Stamm bleibt in Schrift und Aussprache unverändert.

Indicativo

pres.: vendo, vendes, vende, vendemos, vendéis, venden

impf.: vendía, vendías, vendía, vendíamos, vendíais, vendían

pret. indef.: vendí, vendiste, vendió, vendimos, vendisteis, vendieron

fut.: venderé, venderás, venderá, venderemos, venderéis, venderán

cond.: vendería, venderías, vendería, venderíamos, venderíais, venderían

Subjuntivo

pres.: venda, vendas, venda, vendamos, vendáis, vendan

impf. I: vendiera, vendieras, vendiera, vendiéramos, vendierais, vendieran

impf. II: vendiese, vendieses, vendiese, vendiésemos, vendieseis, vendiesen

fut.: vendiere, vendieres, vendiere, vendiéremos, vendiereis, vendieren

Imperativo

vende (no vendas), venda Vd., vendamos, vended (no vendáis), vendan Vds.

Infinitivo	Gerundio
vender	vendiendo

Participio
vendido

Die Bildung der **zusammengesetzten Zeiten** des Aktivs *aller* Verben erfolgt mit den Formen von haber [2k] und dem Partizip, das unverändert bleibt.

[2b] **vencer** — Der Stammauslaut *c* wird vor *a* und *o* in *z* verwandelt. *pres. de ind.* venzo, vences, vence, vencemos, vencéis, vencen — *pret. indef.* vencí — *pres. de subj.* venza, venzas, venza, venzamos, venzáis, venzan

[2c] **coger** — Der Stammauslaut *g* wird vor *a* und *o* in *j* verwandelt. *pres. de ind.* cojo, coges, coge, cogemos, cogéis, cogen — *pret. indef.* cogí — *pres. de subj.* coja, cojas, coja, cojamos, cojáis, cojan

[2d] **merecer** — Der Stammauslaut *c* wird vor *a* und *o* in *zc* verwandelt. *pres. de ind.* merezco, mereces, merece, merecemos, merecéis, merecen — *pret. indef.* merecí — *pres. de subj.* merezca, merezcas, merezca, merezcamos, merezcáis, merezcan

[2e] **creer** — Unbetontes *i* zwischen zwei Vokalen wird in *y* verwandelt. *pres. de ind.* creo — *pret. indef.* creí, creíste, creyó, creímos, creísteis, creyeron — *pres. de subj.* crea — *ger.* creyendo — *part.* creído

[2f] **tañer** — Unbetontes *i* nach *ñ* und *ll* fällt aus. *pres. de ind.* taño — *pret. indef.* tañí, tañiste, tañó, tañimos, tañisteis, tañeron — *pres. de subj.* taña — *ger.* tañendo — *part.* tañido

[2g] **perder** — Betontes Stamm-*e* wird in *ie* verwandelt. *pres. de ind.* pierdo, pierdes, pierde, perdemos, perdéis, pierden — *pret. indef.* perdí — *pres. de subj.* pierda, pierdas, pierda, perdamos, perdáis, pierdan

[2h] **mover** — Betontes Stamm-*o* wird in *ue* verwandelt. Verben auf *-olver* haben im *part.* die Endung *-uelto*. *pres. de ind.* muevo, mueves, mueve, movemos, movéis, mueven — *pret. indef.* moví — *pres. de subj.* mueva, muevas, mueva, movamos, mováis, muevan — **absolver:** *part.* absuelto

[2i] **oler** — Am Anfang des Wortes stehendes betontes Stamm-*o* wird in *hue-* verwandelt. *pres. de ind.* huelo, hueles, huele, olemos, oléis, huelen — *pret. indef.* olí — *pres. de subj.* huela, huelas, huela, olamos, oláis, huelan

[2k] **haber** — *pres. de ind.* he, has, ha, hemos, habéis, han — *impf. de ind.* había — *pret. indef.* hube, hubiste, hubo, hubimos, hubisteis, hubieron — *fut. de ind.* habré — *cond.* habría — *pres. de subj.* haya, hayas, haya, hayamos, hayáis, hayan — *impf. de subj.* hubiera (hubiese) — *fut. de subj.* hubiere — *imp.* he (no hayas), haya Vd., hayamos, habed (no hayáis), hayan Vds. — *ger.* habiendo — *part.* habido

[2l] **tener** — *pres. de ind.* tengo, tienes, tiene, tenemos, tenéis, tienen — *impf. de ind.* tenía — *pret. indef.* tuve, tuviste, tuvo, tuvimos, tuvisteis, tuvieron — *fut. de ind.* tendré — *cond.* tendría — *pres. de subj.* tenga, tengas, tenga, tengamos, tengáis, tengan — *impf. de subj.* tuviera (tuviese) — *fut. de subj.* tuviere — *imp.* ten (no tengas), tenga Vd., tengamos, tened (no tengáis), tengan Vds. — *ger.* teniendo — *part.* tenido

[2m] **caber** — *pres. de ind.* quepo, cabes, cabe, cabemos, cabéis, caben — *impf. de ind.* cabía — *pret. indef.* cupe, cupiste, cupo, cupimos, cupisteis, cupieron — *fut. de ind.* cabré — *cond.* cabría — *pres. de subj.* quepa, quepas, quepa, quepamos, quepáis, quepan — *imp.* cabe (no quepas), quepa Vd., quepamos, cabed (no quepáis), quepan Vds. — *ger.* cabiendo — *part.* cabido

[2n] **saber** — *pres. de ind.* sé, sabes, sabe, sabemos, sabéis, saben — *impf. de ind.* sabía — *pret. indef.* supe, supiste, supo, supimos, supisteis, supieron — *fut. de ind.* sabré — *cond.* sabría — *pres. de subj.* sepa, sepas, sepa, sepamos, sepáis, sepan — *imp.* sabe (no sepas), sepa Vd., sepamos, sabed (no sepáis), sepan Vds. — *ger.* sabiendo — *part.* sabido

[2o] **caer** — *pres. de ind.* caigo, caes, cae, caemos, caéis, caen — *impf. de ind.* caía — *pret. indef.* caí, caíste, cayó, caímos, caísteis, cayeron — *pres. de subj.* caiga, caigas, caiga, caigamos, caigáis, caigan — *imp.* cae (no caigas), caiga Vd., caigamos, caed (no caigáis), caigan Vds. — *ger.* cayendo — *part.* caído

[2p] **traer** — *pres. de ind.* traigo, traes, trae, traemos, traéis, traen — *impf. de ind.* traía — *pret. indef.* traje, trajiste, trajo, trajimos, trajisteis, trajeron — *pres. de subj.* traiga, traigas, traiga, traigamos, traigáis, traigan — *imp.* trae (no traigas), traiga Vd., traigamos, traed (no traigáis), traigan Vds. — *ger.* trayendo — *part.* traído

[2q] **valer** — *pres. de ind.* valgo, vales, vale, valemos, valéis, valen — *impf. de ind.* valía — *pret. indef.* valí — *fut. de ind.* valdré — *cond.* valdría — *pres. de subj.* valga, valgas, valga, valgamos, valgáis, valgan — *imp.* vale (no valgas), valga Vd., valgamos, valed (no valgáis), valgan Vds. — *ger.* valiendo — *part.* valido

[2r] **poner** — *pres. de ind.* pongo, pones, pone, ponemos, ponéis, ponen — *impf. de ind.* ponía — *pret. indef.* puse, pusiste, puso, pusimos, pusisteis, pusieron — *fut. de ind.* pondré — *cond.* pondría — *pres. de subj.* ponga, pongas, ponga, pongamos, pongáis, pongan — *imp.* pon (no pongas), ponga Vd., pongamos, poned (no pongáis), pongan Vds. — *ger.* poniendo — *part.* puesto

[2s] **hacer** — *pres. de ind.* hago, haces, hace, hacemos, hacéis, hacen — *impf. de ind.* hacía — *pret. indef.* hice, hiciste, hizo, hicimos, hicisteis, hicieron — *fut. de ind.* haré — *cond.* haría — *pres. de subj.* haga, hagas, haga, hagamos, hagáis, hagan — *imp.* haz (no hagas),

haga Vd., hagamos, haced (no hagáis), hagan Vds. — *ger.* haciendo — *part.* hecho

[2t] **poder** — *pres. de ind.* puedo, puedes, puede, podemos, podéis, pueden — *impf. de ind.* podía — *pret. indef.* pude, pudiste, pudo, pudimos, pudisteis, pudieron — *fut. de ind.* podré — *cond.* podría — *pres. de subj.* pueda, puedas, pueda, podamos, podáis, puedan — *imp.* puede (no puedas), pueda Vd., podamos, poded (no podáis), puedan Vds. — *ger.* pudiendo — *part.* podido

[2u] **querer** — *pres. de ind.* quiero, quieres, quiere, queremos, queréis, quieren — *impf. de ind.* quería — *pret. indef.* quise, quisiste, quiso, quisimos, quisisteis, quisieron — *fut. de ind.* querré — *cond.* querría — *pres. de subj.* quiera, quieras, quiera, queramos, queráis, quieran — *imp.* quiere (no quieras), quiera Vd., queramos, quered (no queráis), quieran Vds. — *ger.* queriendo — *part.* querido

[2v] **ver** — *pres. de ind.* veo, ves, ve, vemos, veis, ven — *impf. de ind.* veía — *pret. indef.* vi, viste, vio, vimos, visteis, vieron — *pres. de subj.* vea, veas, vea, veamos, veáis, vean — *imp.* ve (no veas), vea Vd., veamos, ved (no veáis), vean Vds. — *ger.* viendo — *part.* visto

[2w] **ser** — *pres. de ind.* soy, eres, es, somos, sois, son — *impf. de ind.* era, eras, era, éramos, erais, eran — *pret. indef.* fui, fuiste, fue, fuimos, fuisteis, fueron — *pres. de subj.* sea, seas, sea, seamos, seáis, sean — *impf. de subj.* fuera (fuese) — *fut. de subj.* fuere — *imp.* sé (no seas), sea Vd., seamos, sed (no seáis), sean Vds. — *ger.* siendo — *part.* sido

[2x] **placer** — Fast nur in der 3. Person *sg.* gebräuchlich. Unregelmäßige Formen: *pres. de subj.* plega und plegue neben plazca — *pret. indef.* plugo (oder plació), pluguieron (oder placieron) — *impf. de subj.* pluguiera, pluguiese (oder placiera, placiese) — *fut de subj.* pluguiere (oder placiere)

[2y] **yacer** — Fast nur in der 3. Person *sg.* gebräuchlich. *pres. de ind.* yazco (oder yazgo, yago), yaces, yace usw. — *pres. de subj.* yazca (oder yazga, yaga), yazcas, yazca usw. — *imp.* yace und yaz

[2z] **raer** — *pres. de ind.* raigo (oder rayo), raes, rae usw. — *pres. de subj.* raiga (oder raya), raigas (oder rayas), raiga (oder raya) usw. Sonst regelmäßig

[2za] **roer** — *pres. de ind.* roigo (oder royo), roes, roe usw. — *pres. de subj.* roiga (oder roya), roigas (oder royas), roiga (oder roya) usw. Sonst regelmäßig

Dritte Konjugation

A. Regelmäßige Konjugation der Verben auf -ir

Der Stamm bleibt in Schrift und Aussprache unverändert.

Indicativo

pres.: recibo, recibes, recibe, recibimos, recibís, reciben

impf.: recibía, recibías, recibía, recibíamos, recibíais, recibían

pret. indef.: recibí, recibiste, recibió, recibimos, recibisteis, recibieron

fut.: recibiré, recibirás, recibirá, recibiremos, recibiréis, recibirán

cond.: recibiría, recibirías, recibiría, recibiríamos, recibiríais, recibirían

Subjuntivo

pres.: reciba, recibas, reciba, recibamos, recibáis, reciban

impf. I: recibiera, recibieras, recibiera, recibiéramos, recibierais, recibieran

impf. II: recibiese, recibieses, recibiese, recibiésemos, recibieseis, recibiesen

fut.: recibiere, recibieres, recibiere, recibiéremos, recibiereis, recibieren

Imperativo

recibe (no recibas), reciba Vd., recibamos, recibid (no recibáis), reciban Vds.

Infinitivo recibir — **Gerundio** recibiendo

Participio recibido

Die Bildung der **zusammengesetzten Zeiten** des Aktivs *aller* Verben erfolgt mit den Formen von haber [2k] und dem Partizip, das unverändert bleibt.

[3b] **esparcir** — Der Stammauslaut *c* wird vor *a* und *o* in *z* verwandelt. *pres. de ind.* esparzo, esparces, esparce, esparcimos, esparcís, esparcen — *pret. indef.* esparcí — *pres. de subj.* esparza, esparzas, esparza, esparzamos, esparzáis, esparzan

[3c] **dirigir** — Der Stammauslaut *g* wird vor *a* und *o* in *j* verwandelt. *pres. de ind.* dirijo, diriges, dirige, dirigimos, dirigís, dirigen — *pret. indef.* dirigí — *pres. de subj.* dirija, dirijas, dirija, dirijamos, dirijáis, dirijan

[3d] **distinguir** — Das *u* nach dem Stammauslaut *g* fällt vor *a* und *o* aus. *pres. de ind.* distingo, distingues, distingue, distinguimos, distinguís, distinguen — *pret. indef.* distinguí — *pres. de subj.* distinga, distingas, distinga, distingamos, distingáis, distingan

[3e] **delinquir** — Der Stammauslaut *qu* wird vor *a* und *o* in *c* verwandelt. *pres. de ind.* delinco, delinques, delinque, delinquimos, delinquís, delinquen — *pret. indef.* delinquí — *pres. de subj.* delinca, delincas, delinca, delincamos, delincáis, delincan

[3f] **lucir** — Der Stammauslaut *c* wird vor *a* und *o* in *zc* verwandelt. *pres. de ind.* luzco, luces, luce, lucimos, lucís, lucen — *pret. indef.* lucí — *pres. de subj.* luzca luzcas, luzca, luzcamos, luzcáis, luzcan

[3g] **concluir** — Fügt in allen Formen, deren Endung nicht mit einem silbenbildenden *i* beginnt, ein *y* hinter dem Stamm ein. *pres. de ind.* concluyo, concluyes, concluye, concluimos, concluís, concluyen — *pret. indef.* concluí, concluiste, concluyó, concluimos, concluisteis, concluyeron — *pres. de subj.* concluya, concluyas, concluya, concluyamos, concluyáis, concluyan — *ger.* concluyendo — *part.* concluido

[3h] **gruñir** — Unbetontes *i* fällt nach *ñ* aus*. *pres. de ind.* gruño, gruñes, gruñe, gruñimos, gruñís, gruñen — *pret. indef.* gruñí, gruñiste, gruñó, gruñimos, gruñisteis, gruñeron — *pres. de subj.* gruña, gruñas, gruña, gruñamos, gruñáis, gruñan — *ger.* gruñendo — *part.* gruñido

[3i] **sentir** — Betontes Stamm-*e* wird in *ie* verwandelt. Unbetontes Stamm-*e* wird in der 1. und 2. Person *pl.* des *pres. de subj.***, in der 3. Person *sg.* und *pl.* des *pret. indef.* sowie im *ger.* in *i* verwandelt. *pres. de ind.* siento, sientes, siente, sentimos, sentís, sienten — *pret. indef.* sentí, sentiste, sintió, sentimos, sentisteis, sintieron — *pres. de subj.* sienta, sientas, sienta, sintamos, sintáis, sientan — *ger.* sintiendo — *part.* sentido

[3k] **dormir** — Betontes Stamm-*o* wird in *ue* verwandelt. Unbetontes Stamm-*o* wird in der 1. und 2. Person *pl.* des *pres. de subj.*, in der 3. Person *sg.* und *pl.* des *pret. indef.* sowie im *ger.* in *u* verwandelt. *pres. de ind.* duermo, duermes, duerme, dormimos, dormís, duermen — *pret. indef.* dormí, dormiste, durmió, dormimos, dormisteis, durmieron — *pres. de subj.* duerma, duermas, duerma, durmamos, durmáis, duerman — *ger.* durmiendo — *part.* dormido

[3l] **medir** — Betontes Stamm-*e* wird in *i* verwandelt. Unbetontes Stamm-*e* wird in der 1. und 2. Person *pl.* des *pres. de subj.*, in der 3. Person *sg.* und *pl.* des *pret. indef.* sowie im *ger.* ebenfalls in *i* verwandelt. *pres. de ind.* mido, mides, mide, medimos, medís, miden — *pret. indef.* medí, mediste, midió, medimos, medisteis, midieron — *pres. de subj.* mida, midas, mida, midamos, midáis, midan — *ger.* midiendo — *part.* medido

[3m] **reír** — *pres. de ind.* río, ríes, ríe, reímos, reís, ríen — *impf. de ind.* reía — *pret. indef.* reí, reíste, rió, reímos, reísteis, rieron — *fut. de ind.* reiré — *cond.* reiría — *pres. de subj.* ría, rías, ría, riamos, riáis, rían — *imp.* ríe (no rías), ría Vd.,

---

*Ebenso nach *ch* und *ll*: **henchir** — hinchó, hincheron, hinchendo; **mullir** — mulló, mulleron, mullendo

In **adquirir u. a. wird betontes Stamm-*i* in *ie* verwandelt. *pres. de ind.* adquiero, adquieres, adquiere, adquirimos, adquirís, adquieren — *pres. de subj.* adquiera, adquieras, adquiera, adquiramos, adquiráis, adquieran

riamos, reíd (no riáis), rían Vds. — *ger.* riendo — *part.* reído

[3n] **erguir** — Betontes Stamm-*e* wird in *i* verwandelt. Unbetontes Stamm-*e* wird in der 1. und 2. Person *pl.* des *pres. de subj.*, in der 3. Person *sg.* und *pl.* des *pret. indef.* sowie im *ger.* ebenfalls in *i* verwandelt. Nebenformen in *pres. de ind.*, *pres. de subj.* und *imp. pres. de ind.* **i**rgo (yergo), **i**rgues (yergues), **i**rgue (yergue), erguimos, erguís, **i**rguen (yerguen) — *pret. indef.* erguí, erguiste, **i**rguió, erguimos, erguisteis, **i**rguieron — *pres. de subj.* **i**rga (yerga), **i**rgas (yergas), **i**rga (yerga), **i**rgamos (yergamos), **i**rgáis (yergáis), **i**rgan (yergan) — *imp.* **i**rgue *od.* yergue (no **i**rgas *od.* yergas), **i**rga Vd. (yerga Vd.), **i**rgamos (yergamos), erguid (no **i**rgáis *od.* yergáis), **i**rgan Vds. (yergan Vds.) — *ger.* **i**rguiendo — *part.* erguido

[3o] **conducir** — Der Stammauslaut *c* wird vor *a* und *o* in *zc* verwandelt. Unregelmäßiges *pret. indef.* auf *-uje. pres. de ind.* conduzco, conduces, conduce, conducimos, conducís, conducen — *pret. indef.* conduje, condujiste, condujo, condujimos, condujisteis, condujeron — *pres. de subj.* conduzca, conduzcas, conduzca, conduzcamos, conduzcáis, conduzcan

[3p] **decir** — *pres. de ind.* digo, dices, dice, decimos, decís, dicen — *impf. de ind.* decía — *pret. indef.* dije, dijiste, dijo, dijimos, dijisteis, dijeron — *fut. de ind.* diré — *cond.* diría — *pres. de subj.* diga, digas, diga, digamos, digáis, digan — *imp.* di (no digas), diga Vd., digamos, decid (no digáis), digan Vds. — *ger.* diciendo — *part.* dicho

[3q] **oír** — *pres. de ind.* oigo, oyes, oye, oímos, oís, oyen — *impf. de ind.* oía — *pret. indef.* oí, oíste, oyó, oímos, oísteis, oyeron — *fut. de ind.* oiré — *cond.* oiría — *pres. de subj.* oiga, oigas, oiga, oigamos, oigáis, oigan — *imp.* oye (no oigas), oiga Vd., oigamos, oíd (no oigáis), oigan Vds. — *ger.* oyendo — *part.* oído

[3r] **salir** — *pres. de ind.* salgo, sales, sale, salimos, salís, salen — *impf. de ind.* salía — *pret. indef.* salí — *fut. de ind.* saldré — *cond.* saldría — *pres. de subj.* salga, salgas, salga, salgamos, salgáis, salgan — *imp.* sal (no salgas), salga Vd., salgamos, salid (no salgáis), salgan Vds.

[3s] **venir** — *pres. de ind.* vengo, vienes, viene, venimos, venís, vienen — *impf. de ind.* venía — *pret. indef.* vine, viniste, vino, vinimos, vinisteis, vinieron — *fut. de ind.* vendré — *cond.* vendría — *pres. de subj.* venga, vengas, venga, vengamos, vengáis, vengan — *imp.* ven (no vengas), venga Vd., vengamos, venid (no vengáis), vengan Vds. — *ger.* viniendo — *part.* venido

[3t] **ir** — *pres. de ind.* voy, vas, va, vamos, vais, van — *impf. de ind.* iba, ibas, iba, íbamos, ibais, iban — *pret. indef.* fui, fuiste, fue, fuimos, fuisteis, fueron — *fut. de ind.* iré — *cond.* iría — *pres. de subj.* vaya, vayas, vaya, vayamos, vayáis, vayan — *imp.* ve (no vayas), vaya Vd., vayamos, id (no vayáis), vayan Vds. — *ger.* yendo — *part.* ido

Zahlwörter

Numerales

Grundzahlen
Números cardinales

0 cero
1 uno, una
2 dos
3 tres
4 cuatro
5 cinco
6 seis
7 siete
8 ocho
9 nueve
10 diez
11 once
12 doce
13 trece
14 catorce
15 quince
16 dieciséis
17 diecisiete
18 dieciocho
19 diecinueve
20 veinte
21 veintiuno
22 veintidós
30 treinta
31 treinta y uno
40 cuarenta
50 cincuenta
60 sesenta
70 setenta
80 ochenta
90 noventa
100 ciento, cien
101 ciento uno
200 doscientos
300 trescientos
400 cuatrocientos
500 quinientos
600 seiscientos
700 setecientos
800 ochocientos
900 novecientos
1000 mil
1875 mil ochocientos setenta y cinco
3000 tres mil
100 000 cien mil
500 000 quinientos mil
1 000 000 un millón (de)
2 000 000 dos millones (de)

Ordnungszahlen
Números ordinales

1.º primero
2.º segundo
3.º tercero
4.º cuarto
5.º quinto
6.º sexto
7.º sé(p)timo
8.º octavo
9.º noveno, nono
10.º décimo
11.º undécimo
12.º duodécimo
13.º décimotercero, décimotercio
14.º décimocuarto
15.º décimoquinto
16.º décimosexto
17.º décimoséptimo
18.º décimoctavo
19.º décimonoveno, décimonono
20.º vigésimo
21.º vigésimo primero, vigésimo primo
22.º vigésimo segundo
30.º trigésimo
31.º trigésimo prim(er)o
40.º cuadragésimo
50.º quincuagésimo
60.º sexagésimo
70.º septuagésimo
80.º octogésimo
90.º nonagésimo
100.º centésimo
101.º centésimo primero
200.º ducentésimo
300.º tricentésimo
400.º cuadringentésimo
500.º quingentésimo
600.º sexcentésimo
700.º septingentésimo
800.º octingentésimo
900.º noningentésimo
1000.º milésimo
1875º. milésimo octingentésimo septuagésimo quinto
3000.º tres milésimo
100 000.º cien milésimo
500 000.º quinientos milésimo
1 000 000.º millonésimo
2 000 000.º dos millonésimo

Bruchzahlen
Números quebrados

$^{1}/_{2}$ medio, media; $1^{1}/_{2}$ uno y medio; $^{1}/_{2}$ *Meile* media legua; $1^{1}/_{2}$ *Meile* legua y media.

$^{1}/_{3}$ un tercio; $^{2}/_{3}$ dos tercios.

$^{1}/_{4}$ un cuarto; $^{3}/_{4}$ tres cuartos *od.* las tres cuartas partes; $^{1}/_{4}$ *Stunde* un cuarto de hora; $1^{1}/_{4}$ *Stunde* una hora y un cuarto.

$^{1}/_{5}$ un quinto; $3^{4}/_{5}$ tres y cuatro quintos.

$^{1}/_{11}$ un onzavo; $^{5}/_{12}$ cinco dozavos; $^{7}/_{13}$ siete trezavos *usw.*

Vervielfältigungszahlen
Números proporcionales

Einfach simple, **zweifach** doble, duplo, **dreifach** triple, **vierfach** cuádruplo, **fünffach** quíntuplo *usw.*

Einmal una vez; **zwei-, drei-, viermal** *usw.* dos, tres, cuatro veces; *zweimal soviel* dos veces más; *noch einmal* otra vez.

Erstens, zweitens, drittens *usw.* primero, segundo, tercero (1.º, 2.º, 3.º); en primer lugar, en segundo lugar *usw.*; primeramente.

$7 + 8 = 15$ = siete y ocho son quince.

$10 - 3 = 7$ = diez menos tres son siete. de tres a diez van siete.

$2 \times 3 = 6$ = dos por tres son seis.

$20 : 4 = 5$ = veinte dividido por cuatro es cinco. veinte entre cuatro son cinco.

Spanische Maße und Gewichte

Medidas y pesos españoles

a) Längenmaße
Medidas de longitud

1 metro = 10 decímetros = 100 centímetros.

1 kilómetro = 1000 metros.

1 vara *Elle* = 0,835 metros.

1 pulgada *Zoll* = 23 mm.

b) Hohlmaße
Medidas de capacidad

1 litro *Liter*.

1 hectolitro *Hektoliter*.

c) Flächenmaße
Medidas de superficie

1 metro cuadrado *Quadratmeter*.

1 área = 100 qm.

1 hectárea = 100 áreas.

d) Kubikmaße
Medidas cúbicas

1 centímetro cúbico *Kubikzentimeter*.

1 metro cúbico *Kubikmeter*.

e) Gewichte
Pesos

1 gramo *Gramm*.

1 kilogramo *Kilogramm*.

1 quintal *Zentner*.

1 tonelada = 1000 kg.

Das spanische Alphabet

A a	B b	C c	Ch ch	D d	E e	F f	G g	H h	I i	J j	K k	L l	Ll ll	M m	N n	Ñ ñ
a	be	θe	tʃe	de	e	ˈefe	xe	ˈatʃe	i	ˈxota	ka	ˈele	ˈeʎe	ˈeme	ˈene	ˈeɲe

O o	P p	Q q	R r	S s	T t	U u	V v	W w	X x	Y y	Z z
o	pe	ku	ˈere	ˈese	te	u	be	ˈdoƀleƀe	ˈekis	i ˈgrĭega	ˈθeđa

LANGENSCHEIDTS
HANDWÖRTERBÜCHER

LANGENSCHEIDTS HANDWÖRTERBUCH SPANISCH

Teil II
Deutsch-Spanisch

Von

Prof. Enrique Alvarez-Prada

LANGENSCHEIDT

BERLIN · MÜNCHEN · WIEN · ZÜRICH

Die Nennung von Waren erfolgt in diesem Werk, wie in Nachschlagewerken üblich, ohne Erwähnung etwa bestehender Patente, Gebrauchsmuster oder Warenzeichen. Das Fehlen eines solchen Hinweises begründet also nicht die Annahme, eine Ware sei frei.

Auflage: 14. 13. 12. 11. 10. | Letzte Zahlen
Jahr: 1983 82 81 80 79 | maßgeblich

Druck: Druckhaus Langenscheidt, Berlin-Schöneberg
Printed in Germany / ISBN 3-468-04345-7

Vorwort

Das vorliegende Wörterbuch möchte den seit langem bestehenden Wunsch nach einem umfangreichen, modernen deutsch-spanischen Handwörterbuch erfüllen. Wir waren deshalb bestrebt, dem Benutzer den modernen lebendigen Wortschatz der deutschen und spanischen Sprache möglichst vielseitig, zugleich aber auch in übersichtlicher Form zu vermitteln und ihm überdies die Möglichkeit zu geben, die richtige Anwendung der Wörter an zahlreichen Anwendungsbeispielen zu erkennen.

Unter diesem Gesichtspunkt gesehen wurden auch Ausdrücke und Wendungen der Umgangssprache aufgenommen und je nach ihrer Gebrauchsebene durch ein F (= familiär) oder P (= populär) im Deutschen und entsprechend im Spanischen von der Hochsprache abgehoben, so beispielsweise

abgebrannt sein, abkratzen, abwimmeln, anpumpen, büffeln, hinhauen u. a. m.

Stark vertreten sind auch die idiomatischen Redensarten. Nicht vergebens wird man in diesem Wörterbuch die spanischen Entsprechungen suchen für deutsche Redensarten wie

aus allen Wolken fallen, nicht auf den Kopf gefallen sein, auf dem letzten Loch pfeifen, einen Bären aufbinden, kein Blatt vor den Mund nehmen u. a. m.

Ausgiebig kommen auch die zahlreichen Neubildungen zu ihrem Recht, um die sich der Wortschatz beider Sprachen in den letzten Jahren und Jahrzehnten infolge der modernen Entwicklung auf allen Lebensgebieten bereichert hat. Um nur einige wenige zu nennen:

Farbfernsehen (televisión en color), Fertighaus (casa prefabricada), Lochkartensystem (sistema de fichas perforadas), Preisbindung (acuerdo sobre precios), sozialer Wohnungsbau (construcción de viviendas baratas), Trennungszulage (subsidio de separación) u. a. m.

Ebenso wurde versucht, den ständig wachsenden Wortschatz der verschiedenen Fach- und Berufssprachen in seinen verschiedenen Aspekten aufzunehmen, sei es allgemein auf den Gebieten der Technik, der Medizin, der Naturwissenschaften, des Handels, des Verkehrs- und Militärwesens, oder auch auf spezifisch modernen Gebieten wie denen der Luftfahrt, des Rundfunks und des Fernsehens, des Sports und des Fremdenverkehrs. Daneben wurde der Wortschatz von Kunst und Literatur ebenso berücksichtigt wie der der Rechtspflege, der Verwaltung und der Politik.

Angesichts der ständig wachsenden Bedeutung der wirtschaftlichen und kulturellen Beziehungen zwischen den lateinamerikanischen Staaten und den deutschsprachigen Ländern hat der lateinamerikanische Wortschatz besondere Berücksichtigung erfahren.

Die Darstellung der deutschen Phonetik nach dem System der Association Phonétique Internationale sowie die Hinweise auf die deutsche Deklination und Konjugation stammen von Herrn Dr. Heinz F. Wendt, Verlagslektor bei der Langenscheidt KG.

Die Kenntnis und den Gebrauch der spanischen und der deutschen Sprache zu fördern und zu vertiefen, ist der höhere Zweck dieses Wörterbuches. Möge es ihn erfüllen und so dazu beitragen, die zwischen den Ländern spanischer Sprache und den deutschsprachigen Gebieten bestehenden wirtschaftlichen, kulturellen und wissenschaftlichen Beziehungen zu stärken und zu festigen.

DER VERLAG

Prólogo

El presente libro aspira a satisfacer la necesidad, existente desde hace ya largo tiempo, de disponer de un diccionario manual alemán-español, moderno y de amplio contenido. Para conseguir esta finalidad se ha puesto especial empeño en recoger el vocabulario de ambos idiomas en su forma más viva y actual, atendiendo a los más variados aspectos y procurando, al propio tiempo, facilitar la comprensión y el adecuado empleo de las palabras mediante numerosos ejemplos prácticos.

Con ese mismo criterio han sido recogidos también abundantes giros y expresiones del lenguaje coloquial, distinguiéndolos según la modalidad de su empleo bien sea con una F (= familiar) o bien con una P (= popular). Citemos como ejemplo a este respecto expresiones tales como

abgebrannt sein, abkratzen, abwimmeln, anpumpen, büffeln, hinhauen

entre otras muchas.

Amplia cabida han hallado también aquí las locuciones idiomáticas y los modismos de frecuente uso. No en vano se buscarán en este diccionario las equivalencias españolas de modismos alemanes tales como, por ejemplo:

aus allen Wolken fallen, nicht auf den Kopf gefallen sein, auf dem letzten Loch pfeifen, einen Bären aufbinden, kein Blatt vor den Mund nehmen

y otros muchos por el estilo.

Señalada importancia se ha concedido asimismo a los numerosos neologismos que en los últimos años y decenios han enriquecido el léxico de ambos idiomas como consecuencia del progreso experimentado en vastos campos de actividad de la vida moderna. Para sólo citar algunos ejemplos mencionemos a este respecto los siguientes neologismos:

Farbfernsehen (televisión en color); Fertighaus (casa prefabricada); Lochkartensystem (sistema de fichas perforadas); Preisbindung (acuerdo sobre precios); sozialer Wohnungsbau (construcción de viviendas baratas); Trennungszulage (subsidio de separación)

y otros muchos.

Igualmente se ha intentado incluir en este diccionario manual las cada vez más ricas terminologías técnica y profesional en sus diversos aspectos, seleccionando aquellos vocablos de uso más frecuente en una y otra. Esto se ha hecho con carácter general en los terrenos concernientes a la Tecnología, la Medicina, las Ciencias Naturales, el Comercio, las Comunicaciones y la vida militar, pero también en lo referente a campos de actividades específicamente modernos tales como la aviación, la radio, la televisión, los deportes y el turismo. Igual consideración se ha otorgado a la terminología de las Artes, la Literatura, la Jurisprudencia, la Administración y la Política.

En atención a la creciente importancia de las relaciones económicas y culturales entre los países sudamericanos y los de lengua alemana, se ha tenido en cuenta también el vocabulario de los países americanos de habla española.

La representación gráfica de la fonética alemana según el sistema de la Association Phonétique Internationale, así como las indicaciones relativas a la declinación y a la conjugación alemanas que figuran en este diccionario, han sido elaboradas por el señor Dr. Heinz F. Wendt, Lector de la Casa Editorial Langenscheidt KG.

Fomentar y extender el conocimiento y el uso de los idiomas español y alemán es el alto fin que persigue el presente diccionario. Sea lograda su consecución contribuyendo así a fortalecer y consolidar las relaciones económicas, culturales y científicas existentes entre los países de habla española y los de lengua alemana.

La Editorial

Inhaltsverzeichnis

Índice

Vorwort	5
Prólogo	6
Hinweise für die Benutzung des Wörterbuches Instrucciones para el uso del diccionario	9
Erklärung der Zeichen und Abkürzungen Explicación de los signos y abreviaturas convencionales	11
Alfabeto alemán	14
Normas generales para la pronunciación alemana	15
Valor fonético de las letras y de los diversos grupos de letras	19
Deutsch-Spanisches Wörterverzeichnis Vocabulario Alemán-Español	25
Deutsche Maße und Gewichte Medidas y pesos alemanes	764
Gebräuchliche Abkürzungen der deutschen Sprache Abreviaturas más usuales de la lengua alemana	765
Zahlwörter Adjetivos numerales	768

Hinweise für die Benutzung des Wörterbuches

Instrucciones para el uso del diccionario

I. Die alphabetische Reihenfolge ist überall beachtet worden. Hierbei werden die Umlaute (ä, ö, ü) den Buchstaben a, o, u gleichgestellt.

An ihrem alphabetischen Platz sind gegeben:

a) die unregelmäßigen Formen der Zeitwörter und der Hauptwörter, erstere mit Verweisung auf die Grundform, sowie die Steigerungsformen der Eigenschaftswörter;

b) die verschiedenen Formen der Fürwörter;

c) die wichtigsten Eigennamen.

II. Die Tilde (das Wiederholungszeichen) **~**, ~, **2**, 2 dient dazu, zusammengehörige und verwandte Wörter zu Gruppen zu vereinigen.

Die fette Tilde (**~**) vertritt das ganze voraufgegangene Wort oder den Wortteil vor dem senkrechten Strich (|) bzw. vor dem Doppelpunkt (…:), z. B. **Ausgabe** *f*, **~bank** *f* (= Ausgabebank), **aber|malig** *adj.*, **~mals** *adv.* (= abermals), **Abend...:** **~andacht** *f* (= Abendandacht).

Die einfache Tilde (~) vertritt bei den in Gillschrift gesetzten Anwendungsbeispielen das unmittelbar voraufgegangene Stichwort, das auch mit Hilfe der Tilde gebildet sein kann, z. B. **zunehmen** *v/i.* aumentar; …; *an Alter* ~ (= zunehmen) avanzar en edad; **~d** *adj.* …; *~er* (= zunehmender) *Mond* cuarto creciente; *es wird* ~ (= zunehmend) *dunkler* va obscureciendo.

Die Tilde mit Kreis (2) weist darauf hin, daß sich die Schreibung des Anfangsbuchstabens des voraufgegangenen Wortes in der Wiederholung ändert (groß in klein oder umgekehrt), z. B. **Abschnitt** *m*, **2sweise** *adv.* (= abschnittsweise);

I. El orden alfabético ha sido rigurosamente observado. Las modificaciones vocálicas (ä, ö, ü) han sido equiparadas en él a las letras a, o, u.

En el correspondiente lugar alfabético se hallan:

a) las formas irregulares de los substantivos y de los verbos, con indicación del infinitivo de éstos, así como las del comparativo y superlativo de los adjetivos;

b) las diferentes formas de los pronombres;

c) los nombres propios más importantes.

II. La tilde (signo de repetición) **~**, ~, **2**, 2 se emplea para reunir en grupos las palabras derivadas y las compuestas.

La tilde impresa en negrilla (**~**) substituye en su totalidad la voz guía o la parte de ella situada bien sea delante del trazo vertical (|) o bien precediendo a los dos puntos (…:), por ejemplo: **Ausgabe** *f*, **~bank** *f* (= Ausgabebank), **aber|malig** *adj.*, **~mals** *adv.* (= abermals), **Abend...:** **~andacht** *f* (= Abendandacht).

La tilde sencilla (~) substituye en los ejemplos de aplicación, impresos en letra «Gill», la voz guía inmediatamente precedente la cual, a su vez, también puede estar formada con ayuda de la tilde. Ejemplos: **zunehmen** *v/i.* aumentar; …; *an Alter* ~ (= zunehmen) avanzar en edad; **~d** *adj.* …; *~er* (= zunehmender) *Mond* cuarto creciente; *es wird* ~ (= zunehmend) *dunkler* va obscureciendo.

La tilde con círculo (2) indica que la letra inicial de la palabra o voz guía precedente, al ser repetida ésta, debe ser cambiada de mayúscula en minúscula o viceversa. Ejemplos: **Abschnitt** *m*, **2sweise** *adv.* (= abschnittsweise); **abge-**

abgeschieden *adj.*, **2heit** *f* (= Abgeschiedenheit); **heilig** *adj.*, *die 2e Schrift* la Sagrada Escritura.

III. Die Bedeutungsunterschiede der verschiedenen Übersetzungen sind durch bildliche Zeichen, abgekürzte Bedeutungshinweise (siehe Verzeichnis, S. 11) oder durch Sammelbegriffe wie *Sport, Radio, Auto usw.*, zuweilen auch durch verwandte Ausdrücke gekennzeichnet.

IV. Die betonte Silbe wird durch ein vorhergehendes Akzentzeichen gekennzeichnet (').

V. Der kurze Strich (-) in Wörtern wie **ab-änderlich, Ab-art** usw. deutet die Trennung der Sprechsilben an, um den Ausländer vor Irrtümern in der Aussprache des Deutschen zu bewahren.

VI. Das grammatische Geschlecht der Hauptwörter (*m, f, n*) ist bei jedem deutschen und spanischen Wort angegeben.

VII. Zweierlei Schreibweise wird, wenn solche gebräuchlich ist, durch Buchstaben in runden Klammern gekennzeichnet, z.B. **Friede(n)** *m* paz *f*.

VIII. Der substantivierte Infinitiv wird meistens nur aufgeführt, wo im Spanischen eine besondere Übersetzung in Frage kommt, z. B. **trinken** *v/t. u. v/i.* beber; **Trinken** *n* bebida *f*; **lachen** *v/i.* reir; **Lachen** *n* risa *f*.

IX. Das Femininum der Adjektive ist nicht angegeben wenn es regelmäßig gebildet wird, z.B. nuevo *m*, nueva *f*; rico *m*, rica *f*.

X. Aufeinanderfolgende gleichlautende Wortteile sind durch den Bindestrich ersetzt, z.B. **Favorit(in** *f*) *m*: favorito (-a *f* = favorita *f*) *m*.

XI. Rechtschreibung: Für die Rechtschreibung der spanischen Wörter dienen als Grundlage die Regeln der Real Academia Española, für die deutschen Wörter der „Duden".

schieden *adj.*, **2heit** *f* (= Abgeschiedenheit); **heilig** *adj.*, *die 2e Schrift* la Sagrada Escritura.

III. Las diferentes acepciones de las palabras alemanas en español están indicadas por signos convencionales, abreviaturas explicativas (véase Índice, pag. 11) o por nombres colectivos tales como, por ejemplo, *Sport, Radio, Auto etc.* A veces estas diferencias de significado son explicadas también recurriendo a expresiones análogas.

IV. La sílaba tónica está indicada por medio de un acento (') colocado inmediatamente delante de ella.

V. El trazo corto (-) en palabras tales como **ab-änderlich, Ab-art** etc. indica la separación prosódica de las sílabas para que ateniéndose a ella evite el extranjero una defectuosa pronunciación de la palabra alemana.

VI. El género gramatical de los substantivos (*m, f, n*) está indicado en todas las palabras alemanas y españolas correspondientes.

VII. Dualidad de grafía: Si una palabra puede ser escrita de dos formas, la segunda de éstas va indicada entre paréntesis. Ejemplo: **Friede(n)** *m* paz *f*.

VIII. El infinitivo substantivado por lo general sólo ha sido tenido en cuenta en aquellos casos en que requiere una traducción especial en español como, por ejemplo, **trinken** *v/t. u. v/i.* beber; **Trinken** *n* bebida *f*; **lachen** *v/i.* reir; **Lachen** *n* risa *f*.

IX. El género femenino de los adjetivos no se indica expresamente cuando la formación del mismo es regular; por ejemplo, nuevo *m*, nueva *f*; rico *m*, rica *f*.

X. Las partes homónimas de una palabra que se suceden inmediatamente están reemplazadas por un trazo de unión. Ejemplo: **Favorit(in** *f*) *m*: favorito (-a *f* = favorita *f*) *m*.

XI. Ortografía: La ortografía de las palabras españolas se ajusta a las normas establecidas por la Real Academia Española; la de las palabras alemanas se adapta a las reglas fijadas en el «Duden».

Erklärung der Zeichen und Abkürzungen

Explicación de los signos y abreviaturas convencionales

I. Bildliche Zeichen — Signos

F	familiär, *lenguaje familiar*
P	populär, Argot, *lenguaje popular*
V	vulgär, unanständig, *vulgar, indecente*
✝	Wirtschaft und Handel, *Economía y Comercio*
⚓	Marine, Schiffahrt, *Marina, Navegación*
⚔	Militär, *Milicia*
⊕	Technik, *Tecnología, término técnico*
⚒	Bergbau, *Minería*
🚂	Eisenbahn, *Ferrocarriles*
✈	Flugwesen, *Aeronáutica*
📯	Postwesen, *Correos*
⚘	Landwirtschaft, Gartenbau, *Agricultura, Jardinería*
⚘	Pflanzenkunde, *Botánica*
⚠	Baukunst, *Arquitectura*
♪	Musik, *Música*
⚡	Elektrotechnik, *Electrotecnia*
A	Mathematik, *Matemáticas*
⚗	Chemie, *Química*
⚕	Medizin, *Medicina*
⚖	Rechtswissenschaft, *Jurisprudencia, Derecho*
📖	Wissenschaft, *Ciencia, término científico*
🛡	Wappenkunde, *Heráldica*
†	veraltet, *vocablo poco usual, arcaísmo*
=	gleich, *igual o equivalente a*
→	siehe auch, *véase*
~, ~	s. Hinweise Absatz II, *véase Instrucciones para el uso, § II*

II. Abkürzungen — Abreviaturas

a.	auch, *también*
Abk.	Abkürzung, *abreviatura*
a/c.	etwas, *algo, alguna cosa*
ac.	Akkusativ, *acusativo*
adj.	Adjektiv, *adjetivo*
adv.	Adverb, *adverbio*
alg.	jemand, *alguien, alguno*
allg.	allgemein, *generalmente*
Am.	Amerika(nismus), *Hispanoamérica, americanismo*
Anat.	Anatomie, *Anatomía*
angl.	Anglizismus, *anglicismo*
Arg.	Argentinien, *Argentina, argentinismo*
Arith.	Arithmetik, *Aritmética*
art.	Artikel, *artículo*
Astr.	Astronomie, *Astronomía*
Auto.	Kraftfahrwesen, *automovilismo*

Bib.	Bibel, *Biblia*
Bio.	Biologie, *Biología*
bsd.	besonders, *especialmente*
bzw.	beziehungsweise, *o bien*
Chir.	Chirurgie, *Cirugía*
cj.	Konjunktion, *conjunción*
coll.	Sammelname, *colectivamente*
comp.	Komparativ, *comparativo*
dat.	Dativ, *dativo*
desp.	verächtlich, *despectivo*
dim.	Diminutiv, *diminutivo*
Dipl.	Diplomatie, *Diplomacia*
d-m, *d-m*	deinem, *a tu* (*dat.*)
d-n, *d-n*	deinen, *tu, a tu* (*ac.*)
e-e, *e-e*	eine, *una*
ehm.	ehemals, *antiguamente*
e-m, *e-m*	einem, *a uno*
e-n, *e-n*	einen, *uno* (*ac.*)
engS.	im engeren Sinne, *en sentido más estricto*
e-r, *e-r*	einer, *de una, a una*
e-s, *e-s*	eines, *de uno*
Escul.	Bildhauerkunst, *Escultura*
et., *et.*	etwas, *algo, alguna cosa*
etc.	und so weiter, *etcétera*
f	Femininum, *femenino*
Fechtk.	Fechtkunst, *Esgrima*
fig.	figürlich, *en sentido figurado*
Film	Film, *Cinematografía*
f/n	Femininum und Neutrum, *femenino y neutro*
f/pl.	Femininum im Plural, *femenino plural*
fr.	französisch, *francés*
gal.	Gallizismus, *galicismo*
gen.	Genitiv, *genitivo*
Geogr.	Geographie, *Geografía*
Geol.	Geologie, *Geología*
ger.	Gerundium, *gerundio*
Ggs.	Gegensatz, *contrario*
Gr.	Grammatik, *Gramática*
Hist.	Geschichte, *Historia*
hum.	humoristisch, scherzhaft, *humorístico, jocoso*
I.C.	Katholische Kirche, *Iglesia Católica*
Ict.	Fischkunde, *Ictiología*
ind.	Indikativ, (*modo*) *indicativo*
inf.	Infinitiv, (*modo*) *infinitivo*
int.	Interjektion, *interjección*
I.P.	Protestantische Kirche, *Iglesia Protestante*
iro.	ironisch, *irónico*
it.	italienisch, *italiano*
jd., *jd.*	jemand, *alguien*
Jgdw.	Jagdwesen, *Montería, Caza*
j-m, *j-m*	jemandem, *a alguien* (*dat.*)
j-n, *j-n*	jemanden, *a alguien* (*ac.*)
j-s, *j-s*	jemandes, *de alguien* (*gen.*)
Kochk.	Kochkunst, *arte culinario*
Lit.	Liturgie, *Liturgia*
Liter.	Literatur, *Literatura, estilo literario*
Lt.	Latein, *latín*
m	Maskulinum, *masculino*
Mal.	Malerei, *Pintura*
m-e, *m-e*	meine, *mi, mis*
Met.	Metallurgie, *Metalurgia*
Meteo.	Meteorologie, *Meteorología*
Mex.	Mexiko, *Méjico, mejicanismo*
m/f	Maskulinum und Femininum, *masculino y femenino*
Min.	Mineralogie, *Mineralogía*
m-m	meinem, *a mi* (*dat.*)
m-n	meinen, *mi, a mi* (*ac.*)
m/n	Maskulinum und Neutrum, *masculino y neutro*
Mont.	Bergsteigerei, *Montañismo*
m/pl.	Maskulinum im Plural, *masculino plural*
m-r	meiner, *de mi, a mi*
m-s	meines, *de mi*
m. s.	im schlechten Sinne, *en mal sentido*
mst.	meistens, *generalmente, las más de las veces*
Myt.	Mythologie, *Mitología*
n	Neutrum, *neutro*
Neol.	Neologismus, *neologismo*
nom.	Nominativ, *nominativo*
n/pl.	Neutrum im Plural, *neutro plural*

od.	oder, *o*
Opt.	Optik, *Optica*
Orn.	Vogelkunde, *Ornitología*
Parl.	Parlament, *Parlamento*
pers.	persönlich, *personal*
Phar.	Pharmakologie, *Farmacología*
Phil.	Philosophie, *Filosofía*
Phot.	Photographie, *Fotografía*
Phys.	Physik, *Física*
Physiol.	Physiologie, *Fisiología*
pl.	Plural, *plural*
Poes.	Dichtkunst, *Poesía*
Pol.	Politik, *Política*
p/p.	Partizip des Perfekts, *participio pasado*
pret.	Vergangenheit, *pretérito*
pron.	Pronomen, *pronombre*
pron/dem.	hinweisendes Fürwort, *pronombre demostrativo*
pron/indef.	unbestimmtes Fürwort, *pronombre indefinido*
pron/int.	fragendes Fürwort, *pronombre interrogativo*
pron/pers., pr/p.	persönliches Fürwort, *pronombre personal*
pron/pos., pr/pos.	besitzanzeigendes Fürwort, *pronombre posesivo*
pron/rel.	bezügliches Fürwort, *pronombre relativo*
prp.	Präposition, *preposición*
Psych.	Psychologie, *Psicología*
Rel.	Religion, *Religión*
Rhet.	Rhetorik, *Retórica*
S.	Seite, *página*
Sch.	Schul- und Studentensprache, *lenguaje escolar y estudiantil*
s-e, *s-e*	seine, *su, sus (pl.)*
sg.	Singular, Einzahl, *singular*
s-m, *s-m*	seinem, *a su (dat.)*
s-n, *s-n*	seinen, *su, a su (ac.)*
Span.	Spanien, in Spanien, *España, en España*
s-r, *s-r*	seiner, *de su*
s-s, *s-s*	seines, *de su*
Stk.	Stierkampf, *Tauromaquia*
subj.	Konjunktiv, *subjuntivo*
sup.	Superlativ, *superlativo*
Tele.	Fernmeldewesen, *Telecomunicación*
Thea.	Theater, *Teatro*
Theo.	Theologie, *Teología*
TV	Fernsehen, *Televisión*
Typ.	Typographie, *Tipografía*
u., *u.*	und, *y*
Uni.	Hochschulwesen, *Enseñanza Superior*
unprs.	unpersönlich, *impersonal*
usw.	und so weiter, *etcétera*
uv.	unveränderlich, *invariable*
v.	von, vom, *de, del*
v/aux.	Hilfszeitwort, *verbo auxiliar*
Vet.	Tierheilkunde, *Veterinaria*
vgl.	vergleiche, *véase*
v/i.	intransitives Zeitwort, *verbo intransitivo*
v/refl.	reflexives Zeitwort, *verbo reflexivo*
v/t.	transitives Zeitwort, *verbo transitivo*
v/unprs.	unpersönliches Zeitwort, *verbo impersonal*
weitS.	im weiteren Sinne, *en sentido más amplio*
z. B.	zum Beispiel, *por ejemplo*
Zoo.	Zoologie, *Zoología*
Zssg(n)	Zusammensetzung(en), *palabra(s) compuesta(s)*

III. Grammatische Hinweise — Indicaciones gramaticales

1. Substantive — Substantivos

-en	**Student** *m (-en)*: der Student — *gen.* des Student**en**; *pl.* die Student**en**
-ɇs	**Kind** *n (-ɇs; -er)*: das Kind — *gen.* des Kind**es** *bzw.* des Kind**s**; *pl.* die Kind**er**
-n	**Bote** *m (-n)*: der Bote — *gen.* des Bote**n**; *pl.* die Boten
-sse / *-sses*	**Gebiß** *n (-sses; -sse)*: das Gebiß — *gen.* des Gebi**sses**; *pl.* die Gebi**sse**
-	**Status** *m* (-; -): der Status — *gen.* des Status; *pl.* die Status
¨	**Tochter** *f* (-; ¨): die Tochter — *gen.* der Tochter; *pl.* die T**ö**chter **Mann** *m (-ɇs; ¨er)*: der Mann — *gen.* des Mannes *bzw.* Manns; *pl.* die Männer
0	**Güte** *f (0)*: die Güte — *gen.* der Güte; kein Plural *ningún plural* **Muß** *n* (-; *0*): das Muß — *gen.* des Muß; kein Plural *ningún plural*

2. Adjektive — Adjetivos

-est	**weit** *(-est)*: *comp.* weiter; *sup.* weitest..., am weitesten
¨	**grob** *(¨er; ¨st)*: *comp.* gröber; *sup.* gröbst..., am gröbsten **hart** *(¨er; ¨est)*: *comp.* härter; *sup.* härtest..., am härtesten
0	**stockdunkel** *(0)*: bildet keine Steigerungsformen *no tiene comparativo ni superlativo*

3. Verben — Verbos

-e-	**reden** *(-e-)*: ich rede, du red**e**st, er red**e**t; *Imperfecto* ich red**e**te; *p/p.* geredet
L	starkes *bzw.* unregelmäßiges Verb *verbo fuerte o bien irregular* — **singen** *(L)*: ich singe; *Imperfecto* ich sang; *p/p.* gesungen
-le	**handeln** *(-le)*: ich hand(e)**le**
-re	**wandern** *(-re)*: ich wand(e)**re**
sn	**zurückkehren** *(sn)*: *Perfecto* ich **bin** zurückgekehrt **gehen** *(L; sn)*: *Perfecto* ich **bin** gegangen
-ßt	**fassen** *(-ßt)*: ich fasse, du fa**ßt** (fassest), er fa**ßt**; *Imperfecto* ich fa**ßt**e; *p/p.* gefa**ßt**
-t	**hetzen** *(-t)*: ich hetze, du hetzt (hetzest) **rasen** *(-t)*: ich rase, du rast (rasest)
-	**studieren** (-): *p/p.* studiert (ohne die Vorsilbe **ge-** *sin el prefijo* **ge-**)

Alfabeto alemán

A a	B b	C c	D d	E e	F f	G g	H h
ɑː	beː	tseː	deː	eː	ɛf	geː	hɑː
I i	**J j**	**K k**	**L l**	**M m**	**N n**	**O o**	**P p**
iː	jɔt	kɑː	ɛl	ɛm	ɛn	oː	peː
Q q	**R r**	**S s**	**T t**	**U u**	**V v**	**W w**	**X x**
kuː	ɛr	ɛs	teː	uː	fau	veː	iks
			Y y		**Z z**		
			ˈypsilɔn		tsɛt		

Normas generales para la pronunciación alemana

A **1.** La lengua alemana posee vocales largas, breves y semilargas.

2. Las vocales breves son siempre abiertas: [ɛ] [œ] [ɪ] [ʏ] [ɔ] [ʊ]

3. Las vocales largas y semilargas, excepto [ɛ], siempre son cerradas: [eː] [øː] [iː] [yː] [oː] [uː]
[e·] [ø·] [i·] [y·] [o·] [u·]

Excepciones: [ɛː] [ɛ·]

4. En palabras de origen extranjero se hallan en la sílaba postónica, es decir, en la que sigue a la sílaba acentuada, vocales breves que apenas se pronuncian por no constituir sílaba propia: [ĭ] [y̆] [ŭ] [ŏ]

5. La **a** alemana es neutra, es decir, tanto si es larga como breve su sonido se mantiene equidistante de la **o** y de la **e**. Sin embargo, por lo general la **a** larga se pronuncia en un tono más profundo que la breve y la semilarga.

La **a** larga y profunda (semivelar) está representada por [ɑː] y la **a** breve y la semilarga clara (semipalatal) por [a] y [a·] respectivamente.

6. En los prefijos **be-** y **ge-** y en los sufijos que preceden a **-l, -ln, -lst, -m, -n, -nd, -nt, [-r, -rm, -rn, -rt, -rst]***), **-s** así como al final de palabra (**-e**) la **e** se pronuncia como una especie de vocal mixta con efecto fonético poco definido: [ə]

B La ortografía alemana se ajusta, en parte, a la tradición histórica y también, parcialmente, a la pronunciación efectiva. No obstante, es posible establecer determinadas normas con arreglo a las cuales se logra una correcta pronunciación de la mayoría de las palabras alemanas:

1. Las vocales siempre son breves cuando preceden a consonantes dobles como, por ejemplo, **ff, mm, tt, ss****) y **ck** (en lugar de **kk**); también son breves, generalmente, cuando preceden a dos o más consonantes.

offen [ˈʔɔfən]
lassen [ˈlasən]
Acker [ˈʔakɚ]
oft [ʔɔftʻ]

Las excepciones figuran señaladas en el vocabulario con la indicación de la vocal larga: **Jagd** [jɑːktʻ]

*) Véase **E** 7c. **) Respecto a **ß** véase **B** 2e.

2. Las vocales son largas

a) en las sílabas abiertas y acentuadas: — Ware ['vɑːʀə]

Si la vocal es larga en el infinitivo de los verbos débiles conservará también ese carácter en las demás formas verbales de los mismos: — sagen ['zɑːgən], sagte ['zɑːktə], gesagt [gə'zɑːkt‘]

b) cuando figuran duplicadas: — Paar [p‘ɑːʀ]

c) cuando van seguidas de **h** muda: — Bahn [bɑːn]

d) cuando van seguidas de una sola consonante: — Tag [tˑɑːkˑ]

Excepciones:
ab [ˀapˑ] bis [bɪs] hin [hɪn] in [ˀɪn] man [man] mit [mɪtˑ] ob [ˀɔpˑ] um [ˀʊm] -nis [-nɪs] ver- [fɛʀ-] zer- [tsɛʀ-] bin [bɪn] zum [tsʊm] das [das] an [ˀan] von [fɔn] un- [ˀʊn-] wes [vɛs] was [vas] es [ˀɛs] des [dɛs] weg [vɛkˑ]

y en algunas palabras compuestas como, por ejemplo: — barfuß ['baʀfuːs]

e) delante de **ß** intervocálica: — grüßen ['gʀyːsən]

La ortografía alemana prescribe que al final de palabra se emplee siempre la letra **ß** y en ningún caso dos eses: — Schluß [ʃlʊs]

Para determinar si la vocal precedente a una **ß** final es larga o breve bastará formar el plural de la palabra correspondiente si ésta es un substantivo o formar el comparativo de la misma si se tratara de un adjetivo; si hecho esto la **ß** se mantiene como tal, en el plural o en el comparativo formados, la vocal en cuestión es larga: — Gruß [uː] — Grüße [yː]; groß [oː] — größer [øː]

Si el plural o, en su caso, el comparativo correspondiente se escribieran con **ss**, la vocal será breve tanto en el singular, o en la forma positiva del adjetivo, como en el plural o en el comparativo: — Faß [a] - Fässer [ɛ]; naß [a] - nässer [ɛ]

f) Como la **ch** y la **sch** no se duplican nunca, no es posible precisar si la vocal que precede a estos grupos de letras es larga o breve. Por lo general es breve: — Bach [bax]; Wäsche ['vɛʃə]

Las excepciones figuran señaladas en el vocabulario con la indicación de la vocal larga: — Buch [uː]

3. Las vocales semilargas se encuentran exclusivamente en las sílabas átonas o no acentuadas; en la mayor parte de los casos se trata de palabras de origen extranjero: — vielleicht [fiˑ'laɪçtˑ]; monoton [moˑnoˑ'tˑoːn]

C El idioma alemán tiene tres diptongos: — au [aʊ]; ai, ei, ey [aɪ]; äu, eu, oi [ɔʏ]

La primera vocal del diptongo se pronuncia más fuerte que la segunda. La segunda vocal es muy abierta, es decir, la **u** abierta [ʊ] en **au** [aʊ] se aproxima a la **o** cerrada [o] y la **i** abierta [ɪ] en **ei, ai** y **ey** [aɪ] a la **e** cerrada [e]; en el caso de **äu, eu, oi** [ɔʏ] se opera un ligero redondeo hacia **ö** [ø]. Por esta razón muchas veces no se escribe [aʊ], [aɪ], [ɔʏ] sino [ao], [ae], [ɔø].

D Vocales nasales sólo se hallan en palabras originariamente francesas; en posición tónica o acentuada son largas, a diferencia muchas veces del francés, y en posición átona o no acentuada son semilargas.

En las palabras de uso corriente las vocales nasales son sustituídas por la correspondiente vocal pura seguida de la consonante oclusiva nasal [ŋ]. La pronunciación de estas palabras va indicada aquí tal como son expresadas en el lenguaje alemán culto y no con sujeción estricta a reglas teóricas: Balkon [bal'kɔŋ]

La pronunciación de las palabras extranjeras o de partes integrantes de ellas que difiera de las reglas generales, está indicada en el vocabulario.

E Exponemos a continuación algunas particularidades relativas a consonantes alemanas aisladas y al valor fonético de las mismas según el lugar que ocupen en la palabra.

1. Las vocales tónicas iniciales de palabra van precedidas de una especie de sonido gutural oclusivo, equivalente en inglés al *glottal stop* y en francés al *coup de glotte* y que también muestra gran analogía con el *stød* danés y con el *hamza* árabe: [ʔ]

En la ortografía alemana no se indica con ningún signo este sonido. Si se produce en el interior de una palabra (después de un prefijo) va señalado en el vocabulario con un corto trazo de unión: ab-ändern ['ʔapʔɛndən]

2. La **h** se pronuncia en alemán:

a) cuando es inicial de palabra: hinein [hɪ'naɪn]

b) cuando precede a una vocal tónica; delante de vocales que forman parte de una sílaba radical, en cuyo caso llevan también un acento secundario: Halt [halt], anhalten ['ʔanhaltən]

c) en palabras de diversa especie, particularmente en voces de origen extranjero: Uhu ['ʔuːhuˑ], Alkohol ['ʔalk'oˑhoːl], Sahara [zaˑ'haːʀaː]

En los restantes casos la **h** es muda: gehen ['geːən], sehen ['zeːən], Ehe ['ʔeːə]

3. p — t — k

En las posiciones señaladas a continuación estas consonantes oclusivas sordas son aspiradas, es decir, su pronunciación va unida con una aspiración claramente audible después de rota la oclusión.

La aspiración se produce:

a) al comienzo de palabra delante de vocal: Pech [p'ɛç]
o bien delante de **l, n, r** y **v** (en **qu**-): Plage ['p'lɑːgə], Kreis [k'ʀaɪs], Quelle ['k'vɛlə]

b) en la sílaba acentuada en el interior de la palabra: ertragen [ɛʀ't'ʀɑːgən]

c) en las palabras extranjeras delante de vocal y también en las sílabas átonas: Krokodil [k'ʀoˑk'oˑ'diːl]

d) al final de palabra: Rock [ʀɔk']

En los demás casos **p, t** y **k** no son aspiradas o lo son muy débilmente.

4. b — d — g

Estas oclusivas sonoras se transforman en sordas al final de palabra: ab [ʔap'], und [ʔʊnt'], Weg [veːk']

Los grupos de consonantes **-gd, -bt** y **-gt** experimentan la misma transformación:

Jagd [jɑːktʿ]
gibt [giːptʿ]
gesagt [gəˈzɑːktʿ]

Al final de sílaba y precediendo a una consonante de la sílaba siguiente **b, d, g** se pronuncian sin vibración; la transcripción fonética de estas consonantes será, respectivamente: [p], [t], [k]:

ablaufen [ˈˀaplaʊfən]
endgültig [ˈˀɛntgʏltɪç]
weggehen [ˈvɛkgeːən]

5. Cuando se encuentran dos oclusivas sordas iguales pero pertenecientes a dos sílabas distintas (por ejemplo, **-tt-**) sólo una de ellas será pronunciada claramente y con una ligera prolongación en su articulación bucal. Al pronunciar, por ejemplo, la palabra «Bettuch» se hará una breve vacilación después de **-t-** antes de pronunciar la **-u-** siguiente. De este modo se produce una sola oclusiva con subsiguiente aspiración:

Bettuch [ˈbɛttʿuːx]
Handtuch [ˈhanttʿuːx]

6. Cuando a una consonante sorda sigue otra sonora situada al comienzo de la sílaba siguiente no se produce asimilación alguna en ningún sentido, esto es, ni la consonante sorda da este carácter a la consonante siguiente ni ésta hace sonora a la consonante precedente; una y otra se pronuncian distintamente y según sus características fonéticas propias:

aussetzen [ˈˀaʊszɛtsən]
Absicht [ˈˀapzɪçtʿ]

7. En alemán existen tres diferentes pronunciaciones de la **r**, a saber:

a) una **r** acentuadamente gutural al principio de sílaba o después de consonante; el sonido de esta **r** se produce por vibración uvular:

rollen [ˈʀɔlən]
Ware [ˈvɑːʀə]
schreiben [ˈʃʀaɪbən]

b) una **r** gutural suavizada y apenas vibrante al final de palabra y precediendo a consonante:

für [fyːʀ]
stark [ʃtaʀkʿ]

Para ambas modalidades de **r** a) y b) emplearemos el signo [ʀ].

c) una **r** fuertemente vocalizada en la sílaba final átona **-er**: [ɚ]

Lehrer [ˈleːʀɚ]

Valor fonético de las letras y de los diversos grupos de letras

Letra o grupo de letras	Valor fonético	Ejemplo	Pronunciación según API	Sonido equivalente o análogo en español
a, aa, ah	*Véase* A 5			
	[ɑː]	Wagen	[ˈvɑːgən]	bandada
		Saal	[zɑːl]	armada
		wahr	[vɑːʀ]	acarrear
a	[a]	Mann	[man]	banda
	[aˑ]	radieren	[ʀaˑˈdiːʀən]	rana, palo
ai, ay	[aɪ] } *v.* C	Mai	[maɪ]	baile
		Bayern	[ˈbaɪɐn]	laya
au	[aʊ] } *v.* C	Haus	[haʊs]	causa, aula
ä, äh	[ɛː], F [eː]	Käse	[ˈkʻɛːzə], F [ˈkʻeːzə]	queso, sello
		wählen	[ˈvɛːlən]	leen
ä	[ɛ]	Männer	[ˈmɛnɐ]	perro
	[ɛˑ]	Ägypten	[ˀɛˑˈgʏptən]	eje
äu	[ɔʏ] *v.* C	läuten	[ˈlɔʏtən]	hoy, boina
b	[b]	Brot	[bʀoːtʻ]	broma
	[p] *v.* E 4	halb	[halpʻ]	Alpes
		(er) gibt	[giːptʻ]	apto
		abladen	[ˈˀaplɑːdən]	aplauso
c *Sólo en palabras extranjeras*:				
	[k]	Café	[kʻaˈfeː]	café, cama
	[ts]	Celsius	[ˈtsɛlzi̯ʊs]	Sonido inexistente en castellano; se pronuncia **ts**.
ch *Después de* **ä, e, i, ö, ü, äu, eu, ei, ai, ay, l, n, r** *y en el sufijo* **-chen**:				
	[ç]	Fächer	[ˈfɛçɐ]	Es éste un sonido palatal sordo, inexistente en castellano y algo parecido al de **j** ligeramente aspirada.
		schlecht	[ʃlɛçtʻ]	
		ich	[ˀɪç]	
		Köchin	[ˈkʻœçɪn]	
		Bücher	[ˈbyːçɐ]	

Letra o grupo de letras	Valor fonético	Ejemplo	Pronunciación según API	Sonido equivalente o análogo en español
		Sträucher	[ˈʃtʀɔʏçɐ]	
		euch	[ˀɔʏç]	
		leicht	[laɪçt‘]	
		laichen	[ˈlaɪçən]	
		Milch	[mɪlç]	
		mancher	[ˈmançɐ]	
		durch	[dʊʀç]	
		Kännchen	[ˈk‘ɛnçən]	
Después de **a, o, u, au:**				
	[x]	lachen	[ˈlaxən]	ojear
		Koch	[k‘ɔx]	boj
		auch	[ˀaʊx]	carcaj
En palabras extranjeras:				
	[k]	Charakter	[k‘a·ˈʀaktɐ]	carácter
		Chronik	[ˈk‘ʀoːnɪk‘]	crónica
	[ʃ]	Chauffeur	[ʃɔˈføːʀ]	Sonido inexistente en castellano; se pronuncia como **ch** francesa en **chic.**
		Chef	[ʃɛf]	
	[tʃ]	Chile	[ˈtʃiːle·]	
chs	[ks]	sechs	[zɛks]	sexto, exacto
	pero:	nächst	[nɛːçst‘]	
	porque es näch-st y no nächs-t; -st es aquí la desinencia del comparativo.			
ck	[k] *v.* B 1	Brücke	[ˈbʀʏkə]	canto, kéfir
d	[d]	Dank	[daŋk‘]	soldado
		leider	[ˈlaɪdɐ]	decir
	[t] *v.* E 4	Bad	[bɑːt‘]	azimut
		endlich	[ˈˀɛntlɪç]	atleta
dt	[t]	Stadt	[ʃtat‘]	Cenit
		(er) sandte	[ˈzantə]	santo
e, ee, eh	[eː]	Weg	[veːk‘]	obeso
		Meer	[meːʀ]	serie
		mehr	[meːʀ]	José
	[ɛ]	weg	[vɛk‘]	cerro
	[e·]	Telefon	[t‘e·le·ˈfoːn]	general
			F [ˈt‘eːle·foːn]	verano
	[ə] *v.* A 6	bitte	[ˈbɪtə]	e átona
		bitten	[ˈbɪtən]	e semimuda
		Handel	[ˈhandəl]	
ei, ey	[aɪ]	klein	[k‘laɪn]	baile
		Meyer (*apellido*)	[ˈmaɪɐ]	
eu	[ɔʏ]	heute	[ˈhɔʏtə]	boina
f	[f]	Fall	[fal]	fama
		fünf	[fʏnf]	

Letra o grupo de letras	Valor fonético	Ejemplo	Pronunciación según API	Sonido equivalente o análogo en español
g	[g]	Gletscher	[ˈglɛtʻʃɚ]	Antes de **l**, **n**, **r**, **a**, **o**, **u** tiene el sonido de la **g** española en las palabras *gloria, gnomo, gracias, gas, goma, gula*; antes de **e** y de **i** suena, respectivamente, como las sílabas españolas **gue**, **gui** en las palabras *guerra, guitarra.*
		Gnade	[ˈgnɑːdə]	
		Granat	[gʀaˈnɑːtʻ]	
		Garten	[ˈgaʀtən]	
		Gold	[gɔltʻ]	
		gut	[guːtʻ]	
		Lage	[ˈlɑːgə]	
		tragen	[ˈtʻʀɑːgən]	
		Gilde	[ˈgɪldə]	
	[k]	Tag	[tʻɑːkʻ]	} vivac
		Weg	[veːkʻ]	} vivac
		Berg	[bɛʀkʻ]	} vivac
		Flugzeug	[ˈfluːktsɔʏkʻ]	acné
	Muchos alemanes pronuncian la **g** *después de vocal abierta* (**a, o, u**) *como* [x] (*véase* [x] en **ch**); *después de vocales claras* (**ä, e, i**) *y después de* **r** *es pronunciada como* [ç] (*véase* **ch**).			
	F [x], [ç]	Tag	[tʻax]	
		Weg	[veːç]	
		Berg	[bɛʀç]	
		Flugzeug	[ˈfluːxtsɔʏç]	
	[ç] *En la desinencia* **-ig**:			
		König	[ˈkʻøːnɪç]	
		wenig	[ˈveːnɪç]	
	pero obsérvese:			
		Könige	[ˈkʻøːni·gə]	
h	[h] *v.* E2	Haus	[haʊs]	
		hinein	[hɪˈnaɪn]	
i, ie, ih, ieh	[iː]	wir	[viːʀ]	vino
		hier	[hiːʀ]	salida
		ihn	[ʔiːn]	himno
		Vieh	[fiː]	fila
	[ɪ]	in	[ɪn]	circo
	[i·] *v.* B3	Minute	[mi·ˈnuːtə]	minuto
	[ĭ] *v.* A4	Ferien	[ˈfeːʀĭən]	feria
	La desinencia **-ien** *en nombres de países, por ejemplo,*			
		Spanien	[ˈʃpaːnĭən]	nieve
j	[j]	Jahr	[jɑːʀ]	cayado
		jeder	[ˈjeːdɚ]	ayer
	En palabras extranjeras:			
	[ʒ]	Jalousie	[ʒa·lu·ˈziː]	Pronunciación como en el idioma originario
k	[kʻ] *v.* E 3	Karte	[ˈkʻaʀtə]	carta
		klein	[kʻlaɪn]	clamor
		stark	[ʃtaʀkʻ]	arca
l	[l]	Land	[lantʻ]	Se pronuncia como la **l** española; la doble **l** alemana se pronuncia como una sola **l**.
		spielen	[ˈʃpiːlən]	
		viel	[fiːl]	

Letra o grupo de letras	Valor fonético	Ejemplo	Pronunciación según API	Sonido equivalente o análogo en español
m	[m]	Mann Heim	[man] [haɪm]	**m**ano ti**m**bre
n	[n]	nein nun	[naɪn] [nuːn]	Se pronuncia como en español.
ng	[ŋ]	lang singen Endung	[laŋ] [ˈzɪŋən] [ˈʔɛndʊŋ]	ta**ng**o cí**ng**aro sandu**ng**a
n-g	[ng]	*La* **n** *y la* **g** *se pronuncian separadamente cuando pertenecen a distintas partes de la misma palabra*: eingreifen ungern	 [ˈʔaɪngʀaɪfən] [ˈʔʊngɛʀn]	 **ing**reso hú**ng**aro
nk	[ŋk]	Bank sinken	[baŋkʻ] [ˈzɪŋkən]	ba**nc**o ci**nc**o
	pero: [nk]	Unkenntnis	[ˈʔʊnkʻɛntnɪs]	i**nc**ógnita
o, oo, oh	[oː]	Tor Boot Ohr	[tʻoːʀ] [boːtʻ] [ʔoːʀ]	t**o**ro, cor**o**na
	[ɔ]	Post	[pʻɔstʻ]	g**o**rra
	[õ] *v.* B 3	Memoiren	[meˑˈmõɑːʀən]	
	[oˑ]	monoton	[moˑnoˑˈtʻoːn]	m**o**n**o**tonía, h**o**rario
ö, oe, öh	[øː]	schön Goethe Höhle	[ʃøːn] [ˈgøːtə] [ˈhøːlə]	Sonido inexistente en español. Es análogo al de **eu** en las palabras francesas jeûne, chauffeur.
	[œ] *v.* B 3	öffnen	[ˈʔœfnən]	
	[øˑ]	Okonomie	[øˑkʻoˑnoˑˈmiː]	
p	[pʻ] *v.* E 3 [p]	Post Puppe	[pʻɔstʻ] [ˈpʻʊpə]	**p**ero
pf	[pf]	Pferd Kupfer stumpf	[pfeːʀtʻ] [ˈkʻʊpfɚ] [ʃtʊmpf]	Ambas consonantes **p** y **f** se pronuncian en una sola emisión de voz.
ph	[f]	*Sólo en palabras extranjeras procedentes del griego casi todas.* Phonetik Philosophie	 [foˑˈneːtʻɪkʻ] [fiˑloˑzoˑˈfiː]	Se pronuncia como **f**. **f**onética filoso**f**ía
qu	[kv]	Quelle bequem Quadrat Quirl Quote	[ˈkʻvɛlə] [bəˈkʻveːm] [kʻvaˑˈdʀɑːtʻ] [ˈkʻvɪʀl] [ˈkʻvoːtə]	**cu**erpo **cu**adrado **cu**ita **cu**ota
r	[ʀ] [ɚ] *v.* E 7	Lehrer	[ˈleˑʀɚ]	véase E 7
rh	[ʀ]	*Sólo en palabras extranjeras*: Rhythmus	 [ˈʀʏtmʊs]	

Letra o grupo de letras	Valor fonético	Ejemplo	Pronunciación según API	Sonido equivalente o análogo en español
s	[z]	*Al comienzo de palabra delante de vocal, en posición intervocálica dentro de la palabra y después de* **m, n, l, r:**		
		See	[zeː]	**s** sonora, suave, análoga a la **s** española en rasgo, Lisboa.
		lesen	[ˈleːzən]	
		Absicht	[ˈʔapzɪçtʻ]	
		Linse	[ˈlɪnzə]	
	[s]	*En los demás casos:*		
		Haus	[haʊs]	**s** sorda análoga a la **s** española en santo.
		ist	[ʔɪst]	
		Erbse	[ˈʔɛʀpsə]	
sp	[ʃp]	*Al principio de palabra y después de prefijo:*		
		sprechen	[ˈʃpʀɛçən]	
		Beispiel	[ˈbaɪʃpiːl]	
st	[ʃt]	*Al comienzo de palabra y después de prefijo:*		
		stehen	[ˈʃteːən]	
		verstehen	[fɛʀˈʃteːən]	
		En otras posiciones y al comienzo de muchas palabras extranjeras, así como después de prefijos tales como **in-**, **dis-**, **re-** *procedentes de otras lenguas:*		
	[sp]	Knospe	[ˈkʻnɔspə]	ho**sp**edaje
		Respekt	[ʀeˑˈspɛktʻ]	re**sp**eto
	[st]	Fenster	[ˈfɛnstɐ]	to**st**ar
		Star	[stɑːʀ]	te**st**a
		Industrie	[ʔɪndʊsˈtʻʀiː]	indu**st**rial
ss	[s] *v.* B 1, 2 e	Wasser	[ˈvasɐ]	s española en **caso, paso,** pero más sibilante.
		lassen	[ˈlasən]	
ß	[s]	*v.* B 2e *En el interior de la palabra después de vocal larga y diptongo. En posición final después de vocal larga o breve.*		
		Größe	[ˈgʀøːsə]	**s** española en **soso,** pero más sibilante.
		heißen	[ˈhaɪsən]	
		Gruß	[gʀuːs]	
		muß	[mʊs]	
sch	[ʃ] *v.* B 2f	schön	[ʃøːn]	Sonido sin equivalencia castellana, análogo al de **ch** en la palabra francesa **cheval.**
		waschen	[ˈvaʃən]	
	pero obsérvese:	Häuschen	[ˈhɔʏsçən]	
	v. **ch**			
t	[tʻ] *v.* E 3	Tag	[tʻɑːkʻ]	tabla
		Hut	[huːtʻ]	azimut
th	[tʻ]	*Sólo en palabras extranjeras y en nombres propios.*		
		Theater	[tʻeˑˈɑːtɐ]	teatro
		Theodor	[ˈtʻeːoˑdoːʀ]	tono
	v. A 4	*Sólo en palabras extranjeras:*		
-tion	[tsĭoːn]	Nation	[naˑˈtsĭoːn]	

Letra o grupo de letras	Valor fonético	Ejemplo	Pronunciación según API	Sonido equivalente o análogo en español
tsch	[tʃ]	deutsch Tscheche	[dɔʏtʃ] [ˈtʃɛçə]	Sonido parecido al de la **ch** española en las palabras **chino, checo.**
tz	[ts]	*v.* B 1 *La vocal que precede a* **tz** *siempre es breve*: sitzen Platz	 [ˈzɪtsən] [pʻlats]	
u, uh	[uː]	Hut Uhr	[huːtʻ] [ʔuːʀ]	maduro
u	[ʊ]	Mutter *v.* B 3	[ˈmʊtɐ]	cazurro
	[u˙]	Musik *v.* A 4	[mu˙ˈziːkʻ]	curar
	[ŭ]	Statue	[ˈʃtaːtʻŭə]	estatua
	[y̆]	Etui	[ʔe˙ˈtʻy̆iː]	atribuir
ü, üh	[yː]	Tür führen	[tʻyːʀ] [ˈfyːʀən]	Sonido inexistente en español; **ü** se pronuncia como la **u** francesa.
ü	[ʏ] [y˙]	Glück amüsieren	[glʏkʻ] [ʔamy˙ˈziːʀən]	
v	[f]	Vater	[ˈfaːtɐ]	La **v** alemana se pronuncia como la **f** española.
		En posición final en palabras extranjeras: brav	 [bʀaːf]	Sonido de **f** algo atenuado.
	[v]	*En posición final o interna, en palabras extranjeras*: Vase November	 [ˈvaːzə] [no˙ˈvɛmbɐ]	Se pronuncia como **v** española, pero con articulación labiodental: uva, cueva.
		Pronunciación variable: Pulver	 [ˈpʊlvɐ], [ˈpʊlfɐ]	
w	[v]	Welt Schwester ewig Wasser	[vɛltʻ] [ˈʃvɛstɐ] [ˈʔeːviç] [ˈvasɐ]	Se pronuncia como **v** española entre vocales, pero con articulación labiodental.
x	[ks]	Axt Hexe	[ʔakstʻ] [ˈhɛksə]	Pronunciación algo más fuerte que la de la **x** española en extremo.
y	[yː] [ʏ] [y˙]	Lyrik Rhythmus Physik	[ˈlyːʀɪk] [ˈʀʏtmʊs] [fy˙ˈziːk]	Se pronuncia como la **u** francesa.
		Pronunciación variable: Ägypten	 [ʔɛ˙ˈgʏptən], [ʔɛ˙ˈgɪptən]	
z	[ts]	Zahl zwei Herz	[tsaːl] [tsvaɪ] [hɛʀts]	

A

A, a *n* A, a *f*; *das A und O* el alfa y omega, *weitS.* lo fundamental; *von A bis Z* punto por punto, del principio al fin, F de pe a pa, de cabo a rabo; *wer A sagt, muß auch B sagen* una obligación trae otra, *hum.* empezado el queso hay que acabarlo; ♪ la *m*; *A-Dur* la mayor, *a-Moll* la menor; *A-Stimmung* diapasón normal.

ˈ**Aachen** *n Geogr.* Aquisgrán *m.*

ˈ**Aal** *m (-es; -e)* anguila *f*; *sich winden wie ein ~* tratar de escabullirse; *den ~ beim Schwanz fassen* atar moscas por el rabo; **2en** *v/i.* pescar anguilas; **2glatt** *adj.* (*0*) escurridizo, ladino, F zorro, cuco; **~korb** *m (-es; ⸗e)* (cesta *f*) anguilera *f*; **~reuse** *f* nasa *f.*

Aar *m (-es; -e) Poes.* águila *f.*

ˈ**Aas** *n (-es; -e)* carroña *f*, animal *m* muerto putrefacto; F *kein ~* nadie; (*Köder*) carnada *f*, cebo *m*; ⊕ *Gerberei*: carnaza *f*; (*Schimpfwort*) granuja *m*, bribón *m*, F mal bicho *m*, *Weibsstück*: mujerzuela *f*; **~blatter** *f (-; -n)* pústula *f* maligna; **2en** F *(-t) v/i. mit et. ~* dilapidar, derrochar; **~fliege** *f* moscarda *f*; **~geier** *m* alimoche *m*, abanto *m*, (*Mex.*) zopilote *m*; *fig.* buitre *m*; **2ig I.** *adj.* hediondo, putrefacto; *fig.* turbio, sucio; **II.** *adv.* F *er hat ~ viel Geld* está podrido de rico; **~seite** *f* carnaza *f.*

ab *adv. u. prp.* (*dat.*) **1.** *räumlich*: *Thea.* (hacer) mutis (*z. B. Crispín ~* mutis de Crispín); *Hut ~!* descúbra(n)se, descubrámonos; *fig.*, *Hut ~ vor ...* descubrirse ante alg. od. a/c., rendir homenaje; ⚔ *Gewehr ~!* ¡en su lugar, descanso!; *von da ~* desde allí, a partir de allí; *vier Schritt vom Wege ~* a cuatro pasos del camino; *weit ~* (*von dat.*) lejos de; 🚂 Sal. (= Salida); 🚂 *~ Köln* (procedente) de Colonia; ✝ *~ Nürnberg* (*Werk, Lager, usw.*) puesto *od.* entregado en Nuremberg (en fábrica, almacén, etc.); *~ Bahnhof* franco estación; *~ Waggon* franco sobre vagón (*Abk.* f.s.v.); *~ dort* entregado en ésa; *~ hier* entregado en ésta; *die Preise verstehen sich ~ hier* los precios se entienden para entrega en ésta; *auf und ~ gehen* pasearse; **2.** *zeitlich*: a partir de, a contar de; *amtlich*: con efectos de, con antigüedad de; *~ 3 Uhr* desde las tres; *~ heute* desde hoy, a partir de hoy; *von jetzt ~* de ahora en adelante, en lo sucesivo; *von da ~* desde entonces acá; *~ und zu* a veces, de vez en cuando, F a ratos; **3.** (*abzüglich*) menos; ✝ *~ Diskonto* deducido el descuento; *~ (an) Unkosten, Spesen* gastos a deducir; **4.** F *~ (erschöpft) sein* estar sumamente fatigado, F estar molido, estar hecho polvo.

ˈ**ab-änder|lich** *adj.* alterable, (*a. Gr.*) variable, modificable; ⚖ *Urteil*: enmendable; **~n** *(-re) v/t.* alterar, cambiar; *teilweise*: modificar; (*berichtigen*) corregir, rectificar, enmendar; (*umarbeiten*) rehacer, reformar; (*verbessern*) mejorar; *Parl. u.* ⚖ enmendar; **2ung** *f* alteración *f*; cambio *m*; modificación *f*; corrección *f*; rectificación *f*; reforma *f*; mejora *f*; (*a.* ⚖) enmienda *f*; **2ungs-antrag** *m (-es; ⸗e)* (*proposición de*) enmienda *f*; **~ungsfähig** *adj.* modificable, corregible; **2ungspatent** *n (-es; -e)* patente *f* modificada.

Abanˈdon-erklärung *f* [abaŋˈdɔŋ-] ✝ declaración *f* de abandono.

abandonˈnieren [abaŋ-] (-) *v/t.* abandonar.

ˈ**ab-arbeiten** *(-e-) v/t.* (*aufarbeiten*) despachar un trabajo, afanarse; pagar una deuda trabajando; (*ermüden*) trabajar con exceso; (*abnutzen*) desgastar; *sich ~* agotarse trabajando; F matarse trabajando, trabajar como un negro; (*sich abhetzen*) ajetrearse, bregar; *abgearbeitet* atrabajado, consumido por el trabajo; ⚓ desencallar.

ˈ**ab-ärgern** *(-re) v/refl.* mortificarse, consumirse de rabia.

ˈ**Ab-art** *f* variedad *f* (*a.* ♀ *u. Zoo.*) especie *f*; modalidad *f*; *fig.* variedad *f*, versión *f*; **2en** *(-e-) v/i.* desviarse del tipo; (*entarten*) degenerar, bastardear; **2ig** anormal; **~ung** *f* degeneración *f*, bastardía *f*; especie *f* bastarda *od.* degenerada.

ˈ**ab-ästen** *(-e-) v/t.* desramar, podar.

ˈ**ab-ätzen** *(-t) v/t.* corroer; eliminar con substancias cáusticas; ⚕ cauterizar.

ˈ**abbalgen** *v/t.* desollar; despellejar.

ˈ**Abbau** *m (-es; -ten) von Gebäuden usw.*: demolición *f*, derribo *m*; (*Demontage*) ⊕ desmontaje *m*, despiece *m*; ⚔ desmantelamiento *m*; ⚒ explotación *f* minera, laboreo *m*, beneficio *m* (*de una mina*); (*Erschöpfung e-s Feldes*) agotamiento *m* (*de una mina*); *~ unter Tage* explotación subterránea; ⚗ desintegración *f*, descomposición *f* (*a. Physiol.*), desdoblamiento *m*; *fig. von Ausgaben*: reducción *f*, restricción *f*; *von Löhnen, Preisen usw.*: baja *f*, reducción *f*; *von Behörden*: restricción *f*, *völlige Abschaffung*: supresión *f*, amortización *f*; *von Personal*: reducción *f* de plantillas, *vorübergehender*: reducción *f* temporal; *einzelner Angestellter*: cesantía *f*, despido *m*; *von Einschränkungen bzw. Zwangsbewirtschaftung*: supresión *f*; **2en** *v/t. u. v/i. Gebäude*: demoler, derribar; (*desmontieren*) ⊕ desmontar, desarmar; ⚔ desmantelar; ⚒ explotar, beneficiar, laborear; ⚗ desintegrar; disociar, descomponer, desdoblar; *fig. Ausgaben*: reducir, restringir; *Löhne, Preise*: reducir, bajar; *Behörde*: suprimir, amortizar; *Personal*: reducir; *einzelne Angestellte*: despedir, dejar cesante; *Preisbewirtschaftung, Einschränkungen*: suprimir, *fig.* levantar; *Verschuldung*: amortizar, pagar; **~feld** ⚒ *n (-es; -er)* (campo *m* de) explotación *f* minera; **~gerechtigkeit** ⚒ *f* derecho *m* de explotación minera; **~mittel** ⚗ *n* (medio *m*) desintegrante *m od.* desintegrador *m*; **~produkt** ⚗ *n (-es; -e)* producto *m* de desintegración *bzw.* descomposición; **2würdig** ⚒ *adj.* explotable, aprovechable.

ˈ**Abbefehl** *m (-es; -e)* contraorden *f*; **2en** *v/t.* (*L*) dar contraorden.

ˈ**abbefördern** *(-re) v/t.* trasladar, transportar.

ˈ**abbeißen** (*L*) *v/t.* mordiscar.

ˈ**abbeiz|en** *(-t) v/t.* corroer; *Met.* desoxidar; *Häute*: adobar; *Färberei*: tratar con mordientes *m/pl.*; ⚕ cauterizar; **2mittel** *n* substancia *f* corrosiva, mordiente *m*, cáustico *m*; *Met.* desoxidante *m*; *für Lack*: mordiente *m.*

ˈ**abbekommen** (*L*; -) *v/t.* (*loskriegen*) lograr desprender; *s-n Teil* (*od. et.*) *~* recibir su parte; (*verletzt werden*) recibir una herida; *Sache*: deteriorar, estropear.

ˈ**abberuf|en** (*L*; -) *v/t.* llamar, relevar; *fig.* morir, fallecer; *Botschafter, Gesandter usw.*: llamar, retirar; trasladar (*a otro país*); *von e-m Amt*: separar, relevar; **2ung** *f* llamada *f*, orden *f* de regreso; traslado *m*; separación *f*, relevo *m*; *vorläufige*: suspensión *f* (*de empleo*).

ˈ**abbestell|en** (-) *v/t.* ✝ *Auftrag*: anular (*un pedido*); *Abonnement*: desabonarse; *j-n ~* desavisar; **2ung** *f* contraorden *f*; contraaviso *m*; desabono *m*; baja *f.*

ˈ**abbetteln** *(-le) v/t.*: *j-m et. ~* obtener algo mendigando; pedir.

ˈ**abbieg|en** (*L*) **1.** *v/t.* doblar, volver, virar; desviar; curvar, encorvar; *Gr.* declinar; *fig. Gefahr*: conjurar; *Recht*: desvirtuar; F *e-e Sache ~*

actuar a tiempo para evitar a/c.; **2.** *v/i. nach rechts* (*links*) ~ doblar *od.* torcer a la derecha (izquierda); ⚓ cambiar el rumbo, virar; ⚔ variar (a la derecha *od.* a la izquierda); *Straße*: desviarse; **2ung** *f e-r Straße*: desviación *f*, ramificación *f*.

ˈ**Abbild** *n* (-*es*; -*er*) (*Nachbildung*) copia *f*, reproducción *f*, *fig.* trasunto *m*; (*Ebenbild, Bildnis*) imagen *f* (*a. Opt.*), efigie *f*; *j-s*: retrato *m*; *fig. das* ~ *s-s Vaters* el vivo retrato de su padre; **2en** (-*e*-) *v/t. et.* ~: copiar, reproducir; (*zeigen*) representar; *j-n* ~: retratar, pintar; (*zeichnen*) dibujar; *als Skulptur*: modelar; *oben abgebildet* arriba representado; **~ung** *f* figura *f*, imagen *f*, reproducción *f*; (*Darstellung*) representación *f*; (*Bild*) ilustración *f*, grabado *m*, lámina *f*; ⊕ diagrama *m*, gráfica *f*, *bsd. als Bildunterschrift mit Zahl*: figura *f* (*Abk.* Fig.).

ˈ**abbimsen** (-*t*) *v/t.* apomazar.

ˈ**abbinden** (*L*) *v/t.* **1.** desatar, desligar; (*loslassen*) desprender, soltar; ⚕ ligar; *Warze usw.*: estrangular (*desprender por ligadura*); *Wunde*: aplicar un torniquete; *Kalb*: destetar; ⚡ *Kabel*: envolver (*con cinta aisladora*); *Draht*: unir, empalmar; **2.** *v/i.* ⌂ ligar; *Leim*: secar; *Zement*: fraguar.

ˈ**Abbinden** *n* desligadura *f*; (*loslassen*) desprendimiento *m*; ⚕ ligadura *f*, estrangulación *f*; *Kalb*: destete *m*; *Kabel*: revestimiento *m* (*con cinta aisladora*); *Draht*: empalme *m*, unión *f*; *Leim*: secado *m*; *Zement*: fraguado *m*.

ˈ**Abbitte** *f* excusa *f*, disculpa *f*; reparación *f*, satisfacción *f*; ~ *tun od. leisten* dar excusas, disculparse; *öffentlich* ~ *tun* retractarse públicamente; **2n** *v/t.*: *j-m et.* ~ excusarse, disculparse por a/c., (*stärker*) pedir perdón; *eine Beleidigung* ~ reparar una ofensa; (*zu Kreuze kriechen*) F cantar la palinodia.

Abblase|druck *m* (-*es*; *0*) presión *f* de escape; **2n** (*L*) *v/t.* (*Dampf, Gas*): dejar *od.* hacer escapar, vaciar; soplar (*a presión*); ⊕ *Gußstücke*: soplar con chorro de arena; ⚔ *Kampfstoff*: expandir gas (*aprovechando viento favorable*); *fig.* desavisar; revocar, dar contraorden (*a. Streik, Veranstaltung*); ⚔ *Angriff*: tocar a retirada; **~ventil** *n* (-*es*; -*e*) válvula *f* de escape.

ˈ**abblättern** (-*re*) **1.** *v/t.* deshojar, exfoliar; **2.** *v/i.* deshojarse; *Kochkunst*: hojaldrarse; *Verputz*: desconcharse; *Min.* exfoliarse; ⚕ *Haut*: descamarse.

ˈ**abblend|en** (-*e*-) *v/t. Lichtquelle*: amortiguar; tapar, interponer una pantalla; *Auto.*: bajar las luces; *Phot.*: diafragmar; *Film, Radio*: reducir gradualmente (*la claridad de la imagen bzw. la audibilidad*); **2en** *n* amortiguamiento *m*; *Auto.*: antideslumbramiento *m*; *Phot.*: diafragmación *f*; **2kappe** *f Auto.*: casquete *m* cubre-faro; **2licht** *n* (-*es*; -*er*) luz *f* antideslumbrante; **2ung** *f* antideslumbramiento *m*.

ˈ**abblitzen** (-*t*) *v/i.* repulsar, rechazar; F fracasar, ser rechazado; *j-n* ~ *lassen* rechazar con aspereza, desairar a alg., F mandar a paseo.

ˈ**abblühen** *v/i.* marchitar(se) (*a. fig.*), desflorecer; *abgeblüht sein* estar marchito, estar ajado.

ˈ**abbösch|en** *v/t.* escarpar, ataludar; **2ung** *f* escarpa *f*, talud *m*, (*Hang*) declive *m*.

ˈ**Abbrand** *Met. m* (-*es*; ⸚*e*) merma *f* por combustión *bzw.* por calcinación.

ˈ**abbrausen** (-*t*) **1.** *v/t. sich* ~ ducharse, darse una ducha; **2.** *v/i.* F *fig.* salir disparado, lanzarse.

ˈ**abbrechen** (*L*) **1.** *v/t.* (*zerbrechen*) romper, quebrar; truncar; *Spitze*: despuntar; *Gebäude*: demoler, derribar; *Gerüst*: quitar; *Lager*: levantar el campo; *Zelt*: desarmar; *fig.* (*aufhören mit*): cortar; *plötzlich*: interrumpir bruscamente, *fig.* parar en seco; *Beziehungen, Verhandlungen usw.*: (*dauernd*) romper, (*zeitweilig*) suspender; *Belagerung*: levantar (*el sitio*); *Schiff*: desguazar; *Wörter*: entrecortar; *e-n Flaschenhals* ~ desgolletar; *Schriftverkehr* ~ cortar la correspondencia; *fig. alle Brücken hinter sich* ~ quemar las naves; **2.** *v/i.* romperse, quebrarse; detenerse; *in der Rede* ~ callarse, dejar de hablar; *fig. das bricht nicht ab* esto no tiene fin.

ˈ**abbrems|en** (-*t*) *v/t.* (re)frenar, moderar la velocidad; *den Motor* ~ probar el motor en el banco (de pruebas); *vor dem Start*: verificar la potencia; *fig.* et. ~ refrenar, contener, reprimir; (*verzögern*) retardar; (*auffangen*) amortiguar; *Kernspaltung*: moderar; **2klotz** *m* (-*es*; ⸚*e*) mordaza *f* de freno.

ˈ**abbrenn|en** (*L*) **1.** *v/t.* quemar, destruir por el fuego; *Met.* refinar, *Stahl*: templar; *Feuerwerk* ~ quemar fuegos artificiales; **2.** *v/i. Gebäude, Ortschaften usw.*: quemarse hasta los cimientos, reducirse a cenizas; *Person*: quedar arruinado por un incendio; *Kerzen*: quemarse, consumirse; ⌂ *schnell* ~ (*lassen*) deflagrar; → *abgebrannt*; **2schweißung** ⊕ *f* soldadura *f* a la llama.

ˈ**abbringen** (*L*) *v/t.* quitar, sacar; (*weglenken*) desviar, apartar; ⚓ desencallar; *gestrandetes Schiff*: poner a flote; *fig. j-n von e-m Vorhaben* ~ disuadir, hacer desistir a alg. de un propósito; (*abraten*) desaconsejar, desanimar; *j-n von e-r Gewohnheit* ~ desacostumbrar, deshabituar, *fig.* desarraigar (*un vicio*); *j-n von e-m Thema* ~ desviar *od.* apartar a alg. de un tema; *j-n vom* (*rechten*) *Wege* ~ (*a. fig.*) apartar a alg. del (buen) camino; *sich nicht* ~ *lassen von et.* insistir en una opinión o en un propósito, F seguir en sus trece; *davon lasse ich mich nicht* ~ no hay quien me aparte de esto, nadie me hará cambiar de idea.

ˈ**abbröckeln** (-*le*) *v/i.* desmigajarse, desmenuzarse; (*Verputz, Glasur usw.*) desconcharse; (*Mauern*) desmoronarse; *fig.* ✝ *Kurse*: debilitarse.

ˈ**Abbruch** *m* (-*es*; ⸚*e*) *e-s Gebäudes usw.*: demolición *f*, derribo *m*; *e-s Gerüstes*: quitar *od.* desarmar el andamiaje; (*Trümmer*) materiales *m/pl.* de derribo, escombros *m/pl.*; *Mont.* descenso *m*; *auf* ~ *verkaufen* vender (una casa) para derribo; *fig. von Beziehungen usw.*: ruptura *f*; *fig. e-r Reise*: interrupción *f*; (*Bruch*) rotura *f*; (*Schaden*) daño *m*, perjuicio *m*, quebranto *m*; ~ *leiden* sufrir daños, ser perjudicado; **~höhe** ✈ *f* pérdida *f* súbita de altura; **2reif** *adj.* (*en estado*) ruinoso; **~ufer** *n Geol.* derrubio *m*; **~unternehmer** *m* empresario *m* de derribos; **~wert** *m* (-*es*; -*e*) valor *m* de los materiales de derribo.

ˈ**abbrühen** *v/t. Gemüse, Tuch*: hervir (*muy corto tiempo*); *Geflügel, Schwein*: escaldar; *fig.* → *abgebrüht*.

ˈ**abbuch|en** ✝ *v/t.* (*belasten*) cargar en cuenta, adeudar; (*abschreiben*) cancelar; **2ung** *f* débito *m*, adeudo *m*; (*Abschreibung*) cancelación *f*.

ˈ**abbürsten** (-*e*-) *v/t. Kleider*: cepillar; *Staub*: desempolvar.

ˈ**abbüßen** (-*t*) *v/t.* expiar, purgar; *Strafe* ~ cumplir condena *f*.

ˈ**Abbüßen** *n* expiación *f*; *nach* ~ *der Zuchthausstrafe* después de cumplir (la) condena en (el) presidio.

Abˈ**c** *n* abecedario *m*, alfabeto *m*, abecé *m*; *fig.* rudimentos *m/pl.*; *nach dem* ~ por orden alfabético, alfabéticamente; **~-Buch** *n* cartilla *f*, silabario *m*, abecedario *m*; **~-Kriegsführung** ⚔ *f* guerra *f* tóxica; **~-Schüler(in** *f*) *m*, **~-Schütze** *m* (-*n*) párvulo (-a *f*) *m*, escolar *m/f*; *fig.* principiante *m/f*.

ABˈ**C-Staaten** *m/pl.* (**A**rgentina-**B**rasil-**C**hile) los Estados *m/pl.* (del) ABC.

ˈ**abdach|en** *v/t.* (*Haus*) destechar; ataludar, construir en declive *m*; **2ung** *f* declive *m*, talud *m*, pendiente *f*; *flache*: explanada *f*.

ˈ**abdämm|en** *v/t.* oponer un dique *m*; *fig.* detener; *Fluß*: represar, embalsar; ⚡ (*isolieren*) aislar; **2ung** *f* presa *f*, estancamiento *m*; *Akustik*: aislamiento *m*; pantalla *f* acústica.

ˈ**Abdampf** *m* (-*es*; ⸚*e*) vapor *m* de escape; **2en** **1.** *v/i.* evaporar(se); *Zug*: ponerse en marcha *f*; *fig.* ausentarse, F largarse, eclipsarse; **2.** *v/t.* (*a.* ~ *lassen*) evaporar, (*verflüchtigen*) volatilizar; **~en** *n* evaporación *f*, volatilización *f*.

ˈ**abdämpfen** *v/t. Kochkunst*: cocer al vapor *m*; *Schall*: amortiguar; *Farben, Licht*: atenuar.

ˈ**Abdampf...**: **~energie** *f* energía *f* en el vapor de escape; **~rohr** *n* (-*es*; -*e*) tubo *m* de vapor de escape; **~rückstand** *m* (-*es*; ⸚*e*) residuo *m* de evaporación; **~turbine** *f* turbina *f* de vapor de escape.

ˈ**abdank|en** **1.** *v/t.* (*entlassen*) despedir; ⚓, ⚔ licenciar (*marinería bzw. tropas*); *Beamte*: jubilar; *Offizier* (*strafweise*) separar del servicio; *fig. Schiff*: liar el petate; **2.** *v/i.* ⚓, ⚔ retirarse; resignar (*un mando*); dimitir *od.* presentar la dimisión de (*un cargo*); *Beamter*: jubilarse; *Herrscher*: abdicar; **2ung** *f* retiro *m*; resignación *f*; dimisión *f*; jubilación *f*; abdicación *f*; renuncia *f* (*de un empleo od. cargo*).

'**abdarben** *v/t.*: *sich et.* ~ privarse de a/c.; ahorrar a fuerza de privaciones; F *fig.* quitarse el pan de la boca.
'**Abdeck|blech** *n* (-*es*; -*e*) plancha *f od.* placa *f* metálica de cubierta; **~blende** *f* obturador *m*; **2en** *v/t.* descubrir, destapar; *Dach*: destejar; *Haus*: destechar; *Bett*: disponer la cama (*para acostarse*); *Tisch*: levantar los manteles; ⊕ (*verdecken*) cubrir, revestir, recubrir; *Straßendecke*: cubrir con grava menuda; *Vieh*: desollar; ✝ proveer fondos; *Schuld*: pagar, abonar; *Fußball*: marcar (*a un contrario*), cubrir.
'**Abdecke|r** *m* desollador *m*; **~'rei** *f* desolladero *m*.
'**Abdeck|plane** *f* toldo *m*, cubierta *f* de lona; **~platte** *f* plancha *f od.* placa *f* de cubierta.
'**abdeichen** *v/t.* → *abdämmen*.
'**abdekantieren** (-) ⚗ *v/t.* decantar.
'**abdestillieren** (-) ⚗ *v/t.* destilar.
'**abdicht|en** (-*e*-) *v/t.* cerrar herméticamente; ⊕ estopar, obturar; *Maschinenteil*: empaquetar; ⚓ calafatear; *gegen Gas* (*Wasser*) ~ *neol.* hermetizar; impermeabilizar (contra el agua); → *dichten*; **2ung** *f* cierre *m* hermético; obturación *f*; empaquetadura *f*; calafateado *m*; *neol.* hermetización *f*; impermeabilización *f*; → *Dichtung*.
'**abdienen** *v/t.*: *s-e Zeit* ~ cumplir el servicio militar; *Schuld*: pagar con prestación de servicios.
'**abdorren** **1.** *v/i.* secarse, marchitarse; **2.** ⊕ *v/t.* secar por calentamiento.
'**abdörren** *v/t.* resecar, ⚘ agostar.
'**abdräng|en** *v/t.* apartar forzando *od.* separar empujando; *Auto.*: *seitlich* ~ *beim Überholen*: obligar a apartarse; ⚓ *Wind*: abatir, derrotar; ✈ *Wind*: desviar de la ruta; *fig.* acosar; **2ung** *f* ⚓ abatimiento *m*; ✈ desviación *f*.
'**abdreh|en** **1.** *v/t.* ⊕ tornear, cilindrar; *Gas*: cerrar la llave; *Wasser*: cerrar el grifo; ⚡ apagar; ⊕ *Gewinde* (*überdrehen*): forzar la rosca; *Werkstück*: girar; **2.** *v/i.* ⚓ cambiar el rumbo, (*ausscheren*) derivar, abatir, (*in der Windrichtung*) barloventear; ✈ *im Luftkampf*: virar en redondo, escapar; *zum Sturzflug*: entrar en picado; **2maschine** ⊕ *f* torno *m*; **2spindel** *f* (-; -*n*) huso *m* (*de torno*); **2werkzeug** *n* (-*es*; -*e*) herramienta *f* de torno.
'**Abdrift** *f* ⚓, ✈ deriva *f*; ⚓ abatimiento *m*; **~anzeiger** *m* indicador *m* de deriva; **~platz** *m* (-*es*; ⸗*e*) *für Fallschirmjäger*: área *f* de lanzamiento.
'**abdrosseln** (-*le*) *v/t. Auto.*: cortar el gas; ⊕ estrangular.
'**Abdruck** *m* (-*es*; ⸗*e*) (*Fuß*2) huella *f*, impresión *f*; (*Stempel*2) sello *m*; (*Finger*2) impresión *f* digital *od.* dactilar; huella *f* dactilar; (*Abguß*) molde *m*; (*Pausen*) calco *m*; *Phot.* prueba *f* fotográfica; (*Zahn*2) molde *m*; *e-r Versteinerung*: huella *f* fósil: *von Pflanzen*: dendrolito *m*; *von Fischen*: ictiolito *m*; *Typ.* impresión *f*, estampación *f*; *pl.* -*e* (*Exemplar*) ejemplar *m*, copia *f*; (*Nachdruck*) reimpresión *f*; (*Probe*2) prueba *f*, (*Tageszeitung*) galerada *f*; (*Poststempel*) matasellos *m*; **2en** copiar; moldear; sellar; calcar; marcar, estampillar; *Typ.* imprimir, estampar; *wieder* ~ reimprimir; (*veröffentlichen*) publicar.
'**abdrücken** *v/t.* oprimir, separar (*por presión*); (*abformen*) moldear; *Gewehr*: disparar, descargar, apretar el gatillo; (*umarmen*) abrazar efusivamente.
'**Abdruckrecht** *n* (-*es*; -*e*) derecho *m* de reimpresión; *angl.*: copyright *m*.
'**Abdrückschraube** *f* ⊕ tornillo *m* de presión.
'**Abdruckstempel** *m* *Typ.* calcotipia *f*.
Abdukti'on *f* ⚕ abducción *f*.
'**abdunkeln** (-*le*) *v/t. Licht*: atenuar, reducir; obscurecer; *Farben*: ensombrecer, rebajar; *TV*: atenuar (*la luz en la sala*).
'**abdunst|en** (-*e*-) *v/t.* evaporar; *Salzsohle*: concentrar(se) por evaporación *f*; **2ung** *f* evaporación *f*.
'**ab-ebben** *v/i.* refluir, bajar la marea; *fig.* decaer, aplacar.
'**Abend** *m* (*Spätnachmittag*) tarde *f*; (*nach dem Dunkelwerden*) noche *f*; *Poes.* ocaso *m*; *Thea.* función *f* de la noche, (*Spätnachmittag*) función *f* de la tarde; (*Gesellschaft*): (*kleine*) tertulia *f*, reunión *f* (*de sociedad*), velada *f* (*literaria*, *musical*); † sarao *m*; *bunter* ~ velada *f* festiva, F guateque *m*; *Heiliger* ~ Nochebuena *f*; (*Westen*) Oeste *m*, Occidente *m*, Poniente *m*; *am* ~ a la (de *od.* por la) noche; al atardecer; *des* ~*s* por la noche; *diesen* ~ esta noche; *heute* 2 hoy por la noche; *morgen* 2 mañana por la noche; *gestern* 2 anoche; *gegen* ~ hacia la noche, al anochecer; *Guten* ~! ¡Buenas noches! *bzw.* ¡Buenas tardes!; *zu* ~ *essen* cenar; *es wird* ~ anochece; *man soll den Tag nicht vor dem* ~ *loben* no se debe cantar victoria hasta el final; *es ist noch nicht aller Tage* ~ la suerte no está aún echada.
'**Abend...**: **~andacht** *f* *I.C.* vísperas *f/pl.*, *I.P.* oficio *m* de la tarde; **~anzug** *m* (-*es*; ⸗*e*) traje *m* de etiqueta *od.* negro; **~ausgabe** *f* *e-r Zeitung*: edición *f* de la noche *bzw.* tarde; **~börse** ✝ *f* bolsín *m* de última hora; **~brot** *n* (-*es*; *0*) cena *f*; **~dämmerung** *f* crepúsculo *m* vespertino, ocaso *m*; caída *f* de la tarde, anochecer *m*, atardecer *m*; **~essen** *n* → *Abendbrot*; **~falter** *m* mariposa *f* vespertina, *Zoo.* esfíngido *m*; **~gebet** *n* (-*es*; -*e*) oración *f* de la noche; **~geläute** *n* toque *m* de oración *od.* de ánimas, ángelus *m*; **~gesellschaft** *f* → *Abend* (*Gesellschaft*); **~gottesdienst** *m* (-*es*; -*e*) *I.C.* misa *f* vespertina, *I.P.* servicio *m* de la tarde; **~kasse** *f* *Thea.* despacho *m* de billetes, taquilla *f*; **~kleid** *n* (-*es*; -*er*) vestido *m* de noche; **~kühle** *f* (*0*) relente *m*, sereno *m*; **~kurs** *m* (-*es*; -*e*) → *Abendschule*; **~land** *n* (-*es*; *0*) Occidente *m*; **2ländisch** *adj.* occidental; **~mahl** *n* (-*es*; *0*) → *Abendbrot*; *Bib.* la Santa Cena; *Lit.* la (Sagrada) Comunión; *Sakrament*: Eucaristía *f*; *das* ~ *empfangen* recibir la comunión *od.* comulgar; *das* ~ *reichen* administrar (*od.* dar) la comunión; **~mahlgänger** *m* comulgante *m/f*; **~messe** *f* → *Abendgottesdienst*; **~rot** *n* (-*es*; *0*), **~röte** *f* (*0*) luz *f* crepuscular, arrebol *m* vespertino, crepúsculo *m* vespertino.
'**abends** *adv.* por la noche, de noche; *spät* ~ muy tarde por la noche; ~ (*irgendwo*) *ankommen* llegar al anochecer; *um 8 Uhr* ~ a las 8 de la noche; *von* ~ *bis früh* del anochecer al amanecer; *von morgens bis* ~ desde que amanece hasta que anochece, F de la mañana a la noche.
'**Abend...**: **~schule** *f* escuela *f* nocturna; **~seite** *Astr.* *f* (*0*) parte *f* occidental; **~sonne** *f* (*0*) sol *m* poniente *od.* crepuscular; **~stimmung** *f* (*0*) ambiente *m* vespertino; **~stern** *m* (-*s*; *0*) estrella *f* vespertina, Venus *f*; **~thermik** *f* (*0*) termoirradiación *f* terrestre; **~tisch** *m* (-*es*; *0*) mesa *f* (dis)puesta para cenar; **~toilette** *f* vestido *m* de noche; **~zeitung** *f* diario *m* de la noche *od.* vespertino.
'**Abenteuer** *n* aventura *f*, lance *m* extraño; (*Wagnis*) empresa *f* temeraria *od.* aventurada; *galantes* ~ aventura amorosa *od.* galante; *auf* ~ *ausgehen* ir en busca de aventuras; **~geschichte** *f* novela *f* de aventuras; **2lich** *adj.* aventurero; *fig.* (*absonderlich*) quijotesco, descabellado; romántico; *Plan usw.*: aventurado, arriesgado; **~lichkeit** *f* quijotismo *m*, carácter *m* aventurero; extravagancia *f*; **~lust** *f* (*0*) espíritu *m* aventurero; **2n** (-*re*) *v/i.* salir en busca de aventuras; **~der Ritter** *m* caballero *m* andante.
'**Abenteurer** *m* aventurero *m*, (*Hochstapler*) caballero *m* de industria; (*Verwegener*) temerario *m*; **~in** *f* aventurera *f*; **~leben** *n* vida *f* aventurera; *ein* ~ *führen* llevar una vida aventurera.
'**aber** **I.** *adv.* (*wiederum*) otra vez, de nuevo; ~ *und abermals* una y otra vez, reiteradamente; **II.** *cj.* pero, mas, empero; ~ *d*(*enn*)*och* sin embargo, no obstante; *oder* ~ o bien; *nun* ~ ahora bien, pues bien; **III.** *int.* ~! (*Erstaunen*) ¡pero cómo!; (*Verneinung*) ~ *nein!* ¡nada de eso!, ¡al contrario!; F ¡ni hablar de eso!; (*verwundert*) ¡no me diga!; ~ *schnell!* ¡pero de prisa!; ~ *tüchtig!* ¡pero bien hecho!, ¡lo que se dice bien!; ~ *sicher!* ¡pues claro!, ¡seguro!; 2 *n* pero *m*, inconveniente *m*, reparo *m*; *die Sache hat ein* ~ la cosa tiene su(s) inconveniente(s); *er hat immer ein* (*Wenn und*) ~ siempre tiene un pero que poner; *ohne Wenn und* ~ sin (poner) peros.
'**Aber|glaube** *m* (-*ns*; *0*) superstición *f*; **2gläubisch** *adj.* supersticioso (-a).
'**ab-erkenn|en** (*L*; -) *v/t.*: *j-m et.* ~ no reconocer a/c. a alg.; ⚖ *ein Recht*: privar; *e-e Sache*: negar el derecho a ello; *Schadenersatz*: denegar; **2ung** *f* denegación *f*; ⚖ interdicción *f*; privación *f*; ~ *der bürgerlichen Ehrenrechte* interdic-

ción civil; ~ *des Ruhegehaltes* privación de pensión.

ˈ**aber|malig** *adj.* reiterado, repetido; **~mals** *adv.* de nuevo, otra vez, una vez más.

ˈ**ab-ernten** (*-e-*) *v/t.* cosechar, recolectar.

Ab-erratiˈon *f Phys.* aberración *f.*

ˈ**Aberwitz** *m* (*-es; 0*) locura *f*, desvarío *m*; extravagancia *f*; disparate *m*; **2ig** *adj.* loco, desatinado, extravagante, absurdo, disparatado.

ˈ**ab-essen** (*L*) **1.** *v/t.* comer sin dejar resto; *Teller*: dejar limpio; (*Knochen*) mondar; **2.** *v/t.* acabar de comer.

Abesˈsin|ien *n* Abisinia *f*; **~ier** (**-in** *f*) *m*, **2isch** *adj.* abisinio (-a *f*) *m.*

ˈ**abfahren** (*L*) **1.** *v/i.* salir, partir (*beide a.* 🚆); *Zug in Bewegung setzen*: arrancar; ⚓ salir, zarpar (*nach* para); *Segelschiff*: hacerse a la vela; *Mont.* descender; *Ski*: esquiar pendiente abajo; 🚆 *~!* dar la salida; *fahr ab! fig.* F ¡vete!, ¡lárgate!; *j-n ~ lassen* desairar a alg., F mandar a paseo; (*Verehrer*) F dar calabazas a un pretendiente; **2.** *v/t.* (*Güter*) transportar, acarrear; e-e *Strecke ~* recorrer un trayecto; *überwachend*: patrullar; *ihm wurde ein Bein abgefahren* perdió una pierna en un accidente.

ˈ**Abfahrt** *f* salida *f*, partida *f*, marcha *f*; ⚓ salida *f* (*alle*: *nach* para); *Mont.*, *Ski*: descenso *m*, bajada *f*; *bei ~ des Zuges* a la (hora de) salida del tren; **~(s)bahnsteig** *m* (*-es; -e*) andén *m* de salida; **2bereit** *adj.* preparado, dispuesto (para la salida); **~(s)hafen** *m* (*-s;* ⸚) puerto *m* de salida; **~(s)lauf** *m* (*-es;* ⸚*e*) *Ski*: carrera *f* de descenso; **~(s)signal** *n* (*-es; -e*) señal *f* de salida; **~s-tag** *m* (*-es; -e*) día *m* de la partida; **~s-zeit** *f* hora *f* de salida.

ˈ**Abfall** *m* (*-es;* ⸚*e*) caída *f*; (*Böschung*) declive *m*, pendiente *f*; *fig.* (*Abnahme*) *Kräfte*: postración *f*, decaimiento *m*; *Temperatur*: descenso *m*; *Gewicht*: pérdida *f*; disminución *f*; *Verlust an Gehalt*: merma *f*, empobrecimiento *m*; ⚡ caída *f*; *von e-r Partei usw.*: defección *f*, disidencia *f*; *zum Gegner*: deserción *f*; *Rel.*: *vom Glauben*: apostasía *f*; (*Rebellion*) sublevación *f*, insurrección *f*; *Abfälle pl.* desperdicios *m/pl.*, restos *m/pl.*; (*Müll*) basura *f*; *beim Schlachten*: despojos *m/pl.*; residuos *m/pl.*; (*ungünstiger Gegensatz*) desentono *m*, contraste *m* desfavorable; **~behälter** *m auf der Straße*: recipiente *m* para desperdicios; **~eimer** *m* cubo *m* de la basura; **~eisen** *n* chatarra *f*; hierro *m* viejo; **2en** (*L; sn*) *v/i.* caer; (*abnehmen*) disminuir, mermar, descender; *sich trennen*: desprenderse; (*Getreide*) desgranarse; *von e-r Partei*: abandonar, desertar; *Rel.* apostatar, renegar; *Gelände*: formar declive; (*abmagern*) enflaquecer, demacrarse; F *j-n ~ lassen* distanciarse de alg.; desairar, dar de lado a alg.; *es fällt sehr ab gegen* desentona mucho, contrasta muy desfavorablemente con; **2end** *adj. Gelände*: pendiente, en declive; *steil ~* tajado; ✝ *Qualität*: inferior, de baja calidad; **~erzeugnis** *n* (*-ses; -se*) desechos *m/pl.*; *weiterverwendbar*: producto *m* residual; **~grube** *f* basurero *m*, muladar *m*; **~holz** *n* (*-es; 0*) desperdicios *m/pl.* de madera.

ˈ**abfällig 1.** *adj. Urteil*: desfavorable; *Bemerkung*: despectivo; *Kritik*: adverso; **2.** *adv.* desfavorablemente, despectivamente; *~ sprechen über j-n* menospreciar a alg.; hablar despectivamente de alg.; *j-s Bitte ~ bescheiden* denegar la petición de alg.

ˈ**Abfall...**: **~koks** *m* (*-es; 0*) desechos *m/pl.* de coque; **~produkt** *n* (*-es; -e*) (*verwertbar*) producto *m* residual; **~säure** ⚗ *f* ácido *m* residual; **~verwertung** *f* aprovechamiento *m* residual.

ˈ**abfang|en** (*L*) *v/t.* F atrapar; detener, capturar; *Briefe*, *Meldung*, *Feindflugzeug*, *usw.*: interceptar; *Kunden*: F quitar (*la clientela a otro*); *Jgdw.*: rematar; △, ⚒ apuntalar; ⊕ *Stöße*: absorber, amortiguar; ⚓ apresar; ⚔ copar; ✈ *beim Sturzflug*: enderezar, tomar dirección horizontal.

ˈ**abfärben** *v/i.* desteñir(se), perder el color; *~ auf* manchar, colorear por contacto; *fig. auf j-n ~* influir sobre el modo de ser de alg.; imprimir carácter.

ˈ**abfasen** (*-t*) ⊕ *v/t.* achaflanar, biselar.

ˈ**abfasern** (*-re*) **1.** *v/t. Bohnen*: deshebrar; **2.** *v/i. Stoff*: deshilachar (-se).

ˈ**abfass|en** (*-ßt*) *v/t. j-n ~* aprehender, coger, F atrapar; *Brief usw.*: interceptar; (*verhaften*) capturar, detener; (*verfassen*) componer, escribir; (*aufsetzen*) redactar; hacer un borrador; *in vorsichtigen Worten ~* expresar en forma delicada; *amtlich*: (*Akten, Urkunden, usw.*) extender; (*Protokoll*) levantar acta; *kurz abgefaßt* redactado concisamente; **2ung** *f* redacción *f*, composición *f*; *fig.* dedicación *f.*

ˈ**abfeder|n** (*-re*) *v/t. Geflügel*: desplumar; ⊕ suspender elásticamente; *gegen Stöße*: amortiguar; *einzeln abgefederte Räder* ruedas con suspensión independiente; **2ung** *f* amortiguamiento *m*; *Auto.*: suspensión *f* elástica.

ˈ**abfegen** *v/t.* (*Besen*) barrer; (*Bürste*) cepillar.

ˈ**abfeilen** *v/t.* limar, rebajar (*con la lima*); *fig.* pulir.

ˈ**abfeilschen** *v/t.* j-m et. *~* conseguir hábilmente una transacción ventajosa; et. (*vom Preis*) *~* lograr una rebaja.

ˈ**abfertig|en** *v/t.* despachar; 🚆 facturar; *absenden*: expedir, facturar, despachar; (*durch Reederei*) consignar; *Kunden*: atender, servir, despachar; *fig. j-n ~* (*abweisen*) rechazar a alg. sin contemplaciones; *j-n kurz ~* despedir de modo brusco a alg.; F mandar a paseo; **2ung** *f* despacho *m*; facturación *f*; expedición *f*; consignación *f*; **2ungsschein** *m* (*-es; -e*) declaración *f* de las mercancías; (*Zollamt*) autorización *f* de aduanas; **2ungs-stelle** *f* despacho *m*; **~ungs-zeit** *f* horas *f/pl.* de despacho.

ˈ**abfeuern** (*-re*) *v/t.* disparar, descargar (*un arma de fuego*); *Fußball*: tirar, F chutar.

ˈ**abfind|en** (*L*) *v/t.* satisfacer, pagar; *Gläubiger*: transigir; *Teilhaber*: ceder; (*entschädigen*) compensar, indemnizar; *sich mit j-m ~* llegar a un arreglo con alg.; *sich mit et. ~* resignarse, conformarse con a/c.; *sich mit den Gegebenheiten ~* hacer frente a las circunstancias, F tener paciencia y barajar; **2ung** *f* arreglo *m*, ajuste *m*; transacción *f* (*mit den Gläubigern* con los acreedores); *von Angestellten*: ajuste *m*; compensación *f*, indemnización *f*; **2ungsentschädigung** *f bei Entlassung*: compensación *f* por despido; indemnización *f*; **2ungs-summe** *f* compensación *f* (*convenida para zanjar una cuestión*); (*Entschädigung*) indemnización *f*; **2ungsvertrag** *m* (*-es;* ⸚*e*) pacto *m* de transacción.

ˈ**abfischen** *v/t.* vaciar de pesca (*estanque, vivero*); *fig.* llevarse la mejor tajada.

ˈ**abflachen** *v/t.* aplanar, alisar, allanar, nivelar; *Gewinde*: truncar; *Wasser*: perder profundidad.

ˈ**abflächen** ⊕ *v/t.* aplanar, alisar, pulir (*una superficie*); (*abschrägen*) biselar.

ˈ**abflauen** *v/i.* (en)calmar; *Wind*: amainar; *fig.* aflojar, declinar; ✝ *Preise*: estar en baja; *Kurse*: debilitarse, mostrar flojedad; *Geschäft*: languidecer; *Interesse*: disminuir.

ˈ**abfliegen** (*L; sn*) **1.** *v/i.* levantar el vuelo; ✈ despegar; partir en avión; **2.** *v/t.* patrullar (*en el aire*).

ˈ**abfließen** (*L; sn*) *v/i.* desaguar; escurrir, chorrear; *durch ein Leck*: salirse, derramarse; *~ lassen* dar salida a un líquido, dejar correr *od.* fluir.

ˈ**Abflug** *m* (*-es;* ⸚*e*) partida *f* en avión, despegue *m*; *~ mit Starthilfe* despegue con medios auxiliares; **~deck** *n* (*-s; -e od. -s*) cubierta *f* de despegue; **~strecke** *f* trayecto *m* de despegue.

ˈ**Abfluß** *m* (*-sses;* ⸚*sse*) *Abfließen*: salida *f*, derrame *m*; (*Ausfluß*) descarga *f*, desagüe *m*; ⚘ flujo *m*; *des Geldes* (*ins Ausland*) evasión *f* de capitales; (*~stelle*) sumidero *m*, desagüe *m*; *e-s Teiches*: surtidero *m*; **~gebiet** *n* (*-es; -e*) zona *f* colectora; vertiente *f*; **~graben** *m* (*-s;* ⸚) albañal *m*, cloaca *f*, alcantarilla *f*; **~hahn** *m* (*-es;* ⸚*e*) llave *f* de desagüe *bzw.* de descarga; **~kanal** *m* (*-es;* ⸚*e*) canal *m* de desagüe *bzw.* de descarga; (*Staubecken*) vaciadero *m*, aliviadero *m*; **~menge** *f Fluß*: caudal *m*; **~rohr** *n* (*-es; -e*) tubo *m* de desagüe; ⊕ tubo *m* de descarga; **~ventil** ⊕ *n* (*-es; -e*) válvula *f* de descarga.

ˈ**Abfolge** *f* sucesión *f*; (*Reihenfolge*) serie *f*; *Geol.* origen *m.*

ˈ**abfordern** (*-re*) *v/t.* pedir; exigir, reclamar; *j-m Rechenschaft ~* pedir cuentas a alg.

ˈ**abformen** *v/t.* modelar, vaciar; amoldar; (*kopieren*) copiar; ⊕ moldear.

ˈ**abforsten** (*-e-*) *v/t.* talar; desmontar.

ˈ**abfragen** *v/t.* preguntar; *e-n Schüler die Grammatik* ~ preguntar *od.* tomar la lección de Gramática a un escolar; *Tele.*: probar una línea telefónica.

ˈ**abfräsen** (*-t*) ⊕ *v/t.* fresar.

ˈ**abfressen** (*L*) *v/t.* comer (*sin dejar resto*); *Vieh, Wild*: pacer; *Nagetier*: roer; *Wurm*: carcomer; ⊕ corroer; *Geol.* desgastar por erosión.

ˈ**abfrieren** (*L*; *sn*) *v/i.* helar(se), congelar(se).

ˈ**abfühlen** *v/t.* tocar suavemente, tantear; palpar.

ˈ**Abfuhr** *f* transporte *m*, conducción *f*; (*Roll*𝔖) acarreo *m*; *Sport u. fig.*: derrota *f*, descalabro *m*; (*Abweisung*) desaire *m*, repulsa *f*; *fig.* e-e ~ *erteilen* mandar a alg. con cajas destempladas.

ˈ**abführen 1.** *v/t.* conducir, transportar; acarrear; evacuar; ⚕ purgar; *Häftling*: llevar detenido; *j-n vom (rechten) Wege* ~ (*a. fig.*) apartar a alg. del (buen) camino; *Phys.* eliminar; *Geldbetrag*: (*an ac.* a) pagar, (*gutschreiben*) acreditar en cuenta; *e-e Schuld*: pagar, saldar; *Fechtk.* poner fuera de combate; *fig.* (*abweisen*) desairar; **2.** *v/i.* ⚕ purgar(se); **~d** *adj.* purgante, laxante.

ˈ**Abfuhrkosten** *f/pl.* gastos *m/pl.* de acarreo.

ˈ**Abführ...**: **~mittel** *n Phar.* purgante *m*, laxante *m*; **~tee** *m* (*-s*; *-s*) té *m* purgante; **~ung** *f* → *abführen*; transporte *m*, conducción *f*, acarreo *m*; pago *m*; ⚕ purga *f*.

ˈ**Abfüll|anlage** *f* instalación *f* de embotellado; 𝔖**en** *v/t. Bier, Wein usw.* (*abziehen*) extraer, sacar; *in Flaschen*: embotellar; *in Packungen*: envasar; **~maschine** *f* (*máquina*) embotelladora *f*; envasadora *f*.

ˈ**abfüttern** (*-re*) *v/t. Vieh*: dar pienso *m*; *Mantel*: forrar.

ˈ**Abgabe** *f* entrega *f*; *Fußball*: pase *m*; *e-r Nachricht*: transmisión *f*; (*Ausgabe*) edición *f*; (*Verkauf*) venta *f*; ~ *e-r Erklärung* hacer una declaración; ~ *der Wahlstimme* votar, depositar el voto; (*Tribut*) tributación *f*; (*Zoll*𝔖) derechos *m/pl.* de aduana; (*Steuer*𝔖) contribución *f*; impuesto *m*; *Phys.* (*von Strahlen*) emisión *f*; ⚡ (*Leistungs*𝔖) generación *f bzw.* suministro *m* de potencia; 𝔖**nfrei** *adj.* libre *od.* exento de impuestos; **~nfreiheit** *f* (*0*) exención *f* de impuestos; 𝔖**pflichtig** *adj.* sujeto a impuestos; **~wesen** *n* (*-s*; *0*) sistema *m* tributario.

ˈ**Abgang** *m* (*-es*; *⸚e*) 🚆, ⚓ salida *f*, partida *f*; *Thea.* mutis *m*; *aus e-r Stellung*: renuncia *f*; *von der Schule*: terminación *f* (*de los estudios*); *e-r Ware*: venta *f*; (*Tara*) tara *f*; (*Verlust*) merma *f*; *bei Flüssigkeiten*: derrame *m*; (*Abnahme*) disminución *f*, reducción *f*; Abgänge *f/pl. der Belegschaft*: bajas *f/pl.*; (*Warenversand*) despacho *m*; *Bankbilanz*: deducción *f*; ⚕ flujo *m*; secreción *f*; † *guten* ~ *finden* tener buena venta *od.* salida.

ˈ**abgängig** *adj.* † (*fehlend*) falto, deficiente; (*gängig*) vendible (*con facilidad*), de buena salida.

ˈ**Abgangs...**: **~dampf** *m* (*-es*; *⸚e*) vapor *m* de escape; **~hafen** *m* (*-s*; *⸚*) puerto *m* de salida; **~mikrofon** *n* (*-s*; *-e*) micrófono *m* emisor; **~prüfung** *f* reválida *f*, examen *m* de grado (*Bachillerato*); **~schüler** *m* escolar *m* que ha terminado sus estudios; **~station** *f* estación *f* de salida; **~zeit** *f* hora *f* de salida (*od. e-r Sendung*: de despacho *m*); **~zeugnis** *n* (*-ses*; *-se*) (*Volksschule*) Certificado *m* de Estudios Primarios; (*Reifeprüfung*) Título *m* de Bachiller.

ˈ**Abgas** *n* (*-es*; *-e*) gas *m* de escape; **~verwertung** *f* aprovechamiento *m* de gas de escape.

ˈ**abgaunern** (*-re*) *v/t.*: *j-m et.* ~ darle el timo a alg., estafar.

ˈ**abge-arbeitet** *adj.* trabajado, consumido (*por el trabajo*).

ˈ**abgeben** (*L*) **1.** *v/t.* (*abliefern*) entregar, dar; *Gerät*: (*zurückgeben*) devolver; (*fortgeben*) deshacerse de; *Gepäck*: consignar; *abzugeben bei* para entregar (en casa de) a; *s-e Karte bei j-m* ~ dejar tarjeta en casa de alg.; † *Ware*: suministrar, proveer; *Börse*: vender; *blanko* ~ vender valores antes de comprarlos; *e-n Wechsel*: librar; (*abtreten*) desistir, renunciar; *Meldung*: transmitir; *e-e Person*: prescindir de alg.; *e-e Erklärung* ~ hacer una declaración; ⚖ deponer, declarar; → *eidesstattlich*; *e-e Meinung* ~ *über* opinar, emitir una opinión sobre, *kritisch*: juzgar, enjuiciar; → *Urteil*; → *Stimme*; *e-n Schuß* ~ disparar un tiro; *Fußball*: tirar; *den Ball* ~ pasar el balón; ⊕ *Dampf*: dar (*vapor*); *Wärme usw.*: irradiar, emitir; *Strom*: suministrar; *abgegebene Leistung* potencia efectiva generada *bzw.* suministrada; *Automat usw.*: (*dosieren*) entregar, dar automáticamente; (*erbringen*) producir, dar; *von et.* ~ dar una parte de, repartir con; (*dienen als*) servir de, *Person*: actuar de, hacer de; *er würde e-n guten Ingenieur* ~ sería (haría) un buen ingeniero; *sich* ~ *mit et.* ocuparse en una cosa; *viel*: gastar (*unnütz*: desperdiciar) mucho tiempo en a/c.; *sich mit j-m* ~ tratar a (tener trato con) alg.; **2.** *v/i. Fußball*: pasar el balón.

ˈ**abge|brannt** *adj.* abrasado, incendiado; *Person*: siniestrado, arruinado (*por un incendio*); F *fig.* (*ohne Geld*) sin blanca, P estar a dos velas; **~brochen** *adj.* entrecortado, truncado; *fig.* incoherente, fragmentario; *Rede, Stil*: aforístico, conciso; **~brüht** *adj. fig.* curado de espanto; **~droschen** *adj. fig.* trivial, insustancial; *Wort, Wendung*: trillado, manido, socorrido; *~e Redewendung* frase hecha *od.* estereotipada, lugar común; **~feimt** *adj.* pillo, bribón; (*hinterhältig*) taimado, astuto; *~er Spitzbube* granuja, pillastre; **~griffen** *adj.* gastado; sobado, manoseado; *Buch*: deteriorado, muy usado; **~hackt** *adj. fig.* → *abgebrochen*; **~härmt** *adj.* consumido; afligido; **~härtet** *adj.* aguerrido; endurecido, resistente a; *vom Wetter*: curtido.

ˈ**abgehen** (*L*) **1.** *v/i.* salir, partir (*a. Zug, Schiff usw.*) (*nach* para); irse, marcharse; *Schiff*: zarpar, hacerse a la mar; *Thea.* (*a. fig.*) hacer mutis; *Post*: salir; ⚕ expulsar; (*sich loslösen*) desprenderse; *Seitenweg*: torcer; ~ *lassen Sendung*: expedir; *Schiff*: despachar; *mit dem Tode* ~ pasar a mejor vida, morir; *fig. Ware*: vender; *reißend* ~ F se vende como si se regalara; *von e-m Amt*: renunciar, dimitir; *von der Schule* ~ dejar la escuela, *erfolgreich*: terminar con éxito los estudios; *von e-r Meinung* ~ (*eigene*) cambiar de opinión, (*des anderen*) disentir; *von e-m Thema*: apartarse; *von e-m Vorhaben*: desistir de; *von der Wahrheit*: apartarse de; *vom (rechten) Wege* ~ apartarse del (buen) camino (*a. fig.*); *vom Preise* ~ rebajar el precio; *nicht* ~ *von et.* persistir en; (*bestehen auf*) insistir en; *davon* (*von diesem Standpunkt*) *gehe ich nicht ab* nadie me hará cambiar de opinión; (*fehlen*) faltar, no tener; *was ihm abgeht, ist Mut* lo que le hace falta es valor; *davon geht (gehen) ab* a deducir, de ello hay que descontar; *sich nichts* ~ *lassen* no privarse de nada, F darse la gran vida; *ihm geht nichts ab* no carece de nada; *er geht mir sehr ab* le echo mucho de menos; (*enden*) acabar; *gut* ~ tener éxito, salir bien; *schlecht* ~ salir mal, fracasar; **2.** *v/t.* (*abmessen*) medir a pasos *m/pl.*; (*überwachen*) patrullar, rondar.

ˈ**abge|hetzt** *adj.* rendido (*por la fatiga*); (*erschöpft*) F hecho polvo; (*atemlos*) desalentado; **~kämpft** *adj.* extenuado (*por la lucha*); **~kartet** *adj.* → *abkarten*; **~klärt** *adj.* experimentado, de maduro juicio; **~lagert** *adj. Wein*: añejo, rancio; *Holz*: curado; *Geol.* sedimentado; **~lebt** *adj.* decrépito, caduco; **~legen** *adj.* distante, apartado; lejano, perdido; (*abgeschieden*) solitario, retirado; 𝔖**legenheit** *f* (*0*) lejanía *f*; retiro *m*, apartamiento *m*, aislamiento *m*.

ˈ**abgelt|en** (*L*) *v/t. Ausgaben*: compensar; *Schuld*: satisfacer, liquidar; 𝔖**ung** *f* compensación *f*, pago *m*; *Abfindung*: arreglo *m*; *durch Lieferung*: compensación *f* mediante suministro; *zur* ~ *von Barleistungen* en compensación de pagos en efectivo; (*Entschädigung*) indemnización *f*.

ˈ**abgemacht** → *abmachen*.

ˈ**abgemagert** *adj.* enjuto; enteco, escuálido; F (estar) en los huesos.

ˈ**abgemessen** *adj.* mesurado; *genau* ~ medido con exactitud; *fig. Person*: comedido; *Rede*: moderado; 𝔖**heit** *f* (*0*) exactitud *f*, precisión *f*; mesura *f*, moderación *f*; comedimiento *m*.

ˈ**abgeneigt** *adj.* poco inclinado, reacio; desafecto, adverso; *j-m* ~ *sein* sentir antipatía hacia alg.; *ich bin nicht* ~ *zu* no me opongo a, no tengo inconveniente en; 𝔖**heit** → *Abneigung*.

ˈ**abgenutzt** *adj.* usado, gastado; (*Anzug*) raído, deslustrado.

Abgeordnet|e(r *m*) *m, f* diputado (-a *f*) *m*; delegado (-a *f*) *m*; *Span. Parl.*: Procurador *m* en Cortes; **~enhaus** *n* (*-es*; *⸚er*) Congreso *m*, Cámara *f* de Diputados; *Span.*: Cortes *f/pl.* Españolas.

'**abgerissen** *adj.* (*zerrissen*) roto; (*zerlumpt*) andrajoso, desharrapado; (*schäbig*) desaliñado, astroso; *Person*: (*heruntergekommen*) desastrado, F adán; *fig. Sprache*: inconexo; *Gedanken, Rede*: incoherente; **⁲heit** *f* (*0*) andrajosidad *f*; desaliño *m*; incoherencia *f*.

'**abgerundet 1.** *adj. Leistung, Stil, Bildung*: esmerado; *Zahl*: redondo; **2.** *adv. Zahl*: en números redondos.

'**Abgesandte(r** *m*) *m, f* comisionado (-a *f*) *m*; *weitS.* delegado (-a *f*) *m*; *Pol.* enviado *m*; *geheimer*: emisario *m*; (*Gesandter*) embajador(a *f*) *m*; legado *m*; (*vom Papst*) nuncio *m*; legado *m* pontificio.

'**abgeschieden** *adj.* solitario, retirado; aislado; (*tot*) finado, difunto; **⁲heit** *f* (*0*) soledad *f*, retiro *m*; aislamiento *m*.

'**abgeschliffen** *adj.* pulido; (*Kristall, Edelstein*) tallado; *fig.* (*Stil, Sprache*) esmerado; (*Benehmen*) cortés, fino; **⁲heit** *f* (*0*) pulidez *f*; talla *f*; finura *f*, distinción *f*.

'**abgeschlossen** *adj.* → *abschließen*; *fig.* aislado, retirado, recluido; ~ *leben* vivir retiradamente; *lebensfremd*: vivir retraido, vivir en su torre de marfil; (*in sich*) ~ ensimismado; *Wohnung, Maschine*: independiente; *Ausbildung*: (*formación, instrucción*) completa; perfecta; (*abgemacht*) concluso; **⁲heit** *f* (*0*) aislamiento *m*, reclusión *f*; retraimiento *m*; introversión *f*.

'**abgeschmackt** *adj.* (*fad*) insípido, soso; *fig.* (*töricht*) absurdo, disparatado; (*von schlechtem Geschmack*) de mal gusto, vulgar; (*auffallend*) llamativo; (*sentimental*) sensiblero; (*uninteressant*) insulso; **⁲heit** *f* (*0*) insipidez *f*; disparate *m*; insulsez *f*; vulgaridad *f*, mal gusto *m*.

'**abgesehen**: ~ *von* aparte de, exceptuando; (*ganz*) ~ *davon, daß* prescindiendo (en absoluto) de que, sin tener en cuenta (para nada) que; → *absehen*.

'**abgesondert** *adj.* separado (*von* de); *fig.* → *abgeschieden, abgeschlossen*.

'**abgespannt** *adj. fig.* cansado, rendido, extenuado; F (estar) molido; *nervlich*: enervado; ⚕ átono, relajado; **⁲heit** *f* (*0*) cansancio *m*, extenuación *f*; falta *f* de energía.

'**abgestanden** *adj.* pasado, rancio, añejo; manido.

'**abgestorben** ⚕ *adj. Glieder*: atrofiado; (*gänzlich*) mortificado; *Gewebe*: necrosado.

'**abgestumpft** *adj. Schneide*: sin filo, (*Spitze*) romo; (*Werkzeug*) embotado; ⩘ truncado; ~*er Kegel* cono *m* truncado, tronco *m* de cono; ⚗ neutralizado; *fig.* apático, abúlico; indiferente, insensible (*gegen* a); **⁲heit** *f* (*0*) apatía *f*; (*Gleichgültigkeit*) indiferencia *f*, insensibilidad *f*.

'**abgetakelt** ⚓ *adj.* desaparejado; *fig.* → *abgekämpft*.

'**abgetan** → *abtun*.

'**abgeteilt** *adj.* dividido; repartido, distribuido; ~*er Raum* compartimiento *m*.

'**abgetragen** *adj. Kleider*: usado, deslustrado; raído; (des)gastado.

'**abgewinnen** *v/t.* ganar; *j-m et.* ~ ganar a/c. a alg.; *e-r Sache Geschmack* ~ tomar gusto a a/c.; *j-m e-n Vorsprung* ~ tomar la delantera a alg., anticiparse; *j-m e-n Vorteil* ~ tener ventaja sobre alg.

'**abgewirtschaftet** *adj.* arruinado (*por mala administración*); *Sache*: exhausto.

'**abgewöhnen** (-) *v/t.* desacostumbrar; *sich das Rauchen* ~ dejar (el hábito) de fumar; *das muß er sich* ~ tiene que desacostumbrarse de (hacer) eso.

'**abgezehrt** *adj.* consumido, demacrado, macilento.

'**abgießen** (*L*) *v/t.* verter, derramar; (*umfüllen*) trasegar; ⚗ decantar; ⚔ *Kampfstoffe*: pulverizar (*un líquido tóxico*); *in Gips*: vaciar; ⊕ moldear; fundir el molde.

'**Abglanz** *m* (*-es*; *0*) reflejo *m*, vislumbre *m*; destello *m*.

'**abgleich|en** (*L*) *v/t.* igualar; regular; ajustar, adaptar (*alle a.* ⊕); ⚚ *Konten*: hacer balance *m*; (*ebnen*) nivelar, alisar; ⚡ *Meßtechnik*: equilibrar; *Funk, Radar*: compensar; **⁲fehler** *m* defecto *m* de equilibrio; **⁲ung** *f* igualación *f*; ajuste *m*; nivelación *f*; equilibrio *m*; compensación *f*.

'**abgleiten** (*L*; *sn*), '**abglitschen** (*sn*) *v/i.* escurrir, resbalar, deslizar (-se); *Auto.*: patinar; *seitlich* ~ deslizarse lateralmente; *Waffe*: desviarse (*el proyectil al hacer impacto*); *fig. Vorwürfe gleiten von ihm ab* es sordo (inmutable) a todo reproche; *Schlauch, Riemen*: zafarse.

'**abglühen 1.** *v/t. Eisen usw.*: poner al rojo vivo; *Wein*: calentar (*mezclado con especias*); **2.** *v/i.* (*abkühlen*) cesar la incandescencia, enfriar.

'**Ab|gott** *m* (*-es*; *⸗er*) ídolo *m*; ~**götte'rei** *f* (*0*) idolatría *f*; **⁲göttisch 1.** *adj.* idólatra; **2.** *adv.* con idolatría; ~ *lieben* idolatrar, adorar.

'**Abgottschlange** *f* boa *f* (constrictor).

'**abgraben** (*L*) *v/t.* (*Gelände*) desmontar; allanar, nivelar; *Wasserlauf*: avenar; *fig. j-m den Boden unter den Füßen* ~ minar el terreno a alg.

'**abgrämen** *v/refl.* afligirse, apenarse; *fig.* carcomerse; *abgegrämt* consumido por la pena.

'**abgrasen** (*-t*) *v/t.* pacer; (*abmähen*) segar; trillar un campo.

'**abgraten** (*-e-*) ⊕ *v/t.* desbarbar.

'**abgreifen** (*L*) *v/t.* ajar, manosear; *sich* ~ deteriorarse por el uso constante; *Landkarte*: trazar, hacer un mapa; *die Entfernung* ~ medir sobre el mapa una distancia con el compás; → *abgegriffen*.

'**abgrenz|en** (*-t*) *v/t.* deslindar, (de-) limitar, demarcar; *fig.* diferenciar; *Felder*: amojonar; *Begriffe*: definir, precisar; **⁲ung** *f* deslinde *m*, (de-) limitación *f*; amojonamiento *m*; demarcación *f*; ~ *der Hoheitsgewässer* delimitación de las aguas jurisdiccionales.

'**Abgrund** *m* (*-es*; *⸗e*) (*bodenloser* ~) abismo *m* (*a. fig.*); (*steiler* ~) precipicio *m*; (*Schlund*) sima *f*.

'**abgrundtief** *adj.* (*0*) abismático, insondable (*a. fig.*).

'**abgucken** F → *absehen*.

'**Abguß** *m* (*-sses*, *⸗sse*) ⊕ *Guß*: fundición *f*; *Gips*: vaciado *m*; *Form*: vaciado *m* (*en molde*); ⊕ *Vorgang*: vaciado *m*; ⚗ decantación *f*; *Typ.* estereotipia *f*.

'**abhaben** (*L*) *v/t.* et. ~ *von* participar, tener parte en a/c.; *den Hut* ~ permanecer descubierto.

'**abhacken** *v/t.* partir, cortar (*con hacha*); *Worte*: entrecortar; → *abgehackt*.

'**abhaken** *v/t.* desenganchar, (*Hängendes*) descolgar; *in e-r Liste*: puntear.

'**abhalt|en** (*L*) **1.** *v/t.* (*fernhalten*) mantener a distancia; (*abwehren*) rechazar; ⚔ *den Feind*: dificultar (*la acción del enemigo*); *fig.* (*aufhalten*) molestar, distraer (*a alg. en sus ocupaciones*); *lassen Sie sich nicht* ~ no se moleste usted; (*hindern*) impedir, retener; *durch Vorschrift, Verfügung*: excluir; (*zurückhalten*) contener; (*abschrecken*) amedrentar; *Kind*: F sostener; *Prüfung, Versammlung*: celebrar; *Lehrstunde, Schule*: dar clase; *Vorlesung*: explicar; (*einhalten*) observar; **2.** *v/i.* ~ *auf* dirigirse a (hacia); *vom Land* ~ alejarse de la costa (*una embarcación*); **⁲ung** *f* (*Hindernis*) impedimento *m*, contratiempo *m*; (*Versammlung, Fest*) celebración *f*.

'**abhandeln** (*-le*) *v/i. j-m et.* ~ *durch Kauf*: comprar, adquirir a/c. a alg.; *durch Feilschen*: regatear; *et. vom Preis* ~ obtener una rebaja; (*verhandeln*) tratar, negociar; (*erörtern*) tratar (*de un tema*); (*mündlich*) discutir, debatir; (*vortragend*) disertar sobre, exponer.

ab'handen *adv.*: ~ *kommen* perderse, extraviarse.

'**Abhandlung** *f schriftliche*: tratado *m*; ensayo *m*; *wissenschaftliche*: trabajo *m*; artículo *m*, estudio *m*; (*Vortrag*) disertación *f*; discurso *m*; (*Doktorarbeit*) tesis *f* doctoral.

'**Abhang** *m* cuesta *f*, declive *m*, repecho *m*, pendiente *f*; *jäher*: precipicio *m*, despeñadero *m*; *e-s Hügels*: ladera *f*; *e-s Gebirges*: falda *f*, vertiente *f*.

'**abhängen 1.** *v/i.* (*L*) *Telefon*: descolgar (*el auricular*); *fig.* ~ *von* depender de; *vom Zufall* ~ estar a merced del azar; *von e-r Zustimmung, Vorschrift*: estar sometido (sujeto) a; *es hängt von dir ab* de ti depende, tú dirás; **2.** *v/t.* depender; (*Anhänger u.* 🚗) desenganchar; ⚡ desconectar; F *fig. Verfolger*: dar esquinazo, *Konkurrent*: dejar atrás.

'**abhängig** *adj. fig.* dependiente (*von* de); *von Zustimmung*: sujeto (sometido) a; ~ *sein von* → *abhängen*; *voneinander* ~ interdependientes, depender entre sí; *Gr.* ~*er Satz* proposición *f* (oración *f*) subordinada; **⁲keit** *f* (*0*) dependencia *f*, subordinación *f*; sujeción *f*, sumisión *f*; *gegenseitige* ~ dependencia *f* mutua, interdependencia *f*; **⁲keitsverhältnis** *n* (*-ses*; *-se*) relación *f* de dependencia.

'**abhärmen** *v/refl.* angustiarse, afligirse; *sich* ~ *über* consumirse de pena; → *abgehärmt*.

'**abhärt|en** (*-e-*) *v/t.* endurecerse; fortalecerse; curtirse; *zum Kriege*:

aguerrir; → abgehärtet; 2ung f (0) endurecimiento m; fortalecimiento m; curtimiento m.
'**abhaspeln** (-le) v/t. hilar, devanar; F fig. recitar de carrerilla.
'**abhauen** (L) **1.** v/t. cortar, tajar; *Baum*: talar, tronchar; **2.** v/i. F (*fortgehen*) F largarse, tomar el portante; (*fliehen*) F poner pies en polvorosa; *Sport*: (*dem Feld davongehen*) abandonar el campo; *hau ab!* F ¡lárgate!; (*raus*) ¡fuera de aquí!
'**abhäuten** (-e-) v/t. desollar, despellejar; v/i. estar de muda.
'**abheben** (L) v/t. levantar, elevar, alzar; quitar (*de encima*); *Tele. den Hörer*: descolgar; *Karten*: cortar; *Geld*: retirar, sacar; *Dividende*: cobrar, percibir; (*kontrastieren*) resaltar, contrastar; *sich* ~ *von* contrastar con; *gegen e-n Hintergrund*: destacarse, recortarse sobre, resaltar; ✈ despegar.
'**Abhebung** f *von Geld*: retirada f (*de fondos*); **~sbeschränkung** f restricción f de retirada de fondos.
'**abheilen** (sn) v/i. curar, sanar; *Wunde*: cicatrizar, cerrarse.
'**abhelfen** (L) v/i. ayudar, auxiliar; *Beschwerde, Übel*: remediar; *e-m Fehler*: corregir, subsanar; *Mangel*: suplir, satisfacer, subvenir; *e-r Schwierigkeit*: vencer, allanar, eliminar; *dem ist nicht abzuhelfen* no tiene arreglo, es incorregible.
'**abhetzen** (-t) v/t. fatigar, rendir, ajetrear; *Pferd*: reventar; (*Wild*) acorralar; *sich* ~ ajetrearse, afanarse; F matarse a trabajar.
'**Abhilfe** f (0) remedio m, ayuda f, auxilio m; ~ *schaffen* poner remedio; → *abhelfen*; **~maßnahme** f medida f de socorro.
'**abhobeln** (-le) v/t. (a)cepillar, desbastar; *fig.* pulir; *hum.* desasnar; *Parkett*: acuchillar.
'**abhold** *adj.*: *j-m* ~ *sein* sentir animadversión *od.* antipatía hacia alg.; *e-r Sache*: tener aversión a a/c.
'**Abhol|dienst** m (-es; -e) servicio m de recogida; **2en** v/t. recoger, retirar; *gewaltsam*: arrebatar, arrancar; *einsammeln*: colectar; *j-n von der Bahn* ~ recoger a alg. en la estación; ~ *lassen* enviar a recoger; **~ung** f recogida f, retirada f; colectación f.
'**abholz|en** (-t) v/t. *Wald*: desmontar, talar; **2ung** f tala f, desmonte m.
'**abhorchen** v/t. escuchar disimuladamente; *Geheimnis*: espiar (*una conversación*); ⚕ auscultar; → *abhören*.
'**Abhör|dienst** m (-es; -e) servicio m de escucha; ⊕ servicio m de control de audibilidad; **2en** **1.** v/t. *e-n Schüler* ~ tomar la lección; (*ausfragen*) preguntar; ⚕ auscultar; *Funksprüche, Telefongespräche*: interceptar; intervenir, vigilar; † *Rechnungen* ~ revisar, inspeccionar oficialmente la contabilidad; **2.** v/i. *Radio*: escuchar; **~station** f estación f interceptora.
'**Abhub** m (-es; 0) (*Überbleibsel*) sobras f/pl.; (*Abfälle*) desperdicios m/pl.
'**abhülsen** (-t) v/t. desvainar, desgranar; mondar.
'**ab-irr|en** (sn) v/i. extraviarse, descarriarse (*beide a. fig.*), des(en)caminarse, perderse; *Gedanken, Rede*: divagar; **2ung** f extravío m; divagación f; ⚕ *u. Opt.*: aberración f.
Abi'tur n (-s; -e) Bachillerato m; → *Reifezeugnis*.
Abituri'ent(in f) m (-en) candidato (-a f) m a examen de reválida (*de Bachillerato*); (*erfolgreicher*) Bachiller m/f.
'**abjagen** v/t. *Pferd*: rendir, reventar; *j-n* ~ fatigar, acosar, ajetrear; *j-m die Beute* ~ obligar a soltar la presa; *sich* ~ → *abhetzen*.
'**abjochen** v/t. desuncir.
'**abkämmen** v/t. limpiar, quitar con peine; peinar; *Wolle*: cardar; *fig.* (*durchsuchen*) batir, *fig.* peinar.
'**abkanten** (-e-) ⊕ v/t. achaflanar; biselar; *Bleche*: plegar, rebordear.
'**abkanzeln** (-le) v/t. F sermonear; poner de vuelta y media.
'**abkappen** v/t. ✓ (*Bäume*) descopar; ⚓ desarbolar, desmantelar; *Phys.* limitar (*la amplitud*).
'**abkarten** (-e-) v/t. intrigar, tramar, convenir secretamente; F pastelear; *abgekartete Sache* cosa convenida de antemano; F pastel m.
'**abkauen** v/t. mas(ti)car; *sich die Fingernägel* ~ morderse las uñas.
'**abkaufen** v/t. comprar, adquirir.
'**Abkehr** f (0) alejamiento m, apartamiento m; renunciación f; *von der Sünde*: conversión f; (*Entfremdung*) distanciamiento m, desvío m; (*Abscheu*) aversión f; **2en** v/t. → *abfegen*; v/refl. (*abwenden*) apartarse, distanciarse; *sich von j-m* ~ volver la espalda a alg.
'**abketten** (-e-) v/t. desencadenar.
'**abkippen** **1.** v/t. (*ausschütten*) verter, volcar, *neol.* bascular; **2.** v/i. ✈ picar.
'**abklappen** v/t. abatir; F caer redondo, desplomarse.
'**abklappern** (-re) v/t. recorrer; *Straße usw.*: ir de casa en casa, de puerta en puerta.
'**abklär|en** v/t. aclarar, despejar; ⚗ decantar, clarificar; *sich* ~ ver con claridad; → *aufklären*; *fig.* adquirir madurez de juicio; → *abgeklärt*; **2ung** f (0) ⚗ clarificación f, decantación f; *fig.* madurez f, serenidad f de espíritu.
'**Abklatsch** m (-es; -e) *Typ.* clisé m, plancha f estereotípica; *Korrekturabzug*: prueba f de imprenta; *fig. schwacher* ~ *fig.* pálido retrato m; **2en** v/t. *Typ.* imprimir, estereotipar; *Korrekturbogen*: tirar; *fig.* copiar, plagiar, calcar.
'**Abkleidung** ⚡ f envoltura f aislante.
'**abklemmen** *Chir.* v/t. comprimir; ⚡ desconectar un borne.
'**abklingen** (L; sn) v/i. extinguirse gradualmente, ir amortiguándose; ⚕ *Symptome*: ceder, declinar; *fig.* sosegarse, aplacarse; atenuarse.
'**abklopfen** **1.** v/t. golpear; (*abstäuben*) sacudir; (*beklopfen*) percutir; ⚕ auscultar; ⊕ *Guß*: martillar; *Kesselstein*: picar; ♪ golpear el atril con la batuta; *fig.* recorrer a toda prisa; **2.** v/i. ♪ parar (*la orquesta*).
'**abknabbern** (-re) v/t. mordiscar, mordisquear; *e-n Knochen*: roer.
'**abknallen** **1.** v/i. estallar, detonar; **2.** v/t. disparar; *Feuerwerk*: quemar (*fuegos artificiales*); F (*erschießen*) P cargarse a alg.
'**abknappen**, '**abknapsen** (-t) v/t. escatimar, tacañear; *sich et.* ~ ser mezquino consigo mismo.
'**abkneifen** (L) v/t. arrancar con pinzas.
'**abknicken** v/t. romper doblando; *Zweige*: desgajar; *Schlauch*: retorcer.
'**abknöpfen** v/t. desabrochar, desabotonar; F *j-m et.* ~ sacar a/c. a alg.; (*Geld abverlangen*) F dar un sablazo.
'**abknüpfen** v/t. desanudar, desligar, soltar.
'**abkochen** v/t. cocer; hervir; (*Feldküche*) hacer el rancho; ⚗ hacer una decocción; *Milch*: hervir; *Obst*: *langsam* ~ cocer a fuego lento.
'**abkommandier|en** (-) ⚔ v/t. destacar, encomendar una misión; *Offizier*: enviar en comisión de servicio; **2ung** f comisión f de servicio, misión f.
'**Abkomme** m (-n) descendiente m/f; ⚖ *ohne leibliche* ~*n sterben* morir sin descendencia.
'**abkommen** (L; sn) v/i. apartarse, separarse; ✈ despegar; *beim Schießen*: apuntar; *fig. von et.* ~ abandonar, renunciar; *von e-r Ansicht* ~ mudar, cambiar de opinión; *von e-m Thema* ~ perder el hilo, salirse del tema; *von der Wahrheit* ~ apartarse de la verdad; ⚓ *vom Kurs*: desviarse; *vom Weg* ~ extraviarse; *davon bin ich abgekommen* ya he renunciado a eso; *davon ist man jetzt abgekommen* esta práctica ya se ha abandonado; *von e-m Brauch* ~ caer en desuso; *von e-r Mode*: pasar (*de moda*); *er kann nicht* ~ no puede substraerse a sus ocupaciones.
'**Abkommen** n ⚔ *Schießen*: puntería f; (*Übereinkunft*) acuerdo m, ajuste m, arreglo m; *Pol.* acuerdo m, convenio m; tratado m, pacto m; † *mit Gläubigern*: transacción f; *ein* ~ *treffen* llegar a un acuerdo (arreglo); **~schaft** f (0) descendencia f, posteridad f.
'**abkömmlich** *adj.* prescindible; (*verfügbar*) disponible, libre.
'**Abkömmling** m (-s; -e) → *Abkomme*; ⚗ derivado m.
'**abkonterfeien** (-) v/t. retratar, copiar un modelo.
'**abkoppeln** (-le) v/t. (*Zugtiere, Wagen*) desenganchar; *Hunde*: soltar.
'**abkratzen** (-t) **1.** v/t. raspar, raer; **2.** v/i. P (*sterben*) V diñarla; (*abhauen*) P salir por pies, largarse.
'**abkriegen** → *abbekommen*.
'**abkühl|en** v/t. refrescar, enfriar; (*künstlich*) refrigerar; *sich* ~ refrescarse; *fig.* (*Beziehungen, Gefühle*) enfriarse, entibiarse; **2ung** f enfriamiento m, refrigeración f.
'**Abkunft** f (-; ¨e) origen m, descendencia f; extracción f; (*hohe*) alcurnia f, estirpe f; (*Geburt*) nacimiento m, *fig.* cuna f; *von guter* ~ de buena familia; *von edler* ~ de noble linaje; *von niedriger* ~ de baja extracción;

de humilde cuna; *deutscher* ~ de origen alemán.

'**abkuppeln** (*-le*) ⊕ *v/t.* desacoplar; *Auto.*: desembragar.

'**abkürz|en** (*-t*) *v/t.* acortar; (*beschneiden*) recortar; ⩕ reducir; *Inhalt*: resumir, extractar; *Verhandlungen, Wort, Besuch*: abreviar; *den Weg* ~ acortar el camino; *abgekürzte Fassung* edición compendiada; ⚖ *abgekürztes Verfahren* procedimiento sumario; **Žung** *f* acortamiento *m*, abreviación *f*; *Typ.* abreviatura *f*; ⩕ reducción *f*; **Žungsweg** *m* (*-es*; *-e*) atajo *m*; **Žungszeichen** *n* tilde *f*; *Kurzschrift*: sigla *f*.

'**abküssen** (*-ßt*) *v/t.* besuquear.

'**Ablade|gebühr** *f* derechos *m/pl.* de descarga; **~hahn** *m* (*-es*; *⸚e*) grifo *m* de descarga; **~kommando** *n* (*-s*; *-s*) brigada *f* de (des)cargadores; **Žn** (*L*) *v/t.* descargar; **~platz** *m* (*-es*; *⸚e*) descargadero *m*; *für Schutt usw.*: escombrera *f*; ⚓ puerto *m* de descarga; **~r** *m* descargador *m*; ✝ cargador *m*.

'**Ablage** *f* depósito *m*; (*Lagerhaus*) almacén *m*, depósito *m*; *für Kleider*: guardarropa *m*; *von Akten*: archivo *m*.

'**ablager|n** (*-re*) **1.** *v/t.* depositar; (*lagern*) almacenar; *Wein*: reposarse, añejarse; *Holz, Tabak*: curar; *Bier*: clarificar; → *abgelagert*; **2.** *v/i.* posarse, depositarse; **Žung** *f Geol.* sedimentación *f*, capa *f*; ⚒ yacimiento *m*; (*Lagerung*) almacenamiento *m*; ⚗ sedimento *m*; precipitado *m*; (*Rückstand*) residuo *m*.

'**Ablaß** *m* (*-sses*; *⸚sse*) *Ausfluß*: salida *f*, desagüe *m*; ✝ reducción *f*; *I.C.* indulgencia *f*; **~brief** *m* (*-es*; *-e*) bula *f* de indulgencia; **~druck** ⊕ *m* (*-es*; *0*) presión *f* de escape.

'**ablassen** (*L*) **1.** *v/t. Wasser, Dampf*: dar salida (*od.* escape) a; *Ballon*: soltar; *Teich*: desaguar, vaciar; 🚂 *Zug*: dar la (*señal de*) salida; *Wein*: trasegar (*vom Faß*); *Reifen*: desinflar; (*absetzen, senken*) rebajar; (*überlassen*) ✝ dar *od.* dejar en; *unter dem Selbstkostenpreis* ~ vender a menos del precio de coste; **2.** *v/i.* (*aufhören*) cesar, parar; *von et.* ~ dejar de hacer a/c.; *von e-m Vorhaben* ~ desistir de un propósito.

'**Ablaß|hahn** ⊕ *m* (*-es*; *⸚e*) grifo *m*, llave *f* de escape *bzw.* descarga; **~ventil** ⊕ *n* (*-s*; *-e*) válvula *f* de escape.

'**Ablativ** *Gr. m* (*-s*; *-e*) ablativo *m*.

'**ablauern** (*-re*) *v/t.* acechar; atisbar; *fig.* espiar.

'**Ablauf** *m* (*-es*; *⸚e*) *Vorrichtung*: tubería *f* de desagüe; alcantarillado *m*; (*Rinne, Gosse*) alcantarilla *f*, desaguadero *m*; *Sport*: salida *f*; *e-s Schiffes*: botadura *f*; *e-r Frist*: terminación *f*, expiración *f*, ⚖ prescripción *f*; *e-s Vertrages*: terminación *f*; *e-s Passes*: caducidad *f*; ✝ *Wechsel*: vencimiento *m*; (*Ergebnis, Ausgang*) resultado *m* final; *nach* ~ *von* al cabo (después) de, *amtlich*: transcurrido el plazo señalado; *vor* ~ *der Woche* antes de finalizar esta semana; **~bahn** ⚓ *f* grada *f*, rampa *f* de deslizamiento; ✈ pista *f* de despegue; **~deck** *n* (*-s*; *-s*) *Flugzeugträger*: cubierta *f* de despegue; **Žen** (*L*) **1.** *v/i. Wasser*: escurrirse; chorrear; *Zeit*: transcurrir, pasar; *Sport*: salir, arrancar; *fig. Frist, Vertrag usw.*: expirar, caducar, vencer, terminar; ⚖ prescribir; ✝ *Wechsel*: vencer; *gut* (*schlecht*) ~ salir bien (mal), tener éxito (mal resultado); *Uhr*: pararse (*por falta de cuerda*); *fig. deine Uhr ist abgelaufen* F ya ha sonado tu hora; **2.** *v/t.* (des)gastar; *Gegend*: recorrer; *sich die Beine* ~ *nach* hacer lo imposible por lograr a/c.; → *Horn, Rang*; *Wasser*: desaguar; *Schiff*: botar; F *j-n* ~ *lassen* despachar con frialdad a alg.; **~frist** *f* término *m*, fecha *f* límite; **~termin** *m* (*-s*; *-e*) fecha *f* de expiración (*de un plazo*); ✝ *Wechsel*: fecha *f* de vencimiento.

'**ablauschen** *v/t.* aprender imitando; escuchar disimuladamente; *Funkspruch*: interceptar; *fig. dem Leben abgelauscht* aprendido de la vida misma.

'**Ablaut** *Gr. m* (*-es*; *-e*) apofonía *f*, permutación *f* de la vocal radical.

'**abläutern** (*-re*) ⚗ *v/t.* filtrar, purificar; *Zucker*: refinar; *Erz*: lavar.

'**ableben** *v/i.* morir, fallecer.

'**Ableben** *n* muerte *f*, fallecimiento *m*; defunción *f*, óbito *m*.

'**ablecken** *v/t.* lamer; *sich die Lippen* ~ F *fig.* relamerse de gusto.

'**Ableg|ekorb** *m* (*-es*; *⸚e*) *Büro*: bandeja *f*; **~emappe** *f* carpeta *f* (*para correspondencia*); **Žen** *v/t.* deponer (*a. Waffen*), depositar, apartar; *Akten, Briefe*: ordenar, clasificar; archivar; *Kleider*: quitarse; *alte Kleider*: desechar; *fig. Bekenntnis* ~ hacer profesión (*de fe*); *Gelübde* ~ hacer voto de; *Gewohnheit*: dejar de (*inf.*); → *Eid, Kinderschuhe, Maske, Probe*; *e-e Prüfung* ~ examinarse; *Rechenschaft* ~ *über* dar cuenta de; ✝ *Rechnung* ~ rendir cuentas; → *Zeugnis*; **~er** ⚘ *m* acodo *m*, vástago *m* (*a. fig.*); **~ung** *f Rechnungs*Ž rendición *f* de cuentas; (*Eid, Schwur*) prestación *f* de juramento.

'**ablehn|en** **1.** *v/t.* rehusar, no admitir, no aceptar; (*als unannehmbar, unbrauchbar*) rechazar; *Gesuch, Antrag*: desestimar, denegar; *Parl. Antrag*: rechazar; (*ungünstig beurteilen*) desaprobar, censurar; reprobar, condenar; ⚖ *Geschworene, Zeugen, usw.* recusar; (*einwenden*) impugnar; (*Erbschaft*) repudiar, renunciar; *Thea. Stück*: criticar desfavorablemente; **2.** *v/i.* rehusar; *Verantwortung*: declinar, no asumir; *dankend* ~ declinar agradecidamente; **~end** *adj.* negativo, opuesto; no propicio, desfavorable; **Žung** *f* negativa *f*; desestimación *f*, denegación *f*; repulsa *f*; impugnación *f*; ⚖ recusación *f*; repudiación *f*; ✝ no aceptación *f*; *Parl. Antrag auf* ~ *e-r Vorlage stellen* presentar una moción desaprobatoria.

'**ablehren** ⊕ *v/t.* calibrar.

'**ableiern** (*-re*) *fig. v/t.* salmodiar; recitar mecánicamente.

'**ableisten** (*-e-*) *v/t.* cumplir; *Dienstzeit*: servir; *Militärdienst* ~ hacer el servicio militar; *e-n Schwur* ~ prestar juramento.

'**ableit|bar** *adj.* derivable; *Phil.* deducible, inferible; **~en** (*-e-*) *v/t.* desviar, apartar; *Ursprung*: remontar a; *Fluß*: desviar; ⚡ *Strom, Gr. u.* ⩕: derivar (*a. fig.*); *Formel*: desarrollar; *folgern*: deducir, inferir; *j-s Herkunft* ~ *von* remontar la ascendencia de alg. a; **~end** *adj.* derivativo; **Žer** ⚡ *m* conductor *m*; **Žung** *f Fluß*: desviación *f*; *Wasser*: desagüe *m*; 🚂 desvío *m*; (⚡, ⩕ *u. Gr.*) derivación *f*; ⩕ *das Abgeleitete*: derivada *f*; (*Folgerung*) deducción *f*, conclusión *f*; **Žungsrinne** *f* atarjea *f*; **Žungswort** *Gr. n* (*-es*; *⸚er*) voz *f* derivada.

'**ablenken** *v/t.* apartar, desviar; ⚔ divertir; *Strahlen*: desviar; *Licht*: difractar; *Magnetnadel*: declinar; *Schallwellen*: refractar; *Aufmerksamkeit, Gedanken*: distraer; *Gefahr*: apartar; atajar, conjurar; *Verdacht*: disipar.

'**Ablenkung** *f* → *ablenken*; desviación *f*; distracción *f* (*a. Erholung*), diversión *f* (*a. Vergnügen*); difracción *f*; declinación *f*; refracción *f*.

'**Ablenkungs...**: **~angriff** ⚔ *m* (*-es*; *-e*) ataque *m* diversivo; **~manöver** ⚔ *n* maniobra *f* de diversión.

'**Ablese|fehler** ⊕ *m* error *m* de lectura; **Žn** (*L*) *v/t.* leer (*aus, von*: en); *Früchte*: cosechar, (re)coger; *Weintrauben*: vendimiar; *Zeichenschrift*: descifrar; *Raupen*: descocar; *Karte, Skala, Instrument*: leer; *j-m et. vom Gesicht* ~ leer en la expresión de la cara; **~strich** *m* (*-es*; *-e*) trazo *m* divisorio (*en una escala*).

'**Ablesung** *f* (*0*) lectura *f*.

'**ableuchten** (*-e-*) *v/t.* arrojar luz (*sobre un objeto*), iluminar.

'**ableugn|en** (*-e-*) *v/t.* (de)negar; desmentir, desautorizar; *Glauben*: renegar, abjurar (de); **Žung** *f* (*0*) (de)negación *f*; mentís *m*.

'**abliefern** (*-re*) *v/t.* entregar, dar.

'**Ablieferung** *f* entrega *f*; ✝ *bei od. nach* ~ a la entrega; **~s-schein** *m* (*-es*; *-e*) talón *m* de entrega; **~s-soll** *n* (*-s*; *0*) cuota *f* de entrega; **~s-tag** *m* (*-es*; *-e*) fecha *f* de entrega; **~s-termin** *m* plazo *m* de entrega.

'**abliegen** (*L*; *sn*) *v/i.* distar mucho, estar lejos (*von* de); → *abgelegen*; (*nachreifen*) ⚘ madurar (*en el almacén*); *Wein*: añejarse.

'**ablisten** (*-e-*) *v/t.* sonsacar a/c.; *j-m et.* ~ conseguir de alg. con engaño a/c.; estafar.

'**ablocken** *v/t.* sonsacar; socaliñar, F engatusar; *j-m et.* ~ obtener con halagos a/c.; *Tränen*: mover a lágrimas.

'**ablohn|en** *v/t.* ajustar la cuenta (*a un criado*); (*entlassen*) pagar y despedir; **Žung** *f* pago *m* (*del salario*) con despido simultáneo.

'**ablösbar** *adj.* separable; ✝ *Anleihe*: amortizable; *Schuld*: reembolsable; *Rente*: capitalizable; ⚖ redimible.

'**ablöschen** *v/t. Brand*: extinguir, apagar; ⊕ (*abkühlen*) enfriar; *Kalk*: apagar; *Stahl*: templar; *Farbe*:

sombrear; *Geschriebenes*: secar; *Schreibtafel*: borrar.

'ablösen (*-t*) *v/t.* (*auslösen*) redimir, rescatar; (*loslösen*) desatar, desligar; separar; *Kupon*: cortar; *fig.* ⚔ *Wache, Einheit*: relevar; *Amtsvorgänger*: substituir, remplazar; *Schuld*: rembolsar; *Anleihe*: amortizar, redimir; *sich* ~ desprenderse; (*Schorf*) escarificar; (*schuppig*) descamar; *sich* ~ (*bei et.*) relevarse, alternar; *bei der Arbeit*: turnar.

'Ablösung *f* redención *f*, rescate *m*; desprendimiento *m*, separación *f*; ⚔ relevo *m*; *im Amt*: sustitución *f*; *Schuld*: rembolso *m*; *Anleihe*: amortización *f*, redención *f*; *Arbeitsschicht*: turno *m*; *turnusmäßige* ~ *von Personal* rotación *f* de personal; **~smannschaft** *f* relevo *m*.

'abluchsen (*-t*) → *ablisten*.

'abmach|en *v/t.* (*lösen*) deshacer; desprender, desatar; *Preis*: concretar, fijar; *im Vertrage*: estipular; *fig. Geschäft*: convenir, ajustar; *abgemacht!* ¡de acuerdo!, ¡trato hecho!; **2ung** *f* ajuste *m*, arreglo *m*; *vertragliche* ~ convenio *m*; *Dipl.*: modus *m* vivendi; (*Klausel*) estipulación *f*; e-e ~ *treffen* concertar un arreglo, llegar a un acuerdo.

'abmager|n (*-re*) *v/i.* adelgazar; → *abgemagert*; **2ung** *f* (*0*) adelgazamiento *m*, pérdida *f* de peso; **2ungskur** *f* cura *f* de adelgazamiento.

'abmähen *v/t.* segar, cortar.

'abmalen *v/t.* pintar; retratar; *fig.* describir; (*kopieren*) copiar; *nach der Natur* ~ pintar del natural.

'Abmangel (*-s*; *-̈*) ✝ *m* déficit *m*; deficiencia *f*.

'Abmarsch *m* (*-es*; *-̈e*) partida *f*, marcha *f*; F ~! ¡largo de aquí!; **2bereit** *adj.* preparado, dispuesto para la marcha; **2ieren** (*-*; *sn*) *v/i.* ponerse en marcha.

'abmatten (*-e-*) *v/t.* cansar, *stärker*: fatigar, rendir, F hacer polvo.

'abmeißeln (*-le*) *v/t.* escoplear; (*Kunst*) cincelar, modelar.

'abmeld|en (*-e-*) *v/t. j-n* (*polizeilich*) ~ comunicar un cambio de residencia (*a la policía*); *bei e-m Verein usw.*: darse de baja; **2ung** *f* aviso *m* de un cambio de domicilio; baja *f*; *polizeiliche Bestätigung* confirmación *f* de baja en el registro.

'abmess|en (*L*) *v/t.* medir; ⊕ *genau*: calibrar; *Zeit*: cronometrar; *verhältnismäßig*: proporcionar; *Hohlgefäß*: cubicar; *fließende Wassermenge*: aforar; *s-e Worte* ~ medir sus palabras; → *abgemessen*; **2ung** *f* medición *f*; (*Maß*) dimensión *f*, medida *f*; proporción *f*.

'abmiet|en (*-e-*) *v/t.* tomar en alquiler, alquilar; **2er** *m* (*e-r Wohnung*) inquilino *m*.

'abmildern (*-re*) *v/t.* mitigar, aliviar.

'abminder|n (*-re*) *v/t.* disminuir, reducir; **2ung** *f* (*0*) disminución *f*, reducción *f*.

'abmontieren (*-*) *v/t.* (*zerlegen*) desarmar, desmontar; (*Werksanlage*) desmantelar; ⚔ *Geschütze*: desmontar.

'abmühen *v/refl.* afanarse, esforzarse; F bregar.

'abmurksen (*-t*) F *v/t.* matar; F despachar; P cargarse a alg.

'abmustern (*-re*) ⚓, ⚔ *v/t.* licenciar.

'abnag|en *v/t.* roer, mordiscar; **2ung** *f Geol.* erosión *f*.

'abnäh|en *v/t.* dobladillar; **2er** *m* (*im Kleid*) pinza *f*.

'Abnahme *f* (*0*) *Chir.* amputación *f*, ablación *f*; *Rel.* Kreuz2 el Descendimiento del Señor; ✝ *e-r Lieferung*: recogida *f* (*vom Lager*); (*Kauf*) compra *f*; (*Verkauf*) venta *f*; *der Bilanz*: aprobación *f*; ~ *e-s Eides* toma *f* de juramento; (*Verminderung*) disminución *f*; (*Schrumpfung*) contracción *f*; (*Abfallen*) caída *f*; (*Verlust*) pérdida *f*; *der Tage*: acortamiento *m*; *des Mondes*: menguante *f*; ⚡ ~ *der Spannung* caída *f* de tensión; *bei* ~ *von* ✝ tomando una partida (de géneros); **~prüfung** *f* ⊕ examen *m* de aceptación (*od.* de recepción); **~verpflichtung** ✝ *f* compromiso *m* de aceptación; **~verweigerung** *f* negativa *f* de aceptación; ⊕ **~vorschrift** *f* normas *f/pl.* de verificación.

'abnehm|bar *adj.* ⊕ desmontable, separable; *Autoverdeck*: descapotable; **~en** (*L*) **1.** *v/t.* quitar; *Chir.* (*Glied*) amputar; (*Verband*) levantar, quitar; (*Hut, Bart*) quitar(se); *Obst*: (re)coger; *Telefon*: *den Hörer* ~ descolgar el auricular; ⚡ *Strom*: tomar; consumir; *j-m et.* ~ (*wegnehmen*) quitar, sustraer; *weitS. fig.* aliviar; *e-e Mühe* ~ aliviar una carga, quitar una preocupación; *Eid* ~ tomar juramento; *j-m die Beichte* ~ *I.C.* oír en confesión; *fig.* (*glauben*) *das nimmt ihm keiner ab* eso no hay quien se lo crea; ✝ *Ware*: (*annehmen*) aceptar, (*abholen*) retirar; (*kaufen*) comprar; ⊕ aceptar; aprobar; (*prüfen*) verificar; inspeccionar; *Rechnung*: comprobar, verificar; **2.** *v/i.* decrecer, disminuir; *Preis*: bajar; (*schrumpfen*) contraerse; (*verfallen*) declinar; *Kräfte*: decaer; *an Gewicht*: perder peso; *Geschwindigkeit*: perder velocidad; *Mond*: menguar; *Sturm*: amainar; *Wasser*: refluir; *fig. Macht usw.*: declinar.

'Abnehmer ✝ *m* comprador *m*; (*Kunde*) cliente *m/f*; (*Verbraucher*) consumidor *m*; *keine* ~ *finden für* no encontrar comprador para un artículo; **~kreis** *m* (*-es*; *-e*) clientela *f*; F parroquia *f*.

'Abneigung *f* desafección *f*, desafecto *m*; desvío *m*; (*Widerwillen*) antipatía *f*, animadversión *f*, P hincha *f*; (*Abscheu*) aversión *f*, repugnancia *f*, F ojeriza *f*; *e-e* ~ *fassen* tomar aversión a; ⚖ (*Scheidungsgrund*) *gegenseitige* ~ mutuo disenso *m*, incompatibilidad *f* de caracteres.

'abnieten (*-e-*) ⊕ *v/t.* desremachar, desroblar.

ab'norm *adj.* anormal, anómalo; (*außergewöhnlich*) excepcional, inusitado; monstruoso.

Abnormi'tät *f* anormalidad *f*, anomalía *f*; (*Scheußlichkeit*) monstruosidad *f*.

'abnötigen *v/t.* extorsionar, obtener por coacción; *j-m Bewunderung* ~ causar admiración a; *er hat mir Bewunderung abgenötigt* no he podido menos de admirarle.

'abnutz|en (*-t*), **'abnütz|en** (*-t*) *v/t.* (des)gastar; usar; deteriorar, estropear; *sich* ~ desgastarse; **2barkeit** ⊕ *f* (*0*) capacidad *f* de desgaste.

'Abnutzung *f* desgaste *m*; (*Abrieb*) abrasión *f*; (*Zermürbung*, *a.* ⚔) desgaste *m*; (*Abschreibung*) depreciación *f* por desgaste; **~sbeständigkeit** ⊕ *f* (*0*) resistencia *f* al desgaste; **~skrieg** *m* (*-es*; *-e*) guerra *f* de desgaste; **~sprüfung** ⊕ *f* verificación *f*, prueba *f* de desgaste.

'Ab-öl *n* (*-s*; *-e*) aceite *m* de desecho.

Abonne'ment [a·bɔnə'maŋ] *n* (*-s*; *-s*) (*Zeitung*) suscripción *f*; (*Thea.*, *Telefon*) abono *m*; **~skarte** *f* tarjeta *f* de abono; **~svorstellung** *f* función *f* de abono.

Abon'n|ent [a·bɔ'nɛnt] *m* (*-en*) suscriptor *m*; abonado *m*; **2ieren** [-'ni:-] *v/t. u. v/i.* suscribir(se), abonar(se) a; *abonniert sein auf e-e Zeitung* estar suscrito a un periódico.

'ab-ordn|en (*-e-*) *v/t.* diputar, delegar, comisionar; **2ung** *f* (*Gruppe*) delegación *f*, comisión *f*.

'Ab-ort[1] *m* (*-es*; *-e*) (*Klosett*) retrete *m*, (lugar) excusado *m*; (*öffentlich*) evacuatorio *m*, urinario *m*; lavabos *m/pl.*; ⚔ letrina *f*.

Ab'ort[2] *m* (*-es*; *-e*), **~us** *m* (*-*; *-*) aborto *m*, mal parto *m*; **2ieren** (*-*) *v/i.* abortar.

'Ab-ortgrube *f* letrina *f*, pozo *m* negro.

'abpachten (*-e-*) *v/t.* arrendar, tomar en arriendo.

'abpassen (*-ßt*) ⊕ *v/t.* ajustar, adaptar; *j-n, Gelegenheit*: esperar, aguardar; *j-n* (*belauern*) acechar; *e-e Gelegenheit* ~ aguardar una ocasión favorable; *zeitlich*: *gut* (*schlecht*) ~ elegir bien (mal) el momento.

'abpfeifen (*L*) *v/t. u. v/i.*: *das Spiel* ~ parar el juego el árbitro; *bei Spielende*: pitar el árbitro el final del partido.

'abpflöcken *v/t.* jalonar (*con estacas*).

'abpflücken *v/t.* (re)coger.

'abplacken, 'abplagen *v/refl.* bregar, F reventar trabajando; *mit*: luchar, bregar (con); *abgeplagt fig.* molido, hecho polvo.

'abplatten (*-e-*) *v/t.* allanar, aplanar.

'abprägen *v/t.* estampar; *Münze*: acuñar; *sich* ~ *fig.* dejar señal (tras de sí); *es hat sich auf s-m Gesicht abgeprägt* le ha quedado impreso en el rostro.

'Abprall *m* (*-es*; *-e*) rebote *m*; **2en** *v/i.* rebotar; *fig. Angriff*: contener, estrellarse; *es prallte von ihm ab* permaneció inmutable, F se quedó tan fresco.

'abpressen (*-ßt*) *v/t.* obtener exprimiendo; *fig.* obtener a/c. por coacción.

'abprotzen ⚔ (*-t*) *v/t. Geschütze*: desenganchar el avantrén.

'abputzen (*-t*) *v/t.* limpiar; (*polieren*) pulir, lustrar; *Pferd*: almohazar; *Hauswand*: ⚠ enlucir, revocar.

'abquälen *v/refl. seelisch*: atormentarse; *körperlich*: → *abrackern*;

sich mit j-m od. et. ~ bregar, luchar con.
ˈ**abquetschen** *v/t.* cortar aplastando; magullar.
ˈ**abrackern** (*-re*) *v/refl.* trabajar rudamente, *fig.* matarse; F sudar la gota gorda; P partirse el pecho.
ˈ**abrahmen** *v/t. Milch*: desnatar, descremar.
ˈ**abrasieren** (-) *v/t.* afeitar, rapar.
ˈ**abraspeln** (*-le*) *v/t.* raspar.
ˈ**abraten** (*L*) *v/t. u. v/i.* disuadir, desaconsejar (*von* de); *ich rate Ihnen ab* no se lo aconsejo.
ˈ**Abraum** ⚒ *m* (*-es*; *0*) escombros *m/pl.*; cascote *m.*
ˈ**abräumen** *v/t.* despejar (*un lugar*), desembarazar; (*Schutt*) descombrar; *den Tisch* ~ quitar (*od.* levantar) la mesa; (*Sport*) tirar los bolos.
ˈ**abreagieren** (-) *v/t.* ⚗ consumar una reacción; *fig. Ärger usw.*: desahogar (*una pena*), desfogar (*una pasión*), descargar (*la ira contenida*); *sich* ~ (*beruhigen*) aplacarse, serenarse; desahogarse.
ˈ**abrechnen** (*-e-*) **1.** *v/t.* liquidar, saldar (*cuentas*); (*abziehen*) deducir; ✝ descontar; *Spesen*: a deducir (*por gastos*); *abgerechnet* menos, deducido, aparte de; **2.** *v/i.* ajustar, arreglar cuentas con (*a. fig.*).
ˈ**Abrechnung** *f* cálculo *m*, liquidación *f*; (*Abzug*) descuento *m*, deducción *f*; *von Konten*: liquidación *f*, ajuste *m*; *Bankverkehr*: compensación *f* (*a.* clearing *m*); *Rechnung*: cuenta *f* (nota *f*) de liquidación *f*; *fig.* ajuste *m* de cuentas; ~ *halten* → *abrechnen* 2; *auf* ~ a cuenta; *laut* ~ según liquidación; *nach* ~ *von* deducción hecha de; **~s-stelle** *f* cámara *f* de compensación; **~s-verkehr** *m* (*-s*; *0*) operaciones *f/pl.* de compensación (*a.* clearing).
ˈ**Abrede** *f* (*Übereinkunft*) acuerdo *m*, convenio *m*, estipulación *f*; *in* ~ *stellen* negar la certeza de a/c., poner en duda; **2n** *v/i. j-m* (*von et.*) ~ disuadir de, desaconsejar; advertir de, prevenir contra.
ˈ**abreib|en** (*L*) *v/t.* frotar, restregar, friccionar (*a. Körper*); *polieren*: pulir; *mit Bims*: apomazar; ⊕ desgastar (*por fricción*); *die Schuhe*: limpiar (*restregando las suelas*); *Brot*: rallar; **2ung** *f* frotamiento *m*, friega *f*, fricción *f*; ⊕ abrasión *f*; F (*Prügel*) soba *f*; **2ungsmittel** *n* abrasivo *m.*
ˈ**Abreise** *f* salida *f*, partida *f* (*nach* para), marcha *f*; *bei meiner* ~ al partir, al emprender el viaje; **2n** *v/i.* salir (*de viaje*), partir, marchar; ausentarse.
ˈ**abreiß|en** (*L*) **1.** *v/t.* arrancar; *Gebäude*: demoler, derribar; *Werkanlage*: desmantelar; *Kleider*: desgarrar, romper; → *abgerissen*; **2.** *v/i.* romperse, quebrarse; *fig. plötzlich*: cesar de repente; *das reißt nicht ab* esto no tiene fin; **2-kalender** *m* (calendario *m* de) taco *m*; **2-(notiz)block** *m* (*-es*; *⸚e*) agenda-talonario *f*, bloc *m* de notas.
ˈ**abreiten** (*L*) **1.** *v/i.* marcharse (salir) a caballo *m* (*nach* para); **2.** *v/t. Pferd*: cansar, fatigar; *die Front*: revistar (*a caballo*); *e-e Strecke*: recorrer (*a caballo*).
ˈ**abrennen** (*L*) **1.** *v/i.* echar a correr; **2.** *v/t. sich* (*die Beine*) ~ correr desalado, F ir desempedrando calles.
ˈ**abricht|en** (*-e-*) *v/t. Tier*: amaestrar; *Pferd*: domar; *j-n zu et.* ~ aleccionar, instruir; ejercitar, adiestrar; ⊕ ajustar, rectificar, nivelar; **2er** *m* (*Tiere*) domador *m*, amaestrador *m*; **2ung** *f* doma *f*; amaestramiento *m*; aleccionamiento *m*, ejercitación *f*, adiestramiento *m.*
ˈ**Abrieb** ⊕ *m* (*-es*; *0*) abrasión *f*, desgaste *m.*
ˈ**abriegel|n** (*-le*) *v/t. Tür*: echar el cerrojo; *Straße*: barrear; *durch Polizei*: acordonar; ⚔ bloquear; **2ungsfeuer** ⚔ *n* fuego *m* de barrera.
ˈ**abrinden** (*-e-*) *v/t.* descortezar.
ˈ**abringen** (*L*) *v/t.* forzar (a consentir en a/c.); *j-m ein Versprechen* ~ arrancar a alg. una promesa.
ˈ**Abriß** *m* (*-sses*; *-sse*) *von Gebäuden*: demolición *f*, derribo *m*; *Skizze*: bosquejo *m*, boceto *m*; *fig.* (*kurze Darstellung*) resumen *m*, sumario *m*, extracto *m*; (*Übersicht*) compendio *m*, sinopsis *f*; *Buch*: manual *m*; epítome *m.*
ˈ**abrollen** **1.** *v/i.* rodar (hacia) abajo; **2.** *v/t.* desarollar; *Film*: desenrollar; (*wegrollen*) rodar; ✝ *Waren*: transportar; *sich* ~ desarrollarse (*a. fig.*).
ˈ**abrücken** **1.** *v/t.* apartar, retirar; **2.** *v/i. bsd.* ⚔ retirarse; alejarse; *fig. sich* ~ apartarse de, separarse de.
ˈ**Abruf** *m* (*-es*; *0*) ✝ petición *f* de entrega; *auf* ~ a demanda; (*Abberufung*) llamada *f*; **2en** (*L*; -) *v/t.* llamar; ✝ retirar.
ˈ**abrund|en** (*-e-*) *v/t.* redondear (*a. fig.*); ⊕ *Zähne*: achaflanar; **2ung** *f* redondeo *m*; ⊕ redondeado *m.*
ˈ**abrupfen** *v/t.* arrancar; (*Federvieh*) desplumar.
ˈ**abrupt** *adj.* abrupto.
ˈ**abrüst|en** (*-e-*) **1.** *v/t. Gerüst*: desarmar, desmontar; **2.** *v/i.* ⚔ desarmar; **2ung** *f* desarme *m*; **2ungskonferenz** *f* conferencia *f* del desarme.
ˈ**abrutschen** (*sn*) *v/i.* resbalar(se), deslizarse (*por una pendiente*); *Auto.*: patinar; ✈ tumbarse; *Riemen*: zafarse.
ˈ**absacken** **1.** *v/i.* ⚓ hundirse; ⚠ desplomarse; *Auto.*: empotrarse en el lodo; ✈ (*bei der Landung*): tumbarse; **2.** *v/t.* ensacar.
ˈ**Absage** *f* ✝ contraorden *f*; (*Ablehnung*) negativa *f*; *fig.* ruptura *f* (*de relaciones*); **2n** **1.** *v/t.* rehusar; ✝ dar contraorden; *Einladung*: (*ablehnen*) declinar, rehusar; *j-m* ~ *lassen* desconvidar; **2.** *v/i.* (*abspringen*) dejar sin efecto; *Gast*: declinar, rehusar (*la invitación*); *entsagen*: renunciar; (*brechen mit*) romper (*las relaciones*) con alg.
ˈ**absägen** *v/t.* (a)serrar; F *fig.*: eliminar, F echar, dar el pase.
ˈ**absatteln** (*-le*) *v/t. Pferd*: desensillar; descinchar.
ˈ**Absatz** *m* (*-es*; *⸚e*) (*Unterbrechung*) interrupción *f*; ♪ pausa *f*; *im Diktat*: punto *m* y aparte; *Typ.* aparte *m*; (*kurzer Abschnitt*) párrafo *m*; (*Gesteins2*) saliente *m*; (*Treppen2*) descansillo *m*; (*Schuh2*) tacón *m*; ✝ venta *f*; *Vertrieb*: distribución *f*; ~ *finden* hallar compradores, tener venta (*od.* salida, aceptación); **~belebung** *f* (*0*) incremento *m* de la venta; **~chancen** *f/pl.* perspectivas *f/pl.* de venta; **~eisen** *n* protector *m*, chapa *f* (*de hierro*); **2fähig** *adj.* vendible; **~gebiet** *n* (*-es*; *-e*) mercado *m*; **~krise** *f* crisis *f* de venta; **~markt** *m* (*-es*; *⸚e*) mercado *m* (*de consumo*); **~möglichkeit** *f* posibilidad *f* de venta; *weitS.* potencialidad *f* del mercado; **~organisation** *f* organización *f* de ventas; **~steigerung** *f* incremento *m* de ventas; **~stockung** *f* estancamiento *m* del mercado; **~umfang** *m* (*-es*; *0*) volumen *m* de ventas; **2weise** *adv.* intermitente; ⊕ escalonadamente.
ˈ**absaufen** (*L*; *sn*) *v/i.* ⚓ hundirse, irse a pique.
ˈ**absaug|en** *v/t.* aspirar; vaciar por aspiración; chupar, succionar; *Teppich*: limpiar (*con aspirador*); **2-pumpe** *Auto.* *f* bomba *f* de expulsión; **2ung** *f* (*0*) aspiración *f*, succión *f.*
ˈ**abschab|en** *v/t.* raer, raspar; ⚕ raspar, legrar; *abnützen*: (des)gastar; *abgeschabt Stoff*: raido; **2sel** *n* raspadura *f.*
ˈ**abschaff|en** *v/t. Einrichtung*: abolir, suprimir; *Gesetz*: derogar, abrogar; *Mißbrauch*: acabar con, suprimir; *Sache*: arrumbar; *Diener*: despedir; *Pferd usw.*: deshacerse de; **2ung** *f* abolición *f*, supresión *f*; derogación *f*, abrogación *f*; despido *m.*
ˈ**abschälen** *v/t.* mondar, pelar; *Baum*: descortezar; *sich* ~ pelarse; *in Schuppen*: descamarse.
ˈ**abschalten** (*-e-*) *v/t. Licht*, *Radio*: apagar; ⚡ *Kontakt*: desconectar; *Maschine*: parar; F *seine Gedanken* ~ dejar de pensar en una cosa.
ˈ**abschätz|en** (*-t*) *v/t.* apreciar, estimar; *bewerten*: (e)valuar, valorar; *taxieren*: tasar, justipreciar; *j-n* **~d** *betrachten* mirar a alg. de arriba abajo; **2er** *m* tasador *m*; **2ung** *f* apreciación *f*, estimación *f*; (e)valuación *f*; tasa *f*, justiprecio *m.*
ˈ**Abschaum** *m* (*-es*; *0*) espuma *f*; *Met.* escoria *f*; *fig. der* ~ *der Gesellschaft* la hez (escoria) de la sociedad.
ˈ**abschäumen** *v/t.* (d)espumar.
ˈ**abscheid|en** (*L*) **1.** *v/t.* separar, apartar; ⚗ precipitar; *Met.* refinar; *Physiol.* segregar, eliminar; **2.** *v/i.* morir, fallecer → *abgeschieden*; **2en** *n* muerte *f*, fallecimiento *m*; **2er** ⊕ *m* separador *m*, colector *m*; **2ung** *f* separación *f*; ⚗ precipitación *f*, liberación *f*; *Physiol.* secreción *f*, eliminación *f.*
ˈ**abscheren** (*L*) *v/t.* (*Schafe*) esquilar; (*Haare, Bart*) cortar; F pelar; ⊕ cizallar.
ˈ**Abscheu** *m* (*-es*; *0*) (*Person*) antipatía *f*; repugnancia; *j-m* ~ *einflößen* causar repugnancia; *e-n* ~ *haben vor* tener (sentir) repugnancia *od.* aversión a a/c.; tener antipatía a alg.
ˈ**abscheuern** (*-re*) *v/t.* fregar; *durch Abnützung*: (des)gastar; *Haut*: rozar; excoriar.
abˈ**scheulich** *adj.* horrible, abominable, nefando; odioso, detestable; *Verbrechen*: horrible, atroz; F *fig.*

(*böse, frech*) condenado, maldito; **2keit** *f* horror *m*, abominación *f*; odiosidad *f*; (*Untat*) atrocidad *f*.
ˈ**abschichten** (*-e-*) *v/t.* separar por capas; *Geol.*: estratificar.
ˈ**abschicken** *v/t.* enviar, remitir; ✝ remesar, despachar.
ˈ**abschieben** (*L*) **1.** *v/t.* apartar, empujar; *lästige Ausländer*: expulsar; *Bevölkerungsteile*: evacuar; F *fig.* (*loswerden*) deshacerse de; **2.** *v/i.* F largarse, esfumarse.
ˈ**Abschied** *m* (*-es; 0*) (*Abreise*) despedida *f*, adiós *m*; (*Entlassung*) despido *m*; ⚔ retiro *m*, licencia *f* absoluta; *Pol.*: dimisión *f*; ~ *nehmen von* despedirse de, decir adiós a; *j-m den ~ geben* despedir; ⚔ *Offizier*: licenciar; dar de baja; (*strafweise*) separar del servicio; *s-n ~ nehmen* ⚔ retirarse; *Pol.*: dimitir (*un cargo*); **~s-ansprache** *f* discurso *m* de despedida; **~s-auftritt** *Thea. m* (*-es; -e*) función *f* de despedida; **~sgesuch** *n* (*-es; -e*) ⚔ petición *f* de retiro; *Pol.*: dimisión *f*; *s-n ~ einreichen* ⚔ pedir el retiro; *Pol.*: presentar la dimisión.
ˈ**abschießen** (*L*) *v/t.* *Waffe*: disparar, descargar; *Rakete, Torpedo*: lanzar; *Flugzeug vom Schiff*: lanzar con catapulta; (*töten*) matar a tiros; F pegar un tiro; ⚔ *Flugzeug*: derribar; *Panzer*: destruir, inutilizar; → *Vogel*.
ˈ**abschinden** (*L*) *v/t.* desollar, despellejar; → *abschürfen*; *sich ~* F trabajar como un negro; matarse trabajando; P dar el callo.
ˈ**Abschirm|dienst** ⚔ *m* (*-es; -e*) servicio *m* de contraespionaje; **2en** *v/t.* proteger; ⚔ *taktisch, durch Nebelwand*: proteger (*con cortina de niebla*), *durch Feuer*: cubrir; ⚡, *Radio*: blindar, *neol.* apantallar; **~ung** *f* protección *f*; ⚡, *Radio*: blindaje *m*, *neol.* apantallado *m*.
ˈ**abschirren** *v/t.* desaparejar, desenjaezar.
ˈ**abschlachten** (*-e-*) *v/t.* degollar, sacrificar (*reses*).
ˈ**Abschlag** *m* (*-es; ⸚e*) ✝ (*Preisrückgang*) baja *f*; (*Preisnachlaß*) rebaja *f*, reducción *f*; descuento *m*; *auf ~* a cuenta; *auf ~ bezahlen* pagar a cuenta; pagar a plazos; *mit e-m ~* con un descuento de; *mit ~ verkaufen* vender a precios reducidos; *Fußball*: saque *m* de puerta; (*Ablehnung*) negativa *f*; **2en 1.** *v/t.* golpear, batir; *Kopf*: decapitar; *Baum*: cortar, talar; *Lager*: levantar; ⊕ desarmar, desmontar; *Raum*: dividir (*en compartimientos*); *Angriff*: rechazar, repeler; *Stoß*: parar; *Fußball*: rechazar la pelota (*el guardameta*); *das Wasser ~* hacer aguas menores, orinar; (*ablehnen*) rehusar, (de)negar; *er schlug mir die Bitte rundweg ab* rechazó rotundamente mi petición; **2.** *v/i.* *Preise*: (re)bajar.
ˈ**abschlägig** *adj.* negativo; *~e Antwort* respuesta negativa; *e-e Bitte ~ bescheiden* desestimar, desatender una petición; *j-n ~ bescheiden* no acceder a un requerimiento de alg.
ˈ**Abschlags...**: **~dividende** ✝ *f* dividendo *m* a cuenta; **~zahlung** *f* (*Akontozahlung*) pago *m* a cuenta; (*Teilzahlung*) pago *m* parcial, plazo *m*.
ˈ**abschlämmen** *v/t.* eliminar el fango.
ˈ**abschleifen** (*L*) ⊕ *v/t.* rebajar afilando; *Edelsteine*: tallar; *Kristall*: biselar; *Messer*: vaciar; *Rasiermesser*: suavizar; *fig.* pulir, afinar; *sich ~* desbastarse, adquirir buenas maneras.
ˈ**Abschlepp|dienst** *m* (*-es; -e*) servicio *m* de remolque; **2en** *v/t.* remolcar, arrastrar; *sich ~* soportar penosamente una carga; **~kran** *Auto. m* (*-es; ⸚e*) grúa-remolque *f*; **~seil** *n* (*-es; -e*) cuerda *f od.* cable *m* para remolcar; **~wagen** *m* coche-grúa *m*.
ˈ**abschleudern** (*-re*) *v/t.* lanzar, proyectar; ⊕ centrifugar; ✈ lanzar con catapulta.
ˈ**abschließ|en** (*L*) **1.** *v/t.* cerrar; ⊕ (*abdichten*) cerrar herméticamente; *Öffnung*: obturar; *fig.* (*absondern*) aislar, recluir; (*beendigen*) ultimar; *endgültig*: terminar, acabar, rematar; *Brief*: concluir; *Rede*: cerrar; ✝ *Anleihe*: negociar, concertar; *Bücher*: cerrar, hacer balance; *Konten, Rechnungen*: saldar; finiquitar; *Kongreß, Tagung*: clausurar; *Handel*: concertar (*un negocio*), cerrar (*un trato*), efectuar (*una compra*); *e-n Vergleich ~* llegar a una transacción (*mit Gläubigern* con los acreedores); *Verkauf*: realizar; *Versicherung*: hacer; *Vertrag*: concluir, hacer, celebrar, firmar (*un contrato*); *sich ~ fig.* recluirse, aislarse del mundo; **2.** *v/i.* *mit j-m ~* llegar a un acuerdo con alg.; *mit et. ~ in e-r Rede*: terminar diciendo; **~end I.** *adj.* terminante, concluyente; *endgültig*: definitivo, final; **II.** *adv.* finalmente, por último.
ˈ**Abschluß** *m* (*-sses; ⸚sse*) cierre *m*; (*Beendigung*) terminación *f*, conclusión *f*, término *m*, fin *m*; (*endgültiger ~*) *Konto*: balance *m* final, *Rechnung*: finiquito *m*, liquidación *f*; *vor dem ~ stehen* estar a punto de concluirse; *zum ~ bringen* llevar a término, concluir, rematar; *e-s Vertrages*: conclusión *f*, firma *f*; *Geschäft*: ajuste *m*; *Kongreß, Tagung*: clausura *f*; *Verkauf*: realización *f*, venta *f*; *der Bücher usw.*: cierre *m*, balance *m*; *Versicherung*: contrato *m* (*de una póliza de seguro*); *jährlicher ~* balance *m* anual; ⊕ cierre *m*; ⚡ terminal *m*; *gasdichter ~, wasserdichter ~* cierre *m* hermético; **~prüfung** ✝ *f* revisión *f* del balance; *Uni.*: examen *m* final; examen *m* de grado; reválida *f*; *s-n ~ machen* graduarse; hacer el examen de reválida; **~zeugnis** *n* (*-ses; -se*) certificado *m* de reválida; diploma *m*.
ˈ**abschmecken** *v/t.* probar, (de-)gustar.
ˈ**abschmeicheln** (*-le*) *v/t.* *j-m et. ~* lograr a/c. con adulación *od.* halago.
ˈ**Abschmelz|dauer** *f* (*0*) tiempo *m* de fusión; **~draht** *m* (*-es; ⸚e*) alambre *m* fusible; **2en** (*L*) **1.** *v/t.* separar por fusión *f*; *Met.* fundir; **2.** *v/i.* empezar a fundirse; ⊕, ⚡ (*Sicherung*) fundirse; **~sicherung** ⚡ *f* fusible *m* de seguridad.
ˈ**abschmier|en 1.** *v/t.* copiar toscamente; ⊕ lubrificar, engrasar; **2.** *v/i.* desprenderse, perder adhesividad.
ˈ**abschminken** *v/t.* quitarse el afeite.
ˈ**abschmirgeln** (*-le*) *v/t.* esmerilar, lijar, quitar con esmeril.
ˈ**abschnallen** *v/t.* desceñirse (*un cinturón*), soltar una hebilla.
ˈ**abschneiden** (*L*) **1.** *v/t.* cortar (*a. fig.*); ✂ descogollar; ⊕ (re)cortar; ⚔ *taktisch*: copar, aislar; *Haare, Kupons, Scheiben*: cortar; *j-m die Ehre ~* calumniar, difamar, poner en entredicho el honor de alg.; *den Weg ~* tomar un atajo; *j-m den Weg ~* ponerse por medio, atravesarse a alg. en el camino; *j-m das Wort ~* cortar la palabra, interrumpir a alg.; **2.** *v/i.* *gut ~* salir bien *od.* airoso; *schlecht ~* salir mal *od.* malparado.
ˈ**abschnellen 1.** *v/t.* lanzar, soltar, arrojar rápidamente; **2.** *v/i.* *sich ~* soltarse, desembarazarse.
ˈ**Abschnitt** *m* (*-es; -e*) corte *m*, trozo *m*, sección *f*; (*e-r Zeitung*) recorte *m*; ∢ segmento *m*; *im Gelände*: ⚔ sector *m*; *e-s Buches*: capítulo *m*; trozo *m*, párrafo *m*; *e-r Reise*: etapa *f*; *e-r Entwicklung*: fase *f*; *Zeit*: lapso *m*; época *f*, período *m*; ✝ artículo *m*; *Kontrollblatt*: talón *m*; (*Zinsschein, Dividendenschein*) cupón *m*; **2sweise** *adv.* por secciones; por párrafos.
ˈ**abschnüren** *v/t.* ligar; (*würgen*) estrangular; △ trazar a cordel; aislar, separar; ⚕ → *abbinden*.
ˈ**abschöpfen** *v/t.* desnatar; espumar; ✝ (*Gewinne*) beneficiarse; *überschüssige Kaufkraft ~* absorber la excesiva potencia adquisitiva; → *Rahm*.
ˈ**abschräg|en** *v/t.* sesgar; ⊕ biselar, achaflanar; **2ung** *f* corte *m* oblicuo; bisel *m*, chaflán *m*.
ˈ**abschraub|bar** *adj.* destornillable; **~en** *v/t.* destornillar; desenroscar.
ˈ**abschreck|en** *v/t.* aterrar; intimidar, amedrentar; desalentar; *j-n von et. ~* quitar a alg. los ánimos de hacer a/c.; *Met.* enfriar bruscamente; **~end** *adj.* espantoso, horroroso; amedrentador; (*abstoßend*) ahuyentador; *~es Beispiel* escarmiento ejemplar; **2ung** *f* (*0*) intimidación *f*; amedrentamiento *m*; **2ungsmittel** *n* medio *m* intimidatorio; escarmiento *m*.
ˈ**abschreib|en** (*L*) **1.** *v/t.* copiar; (*übertragen*) transcribir; (*betrügerisch*) plagiar; ✝ *Forderungen*: (*gänzlich*) revocar, anular; (*teilweise*) amortizar; *Wert*: depreciar; *Summe*: deducir, descontar; (*abbestellen*) cancelar; **2.** *v/i.* (*absagen*) rehusar; dar contraorden (*por escrito*); **2er** *m* copista *m/f*; (*betrügerisch*) plagiario *m*.
ˈ**Abschreibung** ✝ *f* amortización *f*; (*Wertminderung*) depreciación *f*; *~en auf Werkanlagen* depreciación en fábrica; *Konto „Abschreibungen"* cuenta de "Amortizaciones"; **~sbetrag** *m* (*-es; ⸚e*) cuota *f* de amortización; **~srücklage** *f* fondo *m* de amortización.
ˈ**abschreiten** (*L*) *v/t.* medir a pasos; ⚔ *die Front ~* revistar una formación de tropas.
ˈ**Abschrift** *f* copia *f*, duplicado *m*, transcripción *f*; *beglaubigte ~* copia *f* legalizada *od.* certificada; *e-e getreue ~* una copia fiel; *e-e ~ nehmen*

sacar una copia; **2lich** *adj.* copiado; *adv.* en (por) copia, por duplicado.

ˈ**abschröpfen** *v/t.* aplicar sanguijuelas; *Blut* ~ sangrar.

ˈ**abschrubben** *v/t.* fregar (*el suelo*); ⊕ alisar (*una superficie*).

ˈ**Abschub** *m* (-*es*; *0*) *von Ausländern*: expulsión *f*; *von Bevölkerung*: evacuación *f*.

ˈ**abschuften** (-*e*-) → *abrackern*.

ˈ**abschuppen** *v/t.* escamar; *Wand*: desconcharse; *Haut*: descamarse.

ˈ**abschürf|en** *v/t.* raspar, raer; ⚕ excoriar(se); **2ung** *f* abrasión *f*; ⚕ excoriación *f*; *Geol.* erosión *f*.

ˈ**Abschuß** *m* (-*sses*; ⁻*sse*) *e-r Waffe*: disparo *m*; *Rakete*, *Torpedo*: lanzamiento *m*; *von Wild*: caza *f*; ✈ derribo *m*; *Panzer*: inutilización *f*, destrucción *f*.

ˈ**abschüssig** *adj.* escarpado, pendiente, en declive; (*steil*) despeñadizo, (*Küste*) acantilado; **2keit** *f* (*0*) declive *m*, escarpa *f*, pendiente *f*.

ˈ**Abschußrampe** *f* plataforma *f* de lanzamiento.

ˈ**abschütteln** (-*le*) *v/t.* sacudir (*a. fig.*); *e-n Verfolger* ~ F sacudirse (quitarse de encima) a alg.

ˈ**abschütten** (-*e*-) *v/t.* verter, derramar; echar; vaciar.

ˈ**abschützen** (-*t*) *v/t.* blindar, *neol.* apantallar.

ˈ**abschwäch|en** *v/t.* debilitar; (*mildern*) mitigar, paliar; (*beschönigen*) excusar, quitar importancia; *e-n Ausdruck*: suavizar; *Sturz*: amortiguar; *Farben*: atenuar; *Phot.* (*Negativ*) rebajar; *sich* ~ debilitarse; ✝ *Preise, Kurs*: perder firmeza; **2ung** *f* debilitación *f*; mitigación *f*; amortiguamiento *m*; atenuación *f*; *Kurse*: tendencia *f* a bajar.

ˈ**abschwatzen** (-*t*) F *v/t. j-m et.* ~ F sonsacar a fuerza de labia.

ˈ**abschwefeln** (-*le*) ⊕ *v/t.* impregnar con azufre; (*entschwefeln*) desulfurar, desazufrar.

ˈ**abschweif|en** *v/i.* apartarse, desviarse (*von* de); *von e-m Thema*: apartarse de, divagar; *schweifen Sie nicht ab!* ¡cíñase usted al asunto!; **~end** *adj.* divagador; **2ung** *f* desviación *f*, divagación *f*; digresión *f*.

ˈ**abschwellen** (*L*; *sn*) *v/i.* ⚕ deshincharse; *Geräusch*: ir extinguiéndose, decrecer.

ˈ**abschwemm|en** *v/t.* socavar, arrastrar (*por la acción del agua*); **2ung** *f Geol.* erosión *f*.

ˈ**abschwenken** *v/t.* **1.** lavar, enjuagar; **2.** *v/i.* (*abbiegen*) torcer a; ⚔ hacer una conversión; ⚓ virar; *fig.* cambiar de opinión.

ˈ**abschwindeln** (-*le*) *v/t.* embaucar.

ˈ**abschwör|en** (*L*) *v/t. Rel.* abjurar, renegar; F renunciar (*z. B. al tabaco*); ⚖ negar bajo juramento; (*widerrufen*) retractarse; **2ung** *f* abjuración *f*; retractación *f*.

ˈ**absegeln** (-*le*; *sn*) *v/i.* hacerse a la mar, desplegar velas.

ˈ**absehbar** *adj.* visible, apreciable a la vista; *fig.* concebible, imaginable; (*möglich*) posible, potencial; *in* **~er** *Zeit* en fecha no lejana, en un tiempo razonable; (*bald*) pronto, dentro de poco, en un futuro próximo; *nicht* ~ imprevisible.

ˈ**absehen** (*L*) **1.** *v/t.* (pre)ver; (*voraussagen*) predecir; *es ist kein Ende abzusehen* no se ve cómo acabará esto; *die Folgen sind nicht abzusehen* no puede preverse lo que ocurrirá; esto puede acarrear graves consecuencias; *e-e Gelegenheit* ~ aguardar una ocasión; *j-m et.* ~ aprender de otro imitándole; *j-m e-n Wunsch an den Augen* ~ adivinar los deseos de alg.; *abgesehen haben auf* haber puesto las miras en; *es war auf dich abgesehen* eso iba por ti; **2.** *v/i. von et.* ~ prescindir (hacer abstracción) de; *von e-m Plan*: abandonar; (*unbeachtet lassen*) no tomar en consideración; → *abgesehen*.

ˈ**abseifen** *v/t.* (en)jabonar, lavar con jabón.

ˈ**abseihen** *v/t.* colar, filtrar.

ˈ**abseilen** *Mont. v/t. u. sich* ~ descolgarse por la cuerda.

ˈ**absein** (*L*; *sn*) *v/i.* estar ausente; (*erschöpft sein*) estar agotado *od.* extenuado.

ˈ**abseits** *adv.* aparte; a solas, separadamente; *Fußball*: fuera de juego; *fig. sich* ~ *halten* mantenerse al margen (*von* de); ~ *gelegen* apartado (*von* de), alejado.

ˈ**absend|en** (*L*) *v/t.* enviar, remitir; expedir, despachar; *Güter*: *a.* remesar, ⚓ consignar; *Geld*, *Briefe*: remitir; *Personen*: enviar, ⚔ destacar; *Abgeordnete*: diputar, delegar; *mit Auftrag*: comisionar; **2er(in** *f*) *m* remitente *m/f*, ✝ expedidor *m*, ⚓ consignador *m*; **2e-stelle** *f* lugar *m* de expedición; *Funksprüche*: oficina *f* de origen; **2ung** *f* envío *m*, remesa *f*, despacho *m*; delegación *f*.

ˈ**absengen** *v/t.* chamuscar; quemar.

ˈ**absenk|en** *v/t.* 🌱 acodar; ⚒ *Schacht*: ahondar, profundizar; **2er** 🌱 *m* acodo *m*.

ˈ**Absenkung** *f* depresión *f*; descenso *m*.

ˈ**absetz|bar** *adj.* (*Beamte*) amovible; ✝ *Ware*: vendible; *Betrag*: deducible; **2bewegung** ⚔ *f* retirada *f*, repliegue *m*; **~en** (-*t*) **1.** *v/t.* depositar; ✝ *Posten*: excluir; *Betrag*: deducir; *Bucheintrag*: anular; *Typ.* componer (*una línea*); *Thea. ein Stück* ~ retirar del repertorio; *Reiter*: arrojar; *Fallschirmjäger*: lanzar; *Beamte*: destituir, deponer; *König*: destronar; (*unterbrechen*) interrumpir; *Wort*: suprimir; *Zeile* (*beim Diktieren*) hacer punto y aparte; ✝ (*verkaufen*) vender, colocar; ⚗ depositarse, precipitarse; *sich* ~ retirarse; ✈ aterrizar; (*sich entfernen*) alejarse; ⚔ *vom Feind*: retirarse, replegarse; **2.** *v/i.* interrumpir, parar(se), detener(se); *ohne abzusetzen* sin interrupción, F de un tirón; *beim Trinken*: de un trago; **2en** *n* (*Betrag*) deducción *f*; (*Posten*) exclusión *f*; (*Bucheintrag*) anulación *f*; *von Fallschirmjägern*: lanzamiento *m*; → *Absatz*; **2ung** *f* (*Beamte*) destitución *f*, deposición *f*, separación *f* del cargo; (*von Königen*) destronamiento *m*; *Typ.* composición *f*.

ˈ**absichern** (-*re*) *v/t.* asegurar, proteger; *Kredite*: proveer.

ˈ**Absicht** *f* intención *f*, designio *m*, propósito *m*; (*Ziel*) objeto *m*, fin *m*; **~en** *haben auf* (*ac.*) pretender a/c.; *in der* ~ *zu inf.* con objeto (la intención, el fin) de *inf.*; *in der besten* ~ con la mejor intención; ⚖ *in betrügerischer* ~ con ánimo de dolo; *mit e-r bestimmten* ~ con el determinado (deliberado) propósito de *inf.*; *mit der festen* ~ con la firme determinación de *inf.*; *ich habe die* ~ *zu inf.* tengo (la) intención de *inf.*; **2lich** **1.** *adj.* intencionado, deliberado; ⚖ premeditado; **2.** *adv.* intencionadamente, deliberadamente, adrede, a sabiendas; **2slos** *adj. u. adv.* sin intención; sin querer.

ˈ**absickern** (-*re*; *sn*) *v/i.* rezumar, filtrar(se); gotear.

ˈ**absieden** (*L und* -*e*-) *v/t.* cocer, hervir.

ˈ**absingen** (*L*) *v/t.* cantar; *vom Blatt*: cantar (*leyendo el texto musical*).

ˈ**Ab-sinth** *m* (-*es*; -*e*) ajenjo *m*.

ˈ**absitzen** (*L*) **1.** *v/i. weit von j-m* ~ estar sentado lejos de alg.; *vom Pferde*: desmontar; **2.** *v/t. e-e Strafe* ~ cumplir (una) condena; ~ *lassen* ⚗ dejar reposar.

absoˈlut **I.** *adj.* absoluto; **~e** *Temperatur* temperatura absoluta; F **~er** *Unsinn* un perfecto desatino; *wenn du* ~ *gehen willst* si te empeñas en ir a toda costa; **II.** *adv.* absolutamente, terminantemente, en absoluto; ~ *nicht* de ningún modo; ~ *unmöglich* materialmente imposible; **2e** *n*: *das* ~ lo absoluto.

Absolutiˈon [-uˑtsĭ-] *f* absolución *f*, perdón *m*; *j-m* ~ *erteilen* absolver, dar la absolución a alg.

Absoluˈtismus [-tis-] *m* (-; *0*) absolutismo *m*.

absolˈvieren [-v-] (-) *v/t.* absolver; *Studien*: terminar, completar; *Kurs*, *Prüfung*: aprobar; *Schule*: cursar (*los estudios*); *Hochschule*: graduarse.

abˈsonderlich *adj.* singular; raro, extraño; **2keit** *f* singularidad *f*; rareza *f*; particularidad *f*.

ˈ**absondern** (-*re*) *v/t.* separar; apartar; *Kranke*, ⚔: aislar; *Physiol.* segregar; eliminar, excretar; *Gefangene*: incomunicar; *Phil.* abstraer; ⚗ separar; *sich* ~ aislarse, retirarse a un lugar apartado; **~d** *adj. Physiol.* secretorio.

ˈ**Absonderung** *f* → *absondern*; separación *f*; apartamiento *m*; aislamiento *m*; *Phil.* abstracción *f*; *Physiol.* secreción *f*, eliminación *f*; **~s-anspruch** ⚖ *m* (-*es*; ⁻*e*) demanda *f* de privilegio; **~sberechtigte** (-**r**) *m* (*Konkursverfahren*) acreedor *m* privilegiado; **~sdrüse** *f* glándula *f* endocrina (secretoria).

absorˈbier|bar *adj.* absorbible; **~en** (-) *v/t.* absorber; *wieder* ~ reabsorber; **~end** absorbente.

Absorptiˈon *f* absorción *f*; **~sfähigkeit** (*0*), **~skraft** *f* (*0*) capacidad *f* de absorción; **~sfilter** *m* filtro *m* absorbente; **~skühlmaschine** *f* (máquina *f*) refrigeradora *f* de absorción; **~smittel** *n* absorbente *m*; **~svermögen** *n* (-*s*; *0*) capacidad *f* de absorción (*a.* ✝, *e-s Marktes*).

ˈ**abspalten** (-*e*-) *v/t.* separar; hender; ⚗ desdoblar, disociar.

ˈ**Abspann|draht** ⊕ *m* (-*es*; ⁻*e*) alambre *m* de retención (*od.* amarre); **2en** *v/t.* (*nachlassen*) destensar, aflojar (*a.* ♪ *Saiten*); *Pferde*: desenganchar; *Ochsen*: desuncir; ⚡

Draht: retener, arriostrar; *Strom*: rebajar, reducir; ⊕ amarrar, sujetar, retener; *fig.* relajar; (*erschöpfen*) agotarse, → *abgespannt*; **~klemme** *f* borne *m* de retención; **~ung** *f* aflojamiento *m*; ⊕ retención *f*, amarre *m*; ⚡ retención *f*, arriostramiento *m*; (*Ermüdung*) cansancio *m*, laxitud *f*, desfallecimiento *m*.

ˈ**absparen**: *sich et. vom Munde* ~ F quitarse de la boca.

ˈ**abspeisen** (-*t*) **1.** *v/i.* acabar de comer; **2.** *v/t.* alimentar; dar de comer; *fig. j-n mit leeren Worten* ~ despachar a alg. con buenas palabras.

ˈ**abspenstig** *adj.* desleal, infiel; ~ *machen* apartar a alg. del trato con otro; (*Kunden*) quitar la clientela.

ˈ**absperr|en** *v/t.* cerrar, interceptar; *Straße*: barrear; *durch Polizei usw.*: acordonar; (*isolieren*) aislar; *Wasser, Gas, Strom*: cortar; ꝯ**hahn** *m* (-*es*; ⸗*e*) grifo *m* (llave *f*) de cierre; ꝯ**ung** *f* cierre *m*; *Straße*: barrera *f*; (*Isolierung*) aislamiento *m*; *durch Polizei*: acordonamiento *m*, cordón *m* de policía; *Strom, Gas, Wasser*: corte *m*; (*e-s Hafens*) bloqueo *m*.

ˈ**abspiegel|n** (-*le*) *v/t.* reflejar(se) (*a. fig.*); ꝯ**ung** *f* reflejo *m*.

ˈ**abspiel|en** *v/t.* ♪ *vom Blatt*: repentizar; *von Tonaufnahmen*: tocar, reproducir; (*abnutzen*) gastarse, rayarse; *sich* ~ ocurrir, suceder, tener lugar; *Thea. die Szene spielt sich in X ab* la acción se desarrolla en X.

ˈ**absplittern** (-*re*) *v/t.* astillar(se); desprenderse (*una esquirla od. fragmento*).

ˈ**Absprache** *f* convenio *m*, arreglo *m*.

ˈ**absprechen** (*L*) *v/t.* negar, denegar; *Talent kann man ihm nicht* ~ no puede negársele talento; *j-m das Leben* (*durch Urteil*) ~ sentenciar a muerte; ⚖ *j-m et.* ~ privar; *Schadenersatz*: denegar; ☤ (*verabreden*) convenir; **~d** *adj.* desfavorable; ⚖ (*Urteil*) denegatorio.

ˈ**absprengen** *v/t.* volar, (hacer) saltar; ⚔ separar (*del grueso de las fuerzas*); *Blumen*: regar, rociar.

ˈ**abspringen** (*L*; *sn*) *v/i.* saltar, arrojarse; *vom Pferde*: desmontar, echar pie a tierra; *Sport*: tomar impulso; *Glasur, Emaille*: saltar, desprenderse; *Feder, Saiten*: saltarse; (*abprallen*) rebotar; ✈ lanzarse en paracaídas; *fig.* (*vom Thema*) divagar; ~ *von* desertar, abandonar.

ˈ**abspritzen** (-*t*) *v/t.* rociar, regar; lavar a chorro; (*lackieren*) pintar a (la) pistola.

ˈ**Absprung** *m* (-*es*; ⸗*e*) salto *m*; *mit Fallschirm*: salto *m*, descenso *m* (*con paracaídas*); *Phys.* reflexión *f*; **~gebiet** ✈ *n* (-*es*; -*e*) área *m* de descenso; **~höhe** *f* altura *f* de salto.

ˈ**abspulen** *v/t.* devanar; (*abwickeln*) desbobinar; (*abrollen*) desenrollar.

ˈ**abspülen** *v/t.* lavar; (*Wäsche, Glas, Mund*) enjuagar; (*mit Eimern*) baldear.

ˈ**abstamm|en** *v/i.* descender, proceder; *Gr. u.* ⚗ derivar; ꝯ**ung** *f* origen *m*, procedencia *f*; ascendencia *f*; *Stammbaum*: linaje *m*, alcurnia *f*; ~ *in gerader Linie* descendencia (por línea) directa; ~ *von einer Seitenlinie* descendencia (por línea) colateral; *von deutscher* ~ de origen alemán; *Gr.* derivación *f*; etimología *f*; ꝯ**ungslehre** *f* (*0*) teoría *f* de la evolución; antropogenia *f*.

ˈ**Abstand** *m* (-*es*; ⸗*e*) distancia *f* (*von* de), espacio *m*; *zeitlich*: intervalo *m*, (*Lücke*) discontinuidad *f*; ⊕ espacio *m*; *in gleichen Abständen* equidistantes; *zeitlich*: *in regelmäßigen Abständen* a intervalos regulares, periódicamente; *fig. mit* ~ *besser*: con gran diferencia; *Sport*: *mit* ~ *gewinnen* ganar por amplio margen; (*Verzicht*) renuncia *f*; ~ *nehmen* apartarse, distanciarse (*von* de); renunciar a, prescindir de; desistir de; ⚔ abrir las filas; **~sgeld** *n* (-*es*; -*er*), **~summe** *f* indemnización *f*, compensación *f*; (*Wohnung, Laden*) traspaso *m*; *für Angestellte*: indemnización *f*.

ˈ**abstatten** (-*e*-) *v/t.* *e-n Besuch* ~ visitar, hacer una visita; *Dank* ~ expresar (su) agradecimiento, dar las gracias.

ˈ**abstauben** *v/t.* desempolvar; sacudir, quitar el polvo.

ˈ**abstech|en** (*L*) **1.** *v/t.* ⊕ *Hochofen*: sangrar, hacer la colada; *Kanal*: abrir; *Teich*: sangrar; *Wein*: trasegar; *Fechtk.* tocar; (*töten*) matar; *Schwein*: degollar, sacrificar; **2.** *v/i.* *gegen od. von et.* ~ contrastar con, desentonar de a/c.; ⚓ hacerse a la mar; ꝯ**er** *m* (pequeña) excursión *f*; (*Umweg*) rodeo *m*; *fig.* digresión *f*; ꝯ**stahl** ⊕ *m* (-*s*; *0*) herramienta *f* de tronzar.

ˈ**absteck|en** *v/t.* *Haar*: prender; *Kleid*: ajustar, alfilerar; *Kurs, Grundriß*: trazar; ✏ marcar, *mit Pfählen*: jalonar; *mit Grenzsteinen*: amojonar; *Grenzen*: delimitar; ꝯ**fähnchen** *n* guión *m*; ꝯ**kette** *f* cadena *f* de agrimensor; ꝯ**pfahl** *m* (-*es*; ⸗*e*) jalón *m*; ꝯ**stange** *f* mira *f* para alinear; ꝯ**ung** *f* jalonamiento *m*; trazado *m*.

ˈ**abstehen** (*L*) *v/i.* (*entfernt sein*) distar (*von* de); (*herausragen*) destacarse; *fig. von et.* ~ desistir de a/c.; (*verzichten*) renunciar a; ~ *lassen* dejar reposar; **~d** *adj.* distante; (*ragend*) destacado, saliente; **~e** *Ohren* orejas gachas *od.* separadas.

ˈ**absteif|en** ⩓ *v/t.* *Mauer*: apuntalar; ⚒ entibar; ꝯ**ung** *f* apuntalamiento *m*; entibación *f*.

ˈ**absteig|en** (*L*; *sn*) *v/i.* descender, bajar; *vom Pferde*: descabalgar, desmontar; *vom Fahrzeug*: apearse; *im Gasthof*: hospedarse, parar, alojarse; → *Ast*; ꝯ**quartier** *n* (-*s*; -*e*) alojamiento *m* transitorio; *m. s.* casa *f* de citas, *hum.* casa non sancta.

ˈ**Abstell|bahnhof** *m* (-*es*; ⸗*e*) estación *f* de depósito; ꝯ**en** *v/t.* depositar, poner; *Maschine, Motor*: parar; *Radio u.* ⚡: apagar; *Dampf, Gas, Wasser*: cerrar, cortar; (*parken*) estacionar, aparcar; *fig.* ⚔ → *abkommandieren*; *Mißstand*: suprimir, remediar; **~fläche** *f* superficie *f* de almacenamiento; **~gleis** *n* (-*es*; -*e*) apartadero *m*; **~hahn** *m* (-*es*; ⸗*e*) grifo *m* de cierre; **~platz** *m* (-*es*; ⸗*e*) *für Autos*: estacionamiento *m*; ✈ pista *f* de estacionamiento *od.* de alineación; **~raum** *m* (-*es*; ⸗*e*) depósito *m*, almacén *m*; *in Wohnhäusern*: trastero *m*; **~ung** ⚔ *f* *von Personen*: comisión *f* de servicio.

ˈ**abstemmen** *v/t.* ⊕ escoplear, cincelar.

ˈ**abstempeln** (-*le*) *v/t.* sellar; *Wertpapiere*: estampillar; ✉ *Briefmarke*: matar, inutilizar; ⚒ apuntalar; *fig. j-n* ~ *als* tildar a alg. de.

ˈ**absteppen** *v/t.* pespuntear.

ˈ**absterben** (*L*; *sn*) *v/i.* morir; extinguirse; (*verwelken*) marchitarse, ajarse; ⚕ *Glied*: mortificarse, atrofiarse; (*Gewebe*) necrosarse; *Sinne*: → *abgestorben*.

ˈ**Absterben** *n* muerte *f*; extinción *f*; ⚕ mortificación *f*, atrofia *f*; necrosis *f*.

ˈ**Abstieg** *m* (-*es*; *0*) descenso *m*, bajada *f*; *fig.* decadencia *f*.

ˈ**Abstimm|anzeigeröhre** *f* *Radio*: ojo *m* mágico; ꝯ**en 1.** *v/t.* ♪ afinar; *Radio*: sintonizar; *fig.* (*aufeinander* ~) armonizar; (*koordinieren*) coordinar, ajustar; (*zeitlich*) sincronizar; *Farben*: matizar; ☤ *Bücher*: hacer (el) balance; **2.** *v/i.* *Parl. usw.*: votar; *über e-n Antrag* ~ *lassen* someter a votación una moción; **~knopf** *m* (-*es*; ⸗*e*) *Radio*: botón *m* de sintonía; **~kondensator** *m* (-*s*; -*en*) condensador *m* de sintonización; **~kreis** *m* (-*es*; -*e*) circuito *m* de sintonización; **~schärfe** *f* (*0*) selectividad *f*; **~skala** *f* (-; -*len*) escala *f* de sintonización; **~spule** *f* bobina *f* sintonizadora.

ˈ**Abstimmung** *f* **1.** votación *f*; *geheime* ~ votación *f* secreta; *namentliche* ~ votación *f* nominal; *durch Zuruf*: votación *f* por aclamación; (*Volks*ꝯ) plebiscito *m*, referéndum *m*; *zur* ~ *bringen* someter (poner) a votación; **2.** armonización *f*, coordinación *f*; *zeitliche*: sincronización *f*; *Radio*: sintonización *f*, sintonía *f*; *feine* (*grobe, unscharfe*) ~ sintonización fina *od.* selectiva(defectuosa); **~sgebiet** *n* (-*es*; -*e*) territorio *m* de plebiscito.

abstiˈnent [apstiˑˈnɛnt] *adj.* abstinente.

Abstiˈnenz [apstiˑˈnɛnts] *f* (*0*) abstinencia *f*; abstención *f*; **~ler(in** *f*) *m* abstemio (-a *f*) *m*.

ˈ**abstoppen** *v/t.* parar, detener; (*das Tempo verlangsamen*) retardar; *mit Stoppuhr*: cronometrar.

ˈ**abstoß|en** (*L*) **1.** *v/t.* apartar (*de un empujón*), lanzar, repeler (*a. Phys.*); *Fußball*: sacar (*de puerta*); *Geweih*: descornar; ⊕ *Ecken*: despuntar, achaflanar; *fig.* rechazar, repudiar; ☤ *Ware, Aktien*: deshacerse de; *Schuld*: pagar, saldar; **2.** *v/i.* repugnar; ⚓ desatracar; **~end** *fig. adj.* repugnante, repulsivo; ꝯ**ung** *f* *Phys.* repulsión *f*.

ˈ**abstottern** (-*re*) F *v/t.* pagar a plazos.

ˈ**abstrafen** *v/t.* castigar.

abstraˈhieren [apstraˈhiː-] (-) *v/t.* abstraer, prescindir de.

abˈstrakt [-st-] **I.** *adj.* abstracto; **II.** *adv.* abstractamente.

Abstraktiˈon [-ˈtsĭ-] *f* abstracción *f*.

ˈ**abstreb|en** ⩓ *v/t.* apuntalar; ꝯ**ung** *f* apuntalamiento *m*.

ˈ**abstreichen** (*L*) *v/t.* (*Maß*) rasar; *sich die Füße* ~ limpiarse los zapatos en el limpiabarros; ⚕ raspar, frotar;

Schaum: despumar; *Rasiermesser*: suavizar; ✝ (*abhacken*) puntear; (*abziehen*) deducir; (*ausstreichen*) cancelar, suprimir; *Gebiet*: ⚔ reconocer; *mit Maschinengewehrfeuer*: batir.

'abstreifen 1. *v/t.* quitar; (*Schuhe, Kleider usw.*) quitarse, despojarse de; *Geweih, Haut*: mudar; *Fell*: desollar; **2.** *v/i. Gelände*: reconocer, patrullar, *fig.* apartarse de.

'abstreiten (*L*) *v/t.* disputar, contradecir; (*leugnen*) negar; desmentir.

'Abstrich *m* (-*es*; -*e*) *Schrift*: trazo *m* vertical; *Abzug*: deducción *f*; (*Kürzung*) reducción *f*; ⚕ e-n ~ *machen* hacer un frotis.

ab'strus [-st-] *adj.* (-*est*) abstruso.

'abstuf|en *v/t.* (*Gelände*) abancalar; (*Skala*) graduar; *Farben*: matizar; *Ton*: modular; 2**ung** *f* escalonamiento *m*; graduación *f*; modulación *f*; matiz *m*.

'abstumpfen *v/t.* despuntar; (*Ecke, Kante*) achaflanar; (*Schneide*) embotar; (*Kegel*) truncar; *fig. Sinne*: embotar, entorpecer; → *abgestumpft*; ⚗ *Säuren*: neutralizar.

'Absturz *m* (-*es*; ⸗*e*) caída *f*; (*Abgrund*) precipicio *m*; despeñadero *m*; ✈ *zum ~ bringen* derribar, abatir; (*Einsturz*) derrumbamiento *m*, hundimiento *m*.

'abstürzen (-*t*) **1.** *v/i.* caer, despeñarse (*kopfüber* de cabeza), precipitarse; derrumbarse; ✈ estrellarse, caer a tierra; **2.** *v/t.* ⚒ desprenderse.

'abstutzen (-*t*) *v/t.* desmochar; *Flügel*: recortar; *Schwanz*: descolar.

'abstützen (-*t*) *v/t.* apoyar, sostener; ⚠ estribar, apuntalar; ⚒ entibar; ⚓ (*Schiffe im Dock*) escorar.

'absuchen *v/t.* buscar detenidamente, registrar; *Gelände*: reconocer; *fig.* rastrillar, peinar; *Jgdw.* batir.

'Absud ⚗ *m* (-*es*; -*e*) decocción *f*.

ab'surd *adj.* absurdo.

Absurdi'tät *f* absurdo *m*.

Ab'szeß ⚕ *m* (-*sses*; -*sse*) absceso *m*.

Abs'zisse ⨍ *f* abscisa *f*.

Abt [apt] *m* (-*es*; ⸗*e*) abad *m*.

'abtakeln (-*le*) ⚓ *v/t.* desarmar, desmantelar; *Masten*: desjarciar; *fig. abgetakelt* gastado, pasado.

'abtast|en (-*e*-) *v/t.* tentar, palpar (*a.* ⚕); *fig.* tantear, sondear; *TV, Radar*: explorar.

'abtauen *v/i.* deshelar, descongelar.

Ab'tei *f* abadía *f*.

Ab'teil 🚂 *n* (-*es*; -*e*) departamento *m*; ~ *für Raucher* (departamento para) fumadores *m/pl.* → *Abteilung*[2]; '2**bar** *adj.* divisible, separable; '2**en** *v/t.* dividir; (*absondern*) aislar; *durch Trennwand, Fächer usw.*: compartir, separar; *in Grade*: graduar; *in Klassen*: clasificar.

'Abteilung[1] *f* división *f*, partición *f*; *in Klassen*: clasificación *f*.

Ab'teilung[2] *f* (*Abschnitt*) sección *f*; *Firma, Kaufhaus*: departamento *m*; *Behörde*: sección *f*, negociado *m*; *Krankenhaus*: sala *f*; servicio *m*, departamento *m*; ⚔ sección *f*, destacamento *m*; *von Arbeitern*: brigada *f*; *Fach*: compartimento *m*; **~s-leiter** *m* director *m* (*Firma*: jefe *m*) de sección.

Äb'tissin *f* abadesa *f*.

'abtön|en *v/t. Mal.* rebajar el tono; matizar; → *abstufen*; 2**ung** *f* graduación *f*.

'abtöten (-*e*-) *v/t.* matar; *fig. Gefühl*: ahogar; *das Fleisch* ~ mortificar la carne.

'Abtrag *m* (-*es*; ⸗*e*) *j-m ~ tun* dañar; causar perjuicio a alg.; 2**en** (*L*) *v/t.* quitar; *Chir.* amputar; extirpar, resecar; *den Tisch* ~ quitar la mesa; *Bau*: derribar, demoler; *Erde*: desmontar, aplanar; *Schuld*: pagar, liquidar; *Hypothek*: amortizar; (*abnutzen*) (des)gastar.

'abträglich *adj.* dañoso, contraproducente; *Kritik*: desfavorable, adversa.

'Abtrans|port *m* (-*es*; -*e*) transporte *m*; ⚔ evacuación *f*; 2**portieren** (-) *v/t.* transportar; evacuar.

'abträufeln (-*le*) → *abtröpfeln*.

'abtreib|en (*L*) **1.** *v/t.* rechazar, repeler; ⚕ *Würmer*: expulsar; *ein Kind* ~ provocar un aborto; *Met.* copelar, afinar; ⚗ separar; **2.** *v/i.* ⚓ *u.* ✈ desviarse del rumbo, ⚓ derivar, abatir; **~end** *adj.* (*Leibesfrucht* ~) abortivo; (*Würmer*) vermífugo; 2**ung** *f* ⚕ *der Leibesfrucht*: aborto *m*; ⚖ aborto *m* provocado, feticidio *m*; ⊕ afinación *f*; 2**ungsmittel** *n* abortivo *m*.

'abtrenn|bar *adj.* separable; *nicht* ~ inseparable; **~en** *v/t.* separar; segregar; (*Akten*) desglosar; *Kupon*: cortar; *Saum*: descoser; 2**ung** *f* separación *f*; desglose *m*.

'abtret|en (*L*) **1.** *v/t.* ⚖ ceder; *Schuhe*: gastar (*las suelas*); *Stufen*: desgastar; *Eigentum*: transferir; *Geschäft*: traspasar; **2.** *v/i.* retirarse, marcharse; *Thea.* salir, hacer mutis; ⚔ romper filas; *fig.* retirarse (*von* de), abandonar; *von e-m Amt*: renunciar; 2**er** *m* (*Fuß*2) limpiabarros *m*, felpudo *m*; ⚖ cedente *m/f*; 2**ung** *f* ⚖ cesión *f*; (*Geschäft*) traspaso *m*; *Seeversicherung*: abandono *m*; (*Abgehen*) renuncia *f*; *des Thrones*: abdicación *f*; *Thea.* salida *f*, mutis *m*; 2**ung an Zahlungs Statt** ⚖ dación *f* en pago; 2**ungsurkunde** *f* (*im Konkursverfahren*) acta *f* de cesión.

'Abtrieb *Auto. m* (-*es*; -*e*) árbol *m* secundario.

Abtrift *f* ⚓, ✈ deriva *f*; abatimiento *m*.

'Abtritt *m* (-*es*; -*e*) renuncia *f*; *Thea.* salida *f*, mutis *m*; → *Abort*[1].

'abtrocknen (-*e*-) *v/t.* enjugar, secar.

'abtröpfeln (-*le*), **abtropfen** *v/i.* gotear, escurrir.

'abtrotzen (-*t*) *v/t.* extorsionar.

'abtrudeln (-*le*; *sn*) *v/i.* ✈ caer en barrena; F (*abhauen*) F largarse.

'abtrünnig *adj.* ⚔ desertor; rebelde; disidente; *Rel.* apóstata, renegado; ~ *machen* inducir a la deserción; ~ *werden* → *abfallen*; 2**e**(**r** *m*) *m/f* desertor(a *f*) *m*; disidente *m/f*; *Rel.* apóstata *m/f*, renegado (-a *f*) *m*; 2**keit** *f* (0) deserción *f*; defección *f*; *Rel.* apostasía *f*.

'abtun (*L*) *v/t. Kleider*: quitar(se); (*erledigen*) despachar; *Streit usw.*: poner fin, terminar; *Mißstand*: suprimir; (*von sich weisen*) rechazar; *das ist alles abgetan* eso es asunto terminado; *et. kurz* ~ despachar brevemente un asunto, *in Worten*: rechazar con pocas palabras a/c.; *et. mit einem Achselzucken* ~ rechazar desdeñosamente a/c.; (*töten*) matar, F despachar.

'abtupfen *v/t.* ⚕ *Wunde*: tocar (limpiar) suavemente con algodón.

'ab-urteil|en *v/t.* ⚖ condenar, sentenciar; *hinrichten*: ejecutar, ajusticiar; *fig.* criticar severamente, condenar; 2**ung** *f* ⚖ condena *f* ejecutoria; *Hinrichtung*: ejecución *f*.

'abverdienen (-) *v/t. Schuld*: pagar con prestación de trabajo.

'abverlangen (-) → *abfordern*.

'abvermieten (-*e*-; -) *v/t.* (re)alquilar, subarrendar parcialmente.

'abwägen *v/t.* pesar; (*nivellieren*) nivelar; *fig.* ponderar, considerar cuidadosamente.

'abwälz|en (-*t*) *v/t.* rodar hacia abajo; *fig. von sich* ~ (*Schuld, Verdacht*) librarse de; *die Schuld auf j-n* ~ cargar la culpa a otro; *die Verantwortung auf e-n anderen* ~ declinar sobre otro la responsabilidad.

'abwandel|bar *Gr. adj. Hauptwort*: declinable; *Zeitwort*: conjugable; **~n** (-*le*) *v/t.* modificar, variar; *Gr.* declinar *bzw.* conjugar.

'abwander|n (-*re*; *sn*) *v/i.* emigrar; 2**ung** *f* emigración *f*; *von Landbevölkerung*: éxodo *m* rural; ✝ *von Kapital*: emigración *f* (fuga *f*) de capitales.

'Abwandlung *f* modificación *f*, variación *f*; *Gr. Hauptwort*: declinación *f*; *Zeitwort*: conjugación *f*.

'abwarten (-*e*-) *v/t. u. v/i.* esperar, aguardar; *s-e Zeit* ~ dar tiempo al tiempo; *e-e Gelegenheit* ~ aguardar la ocasión; *es ruhig* ~ esperar tranquilamente a ver qué pasa; *das bleibt abzuwarten* eso se verá en su día; *fig.* F ~ *und Tee trinken!* paciencia y barajar; **~d** *adj.* expectante; *e-e ~e Haltung einnehmen* mantenerse a la expectativa.

'abwärts *adv.* hacia abajo; *den Fluß* ~ río abajo; *fig.* F *mit ihm geht's* ~ va de capa caída; 2**bewegung** ✝ *f* baja *f*, descenso *m* (*de precios*); *Börse*: retroceso *m* (*en la cotización*); 2**transformator** ⚡ *m* (-*s*; -*en*) transformador *m* reductor.

'abwasch|bar *adj.* lavable; **~en** (*L*) *v/t.* lavar; *Körper*: lavarse; *Geschirr*: fregar; *Geol.* (*Erdboden*) derrubiar; *fig. Schande*: lavar; (*Schiffsdeck*) baldear; 2**en** *n* lavado *m*; fregado *m*; *Rel.* ablución *f*.

'Abwasser *n* (*s*; ⸗) aguas *f/pl.* residuales.

'abwassern (-*re*; *sn*) ✈ *v/i.* despegar (*del agua*), desamarar.

'abwässern (-*re*) *v/t.* desaguar.

'abwechseln (-*le*) *v/t.* alternar, turnar; variar; *mit j-m* ~ turnar con alg.; **~d I.** *adj.* alterno, alternativo; (*mannigfaltig*) variado; ⚕ intermitente; (*periodisch*) periódico; **II.** *adv.* alternativamente; (*der Reihe nach*) por turno; (*Tage*) en días alternos.

'Abwechs(e)lung *f* cambio *m*, variación *f*; (*Mannigfaltigkeit*) variedad *f*, diversidad *f*; ⚕ intermitencia *f*; (*Zerstreuung*) distracción *f*, diversión *f*; ~ *bringen in* romper la monotonía de; *zur* ~ para variar; 2**s**-

reich *adj.* (muy) variado; (*ereignisreich*) rico en impresiones; 2**sweise** *adv.* alternativamente.

'**Abweg** *m* (-*es*; -*e*) extravío *m*; (*Umweg*) rodeo *m*; (*falscher Weg*) camino *m* equivocado; *fig. auf* ~*e führen* llevar por mal camino; *auf* ~*e geraten* extraviarse, *fig.* descarriarse; 2**ig** *adj.* (*irrig*) desatinado, absurdo; (*unrichtig*) equivocado; (*unangebracht*) improcedente, fuera de lugar.

'**Abwehr** *f* (*0*) defensa *f*; (*Widerstand*) resistencia *f*; (*Schutz*) protección *f*; ⚕ profilaxis *f*; *Fechtk.*, *Fußball*: parada *f*; ~**dienst** ⚔ *m* (-*es*; -*e*) servicio *m* de contraespionaje; 2**en** *v/t. u. v/i.* ⚔ *Angriff*: rechazar, repeler; *Stoß*: (*Fechtk.*) parar, desviar; *Fußball*: rechazar; parar; *Unglück*: prevenir; *fig.* (*ablehnen*) rehusar, declinar; 2**end** *adj.* defensivo; ~**griff** *m* (-*es*; -*e*) *Ringen*: contrallave *f*; ~**jagdflugzeug** *n* (-*es*; -*e*) (*avión de*) caza *m* interceptor; ~**kampf** ⚔ *m* (-*es*; ⸚*e*) lucha *f* defensiva; ~**kraft** *f* (-; ⸚*e*) potencia *f* defensiva; *Biol.* defensas *f/pl.* biológicas; ~**mittel** *n* medio *m* defensivo; ⚕ profiláctico *m*; ~**schlacht** ⚔ *f* batalla *f* defensiva; ~**spiel** *n* (-*es*; -*e*) *Sport*: juego *m* defensivo (*od.* a la defensiva); ~**stoff** *Biol. m* (-*es*; -*e*) anticuerpo *m*; ~**waffe** ⚔ *f* contra-arma *f*.

'**abweichen** (*L*; *sn*) *v/i.* apartarse, desviarse (*a. fig. von* de), divergir; *voneinander* ~ diferir; (*Meinung*) discrepar; (*Magnetnadel*) declinar; ~**d** *adj.* diferente, divergente; discrepante; (*von der Norm*) irregular, anómalo.

'**Abweichung** *f* desviación *f*, divergencia *f*; diferencia *f*; *Opt.* difracción *f*; *Astr.* aberración *f*; *Magnetnadel*: declinación *f*; ⊕ (*zulässige*) tolerancia *f*; *fig. von e-r Meinung*: discrepancia *f*; *fig. von e-r Regel*: irregularidad *f*, anomalía *f*; *vom Wege*: desvío *m*.

'**abweiden** (-*e*-) *v/t.* pacer, pastar.

'**abweis|en** (*L*) *v/t.* rehusar, rechazar; desatender; ⚖ denegar; (*Zeugen, Richter*) recusar; ⚔ *Angriff*: rechazar, repeler; *j-n* ~ (*fortschikken*) despedir; *schroff*: desairar, F despedir con cajas destempladas; *j-n kurz* ~ despachar con dos palabras, F mandar a paseo; *glatt abgewiesen werden* recibir una negativa rotunda; (*Eintritt verwehren*) negar la entrada; ~**end** *adj.* (*Haltung*) reservado; *fig.* frío, inaccesible; *j-n* ~ *behandeln* tratar con frialdad (*od.* reserva) a alg.; 2**ung** *f* negativa *f*; repulsa *f*; ⚖ denegación *f*; recusación *f*; *Person*: desaire *m*, F feo *m*.

'**abwendbar** *adj.* evitable.

'**abwend|en** (-*e*- *u. L*) *v/t.* apartar, desviar, volver(se); *s-e Augen von et.* ~ apartar la vista de a/c.; *Stoß*: parar, desviar; *fig. Gefahr, Unheil*: evitar, conjurar; *sich* ~ volverse, apartarse; *fig.* → *abkehren*; ~**ig** → *abspenstig*; 2**ung** *f* evitación *f*, prevención *f*.

'**abwerfen** (*L*) *v/t.* tirar; ✈ *Bomben*: lanzar, arrojar; *mit Fallschirm*: lanzar(se); *Reiter*: despedir, arrojar; *Haut*: mudar; *Joch*: *fig.* sacudir; *Spielkarte*: descartarse; † *Gewinn*: rentar, producir (*beneficio*); *Zinsen*: devengar; *es wirft nichts ab* no rinde ningún beneficio.

'**abwert|en** (-*e*-) *v/t.* devaluar, desvalorizar; 2**ung** *f* devaluación *f*.

'**abwesend** *adj.* ausente; (*fehlend*) ~ *sein* faltar; *fig.* (*zerstreut*) distraido, ensimismado, F en la luna; 2**e(r** *m*) *m/f* ausente *m/f*.

'**Abwesenheit** *f* (*0*) ausencia *f*; *in* ~ *von* en ausencia de; ⚖ ausencia *f*, *vorsätzliche*: rebeldía *f*, contumacia *f*; *in* ~ *verurteilen* condenar en rebeldía; *durch* ~ *glänzen* brillar por su ausencia; *fig.* (*Geistes*~) distracción *f*; ~**s-urteil** ⚖ *n* (-*s*; -*e*) juicio *m* en rebeldía.

'**abwetzen** (-*t*) *v/t.* (*schärfen*) afilar; aguzar, amolar.

'**abwickeln** (-*le*) *v/t. Garn*: devanar; *Knäuel*: desovillar; *Kabel*: desenrollar; ⚡ desbobinar; † (*richtigstellen*) ajustar; *Schuld*: liquidar; *Geschäfte*: (*durchführen*) desarrollar, realizar; (*gänzlich*) llevar a término; (*abschließen*) consumar; *sich* ~ desarrollarse.

'**Abwick(e)lung** *f* † transacción *f*; ajuste *m*; ejecución *f*, realización *f*; desarrollo *m*; liquidación *f*.

'**Abwiege|maschine** *f* máquina *f* de pesar; *dosierend*: máquina *f* dosificadora; 2**n** *v/t.* (*L*) pesar; equilibrar.

'**abwimmeln** (-*le*) F *fig. v/t. j-n* ~ quitarse a alg. de encima; *sich et.* ~ *fig.* sacudirse a/c.

'**Abwind** (-*es*; -*e*) ✈ *m* corriente *f* descendente.

'**abwinden** (*L*) *v/t. Kabel*: desenrollar; (*entwirren*) desenredar.

'**abwinken** *v/i. Sport*: dar la señal de salida; (*ablehnend*) negar *od.* hacer una señal de repulsa.

'**abwinkeln** (-*le*) *v/t.* escuadrar; *Sport*: hacer flexiones.

'**abwirtschaften** (-*e*-) *v/i.* arruinarse (*por mala administración*); desprestigiarse; → *abgewirtschaftet*.

'**abwischen** *v/t. Staub*: limpiar, quitar (*mit e-m Tuch*) *scheuern*: fregar; *abtrocknen*: secar, enjugar; *sich den Mund* ~ limpiarse la boca; (*Stirn, Tränen*) secarse, enjugarse.

'**abwracken** ⚓ *v/t.* desguazar; desaparejar.

'**Abwurf** *m* (-*es*; ⸚*e*) lanzamiento *m*; (*Ertrag*) producto *m*; ~**behälter** ✈ *m* recipiente *m* de lanzamiento; *für Kraftstoff*: depósito *m* desenganchable; ~**vorrichtung** *f* (*für Bomben*) dispositivo *m* de lanzamiento.

'**abwürgen** *v/t.* estrangular (*a. Auto.*); calar (el motor).

'**abzahl|en** *v/t.* pagar, liquidar; (*in Raten* ~) pagar a plazos; pagar a cuenta; 2**ung** *f* pago *m* total; (*Ratenzahlung*) pago *m* a plazos; *auf* ~ *kaufen* comprar a plazos; 2**ungsgeschäft** *n* (-*es*; -*e*) operación *f* de venta a plazos; 2**ungssystem** *n* (-*es*; *0*) sistema *m* de ventas a plazos; 2**ungsverpflichtung** *f* contrato *m* de compra-venta.

'**abzählen** *v/t.* contar; recontar; *an den Fingern* ~ contar por los dedos; *fig. das kannst du dir an den Fingern* ~ la cosa está más clara que el agua; ⚔ ~! ¡numerarse!

'**abzapfen** *v/t.* sacar (*un líquido*); *Faß*: vaciar; ⚕ *Eiter*: drenar; *Likör*: puncionar; *Blut*: extraer, sangrar; *fig. j-m Geld* ~ *fig.* sablear (sangrar) a alg., dar un sablazo.

'**abzäumen** *v/t.* desembridar.

'**abzäunen** *v/t.* vallar, cercar.

'**abzehr|en** *v/t.* consumirse (*a. fig.*), extenuarse; ~**end** *adj.* consuntivo; 2**ung** *f* consunción *f*, extenuación *f*, ⚕ emaciación *f*.

'**Abzeichen** *n* distintivo *m*; (*Vereins*2, *Sport*2, ⚔ *Rang*) insignia *f*; ⚔ (*Streifen*) galón *m*; barra *f*; (*Auszeichnung*) condecoración *f*; (*Hoheits*2) emblema *m*.

'**abzeichnen** (-*e*-) *v/t.* (*abbilden*) dibujar copiando; diseñar; *Schriftstücke*: marcar (*con iniciales propias*); (*abhaken*) puntear; *fig. sich* ~ dibujarse; *Gefahr*: perfilarse; *sich* ~ *gegen* destacarse de, contrastar con.

'**Abzieh|apparat** *m* (-*es*; -*e*) multicopista *m*; ~**bild** *n* (-*es*; -*er*) calcomanía *f* (*a.* ⊕); ~**bildverfahren** *n* procedimiento *m* de calcomanía; 2**en** (*L*) **1.** *v/t.* (*entfernen*) separar; † *Kunden*: quitar la clientela; *Auto. Reifen*: desmontar; *Bett*: mudar las sábanas; *Typ.* tirar (*una prueba*); *Phot.*: sacar pruebas; *Messer*: afilar, vaciar; *Rasiermesser*: suavizar; *Schlüssel*: sacar, quitar; *e-m Tier das Fell* ~ desollar; *Gerberei*: curtir; (*abhobeln*) (a)cepillar; *Parkett*: acuchillar; *Wein*: trasegar, (*auf Flaschen*) embotellar; ⚗ destilar; decantar; ⅍ restar; (*abrechnen*) descontar; *fig.* retirar (*a. Gelder*, ⚔ *Truppen*); *Aufmerksamkeit*: distraer; **2.** *v/i.* irse, marcharse; *Gewitter*: alejarse, (*auslösen*) soltar; *Schußwaffe*: disparar(se); ~**muskel** *Anat. m* músculo *m* abductor; ~**papier** *n* (-*s*; *0*) papel *m* calcográfico.

'**abzielen** *v/i.*: *auf et.* ~ poner la mira en (aspirar a) a/c.; *worauf zielte er ab?* ¿qué es lo que pretendía?; *auf wen zielte das ab?* ¿a quién se refería eso?

'**abzirkeln** (-*le*) *v/t.* medir a compás; *fig. Begriffe*: definir exactamente.

'**Abzug** *m* (-*es*; ⸚*e*) salida *f*, partida *f*; ⚔ retirada *f*; † (*e-r Summe*) deducción *f*; *am Preis*: rebaja *f*; (*Skonto*) descuento *m*; *in* ~ *bringen* deducir, descontar; rebajar; *nach* ~ *der Kosten* (después de) deducidos los gastos; *frei von* ~ neto; ⊕ salida *f*, escape *m*; (*Wasser*) desagüe *m*; *am Gewehr*: gatillo *m*; *Typ.* prueba *f*; (*Vervielfältigung*) copia *f* (*a. Phot.*).

'**abzüglich** *adv.* menos; ~ *der Kosten* deducidos los gastos.

'**Abzugs...**: ~**bogen** *Typ. m* prueba *f*, galerada *f*; ~**bügel** *m Gewehr*: guardagatillo *m*; 2**fähig** *adj.* deducible; ~**graben** *m* (-*s*; ⸚) canal *m* de desagüe; zanja *f*; ~**kanal** *m* (-*es*; ⸚*e*) (*für Regenwasser*) alcantarilla *f*; cloaca *f*; ~**rohr** *n* (-*es*; -*e*) tubo *m* de salida *od.* de escape; tubo *m* de ventilación.

'**Abzweig** ⚡ *m* (-*es*; -*e*) derivación *f*; 2**en** *v/t. u. v/i.* separar, derivar; ramificar(se); (*Weg*) bifurcarse; ~**ung** *f* ramificación *f*; ⚡ derivación

f; (*Weg*) bifurcación *f*; (*Zweigstrecke*) ramal *m*.
ach *int.* ¡oh!, ¡ah!; *Schmerz*: ¡ay!; *Erstaunen*: ¡ah!, ¡caramba!; ~ *Gott!* ¡ay Dios mío!; ~ *nein!* ¡no me diga!; ~ *ja!* ¡ah sí!, ¡oh sí!; ~ *so!* ¡ah ya!, ¡ahora comprendo!, ¡ah, eso era! (*lo que usted quería decir*), ¡ah vamos!; ~ *was!* ¡bah!, ¡quite usted!; ¡no diga! ~ *wo!* ¡de ningún modo!; ¡nada de eso!; F ¡ni hablar!
Ach *n*: ~ *und Weh schreien* poner el grito en el cielo; *mit* ~ *und Krach* con grandes dificultades, F a trancas y barrancas.
A'chat [a'xɑːt] *m* (-*es*; -*e*) ágata *f*.
A'chilles|ferse [-x-] *f* (0) punto *m* vulnerable; F punto *m* flaco; **~sehne** *Anat. f* tendón *m* de Aquiles.
achro'matisch [-k-] *adj.* acromático.
'Achs... *in Zssg(n)* → *Achsen...*
'Achse ['aksə] *f* **1.** (*Mittel-, Drehlinie*) eje *m*; **2.** ⊕ eje *m*; (*Welle*) árbol *m*; *bewegliche* (*feststehende*) ~ eje móvil (fijo); *gegliederte* ~ eje articulado; *Pendel*~ eje oscilante; ⚕ *per* ~ (transporte) por carretera, 🚂 por ferrocarril, *Auto.* en camión.
'Achsel [-ks-] *f* (-; -*n*) hombro *m*; *Anat.* axila *f*; *die* ~ *zucken* encogerse de hombros; *fig. über die* ~ *ansehen* mirar por encima del hombro; *auf die leichte* ~ *nehmen* tomar a la ligera; **~bein** *n* (-*es*; -*e*) clavícula *f*; **~drüse** *f* ganglio *m* axilar; **~gelenk** *n* (-*es*; -*e*) articulación *f* del hombro; **~höhle** *f* fosa *f* axilar; **~klappe** ⚔ hombrera *f*, *mit Fransen*: charretera *f*; **~stück** *n* (-*es*; -*e*) → *Schulterklappe*, *-stück*; **~träger** *m* hombrera *f*; **~zucken** *n* (-*s*; 0) encogimiento *m* de hombros.
'Achsen...: **~abstand** *Auto. m* (-*es*; ⸗*e*) distancia *f* axial *od.* entre ejes; **~antrieb** *m* (-*es*; -*e*) accionamiento *m* de eje; **~bruch** *m* (-*es*; ⸗*e*) rotura *f* de un eje; **~drehung** *f* rotación *f* axial; **~schnitt** *m* (-*es*; 0) intersección *f* de los ejes (*de coordenadas*); **~system** *n* (-*s*; 0) sistema *m* de coordenadas; **~welle** *f* árbol *m*, eje *m*.
acht [-x-] *adj.* ocho; *in* ~ *Tagen* dentro de ocho días; *vor* ~ *Tagen* hace ocho días; *alle* ~ *Tage* cada ocho días.
Acht[1] [-x-] *f* (número *m*) ocho *m*.
Acht[2] [-x-] *f* (0) (*Bann*) proscripción *f*; destierro *m*; *in* ~ *erklären*, *in* ~ *und Bann tun* proscribir; desterrar; *fig. gesellschaftlich*: hacer el vacío; boicotear.
Acht[3] [-x-] *f* (*Obacht*) atención *f*, cuidado *m*; *außer* ~ *lassen* descuidar, preterir, prescindir de, hacer caso omiso de; ~*geben*, ~*haben* poner atención, tener cuidado; *gib* ~! ¡atención!, ¡cuidado!, F ¡ojo!; *sich in* ~ *nehmen* estar prevenido, tener cuidado, F andar con ojo; *nimm dich vor dem Hund in* ~ ten cuidado con el perro, F ¡ojo con el perro!
'achtbar *adj.* respetable, honorable; estimable, apreciable; **~keit** *f* (0) respetabilidad *f*, honorabilidad *f*; estima(ción) *f*, aprecio *m*.
'achte(r) *adj.* octavo; *am* (*od. den*) ~*n Mai* el ocho de mayo.
'Achteck *n* (-*es*; -*e*) octágono *m*; **~ig** *adj.* octagonal.
'Achtel *n* octavo *m*, octava parte *f*; **~note** ♪ *f* corchea *f*; **~pause** ♪ *f* silencio *m* de corchea; **~takt** ♪ *m* (-*es*; -*e*) compás *m* de corchea.
'achten (-*e*-) **1.** *v/t.* respetar; (*schätzen*) estimar, apreciar; *Gesetze*: acatar, observar; *Rechte, Ansichten*: respetar; → *beachten*, *erachten*; **2.** *v/i.* ~ *auf* (*ac.*) cuidar de, prestar atención a, fijarse en; *achte auf meine Worte* ten en cuenta esto que te digo; *darauf* ~, *daß* cuidar de que, fijarse en que; *nicht* ~ *auf* no hacer caso de, hacer caso omiso de; no reparar en.
'ächten [-ç-] (-*e*-) *v/t.* desterrar, proscribir; *fig.* excluir de la comunidad social, boicotear.
'achtens *adv.* (en) octavo (lugar).
'achtenswert *adj.* respetable, estimable, digno de atención.
'Achter *m* ocho *m* (*signo numérico*); (*Boot*) bote *m* de ocho remos; *Eislauf*: describir un ocho.
'achter(n), **~aus** ⚓ *adv.* a popa, en popa.
Achter...: **~bahn** *f* montaña *f* rusa; **~deck** ⚓ *n* (-*es*; -*s*) cubierta *f* de popa; **~lei** *adj.* de ocho clases; **~raum** *m* ⚓ (-*es*; ⸗*e*) bodega *f* de popa; **~rennen** *n* regata *f* de botes de ocho remos; **~schiff** *n* (-*es*; -*e*) popa *f*.
'acht...: **~fach**, **~fältig** *adj.* ocho veces más, óctuplo; **~flächig** *adj.* octaédrico; **~flächner** *m* octaedro *m*; **~füßer** *Zoo. m* octópodo *m*.
'acht|geben, **~haben** → *Acht*[3].
'acht...: **~hundert** *adj.* ochocientos; **~jährig** *adj.* de ocho años (*de edad*).
'achtlos *adj.* descuidado, negligente; distraido; (*rücksichtslos*) desconsiderado, desatento; **~igkeit** *f* (0) descuido *m*, negligencia *f*; distracción *f*, inadvertencia *f*; desconsideración *f*, desatención *f*.
'achtmal *adv.* ocho veces.
'achtsam *adj.* atento (*auf ac.* a); cuidadoso, solícito; **~keit** *f* (0) atención *f*, cuidado *m*.
'Acht...: **~stundentag** *m* (-*es*; -*e*) jornada *f* de ocho horas; **~stündig** *adj.* (de) ocho horas (*duración*); **~tägig** *adj.* (de) ocho días (*una semana de duración*).
'Achtung *f* (0) **1.** (*Aufmerksamkeit*) atención *f*; ⚔ ¡atención!; ¡en guardia!; (*Vorsicht*) ¡cuidado!, F ¡ojo!; ~ *Stufe!* ¡cuidado con el escalón!; *auf Schild*: ¡Precaución!; ¡peligro!; **2.** (*Hoch*~) respeto *m*, estima(ción) *f*, aprecio *m*; *bei aller* ~ *vor Ihnen* con todos los respetos debidos (a usted); ~ *erweisen* respetar; ~ *gebieten* infundir respeto; ~ *hegen für* tener muy buena opinión (un alto concepto) de; *in hoher* ~ *stehen* gozar de alta estimación, ser muy respetado; *sich* ~ *verschaffen* hacerse respetar, imponerse.
'Ächtung [-ç-] *f* destierro *m*; proscripción *f*; ostracismo *m*; *fig.* boicot *m*, vacío *m*.
'Achtung...: **~einflößend**, **~gebietend** *adj.* que inspira respeto; **~svoll** *adj.* atento, respetuoso.
'achtzehn *adj.* dieciocho; **~te** *adj.* décimoctavo.
'achtzig *adj.* ochenta; *er steht in den* ~*erjahren* tendrá ochenta y tantos años; *es geschah in den* ~*er Jahren* sucedió por el año mil ochocientos ochenta y tantos; **~er(in** *f*) *m* octogenario (-a *f*) *m*; F ochentón *m*; **~jährig** *adj.* octogenario; **~ste** *adj.* octogésimo.
'Achtzylindermotor *m* (-*s*; -*en*) motor *m* de ocho cilindros.
'ächzen ['ɛçtsən] (-*t*) *v/i.* suspirar, gemir; ~ *n* suspiro *m*, gemido *m*.
'Acker *m* (-*s*; ⸗) campo *m*; (*Boden*) terreno *m*, tierra *f* de labor; (*Flächenmaß*) acre *m*.
'Ackerbau *m* (-*es*; 0) agricultura *f*, agronomía *f*; **~maschine** *f* máquina *f* agrícola; **~treibend** *adj.* agrícola.
'Acker...: **~bestellung** *f* labranza *f*; **~boden** *m* (-*s*; ⸗) tierra *f* laborable; **~feld** *n* (-*es*; -*er*) campo *m* labrantío, tierra *f* de labranza; **~furche** *f* surco *m*; **~gaul** *m* (-*es*; ⸗*e*) caballo *m* de labor; **~gerät** *n* (-*es*; -*e*) aperos *m/pl.* de labranza; **~gesetz** *n* (-*es*; -*e*) ley *f* agraria; **~krume** *f* tierra *f* de labor; **~land** *n* (-*es*; 0) tierra *f* laborable; (*bestelltes*) sembrado *m*.
'ackern (-*re*) *v/t. u. v/i.* labrar, cultivar la tierra *f*; *fig.* trabajar duramente; → *durchackern*.
Acker...: **~schlepper** *m* tractor *m* agrícola; **~schnecke** *Zoo. f* babosa *f*; **~scholle** *f* terruño *m*, gleba *f*; terrón *m*; **~walze** *f* rodillo *m*; **~winde** ⚘ *f* enredadera *f*.
a conto ⚕ *adv.* a cuenta.
a.D. *Abk. von*: *außer Dienst* retirado, jubilado.
ad acta *Lt.*: ~ *legen* archivar; *fig.* F dar carpetazo.
'Adam *m* Adán *m*; *fig. den alten* ~ *ausziehen* mudar de vida; **~s-apfel** *Anat. m* (-*s*; ⸗) laringe *f*, F nuez *f*; **~skostüm** *n* (-*s*; 0): *im* ~ en cueros (vivos), P en pelotas.
ad'dier|en [a'diː-] (-) *v/t.* sumar, adicionar; **~maschine** *f* máquina *f* sumadora *od.* calculadora.
Additi'on *f* suma *f*, adición *f*.
Addi'tiv *n* (-*s*; -*e*) aditivo *m*, agregativo *m*.
a'de *int.* ¡adiós!; ~ *sagen* decir adiós, despedirse.
'Adel *m* (-*s*; 0) nobleza *f*; *von* ~ *sein* ser de noble ascendencia, ser noble.
'ad(e)lig *adj.* noble; nobiliario; **~e(r** *m*) *m/f* noble *m/f*; *die* ~*n* los nobles *m/pl.*, la nobleza.
'adeln (-*le*) *v/t.* ennoblecer.
'Adels...: **~brief** *m* (-*es*; -*e*) título *m* de nobleza, ejecutoria *f*; **~buch** *n* (-*es*; ⸗*er*) nobiliario *m*; **~krone** *f* corona *f* nobiliaria; **~stand** *m* (-*es*; 0) nobleza *f*, estado *m* noble; *in den* ~ *erheben* ennoblecer; **~stolz** *m* (-*es*; 0) orgullo *m* aristocrático; **~titel** *m* título *m* nobiliario.
'Ader *f Anat.* (-; -*n*) vaso *m* sanguíneo; vena *f*, (*Schlag*~) arteria *f*; ⚒ veta *f*, filón *m*; *Holz, Marmor*: veta *f*; *poetische* ~ *fig.* vena poética; *Verkehrs*~ arteria de tráfico; *Wasser*~ vena de agua; *j-n zur* ~ *lassen* sangrar a alg. (*a. fig.*); *er hat e-e leichte* ~ tiene vena de loco.
'Äderchen *Anat. n* arteriola *f*; vénula *f*.
'Ader...: **~haut** *Anat. f* (-; ⸗*e*) co-

roides *f*; **~laß** *m* (*-sses*; *⸚sse*) sangría *f*.
'ädern (*-re*) *v/t*. vetear.
'Äderung ⚘ *f* nervadura *f*.
Adhäsi'on [atɛ-] *Phys*. *f* adhesión *f*, adherencia *f*.
'Adjektiv *Gr*. *n* (*-s*; *-e*) adjetivo *m*; **⁀isch I.** *adj*. adjetivo, adjetival; **II.** *adv*. adjetivadamente.
Adju'tant *m* (*-en*) ayudante *m*, *e-s Generals*: ayudante *m* de campo.
'Adler *m* águila *f*; *junger* ~ aguilucho *m*; ⊠ (*Doppel⁀*) águila *f* bicéfala; **~auge** *fig*. *n* (*-s*; *-n*) ojo *m* de lince, vista *f* de águila; **~horst** *m* (*-es*; *-e*) nidal *m* de águilas; **~nase** *f* nariz *f* aguileña *od*. aquilina.
Admi'ral ⚓ *m* (*-s*; *-e*) almirante *m*; **~i'tät** *f* almirantazgo *m*; **~sflagge** *f* insignia *f* de almirante; **~s-schiff** *n* (*-es*; *-e*) buque *m* insignia; **~stab** *m* (*-es*; *⸚e*) Estado *m* Mayor de la Armada; **~swürde** *f* (*0*) almirantazgo *m*.
adop'tieren (-) *v/t*. adoptar, prohijar.
Adopti'on [-'tsĭo:n] *f* adopción *f*.
Adopt'tiv|bruder *m* (*-s*; *⸚*) hermano *m* adoptivo; **~eltern** padres *m/pl*. adoptivos; **~kind** *n* (*-es*; *-er*) hijo *m* adoptivo.
Adrena'lin *Phar*. *n* (*-s*; *0*) adrenalina *f*.
Adressant [-ɛ'sa-] *m* (*-en*) remitente *m*; (*von Waren*) expedidor *m*; *Wechsel*: librador *m*.
Adressat *m* (*-en*) *von Briefen*: destinatario *m*; *von Waren*: consignatario *m*; *e-s Wechsels*: librado *m*.
A'dreßbuch (*-es*; *⸚er*) *n* guía *f*; anuario *m*.
A'dresse *f* dirección *f*, señas *f/pl*.; *per* ~ (*carta*) suplicada; *Waren*: consignación *f*; *falsche* ~ dirección equivocada; *fig*. *an die falsche* ~ *kommen* errar el tiro, P pinchar en hueso.
adres'sier|en [-ɛ'si:-] (-) *v/t*. dirigir (*an ac*. a); ✝ *Güter*: consignar; **⁀maschine** *f* máquina *f* para estampar direcciones.
a'drett *adj*. atildado, elegante; aseado, bonito.
adsor'bieren ⚗ *u*. ⊕ (-) *v/t*. adsorber; *~de Substanz* substancia *f* adsorbente.
Adsorpti'on *f* adsorción *f*; **~svermögen** *n* (*-s*; *0*) capacidad *f* de adsorción.
'A-Dur ♪ *n* (*-s*; *0*) la *m* mayor.
Ad'vent *Rel*. *m* (*-es*; *-e*) adviento *m*.
Adven'tist *m* (*-en*) adventista *m/f*.
Ad'vents|sonntag *m* (*-es*; *-e*) domingo *m* de adviento; **~zeit** *f* (*0*) adviento *m*.
Ad'verb *Gr*. *n* (*-s*; *-ien*) adverbio *m*; **⁀i'al** *adj*. adverbial; *~e Bestimmung* modo adverbial; **~i'alsatz** *m* (*-es*; *⸚e*) locución *f* adverbial.
Advo'kat *m* (*-en*) abogado *m*, letrado *m*; **~enkniff** F *m* (*-es*; *-e*) argumentación *f* capciosa; **~ur** *f* abogacía *f*.
Aero|dy'namik [-e:-] *Phys*. *f* (*0*) aerodinámica *f*; **⁀dy'namisch** *adj*. aerodinámico; **~me'chanik** *f* (*0*) aeromecánica *f*; **~'nautik** *f* (*0*) aeronáutica *f*; **~'sol** *n* (*-s*; *0*) aerosol *m*; **~'stat** *n* (*-es*; *-e*) aeróstato *m*; **~'statik** *f* (*0*) aerostática *f*.
Af'faire [a'fɛ:-] *f* asunto *m*; negocio *m*; (*Vorfall*) incidente *m*; (*Fall*) caso *m*, ⚖ causa *f*, proceso *m*; (*Liebesaffaire*) aventura amorosa; *sich aus der ~ ziehen* evadir una situación apurada, P escurrir el bulto.
'Affe *m* (*-n*) *Zoo*. mono *m*, simio *m*; mico *m*; (*Rausch*) F *fig*. mona *f*; (*eitler* ~) tontivano *m*, niño *m* gótico, mequetrefe *m*, *Arg*. compadrito *m*; (*dummer* ~) memo *m*, necio *m*, mentecato *m*; ⚔ F (*Tornister*) mochila *f*; *e-n ~n an j-m gefressen haben* estar tontamente encariñado con alg.
Af'fekt [a'fɛkt] *m* (*-es*; *-e*) pasión *f*, emoción *f*; ⚖ estado *m* pasional (*atenuatorio*), arrebato *m*; **~handlung** *f* delito *m* pasional; crimen *m* pasional.
affek'tier|en (-) *v/t*. afectar; **~t** *adj*. afectado; remilgado; (*Stil*) amanerado; (*eingebildet*) fatuo; **⁀theit** *f* (*0*) afectación *f*; amaneramiento *m*; remilgo *m*.
'äffen *v/t*. (*necken*) embromar, F tomar el pelo; imitar, remedar; (*täuschen*) burlar, chasquear.
'Affen...: **⁀artig** *adj*. simiesco; F *fig*. *mit ~er Geschwindigkeit* con la rapidez de un rayo; **~brotbaum** *m* (*-es*; *⸚e*) baobab *m*; **~liebe** *f* (*0*) amor *m* ciego y ñoño; **~mensch** *m* (*-en*) pitecántropo *m*; **~pinscher** *m* perro *m* grifón; **~schande** *f* (*0*) vergüenza *f* indignante; **~theater** *n* *fig*. farsa *f* ridícula; **~weibchen** *n* → *Äffin*.
Affi'davit ✝ *n* (*-s*; *-s*) afidávit *m*.
'affig *adj*. *fig*. amanerado, afectado; ridículo.
'Äffin *f* mona *f*, simia *f*.
affi'nieren ⚗ (-) *v/t*. afinar.
Affini'tät *f* afinidad *f*.
'Afrika *n* Africa *m*; **~forscher** *m* africanista *m*.
Afri'kaner(in *f*) *m*, **⁀nisch** *adj*. africano (-a *f*) *m*.
'After *Anat*. *m* ano *m*; **~miete** → *Untermiete*; **~pacht** *f* subarrendamiento *m*; **~rede** *f* murmuración *f*, maledicencia *f*.
ägäisch [ɛ'gɛ:ɪʃ] *adj*. *⁀es Meer* Mar *m* Egeo.
A'gat *m* (*-es*; *-e*) → *Achat*.
A'gave ⚘ *f* agave *m*, pita *f*.
A'gend|a *f* (*-*; *-den*) (*Merkbuch*) agenda *f*; **~e** *f* *I.P*. liturgia *f*; *I.C*. santoral *m*; añalejo *m*.
'Agens ⚗ *n* (*-*; *-zien*) agente *m* (*químico*); *fig*. factor *m* decisivo.
A'gent(in *f*) *m* (*-en*) agente *m/f*; ✝ agente *m* de negocios; *Vertreter*: representante *m*; *Makler*: corredor *m* de comercio; *Geheim⁀* agente *m* secreto.
Agen'tur *f* agencia *f*.
Agglome'rat ⊕ *u*. *Geol*. *n* (*-s*; *-e*) aglomerado *m*.
aggluti'nieren ⚗ (-) *v/i*. aglutinar.
Aggre'gat *Phys*. *n* (*-es*; *-e*) agregado *m*; ⊕ unidad *f*; grupo *m* generador; grupo *m* electrógeno; **~zustand** *m* (*-es*; *0*) estado *m* de agregación.
aggres'siv *adj*. agresivo.
Ä'gide *f* (*0*) égida *f*, protección *f*; *unter der ~* (*gen*.) bajo los auspicios (la égida) de.
a'gieren (-) *v/i*. actuar (*als* de), obrar; gesticular.
a'gil *adj*. ágil.
'Agio ✝ *n* (*-s*; *0*) agio *m*; prima *f*; **~'tage** [-'tɑ:ʒə] *f* agiotaje *m*, especulación *f*.
Agitati'on *f* agitación *f*.
Agi'tator *m* (*-s*; *-en*) agitador *m*; demagogo *m*; **⁀isch** *adj*. agitador, demagógico; (*aufrührerisch*) sedicioso.
A'gnost|iker *m*, **⁀isch** *adj*. agnóstico (*m*); **~i'zismus** *m* (*-*; *0*) agnosticismo *m*.
A'graffe *f* broche *m*, prendedor *m*.
A'grar|gesetze *n/pl*. leyes *f/pl*. agrarias; **~preise** *m/pl*. precios *m/pl*. de compra (*al productor*); **~reform** *f* reforma *f* agraria; **~staat** *m* país *m* agrícola; **~wirtschaft** *f* (*0*) economía *f* agrícola.
Ä'gypt|en *n* Egipto *m*; *sich nach den Fleischtöpfen ~s sehnen* añorar tiempos felices; **~er(in** *f*) *m* egipcio (-a *f*) *m*; **⁀isch** *adj*. egipcio.
ah *int*. ¡ah!; *Abscheu*: ¡puf!; **a'ha** *int*.: ajá: *int*., ¡comprendido!
'Ahle *f* lezna *f*; *Typ*. punta *f*; ⊕ escariador *m*.
Ahn *m* (*-en*) abuelo *m*; **~en** *pl*. abuelos *m/pl*. (*a. fig*.); antepasados *m/pl*.; *s-e ~ Poes*. sus mayores.
'ahnd|en (*-e-*) *v/t*. (*rächen*) vengar; (*strafen*) castigar; ⚖ penar, sancionar; **⁀ung** *f* venganza *f*; castigo *m*; ⚖ pena *f*, sanción *f*.
'ähneln (*-le*) *v/i*. parecerse a, (a)semejarse a; *j-m* ~ F darse un aire a alg.; *von Kindern*: salir a (*la madre*, *al padre*).
'ahnen *v/t*. (*vermuten*) imaginar, figurarse; (*vorhersehen*) prever; (*Vorgefühl haben*) presentir, barruntar; *mir ahnt, daß* me dice el corazón que; *Böses*: me da mala espina esto; (*argwöhnen*) sospechar, F tener la mosca en la oreja; (*erraten*) adivinar; *ohne zu ~, daß* sin pensar ni remotamente que; *wie konnte ich ~* cómo iba yo a suponer que; et. *~ lassen* dejar entrever a/c.; *weitS*. dar una idea de a/c.
'Ahnen...: **~forschung** *f* investigación *f* genealógica; genealogía *f*; **~reihe** *f* línea *f* genealógica; **~schein** *m* (*-es*; *-e*) carta *f* genealógica; **~tafel** *f* (*-*; *-n*) árbol *m* genealógico.
'ähnlich *adj*. parecido, semejante, similar; (*entsprechend*) análogo; *oder so~* o cosa parecida (por el estilo); *j-m ~ sehen* parecerse a alg.; *iro*. *das sieht dir ganz ~* eso es muy propio de tí; F eso lleva tu marca; *er wird der Mutter ~* es como la madre, F ha salido a la madre; → *sprechend*; *ich habe nie et. ⁀es gesagt* nunca he dicho semejante cosa; **⁀keit** *f* parecido *m*, semejanza *f*; similitud *f*, analogía *f*; *viel ~ haben mit* ser muy parecido a.
'Ahnung *f* (*Vorgefühl*) presentimiento *m*, barrunto *m*, presagio *m*; (*plötzliche ~*) corazonada *f*; (*schlimme ~*) mal presentimiento *m*; (*Vorstellung*) idea *f*, noción *f*; (*Argwohn*) sospecha *f*; *ich hatte keine blasse ~ davon* no tenía ni (remota) idea de ello; F *er hatte keine ~ von Tuten und Blasen* F no sabía ni jota; *keine ~!* no tengo idea; *hast du eine ~!* F no sabes de la misa la media; *iro*. ¡estás tú bueno!; **⁀slos** *adj*.

desprevenido; *adv.* sin sospechar nada malo; 2**svoll** *adj.* lleno de presentimientos.
'**Ahorn** 🌿 *m* (-*s*; -*e*) arce *m*.
'**Ähre** 🌿 *f* espiga *f*; ~*n lesen* espigar; ~**nfeld** *n* (-*ės*; -*er*) campo *m* de trigo, trigal *m*; ~**nfrüchte** *f/pl.* cereales *m/pl.*; ~**nleser(in** *f*) *m* espigador (-a *f*) *m*.
'**Airbus** ['ɛːr-] *m* (-*ses*; -*se*) aerobús *m*, autobús *m* aéreo.
Akade'mie *f* academia *f*.
Aka'demiker *m* (*Studierter*) universitario *m*; intelectual *m/f*; *im freien Beruf*: profesional *m/f*; (*Mitglied e-r Akademie*) académico *m*.
aka'demisch *adj.* académico; universitario; ~ *gebildet* de formación universitaria.
A'kazie *f* acacia *f*.
akklimati'sier|en (-) *v/t.* (*a. fig.*) aclimatar; 2**ung** *f* aclimatación *f*.
Ak'kord ♪ *m* (-*ės*; -*e*) acorde *m*; *fig.* armonía *f*; ⚚ (*Einigung*) acuerdo *m*; *mit Gläubigern*: arreglo *m*; (*Lohnform*) salario *m* a destajo; *im* ~ *arbeiten* trabajar a destajo; ~**arbeit** *f* trabajo *m* a destajo; ~**arbeiter** *m* destajista *m*; ~**satz** *m* (-*es*; ⁼*e*) precio *m* (tipo *m*) de destajo.
Ak'kordeon [a'kɔrdeˑɔn] ♪ *n* (-*s*; -*s*) acordeón *m*; *Arg.* bandoneón *m*.
akkor'dieren (-) **1.** *v/t.* ajustar; **2.** *v/i.* convenir, concertar (*mit* con, *über* sobre); ⚚ arreglarse (*con los acreedores*).
akkredi'tieren (-) *v/t.* acreditar; ⚚ abrir un crédito *m*; *Dipl.* ~ *bei* acreditar cerca de.
Akkredi'tiv ⚚ *n* (-*s*; -*e*) carta *f* de crédito; crédito *m* bancario; *bestätigtes* ~ carta de crédito confirmada; *unwiderrufliches* ~ carta de crédito irrevocable; *j-m ein* ~ *eröffnen* abrir un crédito bancario a favor de alg.; ~**schreiben** *Dipl. n* (*cartas*) credenciales *f/pl.*
'**Akku** *m* (-*s*; -*s*) → *Akkumulator*.
Akku|mu'lator ⊕ *m* (-*s*; -*en*) acumulador *m*; ~**mula'torenfahrzeug** *n* (-*ės*; -*e*) coche *m* automotor con batería de acumuladores; ~**mu'latorsäure** *f* (*0*) ácido *m* para acumulador.
akkumu'lieren (-) *v/i.* acumular.
akku'rat *adj.* exacto, puntual; esmerado, escrupuloso.
Akkura'tesse *f* (*0*) exactitud *f*, puntualidad *f*; esmero *m*, escrupulosidad *f*.
'**Akkusativ** *Gr. m* (-*s*; -*e*) acusativo *m*; ~**objekt** *n* (-*ės*; -*e*) complemento *m* directo.
A'kontozahlung ⚚ *f* pago *m* a cuenta; (*Rate*) plazo *m*, pago *m* parcial; *als* ~ *erhalten* recibido a cuenta.
Akquisi'teur ⚚ *m* (-*s*; -*e*) agente *m* de publicidad; (*Versicherung*) agente *m* de seguros.
Akri'bie *f* (*0*) meticulosidad *f*, exactitud *f*, esmero *m*.
Akro'bat *m* (-*en*), ~**in** *f* acróbata *m/f*; ~**ik** *f* (*0*) acrobacia *f*; 2**isch** *adj.* acrobático.
'**Akt** *m* (-*ės*; -*e*) acto *m* (*a. Thea.*); *Handlung*: acción *f*; ⚤ cópula *f*; *Mal.* desnudo *m*.
'**Akte** *f* acta *f*; documento *m*; (*abgelegte* ~) documento *m* archivado, pieza *f* de archivo; ~**n** *f/pl.* actas *f/pl.*, documentos *m/pl.*; *zu den* ~ *legen* archivar; (*Unerledigtes*) F dar carpetazo a un asunto; ⚖ autos *m/pl.*; (*Verwaltung*) expediente *m*; *Personal*2 *f/pl.* expediente *m* personal.
'**Akten...**: ~**auszug** *m* ⚖ (-*ės*; ⁼*e*) apuntamiento *m*; ~**deckel** *m* carpeta *f*; ~**einsicht** *f* (*0*) ⚖ vista *f* de los autos; ~**heft** *n* (-*ės*; -*e*) expediente *m*, legajo *m*; ~**klammer** *f* (-; -*n*) sujetapapeles *m*; 2**kundig** *adj.*: ~ *sein* constar documentalmente; ~**mappe** *f* cartera *f* para documentos; 2**mäßig** *adj.* documentalmente; ⚖ según consta en autos *m/pl.*; *fig.* oficial; ~**mensch** *m* (-*en*) burócrata *m*; ~**notiz** *f* apunte *m*, anotación *f*; ~**papier** *n* (-*s*; -*e*) pliego *m*, ⚖ papel *m* sellado; ~**schrank** *m* (-*ės*; ⁼*e*) archivador *m*; ~**stoß** *m* (-*es*; ⁼*e*) legajo *m*; ~**stück** *n* (-*ės*; -*e*) pieza *f* documental; ~**tasche** *f* → *Aktenmappe*; ~**zeichen** *n* referencia *f*, número *m* de registro.
Aktie ['aktsĭə] ⚚ *f* acción *f*; título *m*; (*voll einbezahlte* ~) acción *f* liberada; (*Inhaber*2) acción *f* al portador; (*Namens*2) acción *f* nominativa; *s-e* ~*n sind gestiegen* (*fig.*) su papel está en alza.
Aktien...: ~**abschnitt** *m* (-*ės*; -*e*) cupón *m*; ~**ausgabe** *f* emisión *f* de acciones; ~**besitzer** *m* accionista *m/f*; ~**börse** *f* bolsa *f* de valores; ~**gesellschaft** *f* sociedad *f* anónima (*Abk.* S.A.); ~**kapital** *n* (-*s*; -*e*) capital *m* social; *volleingezahltes* ~ capital *m* totalmente desembolsado; ~**markt** *m* (-*ės*; ⁼*e*) mercado *m* de valores (*de renta variable*); ~**notierung** *f* cotización *f* de bolsa; ~**paket** *n* (-*ės*; -*e*) paquete *m* de acciones; ~**schein** *m* (-*ės*; -*e*), ~**zertifikat** *n* (-*ės*; -*e*) título *m*; ~**zeichnung** *f* suscripción *f* de acciones.
Akti'on *f* acción *f*; ⚔ acción *f* de guerra; (*Maßnahme*) medida *f*; (*Werbungs*2 *usw.*) campaña *f*; (*Plan*) esquema *m*, proyecto *m*; *in* ~ *setzen* (*treten*) poner (entrar) en acción; ~*en pl.* (*Tätigkeit*) actividades *f/pl.*
Aktio'när *m* (-*s*; -*e*) accionista *m/f*; ~**sversammlung** *f* → *Generalversammlung*.
Akti'ons...: ~**bereich** *m* (-*ės*; -*e*) radio *m* (campo *m*) de acción, (*a.* ⚔, ⊕ *u. fig.*); ~**freiheit** *f* (*0*) libertad *f* de acción.
ak'tiv *adj.* activo (*a. Beteiligung, Person u.* ⚚); ~*er Dienst* servicio activo; *Truppe, Soldat*: regular; ~*es Personal* personal en (servicio) activo; ~*er Student* miembro activo de una asociación estudiantil; ~*es Wahlrecht* derecho electoral activo; ~*er Wortschatz* vocabulario usual.
Ak'tiva [-'tiːva] ⚚ *n/pl.* activo *m*; ~ *und Passiva* activo y pasivo.
Ak'tiv...: ~**bestand** *m* (-*ės*; ⁼*e*) activo *m*; ⚔ efectivos *m/pl.*; ~**bilanz** *f* balance *m* favorable; ~**saldo** *m* (-*s*; -*den od.* -*di*) saldo *m* activo; ~**zinsen** *m/pl.* intereses *m/pl.* deudores.
akti'vieren (-) *v/t.* ⚚ asentar en el activo; ⚗ *u. fig.*: activar.
Akti'vierung ⚚ *f* asiento *m* en el activo; *weitS.* aumento *m* de valor; *Phys. neol.* activación *f*.
Akti'vist *m* (-*en*) activista *m/f*.
Aktivi'tät *f* (*0*) actividad *f*.
'**Akt|modell** *n* (-*s*; -*e*) modelo *m/f* (*persona desnuda*); ~**studie** *f* estudio *m*, copia *f* del desnudo.
Aktuali'tät *f* actualidad *f*; ~**enkino** *n* (-*s*; -*s*) cine *m* de actualidades.
aktu'ell *adj.* (*zeitgemäß*) actual, de actualidad; *Probleme*: *a.* del día, palpitante; (*dringend*) apremiante, urgente; (*ernst*) serio, grave.
A'kust|ik *f* (*0*) acústica *f*; *gute* ~ buenas condiciones acústicas; 2**isch** *adj.* acústico.
a'kut *adj.* agudo (*a.* ⚕); *fig. a.* candente, crítico.
'**Aktzeichnen** *n* dibujo *m* del natural, academia *f*, desnudo *m*.
Ak'zent *Gr. m* (-*ės*; -*e*) acento *m*; (*mundartlicher a.*) dejo *m*, *Arg.* tonada *f*; 2**los** *adj.* sin acento; 2**u'ieren** (-) *v/t.* acentuar (*a. fig.*).
Ak'zept ⚚ *n* (-*ės*; -*e*) aceptación *f*; (*Wechsel*) letra *f* aceptada; *mangels* ~ (*protesto*) por falta de aceptación.
akzep'tabel *adj.* aceptable.
Akzep'tant ⚚ *m* (-*en*) aceptante *m*.
Ak'zeptbank *f* banco *m* aceptante.
akzep'tieren (-) *v/t.* aceptar (*a. Wechsel*).
Ak'zeptkredit *m* (-*ės*; -*e*) crédito *m* contra aceptación.
Ak'zise *f* (*städt. Steuer*) impuesto *m* de consumos.
Ala'baster *m* (-*s*; *0*) alabastro *m*.
A'larm *m* (-*s*; -*e*) alarma *f*; (*Flieger*2) alarma *f* aérea; *blinder* ~ falsa alarma; ~ *blasen od. schlagen* tocar alarma; tocar a rebato; ⚔ tocar generala; ~**anlage** *f* sistema *m* de (señales de) alarma; 2**bereit** *adj.* alerta; ~**bereitschaft** *f* (*0*): *in* ~ (en estado de) alerta; ~**glocke** *f* timbre *m* (*bzw.* campana *f*) de alarma.
alar'mieren (-) *v/t.* alarmar (*a. fig.*).
A'larm...: ~**sicherung** *f* fusible *m* de alarma; ~**signal** *n* (-*s*; -*e*) señal *f* de alarma; ~**sirene** *f* sirena *f* de alarma; ~**vorrichtung** *f* dispositivo *m* (mecanismo *m*) de alarma; ~**zeichen** *n* señal *f* de peligro (*a. fig.*); ~**zustand** *m* (-*ės*; *0*) estado *m* de alarma.
A'laun *m* (-*s*; *0*) alumbre *m*; ~**erde** *f* alúmina *f*; 2**haltig** *adj.* aluminoso.
Al'ban|ien *Geogr. n* Albania *f*; ~**ier** *m* albanés *m*; ~**ierin** *f* albanesa *f*; 2**isch** *adj.* albanés.
'**albern** *adj.* majadero, mentecato, necio, *Arg.* otario; *sei nicht* ~! ¡no digas tonterías!; 2**heit** *f* majadería *f*, mentecatez *f*, necedad *f*; simpleza *f*, tontería *f*; (*Handlung*) desatino *m*; sosería *f*.
Al'bino *m* (-*s*; -*s*) albino *m*.
'**Album** *n* (-*s*; *Alben*) álbum *m*.
Albu'min *n* (-*s*; -*e*) albúmina *f*; ~**stoff** *m* (-*ės*; -*e*) substancia *f* albuminoidea, proteína *f*.
Alchi|'mie [-ç-] *f* (*0*) alquimia *f*; ~'**mist** *m* (-*en*) alquimista *m*.
'**Alge** *f* alga *f*.
'**Algebra** *f* (*0*) álgebra *f*.
Al'ger|ien *Geogr. n* Argelia *f*; ~**ier** (-**in** *f*) *m* argelino (-a *f*) *m*; 2**isch** *adj.* argelino.
'**Algier** ['alʒiːr] *Geogr. n* Argel *m*.
'**alias** *Lt.* alias.

'Alibi ⚖ *n* (*-s*; *-s*) coartada *f*; *sein ~ nachweisen* probar la coartada.
Ali'mente ⚖ *n/pl.* alimentos *m/pl.*; **≈npflichtig** *adj.* (legalmente) obligado a pagar alimentos; **~nforderung** *f* pretensión *f* alimenticia.
Al'kali ⚗ *n* (*-s*; *-en*) álcali *m*; **≈artig** *adj.* alcalinoso; **≈fest** *adj.* resistente a los álcalis; **≈sch** *adj.* alcalino; **≈'sieren** (-) *v/t.* alcalinizar.
Alkalo'id ⚗ *n* (*-es*; *-e*) alcaloide *m*; **≈isch** *adj.* alcaloídeo.
'Alkohol [-ho:l] *m* (*-s*; *-e*) alcohol *m*; **≈frei** *adj.* sin (*od.* exento de) alcohol; **~gehalt** *m* (*-es*; *0*) graduación *f* alcohólica, contenido *m* de alcohol; **≈haltig** *adj.* alcohólico.
Alko'holiker *m* alcohólico *m*, dipsómano *m*.
alko'holisch *adj.* alcohólico; *~e Getränke* bebidas alcohólicas *od.* espirituosas.
alkoholi'sieren (-) *v/t.* alcoholizar.
'Alkohol...: **~probe** *Auto. f* prueba *f* (cuantitativa) de alcohol (en la sangre); **~schmuggler** *m* contrabandista *m* de licores; **~verbot** *n* (*-es*; *-e*) prohibición *f* (de bebidas alcohólicas), ley *f* seca; **~vergiftung** *f* intoxicación *f* alcohólica.
all I. *pron.* todo (-a); *~e beide* ambos, los dos; *~e und jeder* todos (y cada uno); *sie* (*wir*) *alle* todos (nosotros) ellos; *~e außer* todos excepto; *~e die* (todos) cuantos, todos los que, *amtlich*: todo aquel que, quienes; **II.** *adj.* todo (-a), todos (-as); (*jeder*) cada uno; (*jeder beliebige*) (uno) cualquiera; *~e Augenblicke* a cada momento; en cualquier momento; *~e Tage* todos los días, a diario; *~e zwei Tage* cada dos días; *~e acht Tage* cada ocho días; *auf ~e Fälle* en todo caso, de todos modos; *~e Menschen* todo el mundo; *~e Welt* el mundo entero; *in ~er Form* formalmente; *für ~e Zeiten* para siempre; *ohne ~en Zweifel* sin duda alguna; *das ~es* todo es(t)o; → *alle* (F), *alles*.
All *n* (*-s*; *0*) universo *m*, cosmos *m*.
all...: **~abendlich** *adv.* todas las noches; **~bekannt** *adj.* universalmente conocido; notorio; de todos sabido; *es ist ja ~* no es un secreto para nadie, todo el mundo sabe; **~deutsch** *Pol. adj.*, **≈deutsche(r** *m*) *m/f* pangermanista *m/f*; **≈deutschtum** *n* (*-s*; *0*) pangermanismo *m*.
'alle F *adv.* (*verbraucht*) acabado, terminado; *es ist ~* se ha acabado; *~ werden* acabarse, agotarse; *die Dummen werden nie ~* el número de tontos es infinito.
Al'lee [a'le:] *f* avenida *f*; paseo *m*.
Allego'rie *f* alegoría *f*.
alle'gorisch *adj.* alegórico.
al'lein I. *adj.* solo; (*einsam*) solitario; **II.** *adv.* (*nur*) sólo, solamente, únicamente; (*ohne Hilfe*) por sí solo; (*einsam*) a solas; *jeder Teil für sich ~* separadamente, por separado, individualmente; (*ausschließlich*) exclusivamente; (*sage und schreibe*) nada menos que; *dies ~ genügt nicht* esto solo no basta; *das schafft er ganz ~* él se basta (y se sobra) para hacer eso; *schon ~ der Gedanke* sólo con pensarlo; **III.** *cj.* mas, pero.
Al'lein...: **~berechtigung** *f* (*0*) exclusiva *f*, derecho *m* exclusivo; **~besitz** *m* (*-es*; *0*) posesión *f* exclusiva; **~erbe** *m* (*-n*) heredero *m* universal; **~flug** *m* (*-es*; *⸗e*) vuelo *m* individual; **~gang** *m* (*-es*; *⸗e*) (*Sport*) jugada *f* individual; **~handel** *m* monopolio *m*; **~herrscher** *m* autócrata *m*; **~hersteller** *m* fabricante *m* exclusivo.
al'leinig *adj.* solo, exclusivo, único.
Al'lein...: **~sein** *n* soledad *f*; **≈seligmachend** *adj.* única (fe) santificante; *die ~e Kirche* la Santa Iglesia Católica Apostólica Romana; **≈stehend** *adj.* solo; aislado; *Person*: solo *m*, sola *f* (en el mundo); *ledig*: soltero (-a *f*) *m*; **~verkauf** *m* (*-es*; *0*) venta *f* exclusiva, (*Recht*) exclusiva *f* de venta; **~vertreter** *m* representante *m* exclusivo; **~vertretung** *f* representación *f* exclusiva; **≈vertretungsberechtigt** *adj.* único representante autorizado; **~vertrieb** *m* (*-es*; *-e*) (distribución *f*) exclusiva *f*.
'allemal *adv.* todas las veces, siempre; *ein für ~* de una vez para siempre; F *~!* (*gewiß*) F ¡pues claro que sí!, ¡cómo no!
'allenfalls *adv.* de todos modos, en todo caso; (*zur Not*) en caso necesario; si es preciso; (*höchstens*) todo lo más, a lo sumo; (*vielleicht*) quizá, acaso.
'allenthalben *adv.* en (por) todas partes, por dondequiera, por doquier(a).
'aller...: **~art** *adj.* de todas clases; **~äußerst** *adj.* todo lo más; *Preis*: último precio; **~beste** *adj.* lo mejor de todo; *am ~en* lo mejor es que; *aufs ~e* del mejor modo posible; **~dings** *adv.* (*gewiß*) cierto, ciertamente, sin duda; (*natürlich*) desde luego; (*in der Tat*) en efecto, realmente; (*auf jeden Fall*) en todo caso, de cualquier modo; *~!* (*bejahend*) ¡ya lo creo!, ¡claro que sí!, ¡por supuesto!, ¿cómo no?; *das ist ~ wahr* eso también es verdad; **~erst: zu~ I.** *adj.* lo primero de todo; **II.** *adv.* ante todo, en primer lugar, antes que nada.
Aller'gie ⚕ *f* alergia *f*.
al'lergisch *adj.* alérgico.
'aller...: **~hand** *adj.* diversos; F *~ Geld* un dineral; F *das ist ~! lobend*: ¡esto es extraordinario!, F ¡qué bárbaro!; *tadelnd*: ¡esto ya pasa de la raya!; **≈heiligen** *n* (día *m* de) Todos los Santos; **~'heiligst** *adj.* santísimo; **≈heiligste(s)** *n* Santísimo *m* (Sacramento de la Eucaristía); (*jüdisch und fig.*) sancta sanctorum *m*; **~höchst** *adj.* altísimo, soberano, supremo; *auf ~en Befehl* por orden suprema; *es ist ~e Zeit* es ya más que hora de; **~höchstens** *adv.* a lo sumo, todo lo más; **~lei** *adj.* → *allerhand*; **≈lei** *n* mezcla *f* heterogénea; **~letzt** *adj.* el último de todos; *zuallerletzt* en último lugar, por último, para terminar (de una vez); **~liebst** *adj.* encantador, delicioso, F (*Kind*) monísimo; *am ~en* lo que más me gustaría; **~mindestens** *adv.* por lo menos, al menos; **~nächst** *adj.* el más próximo; *in ~er Zeit* en un futuro próximo, dentro de muy poco; **~neu(e)st** *adj.* lo más nuevo; (*Nachrichten*) las últimas noticias; **≈'seelen** *n* día *m* de (los Fieles) Difuntos, día *m* de las Animas; **~seits** *adv.* de (por) todas partes; F a todos (los presentes); **~wenigst** *adj.* → *wenigst*; **≈werteste(r)** F *m* trasero *m*; V culo *m*.
'alles *n* todo, todas las cosas; (*alle Leute*) toda la gente, todo el mundo; *~ in allem* en total; en resumen; *~ Amerikanische* todo lo americano; *~ was* (todo) cuanto, todo lo que; *~ eingerechnet* todo incluído; *~ mögliche tun* hacer todo lo posible; *~ oder nichts* o todo o nada; *das ist ~* eso es todo; *ist das ~?* ¿nada más?; *damit ist ~ gesagt* con eso está dicho todo; *er ist mein ~* él lo es todo para mí; *~ zu seiner Zeit* cada cosa a su tiempo; *auf ~ gefaßt sein* estar preparado para todo (lo peor); → *Mädchen*; → *all*.
'allesamt *adv.* todos juntos, todos sin excepción.
'alles...: **~fressend** *adj.* omnívoro; **≈kleber** *m* pegamento *m* universal; F pegalotodo *m*.
'allezeit *adv.* siempre, en todo tiempo, en todos los tiempos.
'All|gegenwart *f* (*0*) omnipresencia *f*, ubicuidad *f*; **≈gegenwärtig** *adj.* omnipresente, ubicuo.
'allgemein I. *adj.* general (*a. ~ üblich*); (*umfassend*) universal; *~e Redensart* generalidad; *mit ~er Zustimmung* con general asentimiento; **≈es** generalidades; **II.** *adv.* generalmente, en general; universalmente; (*oberbegrifflich*) genéricamente; *~ anerkannt* universalmente reconocido (*od.* aceptado); *~ gesprochen* (dicho) en términos generales; *~ verbreitet* generalmente extendido (*od.* difundido); *im ~en* en (por lo) general.
Allge'mein...: **~befinden** *n* (*-s*; *0*) estado *m* general; **~bildung** *f* (*0*) cultura *f* general; **≈gültig** *adj.* universal, generalmente aceptado; **~gut** *n* (*-es*; *⸗er*) bien *m* común; **~heit** *f* (*0*) generalidad *f*; (*Öffentlichkeit*) mayoría *f* de la gente, público *m* en general; **~unkosten** *pl.* gastos *m/pl.* generales; **≈verständlich** *adj.* comprensible para todos; **~wohl** *n* (*-s*; *0*) bien(estar) *m* común.
All...: **'~gewalt** *f* (*0*) omnipotencia *f*; **≈'gewaltig** *adj.* omnipotente, todopoderoso; **≈gütig** *adj.* bonísimo, infinitamente bueno; **~'heilmittel** *n* panacea *f* (universal).
Allianz [ali'ants] *f* alianza *f*.
Alli'gator *m* (*-s*; *-en*) caimán *m*, *Arg.* yacaré *m*.
alli'ier|en [ali·'i:-] *v/t.* aliar(se) (*mit* con, a); *~te Truppen* tropas (fuerzas) aliadas; **≈te(r)** *m* aliado *m*.
'all...: **~jährlich** *adj.* anual; *adv.* anualmente; **≈macht** *f* (*0*) omnipotencia *f*; **~mächtig** *adj.* omnipotente, todopoderoso; *der ≈e* (*Gott*) Dios Todopoderoso, el Todopoderoso; **~mählich** *adj.* gradual, paulatino; *adv.* gradualmente, paulatinamente, poco a

poco; **~monatlich** *adj.* mensual; *adv.* mensualmente, cada mes.
Allo'path *m* (*-en*) alópata *m*.
Allopa'thie *f* (*0*) alopatía *f*.
Al'lotria *n/pl.* travesura *f*, F trastada *f*, barrabasada *f*; ~ *treiben* travesear, armar juerga (*od.* la gorda).
'All...: **2seitig** *adj.* universal; *adv.* por todas partes, en (bajo) todos los aspectos; **~stromempfänger** *m* receptor *m* para corriente universal; **~tag** *m* (*-es*; *-e*) vida *f* cotidiana; **2'täglich** *adj.* diario, cotidiano, de cada día; *fig.* vulgar, trivial, insubstancial; **~'täglichkeit** *f* trivialidad *f*, vulgaridad *f*; tópico *m*, lugar *m* común; **~tagsleben** *n* (*-s*; *0*) vida *f* cotidiana, rutina *f* diaria; **~tagsmensch** *m* (*-en*) hombre *m* vulgar *od.* adocenado; **2umfassend** *adj.* universal; **~wellenempfänger** *m* receptor *m* para todas las ondas; **2wissend** *adj.* omnisciente; **~wissenheit** *f* (*0*) omnisciencia *f*; **2wöchentlich** *adj.* semanal; **2zu, 2zuviel** *adv.* demasiado; **~zweck...** ... universal, ... para todos los usos.
Alm *f* pastos *m/pl.* alpinos.
'Almanach ['alma·nax] *m* (*-s*; *-e*) almanaque *m*, calendario *m*.
'Almosen *n* limosna *f*; *um* (*ein*) ~ *bitten* pedir limosna; **~empfänger** *m* que vive de la caridad pública.
'Aloe ['ɑ:lo·e·] ♀ *f* áloe *m*.
'Alp[1] (*-es*; *-e*) *m*, **~drücken** *n* (*-s*; *0*) pesadilla *f* (*a. fig.*).
'Alp[2], **~e** *f* → *Alpen*.
Al'paka *n* (*-s*; *0*) (*Wollstoff u. Tier*) alpaca *f*; (*Legierung*) **~silber** *n* (*-s*; *0*) metal *m* blanco, alpaca *f*.
al 'pari ✝ *adv.* a la par.
'Alpen *f/pl.* Alpes *m/pl.*; **~bahn** *f* ferrocarril *m* alpino; **~glühen** *n* rosicler *m* alpino; **~jäger** ⚔ *m* cazador *m* alpino; **~rose** *f* rosa *f* de los Alpes, rododendro *m*; **~veilchen** *n* ciclamino *m*.
'Alpha [-f-] *n* (*-s*; *-s*) alfa *f*.
Alpha'bet *n* (*-es*; *-e*) alfabeto *m*, abecedario *m*; **2isch** *adj.* alfabético.
'Alpha|strahlen *Phys. m/pl.* rayos *m/pl.* alfa; **~teilchen** *n* partícula *f* alfa.
al'pin *adj.* alpino, alpestre.
Alpi'nist(in *f*) *m* (*-en*) alpinista *m/f*, montañero (-a *f*) *m*.
Al'raun ♀ *m* (*-es*; *-e*) mandrágora *f*.
als *cj.* (*ganz so wie*) como; *er starb* ~ *Held* murió como un héroe; (*Art, Eigenschaft*) como, de, en calidad (concepto) de; *er war* ~ *Botschafter in Berlin* estaba como (de) embajador en Berlín; *er sagte* ~ *Zeuge aus* declaró como testigo; *er diente* ~ *Führer* sirvió de guía; ~ *Entschädigung* en concepto de indemnización; *in seiner Eigenschaft* ~ en su calidad de; *er war* ~ *Lehrling hier* estaba aquí de aprendiz; ~ *Knabe* de (cuando era) niño; (*bei Vergleichen*) *nach dem comp.*: que; *du bist jünger* ~ *ich* tú eres más joven que yo; *ich würde eher sterben* ~ antes me moriría que; *vor e-r Zahl*: de; *mehr* ~ *20 Jahre* más de 20 años; *im Vergleichssatz*: de la (lo) que, del que; *ich tue mehr* ~ *ich kann* hago más de lo que puedo; *ich habe mehr Geld* ~ *ich brauche* tengo más dinero del que necesito; *er ist zu gut,* ~ *daß* es demasiado bueno para (*inf.*) *od.* para que (*subj.*); ~ *ob,* ~ *wenn* como si (*subj.*); ~ *ob niemand da wäre* como si no estuviera allí nadie; *sowohl* ... ~ *auch* ... tanto ... como ...; *um so mehr* ~ tanto más cuanto que; *niemand anders* ~ *du* nadie sino tú, nadie más que tú; (*zeitlich*) cuando; ~ *ich ihn fragte* cuando le pregunté; *sofort,* ~ *ich ihn sah* en cuanto (tan pronto como) le vi; ~ *er nach Berlin abreiste* cuando partió para Berlín; (*nach Negation*) menos, excepto; *alles andere* ~ *hübsch* todo menos (excepto) bonito; **~'bald** *adv.* en seguida, inmediatamente; **~'baldig** *adj.* inmediato; **~'dann** *adv.* entonces; luego, después, más tarde; a continuación.
'also I. *adv.* así, de este modo; **II.** *cj.* (*folgernd*) entonces, es decir, por (tanto) consiguiente; (*nun gut*) pues (ahora) bien; *du kommst* ~ *nicht?* ¿entonces no vienes?, ¡es decir, que no vienes!; ~ *los!* ¡vámonos pues!, ¡vamos allá!, F ¡venga ya! *na* ~! ¡en fin, está bien!
alt *adj.* (*"er*; *"est*) (*Ggs. jung, neu*) viejo; → *älter, ältest*; (*bejahrt*) anciano, de edad avanzada; *~e Leute* personas de edad; (*Sache*) vetusto; (*antik*) antiguo; → *altmodisch*; (*Ggs. frisch*) rancio; (*erprobt*) experimentado; (*alt gedient*) veterano; ~ *werden* → *altern*; *das 2e Testament* el Antiguo Testamento; *die ~en Germanen* los antiguos teutones; *2er Herr* (*ehem. Student*) antiguo alumno; veterano de una asociación estudiantil; *~e Sprachen* lenguas clásicas; *ein 6 Jahre ~er Junge* un niño de 6 años; *wie* ~ *sind Sie?* ¿cuántos años (qué edad) tiene usted?; *er ist so* ~ *wie ich* tiene la misma edad que yo; *er ist doppelt so* ~ *wie ich* me dobla la edad; *er sieht nicht so* ~ *aus, wie er ist* aparenta menos edad de la que tiene; *sie ist* (*äußerlich*) *sehr* ~ *geworden* ella ha envejecido mucho; *alles bleibt beim ~en* todo sigue como antes.
Alt ♪ *m* (*-es*; *0*) contralto *m*.
Al'tan *m* (*-es*; *-e*), **~e** *f* azotea *f*, terraza *f*; galería *f*; (*Balkon*) balcón *m*.
Al'tar *m* (*-s*; *"e*) altar *m*; **~bild** *n* (*-es*; *-er*) retablo *m*; **~tuch** *n* (*-es*; *"er*) sabanilla *f*; **~raum** *m* (*-es*; *"e*) presbiterio *m*.
alt...: **~bekannt** *adj.* viejo (antiguo) conocido; **~bewährt** *adj.* (bien) probado, acreditado; **~deutsch** *adj.* alemán antiguo.
'Alte 1. ~r *m* (*alter Mann*) viejo *m*, (*Greis*) anciano *m*; *die ~n pl.* (*Eltern*) los padres *m/pl.*; *Hist.* los antiguos *m/pl.* ~ *und Junge* viejos y mozos; F *der* ~ (*Vater*) el padre, (*Chef*) jefe *m*; amo *m*, patrón *m*; *er ist immer noch der 2* sigue siendo el mismo; *er ist wieder ganz der 2* ha vuelto a ser el de antes; **2.** ~ *f* (*alte Frau*) vieja *f*, (*Greisin*) anciana *f*; F (*Gattin*) meine ~ F mi costilla (media naranja); *komische* ~ *Thea.* característica *f*; **3.** **~(s)** *n* (lo) viejo; (lo) antiguo; *das* ~ cosas viejas; tiempos viejos.
'alt...: **~ehrwürdig** *adj.* venerable; **~eingesessen** *adj.* establecido desde largo tiempo; **2eisen** *n* (*-s*; *0*) hierro *m* viejo, chatarra *f*; **2eisenhändler** *m* chatarrero *m*.
'Alter *n* edad *f*; (*Greisen2*) vejez *f*, ancianidad *f*; (*Dienst2*) antigüedad *f*; *er ist in m-m* ~ él es de mi edad; *mittleren ~s* de mediana edad.
'älter *adj.* (*comp. v. alt*) más viejo; (*Personen*) mayor; *der ~e Bruder* el hermano mayor; *ein ~er Herr* un señor ya de edad *od.* entrado en años; *e-e ~e Dame* una señora de (cierta) edad; *er ist 10 Jahre* ~ *als ich* es 10 años mayor que yo, me lleva 10 años; *er sieht* (*20 Jahre*) ~ *aus als er ist* parece (20 años) más viejo de lo que es.
'altern (*-re*) **1.** *v/i.* envejecer, F ir para viejo; **2.** *v/t.* ⊕ *Leichtmetall*: madurar.
Alterna'tive [-v-] *f* alternativa *f*, opción *f*, disyuntiva *f*.
'Alters...: **~blödsinn** ⚕ *m* (*-s*; *0*) demencia *f* senil; F chochez *f*; **~erscheinung** *f* síntoma *m* de vejez; **~genosse** *m* (*-n*), **~genossin** *f* coetáneo (-a *f*) *m*; **~grenze** *f* límite *m* de edad; (*für Beamte*) edad *f* de jubilación; **~heim** *n* (*-es*; *-e*) asilo *m* de ancianos; **~klasse** *f* agrupación *f* por edad; generación *f*; ⚔ quinta *f*; **~krankheit** *f* enfermedad *f* senil; *Facharzt für ~en* geríatra *m*; **~präsident** *m* (*-en*) decano *m*; presidente *m* de (mayor) edad; **~rente** *f* pensión *f* de vejez; **2schwach** *adj.* caduco, decrépito; **~schwäche** ⚕ *f* (*0*) debilidad *f* senil; **~schwund** ⚕ *m* (*-es*; *0*) marasmo *m* senil; **~stufe** *f* edad *f* (*de la vida*); → *Altersklasse*; **~unterstützung** *f* socorro *m* de vejez; **~versicherung** *f* seguro *m* de vejez; **~versorgung** *f* ⚔ retiro *m*; *Beamten*: jubilación *f*; pensión *f*; **~zulage** *f* sobresueldo *m* por antigüedad.
'Altertum *n* (*es*; *0 u. "er*) antigüedad *f*, edad *f* antigua.
'altertümlich *adj.* antiguo; (*veraltet*) arcaico; (*Gebäude, Möbel*) vetusto; *adv.* a la antigua.
'Altertums...: **~forscher** *m* arqueólogo *m*; **~forschung** *f*, **~kunde** *f* (*0*) arqueología *f*.
'Alterung ⊕ *f* (*0*) maduración *f*; envejecimiento *m*; **2sbeständig** *adj.* resistente al envejecimiento; **~sverfahren** *n* (*-s*; *0*) procedimiento *m* de maduración.
'ältest *adj.* (*sup. v. alt*) el más viejo *bzw.* antiguo; **2e(r)** *m* (*e-r Körperschaft*) decano *m*; *mein ~r* mi hijo mayor *bzw.* primogénito; **2enrat** *m* (*-es*; *"e*) consejo *m* mayor; senado *m*.
'alt...: **~fränkisch** *adj.* (*Trachten, Häuser usw.*) típico, antiguo; **~gläubig** *adj.* ortodoxo; **~'hergebracht**, **~'herkömmlich** *adj.* tradicional, antiguo; **~hochdeutsch** *adj.* alto alemán antiguo.
Al'tist(in *f*) *m* (*-en*) contralto *m/f*.
'alt...: **~jüngferlich** *adj.* de solterona; **~katholisch** *adj.* viejo-católico heterodoxo; **~klug** *adj.* precoz; (*vorlaut*) petulante, F sabihondo.

'**ältlich** *adj.* entrado en años; mayor, de edad.

'**Alt...**: **~material** *n* (*-s*; *0*) material *m* viejo; (*verwertbares*) material *m* de recuperación; **~meister** (*Sport*) *m* ex-campeón *m*; **~metall** *n* (*-es*; *-e*) metal *m* viejo; **2modisch** *adj.* pasado de moda; anticuado; **~papier** *n* (*-s*; *0*) papel *m* viejo, maculatura *f*; **~philologe** *m* (*-n*) filólogo *m* clásico; **~schrift** *Typ.* letra *f* romana; **~silber** *n* (*-s*; *0*) plata *f* oxidada; **~stadt** *f* (*-*; *⸚e*) parte *f* antigua de una ciudad; **~stimme** ♪ *f* contralto *m*; **2väterlich** *adj.* patriarcal; **~warenhändler** *m* chamarilero *m*; **~'weibersommer** *m* veranillo *m* de San Martín.

Alu'minium [-nĭum] *n* (*-s*; *0*) aluminio *m*.

Alum'nat *n* (*-es*; *-e*) internado *m*; colegio *m* de internos.

am = **an dem** → *an*.

Amal'gam *n* (*-s*; *-e*) amalgama *f*.

amalga'mier|en ⚗ (*-*) *v/t.* amalgamar (*a. fig.*); **2ung** *f* amalgamación *f*.

Amal'gamsilber *n* (*-s*; *0*) amalgama *f* nativa.

Ama'teur *m* (*-s*; *-e*) aficionado *m*; **~photograph** *m* (*-en*) fotógrafo *m* aficionado; **~sport** *m* (*-es*; *0*) deporte *m* de aficionados.

Ama'zone *f* amazona *f*; **~nstrom** *Geogr. m* (*río*) Amazonas *m*.

'**Amboß** *m* (*-sses*; *-sse*) yunque *m* (*a. Anat.*).

'**Ambra** *f* (*-*; *-s*) = '**Amber** *m* (*-s*; *-n*) ámbar *m*; **2farben** *adj.* ambarino.

Am'brosia *f* (*0*) ambrosía *f*; **2nisch** *adj.* ambrosiano.

ambu'lan|t *adj.* ambulante, ambulatorio; ⚕ *~e Behandlung* tratamiento ambulatorio; *~ behandelter Patient* paciente tratado ambulatoriamente; *~es Gewerbe* venta ambulante; **2z** *f* (*Klinik*) ambulatorio *m*, policlínica *f*; (*Krankenwagen*) ambulancia *f*.

'**Ameise** *f* hormiga *f*; *weiße ~* termita *f*; **~nbär** *m* (*-en*) oso *m* hormiguero; **~nhaufen** *m* hormiguero *m*; **~nkönigin** *f* hormiga *f* reina; **~nsäure** ⚗ *f* (*0*) ácido *m* fórmico.

'**Amen** *int. u. n* amén, así sea.

A'merika *Geogr.* América *f*; Norteamérica *f*, (los) Estados Unidos *m/pl.*

Ameri'kan|er(in *f*) *m*, **2isch** *adj.* americano (-a *f*) *m*.

amerikani'sieren (*-*) *v/t.* americanizar.

Amerika'nismus *m* (*-*; *-men*) americanismo *m*.

Ame'thyst *m Min.* (*-es*; *-e*) amatista *f*.

A'mino|säure ⚗ *f* aminoácido *m*; **~verbindung** *f* combinación *f* amínica.

'**Amme** *f* ama *f* de cría, nodriza *f*; **~nmärchen** *n* cuento *m* de viejas.

'**Ammer** *Orn. f* (*-*; *-n*) verderón *m*.

Ammoni'ak ⚗ *n* (*-s*; *0*) amoniaco *m*; **2artig**, **2haltig** *adj.* amoniacal; **~wasser** *n* agua *f* amoniacal.

Am'monium ⚗ *n* (*-s*; *0*) amonio *m*; *wolframsaures ~* tungstato *m* amónico.

Amne'sie ⚕ *f* amnesia *f*.

Amne'stie *f* amnistía *f*; **2ren** (*-*) *v/t.* amnistiar.

A'möbe *f* amiba *f*; **~nruhr** ⚕ *f* (*0*) disentería *f* amébica.

'**Amok**: *~ laufen* correr poseído de locura homicida; **~läufer** *m* homicida *m* que ataca ciegamente huyendo.

a-'Moll ♪ *n* la *m* menor.

'**Amor** *Myt. m* Amor *m*, Cupido *m*.

'**amoralisch** *adj.* amoral.

a'morph ⚗ *adj.* amorfo.

Amortisati'on *f* amortización *f*; **~sfonds** *m* (*-*; *-*) fondo *m* de amortización; **~skasse** *f* caja *f* de amortización.

amorti'sier|bar *adj.* amortizable; **~en** (*-*) *v/t.* amortizar.

'**Ampel** *f* (*-*; *-n*) lámpara *f* colgante; (*Verkehrs2*) semáforo *m*.

Am'pere ⚡ *n* amperio *m*; **~meter** *n* amperímetro *m*; **~stunde** *f* amperios-hora *m/pl.*; **~zahl** *f* amperaje *m*.

'**Ampfer** ⚘ *m* (*-s*; *0*) acedera *f*.

Am'phib|ie *Zoo. f* anfibio *m*; **~ienfahrzeug** *n* (*-es*; *-e*) vehículo *m* anfibio; **~ienflugzeug** *n* (*-es*; *-e*) avión *m* anfibio; **~ienpanzerwagen** *m* tanque *m* anfibio; **2isch** *adj.* anfibio.

'**Amphitheater** *n* anfiteatro *m*; (*Kampfplatz*) arena *f*.

Ampli'tude *Phys. f* amplitud *f*.

Am'pulle *f* ampolla *f*.

Amputati'on *Chir. f* amputación *f*; **~sbesteck** *n* (*-es*; *-e*) instrumental *m* quirúrgico para amputación; **~sstumpf** *m* (*-es*; *⸚e*) muñón *m*.

ampu'tier|en (*-*) *v/t.* amputar; **2te(r)** *m* amputado *m*.

'**Amsel** *Orn. f* (*-*; *-n*) mirlo *m*; tordo *m*.

Amt *n* (*-es*; *⸚er*) cargo *m* público; (*Posten*) cargo *m*; empleo *m*, destino *m*; (*Aufgabe*) misión *f*; (*Tätigkeit*) función *f*, servicio *m*; (*Büro*) oficina *f* pública, despacho *m*; (*Behörde*) autoridad *f*; administración *f* pública; ministerio *m*; (*Dienststelle*) departamento *m*, negociado *m*, sección *f*; *Lit.* misa *f* cantada; oficio *m* divino; *Gerichts2* tribunal *m* de justicia; *die Ämter* las autoridades; *Fernsprech2* central *f* (de teléfonos); → *auswärtig*; → *antreten*, *bekleiden*, *entheben*; *von ~s wegen* oficialmente; por orden de la autoridad; *kraft meines ~es* en virtud de mis atribuciones; *es ist nicht meines ~es* no es de mi incumbencia; *Tele. ~!* ¡central, por favor!

am'tieren (*-*) *v/i.* ejercer un cargo; *~ als* actuar de; *Lit.* oficiar; **~d** *adj.* accidental, en funciones.

'**amtlich** *adj.* oficial; *halb~* oficioso; *nicht~* extraoficial; *~e Mitteilung* comunicado oficial; *in ~er Eigenschaft* con carácter oficial; *~erseits* de parte autorizada.

'**Amtmann** † *m* (*-es*; *⸚er od. -leute*) bailío *m*, corregidor *m*; subalterno *m* administrativo.

'**Amts...**: **~alter** *n* (*-s*; *0*) antigüedad *f* (*en el servicio*); **~anmaßung** *f* arrogación de funciones; **~antritt** *m* (*-es*; *-e*) entrada *f* en funciones; **~arzt** *m* (*-es*; *⸚e*) médico *m* municipal; **~befugnis** *f* (*-*; *-se*) atribuciones *f/pl.*, competencia *f*; **~bereich**, **~bezirk** *m* (*-es*; *-e*) jurisdicción *f*; **~blatt** *n* (*-es*; *⸚er*) Diario *m* Oficial, *Span.* Boletín *m* Oficial del Estado; **~bruder** *m* (*-s*; *⸚er*) colega *m*; **~dauer** *f* (*0*) (duración *f* del) mandato *m*; **~delikt** *n* (*-es*; *-e*) prevaricación *f*, cohecho *m*; **~diener** *m* ujier *m*; ordenanza *m*; ⚖ alguacil *m*; **~eid** *m* (*-es*; *0*) jura *f* del cargo; **~enthebung** *f* cese *m*; *vorläufige ~* suspensión *f* del cargo; **~führung** *f* (*0*) desempeño *m* de un cargo, gestión *f*, actuación *f*; **~geheimnis** *n* (*-ses*; *-se*) secreto *m od.* sigilo *m* oficial *bzw.* profesional; **~gericht** *n* (*-es*; *-e*) ⚖ juzgado *m* municipal; juzgado *m* de primera instancia; **~geschäfte** *n/pl.* funciones *f/pl.* del cargo; **~gewalt** *f* (*0*) autoridad *f*, poder *m* público; **~handlung** *f* acto *m* oficial; **~miene** *f* aire *m* (gesto *m*) solemne; **~mißbrauch** *m* (*-es*; *⸚e*) abuso *m* de autoridad; **~niederlegung** *f* renuncia *f*, dimisión *f* de un cargo; **~richter** *m* juez *m* municipal; **~schimmel** *m* (*-s*; *0*) F rutina *f* burocrática, expedienteo *m*; **~schreiber** *m* escribano *m* público; secretario *m*; **~siegel** *n* sello *m* oficial; **~sprache** *f* lenguaje *m* administrativo; **~stunden** *f/pl.* horas *f/pl.* (hábiles) de oficina; **~tracht** *f* traje *m* de ceremonia; uniforme *m*; (*Uni. u.* ⚖) toga *f*; **~überschreitung** *f* extralimitación *f* en las atribuciones; **~unterschlagung** *f* malversación *f*; **~verletzung** *f* lesión *f* de los deberes del cargo; **~vorgänger** *m* predecesor *m*; **~vormund** *m* (*-es*; *⸚er*) ⚖ tutor *m* oficial; **~vorsteher** *m* jefe *m* (de negociado); **~weg** *m* (*-es*; *-e*) tramitación *f* oficial; *auf dem ~* por conducto oficial, por los trámites reglamentarios; **~zeit** *f* (*0*) horas *f/pl.* de despacho *od.* de oficina; **~zimmer** *n* oficina *f*, despacho *m*.

Amu'lett *n* (*-es*; *-e*) amuleto *m*, talismán *m*.

amüs|ant (*-est*) *adj.* divertido, gracioso; **~ieren** (*-*) *v/t.* divertir; *sich ~* (*die Zeit vertreiben*) distraerse, entretenerse; (*sich gut unterhalten*) F divertirse de lo lindo, gozarla; *sich ~ über* divertirse a costa de alg.; *schadenfroh*: sotorreírse.

an I. *prp.* (*wo, wann? dat.*; *wohin? ac.*) a; en; de; junto a; cerca de; por; hasta; contra; sobre; *~ Bord* a bordo; *am Tische* a la mesa; *Frankfurt am Main* Francfort del Main; *~ der Spree* a orillas del Spree; (*bis ~*) hasta (*a. zahlenmäßig*); (*etwa*) *ac. ~ 10 Tage* unos 10 días; (*neben*) junto a; (*nahe bei*) cerca de; *am 20. August* el 20 de agosto; *am folgenden Tage* al día siguiente; *am Abend* (*Morgen*) por la noche (mañana); *am Tage* de día; *am Tage* (*gen.*) el día de; *am* (*~ das, ans*) *Fenster* junto a la ventana; *~ der Grenze* en la frontera; *~ der Hand* (*führen*) (llevar) de la mano; *am Himmel* en el cielo; *~ e-r*

Krankheit sterben morir de una enfermedad; ~ *e-r Krankheit leiden* sufrir una enfermedad; ~ *Land gehen* ir (saltar) a tierra; *am Leben sein* vivir, estar vivo; ~ *e-m Ort* en un lugar; *der Ort,* ~ *dem er arbeitete* el lugar donde él trabajaba; → *Reihe*; ~ *e-r Schule* en una escuela; *Professor* ~ *der Universität Köln* catedrático de la Universidad de Colonia; ~ *der Wand* (*Bild*) en la pared; (*dicht*) ~ *der Wand* junto a la pared; *sich* ~ *die Wand lehnen* apoyarse contra la pared; *fünf* ~ *der Zahl* cinco en total; *ein Brief* ~ *mich* una carta para mí; una carta dirigida a mí; *ich hätte eine Bitte* ~ *Sie* quisiera pedirle (a usted) un favor; *Schaden am Dach* daños en el tejado; ~ (*und für*) *sich* en sí, de por sí; en principio; propiamente dicho; → *eigentlich*; *es liegt* ~ *dir, nicht* ~ *ihm* de ti depende, no de él; *die Schuld liegt* ~ *dir* la culpa es tuya; *arm* (*reich*) ~ (*dat.*) pobre (rico) en; *vor sup.* (*dat.*) *am besten* lo mejor; *am ehesten* lo antes posible; *denken* ~ (*ac.*) pensar en; → *glauben, leiden*; **II.** *adv. von heute* ~ desde hoy, a partir de hoy; *von nun* ~ desde ahora, de ahora en adelante; *mit dem Mantel* ~ con el abrigo puesto; *Bedienungsanweisung*: ~ — *aus* abierto — cerrado; ⚡ conexión — desconexión.

Anachro'nis|mus *m* (-; *-men*) anacronismo *m*; **2tisch** *adj.* anacrónico.

ana'log *adj.* análogo; *adv.* análogamente.

Analo'gie *f* analogía *f*.

Analpha'bet|(in *f*) *m* (*-en*) analfabeto (-a *f*) *m*; **~entum** *n* (*-s*; *0*) analfabetismo *m*.

Ana'ly|se *f* análisis *m*; **2'sieren** (-) *v/t.* analizar; **~tiker** *m* analista *m/f*; **2tisch** *adj.* analítico.

'Ananas *f* (-; *-se*) ananás *m*, piña *f* americana.

Anä'mie ⚕ *f* (*0*) anemia *f*; **an'ämisch** *adj.* anémico.

Ana'mnese ⚕ *f* anamnesis *f*, anamnesia *f*.

'an·arbeiten (*-e-*) *v/i.* ~ *gegen* oponer, contrarrestar.

Anar'chie *f* anarquía *f*; **an'archisch** *adj.* anárquico; **Anar'chismus** *m* anarquismo *m*.

Anar'chist|(in *f*) *m* (*-en*) anarquista *m/f*; **2isch** *adj.* anárquico; anarquista.

Anästhe'sie ⚕ *f* (*0*) anestesia *f*; **2ren** (-) *v/t.* anestesiar.

Ana'tom *m* (*-en*) anatomista *m/f*.

Anato'mie *f* (*Lehre*) anatomía *f*; *a.* = **~saal** *m* (*-es*; *=e*) anfiteatro *m* anatómico; (*Sezierraum*) sala *f* de disección; **ana'tomisch** *adj.* anatómico.

'anbahn|en *v/t. fig.* preparar, iniciar; *sich* ~ irse preparando, ir abriéndose paso; nacer; *es bahnen sich bessere Beziehungen an* están mejorando las relaciones.

'anbändeln (*-le*) *v/i.* galantear, coquetear, flirtear; (*Streit suchen*) → *anbinden*.

'Anbau *m* (*-es*; *-ten*) 🌱 cultivo *m*; ⚠ anejo *m* (*de un edificio*); (*Flügel*) ala *f*; (*Nebenhaus*) edificio *m* contiguo; **2en** *v/t.* 🌱 cultivar, (*Brachland*) roturar; ⚠ adosar (*an ac.* a); (*aufstocken*) elevar un piso; ⊕ añadir, agregar, montar; *sich* ~ establecerse en finca (rural) propia; **2fähig** *adj.* cultivable; **~fläche** *f* superficie *f* cultivada; **~gerät** ⊕ *n* (*-es*; *-e*) dispositivo *m* adicional; **~möbel** *n/pl.* muebles *m/pl.* ampliables (*por agregaciones sucesivas*) *od.* funcionales; **~motor** ⚡ *m* (*-s*; *-en*) motor *m* acoplado.

'anbefehlen (*L*; -) → *befehlen*.

'Anbeginn *m* (*-es*; *0*) principio *m*, origen *m*; *von* ~ desde un principio.

'anbehalten (*L*; -) *v/t. Kleid usw.*: conservar puesta (*una prenda*), no quitarse.

an'bei *adv. im Brief*: adjunto, incluso, anexo.

'anbeißen (*L*) **1.** *v/t.* morder; **2.** *v/i.* (*Fisch*) picar; *fig.* tragar el anzuelo; *zum* ~ ser muy apetitoso (*a. fig.*).

'anbelangen (-) *v/t.* concernir, atañer; *was mich anbelangt* en (por) lo que a mí toca, por mi parte.

'anbellen *v/t.* ladrar a; *fig.* hablar desabridamente, gritarle a alg.

'anbequemen (-) *v/t. u. refl.* acomodarse, adaptarse, amoldarse (*dat. od. an ac.* a); *sich j-s Meinung* ~ contemporizar con alg.

'anberaum|en (-) *v/t.* (*Termin*) señalar, fijar; ⚖ (*Frist*) emplazar, (*Datum*) señalar; *Sitzung*: convocar; **2ung** *f* fijación *f*; ⚖ emplazamiento *m*; señalamiento *m*.

'anbet|en (*-e-*) *v/t. u. v/i.* adorar; venerar; idolatrar; (*alle a. fig.*); **2er(in** *f*) *m* adorador(a *f*) *m*; *fig.* admirador(a *f*) *m*.

'Anbetracht *m*: *in* ~ (*gen.*) en atención (consideración) a, en vista de; *in* ~, *daß* considerando que; (*amtlich*) por cuanto ... por tanto.

'anbetreffen (*L*; -) *v/t.* → *anbelangen*.

'anbetteln (*-le*) *v/t.* pedir limosna, mendigar; suplicar.

'Anbetung *f* (*0*) adoración *f*; (*Verehrung*) veneración *f*; **2swürdig** *adj.* adorable.

'anbiedern (*-re*) F *v/refl. sich* ~ *mit od. bei j-m* ~ congraciarse, trabar estrecha amistad con alg.

'anbieten (*L*) *v/t.* ofrecer, brindar; (*Speise*) *darf ich* ~? ¿usted(es) gusta(n)?; *sich* ~ ofrecerse a *od.* para (brindarse a) hacer a/c.; *Gelegenheit*: presentarse (*la ocasión*).

'anbinden (*L*) **1.** *v/t.* atar, sujetar, ligar (*an ac.* a); *Boot*: amarrar; *Hund*: encadenar; atar; *an der Leine führen*: llevar atado; **2.** *v/i. mit j-m* ~ provocar pendencia con alg., F meterse (tomarla) con alg., P buscar camorra; (*mit Frauen*) amontonarse, P liarse; *fig. kurz angebunden sein* gastar pocas palabras, hablar con brusquedad.

'anblasen (*L*) *v/t.* soplar sobre a/c.; *Feuer*: avivar soplando, (*mit Blasebalg*) afollar; (*Hochofen*) encender; (*rüffeln*) F echar un rapapolvo.

'anblecken F *v/t. fig.* enseñar los dientes a alg.

'Anblick *m* (*-es*; *0*) mirada *f*; (*Bild*) vista *f*, panorama *m*; (*Aussehen*) aspecto *m*; espectáculo *m*; *beim ersten* ~ a primera vista, F al primer vistazo; *ein trauriger* ~ un triste (espectáculo) aspecto; **2en** *v/t.* mirar; *flüchtig*: echar una ojeada; (*besehen*) contemplar, (*mustern*) mirar fijamente.

'anblinzeln (*-le*) *v/t.* mirar entornando los ojos; (*schlau*) guiñar.

'anbohr|en *v/t.* ⊕ (empezar a) taladrar, barrenar; *Zahn*: abrir; *Schiff*: dar barreno; *Schädel*: trepanar; F *fig. bei j-m* ~ sondear a alg.; **2maschine** *f* máquina *f* perforadora.

'anbraten (*L*) *v/t.* asar ligeramente, dorar.

'anbrausen (*-t*) *v/i.* (*Zug*) aproximarse con gran velocidad; *er kam angebraust* F llegó disparado.

'anbrechen (*L*) **1.** *v/t. Vorräte*: empezar (*a consumir*); *Flasche*: descorchar; *Schachtel*: abrir; **2.** *v/i.* empezar; *Tag*: alborear, despuntar el día; *Nacht*: entrar la noche.

'anbrennen (*L*) **1.** *v/i.* encenderse; prender (*el fuego*) en; *Speisen*: pegarse; achicharrar; *angebrannt* (*schmecken*) *riechen* oler (saber) a quemado; **2.** *v/t.* (*Gebäude*) pegar (prender) fuego a, incendiar; *Zigarre, Licht*: encender.

'anbringen (*L*) *v/t.* traer; (*befestigen*) fijar; ⊕ instalar, montar; (*Tochter*) casar; *Stempel, Unterschrift*: poner, F echar; (*unterbringen*) colocar, poner (*en un lugar*); ✝ (*Ware*) dar salida, colocar, lograr vender; *Gründe*: alegar, exponer; *e-n Schlag*: descargar; *e-e Beschwerde* ~ formular una queja; *e-e Klage* ~ ⚖ presentar una demanda.

'Anbruch *m* (*-e*; *=e*) principio *m*, comienzo *m*; *bei* ~ *des Tages* (*der Nacht*) al amanecer (al anochecer).

'anbrühen *v/t.* escaldar.

'anbrüllen *v/t.* rugir, bramar; *fig. j-n* ~ gritar a alg.; F regañar.

'anbrüten (*-e-*) *v/t.* empollar, incubar.

'Andacht *f* devoción *f*; (*Verrichtung*) oración *f*, meditación *f*; (*Gottesdienst*) oficio *m* divino; *s-e* ~ *verrichten* hacer sus devociones; *mit* ~ *zuhören* escuchar devotamente; **~sbuch** *n* (*-es*; *=er*) devocionario *m*.

'andächtig *adj.* devoto, piadoso; *fig.* atento, absorto.

An'dante ♪ *n* (*-s*; *-s*) andante *m*.

'andauern (*-re*) *v/i.* durar; seguir, continuar; (*hartnäckig*) persistir; → *anhalten*; **~d** *adj.* duradero, continuo; persistente, pertinaz; (*unaufhörlich*) incesante, permanente.

'Andenken *n* recuerdo *m* (*a. Gegenstand*), memoria *f*; *seligen* **~s** (*Sache*) de feliz memoria (recordación); *Person*: que en paz descanse, que en gloria esté; *zum* ~ *an* (*ac.*) en memoria de; *Widmung*: (en) recuerdo de; *das* ~ *feiern* conmemorar; *ein freundliches* ~ *bewahren* guardar grato recuerdo; *denken Sie mal an!* ¡imagínese usted!

'ander I. *adj.* otro; (*verschieden*) diferente; (*zweit*) segundo; (*folgend*) siguiente; *am* **~n** *Tag* al día siguiente, al otro día; *e-n Tag um den* **~n** un día sí y otro no, en días alternos; → *Ansicht*; *e-e ganz* **~e** *Welt* un mundo completamente distinto (del nuestro); **II.** *substanti-*

visch: *ein* ~*er, eine* ~*e* otro, otra; *die* ~*n* los otros; *das* ~*e* lo otro, (*das übrige*) lo demás; *e-r um den* ~*n* uno por uno, uno tras otro; *es bleibt mir nichts* ~*es übrig* no tengo (no me queda) otro remedio; *kein* ~*er als er* nadie (ningún otro) sino él; ~*es, andres* otra cosa; *das ist etwas* ~*es* eso ya es otra cosa, F *fig.* ese ya es otro cantar; *alles* ~*e* todo lo demás; *alles* ~*e als* todo (cualquier cosa) menos; *das ist nichts* ~*es als* eso no es nada más que; *unter* ~*em* entre otros, entre otras cosas; tal(es) como; *sofern nichts* ~*es bestimmt ist* salvo que esté prevista otra cosa; → *anders*.

'**ander(er)seits** *adv.* por otra parte, por otro lado.

'**ändern** (*-re*) *v/t.* cambiar, alterar, mudar; (*teilweise*) modificar; (*verschieden gestalten*) variar; → *abändern*; *s-e Meinung* ~ cambiar de (parecer) opinión; *ich kann es nicht* ~ no puedo remediarlo; *das ist nicht zu* ~ la cosa ya no tiene remedio; *es ändert nichts an der Tatsache, daß* eso no altera en nada el hecho de que; *sich* ~ cambiar.

'**andern|falls** *adv.* en otro caso; de lo contrario, en caso contrario; ~**teils** *adv.* por otra parte.

'**anders** *adv.* **I.** de otro modo, de otra manera; en otra forma; (*verschieden*) diferente, distinto; ~ *werden* cambiar; ~ *als seine Freunde* distinto de sus amigos; ~ (*verhielt sich*) *Herr X* no así el Sr. X.; *er spricht* ~ *als er denkt* dice una cosa y piensa otra; *das ist nun mal nicht* ~ la cosa es así y no tiene remedio; *wenn es nicht* ~ *geht* si no hay más remedio; *sich* ~ *besinnen* cambiar de parecer, pensarlo mejor; *falls nicht* ~ *bestimmt* si no se dispone otra cosa; **2.** *bei pron.*: *jemand* ~ algún otro, cualquier otro; *niemand* ~ *als er* nadie sino él; *wer* ~? ¿quién sino?; ~**denkend** *adj.* que piensa de otro modo; de otra opinión; de otra ideología; ~**gesinnt** *adj.* de otras ideas, de otra mentalidad; ~**gläubig** *adj.* disidente; *Rel.* heterodoxo; ~**herum** *adv.* a la inversa; F *fig.* invertido, homosexual; ~**wie** *adv.* de (cualquier) otro modo; ~**wo** *adv.* en (cualquier) otra parte; ~**woher** *adv.* de (cualquier) otra parte; ~**wohin** *adv.* a otra parte (cualquiera).

'**anderthalb** *adj.* uno y medio; ~ *Pfund* libra y media; ~**jährig** *adj.* de año y medio de edad.

'**Änderung** *f* cambio *m*; alteración *f*; (*teilweise*) modificación *f*; variación *f*; ⚖ ~*en vorbehalten* salvo modificación; *technische* ~*en* innovaciones técnicas; → *Abänderung*; *e-e* ~ *treffen* (*erfahren*) introducir (experimentar) una modificación; ~**s-gesetz** *n* (*-es; -e*) ley *f* modificadora; ~**svorschlag** *Parl. m* (*-es; ¨e*) (proposición *f* de) enmienda *f*.

'**ander|wärts** *adv.* en otra parte; ~**weitig I.** *adj.* otro; ulterior; **II.** *adv.* de otro modo; en otra parte.

'**andeuten** (*-e-*) *v/t.* (*hinweisen*) indicar, señalar, significar; (*anspielen*) aludir; (*nahelegen*) insinuar; (*zu verstehen geben*) dar a entender; implicar; (*zu bedenken geben*) sugerir; (*vorherbedeuten*) denotar, anunciar; *Mal.* bosquejar.

'**Andeutung** *f* indicación *f*; señal *f*, indicio *m*; alusión *f*; insinuación *f*, sugerencia *f*; (*Unterstellung*) indirecta *f*; *Mal.* bosquejo *m*; *e-e* ~ *machen* hacer una alusión; → *andeuten*; 2**sweise** *adv.* alusivamente; someramente, a grandes rasgos.

'**andichten** (*-e-*) *v/t. j-m et.* ~ imputar, achacar, atribuir, F colgarle a/c. a alg.; *j-n* ~ celebrar en versos a alg., *fig.* cantar.

'**andonnern** (*-re*) *fig. v/t.* echar un rapapolvo, F echar una bronca; *er blieb wie angedonnert* quedó atónito; F quedó pegado.

'**Andrang** *m* (*-es; 0*) *Zulauf*: afluencia *f*, concurrencia *f*; aglomeración *f*; *im Verkehr*: *neol.* horas *f/pl.* punta; ⚕ congestión *f*; aflujo *m*.

'**andrängen** *v/i.* empujar, apretar (*gegen* contra); *sich* ~ aglomerarse, agolparse; *sich* ~ *an* importunar.

'**andreh|en** *v/t. Gas, Heizung*: abrir (*la llave*) ⚡ *Licht*: dar (encender) la luz; *Motor*: poner en marcha; *Schraube*: apretar; (*mit Schrauben befestigen*) atornillar; F *j-m et.* ~ encajar (endosar) a alg. a/c.; 2**klaue** *Auto. f* garra *f* de embrague; 2**kurbel** *f* (*-; -n*) manivela *f* de arranque.

'**andringen** (*L; sn*) *v/i.* acometer impetuosamente, arremeter, lanzarse, arrojarse (*gegen* contra, sobre); *Blut*: afluir; congestionarse; *Menschen*: agolparse.

'**androh|en** *v/t.* amenazar a; *die vom Gesetz angedrohte Strafe* la pena prevista en (por) la ley; 2**ung** *f* amenaza *f*; advertencia *f*; ⚖ *unter* ~ *von od. gen.*: bajo pena de.

'**andrück|en** *v/t.* (*an ac.*) apretar contra; ⚕ comprimir; 2**walze** ⊕ *f* cilindro *m* de presión.

'**an-ecken** (*sn*) *v/i.* causar extrañeza, chocar.

'**an-eifern** (*-re*) *v/t.* animar, estimular, incitar.

'**an-eign|en** (*-e-*) *v/t. u. sich* ~ (*dat.*) apropiarse, adueñarse (de); (*anmaßen*) arrogarse; *Gewohnheit*: contraer; *Meinung anderer*: adoptar; *Kenntnisse*: adquirir; *widerrechtlich*: usurpar, despojar; *Gebiet*: anexionar; 2**ung** *f* apropiación *f* (*a.* ⚖), anexión *f*; usurpación *f*.

an-ein'ander *adv.* juntos, uno junto a otro; uno con (contra) otro; entre sí; (*dicht* ~) muy juntos; ~**fügen** *v/t.* juntar; ~**geraten** (*L; -; sn*) *v/i.* altercar (*mit* con); (*handgemein werden*) llegar a las manos; ~**grenzen** (*-t*) *v/i.* lindar, confinar; ~**hängen** (*L*) *v/i.* estar unidos *od.* adheridos; ~**prallen** *v/i.* chocar (uno con otro); ~**reihen** *v/t.* enfilar, poner en fila; ~**rücken** *v/t.* aproximar entre sí; correrse (*hacia un lado*); ~**stoßen** (*L; sn*) *v/i.* chocar; tocarse, colindar; → *aneinander grenzen, aneinander prallen*.

Anek'dote *f* anécdota *f*; 2**nhaft** *adj.* anecdótico.

an'ekeln (*-le*) *v/t.* repugnar; asquear; hastiar; *es ekelt mich an* me repugna; F me da asco.

Ane'mone *f* anémona *f*.

'**an-empfehlen** (*L; -*) *v/t.* recomendar, encarecer.

'**An-erbieten** *n* ofrecimiento *m*, oferta *f*; proposición *f*; → *Angebot*.

'**an-erkannt** *adj.* reconocido; *fig.* renombrado, acreditado; (*allgemein* ~) generalmente aceptado; ~*e Tatsache* un hecho reconocido; *staatlich* ~ oficialmente autorizado; *ein* ~*es Werk* una obra renombrada; *e-e* ~*e Bedeutung* una significación aceptada (*de una palabra*); ~**ermaßen** *adv.* notoriamente.

'**an-erkenn|bar** *adj.* reconocible; ~**en** (*L; -*) *v/t.* reconocer, aceptar; (*lobend*) elogiar; (*billigen*) aprobar; (*respektvoll*) acatar; (*e-n Anspruch*) admitir; (*Schuld*) reconocer, confesar; (*Wechsel*) aceptar; *nicht* ~ *als od. für das Seinige* no reconocer como propio (*a. Kind*); *Fußball*: *ein Tor* (*nicht*) ~ dar por válido (anular) un gol; → *anerkannt*; ~**end** *adj.* aprobatorio; elogioso, laudatorio; ~**enswert** *adj.* laudable.

'**An-erkennung** *f* reconocimiento *m*; *in* ~ *s-r Verdienste* en reconocimiento de sus méritos; (*lobende* ~) elogio *m*; (*öffentliche Erwähnung*) mención *f* honorífica; (*Zeichen der Hochachtung*) acatamiento *m*; *fig.* tributo *m*; ⚖ *e-s Kindes*: legitimación *f*; *von Urkunden*: legalización *f*; ✝ conformidad *f*; *e-s Wechsels*: aceptación *f*; *j-m* ~ *zollen* rendir (tributar) homenaje a alg.; ~**sschreiben** *n* carta *f* de reconocimiento; ~**szahlung** *f Pol.* pago *m* parcial simbólico.

Anero'id(barometer) *Phys. n* (*-es -e*) barómetro *m* aneroide.

'**an-erziehen** (*L; -*) *v/t.* inculcar educando.

'**anfachen** *v/t.* soplar, atizar (*el fuego*); *fig.* avivar, incitar.

'**anfahr|en** (*L*) **1.** *v/t.* acarrear; (*rammen*) tropezar con; *Fußgänger*: arrollar, atropellar; ⚓ *e-n Hafen* ~ arribar a puerto; *fig. j-n* ~ hablar con aspereza a alg.; **2.** *v/i.* arrancar, poner en marcha; *Reaktor*: despegar, elevarse; ⚒ (*Schacht*) bajar (*a la mina*); 2**t** *f* (*Güter*) acarreo *m*; (*Ankunft*) llegada *f*; ⚒ descenso *m* a la mina; (*Zufahrt*) acceso *m*; (*Tor*) portal *m*.

'**Anfall** *m* (*-es; ¨e*) ataque *m* (*a.* ⚕); (*von Wahnsinn*) rapto *m* de locura; (*von Zorn*) arrebato *m* de ira; *fig. in e-m* ~ *von Großzügigkeit* en un rasgo de generosidad; (*Ertrag*) producto *m*; (*Gewinn*) ganancia *f*; (*Zinsen*) intereses *m/pl.* devengados; *e-r Erbschaft an* (*ac.*) adjudicación *f* a; (*Häufung*) acumulación *f*; 2**en** **1.** *v/t.* atacar, asaltar (*a. fig.*); atracar; (*angreifen*) acometer, agredir; **2.** *v/i.* (*sich ergeben*) resultar; *Gewinn*: obtener; *Zinsen*: devengar; *angefallene Kosten* gastos originados; *angefallene Gebühren* derechos devengados.

'**anfällig** *adj.* ⚕ (*für Krankheiten*) propenso (a); (*gebrechlich*) achacoso.

'**Anfallsrecht** ⚖ *n* (*-es; -e*) derecho *m* de reversión; pacto *m* de retro.

'**Anfang** *m* (*-es; ¨e*) comienzo *m*, principio *m*; (*Entstehung*) origen *m*; *e-s Schreibens*: encabezamiento *m*; *am* (*od. im*) ~ al principio; *von* ~ *an* desde un (el) principio; ~ *Juni* a primeros de junio; ~ *1971* a principios de 1971; ~ *der dreißiger Jahre* poco más de treinta años de edad (*Alter*); *die Anfänge* → *Anfangsgründe*; *am, zu* ~ → *anfangs*; 2**en** (*L*) *v/t. u. v/i.* empezar, comenzar, principiar (*mit et.* por; *zu inf.* a); (*plötzlich*) ~ *zu laufen* echar a correr; ~ *zu weinen* (*lachen*) echarse a llorar (reír); *e-e Arbeit* ~ iniciar un trabajo; *ein Geschäft*: abrir, establecerse; *Streit, Diskussion*: promover, suscitar; ⚖ *e-n Prozeß* ~ incoar un proceso; *immer wieder vom gleichen Thema* ~ F vuelta a empezar con la misma canción; *ich weiß nichts damit anzufangen* no sé qué hacer con esto; *was wirst du morgen* ~? ¿qué vas a hacer mañana?; *mit ihm ist nichts anzufangen* no sirve para nada; *was fangen wir nun an?* ¿y qué vamos a hacer ahora?

ˈ**Anfänger(in** *f*) *m* principiante *m/f*; (*Neuling*) novicio (-a *f*) *m*, F novato (-a *f*) *m*, neófito *m*.

ˈ**anfänglich 1.** *adj.* inicial; primero, primitivo; ⚕ incipiente; primerizo; **2.** *adv.* → *anfangs*.

ˈ**anfangs** *adv.* al principio, primeramente; *gleich* ~ ya desde el principio.

ˈ**Anfangs...**: ~**bestand** ✝ *m* (-*es*; ⸚*e*) → *Anfangskapital*; ~**buchstabe** *m* (-*n*) inicial *f*; *großer* (*kleiner*) ~ mayúscula *f* (minúscula *f*); ~**gehalt** *n* (-*es*; ⸚*er*) sueldo *m* inicial; ~**geschwindigkeit** *f* velocidad *f* inicial; ~**gründe** *m/pl.* elementos *m/pl.*, rudimentos *m/pl.*; ~**kapital** *n* (-*s*; -*e od.* -*ien*) capital *m* inicial; ~**kurs** ✝ *m* (-*es*; -*e*) cotización *f* de apertura; ~**punkt** *m* (-*es*; -*e*) punto *m* de origen (*od.* de partida); ~**unterricht** *m* enseñanza *f* elemental; ~**zeile** *f* primera línea *f*.

ˈ**anfassen** (-*ßt*) **1.** *v/t.* (*packen*) tomar; asir, agarrar, coger; *berühren*: tocar; *fig.* tratar; (*e-e Aufgabe*) poner manos a la obra; *sich* ~ → *anfühlen*; *einander* ~ cogerse de las manos; **2.** *v/i.* (*helfen, a. mit* ~) ayudar, echar una mano.

ˈ**anfauchen** *v/t. Katze*: bufar; *fig.* → *anschnauzen*.

ˈ**anfaulen** *v/i.* empezar a pudrirse.

ˈ**anfecht|bar** *adj.* impugnable (*a.* ⚖), discutible; 2**barkeit** *f* (*0*) impugnabilidad *f*; ~**en** (*L*) *v/t. Gültigkeit*: discutir, negar; (*angreifen*) combatir, atacar; *Meinung*: rebatir; ⚖ (*Testament*) impugnar, *Urteil*: recurrir, apelar; *Geschworene*: recusar; (*beunruhigen*) inquietar; *was ficht dich an?* ¿qué te pasa?; 2**ung** *f* ⚖ impugnación *f*; apelación *f*, recurso *m*; (*Versuchung*) tentación *f*; ⚖ 2**ungsklage** *f* recurso *m* de nulidad.

ˈ**anfeind|en** (-*e*-) *v/t.* hostilizar, perseguir; 2**ung** *f* hostilidad *f*, persecución *f*; animosidad *f*, odio *m*.

ˈ**anfertig|en** *v/t.* hacer; fabricar, elaborar, manufacturar; preparar; *Kleidung*: confeccionar; (*Schriftstück*) redactar; 2**ung** *f* fabricación *f*, elaboración *f*, manufactura *f*; confección *f*; redacción *f*.

ˈ**anfetten** (-*e*-) *v/t.* engrasar.

ˈ**anfeuchten** (-*e*-) *v/t.* humedecer, humectar; mojar; (*Wäsche*) rociar.

ˈ**anfeuer|n** (-*re*) *v/t.* (*Ofen, Herd*) encender; *fig.* alentar, animar; enardecer; ~*de Ansprache* discurso inflamado; 2**ung** *f* ignición *f*; ⚔ *Munition*: fulminante *m*; *fig.* aliento *m*, estímulo *m*; enardecimiento *m*; 2**ungsruf** *m* (-*es*; -*e*) gritos *m/pl.* de ánimo.

ˈ**anflehen** *v/t.* implorar, suplicar.

ˈ**anflicken** *v/t.* remendar.

ˈ**anfliegen** (*L*) *v/t.* **1.** volar hacia; (*landen*) aterrizar; (*gewerbsmäßig*) hacer escala en; **2.** *v/i. angeflogen kommen* aproximarse volando.

ˈ**Anflug** *m* ✈ (-*es*; ⸚*e*) vuelo *m* de aproximación; *auf Angriffsziel*: ataque *m* en vuelo; ⊕ (*hauchdünner Überzug*) película *f*; (*Nuance, Schatten*) matiz *m*; *fig. Spur*: asomo *m*; (*Beigeschmack*) dejo *m*; (*Bart*) bozo *m*; ~ *von Kenntnissen haben* tener una idea superficial de a/c. (*nicht haben* no tener ni idea; F no saber ni pizca); *e-r Krankheit*: acceso *m*; ~**radar** *n* (-*s*; -*s*) control *m* de aproximación por radar; ~**weg** *m* (-*es*; -*e*) ruta *f* de acceso *od.* aproximación.

ˈ**anforder|n** (-*re*) *v/t.* pedir, requerir; (*nachdrücklich*) exigir, reclamar; ⚔ requisar; 2**ung** *f* exigencia *f*; demanda *f*; ⚔ requisición *f*, requisa *f*; (*Bedürfnis*) requisito *m*; (*Anspruch*) pretensión *f*; *auf* ~ a petición; *allen* ~*en genügen* satisfacer todas las exigencias, reunir (cumplir) todos los requisitos; *hohe* ~*en stellen an* (*ac.*) exigir mucho de *od.* a; *Person*: ser muy exigente, F hilar muy delgado.

ˈ**Anfrage** *f* pregunta *f*; (*Antrag*) demanda *f*; *Parl.*: interpelación *f*; *e-e* ~ *richten an* (*ac.*) hacer (formular) una pregunta a; (*Auskunftsstelle*) pedir informes de *od.* sobre; 2**n** *v/i. u. v/t.* preguntar (*bei* a; *nach* por); interpelar.

ˈ**anfressen** (*L*) *v/t.* corroer (*a.* ⚗), roer; *Vogel*: picotear; *Insekten*: picar; carcomer.

ˈ**anfreunden** (-*e*-) *v/t. sich* ~ *mit* trabar amistad con; hacerse amigo de.

ˈ**anfrieren** (*L*; *sn*) *v/i.* adherirse por congelación; helarse.

ˈ**anfüg|en** *v/t.* añadir, agregar, unir, juntar (*an ac.* a); *Anlage im Brief*: adjuntar, acompañar; 2**ung** *f* adición *f*; ⊕ (*Verbindung*) juntura *f*, unión *f*.

ˈ**anfühlen** *v/t.* tocar; (*tastend*) palpar, sentir al tacto; *fig. man fühlt dir an, daß* se te nota que.

ˈ**Anfuhr** *f* acarreo *m*; porte *m*, transporte *m*; (*mit Lastwagen*) camionaje *m*; (*Zufuhr*) conducción *f*.

ˈ**anführ|en** *v/t.* dirigir; (*leiten*) conducir, guiar; capitanear (*a. fig.*); ⚔ *Truppe*: mandar; *Pol. u.* ⚔: acaudillar; (*erwähnen*) mencionar; *genau, einzeln*: especificar, enumerar; (*zitieren*) citar; (*schriftlich zitieren*) transcribir; *Beweise, Gründe*: aducir; *Zeugen*: presentar; *zur Verteidigung*: invocar; *zur Entschuldigung* ~ alegar como disculpa, pretextar; (*täuschen*) chasquear, embaucar; 2**er(in** *f*) *m* ⚔ jefe *m*; conductor *m*, guía *m*; *Pol. u.* ⚔: caudillo *m*, adalid *m*; (*Rädelsführer*) cabecilla *m*.

ˈ**Anführung** *f* → *anführen*; ⚔ mando *m*; alegación *f*; especificación *f*; cita *f*; mención *f*; *von Gutachten, Quellen usw.*: referencia *f*; ~**szeichen** *n* comillas *f/pl.*

ˈ**anfüllen** *v/t.* llenar (*mit* de); ⊕ cargar; *ganz* ~ llenar por completo; *neu* ~ rellenar.

ˈ**Angabe** *f* declaración *f*; (*bestimmte* ~) indicación *f* precisa, dato *m* concreto; (*Auskunft*) informe *m*; (*Beschreibung*) descripción *f*; (*von Einzelheiten*) detalle *m*, especificación *f*; *technische* ~*n* datos técnicos; (*Anweisung*) instrucciones *f/pl.*; F (*Prahlen*) fanfarronada *f*; ostentación *f*, P chulería *f*; *bewußt falsche* ~ declaración intencionadamente falsa; *besondere* ~*n* datos particulares; *genauere* (*od. nähere*) ~*n* pormenores *m/pl.*

ˈ**angaffen** *v/t.* mirar boquiabierto.

ˈ**angängig** *adj.* (*zulässig*) admisible, lícito; (*möglich*) factible, practicable, viable.

ˈ**angeben** (*L*) **1.** *v/t. Namen* ~ nombrar, dar (decir) el nombre; *Grund*: alegar; *Tatsachen*: exponer; (*sagen*) decir; (*erzählen*) referir, contar; (*erklären*) explicar, declarar, manifestar; (*ausführlich*) detallar; (*behaupten*) afirmar; ✝ *Preise*: indicar, marcar; *Richtung*: señalar, indicar; (*anzeigen*) denunciar, delatar; (*vorgeben*) pretender; ♪ *Note*: dar (*la nota*); → *Tempo, Ton*; *zu hoch* (*niedrig*) ~ sobreestimar (subestimar); *falsch* ~ declarar con falsedad; **2.** *v/i. Kartenspiel*: jugar primero, F ser mano; F (*prahlen*) fanfarronear; presumir, darse tono.

ˈ**Angeber(in** *f*) *m* (*Denunziant*) denunciante *m/f*, delator(a *f*) *m*; F soplón *m*; (*Schule*) F acusica *m*; (*Großtuer*) F figurón *m*, fantoche *m*, farolero *m*.

Angebeˈrei *f* denuncia *f*, delación *f*; F soplonería *f*; (*Klatsch*) F chismorrería *f*; (*Prahlerei*) ostentación *f*, fanfarronada *f*, fachenda *f*.

ˈ**angeberisch** *adj.* ostentoso, fachendoso; farolero; P chulo.

ˈ**Angebinde** *n* regalo *m*, obsequio *m*.

ˈ**angeblich 1.** *adj.* supuesto, presunto; pretendido; ✝ ~*er Wert* valor *m* nominal; **2.** *adv.* según dicen, al parecer; parece ser que.

ˈ**angeboren** *adj.* innato; ⚕ congénito; (con)natural; de nacimiento.

ˈ**Angebot** *n* (-*es*; -*e*) ofrecimiento *m*, oferta *f* (*a.* ✝); *Auktion*: postura *f*; *Vorschlag*: proposición *f*; ~ *und Nachfrage* oferta y demanda.

ˈ**angebracht** *adj.* (*ratsam*) aconsejable, recomendable; *gut* ~ apropiado, oportuno, indicado; *Bemerkung*: adecuado; *schlecht* ~ fuera de lugar, intempestivo; *et. für* ~ *halten* considerar oportuno (procedente) al caso; → *anbringen*.

ˈ**angedeihen** (*L*; -): ~ *lassen* conceder, otorgar, conferir.

ˈ**angegossen** *adj.* ⊕ moldeado; *fig. wie* ~ *sitzen* sentar como de molde, F estar que ni pintado.

ˈ**angeheiratet** *adj.* político (-a *f*) *m*; emparentado por matrimonio; *mein* ~*er Vetter* mi primo político.

'**angeheitert** *adj.* achispado, alegre, F un poco trompa.

'**angehen** (*L*) **1.** *v/i.* empezar → *anfangen*; (*in Brand geraten*) prender, encenderse; ⚒ prender; (*leidlich sein*) ser tolerable, poder pasar; (*schlecht werden*) empezar a pudrirse; (*zulässig sein*) ser admisible; *das geht* (*nicht*) *an* (no) puede ser, (no) es posible; **2.** *v/t.* (*angreifen*) combatir; arremeter contra (*a. fig.*); (*betreffen*) respectar, referirse, concernir, interesar a; *j-n um et.* ~ solicitar a/c. de (pedir un favor a) alg.; *was geht das mich an?* ¿qué me importa a mí eso?; *das geht dich nichts an* (eso) no te importa nada; *an alle, die es angeht* a quien(es) corresponda *od.* interese; ~**d** *adj.* incipiente; (*künftig*) en ciernes, futuro; *Käufer*: en perspectiva; (*Anfänger*) principiante, novel; ~*er Vierziger sein* frisar en los cuarenta años.

'**angehören** (-) *v/i.* pertenecer a, ser de; *als Mitglied*: ser miembro de, estar afiliado a, ser socio de; *e-m Ausschuß*: pertenecer a; *der Vergangenheit* ~ pertenecer al pasado.

'**angehörig** *adj.* perteneciente a, correspondiente a; 2**e**(**r** *m*) *m/f* (*Mitglied*) miembro *m*; (*Verein*) socio (-a *f*) *m*; (*Organisation*) afiliado (-a *f*) *m*; *e-s Staates*: súbdito (-a *f*) *m*; *Familien*2: parientes *m/pl.*, allegados *m/pl.*; *nächster* ~*r* (*pl. nächste* ~) pariente(s) más próximo(s).

'**Angeklagte**(**r** *m*) *m/f* inculpado (-a *f*) *m*; ⚖ acusado (-a *f*) *m*; procesado (-a *f*) *m*.

'**Angel** [-ŋ-] *f* (-; -*n*) → *Angelgerät*; (*Tür*2) gozne *m*; (*Scharnier*) bisagra *f*; ⊕ (*Drehzapfen*) pivote *m*; (*a. fig.*) *aus den* ~*n heben* sacar de quicio, desquiciar; *aus den* ~*n geraten fig.* F salirse de sus casillas.

An-geld [-ng-] ☤ *n* (-*es*; -*er*) señal *f*; arras *f/pl.*

'**angelegen** *adj.* → *anliegend*; *sich et.* ~ *sein lassen* cuidar(se) de, tomar a su cargo a/c.; 2**heit** *f* asunto *m*, cuestión *f*; negocio *m*; materia *f*; ocupación *f*; *das ist s-e* ~ eso es asunto suyo; *kümmere dich um deine* ~*en* ocúpate de tus asuntos; no te metas en lo que no te importa; ~**tlich I.** *adj.* urgente, apremiante; (*ernst*) serio, grave; **II.** *adv.* urgentemente; (*herzlich*) encarecidamente.

'**angelehnt** *pred. u. adv.* (*Tür*) entreabierta.

'**angelernt** *adj.* aprendido prácticamente; ~*er Arbeiter* trabajador semicalificado.

'**Angel...**: ~**gerät** *n* (-*es*; -*e*) avío *m* de pesca; ~**haken** *m* anzuelo *m*; 2**n** (-*le*) *v/t.* pescar con caña *f*; *fig.* F pescar, atrapar; *nach j-m* ~ *fig.* F echar el anzuelo a alg.; ~**platz** *m* (-*es*; ⸗*e*) lugar *m* para pescar con caña; ~**punkt** *m* (-*es*; -*e*) eje *m*; *Astr.* polo *m*; *fig.* punto *m* crucial; ~**rute** *f* caña *f* de pescar.

'**Angel|sachse** *m* (-*n*), ~**sächsin** *f*, 2**sächsisch** *adj.* anglosajón *m*, anglosajona *f*.

'**Angelschnur** *f* (-; ⸗*e*) sedal *m*.

'**angemessen** *adj.* adecuado, apropiado; (*annehmbar*) razonable, justo; (*ausreichend*) suficiente; (*Benehmen*) digno, propio, debido; *e-r Sache*: adaptado a; (*entsprechend*) correspondiente, proporcionado; (*Frist*) prudencial; (*Preis*) módico, aceptable; *für* ~ *halten* creer conveniente (oportuno, procedente); 2**heit** *f* (*0*) conformidad *f*, adecuación *f*; conveniencia *f*; (justa) proporción *f*.

'**angenehm** *adj.* agradable, grato; (*behaglich*) confortable; (*willkommen*) bienvenido; (*köstlich*) delicioso; (*Wetter*) apacible; (*Unterhaltung, Lektüre*) ameno; ~*es Wesen* simpático; *das* 2*e mit dem Nützlichen verbinden* unir lo útil con lo agradable.

'**angenommen** → *annehmen*.

'**Anger** *m* prado *m*, pradera *f*; (*Dorf*2) dula *f*; dehesa *f*.

'**angeregt** *adj.* (*Unterhaltung*) animado.

'**angeschlagen** *adj.* (*Gegenstand*) deteriorado.

'**Angeschuldigte**(**r** *m*) *m/f* ⚖ inculpado (-a *f*) *m*.

'**angesehen** *adj.* respetado; estimado, apreciado; considerado; (*ausgezeichnet*) distinguido; reputado, prestigioso; ☤ acreditado.

'**Angesicht** *n* (-*es*; -*e*) cara *f*; *Liter.* rostro *m*, semblante *m*, faz *f*; *im Schweiße deines* ~*es* con el sudor de tu rostro; *von* ~ de vista; *von* ~ *zu* ~ cara a cara; *dem Tod ins* ~ *schauen* arrostrar la muerte; 2**s** *prp.* (*gen.*) en vista de que; *fig.* en atención a, considerando que.

'**angespannt** *adj.* tenso, tirante; ~*e Finanzlage* situación financiera crítica.

'**angestammt** *adj.* ancestral; (*Haus*) solariego; (*angeboren*) innato, hereditario.

'**Angestellt|e**(**r** *m*) *m/f* empleado (-a *f*) *m*; ☤ *a.* dependiente *m/f*; (*Haus*2) servidor(a *f*) *m*; criado (-a *f*) *m*; *die* ~*en* el personal; (*Dienerschaft*) servidumbre *f*; ~**enversicherung** *f* seguro *m* de empleados.

'**angestrengt** *adj.* → *anstrengen*.

'**angetan** *p/p.*: ~ (*gekleidet*) *mit* vestido de; *ganz danach* ~, *um zu* lo más apropiado para (*inf.*); ~ *sein von j-m od. et.* estar encantado (entusiasmado) con *od.* de; sentir viva simpatía por; *er war von dem Gedanken wenig* ~ la idea no le entusiasmó gran cosa; → *antun*.

'**angetrunken** *adj.* bebido, F achispado, alegre, alumbrado.

'**angewandt** *adj.* *Wissenschaft, Kunst*: aplicado.

'**angewiesen** *pred. u. p/p.*: ~ *sein auf* (*ac.*) depender de; no poder prescindir de; *auf sich selbst* ~ *sein* depender de (estar abandonado a) sus propios recursos; ~ *sein zu tener* orden de (*inf.*).

'**angewöhnen** (-) *v/t.* acostumbrar a; *sich et.* ~ acostumbrarse a, contraer el hábito de.

'**Angewohnheit** *f* costumbre *f*, hábito *m*; *aus* ~ por costumbre; (*sonderbare* ~) rareza *f*, manía *f*; *üble* ~ vicio *m*.

'**angewurzelt** *adj.*: *wie* ~ *dastehen* quedarse de una pieza, quedar pegado.

An'gina [aŋ'gi:-] ⚕ *f* (*0*) angina *f*; ~ *pectoris* angina de pecho, estenocardia *f*.

angi'nös *adj.* anginoso.

'**angleich|en** (*L*) *v/t.* asimilar; adaptar, ajustar (*beide a.* ⊕) (*an ac.* a); 2**ung** *f* asimilación *f*; adaptación *f*, ajuste *m*.

'**Angler**(**in** *f*) [-ŋ-] *m* pescador(a *f*) *m* de caña.

'**anglieder|n** (-*re*) *v/t.* añadir, agregar a; (*Organisation*) afiliarse a, ingresar en; *Personen u.* ⚔ incorporarse a; (*annektieren*) anexionar; (*eingliedern*) integrar en; 2**ung** *f* afiliación *f*; incorporación *f*; integración *f*; anexión *f*.

Angli'kan|er(**in** *f*) *m*, 2**isch** *adj.* anglicano (-a *f*) *m*.

angli'sier|en (-) *v/t.* anglizar; ~**t** anglicanizado.

An'glist(**in** *f*) *m* (-*en*) anglista *m/f*; profesor *m* (*bzw.* estudiante *m/f*) de filología inglesa; ~**ik** *f* (*0*) anglística *f*, filología *f* inglesa.

Angli'zismus *Gr. m* (-; -*men*) anglicismo *m*.

'**anglotzen** (-*t*) *v/t.* F mirar con ojos *m/pl.* desorbitados; F mirar con la boca abierta.

Angora|katze [aŋ'go:-] *f* gato *m* de Angora; ~**wolle** *f* (*0*) lana *f* de Angora.

'**angreif|bar** *adj.* atacable; *fig.* vulnerable; ~**en** (*L*) *v/t.* (*anfassen*) asir; *fig. Aufgabe*: acometer, emprender; *Vorräte*: empezar (a consumir); *Kapital*: empezar a gastar; (*unterschlagen*) malversar; ⚔ atacar; asaltar (*beide a. fig.*); ⚔ *im Sturm* ~ lanzarse al asalto; ⚖ *tätlich*: acometer, agredir; (*Augen usw.*) fatigar, esforzar; (*Gesundheit*) perjudicar; *die Krankheit hat ihn angegriffen* la enfermedad le ha quebrantado mucho; (*Gemüt*) afectar, conmover, emocionar; ⚗ atacar, corroer; (*Säge*) morder; *Phys. die Kraft greift in einem Punkt an* la fuerza actúa sobre un punto; *angegriffen aussehen* tener aspecto desmejorado; ~**end** *adj.* agresivo, ofensivo; (*körperlich*) fatigoso; ~*e Kraft* fuerza activa; 2**er**(**in** *f*) *m* atacante *m/f*, asaltante *m/f*; *Pol.* agresor *m*.

'**angrenzen** (-*t*) *v/i.* ~ *an* limitar, lindar con; ~**d** *adj.* adyacente a, limítrofe con, fronterizo, aledaño.

'**Angriff** *m* (-*es*; -*e*) ataque *m* (*a. fig. u. Sport*); (*Sturm*2) asalto *m*, carga *f*; (*strategisch*) ofensiva *f*; *Pol.* agresión *f*; (*Luft*2) ataque *m* aéreo, *im Tiefflug*: en vuelo *m* rasante; *chemischer* ~ ataque con materias tóxicas; ⚖ *tätlicher* ~ agresión *f*; *in* ~ *nehmen* acometer, emprender, abordar una tarea; ⚔ *zum* ~ *übergehen* pasar a la ofensiva; *zum* ~ *bereit* preparado para el ataque.

Angriffs...: ~**breite** *f* (*0*) frente *m* de ataque; ~**flug** *m* (-*es*; ⸗*e*) vuelo *m* ofensivo; ~**kraft** ⚔ *f* (*0*) potencia *f* ofensiva; ~**krieg** ⚔ *m* guerra *f* ofensiva; *Pol.* guerra *f* de agresión; ~**lust** *f* (*0*) acometividad *f*; 2**lustig** *adj.* agresivo; ~**punkt** ⚔ *m* (-*es*; -*e*) punto *m* de ataque; ⊕ punto *m* de aplicación; (*Abnutzung*) punto *m* de desgaste; **~waffe** *f* arma *f* ofensiva; **~welle** *f* oleada *f* de asalto; **~zeit** *f* hora *f* de ataque, hora *f* cero, hora H; **~ziel** *n* (*-es*; *-e*) objetivo *m* (*del ataque*).

ˈ**angrinsen** (*-t*) *v/t.* mirar burlonamente; mirar con ironía.

ˈ**Angst** [-ŋ-] (*-*; *ˮe*) *f* miedo *m*, temor *m*; (*Besorgnis*) ansiedad *f*; (*Schreck*) terror *m*, pavor *m*; (*große ~*) espanto *m*; (*Pein*) angustia *f*, congoja *f*; *~ haben vor* tener miedo a; *in ~ geraten* asustarse, alarmarse; F no llegarle a uno la camisa al cuerpo; *j-n in ~ versetzen* atemorizar a alg.; *mir ist* 2 (*und bange*) tengo miedo, F no las tengo todas conmigo; **2erfüllt** *adj.* despavorido, aterrado, F muerto de miedo; **~geschrei** *n* (*-es*; *0*) grito *m* de espanto; **~hase** *m* (*-n*) cobarde *m/f*, F gallina *m*.

ˈ**ängstigen** *v/t.* asustar; amedrentar, aterrorizar; (*besorgt machen*) inquietar, alarmar; *sich ~* tener miedo (*vor* a, de), angustiarse (*um* por).

ˈ**Angstkäufe** *m/pl.* compras *f/pl.* (*motivadas*) por pánico.

ˈ**ängstlich** *adj.* miedoso, temeroso; (*furchtsam*) medroso; (*besorgt*) receloso; (*unruhig*) desasosegado, nervioso; (*schüchtern*) tímido; (*peinlich genau*) escrupuloso; **2keit** *f* (*0*) ansiedad *f*; inquietud *f*; desasosiego *m*; recelo *m*; timidez *f*; escrúpulo *m*.

ˈ**Angströhre** F *f* chistera *f*.

ˈ**Angström-einheit** *Phys. f* unidad *f* Angstrœm (*Abk.*: u. Å).

ˈ**Angst...**: **~meier** *m* F gallina *m*; temerón *m*, P cagueta *m*; *Pol.* alarmista *m/f*; **~neurose** ⚕ *f* neurosis *f* de ansiedad; **~schweiß** *m* (*-es*; *0*) sudor *m* frío; **2voll** *adj.* angustiado, lleno de angustia.

ˈ**angucken** F *v/t.* mirar, atisbar.

ˈ**anhaben** (*L*) *v/t. Kleider*: tener (llevar) puesto; *fig. j-m* et. *~ wollen* tener animadversión a alg.; P tener hincha a alg.; *sie konnten ihm nichts ~* no pudieron hallar nada contra él; *er kann mir nichts ~* no puede hacerme nada.

ˈ**anhaften** (*-e-*) *v/i.* adherir(se) a, estar adherido a; *fig. ihm haftete etwas Eigentümliches an* tenía un no sé qué de particular; **~d** *adj.* adherente, adhesivo; inherente a.

ˈ**anhaken** *v/t.* colgar (*de un gancho*); enganchar; *mit dem Bleistift*: puntear, marcar.

ˈ**Anhalt** *m* (*-es*; *-e*) (*Stütze*) apoyo *m*, soporte *m*, sostén *m*; (*Anzeichen*) indicio *m*; (*Schutz*) protección *f*, amparo *m*; e-n *~ gewähren* dar base *od.* punto de partida (*für* para); **2en** (*L*) **1.** *v/t.* detener, parar (*a.* ⊕); *polizeilich*: detener; *Atem*: contener; *Ton*: sostener; (*hindern*; *Verkehr*) impedir, entorpecer; *Pferd*: refrenar; *Auto*: parar; *j-n ~* (*ansprechen*) abordar a alg.; *j-n ~ zu* exhortar; estimular, animar a; *sich ~* atenerse (*an* a); **2.** *v/i.* detenerse, pararse; (*andauern*) continuar; (*beharrlich*) persistir; *um ein Mädchen ~* pedir la mano de una joven (*bei* a); **2end** *adj.* continuo; persistente; permanente, incesante; *~e Bemühungen* continuados esfuerzos; *~er Fleiß* asiduidad *f*; *~er Beifall* prolongados aplausos; **~s-punkt** *m* (*-es*; *-e*) punto *m* de apoyo; punto *m* de referencia; *Grundlage*: base *f*.

ˈ**Anhang** *m* (*-es*; *ˮe*) apéndice *m*; (*Beilage, Nachtrag*) anexo *m*; *Buch usw.*: apéndice *m*, suplemento *m*; *e-s Testaments*: codicilo *m*; (*Gefolgschaft*) *Pol.* seguidores, partidarios, secuaces (*alle m/pl.*); *Angehörige*: parientes *m/pl.*, allegados *m/pl.*

ˈ**anhängen** *v/t.* colgar (*an ac.* de, en), suspender de; (*hinzufügen*) añadir, unir, juntar (*an ac.* a); *Wagen*: enganchar; *Tele.* colgar (*el auricular*); *fig. j-m* et. *~* atribuir calumniosamente a/c. a alg., (*fig.*) F colgarle a/c. a alg.; *j-m e-n Prozeß ~* entablar pleito contra alg.; *e-e Krankheit*: contagiar.

ˈ**Anhänger** *m* **1.** partidario *m*, seguidor *m*, adicto *m*; *Pol. a.* correligionario *m*; (*Jünger*) discípulo *m*; (*e-r Lehre*) adepto *m*; (*e-r Sekte*) sectario *m* (*alle a.* *~in f*, *-a f*); **2.** (*Schmuck*) dije *m*, colgante *m*; (*~wagen*) remolque *m*; **~kupplung** *f* acoplamiento *m* del remolque; **~schaft** *f* (*0*) → *Anhang Pol.*

ˈ**Anhänge...**: **~schloß** *n* (*-sses*; *ˮsser*) candado *m*; **~silbe** *Gr. f* sufijo *m*; **~zettel** *m* etiqueta *f* (colgante).

ˈ**anhängig** *adj.* ⚖ pendiente; e-n *Prozeß ~ machen* entablar un pleito contra, proceder judicialmente contra.

ˈ**anhänglich** *adj.* afecto, adicto (*an ac.* a); *stärker*: devoto; **2keit** *f* (*0*) afecto *m*, cariño *m*, F apego *m*; devoción *f*; lealtad *f*.

ˈ**Anhängsel** *n* apéndice *m*; (*Etikett*) etiqueta *f* colgante; (*Schmuck*) dije *m*.

ˈ**anhauchen** *v/t.* soplar, echar el aliento a a/c.; F *fig.* (*rüffeln*) reprender con aspereza; *er ist dichterisch angehaucht* tiene vena poética; *er ist kommunistisch angehaucht* simpatiza con la ideología comunista.

ˈ**anhäuf|en** *v/t.* amontonar, acumular, apilar; (*Geld*) atesorar; (*hamstern*) acaparar; (*Kapital, Zinsen*) acumular; ⚗ agregar, aglomerar; **~end** *adj.* acumulativo; **2ung** *f* amontonamiento *m*; acumulación *f*; agregación *f*, aglomeración *f*.

ˈ**anheben** (*L*) *v/t.* levantar, alzar (un poco); *fig.* empezar, comenzar.

ˈ**anheften** (*-e-*) *v/t.* fijar, pegar (*an* en), sujetar (*an* a); *beifügen*: acompañar a; *mit Stecknadel*: prender; *annähen*: hilvanar.

ˈ**anheimeln** (*-le*) *v/t.* *j-n ~* hacer recordar a alg. su hogar; **~d** *adj.* grato, confortable; F como en casa.

anˈheim|fallen (*L*; *sn*) *v/i.* recaer (*an* en); revertir a; *der Vergessenheit ~* caer en el olvido; **~geben** (*L*), **~stellen** *v/t.*: *j-m* et. *~* dejar a/c. al buen criterio (*od.* a la discreción) de alg.; et. *dem Urteil j-s ~* someter a/c. al juicio de alg.

ˈ**anheischig** *adj.*: *sich ~ machen*, et. *zu tun* comprometerse a hacer a/c.; ofrecerse voluntariamente para a/c.

ˈ**anheizen** (*-t*) *v/t.* calentar, encender, hacer fuego en.

ˈ**anherrschen** (*-t*) *v/t.* hablar en tono imperioso.

ˈ**anheuern** (*-re*) *v/t.* alistarse, inscribirse, enrolarse.

ˈ**Anhieb** *m* (*-es*; *0*): *auf* (*den ersten*) *~* al primer golpe, F a las primeras de cambio; *et. wissen, sagen, können*: de golpe, a la primera.

ˈ**anhimmeln** (*-le*) *v/t.* adorar, idolatrar; *in Worten*: elogiar con vehemencia, F poner por las nubes.

ˈ**Anhöhe** *f* altura *f*, elevación *f*; (*Hügel*) colina *f*, alcor *m*, cerro *m*.

ˈ**anhören** *v/t.* oír, (*aufmerksam*) escuchar; *sich gut* (*schlecht*) *~* sonar bien (mal); *j-n ~* escuchar a alg.; ⚖ (*vernehmen*) interrogar; (*Zeugen*) oír; *nach Anhörung der Parteien* oídas las partes; *man hört ihm den Ausländer an* se le nota el acento extranjero; (*Verleumderisches*) *~ und glauben* dar oídos a las malas lenguas.

ˈ**Anhub** ⊕ *m* (*-es*; *0*) levantamiento *m* inicial.

Anhyˈdrid ⚗ *n* anhídrico *m*.

anˈhydrisch *adj.* anhidro.

Aniˈlin *n* (*-s*; *0*) anilina *f*; **2blau** *adj.* azul de anilina; **~farbstoff** *m* colorante *m* de anilina; **2rot** *adj.* rojo de anilina.

aniˈmalisch *adj.* animal.

Aniˈmier|dame *f* (*Sängerin*) animadora *f*, vocalista *f*; (*zum Tanzen*) tanguista *f*; **2en** *v/t.* animar, incitar, estimular; (*ermuntern*) entusiasmar.

Animosiˈtät *f* (*0*) animosidad *f*.

Aˈnis [aˈniːs] ⚘ *m* anís *m*; **~likör** *m* (*-s*; *-e*) anís *m*.

ˈ**ankämpfen** *v/i.* combatir, luchar.

ˈ**Ankauf** *m* (*-es*; *ˮe*) compra *f*, adquisición *f*; **2en** *v/t.* comprar, adquirir; **~ssumme** *f* gastos *m/pl.* de adquisición.

ˈ**ankeilen** *v/t.* sujetar con cuñas *f/pl.*; F *j-n ~* abordar a alg. con una petición.

ˈ**Anker** [-ŋ-] *m* **1.** ⚓ ancla *f*; *vor ~ gehen* anclar, echar anclas; *den ~ lichten* levar anclas; *vor ~ liegen* estar fondeado *od.* anclado; *vor ~ treiben* garrar; **2.** ⊕ áncora *f* (*a. e-r Uhr*); ⚡ inducido *m*; (*Läufer*) rotor *m*; (*Ständer*) estator *m*; **~boje** *f* boya *f* de anclaje; **~draht** ⚡ *m* (*-es*; *ˮe*) hilo *m* del inducido; *Mast*: cable *m* de amarre; **~feld** ⚡ *n* (*-es*; *-er*) campo *m* del inducido; **~gang** *m* (*-es*; *0*) (*Uhr*) escape *m* de áncora; **~geld** *n* (*-es*; *-er*) derechos *m/pl.* de anclaje; **~grund** *m* (*-es*; *ˮe*) tenedero *m*; **~kette** *f* cadena *f* del ancla; **~mast** ✈ *m* (*-es*; *-e od. -en*) mástil *m* de amarre; **~mine** ⚓ *f* mina *f* anclada.

ˈ**ankern** (*-re*) *v/i.* anclar, fondear.

ˈ**Anker...**: **~platz** *m* (*-es*; *ˮe*) fondeadero *m*; **~spill** *n* (*-es*; *-e*) bolardo *m*, noray *m*; **~tau** *n* (*-es*; *-e*) amarra *f*; **~uhr** *f* reloj *m* de (escape de) áncora; **~winde** *f* cabrestante *m*.

ˈ**ankitten** (*-e-*) *v/t.* pegar (*con pegamento*); enmasillar.

ˈ**Anklage** *f* acusación *f*; (*Beschuldigung*) inculpación *f*; (*Anzeige*) denuncia *f*; ⚖ (*Prozeßrecht*) *~ erheben* presentar una querella, querellarse (*gegen* contra); *unter ~ stehen* estar procesado (*wegen* por); *unter ~ stellen* procesar; acusar; *die ~ vertreten* actuar como representante de la acusación; **~bank** *f* (*-*; *ˮe*) banquillo *m* (de los acusados);

~behörde *f* Ministerio *m* público, fiscal *m*; **2n** *v/t.* (*gen. od. wegen*) acusar (de); *beschuldigen*: (in)culpar; **2nd** *adj.* acusatorio; **~punkte** *m/pl.* conclusiones *f/pl.* del Ministerio público (*od.* del fiscal).

ˈ**Ankläger(in** *f*) *m* acusador(a *f*) *m*; ⚖ *öffentlicher ~* fiscal *m*.

ˈ**Anklage...**: **~schrift** ⚖ *f* escrito *m* de calificación (*del fiscal*); (*Beamte u.* ⚔) pliego *m* de cargos; ⚖ **~verlesung** *f* lectura *f* de las conclusiones fiscales; **~vertreter** *m* representante *m* de la acusación; **~zustand** *m* (*-es; 0*) fase *f* procesal inmediata al juicio oral; *j-n in ~ versetzen* encausar, procesar.

ˈ**anklammern** (*-re*) *v/t.* ⊕ engrapar; *Wäsche*: sujetar con pinzas; *sich ~ an* asirse (agarrarse) de; *fig.* aferrarse a.

ˈ**Anklang** ♪ *m* (*-es; ⸗e*) acorde *m*; *~ finden* hallar buena acogida; *Thea.* tener éxito; *Waren*: tener aceptación, venderse bien.

ˈ**ankleben 1.** *v/t.* pegar, adherir, fijar; *mit Leim*: encolar; *mit Gummi*: engomar; **2.** *v/i.* pegarse, adherirse.

ˈ**ankleide|n** (*-e-*) *v/t. u. v/refl.* vestir(se); **2raum** *m* (*-es; ⸗e*), **2zimmer** *n* cuarto *m* de vestir; *e-r Dame*: tocador *m*; *Thea.*: camarín *m*; *Sport usw.*: cabina *f*, *größerer ~*: vestuario *m*.

ˈ**anklingeln** (*-le-*) *v/t.* llamar (*por teléfono*); tocar el timbre *m* (*de la puerta*).

ˈ**anklingen** (*L*) *v/i. ~ an* (hacer) recordar, traer a la memoria; *mit den Gläsern ~* chocar las copas al brindar.

ˈ**anklopfen** *v/i. an die Tür ~* llamar a la puerta; *fig. bei j-m ~* F *fig.* tirar de la lengua a alg.; tantear el terreno.

ˈ**anknipsen** (*-t*) ⚡ *v/t.* encender (dar) la luz.

ˈ**anknöpfen** *v/t.* abotonar, abrochar.

ˈ**anknüpf|en 1.** *v/t.* anudar, atar, ligar; *fig.* empezar; *e-e Bekanntschaft ~* trabar conocimiento; *Beziehungen ~* entablar relaciones; *ein Gespräch ~* trabar conversación, F pegar la hebra; *Verhandlungen ~* entablar negociaciones; *wieder ~* reanudar; **2.** *v/i. an et. ~* referirse a; *an e-e Tradition*: continuar; **2ungspunkt** *m* (*-es; -e*) punto *m* de partida *bzw.* de contacto.

ˈ**ankommen** (*L*) **1.** *v/i.* llegar (*a. Zug*), arribar (*bsd.* ⚓); (*angestellt werden*) encontrar un empleo (*bei* en); *gegen ihn kann man nicht ~* no hay quien se arregle con él; *iro. da ist er schön angekommen!* ¡a buena parte fue a dar!; *bei mir kommst du damit nicht an* no me impresionas con eso; *~ auf* depender de; *es kommt darauf an, ob* depende de si; *worauf es ankommt, ist* de lo que se trata es, la cuestión es; *darauf kommt es an* de eso se trata precisamente; *es kommt nicht auf den Preis an* el precio es lo de menos; *es kommt mir darauf an*, zu lo que me interesa es, lo que yo quiero es (*inf.*); *es darauf ~ lassen* correr el riesgo de; *wenn es darauf ankommt* en caso necesario, si es preciso; **2.** *v/t.* sobrevenir; *es kam ihn die Lust an, zu* F le dieron ganas de (*inf.*).

ˈ**Ankömmling** *m* (*-s; -e*) recién llegado *m*; (*Fremdling*) forastero *m*; advenedizo *m*.

ˈ**ankoppel|n** (*-le*) *v/t.* ⊕ acoplar; *Wagen*: enganchar; **2ung** *f Radio*: acoplamiento *m*; ⊕ embrague *m*.

ˈ**ankörnen** ⊕ *v/t.* granetear.

ˈ**ankotzen** (*-t*) V *fig. v/t.* causar repugnancia, dar asco, dar náuseas.

ˈ**ankrausen** (*-t*) *v/t. Schneiderei*: plegar, fruncir.

ˈ**ankreiden** (*-e-*) *v/t.* anotar con tiza, marcar; *fig. das werde ich ihm ~* ¡ya me las pagará!

ˈ**ankreuzen** (*-t*) *v/t.* marcar con una cruz.

ˈ**ankündig|en** *v/t.* anunciar (*a. fig.*), avisar; (*mitteilen*) participar; (*amtlich*) notificar; (*proklamieren*) proclamar; *in der Presse*: publicar, anunciar; **2ung** *f* anuncio *m*, aviso *m*; notificación *f*; proclama *f*; (*Plakat*) cartel *m*; (*Werbeblatt*) prospecto *m*; **2ungskommando** ⚔ *n* (*-s; -s*) voz *f* preventiva.

ˈ**Ankunft** *f* (*0*) llegada *f*; venida *f*; *fig. a.* advenimiento *m*; **~bahnsteig** *m* (*-es; -e*) andén *m* de llegada; **~szeit** *f* hora *f* de llegada.

ˈ**ankuppeln** (*-le*) *v/t.* acoplar (*an* a).

ˈ**ankurbel|n** (*-le*) *v/t. Auto.* poner en marcha; *fig.* fomentar, estimular.

ˈ**anlächeln** (*-le*) *v/t.* sonreír a, mirar sonriente a.

ˈ**anlachen** *v/t.* mirar risueño.

ˈ**Anlage** *f* (*Bau*) edificio *m*; construcción *f*, edificación *f*; (*Einbau, Errichtung*) instalación *f*; establecimiento *m*; (*Plan*) plano *m*; proyecto *m*; (*e-r Bahnstrecke*) trazado *m* de la línea; (*Fabrik2*) fábrica *f*, planta *f* industrial; (*Betriebs2*) instalaciones *f/pl.*; *Maschinen2* planta *f* de máquinas; (*Aggregat*) unidad *f*; *elektrische ~* instalación *f* eléctrica; ✓ plantación *f*; plantío *m*; *Garten2* jardín *m*, parque *m*; *öffentliche ~* jardines *m/pl.* públicos; *Sport2* campo *m* de deportes; (*Fähigkeit*) talento *m*, aptitud *f*, buenas dotes *f/pl.*; (*Natur2*) disposición *f* natural; ⚕ predisposición *f*; ☤ *Kapital2* inversión *f*, colocación *f* de capital; *zu e-m Schreiben*: anexo *m*; *Dokumente*: apéndice *m*, suplemento *m*; *in der ~* adjunto; **~kapital** *n* (*-s; -ien*) capital *m* invertido; capital *m* inicial; **~kosten** *pl.* gastos *m/pl.* de instalación; **~kredit** *m* (*-es; -e*) crédito *m* de inversión.

ˈ**Anlagepapiere** *n/pl.* valores *m/pl.* inversionales.

ˈ**Anlagevermögen** *n* capital *m* invertido fijo.

ˈ**anlangen 1.** *v/i.* llegar, ⚓ arribar; (*erreichen*) alcanzar; **2.** *v/t.* concernir; → *anbelangen*.

ˈ**Anlaß** *m* (*-sses; ⸗sse*) (*Gelegenheit*) ocasión *f*; (*Grund*) motivo *m*, razón *f* (zu para); (*Ursache*) causa *f*; (*Vorwand*) pretexto *m*; *aus ~ gen.* con motivo (*od.* ocasión) de; *aus diesem ~* por esta razón; *bei diesem ~* en esa ocasión; *~ geben zu* dar motivo (*a.* pie) para, dar ocasión (*a.* lugar) a; *allen ~ haben zu* tener todos los motivos para; *ohne jeden ~* sin ningún motivo; *et. zum ~ nehmen zu inf.* aprovechar la ocasión para *inf.*; **~knopf** *m* (*-es; ⸗e*) *Auto.* botón *m* de arranque.

ˈ**anlassen** (*L*) *v/t.* (*Kleid*) conservar puesto; (*Eingeschaltetes*) dejar correr; (*in Gang setzen*) poner en marcha; *Auto.* hacer arrancar; *Dampf, Wasser*: abrir la llave; *sich gut ~* presentarse bien, ofrecer buenas perspectivas.

ˈ**Anlasser** *Auto. m* dispositivo *m* de arranque (automático); botón *m* de arranque; **~fußschalter** *m* interruptor *m*, pedal *m* de arranque; **~motor** *m* (*-s; -en*) motor *m* de arranque.

ˈ**anläßlich** *prp.* (*gen.*) con motivo (*od.* ocasión) de.

ˈ**Anlaß..**: **~magnet** *Auto. m* (*-es; -e*) magneto *f* de arranque; **~schalter** *m* interruptor *m* de arranque; **~widerstand** ⚡ *m* (*-es; ⸗e*) reóstato *m* de arranque.

ˈ**Anlauf** *m* (*-es; ⸗e*) arranque (*a.* ⊕) *m*; ✈ *beim Start*: carrera *f* de despegue (*od.* de lanzamiento); (*Sport*) impulso *m*; *Sprung mit ~* salto con carrera de impulso; (*Angriff*) carga *f*; *e-n ~ nehmen* tomar impulso; **~bahn** ✈ *f* pista *f* de despegue; *Sport*: pista *f*; *Sprungschanze*: trampolín *m*; **2en** (*L*) **1.** *v/t. Hafen*: hacer escala, tocar en; **2.** *v/i.* arrancar; *Film*: proyectar; *Sport*: tomar la salida; *angelaufen kommen* llegar (venir) corriendo; *~ lassen* poner en movimiento; *Motor*: poner en marcha; ☤ *Zinsen*: acumularse; *Kosten*: elevarse; *Schulden*: aumentar; (*sich trüben*) *Spiegel*: empañarse; *Metall*: oxidarse, deslustrarse; *gegen et. ~* chocar (dar) con *od.* contra; *Person*: *rot ~* ruborizarse, sonrojarse; **~en** *n* arranque *m*; aumento *m*, acumulación *f*; deslustre *m*; **~hafen** *m* (*-s; ⸗*) puerto *m* de escala; **~kredit** *m* crédito *m* de apertura; **~zeit** *f* tiempo *m* de arranque; *Auto.* constante *f* de inercia; *fig.* período *m* de puesta en marcha.

ˈ**Anlaut** *Gr. m* (*-es; -e*) sonido *m* inicial; *im ~* en comienzo de dicción; **2en** (*-e-*) *v/i.* empezar (*mit* con, por).

ˈ**anläuten** (*-e-*) *v/t.* tocar (*timbre, campanilla*); *Tele.* llamar por teléfono.

ˈ**anlautend** *adj.* inicial.

ˈ**Anlege|brücke** *f* (*Kai*) muelle *m*, embarcadero *m*; (*am Schiff*) pasarela *f*; **~gebühren** *f/pl.* derechos *m/pl.* portuarios; **~hafen** *m* (*-s; ⸗*) puerto *m* de escala; **2n** *v/t.* poner, colocar; (*danebenlegen*) arrimar (*an* a); *Kleid, Schmuck*: poner(se); *Degen*: ceñir; *Maßstab*, ⚕ *Verband*: aplicar; *Schiff* (*am Kai*) atracar; (*als Zwischenhafen*) hacer escala, tocar en; *Feuer*: encender; pegar fuego (*an* a); *Gewehr*: apuntar; ⚔ *legt an!* ¡apunten!; → *Hand*; *Hund*: atar, encadenar; *Vorrat*: almacenar; *fig. andere Maßstäbe ~* medir por otro rasero; *Trauer ~* ponerse de luto; (*planen*) trazar, delinear; (*bauen*) edificar, construir; erigir; (*einrichten*) instalar (*a. Telefon, Leitung*); *Garten*: plantar; *Straße, Bahnlinie*: trazar; *Kar-*

tei: hacer; Geld: invertir; mit Zinsen ~ poner dinero a réditos; fest angelegt inversión fija od. permanente; Konto: abrir; Stadt, Kolonie (gründen) fundar, establecer; sich ~ gegen apoyarse contra, arrimarse a; fig. es ~ auf proponerse como objetivo, poner la mira en; **~stelle** ⚓ f atracadero m; → Anlegebrücke; (Hafendamm) muelle m.

ˈ**anlehn|en** v/t. u. refl. apoyar(se) en od. contra, arrimar(se) a, adosar a; Tür: entornar; fig. sich ~ an apoyarse en; imitar a; copiar de; **2ung** f (0) contacto m (a. fig.); in ~ an según, conforme a; a imitación de.

ˈ**Anleihe** f empréstito m; (Darlehen) préstamo m; öffentliche ~ empréstito público; e-e ~ aufnehmen contraer un empréstito; e-e ~ lancieren emitir un empréstito; e-e (kleine) ~ bei j-m machen recibir un préstamo de alg.; **~ablösung** f amortización f (od. redención f) de un empréstito; **~papiere** n/pl. bonos m/pl. de empréstito.

ˈ**anleimen** v/t. encolar.

ˈ**anleit|en** (-e-) v/t. guiar, conducir, dirigir; fig. (unterweisen) instruir, enseñar; adiestrar; **2ung** f guía f, dirección f, instrucción f; (Lehrbuch) manual m; technische ~ instrucciones técnicas; Bedienungs2 instrucciones para el manejo.

ˈ**anlern|en** v/t. instruir, adiestrar, capacitar; angelernt (lo) adquirido por aprendizaje rutinario; angelernter Arbeiter trabajador someramente instruido en su oficio; **2ling** m (-s; -e) pre-aprendiz m.

ˈ**anlesen** (L) v/t. aprender leyendo; angelesenes Wissen iro. ciencia f libresca.

ˈ**anliefer|n** (-re) v/t. suministrar, abastecer; **2ung** f suministro m, entrega f.

ˈ**anliegen** (L) v/t. ~ an estar contiguo a, (co)lindar con; ⊕ ajustar; 2 n (Wunsch) deseo m; ruego m, petición f; weitS. preocupación f; (Ziel) objetivo m; ich habe ein ~ an Sie quisiera pedirle (a usted) un favor; **~d** adj. contiguo, adyacente; (in Briefen) adjunto, incluso; Kleider: eng~ ceñido od. ajustado.

ˈ**Anlieger** m (e-s Grundstückes) aledaño m; finca f colindante.

ˈ**anlocken** v/t. atraer; Vogel: reclamar; fig. seducir; Kunden: F hacer el reclamo.

ˈ**anlöten** (-e-) v/t. soldar.

ˈ**anlügen** (L) v/t. mentir, engañar a alg.

ˈ**anmachen** v/t. (befestigen) atar, sujetar, fijar (an a); (mischen) mezclar (mit con), preparar, Mörtel: a. amasar; Salat: aderezar; Feuer, ⚡ Licht: encender.

ˈ**anmalen** v/t. pintar; F sich ~ pintarse la cara.

ˈ**Anmarsch** (-es; ⸚e) ⚔ (marcha f de) aproximación f; in ~ sein (= **2ieren** v/i.) aproximarse a, marchar sobre, avanzar hacia; **~weg** m (-es; -e) ruta f de avance (od. de aproximación).

ˈ**anmaß|en** (-t) sich et. ~ atribuirse, adjudicarse; Rechte, Titel: arrogarse, usurpar; (beanspruchen) pretender; (sich herausnehmen) permitirse, tomarse la libertad de inf.; ich maße mir kein Urteil darüber an no me permito opinar sobre ello; **~end** adj. arrogante, altanero, soberbio; (herrisch) dominante; (frech) insolente; (eingebildet) presumido, presuntuoso; **2ung** f arrogación f; pretensión f; arrogancia f; insolencia f; presunción f; widerrechtliche ~ usurpación f.

ˈ**Anmelde|formular** n (-es; -e) formulario m de inscripción; **~frist** f plazo m de inscripción bzw. presentación; **~gebühr** f derechos m/pl. de inscripción; **2n** (-e-) v/t. anunciar, comunicar, participar; (schriftlich) notificar; ✝ (Sendung) avisar; (Forderung) presentar; Tele. ein Gespräch: pedir conferencia con; → Konkurs; Patent: solicitar registro m; zum Patent angemeldet patente solicitada; Schüler: matricular; Sport: inscribirse (zu para); Vermögen usw.: declarar; bei der Polizei: presentarse (a efectos de registro); sich ~ beim Arzt usw: convenir día y hora (para consulta); beantragen: solicitar; sich ~ lassen als Besucher: hacerse anunciar, pasar tarjeta; **~pflicht** f (0) registro m obligatorio; **2pflichtig** adj. (Zoll) declarable; **~schein** m (-es; -e) hoja f de inscripción; cédula f de registro; **~stelle** f oficina f de registro; **~termin** m (-s; -e) → Anmeldefrist.

ˈ**Anmeldung** f aviso m, comunicación f, notificación f; inscripción f, registro m; (Patent2) solicitud f de patente; Schüler: matrícula f; Sport: inscripción f (para una competición); Zoll: declaración f; Sprechstunde: nach vorheriger ~ previo aviso; (Empfangsbüro) recepción f.

ˈ**anmerk|en** v/t. notar, advertir, observar; (anstreichen) marcar; (notieren) anotar, apuntar; (als Fußnote) anotar al pie; man merkt es ihm an se le nota; sich nichts ~ lassen no dejar traslucir; laß dir nichts ~! disimula, procura que no se te note; **2ung** f nota f, observación f, advertencia f; (kritische) comentario m; schriftliche: anotación f; (erklärende) nota f aclaratoria; (Fußnote) nota f al pie; Ausgabe mit ~en edición comentada od. con notas.

ˈ**anmessen** (L) v/t. adecuar, ajustar, proporcionar; (Schneider) tomar (la) medida; → angemessen.

ˈ**anmustern** (-re) ⚔ u. ⚓ v/t. reclutar, alistar, ⚓ a. enrolar; sich ~ lassen alistarse, enrolarse.

ˈ**Anmut** f (0) gracia f, gentileza f, donaire m; F garbo m, salero m; (Liebreiz) atractivo m, encanto m; **2en** (-e-) v/t. seltsam ~ causar una impresión extraña; heimatlich ~ recordar la patria chica; **2ig** adj. gracioso, gentil; simpático, encantador; Gegend: ameno; agradable.

ˈ**annageln** (-le) v/t. clavar; fig. wie angenagelt como clavado en el sitio.

ˈ**annähen** v/t. coser (an a); ⚕ suturar.

ˈ**annähern** (-re) v/t. u. refl. acercar(se), aproximar(se) (a. fig.); **~d** I. adj. aproximado, aproximativo; II. adv. aproximadamente; (ungefähr) poco más o menos; nicht ~ ni por aproximación; F ni de cerca.

ˈ**Annäherung** f aproximación f, acercamiento m (a. fig.); **~s-politik** f (0) política f de acercamiento; **~sversuch** m (-es; -e) intento m de reconciliación; (amourös) insinuación f; **2sweise** adv. aproximadamente; **~swert** m (-es; -e) valor m aproximado.

ˈ**Annahme** f aceptación f, recepción f; (e-s Kindes, e-r Meinung) adopción f; (e-s Gesetzes) aprobación f; (e-s Schülers) admisión f; → Annahmestelle; (Vermutung) suposición f; presunción f; sospecha f; Phil. hipótesis f; ⚔ (Manöver) supuesto m táctico; ~ verweigern rehusar la aceptación, Wechsel: no aceptar; alles spricht für die ~, daß todo parece indicar que; in der ~, daß suponiendo que, en la creencia de que; **~stelle** f despacho m para recepción bzw. entrega; (Gepäck) consigna f; ⚔ oficina f de reclutamiento; **~verweigerung** f negativa f de aceptación.

Anˈnalen f/pl. anales m/pl.

ˈ**annehm|bar** adj. aceptable; (Preis) razonable; (zulässig) admisible; (leidlich) pasable, tolerable; **~en** (L) v/t. aceptar (a. Wechsel, Auftrag); Arbeiter: contratar; Farbe: tomar; Parl. Antrag: aceptar; Gesetz: aprobar; Gestalt: adquirir, tomar; Gesuch: acceder a; Gewohnheit: contraer; Glauben: abrazar; (Haltung, Kind, Titel) adoptar; (Herausforderung) aceptar, recoger el guante; Schüler: admitir; → Vernunft; (vermuten) suponer; nehmen wir an, angenommen demos por supuesto que, supongamos que; et. als ausgemacht (od. erwiesen) ~ dar por seguro (od. probado); sich e-r Sache ~ encargarse de un asunto; sich j-s ~ cuidar de, interesarse por alg.; **2lichkeit** f amenidad f, encanto m; comodidad f; conveniencia f; (Vorteil) ventaja f.

annekˈtier|en (-) v/t. anexionar; **2ung** f anexión f.

Anˈnex m (-es; -e) Beilage: anexo m, anejo m.

Annexiˈon f anexión f.

ˈ**annieten** (-e-) ⊕ v/t. remachar.

ˈ**Anno** Lt. adv. en el año (de); ~ Domini 1616 en el año de Nuestro Señor 1616; ~ dazumal antaño; von ~ dazumal F del año de la pera, de los tiempos de Maricastaña.

Anˈnon|ce f anuncio m; → Anzeige; **2ˈcieren** (-) v/t. u. v/i. anunciar.

Annuiˈtät f anualidad f; lebenslängliche ~ renta f vitalicia.

annulˈlier|en (-) v/t. anular; ⚖ Urteil: revocar; ✝ Auftrag: cancelar; **2ung** f cancelación f.

Aˈnode ⚡ f ánodo m.

ˈ**an-öden** (-e-) v/t. aburrir; (belästigen) fastidiar, molestar; F dar la lata; (hänselnd) embromar.

Aˈnoden...: **~batterie** f batería f anódica; **~gleichrichter** m rectificador m de ánodo; **~kreis** m (-es; -e) circuito m de ánodo; **~spannung** f tensión f de ánodo od. de placa; **~strahlen** m/pl. rayos m/pl. anódicos; **~strom** m (-es; 0) corriente f anódica.

aˈnodisch ⚡ adj. anódico.

ˈ**anomal** adj. anómalo.

Anomaˈlie *f* anomalía *f*.

anoˈnym *adj.* anónimo; **2iˈtät** *f* anónimo *m*; anonimato *m*.

ˈan-ordn|en (*-e-*) *v/t.* (*a.* ⊕) disponer; colocar, agrupar; (*befehlen*) ordenar, disponer, mandar; **2ung** *f* disposición *f*, colocación *f*; (*Gruppierung*) agrupación *f*; (*Aufbau*) estructura *f*; (*Anweisung*) instrucción *f*; (*Vorschrift*) reglamentación *f*, ordenanza *f*, disposición *f*; *~en treffen* dar órdenes *od.* instrucciones para; tomar las disposiciones pertinentes; *auf ~ von* por orden de.

ˈan-organisch ⚗ *adj.* inorgánico.

ˈanormal *adj.* anormal.

ˈanpacken *v/t.* asir, agarrar, coger; *Arbeit, Problem*: abordar; *mit ~* F echar una mano, arrimar el hombro; *e-e Sache anders ~* tratar de otro modo un asunto.

ˈanpass|en (*-ßt*) *v/t.* adaptar, acomodar, amoldar (*an ac.* a); *e-r Norm*: ajustar; *im Verhältnis*: proporcionar; *in Farbe*: armonizar; *der Gelegenheit angepaßt* a tono con las circunstancias; *sich ~* adaptarse a, amoldarse a, conformarse con; *ans Klima*: aclimatarse; **2ung** *f* adaptación *f*, acomodación *f*, ajuste *m*; *an Klima*: aclimatación *f*; **~ungsfähig** *adj.* adaptable; (*vielseitig*) acomodaticio, dúctil; **2ungsfähigkeit** *f* (*0*) adaptabilidad *f*.

ˈanpeil|en *v/t.* ⚓ arrumbar; *Funk, Radar*: localizar, determinar (*dirección y distancia*); **2ung** *f* localización *f*.

ˈanpfeifen (*L*) *v/t. Sport*: *das Spiel ~* pitar el comienzo del juego; F *j-n ~* echar una filípica a alg.

ˈAnpfiff *m* (*-es*; *-e*) *Sport*: pitada *f* inicial del juego; F reprimenda *f*, rapapolvo *m*, sermón *m*.

ˈanpflanz|en (*-t*) *v/t.* plantar; cultivar; **2ung** *f* plantío *m*, cultivo *m*; *konkret*: plantación *f*.

ˈanpflaumen F *v/t.* tomar el pelo, chunguearse (de).

ˈanpflöcken *v/t.* estacar, asegurar con tarugos.

ˈanpinseln (*-le*) *v/t.* pintar, (*grob auftragen*) embadurnar.

ˈanpirschen *v/i.* acercarse cautelosamente.

ˈanpöbeln (*-le*) *v/t.* denostar groseramente.

ˈAnprall *m* (*-es*; *-e*) choque *m*; embate *m*; (*Geschoß*) impacto *m*; *den ersten ~ aushalten* resistir el primer embate; **2en** *v/i.* chocar (*od.* dar) contra.

ˈanpranger|n (*-re*) *v/t.* denunciar públicamente; *fig.* F poner en la picota; **2ung** *f* denuncia *f* pública.

ˈanpreis|en (*-t*) *v/t.* (*empfehlen*) recomendar, encarecer; (*loben*) elogiar, pregonar, encomiar; *durch Reklame*: hacer el reclamo; F cacarear; **2ung** *f* recomendación *f*, encarecimiento *m*; elogio *m*; encomio *m*; (*Reklame*) reclamo *m*, publicidad *f*.

ˈAnprob|e *f* prueba *f* (*de un vestido*); **2ieren** (-) *v/t.* probar(se).

ˈanpumpen F *v/t. fig.* dar un sablazo.

ˈAnrainer *m* → *Anlieger*.

ˈanranzen (*-t*) F *v/t.* echar un rapapolvo; F sermonear.

ˈanraten (*L*) **I.** *v/t.* aconsejar; (*empfehlen*) recomendar; **II.** 2 *n auf sein ~* siguiendo su consejo.

ˈanrauchen *v/t.* lanzar humo *m* contra; (*Zigarre*) encender; (*Pfeife*) *gal.* culotar.

ˈanräuchern (*-re*) *v/t.* (*Fleisch, Fisch*) ahumar; (*Sanitätszwecke*) fumigar; (*Weihrauch*) incensar.

ˈanrechn|en (*-e-*) *v/t.* cargar en cuenta; *fig.* atribuir; *Schuld*: achacar, imputar; *j-m zuviel ~* recargar excesivamente; (*gutschreiben*) abonar en cuenta; (*abziehen*) cargar en cuenta; ⚖ *Untersuchungshaft*: abonar; *fig. j-m et. als Verdienst ~* reconocer a alg. como especial mérito a/c.; *hoch ~* apreciar, estimar altamente; **2ung** *f* abono *m* en cuenta; *fig.* atribución *f*, imputación *f*; ⚖ *unter ~ der Untersuchungshaft* con abono del tiempo de prisión preventiva *od.* provisional.

ˈAnrecht *n* (*-es*; *-e*) derecho *m*, título *m*; (ein) *~ haben auf* tener derecho a; *fig.* hacerse merecedor de.

ˈAnred|e *f* (*du, Sie, Titel*) tratamiento *m*; *im Brief*: encabezamiento *m*; (*Rede*) alocución *f*, ⚔ arenga *f*; **2en** (*-e-*) *v/t.* hablar a, dirigir la palabra a; arengar; *mit Sie ~* tratar de usted; *mit du ~* tratar de tú, tutear.

ˈanreg|en *v/t.* (*Gedanken*) sugerir; (*Frage, Diskussion*) suscitar; (*vorschlagen*) proponer; (*ermuntern*) animar, incitar; *bsd. Physiol.* excitar, estimular; **~end** *adj.* sugestivo, incitante; estimulante, excitante; **2ung** *f* sugerencia *f*; incitación *f*, incentivo *m*; estímulo *m*, excitación *f* (*a.* ⚕); *Vorschlag*: propuesta *f*; *erste ~* iniciativa *f*; *auf ~ von* por iniciativa (a propuesta) de; **2ungsmittel** *n* estimulante *m*.

ˈanreicher|n (*-re*) ⚗ *v/t.* enriquecer; (*sättigen*) concentrar; saturar; **2ung** *f* enriquecimiento *m*; concentración *f*; saturación *f*.

ˈanreihen *v/t.* enfilar; *Perlen*: ensartar; ⊕ alinear, disponer en serie; *sich ~* sucederse; (*sich anstellen*) F hacer *od.* formar cola; *fig. sich würdig ~* figurar dignamente (entre).

ˈanreiß|en (*L*) *v/t.* rasgar (*un poco*); *fig.* → *anbrechen*; (*anzeichnen*) marcar, trazar; **2er** ☤ *m* artículo *m* de gran aceptación; **2nadel** *f* (*-*; *-n*) punta *f* de trazar; **2winkel** *m* escuadra *f*.

ˈanreiten (*L*; *sn*) *v/i.* *~, angeritten kommen* llegar a caballo; *~ gegen* cargar a caballo (contra).

ˈAnreiz *m* (*-es*; *-e*) estímulo *m*, incentivo *m*, aliciente *m*, atractivo *m*; **2en** (*-t*) *v/t.* excitar, estimular *a.* ⚕; (*verlocken*) atraer; ⚖ incitar, instigar; ϟ excitar; **2end** *adj.* estimulador, incitativo.

ˈanrempeln (*-le*) *v/t.* atropellar; apartar a empellones *m/pl.*; *fig.* provocar, F buscar camorra.

ˈanrennen (*L*) *v/t.* *~ gegen* chocar (dar) contra; ⚔ arremeter (cargar) contra; *anstoßen*: tropezar en *od.* con; *fig.* embestir contra; *angerannt kommen* llegar (acudir) corriendo.

ˈanrichte|n (*-e-*) *v/t.* (*Speisen*) preparar, aderezar; (*auftragen*) servir; (*Unheil usw.*) causar *od.* ocasionar un daño; *da hast du was Schönes angerichtet!* F ¡buena la has armado!; ¡te has lucido!; **2(tisch** *m* [*-es*; *-e*]) *f* trinchero *m*; aparador *m*.

ˈAnriß ⊕ *m* (*-sses*; *-sse*) resquebrajadura *f*, grieta *f*.

ˈanrollen *v/i.* estar en camino *m* (*a. Warensendung*); ✈ rodar sobre la pista.

ˈanrosten (*-e-*) *v/i.* (*Eisen*) empezar a oxidarse.

ˈanrüchig *adj.* de dudosa moralidad, de mala fama; sospechoso; *~es Haus* casa de mala reputación.

ˈanrücken *v/t.* (*Möbel*) empujar, arrimar a; *v/t.* aproximarse, ⚔ *a.* avanzar.

ˈAnruf *m* (*-es*; *-e*) llamada *f*; ⚔ *des Postens*: quién *m* vive; voz *f* de alerta; *Tele.* llamada *f* telefónica; **2en** (*L*) *v/t.* llamar; ⚔ *von Posten*: dar el alto; *Tele.* llamar por teléfono; (*anflehen*) implorar, invocar; ⚖ *ein höheres Gericht ~* apelar a un tribunal superior; *um Hilfe ~* pedir socorro; **~ung** *f* invocación *f*; ⚖ apelación *f*.

ˈanrühren *v/t.* tocar (*a. fig.*); *mischen*: mezclar revolviendo; *Farben*: diluir; *Kalk*: apagar; *Teig*: preparar.

ans = **an das** → *an*.

ˈAnsage *f* anuncio *m* (*a. Radio*); aviso *m*; declaración *f*; **2n** *v/t.* anunciar; *Versammlung*: convocar; *sich ~* anunciar su visita; *Darbietung*: presentar, anunciar; *j-m den Kampf ~* retar, *fig.* arrojar el guante; *Kartenspiel*: acusar; *kein Spiel ~* pasar; **~r(in** *f*) *m Radio*: locutor (-a *f*) *m*; *Conférencier*: anunciador *m* (*de los artistas*); *TV*: presentador(a *f*) *m*.

ˈansamm|eln (*-le*) *v/t.* (*a. sich ~*) reunir(se), juntar(se); agrupar(se); ⚔ *Truppen*: concentrar; *Schätze*: atesorar; *Vorräte*: acopiar; *Zinsen*: acumularse; **2lung** *f* reunión *f*; agrupación *f*; *Haufen*: montón *m*; acopio *m*; *von Menschen*: aglomeración *f*, afluencia *f*; *von Truppen*: concentración *f*.

ˈansässig *adj.* (*in e-r Straße*) domiciliado (*in dat.* en); (*in e-r Stadt*) avecindado en; (*Firma*) establecido en; *im Ausland ~* residente en el extranjero; *sich ~ machen, ~ werden* establecerse en, fijar la residencia en, afincarse en.

ˈAnsatz *m* (*-es*; *⸚e*) ⊕ (*~stück*) pieza *f* adicional; (*Verlängerung*) prolongación *f*; *Vorsprung*: saliente *m*; *Anat.* (*e-s Muskels*) inserción *f*, (*am Knochen*) apófisis *f*; *am Blasinstrument*: (*Mundstück*) boquilla *f*, embocadura *f*; *Kruste, Niederschlag*: depósito *m*, sedimento *m*; incrustación *f*; *Biol.* rudimento *m*; *Spur*: vestigio *m*; (*Anfang, Anlauf*) comienzo *m*; *Maschinen*: arranque *m*; ⚒ planteo *m*; ☤ *in e-r Rechnung*: asiento *m*; (*Schätzung*) apreciación *f*, tasación *f*; *im Voranschlag*: asignación *f*; ⚗ preparación *f*; **~punkt** *m* (*-es*; *-e*) punto *m* de partida; **~rohr** *n* (*-es*; *-e*) tubo *m* de empalme; **~stelle** *Anat.* *f* punto *m* de inserción; **~stück** ⊕ *n* (*-es*; *-e*) pieza *f* insertable; pieza *f* de unión.

ˈ**ansäuern** (*-re*) *v/t.* *Teig*: poner levadura *f*; ⚗ acidificar, (*leicht* ~) acidular.

ˈ**ansaug|en** *v/t.* aspirar (*a.* ⚕, ⊕), absorber; chupar; **2leistung** *f* (*0*) capacidad *f* de aspiración; **2leitung** *f* tubería *f* de admisión; **2ventil** *n* (*-s*; *-e*) válvula *f* de admisión.

ˈ**ansäuseln** (*-le*) *v/t.* *leicht angesäuselt* F algo achispado, alegre.

ˈ**anschaff|en** *v/t.* (*besorgen*) procurar, facilitar; (*kaufen*) comprar, adquirir; *sich et.* ~ proveerse de a/c.; **2ung** *f* adquisición *f*, compra *f*; provisión *f*; **2ungskosten** *pl.* gastos *m/pl.* de adquisición; **2ungspreis** *m* (*-es*; *-e*) precio *m* de compra.

ˈ**anschalten** (*-e-*) *v/t.* *Licht*: encender; ⚡ conectar; → *einschalten*.

ˈ**anschau|en** *v/t.* mirar, contemplar, observar; considerar; **~lich** *adj.* gráfico, expresivo; claro, evidente; ~ *machen* dar idea clara de a/c.; ~ *schildern* describir plásticamente; **2lichkeit** *f* (*0*) evidencia *f*, claridad *f*.

ˈ**Anschauung** *f* (*Betrachtung*) contemplación *f*; (*Ansicht*) opinión *f*, parecer *m*; (*Vorstellung*) concepto *m*, noción *f*, idea *f*; (*Auffassung*) concepción *f*; *Phil.* (*Erkenntnis*) intuición *f*; (*Einstellung*) punto *m* de vista.

ˈ**Anschauungs...**: **~material** *n* (*-s*; *-ien*) material *m* de enseñanza intuitiva; *Ton- u. Bildgerät*: medios *m/pl.* audiovisuales; **~unterricht** *m* (*-s*; *0*) enseñanza *f* intuitiva; lecciones *f/pl.* de cosas; **~vermögen** *n* (*-s*; *0*) facultad *f* intuitiva; **~weise** *f* modo *m* de ver las cosas; (*Denkweise*) mentalidad *f*.

ˈ**Anschein** *m* (*-es*; *0*) apariencia *f*, traza *f*; (*Wahrscheinlichkeit*) probabilidad *f*; *allem* ~ *nach* según las apariencias, a lo que parece; *den* ~ *erwecken* dar la impresión de; *es hat den* ~ *als ob* parece que (*od.* como si); *sich den* ~ *geben* aparentar, hacer creer a/c.; **2en** (*L*) *v/t.* alumbrar, iluminar; **2end I.** *adj.* aparente; probable; **II.** *adv.* por lo visto, según parece; (*wahrscheinlich*) probablemente.

ˈ**anschichten** (*-e-*) *v/t.* colocar por capas *f/pl.*; *Geol.* estratificar.

ˈ**anschicken** *v/refl.* *sich* ~ *zu* disponerse a, prepararse para, aprestarse a; (*anfangen*) proceder a, ponerse a hacer a/c.; *gerade*: estar a punto de.

ˈ**anschieben** (*L*) *v/t.* acercar empujando, arrimar; apretar contra.

ˈ**anschielen** *v/t.* bizcar; (*verstohlen*) mirar de reojo; guiñar.

ˈ**anschienen** ⚕ *v/t.* entablillar.

ˈ**anschießen** (*L*) **1.** *v/i.* ⚗ cristalizar; **2.** *v/t.* (*verwunden*) herir levemente (*de un tiro*); disparar sobre; *Gewehr*: probar; **3.** 2 *n* ⚗ cristalización *f*; ⚔ prueba *f* de tiro.

ˈ**anschimmeln** (*-le*; *sn*) *v/i.* comenzar a enmohecer(se).

ˈ**anschirren** *v/t.* (*Pferd*) enjaezar; (*Ochsen*) uncir.

ˈ**Anschlag** *m* (*-es*; *ʺe*) **1.** golpe *m*; (*Anprall*) choque *m*; (*e-s Geschosses*) impacto *m*; ~ *der Wellen* embate *m* de las olas; *Glocke*: toque *m*; repique *m*; *Taste*: pulsación *f*; *Schwimmen*: brazada *f*; *Tennis*: saque *m*; **2.** (*Plakat*) cartel *m*; (*Bekanntmachung*) anuncio *m*, aviso *m*; **3.** *Gewehr*: encaro *m*; *im* ~ *halten auf* apuntar a; **4.** ⊕ tope *m*; *rückwärtiger* ~ tope *m* de retroceso; **5.** maquinación *f*, conspiración *f*; (*Plan*) proyecto *m*, plan *m*; (*Attentat*) atentado *m*; *e-n* ~ *verüben auf* atentar contra la vida de alg.; **6.** *Schätzung*: valoración *f*, (e)valuación *f*, tasa (-ción) *f*; (*Berechnung*) cálculo *m*; cómputo *m*; *in* ~ *bringen* tener en cuenta; **~brett** *n* (*-es*; *-er*) tablón *m* de anuncios; cartelera *f*.

ˈ**anschlagen** (*L*) **1.** *v/t.* golpear, chocar; batir; → *angeschlagen*; (*befestigen*) fijar, sujetar; *mit Nägeln*: clavar; *mit Klebstoff*: pegar; ♪ (*Instrumente*) pulsar; *Klavier*: tocar; *Glocke*: sonar, tocar; *Stunden*: sonar, dar (la hora); *den Ton* ~ dar el tono; *e-n anderen Ton* ~ cambiar de tono; *e-n tragischen Ton* ~ dramatizar las cosas; *Gewehr*: apuntar; (*berechnen*) calcular; computar; (*schätzen*) valorar, (e)valuar, tasar, apreciar; *zu hoch* ~ sobreestimar; *zu niedrig* ~ subestimar; **2.** *v/i.* golpear, chocar, dar contra; *von Wellen*: romperse contra (*od.* batir) la costa; *wirken*: *Arznei*: obrar, surtir efecto, dar buen resultado; *Speisen*: probar bien.

ˈ**Anschlag...**: **~fläche** ⊕ *f* superficie *f* de detención; **~säule** *f* cartelera *f*; **~schraube** *f* tornillo *m* de tope; **~stellung** ⚔ *f* posición *f* de tiro; **~tafel** *f* (*-*; *-n*) → *Anschlagbrett*; **~zettel** *m* anuncio *m*, aviso *m*; **~zünder** ⚔ *m* espoleta *f* de percusión.

ˈ**anschließen** (*L*) *v/t.* asegurar con un candado; unir, sujetar, ligar (*a.* ⊕); *anketten*: encadenar, aherrojar; ⚡ conectar; empalmar; *mit Stecker*: enchufar; 🚂 enlazar; (*Strecke*) empalmar; *anfügen*: añadir, agregar, juntar; (*angliedern*) incorporar; *sich j-m* ~ trabar amistad con alg.; (*unterstützen*) apoyar, tomar partido por, secundar; *e-r Ansicht*: compartir, subscribir, adherirse a; *e-m Beispiel*: seguir; *v/i.* *j-s Bitte, Gesellschaft, Verein*: asociarse; *Partei*: afiliarse; ⚖ *e-m Urteil*: adherirse; consentir; (*angrenzen*) colindar; (*nachfolgen*) seguir; **~d 1.** *adj.* *räumlich*: adyacente, inmediato, colindante, contiguo; *zeitlich*: subsiguiente; **2.** *adv.* seguidamente, a continuación, acto seguido.

ˈ**Anschluß** *m* (*-sses*; *ʺsse*) unión *f*; reunión *f*; ⊕ juntura *f*; *Zug, Flugzeug*: enlace *m*; (*Bahnstrecke*) empalme *m*; ⚡ conexión *f*; *Tele.*: comunicación *f*; *Gas, Wasser, Licht*: acometida *f*; *Pol.* unión *f*, *unfreiwilliger*: anexión *f*; (*Einverleibung*) incorporación *f*; *Tele.*: ~ *bekommen* (*verlangen*) obtener (pedir) comunicación; ~ *haben* tener enlace *od.* correspondencia; *den* ~ *verpassen* perder el enlace, *fig.* desperdiciar la ocasión; ~ *suchen* (*finden*) buscar (encontrar) compañía *od.* amistades; *im* ~ *an* a continuación de; en relación con; *im* ~ *an mein Schreiben vom* con referencia a mi carta de (fecha).

ˈ**Anschluß...**: **~bahn** 🚂 *f* ramal *m*, línea *f* de empalme; **~berufung** ⚖ *f* *Lt.* litis consortio; **~dose** ⚡ *f* caja *f* de conexión; enchufe *m* (*de pared*); **~gerät** *n* (*-es*; *-e*) dispositivo *m* de conexión; **~gleis** 🚂 *n* (*-es*; *-e*) vía *f* de empalme; apartadero *m*; **~kabel** ⚡ *n* cable *m* de conexión, *Tele.*: cable *m* de unión (*a la red*); **~klemme** ⚡ *f* borne *f* de conexión; **~leitung** *f* tubería *f* de empalme; ⚡ *u. Tele.* línea *f* de conexión; **~linie** *f* 🚂, ✈ línea de enlace; **~muffe** *f* manguito *m* de unión; **~mutter** *f* (*-*; *-n*) tuerca *f* de conexión; **~nippel** *m* boquilla *f* roscada de unión; **~station** 🚂 *f* estación *f* de empalme; **~stecker** *m* clavija *f* de enchufe; **~wert** ⚡ *m* (*-es*; *-e*) consumo *m* nominal; **~zug** 🚂 *m* (*-es*; *ʺe*) tren *m* de enlace.

ˈ**anschmieden** (*-e-*) *v/t.* soldar forjando; *Verbrecher*: encadenar, aherrojar.

ˈ**anschmiegen** *v/t.* adaptar suavemente (*an* a); *sich* ~ estrecharse contra, arrimarse a; *Kleid*: ceñirse estrechamente.

ˈ**anschmieren** *v/t.* embadurnar; *fettig*: engrasar, untar; F *fig.* (*betrügen*) embaucar, pegársela a alg.

ˈ**anschnall|en** *v/t.* sujetar con hebilla; *sich* ~ ✈ colocarse el cinturón de seguridad; (*Degen*) ceñir; **2gurt** ✈, *Auto.* *m* (*-es*; *-e*) cinturón *m* de seguridad.

ˈ**anschnauz|en** (*-t*) F *v/t.* *j-n* ~ regañar con aspereza; (*ausschimpfen*) F poner de vuelta y media; P echar un broncazo a alg.; **2er** F *m* reprimenda *f*, rapapolvo *m*, P bronca *f*.

ˈ**anschneiden** (*L*) *v/t.* empezar a cortar; (*Brot*) encentar; *fig.* (*Thema*) abordar, suscitar; (*Frage*) plantear, poner sobre el tapete.

ˈ**Anschnitt** *m* (*-es*; *-e*) primer corte *m*; (*Brot*) encentadura *f*.

ˈ**anschrauben** *v/t.* atornillar; *die Schraube*: apretar.

ˈ**anschreiben** (*L*) **I.** *v/t.* apuntar; anotar; *Schuld*: cargar en cuenta; *j-m et.* ~ anotar *od.* poner en cuenta; *et.* ~ *lassen* comprar a crédito; *fig. bei j-m gut angeschrieben sein* estar bien conceptuado por alg.; F tener buen número; **II.** 2 *n* (*Begleitbrief*) carta *f* de remisión.

ˈ**anschreien** (*L*) *v/t.* hablar a gritos a alg.; vociferar, vocear.

ˈ**Anschrift** *f* dirección *f*, señas *f/pl.*

ˈ**anschuldig|en** *v/t.* acusar, (in)culpar, imputar; **2ung** *f* acusación *f*, inculpación *f*, imputación *f*.

ˈ**anschüren** *v/t.* → *schüren*.

ˈ**Anschuß** *m* (*-sses*; *ʺsse*) primer disparo *m*; ⚗ cristalización *f*.

ˈ**anschwärz|en** (*-t*) *v/t.* ennegrecer; *fig.* denigrar; (*denunzieren*) denunciar; **2ung** *f* ennegrecimiento *m*; *fig.* denigración *f*.

ˈ**anschwell|en** (*L*) *v/i.* engrosar; ⚕ hincharse, inflamarse; (*mit Gas, Luft usw.*) inflar; *Flüsse*: crecer; *Meer*: encresparse; *fig.* ir en aumento; **~end** ♪ *adv. it.* crescendo; **2ung** *f* engrosamiento *m*; (*Fluß*) crecida *f*; ⚕ hinchazón *f*, inflamación *f*; (*Geschwulst*) tumoración *f*; (*Beule*) bulto *m*, F chichón *m*.

ˈ**anschwemm|en** *v/t.* arrojar a la orilla (*materiales flotantes od. aluviales*); *angeschwemmtes Land* terrenos de aluvión; **&ung** *f* depósito *m* aluvial, aluvión *m*; ~ *der Eiszeit* terrenos del período glacial.

ˈ**anschwimmen** (*L*; *sn*) *v/i.* *gegen den Strom* ~ nadar contra la corriente.

ˈ**anschwindeln** (*-le*) *v/t.* *j-n* ~ engañar, mentir a alg.; F decir mentirillas, pegársela a alg.

ˈ**ansegeln** (*-le*) **1.** *v/i.* *angesegelt kommen* llegar a toda vela; **2.** *v/t.* *Hafen*: abordar.

ˈ**ansehen** (*L*) *v/t.* mirar; (*nachdenklich*) contemplar; (*prüfend*) examinar; *sich et.* (*genau*) ~ examinar detenidamente a/c.; (*beobachten*) observar; *et. mit* ~ presenciar; *fig.* sufrir, soportar, tolerar; *fig. ich kann es nicht länger mit* ~ no puedo soportar (aguantar) esto por más tiempo; *das sieht man ihm an* F eso se le nota en la cara; *man sieht ihm sein Alter nicht an* no aparenta la edad que tiene, no se le notan los años; *fig.* ~ *für od. als* considerar como; *fälschlich*: tomar por; *behandeln als*: tratar como; *j-n finster* ~ mirar con gesto adusto a alg.; *j-n giftig* ~ mirar como un basilisco a alg.; → *schief, Schulter*; *et. mit anderen Augen* ~ ver las cosas con otros ojos; *wie ich die Sache ansehe* tal como yo veo las cosas, a mi modo de ver; F *sieh' mal einer an!* ¡vaya, vaya!; ¡fíjense!; ¡caramba, quién lo diría!; ¿conque esas tenemos?; *iro.* ¡muy bonito!; → *angesehen*.

ˈ**Ansehen** *n* (*-s*; *0*) apariencia *f*, aspecto *m*, F facha *f*; (*Achtung*) consideración *f*, aprecio *m*, estimación *f*; (*Hochachtung*) respeto *m*, autoridad *f*; (*Geltung*) prestigio *m*; (*Ruf*) reputación *f*, fama *f*; *berufliches* ~ prestigio profesional; *j-n vom* ~ *kennen* conocer a alg. de vista; *dem* ~ *nach urteilen* juzgar por las apariencias; *in hohem* ~ *stehen* gozar de gran estimación; ~ *verlieren* desprestigiarse, caer en descrédito; *des guten* ~*s wegen* por el buen parecer; *sich ein* ~ *geben* darse aires (presumir) de; *ohne* ~ *der Person* sin consideraciones personales, sin preferencias.

ˈ**ansehnlich** *adj.* (*eindrucksvoll*) imponente; *Gegenstand*: vistoso; *Person*: de buena presencia; (*beträchtlich*) importante, considerable; (*ziemlich groß*) respetable; (*hervorragend*) distinguido, notable; eminente; ilustre.

ˈ**Ansehung** *f* (*0*) *in* ~ (*gen.*) en atención a, considerando que; en cuanto a; en vista de.

ˈ**anseilen** *Mont.* *v/t.* enmaromar.

ˈ**ansengen** *v/t.* quemar; chamuscar.

ˈ**ansetz|en** (*-t*) **1.** *v/t.* poner, colocar; juntar, unir; aplicar; (*anstücken*) empalmar; (*befestigen*) sujetar, fijar; (*annähen*) coser; *den Becher usw.*: llevar a los labios; *Blutegel*: aplicar; *Bowle, Salat*: preparar; *Speise, zum Kochen*: poner al fuego; *Frist, Termin*: señalar, fijar; (*abschätzen*) tasar, valorar; *zu hoch* (*niedrig*) ~ fijar un valor excesivamente alto (bajo); ⚕ *Preise*: poner precio; (*berechnen*) cargar; *zum Verkauf* ~ poner a la venta; ⚗ *Gleichung*: plantear; (*entwickeln*) desarrollar; *Blätter, Knospen*: brotar; *Fett* ~ engordar; F echar carnes; *Rost* ~ oxidarse; *Sport*: *e-n Griff* ~ aplicar una presa (llave); *e-n Schlag* ~ descargar un golpe; **2.** *v/i.* (*versuchen*) intentar; *zu et.* ~ prepararse para, disponerse a; *zur Landung* ~ ✈ iniciar el aterrizaje; *sich* ~ ⚗ depositarse; *in Kristallen*: cristalizar; **&ung** *f* (*Termin*) señalamiento *m*, fijación *f*.

ˈ**Ansicht** *f* vista *f*; aspecto *m*; ⚕ *zur* ~ como muestra; *fig.* (*Meinung*) opinión *f*, parecer *m*; (*Überzeugung*) convencimiento *m*; *anderer* ~ *sein* disentir, ser de otro parecer; *meiner* ~ *nach* en mi opinión, a mi modo de ver; *anderer* ~ *werden* cambiar de parecer (*od.* de opinión); *die* ~*en sind geteilt* hay división de opiniones; *sich e-e* ~ *bilden* formarse una opinión; *der* ~ *sein, daß, die* ~ *vertreten, daß* opinar que, estimar que; *zu der* ~ *kommen, daß* llegar a la conclusión de que; **&ig** *adj.*: ~ *werden* (*gen.*) divisar a/c.; ~**s-postkarte** *f* tarjeta *f* postal ilustrada; vista *f*; ~**ssache** *f* cuestión *f* de gusto *od.* de pareceres; ~**ssendung** ⚕ *f* envío *m* de muestra.

ˈ**ansied|eln** (*-le*) *v/t. u. refl.* establecer(se), avecindar(se); *in fremden Ländern*: colonizar; **&ler** *m* colono *m*; **&lung** *f* (*Kolonie*) colonia *f*; (*Ort*) población *f*; (*Handlung*) colonización *f*; establecimiento *m*.

ˈ**Ansinnen** *n* pretensión *f* desmedida; (*unzumutbares*) exigencia *f* irrazonable; *an j-n ein* ~ *stellen* pretender (exigir) a/c. de alg.

ˈ**anspann|en** *v/t.* tender, extender, estirar; entesar; (*Pferde*) atalajar, enganchar; (*Ochsen*) uncir; *fig.* (*anstrengen*) esforzarse; *Muskeln*: poner en tensión; distender; *Reserven*: apurar; *aufs äußerste* ~ esforzarse hasta el límite; *alle Kräfte* ~ hacer un esfuerzo supremo; **&ung** *f* tensión *f*; esfuerzo *m*; entesamiento *m*; ⚕ ~ *des Geldmarktes* tensión del mercado monetario; ~ *des Notenumlaufes* emisión excesiva de papel moneda; ~ *der Reserven* empobrecimiento de las reservas.

ˈ**anspeien** (*L*) *v/t.* escupir a.

ˈ**Anspiel** *n* (*-es*; *-e*) *Fußball*: saque *m* inicial; *Kartenspiel*: apertura *f* del juego; **&en** *v/i.* empezar el juego; *fig.* ~ *auf* aludir a, insinuar; ~**ung** *f* alusión *f* (*auf* a), insinuación *f*; (*Wink*) indirecta *f*.

ˈ**anspinnen** (*L*) *v/t.* *Faden*: unir hilando; urdir; *sich* ~ trabarse, enredarse; (*Unterhaltung*) *fig.* F pegar la hebra; meter baza.

ˈ**anspitzen** (*-t*) *v/t.* aguzar; (*Bleistift*) afilar.

ˈ**Ansporn** *m* (*-es*; *0*) estímulo *m*; *fig.* aguijón *m*, acicate *m*; (*Anreiz*) incentivo *m*; **&en** *v/t.* estimular, incitar; *Pferd*: espolear; *fig.* aguijonear, acuciar.

ˈ**Ansprache** *f* discurso *m*; alocución *f*; ⚔ arenga *f*; *in der Kirche*: plática *f*; *e-e* ~ *halten* pronunciar un discurso; dirigir una alocución a; arengar a.

ˈ**ansprech|en** (*L*) *v/t.* hablar a; *j-n auf der Straße* ~ abordar a; *j-n um et.* ~ pedir un favor a alg.; ~ *als* considerar como; *et. für gut* ~ declarar (*od.* aceptar) como buena a/c.; (*zusagen*) agradar, gustar; ~ *auf* (*ac.*) reaccionar a, ser sensible a (*beide a.* ⚗); ⊕ responder; ⚡ reaccionar; ~**end** *adj.* agradable; atractivo, interesante; simpático; *Leistung*: considerable.

ˈ**anspringen** (*L*; *sn*) *v/i.* saltar contra *od.* a; *Motor*: arrancar; **&** *n* *Auto.*: *leichtes* ~ fácil arranque; *schlechtes* ~ arranque defectuoso.

ˈ**anspritzen** (*-t*) *v/t.* salpicar; (*Pflanzen*) rociar.

ˈ**Anspruch** *m* (*-es*; ⸚*e*) (*Rechts&*) ~ *auf* derecho a; *berechtigter*: reclamación *f*; reivindicación *f*; (*un*)*berechtigter*: pretensión *f*; (*Forderung*) exigencia *f*, demanda *f*; ⚖ pretensión *f*; ~ *auf Schadenersatz* derecho a indemnización por daños; *fig.* *bescheidene Ansprüche* modestas aspiraciones (*od.* pretensiones); *hohe Ansprüche* grandes exigencias; *große Ansprüche stellen* ser muy exigente, tener muchas pretensiones; *allen Ansprüchen gerecht werden od. genügen* ⚕ satisfacer todas las exigencias; ~ *erheben auf* reclamar; reivindicar; pretender a/c.; ~ *haben auf* tener derecho a; *e-n* ~ *geltend machen* hacer valer su derecho; *in* ~ *nehmen* **a**) → *erheben auf*; **b**) *j-n*, *j-s Hilfe*: recurrir a; (*verwenden*) utilizar, emplear; *j-s Dienste*: requerir; *j-s Güte*: apelar a; *Aufmerksamkeit*: reclamar; *Zeit*: consumir, gastar; *ganz in* ~ *nehmen* absorber (ocupar) por completo; *ganz und gar für sich in* ~ *nehmen* monopolizar (*conversación, atención etc.*), F acaparar para sí; *sehr in* ~ *genommen sein* (*von Arbeit*) estar ocupadísimo, estar abrumado de trabajo; ser muy solicitado.

ˈ**anspruchs|los** *adj.* (*-est*) sin pretensiones; (*schlicht*) sencillo, modesto, simple; *Essen*: frugal; **&losigkeit** *f* sencillez *f*, modestia *f*, simplicidad *f*; frugalidad *f*; ~**voll** *adj.* lleno de pretensiones; presuntuoso; (*streng*) exigente, difícil de contentar; (*übertrieben*) remilgado; *geistig, kulturell*: de refinado gusto.

ˈ**anspucken** *v/t.* escupir a.

ˈ**anspülen** *v/t.* → *anschwemmen*.

ˈ**anstacheln** (*-le*) *v/t.* aguijonear; *fig.* incitar, estimular, F picar.

ˈ**Anstalt** *f* establecimiento *m*; institución *f*, instituto *m*; *öffentliche* ~ establecimiento *m* público; *Heil&* hospital *m*; sanatorio *m*; clínica *f*; *Lehr&* establecimiento *m* (*od.* centro *m*) de enseñanza; (*Heim*) hogar *m*; *Versuchs&* laboratorio *m* experimental, centro (*od.* instituto) *m* de experimentación; ~**en** *pl.* (*Vorbereitung*) preparativos *m/pl.*; (*Maßnahmen*) medidas *f/pl.*, disposiciones *f/pl.*; ~ *machen zu* prepararse (aprestarse) para, disponerse a; *er machte keine* ~ *zu gehen* no daba muestras de querer irse; ~ *treffen zu* adoptar las medidas necesarias para; **~s-fürsorge** *f* establecimiento *m* benéfico.

'**Anstand** *m* **1.** (-*es*; ⸚*e*) *Jgdw.* puesto *m* de caza; **2.** (-*es*; *0*) (*Benehmen*) urbanidad *f*, buenas maneras *f/pl.*; (*Haltung*) comportamiento *m*, conducta *f*; (*Schicklichkeit*) decencia *f*, decoro *m*; den ~ verletzen faltar a la decencia, ofender el decoro; mit ~ decorosamente; j-n ~ lehren enseñar a alg. a tener buenas maneras; (*Aufschub*) dilación *f*, demora *f*; (*Bedenken*) reparo *m*, escrúpulo *m*, duda *f*; ~ nehmen vacilar, titubear, poner reparo a; keinen ~ nehmen no tener reparo en.

'**anständig I.** *adj. allg.* decente; (*schicklich*) decoroso; (*höflich*) cortés; (*achtbar*) respetable; *Preis*: razonable; (*genügend*) suficiente; *Summe*: considerable; F ~es Essen una comida decente *od.* presentable; F ein ~es Stück un buen trozo; **II.** *adv.* decentemente, como es debido, decorosamente *etc.*; (*ehrlich*) honradamente, honestamente; sich ~ benehmen guardar el decoro; portarse como es debido; es regnet ~ F está cayendo un buen chaparrón; **⁊keit** *f* decencia *f*, decoro *m*; honradez *f*, hombría *f* de bien; bien parecer *m*.

'**Anstands...**: **~besuch** *m* (-*es*; -*e*) visita *f* de cumplido; **~dame** *f* señora *f* de compañía, F carabina *f*; **~formen** *f/pl.* buenos modales *m/pl.*; **~gefühl** *n* (-*s*; *0*) delicadeza *f*; **⁊halber** *adv.* por cumplir, para guardar las formas, por el bien parecer; **⁊los** *adv.* sin ceremonias; sin reparo *od.* objeción; sin vacilar; (*ungehindert*) libremente; **~regel** *f* (-; -*n*) (regla *f* de) etiqueta *f*; **⁊widrig** *adj.* indecente, indecoroso.

'**anstarren** *v/t.* mirar absorto, mirar de hito en hito; F clavar la mirada.

an'statt I. *prp.* (*gen.*) en vez (lugar) de; ~ meiner en mi lugar; **II.** *cj.* ~ zu kommen en vez de venir.

'**anstäuben** *v/t.* empolvar, cubrirse de polvo.

'**anstau|en** *v/t.* estancar, represar; sich ~ acumularse; **⁊ung** *f* remanso *m*, represa *f*; acumulación *f*.

'**anstaunen** *v/t.* mirar asombrado.

'**anstechen** (*L*) *v/t.* pinchar; (*Faß*) espitar; ⊕ *Hochofen*: sangrar, hacer colada; ⚕ pinchar; puncionar.

'**anstecken I.** *v/t.* (*mit Nadeln*) prender; *Ring, Abzeichen*: poner(se); *anzünden*: encender; *Haus*: pegar fuego a; ⚕ contagiar (*a. fig.*), infectar; angesteckt werden, sich ~ contagiarse; j-n ~ contagiar a alg. (*una enfermedad*); **II.** *v/i.* contagiarse, F pegarse; **~d** *adj.* contagioso.

'**Ansteckung** *f* ⚕ contagio *m*, infección *f*; **~sherd** *m* (-*es*; -*e*) foco *m* infeccioso.

'**anstehen** (*L*) *v/i. in e-r Reihe*: formar (*od.* hacer) cola; (*passen*) convenir; (*angenehm sein*) agradar; wohl ~ hacer gracia; es steht ihm nicht an, zu (*inf.*) no le corresponde (incumbe) a él *inf.*; ~ lassen (*aufschieben*) diferir, aplazar; (*e-e Schuld*) retardar el pago; ~de Schuld deuda atrasada; (*zögern*) vacilar, titubear en hacer a/c.; (*zu erwarten sein*) ser inminente.

'**ansteigen** (*L*; *sn*) *v/i.* subir (*a. Flut, Töne*), elevarse, ascender (*a. Rang*); *fig.* (*zunehmen*) aumentar; steil ~d (*Gelände*) escarpado, abrupto.

'**anstell|en** *v/t.* colocar (an contra); *Bewerber*: emplear, colocar; contratar; angestellt bei (estar) empleado en; (*in Gang setzen*) poner en marcha; *Radio*: tocar, F poner (*la radio*); *Licht*: encender; (*durchführen*) realizar, efectuar; (*machen*) hacer; (*Ermittlungen*) practicar; (*Unfug*) hacer, causar; was hast du wieder angestellt? ¿has vuelto a hacer otra de las tuyas?; Betrachtungen ~ über hacer reflexiones (reflexionar) sobre; e-n Vergleich ~ hacer (establecer) una comparación entre; wie hast du das angestellt? F ¿cómo te las has arreglado?; sich ~ (*Reihe*) hacer (formar) cola; (*verhalten*) obrar, conducirse, (com)portarse; sich ~ als ob aparentar, fingir *inf.*; sich (un)geschickt ~ darse buena (mala) maña para a/c.; stell dich nicht so an! F ¡déjate de comedias!; ¡no hagas tantos remilgos!; **~ig** *adj.* (*geschickt*) hábil, mañoso; (*klug*) inteligente, listo; **⁊ung** *f* colocación *f*, empleo *m*; (*Beamte*) destino *m*; (*Stelle*) puesto *m*; **⁊ungsbedingungen** *f/pl.* condiciones *f/pl.* de empleo; **~ungsfähig** *adj.* apto para un empleo; **⁊ungsprüfung** *f* examen *m* de admisión; (*Beamte*) oposición *f*.

'**anstemmen** *v/t.* sich ~ gegen apoyarse *od.* apretarse contra; *fig.* oponerse a, resistirse a.

'**ansteuer|n** (-*re*) ⚓ *v/t.* navegar hacia, hacer rumbo *m* a; **⁊ungsfeuer** ✈ *n* faro *m* de localización.

'**Anstich** *m* (-*es*; -*e*) picadura *f*; perforación *f*; *e-s Fasses*: espitar *m*.

'**Anstieg** *m* (-*es*; -*e*) ascensión *f*; subida *f*; *Straße*: repecho *m*, cuesta *f*; *fig.* auge *m*.

'**anstieren** *v/t.* mirar embobado.

'**anstift|en** (-*e*-) *v/t.* (*verursachen*) causar, provocar; (*Verschwörung*) urdir, tramar, maquinar; (*anreizen*) instigar, incitar; ⚖ inducir; *zum Meineid*: sobornar; **⁊er(in** *f*) *m* autor(a *f*) *m*; causante *m/f*; instigador(a *f*) *m*; sobornador(a *f*) *m*; ⚖ inductor(a *f*) *m*; (*Rädelsführer*) cabecilla *m*; **⁊ung** *f* instigación *f*, incitación *f*; ⚖ inducción *f*; auf ~ von por instigación de.

'**anstimmen** *v/t. Lied*: entonar; *Instrument*: afinar; den Grundton ~ dar el tono; *fig.* ein Klagelied ~ prorrumpir en lamentaciones.

'**Anstoß** *m* (-*es*; ⸚*e*) *Fußball*: saque *m* inicial; *fig.* (*Antrieb*) impulso *m*; den (ersten) ~ geben zu iniciar, sugerir la idea de; (*Ärgernis*) escándalo *m*; Stein des ~es piedra de escándalo; ~ erregen causar escándalo; producir extrañeza; ~ nehmen escandalizarse (an *dat.* de, con); (*Hindernis*) impedimento *m*, dificultad *f*; ohne ~ (*Zögern*) sin vacilación; e-e Sprache ohne ~ sprechen hablar con soltura un idioma; ⊕ punto *m* de contacto; (*bündiger* ~) juntura *f*; ⚡ impulso *m* inicial.

'**anstoßen** (*L*) **1.** *v/t.* empujar, impulsar; *Fußball*: hacer el saque inicial; ⚡ *Stromkreis*: impulsar; die Gläser ~ chocar los vasos; **2.** *v/i.* ~ gegen tropezar con, chocar *od.* dar contra; auf j-s Wohl ~ brindar a la salud de alg.; beim Sprechen ~ tartamudear; balbucear; mit der Zunge ~ (tras)trabarse la lengua; heimlich mit dem Ellenbogen ~ dar de codo; ~ an (*angrenzen*) lindar con, estar contiguo a; bei j-m ~ escandalizar a alg.; angestoßen (*Obst*) fruta machucada; **~d** *adj.* contiguo (an *ac.* a), adyacente, (co-)lindante (an *ac.* con), aledaño.

'**anstößig** *adj.* chocante; (*unanständig*) indecente, inmoral; (*schlüpfrig*) obsceno, lascivo; (*empörend*) escandaloso; (*Wort*) malsonante; **⁊keit** *f* indecencia *f*; escándalo *m*; chabacanería *f*; P porquería *f*.

'**anstrahlen** *v/t.* irradiar sobre; mit *Scheinwerfer*: iluminar, enfocar; angestrahlt irradiado; iluminado.

'**anstreben** *v/t.* et. ~ aspirar a, esforzarse en lograr a/c.; *Ziel*: perseguir un fin; pretender a/c.

'**anstreich|en** (*L*) *v/t.* pintar, dar una capa de pintura; (*tünchen*) blanquear; (*Verputz*) revocar; (*Fehler, Textstelle*) subrayar, marcar; (*abhaken*) puntear; *fig.* das werde ich dir ~! ¡ya me las pagarás!; **⁊er** *m* pintor *m* (F de brocha gorda); *Tüncher*: blanqueador *m*; (*für Verputz*) revocador *m*; **⁊gerät** *n* (-*es*; -*e*) pulverizador *m* (de pintura); **⁊spritzpistole** *f* pistola *f* para pintar al duco.

'**anstreifen** *v/i.* rozar, tocar ligeramente.

'**anstreng|en** *v/t.* esforzar; *Seil*: estirar; *Geist, Körper*: cansar, fatigar; übermäßig ~ someter a un esfuerzo excesivo; sich ~ esforzarse por *od.* en conseguir *od.* hacer a/c.; esmerarse en; F deslomarse, echar los bofes; (*sich bemühen*) hacer lo posible por *od.* para (*inf.*); alle Kräfte ~ F poner toda la carne en el asador; angestrengt arbeiten trabajar duramente *od.* de firme; angestrengt nachdenken aguzar el entendimiento; e-n Prozeß ~ ⚖ (*Zivilprozeß*) entablar demanda; (*Strafprozeß*) presentar querella; **~end** *adj.* trabajoso, laborioso; (*stärker*) penoso, duro, fatigoso, agotador; **⁊ung** *f* esfuerzo *m*; fatiga *f*; mit äußerster ~ en un esfuerzo supremo; ohne ~ → mühelos.

'**Anstrich** *m* (-*es*; -*e*) (*Anstreichen*) pintura *f*; (*Politur*) barnizado *m*; (*Tünchen*) blanqueo *m*; (*Farbe*) color *m*; (*Überzug*) capa *f*, *hauchdünn* película *f*; *fig.* tinte *m*, barniz *m*; (*leiser* ~) viso *m*, asomo *m*; matiz *m*; (*Aussehen*) apariencia *f*, aire *m*, F pinta *f*; sich den ~ geben *gen. od.* von echárselas de, darse aires de.

'**anstücken** *v/t.* añadir una pieza (an a); (*flicken*) remendar; ⊕ juntar (*dos piezas*).

'**Ansturm** *m* (-*es*; ⸚*e*) asalto *m*, arremetida *f*; (*der Wellen*) embate *m*; (*des Publikums*) afluencia *f*, aglomeración *f*; beim ersten ~ al primer asalto.

'**anstürmen** *v/i.* asaltar; auf et. ~

arremeter contra, abalanzarse *od.* arrojarse sobre.
'anstürzen (*-t*) *v/t.* llegar presurosamente; F llegar como un bólido.
'ansuchen *v/t.* pedir, solicitar; **2** *n* ruego *m*; petición *f*, solicitud *f*; *auf ~ von* a petición de, a ruego de, a instancias de.
Ant'arkt|is *f* (*0*) tierras *f/pl.* antárticas; **2isch** *adj.* antártico, austral.
'antasten (*-e-*) *v/t.* tocar; palpar; *fig.* tocar; tantear; *Kapital, Vorräte*: empezar a gastar; *j-s Rechte*: violar, atentar a; *Ehre*: ofender; (*angreifen*) atacar; (*in Frage stellen*) discutir.
'Anteil *m* (*-es; -e*) parte *f*, porción *f*; (*Bestandteil*) componente *m*; ✝ *Partie*: lote *m*; *Dividende*: dividendo *m*; (*Aktie*) acción *f*; *am Gewinn*: participación *f*; *Beitrag*: contribución *f*; *Zuteilung*: prorrata *f*; *Quote*: cuota *f*; contingente *m*, cupo *m*; *fig.* interés *m*; (*Mitgefühl*) simpatía *f*; *~ haben an* (*dat.*) participar en; interesarse en *od.* por; *mitleidig*: simpatizar; **2ig** *adj.* proporcional; **2mäßig** ✝ *adj.* a prorrata; **~nahme** *f* participación *f*; interés *m*; (*Mitgefühl*) simpatía *f*; *s-e ~ ausdrücken* expresar su sentimiento; (*bei Todesfällen*) expresar su condolencia, dar el pésame; **~schein** *m* (*-es; -e*) (*Aktie*) acción *f*, título *m*; **~s-eigner** *m* → *Aktionär*.
An'tenne *f Radio*: antena *f*; *abgeschirmte ~* antena blindada; *abgestimmte ~* antena sincronizada; *ausziehbare ~* antena telescópica; *eingebaute ~* antena incorporada; *zusammenklappbare ~* antena plegable.
An'tennen...: **~ableitung** *f* bajada *f* de antena; **~abstimmung** *f* sintonización *f* de antena; **~draht** *m* (*-es; ¨e*) hilo *m* de antena; **~kreis** *m* (*-es; -e*) circuito *m* de antena; **~leistung** *f* capacidad *f* de antena; **~mast** *m* (*-es; -e, -en*) mástil *m* de antena; **~stab** *m* (*-es; ¨e*) varilla *f* de antena; **~verstärker** *m* amplificador *m* de antena.
Antholo'gie *f* antología *f*.
Anthra'zit *m Min.* antracita *f*.
Anthropo|'loge *m* (*-n*) antropólogo *m*; **~lo'gie** *f* (*0*) antropología *f*; **2'logisch** *adj.* antropológico; **2'morph** *adj.* antropomorfo.
Anti..., anti...: anti.
Anti-alko'holiker *m* antialcohólico *m*, abstemio *m*.
Antibi'otikum [-bi·'o:ti-] ⚕ *n* (*-s; -ka*) antibiótico *m*.
anticham'brieren [-ʃam-] (-) *v/i.* hacer antesala *f*.
Antifa'schi|smus *m* (*-; 0*) antifascismo *m*; **~st** *m* (*-en*), **2s-tisch** *adj.* antifascista *m/f*.
Antifrikti'onslager ⊕ *n* cojinete *m* guarnecido de metal antifricción.
an'tik *adj.* antiguo; **2e** *f* (*0*) *Hist.* Antigüedad *f*, edad *f* antigua; **2en** *f/pl.* (*Kunstwerke*) antigüedades *f/pl.*
Anti'klopf|brennstoff *m* (*-es; -e*) *Auto.* carburante *m* antidetonante; **~mittel** *n* antidetonante *m*.
'Antikörper *Physiol.* *m* anticuerpo *m*.
Anti'lope *f* antílope *m*.
'Anti'mon *n* (*-s; 0*) ⚗ antimonio *m*; **2artig** *adj.* antimonial; **~blende** *f* (*0*) kermesita *f*; **~glanz** *m* (*-es; 0*) estibina *f*.
Anti-oxydati'onsmittel *n* antioxidante *m*.
Anti'pod|e *m* (*-n*), **2isch** *adj.* antípoda (*m/f*).
'antippen F *v/t.* tocar ligeramente; *fig.* mencionar de paso.
Antipy'rin ⚗ *n* (*-s; 0*) antipirina *f*, fenazona *f*.
An'tiqua *f* (*0*) *Typ.* letra *f* romanilla.
Anti'quar *m* (*-s; -e*) *von Büchern*: librero *m* de ocasión *od.* de viejo; → *Antiquitätenhändler*; **~i'at** *n* (*-es; -e*) librería *f* de ocasión; **2isch** *adj.* anticuario; (*Möbel, Bücher, usw.*) de segunda mano, de lance.
Antiqui'täten *f/pl.* (*Kunstgegenstände*) antigüedades *f/pl.*; **~händler** *m* anticuario *m*; **~laden** *m* (*-s; ¨*) tienda *f* de antigüedades; **~sammler** *m* coleccionista *m* de antigüedades.
Anti|se'mit *m* (*-en*) antisemita *m/f*; **2se'mitisch** *adj.* antisemítico; **~semi'tismus** *m* (*-; 0*) antisemitismo *m*.
anti'septisch *adj.* antiséptico.
Anti'these *f* antítesis *f*.
Antizy'klone *Meteo.* *f* anticiclón *m*.
'Antlitz *n* (*-es; -e*) cara *f*, rostro *m*, semblante *m*, faz *f*.
'Antrag *m* (*-es; ¨e*) ofrecimiento *m*, oferta *f*; (*Vorschlag*) propuesta *f*, proposición *f*; *Heirats***2** proposición *f* de matrimonio; petición *f* de mano; (*Gesuch*) solicitud *f*, petición *f*, *Parl.* ponencia *f*, moción *f*; *Gesetzes***2** proyecto *m* de ley; ⚖ súplica *f*, petición *f*; *Straf***2** querella *f*; *Klage*: demanda *f*; *~ auf Entmündigung* demanda de (declaración de) incapacidad; *auf* (*den*) *~ von* a petición de, ⚖ a instancia de parte; *~ stellen auf* proponer; *Parl.* presentar una moción; *e-r Dame e-n ~ machen* pedir la mano, hacer proposiciones matrimoniales; **2en** (*L*) *v/t.* ofrecer, proponer; **~sformular** *n* (*-es; -e*) modelo *m* de instancia; **~steller(in** *f*) *m* proponente *m/f*, *Parl.* ponente *m/f*; (*Gesuchsteller*) solicitante *m/f*; ⚖ querellante *bzw.* demandante *m/f*; (*Beschwerdeführer*) recurrente *m*.
'antreffen (*L*) *v/t.* encontrar, hallar; (*zufällig*) encontrarse casualmente con, tropezar *od.* dar con.
'antreiben (*L*) **1.** *v/t.* empujar, impulsar; ⊕ accionar, mover; impulsar, *bsd.* ✈, ⚓ propulsar; (*Lasttiere*) arrear; *fig.* estimular, incitar; (*zur Eile*) acuciar; ⚕ (*Funktionen*) estimular; **2.** *v/i.* llegar flotando; *an Land*: arrojar a la costa.
'antreten (*L; sn*) **1.** *v/i.* (*sich aufstellen*) ocupar su puesto *m*; ⚔ formar; *angetreten!* ¡a formar!; *zum Kampf ~* disponerse al combate; *Sport*: participar (*en una competición*); **2.** *v/t.* *ein Amt ~* posesionarse de un cargo; *den Beweis ~* aducir las pruebas; *den Dienst* (*die Arbeit*) *~* empezar (el trabajo) a prestar servicio; ⚖ *e-e Erbschaft ~* adir (*od.* aceptar) una herencia; *die Regierung ~* asumir el poder; (*Monarch*) subir al trono; ⚖ *e-e Strafe ~* empezar a cumplir condena; *e-e Reise ~* emprender un viaje.
'Antrieb *m* (*-es; -e*) **1.** impulso *m*; (*Beweggründe*) motivo *m*; móvil *m*; (*Anreiz*) incentivo *m*; *fig.* estímulo *m*; *neuen ~ verleihen* dar nuevo impulso; *aus eigenem ~* por propia iniciativa, espontáneamente; *aus natürlichem ~* por instinto; **2.** ⊕ impulsión *f*, propulsión *f*; accionamiento *m*; *elektrischer ~* accionamiento eléctrico; *mit eigenem ~ versehen* con autopropulsión; *mit Raketen***2** *versehen* con propulsión por reacción.
'Antriebs...: **~achse** *f* eje *m* motor; **~kraft** *f* (*-; ¨e*) fuerza *f* motriz; ⚓ fuerza *f* de propulsión; **~motor** ⚡ *m* (*-s; -en*) motor *m* de accionamiento *od.* de impulsión; **~welle** *f* árbol *m* motor, eje *m* motriz.
'antrinken (*L*) *v/t.* *sich ~* F achisparse; *sich Mut ~* beber para cobrar valor; → *angetrunken*.
'Antritt *m* (*-es; -e*) (*Anfang*) comienzo *m*; *fig.* primer paso *m*; *~ e-s Amtes* toma de posesión; *~ e-r Erbschaft* ⚖ adición de una herencia; *~ der Macht* (*e-s Monarchen*) advenimiento *od.* subida al trono; *~ e-r Reise* iniciación de un viaje; **~saudienz** *f* presentación *f* oficial; **~sbesuch** *m* (*-es; -e*) visita *f* de presentación; **~srede** *f* discurso *m* inaugural; **~svorlesung** *f* conferencia *f* inaugural (*de un nuevo catedrático*).
'antun (*L*) *v/t.* *Kleider*: ponerse; *j-m Ehre ~* honrar, hacer honor a alg.; *j-m Gewalt ~* hacer violencia a alg.; *e-r Frau*: violar, forzar; *j-m Schaden ~* perjudicar (causar daños) a alg.; *sich et.* (*od. ein Leid*) *~* atentar contra la propia vida; → *Zwang*; *es j-m ~ fig.* cautivar, hechizar a alg.; *sie hat es ihm angetan* está enamoradísimo de ella; F le ha sorbido el seso; → *angetan*.
'Antwort *f* contestación *f*, respuesta *f* (*a. fig.*); *scharfe*: réplica *f*; *fig.* reacción *f*; *abschlägige ~* respuesta negativa, (*auf ein Gesuch*) desestimación *f*; *schlagfertige ~* réplica aguda; *in ~ auf* en contestación a; *um ~ wird gebeten* se suplica la respuesta; *keine ~ schuldig bleiben* tener respuesta para todo; *keine ~ ist auch e-e ~* quien calla otorga; **2en** (*-e-*) *v/t. u. v/i.* contestar, responder; (*scharf*) replicar (*auf ac.* a); *reagieren*: reaccionar; **~karte** *f* tarjeta *f* postal con respuesta pagada; **~schein** *m* (*-es; -e*) cupón-respuesta *m* internacional.
'anvertrauen (-) *v/t.* confiar (*a. Geheimnis*), encomendar; ⚖ legar en fideicomiso; *anvertrautes Gut* bienes confiados al cuidado *od.* a la custodia de alg.; *fig. sich j-m ~* confiarse a alg., F abrirse a alg.
'anverwandt *adj.* afín; (*Familie*) pariente, allegado, deudo; **2schaft** *f* (*0*) parentesco *m*.
'anvisieren (-) *v/t.* ⚔ apuntar sobre; ⚓ hacer la marcación.
'anwachs|en (*L; sn*) *v/i.* (*Wurzeln schlagen*) arraigar; (*festwachsen*) adherirse (*an ac.* a), unirse con; *fig.* (*zunehmen*) crecer, aumentar(se); *Zinsen*: acumularse; *Betrag*: *~ auf*

elevarse a; **2en** *n* aumento *m*, incremento *m*; *im ~ begriffen* ir en aumento; ⚖ *Erbschaft*: acrecimiento *m*.

ˈ**Anwalt** *m* (-es; ¨e) abogado *m*; letrado *m*; *des Angeklagten vor dem Gericht*: (abogado) defensor *m*; *privatrechtlich*: procurador *m*; apoderado *m*, gestor *m*; *fig.* paladín *m*, defensor *m*; *sich als ~ niederlassen* abrir bufete; *e-n ~ befragen* consultar a *od.* con un abogado; **~schaft** *f* (0) abogacía *f*; **~sgebühr** *f* honorarios *m/pl.*, minuta *f*; **~skammer** *f* (-; -n) Colegio *m* de Abogados; **~skanzlei** *f* bufete *m*; **~szwang** *m* (-es; 0) obligatoriedad *f* de ser asistido por abogado.

ˈ**anwand|eln** (-le) *v/i. fig.* asaltar *od.* acometer de pronto; *was wandelte dich an?* ¿qué locura te ha dado?; *ihn wandelte die Lust an, zu* de pronto le dieron ganas de *inf.*; **2lung** *f* ⚕ acceso *m*, ataque *m*; (*plötzliche ~*) arranque *m*; (*Laune*) capricho *m*; *in e-r ~ von Schwäche* en un momento de flaqueza; *in e-r ~ von Großzügigkeit* en un arranque (*od. ostentativ*: alarde) de generosidad.

ˈ**anwärmen** *v/t.* calentar ligeramente, templar; ⊕ precalentar.

ˈ**Anwärter(in** *f*) *m auf ein Amt*: aspirante *m/f*, (*a. Sport*); candidato (-a *f*) *m*; (*auf den Thron*) pretendiente *m* (*al trono*).

ˈ**Anwartschaft** *f* expectativa *f* (*a.* ⚖), futura *f* (*auf ac.* de); *Aussicht*: perspectiva *f*; probabilidad *f*; (*Anrecht*) derecho *m* a.

ˈ**anwassern** (-re) ✈ *v/i.* amarar.

ˈ**anwehen** *v/t.* (*Brise*) orear; (*Wind*) soplar contra; *Schnee, Sand*: amontonar.

ˈ**anweis|en** (L) *v/t.* (*anleiten*) instruir; enseñar (zu a); *befehlen*: dar orden *f* (zu de); *zuweisen*: asignar, destinar; *e-n Platz ~* señalar, indicar; *angewiesen sein* tener órdenes (*od.* instrucciones) para; *fig.* → *angewiesen*; ♰ *auf e-e Bank*: librar, girar; **2ung** *f* (*Anordnung*) instrucción *f*; orden *f*, mandato *m*; (*Vorschrift*) precepto *m*; (*Zahlung*) giro *m*, libranza *f*, (*Scheck*) cheque *m*; 📯 giro *m* postal; *~en geben* dar instrucciones.

ˈ**anwendbar** *adj.* aplicable (*auf ac.* a); *brauchbar*: utilizable, aprovechable; *ausführbar*: practicable, factible; *allgemein ~* de universal (*od.* general) aplicación; *leicht ~* fácilmente aplicable; **2keit** *f* (0) aplicabilidad *f*; empleo *m*, uso *m*.

ˈ**anwenden** (-e- *od.* L) *v/t.* emplear, usar, utilizar; *Gesetz, Prinzip, Regel*: aplicar (*auf ac.* a); *et. gut ~* hacer buen uso de a/c.; *et. nützlich ~* emplear con provecho a/c.; *Vorsicht ~* tomar precauciones; *sich ~ lassen* ser aplicable (*auf ac.* a); *ohne Gewalt anzuwenden* sin recurrir a la fuerza; → *angewandt*.

ˈ**Anwendung** *f* aplicación *f*; empleo *m*, uso *m*, utilización *f*; *zur ~ bringen* poner en práctica; *~ finden auf* ser aplicable a; *Gesetz, Prinzip, Regel*: aplicación *f*; **~sbereich** *m* (-es; -e) campo *m* de aplicación; **~smöglichkeit** *f* aplicabilidad *f*; **~sweise** *f* modo *m* de aplicación *bzw.* empleo.

ˈ**anwerb|en** (L) *v/t.* ⚔ alistar, reclutar; *Arbeiter*: contratar; *sich ~ lassen* alistarse; **2ung** *f* ⚔ alistamiento *m*, reclutamiento *m*; P enganche *m*; *von Arbeitern*: contratación *f*.

ˈ**anwerf|en** (L) **1.** *v/i.* (*Spiel*) salir, sacar; **2.** *v/t. Auto.* poner en marcha *f*; ✈ hacer girar la hélice (*para arrancar*); ⚠ revocar; **2kurbel** *f* (-; -n) manivela *f* de arranque.

ˈ**Anwesen** *n* posesión *f*, finca *f*; propiedad *f* rural; *Am.* hacienda *f*; 🌾 granja *f*; (*Gut*) heredad *f*.

ˈ**anwesen|d** *adj.* presente (*bei* en); asistente a; *~ sein* estar presente en, asistir a; *die 2en* los (aquí) presentes; (*Umstehende*) los circunstantes; *jeder 2e* todos los presentes; *2e ausgenommen* exceptuando los presentes, F mejorando lo presente; **2heit** *f* (0) presencia *f*, asistencia *f*; *in ~* (*gen.*) en presencia de; **2heitsliste** *f* lista *f* de asistencia.

ˈ**anwidern** (-re) → *anekeln*.

ˈ**Anwohner(in** *f*) *m* vecino (-a *f*) *m*; → *Anlieger*.

ˈ**Anwuchs** *m* (-es; ¨e) aumento *m*, crecimiento *m*.

ˈ**Anwurf** *m* ⚠ (-es; ¨e) enlucido *m*; *fig.* difamación *f*; (*Spiel*) *den ~ haben* ser mano.

ˈ**anwurzeln** (-le; sn) *v/i.* arraigar; F echar raíces; *wie angewurzelt* quedarse de una pieza.

ˈ**Anzahl** *f* número *m*, cantidad *f*; porción *f*; *e-e große ~* un gran número, (una) multitud; *e-e ~ Häuser* unas cuantas casas.

ˈ**anzahl|en** *v/t.* pagar a cuenta *f*; **2ung** *f* pago *m* a cuenta; *bei Ratenzahlung*: abono *m* del primer plazo; (*Angeld*) depósito *m*.

ˈ**anzapfen** *v/t. Faß*: espitar; ⊕ sangrar, extraer; ⚡ (*Tele.*) derivar (*un hilo de escucha*); F *j-n ~* (*um Geld*) F dar un sablazo a alg.; (*um et. zu erfahren*) *fig.* tirar de la lengua a alg., sonsacar a/c.

ˈ**Anzeichen** *n* indicio *m*, señal *f*; ⚕ síntoma *m* (*a. fig.*); *Vorbedeutung*: presagio *m*, augurio *m*.

ˈ**anzeichnen** (-e-) *v/t.* señalar, marcar.

ˈ**Anzeige** *f* indicación *f* (*a.* ⚕); *Ankündigung*: anuncio *m*; *Erklärung*: declaración *f*, manifestación *f*; ♰ anuncio *m* publicitario; *e-r Sendung*: aviso *m*; ⚖ denuncia *f*; → *erstatten*; (*Todes2*) esquela *f*; (*Zeitungs2, Reklame*) anuncio *m*; *kleine ~n pl.* anuncios por palabras; → *aufgeben*; ⊕ señal *f*, indicación *f*; **~bereich** ⊕ *m* campo *m* de indicación; **~gerät** ⊕ *n* (-es; -e) (*instrumento*) indicador *m*; **~lampe** *f* lámpara-piloto *f*; **2n** *v/t.* indicar, señalar; anunciar; informar; declarar, manifestar; ♰ anunciar; avisar; (*deuten auf*) denotar, indicar; presagiar; (*inserieren*) insertar, publicar; ⚖ denunciar; ⊕ indicar; registrar; *angezeigt* (*ratsam*) indicado, aconsejable; *für angezeigt halten* estimar conveniente; **~n-annahme** *f*, **~nbüro** *n* (-s; -s) agencia *f* de publicidad; **~npreis** *m* (-es; -e) tarifa *f* de publicidad; **~nteil** *m* (-es; -e) *Zeitung*: sección *f* de anuncios; **~pflicht** *f* (*e-s Arztes*) notificación *f* obligatoria de una enfermedad contagiosa; **~r(in** *f*) *m* ⚖ denunciante *m/f*; ⊕ indicador *m*; registrador *m*; (*Zeitungstitel*) Noticiero *m*; (*Amtsblatt*) Diario *m* Oficial, *Span.*: Boletín *m* Oficial.

ˈ**anzettel|n** (-le) ⊕ *v/t.* urdir; *fig.* tramar, urdir; **2ung** *f* intriga *f*; maquinación *f*, complot *m*.

ˈ**anzieh|en** (L) **1.** *v/t.* tirar de; empujar ligeramente; (*spannen*) tender, estirar; *Bremse, Schraube*: apretar; *fig.* → *Schraube*; *Zement*: fraguar; *Zügel*: sujetar; *Kleider, Handschuhe, Strümpfe*: ponerse; *Schuhe*: calzar; *sich ~* vestirse; *fig.* atraer; *sich gegenseitig ~* atraerse mutuamente; **2.** *v/i. Schach*: salir; ♰ *Preise*: ir subiendo; **~end** *adj.* atrayente, atractivo; simpático; **2er** *Anat. m* músculo *m* aductor.

ˈ**Anziehung** *f* (*a. Phys.*) atracción *f*; **~skraft** *Phys. f* (-; ¨e) fuerza *f* de atracción; (*Magnet*) magnetismo *m*; (*kosmische*) gravitación *f* universal; *fig.* atracción *f*; (*e-r Dame*) P gancho *m*; **~smittel** *n* atractivo *m*, aliciente *m*; **~spunkt** *m* (-es; -e) centro *m* de atracción.

ˈ**Anzug** *m* (-es; ¨e) (*Kleidung*) ropa *f*; *Damen2*: vestido *m*; *Herren2*: traje *m*; (*vollständiger Herren2*) terno *m*; ⚔ uniforme *m*; (*Anrücken*) venida *f*, llegada *f*; *im ~ sein* (*Gewitter, Gefahr*) cernerse, amenazar; *es ist et. im ~* algo flota en el ambiente; *Schach*: salida *f*; *Auto.* (*a.* **~skraft**) *f* fuerza *f* de arranque.

ˈ**anzüglich** *adj.* mordaz; ofensivo, agresivo; (*unanständig*) atrevido; picante, verde; *~ werden* lanzar indirectas; **2keit** *f* mordacidad *f*; alusión *f* ofensiva, F pulla *f*.

ˈ**anzünd|en** (-e-) *v/t.* encender; inflamar; *Haus usw.*: incendiar (*ac.*), pegar fuego a; **2er** *m* encendedor *m*.

ˈ**anzweifeln** (-le) *v/t.* dudar (de), poner en duda.

Aˈort|a *f* (-; *Aorten*) *Anat.* aorta *f*; **~enbogen** *m* cayado *m* de la aorta.

aˈpart *adj.* especial, extraordinario; exquisito, selecto; F diferente.

Apaˈthie *f* (0) apatía *f*; **aˈpathisch** *adj.* apático.

aperiˈodisch ⚡ *adj.* aperiódico.

ˈ**Apfel** *m* (-s; ¨) manzana *f*; *fig. in den sauren ~ beißen* apechugar con a/c., tragarse la píldora; *der ~ fällt nicht weit vom Stamm* de tal palo tal astilla; **~baum** *m* (-es; ¨e) manzano *m*; **~kuchen** *m* pastel *m* de manzana; **~most** *m* (-es; 0) mosto *m* de manzana; **~mus** *n* (-es; 0) compota *f* de manzana (*tamizada*); **~saft** *m* (-es; ¨e) zumo *m* de manzana; **~säure** ⚗ *f* (0) ácido *m* málico; **~schaumwein** *m* (-es; 0) sidra *f* (a)champañada; **~schimmel** *m* caballo *m* tordo.

Apfelˈsine *f* naranja *f*; **~nbaum** *m* (-es; ¨e) naranjo *m*; **~nblüte** *f* flor *f* de azahar; **~nsaft** *m* (-es; ¨e) zumo *m* de naranja, naranjada *f*.

Apfel...: **~torte** *f* tarta *f* de manzana; **~wein** *m* (-es; 0) sidra *f*.

Apokaˈlyp|se *f* Apocalipsis *m*; **2tisch** *adj.* apocalíptico; *die vier 2en Reiter* los cuatro jinetes del Apocalipsis.

A'postel *m* apóstol *m* (*a. fig.*); **~geschichte** *f* (*0*) Hechos *m/pl.* de los Apóstoles; **apos'tolisch** *adj.* apostólico; *das* 2*e Glaubensbekenntnis* el Credo; *I.C.* der 2*e Stuhl* la Santa Sede Apostólica.
Apo'stro|ph [-'stro:f] *m* (*-s*; *-e*) apóstrofe *m*; 2**'phieren** [-o'fi:-] *v/t.* (-) apostrofar.
Apo'theke *f* farmacia *f*, F botica *f*.
Apo'theker(in *f*) *m* farmacéutico (-a *f*) *m*, boticario (-a *f*) *m*; **~gehilfe** *m* (*-n*) practicante *m* de farmacia; mancebo *m* de botica; **~gewicht** *n* (*-es*; *0*) peso *m* medicinal; **~waren** *f/pl.* productos *m/pl.* farmacéuticos; medicinas *f/pl.*
Appa'rat *m* (*-es*; *-e*) *allg.* aparato *m*; *feinmechanischer*: instrumento *m*; (*Gerät*, *Vorrichtung*) dispositivo *m*, mecanismo *m*; (*Fernsprecher*) teléfono *m*; *Phot.* cámara *f* fotográfica, aparato *m* fotográfico; *Radio*: aparato *m* de radio, receptor *m* de radio; *Tele*: *am* ~! ¡al habla!; *wer ist am* ~? ¿con quién hablo?; *bleiben Sie am* ~! ¡no cuelgue!; *fig.* aparato *m*, ostentación *f*, boato *m*.
Appara'tur *f* aparato *m*, dispositivo *m*, mecanismo *m*; conjunto *m* de aparatos; (*Zubehör*) accesorios *m/pl.*
Apparte'ment *n* apartamento *m*.
Ap'pell [a'pɛl] *m* (*-s*; *-e*) ⚔ llamada *f*; (*Besichtigung*) revista *f*; llamamiento *m*; *fig.* apelación *f*.
Appellati'on ⚖ *f* apelación *f*; recurso *m* de alzada; **~sgericht** *n* (*-es*; *-e*) tribunal *m* de apelación.
appel'lieren (-) *v/i.* ⚖ apelar, recurrir.
Appe'tit *m* (*-es*; *0*) apetito *m* (*a. fig.*); ~ *haben auf* apetecer a/c.; *worauf haben Sie* ~? ¿qué le apetece a usted?; ~ *machen* abrir (despertar) el apetito; *guten* ~! ¡buen provecho!; *den* ~ *verderben* (*verlieren*) quitar (perder) el apetito; 2**anregend** *adj.* aperitivo; **~bissen** *m* bocadillo *m*; 2**lich** *adj.* apetitoso, de buen gusto (*beide a. fig.*); 2**los** *adj.* sin apetito, ⚕ inapetente; **~losigkeit** *f* (*0*) falta *f* de apetito, ⚕ inapetencia *f*.
applau'dieren (-) *v/i.* aplaudir.
Ap'plaus *m* (*-es*; *-e*) aplauso *m*; → *Beifall*.
appli'zieren (-) *v/t.* aplicar.
appor'tieren (-) *v/t.* (*von Hunden*) traer; cobrar.
appre|'tieren (-) ⊕ *v/t. Tuch*: aderezar; *Papier*: satinar; 2**'tur** *f* aderezo *m*, acabado *m*; *Papier*: satinado *m*.
appro'biert *adj. Arzt*: facultado (para ejercer); ~*er Mediziner* médico titulado oficialmente.
Apri'kose *f* albaricoque *m*; **~nbaum** *m* (*-es*; *⸚e*) albaricoquero *m*.
A'pril *m* (*-s od.* -; *-e*) abril *m*; *der erste* ~ el primero de abril, *Span.* día de los inocentes (*28. Dezember*); *j-n in den* ~ *schicken* dar una inocentada a alg.; **~scherz** *m* (*-es*; *-e*) inocentada *f* (el 1 de abril).
'Apsis [-sɪs] *f* (-; *Apsiden*) ábside *m*.
Aquama'rin *m* (*-s*; *-e*) *Min.* aguamarina *f*.
Aqua'rell *n* (*-s*; *-e*) acuarela *f*; **~maler** *m* acuarelista *m*; **~male'rei** *f* pintura *f* a la acuarela.

Ä'quator *m* (*-s*; *0*) ecuador *m*, línea *f* equinoccial; 2**i'al** *adj.* ecuatorial; **~taufe** *f* bautismo *m* (*al cruzar la línea*) de los trópicos.
äquiva'lent *adj.*, 2 *n* (*-es*; *-e*) equivalente *m/f*.
Ar [ɑ:r] *n* (*-s*; *-e*) área *f*.
Ära *f* (-; *Ären*) era *f*.
'Araber ['a·ra·-] *m* árabe *m/f*.
Ara'beske *f* arabesco *m*.
A'rab|ien *n* Arabia *f*; 2**isch** *adj.* árabe; arábigo; **~ist** *m* (*-en*) arabista *m/f*.
'Arbeit *f* trabajo *m*; (*schwere* ~) trabajo *m* rudo; (*Mühe*) esfuerzo *m*; (*Berufstätigkeit*) empleo *m*, ocupación *f*; (*Feld*2) faena *f*, labor *f*; (*Schul*2) ejercicio *m* escolar, deberes *m/pl.*; (*Werk*) obra *f*; (*schriftliche*, *wissenschaftliche*) disertación *f*; trabajo *m* científico; (*häusliche* ~) labores *f/pl.* domésticas; (*Tätigkeit*) actividades *f/pl.*; (*Geschäft*) negocio *m*; (*Dienst*) servicio *m*; *Phys.*, *Mechanik*: trabajo *m*; ⚡ energía *f*; ⊕ (*Leistung*) rendimiento *m*; (*Erzeugnis*) producto *m*, manufactura *f*; (*Vorhaben*) proyecto *m*; (*Ausführung*) ejecución *f*; ~ *und Kapital* capital y trabajo; ~ *unter Tage* ⚒ trabajo en el interior de la mina; ⊕ *erhabene* ~ trabajo en relieve; *geistige* ~ trabajo intelectual *od.* mental; (*un*)*gelernte* ~ trabajo (no) calificado; *körperliche* ~ trabajo corporal *od.* manual; *laufende* ~ trabajo rutinario; *öffentliche* ~*en* obras públicas; *an od. bei der* ~ en el trabajo (*od.* trabajando), ⊕ *a. Maschine usw.*: en acción, en funcionamiento; *ohne* ~ sin trabajo, desempleado, en paro; *die* ~ *aufnehmen* ir al trabajo; empezar a trabajar, *wieder*: reanudar el trabajo; *an die* ~ *gehen*, *sich an die* ~ *machen* poner manos a la obra; *die* ~ *einstellen* suspender el trabajo; *j-m* ~ *machen fig.* dar qué hacer a alg.; F complicar la vida a alg.; ~ *vergeben* encomendar un trabajo; adjudicar una obra.
'arbeiten (*-e-*) *v/t. u. v/i.* trabajar; (*sich beschäftigen*) ocuparse en; *schwer* ~ trabajar rudamente; *bei j-m* ~ (*angestellt sein*) estar empleado en; trabajar para; *er arbeitet in der Lebensmittelbranche* trabaja en el ramo de la alimentación; (*betreiben, wirken*) obrar, operar; (*dienen*) servir; (*herstellen*) producir; fabricar, elaborar, manufacturar; confeccionar; *Maschine*: funcionar; *Kapital*: producir, rendir (*beneficio*); *Kapital*: ~ *lassen* colocar productivamente; *an et.* ~ trabajar *od.* ocuparse en a/c.; *sich zu Tode* ~ F matarse a trabajar; 2 *n* funcionamiento *m*; *einwandfreies* (*schlechtes*) ~ funcionamiento eficiente (defectuoso).
'Arbeiter *m* trabajador *m*, obrero *m*, *Span. a.* productor *m*; (*Tagelöhner*) jornalero *m*, asalariado *m*; (*Land*2) bracero *m*; (*Hand*2) trabajador *m* manual; (*an der Maschine*) operario *m*; *ungelernter* ~ obrero sin oficio concreto; peón *m*; *gelernter* ~ obrero calificado; *angelernter* ~ obrero someramente instruido en el oficio; *Fach*2 obrero especializado; *geistiger* ~, ~ *der Stirn* trabajador intelectual; (*Arbeitspotential*) mano *f* de obra, *fig.* brazos *m/pl.*; ~ *pl. und Unternehmer* patronos y obreros; → *Arbeiterin*.
'Arbeiter...: **~angebot** *n* (*-es*; *-e*) oferta *f* de mano de obra; **~bedarf** *m* (*-es*; *0*) necesidad *f* de mano de obra; **~belegschaft** *f* personal *m* obrero; **~bewegung** *f* movimiento *m* obrero *od.* obrerista; 2**feindlich** *adj.* antiobrerista; **~frage** *f* (*0*) cuestión *f* obrera; **~führer** *m* dirigente *m* obrerista; **~fürsorge** *f* (*0*) asistencia *f* laboral; **~gewerkschaft** *f* sindicato *m* obrero; **~in** *f* obrera *f*, trabajadora *f*; operaria *f*; **~klasse** *f* (*0*) clase *f* obrera *od.* trabajadora; proletariado *m*; **~kolonne** *f* brigada *f* de obreros; **~mangel** *m* (*-s*; *0*) escasez *f* de mano de obra; **~partei** *f* partido *m* obrero; **~schaft** *f* → *Arbeiterbelegschaft*; *Arbeiterstand*; **~schutz** *m* (*-es*; *0*) protección *f* laboral; **~schutzgesetzgebung** *f* legislación *f* laboral de protección al obrero; **~siedlung** *f* colonia *f* obrera; **~stand** *m* (*-es*; *0*) clase *f* obrera *od.* trabajadora; elemento *m* obrero; **~unfallgesetz** *n* (*-es*; *-e*) ley *f* de accidentes del trabajo; **~versicherung** *f* seguro *m od.* seguridad *f* laboral; **~vertreter** *m* representante *m* obrero; **~viertel** *n* barriada *f* obrera.
'Arbeit...: **~geber** *m* empresario *m*, patrono *m*; *Am.* patrón *m*; **~geberanteil** *m* (*-s*; *-e*) (*Sozialversicherung*) cuota *f* patronal; **~geberverband** *m* (*-es*; *⸚e*) asociación *f* patronal; **~nehmer** *m* empleado *m*; trabajador *m*, obrero *m*; asalariado *m*; **~nehmerverband** *m* (*-es*; *⸚e*) asociación *f* de empleados *bzw.* de trabajadores.
'arbeitsam *adj.* laborioso, trabajador, diligente; (*Frau im Haus*) hacendosa; 2**keit** *f* laboriosidad *f*.
'Arbeits...: **~abkommen** *n* convenio *m* de trabajo; **~amt** *n* (*-es*; *⸚er*) oficina *f* de colocación; **~angebot** *n* (*-es*; *-e*) oferta *f* de trabajo; → *Arbeiterangebot*; **~anzug** *m* (*-es*; *⸚e*) traje *m* de faena, F mono *m*; **~aufwand** *m* (*-es*; *0*) consumo *m* de trabajo; energía *f* consumida; **~ausfall** *m* (*-es*; *⸚e*) pérdida *f* de horas de trabajo; **~ausschuß** *m* (*-sses*; *⸚sse*) comisión *f* elaboradora; comisión *f* de estudio; **~bedingungen** *f/pl.* condiciones *f/pl.* de trabajo; ⊕ condiciones *f/pl.* de funcionamiento; **~bereich** ⊕ *m* (*-es*; *-e*) campo *m* de acción; **~bereitschaft** *f* (*0*) disposición *f* para el trabajo; **~bescheinigung** *f* certificado *m* de empleo; **~blatt** *n* (*-es*; *⸚er*) hoja *f* de trabajo; **~buch** *n* (*-es*; *⸚er*) libreta *f* de trabajo; (*Ausweis*) tarjeta *f* de trabajo; carta *f* de identidad profesional; **~dienst** *m* (*-es*; *0*) servicio *m* de trabajo; *Span.* Servicio *m* Social; ⚔ servicio *m* de cuartel; **~dienstpflicht** *f* (*0*) servicio *m* de trabajo obligatorio; **~einheit** ⊕ *f* unidad *f* de trabajo; *Phys.* ergio *m*; **~einkommen** *n* renta *f* de trabajo; **~einstellung** *f* suspensión *f* del trabajo; (*e-s Betriebes*) paro *m*; (*Streik*) huelga *f*; **~ersparnis** *f*

(*-ses*; *-se*) ahorro *m* de trabajo; **~ertrag** *m* (*-es*; *¨e*) rendimiento *m*, resultado *m* útil de un trabajo; **2fähig** *adj.* apto, útil para el trabajo; **~fähigkeit** *f* (*0*) aptitud *f* para el trabajo; **~feld** *n* (*-es*; *-er*) campo *m* de actividad(es) *od.* de acción; ⊕ radio *m* de acción; **~freude** *f* (*0*) gozo *m* en el trabajo; **~freudigkeit** *f* (*0*) dedicación *f* gozosa al trabajo, alacridad *f*; **~gang** *m* (*-es*; *¨e*) proceso *m* de trabajo; *e-r Maschine*: ciclo *m*, fase *f*; **~gemeinschaft** *f* comunidad *f od.* grupo *m* de trabajo; círculo *m* de estudios; **~gericht** *n* (*-es*; *-e*) tribunal *m* laboral; **~gruppe** *f* → *Arbeitsgemeinschaft*; **~haus** *n* (*-es*; *¨er*) casa *f* correccional; reformatorio *m*; **~kleidung** *f* → *Arbeitsanzug*; **~kollege** *m* (*-n*) compañero *m*, colega *m*; **~kommando** ⚔ *n* (*-s*; *-s*) destacamento *m* de trabajo; **~kosten** *pl.* costo *m* de mano de obra; **~kraft** *f* (*-*; *¨e*) capacidad *f*, fuerza *f* de trabajo; (*Arbeiter*) empleado *m*; obrero *m*; **~lager** *n* campo *m* de trabajo; **~leistung** *f* capacidad *f* de trabajo, rendimiento *m* (*a. Person*); *Maschine*: *a.* potencia *f*; **~lohn** *m* (*-es*; *¨e*) paga *f*, salario *m*; (*Tages2*) jornal *m*; **2los** *adj.* sin trabajo, sin empleo; **~lose(r)** *m* desempleado *m*, desocupado *m*; parado *m*; **~losenfürsorge** *f* (*0*) socorro *m* a los desempleados; **~losenunterstützung** *f* (*0*) subsidio *m* de paro; **~losenversicherung** *f* seguro *m* de paro *bzw.* de desempleo; **~losigkeit** *f* (*0*) paro *m* forzoso; desempleo *m*; **~markt** *m* (*-es*; *¨e*) bolsa *f* de trabajo; **~medizin** *f* (*0*) Medicina *f* del Trabajo; **~ministerium** *n* (*-s*; *-ministerien*) Ministerio *m* de Trabajo; **~moral** *f* (*0*) espíritu *m* de trabajo; conciencia *f* laboral; **~niederlegung** *f* huelga *f*; **~pause** *f* descanso *m*; **~plan** *m* (*-es*; *¨e*) plan *m*, programa *m* del trabajo; **~platz** *m* (*-es*; *¨e*) puesto *m* de trabajo; (*Stelle*) colocación *f*, empleo *m*; *Sicherung des ~es* seguridad del empleo *bzw.* garantía de readmisión; **~psychologie** *f* (*0*) psicología *f* del trabajo; **~raum** *m* (*-es*; *¨e*) sala *f* de trabajo; taller *m*; laboratorio *m*; **~recht** *n* (*-es*; *0*) Derecho *m* Laboral; **2reich** *adj.* laborioso, de mucho trabajo; **2scheu** *adj.* vago, holgazán, F gandul; **~scheu** *f* (*0*) aversión *f* al trabajo; **~schicht** *f* turno *m*; **~schutz** *m* (*-es*; *0*) seguridad *f* en el trabajo; **~schutzgesetz** *n* (*-es*; *-e*) ley *f* de seguridad y protección en el trabajo; **~streitigkeit** *f* conflicto *m* laboral; **~tag** *m* (*-es*; *-e*) día *m* laborable; **~tier** F *n* (*-es*; *-e*) fiera *f* para el trabajo; **2unfähig** *adj.* incapaz para el trabajo; **~unfähigkeit** *f* (*0*) incapacidad *f* para el trabajo; (*ständige*) permanente, (*vorübergehende*) temporal; **~unfall** *m* (*-es*; *¨e*) accidente *m* del trabajo; **~verlangsamung** *f* (*0*) huelga *f* de brazos lentos; **~vermittlungsbüro** *f* (*-s*; *-s*) agencia *f* de colocaciones; **~versäumnis** *n* (*-ses*; *-se*) absentismo *m*; **~vertrag** *m* (*-es*; *¨e*) contrato *m* de trabajo; **~verweigerung** *f* negativa *f* a trabajar; (*Sitzstreik*) huelga *f* de brazos caidos; **~vorgang** *m* operación *f*, proceso *m* de trabajo; **~weise** *f* modo *m* de trabajar; modo *m* de funcionar; **~willige(r)** *m* esquirol *m*; **~zeit** *f* horas *f/pl.* de trabajo; ⊕ tiempo *m* de trabajo productivo; *garantierte ~* horas de trabajo garantizadas; duración *f* del empleo garantizada; **~zeug** *n* (*-es*; *0*) herramientas *f/pl.*, útiles *m/pl.* de trabajo; **~zimmer** *n* cuarto *m* de trabajo; despacho *m*; **~zwang** *m* (*-es*; *0*) trabajo *m* obligatorio; ⚖ (*Zwangsarbeit*) trabajos *m/pl.* forzados.

Arbi'trage [-'ɑːʒə] ✝ *f* arbitraje *m*.

ar'cha·isch [-'çɑːiʃ] *adj.* arcaico.

Archäo|'log(e) [-çɛ·o·-] *m* (*-n*) arqueólogo *m*; **~lo'gie** *f* arqueología *f*; **2'logisch** *adj.* arqueológico.

'Arche *f* arca *f*; *~ Noah* el arca de Noé.

Archi'pel *m* (*-s*; *-e*) archipiélago *m*.

Archi|'tekt *m* (*-en*) arquitecto *m*; **2tek'tonisch** *adj.* arquitectónico; **~tek'tur** *f* arquitectura *f*.

Ar'chiv [-'çiːf] *n* (*-s*; *-e*) archivo *m*.

Archi'var [-çiː'v-] *m* (*-s*; *-e*) archivero *m*.

Are'al [a·ʀeː'ɑːl] *n* (*-s*; *-e*) área *f*.

A'rena *f* (*-*; *Arenen*) arena *f*, palenque *m*; *Stk.* ruedo *m*, redondel *m*; plaza *f* de toros.

arg (*¨er*; *¨st*) **I.** *adj.* malo; (*moralisch schlecht*) malvado, perverso; (*bösartig*) maligno; (*boshaft*) malicioso; → *schlimm*; *sein ärgster Feind* su peor enemigo; *das ist (doch) zu ~* esto ya es demasiado; *im ~en liegen* ir por mal camino; ir de mal en peor; **II.** *adv.* mal; *immer ärger* cada vez peor; → *mitspielen*; **Arg** *n* (*-s*; *0*) malicia *f*; *ohne ~* sin malicia, de buena fe; *~es denken von* pensar mal de; *nichts ~es denken bei* no ver nada malo en, no sospechar nada malo.

Argen'tin|ien *n* la (República) Argentina; **~ier(in** *f*) *m* argentino (-a *f*) *m*; **2isch** *adj.* argentino.

'Ärger *m* (*-s*; *0*) (*Unannehmlichkeit*) fastidio *m*, contrariedad *f*; (*Verdruß*) disgusto *m*, enfado *m*; (*Zorn*) enojo *m*; (*Entrüstung*) irritación *f*, indignación *f*; *s-n ~ an j-m auslassen* desfogar su enojo en alg.; **2lich** *adj.* enojoso; *Vorfall*: fastidioso; *Person*: enfadado, disgustado, enojado (*auf j-n* con); **2n** (*-re*) *v/t.* fastidiar, incomodar; disgustar, enfadar; (*aufbringen*) enojar, irritar, indignar; (*hänseln*) embromar, F tomar el pelo; *sich ~* enojarse, enfadarse, incomodarse; *ärgere dich nicht!* ¡no te enfades!, F ¡no te sulfures!; **~nis** *n* (*-ses*; *-se*) escándalo *m* (*a.* ⚖); *Mißstand*: contrariedad *f*; *~ erregen* causar escándalo, escandalizar; *~ nehmen an dat.* escandalizarse de.

'Arg|list ['aʀk-] *f* (*0*) malicia *f*; picardía *f*; astucia *f*; perfidia *f*; ⚔ (*Kriegslist*) estratagema *f*; **2listig** *adj.* malicioso; pícaro; astuto; pérfido; ⚖ doloso; *~e Täuschung* ⚖ dolo *m*; **2los** *adj.* sin malicia; de buena fe; (*naiv, harmlos*) ingenuo, cándido, inocente; (*ohne Argwohn*) confiado; **~losigkeit** *f* (*0*) ingenuidad *f*, candidez *f*, buena fe *f*.

Argu|'ment *n* (*-es*; *-e*) argumento *m*; **2men'tieren** *v/i.* (*-*) argüir, argumentar.

'Arg|wohn *m* (*-s*; *0*) sospecha *f*; recelo *m*, suspicacia *f*; desconfianza *f*; *fig.* F escama *f*; *~ erregen (fassen)* despertar (concebir) sospechas; *~ hegen* abrigar sospechas; **2wöhnen** *v/t.* sospechar; recelar; desconfiar de; maliciar a/c.; **2wöhnisch** *adj.* desconfiado; receloso; suspicaz; F escamado; *~ machen* dar mala espina, F escamar; oler a chamusquina.

'Arie ['ɑːʀĭə] ♪ *f* aria *f*.

'Ar|ier(in *f*) ['ɑːʀĭɐ] *m*, **2isch** *adj.* ario (-a *f*) *m*.

Aristo|'krat(in *f*) *m* (*-en*) aristócrata *m/f*; **~kra'tie** *f* aristocracia *f*; **2kratisch** *adj.* aristocrático.

Arith'met|ik [aʀɪt-] *f* (*0*) aritmética *f*; **~iker** *m*, **2isch** *adj.* aritmético *m*; *~e Reihe* progresión aritmética.

Ar'kade *f* arcada *f*, soportal *m*.

'Arkt|is *f* (*0*) (las) regiones *f/pl.* árticas; **2isch** *adj.* ártico; *~e Kaltluft* aire polar.

arm (*¨er*; *¨st*) *adj. allg.* pobre; *~ an* pobre en, carente de; (*bedürftig*) necesitado, menesteroso; indigente, pobre de solemnidad; *an Geld*: sin (falto de) recursos *m/pl.*, F no tener ni blanca *f*; (*schwach, ungenügend*) deficiente; *~ im Geist* pobre de espíritu; *Qualität*: baja (calidad); *Erz*: pobre; ⛏ débil; *der ~e Kerl* el pobre diablo; *~ machen* empobrecer; **2e(r** *m*) *m/f* pobre *m/f*; *die ~n pl.* los pobres, los desvalidos; *bemitleidend*: *der ~!* ¡el pobre(cito)!, el pobre hombre; *ich ~r* ¡pobre de mí!

Arm *m* (*-es*; *-e*) brazo *m* (*a. Fluß, Leuchter, Waage*); ⊕ brazo *m*, (*Träger2*) soporte *m*; *~ in ~ gehen* ir del brazo; *in die ~e schließen* estrechar en los brazos, abrazar; *auf den ~ nehmen Kind*: tomar en brazos; *fig.* tomar el pelo a alg.; *j-m unter die ~e greifen* socorrer, ayudar a alg.; *j-m in den ~ fallen* contener, sujetar a alg.; *j-n mit offenen ~en empfangen* recibir a alg. con los brazos abiertos; *j-m in die ~e laufen* darse de manos a boca con alg.; *er hat e-n langen ~* tiene una gran influencia *od.* F enchufe *m*.

Arma'tur ⚡ *f* armadura *f*; ⊕ guarnición *f*; (*Zusatzteile*) accesorios *m/pl.*; (*Verbindungen*) juntas *f/pl.*, conexiones *f/pl.*; **~enbrett** *Auto.* ✈ *n* (*-es*; *-er*) tablero *m*, panel *m* de instrumentos.

'Arm...: **~band** *n* (*-es*; *¨er*) (*Schmuck*) pulsera *f*; brazalete *m*; (*Uhren2*) pulsera *f* de reloj; (*Schutz2, Kraft2*) muñequera *f*; **~band·uhr** *f* reloj *m* de pulsera; **~bein** *Anat.* *n* (*-es*; *-e*) húmero *m*; **~binde** *f* brazal *m*; ⚕ cabestrillo *m*; ⚕ venda *f* (*en el brazo*); **~bruch** ⚕ *m* (*-es*; *¨e*) fractura *f* del brazo; **~brust** *f* (*-*; *¨e*) ballesta *f*; **~brustschütze** *m* (*-n*) ballestero *m*.

Ar'mee ⚔ *f* ejército *m*; **~befehl** *m* (*-es*; *-e*) orden *f* de la plaza; **~korps** *n* (*-*; *-*) cuerpo *m* de ejército; **~ober-**

kommando *n* (-*s*; -*s*) cuartel *m* general.
ˈ**Ärmel** *m* manga *f*; *fig. aus dem* ~ *schütteln* sacarse de la manga, improvisar; ~**abzeichen** *n* distintivo *m* de la manga; ~**aufschlag** *m* (-*es*; ¨*e*) bocamanga *f*; ~**kanal** *Geogr. m* (-*s*; *0*) Canal *m* de la Mancha; ~**loch** *n* (-*es*; ¨*er*) abertura *f* superior de la manga; 2**los** *adj.* sin mangas; ~**streifen** *m/pl.* galones *m/pl.*
ˈ**Armen...**: ~**anwalt** ⚖ *m* (-*es*; ¨*e*) abogado *m* de turno; ~**haus** *n* (-*es*; ¨*er*) asilo *m*, casa *f* de caridad; ~**kasse** *f* (*0*) cepillo *m* para limosnas caritativas; ~**pflege** *f* (*0*) beneficencia *f*; ~**pfleger** *m* limosnero *m*; ~**recht** ⚖ *n* (-*es*; *0*) beneficio *m* de pobreza; *unter* ~ *klagen* acogerse al beneficio de pobreza, F pleitear por pobre; ~**schule** *f* escuela-asilo *f*; ~**unterstützung** *f* → *Armenpflege*; ~**wesen** *n* (-*s*; *0*) pauperismo *m*.
Armeˈsündergesicht *n* (-*es*; -*er*) gesto *m* contrito.
ˈ**Armhöhle** *f* axila *f*; sobaco *m*.
arˈmier|en (-) *v/t.* ⚔ armar, equipar; ⊕ revestir; *Kabel, Schlauch*: armar; 2**ung** *f* ⚔ armamento *m*, equipamiento *m*; ⊕ revestimiento *m*; armadura *f*.
...armig *in Zssg(n)*: de *x* brazos; *drei*~ de tres brazos.
ˈ**Arm...**: ~**lehne** *f* brazo *m* (*de sillón*); ~**leuchter** *m* candelabro *m*.
ˈ**ärmlich** *adj.* pobre; (*elend*) miserable, mísero; (*geizig*) mezquino; 2**keit** *f* (*0*) pobreza *f*, miseria *f*; *fig.* estrechez *f*; mezquindad *f*.
ˈ**Arm...**: ~**loch** *n* (-*es*; ¨*er*) *Anat.* axila *f*, sobaco *m*; ~**schiene** ⚕ *f* tablilla *f*; ~**schlinge** *f* cabestrillo *m*; 2**selig** *adj.* → *ärmlich*; ~**sessel** *m* sillón *m*, butaca *f*; ~**stuhl** *m* (-*es*; ¨*e*) silla *f* de brazos.
ˈ**Armut** *f* (*0*) pobreza *f*; (*stärker*) indigencia *f*, penuria *f*; (*Mangel*) falta *f*, deficiencia *f*; *in* ~ *geraten* empobrecer, caer en la penuria; ~**szeugnis** *n* (-*ses*; -*se*) certificado *m* de pobreza; *fig.* prueba *f* de incapacidad *bzw.* de ignorancia.
ˈ**Armvoll** *m* (-; -) brazado (-a *f*) *m*.
Aˈroma *n* (-*s*; -*s*, *Aromata*) aroma *m*, perfume *m*; (*Duft*) fragancia *f*.
aroˈmatisch *adj.* aromático; (*duftend*) fragante.
ˈ**Arrak** *m* (-*s*; -*s*, -*e*) aguardiente *m* de arroz.
arranˈgieren [aʀaŋˈʒ-] (-) *v/t.* arreglar, disponer; organizar; ⚓ *sich* ~ *mit Gläubigern* llegar a un arreglo con los acreedores.
Arˈrest [aˈʀɛst] *m* (-*es*; -*e*) (*Haft*) arresto *m* (*a.* ⚔), detención *f*; (*Schule*) retención *f*; (*Beschlagnahme*) ⚖ (*dinglicher*) ~ embargo *m*, secuestro *m*; *in* ~ *halten* mantener bajo arresto; *mit* ~ *belegen* embargar; *mit* ~ *strafen* arrestar.
Arresˈtant(in *f*) *m* preso (-a *f*) *m*, detenido (-a *f*) *m*, arrestado (-a *f*) *m*.
Arˈrest...: ~**befehl** ⚖ *m* (-*es*; -*e*) orden *f* de detención; (*dinglich*) orden *f* de embargo; ~**lokal** *n* (-*es*; -*e*), ~**zelle** ⚔ *f* prisión *f* militar, (*Kaserne*) calabozo *m*; (*Polizei*) celda *f*, calabozo *m*; ~**strafe** ⚖ *f* (pena *f* de) arresto *m*, (*leichtere* menor, *schwerere* mayor).
arreˈtieren (-) *v/t.* detener; ⊕ *a.* parar, retener.
arroˈgant *adj.* (-*est*) arrogante; presumido, petulante.
ˈ**Arsch** *m* (-*es*; ¨*e*) V culo *m*; F trasero *m*; ~**backe** *f* nalga *f*; F posaderas *f/pl.*
Arseˈnal *n* (-*s*; -*e*) arsenal *m* (*a.* ⚓).
Arˈsen(ik) ⚗ *n* (-*s*; *0*) arsénico *m*.
ˈ**Art** [ɑː] *f* (*Gattung*) género *m*, clase *f*, *bsd. Biol.*: especie *f*, variedad *f*; (*Rasse*) raza *f*, casta *f*; (*Typ*) tipo *m*; (*äußere Form*) estilo *m*; (*Weise*) modo *m*, manera *f*; (*Verfahren*) método *m*, procedimiento *m*; (*Brauch*) uso *m*, costumbre *f*, usanza *f*; (*Muster*) modelo *m*, patrón *m*; (*Benehmen*) modos *m/pl.*, maneras *f/pl.*, modales *m/pl.*; (*Natur*) naturaleza *f*, carácter *m*, índole *f*; (*Beschaffenheit*) condición *f*, calidad *f*; *einzig in s-r* ~ único en su género; *Geräte jeder* ~ aparatos de todas clases; *auf die(se)* ~ así, de este modo, de esta manera; *auf gute* ~ en (con) buenos modos; *das ist keine* ~ eso no es modo de comportarse; *auf irgendeine* ~ de algún modo; *auf s-e* ~ a su manera; *nach altmodischer* ~ a la vieja usanza; *auf spanische* ~ a la (manera) española; *aus der* ~ *schlagen* (*entarten*) degenerar, bastardear, descastarse; 2**eigen** *adj.* propio, característico, genuino, peculiar.
ˈ**arten** (-*e*-) *v/i. nach j-m* ~ parecerse a; *gut* (*schlecht*) *geartet* de buen (mal) genio.
Arˈterie *f* arteria *f*; ~**nverkalkung** ⚕ *f* arteriosclerosis *f*.
arˈtesisch *adj.* ~*er Brunnen* pozo artesiano.
ˈ**art|fremd** *adj.* ajeno, extraño a; ~**gemäß** *adj.* → *arteigen*; 2**gewicht** *n* (-*es*; -*e*) peso *m* específico.
Arˈthritis ⚕ *f* (*0*) artritis *f*.
ˈ**artig** [ɑː] *adj.* (*Kind*) bueno, juicioso, formal, obediente; (*höflich*) cortés, atento; (*liebenswürdig*) amable, afable; (*gegenüber Damen*) galante; (*hübsch*) bonito, precioso, lindo; gentil, gracioso; 2**keit** *f* buenos modales *m/pl.*; cortesía *f*, atención *f*; amabilidad *f*, deferencia *f*; gracia *f*, gentileza *f*.
Arˈtikel [ɪ, iː] *m Gr.* artículo *m* (*a. Paragraph*, ⚓, *Presse*); ~**schreiber** (-**in** *f*) *m* articulista *m/f*.
artikuˈlieren (-) *v/t.* articular.
Artilleˈrie *f* artillería *f* (*schwere* pesada, *leichte* ligera); *motorisierte* ~ artillería motorizada; ~**abteilung** *f* sección *f*, grupo *m* de artillería; ~**beobachter** *m* observador *m* de tiro; ~**beschuß** *m* (-*sses*; *0*), ~**feuer** *n* fuego *m* de artillería, bombardeo *m*, cañoneo *m*; ~**flieger** *m* observador *m* (*aéreo*) de tiro; ~**flugzeug** *n* (-*es*; -*e*) avión *m* de observación (*de tiro*); ~**geschoß** *n* (-*sses*; -*sse*) proyectil *m* de artillería, granada *f*; bomba *f*; ~**geschütz** *n* (-*es*; -*e*) cañón *m*, pieza *f* de artillería; ~**schießplatz** *m* (-*es*; ¨*e*) campo *m* de tiro; ~**sperrfeuer** *n* fuego *m* de barrera; ~**vorbereitung** *f* preparación *f* artillera.
Artilleˈrist *m* (-*en*) artillero *m*.
Artiˈschocke *f* alcachofa *f*.
Arˈtist *m* (-*en*), ~**in** *f* artista *m/f* de variedades; artista *m/f* de circo; 2**isch** *adj.* artístico.
ˈ**Artmerkmal** *n* (-*es*; -*e*) característica *f* específica, peculiaridad *f*.
ˈ**Artung** *f* (*0*) naturaleza *f*, carácter *m*.
ˈ**artverwandt** *adj.* afín.
Arzˈnei [a] *f* medicina *f*, medicamento *m*; (*Droge*) droga *f*; ~**ausschlag** ⚕ *m* (-*es*; ¨*e*) exantema *m* medicamentoso; ~**buch** *n* (-*es*; ¨*er*) farmacopea *f*; ~**formel** *f* (-; -*n*) receta *f*; fórmula *f*; ~**glas** *n* (-*es*; ¨*er*) frasco *m* (*para medicamentos*); ~**kasten** *m* (-*s*; ¨) → *Arzneischrank*; ~**kraut** *n* (-*es*; ¨*er*) hierba *f* medicinal *od.* oficinal; ~**kunde** *f* (*0*), ~**kunst** *f* (*0*) farmacología *f*; ~**mittel** *n* medicina *f*, medicamento *m*, fármaco *m*, droga *f*; (*Heilmittel*) remedio *m*; → *Arzneiwaren*; ~**mittellehre** *f* (*0*) → *Arzneikunde*; ~**pflanze** *f* planta *f* medicinal *od.* oficinal; ~**schrank** *m* (-*es*; ¨*e*) botiquín *m*; ~**trank** *m* (-*es*; ¨*e*) poción *f*; (*Tee*) tisana *f*; ~**ver-ordnung** *f* receta *f*, prescripción *f* médica; ~**waren** *f/pl.* productos *m/pl.* farmacéuticos.
ˈ**Arzt** [aː] *m* (-*es*; ¨*e*) médico *m*, facultativo *m*, F doctor *m*; *hum.* matasanos *m*; *praktischer* ~ médico general; (*Chirurg*) cirujano *m*; *Fach*2 médico *m* especialista; *den* ~ *holen* (*lassen*) llamar al médico; ~**hilfe** *f* secretaria *f* (auxiliar) del médico.
ˈ**Ärztekammer** *f* (-; -*n*) Colegio *m* de Médicos.
ˈ**Ärzt|in** [ɛː] *f* médica *f*, F doctora *f*; 2**lich** *adj.* médico, facultativo; ~*e Behandlung* tratamiento médico; ~*e Hilfe* asistencia médica *od.* facultativa; ~*es Zeugnis* certificación médica.
As[1] *n* (-*ses*; -*se*) *Kartenspiel*: as *m* (*a. fig.*).
As[2], **as** ♪ *n* (-; -) la *m* bemol.
Asˈbest *m* (-*es*; -*e*) asbesto *m*; ~**anzug** *m* (-*es*; ¨*e*) traje *m* de asbesto; ~**dichtung** ⊕ *f* junta *f*, empaquetadura *f* de asbesto; ~**faser** *f* (-; -*n*) fibra *f* de asbesto; ~**pappe** *f* cartón-asbesto *m*; 2**umhüllt** ⚡ *adj.* revestido de amianto.
ˈ**aschblond** *adj.* (*0*) rubio ceniza.
ˈ**Asche** *f* ceniza *f*; *glühende* ~ rescoldo *m*; *fig.* (*sterbliche Reste*) cenizas *f/pl.*; *in* ~ *verwandeln* (*legen*) reducir a cenizas; *Friede s-r* ~! ¡descanse en paz!
ˈ**Aschen...**: ~**bahn** *Auto f* pista *f* de ceniza; ~**bahnrennen** *n* carrera *f* de motos sobre pista de ceniza; ~**becher** *m* cenicero *m*; ~**brödel** *n* Cenicienta *f* (*a. fig.*); ~**grube** *f*, ~**kasten** *m* (-*s*; ¨) (*Dampfkessel*) cenicero *m*; ~**lauge** *f* lejía *f* de ceniza; ~**urne** *f* urna *f* cineraria.
ˈ**Aschermittwoch** *m* (-*s*; *0*) miércoles *m* de ceniza.
ˈ**asch...**: ~**fahl** *adj.* ceniciento; ~**farben**, ~**farbig** *adj.* color ceniza; ~**grau** *adj.* gris ceniza.
Ascorˈbinsäure ⚗ *f* (*0*) ácido *m* ascórbico.
aˈseptisch *adj.* aséptico.
Asiˈat(in *f*) *m* (-*en*), 2**isch** *adj.* asiático (-a *f*) *m*.

'Asien *n* Asia *f.*
As'ke|se *f* (*0*) ascética *f*, ascetismo *m*; **~t** *m* (*-en*) asceta *m*; **2tisch** *adj.* ascético.
Äsku'lapstab *m* (*-es*; *⸗e*) vara *f* de Esculapio; caduceo *m.*
'asozial *adj.* refractario al trato social; asocial.
A'spekt *m* (*-es*; *-e*) aspecto *m.*
A'sphalt *m* (*-es*; *-e*) asfalto *m*; **~beton** *m* (*-s*; *0*) hormigón *m* de asfalto; **2'ieren** (-) *v/t.* asfaltar; **~straße** *f* carretera *f* asfaltada.
aß *pret. von* essen.
Asseku'ranz *f* seguro *m* → *Versicherung.*
'Assel *f* (*-*; *-n*) *Zoo.* (*Tausendfuß*) ciempiés *m.*
As'sessor *m* (*-s*; *-en*) asesor *m*; ⚖ aspirante *m* a la judicatura (*en prácticas*); (*Lehrer*) aspirante *m* a profesor de segunda enseñanza (*en prácticas*).
Assimilati'on *f* asimilación *f.*
Assi'st|ent(in *f*) *m* (*-en*) asistente *m/f*, ayudante *m/f*; **~enzarzt** *m* (*-es*; *⸗e*) médico *m* auxiliar; **2ieren** (-) *v/t.* asistir, ayudar.
Assozi|ati'on *f* asociación *f*; **2'ieren** (-) *v/t.* asociar; *sich ~* asociarse; **2'iert** *adj.* asociado.
Ast *m* (*-es*; *⸗e*) rama *f*; *im Holz*: nudo *m*; *Ballistik*: *absteigender* (*aufsteigender*) *~* rama descendente (ascendente); *fig. er ist auf dem absteigenden ~* F va de capa caída.
'Ästchen *n* ramita *f.*
'Aster ⚘ *f* (*-*; *-n*) aster *m.*
Asthe'nie ⚕ *f* astenia *f*, debilidad *f*;
A'stheniker *m* asténico *m.*
Äs'thet|ik *f* (*0*) estética *f*; **~iker** *m* estético *m*, *neol.* esteta *m*; **2isch** *adj.* estético.
'Asth|ma ⚕ *n* (*-s*; *0*) asma *f*; **~'matiker(in** *f*) *m* asmático (-a *f*) *m*; **2matisch** *adj.* asmático.
astig'matisch *adj.* astigmático.
'Astloch *n* (*-es*; *⸗er*) agujero *m* de nudo (*en una tabla*).
Astro|'loge *m* (*-n*) astrólogo *m*; **~lo'gie** *f* (*0*) astrología *f*; **2'logisch** *adj.* astrológico; **~'naut** *m* (*-en*) astronauta *m*; **~'nautik** *f* (*0*) astronáutica *f*; **~'nom** *m* (*-en*) astrónomo *m*; **~no'mie** *f* (*0*) astronomía *f*; **2'nomisch** *adj.* astronómico; **~photogra'phie** *f* (*0*) astrofotografía *f*; **~phy'sik** *f* (*0*) astrofísica *f*; **~'physiker** *m* astrofísico *m.*
'Astwerk *n* (*-es*; *0*) ramaje *m* (*a.* △).
A'syl *n* (*-s*; *-e*) asilo *m* (*a. Heim*); (*Zufluchtsort*) refugio *m*; *fig.* lugar *m* sagrado; **~recht** *n* (*-es*; *0*) derecho *m* de asilo.
'asymmetrisch *adj.* asimétrico.
'asynchron ⚡ *adj.* asincrónico.
Ata'vis|mus *m* (*-*; *Atavismen*) atavismo *m*; **2tisch** *adj.* atávico.
Ate'lier [atə'lie:] *n* (*-s*; *-s*) taller *m*; estudio *m*; *Film*: estudio *m* cinematográfico; **~arbeiter** *m* tramoyista *m.*
'Atem *m* (*-s*; *0*) aliento *m*; (*Atmen*) respiración *f*; *außer ~* jadeante, sofocado; *~ holen* tomar aliento; *den ~ anhalten* contener la respiración; *wieder zu ~ kommen* cobrar aliento; *j-n in ~ halten* tener a alg. continuamente ocupado, *in Spannung*: mantener a alg. en tensión; **~beschwerden** *f/pl.* sofocación *f*; **~bewegung** *f* movimiento *m* respiratorio; **~gerät** *n* (*-es*; *-e*) aparato *m* respiratorio con (producción de) aire líquido; **~geräusch** ⚕ *n* (*-es*; *-e*) murmullo *m* respiratorio, (*anphorisches*) soplo *m* anfórico; **~gymnastik** *f* (*0*) gimnasia *f* respiratoria; **2los** *adj.* sin aliento, jadeante, sofocado; **~not** ⚕ *f* (*0*) disnea *f*, sofocación *f*; **~pause** *f* pausa *f* respiratoria; *fig.* respiro *m*; **2raubend** *adj.* vertiginoso; **~übungen** *f/pl.* ejercicios *m/pl.* respiratorios; **~wege** *m/pl.* vías *f/pl.* respiratorias; **~zug** *m* (*-es*; *⸗e*) respiración *f*; inspiración *f*; *bis zum letzten ~* hasta el último aliento; *den letzten ~ tun* exhalar el último suspiro; expirar; *in e-m ~ fig.* sin pararse; sin más.
Athe'is|mus *m* (*-*; *0*) ateísmo *m*; **~t** *m* (*-en*), **~tin** *f*, **2tisch** *adj.* ateo *m*, atea *f*; ateísta *m/f.*
A'then *n* Atenas *f*; *fig. Eulen nach ~ tragen fig.* llevar naranjas a Valencia, *hum.* vender abanicos en el polo; F echar agua en el mar.
'Äther *m* (*-s*; *0*) *Phys. u.* ⚗ éter *m*; *Radio*: *a.* aire *m*; *mit ~ betäuben* anestesiar con éter, eterizar.
ä'therisch *adj. Phys.*, ⚗ *u. Poes.*: etéreo; ⚗ *a.* volátil.
'Äther...: **~krieg** *m* (*-es*; *-e*) guerra *f* radiofónica; **~narkose** ⚕ *f* eterización *f*; **~welle** *Phys. f* onda *f* etérea.
Äthi'op|ien *n* Etiopía *f*; **~ier(in** *f*) *m* etíope *m/f*; **2isch** *adj.* etiópico.
Ath'let *m* (*-en*), **~in** *f* atleta *m/f*; **~enherz** ⚕ *n* (*-ens*; *-en*) corazón *m* de atleta; **~ik** *f* (*0*) atletismo *m*; **2isch** *adj.* atlético.
Ä'thyl ⚗ *n* (*-s*; *0*) etilo *m*; **Äthy'len** *n* etileno *m.*
At'lant *m* (*-en*) △ atlante *m*; (*Kartenwerk*) atlas *m*; **~is** *Myt. n* Atlántida *f.*
At'lantik *m* (*-s*; *0*) (Océano *m*) Atlántico *m*; **~verkehr** *m* (*-s*; *0*) tráfico *m* transatlántico.
at'lantisch *adj.* atlántico; → *Atlantik.*
'Atlas *m* **1.** *Geogr.* (*Gebirge*) Atlas *m*; **2.** (*-*, *-ses*; *-se*, *Atlanten*) (*Landkarten*) atlas *m* (*a. Anat.*) **3.** (*-*, *-ses*; *-se*) (*Seiden2*) satén *m*; (*Baumwoll2*) raso *m*; **2artig** *adj.* satinado, arrasado; **~papier** *n* (*-s*; *-e*) papel *m* satinado.
'atmen [ɑ:-] (*-e-*) **1.** *v/i.* respirar; *schwer ~* respirar dificultosamente, resollar; *tief ~* hacer una inspiración profunda; **2.** *v/t.* respirar (*a. fig.*); (*ein~*) inspirar; (*aus~*) espirar; **2** *n* respiración *f.*
Atmo'sphär|e [-'fɛ:-] *f* atmósfera *f* (*a. fig.*); **~endruck** *m* (*-es*; *0*) presión *f* atmosférica; **2isch** *adj.* atmosférico; *~e Störungen* (*Radio*) interferencias *f/pl.* atmosféricas.
'Atmung *f* respiración *f*; *künstliche ~* respiración artificial; **~s-apparat** *m* (*-es*; *-e*) → *Atemgerät*; **~sorgan** *n* (*-s*; *-e*) órgano *m* de la respiración; *Erkrankungen der ~e* enfermedades del aparato respiratorio; **~sstoffwechsel** ⚕ *m* (*-s*; *0*) metabolismo *m* respiratorio; **~szentrum** *n* (*-s*; *0*) centro *m* respiratorio.
A'toll *n* (*-s*; *-e*) atolón *m*, isla *f* madrepórica.
A'tom *n* (*-s*; *-e*) átomo *m*; **~antrieb** *m* propulsión *f* nuclear.
ato'mar *adj.* atómico, nuclear.
A'tom...: **~artillerie** *f* artillería *f* atómica; **~batterie** *f* pila *f* atómica; **~bombe** *f* bomba *f* atómica; **2bombensicher** *adj.* resistente a bombas atómicas; **~brenner** *m* → *Atombatterie*; **~brennstoff** *m* (*-es*; *-e*) combustible *m* atómico; **~energie** *f* energía *f* atómica *od.* nuclear; *freigewordene ~* energía *f* nuclear liberada; **~energie-ausschuß** *m* (*-sses*; *0*) Comisión *f* de Energía Atómica; **~forscher** *m* científico *m* atómico, investigador *m* de física nuclear; **~forschung** *f* (*0*) investigación *f* nuclear; **~gemeinschaft** *f* (man)comunidad *f* nuclear; *Europäische ~* (*Euratom*) Comunidad *f* Europea de Energía Nuclear; **~geschoß** *n* (*-sses*; *-sse*), **~granate** *f* proyectil *m* atómico; **~geschütz** *n* (*-es*; *-e*), **~kanone** *f* cañón *m* atómico; **~gewicht** *n* (*-es*; *-e*) peso *m* atómico; **~hülle** *f* envoltura *f* atómica; **2isch** *adj.* atómico; **~kern** *m* (*-es*; *-e*) núcleo *m* del átomo; **~kernforschung** *f* (*0*) investigación *f* nuclear; **~kraft** *f* (*0*) energía *f* atómica; **~kraftwerk** *n* (*-es*; *-e*) central *f* de fuerza (energía) nuclear; **~krieg** *m* (*-es*; *-e*) guerra *f* atómica; **~lehre** *f* (*0*) atomismo *m*; **~meiler** *m* pila *f* atómica; **~modell** *n* (*-s*; *-e*) modelo *m* estructural del átomo; **~müll** *m* (*-s*; *0*) residuos *m/pl.* radiactivos; **~physik** *f* (*0*) física *f* nuclear; **~reaktor** *m* (*-s*; *-en*) reactor *m* atómico; **~regen** *m* lluvia *f* radiactiva; **~spaltung** *f* fisión *f* nuclear; **~sperrvertrag** *m* (*-es*; *⸗e*) tratado *m* de no proliferación de armas atómicas; **~staub** *m* (*-es*; *0*) polvo *m* radiactivo; **~strahlenspürtrupp** *m* (*-s*; *-s*) equipo *m* detector de radiaciones; **~stützpunkt** *m* (*-es*; *-e*) base *f* militar atómica; **~technik** *f* (*0*) técnica *f* nuclear; **~teilchen** *n* partícula *f* atómica; **~treibstoff** *m* (*-es*; *-e*) combustible *m* atómico; **~umwandlung** *f* transmutación *f* del átomo; **~unterseeboot** *n* (*-es*; *-e*) submarino *m* atómico; **~versuch** *m* (*-es*; *-e*) experimentación *f* nuclear; **~waffe** *f* arma *f* nuclear *od.* atómica; **~zahl** *f* número *m* atómico; **~zeitalter** *n* (*-s*; *0*) era *f* atómica; **2waffenfrei** desatomizado; **~zerfall** *m* (*-es*; *0*) desintegración *f* atómica; **~zertrümmerer** *m* ciclotrón *m*; **~zertrümmerung** → *Atomspaltung.*
'atonal ♪ *adj.* atonal.
Atonali'tät ♪ *f* (*0*) atonalidad *f.*
ätsch [ɛ:-] *int.* ¡fastídiate!, ¡bien empleado!
Atta'ché [ata'ʃe:] *m* (*-s*; *-s*) *Dipl.* agregado *m.*
At'tacke [a'ta-] *f* ataque *m*; **attak'kieren** (-) *v/t.* atacar; embestir.
Atten|'tat *n* (*-es*; *-e*) atentado *m*; *fig.* ofensa *f* grave; *ein ~ auf j-n verüben* atentar contra (la vida de) alg.; **~'täter(in** *f*) *m* autor(a *f*) *m* del atentado.
At'test [a'tɛ-] *n* (*-es*; *-e*) certificado *m*; testimonio *m*; *ärztliches ~* certificación médica; *ein ~ ausstellen* extender (expedir) una certificación.

attes'tieren (-) *v/t.* certificar; testificar.
Attrakti'on *f* atracción *f.*
At'trappe *f* envase *m* vacío; (*Falle*) trampa *f*; objeto *m* imitado *od.* F de pega; ⚔ (*Geschütz*) cañón *m* simulado (*od.* camuflado).
Attri'but *n* (-*ẹs*; -*e*) atributo *m* (*a. Gr.*); propiedad *f.*
attribu'tiv *adj.* atributivo.
'Ätzdruck *m* (-*ẹs*; -*e*) grabado *m* al agua fuerte.
'atzen (-*t*) *v/t.* cebar, echar (*od.* dar) de comer; (*Wild*) pastar.
'ätz|en (-*t*) *v/t. u. v/i.* corroer, mordentar; *auf Kupfer usw.*: grabar al agua fuerte; ⚕ cauterizar; **~end** *adj.* cáustico (*a. fig.*), corrosivo, mordiente; ⚕ cauterizante; ⚔ ~*er Kampfstoff* gas vesicante; **2kali** *n* (-*s*; *0*) potasa *f* cáustica; **2kraft** *f* (*0*) causticidad *f*; **2mittel** *n* corrosivo *m*; *bsd.* ⚕ cáustico *m*; **2natron** *n* (-*s*; *0*) sosa *f* cáustica; **2ung** *f* corrosión *f*; ⚕ cauterización *f*; *Zeichnung*: aguafuerte *m*; **2wirkung** *f* efecto *m* corrosivo.
au *int.* ¡ay! *int.*
auch *cj.* también; además; ~ *sagte er mir* también me dijo; me dijo además; *ich* ~ yo también; *ich* ~ *nicht* yo tampoco; *oder* ~ o también; o sea; o bien; *wenn* ~ aunque, aun cuando; *wenn er mir* ~ *sagt* aunque me dice (*wirklich*); aunque me diga (*hypothetisch*); *und wenn* ~ (*Antwort*) y aunque así sea; ¿y qué?; *sowohl gestern als* ~ *heute* tanto ayer como hoy; lo mismo ayer que hoy; *wo* ~ (*immer*) sea donde fuere; dondequiera que fuese; *wer es* ~ *sei* sea quien sea (fuere); *mag er* ~ *noch so reich sein* por muy rico que sea; *so sehr ich* ~ *bedaure* aun sintiéndolo mucho; *was er* ~ *immer sagen mag* diga lo que diga; diga lo que quiera; *ohne* ~ *nur zu fragen* sin preguntar siquiera; ~ *das noch!* ¡y encima eso!; ¡lo que (me) faltaba!; ~ *das nicht* (*nicht einmal*) ni eso; ni siquiera eso; *ich gebe dir das Buch, nun lies es aber* ~ no dejes de leerlo; *wirst du es* ~ (*wirklich*) *tun?* ¿lo harás de verdad?; *ist es* ~ *wahr?* ¿es de veras?; *das ist* ~ *wahr!* (*Antwort*) eso también es verdad; tienes razón; *haben Sie sie* ~ (*wirklich*) *gesehen?* ¿está usted seguro de haberla visto?; *so ist es* ~*!* así es, en efecto, efectivamente.
Audi'enz [-'di̯ɛnts] *f* audiencia *f*; entrevista *f.*
'Audion *n* (-*s*; -*s*, *Audionen*) válvula *f* detectora, audión *m*; **~empfänger** *m* receptor *m* audión; **~verstärker** *m* detector *m* amplificador.
Audi'torium [-rĭ-] *n* (-*s*; *Auditorien*) *Hörsaal*: paraninfo *m*; *Zuhörerschaft*: auditorio *m.*
'Aue *f* vega *f*; (*Wiese*) prado *m*, pradera *f*; (*Dorf2*) pastos *m/pl.* comunales; dehesa *f.*
'Auer|hahn *m* (-*ẹs*; ⸗*e*) gallo *m* silvestre; **~ochse** *m* (-*n*) uro *m.*
auf I. *prp.* **a)** *mit dat.*: sobre; en; a; de; por; durante; ~ *dem Tisch* sobre la mesa; ~ *der Welt* en el mundo; ~ *dem Lande* en el campo; ~ *der Ausstellung* (*der Post*) en la exposición (en Correos); ~ *e-m Ball* (*e-r Schule, e-r Universität*) en un baile (en una escuela, en una universidad); ~ *dem Markt* en el mercado; ~ *der Straße* en la calle; ~ *der Landstraße nach* en la carretera de; *der Weg,* ~ *dem wir gehen* el camino por el que vamos; ~ *s-r Seite* a su lado; ~ *Seite 15* en la página 15; ~ *s-m Zimmer* en su habitación; ~ *dem nächsten Wege* por el camino más corto; ~ (*in*) *direktem Wege* (in)directamente; ~ *der Jagd sein* estar de caza; ~ *Reisen* de viaje; ~ *der Reise* durante el viaje, en el viaje; ~ *Besuch* de visita; **b)** *mit ac.*: sobre, encima de; en; a; de; por; durante; hasta; para; ~ *den Tisch legen* poner encima de (*od.* sobre) la mesa; ~ *die Leinwand* (*Projektion*) en la pantalla; ~ *e-e Entfernung von* a una distancia de; ~ *die Erde fallen* caer a (dar en) tierra; ~ *die Jagd gehen* ir de caza; ~ *die Post gehen* ir a Correos; ~*s Land gehen* ir al (de) campo; ~ *sein Zimmer gehen* ir(se) a su habitación; ~ *einen Zentner gehen 50 Kilo* en un quintal entran 50 kilos; ~ *hin* (*kraft, gemäß*) conforme a, de acuerdo con; (*als Antwort*) en respuesta a; (*als Folge*) en vista de; ~ *m-e Bitte* (*hin*) a petición mía, atendiendo mi ruego; ~ *m-n Befehl* por orden mía; ~ *höheren Befehl* por orden superior; ~ *s-n Rat* (*hin*) siguiendo su consejo; ~ *s-e Veranlassung* por iniciativa suya; ~ *s-n Vorschlag* a propuesta suya; ~ *Grund von* en virtud de; basándose en; *alle bis* ~ *einen* todos excepto uno; *bis* ~ *die Hälfte* hasta la mitad; ~ *j-s Wohl trinken* beber a la salud de alg.; *es hat nichts* ~ *sich* la cosa no tiene importancia; **c)** *Art u. Weise*: ~ *diese Weise* de este modo; ~ *französisch* en francés; ~*s Geratewohl* al azar; ✝ ~ *Raten* a plazos; ✝ ~ *Bestellung* a petición; ✝ ~ *Lasten m-s Kontos* con cargo a mi cuenta; ~ *einmal* de una vez; de pronto; ~ „*d*" *endigen* terminar en „d"; ~ *s-e Gefahr* por su riesgo; ~*s beste* del mejor modo posible; ~*s höchste* en sumo grado; **d)** *zeitlich*: *es geht* ~ *neun Uhr* van a dar las nueve; ~ *einige Tage* durante (*od.* por) algunos días; ~ *Lebenszeit* para toda la vida; ~ *ewig* para siempre; ~ *die Minute* al minuto; ~ *morgen* hasta mañana; ~ *Wiedersehen* adiós; ~ *ein Jahr* por un año; **II.** *adv.* (*offen*) abierto; *das Fenster ist* ~ la ventana está abierta; ~ *sein* estar levantado; ~ *und ab gehen* ir y venir; ~ *und davon* escapar(se); **III.** *cj.* ~ *daß* para, a fin de; ~ *daß nicht* para que no, para evitar que; **IV.** *int.* ~ *zu* ¡vamos allá!; ¡andando a!; *anfeuernd*: ¡duro!, ¡dale!; *antreibend*: ¡ea!, ¡vamos!, ¡adelante!; *ermunternd*: ¡ánimo!; ¡hala!
'auf-arbeit|en (-*e*-) *v/t.* (*vollenden*) acabar, terminar; *erschöpfen*: agotar; (*erneuern*) renovar; restaurar; **2ung** *f* acabado *m*, retoque *m* (*de un trabajo*); renovación *f.*
'auf-atmen (-*e*-) *v/i.* respirar (profundamente); *fig.* respirar con alivio *m*; tomar aliento *m*; *fig. wieder* ~ (*können*) revivir, poder respirar libremente; F salvarse.
'aufbahr|en *v/t. Leiche*: colocar en el ataúd; (*ins Leichentuch hüllen*) amortajar; *aufgebahrt sein* estar de cuerpo presente; **2ung** *f* (*von hochgestellten Persönlichkeiten*) capilla *f* ardiente.
'Aufbau *m* (-*ẹs*; -*bauten*) construcción *f*; → Wieder2; (*Anlage*) disposición *f*, arreglo *m*; ⊕ (*Montage*) montaje *m*; ⚓, 🚂 superestructura *f*; *Auto.* (*Karosserie*) carrocería *f*; ⚗ síntesis *f*; (*Gefüge*) estructura *f*, constitución *f*; (*Gruppierung*) agrupación *f*; **~arbeit** *f* trabajo *m* constructivo (*a. fig.*); **2en** *v/t.* construir, edificar, erigir; ⊕ montar; ⚗ sintetizar; (*aufstellen*) disponer, colocar, arreglar; (*gruppieren*) agrupar; *fig. Existenz, Theorie usw.*: crear, edificar; (*gründen*) basar, fundar; *e-e Organisation*: organizar; *sich* ~ *auf* basarse en; *er baute sich vor mir auf* se plantó delante de mí; **2end** *adj.* constructivo.
'aufbäumen *v/i. Weberei*: (*die Kette*) plegarse la urdimbre; *sich* ~ (*Pferd*) encabritarse; *Person*: *fig.* rebelarse (*gegen* contra).
'Aufbau...: **~mittel** ⚕ *n* reconstituyente *m*, tónico *m*; **~programm** *n* (-*ẹs*; -*e*) programa *m* de desarrollo.
'aufbauschen *v/t.* hinchar, inflar; *fig.* exagerar, abultar las cosas.
'Aufbau...: **~schule** *f* escuela *f* preparatoria para segunda enseñanza; **~ten** *m/pl.* ⚓ superestructuras *f/pl.*
'aufbegehren (-) *v/i.* ofenderse, irritarse; enfadarse; resentirse; F picarse; (*gegen j-n od. et.*) protestar vivamente contra.
'aufbehalten (*L*; -) *v/t. den Hut* ~ conservar puesto, permanecer cubierto; *die Augen* ~ (man)tener los ojos abiertos; F abrir bien los ojos.
'aufbeißen (*L*) *v/t.* romper con los dientes; (*Nüsse*) cascar.
'aufbekommen (*L*; -) *v/t. Tür usw.*: lograr abrir; *Knoten*: deshacer; *Speise*: comer sin dejar resto *m*; *Aufgabe*: *wir haben e-e Aufgabe* ~ *Sch.*: nos han dado un tema (ejercicio) para desarrollar (hacer).
'aufbereit|en (-*e*-; -) ⊕ *v/t.* preparar; **2ung** *f* preparación *f*; **2ungsanlage** *f* instalación *f* preparatoria.
'aufbesser|n (-*re*) *v/t.* mejorar; (*Gehalt*) aumentar; (*Kurse*) perfeccionar; **2ung** *f* mejoramiento *m*; (*Gehalt*) aumento *m* (*de sueldo*); *Kurse*: perfeccionamiento *m.*
'aufbewahren (-) *v/t.* conservar (*a. haltbar machen*); guardar; custodiar; reservar; (*Bank*) depositar; *im Lager*: almacenar.
'Aufbewahrung *f* conservación *f*; custodia *f*; depósito *m*; *j-m et. zur* ~ *geben* confiar a/c. a la custodia (*od.* al cuidado) de alg.; entregar en depósito a/c.; **~sgebühr** *f* derechos *m/pl.* de depósito (*a. für Wertpapiere*); **~s-ort** *m* (-*ẹs*; -*e*) depósito *m*; (*Lager*) almacén *m*; (*Garderobe*) guardarropa *m*; 🚂 (*für Gepäck*) depósito *m* de equipajes; (*für Handgepäck*) consigna *f.*

ˈaufbiet|en (*L*) *v/t.* (*verkünden*) proclamar; *Brautpaar*: correr las amonestaciones; (*zusammenrufen*) llamar, convocar; ⚔ llamar a filas *f/pl.*, movilizar; alle s-e Kräfte ~, alles ~ apelar a todos los recursos, F hacer lo imposible, remover cielo y tierra; s-n Einfluß ~ poner a contribución toda su influencia; **2ung** *f* ⚔ movilización *f*, llamamiento *m* a filas; unter ~ aller Kräfte en (con) un supremo esfuerzo.

ˈaufbinden (*L*) *v/t. losbinden*: desatar, desliar; *befestigen*: sujetar, atar sobre; *hinaufbinden*: (*Pflanzen*) rodrigar; F *fig.* j-m et. (*od.* e-n Bären) ~ embaucar, hacer creer; F dársela con queso (*od.* pegársela) a alg.; er läßt sich alles ~ F se traga todas las bolas; sich nichts ~ lassen *fig.* F no chuparse el dedo.

ˈaufbläh|en *v/t.* hinchar; (*aufblasen*) inflar; sich ~ ⚕ timpanizarse; *fig.* (*Person*) ensoberbecerse, endiosarse; (*Segel*) hincharse; **2ung** *f* ⚕ timpanización *f*, meteorismo *m*; *fig.* (*Person*) engreimiento *m*, endiosamiento *m*.

ˈaufblasen (*L*) *v/t.* hinchar, inflar; *fig.* sich ~ inflarse; → aufgeblasen.

ˈaufbleiben (*L*; *sn*) *v/i. Tür usw.*: quedar abierto; *Person*: (*wachen*) velar, no acostarse; (immer) lange ~ estar levantado (*od.* no acostarse) hasta muy tarde (*od.* hasta altas horas de la noche).

ˈaufblenden (*-e-*) *v/t. Film, Rundfunk*: aumentar la luminosidad *bzw.* la sonoridad; *Auto.*: encender los faros.

ˈaufblicken *v/i.* alzar la vista, levantar los ojos (zu a); *fig.* zu j-m (*mit Achtung*) ~ mirar con profundo respeto; zu Gott ~ elevar el alma a Dios.

ˈaufblitzen (*-t*) *v/i.* (*Licht*) centellear, destellar; (*Feuer*) lanzar una llamarada; 2 *n* (*Licht*) centelleo *m*, destello *m*; (*Wetterleuchten*) relampagueo *m*; (*e-s Funkens*) chispazo *m*; (*e-s Schusses*) fogonazo *m*.

ˈaufblühen *v/i.* (*sn*) (*Knospen*) abrirse; *fig.* florecer, prosperar; wieder ~ *fig.* rejuvenecer, revivir.

ˈaufbohren ⊕ *v/t.* abrir *od.* ensanchar taladrando.

ˈaufbrauchen *v/t.* consumir; agotar, apurar, gastar.

ˈaufbrausen (*-t*) *v/i.* (*kochendes Wasser*) empezar a hervir; (*Blasen bilden*) burbujear; 🜍 producir efervescencia *f*; *Wein*: fermentar; *Meer*: encresparse; *fig.* encolerizarse; er braust leicht auf es muy irascible, F en seguida se sube a la parra; 2 *n* efervescencia *f*; **~d** *adj.* efervescente; *fig.* irascible, colérico, irritable; fogoso.

ˈaufbrechen (*L*) **1.** *v/t.* (*öffnen*) abrir, romper; (*gewaltsam*) forzar, violentar; *Schloß*: descerrajar; *Brief*: abrir; *Pflastersteine*: desempedrar, desadoquinar; **2.** *v/i.* (*sich öffnen*) abrirse; (*platzen*) reventar; *Eis*: romperse; *Knospen*: abrirse; *Haut*: agrietarse; (*weggehen*) marcharse (nach para); ⚔ levantar el campo; ponerse en marcha.

ˈaufbringen (*L*) *v/t.* (*anwenden*) aplicar; (*öffnen*) lograr abrir; (*beschaffen*) procurar, proporcionar; *Geld*: reunir, allegar; *Kosten*: cubrir; *Mode*: introducir; *Gerücht*: inventar; *Gründe*: alegar; *Beweise*: aducir; *Kind*: criar, sacar adelante; ⚓ *Schiff*: apresar; *fig.* (*erzürnen*) enojar, encolerizar, indignar; F sulfurar, poner negro.

ˈAufbruch *m* (*-es*; *⸗e*) (*zur Reise*) salida *f*, partida *f* (nach, zu para); marcha *f*; *fig. Pol.* resurgimiento *m*; cambio *m* radical; explosión *f*.

ˈaufbrühen *v/t.* escaldar.

ˈaufbügeln (*-le*) *v/t.* planchar; *Hose*: estirar (*con la plancha*).

ˈaufbürden (*-e-*) *v/t.* cargar; j-m et. ~ imponer una carga, F echar a alg. la carga encima; (*zuschieben*) atribuir, F endosar el paquete; (*Schuld*) imputar.

ˈaufdeck|en *v/t.* descubrir; *fig. a.* revelar, exponer; (*zeigen*) mostrar, enseñar; → Karte; (*Bett*) replegar las sábanas; (*Tischtuch*) poner el mantel; (*den Deckel*) destapar; **2ung** *f* descubrimiento *m*, revelación *f*.

ˈaufdrängen *v/t.* et. ~ instar a aceptar a/c.; (*Ware*) meter por los ojos; j-m e-e Arbeit ~ F endosar *od.* encajar a alg. una tarea; j-m s-e Meinung ~ imponer a alg. la propia opinión; sich ~ importunar; entremeterse en los asuntos ajenos.

ˈaufdrehen *v/t. Faden*: destorcer; *Hahn, Gas*: abrir; *Schraube*: aflojar, destornillar; *Auto.*, F *Tempo*: pisar a fondo el acelerador; er war mächtig aufgedreht estaba sumamente eufórico.

ˈaufdringen → aufdrängen.

ˈaufdringlich *adj.* importuno, molesto, impertinente; pesado, F cargante, pelma(zo); **~er** Mensch F chinche, pegote; **2keit** *f* importunidad *f*, impertinencia *f*; pesadez *f*; F tabarra *f*, latazo *m*.

ˈAuf|druck *m* (*-es*; *-e*) *Typ.* impresión *f*; *auf Briefmarken*: sobresello *m*; sobretasa *f*; **2drucken** *v/t.* imprimir, estampar; **2drücken** *v/t.* (*öffnen*) abrir empujando; *Stempel*: sellar, poner el sello.

auf·einˈander *adv.* uno sobre otro; (*gegeneinander*) uno contra otro; (*nacheinander*) uno tras otro, uno por uno; **2folge** *f* sucesión *f*, serie *f*; **~folgen** *v/i.* sucederse, seguirse; **~folgend** *adj.* sucesivo, consecutivo, seguido; während drei ~er Tage durante tres días consecutivos (*od.* seguidos); **~häufen** *v/t.* acumular, amontonar; **~prallen** (*sn*), **~stoßen** (*L*; *sn*) *v/i.* chocar (uno contra otro); *fig. Personen, Meinungen*: chocar, estar en colisión *f*; (*sich berühren*) entrechocarse.

ˈAuf·enthalt *m* (*-es*; *-e*) *vorübergehender*: estancia *f*; (*längerer*) permanencia *f*; (*ganz kurzer*) ⚔ alto *m*, 🚂 parada *f*; (*Wohnsitz*) domicilio *m*; (*Verzögerung*) demora *f*, retraso *m* (*a.* 🚂); (*Hindernis*) obstáculo *m*, contratiempo *m*; ohne ~ sin demora; 🚂 sin parada, directo; wie lange haben wir ~? ¿cuánto tiempo para el tren (*od.* paramos) aquí?; **~sbestätigung** *f* certificación *f* de residencia; **~sdauer** *f* (*0*) (duración *f* de la) estancia *f*; **~sgenehmigung** *f* permiso *m* de residencia; **~s·ort** *m* (*-es*; *-e*) (*derzeitiger*) paradero *m*; (*ständig*) lugar *m* de residencia, domicilio *m*; sein gegenwärtiger ~ ist unbekannt se ignora su paradero; **~sraum** *m* (*-es*; *⸗e*) sala *f* de recreación; sala *f* de estar.

ˈauf·erleg|en (*-*) *v/t.* (*Bedingung, Verpflichtung, Schweigen, s-n Willen usw.*) imponer; (*Steuern*) gravar, cargar; (*Strafe*) imponer, infligir; sich Zwang ~ reprimirse, contenerse; **2ung** *f* imposición *f*.

ˈauf·ersteh|en (*L*; *-*; *sn*) *v/i.* resucitar; *fig.* resurgir; **2ung** *f* (*0*) resurrección *f*; **2ungsfest** *n* (*-es*; *0*) Pascua *f* de Resurrección.

ˈauf·erweck|en (*-*) *v/t.* despertar; (*Tote*) resucitar; revivir; **2ung** *f* resurrección *f*.

ˈauf·essen (*L*) *v/t.* alles ~ comer sin dejar resto; F dejar el plato limpio.

ˈauffädeln (*-le*) *v/t.* enhebrar; *Perlen*: ensartar.

ˈauffahren (*L*) **1.** *v/i.* (*aufsteigen*) subir; (*vorfahren*) desfilar por; parar delante de; ⚔ entrar en posición *f*; (*rammen*) chocar con *od.* contra; *Schiff*: (*auf Grund*) encallar, embarrancar; *erregt*: enfurecerse, montar en cólera *f*; *erschreckt*: estremecerse, *im Bett*: despertar sobresaltado; **2.** *v/t.* (*Wagen*) estacionar; (*Geschütze*) emplazar, poner en posición *f*; *Speisen*: traer, ofrecer; poner sobre la mesa; *fig. Beweise*: aducir; *Weg*: hacer transitable; **~d** *adj.* irascible, colérico, irritable.

ˈAuffahrt *f* subida *f*; *in e-m Ballon*: ascensión *f*; *in e-m Wagen*: desfile *m*; *zu e-m Haus*: entrada *f* (*para coches*); **~srampe** *f* rampa *f* de acceso; **~unfälle** *m/pl.* accidentes *m/pl.* en cadena.

ˈauffallen (*L*; *sn*) *v/i.* caer sobre; *fig.* (*ins Auge fallen*) llamar la atención, saltar a la vista; (*überraschen*) sorprender; (*befremden*) extrañar, chocar; er fiel unangenehm auf causó mala impresión, hizo un mal papel; nicht ~ pasar inadvertido; **~d, ˈauffällig** *adj.* (*augenfällig*) vistoso; (*prunkvoll*) ostentoso, aparatoso; (*sensationell*) espectacular, sensacional; (*sonderbar*) raro, extraño, peregrino; (*abstoßend*) chocante; *Kleider*: llamativo; *Farben*: chillón.

ˈauffang|en (*L*) *v/t.* coger al vuelo (*a. fig.*); (*sammeln, a.* ⊕) recoger; *Brief*: interceptar; *Funkspruch*: *a.* captar; (*Fall, Stoß*) amortiguar; (*Schlag*) parar; (*Angriff*) contener; **2lager** *n für Flüchtlinge*: campamento *m* de recepción; **2schale** ⊕ *f* recipiente *m* colector; bandeja *f*; **2stellung** ⚔ *f* posición *f* de refugio.

ˈauffärben *v/t.* reteñir.

ˈauffassen (*-ßt*) *v/t. Phil.* aprehender; *fig.* concebir; (*begreifen*) comprender; (*deuten*) interpretar (*a. Bühnenrolle*); *Perlen*: ensartar.

ˈAuffassung *f* comprensión *f*; concepto *m*; *fig.* concepción *f*; (*Deutung*) interpretación *f*; (*Fassungskraft*) *Phil.* aprehensión *f*; (*Meinung*) opinión *f*, concepto *m*; falsche ~ interpretación errónea, concepto equivocado; nach m-r ~ en mi opinión, a mi modo de ver, a mi entender, a mi juicio; die ~ ver-

treten, daß opinar que; **~svermögen** *n* (*-s; 0*) entendimiento *m*, intelecto *m*; capacidad *f* de comprensión.
ˈ**auffind|en** (*L*) *v/t.* hallar; encontrar; (*entdecken*) descubrir; **2ung** *f* descubrimiento *m*, hallazgo *m*.
ˈ**auffischen** *v/t.* pescar (*a. fig.*).
ˈ**aufflackern** (*-re; sn*) *v/i.* volver a encenderse; *fig.* revivir.
ˈ**aufflammen** (*sn*) *v/i.* llamear, arder en llamas; ⚗ deflagrar.
ˈ**aufflechten** (*L*) *v/t.* destrenzar.
ˈ**auffliegen** (*L; sn*) *v/i.* (*Vögel*) remontarse, alzar el vuelo; ✈ despegar; elevarse; *Tür*: abrirse de pronto; *Mine*: hacer explosión, estallar; *fig.* (*aufgelöst werden*) disolverse; *Unternehmen*: fracasar; ~ *lassen* (*sprengen*) volar, hacer saltar; *Mine*: hacer estallar.
ˈ**aufforder|n** (*-re*) *v/t.* exigir; invitar; *bittend*: pedir; *anordnend*: ordenar, mandar; *eindringlich*: requerir, exhortar; *ermunternd*: animar; *zum Kampf*: retar, desafiar; ⚖ citar; ✝ *zur Zahlung* ~ exigir el pago; *zum Tanz* ~ sacar a bailar; ⚔ *zur Übergabe* ~ intimar la rendición; *zum Essen* ~ (*als Gast*) convidar, invitar a comer; (*nicht als Gast*) proponer comer juntos; **~nd** *adj.*: *~er Blick* mirada *f* provocativa; **2ung** *f* invitación *f*; requerimiento *m*, exhortación *f*; reto *m*, desafío *m*; ⚖ (*Vorladung*) citación *f*; ⚔ intimación *f*.
ˈ**aufforst|en** (*-e-*) *v/t.* repoblar (*de árboles*); **2ung** *f* repoblación *f* forestal.
ˈ**auffressen** (*L*) *v/t.* devorar (*a. fig.*).
ˈ**auffrischen** *v/t.* refrescar (*a. Wind, Gedächtnis*); *Bilder*: restaurar; *Möbel*: barnizar de nuevo, pulir; (*erneuern*) renovar; (*wieder beleben*; *Andenken, Leid*) reavivar.
ˈ**aufführ|bar** *adj. Thea.* representable; **~en** *v/t. Bau*: construir, edificar, levantar; (*aufzählen*) enumerar; (*nennen*) citar; mencionar, indicar (*als* como); (*eintragen*) ✝ asentar; *Posten*: *einzeln* ~ especificar; *in e-r Liste*: incluir; *Schauspiel*: representar; *Film*: exhibir; *Symphonie*: ejecutar; *Zeugen*: presentar; *sich* ~ (com)portarse; → *Wache*; **2ung** *f* △ construcción *f*, edificación *f*; *Thea.*: representación *f*; *Film*: exhibición *f*; *Symphonie*: ejecución *f*; *von Zahlen*: enumeración *f*; *von Zeugen*: presentación *f*; (*Benehmen*) comportamiento *m*, conducta *f*; **2ungsrecht** *Thea. n* (*-es; -e*) derechos *m/pl.* de representación.
ˈ**auffüllen** *v/t.* llenar, rellenar; ⚔ completar.
ˈ**auffüttern** (*-re*) *v/t.* cebar.
ˈ**Aufgabe** *f* **1.** (*Arbeit*) trabajo *m*, tarea *f*; (*Ziel*) finalidad *f*, objeto *m*; *Geschäft*: negocio *m*; (*Pflicht*) deber *m*, obligación *f*; (*Obliegenheit*) función *f*, cometido *m*; (*Sendung*) misión *f*; (*Denk2*, 𝔄) problema *m*; (*Schul2*) lección *f*, tema *m*; deber *m*; (*Übung*) ejercicio *m*; **2.** (*Übergabe*) entrega *f*; *e-s Briefes*: envío *m*, remisión *f*, expedición *f* (*a. von Telegrammen*); *Mitteilung*: comunicación *f*; *von Gepäck*: facturación *f*; *Tennis*: servicio *m*; **3.** (*Aufhören*) cese *m*; *e-s Amtes*: renuncia *f*, dimisión *f*; *e-s Geschäftes*: cesación *f*, liquidación *f*; *Sport, Stk.*: retirada *f*; *e-s Rechtes*: renuncia *f*; (*Preisgabe*) abandono *m*; e-e ~ *lösen* resolver un problema (*a.* 𝔄); e-e ~ *übernehmen* aceptar una tarea, asumir una función, encargarse de un trabajo; *er machte sich zur* ~ se impuso como un deber la tarea de; *es ist nicht m-e* ~ no es asunto mío (*od.* de mi incumbencia).
ˈ**aufgabeln** (*-le*) *v/t. fig.* pescar.
ˈ**Aufgabe...**: **~nbereich** *m* (*-es; -e*), **~ngebiet** *n* (*-es; -e*) esfera *f* de acción, campo *m* de actividades; **~nheft** *n* (*-es; -e*) cuaderno *m* de ejercicios; **~nkreis** *m* (*-es; -e*) → *Aufgabenbereich*; **~ort** *m* (*-es; -e*) (*Post, Telegraf*) oficina *f* expedidora *od.* de origen; **~schein** *m* (*-es; -e*) resguardo *m* de entrega; **~stempel** *m* sello *m* de la oficina expedidora.
ˈ**Aufgang** *m* (*-es; ⸚e*) subida *f*; (*der Sonne, des Mondes*) salida *f*; (*Treppe*) escalera *f*.
ˈ**aufgeben** (*L*) *v/t.* (*übergeben*) entregar; *Brief, Telegramm*: expedir, enviar, remitir, (*nur Brief*) echar al correo; *Gepäck*: facturar; ✝ *Bestellung*: encargar, hacer un pedido; *Anzeige*: anunciar, poner *od.* insertar un anuncio; *Tennis*: servir; ✝ (*mitteilen*) avisar; (*auftragen*) *j-m et.* ~ encomendar, encargar a/c. a alg.; *Problem*: plantear; *Schulaufgabe*: dar; (*verzweifeln*) *Hoffnung*: perder, abandonar; *Kranke*: desahuciar; (*preisgeben*) abandonar, *a.* ⚔; (*verzichten*) renunciar a; *Amt*: *a.* dimitir; *Rechtsanspruch*: desistir de; renunciar a; *j-m s-e Adresse* ~ dar su dirección (*od.* sus señas) a alg.; (*aufhören*) cesar, acabar, dejar (de *inf.*); *Bekanntschaft*: dejar de tratarse con alg.; *Dienst, Arbeit, Gewohnheit*: dejar; *Geschäft*: *a.* cerrar, liquidar; *den Kampf, das Spiel* ~ abandonar, darse por vencido, *Boxen*: arrojar la esponja; *den Geist* ~ entregar el alma a Dios.
ˈ**aufgeblasen** *adj.* inflado, hinchado; *fig. a.* hueco, orondo, engreído; altanero, arrogante; **2heit** *f* (*0*) engreimiento *m*; arrogancia *f*; fatuidad *f*; petulancia *f*.
ˈ**Aufgebot** *n* (*-es; -e*) *öffentliches*: proclama *f*, bando *m*; (*Ehe2*) proclama *f* matrimonial, amonestaciones *f/pl.*; *das* ~ *bestellen* hacerse amonestar; (*Menge*) gran cantidad; ⚔ *von Truppen*: llamamiento *m* a filas; movilización *f*; *allgemeines* ~ leva general; *unter großem Polizei2* con gran lujo de fuerzas de policía; *fig. unter* ~ *aller Kräfte* con un supremo esfuerzo; **~sverfahren** ⚖ *n* procedimiento *m* edictal.
ˈ**aufgebracht** *adj.* disgustado, enojado, irritado; furioso, indignado.
ˈ**aufgedonnert** *adj.* emperejilado, majo; F *fig.* de veinticinco alfileres; de punta en blanco, como un pollo.
ˈ**aufgedunsen** *adj.* hinchado, inflado, abultado.
ˈ**aufgehen** (*L; sn*) *v/i.* (*sich öffnen*) abrirse; *Sonne, Mond*: salir; *Teig*: fermentar, esponjarse; *Eis*: romperse; *Saat*: brotar; *Vorhang*: levantarse; *Knoten*: deshacerse, desatarse; *Naht*: descoserse; *Geschwür, Knospe*: abrirse; 𝔄 no quedar residuo, ser exactamente divisible, *fig.* salir bien la cuenta; *gegeneinander* ~ compensarse; *fig.* ~ *in e-r Firma, Gemeinde usw.*: ser absorbido por, fusionarse con; *geistig*: abstraerse; *in Flammen* ~ ser pasto de las llamas; *fig. in Rauch* ~ desvanecerse, frustrarse, quedar en nada; *es geht mir ein Licht auf* ahora comprendo, ahora veo (empiezo a ver) claro; *die Wahrheit ging mir auf* la verdad quedó patente a mis ojos; *das Herz geht mir auf* (*bei Ihren Worten*) se me llena de gozo el corazón (*escuchando sus palabras*); *er ging in s-r Arbeit auf* estaba absorbido por su trabajo; sólo vivía para su trabajo.
ˈ**aufgeklärt** *adj.* instruido; *fig.* ilustrado, esclarecido; (*ohne Vorurteile*) libre de prejuicios; **2heit** *f* (*0*) ilustración *f*; *Pol.* liberalismo *m*.
ˈ**aufgeknöpft** F *adj.* (*gesprächig*) comunicativo; *fig.* expansivo; F campechano.
ˈ**Aufgeld** ✝ *n* (*-es; -er*) beneficio *m*; prima *f*; agio *m*; (*Zuschlag*) recargo *m*.
ˈ**aufgelegt** *adj.*: ~ *zu* dispuesto para; *zu et.* ~ (*in Stimmung*) estar (de humor) para; *er ist nicht zum Scherzen* ~ no está para bromas *od.* para fiestas; *ich bin heute nicht dazu* ~ hoy no estoy de humor para eso; *ich bin nicht zum Arbeiten* ~ no tengo ganas de trabajar; *gut* (*schlecht*) ~ *sein* estar de buen (mal) humor.
ˈ**aufgeräumt** *fig. adj.* alegre, jovial, festivo; F de buenas.
ˈ**aufgeregt** *adj.* agitado, nervioso; (*stärker*) excitado; *als Charaktereigenschaft*: vivo de genio, excitable.
ˈ**aufgeschlossen** *fig. adj.* abierto; franco, sincero; (*mitteilsam*) comunicativo; **2heit** *f* (*0*) franqueza *f*.
ˈ**aufgeschmissen** F *adj.* ~ *sein* estar en un apuro; F pasar las de Caín.
ˈ**aufgeschossen** → *aufschießen*.
ˈ**aufgeweckt** *adj.* despierto (*a. fig.*); *fig.* inteligente, despejado; vivo, listo, despabilado.
ˈ**aufgeworfen** *adj. Lippen*: abultados; *Nase*: respingona.
ˈ**aufgießen** (*L*) *v/t.* echar; verter sobre; ⚗ poner en infusión; *Tee*: *a.* hacer, preparar.
ˈ**aufglieder|n** (*-re*) *v/t.* subdividir; **2ung** *f* subdivisión *f*.
ˈ**aufgraben** (*L*) *v/t.* cavar, abrir cavando.
ˈ**aufgreifen** (*L*) *v/t.* coger al paso, agarrar; (*Dieb*) capturar, prender; *fig.* (*Gedanken*) hacer suyo; (*Gelegenheit*) aprovechar, F pescar.
ˈ**Aufguß** *m* (*-sses; ⸚sse*) infusión *f*; **~tierchen** *Biol. n/pl.* infusorios *m/pl.*
ˈ**aufhaben** (*L*) *v/t. Hut*: tener puesto; (*offen haben*) tener abierto; *Aufgaben*: tener que (*od.* por) hacer.
ˈ**aufhacken** *v/t.* (*mit der Axt*) abrir a hachazos *m/pl.*; (*mit der Hacke*) azadonar, cavar.
ˈ**aufhaken** *v/t.* (*öffnen*) desabro-

char; desenganchar; descolgar; (*an e-n Haken hängen*) enganchar.

'**aufhalsen** (*-t*) *v/t.* (*Schuld*) atribuir, achacar, imputar; *fig.* endosar, F colgar.

'**aufhalten** (*L*) *v/t. offenhalten*: (man)tener abierto; (*anhalten*) parar, detener; (*hemmen*) impedir; (*verzögern*) retardar, demorar; (*zurückhalten*) retener, detener; *j-n*: detener, parar a alg.; hacer perder el tiempo a alg.; (*Auto, Verkehr, Schlag*) parar; (*hinhalten*) entretener, retener; (*stören*) molestar, estorbar; *sich* ~ (*Fahrt usw. unterbrechen*) detenerse; (*verweilen*) estar en, hallarse *od.* encontrarse en; (*über die Zeit*) demorarse; *sich* ~ *über* (*tadeln*) censurar, criticar, (*stärker*) escandalizarse de a/c.; *sich* ~ *mit* perder el tiempo en; *lassen Sie sich* (*von mir*) *nicht* ~! por mí no se entretenga; por mí no se moleste (preocupe) usted.

'**aufhäng|en** *v/t.* ~ *an* (*dat.*) colgar de *od.* en, *oben*: suspender de; ⊕ suspender; (*Wäsche*) tender; *j-n* ~ ahorcar a; *sich* ~ ahorcarse; *j-m et.* ~ → *aufhalsen*; ♀**er** *m* (*Rock♀, Mantel♀*) cinta *f* (*cosida*) para colgar; ♀**evorrichtung** ⊕ *f* dispositivo *m* de suspensión; ♀**ung** *f* suspensión *f*.

'**aufhäuf|en** *v/t.* amontonar, acumular; *sich* ~ acumularse; ♀**ung** *f* acumulación *f*; acopio *m*.

'**aufheben** (*L*) *v/t.* levantar (*a. fig. Belagerung, Verbot, Tafel, Lager, Bann, Sitzung*); (*hochheben*) alzar; *vom Boden*: *a.* recoger; *Gewicht, Hand*: alzar, levantar; (*aufbewahren*) guardar, conservar; (*für später*) reservar; (*lagern*) almacenar; *Erlaß*: derogar; *Organisation*: disolver; *Versammlung*: suspender, aplazar; (*zeitweilig, vorläufig*) interrumpir; *Verlobung*: romper; ⚕ *Bruch*: reducir (*a números enteros*); (*abschaffen*) abolir, suprimir; (*widerrufen*) revocar; (*für ungültig erklären*) anular (*a. Ehe*), invalidar; *Gesetze*: abrogar, abolir; *Vertrag*: rescindir, *Pol.* denunciar; ⚖ *Urteil*: revocar; casar; *Beschlagnahme*: levantar el embargo; (*ausgleichen*) compensar, equilibrar; *e-e Wirkung*: ⚗ neutralizar (*a. fig.*); *sich gegenseitig* ~ compensarse, equilibrarse, neutralizarse; *gut* (*od. sicher*) *aufgehoben sein* estar en buenas manos (*od.* en lugar seguro); *Person*: estar bien atendido *od.* cuidado; estar bien (*od.* confortablemente) instalado; ♀ *n*: *viel* ~*s* (*von et.*) *machen* hacer mucho ruido a propósito de a/c.; F *fig.* cacarear a/c.; *viel* ~*s um nichts* F mucho ruido y pocas nueces.

'**Aufhebung** *f e-r Belagerung*: levantamiento *m*; *von Beschränkungen*: supresión *f*; (*Außerkraftsetzung*) anulación *f*; (*vorläufige*) suspensión *f*; *der Ehe*: anulación *f*; *der ehelichen Gemeinschaft*: separación *f*; (*Abschaffung*) abolición *f*, supresión *f*; *e-s Erlasses*: abrogación *f*, abolición *f*; *e-s Vertrages*: rescisión *f*; ⚖ *e-s Urteils*: revocación *f*; casación *f*; *e-r Klage*: desistimiento *m* de acción; sobreseimiento *m*; *e-r Organisation*: disolución *f*; *e-r Versammlung*: aplazamiento *m*; *e-r Wirkung*: neutralización *f*.

'**aufheiter|n** (*-re*) *v/t. j-n*: animar, desentristecer; *sich* ~ *Wetter*: abonanzar, serenarse; *Himmel*: despejarse; *Gesicht*: animarse; ♀**ung** *f* diversión *f*, distracción *f*.

'**aufhelfen** (*L*) *v/i. j-m* ~ ayudar a alg. a levantarse; *fig.* socorrer, auxiliar.

'**aufhellen** *v/t.* aclarar; *fig. a.* dilucidar; → *aufheitern*.

'**aufhetz|en** (*-t*) *v/t.* instigar, incitar, soliviantar; (*Hunde*) azuzar; ♀**er**(**in** *f*) *m* instigador(a *f*) *m*; *Pol.* demagogo *m*, agitador *m*; ♀**ung** *f* instigación *f*, incitación *f*; *Pol.* demagogia *f*, provocación *f*.

'**aufholen** *v/t.* ⚓ izar; (*Anker*) levar; *Segeln*: halar; *fig.* recobrar; (*Zeit, Versäumtes*) recuperar.

'**aufhorchen** *v/i.* escuchar atentamente; *fig.* aguzar el oído; espiar.

'**aufhören** *v/i.* (*zu Ende gehen*) acabar, terminar, cesar, concluir; ~ *zu inf.* cesar de *inf.*; dejar de *inf.*; (*abbrechen*) interrumpir; ~ *zu arbeiten* dar de mano; suspender el trabajo; *ohne aufzuhören* sin cesar, sin interrupción; *der Sturm hat aufgehört* la tormenta ha cesado, ha vuelto la calma; F *da hört doch alles auf!* ¡esto ya es el colmo!, ¡hasta ahí podíamos llegar!; *hör auf damit!* ¡basta ya!, ¡acaba ya de una vez!

'**aufjagen** *v/t.* (*Wild*) batir, levantar, ojear.

'**aufjauchzen** [-jauxtsən] (*-t*), '**aufjubeln** (*-le*) *v/i.* lanzar gritos *m/pl.* de alegría.

'**Aufkauf** ⚚ *m* (*-és*; *⸗e*) compra *f* al por mayor; *spekulativer*: acaparamiento *m*; ♀**en** *v/t.* comprar (*en grandes cantidades*); *spekulativ*: acaparar.

'**Aufkäufer** *m* comprador *m* en gran escala; acopiador *m*; (*Agent*) agente *m* de compras; (*Spekulant*) acaparador *m*.

'**aufkeimen** *v/t.* germinar; brotar (*a. fig.*); ~**d** *adj. fig.* en germen, naciente.

'**aufklapp|bar** *adj.* plegable; ~**en** *v/t.* (*Buch, Messer*) abrir; *Tisch*: levantar (*las hojas*); entreabrir.

'**aufklär|en** *v/t.* aclarar, dilucidar; *Flüssigkeit*: clarificar; *Geheimnis*: *fig.* desentrañar; *Zweifel*: esclarecer, aclarar; *fig.* arrojar luz sobre; *j-n*: iniciar en, informar (*über* sobre); (*unterrichten*) instruir, explicar, ilustrar, orientar; *sexuell*: iniciar (*en el conocimiento de la vida sexual*); ⚔ reconocer, explorar; *j-n über e-n Irrtum* ~ desengañar, F abrir los ojos a alg.; ♀**er** *m* (*XVIII. Jhdt.*) enciclopedista *m*; (*pensador*) racionalista *m*; propagador *m* del progreso; ⚔ explorador *m*; → *Aufklärungsflugzeug*.

'**Aufklärung** *f* aclaración *f* (*a. Klarstellung*), esclarecimiento *m*; clarificación *f*; *fig.* ilustración *f*, *Hist.* Enciclopedia *f*; (*Erklärung*) explicación *f*; *sexuelle* ~ iniciación en la vida sexual; educación sexual; ⚔ exploración *f*, reconocimiento *m*; ~**sabteilung** ⚔ *f* patrulla *f* de reconocimiento; ~**sfeldzug** *m* campaña *f* de extensión cultural popular; ~**sfilm** *m* película *f* cultural de iniciación sexual; ~**sflugzeug** ⚔ *n* avión *m* de reconocimiento; ~**s-schrift** *f* folleto *m* explicativo; ~**s-tätigkeit** ⚔ *f* actividad *f* de reconocimiento; ~**s-zeitalter** *n* Siglo *m* de las Luces (*XVIII. Jhdt.*).

'**auf|kleben**, ~**kleistern** (*-re*) *v/t.* pegar (*mit Gummi, Paste*); encolar (*mit Leim*); *Briefmarken*: pegar, poner; ♀**klebe-etikett** *n* (*-és*; *-e*) etiqueta *f* (adhesiva).

'**aufklinken** *v/t. Tür*: abrir (*bajando el picaporte*).

'**aufknacken** *v/t.* cascar; F *Geldschrank*: forzar.

'**aufknöpfen** *v/t.* desabotonar, desabrochar; → *aufgeknöpft*.

'**aufknüpfen** *v/t.* (*Knoten*) deshacer; *j-n*: ahorcar, P colgar.

'**aufkochen** (*sn*) *v/t. u. v/i.* hervir; cocer; ~ *lassen* hacer hervir.

'**aufkommen** (*L*) *v/i. aufstehen*: levantarse (*a. Wind, Sturm*); *Mode, Brauch*: introducirse; *Gedanke*: surgir; (*entstehen*) aparecer; (*sich ausbreiten*) propagarse, difundirse; generalizarse; (*genesen*) reponerse, restablecerse; (*Glück haben*) prosperar; *für et.* ~ responder de; *für die Kosten*: costear, sufragar, pagar; *für den Schaden*: indemnizar, resarcir; *für Schulden, Verluste*: obligarse a pagar *bzw.* a compensar; *gegen j-n* ~ prevalecer sobre; *Zweifel* ~ *lassen* dar lugar a dudas; *nicht* ~ *lassen* no permitir, no dejar; *niemand* ~ *lassen* no tolerar (*od.* no admitir) rivales; *gegen ihn kann ich nicht* ~ no puedo con él; ♀ *n* (*Genesung*) restablecimiento *m*; (*Entstehung*) aparición *f*; *e-r Mode*: introducción *f*; (*Ausbreitung*) propagación *f*; *Steuer*: ingresos *m/pl.*

'**aufkratzen** (*-t*) *v/t.* arañar; *Wand*: raspar; *Wolle*: cardar; *fig.* F *aufgekratzt* de buen humor, expansivo.

'**aufkrempeln** (*-le*) *v/t.* (*Hose, Ärmel*) arremangar(se); (*Hut*) doblar el ala *f* (*hacia arriba*).

'**aufkreuzen** (*-t*) *v/i.* ⚓ barloventear; *fig.* aparecer de pronto.

'**aufkriegen** F *v/t.* → *aufbekommen*.

'**aufkündigen** *v/t.* → *kündigen*; (*Diener*) despedir; (*Gehorsam*) negar; *j-m die Freundschaft* ~ retirar la amistad a (F romper con) alg.

'**auflachen** *v/i.* reír a carcajadas.

'**auflad|en** (*L*) *v/t.* cargar (*a.* ⚡); *wieder* ~ ⚡ recargar; *fig. j-m die Schuld* ~ cargar la culpa a alg.; *sich et.* ~ tomar sobre sí una carga; ♀**er** *m* cargador *m*; *Auto.* (*a.* ♀**egebläse** *n*) sobrealimentador *m*.

'**Auflage** *f* (*Steuer*) impuesto *m*; tributo *m*; (*Bedingung*) condición *f*; *e-s Buches*: edición *f*, (~*ziffer*) número *m* de ejemplares; ⊕ (*Stütze*) apoyo *m*; soporte *m*; (*Anstrich, Schicht*) capa *f*; ~**fläche** *f* superficie *f* de apoyo; ~**r** ⊕ *n* apoyo *m*, soporte *m*, asiento *m*; ~**ziffer** *f* (-; -*n*) *e-r Zeitung*: tirada *f*.

'**auflass|en** (*L*) *v/t.* (*Tür, Hahn*) dejar abierto; ⚖ *Grundstücke*: ceder; *Hypothek*: cancelar; ⚒ abandonar; *Ballon*: soltar; ♀**ung** ⚖ *f* cesión *f*; *Hypothek*: cancelación *f*; ⚒ abandono *m*.

'**auflauern** (-*re*) *v/i. j-m* ~ acechar; espiar.

'**Auflauf** *m* (-*es*; ¨*e*) *von Menschen*: agolpamiento *m*, gentío *m*; *stürmischer*: tumulto *m*, alboroto *m*, motín *m*; *Speise*: *fr.* soufflé *adj.*; 2**en** (*L*; *sn*) **1.** *v/i.* (*schwellen*) hincharse; *Flut*: subir, crecer; *Zinsen*: acumularse; ⚓ encallar, varar; **2.** *v/t. sich die Füße ~ fig.* desollarse los pies.

'**aufleben** *v/i.* (*wieder*) ~ (*lassen*) revivir; resucitar; renacer.

'**auflecken** *v/t.* lamer; (*Hund, Katze*) beber a lengüetadas.

'**Auflegematratze** *f* colchoneta *f.*

'**aufleg|en** *v/t.* poner, colocar (*auf ac.* sobre); *Brennstoffe*: echar; *Tele.*: *den Hörer*: colgar; *Tischtuch*: poner; *Pflaster*, *Verband*: aplicar; *Farbe*, *Schminke*: pintarse, darse color; *Buch*: editar; *wieder* ~ reeditar; reimprimir; *Waren*: exponer; *Schiffe*: (*auf Kiel legen*) poner la quilla; (*außer Dienst stellen*) amarrar, desaparejar; *Last*, *Strafe*: imponer; *Anleihe*: emitir; *sich* ~ apoyarse sobre; → *aufgelegt*; 2**ung** *f* imposición *f.*

'**auflehn|en** *v/t.* apoyar; *sich* ~ apoyarse (*auf ac.* en); *fig. sich* ~ rebelarse, sublevarse (*gegen* contra); 2**ung** *f* rebelión *f*, sublevación *f*, amotinamiento *m*; oposición *f*, resistencia *f*; protesta *f*; reacción *f.*

'**aufleimen** *v/t.* pegar a (*con cola*).

'**auflesen** (*L*) *v/t.* recoger; *Ähren*: espigar, F rebuscar.

'**aufleuchten** (-*e*-) *v/i.* iluminar, alumbrar; → *aufblitzen.*

'**aufliegen** (*L*; *sn*) **1.** *v/i.* (*auf et. dat.*) estar (colocado) sobre; apoyarse sobre; *Waren*: estar expuesto (*para la venta*); *zur Besichtigung*: estar a disposición (*para ser examinado*); **2.** *v/t.* ⚕ *sich* ~ producirse una úlcera por decúbito.

'**auflockern** (-*re*) *v/t.* aflojar; esponjar, ahuecar; relajar; ⚒ *Boden*: cavar, mullir; ⊕ desagregar, disgregar; *Betten*: sacudir, mullir; ⚔ (*Stellungen*) dispersar; *fig.* airear.

'**auflodern** (-*re*) *v/i.* inflamarse, llamear; *fig.* encolerizarse.

'**auflös|bar** *adj.* soluble; 2**barkeit** *f* (*0*) solubilidad *f*; ~**en** (-*t*) *v/t.* (*öffnen*) desatar, desenlazar, deshacer; (*entwirren*) desenredar; ⚗ disolver, diluir; (*zerlegen*) desintegrar, disociar; (*zersetzen*) descomponer; *Rätsel*, ∡ *Gleichung*: resolver; *Aufgabe*: solucionar; *Gr.*, ⚗ analizar; ∡ *Brüche*: reducir; *Beziehungen*: romper; *Parlament*, *Verein*, *Ehe*, *Versammlung*: disolver; *Vertrag*: rescindir; *Firma*, *Geschäft*: liquidar; ⚔ (*eine Einheit*) disolver; licenciar; *fig. sich in Tränen* ~ anegarse en lágrimas; *sich in Wohlgefallen* ~ fracasar, F quedar en agua de borrajas; → *aufgelöst.*

'**Auflösung** *f* disolución *f*; (*Lösung*) solución *f* (*a.* ∡ *u.* ⚗); *e-s Romans*: desenlace *m*; (*Zerlegung*) disociación *f*, descomposición *f*, desintegración *f*; (*Zerfall*) descomposición *f*; *Tod*: desenlace *m* fatal, muerte *f*; ⚗ análisis *m*; *Ehe*, *Parlament usw.*: disolución *f*; ☤ liquidación *f*; ⚔ *in voller* ~ *fliehen* huir a la desbandada; *von Beziehungen*: ruptura *f*; *e-s Vertrages*: rescisión *f*; ~**smittel** *n* disolvente *m*; ~**svermögen** *n* ⚗ poder *m* disolvente; *Opt.* potencia *f* resolutiva; *Phot.* nitidez *f* de la imagen; *Film*: finura *f* de grano; ~**szeichen** ♪ *n* becuadro *m.*

'**auflöten** (-*e*-) *v/t.* soldar sobre; (*entfernend*) desoldar.

'**aufmach|en** *v/t.* abrir; *Flasche*: descorchar; *Knoten*: deshacer; *Paket*: abrir, desempaquetar; *Vorhang*: (des)correr; *Verschnürtes*: desatar; (*eröffnen*) *Geschäft*: abrir, establecer; *Rechnung*: hacer extender; *Zugeknöpftes*: desabotonar, desabrochar; (*zurechtmachen*) decorar, disponer atractivamente; *sich* ~ *nach* ponerse en camino hacia; 2**ung** *f* (*Theaterstück*, *Buch*, *Waren*) presentación *f*; (*Schaufenster*) decoración *f*; *in großer* ~ (*Kleidung*) de etiqueta, F de tiros largos; *allg.* con ostentación; *Zeitung*: con grandes títulos.

'**Aufmarsch** *m* (-*es*; ¨*e*) marcha *f*; ⚔ concentración *f* estratégica; (*Entfaltung zum Gefecht*) despliegue *m*; (*Parade*) desfile *m*, parada *f*; ~**gebiet** *n* (-*es*; -*e*) zona *f* de concentración *bzw.* de despliegue.

'**aufmarsch|ieren** (-) *v/i.* marchar; desfilar; ⚔ (*strategisch*) concentrarse; (*taktisch*) desplegarse; 2**plan** *m* (-*es*; ¨*e*) plan *m* de operaciones; plan *m* de concentración estratégica.

'**aufmerk|en** *v/i.* estar atento, prestar atención *f* (*auf ac.* a); → *aufhorchen*; ~**sam** *adj.* atento; (*wachsam*) alerta; (*sorgfältig*) cuidadoso; *fig.* (*zuvorkommend*) cortés, atento; (*Damen gegenüber*) galante; *j-n* ~ *machen auf* llamar la atención de alg. sobre a/c., señalar (*od.* hacer observar) a/c. a alg.; advertir a alg.; prevenir a alg. (que no haga a/c.); ~ *werden auf* fijar la atención (*od.* fijarse) en a/c.; prevenirse; ~ *verfolgen* seguir atentamente; ~ *zuhören* escuchar con atención, F ser todo oídos; ~ *durchlesen* leer con detenimiento; 2**samkeit** *f* atención *f*; (*Sorgfalt*) cuidado *m*; (*Höflichkeit*) atención *f*, amabilidad *f*; deferencia *f*; (*Damen gegenüber*) galantería *f*; *e-e kleine* ~ (*Geschenk*) un pequeño obsequio; ~ *erregen* atraer la atención; *s-e* ~ *richten auf* dedicar su atención a; *j-m od. e-r Sache* ~ *schenken* prestar atención a; *er überschüttete ihn mit* ~*en* le colmó de atenciones.

'**aufmunter|n** (-*re*) *v/t.* despertar; *fig.* (*ermutigen*) animar; (*stärker*) estimular; (*erheitern*) F jalear; 2**ung** *f* aliento *m*, ánimo *m*; estímulo *m*; excitación *f.*

'**aufnageln** (-*le*) *v/t.* clavar sobre.

'**aufnähen** *v/t.* coser (*auf ac.* sobre).

'**Aufnahme** *f Aufsaugung*: absorción *f* (*a. Phys. u. Physiol.*; *a. fig.* ☤ *des Marktes*, *von Warenangebot*); *Physiol.* (*a. fig. Einverleibung*) asimilación *f*; *Beherbergung*: alojamiento *m*, hospedaje *m*; (*Beginn*, *Einleitung*) comienzo *m*; (*Eingliederung*) incorporación *f*; (*Einbeziehung*) inclusión *f*; (*Empfang*) recepción *f*; acogida *f*; (*Zulassung*) admisión *f*; *in e-e Anstalt*: ingreso *m*; *ins Heer*: incorporación *f*; *als Mitglied*: admisión *f*; *in e-e Liste*: alistamiento *m*; ☤ *e-r Anleihe*: emisión *f*; *von Beziehungen*: establecimiento *m*; *von Kapital*: préstamo *m*; empréstito *m*; *von Nahrung*: *Physiol.* asimilación *f*; *e-s Films*: impresión *f*; *Phot.*: (*Landschaft*) vista *f*, (*Person*) retrato *m*, *allg.* fotografía *f*, F foto *f*; (*Schnappschuß*) instantánea *f*; (*Röntgen*2) radiografía *f*; (*Schallplatten*2, *Ton*2) impresión *f*, *neol.* grabación *f*; (*topographische* 2) croquis *m*; levantamiento *m* (*topográfico de planos*); ⚡ (*Strom*2) consumo *m* de corriente; *e-e* ~ *machen Phot.* tomar una fotografía; *Schallplatte*: impresionar un disco; *Film*: *Achtung*, ~! ¡acción!; *j-m e-e freundliche* ~ *bereiten* dispensar a alg. una cordial acogida; ~ *finden* hallar aceptación; *fig. e-e herzliche* (*kühle*) ~ *finden* ser recibido con agrado (con frialdad); *nach* ~ *des Protokolls* después de levantada el acta; *nach* ~ *des Inventars* después de hecho el inventario; ~**atelier** *n* (-*s*; -*s*) (*Film*) estudio *m* cinematográfico; ~**bedingungen** *f/pl.* condiciones *f/pl.* de admisión; 2**fähig** *adj.* admisible; ⚗ absorbible; *geistig*: (*für Eindrücke*) sensible, impresionable; ~**fähigkeit** *f* (*0*) capacidad *f* de absorción (*a.* ☤); receptividad *f*; ~**gebühr** *f* cuota *f* de ingreso; ~**gerät** *n* (-*es*; -*e*) (*Ton*2) aparato *m* para impresión; *Am.* grabadora *f*; *Phot.* aparato *m* fotográfico; *Film*: cámara *f*; ~**leiter** *m Film*: jefe *m* de producción; ~**prüfung** *f* examen *m* de ingreso; ~**raum** *m* (-*es*; ¨*e*), ~**studio** *n* (-*s*; -*s*) estudio *m*; ~**vermögen** *n* (-*s*; *0*) capacidad *f* de absorción; (*Depot*) capacidad *f*; ~**wagen** *m Radio*: equipo *m* radiofónico volante.

'**aufnehmen** (*L*) *v/t. vom Boden*: alzar, levantar; (*aufsaugen*) absorber (*a. Phys.*, *Physiol. u.* ☤ *Warenangebot*); *Physiol.* asimilar; (*geistig*) comprender; (*ergreifen*) asir, tomar; (*empfangen*) recibir; acoger; (*annehmen*) aceptar; (*beherbergen*) albergar, hospedar, alojar; (*enthalten*) contener; (*speichern*) almacenar; (*eingliedern*) incluir, incorporar en; (*eintragen*) anotar, apuntar; *in Listen*: alistar, inscribir, incluir; *in e-n Verein*: admitir; (*auffassen*) interpretar; (*katalogisieren*) catalogar; *Inventar*: inventariar, hacer inventario; (*beginnen*) comenzar; entrar en (*Verhandlungen* negociaciones); *Beziehungen*: entablar, establecer → *Verbindung*; *et. wieder* ~ reanudar; *Geld*: tomar un préstamo; *e-e Anleihe*: emitir; negociar; *Hypothek*: hipotecar; *Kapital*: recibir a crédito; *Schulden*: contraer; *Wechsel*: aceptar; *Diktat*: escribir al dictado; *Stenogramm*: taquigrafiar; *Protokoll*: levantar acta *f*; *ins Protokoll* ~ hacer constar en acta; *Plan*: levantar, trazar; (*photographieren*) *Personen*: retratar; *Landschaft*: tomar vistas (*od.* una vista) de; *allg.* fotografiar; *Film*: impresionar, rodar (*una película*); *e-e Spur* ~ seguir la pista; *Jgdw.* seguir el rastro; *in ein Krankenhaus* (*e-e Schule*) *aufgenommen werden* ingresar en un hospital (una escuela); *an Kindes Statt* ~ prohijar, adoptar; *fig. es mit j-m* ~ poder competir con alg.; *et. gut* ~ tomar a bien *od.* aprobar a/c.; et. *übel* ~ tomar a mal (sentirse ofendido por) a/c.

ˈ**aufnotieren** (-) *v/t.* anotar, tomar nota *f* de.

ˈ**auf-oktroyieren** (-) *v/t.* forzar, imponer por la fuerza.

ˈ**auf-opfer|n** (*-re*) *v/t.* sacrificar; **~nd** *adj.* (*barmherzig*) caritativo; abnegado; altruista; **2ung** *f* sacrificio *m*; abnegación *f*; altruismo *m.*

ˈ**aufpacken** *v/t. Last*: cargar (*auf ac.* sobre); → *aufbürden*; (*öffnen*) desempaquetar; desembalar.

ˈ**aufpäppeln** (*-le*) *v/t.* (*Säuglinge*) criar con biberón *m bzw.* con papillas *f/pl.*; *fig.* mimar.

ˈ**aufpass|en** (*-ßt*) *v/i.* ~ *auf* (*ac.*) atender a, poner atención a; *beobachten*: observar; vigilar; (*auf Kinder, Kranke*) cuidar; (*aufmerken*) estar atento a, escuchar con atención; (*vorsichtig sein*) tener cuidado con; estar en guardia *od.* alerta; (*lauern*) acechar; espiar; *aufgepaßt!, paßt auf!* ¡atención!; (*Vorsicht*) ¡cuidado!, F ¡ojo!; F *paß* (*mal*) *auf!* ¡atiende!, ¡escucha!, ¡oye!; ¡fíjate!; **2er**(**in** *f*) *m* (*in Museen, Anstalten*) vigilante *m*, celador(a *f*) *m*; (*Beobachter*) observador *m*; (*Hehler*) encubridor(a *f*) *m*; (*Späher*) escucha *m*; (*Spitzel*) espía *m/f.*

ˈ**aufpeitschen** *v/t. fig.* estimular, excitar; incitar, instigar; atizar.

ˈ**aufpflanzen** (*-t*) *v/t.* (*Flagge*) enarbolar; plantar; ⚔ *Seitengewehr*: calar (*la bayoneta*); *fig. sich vor j-m* ~ plantarse delante de alg.

ˈ**aufpfropfen** *v/t.* injertar.

ˈ**aufpicken** *v/t.* comer (*od.* abrir) a picotazos.

ˈ**aufplatzen** (*-t*) *v/i.* reventar; estallar; (*Naht*) descoserse.

ˈ**aufplustern** (*-re*) F *v/refl.* (*Vogel*) esponjarse, ahuecar el plumaje.

ˈ**aufpolieren** (-) *v/t.* pulir, dar brillo (*a. fig.*).

ˈ**aufprägen** *v/t.* (*auf ac.*) imprimir en; estampar sobre.

ˈ**Aufprall** *m* (*-es*; *-e*) choque *m*; (*Geschoß, Ball*) bote *m*, rebote *m*; **2en** *v/i.* chocar; (re)botar (*auf ac.* contra); hacer impacto.

ˈ**Aufpreis** † *m* (*-es*; *-e*) sobreprecio *m.*

ˈ**aufprobieren** (-) *v/t.* probar.

ˈ**aufprotzen** (*-t*) ⚔ *v/t.* colocar el armón.

ˈ**aufpumpen** *v/t.* sacar agua *f* con la bomba; *Reifen*: inflar, hinchar.

ˈ**Aufputz** *m* (*-es*; *0*) (*Schmuck*) aderezo *m*; adorno *m*; *Frisur*: tocado *m*; (*Kleider2*) atavío *m*; *allg.* compostura *f*; **2en** (*-t*) *v/t.* adornar; ataviar(se), engalanar(se); componer(se); F emperejilarse; (*reinigen*) limpiar.

ˈ**aufquellen** (*L*) **1.** *v/i. Wasser*: brotar, surtir; (*anschwellen*) hincharse; ~ *lassen* (*Bohnen, Erbsen*) poner en remojo; **2.** *v/t.* hinchar, henchir; (*aufkochen*) cundir.

ˈ**aufraffen** *v/t.* arrebañar; *Kleider*: recoger; arremangar; *sich* ~ cobrar ánimo; sacar fuerzas de flaqueza; reaccionar con coraje; *Kranke*: reanimarse.

ˈ**aufragen** *v/i.* elevarse; destacar, sobresalir; alzarse.

ˈ**aufrauhen** ⊕ *Tuch*: perchar; *Wolle*: cardar; *Putz*: escodar, granular.

ˈ**aufräum|en** *v/t. u. v/i.* (*wegschaffen*) despejar, desembarazar; (*Schutt*) descombrar; (*säubern*) limpiar; † *sein Lager* ~ liquidar las existencias; (*ordnen*) ordenar, poner en su sitio; *Zimmer*: arreglar; *fig. mit et.* ~ acabar con; → *aufgeräumt*; **2ung** *f* ⚔ *von Feindresten*: operaciones *f/pl.* de limpieza; **2ungs-arbeiten** *f/pl.* trabajos *m/pl.* de descombro; (*Bergung*) trabajos *m/pl.* de salvamento.

ˈ**aufrechn|en** (*-e-*) *v/t. u. v/i.* contar; (*belasten*) cargar en cuenta; ~ *gegen* compensar con; *gegeneinander* ~ † rescontrar; ⚖ compensar; **2ung** *f* † balance *m*; ⚖ compensación *f.*

ˈ**aufrecht** *adj.* derecho; (*aufgerichtet*) erguido; (*steif*) rígido, F tieso; ~ *stehen* estar en pie; *fig.* recto, íntegro; ~ *stellen* poner derecho; **~(er)halten** *v/t.* mantener en pie; *fig.* mantener, sostener; conservar; *die Ordnung* ~ mantener el orden; (*Brauch*) conservar; **2(er)haltung** *f* mantenimiento *m*; sostenimiento *m*; conservación *f.*

ˈ**aufreg|en** *v/t.* agitar; (*beunruhigen*) alterar, perturbar, inquietar; *sich* ~ agitarse, alterarse; F sulfurarse; (*ärgerlich werden*) incomodarse, enfadarse; (*heftiger*) excitarse, irritarse; (*innerliche Erregung*) emocionarse; *sich* ~ *über* (*ac.*) alterarse por; *reg dich nicht auf!* ¡no te incomodes!, F ¡no te sulfures!; **~end** *adj.* conmovedor; excitante; (*spannend*) emocionante; **2ung** *f* agitación *f*, irritación *f*; emoción *f*; zozobra *f*; nerviosismo *m.*

ˈ**aufreiben** (*L*) *v/t.* frotar; (*wundreiben*) excoriar; ⊕ alisar; (*verschleißen*) desgastar; ⚔ aniquilar; *fig.* (*Gesundheit*) arruinar, minar; (*Kräfte*) agotar; *sich* ~ consumirse, matarse trabajando; **~d** *adj.* agotador.

ˈ**aufreihen** *v/t.* enfilar; *Perlen*: ensartar.

ˈ**aufreißen** (*L*) **1.** *v/t. Tür usw.* abrirse bruscamente; *Mund*: quedar boquiabierto; (*zeichnen*) trazar, delinear; *Haut*: arañar; *Kleid*: desgarrar; (*Schienen, Pflaster*) levantar; **2.** *v/i. Haut*: agrietarse; (*sich spalten*) rajarse, henderse; *Naht*: descoserse.

ˈ**aufreiz|en** (*-t*) *v/t.* excitar, instigar; irritar; provocar; **~end** *adj.* provocador; provocativo; **2ung** *f* excitación *f*; irritación *f*; provocación *f.*

ˈ**aufrichten** (*-e-*) *v/t.* levantar, alzar, erigir; ⚓ adrizar; ✈ enderezar; (*einrichten*) fundar, establecer; implantar; *fig.* consolar, alentar; *sich* ~ levantarse, ponerse de pie; enderezarse; *im Bett*: incorporarse.

ˈ**aufrichtig** *adj.* sincero, franco; (*naiv*) ingenuo, cándido; (*ehrlich*) leal, recto; **2keit** *f* (*0*) sinceridad *f*, franqueza *f*; ingenuidad *f*; lealtad *f*, rectitud *f*; hombría *f* de bien.

ˈ**aufriegeln** (*-le*) *v/t.* descorrer el cerrojo; desatrancar.

ˈ**Aufriß** *m* (*-sses*; *-sse*) (*Zeichnung*) dibujo *m*; (*Grundriß*) plano *m*, planta *f*; △ (*äußere Ansicht*) alzado *m*; (*Vorderansicht*) vista *f* frontal; proyección *f* vertical; ⩕ sección *f* vertical.

ˈ**aufritzen** (*-t*) *v/t.* arañar, rasguñar.

ˈ**aufrollen** *v/t.* (*einwickeln*) arrollar, enrollar; (*aufspulen*) devanar; (*auswickeln*) desenrollar; *fig.* desarrollar; (*Frage*) plantear; ⚔ envolver.

ˈ**aufrücken** (*sn*) *v/i.* avanzar (*a. fig.*); *Sport*: ganar terreno *m*; ⚔ *in Reih u. Glied*: cerrar las filas; *im Range usw.* ascender.

ˈ**Aufruf** *m* (*-es*; *-e*) proclama *f*; llamamiento *m*; *Pol.* manifiesto *m*; *e-n* ~ *erlassen* hacer un llamamiento; *Banknoten*: retirada *f* de la circulación; ⚔ *e-s Jahrgangs*: llamamiento *m* a filas; **2en** (*L*) *v/t.* llamar; *die Namen* ~ pasar lista; *Banknoten*: retirar; *zum Streik* ~ hacer un llamamiento a la huelga.

ˈ**Aufruhr** *m* (*-es*; *-e*) (*Unruhe*) disturbio *m*, alboroto *m*; revuelta *f*, tumulto *m*, motín *m*; (*Empörung*) sedición *f*, insurrección *f*; sublevación *f*, rebelión *f*; ⚔ *Span.*: pronunciamiento *m*; (*Meuterei*) amotinamiento *m*; **~stifter** *m* instigador *m*; promotor *m*; agitador *m.*

ˈ**aufrühren** *v/t.* revolver; remover; agitar; *fig. j-n*: alborotar; *Leidenschaften*: excitar, atizar; *alte Geschichten*: avivar el rescoldo; *Erinnerungen*: rememorar, revivir.

ˈ**Aufrührer**(**in** *f*) *m*, **2isch** *adj.* sedicioso (-a *f*) *m*, insurrecto (-a *f*) *m*, insurgente *m/f*, (*Bewegung*) insurreccional; rebelde *m/f*, faccioso (-a *f*) *m*; amotinado (-a *f*) *m*; *Pol.* revolucionario (-a *f*) *m*; (*Aufwiegler*) revoltoso *m*; F *Am.* bochinchero *m.*

ˈ**aufrunden** (*-e-*) *v/t.* redondear.

ˈ**aufrüst|en** (*-e-*) *v/t. u. v/i.* ⚔ (re-)armar; ⊕ armar; **2ung** *f* ⚔ rearme *m.*

ˈ**aufrütteln** (*-le*) *v/t.* sacudir (*fig. a.* animar).

ˈ**aufsagen** *v/t.* decir, repetir (*de memoria*); *Gedicht*: recitar; declamar; → *aufkündigen.*

ˈ**aufsammeln** (*-le*) *v/t.* recoger.

ˈ**aufsässig** *adj.* (*widerspenstig*) rebelde; levantisco; refractario; **2keit** *f* espíritu *m* de rebeldía.

ˈ**Aufsatz** *m* (*-es*; *¨e*) (*Abhandlung*) disertación *f*; ensayo *m*; (*Schul2*) composición *f*; (*Zeitungs2*) artículo *m*; (*Tafel2*) centro *m* de mesa; (*Säulen2*) capitel *m*; (*aufgesetztes Stück*) pieza *f* sobrepuesta; ⊕ aditamento *m*; (*Kappe*) caperuza *f*; △ remate *m*; ⚔ *am Geschütz*: mira *f*; **~thema** *n* (*-s*; *-themata*, *-themen*) tema *m* de redacción.

ˈ**aufsaug|en** *v/t.* absorber; *wieder* ~ re(ab)sorber; *Luft*: aspirar; **~end** *adj.* absorbente; **2ung** *f* absorción *f.*

ˈ**auf|scharren** *v/t.* (*Erde*) escarbar; (*Leiche*) desenterrar, exhumar; **~schauen** *v/i.* → *aufblicken*; **~schäumen** *v/i.* producir espuma;

espumar; (*vor Wut*) espumajear; **~scheuchen** *v/t.* espantar, ahuyentar; **~scheuern** *v/t.* (*putzen*) fregar; *Haut*: excoriar, desollar(se).

'**aufschicht|en** (*-e-*) *v/t.* apilar, disponer en capas *f/pl.*; *Geol.* estratificar; **2ung** *Geol. f* estratificación *f.*

'**aufschieben** (*L*) *v/t.* empujar hacia arriba; *fig.* aplazar, dejar para; (*zögernd*) diferir, demorar; retardar; postergar; (*Frist*) prorrogar; es läßt sich nicht ~ no admite demora.

'**aufschießen** (*L*; *sn*) *v/t.* ♀ brotar; *fig.* (*wachsen*) crecer rápidamente, espigar; aufgeschossenes Mädchen F muchacha (muy) espigadita; aufgeschossener Junge muchacho muy crecido, F grandullón, largo.

'**Aufschlag** *m* (*-es*; *⸚e*) *am Ärmel*: bocamanga *f*; vuelta *f*; *am Rock*: solapa *f*; *an der Hose*: vuelta *f*; (*Auftreffen*) golpe *m*, caída *f* (*auf ac.* sobre), choque *m*; (*Geschoß*) rebote *m*; impacto *m*; ✈ caída *f* a tierra; ✝ (*Kurs2*) alza *f*; (*Preis2*) *a.* subida *f*, aumento *m*; (*Zuschlag*) recargo *m*, suplemento *m*; (*Prämie*) prima *f*; (*Steuer2*) recargo *m*; gravamen *m*; *Ballspiel*: saque *m*; **2en** (*L*) **1.** *v/i.* lastimarse (*al dar contra a/c.*); *Geschoß*: rebotar; ✈ estrellarse; *Ballspiel*: sacar; **2.** *v/t.* (*öffnen*) abrir, romper; *Ei, Nuß*: cascar; (*heben*) subir, alzar; *Augen, Buch*: abrir; *Bett*: armar; *Bettdecke*: replegar; *Gerüst*: montar; *Preis*: subir, aumentar; *Wohnsitz*: establecerse, fijar la residencia en; (*im Nachschlagewerk*) consultar; *Wort* (*im Wörterbuch*) buscar; *Zelt*: plantar, armar la tienda; *Lager*: acampar; sein Hauptquartier ~ in establecer su cuartel general en; sich den Kopf ~ lastimarse la cabeza al dar contra a/c.; **~zünder** *m* espoleta *f* de percusión; ~ mit Verzögerung espoleta retardada.

'**aufschließen** (*L*) **1.** *v/t.* abrir; *fig.* aclarar; *Gelände* ⚒: beneficiar, explotar; ✝ *Markt*: abrir; ⚗ desintegrar; *fig.* sich ~ abrir su corazón a alg., expansionarse con alg.; **2.** *v/i.* ⚔ cerrar las filas; *zum Verband*: incorporarse.

'**aufschlitzen** (*-t*) *v/t.* hender, rajar; den Bauch ~ abrir el vientre.

'**aufschluchzen** (*-t*) *v/i.* prorrumpir en sollozos *m/pl.*

'**Aufschluß** *m* (*-sses*; *⸚sse*) *fig.* explicación *f*; aclaración *f*; información *f*; ~ geben über informar sobre; enterar de; aclarar (*ac.*); ⚒ explotación *f*; ⚗ desintegración *f*; **2reich** *adj.* instructivo; revelador; rico en enseñanzas.

'**aufschlüsseln** (*-le*) *v/t.* subdividir.

'**aufschmieren** *v/t.* (*Fett usw.*) extender (sobre), untar (con, de).

'**aufschnallen** *v/t.* sujetar con hebillas *f/pl.*; (*öffnen*) deshebillar.

'**aufschnappen 1.** *v/t.* atrapar, coger al vuelo, F pescar; **2.** *v/i.* saltar, abrirse por sí solo.

'**aufschneid|en** (*L*) **1.** *v/t.* abrir cortando; *Braten*: trinchar; *Schinken*: cortar en lonjas *f/pl.*; *in Scheiben*: cortar en rodajas *f/pl.*; *Brot*: cortar en rebanadas *f/pl.*; *Buch*: cortar las hojas; ⚕ incidir, hacer una incisión; **2.** *v/i.* (*prahlen*) fanfarronear; (*übertreiben*) exagerar, *Arg.* macanear; **2er** *m* fanfarrón *m*; charlatán *m*; (*Lügner*) embustero *m*; **2e'rei** *f* fanfarronada *f*; exageración *f*; patraña *f*, *Arg.* macana *f*; **~erisch** *adj.* fanfarrón, farolero.

'**aufschnellen** *v/i.* (*Deckel usw.*) alzarse, abrirse de golpe.

'**Aufschnitt** *m* (*-es*; *-e*) corte *m*, incisión *f*; kalter ~ fiambres variados.

'**aufschnüren** *v/t.* atar; *lösen*: desatar; (*Paket*) abrir; (*Knoten*) deshacer; (*Schuhe*) desatar.

'**aufschrauben** *v/t.* atornillar; (*lösen*) desatornillar.

'**aufschrecken 1.** *v/t.* asustar; *aus dem Schlaf*: despertar sobresaltadamente; **2.** *v/i.* asustarse; sobresaltarse.

'**Aufschrei** *m* (*-es*; *-e*) grito *m*; (*Kreischen*) chillido *m.*

'**aufschreiben** (*L*) *v/t.* anotar; (*Notiz*) tomar nota *f*; *beim Spiel*: apuntar; ✝ (*belasten*) sentar *od.* poner en cuenta *f*; (*eintragen*) registrar; *j-n* ~ *polizeilich*: tomar los datos personales.

'**aufschreien** (*L*) *v/i.* gritar, lanzar gritos *m/pl.*; *schrill*: chillar.

'**Aufschrift** *f* inscripción *f*; *e-s Briefes*: dirección *f*; *e-r Flasche*: etiqueta *f*; *e-r Münze*: leyenda *f*; (*Überschrift*) título *m.*

'**Aufschub** *m* (*-es*; *⸚e*) aplazamiento *m*; (*Verzögerung*) demora *f*, dilación *f*; *e-r Frist*: prórroga *f*; e-n ~ bewilligen conceder una prórroga; ohne ~ sin demora; die Sache duldet keinen ~ el asunto es urgente (*od.* no admite dilación).

'**aufschürfen** *v/t. Haut*: excoriar(se).

'**aufschütteln** (*-le*) *v/t.* sacudir, agitar; (*Polster*) mullir.

'**aufschütt|en** (*-e-*) *v/t. eingießen*: echar; verter; *aufhäufen*: amontonar; *füllen*: cargar; ⊕ *a.* alimentar; *Erde* (*zu Dämmen*) terraplenar; *Straße*: rellenar (*con grava*); **2ung** *f* (*Erd2*) terraplén *m*; *Staudamm*: dique *m*; *Geol.* acumulación *f*, depósito *m.*

'**aufschwatzen** (*-t*) F *v/t.* F engatusar; *j-m et.* ~ F obligar con labia a comprar a/c.; F colocar a/c.

'**aufschwellen** (*L*) *v/i.* hinchar, ⚕ *a.* inflamar(se).

'**aufschwemm|en** *v/t.* esponjar, ahuecar; ⚗ suspender; **2ung** *f* *Geol.* aluvión *m*; ⚗ emulsión *f*; suspensión *f.*

'**aufschwingen** (*L*) *v/refl.* *Vögel*: alzar el vuelo; *fig.* elevarse; sich zu et. ~ decidirse a hacer a/c.

'**Aufschwung** *m* (*-es*; *⸚e*) *Turnen*: elevación *f* (con vuelta de campana); *fig.* (*Antrieb*) impulso *m*, ímpetu *m*; (*Besserung*) mejoría *f*; (*Fortschritt*) incremento *m*, progreso *m*; ✝ auge *m*, prosperidad *f*; *der Seele*: elevación *f*; e-n neuen ~ nehmen recibir nuevo impulso, revivir.

'**aufsehen** (*L*) *v/i.* levantar los ojos; → aufblicken; **2** *n* sensación *f*; *fig.* ruido *m*; escándalo *m*; ~ erregen llamar la atención; causar (*od.* producir) sensación; *fig.* levantar una polvareda; **~erregend** *adj.* llamativo; sensacional; *fig.* ruidoso.

'**Aufseher(in** *f*) *m* *Wächter*: vigilante *m*; *über Arbeiter*: capataz *m*; *in e-m Park*: guarda *m*; *im öffentlichen Dienst*: inspector *m*, interventor *m*; *in Museen*: celador *m.*

'**aufsein** (*L*; *sn*) *v/i.* estar levantado *od.* de pie; (*wachen*) estar despierto, velar; (*offen sein*) estar abierto.

'**aufsetzen** (*-t*) *v/i.* poner (encima), sobreponer; (*aufrichten*) levantar; *Hut*: ponerse; cubrirse; *Flicken*: poner; *schriftlich*: redactar; *Urkunde*: extender; → abfassen; *fig.* ein Gesicht ~ poner cara de; seinen Kopf ~ obstinarse, porfiar, empeñarse en a/c.; → Horn; sich ~ (*aufs Pferd*) montar a caballo.

'**aufseufzen** (*-t*) *v/i.* suspirar.

'**Aufsicht** *f* vigilancia *f*; inspección *f*, intervención *f*; *neol.* control *m*; *e-s Vormunds*: tutela *f*; die ~ führen über tener a su cargo la vigilancia *bzw.* inspección *usw.* de; unter ~ stehen estar vigilado (*polizeilich*: por la policía); *Gefangene*: estar custodiado; **2führend** *adj.* encargado de la vigilancia *bzw.* inspección *usw.*; **~sbe-amte(r)** *m* inspector *m*; interventor *m*; **~sbehörde** *f*, **~s-instanz** *f*, **~s-organ** *n* (*-es*; *-e*) autoridad *f* competente; inspección *f*, intervención *f*; **~sdame** *f*, **~sherr** *m* (*-en*) *im Geschäft*: vigilante *m/f*; **~s-personal** *n* (*-s*; *0*) personal *m* de vigilancia; **~srat** ✝ *m* (*-es*; *⸚e*) consejo *m* de administración; **~sratsmitglied** *n* (*-es*; *-er*) miembro *m* del consejo de administración, consejero *m.*

'**aufsitzen** (*L*) *v/i.* estar sentado; estar colocado *od.* puesto (*auf ac.* sobre); (*Vögel*) posarse; *zu Pferde*: montar a caballo; ~!, aufgesessen! ¡a caballo!, ¡a montar!; ⊕ estar colocado *od.* montado sobre; (*hereingelegt werden*) ser engañado *od.* objeto de una broma; F j-n ~ lassen F dejar plantado; *fig.* dejar en las astas del toro.

'**aufspalt|en** (*-e-*) *v/t.* hender, rajar; ⚗ desdoblar, disociar; desintegrar; **2ung** *f* ⚗ desdoblamiento *m*, disociación *f*; desintegración *f*, *Biol.* (*e-r Zelle*) fisión *f.*

'**aufspann|en** *v/t.* tender; (*ausbreiten*) extender; ⊕ *das Werkstück*: fijar; *Saite*: poner; *Schirm*: abrir; *Segel*: desplegar; *Zelt*: armar; **2vorrichtung** ⊕ *f* dispositivo *m* de sujeción.

'**aufsparen** *v/t.* ahorrar; *fig.* reservar.

'**aufspeicher|n** (*-re*) *v/t.* almacenar; (*horten*) atesorar; ⚡ *u. fig.* acumular; **2ung** *f* *von Energie u. fig.* acumulación *f.*

'**aufsperren** *v/t.* abrir (ampliamente); *fig.* Mund und Nase ~ quedarse boquiabierto.

'**aufspielen** *v/t. u. v/i.* ♪ tocar; *Sport*: (*ganz groß*) ~ hacer una exhibición; sich ~ F darse tono *od.* importancia; sich ~ als presumir de, echárselas de.

'**aufspießen** (*-t*) *v/t.* (*mit Lanze, Speer usw.*) atravesar con; (*mit Hörnern*) coger, empitonar; (*am Bratspieß*) espetar; (*auf e-m Pfahl*) empalar.

ˈ**aufsprengen** *v/t.* hacer saltar; (*mit Pulver*) *a.* volar; (*Tür*) forzar.
ˈ**aufspringen** (*L; sn*) *v/i.* saltar; *auf e-n Zug*: montar en marcha; *vom Sitz*: levantarse de pronto; *Ball*: botar; *Knospen*: brotar; *Haut, Lippen*: agrietarse; *Lackierung*: resquebrajarse; *Tür*: abrirse de golpe.
ˈ**aufspritzen** (*-t*) **1.** *v/t.* rociar; **2.** *v/i.* salpicar; *Quelle*: brotar.
ˈ**aufsprudeln** (*-le; sn*) *v/i.* burbujear; *kochend*: borboll(e)ar.
ˈ**Aufsprung** *m* (*-es; ⸚e*) salto *m*; *Sport*: caída *f*.
ˈ**aufspulen** *v/t.* devanar (*en carretes*).
ˈ**aufspüren** *v/t.* *Jgdw.* rastrear; buscar *bzw.* seguir una pista; (*polizeilich*) *a.* pesquisar, indagar; (*finden*) hallar; dar con la pista; *Hund*: husmear; ⚔ *Mine*: *neol.* detectar; hacer prospecciones.
ˈ**aufstacheln** (*-le*) *v/t.* aguijonear; *fig. a.* estimular, incitar; *Leidenschaften*: excitar, instigar; concitar.
ˈ**aufstampfen** *v/i.* patalear; (*Pferd*) piafar; ⊕ apisonar.
ˈ**Aufstand** *m* (*-es; ⸚e*) rebelión *f*; insurrección *f*; sublevación *f*, levantamiento *m*; (*Meuterei*) amotinamiento *m*.
ˈ**aufständisch** *adj.* → *aufrührerisch*; *die* 2*en* los insurrectos; 2**e(r** *m*) *m/f* → *Aufrührer*; *Am.* ⚔ golpista *m*.
ˈ**aufstapeln** (*-le*) *v/t.* apilar; ⚕ almacenar.
ˈ**aufstäuben** *v/t.* empolvar, espolvorear.
ˈ**aufstauen** *v/t.* estancar.
ˈ**aufstechen** (*L*) *v/t.* pinchar; perforar; ⚕ *Geschwür*: incidir; ⊕ *Hochofen*: sangrar.
ˈ**aufsteck|en** *v/t.* fijar; *mit Nadeln*: prender; *sich das Haar* ~ sujetarse el pelo con horquillas; ⊕ insertar; (*Seitengewehr*) calar; *Kleid*: arregazar, recoger; *j-m ein Licht* ~ *fig.* abrir los ojos a alg.; F (*aufgeben*) desistir de, renunciar a; 2**kamm** *m* (*-es; ⸚e*) peineta *f*.
ˈ**aufstehen** (*L; sn*) *v/i.* (*offenstehen*) estar abierto; (*sich erheben*) levantarse (*a. vom Bett*); *vom Sitz*: *a.* ponerse de (*od.* en) pie; *von e-r Krankheit*: convalecer, reponerse; (*sich empören*) alzarse en armas *f/pl.* contra, sublevarse; *früh* ~ madrugar.
ˈ**aufsteigen** (*L; sn*) *v/i.* subir, ascender (*a. fig.*); *Bergsteiger*: hacer una ascensión; (*Ballon*) *a.* elevarse; *Flugzeug*: despegar; ganar altura *f*; *Reiter*: montar; *Gewitter*: levantarse; (*hoch* ~) *fig.* encumbrarse; *ein Gedanke stieg in mir auf* se me ocurrió una idea; ~**d** *adj.* ascendente; ascensional.
ˈ**aufstell|en** *v/t.* poner, colocar, disponer, ordenar; ⚔ formar; alinear; (*zum Gefecht*) disponer; *Einheit*: organizar; *Geschütz*: emplazar; *Wachposten*: apostar; *Bauten*: erigir, levantar; *Maschine*: montar, armar, instalar; *Wagen*: estacionar; *Waren*: exponer, exhibir; *fig. Behauptung*: afirmar, aseverar; *Beispiel*: ofrecer; *Bilanz, Rechnung, Tabelle*: hacer; *Problem*: plantear; *Regel*: estatuir; *Grundsatz*: formular, sentar; *als Kandidaten*: presentar, proponer; *Kosten*: especificar; *Theorie*: proponer; sentar; *Rekord, Systeme*: establecer; *Streitkräfte*: organizar, poner en pie; *Sport, Spieler*: designar (*los jugadores*); *Mannschaft*: formar (*el equipo*); *Zeugen*: presentar; *Bedingung*: fijar, poner; *sich* ~ situarse en un lugar, apostarse, *Arg.* ubicarse; ⚔ formar (*en filas*), alinearse; *sich* ~ *lassen* (*als Kandidat*) presentarse como candidato (*für* a); 2**ung** *f* colocación *f*, disposición *f*, establecimiento *m*; ⊕ montaje *m*, instalación *f*; ⚔ (*in Reih und Glied*) formación *f*; disposición *f*; (*Mannschaft*) formación *f*, composición *f* (*del equipo*); *e-r Liste*: confección *f*; *Liste*: lista *f*; *Tabelle*: tabla *f*; *Darstellung*: exposición *f*, relación *f*; *im einzelnen*: especificación *f*; (*von Wagen*) estacionamiento *m*; (*von Waren*) exposición *f*, exhibición *f*; *Etat*: presupuesto *m*; *Inventar*: inventario *m*; *Bilanz*: balance *m*; *Nominierung*: designación *f*; *e-r Behauptung*: aserción *f*, aseveración *f*.
ˈ**aufstemmen** *v/t.* abrir violentando (*con escoplo o palanqueta*); *sich* ~ apoyarse sobre; (*mit dem Ellbogen*) acodarse.
ˈ**Aufstieg** *m* (*-es; -e*) subida *f*, ascensión *f* (*a. e-s Ballons*); ✈ despegue *m*; *fig.* auge *m*; (*Beförderung*) ascenso *m*; (*Fortschritt*) progreso *m*, avance *m*; ~**smöglichkeit** *f* posibilidad *f* de ascenso.
ˈ**aufstöbern** (*-re*) *v/t.* *Wild*: levantar de la guarida; desemboscar; *fig.* lograr hallar, descubrir.
ˈ**aufstocken** *v/t.* ⚠ añadir un nuevo piso (*a un edificio*).
ˈ**aufstören** *v/t.* espantar; disturbar.
ˈ**aufstoßen** (*L*) **1.** *v/t.* abrir de golpe; **2.** *v/i.* ~ *auf* (*ac.*) chocar contra, dar con(tra), topar con; ⚓ *auf Grund*: encallar; (*Rülpsen*) eructar; *fig. vorkommen*: ocurrir; *auf jemanden stoßen* hallar a alg., tropezar con alg.; *auf et. stoßen* hallar a/c. casualmente; → *sauer*; 2 *n* eructo *m*; ⚕ *saueres* ~ acedía *f*, pirosis *f*.
ˈ**aufstreben** *v/i.* (*hochragen*) elevarse; *fig.* aspirar (*zu* a), afanarse por; ~**d** *adj. fig.* (*Ziel*) de alto vuelo.
ˈ**aufstreichen** (*L*) *v/t.* extender sobre; *auf Brot*: untar.
ˈ**aufstreifen** *v/t.* *Ärmel usw.*: arremangar; *Ring*: poner.
ˈ**aufstreuen** *v/t.* (*Pulver*) espolvorear; esparcir.
ˈ**Aufstrich** *m* (*-es; -e*) *von Farbe*: capa *f*, mano *f* (*de pintura*); ♪ arcada *f* arriba; *beim Schreiben*: perfil *m*.
ˈ**aufstülpen** *v/t.* *Ärmel usw.* arremangar; *Hut*: calar.
ˈ**aufstützen** (*-t*) *v/t.* apoyar (*auf ac.* sobre); *sich* ~ acodarse, reclinarse.
ˈ**aufsuchen** *v/t.* buscar; *j-n* ~ ir a ver a alg., *e-n Arzt*: *a.* (ir a) consultar; *e-n Ort*: ir a.
ˈ**auftakeln** (*-le*) *v/t.* ⚓ aparejar; F *fig. sich* ~ ataviarse con mal gusto; emperifollarse, emperejilarse.
ˈ**Auftakt** ♪ *m* (*-es; -e*) antecompás *m*; *fig.* preludio *m*, fase *f* inicial; comienzo *m*; F compás *m* de espera.
ˈ**auftauchen** *v/i.* emerger; (*erscheinen*) aparecer de pronto, surgir; *fig.* F descolgarse.
ˈ**auftauen** (*sn*) **1.** *v/t.* derretir; **2.** *v/i.* *Fluß*: deshelar(se); *Schnee, Eis*: derretirse; *fig.* romper el hielo, abandonar la reserva.
ˈ**aufteil|en** *v/t.* dividir; (*verteilen*) repartir, distribuir; prorratear; *Land*: parcelar; 2**ung** *f* división *f*; reparto *m*, distribución *f*; prorrateo *m*; parcelación *f*.
ˈ**auftischen** *v/t.* poner sobre la mesa, servir; *j-m et.* ~ *fig.* F contar a alg. un cuento chino.
ˈ**Auftrag** *m* (*-es; ⸚e*) (*Beauftragung*) encargo *m*, comisión *f*; (*Befehl*) mandato *m*; (*Sendung, a.* ⚔) misión *f*; (*Aufgabe, a.* ⚔) cometido *m*, misión *f*; (*Botengang*) recado *m*; (*Botschaft*) mensaje *m*; ⚖ mandato *m*; ⚕ (*Bestellung*) orden *f*, pedido *m*; (*Bau*2), (*öffentlicher* ~) contrata *f*; (*diplomatischer* ~) misión *f* diplomática; *von Farbe*: aplicación *f*; *im* ~ (*i.A.*) por poder (p.p.); *behördlich*: por orden (p.o.); *im* ~ *von* por orden *bzw.* por encargo de; *im* ~ *und auf Rechnung von* de orden y por cuenta de; *im besonderen* ~ en misión especial; *e-n* ~ *ausführen* ejecutar una orden; *e-n* ~ *erteilen* dar orden (zu de), ⚕ hacer un pedido; *in* ~ *geben* encomendar *bzw.* encargar la ejecución de; 2**en** (*L*) **1.** *v/t.* *Speisen*: servir; *Farben*: aplicar; *Typ.* entintar; *Kleid*: gastar; ⊕ *Straßenbau*: rellenar; *j-m et.* ~ encargar *bzw.* encomendar a/c. a alg.; **2.** *v/i.* *fig. dick* ~ recargar las tintas, exagerar, F dar bombo.
ˈ**Auftrag...:** ~**geber(in** *f*) *m* (*Besteller*) comitente *m*; (*Kunde*) cliente *m/f*, comprador(a *f*) *m*; ⚖ mandante *m/f*; ~**nehmer(in** *f*) *m* ⚕ comisionista *m/f*; contratista *m*; ⚖ mandatario *m*; ~**sbestand** *m* (*-es; ⸚e*) volumen *m* de pedidos; ~**sbestätigung** *f* confirmación *f* de la orden; ~**sbuch** *n* (*-es; ⸚er*) libro *m* de pedidos; ~**s-erteilung** *f* (*bei e-r Ausschreibung*) concesión *f* de contrata; ~**sformular** *n* (*-s; -e*) impreso *m* de pedido; 2**sgemäß** *adv.* conforme a su pedido; ~**swalze** *Typ. f* rodillo *m* de entintar; ~**szettel** *m* nota *f* de pedido.
ˈ**auftreff|en** (*L*) *v/i.* chocar, dar (*auf ac.* contra); 2**punkt** *m* punto *m* de choque; 2**winkel** *m* ángulo *m* de incidencia.
ˈ**auftreiben** (*L*) *v/t.* empujar hacia arriba; *Wild*: desalojar, levantar; (*aufblähen*) hinchar; (*beschaffen*) procurar, proporcionar; (*finden*) lograr hallar; *Geld*: allegar fondos *m/pl.*, reunir.
ˈ**auftrennen** *v/t.* deshilvanar, deshacer; *Naht*: descoser.
ˈ**auftreten** (*L*) **1.** *v/i.* (*auf ac.*) pisar sobre *od.* en; hincar (*od.* sentar) el pie en; (*erscheinen*) aparecer, presentarse; (*öffentlich* ~) presentarse en público; *Thea.* entrar en (*od.* salir a) escena; (*spielen*) actuar; *zum ersten Mal* ~ estrenarse, *gal.* debutar; ~ *als* aparecer como; (*unbefugterweise*) erigirse en; *Thea.* hacer (*od.* interpretar) el papel de; *als Schriftsteller* ~ presentarse como escritor *bzw.* autor; *als Zeuge* ~

deponer como testigo; (*handeln*) actuar; proceder; (*sich benehmen*) portarse, conducirse, comportarse; ~ *gegen* oponerse a, declararse contra; *energisch* ~ mostrar firmeza, adoptar una actitud enérgica; (*eintreten*) suceder, ocurrir; *Krankheit, Ereignis*: sobrevenir; *Schwierigkeiten, Zweifel*: surgir; **2.** *v/t. Tür*: abrir a puntapiés; 2 *n* (*Erscheinen*) apariencia *f*, presentación *f*; (*Benehmen*) comportamiento *m*, porte *m*; modales *m/pl.*; (*Haltung*) actitud *f*; (*moralisches*) conducta *f*; (*vornehmes*) señorío *m*; *sicheres* ~ seguridad *f*, aplomo *m*; *Thea. erstes* ~ presentación *f* (de un artista), *gal.* debut *m*.

'**Auftrieb** *m* (-*es*; -*e*) *von Vieh*: conducción *f* de reses (*al mercado usw.*); ✝ abasto *m* de carnes; *Phys.* fuerza *f* ascensional; ⚓ flotabilidad *f*; *fig.* (*Anstoß*) impulso *m*, ímpetu *m*; **~skraft** *f* (*0*) fuerza *f* ascensional, empuje *m* ascendente.

'**Auftritt** *m* (-*es*; -*e*) (*Trittbrett*) estribo *m*; *Thea.* (*Erscheinen*) salida *f* a escena; (*Szene*) escena *f*; *fig.* (*Streit*) altercado *m*, disputa *f*, F escena *f*.

'**auftrocknen** (-*e*-) *v/t. u. v/i.* secar(se).

'**auftrumpfen** *v/i.* (*Kartenspiel*) triunfar; *fig.* salir con la suya.

'**auftun** (*L*) *v/t.* abrir; *sich* ~ abrirse; *den Mund* ~ despegar los labios; *den Mund nicht* ~ callarse, F no decir esta boca es mía.

'**auftürmen** *v/t.* amontonar, apilar, acumular; aupar.

'**aufwachen** (*sn*) *v/i.* despertarse; (*aus der Ohnmacht*) volver en sí.

'**aufwachsen** (*L*; *sn*) *v/i.* crecer, criarse en.

'**aufwall|en** *v/i.* hervir, borbollar, borbotar; *brausend*: burbujear; *fig. Blut, Leidenschaft*: hervir; **2ung** *f* borboteo *m*, hervor *m*; efervescencia *f*; *Phys.* ebullición *f*; *seelische*: emoción *f*; (*aus Scham*) rubor *m*, sonrojo *m*; (*Freude*) transporte *m*; (*Wut*) arrebato *m*.

'**aufwalzen** (-*t*) ⊕ *v/t.* laminar.

'**Aufwand** *m* (-*es*; *0*) (*Kosten*) gastos *m/pl.*; (*Verbrauch*) gasto *m*, consumo *m*; *unnützer* ~ derroche *m*; (*Prunk*) suntuosidad *f*, ostentación *f*, pompa *f*, boato *m*; (*Luxus*) lujo *m*; *an Worten*: verbosidad *f*; *großen* ~ *machen* vivir rumbosamente; **~skosten** *pl.* gastos *m/pl.* de representación; **~steuer** *f* (-; -*n*) impuesto *m* de lujo.

'**aufwärmen** *v/t.* recalentar; *fig.* (*Erinnerung*) evocar, refrescar; *alte Geschichten*: reavivar, atizar.

'**Aufwartefrau** *f* asistenta *f*, mujer *f* de servicio.

'**aufwarten** (-*e*-) *v/i. j-m*: servir, asistir a alg.; *bei Tisch*: servir la mesa; ~ *mit* ofrecer, presentar.

'**Aufwärter** *m* criado *m*, sirviente *m*; (*Kellner*) camarero *m*; **~in** *f* criada *f*, sirvienta *f*; asistenta *f*.

'**aufwärts** *adv.* (hacia) arriba; (*bergan*) cuesta arriba; *den Fluß* ~ río arriba; *strom~ fahren* remontar un río; *von 2 Millionen* ~ de 2 millones en adelante; *mit ihm geht es* ~ va prosperando; **2bewegung** ✝ *f* movimiento *m* de alza; ⊕ (*Hub*) carrera *f* ascendente; **2flug** *m* (-*es*; ⸗*e*) vuelo *m* ascendente.

'**Aufwartung** *f* servicio *m*; → *Aufwartefrau*; (*Besuch*) visita *f* de cumplido; *j-m s-e* ~ *machen* visitar, ofrecer sus respetos a alg.

'**aufwasch|en** (*L*) *v/t.* (*Teller*) lavar, fregar; **2frau** *f* lavadora *f* (*de platos*), *desp.* fregatriz *f*, fregona *f*.

'**aufwecken** *v/t.* despertar; *fig. a.* reanimar.

'**aufweichen 1.** *v/t.* ablandar, reblandecer; (*in Wasser*) remojar; macerar; **2.** *v/i.* reblandecerse; **~d** *adj.* (*Pflaster*) emoliente.

'**aufweisen** (*L*) *v/t.* mostrar; presentar, ofrecer; exhibir, ostentar; tener; (*enthüllen*) revelar.

'**aufwend|en** (-*e*- *od. L*) *v/t.* (*anwenden*) emplear, dedicar; (*ausgeben*) gastar; *Mühe*: prodigar (*esfuerzos*); *viel Geld* ~ derrochar mucho dinero; **2ungen** *f/pl.* gastos *m/pl.*

'**aufwerfen** (*L*) *v/t. Damm, Staub*: levantar; *Graben*: abrir; *Kopf*: alzar enérgicamente; *Frage*: suscitar, plantear; *sich* ~ *zu* erigirse en; → *aufgeworfen*.

'**aufwert|en** (-*e*-) *v/t.* revalor(iz)ar; **2ung** *f* revalor(iz)ación *f*.

'**aufwickeln** (-*le*) *v/t.* enrollar, arrollar; (*spulen*) devanar; *Haar*: rizar; (*auswickeln*) desenrollar; *Haar*: soltar (*los rizos*); *Paket*: desenvolver.

'**aufwiegel|n** (-*le*) *v/t.* sublevar, incitar (*a la rebelión*), amotinar; soliviantar, alborotar; **2ung** *f* concitación *f*, agitación *f*, excitación *f*.

'**aufwiegen** (*L*) *v/t. fig.* contrapesar, contrabalancear; equilibrar, compensar; *mit Gold* ~ pagar a peso de oro.

'**Aufwiegler** *m* agitador *m*, alborotador *m*; amotinador *m*; **2isch** *adj.* sedicioso; agitador, alborotador, revoltoso; demagógico, demagogo.

'**Aufwind** ✈ *m* (-*es*; -*e*) corriente *f* de aire ascendente *od.* ascensional.

'**aufwinden** (*L*) *v/t.* enrollar; (*Garn*) devanar; *mit e-r Winde*: levantar, guindar, ⚓ izar; *mit e-m Kran*: elevar; *Anker*: levar.

'**aufwirbeln** (-*le*) *v/t. u. v/i.* arremolinar(se), levantarse en torbellinos; *Staub*: levantar mucho polvo; *fig. viel Staub* ~ levantar una polvareda, causar sensación.

'**aufwisch|en** *v/t.* limpiar; (*auftrocknen*) secar, enjugar; **2lappen** *m* rodilla *f*, trapo *m*; bayeta *f*.

'**aufwühlen** *v/t.* revolver; *Erde*: (ex)cavar; (*von Schweinen*) hozar; *fig. Seele*: agitar, excitar; escarbar; → *aufwiegeln*.

'**aufzähl|en** *v/t. Geld*: contar; (*der Reihe nach*) enumerar; (*im einzelnen*) detallar, especificar; **2ung** *f* enumeración *f*; relación *f*, lista *f*.

'**aufzäumen** *v/t.* embridar; → *Pferd*.

'**aufzehr|en** *v/t.* consumir (*a. fig.*); *Phys. u. fig.* absorber; **~end** *adj.* ⚕ consuntivo; **2ung** *f* consumo *m*.

'**aufzeichn|en** (-*e*-) *v/t.* dibujar; (*notieren*) apuntar, anotar; *amtlich*: registrar (*a.* ⊕ *von Instrumenten*); (*bezeichnen*) marcar, señalar; **2ung** *f* nota *f*, apunte *m*; registro *m*; dibujo *m*; ✝ asiento *m*.

'**aufzeigen** *v/t.* mostrar señalar; (*klarmachen*) demostrar, evidenciar; (*offenbaren*) revelar, descubrir.

'**aufzieh|en** (*L*) **1.** *v/t.* (*hochziehen*) subir, levantar, alzar; *Vorhang*: descorrer, *Thea.* levantar (*el telón*); *Schublade, Schleuse*: abrir; *Segel, Flagge*: izar; *Anker*: levar; *Gewehrhahn*: montar; *Flasche*: descorchar; *Landkarte*: montar (*en tela*); *Kind, Vieh*: criar; *Pflanze*: cultivar; *Saiten*: poner; *fig. andere Saiten* ~ cambiar de tono; *Uhr usw.*: dar cuerda a; *fig. Unternehmen usw.*: organizar; F (*foppen*) tomar el pelo a, F chunguearse de; **2.** *v/i.* ⚔ *in Marschordnung*: desfilar; *auf Wache* ~ hacer el relevo de la guardia; *Gewitter*: levantarse; **2en** *n der Wache*: relevo *m*; *Spielzeug zum* ~ juguete *m* de resorte (*od.* de cuerda); **2kurbel** *f* (-; -*n*) manivela *f*.

'**Aufzucht** *f* (*0*) cría *f*.

'**Aufzug** *m* (-*es*; ⸗*e*) (*Aufmarsch*) *Rel.* procesión *f*; (*Gefolge*) séquito *m*, cortejo *m*; cabalgata *f*; *bsd.* ⚔ desfile *m*, parada *f*; *Thea.* acto *m*; (*Fahrstuhl*) ascensor *m*; (*Paternoster*) ascensor *m* de rosario; (*Lasten*2) montacargas *m*; (*Küchen*2) montaplatos *m*; (*Winde*) torno *m*, cabrestante *m*; (*Weberei*) cadena *f*; *Uhr*: cuerda *f*; (*Turnen*) elevación *f*; **~hebel** *m Phot.* palanca *f* del obturador; **~kabine** ⚒ *f* jaula *f*; **~schacht** ⚒ *m* (-*es*; ⸗*e*) pozo *m* del ascensor.

'**aufzwängen** *v/t.* (*Tür*) abrir con violencia; forzar.

'**aufzwingen** (*L*) *v/t. j-m et.* ~ imponer por la fuerza, F *fig.* hacer tragar a/c.; *j-m s-n Willen* ~ imponer su voluntad a alg.

'**Aug-apfel** *m* (-*s*; ⸗) globo *m* del ojo; *fig.* ojito *m* derecho.

'**Auge** *n* (-*s*; -*n*) ojo *m*; (*Sehkraft*) vista *f*; (*Knospe*) yema *f*; *Öse*: ojete *m*; (*Käse, Suppe*) ojo *m*; *auf Würfeln, Dominosteinen*: punto *m*; *mit dem bloßen* ~ a simple vista; *blaues* (*blaugeschlagenes*) ~ ojo amoratado, F ojo a la funerala; *künstliches* ~ ojo artificial (*od.* de cristal); *in die* ~*n fallend* (*Kleid*) vistoso, llamativo; *fig.* evidente, manifiesto; *ins* ~ *fallen* llamar la atención, resaltar; *in die* ~*n springen fig.* saltar a la vista; ~ *um* ~ ojo por ojo; *in meinen* ~*n* en mi opinión, a mi juicio; *unter vier* ~*n* a solas, sin testigos, privadamente; *vor aller* ~*n* a la vista de todos, *fig.* públicamente; *aus den* ~*n verlieren* perder de vista; *aus den* ~*n, aus dem Sinn* ojos que no ven, corazón que no siente; *die* ~*n beleidigen* ofender los ojos; *die* ~*n offenhalten* abrir el ojo, estar alerta; (*sich*) *die* ~*n verderben* dañarse la vista; *die* ~*n verdrehen* poner los ojos en blanco; *die* ~*n verschließen vor* cerrar los ojos a; *ein* ~ *haben auf* poner el ojo en a/c.; *bei et. ein* ~ *zudrücken* F hacer la vista gorda; *große* ~*n machen* F poner ojos como platos; *gute* ~*n haben fig.* tener (buena) vista; *et. im* ~ *behalten* no perder de vista; tener muy presente a/c.; *im* ~ *haben* F tener entre ceja y ceja; *ins* ~ *sehen j-m*: mirar de hito en hito, mirar cara a cara; *fig. e-r Gefahr, Tatsache*: arrostrar, afrontar; *Ziel usw.*: *ins ~ fassen* considerar; pensar en hacer *od.* proyectar a/c.; *j-m schöne ~n machen* coquetear, F flirtear con alg.; *j-m die ~n öffnen fig.* desengañar, abrir los ojos a alg.; *j-m et. an den ~n absehen* leer en los ojos los deseos de alg.; *kein ~ zutun* no pegar ojo (en toda la noche); *mit anderen ~n ansehen* mirar las cosas con otros ojos; *mit einem blauen ~ davonkommen* salir bien librado *od.* sin mayores consecuencias; *nicht aus den ~n lassen* no quitar los ojos de, no perder de vista; *sich vor ~n halten fig.* tener presente; *vor ~n führen* evidenciar, demostrar; *die ~n gehen mir auf fig.* ahora veo claro; *geh mir aus den ~n!* ¡quítate de mi vista!; *ich traute meinen ~n nicht* no daba crédito a mis ojos; *wie die Faust aufs ~ fig.* F como un mandil a una vaca; ⚔ *~n rechts!* ¡vista a la derecha!; *~ in ~* cara a cara, frente a frente.

'**äugeln** (*-le*) **1.** *v/i.* dirigir miradas (*mit* a); F timarse con alg.; **2.** *v/t.* ⚘ injertar (*de escudete*).

'**Augen...**: **~abstand** *m* (*-es; 0*) distancia *f* interpupilar; (*von Instrumenten*) distancia *f* interocular; **~arzt** *m* (*-es; ¨e*) oculista *m*, oftalmólogo *m*; **~binde** *f* conjuntiva *f*; **~blick** *m* (*-es; -e*) momento *m*, instante *m*; *entscheidender ~* momento decisivo *od.* crítico; *richtiger ~* momento psicológico; *alle ~e* a cada momento *od.* instante; *im ~* en este momento; (*sofort*) al instante, al punto; *in e-m ~* en un instante; (*im Nu*) F en un santiamén, en un abrir y cerrar de ojos; *im ersten ~* de momento; *jeden ~* de un momento a otro; **2blicklich I.** *adj.* instantáneo, inmediato; (*vorübergehend*) momentáneo; **II.** *adv.* en este momento; ahora mismo, al instante; (*vorläufig*) por el momento; (*sofort*) instantáneamente, inmediatamente; **~blicksaufnahme** *f Phot.* instantánea *f*; **~blickserfolg** *m* (*-es; -e*) éxito *m* pasajero *od.* fugaz; **~blickswirkung** *f* efecto *m* instantáneo *od.* inmediato; **~braue** *f* ceja *f*; **~brauenstift** *m* (*-es; -e*) lápiz *m* para las cejas; **~entzündung** ⚕ *f* oftalmía *f*; **2fällig** *adj.* evidente, visible, patente; **~farbe** *f* color *m* de los ojos; **~glas** *n* (*-es; ¨er*) (*Einglas*) monóculo *m*; (*Brille*) anteojos *m/pl.*, lentes *m/pl.*, gafas *f/pl.*; *Opt.* ocular *m*; **~heilkunde** *f* (*0*) oftalmología *f*; **~höhe** *f*: *in ~* a la altura del ojo; **~höhle** *f* órbita *f*, cavidad *f* orbitaria; **~klappe** *f* anteojeras *f/pl.*; **~klinik** *f* clínica *f* oftalmológica; **~leiden** *n* enfermedad *f* de los ojos; **~licht** *n* (*-es; 0*) vista *f*; **~lid** *n* (*-es; -er*) párpado *m*; **~linse** *f* cristalino *m*; **~maß** *n* (*-es; 0*): *nach ~* a ojo; *ein gutes ~ haben* tener buen ojo; **~merk** *n* (*Ziel*) *fig.* fin *m*, atención *f*; *sein ~ auf et. richten* (*ac.*) fijar la vista en; volver los ojos a; *fig.* fijar la atención en; **~nerv** *m* (*-es; -en*) nervio *m* óptico; **~reizstoff** ⚔ *m* (*-es; -e*) gas *m* lacrimógeno; **~salbe** *f* pomada *f* oftálmica; **~schein** *m* (*-es; 0*) (*Anschein*) apariencia *f*, vista *f*; *dem ~ nach* por las apariencias; (*Besichtigung*) inspección *f*, examen *m*; **2scheinlich** *adj.* aparente, visible; evidente, manifiesto, patente; **~schirm** *m* (*-es; -e*) visera *f*; **~spiegel** *m* oftalmoscopio *m*; **~sprache** *f* (*0*) lenguaje *m* de los ojos; **~stern** *m* (*-es; -e*) pupila *f*; *fig.* niña *f* del ojo; **~täuschung** *f* ilusión *f* óptica; **~wasser** *n* (*-s; 0*) colirio *m*; **~weide** *f* deleite *m* para los ojos; **~winkel** *m* ángulo *m* (*od.* rabillo *m*) del ojo, *Anat.* comisura *f* palpebral; **~zahn** *m* (*-es; ¨e*) canino *m*, colmillo *m*; **~zeuge** *m* (*-n*) testigo *m* ocular; **~zittern** ⚕ *n* nistagmo *m*.

...äugig *adj.*: *schwarz~* de ojos negros, ojinegro.

Au'gust *m* (*Monat*) agosto *m*.

'**August** *m* (*Clown*) payaso *m*, augusto *m*; *ein dummer ~* un tonto de capirote.

Augus't|in *m* (*Kirchenvater*) San Agustín *m*; **~iner(in** *f*) *m* agustino (-a *f*) *m*.

Au'gustus *m Hist.* Augusto *m*.

Aukti'on *f* almoneda *f*, subasta *f*; *Am.* licitación *f*; *zur ~ kommen* subastar, vender en subasta.

Auktio'nator *m* (*-s; -en*) subastador *m*.

'**Aula** *f* (*-; Aulen*) (*Hörsaal*) aula *f*; (*Universität*) paraninfo *m*, salón *m* de actos.

aus I. *prp.* (*dat.*) de; por; en; con; entre; (*Herkunft, Stoff*) de: *~ Berlin* de Berlín; *~ guter Quelle* de buena fuente; *~ der Zeitung* del periódico; *~ dem Französischen übersetzt* traducido del francés; *~ guter Familie* de buena familia; *~ Gold, Marmor, Holz usw.*: de oro, de mármol, de madera *etc.*; (*Ursache*) por: *~ diesem Grunde* por esta razón; *~ Liebe zu* por amor a; *~ Versehen* por inadvertencia; *~ Mitleid* por lástima; *~ Erfahrung* por experiencia; *~ e-m Glas trinken* beber en un vaso; *et. ~ e-r Anzahl von Dingen herauswählen* elegir entre varias cosas una de ellas; *~ diesem Anlaß* con este motivo; *~ guter Absicht* con buena intención; *~ dem Fenster werfen* arrojar por la ventana; *was ist ~ ihm geworden?* ¿qué ha sido de él?; *~ ihm wird nie etwas werden* nunca llegará a ser algo; *was soll ~ ihr werden?* ¿qué va a ser de ella?; **II.** *adv. von hier ~* (des)de aquí; (*erledigt*) terminado, concluido, acabado; *alles ist ~* todo se acabó, todo ha concluido; *die Messe ist ~* la misa ha terminado; *von Grund ~* radicalmente, a fondo; *von mir ~* F por mí, por lo que a mí toca; *es ist ~ mit ihm* está arruinado; (*sterben*) acaba de morir; *das Feuer ist ~* el fuego se ha apagado; *er weiß weder ein noch ~* no sabe qué hacer, no acierta a salir del atolladero; *auf Geräten*: *an — ~* abierto — cerrado; ⚡ conectado — desconectado.

'**aus-arbeit|en** (*-e-*) *v/t.* elaborar; (*entwerfen*) preparar; (*schriftlich*) redactar; (*Buch*) escribir, componer; (*Thema*) desarrollar; (*Gesetz*) elaborar; (*vollständig*) perfeccionar; acabar, retocar; **2ung** *f* elaboración *f*; preparación *f*; redacción *f*; composición *f*; desarrollo *m*; perfeccionamiento *m*; ⊕ acabado *m*; retoque *m*; *körperliche*: ejercitación *f*.

'**aus-art|en** [ɑː] (*-e-; sn*) *v/i.* degenerar (zu en); bastardear; **2ung** *f* degeneración *f*, depravación *f*.

'**aus-ästen** (*-e-*) *v/t.* desramar.

'**aus-atm|en** (*-e-*) *v/t. u. v/i.* espirar; *ein- und ~* respirar; (*sterben*) expirar; **2ung** *f* espiración *f*.

'**ausbaden** (*-e-*) *v/t. fig.* pagar *od.* sufrir (*las consecuencias*); *die Sache ~* F pagar el pato.

'**ausbaggern** (*-re*) *v/t.* dragar.

'**ausbalancieren** (*-*) *v/t.* contrabalancear, contrapesar, equilibrar.

'**Ausbau** *m* (*-es; -ten*) construcción *f*; (*Fertigstellung*) terminación *f*; (*Vergrößerung*) ampliación *f*; (*Entwicklung*) desarrollo *m*, fomento *m*; (*Festigung a.* ⚔ *e-r Stellung*) consolidación *f*; (*Anbau*) anexo *m*; ⊕ (*Abbau*) desmontaje *m*.

'**ausbauch|en** *v/t.* abombar; **2ung** *f* abombamiento *m*.

'**ausbau|en** *v/t.* (*fertigstellen*) completar; (*vergrößern*) ampliar; (*entwickeln*) desarrollar; (*Geschäft*) extender; (*fördern*) fomentar; (*festigen*) consolidar; ⊕ (*abbauen*) desmontar; **~fähig** *adj.* ampliable; (*abnehmbar*) separable; (*Plan*) aceptable.

'**ausbedingen** (*L; -*) *v/t.* estipular; *sich et. ~* reservarse el derecho de *od.* a a/c.; (*bestehen auf*) poner por condición que (*subj.*).

'**ausbeißen** (*L*) *v/t.* arrancar con los dientes; *sich e-n Zahn ~* romperse un diente.

'**ausbesser|n** (*-re*) *v/t.* reparar, componer, arreglar; ⚓ carenar; (*flicken*) remendar; (*stopfen*) repasar, zurcir; *Kunstwerk*: restaurar; *Bild*: retocar; **2ung** *f* reparación *f*, compostura *f*; remiendo *m*; zurcido *m*; restauración *f*; retoque *m*; ⚓ carena *f*.

'**Ausbesserungs|arbeit** *f* trabajo *m* de reparación; **2bedürftig** *adj.* necesitado de reparación; **2fähig** *adj.* reparable; **~werkstatt** *f* (*-; ¨en*) taller *m* de reparaciones.

'**ausbeulen** *v/t.* desabollar, alisar.

'**Ausbeut|e** *f* producto *m*, beneficio *m*, ganancia *f*; rendimiento *m* (*a.* ⚒ *u.* ⊕); *fig.* fruto *m*, cosecha *f*; **2en** (*-e-*) *v/t.* explotar (*a. m.s.*), ⚒ *a.* beneficiar; cultivar; *Arbeiter*: explotar, expoliar, *fig.* exprimir; *weitS.* aprovechar, sacar el máximo beneficio; **~er(in** *f*) *m* explotador (-a *f*) *m* (*a. m.s.*); **~ung** *f* explotación *f* (*a. m.s.*); ⚒ *a.* beneficiación *f*; aprovechamiento *m*; cultivo *m*; *fig.* expoliación *f*.

'**ausbezahl|en** (*-*) *v/t.* pagar (completamente), saldar; **2ung** *f* pago *m* total; liquidación *f*.

'**ausbiegen** (*L; sn*) **1.** *v/t.* ladear; **2.** *v/i.* ⚓ bornear; *j-m, e-m Auto usw.*: desviarse, apartarse; hurtar el cuerpo, esquivar; regatear.

'**ausbieten** (*L*) *v/t.* exhibir, poner a la venta, ofrecer.

'**ausbild|en** (*-e-*) *v/t.* acabar de formar, desarrollar; (*vervollkommnen*) perfeccionar; *geistig*: educar; cultivar; (*schulen*) instruir, ⚔ *a.* ejercitar, adiestrar; *Sport*: ejercitar, preparar, entrenar; (*entstehen*) formar, desarrollar; *sich ~ im* (*dat.*) estudiar, cultivar, practicar, perfeccionarse en; → *ausgebildet*; **2er(in** *f*) *m* instructor(a *f*) *m*; *Sport*: preparador *m*, entrenador *m*; **2ung** *f* formación *f*; desarrollo *m*; perfeccionamiento *m*; educación *f*; cultivo *m*; instrucción *f*; ejercicio *m*, adiestramiento *m*, preparación *f*, entrenamiento *m*; práctica *f*; **2ungslehrgang** *m* (*-es*; *⸚e*) curso *m* de perfeccionamiento.

ˈ**ausbitten** (*L*) *v/t. sich et. ~* pedir a/c. a alg.; *ich bitte mir aus, daß Sie* debo insistir en que usted (*subj.*); *verbietend*: le prevengo a usted que (*subj.*).

ˈ**ausblasen** (*L*) *v/t.* apagar (*de un soplo*), extinguir; *Hochofen*: matar el fuego; *Dampf*: desvaporar; *j-m das Lebenslicht ~* quitar la vida a alg., matar.

ˈ**ausbleiben** (*L*; *sn*) *v/i.* no venir, no aparecer, no llegar; (*nicht*) *lange ~* (no) tardar mucho en venir *bzw.* llegar, volver; (*überfällig sein*) retrasarse; es *konnte nicht ~, daß* era inevitable que; (*fehlen*) faltar; interrumpir, suspender; suprimir; 2 *n* ausencia *f*, falta *f*; demora *f*, tardanza *f*; supresión *f*; *Zahlung*: falta *f* de pago; ⚖ incomparecencia *f*.

ˈ**ausbleichen** (*L*) **1.** *v/t.* blanquear; **2.** *v/i.* perder el color, desteñirse.

ˈ**ausblenden** (*-e-*) *v/t. Radio, Film*: extinguir gradualmente, bajar.

ˈ**Ausblick** *m* (*-es*; *-e*) vista *f*, panorama *m*; perspectiva *f* (*a. fig.*).

ˈ**ausblühen** *v/i.* empezar a marchitarse; *ausgeblüht haben fig.* haber perdido la lozanía.

ˈ**ausbluten** (*-e-*) **1.** *v/i. Wunde*: cesar de sangrar; **2.** *v/t.* desangrarse.

ˈ**ausbohren** *v/t.* taladrar, perforar; agujerear, horadar.

ˈ**ausbomben** *v/t.* dejar sin vivienda *f* (*por efecto de un bombardeo*).

ˈ**ausbooten** (*-e-*) *v/t.* desembarcar; *fig.* echar fuera, eliminar.

ˈ**ausborgen** *v/t.* pedir *bzw.* tomar prestado.

ˈ**ausbrech|en** (*L*) **1.** *v/t.* romper (*con violencia*), arrancar; (*erbrechen*) vomitar; **2.** *v/i. fig. Brand, Krise*: producirse; *Krankheit*: declararse; *Knospen*: brotar; *Sturm*: desencadenarse; *Krieg*: estallar; *Vulkan*: entrar en erupción; *Gefangene*: evadirse, fugarse, escaparse; *in Schweiß ~* empezar a sudar; *in Beifall ~* prorrumpir en aplausos; *in ein Gelächter ~* soltar una carcajada; *in Tränen ~* romper a llorar; **2er** *m* evadido *m*.

ˈ**ausbreit|en** (*-e-*) *v/t.* extender; (*entfalten*) desplegar; (*verbreiten*) propagar, difundir (*beide a. Phys.*); divulgar; generalizar; *Lehre, Welle*: propagar; *Panik, Nachricht*: cundir; *sich ~* extenderse; desplegarse; propagarse; divulgarse, generalizarse; (*ausführlich werden*) entrar en detalles *m/pl.*; *sich über ein Thema ~* extenderse sobre un tema; **2ung** *f* extensión *f*; despliegue *m*; propagación *f*, difusión *f*; divulgación *f*; *~ des Glaubens* propagación de la fe.

ˈ**ausbrennen** (*L*) **1.** *v/t.* quemar del todo; *Ziegel*: cocer a punto; ⚕ cauterizar; **2.** *v/i.* (*Feuer*) extinguirse, apagarse; *Haus*: quemarse hasta los cimientos; *ausgebrannt Vulkan*: (volcán) extinguido; *Haus*: (casa) arrasada por un incendio.

ˈ**ausbringen** (*L*) *v/t.* sacar; *Ertrag*: producir; *j-s Gesundheit ~* brindar a la salud de alg.

ˈ**Ausbruch** *m* (*-es*; *⸚e*) rotura *f*; *fig.* ruptura *f*; *bei ~ des Krieges* al estallar la guerra; *Vulkan*: erupción *f*; *Flucht*: evasión *f*; *fig.* (*Gefühls2*) desbordamiento *m*; *der Freude*: transporte *m*; *Leidenschaft*: desencadenamiento *m*, explosión *f*; *Zorn*: arrebato *m*; (*Beginn*) comienzo *m*; (*zum ~ kommen*) aparecer; (*Krankheit*) declararse; **~sversuch** *m* (*-es*; *-e*) intento *m* de evasión; ⚔ intento *m* de salida.

ˈ**ausbrüt|en** (*-e-*) *v/t.* incubar (*a. fig.*); *fig.* meditar (*un plan*); urdir, tramar; **2ung** *f* incubación *f*.

ˈ**ausbuchen** *v/t.* ✝ cancelar (*en los libros*); transferir.

ˈ**ausbucht|en** (*-e-*) *v/t.* alabear, combar; ✈ dar vuelo; **2ung** *f* convexidad *f*; sinuosidad *f*; ✈ vuelo *m*.

ˈ**ausbuddeln** (*-le*) F *v/t.* desenterrar, sacar; excavar.

ˈ**ausbügeln** (*-le*) *v/t.* (*Falten*) quitar (*con la plancha*); planchar.

ˈ**Ausbund** *m* (*-es*; *⸚e*) (*Muster*) modelo *m*, (proto)tipo *m*, dechado *m* (*an ac.* de); (*Wunder*) maravilla *f*, prodigio *m*; *ein ~ von Gelehrsamkeit* F un pozo de ciencia; *ein ~ von Bosheit* el mismísimo demonio; *ein ~ von Tugend* un dechado de virtudes.

ˈ**ausbürger|n** (*-re*) *v/t.* privar de la nacionalidad; (*ausweisen*) expatriar; **2ung** *f* privación *f* de la nacionalidad; desnacionalización *f*; expatriación *f*.

ˈ**ausbürsten** (*-e-*) *v/t.* cepillar.

ˈ**ausdampfen** *v/i.* evaporar.

ˈ**Ausdauer** *f* (*0*) perseverancia *f*, constancia *f*; (*im Ertragen*) duración *f* (*a.* ⊕); (*Eifer*) asiduidad *f*; (*Geduld*) paciencia *f*; (*Zähigkeit*) tenacidad *f*, persistencia *f*; tesón *m*; **2n** (*-re*) *v/i.* durar; resistir; *fig.* (*beharren*) perseverar, persistir; **2nd** *adj.* perseverante, constante; (*geduldig*) paciente; (*fleißig*) asiduo; (*zäh*) tenaz, persistente; ♀ perenne.

ˈ**ausdehn|bar** *adj.* extensible; **~en** *v/t. u. v/refl.* extender (*auf ac.* a; *a. fig.*); ⊕ *in die Länge*: alargar; (*erweitern*) ensanchar; *a. Phys. u. fig.*: dilatar; → *ausgedehnt*; **2ung** *f* extensión *f*; dilatación *f*; *bsd. Pol. u. Phys.*: expansión *f*; ⊕ (*Dehnung*) alargamiento *m*; ensanchamiento *m*; (*Verbreitung*) propagación *f*; ⩚ dimensión *f*; (*Verformung*) deformación *f*; ⚕ distensión *f*; dilatación *f*; **2ungsvermögen** *n* (*-s*; *0*) fuerza *f* expansiva; **2ungszahl** *f* coeficiente *m* de expansión.

ˈ**ausdenk|bar** *adj.* imaginable; **~en** *v/t.* imaginar; inventar; idear, concebir, proyectar; *sich et. ~* (*vorstellen*) imaginarse, figurarse; *nicht auszudenken* inconcebible; *weitS. es ist nicht auszudenken* sería desastroso *od.* fatal.

ˈ**ausdeut|en** (*-e-*) *v/t.* interpretar, explicar; **2ung** *f* interpretación *f*, explicación *f*.

ˈ**ausdienen** *v/i.* cumplir (*su tiempo de servicio*), servir; → *ausgedient*.

ˈ**ausdocken** ⚓ *v/t.* sacar del dique.

ˈ**ausdorren** *v/i.* secarse totalmente.

ˈ**ausdörren** *v/t.* acabar de secar, secarse; desecar; (*Boden*) aridecer; *ausgedörrt* árido, yermo.

ˈ**ausdrehen** *v/t. Gas, Wasserhahn*: cerrar; *Licht*: apagar; ⊕ (*drechseln*) tornear; (*Schraube*) gastar la rosca.

ˈ**ausdreschen** (*L*) *v/t.* trillar; *ausgedroschenes Stroh fig.* trivialidad *f*.

ˈ**Ausdruck** *m* (*-es*; *⸚e*) *allg.* expresión *f* (*a. Gesichts2*; *a. fig.*); (*Redewendung*) frase *f*, *Gr.* giro *m*, locución *f*; (*Wort*) palabra *f*, *Gr.* término *m*, voz *f*, vocablo *m*; *bildlicher ~* metáfora; *Fach2* término técnico, tecnicismo; *gemeiner ~* vulgarismo; *veralteter ~* arcaísmo; *zum ~ bringen* expresar, manifestar; exteriorizar, poner de manifiesto; *zum ~ kommen* manifestarse; **2en** *Typ. v/t.* (acabar de) imprimir.

ˈ**ausdrück|en** *v/t.* expresar; (*Zitrone*) exprimir, estrujar; (*Gefühle*) exteriorizar; *sich ~* expresarse; *sich kurz ~* expresarse concisamente; *um es gelinde auszudrücken* dicho sea en términos suaves; *sich deutlich ~* expresarse con claridad; *nicht auszudrücken fig.* indecible, indescriptible; **2lich** *adj.* expreso, explícito, preciso; (*Befehl*) terminante, categórico; (*absichtlich*) intencionado.

ˈ**Ausdrucks...:** **2fähig** *adj.* expresable; **~kraft** *f* (*0*) expresividad *f*; **~kunst** *f* (*0*) *Mal.* expresionismo *m*; **2los** *adj.* inexpresivo; **2voll** *adj.* expresivo; (*bedeutsam*) significativo; **~weise** *f* modo *m od.* manera *f* de expresarse, forma *f* de expresión; (*Stil*) dicción *f*; estilo *m*; (*Redensart*) locución *f*, giro *m*; *weitS.* lenguaje *m*.

ˈ**ausdunst|en** (*-e-*), ˈ**ausdünst|en** (*-e-*) *v/i. u. v/t.* evaporar(se); *Körper*: transpirar (*a.* ♀); (*ausatmen*) exhalar; **2ung** *f* evaporación *f*; transpiración *f*; exhalación *f*.

aus-einˈander *adv.* separadamente; *weit ~* muy distante(s) entre sí; **~brechen** (*L*) *v/t. u. v/i.* partir(se) en dos; **~bringen** (*L*) *v/t.* lograr separar; *fig.* desunir, (*entzweien*) enemistar; **~fallen** (*L*; *sn*) *v/i.* caer en pedazos *m/pl.*; *fig.* desmoronarse; **~falten** (*-e-*) *v/t.* desdoblar; **~gehen** (*L*) *v/i.* separarse; apartarse; *Menge*: dispersarse; *Versammlung*: disolverse; *Wege*: dividirse, ramificarse; *Meinungen*: discrepar, diferir, divergir (*a. Phys. u.* ⩚); **~d** divergente; **~halten** (*L*) *v/t.* mantener aparte; *fig.* distinguir entre, no confundir uno con otro; **~jagen** *v/t.* dispersar; **~kommen** (*L*; *sn*) *v/i.* ser separado de; *im Gedränge*: perderse (de vista uno a otro); **~laufen** (*L*; *sn*) *v/i.* → *auseinandergehen*; **~leben** *v/refl.* vivir desunidos; **~liegen** (*L*; *a. sn*) *v/i.* estar muy alejados entre sí (*dos lugares*); **~nehmen** (*L*) *v/t.* deshacer, desencajar, descomponer, desunir; ⊕ desarmar, desmontar; **~reißen** (*L*) *v/t.* separar (*con violencia*), desgarrar; **~setzen** (*-t*) *v/t.* (*trennen*) separar; *fig.* (*erklären*) explicar, aclarar; (*darlegen*) exponer, analizar; *sich mit j-m* ~ discutir con alg.; (*sich einigen*) llegar a un acuerdo (über sobre); ☤ arreglarse (*con un acreedor*); *sich mit einem Problem* ~ enfrentarse con un problema; **⁓setzung** *f* (*Erklärung*) explicación *f*, aclaración *f*, exposicion *f*, análisis *m*; (*Erörterung*) discusión *f*; (*Streit*) disputa *f*, discrepancia *f*, altercado *m*; *kriegerische* ~ conflicto armado; (*Übereinkommen*) acuerdo *m*; ☤ *mit Gläubigern*: arreglo *m*; (*Trennung*) separación *f*; ⚖ *e-r Erbschaft*: partición *f*; (*Liquidation*) liquidación *f*; **~sprengen** *v/t.* (*Feind, Menge*) dispersar, ⚔ *a.* desbandar; **~treiben** (*L*) **1.** *v/i.* separarse; **2.** *v/t.* separar; dispersar; **~wickeln** *v/t.* (*-le*) desenrollar; **~ziehen** (*L*) *v/t.* estirar; distender; ⚔ *Truppen*: desplegar.

'**aus·erkoren** *adj.* elegido, escogido, seleccionado; selecto; predestinado.

'**aus·erlesen I.** *v/t.* → *ausersehen*; **II.** *adj. Publikum*: selecto; (*köstlich*) exquisito; (*hervorragend*) excelente.

'**aus·ersehen** (*L*; -) *v/t.* escoger, elegir, seleccionar; (*bestimmen*) destinar (zu a), designar (für para).

'**aus·erwählen** *v/t.* elegir, escoger; (*von der Vorsehung*) predestinar; *auserwählt* escogido, elegido; *s-e Auserwählte* la elegida de su corazón, (*Braut*) su futura, su novia; *das Auserwählte Volk* el pueblo elegido.

'**aus·essen** (*L*) *v/t.* comérselo todo; *Schüssel*: arrebañar, vaciar; F dejar el plato limpio.

'**ausfahren** (*L*) **1.** *v/i.* salir a pasear en coche *m*; 🚂 salir; ⚓ zarpar; ⚒ subir de la mina; **2.** *v/t. j-n* ~ pasear a alg. en coche *m*; ✈ *das Fahrgestell* ~ soltar el tren de aterrizaje; ⚓ *das Sehrohr* ~ subir el periscopio; *Auto.*: poner el motor a máxima velocidad; *e-e Kurve*: hacer un viraje; *Wege*: desgastar.

'**Ausfahrt** *f* (*Abfahrt, a.* ⚓) salida *f*; (*Ausflug*) excursión *f* (*en coche*); *Torweg*: puerta *f* cochera; *im Verkehr*: salida *f*; *e-s Hafens*: boca *f*.

'**Ausfall** *m* (*-es*; *⸚e*) *Haar*: caída *f*, ⚕ alopecia *f*; (*Verlust*) pérdida *f*, merma *f*; (*Fehlbetrag*) déficit *m*; (*Mangel*) deficiencia *f*; *im Krieg*: *mst. Ausfälle pl.* bajas *f/pl.*, pérdidas *f/pl.* en hombres y material; (*Ergebnis*) resultado *m*; ⚗ precipitado *m*; ⊕ (*versagen*) fallo *m*; (*Ausschuß*) residuos *m/pl.*; *Fechtk.* asalto *m*; ⚔ salida *f*; *fig.* ataque *m*; (*Beschimpfung*) invectiva *f*; **~bürgschaft** *f* garantía *f* para (caso de) déficit; **⁓en** (*L*; *sn*) *v/i.* caerse (*a. Zähne, Haar*); (*ausgelassen werden*) ser omitido; (*nicht stattfinden*) no tener lugar *m*, no celebrarse, suspenderse; *die Schule fällt heute aus* hoy no hay escuela (*od.* clase); *er fällt aus fig.* no entra en consideración (*od.* en cuenta); ⊕ (*versagen*) fallar; (*ausscheiden*) *Sport usw.*: ser eliminado; *der Zug fällt aus* el tren no circula; ⚗ precipitar; *Ergebnis*: resultar; *gut* (*schlecht*) ~ salir *od.* resultar bien (mal), tener éxito (fracasar); *nach Wunsch* ~ responder a lo esperado, salir como se deseaba; ⚔ hacer una salida.

'**ausfällen** ⚗ *v/t.* precipitar.

'**aus|fallend** *adj.* (*angriffslustig*) agresivo; (*beleidigend*) insultante, injurioso; (*grob*) grosero, soez; *gegen j-n* ~ *werden* llenar de improperios a alg.

'**Ausfall...:** **~-erscheinung** ⚕ *f* síntomas *m/pl.* de deficiencia; **~muster** ☤ *n* muestra *f* de prueba; **~straße** *f* arteria *f* de tráfico; **~winkel** *Phys. m* ángulo *m* de reflexión.

'**ausfasern** (*-re*) *v/t. u. v/i.* deshilachar(se).

'**ausfechten** (*L*) *v/t.* resolver por las armas; disputar.

'**ausfegen** *v/t.* barrer.

'**ausfeilen** *v/t.* (acabar de) limar; *fig.* perfeccionar, retocar, pulir, dar la última mano.

'**ausfertig|en** *v/t. Sendungen*: despachar, expedir; *Schriftstück*: redactar; *Urkunde, Rechnungen*: extender; *Paß*: *a.* expedir; *abschriftlich*: expedir (*una copia certificada*); *Kontrakt*: otorgar; **⁓ung** *f* despacho *m*; expedición *f*; redacción *f*; otorgamiento *m*; (*Abschrift*) copia *f* (*certificada*); *erste* ~ (escrito) original *m*; *zweite* ~ copia *f*, duplicado *m*; *in doppelter* ~ por duplicado; → *dreifach usw.*

'**ausfindig** *adj.*: ~ *machen* encontrar; (*entdecken*) descubrir; (*örtlich feststellen*) localizar; (*aufspüren*) averiguar, pesquisar; F dar con.

'**ausfliegen** (*L*; *sn*) *v/i.* volar (*a. fig.*); *Vögel*: abandonar el nido; *fig.* abandonar la casa paterna; (*Ausflug machen*) hacer una excursión.

'**ausfließen** (*L*; *sn*) *v/i.* derramarse, verterse; escaparse; *Phys. u. fig.*: emanar (*von* de).

'**Ausflucht** *f* (-; *⸚e*) evasiva *f*, subterfugio *m*; escapatoria *f*; (*Vorwand*) excusa *f*, pretexto *m*; *Ausflüchte machen* inventar pretextos.

'**Aus|flug** *m* (*-es*; *⸚e*) excursión *f*; *e-n* ~ *machen* ir de (hacer una) excursión; **~flügler** *m* excursionista *m/f*.

'**Ausfluß** *m* (*-sses*; *⸚sse*) ⚕ *Eiter*: supuración *f*; *der Vagina*: flujo *m*; *e-r Drüse*: secreción *f*; derrame *m*; (*Mündung*) salida *f*; (*Flußmündung*) desembocadura *f*; (*Abfluß*) desagüe *m*; *Phys.* emanación *f* (*a. fig.*); *fig.* resultado *m*; **~rohr** *n* (*-es*; *-e*) tubo *m* de descarga; **~ventil** *n* (*-es*; *-e*) válvula *f* de descarga.

'**ausfolgen** *v/t.* entregar.

'**ausforschen** *v/t.* escudriñar, explorar; (*untersuchen*) investigar, inquirir; *j-n* (*j-s Gedanken*) ~ tantear, sondear, sonsacar.

'**Ausfracht** ☤ *f* flete *m* de ida.

'**ausfragen** *v/t.* preguntar; *prüfend*: examinar; *verhörend*: interrogar; *neugierig*: sondear, F tirar de la lengua.

'**ausfransen** (*-t*) *v/t.* desflecar; *v/i.* deshilachar(se).

'**ausfressen** (*L*) *v/t.* zampar, comer sin dejar resto; ⚗ corroer; F *was hat er ausgefressen?* (*Kind*) ¿qué travesura ha hecho?; (*Verbrecher*) ¿qué delito ha cometido?; *er hat wieder etwas ausgefressen* ha vuelto a hacer otra de las suyas.

'**Ausfuhr** ☤ *f* exportación *f*; (*Ausgeführtes*) mercancías *f/pl.* exportadas; **~artikel** *m* artículo *m* de exportación.

'**ausführbar** *adj.* factible, realizable, practicable, viable; ☤ exportable; **⁓keit** *f* posibilidad *f* de ejecución, factibilidad *f*, viabilidad *f*.

'**Ausfuhr...:** **~bedürfnisse** *n/pl.* demanda *f* de exportación; **~beschränkung** *f* limitación *f* de exportación; **~bewilligung** *f* licencia *f od.* permiso *m* de exportación.

'**ausführen** *v/t. j-n* (*spazieren führen*) sacar a pasear; ☤ exportar; (*durchführen*) llevar a efecto, efectuar; *Aufträge*: ejecutar; *Verbrechen*: cometer, perpetrar; (*verwirklichen*) realizar; *Bau*: construir; *Äußeres*: acabar; (*darlegen*) exponer, desarrollar, explicar; *im einzelnen*: detallar, pormenorizar.

'**Ausfuhr...:** **~güter** *n/pl.* mercancías *f/pl.* de exportación; **~hafen** *m* (*-s*; *⸚*) puerto *m* de exportación; **~handel** *m* (*-s*; *0*) comercio *m* de exportación; **~land** *n* (*-es*; *⸚er*) país *m* exportador.

'**ausführlich I.** *adj.* amplio, extenso; detallado, especificado; (*umständlich*) prolijo, circunstanciado; **II.** *adv.* ampliamente, extensamente, *etc.*; ~ (*be*)*schreiben* (d)escribir por extenso, con todo detalle; **⁓keit** *f* (*Genauigkeit*) minuciosidad *f*, prolijidad *f*; *in Einzelheiten*: detalle *m*, particularidad *f*; (*Vollständigkeit*) extensión *f*; detenimiento *m*.

'**Ausfuhr...:** **~prämie** *f* prima *f* de exportación; **~schein** *m* (*-es*; *-e*) permiso *m* de exportación; **~überschuß** *m* (*-sses*; *⸚sse*) excedente *m* de exportación.

'**Ausführung** *f* efectuación *f*; *e-s Planes*: realización *f*; *von Aufträgen usw.*: ejecución *f*; *e-s Gesetzes, Befehles*: cumplimiento *m*; *e-s Bauvorhabens*: construcción *f*; (*Fertigstellung*) confección *f*; ⚖ *e-s Verbrechens*: perpetración *f*; (*Äußeres*) acabado *m*; (*Typ*) modelo *m*, tipo *m*; hechura *f*; estilo *m*; *in glänzender* ~ (*Möbel, Buch usw.*) en lujosa presentación; (*Qualität*) calidad *f*; (*Darlegung*) explicación *f*, exposición *f* detallada; *kritische*: comentario *m* (zu a, über sobre); *~en pl.* declaraciones *f/pl.*; argumentos *m/pl.*; estudio *m*; *zur* ~ *bringen* llevar a efecto, poner en práctica; **~sbestimmungen** *f/pl.* (*zu e-m Gesetz*) decreto *m* de aplicación; disposición *f* reguladora; **~skommando** ⚔ *n* (*-s*; *-s*) comando *m* de ejecución; **~sverfahren** *n* técnica *f* de ejecución.

Ausfuhr...: **~verbot** *n* (*-es*; *-e*) prohibición *f* de exportación; **~waren** *f/pl.* mercancías *f/pl. od.* artículos *m/pl.* de exportación; **~zoll** *m* (*-es*; *⸚e*) derechos *m/pl.* de exportación.

'**ausfüllen** *v/t.* llenar (*a. Formular*); colmar; (*Zähne*) empastar; *fig.* e-e *Lücke* ~ llenar un vacío; *e-e Stellung*: ocupar, desempeñar; *Zeit*: emplear; *j-s Gedanken*: absorber.

'**ausfüttern** (*-re*) *v/t. Kleid*: forrar; *Mauer*: revestir; (*Vieh*) cebar.

ˈ**Ausgabe** *f* entrega *f*; (*Verteilung*) distribución *f*, reparto *m*; *von Druckschriften*: edición *f*; *neue* ~ reedición; *bearbeitete* ~ edición corregida; *von Briefmarken, Aktien, Noten, Anleihen*: emisión *f*; *von Geld*: gastos *m/pl.*; (*Auslage*) desembolso *m*; (*Unkosten*) coste *m/sg.*; *kleine* ~*n* gastos menores; *Nebenausgaben* gastos adicionales; *einmalige* ~*n* gastos extraordinarios; *laufende* ~*n* gastos corrientes; *unvorhergesehene* ~*n* gastos imprevistos; → *Ausgabestelle*; ~**bank** *f* banco *m* emisor; ~**kurs** *m* (*-es*; *-e*) tipo *m* de emisión; ~**buch** *n* (*-es*; *¨er*) agenda *f* de gastos; ~**stelle** *f* oficina *f* de distribución *bzw.* de expendición.

ˈ**Ausgang** *m* (*-es*; *¨e*) salida *f*; (*Ursprung*) origen *m*; (*Tür*) puerta *f* de salida; † (*Ausfuhr*) exportación *f*; (*Waren*2) salida *f*; *Ausgänge pl.* ✉ correspondencia despachada, *Waren*: salidas; *Ausgänge machen* ir de paseo *od.* compras; *fig.* (*Ende*) fin(al) *m*; *e-s Dramas*: desenlace *m*; (*Ergebnis*) resultado *m*; *tödlicher* ~ desenlace fatal, ⚕ éxito letal; *Unfall mit tödlichem* ~ accidente mortal; ~ *haben Dienstbote*: tener día (*bzw.* tarde) libre *od.* de salida.

ˈ**Ausgangs...**: ~**erzeugnis** *n* (*-ses*; *-se*) producto *m* inicial; ~**kapital** *n* (*-s*; *-kapitalien*) capital *m* inicial; ~**material** *m* (*-s*; *-materialien*) material *m* original; ~**produkt** *n* (*-es*; *-e*) producto *m* primario; ~**punkt** *m* (*-es*; *-e*) (*a. fig.*) origen *m*, punto *m* de partida; ~**stellung** *f* posición *f* inicial; ~**zoll** *m* (*-es*; *¨e*) derechos *m/pl.* de salida *od.* de exportación.

ˈ**ausgeben** (*L*) *v/t.* (*verteilen*) distribuir, repartir; *Befehl*: dar; *Fahrkarten*: expender; *Briefe, Waren*: entregar; *Spielkarten*: dar; *Geld*: gastar; † *Aktien*: emitir; *Banknoten*: *a.* poner en circulación *f*; F *e-e Runde* ~ pagar una ronda; *sich* ~ *geldlich*: agotar los recursos, gastar todo el dinero; *fig.* (*erschöpfen*) agotar las energías; *sich* ~ *als, für* pretender pasar por, (*prahlerisch*) jactarse de.

ˈ**ausgebildet** *adj.* profesionalmente formado; hábil, práctico; *voll* ~ calificado; especializado.

ˈ**ausgebombt** *adj.* damnificado por un bombardeo.

ˈ**Ausgeburt** *f fig.* producto *m*; creación *f*; *der Phantasie*: delirio *m*, quimera *f*, desvarío *m*; ilusión *f*; ~ *der Hölle* monstruo del averno, engendro del diablo.

ˈ**ausgedehnt** *adj.* extenso, amplio, vasto.

ˈ**ausgedient** *adj.* *Sache*: gastado (*por el uso*); ~*er Soldat* veterano; *Beamter*: jubilado; *Offizier*: retirado.

ˈ**ausgefallen** *adj.* desusado, raro; extravagante, estrafalario.

ˈ**ausgeglichen** *adj.* → *ausgleichen*; equilibrado; *fig. Stil*: ponderado, elegante; *seelisch*: sereno, ecuánime, armónico; 2**heit** *f* (*0*) equilibrio *m*; (*seelische*) ecuanimidad *f*, serenidad *f*; ponderación *f*.

ˈ**Ausgeh-anzug** *m* (*-es*; *¨e*) traje *m* de calle; ⚔ uniforme *m* de diario.

ˈ**ausgehen** (*L*; *sn*) *v/i.* salir; (*spazierengehen*) dar un paseo; *abends*: salir por las noches; (*enden*) terminar, acabarse; *gut* (*schlecht*) ~ salir *od.* resultar bien (mal); (*schwinden*) ir acabándose; *Haar*: caer; *Farben*: decaer; *Feuer, Licht*: apagarse; *Geld, Vorrat*: acabarse; *mir ging das Geld aus* se me acabó el dinero; *Waren*: escasear; agotarse; *die Geduld geht mir aus* se me acaba la paciencia *od.* mi paciencia está llegando al límite; (*ausstrahlen*) *Phys.* irradiar; emanar (*a. fig.*); *von j-m* ~ (*Plan usw.*) ser de; *die Sache ging von ihm aus* la idea fue suya, la iniciativa salió de él; *von et.* ~ (pro)venir *od.* proceder de; basarse en; *wenn wir davon* ~, *daß* si partimos del supuesto de que; *frei* ~ quedar libre de; salir impune; *leer* ~ salir con las manos vacías, F quedarse con las ganas; *auf et.* ~ (*suchen*) ir en busca de, (*anstreben*) perseguir un fin; ~**d** *adj.*: ~ *von* partiendo de; ⚓ ~*es Schiff* barco saliente; ~*e Fracht* carga de salida.

ˈ**Ausgehverbot** ⚔ *n* (*-es*; *-e*) acuartelamiento *m*; *weitS.* queda *f*.

ˈ**ausgeklügelt** *adj.* ingenioso, inteligente; (*Stil*) alambicado.

ˈ**ausgekocht** *fig. adj.* astuto, ladino, pícaro; ~*er Bursche* redomado granuja; (*erfahren*) experimentado, diestro.

ˈ**ausgelassen** *adj.* (*Kind*) travieso, retozón; (*übermütig*) eufórico, (muy) alegre; desenfadado, desenvuelto; (*laut*) revoltoso, turbulento; (*hemmungslos*) desenfrenado; 2**heit** *f* euforia *f*; alborozo *m*; (*Kind*) travesura *f*; desenfreno *m*.

ˈ**ausgeleiert** *adj.* (des)gastado; (*Schraube*) pasado de rosca *f*.

ˈ**ausgemacht** *p.p. u. adj.* (*vollendet*) acabado, completo; (*gewiß*) cierto, seguro, descontado; (*abgemacht*) convenido, acordado, concertado; ~*e Sache* cosa hecha *od.* convenida de antemano; *et. als* ~ *ansehen* dar por segura a/c.; *als* ~ *hinstellen* dar por hecho y sentado; *Gauner*: redomado, F de siete suelas.

ˈ**ausgenommen I.** *adv.* excepto, salvo; a excepción de; *alle,* ~ *ihn* todos menos él; *Anwesende* ~ exceptuando los presentes; **II.** *cj.* ~, *daß* salvo que, a menos que.

ˈ**ausgeprägt** *adj.* marcado, pronunciado; típico; acusado.

ˈ**ausgerechnet** *adv. fig.* precisamente, justamente.

ˈ**ausgereift** *adj.* maduro.

ˈ**ausgeruht** *adj.* descansado, recuperado; repuesto.

ˈ**ausgeschaltet** *adj.* ⚡ desconectado.

ˈ**ausgeschlossen** *adj.* imposible; ~! ¡no puede ser!; F ¡ni hablar de eso!, ¡ni por pienso!

ˈ**ausgeschnitten** *adj. Kleid*: (*tief* ~) muy escotado.

ˈ**ausgesprochen** *adj.* pronunciado, marcado; manifiesto, patente; típico; evidente.

ˈ**ausgestalten** (*-e-*; *-*) *v/t.* formar; perfeccionar, desarrollar; (*Feier*) organizar.

ˈ**Ausgestoßene(r** *m*) *m/f fig.* paria *m*.

ˈ**ausgesucht** *adj.* exquisito; selecto, escogido; (*weit hergeholt*) rebuscado; (*gekünstelt*) estudiado; *mit* ~*er Höflichkeit* con exquisita cortesía.

ˈ**ausgetreten** *adj. fig.* ~*er Weg* camino trillado.

ˈ**ausgewachsen** *adj.* crecido, desarrollado; formado, hecho; (*erwachsen*) adulto.

ˈ**Ausgewiesene(r** *m*) *m/f* expulsado (-a *f*) *m*.

ˈ**ausgewogen** *adj.* ponderado; equilibrado.

ˈ**ausgezeichnet** *adj.* distinguido; (*hervorragend*) eminente, insigne; señalado, notable; (*großartig*) excelente, magnífico; F estupendo.

ˈ**ausgiebig I.** *adj.* → *reichlich, ergiebig*; **II.** *adv.* con abundancia; con detenimiento; ~ *Gebrauch machen von* hacer abundante uso de.

ˈ**ausgieß|en** (*L*) *v/t.* echar; (*leeren*) vaciar; (*verschütten*) derramar, verter; (*in Formen*) vaciar; *mit Füllstoff*: llenar de; 2**ung** *f* derramamiento *m*; *Rel.* ~ *des Heiligen Geistes* Venida del Espíritu Santo.

ˈ**Ausgleich** *m* (*-es*; *-e*) (*Vergleich*) arreglo *m*, compromiso *m*; † (*e-s Kontos*) liquidación *f*; (*e-r Rechnung*) saldo *m*, cancelación *f*; (*Berichtigung*) ajuste *m*; (*Entschädigung*) indemnización *f*; *zum* ~ *unseres Kontos* para saldar nuestra cuenta; *zum* ~ *trassieren* girar por saldo de cuenta; (*Gleichmachung*) nivelación *f*, igualación *f*, (*a.* ⊕ *u.* ⚡) compensación *f*; *Sport*: *angl.* handicap *m*; *Fußball usw.* (*unentschieden*) empate *m*; *Tennis*: igualación *f*; ~**düse** ⊕ *f* tobera *f* de compensación.

ˈ**ausgleich|en** (*L*) *v/t.* nivelar, allanar; *fig.* equilibrar; (*a.* ⊕ *Druck,* ⚡; † *Lasten*; *Verlust*) compensar; *Fußball usw.*: igualar, empatar; † *Konten*: saldar, liquidar; cancelar; (*durch Rückbuchung*) rescontrar; *mit Gläubigern*: arreglarse (con); (*decken*) cubrir; *Differenzen, Streitigkeiten*: arreglar; conciliar; ⊕ ajustar, nivelar; *Auto.*: sincronizar (*velocidad*); → *ausgeglichen*; 2**getriebe** *Auto. n* diferencial *m*; 2**skondensator** ⚡ *m* (*-s*; *-en*) condensador *m* compensador; 2**s-strom** ⚡ *m* (*-es*; *¨e*) corriente *f* compensadora; 2**ung** *f* ajuste *m*, arreglo *m*; igualación *f*; compensación *f*; liquidación *f*; conciliación *f*; → *Ausgleich*; 2**szahlung** *f* pago *m* compensatorio.

ˈ**ausgleiten** (*L*; *sn*) *v/t.* resbalar, deslizarse (*a. fig.*); (*Fehltritt*) dar un traspié; *Auto.*: patinar.

ˈ**ausgliedern** (*-re*) *v/t.* separar.

ˈ**ausglühen 1.** *v/i.* irse apagando *bzw.* enfriando; **2.** *v/t.* *Met.* templar; ⚗ calcinar.

ˈ**ausgrab|en** (*L*) *v/t.* desenterrar; *Leiche*: exhumar; *Ruinen u.* ⚠ excavar; 2**ung** *f* exhumación *f*; excavación *f*.

ˈ**ausgreifen** (*L*) **1.** *v/t.* (*aussuchen*) escoger; entresacar; **2.** *v/i.* *Pferd*: aflojar la rienda.

ˈ**ausgrübeln** (*-le*) *v/t.* hallar a fuerza de cavilar.

ˈ**Ausguck** ⚓ *m* (*-es*; *-e*) vigía *m*; (*beim Anker*) serviola *f*.

ˈ**Ausguß** *m* (*-sses*; *¨sse*) *Küche*: vertedero *m*; pila *f*; (*Tülle*) pitorro *m*,

pico *m*; (*Gosse*) canalón *m*; ⊕ (orificio *m* de) descarga *f*; **~rohr** *n* (-*es*; -*e*) tubo *m* de salida *bzw.* de desagüe *od.* de derrame *bzw.* ⊕ de descarga.
'**aushacken** *v/t.* sacar *od.* arrancar con la azada.
'**aushaken** *v/t.* descolgar; desenganchar.
'**aushalten** (*L*) **1.** *v/t.* (*ertragen*) soportar, sobrellevar; *Angriff, Probe, Vergleich*: resistir; *Schmerz*: sufrir, soportar; *Hitze, Lärm*: aguantar; *nicht zum* ♀ es insoportable, no hay quien lo aguante *od.* quien pueda resistirlo; (*beharren*) mantenerse, perseverar; (*unterhalten, ausdauern lassen*) sostener (*a.* ♪); *e-e Geliebte*: mantener; **2.** *v/i.* (*ausdauern*) perseverar; durar; *er hält es nirgends lange aus* en ningún sitio se queda (*od.* permanece) mucho tiempo.
'**aushandeln** (-*le*) *v/t.* (*handeln*) regatear; (*verhandeln*) negociar.
'**aushändig|en** *v/t.* entregar; **♀ung** *f* entrega *f*.
'**Aushang** *m* (-*es*; ⸚*e*) (*Plakat*) cartel *m*, anuncio *m*, P bando *m*.
'**Aushänge|bogen** *Typ. m* capilla *f*; **♀n** *v/t.* colgar; *Plakat*: colgar, fijar (*un cartel*); *Tür*: desquiciar; *Waren*: exhibir, exponer, colgar fuera; (*aushaken*) descolgar; *Tele.* descolgar el auricular; **~schild** *n* (-*es*; -*er*) letrero *m*, rótulo *m*; *fig.* pretexto *m*.
'**ausharren** *v/i.* perseverar; resistir; F aguantar; *auf s-m Platz* ~ mantenerse tenazmente en su sitio.
'**aushärten** (-*e*-) ⊕ *v/t.* endurecer, templar.
'**aushauchen** *v/t.* expirar, exhalar; *sein Leben* ~ exhalar el último suspiro, morir.
'**aushauen** *v/t. Wald*: talar, aclarar; *Steine*: (*grob* ~) desbastar; (*behauen*) esculpir, cincelar.
'**aushebe|en** (*L*) *v/t.* tirar, sacar; (*hochheben*) levantar; ⚘ *Bäume*: trasplantar; *Tür*: desquiciar; (*sich*) *die Schulter*: dislocar; *Graben*: abrir; ⚔ *Truppen*: levantar, reclutar, *den einzelnen*: alistar; *Verbrechernest*: desalojar; capturar en una redada; **♀ung** *f* ⚔ leva *f*, reclutamiento *m*.
'**aushecken** *fig. v/t.* imaginar, inventar; idear; tramar; maquinar.
'**ausheil|en** *v/t. u. v/i.* curar (por completo); irse curando; **♀ung** *f* curación *f* total.
'**aushelfen** (*L*) *v/i.* ayudar, socorrer; proveer de lo necesario.
'**Aushilf|e** *f* asistencia *f*, ayuda *f*, socorro *m*; (*Notbehelf*) medida *f* provisional, expediente *m*, recurso *m* de urgencia; **~skraft** *f* (-; ⸚*e*) temporero *m*; auxiliar *m/f* temporal; **♀sweise** *adv.* provisionalmente; temporalmente.
'**aushöhl|en** *v/t.* excavar; (*untergraben*) socavar, minar; (*vertiefen*) ahondar; ⊕ acanalar; ahuecar; *fig.* minar el terreno; **♀ung** excavación *f*; ahondamiento *m*; hueco *m*, concavidad *f*.
'**ausholen** **1.** *v/i. die Hand zum Schlag* ~ levantar la mano para golpear; *zum Sprung* ~ tomar ímpetu *od.* carrera para saltar; *fig. Erzählung*: *weit* ~ empezar de muy lejos *od. Lt.* ab ovo; divagar; ~ *fig.* preparar un golpe; **2.** *v/t. j-n*: sondear, sonsacar.
'**aushorchen** *v/t.* sondear, sonsacar, tantear.
'**aushülsen** (-*t*) *v/t.* desvainar; desgranar; descascarar.
'**aushungern** (-*re*) *v/t.* matar de hambre *f*; hacer sufrir hambre; *ausgehungert* famélico.
'**aushusten** (-*e*-) *v/t.* escupir tosiendo; ⚕ expectorar.
'**ausjäten** (-*e*-) *v/t.* desherbar; arrancar la mala hierba.
'**auskämmen** *v/t.* peinar (*a. fig.*); ⊕ cardar; peinar.
'**auskämpfen** *v/t.* dejar de luchar; luchar hasta el fin (*a. fig.*).
'**auskehl|en** ⊕ *v/t.* acanalar, estriar, ranurar; **♀ung** *f* ranura *f*, estría *f*.
'**auskehren** *v/t.* barrer.
'**auskeimen** *v/i.* germinar.
'**auskeltern** (-*re*) *v/t.* prensar, estrujar.
'**auskennen** (*L*) *v/refl.*: *sich* ~ *in* (*örtlich*) saber dónde se está, conocer el terreno; *fig.* ser versado en, conocer a/c. a fondo, estar al corriente de; *er kennt sich aus* sabe lo que trae entre manos, conoce el asunto; *ich kenne mich nicht mehr aus* estoy completamente desorientado.
'**auskernen** *v/t. Äpfel*: despepitar; *Steinobst*: deshuesar; *Mais*: desgranar; *Hülsenfrüchte*: descasc(ar)ar.
'**Ausklang** ♪ *m* (-*es*; ⸚*e*) notas *f/pl.* finales; *fig.* final *m*, colofón *m*.
'**ausklappbar** *adj.* girable hacia fuera; desplegable.
'**ausklarieren** (-) ⚓ *v/t.* hacer la declaración de salida.
'**ausklauben** *v/t.* escoger, entresacar.
'**auskleben** *v/t. Wand*: empapelar.
'**auskleiden** (-*e*-) *v/t.* desnudar(se), desvestir(se); ⊕ revestir; *mit Fliesen*: embaldosar; *mit Holz*: entarimar.
'**ausklingen** (*L*; *sn*) *v/t.* irse extinguiendo; acabar de sonar; *fig.* terminar por *od.* en; finalizar.
'**ausklinken** *v/t.* ✈ *Bomben*; *Segelflugzeug*: soltar, desenganchar.
'**ausklopfen** *v/t.* golpear, batir; *Kessel*: desincrustar; *Kleider*: sacudir (*el polvo*); *Pfeife*: vaciar.
'**ausklügeln** (-*le*) *v/t.* imaginar; discurrir con sutileza *f*; → *ausgeklügelt*.
'**auskneifen** (*L*; *sn*) F *v/i.* largarse, salir pitando, salir de estampía.
'**ausknipsen** (-*t*) F *v/t.* ⚡ apagar (*la luz*).
'**ausknobeln** (-*le*) *v/t.* jugar a/c. a los dados; F *fig.* → *ausklügeln*.
'**auskochen** *v/t.* cocer a punto; *Säfte*: extractar, obtener por decocción *f*; *Gefäß*: escaldar; → *ausgekocht*.
'**auskommen** (*L*; *sn*) *v/i.* (*aus dem Ei*) salir; (*ruchbar werden*) divulgarse, hacerse público; (*ausreichen*) *mit et.* ~ tener bastante, alcanzar; *mit s-m Geld*: saber manejarse (*od.* arreglarse) con el dinero disponible; (*kümmerlich*) ir pasando; *ohne et.* ~ pasar(se) sin a/c.; *mit j-m* ~ entenderse con alg.; estar en buenas relaciones (*od.* armonizar) con alg.; ♀ *n* ingresos *m/pl.*, medios *m/pl.* de vida; *sein* ~ *haben* tener (lo suficiente) para vivir; (*gutes*) vivir desahogadamente; (*kümmerliches*) F ir tirando; *es ist kein* ~ *mit ihm* no hay modo de entenderse con él.
'**auskömmlich** *adj.* suficiente.
'**auskörnen** *v/t.* desgranar.
'**auskosten** (-*e*-) *v/t.* saborear, paladear; (*Freuden*) gozar de; (*Leiden*) aguantar, sufrir, padecer.
'**auskramen** *v/t.* sacar; desencajonar; exhibir (*para la venta*); *fig.* ostentar; alardear; F fardear.
'**auskratz|en** (-*t*) **1.** *v/t.* arrancar (*con las uñas*); raspar; ⚕ *a.* legrar; **2.** *v/i.* F escurrirse, largarse; **♀ung** *f* ⚕ legrado *m*, raspado *m*.
'**auskriechen** (*L*; *sn*) *v/i.* (*Küken*) salir (*del cascarón*).
'**auskugeln** (-*le*) *v/t.*: *sich den Arm* ~ dislocarse el brazo.
auskul'tieren [-'ti:-] (-) *v/t.* auscultar.
'**auskundschaften** (-*e*-) *v/t.* explorar; espiar; tratar de descubrir; (*Geheimnis*) escudriñar; averiguar, acabar por descubrir; ⚔ reconocer.
'**Auskunft** *f* (-; ⸚*e*) información *f*, informe *m*; (*Angabe*) dato *m*; (*über e-e Person*) referencia *f*; *nähere* ~ detalles *m/pl.*; *nähere* ~ *bei od. in* para más detalles véase *od.* consúltese; ~ *einholen* informarse *od.* tomar informes sobre; ~ *erteilen* informar, dar informes; ~ *wird erteilt* (*in Anzeigen*) (darán) razón; *Auskünfte einziehen lassen* encomendar la adquisición de informes sobre.
Auskunf'tei *f* agencia *f* de informaciones.
'**Auskunfts...**: **~mittel** *n* recurso *m*, expediente *m*; **~pflicht** *f* obligación *f* de suministrar información; **~stelle** *f* oficina *f* de información.
'**auskuppeln** (-*le*) *v/t.* ⊕ desacoplar; desenganchar; *Auto.* desembragar.
'**auslachen** *v/t.*: *j-n* ~ reírse de, burlarse de alg.
'**auslade|n** (*L*) **1.** *v/t.* descargar (*a.* ⚓, *Lastwagen, Waggon*); *Truppen, Passagiere*: desembarcar; *j-n* ~ anular la invitación hecha a alg.; **2.** *v/i.* △ resaltar; **♀hafen** *m* (-*s*; ⸚) puerto *m* de descarga; **♀r** *m* descargador *m* (*de muelle*); ⚡ excitador *m*; **♀stelle** *f* descargadero *m*; ⚓ desembarcadero *m*, muelle *m* de desembarque.
'**Ausladung** *f* descarga *f*; desembarque *m*; △ saliente *m*; ⊕ radio *m* de acción; *Drehkran*: alcance *m*, longitud *f* del brazo.
'**Auslage** *f* (*ausgelegtes Geld*) desembolso *m*, anticipo *m*; (*Unkosten*) gastos *m/pl.*; *j-m s-e* ~*n zurückerstatten* reembolsar los gastos a alg.; *von Ware*: exposición *f*; (*Schaufenster*) escaparate *m*; *Fechtk. u. Boxen*: (*posición de*) guardia *f*.
'**auslager|n** (-*re*) *v/t.* desalmacenar; **♀ung** *f* desalmacenaje *m*.
'**Ausland** *n* (-*es*; *0*) extranjero *m*; país *m* extranjero; *ins* ~, *im* ~ en el extranjero; ✝ *fürs* ~ *bestimmt* destinado al comercio exterior, para la exportación.
'**Ausländ|er(in** *f*) *m* extranjero (-a *f*) *m*; **♀isch** *adj.* extranjero; ✝ *a.* ex-

terior; ⚘ exótico; (*fremdartig*) extraño; exótico; del extranjero.
'**Auslands...:** **~abteilung** † *f* departamento *m* de comercio exterior; **~anleihe** *f* empréstito *m* exterior; **~aufenthalt** *m* (*-es*; *-e*) permanencia *f* en el extranjero; **~berichterstatter** *m* corresponsal *m* en el extranjero; **~brief** *m* (*-es*; *-e*) carta *f* para el extranjero; **~deutsche(r** *m*) *m*/*f* alemán (-ana *f*) *m* residente en el extranjero; **~dienst** *m* (*-es*; *-e*) servicio *m* exterior; **~filiale** *f* sucursal *f* en el extranjero; **~gespräch** *n* (*-es*; *-e*) *Tele.* conferencia *f* internacional; **~korrespondent(in** *f*) *m* corresponsal *m*/*f* en lengua(s) extranjera(s); **~patent** *n* (*-es*; *-e*) patente *f* extranjera; **~presse** *f* prensa *f* extranjera; **~reise** *f* viaje *m* por el (*od.* al) extranjero; **~vermögen** *n* bienes *m*/*pl.* en el extranjero; **~verschuldung** *f* deuda *f* exterior; **~wechsel** † *m* letra *f* sobre el extranjero; **~zulage** *f* sobresueldo *m* por servicio en el exterior.
'**Auslaß** ⊕ *m* (*-sses*; *⸚sse*) salida *f*; descarga *f*; escape *m*; (*für Wasser*) desagüe *m*.
'**auslass|en** (*L*) *v/t.* dejar salir *bzw.* escapar; *Fett, Honig*: derretir; *Kleid*: alargar *bzw.* ensanchar; *Wort usw.*: omitir; suprimir; (*nicht beachten*) pasar por alto; (*überspringen*) saltar; *fig.* *s-e Gefühle* ~ exteriorizar, mostrar sus sentimientos; desahogar; *s-n Zorn an j-m* ~ descargar (*od.* desfogar) en alg. su cólera; *sich* ~ *über* expresar *od.* manifestar su opinión sobre; *sich weitläufig* ~ explayarse, exponer con profusión de detalles; *er ließ sich nicht weiter aus* no se explicó más, no entró en más detalles; **2ung** *f* omisión *f*; (*Streichung*) supresión *f*; (*Äußerung*) manifestación *f*, observación *f*; *Gr.* elisión *f*; elipsis *f*; **2ungszeichen** *n* apóstrofo *m*.
'**Auslaßventil** ⊕ *n* (*-s*; *-e*) válvula *f* de escape.
'**Auslauf** *m* (*-es*; *⸚e*) *von Wasser usw.*: salida *f*, derrame *m*; (*Auslaß*) aliviadero *m*, descarga *f*; *e-s Flusses*: embocadura *f*; ⚓ salida *f*, partida *f*; ✈ carrera *f* del aterrizaje; *Hürdenlauf*: carrera *f* final; △ remate *m*, salida *f*; **2en** (*L*; *sn*) *v/i.* (*ausrinnen*) correr, fluir; *Gefäß*: vaciarse; ⚓ zarpar, salir, hacerse a la mar; (*Segler*) *a.* hacerse a la vela; ✈ correr (*hasta quedar estacionado*); *Farbe*: correrse; (*endigen*) terminar, acabar; *allmählich*: disminuir progresivamente; *Motor*: pararse; ⊕ *Kabel*: terminar; *Lager*: (des)gastarse; △ hacer vuelo *m*; ~ *in od. auf* terminar en; *spitz* ~ acabar en punta; *sich* ~ *Person*: hacer ejercicio de marcha; **2end** *adj.* ⚓ en viaje de ida.
'**Ausläufer** *m* mandadero *m*; (*Hotelboy usw.*) botones *m*; ⚘ retoño *m*, vástago *m*; *e-s Gebirges*: estribación *f*; ramal *m*; *e-r Stadt*: arrabales *m*/*pl.*; *weitS.* ramificación *f*.
'**Auslauf...:** **~hahn** *m* (*-es*; *⸚e*) llave *f* de descarga; **~strecke** ✈ *f* carrera *f* de aterrizaje.
'**auslaugen** *v/t.* ⚗ lixiviar, extraer con lejía *f*; ⚒ lavar.
'**Auslaut** *Gr.* *m* (*-es*; *-e*) sonido *m* final; **2en** (*-e-*) *v/i.* terminar (*auf ac.* en).
'**ausläuten** (*-e-*) *v/i.* dejar de sonar (*un timbre*).
'**ausleben** *v/t.* gozar la vida plenamente; (*sich die Hörner abstoßen*) agotar las energías vitales.
'**auslecken** *v/t.* lamer, sacar lamiendo.
'**ausleer|en** *v/t.* vaciar; *Glas*: apurar de un trago; *Briefkasten*: recoger; ⚕ evacuar; *Darm*: *a.* defecar; *fig.* *sein Herz* ~ abrir el corazón; **2ung** *f* (*Briefkasten*) recogida *f*; ⚕ evacuación *f*; defecación *f*.
'**auslegen** *v/t.* (*ausbreiten*) extender; † *Waren*: exponer, exhibir (*para la venta*); ⊕ *Kabel*: tender; (*auskleiden*) cubrir, revestir; (*mit Fußbodenbelag*) *Holz*: entarimar, *Fliesen*: embaldosar; (*verzieren*) taracear, incrustar; *ausgelegte Arbeit* (trabajo de) taracea, incrustación; *Geld*: desembolsar; (*vorstrecken*) anticipar, adelantar; (*deuten*) interpretar, explicar, comentar; *falsch* ~ interpretar equivocadamente; *et. schlecht* ~ tomar a mal a/c.
'**Ausleger** *m* intérprete *m*, comentador *m*, glosador *m*; (*der Bibel*) exegeta *m*; (*von Waren*) expositor *m*; △ arbotante *m*; *e-s Krans*: brazo *m*; **~boot** *n* (*-es*; *-e*) (*Ruderboot*) *angl.* outrigger *m*; **~mast** *m* (*-es*; *-en*) poste *m* de brazo.
'**Auslegung** † *f* exposición *f*, exhibición *f*; (*Erklärung*) explicación *f*; (*Deutung*) interpretación *f*; (*der Bibel*) exégesis *f*; glosa *f*, comentario *m*; *falsche* ~ interpretación errónea *od.* equivocada.
'**ausleiden** (*L*) *v/t.* sufrir hasta el fin; *er hat ausgelitten* sus sufrimientos han terminado, acaba de morir.
'**ausleihen** (*L*) *v/t.* prestar; † *Kapital auf Zinsen* ~ prestar dinero a interés; *sich et.* ~ tomar prestada a/c.
'**auslernen** *v/i.* terminar los estudios; *als Lehrling*: terminar el aprendizaje; *man lernt nie aus* siempre se aprende algo nuevo.
'**Auslese** *f* *Auswahl*: elección *f*, selección *f* (*a. literarisch*); *natürliche* ~ (*Biol.*) selección natural; *Wein*: vino *m* especial *od.* selecto; *fig.* *die* ~ la crema, la flor y nata; **2n** (*L*) *v/t.* escoger, elegir, seleccionar; *Buch*: leer hasta el fin; **~prüfung** *f* examen *m* de selección *od.* selectivo; *Span.* *a.* oposición *f*.
'**ausleucht|en** (*-e-*) *v/t.* ⊕, *Film*: iluminar; **2ung** *f* iluminación *f*.
'**ausliefer|n** (*-re*) *v/t.* entregar a; † (*verteilen*) distribuir; ⚖ *ausländische Verbrecher*: hacer la extradición; (*zurückerstatten*) restituir; *j-m ausgeliefert sein* estar a la merced de alg.; **2ung** *f* entrega *f*; (*Rückerstattung*) restitución *f*; ⚖ extradición *f*.
'**Auslieferungs...:** **~antrag** *m* (*-es*; *⸚e*) † demanda *f* de entrega; ⚖ petición *f* de extradición; **~auftrag** *m* (*-es*; *⸚e*) orden *f* de entrega; **~schein** *m* (*-es*; *-e*) nota *f* de entrega; **~stelle** *f* centro *m* de distribución; **~vertrag** *m* (*-es*; *⸚e*) ⚖ tratado *m* de extradición.
'**ausliegen** (*L*) *v/i.* *Waren*: estar expuesto a la venta; *zur Einsichtnahme* ~ estar expuesto (públicamente) para ser examinado; *Zeitungen*: estar a disposición de los lectores.
'**auslochen** ⊕ *v/t.* perforar, agujerear.
'**auslöffeln** (*-le*) *v/t.* sacar a cucharadas *f*/*pl.*; *fig.* F *die Suppe* ~ *müssen* pagar los vidrios rotos *od.* el pato.
'**auslösch|en** *v/t.* *Feuer, Kerze, Licht u. fig.*: apagar, extinguir; *Schrift*: borrarse; (*auswischen*) borrar (*a. fig.*), (*radieren*) raspar; (*mit Löschpapier*) secar; (*streichen*) tachar; **2ung** *f* extinción *f*; tachadura *f*.
'**Auslöse|feder** ⊕ *f* (*-*; *-n*) muelle *m* de escape; **~hebel** *m* palanca *f* de desenganche; *Phot.*: (*palanca del*) disparador *m*; **~knopf** ⊕ *m* (*-es*; *⸚e*) botón *m* de accionamiento.
'**auslosen** (*-t*) *v/t.* sortear; echar (a) suertes *f*/*pl.*; *mit e-r Münze*: echar a cara o cruz; (*zuteilen*) elegir por la suerte; † *Wertpapiere*: redimir; amortizar por sorteo *m*.
'**auslös|en** (*-t*) soltar; desprender, desenganchar; disparar; ⊕ (*auskuppeln*) desembragar; (*in Aktion setzen*) accionar; soltar; disparar; *Bomben, Torpedo*: lanzar; *Gefangene*: redimir, rescatar; *Pfand*: desempeñar; † *Wechsel*: redimir; (*entfesseln*) desencadenar (*a. fig.*); *Beifall*: ser aplaudido, arrancar (grandes) aplausos *m*/*pl.*; *Gefühle*: engendrar; *Wirkung*: producir, causar; **2er** ⊕ *m* relé *m* de desenganche, *bsd. Phot.*: disparador *m*; ⚡ relé *m*; **2evorrichtung** *f* mecanismo *m* de desenganche *bzw.* de accionamiento; ✈ dispositivo *m* de lanzamiento (*de bombas*); **2ung** *f* † redención *f*; (*Lösegeld*) rescate *m*; ⊕ accionamiento *m*; disparo *m*; desengranaje *m*, desembrague *m*; → *Auslösevorrichtung*; *e-r Uhr*: escape *m*.
'**Auslosung** *f* sorteo *m*; (*Tombola usw.*) rifa *f*; † (*Obligationen*) reembolso *m* por sorteo.
'**ausloten** (*-e-*) ⚓ *v/t.* sondear.
'**auslüften** (*-e-*) *v/t.* airear, ventilar.
'**ausmachen** *v/t.* ⚡ *Licht*: apagar; *Feuer*: *a.* extinguir; *Kartoffeln*: arrancar; (*sichten*) divisar, distinguir; (*orten*) localizar; (*ausbedingen*) estipular; (*austragen*) decidir, resolver; *das mögen sie unter sich* ~! ¡allá ellos!, ¡que se arreglen (*od.* se las compongan) como puedan!; (*vereinbaren*) convenir, concertar, quedar en; (*e-n Teil bilden*) integrar, formar, constituir; (*betragen*) importar, ascender a; *das macht nichts aus* no importa, es lo mismo; *es macht viel aus* importa mucho; *würde es Ihnen et.* ~, *wenn?* ¿tendría usted inconveniente en?, ¿le molestaría que?; *was macht das aus?* ¿y eso qué importa?; *wieviel macht das aus?* (*Betrag*) ¿cuánto es (*od.* importa) esto?
'**ausmahlen** *v/t.* moler.
'**ausmalen** *v/t.* *Zimmer*: pintar; *Bild usw.*: colorir; (*ausschmücken*) decorar, adornar (*con cuadros*); *sich et.* ~ imaginarse, figurarse a/c.
'**Ausmarsch** ⚔ *m* (*-es*; *⸚e*) salida *f*

de las tropas; marcha *f*, partida *f*; ♀**ieren** (-) *v/i.* salir, marcharse.
ˈ**Ausmaß** *n* (*-es*; *-e*) dimensión *f*; medida *f*; extensión *f*; (*Maßstab*) escala *f*; *in großem* ~ en gran escala; *erschreckende* ~*e annehmen* adquirir alarmantes proporciones.
ˈ**ausmauern** (*-re*) *v/t.* mampostear; tapiar.
ˈ**ausmeißeln** (*-le*) *v/t.* cincelar; escoplear; (*Standbild*) esculpir.
ˈ**ausmergeln** (*-le*) *v/t.* esquilmar; *fig.* empobrecer, extenuar; *ausgemergelt* desmirriado, espiritado.
ˈ**ausmerzen** (*-t*) *v/t.* ✓ (*Unkraut*) escardar; (*entfernen*) desechar; eliminar; (*ausstreichen*) expurgar; tachar; excluir, suprimir; (*ausrotten*) extirpar; *Schandfleck*: *fig.* borrar; *Fehler*: subsanar.
ˈ**ausmess|en** (*L*) *v/t.* medir; ♀**ung** *f* medición *f*; *Maß*: medida *f*.
ˈ**ausmieten** (*-e-*) *v/t.* desahuciar (*a un inquilino*).
ˈ**ausmisten** (*-e-*) *v/t.* *Stall*: sacar el estiércol; F *fig.* depurar, limpiar.
ˈ**ausmitt|eln** (*-le*) *v/t.* ⅍ hallar el promedio; *weitS.* averiguar, identificar; ~**ig** ⊕ *adj.* excéntrico.
ˈ**ausmünd|en** (*-e-*) *v/i.* desembocar; ♀**ung** *f* desembocadura *f*; ⊕ salida *f*.
ˈ**ausmünzen** (*-t*) *v/t.* amonedar; acuñar moneda *f*.
ˈ**ausmuster|n** (*-re*) *v/t.* (*verwerfen*) rechazar; desechar; (*auswählen*) escoger; ⚔ declarar inútil; ♀**ung** *f* desecho *m*; selección *f*; ⚔ declaración *f* de inutilidad.
ˈ**Ausnahme** *f* excepción *f*; (*Befreiung*) exención *f*; *mit* ~ *von* a excepción de, excepto, exceptuando a; *ohne* ~ sin excepción; *mit seltenen* ~*n* salvo raras excepciones; *die* ~ *bestätigt die Regel* la excepción confirma la regla; ~**bestimmung** *f* cláusula *f* de excepción; ~**erlaubnis** *f* (*0*) permiso *m* especial; ~**fall** *m* (*-es*; *⸗e*) caso *m* excepcional, excepción *f*; ~**zustand** *m* (*-es*; *⸗e*) estado *m* de excepción; ⚔ (*Belagerungszustand*) estado *m* de sitio.
ˈ**ausnahms|los** *adj.* sin excepción; ~**weise** *adv.* excepcionalmente; (*für diesmal*) por esta sola vez.
ˈ**ausnehmen** (*L*) *v/t.* sacar, apartar; (*ausweiden*) destripar; (*ausschließen*) exceptuar; (*befreien*) eximir; *sich gut* (*schlecht*) ~ tener buen (mal) aspecto; hacer buen (mal) efecto; ~**d I.** *adj.* excepcional, extraordinario, singular; **II.** *adv.* excepcionalmente, extraordinariamente.
ˈ**ausnutz|en** (*-t*), **ausnütz|en** (*-t*) *v/t.* aprovechar (*ac.*), aprovecharse de, utilizar; *Gelegenheit*: valerse de, sacar ventaja de; *a.* ⚔, ⚒ *u. fig.*: explotar; *er nützte ihre Schwäche aus* se aprovechó de su debilidad; ♀**ung** *f* utilización *f*, aprovechamiento *m*; explotación *f*.
ˈ**auspacken** *v/t.* desenvolver; (*Paket*) desempaquetar; (*Ballen, Kisten*) desembalar; F *fig.* desembuchar.
ˈ**auspeitschen** *v/t.* azotar, fustigar, flagelar; dar latigazos.
ˈ**auspfänd|en** (*-e-*) ⚖ *v/t.* embargar; ♀**ung** *f* embargo *m*.
ˈ**auspfeifen** (*L*) *v/t.* *Thea.* silbar; (*Theaterstück*) *a.* F patear.
ˈ**auspflanzen** (*-t*) *v/t.* trasplantar.
ˈ**auspichen** *v/t.* empecinar; ⚓ embrear, calafatear.
Ausˈpizien *n/pl.* auspicios *m/pl.*
ˈ**ausplätten** (*-e-*) *v/t.* planchar.
ˈ**ausplaudern** (*-re*) *v/t.* divulgar; F hablar indiscretamente, charlatanear; F irse de la lengua (*od.* boca).
ˈ**ausplünder|n** (*-re*) *v/t.* (*Stadt*) saquear; pillar; *Kasse*: robar; *j-n* ~ desvalijar a alg.; *bis aufs Hemd* ~ dejar en cueros *od.* en camisa; ♀**ung** *f* saqueo *m*; pillaje *m*; desvalijamiento *m*; atraco *m*.
ˈ**auspolstern** (*-re*) *v/t.* acolchar; *mit Watte*: guatear; ⊕ revestir.
ˈ**ausposaunen** (-) *v/t.* publicar a son de trompeta; F *fig.* gritar, cacarear; propala run secreto; divulgar a los cuatro vientos.
ˈ**ausprägen** *v/t.* (*Münzen*) acuñar; (*Stempel*) estampar; *sich* ~ expresarse, revelarse, traducirse (*in dat.* en); destacar; → *ausgeprägt*.
ˈ**auspressen** (*-ßt*) *v/t.* prensar; exprimir, estrujar; *Geständnis, Seufzer*: arrancar; → *erpressen*.
ˈ**ausprobieren** (-) *v/t.* probar, ensayar; experimentar; *Wein*: catar.
ˈ**Auspuff** *m* (*-es*; *-e*) *Auto.* escape *m*; ~**gas** *n* (*-es*; *-e*) gas *m* de escape; ~**klappe** *f* válvula *f* de escape; ~**rohr** *n* (*-es*; *-e*) tubo *m* de escape; ~**takt** *m* (*-es*; *-e*) ciclo *m* de escape; ~**topf** *m* silenciador *m*.
ˈ**auspumpen** *v/t.* sacar con la bomba; *Teich*: desaguar; ⚓ achicar; *Phys. Luft*: rarificar; F *fig. sich* et. ~ tomar prestado; F *fig. ausgepumpt* extenuado, rendido, F hecho polvo.
ˈ**auspunkten** (*-e-*) *v/t.* *Boxen*: ganar por puntos *m/pl.*
ˈ**auspusten** [uː] (*-e-*) *v/t.* *Kerze*: apagar de un soplo.
ˈ**Ausputz** *m* (*-es*; *0*) adorno *m*; ♀**en** (*-t*) *v/t.* limpiar; *Bäume*: podar; *Kerze, Docht*: despabilar; (*schmükken*) adornar, decorar; *sich* ~ F emperejilarse, ponerse de veinticinco alfileres.
ˈ**ausquartier|en** (-) *v/t.* desalojar (*a.* ⚔); ♀**ung** *f* desalojamiento *m*.
ˈ**ausquetschen** *v/t.* exprimir, estrujar; *fig.* F sacar, arrancar.
ˈ**ausradieren** (-) *v/t.* raspar, raer; (*mit Gummi*) borrar; *fig.* arrasar.
ˈ**ausrangieren** (-) *v/t.* desechar, eliminar; 🚂 retirar del servicio; *fig.* apartar, aislar.
ˈ**ausrauben** *v/t.* → *ausplündern*.
ˈ**ausrauchen** *v/t.*: *s-e Pfeife* ~ *usw.* acabar de fumar una pipa *etc.*
ˈ**ausräuchern** (*-re*) *v/t.* ahumar; fumigar; azufrar.
ˈ**ausraufen** *v/t.* arrancar; (*Federn*) desplumar, pelar; *fig. sich die Haare* ~ mesarse los cabellos.
ˈ**ausräumen** *v/t.* vaciar; *Zimmer*: desamueblar; *Möbel usw.*: quitar; (*in Ordnung bringen*) arreglar; (*reinigen*) limpiar; ⚕ *Waren*: dar salida; (*Einbrecher*) desvalijar.
ˈ**ausrechn|en** (*-e-*) *v/t.* calcular; computar; → *ausgerechnet*; ♀**ung** *f* cálculo *m*; cómputo *m*; cuenta *f*.
ˈ**ausrecken** *v/t.* estirar, extender; *sich* ~ estirarse.
ˈ**Ausrede** *f Entschuldigung*: excusa *f*, disculpa *f*; *Ausflucht*: evasiva *f*; *Vorwand*: pretexto *m*; *List*: subterfugio *m*; *faule* ~ excusa barata; ~*n machen* inventar pretextos; *er weiß immer e-e* ~ siempre tiene una excusa a mano; ♀**n 1.** *v/i.* acabar de hablar; *j-n* ~ *lassen* dejar hablar, escuchar sin interrumpir; *j-n nicht* ~ *lassen* cortar la palabra a alg.; **2.** *v/t.* *j-m* et. ~ disuadir a alg. de hacer a/c.; *sich* ~ (*sich herauswinden*) disculparse, excusarse; encontrar salida.
ˈ**ausreiben** (*L*) *v/t.* frotar, restregar; ⊕ (*Loch*) ensanchar.
ˈ**ausreichen** *v/i.* ser suficiente, bastar, alcanzar; *mit* et. ~ tener bastante con; ~**d** *adj.* bastante, suficiente.
ˈ**ausreifen** (*sn*) *v/i.* madurar; → *ausgereift*.
ˈ**Ausreise** *f* partida *f*, salida *f* (*a.* ⚓); ~**genehmigung** *f* permiso *m* de salida; ~**visum** *n* (*-s*; *-visa*) visado *m* de salida.
ˈ**ausreißen** (*L*) **1.** *v/t.* arrancar; (*Baum*) *a.* desarraigar; *Zähne*: arrancar, extraer; F *er reißt sich dabei kein Bein aus* no se mata a trabajar ni mucho menos; **2.** *v/i.* romper(se), desgarrarse; (*fliehen*) huir, escapar(se); ⚔ desertar; *Pferd*: desbocarse.
ˈ**Ausreißer** *m* fugitivo *m*; ⚔ desertor *m*.
ˈ**ausreiten** (*L*) **1.** *v/i.* salir (a pasear) a caballo; **2.** *v/t.* *Pferd*: sacar a pasear, ejercitar.
ˈ**ausrenken** *v/t.* (*Glied*) dislocar.
ˈ**ausricht|en** (*-e-*) *v/t.* ⊕ ajustar (*a. Benehmen usw.*: *nach* a); *in e-r Reihe*: alinear; *fig.* organizar; coordinar; orientar; (*bewirken*) hacer, efectuar; (*vollbringen*) ejecutar, cumplir; (*erlangen*) lograr, conseguir; *nichts* ~ esforzarse en vano, no conseguir nada; *damit richtet er nichts aus* con eso no arregla nada; *man kann bei ihm nichts* ~ no se puede conseguir nada de él; *Befehl*: cumplir; *Botschaft*: entregar; *richten Sie ihm meinen Gruß aus* déle usted recuerdos (*od.* salúdele) de mi parte; *richten Sie Ihrer Gattin meine Empfehlungen aus* hágale presentes mis respetos a su señora; *kann ich* et. ~? ¿debo darle algún recado de su parte?; *fig. ausgerichtet auf* de acuerdo con; ♀**ung** *f* alineación *f*; ajuste *m*; *fig.* orientación *f*; organización *f*; coordinación *f*.
ˈ**ausringen** (*L*) *v/t.* *Wäsche*: retorcer; *fig. er hat ausgerungen* su lucha ha terminado.
ˈ**Ausritt** *m* (*-es*; *-e*) paseo *m* a caballo.
ˈ**ausroden** (*-e-*) *v/t.* *Unkraut*: arrancar, escardar; *Wald*: talar.
ˈ**ausrollen 1.** *v/t.* *Teig*: arrollar; *Kabel*: desenrollar; **2.** *v/i.* ✈ rodar (*hasta el lugar de estacionamiento*).
ˈ**Ausrollen** ✈ *n* carrera *f* del aterrizaje.
ˈ**ausrott|en** (*-e-*) *v/t.* *Pflanze, a. fig.*: desarraigar, arrancar de raíz *f*; *fig.* extirpar, aniquilar; *Volk*: exterminar; ♀**ung** *f* desarraigo *m*; extirpación *f*; exterminio *m*, *Pol. ganzer Völker*: *a.* genocidio *m*; ♀**ungskrieg** *m* (*-es*; *-e*) guerra *f* de exterminio.
ˈ**ausrück|en 1.** *v/i.* marcharse; (*weglaufen*) escaparse; F largarse; **2.** *v/t.* ⊕ desenganchar; *Kupplung*:

desembragar; 2**er** ⊕ *m* palanca *f* de embrague; desenganchador *m*.

ˈ**Ausruf** *m* (-*es*; -*e*) grito *m*, voz *f*; *mit Worten*: exclamación *f*; (*öffentlicher*) proclama(ción) *f*; 2**en** (*L*) **1.** *v/i*. gritar, exclamar; **2.** *v/t*. proclamar; *Waren*: pregonar; *Zeitungen*: vocear; *zum König* ~ proclamar rey; *die Republik* ~ proclamar la república; *et.* ~ *lassen* publicar; hacer pregonar (*por el pregonero*); ~**er** *m* pregonero *m*; (*Straßenhändler*) vendedor *m* ambulante; (*von Zeitungen*) vendedor *m* de periódicos; ~**ung** *f* proclamación *f*; ~**ungswort** *Gr*. *n* (-*es*; ¨*er*) interjección *f*; ~**ungszeichen** *n* signo *m* de admiración.

ˈ**ausruhen** *v/i*. *u*. *v/refl*. descansar (*von* de), reposar; *ausgeruht* descansado; → *Lorbeer*; 2 *n* descanso *m*, reposo *m*.

ˈ**ausrupfen** *v/t*. arrancar; (*Federn*) desplumar, pelar.

ˈ**ausrüst|en** (-*e*-) *v/t*. proveer, aprovisionar; ⚔ armar, equipar, pertrechar; ⚓ aparejar, (*bemannen*) equipar; 2**ung** *f* ⚔ *Bewaffnung*, ⚓ *Bestückung*: armamento *m*; *Waffenrüstung*: armadura *f*; (*Kriegs*2) pertrechos *m/pl*.; (*Sport*2 *usw*.) equipo *m* (*a*. ⚔ *des Soldaten*); *Chir*. instrumental *m*; (*Betriebs*2) equipo *m*; (*Werkzeug*2) herramientas *f/pl*.; (*Geräte*) utensilios *m/pl*.; (*Zubehör*) accesorios *m/pl*.; ⚓ aparejo *m*.

ˈ**ausrutschen** (*sn*) *v/i*. resbalar (*auf* sobre); *bsd. Fahrzeuge*: patinar.

ˈ**Aussaat** *f* siembra *f*; (*Ausgesätes*) sementera *f*.

ˈ**aussäen** *v/t*. ✓ sembrar; *fig*. esparcir, diseminar.

ˈ**Aussage** *f* afirmación *f*; exposición *f*, manifestación *f*; *Gr*. predicado *m*, atributo *m*; *s-r* ~ *nach* según su declaración, a juzgar por lo que dice; ⚖ declaración *f*, deposición *f*; (*Zeugnis*) testimonio *m*; *eidliche* ~ declaración bajo juramento; ~ *verweigern* negarse a declarar; *e-e* ~ *machen* prestar declaración, deponer ante un tribunal; 2**n** *v/t*. (*berichten*) contar, referir; exponer; ⚖ declarar, deponer; *eidlich*: declarar bajo juramento; *Gr*. enunciar.

ˈ**Aussagesatz** *Gr*. *m* (-*es*; ¨*e*) proposición *f* afirmativa.

ˈ**Aus|satz** ⚕ *m* (-*es*; *0*) lepra *f*; *Billard*: bola *f* de salida; 2**sätzig** *adj*. leproso; ~**sätzige(r** *m*) *m/f* leproso (-a *f*) *m*.

ˈ**aussaugen** *v/t*. chupar, succionar; *fig*. esquilmar, empobrecer, agotar; *j-n* ~ explotar a alg.

ˈ**ausschacht|en** (-*e*-) *v/t*. excavar; *bsd. Brunnen u.* ⚒: abrir un pozo; 2**ung** *f* excavación *f*.

ˈ**ausschälen** *v/t*. *Äpfel usw*.: mondar, pelar; *Nüsse*: descascarar; *Bohnen usw*.: desgranar.

ˈ**ausschalt|en** (-*e*-) *v/t*. eliminar (*a*. *fig*.), excluir; aislar, apartar; (*korrigieren*) corregir; ⚡ *Licht*: apagar; *Strom*: desconectar; ⊕ *Kupplung*: desembragar; ⚔ neutralizar; 2**er** ⚡ *m* interruptor *m*; 2**ung** *f* eliminación *f*, exclusión *f*; aislamiento *m*; interrupción *f*; ⚡ desconexión *f*; ⊕ desembrague *m*.

ˈ**Ausschank** *m* (-*es*; ¨*e*) despacho *m* de bebidas; (*Wirtschaft*) bar *m*, cervecería *f*; taberna *f*, F tasca *f*.

ˈ**ausscharren** *v/t*. desenterrar.

ˈ**Ausschau** *f*: ~ *halten nach* buscar con la vista; 2**en** *v/i*. mirar; *weit* ~*de Pläne* proyectos de alto vuelo; → *aussehen*.

ˈ**ausschaufeln** (-*le*) *v/t*. sacar a paladas; excavar.

ˈ**ausscheiden** (*L*) **1.** *v/t*. eliminar, separar; (*ausschließen*) excluir; & *u*. ⚗ eliminar, (*ausziehen*) extractar, (*fällen*) precipitar; (*freisetzen*) liberar; *Physiol*. segregar; ⚕ (*aussondern*) excretar; eliminar; **2.** *v/i*. *aus e-m Amt*: renunciar; ⚔ retirarse; *aus e-m Verein*: darse de baja *f*; *Sport*: ser eliminado; ⚗ depositarse, precipitarse; *das scheidet aus* esto no entra en consideración; 2 *n* eliminación *f*, separación *f*; (*Rücktritt*) dimisión *f*.

ˈ**Ausscheidung** *f* eliminación *f*, separación *f*; ⚕ secreción *f*; excreción *f*; ⚗ precipitado *m*, depósito *m*; *Sport*: eliminación *f*; ~**skampf** *m* (-*es*; ¨*e*) competición *f* eliminatoria; ~**smittel** ⚗ *n* agente *m* precipitador; ~**s-prüfung** *f* prueba *f* (*od*. examen *m*) eliminatoria (-o); ~**sspiel** *n* (-*es*; -*e*) eliminatoria *f*, partido *m* eliminatorio.

ˈ**ausschelten** (*L*) *v/t*. reñir, reprender.

ˈ**ausschenken** *v/t*. (*ausgießen*) verter; (*kredenzen*) escanciar, llenar, echar; (*als Schankwirt*) vender bebidas al por menor.

ˈ**ausscheren** *v/i*. ✈, ⚓ separarse de una formación; derivar, abatir.

ˈ**ausschicken** *v/t*. enviar; *nach j-m* ~ enviar en busca de alg.

ˈ**ausschießen** (*L*) **1.** *v/t*. destrozar de un tiro; *Preis*: ganar (*un premio*) tirando al blanco; *Typ*. imponer; **2.** *v/i*. ⚘ entallecer, espigar.

ˈ**ausschiff|en** *v/t*. desembarcar; *Ladung*: *a*. descargar; 2**ung** *f* desembarco *m*; (*Waren*) desembarque *m*.

ˈ**ausschimpfen** *v/t*. insultar, denostar, injuriar; F poner como un trapo a alg.

ˈ**ausschirren** *v/t*. desenjaezar; desenganchar.

ˈ**ausschlachten** (-*e*-) *v/t*. descuartizar (*una res*); F *fig*. parcelar; ⊕ separar las piezas aprovechables; desguazar; (*ausnutzen*) *fig*. explotar, aprovechar (la ocasión).

ˈ**ausschlacken** *v/t*. eliminar la escoria.

ˈ**ausschlafen** (*L*) *v/i*. dormir bien y bastante; *s-n Rausch* ~ F dormir la mona.

ˈ**Ausschlag** ⚕ *m* (-*es*; ¨*e*) erupción *f* cutánea; exantema *m*; (*Bläschen*) ampolla *f*; ⊕ *e-s Zeigers*: oscilación *f*; desviación *f*; *der Waage*: caída *f* del peso; *e-s Pendels*: oscilación *f*; *Magnetnadel*: declinación *f*, desviación *f*; *e-r Schwingung*: amplitud *f*; *e-r Mauer*: eflorescencia *f*; exudación *f*; (*Auskleidung*) cubierta *f*, revestimiento *m*; *fig*. factor *m* decisivo; *den* ~ *geben* decidir el resultado; 2**en 1.** *v/t*. (*Auge*) saltar, vaciar; (*auskleiden*) cubrir, revestir; (*Steine*) romper *bzw*. extraer a golpes; (*ablehnen*) rehusar, rechazar; *Erbschaft*: ⚖ repudiar; **2.** *v/i*. *Pferd*: cocear; *Zeiger*: oscilar; desviarse; *Waage*: inclinarse a un lado; *Magnetnadel*: declinar, desviarse; *Pendel*: oscilar; (*sich beschlagen*) eflorecerse; exudar, rezumar; ⚘ brotar, retoñar; *Bäume*: reverdecer, echar hoja; *fig*. (*ablaufen*) resultar, salir (bien *bzw*. mal); *es schlug zu seinem Nachteil aus* redundó *od*. resultó en perjuicio suyo; *fig*. *das schlägt dem Faß den Boden aus* esto colma ya todas las medidas; 2**gebend** *adj*. decisivo.

ˈ**ausschließ|en** (*L*) *v/t*. *j-n*: dejar fuera, cerrar la puerta a alg.; *fig*. excluir (*aus*, *von* de); (*ausstoßen*) expulsar; *zeitweilig*: suspender; (*aus der kirchlichen Gemeinschaft*) excomulgar; (*aus Verein*, *Gesellschaft usw*.) dar de baja *f*; *Sport*: descalificar; *Typ*. justificar, espaciar; *sich* ~ *von* no participar en, excluirse de; → *ausgeschlossen*; ~**lich I.** *adj*. exclusivo; privativo; **II.** *adv*. exclusivamente; (*gen*.) sin incluir a/c.; 2**lichkeit** *f* exclusividad *f*; 2**ung** *f* exclusión *f*; expulsión *f*; suspensión *f*; *Sport*: descalificación *f*; (*Aussperrung*) cierre *m*, clausura *f*; → *Ausschluß*.

ˈ**ausschlüpfen** *v/i*. *aus dem Ei*: salir del huevo *od*. F del cascarón.

ˈ**Ausschluß** *m* (-*sses*; ¨*sse*) exclusión *f*; expulsión *f*; (*Befreiung*) exención *f*; *Sport*: descalificación *f*; (*aus der kirchlichen Gemeinschaft*) excomunión *f*; *Typ*. cuadrado *m*; *unter* ~ *der Öffentlichkeit* ⚖ (juicio) a puertas cerradas; *mit* ~ *von* con exclusión (*od*. excepción) de; ~**taste** *f* tecla *f* de espaciación.

ˈ**ausschmelzen** (*L*) **1.** *v/t*. fundir; *Fett*: derretir; **2.** *v/i*. fundirse.

ˈ**ausschmieren** *v/t*. untar; *Schiffsfugen*: calafatear; (*fetten*) engrasar; *mit Teer*: embrear.

ˈ**ausschmück|en** *v/t*. adornar; decorar; exornar; *fig*. *Erzählung*: embellecer, hermosear; 2**ung** *f* adorno *m*; decoración *f*; F perifollo *m*; *fig*. embellecimiento *m*.

ˈ**ausschnauben** *v/t*.: *sich die Nase* ~ sonarse, limpiar las narices.

ˈ**ausschnaufen** *v/i*. tomar aliento; *fig*. respirar.

ˈ**ausschneiden** (*L*) *v/t*. cortar; (*aus e-r Zeitung*) recortar; ⚕ excindir; *Bäume*: podar; *Kleid*: escotar.

ˈ**Ausschnitt** *m* (-*es*; -*e*) corte *m*; (*Zeitungs*2) recorte *m*; *am Kleid*: (d)escote *m*; ⊕ muesca *f*; & (*Kreis*2) sector *m*; segmento *m*; *fig*. (*Teil*) parte *f*, sección *f*; fragmento *m*.

ˈ**ausschnüffeln** (-*le*) F *v/t*. olfatear; husmear; *fig*. espiar; F curiosear.

ˈ**ausschöpfen** *v/t*. *Flüssigkeiten*: sacar, extraer; vaciar; *Boot*: achicar; *fig*. *Thema*: agotar.

ˈ**ausschreib|en** (*L*) *v/t*. *Wort usw*.: escribir (enteramente); *Zahl*: escribir en letra *f*; *Kurzschrift*: pasar; *Rechnung*: hacer; *Formular*: llenar; (*abschreiben*) copiar, transcribir; *unerlaubt*: plagiar; (*ankündigen*) anunciar; *e-e Stelle*: anunciar (*para su provisión*); *e-n Wettbewerb*: abrir *od*. anunciar un concurso; (*einberufen*) convocar; *öffentlich* ~

(*Bauauftrag*) sacar a subasta pública; *Wahlen* ~ convocar a elecciones; *Steuern*: imponer; **Ꝯung** *f* (*Bekanntmachung*) anuncio *m*; (*Einberufung*) convocatoria *f*; *von Steuern*: imposición *f*; *von Stellen*: concurso *m*; oposición *f*; *öffentliche* ~ subasta *f*, contratación *f* de obras.

'**ausschreien** (*L*) *v/t*. gritar; pregonar; *sich* ~ desgañitarse; desahogarse gritando.

'**ausschreit|en** (*L*) **1.** *v/i*. caminar a grandes pasos; **2.** *v/t*. (*messen*) medir a pasos; **Ꝯung** *f* exceso *m*; agresión *f*, ataque *m*; (*Aufruhr*) *mst*. ~*en pl*. disturbios *m/pl*., desmanes *m/pl*.

'**Ausschuß** *m* (-*sses*; ⸗*sse*) (*Abfall*) desecho *m*; (*schlechte Ware*) géneros *m/pl*. de inferior *od*. baja calidad; (*beschädigte Ware*) géneros *m/pl*. defectuosos; (*Vertretung*) comisión *f*, junta *f*; comité *m*; *beratender* (*leitender*; *ständiger*) ~ comisión consultiva (ejecutiva; permanente); *Prüfungs*Ꝯ tribunal *m* examinador; **~mitglied** *n* (-*es*; -*er*) miembro *m* de la comisión; **~sitzung** *f* reunión *f* de la comisión; **~ware** *f* géneros *m/pl*. de desecho; **~wunde** ⚕ *f* (*herida de*) salida *f* del proyectil.

'**ausschütteln** (-*le*) *v/t*. sacudir.

'**ausschütten** (-*e*-) *v/t*. verter, derramar; vaciar; ⚚ *Dividende*: repartir; *Konkursmasse*: dividir; (*j-m*) *sein Herz* ~ abrir su corazón a alg.; desahogar sus penas con alg.; *sich vor Lachen* ~ desternillarse *od*. mondarse de risa; F troncharse de risa.

'**ausschwärmen** *v/t*. (*Bienen*) salir en enjambres *m/pl*.; ⚔ ~ (*lassen*) abrir las filas, desplegarse; (*fächerartig*) desplegarse en abanico.

'**ausschwatzen** (-*t*) *v/t*. divulgar, propalar.

'**ausschwefeln** (-*le*) *v/t*. azufrar; ⚗ (de)sulfurar.

'**ausschweif|en 1.** *v/i*. (*abschweifen*) divagar; (*maßlos sein*) entregarse al vicio; **2.** *v/t*. ⊕ (*ausbogen*) redondear, contornear; **~end** *adj*. (*umständlich*) divagador; (*liederlich*) disoluto, libertino, licencioso, disipado; ~*es Leben* vida licenciosa *od*. disoluta; **Ꝯung** *f* extravagancia *f*; desorden *m*, exceso *m*, desenfreno *m*; libertinaje *m*, crápula *f*; aberración *f*, extravío *m*.

'**ausschweigen** (*L*) *v/refl*. guardar silencio (*über ac*. sobre).

'**ausschwenken** *v/t*. *Wäsche*: enjuagar, aclarar; *Kran usw*.: girar.

'**ausschwitz|en** (-*t*) *v/t*. exudar, (tra)sudar; (*durch poröse Wände*) rezumar; **Ꝯung** *f* exudación *f*, ⚕ diaforesis *f*.

'**aussehen** (*L*) *v/i*.: *nach j-m* ~ buscar a alg. con la vista; *wie et*. *od*. *j-d* ~ parecerse a; (*erscheinen*) parecer; aparentar, tener aspecto de; *er sieht blaß aus* tiene el semblante pálido; *gesund* ~ parecer (tener aspecto) sano; *gut* (*schlecht*) ~ tener buen (mal) aspecto; *wie du nur aussiehst!* F ¡vaya una facha que tienes!; *wie sieht er aus?* ¿cómo es?, ¿qué aspecto tiene?; *so siehst du aus! iro*. ¡claro está, no faltaba más!; eso lo dices (*od*. te lo crees) tú; *es sieht nach Regen aus* parece que va a llover; ~, *als ob* parece como si; *er sieht jünger* (*älter*) *aus, als er ist* parece más joven (viejo) de lo que es; *nach et*. ~ *wollen* querer aparentar (*lo que no se es*); *wie sieht es bei dir aus?* ¿cómo van tus asuntos?; *es sieht schlecht mit ihm aus* las cosas presentan mal cariz para él; Ꝯ *n* apariencia *f*, aspecto *m*, traza *f*, F facha *f*; *fig*. cariz *m*; (*Gesicht*) cara *f*, semblante *m*; (*Haltung*) porte *m*, figura *f*; exterior *m*; *dem* ~ *nach urteilen* juzgar por las apariencias.

'**außen** *adv*. afuera, fuera; (*außerhalb*) en la parte exterior; *nach* ~ hacia fuera; al exterior; *nach* ~ (*hin*) para fuera, externamente; *fig*. para guardar las apariencias; *von* ~ por fuera, de (la parte de) fuera; **Ꝯansicht** *f* vista *f* exterior; **Ꝯantenne** *f* antena *f* exterior; **Ꝯaufnahme** *f* *Film*: exterior *m*; **Ꝯbezirke** *m/pl*. *e-r Stadt*: extrarradio *m*; **Ꝯbilanz** *f* balance *m* de pagos; **Ꝯbordmotor** ⚓ *m* (-*s*; -*en*) fuera-bordo *m*; **Ꝯbordmotorboot** *n* (-*es*; -*e*) canoa *f* con fuera-bordo.

'**aussenden** (-*e*- *od*. *L*) *v/t*. enviar, mandar; despachar; *Funkspruch*: emitir, transmitir; *Phys*. emitir; *Strahlen*: (ir)radiar.

'**Außen...**: **~dienst** *m* (-*es*; -*e*) ⚔ servicio *m* fuera del cuartel; *Dipl*. servicio *m* en el extranjero; **~durchmesser** *m* diámetro *m* exterior; **~fläche** *f* superficie *f*, cara *f*; *e-s Körpers*: periferia *f*; **~gewinde** *n* rosca *f* exterior; **~hafen** *m* (-*s*; ⸗) antepuerto *m*; **~handel** *m* comercio *m* exterior; **~haut** ⚓ *f* (-; ⸗*e*) revestimiento *m* exterior; *Anat*. epidermis *f*; **Ꝯliegend** *adj*. externo; **~luft** *f* (*0*) aire *m* exterior; **~luftdruck** *m* (-*es*; *0*) presión *f* barométrica exterior; **~minister** *m* *Span*. Ministro *m* de Asuntos (*Am*. Relaciones) Exteriores; **~ministerium** *n* (-*s*; -*ministerien*) *Span*. Ministerio *m* de Asuntos Exteriores; **~politik** *f* (*0*) política *f* exterior; **Ꝯpolitisch** *adj*. (*referente a la política*) exterior; internacional; **~posten** ⚔ *m* centinela *m* avanzado; **~seite** *f* exterior *m*; △ fachada *f*; **~seiter** *m* outsider *m*; fuera de serie *m*; **~stände** ⚚ *m/pl*. cobros *m/pl*. pendientes, atrasos *m/pl*.; **~stehender** *m* expectador *m*; **~stürmer** *m* *Fußball*: extremo *m*; **~temperatur** *f* temperatura *f* exterior; **~wand** *f* (-; ⸗*e*) muro *m* exterior; **~welt** *f* mundo *m* exterior; **~werke** ⚔ *n/pl*. aproches *m/pl*.; **~winkel** *m* ángulo *m* externo; **~wirtschaft** *f* economía *f* exterior.

'**außer I.** *prp*. (*räumlich*) fuera de; (*neben*) aparte de, sin contar; (*hinzukommend*) además de; (*ausgenommen*) salvo, excepto, menos, a excepción de; → *Betrieb, Dienst, Frage usw*.; *alle* ~ *einem* todos excepto (*od*. menos) uno; ~ *sich sein* estar fuera de sí; ~ *sich geraten* no caber en sí (*vor Freude* de alegría); arrebatarse; ~ *Gefahr* a salvo; fuera de peligro; ~ *Gefecht setzen* poner fuera de combate; **II.** *cj*. ~ *daß* excepto (*od*. salvo) que; ~ *wenn* a menos que, a no ser que (*subj*.); excepto si *bzw*. cuando; **~amtlich** *adj*. no oficial, extraoficial; particular; **~beruflich** *adj*. extraprofesional; **~dem** *adv*. además, aparte (*od*. fuera) de eso; sobre esto, por añadidura; **~dienstlich** *adj*. extraoficial, particular; fuera del servicio; **Ꝯdienststellung** *f* retirada *f* del servicio; (*Kriegsschiff*) desarme *m*; (*Beamter*) excedencia *f*; retiro *m*.

'**äußere** *adj*. exterior, externo; *der* ~ *Schein* las apariencias; Ꝯ(**s**) *n* exterior *m*; apariencia *f*; *nach dem* ~*n zu urteilen* (a) juzgar por las apariencias; *Minister des* ~*n* → *Außenminister*.

'**außer...**: **~ehelich** *adj*. *Kind*: natural, ilegítimo; *Verkehr*: extraconyugal; adulterino; **~etatsmäßig** *adj*. extraordinario; (*Beamter*) supernumerario; **~europäisch** *adj*. extraeuropeo; **~fahrplanmäßig** *adj*. especial; **~gerichtlich** *adj*. extrajudicial; ~*e Regelung* arreglo extrajudicial; **~gewöhnlich** *adj*. extraordinario; → *außerordentlich*; **~halb I.** *prp*. (*gen*.) fuera de; ~ *der Geschäftsstunden* fuera de las horas de oficina (*od*. de despacho); → *außer*; **II.** *adv*. (por) fuera, externamente; *von* ~ de fuera; **~kirchlich** *adj*. fuera de la comunidad de la Iglesia; **Ꝯkurssetzung** *f* retirada *f* de la circulación.

'**äußerlich** *adj*. exterior, externo (*a*. ⚕); ⚕ ~*es Mittel* tópico *m*; *zum* ~*en Gebrauch* para uso externo; *fig*. (*scheinbar*) aparente; (*oberflächlich*) superficial, extrínseco; (*seicht*) somero; (*unecht*) fingido, insincero; *rein* ~ *betrachtet* visto por fuera; **Ꝯkeit** *f* exterioridad *f*; (*Oberflächlichkeit*) superficialidad *f*; (*Unechtheit*) insinceridad *f*; ~*en pl*. *fig*. formalidades *f/pl*.; apariencias *f/pl*.

'**äußern** (-*re*) *v/t*. (*aussprechen*) expresar, manifestar, declarar; (*sagen*) decir; (*zeigen*) mostrar, hacer ver, exteriorizar; *Gründe*: exponer; *Meinung*: *a*. emitir; *sich* ~ manifestarse, expresarse, declararse; *s-e Meinung* ~ (*über*) manifestar su opinión acerca de, dar su parecer sobre; *Sache*: *sich* ~ manifestarse.

'**außer-ordentlich I.** *adj*. extraordinario; (*ungewöhnlich*) insólito, raro, inusitado, excepcional, singular; (*erstaunlich*) asombroso, prodigioso, maravilloso; (*hervorragend*) eminente; (*ungeheuer*) enorme, descomunal; (*Sonder...*) extraordinario, especial; ~*e Ausgaben* gastos extraordinarios; ~*es Gericht* tribunal especial; ~*er Professor* catedrático supernumerario; **II.** *adv*. extraordinariamente, sumamente, extrema(da)mente, sobremanera.

'**außerplanmäßig** *adj*. extraordinario, especial; *Beamter*: supernumerario.

'**äußerst I.** *adj*. *räumlich*: extremo; (*entferntest*) el más lejano *od*. distante; el más remoto; *zeitlich*: el último; *fig*. extremo; ~*es Ende* el (último) extremo; ~*e Grenze* el límite máximo; ~*er Preis* el último (*od*. mínimo) precio; *im* ~*en Falle* en el peor de los casos; *mit* ~*er Anstrengung* en un supremo esfuerzo; *von* ~*er Wichtigkeit* de suma importancia; **II.** *adv.* extrema(da)mente, sumamente, en extremo; **2e(s)** *n* el (caso) extremo *m*; *auf das ~ treiben* llevar al extremo (*od.* extremar) las cosas; *bis zum ~n gehen* llegar hasta el extremo (*od.* límite); *sein ~s tun* hacer todo lo posible; hacer lo imposible; *aufs ~* extrema(da)mente, hasta el máximo; *bis zum ~n* hasta lo último; hasta el último trance; *auf das ~ gefaßt sein* estar preparado para lo peor; *zum ~n entschlossen* decidido a arriesgarlo todo, resuelto a jugarse el todo por el todo.

ˈ**außerstande:** *~ sein zu* no estar en condiciones de (*inf.*); ser incapaz de (*inf.*); no poder hacer a/c.

ˈ**Äußerung** *f* (*Ausspruch*) manifestación *f*, declaración *f*; enunciación *f*, expresión *f*; exteriorización *f*; (*Urteil*) juicio *m*, opinión *f*, parecer *m*; dictamen *m*; (*Bemerkung*) observación *f*; comentario *m*.

ˈ**aussetzen** (-*t*) **1.** *v/t.* poner fuera, exponer; ⚓ desembarcar; *j-n* (*an der Küste*) abandonar; *Boote*: lanzar (*al agua*), botar; ⚔ *Wachen*: colocar, situar; *ein Kind*: exponer, abandonar; *fig. j-n e-r Kränkung, Gefahr usw.*: exponer a; *sich ~* exponerse a; *Belohnung, Preis*: ofrecer; *Vermächtnis*: legar; *Rente, Gehalt*: asignar; *Summe*: destinar; (*unterbrechen*) interrumpir, suspender; *Tätigkeit*: cesar (*por algún tiempo*); *Zahlung*: suspender; (*aufschieben*) diferir; (*vertagen*) aplazar; *ausgesetztes Kind* niño expósito; *et. ~, et. auszusetzen haben an* hacer objeciones a, F poner peros a, criticar; *was ist daran auszusetzen?* ¿qué hay que objetar a ello?; *was haben Sie an ihm auszusetzen?* ¿qué tacha le encuentra usted?; **2.** *v/i.* (*versagen*) fallar; (*unterbrechen*) parar, cesar (*por algún tiempo*); *mit et. ~* discontinuar, interrumpir; *Herz, Pulsschlag*: intermitir, ser intermitente; *Auto.* interrumpir la marcha; (*sich Ruhe gönnen*) hacer una pausa; *ohne auszusetzen* sin interrupción, sin parar; ˈ*2 n* interrupción *f*; (*Versagen*) fallo *m*; ⚕ *Puls*: intermitencia *f*.

ˈ**aussetz|end** *adj.* discontinuo, intermitente; **2ung** *f* exposición *f*; ⚓ desembarque *m*; (*Festsetzung*) asignación *f*, fijación *f*; (*Unterbrechung*) interrupción *f*, suspensión *f*; intermitencia *f*; (*Vertagung*) aplazamiento *m*.

ˈ**Aussicht** *f* (*Blick*) vista *f*, aspecto *m*; (*Rundblick*) panorama *m*, vista *f* panorámica; *fig.* perspectiva *f* (*mst. pl.*), probabilidad *f*; *~ auf die Straße* (*den Hof*) *haben* (*Zimmer*) dar a la calle (al patio); *~ aufs Meer haben* (*Zimmer*) tener vista(s) al mar; *~en haben* tener perspectivas *od.* probabilidades de; *gute* (*schlechte*) *~ haben* tener halagüeñas (malas) perspectivas; *in ~ nehmen* proponerse, proyectar, planear a/c.; *in ~ stehen* estar próximo, ser de esperar; (*drohend*) amenazar; *in ~ stellen* prometer, ofrecer; *er hat nicht die geringste ~* no tiene ni la más remota probabilidad de; **2slos** *adj.* inútil, estéril; sin esperanza; desesperado; **~slosigkeit** *f* (*0*) inutilidad *f*; **~s-punkt** *m* (-*es*; -*e*) punto *m* de observación; **2sreich** *adj.* halagüeño, prometedor; **~s-turm** *m* (-*es*; ⸚*e*) atalaya *f*; mirador *m*; **2svoll** *adj.* → *aussichtsreich*; **~swagen** *m* autobús *m bzw.* vagón *m* para visión panorámica.

ˈ**aussieben** *v/t.* (*grob*) cribar; (*fein*) tamizar, cerner; *Radio*: filtrar.

ˈ**aussied|eln** (-*le*) *v/t.* evacuar; **2lung** *f* evacuación *f*.

ˈ**aussinnen** (*L*) *v/t.* imaginar, idear, discurrir.

ˈ**aussöhn|en** *v/t.* reconciliar; *sich mit j-m ~* reconciliarse, hacer las paces con alg.; **2ung** *f* reconciliación *f*.

ˈ**aussonder|n** (-*re*) *v/t.* escoger, seleccionar, entresacar; (*trennen*) separar, apartar; → *ausscheiden*; **2ung** *f* selección *f*; separación *f*, apartamiento *m*; eliminación *f*; ⚕ secreción *f*; excreción *f*; **2ungsrecht** ⚖ (*Konkurs*) *n* (-*es*; -*e*) derecho *m* de separación.

ˈ**aussortieren** (-) *v/t.* entresacar, seleccionar; clasificar.

ˈ**ausspähen** *v/t.* espiar; atisbar, avizorar; ⚔ reconocer; acechar; *nach et. ~* buscar con la vista.

ˈ**Ausspann** *m* (-*es*; -*e*) posta *f*; parador *m*, posada *f*; **2en 1.** *v/t.* (*Seil*) estirar; (*Wäsche*) tender; (*Segel*) desplegar; (*ausbreiten*) extender; (*ausschirren*) *Pferde*: desenganchar; *Ochsen*: desuncir; *fig. j-m et. ~* quitar; (*Braut usw.*) F birlar; **2.** *v/i.* (*ausruhen*) descansar; **~ung** *f* descanso *m*; recreo *m*, esparcimiento *m*.

ˈ**ausspar|en** *v/t.* dejar en blanco; dejar libre *od.* vacío; ⊕ entallar, ahuecar; **2ung** *f* cavidad *f*; hueco *m*, vacío *m*; blanco *m*, claro *m*; ⊕ entalladura *f*.

ˈ**ausspeien** (*L*) *v/t.* escupir; *fig.* (*ausbrechen*) vomitar.

ˈ**aussperr|en** *v/t.*: *j-n ~* cerrar la puerta a alg.; *fig.* excluir, no admitir; **2ung** *f* prohibición *f* de entrada; cierre *m*; *von Arbeitern*: paro *m*, cierre *m* patronal; exclusión *f*.

ˈ**ausspiel|en 1.** *v/t.* (*Musikstück*) tocar hasta el fin, acabar; *Karte*: jugar; *Preis*: *a.* disputarse; *fig. Gegner gegeneinander ~* aprovechar la rivalidad de; *fig. den letzten Trumpf ~* jugarse el todo por el todo; **2.** *v/i.* dejar de jugar; *Karten*: ser mano, salir; *wer spielt aus?* ¿quién sale?; *fig. ausgespielt haben* haber perdido todo el prestigio; *fig. bei mir hat er ausgespielt* para conmigo ha acabado; **2ung** *f* sorteo *m*.

ˈ**ausspinnen** (*L*) *v/t.* hilar; *fig.* ampliar, entrar en detalles *m/pl.*, explayarse (*en un relato*); (*ersinnen*) *fig.* urdir, tramar, maquinar.

ˈ**ausspionieren** (-) *v/t.* espiar; F fisgar, fisgonear.

ˈ**ausspotten** (-*e*-) *v/t.* → *verspotten*.

ˈ**Aussprache** *f* pronunciación *f*; *deutliche od. genaue ~* buena articulación; *fremdartige ~* acento *m*, *Am.* tonada *f*; (*Erörterung*) discusión *f*; *Parl.* debate *m*; (*Zusammenkunft*) entrevista *f*; (*Gespräch*) conversación *f*; (*Meinungsaustausch*) cambio *m* de opiniones *bzw.* impresiones; **~bezeichnung** *f* pronunciación *f* figurada, transcripción *f* fonética.

ˈ**aussprechbar** *adj.* pronunciable.

ˈ**aussprechen** (*L*) **1.** *v/t.* *Wort*: pronunciar, *deutlich*: articular; (*beenden*) terminar (*la frase*); (*ausdrücken*) expresar, manifestar; *Meinung usw.*: decir, exponer, dar; ⚖ *Urteil*: pronunciar; *sich ~* hablar francamente *od.* sin reservas; decir su opinión (*über ac.* sobre); (*sein Herz ausschütten*) desahogarse, abrir su corazón a alg.; *sich mit j-m über et. ~* cambiar impresiones con alg. acerca de a/c.; explicarse; aclarar su punto de vista; (*sich erklären*) declararse, manifestarse (*für* a favor, en pro; *gegen* contra); → *ausgesprochen*; **2.** *v/i.* acabar de hablar; *laß mich ~!* ¡déjame hablar!

ˈ**ausspreizen** (-*t*) *v/t.* extender; *die Beine ~* abrir las piernas, F espatarrancarse.

ˈ**aussprengen** *v/t.* *mit Sprengstoff*: volar; (*Gerücht*) divulgar, propalar.

ˈ**ausspringen** (*L*) *v/i.* *Sprungfeder usw.*: saltar, desprenderse; *~der Winkel* ángulo saliente.

ˈ**ausspritz|en** (-*t*) **1.** *v/t.* *Flüssigkeit*: lanzar, arrojar; (*löschen*) apagar; ⚕ irrigar; *Ohr*: jeringar; *Wunde*: lavar (*con jeringa*); (*tropfenweise*) instilar; **2.** *v/i.* salir, brotar, surtir; **2ung** *f* irrigación *f*; instilación *f*.

ˈ**Ausspruch** *m* (-*es*; ⸚*e*) dicho *m*, apotegma *m*; máxima *f*, sentencia *f*; ⚖ *usw.* → *Spruch*.

ˈ**ausspucken** *v/i.* escupir; expectorar.

ˈ**ausspül|en** *v/t.* enjuagar; (*Wäsche*) aclarar; *Geol.* derrubiar; *sich den Mund ~* enjuagarse la boca; ⚕ irrigar; **2ung** *f* enjuague *m*; *Geol.* derrubio *m*; ⚕ irrigación *f*.

ˈ**ausspüren** *v/t.* rastrear, sacar por la pista; indagar.

ˈ**ausstaffier|en** *v/t.* equipar, guarnecer (*mit* con); (*schmücken*) engalanar; *mit Kleidern*: ataviar; **2ung** *f* equipo *m*; guarnición *f*; atavío *m*.

ˈ**Ausstand** *m* (-*es*; ⸚*e*) (*Arbeitseinstellung*) huelga *f*; *in den ~ treten* declararse en huelga; ✝ *Ausstände* deudas *f/pl.* pendientes, atrasos *m/pl.*

ˈ**ausständig** *adj.*: *~ sein* (*Arbeiter*) estar en huelga; (*Geld*) → *ausstehen*; **2e(r** *m*) *m/f* huelguista *m/f*.

ˈ**ausstanzen** (-*t*) ⊕ *v/t.* estampar; perforar, punzonar.

ˈ**ausstatt|en** (-*e*-) *v/t.* dotar, proveer, surtir (*mit* de); equipar, ⚔ pertrechar; *Tochter*: dotar; dar el ajuar; *Wohnung*: amueblar; decorar; *mit Personal*: dotar; *fig. mit Befugnissen*: investir; *sich ~* (*versorgen*) abastecerse de, proveerse de; **2ung** *f* equipo *m*; dotación *f* (*a.* ⊕); *Möbel*: mobiliario *m*; (*Mitgift*) dote *m/f*; (*Aussteuer*) equipo *m* de novia; ajuar *m*; (*Ausschmückung*) adorno *m*, ornato *m*; *Buch, Zeitung*: presentación *f*, confección *f* tipográfica; *Thea. u.* ⚠: decoración *f*, decorado *m*; **2ungsfilm** *m* (-*es*; -*e*) película *f* de gran espectáculo; **2ungsstück** *n* (-*es*; -*e*) *Thea.* comedia *f* de magia; (*Revue*) revista *f* de gran espectáculo; (*Möbel*) mueble *m* de lujo.

ˈ**ausstäuben** *v/t.* desempolvar, sacudir el polvo de.

ˈ**ausstechen** (*L*) *v/t. Graben*: cavar, abrir; *Rasen*: cortar; *Torf*: extraer; *Augen*: vaciar, sacar; *Apfel*: despepitar; ⊕ *mit Stichel*: burilar, grabar; *fig.* (*verdrängen*) suplantar; (*übertreffen*) superar, aventajar, sobrepujar.

ˈ**ausstehen** (*L*) **1.** *v/i. Zahlungen*: estar pendientes (*de cobro*); *Sendungen*: no haber llegado todavía; *Geld ~ haben* tener cobros pendientes; **~d** *adj.* † atrasado, pendiente (*de cobro*); *~de Forderungen* pagos vencidos, atrasos; **2.** *v/t.* (*ertragen*) sufrir, aguantar, soportar; *er hat viel auszustehen* tiene que aguantar mucho; *ich kann ihn nicht ~* no puedo soportarlo; F le tengo atravesado, no puedo tragarle.

ˈ**aussteifen** *v/t.* ⚒ entibar; (*Gebäudewand*) apuntalar, reforzar.

ˈ**aussteigen** (*L; sn*) *v/i.* bajar (*de un vehículo*), apearse; echar pie a tierra; ⚓, ✈ desembarcar.

ˈ**aussteinen** *v/t.* (*Steinobst*) deshuesar; despepitar.

ˈ**ausstell|en** *v/t. zur Schau*: exhibir, exponer; *Urkunde*: extender; otorgar; *Paß, Zeugnis*: expedir; *Scheck*: extender; *Wachen*: poner, apostar; *Rechnung, Quittung*: hacer; *Wechsel*: girar, librar (*auf ac.* sobre, *j-n*: contra); **ˇer(in** *f*) *m* (*von Urkunden*) otorgante *m/f*; *e-s Wechsels*: librador *m*; (*Beschicker e-r Messe*) expositor *m*.

ˈ**Ausstellung** *f* exposición *f*; (*Messe*) feria *f*; *von Waren*: exhibición *f*; *Paß*: expedición *f*; *e-s Wechsels*: libramiento *m*, giro *m*; **~sdatum** *n* (*-s; 0*), **~s-tag** *m* (*-es; 0*) (*Paß*) fecha *f* de expedición; (*Wechsel*) fecha *f* de libramiento; **~sgelände** *n* terrenos *m/pl.* de la exposición; **~shalle** *f* pabellón *m*; **~sraum** *m* (*-es; ¨e*) recinto *m* de exposición; **~s-stand** *m* (*-es; ¨e*) puesto *m*; **~s-stück** *n* (*-es; -e*) objeto *m* expuesto.

ˈ**Aussterbe-etat** [ˈ-eˑtɑː] *m* (*-s; 0*): *auf den ~ kommen* estar destinado a desaparecer.

ˈ**aussterben** (*L; sn*) *v/i.* morir; (*Volk, Geschlecht*) extinguirse; (*Ortschaft*) despoblarse; (*Pflanzen, Tiere*) desaparecer, extinguirse; (*Brauch*) caer en desuso *m*; *wie ausgestorben* desierto; ˇ *n* extinción *f*.

ˈ**Aussteuer** *f* (*-; -n*) *e-r Braut*: ajuar *m*; equipo *m* de novia; (*Mitgift*) dote *m/f*; **ˇn** (*-re*) *v/t.* → *ausstatten*; *Radio*: modular; **~ung** *f Radio*: modulación *f*; *Arbeitslose*: privación *f* del subsidio de paro; (*Versicherung*) suspensión *f* del pago de una renta.

ˈ**ausstochern** (*-re*) *v/t. sich die Zähne ~* limpiarse los dientes con un mondadientes.

ˈ**ausstopfen** *v/t.* rellenar (*mit* de); ⚕ taponar; *Tiere*: disecar; *Strümpfe*: zurcir.

ˈ**Ausstoß** *m* (*-es; ¨e*) expulsión *f*, eliminación *f*; ⊕ eyección *f*; ⚓ *des Torpedos*: lanzamiento *m*; **ˇen** (*L*) *v/t.* empujar, arrojar, echar fuera; *Auge*: saltar, sacar; (*ausschließen*) excluir; *aus e-r Gemeinschaft*: expulsar, excluir de; (*ausscheiden*) ⚕ eliminar; *Gr. Buchstabe*: suprimir; *Vokal*: elidir; (*aus dem Körper*) excretar, evacuar; (*Leibesfrucht*) expulsar; ⊕ *Gase*: expeler; (*Rauchwolken*) echar; *Phys.* emitir; (*auswerfen*) arrojar; ⚓ *Torpedo*: lanzar; *Fluch*: proferir; *Schrei*: dar, lanzar; *Seufzer*: exhalar, dar; **~rohr** ⚓ *n* (*-es; -e*) tubo *m* lanzatorpedos; **~ung** *f* expulsión *f*; exclusión *f*; eliminación *f*; evacuación *f*; *Gr.* supresión *f*; elisión *f*; **~vorrichtung** ⊕ *f* dispositivo *m* de expulsión, eyector *m*.

ˈ**ausstrahl|en 1.** *v/t.* (ir)radiar, emitir; destellar; **2.** *v/i.* radiar; emanar (*a. fig.*); (*Schmerz*) irradiar; **ˇung** *f* (ir)radiación *f*; emisión *f*; emanación *f* (*a. fig.*); (*Schwingung*) vibración *f*, oscilación *f*; (*Welle*) onda *f*; **ˇungsfläche** *f* superficie *f* radiante; **ˇungsvermögen** *n* (*-s; 0*) potencia *f* radiante (*od.* emisora).

ˈ**ausstrecken** *v/t.* (ex)tender; estirar, alargar; *die Hand ~* tender la mano; *mit ausgestreckten Händen* con las manos extendidas; (*ausdehnen*) extender, dilatar; *sich lang ~* (ex)tenderse sobre; (*sich rekeln*) repantigarse.

ˈ**ausstreich|en** (*L*) *v/t. Geschriebenes*: tachar, rayar, borrar; suprimir, cancelar; (*glätten*) alisar, aplanar; *Fugen*: llenar, tapar; *mit Farbe*: pintar; *mit Fett*: untar.

ˈ**ausstreu|en** *v/t.* diseminar (*a. fig.*); esparcir, desparramar; (*pulverförmig*) espolvorear; *Gerüchte*: propagar, divulgar, propalar; **ˇung** *f* diseminación *f*; divulgación *f*.

ˈ**ausström|en 1.** *v/t.* (*Flüssigkeit*) fluir; derramar, esparcir; *Gas*: dejar escapar; *Dampf*: salir, exhalar; *Duft*: despedir, emanar, exhalar; *Phys. Strahlen*: emitir, radiar; **2.** *v/i.* derramarse; salir (*a. Dampf*); *Gas*: escapar(se); **ˇung** *f* derrame *m*; salida *f*; emanación *f*; exhalación *f*; efluvio *m*; *Gas*: escape *m*; *Phys.* emisión *f*, radiación *f*; **ˇungsgeschwindigkeit** *f* (*0*) velocidad *f* de descarga; **ˇungsrohr** *n* (*-es; -e*) tubo *m* de escape *bzw.* de salida.

ˈ**ausstudieren** (*-*) **1.** *v/t.* estudiar a fondo; **2.** *v/i.* terminar sus estudios; (*promovieren*) graduarse.

ˈ**aussuchen** *v/t.* (*durchsuchen*) rebuscar; (*auswählen*) elegir, escoger, seleccionar; → *ausgesucht*.

ˈ**austäfeln** (*-le*) *v/t. Wand*: revestir de madera; *Fußboden*: entarimar; *Decke*: artesonar.

ˈ**austapezieren** (*-*) *v/t.* empapelar; *mit Stoff*: (en)tapizar.

ˈ**Austausch** *m* (*-es; 0*) (*von Gedanken, Eindrücken, Grüßen*) cambio *m*; (*von Gütern*) *a.* trueque *m*; (*kulturell*) intercambio *m*; (*von Noten, Gefangenen*) canje *m*; (*Umtausch*) permuta *f*; (*Ersatz*) recambio *m*; *im ~ gegen* a trueque (*od.* cambio) de, en cambio por; **ˇbar** ⊕ *adj.* intercambiable; **~barkeit** *f* (*0*) intercambiabilidad *f*; **ˇen** *v/t.* cambiar (*gegen* por); (*untereinander*) intercambiar; *im Tauschhandel*: trocar, F cambalachear; (*umtauschen*) permutar (*a.* ⚖); *Worte, Blicke, Gedanken*: cambiar; *Noten, Gefangene*: canjear; (*ersetzen*) substituir (*a.* ⚖); **~programm** *n* (*-s; -e*) programa *m* de intercambio; **~stück** ⊕ *n* (*-es; -e*) pieza *f* de recambio; **~student(in** *f*) *m* (*-en*) estudiante *m/f* de intercambio; **~werkstoff** *m* (*-es; -e*) substitutivo *m*; material *m* de emergencia.

ˈ**austeil|en** *v/t.* repartir, distribuir (*unter ac.* entre); (*spenden*) dispensar; *Befehle*: dar; *Essen*: servir (*en la mesa*); *Titel*: conferir; *Gnade*: otorgar; *Hiebe, Karten*: dar; (*Sakramente*) administrar; *den Segen ~* impartir la bendición; **ˇung** *f* distribución *f*, reparto *m*; (*Sakramente*) administración *f*.

ˈ**Auster** *f* (*-; -n*) ostra *f*; **~nbank** *f* (*-; ¨e*) banco *m* de ostras; **~nfang** *m* (*-es; ¨e*) pesca *f* de ostras; **~nzucht** *f* (*0*) ostricultura *f*.

ˈ**aus-tiefen** *v/t.* ahondar, profundizar; ⊕ rehundir.

ˈ**austilg|en** *v/t.* (*auslöschen*) borrar; *Lebewesen*: exterminar; *bsd. fig. Übel, Laster*: extirpar, desarraigar; **ˇung** *f* exterminio *m*, extirpación *f*.

ˈ**austoben 1.** *v/i.* (*Sturm*) calmarse, sosegarse; **2.** *v/t. s-n Zorn usw.*: desfogar; *sich ~ Jugend*: dar rienda suelta a las pasiones; *Kinder*: retozar hasta saciarse.

ˈ**Austrag** *m* (*-es; ¨e*) decisión *f*; arreglo *m*; *gerichtlicher ~* decisión judicial; *zum ~ bringen* resolver *od.* solventar un asunto, zanjar una cuestión; (*vor Gericht*) rematar un pleito; *fig.* ajustar cuentas con; *zum ~ kommen* (*Streitfrage*) resolverse, llegar a un ajuste; *bis zum ~ der Sache* mientras no se resuelva el litigio, ⚖ pendente lite; **ˇen** (*L*) *v/t.* llevar fuera; *Briefe*: repartir; *Kind*: consumar la gestación; † (*umbuchen*) transferir, (*stornieren*) cancelar; *fig. Klatsch*: F chismorrear; *Gerüchte*: divulgar, propalar; (*entscheiden*) decidir; *Wettkampf, Meisterschaft*: disputar(se) (*un campeonato*).

ˈ**Austräger(in** *f*) *m* repartidor(a *f*) *m*, distribuidor(a *f*) *m*; *fig.* correveidile *m*; P alcahuete *m* (-a *f*).

Auˈstral|ien *n* Australia *f*; **~ier(in** *f*) *m*, **ˇisch** *adj.* australiano (-a *f*) *m*.

ˈ**austreib|en** (*L*) *v/t. Vieh*: llevar a pastar; (*vertreiben*) expulsar, desalojar; *Teufel*: exorcizar; ⚕ expeler, *Kind*: expulsar; *fig. j-m et. ~* quitarle a alg. un propósito *bzw.* un capricho de la cabeza; **ˇung** *f* expulsión *f*; exorcismo *m*.

ˈ**austreten** (*L*) **1.** *v/t.* pisar; *Feuer*: extinguir (*con los pies*); *Schuhe*: gastar (*con el uso*), *neue*: ahormar; *Treppe*: desgastar; → *ausgetreten*; **2.** *v/i.* ⚕ *Blut aus Gefäßen*: extravasarse; *Eingeweideteile*: ⚕ prolapsarse; *Licht*: salir; (*über die Oberfläche*) emerger; (*sich zurückziehen*) retirarse (*von* de); *von e-r Schule*: abandonar; *aus der Kirche*: separarse de; *aus e-r Gesellschaft, e-m Verein usw.*: darse de baja; (*Bedürfnis verrichten*) F (ir a) hacer sus necesidades, hacer aguas.

ˈ**austrinken** (*L*) *v/t.* beber (*hasta la última gota*); (*leeren*) vaciar, apurar (*el vaso*).

ˈ**Austritt** *m* (*-es; -e*) salida *f*; retirada *f*; (*e-s Mitgliedes*) separación *f*; baja *f*; *Luft*, *Gas*: salida *f*, escape *m*; ⊕ *Öffnung*: (orificio *m* de) salida *f*; ⚕ *Blut*: extravasación *f*; *Eingeweideteil*: ⚕ prolapso *m*; (*Balkon*) balcón *m*; *s-n* ~ *erklären* darse de baja.

ˈ**Austritts...:** **~düse** *f* tobera *f* de salida; **~erklärung** *f* dimisión *f*, renuncia *f*; **~geschwindigkeit** *f* ⊕ (*0*) velocidad *f* de descarga; ⚔ velocidad *f* inicial; **~phase** ⚕ *Geburt*: fase *f* expulsiva; **~ventil** *n* (*-s*; *-e*) válvula *f* de salida.

ˈ**austrocknen** (*-e-*) **1.** *v/t.* secar; desecar (*a.* ⚕); (*trockenlegen*) desaguar; *Holz*: curar; *mit Tuch*: enjugar; **2.** *v/i.* secarse; desecarse; *Boden*: *a.* aridecerse; *Neubau*: sentarse (*la obra*).

ˈ**austrommeln** (*-le*) *v/t.* pregonar a tambor batiente.

ˈ**austrompeten** (*-e-*) *v/t.* → *ausposaunen*.

ˈ**auströpfeln** (*-le*) *v/i.* gotear.

ˈ**austüfteln** (*-le*) F *v/t.* → *ausklügeln*.

ˈ**aus·üb|en** *v/t. Macht*, *Recht*, *Einfluß*: ejercer; *Amt*: desempeñar; *Beruf*: ejercer (*la abogacía*, *la medicina*), ejercitar; (*praktisch* ~) practicar; *Tätigkeit*: actuar; *Druck* ~ *auf j-n* ejercer presión sobre alg.; *Verbrechen*: cometer, perpetrar; *Rache*: tomar venganza, vengarse de; **~end** *adj.*: ~*er Arzt* médico en ejercicio; ~*e Gewalt Pol.* poder ejecutivo; **2ung** *f* ejecución *f*; ejercicio *m*, ejercitación *f*; *e-s Berufes*: práctica *f*, ejercicio *m*; *e-r Pflicht*: cumplimiento *m*; *e-s Amtes*: desempeño *m*; *e-s Verbrechens*: perpetración *f*, comisión *f*; *in* ~ *s-s Dienstes* en el ejercicio de sus funciones; *in* ~ *s-s Berufes* en la práctica de su oficio; en el ejercicio de su profesión; *in* ~ *s-r Rechte* en el ejercicio de sus derechos.

ˈ**Ausverkauf** *m* (*-es*; *⸚e*) venta *f* total; liquidación *f*, realización *f* de existencias; saldo *m*; (*Saison*2) liquidación *f* por fin de temporada; *im* ~ *kaufen* comprar de saldo; **2en** *v/t.* liquidar totalmente, realizar todas las existencias; *ausverkauft* (*Ware*) vendido; (*Bücherbestände*) agotado; *Thea.* lleno; *Bekanntgabe*: „No hay billetes".

ˈ**auswachsen** (*L*) *v/i.* ⚘ germinar, brotar; *Person*: alcanzar pleno desarrollo; (*verunstaltet* ~) crecer deformemente; (*bucklig werden*) corcovarse; F *es ist zum* 2 (*langweilig*) F es de una pesadez plúmbea, (*nervtötend*) es como para volver loco a cualquiera; *sich* ~ *zu* degenerar en.

ˈ**auswägen** *v/t.* → *auswiegen*.

ˈ**Auswahl** *f* elección *f*; selección *f*; ⚜ surtido *m*; *Marktforschung*: muestra *f*; *e-e reiche* ~ un gran surtido (*od.* una gran variedad) de; *e-e* ~ *treffen* elegir, escoger; hacer una selección; (*Auslese*) artículos *m/pl.* selectos; *von Menschen*: lo más escogido *od.* selecto de; (*Gedichtsammlung*) antología *f*; *von gekürzten Werken*: recopilación *f*, selección *f*; *ohne* ~ sin distinción.

ˈ**auswählen** *v/t.* escoger, elegir (*aus* de, de entre); seleccionar; *ausgewählte Werke* obras selectas *od.* escogidas.

ˈ**Auswahl...:** **~mannschaft** *f Sport*: selección *f*; **~sendung** ⚜ *f* envío *m* de muestra.

ˈ**auswalz|en** (*-t*) *Met. v/t.* laminar; **2maschine** *f* laminadora *f*.

ˈ**Auswander|er(in** *f*) *m* emigrante *m/f*; **2n** (*-re*; *sn*) *v/i.* emigrar; expatriarse; (*Zugvogel*) migrar.

ˈ**Auswanderung** *f* emigración *f*; expatriación *f*; migración *f*; *fig.* éxodo *m*; **~sbehörde** *f* oficina *f* de emigración; **~sgesetz** *n* (*-es*; *-e*) ley *f* de emigración.

ˈ**auswärtig** *adj.* de fuera; (*nicht einheimisch*) forastero; (*ausländisch*) extranjero; (*Ggs. intern*) externo, *a. Schüler*; (*das Ausland betreffend*) exterior; *das* 2*e Amt* Ministerio de Relaciones Exteriores; 2*er Ausschuß* comisión *f* de relaciones exteriores.

ˈ**auswärts** *adv.* fuera, afuera; en otra parte; (*außer dem Haus*, *der Stadt*) fuera de casa, de la ciudad; (*im Ausland*) en el extranjero, fuera del país; ~ *essen usw.* comer, *etc.* fuera (de casa).

ˈ**auswasch|en** (*L*) *v/t.* lavar; enjuagar; *Geol.* derrubiar; **2ung** *f* lavado *m*; *Geol.* derrubio *m*; erosión *f*.

ˈ**auswässern** (*-re*) *v/t.* poner en (*od.* a) remojo.

ˈ**auswattieren** (*-*) *v/t.* acolchar; *Rock*: enguatar.

ˈ**auswechsel|bar** *adj.* (inter)cambiable; **~n** (*-le*) *v/t.* cambiar; permutar (*a.* ♈); (*ersetzen*) su(b)stituir (*gegen* por); *Rad*, *Reifen*, *Batterie*: cambiar; ⚔ (*Gefangene*) canjear; ⊕ recambiar; **2ung** *f* cambio *m*; ⊕ recambio *m*; permuta *f*; ⚔ canje *m*.

ˈ**Ausweg** *m* (*-es*; *-e*) (*Ausgang*) salida *f* (*a. fig.*); *fig.* (*Ausflucht*) salida *f*, efugio *m*, F escapatoria *f*; (*Notbehelf*) recurso *m*, expediente *m*; (*Lösung*) solución *f*; *letzter* ~ último recurso; *ich sehe keinen* ~ *mehr* no veo otra solución *od.* otro remedio.

ˈ**ausweich|en** (*L*; *sn*) *v/i.* apartarse; (*seitlich*) desviarse; *e-m Fahrzeug*: dejar pasar, apartarse; *e-m Schlag*: esquivar; *durch Körperbewegung*: hurtar (*el cuerpo*); *fig.* eludir; (*meiden*) evitar; *j-m* ~ evitar un encuentro con alg.; (*Pflicht*, *Gesetz*, *Frage*) eludir (*una obligación*, *la ley*, *una pregunta*); *dem Kampf* ~ rehuir la lucha; (*Schwierigkeit*, *Hindernis*) sortear (*una dificultad*, *un obstáculo*); *e-r Gefahr* ~ evitar un peligro; **~end** *adj.* evasivo; **2gleis** *n* desvío *m*; **2lager** *n* depósito *m* de reserva; **2stelle** *f* apartadero *m*; **2stellung** ⚔ *f* posición *f* de repliegue; **2ziel** ⚔ *n* (*-es*; *-e*) objetivo *m* secundario.

ˈ**ausweiden** (*-e-*) *v/t.* destripar.

ˈ**ausweinen 1.** *v/i.* cesar *od.* dejar de llorar; **2.** *v/t. u. v/refl. sich* (*od. s-n Kummer*) ~ desahogarse llorando; *sich die Augen* ~ deshacerse en lágrimas, llorar a lágrima viva.

ˈ**Ausweis** *m* (*-es*; *-e*) (*Beleg*) comprobante *m*, documento *m* justificativo; prueba *f*; (*Bank*2) estado *m*, relación *f*; (*Rechnungs*2) extracto *m* de cuenta; (*Personal*2) documento *m* de identidad, *Span.*: Documento *m* Nacional de Identidad; → *Ausweiskarte*; **2en** (*L*) *v/t.* (*vertreiben*) expulsar; *aus dem Lande a. Pol.*: proscribir, desterrar, *als lästiger Ausländer*: expulsar (*por indeseable*); *aus dem Hause*: echar, arrojar; ⚜ *e-n Saldo*: cerrar con, arrojar (*un saldo de*); *sich* ~ (*legitimieren*) acreditar su personalidad; presentar sus documentos de identidad (*od.* su documentación); **~karte** *f* tarjeta *f* de identidad; (*Zulassungskarte*) pase *m*; **~papiere** *n/pl.* documentos *m/pl.* de identidad, documentación *f* personal; **~ung** *f* expulsión *f*; *Pol.* proscripción *f*; destierro *m*; ⚖ evicción *f*; **~ungsbefehl** *m* (*-es*; *-e*) orden *f* de expulsión.

ˈ**ausweit|en** (*-e-*) *v/t.* ensanchar; dilatar; alargar; (*Bohrloch*) escariar; **2ung** *f* ensanche *m* (*de un orificio*); dilatación *f*.

ˈ**auswendig** **1.** *adj.* externo; exterior; **2.** *adv.* por fuera, externamente; *fig.* de memoria; ~ *lernen* aprender de memoria; et. ~ *wissen od. können* saber de memoria a/c.

ˈ**auswerf|en** (*L*) *v/t.* echar fuera, expeler, arrojar; *Angel*, *Anker*: echar; *Lava*: lanzar, *fig.* vomitar; ⚕ *Schleim*: expectorar; *Blut*: echar, vomitar; *Graben*: abrir; *Summe*: asignar; *Rente*: *a.* señalar, fijar; (*ausstoßen*) expulsar (*a.* ⚔ *Hülsen*); **2er** ⊕ *m* eyector *m*; ⚔ expulsor *m*.

ˈ**auswert|en** (*-e-*) *v/t.* *Angaben*, *Resultate*: evaluar; analizar; (*Luftbilder*, *Röntgenaufnahmen*) interpretar; (*schätzen*) estimar, *fig.* apreciar; (*ausnützen*) aprovechar; **2everfahren** *n* método *m* de evaluación; **2ung** *f* evaluación *f*; análisis *m*; interpretación *f*; (*Verwertung*) aprovechamiento *m*; *rechnerische* (*graphische*) ~ evaluación numérica (gráfica); valoración *f*, estudio *m*.

ˈ**auswetzen** (*-t*) *v/t.* afilar; *fig.* → *Scharte*.

ˈ**auswickeln** (*-le*) *v/t.* desenvolver; desarrollar; *Kind*: desfajar.

ˈ**auswiegen** (*L*) *v/t.* pesar; vender al peso; (*ausbalancieren*) equilibrar.

ˈ**auswinden** (*L*) *v/t.* *Wäsche*: retorcer; (*mit der Winde*) elevar; *Schraube*: destornillar, aflojar.

ˈ**auswirk|en** *v/t.* *fig.* (*bewirken*) obrar, hacer sentir sus efectos; *sich* ~ *auf* repercutir en, afectar a; traducirse en; → *einwirken*; **2ung** *f* (*Wirkung*) efecto *m*; (*Ergebnis*) resultado *m*; (*Rückwirkung*) repercusión *f*; consecuencia *f*.

ˈ**auswischen** *v/t.* (*reinigen*) limpiar por dentro; (*Schrift*) borrar; *sich die Augen* ~ limpiarse los ojos; *j-m eins* ~ F jugar a alg. una mala pasada.

ˈ**auswittern** (*-re*) *v/i.* *Erz*, *Salze usw.*: eflorecerse.

ˈ**auswringen** (*L*) *v/t.* retorcer.

ˈ**Auswuchs** [u:] *m* (*-es*; *⸚e*) (*Gewächs*) ⚕ excrecencia *f*; protuberancia *f*; (*Mißbildung*) deformidad *f*; (*Höker*) gibosidad *f*, joroba *f*; ⚘ tumor *m*; *fig.* *mst.* *Auswüchse pl. der Phantasie*: aberraciones *f/pl.*; (*Übelstand*) abuso *m*.

ˈ**auswuchten** (*-e-*) ⊕ *v/t.* equilibrar, compensar dinámicamente.

ˈ**auswühlen** *v/t.* excavar; (*aushöhlen*) minar, socavar.

'**Auswurf** *m* (*-es*; *⸚e*) ⊕ descarga *f*, eyección *f*; (*e-s Vulkans*) lava *f*, materias *f/pl.* eruptivas; ⚕ expectoración *f*, esputo *m*; *von Blut*: esputo *m* hemoptoico; hemoptisis *f*; (*Abfall*) desechos *m/pl.*, desperdicios *m/pl.*; heces *f/pl.*; *fig.* ~ der Menschheit la escoria (*od.* la hez) de la humanidad.
'**auswürfeln** (*-le*) *v/t.* jugar a los dados.
'**auszacken** *v/t.* dentar.
'**auszahl|bar** *adj.* pagadero; **~en** *v/t.* pagar; satisfacer (*una deuda*).
'**auszählen** *v/t.* contar (*el número de*); *Boxen*: contar (*el tiempo*); acabar de contar; (*nochmals zählen*) recontar.
'**Auszahlung** *f* pago *m*, desembolso *m*; (*Abholung*) paga *f*; *an Gläubiger*: reembolso *m*; telegraphische ~ transferencia *f* telegráfica; **~sliste** *f* nómina *f*; **~sstelle** *f* pagaduría *f*.
'**auszahnen** ⊕ *v/t.* dentar.
'**auszanken** *v/t.* reñir; reprender severamente, F regañar.
'**auszehr|en** *v/t.* consumir, extenuar; *Land*: empobrecer; sich ~ consumirse, extenuarse; **~end** *adj.* consuntivo; **2ung** ⚕ *f* consunción *f*, tisis *f*.
'**auszeichn|en** (*-e-*) *v/t.* señalar; marcar; *Waren*: *a.* rotular, poner etiqueta *f*; *mit Preisen*: marcar (*el precio de venta*); j-n ~ (*hervorheben*) distinguir a alg.; das zeichnet ihn aus esto es lo que le caracteriza (*od.* distingue); (*ehren*) honrar; *j-n mit* (*e-m Preis usw.*) ~ agraciar, galardonar a alg. con; *mit Orden*: condecorar; sich ~ sobresalir; distinguirse, caracterizarse, señalarse (als como; durch por; in en); **2ung** *f* marca *f*; ✝ etiqueta *f*; precio *m*; *fig.* distinción *f*; *mit* ~ (*Uni.*) con nota de sobresaliente; con matrícula de honor; (*Ehrung*) mención *f* honorífica; *Orden*: condecoración *f*; *Preis*: premio *m*; galardón *m*.
'**auszieh|bar** ⊕ *adj.* extensible, telescópico; (*herausnehmbar*) separable; **~en** (*L*) **1.** *v/t.* quitar; tirar; sacar; (*dehnen*) extender, alargar, estirar; *Kleider, Handschuhe, Stiefel*: quitarse; *j-n*: *fig.* desnudar, desvalijar, F dejar en cueros *m/pl.*; (*herausziehen*) sacar, ℞ *u.* ⚗ extraer; *aus e-m Buche*: extractar, *zusammenfassend*: resumir; ✝ *Rechnung*: hacer un extracto de cuenta; *Zeichnung*: pasar en tinta; *mit Tusche*: trazar con tinta china; (*Draht*) estirar; ⚗ ~ lassen dejar en infusión; **2.** *v/i.* marchar; salir (*de un país*); irse a otra parte; *aus e-r Wohnung*: mudarse; (*Farbe*) desteñirse, decaer; **2fallschirm** *m* (*-es*; *-e*) paracaídas *m* auxiliar; **2leiter** *f* (*-*; *-n*) escalera *f* extensible; **2platte** *f e-s Tisches*: ala *f*, tablero *m* extensible; **2rohr** *n* (*-es*; *-e*) tubo *m* telescópico; **2schacht** ⚒ *m* (*-es*; *⸚e*) pozo *m* de salida de aire; **2tisch** *m* (*-es*; *-e*) mesa *f* extensible *od.* de corredera; **2tusche** *f* tinta *f* china; **2ung** ⚗ *f* extracción *f*.
'**auszimmern** (*-re*) *v/t.* ⚒ entibar, apuntalar.
'**auszirkeln** (*-le*) *v/t.* medir con el compás.
'**auszischen** *Thea. v/t.* sisear.
'**Auszug** *m* (*-es*; *⸚e*) (*Ausmarsch*) salida *f*, partida *f*, marcha *f* (*a.* ⚔); *Bib. u. fig.* éxodo *m*; *aus e-r Wohnung*: mudanza *f*; ⚗ extracto *m*; *Phot.* (*der Kamera*) fuelle *m*; *aus e-m Buche*: extracto *m*; (*Zusammenfassung*) resumen *m*, compendio *m*, sumario *m*; (*Abriß*) epítome *m*; sinopsis *f*; ✝ *aus e-r Rechnung*: extracto *m* de cuenta; (*Konto2*) estado *m* de cuenta; **~mehl** *n* (*-es*; *0*) flor *f* de harina; **2sweise** *adv.* en resumen, en extracto, resumidamente.
'**auszupfen** *v/t.* arrancar; ⊕ *Fäden*: deshilachar.
au'tark *adj.* autárquico.
Autar'kie *f* autarquía *f*.
au'thentisch *adj.* auténtico.
'**Auto** *n* (*-s*; *-s*) automóvil *m*, auto *m*, coche *m*; **~ausstellung** *f* exposición *f* de automóviles; salón *m* del automóvil; **~bahn** *m* autopista *f*.
'**Autobio|gra'phie** *f* autobiografía *f*; **2'graphisch** *adj.* autobiográfico.
'**Auto...**: **~brille** *f* anteojos *m/pl.* (*od.* gafas *f/pl.*) de automovilista; **~bus** *m* (*-ses*; *-se*) autobús *m*; *mit Oberleitung*: trolebús *m*; **~bus-haltestelle** *f* parada *f* de autobuses.
Autochro'mdruck *m* (*-es*; *-e*) impresión *f* autocromática.
Autodi'dakt *m* (*-en*) autodidacto *m*.
'**Auto...**: **~droschke** *f* (auto)taxímetro *m*, F taxi *m*; **~empfänger** *m* radiorreceptor *m* para automóvil; **~fahrer(in** *f*) *m* automovilista *m/f*; **~falle** *f* trampa *f* (*de la Policía de Tráfico*) para automovilistas; **~garage** *f* garaje *m*, cochera *f*.
auto'gen *adj.* autógeno; ~e Schweißung soldadura autógena.
'**Autogiro** [-'ʒiː] ✈ *n* (*-s*; *-s*) autogiro *m*.
Auto|'gramm *n* (*-es*; *-e*) autógrafo *m*; **~grammjäger** *m* coleccionista *m/f* de autógrafos; **~gra'phie** *Typ.* autografía *f*; '**~heber** *Auto. m* gato *m*.
'**Auto...**: **~hupe** *f* bocina *f*; **~industrie** *f* industria *f* del automóvil; **~karte** *f* mapa *m* de carreteras; **~koffer** *f* maleta *f bzw.* baúl *m* de automóvil; **~kolonne** *f* convoy *m bzw.* caravana *f* de automóviles.
Auto|'krat *m* (*-en*) autócrata *m*; **2'kratisch** *adj.* autocrático; **~kra'tie** *f* autocracia *f*.
Auto'mat *m* (*-en*) (*Maschine*) máquina *f* automática; autómata *m*; (*Drehbank*) torno *m* automático; (*Verkaufs2*) distribuidor *m* automático; (*Spiel2*) F máquina *f* tragaperras; **~enrestaurant** *n* (*-s*; *-s*) restaurante *m od.* bar *m* automático; **~i'on** *f* automatización *f*; **2isch** *adj.* automático; **~ik** *f* (*0*) automatismo *m*; **2i'siert** *adj.* automatizado; **~i'sierung** *f* (*0*) automatización *f*.
'**Auto...**: **~mechaniker** *m* mecánico *m* de automóviles; **~mo'bil** *n* (*-s*; *-e*) automóvil *m*; **~mo'bilausstellung** *f* exposición *f* de automóviles; (*Internationale Automobilausstellung*) Salón *m* Internacional del Automóvil; **~mo'bilbau** *m* (*-es*; *0*) construcción *f* de automóviles.
auto|'nom *adj.* autónomo; **2no'mie** *f* autonomía *f*.
'**Auto...**: **~parkplatz** *m* (*-es*; *⸚e*) estacionamiento *m* de automóviles; aparcamiento *m* para automóviles; **~radio** *n* (*-s*; *-s*) autorradio *f*; **~reifen** *m* neumático *m*; **~rennbahn** *f* autódromo *m*; **~rennen** *n* carrera *f* de automóviles.
'**Autor** *m* (*-s*; *-en*), **Au'torin** *f* autor (-a *f*) *m*; **2i'sieren** (-) *v/t.* autorizar; **2i'tär** *adj.* autoritario; **~i'tät** *f* autoridad *f*; **2ita'tiv** *adj.* autoritativo; **~schaft** *f* (*0*) paternidad *f* literaria.
'**Auto...**: **~repara'turwerkstatt** *f* (*-*; *⸚en*) taller *m* de reparación de automóviles; **~schlange** *f* caravana *f* de automóviles; **~schlosser** *m* mecánico *m* de automóviles; **~skooter** *m* auto *m* choque; **~sport** *m* (*-es*; *0*) automovilismo *m*; **~suggesti'on** *f* autosugestión *f*; **~ty'pie** *f* (*0*) *Typ.* impresión *f* autotípica, autotipia *f*; **~unfall** *m* (*-es*; *⸚e*) accidente *m* de automóvil; **~verkehr** *m* (*-s*; *0*) tráfico *m* automóvil *od.* motorizado; **~vermietung** *f* servicio *m* de alquiler de automóviles; **~wesen** *n* (*-s*; *0*) automovilismo *m*; **~zubehör** *n* (*-s*; *0*) accesorios *m/pl.* para automóvil.
A'val ✝ *m* (*-s*; *-e*) aval *m*; **~akzept** *n* (*-es*; *-e*) aceptación *f* avalada.
ava'lieren *v/i.* avalar.
avan'cieren [a·vaŋ'siː-; a·vɑ̃·-] (-) *v/i.* ⚔ avanzar; *im Range*: ser ascendido.
avantgar'distisch [a·vaŋ-] *adj.* vanguardista.
A'vers *m* (*-es*; *-e*) *von Münzen*: anverso *m*, cara *f*.
A'vis [a'viː(s)] ✝ *n* (*-es*; *-e*) aviso *m*; laut ~ según aviso.
avi'sieren *v/t.* avisar.
axi'al *adj.* axial.
Axt *f* (*-*; *⸚e*) hacha *f*.
Aza'lee ⚘ *f* azalea *f*.
Aze'tat *n* (*-es*; *-e*) acetato *m*; **~seide** *f* seda *f* al acetato.
Aze'ton *n* (*-s*; *0*) acetona *f*, éter *m* acético.
Azety'len *n* (*-s*; *0*) acetileno *m*; **~gas** *n* (*-es*; *-e*) acetileno *m*; **~schweißung** *f* soldadura *f* al acetileno.
Azi'mut *n* (*-es*; *-e*) acimut *m*; **~kompaß** *m* (*-sses*; *⸚sse*) aguja *f* acimutal.
A'zoren *f/pl.* (*islas*) Azores *f/pl.*
A'zur *m* (*-s*; *0*) *Min.* lapislázuli *m*; (*Farbe*) azul *m* celeste; **2n** *adj.* de azur, celeste.
a'zyklisch *adj.* acíclico.

B

B, b *n* B, b *f*; ♪ (*Zeichen*) bemol *m*; (*Note*) si *m* bemol.

ˈbabbeln (*-le*) *v/i.* (*Kinder*) balbucear; (*Erwachsene*) F parlotear.

ˈBaby [ˈbeːbiˑ] (*-s*; *-s*) *n* F bebé *m*; **~artikel** *m/pl.* artículos *m/pl.* para niños; **~ausstattung** *f* (*Wäsche*) canastilla *f*; **~bett** *n* (*-es*; *-en*) cuna *f*.

Bacch|aˈnal *n* (*-s*; *-e od. -ien*) bacanal *f*; **~ˈant(in** *f*) [baˈxant] *m* (*-en*) bacante *m/f*; (*Trinkbruder*) bebedor *m*; **2ˈantisch** *adj.* báquico; **ˈ~us** *m Myt.* Baco *m*.

ˈBach *m* (*-es*; *ˆe*) arroyo *m*; riachuelo *m*; **~binse** ✿ *f* junco *m*; **~e** *Zoo. f* jabalina *f*; **~forelle** *f* trucha *f* de río.

ˈBächlein [ç] *n* arroyuelo *m*.

ˈBach...: **~stelze** *Orn. f* aguzanieves *f*; **~weide** ✿ *f* mimbre *m* azul.

ˈBack ⚓ *f* castillo *m* (*de proa*); (*Schlüssel*) fuente *f*, plato *m* hondo; (*Tisch*) mesa *f*.

ˈBack|apfel *m* (*-s*; *ˆ*) manzana *f* pasa *od.* seca; **~blech** *n* (*-es*; *-e*) bandeja *f od.* lata *f* de horno.

ˈBackbord ⚓ *n* (*-s*; *-e*) babor *m*; **~motor** *m* (*-s*; *-en*) motor *m* de babor.

ˈBacke *f* mejilla *f*, carrillo *m*; ⊕ (*Spann2*) mordaza *f* de sujeción; *mit vollen ~n kauen* comer a dos carrillos.

ˈbacken (*L*) *v/t. u. v/i.* (*im Ofen*) cocer *bzw.* asar; (*in der Pfanne*) freír; *Obst*: secar (al horno); **2** *n* (*des Brotes*) cochura *f*, cocción *f*.

ˈBacken...: **~bart** *m* (*-es*; *ˆe*) patillas *f/pl.*; **~bremse** *Auto. f* freno *m* de zapatas; **~knochen** *m* pómulo *m*; **~streich** *m* (*-es*; *-e*) bofetón *m*, cachete *m*; **~tasche** *Zoo. f* abazón *m*; **~zahn** *m* (*-es*; *ˆe*) molar *m*.

ˈBäcker *m* panadero *m*.

Bäckeˈrei [-ˈʀaɪ] *f* panadería *f*; tahona *f*.

ˈBäcker...: **~geselle** *m* (*-n*) oficial *m* panadero; **~laden** *m* (*-s*; *ˆ*) panadería *f*; **~meister** *m* maestro *m* panadero.

ˈBack...: **~fisch** *m* (*-es*; *-e*) pescado *m* frito; *fig.* F pollita *f*, guayabo *m*, niña *f* yeyé; **~form** *f* molde *m*; **~huhn** *n* (*-es*; *ˆer*) pollo *m* asado; **~mulde** *f* → *Backtrog*; **~obst** *n* (*-es*; *0*) fruta *f* pasa *od.* seca; **~ofen** *m* (*-s*; *ˆ*) horno *m* (*de panadero*); **~pflaume** *f* ciruela *f* pasa; **~pulver** *n* levadura *f* en polvo; **~stein** *m* (*-es*; *-e*) ladrillo *m*; **~steinmauerwerk** *n* (*-es*; *0*) muro *m bzw.* obra *f* de ladrillo; **~teig** *m* (*-es*; *-e*) masa *f*; **~trog** *m* (*-es*; *ˆe*) artesa *f*, amasadera *f*; **~ware** *f* galleta *f*; bollos *m/pl.*; pasteles *m/pl.*; **~werk** *n* (*-es*; *0*) bollería *f*; repostería *f*; pastelería *f*.

Bad *n* (*-es*; *ˆer*) baño *m* (*a.* ⚕); *ein ~ nehmen* tomar un baño; → *Badeanstalt, Badeort, Schwimmanstalt.*

ˈBade...: **~anstalt** *f* baños *m/pl.* públicos, *bsd.* ⚕ balneario *m*; **~anzug** *m* (*-es*; *ˆe*) traje *m* de baño; **~arzt** *m* (*-es*; *ˆe*) médico *m* de balneario; **~gast** *m* (*-es*; *ˆe*) bañista *m/f*, (*bei Brunnenkuren*) agüista *m/f*; **~hose** *f* bañador *m*; **~kabine** *f* cabina *f* de baños; **~kappe** *f* gorro *m* de baño; **~kur** *f* cura *f* balnearia; e-e *~ in X. machen* tomar las aguas en X.; **~mantel** *m* (*-s*; *ˆ*) albornoz *m*; **~meister** *m* bañero *m*.

ˈbaden (*-e-*) **1.** *v/t.* bañar; **2.** *v/i. u. refl.* bañar(se); *in der Wanne*: tomar un baño; **2de(r** *m*) *m/f* bañista *m/f*.

ˈBade...: **~ofen** *m* (*-s*; *ˆ*) estufa *f* de baño; termosifón *m*; **~ort** *m* (*-es*; *-e*) balneario *m*, estación *f* balnearia; (*heiße Quellen*) termas *f/pl.*, estación *f* termal; (*Seebad*) playa *f*.

ˈBäder|behandlung ⚕ *f* balneoterapia *f*, hidroterapia *f*; **~kunde** *f* (*0*) balneología *f*, hidrología *f* médica.

ˈBade...: **~salz** *n* (*-es*; *-e*) sal *f* para baño; **~schuhe** *m/pl.* zapatillas *f/pl.* de baño; **~strand** *m* (*-es*; *ˆe*) playa *f*; **~tuch** *n* (*-es*; *ˆer*) toalla *f* de baño; **~wanne** *f* bañera *f*; **~zimmer** *n* cuarto *m* de baño.

baff F: *~ sein* quedarse boquiabierto, atónito *od.* F turulato.

Baˈgage [-ˈgɑːʒə] *f* (*Gepäck*) equipaje *m*; ⚔ bagaje *m*; *fig. desp.* chusma *f*, canalla *f*.

Bagaˈtell|e *f* bagatela *f*, fruslería *f*, insignificancia *f*; **2iˈsieren** (*-*) *v/t.* tomar a la ligera, dar poca importancia *f* a; **~sache** ⚖ *f* litigio *m* de mínima cuantía; **~schaden** *m* (*-s*; *ˆ*) daño *m* insignificante.

ˈBagger *m* draga *f*; (*Erd2*) excavadora *f*; **~eimer** *m* cangilón *m* de draga; **~löffel** *m* cuchara *f* de draga; **2n** (*-re*) *v/i. u. v/t.* dragar; excavar.

ˈbähen **1.** *v/t.* ⚕ fomentar; **2.** *v/i. Schaf*: balar.

Bahn *f* (*Weg*) vía *f*, camino *m*; ⚓ derrotero *m*, rumbo *m* (*a. fig.*); (*Pfad*) senda *f*; *fig. a.* (*Laufbahn*) carrera *f*; (*Eisen2*) ferrocarril *m*; (*Zug*) tren *m*; (*Straßen2*) tranvía *m*; *Auto.* (*Fahr2*) calzada *f*; (*Durchgang*) paso *m*; (*Flug2*) trayecto *m* de vuelo; (*Papier2*) rollo *m*; (*Tuch2*) ancho *m*; (*Planeten2, Elektronen2*) órbita *f*; (*Geschoß*) trayectoria *f*; *Sport*: (*Renn2*) pista *f*; (*Kampf2*) arena *f*; (*Eis2*) pista *f* de patinaje; *~ brechen fig.* abrir nuevos caminos (*od.* horizontes); *sich ~ brechen* abrirse paso; *auf die schiefe ~ geraten fig.* tomar mal rumbo, descarriarse; *in die richtigen ~en lenken* encauzar por el buen camino; *j-n zur ~ bringen* acompañar a alg. a la estación; *zur ~ gehen* ir a la estación; *an der ~* en la estación; *in der ~* en el tren; *mit der ~* (*schicken*) por ferrocarril; (*fahren*) en tren; *~ frei!* ¡paso libre!, *Arg.* ¡cancha!; *frei ~* ✝ franco estación.

ˈBahn...: (→ *Eisenbahn*); **~anlagen** *f/pl.* instalaciones *f/pl.* ferroviarias; **~anschluß** *m* (*-sses*; *ˆsse*) empalme *m* ferroviario; **~arbeiter** *m* peón *m* de vía; ferroviario *m*; **~bau** *m* (*-es*; *-ten*) construcción *f* de una vía férrea; **2brechend** *adj.* que marca nuevos caminos *od.* rumbos; que hace época; trascendental; **~brecher** *m fig.* iniciador *m*; innovador *m*; precursor *m*; explorador *m*; piarero *m*; **~damm** *m* (*-es*; *ˆe*) terraplén *m*.

ˈbahnen *v/t. Weg*: abrir; (*ebnen*) aplanar, allanar (*a. fig.*); (*im Gestrüpp*) desbrozar; *fig. den Weg ~* preparar el camino para; (*erleichtern*) facilitar, allanar; *sich e-n Weg ~* abrirse camino, *durch* (*Gedränge*) abrirse paso a través de (*la multitud*).

ˈBahn...: **~fahrt** *f* viaje *m* en ferrocarril; **~fracht** *f* transporte *m* ferroviario; carga *f* por ferrocarril; **~frachttarif** *m* (*-es*; *-e*) tarifa *f* de transporte por ferrocarril; **2frei** ✝ *adv.* franco estación; **~gleis** *n* (*-es*; *-e*) vía *f*.

ˈBahnhof *m* (*-es*; *ˆe*) estación *f* de ferrocarril; (*End2*) estación *f* término; *auf dem ~* en la estación; **~shalle** *f* (*Vorhalle*) vestíbulo *m* de la estación; **~svorsteher** *m* jefe *m* de estación; **~swirtschaft** *f* fonda *f*; cantina *f* (de la estación).

ˈBahn...: **~körper** *m* vía *f*; plataforma *f*; terraplén *m*; **2lagernd** *adj.* en depósito (en la estación); **2mäßig** ✝ *adv. ~ verpackt* embalado para transporte ferroviario; **~netz** *n* (*-es*; *-e*) red *f* de ferrocarriles; **~polizei** *f* policía *f* de ferrocarriles; **~post** *f* oficina *f* ambulante de correos; **~postamt** *n* (*-es*; *ˆer*) oficina *f* de correos de la estación; **~postwagen** *m* ambulancia *f* de correos, coche *m* correo; **~schranke** *f* barrera *f* de paso a nivel; **~schwelle** *f* traviesa *f*.

ˈBahnsteig *m* (*-es*; *-e*) andén *m*; **~karte** *f* billete *m* de andén; **~schaffner** *m* portero *m* (*del andén*); **~sperre** *f* entrada *f bzw.* salida *f* del andén; **~unterführung** *f* acceso *m* subterráneo al andén.

ˈBahn...: **~strecke** *f* trayecto *m*;

(*Teilstrecke*) sección *f* de vía; **~transport** *m* (-*es*; -*e*) transporte *m* por ferrocarril; **~überführung** *f* puente *m* sobre la vía; **~übergang** *m* (-*es*; ¨*e*) paso *m* a nivel; **~unterführung** *f* paso *m* inferior, túnel *m* debajo de la vía; **~verbindung** *f* → Bahnanschluß; **~verkehr** *m* (-*s*; *0*) tráfico *m* ferroviario; **~wärter** *m* guardavías *m*; guardabarrera *m*; **~wärterhäuschen** *n* garita *f*.

'**Bahr|e** *f* (*Trag*2) angarillas *f/pl.*; andas *f/pl.* (*Kranken*2) camilla *f*; (*Toten*2) ataúd *m*, féretro *m*; → Wiege; **~tuch** *n* (-*es*; ¨*er*) paño *m* mortuorio.

'**Bähung** ⚕ *f* fomento *m*.

Bai *f* bahía *f*; *kleine*: ensenada *f*.

Bai'ser [bɛː'zeː] *n* (-*s*; -*s*) merengue *m*.

'**Baisse** ['bɛːsə] ✝ *f* baja *f*; depresión *f* (*del mercado*); caída *f* de precios; auf ~ spekulieren especular a la baja; **~spekulant** *m* (-*en*) bajista *m*; **~tendenz** *f* tendencia *f* a la baja.

Bais'sier [bɛ'sjeː] ✝ *m* (-*s*; -*s*) bajista *m*.

Ba'jazzo *m* (-*s*; -*s*) payaso *m*.

Bajo'nett ⚔ *n* (-*es*; -*e*) bayoneta *f*; das ~ aufpflanzen calar la bayoneta; **~angriff** *m* (-*es*; -*e*) carga *f* a la bayoneta; **~fassung** ⚡ *f* portalámpara *m* de bayoneta; **~stoß** *m* (-*es*; ¨*e*) bayonetazo *m*; **~verbindung** ⊕ *f*, **~verschluß** *m* (-*sses*; ¨*sse*) cierre *m* de bayoneta.

'**Bake** ⚓ *f* boya *f*, baliza *f*.

Bake'lit *n* (-*s*; *0*) baquelita *f*.

Baken...: **~blindlandesystem** ✈ *n* sistema *m* de balizamiento para aterrizaje ciego; **~boje**, **~tonne** *f* boya *f*, baliza *f*.

Bak'terie [-ʀɪə] *f* bacteria *f*; microbio *m*; germen *m*; 2**nartig** *adj.* bacteroide; **~nflora** *f* (*0*) flora *f* bacteriana; **~nforschung** *f* investigación *f* bacteriológica; 2**nfrei** *adj.* estéril; **~ngift** *n* (-*es*; -*e*) toxina *f* bacteriana, (*Leichengift*) ptomaína *f*; **~nkrieg** *m* (-*es*; -*e*) guerra *f* bacteriológica; **~nkultur** *f* cultivo *m* bacteriano; 2**nsicher** *adj.* inmune a los gérmenes; **~nstamm** *m* (-*es*; ¨*e*) cepa *f* bacteriana; 2**ntötend** *adj.* bactericida; **~nträger** *m* portador *m* de gérmenes *od.* bacterias.

Bakterio'log|e [-eˑʀɪo'-] *m* (-*n*) (-**in** *f*) bacteriólogo (-a *f*) *m*; **Bakteriolo'gie** *f* (*0*) bacteriología *f*.

Ba'lance [-'lɑ̃ŋsə] *f* equilibrio *m*; → Gleichgewicht.

balan'cier|en (-) *v/t. u. v/i.* balancear; equilibrar(se); 2**stange** *f* balancín *m* (*a.* ⊕).

bald *adv.* pronto; (*in Kürze*) en breve, dentro de poco, próximamente; (*beinahe*) casi, por poco; (*frühzeitig*) temprano; so ~ als möglich lo más pronto posible, cuanto antes, tan pronto como sea posible; ~ darauf poco después; al poco tiempo; ~, ~ ... ora ... ora, ... ya ... ya; *iro.* das ist ~ gesagt eso se dice fácilmente.

'**Baldachin** [-xiːn] *m* (-*s*; -*e*) baldaquín (*od.* baldaquino) *m*, dosel *m*; (*tragbarer*) palio *m*.

'**Bälde** *f*: in ~ en breve, dentro de poco, en un futuro próximo.

'**bald|ig** *adj.* pronto; cercano, próximo; (*stärker*) inminente; auf ~es Wiedersehen hasta pronto; **~igst** *adv.* muy pronto, muy en breve; **~möglichst** *adv.* lo antes posible, cuanto antes.

'**Baldrian** [-iˑɑːn] *Phar.* *m* (-*s*; *0*) valeriana *f*; **~salz** *n* (-*es*; *0*) valerianato *m*; **~tinktur** *f* tintura *f* de valeriana.

'**Balg** *m* (-*es*; ¨*e*) piel *f*, pellejo *m*; ⚕ folículo *m*; (*Puppe*) pelele *m*; F (*kleines Kind*, *pl.* Bälger) rorro *m*; *unartiges Kind*: pillete *m*, diablillo *m*; (*Orgel*2, *pl.* Bälge) fuelle *m* (*a. Phot.*, *Blase*2, *am D-Zug*); **~drüse** ⚕ *f* glándula *f* sebácea; **~(en)auszug** *m* (-*es*; ¨*e*) *Phot.* extensión *f* del fuelle; 2**en**: sich ~ F pelearse, andar a la greña.

Balge'rei *f* pelea *f*, F pelotera *f*.

'**Balken** *m* viga *f*, madero *m*; (*Quer*2) travesaño *m*; (*Stütz*2) puntal *m*; (*Waage*2) astil *m*, brazo *m*; ♪ barra *f*; (*Wappen*2) palo *m*; *Anat.* (*Gehirnteil*) cuerpo *m* calloso; *Bibel*: der ~ im eigenen Auge (ver la mota en el ojo ajeno) y no ver la viga en el propio; Wasser hat keine ~ el mar es traicionero; **~brücke** *f* viga-puente *f*; **~decke** *f* techo *m* de vigas; **~gerüst** *n* (-*es*; -*e*) castillejo *m*; (*Zimmerwerk*) armadura *f*; **~holz** *n* (-*es*; ¨*er*) madera *f* escuadrada, viga *f* escuadrada; **~träger** *m* (*Stützbalken*) puntal *m*; **~waage** *f* balanza *f* de cuadrante; romana *f*; balanza *f* de cruz; **~werk** *n* (-*es*; *0*) viguería *f*, maderamen *m*, maderaje *m*.

Bal'kon [-'kɔŋ] *m* (-*s*; -*s*) balcón *m*; (*verglaster*) mirador *m*; *Thea.* platea *f*.

Ball[1] *m* (-*es*; ¨*e*) (*Spiel*2) pelota *f*; (*Fuß*2) balón *m*; (*Billard*2) bola *f*; *Geogr.* globo *m*; *Phot.* pera *f*; ~ spielen jugar a la pelota; pelotear.

Ball[2] *m* (-*es*; ¨*e*) baile *m*; (*Kostüm*2) baile *m* de trajes; auf dem ~ en el baile; auf den ~ gehen ir al baile *od.* a bailar.

Bal'lade [ba'lɑː-] *f* balada *f*.

'**Ballast** *m* (-*es*; -*e*) lastre *m*; *fig.* carga *f* (*inútil*), peso *m* muerto; **~ladung** *f* carga *f* muerta; **~schiff** *n* (-*es*; -*e*) barco *m* en lastre; **~widerstand** ⚡ *m* (-*es*; ¨*e*) resistencia *f* de carga.

Ball...: **~auslöser** *Phot.* *m* disparador *m* de pera; **~beherrschung** *f* (*0*) *Sport*: *f* dominio *m* del balón *bzw.* de la pelota; **~dame** *f* pareja *f*.

'**ballen** *v/t. u. v/refl.* apelotonar; *Faust*: apretar; sich ~ apelotonarse; aglomerarse; → geballt.

'**Ballen** *m* **1.** *Anat.* eminencia *f* tenar; (*Hornhaut am Fuß*) callosidad *f*; ⚕ entzündeter Fuß2 juanete inflamado; **2.** ✝ bulto *m*, fardo *m*; paca *f*; bala *f*; ~ Papier bala de papel; **~packmaschine** *f* máquina *f* embaladora; **~presse** *f* prensabalas *f*, prensa *f* embaladora; **~waren** *f/pl.* géneros *m/pl.* en balas, mercancía *f* en fardos; 2**weise** *adv.* en balas, por fardos.

'**ballern** F *v/i.* descerrajar tiros *m/pl.*; (*lärmen*) meter ruido *m*, hacer estrépito *m*; golpear contra.

Bal'lett [ba'lɛt] *n* (-*s*; -*s*) *gal.* ballet *m*, bailable *m*; (*Gruppe*) cuerpo *m* de baile; **~meister** *m* maestro *m* de baile; **~tänzer(in** *f*) *m* bailarín (-ina *f*) *m* (*de ballet*); **~ratte** F *f* corista *f*.

'**ballförmig** *adj.* esférico; globular.

Bal'listi|k [ba'lɪs-] *f* (*0*) balística *f*; 2**sch** *adj.* balístico.

'**Ball...**: **~kleid** *n* (-*es*; -*er*) vestido *m* de baile; **~künstler** *m* *Fußball*: virtuoso *m* del balón.

Bal'lon *m* (-*s*; -*s*, -*e*) globo *m* (aerostático); (*lenkbarer* ~) (globo *m*) dirigible *m*; (*Fessel*2) globo *m* cautivo; ⚗ matraz *m* esférico; (*Korbflasche*) damajuana *f*, bombona *f*; F (*Kopf*) chola *f*; **~aufstieg** *m* (-*es*; -*e*) ascensión *f* en globo; **~führer** *m* piloto *m*, aeronauta *m*; **~hülle** *f* cubierta *f* del globo; **~korb** *m* (-*es*; ¨*e*) barquilla *f*; **~reifen** *m* neumáticos *m/pl.* balón; **~sperre** *f* barrera *f* de globos.

Ballo|'tage *f* votación *f* con balotas; 2'**tieren** (-) *v/i.* balotar.

'**Ball...**: **~saal** *m* (-*es*; -*säle*) salón *m* de baile; **~schläger** *m* *Kricket*: pala *f*; *Rakett*: raqueta *f*; (*aus Binsengeflecht*) cesta *f*; **~schuhe** *m/pl.* zapatos *m/pl.* de baile; **~spiel** *n* (-*es*; -*e*) juego *m* de pelota; **~spielplatz** *m* (-*es*; ¨*e*) frontón *m*; cancha *f*; **~ung** *f* aglutinación *f*; aglomeración *f*; ⚔ *von Truppen*: concentración *f*; **~ungsräume** *m/pl.* conglomerados *m/pl.* (urbanos).

'**Balsam** *m* (-*s*; -*e*) bálsamo *m* (*a. fig.*).

balsa'mieren (-) *v/t.* embalsamar.

'**Balsam...**: **~harz** *n* (-*es*; -*e*) resina *f* de bálsamo; **~holz** *n* (-*es*; ¨*er*) palo *m* balsamero.

bal'samisch [-'zɑː-] *adj.* balsámico.

'**baltisch** *adj.* báltico; das 2e Meer el mar Báltico.

Balu'strade *f* balaustrada *f*; barandilla *f*.

'**Balz** *f* celo *m* de las aves; 2**en** (-*t*) *v/i.* estar en celo *m*; (*sich paaren*) aparearse.

'**Bambus** *m* (-; -) bambú *m*; **~rohr** *n* (-*es*; -*e*) caña *f* de bambú; **~zucker** *m* (-*s*; *0*) azúcar *m* de bambú.

'**Bammel** F *m* P canguelo *m*, jindama *f*; 2**n** *v/i.* bambolearse.

ba'nal *adj.* trivial, insubstancial, *gal.* banal; 2**i'tät** *f* trivialidad *f*, insubstancialidad *f*, *gal.* banalidad *f*.

Ba'nane *f* plátano *m*, banana *f*; **~nbaum** *m* (-*es*; ¨*e*) platanero *m*, banano *m*; **~nstecker** ⚡ *m* clavija *f* de banana.

Ba'naus|e *n* (-*n*) hombre *m* inculto y mezquino; 2**isch** *adj.* (*geistig*) limitado, corto; vulgar; sanchopancesco.

Band **1.** *n* (-*es*; ¨*er*) (*Bindfaden*) cordel *m*, cuerda *f*; (*Akten*2) balduque *m*; (*Isolier*2, *Meß*2, *Ton*2, *Ziel*2) cinta *f*; (*Arm*2, *Uhren*2) pulsera *f*; (*Leder*2) correa *f*; (*Gummi*2) cinta *f* elástica; (*Gurt*2) faja *f*; (*Schuh*2) lazo *m*; cordón *m*; (*zum Putz*) cinta *f*; (*Farb*2) cinta *f* de máquina de escribir; (*Frequenz*2) banda *f*; (*Straßenbanner*) gallardete *m*; *Anat.* (*Gelenk*2) ligamento *m*; (*Sehnen*2) tendón *m*; (*Strang*) cuerda *f*; ⚕ (*Binde*) venda *f*; (*Faß*2) arco *m*; *der Bandsäge*: hoja *f*; (*Befestigung*) lazo *m*; Förder2 cinta transportadora; *Montage*2 cinta continua de montaje; *Ton*2 cinta magnetofónica; *fig. mst. Bande n/pl.* vínculos, lazos, (*Fesseln*) cadenas; (*Freundschafts*2) vínculos *m/pl. od.* lazos *m/pl.* de amistad; *am laufenden* ~ ⊕ en serie, *fig.* sin interrupción, incesantemente; **2.** *m* (-ẹs; ¨e) (*Buch*2) tomo *m*, volumen *m*; *das spricht Bände* lo dicho revela elocuentemente lo que se calla.

band *pret. von binden.*

Ban'dage [-ʒə] ⚕ *f* vendaje *m*; (*Radreifen*) bandaje *m*.

banda'gieren (-) *v/t.* ⚕ vendar.

'Band...: **~antenne** *f* antena *f* de cinta; **~arbeit** *f* trabajo *m* en cinta continua; **~aufnahme** *f* → *Tonband*; **~breite** *f Radio*: anchura *f* de banda; **~breitenregelung** *f* regulación *f* del ancho de banda; **~bremse** *f* freno *m* de cinta.

'Bande *f* banda *f*; (*Gruppe*) F pandilla *f*; (*Verbrecher*2) banda *f*, cuadrilla *f*; *desp.* gentuza *f*, chusma *f*, horda *f*; (*Freischar*) partida *f*, facción *f*; (*Billard, Musik*) banda *f*.

'Band-eisen *n* fleje *m* de hierro.

'Banden...: **~führer** *m* (*Verbrecher*2) capitán *m* (*de una cuadrilla*), jefe *m* (*de una banda*); **~krieg** *m* (-ẹs; -*e*) guerra *f* de guerrillas; **~unwesen** *n* (-*s*; *0*) bandidaje *m*, bandolerismo *m*.

Bande'role *f* banderola *f*; precinta *f*.

'Band...: **~fabrikation** *f* fabricación *f* en serie *od.* en cinta continua; **~feder** ⊕ *f* (-; -*n*) resorte *m* de cinta; **~führung** *f* (*Schreibmaschine*) guía *f* de la cinta.

'bändig|en *v/t.* domar; (*Pferde*) *a.* desbravar; *fig.* reprimir, refrenar, sujetar, dominar; 2**er(in** *f*) *m* domador(a *f*) *m*; 2**ung** *f* doma(dura) *f*; *fig.* represión *f*, refrenamiento *m*, dominio *m*.

Ban'dit *m* (-*en*) bandido *m*, bandolero *m*.

'Band...: **~kabel** *n* cable *m* plano; **~maß** *n* (-*es*; -*e*) cinta *f* métrica; **~mikrophon** *n* (-ẹs; -*e*) micrófono *m* de cinta; **~nudeln** *f/pl.* tallarines *m/pl.*; **~säge** *f* sierra *f* de cinta; **~scheibe** ⚕ *f* hernia *f* discal; **~stahl** *m* (-ẹs; ¨e) fleje *m* de acero; **~waren** *f/pl.* cintería *f*, pasamanería *f*; **~wurm** ⚕ *m* (-ẹs; ¨er) tenia *f*, solitaria *f*; **~wurmmittel** ⚕ *n* tenífugo *m*, antihelmíntico *m*.

'bang *adj.*, **~e** (*unruhig*) desasosegado, inquieto; (*ängstigend*) miedoso, medroso, temeroso; *e-e* ~*e Stunde* una hora de angustia; *j-m* ~*e machen* asustar, infundir temor, causar miedo a alg.; *mir ist* ~ *davor* tengo miedo a, me da miedo; *davor ist mir nicht* ~ no me inquieta eso; *mir ist* ~ *um ihn* temo por él; (*haben Sie*) *keine Bange!* no tema usted nada; **~en** *v/i.* *mir bangt* tengo miedo; *sich* ~ *vor* (*dat.*) temer (*ac.*); tener miedo a; inquietarse ante (*einer Gefahr*); *sich* ~ *um* inquietarse por; *er bangt um sein Leben* tiembla por su vida; *er bangt um seine Stellung* teme (*od.* tiene miedo de) perder su empleo; *nach et.* ~ (*sich sehnen*) sentir ansias de, anhelar a/c.; 2**igkeit** *f* (*0*) miedo *m*, temor *m*; inquietud *f*, desasosiego *m*; angustia *f*, zozobra *f*; ansia *f*.

'bänglich *adj.* medroso; ~*es Gefühl* sensación de inquietud, desasosiego *m*; preocupación *f*.

'Banjo *n* (-*s*; -*s*) banjo *m*.

Bank *f* **1.** (-; ¨e) (*Sitz*2) banco *m*; (*ohne Lehne*) banquillo *m*; banqueta *f*; (*Geol.*, *Werk*2) banco *m*; *auf der ersten* ~ en primera fila; F *durch die* ~ indistintamente, todos sin excepción; *auf die lange* ~ *schieben* dar largas a, diferir; **2.** ♣ (-; -*en*) banco *m*; (*Spiel*2) banca *f*; ~ *halten* tallar, tener la banca; *die* ~ *sprengen* (hacer) saltar la banca.

'Bank...: **~aktie** *f* acción *f* bancaria; **~akzept** *n* (-ẹs; -*e*) aceptación *f* bancaria; **~anweisung** *f* cheque *m*, talón *m*; giro *m* bancario; **~ausweis** *m* (-*es*; -*e*) estado *m*, relación *f* (*de las operaciones bancarias*); **~aval** *n* (-ẹs; -*e*) aval *m* de un banco, garantía *f* bancaria; **~beamte(r)** *m* empleado *m* de banco; **~betrieb** *m* (-ẹs; -*e*) operaciones *f/pl.* bancarias; **~depot** *n* (-*s*; -*s*) depósito *m* bancario; **~diskont(satz** *m* [-*es*; ¨*e*]) *m* (-*s*; -*e*) (tipo *m* de) descuento *m* bancario; **~einlage** *f* depósito *m*.

'Bänkelsänger *m* cantante *m* callejero *od.* de feria; coplero *m*; **~lied** *n* romance *m od.* copla *f* de ciego.

Bank(e)'rott [baŋ'k(ə)ʀ-] *m* (-ẹs; -*e*) bancarrota *f* (*a. fig.*), quiebra *f*; *betrügerischer* ~ quiebra fraudulenta; *den* ~ *erklären* declarar en quiebra; ~ *machen* hacer bancarrota, quebrar, F tronar; 2 *adj.* en quiebra, quebrado; (*zahlungsunfähig*) insolvente; *sich für* ~ *erklären* declararse en quiebra (*od.* insolvente); **~erklärung** *f* ⚖ declaración *f* judicial de (la) quiebra.

Bankrot'teur *m* (-*s*; -*e*) bancarrotista *m*.

Ban'kett [-ŋ'k-] *n* (-ẹs; -*e*) banquete *m*; (*Festmahl*) festín *m*; *Liter.* ágape *m*; ⊕ (*a.* ~*e f*) *Straßenbau*: banqueta *f*; acera *f*; (*Grundmauer*) retallo *m* de fundación; 🚗 banqueta *f*.

'Bank...: **~fach** *n* (-ẹs; ¨*er*) ramo *m* bancario; (*Stahlfach*) caja *f* de depósito; 2**fähig** *adj.* negociable (*en un banco*); **~filiale** *f* sucursal *f* (*de un banco*); **~geheimnis** *n* (-*ses*; -*se*) secreto *m* bancario; **~geschäft** *n* (-ẹs; -*e*) (*Firma*) banco *m*, casa *f* de banca; (*Branche*) negocios *m/pl.* bancarios, banca *f*; (*einzelnes* ~) operación *f* (*od.* transacción *f*) bancaria; **~guthaben** *n* saldo *m* acreedor (*en un banco*); (*Bar*2) haber *m* (*en un banco*); **~halter** *m Spielbank*: banquero *m*; (*Spielgehilfe*) ayudante *m*, *gal.* crupié *m*.

Ban'kier [baŋ'kɪe:] *m* (-*s*; -*s*) banquero *m*; (*großer Finanzmann*) financiero *m*.

'Bank...: **~konsortium** *n* (-*s*; -*konsortien*) consorcio *m* bancario; **~konto** *n* (-*s*; -*konten*) cuenta *f* corriente en un banco; **~krach** *m* (-ẹs; -*s od.* -*e*) quiebra *f* bancaria; **~kredit** *m* (-ẹs; -*e*) crédito *m* bancario; 2**mäßig** *adj.* bancario; *Wertpapiere*: negociable; **~note** *f* billete *m* de banco; **~notenausgabe** *f* emisión *f* de billetes de banco; **~notenumlauf** *m* (-ẹs; ¨*e*) circulación *f* fiduciaria; **~provision** *f* comisión *f* bancaria; 2**'rott** *adj.* → *Bank(e)rott usw.*; **~satz** *m* (-*es*; ¨*e*) tipo *m* de descuento bancario; **~scheck** *m* (-*s*; -*s*) cheque *m* bancario; **~spesen** *pl.* gastos *m/pl.* bancarios; **~tratte** *f* letra *f* de cambio; **~überweisung** *f* transferencia *f* bancaria; giro *m* bancario; **~verbindung** *f* (*Konto*) cuenta *f* bancaria; *e-r Bank*: corresponsal *m*; **~verkehr** *m* (-*s*; *0*) operaciones *f/pl.* bancarias; **~vollmacht** *f* poder *m* bancario; **~vorstand** *m* (-ẹs; ¨*e*) dirección *f* de un banco; **~wechsel** *m* letra *f* bancaria, efecto *m* bancario; **~werte** *m/pl.* valores *m/pl.* bancarios; **~wesen** *n* (-*s*; *0*) banca *f*; **~zinsen** *m/pl.* intereses *m/pl.* bancarios.

'Bann *m* (-ẹs; -*e*) (*Ächtung*) destierro *m*, proscripción *f*, relegación *f*; (*Kirchen*2) excomunión *f*; anatema *m*; *schwächer*: entredicho *m*, interdicto *m*; *in den* ~ *tun* desterrar, proscribir, relegar; *kirchlich*: excomulgar; anatematizar; *gesellschaftlich, geschäftlich*: boicotear; *fig.* (*Zauber*) encantamiento *m*, hechizo *m*; *unter dem* ~ *stehen von* estar bajo la influencia de, *stärker*: estar fascinado *od.* cautivado por; → *gebannt*; **~bulle** *f* bula *f* de excomunión; 2**en** *v/t.* desterrar, proscribir, relegar (*alle a. fig.*); *Gefahr, Geister*: conjurar; *Teufel*: exorcizar; *Rel.* excomulgar; anatematizar; *fig.* (*fesseln*) cautivar; (*bezaubern*) encantar, hechizar; (*festhalten*) retener; → *gebannt*.

'Banner *n* bandera *f*; pendón *m*; estandarte *m*; **~träger** *m* abanderado *m*, portaestandarte *m*.

'Bann...: **~fluch** *m* (-ẹs; ¨*e*) anatema *m*; **~kreis** *m* (-*es*; -*e*) (*Bezirk*) distrito *m*; (*Machtbereich*) jurisdicción *f*; *fig.* esfera *f* (de influencia); **~meile** *f* término *m* (municipal); **~ware** *f* mercancía *f* de contrabando.

bar *adj.* **1.** *e-r Sache*: falto de, desprovisto en absoluto de, carente de; *jeder Hoffnung* ~ sin ninguna esperanza; (*nackt*) desnudo; (*offenkundig*) puro, legítimo, verdadero; ~*er Unsinn* un puro disparate, un solemne desatino; **2.** *adj. u. adv.* ~*es Geld* dinero en metálico, F dinero contante y sonante; ~ *bezahlen* pagar al contado; *gegen od. in* ~ al contado, en efectivo; ~ *gegen* 2⁰/₀ *Diskont* al contado con un 2⁰/₀ de descuento; *fig.* → *Münze*.

Bar[1] *f* (-; -*s*) (*Ausschank*) bar *m*; (*Nachtlokal*) cabaret *m*.

Bar[2] *Phys. n* (*Luftdruckeinheit*) bar *m*.

Bär *m* (-*en*) *Zoo.* oso *m*; *Astr. der Große* (*Kleine*) ~ la Osa Mayor (Menor); ⊕ (*Rammklotz*) martinete *m* pisón; F *j-m e-n* ~*en aufbinden* hacer a alg. comulgar con ruedas de molino; contar a alg. un cuento chino.

Ba'racke *f* barraca *f* (*a.* ⚔); (*Hütte*) choza *f*; barracón *m*.

'Bar...: **~anschaffung** *f* compra *f* en efectivo; **~auslage** *f* desembolso *m*; **~auszahlung** *f* pago *m* en efectivo.

Bar'bar *m* (*-en*) bárbaro *m*; **~in** *f* mujer *f* bárbara.
Barba'rei [-a'ʀaɪ] *f* barbarie *f*; (*Grausamkeit*) barbaridad *f*; salvajismo *m*, atrocidad *f*, crueldad *f*.
bar'barisch *adj*. bárbaro; salvaje; (*grausam*) cruel, feroz; brutal; vandálico.
Barba'rismus *m* (-; *-men*) *Gr*. barbarismo *m*.
'Barbe *Ict*. *f* barbo *m*.
'bärbeißig *adj*. gruñón, de mal genio, arisco; F de malas pulgas.
'Bar...: **~bestand** *m* (*-es*; *¨e*) disponibilidades *f/pl*. en efectivo, existencia *f* en caja; **~betrag** *m* (*-es*; *¨e*) importe *m* líquido.
Bar'bier *m* (*-s*; *-e*) barbero *m*; peluquero *m*; **2en** (-) *v/t*. afeitar(se), rasurar(se); *fig*. → *Löffel*; **~laden** *m* (*-s*; ¨), **~stube** *f* barbería *f*; peluquería *f*.
'Barchent *m* (*-s*; *-e*) fustán *m*; (*geköperter*) bombasí *m*.
'Bardame *f* camarera *f* de bar-cabaret.
'Barde *m* (*-n*) bardo *m*; *fig*. vate *m*, cantor *m*.
'Bar...: **~deckung** *f* fondos *m/pl*. de cobertura; **~depot** *n* (*-s*; *-s*) depósito *m* en efectivo; **~eingang** *m* (*-es*; *¨e*) ingresos *m/pl*. en efectivo; **~ertrag** *m* (*-es*; *¨e*) producto *m* líquido.
'Bären...: **~führer** *m* osero *m*; *fig*. F guía *m*, cicerone *m*; **2haft** *adj*. como un oso; **~hatz** *f* caza *f* del oso; **~haut** *f* (-; *¨e*) piel *f* de oso; *auf der ~ liegen* → *faulenzen*; **~hunger** *m* (*-s*; *0*) hambre *f* canina; **~höhle** *f* osera *f*; **~jäger** *m* cazador *m* de osos; **~mütze** *f* gorra *f* de pelo de oso; ⚔ birretina *f*; **2stark** *adj*. hercúleo, fuerte como un toro; **~zwinger** *m* foso *m* *bzw*. jaula *f* de los osos.
Ba'rett *n* (*-es*; *-e*) birrete *m*; (*Kardinäle*) birreta *f*; (*viereckiges*) bonete *m*.
'bar|fuß, **2füßig** *adj*. descalzo.
barg *pret*. *von bergen*.
'Bar...: **~geld** *n* (*-es*; *-er*) dinero *m* efectivo; metálico *m*, moneda *f* contante; numerario *m*; **2geldlos** *adj*.: *~er Zahlungsverkehr* pagos realizados por cheque; **~geschäft** *n* (*-es*; *-e*) operación *f* al contado; **~guthaben** *n* efectivo *m* en caja; **2häuptig** *adj*. *u*. *adv*. F a pelo; **~hocker** *m* taburete *m* de bar.
'Bärin *f* osa *f*.
'Bariton *m* (*-s*; *-e*) barítono *m*.
Bar'kasse ⚓ *f* barcaza *f*; lancha *f*; (*Motor*2) lancha *f* motora, gasolinera *f*.
'Barkauf *m* (*-es*; *¨e*) compra *f* al contado.
'Barke ⚓ *f* barca *f*, *kleine*: canoa *f*; *Poes*. batel *m*.
'Bar...: **~kredit** *m* (*-es*; *-e*) crédito *m* en efectivo; **~lohn** *m* (*-es*; *¨e*) salario *m* líquido.
'Bärme *f* (-; *0*) levadura *f*.
barm'herzig *adj*. (*gnädig*) misericordioso, clemente; (*mitleidig*) compasivo; (*mildtätig*) caritativo; **2er** *Bruder* religioso de San Juan de Dios; *2e Schwester* hermana de la Caridad; *der ~e Samariter* (*Bib*.) el buen samaritano; **2keit** *f* (*0*) misericordia *f*, clemencia *f*, piedad *f*; (*Mitleid*) compasión *f*, conmiseración *f*; caridad *f*; *aus ~* por caridad.
'Barmittel *n/pl*. fondos *m/pl*.; dinero *m* en metálico.
ba'rock *adj*. barroco (*a*. *fig*.); **2** *n* (*-s*; *0*), **2stil** *m* (*-es*; *0*) estilo *m* barroco; *Span*. estilo *m* churrigueresco.
Baro'meter *n* barómetro *m*; *das ~ steigt* (*fällt*) el barómetro sube (baja); *das ~ steht auf Schönwetter* el barómetro señala *od*. anuncia buen tiempo; **~druck** *m* (*-es*; *0*) presión *f* barométrica; **~säule** *f* columna *f* barométrica; **~stand** *m* (*-es*; *¨e*) altura *f* barométrica.
baro'metrisch *adj*. barométrico.
Ba'ron *m* (*-s*; *-e*) barón *m*.
Baro'nesse, **Ba'ronin** *f* baronesa *f*.
'Barpreis *m* (*-es*; *-e*) precio *m* al contado.
'Barre *f* barra *f*.
'Barren *m* (*Gold*2, *Silber*2) barra *f*; lingote *m*; *~gold* oro en barras; *Turngerät*: (barras *f/pl*.) paralelas *f/pl*.; **2förmig** *adj*. en forma de barra.
Barri'ere [-'ʀiɛ:-] *f* barrera *f*.
Barri'kade *f* barricada *f*; *~n errichten* levantar barricadas; **~nkampf** *m* (*-es*; *¨e*) lucha *f* de barricadas.
Barsch *m* (*-es*; *-e*) (*Fisch*) perca *f*.
barsch *adj*. rudo, duro; áspero, brusco, destemplado, seco; arisco, displicente; *~e Stimme* voz bronca; *~e Antwort* ex-abrupto *m*, salida *f* de tono; *~es Wesen* carácter *m* arisco; *j-n ~ behandeln* tratar a alg. con dureza, P tratar a palos.
'Bar...: **~schaft** *f* dinero *m* efectivo; **~scheck** *m* (*-s*; *-s*) cheque *m* abierto *od*. no cruzado.
'Barschheit *f* (*0*) rudeza *f*; aspereza *f*, brusquedad *f*, desabrimiento *m*, sequedad *f*.
'Barsendung *f* remesa *f* de fondos; *in Gold, Silber usw*.: consignación *f* en especie.
barst *pret*. *von bersten*.
Bart [ɑ:] *m* (*-es*; *¨e*) barba *f*; (*Voll*2) barba *f* corrida; (*Backen*2) patilla *f*; *Hahn, Fisch*: barbillas *f/pl*.; *Maiskolben*: barbas *f/pl*.; *Ähren*: arista *f*, raspa *f*; (*Schnurr*2) bigote *m*; (*Schlüssel*2) paletón *m*; ⊕ *Gußnaht*: rebaba *f*; *sich e-n ~ stehen lassen* dejarse (crecer) la barba; *fig*. *in den ~ brummen* refunfuñar entre dientes; *j-m um den ~ gehen* lisonjear a alg., F darle jabón (*od*. camelar) a alg.; *um des Kaisers ~ streiten* disputar por una nadería; *Witz mit ~* chiste archiconocido; F *so ein ~!* eso ya lo contaba mi abuela; **~e** *f* barba *f* de ballena; **~flechte** ⚕ *f* sicosis *f*; ⚘ tricofitosis *f*; **~haar** *n* (*-es*; *-e*) pelo *m* de la barba; *erste ~e* bozo *m*.
'bärtig *adj*. barbudo; *mit Backenbart*: patilludo; ⚘ *u*. *Zoo*: barbado.
'Bart...: **2los** *adj*. sin barba; (*jung*) imberbe; (*milchbärtig*) barbilampiño; **~nelke** ⚘ *f* clavellina *f*.
'Bar...: **~vergütung** *f* compensación *f* en metálico; **~verkauf** *f* (*-es*; *¨e*) venta *f* al contado; **~verlust** *m* (*-es*; *-e*) pérdida *f* en efectivo; **~vorschuß** *m* (*-sses*; *¨sse*) desembolso *m*; **~wert** *m* (*-es*; *-e*) valor *m* efectivo; **~zahlung** *f* pago *m* al contado; **~zahlungsgeschäft** *n* (*-es*; *-e*) operación *f* al contado; **~zahlungsrabatt** *m* (*-es*; *-e*) descuento *m* por pago al contado.
Ba'salt *m* (*-es*; *-e*) basalto *m*; **~felsen** *m* roca *f* basáltica; **2haltig** *adj*. basáltico; **~säule** *f* columna *f* de basalto.
'Base[1] *f* prima *f*.
'Base[2] ⚗ *f* base *f*.
'Basedowsche Krankheit ⚕ *f* (*0*) enfermedad *f* de Basedow, bocio *m* exoftálmico.
'Basel *n* Basilea *f*.
'Basenbildung ⚗ *f* basificación *f*, formación *f* de base.
ba'sieren (-) **1.** *v/t*. fundar, basar (*auf dat*. en); **2.** *v/i*. fundarse, basarse en.
'Basis *f* (-; *Basen*) base *f* (*a*. ⚒, ⚠ *u*. ⚔); (*Säulen*) basa *f*; *fig*. fundamento *m*; *auf gleicher ~* en iguales condiciones.
'bas|isch *adj*. básico (*a*. ⚗); *nur* ⚗: alcalino; *ein~* monobásico; *zwei~* bibásico; **2izi'tät** *f* (*0*) basicidad *f*; alcalinidad *f*.
'Bask|e *m* (*-n*) vasco *m*; **~enmütze** *f* boina *f*; **2isch** *adj*. vasco, vascongado; *das 2e* (*Sprache*) el vascuence.
baß *adv*. muy, en extremo; *~ erstaunt* pasmado, muy sorprendido.
'Baß ♪ *m* (*-sses*; *¨sse*) (*Instrument*) (contra)bajo *m*, violón *m*; (*Stimme*) bajo *m*; *erster ~* barítono *m*; *tiefer ~* bajo *m* profundo, contrabajo *m*; *zweiter ~* bajo *m* segundo; **~bläser** *m* fagotista *m*, bajo *m*; **~brummer** *m* bombarda *f*; **~geige** *f* (*kleine*) viola *f*; (*Cello*) violoncello *m*; (*große*) contrabajo *m*, violón *m*.
Bas'sin [ba'sɛ̃:, -'sɛŋ] *n* (*-s*; *-s*) pila *f*; (*Tank*) depósito *m*, tanque *m*; (*Schwimm*2) piscina *f*.
Bas'sist *m* (*-en*) *Sänger*: bajo *m*; *zweiter Baß*: contrabajo *m*.
Baß...: **~pfeife** *f* bajón *m*, fagot(e) *m*; **~saite** *f* bordón *m*; **~schlüssel** *m* clave *f* de fa; **~stimme** *f* (*voz de*) bajo *m*.
Bast *m* (*-es*; *-e*) ⚘ líber *m*, corteza *f* fibrosa; fibra *f*, rafia *f*; *bei Flachs usw*.: hilaza *f*; (*der Kokosnüsse*) fibra *f* de coco.
'basta *int*. ¡basta!, ¡ni una palabra más!, ¡sanseacabó!; *und damit ~!* ¡y punto final!, ¡y hemos terminado!
'Bastard *m* (*-es*; *-e*) bastardo *m*; **~art** *n* *Zoo*. *u*. ⚘: especie *f* híbrida; **~bildung** *f* hibridación *f*; **~feile** *f* lima *f* bastarda.
bastar'dieren (-) *v/t*. bastardear.
'Bastard...: **~pflanzen** *f/pl*. plantas *f/pl*. híbridas; **~rasse** *f* raza *f* híbrida.
Bas'tei *f* bastión *m*, baluarte *m*.
'Bastel|arbeit *f* trabajo *m* manual de aficionado; **2n** (*-le*) *v/t*. *u*. *v/i*. construir por afición.
Bast...: **~faser** *f* (-; *-n*) fibra *f* de corteza; **~hut** *m* (*-es*; *¨e*) sombrero *m* de fibra vegetal.
'Bastler *m* aficionado *m* a trabajos manuales; *Radio*: radiotécnico *m* aficionado; constructor *m* mañoso.
'Bastseide *f* seda *f* cruda.
bat *pret*. *von bitten*.
Batail'lon [-tal'j-] *n* (*-s*; *-e*) bata-

llón *m*; **~skommandeur** *m* (*-s*; *-e*) comandante *m* de un batallón.

Ba'tate ♀ *f* batata *f*, boniato *m*; *Am.* camote *m*.

Ba'tist *m* (*-es*; *-e*) batista *f*, holanda *f*.

Batte'rie *f* ⚔ *u.* ⚡ batería *f*; ⚡ pila *f*; (*Akkumulator*) acumulador *m*; ⊕ (*Gruppe von Maschinen*) grupo *m* de máquinas; **~betrieb** *m* (*-es*; *-e*) funcionamiento *m* con batería; **~element** *n* (*-es*; *-e*) pila *f*; **~empfänger** *m* receptor *m* de pilas; **2gespeist** *adj.* alimentado por batería; **~heizung** *f* calefacción *f* con batería; **~kohle** *f* carbón *m* de pila; **~ladegerät** *n* (*-es*; *-e*) cargador *m* de baterías; **~prüfer** *m* verificador *m* de baterías; **~spannung** *f* tensión *f* de batería; **~strom** *m* (*-es*; *0*) corriente *f* de batería; **~zündung** *Auto.* *f* encendido *m* por batería.

'**Batzen** *m* (*Klumpen*) masa *f* compacta; *das kostet e-n ~* esto cuesta un dineral, un ojo de la cara.

'**Bau** *m* (*-es*; *-ten*) (*Vorgang*) edificación *f*, construcción *f*; (*von Maschinen usw.*) manufactura *f*, construcción *f*; ⚒ explotación *f*; (*Gebäude*) edificio *m*; (*Bauart*) estructura *f*; ⊕ (*Entwurf*) trazado *m*; (*Ausführungsart*) sistema *m* de construcción; 🌱 cultivo *m*; (*Tier2*) guarida *f*; (*Fuchs2*) zorrera *f*; (*Kaninchen2*) madriguera *f*; *e-s Raubtieres*: cueva *f*; (*Körper2*) complexión *f*; **~ten** *pl. Film, Bühne*: decoración *f*; *im Bau* en construcción; **~abschnitt** *m* (*-es*; *-e*) período *m* de construcción, sección *f* de trabajo; **~akademie** *f* escuela *f* de arquitectura; **~amt** *n* (*-es*; *⁼er*) oficina *f* de obras y construcciones; **~arbeiten** *f/pl.* obras *f/pl.*; **~arbeiter** *m* obrero *m* del ramo de la construcción; **~art** *f* construcción *f*, estilo *m*; (*Gefüge*) estructura *f*; ⊕ sistema *m* de construcción; (*Typ*) tipo *m*, modelo *m*; ⚓ clase *f*, tipo *m*; **~aufsichts-amt** *n* (*-es*; *⁼er*) inspección *f* de edificios; **~baracke** *f* barraca *f*; cobertizo *m*; **~bedarf** *m* (*-es*; *0*) materiales *m/pl.* de construcción; **~bewilligung** *f* autorización *f* para edificar.

'**Bauch** *m* (*-es*; *⁼e*) vientre *m*, F barriga *f*; *Anat.* abdomen *m*; (*Magen*) estómago *m*; (*Dick2*) F panza *f*; *e-s Schiffes*: fondo *m*; (*Wölbung*) abombamiento *m*; *auf dem ~e liegen* estar boca abajo *od.* echado de bruces; *e-n ~ bekommen* F echar panza; *sich den ~ halten vor Lachen* apretarse las ijadas de risa; **~atmung** *f* respiración *f* abdominal; **~binde** *f* faja *f*; **~decke** *f* pared *f* abdominal; **~fell** *n* (*-es*; *-e*) peritoneo *m*; **~fellentzündung** ⚕ *f* peritonitis *f*; **~flosse** *Ict.* *f* aleta *f* ventral; **~gegend** *f* (*0*) región *f* abdominal; **2ig** *adj.* ventrudo, F panzudo, barrigudo; △ abombado, convexo; **~laden** *m* (*-s*; *⁼*) F *hum.* bandeja *f* colgante de buhonero; **~lage** ⚕ *f* decúbito *m* prono *od.* abdominal; **~landung** ✈ *f* aterrizaje *m* ventral; **~muskel** *m* (*-s*; *-n*) músculo *m* abdominal; **~redner** *m* ventrílocuo *m*; **~schmerz** *m* (*-es*; *-en*), **~weh** *n* (*-s*; *0*) dolor *m* de vientre; **~speicheldrüse** *f* páncreas *m*; **~tanz** *m* (*-es*; *⁼e*) danza *f* de vientre; **~ung** *f* convexidad *f*; abolsamiento *m*; **~wassersucht** ⚕ *f* (*0*) hidropesía *f*; **~wirbel** *m* vértebra *f* lumbar.

'**Bau|denkmal** *n* monumento *m*; **~element** *n* elemento *m* (constructivo).

'**bauen** *v/t. u. v/i.* edificar, construir; (*errichten*) erigir, levantar; (*herstellen*) fabricar, manufacturar, elaborar; 🌱 (*an~*) cultivar; (*ackern*) labrar; ⚒ explotar, beneficiar; (*entwerfen*) trazar; (*Straßen*) construir; (*Maschinenteile*) armar, montar; *Nest*: hacer; *fig.* ~ *auf* (*ac.*) (*vertrauen*) confiar en; (*sich verlassen auf*) contar con, fiarse de; *Hoffnung, Urteil*: fundar *od.* basar en.

'**Bauer**[1] *m* (*-n*) (*Landwirt*) agricultor *m*; *kleiner*: labrador *m*; campesino *m*, aldeano *m*, lugareño *m*; (*grober ~*) rústico *m*, *a. fig.* paleto *m*, patán *m*; (*Erbauer*) constructor *m*; *Schach*: peón *m*; *Kartenspiel*: sota *f*.

'**Bauer**[2] *n* (*Vogel2*) jaula *f*.

'**Bäuer|in** *f* campesina *f*, labradora *f*, aldeana *f*, lugareña *f*; mujer *f* del labrador; **2isch** *adj.* rústico (*a. fig.*), campestre; aldeano, campesino; (*grob*) *fig.* rústico, tosco; palurdo, villano, cerril, paleto.

'**Bau-erlaubnis** *f* (*-*; *0*) licencia *f* de construcción.

'**bäuerlich** *adj.* rústico; rural; aldeano, campesino.

'**Bauern...**: **~brot** *n* (*-es*; *-e*) pan *m* moreno; **~bursche** *m* (*-n*) mozo *m* de aldea; **~dirne** *f* muchacha *f* campesina; moza *f* aldeana, lugareña *f*; **~fänger** *m* timador *m*, estafador *m*, F engañabobos *m*; **~fänge'rei** *f* timo *m*, estafa *f*; **~gut** *n* (*-es*; *⁼er*) finca *f* rústica, heredad *f*; granja *f*, casa *f* de labor; (*kleines ~*) pegujal *m*; **~haus** *n* (*-es*; *⁼er*) casa *f* de campo *bzw.* de labor; casa *f* rústica; **~hochzeit** *f* boda *f* de aldea; **~hof** *m* (*-es*; *⁼e*) granja *f*; **~knecht** *m* (*-es*; *-e*) mozo *m* de labranza, gañán *m*; **~lümmel** *m* rústico *m*, villano *m*, F paleto *m*, destripaterrones *m*; **~regel** *f* (*-*; *-n*) proverbio *m* campesino; **~schaft** *f coll.* gente *f* del campo; paisanaje *m*; **2schlau** *adj.* socarrón; **~schläue** *f* (*0*) socarronería *f*; astucia *f* aldeana; F gramática *f* parda; **~stand** *m* (*-es*; *0*) clase *f* campesina; **~stolz** *m* (*-es*; *0*) orgullo *m* rústico, *fig.* orgullo *m* necio; **~tölpel** *m* palurdo *m*, patán *m*; **~tracht** *f* traje *m* típico aldeano; **~verband** *m* (*-es*; *⁼e*) asociación *f* (*Span.* hermandad *f*) de labradores; **~wirtschaft** *f* economía *f* agraria; explotación *f* agrícola.

'**Bau...**: **~fach** *n* (*-es*; *0*) arquitectura *f*; ramo *m* de la construcción; **2fällig** *adj.* ruinoso; **~fälligkeit** *f* (*0*) estado *m* ruinoso; **~firma** *f* (*-*; *-firmen*) empresa *f* constructora; **~fluchtlinie** *f* alineación *f*; **~führer** *m* maestro *m* de obras; aparejador *m*; **~gelände** *n* terrenos *m/pl.* para edificar; *engS.* solar *m*; **~genossenschaft** *f* cooperativa *f* de construcción; **~gerüst** *n* (*-es*; *-e*) andamio *m*, andamiaje *m*; **~geschäft** *n* (*-es*; *-e*) empresa *f* constructora; **~gesellschaft** *f* sociedad *f* de construcciones inmobiliarias; **~gewerbe** *n* (*-s*; *0*) ramo *m* de la construcción; **~gewerbeschule** *f* escuela *f* de arquitectura; **~grube** *f* zanja *f* de fundación; **~grund** *m* (*-es*; *⁼e*) terreno *m* de cimentación; **~grundstück** *n* (*-es*; *-e*) solar *m*; **~handwerker** *m* obrero *m* de la construcción; **~herr** *m* (*-en*) propietario *m* de una casa en construcción; (*Unternehmer*) contratista *m* de obras; **~holz** *n* (*-es*; *⁼er*) maderaje *m*; **~ingenieur** *m* (*-s*; *-e*) ingeniero *m* constructor, ingeniero *m* civil; **~jahr** *n* (*-es*; *-e*) año *m* de construcción; **~kasten** *m* (*-s*; *⁼*) caja *f* de construcciones; **~kastensystem** ⊕ *n* (*-s*; *-e*) sistema *m* de unidades de montaje; **~klotz** *m* (*-es*; *⁼e*) cubo *m* de madera; F *da staunt man Bauklötzer* se queda uno maravillado; **~kolonne** *f* brigada *f* de obreros; **~kosten** *pl.* gastos *m/pl.* de construcción; **~kostenvoranschlag** *m* (*-es*; *⁼e*) presupuesto *m* de obras; **~kostenzuschuß** *m* (*-sses*; *⁼sse*) anticipo *m* *bzw.* subsidio *m* para gastos de construcción; **~kunst** *f* (*0*) arquitectura *f*; **~land** *n* (*-es*; *0*) terreno *m* para edificación; **~leiter** *m* director *m* de las obras; **2lich** *adj.* arquitectónico; *in (gutem) ~em Zustand* en (buenas) condiciones de habitabilidad; **~lichkeiten** *f/pl.* edificios *m/pl.*; dependencias *f/pl.*

'**Baum** *m* (*-es*; *⁼e*) árbol *m* (*a.* ⊕); *fig. der ~ der Erkenntnis* el árbol de la ciencia del bien y del mal; *am Wagen*: vara *f*; *am Pflug*: timón *m*; (*Stange*) pértiga *f*; ⚓ botavara *f*; botalón *m*; **2artig** *adj.* arbóreo, arborescente.

'**Baumaterialien** *n/pl.* materiales *m/pl.* de construcción.

'**Baum...**: **2bepflanzt** *adj.* arbolado; (*Straße*) alameda *f*; avenida *f*; **~bestand** *m* (*-es*; *⁼e*) arbolado *m*; **~blüte** *f* floración *f* de los árboles; *zeitlich*: época *f* de la floración.

'**Baumeister** *m* arquitecto *m*; constructor *m*; maestro *m* de obras.

'**baumeln** (*-le*) *v/i.* bambolear(se); *mit den Beinen ~* balancear las piernas.

'**bäumen** *v/refl. Pferde*: encabritarse; *sich ~ gegen fig.* rebelarse contra.

'**Baum...**: **~frevel** *m* delito *m* forestal; **~garten** *m* (*-s*; *⁼*) vergel *m*; **~gärtner** *m* arboricultor *m*; **~grille** *f* cigarra *f*; **~harz** *n* (*-es*; *-e*) resina *f*; **~krone** *f* copa *f*; **~kuchen** *m* tarta *f* piramidal; **~kunde** *f* (*0*) dendrología *f*; **2lang** *adj.* F alto como un varal; **~läufer** *m Orn.* pipo *m*; **~laus** *f* (*-*; *⁼e*) pulgón *m*; **~marder** *m* marta *f* común; **~pfahl** *m* (*-es*; *⁼e*) rodrigón *m*; **~säge** *f* sierra *f* de leñador; tronzador *m*; **~schere** *f* podadera *f*; **~schule** *f* vivero *m*; **~stamm** *m* (*-es*; *⁼e*) tronco *m*; **2stark** *adj.* fuerte como un roble; **~stumpf** *m* (*-es*; *⁼e*) cepa *f*, tocón *m*; **~stütze** *f* rodrigón *m*.

'**Baumuster** *n* modelo *m*, tipo *m* de construcción.

'**Baumwoll...**: *in Zssgn mst.* = **2en**; **~baum** *m* (*-es*; *⁼e*) algodonero *m*;

˷**e** *f* algodón *m*; 2**en** *adj.* de algodón; ˷**staude** *f* algodonero *m*.

ˈ**Baum...**: ˷**zucht** *f* (*0*) arboricultura *f*; ˷**züchter** *m* arboricultor *m*.

ˈ**Bau...**: ˷**nummer** *f* (-; -*n*) número *m* de serie; ˷**ordnung** *f* ordenanzas *f*/*pl.* para la edificación; ˷**plan** *m* (-*es*; ⸚*e*) plano *m* de construcción; traza *f*; ˷**platz** *m* (-*es*; ⸚*e*) (*unbebauter*) solar *m*; (*im Bau*) obra *f*; ˷**polizei** *f* (*0*) inspección *f* de edificaciones; ˷**programm** *n* (-*es* -*e*) plan *m* de construcción; proyecto *m* de ejecución de obras; ˷**rat** *m* (-*es*; ⸚*e*) ingeniero-inspector *m* de obras públicas; ˷**sand** *m* (-*es*; *0*) arena *f* para mortero.

ˈ**Bausch** *m* (-*es*; ⸚*e*) *Watte*: tapón *m*; (*Puder*2) borla *f*; ⚕ compresa *f*; tapón *m*; *in* ˷ *und Bogen* F *fig.* en globo, en bloque; a bulto, F a ojo de buen cubero; *in* ˷ *und Bogen kaufen* comprar a ojo *od.* a granel; ˷**ärmel** *m* manga *f* de farol *od.* de jamón; 2**en 1.** *v*/*t.* hinchar, henchir; (*Kleidung*) ahuecar; **2.** *v*/*i. u. refl.* (*Kleidung*) abolsarse; (*sich blähen*) inflarse; 2**ig** *adj.* hinchado, henchido; hueco, ahuecado; holgado.

ˈ**Bau...**: ˷**schule** *f* escuela *f* de arquitectura; ˷**schutt** *m* (-*es*; *0*) escombros *m*/*pl.*, cascotes *m*/*pl.*; ˷**sparkasse** *f* Caja *f* de Ahorros para Construcciones Inmobiliarias; ˷**stein** *m* (-*es*; -*e*) piedra *f* de construcción; sillar *m*; *fig.* contribución *f*; ˷**stelle** *f* → *Bauplatz*; ˷**stil** *m* (-*es*; -*e*) estilo *m* arquitectónico; ˷**stoff** *m* (-*es*; -*e*) material *m* de construcción; ˷**technik** *f* técnica *f* de construcción; ˷**techniker** *m* constructor *m* de obras, técnico *m* de la construcción; ˷**teil** *m* (-*es*; -*e*) (*Glied*) elemento *m bzw.* pieza *f* de construcción; ˷**ten** *m*/*pl.* obras *f*/*pl.*, (*Film*) decorados *m*/*pl.*; edificios *m*/*pl.*; ˷**tischler** *m* carpintero *m* de armar; ˷**trupp** *m* (-*s*; -*s*) equipo *m* de obreros, brigada *f*; ˷**unternehmer** *m* contratista *m* de obras; → *Baufirma*; ˷**vorhaben** *n* proyecto *m* de construcción; (*bei Städten*) plan *m* de urbanización; ˷**vorschriften** *f*/*pl.* reglamento *m* de la edificación; ˷**weise** *f* modo *m* de construcción; estilo *m*; → *Bauart*; ˷**werk** *n* (-*es*; -*e*) edificio *m*; ˷**wesen** *n* (-*s*; *0*) arquitectura *f*; ˷**zeichnung** *f* diseño *m* de construcción.

Bauˈ**xit** *m* (-*s*; -*e*) bauxita *f*.

ˈ**Bayer**(**in** *f*) *m* (-*n*), ˈ**bay**(**e**)**risch** *adj.* bávaro (-a *f*) *m*.

ˈ**Bayern** *n* Baviera *f*.

Baˈ**zillen**|**herd** ⚕ *m* (-*es*; -*e*) foco *m* bacilar; ˷**stamm** ⚕ *m* (-*es*; ⸚*e*) cepa *f* bacilar; ˷**träger** ⚕ *m* portador *m* de bacilos.

Baˈ**zillus** ⚕ *m* (-; *Bazillen*) bacilo *m*, germen *m*.

ˈ**B-Dur** ♪ *n* si *m* bemol mayor.

beˈ**absichtigen** (-) *v*/*t.* intentar, proyectar; proponerse; tener (la) intención *f* (*zu tun* de hacer); estar por; tratar de; → *absichtlich*.

beˈ**acht**|**en** (-) *v*/*t.* atender a, prestar atención *f* a; (*bemerken*) observar, fijarse en; notar, reparar en, advertir; (*befolgen*) observar, seguir; *warnend*: cuidar de; (*berücksichtigen*) tener en cuenta, tener presente, considerar; *nicht* ˷ desatender, hacer caso omiso, pasar por alto; ˷**enswert** *adj.* digno de atención, atendible; ˷**lich** *adj.* apreciable, estimable; considerable; (*bemerkenswert*) notable; 2**ung** *f* atención *f*; (*Berücksichtigung*) consideración *f*; (*Befolgung*) observancia *f*; ˷ *schenken* prestar atención a, hacer caso de; ˷ *verdienen* merecer (ser digno de) atención, ser notable; *unter* ˷ *von Vorschriften*: con sujeción a; *zur* ˷! Advertencia.

beˈ**ackern** (-) *v*/*t.* cultivar (*a. fig.*); *Feld*: labrar, arar.

Beˈ**amte**(**r**) *m* empleado *m* público; (*Staats*2) funcionario *m* público *od.* del Estado; (*Angestellter*) empleado *m*; (*Polizei*2) agente *m*.

Beˈ**amten...**: ˷**beleidigung** *f* desacato *m*; ˷**herrschaft** *f* burocracia *f*; ˷**schaft** *f*, ˷**tum** *n* (-*s*; *0*) funcionarios *m*/*pl.*; ˷**stab** *m* (-*es*; *0*) plantilla *f*.

Beˈ**amtin** *f* funcionaria *f* del Estado; (*Angestellte*) empleada *f*.

beˈ**ängstig**|**en** (-) *v*/*t.* alarmar, inquietar, desasosegar; angustiar, acongojar; ˷**end** *adj.* alarmante; inquietante; *stärker*: angustioso; 2**ung** *f* (*0*) alarma *f*; inquietud *f*, desazón *f*; angustia *f*; miedo *m*.

beˈ**anspruch**|**en** (-) *v*/*t.* (*fordern*) pedir; reclamar, exigir; *alte Rechte*: reivindicar; (*un*)*berechtigt*: pretender; *mit Recht*: tener derecho a; *Mühe, Zeit, Platz*: requerir; (*voraussetzen*) suponer; (*Gebrauch machen von*) hacer uso de; (*ermüden*) cansar, fatigar; ⊕ cargar, esforzar; *es hat mich stark beansprucht* me ha tenido muy atareado; 2**ung** *f* reclamación *f*; pretensión *f*; (*Anstrengung*) esfuerzo *m*; ⊕ carga *f*; (*Spannung*) esfuerzo *m* de tensión; (*Verschleiß*) desgaste *m*; (*Betriebs*2) exigencia *f* de servicio.

beˈ**anstand**|**en** (-*e*-; -) *v*/*t.* objetar a, poner reparo a; reclamar contra; protestar contra; oponerse a; † hacer una reclamación; *Waren*: rechazar, rehusar la aceptación; 2**ung** *f* objeción *f*, reparo *m*; reclamación *f* (*a.* †); ˷*en machen* hacer objeciones; poner reparos.

beˈ**antragen** (-) *v*/*t.* (*vorschlagen*) proponer; *durch Gesuch*: solicitar; ⚖ pedir; *Parl.* presentar una moción.

beˈ**antwort**|**en** (-*e*-; -) *v*/*t.* contestar, responder a; 2**ung** *f* contestación *f*, respuesta *f*; *in* ˷ *gen.* en contestación a.

beˈ**arbeit**|**en** (-*e*-; -) *v*/*t.* trabajar; elaborar; ↗ cultivar; (*formen*) formar, modelar; *Steine*: labrar; *Metall*: trabajar, (*mit dem Hammer*) martillear; (*behandeln*) tratar; (*umarbeiten*) modificar, transformar; (*vollenden*) acabar; ⚗ tratar con; (*erledigen*) concluir; despachar; (*verantwortlich*) estar encargado de; *Akten*: estudiar; *Gesuche*: tramitar; (*ausarbeiten*) elaborar; preparar; † *Kunden*: F trabajar la clientela; ⚖ (*e-n Fall* ˷) diligenciar; *Buch*: revisar; refundir; *für Bühne, Film, Funk*: adaptar; ♪ transcribir; *Thema*: tratar; *j-n* ˷ tratar de persuadir a alg.; (*verprügeln*) golpear, F medir a alg. las costillas; 2**er**(**in** *f*) *m* (*Sach*2) encargado (-a *f*) *m* de sección especial; (*Buch*2) refundidor *m*; *Thea.*: adaptador *m*; 2**ung** *f* trabajo *m*; elaboración *f*; preparación *f*; ↗ cultivo *m*; transformación *f*, modificación *f*; estudio *m*; tramitación *f*; *Buch*: refundición *f*; revisión *f*; *Thea.*: adaptación *f*; ♪ transcripción *f*; ⊕ elaboración *f* mecánica; ⚗ tratamiento *m*; *in* ˷ en vía de ejecución.

Beˈ**arbeitungs**|**verfahren** *n* procedimiento *m* de elaboración; ˷**vorgang** *m* (-*es*; ⸚*e*) proceso *m* de elaboración.

beˈ**argwöhnen** (-) *v*/*t.* sospechar, recelar, desconfiar.

beˈ**aufsichtig**|**en** (-) *v*/*t.* vigilar; custodiar; inspeccionar; (*leiten*) dirigir; (*Kinder*) cuidar; 2**ung** *f* vigilancia *f*; inspección *f*; intervención *f*.

beˈ**auftrag**|**en** (-) *v*/*t.* comisionar; delegar; (*berufen*) nombrar; (*ermächtigen*) autorizar; ⚖ apoderar; *j-n mit et.* ˷ encargar *od.* encomendar a/c. a alg.; 2**te**(**r**) *m* encargado *m*; comisionado *m*; (*Abgeordneter*) delegado *m*; ⚖ (*Bevollmächtigter*) mandatario *m*; 2**ung** *f* comisión *f*; encargo *m*; delegación *f*.

beˈ**bau**|**en** (-) *v*/*t.* ↗ cultivar; ⚠ edificar, construir; *neues Stadtviertel*: urbanizar; *bebaute Fläche* terreno cultivado; *bebautes Gelände* terreno edificado; (*Stadtteil*) zona urbanizada; 2**ung** *f* ↗ cultivo *m*; explotación *f* agrícola; ⚠ edificación *f*, construcciones *f*/*pl.*; urbanización *f*; 2**ungsplan** *m* (-*es*; ⸚*e*) ⚠ plan *m* de urbanización.

ˈ**beben** *v*/*i.* temblar; (*schaudern*) estremecerse; *vor Furcht, Erregung*: temblar (vor de); 2 *n* temblor *m*; estremecimiento *m*; (*Erd*2) temblor *m* de tierra; ˷**d** *adj.* tembloroso; *Stimme*: *a.* trémulo.

beˈ**bildern** (-*re*; -) *v*/*t.* ilustrar, adornar con grabados *m*/*pl.*

beˈ**brillt** *adj.* con gafas.

beˈ**brüten** (-*e*-; -) *v*/*t.* incubar; empollar.

ˈ**Becher** *m* (*Trink*2 *mit Fuß*) copa *f*; (*ohne Fuß*) vaso *m*; (*mit Henkel*) taza *f*; (*Kelch*) cáliz *m* (*a.* ⚘); (*Würfel*2) cubilete *m*; *Bagger*: cangilón *m*; 2**förmig** *adj.* en forma de copa; ˷**glas** ⚗ *n* (-*es*; ⸚*er*) probeta *f*; ˷**kette** *f* cadena *f* de cangilones; 2**n** (-*re*) F *v*/*i.* copear, F empinar el codo; ˷**werk** *n* (-*es*; -*e*) elevador *m* de cangilones; noria *f*.

ˈ**Becken** *n* (*Rasier*2) bacía *f*; (*Tauf*2, *Ausguß*2) pila *f*; (*Wasch*2) jofaina *f*, palangana *f*; (*Fluß*2) cuenca *f*; (*Schwimm*2) piscina *f*; ♪ *n*/*pl.* címbalos *m*/*pl.*; platillos *m*/*pl.*; *Anat.* pelvis *f*; ˷**knochen** *m* hueso *m* iliaco.

beˈ**dachen** (-) *v*/*t.* techar, cubrir.

beˈ**dacht** *adj.* cuidadoso; circunspecto, mirado; ˷ *auf ac.* atento a; *darauf* ˷ *sein ac.* cuidar de; pensar en; *auf alles* ˷ estar (pensar) en todo.

Beˈ**dacht** *m* (-*es*; *0*) (*Überlegung*) reflexión *f*, deliberación *f*; (*Vorsicht*) cuidado *m*, precaución *f*; cautela *f*; (*Rücksicht*) consideración *f*; (*Umsicht*) circunspección *f*; (*Klugheit*) discreción *f*, prudencia *f*; *mit* ~ deliberadamente, ex profeso; *mit* ~ *zu Werke gehen* proceder con minucioso cuidado.

be'dächtig *adj.* (*vorsichtig*) prevenido, precavido; (*überlegt*) deliberado; (*umsichtig*) mirado, circunspecto; (*klug*) discreto, prudente; (*langsam*) lento, mesurado; **2keit** *f* (*0*) → *Bedacht*.

be'dachtsam *adj.* → *bedächtig*; *adv.* con cuidado; prolijamente.

Be'dachung *f* techumbre *f*, tejado *m*.

be'danken (-) *v/refl.* (*sich bei j-m; für et.*) agradecer a/c., dar las gracias (expresar su agradecimiento) a alg. por a/c.; (*ablehnen*) declinar agradecidamente; *iro. dafür bedanke ich mich* ¡muchas gracias, se lo regalo!

Be'darf *m* (*-es; 0*) (*Bedürfnis*) necesidad *f*, falta *f*; † (*Nachfrage*) demanda *f*; (*Erfordernisse*) necesidades *f/pl.*; (*Vorrats2*) provisiones *f/pl.*; (*Verbrauch*) consumo *m*; *Güter des gehobenen* ~*s* artículos *m/pl.* de lujo; productos *m/pl.* de alta calidad; *bei* ~ en caso necesario; *nach* ~ en la medida necesaria, según fuera preciso; discrecionalmente; ~ *haben an* necesitar, precisar; *den* ~ *decken* satisfacer la demanda *od.* las necesidades de; *e-n* ~ *schaffen* crear una necesidad; **~s-artikel** *m* artículo *m* de consumo *od.* de primera necesidad; **~sfall** *m* (*-es; ⸚e*) caso *m* de urgencia; *im* ~*e* en caso de necesidad, si el caso lo requiere; **~shaltestelle** *f* parada *f* discrecional; **~s-träger** *m* consumidor *m*; **~sweckung** *f* (*0*) creación *f* de necesidades.

be'dauerlich *adj.* lamentable, deplorable; F fastidioso; sensible; *es ist sehr* ~ es una gran pena; **~erweise** *adv.* desafortunadamente.

be'dauern (*-re; -*) *v/t.* (con)dolerse de; *j-n* ~ compadecer a, tener lástima de alg.; *et.* ~ sentir, *stärker*: sentir en el alma, lamentar, deplorar a/c.; *ich bedaure sehr, daß* siento (lamento) mucho que; *wir* ~, *sagen zu müssen* sentimos tener que decir; *er ist zu* ~ es digno de lástima; *bedaure!* lo siento mucho; 2 *n* sentimiento *m*; pesar *m*; (*Mitleid*) compasión *f*; (*Anteilnahme*) condolencia *f*, *Beileid*: pésame *m*; *mit* ~ con pesar; con sentimiento; *zu m-m* (*großen*) ~ (bien *od.* muy) a pesar mío; desgraciadamente; **~swert**, **~swürdig** *adj.* (*von Personen*) digno de lástima *od.* de compasión; (*von Sachen*) deplorable, lamentable.

be'deck|en (-) **1.** *v/t.* cubrir (*mit* de, con); *Öffnung*: tapar, cerrar; (*schützen*) abrigar, cobijar; proteger; (*auskleiden*) revestir; *fig.* ocultar; ⚔, ⚓ escoltar; **2.** *v/refl.* cubrirse; *Himmel*: encapotarse, nublarse; *fig. sich mit Ruhm* (*Schande*) ~ cubrirse de gloria (oprobio); **~t** *adj.* cubierto, tapado; *fig.* oculto; *Himmel*: encapotado; **2ung** *f* cubierta *f*, cobertura *f*; *Deckel*: tapa *f*, cobertera *f*; *Schutz*: abrigo *m*; ⚔, ⚓ escolta *f*; *Astr.* ocultación *f*.

be'denken (*L*; -) **1.** *v/t.* pensar (*ac. od.* en); (*erwägen*) considerar; (*überlegen*) reflexionar sobre, meditar; (*beachten*) tener presente *od.* en cuenta, hacerse cargo de; (*vorher* ~) premeditar; *die Folgen* ~ considerar las consecuencias; *wenn man sein Alter bedenkt* si consideramos su edad; *wenn man es recht bedenkt* considerándolo *od.* mirándolo bien; *j-n mit et.* ~ agraciar a alg. con a/c.; *j-n in seinem Testament* ~ legar a/c. a alg.; **2.** *v/refl.* reflexionar, meditar; (*zögern*) vacilar; *sich anders* ~ cambiar de opinión, mudar de parecer; 2 *n* (*Erwägung*) consideración *f*; (*Überlegung*) reflexión *f*, meditación *f*; (*Einwand*) reparo *m*; (*Zweifel*) duda *f*; (*Gewissens*~) escrúpulo *m*; (*Schwierigkeit*) inconveniente *m*, dificultad *f*; (*Befürchtung*) desconfianza *f*, recelo *m*; *keine* ~ *haben* no vacilar en; no ver inconveniente en; *ohne* ~ sin vacilación; ~ *erregen* despertar sospechas; *es bestehen* ~ hay dudas; **~los** *adj.* sin escrúpulos; irreflexivo.

be'denklich *adj.* (*unentschlossen*) irresoluto; (*Zweifel erregend*) dudoso; (*Mißtrauen erregend*) sospechoso; (*ernst*) grave, serio, inquietante; (*mißlich*) crítico; (*gefährlich*) peligroso; (*gewagt*) arriesgado; (*heikel*) delicado; **2keit** *f* irresolución *f*; *Lage usw.*: gravedad *f* (*de la situación*).

Be'denkzeit *f* plazo *m* para reflexionar *od.* pensar (*od.* decidirse a) a/c.

be'deut|en (*-e-; -*) *v/t.* (*besagen*) significar, querer decir; (*in sich schließen*) implicar, suponer; (*gleichkommen*) equivaler a; (*kennzeichnen*) representar, denotar; (*wichtig sein*) importar; (*vorbedeuten*) presagiar; (*ankündigen*) anunciar; (*andeuten*) indicar, sugerir; (*zu verstehen geben*) dar a entender; *sie bedeutet mir alles* ella lo es todo para mí; *was soll denn das* ~? ¿qué quiere decir eso? P ¿con qué se come eso?; *es hat nichts zu* ~ no tiene importancia; *das hat et. zu* ~ F *fig.* aquí hay gato encerrado; **~end** *adj.* (*wichtig*) importante, de importancia; (*beträchtlich*) considerable; (*hervorragend*) distinguido; eminente, prestigioso; (*bemerkenswert*) notable; **~sam** *adj.* significativo; (*bezeichnend*) sintomático; (*wichtig*) importante; (*weittragend*) trascendente; **2samkeit** *f* (*0*) importancia *f*; trascendencia *f*.

Be'deutung *f* (*Sinn*) significado *m*, significación *f*; *e-s Wortes*: *a.* acepción *f*; sentido *m* (*wörtliche*: literal, *eigentliche*: propio, *bildliche*: figurado); (*Wichtigkeit*) importancia *f*; (*Tragweite*) trascendencia *f*; (*Vorbedeutung*) presagio *m*, augurio *m*; *von* ~ de consideración, de importancia; ~ *beimessen* atribuir importancia; *nichts von* ~ carece de (no tiene) importancia; **2slos** *adj.* insignificante, sin importancia; (*ohne Sinn*) carente de (*od.* sin) sentido; **2svoll** *adj.* significativo; muy importante; (*von Tragweite*) trascendental; **~swandel** *Gr. m* evolución *f* semántica.

be'dien|en (-) *v/t.* servir; *bei Tisch*: servir a la mesa; † atender, despachar; ⊕ manejar; hacer funcionar, maniobrar; atender; ⚔ *Geschütz*: servir; *sich* ~ *bei Tisch*: servirse; *sich e-r Sache* ~ servirse (hacer uso) de; valerse de; ~ *Sie sich!* ¡sírvase usted!; *Karten*: (*Farbe*) ~ asistir, seguir el palo, *nicht* ~ fallar; **2stete(r** *m*) *m/f* (*Angestellter*) empleado (-a *f*) *m*; *die* ~*n* (*Hauspersonal*) el personal de servicio; **2te(r)** *m* criado *m*, sirviente *m*; (*Lakai*) lacayo *m*; **2tenseele** *f* espíritu *m* servil *od.* lacayuno; V lameculos *m*.

Be'dienung *f* servicio *m* (*a.* ⚔); (*Dienerschaft*) servidumbre *f*, criados *m/pl.*; *im Gasthaus usw.*: servicio *m*; (*Person*) camarero (-a *f*) *m*; ⊕ servicio *m*, manejo *m*; maniobra *f*; (*Wartung*) entretenimiento *m*; **~s-anleitung** *f*, **~s-anweisung** *f* instrucciones *f/pl.* para el servicio *bzw.* manejo *od.* uso; **~shebel** *m* palanca *f* de maniobra; **~sknopf** *m* (*-es; ⸚e*) pulsador *m* de maniobra, botón *m* de mando; **~smann** ⊕ *m* (*-es; ⸚er*) operario *m*; **~smannschaft** *f* ⊕ equipo *m* de operarios; ⚔ equipo *m* de servicio; **~s-pult** *n* (*-es; -e*) pupitre *m* de mando; **~s-stand** *m* (*-es; ⸚e*) puesto *m* de mando; **~svorschrift** *f* → *Bedienungsanleitung*.

be'ding|en (-) *v/t.* condicionar; (*erfordern*) requerir; (*voraussetzen*) presuponer; (*in sich schließen*) implicar, incluir; (*verursachen*) causar, producir, motivar, ocasionar; → *aus*~; **~t I.** *adj.* condicionado; condicional; (*abhängig*) dependiente; (*beschränkt*) limitado; ⚖ ~*e Freilassung* libertad condicional; ~ *sein durch* obedecer a, ser motivado por; depender de; estar condicionado por; **II.** *adv.* con reservas; con restricciones; condicionalmente; **2theit** *f* (*0*) condicionalidad *f*; limitación *f*; relatividad *f*.

Be'dingung *f* condición *f*; (*Vertrags2*) estipulación *f*, cláusula *f*; (*Anforderung*) requisito *m*; (*Verhältnisse*) condiciones *f/pl.*; (*Einschränkung*) restricción *f*, limitación *f*; ~*en stellen* poner *bzw.* imponer condiciones; *es zur* ~ *machen* poner por condición; *unter der* ~, *daß* con la condición de que, con tal que, siempre que, a condición de que (*alle subj.*); † *unter günstigen* ~*en* en ventajosas condiciones; *unter keiner* ~ de ningún modo; **2slos** *adj.* incondicional; **~ssatz** *Gr. m* (*-es; ⸚e*) cláusula *f* condicional; **2sweise** *adv.* condicionalmente.

be'dräng|en (-) *v/t.* acosar, apremiar; (*mit Bitten, Fragen*) asediar; (*quälen*) vejar, oprimir; estrechar; *in bedrängter Lage* en situación apurada, en un apuro; **2nis** *f* (*-; -se*) (*seelische*) aflicción *f*, tribulación *f*; (*Druck*) opresión *f*; estrechez *f*; (*Notlage*) apuro *m*, aprieto *m*, conflicto *m*.

be'droh|en (-) *v/t.* amenazar; (*mit Strafe*) conminar; **~lich** *adj.* amenazador, amenazante; **2ung** *f* amenaza *f*; conminación *f*.

be'druck|en (-) *v/t.* imprimir sobre;

Tuch: estampar; *bedruckt* impreso; estampado.

be'drück|en (-) *v/t.* oprimir, vejar; (*seelisch*) atribular, afligir; (*Sorge*) agobiar; **~end** *adj.* opresor, opresivo, vejatorio; agobiador; **~t** *adj.* oprimido; atribulado, abatido; **2ung** *f* opresión *f*; vejación *f*; agobio *m*; (*seelisch*) tribulación *f*.

be'dürf|en (*L*; -) *v/t. u. v/i.* necesitar, requerir, tener necesidad *f* de; (*nicht besitzen*) carecer de; *es bedarf großer Anstrengungen* requiere grandes esfuerzos; **2nis** *n* (*-ses*; *-se*) necesidad *f*; (*Erfordernis*) exigencia *f*; ✝ (*Nachfrage*) demanda *f*; *die dringendsten ~se des Lebens* las necesidades más vitales; *(s)ein ~ verrichten* hacer una (sus) necesidad(es), hacer aguas; *ich habe das ~ zu* tengo el deseo de; **2nis-anstalt** *f* urinario *m* público, evacuatorio *m*; retrete *m*; **~nislos** *adj.* sin necesidades; (*bescheiden*) modesto, sin pretensiones; (*im Essen und Trinken*) sobrio, frugal; **2nislosigkeit** *f* (*0*) ausencia *f* de necesidades; modestia *f*; sobriedad *f*, frugalidad *f*.

be'dürftig *adj.* necesitado, menesteroso, indigente; pobre; *e-r Sache*: tener necesidad de; **2keit** *f* (*0*) necesidad *f*, indigencia *f*; pobreza *f*.

'Beefsteak *n* (*-s*; *-s*) bistec *m*; *deutsches ~* bistec a la alemana.

be'ehren (-) *v/t.* honrar; ✝ *mit Aufträgen*: favorecer (*mit* con); *ich beehre mich zu inf.* tengo el honor de *inf.*; *er beehrte mich mit seinem Besuch* me honró con su visita, me hizo el honor de su visita.

be'eidig|en (-) *v/t. et.*: afirmar bajo juramento *m*; ⚖ *beeidigte Aussage* declaración bajo juramento; **2ung** *f* (confirmación *f* por) juramento *m*; toma *f bzw.* prestación *f* de juramento.

be'eilen (-) *v/t.* (*Schritte*) apresurar (*el paso*); *sich ~* apresurarse (*zu inf.* a); *beeil dich!* ¡date prisa!

be'eindruck|en (-) *v/t.* impresionar, causar impresión *f*; **~bar** *adj.* impresionable.

be'einfluss|en (*-ßt*; -) *v/t.* influir, ejercer influencia *f* sobre; **2ung** *f* influencia *f*, influjo *m*; ⚖ *Beeinflussungsfragen* preguntas capciosas (*a un testigo*); *Radio*: (*Störung*) interferencia *f*; *gegenseitige ~* influjo mutuo.

be'einträchtig|en (-) *v/t.* (*behindern*) estorbar, embarazar; (*Abbruch tun*) dañar, perjudicar; (*schmälern*) mermar, menoscabar; (*verkleinern*) reducir; **2ung** *f* perjuicio *m*; estorbo *m*; merma *f*, menoscabo *m*, reducción *f*.

be'end(ig)|en (-) *v/t.* acabar, terminar; concluir, finalizar; ultimar; rematar; llevar a cabo; **2ung** *f* término *m*; conclusión *f*; ultimación *f*; remate *m*.

be'eng|en (-) *v/t.* estrechar, apretar; (*beklemmen*) oprimir; *fig.* cohibir; reducir; *sich beengt fühlen* sentirse incómodo; **2theit** *f* (*0*) estrechez *f*; **2ung** *f* estrechamiento *m*; opresión *f*; estrechez *f*; situación *f* incómoda *od.* apretada.

be'erben (-) *v/t. j-n ~* heredar los bienes de alg.; ser heredero de alg.

be'erdig|en (-) *v/t.* enterrar, inhumar; sepultar; **2ung** *f* entierro *m*; inhumación *f*, enterramiento *m*; sepelio *m*; sepultura *f*.

Be'erdigungs...: **~institut** *n* (*-es*; *-e*) funeraria *f*, empresa *f* de pompas fúnebres; **~kosten** *pl.* gastos *m/pl.* de entierro; **~unternehmer** *m* empresario *m* de pompas fúnebres.

'Beere ♀ *f* baya *f*; (*Wein2*) grano *m*; **~n-obst** *n* (*-es*; *0*) fruta *f* de baya, bayas *f/pl.*; **~nsaft** *m* (*-es*; *⸚e*) zumo *m* de bayas.

Beet ⚘ *n* (*-es*; *-e*) bancal *m*; era *f*, cuadro *m*; (*Blumen2*) arriate *m*; (*Rabatte*) tabla *f*.

be'fähig|en (-) *v/t.* habilitar, capacitar (*zu* para); facultar, autorizar; **~t** *adj.* apto, idóneo (*zu, für* para), capaz de; facultado; capacitado (*zu* para); (*begabt*) de talento; **2ung** *f* (*Handlung*) habilitación *f*; (*Eigenschaft*) aptitud *f*, idoneidad *f*; capacidad *f*; facultad *f*; autorización *f*; (*Begabung*) talento *m*; (*Geschick*) habilidad *f*; (*Leistungsfähigkeit*) eficacia *f*; (*Zuständigkeit*) competencia *f*; **2ungsnachweis** *m* certificado *m* de aptitud.

be'fahl *pret. von befehlen.*

be'fahr|bar *adj.* transitable; (*Fluß*) navegable; *nicht ~* intransitable, ⚓ no navegable; **~en** (*L*; -) *v/t.* (*Wege*) pasar por (*en un vehículo*); ⚓ navegar por; (*Straßen*) transitar por; circular por; ⚒ (*Schacht*) bajar por (*un pozo de mina*); *eine sehr ~e Straße* una carretera (*od.* calle) de mucho tráfico.

be'fallen (*L*; -) *v/t.* acometer, hacer presa *f* en; (*unvermutet*) sobrecoger, sorprender; (*Furcht*, *Zweifel*) asaltar; *Krankheit*: atacar; afectar; (*Insekten*) infestar; *von Schrecken ~* presa del pánico.

be'fangen *adj.* (*schüchtern*) apocado, encogido, tímido; (*verwirrt*) confuso; perplejo; desconcertado; (*parteiisch*) parcial; (*voreingenommen*) predispuesto contra; ⚖ interesado (*en una causa*); *für ~ erklären* ⚖ inhibir; **2heit** *f* (*0*) apocamiento *m*, encogimiento *m*; timidez *f*, cortedad *f*; confusión *f*; perplejidad *f*; desconcierto *m*; parcialidad *f*; ⚖ *wegen ~ ablehnen* recusar por presunta parcialidad.

be'fassen (*-ßt*; -) *v/t.* tocar, palpar; *fig. sich ~ mit* ocuparse en; dedicarse a; tratar de; (*prüfend*) estudiar, examinar, considerar.

be'fehden (*-e-*; -) *v/t.* hostilizar, hacer la guerra a alg.; *fig.* atacar; *sich ~* hacerse la guerra, F andar a la greña.

Be'fehl *m* (*-es*; *-e*) orden *f*; mandato *m*; disposición *f*; ⚔ mando *m*; ⚖ mandamiento *m*; orden *f*; *~ geben zu* dar orden de; *auf ~ von* por orden de; *auf höheren ~* por orden superior; *bis auf weiteren ~* hasta nueva orden; *den ~ haben zu inf.* tener orden de; *den ~ übernehmen* asumir el mando; *zu ~!* ¡a la orden!; *~ ist ~* F quien manda, manda; **2en** (*L*; -) *v/t.* mandar, ordenar; (*vorschreiben*) prescribir; (*verfügen*) disponer, decretar; (*anempfehlen*) encomendar; *s-e Seele Gott ~* encomendar su alma a Dios; *ich lasse mir von ihm nichts ~* no admito órdenes de él; *wie Sie ~* como usted mande; **2end** *adj.* imperativo, imperioso; **2erisch** *adj.* imperioso; autoritario, F mandón; **2igen** (-) *v/t.* ⚔ mandar; acaudillar; capitanear.

Be'fehls...: **~bereich** *m* (*-es*; *-e*) zona *f* de mando; **~form** *f Gr.* (*modo*) imperativo *m*; **2gemäß** *adv.* de acuerdo con las órdenes, según las instrucciones; **~gewalt** *f* (*0*) mando *m*; **~haber** *m* comandante *m*, jefe *m*; → *Kommandeur*; **2haberisch** *adj.* imperioso; dominante, F mandón; **~stand** *m* (*-es*; *⸚e*), **~stelle** *f* puesto *m* de mando; **~übermittlung** *f* transmisión *f* de órdenes; **~verweigerung** *f* desobediencia *f* a una orden; **2widrig** *adj.* contrario a las órdenes.

be'festig|en (-) *v/t. allg.* fijar (*an dat.* en); *mit Nägeln*, *Klammern*: sujetar, fijar, afianzar, asegurar; *mit Tauen*: amarrar; *mit Stricken*: atar; (*aneinander*) acoplar; ⚔ fortificar; *fig.* fortalecer, *Beziehungen*: estrechar; ✝ *sich ~ Kurs, Preise*: consolidarse; **2ung** *f* sujeción *f*, fijación *f* (*a.* ⊕), afianzamiento *m*; ⚔ fortificación *f*; *fig.* fortalecimiento *m*; ✝ consolidación *f*; **2ungsanlagen** *f/pl.*, **2ungswerke** *n/pl.* ⚔ obras *f/pl.* de fortificación; **2ungsschraube** ⊕ *f* tornillo *m* de sujeción.

be'feucht|en (*-e-*; -) *v/t.* mojar, humedecer, humectar; (*begießen*) regar; (*Wäsche*) rociar; **2ung** *f* humectación *f*; mojadura *f*.

Be'feuerung ✈ *f* iluminación *f*, balizamiento *m* luminoso.

Beffchen *n* alzacuello *m*.

be'fieder|n (*-re*; -) *v/t.* emplumecer; **~t** *adj.* plumado, plumífero.

be'finden (*L*; -) **1.** *v/t.*: *für gut ~* tener a bien, aprobar; *sich ~* (*örtlich*) hallarse, encontrarse; *in e-r Liste*: figurar; (*gesundheitlich*) estar, sentirse; *sich wohl* (*nicht wohl*) *~* sentirse bien (mal); *wie ~ Sie sich?* ¿cómo está *bzw.* sigue usted?; **2.** *v/i. ~ in* (*dat.*) *od. über* (*ac.*) decidir; ⚖ entender en una causa; **2** *n* (*Gesundheitszustand*) estado *m* de salud; (*Allgemein2*) ⚕ estado *m* general; (*Meinung*) parecer *m*, opinión *f*; *sich nach j-s ~ erkundigen* preguntar por la salud de alg.

be'findlich *adj.* (*gelegen*) situado, sito, *Am.* ubicado; existente en.

be'flaggen (-) *v/t.* (*Schiff*) empavesar; engalanar con banderas *f/pl.*

be'fleck|en (-) *v/t.* manchar; (*beschmutzen*) ensuciar; (*bespritzen*) salpicar; *fig.* (*entweihen*) profanar; *fig.* (*Ehre*, *Ruf*) mancillar; *mit Blut befleckt* ensangrentado; **2ung** *f* mancha *f*; (*der Ehre, des Rufes*) *fig.* mancilla *f*; *fig.* (*Entweihung*) profanación *f*.

be'fleißigen (-) *v/refl. sich ~* aplicarse a, dedicarse ahincadamente a; esforzarse en; *fig.* consagrarse a.

be'fliegen (*L*; -) *v/t.* explotar una línea; *Strecken ~* volar rutas.

be'flissen *adj.* dedicado a; *fig.* consagrado a; (*fleißig*) aplicado, estudioso, diligente; **2e(r)** *m* (*Medizin2*, *Rechts2*) estudiante *m* (*de medicina*, *de derecho*); **2heit** *f* (*0*) aplicación *f*, estudio *m*, diligencia *f*; (*Eifer*) celo *m*, empeño *m*.

be'flügel|n (*-le*; -) *v/t*. dar alas *f/pl*. a; (*Schritte*) acelerar, avivar, aligerar (*el paso*); *fig*. inspirar; *es beflügelte seine Phantasie* dio alas a su imaginación; **~t** *adj*. alado; *Poes*. alígero.

be'fohlen *p/p*. *von befehlen*.

be'folg|en (-) *v/t*. *Ratschläge*: seguir; *Gebot*, *Gesetz*: obedecer, observar; *Vorschrift*: cumplir; (*durchführen*) ejecutar; **2ung** *f* (*gen*.) cumplimiento *m* (de); ejecución *f* (de); obediencia *f* (a); observancia *f* (de).

be'förder|n (-) *v/t*. transportar; (*Güter*) *a*. acarrear; (*versenden*) expedir, enviar; despachar; (*Telegramm*) transmitir; (*beschleunigen*) acelerar; *fig*. (*fördern*) fomentar, favorecer, propulsar; proteger; *im Amt od. Rang*: ascender, promover; F *j-n hinaus~* echar con cajas destempladas a alg.; → *Jenseits*; **2ung** *f* transporte *m*; acarreo *m*; (*Versand*) expedición *f*, envío *m*; despacho *m*; (*Telegramm*) transmisión *f*; (*Förderung*) fomento *m*; protección *f*; *im Rang*: ascenso *m*, promoción *f*; (*Beschleunigung*) aceleración *f*.

Be'förderungs...: **~art** *f* clase *f* de transporte; **~gebühr** *f* (*Post*) tarifa *f* de franqueo; **~kosten** *pl*. gastos *m/pl*. de transporte; **~liste** *f* (*Rangliste*) escalafón *m*; **~mittel** *n* medio *m* de transporte *od*. locomoción; **~schein** *m* (*-es*; *-e*) guía *f*; **~tarif** *m* (*-es*; *-e*) 🚂 tarifa *f* de transporte ferroviario.

be'fracht|en (*-e-*; -) *v/t*. (*beladen*) cargar; ⚓ fletar; **2er** *m* cargador *m*; fletador *m*; **2ung** *f* carga *f*, cargamento *m*; fletamento *m*; **2ungsbrief** *m* (*-es*; *-e*) póliza *f* de fletamento; **2ungsvertrag** *m* (*-es*; *"e*) carta *f* de fletamento.

be'frackt *adj*. vestido de frac.

be'frag|en (-) *v/t*. (*ausfragen*) preguntar (*wegen*, *nach* por); *die Öffentlichkeit*: hacer una encuesta; (*verhören*) interrogar; (*sich wenden an*) consultar; interpelar; **2ung** *f* pregunta *f*; consulta *f*; ⚖ interrogatorio *m*; *des Publikums*: encuesta *f*; (*Volks2*) plebiscito *m*, referéndum *m*.

be'frei|en (-) **1.** *v/t*. (*Land usw*.) liberar; (*freilassen*) libertar, poner en libertad *f*, soltar; (*Sklaven*) manumitir, emancipar (*a. fig*.), redimir; (*gegen Lösegeld*) rescatar; (*retten*) salvar; *von e-r Verpflichtung*: eximir, dispensar; *von e-r Arbeit*: excusar; *von e-r Sorge*: librar; *von Hemmnissen*: desembarazar; *von e-r Last*: exonerar (*a. fig*.); **2.** *v/refl*. librarse (*von* de); (*aus Schwierigkeiten*) desembarazarse; zafarse; **2er** (**-in** *f*) *m* libertador(a *f*) *m*; **~t** *adj*. *von Steuern*, *Wehrdienst usw*.: exento; **2ung** *f* liberación *f*; exención *f*; (*e-s Sklaven*) manumisión *f*, emancipación *f*; dispensa *f*; **2ungskrieg** *m* (*-es*; *-e*) guerra *f* de independencia (*od*. de liberación).

be'fremd|en (*-e-*; -) *v/t*. sorprender; extrañar, F *fig*. chocar; *es ~et mich* me extraña (parece extraño), F me choca; me sorprende; **2en** *n* sorpresa *f*; extrañeza *f*; **~end**, **~lich** *adj*. extraño, raro, F chocante; sorprendente; paradójico; insólito.

be'freund|en (*-e-*; -) *v/refl*. *sich mit j-m ~* trabar amistad con alg., hacerse amigo de alg.; *sich mit et. ~* familiarizarse con a/c.; **~et** *adj*. *~ mit* amigo de, en amistosas relaciones con; *eng ~ mit* (ser) íntimo amigo de; *e-e ~e Nation* una nación amiga; *wir sind eng ~* somos amigos íntimos.

be'frieden (*-e-*; -) *v/t*. pacificar.

be'friedig|en (-) *v/t*. satisfacer (*a*. *Begierden*, *Bedürfnisse*, ✝ *Nachfrage*); (*zufriedenstellen*) contentar, complacer; *Hunger*: saciar; *Gläubiger*: reintegrar; (*beruhigen*) aplacar, mitigar, calmar; *schwer zu ~* difícil de contentar; **~end** *adj*. satisfactorio; *~ ausfallen* dar resultado satisfactorio; **2ung** *f* satisfacción *f*; (*Zufriedenheit*) complacencia *f*; contentamiento *m*; *von Ansprüchen*: arreglo *m*; → *Zufriedenheit*.

Be'friedung *f* pacificación *f*.

be'frist|en (*-e-*; -) *v/t*. limitar (*un tiempo*), fijar un plazo para; ✝ *Wechsel*: prorrogar el plazo de vencimiento; **~et** *adj*. a plazo fijo, con plazo señalado; **2ung** *f* fijación *f* de un plazo.

be'frucht|en (*-e-*; -) *v/t*. *Biol*. fecundar; ✓ fecundizar, fertilizar; ⚘ fructificar; **2ung** *f* fecundación *f*; fertilización *f*; fructificación *f*; (*Empfängnis*) concepción *f*; *künstliche ~* (*e-r Pflanze*) polinización artificial; (*bei Tieren*, *Menschen*) inseminación artificial.

be'fug|en (-) *v/t*. autorizar, facultar; **2nis** *f* (*-*; *-se*) (*Ermächtigung*) autorización *f*; facultad *f*; (*Recht*) derecho *m*; (*Vollmacht*) poder *m*; (*Erlaubnis*) permiso *m*; (*Zuständigkeit*) competencia *f*; atribución *f*; jurisdicción *f*; *j-m ~ erteilen* autorizar *od*. facultar a alg. (*zu inf*. para); **~t** *adj*. autorizado, facultado (*zu* para); (*zuständig*) competente (para); *er ist dazu nicht ~* no tiene derecho (*bzw*. no está autorizado) a hacer eso.

be'fühlen (-) *v/t*. tentar, tocar, palpar; manosear.

Be'fund *m* (*-es*; *-e*) (*Zustand*) estado *m*, condición *f*; (*festgestelltes Ergebnis*) resultado *m*; comprobación *f*; (*Gutachten*) informe *m*, dictamen *m*; ⚕ hallazgo *m*, diagnóstico *m*; *physikalischer ~* signos físicos; (*je*) *nach ~* según las circunstancias.

be'fürcht|en (*-e-*; -) *v/t*. temer, recelar(se); (*vermuten*) sospechar; *das Schlimmste ist zu ~* debemos estar preparados para lo peor; es *ist nicht zu ~*, *daß* no es de temer que, no hay temor de que (*subj*.); **2ung** *f* temor *m*, recelo *m*; (*Argwohn*) sospecha *f*.

be'fürwort|en (*-e-*; -) *v/t*. (*eintreten für*) recomendar; abogar por, interceder (*en favor de*); (*unterstützen*) apoyar; (*begünstigen*) favorecer; patrocinar; **2er(in** *f*) *m* recomendante *m/f*; patrocinador(a *f*) *m*; **2ung** *f* recomendación *f*; apoyo *m*.

be'gab|en (-) *v/t*.: *~ mit* dotar, proveer de; **~t** *adj*. inteligente; de talento, talentoso; hábil(idoso); de altas dotes; (*Schüler*) aventajado, (*hoch~*) superdotado; **2ung** *f* talento *m*; capacidad *f*; inteligencia *f*; aptitud *f*, habilidad *f* (*für* para); *natürliche ~* don natural.

be'gaffen (-) *v/t*. mirar boquiabierto.

be'gann *pret*. *von beginnen*.

be'gatt|en (*-e-*; -) *v/t*. (*a*. *sich ~*) copularse, juntarse carnalmente; *Orn*. aparearse; **2ung** *f* coito *m*, cópula *f*, acto *m* (*od*. ayuntamiento *m*) carnal; *Orn*. apareamiento *m*; **2ungsorgane** *n/pl*. órganos *m/pl*. sexuales, aparato *m* genital.

be'gaunern (*-re*; -) *v/t*. estafar, engañar, F timar, dar el timo.

be'gebbar ✝ *adj*. (*verkäuflich*) negociable; (*übertragbar*) transferible; (*börsenfähig*) negociable en bolsa; **2keit** *f* negociabilidad *f*.

be'geb|en (*L*; -) **1.** *v/refl*. (*gehen*) ir, dirigirse, trasladarse (*nach*, *zu* a); *zu j-m*, *s-m Regiment usw*.: presentarse a; *sich an die Arbeit ~* ir a trabajar; *sich auf die Flucht ~* darse a la fuga; *sich auf die Reise ~* salir (de viaje) para; *sich in Gefahr ~* exponerse a un peligro; *sich zur Ruhe ~* retirarse a descansar, ir a acostarse; (*sich ereignen*) ocurrir, suceder, pasar; *Liter*. acontecer, acaecer; *sich e-r Sache ~* renunciar a; desistir de; *sich e-s Rechtes ~* renunciar a un derecho; **2.** *v/t*. ✝ *Anleihen*: emitir; *Wechsel*: negociar; *durch Giro*: endosar; *Waren*: vender; **2enheit** *f*, **2nis** *n* (*-ses*; *-se*) suceso *m*; acontecimiento *m*, acaecimiento *m*; aventura *f*, evento *m*; **2ung** ✝ *f* negociación *f*; endoso *m*; *e-r Anleihe*: emisión *f*; **2ungsvermerk** ✝ *m* (*-es*; *-e*) transferencia *f*, endoso *m* (de negociación).

be'gegn|en (*-e-*; -) *v/i*. (*dat*.) (*treffen*) *j-m ~* encontrar (*ac*.); *zufällig*: topar con, dar con, tropezar con; F chocar con; (*einander*) encontrarse; (*entgegentreten*) contrarrestar, combatir; (*reagieren*) *~ mit* contestar con; (*zustoßen*) suceder; (*vorbeugen*) prevenir, precaver (*ac*.); *j-m freundlich* (*grob*) *~* acoger amistosamente (con malos modos) a alg.; *unsere Wünsche ~ sich* nuestros deseos concuerdan; **2ung** *f* encuentro *m*; (*Zusammenkunft*) entrevista *f*; reunión *f*.

be'gehen (*L*; -) *v/t*. (*Weg*) recorrer; *häufig*: frecuentar; (*feiern*) celebrar; conmemorar; festejar; (*Feiertag einhalten*) observar, guardar; *Fehler*: hacer, cometer; *Unrecht*: cometer (*una injusticia*); *Verbrechen*: perpetrar, cometer.

Be'gehr *m* (*n*) (*-s*; *0*) *Gesuch*: petición *f*; (*Wunsch*) deseo *m*, gana(s) *f* (*pl*.); anhelo *m*; **2en** (-) *v/t*. *u*. *v/i*.: *et. von j-m ~* solicitar a/c. de alg.; (*fordern*) pedir, solicitar, *laut*: clamar por; (*wünschen*) desear; apetecer; (*gierig*, *neidisch*) codiciar; (*sich sehnen nach*) anhelar, ansiar; *Bibel*: *du sollst nicht ~* no codiciarás ...; *es ist sehr begehrt* ✝ es muy solicitado, hay mucha demanda por; **2enswert** *adj.* deseable; apetecible; codiciable; **2lich** *adj.* (*anspruchsvoll*) exigente; (*habgierig*) codicioso; (*heftig wünschend*) ansioso, anhelante; (*lüstern*) ávido; **~lichkeit** *f* (*0*) codicia *f*; avidez *f*; concupiscencia *f*.

Be'gehung *f* (*von Wegen*) recorrido *m*; *e-r Feier*: celebración *f*; conmemoración *f*; *e-s Verbrechens*: comisión *f*, perpetración *f*.

be'geifern (-) *v/t.* manchar de baba *f*; *fig.* calumniar, difamar; denigrar.

be'geister|n (*-re*; -) *v/t. u. v/refl.* entusiasmar(se), apasionar(se); *das Publikum*: *a.* electrizar, enardecer; (*Dichter*) inspirar; *sich ~ an* (*dat.*) inspirarse en; extasiar(se); **~nd** *adj.* apasionante; enardecedor; **~t** *adj.* entusiástico; (*leidenschaftlich*) apasionado, fervoroso, entusiasta; (*Dichter*) inspirado; *~ für* lleno de entusiasmo por; *für die Fliegerei ~* entusiasta de la aviación; *für den Fußball ~* apasionado por el fútbol; *er war ~ von dem Plan* estaba entusiasmado con el proyecto; **2ung** *f* entusiasmo *m*, pasión *f* (*für* por); exaltación *f*; éxtasis *m*; embeles(amient)o *m*; *dichterische ~* inspiración *f*, estro *m* poético, *fig.* plectro *m*; *ein Sturm der ~* un entusiasmo delirante.

Be'gier, ~de *f* deseo *m*, gana(s) *f* (*pl.*) (*nach* de); *Gelüste*: apetito *m*, apetencia *f*; (*fleischliche ~*) apetito *m* carnal, concupiscencia *f*; *Sehnsucht*: anhelo *m*, ansia *f* (*nach* de); *Lüsternheit*: avidez *f*; *Habgier*: codicia *f*; *heftige ~* deseo vehemente; **2ig** *adj.* (*nach, auf* de) deseoso, ganoso; (*lüstern*) ávido; (*habgierig*) codicioso; (*bedacht auf*) ansioso de, impaciente por; *ich bin ~, wie er es machen wird* estoy curioso por ver cómo lo hace; *ich bin ~ zu erfahren* tengo curiosidad por saber.

be'gießen (*L*; -) *v/t.* regar; rociar; F (*feiern*) celebrar, F *fig.* mojar.

Be'ginn *m* (*-es*; *0*) comienzo *m*, principio *m*; iniciación *f*; *Kurs, Verhandlung*: apertura *f*; → *Anfang*; **2en** *v/t. u. v/i.* empezar, comenzar, principiar (*zu* a; *mit* con *od.* por); ⚖ incoar; (*unternehmen*) emprender; (*den Anfang machen*) iniciar; → *anfangen*; **~en** *n* (*Unterfangen*) empresa *f*; **2end** *adj.* ⚕ incipiente; inicial.

be'glaubig|en (-) *v/t.* (*bekräftigen*) confirmar; testimoniar, atestiguar, testificar, dar fe *f* de; autenticar; autorizar; (*gegenzeichnen*) refrendar; (*bescheinigen*) certificar; ⚖ (*notariell*) legalizar; *e-n Gesandten*: acreditar (*bei* cerca de); **~t** *adj.* certificado; ⚖ legalizado; *~e Abschrift* (*notariell*) copia legalizada; (*amtlich*) copia certificada; **2ung** *f* confirmación *f*; testimonio *m*; (*amtlich*) certificación *f*; ⚖ legalización *f*; (*Gegenzeichnung*) refrendo *m*; *zur ~ dessen* ⚖ en fe de lo cual; para que conste; **2ungsschreiben** *n* cartas *f/pl* credenciales (*überreichen* presentar).

be'gleich|en (*L*; -) ☿ *v/i.* (*Rechnung*) pagar, abonar, satisfacer; arreglar, saldar; **2ung** *f* pago *m*; arreglo *m*.

Be'gleit...: ~adresse *f* boletín *m* de expedición; **~dame** *f* señora *f* de compañía, F *fig.* carabina *f*; **~brief** *m* (*-es*; *-e*) carta *f* de remisión; **2en** (*-e-*; -) *v/t.* acompañar (*a.* ♪), (*führen*) conducir; (*schützend geleiten*) ⚔, ⚓ escoltar, convoyar; *j-n heim~, zur Bahn usw. ~* acompañar a alg. a casa, a la estación *etc.*; **~er** (**-in** *f*) *m* acompañante *m/f* (*a.* ♪); (*Gefährte*) compañero (-a *f*) *m*; *Astr.* satélite *m*; **~erscheinung** ⚕ *f* síntoma *m* concomitante; fenómeno *m* secundario; **~flugzeug** *n* (*-es*; *-e*) avión *m* de escolta; **~jäger** ✈ *m* (avión *m* de) caza *m* de escolta; **~mannschaft** ⚔ *f* escolta *f*; **~musik** *f* acompañamiento *m*; *Film*: música *f* de fondo; **~schein** ☿ *m* (*-es*; *-e*) factura *f* de entrega; guía *f*; *Zoll*: permiso *m* de aduana; **~schiff** *n* (*-es*; *-e*) buque *m* de escolta; **~schreiben** *n* carta *f* de aviso *od.* de envío; **~schutz** *m* (*-es*; *0*) escolta *f*; **~umstände** *m/pl.* circunstancias *f/pl.* concomitantes; ⚖ *Lt.* res gestae; **~ung** *f* acompañamiento *m* (*a.* ♪); (*Gefolge*) comitiva *f*, séquito *m*; ⚔, ⚓ escolta *f*, convoy *m*; *in ~ von* en compañía de; acompañado de *od.* por; **~worte** *n/pl.* palabras *f/pl.* de presentación; **~zettel** ☿ *m* hoja *f* de ruta.

be'glück|en (-) *v/t.* hacer feliz, agraciar (*mit* con); **~end** *adj.* encantador, placentero; **2er** *m* bienhechor *m*; **~t** *adj.* afortunado; feliz, dichoso; **~wünschen** *v/t.* congratular; felicitar, dar la enhorabuena (*zu, wegen* por); *sich* (*selbst*) *~* congratularse, felicitarse (de); **2wünschung** *f* congratulación *f*, felicitación *f*; enhorabuena *f*, parabién *m*.

be'gnadet *adj.* agraciado, altamente dotado; *~er Künstler* artista inspirado, genial.

be'gnadig|en (-) *v/t.* perdonar; ⚖ indultar; *Pol.* amnistiar; **2ung** *f* perdón *m*; indulto *m*; gracia *f*; amnistía *f*; **2ungsgesuch** *n* (*-es*; *-e*) petición *f* de gracia; **2ungsrecht** ⚖ *n* (*-es*; *-e*) derecho *m* de gracia.

be'gnügen (-): *v/refl. sich ~ mit* contentarse con, darse por satisfecho con.

Be'gonie ⚘ *f* begonia *f*.

be'gonnen *p.p. von beginnen.*

be'graben (*L*; -) *v/t.* enterrar (*a. fig.*), sepultar; inhumar; *s-e Hoffnungen ~* renunciar a toda esperanza; → *Hund*; F *du kannst dich ~ lassen!* F ¡vete a escardar cebollinos!

Be'gräbnis *n* (*-ses*; *-se*) entierro *m*; inhumación *f*; sepelio *m*; (*Grab*) sepultura *f*; sepulcro *m*, tumba *f*; **~feierlichkeiten** *f/pl.* funerales *m/pl.*, honras *f/pl.* fúnebres, exequias *f/pl.*; **~platz** *m* (*-es*; *⸚e*) cementerio *m*, camposanto *m*; **~stätte** *f* (*Totenstadt*) necrópolis *f*.

be'gradig|en (-) ⊕ *v/t.* alinear (*a.* ⚔); rectificar; **2ung** *f* alineación *f*.

be'greif|en (*L*; -) *v/t.* (*befühlen*) tocar, palpar; (*einschließen*) comprender, incluir; (*umfassen*) abarcar; (*verstehen*) entender, comprender; concebir; F caer en la cuenta; *schnell ~* ser vivo de entendimiento; *schwer ~* ser tardo de comprensión, F tener malas entenderas; *ich kann nicht ~, weshalb* no alcanzo a comprender (no puedo imaginar) por qué; → *begriffen*; **~lich** *adj.* comprensible; inteligible; explicable; concebible; *j-m et. ~ machen* hacer comprender (explicar) a alg. a/c.; **~licherweise** *adv.* por supuesto, naturalmente, como es natural; como era de suponer; (*anknüpfend*) es explicable que, se comprende que, no es de extrañar que.

be'grenz|en (-) *v/t.* (de)limitar; *fig. a.* reducir, restringir (*auf ac.* a); (*Grenze bilden*) demarcar; (*durch Grenzzeichen*) amojonar, acotar; (*durch Seezeichen*) balizar; (*festlegen*) definir, determinar, circunscribir; *begrenzte Mittel* recursos limitados; *begrenzter Verstand* de cortos alcances; de horizontes limitados; **2theit** *f* (*0*) limitación *f*; cortedad *f*, insuficiencia *f*; **2ung** *f* limitación *f*; demarcación *f*; (*Grenze*) límite *m*; contorno *m*.

Be'griff *m* (*-es*; *-e*) (*Vorstellung*) concepto *m*; idea *f*; noción *f*; *falscher ~* concepto erróneo *od.* equivocado; *im ~ sein, zu inf.* estar a punto de, estar para, ir a *inf.*; *schwer von ~* F duro de mollera; *sich e-n ~ machen von* hacerse (*od.* formarse) una idea de; *du machst dir keinen ~!* no tienes idea, no puedes imaginarte; *ist dir das ein ~?* ¿sabes algo de esto?; ¿te recuerda esto algo?, F ¿te suena?; *das übersteigt alle ~e* esto supera todo lo imaginable; *das geht über meine ~e* no puedo concebirlo, no alcanzo a comprenderlo; *nach m-n ~en* en mi concepto, a mi entender; *über alle ~e* superior a toda ponderación; *unser Fabrikat ist ein ~* la calidad de nuestros productos es proverbial; *keinen ~ von et. haben* no tener ni remota idea de a/c., F no entender ni jota de a/c.; **2en** *p.p. u. adj.*: *~ sein in et.* estar ocupado en (*od.* haciendo) a/c.; *im Schreiben ~* estar escribiendo; *im Entstehen ~* en (proceso de) formación; ∩ naciente; → *Bau*; **2lich** *adj.* abstracto; intelectivo; conceptual; *~es Denken* pensamiento abstracto; **~sbestimmung** *f* definición *f*; **2sstutzig** *adj.* lento de comprensión, tardo de inteligencia; **~svermögen** *n* intelecto *m*; facultad *f* comprensiva, comprensión *f*, F entendederas *f/pl.*; **~sverwirrung** *f* confusión *f* de ideas.

be'gründ|en (*-e-*; -) *v/t.* fundar (*auf dat.* en); *fig.* fundamentar; *Geschäft*: establecer; (*motivieren*) motivar (*mit* por); *Behauptung*: exponer las razones de; probar, alegar pruebas, hacer bueno; *Antrag*: apoyar con razones, *Parl.*: apoyar, defender; argüir; *Handlung*: motivar; justificar; **2er**(**in** *f*) *m* fundador(a *f*) *m*; iniciador(a *f*) *m*; **~et** *adj.* fundado, razonado, justificado; *~e Darstellung* exposición razonada; *~e Hoffnung* esperanza fundada; *~er Zweifel* duda justificada; *~e Rechte* legítimo derecho; **2ung** *f* fundación *f*; establecimiento *m*; iniciación *f*; (*Motivierung*) motivación *f*, motivos *m/pl.*; razones *f/pl.*; (*Beweisführung*) argumentación *f*; (*Beweisangabe*) alegación *f* de pruebas; *mit der* ~, *daß* basándose en que.

be'grüß|en (-*t*; -) *v/t.* saludar; (*willkommen heißen*) dar la bienvenida; *offiziell* ~ cumplimentar; et. ~ celebrar, acoger con satisfacción; **~enswert** *adj.* laudable, plausible; **2ung** *f* saludo *m*; salutación *f*; (*Willkommen*) bienvenida *f*; (*Empfang*) recibimiento *m*; **2ungsansprache** *f* discurso *m* de bienvenida.

be'gucken (-) F *v/t.* mirar, atisbar; ojear.

be'günstig|en (-) *v/t.* favorecer, beneficiar; (*fördern*) fomentar, proteger; patrocinar; (*helfen, schützen*) ayudar, amparar, proteger; (*bevorrechten*) privilegiar; (*vorziehen*) preferir; ⚖ *ein Verbrechen*: hacerse cómplice *m/f* de; *e-n Verbrecher*: encubrir; **2te(r** *m*) *m/f* (*Nutznießer*) beneficiario (-a *f*) *m*; **2ung** *f* favorecimiento *m*; protección *f*; (*Gunst*) favor(es *pl.*) *m*; (*Förderung*) fomento *m*; (*Bevorzugung*) preferencia *f*, trato *m* preferente; favoritismo *m*; (*Hilfe, Schutz*) ayuda *f*, protección *f*, amparo *m*; ⚖ encubrimiento *m*; **2ungsklausel** *f* (-; -*n*) cláusula *f* de beneficio; **2ungstarif** *m* (-*es*; -*e*) tarifa *f* preferente.

be'gutacht|en (-*e*-; -) *v/t.* dictaminar; dar opinión *f* sobre; (*prüfen*) examinar; ~ *lassen* someter a dictamen; **2er** *m* dictaminador *m*; **2ung** *f* dictamen *m*; peritaje *m*; *konkret*: → *Gutachten*.

be'gütert *adj.* acaudalado, rico; (*in Liegenschaften*) hacendado.

be'gütigen (-) *v/t.* calmar, apaciguar; sosegar, tranquilizar; aplacar.

be'haart *adj.* (*Menschen, Tiere*) cubierto de pelo, peludo; (*am menschlichen Körper, Pflanzen*) velloso, (*dicht*) velludo.

be'häbig *adj.* (*beleibt*) corpulento; grueso, gordo, rollizo; *fig.* flemático; F cachazudo; apacible, sosegado; F comodón; **2keit** *f* (*0*) corpulencia *f*; gordura *f*; flema *f*, F cachaza *f*; comodidad *f*.

be'haftet *adj.*: ~ *mit e-r Krankheit usw.*: atacado, afectado de; sujeto a; *mit Haaren usw.*: cubierto de; *mit Schulden* ~ cargado de deudas, F entrampado.

be'hag|en (-) *v/i.* gustar, agradar; **2en** *n* gusto *m*, agrado *m*; (*Vergnügen*) placer *m*, deleite *m*, gozo *m*; (*Bequemlichkeit*) comodidad *f*; (*Befriedigung*) satisfacción *f*; (*Wohlstand*) bienestar *m*; ~ *finden an* encontrar gusto *od.* placer en; **~lich** *adj.* (*angenehm*) agradable; (*bequem*) cómodo, confortable; *~es Leben* vida placentera; *sich* ~ *fühlen* sentirse a gusto, F estar a sus anchas; **2lichkeit** *f* íntimo placer *m*; comodidad *f*; bienestar *m*; *gal.* confort *m*.

be'halten (*L*; -) *v/t.* guardar, conservar, mantener; → *Fassung*: *im Gedächtnis*: retener, conservar; 𝐀 *e-e Zahl*: llevar; *er hat recht* ~ ha llevado razón, en definitiva ha tenido razón; et. *für sich* ~ retener en su poder, quedarse con a/c.; *behalte das für dich!* F eso te lo guardas para ti.

Be'hält|er *m*, **~nis** *n* (-*ses*; -*se*) recipiente *m*; (*Kasten, Kiste*) caja *f*; *für Flüssigkeiten* (*großer*) depósito *m*, tanque *m*; (*Sammel2*) depósito *m* colector; receptáculo *m*.

Be'hälter...: **~druck** *m* (-*es*; *0*) presión *f* interna del recipiente; **~inhalt** *m* (-*es*; -*e*) contenido *m* *bzw.* capacidad *f* del depósito *od.* tanque; **~wagen** *m* vagón *m* *bzw.* coche *m* *od.* camión *m* cisterna *od.* cuba.

be'hand|eln (-*le*; -) *v/t. allg.* tratar; (*handhaben*) manejar, manipular; ⚕ tratar; asistir; et. *schlecht* ~ tratar mal (hacer mal uso de) a/c.; **2lung** *f* tratamiento *m*; (*Umgang*) trato *m*; (*Handhabung*) manejo *m*; (*Verfahren mit et.*) procedimiento *m*; ⚕ tratamiento *m* médico; terapia *f*; *in* (*ärztlicher*) ~ *sein* estar en (*od.* sometido a) tratamiento médico; **2lungsweise** *f* modo *m* de tratar *od.* de comportarse con alg.; modo *m* de proceder, procedimiento *m*; ⚕ método *m* de tratamiento, procedimiento *m* terapéutico.

Be'hang *m* (-*es*; ⸗*e*) (*Wand2*) colgadura *f*; (*Drapierung*) cortinaje *m*; (*Ausschmückung*) decoración *f*; *des Jagdhundes*: orejas *f/pl.* (colgantes).

be'hängen (-) *v/t.* cubrir, guarnecer (*mit* con, de); (*schmücken*) adornar; (*Wände*) tapizar; (*Balkone*) colgar, poner colgaduras *f/pl.*; *sich* ~ *mit* ponerse, adornarse con.

be'harr|en (-) *v/i.* ~ *auf dat.* en *od.* *bei* en; (*auf e-m Entschluß*) mantenerse firme en; (*bestehen auf*) insistir en; (*auf s-m Grundsatz*) perseverar en; (*auf e-m Irrtum*) persistir en; (*hartnäckig*) porfiar en, insistir en; F machacar en; *fig.* aferrarse a; (*bei e-r Aussage, Meinung*) afirmarse en, mantenerse en; F seguir en sus trece; **~lich** *adj.* insistente; persistente; perseverante; (*stetig*) firme, constante; (*zäh*) tenaz; **2lichkeit** *f* (*0*), **2ung** *f* (*0*) insistencia *f*; persistencia *f*; perseverancia *f*; constancia *f*; tenacidad *f*, tesón *m*, empeño *m*; **2ungsvermögen** *Phys.* *n* inercia *f*; **2ungszustand** *Phys.* *m* (-*es*; ⸗*e*) estado *m* de inercia.

be'hauen (*L*; -) *v/t.* (*Steine*) tallar, picar; (*rechtwinklig*) escuadrar; (*bearbeiten*) labrar; *Bretter*: escoplear; *Escul.* esculpir; *Holzbock, grob*: desbastar; *Baum*: desramar.

be'haupt|en (-*e*-; -) *v/t.* (*festhalten*) mantener, sostener; ⚔ *das Feld* ~ quedar dueño del campo, *fig.* llevarse la palma (*de la victoria*); *sich* ~ imponerse; mantenerse firme; *fig.* arrostrar la tormenta; ⚕ *Preise, Kurse*: sostenerse, mantenerse firme; *Ansicht usw.*: ~, *daß* mantener *od.* sostener que; (*erklären*) declarar; (*sich festigen*) afirmarse; *mit Bestimmtheit*: afirmar rotundamente, asegurar, aseverar; (*beteuern*) protestar de, hacer protestas *f/pl.* de; (*willkürlich*) afirmar gratuitamente: (*vorgeben*) pretender; *ich habe nicht behauptet* yo no he dicho; *man behauptet von ihm* se dice de él; **2ung** *f* aserción *f*; (*Erklärung*) declaración *f*; (*Versicherung*) afirmación *f*; aseveración *f*; (*Mutmaßung*) conjetura *f*; (*Aufrechterhaltung*) mantenimiento *m*, sostenimiento *m*; e-e ~ *aufstellen* hacer una afirmación; **2ungssatz** *Gr.* *m* (-*es*; ⸗*e*) proposición *f* aseverativa.

Be'hausung *f* vivienda *f*, casa *f*; (*Wohnung*) domicilio *m*; (*vornehme*) mansión *f*; (*ärmliche*) casucha *f*, P chabola *f*; *Liter.* morada *f*.

be'heb|en (*L*; -) *v/t.* eliminar, apartar, quitar; (*Schwierigkeiten*) allanar; (*Mißstand*) remediar; (*Schaden*) reparar; (*Zweifel*) disipar; (*Schmerzen*) quitar, suprimir; **2ung** *f* (*0*) eliminación *f*, supresión *f*.

be'heimatet *adj.* domiciliado (*in dat.* en); *er ist in X* ~ es natural (oriundo) de X; ⚓ matriculado en.

be'heizen (-*t*) *v/t.* calentar.

Be'helf *m* (-*s*; -*e*) expediente *m*, recurso *m*; → *Notbehelf*; **2en** (*L*; -) *v/refl.* *sich* ~ acomodarse, F arreglárselas, componérselas; *sich zu* ~ *wissen* F saber arreglárselas; *sich mit* et. ~ servirse de, arreglarse con; tener suficiente con; *sich ohne* et. ~ arreglarse sin, pasarse sin; **~s-antenne** *f* antena *f* auxiliar *bzw.* provisional; **~sbrücke** *f* puente *m* provisional *bzw.* improvisado; **~sheim** *n* (-*es*; -*e*) vivienda *f* improvisada *bzw.* provisional; **~slösung** *f* solución *f* de circunstancias *od.* provisional; → *Behelf*; **2smäßig** *adj.* improvisado; temporal, provisional; de emergencia.

be'hellig|en (-) *v/t.* molestar, importunar, incomodar; F jorobar, fastidiar; **2ung** *f* importunidad *f*, molestia *f*.

be'hend, ~e *adj.* (*flink*) ágil; (*schnell*) rápido, veloz; expeditivo; (*gewandt*) hábil, diestro; (*geistig*) listo, vivo; **2igkeit** *f* agilidad *f*; prontitud *f*, rapidez *f*, presteza *f*; habilidad *f*, destreza *f*, soltura *f*.

be'herberg|en (-) *v/t.* (*Unterkunft geben*) hospedar, alojar; albergar; *fig.* cobijar; **2ung** *f* hospedaje *m*, alojamiento *m*; *fig.* cobijo *m*.

be'herrsch|en (-) *v/t.* dominar (*a. fig.*), señorear; (*regieren*) gobernar, regir; reinar sobre; (*stärker*) imperar; *fig. Lage usw.*: dominar, ser dueño *m* de; *sich* ~ dominarse; contenerse, reprimirse, reportarse; (*sich mäßigen*) moderarse; *Leidenschaften*: dominar, *fig.* refrenar; (*Zorn*) reprimir; (*ein Thema*) conocer a fondo; (*Beruf usw.*) conocer perfectamente; (*überragen, von e-m Berg usw.*) dominar; **2er(in** *f*) *m* soberano (-a *f*) *m*; señor(a *f*) *m*; *fig.* dueño (-a *f*) *m*; **~t** *adj.* (*Person*) dueño de sí; **2ung** *f* (*0*) dominio *m*; dominación *f*; gobierno *m*; señorío *m*; imperio *m*; (*des Zorns*) contención *f*; (*der Triebe*) continencia *f*; (*Selbst2*) dominio *m* de sí mismo.

be'herzig|en (-) *v/t.* tomar a pecho *m*; tomar en consideración *f*; → *beachten*; **~enswert** *adj.* digno de consideración; **2ung** *f* consideración *f*, ponderación *f*.

be'herzt *adj.* valiente, esforzado; arrojado, bravo; (*entschlossen*) resuelto; **2heit** *f* (*0*) valentía *f*; arrojo *m*, bravura *f*; atrevimiento *m*; (*Entschlossenheit*) resolución *f*.

be'hex|en (-) *v/t*. embrujar, hechizar; **2ung** *f* embrujamiento *m*; hechicería *f*, brujería *f*.

be'hilflich *adj*.: *j-m ~ sein* ayudar a alg. en (*od*. a lograr) a/c.; ser útil (*od*. prestar un servicio) a alg.

be'hinder|n (*-re*; -) *v/t*. (*erschweren*) dificultar; (*lästig sein*) molestar, estorbar; (*verhindern*) impedir, entorpecer, obstruir; **2ung** *f* dificultad *f*; estorbo *m*, traba *f*; impedimento *m*; (*Körper2*) defecto *m* físico.

be'horchen (-) *v/t*. ⚕ auscultar.

Be'hörd|e [-ø:-] *f* autoridad *f*, *mst. pl*. autoridades *f/pl*.; *engS*. oficina *f*, negociado *m*, departamento *m*; *zuständige ~* autoridad competente; **2lich I.** *adj*. oficial, de la(s) autoridad(es); **II.** *adv*. por (orden de) la autoridad; *~ genehmigt* autorizado oficialmente.

Be'huf *m* (*-es*; *-e*): *zu diesem ~* al efecto, a tal fin; con tal motivo; **2s** *prp*. (*gen*.) con el propósito de, al objeto de, para; a favor de, en pro de.

be'hüt|en (*-e-*; -) *v/t*. guardar; (*vor et. bewahren*) librar de, preservar de, resguardar de; (*beschützen*) proteger, defender (*vor dat*. de, contra); *behüte!* ¡de ningún modo!, ¡abrenuncio!, F ¡quita!; *Gott behüte!* ¡Dios me (nos) libre!; ¡no lo quiera Dios!; **2er(in** *f*) *m* guardián *m*; protector(a *f*) *m*.

be'hutsam 1. *adj*. (*vorsichtig*) caut(elos)o; (*sorgsam*) cuidadoso; (*klug*) prudente, precavido; **2.** *adv*. con cautela; con cuidado; con precaución; **2keit** *f* (*0*) precaución *f*; cuidado *m*, cautela *f*.

bei *prp*. (*dat*.) **1.** (*örtliche Nähe od. Verbundenheit*) *~ Berlin* cerca de Berlín; *dicht ~ dem Haus* junto a la casa; *die Schlacht ~ Sedan* la batalla de Sedán; *~ Hofe* en la corte; *~m Buchhändler* en la librería; *~ Tisch* a *od*. en la mesa; *Botschafter ~m Vatikan* embajador cerca de la Santa Sede; *et. ~ der Hand haben* tener a (la) mano; *er arbeitet ~ der Firma X* trabaja (está colocado) en la casa X; *~ mir, ~ dir, ~ sich* conmigo, contigo, consigo; *~ ihm* (*uns*) con él (nosotros); cerca de él (nosotros); a su (nuestro) lado; *~ m-n Eltern* con (en casa de) mis padres; (*Adresse*) *~ Schmidt* en casa de Schmidt; *er wohnt ~ mir* (*uns*) vive en mi (nuestra) casa; *ich habe kein Geld ~ mir* F no llevo dinero encima; *man fand e-n Brief ~ ihm* se le encontró (le encontraron) una carta; *~ Goethe lesen wir* dice Goethe; leemos en (*las obras de*) Goethe; *~ den Griechen* entre los griegos; *~ Katzen ist das nicht so* con los gatos no es lo mismo; *das ist oft so ~ Kindern* esto ocurre con frecuencia en los niños; **2.** *Zeit, Umstände*: *~ m-r Ankunft* (*Abfahrt*) a mi llegada (partida); *~ Tagesanbruch* al amanecer; *~ Nacht* (*Tag*) de noche (día); *~m ersten Anblick* a primera vista; *~ Gelegenheit* si hay ocasión; *~ der ersten Gelegenheit* en la primera ocasión; *~ e-m Glase Wein* tomando un vaso de vino; *~ Strafe von 3 Mark* bajo multa de 3 marcos; *~ Unfällen* en caso de accidente; **3.** *Eigenschaften, Zustände*: *~ Appetit sein* tener buen apetito; *~ der Arbeit sein* estar trabajando; *~ guter Gesundheit* en buen estado de salud; *~ offenem Fenster* con la ventana abierta; *~ Kerzenlicht* a la luz de una vela; *~ Geld, Kasse sein* tener dinero *od*. fondos; *~ diesem Wetter* con este tiempo; *~ schönem Wetter* haciendo (si hace) buen tiempo; *~m Spiel* (*Lesen*) jugando, al jugar (leyendo, al leer); *~ dieser Gelegenheit* en esta (con tal) ocasión; *nicht ganz ~ Trost sein* F no estar en sus cabales, P estar chalado; **4.** *Anhaltspunkt*: *~ der Hand usw. fassen* tomar de la mano; *j-n ~m Namen nennen* llamar a alg. por su nombre; **5.** *Einräumung*: (*angesichts*) *~ so vielen Schwierigkeiten* ante (en vista de) tantas dificultades; (*trotz*) *~ all s-r Vorsicht* a pesar de (*od*. con) todas sus precauciones; *~ alledem* con todo, aun así, a pesar de todo; **6.** *Anrufung*: *schwören ~* jurar por; *~ Gott!* ¡por Dios!; *~ m-r Ehre!* ¡por mi honor!; **7.** *Maß*: *~ weitem* con mucho; *~ weitem nicht* ni con mucho, ni mucho menos.

'beibehalt|en (*L*; -) *v/t*. conservar, guardar, mantener; retener; **2ung** *f* mantenimiento *m*; retención *f*.

'Beiblatt *n* (*-es*; *=er*) suplemento *m* (zu a).

'Beiboot ⚓ *n* (*-es*; *-e*) lancha *f* (bote *m*) de a bordo.

'beibring|en (*L*) *v/t*. (*herbeischaffen*) traer; obtener, procurar; (*Beweise*) aducir, aportar; (*Unterlagen, Zeugen*) presentar; (*Gründe*) alegar; *j-m et. ~* (*benachrichtigen*) enterar *od*. informar a alg. de a/c.; (*lehren*) enseñar; familiarizar con; (*verständlich machen*) explicar, aclarar; *nachdrücklich*: hacer comprender que; inculcar; (*zufügen*) *Niederlage, Strafe*: infligir; *Wunde*: inferir, producir; *Verluste*: causar, ocasionar; *Arznei, Gift*: dar, administrar; *Schlag*: asestar, dar, descargar; **2ung** ⚖ *f* (*Beweismittel*) aportación *f*; (*Gründe*) alegación *f*.

'Beicht|e *f* confesión *f*; *~ ablegen* confesar(se); *j-m die ~ abnehmen* oír en confesión a alg.; *zur ~ gehen* ir a confesarse (*bei* con); **~geheimnis** *n* (*-ses*; *-se*) secreto *m* de confesión; sigilo *m* sacramental; **~kind** *n* (*-es*; *-er*) penitente *m*, hijo *m* de confesión; **~stuhl** *m* (*-es*; *=e*) confesonario *m*; **~vater** *m* (*-s*; *=*) confesor *m*; director *m* espiritual.

'beidäugig *adj*. binocular.

'beide *adj*. (*~ zusammen*; *~s*) ambos (-as *f*); entrambos (-as *f*); (*~ für sich, die ~n*) los (las) dos; *einer von ~n* uno de los dos; *m-e ~n Brüder* mis dos hermanos; *wir ~* nosotros dos; *alle ~* los dos, ambos; *in ~n Fällen* en ambos casos; *kein(e)s von ~n* ninguno de los dos; *zu ~n Seiten* a ambos lados, a uno y otro lado; *~mal* las dos veces.

'beider|lei *adj*. de los dos *od*. de ambos (*mit pl*.), de uno y otro (*mit sg*.); de ambas clases; *~ Geschlechts* de uno y otro sexo; *Biol*. hermafrodita; *Gr*. de género ambiguo; **~seitig I.** *adj*. de ambas partes; (*gemeinsam*) común; (*gegenseitig*) mutuo, recíproco; *Vertrag*: bilateral; **II.** *adv*. (*a*. = **~seits** *prp*.) de una y otra parte, de ambas partes; (*gegenseitig*) mutuamente, recíprocamente.

'Beid|händer *m*, **2händig** *adj*. ambidextro (-a *f*) *m*.

'beidrehen ⚓ *v/t*. *u*. *v/i*. fachear; ponerse a la capa.

'beidrücken *v/t*.: *sein Siegel ~* poner el sello al lado (*de la firma*).

bei-ein'ander *adv*. uno con otro; (*zusammen*) juntos, juntas.

'Beifahrer *m bei Lastwagen*: conductor *m* auxiliar *od*. adjunto.

'Beifall *m* (*-es*; *0*) (*Billigung*) asentimiento *m*, aprobación *f*; *durch Händeklatschen*: palmas *f/pl*.; *stärker*: aplauso *m*; ovación *f*; *durch Zuruf*: aclamación *f*; *~ ernten od. finden* tener general (*od*. gran) aceptación; *vom Publikum*: ser muy aplaudido, cosechar grandes aplausos; *~ spenden* aplaudir; ovacionar; aclamar, vitorear; *stürmischen ~ hervorrufen* provocar (*od*. cosechar) una tempestad (*od*. salvas) de aplausos.

'beifällig *adj*. aprobatorio; (*günstig*) favorable; (*schmeichelhaft*) lisonjero; *~ nicken* inclinar la cabeza en señal de aprobación.

'Beifalls|ruf *m* (*-es*; *-e*) bravo *m*; vítor *m*; aclamación *f*; **~sturm** *m* (*-es*; *=e*) salva *f* de aplausos.

'beifolgend *adj*. adjunto, incluso; *~ sende ich* adjunto le remito.

'beifüg|en *v/t*. añadir, agregar; *e-m Brief*: remitir adjunto a, incluir en, adjuntar, acompañar a; *anheften*: unir; **2ung** *f Gr*. atributo *m*; adición *f*; (*Beilage*) inclusión *f*; *unter ~ von* incluyendo (*ac*.); añadiendo.

'Beifuß ⚘ *m* (*-es*; *0*) artemisa *f*.

'Beigabe *f* añadidura *f*, aditamento *m*; (*gedruckte*) suplemento *m*.

'beige *adj*. *fr*. beige.

'beigeben (*L*) **1.** *v/t*. añadir, agregar; (*Begleiter*) dar; **2.** *v/i*. *klein ~* F doblegarse, someterse; bajar de tono; *fig*. bajar las orejas; (*sich demütigen*) humillarse.

'beige-ordnet *adj*. *Gr*. coordinado; **2e(r)** *m* agregado *m*, adjunto *m*; *~ des Bürgermeisters* teniente *m* (de) alcalde.

'Beigericht *n* (*-es*; *-e*) entremés *m*.

'Beigeschmack *m* (*-es*; *0*) resabio *m*; dejo *m*, gustillo *m* (*a*. *fig*.).

'beigesellen (-) *v/t*. agregar; asociar; *sich j-m ~* juntarse con (*od*. asociarse a) alg.

'Beihilfe *f* ayuda *f*, asistencia *f*; (*Unterstützung*) socorro *m*; (*Beisteuer*) ayuda *f* de coste; (*staatliche ~*) subvención *f*; subsidio *m*; ⚖ complicidad *f*.

'beiholen ⚓ *v/t*. *Segel*: amainar.

'beikommen (*L*; *sn*) *v/i*.: *j-m* (*od*. *e-r Sache*) *~* aproximarse a; conseguir, alcanzar a/c.; *im Rang*: igualar a; *fig*. hallar el punto flaco de alg.; *ihm ist nicht beizukommen* F no hay por dónde echarle mano.

Beil *n* (*-es*; *-e*) hacha *f* (el), segur *m*.

'Beilage *f* pieza *f* añadida; *e-s Briefes*: anexo *m*; (*Anhang*) apéndice *m*; *e-r Zeitung*: suplemento *m*; (*Rekla-*

*me*2) hoja *f* suelta; *Fleisch mit* ~ carne con legumbres, *etc.*

ˈ**beiläufig 1.** *adj.* casual; (*gelegentlich*) ocasional, incidental; **2.** *adv.* casualmente; (*übrigens*) a propósito; ~ *erwähnen* mencionar de paso; ~ *gesagt* dicho sea de paso (*od.* entre paréntesis); → *ungefähr.*

ˈ**beileg|en 1.** *v/t.* añadir, agregar; (*im Brief*) incluir, acompañar; (*zuschreiben*) atribuir; *nur m.s.*: imputar; *Titel*: conceder, otorgar; *Namen*: dar; *e-n Streit* ~ arreglar (poner término a) una disputa; *sich e-n Titel usw.* ~ usurpar; arrogarse; (*Schwierigkeiten*) orillar, obviar; **2.** *v/i.* ⚓ capear; pairar, estar al pairo; **2ung** *f* añadidura *f*, adición *f*; atribución *f*; concesión *f*; arreglo *m*; *Pol.* solución *f*.

beiˈleibe *adv.*: ~ *nicht* de ninguna manera; ¡no lo permita Dios!; F ¡ni por pienso!, ¡ni por asomo!; *et.* ~ *nicht tun* guardarse muy bien de hacer a/c.

ˈ**Beileid** *n* (*-es*; *0*) pésame *m*, condolencia *f*; *j-m sein* ~ *aussprechen* dar el pésame (expresar su condolencia) a alg.; **~sbesuch** *m* (*-es*; *-e*) visita *f* de pésame; **~schreiben** *n* carta *f* de pésame.

ˈ**beiliegen** (*L*) *v/i.* *e-m Brief*: ir incluso *od.* adjunto; ⚓ capear, ponerse *bzw.* estarse a la capa; **~d** *adj.* adjunto, incluído, que acompaña.

ˈ**beimengen** *v/t.* → *beimischen.*

ˈ**beimessen** (*L*) *v/t.* atribuir; (*Schuld*) imputar; achacar; (*Bedeutung*) dar, conceder, atribuir; *e-r Sache Glauben* ~ dar crédito a a/c., creer a/c.

ˈ**beimisch|en** *v/t.* añadir a, mezclar con; agregar; **2ung** *f* adición *f*; añadidura *f*; mezcla *f*; (*Fremdstoff*) impureza *f*; *ohne* ~ *von* libre de.

Bein *n* (*-es*; *-e*) (*Körperteil*) pierna *f*; (*Tier*2) pata *f*; (*Knochen*) hueso *m*; (*Tisch, Sitzbank*) pata *f*, pie *m*; (*Hose*) pernera *f*; *sich auf den* ~*en halten* estar (mantenerse) en pie; *j-m auf die* ~*e helfen* ayudar a alg. a levantarse *od.* a ponerse en pie; *fig.* socorrer, ayudar, auxiliar; *j-m ein* ~ *stellen* zancadillear (echar la zancadilla) a alg.; *dauernd auf den* ~*en sein* F estar trotando continuamente; *fig. et. auf die* ~*e stellen* poner en pie, levantar (*a.* ⚔ *Truppen*); *wieder auf die* ~*e kommen* (*Kranker*) restablecerse, recuperar fuerzas; F salir a flote; *wieder auf die* ~*e bringen* (*Geschäft*) lograr restablecer, F poner a flote; F *j-m* ~*e machen* dar prisa a alg.; *sich auf die* ~*e machen* ponerse en camino; *die* ~*e in die Hand nehmen* echar a correr, F poner pies en polvorosa; *er reißt sich dabei kein* ~ *aus* no se mata a trabajar; *mit gespreizten* ~*en* perniabierto, esparrancado.

ˈ**beinah(e)** *adv.* casi; por poco; (*ungefähr*) cerca de, aproximadamente; ~ *zwei Stunden* casi dos horas; ~ *dasselbe* casi lo mismo; ~ *wäre ich gefallen* por poco me caigo.

ˈ**Beiname** *m* (*-n*) sobrenombre *m*; (*Spitzname*) apodo *m*, F mote *m*; *j-m e-n* ~*n geben* apodar a alg.; motejar; F bautizar.

ˈ**Bein...:** **~bruch** *m* (*-es*; *⸗e*) fractura *f* de (la) pierna; **~fäule** ⚕ *f* (*0*) caries *f* ósea; **~griff** *m* (*-es*; *-e*) *beim Ringen*: presa *f* de pierna; **~haus** *n* (*-es*; *⸗er*) osario *m*; **~haut** *Anat. f* (*-*; *⸗e*) periostio *m*; **~kleid** *n* (*-es*; *-er*) pantalón *m*; **~ling** *m* (*-s*; *-e*) caña *f*; **~prothese** *f* pierna *f* artificial; **~schiene** *f* (*Sport*) espinillera *f*; *Chir.* tablilla *f*; **~stellen** *n* *Sport*: zancadilla *f*.

ˈ**beiordn|en** (*-e-*) *v/t.* agregar, asociar; coordinar (*a. Gr.*); *j-n* ~ designar, adscribir, agregar como; **2ung** *f* agregación *f*; coordinación *f*; adscripción *f*.

ˈ**beipacken** *v/t.* empaquetar junto, incluir; añadir.

ˈ**beipflicht|en** (*-e-*) *v/i.*: *j-m* ~ declararse conforme con alg.; *e-r Ansicht usw.*: asentir a; adherirse a; consentir en; *e-r Maßregel*: aprobar; *e-m Wunsche*: acceder a; **2ung** *f* conformidad *f*; adhesión *f*; consentimiento *m*; aprobación *f*, asentimiento *m*.

ˈ**Beiprogramm** *n* (*-es*; *-e*) *Film*: complemento *m*.

ˈ**Beirat** *m* (*-es*; *⸗e*) (*Person*) consejero *m*, asesor *m*; (*Vorstandsmitglied*) vocal *m*; (*Ausschuß*) consejo *m* consultivo, junta *f* consultiva; comisión *f* asesora; (*Amt*) asesoría *f*.

beˈirren (*-*) *v/t.* turbar; (*erschüttern*) aturdir; *sich* ~ *lassen* desconcertarse; vacilar, titubear; *er läßt sich nicht* ~ no se deja desconcertar.

beiˈsammen *adv.* juntos, reunidos; F *schlecht* (*gut*) ~ *sein* sentirse indispuesto (bien de salud); **2sein** *n* reunión *f*; (*Versammlung*) asamblea *f*; *geselliges* ~ reunión (*de camaradería*).

ˈ**Beisatz** *m* (*-es*; *⸗e*) adición *f*; *Gr.* aposición *f*.

ˈ**Bei|schlaf** *m* (*-es*; *0*) coito *m*, cópula *f*; concúbito *m*, comercio *m* carnal; cohabitación *f*; **~schläfer(in** *f*) *m* amante *m/f*.

ˈ**beischließen** (*L*) *v/t.* incluir, acompañar, adjuntar.

ˈ**Beischrift** *f* nota *f* marginal, apostilla *f*; (*Zusatz*) adición *f*; posdata *f*.

ˈ**Beisegel** ⚓ *n* vela *f* alta; boneta *f*.

ˈ**Beisein** *n* presencia *f*; *im* ~ *von* en presencia de, ante.

beiˈseite *adv.* aparte, a un lado; separadamente; *Scherz* ~! ¡bromas aparte!; **~gehen** (*L*; *sn*) *v/i.* hacerse a un lado; **~lassen** (*L*) *v/t.* dejar aparte (*od.* a un lado); **~legen** *v/t.* poner aparte; (*sparen*) ahorrar; **~schaffen** *v/t.* remover, echar a un lado; *j-n* ~ F matar, quitar de en medio; **~setzen** (*-t*) *v/t.* pasar por alto, no tomar en consideración; olvidar; **~stellen** *v/t.* colocar aparte *od.* a un lado; **~ treten** (*L*; *sn*) *v/i.* apartarse.

ˈ**beisetz|en** (*-t*) *v/t.* *Leiche*: enterrar, inhumar; sepultar; (*hinzusetzen*) añadir, agregar; ⚓ *Segel*: desplegar; *alle Segel* ~ largar todas las velas; **2ung** *f* entierro *m*, inhumación *f*, sepultura *f*; sepelio *m*.

ˈ**beisitz|en** (*L*) *v/i.* ser asesor *m bzw.* miembro *m* de; **2er** *m* ⚖ asesor *m*, juez *m* adjunto; (*Geschworener*) jurado *m*; (*Ausschußmitglied*) miembro *m* (*de una comisión*); vocal *m*.

ˈ**Beispiel** *n* (*-es*; *-e*) (*Muster, Vorbild*) ejemplo *m*; modelo *m*; (*Beleg*) muestra *f*; (*Präzedenzfall*) precedente *m*; (*Darlegung*) enseñanza *f*; *praktisches*: demostración *f*; *warnendes* ~ ejemplo aleccionador; *zum* ~ (*z.B.*) por ejemplo, *Liter.* verbigracia (*Abk.* p.ej.; v.gr.); *als* ~ *nennen* poner por caso; *wie zum* ~ como por ejemplo, tal como; *ein* ~ *geben* poner un ejemplo; *sich ein* ~ *nehmen an* tomar ejemplo de; *mit gutem* ~ *vorangehen* servir de ejemplo, dar buen ejemplo; **2haft** *adj.* ejemplar; *nur atr.*: modelo; **2los** *adj.* sin ejemplo, sin precedente; (*unerhört*) inaudito; (*unvergleichlich*) sin par, sin igual; **~losigkeit** *f* singularidad *f*, carácter *m* excepcional; **2sweise** *adv.* por ejemplo, tal como; a manera de ejemplo, por vía de ejemplo.

ˈ**beispringen** (*L*; *sn*) *v/i.*: *j-m* ~ acudir en socorro (*od.* auxilio) de; *aushelfen*: socorrer, auxiliar, ayudar.

beiß|en (*L*) *v/t. u. v/i.* morder; (*nagen*) roer; (*kauen*) masticar, mascar; *Insekten, Pfeffer usw.*: picar; (*brennen*) quemar, escocer; (*jucken*) picar; *nach j-m* ~ tratar de morder a alg.; *in den sauren Apfel* ~ F tragarse la píldora, hacer de tripas corazón; *die Farben* ~ *sich* los colores desentonan *od.* F no pegan; → *Gras*; **~end** *adj.* mordaz, punzante, cáustico (*alle a. fig.*); acre, picante; *fig. a. Witz usw.*: mordaz, sarcástico, hiriente; *Kälte, Wind*: cortante; **2korb** *m* bozal *m*; **2zange** *f* tenazas *f/pl.* cortantes; alicates *m/pl.* cortantes.

ˈ**Beistand** *m* (*-es*; *0*) ayuda *f*, asistencia *f*; (*Stütze*) apoyo *m*; (*in der Not*) auxilio *m*, socorro *m*; (*Schutz*) protección *f*; (*Person*) asistente *m*; defensor *m*, protector *m*; (*Rechts*2) abogado *m*; asesor *m* jurídico; *j-m* ~ *leisten* ayudar *bzw.* socorrer *od.* auxiliar a alg.; ⚕ asistir; **~s-pakt** *m* (*-es*; *-e*) pacto *m* de asistencia mutua.

ˈ**beistehen** (*L*) *v/i.* asistir, ayudar; socorrer; apoyar.

ˈ**Beisteuer** *f* (*-*; *-n*) contribución *f*; (*Unterstützung*) subsidio *m*; subvención *f*; ayuda *f* de coste; **2n** (*-re*) *v/t.* contribuir; (*Kapital*) aportar.

ˈ**beistimm|en** *v/i.*: *j-m* ~ asentir, convenir con alg.; *e-r Ansicht*: estar de acuerdo *od.* coincidir con; acceder a; aprobar; **2ung** *f* asenso *m*, asentimiento *m*; conformidad *f*, aprobación *f*.

ˈ**Beistrich** *Gr. m* (*-es*; *-e*) coma *f*.

ˈ**Beitrag** *m* (*-es*; *⸗e*) contribución *f*; ✝ prorrata *f*; (*Zeichnung, Abonnement*) suscripción *f*; (*~anteil*) parte *f*, cuota *f*; (*Kapital*2) aportación *f* (*a. fig.*); (*Gabe*) donativo *m*; (*Unterstützung*) ayuda *f*; (*Mitglieder*) cuota *f*; (*Prämie*) prima *f*; *e-n* ~ *leisten* contribuir a; *schriftliche Beiträge liefern* escribir (artículos) para, colaborar en; *Beitrag zu ...* (*wissenschaftliche Arbeit*) contribución a...; **2en** (*L*) *v/t.* contribuir a; (*förderlich sein*) *a.* subvenir a, coadyuvar a; **~s-anteil** *m* (*-es*; *-e*) cuota *f*; **2s-pflichtig** *adj.* contribuyente.

ˈ**beitreib|en** (*L*) *v/t.* *Gelder*: cobrar, recaudar; *stärker*: forzar el pago; *Steuern*: recaudar; ⚔ requisar; 2**ung** *f* cobro *m*, cobranza *f*, recaudación *f*; (*gewaltsame*) exacción *f*; ⚔ requisición *f*.

ˈ**beitreten** (*L*; *sn*) *v/i*. *e-r Meinung*: asentir a, estar de acuerdo con, adoptar; *Plan*: convenir en; aprobar; *e-m Verein*: ingresar en; *e-r Partei*: *a*. afiliarse a.

ˈ**Beitritt** *m* (*-es*; *-e*) ingreso *m* (*zu* en); afiliación *f* (*zu* a); **~s-erklärung** *f* declaración *f* de adhesión *bzw*. ingreso.

ˈ**Beiwagen** *m Motorrad*: *angl*. sidecar *m*; (*Anhänger*) remolque *m*; **~maschine** *f* motocicleta *f* con sidecar.

ˈ**Beiwerk** *n* (*-es*; *0*) accesorios *m/pl*.

ˈ**Beiwert** *m* (*-es*; *-e*) coeficiente *m*.

ˈ**beiwohnen** *v/i*. asistir a, estar presente, presenciar; (*geschlechtlich*) cohabitar; 2 *n* asistencia *f*; cohabitación *f*.

ˈ**Beiwort** *n* (*-es*; *⸗er*) epíteto *m*; *Gr*. adjetivo *m*.

ˈ**Beize** *f* (*Vorgang*) corrosión *f*; (*Mittel*) ⚗ corrosivo *m*, mordiente *m*; ✓ desinfección *f*; *Holzfärbemittel*: barniz *m*; *Gerberei*: adobo *m*; *Kupferstechen*: agua *f* fuerte; ⚕ cáustico *m*; (*Falken*2) cetrería *f*.

beiˈ**zeiten** *adv*. (*früh*) temprano; (*rechtzeitig*) oportunamente, a tiempo.

ˈ**beiz|en** (*-t*) *v/t*. (*ätzen*) corroer; *Häute*: adobar; *Färberei*: bañar en mordiente *m*; *Tabak*: aderezar; ✓ desinfectar (*semillas*); *Holz*: barnizar; ⚕ cauterizar; *Jgdw*. cazar con halcón *m*; **~end** *adj*. corrosivo; cáustico; *Farbstoff*: mordiente; 2**mittel** *n* → *Beize*.

beˈ**jah|en** (-) *v/t*. responder afirmativamente, afirmar; (*beipflichten*) conceder; *fig*. *et*. ~ aceptar, adoptar una actitud positiva ante a/c.; **~end** *adj*. (*Antwort*) afirmativo; (*Sinn*) positivo.

beˈ**jahrt** *adj*. viejo, entrado en años; de edad avanzada, anciano.

Beˈ**jahung** *f* afirmación *f*, respuesta *f* afirmativa; *fig*. aceptación *f*.

beˈ**jammern** (*-re*; -) *v/t*. lamentar, deplorar; **~swert** *adj*. lamentable, deplorable; digno de lástima.

beˈ**kämpf|en** (-) *v/t*. combatir (*ac*.), luchar contra; *Meinung*: impugnar; 2**ung** *f* lucha *f* (contra); ~ *der Tuberkulose* lucha antituberculosa.

beˈ**kannt** *adj*. conocido; (*berühmt*) afamado, célebre, famoso (*wegen* por); *das ist mir* ~ lo sé, estoy enterado de ello; *davon ist mir nichts* ~ lo ignoro, nada sé de ello; *mit j-m* ~ *sein* conocer (bien) a alg.; *mit et*. ~ *sein* estar versado en (*od*. familiarizado con) a/c.; *j-n mit e-r Person* ~ *machen* presentar a alg. a una persona; *darf ich Sie mit Herrn X* ~ *machen?* permítame que le presente al señor X.; *j-n mit et*. ~ *machen* dar a conocer (*od*. explicar) a alg. a/c.; *sich* ~ *machen* darse a conocer; adquirir renombre *od*. fama; hacerse popular; *sich mit j-m* ~ *machen* presentarse uno mismo a alg.; *sich mit et*. ~ *machen* familiarizarse con a/c.; *et*. *als* ~ *voraussetzen* dar por supuesta *od*. sabida a/c.; *er ist* ~ *als* es conocido como; *es ist allgemein* ~ es público *od*. notorio; es generalmente conocido *od*. sabido de todos; todo el mundo (lo) sabe; *es dürfte Ihnen* ~ *sein, daß* sin duda sabrá usted que; 2**e**(**r** *m*) *m/f* conocido (-a *f*) *m*; *ein* ~*r von mir* un conocido mío; 2**enkreis** *m* (*-es*; *-e*): *mein* ~ mis amistades, mis conocidos; 2**gabe** *f* → *Bekanntmachung*; **~geben** (*L*) *v/t*. → *bekanntmachen*; **~lich** *adv*. como es sabido, como todos sabemos; ya se sabe que; **~machen** *v/t*. hacer saber, dar a conocer; notificar; *öffentlich*: hacer público, publicar; divulgar; (*verkünden*) anunciar; proclamar; *Gesetz*: promulgar; *in der Zeitung*: anunciar; *j-n mit j-m od. et*. ~ → *bekannt*; 2**machung** *f* publicación *f*; notificación *f*; (*Verkündung*) anuncio *m*; proclamación *f*; *e-s Gesetzes*: promulgación *f*; (*Verlautbarung*) comunicado *m*; (*Anzeige*) anuncio *m*; (*Anschlag*) anuncio *m*, aviso *m*; *behördlich*: bando *m*; edicto *m*; (*Manifest*) manifiesto *m*; (*Plakat*) cartel *m*; 2**schaft** *f* conocimiento *m*; (*Umgang*) trato *m*; familiaridad *f*, intimidad *f*; (*Beziehungen*) relaciones *f/pl*.; (*Freundschaft*) amistad *f*; *mit j-m* ~ *schließen* trabar conocimiento con alg.; (*freundschaftliche*) entablar amistad con alg.; **~werden** *v/i*. llegar a conocerse *od*. saberse a/c.; *öffentlich*: hacerse público, divulgarse; (*durchsickern*) trascender; (*berühmt werden*) hacerse famoso, adquirir notoriedad *f* (*od*. reputación *f*, fama *f*); *mit j-m bekannt werden* (llegar a) conocer a alg.; trabar conocimiento *bzw*. entablar amistad con alg.

beˈ**kehr|en** (-) *v/t*. convertir (*zu* a); *sich* ~ convertirse a; *fig*. *zu e-r Ansicht usw*.: adoptar; (*sich bessern*) enmendarse, mudar de vida; 2**te**(**r** *m*) *m/f* converso (-a *f*) *m*; prosélito (-a *f*) *m*; 2**ung** *f* conversión *f*, *zum Christentum*: cristianización *f*; 2**ungssucht** *f* (*0*) proselitismo *m*.

beˈ**kenn|en** (*L*; -) *v/t*. confesar; (*zugeben*) admitir; (*gestehen*) confesar, reconocer; *sich schuldig* ~ declararse culpable; ⚖ *a*. confesar su culpa; *Karten*: *Farbe* ~ asistir, seguir el palo; *fig*. poner las cartas boca arriba, quitarse la careta; *sich zu j-m od. et*. ~ declararse partidario de; *sich* ~ *zu e-r Tat* confesarse autor de; *sich zu j-m* ~: declarar su adhesión a; *sich zu e-r Religion* ~ profesar una religión; 2**er** *m Rel*. confesor *m*.

Beˈ**kenntnis** *n* (*-ses*; *-se*) confesión *f*; (*Glaubens*2) credo *m*; *ein* ~ *ablegen Rel*. hacer profesión de fe; ⚖ confesar un delito; **~schule** *f* escuela *f* confesional.

beˈ**klag|en** (-) *v/t*. lamentar, deplorar; (*bemitleiden*) compadecer; *sehr zu* ~ muy de lamentar, muy lamentable; *Menschenleben sind nicht zu* ~ no ha habido víctimas que lamentar; *sich* ~ quejarse (*über ac*. de, *bei j-m* a); *Sie können sich nicht* ~ no puede usted quejarse; **~enswert** *adj*. lamentable, deplorable; (*Person*) digno de compasión; 2**te**(**r**) ⚖ *m Beschuldigter*: inculpado *m*; *Zivilprozeß*: demandado *m*; *Berufungsverfahren*: apelante *m*.

beˈ**klatschen** (-) *v/t*. aplaudir; palmotear; dar palmas.

beˈ**kleben** (-) *v/t*. pegar; *mit Papier* ~ pegar papeles sobre, empapelar; *mit Etikett, Zettel*: fijar *od*. pegar (*etiquetas, rótulos*).

beˈ**kleckern** (*-re*; -), **be**ˈ**klecksen** (*-t*; -) *v/t*. manchar, embadurnar; *mit Tinte*: emborronar; *mit Schmutz*: ensuciar.

beˈ**kleid|en** (*-e-*; -) *v/t*. vestir; revestir, cubrir, forrar (*mit* de), (*behängen*) entapizar; ⊕ → *verkleiden*; *mit Tapeten*: empapelar; *Amt*: desempeñar, ejercer, regentar; ocupar; *mit e-m Amt* ~ investir de (*od*. con) un cargo; 2**ung** *f* traje *m*, vestido *m*; vestimenta *f*, indumentaria *f*, ropa *f*; ⊕ → *Verkleidung*; *fig*. *mit e-m Amt*: investidura *f*; *e-s Amtes*: desempeño *m*, ejercicio *m*.

Beˈ**kleidungs...**: **~gegenstände** *m/pl*. vestidos *m/pl*., ropas *f/pl*.; **~industrie** *f* industria *f* del vestido.

beˈ**klemm|en** (-) *v/t*. oprimir; *fig*. *a*. sofocar, ahogar; angustiar; *sich beklemmt fühlen* sentirse oprimido; sentir angustia *od*. peso en el corazón; **~end** *adj*. opresivo; *Luft*: sofocante; *fig*. angustioso; 2**ung** *f* (*Atem*2) ahogo *m*, sofoco *m*; (*Brust*2) opresión *f*; *fig*. angustia *f*, congoja *f*; (*Alp*) pesadilla *f*; represión *f*.

beˈ**klommen** *adj*. → *beklemmen*(*d*); 2**heit** *f* → *Beklemmung*.

beˈ**klopfen** (-) *v/t*. golpear; ⚕ percutir.

beˈ**kohlen** (-) 🚂, ⚓ *v/t*. cargar (abastecerse de) carbón *m*.

beˈ**kommen** (*L*; -) **1.** *v/t*. *allg*. recibir; (*erlangen*) lograr, conseguir, obtener; (*erwerben*) adquirir; *Krankheit*: contraer, coger; *Kräfte, Mut*: cobrar; *Zähne, Haare, Blätter*: echar; *Schreck*: llevarse (*un susto*); *Junge*: parir; *Kind*: (*bei der Geburt*) dar a luz; tener (*un hijo*); *e-n Zug*: alcanzar; *e-n Bauch* ~ F echar panza; *e-n Mann* ~ (*Heiratslustige*) encontrar marido, lograr casarse; *nasse Füße* ~ mojarse los pies; *Hunger* (*Durst*) ~ ir teniendo apetito (sed); *graue Haare* ~ encanecer; *e-n Orden* ~ ser condecorado; *wir werden Regen* ~ vamos a tener lluvia; *wir* ~ *Besuch* vamos a tener visita; *zu Gesicht* ~ (llegar a) ver, F echarse a la cara; *es ist nicht zu* ~ no puede conseguirse, ya no hay; *wieviel* ~ *Sie?* ¿cuánto es?, ¿cuánto le debo?; ~ *Sie schon?* ¿le atienden a usted?; *ich habe es geschenkt* ~ me lo han regalado; *ich bekomme es zugeschickt* me lo envían a casa (*od*. a domicilio); **2.** *v/i*. *es bekommt ihm gut* (*schlecht*) le sienta *od*. prueba bien (mal); *wohl bekomm's!* ¡buen provecho!, ¡que aproveche!

beˈ**kömmlich** *adj*. provechoso, beneficioso (*dat*. para); *Klima, Luft*: sano, saludable; (*leicht verdaulich*) digestible, de fácil digestión, ligero.

beˈ**köstig|en** (-) *v/t*. dar comida *f* a, alimentar; mantener; 2**ung** *f* (*Essen*) comida *f*, alimento *m*; (*Unterhalt*) manutención *f*, sustento *m*; *Wohnung und* ~ habitación y comi-

das, pensión completa; *ohne* ~ sin comidas.
be'kräftig|en (-) *v/t.* confirmar, afirmar; (*erhärten*) corroborar; *Vertrag*: ratificar; *eidlich* ~ afirmar bajo juramento; **2ung** *f* confirmación *f*, afirmación *f*; corroboración *f*; *zur* ~ *s-r Worte* en apoyo de sus palabras.
be'kränzen (-) *v/t.* coronar de; festonear; *mit Girlanden*: *a.* enguirnaldar.
be'kreuz(ig)en (-) *v/refl.* persignarse; santiguarse, hacer la señal de la cruz.
be'kriegen (-) *v/t.* hacer la guerra a, guerrear contra; *sich* ~ hacerse la guerra.
be'kritteln (*-le*; -) *v/t.* critiquizar.
be'kritzeln (*-le*; -) *v/t.* garabatear; cubrir de garabatos *m/pl.*, emborronar.
be'kümmer|n (*-re*; -) *v/t.* (*betrüben*) afligir, entristecer, apenar; (*beunruhigen*) inquietar; preocupar; *bekümmert sein über* (*ac.*) estar afligido por; → *kümmern*; **2nis** *f* (-; *-se*) aflicción *f*, pena *f*; preocupación *f*; **~t** *adj.* afligido, apenado; preocupado; pesaroso.
be'kund|en (*-e-*; -) *v/t.* manifestar, declarar; ⚖ deponer, declarar; (*bezeugen*) atestiguar; (*aufweisen*) revelar, denotar; (*zeigen*) mostrar; patentizar; (*bezeigen*) demostrar; **2ung** *f* manifestación *f*; demostración *f*; declaración *f*; ⚖ testimonio *m.*
be'lächeln (*-le*; -) *v/t.* sonreírse de.
be'lachen (-) *v/t.* reírse de.
be'laden (*L*; -) *v/t.* cargar (*mit* de); *fig.* abrumar, agobiar.
Be'lag *m* (*-es*; *¨e*) (*Decke*) cubierta *f*; (*Schicht*) capa *f*; (*Auskleidung*) revestimiento *m*; (*Brems2*) guarnición *f*; (*Fußboden2*) solado *m*; (*Spiegel2*) azogado *m*; (*Brücken2*) tablero *m*; (*Straßen2*) pavimento *m*; (*Ablagerung*) depósito *m*; (*Verkrustung*) incrustación *f*; ⚕ (*Zungen2*) saburra *f*; (*Zahn2*) sarro *m*; ⚘ verdín *m*; (*Brot mit* ~) bocadillo *m.*
Be'lager|er ⚔ *m* sitiador *m*; **2n** (*-re*; -) *v/t.* sitiar, asediar (*a. fig.*), poner sitio *m od.* cerco *m* a; **~ung** *f* sitio *m*, cerco *m*, asedio *m* (*a. fig.*); **~ungszustand** *m* (*-es*; *0*) estado *m* de sitio; → *Ausnahmezustand.*
Be'lang *m* (*-es*; *-e*) importancia *f*; *~e m/pl.* intereses *m/pl.*, conveniencias *f/pl.*; *von* ~ de importancia, de consideración; *sachlich*: pertinente a; *von finanziellem* ~ de interés financiero; *ohne* ~ insignificante, sin importancia; **2en** (-) *v/t.*: *j-n* ~ ⚖ demandar en juicio; perseguir ante los tribunales a alg.; (*betreffen*) concernir, atañer, tocar; *was mich belangt* en cuanto a mí, por lo que a mí toca; **2los** *adj.* sin importancia, insignificante, de poca monta; (*gering*) nimio; (*nicht zur Sache gehörig*) ajeno, ⚖ improcedente; **~losigkeit** *f* insignificancia *f*; nimiedad *f*; **2reich** *adj.* importante, considerable; de gran alcance, trascendental.
be'lassen (*L*; -) *v/t.*: *et. an s-m Platz* ~ dejar a/c. en su sitio; *j-n in s-r Stellung* ~ dejar *od.* mantener a alg. en su puesto; *alles beim alten* ~ dejar las cosas como estaban.
be'last|bar ⊕ *adj.* con capacidad de carga de; **2barkeit** ⊕, ⚡ *f* capacidad *f* de carga; **~en** (*-e-*; -) *v/t.* cargar (*mit* con); (*beanspruchen*) ⊕, ⚡ sobrecargar; (*beschweren*) pesar sobre, gravar (*beide a. fig.*); *sich* (*den Geist*) ~ agobiar el ánimo con; ✝ *j-s Konto* ~ cargar en cuenta, adeudar; *Grundstück, Haus*: *mit Hypotheken* ~ hipotecar, gravar con hipotecas; ⚖ incriminar; → *erblich*; *politisch belastet* comprometido con antecedentes políticos; **~end** *adj.* abrumador, oneroso; ⚖ agravatorio; (*Umstand*) agravante.
be'lästig|en (-) *v/t.* molestar; (*stören*) *a.* importunar; (*plagen*) asediar, atosigar, fastidiar; **2ung** *f* molestia *f*; importunidad *f*; fastidio *m.*
Be'lastung *f* carga *f* (*a.* ⊕, ⚡ *u. fig.*); *zulässige* ~ carga admisible; ✝ *Buchhaltung*: débito *m*, adeudo *m* en cuenta; *e-s Grundstücks*: carga *f*; (*Hypothek*) hipoteca *f*; (*steuerliche* ~) carga *f* fiscal, gravamen *m*; ⚖ cargo *m*; *politische* ~ incriminación política; → *erblich*; **~sanzeige** ✝ *f* nota *f* de débito; **~sfähigkeit** *f* capacidad *f* de carga; **~smaterial** ⚖ *n* (*-s*; *0*) pruebas *f/pl.* de cargo; **~sprobe** ⊕ *f* prueba *f* de carga *bzw.* de sobrecarga; *fig.* (dura) prueba *f*; **~szeuge** ⚖ *m* (*-n*) testigo *m* de cargo.
be'laub|en (-) *v/refl.* cubrirse *od.* poblarse de hojas *f/pl.*; **~t** *adj.* cubierto de hojas; (*dicht* ~) frondoso; **2ung** *f* follaje *m*; (*dichte* ~) frondosidad *f.*
be'lauern (*-re*; -) *v/t.* acechar; *weitS.* espiar, vigilar.
be'laufen (*L*; -) *v/t. sich* ~ *auf* elevarse *od.* ascender a; alcanzar la cifra de; importar (*ac.*).
be'lauschen (-) *v/t.* escuchar; espiar.
be'leb|en (-) *fig. v/t.* vivificar; (*ermutigen*) dar aliento *m*, infundir ánimo *m*; *Eßlust usw.*: estimular; (*kräftigen*) vigorizar, dar nuevas fuerzas *f/pl.*; *Feuer, Farben*: avivar; *Gesicht*: animar; *Geschäft*: activar; *neu* ~ revivificar, dar nueva vida; → *wieder~*; **~end** *adj.* vivificador; vigorizador; ⚕ analéptico; estimulante (*a. su.* ~*es Mittel*); **~t** *adj.* vivo, animado (*a.* ✝, *Szene*); *Lokal*: concurrido, frecuentado; *Straße*: *a.* animado; **2theit** *f* (*0*) animación *f*; viveza *f*, vivacidad *f*; vida *f*; **2ung** *f* vivificación *f*; animación *f*; ✝ auge *m*; activación *f*; *fig.* vida *f*; estímulo *m*; *neue* ~ revivificación *f*; → *Wieder2.*
be'lecken (-) *v/t.* lamer; *fig. von der Kultur kaum beleckt* con un ligero barniz de cultura.
Be'leg *m* (*-es*; *-e*) documento *m* justificativo; (*Beweisstück*) prueba *f* documental; (*~schein*) comprobante *m*; (*Unterlage*) documento *m* acreditativo; (*Quittung*) recibo *m*; (*~stelle*) cita *f*; **2bar** *adj.* demostrable, comprobable; **2en** *v/t.* (*bedecken*) cubrir (*mit* de, con); (*auskleiden*) revestir; *mit Fliesen* ~ embaldosar; *mit Dielen* ~ entarimar; *mit Teppichen* ~ alfombrar; *Stute*: cubrir; ⚔ *mit Beschuß* ~ cubrir con fuego de; *mit Bomben* ~ bombardear; *mit Soldaten*: alojar; *mit e-r Garnison* ~ acantonar tropas en una plaza; *e-e Wohnung usw.*: ocupar, ⚔ requisar; *e-n Platz* ~ (*durch Gegenstände*) ocupar con un objeto; (*vorherbestellen*) reservar; *Sport*: clasificarse (*en primer lugar, segundo etc.*); *Vorlesungen*: matricularse en (*una asignatura, un curso*); *mit Abgaben* ~ gravar con impuestos; → *Beschlag*; *mit Strafe* ~ imponer un castigo; (*beweisen*) documentar, probar documentalmente; justificar; *durch Beispiele*: ilustrar con ejemplos *m/pl.*; ⚕ *sich* ~ *Zunge*: ponerse saburrosa la lengua; → *belegt.*
Be'leg...: **~exemplar** *n* (*-es*; *-e*) ejemplar *m* de prueba; **~schaft** *f* personal *m*; *e-r Fabrik usw.*: los obreros *m/pl.*, los operarios *m/pl.*; (*Gruppe*) equipo *m*, brigada *f* (*de obreros*); (*Schicht*) turno *m*; **~schein** *m* (*-es*; *-e*) comprobante *m*; (*Quittung*) recibo *m*; **~stelle** *f* cita *f*; fuente *f*, autoridad *f*, referencia *f*; **2t** *adj. Zunge*: saburrosa; *Stimme*: ronca; *~es Brot* bocadillo; emparedado; *Platz, Raum usw.*: ocupado; reservado; *Tele.*: ocupado.
be'lehn|en (-) *v/t.* investir; enfeudar; **2ung** *f* investidura *f*; enfeudamiento *m.*
be'lehr|en (-) *v/t.* instruir; informar; aconsejar (*über* acerca de); (*aufklären*) ilustrar; *j-n e-s Besseren* ~ desengañar a alg.; (*zurechtweisen*) corregir, *fig.* dar una lección a alg.; *sich* ~ *lassen* admitir consejo de, atender a razones; **~end** *adj.* instructivo; aleccionador; (*lehrhaft*) didáctico; **2ung** *f* instrucción *f*; (*Lehre*) enseñanza *f*; (*Auskunft*) información *f*; (*Zurechtweisung*) corrección *f.*
be'leibt *adj.* corpulento, grueso; gordo, obeso; (*stattlich*) de buen porte; **2heit** *f* (*0*) corpulencia *f*; gordura *f*, obesidad *f.*
be'leidig|en (-) *v/t.* ofender (*a. fig.*); *mit Worten*: injuriar, denostar; (*verletzen*) herir; *gröblich*: insultar; *öffentlich*: afrentar; ultrajar; *sich beleidigt fühlen* sentirse ofendido; **~end** *adj.* ofensivo; injurioso, insultante; ultrajante; **2er(in** *f*) *m* ofensor(a *f*) *m*; injuriador(a *f*) *m*; **2te(r** *m*) *m/f* ofendido (-a *f*) *m*; injuriado (-a *f*) *m*; ultrajado (-a *f*) *m*; **2ung** *f* ofensa *f*; injuria *f*, insulto *m*; ultraje *m*; ⚖ injuria *f*; (*Verleumdung*) calumnia *f*; *schriftliche*: libelo *m.*
be'leihen (*L*; -) *v/t.* prestar (*dinero*) sobre, dar dinero *m* a cuenta de.
be'lesen *adj. in e-m Fach bewandert*: versado, instruido en; (*gelehrt*) erudito, letrado, F leido; **2heit** *f* (*0*) erudición *f*, ilustración *f*; *ein Mann von großer* ~ hombre muy erudito; (*Schriftsteller*) polígrafo.
be'leucht|en (*-e-*; -) *v/t.* alumbrar; (*festlich*) iluminar (*a. fig.*); *fig.* dilucidar, esclarecer, aclarar, ilustrar; examinar, estudiar; **2er** *m Thea.* inspector *m* electrotécnico.
Be'leuchtung *f* alumbrado *m*; iluminación *f*; *konkret*: *a.* luces *f/pl.*; *fig.* elucidación *f*, ilustración *f*; **~s-**

anlage *f* instalación *f* de alumbrado; **~skörper** *m* aparato *m* para alumbrado; (*Leuchte*) lámpara *f*; **~smesser** *m* luxímetro *m*; **~smittel** *n* medio *m* de iluminación; **~s-stärke** *f* intensidad *f od.* potencia *f* luminosa; **~s-technik** *f* (*0*) luminotecnia *f*.
be'leum(un)det *adj.*: *gut* (*schlecht*) ~ de buena (mala) reputación.
'Belg|ien *n* Bélgica *f*; **~ier(in** *f*) *m*, **Ꞩisch** *adj.* belga *m/f*.
be'lichten (*-e-*; -) *v/t.* irradiar; *Phot.* exponer.
Be'lichtung *f Phot.*: exposición *f*; **~smesser** *m* fotómetro *m*; exposímetro *m*; **~s-tabelle** *f* tabla *f* de exposiciones; **~szeit** *f* tiempo *m* de exposición.
be'lieben (-) *v/t. u. v/i.* (*wünschen*) desear, querer; (*gefallen*) gustar de; (*für gut befinden*) dignarse, tener a bien; *wie es Ihnen beliebt* como usted guste *od.* quiera; *tu, was dir beliebt* haz lo que te plazca *od.* lo que quieras; *wie beliebt?* ¿cómo decía usted?; diga usted; Ꞩ *n* voluntad *f*; gusto *m*, agrado *m*; discreción *f*; *nach* ~ a su gusto, a voluntad; a discreción; *es steht in Ihrem* ~ lo dejo a su discreción; queda a su albedrío *od.* voluntad.
be'liebig 1. *adj.* cualquiera; (*wahlfrei*) discrecional; (*willkürlich*) arbitrario; *jede ~e Person* (una persona) cualquiera; *jedes ~e Buch* cualquier libro; *zu jeder ~en Zeit* a cualquier hora que se desee; **2.** *adv.* a voluntad, a gusto; a discreción; ~ *viele* cualquier cantidad, cuantos se deseen *od.* quieran.
be'liebt *adj.* (*Person*) estimado, apreciado, querido; (*allgemein* ~) popular; *Waren*: solicitado; *Mode*: de moda, en boga; *sich bei j-m ~ machen* hacerse querer de alg.; congraciarse con alg.; **Ꞩheit** *f* (*0*) popularidad *f* (*bei* entre); *Gunst*: favor *m*; *sich großer ~ erfreuen* gozar de gran popularidad; gozar de gran estimación *od.* de grandes simpatías.
be'liefern (*-re*; -) *v/t.* surtir, proveer, abastecer (*mit* de).
'bellen *v/i.* ladrar; gañir; Ꞩ *n* ladrido *m*, gañido *m*.
Belle'trist [bɛle:-] *m* (*-en*) literato *m*, escritor *m* ameno; **~ik** *f* (*0*) bellas letras *f/pl.*; **Ꞩisch** *adj.* literario; *~e Zeitschrift* revista literaria.
be'lob(ig)|en (-) *v/t.* elogiar, alabar; encomiar, ensalzar; **Ꞩung** *f* elogio *m*, alabanza *f*; **Ꞩungsschreiben** *n* carta *f* laudatoria.
be'lohn|en (-) *v/t.* recompensar; (*vergelten*) retribuir; *mit Geld*: pagar, remunerar, gratificar; (*mit e-m Preis*) premiar; **Ꞩung** *f* recompensa *f*; retribución *f*; remuneración *f*, gratificación *f*; (*Preis*) premio *m*; *schlechte ~ fig.* mal pago.
be'lüften (*-e-*; -) *v/t.* ventilar, airear, orear.
Be'lüftung *f* ventilación *f*; **~s-anlage** *f* instalación *f* para ventilación; **~sklappe** *f* válvula *f* de ventilación.
be'lügen (*L*; -) *v/t.*: *j-n* ~ mentir a alg.; engañar con embustes a alg.
be'lustig|en (-) *v/t.* divertir; regocijar; (*erfreuen*) recrear; *sich* ~ divertirse; regocijarse; *sich ~ über* burlarse, reírse de; **~end** *adj.* divertido; regocijante, gracioso; (*lustig*) alegre; (*zerstreuend*) recreativo; **Ꞩung** *f* diversión *f*; regocijo *m*, holgorio *m*; recreo *m*; regodeo *m*.
be'mächtigen (-) *v/refl.*: *sich e-r Sache* ~ apoderarse *od.* adueñarse de a/c.; *widerrechtlich* usurpar a/c.
be'mäkeln (*-le*; -) *v/t.* critiquizar; poner tachas a, tildar.
be'mal|en (-) *v/t.* pintar; adornar con pintura; F *sich* ~ pintarse (la cara); *Film, Thea.*: maquillarse; **Ꞩung** *f* pintura *f*; *des Gesichts*: maquillaje *m*.
be'mängel|n (*-le*; -) *v/t.* criticar, censurar; tildar, poner tachas a; **Ꞩung** *f* crítica *f*, censura *f*.
be'mann|en (-) ⚓ *v/t.* tripular, equipar; **Ꞩung** *f* (*Mannschaft*) tripulación *f*; (*e-s Kriegsschiffs*) dotación *f*; (*Ausrüstung*) equipo *m*.
be'mänteln (*-le*; -) *v/t.* (*verdecken*) encubrir, disimular, velar; (*beschönigen*) paliar; excusar, disculpar.
be'meistern (*-re*; -) *v/t.* dominar, someter, domeñar; *sich* ~ dominarse, contenerse.
be'merk|bar *adj.* perceptible, sensible; notable; visible; *sich ~ machen* (*Person*) atraer la atención; *es macht sich* ~ se hace notar; **~en** (-) *v/t.* (*wahrnehmen*) notar, observar; ver, percibir; darse cuenta de, reparar en; (*entdecken*) descubrir; (*aufschreiben*) anotar; (*äußern*) observar, decir; (*erwähnen*) mencionar; *ich habe es bemerkt* (ya) lo he notado; **~enswert** *adj.* notable, digno de atención, interesante (*wegen, durch* por); **Ꞩung** *f* observación *f*; (*schriftlich*) nota *f*, advertencia *f*; (*Rand*Ꞩ) nota *f* marginal; acotación *f*; *~en machen über* hacer observaciones acerca de *od.* sobre.
be'messen (*L*; -) **I.** *v/t.* medir; proporcionar (*nach* a); *zeitlich*: fijar un (corto) plazo *m*; (*anpassen*) ajustar, acomodar; (*abschätzen*) estimar, apreciar; **II.** *adj.* medido; proporcionado; ajustado; *meine Zeit ist* ~ mi tiempo es (muy) limitado.
be'mitleid|en (*-e-*; -) *v/t.* compadecerse de; *ich bemitleide ihn* me da lástima de él, le compadezco; **~enswert** *adj.* digno de compasión.
be'mittelt *adj.* acomodado, adinerado; pudiente.
be'mogeln (*-le*; -) *v/t.* F engañar.
be'moost *adj.* musgoso, cubierto de musgo; *fig.* añoso, vetusto.
be'müh|en (-) *v/t.* molestar, incomodar; *sich* ~ molestarse; tomarse la molestia de; *sich für j-n* ~ molestarse en ayudar a alg.; interceder por (*od.* en favor de) alg.; *sich um et.* ~ esforzarse en *od.* para *od.* por conseguir a/c.; (*bei Behörden*) gestionar a/c.; *durch Antrag, Bewerbung*: solicitar a/c.; *sich um e-n Verletzten* ~ auxiliar, atender a un herido; *sich zu j-m* ~ tomarse la molestia de ir a casa de alg.; *bemüht sein, zu inf.* procurar *inf.*; *darf ich Sie (darum)* ~? ¿me permite solicitar su ayuda para ello?, ¿me permite rogarle que lo haga?; ~ *Sie sich nicht!* no se moleste usted; **Ꞩung** *f* molestia *f*; servicio *m*, trabajo *m*; (*Anstrengung*) esfuerzo *m*; *~en f/pl.* (*bei Behörden*) gestiones *f/pl.*, diligencias *f/pl.*
be'müßigt *adj.*: *sich ~ fühlen zu* creer oportuno *inf.*; sentirse obligado a *inf.*
be'muster|n (*-re*; -) *v/t.* ⚕ acompañar de muestras *f/pl.*; **~t** *adj.*: *~es Angebot* oferta con muestras.
be'muttern (*-re*; -) *v/t.* cuidar como una madre; servir de madre; mimar.
be'nachbart *adj.* vecino; (*nahe*) cercano; (*angrenzend*) colindante, limítrofe, aledaño.
be'nachrichtig|en [-'nɑːxʀɪç-] (-) *v/t.* avisar (*a.* ⚕); comunicar a/c. a alg., enterar de; informar sobre; *formell*: notificar; *im voraus*: advertir, prevenir; **Ꞩung** *f* noticia *f*; información *f*; notificación *f*; (*Ankündigung*) advertencia *f*; aviso *m* (*a.* ⚕); (*Bericht*) informe *m*; **Ꞩungsschreiben** ⚕ *n* carta *f* de aviso.
be'nachteilig|en [ɑː] (-) *v/t.* perjudicar, causar perjuicio *m*; **Ꞩung** *f* perjuicio *m*; detrimento *m*; *unter ~ von* con perjuicio de.
be'nagen (-) *v/t.* roer.
be'nebel|n (*-le*; -) *v/t.* aneblar, cubrir de niebla *f*; *fig.* ofuscar; **~t** *adj.* (*beschwipst*) F achispado.
bene'deien (-) *v/t.* bendecir.
Benedik'tiner *m* benedictino *m*; **~in** *f* benedictina *f*; **~orden** *m* Orden *f* Benedictina *od.* de San Benito.
Bene'fiz *n* (*-es*; *-e*) beneficio *m*; **~iat** *m* (*-en*; *-e*) (*Pfründer*) prebendado *m*, beneficiado *m* (*a. Thea.*); **~vorstellung** *f Thea.* función *f* de beneficio *bzw.* a beneficio de.
be'nehmen (*L*; -) *v/t.* (*entziehen*) quitar, arrebatar; privar de; *die Sinne* ~ embargar los sentidos; → *benommen*; *sich* ~ comportarse, portarse bien, mal *usw.* (*gegen* con), conducirse; *benimm dich!* (*Kind*) ¡sé formalito!, ¡estáte quieto!; *er weiß sich nicht zu* ~ no tiene modales, no sabe conducirse como es debido; Ꞩ *n* (*-s*; *0*) conducta *f*; *gutes* ~ buenos modales, buenas maneras; *feines* ~ modales distinguidos, urbanidad *f*; (*Verhalten*) comportamiento *m*, proceder *m*, modo *m* de (com)portarse; *im ~ mit* de conformidad (de acuerdo) con; *sich mit j-m ins ~ setzen* ponerse en relación con alg.; ponerse de acuerdo con alg. (*über* sobre).
be'neiden (*-e-*; -) *v/t.* envidiar (*ac*); tener envidia *f* de alg.; *ich beneide dich um deine Ruhe* envidio tu tranquilidad; **~swert** *adj.* envidiable.
Bene'luxstaaten *m/pl.* Estados *m/pl.* del Benelux.
be'nenn|en (*L*; -) *v/t. j-n, et.*: nombrar, denominar; titular; poner nombre a, designar; *Termin*: fijar (*una fecha*); ℞ *benannte Zahl* número concreto; **Ꞩung** *f* denominación *f*; *konkret*: nombre *m*, designación *f*; *Terminologie*) nomenclatura *f*; (*Bezeichnung*) calificación *f*, título *m*.
be'netzen (*-t*; -) *adj.* (*befeuchten*) mojar, humedecer; (*bespritzen*) sal-

picar; (*betauen*) rociar; (*begießen*) regar.

ben'galisch *adj.*: ~e *Beleuchtung* luces de Bengala.

'Bengel *m* rapaz *m*, chiquillo *m*, F pollito *m*; *Arg.* pibe *m*, pebete *m*; (*Schelm*) granuja *m*, pillete *m*, pilluelo *m*; (*Straßenjunge*) golfillo *m*.

be'nommen *adj.* aturdido, (*verstört*) perturbado, ⚕ obnubilado; atontado; **≈heit** *f* (*0*) entorpecimiento *m*; embotamiento *m* sensorial, atontamiento *m*; ⚕ obnubilación *f*; modorra *f*.

be'nötigen (-) *v/t.* necesitar; requerir a/c.; *dringend* ~ necesitar urgentemente.

be'nummern (*-re*; -) *v/t.* numerar.

be'nutzbar *adj.* utilizable, aprovechable.

be'nutz|en, be'nütz|en (*-t*; -) *v/t.* usar, hacer uso *m* de; (*verwenden*) utilizar, emplear; (*sich zunutze machen*) sacar provecho *m* de, aprovecharse *od.* servirse de; (*ausbeuten*) explotar; *Gelegenheit*: aprovechar; **≈er** *m* usuario *m*; aprovechador *m*, utilizador *m*; *Tele.* abonado *m*; **≈ung** *f* uso *m*; empleo *m*, utilización *f*; aprovechamiento *m*; **≈ungsrecht** *n* (*-es*; *-e*) derecho *m* de uso.

Ben'zin *n* (*-s*; *0*) ⚗ bencina *f*; *Auto.* gasolina *f*; *Arg.* nafta *f*; **~behälter** *m* depósito *m* de gasolina; **~kanister** *m* bidón *m od.* lata *f* de gasolina; **~messer** *m* indicador *m* del nivel de gasolina; **~motor** *m* (*-s*; *-en*) motor *m* de gasolina; **~tank** *m* (*-s*; *-s*) depósito *m od.* tanque *m* de gasolina; **~uhr** *f* contador *m* de gasolina; **~verbrauch** *m* (*-s*; *0*) consumo *m* de gasolina; **~wagen** *m* camión-cisterna *m* de gasolina.

'Benzoe [-tso·e·] *f* (*0*) benjuí *m*; **~säure** *f* ácido *m* benzoico.

Ben'zol *n* (*-s*; *-e*) ⚗ benceno *m*, benzol *m*.

be'obacht|en (*-e-*; -) *v/t.* observar; *genau*: examinar, estudiar; (*betrachten*) contemplar; *Horizont*: escudriñar, atalayar; (*beschatten*) vigilar estrechamente, espiar a alg.; et. *an j-m* ~ reparar en, advertir *od.* notar a/c. en alg.; *Gesetz*: cumplir, respetar; *Anweisung*: seguir, obedecer; *Feiertag*: guardar, observar; *Stillschweigen* ~ guardar silencio; **≈er(in** *f*) *m* observador(a *f*) *m*; *Zuschauer*: espectador(a *f*) *m*.

Be'obachtung *f* observación *f*; *fig.* (*Einhaltung*) observancia *f*, cumplimiento *m*; **~sflugzeug** *n* (*-es*; *-e*) avión *m* de observación; **~sgabe** *f* (*0*) don *m* de observación; **~sposten** ⚔ *m* (*Person*) centinela *m*; vigía *m*; (*Stelle*) puesto *m* de observación; **~sstation** *f* ⚕ sala *f* de observación; *Astr.* observatorio *m*.

be'ordern (*-re*; -) *v/t.* enviar, mandar a; comisionar; (*her~*) llamar (zu a); (*weg~*) enviar a; destinar a.

be'packen (-) *v/t.* cargar de *od.* con paquetes *m/pl.*

be'pflanzen (*-t*; -) *v/t.*: ~ *mit* plantar de; (*mit Bäumen*) *a.* poblar de.

be'quem I. *adj.* (*behaglich*) cómodo, confortable; (*geräumig*) amplio, espacioso; (*Kleid, Schuh*) holgado; *es sich* ~ *machen* ponerse cómodo; (*im Sessel*) arrellanarse; (*mühelos*) sin esfuerzo; (⚚ *Bedingungen, Raten*) fácil; (*passend*) conveniente, adecuado; (*zur Hand*) manejable; *Person*: amante de la comodidad, cómodo, F comodón; (*träge*) indolente, perezoso; (*faul*) poltrón; **II.** *adv.* cómodamente; (*leicht*) fácilmente; ~ *leben* vivir con holgura *od.* desahogadamente; *sich* ~ *fühlen* sentirse a gusto, F sentirse a sus anchas; **~en:** *sich dazu* ~, *et. zu tun* prestarse a hacer a/c.; (*einwilligen*) consentir *od.* condescender en hacer a/c.; **≈lichkeit** *f* comodidad *f*, *neol.* confort *m*; (*Trägheit*) indolencia *f*, pereza *f*; poltronería *f*.

be'rappen (-) F *v/t.* pagar, F apoquinar, aflojar la mosca.

be'rat|en (*L*; -) *v/t. u. v/i. j-n*: aconsejar a, dar consejos *m/pl.* a; (*amtlich*) asesorar; *et.*: deliberar sobre a/c.; discutir, debatir a/c.; *sich* ~ deliberar (*über ac.* sobre); *mit j-m* ~ consultar con *od.* a alg.; *sich von j-m* ~ *lassen* tomar consejo de (aconsejarse con) alg.; *gut* (*schlecht*) ~ *sein* estar bien (mal) aconsejado; **~end** *adj.* consultivo; ~*e Körperschaft* junta consultiva; **≈er(in** *f*) *m* consejero (-a *f*) *m*; consultor *m*; asesor *m*; (*Fach≈*) perito *m*; (*der Jugend*) mentor *m*; (*bsd. Geistlicher*) consiliario *m*; **~schlagen** (-) *v/i.* → (*sich*) *beraten*.

Be'ratung *f* (*Beratschlagung*) deliberación *f*, discusión *f*, debate *m*; (*Besprechung*) conferencia *f*; (*Rat*) consejo *m*; (*öffentliche*) asesoramiento *m*; ⚕ *u.* ⚖ consulta *f*; (*Berufs≈*) orientación *f* profesional; *ärztliche* ~ junta *f* de médicos; **~sstelle** *f* consultorio *m*; *ärztliche*: *a.* dispensario *m*; *berufliche*: *Span.* Centro *m* de Orientación Profesional; **~szimmer** *n* sala *f* de conferencias *od.* de deliberaciones.

be'raub|en (-) *v/t.*: *j-n e-r Sache* ~ robar (*od.* despojar de) a/c. a alg.; expoliar a alg.; *e-s Rechtes*: privar de; *e-s Besitzes*: desposeer de; *fig.* arrebatar, despojar; *jeder Romantik beraubt* despojado de todo romanticismo; *fig.* privar(se) de; **≈ung** *f* robo *m*; despojo *m*; expolio *m*; (*Entziehung*) privación *f*.

be'räuchern (*-re*; -) ⊕ *v/t.* fumigar.

be'rausch|en (-) *v/t.* embriagar (*a. fig.*), emborrachar; F achispar; *sich* ~ embriagarse, emborracharse; *fig. sich* ~ *an* estar entusiasmado *od.* enajenado con; **~end** *adj.* embriagador (*a. fig.*); (*Wein*): fuerte: ~*e Schönheit* belleza deslumbradora *od.* arrebatadora; **~t** *adj.* embriagado, borracho, ebrio (*a. fig.*); F alumbrado, achispado, trompa.

be'rechenbar *adj.* calculable.

be'rechn|en (*-e-*; -) *v/t.* calcular (*a. fig.*); contar; (*chronologisch*) computar; (*zusammenrechnen*) totalizar; (*bestimmen*) determinar; (*schätzen*) evaluar, apreciar; (*Umstände*) combinar; ⚚ *j-m et.* ~ poner *od.* cargar en cuenta; *für j-n berechnet sein* estar previsto *od.* calculado para alg.; *berechnet für et.* ⊕ calculado para; **~end** *adj.* calculador; previsor; (*eigennützig*) egoísta, interesado; **≈ung** *f* calculación *f*, cálculo *m*; cuenta *f*; cómputo *m*; (*Schätzung*) evaluación *f*, estimación *f*; ⚚ (*Belastung*) débito, *m* adeudo *m*; (*Fakturierung*) facturación *f*; *ungefähre* ~ cálculo aproximativo; *mit* ~ con premeditación, deliberadamente; *er tat es aus* ~ lo hizo con su cuenta y razón *od.* calculadamente.

be'rechtig|en (-) *v/t.*: (*j-n*) ~ *zu* dar derecho a; (*ermächtigen*) autorizar a *od.* para; (*befähigen*) habilitar, facultar para; *zu Hoffnungen* ~ justificar las esperanzas, ser muy prometedor; **~t** *adj.*: ~ *zu* con derecho a; *fig.* acreedor a; ~ *sein zu* tener el derecho de *inf.*, tener derecho a *inf.*; estar autorizado para *inf.*; ~*er Anspruch* reclamación justa; ~*e Hoffnung* esperanza fundada; ~*e Klage* queja justificada; ~*e Interessen* intereses legítimos; **≈te(r** *m*) *m/f* ⚖ derechohabiente *m/f*; **~terweise** *adv.* justificadamente, con justo título; **≈ung** *f* (*Recht*) derecho *m*; (*Rechtstitel*) título *m*; (*Vorrecht*) prerrogativa *f*; (*Rechtmäßigkeit*) legitimidad *f*; (*Ermächtigung*) autorización *f*; (*Vollmacht*) poder *m*; (*behördlich*) licencia *f*; (*Befähigung*) habilitación *f*; (*Rechtfertigung*) justificación *f*; **≈ungsschein** *m* (*-es*; *-e*) (*Diplom*) diploma *m*; certificado *m* de aptitud ⚚ licencia *f*; permiso *m*.

be'red|en (*-e-*; -) *v/t. et.*: hablar de, discutir, debatir, tratar (*una cuestión*); *sich mit j-m* ~ conferenciar *od.* consultar con alg.; *j-n zu et.* ~ persuadir, inducir a alg. a; **≈samkeit** *f* (*0*) elocuencia *f*; (*Redekunst*) oratoria *f*; retórica *f*; **~t** *adj.* elocuente (*a. fig.*); F facundo.

Be'reich *m* (*-es*; *-e*) recinto *m*, ámbito *m*; (*Gegend*) región *f*, zona *f*; *fig.* (*Reichweite*) alcance *m*, radio *m* de acción (*a.* ⚔); (*Gebiet*) campo *m*, terreno *m*; dominio *m*; (*Macht≈, Einflußsphäre*) esfera *f*; *Pol.* jurisdicción *f*; (*Befugnis*) atribuciones *f/pl.*; (*Wellen≈*) banda *f* de frecuencia; *im* ~ *der Möglichkeit* dentro de lo posible; *es fällt nicht in meinen* ~ no es de mi competencia.

be'reicher|n (*-re*; -) *v/t.* enriquecer; *Wissen*: ampliar; *sich* ~ enriquecerse (*an dat.* con); **≈ung** *f* enriquecimiento *m*.

be'reifen (-) *v/t.* **a)** escarchar; **b)** *Faß*: enarcar; *Auto.* colocar (los) neumáticos *m/pl.*

be'reift *adj.* escarchado.

Be'reifung *f Auto.* neumáticos *m/pl.*

be'reinig|en (-) *v/t. Streit*: zanjar, arreglar; ⚚ *Konto*: liquidar; *Mißverständnis*: aclarar; *Fehler*: subsanar; (*ausgleichen*) allanar; **≈ung** *f* arreglo *m*; *fig.* saneamiento *m*; depuración *f*.

be'reisen (*-t*; -) *v/t. Land*: viajar por, recorrer; (*Messe*) concurrir a; (*besichtigen*) visitar; inspeccionar.

be'reit *adj.* preparado, pronto, (*fertig*) listo (zu, *für* para); (*gewillt*) dispuesto (zu a *inf.*, *für* para); ⚚ *wir sind gern* ~, *zu inf.* estamos gustosamente dispuestos a *inf.*; **~en** (*-e-*; -) *v/t.* preparar, disponer; (*zubereiten*) preparar, hacer; (*herstellen*) elaborar, confeccionar; *fig.* (*verursachen*) causar, hacer; *Empfang*: dispensar; *Freude usw.*: dar, causar; *Pferd*: domar; adiestrar; *Niederlage*: infligir; *Ehrungen*: tributar; *Schwierigkeiten*: crear, causar; *j-m Kummer* ~ causar pena *od.* pesadumbre a alg.

beˈreit...: ~ erklären (-): *sich ~ zu* declararse dispuesto a, consentir en; **~ finden** (*L*): *sich ~ zu* mostrarse *od.* hallarse dispuesto a; *sich ~ für j-n*: tener a la disposición de; **~machen** *v/t.*: *sich ~ zu* prepararse para, disponerse a; **~s** *adv.* ya; **2schaft** *f* (*0*) disposición *f*; (*Polizeimannschaft*) retén *m*; *in ~ sein* estar apercibido, dispuesto *od.* prevenido para; **2schaftsdienst** *m* (*-es*; *-e*) servicio *m* de retén *od.* de prevención; **2schaftspolizei** *f* Brigada *f* Móvil; **~stehen** (*L*; *sn*) *v/i.* estar preparado *od.* dispuesto para; ⚔ estar prevenido *od.* apercibido; (*verfügbar sein*) estar disponible; **~stellen** *v/t.* (*vorbereiten*) preparar, aprestar; (*versorgen*) proveer, proporcionar, poner a la disposición; (*Rücklage*) reservar; ⚔ *Truppen*: concentrar; **2stellung** *f* preparación *f*; (*Versorgung*) provisión *f* (*a. Geld*); ⚔ concentración *f*; **2ung** *f* preparación *f*; (*Herstellung*) elaboración *f*; confección *f*; **~willig** *adj.* pronto; gustoso; (*dienstfertig*) solícito, complaciente, servicial; **2willigkeit** *f* (*0*) prontitud *f*, diligencia *f*; buena voluntad *f*; solicitud *f*, complacencia *f*; *mit großer ~* con sumo gusto, con la mayor complacencia.

beˈrennen (*L*; -) *v/t.* ⚔ arremeter contra; asaltar.

beˈreuen (-) *v/t.* arrepentirse de, dolerse de; (*bedauern*) sentir.

Berg *m* (*-es*; *-e*) montaña *f*; (*Hügel*) colina *f*; (*Einzel2*) pico *m*; (*vor Eigennamen*) monte *m*; *der ~ Sinai* el monte Sinaí; *über ~ und Tal* por montes y valles; *fig.* *~e von* F un montón de; *~e versetzen* mover montañas; *goldene ~e versprechen* prometer el oro y el moro; *über den ~ kommen* tener ya tras de sí lo más difícil; *vor e-m ~e stehen* hallarse ante una gran dificultad; *wir sind noch nicht über den ~* aún no se han vencido todas las dificultades; F es pronto para cantar victoria; *hinter dem ~e halten* (*mit et.*) ocultar sus intenciones, disimular; *er hielt damit nicht hinterm ~* lo dijo bien claro, *fig.* no se mordió la lengua; *er ist über alle ~e* ha puesto tierra por medio, ha desaparecido, F el pájaro ha volado; *die Haare standen ihm zu ~e* se le pusieron los pelos de punta.

ˈBerg...: → *Gebirgs...*; **2ˈab** *adv.* cuesta abajo; (*Fluß*) río abajo; *fig.* de mal en peor; **~abhang** *m* (*-es*; *⸚e*) falda *f*, ladera *f*; **~akademie** *f* Escuela *f* de (Ingenieros de) Minas; **~amt** *n* (*-es*; *⸚er*) Dirección *f* de Minas; **2ˈan** *adv.* cuesta arriba (*a. fig.*); (*Fluß*) río arriba; **~arbeiter** *m* minero *m*; **2ˈauf** *adv.*: *fig. es geht wieder ~* las cosas vuelven a mejorar; → *bergan*; **~bahn** *f* ferrocarril *m* de montaña; **~bau** *m* (*-es*; *0*) minería *f*; **~bewohner(in** *f*) *m* montañés *m*, montañesa *f*.

ˈBerge|geld ⚓ *n* (*-es*; *-er*) gastos *m/pl.* de salvamento; **~dienst** *m* (*-es*; *-e*) servicio *m* de recuperación; **2hoch** *adj.* altísimo; **2n** (*L*) *v/t.* salvar, poner a salvo *od.* en lugar seguro; *Segel*: aferrar; *Auto.*: recuperar; (*enthalten*) *in sich ~* encerrar, contener; *fig.* entrañar, implicar; *heimlich*: ocultar, celar; → *geborgen*.

ˈBerg...: ~enge *f* desfiladero *m*; **~fach** ⚒ *n* (*-es*; *0*) minería *f*; **~fahrt** *f* (*Schiff*) navegación *f* agua arriba *od.* contra corriente; (*Wanderung*) excursión *f* a la montaña; **~freudigkeit** *Auto.* *f* (*0*) agilidad *f* ascensional; **~führer** *m* guía *m* (alpino); **~geist** *m* (*-es*; *-er*) gnomo *m*; **~gipfel** *m* cima *f*, cumbre *f*; **~grat** *m* (*-es*; *-e*) cresta *f* (de montaña); **~halde** *f* falda *f*; ⚒ montón *m* de escombros; **2ig** *adj.* montañoso; **~ingenieur** *m* (*-s*; *-e*) ingeniero *m* de minas; **~kamm** *m* (*-es*; *⸚e*) cresta *f*; **~kette** *f* cordillera *f*, cadena *f* montañosa; sierra *f*; **~knappe** *m* (*-n*) minero *m*; **~krankheit** *f* mal *m* de montaña, *Am.* soroche *m*; (*des Bergarbeiters*) ⚕ anquilostomiasis *f*; **~kristall** *m* (*-es*; *-e*) cristal *m* de roca; **~land** *n* (*-es*; *0*) país *m* montañoso; **~mann** ⚒ *m* (*-es*; *-leute*) minero *m*; **2männisch** *adj.* minero; **~meister** *m* inspector *m* de minas; **~predigt** *f* Sermón *m* de la Montaña; **~recht** *n* (*-es*; *0*) código *m* minero; leyes *f/pl.* de minas; **~rükken** *m* loma *f*; **~rutsch** *m* (*-es*; *-e*) desprendimiento *m* de tierras, derrumbamiento *m*; **~sattel** *m* collado *m*; **~schuhe** *m/pl.* botas *f/pl.* de montañero; **~spitze** *f* pico *m* de alpinista; **~steiger(in** *f*) *m* montañero (-a *f*) *m*, alpinista *m/f*; **~steigerausrüstung** *f* equipo *m* de montañero; **~steigefähigkeit** *Auto.* *f* (*0*) capacidad *f* ascensional; **~steigeˈrei** *f* montañismo *m*, alpinismo *m*; **~stock** *m* (*-es*; *⸚e*) bastón *m* de alpinista, *neol.* alpenstock *m*; **~straße** *f* carretera *f* de montaña; **~strom** *m* (*-es*; *⸚e*) torrente *m*; **~sturz** *m* (*-es*; *⸚e*) → *Bergrutsch*; **~tour** *f* excursión *f* por la montaña; **~-und-ˈTal-Bahn** *f* montaña *f* rusa.

ˈBergung *f* ⚓ salvamento *m*; (*Strandgut u. Auto.*) recuperación *f* (de materiales); **~s-arbeiten** *f/pl.* trabajos *m/pl.* *od.* operaciones *f/pl.* de salvamento; **~sdampfer** *m* barco *m* de salvamento; **~skosten** *pl.* gastos *m/pl.* de salvamento; **~s-mannschaft** *f* equipo *m* de salvamento.

ˈBerg...: ~volk *n* (*-es*; *⸚er*) pueblo *m* montañés, gente *f* de la montaña; **~wacht** *f* servicio *m* de salvamento en la montaña; **~wand** *f* (-; *⸚e*) ladera *f* escarpada; **~welt** *f* (*0*) mundo *m* alpino.

ˈBergwerk *n* (*-es*; *-e*) mina *f*; *ein ~ betreiben* explotar una mina; **~s-aktie** *f* acción *f* minera; **~s-arbeiter** *m* → *Bergmann*; **~sgesellschaft** *f* compañía *f* minera; **~s-ingenieur** *m* (*-s*; *-e*) ingeniero *m* de minas.

ˈBerg|wesen *n* (*-s*; *0*) minería *f*, industria *f* minera; **~zinn** *m* (*-es*; *0*) estaño *m* nativo; **~zinnober** *m* cinabrio *m*.

Beˈricht *m* (*-es*; *-e*) relación *f*; (*bsd. amtlich*) informe *m*; (*Protokoll*) actas *f/pl.*; (*Verlautbarung*) comunicado *m* (oficial), declaración *f*; (*amtlicher*) boletín *m*; (⚔, *Kranken2*) parte *m*; (*Darstellung*) exposición *f*; (*Erzählung*) relato *m*, narración *f*; (*Mitteilung*) comunicación *f*; información *f*; (*Kommentar*) comentario *m*; (*Gutachten*) dictamen *m*; *Parl.* ponencia *f*; (*geschichtlich*, *Tages2*) crónica *f*; (*Jahres2*) memoria *f*; *kurzer ~* informe *m* sucinto; *Liter.* reseña *f*; *statistische ~e* cuadros *m/pl.* estadísticos; *~ erstatten* (*amtlich*) emitir informe; → *berichten*; † *laut ~* según aviso; **2en** *v/t.* informar (*über ac.* sobre *od.* acerca de; *j-m* a); *ausführlich ~* exponer detalladamente, dar informe detallado; (*erzählen*) narrar, relatar; contar, referir; *j-m et. ~* informar a alg. de a/c.; **~erstatter** *m* informador *m*; informante *m*; *Presse*: (*lokaler*) reportero *m*, *auswärtiger*: corresponsal *m*; (*Radio2*) comentarista *m*; ⚖ relator *m*; *Parl.* ponente *m*; **~erstattung** *f* información *f*; (*Presse*) información *f* periodística; reportaje *m*; (*Bericht*) informe *m*.

beˈrichtig|en (-) *v/t.* (*richtigstellen*) rectificar; (*verbessern*) corregir, enmendar; ⊕ ajustar; (*Schulden*) pagar, saldar; **2ung** *f* rectificación *f*; corrección *f*, enmienda *f*; ajuste *m*; arreglo *m*; (*von Schulden*) pago *m*, saldo *m*.

ˈBeˈrichtigungs|anzeige *f* rectificación *f*, nota *f* rectificativa; **~schraube** ⊕ *f* tornillo *m* de ajuste; **~wert** *m* (*-es*; *-e*) coeficiente *m* de rectificación.

Beˈrichtsjahr † *n* (*-es*; *-e*) ejercicio *m* económico.

beˈriechen (-) *v/t.* oler; olfatear, husmear, oliscar; F *fig. sich ~* estudiarse, sondearse mutuamente.

beˈriesel|n (*-le*; -) *v/t.* *Land*: regar, irrigar; (*besprengen*) rociar; **2ung** *f* riego *m*, irrigación *f*; rociadura *f*, rociado *m*; **2ungs-anlage** *f* instalación *f* *od.* sistema *m* de riego.

beˈritten *adj.* montado (*a caballo*); *~ machen* montar.

Berˈlin *n* Berlín *m*; **~er(in** *f*) *m*, **2(er)isch** *adj.* berlinés *m*, berlinesa *f*.

ˈBerme *f* berma *f*.

Bern *n* Berna *f*; **~er Alpen** Alpes *m/pl.* berneses.

ˈBernstein *m* (*-es*; *-e*) ámbar *m* (amarillo); **2farben** *adj.* ambarino.

ˈbersten (*L*; *sn*) *v/i.* (*platzen*) reventar; (*explodieren*) estallar; *Eis, Glas usw.*: quebrarse; (*sich spalten*) hendirse, rajarse; *vor Lachen ~ wollen* troncharse de risa.

beˈrüchtigt *adj.* de mala fama; desacreditado; *iro.* famoso; tristemente célebre.

beˈrücken (-) *v/t.* encantar, cautivar, embelesar; **~d** *adj.* encantador, cautivador; *~es Lächeln* sonrisa seductora; *~e Schönheit* belleza cautivadora (*od.* fascinadora).

beˈrücksichtig|en (-) *v/t.* (*erwägen*) considerar, tener *od.* tomar en consideración *f*; (*beachten*) tener presente; (*in Betracht ziehen*) tener en cuenta, atender a, mirar; *Ge-*

such: atender favorablemente; *nicht* ~ (*Gesuch*) desatender, no tomar en consideración; *j-n nicht* ~ no tener en cuenta para nada; F pasar por alto; 2**ung** *f* consideración *f*; *unter* ~ (*gen.*) considerando (*ac.*); *in* ~, *daß* considerando (*od.* teniendo en cuenta) que, en atención a que.

Be'ruf *m* (-*es*; -*e*) profesión *f*; (*Handwerk*) oficio *m*; (*Tätigkeit*) ocupación *f*; (*Geschäft*) negocio *m*; (*Aufgabe*) misión *f*; (*Amt*) funciones *f/pl.*; *Rel.* vocación *f*; (*Posten*) empleo *m*; (*Laufbahn*) carrera *f*; *freier* ~ profesión *f* liberal; *von* ~ de profesión; de oficio; *e-n* ~ *ausüben* ejercer una profesión; practicar un oficio; *e-n* ~ *ergreifen* adoptar una profesión; tomar un oficio; emprender una carrera; *e-m* ~ *nachgehen* seguir (dedicarse a) una profesión *bzw.* un oficio; *s-n* ~ *verfehlt haben* haber errado la vocación.

be'rufen I. (*L*; -) *v/t.* (*Parlament, Versammlung usw.*) convocar; *j-n zu e-m Amt* ~ nombrar *od.* designar para; ~ *werden* ser llamado para (*desempeñar una función*); *sich* ~ *auf j-n* apelar a; remitirse a; *sich auf j-n* (*als Zeugen*) ~ apelar al testimonio de alg.; *sich* ~ *auf et.* referirse a, remitirse a; apoyarse en; citar; invocar, alegar; *sich auf s-e Unkenntnis* ~ alegar su ignorancia de; **II.** *adj.* llamado; *Rel.* elegido; (*befugt*) autorizado; (*zuständig*) competente; ~ *sein zu* estar llamado *od.* destinado a; tener vocación para; *sich* ~ *fühlen zu* sentirse llamado a (*inf.*).

be'ruflich I. *adj.* profesional; **II.** *adv.* ~ *verhindert* impedido por sus obligaciones profesionales.

Be'rufs...: ~**ausbildung** *f* formación *f* profesional; ~**beamtentum** *n* (-*es*; *0*) funcionarios *m/pl.* de carrera; ~**beamte(r)** *m* funcionario *m* público; ~**berater** *m* orientador *m* profesional; ~**eignung** *f* (*0*) aptitud *f* profesional; ~**fahrer** *m* conductor *m* de oficio; (*Rad-, Rennsport*) corredor *m* profesional; ~**geheimnis** *n* (-*ses*; -*se*) secreto *m* profesional; ~**gemeinschaft** *f* gremio *m*; ~**genossenschaft** *f* asociación *f* profesional; *Gewerbe*: sindicato *m*; *der Arbeitgeber*: asociación *f* patronal; ~**gesinnung** *f* (*0*) ética *f* profesional; conciencia *f* laboral; ~**heer** *n* (-*es*; -*e*) ejército *m* profesional; ~**kleidung** *f* ropa *f* de trabajo; ~**konsul** *m* (-*s*; -*n*) cónsul *m* de carrera; ~**krankenkasse** *f* Caja *f* de Seguro de Enfermedad Profesional; ~**krankheit** *f* enfermedad *f* profesional; ~**leben** *n* (-*s*; *0*) vida *f* profesional; 2**mäßig** *adj.* profesional; ~**offizier** *m* (-*s*; -*e*) oficial *m* de carrera; ~**pflicht** *f* deberes *m/pl.* profesionales; funciones *f/pl.* del cargo; ~**schule** *f* escuela *f* profesional; (*Span.*) Instituto *m* Laboral; Escuela *f* de Formación Profesional; ~**soldat** *m* (-*en*) soldado *m* profesional; ~**spieler** *m* jugador *m* profesional (*a. Sport*); *Falschspieler*: tahur *m*; ~**sportlertum** *m* (-*es*; *0*) profesionalismo *m*; 2**ständisch** *adj.* corporativo; 2**tätig** *adj.*: ~ *sein* trabajar en un oficio *bzw.* en una profesión; ~**tätigkeit** *f* actividad *f* profesional; ~**verband** *m* (-*es*; *⸚e*) sindicato *m*; asociación *f* profesional; ~**verbrecher** *m* delincuente *m* habitual; ~**wahl** *f* (*0*) elección *f* de carrera *bzw.* de oficio.

Be'rufung *f* llamamiento *m*; (*innere* ~) vocación *f*; (*Ernennung*) nombramiento *m*; (*Einberufung*) convocatoria *f*; (*Verweisung*) referencia *f* (*auf* a); ⚖ apelación *f*; ~ *einlegen* recurrir, apelar (*bei* a; *gegen* contra), interponer *od.* entablar recurso de apelación; *e-r* ~ *stattgeben* (*verwerfen*) admitir (desestimar) un recurso; *unter* ~ *auf* apelando a, invocando (*ac.*); apoyándose *od.* basándose en; refiriéndose a; ~**sbeklagte(r** *m*) *m/f* ⚖ apelado (-a *f*) *m*; ~**sgericht** *n* (-*es*; -*e*), ~**s-instanz** *f* tribunal *m* de apelación; ~**sklage** *f* recurso *m* de apelación; ~**skläger (-in** *f*) *m* apelante *m/f*; ~**srecht** *n* (-*es*; *0*) derecho *m* de apelación; (*Ernennungsrecht*) derecho *m* de nombramiento; ~**sverfahren** *n* procedimiento *m* de apelación.

be'ruhen (-) *v/i.*: ~ *auf* basarse, fundarse, estribar en; apoyarse en; (*abhängen*) depender de; (*zurückführbar sein auf*) ser debido a; provenir de *od.* radicar en; *auf sich* ~ *lassen* dejar correr, dejar las cosas como están; *lassen wir die Sache auf sich* ~ demos por terminado (*od.* olvidemos) esto; pasemos a otra cosa.

be'ruhig|en (-) *v/t. Gemüt*: serenar, sosegar; aquietar; (*einschläfern*) adormecer (*a. fig.*); *Erregte*: calmar, apaciguar, aplacar; *Ängstliche*: tranquilizar; *Schmerzen*: calmar, aliviar, mitigar; *Land*: pacificar; (*trösten*) consolar; *sich* ~ sosegarse, serenarse; calmarse; tranquilizarse; *Lage*: estabilizarse; ~ *Sie sich!* ¡cálmese usted!; *seien Sie beruhigt!* ¡pierda usted cuidado!; ~**end** *adj.* tranquilizador; ⚕ sedante, calmante; 2**ung** *f* tranquilidad *f*, calma *f*; sosiego *m*, paz *f*; (*Besänftigung*) apaciguamiento *m*; (*Trost*) consuelo *m*; *von Schmerzen*: alivio *m*, mitigación *f*; *der Lage*: estabilización *f*; *e-s Landes*: pacificación *f*; *zu Ihrer* ~ para su tranquilidad; 2**ungsmittel** ⚕ *n* calmante *m*, sedante *m*; 2**ungspille** *f fig.*: *als* ~ *für die Masse* para aquietar los ánimos de la masa.

be'rühmt *adj.* afamado, famoso (*wegen* por); (*bekannt*) renombrado, conocido, F sonado; (*gefeiert*) celebrado; (*hoch*~) prestigioso; ilustre, célebre; eminente, insigne; *sich* ~ *machen* hacerse famoso; ~ *werden* adquirir fama *od.* renombre; F *nicht* ~ bastante mal(it)o; 2**heit** *f* renombre *m*, notoriedad *f*; fama *f*; (*a. Person*) notabilidad *f*; celebridad *f*, eminencia *f*; gloria *f*; *Film*: estrella *f*, astro *m* (*de la pantalla*); *Sport*: as *m*; ~ *erlangen* alcanzar fama.

be'rühren (-) *v/t.* tocar (*a. fig.*); (*streifen*) rozar; *fig.* (*angrenzen*) colindar; ⩓ ser tangente a; (*erwähnen*) mencionar, aludir a, tocar; *j-s Interesse usw.* afectar; *Hafen*: hacer escala *f* en, tocar en; *j-n* (*un*)*angenehm* ~ (des)agradar, causar una impresión (des)agradable a alg.; *das berührt mich nicht* eso no me impresiona, F no me da frío ni calor; *sich* ~ tocarse (*a. fig.*).

Be'rührung *f* tacto *m*, toque *m*; (*gegenseitige*) contacto *m* (*a. fig.*); (*streifen*) roce *m*; *fig.* relación *f*; ⩓ tangencia *f*; *mit j-m in* ~ *kommen* entrar en relación (*od.* en contacto) con alg.; *bei der leisesten* ~ al menor contacto; ~**s-ebene** ⩓ *f* plano *m* tangente; ~**sfläche** *f* superficie *f* de contacto; ~**slinie** ⩓ *f* tangente *f*; ~**s-punkt** *m* (-*es*; -*e*) punto *m* de contacto (*a. fig.*).

be'rußen (-*t*; -) *v/t.* tiznar (*de hollín*).

be'sabbern (-*re*; -) F *v/t.* ensalivar(se); (*Kind*) mancharse de baba *f*.

be'sä|en (-) *v/t.* sembrar de; ~**t** *adj. fig.* sembrado de; *mit Sternen* ~ tachonado de estrellas.

be'sagen (-) *v/t.* decir, indicar; (*bedeuten*) significar; (*lauten*) rezar; *die Vorschrift besagt, daß* las instrucciones dicen que; *Artikel I besagt folgendes* el artículo I reza así (*od.* como sigue); *das will nicht viel* ~ eso no tiene importancia; *der besagte* dicho, el susodicho, (el) tal; → *bedeuten*.

be'saiten (-*e*-; -) *v/t.* encordar; *fig. zart besaitet* sensible, impresionable.

be'sam|en (-) *v/t. Biol.* inseminar; 2**ung** *f* inseminación *f*.

be'sänftig|en (-) *v/t.* apaciguar, calmar; aplacar; suavizar, dulcificar; *sich* ~ apaciguarse; *nicht zu* ~ implacable; 2**ung** *f* apaciguamiento *m*; → *Beruhigung*.

Be'sanmast ⚓ *m* (-*es*; -*e od.* -*en*) palo *m* de mesana.

Be'satz *m* (-*es*; *⸚e*) guarnición *f*, aplicación *f*; (*Verbrämung*) borde *m*, orla *f*; (*Volant*) volante *m*; (*Litzen*2) cordón *m*; trencilla *f*; (*Band*2) ribete *m*; (*Ärmel*2) vuelta *f*.

Be'satzung ⚔ *f* (*Garnison*) guarnición *f*; ✈ tripulación *f*; ⚓ *a.* dotación *f*; (*Besetzung*) ocupación *f*; ~**sbehörde** *f* autoridades *f/pl.* de ocupación; ~**sgebiet** *n* (-*es*; -*e*) zona *f* de ocupación; ~**sheer** *n* (-*es*; -*e*) ejército *m* de ocupación; ~**smacht** *f* (-; *⸚e*) potencia *f* ocupante; ~**sstatut** *n* (-*s*; -*e*) Estatuto *m* de Ocupación; ~**sstreitkräfte** *f/pl.* fuerzas *f/pl.* de ocupación.

be'saufen (*L*; -) P *v/refl.* emborracharse; *sich* ~ F coger una merluza (*od.* una mona, una tajada, una turca, una trompa).

be'schädig|en (-) *v/t.* deteriorar (*a.* ⚕), estropear; dañar; ⚓ averiar; ~**t** *adj.* deteriorado, estropeado; dañado; ⚓ averiado; (*kriegs*~) damnificado (*por la guerra*); inválido *m*, mutilado *m* de guerra; 2**ung** *f* deterioro *m*; ⚓ avería *f*; daño *m*; (*leichte*) desperfecto *m*.

be'schaffen[1] (-) *v/t.* procurar, proporcionar; (*erlangen*) adquirir; (*kaufen*) *a.* comprar; (*liefern*) suministrar; ⚕ *Deckung*: proveer; *Gelder* ~ reunir *od.* allegar fondos.

be'schaffen[2] *adj.* acondicionado, dispuesto; constituido, hecho, formado; *gut* (*schlecht*) ~ bien (mal) acondicionado; *wie ist die Straße* ~? ¿cómo es (qué condiciones reúne) la carretera?; **2heit** *f* (0) (*Zustand*) estado *m*, condición *f*; (*Eigenschaft*) calidad *f*; (*Art*) naturaleza *f*, índole *f*; (*Anlage*) disposición *f*; estructura *f*; *des Körpers*: complexión *f*, constitución *f*; peculiaridad *f*.

Be'schaffung *f* (*Lieferung*) suministro *m*; (*Erwerb*) adquisición *f*; ✝ *von Deckung usw.*: provisión *f*; **~s-kosten** *pl.* gastos *m/pl.* de adquisición.

be'schäftig|en (-) *v/t.*: *j-n* ~ ocupar (dar ocupación) a; (*anstellen*) emplear, dar trabajo (*od.* empleo) a; *sich ~ mit* ocuparse en; (*als Zeitvertreib*) entretenerse con; *j-s Aufmerksamkeit usw.*: ocupar, absorber; *die Gedanken beanspruchen*: preocupar; **~t** *adj.* ocupado (*mit* con); *sehr ~ sein* estar muy ocupado *od.* atareado; *geistig*: preocupado con; *~ sein bei* estar empleado *od.* colocado en; **2ung** *f* (*Tätigkeit*) ocupación *f*, actividad *f*; (*Arbeit*) trabajo *m*; *häusliche*: quehaceres *m/pl.* domésticos; (*Geschäft*) negocio *m*; (*Anstellung*) colocación *f*, empleo *m*; (*Beruf*) profesión *f*; oficio *m*; **2ungslage** *f* mercado *m* del trabajo; volumen *m* de ocupación laboral; **~ungslos** *adj.* sin ocupación (*od.* trabajo), parado; **2ungslosigkeit** *f* (0) desempleo *m*, paro *m* involuntario; (*Untätigkeit*) inactividad *f*; **2ungsnachweis** *m* (*-es*; *-e*) certificado *m* de empleo; **2ungspolitik** *f* (0) política *f* de fomento de la ocupación laboral; **2ungstherapie** ⚕ *f* (0) terapéutica *f* ocupacional; **2ungszwang** *m* (*-es*; 0) empleo *m* forzoso.

be'schäl|en (-) *v/t. Pferde*: cubrir, acaballar; **2er** *m* semental *m*.

be'schäm|en (-) *v/t.* avergonzar; abochornar, sonrojar; (*verwirren*) confundir; (*übertreffen*) sobrepujar, dejar atrás; eclipsar; (*demütigen*) humillar, rebajar; **~end** *adj.* vergonzoso, bochornoso; humillante; **~t** *adj.* avergonzado (*über ac.* de); **2ung** *f* vergüenza *f*; (*Verwirrung*) confusión *f*; (*Schande*) vergüenza *f*, bochorno *m*, sonrojo *m*.

be'schatten (*-e-*; -) *v/t.* sombrear (*a. Mal.*), dar sombra a; *fig.* eclipsar; (*heimlich verfolgen*) vigilar estrechamente, ser la sombra de alg.

Be'schau *f* (0) examen *m*; inspección *f*; *Theo.* contemplación *f*; **2en** (-) *v/t. betrachten*: mirar, ver; *überlegend*: considerar, meditar; *geistig*: contemplar; *prüfend*: examinar; inspeccionar; **~er(in** *f*) *m* (*Zuschauer*) espectador(a *f*) *m*; (*Fleisch2*) veedor *m*, inspector *m*; **2lich** *adj.* contemplativo; *~es Leben* vida contemplativa; (*friedlich*) apacible; (*behaglich*) plácido, sereno; **~lichkeit** *f* (0) contemplación *f*; sosiego *m* espiritual; *mit ~* sosegadamente; **~ung** *f* → *Beschau*.

Be'scheid *m* (*-es*; *-e*) (*Antwort*) respuesta *f*, contestación *f*; (*Auskunft*) información *f*, informes *m/pl.*; (*Anweisung*) instrucciones *f/pl.*; (*Entscheidung*) resolución *f*, decisión *f*; ⚖ *a.* fallo *m*; providencia *f*; *e-s Schiedsgerichtes*: laudo *m*; *behördlich, offiziell*: notificación *f*, comunicación *f*; oficio *m*; *abschlägiger ~* respuesta denegatoria; *bis auf weiteren ~* hasta nueva orden (*od.* nuevo aviso); *~ erhalten* ser informado de, recibir noticia *od.* aviso; *~ geben* (*Auskunft erteilen*) dar razón; (*benachrichtigen*) avisar (*ac.*), informar de; *~ hinterlassen* dejar aviso *od.* nota; *j-m gehörig ~ sagen* F decir a alg. cuatro verdades; *~ wissen mit od. in* estar al corriente (F al tanto) de a/c.; saber de qué se trata, F estar al cabo de la calle; *ich weiß hier ~* conozco bien este lugar; F *fig.* sé muy bien por dónde ando, conozco bien el paño.

be'scheiden[1] (*L*; -) *v/t. j-n*: (*benachrichtigen*) informar, enterar; *j-n wohin ~* enviar a alg. a un lugar; *j-n zu sich ~* (*dat.*) llamar (hacer venir) a alg.; (*vorladen*) citar; *abschlägig ~* responder negativamente, denegar; rechazar, declinar; *sich ~* moderar sus deseos; *sich ~* (*mit et.*) conformarse (*od.* contentarse) con; *sich fügen*: resignarse a; *es ist mir beschieden* ha sido mi destino; *es war mir nicht beschieden* no me fue dado, no he tenido la suerte de.

be'scheiden[2] *adj.* modesto; (*zurückhaltend*) discreto; (*schüchtern*) tímido; (*genügsam*) frugal; (*demütig, ärmlich*) humilde; (*anspruchslos, einfach*) sencillo, sin pretensiones; (*gemäßigt*) *Preise usw.*: moderado, módico; **2heit** *f* (0) modestia *f*; humildad *f*; sencillez *f*; frugalidad *f*; (*Zurückhaltung*) discreción *f*.

be'scheinen (*L*; -) *v/t.* iluminar; alumbrar; *von der Sonne beschienen* bañado por el sol.

be'scheinig|en (-) *v/t.* certificar; (*bezeugen*) testificar; (*beglaubigen*) legalizar; (*bestätigen*) confirmar; *den Empfang* (*e-s Briefes*) *~* acusar recibo de; *e-e Summe*: extender (*od.* dar) recibo de; (*aktenmäßig*) hacer constar; *es wird hiermit bescheinigt, daß* Certifico: que ...; **2ung** *f* certificación *f*; (*Schein*) certificado *m*; (*Quittung*) recibo *m*; (*Beleg*) resguardo *m*; comprobante *m*, nota *f*.

be'scheißen (*L*; -) V *v/t.* V cagarse en; *fig.* (*betrügen*) engañar; estafar, timar.

be'schenk|en (-) *v/t.*: *j-n ~* obsequiar a alg. (*mit* con); regalar a/c. a alg.; (*e-e Schenkung machen*) hacer un regalo, ⚖ hacer una donación; *reichlich ~* colmar de regalos; **2te(r** *m*) *m/f* ⚖ donatario (-a *f*) *m*; **2ung** *f* ⚖ donación *f*.

be'scher|en (-) *v/t. j-m*: hacer un regalo a alg.; *fig.* deparar; (*zuteil werden lassen*) repartir, distribuir (*regalos*); **2ung** *f* distribución *f* de regalos; (*Weihnachts2*) (reparto *m* de) regalos *m/pl.* de Navidad *od.* aguinaldos *m/pl.*; *iro.* F *e-e schöne ~!* ¡bonito negocio!; ¡buena se ha armado aquí!; ¡vaya sorpresa!; *da haben wir die ~!* ¡estamos frescos!, ¡buena nos ha caído encima!; ¡lo que faltaba!

be'schick|en (-) *v/t. Kongreß*: enviar delegados *m/pl.* a; ✝ *Märkte*: abastecer; *Ausstellung*: participar, exponer en; *Messe*: concurrir a, estar representado en, enviar productos *m/pl.* a; ⊕ *Hochofen*: cargar, alimentar; (*legieren*) alear; **2ung** ⊕ *f* carga *f*, alimentación *f*; (*Legierung*) aleación *f*.

be'schieß|en (*L*; -) *v/t.* hacer fuego *m* (tirar) sobre; *mit Geschütz*: cañonear, bombardear (*a. Phys.*); (*unter Beschuß halten*) batir (barrer) con fuego *m* de; *mit Maschinengewehr*: ametrallar; **2ung** *f* bombardeo *m*, cañoneo *m*.

be'schiffen (-) *v/t.* navegar por.

be'schilder|n (*-re*; -) *v/t.* rotular; **2ung** *f* rotulación *f*.

be'schimmeln (*-le*; -) *v/refl.* enmohecerse.

be'schimpf|en (-) *v/t.* insultar, injuriar; afrentar, denostar, ultrajar; **2ung** *f* insulto *m*, injuria *f*; afrenta *f*, ultraje *m*.

be'schirmen (-) *v/t.* proteger (*vor* contra); *fig.* preservar de; defender (contra); *fig.* amparar.

be'schlafen (*L*; -) F *v/t.* dormir *od.* acostarse con; *et. ~ fig.* consultar con la almohada.

Be'schlag ⊕ *m* (*-es*; *⸚e*) (*mst. Beschläge pl.*) guarnición *f*; (*dünner Metall2*) chapa *f*; (*Eisen2*) herraje *m*; (*Rad2*) llanta *f*; (*Gewehr2*) engaste *m*; (*Stock2*) contera *f*; (*Schuh-2*) tachuelas *f/pl.*; (*Buch2*) *Eck2*: cantonera *f*; *Schloß*: broche *m*; (*Huf2*) herradura *f*; (*Gefäßwand*) eflorescencia *f*; ⚗, *Depot*: depósito *m*; (*Schimmel*) moho *m*; (*Feuchtigkeit*) humedad *f*; ⚖ → *~nahme*; *in ~ nehmen, mit ~ belegen, ~ legen auf* ⚖ embargar; secuestrar; incautarse de, confiscar; decomisar; ⚔ requisar; (*polizeilich*) intervenir, recoger; *weitS. Plätze*: ocupar; **2en I. 1.** (*L*; -) *v/t.* (*mit Eisen usw.*) guarnecer de; (*mit Platten*) chapear; (*Rad*) calzar; (*Schuh*) clavetear; (*Pferd*) herrar; (*mit Ziernägeln*) tachonar; (*Segel*) aferrar; **2.** *v/i. u. sich ~*: empañarse (*a. Glas*); (*Metall*) deslustrarse, oxidarse; (*Wände*) cubrirse de humedad *f*; (*Schimmel*) enmohecerse; **II.** *adj. fig.* entendido, versado; experimentado; *in e-r Sache gut ~ sein* ser muy entendido (versado) en una materia, conocer a fondo a/c.; **~enheit** *f* (0) experiencia *f*, conocimiento *m* profundo (*in* de); **~nahme** ⚖ *f* embargo *m*; secuestro *m*; incautación *f*, confiscación *f*; decomiso *m*; intervención *f*, recogida *f*; ⚔ requisa *f*; **2nahmen** (-) *v/t.* → *in ~ nehmen*.

be'schleichen (*L*; -) *v/t. j-n*: acercarse cautelosamente a alg., sorprender; *Wild*: rastrear; *fig. Angst*: sobrecoger, asaltar; *Schlaf*: sorprender, invadir.

be'schleunig|en (-) *v/t.* acelerar (*a. Phys.*), apresurar; activar; precipitar; *das Tempo ~* acelerar *od.* aumentar la velocidad; *s-e Schritte ~* aligerar el paso; **2er** *Auto. m* acelerador *m* (*a. Kernphysik*); **~t** *adj.* acelerado, apresurado; *~er Puls* pulso acelerado; *gleichförmig ~e Bewegung Phys.* movimiento uniformemente acelerado; **2ung** *f* aceleración *f* (*a. Phys.*), apresuramiento *m*; **2ungskraft** *f* (-; *⸚e*) fuerza *f* aceleradora; **2ungsmesser** *m* acelerómetro *m*; **2ungsvermögen** *Auto. n* (0) potencia *f* aceleradora.

be'schließen (*L*; -) *v/t.* (*beenden*) terminar, acabar, concluir, finalizar, rematar; *e-e Kolonne*: cerrar la marcha; (*entscheiden*) resolver, decidir, *gemeinsam*: acordar; (*anordnen*) ordenar, decretar, disponer; *Parl. durch Abstimmung*: votar; *e-n Antrag* ~ aprobar una moción, *in Versammlungen*: tomar *od.* adoptar un acuerdo *od.* una decisión.

be'schlossen *adj.* acordado; concluso; **~ermaßen** *adv.* conforme al acuerdo adoptado.

Be'schluß *m* (*-sses*; *⸚sse*) (*Ende*) fin *m*, conclusión *f*; (*Entscheidung*) acuerdo *m*; resolución *f*, decisión *f*; *Parl.* e-n ~ *fassen* tomar un acuerdo; **2fähig** *adj.* capaz para decidir; ~ *sein* haber número suficiente para resolver *bzw.* votar; *Parl.* haber quórum; **~fähigkeit** *f* (*0*) quórum *m*; aptitud *f* para deliberar; **~fassung** *f* (adopción *f* de) acuerdo *m* *bzw.* resolución *f od.* decisión *f*; votación *f*.

be'schmieren (-) *v/t.* (*besudeln*) embadurnar; *mit Fett*: engrasar; *mit Teer*: embrear; *mit Schmieröl*: lubrificar; *Brot*: untar (*mit* con); (*bekritzeln*) garabatear; emborronar; → *beschmutzen*.

be'schmutzen (*-t*; -) *v/t.* manchar, ensuciar; (*stärker*) emporcar; (*bespritzen*) salpicar; *fig.* manchar, enfangar; profanar; *fig. das eigene Nest* ~ lavar en público los trapos sucios.

Be'schneide|maschine *f* máquina *f* recortadora; (*Papier*) guillotina *f*; **~messer** *n* (*Papier*) cuchilla *f* recortadora; **2n** (*L*; -) *v/t.* (re)cortar; (*kürzer machen*) acortar; *Baum*: podar; *Reben*: desbarbillar; *Hecken usw.*: recortar, igualar; *Fingernägel*: cortar; *Buch*: desvirar; *Rel.* circuncidar; *fig.* (*kürzen*) reducir, cercenar; *j-m die Flügel* ~ cortar los vuelos (*od.* las alas) a alg.

Be'schneidung *f* recorte *m*, corte *m*; cercenadura *f*; *Rel.* circuncisión *f*; (*Baum*) poda *f*; *fig.* corte *m*, acortamiento *m*, reducción *f*.

be'schneit *adj.* nevado, cubierto de nieve.

be'schnüffeln (*-le*; -), **be'schnuppern** (*-re*; -) *v/t.* husmear, olfatear, oliscar; *fig.* F *alles* ~ meter las narices en todo.

be'schönig|en (-) *v/t.* (*färben*) colorear; *fig.* atenuar, paliar; cohonestar; disimular, encubrir; excusar; **~end** *adj.* paliativo; *~er Ausdruck* eufemismo *m*; **2ung** *f* paliación *f*, atenuación *f*, cohonestación *f*; excusa *f*; disimulo *m*.

be'schotter|n (*-re*; -) *v/t.* 🚂 balastar; (*Straße*) enguijarrar, cubrir de grava; **2ung** *f* balasto *m*; (*Straße*) grava *f*, firme *m*.

be'schränk|en (-) *v/t.* limitar (*auf ac.* a); circunscribir; (*einengen*) restringir, reducir; coartar; → *beschneiden*; *sich* ~ *auf* limitarse a, contraerse a; **~end** *adj.* limitativo; restrictivo, ⚖ taxativo; **~t** *adj.* limitado; restringido; (*eng*) estrecho, apretado; (*gering*) escaso; (*ungenügend*) insuficiente; *~e Mittel* medios (*od.* recursos) limitados; *~e Sicht* visibilidad limitada; *in ~en Verhältnissen leben* vivir con estrechez; ✝ *~e Annahme* aceptación condicionada; *~e Haftung* responsabilidad limitada; *geistig* ~ de cortos alcances, de pocas luces, obtuso; (*engstirnig*) estrecho de miras; *~e Ansichten* opiniones estrechas; **2theit** *f* (*0*) limitación *f*; estrechez *f*; insuficiencia *f*; (*Mangel*) escasez *f*; *fig.* insuficiencia *f* mental; estupidez *f*; (*Engstirnigkeit*) estrechez *f* de miras *od.* de opiniones; **2ung** *f* limitación *f*; (*Maßnahme*) restricción *f*, medida *f* restrictiva; (*Kürzung*) acortamiento *m*; (*Kürze*) brevedad *f*; *~en auferlegen* imponer restricciones; e-e ~ *aufheben* levantar una restricción.

be'schreib|en (*L*; -) *v/t.* *Papier*: escribir en *od.* sobre; *fig. Kreis, Bahn usw.*: describir; ⩘ *a.* trazar; (*schildern*) describir; *anschaulich*: pintar, retratar; *erzählend*: relatar, narrar; (*erläutern*) explicar; (*definieren*) definir; *genau* ~ detallar, entrar en detalles sobre, particularizar, *bsd.* ✝ especificar; *nicht zu* ~ indescriptible; **~end** *adj.* descriptivo; **2ung** *f* descripción *f*; (*Darstellung*) retrato *m*; *kurze* ~ reseña *f*; definición *f*; detalles *m/pl.*; (*im Steckbrief*) señas *f/pl.* personales; (*Bericht*) relato *m*, narración *f*; relación *f*; ✝ especificación *f*; *es spottet jeder* ~ no hay palabras con que describirlo; *er entsprach der* ~ respondió a la descripción hecha.

be'schreiten (*L*; -) *v/t.* andar sobre; pisar; (*eintreten*) entrar en; *fig.* e-n *Weg* ~ tomar (echar por) un camino; *neue Wege* ~ *fig.* aplicar nuevos métodos; → *Rechtsweg*.

be'schrift|en (*-e-*; -) *v/t.* poner una inscripción *f* en; ✝ *Kisten usw.*: marcar; *mit Etikett, Schild*: rotular; **2ung** *f* inscripción *f*; (*Etikett, Schild*) rótulo *m*, etiqueta *f*; *e-r Münze*: leyenda *f*.

be'schuhen (-) *v/t.* calzar.

be'schuldig|en (-) *v/t.* inculpar, culpar de, imputar; acusar de; F echar la culpa de; **2te(r** *m*) *m/f* ⚖ inculpado (-a *f*) *m*; **2ung** *f* inculpación *f*; imputación *f*; acusación *f*; cargo *m*.

be'schummeln (*-le*; -) F *v/t.* engañar, embaucar, engatusar; estafar; (*begaunern*) timar.

Be'schuß ⚔ *m* (*-sses*; *⸚sse*) (*Beschießung*) fuego *m*; (*Artillerie*) cañoneo *m*, bombardeo *m* (*a. Phys.*); *unter* ~ *halten* → *beschießen*.

be'schütten (*-e-*; -) *v/t.* *mit et.*: cubrir de; ⚒ acollar, aporcar; *mit Flüssigkeiten*: verter sobre; *mit Kies* ~ cubrir de grava.

be'schütz|en (*-t*; -) *v/t.* proteger (*vor* contra), guardar de; amparar; defender (de, contra); *geleiten*: escoltar; **2er(in** *f*) *m* protector(a *f*) *m*; defensor(a *f*) *m*; (*Schutzengel*) ángel *m* custodio *od.* de la guarda; **2ung** *f* (*0*) protección *f*; amparo *m*; → *Schutz*.

be'schwatzen (*-t*; -) *v/t.*: *j-n zu et.* ~ persuadir a alg. a hacer a/c.; *schmeichelnd*: F engatusar.

Be'schwerde *f* (*Bürde*) carga *f*; (*Mühe*) pena *f*, trabajo *m*; fatiga *f*; (*Verdruß*) molestia *f*, dificultad *f*; ⚕ (*Leiden*) padecimiento *m*, achaque *m*; (*Schmerz*) dolor *m*, *leichter*: molestia *f*; (*Störung*) trastorno *m*; *~n des Alters* achaques de la vejez; (*Klage*) queja *f*; reclamación *f*; (*Protest*) protesta *f*; ⚖ queja *f*; (*Prozeßrecht*) recurso *m* de queja; ~ *erheben gegen* elevar una protesta contra; formular una queja contra; presentar una reclamación (*bei* a); ⚖ interponer recurso de queja; *j-m Grund zu ~n geben* dar a alg. motivos de queja; **~buch** *n* (*-es*; *⸚er*) libro *m* de reclamaciones; **~führer(in** *f*) *m* reclamante *m/f*; ⚖ recurrente *m/f*; **~punkt** *m* (*-es*; *-e*) objeto *m* de la queja *bzw.* reclamación; **~schrift** *f* escrito *m* de queja; **~verfahren** ⚖ *n* procedimiento *m* (del recurso de queja).

be'schwer|en (-) *v/t.* cargar (*mit* de); pesar, gravar sobre; *fig.* gravitar sobre; *fig.* (*seelisch*) pesar sobre; ser una carga *od.* un peso para; *sich* ~ quejarse (*über ac.* de; *bei* a); → *Beschwerde erheben*; **~lich** *adj.* oneroso, gravoso; (*ermüdend*) fatigoso; (*lästig*) molesto, enojoso, F fastidioso; (*unbequem*) incómodo; (*hart*) penoso, dificultoso, pesado; *j-m* ~ *fallen* molestar; importunar a alg.; **2lichkeit** *f* incomodidad *f*; importunidad *f*; dificultad *f*; fatigas *f/pl.*; **2nis** *f* (-; *-se*) agobio *m*; **2ung** *f* carga *f*.

be'schwichtig|en (-) *v/t.* apaciguar; calmar, aquietar, sosegar; tranquilizar (*a. das Gewissen*); *Zorn*: aplacar; (*zum Schweigen bringen*) acallar; **2ung** *f* apaciguamiento *m*; sosiego *m*; tranquilización *f*; aplacamiento *m*.

be'schwindeln (*-le*; -) *v/t.* engañar; embaucar, F timar, socaliñar.

be'schwingt *adj. fig.* alado; (*schnell*) rápido, vivo; (*frohgestimmt*) alegre, pimpante, animado; *~e Melodien* música alegre y ligera.

be'schwipst F *adj.* alegre, bebido; F alumbrado, achispado, entre dos luces.

be'schwör|en (*L*; -) *v/t.* afirmar bajo juramento *m*; jurar; *Gefahr*: conjurar; *Geister*: (*rufen*) evocar; conjurar; (*bannen*) exorcizar; *j-n*: (*anflehen*) suplicar, conjurar a; **2er** *m* conjurador *m*; exorcista *m*; **2ung** *f* confirmación *f bzw.* afirmación *f* bajo juramento; (*Geister2*) conjuro *m*; (*Bannung*) exorcismo *m*; (*Gefahr*) conjuración *f*; (*Flehen*) súplica *f*; **2ungsformel** *f* (-; *-n*) fórmula *f* de conjuro *bzw.* exorcismo.

be'seel|en (-) *v/t.* animar; inspirar; (*beleben*) *fig.* dar aliento *m* a, vivificar; **~t** *adj.* animado (*von* por); inspirado; **2ung** *f* (*0*) animación *f*; inspiración *f*; vivificación *f*; ánimo *m*.

be'sehen (*L*; -) *v/t.* mirar, ver; (*prüfend*) examinar, inspeccionar; → *Licht*.

be'seitig|en (-) *v/t.* apartar; eliminar; (*abschaffen*) abolir; suprimir; *Hindernisse*: remover, quitar de en medio (*a. fig.*); *Streit*: arreglar; *Schwierigkeiten*: allanar; *Zweifel*: disipar, desvanecer; *Übel*: remediar; *Gegner*: deshacerse de; (*töten*) matar; *Pol.* liquidar; **2ung** *f* apartamiento *m*; eliminación *f*; abolición *f*; supresión *f*; remoción *f*; liquidación *f*.

be'selig|en (-) *v/t.* hacer feliz *od.* dichoso, llenar de felicidad *f*; *Theo.* beatificar; **⁓t** *adj.* lleno de felicidad; **⁓end** *adj. Theo.* beatífico; sublime; **2ung** *f* felicidad *f*, dicha *f*; *Theo.* beatitud *f*.

¹Besen *m* escoba *f*; (*Reisig2*) escoba *f* de tamujo, escobón *m*; (*Feder2*) plumero *m*; → *Hand2*; *fig. mit eisernem ⁓ auskehren* poner orden sin contemplaciones *od.* con mano dura; **⁓binder** *m* escobero *m*; **2rein** *adj.* barrido; **⁓schrank** *m* (-*es*; ⸚*e*) armario *m* para guardar escobas; **⁓stiel** *m* (-*es*; -*e*) palo *m od.* mango *m* de escoba; F *steif wie ein ⁓* con cara de palo; tieso como una baqueta.

be'sessen *adj.* poseído (*von* de), *fig.* obsesionado (con); (*rasend*) frenético, furioso; **2e(r** *m*) *m/f* poseso (-a *f*) *m*, endemoniado (-a *f*) *m*; loco (-a *f*) *m*; **2heit** *f* (*0*) obsesión *f*, idea *f* fija; locura *f*; manía *f*; (*Raserei*) frenesí *m*.

be'setz|en (-*t*; -) *v/t. Kleid usw.*: guarnecer (*mit* de); (*schmücken*) adornar con; ⚘ (*bepflanzen*) plantar de; ⊕ *Bohrloch*: llenar; *Ofen*: cargar; ⚔ *ein Land usw.*: ocupar; *mit e-r Garnison*: guarnecer; (*bemannen*) ⚓ dotar, tripular; *feindliche Stellung*: tomar; (*bevölkern*) poblar; *Sitzplatz*: reservar; ocupar; *Amt, Stelle*: proveer, cubrir; (*in Besitz nehmen*) ocupar; *Thea. die Rollen ⁓* repartir los papeles; **⁓t** *adj. Häuser, Zimmer, Gebiet usw.*: ocupado; *Zug*: completo; *Tele., Abort*: ocupado; *nicht ⁓* libre; (*dicht ⁓*) repleto, abarrotado, atestado; *Stelle*: cubierto; *voll ⁓es Haus Thea.* F llenazo absoluto; *Omnibus usw.*: *⁓!* ¡completo!; *mit Diamanten ⁓* (*Kleidungsstück*) constelado de diamantes; **2t-zeichen** *n Tele.* señal *f* de "ocupado"; **2ung** *f* ocupación *f*; (*Kleid*) guarnición *f*; adorno *m*; *Amt, Stelle*: provisión *f*; *Personal*: personal *m*; *Thea. der Rollen*: reparto *m* de papeles; *Sport*: (*Mannschaft*) composición *f* del equipo; ⊕ *des Ofens*: carga *f*; → *Besatz*.

be'sichtig|en (-) *v/t.* (*Gegend*) ver, mirar; reconocer; *prüfend*: inspeccionar (*a.* ⚔); examinar; ⚔ revistar, pasar revista *f*; (*besuchen*) visitar; **2ung** *f von Sehenswürdigkeiten*: visita *f*; *Prüfung*: examen *m*; (*amtlich*) inspección *f* (*a.* ⚔); *Parade*: revista *f*; **2ungsfahrt** *f* viaje *m* de inspección (*a.* ⚔).

be'siedel|n (-*le*; -) *v/t.* colonizar; (*bevölkern*) poblar; *dicht besiedelt* densamente poblado; **2ung** *f* colonización *f*; **2ungsdichte** *f* (*0*) densidad *f* de población.

be'siegeln (-*le*; -) *v/t.* sellar; *fig. a.* confirmar; decidir; *sein Schicksal ist besiegelt* su destino está decidido.

be'sieg|en (-) *v/t.* vencer (*a. fig.*); *Sport*: *a.* ganar, derrotar, batir; *sich für besiegt erklären* darse por vencido; **2er** *m* vencedor *m*; **2te(r** *m*) *m/f* vencido (-a *f*) *m*.

be'singen (*L*; -) *v/t.* cantar; (*preisen*) celebrar, enaltecer; ensalzar, cantar las glorias de, loar.

be'sinn|en (*L*; -) *v/refl.* (*überlegen*) reflexionar (*über ac.* sobre); *sich ⁓ auf* recordar (*ac.*), traer a la memoria, (tratar de) acordarse de, hacer memoria; *sich ⁓* (*wieder zu sich kommen*) recobrar el sentido, volver en sí; *sich anders od.* e-s *anderen ⁓* cambiar de opinión (*od.* de parecer); *sich e-s Besseren ⁓* pensarlo mejor; *sich hin und her ⁓* buscar en la memoria; F devanarse los sesos; *ohne sich* (*lange*) *zu ⁓* sin vacilar, sin pensarlo dos veces; *wenn ich mich recht besinne* si mal no recuerdo; *⁓ Sie sich doch!* ¡haga usted memoria!; **2en** *n* (-*s*; *0*) reflexión *f*; meditación *f*; recuerdo *m*; **⁓lich** *adj.* pensativo; contemplativo; meditabundo; *Buch usw.*: que da que pensar; (*tief*) profundo.

Be'sinnung *f* (*Vernunft*) conocimiento *m*; sentido *m*; (*Überlegung*) reflexión *f*, meditación *f*; (*Bewußtsein*) conciencia *f*; *Stunde der ⁓* hora de meditación; *die ⁓ verlieren* (*ohnmächtig werden*) perder el conocimiento *od.* el sentido, desmayarse; *fig.* perder la cabeza, F perder los estribos; (*wieder*) *zur ⁓ kommen* recobrar el conocimiento *od.* el sentido, volver en sí; *fig.* volver a la razón; *j-n zur ⁓ bringen* hacer entrar en razón a alg.; **2slos** *adj.* ⚕ sin conocimiento *od.* sentido, desmayado; (*empfindungslos*) insensible; (*unüberlegt*) inconsciente, insensato, *fig.* ciego; **⁓slosigkeit** *f* (*0*) ⚕ desmayo *m*, síncope *m*; *fig.* inconsciencia *f*, insensatez *f*; ceguedad *f*.

Be'sitz *m* (-*es*; -*e*) posesión *f*; (*Eigentum*) propiedad *f*; (*Land2*) posesión *f*, finca *f*; *Aktien, Effekten*: tenencia *f*; *im ⁓ sein von* estar en posesión de, poseer; *in ⁓ nehmen, ⁓ ergreifen von* tomar posesión de, posesionarse de; *in den ⁓ e-r Sache gelangen* entrar en posesión de; *in j-s ⁓ übergehen* pasar a posesión (a ser propiedad) de alg.; *Im ⁓ Ihres Schreibens vom ...* Recibida su atenta carta de fecha ...; ✝ Obra en mi poder su grata del ...; *in staatlichem ⁓* propiedad del Estado; **2anzeigend** *Gr. adj.* posesivo.

be'sitzen (*L*; -) *v/t.* poseer; (*innehaben*) ser propietario de; estar en posesión de, tener; (*einnehmen*) ocupar; *Eigenschaft, Talent*: estar dotado de; (*ausgestattet sein mit*) estar provisto de, estar equipado con; (*sich erfreuen*) gozar de; *die ⁓den Klassen* las clases poseedoras *od.* pudientes.

Be'sitzer(in *f*) *m* poseedor(a *f*) *m*; *Inhaber*: *von Aktien, Effekten*: tenedor *m*; (*Eigentümer*) propietario (-a *f*) *m*, dueño (-a *f*) *m*; amo (-a *f*) *m*; (*Grund2*) terrateniente *m/f*.

Besitz...: **⁓ergreifung** *f* toma *f* de posesión; *bsd.* ⚔ ocupación *f*; ⚖ accesión *f*; *gewaltsame*: despojo *m*; *widerrechtliche*: usurpación *f*; (*Annexion*) anexión *f*; **2erisch** *adj.* posesivo, posesorio; **2erlos** *adj. Auto. usw.*: abandonado; **⁓klage** ⚖ *f* acción *f* posesoria; **2los** *adj.* sin bienes; proletario; **⁓nahme** *f* → *Besitzergreifung*; **⁓recht** *n* (-*es*; -*e*) derecho *m* de posesión; título *m* de propiedad; **⁓stand** *m* (-*es*; *0*) posesión *f*; ✝ (*Aktiva*) activo *m*; **⁓steuer** *f* (-; -*n*) impuesto *m* sobre la propiedad; **⁓störung** *f* intento *m* de despojo de la posesión; **⁓titel** *m* título *m* de propiedad; (*Urkunde*) escritura *f* (*de propiedad*); **⁓tum** *n* (-*es*; ⸚*er*) posesión *f*; (*Anwesen*) *a.* finca *f*, propiedad *f* rural, hacienda *f*; **⁓übertragung** *f* transmisión *f bzw.* traspaso *m* de propiedad; **⁓ung** *f* → *Besitztum*; *⁓en f/pl. Pol.* posesiones *f/pl.*; **⁓urkunde** *f* → *Besitztitel*; **⁓wechsel** *m* cambio *m* de propietario; traspaso *m* de propiedad.

be'soffen V *adj.* embriagado, borracho; *⁓ sein* F tener una tajada (*od.* una merluza, una cogorza, una curda); *total ⁓* estar hecho una uva, estar borracho como una cuba; **2heit** *f* (*0*) borrachera *f*, embriaguez *f*.

be'sohlen (-) *v/t.* sobresolar, echar suelas a; *neu ⁓* echar medias suelas.

be'sold|en (-*e*-; -) *v/t.* asalariar, pagar (*un sueldo*); **⁓et** *adj.* asalariado.

Be'soldung *f* (*Beamte, Angestellte*) sueldo *m*; ⚔ *a.* paga *f*; (*Handwerker*) salario *m*; (*für ein Amt*) emolumentos *m/pl.*; **⁓sdienstalter** *n* (-*s*; *0*) asignación *f* (*de sueldo*) según antigüedad; **⁓s-ordnung** *f* reglamentación *f* salarial *bzw.* de sueldos; **⁓sstelle** *f* pagaduría *f*; **⁓szulage** *f* sobresueldo *m*, suplemento *m* de sueldo.

be'sonder *adj.* especial, particular; (*eigentümlich*) propio, peculiar; (*typisch*) típico, específico; (*unterscheidend*) distintivo; (*getrennt*) separado; (*einmalig*) singular, único; (*außergewöhnlich*) excepcional, extraordinario; *mit ⁓er Post* ✝ por separado; *⁓e Kennzeichen* particularidades; características especiales; (*Person*) señas particulares; *⁓e Wünsche* deseos personales; *⁓e Umstände* circunstancias especiales; *ohne ⁓e Begeisterung* sin gran entusiasmo; **2e(s)** *n*: et. *⁓s* (*für sich*) algo aparte, (*Ungewöhnliches*) fuera de lo común; desacostumbrado; *er hat et. ⁓s in s-r Art* tiene un no sé qué en su modo de ser; *nichts ⁓s* nada (de) extraordinario, *desp.* no es gran cosa, no tiene importancia, F no es ninguna cosa del otro jueves; *im 2n* en particular, sobre todo, especialmente; en detalle; *das ⁓ daran ist* lo más notable en ello es; **2heit** *f* especialidad *f*; particularidad *f*; singularidad *f*; (*Eigentümlichkeit*) peculiaridad *f*; característica *f*; *bsd.* ✝ especialidad *f*; **⁓s** *adv.* especialmente, particularmente, en particular; (*hauptsächlich*) principalmente; sobre todo; (*getrennt*) separadamente, por separado, aparte; (*außergewöhnlich*) excepcionalmente, singularmente; (*ausdrücklich*) expresamente, especialmente; *nicht ⁓* (*als Antwort*) regular, así así; *sie ist nicht ⁓ schön* no es ninguna beldad; *ich bin nicht ⁓ zufrieden* *damit* no me place mucho que digamos.

be'sonnen[1] *adj.* (*vernünftig*) considerado, reflexivo; juicioso, sensato; (*vorsichtig*) prudente, cuidadoso; (*umsichtig*) circunspecto; (*zurückhaltend*) discreto; **Σheit** *f* (*0*) reflexión *f*; juicio *m*, sensatez *f*; circunspección *f*; (*Ruhe*) serenidad *f*, dominio *m* de sí mismo; (*Vorsicht*) prudencia *f*, cuidado *m*; (*Geistesgegenwart*) presencia *f* de ánimo.

be'sonn|en[2] (-) *v/t.* solear; **~t** *adj.* soleado.

be'sorg|en (-) *v/t.* (*fürchten*) temer, recelar; (*verschaffen*) *j-m et.* ~ procurar, proporcionar *od.* facilitar a alg. a/c.; conseguir a/c. para alg.; *sich et.* ~ procurarse, proporcionarse, adquirir a/c.; (*kaufen*) comprar; (*versorgen*) suministrar; (*betreuen*) cuidar de, *Kranke*: cuidar a; (*erledigen*) hacer, agenciar; ocuparse en; (*übernehmen*) encargarse de; *Auftrag*: hacer, ejecutar, efectuar; *Geschäfte*: atender a; *Brief*: despachar; *Korrespondenz*: llevar la correspondencia; *Haushalt*: atender a los quehaceres domésticos; **Σnis** *f* (-; *-se*) cuidado *m*; preocupación *f*, inquietud *f*, zozobra *f*; *Furcht*: temor *m*; recelo *m*, aprensión *f*; *ernste* ~ serio temor, grave preocupación; ~ *erregen* causar preocupación *od.* inquietud; *in* ~ *geraten* alarmarse; **~niserregend** *adj.* alarmante, inquietante; **~t** *adj.* preocupado (*wegen, um* por); intranquilo, inquieto, inquietado, *stärker*: alarmado (*wegen* por); (*fürchtend*) temeroso, receloso; (*ängstlich bemüht*) solícito; ~ *sein für* cuidar de, velar por; *das macht mich* ~ esto me preocupa *bzw.* me inquieta *od.* intranquiliza; **Σtheit** *f* (*0*) inquietud *f*; cuidado *m*, solicitud *f*; **Σung** *f Wartung*: cuidado *m*, atención *f*; *Beschaffung*: consecución *f*; provisión *f*; *Erledigung*: ejecución *f*; *Auftrag*: encargo *m*, comisión *f*; (*durch Boten*) recado *m*; *von Geschäften*: despacho *m*; *~en machen* ir de compras.

be'spann|en (-) *v/t.* *Pferde*: enganchar; *Ochsen*: uncir; ♪ *mit Saiten*: encordar; ⊕ *mit Stoff* ~ revestir de tela; **Σung** *f* tiro *m* (*de caballos*), yunta *f* (*de bueyes*); ⊕ revestimiento *m* (*a.* ✈).

be'speien (*L*; -) *v/t.* escupir en *od.* sobre a/c. *bzw.* a alg.

be'spicken (-) *v/t.* (*Braten*) mechar; *fig. bespickt mit* erizado de.

be'spiegeln (*-le*; -) *v/t.*: *sich* ~ mirarse al espejo; *fig.* admirarse.

be'spielen *v/t.* (*Schallplatte, Tonband*) grabar, registrar, impresionar.

be'spinnen (*L*; -) *v/t.* recubrir, revestir (con hilo *bzw.* tejido).

be'spitzeln (*-le*; -) *v/t.* espiar a alg., vigilar los pasos de alg.

be'spötteln (*-le*; -) *v/t.* burlarse *od.* hacer mofa *f* de; ridiculizar (*ac.*).

be'sprech|en (*L*; -) *v/t. et.*: hablar de *od.* sobre, tratar (de) a/c.; conferenciar sobre; (*wissenschaftlich*) disertar sobre; (*erörtern*) discutir sobre, debatir a/c.; (*vereinbaren*) convenir, concertar; *Krankheit*: curar por ensalmo *m*; (*rezensieren*) reseñar (*ac.*), hacer una crítica de; *Thea. usw.*: criticar; *Schallplatte, Tonband*: grabar; *sich* ~ *mit j-m* conversar *od.* hablar con alg.; conferenciar con alg. (*über ac.* sobre); entrevistarse con alg.; consultar a alg.; **Σer** *m e-s Buches usw.*: crítico *m* (literario); *Thea.* crítico *m* (teatral); **Σung** *f* conversación *f*; conferencia *f*; entrevista *f*; (*Beratung*) consulta *f*; (*Erörterung*) deliberación *f*, discusión *f*, debate *m*; (*Kommentar*) comentario *m*; (*Buch*Σ) reseña *f*, crítica *f*; (*Beschwörung*) conjuro *m*; *e-r Schallplatte usw.*: grabación *f*; **Σungsraum** *m* (*-es*; *⸚e*) sala *f* de conferencias; *Radio*: estudio *m*.

be'spreng|en (-) *v/t.* rociar; (*mit Weihwasser*) asperjar, hisopear; regar; **Σung** *f* rociad(ur)a *f*; aspersión *f*; riego *m*.

be'spritzen (*-t*; -) *v/t.* rociar; regar (*con manga*); *mit Schmutz*: salpicar.

be'spucken (-) *v/t.* → *bespeien*.

be'spülen (-) *v/t.* *Ufer usw.*: bañar; *Felsen*: batir; (*spülen*) enjuagar.

'besser *adj. u. adv.*: (*comp. von gut u. wohl*) mejor; (*verbessert*) mejorado; (*überlegen*) superior; *Familie*: honorable; *um so* ~ tanto mejor; *immer* ~ cada vez mejor; ~ *gesagt* mejor dicho, más bien; ~ *sein* ser mejor (*als* que); ser superior (*als* a); ~ *als nichts* mejor que nada, algo es algo; *je eher desto* ~ cuanto antes (más pronto) mejor; ~ *ist* ~ lo seguro seguro es; por si acaso; *m-e* *~e Hälfte* mi cara mitad; ~ *sein als* ser mejor que, ser preferible a, valer más que; *et.* ~ *machen* mejorar; hacer mejor; *et.* ~ *können* saber (*bzw.* poder hacer) mejor a/c. (*als* que); *es wäre* ~ sería mejor *od.* preferible, más valdría; *das wäre noch* *~! iro.* ¡es lo que faltaba!; ~ *werden* mejorar; *Kranke*: *a.* aliviarse; *es* ~ *wissen* saber mejor, estar más enterado de a/c.; *es geht ihm heute* ~ hoy está *od.* sigue mejor; *es geht* (*wirtschaftlich*) ~ las cosas van mejorando; *er hat es* ~ *als ich* vive con más holgura que yo; *ich täte* ~ (*daran*) *zu gehen* sería mejor (*od.* más valdría) que me marchase; *ein ~er Herr* un señor, un caballero; **Σe(s)** *n*: *der ~e* el mejor; *~es, das ~e* lo mejor; *j-n e-s ~n belehren* desengañar, *fig.* abrir los ojos a alg.; → *besinnen*; *Sie könnten nichts ~s tun* no podría usted hacer mejor cosa; *e-e Wendung zum ~n nehmen* tomar mejor aspecto; *ich habe ~s zu tun* tengo otras cosas (*od.* cosas más importantes) que hacer *bzw.* en qué pensar.

'bessern (*-re*) *v/t.* mejorar, perfeccionar; *moralisch*: corregir, enmendar; (*reformieren*) reformar; *sich* ~ *moralisch*: corregirse, enmendarse, cambiar de vida; reformarse; *gesundheitlich*: aliviarse, mejorar(se); ✝ *Kurse, Preise*: subir; *Wetter*: mejorar(se), serenarse.

'Besserung *f* (*Sache*) mejora *f*; (*Besserstellung*) mejoramiento *m*; *moralisch*: enmienda *f*, corrección *f*; reforma *f*; ⚕ mejoría *f*, alivio *m*; ✝ (*des Marktes*) recuperación *f*; *Preis, Kurs*: alza *f*; *auf dem Wege der* ~ ⚕ en vías de restablecimiento *od.* curación; *gute* *~!* ¡que usted se alivie! **~s-anstalt** *f* establecimiento *m* correccional; *für Jugendliche*: reformatorio *m*; **Σsfähig** *adj.* corregible; **~smittel** *n* correctivo *m*.

'Besserwisser *m* pedante *m*; F sabelotodo *m*, sabidillo *m*.

best *adj. u. adv.*: (*sup. von gut u. wohl*) mejor; *am ~en* lo mejor; *im ~en Falle* en el mejor de los casos, F a todo tirar; *aufs ~e, ~ens* lo mejor posible; del mejor modo posible; *auf dem ~en Wege sein zu inf.* estar en el mejor camino para *inf.*; *der erste ~e* el primero que se presente (*od.* que llegue); *im ~en Alter* en la plenitud de la vida, en la flor de su edad; *in ~em Zustand* en perfecto estado; *in ~em Einvernehmen* en la mayor armonía; *nach ~en Kräften* con todo empeño; → *Wissen, Willen*; *zum ~en geben* obsequiar con; *Lied*: cantar; *Geschichte*: contar; *j-m zum ~en haben* burlarse de alg., F tomar el pelo a alg.; *sich von der ~en Seite zeigen* mostrarse por el lado bueno; *am ersten ~en Tage* el mejor día, el día menos pensado; *es wäre am ~en, wenn ich jetzt ginge* lo mejor sería que me fuese ahora; *empfehlen Sie mich ~ens!* ¡muchos saludos de mi parte a!; ¡ofrezca mis respetos a!; *ich danke ~ens!* ¡muchas gracias!; F ¡un millón de gracias!; **Σe(s)** *n* lo mejor; *das* ~ *vom ~n* lo más selecto; la flor y nata; F lo mejorcito de; *zu Ihrem ~n* en interés suyo; *zum ~n der Armen* a beneficio de los pobres; *sein ~s geben* poner todo su afán en; *sein ~s tun* hacer todo lo posible; hacer lo (mejor) que se pueda; *das* ~ *herausholen* sacar el mejor partido posible de a/c.

be'stall|en (-) *v/t.*: *j-n in e-m Amt* ~ nombrar a alg. para un cargo; (*einsetzen*) instalar; **Σung** *f* nombramiento *m*; **Σungsurkunde** *f* nombramiento *m*; credencial *f*; patente *f*, despacho *m*; título *m*.

Be'stand *m* (*-es*; *⸚e*) (*Bestehen*) existencia *f*; (*Fortbestand*) permanencia *f*; (*Dauerhaftigkeit*) durabilidad *f*; (*Haltbarkeit*) estabilidad *f*; consistencia *f*; (*Dauer*) duración *f*; (*Vorrat*) existencias *f/pl.*; ✝ (*Waren*Σ) existencias *f/pl.* (*an dat.* de); (*zahlenmäßiger* ~) relación *f* numérica; número *m*; (*Vieh*Σ) (número *m* de cabezas de) ganado *m*; ganadería *f*; (*Bibliothek*) fundos *m/pl.*; (*Sachverzeichnis*) inventario *m*; (*Kassen*Σ) efectivo *m* en caja; (*Reserven*) reservas *f/pl.*; (*Kapital*Σ) capital *m*; *an Effekten*: valores *m/pl.* en cartera; (*Fahrzeug*Σ) material *m* móvil; ⚔ (*Mannschafts*Σ) efectivo *m*; *von* ~ *sein*, ~ *haben* ser estable, ser de duración *od.* duradero, (per)durar; ~ *aufnehmen* hacer inventario, inventariar; **Σen** *adj. Prüfung*: aprobado.

be'ständig *adj.* estable; constante; (*unveränderlich*) invariable, inalterable; (*dauerhaft*) estable, permanente; (*zeitlich*) duradero, durable; (*andauernd*) constante, continuo, persistente; (*beharrlich*) perseverante, persistente; *Wetter*: estable; *Barometerstand*: buen tiempo fijo; ⊕ resistente a; → *feuer~*, *hitze*~ *usw.*; *Farben*: fijo, inalterable; (*Material*) consistente; ⚕ *Börse, Valuta usw.*: estable; **2keit** *f* (*0*) estabilidad *f*; constancia *f*; permanencia *f*; duración *f*; invariabilidad *f*, inmutabilidad *f*; continuidad *f*, persistencia *f*; perseverancia *f*; resistencia *f*; inalterabilidad *f*.

Be'stands...: ~aufnahme *f* (formación *f* del) inventario *m*; **~buch** *n* (-*es*; ⸗*er*) libro-inventario *m*; **~liste** *f* inventario *m*; **~prüfung** *f* examen *m bzw.* revisión *f* del inventario; **~verzeichnis** *n* (-*ses*; -*se*) → Bestandsliste.

Be'standteil *m* (-*es*; -*e*) componente *m*; (*Einzelteil*) parte *f*; (*Zusatz*) ingrediente *m*; (*Grund*2) elemento *m*; wesentlicher ~ parte *f* esencial *od.* integrante *od.* constitutiva; sich in s-e ~e auflösen desintegrarse.

be'stärken (-) *v/t.* fortalecer; (*unterstützen*) apoyar; (*bestätigen*) confirmar, corroborar.

be'stätig|en (-) *v/t.* confirmar; (*bescheinigen*) certificar; *amtlich*: legalizar; ⚖ *Urteil*: confirmar; (*feststellen*) comprobar; (*behaupten*) afirmar, asegurar; (*erhärten*) corroborar; eidlich ~ afirmar bajo juramento; j-n (im Amt) ~ confirmar a alg. en el cargo; (*billigen*) aprobar; *amtlich*: autorizar; (*Vertrag*) ratificar; *Gesetz*: sancionar; (*rechtsgültig machen*) validar; ⚕ *Aufträge*: confirmar; *Empfang*: acusar recibo de; sich ~ confirmarse, resultar ser cierto *od.* verdadero; **~end** *adj.* confirmativo, confirmatorio; ~es Urteil ⚖ sentencia confirmatoria; **2ung** *f* confirmación *f*; certificación *f*; legalización *f*; comprobación *f*; aprobación *f*; ratificación *f*; sanción *f*; validación *f*; *e-s Schreibens*: acuse *m* de recibo; **2ungsschreiben** *n* carta *f* confirmativa.

be'statt|en (-*e*-; -) *v/t.* enterrar, sepultar; dar sepultura a; (*verbrennen*) incinerar; **2ung** *f* entierro *m*, sepultura *f*; sepelio *m*; (*Feuer*2) incineración *f*; → Beerdigungs...; **2ungsinstitut** *n* (-*es*; -*e*) funeraria *f*, pompas *f/pl.* fúnebres.

be'staub|en (-) *v/t. u. v/refl.* cubrir(se) de polvo *m*; **~t** *adj.* lleno (*od.* cubierto) de polvo; polvoriento; empolvado.

be'stäub|en (-) *v/t.* empolvar; espolvorear; ♀ (*befruchten*) fecundar, polinizar; **2ung** *f* empolvoramiento *m*; ♀ polinización *f*.

be'staunen (-) *v/t.* mirar con asombro *m*.

be'stech|en (*L*; -) *v/t.* sobornar, corromper; F untar (*la mano*), comprar *ac.*; ⚖ *Zeugen, Geschworene*: sobornar; *Beamter, Richter*: cohechar; sich ~ lassen dejarse sobornar, F abrir la mano; sich nicht ~ lassen ser incorruptible; *fig.* seducir; **~end** *adj.* seductor, tentador; (*täuschend*) engañoso; capcioso, fraudulento; **~lich** *adj.* sobornable, corruptible; (*käuflich*) venal; **2lichkeit** *f* (*0*) corruptibilidad *f*; venalidad *f*; **2ung** *f* corrupción *f*; soborno *m*; cohecho *m*; *fig.* seducción *f*; passive ~ soborno pasivo; **2ungsgeld** *n* (-*es*; -*er*) F unto *m*; (*Schweigegeld*) precio *m* del silencio; **2ungsversuch** *m* (-*es*; -*e*) tentativa *f* de soborno *od.* F de unto.

Be'steck *n* (-*es*; -*e*) ⚕ instrumental *m*, estuche *m* de instrumentos; (*Eß*2) cubierto *m*; sechsteiliges ~ juego de cubiertos para seis personas; ⊕ juego *m* de herramientas; ⚓ estima *f*; ⚓ das ~ machen tomar la estima.

be'stecken (-) *v/t.* guarnecer de; (*mit Nadeln*) prender con; mit Pflanzen ~ adornar con plantas.

be'stehen (*L*; -) **1.** *v/t.* (*durchmachen*) sufrir, padecer, soportar, F pasar las de Caín, P pasarlas negras; *Gefahren*: arrostrar; (*widerstehen*) resistir; e-n Kampf ~ sostener una lucha; den Kampf ~ salir victorioso *od.* vencedor; *e-e Probe*: resistir; *Prüfung*: aprobar (*un examen*); e-e Prüfung nicht ~ suspender *od.* no aprobar un examen; *Sturm, Krise*: aguantar; **2.** *v/i.* existir, haber (*a. Bedenken*); von et.: subsistir; (*fort*~) (per)durar, continuar, permanecer; (*noch* ~) quedar; (*weiterleben*) sobrevivir; (*Gültigkeit haben*) seguir vigente; (*sich behaupten*) mantenerse, sostenerse; ~ aus constar de, componerse de, estar integrado por; ~ in (*dat.*) consistir en, fundarse *od.* basarse en; residir *od.* estar en; ~ auf (*dat.*) insistir en; persistir en; (*hartnäckig*) empeñarse *od.* obstinarse en; gegen j-n ~ mantener su punto de vista, F no dar el brazo a torcer; ~ bleiben seguir, quedar firme *od.* en pie; *fig.* perdurar; sie besteht auf ihrer Ansicht se mantiene firme en su opinión, F sigue en sus trece; 2 *n* existencia *f*; seit ~ unserer Firma desde el establecimiento de nuestra casa; **~d** *adj.* existente; (*gegenwärtig*) presente, actual; (*noch* ~) subsistente; (*vorher* ~) preexistente; ~ aus compuesto de, integrado por, formado por.

be'stehlen (*L*; -) *v/t.* robar; ich bin bestohlen worden me han robado.

be'steig|en (-) *v/t.* subir a *od.* sobre; (*mit Leitern*) escalar; *Fahrrad*: montar en; *Pferd*: montar (*a caballo*); *Berg*: subir a, ascender a; (*bezwingen*) conquistar; *Schiff*: subir a bordo; *Wagen*: subir (*a un coche*); *Thron*: subir (*al trono*); **2ung** *f* subida *f*; (*e-s Berges*) *a.* ascensión *f*; conquista *f*; *des Thrones*: subida *f*, advenimiento *m*.

Be'stell|bezirk ✉ *m* (-*es*; -*e*) distrito *m* postal; **~buch** ⚕ *n* (-*es*; ⸗*er*) libro *m* de pedidos; **2en** (-) *v/t.* *Waren, Speisen*: pedir, encargar; ⚕ *a.* hacer un pedido; *Zeitung*: suscribirse a; *Platz, Zimmer*: reservar; (*kommen lassen*) hacer *od.* mandar venir, llamar a alg.; j-n wohin ~ citar a alg. para que acuda a un lugar; (*ernennen*) nombrar (*zum ac.*); *Aufträge*: cumplir; *Briefe*: entregar, (*verteilen*) repartir; *Grüße*: dar (*für*, an ac. a; von de parte de); *Feld*: cultivar; sein Haus ~ arreglar todos sus asuntos (para caso de muerte); es ist schlecht um ihn bestellt le va muy mal, se halla en un lamentable estado; haben Sie et. an ihn zu ~? ¿tiene usted algún encargo para él?; F er hatte nichts gegen ihn zu ~ estaba en inferioridad manifiesta frente a él; **~er** *m* comitente *m*; (*Kunde*) cliente *m*, comprador *m*; *e-r Zeitung*: suscriptor *m*; *e-s Bibliotheksbuches*: peticionario *m*; (*Überbringer*) repartidor *m*; **~gebühr** *f*, **~geld** *n* (-*es*; -*er*) derechos *m/pl.* de entrega a domicilio; **~liste** *f* catálogo *m*; **~nummer** *f* (-; -*n*) número *m* de referencia *od.* de pedido; **~schein** *m* (-*es*; -*e*) hoja *f od.* nota *f* de pedido; **~ung** *f* (*Auftrag*) encargo *m*, ⚕ *a.* pedido *m*, orden *f*; ⚘ cultivo *m*; *von Briefen usw.*: entrega *f*; reparto *m*; (*Botschaft*) recado *m*; (*Verabredung*) cita *f*; (*Ernennung*) nombramiento *m*; *e-r Zeitung*: suscripción *f*; (*Vor*2) reserva *f*; auf ~ von por encargo de; auf ~ gemacht hecho de encargo; bei ~ al hacer el pedido; laut ~ según encargo *od.* orden; ~en machen hacer pedidos; **~zettel** ⚕ *m* → Bestellschein; (*Buchhandlung*) tarjeta *f* para pedidos; (*Bibliothek*) papeleta *f*.

'bestenfalls *adv.* en el mejor de los casos, a lo sumo; como máximo.

'bestens *adv.* → best.

be'steuer|bar *adj.* imponible; **~n** (-*re*; -) *v/t.* gravar con impuestos; imponer contribuciones; **2ung** *f* imposición *f* de contribuciones; tributación *f*.

besti'al|isch *adj.* bestial, brutal; **2i'tät** *f* bestialidad *f*, brutalidad *f*.

be'sticken (-) *v/t.* bordar, recamar.

'Bestie *f* bestia *f* feroz, fiera *f*; bruto *m*; *fig.* (*Mensch*) fiera *f* humana, *fig.* monstruo *m*.

be'stimm|bar *adj.* determinable; (*von Begriffen*) definible; ♀ clasificable; *jd.*: leicht ~ fácil de influir; **~en** (-) *v/t.* determinar; (*entscheiden*) *a.* decidir; (*festsetzen*) fijar; (*anordnen*) disponer, ordenar; (*Gesetz*) prescribir; (*befehlen*) mandar; (*ermitteln*) averiguar; ⚗, *Phys., Biol.*: determinar; *genau*: precisar; ⚕ *Krankheit*: diagnosticar; *Dosis*: dosificar; (*abschätzen*) apreciar; tasar; ⚗ analizar (*cuantitativa od. cualitativamente*); (*sachlich einordnen*) clasificar; *Begriff*: definir; (*vorher*~) predestinar; (*ausersehen*) designar; zu, für et. ~ destinar a; j-n ~ et. zu tun destinar a alg. para a hacer a/c.; *beeinflussend*: incitar *od.* inducir a alg. a hacer a/c.; als Nachfolger ~ nombrar sucesor; zum Erben ~ instituir (por) heredero; ~ über disponer de; sich von et. ~ lassen dejarse influir por a/c.; **~end** *adj.* determinante, categórico; (*entscheidend*) decisivo; *Gr.* determinativo.

be'stimmt I. *adj.* (*festgesetzt*) determinado, fijo; *schicksalhaft*: predestinado (*zu* para); (*gewiß*) cierto, positivo; ⩘ *Gleichung*: determinado; (*genau*) exacto, preciso, definido (*a. Gr.*); estricto; (*deutlich*) claro, explícito, expreso; (*entschieden*) terminante, categórico; rotundo; (*entschlossen*) decidido, determinado; *im Auftreten usw.*: firme, resuelto; (*endgültig*) definitivo; ~ sein für *od.* zu estar destinado a; ⚓ *usw.* ~ nach con destino a; (*sicher*) cierto, seguro; **II.** *adv.* ciertamente, seguramente, positivamente, con seguridad *od.* certeza; *ganz* ~ con absoluta seguridad, con toda certeza, sin falta; et. ~ *wissen* saber positivamente a/c., saber con seguridad (*od.* de fijo) a/c.; *er kommt* ~ es seguro que vendrá, no dejará de venir, vendrá sin falta; **2heit** *f (0)* (*Entschlossenheit*) resolución *f*, determinación *f*; *fig.* firmeza *f*, energía *f*; (*Genauigkeit*) precisión *f*, exactitud *f*; (*Sicherheit*) seguridad *f*, certeza *f*, certidumbre *f*; *mit* ~ (*gewiß*) con certeza *od.* certidumbre; con seguridad; (*kategorisch*) categóricamente.

Be'stimmung *f* determinación *f*; *e-s Termins usw.*: fijación *f*; (*Ernennung*) designación *f*; (*Zweck*2) destino *m*; (*Verfügung*) disposición *f*; (*Entschluß*) resolución *f*; (*Entscheidung*) decisión *f*; (*Ermittlung*) determinación *f*; ⚗ *a.* análisis *m* cuantitativo *bzw.* cualitativo; *schätzungsweise*: apreciación *f*; tasación *f*; (*Dosierung*) dosificación *f*; ⚕ *Krankheit*: diagnóstico *m*; (*Begriffs*2) definición *f*; (*nähere* 2) complemento *m* (*a. Gr.*); (*Vorschrift*) ~*en f/pl.* reglamento *m*; ordenanzas *f/pl.*; *e-s Vertrages*: estipulación *f*, cláusula *f* (*a. e-s Testaments*); *e-s Gesetzes*: prescripción *f*; (*Beruf, Sendung*) vocación *f*; (*Geschick*) suerte *f*, destino *m*.

Be'stimmungs...: ~**hafen** *m* (*-s*; ¨) puerto *m* de destino; ~**land** *n* (*-es*; ¨*er*) país *m* de destino; ~**methode** ⚗ *f* método *m* de análisis; ~**ort** *m* (*-es*; *-e*) lugar *m od.* punto *m* de destino; ~**zweck** *m* (*-es*; *-e*) destino *m*.

be'stirnt *adj.* estrellado, constelado.

'Bestleistung *f* mejor resultado *m*; ⊕ rendimiento *m* máximo; *Sport*: *angl.* record *m*, *neol.* plus-marca *f*.

'bestmöglich *adj.* el *bzw.* la *od.* lo mejor posible.

be'stoßen (*L*; -) *v/t.* (*beschädigen*) deteriorar; estropear; ⊕ (*abkanten*) descantear.

be'straf|en (-) *v/t.* castigar (*wegen, für* por; *mit* con); ⚖ penar; sancionar; *mit Geld*: multar *ac.*, imponer una multa; 2**ung** *f* castigo *m*; ⚖ pena *f*; sanción *f*.

be'strahl|en (-) *v/t.* iluminar; irradiar sobre; ⚕ *Therapie*: irradiar; tratar con rayos X; *mit Radium*: aplicar (tratar con) radio; 2**ung** *f* iluminación *f*; irradiación *f*; exposición *f* a la irradiación; (*Sonnen*2) *Meteo.* insolación *f*; ⚕ (*Therapie*) radioterapia *f*; irradiación *f*; tratamiento *m* con radio.

be'streb|en (-): *sich* ~ (*od. bestrebt sein*) *zu inf.* esforzarse por, hacer esfuerzos para, afanarse por; tratar de; aspirar a, pretender *inf.*; 2**en** *n* afán *m*, anhelo *m*; 2**ung** *f* esfuerzo *m*; afán *m*; tentativa *f*; aspiración *f*, anhelo *m*; iniciativa *f*.

be'streichen (*L*; -) *v/t.* (*überziehen*) recubrir de; *mit Farbe*: pintar; *mit Butter, Fett*: untar con; *mit Öl*: aceitar.

be'streit|bar *adj.* discutible, contestable; disputable, impugnable; ~**en** *v/t.* (*anfechten*) impugnar, disputar; (*abstreiten*) negar; (*bezweifeln*) dudar, poner en duda *f*, discutir; *Ausgaben*: cubrir, pagar, costear, sufragar; *Bedürfnisse*: proveer; *sie bestritt die Unterhaltung allein* ella sola hizo el gasto de la conversación; 2**ung** *f* disputa *f*; impugnación *f*; *zur* ~ *s-r Studien* para costear sus estudios.

be'streuen (-) *v/t.*: ~ *mit* (*Boden*) esparcir sobre, cubrir de; *mit Mehl*: enharinar; *mit Blumen*: cubrir *od.* sembrar de flores; *mit Zucker*: espolvorear de azúcar; *mit Salz und Pfeffer*: salpimentar.

be'stricken (-) *v/t.* cautivar, hechizar, encantar, fascinar; aprisionar, F hacer caer en la red (*od.* en el lazo); (*blenden*) deslumbrar; ~**d** *adj.* fascinador, encantador, seductor, cautivador.

be'stück|en (-) *v/t.* ⚔, ⚓ artillar; 2**ung** *f* (piezas *f/pl.* de) artillería *f*, cañones *m/pl.*; armamento *m*.

be'stürm|en (-) *v/t.* ⚔ asaltar; *fig. mit Bitten* ~ importunar con ruegos; *mit Fragen* ~ asediar *od.* acosar a preguntas; *diese Gedanken bestürmten mich* me asaltaron estos pensamientos; 2**ung** *f* asalto *m*; *e-r Bank*: afluencia *f* tumultuosa de público.

be'stürz|en (*-t*; -) *v/t.* sobresaltar, asustar; aturdir, desconcertar; consternar; ~**t** *adj.* (*fassungslos*) desconcertado, aturdido; consternado; (*überrascht*) sorprendido; (*entsetzt*) asustado; *stärker*: espantado, aterrado; (*sprachlos*) pasmado, atónito, estupefacto, F turulato; (*verwirrt*) confuso; perplejo; 2**ung** *f* sobresalto *m*; aturdimiento *m*; consternación *f*; pasmo *m*, estupefacción *f*; confusión *f*, perplejidad *f*.

'Bestwert *m* (*-es*; *-e*) valor *m* óptimo.

'Bestzeit *f Sport*: mejor tiempo *m*.

Be'such [u:] *m* (*-es*; *-e*) visita *f*; *kurzer*: *fig.* F visita *f* de médico; *gewohnheitsmäßiger, e-s Gasthauses usw.*: frecuentación *f* (*gen.* de); *e-r Schule*: asistencia *f* a; *e-r Versammlung*: *a.* concurrencia *f* a; *e-s Ortes*: visita *f* de; *auf od. zu* ~ *sein* estar de visita; *e-n* ~ *machen* hacer una visita a; *j-s* ~ *erwidern* devolver la visita a alg.; 2**en** (-) *v/t.* visitar; *j-n*: ir a visitar a, ir a ver a, hacer una visita a alg.; *offiziell*: cumplimentar a; (*Ort, Sehenswürdigkeiten*) visitar; (*Städte*) *a.* recorrer; *öfter, gewohnheitsmäßig*: frecuentar; (*Vortrag, Versammlung, Schule usw.*) asistir a, ir a; *ich habe ihn besucht* he ido a visitarle *od.* a verle, le he visitado; *gut* (*schwach*) *besucht* muy (poco) concurrido; *der Ort wird viel besucht* es muy frecuentado; ~**er(in** *f*) *m* visitante *m/f*, visita *f*; *pflichtmäßiger*: visitador *m*; (*Gast*) huésped *m*; *e-s Ladens, Gasthauses*: cliente *m* habitual, parroquiano *m*; (*Stammgast*) contertulio *m*; (*Zuschauer*) espectador *m*; ~**erzahl** *f* número *m* de visitantes; *e-r Versammlung*: número *m* de asistentes; *e-r Schule*: asistencia *f*; ~**skarte** *f* tarjeta *f* de visita; ~**s-tag** *m* (*-es*; *-e*) día *m* de visita, *bei Damen*: día *m* de recibo; ~**szeit** *f* horas *f/pl.* de visita; ~**szimmer** *n* sala *f* de recibir, salón *m*; 2**t** *adj.* frecuentado, concurrido, visitado, animado.

be'sudeln (*-le*; -) *v/t.* manchar, ensuciar; embadurnar; *fig.* contaminar; *Namen usw.*: manchar, mancillar; (*entweihen*) profanar.

be'tagt *adj.* viejo, anciano, de edad avanzada.

be'takeln (*-le*; -) ⚓ *v/t.* aparejar, enjarciar.

be'tasten (*-e-*; -) *v/t.* tocar, tentar, palpar (*a.* ⚕); (*plump* ~) sobar, manosear.

'Beta-Strahlen *Phys. m/pl.* rayos *m/pl.* beta.

be'tätig|en (-) *v/t.* ⊕ (*bedienen*) maniobrar, hacer funcionar; (*in Gang setzen*) poner en movimiento *od.* en marcha; *Bremse usw.*: accionar; *sich* ~ *an od. bei* participar en, tomar parte activa en; *sich* ~ *als* actuar de; estar ocupado en, dedicarse a; 2**ung** *f* (*Tätigkeit*) actividad *f*, acción *f*; actuación *f*, función *f*; (*Beteiligung*) participación *f*; *körperliche* ~ ejercicio físico; ⊕ accionamiento *m*; puesta *f* en marcha *od.* en movimiento; 2**ungsfeld** *n* (*-es*; *-er*) campo *m* de actividades; esfera *f* de acción; 2**ungshebel** *m* palanca *f* de accionamiento.

be'täub|en (-) *v/t. durch Lärm*: ensordecer; *durch e-n Schlag usw.*: *a. fig.* aturdir, atontar, atolondrar; *die Sinne* ~ aturdir los sentidos; (*einschläfern*) adormecer; ⚕ anestesiar, narcotizar; *Muskeln*: entumecer; *Schmerz*: calmar, amortiguar; (*abstumpfen*) embotar, entorpecer; ~**end** *adj. Lärm*: ensordecedor; *Schlag*: aturdidor (*a. fig.*); ⚕ anestésico, narcótico; *schmerzstillend*: analgésico, calmante; ~**t** *adj. durch e-n Schlag*: aturdido (*a. fig.*); *verblüfft*: estupefacto; *ohnmächtig*: desmayado; 2**ung** *f* ensordecimiento *m*; aturdimiento *m* (*a. fig.*); ⚕ anestesia *f*, narcotización *f*, (*Zustand*) narcosis *f*; *örtliche* ~ anestesia local; (*tiefe Bewußtlosigkeit*) sopor *m*, letargo *m* (*a. fig.*); (*Starrheit*) embotamiento *m*; entumecimiento *m*; (*Verblüffung*) estupefacción *f*, estupor *m*; 2**ungsmittel** *n* anestésico *m*, narcótico *m*; (*Rauschmittel*) estupefaciente *m*.

be'tauen (-) *v/t.* cubrir de rocío *m*.

'Bete ⚘ *f* remolacha *f* roja.

be'teilig|en (-) *v/t.*: *j-n* ~ *an* (*dat.*) *od. bei* hacer participar a alg. en a/c.; interesar a alg. en a/c.; (*a.* ✝); *sich* ~ *an od. bei* tomar parte en, participar en *bzw.* de; *Beitrag leistend*: contribuir a; *helfend*: cooperar a, coadyuvar a; *eingreifend*: intervenir en; *teilnehmen*: participar en (*a. Sport*); concurrir a; *beteiligt sein* estar interesado en, tener participación en (*a.* ✝); *am Gewinn*: participar en las ganancias; (*verwickelt sein*) estar implicado *od.* comprometido en; 2**te(r** *m*) *m/f* participante *m/f*, interesado (-a *f*) *m*; *Strafrecht*: cómplice *m/f*; (*Teilhaber*) socio *m*, asociado *m*; 2**ung** *f* participación *f*; interés *m*; (*Teilnehmerzahl*) concurrencia *f*; (*Mitwirkung*) cooperación *f*, colaboración *f*; ⚖ *Mitschuld*: complicidad *f*; (*Eingreifen*) intervención *f*; *Sport*: participación *f*; (*Unterstützung*) contribución *f*; **2ungsgesellschaft** *f* compañía *f* asociada.

'beten (-*e*-) *v/t*. rezar, orar; *zu Gott* ~ rogar a Dios; *bei Tisch*: bendecir la mesa, rezar el benedícite; *um et.* ~ rezar por; *das Vaterunser* ~ rezar el padrenuestro; *den Rosenkranz* ~ rezar el rosario.

be'teuer|n (-*re*; -) *v/t*. protestar (de); *s-e Unschuld* ~ protestar (hacer protestas de) su inocencia; (*behaupten*) aseverar; (*versichern*) asegurar positivamente, afirmar solemnemente; **2ung** *f* protesta *f*; aseveración *f*; afirmación *f* solemne.

be'titeln (-*le*; -) *v/t*. *Person*: intitular; tratar de, dar tratamiento *m* de; calificar de; *Buch usw.*: (in)titular; *betitelt sein* tener el título de.

Be'ton *m* (-*s*; -*s*) hormigón *m*; *armierter* ~ hormigón armado; *gegossener* ~ hormigón colado; *gestampfter* ~ hormigón apisonado; *Am. a.* concreto *m*; **~bau** *m* (-*es*; -*ten*) construcción *f* de hormigón; **~bauweise** *f* construcción *f* en hormigón; **~brücke** *f* puente *m* de hormigón.

be'tonen (-) *v/t*. *Silbe*: acentuar; *fig. a.* destacar, recalcar, hacer resaltar, subrayar; *nachdrücklich*: insistir en; → *betont*.

Be'tonie [-nɪə] ⚘ *f* betónica *f*.

beto'nier|en (-) *v/t*. hormigonar; construir con hormigón *m*; **2en** *n* (*a.* **2ung** *f*) hormigonado *m*.

Be'ton...: **~mischmaschine** *f* mezcladora *f* de hormigón; **~platte** *f* placa *f* de hormigón.

be'tont I. *adj*. *Silbe*: acentuado; *fig. a.* marcado, recalcado; *mit ~er Höflichkeit* (*Gleichgültigkeit*) con ostensible cortesía (indiferencia); *~e Silbe* sílaba tónica; **II.** *adv*. acentuadamente, marcadamente, señaladamente.

Be'tonung *f* acentuación *f*; (*Stimmakzent*) acento *m* prosódico; *fig.* insistencia *f*.

be'tören (-) *v/t*. (*zu Torheiten verleiten*) entontecer; (*täuschen*) engañar; (*verliebt machen*) trastornar, enloquecer, F chalar; (*blenden*) deslumbrar; (*verführen*) seducir; (*entzücken*) fascinar, embelesar; (*bezaubern*) hechizar; *~des Lächeln* sonrisa seductora.

Be'tracht *m* consideración *f*; *außer ~ lassen j-n*: no contar con; (*Bitte, Ersuchen*) desatender, no tomar en consideración; (*nicht berücksichtigen*) dejar a un lado, pasar por alto; (*nicht erwähnen*) omitir; *außer ~ bleiben* quedar descontado *od.* descartado; quedar desatendido; *in ~ kommen* entrar en consideración *od.* en cuenta; *als geeignet*: ser aplicable; estar indicado; hacer al caso; *in ~ ziehen* tomar en consideración, considerar; tener en cuenta, tener presente; **2en** (-*e*-; -) *v/t*. (*ansehen*) mirar; *fig.* considerar; *genau*: examinar; (*beobachten*) observar; *sinnend*: contemplar; meditar, reflexionar sobre; *~ als* considerar como; *genau betrachtet* bien mirado, mirándolo bien; **2end** *adj*. contemplativo; *Phil.* especulativo; **~er(in** *f*) *m* observador(a *f*) *m*, espectador (-a *f*) *m*.

be'trächtlich *adj*. considerable, de consideración; importante, notable; (*umfangreich*) amplio; vasto; gran (grande); numeroso; *Kosten, Verluste*: cuantioso.

Be'trachtung *f besinnliche*: contemplación *f*; meditación *f*; (*Erwägung*) consideración *f* de, reflexión *f* sobre; (*Ergründung*) estudio *m*; (*Prüfung*) examen *m*; *bei näherer* ~ en un examen más detenido; *in ~ versunken* entregado a la contemplación; meditabundo; *~en anstellen* reflexionar (*über ac.* sobre); **~sweise** *f* modo *m* de ver.

Be'trag *m* (-*es*; *ˮe*) importe *m*; cantidad *f*; (*Summe*) suma *f*; cuantía *f*; (*Gesamt2*) total *m*; (*Wert*) valor *m*; *im ~e von* por valor de; que asciende a; *Quittung*: *~ erhalten* Recibí.

be'tragen (*L*; -) *v/t*. (*Geldsumme*) ascender a, elevarse a; (*Rechnung*) importar; *wieviel beträgt die Rechnung?* ¿cuánto importa la cuenta?; (*sich benehmen*) portarse, comportarse, conducirse (*gegen* con); **2** *n* comportamiento *m*, conducta *f*; (*Manieren*) modales *m/pl*.

be'trauen (-) *v/t*.: *j-n mit et.* ~ confiar (*od.* encomendar) a/c. a alg.; *mit e-m Amt* ~ conferir (*od.* investir con) un cargo.

be'trauern (-*re*; -) *v/t*.: *j-n* ~ llorar *od.* sentir la muerte de alg.; (*Trauer tragen*) llevar luto *m* por; *e-n Verlust usw.*: lamentar *od.* deplorar la pérdida de.

Be'treff *m*: *in ~ od.* **2s** (*gen.*) respecto a *od.* de; en cuanto a; (en lo) relativo a, concerniente a *od.* tocante a; a propósito de; *im Briefkopf* (Betr.) Asunto *m*; **2en** (*L*; -) *v/t*. *Unglück usw.*: sorprender, coger de improviso, sobrevenir; *fig.* (*berühren*) tocar; (*angehen*) concernir, atañer, afectar; (*sich beziehen auf*) referirse a; *was mich betrifft* por lo que a mí toca, en cuanto a mí, por mi parte; *was das betrifft* en lo tocante *od.* relativo a, en materia *od.* cuestión de; → *betroffen*; **2end** *adj*. respectivo; en cuestión; → *Betreff*; (*fraglich*) *das ~e Geschäft* el asunto en cuestión, el asunto referido; *der 2e* el interesado; *desp.* el individuo en cuestión; (*unübersetzt*) él *bzw.* ella; (*erwähnt*) aludido; (*jeweilig*) respectivo; (*zuständig*) competente.

be'treiben (*L*; -) *v/t*. (*antreiben*) activar, acelerar, impulsar; (*leiten*) dirigir; *Geschäft*: tener establecido (*un negocio*), dedicarse a (*los negocios, al comercio etc.*); *Bergbau, Fabrik*: explotar; *Prozeß*: seguir (*una causa*); *Beruf*: ejercer; *Studien*: seguir (*una carrera*), dedicarse al estudio; *e-e Politik*: seguir; *Angelegenheit*: agenciar; gestionar, *amtlich*: *a.* tramitar; (*Künste*) cultivar; (*Sport*) praticar; **2** *n* → *Betrieb*; *auf ~ von* por iniciativa de; a instigación de; (*Bitte*) a instancias *od.* a ruego de.

be'treten[1] (*L*; -) *v/t*. andar sobre; pisar; poner los pies en; *Raum*: entrar en; *Boden*: hollar; *2 verboten!* ¡prohibido el paso! *bzw.* ¡prohibida la entrada!

be'treten[2] *adj*. *Weg*: trillado (*a. fig.*); *fig.* (*verwirrt*) confuso, desconcertado; perplejo; (*verlegen*) turbado; *mit ~em Lächeln* con una sonrisa forzada.

be'treu|en (-) *v/t*. (*sorgen für*) cuidar de; (*pflegen*) atender a, cuidar a; (*helfen*) socorrer a; (*beraten*) asesorar; **2er(in** *f*) *m e-s Kranken*: enfermero (-a *f*) *m*; (*Geistlicher*) asesor *m* religioso; (*Wohlfahrt*) auxiliar *m/f* benéfico-asistencial; **2ung** *f* cuidado *m*; socorro *m*; asesoramiento *m*; **2ungsdienst** *m* (-*es*; -*e*) servicio *m* benéfico-asistencial; **2ungsstelle** *f* establecimiento *m* benéfico-asistencial.

Be'trieb *m* (-*es*; -*e*) (*Ausübung*) ejercicio *m*; (*Betreiben, Leitung*) dirección *f* técnica; (*Verwaltung*) administración *f*; (*Unternehmen*) empresa *f*, establecimiento *m* (industrial, mercantil *etc.*); (*geschäftlicher*) negocio *m*; (*Laden2*) comercio *m*; ⚒ explotación *f* minera; *landwirtschaftlicher* ~ granja *f*, explotación *f* agropecuaria; *öffentlicher* ~ servicio *m* público; (*Fabrikanlage*) fábrica *f*, manufactura *f*; (*Werkstatt*) taller *m*; ⊕ *Ablauf, Gang*: marcha *f*; *e-r Maschine*: funcionamiento *m*; *fig.* (*Betriebsamkeit*) actividad *f* intensa, tráfago *m*; (*Rummel*) animación *f*, bullicio *m*, F jaleo *m*; *in ~* en marcha, en funcionamiento *od.* funcionando; ⚒ en explotación; *in vollem ~* en plena marcha; en plena actividad; *in ~ setzen* poner en marcha; *außer ~* fuera de servicio; *Aufschrift, Hinweis*: no funciona; **2lich** *adj*. de(l) servicio; *aus ~en Gründen* por razones técnicas.

be'triebsam *adj*. activo; (*fleißig*) laborioso, trabajador, diligente; industrioso; **2keit** *f* (*0*) actividad *f*; laboriosidad *f*, diligencia *f*.

Be'triebs...: **~anlage** *f* instalación *f* técnica; planta *f* industrial; taller *m*; **~anleitung, ~anweisung** *f* instrucciones *f/pl.* de servicio; **~arzt** *m* (-*es*; *ˮe*) médico *m* de empresa; **~ausflug** *m* (-*es*; *ˮe*) excursión *f* colectiva (*del personal*); **2bedingt** *adj*. condicionado por el servicio; **~bedingungen** *f/pl.* condiciones *f/pl.* de servicio; **~berater** *m* asesor *m* técnico; **~buchführung** *f* contabilidad *f* de empresas; **~dauer** *f* (*0*) duración *f* del servicio; (*Lebensdauer e-r Maschine*) duración *f* útil; **~direktor** *m* (-*s*; -*en*) director *m* gerente; **2eigen** *adj*. propio de la empresa; **~einschränkung** *f* restricción *f* de servicio; reducción *f* de jornada; **~einstellung** *f* cese *m* de explotación, cierre *m* (*de una fábrica*); suspensión *f* de servicio; paro *m*; **2fähig** *adj*. en condiciones de funcionamiento *bzw.* de servicio; **2fremd** *adj*. ajeno a la empresa *bzw.* al servicio; **~führer** *m* director *m* de empresa; jefe *m* de servicio *bzw.* de explotación; **~führung** *f* dirección *f* de empresa *bzw.* de servicio, de explotación; **~geheimnis** *n* (-*ses*; -*se*) secreto *m* industrial; **~ingenieur** *m* (-*s*; -*e*) ingeniero *m* (industrial); jefe *m* de servicio técnico; **~jahr** *n* (-*es*; -*e*) ejercicio *m* económico (*de una empresa*); **~kapital** *n* (-*s*; *0*) capital *m* de explotación; **~klima** *n* (-*s*; *0*) condiciones *f/pl.* de trabajo; ambiente *m* (de trabajo); **~kosten** *pl.* gastos *m/pl.* de explotación *od.* de producción *bzw.* de servicio; **~krankenkasse** *f* caja *f* de seguro de enfermedad (*de la empresa*); **~leiter** *m* jefe *m* de servicio *bzw.* de explotación, jefe *m* técnico; **~leitung** *f* dirección *f*; **~material** *n* (-*s*; *0*) material *m* de servicio; 🚃 material *m* móvil; **~obmann** *m* (-*es*; ¨*er*) representante *m* del personal obrero; **~ordnung** *f* reglamento *m* de la empresa; **~personal** *n* (-*s*; *0*) personal *m* de la empresa; (*Bedienungspersonal*) personal *m* de servicio; **~rat** *m* (-*es*; ¨*e*) consejo *m* de empresa; consejo *m* obrero; **~sicherheit** *f* (*0*) seguridad *f* de funcionamiento *bzw.* de servicio; **~spannung** ↯ *f* tensión *f* de servicio; **~stillegung** *f* → *Betriebseinstellung*; **~stockung** *f* paralización *f bzw.* interrupción *f* del servicio; **~stoff** *m* (-*es*; -*e*) combustible *m*; carburante *m*; **~stoffwechsel** *Physiol.* *m* metabolismo *m* energético; **~störung** *f* interrupción *f* del funcionamiento; avería *f*; **~strom** ↯ *m* (-*es*; *0*) corriente *f* de servicio; **~unfall** *m* (-*es*; ¨*e*) accidente *m* de trabajo; **~wirtschaft** *f* (*0*) economía *f* de empresa; **~wirtschaftslehre** *f* (*0*) teoría *f* de la organización y régimen de las empresas industriales; **~zeit** *f* período *m* de servicio *od.* de funcionamiento.

be'trinken (*L*; -) *v/refl.* embriagarse, emborracharse; → *betrunken*.

be'troffen *adj.*: ~ *werden von* (*heimgesucht*) ser atacado por, ser víctima de; (*verlegen*) perplejo, confuso, turbado; (*verwundert*) admirado; (*erstaunt*) asombrado, atónito; (*bestürzt*) consternado; → *betreffen*; **2heit** *f* (*0*) admiración *f*; asombro *m*; perplejidad *f*, confusión *f*; consternación *f*.

be'trüb|en (-) *v/t.* afligir, desconsolar, atribular; entristecer, apenar, contristar; **~lich** *adj.* triste, desconsolador; **2nis** *f* (-; -*se*) aflicción *f*, tribulación *f*; tristeza *f*; **~t** *adj.* afligido, atribulado, acongojado; triste, apenado.

Be'trug *m* (-*es*; *0*) (*Täuschung*) engaño *m*; fraude *m*; ⚖ estafa *f*; dolo *m*; F timo *m*; *fig.* decepción *f*; (*Hochstapelei*) impostura *f*, superchería *f*; (*List*) ardid *m*, estratagema *f*; (*beim Spiel*) trampa *f*; (*Sinnes2*) ilusión *f*.

be'trügen (*L*; -) *v/t.* engañar (*a. e-n Ehepartner*); embaucar; defraudar (*a. fig.*); ⚖ estafar, F timar; (*beim Kartenspiel*) hacer trampas; *j-n um et.* ~ quitar a alg. con engaño a/c., estafar a alg.; *sich* ~ engañarse, hacerse *od.* forjarse ilusiones; *in s-n Hoffnungen betrogen werden* quedar defraudado en sus esperanzas, quedar desilusionado.

Be'trüger(in *f*) *m* engañador(a *f*) *m*; ⚖ estafador(a *f*) *m*, F timador (-a *f*) *m*; impostor(a *f*) *m*; (*Lügner*) embustero (-a *f*) *m*; (*Falschspieler*) tramposo *m*.

Betrüge'rei *f* → *Betrug*.

be'trügerisch *adj.* engañoso, falaz; ⚖ *in ~er Absicht* con ánimo de dolo; *~er Bankrott* quiebra fraudulenta.

be'trunken *adj.* embriagado, ebrio, borracho, beodo, bebido; ⚖ *in ~em Zustand fahren* conducir (*un automóvil*) en estado de embriaguez; *sinnlos* ~ borracho perdido, F hecho una uva; → *besoffen*; **2er** *m* borracho *m*, beodo *m*; **2heit** *f* (*0*) embriaguez *f*, borrachera *f*, F curda *f*.

'Bet|saal *m* (-*es*; -*säle*) oratorio *m*, capilla *f*; **~schwester** *f* (-; -*n*) santurrona *f*, beata *f*; **~stuhl** *m* (-*es*; ¨*e*) reclinatorio *m*.

'Bett *n* (-*es*; -*en*) cama *f*, lecho *m*; (*~stelle*) armadura *f* de la cama; (*Feld2*) cama *f* plegable; (*Fluß2*) cauce *m*, lecho *m*; ⚓, 🚃 litera *f*; ⊕ bancada *f* de torno; *Anat.*, ♀ tálamo *m*; *am* ~ junto a (*od.* al pie de) la cama; *im* ~ *liegen* estar en la cama, estar acostado, *Kranke*: estar en cama; *sich zu* ~ *legen* acostarse, meterse en la cama, *krankheitshalber*: encamarse; *das* ~ *hüten* (*müssen*) (tener que) guardar cama; *j-n zu* ~ *bringen* acostar a; *das* ~ *machen* hacer la cama; **~bezug** *m* (-*es*; ¨*e*) sábanas *f/pl.*; *für Kopfkissen u. Deckbett*: fundas *f/pl.*; **~decke** *f* sobrecama *f*, colcha *f*; *wollene*: manta *f*, cobertor *m*; *gesteppte*: edredón *m*.

'Bettel *m* mendicidad *f*; *fig.* (*Plunder*) trastos *m/pl.*; chismes *m/pl.*; **2arm** *adj.* pobre de solemnidad, indigente; **~brief** *m* (-*es*; -*e*) carta *f* petitoria de socorro.

Bette'lei *f* mendicidad *f*, pordioseo *m*.

'bettel...: 2mönch *m* (-*s*; -*e*) monje *m* mendicante; **~n** (-*le*) *v/t. u. v/i.* mendigar, pordiosear, pedir limosna *f* (*alle a. fig.*); ~ *gehen* darse a la mendicidad, F echarse a pedir limosna; **2orden** *m* orden *f* mendicante; **2stab** *m*: *an den* ~ *bringen* arruinar, reducir a la pobreza, hundir en la miseria; **2student** *m* (-*en*) sopista *m*.

'betten (-*e*-) **1.** *v/i.* hacer *od.* preparar la cama *f*; **2.** *v/t.* (*ausbreiten*) extender; *j-n* ~ acostar a alg.; *fig.* encajar; *nicht auf Rosen gebettet sein fig.* no dormir sobre un lecho de rosas; *sich* ~ hacerse la cama, acostarse; *wie man sich bettet, so schläft man* quien mala cama hace, en ella se yace.

'Bett...: ~flasche *f* bolsa *f* de agua caliente; **~gestell** *n* (-*es*; -*e*) armadura *f* de cama; **~himmel** *m* dosel *m*, pabellón *m*; **~kissen** *n* almohada *f*; **2lägerig** *adj.*: ~ *sein* guardar cama; *~er Patient* paciente encamado; **~laken** *n* sábana *f*.

'Bettler(in *f*) *m* mendigo (-a *f*) *m*, pordiosero (-a *f*) *m*; pobre *m/f*; pedigüeño (-a *f*) *m*; *Am.*: limosnero (-a *f*) *m*; *zum* ~ *machen* arruinar, dejar en la indigencia.

'Bett...: ~linnen *n* lienzo *m* para ropa de cama; **~nässen** ⚕ *n* enuresis *f* nocturna; **~nässer** *m* F meón *m*; **~ruhe** *f* reposo *m* en cama; **~schüssel** *f* orinal *m* de cama; **~statt** *f* (-; ¨*en*), **~stelle** *f* armadura *f* de cama; **~überzug** *m* (-*es*; ¨*e*) colcha *f*; funda *f* de edredón; **~ung** *f* (*Grund*) fondo *m*, base *f*; 🚃 capa *f* de balasto; ⚔ plataforma *f*; **~vorleger** *m* alfombra *f* de cama; **~wanze** *f* chinche *f*; **~wäsche** *f* ropa *f* blanca de cama; **~zeug** *n* (-*s*; *0*) ropas *f/pl.* de cama.

be'tulich *adj.* afable, atento.

be'tupfen (-) *v/t.* ⚕ (*mit Watte*) tocar ligeramente; (*besprenkeln*) salpicar, motear.

'Beuge *f* (*Kurve*) curva(tura) *f*; (*Sport*) flexión *f*; **~muskel** *Anat.* *m* músculo *m* flexor.

'beug|en *v/t.* doblar, doblegar (*a. fig.*); (*krümmen*) encorvar; (*neigen*) inclinar; *Muskeln, Knie*: doblar; *Phys.* difractar; *Gr.*: *Hauptwort*: declinar; *Zeitwort*: conjugar; *fig. Stolz*: humillar; *durch Kummer*: agobiar, abrumar; *das Recht* ~ violar la ley, torcer la justicia, ⚖ prevaricar; *sich* ~ doblarse, doblegarse, *fig.* someterse a, rendirse a *od.* ante; doblegarse; humillarse; (*sich bücken*) agacharse; *von Kummer gebeugt* agobiado por las penas; *vom Alter gebeugt* agobiado *od.* abrumado por el peso de los años; **~sam** *adj.* flexible; *fig.* dócil; **2ung** *f* flexión *f*; *des Rechts*: ⚖ prevaricación *f*; *der Stimme*: inflexión *f*; *des Knies*: genuflexión *f*; *Phys.* difracción *f*; *Gr.* declinación *f*; conjugación *f*; (*Biegung*) curvatura *f*.

'Beule *f am Kopf*: chichón *m*; ⚕ hematoma *m*; (*Anschwellung*) hinchazón *f*, tumefacción *f*; (*Geschwür*) tumoración *f*; bubón *m*; (*Frost2*) sabañón *m*; *im Blech usw.*: abolladura *f*, bollo *m*; **~npest** *f* (*0*) peste *f* bubónica.

be'unruhig|en (-) *v/t.* agitar, perturbar; alarmar; *Gemüt*: inquietar, intranquilizar, desasosegar; preocupar; **~end** *adj.* inquietante; alarmante; **2ung** *f* agitación *f*; (*Unruhe*) inquietud *f*, desasosiego *m*; alarma *f*; (*Sorge*) preocupación *f*.

be'urkund|en (-) *v/t.* probar documentalmente, documentar; *behördlich*: certificar, autenticar; *durch Notar*: legalizar; *als Zeuge*: ⚖ atestar, atestiguar, testificar; **2ung** *f* verificación *f*; legalización *f*; atestación *f* documental; testificación *f*.

be'urlaub|en (-) *v/t.* (*Beamte*, ⚔) conceder licencia *od.* permiso (*para ausentarse*); ⚔ licenciar; (*suspendieren*) suspender de empleo; *sich* ~ *lassen* solicitar licencia *bzw.* permiso; **~t** *adj.* con licencia, con *od.* de permiso; ⚔ licenciado; **2ung** *f* (*concesión de*) licencia *f od.* permiso *m*; ⚔ licenciamiento *m*; (*Verabschiedung*) despedida *f*; (*Suspendierung*) suspensión *f* de empleo.

be'urteil|en (-) *v/t.* juzgar de, enjuiciar a/c.; formarse un juicio de; *fachmännisch*: dictaminar sobre; *Buch*: criticar; reseñar; *Leistung, Wert*: valorar; (*abschätzen*) apreciar, estimar; (*prüfen*) examinar; *et. ernst* ~ juzgar severamente a/c.; censurar; *falsch* ~ juzgar erróneamente; **2er** *m* juez *m*; crítico *m*; censor *m*; (*Prüfer*) examinador *m*; **2ung** *f* juicio *m*; opinión *f*; dictamen *m*; crítica *f*; apreciación *f*; examen *m*; censura *f*; *in Personalakten*: informe *m* confidencial.

ˈ**Beute** *f* (*0*) despojo *m*; (*Kriegs*2) botín *m* de guerra; (*Diebes*2) objetos *m/pl.* robados; (*Fang*) captura *f*; (*Fischerei*) pesca *f*; ⚓, *Jgdw. u. e-s Raubtieres*: presa *f*; *fig. a.* víctima *f*; ~ *der Flammen* pasto de las llamas; ~ *machen* hacer botín; pillar; *auf* ~ *ausgehen* salir en busca de botín; *zur* ~ *fallen* ser capturado por, caer en manos de; 2**gierig** *adj.* ávido de botín; ~**gut** ⚔ *n* (*-es*; *¨er*) botín *m*; material *m* capturado; ⚓ presa *f*.

ˈ**Beutel** *m* bolsa *f*; talega *f*; (*kleiner*) saquito *m*; (*Geld*2) bolsa *f*, bolsillo *m*; portamonedas *m*; (*Mehl*2) cedazo *m*, tamiz *m*; *Biol.* saco *m*; ⚕ *Geschwulst*: quiste *m*; 2**ig** *adj.* abolsado; 2**n** *v/t.* sacudir; *Mehl*: cerner, tamizar; *sich* ~ (*Kleider*) abolsarse; (*Beinkleid*) formar rodilleras; ~**tier** *n* (*-es*; *-e*) *Zoo.* didelfo *m*, marsupial *m*; (*Känguruh*) canguro *m*.

ˈ**Beutezug** *m* (*-es*; *¨e*) correría *f*, algara *f*.

beˈ**völkern** (*-re*; *-*) *v/t.* poblar; *sich* ~ poblarse; *dicht bevölkert* densamente poblado.

Beˈ**völkerung** *f* población *f*; habitantes *m/pl.*; (*Volksmasse*) pueblo *m*.

Beˈ**völkerungs...**: ~**abnahme** *f* descenso *m* de (la) población; ~**aufbau** *m* (*-es*; *0*) estructura *f* demográfica; ~**bewegung** *f* movimiento *m* demográfico; ~**dichte** *f* (*0*) densidad *f* de población; ~**politik** *f* (*0*) política *f* demográfica; 2**politisch** *adj.* político-demográfico; ~**stand** *m* (*-es*; *0*) población *f*; ~**statistik** *f* demografía *f*; (*Zählung*) censo *m* de población; ~**überschuß** *m* (*-sses*; *0*) exceso *m* de población; ~**verschiebung** *f* desplazamiento *m* de población; ~**zunahme** *f* aumento *m* de población.

beˈ**vollmächtig|en** (*-*) *v/t.* autorizar; ⚖, ♱ apoderar *ac.*, dar poder a; *Gesandte*: acreditar (*bei* cerca de); ~**t** *adj.* autorizado; ~*er Minister* (*Dipl.*) ministro plenipotenciario; 2**te(r** *m*) *m/f* ♱ apoderado *m*; ⚖ *a.* mandatario *m*, poderhabiente *m*; procurador *m*; *Pol.* plenipotenciario *m*; 2**ung** *f* autorización *f*; *durch* ~ ♱ por poder (*Abk.* p.p.); → *Vollmacht*.

beˈ**vor** *cj.* antes de que (*subj.*), antes de (*inf.*).

beˈ**vormund|en** (*-e-*; *-*) *v/t.*: *j-n* ~ tener a alg. bajo tutela; *fig. ich lasse mich nicht* ~ no necesito tutela de nadie; 2**ung** *f* tutela *f* (*a. fig.*).

beˈ**vorrecht|(ig)en** (*-*) *v/t.* privilegiar; ~**igt** *adj.* privilegiado; ~*e Forderung* crédito privilegiado; ~*er Gläubiger* acreedor privilegiado.

beˈ**vorschuss|en** (*-ßt*; *-*) *v/t.* anticipar dinero *m*; 2**ung** *f* anticipo *m*.

beˈ**vorstehen** (*L*) *v/i.* (*Ereignis*) estar próximo; estar en vísperas *f/pl.*, ser inminente; (*sich nähern*) aproximarse; *Gefahr*: ser inminente; amenazar; *ihm steht e-e große Enttäuschung bevor* le espera una gran desilusión; 2 *n*: *e-r Gefahr usw.*: inminencia *f*; ~**d** *adj.* próximo; *Gefahr*: inminente.

beˈ**vorzug|en** *v/t.* anteponer, preferir (*vor dat.* a); (*begünstigen*) favorecer; (*bevorrechten*) privilegiar; ~**t** *adj.* preferido; favorecido; privilegiado; ~*e Behandlung* trato preferente *od.* de favor; ~*er Gläubiger* acreedor privilegiado; 2**ung** *f* preferencia *f*; favores *m/pl.*; (*Günstlingswirtschaft*) favoritismo *m*; *unstatthafte* ~ preferencia *f* arbitraria.

beˈ**wach|en** (*-*) *v/t.* vigilar *ac.*; guardar; (*Schatz, Gefangene*) custodiar; *Sport* (*Fußball*) marcar, cubrir; 2**ung** *f* guarda *f*; custodia *f*; (*Wache*) guardia *f*; (*Begleitung*) escolta *f*; (*Beaufsichtigung*) vigilancia *f*.

beˈ**wachsen** *adj.* cubierto de (*plantas, musgo, vegetación etc.*).

beˈ**waffn|en** (*-e-*; *-*) *v/t.* (*u. sich* ~) armar(se); (*ausrüsten*) equipar; *bewaffnete Intervention* intervención armada; *bis an die Zähne bewaffnet* armado hasta los dientes; 2**ung** *f* (*Waffen*) armas *f/pl.*; ⚓ (*Bestückung*) armamento *m*; (*Ausrüstung*) equipo *m*.

Beˈ**wahr-anstalt** *f für Kinder*: guardería *f* infantil.

beˈ**wahren** (*-*) *v/t.* guardar (*mst. fig.*: *Geheimnis, Andenken, Stillschweigen usw*); (*erhalten*) conservar; (*behüten*) *j-n* (*sich*) ~ *vor dat.* guardar (-se) de, preservar(se) de; *Gott bewahre!* ¡no lo quiera Dios!

beˈ**währen** (*-*) *v/t.* (*beweisen*) probar; *sich* ~ *j.*: hacerse valer; quedar bien, hacer buen papel, salir airoso; resistir con éxito la prueba; *et.*: acreditarse (*als* como); probar su eficacia; dar buen resultado; satisfacer las exigencias, responder a las esperanzas; → *bewährt*.

Beˈ**wahrer** *m* guardián *m*; celador *m*; custodio *m*.

beˈ**wahrheiten** (*-e-*; *-*) *v/t.*: *sich* ~ confirmarse, resultar cierto.

beˈ**währt** *adj.* acreditado; eficaz; (*erprobt*) probado; (*erfahren*) experimentado; (*echt*) auténtico; verdadero; (*zuverlässig*) seguro; (*Tugend*) acrisolado; *ein* ~*es System* un sistema de probada eficacia.

Beˈ**wahrung** *f* conservación *f*; preservación *f* (*vor dat.* de); (*Beschützung*) protección *f* (*vor dat.* contra).

Beˈ**währung** *f* confirmación *f*; verificación *f*; prueba *f*; *in der Stunde der* ~ a la hora de la prueba decisiva; F a la hora de la verdad; ~**sfrist** ⚖ *f* plazo *m* de prueba; *Strafe mit* ~ condena condicional; *auf* ~ *entlassen* poner en libertad condicional.

beˈ**walde|n** (*-e-*; *-*) *v/t.* poblar de bosques *m/pl.*; *sich* ~ embosquecer, ensilvecerse; ~**t** *adj.* enselvado, boscoso.

beˈ**wältig|en** (*-*) *v/t.* (*meistern*) dominar (*a. Lehrstoff*); domeñar, sujetar; (*niederringen*) sobrepujar, superar (*a. fig.*); *Schwierigkeit*: vencer; *Berg*: conquistar; *Arbeit, Aufgabe*: consumar, llevar a cabo, terminar; *Strecke*: cubrir, hacer; *Nachfrage*: dar abasto a; 2**ung** *f* dominio *m*; sujeción *f*; vencimiento *m*; terminación *f*, consumación *f*; conquista *f*; superación *f*.

beˈ**wandert** *adj.* (*in dat.* en) (*erfahren*) experimentado; práctico, ducho, experto; (*vertraut*) versado, entendido (*en una materia*); F ~ *sein in* (*dat.*) estar al corriente *od.* al tanto de; (*belesen*) leído.

beˈ**wandt** *adj.*: *bei so* ~*en Umständen* en tal estado de cosas; en estas circunstancias.

Beˈ**wandtnis** *f*: *damit hat es folgende* ~ el caso es el siguiente, he aquí el caso; *das hat e-e ganz andere* ~ el caso es completamente distinto; *damit hat es e-e eigene* ~ es un caso particular; hay una razón especial para ello.

beˈ**wässer|n** (*-re*; *-*) *v/t.* regar; 2**ung** *f* riego *m*; 2**ungsanlagen** *f/pl.* instalaciones *f/pl.* de riego; ⛏ terrenos *m/pl.* de regadío; 2**ungsgraben** *m* (*-s*; *¨*) regadero *m*, acequia *f*, zanja *f*; 2**ungskanal** *m* (*-s*; *¨e*) canal *m* de riego.

beˈ**wegen** (*-*) *v/t.* mover; (*in Bewegung setzen*) poner en movimiento *m* (*od.* en marcha *f*); ⊕ impulsar; (*nach oben*) alzar; (*nach unten*) bajar; ♱ *Preise*: oscilar, variar, fluctuar (*zwischen* entre); *Pendel*: oscilar; *sich im Kreise* ~ girar; circular; *Astr. sich* ~ *um die Sonne usw.* girar alrededor de (*od.* en torno a); *sich nicht von der Stelle* ~ (*lassen*) no moverse (no dejarse apartar) del sitio; *fig. sich in feinen Kreisen* ~ frecuentar (alternar con) la buena sociedad; (*erregen*) agitar; (*rühren*) conmover, enternecer; impresionar, emocionar; *sich* ~ *lassen* dejarse conmover (*durch, von* por); *sich* ~ *lassen zu* resolverse (determinarse) a hacer a/c.; dejarse persuadir; (*nachgeben*) ceder, condescender en; *j-n zu et.* ~ inducir (mover *od.* determinar) a alg. a hacer a/c.; *sich nicht* ~ *lassen* mostrarse firme *od.* inflexible; *er war nicht dazu zu* ~ fue imposible (no hubo modo de) convencerle; ~**d** *adj.* movedor; ⊕ motor, motriz; ~*e Kraft* fuerza motriz; *sich selbst* ~ de movimiento automático; *fig.* conmovedor, enternecedor; emotivo; emocionante.

Beˈ**weg-grund** *m* (*-es*; *¨e*) móvil *m*; motivo *m*, razón *f*.

beˈ**weglich** *adj.* móvil, movible (*a. Feste*); ⊕ *a.* (*elastisch*) flexible; (*tragbar*) portátil; transportable; ~*e Teile* partes móviles; ⚖ ~*es Eigentum* bienes muebles; (*Vieh*) semovientes; *fig.* (*rührig*) activo; (*behende*) ágil; (*Geist*) *a.* vivaz; (*wendig*) voluble, inconstante, versátil; (*rührend*) conmovedor; emotivo, emocionante; patético; 2**keit** *f* (*0*) movilidad *f*; (*Biegsamkeit*) flexibilidad *f*; (*Behendigkeit*) agilidad *f*, soltura *f*; (*Gewandtheit*) volubilidad *f*, inconstancia *f*, versatilidad *f*; (*Lebhaftigkeit*) vivacidad *f*, viveza *f*.

beˈ**wegt** *adj. See*: agitado; ~*e See* mar gruesa; *fig.* (*gerührt*) conmovido, emocionado; (*erregend*) emocionante; ~*e Stimme* voz temblorosa; ~*e Unterhaltung* conversación animada; (*stärker*) acalorada; ~*es Leben* vida inquieta *od.* agitada; (*abenteuerliches*) aventurera; ~*e Zeiten* tiempos azarosos *od.* turbulentos; 2**heit** *f* (*0*) agitación *f*; (*Rührung*) emoción *f*; ternura *f*.

Beˈ**wegung** *f* movimiento *m*; (*Kreis*2) circulación *f*; (*Pendel*2) oscilación *f*; *um e-e Achse*: rotación *f*; *beschleunigte (rückläufige)* ~ movimiento acelerado (retrógrado); *körperliche* ~ ejercicio corporal *od.* físico; (*Gebärde*) gesto *m*; *fig. Pol.*: movimiento *m*; *Jugend*≈ movimiento juvenil; (*Tendenz*) tendencia *f*; ✝ *rückläufige* ~ retroceso *m*; (*Gemüts*≈) emoción *f*, *heftige*: agitación *f*; (*sich*) *in* ~ *setzen* poner(se) en movimiento *bzw.* en marcha; *fig. alle Hebel in* ~ *setzen* hacer lo humanamente posible, F remover (cielo y tierra) *od.* Roma con Santiago.

Be'wegungs...: **~energie** *Phys. f* energía *f* cinética; **≈fähig** *adj.* movible; capaz de moverse; **~fähigkeit** *f* movilidad *f*; **~freiheit** *f (0)* libertad *f* de movimiento; *fig.* libertad *f* de acción; **~kraft** *f (0)* fuerza *f* motriz; **~krieg** *m (-es; -e)* guerra *f* de movimiento; **~lehre** *f (0)* cinemática *f*; **≈los** *adj.* inmóvil; sin movimiento; **~losigkeit** *f (0)* inmovilidad *f*; **~nerv** *m (-s; -en)* nervio *m* motor; **~therapie** *f* cinesiterapia *f*; **≈unfähig** *adj.* incapaz de moverse; inmovilizado; **~zustand** *m (-es; ≈e)* estado *m* dinámico *od.* de movimiento.

be'wehren (-) *v/t.* armar; ⊕ reforzar; revestir; *bewehrtes Kabel* cable revestido.

be'weibt *adj.* casado.

be'weihräuchern (*-re*; -) *v/t.* incensar; *fig.* adular.

be'weinen (-) *v/t.* llorar, deplorar, lamentar (*j-n*: *ac.*, *et.*: por); **~swert** *adj.* deplorable, lamentable.

Be'weis *m (-es; -e)* prueba *f* (*für* de); (*~grund*) argumentación *f*; (*Feststellung*) comprobación *f*; (*sichtbare Darlegung*) demostración *f* (*a.* ⚖); (*Zeichen*) señal *f*, prenda *f*; *zum* ~ en prueba *od.* apoyo (*gen.* de); *den* ~ *erbringen für* aducir la prueba de; (*demonstrieren*) demostrar; *als* ~ *vorlegen* presentar como prueba; *als* ~ *dafür* en prueba *od.* testimonio de; *als* ~ *zulassen* admitir como prueba; *als* ~ *s-r Zuneigung* en señal de su afecto.

Be'weis...: **~aufnahme** *f* ⚖ práctica *f* de la prueba; **≈bar** *adj.* probable, demostrable; **≈en** (*L*; -) *v/t.* probar; (*feststellen*) comprobar; (*demonstrieren*) demostrar; (*kundtun*) manifestar, poner de manifiesto, patentizar; dar muestras *od.* pruebas de; *zu* ~ *suchen, daß* tratar de probar que; *wenn du das Gegenteil* ~ *kannst* si puedes probar lo contrario; **~erhebung** ⚖ *f* práctica *f* de la prueba; **~führung** *f* argumentación *f*; demostración *f*; **~grund** *m (-es; ≈e)* argumento *m*; **~kraft** *f (0)* fuerza *f* probatoria *od.* demostrativa; **≈kräftig** *adj.* concluyente; **~material** *n (-s; 0)*, **~mittel** *n* comprobante *m*, medio *m* probatorio; **~stück** *n (-es; -e)* ⚖ instrumento *m* de prueba; (*Dokument*) documento *m* justificativo; (*Beleg*) comprobante *m*; ⚖ (*Überführungsstück*) cuerpo *m* del delito.

be'wenden *v/i.*: *es dabei* ~ *lassen* darse por satisfecho; *wir wollen es dabei* ~ *lassen* dejemos las cosas así; ≈ *n*: *damit hat es sein* ~ con eso basta.

be'werb|en (*L*; -) *v/refl.*: *sich* ~ *um* pedir, solicitar *ac.*; aspirar a, pretender; tratar de obtener; (*kandidieren*) presentar su candidatura; *Stimmen*: solicitar votos; ✝ *Aufträge*: solicitar; *bei Ausschreibungen*: concurrir; *sich* (*mit anderen*) ~ *um e-n Preis*: competir (*a. Sport*); *um ein Lehramt, e-e Beamtenstelle*: *Span.* hacer oposiciones a; *sich um e-e Dame* ~ pedir en matrimonio, pedir la mano; (*flirten*) galantear, hacer la corte; **≈er(in** *f*) *m* solicitante *m/f*; aspirante *m/f*; pretendiente *m/f*; (*Kandidat*) candidato (-a *f*) *m*; opositor(a *f*) *m*; *bei e-r Ausschreibung*: concursante *m/f*; (*Sport*) competidor(a *f*) *m*; (*Freier*) pretendiente *m*; → *Thron*; **≈ung** *f* solicitación *f* (*um* de); pretensión *f* de, aspiración *f* a; candidatura *f*; concurso *m*; oposición *f*; (*Sport*) competición *f*; (*Liebeswerben*) petición *f* de mano; (*Flirt*) galanteo *m*; **≈ungsschreiben** *n* solicitud *f* de empleo.

be'werfen (*L*; -) *v/t.* arrojar contra *od.* sobre; echar sobre; cubrir de; ⚔ *mit Bomben*: bombardear; △ revocar.

be'werkstellig|en (-) *v/t.* realizar, efectuar; llevar a cabo *od.* a efecto; hacer; ejecutar; *es* ~, *daß* conseguir *od.* lograr que (*subj.*); **≈ung** *f* realización *f*, efectuación *f*; ejecución *f*; consecución *f*.

be'wert|en (*-e-*; -) *v/t.* valorar (*auf ac.* en), determinar las cualidades de; (*abschätzen*) apreciar, estimar; (*klassifizieren*) clasificar (*a. Sport*); **≈ung** *f* valoración *f*; clasificación *f*.

≈be'willig|en (-) *v/t.* conceder, otorgar; *Parl.* votar; aprobar; (*genehmigen*) autorizar; permitir; consentir en; **≈ung** *f* concesión *f*, otorgamiento *m*; *Parl.* votación *f*; aprobación *f*; autorización *f*; consentimiento *m*.

be'willkommn|en (*-e-*; -) *v/t.* dar la bienvenida a alg.; **≈ung** *f* bienvenida *f*.

be'wirken (-) *v/t.* efectuar; conseguir, hacer (*daß* que *subj.*); (*hervorrufen*) producir; (*verursachen*) causar, originar; (*veranlassen*) ocasionar, determinar, *stärker*: provocar.

be'wirten (*-e-*; -) *v/t.* obsequiar, convidar; agasajar; *glänzend* ~ regalar con.

be'wirtschaft|en (*-e-*; -) *v/t.* 🌾 *Acker*: cultivar; *Betrieb, Gut*: explotar; (*verwalten*) administrar; *Mangelware*: racionar; *bewirtschaftete Ware* artículos intervenidos, artículos racionados; *das Hotel ist bewirtschaftet* el hotel está abierto; **≈ung** *f* cultivo *m*; explotación *f*; administración *f*; (*Zwangs*≈) régimen *m* restrictivo; racionamiento *m*; (*Devisen*) control *m*; ~ *der Lebensmittel* racionamiento de víveres.

Be'wirtung *f* (*gastlich*) agasajo *m*; hospitalidad *f*; buen trato *m*; *im Gasthaus*: servicio *m*; atenciones *f/pl.*; (*Kost*) cocina *f*.

be'witzeln (*-le*; -) *v/t.* burlarse de; ridiculizar, poner en ridículo.

be'wog *pret. von* bewegen.

be'wogen *p/p. von* bewegen.

be'wohn|bar *adj.* habitable; **≈barkeit** *f (0)* habitabilidad *f*; **~en** (-) *v/t.* habitar, vivir en; *Haus, Zimmer usw.*: *a.* ocupar; *Liter.* morar en; **≈er(in** *f*) *m* morador(a *f*) *m*; *e-s Hauses, Stadtviertels*: vecino (-a *f*) *m*; (*Mieter*) inquilino (-a *f*) *m*.

be'wölk|en (-) *v/t.* nublar; *sich* ~ nublarse, cubrirse de nubes; (*ganz*) encapotarse; *fig.* ensombrecerse; **~t** *adj.* nublado; encapotado; *fig.* sombrío; **≈ung** *f* nubosidad *f*; nubes *f/pl.*; cielo *m* cubierto *od.* nublado.

Be'wunder|er *m* admirador *m*; **~in** *f* admiradora *f*; **≈n** (*-re*; -) *v/t.* admirar; **≈nswert, ≈nswürdig** *adj.* admirable, digno de admiración; maravilloso; **~ung** *f* admiración *f*.

Be'wurf △ *m (-es; ≈e)* revoque *m*, revoco *m*.

be'wußt *adj.* consciente; (*bekannt*) en cuestión, consabido, F de marras; (*absichtlich*) deliberado, intencionado; *sich e-r Sache* ~ *sein* hacerse cargo (*od.* darse cuenta exacta) de a/c.; tener conciencia de a/c.; ~ *handeln* obrar conscientemente; *s-s Rechtes* ~ consciente de su derecho; *voll* ~ con pleno conocimiento; *soviel mir* ~ *ist* que yo sepa; *er war sich dessen nicht mehr* ~ ya no lo recordaba; *die* ~*e Angelegenheit* el asunto en cuestión, la consabida cuestión, F el asunto de marras; **~los** *adj.* sin conocimiento (*od.* sentido); (*ohnmächtig*) *a.* desmayado, desvanecido; ~ *werden* perder el conocimiento; desmayarse, desvanecerse; **≈losigkeit** *f (0)* inconsciencia *f*; (*Ohnmacht*) pérdida *f* del conocimiento; desvanecimiento *m*, desmayo *m*; **≈sein** *n (-s; 0)* conocimiento *m*; conciencia *f*; sentido *m* (de la responsabilidad, del deber); *in dem* ~ consciente (*gen.* de; *daß* que); *das* ~ *verlieren* perder el conocimiento (*od.* el sentido); desvanecerse, desmayarse; *wieder zum* ~ *kommen* recobrar el conocimiento, volver en sí; *j-m et. zum* ~ *bringen* hacer a alg. comprender *bzw.* recordar a/c.; **≈seinsschwelle** *f* umbral *m* de la conciencia; **≈seinsspaltung** *f* desdoblamiento *m* de la personalidad; **≈werden** *Phil. n neol.* toma *f* de conciencia.

be'zahl|bar *adj.* pagadero; **~en** (-) *v/t.* pagar; (*e-n Dienst*) retribuir; *gekaufte Ware*: abonar; *Rechnung*: saldar; *Schuld*: satisfacer; *zu wenig* ~ pagar de menos; *zu viel* ~ pagar en exceso *od.* demasiado; *bar* ~ pagar al contado; (*belohnen*) remunerar, gratificar; *schlecht* ~ pagar menos de lo debido; *fig. et. teuer* ~ pagar caro; *die Zeche* ~ *fig.* pagar el pato (*od.* los vidrios rotos); **~t** *adj.* pagado; *schlecht* ~ (*Posten*) mal retribuido *od.* pagado; *sich* ~ *machen* rembolsarse (*für* de); producir ganancia, rendir beneficio; *fig.* valer la pena; **≈ung** *f* pago *m*; (*Honorar*) honorarios *m/pl.*; (*Gehalt*) sueldo *m*, retribución *f*; (*Lohn*) paga *f*; salario *m*; (*Belohnung*) remuneración *f*, gratificación *f*, recompensa *f*; *gegen* ~ pagado, retribuido; contra (*od.* mediante) pago; *bei* ~ *von* pagando.

be'zähm|bar *adj.* domable, domesticable; **~en** (-) *v/t.* domar (*a. fig.*),

domesticar; *fig.* domeñar; sujetar, refrenar; (*Leidenschaften*) reprimir, contener; *sich* ~ dominarse, contenerse; **2ung** *f* domadura *f*, domesticación *f*; (*von Pferden*) doma *f*.
be'zauber|n (-*re*; -) *v/t.* hechizar, encantar (*a. fig.*); *fig.* cautivar, fascinar, embelesar; **~nd** *adj.* hechicero, encantador; cautivador, fascinador; **2ung** *f* hechizo *m*, encanto *m*, encantamiento *m*; embeleso *m*.
be'zechen (-) *v/refl.* → *betrinken*.
be'zeichn|en (-*e*-; -) *v/t.* *Weg, Waren usw.*: marcar; *mit Etikett, Schild*: rotular; (*benennen*) denominar; (*bestimmen*) designar; (*zeigen*) señalar, indicar; (*kennzeichnen*) caracterizar; (*bedeuten*) significar, expresar, denotar; (*näher* ~) detallar, especificar; ~ *als* calificar de; conceptuar como; **~end** *adj.* característico, típico (für de); **2ung** *f* rotulación *f*; designación *f*; (*Name*) nombre *m*, denominación *f*; expresión *f*; indicación *f*; especificación *f*; (*Etikett*) etiqueta *f*; (*Schild*) rótulo *m*; (*Zeichen*) señal *f*, marca *f*; signo *m*; símbolo *m*; ♪ *u.* 𝄞 notación *f*.
be'zeig|en (-) *v/t.* mostrar; expresar, manifestar; demostrar; testimoniar; (*Ehrungen*) tributar; **2ung** *f* expresión *f*, manifestación *f*; testimonio *m*.
be'zetteln (-*le*; -) *v/t.* rotular.
be'zeug|en (-) *v/t.* ⚖ *u. fig.*: testimoniar, atestiguar; testificar; dar fe *f* de; (*bescheinigen*) certificar; (*durch Zeugnisse*) atestar; (*beweisen*) probar; *j-m s-e Achtung* ~ testimoniar sus respetos a alg.; **2ung** *f* testimonio *m*; atestiguamiento *m*; atestamiento *m*; prueba *f*.
be'zichtigen (-) *v/t.* acusar de; → *beschuldigen*.
be'zieh|bar *adj.* *Haus*: habitable, en condiciones para ser habitado; ⚚ *Ware*: de venta en; **~en** (*L*; -) *v/t.*: ~ *mit* recubrir, revestir, forrar de; (*Polstermöbel*) tapizar; *mit Saiten*: encordar; *das Bett* ~ poner ropa limpia a la cama; *Wohnung*: instalarse en, ir a vivir en; ⚔ *Stellung* ocupar (*una posición*); *Lager*: acampar; *Quartiere*: alojarse; *Wache*: montar (*la guardia*); *Ware*: comprar (*aus* en; *von* a); *zu* ~ *durch* en *od.* de venta en; *Zeitung*: estar suscrito a; *Gelder, Gehalt*: cobrar, percibir, devengar; ⚚ *Wechsel*: librar; *fig. Schläge*: recibir; ~ *auf ac.* aplicar a; *er bezog es auf sich* se dio por aludido; *sich* ~ *Himmel*: nublarse, encapotarse; *sich* ~ *auf ac.* referirse a; remitirse a; *sich auf j-n* ~ citar a alg. como referencia; remitirse a lo dicho o hecho por alg.; *bezogen auf* referido a; comparado con; **2er(in** *f*) *m*: *e-r Zeitung*: suscriptor(a *f*) *m*; ⚚ importador *m*; (*Kunde*) comprador(a *f*) *m*; *e-s Wechsels*: librador *m*.
Be'ziehung *f* relación *f*; (*Bezugnahme*) referencia *f*; (*Hinsicht*) respecto *m*; (*Verbindungen*) relaciones *f/pl.*; *gegenseitige* ~*en* relaciones mutuas *od.* recíprocas; *diplomatische* ~*en* relaciones diplomáticas; (*Austausch*) intercambio *m*; *persönliche* ~*en* relaciones personales (*zu j-m* con); *gute* ~*en haben* estar bien relacionado, tener buenas relaciones; (*Einfluß haben*) tener influencia; *in dieser* ~ a este respecto; *in gewisser* ~ en cierto respecto; hasta cierto punto; *in jeder* ~ bajo todos conceptos; *in keiner* ~ en ningún respecto; *in keiner* ~ *zueinander stehen* no tener relaciones entre sí, ser independientes uno de otro; *in* ~ *auf ac.* respecto a; en punto a, en lo relativo a; *in* ~ *setzen* relacionar, poner en relación con; *in* ~ *stehen zu* (*Sache*) estar relacionado con; *in guten* ~*en stehen* estar en buenas relaciones (*zu j-m* con); *in* ~ *zu j-m treten* establecer relaciones con alg.; *mit* ~ *auf ac.* respecto de *od.* a; con relación a; **2slos** *adj.* sin relaciones; **2sweise** *adv.* (*bzw.*) respectivamente (*nachgestellt*); o sea; o bien; o; **~swort** *Gr. n* (-*es*; ⸗*er*) antecedente *m*.
be'ziffer|n (-*re*; -) *v/t.* numerar; cifrar (*auf ac.* en); *sich* ~ *auf* ascender a; **2ung** *f* numeración *f*; cifras *f/pl.*
Be'zirk *m* (-*es*; -*e*) (*Verwaltungs*2) distrito *m*; departamento *m*; jurisdicción *f*; (*Umkreis*) circuito *m*; (*Gemeinde*2) término *m* municipal; (*Stadt*2) distrito *m*; barrio *m*; (*Wahl*2) distrito *m* electoral; → *Bereich*; **~sgericht** *n* (-*es*; -*e*) juzgado *m* del distrito; *Span.* juzgado *m* de instrucción.
Be'zogene(r) ⚚ *m* librado *m*.
Be'zug *m* (-*es*; ⸗*e*) (*Möbelüberzug*) funda *f* (*a. Kissen*2); (*Bettdecke*) colcha *f*; *von Ware*: compra *f*, adquisición *f*; *Aktien, Zeitung*: suscripción *f*; *bei* ~ *von 25 Stück* tomando (*od.* adquiriendo) 25 piezas; *Bezüge m/pl.* emolumentos *m/pl.*, haberes *m/pl.*; (*Gehalt*) sueldo *m*; (*Versicherungsleistungen*) beneficios *m/pl.*; *fig.* referencia *f*; *in* 2 (*od. mit* ~) *auf ac.* respecto a *od.* de, acerca de; ~ *haben auf* tener relación con; ~ *nehmen auf ac.* referirse a.
be'züglich I. *adj.* relativo; *Gr.* ~*es Fürwort* pronombre relativo; **II.** *prp.* (*gen.*) referente a, concerniente a, tocante a, relativo a.
Be'zugnahme *f* referencia *f*; *unter* (*od. mit*) ~ *auf ac.* con referencia a; refiriéndome *bzw.* refiriéndonos a.
Be'zugs...: **~anweisung** *f* orden *f* de entrega; **~bedingungen** *f/pl.* condiciones *f/pl.* de entrega *bzw.* de suscripción (*a un periódico*); **2fertig** *adj.* *Wohnung*: dispuesto para ser habitado; **~preis** *m* (-*es*; -*e*) *Zeitung*: precio *m* de suscripción; (*Einkaufspreis*) precio *m* de venta; **~quelle** *f* (*Herkunft*) procedencia *f*; ⚚ casa *f* proveedora; **~recht** *n* (-*es*; -*e*) (*auf Aktien*) derecho *m* de suscripción; **~schein** *m* (-*es*; -*e*) *für Mangelware*: vale *m*; **2scheinpflichtig** *adj.* racionado; **~wert** *m* (-*es*; -*e*) valor *m* de referencia.
be'zwecken (-) *v/t.* (*Person*) proponerse; (*Sache*) tener por objeto.
be'zweifeln (-*le*; -) *v/t.* dudar de; poner en duda *f* a/c.; *nicht zu* ~ estar fuera de toda duda; *ich bezweifele es* lo dudo.
be'zwing|en (*L*; -) *v/t.* (*besiegen*) vencer, triunfar sobre; *Sport a.* batir, derrotar; *Schwierigkeiten*: vencer; *Volk*: someter; sojuzgar; *Leidenschaften*: dominar, reprimir; *Berg*: conquistar; *Festung*: tomar, expugnar; (*zähmen*) domar; *sich* ~ dominarse; contenerse, reprimirse; **2er(in** *f*) *m* vencedor(a *f*) *m*; *Sport*: *a.* ganador(a *f*) *m*; **2ung** *f* *Mont.* conquista *f*.
Bibel *f* (-; -*n*) Biblia *f*; Sagrada Escritura *f*; **~auslegung** *f* exégesis *f*; **2fest** *adj.* versado en la Sagrada Escritura; **~gesellschaft** *f* Sociedad *f* Bíblica; **~sprache** *f* (*0*) *fig.* estilo *m* bíblico; **~spruch** *m* (-*es*; ⸗*e*) versículo *m* (*de la Biblia*); texto *m* (*bíblico*); **~stelle** *f* pasaje *m* de la Biblia; **~stunde** *f* (*der Konfirmanden*) instrucción *f* religiosa; **~werk** *n* (-*es*; *0*) Biblia *f* comentada.
'Biber *m* *Zoo.* castor *m*; **~bau** *m* (-*es*; -*e*) construcción *f* de castor; **~geil** *n* (-*es*; *0*) castóreo *m*; **~pelz** *m* (-*es*; -*e*) (piel *f* de) castor *m*; **~schwanz** *m* (-*es*; ⸗*e*) (*Flachziegel*) teja *f* plana.
Biblio|'graph *m* (-*en*) bibliógrafo *m*; **~gra'phie** *f* bibliografía *f*; **2'graphisch** *adj.* bibliográfico.
Biblio'thek *f* biblioteca *f*.
Bibliothe'kar(in *f*) *m* (-*s*; -*e*) bibliotecario (-a *f*) *m*.
'biblisch *adj.* bíblico; 2*e Geschichte* Historia Sagrada.
'Bichromat ⚗ *n* (-*es*; -*e*) bicromato *m*.
'Bickbeere ✿ *f* arándano *m*.
'bieder *adj.* (*ehrlich*) honrado; (*aufrichtig*) sincero; (*treu*) fiel, leal; (*rechtschaffen*) probo; íntegro; cabal; (*einfältig*) simple, cándido, incauto; **2keit** *f* hombría *f* de bien, honradez *f*; sinceridad *f*; lealtad *f*; probidad *f*; integridad *f*; **2mann** *m* (-*es*; ⸗*er*) hombre *m* de bien (*od.* honrado); *m. s.* hipócrita *m*, farsante *m*; *gutmütiger* ~ F un alma de Dios, un infeliz; **2meierzeit** *f* (*0*) época *f* del romanticismo burgués alemán (1815—1848).
'biegen (*L*; -) **1.** *v/t.* doblar; torcer; (*falten*) plegar; (*krümmen*) encorvar; *Holz*: alabear; combar; *Metall*: curvar; → *beugen*; *sich vor Lachen* ~ desternillarse (F troncharse) de risa; **2.** *v/i.*: *um e-e Ecke* ~ doblar una esquina; *auf* 2 *oder Brechen* a todo trance; de grado o por fuerza.
'biegsam *adj.* flexible; doblegable; (*faltbar*) plegable; (*hämmerbar*) maleable, dúctil; (*geschmeidig*) suave; *fig. Geist*: flexible, dúctil; acomodaticio; *Charakter*: dócil, manejable; **2keit** *f* (*0*) flexibilidad *f* (*a. fig.*); elasticidad *f*; suavidad *f*.
'Biegung *f* flexión *f* (*a. Gr.*); inflexión *f*; curvatura *f*; (*Fluß*2) recodo *m*; (*Weg*2) *a.* revuelta *f*; (*Kurve*) curva *f*; (*Krümmung*) corvadura *f*; (*Wölbung*) arco *m*; *Opt.* difracción *f*; (*Holz, Eisen*) combadura *f*; → *Beugung*; **~s-elastizität** *f* elasticidad *f* flexional; **~sspannung** *f* tensión *f* de flexión.
'Biene *f* abeja *f*; (*männliche* ~) zángano *m*.
'Bienen...: **~fleiß** *fig. m* (-*es*; *0*) celo *m*, asiduidad *f*, diligencia *f*; **~haus** *n* (-*es*; ⸗*er*) colmenar *m*; **~königin** *f*

(*abeja*) reina *f*; **~korb** *m* (*-es*; *⁼e*) colmena *f*; **~schwarm** *m* (*-es*; *⁼e*) enjambre *m* de abejas; **~stand** *m* (*-es*; *⁼e*) colmenar *m*; **~stich** *m* (*-es*; *-e*) picadura *f* de abeja; **~stock** *m* (*-es*; *⁼e*) → Bienenkorb; **~wabe** *f* panal *m* de miel; **~wabenkühler** *Auto. m* radiador *m* de panal; **~wachs** *n* (*-es*; *0*) cera *f* de abejas; **~weisel** *m* abeja *f* reina; **~zelle** *f* celdilla *f* del panal; **~zucht** *f* (*0*) apicultura *f*; **~züchter** *m* apicultor *m*.

'**Bier** *n* (*-es*; *-e*) cerveza *f*; helles ~ cerveza dorada; dunkles ~ cerveza negra; ~ vom Faß cerveza de barril; **~baß** F *m* (*-sses*; *⁼sse*) voz *f* aguardentosa; **~brauer** *m* cervecero *m*; fabricante *m* de cerveza; **~braue'rei** *f* fábrica *f* de cerveza; **~eifer** F *m* celo *m* exagerado; **~fahrer** *m* → Bierkutscher; **~faß** *n* barril *m* de cerveza; **~filz** *m* (*-es*; *0*) platillo *m* de fieltro; **~flasche** *f* botella *f* para cerveza; **~glas** *n* (*-es*; *⁼er*) vaso *m* para cerveza; **~halle** *f* cervecería *f*; **~hefe** *f* levadura *f* de cerveza; **~keller** *m* bodega *f* para cerveza; **~krug** *m* (*-es*; *⁼e*) jarro *m* de cerveza; **~kutscher** *m* repartidor *m* de cerveza; **~reise** F *f*: e-e ~ machen recorrer las cervecerías; **~schank** *m* (*-es*; *0*) licencia *f* para despacho de cerveza; **~schenke** *f* cervecería *f*; **~steuer** *f* (*-*; *-n*) impuesto *m* sobre la cerveza; **~stube**, **~wirtschaft** *f* cervecería *f*; **~wagen** *m* carro *m* de reparto de cerveza; **~würze** *f* mosto *m* de cerveza.

'**Biese** *f* vivo *m*; cordoncillo *m*.

'**Biest** P *n* (*-es*; *-er*) bestia *f*; mal bicho *m*.

'**bieten** (*L*) *v/t.* ofrecer (*a.* ✝); presentar; (*Versteigerung*) licitar, pujar; (*Spiel*) envidar; (*Hand*) tender; (*Schwierigkeiten*) ofrecer, presentar; sich ~ (*Gelegenheit*) ofrecerse, brindarse, presentarse; j-m e-n guten Morgen ~ dar los buenos días a alg.; j-m den Rücken ~ volver la espalda a alg.; j-m die Stirn ~ hacer frente (enfrentarse) a alg.; → Schach; sich dat. nicht ~ lassen no tolerar, no consentir.

'**Bieter** *m* (*Versteigerung*) postor *m*, licitador *m*.

Biga'm|ie *f* bigamia *f*; **~ist** *m* (*-en*) bígamo *m*.

bi'gott *adj.* beato, santurrón; mojigato; **2e'rie** *f* beatería *f*; mojigatería *f*.

Bijoute'rie *f* bisutería *f*.

Bi'kini *m* (*Badeanzug*) bikini *m*.

Bi'lanz *f* balance *m*; saldo *m*; (*Außenhandel*) balanza *f*; die ~ ziehen od. aufstellen hacer (el) balance; **~aufstellung** *f* formación *f* del balance; **~auszug** *m* (*-es*; *⁼e*) extracto *m* del balance; **~buch** *n* (*-es*; *⁼er*) libro *m* de balances.

bilan'zieren (-) *v/i.* hacer balance *m*.

Bi'lanz...: **~posten** *m* partida *f* del balance; **~prüfer** *m* interventor *m* de cuentas; **~prüfung** *f* revisión *f* de balance; **~verschleierung** *f* balance *m* amañado.

Bild *n* (*-es*; *-er*) imagen *f* (*a. Opt.*); figura *f* (*a. Spielkarte*); (*Gemälde*) cuadro *m*, pintura *f*; (*Porträt*) retrato *m*; (*Zeichnung*) dibujo *m*; (*Stich*) grabado *m*; (*Abbildung*) ilustración *f*; (*Altar2*) retablo *m*; (*Krankheits2*) ⚕ cuadro *m* clínico; (*Licht2*) foto(grafía) *f*; (*Bühnen2*) escena *f*; *Münze*: efigie *f*; *in Büchern usw.*: estampa *f*, ilustración *f*; lámina *f*; *bei Bildunterschrift, mst. mit Zahl*: figura *f* (*Abk.* Fig.); (*Anblick*) aspecto *m*; (*Vorstellung*) idea *f*, noción *f*, concepto *m*; (*Schilderung*) descripción *f*, cuadro *m*, retrato *m*; *rhetorisch*: metáfora *f*; (*Gleichnis*) símil *m*; ein ~ des Elends un cuadro de miseria; ein ~ von e-m Mädchen una preciosidad, un bombón, bonita como un sol; ein (anschauliches) ~ entwerfen von ofrecer un cuadro de, describir gráficamente; im ~e sein über estar en antecedentes (al tanto *od.* al corriente) de a/c.; ich bin über dich im ~e te conozco perfectamente, F sé los puntos que calzas; sich ein (klares) ~ von et. machen formarse *od.* hacerse una idea (clara, exacta) de a/c.

'**Bild...**: **~archiv** *n* (*-s*; *-e*) archivo *m* fotográfico; **~aufklärung** ✈ *f* vuelo *m* de reconocimiento fotográfico; **~bericht** *m* (*-es*; *-e*) *Presse*: reportaje *m* gráfico; *Film*: película *f* documental; **~bericht-erstatter** *m* fotógrafo *m* de la prensa, informador *m* (*od.* reportero *m*) gráfico.

'**bilden** (*-e-*) *v/t.* formar; (*gestalten*) *a.* dar forma a, (con)figurar, (*entwerfen*) delinear, trazar; (*modellieren*) modelar; (*schaffen*) crear; (*gründen*) constituir, organizar; (*darstellen*) representar, constituir; (*zusammensetzen*) componer, integrar; (*machen*) hacer; (*sein*) ser; den Geist: cultivar; (*vervollkommnen*) perfeccionar; (*belehren*) enseñar, instruir; (*erziehen*) educar; → gebildet; sich ~ (*entstehen*) formarse, desarrollarse; surgir; **~d** *adj.* formativo, formador; (*zusammensetzend*) constitutivo, componente; integrante; (*schöpferisch*) creador; (*belehrend*) instructivo; (*erziehend*) educativo, educador; die ~en Künste las artes plásticas *bzw.* artes gráficas.

'**Bilder...**: **~anbetung** *f* iconolatría *f*; **~bogen** *m* pliego *m* de aleluyas; **~buch** *n* (*-es*; *⁼er*) libro *m* de estampas; **~galerie** *f* pinacoteca *f*, galería *f* de pinturas; **~rahmen** *m* marco *m*; **~rätsel** *n* jeroglífico *m*; **2reich** *adj. Buch*: profusamente ilustrado; rico en imágenes; *Rhet.* metafórico; *fig.* florido; **~schrift** *f* escritura *f* jeroglífica; escritura *f* ideográfica, pictografía *f*; **~sprache** *f* lenguaje *m* metafórico *od.* simbólico *od.* figurado; **~stürmer** *m* iconoclasta *m*.

'**Bild...**: **~feld** *Phot. n* (*-es*; *-er*) campo *m* de la imagen; **~fenster** *n* ventanilla *f* de proyección; **~fernschreiber** *m* transmisor *m* para telefotografía; **~fläche** *f* plano *m* focal; *Fernsehen*: plano *m* de la imagen; *fig.* F auf der ~ erscheinen aparecer en escena; surgir; von der ~ verschwinden desaparecer de (la) escena; F esfumarse, perderse de vista; **~folge** *f* sucesión *f* de imágenes; *Phot.* intervalo *m* entre las exposiciones; *Film*: secuencia *f*; **~format** *n* (*-es*; *-e*) *Phot.* tamaño *m* de la fotografía; **~frequenz** *f* frecuencia *f* de imagen; **~funk** *m* (*-s*; *0*) (radio)transmisión *f* de imágenes, telefotografía *f*; *Fernsehen*: televisión *f*; **~gießer** *m* fundidor *m* de estatuas; **2haft** *adj.* plástico, gráfico (*a. fig.*); **~hauer(in** *f*) *m* escultor(a *f*) *m*; **~haue'rei** *f* (*0*) escultura *f*; **~hauermarmor** *m* (*-s*; *-e*) mármol *m* estatuario; **2hübsch** *adj.* bonito, F guapísimo; **2lich** *adj.* gráfico, plástico; (*Sinn*) figurado; (*Ausdruck*) metafórico; **~ner(in** *f*) *m* escultor(a *f*) *m*; *fig.* modelador (-a *f*) *m*, educador(a *f*) *m*; **~nis** *n* (*-ses*; *-se*) imagen *f*; (*Phot.*, *Mal.*) retrato *m*; (*auf Münzen*) efigie *f*; **~reportage** *f* reportaje *m* gráfico; **2sam** *adj.* plástico; *fig. a.* flexible, dúctil; (*erziehbar*) educable; **~säule** *f* estatua *f*; (*e-s Heiligen*) imagen *f*; **~schärfe** *f* nitidez *f*; **~schirm** *m* (*-es*; *-e*) pantalla *f*; *TV* pantalla *f* pequeña; **~schnitzer(in** *f*) *m* tallista *m/f*; (*von Heiligenbildern*) imaginero *m*; **~schnitze'rei** *f* talla *f*; **2schön** *adj.* bellísimo, hermosísimo; de escultural (*od.* deslumbradora) belleza; **~seite** *f Münze*: anverso *m*, cara *f*; **~stock** *m* (*-es*; *⁼e*) *Typ.* clisé *m*; **~streifen** *m Film, Phot.*: película *f*; **~sucher** *Phot. m* visor *m*; **~telegraphie** *f* (*0*) telefotografía *f*; **~tongerät** *Phot. n* (*-es*; *-e*) cámara *f* (registradora) de sonido; **~übertragung** *f* transmisión *f* telefotográfica.

'**Bildung** *f allg.* formación *f*; (*Entwicklung*) desarrollo *m*, desenvolvimiento *m*; (*Wachstum*) crecimiento *m*; (*Körper2*) configuración *f*, conformación *f*; (*Form*) forma *f*; (*Struktur*) estructura *f*; (*Schaffung*) creación *f*; (*Gründung*) fundación *f*, constitución *f*, establecimiento *m*; organización *f*; (*Zusammensetzung*) composición *f*; (*Anstand*) urbanidad *f*; (*Aus2*) instrucción *f*, formación *f*; adiestramiento *m*; (*Geistes2*) cultura *f* intelectual, ilustración *f*; (*Kultur*) cultura *f*; (*Erziehung*) educación *f*; (*Kenntnisse*) conocimientos *m/pl.*; (*Elementar2*) instrucción *f* primaria; (*Allgemein2*) cultura *f* general; (*Weiter2*) perfeccionamiento *m*; (*Gelehrsamkeit*) erudición *f*; ein Mann von ~ un hombre culto *od.* ilustrado; von hoher ~ erudito, de vastos conocimientos; ohne ~ inculto, iletrado; ignorante; sin cultura.

'**Bildungs...**: **~anstalt** *f* centro *m* docente, establecimiento *m* de enseñanza; **2fähig** *adj.* educable; **~gang** *m* (*-es*; *⁼e*) curso *m* de estudios; **~grad** *m* (*-es*; *-e*) grado *m* de instrucción *od.* de cultura; **~mittel** *n* medio *m* didáctico; **~stätte** *f allg.* centro *m* de enseñanza; colegio *m*; academia *f*; instituto *m*; **~stufe** *f* → Bildungsgrad; **~trieb** *m* (*-es*; *0*) afán *m* de saber; **~werk** *n* obra *f* educacional; **~wesen** *n* (*-s*; *0*) enseñanza *f*.

'**Bild...**: **~wand** *f* (*-*; *⁼e*) pantalla *f* de proyección; **~werfer** *m* proyector *m*; **~weite** *f* distancia *f* focal;

~werk *n* (*-es; -e*) escultura *f*, obra *f* plástica; **~wirkung** *f* efecto *m* pictórico *bzw.* fotográfico; **~wörterbuch** *n* (*-es, ⸗er*) diccionario *m* por la imagen; **~zeichen** *n* símbolo *m*.
'**Billard** ['bɪljaʀt] *n* (*-s; -e*) billar *m*; *~ spielen* jugar al billar; **~loch** *n* (*-es; ⸗er*) bolsa *f*; **~kugel** *f* (*-; -n*) bola *f* de billar; **~stock** *m* (*-es; ⸗e*) taco *m* de billar; **~tisch** *m* (*-es; -e*) mesa *f* de billar; **~zimmer** *n* sala *f* de billar.
Bil'lett *n* [bɪl'jet] (*-s; -s, -e*) (*Fahrkarte*) billete *m*; *Am.*: boleto *m*; (*Schiffskarte*) pasaje *m*; (*Theater, Kino usw.*) entrada *f*; (*Briefchen*) esquela *f*; **~ausgabe** *f*, **~schalter** *m* despacho *m* de billetes, taquilla *f*; → *Karten*.
Billi'arde *f* mil billones *m/pl.*
'**billig** *adj.* (*gerecht*) justo, equitativo; (*vernünftig, zumutbar*) razonable, aceptable; (*wohlfeil*) barato, económico; *Preis*: módico, bajo; *spott~* F (a precio) tirado; → *recht*; **~denkend** *adj.* equitativo.
'**billigen** *v/t.* (*zustimmen*) aprobar, dar por bueno; (*einwilligen*) consentir en; (*Erklärung*) admitir, aceptar; (*gesetzlich*) autorizar, sancionar; *stillschweigend ~* aprobar tácitamente.
'**billiger|maßen**, **~weise** *adv.* con razón; equitativamente, justamente.
'**Billigkeit** *f* (*0*) (*Rechtlichkeit*) justicia *f*, equidad *f*; rectitud *f*; (*Preis*) baratura *f*; *aus ~sgründen* por razones de equidad.
'**Billigung** *f* aprobación *f*; consentimiento *m*; sanción *f*.
Bil'lion *f* [bɪ'lĭ-] billón *m*.
'**Bilsenkraut** ⚘ *n* (*-es; 0*) beleño *m*.
'**Biluxlampe** *Auto. f* lámpara *f* bilux, faro *m* de dos luces.
'**bimbam** *int.* (*Glockenlaut*) ¡tin, tan!, ¡talán, talán!; F *heiliger* ♀! ¡Dios mío!, ¡santo Dios!
'**Bimetall** *n* (*-s; -e*) bimetal *m*; **~ismus** ✝ *m* (*-; 0*) bimetalismo *m*.
'**bimmeln** (*-le*) F *v/i.* (*Glocken*) repicar; repiquetear; (*Kuhglocke*) cencerrear; *Telephon, Türglocke*: sonar; ♀ *n* repique(teo) *m*.
'**bimsen** *v/t.* apomazar, estregar con piedra *f* pómez; *fig.* ⚔ ejercitar duramente.
'**Bimsstein** *m* (*-es; -e*) piedra *f* pómez.
'**Binde** *f* (*Band*) cinta *f*; (*Schärpe*) banda *f*; ⚕ (*Verband*) venda *f*, *feste*: ligadura *f*; (*Armschlinge*) cabestrillo *m*; (*Leib*♀) faja *f*; (*Damen*♀) paño *m* higiénico; (*Hals*♀) corbata *f*; (*Kopf*♀, *Stirn*♀) venda *f*; (*Armabzeichen*) brazal *m*; ⚠ plinto *m*; *j-m e-e ~ vor die Augen tun* vendar los ojos a alg.; *fig. j-m die ~ von den Augen nehmen* abrir los ojos a alg.; *die ~ fiel ihm von den Augen* se le cayó la venda de los ojos; F *e-n hinter die ~ gießen* F echarse (una copa) al coleto, empinar el codo; P atizarse un latigazo; **~balken** ⚠ *m* tirante *m*; **~draht** *m* (*-es; ⸗e*) alambre *m* de ligadura; **~fähigkeit** ⊕ *f* (*0*) *Leim, Kunststoff*: adhesividad *f*, poder *m* aglutinante; *Zement*: fraguabilidad *f*; **~gewebe** *Anat. n* tejido *m* conjuntivo; **~glied** *n* (*-es; -er*) (*in e-r Kette*) eslabón *m*; *fig.* vínculo *m*; **~haut** *Anat. f* (*0*) conjuntiva *f*; **~hautentzündung** ⚕ *f* conjuntivitis *f*; **~mäher** ⚒ *m* segadora-agavilladora *f*; **~mittel** ⊕ *n* adhesivo *m*, aglutinante *m*.
'**binden** (*L*) **1.** *v/t.* atar, ligar (*a.* ♪, *Fechtk.*); (*befestigen*) sujetar; (*verbinden*) unir, enlazar; (*verschnüren*) liar; *mit Stricken*: encordelar; *mit Draht*: alambrar; *Buch*: encuadernar; *Knoten, Schlips*: anudar; *Besen, Strauß*: hacer; *Ballen*: embalar; (*bündeln*) enfardar; *Fässer*: enarcar; *Suppe*: espesar; ⚗ fijar, combinar; (*absorbieren*) absorber; *Wärme*: conservar, acumular; ⚔ *Feindkräfte*: retener; *fig.* (*verpflichten*) obligar, comprometer; → *Nase, Seele*; *sich ~* comprometerse a, obligarse a, contraer una obligación; *gebunden sein* estar obligado *od.* comprometido a; estar sujeto a; *das bindet mir die Hände fig.* esto me ata las manos; → *gebunden*; **2.** *v/i.* ⊕ *Zement, Mörtel*: fraguar; *Leim, Kunststoff*: pegar; **~d** *adj.* aglutinante, adhesivo; *fig.* obligatorio; (*logisch*) concluyente; *ein ~es Versprechen eingehen* contraer un compromiso *od.* una obligación.
'**Binder** *m* (*Schlips*) corbata *f*; ⚠ tizón *m*; perpiaño *m*; ⚒ agavilladora *f*.
'**Binde...:** **~stoff** *m* (*-es; -e*) sustancia *f* aglutinante; **~strich** *m* (*-es; -e*) guión *m*; **~wort** *Gr. n* (*-es; ⸗er*) conjunción *f*; **~zeichen** ♪ *n* ligadura *f*, legato *m*; **~zeit** ⊕ *f* (*0*) tiempo *m* de fraguado.
'**Bindfaden** *m* (*-s; ⸗*) bramante *m*; *Am.* piola *f*; (*Schnur*) cordel *m*, cuerda *f*; *es regnet Bindfäden* está lloviendo a cántaros, está diluviando; **~rolle** *f* ovillo *m* de cordel.
'**Bindung** *f* ligazón *f*; ligadura *f* (*a. Chir.*); atadura *f*; unión *f*, enlace *m*; (*gefühlsmäßige*) apego *m*; ⊕ *Zement*: fraguado *m*; (*Weberei, Biol.*) ligamento *m*; ⚗ (*Verbindung*) combinación *f*; (*Absorbierung*) absorción *f*; ⚕ aglutinación *f*; ♪ legato *m*; (*Ski*♀) atadura *f*, fijación *f*; ✝ *von Mitteln*: sujeción *f*, inactividad *f*; *fig.* (*Verpflichtung*) compromiso *m* (*a. Pol.*), obligación *f*; (*Versprechen*) promesa *f*; *~en* (*Bande*) lazos *m/pl.*, vínculos *m/pl.*; **~skraft** *f* (*0*) fuerza *f* cohesiva; **~swärme** ⚗ *f* (*0*) calor *m* de combinación *od.* de absorción.
'**binnen** *prp.* (*gen.*) dentro de; en el lapso (*od.* término) de; *~ kurzem* dentro de poco, en breve.
'**Binnen...:** **~gewässer** *n* aguas *f/pl.* continentales; **~hafen** *m* (*-s; ⸗*) puerto *m* interior; puerto *m* fluvial; (*Hafenteil*) dársena *f*; **~handel** *m* (*-s; 0*) comercio *m* interior; **~land** *n* (*-es; ⸗er*) país *m* interior *od.* sin salida al mar; interior *m* (del país); **~markt** *m* (*-es; ⸗e*) mercado *m* interior; **~meer** *n* (*-es; -e*) mar *m* interior; lago *m* continental; **~verkehr** *m* (*-s; 0*) tráfico *m* interior; **~wasserstraße** *f* vía *f* de navegación interior; **~zoll** *m* (*-es; ⸗e*) aduana *f* interior.
binoku'lar *adj.* binocular.
Bi'nom ♈ *n* (*-s; -e*) binomio *m*; ♀**isch** *adj.* binómico, binomio.
'**Binse** ⚘ *f* junco *m*; F *fig. in die ~n gehen* (*Sache*) estropearse, romperse; (*Plan*) frustrarse, quedar en nada; **~nmatte** *f* estera *f* de junco; **~nwahrheit** *f* perogrullada *f*.
Bio|che'mie [bi·o·çe'-] *f* (*0*) bioquímica *f*; **~'chemiker** *m*, ♀'**chemisch** *adj.* bioquímico *m*.
bio|'gen *adj.* biogenético; ♀**ge'nese** *f* biogénesis *f*.
Bio|'graph(in *f*) *m* (*-en*) biógrafo (-a *f*) *m*; **~gra'phie** [-a·'fi:] *f* biografía *f*; ♀'**graphisch** *adj.* biográfico.
Bio|'loge *m* (*-n*) biólogo *m*; **~lo'gie** *f* (*0*) biología *f*; ♀'**logisch** *adj.* biológico; *~e Kriegsführung* guerra bacteriológica.
Biophy'sik *f* (*0*) biofísica *f*.
Bi'ose ⚗ *f* biosa *f*.
Bio'skop *n* (*-s; -e*) bioscopio *m*.
Bio'sphäre *f* (*0*) biosfera *f*.
'**Birke** ⚘ *f* abedul *m*; **~nholz** *n* (*-es; ⸗er*) madera *f* de abedul; **~nrindenöl** *n* (*-es; 0*) aceite *m* de abedul; **~nteer** *m* (*-es; -e*) brea *f* de abedul; **~nwasser** *n* (*-s; 0*) agua *f* de abedul; **~nwald** *m* (*-es; ⸗er*) bosque *m* de abedules.
'**Birkhahn** *m* (*-es; ⸗e*) gallo *m* silvestre.
'**Birnbaum** *m* (*-es; ⸗e*) peral *m*.
'**Birne** *f* ⚘ pera *f*; ⚡ bombilla *f*, lámpara *f*; *Met.* convertidor *m*; F (*Kopf*) F coco *m*, chola *f*; *e-e weiche ~ haben* ser tonto de capirote, P ser tonto de la cabeza; **~nfassung** *f* porta-lámpara *m*; ♀**nförmig** *adj.* piriforme; **~nmost** *m* (*-es; -e*) zumo *m* de peras; **~nwein** *m* (*-es; -e*) perada *f*; **~nschalter** *m* (interruptor *m* en forma de) pera *f*.
bis I. *prp.* **1.** *zeitlich*: a; hasta; para; *~ heute* hasta hoy, hasta la fecha; *~ jetzt* hasta ahora; *~ jetzt noch nicht* hasta ahora todavía no; *~ spätestens morgen* hasta mañana a más tardar; *~ dahin* hasta entonces; *~ auf weiteres* por de pronto; por algún tiempo; *bsd.* ✝ hasta nuevo aviso (*od.* nueva orden); *~ zur endgültigen Regelung* hasta el arreglo definitivo; *~ in die Nacht hinein* hasta muy avanzada la noche; *~ fast Mitternacht* casi hasta media noche; *~ gegen Mittag* hasta medio día; *von Morgen ~ Abend* desde la mañana hasta la noche; *~ zum Tode* hasta la muerte; *~ vor wenigen Jahren* hasta hace pocos años; *~ über Weihnachten (hinaus)* hasta después de Navidad; *~ zum Ende* hasta el fin; *~ wann wird es dauern?* ¿hasta cuándo ...?; *~ wann ist es fertig?* ¿para cuándo ...?; *von Montag ~ einschließlich Samstag* de lunes a sábado ambos inclusive; *~ morgen!* ¡hasta mañana!; et. *~ morgen lassen* dejar para mañana a/c.; *~ 5 Uhr* hasta las cinco; *von 7 ~ 9 Uhr* de siete a nueve; **2.** *räumlich*: hasta; a; *~ hierher* hasta aquí; *~ dahin* hasta allí; *~ wohin?* ¿hasta dónde?; *~ ans Knie* hasta la rodilla; *~ (nach) Berlin* hasta Berlín; *von hier ~ Köln* de(sde) aquí a (*od.* hasta) Colonia; **3.** *Zahlenangabe*: *sieben ~ zehn Tage* de siete a diez días; *fünf ~ sechs Wagen* cinco o seis coches; *~ zu neun Meter*

hoch hasta nueve metros de altura; *vier ~ fünf Personen* cuatro o cinco personas; *2 ~ 3 Mark* de dos a tres marcos; *~ zehn zählen* contar hasta diez; **4.** *Grad*: *~ aufs höchste* hasta el máximum; *~ zum Äußersten* hasta más no poder; hasta el límite; *~ ins kleinste* hasta el más pequeño detalle; **5.** *Ausnahme*: excepto, salvo, con la excepción de; *alle ~ auf einen* todos excepto (*od.* menos) uno; **II.** *cj.* *~* (*daß*) hasta que; hasta (*inf.*); *es wird lange dauern, ~ er es merkt* pasará mucho tiempo antes de (*od.* hasta) que lo note.

'Bisam *m* (*-s*; *-e*) almizcle *m*; *Zoo.* almizclero *m*; **~katze** *f* gato *m* de algalia; **~ratte** *f* rata *f* almizclada; (*Pelz*) castor *m* del Canadá.

'Bischof *m* (*-s*; *⸚e*) obispo *m*.

'bischöflich *adj.* episcopal.

'Bischofs...: **~amt** *n* (*-ės*; *⸚er*) episcopado *m*; obispado *m*; **~hut** *m* (*-ės*; *⸚e*), **~mütze** *f* mitra *f*; **~ring** *m* (*-ės*; *-e*) anillo *m* pastoral; **~sitz** *m* (*-es*; *-e*) sede *f* episcopal; **~stab** *m* (*-ės*; *⸚e*) báculo *m* pastoral; **~würde** *f* dignidad *f* episcopal.

bis'her *adv.* hasta ahora; hasta la fecha; *wie ~* como hasta ahora; **~ig** *adj.* *die ~en Fälle* los casos habidos hasta ahora; *der ~e Direktor* el ex director; *die ~en Erfolge* los éxitos alcanzados hasta ahora.

Bis'kaya *f* Vizcaya *f*; *Golf von ~* golfo *m* de Vizcaya.

Bis'kuit *n* (*-ės*; *-e*) bizcocho *m*.

bis'lang *adv.* → *bisher*.

'Bison *Zoo. m* (*-s*; *-s*) bisonte *m*.

biß *pret. von beißen*.

Biß *m* (*-sses*; *-sse*) mordisco *m*; dentellada *f*; *e-r Schlange*: mordedura *f*; *v. Insekten*: picadura *f*.

'bißchen *n*: *ein ~* un poquito; un trocito, un pedacito, P un cachito (de); *kein ~* ni una mota, ni chispa, ni pizca de; *auch nicht ein ~* ni pizca siquiera, ni un átomo de; *ein ~ viel* un poco demasiado; *das ist ein ~ zuviel verlangt* eso es pedir un poco más de la cuenta; *das ~ Einkommen* lo poquito (P la miseria) que uno gana; *ein ganz kleines ~* un poquito nada más; *ein ~ Wahrheit* un punto de verdad; *warten Sie ein ~* espere usted un momentito; *mein ~ Geld* el poco dinero que tengo.

'Bissen *m* trozo *m*; (*Mundvoll*) bocado *m*; *ein ~ Brot* un pedazo de pan; *fig. ein fetter ~* un buen bocado; **⁓weise** *adv.* a bocados.

'bissig *adj.* (*Hund*) mordedor; *dieser Hund ist nicht ~* no muerde; *fig. Laune*: arisco; *Bemerkung, Ton, Zunge*: mordaz, cáustico; irónico, sarcástico; satírico; **⁓keit** *f* (*0*) mordacidad *f*; *fig.* acrimonia *f*, acritud *f*; sarcasmo *m*, ironía *f*.

'Bißwunde *f* mordisco *m*; (*von Schlangen*) mordedura *f*; picadura *f*.

'Bis-tum *n* (*-s*; *⸚er*) obispado *m*; diócesis *f*.

bis'weilen *adv.* algunas veces, a veces; a ratos; en ocasiones; (*dann und wann*) de vez en cuando.

'Bitte *f* ruego *m*; (*dringende ~*) ruego *m* insistente, instancia *f*; (*demütige ~*) súplica *f*; (*Gesuch*) solicitud *f*; (*Ersuchen*) petición *f*, *stärker*: requerimiento *m*; *auf ~ von* a ruego de; a instancias de; a petición de; *e-e ~ richten an j-n* hacer un ruego a alg.; *e-e ~ gewähren* acceder a un ruego; *ich habe e-e ~ an Sie* quisiera pedirle a usted un favor.

'bitten (*L*) *v/t.* pedir; rogar (*zu* que *subj.*); solicitar *ac.*; (*ersuchen*) requerir; (*einladen, freundlich auffordern*) invitar a; *dringend*: instar, rogar *od.* pedir encarecidamente; (*anflehen*) suplicar, *stärker*: implorar; *j-n um et. ~* pedir a/c. a alg.; *ich bitte Sie darum* se lo ruego; *j-n um Erlaubnis* (*Verzeihung*) *~* pedir permiso (perdón) a alg.; *j-n zu sich ~* invitar a alg. a venir a casa; *sich* (*lange*) *~ lassen* hacerse rogar; *~ für j-n* rogar por alg.; interceder por alg.; *dürfte ich Sie um ... ~?* ¿me haría usted el favor de ...?, ¿tendría usted la bondad de ...?; *sollen wir ihn zum Essen ~?* ¿debemos invitarle a comer?; *es wird gebeten* se ruega; *wenn ich ~ darf* haga el favor; si tiene la bondad; *ich lasse Herrn X ~* que pase el señor X; *der Herr Minister läßt ~* el señor ministro le espera; pase usted, *höflicher*: tenga la bondad de pasar; *da muß ich doch sehr ~!* ¡por favor!; ¡mire usted bien lo que dice!; *darf ich um Ihren Namen ~?* ¿su nombre, por favor?; *ich bitte um Verzeihung* ¡perdón!, usted perdone, dispense usted; *ich bitte um Ruhe!* ¡silencio, por favor!; *wie bitte?* ¿perdone?, ¿cómo decía usted?; *bitte, geben Sie mir das Buch* haga el favor (tenga la bondad) de darme el libro; *ich bitte ums Wort!* ¡pido la palabra!; *bitte* (*fragend*) ¿(me) hace el favor de ...?, ¿tendría la bondad de ...?, por favor; (*anbietend*) sírvase; (*gebend*) tome usted *bzw.* toma; aquí tiene(s); (*Bereitwilligkeit*) con mucho gusto; *sagen Sie bitte* diga usted, *höflicher*: usted dirá; *darf ich das tun?* (*aber*) *bitte!* ¡cómo no!, hágalo si gusta; es usted muy dueño; F ¡claro que sí!, ¡no faltaba más!; *Wünschen Sie noch eine Tasse Kaffee? Bitte* (*sehr*) sí, muchas gracias; con mucho gusto; *nach danke!* de nada, F no hay de qué; (*höfliche Erwiderung e-s Verkäufers usw.*) a usted, señor, *bzw.* señora, señorita; (*das macht nichts*) no es nada, no importa.

'bitter *adj.* amargo (*a. fig.*); (*sauer*) agrio; *fig.* (*hart*) duro, rudo; *~e Armut* extremada pobreza; *~e Enttäuschung* amargo desengaño, cruel desilusión; *~e Wahrheit* verdad amarga; *es ist mein ~er Ernst* estoy hablando muy en serio; *~ notwendig* de apremiante necesidad; *das ist ~* es duro; *~e Tränen weinen* llorar amargamente; *~e Worte* palabras acerbas; **~böse** *adj.* (*zornig*) irritadísimo, muy enojado; (*schlimm*) malvado; **⁓e(r)** *m* (*Schnaps*) licor *m* de genciana; **⁓erde** ⚗ *f* magnesia *f*; **⁓holz** *n* (*-es*; *0*) cuasia *f*; **⁓kalk** *Geol. m* (*-ės*; *0*) dolomita *f*; **~kalt** *adj.* excesivamente frío; **⁓keit** *f* (*0*) amargor *m*, amargura *f*; *fig. a.* acrimonia *f*, acritud *f*; (*böses Blut*) rencor *m*, encono *m*; **⁓klee** ⚘ *m* (*-s*; *0*) trébol *m* acuático; **~lich** **I.** *adj.* amargo; **II.** *adv.* amargamente; **⁓mandelöl** *n* (*-ės*; *0*) aceite *m* de almendras amargas; ⚗ benzaldehido *m*; **⁓salz** ⚗ *n* (*-es*; *-e*) sulfato *m* magnésico; sal *f* de Epsom, sal *f* de higuera; **⁓spat** *Min. m* (*-ės*; *0*) magnesita *f*; **~süß** *adj.* agridulce; **⁓wasser** *n* (*-s*; *0*) agua *f* sulfatado-magnésica.

'Bitt|gang *m* (*-ės*; *⸚e*) *Rel.* procesión *f*; rogativa *f*; peregrinación *f*; **~gesuch** *n* (*-ės*; *-e*), **~schrift** *f* solicitud *f*; memorial *m*; **~steller** (**-in** *f*) *m* solicitante *m/f*, peticionario (-a *f*) *m*.

Bi'tum|en *n* (*-s*; *-mina*) betún *m*; **⁓i'nös** *adj.* bituminoso.

Bi'wak *n* ⚔ (*-s*; *-s od. -e*) vivaque *m*; **⁓'ieren** (-) *v/i.* ⚔ vivaquear, acampar.

bi'zarr *adj.* extravagante, raro; quijotesco; caprichoso; (*wunderlich*) estrafalario; fantástico.

'Bizeps *m* (*-es*; *-e*) bíceps *m*.

'Blachfeld *n* (*-ės*; *-er*) campo *m* raso.

'bläh|en **1.** *v/t.* hinchar, inflar; *sich ~* hincharse, inflarse; *fig.* envanecerse, engreírse, pavonearse; **2.** *v/i.* ⚕ producir flatulencia *f*; **~end** ⚕ *adj.* flatulento; **⁓ung** ⚕ *f* flatulencia *f*; ventosidad *f*; meteorismo *m*; **⁓ungsmittel** ⚕ *n* carminativo *m*.

bla'm|abel *adj.* vergonzoso; **⁓age** *f* vergüenza *f*; situación *f* ridícula; F plancha *f*; **~ieren** (-) *v/t.* poner en ridículo; desacreditar; *sich ~* quedar en (*od.* hacer el) ridículo; comprometerse; F tirarse una plancha; quedar mal, hacer un papelón; P colarse, meter la pata.

blank *adj.* (*blinkend*) reluciente; (*glänzend*) brillante; ⊕ *Metall*: bruñido; (*poliert*) pulido; (*~geputzt*) reluciente de limpio; *Schuhe*: lustroso; (*bloß*) desnudo (*a.* ⊕); (*sauber*) limpio; (*glatt*) liso; (*unbeschrieben*) en blanco; (*abgetragen*) lustroso (*por el uso*); *~e Elektrode* electrodo desnudo; *~e Waffe* arma blanca; *~er Unsinn* solemne disparate; F (*ohne Geld*) *~ sein* estar sin blanca; P estar a dos velas; *~ziehen* desenvainar (*el sable, la espada*); ⊕ *~ polieren* pulir, bruñir; (*Stiefel*) lustrar, sacar el brillo.

Blan'kett *n* (*-ės*; *-e*) formulario *m*; → *Blankovollmacht*.

'blanko ✝ *adj. u. adv.*: en blanco; al descubierto; *Börse*: *~ verkaufen* vender al descubierto; *~ unterschreiben* firmar en blanco; **⁓akzept** *n* (*-ės*; *-e*) aceptación *f* al descubierto; **⁓formular** *n* (*-s*; *-e*) formulario *m* en blanco; **⁓giro** [-ʒi:-] *n* (*-s*; *-s*) *auf Wechseln usw.*: endoso *m* en blanco; *auf Effekten*: transferencia *f* en blanco; **⁓kredit** *m* (*-ės*; *-e*) crédito *m* abierto (*od.* en blanco); **⁓scheck** *m* (*-s*; *-s*) cheque *m* en blanco; **⁓vollmacht** *f* firma *f* en blanco, carta *f* blanca (*a. fig.*); pleno poder *m*.

'Blankscheit *n* (*-ės*; *-e*) ballena *f* (*de corsé*).

'Blankvers *Poes. m* (*-es*; *-e*) verso *m* blanco *od.* suelto.

'Bläs-chen *n* burbujita *f*; *Anat. u.* ⚘: vesícula *f*; ⚕ (*Haut⁓*) ampollita *f*; (*Eiter⁓*) pústula *f*.

'Blase *f* (*Luft⁓, Gas⁓, Wasser⁓*)

burbuja *f* (*a.* ⊕); *Anat.* (*Harn*2) vejiga *f*; (*Gallen*2) vesícula *f* biliar; ⚕ (*Haut*2) ampolla *f*; ⚗ retorta *f*, alambique *m*; *Geol.* geoda *f*; (*Fußball*2) goma *f*; F (*Gesellschaft*, *desp.*) gentuza *f*, canalla *f*; pandilla *f*; *~n werfen* burbujear; *~n ziehen* producir ampollas; **~balg** *m* (-*es*; ¨*e*) fuelle *m*.

'**blasen** (*L*) *v/t. u. v/i.* soplar; ♪ tocar (*a.* ⚔, *zum Angriff* al ataque); *fig. mit j-m in dasselbe Horn ~* ir de la mano *od.* de acuerdo con alg.; → *Ohren, Trübsal.*

'**Blasen...:** **2artig** *adj.* vesicular; **~ausschlag** ⚕ *m* (-*es*; ¨*e*) pénfigo *m*; **~bildung** ⚕ *f* vesicación *f*, producción *f* de ampollas; ⊕ producción *f* de burbujas; **~entzündung** ⚕ *f* cistitis *f*; **~grieß** ⚕ *m* (-*es*; *0*) arenillas *f/pl.*; **~katarrh** *m* (-*s*; -*e*) catarro *m* vesical, cistitis *f*; **~säure** *f* ácido *m* úrico; **~sonde** ⚕ *f* catéter *m*; **~stein** *m* (-*es*; -*e*) cálculo *m* vesical; **2ziehend** *adj.* vesicante.

'**Bläser** *m* ♪ músico *m* que toca un instrumento de viento; ⊕ soplador *m*; ventilador *m*; (*Glas*2) soplador *m* de vidrio.

'**Blas(e)rohr** *n* (-*es*; -*e*) ⊕ *Düse*: tobera *f*; (*Glasmacherpfeife*) caña *f* de vidriero; *für Pfeile usw.*: cerbatana *f*.

bla'siert *adj.* desilusionado; hastiado, indiferente; displicente.

'**blasig** *adj.* ⚕ vesicular; vesiculoso; ⊕ *Gießerei*: lleno de burbujas.

'**Blas...:** **~instrument** *n* (-*es*; -*e*) instrumento *m* de viento; **~kapelle** *f* banda *f* de música.

Blasphe'mie *f* blasfemia *f*; **2ren** (-) *v/i.* blasfemar; **blas'phemisch** *adj.* blasfemo.

blaß *adj.* pálido (*vor dat.* de); descolorido; (*krankhaft*) macilento; *~blau* (*~grün usw.*) azul (verde *etc.*) pálido; *~ werden* palidecer, perder el color; *fig. blasser Neid* pura envidia; *blasse Erinnerung* recuerdo confuso; *keine blasse Ahnung* ni la más remota idea.

'**Blässe** *f* (*0*) palidez *f*.

'**bläßlich** *adj.* paliducho.

'**Blatt** *n* (-*es*; ¨*er*) ⚘ hoja *f*; *Blütenkrone*: pétalo *m*; *Kelch*: sépalo *m*; *Buch*: hoja *f*; (*e-s Registers*) folio *m*; (*Papier*2) hoja *f* de papel; (*Bogen*) pliego *m*; (*Quartformat*) cuartilla *f*; (*Zettel*) papeleta *f*; (*Seite*) página *f*; (*Zeitung*) periódico *m*; (*Tages*2) *a.* diario *m*; (*Wochen*2) semanario *m*; (*Zeichnung*) dibujo *m*; ♪ (*Noten*2) hoja *f* (de papel de música); ⊕ lámina *f*; chapa *f*, plancha *f*; *Schaufel, Ruder*: pala *f*; *Weberei*: peine *m*; (*Tisch*2) tabla *f* (*a. e-s Kleides*); (*Schulter*2) omoplato *m*; (*e-s Tieres*) espaldilla *f*, codillo *m*; ♪ *vom ~ spielen* repentizar; *fig. ein unbeschriebenes ~* una incógnita; persona sin antecedentes; *kein ~ vor den Mund nehmen* F no tener pelos en la lengua, no morderse la lengua; hablar sin eufemismos; *das steht auf e-m anderen ~* F eso es harina de otro costal; *das ~ hat sich gewendet* F se ha vuelto la tortilla; **~ader** ⚘ *f* (-; -*n*) nervio *m*, nervadura *f*; **~ansatz** ⚘ *m* (-*es*; ¨*e*) estípula *f*; **2artig** *adj.* foliáceo; **~breite** ✝ *f* ancho *m* (*de una pieza de paño*).

'**Blättchen** *n* hojita *f*, hojuela *f*; ⊕ laminilla *f*; (*Flocke, Schuppe*) copo *m*, escama *f*; (*Folie*) hoja *f*.

'**blätt(e)rig** *adj.* ⚘ foliado, foliculado; (*Teig*) hojaldrado; ⊕ laminado, lameliforme.

'**Blätter...:** **~kohle** *f* carbón *m* foliado; **~kuchen** *m* pastel *m* de hojaldre.

'**Blattern** ⚕ *f/pl.* viruela *f*.

'**blättern** (-*re*) *v/i. in e-m Buche*: hojear.

'**Blatter...:** **~narbe** *f* hoyo *m* de viruela; **2narbig** *adj.* picado *od.* marcado de viruelas; **~n-impfung** *f* vacuna *f* antivariólica.

'**Blätter...:** **~pilz** *m* (-*es*; -*e*), **~schwamm** ⚘ *m* (-*es*; ¨*e*) agárico *m*; **~tabak** *m* (-*s*; -*e*) tabaco *m* en hojas; **~teig** *m* (-*es*; -*e*) hojaldre *m*.

'**Blatt...:** **~feder** ⊕ *f* (-; -*n*) muelle *m od.* resorte *m* de láminas; *Auto.* ballesta *f*; **2förmig** *adj.* en forma de hoja, foliado, foliáceo; **~gold** *n* (-*es*; *0*) pan *m* de oro, oro *m* en hojas; **~grün** ⚘ *n* (-*s*; *0*) clorofila *f*; **~halter** *Typ. m* portapliegos *m*; **~knospe** *f* yema *f*; **~laus** *f* (-; ¨*e*) pulgón *m*; **2los** *adj.* sin hojas, ⚘ áfilo; *von Blüten*: apétalo; **~metall** *n* (-*s*; -*e*) hoja *f* de metal; **~pflanze** *f* planta *f* de hoja perenne; planta *f* de adorno; **~rippe** ⚘ *f* nervadura *f*; **~silber** *n* (-*s*; *0*) pan *m* de plata, plata *f* en hojas; **~stiel** ⚘ *m* (-*es*; -*e*) peciolo *m*; **~vergoldung** *f* dorado *m* en hojas; **2weise** *adj.* hoja por hoja; **~werk** *n* (-*es*; *0*) follaje *m*; **~zinn** *n* (-*es*; *0*) hoja *f* de estaño.

'**blau** *adj.* azul; ▨ azur; (*himmel~*) azul celeste; *~es Blut fig.* sangre azul; *~es Blut haben* ser de sangre azul, ser noble; *~(geschlagen)es Auge* ojo amoratado, P ojo a la funerala; *mit e-m ~en Auge davonkommen* salir bien librado todavía; ⊕ *~ anlaufen* (*Stahl*) pavonar; *fig.* (*betrunken*) borracho; *~er Fleck* cardenal *m*, ⚕ equimosis *f*; F *~e Bohne* bala (*de fusil*); *~er Montag* lunes libre de trabajo, F lunes de los zapateros; *~ machen* holgar; *j-m ~en Dunst vormachen* engañar, *fig.* poner a alg. una venda en los ojos; *sein ~es Wunder erleben* recibir una sorpresa muy desagradable; 2 *n* azul *m*; *Dame in ~* señora vestida de azul; *das ~e vom Himmel herunterlügen* (*versprechen*) mentir desfachatadamente (F prometer el oro y el moro); *ins ~e hineinreden* hablar en balde; hablar sin tino; *Fahrt ins ~e* viaje sin destino conocido; *Schuß ins ~e* tiro al azar; **~äugig** *adj.* de ojos azules *od.* garzos; **2bart** *m* (-*es*; *0*) Barba *m* Azul; ogro *m*; **2beere** *f* arándano *m*; **~blütig** *adj.* (*fig.*) de sangre azul, noble; **2buch** *Pol. n* libro *m* azul.

'**Bläue** *f* (*0*) azul *m*; (*für Wäsche*) azulete *m*.

'**blauen** *v/i.* azulear.

'**bläuen** *v/t.* azular, teñir de azul.

'**blau...:** **2fuchs** *m* (-*es*; ¨*e*) *Zoo.* zorro *m* azul, raposo *m* ferrero; **~grau, (~grün)** *adj.* gris (verde) azulado; **2holz** *n* (-*es*; ¨*er*) palo *m* campeche; **2jacke** ⚓ *f* F marinero *m*; **2kreuz** ⚔ *n* (-*es*; *0*) (*Gas*) gas *m* cruz azul.

'**bläulich** *adj.* azulado.

'**Blau...:** **~druckpapier** *n* (-*es*; -*e*) papel *m* cianotipo; **~papier** *n* papel *m* carbón azul; **~pause** ⊕ *f* fotocalco *m* azul; **~säure** ⚗ *f* (*0*) ácido *m* prúsico (*od.* cianhídrico); **2schwarz** *adj.* negro azulado; **~stift** *m* (-*es*; -*e*) lápiz *m* azul; **~strumpf** *fig. m* (-*es*; ¨*e*) F bachillera *f*, sabihonda *f*; marisabidilla *f*; **~sucht** ⚕ *f* (*0*) cianosis *f*; **~wal** *m* (-*es*; -*e*) ballena *f* azul.

Blech *n* (-*es*; -*e*) lámina *f* metálica, chapa *f*; (*Weiß*2) hojalata *f*, hoja *f* de lata; (*Stahl*2) chapa *f* de acero; (*Eisen*2) chapa *f* de hierro; (*Grob*2) chapa *f* gruesa; F *fig.* (*Unsinn*) disparate *m*, necedad *f*, tontería *f*; *rede doch kein ~!* ¡no digas disparates!, ¡no desbarres!; **~bearbeitung** *f* trabajo *m* de chapa; **~belag** *m* (-*es*; ¨*e*) revestimiento *m* de chapa; **~büchse, ~dose** *f* lata *f*; *in ~n verpackt* envasado en latas; **~druck** *Typ. m* (-*es*; -*e*) impresión *f* de chapa; **~druckmaschine** *f* máquina *f* metalográfica.

'**blechen** F *v/t. u. v/i.* pagar, F aflojar la mosca, rascarse el bolsillo, apoquinar.

'**blechern** *adj.* de hojalata; (*Klang*) metálico.

'**Blech...:** **~geschirr** *n* (-*es*; -*e*) vasijas *f/pl.* de hojalata; **~instrument** ♪ *n* (-*es*; -*e*) instrumento *m* de metal blanco; **~kanister** *m*, **~kanne** *f* lata *f*, bidón *m*; **~konstruktion** *f* construcción *f* en palastro; **~musik** *f* (*0*) música *f* de instrumentos de metal; charanga *f*; **~schere** *f* cizalla *f*; **~schmied** *m* (-*es*; -*e*) chapista *m*; **~tafel** *f* (-; -*n*) plancha *f* metálica; **~verkleidung** *f* revestimiento *m* de chapa; **~walzwerk** *n* (-*es*; -*e*) laminador *m* de chapa; **~waren** *f/pl.* artículos *m/pl.* de hojalata.

'**blecken** *v/t.*: *die Zähne ~* enseñar *od.* regañar los dientes.

Blei[1] *Ict. m* (-*es*; -*e*) brema *f*, sargo *m*.

Blei[2] *n* (-*es*; -*e*) plomo *m*; ⚓ (*Senk*2) sonda *f*; (*am Fischnetz*) plomo *m*; (*~stift*) lápiz *m*; (*Schrot*) perdigones *m/pl.*; *fig. es lag ihm wie ~ in den Gliedern* sentía en piernas y brazos una pesadez de plomo.

'**Blei...:** **~ader** *f* (-; -*n*) filón *m* plomífero; **2artig** *adj.* plúmbeo; **~bad** *n* (-*es*; ¨*er*) baño *m* de plomo; **~barren** *m* barra *f od.* lingote *m* de plomo.

'**Bleibe** *f* (*Obdach*) albergue *m*, cobijo *m*; *keine ~ haben* estar sin hogar, no tener dónde albergarse.

'**bleiben** (*L*) *v/i.* quedar(se); (*weiter~*) seguir, continuar; (*andauern*) permanecer; (*übrig~*) sobrar, quedar, restar; (*bestehen~*) subsistir, quedar en pie; *im Kampf*: morir, perecer; *zu Hause ~* quedarse en casa; *fern~* mantenerse alejado; (*e-r Sitzung usw.*) no asistir; *gesund ~* seguir disfrutando de buena salud; *ruhig ~* quedarse quieto, *gelassen*: conservar la calma; *unbestraft ~* quedar impune; *sich gleich ~* seguir inalterable; seguir siendo el mismo; *treu ~* seguir fiel; *bei et. ~* insistir en, persistir en; mantenerse firme en; atenerse a; *am Leben* ~ quedar con vida; *am Ruder* ~ *fig. Pol.* seguir en el poder; *ohne Folgen* ~ no tener consecuencias; *bei der Sache* ~ atenerse al (no desviarse del) asunto; *bei der Wahrheit* ~ decir (no apartarse de) la verdad; *für sich* ~ mantenerse apartado; *so kann es nicht* ~ esto no puede seguir así; *dabei wird es nicht* ~ las cosas no han de quedar así *od.* ahí; *es bleibt dabei!* ¡queda convenido!; ¡conforme!; F lo dicho, dicho; *das bleibt unter uns* esto queda entre nosotros; *es bleibt abzuwarten* habrá que ver en qué para esto; *mir blieb nichts anderes übrig, als* no he tenido más remedio que; *alles bleibt beim alten* todo sigue (*od.* queda) como antes; *wo bist du so lange geblieben?* ¿por qué has tardado tanto?; *wo ist sie nur geblieben?* ¿pero dónde se habrá quedado?, ¿qué habrá sido de ella?; F *und wo bleibe ich?* ¿y yo?, ¿y a mí no se me tiene en cuenta?; *zwei von sieben bleibt fünf* siete menos dos son cinco; *Tele.* ~ *Sie in der Leitung!* ¡no se retire, por favor!; *Typ. bleibt!* ¡queda!; **~d** *adj.* duradero, persistente; (*dauerhaft*) durable; (*stetig*) constante, fijo, permanente; (*ewig*) eterno; imperecedero, perenne; (*übrig*~) restante; ~*er Eindruck* impresión imborrable; *keine* ~*e Stätte haben* no tener domicilio fijo *od.* residencia fija; **~lassen** (*L*; -) *v/t.* dejar de hacer; guardarse bien de hacer; *laß das bleiben!* ¡no hagas eso!; ¡guárdate bien de hacer eso!; ¡deja las cosas como están!; ¡deja de hacer (*od.* no sigas haciendo) eso!

'**Bleibergwerk** *n* (-*es*; -*e*) mina *f* de plomo.

bleich *adj.* pálido; (*krankhaft*) macilento; (*verblaßt*) descolorido; ~ *werden* palidecer, ponerse pálido.

'**Bleiche** *f* (*0*) (*Blässe*) palidez *f*; (*der Wäsche*) blanqueo *m*; **2n 1.** *v/t.* blanquear; (*Farbe*) desteñir; **2.** *v/i.* palidecer; (*weiß werden*) blanquearse; (*Haar*) encanecer; (*Farbe*) desteñirse; (*verblassen*) descolorir; **~n** *n* blanqueo *m*.

'**Bleich...:** **~gesicht** *n* (-*es*; -*er*) semblante *m od.* rostro *m* pálido; **~kalk** *m* (-*es*; *0*) cloruro *m* de cal; **~mittel** *n* (agente *m*) descolorante *m*; **~pulver** *n* → *Bleichkalk*; **~sucht** ⚕ *f* (*0*) clorosis *f*, anemia *f*; **2süchtig** *adj.* clorótico, anémico.

'**bleiern** *adj.* de plomo, plúmbeo (*a. fig.*).

'**Blei...:** **~erz** *n* (-*es*; -*e*) mineral *m* de plomo; **~essig** *m* (-*s*; *0*) acetato *m* básico de plomo; **~farbe** *f* color *m* de plomo; **2farbig** *adj.* plomizo; **~gelb** *n* minio *m* amarillo, ⚗ oxicloruro *m* de plomo; **~gewicht** *n* (-*es*; -*e*) plomo *m*, plomada *f*, ⚓ *a.* sonda *f*; **~gießer** *m* plomero *m*, fundidor *m* de plomo; **~gieße'rei** *f* fundición *f* de plomo; plomería *f*; **~glanz** *Min.* *m* (-*es*; *0*) galena *f*; **~glas** *n* (-*es*; ⸚*er*) vidrio *m od.* cristal *m* de plomo; **2haltig** *adj.* plomífero; **~hütte** *f* fundición *f* de plomo; **~kabel** *n* cable *m* con envoltura de plomo; **~kristallglas** *n* (-*es*; ⸚*er*) cristal *m* plomífero; **~kugel** *f* (-; -*n*) bala *f* de plomo; **~lot** *n* (-*es*; -*e*) △ plomada *f*, ⚓ sonda *f*; **~plombe** *f* precinto *m* de plomo; **~salbe** *f* ungüento *m* diaquilón; **~säure** ⚗ *f* ácido *m* plúmbico; **2schwer** *adj.* pesado como el plomo; *a. fig.* plúmbeo; **~sicherung** ⚡ *f* (fusible *m* de) plomo *m*; **~soldat** *m* (-*en*) soldado *m* de plomo.

'**Bleistift** *m* (-*es*; -*e*) lápiz *m*; **~halter** *m* portalápices *m*; **~hülse** *f* guardapuntas *m*; **~spitzer** *m* afilalápices *m*, sacapuntas *m*; **~zeichnung** *f* dibujo *m* a lápiz.

'**Blei...:** **~vergiftung** ⚕ *f* saturnismo *m*; **~wasser** *Phar.* *n* (-*s*; *0*) agua *f* de plomo *od.* blanca; **~weiß** ⚗ *n* (*0*) blanco *m* de plomo, cerusa *f*; **~zucker** *m* (-*s*; *0*) azúcar *m* de Saturno, acetato *m* de plomo.

'**Blende** *f* △ (*Fenster, Tür*) ventana *f bzw.* puerta *f* falsa *od.* ciega; (*Fassade*) fachada *f* simulada; (*Nische*) hornacina *f*, nicho *m*; (*Scheuleder*) anteojera *f*; (*Schirm*) pantalla *f*; (*Mützenschirm*) visera *f*; ⚔ mandilete *m* (*de una tronera*); ⚓ (*inneres Bullauge*) lumbrera *f*; *Opt.*, *Phot.*: diafragma *m*, obturador *m*; *Phot. bei* ~ *8* con abertura de diafragma 8; *Min.* (*Schwefelerz*) blenda *f*; (*Leuchte*) linterna *f*.

'**blenden** (-*e*-) *v/t.* cegar (*a. fig.*); *auf kurze Zeit*: deslumbrar (*a. fig.*), ofuscar; (*abschirmen*) apantallar; (*panzern*) blindar; *fig.* (*täuschen*) engañar, ilusionarse, encandilar, alucinar; (*bezaubern*) deslumbrar, fascinar; **2** *n Auto. der Scheinwerfer*: deslumbramiento *m*; **~d** *adj. Licht*: deslumbrador, deslumbrante (*beide a. fig.*); *fig.* (*täuschend*) engañoso, ilusorio; (*genial*) brillante; (*prächtig*) magnífico, maravilloso; espectacular.

'**Blenden...:** **~einstellung** *f Phot.* ajuste *m* (de la abertura) del diafragma; **~öffnung** *f* abertura *f* del diafragma; **~scheibe** *f Opt.* diafragma *m*; **~schieber** *m* corredera *f* del diafragma.

'**Blender** *fig.* *m* efectista *m*.

'**Blend...:** **2frei** *adj.* antideslumbrante; exento de deslumbramiento; **~glas** *Opt.* *n* (-*es*; ⸚*er*) cristal *m* ahumado; **~laterne** *f* linterna *f* sorda; **~ling** *m* (-*s*; -*e*) mestizo *m*, bastardo *m*; **~rahmen** *m* bastidor *m*; **~schirm** *m* (-*es*; -*e*) pantalla *f*; **~schutz** *Auto.* *m* (-*es*; *0*) antideslumbrante *m*; **~schutzglas** *n* (-*es*; ⸚*er*) cristal *m* antideslumbrante; **~schutzlicht** *Auto.* *n* (-*es*; -*er*) luz *f* antideslumbrante; **~schutzscheibe** *Auto.* *f* pantalla *f* antideslumbrante; **~stein** △ *m* (-*es*; -*e*) ladrillo *m* de revestimiento; piedra *f* de adorno.

'**Blendung** *f* deslumbramiento *m* (*a. fig.*), ofuscación *f*; ceguedad *f* (*a. fig.*); *fig.* fascinación *f*; (*Täuschung*) ilusión *f*; engaño *m*.

'**Blendwerk** *n* (-*es*; -*e*) (*Sinnestäuschung*) ilusión *f* óptica, espejismo *m*; (*Betrug*) engaño *m*; (*Gaukelwerk*) fantasmagoría *f*, F trampantojo *m*; alucinación *f*.

'**Blesse** *f* lucero *m*; *Pferd*: caballo *m* estrellado.

'**Bleuel** *m* (*Wäscheschlegel*) pala *f*; (*Schlegel*) maza *f*.

'**bleuen** *v/t.*: *j-n* ~ moler a estacazos a alg., F zurrar la badana a alg.

Blick *m* (-*es*; -*e*) mirada *f*; (*Rund*2) panorama *m*; (*Aussicht*) vista *f*; (*flüchtiger* ~) ojeada *f*, vistazo *m*; *durchbohrender* ~ mirada penetrante; *finsterer* ~ mirada hosca *od.* sombría; *starrer* ~ mirada fija; *verstohlener* ~ mirada furtiva; *der böse* ~ aojamiento; mirada maligna; *weiter* ~ vista, amplia perspectiva; *mit* ~ *auf* con vistas a; *den* ~ *richten auf* (*ac.*) poner la mirada (clavar la vista) en; *auf den ersten* ~ a primera vista; *mit sicherem* ~ con certera visión; *e-n* ~ *werfen auf* echar una ojeada (*od.* un vistazo) a; *j-m e-n* ~ *zuwerfen* lanzar a alg. una mirada; *j-n mit den* ~*en durchbohren* matar a alg. con la mirada, F lanzar a alg. una mirada asesina; **~ebene** *Opt.* *f* plano *m* visual; **2en** *v/i.* mirar (*auf ac.* a); ver; *sich* ~ *lassen* aparecer, dejarse ver; hacer acto de presencia; *das läßt tief* ~ eso da bastante que pensar; **~feld** *n* (-*es*; -*er*) campo *m* visual; *fig.* visión *f* amplia, horizonte *m*; **~feuer** *n* señal *f* luminosa; **~punkt** *m* (-*es*; -*e*) punto *m* visual; *fig.* (*Brennpunkt*) foco *m*; **~richtung** *f* dirección *f* visual; **~winkel** *m* ángulo *m* visual; *fig.* punto *m* de vista.

blieb *pret. von bleiben.*

blies *pret. von blasen.*

blind *adj.* ciego (*a. fig.*; *vor dat.* de); △ *Tür, Fenster usw.*: falso, ciego, simulado; (*trüb*) *Glas usw.*: opaco; (*glanzlos*) deslustrado; *Patrone*: sin bala; *auf e-m Auge* ~ tuerto; *fig. Glaube, Liebe*: ciego; *Gehorsam*: *a.* incondicional; ~*es Glück* pura suerte; ~*er Alarm* falsa alarma; ~*er Passagier* polizón; ~*schreiben auf der Maschine*: escribir sin mirar el teclado; escribir al tacto; ~*fliegen* volar sin visibilidad *od.* a ciegas; ~*schießen* tirar sin bala *bzw.* sin ver el blanco; ~*e Klippen* escollos a flor de agua; ~ *machen* cegar, dejar ciego a; ~ *werden* cegar, perder la vista, quedar ciego.

'**Blind...:** **~boden** *m* (-*s*; ⸚) △ falso entarimado *m*; **~darm** *Anat.* *m* (-*es*; ⸚*e*) ciego *m*; (*Wurmfortsatz*) apéndice *m*; **~darmentzündung** ⚕ *f* apendicitis *f*.

'**Blinden...:** **~anstalt** *f* asilo *m* de ciegos; **~führer** *m* lazarillo *m*; **~(führ)hund** *m* (-*es*; -*e*) perro *m* lazarillo; **~schrift** *f* escritura *f* de Braille; **~schreibmaschine** *f* máquina *f* de escribir (con teclado) Braille.

'**Blinde(r** *m*) *m/f* ciego *m*; ciega *f*.

'**Blind...:** **~flug** *m* (-*es*; ⸚*e*) vuelo *m* ciego (*od.* sin visibilidad); **~gänger** ⚔ *m* granada *f od.* bomba *f* sin estallar; *fig.* chasco *m*; **2geboren** *adj.* ciego de nacimiento; **~heit** *f* (*0*) ceguera *f*, ceguedad *f* (*a. fig.*); (*Verblendung*) obcecación *f*; *fig. mit* ~ *geschlagen* ciego, obcecado; **~landung** ✈ *f* aterrizaje *m* ciego *od.* sin visibilidad; **2lings** *adv.* ciegamente, a ciegas; a ojos cerrados; (*ins Ungewisse*) al azar, a la ventura; (*unbedingt*) incondicionalmente; **~schleiche** *Zoo.* *f* lución *m*; **~schreiben** *n Schreibmaschine*: mecanografía *f* al tacto; **~widerstand** ⚡ *m* (-*es*; ¨*e*) reactancia *f*.

'**Blink|bake** *f* baliza *f* de luz intermitente; **2en** *v/i.* relucir; destellar, centellear; (*signalisieren*) hacer *bzw.* emitir señales *f/pl.* luminosas; **~er** *Auto.* *m* luz *f* intermitente, indicador *m* de viraje; **~feuer** *n*, **~licht** *n* (-*es*; -*er*) luz *f* de destellos; ⚓ faro *m* de luz intermitente; *Auto.* → *Blinker*; **~gerät** *n* (-*es*; -*e*) (aparato *m*) emisor *m* de señales luminosas; **~zeichen** *n* señal *f* luminosa; destello *m*.

'**blinzeln** (-*le*) *v/i.* parpadear, pestañear; guiñar (*un ojo*); (*zu~*) hacer un guiño a.

'**Blitz** *m* (-*es*; -*e*) (*Schein*) relámpago *m*; (*einschlagender ~*) rayo *m*; *der ~ schlug ein* el rayo cayó (sobre); *vom ~ getroffen* alcanzado *bzw.* herido *od.* fulminado por el rayo; → *blitzschnell*; F *wie ein geölter ~* como una (centella) exhalación; *wie vom ~ getroffen* estupefacto, anonadado, F turulato; *wie ein ~ aus heiterem Himmel einschlagen* caer como (producir el efecto de) una bomba; **~ableiter** *m* pararrayos *m*; **2artig** *adj.* instantáneo, fulminante; → *blitzschnell*; **2blank** *adj.* reluciente; (*sauber*) como un ascua de oro.

blitzen (-*t*) *v/t.* relampaguear; *es blitzt* relampaguea; *fig.* (*glänzen*) brillar, relucir; resplandecer, fulgurar.

'**Blitzesschnelle** *f* (*0*) rapidez *f* del rayo.

'**Blitz...**: **~gespräch** *Tele.* *n* (-*es*; -*e*) conferencia *f* telefónica urgentísima; **~krieg** *m* (-*es*; -*e*) guerra *f* relámpago; **~licht** *Phot.* *n* (-*es*; -*er*) luz *f* relámpago; → *Blitzlichtbirne*; **~lichtaufnahme** *f* fotografía *f* con luz relámpago; **~lichtbirne** *f* bombilla *f* para luz relámpago; **~lichtpulver** *n* polvo *m* de magnesio; **~offensive** ⚔ *f* ofensiva *f* relámpago; **~reise** *f* viaje *m* relámpago; **2sauber** *adj.* limpísimo, F como una patena de limpio; **~schaden** *m* (-*s*; ¨) daño *m* causado por el rayo; **~schlag** *m* (-*es*; ¨*e*) rayo *m*; **2schnell I.** *adj.* rápido como un rayo; **II.** *adv.* con la rapidez del rayo; F como por ensalmo; en un santiamén; **~schutzsicherung** ⚡ *f* fusible *m* protector contra rayos; **~strahl** *m* rayo *m*; **~telegramm** *n* (-*es*; -*e*) telegrama *m* urgentísimo; **~zug** 🚂 *m* (-*es*; ¨*e*) tren *m* extrarrápido.

Block *m* (-*es*; ¨*e*) bloque *m* (*a. Pol. u. Parl.*); (*Hauklotz*) tajo *m*; (*Stamm*) tronco *m*; (*Quader*) sillar *m*; (*Häuser2*) manzana *f*, *Am.* cuadra *f*; (*Notiz2*) cuadernillo *m* de notas; (*Kalender2*) taco *m*; (*Schreib2*) bloc *m* de papel para cartas; *Met.* lingote *m*; ⊕ (*Rollkolben*) polea *f*.

Blo'ckade [blɔ'kɑ:-] *f* bloqueo *m*; *die ~ aufheben* (*brechen*) levantar (romper) el bloqueo; **~brecher** *m* forzador *m* de(l) bloqueo; **~zustand** *m* (-*es*; ¨*e*): *in ~ erklären* declarar el bloqueo (de).

'**Block...**: **2en** *v/t.* 🚂 bloquear, enclavar; **~haus** *n* (-*es*; ¨*er*) ⚔ blocao *m*, fortín *m*.

blo'ckier|en [blɔ'ki:-] (-) *v/t.* bloquear; **2ung** *f* bloqueo *m* (*a.* ⚔).

'**Block...**: **~kondensator** *m* (-*s*; -*en*) *Tele.* condensador *m* de bloque; **~konstruktion** *f* construcción *f* en una pieza; **~säge** *f* sierra *f* alternativa para troncos; **~satz** *Typ.* *m* (-*es*; ¨*e*) composición *f* en forma de bloque; **~schrift** *f* (*0*) *Typ.* letra *f* egipcia; (*handschriftliche*) caracteres *m/pl.* lapidarios *od.* de imprenta; **~stelle** 🚂 *f* estación *f* de enclavamiento.

'**blöd(e)** *adj.* (*schwachsinnig*) imbécil; débil mental; (*dumm*) estúpido, tonto, bobo, lelo, F gilí; (*albern*) mentecato; (*schüchtern*) tímido, corto, apocado; **2heit** *f* (*0*) imbecilidad *f*; estupidez *f*; **2igkeit** *f* (*0*) timidez *f*; **2sinn** *m* (-*s*; *0*) idiotez *f*; imbecilidad *f*; (*Unsinn*) disparate *m*; majadería *f*; tontería *f*, bobada *f*; **~sinnig** *adj.* idiota; imbécil; desatinado, insensato, disparatado; **2sinnige(r** *m*) *m/f* idiota *m/f*; imbécil *m/f*.

'**blöken** *v/i.* *Rind*: mugir; *Kalb*: berrear; *Schaf*: balar; **2** *n* mugido *m*; berrido *m*; balido *m*.

'**blond** *adj.* rubio; **2e** ✝ *f* (*Spitze*) blonda *f*; encaje *m*.

Blon'dine *f* (*mujer*) rubia *f*.

'**Blondkopf** *m* (-*es*; ¨*e*) pelirrubio (-a *f*) *m*; rubio (-a *f*) *m*.

bloß I. *adj.* (*unbedeckt*) descubierto; (*nackt*) desnudo, en cueros; (*entblößt*) desnudado; *mit ~en Füßen* descalzo; *mit ~em Kopf* descubierto; *mit dem ~en Auge* a simple vista; (*nichts als*) mero, solo; *~e Worte* palabras vacías; *~er Neid* pura envidia; *die ~e Tatsache* el mero hecho; *der ~e Gedanke* la sola idea; *auf den ~en Verdacht hin* por la mera sospecha; **II.** *adv.* sólo, solamente; simplemente, meramente; nada más que; *es kostet ~ zwei Mark* sólo cuesta (no cuesta más que) dos marcos; *~ ein Mechaniker* un simple mecánico; *komm ~ nicht hier herein!* ¡guárdate de entrar aquí!; *wie machst du das ~?* ¿cómo te arreglas para ello?; *~ jetzt nicht!* ¡en cualquier momento menos ahora!; → *nur*.

'**Blöße** [ø:] *f* desnudez *f*; (*Waldlichtung*) claro *m*; *fig.* (*schwacher Punkt*) punto *m* débil, flaco *m*, flaqueza *f*; *Fechtk.* e-e *~ bieten* descubrirse; *Boxsport*: abrir la guardia; *sich* e-e *~ geben* mostrar *od.* descubrir su (punto) flaco; flaquear.

'**bloß...**: **~legen** *v/t.* descubrir, poner al descubierto; exteriorizar; desnudar; destapar; *fig.* revelar, descorrer el velo, sacar a la luz; **~liegen** (*L*) *v/i.* quedar al descubierto; **~stellen** *v/t.* comprometer; desairar, poner en ridículo; *fig.* desenmascarar; exponer; depurar (*una responsabilidad*); *sich ~* comprometerse; exponerse, arriesgarse; **2stellung** *f* comprometimiento *m*.

'**blühen** *v/i.* florecer (*a. fig.*), estar en flor; *fig.* (*gedeihen*) prosperar; *wer weiß, was uns noch blüht* quién sabe lo que nos aguarda a nosotros; *das kann uns auch ~* lo mismo puede ocurrirnos a nosotros; **2** *n* florecimiento *m* (*a. fig.*), ⚘ floración *f*; **~d** *adj.* floreciente (*a. fig.*), florido; *fig.* *Aussehen*: (*Gesundheit*) saludable, rebosante de salud, robusto; *~e Phantasie* fantasía exuberante; *im ~en Alter* en la flor de la vida; *fig.* (*gedeihend*) próspero.

'**Blümchen** *n* florecilla *f*, florecita *f*.

'**Blume** *f* flor *f*; *fig. Wein*: aroma *m*; *Bier*: espuma *f*; *Jgdw.* (*Schwanz*) cola *f*; (*Auslese*) flor *f*, crema *f* y nata; (*Redefloskel*) metáfora *f*; *durch die ~ sprechen fig.* hablar metafóricamente; decir con indirectas; *laßt ~n sprechen* dilo con flores.

'**Blumen...**: **~ausstellung** *f* exposición *f* de floricultura; **~beet** *n* (-*es*; -*e*) cuadro *m* de flores, arriate *m*; macizo *m*; **~blatt** *n* (-*es*; ¨*er*) pétalo *m*; **~brett** *n* (-*es*; -*er*) macetero *m*; **~erde** *f* mantillo *m*; **~flor** *m* (-*s*; -*e*) profusión *f* de flores; ⚘ florescencia *f*; **~garten** *m* (-*s*; ¨) jardín *m* de flores; vergel *m*; **~gärtner** *m* floricultor *m*; **~gewinde** *n* guirnalda *f*, festón *m*; **~griffel** ⚘ *m* pistilo *m*, estilo *m*; **~händler(in** *f*) *m* florista *m/f*; **~handlung** *f* tienda *f* de flores; **~kasten** *m* (-*s*; ¨) jardinera *f*; macetero *m*; **~kelch** ⚘ *m* (-*es*; -*e*) cáliz *m*; **~kohl** *m* (-*s*; *0*) coliflor *f*; **~korb** *m* (-*es*; ¨*e*) canastilla *f* de flores; **~korso** *m* (-*s*; -*s*) batalla *f* de flores; **~kranz** *m* (-*es*; ¨*e*) corona *f* de flores; **~krone** ⚘ *f* corola *f*; **~laden** *m* (-*s*; ¨) floristería *f*; **~liebhaber(in** *f*) *m* amante *m/f* de las flores; **2reich** *adj.* abundante en flores; florido (*a. fig.*); **~rosette** ⚠ *f* florón *m*; **~schale** *f* florero *m* (*plano*); **~stand** *m* (-*es*; ¨*e*) puesto *m* de flores; **~ständer** *m* macetero *m*; jardinera *f*; **~staub** ⚘ *m* (-*es*; *0*) polen *m*; **~stengel** *m*, **~stiel** *m* (-*es*; -*e*) tallo *m*, pecíolo *m*; **~stetigkeit** *f* (*0*) *von Bienen*: preferencia *f* por una flor; **~strauß** *m* (-*es*; ¨*e*) ramo *m* de flores, *kleiner*: ramillete *m*; **~topf** *m* (-*es*; ¨*e*) tiesto *m*; maceta *f*; **~vase** *f* florero *m*; **~zucht** *f* (*0*) floricultura *f*; **~züchter(in** *f*) *m* floricultor(a *f*) *m*; **~zwiebel** *f* (-; -*n*) bulbo *m*.

'**blumig** *adj.* florido (*a. fig.*); esmaltado de flores.

'**Bluse** *f* blusa *f*.

Blut *n* (-*es*; *0*) sangre *f*; *fig.* (*Rasse*) raza *f*; casta *f*, estirpe *f*, linaje *m*; *junges ~* (hombre *bzw.* mujer) joven, mozo *bzw.* moza; *blaues ~* sangre noble, sangre azul; *heißes ~* temperamento apasionado; *~ schwitzen fig.* sudar sangre, (*vor Arbeit*) F sudar tinta, sudar la gota gorda; *~ vergießen* derramar sangre; *böses ~ machen* quemar la sangre, excitar el odio; *es liegt ihm im ~* lo lleva en la sangre; *immer ruhig ~!* ¡calma!, ¡no se altere!; *von Fleisch und ~* de carne y hueso; *mit ~ beflecken* ensangrentar, manchar de sangre (*a. fig.*).

'**Blut...**: **~ader** *f* (-; -*n*) vena *f*; **~andrang** *m* (-*es*; *0*) congestión *f*, aflujo *m* de sangre; **2arm** *adj.* anémico; *fig.* indigente, F pobre como una rata; **~armut** *f* (*0*) anemia *f*; **~auswurf** ⚕ *m* (-*es*; ¨*e*) hemoptisis *f*, expectoración *f* sanguinolenta;

~bad *n* (*-es*; *⸚er*) matanza *f*, carnicería *f*, degollina *f*; **~bahn** ⚕ *f* torrente *m* circulatorio, vía *f* sanguínea; **~bank** ⚕ *f* (*-*; *-en*) depósito *m* (*para conservación*) de sangre donada; banco *m* de sangre; **2befleckt** *adj.* ensangrentado; **~bild** ⚕ *n* (*-es*; *-er*) cuadro *m* hemático; **2bildend** ⚕ *adj.* hematopoyético; **~bildung** *f* formación *f* de la sangre, ⚕ hematopoyesis *f*; **~buche** ♀ *f* haya *f* roja; **~druck** *m* (*-es*; *0*) presión *f* arterial; **~druckkrankheit** ⚕ *f* hipertensión *f* arterial; **~druckmesser** *m* tonómetro *m*; **~drüse** *f* glándula *f* endocrina; **~durst** *m* (*0*) sed *f* de sangre; **2dürstig** *adj.* sanguinario, feroz.

ˈ**Blüte** *f* flor *f*; florescencia *f*; *fig.* (*Wohlstand*) prosperidad *f*, estado *m* floreciente; (*Höhepunkt*) apogeo *m*, auge *m*; (*Elite*) la flor *f*, lo más granado *od.* florido; F (*Banknote*) billete *m* falsificado; *der Jahre*: la flor de la vida; *der Jugend*: la flor de la juventud; *in* (*voller*) ~ en (plena) floración; *~n treiben* florecer, echar flor.

ˈ**Blut-egel** *m* sanguijuela *f*; ~ *setzen* aplicar sanguijuelas.

ˈ**bluten** (*-e-*) *v/i.* sangrar, echar sangre *f* (*aus* por); *fig.* (*bezahlen*) pagar; *schwer ~ müssen* tener que pagar muy caro; *j-n ~ lassen* hacer a alg. pagar caro; *mein Herz blutet* me duele en el alma, se me parte el corazón; **~d** *adj.* sangrante; *~en Herzens* con el corazón desgarrado.

ˈ**Blüten...**: **~becher** ♀ *m* cúpula *f*; **~blatt** *n* (*-es*; *⸚er*) pétalo *m*; **~boden** ♀ *m* (*-s*; *⸚*) tálamo *m*, receptáculo *m*; **~honig** *m* (*-s*; *0*) miel *f* de abejas; **~kelch** *m* (*-es*; *-e*) cáliz *m*; **~kelchblatt** *n* (*-es*; *⸚er*) sépalo *m*; **~knospe** *f* botón *m*, capullo *m*; **~lese** *fig. f* (*0*) florilegio *m*, antología *f*; **~pflanzen** ♀ *f/pl.* fanerógamas *f/pl.*; **~stand** *m* (*-es*; *⸚e*) inflorescencia *f*; **~staub** *m* (*-es*; *0*) polen *m*; **~stengel** *m* pedúnculo *m*.

ˈ**Blut-entnahme** ⚕ *f* extracción *f* de sangre.

ˈ**blütentragend** ♀ *adj.* florífero.

ˈ**Blut-entziehung** ⚕ *f* sangría *f*.

ˈ**Bluter** ⚕ *m* hemofílico *m*.

ˈ**Blut-erguß** ⚕ *m* (*-sses*; *⸚sse*) derrame *m* de sangre; hemorragia *f*.

ˈ**Bluter-krankheit** ⚕ *f* (*0*) hemofilia *f*.

ˈ**Blütezeit** ♀ *f* floración *f*, florescencia *f*; florecimiento *m* (*a. fig.*); *fig.* apogeo *m*; (*der spanischen Literatur*) Siglo *m* de Oro.

ˈ**Blut...**: **~farbe** *f* color *m* de sangre; **~farbstoff** ⚕ *m* (*-es*; *0*) hemoglobina *f*; hematina *f*; **~faserstoff** *m* (*-es*; *0*) fibrina *f*; **~fleck** *m* (*-es*; *-en*) mancha *f* de sangre; **~fluß** ⚕ *m* (*-sses*; *⸚sse*) hemorragia *f*; flujo *m* de sangre; **~gefäß** *Anat. n* (*-es*; *-e*) vaso *m* sanguíneo; **~gerinnsel** *n* coágulo *m*; trombo *m*; **~gerüst** *n* (*-es*; *-e*) cadalso *m*, patíbulo *m*; **~geschwulst** ⚕ *f* (*-*; *⸚e*) hematoma *m*; **~geschwür** ⚕ *n* (*-es*; *-e*) furúnculo *m*; **2getränkt** *adj.* empapado en sangre; **2gierig** *adj.* sanguinario, feroz; sediento de sangre; **~gruppe** ⚕ *f* grupo *m* sanguíneo *od.* hemático; **~gruppenbestimmung** *f* determinación *f* del grupo sanguíneo; **~hochzeit** *f* (*0*): *die Pariser ~* (la matanza de) la noche de San Bartolomé; **~hund** *m* (*-es*; *-e*) perro *m* braco; *fig.* tirano *m* sanguinario; **~husten** ⚕ *m* (*-s*; *0*) hemoptisis *f*; **2ig** *adj.* sangriento; ensangrentado; (*mit Blut vermischt*) sanguinolento; *Wunde*: sangrante; (*chirurgischer Eingriff*) cruento (*a. fig.*); *Schlacht*: sangriento; *fig.* cruel; trágico; *~er Anfänger* joven principiante; *~er Spaß* burla sangrienta; *~e Tränen* lágrimas amargas; **2jung** *adj.* muy joven(cito); **~klumpen** ⚕ *m* coágulo *m*; **~körperchen** *n* glóbulo *m* sanguíneo; *weißes ~* glóbulo blanco, leucocito; *rotes ~* glóbulo rojo, eritrocito, hematíe *m*; **~krankheit** ⚕ *f* hemopatía *f*; **~kreislauf** *m* (*-es*; *0*) circulación *f* sanguínea; **~lache** *f* charco *m* de sangre; **~lassen** *n* sangría *f*; **~laugensalz** ⚗ *n* (*-es*; *-e*) ferrocianuro *m* potásico; **2leer** *adj.* exangüe; **~leere** *f* anemia *f* local; ~ *im Gehirn* anemia cerebral; **~mangel** ⚕ *m* (*-s*; *0*) hipemia *f*; **~orange** ♀ *f* naranja *f* sanguina; **~plasma** *n* (*-s*; *-s*) plasma *m* sanguíneo; **~probe** *f* análisis *m* de sangre; (*aufgenommene ~*) prueba *f* de sangre; **~rache** *f* (*0*) venganza *f* sangrienta (*de un asesinato*); *it.* vendetta *f*; **~rausch** *m* (*-es*; *0*) delirio *m* homicida; **2reich** *adj.* ⚕ hiperémico, pletórico; **2reinigend** *adj.* depurativo; **~reinigungsmittel** *n* depurativo *m*; **2rot** *adj.* rojo de sangre; **~rot** ⚕ *n* hemoglobina *f*; **2rünstig** *adj.* sangriento; *fig.* sanguinario; *~e Geschichte* una historia truculenta; **~sauger** *m fig.* vampiro *m*; **~schande** *f* (*0*) incesto *m*; **~schänder(in** *f*) *m*, **2schänderisch** *adj.* incestuoso (-a *f*) *m*; **~schuld** *f* (*0*) homicidio *m*; asesinato *m*; **~senkung** ⚕ *f* sedimentación *f* de los glóbulos rojos; **~senkungsgeschwindigkeit** ⚕ *f* velocidad *f* de sedimentación globular (*Abk.* v.s.g.); **~serum** *n* (*-s*; *0*) suero *m* sanguíneo; **~spender(in** *f*) *m* donante *m/f* de sangre; **~spucken** *n* expectoración *f* sanguinolenta, hemoptisis *f*; **~spur** *f* huella *f bzw.* rastro *m* de sangre; **~stauung** *f* congestión *f* vascular; **~stein** *Min. m* (*-es*; *-e*) hematites *f*; **2stillend** *adj.* hemostático; **~sturz** ⚕ *m* (*-es*; *⸚e*) hematemesis *f*, vómito *m* de sangre; **2sverwandt** *adj.* consanguíneo; **~sverwandte(r** *m*) *m/f* pariente *m/f* consanguíneo; **~sverwandtschaft** *f* consanguinidad *f*; **~tat** *f* delito *m* de sangre; **2triefend** *adj.* chorreando sangre; **2überströmt** *adj.* cubierto de sangre; **~übertragung** *f* transfusión *f* de sangre; **~umlauf** *m* (*-es*; *0*) circulación *f* de la sangre; **~ung** *f* hemorragia *f*; **2unterlaufen** *adj.* inyectado en sangre; ⚕ equimótico; acardenalado; **~vergießen** *n* derramamiento *m* de sangre; **~vergiftung** ⚕ *f* toxemia *f*, intoxicación *f* de la sangre; **~verlust** *m* (*-es*; *-e*) pérdida *f* de sangre; **~wasser** *n* suero *m* sanguíneo; **~weg** *m* (*-es*; *0*) vía *f* sanguínea; **~welle** *f* onda *f* sanguínea; **2wenig** *adj.* F casi nada, una insignificancia; **~wurst** *f* (*-*; *⸚e*) morcilla *f*; butifarra *f* negra; **~zeuge** *m* (*-n*) mártir *m*; **~zoll** *m* (*-es*; *⸚e*) *fig.* tributo *m* de sangre.

b-Moll ♪ *n* si *m* (bemol) menor.

Bö *f* ráfaga *f*; racha *f*.

ˈ**Boa** [ˈbo:aˑ] *f* (*-*; *-s*) boa *f*.

ˈ**Bob** *m* (*-s*; *-s*) bob *m*; **~bahn** *f* pista *f* de bob; **~mannschaft** *f* equipo *m* de bob; **~rennen** *n* carrera *f* de bobs.

ˈ**Bock** *m* (*-es*; *⸚e*) (*Ziegen2*) macho *m* cabrío; cabrón *m*; (*Widder*) carnero *m*, morueco *m*; ⊕ (*Gestell*) caballete *m*; (*Hebe2*) cabria *f*; (*Säge2*) burro *m*; (*Sturm2*) ariete *m*; (*Kutscher2*) pescante *m*; *e-n ~ schießen* cometer una torpeza; ponerse en ridículo; tirarse una plancha, F meter la pata; *den ~ zum Gärtner machen* poner al zorro a guardar gallinas, encomendar las ovejas al lobo; **2beinig** F *adj.* obstinado, tozudo, testarudo, F cabezota; **~bier** *n* (*-es*; *0*) cerveza *f* fuerte.

ˈ**Böckchen** *n* cabrito *m*.

ˈ**bock|en** *v/i.* (*Pferd*) corcovear, encabritarse; *fig. Mensch*: mostrarse reacio, hacer de mala gana; (*schmollen*) respingar, F poner hocico *m*; (*stoßen*) topar; **~ig** *adj.* → *bockbeinig*; **2leder** *n* piel *f* de cabra; (*Hirschleder*) ante *m*; **2leiter** *f* escalera *f* doble; **2sbart** *m* (*-es*; *0*) barba *f* cabruna; ♀ salsifí *m* blanco; *bei Menschen*: perilla *f*; **2shorn** *n* (*0*) *fig.*: *j-n ins ~ jagen* intimidar (*od.* amedrentar) a alg.; F meter a alg. en un puño; **2springen** *n* juego *m* del paso; **2sprung** *m* (*-es*; *⸚e*) *Turnen*: salto *m* de potro; *fig. Bocksprünge machen* hacer cabriolas; **2wurst** *f* (*-*; *⸚e*) salchicha *f* alemana.

ˈ**Boden** *m* (*-s*; *⸚*) suelo *m*; (*Erde*) tierra *f*; ⚒ terreno *m*; (*Fuß2*) suelo *m*, piso *m*; (*Grundlage*) base *f*, fundamento *m*; (*Dach2*) desván *m*; (*Heu2*) henil *m*; *e-s Gefäßes, des Meeres*: fondo *m*; *auf deutschem ~* en suelo alemán; *Grund und ~* finca rural; *angeschwemmter ~* aluvión *m*; *doppelter ~* doble fondo; *dem ~ gleichmachen* arrasar; *fester ~* terreno firme (*a. fig.*); *~ fassen* hacer pie; *den ~ unter den Füßen verlieren* perder pie; *fig.* hundirse; *~ gewinnen* (*verlieren*) ganar (perder) terreno; *den ~ vorbereiten* preparar el terreno (*a. fig.*), *fig.* crear ambiente; *j-m den ~ unter den Füßen wegziehen* minar el terreno a alg.; *sich auf den ~ der Tatsachen stellen* situarse en el terreno de la realidad; *auf den od. zu ~ fallen* (*Person*) caer(se) al suelo, dar consigo en el suelo; desplomarse; (*Gegenstand*) caer (venirse) al suelo; dar en tierra; *zu ~ werfen* derribar, dar en tierra con a/c.; *sich zu ~ werfen* arrojarse al suelo; (*demütigend*) postrarse; *der ~ brennt ihm unter den Füßen* tiene que huir antes de que sea tarde; *er bringt uns alle noch unter den ~* éste todavía nos ha de enterrar a todos; *Boxsport*: *zu ~ schicken* derribar.

ˈ**Boden...: ~abstand** *Auto. m* (-es; *0*) distancia *f* del suelo; **~abwehr** ⚔ *f* (*0*) defensa *f* contra aviones (*Abk.* D.C.A.); **~angriff** ✈ *m* (-es; -e) ataque *m* en vuelo rasante; **~art** *f* clase *f* del suelo; **~auswaschung** *f* erosión *f* del terreno; **~belag** *m* (-es; ¨e) revestimiento *m* del suelo; *Straße*: pavimento *m*; **~beschaffenheit** *f* (*0*) naturaleza *f* del terreno; topografía *f*; **~bewegung** *f* △ trabajos *m/pl.* de explanación; *Geol.* movimiento *m* del terreno; **~bö** *f* ráfaga *f* a ras del suelo; **~chemie** *f* (*0*) química *f* agraria; **~decke** *f* capa *f* superior del suelo; ⚘ mantillo *m*; **~erhebung** *f* elevación *f*, eminencia *f*; **~ertrag** *m* (-es; ¨e) producción *f* agrícola; **~falte** *f* pliegue *m* del terreno; **~fenster** *n* claraboya *f*; (*Luke*) lumbrera *f*; **~fläche** *f* superficie *f*; *Zimmer*: suelo *m*; **~fräse** ⚘ *f* fresa *f* agrícola; **~frost** *m* (-es; ¨e) helada *f* superficial; **~geschoß** *n* (-sses; -sse) ático *m*; sotabanco *m*; **~güte** ⚘ *f* calidad *f* del terreno; productividad *f*; **~kammer** *f* (-; -n) buhardilla *f*; (*für Gerümpel*) desván *m*; **~kredit** *m* crédito *m* sobre la propiedad inmobiliaria; **~kreditanstalt** *f* banco *m* de crédito rural *od.* agrícola *od.* inmobiliario; **~kunde** *f* (*0*) edafología *f*; **2los** *adj.* sin fondo; (*tief*) insondable; *fig.* increíble, enorme; **~matte** *f* estera *f*; **~nähe** ✈ *f* altitud *f* cero; **~nebel** *m* neblina *f*; **~personal** ✈ *n* (-s; *0*) personal *m* de servicios; **~platte** *f* placa *f* de fondo; **~reform** *f* reforma *f* agraria; **~rente** *f* renta *f* inmobiliaria; **~satz** *m* (-es; *0*) depósito *m*; posos *m/pl.*, heces *f/pl.*; residuos *m/pl.*; ⚗ sedimento *m*; **~schätze** *m/pl.* riquezas *f/pl.* del subsuelo; **~see** *Geogr.* lago *m* de Constanza; **~senkung** *f* depresión *f* del terreno; **~sicht** ✈ *f* (*0*) visibilidad *f* del suelo; **2ständig** *adj.* aborigen, autóctono, arraigado, *Arg.* criollo; **~streitkräfte** ⚔ *f/pl.* fuerzas *f/pl.* de tierra; **~turnen** *n* ejercicios *m/pl.* (gimnásticos) en el suelo; **~wert** *m* (-es; *0*) valor *m* del terreno.

Bodmeˈrei ⚓ *f* préstamo *m* a la gruesa.

bog *pret. von biegen.*

ˈ**Bogen** *m* (-s; ¨) arco *m* (*a.* ♐, *Geigen- u. Schieß2*); *e-s Flusses*: recodo *m*; △ arco *m*; (*gotischer* ~) arco *m* ojival *od.* gótico; (*romanischer* ~) arco *m* románico; ⊕ (*Krümmung*) curvatura *f*; *Holz*: combadura *f*; *Rohr*: codo *m*; *Skisport*: vuelta *f*, viraje *m*; *Eislauf*: curva *f*, círculo *m*; (*Papier2*) hoja *f*; pliego *m*; (*Aorten2*) *Anat.* cayado *m* de la aorta; *den ~ spannen* tender el arco; *fig. den ~ überspannen* ir demasiado lejos, F estirar demasiado la goma; *e-n großen ~ um j-n machen* rehuir el trato con alg.; F *er hat den ~ raus* F hacer eso es para él coser y cantar; *er flog in hohem ~ hinaus* le echaron con cajas destempladas; **~achter** *m Eislauf*: describir un ocho; **~anleger** *Typ. m* arrimapliegos *m/pl.*; **~brücke** *f* puente *m* de arco(s); **~fenster** *n* ventana *f* arqueada; **2förmig** *adj.* arqueado; (*gewölbt*) abovedado; **~führung** *f* ♪ arqueada *f*; **~gang** △ *m* (-es; ¨e) arcada *f*; soportal *m*; *Anat.* conducto *m* semicircular; **~gewölbe** △ *n* bóveda *f* de arco; **~lampe** *f* lámpara *f* de arco voltaico; **~licht** ⚡ *n* (-es; -er) luz *f* de arco voltaico; **~linie** *f* curva *f*, línea *f* circular; **~pfeiler** △ *m* arbotante *m*; **~säge** *f* sierra *f* de arco; **~schießen** *n* tiro *m* de arco; **~schütze** *m* (-n) arquero *m*; **~sehne** *f* cuerda *f* de arco (*a.* ♐); **~strich** ♪ *m* (-es; -e) arqueada *f*, golpe *m* de arco; **~zirkel** *m* compás *m* de cuadrante.

ˈ**Bohle** *f* tabla *f*; (*stärker*) tablón *m*; **2n** *v/t.* entarimar; entablar; **~nbelag** *m* (-es; ¨e) entarimado *m* de tablones; **~nsäge** *f* sierra *f* para tablones.

ˈ**Böhm|e** *m* (-n), **~in** *f* bohemio (-a *f*) *m*; **2isch** *adj.* bohemio; *das sind mir ~e Dörfer* esto para mí es un galimatías; **~en** *n* Bohemia *f*.

ˈ**Bohne** *f* judía *f*, alubia *f*; *Am.* poroto *m*; *weiße ~n* judías blancas; *grüne ~n* judías verdes; (*Sau2*) haba *f*; *Kaffee in ~n* café en grano; *fig. blaue ~n* bala de fusil; *keine ~ wert* F no vale un pitoche; *nicht die ~!* ¡absolutamente nada!, F ¡ni pizca!; **~nkaffee** *m* (-s; -s) café *m* (*auténtico*), F café café; **~nstange** *f*, **~nstecken** *m* rodrigón *m*; *fig. sie ist die reinste Bohnenstange* es alta como un varal; **~nstroh** *n* (-s; *0*) paja *f* de habas; F *fig. dumm wie ~* más tonto que hecho de encargo.

ˈ**Bohner** *m* encerador *m*; **~bürste** *f* cepillo *m* para lustrar pisos; **~maschine** *f* enceradora *f*; **2n** *v/t.* encerar; dar cera; **~wachs** *n* (-es; -e) cera *f* para pisos.

ˈ**Bohr|arbeiten** ⊕ *f/pl.* trabajos *m/pl.* de taladrado; ⚒ trabajos *m/pl.* de perforación *od.* sondeo; **~automat** *m* (-en) taladradora *f* (*od.* perforadora *f*) automática; **~bank** *f* (-; ¨e) torno *m* vertical; **2en** *v/t.* horadar, agujerear; ⊕ (*aufbohren*) taladrar; (*ausbohren*) alisar; (*durchbohren*) perforar; *Stein, Holz*: barrenar; *Brunnen, Tunnel*: perforar; *nach Öl ~* hacer prospecciones; ⚓ *in den Grund ~* hundir, echar a pique; *in der Nase ~* hurgarse la nariz; *Chir.* trepanar; **~er** ⊕ *m* broca *f*, taladro *m*; (*Brust2*) berbiquí *m*; (*Stecheisen*) punzón *m*; ⚒ barrena *f* (*a. Holz2*); *Chir.* trépano *m*; *Zahnarzt*: broca *f*; (*Arbeiter*) taladrador *m*, perforador *m*; **~erspitze** *f* punta *f* de la broca; **~ladung** *f* carga *f* explosiva; **~loch** ⚒ *n* (-es; ¨er) (*Bohrung*) agujero *m* de perforación; ⚒ (*Sprengloch*) agujero *m* del barreno; **~maschine** *f* máquina *f* taladradora; máquina *f* perforadora; (*Holz, Stein*) barrenadora *f*; (*Zahnarzt*) torno *m* dental; **~turm** *m* (-es; ¨e) castillete *m* de sondeo; pozo *m*; **~ung** *f* perforación *f*; (*Bohrloch*) (agujero *m* del) taladro *m*; *Chir.* trepanación *f*; (*Kaliber*) calibre *m*; *Auto.* (*Zylinder2*) diámetro *m* interior; **~wurm** *m* (-es; ¨er) carcoma *f*.

ˈ**bö-ig** *adj. Wind*: a ráfagas; *Wetter*: chubascoso.

ˈ**Boiler** *m* termosifón *m*.

ˈ**Boje** *f* boya *f*, baliza *f*.

Boliviˈan|er(in *f*) *m* boliviano *m* (-a *f*); **2isch** *adj.* boliviano.

Boˈlivien *n* Bolivia *f*.

ˈ**Böller** *m* morterete *m*.

Bollwerk *n* (-es; -e) ⚔ bastión *m*, baluarte *m* (*a. fig.*); ⚓ muelle *m* (*de madera*).

Bolscheˈwis|mus *m* (-; *0*) bolchevismo *m*; **~t(in** *f*) *m* (-en) bolchevique *m/f*; **2tisch** *adj.* bolchevique.

ˈ**Bolzen** *m* (*Pfeil*) dardo *m*, saeta *f*; ⊕ perno *m*; espiga *f*; (*Stift*) clavija *f*; (*Drehzapfen*) pivote *m*; (*Schrauben2*) perno *m* roscado; (*Schlag2*) percutor *m*; **2gerade** *adj.* derecho como un huso.

Bombardeˈment *n* (-s; -s) bombardeo *m* (*a. Phys.*); *Artillerie*: *a.* cañoneo *m*.

bombarˈdieren (-) *v/t.* bombardear (*a. fig. u. Phys.*); *Artillerie*: *a.* cañonear.

Bomˈbast *m* (-es; -e) ampulosidad *f*, redundancia *f*; hinchazón *f*; **2isch** *adj.* ampuloso, redundante; hinchado; enfático, campanudo, rimbombante.

ˈ**Bombe** *f* bomba *f*; (*Zeit2*) máquina *f* infernal; ⚔ bomba *f* con espoleta retardada; *~n abwerfen* lanzar bombas (*auf* sobre); *mit ~n belegen* bombardear; *fig. es schlug wie eine ~ ein* cayó como una bomba; *Fußball*: cañonazo *m*, F chupinazo *m*.

ˈ**Bomben...: ~abwurf** *m* (-es; ¨e) lanzamiento *m* de bombas; **~abwurfvorrichtung** *f* dispositivo *m* lanzabombas; **~angriff** *m* (-es; -e) bombardeo *m* aéreo; **~attentat** *n* (-es; -e) atentado *m* con bomba; **~attentäter** *m* terrorista *m*; **2beschädigt** *adj.* dañado por bombardeo; **~erfolg** *m* (-es; -e) éxito *m* ruidoso, F exitazo *m*; **~flugzeug** *n* (-es; -e) avión *m* de bombardeo; → *Bomber*; **~geschädigte(r** *m*) *m/f* damnificado (-a *f*) *m* por el bombardeo; **~gehalt** *n* (-es; ¨er) sueldo *m* fabuloso, F sueldazo *m*; **~geschäft** F *n* (-es; -e) negocio *m* redondo; **~geschwader** *n* escuadrilla *f* de bombardeo; **~schaden** *m* (-s; ¨) daños *m/pl.* causados por bombardeo; **~schütze** *m* (-n) bombardero *m*; **2sicher** *adj.* a prueba de bomba; **~splitter** *m* casco *m* de metralla; **~trichter** *m* cráter *m*; (*kleiner*) embudo *m*; **~wurf** *m* (-es; ¨e) lanzamiento *m* de bombas; *gezielter ~* bombardeo de precisión; **~zielgerät** *n* (-es; -e) dispositivo *m* visor para el lanzamiento de bombas.

ˈ**Bomber** ✈ *m* avión *m* de bombardeo, bombardero *m*; *leichter* (*mittlerer, schwerer*) ~ avión ligero (mediano, pesado) de bombardeo; **~verband** *m* (-es; ¨e) formación *f* de bombarderos.

Bon [bɔŋ] ⚓ *m* (-s; -s) bono *m*; (*Gutschein*) vale *m*.

Bonˈbon [bɔŋˈbɔŋ] *m* (-s; -s) bombón *m*.

Bonbonniˈere *f* bombonera *f*.

Bonifikatiˈon ⚓ *f* (*Vergütung*) bonificación *f*.

Boniˈtät *f* ⚓ *finanzielle*: solvencia *f*, crédito *m*; (*Warengüte*) calidad *f* (excelente); ⚘ (*Bodenergiebigkeit*) productividad *f*; (*Sicherheit*) seguridad *f*, garantía *f*; (*Wert*) valor *m* intrínseco.

'**Bonus** *m* (- *od.* -*ses*; -*se*) gratificación *f*; ✝ bono *m*; (*außerordentliche Dividende*) dividendo *m* complementario.

'**Bonze** *m* (-*n*) bonzo *m*; *bsd. Pol.* jerarca *m* (de partido) político; cacique *m*, P mandamás *m*, jefazo *m*.

Boot *n* (-*es*; -*e*) (*Kahn*) bote *m*; (*großes* ~) lancha *f*; (*Barke*) barcaza *f*; (*Schiff*) barco *m*; (*Motor*2) gasolinera *f*; lancha *f* motora; (*Dampf*2) vapor *m*; (*Falt*2) bote *m* plegable; *ein* ~ *aussetzen* botar al agua una lancha.

'**Boots...**: ~**bau** *m* (-*es*; *0*) construcción *f* de barcos; ~**besatzung** *f* tripulación *f*; ~**führer** *m* botero *m*; barquero *m*; patrón *m*; (*Sport*) timonel *m*; ~**haken** *m* bichero *m*; ~**haus** *n* (-*es*; ⸗*er*) casa *f* guardabotes; ~**leine** *f* calabrote *m* de remolque; ~**mann** *m* (-*es*; -*leute*) *auf Kriegs- und Handelsschiffen*: suboficial *m*; ~**motor** *m* (-*s*; -*en*) motor *m* marino; ~**steg** *m* (-*es*; -*e*) (des)embarcadero *m*; ~**werft** *f* astilleros *m/pl*.

Bor ⚗ *n* (-*s*; *0*) boro *m*.

'**Borax** ⚗ *m* (-*es*; *0*) bórax *m*; ~**säure** *f* ácido *m* bórico.

'**Bord** *m* (-*es*; -*e*) (*Rand*) borde *m*; ⚓, ✈ bordo *m*; (*Bordwand*) ⚓ borda *f*; (*Bücher*2) estante *m*; *an* ~ a bordo; ✝ *frei an* ~ franco a bordo (*Abk.* FOB); *an* ~ *bringen* llevar a bordo, acompañar a alg. a embarcarse; *an* ~ *gehen* ir a bordo, embarcarse; *an* ~ *nehmen* tomar a bordo, embarcar; ~ *an* ~ costado a costado; *über* ~ *werfen* arrojar por la borda (*a. fig.*); *Mann über* ~! ¡hombre al agua!; ~**buch** ⚓ *n* (-*es*; ⸗*er*) cuaderno *m* de bitácora.

Bor'dell *n* (-*s*; -*e*) burdel *m*, lupanar *m*, casa *f* pública, prostíbulo *m*, V casa *f* de putas; *Arg.* quilombo *m*.

'**bördel|n** (-*le*) ⊕ *v/t.* rebordear; 2**maschine** *f* máquina *f* rebordeadora; 2**presse** *f* prensa *f* de rebordear; 2**rand** *m* (-*es*; ⸗*er*) (re)borde *m*.

'**Bord...**: ~**flugzeug** *n* (-*es*; -*e*) avión *m* de a bordo; ~**funker** ⚓, ✈ *m* radiotelegrafista *m*; ~**karte** *f* (*Flugzeug*) tarjeta *f* de embarque; ~**monteur** ✈ *m* (-*s*; -*e*) mecánico *m* de aviación; ~**personal** *n* (-*s*; *0*) tripulación *f*; ~**radar** ✈ *n* (-*s*; *0*) equipo *m* de radar de a bordo; ~**schwelle** *f*, ~**stein** *m* (-*es*; -*e*) encintado *m*; ~**steinfühler** *Auto. m* salvabordillo *m*.

Bor'düre *f* orla *f*, cenefa *f*; bordado *m*.

'**Bord...**: ~**verständigungsanlage** ✈ *f* sistema *m* de intercomunicación; ~**waffen** *f/pl.* armamento *m* (*de un avión*); ~**wand** ⚓ *f* (-; ⸗*e*) costado *m*.

'**Borg** *m* (-*es*; *0*) préstamo *m*; crédito *m*; *auf* ~ a crédito, al fiado; 2**en** *v/t.* (*ausleihen*) prestar; (*entleihen*) tomar prestado; ~**er**(**in** *f*) *m* (*Verleiher*) prestador(a *f*) *m*; (*Entleiher*) prestatario (-a *f*) *m*.

'**Bork|e** *f* corteza *f*; (*Kruste*) costra *f*; ⚕ (*Schorf*) escara *f*; 2**ig** *adj.* costroso.

Born *Poes. m* (-*es*; -*e*) fuente *f*, manantial *m*; pozo *m* (*fig.* des Wissens de ciencia).

bor'niert *adj. fig.* torpe, corto de alcances, limitado; F cerrado de mollera; 2**heit** *f* (*0*) torpeza *f*, estrechez *f* mental, memez *f*.

'**Bor...**: ~**salbe** *f* (*0*) pomada *f* boricada; ~**säure** *f* (*0*) ácido *m* bórico.

'**Börse** *f* (*Geldbeutel*) bolsa *f*; ✝ Bolsa *f* (de Comercio); *an der* ~ *zugelassene Wertpapiere* valores admitidos a cotización en Bolsa; *an der* ~ *gehandelt werden* cotizarse en Bolsa.

'**Börsen...**: ~**bericht** *m* (-*es*; -*e*) Boletín *m* de la Bolsa; *in der Zeitung*: información *f* bursátil; ~**blatt** *n* (-*es*; ⸗*er*) periódico *m* de información financiera; 2**fähig** *adj.* cotizable en Bolsa; (*lieferbar*) negociable; 2**gängig** *adj.* negociable en Bolsa; ~**geschäft** *n* (-*es*; -*e*) operación *f* bursátil *od.* de Bolsa; ~**kurs** *m* (-*es*; -*e*) cotización *f* de Bolsa; ~**makler** *m* Agente *m* de Cambio y Bolsa, corredor *m* de Bolsa; ~**manöver** *n* maniobra *f* bursátil; 2**mäßig** *adj.* bursátil; ~**notierung** *f* cotización *f* oficial en Bolsa; ~**ordnung** *f* (*0*) reglamento *m* de la Bolsa; ~**papiere** *n/pl.* valores *m/pl.* bursátiles *od.* admitidos en Bolsa; ~**preis** *m* (-*es*; -*e*) → Börsenkurs; ~**schluß** *m* (-*sses*; ⸗*sse*) cierre *m* de la Bolsa; ~**spekulant** *m* (-*en*) especulador *m* de Bolsa; agiotista *m*; ~**termingeschäft** *n* (-*es*; -*e*) operación *f* bursátil a plazo; ~**vorstand** *m* (-*es*; ⸗*e*) Junta *f* Sindical; ~**zeitung** *f* periódico *m bzw.* revista *f* financiero(-a); ~**zettel** *m* listín *m* de Bolsa; ~**zulassung** *f von Effekten*: admisión *f* a cotización oficial en Bolsa.

'**Borst|e** *f* (*Schweins*2) cerda *f*; (*Pferde*2) crin *f*, ce(r)da *f*; ⚘ cerda *f*, seta *f*; 2**enartig** *adj.* cerdoso, ⚘ setáceo; setiforme; ~**enbesen** *m* escoba *f* de cerdas; ~**enpinsel** *m* brocha *f* de cerdas; ~**envieh** *n* (-*es*; *0*) ganado *m* de cerda; 2**ig** *adj.* cerdoso; erizado, hirsuto; F *fig.* arisco.

'**Borte** *f* (*Besatz*) ribete *m*; (*Tresse*) galón *m*; (*Franse*) franja *f*.

'**bös** *adj.* → böse; ~**artig** *adj.* malo; (*hinterhältig*) malicioso; ⚕ (*Geschwür*) maligno; (*giftig*) venenoso; 2**artigkeit** *f* (*0*) maldad *f*; malevolencia *f*; malicia *f*; ⚕ malignidad *f*.

'**Böschung** *f* (*Schräge*) talud *m*; (*Abhang*) pendiente *f*; *e-s Grabens*: declive *m*; ⚔ explanada *f*; (*äußere* ~) escarpa *f*; (*innere* ~) *e-r Festung*: contraescarpa *f*; ~**swinkel** *m* ángulo *m* de inclinación del talud.

'**böse** *adj. allg.* malo; *adv.* mal, malamente; (*verrucht*) malvado, perverso; (*böswillig*) malévolo; (*schädlich*) dañoso, perjudicial, malo; (*unartig*) *Kind*: malo, travieso; malcriado; (*zornig*) enojado, irritado; (*ärgerlich*) enfadado, disgustado (*auf ac.* con); *Krankheit*: pernicioso, maligno; ~ *Erkältung* un resfriado muy fuerte; ~*r Fehler* un grave error; una grave falta; ~ *Folgen* malas consecuencias; e-e ~ *Sache* un mal asunto; ~ *Nachrichten* malas noticias; ~ *Zeiten* tiempos duros; → *Blick, Blut, Geist usw.*; *es sieht* ~ *aus* la cosa presenta mal cariz, esto tiene mal aspecto; *er ist* ~ *dran* está en mala situación; *sind Sie mir* ~? ¿está usted enfadado *od.* disgustado conmigo?; *sei mir nicht* ~, *wenn* no me tomes a mal que; *ich habe es nicht* ~ *gemeint* no tenía intención de disgustarle, no quería ofenderle; ~ *ausgehen* acabar mal; ~ *werden* enojarse, enfadarse, disgustarse; ~ *sein* estar enojado *od.* enfadado *od.* disgustado (*auf j-n, mit j-m* con alg.); 2(**r**) *m*: *der* ~ el diablo, el demonio, Satanás, el (espíritu) maligno, el ángel malo; *die* ~*n* los malos; 2(**s**) *n* lo malo; el mal; ~*s tun* hacer mal; *j-m et.* ~*s antun* causar daño (hacer mal) a alg.; ~*s ahnen* tener un mal presentimiento; ~*s im Sinne haben* tener malas intenciones; ~*s reden über* hablar mal de; ~*s mit Gutem vergelten* devolver bien por mal; 2**wicht** *m* (-*es*; -*e*) bellaco *m*, bribón *m*; *stärker*: malvado *m*, desalmado *m*, miserable *m*.

bos|haft *adj.* malo; maligno, avieso; malicioso; 2**haftigkeit** *f*, 2**heit** *f* malicia *f*; maldad *f*; *aus* ~ por malicia; P con coña; *mit konstanter* ~ F *hum.* sin cesar; reiteradamente.

'**Bosn|ien** *n* Bosnia *f*; ~**ier**(**in** *f*) *m*, 2**isch** *adj.* bosnio (-a *f*) *m*, bosníaco (-a *f*) *m*.

bos'sieren (-) ⊕ *v/t.* repujar; modelar.

'**böswillig I.** *adj.* malévolo; malintencionado; ~*e Absicht* mala intención; ~*es Verlassen* (*von Ehegatten*) ⚖ abandono malicioso; **II.** *adv.* malévolamente; 2**keit** *f* malicia *f*; mala intención *f*; malevolencia *f*, malquerencia *f*, mala voluntad *f*.

bot *pret. von bieten.*

Bo'tan|ik *f* (*0*) botánica *f*; ~**iker** *m*, 2**isch** *adj.* botánico *m*.

botani'sier|en (-) *v/t.* herborizar; 2**trommel** *f* (-; -*n*) caja *f* de herborista.

'**Bote** *m* (-*n*) mensajero *m*; propio *m*; (*Laufbursche*) mandadero *m*; botones *m*; (*Dienstmann*) recadero *m*; (*ländlicher* ~) ordinario *m*, cosario *m*; (*geheimer* ~) emisario *m*; (*Kurier*) correo *m*; (*Amts*2) ordenanza *m*; *fig.* (*Send*2) enviado *m*; apóstol *m*; (*Vor*2) heraldo *m*; ~**ngang** *m* (-*es*; ⸗*e*): e-n ~ *tun* llevar un recado; ~**nlohn** *m* (-*es*; ⸗*e*) (*Trinkgeld*) propina *f*; ~**nzustellung** *f* entrega *f* por mensajero *od.* recadero.

'**botmäßig** *adj.* (*untertänig*) súbdito; (*tributpflichtig*) tributario; 2**keit** *f* dominio *m*; señorío *m*; *unter s-e* ~ *bringen* someter, avasallar.

'**Botschaft** *f* mensaje *m*; (*Nachricht*) noticia *f*; *frohe* ~ buena noticia; *Rel. die frohe* ~ el Evangelio; (*Kunde*) aviso *m*; (*Auftrag*) recado *m*; misión *f*; (*Amt*) embajada *f*; e-e ~ *übermitteln* entregar un mensaje; ~**er**(**in** *f*) *m* embajador(a *f*) *m*; ~**srat** *m* (-*es*; ⸗*e*) consejero *m* de embajada.

'**Böttcher** *m* tonelero *m*, barrilero *m*; cubero *m*.

Böttche'rei *f* tonelería *f*.

ˈ**Bottich** *m* (*-s; -e*) cuba *f*, tina *f*.
Bouilˈlon [bulˈjɔŋ] *f* (*-; -s*) caldo *m*; **~würfel** *m* cubito *m* de caldo.
ˈ**Bowdenzug** ⊕ *m* (*-ɇs; ¨e*) cable *m* Bowden.
ˈ**Bowle** *f* (*Gefäß*) ponchera *f*; *neol.* bol *m*; (*Getränk*) ponche *m*; *etwa*: sangría *f*.
Box *f im Pferdestall*: *angl.* box *f*; *für Rennwagen*: jaula *f*.
ˈ**boxen** *v/i.* boxear; 2 *n* boxeo *m*, pugilato *m*.
ˈ**Boxer** *m* boxeador *m*, púgil *m*; (*Hund*) perro *m* dogo.
ˈ**Box...**: **~handschuh** *m* (*-s; -e*) guante *m* de boxeo; **~kampf** *m* (*-ɇs; ¨e*) (combate *m* de) boxeo *m*; **~länderkampf** *m* (*-ɇs; ¨e*) competición *f* internacional de boxeo; **~ring** *m* (*-ɇs; -e*) *angl.* ring *m*; **~sport** *m* (*-ɇs; 0*) boxeo *m*.
Boyˈkott [bɔy-] *m* (*-s; -s*) boicot(eo) *m*.
boykotˈtieren (-) *v/t.* boicotear.
brach[1] *pret. von brechen.*
ˈ**brach**[2] ⚒ *adj.* baldío (*a. fig.*), incultivado; yermo; ~ *liegen* estar yermo *bzw.* de barbecho; *fig.* estar ocioso; ~ *liegen lassen* ⚒ dejar baldío *bzw.* en barbecho; *fig.* descuidar, abandonar, dejar improductiva a/c.; 2**acker** *m* (*-s; ¨*), **~feld** *n* (*-ɇs; -er*) barbecho *m*; terreno *m* baldío; 2**e** *f* barbecho *m*; roturación *f*; **~en** *v/t. brach liegen lassen*: (*völlig*) yermar; (*zeitweilig*) barbechar; (*urbar machen*) roturar.
Brachiˈalgewalt [bʀaˈxĭ-] *f* fuerza *f* bruta; *mit* ~ a viva fuerza.
ˈ**Brach...**: **~land** *n* (*-ɇs; 0*) erial *m*, terreno *m* baldío, barbecho *m*; **~monat** *m* (*-s; -e*) junio *m*; **~vogel** *m* (*-s; ¨*) chorlito *m*.
ˈ**brachte** *pret. von bringen.*
ˈ**Bracke** *m* (*-n*) perro *m* braco.
ˈ**brack|ig** *adj.* salobre(ño); 2**wasser** *n* agua *f* salobre.
Brahˈman|e *m* (*-n*) brahmán *m*; 2**isch** *adj.* brahmánico; **~entum** *n* (*-s; 0*) brahmanismo *m*.
ˈ**Bramsegel** ⚓ *n* juanete *m*.
ˈ**Branche** [ˈbʀɑ̃ʒə] ✝ *f* ramo *m*; **~nkenntnis** *f* (*-; -se*) conocimiento *m* del ramo; 2(**n**)**kundig** *adj.* experto en el (*od.* conocedor del) ramo; 2**n-üblich** *adj.* usual en el ramo; **~nverzeichnis** *n* (*-ses; -se*) *Telephonbuch*: índice *m* comercial.
ˈ**Brand** *m* (*-ɇs; ¨e*) (*Verbrennen*) combustión *f*; (*Abbrennen*) quema *f*; (*Feuersbrunst*) fuego *m*, incendio *m*; conflagración *f* (*a. fig.*); (*Flamme*) llama(rada) *f*; *Ziegel, Keramik*: cochura *f*; ⚕ (*Gangrän*) gangrena *f*; *Chirurgie*: cauterización *f*; ⚘, ⚒ tizón *m*; (*Hitze*) calor *m*; (*Durst*) sed *f* abrasadora *od.* ardiente; (*Leidenschaft*) ardor *m*; *in* ~ en llamas; *in* ~ *geraten* inflamarse, incendiarse; et. *in* ~ *stecken* pegar fuego a; (*Haus*) *a.* incendiar; (*entzünden*) encender, inflamar; *Zigarette usw.*: encender; **~bekämpfung** *f* (*trabajos de*) extinción *f* de un incendio; **~binde** ⚕ *f* venda *f* de bismuto para quemaduras; **~blase** *f* ampolla *f*, ⚕ flictena *f*; **~bombe** *f* bomba *f* incendiaria; **~brief** *m* (*-ɇs; -e*) carta *f* apremiante pidiendo ayuda; **~direktor** *m* (*-s; -en*) jefe *m* de bomberos; 2**en** *v/i.* (*Wellen*) romper contra; **~er** ⚓ *m* brulote *m*; **~fackel** *f* (*-; -n*) tea *f* incendiaria; **~fäule** ⚒ *f* (*0*) (*des Getreides*) roya *f*; 2**fest** *adj.* resistente al fuego; **~flasche** ⚔ *f* coctel *m* Molotof; botella *f* incendiaria; **~fleck**(**en**) *m* quemadura *f*; ⚕ placa *f* gangrenosa; **~fuchs** *m* (*-es; ¨e*) (*Pferd*) alazán *m* tostado; **~geruch** *m* (*-s; 0*) olor *m* a quemado *od.* chamuscado; **~geschwür** ⚕ *n* (*-ɇs; -e*) ántrax *m*; **~gold** *n* (*-ɇs; 0*) oro *m* refinado; **~granate** *f* granada *f* incendiaria; 2**ig** *adj.* ⚘, ⚒ atizonado; herrumbroso; ⚕ gangrenoso; ~ *riechen* (*schmecken*) oler (saber) a quemado; **~kasse** *f* caja *f* de seguros contra incendio; **~mal** *n* (*-ɇs; -e*) marca *f* de fuego; *fig.* estigma *m*, sambenito *m*; **~maleˈrei** *f* pirograbado *m*; 2**marken** *v/t.* marcar a fuego, marcar con hierro candente; *fig.* estigmatizar; denunciar públicamente; **~markung** *f fig.* estigma *m*, oprobio *m*; **~mauer** *f* (*-; -n*) muro *m* cortafuegos; muro *m* refractario; **~meister** *m* → *Branddirektor*; **~opfer** *n* holocausto *m*; **~rede** *f* discurso *m* inflamado *od.* incendiario; catilinaria *f*, filípica *f*; **~salbe** ⚕ *f* pomada *f* de acetato de plomo; **~schaden** *m* (*-s; ¨*) daño *m* causado por un incendio; 2**schatzen** (*-t*) *v/t.* imponer tributo *m* de guerra; (*plündern*) saquear, pillar; **~schatzung** *f* tributo *m* de guerra; saqueo *m*, pillaje *m*; **~schiefer** *m* pizarra *f* bituminosa; **~schiff** *n* (*-ɇs; -e*) → *Brander*; **~sohle** *f* plantilla *f*; **~stätte** *f*, **~stelle** *f* lugar *m* del incendio; **~stifter**(**in** *f*) *m* incendiario (-a *f*) *m*; **~stiftung** *f* incendio *m* intencionado.
ˈ**Brandung** *f* rompiente *m* del mar; embate *m* de las olas; (*Dünung*) resaca *f*; **~sboot** *n* (*-ɇs; -e*) bote *m* de salvamento; **~swelle** *f* golpe *m* de mar, embate *m*.
ˈ**Brand...**: **~wache** *f* retén *m* de bomberos; **~wunde** *f* quemadura *f*; **~zeichen** *n* marca *f* (*de hierro candente*), hierro *m*.
ˈ**brannte** *pret. von brennen.*
ˈ**Branntwein** *m* (*-ɇs; -e*) aguardiente *m*; *von Wacholder*: ginebra *f*; ~ *brennen* destilar aguardiente; **~blase** *f* alambique *m*; **~brenner** *m* destilador *m*; **~brenneˈrei** *f* destilería *f* de aguardientes.
Brasil|iˈaner(**in** *f*) *m*, 2**iˈanisch** *adj.* brasileño (-a *f*) *m*, brasilero (-a *f*) *m*; **braˈsilisch** *adj.* brasileño, brasilero.
Braˈsilien *n* Brasil *m*.
ˈ**Brasse** ⚓ *f* braza *f*; 2**n** (*-ßt*) *v/t.* bracear.
ˈ**Brasse**(**n**) *Ict. m* sargo *m*; dorada *f*.
ˈ**Brat-apfel** *m* (*-s; ¨*) manzana *f* asada; (*zum Braten*) manzana *f* asadera.
ˈ**braten** (*L*) *v/t.* asar; *in der Pfanne*: freír; (*rösten*) tostar; (*braun* ~) dorar; *im Ofen* ~ asar al horno; *auf dem Rost* ~ asar a la parrilla; *Ochsen am Spieß gebraten Arg.* asado con cuero; *wenig* (*stark*) *gebraten* (*Filet*) poco (muy) pasado; *in Butter* (*Öl*) ~ freír con mantequilla (aceite).
ˈ**Braten** *m* asado *m*, carne *f* asada; *Gänse*2 ganso asado; *Kalbs*2 ternera asada, asado de ternera; *fig. fetter* ~ negocio redondo; *den* ~ *riechen* oler la tostada; **~fett** *n* grasa *f* del asado; **~schüssel** *f* (*-; -n*) fuente *f* de *bzw.* para el asado; **~wender** *m* asador *m*.
ˈ**Brat...**: **~fisch** *m* (*-ɇs; -e*) pescado *m* frito; **~hering** *m* (*-s; -e*) arenque *m* asado; arenque *m* en salmuera; **~huhn** *n* (*-s; ¨er*) pollo *m* asado; **~kartoffeln** *f/pl.* patatas *f/pl.* salteadas; **~ofen** *m* (*-s; ¨*) horno *m* (de asar); **~pfanne** *f* sartén *f*; **~röhre** *f* → *Bratofen*; **~rost** *m* (*-ɇs; -e*) parrilla *f*.
ˈ**Bratsche** ♪ *f* viola *f*; **~r** *m* viola *m*.
ˈ**Brat...**: **~spieß** *m* (*-es; -e*) asador *m*; **~wurst** *f* (*-; ¨e*) salchicha *f* (para asar *bzw.* freír); salchicha *f* asada *bzw.* frita.
Bräu *n* (*-ɇs; -s, -e*) (*Bier*) cerveza *f*; (*~haus*) cervecería *f*; *Münchener* ~ cerveza de Munich.
ˈ**Braubottich** *m* (*-s; -e*) cuba *f* cervecera.
Brauch *m* (*-ɇs; ¨e*) uso *m*; (*Sitte*) costumbre *f*; (*Gewohnheit*) *a.* hábito *m*; (*Übung*) práctica *f*; (*Landes*2) usanza *f* del país; (*herkömmlicher* ~) tradición *f*; ~ *sein* ser costumbre.
ˈ**brauchbar** *adj.* útil; (*geeignet*) apropiado; apto, idóneo; a propósito *od.* bueno para; (*verwendbar*) aprovechable, utilizable; 2**keit** *f* (*0*) utilidad *f*; aptitud *f*; capacidad *f*.
ˈ**brauchen** *v/t.* (*nötig haben*) necesitar; (*erfordern*) requerir, *bsd. Zeit*: llevar, tardar; (*verwenden*) emplear, usar; utilizar, aprovechar; → *gebrauchen, verbrauchen*; *wozu brauchst du einen Schirm?* ¿para qué quieres un paraguas?; *wir brauchen es nicht mehr* ya no lo necesitamos, ya no nos hace falta; *was braucht es so viele Erklärungen?* ¿a qué tantas explicaciones?; *sie braucht es nicht zu wissen* no hace falta que lo sepa; *wieviel Zeit braucht man, um zu?* ¿cuánto tiempo se necesita para (*od.* se tarda en)?; *das braucht viel Zeit* esto requiere (lleva) mucho tiempo; *man braucht nur den Knopf zu drücken* basta (no hay más que) oprimir el botón; *du brauchst dich nicht zu beunruhigen* no hay motivo para que te alarmes; *du brauchst es mir nicht zu sagen* no necesitas decírmelo, no hace falta que me lo digas; *er brauchte nicht zu kommen* no necesitaba venir; no hacía falta que viniera; *er hätte nicht zu kommen* ~ no hubiera necesitado venir.
ˈ**Brauchtum** *n* (*-ɇs; ¨er*) usos *m/pl.* y costumbres; costumbres *f/pl.* típicas, folklore *m*.
ˈ**Braue** *f* ceja *f*.
ˈ**brau|en 1.** *v/t.* fabricar cerveza *f*; (*zubereiten*) *Kaffee, Tee usw.*: hacer; **2.** *v/i. Unheil, Sturm usw.*: amenazar, estar forjándose; 2**er** *m* cervecero *m*; fabricante *m* de cerveza; 2**eˈrei** *f* fábrica *f* de cerveza; cervecería *f*; 2**geselle** *m* (*-n*) oficial *m* cervecero; 2**haus** *n* (*-es; ¨er*) → *Brauerei*; 2**kessel** *m* caldera *f* cervecera; 2**malz** *n* (*-es; 0*) malta *f* de cervecería; 2**meister** *m* maestro *m* cervecero.

ˈ**braun** *adj.* pardo; *Haar*: castaño; *Haut*: moreno; *Stoff, Schuhe*: castaño, *gal.* marrón; *von der Sonne*: tostado, atezado; ~e *Butter* manteca derretida; ~es *Mädchen* (muchacha) morena; ~es *Pferd* (*hell*~) bayo; (*dunkel*~) zaíno; ~ *braten* dorar el asado; ~ *werden von der Sonne*: ponerse moreno, tostarse; 2(**e**) *n* color *m* pardo *bzw.* castaño *od.* café; *gal.* color *m* marrón; ~**äugig** *adj.* de ojos pardos; 2**bär** *m* (*-en*) oso *m* pardo; 2**bier** *n* (*-es; 0*) cerveza *f* oscura; 2**e(r)** *m* caballo *m* bayo *bzw.* zaíno.

ˈ**Bräune** *f* (*0*) (*Teint*) tez *f* morena, piel *f* tostada *od.* bronceada.

ˈ**Braun-eisen|erz** *n* (*-es; -e*), ~**stein** *m* (*-es; 0*) *Min.* hematites *f* parda, limonita *f*.

ˈ**bräunen 1.** *v/i. u. v/refl.* (*Haut*) ponerse moreno, atezarse; (*Braten*) dorarse; **2.** *v/t.* oscurecer, ennegrecer; (*Haut*) tostar, atezar, curtir; (*Kochkunst*) tostar; dorar; (*Zucker*) caramelizar.

ˈ**braun...:** ~**gelb** *adj.* pardo amarillento; (*Teint*) trigueño; (*Fell*) leonado; ~**haarig** *adj.* de pelo castaño; 2**holz** *n* (*-es; ⸗er*) palo *m* del Brasil; 2**kohle** *f* lignito *m*.

ˈ**bräunlich** *adj.* parduzco, pardusco; (*Teint*) trigueño.

ˈ**Braunsche Röhre** ⊕ *f* tubo *m* de rayos catódicos.

ˈ**Braunschweig** *n* Brunswick *m*.

ˈ**Braunstein** *Min. m* pirolusita *f*; peróxido *m* de manganeso.

ˈ**Brause** *f* ducha *f*; (*Gießkannen*2) roseta *f*, boca *f* de regadera; ⚗ efervescencia *f*; ~**bad** *n* (*-es; ⸗er*) ducha *f*; ~**kabine** *f* cuarto *m* de duchas; ~**kopf** ⊕ *m* (*-es; ⸗e*) boca *f* de regadera; *fig.* *ein* ~ *sein* (*leicht reizbar*) tener mal genio, F ser un cascarrabias; ~**limonade** *f* limonada *f* efervescente; gaseosa *f*; ~**rohr** *n* (*-es; -e*) regadera *f* tubular.

ˈ**brausen** (*-t*) **1.** *v/i. Sturm, Meer*: bramar, rugir; *Wind*: soplar (*con violencia*); ⚗ entrar en efervescencia *f*; (*aufwallen*) hervir; (*schäumen*) espumar; (*gären*) fermentar; (*dröhnen*) retumbar; zumbar; (*sich* ~) ducharse; **2.** *v/t.* rociar, regar a chorro; *die Ohren* ~ *mir* me zumban los oídos; 2 *n* soplo *m*; bramido *m*, rugido *m*; zumbido *m*; ⚗ efervescencia *f*; ~**d** *adj.* rugiente, embravecido; ⚗ efervescente; *fig.* impetuoso; arrebatado; vehemente; ~*er Beifall* atronadores aplausos.

ˈ**Brause...:** ~**salz** *n* (*-es; -e*) sal *f* efervescente; ~**würfel** *m* tableta *f* efervescente.

ˈ**Braut** *f* (*-; ⸗e*) novia *f*; (*Verlobte*) prometida *f*, F futura *f*; *am Hochzeitstage*: desposada *f*; ~**ausstattung** *f* ajuar *m*; equipo *m* de novia; ~**bett** *n* (*-es, -en*) *Poes.* tálamo *m*, lecho *m* nupcial; ~**führer** *m* padrino *m* de boda.

ˈ**Bräutigam** *m* (*-s; -e*) novio *m*; (*Verlobter*) prometido *m*, F futuro *m*; *am Hochzeitstage*: desposado *m*.

ˈ**Braut...:** ~**jungfer** *f* (*-; -n*) doncella *f* de honor; ~**kleid** *n* (*-es; -er*) vestido *m* de novia; vestido *m* de boda; ~**kranz** *m* (*-es; ⸗e*) corona *f* nupcial; ~**leute** *f/pl.* → *Brautpaar.*

ˈ**bräutlich** *adj.* de novia, de desposada, nupcial.

ˈ**Braut...:** ~**nacht** *f* (*0*) noche *f* de bodas; ~**paar** *n* (*-es; -e*) (*Verlobte*) los novios *m/pl.*; *am Hochzeitstage*: los desposados *m/pl.*; ~**schatz** *m* (*-es; 0*) (*Mitgift*) dote *m/f*; (*Ausstattung*) ajuar *m*; ~**schau** *f* (*0*): F *auf die* ~ *gehen* buscar novia; ~**schleier** *m* velo *m* nupcial; ~**stand** *m* (*-es; 0*) noviazgo *m*; ~**werbung** *f* petición *f* de mano; ~**zug** *m* (*-es; 0*) cortejo *m* nupcial.

ˈ**brav** [f] *adj.* (*wacker*) honrado, cabal; (*tapfer*) valiente, bravo, valeroso; (*artig*) bueno, formal; *ein* ~*er Mann* un hombre de bien; *ein* ~*es Kind* un niño bueno; un niño bien educado; ~ *gemacht!* ¡bien hecho!; 2**heit** *f* (*0*) hombría *f* de bien, honradez *f*; probidad *f*; valentía *f*, bravura *f*.

ˈ**bravo** *int.* ¡bravo!; ¡ole!, ¡olé!; 2**rufe** *m/pl.* vítores *m/pl.*, bravos *m/pl.*

Bra'vour [-ˈvuːʀ] *f* (*0*) bravura *f*, valentía *f*; (*Kühnheit*) arrojo *m*, intrepidez *f*, osadía *f*; *mit* ~ con brillantez, con maestría artística; ~**stück** *n* (*-es; -e*) proeza *f*.

ˈ**brech|bar** *adj.* rompible; (*zerbrechlich*) frágil; *Opt.* refrangible; 2**bohnen** *f/pl.* judías *f/pl.* verdes; 2**durchfall** ⚕ *m* (*-es; ⸗e*) colerina *f*; 2**eisen** ⊕ *n* palanca *f*, alzaprima *f*; (*des Einbrechers*) palanqueta *f*.

ˈ**brechen** (*L*) **1.** *v/t.* romper (*a. fig. Schweigen, Ketten, Lanze, Blockade, Eis*); quebrar; (*spalten*) partir, hender; (*zertrümmern*) hacer pedazos; (*mahlen*) machacar, desmenuzar; (*trennen*) separar, dividir; (*pflücken*) coger; *Flachs*: agramar; *Papier*: doblar; *Nüsse*: cascar; *Lichtstrahl*: refractar; *Eid, Vertrag*: quebrantar; *Gesetz*: violar, infringir; *Rekord*: superar, batir; *Wort, Versprechen*: faltar a; *Frieden, Treue*: violar; *Widerstand, Willen*: vencer; *die Ehe* ~ cometer adulterio; *vom Zaune* ~ aprovechar el primer pretexto para hacer a/c.; *das brach ihm das Genick* ello fue su ruina; *es brach ihr das Herz* eso le desgarró el alma; *sich* ~ romperse; quebrarse; partirse; (*erbrechen*) vomitar; *Opt.* refractarse; *sich den Arm* ~ romperse *od.* quebrarse (⚕ fracturarse) el brazo; → *Bahn, Flasche, Knie, Stab usw.*; **2.** *v/i.* romperse, quebrarse; partirse; hacerse pedazos; *Stimme*: (*während der Pubertät*) mudar (*la voz*); *Wellen*: romperse; *Wolken*: disiparse; *Lichtstrahl*: refractarse; (*nachlassen*) ceder, disminuir; (*zusammen*~) derrumbarse, hundirse, venirse abajo; *Augen*: vidriarse; *mit j-m* ~ romper (las relaciones) con alg.; → *ausbrechen.*

ˈ**Brechen** *n* rompimiento *m*; quebrantamiento *m*; rotura *f*, fractura *f* (*bsd.* ⚕); ruptura *f* (*bsd. fig.*); *Opt.* refracción *f*; ⚕ vómito *m*; violación *f*, infracción *f*; → *Bruch.*

ˈ**Brecher** ⊕ *m* (*Walzenbrecher*) quebrantadora *f*, trituradora *f*; ⚓ *Welle*: golpe *m* de mar, ola *f* rompiente.

ˈ**Brech...:** ~**koks** *m* (*-es; 0*) coque *m* menudo; ~**mittel** ⚕ *n* vomitivo *m*, emético *m*; ~**nuß** *f* (*-; ⸗sse*) nuez *f* vómica; ~**reiz** *m* (*-es; 0*) náuseas *f/pl.*; ~**ruhr** ⚕ *f* (*0*) cólera *m*; ~**stange** *f* → *Brecheisen.*

ˈ**Brechung** *f* fraccionamiento *m*; fractura *f*; *Opt.* refracción *f*; ♪ arpegio *m*; ~**s-ebene** *f* plano *m* de refracción; ~**swinkel** *m* ángulo *m* de refracción; ~**szahl** *f* índice *m* de refracción.

ˈ**Brei** *m* (*-es; -e*) puches *m/pl.*, gachas *f/pl.*; (*bsd. Kinder*2) papilla *f*; (*Mais*2) polenta *f*; (*Erbsen*2, *Kartoffel*2 *usw.*:) puré *m*; (*Teig*) pasta *f*; (*Mus*) compota *f* de frutas tamizada; (~*masse*) masa *f*; ⊕ (*Papier*2) pasta *f* de papel; *zu* ~ *machen* hacer papilla; F *zu* ~ *schlagen* F moler a alg. los huesos; *wie die Katze um den heißen* ~ *gehen* andar(se) con rodeos; 2**ig** como papilla; pastoso; ⊕ viscoso.

ˈ**breit** *adj.* ancho; (*ausgedehnt*) amplio; (*geräumig*) espacioso; (*platt*) plano, aplastado, chato; (*langgestreckt*) tendido; (*Querformat*) apaisado; *drei Meter* ~ tres metros de ancho; *fig.* (*weitschweifig*) prolijo, *bsd. Stil*: difuso, ampuloso; *die* ~*e Masse* la gran masa, las masas; *desp.* la plebe; *ein* ~*es Publikum* público muy variado *od.* heterogéneo; público muy numeroso; *er hat e-n* ~*en Rücken* tiene anchas las espaldas (*a. fig.*); → *breitmachen, breittreten*; 2**band** *n* (*-es; ⸗er*) *Radio*: banda *f*; ~**beinig** *adj.* abierto de piernas, esparrancado; ~ *dastehen* F esparrancarse; ~**blätt(e)rig** *adj.* de hojas anchas, ⚘ latifoliado; ~**drücken** *v/t.* aplastar; achatar.

ˈ**Breite** *f* ancho *m*, anchura *f*; (*Ausdehnung*) extensión *f*; (*Geräumigkeit*) espaciosidad *f*; *Geogr.* latitud *f*; *Astr.* amplitud *f*; (*Dicke*) espesor *m*, grueso *m*; 🚂 (*Spur*2) ancho *m* de vía; ⚓ (*Schiffs*2) manga *f*; *fig.* amplitud *f*, prolijidad *f*; *in die* ~ *gehen* extenderse, ensancharse; *fig.* ser prolijo, extenderse en detalles; *der* ~ *nach* a lo ancho; 2**n** (*-e-*) *v/t.* extender; ensanchar; ~**ngrad** *m* grado *m* de latitud; ~**nkreis** *m* paralelo *m*.

ˈ**breit...:** ~**füßig** *adj.* de pie ancho; 2**hacke** *f* azadón *m*; ~**krempig** *adj.* de ala ancha; 2**leinwand** *f* (*0*) *Film*: pantalla *f* panorámica; ~**machen** *v/refl.* arrellanarse (*en un sillón*); instalarse cómodamente; *fig.* pavonearse, ponerse ancho; (*sich verbreiten*) generalizarse, difundirse; (*Mode sein*) estar en boga, ponerse de moda; ~**randig** *adj. Hut*: de ala ancha; *Span.* (sombrero *m*) ancho *od.* cordobés; ~**schlagen** F (*L*) *v/t.*: *j-n* ~ persuadir, acabar por convencer a alg.; *sich* ~ *lassen* dejarse convencer *bzw.* persuadir, *fig.* ablandarse; ~**schult(e)rig** *adj.* ancho de espaldas (*od.* hombros); F espaldudo; 2**seite** ⚓ *f* costado *m*; (*Salve*) andanada *f*; ~**spurig** *adj.* 🚂 de vía (*Am.* trocha) ancha; *fig.* arrogante; 2**strahler** *Auto. m* faro *m* de amplia dispersión; ~**treten** (*L*) *v/t.* aplastar (*con el pie*); *fig.* tratar prolijamente, extenderse en detalles; 2**wand** *f* → 2*leinwand.*

ˈ**Brei·umschlag** *m* (*-es*; *ˮe*) cataplasma *f*.

Brems|anordnung *f* (*0*) disposición *f* de los frenos; **~backe** *f* zapata *f od.* mordaza *f* de freno; **~betätigung** *f* (*0*) accionamiento *m* del freno.

ˈ**Bremse**[1] *Zoo. f* (*Pferdefliege*) tábano *m*.

ˈ**Bremse**[2] ⊕ *f* freno *m*; *Vet.* (*Nasenknebel*) acial *m*; *hydraulische* ~ freno hidráulico; → *Druckluft*2, *Fuß*2, *Hand*2 *usw.*; *die* ~ *betätigen* frenar, accionar (echar) el freno.

ˈ**bremsen** (*-t*) **1.** *v/t.* frenar; (*abbremsen*) reducir la velocidad; (*auffangen*) amortiguar; *fig.* refrenar; **2.** *v/i.* aplicar el freno; **2prüfung** *f* verificación *f* del freno.

ˈ**Brems...**: **~feder** *f* (*-*; *-n*) resorte *m* de freno; **~klotz** *m* (*-es*; *ˮe*) zapata *f*, mordaza *f* de freno; ⚒ (*Hemmschuh*) calza *f*; **~leistung** *f* potencia *f* de freno; **~licht** *n* (*-es*; *-er*) luz *f* de freno (*angl.* de stop); **~pedal** *n* (*-s*; *-e*) pedal *m* de freno; **~schuh** *m* (*-s*; *-e*) zapata *f* de freno; **~spur** *f* huella *f* de rueda frenada; **~ung** *f* frenado *m*; **~vorrichtung** *f* dispositivo *m* de freno; **~weg** *m* (*-es*; *-e*) distancia *f* recorrida con freno echado; **~wirkung** *f* efecto *m* de freno; **~zug** *m* (*-es*; *ˮe*) cable *m* de freno.

ˈ**brennbar** *adj.* combustible; (*entzündlich*) inflamable; **2keit** *f* (*0*) combustibilidad *f*; inflamabilidad *f*.

ˈ**Brenn|dauer** *f* (*0*) duración *f* de la combustión; ⚡ (*Lampe*) horas *f/pl.* de alumbrado; **~ebene** *Opt. f* plano *m* focal; **~eisen** *n* hierro *m* candente; *Vieh*: hierro *m*, marca *f*; *Friseur*: rizador *m*, tenacillas *f/pl.* (para rizar).

ˈ**brennen** (*L*) **1.** *v/t.* quemar; *Branntwein*: destilar; *Haar*: rizar; *Kaffee, Mehl*: tostar; *Kohlen*: (*im Meiler*) carbonear; (*verkohlen*) carbonizar; *Kalk*: calcinar; *Metalle*: afinar; *Vieh*: marcar (*con hierro candente*); *Wunde*: cauterizar; *Ziegel, Porzellan, Keramik*: cocer; **2.** *v/i.* arder; quemar(se), abrasar(se); (*aufbrennen*) encenderse; (*in Flammen stehen*) estar en llamas *od.* ardiendo; *die Sonne brennt* hace un sol abrasador; *das Licht brennt* la luz está encendida; *es brennt* hay un incendio; *fig.* F corre mucha prisa; *als Ruf*: ¡fuego!; *fig. Augen*: arder; *Nessel, Wunde*: escocer, resquemar; *Pfeffer usw.*: picar; *vor Ungeduld* ~ arder (consumirse) de impaciencia; (*vor Begierde*) ~ *nach* F rabiar por; F *darauf* ~, *zu inf.* anhelar el momento (sentir ansias) de; → *Boden, Nägel*; F *brennt's?* ¿hay mucha prisa?; F *j-m e-n auf den Pelz* ~ dispararle a alg. un tiro a quemarropa.

ˈ**Brennen** *n* (*Kalk*) calcinación *f*; (*Ziegel*) cochura *f*; *von Schnaps*: destilación *f*; ⚕ cauterización *f*; (*Wunde*) escozor *m*, resquemor *m*; (*Sod*2) ardor *m* de estómago, ⚕ pirosis *f*; (*Pfeffer*) picor *m*; (*Kaffee*) torrefacción *f*.

ˈ**brennend I.** *adj.* ardiente (*a. fig. Liebe, Durst, Leidenschaft*); (*in Flammen*) en llamas; *~e Kerze* (*Lunte*) vela (mecha) encendida; ⚕ (*ätzend*) cáustico; *Zigarette*: encendido; *fig. Hitze, Durst*: abrasador; *Wunsch*: ardiente, ferviente; *Farbe*: vivo, encendido; *Schmerz*: punzante, agudo; *Frage*: palpitante, candente; **II.** *adv.* *es interessiert ihn* ~ le interesa vivamente.

ˈ**Brenner** *m von Branntwein*: destilador *m*; (*Gas*2) mechero *m* de gas; (*Schweiß*2) soplete *m*; *für flüssigen Brennstoff*: quemador *m*; (*Atom*2) pila *f* atómica.

Brenneˈrei *f* destilería *f*.

ˈ**Brenn...**: **~glas** *n* (*-es*; *ˮer*) vidrio *m* ustorio; **~holz** *n* (*-es*; *ˮer*) leña *f*; **~material** *n* (*-s*; *-ien*) combustible *m*; **~(n)essel** *f* (*-*; *-n*) ortiga *f*; **~ofen** *m* (*-s*; *ˮ*) horno *m* de calcinación; *Keramik, Ziegel*: horno *m* de cocción; **~öl** *n* (*-es*; *-e*) (*Heizöl*) aceite *m* combustible; **~punkt** *m* (*-es*; *-e*) *Phys. u. fig.*: foco *m*; *im* ~ *des Interesses stehen* atraer el interés general, figurar en el primer plano de la actualidad; **~schere** *f* tenacillas *f/pl.* para rizar; **~schneider** ⊕ *m* soplete *m* oxiacetilénico; **~spiegel** *m* espejo *m* ustorio; **~spiritus** *m* (*-*; *0*) alcohol *m* desnaturalizado, alcohol *m* para quemar; **~stempel** *m* hierro *m* para marcar a fuego.

ˈ**Brennstoff** *m* (*-es*; *-e*) combustible *m*; *Auto.* carburante *m*; gasolina *f*; *Feuerzeug*: bencina *f*; → *Kraftstoff...*; **~düse** *f* (*Vergaser*) tobera *f*; **~pumpe** *f* bomba *f*; **~zuführung** *f* alimentación *f* de carburante *od.* de gasolina.

ˈ**Brenn|strahl** *Opt. m* (*-es*; *-en*) rayo *m* focal; **~weite** *Opt. f* distancia *f* focal; **~wert** *m* valor *m* calorífico; **~zünder** ⚔ *m* espoleta *f* de tiempo.

ˈ**brenzlig** *adj.* empireumático; que huele *bzw.* sabe a quemado; *~er Geruch* olor a quemado *od.* a chamuscado *od.* a chamusquina; *~er Geschmack* sabor a quemado; *fig.* sospechoso; inquietante; *~er Augenblick* momento crítico; *~e Angelegenheit* asunto espinoso, cuestión delicada.

ˈ**Bresche** *f* brecha *f*; *e-e* ~ *legen od. schießen* abrir brecha; *e-e* ~ *schlagen* aportillar; *fig. in die* ~ *springen* saltar en la brecha.

Breˈtagne *f* Bretaña *f*.

Breˈton|e *m*, **2isch** *adj.* bretón *m*.

ˈ**Brett** *n* (*-es*; *-er*) tabla *f*; plancha *f* de madera; (*dickes*) tablón *m*; (*Regal*) anaquel *m*; (*Tablett*) bandeja *f*; (*Schach*2) tablero *m*; (*Dam*2) damero *m*; (*Schwarzes* ~) tablón *m* de anuncios; *Sport*: (*Sprung*2) trampolín *m*; F *pl.* *~er* (*Schier*) esquíes *m/pl.*; *Boxen*: *auf die ~er schicken* derribar, enviar al tapiz; *Thea. die ~er* (*Bühne*) las tablas; *über die ~er gehen* (*Theaterstück*) representarse, ver la escena; *mit ~ern belegen* entablar, cubrir con tablas; *mit ~ern verschalen* revestir *od.* forrar de tablas; *fig. ein* ~ *vor dem Kopf haben fig.* ser cerrado de mollera; no ver más allá de las narices; *er hat bei ihr e-n Stein im* ~ goza de su estimación; *wo die Welt mit ~ern vernagelt ist* F donde Cristo dio las tres voces; (estar) en un callejón sin salida; **~chen** *n* tablita *f*, tablilla *f*.

ˈ**Bretter...**: **~bude** *f* cobertizo *m*; chabola *f*; **~bühne** *f* tablado *m*; **~dach** *n* (*-es*; *ˮer*) techado *m* de madera; tejado *m* de tablas; **~fußboden** *m* (*-s*; *ˮ*) entarimado *m*; suelo *m od.* piso *m* de tablas; **~verkleidung** *f* revestimiento *m* de tablas; **~verschlag** *m* (*-es*; *ˮe*), **~wand** *f* (*-*; *ˮe*) tabique *m* de madera; (*Wall*) talanquera *f*; **~zaun** *m* (*-es*; *ˮe*) valla *f*.

ˈ**Brett...**: **~nagel** *m* (*-s*; *ˮ*) clavo *m* tablero; **~säge** *f* sierra *f* de leñador; **~schneider** *m* aserrador *m*; **~spiel** *n* (*-es*; *-e*) (*Damespiel*) juego *m* de damas; **~stein** *m* (*-es*; *-e*) peón *m*; pieza *f*.

Breˈvier *n* (*-s*; *-e*) breviario *m*.

ˈ**Brezel** *f* (*-*; *-n*) *etwa*: rosquilla *f* salada.

Brief *m* (*-es*; *-e*) carta *f*; *kurzer*: nota *f*, F un par *m* de renglones; (*Sendschreiben*) epístola *f*; (*Urkunde*) documento *m*; carta *f*; patente *f*; ✝ *Börse* (*Angebot*) oferta *f*; *mit j-m ~e wechseln* sostener correspondencia (F cartearse) con alg.; *einfacher* (*gewöhnlicher*) ~ carta sencilla *od.* de franqueo sencillo; *eingeschriebener* ~ carta certificada; *unbestellbarer* ~ carta devuelta; ~ *und Siegel geben* comprometerse solemnemente a hacer a/c.

ˈ**Brief...**: **~aufgabestempel** *m* matasellos *m*; **~aufschrift** *f* dirección *f*, señas *f/pl.*; **~beschwerer** *m* pisapapeles *m*; **~bogen** *m* pliego *m* (*de papel de cartas*); **~einwurf** *m* (*-es*; *ˮe*) buzón *m*; *als Aufschrift*: cartas *f/pl.*; **~fach** *n* (*-es*; *ˮer*) apartado *m* de correos; **~geheimnis** *n* (*-ses*; *-se*) secreto *m* postal; **~kasten** *m* (*-s*; *ˮ*) buzón *m*; *den* ~ *leeren* (hacer la) recogida de la correspondencia; **~kopf** *m* (*-es*; *ˮe*) membrete *m*; (*Anrede*) encabezamiento *m*; **~korb** *m* (*-es*; *ˮe*) bandeja *f* para la correspondencia; **~kurs** ✝ *m* (*-es*; *-e*) (*Börse*) oferta *f*, cotización *f* ofrecida; **2lich** *adj. u. adv.* por carta, por escrito; epistolar; *~er Verkehr* correspondencia; **~mappe** *f* carpeta *f*.

ˈ**Briefmarke** *f* sello *m* de correos, *Am.* estampilla *f*, *Mex.* timbre *m*; **~nalbum** *n* (*-s*; *-ben*) álbum *m* de sellos; **~nsammler** *m* coleccionista *m* de sellos, filatelista *m*; **~nsammlung** *f* colección *f* de sellos; **~nserie** *f* serie *f* de sellos de correo.

ˈ**Brief...**: **~muster** *n* modelo *m* de carta; **~öffner** *m* abrecartas *m*, plegadera *f*; **~ordner** *m* archivador *m*, clasificador *m* de correspondencia; **~papier** *n* (*-s*; *0*) papel *m* de cartas; *mit Trauerrand*: papel *m* de luto; **~porto** *n* (*-s*; *-s*) franqueo *m*; **~post** *f* (*0*) correo *m*; **~steller** *m* autor *m* de una carta; memorialista *m*; (*Buch*) epistolario *m*; **~stempel** *m* matasellos *m*; **~stil** *m* (*-s*; *0*) estilo *m* epistolar; **~tasche** *f* cartera *f*; **~taube** *f* paloma *f* mensajera; **~telegramm** *n* (*-s*; *-e*) carta-telegrama *f*; **~träger** *m* cartero *m*; **~umschlag** *m* (*-es*; *ˮe*) sobre *m*; **~verkehr** *m* (*-s*; *0*) correspondencia *f*; **~waage** *f* pesacartas *m*;

~wechsel *m* correspondencia *f*; F carteo *m*; *mit j-m im ~ stehen* estar en correspondencia (F cartearse) con alg.; **~zensur** *f* censura *f* postal.
briet *pret. von braten.*
Bri'gade ⚔ brigada *f*; **~kommandeur** *m* general *m* de brigada.
Bri'gant *m* (*-en*) bandolero *m*, bandido *m*.
Brigg ⚓ *f* (-; *-s*) bergantín *m*.
Bri'kett *n* (*-s*; *-s*) briqueta *f*.
bril'lant *adj.* brillante, magnífico.
Bril'lant [-ɪ'lĭant] *m* (*-en*) brillante *m*, diamante *m*; **~nadel** *f* (-; *-n*) alfiler *m* de brillantes; **~ring** *m* (*-es*; *-e*) anillo *m* de brillantes.
'Brille *f* gafas *f/pl.*; anteojos *m/pl.*; lentes *f/pl.*; (*Sonnen2*) gafas *f/pl.* para (de) sol; *mit doppeltem Brennpunkt*: gafas *f/pl.* bifocales; (*Schutz2*) gafas *f/pl.* de protección; (*Abortsitz*) asiento *m* de retrete; *e-e ~ tragen* usar gafas; *die ~ aufsetzen* (*abnehmen*) ponerse (quitarse) las gafas; *ein Herr mit ~* un señor con gafas; *fig. durch e-e schwarze ~ betrachten* verlo todo negro; → *rosig*; **~nfutteral** *n* (*-s*; *-e*) estuche *m* para gafas; **~ngestell** *n* (*-es*; *-e*) montura *f*; **~nglas** *n* (*-es*; *ⁿer*) cristal *m* de gafas *od.* para anteojos; **~nschlange** *Zoo. f* cobra *f*; **~nträger(in** *f*) *m* persona *f* de *od.* con gafas.
Brim'borium F *n* (*-s*; *0*) chisme *m*, habladuría *f*.
'bringen (*L*) *v/t.* (*her~*) traer; (*hin~*) llevar; (*herauf~*) subir; (*hinunter~*) bajar; *sie brachten uns keine Antwort* no nos trajeron ninguna contestación; *bringe mir fünf Zigarren!* ¡tráeme cinco cigarros!; *was ~ Sie (Neues)?* ¿qué trae usted (de nuevo)?; *bringe dieses Paket nach Hause!* ¡lleva este paquete a casa!; *er wurde ins Krankenhaus gebracht* fue trasladado al hospital; (*führen, geleiten*) acompañar; *ich bringe dich zum Bahnhof* te acompañaré a la estación; *ich bringe dich zur Bahn* iré a la estación a despedirte; (*bieten*) dar, ofrecer; (*Opfer, Geschenk, Ehre*) hacer; *was bringt die Zeitung?* ¿qué dice el periódico?; (*ein~*) producir, traer; (*verursachen*) causar, producir, motivar; *Gewinn (Zinsen) ~* producir ganancia (intereses); *Glück (Unglück) ~* traer suerte (desgracia); (*Verdruß, Verlust, Schaden, Neid*) causar; *mit adv.*: *es dahin ~, daß* hacer de modo que *subj.*; *j-n dahin ~, daß* conseguir (hacer) que alg. *subj.*; (*versuchsweise*) procurar que alg. *subj.*; *j-n beiseite ~* F quitar de en medio a alg.; → *weit*; *es weit ~* llegar lejos; progresar; (*beruflich*) hacer carrera; *es so weit ~, daß* llevar las cosas a tal punto que; *mit prp.*: *an sich ~* apropiarse, adueñarse, apoderarse de; (*käuflich*) adquirir; *an den Mann ~* vender; (*loswerden*) deshacerse de; *Tochter*: hallar un marido para la hija, casarla; *et. an den Tag ~* (*veröffentlichen*) sacar (dar) a luz, publicar; (*Geheimnis*) revelar; *auf die Beine ~* crear, poner en pie, organizar; → *Bühne*; *j-n auf et. ~* (*ac.*) inspirar *od.* sugerir a/c. a alg.; (hacer) recordar a alg. a/c.; *das bringt mich auf etwas* esto me trae a la memoria (*od.* me hace recordar) una cosa; *es bis auf 80 Jahre ~* alcanzar (*od.* llegar a) la edad de ochenta años; *er brachte es auf 20 Siege* llegó a conseguir veinte victorias; → *Nenner*; *auf die Spur ~* poner sobre la pista; *die Rede auf et. ~* orientar la conversación hacia un tema; F sacar a colación a/c.; → *Fassung*; *es bis zum General ~* llegar a (ser) general; *in Aufregung ~* excitar; *Licht in et. ~* arrojar luz sobre a/c., aclarar a/c.; → *Mode, Rechnung, Verruf*; *es mit sich ~* traer consigo, acarrear; llevar en sí, implicar; tener como consecuencia; (*erfordern*) requerir; *die Umstände ~ es mit sich* las circunstancias lo exigen (*od.* lo hacen inevitable); *ich kann es nicht übers Herz ~* no puedo resolverme a hacerlo; *Unglück über j-n ~* traer desgracia a alg.; *j-n um et. ~* privar de a/c. a alg.; hacer perder a alg. a/c.; desposeer de (quitar) a/c. a alg.; (*betrügen*) despojar; estafar; *j-n ums Leben ~* matar a alg.; P *j-n um die Ecke ~* F quitar de en medio (matar) a alg.; → *Verstand*; *unter die Leute ~ Geld*: hacer rodar el (dar aire al) dinero; *Gerücht*: propalar, divulgar, poner en circulación; *unter sich* (*od. s-e Gewalt*) *~* someter a su dominio; *vom Fleck, von der Stelle ~* (re)mover; *er ist nicht vom Fleck zu ~* no hay quien le mueva del sitio; *bis vors Haus ~* dejar a (*od.* en) la puerta de casa; *vor Gericht ~* llevar a los tribunales; *j-n dazu ~, et. zu tun* inducir (determinar) a alg. a hacer a/c.; (*zwingen*) obligar a alg. a hacer a/c.; *zu Ende ~* acabar, concluir, terminar; *j-n zum Lachen (Weinen) ~* hacer a alg. reír (llorar); *zum Schweigen ~* reducir al silencio, hacer callar; *j-n zur Vernunft ~* hacer a alg. entrar en razón; *j-n zur Verzweiflung ~* llevar a la desesperación (desesperar) a alg.; *zur Welt ~* dar a luz; *es zu et. ~* tener éxito (abrirse camino) en la vida, hacer carrera; *es zu nichts ~* fracasar (en la vida), F no dar una.
bri'san|t *adj.* explosivo; **2z** *f* explosividad *f*, efecto *m* explosivo; **2zmunition** *f* munición *f* altamente explosiva.
'Brise *f* brisa *f*.
Bri'tannien *n* Inglaterra *f*; *Hist.* Britania *f*.
'Brit|e [iː] *m* (*-n*), **~in** *f* inglés *m*, inglesa *f*; *Hist.* britano (-a *f*) *m*; *die ~en* los ingleses; los britanos; **2isch** *adj.* británico; inglés; *2e Inseln* las Islas Británicas; *das 2e Weltreich* el Imperio Británico.
'Bröck|chen *n* pedacito *m*, trocito *m*; **2elig** *adj.* (*zerbrechlich*) quebradizo; (*zerfallend*) desmoronadizo; (*Brot*) desmenuzable; (*Lehm*) deleznable; (*Gestein*) friable; **2eln** (*-le*) *v/t. u. v/i.* (*Brot*) desmigajar(se); desmenuzar(se); (*Sandstein, Lehm*) desmoronar(se).
'Brocken *m* trozo *m*, pedazo *m*; *Brot. a.* zoquete *m*, F cacho *m*, (*altes*) mendrugo *m*; *Geol.* (*Bruchstück*) fragmento *m*; (*Bissen*) bocado *m*; *fig. ein paar ~ Englisch können* chapurrear el inglés; F ⚔ *dicke ~* bombas de gran calibre; *fig. ein harter ~* un hueso duro de roer; **2weise** *adj.* a pedacitos, en trocitos.
'brodeln (*-le*) *v/i.* hervir a borbotones *m/pl.*; burbujear; *es brodelte im Volk* había efervescencia en las masas; **2** *n* ebullición *f*, efervescencia *f*.
'Brodem *m* (*-s*; *0*) vaho *m*, vapor *m* caliente; (*Ausdünstung*) exhalación *f*; (*Qualm*) humo *m*.
Bro'kat *m* (*-s*; *-e*) brocado *m*.
Brom ⚗ *n* (*-s*; *0*) bromo *m*.
'Brombeer|e *f* zarzamora *f*; **~strauch** *m* (*-es*; *ⁿer*) zarzamora *f*.
'Brom...: **~'id** *n* (*-es*; *-e*) bromuro *m*; **~'kalium** *n* (*-s*; *0*) bromuro *m* potásico; **~salz** *n* sal *f* de bromo, bromuro *m*; bromato *m*; **~sauer** *n* bromato *m*; **~säure** *f* (*0*) ácido *m* brómico; **~silber** *n* (*-s*; *0*) bromuro *m* de plata; **~silberpapier** *Phot. n* papel *m* (de) bromuro (de plata); **~verbindung** *f* bromuro *m*.
Bronchi'alkatarrh [-'çĭɑː-] ⚕ *m* (*-s*; *-e*) catarro *m* bronquial; bronquitis *f*.
'Bronchien *Anat. f/pl.* bronquios *m/pl.*
Bron'chitis [-'çiːtɪs] *f* (*0*) bronquitis *f*.
'Bronze ['bʀɔŋsə] *f* bronce *m*; **~farbe** *f* color *m* de bronce; pintura *f* bronceante; **2farben** *adj.* de color de bronce, bronceado; **~lack** *m* (*-es*; *-e*) laca *f* de bronce, barniz *m* bronceante; **~medaille** *f* medalla *f* de bronce; **2n** *adj.* broncíneo; **~zeit** *f* (*0*) edad *f* de(l) bronce.
bron'zieren [-'siː-] (-) *v/t.* broncear.
'Brosam *m*, **~e** *f* miga(ja) *f* (de pan).
'Brosche *f* broche *m*, prendedor *m*.
'Brös·chen *n Kochkunst*: lechecillas *f/pl.* de ternera.
bro'schier|en *v/t.* encuadernar en rústica; **~t** *adj.* en rústica.
Bro'schüre *f* folleto *m*; opúsculo *m*.
'Brösel *m* miga(ja) *f*; (*Paniermehl*) pan *m* rallado; **2n** *v/t.* desmigajar; rallar.
Brot *n* (*-es*; *-e*) pan *m*; (*Laib*) pan *m*, hogaza *f*; *gesäuertes ~* pan fermentado; *ungesäuertes ~* pan cenceño; *bsd. jüdische Religion*: pan ázimo; *altbackenes (frisches) ~* pan sentado (fresco); *geriebenes ~* pan rallado; *belegtes ~* bocadillo *m*; emparedado *m*; *geröstetes ~* pan tostado; *fig.* (*Unterhalt*) sustento *m*; *unser tägliches ~* el pan nuestro de cada día; *sein ~ verdienen* ganarse (la vida) el pan; *j-m et. aufs ~ schmieren* reprochar a alg. siempre la misma cosa; *j-n um sein ~ bringen* quitar el sustento *od.* el empleo a alg.; *der kann mehr als ~ essen* es más capaz e inteligente de lo que se cree.
'Brot...: **~backen** *n* elaboración *f* de pan; panificación *f*; **~bäcker** *m* panadero *m*; **~baum** ♀ *m* (*-es*; *ⁿe*) árbol *m* del pan; **~beutel** *m* zurrón *m*; ⚔ morral *m*.
'Brötchen *n* panecillo *m*; *belegtes ~* bocadillo *m*; emparedado *m*.
'Brot...: **~erwerb** *m* (*-es*; *0*): *zum ~* para ganarse (la vida) el sustento; **~fabrik** *f* panificadora *f*; **~getreide** *n* trigo *m*; centeno *m*; **~herr** *m* (*-n*; *-en*) amo *m*; (*Arbeitgeber*) patrono

m, empresario *m*; **~korb** *m* (-*es*; ⸗*e*) panera *f*; *fig. j-m den ~ höher hängen* acortar la ración, *fig.* atar corto a alg.; **~krume** *f* migaja *f* de pan; **~laib** *m* (-*es*; -*e*) hogaza *f*; **2los** *fig. adj.* sin pan; sin empleo, sin trabajo; sin recursos; (*nicht einträglich*) improductivo; (*zwecklos*) inútil, estéril; *j-n ~ machen* dejar sin empleo a alg.; *fig.* quitar el pan, dejar en la calle a alg.; *~e Kunst* profesión poco o nada lucrativa; **~mangel** *m* (-*s*; *0*) escasez *f* de pan; **~messer** *n* cuchillo *m* para el pan; **~neid** *m* (-*es*; *0*) envidia *f* profesional; **~rinde** *f* corteza *f* de pan; **~röster** *m* tostador *m* de pan; **~schneidemaschine** *f* máquina *f* para cortar pan; **~schnitte** *f* rebanada *f* (de pan); **~schrift** *Typ. f* tipos *m*/*pl.* corrientes; **~studium** *n* (-*s*; *0*) estudio para ganarse la vida, F ciencia que da de comer; **~teig** *m* (-*es*; -*e*) masa *f*.

brr *int.* (*halt*) ¡so!

Bruch[1] *m u. n* (-*es*; ⸗*e*) (*Sumpf*) pantano *m*; marisma *f*.

Bruch[2] *m* (-*es*; ⸗*e*) rotura *f*; *fig.* ruptura *f*, rompimiento *m*; quebrantamiento *m*; ⚕ (*Knochen*2) fractura *f*; *einfacher* (*komplizierter*) *~* fractura simple (conminuta); (*Unterleibs*2) hernia *f*; *Geol.* falla *f*; ⚒ hundimiento *m*; derrumbamiento *m*; *Min.* fractura *f*; *Riß, Spalt*: grieta *f*, hendidura *f*; *e-r Maschine*: avería *f*; rotura *f*; *~ machen Auto.* quedar destrozado *od.* destruido; ✈ *a.* caer a tierra, estrellarse; *im Papier*: pliegue *m*; *im Tuch*: doblez *m*; (*Zerbrochenes*) despojos *m*/*pl.*, restos *m*/*pl.*; (*Abfall*) desperdicios *m*/*pl.*, desechos *m*/*pl.*; (*Scherben*) añicos *m*/*pl.*; (*zerbrochene Ware*) trozos *m*/*pl.* sueltos; (*Schrott*) chatarra *f*; *Ɑ* fracción *f*, quebrado *m*; (*un*)*echter ~* fracción (im)propia; *unendlicher ~* fracción continua; *Dezimal*2 fracción decimal; *fig. des Eides*: quebrantamiento *m*; *e-s Gesetzes*: violación *f*, infracción *f*; *der Beziehungen, der Freundschaft*: ruptura *f*; *e-s Vertrages, e-s Siegels, des Friedens*: violación *f*; *unter ~ seines Versprechens* faltando a su promesa; F *in die Brüche gehen* malograrse; frustrarse, fracasar, *fig.* naufragar; (*zerbrechen*) romperse, hacerse añicos, F hacerse polvo.

ˈ**Bruch...**: **~band** ⚕ *n* (-*es*; ⸗*er*) braguero *m*; **~belastung** ⊕ *f* carga *f* de rotura; **~bude** F *f* chabola *f*; **~festigkeit** ⊕ *f* (*0*) resistencia *f* a la rotura; **~fläche** *f* superficie *f* de fractura.

ˈ**brüchig** *adj.* quebradizo; (*rissig*) resquebrajadizo; (*zerbrechlich*) frágil; (*bröckelig*) desmoronadizo, friable; (*Lehm*) deleznable; (*sumpfig*) pantanoso; *~e Stimme* voz cascada; **2keit** *f* (*0*) fragilidad *f*, friabilidad *f*.

ˈ**Bruch...**: **~landung** ✈ *f* aterrizaje *m* con avería; *e-e ~ machen* aterrizar violentamente; **~operation** ⚕ *f* (*~schnitt*) herniotomía *f*; **~rechnung** *f* cálculo *m* de fracciones; **~schaden** ⚕ *m* (-*s*; ⸗) daño *m* por rotura; **2sicher** *adj.* irrompible; **~stein** *m* (-*es*; -*e*) piedra *f* de mampostería; **~stelle** *f* punto *m od.* lugar *m* de rotura *od.* fractura; **~strich** *Ɑ m* (-*es*; -*e*) raya *f* (*de fracción*); **~stück** *n* (-*es*; -*e*) fragmento *m*, trozo *m* (*a. fig.*); **2stückhaft** *adj.* fragmentario; **~teil** *m* (-*es*; -*e*) fracción *f*; *im ~ e-r Sekunde* en menos de un segundo; **~zahl** *f* número *m* fraccionario, fracción *f*.

ˈ**Brücke** *f* puente *m*/*f* (*a.* ⚓, ⚡, *Zahnheilkunde, Ringen, Turnen*); viaducto *m*; *schwimmende ~* puente flotante; *fig.* vínculo *m*; *e-e ~ schlagen über* construir (tender) un puente sobre; *fig. die ~n hinter sich abbrechen fig.* quemar las naves; *dem Gegner goldene ~n bauen* dejar la puerta abierta a la reconciliación, allanar el camino a la concordia.

ˈ**Brücken...**: **~bahn** *f* calzada *f* de puente; **~balken** *m* viga *f od.* travesaño *m* de puente; **~bau** *m* (-*es*; -*ten*) construcción *f* de puentes; **~bogen** *m* arco *m*; **~boot** *n* (-*es*; -*e*) pontón *m*; **~geländer** *n* pretil *m*, barandilla *f*; **~joch** *n* bóveda *f* en arco; pilotaje *m* de puente; **~kopf** ⚔ *m* cabeza *f* de puente; **~oberbau** *m* (-*es*; -*ten*) superestructura *f* de puente; **~pfeiler** *m* pilar *m* de puente; **~steg** *m* (-*es*; -*e*) pasarela *f*; **~tragwerk** *n* (-*es*; -*e*) estructura *f* de sustentación del puente; **~waage** *f* báscula *f*; balanza *f* de astil; *für Wagenlast*: báscula *f* de plataforma; **~wärter** *m* guardapuentes *m*; **~zoll** *m* (-*es*; ⸗*e*) pontazgo *m*.

ˈ**Bruder** *m* (-*s*; ⸗) hermano *m*; (*Ordens*2) fraile *m*; *~ Antonio* fray Antonio; *Barmherziger ~* hermano de San Juan de Dios; (*Kerl*) individuo *m*, sujeto *m*, F tío *m*; (*Vereins*2, *Skat*2 *usw.*) compañero *m*; *ein lustiger ~* un hombre muy divertido *od.* jocoso; *das ist unter Brüdern 50 Mark wert* F a precio de amigo (*od.* por ser para usted) le cobraré 50 marcos.

ˈ**Brüderchen** *n* hermanito *m*.

ˈ**Bruder...**: **~krieg** *m* (-*es*; -*e*) guerra *f* fratricida; **~kuß** *m* (-*sses*; ⸗*sse*) beso *m* fraternal.

ˈ**brüderlich** *adj.* fraternal; fraterno; **2keit** *f* (*0*) fraternidad *f*.

ˈ**Bruder...**: **~liebe** *f* (*0*) cariño *m* fraternal; **~mord** *m* (-*es*; -*e*) fratricidio *m*; **~mörder**(**in** *f*) *m* fratricida *m*/*f*.

ˈ**Brüderschaft** *f* (*0*) hermandad *f*; (con)fraternidad *f*; *Rel.* comunidad *f* (religiosa); (*Laien*2) cofradía *f*, congregación *f*; *~ schließen* fraternizar, unirse fraternalmente; *~ trinken* brindar íntima amistad, ofrecer el tú.

ˈ**Bruder...**: **~volk** *n* (-*es*; ⸗*er*) pueblo *m* hermano, nación *f* hermana; **~zwist** *m* (-*es*; -*e*) discordia *f* entre hermanos.

ˈ**Brühe** *f* (*Fleisch*2) caldo *m*; (*Soße*) salsa *f*; (*Saft*) jugo *m*; (*Fleischsaft*) jugo *m* de carne; (*Wäsche*2) lejía *f*, colada *f*; (*Flüssigkeit*) lavazas *f*/*pl*.

ˈ**brüh|en** *v/t.* escaldar; (*Wäsche*) colar; **~heiß** *adj.* muy caliente, hirviendo; **2kartoffeln** *f*/*pl.* patatas *f*/*pl.* cocidas con caldo; **2kessel** *m* coladora *f*; **~warm** *fig. adj.*: *~e Nachricht* noticia fresca; *j-m et. ~ wiedererzählen* llevar a alg. una noticia fresca; **2würfel** *m* cubito *m* de caldo concentrado.

ˈ**Brüll-affe** *Zoo. m* (-*n*) carayaca *m*, mono *m* aullador.

ˈ**brüllen** *v/i.* (*Löwe*) rugir; (*Stier*) bramar; (*Ochse, Rind*) mugir; (*Kalb, Kind*) berrear; (*heulen*) aullar; (*ausschreien, schimpfen*) vociferar; *~des Gelächter* tempestad de carcajadas; *es ist zum ~* es para morirse *od.* cascarse de risa.

Brumm|bär *fig. m* (-*en*) gruñón *m*, F cascarrabias *m*; **~baß** ♪ *m* (-*sses*; ⸗*sse*) bordón *m*; *Stimme*: bajo *m* profundo.

ˈ**brummen** *v/i.* (*summen*) zumbar; (*Glocke, Orgel*) vibrar; (*Bär*) gruñir; *Mensch*: rezongar, refunfuñar, *fig.* gruñir; F (*im Gefängnis sein*) P estar a la sombra (*od.* en chirona); (*nachsitzen*) *Schüler*: quedar retenido en clase; *in den Bart ~* rezongar, hablar entre dientes; *mir brummt der Kopf* F tengo la cabeza como una olla de grillos; 2 *n* zumbido *m*; gruñido *m*; refunfuño *m*.

ˈ**Brumm...**: **~er** *m* (*Fliege*) moscardón *m*; (*Hummel*) abejorro *m*; **2ig** *adj.* gruñón, rezongón; **~kreisel** *m* trompo *m* zumbador; **~schädel** F *m* pesadez *f* de cabeza; **~ton** ⚡ *m* (-*es*; ⸗*e*) zumbido *m*.

brüˈ**nett** *adj.* moreno; **2e** *f* (*Frau*) morena *f*, *Arg.* morocha *f*.

ˈ**Brunft** *Jgdw. f* (-; ⸗*e*) brama *f*; **2en** *v/i.* estar en celo *m*; **2ig** *adj.* en celo; **~schrei** *m* bramido *m* (*des Hirsches*); **~zeit** *f* (*0*) época *f* del celo, tiempo *m* de la brama.

brüˈ**nier|en** (-) ⊕ *v/t.* (*Metall*) bruñir; **2stein** *m* (-*es*; -*e*) hematites *f* roja; **2ung** *f* bruñido *m*.

ˈ**Brunnen** *m* pozo *m*; (*Quelle*) manantial *m*; (*Spring*2, *Trink*2) fuente *f* (*alle a. fig.*); ⚕ aguas *f*/*pl.* minerales; (*Badeort*) balneario *m*; *warmer ~* caldas, aguas termales; *e-n ~ graben* abrir un pozo; (*den*) *~ trinken* tomar las aguas; **~becken** *n* pila *f*; **~kresse** ♀ *f* (*0*) berro *m*; **~kur** *f* ⚕ cura *f* hidrológica; *e-e ~ machen* hacer una cura de aguas, tomar las aguas; **~rand** *m* (-*es*; ⸗*er*) brocal *m*; **~röhre** *f* caño *m*; **~wasser** *n* agua *f* de pozo *bzw.* de fuente.

Brunst *Zoo. f* (-; ⸗*e*) celo *m*; *fig.* ardor *m*, deseo *m* sexual, apetito *m* venéreo; → *Inbrunst*.

brünstig *Zoo. adj.* en celo; (*Hirsch*) en brama; *fig.* dominado del apetito venéreo; → *fig. inbrünstig*.

brüsk *adj.* brusco; (*grob*) grosero.

brüsˈ**kieren** (-) *v/t.* desairar; ofender el amor propio de otro; provocar; F dar un desplante.

ˈ**Brüssel** *n* Bruselas *f*; *~er Spitzen* encaje de Bruselas.

Brust *f* (-; ⸗*e*) pecho *m*; (*~kasten*) caja *f* torácica, *Anat.* tórax *m*; (*~ansatz*) garganta *f*; (*Busen*) seno *m*; pecho *m*, P teta *f*, ⚕ mama *f*; (*die ~ betreffend*) ⚕ pectoral, torácico; (*Hemd*2) pechera *f*; (*Geflügel*2) pechuga *f* (*a. fig.*); *fig.* alma *f*, corazón *m*; *~ an ~* hombro a hombro; *aus voller ~* a voz en cuello; *Kind an der ~* niño de pecho, lactante; *die ~ geben* dar el pecho, dar de mamar, amamantar, P dar la teta; *ohne ~*

aufziehen criar con biberón; *von der ~ entwöhnen* destetar; *es auf der ~ haben* padecer del pecho; *2schwimmen* nadar a braza; *sich reuevoll an die ~ schlagen* darse golpes de pecho; *sich in die ~ werfen* ufanarse, engreírse, pavonearse; **~atmung** *f (0)* ⚕ respiración *f* costal; **~beere** *f* yuyuba *f*; **~bein** *n (-es; 0) Anat.* esternón *m*; **~beklemmung** *f*, **~beschwerden** *f/pl.* opresión *f* de pecho; (*Atemnot*) ahoguío *m*, ⚕ disnea *f*; **~bild** *n (-es; -er)* retrato *m* de medio cuerpo; (*Büste*) busto *m*; **~bräune** ⚕ *f (0)* angina *f* de pecho, estenocardia *f*; **~drüse** *Anat. f* timo *m*; *der weiblichen Brust*: glándula *f* mamaria; **~drüsenentzündung** ⚕ *f* mastitis *f*.

Brüste *f/pl.* pechos *m/pl.*, mamas *f/pl.*, P tetas *f/pl.*; **2n** *(-e-) v/refl.*: *sich ~* pavonearse, ufanarse; vanagloriarse, jactarse de; *sich ~ als* blasonar de, hacer ostentación de.

ˈ**Brust...:** **~fell** *Anat. n (-es; 0)* pleura *f*; **~fellentzündung** ⚕ *f* pleuritis *f*, pleuresía *f*; **~flosse** *Ict. f* aleta *f* pectoral; **~harnisch** *m* peto *m*, coraza *f*; **~höhe** *f (0)* altura *f* del pecho; **~höhle** *Anat. f* cavidad *f* torácica; **~kasten** *(-s; ¨)*, **~korb** *m (-es; ¨e) Anat.* caja *f* torácica, tórax *m*; **2krank** *adj.* enfermo del pecho, (*schwindsüchtig*) tuberculoso, tísico; **~krankheit** *f* enfermedad *f* del pecho; afección *f* pulmonar *bzw.* tuberculosa; **~krebs** ⚕ *m (-es; 0)* cáncer *m* de la mama; **~kreuz** *n (-es; -e)* (*des Bischofs*) cruz *f* pectoral; **~leiden** *n* → *Brustkrankheit*; **~muskel** *Anat. m (-s; -n)* músculo *m* pectoral; **2reinigend** *adj.* expectorante; **~scheibe** ⚔ *f* placa *f*; **~schild** *m (-es; -e)* escudo *m*; **~schlagader** *Anat. f (-; -n)* arteria *f* torácica; **~schwimmen** *n* (natación *f* a) braza *f*; **~stimme** *f* voz *f* de pecho; **~stück** *n (-es; -e)* (*Geflügel*) pechuga *f*; **~tasche** *f* bolsillo *m* superior *bzw.* interior de la chaqueta; **~tee** *m (-s; -s)* tisana *f* pectoral; **~ton** *m (-es; ¨e)* ♪ voz *f* de pecho; *fig. im ~ der Überzeugung* en el tono del más íntimo convencimiento; **~tuch** *n (-es; ¨er)* pañoleta *f*; **~umfang** *m (-es; 0)* perímetro *m* torácico.

ˈ**Brüstung** *f* (*Geländer*) pretil *m*, baranda *f*; balaustrada *f*; ⚔ parapeto *m*; (*Fenster2*) antepecho *m*.

ˈ**Brust...:** **~warze** *f* pezón *m*; (*männliche*) tetilla *f*; **~wehr** *f* parapeto *m*; **~weite** *f (0)* perímetro *m* torácico; **~wirbel** *Anat. m* vértebra *f* dorsal.

Brut *f (0)* (*Brüten*) incubación *f*; (*Junge*) cría *f*; *von Vögeln*: *a.* nidada *f*, pollada *f*; *von Kaninchen, Wölfen*: cría *f*, camada *f*; *von Fischen*: freza *f*, cría *f*; *fig.* engendro *m*; (*Gesindel*) ralea *f*.

bruˈ**tal** *adj.* brutal.

Brutaliˈ**tät** *f* brutalidad *f*.

ˈ**Brut...:** **~anstalt** *f* establecimiento *m* de incubación; **~apparat** *m (-es; -e)* incubadora *f*; **~ei** *n (-es; -er)* huevo *m* para incubar.

ˈ**brüten** *(-e-)* **1.** *v/i.* incubar; (*künstlich ~*) incubar artificialmente; *fig. über et. ~ (dat.)* meditar cuidadosamente a/c.; (*büffeln*) *Sch.* empollar; **2.** *v/t. fig.* et. ~ (*aushecken*) tramar, urdir; **2** *n* incubación *f*.

ˈ**Brut...:** **~henne** *f* (*gallina*) clueca *f*; **~hitze** *f (0)* calor *m* achicharrante *od.* sofocante; **~ofen** *m (-s; ¨)* incubadora *f*; (*Bakteriologie*) estufa *f* de cultivos; **~stätte** *f fig.* semillero *m*; ⚕ foco *m*; **~temperatur** *f* temperatura *f* de incubación.

ˈ**brutto** ⚚ *adv.* bruto; en bruto; **2betrag** *m (-es; ¨e)* importe *m* bruto; **2einkommen** *n* ingreso *m* bruto; **2gewicht** *n (-es; -e)* peso *m* bruto; **2gewinn** *m (-es; -e)* ganancia *f* bruta; **2registertonne** *f* tonelada *f* de registro (*od.* de arqueo) bruto.

ˈ**Bube** *m (-n)* chico *m*, muchacho *m*; chiquillo *m*, rapaz *m*; (*Spitz2*) pilluelo *m*, granuja *m*; *Kartenspiel*: sota *f*; (*Schurke*) pillo *m*, pícaro *m*; canalla *m*, bribón *m*; **~nstreich** *m (-es; -e)*, **~nstück** *n (-es; -e)* travesura *f*, chiquillada *f*; picardía *f*, granujada *f*; (*Gaunerstück*) bellaquería *f*; canallada *f*, bribonada *f*.

ˈ**Bubikopf** *m (-es; ¨e)* (media) melena *f*; F *gal.* peinado *m* a la garçonne.

ˈ**Bübi|n** *f* bribona *f*; **2sch** *adj.* pícaro, granuja, pillo; (*schurkisch*) bellaco, bribón; canallesco; infame.

ˈ**Buch** [uː] *n (-es; ¨er)* libro *m*; (*Band*) tomo *m*, volumen *m*; (*Papiermaß*) mano *f*; (*e-r Oper*) libreto *m*; ⚚ (*Haupt2*) libro *m* mayor; *Rel. das ~* la Biblia; *das erste ~ Moses* el Génesis; ⚚ *~ führen* llevar (los) libros; *~ führen über (ac.)* llevar la contabilidad de; *in ein ~ eintragen* asentar; *zu ~ stehen mit* estar asentado con el valor de; *über den Büchern sitzen fig.* pasarse la vida (F quemarse las cejas) estudiando; *wie ein ~ reden* hablar como un libro; F *wie es im ~ steht* típico; por excelencia; F tal como lo pintan; *das ist mir ein ~ mit sieben Siegeln* es un enigma para mí; **~ausstattung** *f* presentación *f*; confección *f* tipográfica; **~beschneidemaschine** *f* máquina *f* para recortar libros; **~besprechung** *f* reseña *f* literaria; **~binder** *m* encuadernador *m*; **~binde**ˈ**rei** *f* (*Werkstatt*) taller *m* de encuadernación; (*Gewerbe*) encuadernación *f*; **~bindergold** *n (-es; 0)* pan *m* de oro; **~deckel** *m* cubierta *f*, tapa *f*.

ˈ**Buchdruck** *m (-es; 0)* imprenta *f*; tipografía *f*; impresión *f* tipográfica; **~er** *m* impresor *m* (*a. Besitzer*); tipógrafo *m*; **~e**ˈ**rei** *f* (taller *m* de) imprenta *f*; tipografía *f*; **~e**ˈ**reimaschine** *f* máquina *f* tipográfica; **~erkunst** *f (0)* arte *f* tipográfico *od.* de imprimir; **~erschwärze** *f (0)* tinta *f* de imprenta; **~presse** *f* prensa *f* tipográfica.

ˈ**Buch|e** [uː] ⚘ *f* haya *f*; **~ecker** *f (-; -n)* hayuco *m*.

ˈ**Bucheinband** *m (-es- ¨e)* cubierta *f*, tapa *f*.

ˈ**buchen**[1] [uː] *v/t.* ⚚ sentar en cuenta; (a)sentar en los libros; *fig.* apuntar, anotar; registrar; *et. als Erfolg ~* apuntarse como un éxito a/c.

ˈ**buchen**[2] [uː] *adj.* de haya; **2holz** *n (-es; ¨er)* madera *f* de haya; **2wald** *m (-es; ¨er)* hayal *m*, hayedo *m*.

ˈ**Bücher** *n/pl.* libros *m/pl.*; documentos *m/pl.*; **~abschluß** ⚚ *m (-sses; ¨sse)* balance *m* de los libros; **~brett** *n (-es; -er)* estante(ría *f*) *m*.

Bücheˈ**rei** *f* biblioteca *f*; *fahrbare ~* biblioteca ambulante.

ˈ**Bücher...:** **~freund(in** *f*) *m (-es; -e)* bibliófilo (-a *f*) *m*; **~kunde** *f (0)* bibliografía *f*; **~narr** *m (-en)* bibliómano *m*; **~regal** *n (-es; -e)* estante *m*, estantería *f*; **~revisor** ⚚ *m (-s; -en)* interventor *m* de cuentas, *Am.* contador *m* público; **~sammlung** *f* colección *f* de libros; biblioteca *f*; **~schrank** *m (-es; ¨e)* armario *m* para libros; **~stand** *m (-es; ¨e)* puesto *m* de libros; **~stapel** *m* pila *f* de libros; **~stütze** *f* soportalibros *m*; **~verzeichnis** *n (-ses; -se)* catálogo *m* de libros; índice *m*; **~weisheit** *f (0)* ciencia *f* libresca; **~wurm** *m (-es; ¨er) Zoo.* polilla *f*; *fig.* rata *f* de biblioteca; bibliómano *m*.

ˈ**Buch...:** **~fink** *Orn. m (-en)* pinzón *m*; **~forderung** ⚚ *f* crédito *m* quirografario; **~führer** *m* tenedor *m* de libros; *Am.* contador *m*; **~führung** *f* teneduría *f* de libros; contabilidad *f*; *doppelte (einfache) ~* teneduría de libros por partida doble (simple); **~gemeinschaft** *f* asociación *f* de bibliófilos; **~gewerbe** *n* industria *f* del libro; **~halter** *m* → *Buchführer*; **~haltung** *f* → *Buchführung*; **~handel** *m (-s; 0)* comercio *m* de libros; **~händler** *m* librero *m*; **~handlung** *f* librería *f*; **~hülle** *f* forro *m*; **~hypothek** *f* hipoteca *f* registral; **~kredit** *m (-es; -e)* crédito *m* quirografario; **~laden** *m (-s; ¨)* → *Buchhandlung*.

ˈ**Büchlein** *n* librito *m*.

ˈ**Buch...:** **~leinen** *n* tela *f* (*de encuadernación*); **~macher** *m Sport.* corredor *m* de apuestas; **~messe** *f* feria *f* del libro; **~prüfer** *m* interventor *m*, revisor *m* de cuentas; **~prüfung** *f* revisión *f* de cuentas; **~rücken** *m* lomo *m*; **~saldo** *m* ⚚ *(-s; -s od. -saldi od. -salden)* balance *m* de los libros.

ˈ**Buchsbaum** ⚘ *m (-es; ¨e)* boj *m*; **~holz** *n (-es; 0)* madera *f* de boj.

ˈ**Buch...:** **~schnitt** *m (-es; -e)* canto *m* (de libro); **~schuld** *f* deuda *f* activa (sentada en los libros); crédito *m* quirografario.

ˈ**Buchse** ⊕ *f* (*Muffe*) manguito *m*; (*Fett2*) engrasador *m*; ⚡ (*Fassung*) portalámpara *m*.

ˈ**Büchse** [ˈ-ksə] *f* (*Dose, Schachtel*) caja *f*; (*Konservendose*) lata *f*; bote *m*; (*Gewehr*) carabina *f*, fusil *m* rayado; escopeta *f*; *in ~n verpackt* envasado en latas.

ˈ**Büchsen...:** **~fleisch** *n (-es; 0)* carne *f* en conserva; **~lauf** *m (-es; ¨e)* cañón *m* de carabina *bzw.* de escopeta; **~macher** *m* armero *m*; **~milch** *f (0)* leche *f* condensada; **~öffner** *m* abrelatas *m*; **~schuß** *m (-sses; ¨sse)* tiro *m* de carabina; escopetazo *m*.

ˈ**Buchstabe** [uː] *m (-n)* letra *f*; *Typ.* letra *f* de molde; *mst. pl.*: caracteres *m/pl.*, tipos *m/pl.* de imprenta; (*Anfangs2*) inicial *f*; *großer (kleiner) ~* mayúscula (minúscula); *fetter ~ (Typ.)* negrilla; *dem ~n nach* literalmente; al pie de la letra; *bis zum* *letzten* ~*n* hasta la última letra; F *die vier* ~*n* el trasero, el mapamundi, V el culo.

'**Buchstaben...:** ~**form** *Typ. f* molde *m* de letra; ~**folge** *f* orden *m* alfabético; ~**glaube** *m* (*-ns; 0*) ortodoxia *f*; dogmatismo *m*; ~**gleichung** 𝔄 *f* ecuación *f* algebraica; ~**rätsel** *n* logogrifo *m*; ~**rechnung** *f* cálculo *m* algebraico, álgebra *f*; ~**schloß** *n* (*-sses; ¨sser*) candado *m* de letras; ~**setzmaschine** *Typ. f* máquina *f* componedora.

buchsta'bieren (-) *v/t.* deletrear; 2 *n* deletreo *m*.

buchstäblich I. *adj.* literal; textual; **II.** *adv.* literalmente; textualmente; al pie de la letra, a la letra, exactamente; *fig.* efectivamente.

'**Bucht** *f* bahía *f*, ensenada *f*, rada *f*; *kleine*: cala *f*, abra *f*; caleta *f*; *große*: golfo *m*; *Anat.*, ⚘: seno *m*; (*Windung*) sinuosidad *f*; *die Deutsche* ~ la bahía de Helgoland; 2**en** (*-e-*) *v/refl.* doblarse hacia dentro; 2**ig** *adj.* ensenado, sinuoso; tortuoso; ⚘ de borde ondeado.

'**Buch...:** ~**titel** *m* título *m* (de un libro); ~**umschlag** *m* (*-es; ¨e*) sobrecubierta *f*.

'**Buchung** ✝ *f* asiento *m*; (*Posten*) partida *f*; *e-e* ~ *machen* hacer un asiento en los libros.

'**Buchungs...:** ~**fehler** *m* error *m* (de registro) en los libros; ~**maschine** *f* máquina *f* contabilizadora; ~**methode** *f* sistema *m* de contabilidad; ~**nummer** *f* (*-; -n*) número *m* de orden; ~**posten** *m* partida *f*.

'**Buch...:** ~**weizen** *m* (*-s; 0*) trigo *m* sarraceno; ~**wert** *m* (*-es; -e*) valor *m* contable *od.* nominal; ~**wissen** *n* (*-s; 0*) saber *m* libresco; ~**zeichen** *n Bibliothek*: signatura *f*; (*Eignerzeichen*) ex libris *m*.

'**Buckel**[1] *m* (*Verzierung*) bollo *m* de relieve.

'**Buckel**[2] *m* corcova *f*, gibosidad *f*; (*buckliger Rücken*) joroba *f*, giba *f*; F chepa *f*; (*Hügel*) prominencia *f*; (*Ausbauchung*) protuberancia *f*; (*Wölbung*) convexidad *f*, abombamiento *m*; *e-n* ~ *machen* inclinarse servilmente ante alg.; *Katze*: arquear el lomo; *fig. sich e-n* ~ *lachen* F troncharse de risa; F *du kannst mir den* ~ *runter rutschen* F ¡vete a freír espárragos!

'**buck(e)lig** *adj.* corcovado, giboso, jorobado; (*gewölbt*) abombado; 2**e** (*-r m*) *m/f* jorobado (-a *f*) *m*.

'**bücken** *v/t.*: *sich* ~ bajarse; (*sich neigen*) inclinarse; (*sich ducken*) agacharse; (*untertänig*) hacer una reverencia servil, F doblar el espinazo; (*sich unterwerfen*) humillarse; (*unter e-r Last*) encorvarse por (*a. fig.*); *er bückte sich nach einem Stein* se agachó para coger una piedra.

'**Bück(l)ing** *m* (*-s; -e*) arenque *m* ahumado.

'**Bückling** *m* (*-s; -e*) (*Verbeugung*) reverencia *f*; inclinación *f*.

'**buddeln** (*-le*) F *v/i. u. v/t.* cavar; remover la tierra; (*Kinder*) jugar en la arena.

Bud|'dhismus *m* (*-; 0*) budismo *m*; ~'**dhist(in** *f*) *m* (*-en*), 2'**dhistisch** *adj.* budista *m/f*.

'**Bude** *f* (*Verkaufs*2) *offen*: puesto *m*, tienda *f* del aire, *desp.* tenderete *m*; (*Laden*) tienda *f*, *desp.* tenducho *m*; (*Schau*2) barraca *f* de feria; (*Hütte*) F chabola *f*; (*armselige Wohnung*) chiribitil *m*; zaquizamí *m*, cuchitril *m*; (*Zimmer*) cuarto *m* modesto, *desp.* cuartucho *m*; F *die* ~ *zumachen* cerrar (la tienda, el negocio etc.); liquidar (*a. fig.*); *j-m auf die* ~ *rücken* presentarse intempestivamente en casa de alg.; ir a pedir explicaciones a alg.; *Leben in die* ~ *bringen* F llevar animación al cotarro, animar el patio; ~**nbesitzer** *m* dueño *m* de un puesto (*bzw.* de una barraca) de feria; ~**nzauber** *m* (*-s; 0*) F guateque *m*.

Bud'get [by'dʒe:] *n* (*-s; -s*) presupuesto *m*; *et. im* ~ *vorsehen* incluir en el presupuesto; ~**beratung** *f* discusión *f* del presupuesto.

Bu'dike F *f* taberna *f*, P tasca *f*; *Arg.* boliche *m*.

Bü'fett [by'fe:] *n* (*-s; -s*) (*Möbel*) aparador *m*; (*Schenktisch*) mostrador *m*; (*Bahnhofswirtschaft*) cantina *f*, fonda *f*; (*Imbißhalle*) bar *m*; *kaltes* ~ fiambres; ~**fräulein** *n* empleada *f* del mostrador.

'**Büffel** *m* búfalo *m*; ~**leder** *n* piel *f* de búfalo; 2**n** F (*-le*) *v/i.* F matarse a trabajar, echar el bofe; *Sch.* empollar, quemarse las cejas estudiando.

'**Bug** *m* (*-s; -e*) ⚓ proa *f*; (*Biegung*) curvatura *f*, encorvadura *f*; (*hintere Kniebeuge*) corva *f*, *der Vierfüßler*: corvejón *m*; *Zoo.* (*Vorder*2) *des Pferdes*: codillo *m*; *der Schlachttiere*: espaldilla *f*; lomo *m* (*de ternera etc.*); (*Falte*) pliegue *m*; (*Fuge*) juntura *f*; ~**anker** ⚓ *m* ancla *f* de leva.

'**Bügel** *m* arco *m*; (*Steig*2) estribo *m*; (*Kleider*2) percha *f*; ⊕ *allg.* arco *m*; (*Handgriff*) asa *f*, manija *f*; (*Klammer*) abrazadera *f*; (*Schloß*) eslabón *m* de candado; (*Kompaß*) aro *m* de suspensión; (*Gewehr*) guardamonte *m*; *Fechtk.* guarnición *f*; ~**brett** *n* (*-es; -er*) tabla *f* de planchar; ~**eisen** *n* plancha *f*; ~**falte** *f* raya *f* del pantalón; 2**frei** *adj.* no necesita planchado; 2**n** (*-le*) *v/t.* planchar; (*Naht*) sentar; ~**n** *n* planchado *m*; ~**presse** *f* prensa *f* de planchar; ~**riemen** *m* ación *f*; ~**säge** *f* sierra *f* de arco.

'**Bug...:** ~**figur** ⚓ *f* mascarón *m* de proa; 2**lahm** *adj.* (*Pferd*) deslomado, despaldillado; 2**lastig** ✈ *adj.* cargado en la proa.

'**Bügler(in** *f*) *m* planchador(a *f*) *m*.

Bug'sier|dampfer *m* remolcador *m*; 2**en** (-) *v/t.* remolcar; ~**leine** *f* cable *m* de remolque; ~**lohn** *m* (*-es; ¨e*) derechos *m/pl.* de remolque.

'**Bugspriet** ⚓ *n* (*-es; -e*) bauprés *m*.

'**Buhl|e** *m/f Liter.* galán *m*; amante *m/f*, querido (-a *f*) *m*; 2**en** *v/i.*: *um j-n* ~ hacer el amor, requebrar, galantear, cortejar (*ac.*); (*Wind, Brise*) *Poes.* acariciar, orear; (*Wettbewerb*) competir, rivalizar; *fig. um et.* ~ pretender con ahinco (*ac.*), aspirar a; *um j-s Gunst* ~ mendigar el favor de alg.; ~**e'rei** *f* amorío *m*, galanteo *m*; amor *m* ilícito (*mit* con); (*Gefallsucht*) coquetería *f*; *fig.* adulación *f*, lisonja *f* servil; servilismo *m*; ~**erin** *f Liter.* cortesana *f*, hetaira *f*; mujer *f* galante; *Bib.* adúltera *f*; 2**erisch** *adj.* galanteador, galante; (*gefallsüchtig*) coqueta *f*; (*Gebärde*) lascivo.

'**Buhne** *f* defensa *f* hidráulica; dique *m* de estacas.

'**Bühne** *f allg.* teatro *m*, *fig.* tablas *f/pl.*; (*Gerüst*) tablado *m*; (*Redner*2) tribuna *f*; ⊕ plataforma *f*; *Thea.* escenario *m*, escena *f* (*a. fig.*); *auf der* ~ en escena; *hinter der* ~ entre bastidores; *auf die* ~ *bringen* poner en escena; *über die* ~ *gehen* (*Stück*) ser representado; *zur* ~ *gehen* dedicarse al teatro; *er trat von der politischen* ~ *ab* se retiró de la vida política.

'**Bühnen...:** ~**anweisung** *f* acotación *f*; ~**ausstattung** *f* decorado *m*, decoración *f*; ~**bearbeitung** *f* adaptación *f* escénica, escenificación *f*; ~**bild** *n* (*-es; -er*) decoración *f*, decorado *m*; escena *f*; ~**bildner** *m* escenógrafo *m*; ~**dichter** *m* autor *m* dramático; ~**dichtung** *f* poesía *f* dramática; (*Stück*) obra *f* dramática; ~**erfolg** *m* (*-es; -e*) éxito *m* teatral; 2**fähig** *adj.* representable; 2**gerecht** *adj.* conforme a las normas escénicas; ~**held(in** *f*) *m* (*-en*) héroe *m*, heroína *f* (de una obra teatral); ~**kritiker** *m* crítico *m* teatral; ~**kunst** *f* (*0*) arte *m* escénico, teatro *m*; ~**leiter** *m* director *m* de escena; ~**licht** *n* (*-es; -er*) candilejas *f/pl.*; ~**maler** *m* escenógrafo *m*; ~**maschinerie** *f* tramoya *f*; ~**stück** *n* (*-es; -e*) pieza *f* de teatro; ~**technik** *f* escenotécnica *f*; 2**technisch** *adj.* teatral, escénico; ~**wände** *f/pl.* bastidores *m/pl.*; ~**werk** *n* (*-es; -e*) obra *f* dramática; pieza *f* teatral; ~**werkmeister** *m* maquinista *m* (de teatro); ~**wirkung** *f* (*0*) efecto *m* teatral.

'**Bukarest** *n* Bucarest *m*.

Bu'kett *n* (*-es; -e*) ramillete *m*; *des Weins*: aroma *m*.

Bu'lette *f* albóndiga *f*.

Bul'gar|e *m* (*-n*), ~**in** *f* búlgaro (-a *f*) *m*; ~**ien** *n* Bulgaria *f*; 2**isch** *adj.* búlgaro.

'**Bull|auge** ⚓ *n* portilla *f*; ~**dog** *m* (*-s; -s*) (*Zugmaschine*) tractor *m*; ~**dogge** *f* perro *m* de presa.

'**Bulle**[1] *m* (*-n*) toro *m*; F *fig.* atleta *m*.

'**Bulle**[2] *f* bula *f*; *päpstliche* ~ bula pontificia.

'**Bullen|beißer** *m* perro *m* de presa; ~**hitze** F *f* (*0*) calor *m* achicharrante *od.* sofocante; ~**kalb** *n* (*-es; ¨er*) ternero *m*, becerro *m*.

Bulle'tin *m* (*-s; -s*) boletín *m*.

'**Bumerang** *m* (*-s; -e*) bumerang *m*.

'**Bummel** F *m* (*Spaziergang*) paseo *m* ocioso; callejeo *m*; (*Straße*) paseo *m*; (*Studenten*2) paseo *m* colectivo de asociaciones estudiantiles; *e-n* ~ *machen* dar (un paseo) una vuelta; callejear; *auf den* ~ *gehen* F ir de (*od.* correr una) juerga, *Arg.* farrear; echar una cana al aire.

Bumme'lei [-'laɪ] *f* (*Nachlässigkeit*) negligencia *f*, descuido *m*; desaliño *m*; (*faulenzen*) gandulería *f*, haraganería *f*; (*Trägheit*) pereza *f*.

'**bummel|ig** *adj.* (*nachlässig*) negligente, descuidado; (*langsam*) tardo, premioso; (*vergeßlich*) olvidadizo; (*träge*) perezoso; 2**leben** *n* (-*s*; *0*) vida *f* ociosa; vida *f* bohemia; ~**n** (-*le*) *v/i.* (*schlendern*) callejear, vagar; (*nichts tun*) holgazanear, gandulear; (*trödeln*) remolonear; (*bettelnd*) vagabundear; (*langsam machen*) ser lento; trabajar con lentitud *f*; (*sich amüsieren*) divertirse, F ir de juerga *f od.* de parranda *f*; *Arg.*: farrear; 2**streik** *m* (-*ęs*; -*s*) huelga *f* de brazos lentos; 2**zug** *m* (-*ęs*; ⸚*e*) F tren *m* botijo.

'**Bumm|ler** *m* (*Straßen*2) paseante *m* callejero; F azotacalles *m*; (*Nichtstuer*) holgazán *m*, gandul *m*, vago *m*; bohemio *m*; (*Nachtschwärmer*) trasnochador *m*, ave *f* nocturna; (*Lebemann*) juerguista *m*, parrandero *m*, *Arg.* farrista *m*; (*Landstreicher*) vagabundo *m*; (*langsamer Mensch*) remolón *m*; 2**lig** *adj.* → *bummelig*.

'**bums** *int.* ¡pum!; ¡zas!; ¡cataplum!; ~**en** (-*t*) *v/i.* estrellarse contra; 2**landung** ✈ *f* aterrizaje *m* violento; 2**lokal** F *n* (-*ęs*; -*e*) cafetucho *m* (ruidoso); sala *f* de baile *bzw.* cabaret *m* de ínfima clase.

Bund 1. *n* (-*ęs*; -*e*) haz *m*; *zwei* ~ *Holz* dos haces de leña; *Schlüssel*: manojo *m*; *Zwiebel*: ristra *f*; **2.** *m* (-*ęs*; ⸚*e*) (*Band*) tira *f*, cinta *f*; (*Binde*) faja *f*; (*Hosen*2) pretina *f*; ⊕ *e-r Welle*: collar *m*; *fig.* unión *f*, vínculo *m*; (*Bündnis*) alianza *f*; (*Staaten*2) (con)federación *f*; (*parteipolitischer* ~) coalición *f*; (*Bundesrepublik*) República *f* Federal; *Völker*2 Sociedad de (las) Naciones; (*Organisation*) asociación *f*, liga *f*, organización *f*; *Rel. der Alte* (*Neue*) ~ el Antiguo (Nuevo) Testamento; *im* ~*e mit* aliado con, en unión con; coaligado con; *e-n* ~ *schließen mit* confederarse con; contraer una alianza con; hacer un pacto con; *er steht in engem* ~ *mit dem Parteiführer* F es uña y carne con el jefe del partido.

'**Bündel** *n* lío *m*, envoltorio *m*; *Kleider*: hato *m*; *Holz*, *Stroh*: haz *m*; *Akten*: legajo *m*; *Wolle*, *Garn*: madeja *f*; *Ähren*: gavilla *f*; *Banknoten*: fajo *m*; *Anat.* fascículo *m*; ✝ paquete *m*; *Ballen*: fardo *m*; *Strahlen*2: haz *m* de rayos; → *Bund 1.*; *sein* ~ *schnüren* liar el hato (*od.* el petate); 2**n** (-*le*) *v/t.* hacer paquetes *m/pl.* de; enfardar; 2**weise** *adj. u. adv.* en paquetes *bzw.* haces *od.* fardos.

'**Bundes...:** *in Zssg(n)* federal; ~**behörde** *f* autoridad *f* federal; ~**bruder** *m* (-*s*; ⸚) *Sch.* miembro *m* de una asociación estudiantil; 2**eigen** *adj.* privativo *bzw.* propio del gobierno federal; ~**gebiet** *n* (-*ęs*; -*e*) territorio *m* federal; ~**genosse** *m* (-*n*) confederado *m*; aliado *m*; colega *m*, compañero *m*; ~**gericht** *n* (-*ęs*; -*e*) Tribunal *f* Federal; ~**gerichtsbarkeit** *f* jurisdicción *f* federal; ~**grenzschutz** *m* (-*es*; *0*) Policía *f* de Fronteras de la República Federal; ~**kanzler** *m* Canciller *m* (de la República Federal); ~**lade** *f Bib.* Arca de la Santa Alianza; ~**präsident** *m* (-*en*) Presidente *m* de la República Federal; ~**rat** *m* (-*ęs*; ⸚*e*) Consejo *m* Federal; *Parl.* Cámara *f* Alta de la República Federal; ~**regierung** *f* Gobierno *m* Federal; ~**republik** *f* **Deutschland** República *f* Federal de Alemania; ~**staat** *m* (-*ęs*; -*en*) *einzelner*: Estado *m* confederado; *Gesamtheit der einzelnen*: (Con)federación *f*; 2**staatlich** *adj.* federal; ~**straße** *f* carretera *f* de primer orden (*de un Estado federal*); ~**tag** *m* (-*ęs*; *0*) Parlamento *m* Federal; Congreso *m*, Cámara *f* Baja; *Hist.* Dieta *f*; ~**verfassung** *f* Constitución *f* Federal; ~**verfassungsgericht** *n* (-*ęs*; *0*) Tribunal *m* de Garantías Constitucionales (de una Confederación); ~**wehr** ⚔ *f* (*0*) Ejército *m* (federal).

'**bündig** *adj.* (*gültig*) válido; (*verpflichtend*) obligatorio; (*überzeugend*) convincente; terminante, concluyente; (*genau*) preciso; (*rechtsgültig*) fehaciente; *Stil*, *Rede*: conciso, terso, lapidario; (*schroff*) seco, brusco; ~*e Behauptung* afirmación rotunda; ⊕ (*fluchtrecht*) enrasado; *kurz und* ~ sin rodeos; (*geradeheraus*) con toda franqueza *od.* claridad; 2**keit** *f* (*0*) validez *f*; precisión *f*; concisión *f*, laconismo *m*.

'**bündisch** *adj.* (con)federado; asociativo; corporativo; federal.

'**Bündnis** *n* (-*ses*; -*se*) alianza *f*, liga *f*; → *Bund 2*; (*Vertrag*) pacto *m*.

'**Bunker** *m* ⚓ (*Kohlen*2) carbonera *f*; (*Schutzraum*) refugio *m*; ⚔ (*Beton*2) fortín *m od.* refugio *m* de hormigón; (*Luftschutz*2) refugio *m* antiaéreo; ~**kohle** *f* carbón *m* para buques; 2**n** *v/t.* ⚓ tomar carbón *od.* combustible.

'**bunt** *adj.* en colores; de (varios) colores, multicolor, policromo; policromado; (~*gefleckt*) pintado; (*scheckig*) abigarrado; (*grell*) llamativo, chillón, F pajarero; (*marmoriert*) jaspeado; (*gesprenkelt*) mosqueado; punteado; (*gemischt*) mezclado; *fig.* confuso, abigarrado; (*abwechslungsreich*) variado; animado; ~*es Glas* vidrio de color; ~*e Wiese* prado esmaltado de flores; ~*e Menge* una multitud abigarrada; ~*er Abend* velada artística; ~*e Unterhaltung* (*Kabarett*, *Radio usw.*) programa de variedades; ~*es Allerlei* de todo un poco; ~*es Treiben* animación, F jarana, jaleo; ~*e Reihe machen* mezclar por sexos, alternar damas y caballeros; F *das wird mir doch zu* ~ esto ya pasa de castaño oscuro; F *er treibt es zu* ~ se extralimita, exagera la nota; F *er ist bekannt wie ein* ~*er Hund* F es más conocido que el tebeo; ~ *durcheinander* sin orden ni concierto, todo revuelto; 2**druck** *m* (-*ęs*; -*e*) impresión *f* en colores; cromotipia *f*; *Phot.* cromolitografía *f*; *auf Stoff*: estampación *f* multicolor; ~**gefiedert** *adj.* de plumaje multicolor; 2**gewebe** *n* tejido *m* de colores; 2**heit** *f* (*0*) policromía *f*; variedad *f* de colores; abigarramiento *m*; *fig.* variedad *f*; 2**metall** *n* (-*s*; -*e*) metal *m* no ferroso; 2**papier** *n* (-*s*; -*e*) papel *m* de colores; 2**sandstein** *m* (-*ęs*; -*e*) arenisca *f* abigarrada; ~**scheckig** *adj.* abigarrado; ~**schillernd** *adj.* irisado; opalino; 2**specht** *Orn.* *m* (-*ęs*; -*e*) pico *m*; 2**stift** *m* (-*ęs*; -*e*) lápiz *m* de color.

'**Bure** *m* (-*n*) boer *m*; ~**nkrieg** *m* (-*ęs*; *0*) guerra *f* anglo-boer.

'**Bürde** *f* carga *f* (*a. fig.*); *Gewicht*: peso *m* (*a. fig.*); *unter der* ~ *der Jahre* bajo el peso de los años; *j-m e-e* ~ *auferlegen* imponer una carga a alg.

Bü'rette ⚗ *f* probeta *f*.

Burg *f* castillo *m*; (*Festung*) fortaleza *f*, fuerte *m*; *fig.* asilo *m*.

'**Bürge** *m* (-*n*) fiador *m*; garante *m*; *e-n* ~*n stellen* presentar un fiador; 2**n** *v/i.* fiar; *für j-n* ~ salir fiador de alg.; responder de alg.; avalar a alg.; *für et.* ~ garantizar (*od.* avalar) a/c.; *mit s-m Wort* ~ empeñar su palabra.

'**Bürger** *m*, ~**in** *f allg.* ciudadano (-a *f*) *m*; (*Stadtbewohner*) vecino (-a *f*) *m*; *weitS.* habitante *m/f*; (*Zivilist*) paisano *m*; (*Angehöriger des Mittelstandes*) burgués *m*; (*Privatmann*) particular *m*; ~**adel** *m* (-*s*; *0*) patriciado *m*; ~**brief** *m* (-*ęs*; -*e*) carta *f* de vecindad; *in Stadtstaaten*: carta *f* de ciudadanía *bzw.* de naturaleza; ~**eid** *m* (-*ęs*; -*e*) juramento *m* cívico; ~**krieg** *m* (-*ęs*; -*e*) guerra *f* civil.

'**bürgerlich** *adj.* civil; cívico; (*Mittelstands...*) de la clase media; burgués; (*städtisch*) urbano; *desp.* plebeyo; (*Zivil...*) civil; (*einfach*) sencillo, simple; ~*e Küche* cocina casera; *Verlust der* ~*en Ehrenrechte* pérdida de los derechos cívicos; ~*es Recht* (2*es Gesetzbuch*) Derecho (Código) civil; 2**e(r** *m*) *m/f*: *die* ~*n* la clase media; la burguesía.

'**Bürger...:** ~**meister** *m Span.* alcalde *m*; *in Deutschland*: burgomaestre *m*; *Am.* intendente *m* municipal; ~**meisteramt** *n* (-*ęs*; ⸚*er*) alcaldía *f*; ~**pflicht** *f* deber *m* cívico; ~**recht** *n* (-*ęs*; -*e*) (derecho *m* de) ciudadanía *f*; *engS.* carta *f* de naturaleza; ~**schaft** *f* burguesía *f*; (*e-r Stadt*) vecindario *m*, población *f*; ~**sinn** *m* (-*ęs*; *0*) civismo *m*; ~**stand** *m* (-*ęs*; *0*) clase *f* media; burguesía *f*; ~**steig** *m* (-*ęs*; -*e*) acera *f*, *Arg.* vereda *f*; ~**stolz** *m* (-*es*; *0*) orgullo *m* cívico; ~**tum** *n* (-*s*; *0*) ciudadanía *f*; (*Stand*) clase *f* media *od.* burguesa; ~**wehr** *f* (*0*) milicia *f*.

'**Burg...:** ~**frau** *f* castellana *f*; ~**friede** *m* (-*ns*; *0*) *Hist.* paz *f* castellana; *Pol.* tregua *f* política; ~**graben** *m* (-*s*; ⸚) foso *m*; ~**graf** *m* (-*en*) burgrave *m*; ~**herr** *m* (-*ęn*) castellano *m*.

'**Bürgschaft** *f* fianza *f*; (*Sicherheit*) seguridad *f*; (*Unterpfand*) garantía *f*; (*Wechsel*2) aval *m*; ⚖ (*Kaution*) fianza *f*; caución *f*; ~ *leisten* afianzar; garantizar; dar *od.* prestar fianza *bzw.* garantía (*für* por); *für e-n Wechsel*: avalar; ⚖ depositar una fianza; caucionar; *gegen* ~ *freilassen* poner en libertad bajo fianza.

'**Bürgschafts...:** 2**fähig** *adj.* ⚖ caucionable; ~**leistung** *f* prestación *f* de fianza; (*Wechsel*) avalamiento *m*; ~**provision** *f* ✝ comisión *f* por garantía bancaria; ~**schein** *m* (-*ęs*; -*e*) ✝ garantía *f*; ⚖ escritura *f* de fianza; caución *f*; **~summe** *f* cuantía *f* de la fianza (*a.* ⚖); **~wechsel** *m* letra *f* avalada.

Bur'gund *n* Borgoña *f*; **~er(in** *f*) *m*, **≈isch** *adj.* borgoñón *m*, borgoñona *f*; **~er(wein)** *m* (vino *m* de) Borgoña.

'Burg...: ~verlies *n* (*-es*; *-e*) mazmorra *f*; **~vogt** *m* (*-es*; *⸚e*) alcaide *m*; castellano *m*; **~warte** *f* vigía *f*.

bur'lesk *adj.* burlesco, jocoso, cómico, festivo; **≈e** *f* *Thea.* farsa *f*, juguete *m* cómico.

'Burnus *m* (*-ses*; *-se*) albornoz *m*.

Bü'ro *n* (*-s*; *-s*) oficina *f*; despacho *m*; **~angestellte(r** *m*) *m/f* empleado (-a *f*) *m* de oficina, oficinista *m/f*; F *desp.* chupatintas *m*; **~arbeit** *f* trabajo *m* de oficina; rutina *f* oficinesca; **~bedarf(s-artikel** *m/pl.*) *m* (*-es*; *0*) artículos *m/pl.* de escritorio, material *m* de oficina; **~diener** *m* ordenanza *m*; (*Laufbursche*) botones *m*; **~chef** *m* (*-s*; *-s*) jefe *m* de (la) oficina; **~klammer** *f* (*-*; *-n*) sujetapapeles *m*.

Büro'krat *m* (*-en*) burócrata *m*; F covachuelista *m*.

Bürokra't|ie *f* burocracia *f*; **~ismus** *m* (*-*; *0*) burocratismo *m*; (*Amtsschimmel*) expedienteo *m*, formalismo *m* burocrático.

büro'kratisch *adj.* burocrático; *desp.* oficinesco.

Bü'ro...: ~möbel *n/pl.* muebles *m/pl.* de oficina *od.* de escritorio; **~personal** *n* (*-s*; *0*) personal *m* de la oficina; **~schluß** *m* (*-sses*; *0*) hora *f* de cierre (*de la oficina*); **~stunden** *f/pl.* horas *f/pl.* de oficina; **~vorsteher** *m* → *Bürochef*.

'Bürsch|chen, ~lein *n* mocito *m*; mancebo *m*, zagal *m*, rapaz *m*; F chaval *m*, P chavea *m*.

'Bursche *m* (*-n*) muchacho *m*, chico *m*, joven *m*, mozo *m*; F pollo *m*; (*Kerl*) individuo *m*, F tío *m*; (*Geselle*) compañero *m*, camarada *m*; *Sch.* (*Ggs. Fuchs*) estudiante *m* veterano (*de una asociación*), *allg.* estudiante *m*; (*Lauf≈*) recadero *m*; botones *m*; ⚔ (*Offiziers≈*) asistente *m*; *ein feiner ~* F *iro.* buen elemento, buena pieza, un punto; una alhaja; *ein kluger ~* un chico listo *od.* inteligente; *ein seltsamer ~* F un bicho raro; *ein übler ~* un mal sujeto, P un tipo de cuidado (*od.* peligroso).

'Burschen|herrlichkeit *f* (*0*) años *m/pl.* dorados de la vida estudiantil; **~schaft** *f* asociación *f* de estudiantes.

burschi'kos *adj.* alegre, jovial; jocoso, festivo; despreocupado, desenvuelto; campechano.

'Bürste *f* cepillo *m*; ⚡ escobilla *f*; (*Pferde≈*) bruza *f*; **≈n** (*-e-*) *v/t.* cepillar; *sich die Haare ~* cepillarse el pelo.

'Bürsten...: ~abzug *Typ. m* (*-es*; *⸚e*) prueba *f*, galerada *f*; **~binder** *m* fabricante *m* de cepillos; brucero *m*; **~halter** ⚡ *m* porta-escobillas *m*; **~walze** *f* cepillo *m* rotativo, cilindro *m* cepillador; **~waren** *f/pl.* cepillería *f*.

'Bürzel *m* *Vogel*: rabadilla *f*; *bei Geflügel*: *a.* obispillo *m*; **~drüse** *f* glándula *f* coxígea.

'Bus F *m* (*-ses*; *-se*) autobús *m*; **~haltestelle** *f* parada *f* de autobuses.

'Busch *m* (*-es*; *⸚e*) mata *f*; (*Urwald*) selva *f*; (*Strauch*) arbusto *m*; (*Gestrüpp*) matorral *m*, maleza *f*; (*Unterholz*) monte *m* bajo; (*Dorn≈*) zarzal *m*; (*Feder≈*) penacho *m*; (*Haar≈*) mechón *m*; *fig. auf den ~ klopfen* (*bei j-m*) sondear, tantear a alg.; *fig. sich* (*seitwärts*) *in die Büsche schlagen* F escurrir el bulto.

'Büschel *n* (*Bündel*) haz *m*; (*Quaste*) borla *f*; (*Kräuter usw.*) manojo *m*; (*Blumen*) ramillete *m*; (*Franse*) fleco *m*; (*Haare*) mechón *m*; (*Traube*) racimo *m*; (*Federn*) penacho *m*; (*Stirn der Pferde*) copete *m*; ⚘, *Anat.*: fascículo *m*; ⚡ escobilla *f*; *Zoo.* cresta *f*; **~entladung** ⚡ *f* descarga *f* en abanico; **≈förmig** *adj.* ⚘ fascicular; **≈weise** *adv.* en haces, *etc.*

'Busch...: ~holz *n* (*-es*; *⸚er*) monte *m* bajo; **≈ig** *adj.* espeso, tupido; (*voll Gebüsch*) breñoso, lleno de maleza *f*; (*Laub*) frondoso; **~mann** *m* (*-es*; *⸚er*) bosquimano *m*; **~messer** *n* machete *m*; **~neger** *m* negro *m* cimarrón; **~werk** *n* (*-es*; *0*) maleza *f*, matorral *m*, breñal *m*; **~windrös-chen** ⚘ *n* anemona *f*, anémona *f*, anemone *f*.

'Busen *m* (*Meer≈*) golfo *m*; bahía *f*, ensenada *f*; (*Brust*) pecho *m*; seno *m*; *fig.* corazón *m*, seno *m*, F entretelas *f/pl.*; *im ~ hegen* abrigar en su corazón; **~freund(in** *f*) *m* amigo (-a *f*) *m* íntimo (-a *f*) *m*; **~nadel** *f* (*-*; *-n*) broche *m*.

'Bussard *Zoo. m* (*-s*; *-e*) buharro *m*.

'Buße [u:] *f* *Rel.* penitencia *f*; (*Reue*) arrepentimiento *m*; contrición *f*; (*Genugtuung*) satisfacción *f*; (*Sühnung*) expiación *f*; (*Strafe*) sanción *f*, penalidad *f*; (*Geld≈*) multa *f*; *~ tun* hacer penitencia.

'büßen [y:] (*-t*) *v/t. u. v/i.* (*Strafe erleiden*) sufrir una pena, ser castigado por; (*Geld*) pagar una multa; (*wieder gutmachen*) reparar; *Verbrechen*: expiar; *fig.* pagar por, sufrir; *er büßte es mit s-m Leben* lo pagó con su vida; *das sollst du mir ~* me las pagarás; (*Buße tun*) hacer penitencia; (*bereuen*) arrepentirse de; (*befriedigen*) satisfacer.

'Büßer *m*, **~in** *f* penitente *m/f*; **~gewand** *n* (*-es*; *⸚er*) sayal *m*, hábito *m* de penitencia; **~hemd** *n* (*-es*; *-en*) cilicio *m*; (*der Ketzer*) sambenito *m*.

'buß...: ~fertig *adj.* penitente; arrepentido; (*geknickt*) contrito; **≈fertigkeit** *f* (*0*) arrepentimiento *m*; contrición *f*.

Bus'sole ⚓ *f* brújula *f*, aguja *f* de marear; 🛩 goniómetro *m*.

'Buß...: ~predigt *f* exhortación *f* a penitencia; sermón *m* cuaresmal; **~tag** *m* (*-es*; *-e*) día *m* de penitencia; *Buß- und Bettag* (*I.P.*) día de arrepentimiento y oración.

'Büste *f* busto *m*; *Phot.* retrato *m* de medio cuerpo; **~nformer** *m/pl.* pechos *m/pl.* postizos; **~nhalter** *m* sostén *m*; **~nheber** *m* sostén *m* elevador.

Bu'tan ⚗ *n* (*-s*; *0*) butano *m*.

Butt *Ict. m* (*-es*; *-e*) (*Stein≈*) rodaballo *m*.

'Butte *f*, **Bütte** *f* cuba *f*; tina *f*, tinaja *f*; (*Faß*) pipa *f*; tonel *m*.

'Büttel *m* alguacil *m*, corchete *m*; *desp.* esbirro *m*.

'Büttenpapier *n* (*-s*; *-e*) papel *m* de tina.

'Butter *f* (*0*) mantequilla *f* *od.* manteca *f*; *braune* (*frische, gesalzene*) *~* mantequilla derretida (fresca, salada); *mit ~ bestreichen* untar con mantequilla; F *alles in ~* todo a pedir de boca; **~birne** *f* pera *f* de agua; **~blume** ⚘ *f* diente *m* de león; **~brot** *n* (*-es*; *-e*) (rebanada *f* de) pan *m* con mantequilla; *fig.* F *für ein ~ kaufen* F comprar a precio tirado; **~brotpapier** *n* (*-s*; *-e*) papel *m* impermeable; **~dose** *f* mantequera *f*; **~faß** *n* (*-sses*; *⸚sser*) barril *m* para manteca; *zum Buttern*: mantequera *f*; **~maschine** *f* mantequera *f*, batidora *f* de manteca; **~messer 1.** *n* cuchillo *m* para manteca; **2.** *m* ⚗ butirómetro *m*; **~milch** *f* (*0*) suero *m* de mantequilla; **≈n 1.** *v/i.* transformarse en mantequilla; **2.** *v/t.* hacer mantequilla; (*bestreichen*) untar con mantequilla; **~säure** ⚗ *f* ácido *m* butírico; **~soße** *f* manteca *f* derretida; **~teig** *m* (*-es*; *-e*) hojaldre *m*; **≈weich** *adj.* blando como manteca; *fig.* blandengue.

Bu'tylalkohol ⚗ *m* (*-s*; *0*) alcohol *m* butílico.

'Butzen *m* *im Obst*: corazón *m*; ✈ (*Eiterstock*) clavo *m*, núcleo *m*; *Kerze*: pábilo *m*; **~scheibe** *f* cristal *m* redondo abombado.

byzan'tinisch *adj.* bizantino; *fig.* servil; V lameculos.

Byzanti'nismus *m* (*-*; *0*) bizantinismo *m*; *fig.* servilismo *m*.

By'zanz *n* Bizancio *f*.

C

C, c *n* C, c *f*; *siehe auch unter Buchstaben* K, Sch *u.* Z; ♪ *n* do *m*; *hohes* ~ (*des Tenors*) do de pecho; **~-Schlüssel** *m* clave *f* de fa.
'Cadmium *n* (-*s*; *0*) cadmio *m*.
Ca'fé *n* (-*s*; -*s*) café *m*.
'Campingplatz *m* (-*es*; ⸚*e*) lugar *m* de acampamento; camping *m*.
Ca'naille *f Pöbel*: canalla *f*; *Schurke*: canalla *m*.
'Caritasverband *m* (-*es*; *0*) Caritas *f*.
'Cäsar *m* (-*en*) César *m*.
Cä'saren|herrschaft *f*, **~tum** *n* (-*s*; *0*) cesarismo *m*; *weitS.* autocracia *f*; **~wahn(sinn)** *m* (-*s*; *0*) delirio *m* de grandezas, megalomanía *f*.
cä'sarisch *adj.* cesáreo; cesariano.
C-Dur ♪ *n* do *m* mayor.
Cel'list [tʃɛ'lɪst] ♪ *m* violonc(h)elista *m*.
'Cello ♪ *n* (-*s*; -*s od. Celli*) violonc(h)elo *m*.
Cello'phan *n* (-*s*; *0*) celofán *m*.
'Celsius ['tsɛlzĭ-] *m*; *Grad* ~ grado centígrado (*Abk.* C°); **~thermometer** *n* termómetro *m* centígrado.
'Cembalo *n* (-*s*; -*s od.* -*bali*) (clavi-)címbalo *m*, clave *f*.
'Ces ♪ *n* do *m* bemol.
Ce'tanzahl *Auto. f* índice *m* de cetano.
'Ceylon *n* Ceilán *m*; *aus* ~ ceilanés, cingalés, de Ceilán.
Cha'grinleder *n* tafilete *m*, chagrén *m*.
Chaise'longue [ʃɛːz'lõː] *f* (-; -*n od.* -*s*) diván *m*, meridiana *f*.
Cha'mäleon [ka'mɛːleɔn] *Zoo. n* (-*s*; -*s*) camaleón *m*.
cha'mois [ʃamoᵛ'a] *adj.* (*rehbraun*) color gamuza.
Cham'pagner [ʃam'panjər] *m* champaña *m*, F champán *m*.
'Champignon ['ʃampɪnjõ] ⚘ *m* (-*s*; -*s*) seta *f*, hongo *m*; champiñón *m*.
'Chance [ʃãːsə, 'ʃaŋ-] *f* oportunidad *f*, ocasión *f*; posibilidad *f*; probabilidad *f* de éxito; (*Aussicht*) perspectiva *f*; *geringe* ~*n* escasas probabilidades de éxito; *diese Laufbahn hat gute* ~*n* ofrece buenas perspectivas; *nicht die geringste* ~ ni la más remota probabilidad; *j-m e-e* ~ *geben* ofrecer a alg. ocasión para lograr a/c.
chan'geant [ʃãᵛ'ʒãᵛ] *adj.* (*schillernd*) irisado, tornasolado.
chan'gieren [ʃãᵛ'ʒiː-] (-) *v/i.* (*wechseln*) cambiar.
'Chaos ['kaːɔs] *n* (-; *0*) caos *m*.
cha'otisch *adj.* caótico.
Cha'rakter *m* (-*s*; -*e*) carácter *m*; (*Art*) *a.* naturaleza *f*, índole *f*; (*Veranlagung*) idiosincrasia *f*, condición *f*; (*sittliche Stärke*) entereza *f*, firmeza *f* de carácter; (*Merkmal*) rasgo *m* característico, peculiaridad *f*, cualidad *f*; (*Rang, Eigenschaft*) calidad *f*; *Thea.* papel *m*; *Typ.* caracteres *m/pl.* (de imprenta), letras *f/pl.* (de molde); *ein Mann von* ~ un hombre de carácter; **~bild** *n* (-*es*; -*er*) retrato *m* moral; semblanza *f*; (*Sittenbild*) cuadro *m* de costumbres; **2bildend** *adj.* formativo del carácter; **~bildung** *f* (*0*) formación *f* del carácter; **~darsteller(in** *f*) *m* característico (-a *f*) *m*; actor *m* (actriz *f*) de carácter; **~erziehung** *f* (*0*) educación *f* del carácter; **~fehler** *m* vicio *m* de carácter; debilidad *f* (de carácter); **2fest** *adj.* entero, de carácter firme; incorruptible; **~festigkeit** *f* (*0*) entereza *f*, firmeza *f* de carácter, incorruptibilidad *f*.
charakteri'sier|en *v/t.* caracterizar; **2ung** *f* caracterización *f*.
Charakte'ristik *f* característica *f* (*a.* ℞); descripción *f bzw.* análisis *m* del carácter; **~um** *n* (-*s*; -*ka*) característica *f*.
charakte'ristisch [-ə'ʀɪs-] *adj.* característico, típico (*für* de).
Cha'rakter...: ~kunde *f* (*0*) caracterología *f*; **2los** *adj.* sin carácter; sin principios (morales); (*wankelmütig*) informal, inconstante; **~losigkeit** *f* (*0*) falta *f* de carácter; amoralidad *f*; **~rolle** *Thea. f* papel *m* de carácter; **~schilderung** *f* descripción *f* del carácter; caracterización *f*; **~schwäche** *f* (**~stärke** *f*) debilidad *f* (entereza *f*) de carácter; **~zug** *m* (-*es*; ⸚*e*) rasgo *m* característico *od.* del carácter.
'Charge ['ʃaʀʒə] *f* (*Amt*) cargo *m*; (*Rang*) ⚔ grado *m*, graduación *f*; **~n** *f/pl.* (*Unteroffiziere*) clases *f/pl.* de tropa; **~nrolle** *Thea. f* papel *m* secundario.
char'gier|en [ʃaᵛ-] (-) *v/t.* ⊕ cargar; (*beauftragen*) encargar; *Thea.*: representar un papel secundario; (*Verbindungsstudent*) vestir(se) de gala *f*; **2te(r)** *m* (*Verbindungsstudent*) directivo *m* de una asociación estudiantil.
Chari'té *f* hospital *m* general.
char'mant *adj.* encantador; atractivo, simpático, agradable.
'Charme [ʃaʀm] *m* (-*s*; *0*) encanto *m*; gracia *f* atrayente, donaire *m*.
'Charta ['k-] *f* (-; -*ae*) (*Urkunde, Verfassungsdokument*) carta *f*; *die* ~ *der Vereinten Nationen* la Carta de las Naciones Unidas.
'Charterflug *m* (-*es*; ⸚*e*) vuelo *m* chárter.
'Charterpartie ✝, ⚓ *f* (*Frachtvertrag*) póliza *f* de fletamento.
'chartern ['tʃ-] (-*re*) *v/t.* fletar.
Chas'sis [ʃa'siː] *n* (-; -) *Auto.*, *Radio*: chasis *m*, bastidor *m*.
Chauf'feur [ʃɔ'føːʀ] *m* (-*s*; -*e*) conductor *m* (de automóvil), chófer *m*.
Chaus'see [ʃɔ'seː] *f* (*Landstraße*) carretera *f* (*con firme*); *in Städten*: avenida *f*, paseo *m*; **~graben** *m* (-*s*; ⸚) cuneta *f*; **~walze** *f* apisonadora *f*, rollo *m* aplanador; **~wärter** *m* peón *m* caminero.
chaus'sieren (-) *v/t.* construir carreteras *f/pl.*; (*beschottern*) macadamizar.
Chauvi|'nismus [ʃoᵛviᵛ-] *m* (-; *0*) patriotería *f*, *gal.* chauvinismo *m*; **~'nist(in** *f*) *m* (-*en*), **2'nistisch** *adj.* patriotero (-a *f*) *m*.
Chef [ʃɛf] *m* (-*s*; -*s*) jefe *m*; ✝ *a.* principal *m*; (*Arbeitgeber*) patrón *m*, amo *m*; ~ *des Stabes* jefe *m* de Estado Mayor; **~arzt** *m* (-*es*; ⸚*e*) médico-jefe *m*; **~ingenieur** *m* (-*s*; -*e*) ingeniero-jefe *m*; **~redakteur** *m* (-*s*; -*e*) redactor-jefe *m*.
Che'mie [ç-] *f* (*0*) química *f*; *analytische* (*angewandte*) ~ química analítica (aplicada); *anorganische* (*organische*) ~ química inorgánica (orgánica); *technische* ~ química industrial; **~faser** *f* (-; -*n*) fibra *f* química.
Chemi'kalien *n/pl.* productos *m/pl.* químicos; substancias *f/pl.* químicas; drogas *f/pl.*
'Chemiker(in *f*) *m* químico (-a *f*) *m*.
'chemisch I. *adj.* químico; ~*e Erzeugnisse* productos químicos; ~*e Reinigung* limpieza en seco; ~*e Wirkung* acción química; **II.** *adv.* ~ *rein* químicamente puro.
Chemo|'techniker(in *f*) *m* químico (-a *f*) *m* industrial; **2'technisch** *adj.* quimiotécnico; **~thera'pie** ℞ *f* (*0*) quimioterapia *f*.
'Cherub [ç-] *m* (-*s*; -*im od.* -*inen*) querubín *m*.
'Chiffre ['ʃɪfʀə] *f* cifra *f*; *in* ~*n schreiben* cifrar, escribir en clave; *Anzeige*: *unter der* ~ bajo la cifra (*od.* las iniciales); **~schlüssel** *m* clave *f* cifrada; **~schrift** *f* criptografía *f*; **~telegramm** *n* (-*es*; -*e*) telegrama *m* cifrado; mensaje *m* cifrado.
chif'frier|en [ʃɪ'fʀ-] (-) *v/t.* cifrar; **2maschine** *f* máquina *f* de cifrar; **2schlüssel** *m* clave *f*.
'Chile *n* Chile *m*; **Chi'len|e** *m* (-*n*), **~in** *f*, **2isch** *adj.* chileno *m*, chilena *f*.
'Chilesalpeter ⚗ *m* (-*s*; *0*) nitrato *m* de Chile, nitrato *m* de sosa.
'China *n* China *f*; **~baum** *m* (-*es*; ⸚*e*) quino *m*, árbol *m* de la quina; **~rinde** *f* (*0*) corteza *f* de quina.
Chi'nes|e *m* (-*n*) chino *m*; **~enviertel** *n* barrio *m* chino; **~in** *f* china *f*; **2isch** *adj.* chino; *Stil*: chinesco; *die* ~*e Mauer* la Gran Muralla de la

China; *~-japanisch* chino-japonés; *~e Tusche* tinta china; *das* ᘔ*e* el (idioma) chino.
Chi'nin [ç-] ⚗ *n* (*-s*; *0*) quinina *f*.
Chintz [tʃ-] *m* (*- od. -es*; *-e*) indiana *f*, chintz *m*.
Chiro|'mant *m* (*-en*) quiromántico *m*; **~man'tie** *f* (*0*) quiromancia *f*.
Chi|'rurg [ç-] *m* (*-en*) cirujano *m*; **~rur'gie** *f* (*0*) cirugía *f*; ᘔ**'rurgisch** *adj.* quirúrgico.
'Chlor [k-] ⚗ *n* (*-s*; *0*) cloro *m*; **~aluminium** *n* cloruro *m* de aluminio; **~ammonium** *n* cloruro *m* amónico, sal *f* amoníaco.
Chlo'rat [-oˑ'ʀ-] ⚗ *n* (*-es*; *-e*) clorato *m*.
'chloren *v/t.* (*Wasser*) clorar.
'Chlor...: **~gas** *n* (*-es*; *0*) gas *m* cloro, cloro *m* gaseoso; ᘔ**haltig** *adj.* que contiene cloro, clorado.
Chlo'rid [-'ʀi:t] *n* (*-es*; *-e*) cloruro *m*.
chlo'rier|en (-) *v/t.* clorurar; ᘔ**ung** *f* cloruración *f*.
'chlorig *adj.* cloroso.
Chlo'rit *n* (*-es*; *0*) clorita *f*; clorito *m*.
'Chlor...: **~kalium** *n* (*-s*; *0*) cloruro *m* potásico; **~kalk** *m* (*-es*; *0*) cloruro *m* de cal; **~natrium** *n* (*-s*; *0*) cloruro *m* sódico; (*Kochsalz*) sal *f* (de cocina *od.* común).
Chloro|'form ⚗ *n* (*-s*; *0*) cloroformo *m*; ᘔ**for'mier|en** [-'mi:-] (-) *v/t.* cloroformizar; **~for'mierung** *f* cloroformización *f*.
Chloro'phyll [kloˑʀoˑ'fyl] ⚘ *n* (*-s*; *0*) clorofila *f*.
'Chlor...: ᘔ**sauer** *adj.* clórico; *~es Kali* clorato *m* de potasa; **~säure** *f* (*0*) ácido *m* clórico; **~silber** *n* (*-s*; *0*) cloruro *m* de plata; **~verbindung** *f* cloruro *m*; **~wasserstoff** *m* (*-es*; *0*) ácido *m* clorhídrico.
'Cholera ['ko:lǝ-] ⚕ *f* (*0*) cólera *m*; **~erreger** *m* bacilo *m* del cólera; **~gift** *n* (*-es*; *-e*) virus *m* del cólera; **~schutzimpfung** *f* vacuna *f* anticolérica.
Cho'ler|iker *m* colérico *m*; ᘔ**isch** *adj.* colérico, irascible.
Chor [k] *m* (*-es*; *⸚e*) coro *m*; △ *hoher ~* coro alto; *im ~ einfallen* (*singen*) hacer coro, corear (cantar a coro); *im ~* en coro; *im ~ sprechen* hablar a coro.
Cho'ral *m* (*-s*; *⸚e*) cántico *m*, himno *m*; *liturgischer Gesang*: (canto *m*) coral *m*, canto *m* llano; **~buch** *n* (*-es*; *⸚er*) libro *m* de coro, antifonario *m*, cantoral *m*; leccionario *m*.
'Chor...: **~altar** *m* (*-s*; *⸚e*) altar *m* mayor; **~amt** *n* (*-es*; *⸚er*) oficio *m* en coro.
Choreogra'phie [-aˑ'fi:] *f* coreografía *f*.
'Chor...: **~gesang** *m* (*-es*; *⸚e*) coro *m*; coral *m*; canto *m* a coro; **~gestühl** *n* (*-es*; *-e*) sillería *f*; **~hemd** *n* (*-es*; *-en*) sobrepelliz *m*; **~herr** *m* (*-en*) canónigo *m*; prebendado *m*.
Cho'rist [koˑʀ-], (**-in** *f*) *m* corista *m/f*; *Thea.* corista *m/f*; (*weibliche*) señorita *f* de conjunto, vicetiple *f*.
'Chor...: **~knabe** *m* (*-n*) niño *m* de coro; **~konzert** *n* (*-es*; *-e*) concierto *m* coral; **~leiter** *m* director *m* de una agrupación coral; (*Dom*) maestro *m* de capilla, sochantre *m*; (*antik*) corifeo *m*; **~nische** *f* ábside *m*; **~pult** *n* (*-es*; *-e*) facistol *m*; **~rock** *m* (*-es*; *⸚e*) capa *f* de coro; *der Bischöfe*: capa *f* magna; **~sänger(in** *f*) *m* → *Chorist*; **~stuhl** *m* (*-es*; *⸚e*) silla *f* de coro; **~us** *m* (*-*; *0*) coro *m*; **~verein** *m* (*-es*; *-e*) agrupación *f* coral, coro *m*; orfeón *m*, coral *f*.
'Christ *m* **1.** (*-i*; *0*) → *Christus*; *der Heilige ~* Navidad; **2. ~(in** *f*) *m* (*-en*) cristiano (-a *f*) *m*; → *Weihnachts...*; **~abend** *m* Nochebuena *f*; **~baum** *m* (*-es*; *⸚e*) árbol *m* de Navidad; **~dorn** ⚘ *m* (*-es*; *0*) espina *f* santa; acacia *f* de tres espinas.
'Christen...: ᘔ**feindlich** *adj.* anticristiano; **~glaube** *m* (*-ns*; *0*) fe *f* cristiana; **~heit** *f* (*0*) cristiandad *f*; **~liebe** *f* (*0*) caridad *f* cristiana; **~pflicht** *f* deber *m* cristiano; *es ist mir e-e ~* es mi deber de cristiano; **~tum** *n* (*-s*; *0*) cristianismo *m*; *das ~ annehmen* abrazar la fe cristiana; *zum ~ bekehren* convertir al cristianismo; *ein Land*: *a.* cristianizar, evangelizar; **~verfolgung** *f* persecución *f* de los cristianos.
'Christ...: **~fest** *n* (*-es*; *-e*) Natividad *f* del Señor, Navidad *f*; **~kind** *n* (*-es*; *0*) Niño *m* Jesús; niño *m* cristiano; (*Geschenkbringer*) San Nicolás.
'christlich *adj.* cristiano; (*wohltätig*) caritativo; *~e Nächstenliebe* caridad cristiana, amor al prójimo; *~-arabisch adj. Hist.* mozárabe (*a. Lit.*); (*Kunststil*) mudéjar.
'Christ...: **~messe** *f*, **~mette** *f* misa *f* de(l) gallo; **~nacht** *f* (*0*) Nochebuena *f*.
'Christus *m* Cristo *m*, Jesucristo *m*; *vor Christi Geburt* (*v. Chr.*) antes de Jesucristo (*Abk.* a. de J.C.); *nach Christi Geburt* después de Jesucristo (*Abk.* d. de J.C.), de la era cristiana; **~bild** *n* (*-es*; *-er*) imagen *f* de Cristo.
Chrom *n* (*-s*; *0*) cromo *m*.
Chro'mat ⚗ *n* (*-es*; *-e*) cromato *m*.
Chro'matik *f* (*0*) ♪ *u. Phys.* cromática *f*.
Chroma'tin *Biol.* *n* (*-es*; *0*) cromatina *f*.
chro'matisch ♪ *u. Opt. adj.* cromático; *~e Tonleiter* escala cromática.
'Chrom...: **~gelb** *n* amarillo *m* de cromo; **~gerben** ⊕ *n* curtido *m* al cromo; ᘔ**haltig** *adj.* cromífero; **~nickelstahl** *m* (*-es*; *0*) acero *m* al cromoníquel.
'Chromo|lithographie *Typ. f* cromolitografía *f* (*a. Bild*); **~papier** *n* papel *m* cromado.
Chromo'som *Biol.* *n* (*-s*; *-e*) cromosoma *m*.
Chromo'sphäre *Phys. f* (*0*) cromosfera *f*.
Chromoty'pie *f* cromotipia *f*.
'Chrom...: ᘔ**sauer** *adj.* crómico, cromato de; *~es Kali(um)* cromato potásico; **~säure** *f* ácido *m* crómico; **~stahl** *m* (*-es*; *0*) acero *m* al cromo; **~vanadiumstahl** *m* (*-es*; *0*) acero *m* al cromo-vanadio.
'Chronik [k-] *f* crónica *f*; anales *m/pl.*; *die Bücher der ~ Bib.* Paralipómenos.
'chronisch ⚕ *adj.* crónico (*a. fig.*); *~ werden* hacerse crónico.
Chro'nist *m* (*-en*) cronista *m*.
Chrono'graph *m* (*-en*) cronógrafo *m*.
Chrono'loge *m* (*-n*) cronologista *m*, cronólogo *m*.
Chronolo'gie *f* cronología *f*.
chrono'logisch I. *adj.* cronológico; **II.** *adv.* cronológicamente.
Chrono'meter *n* cronómetro *m*.
chrono'metrisch *adj.* cronométrico.
Chrono'skop *n* (*-es*; *-e*) cronoscopio *m*.
Chry'santhemum [kʀyˑ'zante-] ⚘ *n* (*-s*; *-themen*) crisantemo *m*.
Chrysobe'ryll *Min. m* crisoberilo *m*.
Chryso'lyth *Min. m* (*-en*) crisolito *m*.
Chryso'pras *Min. m* (*-es*; *-e*) crisoprasa *f*.
'Cicero I. *m* Cicerón *m*; **II.** *Typ. f* (*0*) cícero *m*, letra *f* de doce puntos.
'Cirruswolke *f* → *Zirruswolke*.
circa → *zirka*.
Cis [tsɪs] ♪ *n* do *m* sostenido; **Cis-Dur** *n* do *m* sostenido mayor; **cis-Moll** *n* do *m* sostenido menor.
'Claque *f Thea.* claque *f*, F alabarderos *m/pl.*
'Clearing ['kli:-] ⚚ *n* (*-s*; *-s*) compensación *f*, *angl.* clearing *m*; **~verkehr** *m* (*-s*; *0*) operaciones *f/pl.* de compensación.
'Clique [klikǝ] *f* (*Klüngel*) pandilla *f*, grupo *m*; (*Sippschaft*) clan *m*; (*literarische*) cenáculo *m*; *Pol.* camarilla *f*; oligarquía *f*; **~nwirtschaft** *f* (*0*) pandillaje *m*; (*Vetternwirtschaft*) favoritismo *m*, nepotismo *m*; caciquismo *m*; *Pol.* política *f* de camarilla; (*Kastengeist*) espíritu *m* de casta *od.* de cuerpo.
Clown [klaʊn] *m* (*-s*; *-s*) payaso *m*.
c-Moll ♪ *n* do *m* menor.
'Code [ko:d] *m* (*-s*; *-s*) clave *f* (telegráfica); cifra *f*; ⚓ código *m* de señales.
'Comer See *m* lago *m* de Como.
Communi'qué *n* (*-s*; *-s*) → *Kommuniqué*.
Conféren'cier [kõfeˑʀãˑ'sie:] *m* (*-s*; *-s*) (*im Kabarett*) anunciador *m od.* presentador *m* de los artistas.
Con'tainer *m* container *m*, contenedor *m*.
Couch [kaʊtʃ] *f* (*-*; *-es*) cama *f* turca, sofá-cama *m*, diván *m*.
Cou'lomb *Phys. n* (*-s*; *-s*) culombio *m*; *~sches Gesetz* ley *f* de Coulomb; *~sche Waage* electrómetro de torsión; **~zähler** *m* contador *m* de amperios/horas.
Coupé [kuˑ'pe:] *n* (*-s*; *-s*) (*Wagen, Auto.*) *gal.* cupé *m*; (*Abteil*) compartimiento *m*.
Cou'plet [kuˑ'ple:] *n* (*-s*; *-s*) tonadilla *f*, *gal.* cuplé *m*; copla *f*.
Cou'pon [kuˑ'pɔŋ] *m* (*-s*; *-s*) (*Abschnitt*) cupón *m* (*a. von Wertpapieren*); *im Scheckbuch*: talón *m*; *~s abtrennen* (*schneiden*) cortar el cupón; **~heft** *m* (*-es*; *-e*) talonario *m*.
Cour *f* (*0*) corte *f*, cortejo *m*; *bei Hofe*: besamanos *m*; *e-r Dame die ~ machen od. schneiden* hacer la corte a; **~macher** *m*, **~schneider** *m* galanteador *m*, F tenorio *m*; (*Bewunderer*) admirador *m*.
Cou'rage *f* (*0*) valor *m*, bravura *f*, arrojo *m*.
Cour'tage ⚚ *f* (*Maklergebühr*) corretaje *m*; **~satz** *m* (*-es*; *⸚e*) comisión *f*.
Cou'sin *m* primo *m*; → *Kusine*.
'Crackanlage [krɛk-] *f Erdöl*: instalación *f* para craqueo.
'Creme *f* (*-*; *-s*) crema *f*; → *Krem*; ᘔ**farben** *adj.* color crema; **~torte** *f* tarta *f* de crema.
'Cumuluswolke *f* → *Kumuluswolke*.
'Cutaway, F **Cut** *m* (*-s*; *-s*) chaqué *m*.

D

D, d *n* D, d *f*; ♪ re *m*.

da I. *adv.* **a)** *Ort*: **1.** (*dort*) ahí, allí, allá; ~ *wo* donde; ~ *oben* (*unten*) allí arriba (abajo); ~ *draußen*, ~ *hinaus* allá fuera; ~ *drinnen*, ~ *hinein* ahí (allí, allá) dentro; ~ *drüben* allí, allí enfrente; ~ *und* ~ en tal y tal sitio; ⚔ *wer* ~? ¿quién vive?; *von* ~ de(sde) allí; ~ *ungefähr* allí aproximadamente; **2.** (*hier*) aquí; ~ *und dort* aquí y allí, acá y allá; *der Mann* ~ aquel hombre; *das Haus* ~ aquella casa; *der* (*die*) ~ ese (esa); ~ *bin ich* aquí estoy; *ich bin gleich wieder* ~ en seguida vuelvo; *ihr* ~! ¡eh, vosotros!; ~ *hast du das Buch* (*überreichend*) aquí tienes el libro; ~ *hast du es!* ¡ahí lo tienes!, ¡ya lo ves!; ~ *haben wir es!* ¡toma!, ¡vaya!; ¡si ya lo decía yo!; ¡pues sí que estamos bien!; **3.** (*vorhanden*) existir, haber; *wieviel waren* ~? ¿cuántos había *od.* estaban (presentes)?; ~ *sein* estar; *ist jemand* ~? ¿está (hay) alguién ahí?; *er war* ~ estuvo (estaba) aquí; *es ist kein Brot* ~ no hay pan; (→ *dasein*); (*angekommen sein*) haber llegado *bzw.* venido; → *dazu*; **4.** (*Ausruf*) ~ *ist er!* ¡ahí está!; ¡ahí le tenemos!; *siehe* ~! ¡mira por dónde...!; ¡fíjate en esto!; *iro.* ¡vaya, vaya!; *nichts* ~! nada de eso; F no hay nada que hacer; **5.** *Füllwort* (*oft unübersetzt*) *als* ~ *sind* tales como; *es gibt Leute, die* ~ *glauben* hay gente que cree; *was* ~ *kommen mag* ocurra lo que ocurra; **b)** *Zeit*: (*dann, damals*) entonces; en aquel tiempo; en aquella ocasión; ~ *erst* sólo entonces; *von* ~ *an* desde entonces, de entonces acá; desde aquella época; ~ *sagte er zu mir* entonces me dijo; *hier und* ~ a veces, alguna que otra vez; rara vez; ~ *gab es noch kein elektrisches Licht* entonces (en aquel tiempo) no había luz eléctrica; **c)** *Umstand*: en ese caso, siendo así, en tales circunstancias, entonces; *was soll ich* ~ *machen?* ¿qué quiere usted que (le) haga?, ¿y qué voy a hacer?; ~ *irren Sie sich* está usted muy equivocado; ~ *braucht es Mut!* ¡hace falta (*od.* se necesita) valor!; **II.** *cj.* **1.** *Zeit*: (*als*) cuando, al tiempo que; (*gleichzeitig*) mientras, cuando; *in dem Augenblick* ~ en el momento en que; *nun*, ~ *du es einmal gesagt hast* pues ahora que lo has dicho; **2.** *Grund*: (*weil*) *im Vordersatz*: como; puesto *od.* ya que; *im Nachsatz*: porque; *durch ger.*; ~ *doch* ya (*od.* puesto) que; una vez que; considerando (*od.* en vista de) que; ~ *dem so ist* en ese caso, siendo así; ~ *ich keine Zeit habe* como no tengo tiempo; ~ *ich keine Nachricht erhalten hatte, ging ich weg* como no había recibido ninguna noticia me fui; **3.** *Gegensatz*: ~ *aber*, ~ *jedoch* pero (*Liter.* mas) como; pero considerando (*od.* en vista de) que; ~ *hingegen* pero como por otra parte.

da'bei (*betonend*: 'dabei) *adv.* **1.** (*nahe*) junto; cerca; *ganz nahe* ~ muy cerca; *ein Haus und ein Park* ~ una casa con un parque contiguo a ella; **2.** (*im Begriffe*) a punto de; haciendo a/c.; *ich war gerade* ~, *zu packen* precisamente estaba haciendo el equipaje; *ich bin schon* ~ ya lo estoy haciendo; *nahe* ~ *sein zu* estar a punto de; (*gleichzeitig*) al mismo tiempo; en, con (diciendo, haciendo *usw.*) esto; ~ *sah er mich scharf an* diciendo esto me miró fijamente; *essen und* ~ *lesen* comer y leer al mismo tiempo; **3.** (*überdies*) además, a la vez; *er ist zurückhaltend und* ~ *freundlich* es reservado pero a la vez amable; *sie ist hübsch und* ~ *auch noch klug* es bonita y además inteligente; **4.** (*dennoch*) sin embargo, no obstante, con todo eso; *und* ~ *ist er doch schon alt* y eso no obstante ser ya viejo; F ¡y eso que ya es viejo!; ~ *könnte er längst Doktor sein* sin embargo ya hubiera podido ser doctor hace mucho tiempo; **5.** (*anwesend*) estar presente, estar en; *teilnehmen*: participar, tomar parte en; *beiwohnen*: concurrir, asistir a; *darf ich* ~ *sein?* ¿me permiten agregarme a ustedes?; ¿puedo asistir (estar presente) también?; *er ist immer* ~, *wenn* no falta nunca cuando; *ich war* ~, *als er verunglückte* yo estaba allí cuando sufrió el accidente; *er war auch* ~ también él estaba allí; **6.** (*anläßlich*) con ocasión de; *dadurch*: por ello, con ello, de ello, como resultado de; ~ *kam es zu einer heftigen Auseinandersetzung* ello motivó una acalorada discusión; *es kommt nichts* ~ *heraus* eso no conduce a nada; no sirve para nada; no vale la pena; ~ *dürfen wir nicht vergessen* no debemos olvidar a este respecto; *alle* ~ *entstehenden Unkosten* todos los gastos que por ello se originen; **7.** (*Beziehung*) a, con, en ello *od.* eso; así; ~ *kann man nicht studieren* así no se puede estudiar; ~ *beharren* obstinarse en ello; **8.** *allg.* (*oft unübersetzt*) *ich dachte mir nichts Böses* ~ (*bei s-n Worten usw.*) no dí ninguna importancia a; *was ist schon* ~? ¿qué importa?, ¿qué de particular tiene?; *ich bin* ~! (*einverstanden*) ¡conforme!, ¡de acuerdo!; *das Schlimmste* ~ *ist* ... lo peor es ...; *lassen wir es* ~ dejemos las cosas ahí; *es ist nichts* ~ no hay ningún inconveniente (en ello).

da'bei...: **~bleiben** (*L*; *sn*) *v/i.* persistir en, insistir en, atenerse a; (*bei Abmachungen*) ~, *daß* quedar en que; *ich bleibe dabei, daß* insisto en que; *es bleibt dabei!* ¡queda convenido!, ¡hecho!; *dabei blieb's* y así quedaron las cosas; esto fue todo; **~sein** (*L*) *v/i.* estar presente, estar en; (*beiwohnen*) asistir, concurrir a; → *dabei*; **~stehen** (*L*) *v/i.* estar cerca; *allg.* presenciar; *die Dabeistehenden* los circunstantes, los presentes en el lugar.

'dableiben (*L*; *sn*) *v/i.* quedarse, permanecer; (*warten*) esperar.

da 'capo *adv.* ¡bis!; F ¡que se repita!

Dach *n* (*-es*; *¨er*) techo *m* (*a. fig.*); (*Ziegel~*) tejado *m*; (*~werk*) techado *m*, techumbre *f*; (*flaches*) azotea *f*; *Auto.* techo *m*, cubierta *f*; Schiebe~ techo corredizo; *Anat.* (*Schädel~*) bóveda *f* del cráneo; *des Gaumens*: bóveda *f* palatina; *fig.* (*Schutz*) asilo *m*, cobijo *m*; *ein* ~ *über dem Kopf haben* tener un hogar; *unter* ~ *bringen* △ (*Gebäude*) cubrir aguas; *unter demselben* ~ *wohnen* vivir bajo el mismo techo; *unter* ~ *und Fach bringen* poner a cubierto *od.* a salvo; poner bajo techado; *fig.* (*fertigstellen*) rematar, completar, llevar a término; F *eins aufs* ~ *bekommen* llevarse una filípica; *j-m aufs* ~ *steigen* decir cuatro verdades (F cuatro frescas) a alg.; pedir cuentas a alg.

'Dach...: **~antenne** *f* antena *f* aérea *od.* exterior; **~balken** *m* viga *f*; **~belag** *m* (*-es*; *¨e*) cubierta *f* del tejado; **~boden** *m* (*-s*; *¨*) desván *m*; **~decker** *m* techador *m*; *mit Schiefer*: pizarrero *m*; **~deckerarbeit** *f* trabajo *m* de techado; **~fenster** *n* lumbrera *f*, tragaluz *m*; claraboya *f*; **~first** *m* (*-es*; *-e*) cumbrera *f*; **~förmig** *adj.* en forma de tejado; **~garten** *m* (*-s*; *¨*) azotea *f* jardín; **~geschoß** *n* (*-sses*; *-sse*) ático *m*; sotabanco *m*; **~gesellschaft** ✝ *f* sociedad *f* central; **~gesims** *n* (*-es*; *-e*) cornisa *f*; **~giebel** *m* gablete *m*; **~kammer** *f* (*-*; *-n*) guardilla *f*; (*elende*) chiribitil *m*; **~luke** *f* → *Dachfenster*; **~pappe** *f* cartón *m* alquitranado; **~platte** *f* *Ziegel*: teja *f*; *Schiefer*: pizarra *f*; **~rinne** *f* canal *f*; **~röhre** *f* canalón *m*.

'Dachs [-ks] *Zoo.* *m* (*-es*; *-e*) tejón *m*; *fig.* *wie ein* ~ *schlafen* dormir como un lirón; **~bau** *m* (*-es*; *-ten*) tejonera *f*.

'**Dach...**: **~schiefer** *m* pizarra *f* de tejar; **~schindel** *f* (-; *-n*) barda *f*; cobija *f*. [zorrero.]

'**Dachs·hund** *m* (*-es*; *-e*) perro *m*

'**Dachstuhl** *m* (*-es*; *⸗e*) entramado *m* del tejado, maderaje *m* de techo.

'**dachte** *pret. von* denken.

'**Dach...**: **~traufe** *f* gotera *f*; **~werk** *n* (*-es*; *0*) techumbre *f*, techado *m*; **~wohnung** *f* sotabanco *m*; **~ziegel** *m* teja *f*; **~zimmer** *n* buhardilla *f*.

'**Dackel** *m* perro *m* pachón.

da'durch (*betonend*: 'dadurch) **I.** *adv.* (*örtlich*) por allí, por ahí; (*auf solche Weise*) así, de este (ese) modo, de esta (esa) manera; **II.** *cj.*: ~, *daß* por *inf.*; *durch ger.*: (*wegen*) a causa de, debido a; (*dank*) gracias a.

da'für (*betonend*: 'dafür) **I.** *adv.* por esto (eso, ello); (*als Gegenleistung*) en cambio; (*Entgelt*) en recompensa; (*anstatt*) en lugar de, en vez de; en su lugar; (*zugunsten von*) en *od.* a favor de; (*Zweck*) para eso; (*Grund*) porque, por *inf.*; *Zweck*: para que *subj.*; ~ *aber* aunque, a pesar de; *arm*, ~ *aber glücklich* aunque (*od.* a pesar de ser) pobre es feliz; *er ist vielleicht jung*, ~ *aber sehr gescheit* podrá ser joven, pero es muy sensato; ~ *sein* estar conforme, aprobar; estar en favor de, abogar por, apoyar, *bei Abstimmungen*: *a.* votar por; *es läßt sich vieles ~ und dagegen sagen* puede decirse mucho en pro y en contra de eso; *alles spricht* ~ todo habla en favor de ello, todo lo confirma; *ich kann nichts* ~ no es culpa mía; *ich kann nichts* ~, *daß ich lachen usw. muß* no puedo remediarlo, *tengo que reírme usw.*; (*bezüglich*) si se considera que; *wer kann* ~? F ¿qué se le va a hacer?; **II.** *cj.* ~ *daß*: *er wurde* ~ *bestraft, daß er gelogen hatte* fue castigado por haber mentido; ~ *sorgen, daß* cuidar de que, procurar; *das* ♀ *und Dawider* el pro y el contra.

da'fürhalten (*L*) *v/i.* opinar, creer, estimar; ♀ *n*: *nach m-m* ~ en mi opinión, a mi juicio, a mi entender.

da'gegen (*betonend*: 'dagegen) **I.** *adv.* **1.** contra; ~ *sein* no estar conforme; ser de opinión contraria, disentir; no aprobar; ~ *stimmen* votar (en) contra; *er sprach sich sehr* ~ *aus* se opuso enérgicamente a ello; *wenn Sie nichts* ~ *haben* si usted no tiene inconveniente; con su permiso; *ich habe nichts* ~ nada tengo que objetar *od.* oponer; no tengo (ningún) inconveniente; estoy conforme; ~ *hilft nichts* contra eso no hay remedio; **2.** *Ersatz, Tausch*: en cambio; **3.** *Vergleich*: en comparación a, comparado con; **4.** (*andererseits*) por otro lado, por otra parte; **II.** *cj.* (*indessen*) por el contrario; (*während*) mientras que.

da'gegenhalten (*L*) *v/t.* (*vergleichen*) comparar, confrontar; cotejar; *fig.* argüir; (*antworten*) replicar.

da'gegenhandeln (*-le*) *v/i.* (*Gesetz*) violar, contravenir, infringir.

da'heim *adv.* (*zu Hause*) en casa; (*in der Heimat*) en la tierra (natal), en casa; *bei mir* ~ en mi casa *bzw.* en mi tierra *od.* país; *ist er* ~? ¿está en casa?; *fig. er ist in der Materie* ~ esa materia no tiene secretos para él; ♀ *n* casa *f*, hogar *m*; seno *m* de la familia.

da'her (*betonend*: 'daher) **I.** *adv.* de allí, de allá; de aquel lado *od.* lugar; desde allí; *bis* ~ hasta aquí; *fig. Ursache*: de ahí; ~ (*stammt*) *die ganze Verwirrung* de ahí la confusión; ~ *kam es, daß* de ahí que *subj.*; **II.** *cj.* (*deshalb*) por eso, por esa razón; es por eso por lo que; pues; (*folglich*) por consiguiente, por (lo) tanto; conque, así pues.

da'her...: *in Zssgn.*: *mst.* llegar, aproximarse, acercarse, venir *und ger.*, *z. B.* **~fliegen** (*L*; *sn*) *v/i.* llegar (*od.* aproximarse) volando; **~reden** (*-e-*) *v/i.*: *dumm* ~ disparatar, F hablar sin ton ni son; **~stolzieren** (-) F pavonearse.

da'hin (*betonend*: 'dahin) *adv.* **1.** *räumlich*: allí, hacia allí; en aquel lugar; *bis* ~ hasta allí; *fig. das gehört nicht* ~ eso no viene aquí al caso; **2.** *zeitlich*: *bis* ~ hasta entonces; (*inzwischen*) entre tanto; **3.** *Ziel, Zweck*: *sich* ~ *äußern, daß* opinar *od.* declarar que; expresarse en el sentido de que; ~ *arbeiten, daß* tender a conseguir (que); *man hat sich* ~ *geeinigt, daß* se ha convenido (*od.* acordado) que; *m-e Meinung geht* ~, *daß* en mi opinión, mi opinión es que; **4.** (*soweit*) es ~ *bringen, daß* llevar las cosas a tal extremo que; *j-n* ~ *bringen, daß* hacer que *subj.*; llegar a persuadir *od.* convencer a alg. para que *subj.*; *ist es* ~ *gekommen?* ¿se ha llegado a eso?; *nun ist es* ~ *gekommen, daß* las cosas han llegado ya a tal punto que; **5.** ~ *sein*: (*weg*) haberse ido; (*vergangen*) haber pasado; (*verloren*) estar perdido; (*tot*) estar muerto; (*zerbrochen*) estar roto; *es ist* ~ ya no existe.

'**dahin...**: **~auf** *adv.* por allí arriba; **~aus** *adv.* por allí, por aquella puerta (salida *etc.*).

da'hineilen *v/i.* acorrer, acudir presurosamente; (*Zeit*) volar.

'**dahinein** *adv.* allí dentro.

da'hin...: **~fahren** (*L*; *sn*) *v/i.* irse (*en un vehículo*); **~fliegen** (*L*; *sn*) *v/i.* irse volando; *Zeit*: *a.* pasar, correr; **~fließen** (*L*) *v/i.* (*Fluß*) discurrir; *fig.* deslizarse suavemente; **~gehen** (*L*; *sn*) *v/i.* irse; *Zeit*: pasar; (*sterben*) morir.

'**dahingehend** *cj.* tendente a.

da'hin...: **~gehören** *v/i.* corresponder a; *fig.* ser pertinente al caso; **~gestellt** *adj.*: ~ *sein lassen* dejar indeciso *od.* en suspenso; F dejar en el aire; no entrar en más detalles (*de un asunto*); dejar al criterio de; *es bleibt* ~ queda por ver; *es sei* ~, *ob* quede en tela de juicio si ... o no; **~leben** *v/i.* vegetar; **~raffen** *fig. v/t.* arrebatar; **~rasen** (*-t*; *sn*) *v/i.* F pasar como un bólido; **~scheiden** (*L*; *sn*) *v/i.* morir, fallecer; **~schwinden** (*L*; *sn*) *v/i.* desvanecerse, irse extinguiendo; *Person, aus Kummer*: consumirse; (*Schönheit*) marchitarse; **~siechen** (*L*; *sn*) *v/i.* languidecer; **~stehen** (*L*) *v/i.*: *es steht noch dahin* todavía no está decidido, aún queda por ver.

da'hinten *adv.* ahí *od.* allá atrás; allá abajo; hacia atrás; detrás de.

da'hinter (*betonend*: 'dahinter) *adv.* (allí) detrás, atrás; por atrás; detrás de; tras (*bsd. fig.*); *fig.* ~ *stehen* apoyar, estar detrás de; **~her** *adv.* (*sehr*) ~ *sein* perseguir un fin concreto; (*bestehen auf*) empeñarse en conseguir a/c.

da'hinter...: **~kommen** (*L*; *sn*) F *v/i.* averiguar el secreto; F caer del burro; **~machen**, **~setzen** (*-t*) *v/refl.* emprender a/c., poner manos *f/pl.* a la obra; **~stecken** *fig. v/i.* estar oculto; *da steckt et. dahinter* aquí hay algo oculto; F aquí hay gato encerrado; *da steckt er dahinter* F es él quien lo mangonea; *es steckt nichts dahinter fig.* no tiene nada dentro, no vale gran cosa.

'**dahinunter** *adv.* allí abajo.

da'hinwelken *v/i.* marchitarse.

'**Dahlie** [-iə] ⚘ *f* dalia *f*.

Da'kapo *Thea. n* repetición *f*; → *da capo*.

'**Daktylus** *m* (-; *Dak'tylen*) dáctilo *m*.

'**daliegen** (*L*) *v/i.* estar situado; *ausgestreckt* ~ yacer, estar tendido.

Dal'matien *n* Dalmacia *f*.

Dalma'tin|er(in *f*) *m*, ♀**isch** *adj.* dálmata *m/f*.

'**damalig** *adj.* de entonces, de aquel tiempo; *der* ~*e Besitzer* el propietario de entonces.

'**damals** *adv.* (en aquel) entonces; en aquella época, en aquellos tiempos; a la sazón.

Da'mast [daˑ'-] *m* (*-es*; *-e*) damasco *m*; ♀**en** *adj.* adamascado.

Damas'zenerklinge *f* hoja *f* damasquina.

damas'zieren (-) *v/t. Stoff*: adamascar; *Stahl*: damasquinar.

'**Dambock** *m* (*-es*; *⸗e*) → *Damhirsch*.

'**Dambrett** *n* (*-es*; *-er*) tablero *m* de damas.

'**Dämchen** *n* damisela *f*; (*kleine Dame*) damita *f*, señorita *f*.

'**Dame** *f* señora *f*; (*Ehren*♀) dama *f*; *beim Tanz*: pareja *f*; *die* ~ *des Hauses* la señora de la casa; *junge* ~ señorita *f*; *Anrede*: *m-e Dame* señora; *m-e Damen und Herren!* señoras y señores; *Damespiel*: dama *f*: *Schach*: reina *f*; ~ *spielen* jugar a las damas.

'**Damen...**: *in Zssgn.* de señora(s), para señoras; **~besuch** *m* (*-es*; *-e*) (*recibir*) visita *f* de señora(s) *od.* señorita(s) *bzw.* de mujeres; **~binde** *f* paños *m/pl.* higiénicos; **~doppel**(**~einzel-**)**spiel** *n* (*-es*; *-e*) *Tennis*: doble *m* (individual *m*) de señoras; ♀**haft** *adj.* femenino, femenil; *m.s.* afeminado; **~hemd** *n* (*-es*; *-en*) camisa *f* de señora; **~hut** *m* (*-es*; *⸗e*) sombrero *m* de señora; **~kleid** *n* (*-es*; *-er*) vestido *m* (de señora); **~kleidung** *f* ropas *f/pl.* de señora; **~konfektion** *f* vestidos *m/pl.* confeccionados (*od.* confecciones *f/pl.*) para señora; **~mannschaft** *f Sport*: equipo *m* femenino; **~mantel** *m* (*-s*; *⸗*) abrigo *m* de señora; **~sattel** *m* (*-s*; *⸗*) silla *f* de montar de señora; **~schneider**(**-in** *f*) *m* modista *m/f*; **~unterwäsche** *f* ropa *f* interior de señora;

~welt *f* *(0)* el mundo femenino; las mujeres, el bello sexo.

'Dame|spiel *n* *(-es; -e)* juego *m* de damas; **~stein** *m* ficha *f*.

'Dam|hirsch *m* *(-es; -e)* gamo *m*; **~kuh** *f* *(-; ¨e)* gama *f*.

da'mit *(betonend: 'damit)* **I.** *adv.* con eso (ello); por eso; *(auf diese Weise)* así, de este modo; *was will er damit sagen?* ¿qué quiere decir con eso?; *wie steht es ~?* ¿cómo está el asunto?, ¿cómo va eso?; *her(aus) ~!* ¡venga!; ¡habla! *bzw.* ¡hable!; explícate! *bzw.*; explíquese!; F ¡desembucha!; *es ist nichts ~* no es nada; es inútil, no puede ser; *wir sind ~ einverstanden* estamos conformes (*od.* de acuerdo) con ello; *er fing ~ an, daß er versuchte* empezó por intentar; *~ war ein neues Zeitalter angebrochen* con ello quedaba iniciada una nueva época; **II.** *(nur: da'mit)* para que, a fin de que *subj.*, con objeto de; *~ nicht* para que no, para (*od.* a fin de) evitar *od.* impedir.

'dämlich F *adj.* estúpido, tonto, bobo; **2keit** *f* estupidez *f*, tontería *f*, mentecatez *f*, bobería *f*.

'Damm *m* *(-es; ¨e)* *(Stau2)* dique *m*; 🚂, *Straßenbau*: terraplén *m*; *(Fahr2)* calzada *f*; *(Hafen2)* dique *m*; malecón *m*; *(Wellenbrecher)* rompeolas *m*; *Anat.* perineo *m*; *fig.* *(Hindernis)* dique *m*, barrera *f*; F *fig. auf dem ~ sein* sentirse bien; estar al tanto; *j-n wieder auf den ~ bringen* ayudar a alg. a restablecerse; *(Kranke)* devolver la salud a alg; *ich bin heute nicht auf dem ~* hoy no estoy para nada; *(gesundheitlich)* me siento algo indispuesto; **~bruch** *m* *(-es; ¨e)* rotura *f* de dique; → *Dammriß*.

'dämmen *v/t.* levantar un dique; terraplenar; *(Fluß)* represar; *fig.* reprimir, contener, refrenar.

'Dämmer *m* crepúsculo *m*; penumbra *f*; **2ig** *adj.* crepuscular; entreclaro, entre dos luces; *fig.* vago, indeciso; **~licht** *n* *(-es; 0)* crepúsculo *m*, luz *f* crepuscular; *morgens*: albor *m*; *weitS.* penumbra *f*, media luz *f*; **2n** *(-re)* *v/i. morgens*: amanecer, alborear; *abends*: atardecer; anochecer; *fig. es dämmert mir* empiezo a darme cuenta, se me trasluce; **~schein** *m* *(-es; 0)* → *Dämmerlicht*; **~schlaf** ⚕ *m* sueño *m* crepuscular; **~stunde** *f* hora *f* crepuscular; **~ung** *f* *(Morgen2)* crepúsculo *m* matutino, alba *f*, amanecer *m*, albor *m*; *bei ~* al amanecer, al rayar el alba; *(Abend2)* crepúsculo *m* vespertino, ocaso *m*; *in der ~* entre dos luces, al oscurecer, al atardecer *bzw.* anochecer; **~zustand** ⚕ *m* *(-es; ¨e)* estado *m* semiconsciente; letargo *m*; *(Halbschlaf)* somnolencia *f*.

'Damm...: ~riß ⚕ *m* *(-sses; -sse)* desgarro *m* perineal; **~rutsch** *m* *(-es; -e)* desprendimiento *m* de tierras; **~weg** *m* *(-es; -e)* calzada *f*.

'Dämon *m* *(-s; -en)* demonio *m*; *(Teufel)* diablo *m*; *fig.* conciencia *f*, voz *f* interior.

dä'monisch *adj.* demoníaco; *(teuflisch, besessen)* endemoniado; diabólico, infernal; *(Urgewalt)* sobrenatural.

'Dampf *m* *(-es; ¨e)* vapor *m*; *(Rauch)* humo *m* *(Dunst)* vaho *m*; *(Ausdünstung)* emanación *f*, exhalación *f*; *Vet.* asma *f* de los caballos; *unter ~ stehen* ⚓ *(Dampfschiff)* con las calderas a presión; F *fig. er hat ~ bekommen* está muerto de miedo; P se le ha encogido el ombligo; *~ dahinter machen* impulsar enérgicamente, acelerar; *mit vollem ~* a todo vapor; **~antrieb** *m* *(-es; -e)* accionamiento *m* por vapor; **~bad** *n* *(-es; ¨er)* baño *m* de vapor, baño *m* turco; **~bagger** *m* draga *f* de vapor; **~boot** *n* *(-es; -e)* *(barco de)* vapor *m*; **~druck** *m* *(-es; 0)* presión *f* del vapor; **~druckmesser** *m* manómetro *m*.

'dampfen *v/i.* exhalar (⚗ desprender) vapores *m/pl.*; producir vapor *m*; *(rauchen)* humear, *Person*: fumar; *(fahren)* navegar *(en vapor)*, ir *(en tren)*.

'dämpfen *v/t.* *(mit Dampf behandeln)* ⊕ vapor(iz)ar; *(abschwächen)* reducir, (re)bajar, disminuir; *Ton*: moderar, apagar; ♪ *(Instrumente)* poner sordina *f*; *Licht*: atenuar; *Farben*: *a.* rebajar; *Stoß*: amortiguar; ✈ estabilizar; *Stimme*: bajar; *Schwingungen*: absorber; *Schmerz*: mitigar; *(löschen)* extinguir; *fig. Stimmung*: enfriar; *Leidenschaft*: moderar; *(unterdrücken)* reprimir, sofocar; *mit gedämpfter Stimme* a media voz.

'Dampfer *m* (barco *m od.* buque *m* de) vapor *m*; → *Dampfschiff*.

'Dämpfer *m* ♪ *am Klavier*: apagador *m*; *bsd. für Geige*: sordina *f*; *(Schall2)* *Auto.*: silenciador *m*; *(Stoß2)* amortiguador *m*; ✈ estabilizador *m*; *Atomphysik*: moderador *m*; *(Kocher)* marmita *f* express; *fig. j-m e-n ~ aufsetzen* bajar los humos a alg.

'Dampfer...: ~flotte *f* flota *f* de barcos de vapor; **~linie** *f* línea *f* de vapores.

'Dampf...: 2förmig *adj.* vaporoso; **~hammer** *m* *(-s; ¨)* martinete *m* de vapor; **~heizung** *f* calefacción *f* a vapor.

'dampfig *adj.* vaporoso.

'dämpfig *adj.* *(schwül)* bochornoso, sofocante; *Vet.* *(Pferd)* asmático.

'Dampf...: ~kessel *m* caldera *f* de vapor; **~kochtopf** *m* *(-es; ¨e)* marmita *f* express; **~kraft** *f* *(0)* fuerza *f* de vapor; **~kraftwerk** *n* *(-es; -e)* central *f* térmica; **~maschine** *f* máquina *f* de vapor; **~pfeife** *f* sirena *f*; **~pflug** *m* *(-es; ¨e)* arado *m* (movido) a vapor; **~rohr** *n* *(-es; -e)*, **~röhre** *f* tubería *f* de vapor; **~schiff** *n* *(-es; -e)* vapor *m*; **~schifffahrt** *f* *(0)* navegación *f* a vapor; **~schiffahrtsgesellschaft** *f* compañía *f* de vapores *od.* de navegación (a vapor); **~spritze** *f* bomba *f* de incendios de vapor; **~strahl** *m* *(-es; -en)* chorro *m* de vapor; **~turbine** *f* turbina *f* de vapor; **~überhitzer** *m* recalentador *m* de vapor.

'Dämpfung *f* amortiguación *f*, amortiguamiento *m*; vaporización *f*; apagamiento *m*; atenuación *f*; estabilización *f*; absorción *f*; mitigación *f*; extinción *f*; represión *f*; moderación *f*; → *dämpfen*; **~sflosse** ✈ *f* estabilizador *m*.

'Dampf...: ~wäsche'rei *f* lavandería *f*; **~walze** *f* apisonadora *f*.

'Damwild *n* *(-es; 0)* gamo *m*; caza *f* mayor.

da'nach *(betonend: 'danach)* *adv.* después de (esto, eso, ello); *(später)* más tarde, luego, al poco rato; *(anschließend)* a continuación, seguidamente, en seguida; *(gemäß)* según (eso, esto, ello); *(entsprechend)* conforme a ello, de acuerdo con ello; *er trägt ein Verlangen ~* tiene el deseo de conseguirlo; *ich sehnte mich ~, heimzukehren* sentía la nostalgia de volver a casa; *ich fragte ihn ~* le pregunté acerca de ello; *ich frage nicht ~* me tiene sin cuidado; *~ handeln* obrar en consecuencia; *er handelte genau ~* obró de absoluto acuerdo con ello, se atuvo estrictamente a ello; *iro. er sieht ganz ~ aus iro.* ¡pues sí que lo parece!; *es ist aber auch ~* está a tono con ello.

'Däne *m* danés *m*, dinamarqués *m*.

da'neben *adv.* *(räumlich)* cerca de, al lado de; *dicht ~* junto a, F pegado a; *(außerdem)* además; *(gleichzeitig)* al propio (mismo) tiempo; de paso; *(am Ziel vorbei)* fuera del blanco; **~gehen** *(L; sn)* *v/i. Schuß usw.*: no dar en (*od.* errar) el blanco; **~hauen** *v/i.* errar el golpe, no acertar; F *fig.* dar una en el clavo y ciento en la herradura; desatinar; **~schießen** *(L)* *v/i.* errar el tiro; **~schlagen** *(L)* *v/i.*, **~treffen** *(L)* *v/i.* → *danebenhauen*.

'Dänemark *n* Dinamarca *f*.

da'niederliegen *(L)* *v/i.* estar postrado *od* abatido; *krank*: estar enfermo *(an dat.* de); *Handel usw.* languidecer, paralizarse.

'Dän|in *f* danesa *f*, dinamarquesa *f*; **2isch** *adj.* danés, dinamarqués.

dank *prp.* *(dat., gen.)* gracias a, merced a.

'Dank *m* *(-es; 0)* gracias *f/pl.*; *(~barkeit)* agradecimiento *m*; gratitud *f*; *(Lohn)* recompensa *f*; *(Würdigung)* reconocimiento *m*; **2e!** ¡gracias!; *besten od. schönen ~!* ¡muchas (muchísimas) gracias!, ¡muy agradecido!; *Gott sei ~!* ¡gracias a Dios!; *j-m ~ sagen* dar las gracias, expresar su agradecimiento a alg. *(für* por); *im Brief*: *a.* dar las más expresivas gracias; *j-m ~ wissen* sentirse obligado (estar reconocido) a alg. por a/c.; *j-m ~ schulden* quedar obligado (reconocido *od.* agradecido) a alg. por a/c.; *zum ~ für s-e Dienste* en reconocimiento de sus servicios; **~adresse** *f* mensaje *m* de gracias *od.* de agradecimiento.

'dankbar *adj.* agradecido; *(anerkennend)* reconocido; *(verpflichtet)* obligado; *(lohnend)* lucrativo, productivo, provechoso; *(befriedigend)* satisfactorio; *e-e ~e Arbeit* un trabajo productivo; *ich bin Ihnen sehr ~ dafür* le estoy muy agradecido *(od.* reconocido) por ello; *wir wären Ihnen sehr ~ dafür* le quedaríamos muy agradecidos por ello, se lo agradeceríamos mucho; **2keit** *f* *(0)* gratitud *f*; agradecimiento *m*; reconocimiento *m*; *aus ~ dafür* en agradecimiento por.

'Dankbrief *m* (*-es*; *-e*) carta *f* de agradecimiento.

'danken I. *v/i.*: *j-m für et. ~* dar las gracias a alg. por a/c.; agradecer a/c. a alg.; *ablehnend*: rehusar; *danke (schön)!* ¡gracias! (¡muchas gracias!); *nichts zu ~!* de nada, no hay de qué; *danke, gleichfalls!* ¡gracias, igualmente!; *danke, gut!* ¡bien, gracias!; *im voraus ~* dar gracias anticipadas; *iro. na, ich danke! iro.* (*ablehnend*) ¡se (le) agradece!; ¡para quien lo quiera!; ¡a quien le guste!; **II.** *v/t.* (*verdanken*) deber a; *ihm ~ wir, daß* a él le debemos que *subj.*, gracias a él; **~d** *adv. ~ erhalten* ⚚ recibí; **~swert** *adj.* digno de agradecimiento.

'dankerfüllt *adj.* agradecidísimo, lleno de gratitud.

'Dankes|bezeigung *f*, **~bezeugung** *f* muestra *f* (*od.* prueba *f*) de gratitud *od.* agradecimiento; **~schuld** *f* (*0*) deuda *f* de gratitud; **~worte** *n/pl.* palabras *f/pl.* de agradecimiento.

'Dank...: ~fest *n* (*-es*; *-e*) fiesta *f* de acción de gracias; **~gebet** *n* (*-es*; *-e*) oración *f* de gracias; **~gottesdienst** *m* (*-es*; *-e*) (función *f* religiosa de) acción *f* de gracias, *I.C.* Tedéum *m*; **~opfer** *n* sacrificio *m* en acción de gracias; **~sagung** *f* (expresión *f* de) agradecimiento *m*; *Rel.* acción *f* de gracias; **~schreiben** *n* → *Dankbrief*.

dann *adv.* (*anschließend*) entonces; (*nachher*) después, luego; (*in dem Falle*) entonces, en ese caso; (*außerdem*) además, fuera de eso; *~ und ~* en tal y tal fecha; *~ und wann* de vez en cuando, a veces, de cuando en cuando; *was geschah ~?* ¿y qué ocurrió entonces?; *selbst ~* aun cuando; *selbst ~ nicht* ni aun cuando; *und was ~?* ¿y luego qué?

'dannen *adv.*: *von ~* de allí; *von ~ gehen od. ziehen* irse, marcharse.

dar'an (*betonend*: *'daran*) F **dran** *adv.* a, de, en, por (él, ella, ello *od.* eso); *~ erkennst du ihn* le conocerás por ello; *nahe ~* cerca (al lado) de; *fig. nahe ~ sein zu inf.* estar a punto de *inf.*, faltar poco para; *er war drauf und dran zu* poco faltó para que *subj.*, a poco más; *er ist nicht schuld ~* él no tiene la culpa; *es liegt mir viel ~* tengo mucho interés en ello, me importa mucho; *was liegt ~?* ¿qué importa?; *es liegt ~, daß* la razón de ello es que; *es ist nichts ~* no hay nada en ello, no tiene importancia; *es ist et. Wahres ~* hay algo de verdad en ello; *rühre nicht ~!* ¡no lo toques!; F *da ist alles ~* aquí hay de todo; *er ist gut (übel) ~* está en buena (mala) situación; *wer ist ~?* ¿a quién le toca?; *ich bin noch nicht ~* todavía no ha llegado mi turno; *ich bin ~* a mí me toca; F *fig. jetzt ist er ~ iro.* ahora va a saber lo que es bueno; *er tut gut ~, zu inf.* hará bien en *inf.*; *~ ist nicht zu denken* en eso no hay que pensar; *er denkt nicht ~, es zu tun* no piensa ni remotamente en hacerlo; *ich dachte nicht ~, ihn zu beleidigen* bien lejos de mi propósito estaba el ofenderle; *jetzt weiß ich, wie ich ~ bin* ahora ya sé a qué atenerme; **~gehen** (*L*; *sn*) *v/i.*, **~machen** *v/refl.* ponerse a hacer a/c.; comenzar *od.* empezar a *inf.*; **~setzen** (*-t*) *v/t.* arriesgar, exponer; F jugarse; *fig. alles ~ (zu inf.)* hacer todo lo posible (para *inf.*); arriesgarlo todo (para *inf.*); poner el máximo empeño (en *inf.*).

dar'auf (*betonend*: *'darauf*), F **drauf** *adv.* (*räumlich*) encima; (*örtlich u. bei vb.*) a, de, en, sobre (él, ella, ello); *gerade ~ zu* directamente hacia; (*zeitlich*) después (de ello), luego; *bald ~* poco después; *gleich ~* acto seguido, a continuación, seguidamente; *am Tage (od. den Tag) ~* al día siguiente; *zwei Jahre ~* dos años después; → *geben, halten usw.*; *drauf und dran zu inf.* estar a punto (*od.* a pique) de *inf.*; *~ steht Todesstrafe* eso se castiga con (la) pena de muerte; *~ können Sie sich verlassen* tenga la seguridad (esté seguro) de ello; pierda usted cuidado; cuente con ello; *~ kommt es an* de eso se trata precisamente; *es kommt ~ an* depende de las circunstancias; según y cómo; *ich lasse es ~ ankommen* lo arriesgaré; dejo venir las cosas; *wie kommst du ~?* ¿por qué lo preguntas?; *er arbeitete ~ hin, zu inf.* todos sus esfuerzos se dirigían a *inf.*; *~ hinsteuern fig.* aspirar a; **~folgend** *adj.* siguiente; subsiguiente; *der ~e Tag* el día siguiente; → *drauf...*

darauf'hin *adv.* acto seguido, a continuación; (*auf Grund dessen*) como resultado (*od.* a consecuencia) de; entonces, siendo así.

dar'aus (*betonend*: *'daraus*), F **draus** *adv.* de aquí (ahí); de ello (eso, esto); de él (ella); *es folgt ~* de ahí (de eso) se deduce *od.* infiere; *es kann nichts ~ werden* de eso no puede resultar (*od.* salir) nada; *~ wird nichts* todo quedará en nada; no se llevará a efecto; *was ist ~ geworden?* ¿qué ha sido de ello?, ¿qué ha resultado de ello?; *was soll ~ werden?* ¿qué va a resultar de esto?, ¿a dónde irá a parar todo esto?; *ich mache mir nichts ~* no me interesa; *~ können wir schließen* de ello podemos deducir *od.* inferir (que).

'darben *v/i.* sufrir privaciones *f/pl.*; estar en la miseria; no tener para vivir; *stärker*: morirse de hambre *f*.

'darbiet|en (*L*) *v/t.* ofrecer, brindar; deparar; (*vorführen*) presentar, representar; *fig. sich ~* ofrecerse, presentarse; **2ung** *f* ofrecimiento *m*; *Thea.* función *f*, representación *f*; *weitS.* programa *m*.

'darbring|en (*L*) *v/t.* ofrecer, dar; ofrendar; *ein Opfer ~* consumar *od.* hacer un sacrificio; **2ung** *f* ofrenda *f*; presentación *f*.

Darda'nellen *f/pl.* los Dardanelos *m/pl.*

dar'ein (*betonend*: *'darein*), F **drein** *adv.* en eso, en ello; allí dentro; **~finden** (*L*), **~fügen** *v/refl.* resignarse, conformarse con; acomodarse, amoldarse a; **~mischen** *v/refl.* (entre)mezclarse, (entre-)meterse en; (*eingreifen, stören*) interferir; (*vermitteln*) intervenir; **~reden** (*-e-*) *v/i.* entrometerse en la conversación; F meter baza (*od.* la cuchara); **~schauen** *v/i.*: *ernst usw. ~* poner cara seria *usw.*; **~schicken** *v/refl.* → *dareinfinden*; **~schlagen** (*L*) *v/i.* acometer a golpes *m/pl.*; **~willigen** *v/i.* consentir, permitir que *subj.*

dar'in (*betonend*: *'darin*), F **drin** *adv.* en; (a)dentro; en (él, ella, ello, eso); allí dentro; *was ist ~?* ¿qué hay dentro?; (*in dieser Hinsicht*) *~ irren Sie sich* en eso está usted equivocado; *dieses Material unterscheidet sich von anderem ~, daß* es este material se diferencia de otros en que.

'darleg|en *v/t.* (*enthüllen*) poner de manifiesto, evidenciar; (*offen ~, anführen*) mostrar, exponer; (*auseinandersetzen*) explicar; (*veranschaulichen*) representar; (*deuten*) interpretar; (*beweisen*) demostrar; probar; *im einzelnen*: particularizar, detallar; (*entwickeln*) desarrollar; **2ung** *f* exposición *f*; manifestación *f*; explicación *f*; demostración *f*; representación *f*; relación *f*.

'Darleh(e)n *n* préstamo *m*; (*Anleihe*) empréstito *m*; (*Vorschuß*) anticipo *m*; *ein ~ aufnehmen* tomar un préstamo; *ein ~ geben* conceder un préstamo; **~sgeber** *m* dador *m* del préstamo; **~skasse** *f* caja *f* de crédito; **~skassenverein** *m* (*-es*; *-e*) mutualidad *f* de crédito; **~snehmer** *m* prestatario *m*.

'darleihen (*L*) *v/t.* prestar.

'Darm *m* (*-es*; *¨e*) intestino *m*; (*Wursthülle*) tripa *f*; **~bein** *Anat. n* (*-es*; *-e*) ilion *m*; **~blutung** *f* hemorragia *f* intestinal, ⚕ enterorragia *f*; **~entleerung** *f* evacuación *f* intestinal, defecación *f*; **~entzündung** ⚕ *f* enteritis *f*; **~flora** *f* (*0*) flora *f* intestinal; **~geschwür** *n* (*-es*; *-e*) úlcera *f* del intestino; **~katarrh** *m* (*-s*; *-e*) catarro *m* intestinal; **~krankheit** *f*, **~leiden** *n* afección *f* intestinal, ⚕ enteropatía *f*; **~krebs** *m* (*-es*; *0*) cáncer *m* del intestino; **~saft** *m* (*-es*; *¨e*) jugo *m* intestinal; **~saite** *f* cuerda *f* de tripa; **~schlinge** *Anat. f* asa *f* intestinal; **~trägheit** *f* (*0*) estreñimiento *m*; **~tuberkulose** *f* (*0*) tuberculosis *f* intestinal; **~verschlingung** *Anat. f* vólvulo *m*; **~verschluß** ⚕ *m* (*-sses*; *0*) oclusión *f* intestinal; **~wand** *f* (*-*; *¨e*) pared *f* intestinal; **~wurm** *m* (*-es*; *¨er*) lombriz *f*, ⚕ helminto *m*.

dar'nach *usw.* → *danach*.

dar'nieder *usw.* → *danieder*.

'Darre *f* ⊕ (*Vorgang*) secado *m*; (*Darrofen*) horno *m* secador; (*Vogelkrankheit*) *Vet.* granillo *m*; ⚕ consunción *f*.

'darreichen *v/t.* ofrecer, presentar; (*Speisen*) servir; *Rel. u.* ⚕ administrar.

'darr|en ⊕ *v/t.* (de)secar; **2malz** *n* (*-es*; *0*) malta *f* desecada; **2ofen** *m* (*-s*; *¨*) horno *m* secador.

'darstell|bar *adj.* representable; **~en** *v/t.* (*vorstellen*) exponer, mostrar, presentar, ofrecer a la vista; (*beschreiben*) describir; (*wiedergeben*) reproducir; *Thea. Stück*: representar, *Rolle*: *a.* interpretar, caracterizar; *graphisch*: representar gráficamente; ℛ describir; *schematisch*:

esquematizar; *in Umrissen*: bosquejar; ⊕ elaborar, producir, preparar; ⚗ separar, desdoblar; preparar; (*freisetzen*) liberar; (*bedeuten*) representar, significar; *symbolisch*: simbolizar; *sich* ~ representarse; **~end** *adj.* descriptivo; *~e Geometrie* geometría descriptiva; **2er(in** *f*) *m* actor *m*, actriz *f*; **~erisch** *adj.* *~e Methoden* métodos de representación; **2ung** *f* exposición *f*; presentación *f*; (*Schilderung*) descripción *f*, relación *f*, relato *m*; *Thea.* (*Rolle*) interpretación *f*, personificación *f*; *e-s Stückes*: representación *f*; *graphische* ~ representación gráfica, diagrama *m*; ⊕ preparación *f*; ⚗ *a.* desdoblamiento *m*; representación *f* (*a.* ⚖); *nach Ihrer* ~ *des Falles* tal como usted expone el caso *od.* presenta las cosas; **2ungskraft** *f* (*0*) capacidad *f* descriptiva; **2ungskunst** *f* (*0*) *Thea.* talento *m* mímico; *Liter.* talento *m* descriptivo; **2ungsverfahren** ⊕ *n* método *m* de preparación; ⚗ *a.* procedimiento *m* de representación; **2ungsweise** *f allg.* manera *f* de exponer las cosas; *Liter.* estilo *m* (literario).

ˈ**dartun** (*L*) *v/t.* (*beweisen*) evidenciar, probar, demostrar; (*erklären, aufzeigen*) mostrar, exponer.

darˈüber (*betonend*: ˈ*darüber*), F ˈ**drüber** *adv.* encima (de); sobre *od.* en (él, ella, ello, eso); arriba, por arriba, allá arriba; (*querüber*) a través de; (*~hin*) por encima; (*deswegen*) por eso; (*zeitlich*) entre tanto, con eso; (*in dieser Hinsicht*) sobre eso, acerca de eso; ~ *hinaus* más allá (de), al otro lado (de); *fig.* además; *zwei Pfund* ~ dos libras más; *zwei Pfund und etwas* ~ dos libras y algo más (F y pico); *es geht nichts* ~ no hay nada mejor; ~ *vergingen die Jahre* entre tanto pasaron (*od.* fueron pasando) los años; ~ *bin ich nicht unterrichtet* no estoy informado (acerca) de eso; ~ *ließ sich streiten* eso es discutible; ~ *sprechen wir noch* ya volveremos (a hablar de eso) sobre ese punto; ~ *wird morgen verhandelt* sobre esa cuestión se tratará mañana; *er beklagt sich* ~, *daß er betrogen worden sei* se queja de que le han engañado; **~stehen** (*L*) *v/i.* estar por encima de.

darˈum (*betonend*: ˈ*darum*), F **drum I.** *adv.* (*örtlich*) ~ (*herum*) alrededor *od.* en torno de (él, ella, ello); *er weiß* ~ él lo sabe perfectamente, está en el secreto; *es ist mir nur* ~ *zu tun* lo único que me importa es, mi único objeto es; *es ist mir sehr* ~ *zu tun, daß* me interesa mucho que *subj.*; *er kümmert sich nicht* ~ no hace caso de; no se preocupa de *od.* por; se desinteresa de; *es handelt sich* ~, *festzustellen* de lo que se trata es de comprobar, lo que hay que averiguar es; **II.** *cj.* (*deshalb*) por eso, por esa razón, por ese motivo; ~ *ist er nicht gekommen* por eso (es por lo que) no ha venido; ~ *eben!* ¡por eso justamente!; ¡ésa es la cosa!; ¡ahí está el quid!; ~ *handelt es sich* (eben) de eso se trata (precisamente); *warum taten Sie es?* ~! ¡porque sí!; → *drum.*

darˈunter (*betonend*: ˈ*darunter*), F ˈ**drunter** *adv.* debajo; abajo; debajo de (ello, eso); por debajo; (*unter e-r Anzahl*) entre ellos; (*einschließlich*) inclusive, incluído, comprendido en; (*weniger*) menos de; *es nicht* ~ *abgeben können* (*Preis*) no poder vender por menos; *was verstehst du* ~? ¿qué quieres decir con eso?; ¿qué entiendes tú por (*od.* sobre) eso?; ~ *kann ich mir nichts vorstellen* esto no me dice nada *od.* no significa nada para mí; *alles ging drunter und drüber* allí no había orden ni concierto, F aquello era un desbarajuste.

das → *der.*

ˈ**dasein** (*L*) *v/i.* ser, existir; (*anwesend sein*) estar presente, asistir; (*vorhanden sein*) existir, haber; *noch nie dagewesen* sin precedentes; *es ist schon alles dagewesen* nada hay nuevo bajo el sol; **2** *n* existencia *f*, vida *f*, ser *m*; (*Anwesenheit*) presencia *f*; *ins* ~ *treten* nacer; **2sberechtigung** *f* razón *f* de ser; **2skampf** *m* (*-es; 0*) lucha *f* por la existencia *od.* vida.

daˈselbst *adv.* allá; allí mismo; en el mismo sitio; ídem.

ˈ**dasitzen** (*L*) *v/i.* estar sentado (allí).

ˈ**dasjenige** → *derjenige.*

daß *cj.* que; (*damit*) para que *subj.*, para *inf.*; *bis* ~ hasta que; *so* ~ de manera (modo) que *subj.*; *es sei denn,* ~ a no ser (*od.* a menos) que *subj.*; *ohne* ~ sin que *subj.*, sin *inf.*; *auf* ~ (a fin de) que *subj.*, con objeto de *inf.*; *er entschuldigte sich,* ~ *er zu spät kam* se disculpó por haber venido demasiado tarde; ~ *es doch wahr wäre!* ¡si fuera verdad!; *nicht* ~ *ich wüßte* no que yo sepa; *nicht* ~ *es etwas ausmachte* no es que importara; ~ *du dich ja nicht rührst!* ¡(y que) no te muevas!, ¡cuidado con moverte!; ~ *du ja kommst!* no dejes de venir; *es sind zwei Jahre,* ~ *ich ihn nicht gesehen habe* hace ya dos años que no le he visto.

dasˈselbe → *derselbe.*

ˈ**dastehen** (*L*) *v/i.* estar allí (parado); F estar de plantón; *fig. gut* ~ estar en buena posición; *Geschäft*: prosperar, florecer, marchar bien; *einzig* ~ ser único; no tener igual, no tener rival; F *wie stehe ich nun da!* ¡y ahora cómo quedo yo!

ˈ**Daten** *n/pl.* (*Angaben, Tatsachen*) datos *m/pl.*; **~verarbeitung** *f* proceso *m* (*od.* valoración *f*) de datos; **~verarbeitungsmaschine** *f* ordenador *m* electrónico.

daˈtieren 1. *v/t.* fechar, datar; *falsch* ~ fechar equivocadamente; *datiert sein* tener *od.* llevar (la) fecha de; estar fechado el; **2.** *v/i.* datar (*von* de); *dieses Dokument datiert aus der Zeit vor der Revolution* este documento data de tiempos anteriores a la revolución.

ˈ**Dativ** *Gr. m* (*-s; -e*) dativo *m*; **~objekt** *n* (*-s; -e*) complemento *m* indirecto.

ˈ**dato** ✝ *adv.* fecha *f*; *drei Monate* ~ a tres meses fecha; *bis* ~ hasta (el día de) hoy, hasta la fecha; **2wechsel** *m* letra *f* aplazada *od.* a fecha fija.

ˈ**Dattel** *f* (*-; -n*) dátil *m*; **~baum** *m* (*-es; ⸚e*) → *Dattelpalme*; **~palme** *f* palm(er)a *f* datilera; **~pflaume** *f* ciruela *f* datilada; (*Baum*) guayacán *m.*

ˈ**Datum** *n* (*-s; Daten*) fecha *f*; → *Daten*; *gleichen ~s* de igual *od.* de la misma fecha; *heutigen ~s* fecha de hoy; *ohne* ~ sin fecha; *neueren ~s* de fecha reciente; *welches* ~ *haben wir heute?* ¿a cuántos estamos?, ¿qué fecha tenemos?; **~stempel** *m* sello *m* con la fecha; (*Gerät*) fechador *m.*

ˈ**Daube** *f* duela *f.*

ˈ**Dauer** *f* (*0*) duración *f*; (*Fort2*) continuidad *f*; (*Ständigkeit*) permanencia *f*; (*Fertigkeit*) estabilidad *f*; firmeza *f*, solidez *f*; (*Zeitspanne*) período *m*, *bsd.* ✝ *u.* ⚖ plazo *m*; (*Lebens2*) vida *f*, ⊕ duración *f* útil; *auf die* ~ *geht das nicht* esto no puede continuar así; *für die* ~ *von* por un período de; *während der* ~ *dieses Vertrages* durante la vigencia del (mientras dure el) presente contrato; *von* ~ duradero, durable; *von kurzer* ~ de corta duración; *fig.* efímero, fugaz; *von langer* ~ de gran (*od.* larga) duración; **~auftrag** ✝ *m* (*-es; ⸚e*) orden *f* permanente; **~belastung** *f* carga *f* continua; **~betrieb** *m* (*-es; -e*) funcionamiento *m* continuo; servicio *m* permanente; **~brandofen** *m* (*-s;* ⸚), **~brenner** *m* estufa *f* de combustión lenta *od.* de fuego permanente; **~erfolg** *m* (*-es; -e*) éxito *m* duradero; resultado *m* permanente; **~fahrt** *f* carrera *f* de resistencia (*a. Sport*); **~flug** *m* (*-es; ⸚e*) vuelo *m* continuo; (*ohne Zwischenlandung*) vuelo *m* ininterrumpido; **2haft** *adj.* duradero; (*ununterbrochen*) permanente, continuo; persistente; (*zeitlich*) (per)durable; (*fest*) resistente; *Farbe*: sólido; **~haftigkeit** *f* duración *f*; durabilidad *f*; persistencia *f*; (*Festigkeit*) solidez *f*; estabilidad *f*; ⊕ durabilidad *f*; resistencia *f*, duración *f* útil; **~karte** *f* (billete *m od.* tarjeta *f* de) abono *m*; pase *m*; **~lauf** *m* (*-es; ⸚e*) ⊕ marcha *f* continua; (*Turnen*) carrera *f* gimnástica; (*langer Wettlauf*) carrera *f* de fondo; **~leistung** *f* ⊕ rendimiento *m* continuo; **~marsch** ⚔ *m* (*-es; ⸚e*) marcha *f* forzada; **~mieter** *m* huésped *m* estable *od.* fijo *od.* permanente.

ˈ**dauern 1.** *v/i.* durar; (*fort~*) continuar, seguir; perdurar; *lange* ~ tardar mucho; *die Prüfung dauerte 5 Stunden* el examen duró cinco horas; *es wird lange* ~, *bis er kommt* tardará bastante (*od.* mucho) en llegar; *es dauerte über e-e Woche, bis er schrieb* no escribió hasta pasada una semana; *es dauerte mir zu lange* se me hizo tarde, ya no podía esperar más; **2.** *v/t.* *er* (*es*) *dauert mich* me da pena *od.* lástima de él (me duele); → *bedauern*; **~d 1.** *adj.* (per)durable; duradero; (*ständig*) continuo, constante, permanente; (*unaufhörlich*) incesante; **2.** *adv.* sin cesar, constantemente; sin interrupción.

ˈ**Dauer...:** **~pflanze** ❦ *f* planta *f* vivaz; **~regen** *m* lluvia *f* constante; **~stellung** *f* empleo *m* fijo; **~ton** *m* (*-es; ⸚e*) *Tele.* zumbido *m* continuo; **~überweisung** ✝ *f* orden *f* permanente de giro; **~welle** *f im Haar*: (ondulación *f*) permanente *f*; *sich*

~n machen lassen hacerse la (ondulación) permanente; **~wurst** *f* (-; *⸚e*) embutido *m* curado; **~zustand** *m* (-*ės*; *⸚e*) estado *m* permanente.

'Daumen *m* (dedo *m*) pulgar *m*; ⊕ leva *f*; *fig. j-m die ~ halten* desear suerte a alg. en una situación difícil; *die ~ drehen* estar mano sobre mano; **~abdruck** *m* (-*ės*; *⸚e*) impresión *f* dactilar del pulgar; **~breite** *f* (*0*) ancho *m* del pulgar; **~rad** ⊕ *n* (-*ės*; *⸚er*) rueda *f* de levas; **~schraube** *f* tornillo *m* de mariposa; (*Folter*) empulguera *f*; *j-m ~n anlegen fig.* apretar a alg. las clavijas.

'Däumling *m* (-*s*; -*e*) dedil *m*; *Märchen*: Pulgarcito *m*.

'Daune *f* plumón *m*; **~ndecke** *f* edredón *m* de pluma.

da'von (*betonend*: *'davon*) *adv.* de él (ella, ello, eso); de allí; *nicht weit ~* no lejos de allí; *genug ~!* ¡basta ya!; *ich halte nicht viel ~* doy poca (no doy gran) importancia a eso; *was habe ich ~?* ¿de qué me sirve eso?; *das kommt ~!* ¡esas son las consecuencias!, F ¡ahí lo ves!, ¡ahí lo tienes!; *das kommt ~, daß* eso es debido a que; **~eilen** (*sn*) *v/i.* irse, marcharse a toda prisa, F salir disparado; **~fliegen** (*L*; *sn*) *v/i.* echar a volar, alzar el vuelo; irse volando; **~kommen** (*L*; *sn*) *v/i.* escapar(se); salir airoso (*de una prueba*); (*überleben*) salvarse, sobrevivir; *mit knapper Not ~* escapar a duras penas; *wird er ~?* ¿saldrá con vida?; → *Schrecken*; **~laufen** (*L*; *sn*) *v/i.* echar a correr; huir; escaparse; F tomar las de Villadiego; **~machen** *v/refl.* escaparse, salir corriendo; F largarse, salir pitando (*od.* por pies); **~schleichen** (*L*; *sn*) *v/i.* escurrirse, deslizarse; **~tragen** (*L*) *v/t.* llevar; obtener, conseguir, *fig. a.* ganar; *fig.* (*sich zuziehen*) llevarse; sufrir; *Krankheit*: contraer, adquirir, F coger, pescar, pillar; *den Sieg ~* vencer, obtener la victoria, salir vencedor; llevarse la palma.

da'vor (*betonend*: *'davor*) *adv.* delante (de); (*gegenüber*) en frente de, frente a; (*in Gegenwart von*) en presencia de, ante *ac.*; (*Verhältnis*) de ello; a ello; *fig. er fürchtet sich ~* (le) tiene miedo; *er bewahrte mich ~* me libró de ello; *ich habe Ekel ~* me da asco, siento náuseas (de).

da'zu (*betonend*: *'dazu*) *adv.* a, con, para (él, ella, ello, eso); respecto a eso *od.* ello; (*zu diesem Zweck*) para eso *od.* ello, con ese fin *od.* objeto; a tal efecto; (*außerdem*) además (de eso *od.* ello), fuera de eso; (*im übrigen*) por lo demás; *noch ~* sobre eso; por añadidura; encima; *~ gehört Zeit* eso requiere tiempo; *~ kommt* a esto hay que añadir; *~ ist er da* para eso está ahí; *er ist ~ da, zu inf.* está aquí para *inf.*; *ich riet ihm (sehr) ~* le aconsejé (seriamente) que lo hiciera; *er hat das Geld ~* tiene medios para ello; puede permitirse ese lujo; *was sagen Sie ~?* ¿qué dice usted a esto?, ¿qué le parece?; **~gehören** (-) *v/i.* ser (formar) parte de, pertenecer a; **~gehörig** *adj. allg.* correspondiente; perteneciente; inherente; respectivo; **~kommen** (*L*; *sn*) *v/i.* llegar (*en el momento en que*); *er kam gerade ~, als* llegó casualmente cuando; *unvermutet* (*Krankheit, Ereignis, usw.*) sobrevenir; *dazu kommt* añádase; es más ...; a ello hay que añadir; *wie kommen Sie dazu?* ¿cómo se le ocurre eso?; *ich kam nie dazu, zu inf.* nunca he tenido tiempo para *inf.*

'dazumal *adv.* (en aquel) entonces, en aquella época, en aquellos tiempos; → *Anno*.

da'zutun (*L*) *v/t.* añadir, agregar; *ohne sein* ⁓ sin su intervención.

da'zwischen *adv.* entre ellos *od.* ellas; entre ambos; en medio de; por medio; **~fahren** (*L*; *sn*), **~funken** *v/i.* interferir; *im Gespräch*: interrumpir, F meter baza; **~kommen** (*L*; *sn*) *v/i.* intervenir; mediar; interponerse, colocarse entre; *Ereignis*: sobrevenir, ocurrir; *wenn nichts dazwischenkommt* si nada inesperado ocurre; Dios mediante; **⁓kommen** *n* (*0*) intervención *f*; interposición *f*; (*unerwünschtes*) intromisión *f*; (*Vermittlung*) mediación *f*; **~liegend** *adj.* intermedio; intermediario; interpuesto; **~reden** (-*e*-) *v/i.* interrumpir; **~treten** (*L*; *sn*) *v/i. fig.* intervenir; interponerse, meterse de por medio; (*sich einschalten*) interceder; **~treten** *n* → *Dazwischenkommen*.

'D-Dur ♪ *n* re *m* mayor.

De'batte *f* debate *m*; discusión *f* (*über ac.* sobre); *e-e erregte ~* un acalorado debate; *in e-e ~ eintreten* intervenir en una discusión; *zur ~ stehen* estar en discusión; *das steht hier nicht zur ~* de eso no se trata aquí ahora.

debat'tieren [-ba'tiː-] (-) *v/t. u. v/i.* debatir, discutir; *bsd. Parl.* deliberar (über *ac.* sobre).

'Debet ['deːbɛt] ✝ *n* (-*s*; -*s*) debe *m*; **~note** *f* nota *f* de débito; **~posten** *m* adeudo *m*; **~saldo** *m* (-*s*; -*s od.* -*salden od.* -*saldi*) saldo *m* deudor; **~seite** *f* lado *m* deudor.

De'bit ✝ *m* (-*s*; -*s*) venta *f*.

debi'tieren (-) ✝ *v/t.* adeudar, cargar en cuenta *f*.

Debi'toren ✝ *m/pl.* deudores *m/pl.*; *Bilanz*: cuentas *f/pl.* deudoras.

De'büt [-'byː] *n* (-*s*; -*s*) estreno *m*; presentación *f* (*de un artista*).

Debü'tant(in *f*) *m* (-*en*) principiante *m/f*; **debü'tieren** [-yˑ'tiː-] (-) *v/i.* estrenarse; presentarse; *gal.* debutar.

De'chant [de'ç-] *m* (-*en*) deán *m*.

dechif'frieren [deˑʃɪ'fʀ-] (-) *v/t.* descifrar.

'Deck *n* (-*s*; -*s*) ⚓ cubierta *f*; *an od. auf* (*unter*) *~* sobre (bajo) cubierta; **~adresse** *f* dirección *f* fingida; **~anstrich** *m* (-*ės*; -*e*) pintura *f* de cubrición; **~aufbau** ⚓ *m* (-*ės*; -*ten*) superestructura *f*; **~bett** *n* (-*ės*; -*en*) edredón *m*; (*Decke*) sobrecama *f*, colcha *f*; **~blatt** *n* (-*ės*; *⸚er*) ⚘ bráctea *f*. *e-r Zigarre*: capa *f*;

'Decke *f* cubierta *f*; (*Oberfläche*) superficie *f*; (*Bett*⁓) cobertor *m*, manta *f*; (*Deckbett*) colcha *f*, sobrecama *f*; (*Stepp*⁓) edredón *m*; (*Woll*⁓) cobertor *m*, manta *f* de lana; (*Reise*⁓) manta *f* de viaje; (*Tisch*⁓) mantel *m*; (*Plane*) lona *f*; toldo *m*; (*Zimmer*⁓) techo *m*; (*Hülle*) envoltura *f*; *Überzug*: forro *m*; (*Schicht*) capa *f*; *Anat. u.* ⚘ tegumento *m*; *Jgdw.* piel *f*; (*Reifen*⁓) cubierta *f*; *fig. sich nach der ~ strecken* ajustarse estrechamente a los medios disponibles; *fig. unter e-r ~ stecken* hacer causa común con; estar confabulado (F conchabado) con.

'Deckel *m* tapa *f* (*a. Buch*⁓), tapadera *f*; (*Topf*⁓) cobertera *f*; *Typ.* tímpano *m*; (*zum Aufschrauben*) tapa *f* roscada; F (*Hut*) sombrero *m*; ⚘ *u. Zoo.* opérculo *m*; F *j-m eins auf den ~ geben* echar una reprimenda (P una bronca) a alg.; **~korb** *m* (-*ės*; *⸚e*) cesta *f* con tapa; **~krug** *m* (-*ės*; *⸚e*) jarro *m* con tapa.

'decken 1. *v/t.* cubrir; (*mit Deckel*) tapar; *Dach*: (*mit Ziegeln ~*) tejar, *mit Schiefer*: empizarrar; (*weibliche Tiere*) cubrir; *den Tisch ~* poner la mesa; *für sechs Personen ~* poner seis cubiertos; (*schützen*) ⚔ cubrir, proteger; *den Rückzug ~* cubrir la retirada; (*geleiten*) escoltar, convoyar; *Fußball*: cubrir, marcar; *fig. j-n ~* proteger, defender a alg.; (*verhehlen*) encubrir; ✝ *Bedarf, Nachfrage, Kosten*: cubrir; *Defizit*: *a.* enjugar; (*zurückerstatten*) rembolsar; *Schaden*: resarcir; *Wechsel*: proveer fondos *m/pl.* para pagar; *sich ~* (*vor od. gegen*) asegurarse, tomar precauciones, protegerse (contra); ponerse a cubierto (de); *Schaden*: resarcirse (*für* de); ⩕ coincidir; ser congruente; *fig.* (*übereinstimmen*) coincidir, corresponderse; ✝ asegurarse; *Fechtk., Boxen*: cubrirse; **2.** *v/i. Farbe*: cubrir; *Fußball*: *a* marcar.

'Decken...: ~beleuchtung *f* alumbrado *m bzw.* lámpara *f* de techo; **~gemälde** *n* pintura *f* de techo; fresco *m* pintado en el techo; **~licht** *n* (-*ės*; -*er*) (*Oberlicht*) claraboya *f*; **~träger** ⚠ *m* viga *f* de techo.

'Deck...: ~farbe *f* pintura *f* opaca *od.* de fondo; **~gewebe** *Anat. n* tejido *m* epitelial; **~glas** *n* (-*es*; *⸚er*) (*Mikroskop*) cubreobjetos *m*; **~hülle** *f* envoltura *f*; **~konto** *n* (-*s*; -*konten*) cuenta *f* ficticia; **~lack** *m* (-*ės*; -*e*) barniz *m od.* laca *f* de cubrición; **~landeflugzeug** *n* (-*ės*; -*e*) avión *m* de a bordo; **~licht** *n* (-*ės*; -*er*) claraboya *f*; **~mantel** *m* (-*s*; *⸚*) *fig.* pretexto *m*; **~name** *m* (-*ns*; -*n*) nombre *m* falso *od.* fingido; nombre *m* supuesto; *Liter.* seudónimo *m*; **~offizier** ⚓ *m* (-*s*; -*e*) suboficial *m* de marina; **~platte** *f* (*Stein*) losa *f*; ⊕ placa *f* de cubierta.

'Deckung *f* ⊕ recubrimiento *m*; ⩕ congruencia *f*; (*Schutz*) ⚔ defensa *f*, abrigo *m*; (*taktisch*) ⚔ protección *f*; (*Tarnung*) disimulación *f*, *gal.* camuflaje *m*; *Fußball*: (*Hintermannschaft*) defensa *f*; *Boxen, Fechten*: guardia *f*; *unter ~* a cubierto de; *~ suchen od. in ~ gehen* ponerse a cubierto (*vor dat.* de); ✝ provisión *f* de fondos; (*Rückerstattung*) rembolso *m*, reintegro *m*; (*Zahlung*) pago *m*; (*Sicherheit*) garantía *f*, seguridad *f*; *Kapital, Mittel*: capital *m* disponible, fondos *m/pl.*; *ohne ~* ✝ en descubierto; *~ anschaffen* hacer provisión (*bzw.* una remesa) de fondos; *mangels ~ zurück* devuelto por falta de fondos; *j-n mit ~ versehen* proveer de fondos a alg.; **~sforderung** *f* petición *f* de remesa de fondos; **2sgleich** *adj.* ⚹ congruente; **~sgraben** ⚔ *m* (*-s*; *¨*) trinchera-refugio *f*; **~skauf** ✝ *m* (*-és*; *¨e*) compra *f* de provisión; **2slos** *adj.*: *~es Gelände* campo raso; **~smittel** *n/pl.* fondos *m/pl.*

'Deck...: **~weiß** *n* blanco *m* opaco; albayalde *m*; **~wort** *n* (*-és*; *¨er*) palabra *f* clave.

Dedikati'on *f* dedicatoria *f*; **~sexemplar** *n* (*-és*; *-e*) ejemplar *m* con dedicatoria *od.* dedicado.

dedi'zieren (-) *v/t.* dedicar.

Deduk|ti'on *f* deducción *f*; **2'tiv** *adj.* deductivo.

dedu'zieren (-) *v/t.* deducir (*aus* de).

Defä'tis|mus *m* (-; *0*) derrotismo *m*; **~t** *m* (*-en*) derrotista *m*; alarmista *m*; **2tisch** *adj.* derrotista.

de'fekt *adj.* (*fehlerhaft*) defectuoso; (*beschädigt*) dañado, deteriorado; averiado; (*unvollständig*) incompleto; **2** *m* (*-és*; *-e*) defecto *m*; deterioro *m*; *bsd. Auto.* avería *f*; *Typ.* defecto *m*, imperfección *f*; **2bogen** *m/pl.* defectos *m/pl.*

defen'siv *adj.* defensivo; *sich ~ verhalten* mantenerse (estar) a la defensiva; **2e** *f* defensiva *f*; *in der ~* a la defensiva.

defi'lieren (-) *v/i.* desfilar.

defi'nier|bar *adj.* definible; **~en** (-) *v/t.* definir.

Definiti'on *f* definición *f*.

defini'tiv *adj.* (*bestimmt*) definido; (*endgültig*) definitivo.

'Defizit [de:fi·tsɪt] ✝ *n* (*-s*; *-s*) déficit *m*; descubierto *m*; *ein ~ decken* cubrir (*od.* enjugar) un déficit; *ein ~ von 1000 Peseten aufweisen* arrojar un déficit de mil pesetas; *mit e-m ~ abschließen* liquidar con déficit.

Deflati'on *f* deflación *f*; **~sbewegung** *f* movimiento *m* deflacionista.

Deformati'on *f* deformación *f*.

defor'mier|bar *adj.* deformable; **~en** (-) *v/t.* deformar; **2ung** *f* deformación *f*.

Defrau|'dant *m* (*-en*) defraudador *m*; malversador *m*; **~dati'on** *f* defraudación *f*, fraude *m*; (*Unterschlagung*) malversación *f*; **2'dieren** (-) *v/t.* defraudar; (*unterschlagen*) malversar.

'Degen *m* espada *f*; (*Galanterie2*) espadín *m*; (*Kriegsheld*) héroe *m*; paladín *m*; guerrero *m*.

Degene|rati'on *f* degeneración *f*; **2'rieren** [-'ʀi:-] (-) *v/i.* degenerar; **2riert** *adj.* degenerado.

'Degen...: **~fechten** *n* combate *m* a espada; **~gefäß** *n* (*-es*; *-e*) guarnición *f* de la espada, taza *f*; **~griff** *m* (*-és*; *-e*) puño *m* de la espada; **~knopf** *m* (*-és*; *¨e*) pomo *m*; **~scheide** *f* vaina *f*; **~stoß** *m* (*-es*; *¨e*) estocada *f*.

degra'dier|en [-'di:-] (-) *v/t.* degradar; **2ung** *f* degradación *f*.

'dehnbar *adj.* extensible; *Phys.* (*durch Wärme*) dilatable; (*Gas*) expansible; (*elastisch*) elástico; *Metall*: dúctil; maleable; *fig.* elástico; flexible; **2keit** *f* (*0*) extensibilidad *f*; dilatabilidad *f*; expansibilidad *f*; elasticidad *f*; *Metall*: ductilidad *f*; maleabilidad *f*; *fig.* flexibilidad *f*.

'dehn|en *v/t.* extender; dilatar; (*erweitern*) ensanchar; (*durchstrecken*) estirar; (*verlängern*) alargar (*a. Vokale*); *Worte*: arrastrar; *Musiknoten*: prolongar; *sich ~* extenderse; dilatarse; estirarse; ensancharse; alargarse; *Person*: desperezarse; **2ung** *f* extensión *f*; *Phys.* (*Wärme2*) dilatación *f*; expansión *f*; *e-s Vokals*: alargamiento *m*; ⚕ elongación *f*; ♪ prolongación *f*; **2ungsfuge** *f* junta *f* de dilatación; **2ungshub** ⊕ *m* (*-és*; *0*) carrera *f* de expansión; **2ungsmesser** *m* (*Wärme2*) dilatómetro *m*; *für Prüfkörper*: extensómetro *m*.

dehy'drieren (-) ⚗ *v/t.* deshidrogenar, deshidratar.

'Deich *m* (*-és*; *-e*) dique *m*; **~bruch** *m* (*-és*; *¨e*) rotura *f* de dique; **~hauptmann** *m* (*-és*; *¨er*) intendente *m* de diques.

'Deichsel *f* (-; *-n*) lanza *f*, pértigo *m*; (*Gabel2*) vara *f*, limonera *f*, timón *m*; *für Schlepperzug*: barra *f* de remolque *od.* de tracción; **2n** (*-le*) F *v/t.* solventar *bzw.* manejar un asunto.

dein(e) **1.** *pron./pos.* tu; *~ Buch* tu libro, el libro tuyo; *~ Haus* tu casa, la casa tuya; *~e Freunde* tus amigos, los amigos tuyos; *~e Schwestern* tus hermanas, las hermanas tuyas; **2.** *der* (*die, das*) *~(ig)e* (lo) tuyo; *ich bin ~* soy (quedo) tuyo; **3.** (*gen. von du*) de ti; *ich werde ~(er) gedenken* me acordaré de ti; *~er m*, *~e f*, *~es n* tu; tuyo; tuya; *immer der 2e* siempre tuyo; **die 2(ig)en** los tuyos, tu familia; **~erseits** *adv.* por tu parte; **~esgleichen** *pron.* tu(s) igual(es); los que son (como tú) de tu condición.

'deinet|halben, **~wegen,** **(um) ~willen** *adv.* por ti; por culpa tuya; por causa tuya.

De'is|mus *m* (-; *0*) deísmo *m*; **~t** (**-in** *f*) *m* (*-en*), **2tisch** *adj.* deísta *m/f*.

De'kade *f* década *f*; (*10 Jahre*) *a.* decenio *m*.

deka'den|t *adj.* decadente; **2z** *f* decadencia *f*.

De'kan *m* (*-s*; *-e*) (*e-r Fakultät*) decano *m*; (*e-s Domkapitels*) deán *m* capitular; (*e-s Kirchensprengels*) deán *m*.

Deka'nat [-a·'n-] *n* (*-és*; *-e*) decanato *m*; deanato *m*.

dekan'tieren (-) ⚗ *v/t.* decantar.

deka'tieren (-) ⊕ *v/t.* (*Tuch*) deslustrar.

Dekla|mati'on *f* declamación *f*; recitación *f*; **~'mator** [-'mɑ:-] *m* (*-s*; *-en*) declamador *m*; recitador *m*; **2ma'torisch** *adj.* declamatorio; **2'mieren** [-'mi:-] (-) *v/t.* declamar; recitar.

Dekla|rati'on *f* declaración *f*; **2'rieren** [-'ʀi:-] (-) *v/t.* declarar.

deklas'sieren (-) *v/t. fig.* rebajar.

Deklinati'on *f* declinación *f*.

dekli'nier|bar [-'ni:ʀ-] *adj.* declinable; **~en** (-) *v/t.* declinar.

Dekolle|'té *n* (*-s*; *-s*) (d)escote *m*; *tiefes ~* (vestido) muy escotado; **2'tiert** *adj.* (muy) escotado.

De'kor *m* (*-s*; *-s*) decoración *f*; adorno *m*.

Dekora|'teur *m* (*-s*; *-e*) decorador *m*; (*Tapezierer*) tapicero *m*; (*Schaufenster2*) decorador *m*, decoratista *m/f*; *Thea.* escenógrafo *m*; **~ti'on** *f* decoración *f*; adorno *m*; (*Orden*) condecoración *f*; *Thea.* decorados *m/pl.*, decoraciones *f/pl.*; **~tionsmaler** *m* pintor *m* decorador; *Thea.* escenógrafo *m*; **2'tiv** *adj.* decorativo.

deko'rieren (-) *v/t.* decorar, adornar; (*mit e-m Orden*) condecorar; (*behängen*) colgar, engalanar.

De'kret *n* (*-és*; *-e*) decreto *m*.

dekre'tieren [-e:'ti:-] (-) *v/t.* decretar.

Delegati'on *f* delegación *f*.

dele'gier|en [-'gi:-] (-) *v/t.* delegar; **2te(r** *m*) *m/f* delegado (-a *f*) *m*.

deli'kat *adj.* (*zart*) delicado; (*empfindlich*) sensible, impresionable; (*köstlich*) delicioso, exquisito, sabroso, rico; *fig.* (*heikel*) delicado; espinoso, escabroso.

Delika'tesse *f* delicadeza *f* (*a. fig.*); (*Speise*) manjar *m* exquisito; plato *m* fino; (*Leckerbissen*) golosina *f*; **~nhandlung** *f* tienda *f* de comestibles finos; *Am.* fiambrería *f*.

De'likt *n* (*-és*; *-e*) ⚖ delito *m*; (*unerlaubte Handlung*) acción *f* (*civil*) ilícita. [cuente *m/f*.]

Delin'quent(in *f*) *m* (*-en*) delin-

deli'rieren (-) ⚕ *v/i.* delirar.

De'lirium [-ʀĭ-] *n* (*-s*; *Delirien*) delirio *m*; *fig.* éxtasis *m*; *~ tremens* delirium tremens *m*.

Del'kredere [-'kʀe:dəʀe:] ✝ *n* (-; -) garantía *f*, seguridad *f*; *~ stehen* ser fiador de, garantizar el pago; **~fonds** *m* (-; -), **~konto** *n* (*-s*; *-konten*) fondo *m* de garantía; **~provision** *f* sobrecomisión *f* por garantía.

'Delle *f* depresión *f*; hoyo *m*.

Del'phin [-'fi:n] *m* (*-és*; *-e*) delfín *m*.

'Delta *n* (*-s*; *Delten*) delta *m*; **2förmig** *adj.* deltoide; **~metall** *n* aleación *f* delta; **~muskel** *Anat.* *m* músculo *m* deltoides; **~schaltung** ⚡ *f* conexión *f* en triángulo *od.* delta.

dem **1.** *dat./sg. von der, das*; **2.** *pron/dem.*: *~ steht nichts im Wege* nada se opone a eso; *es ist an ~* precisamente se trata de eso; *es ist nicht an ~* P no es por ahí, no es eso; *nach ~, was ich gehört habe* según (por) lo que he oido; *wenn ~ so ist* en ese caso, siendo así; *wie ~ auch sei* sea como fuere; **3.** *pron/rel.* a quien; al cual; a que.

Dema'gog(e) *m* (*-n*) demagogo *m*; **~entum** *n* (*-s*; *0*) demagogia *f*; **2isch** *adj.* demagógico.

Demarkati'onslinie *f* línea *f* de demarcación.

demas'kieren (-) *v/t.* desenmascarar; ⚔ descubrir.

De'menti *n* (*-s*; *-s*) desmentida *f*, mentís *m*; rectificación *f*.

demen'tieren (-) *v/t.* desmentir; rectificar, desvirtuar; desautorizar.

'dem...: **~entsprechend,** **~gemäß** *adj.* correspondiente, relativo; *adv.* conforme a (de acuerdo con) ello; por tanto, por consiguiente; por este motivo; **~gegenüber** frente a eso; contrastando (comparado) con eso; por otro lado; en comparación.

Demissi'on [-mɪ'sĭ-] *f* dimisión *f*.

demissio'nieren [-o:'ni:-] (-) *v/i.*

dimitir, presentar la dimisión (*de un cargo*).

ˈ**dem...:** **~nach** *adv.* (*Folge*) por consiguiente, así pues; (*demgemäß*) según (de acuerdo con) ello; **~nächst** *adv.* en breve, dentro de poco, próximamente.

demobiliˈsier|en (-) *v/t.* desmovilizar; **2ung** *f* desmovilización *f.*

Demo|ˈkrat(in *f*) *m* (*-en*) demócrata *m/f*; **~kraˈtie** [-aˈti:] *f* democracia *f*; **2ˈkratisch** *adj.* democrático, demócrata; **2kratiˈsieren** (-) *v/t.* democratizar.

demoˈlier|en (-) *v/t.* demoler; **2ung** *f* demolición *f.*

Demon|ˈstrant(in *f*) *m* (*-en*) *Pol.* manifestante *m/f*; **~stratiˈon** *f* demostración *f*; *Pol.* (*Umzug*) manifestación *f*; **2straˈtiv** *adj.* demostrativo (*a. Gr.*); (*drohend*) amenazador; *adv.* ostensiblemente; en señal de protesta; **2ˈstrieren** [-ˈstri:-] (-) *v/t.* demostrar; *v/i. Pol.* manifestarse; protestar contra.

Demonˈt|age *f* ⊕ desmontaje *m*; *ganzer Werkanlagen*: desmantelamiento *m*; **2ierbar** ⊕ *adj.* desmontable; **2ieren** (-) *v/t.* ⊕ desmontar; (*schleifen*) desmantelar.

demoraliˈsieren [-ˈzi:-] (-) *v/t.* desmoralizar.

Demoskoˈpie *f* demoscopia *f.*

ˈ**Demut** *f* (*0*) humildad *f*; (*Unterwürfigkeit*) sumisión *f.*

ˈ**demütig** *adj.* humilde; (*unterwürfig*) sumiso; **~en** *v/t.* humillar; (*kränken*) mortificar; *sich* ~ humillarse (*vor* ante); (*sich herabwürdigen*) rebajarse; degradarse; **2ung** *f* humillación *f*; mortificación *f.*

ˈ**demzufolge** *adv.* a consecuencia de eso; por consiguiente; entonces.

den, denen → *der.*

denatuˈrier|en (-) ⚗ *v/t.* desnaturalizar; *denaturierter Alkohol* alcohol desnaturalizado; **2ungsmittel** *n* desnaturalizante *m.*

ˈ**dengeln** (*-le*) *v/t.* afilar, martillar (*la guadaña*), cabruñar.

ˈ**Denk(ungs)art** *f* modo *m* de pensar; mentalidad *f*; *edle* ~ nobleza de alma; *niedrige* ~ bajeza de espíritu, mezquindad *f.*

ˈ**denkbar I.** *adj.* concebible, imaginable, posible; **II.** *adv. in der* ~ *kürzesten Zeit* en el tiempo más corto posible *od.* imaginable; *das ist* ~ *einfach* es sumamente sencillo, es lo más fácil que pueda imaginarse.

ˈ**denken** (*L*) *v/t. u. v/i.* pensar; (*nachsinnen*) reflexionar, meditar; *Phil.* raciocinar, (ex)cogitar; especular; (*logisch*) razonar; (*vermuten*) pensar, suponer, presumir; (*erwägen*) considerar; (*beabsichtigen*) proponerse; *sich et.* ~ (*vorstellen*) imaginarse, figurarse; *bei sich* ~ pensar para sí; ~ *an* (*ac.*) pensar en; (*sich erinnern*) acordarse de; ~ *über* (*ac.*) pensar *od.* reflexionar sobre; *zu* ~ *geben* dar que pensar; (*verwirren*) poner en confusión; ~ *Sie nur!* ¡imagínese *od.* figúrese usted!; *ich denke* (*schon*) creo que sí; *wer hätte das gedacht!* ¡quién lo hubiera creído *od.* pensado!; *das habe ich mir gedacht!* ¡ya me lo había imaginado!; F ¡ya lo decía yo!; *das kann ich mir* ~ bien puedo imaginarlo; *es läßt sich* ~, *daß* se comprende (*od.* explica) que; *daran ist nicht zu* ~ en eso no hay que pensar; *ich denke nicht daran!* no pienso en (hacer) tal cosa; F ¡ni hablar!, *Am.* ¡qué esperanza!; ~ *Sie daran!* (*überlegen*) piénselo usted bien; (*erinnern*) ¡que no se le olvide a usted!; *es war für dich gedacht* eso iba por ti; *woran du jetzt wohl* ~ *magst!* ¡en qué estarás pensando!; *wie denkst du über?* ¿qué piensas de?; ¿qué dices a esto?; *wie Sie* ~ como usted guste, como mejor le parezca a usted; como usted diga; *wo* ~ *Sie hin?* ¿qué se ha figurado usted?; (*schroff*) ¿qué se ha creído usted?; *solange ich* ~ *kann* hasta donde mi memoria alcanza; *edel* ~ tener nobles sentimientos; *der Mensch denkt, Gott lenkt* el hombre propone y Dios dispone; *gedacht, getan* dicho y hecho; **2** *n* pensamiento *m*; reflexión *f*; meditación *f*; *Phil.* raciocinio *m*; especulación *f*; (*logisches* ~) razonamiento *m*; (*Denkart*) modo *m* de pensar.

ˈ**Denker** *m* pensador *m*; *engS.* filósofo *m.*

ˈ**Denk...:** **2fähig** *adj.* capaz de pensar, racional; **~fähigkeit** *f* (*0*) facultad *f* de pensar, intelecto *m*; **2faul** *adj.* tardo de inteligencia; **~fehler** *m* falta *f* de lógica; **~freiheit** *f* (*0*) libertad *f* de pensamiento; **~kraft** *f* (*0*) → *Denkvermögen*; **~lehre** *f* (*0*) lógica *f*; **~mal** *n* (*-es*; *¨er*) monumento *m*; (*Standbild*) estatua *f*; **~malpfleger** *m* conservador *m* (*de los monumentos nacionales*); **~münze** *f* medalla *f* conmemorativa; **~prozeß** *m* (*-sses*; *-sse*) proceso *m* mental, discurso *m*; **schrift** *f* memoria *f*; *Dipl.* memorándum *m*; (*Inschrift*) inscripción *f*; **~sportaufgabe** *f* rompecabezas *m*; **~spruch** *m* (*-es*; *¨e*) sentencia *f*; máxima *f*; aforismo *m*; divisa *f*, lema *m*; **~stein** *m* (*-es*; *-e*) lápida *f* conmemorativa; **~übung** *f* ejercicio *m* mental; **~vermögen** *n* (*-s*; *0*) intelecto *m*; inteligencia *f*; capacidad *f* intelectiva; **~weise** *f* → *Denkart*; **2würdig** *adj.* memorable; **~würdigkeiten** *f/pl.* hechos *m/pl.* memorables; memorias *f/pl.*; (*e-r Stadt*) monumentos *m/pl.* históricos; **~zettel** *fig. m* lección *f*; (*Strafe*) castigo *m*; escarmiento *m.*

denn *cj. begründend*: porque, pues, puesto que; *nach comp.* (*als*) que, de; *mehr* ~ *je* más que nunca; *mehr* ~ *einmal* más de una vez; *es sei* ~, *daß* a no ser que, a menos que, salvo que (*subj.*); si no; *nun* ~*!* pues bien; *ist er* ~ *so arm?* ¿pero tan pobre es?; *wo ist er* ~*?* pues ¿dónde está?; *was* ~*?* ¿qué es?; F ¿qué pasa?; *wo bleibt er* ~*?* pero ¿dónde se habrá quedado?

ˈ**dennoch** *cj.* sin embargo, no obstante; (*trotzdem*) a pesar de todo, con todo (eso), aún así, eso no obstante.

Denˈtist(in *f*) *m* (*-en*) técnico (-a *f*) [*m* protésico (-a) dental.]

Denun|ziˈant [-ˈtsi̯-] (**-in** *f*) *m* (*-en*) denunciante *m/f*, delator(a *f*) *m*; **~ziatiˈon** *f* denuncia *f*; **2ˈzieren** [-ˈtsi:-] (-) *v/t.* denunciar, delatar.

Deˈpesche *f* despacho *m* (*a. Dipl.*); *telegraphisch*: telegrama *m*; *drahtlos*: radiograma *m*; (*Kabel2*) cablegrama *m.*

depeˈschieren (-) *v/t. u. v/i.* telegrafiar; cablegrafiar.

depolariˈsieren (-) *Phys. u.* ⚡ *v/t.* despolarizar.

Depo|ˈnent(in *f*) *m* (*-en*) depositante *m/f*; **2ˈnieren** [-ˈni:-] (-) *v/t.* depositar; **~ˈnierung** *f* depósito *m.*

Deˈport ✝ *m* (*-s*; *-s*) *Börse*: prima *f* de aplazamiento.

Deportatiˈon *f* deportación *f.*

deporˈtieren (-) *v/t.* deportar.

Deposiˈtar, Deposiˈtär ✝ *m* (*-s*; *-e*) depositario *m.*

Depoˈsiten ✝ *n/pl.* depósitos *m/pl.*; **~bank** *f* banco *m* de depósitos; **~kasse** *f* (*Bankfiliale*) sucursal *f* (*de un banco de depósitos*); (*Bankabteilung*) caja *f* de depósitos; **~konto** *n* (*-s*; *-s od. -konten*) cuenta *f* de depósitos.

Deˈpot [-ˈpo:-] ✝ *n* (*-s*; *-s*) (**~konto**) depósito *m*; *für Wertpapiere*: caja *f* de depósito; custodia *f* de valores; (*Waren2*) depósito *m*, almacén *m* (*a.* ⚔); *in* ~ *geben* depositar; **~schein** *m* (*-es*; *-e*) resguardo *m* de depósito.

Depressiˈon *f* depresión *f.*

depriˈmieren (-) *v/t.* deprimir; **~d** *adj.* depresivo, deprimente.

Depuˈtat *n* (*-s*; *-e*) emolumentos *m/pl.* en especie.

Depu|tatiˈon *f* diputación *f*, delegación *f*; **~ˈtatzahlung** *f* pago *m* en especie; **2ˈtieren** [-ˈti:-] (-) *v/t.* diputar; **~ˈtierte(r** *m*) *m/f* diputado (-a *f*) *m.*

der *m*, **die** *f*, **das** *n*; **die** *pl.* **I.** *art.* el *m*, la *f*, lo *n*; los *m/pl.*, las *f/pl.*; **II.** *pron/dem.* ese *m*, esa *f*, eso *n*; (*substantivisch*: ése *m*, ésa *f*); aquel *m*, aquella *f*, aquello *n*; (*substantivisch*: aquél *m*, aquélla *f*); esos *m/pl.*, esas *f/pl.*; (*substantivisch*: ésos *m/pl.*, ésas *f/pl.*); aquellos *m/pl.*, aquellas *f/pl.*; (*substantivisch*: aquéllos *m/pl.*, aquéllas *f/pl.*); *der Mann dort* aquel hombre; *die mit der Brille* esa (aquella) señor(it)a de gafas; *sind das Ihre Bücher?* ¿son ésos sus libros?; *nimm den hier* toma ése; *das waren Chinesen* aquéllos eran chinos; *zu der und der Zeit* a tal y tal hora; *es war der und der* fue fulano de tal; *der und baden gehen?* ¿ése y bañarse?; **III.** *pron/rel.* que, quien; quienes *pl.*; el que, la que; los que, las que; el (la) cual; *das Mädchen, mit dem ich sprach* la muchacha con quien (*od.* con la cual) hablé; *der Bezirk, der e-n Teil von X bildet* el distrito, que forma parte de X; *er war der erste, der es fertigbrachte* él fue el primero que lo consiguió; *keiner* (*jeder*), *der* ninguno (cualquiera *od.* todo aquel) que; *alle, die davon betroffen sein können* todos aquellos a quienes pueda afectar; *du, der du es weißt* tú que lo sabes; *ich, der ich Zeuge davon war* yo que fui testigo de ello.

ˈ**derart** *adv.* de tal modo (*od.* manera); hasta tal punto (*od.* extremo), en tal medida; ~, *daß* de modo (*od.*

suerte) que; *ich war ~ zornig, daß* me irrité de tal modo que; *~ groß war seine Freude* tan grande era su alegría; **~ig** *adj.* tal, semejante, de esa índole (*od.* naturaleza), *desp.* de ese jaez; *e-e ~e Politik* semejante política, una política de ese género; *etwas (nichts) ~es* algo (nada) por el estilo, una cosa así (nada de eso).
derb *adj.* (*fest*) sólido, compacto; firme; (*kräftig*) recio, fuerte; vigoroso, robusto; (*hart*) duro, rudo *a. fig.*; (*grob*) grosero, soez; (*rauh*) tosco, basto; (*heftig*) violento; (*unverblümt*) brusco, áspero; *Verweis usw.*: severo; *~er Ausdruck* expresión vulgar *od.* grosera, ordinariez; *~er Scherz* broma (pesada) de mal gusto; **2heit** *f* solidez *f*; firmeza *f*; vigor *m*; dureza *f*, rudeza *f*; aspereza *f*; grosería *f*; severidad *f*.
der'einst *adv.* (*künftig*) algún día, un día; **~ig** *adj.* futuro, venidero.
'deren *pron.* (*gen. sg. f bzw. gen. pl. von* der) del cual, de la cual, cuyo, cuya; cuyos, cuyas; *pron/dem.* de él, de ello.
derent|'halben, ~'wegen, (um) ~'willen *adv.* por la cual, por los (las) cuales; por ella(s), por causa de ella(s); por (causa de) ellos.
'dergestalt *adv.* → *derart.*
der'gleichen *adj.* tal, semejante; *etwas ~* tal cosa; semejante cosa; *nichts ~* nada de eso; *~ Leute* gente de esa clase; *und ~ (mehr)* y (otras) cosas por el estilo.
Deri'vat *n* (*-es; -e*) derivado *m.*
'der-, 'die-, 'dasjenige *pron.* el, la, lo; éste, ésta; ése, ésa; aquél, aquélla; *pl.* diejenigen los, las; aquéllos, aquéllas.
'derlei *adv.* → *dergleichen.*
'dermaßen *adv.* → *derart.*
Dermatolo'gie *f (0)* dermatología *f.*
'der-, 'die-, 'dasselbe *pron.* el mismo, la misma, lo mismo (*wie* que); *ein und ~* es la misma cosa, es lo mismo; *ziemlich dasselbe* casi lo mismo; *auf dieselbe Weise wie* de igual modo que; *immer derselbe* siempre igual; siempre el mismo; *es ist dasselbe (ist einerlei)* es igual, lo mismo da; *es kommt auf dasselbe hinaus* viene a ser lo mismo.
der'weil *cj.* mientras; **~e(n)** *adv.* mientras, entretanto.
'Derwisch *m* (*-es; -e*) derviche *m.*
'derzeit *adv.* actualmente; ahora, en este momento; (*damals*) a la sazón, (en aquel) entonces; **~ig** *adj.* (*jetzig*) actual, presente; (*damalig*) de entonces, de aquel tiempo.
des *gen. von der bzw. das.*
'Des *bzw.* **des** ♪ *n* re *m* bemol; **~-Dur** *n* re *m* bemol mayor; **~-Moll** *n* re *m* bemol menor.
Deser|'teur *m* (*-s; -e*) desertor *m*; **~ti'on** *f* deserción *f*; **2'tieren** (-) *v/i.* desertar; *zum Feind ~* pasarse al enemigo.
des'gleichen *adv.* igualmente, asimismo; ✝ ídem (*Abk.* id.).
'deshalb *adv.* por esto, por eso, por esa razón, por ese motivo; *Liter.* por ende; (*für den Zweck*) con este fin, con tal motivo *od.* objeto; *gerade ~* por eso mismo, precisamente por eso; *~ weil* porque; *ich tat es nur ~* lo hice tan sólo por eso.
Des-infekti'on *f* desinfección *f*; **~skraft** *f (0)* poder *m* desinfectante *od.* germicida; **~smittel** *n* desinfectante *m*, antiséptico *m.*
des-infi'zieren *v/t.* desinfectar; **~d** *adj.* desinfectante.
Des-integrati'on *f* desintegración *f.*
'des-interessiert *adj.* desinteresado, indiferente.
des-odori'sier|en (-) *v/t.* desodorizar; **2ungsmittel** *n* desodorante *m.*
'Des-organisati'on *f* desorganización *f.*
Des-oxydati'on ⚗ *f* desoxidación *f.*
despek'tierlich *adj.* (*verächtlich*) despectivo, desdeñoso; (*unehrerbietig*) irrespetuoso, insolente.
Des'pot *m* (*-en*) déspota *m*; tirano *m*; **2isch** *adj.* despótico.
Despo'tismus *m* (*-; 0*) despotismo *m*; tiranía *f.*
'dessen I. *pron/rel.* del cual, cuyo; *sein Freund und ~ Frau* su amigo y la esposa de éste; **II.** *pron/dem.* de éste, de aquél; *~ bin ich sicher* estoy seguro de eso *od.* ello; *ich entsinne mich ~ nicht* no me acuerdo de ello, no lo recuerdo; → *der.*
dessen'ungeachtet *adv.* no obstante eso, a pesar de esto; sin embargo; con todo (eso); → *dennoch.*
Des'sert [dɛ'sɛːʀ] *n* (*-s; -s*) postre *m.*
Des'sin *n* (*-s; -s*) dibujo *m.*
Destil'lat ⚗ *n* (*-s; -e*) producto *m* destilado *od.* de destilación.
Destil'lier|apparat [-'liːʀ-] *m* (*-es; -e*) aparato *m* de destilación; **2bar** *adj.* destilable; **~blase** *f* alambique *m*; retorta *f*; **2en** (-) *v/t. u. v/i.* destilar; **~kolben** *m* matraz *m.*
'desto *adv.* (*vor comp.*) tanto; *~ besser* tanto mejor; *~ weniger* tanto menos; *je mehr, ~ besser* cuanto más, tanto mejor.
destruk'tiv *adj.* destructivo.
'deswegen *adv.* → *deshalb.*
De'tail [-'taɪ] *n* (*-s; -s*) detalle *m*, pormenor *m*; *ins ~ gehen* entrar en detalles (*od.* pormenores); *bis ins kleinste ~* hasta el último detalle; ✝ *im ~ verkaufen* vender al por menor; **~bericht** *m* (*-es; -e*) relación *f* detallada; **~geschäft** *n* (*-es; -e*), **~handel** *m* (*-s; 0*) comercio *m* al por menor; **~händler** *m* comerciante *m* al por menor, menorista *m.*
detail'lier|en [-ta'jiː-] (-) *v/t.* detallar, dar detalles *m/pl.*; pormenorizar, particularizar; especificar; ✝ vender al por menor; **~t** *adj.* detallado, especificado.
De'tail...: ~preis *m* (*-es; -e*) precio *m* al por menor (*od.* F al menudeo); **~schilderung** *f* descripción *f* detallada; **~verkauf** *m* (*-es; ⸚e*) venta *f* al por menor; **~zeichnung** ⊕ *f* diseño *m* (*od.* dibujo *m*) detallado.
Detek't|ei *f* agencia *f* de información; **~iv** *m* detective *m*; (*Polizei2*) agente *m* de investigación; **~ivroman** *m* (*-s; -e*) novela *f* policíaca.
De'tektor *m* (*-s; -en*) *Radio*: detector *m*; **~empfänger** *m* receptor *m* de galena; **~röhre** *f* válvula *f* de detector.
Detonati'on *f* detonación *f*; **~skapsel** *f* (*-; -n*) detonador *m*; **~sladung** *f* carga *f* de detonación.
deto'nieren (-) *v/t.* detonar.
Deut *m fig.* comino *m*, pizca *f*, ápice *m*; *keinen ~ wert* no vale un ochavo *od.* un comino; *nicht e-n ~ davon verstehen* no entender ni pizca (*od.* ni jota) de a/c.
Deute'lei *f* interpretación *f* sofística, sutileza *f*, sofisticación *f.*
'deuteln (*-le*) *v/t. u. v/i.* sutilizar (*an dat.* sobre), sofisticar.
'deuten (*-e-*) **1.** *v/i.*: *~ auf* (*ac.*) señalar sobre; indicar (*a. fig.*); *mit dem Finger ~* señalar con el dedo; *fig.* (*ankündigen*) anunciar; presagiar; (*anspielen auf*) aludir a; (*erkennen lassen*) sugerir; *alles deutet darauf hin* todo indica (hace suponer) que; **2.** *v/t. et.* (*auslegen*) interpretar; *Sterne, Handlinien*: leer en; *Traum, Zeichen*: interpretar; *falsch ~* interpretar mal *od.* erróneamente; *übel ~ fig.* tomar a mal; *j-m et. ~* explicar a/c. a alg.
Deu'terium ⚗ *n* (*-s; 0*) deuterio *m.*
'deutlich *adj.* claro; distinto; (*verständlich*) comprensible, inteligible; (*einleuchtend*) manifiesto, evidente, patente, obvio; (*unverblümt*) franco; *Aussprache*: claro; *Handschrift*: legible; *Antwort*: terminante; et. *~ machen* explicar, hacer comprensible a/c.; *e-e ~e Sprache führen* hablar con franqueza, F llamar al pan, pan y al vino, vino; **2keit** *f (0)* claridad *f*; evidencia *f*; franqueza *f*; distinción *f.*
'Deutron *n* (*-s; -en*) *Atomphys.*: deutrón *m.*
deutsch *adj.* alemán; de Alemania; germano; (*bsd. Hist.*) teutón, teutónico; germánico (*a. Liter.*); F tudesco; *das 2e Reich* el Imperio Alemán; Alemania *f*; *das Heilige Römische Reich 2er Nation Hist.* el Sacro Imperio Romano Germánico; *der 2e Orden Hist.* la Orden Teutónica; **2(e)** *n* alemán *m*, idioma *m* alemán; *2 reden* hablar (en) alemán, *fig.* hablar (decir las cosas) sin rodeos; *auf 2* en alemán; *auf gut 2* (*Span.*) dicho paladinamente.
'Deutsch...: ~amerikaner *m* americano *m* de origen alemán; **2blütig** *adj.* de sangre alemana; **~e(r)** *m* alemán *m*; **~e** *f* alemana *f*; **2feindlich** *adj.* antialemán, germanófobo; **2freundlich** *adj.* germanófilo; **~land** *n* Alemania *f*; **2-spanisch** *adj.* germano-español; (*Wörterbuch*) alemán-español; **2sprechend** *adj.* de lengua alemana; **~tum** *n* (*-s; 0*) genio *m od.* carácter *m* alemán; idiosincrasia *f* alemana; nación *f* alemana; nacionalidad *f* alemana.
'Deutung *f* interpretación *f*; explicación *f*; *Theo.* exégesis *f*; *falsche ~* interpretación errónea; *der Text läßt noch e-e andere ~ zu* el texto admite otra interpretación.
Devalori'sierung ✝ *f* desvalorización *f*, devaluación *f.*
Devalvati'on ✝ *f* devaluación *f*; depreciación *f.*
De'vise *f* (*Wahlspruch*) divisa *f*, lema *m*; ✝ divisa *f*, moneda *f* extranjera.
De'visen...: ~'ausgleichsfonds *m* (*-; -*) fondo *m* de compensación de divisas; **~ausländer** *m* extranjero *m* no residente; **~bestand** *m* (*-es; ⸚e*) reserva *f* de divisas; **~bestimmung** *f/pl.* régimen *m* de divisas; **~be-**

wirtschaftungsstelle *f* oficina *f* de control de moneda extranjera; *Span.* Instituto *m* Español de Moneda Extranjera; *Arg.* Comisión *f* de Control de Cambios; **~bilanz** *f* balanza *f* de divisas; **~geschäft** *n* (*-es; -e*) operación *f* de divisas; **~inländer** *m* residente *m*; **~kurs** *m* (*-es; -e*) cotización *f* de moneda extranjera; **2rechtlich** *adj.* sometido al régimen legal de divisas; **~schmuggel** *m* (*-s; 0*) contrabando *m* de divisas; **~sperre** *f* bloqueo *m* de divisas; **~stelle** *f* centro *m* oficial de contratación de moneda; **~vergehen** *n* infracción *f* del régimen legal de divisas; **~zuteilung** *f* asignación *f* (*od.* adjudicación *f*) de divisas.

de'vot *adj.* (*-est*) (*demütig*) humilde; (*unterwürfig*) servil, sumiso (*frömmelnd*) beato.

Dex'trin (*-s; 0*) dextrina *f.*

De'zember *m* diciembre *m.*

De'zennium *n* (*-s; Dezennien*) década *f*, decenio *m.*

de'zent *adj.* decoroso, decente; *Farbe, Kleid*: discreto, no llamativo; *Sprache, Geschmack*: fino.

dezentrali'sieren (-) *v/t.* descentralizar.

Dezer'nat *n* (*-s; -e*) departamento *m*; sección *f*; negociado *m.*

Dezi'gramm *n* (*-es; -e*) decigramo *m.*

dezi'mal *adj.* decimal; **2bruch** *m* (*-es; ⸚e*) fracción *f* decimal; **2rechnung** *f* cálculo *m* decimal; **2system** *n* (*-es; 0*) sistema *m* decimal; *Maße u. Gewichte*: *a.* sistema *m* métrico decimal; **2stelle** *f* decimal *m*; **2waage** *f* báscula *f* decimal; **2zahl** *f* número *m* decimal.

Dezi'meter *n* decímetro *m*; **~welle** *f Radio*: microonda *f.*

dezi'mier|en (-) *v/t.* diezmar; **2ung** *f* (*0*) (*durch Krankheit*) mortandad *f*; (*durch andere Schäden*) estragos *m/pl.*

Dia'be|tes [di·a·-] ⚕ *m* (*-; 0*) diabetes *f*; **~tiker** *m*, **2tisch** *adj.* diabético *m.*

dia'bolisch *adj.* diabólico; infernal.

Dia'dem *n* (*-s; -e*) diadema *f.*

Dia'gnose *f* diagnóstico *m*; **Dia'gnostiker** *m* diagnosticador *m*; **diagnosti'zieren** (-) *v/t.* diagnosticar.

diago'nal *adj.* **2e** *f* diagonal *f.*

Dia'gramm *n* (*-es; -e*) diagrama *m*, representación *f* gráfica; (*Übersicht*) cuadro *m* sinóptico.

Dia'kon (*-s; -e*), **Di'akonus** *m* (*-; Diakone[n]*) diácono *m.*

Diako'nissin *f* hermana *f* (*protestante*) de la caridad; diaconisa *f.*

Dia'lekt *m* (*-es; -e*) dialecto *m*; **~ausdruck** *m* (*-es; ⸚e*) expresión *f* dialectal; **2frei** *adj. Sprache*: puro, castizo; **~ik** *Rhet. f* (*0*) dialéctica *f*; **~iker** *m* dialéctico *m*; **2isch** *adj. Sprache*: dialectal; *Rhet.* dialéctico.

Dia'log *m* (*-es; -e*) diálogo *m*; **2isch** *adj.* dialogístico; dialogal; **2i'sieren** (-) *v/t. u. v/i.* dialogar.

Dia'mant *m* (*-en*) diamante *m*; *geschliffener* (*ungeschliffener*) ~ brillante (diamante sin labrar) *m*; *roher* ~ diamante (en) bruto; *schwarzer* ~ ⊕ diamante negro, carbonado; **2en** *adj.* diamantino; *~e Hochzeit* bodas de diamante; **~schleifer** *m* diamantista *m*; **~schmuck** *m* (*-es; 0*) aderezo *m* de diamantes.

diame'tral △ *adj.* diametral; *~ entgegengesetzt* diametralmente opuesto.

dia'phan *adj.* diáfano.

Diaposi'tiv *n* (*-s; -e*) diapositiva *f.*

Di'arium [-'ɑːrĭ-] *n* (*-s; Diarien*) diario *m.*

Diar'rhöe [-a'røː] ⚕ *f* diarrea *f.*

Di'ät [-'ɛːt] *f* dieta *f*, régimen *m*; *Parl. Diäten* dietas; *~ leben* estar a dieta, seguir un régimen; *strenge ~ halten* guardar (observar) dieta rigurosa; *j-n auf ~ setzen* poner a dieta (*od.* a régimen) a alg.

Diä'tet|ik *f* dietética *f*; **~iker** *m*, **2isch** *adj.* dietético *m.*

Di'ätfehler *m* error *m* dietético; transgresión *f* dietética.

Diather'mie ⚕ *f* diatermia *f.*

Di'ät...: **~kost** *f* (*0*) alimentación *f* dietética; **~kur** *f* tratamiento *m* dietético.

dich *pron.* (*ac. von du*) te; a ti; *nach prp.* ti; *beruhige ~!* tranquilízate; *sieh hinter ~!* mira tras de ti.

dicht I. *adj.* (*-er; -est*) (*undurchlässig*) impermeable; hermético; (*gedrängt*) apretado; comprimido; compacto (*a.* ⊕); *Phys., Nebel, Verkehr, Bevölkerung*: denso; *Wald, Gebüsch*: espeso; *Haar, Laub, Netz, Stoff*: tupido; *~ dabei* inmediato; cercano, vecino; **II.** *adv. ~ an od. bei* muy cerca de, junto a; F cerquita; *~ aneinander* muy cerca el uno del otro, muy juntos; F muy juntitos; *Kleid*: *~ anliegend* muy ceñido *od.* ajustado; *~ dabei* muy cerca; *~ hinter j-m her* F *fig.* pisar los talones a alg.; *~ hintereinander* uno tras otro; en rápida sucesión; **~be'haart** *adj.* velloso, peludo; **~be'laubt** *adj.* frondoso; **~be'wölkt** *adj.* (*Himmel*) encapotado; **'2e** *f* densidad *f* (*a. Phys., Verkehr, Bevölkerung*); ⚗ concentración *f*; (*Wald*) espesura *f*; (*Laub*) frondosidad *f*; → *Dichtheit.*

'dichten[1] (*-e-*) *v/t.* hacer compacto; ⊕ empaquetar, estopar; *Fuge*: tapar; *gegen Luft ~* cerrar herméticamente; ⚗ condensar, concentrar; ⚓ calafatear.

'dichten[2] (*-e-*) **1.** *v/t.* componer, escribir; **2.** *v/i.* versificar, rimar, componer versos *m/pl.*; **2** *n* composición *f* de versos.

'Dichter(in *f*) *m* poeta *m*, poetisa *f*; (*Schriftsteller*) escritor(a *f*) *m*, autor(a *f*) *m*; **2isch** *adj.* poético; *~e Freiheit* licencia poética; **~ling** *m* (*-s; -e*) poetastro *m.*

'dicht...: **~gedrängt** *adj.* compacto; apretado; **~halten** (*L*) F *v/t.* guardar un secreto.

'Dicht|heit (*0*), **~igkeit** *f* (*0*) → *dicht*; impermeabilidad *f*; compactibilidad *f*; densidad *f*; *von Flüssigkeiten*: consistencia *f.*

'Dichtkunst *f* (*0*) poesía *f*, arte *f* [poética.]

'dichtmachen F *v/i.* cerrar (*Betrieb, Laden usw.*), F echar el cerrojo.

'Dichtung[1] *f* ⊕ (*Abschließung*) cierre *m*, obturación *f*; (*Packung*) empaquetadura *f*; ⚓ calafateo *m*; ⚗ condensación *f.*

'Dichtung[2] *f* poesía *f*; (*Einzel2*) poema *m*, composición *f*, obra *f* de poesía; (*Er2*) ficción *f*, fantasía *f*; *~ und Wahrheit* ficción y realidad.

'Dichtungs...: **~kitt** *m* (*-es; 0*) masilla *f*; **~material** *n* (*-s; -ien*), **~mittel** *n* material *m* para empaquetaduras.

dick *adj.* grueso; compacto, macizo; (*massig*) abultado; corpulento; (*umfangreich*) voluminoso; (*stark*) fuerte, recio; (*geschwollen*) hinchado; (*beleibt*) gordo, grueso; corpulento, obeso; (*zähflüssig*) espeso, denso; viscoso; *~e Milch* leche cuajada *od.* espesa; *~e Luft* aire viciado, F *fig. ~e Luft!* aquí huele a chamusquina; el aire huele a bofetadas; F *sie sind ~e Freunde* son íntimos amigos, *fig.* son uña y carne; → *Ende*; F (*sich*) *~e tun* fanfarronear, *mit et.*: jactarse de, hacer gala de; *~ auftragen* exagerar; *er hat es ~ hinter den Ohren* es un pícaro redomado, *fig.* está de vuelta de todos los viajes; *mit j-m durch ~ und dünn gehen* seguir a alg. incondicionalmente; **~bäckig** *adj.* mofletudo, carilleno; **2bauch** *m* (*-es; ⸚e*) → *Dickwanst*; **~bäuchig** *adj.* ventrudo, panzudo, barrigón; **2darm** *m* (*-es; ⸚e*) intestino *m* grueso, *Anat.* colón *m*; **2e** *f* grosor *m*; grueso *m*, tamaño *m*; corpulencia *f*; gordura *f*; ⊕ grueso *m*, espesor *m*; (*Durchmesser*) diámetro *m*; *Draht*: grueso *m*; *Blech*: *a.* espesor *m*; ⚗ consistencia *f*; **2er(chen** *n*) *m* F gordito *m*; **~fellig** *adj.* de piel dura; *fig.* de piel de elefante; *fig.* insensible, indiferente, inmutable (*gegen* a); **2felligkeit** *f* (*0*) *fig.* insensibilidad *f*, indiferencia *f*; estolidez *f*; **~flüssig** *adj.* espeso, viscoso; *~es Öl* aceite pesado; **2häuter** *Zoo. m* paquidermo *m*; **2icht** *n* (*-es; -e*) (*Wald*) espesura *f*; fragosidad *f*; **2kopf** *m* (*-es; ⸚e*), **~köpfig** *adj.* terco *m*, testarudo *m*, F cabezón *m*; **~leibig** *adj.* gordo, grueso; obeso; **2wanst** *m* (*-es; ⸚e*) (*Person*) F barrigón *m*, panzudo *m*; (*Bauch*) F barriga *f*, panza *f*, P tripa *f*, andorga *f.*

Di'dak|tik *f* (*0*) didáctica *f*; **2tisch** [*adj.* didáctico.]

die → der.

Dieb *m* (*-es; -e*) ladrón *m*; (*kleiner ~*) ratero *m*; *haltet den ~!* ¡al ladrón!; *Gelegenheit macht ~e* la ocasión hace al ladrón; **~e'rei** *f* ratería *f.*

'Diebes...: **~bande** *f* cuadrilla *f* (*od.* banda *f*) de ladrones; **~gut** *n* (*-es; ⸚er*) objetos *m/pl.* robados; **2sicher** *adj.* a prueba de robo; **~sprache** *f* (*0*) germanía *f*; caló *m*; *Arg.* lunfardo *m.*

'Dieb|in *f* ladrona *f*; **2isch** *adj.* ladrón; inclinado al robo; F largo de uñas; *~e Elster* F *fig.* ladrona *f*; *fig.* F (*köstlich*) delicioso, divino; magnífico, inmenso; *adv.* enormemente, estupendamente; *sich ~ vergnügen* F divertirse de lo lindo; *sich ~ freuen* alegrarse infinitamente.

'Diebstahl *m* (*-es; ⸚e*) latrocinio *m*; (*kleiner ~*) ratería *f*; ⚖ (*leichter ~*) hurto *m*; (*schwerer ~*) robo *m*; *~ geistigen Eigentums* plagio *m*; **~schutz** *m* (*-es; 0*) protección *f* contra robo.

'Diel|e *f* (*Brett*) tabla *f*, *stärker*:

tablón *m*; madero *m*; (*Fußboden*) piso *m*, suelo *m*; (*Parkett*2) entarimado *m*; (*Vorraum*) vestíbulo *m*; recibimiento *m*; (*Bar*) bar *m*; **2en** *v/t.* entarimar; **~ung** *f* entarimado *m*.

ˈ**di-elektrisch** *adj.* dieléctrico.

ˈ**dienen** *v/i.* servir (*j-m* a alg.; *als* de; *zu* para); (*fördern*) contribuir a; ⚔ hacer el servicio militar; *bei der Marine* (*Luftwaffe*) ~ servir en la marina (aviación); *zu et.* ~ ser bueno *od.* adecuado (servir) para; *j-m mit et.* ~ ayudar a alg. con a/c.; *damit ist mir nicht gedient* eso no me sirve para nada; eso no me resuelve nada; *womit kann ich ~?* ¿en qué puedo servirle?; ¿qué se le ofrece a usted?; *welchem Zweck dient das?* ¿para qué sirve eso?; ¿a qué conduce eso?; → *Warnung.*

ˈ**Diener** *m* criado *m*; sirviente *m*, doméstico *m*; (*allg. u. bsd. fig.*) servidor *m*; ~ *Gottes* siervo de Dios; (*Verbeugung*) reverencia *f*; *stummer* ~ (*Nebentischchen*) trinchero *m*; mesita *f* portaviandas; **~in** *f* criada *f*; sirvienta *f*, doméstica *f*; *fig.* servidora *f*; **2n** (*-re*) *v/i.* hacer reverencias *f/pl.*; **~schaft** *f* (*0*) servidumbre *f*; criados *m/pl.*

ˈ**dienlich** *adj.* útil; utilizable; (*zweck~*) oportuno, conveniente; (*heilsam*) saludable, provechoso; ~ *sein* ser útil; (*zu et.*) servir para; *jegliche für ~ erachteten Maßnahmen* todas las medidas que se consideren oportunas *od.* convenientes; *es war mir sehr* ~ fue una gran ayuda para mí, me prestó un señalado servicio.

Dienst *m* (*-es*; *-e*) servicio *m*; (*Amtsleistung*) función *f*; (*Obliegenheit*) cargo *m*; (*bsd. in idealem Sinn*) ministerio *m*; (*Stelle*) puesto *m*, empleo *m*, colocación *f*; *öffentlicher* ~ (*Staats*2) servicio del Estado; (*öffentliche Einrichtung*) servicio *m* público, *z. B. Telephon*2 servicio de teléfonos; *Pol. gute ~e* buenos oficios; *im ~ sein, ~ haben, ~ tun* estar de servicio; *s-e ~e anbieten* ofrecer sus servicios; *außer ~* (*Abk. a. D.*) *Beamter*: jubilado; ⚔ retirado; *~ am Kunden* satisfacción esmerada de los deseos del cliente; (*Kunden*2) ✝ servicio *m* técnico; servicio *m* postventa; *in aktivem ~* (*Beamter*, ⚔) en (servicio) activo; *in Ausübung des ~es* (*Beamter*) en el ejercicio de sus funciones; ⚔ en acto de servicio; *Offizier vom ~* oficial de servicio *bzw.* de guardia; *j-m e-n guten ~ leisten* prestar (*od.* hacer) a alg. un señalado servicio; *den ~ antreten* (*Beamter*) entrar en funciones, *allg.* comenzar el servicio; *in ~ nehmen* contratar; tomar a su servicio; *in ~ stellen* ⚓ poner en servicio; *außer ~ stellen* retirar del servicio, ⚓ desaparejar, desarmar; *in j-s ~ treten* entrar al servicio de alg.; *sich in den ~ e-r Sache stellen* consagrarse a una cosa; abrazar una causa; *j-m zu ~en stehen* estar al servicio (*od.* a la disposición) de alg.

ˈ**Diens-tag** *n* (*-es*; *-e*) martes *m*; **2s**, *an ~en* los martes; cada martes.

ˈ**Dienst...**: **~alter** *n* antigüedad *f*; años *m/pl.* de servicio(s); *nach dem ~* por orden de antigüedad; **2ältest** *adj.*, **~älteste(r)** *m*: *der ~* el más antiguo, el de mayor antigüedad en el servicio; **~antritt** *m* (*-es*; *-e*) entrada *f* en funciones; ingreso *m* en el servicio; **~anweisung** *f* instrucciones *f/pl.* de servicio; reglamento *m*; *bsd.* ⚔ ordenanzas *f/pl.*; **~anzug** *m* (*-es*; *¨e*) uniforme *m* de servicio; ⚔ *a.* uniforme *m* de diario; **2bar** *adj.* sometido *od.* sujeto a servicio; (*gefällig*) servicial; *~er Geist fig.* factótum *m*; *s-n Zwecken ~ machen* aprovecharse de alg. *od.* a/c. para los propios fines; *Naturkräfte*: someter; utilizar, aprovechar; **~barkeit** *f* (estado *m* de) servidumbre *f*; *~en* ⚖ servidumbres; **2beflissen** *adj.* celoso, asiduo; (*gefällig*) servicial; obsequioso, solícito; (*übertrieben*) oficioso; *m.s.* servil; **2bereit** *adj.* dispuesto a servir; (*gefällig*) servicial; **~beschädigung** *f* perjuicio *m* profesional; ⚔ invalidez *f* ocasionada en acto de servicio; **~bezüge** *m/pl.* sueldo *m*, emolumentos *m/pl.*; **~bote** *m* (*-n*) criado *m*, sirviente *m*; recadero *m*; *Arg.* mucamo *m*; **~eid** *m* (*-es*; *-e*) juramento *m* profesional; *Minister usw.*: jura *f* del cargo; **~eifer** *m* (*-s*; *0*) celo *m* profesional; obsequiosidad *f*; *m.s.* servilismo *m*; oficiosidad *f*; **2eifrig** *adj.* → *dienstbeflissen*; **~entlassung** *f* separación *f* del servicio; (*vorläufige*) suspensión *f* en el servicio; **2fähig** *adj.* → *diensttauglich*; **2fertig** *adj.* → *dienstbeflissen*; **2frei** *adj.*: ~ *sein* estar libre de servicio; *~er Tag* día libre; **~gebrauch** *m*: *zum ~* para finalidades del servicio; **~gespräch** *Tele. n* (*-es*; *-e*) conferencia *f* oficial; **~grad** *m* (*-es*; *-e*) categoría *f* (en el servicio); ⚔ graduación *f*; **~gradabzeichen** *n* insignia *f*; distintivo *m*; **2habend** *adj.* de turno; ⚔ de servicio *bzw.* de guardia; **~herr** *m* (*-en*) patrono *m*; amo *m*; **~jahre** *n/pl.* años *m/pl.* de servicio(s); **~leistung** *f* (prestación *f* de) servicio *m*; *~en* ✝ servicios; **2lich** *adj.* oficial, de oficio; *adv.* oficialmente; ~ *verhindert* impedido por razones de servicio; **~mädchen** *n* criada *f*, doméstica *f*, sirvienta *f*; *Arg.* mucama *f*; **~mann** *m* (*-es*; *¨er od. -leute*) (*Gepäckträger*) mozo *m* de equipajes; *Arg.* changador *m*; **~ordnung** *f* reglamento *m* del servicio; ordenanzas *f/pl.*; **~personal** *n* (*-s*; *0*) personal *m* de servicio; empleados *m/pl.*; *im Haushalt*: servidumbre *f*; **~pistole** *f* pistola *f* de reglamento; **~pflicht** *f* obligaciones *f/pl. od.* deberes *m/pl.* del cargo; ⚔ servicio *m* militar obligatorio; **2pflichtig** *adj.* sujeto al servicio militar; **~prämie** *f* gratificación *f*; **~reise** *f* viaje *m* oficial *bzw.* de servicio; **~siegel** *n* sello *m* oficial; **~stelle** *f Büro*: oficina *f*; *Behörde*: negociado *m*, departamento *m*; sección *f* administrativa; (*Polizei*2) comisaría *f* de policía; **~stellung** *f* función *f* oficial; *Rangstufe*: categoría *f*; *Posten*: empleo *m*; cargo *m*; **~strafe** *f* sanción *f* disciplinaria; **~strafsache** *f* expediente *m* disciplinario; **~stunden** *f/pl.* horas *f/pl.* de oficina *od.* de servicio; **2tauglich** *adj.* apto para el servicio; **2tuend** *adj.* de servicio; **2unfähig, 2untauglich** *adj.* inútil para el servicio; (*dauernd*) ⚔ inútil total; inválido; **~vergehen** *n* falta *f* disciplinaria; **~verhältnis** *n* (*-ses*; *-se*) empleo *m*, cargo *m*; ⚔ situación *f* de servicio; *~se* condiciones de servicio; **2verpflichtet** *adj.* obligado a prestar un servicio; **~verpflichtung** *f* prestación *f* de servicio obligatoria; **~vertrag** *m* (*-es*; *¨e*) contrato *m* de servicio; contrato *m* de trabajo; **~vorschrift** *f* reglamento *m* de servicio; instrucciones *f/pl.* para el servicio; **~wagen** *m* automóvil *m* oficial; **~weg** *m* (*-es*; *-e*) trámite *m od.* vía *f* oficial; *auf dem ~* por el trámite reglamentario; por conducto oficial; **2willig** *adj.* → *dienstbereit*; **~wohnung** *f* domicilio *m* oficial; vivienda *f* de servicio; **~zeit** *f* tiempo *m* de servicio; (*Amtsdauer*) permanencia *f* en el cargo; ⚔ servicio *m* activo; → *Dienststunden*; **~zeugnis** *n* (*-ses*; *-se*) certificado *m* de servicios; *Beamte u.* ⚔: hoja *f* de servicios.

ˈ**diesbezüglich** *adj.* correspondiente, pertinente; *adv.* respecto a, tocante a, en lo concerniente a; *e-e ~e Erklärung* una declaración a este respecto *od.* acerca de este asunto.

ˈ**Diesel|antrieb** *m* (*-es*; *-e*) propulsión *f od.* accionamiento *m* por motor Diesel; **~motor** *m* (*-s*; *-en*) motor *m* Diesel; **~öl** *n* (*-es*; *0*) aceite *m* Diesel.

ˈ**dies|er, ~e, ~es** *od.* **dies,** *pl.* **diese** *pron/dem.* **1.** *adj.* este, esta, esto; estos, estas *pl.*; (*jener*) ese, esa, eso; esos, esas *pl.*; aquel, aquella, aquello; aquellos, aquellas *pl.*; *dies alles* todo eso; todo esto; *diese Ihre Beobachtung* esa observación suya; *dieses Scheusal!* ¡ese monstruo!; *dieser Tage* el otro día, *zukünftig*: uno de estos días; **2.** *substantivisch*: éste, ésta, esto; éstos, éstas *pl.*; ése, ésa, eso; ésos, ésas *pl.*; aquél, aquélla, aquello; aquéllos, aquéllas *pl.*; (*Letztgenannter*) éste; *dieser ist es* ése es; *diese ist es* ésa es; *diese sind es* ésos *bzw.* ésas son; *dies sind m-e Schwestern* éstas son mis hermanas; *dieser und jener* éste y aquél; ✝ *am dritten dieses Monats* (*Abk.* 3. d. Mts.) el tres del corriente (*Abk.* 3 del cte.); *diese vielen Bücher* todos esos libros.

ˈ**diesig** *adj. Wetter*: calinoso; *~e Luft* calina *f*.

ˈ**dies|jährig** *adj.* de este año; **~mal** *adv.* esta vez; **~malig** *adj.* de esta vez; **~seitig** *adj.* de este lado; **~seits** *adv.* de este lado, *Liter.*: aquende; **2seits** *n*: *das ~* esta vida (*od.* este mundo).

ˈ**Dietrich** *m* (*-es*; *-e*) ganzúa *f*.

diffaˈmier|en (-) *v/t.* difamar, calumniar; **~end** *adj.* difamatorio, calumnioso; **2ung** *f* difamación *f*.

Differentiˈal [-ərɛntˈsĭ-] *n* (*-s*; *-e*) ⚙ diferencial *m*; **~diagnose** ⚕ *f* diagnóstico *m* diferencial; **~getriebe** *Auto. n* engranaje *m* dife-

rencial; **~gleichung** *f* ecuación *f* diferencial; **~rechnung** *f* cálculo *m* diferencial.
Diffe'renz *f* diferencia *f*; (*Rest*) ⚕ saldo *m*; (*Überschuß*) excedente *m*; (*Fehlbetrag*) déficit *m*; (*Mißhelligkeit*) diferencia *f*, disensión *f*; desacuerdo *m*, desavenencia *f*; (*Streit*) disputa *f*; **~geschäft** ⚕ *n* (*-ĕs*; *-e*) operación *f* diferencial.
differen'zier|en [-ʀɛn'tsiː-] (-) *v/t.* diferenciar; **Sung** *f* diferenciación *f*.
diffe'rieren (-) *v/i.* diferir, diferenciarse.
dif'fus *adj.* difuso, disperso.
Diffusi'on *f* difusión *f*; **Ssfähig** *adj.* difusible; **~svermögen** *n* difusibilidad *f*.
Dik|'tat [-'taːt] *n* (*-ĕs*; *-e*) dictado *m*; (*Befehl*) dictado *m*, mandato *m*; *nach* ~ al dictado; **~'tator** *m* (*-s*; *-en*) dictador *m*; **Sta'torisch** *adj.* dictatorial; **~ta'tur** [-'tuːʀ] *f* dictadura *f*.
dik'tieren (-) *v/t.* dictar.
dila'torisch *adj.* dilatorio.
Di'lemma *n* (*-s*; *-s*) dilema *m*; disyuntiva *f*; alternativa *f*; *sich in einem* ~ *befinden* estar en un dilema.
Dilet|'tant(in *f*) *m* [-lɛ'ta-] (*-en*) aficionado (-a *f*) *m* (*in dat.* a); diletante *m/f*; **S'tantisch** *adj.* de aficionado; (*oberflächlich*) superficial; **~tan'tismus** *m* (-; *0*) diletantismo *m*.
Dill ⚘ *m* (*-ĕs*; *0*) eneldo *m*.
Dimensi'on *f* dimensión *f*; *fig. a.* proporción *f*.
dimensio'nier|en (-) *v/t.* medir; **Sung** *f* medición *f*.
Di'ner *n* (*-s*; *-s*) almuerzo *m*; cena *f*; *Festessen*: banquete *m*.
Ding *n* (*-ĕs*; *-e*, F *-er*) cosa *f*; (*Gegenstand*) objeto *m*; (*Angelegenheit*) asunto *m*; (*Materie*) materia *f*; *Phil. das* ~ *an sich* el ente en sí; *das arme* ~ la pobre criatura; *guter* ~*e* de buen humor; *ein junges, niedliches* ~ F una monada, un bombón; *das* ~(*s*) *da!* ¡el chisme ese!; *vor allen* ~*en* ante todo, ante todas las cosas; *das geht nicht mit rechten* ~*en zu* aquí hay *od.* pasa algo raro; F *fig.* aquí hay gato encerrado; *es ist ein* ~ *der Unmöglichkeit* es materialmente (*od.* de todo punto) imposible; *die* ~*e beim rechten Namen nennen* llamar al pan, pan y al vino, vino; *laß den* ~*en ihren Lauf!* deja que las cosas sigan su curso; F deja rodar la bola; *wie die* ~*e liegen* tal como están las cosas; □ *ein* ~ *drehen* planear (*bzw.* llevar a cabo) un robo, □ preparar *bzw.* dar un golpe.
'dingen (*L*) *v/t.* alquilar, contratar; (*Verbrecher*) pagar; (*bestechen*) sobornar.
'dingfest *adj.*: *j-n* ~ *machen* detener, arrestar, capturar a alg.
'dinglich *adj.* efectivo; ⚖ real; *Phil.* objetivo.
'Dingsda F *m* (*f, n*) (-; -) (*Person*) fulano (-a *f*) *m*; *Herr* ~ el señor fulano de tal; (*fingierter Ort*) allá donde sea.
di'nieren (-) *v/i.* almorzar; (*festlich*) banquetear.
'Dinkel ⚘ *m* espelta *f*; escanda *f*.
Di'ode ⚡ *f* diodo *m*, lámpara *f* de dos electrodos.
Dio'xyd ⚗ *n* (*-ĕs*; *-e*) dióxido *m*, bióxido *m*.
Diö'zese *f* diócesis *f*.
Diphthe'rie ⚕ *f* (*0*) difteria *f*; **~serum** *n* (*-s*; *0*) suero *m* antidiftérico.
Diph'thong [dɪf'tɔŋ] *Gr. m* (*-ĕs*; *-e*) diptongo *m*.
Di'plom *n* (*-s*; *-e*) diploma *m*; → *diplomiert*.
Diplo'mat [-oˑ'm-] *m* (*-en*) diplomático *m*; **~enlaufbahn** *f* (*0*) carrera *f* diplomática.
Diploma'tie *f* (*0*) diplomacia *f*.
Diplo'matik *f* (*0*) diplomática *f*.
diplo'matisch *adj.* diplomático (*a. fig.*); ~*es Korps* cuerpo *m* diplomático; ~*er Schritt* gestión diplomática; ~*e Vertretung* representación diplomática; *die* ~*en Beziehungen abbrechen* (*wiederaufnehmen*) romper (reanudar) las relaciones diplomáticas; *adv.* ~ *vorgehen fig.* obrar (*od.* proceder) con diplomacia.
diplo'miert *adj.* titulado, graduado, *neol.* diplomado.
Di'plom|ingenieur [-ɪnʒeˑnĭøːʀ] *m* (*-s*; *-e*) ingeniero *m* industrial *od.* civil; **~landwirt** *m* ingeniero *m* agrónomo.
'Dipol ⚡ *m* (*-ĕs*; *-e*) dípolo *m*.
dir *pron/pers.* (*dat. von* du) te; a ti; *mit* ~ contigo; *er wird* ~ *helfen* él te ayudará; *ich werde es* ~ *erklären* te lo explicaré; *nach* ~*!* después de ti; *ich werde mit* ~ *gehen* yo iré contigo.
di'rekt I. *adj.* directo; (*unmittelbar*) inmediato; (*entschieden*) decidido; ~*e Rede* discurso reproducido literalmente; ~*er Zug* tren directo (*zu* a); ~*er Unsinn* un puro disparate; *das ist e-e* ~*e Beleidigung* es una clara ofensa; **II.** *adv.* directamente, derecho; (*sofort*) en seguida; inmediatamente; (*genau*) exactamente, precisamente; (*ohne Umschweife*) F sin más ni más; ~ *proportional* directamente proporcional; ~ *vom Hersteller* directamente del productor.
Direkti'on [-tsĭ'oːn] *f* (*Leitung*) dirección *f*; ⚕ *a.* gerencia *f*; (*Verwaltung*) administración *f*; (*Vorstand*) presidencia *f*; consejo *m* de administración; **~smitglied** *n* (*-ĕs*; *-er*) miembro *m* del consejo de administración.
Direk'tiven [-'tiːvən] *f/pl.* instrucciones *f/pl.*, normas *f/pl.*
Di'rektor *m* (*-s*; *-en*) director *m*; (*Geschäftsführer*) gerente *m*; *e-r Bank*: director *m*; *Span.*: ~ *der Bank von Spanien* Gobernador del Banco de España; *e-r Schule*: (director *m*.
Direkto'rat *n* (*-s*; *-e*) dirección *f*; → *Direktorium*.
Direk'torium [-'toːʀĭ-] *n* (*-s*; *Direktorien*) directorio *m* (*a. Pol.*); ⚕ consejo *m* de administración; junta *f* de gobierno.
Direk'torin *f* directora *f*.
Direk'trice [-'tʀiːsə] *f* directora *f*; jefa *f* de sección.
Di'rektübertragung *Radio*: transmisión *f* directa.
Diri'gent ♪ *m* (*-en*) director *m* de orquesta; **~enstab** *m* (*-ĕs*; *⸚e*), **~enstock** *m* (*-ĕs*; *⸚e*) batuta *f*.
diri'g|ieren (-) *v/t.* (*leiten, lenken*) dirigir; ♪ dirigir la orquesta; **Sismus** *m* (-; *0*) ⚕ economía *f* dirigida.
Dirndl *n* (*-s*; *-*[*n*]) → *Dirne 1*; (*a.* '**~-kleid** *n* [*-ĕs*; *-er*]) vestido *m* típico de Baviera, traje *m* tirolés.
'Dirne *f* **1.** muchacha *f*, moza *f*; **2.** *m.s.* prostituta *f*, mujer *f* pública, ramera *f*; P fulana *f*, furcia *f*; V puta *f*; **~n-unwesen** *n* (*-s*; *0*) prostitución *f*; P puterío *m*.
Dis, dis ♪ *n* re *m* sostenido; ~*-Dur* re sostenido mayor; ~*-Moll* re sostenido menor.
Dis'agio ⚕ *n* (*-s*; *-s*) disagio *m*; (*Abzug*) descuento *m*; (*Verlust*) pérdida *f*, merma *f*.
Dishar|mo'nie *f* ♪ disonancia *f*, discordancia *f* (*beide a. fig.*); *fig.* desavenencia *f*; **S'monisch** *adj.* disonante, discordante.
Dis'kant ♪ *m* (*-ĕs*; *-e*) tiple *f*; (*höchster* ~) falsete *m*; **~schlüssel** *m* clave *f* de tiple.
Dis'kont ⚕ *m* (*-ĕs*; *-e*) descuento *m*; *e-n* ~ *gewähren* conceder un descuento; **~bank** *f* banco *m* de descuento; **~erhöhung** *f* aumento *m* del tipo de descuento; **Sfähig** *adj.* descontable; **~geschäft** *n* (*-ĕs*; *-e*) operación *f* de descuento; **~herabsetzung** *f* reducción *f* del tipo de descuento.
diskon'tieren (-) *v/t.* descontar.
Dis'kont...: **~politik** *f* (*0*) política *f* de descuento; **~satz** *m* (*-es*; *⸚e*) tipo *m* de descuento; *den* ~ *erhöhen* (*herabsetzen*) aumentar (reducir) el tipo de descuento; **~wechsel** *m* letra *f* negociable.
diskredi'tieren (-) *v/t.* desacreditar.
Diskre'panz *f* discrepancia *f*; (*Abweichung*) divergencia *f*, disparidad *f*.
dis'kret *adj.* discreto; (*taktvoll*) delicado; (*vertraulich*) confidencial.
Diskreti'on [-eˑtsĭ'oː-] *f* discreción *f*; delicadeza *f*, tacto *m*; reserva *f*; *unter* ~ confidencialmente; reservadamente.
diskrimi'nier|en (-) *v/t.* discriminar; menospreciar; tratar injustamente; **~end** *adj.* menospreciativo; **Sung** *f* discriminación *f*; menosprecio *m*; trato *m* de inferioridad.
'Diskus *m* (-; *Disken*) disco *m*; ~ *werfen* lanzar el disco.
Diskussi'on *f* discusión *f*, debate *m*; deliberación *f*; *zur* ~ *stellen* someter a discusión; **~sveranstaltung** *f Pol.* mitin *m* de controversia.
'Diskus|werfer(in *f*) *m* lanzador (-a *f*) *m* de disco; (*antiker*) discóbolo *m*; **~wurf** *m* (*-ĕs*; *⸚e*) lanzamiento *m* de disco.
disku'tabel *adj.* discutible; *nicht* ~ improcedente, fuera de lugar.
disku'tieren (-) *v/t. u. v/i.* discutir.
Dis'pens *m* (*-es*; *-e*) dispensa *f*; (*Erlaubnis*) licencia *f*, permiso *m*; (*Befreiung*) exención *f*; ~ *erteilen* conceder dispensa.
dispen'sieren (-) *v/t.* dispensar; eximir (*von* de).
Dispo'n|ent ⚕ *m* (*-en*) apoderado *m*, gerente *m*; **Sibel** *adj.* disponible; **Sieren** (-) *v/i.* arreglar; (*verfügen*) disponer (*über ac.* de); **Siert** *adj.*:

gut (schlecht) ~ bien (mal) dispuesto; nicht ~ indispuesto.
Dispositi'on *f* disposición *f* (*a. Anlage, Neigung*); arreglo *m*, preparación *f*; (*Verfügung*) disposición *f*; (*Anweisung*) instrucción *f*; s-e ~en treffen adoptar sus disposiciones; ⚔ zur ~ stellen pasar a situación de disponible.
Dis'pu|t *m* (-es; -e) disputa *f*; discusión *f*; **2'tabel** *adj.* disputable; **~tati'on** *f* disputa *f*; controversia *f*, discusión *f*; **2'tieren** (-) *v/i.* disputar (über *ac.* sobre).
Disqualifikati'on *f* descalificación *f*.
disqualifi'zieren (-) *v/t.* descalificar.
Dissertati'on *f* disertación *f*; (*Doktor*2) tesis *f* doctoral.
Dissi'dent(in *f*) *m* (-en) disidente *m/f*.
Disso'nanz ♪ *f* disonancia *f*; *fig.* nota *f* discordante.
Dis'tanz *f* distancia *f* (*a. fig.*); ~ halten mantenerse a distancia *od.* apartado; guardar (las) distancias; **~handel** ✝ *m* (-s; 0) comercio *m* fuera de la plaza.
distan'zier|en (-) *v/t.*: sich ~ distanciarse; *weitS.* apartarse (von de); *Sport*: j-n auf 5 Meter ~ sacar a alg. cinco metros de ventaja; **~t** *adj.* apartado; distanciado.
Dis'tanz...: ~lauf *m* (-es; ⸚e) carrera *f* de distancia; **~ritt** *m* (-es; -e) carrera *f* de distancia a caballo; **~vorgabe** *f* distancia *f* de ventaja; **~wechsel** ✝ *m* letra *f* trayecticia.
'Distel ⚘ *f* (-; -n) cardo *m*; **~fink** *Orn. m* (-es; -en) jilguero *m*.
'Distichon *n* (-s; Distichen) dístico *m*.
distin'guiert [-'gi:rt] *adj.* distinguido.
Di'strikt *m* (-es; -e) distrito *m*; → Bezirk.
Diszi'plin *f* disciplina *f*; (*Fach*) materia *f*, asignatura *f*.
Diszipli'nar|gewalt *f* potestad *f* disciplinaria; **2isch** *adj.* disciplinario; ~ vorgehen proceder a una acción disciplinaria; **~strafe** *f* castigo *m* disciplinario; **~verfahren** *n* procedimiento *m* disciplinario; **~vergehen** *n* transgresión *f* disciplinaria, falta *f* contra la disciplina.
diszipli'niert *adj.* disciplinado.
diszi'plinlos *adj.* indisciplinado; **2igkeit** *f* (0) indisciplina *f*, falta *f* de disciplina.
'dito *adv.* idem (*Abk.* id.).
'Diva *f* (-; -s *od.* Diven) *Thea.* diva *f*; estrella *f*.
diver|'gent *adj.* divergente; **2'genz** *f* divergencia *f*; **~'gieren** (-) *v/i.* divergir (von de).
di'vers *adj.* diverso; **2es** *n bsd.* ✝ surtido *m*, géneros *m/pl.* diversos.
Divi'dend ⚗ *m* (-en) dividendo *m*; **~e** ✝ *f* dividendo *m*; (*Extra*2) dividendo *m* adicional; (*Zwischen*2) dividendo *m* a cuenta; e-e ~ ausschütten repartir un dividendo; ohne ~ sin dividendo; ex cupón; **~enpapiere** *n/pl.* valores *m/pl.* de dividendo; **~ensatz** *m* (-es; ⸚e) dividendo *m*; **~enschein** *m* (-es; -e) cupón *m* de dividendo.
divi'dieren [v] (-) *v/t.* dividir (durch por).
Di'vis [v] *Typ. n* (-es; -e) división *f*, guión *m*.
Divisi'on ⚗, ⚔ *f* división *f*; **~s-abschnitt** ⚔ *m* (-es; -e) sector *m* de una división; **~skommandeur** *m* (-s; -e) jefe *m* de la división; **~s-zeichen** ⚗ *n* signo *m* de dividir.
Di'visor [v] ⚗ *m* (-s; -en) divisor *m*.
'Diwan *m* (-s; -e) diván *m*.
'd-Moll ♪ *n* re *m* menor.
doch *cj. u. adv.* (*dennoch*) sin embargo, con todo; a pesar de ello, no obstante; (*schließlich*) después de todo; (*gewiß*) ciertamente, seguramente, por supuesto, desde luego; er kam also ~? ¿vino, pues?, ¿conque ha venido?; (*je*~, *aber* ~) pero, empero; *auffordernd*: *imp. z.B.*: setz dich ~! ¡pero siéntate!; tun Sie es ~! ¡hágalo, pues!; warte ~! ¡pero espera un poco!; ja ~! (*behauptend*) ¡que sí!, F ¡pues claro que sí!; (*wettend*) ¡a que sí!; *nach verneinter Frage*: *siehst du es nicht*? ~! sí, F ¡claro que sí!; *willst du nicht kommen*? ~! sí, sí por cierto, desde luego, por supuesto, *Am.* ¿cómo no?; nicht ~! que no; de ningún modo; ¡pues no!; (*gewiß nicht*) no por cierto; du weißt ~, daß tú sabes bien que, ya sabes que; du kommst ~? tú vendrás ¿no es eso?, ¿verdad que vendrás?; das kann ~ nicht dein Ernst sein no lo dirás en serio ¿verdad?; das ist ~ zu arg! ¡esto sí que es desagradable!; *wünschend*: wenn er ~ käme! ¡si viniera!, ¡ojalá viniese!; wenn es ~ wahr wäre! ¡si fuera verdad!, ¡ojalá fuese verdad!; wäre ich ~ jung! ¡quién fuera joven!; hättest du das ~ gleich gesagt! ¡si lo hubieras dicho entonces!; ¡lástima que no lo hayas dicho antes!
Docht *m* (-es; -e) mecha *f*; (*Kerzen*2) pábilo *m*.
Dock ⚓ *n* (-s; -s) dique *m*; *neol.* dock *m*, dársena *f*; (*Schwimm*2) dique *m* flotante; (*Werft*) astillero *m*; ins ~ gehen entrar en carena *od.* dique; **'~arbeiter** *m* trabajador *m* de los astilleros.
'Docke *f* ⊕ (*Spindel*) soporte *m* del husillo; (*Geländersäule*) balaustre *m*; (*Strähne, Garn*) madeja *f*, trenzada *f*; (*Bündel Tabak usw.*) rollo *m*; (*Puppe*) muñeca *f*.
'docken ⚓ **1.** *v/t.* carenar, poner en dique *m*; **2.** *v/i.* entrar en dique *m od.* carena *f*.
'Doge ['do:ʒə] *m* (-n) dux *m*; **~npalast** *m* (-es; ⸚e) palacio *m* del dux.
'Dogge *Zoo. f* (-; -n) perro *m* dogo, alano *m*.
'Dogma *n* (-s; Dogmen) dogma *m*; artículo *m* de fe; zum ~ erheben dogmatizar; (*vom Papst*) definir un dogma.
Dog'ma|tik *f* dogmática *f*; dogmatismo *m*; **~tiker** *m* dogmático *m*; dogmatista *m*; **2tisch** *adj.* dogmático; **~'tismus** *m* (-; 0) dogmatismo *m*.
'Dohle *Orn. f* grajo *m*.
'Dohne *f* lazo *m* corredizo, trampa *f*.
'doktern (-re) F *v/i.* hacer de médico *m*; medicinar; medicarse.
'Doktor ['dɔktɔr] *m* (-s; -en) doctor *m*; → Dr. (*Abkürzungsliste im Anhang*); den ~ machen hacer el doctorado; doctorarse; F (*Arzt*) doctor *m*, médico *m*.
Dokto'rand *m* (-en) doctorando *m*.
'Doktorarbeit *f* tesis *f* doctoral.
Dokto'rat *n* (-es; -e) doctorado *m*.
'Doktor...: ~diplom *n* (-s; -e) título *m* de doctor; **~examen** *n* (-s; -examina) examen *m* del doctorado; **~grad** *m* (-es; -e) grado *m* de doctor.
Dok'torin [-'to:-] *f* doctora *f*.
'Doktor...: ~hut *m* (-es; ⸚e) birrete *m*; borla *f* de doctor; **~würde** *f* (0) doctorado *m*; die ~ verleihen conferir el título de doctor.
Dok'trin *f* doctrina *f*.
doktri'när *adj.*, 2 *m* doctrinario *m*.
Doku'ment *n* (-es; -e) documento *m*; (*Unterlage*) justificante *m*, comprobante *m*.
Dokumen'tarfilm *m* (-es; -e) película *f* documental, documental *m*.
dokumen'tarisch [-'tɑ:-] *adj.* documental; ~ belegt documentado.
Dokumentati'on *f* documentación *f*.
Doku'menten|akkreditiv ✝ *n* (-es; -e) crédito *m* documentario; **~tratte** *f* giro *m* documentario.
dokumen'tieren [-'ti:-] (-) *v/t.* documentar.
'Dolch *m* (-es; -e) daga *f*; puñal *m*; estilete *m*; **~stich** *m* (-es; -e), **~stoß** *m* (-es; ⸚e) puñalada *f*; *Pol.* Dolchstoßlegende el mito de la puñalada.
'Dolde ⚘ *f* umbela *f*; **~ngewächse** *n/pl.*, **~pflanzen** *f/pl.* plantas *f/pl.* umbelíferas.
'Dollar *m* (-s; -s) dólar *m*; **~block** *m* (-es; 0) área *f* del dólar.
'Dolle ⚓ *f* (*Ruderklampe*) tolete *m*, escálamo *m*.
'dolmetsch|en *v/t. u. v/i.* interpretar; actuar de intérprete *m*; **2er(in** *f*) *m* intérprete *m/f*.
Dolo'mit *Min. m* (-s; -e) dolomita *f*.
Dom *m* (-es; -e) catedral *f*.
Do'mäne *f* heredad *f* del Estado; (*Rittergut*) señorío *m*; *fig.* dominio *m*.
'Dom...: ~chor *m* (-es; ⸚e) coro *m* catedralicio; **~herr** *m* (-en) canónigo *m*, prebendado *m*.
Domi'nant|e ♪ *f* dominante *f*; *fig.* factor *m* predominante; **~akkord** *m* (-es; -e) acorde *m* dominante.
domi'nieren (-) *v/t. u. v/i. Person*: dominar, tener dominio *m* sobre; *Sache*: (pre)dominar, prevalecer, preponderar; **~d** *adj.* (pre)dominante, preponderante.
Domini'kaner(in *f*) *m* dominico (-a *f*) *m*; (*Volkszugehöriger*) dominicano (-a *f*) *m*; **~orden** *m* (-s; 0) orden *f* dominicana *od.* de Santo Domingo.
domini'kanisch *adj.* dominicano; 2e Republik República *f* Dominicana.
'Domino 1. *m* (-s; -s) (*Maskenmantel*) dominó *m*; **2.** *n* (-s; -s) (*Spiel*) dominó *m*; ~ spielen jugar al dominó; **~stein** *m* (-es; -e) ficha *f* de dominó.
Domi'zil *n* (-s; -e) domicilio *m*.
domizi'lieren (-) ✝ *v/t.* domiciliar (bei en).
Domi'zilwechsel ✝ *m* letra *f* domiciliada; (*Wohnungswechsel*) cambio *m* de domicilio, mudanza *f*.

ˈ**Dom...:** ~**kapitel** *n* cabildo *m* (catedralicio); ~**kirche** *f* iglesia *f* catedral; ~**pfaff** *Orn. m* (-*en*) pinzón *m* real; ~**prediger** *m* canónigo *m* magistral; ~**propst** *m* (-*es*; ⁼*e*) prepósito *m* capitular; ~**stift** *n* (-*és*; -*e*) iglesia *f* catedral; seminario *m*.
Dompˈteur *m* (-*s*; -*e*) domador *m*.
ˈ**Donau** *f* Danubio *m*.
ˈ**Donner** *m* trueno *m*; *wie vom* ~ *gerührt* quedar atónito; como herido del rayo; ~**getöse** *n* (-*s*; *0*) retumbo *m* del trueno; *fig.* estruendo *m*; ruido *m* atronador; ~**gott** *m* (-*és*; *0*) Júpiter *m* Tonante; ~**hall** *m* (-*s*; *0*) estampido *m* del trueno; 𝟐**n** (-*re*) *v/i.* tronar; *fig.* tronar contra, fulminar; es *donnert* truena, está tronando; 𝟐**nd** *adj.* atronador; ~**schlag** *m* (-*és*; ⁼*e*) rayo *m* (*a. fig.*); estallido *m* del trueno.
ˈ**Donners·tag** *m* (-*és*; -*e*) jueves *m*; 𝟐*s*, *an* ~*en* los jueves, cada jueves.
ˈ**Donner...:** ~**stimme** *f* (*0*) voz *f* de trueno; ~**wetter** *n* (-*s*; *0*) tormenta *f*; tempestad *f*; F (*zum*) ~! ¡caramba!, ¡caray!
doof F *adj.* (*langweilig*) soso, aburrido; (*dumm*) tonto, bobo, imbécil.
ˈ**dopen** *v/t. Sport*: estimular con drogas *f/pl.* (*el rendimiento*), drogar.
ˈ**Doppel** *n* doble *m*; duplicado *m*; *Tennis*: dobles *m/pl.*; ~**adler** ▨ *m* águila *f* bicéfala; 𝟐**armig** ⊕ *adj.* de dos brazos; ~**bereifung** *Auto. f* neumáticos *m/pl.* dobles; ~**bett** *n* (-*és*; -*en*) cama *f* de matrimonio; ~**boden** *m* (-*s*; ⁼) doble fondo *m*; ~**bruch** ⚕ *m* (-*és*; ⁼*e*) fractura *f* doble; ~**decker** *m* ✈ biplano *m*; *Omnibus*: autobús *m* de dos pisos; ~**deckung** *f Boxen*: doble defensa *f*.
ˈ**Doppel|effekt** *Phys. m* (-*és*; -*e*) doble efecto *m*; ~**ehe** *f* bigamia *f*; 𝟐**fädig** ⊕ *adj.* bifilar; ~**fenster** *n* contravidriera *f*; ~**fernrohr** *n* (-*és*; -*e*) telescopio *m* binocular; gemelos *m/pl.*; ~**flinte** *f* escopeta *f* de dos cañones; ~**gänger** *m* doble *m*; contrafigura *f*; 𝟐**gängig** *adj. Schraube*: tornillo *m* de doble filete; ~**gleis** *n* (-*es*; -*e*) vía *f* doble; 𝟐**gleisig** *adj.* de doble vía; ~**griff** ♪ *m* (-*és*; -*e*) doble cuerda *f*; ~**kinn** *n* (-*és*; -*e*) F papada *f*; 𝟐**kohlensauer** ⚗ *adj.* bicarbonato de; ~**kolbenmotor** *m* (-*s*; -*en*) motor *m* de dos émbolos; ~**kopfhörer** *m* auricular *m* doble; ~**kreuz** ♪ *n* (-*es*; -*e*) doble sostenido *m*; ~**lauf** *m* (-*és*; ⁼*e*) *Flinte*: cañón *m* doble; ~**laut** *Gr. m* (-*és*; -*e*) diptongo *m*; 𝟐**n** (-*le*) *v/t.* doblar; duplicar; ~**name** *m* (-*ns*; -*n*) nombre *m* compuesto; 𝟐**polig** *adj.* bipolar; ~**punkt** *m* (-*és*; -*e*) dos puntos *m/pl.*; ~**rad** *n* (-*és*; ⁼*er*) rueda *f* gemela; ~**reifen** *Auto.* → *Doppelbereifung*; ~**reihe** *f* fila *f* doble; 𝟐**reihig** *adj.* en dos filas; *Jackett, Weste*: cruzado; ~**rumpf** ✈ *m* (-*és*; ⁼*e*) doble fuselaje *m*; 𝟐**schichtig** *adj.* de dos capas; 𝟐**seitig** *adj.* doble; bilateral; *Gewebe*: reversible; ⚕ ~*e Lungenentzündung* pulmonía doble; ~**sinn** *m* (-*és*; *0*) doble sentido *m*, ambigüedad *f*; (*absichtlicher*) segunda intención *f*; 𝟐**sinnig** *adj.* ambiguo; equívoco; ~**sitzer** *m* vehículo *m* de dos plazas *f/pl.*; ~**sohle** *f* suela *f* doble; ~**spiel** *n* (-*és*; -*e*) *Tennis*: partido *m* de dobles; *fig.* doble juego *m*; ~**stecker** ⚡ *m* enchufe *m* doble; ~**steuerung** ✈ *f* mando *m* doble; ~**stück** *n* (-*és*; -*e*) duplicado *m*.
ˈ**doppelt I.** *adj.* doble; duplicado; et. ~ *haben* tener repetido; ~*e Buchführung* contabilidad por partida doble; *in* ~*er Ausführung* en duplicado; *ein* ~*es Spiel spielen* hacer un doble juego; *fig.* jugar con dos barajas; **II.** *adv.* dos veces; por duplicado; de dos maneras; doblemente; ~ *soviel* el doble, *bsd.* ⚖ el duplo; otro tanto más; ~ *schmerzlich* doblemente doloroso; *in* ~*er Ausfertigung* por duplicado; *er ist* ~ *so alt wie ich* tiene doble edad que yo, me dobla la edad; *ich habe das Buch* ~ tengo dos ejemplares del libro; 𝟐**e(s)** *n* doble *m*; *das* ~*e des Betrages* el doble del importe; *um das* ~*e größer* dos veces mayor; ~**kohlensauer** ⚗ *adj.*: ~*es Natron* bicarbonato sódico.
ˈ**Doppel...:** ~**tür** *f* puerta *f* doble; (*Flügeltür*) puerta *f* de dos hojas; ~**ung** *f* duplicación *f*; ~**verdiener** *m*: ~ *sein* ganar dos sueldos, trabajar en dos oficios; ~**währung** ✝ *f* doble tipo *m* monetario; bimetalismo *m*; ~**zentner** *m* quintal *m* métrico; ~**zimmer** *n* habitación *f* con dos camas *od.* doble; 𝟐**züngig** *adj.* doble, ambiguo, falso; ~**züngigkeit** *f* (*0*) doblez *f*, falsedad *f*.
Dorf *n* (-*és*; ⁼*er*) aldea *f*, lugar *m*; *größeres*: pueblo *m*; ˈ~**bewohner(in** *f*) *m* aldeano (-a *f*) *m*, lugareño (-a *f*) *m*; vecino *m* de un pueblo.
ˈ**Dörfchen** *n* aldehuela *f*; (*Weiler*) caserío *m*.
ˈ**Dorfgemeinde** *f* comunidad *f* rural; *Rel.* parroquia *f* rural.
ˈ**dörflich** *adj.* aldeano, rústico.
ˈ**Dorf...:** ~**pfarrer** *m* cura *m* de aldea, párroco *m* rural; ~**schenke** *f* taberna *f* del pueblo; ventorro *m*; ~**trottel** F *m* tonto *m* del pueblo.
ˈ**Dorn** *m* (-*és*; -*e*, -*en*, ⁼*er*) espina *f* (*a. fig.*); (*Stachel*) púa *f*; ⚘ espina *f*; *am Sportschuh*: púa *f*, clavo *m*; *e-r Schnalle*: hebijón *m*, púa *f*; ⊕ (*krummer*) uña *f*; (*Bolzen, Stift*) espiga *f*; (*Ausweite*𝟐) punzón *m*; (*Dreh*𝟐) mandril *m*; (*Spitze*) pincho *m*; *er ist ihnen ein* ~ *im Auge* no pueden verle ni en pintura; ~**busch** *m* (-*es*; ⁼*e*) zarzal *m*; ~**enhecke** *f* seto *m* espinoso; ~**enkrone** *f* corona *f* de espinas; 𝟐**enlos** *adj.* sin espinas; ~**enpfad** *m* (-*és*; -*e*) senda *f* espinosa; 𝟐**envoll** *adj.* espinoso, erizado de espinas; 𝟐**ig** *adj.* espinoso; con púas *bzw.* espinas; *fig.* espinoso, escabroso; ~**rös·chen** *n* (*Märchen*) la Bella Durmiente del Bosque; ~**strauch** *m* (-*és*; ⁼*er*) zarza *f*.
ˈ**dorren** *v/i.* secarse; ⚘ agostarse.
ˈ**dörr|en** *v/t.* (de)secar; *durch Rösten*: tostar; *im Darrofen*: desecar; 𝟐**fleisch** *n* (-*es*; *0*) cecina *f*, tasajo *m*; 𝟐**gemüse** *n* (-*s*; -) verduras *f/pl.* desecadas; 𝟐**obst** *n* frutas *f/pl.* pasas *od.* secas.
Dorsch *Ict. m* (-*es*; -*e*) bacalao *m* pequeño.
ˈ**dort** *adv.* allí, allá; *beim Angeredeten*: ahí; ✝ en ésa; ~ *drüben* allí, en aquel lugar; ~ *oben* allí arriba; *von* ~ → ~**her** *adv.* de allí (allá, ahí); ~**hin** *adv.* hacia allí (allá, ahí); ~**hinaus** *adv.* por allí (allá, ahí); F *fig. bis* ~ a más no poder; ~**hinein** *adv.* allá dentro.
ˈ**dortig** *adj.* de allí; (*beim Angeredeten*) de ahí; ✝ (*bei Ihnen*) de *bzw.* en ésa.
ˈ**Dose** *f* caja *f*; (*Konserven*𝟐) lata *f*; ⚡ (*Steck*𝟐) caja *f* de enchufe; *in* ~*n einmachen* envasar conservas en latas.
ˈ**dösen** *v/i.* dormitar; estar ensimismado; soñar despierto.
ˈ**Dosen...:** ~**öffner** *m* abrelatas *m*; ~**sicherung** ⚡ *f* cortacircuito *m* de caja; ~**stecker** *m* clavija *f* de enchufe.
doˈsier|en (-) *v/t.* dosificar; 𝟐**ung** *f* dosificación *f*.
ˈ**dösig** *adj.* soñoliento; F *fig.* bobo, tonto, imbécil; (*verworren*) absorto, pasmado; → *doof*.
ˈ**Dosis** *f* (-; *Dosen*) dosis *f* (*a. fig.*); *zu große* (*kleine*) ~ dosis excesiva (insuficiente).
Dotatiˈon *f* dotación *f*.
doˈtier|en (-) *v/t.* dotar, proveer (*mit* de, con); 𝟐**ung** *f* dotación *f*, provisión *f*.
ˈ**Dotter** *m* yema *f* de huevo; ⚘ camelina *f*; ~**blume** *f* calta *f*; diente *m* de león.
ˈ**Double** [du:bl] *n* (-*s*; -*s*) *Film*: doble *m*.
Doˈz|ent *m* (-*en*) *allg.* profesor *m*; *Hochschullehrer*: profesor *m* auxiliar *bzw.* adjunto; *Lehrbeauftragter*: encargado *m* de curso; 𝟐**ieren** (-) *v/t. u. v/i. allg.* enseñar, instruir; *Hochschule*: explicar una asignatura; *fig. desp.*: perorar en tono *m* doctoral; ~**enˈtur** *f* cátedra *f*.
ˈ**Drache(n)** *m* (-*n*) dragón *m*; (*Papier*𝟐) cometa *f*; *e-n* ~*n steigen lassen* echar una cometa; *fig.* (*böses Weib*) arpía *f*, mala pécora *f*; F sargentona *f*; ~**nblut** *n* (-*és*; *0*) sangre *f* de dragón; ~**nmaul** ⚘ *n* (-*és*; *0*) dragontea *f*.
ˈ**Drachme** *f* dracma *f*.
Draˈgée *n* (-*s*; -*s*) gragea *f*; pastilla *f*.
Draˈgoner *m* ⚔ dragón *m*; F *fig.* virago *m*, F marimacho *m*, P machota *f*.
ˈ**Draht** *m* (-*és*; ⁼*e*) alambre *m*; ⚡ *dünner*: hilo *m*; *Leiter*: (hilo *m*) conductor *m*; *Telegraphen*𝟐: hilo *m* telegráfico; □ (*Geld*) □ parné *m*; ~ *unter Strom* alambre *od.* hilo bajo corriente; *toter* ~ hilo muerto; *umwickelter* ~ alambre revestido; *blanker* ~ alambre desnudo; *mit* ~ *befestigen* alambrar; *Tele. per* ~ *antworten* contestar telegráficamente; F *auf* ~ *sein* estar de buen humor, (*wachsam*) estar prevenido, (*wissensmäßig*) *fig.* conocer el paño; *ich bin heute nicht auf* ~ hoy no (me siento bien) estoy de humor; ~**anschrift** *f* dirección *f* telegráfica; ~**antwort** *f* respuesta *f* telegráfica; ~**auslöser** *Phot. m* disparador *m* de cable; ~**bericht** *m* (-*és*; -*e*) información *f* telegráfica; ~**bürste** *f* carda *f*; cepillo *m* de acero; 𝟐**en** (-*e*-) *v/t.* telegrafiar; (*überseeisch*) cablegrafiar; ~**funk** *m* (-*s*; *0*) *Radio*: radiotransmisión *f* por vía telefónica; ~**gaze** *f* gasa *f* metálica; ~**ge-**

flecht *n* (-*ẹs*; -*e*) enrejado *m* metálico, alambrera *f*; **~gewebe** *n* tela *f* metálica; **~gitter** *n* → *Drahtgeflecht*; **~glas** *n* (-*es*; ⸚*er*) vidrio *m* armado; **~litze** *f* cordón *m* de alambre; **2los I.** *adj.* sin hilos, inalámbrico; ~*e Nachricht* radio(tele)grama *m*; ~*e Telegraphie* radiotelegrafía, telegrafía sin hilos (*Abk.* T.S.H.); **II.** *adv.* ~ *senden, telegraphieren* radiotelegrafiar, transmitir radiotelegráficamente; **~nachricht** *f* telegrama *m*; **~puppe** *f* marioneta *f*; **~saite** *f* cuerda *f* metálica; **~schere** *f* alicates *m/pl.* cortaalambres; **~seil** *n* (-*ẹs* -*e*) cable *m* metálico, maroma *f* metálica; **~seilakrobat** *m* (-*en*) funámbulo *m*; **~seilbahn** *f* funicular *m*; (*Hängebahn*) teleférico *m*, funicular *m* aéreo; **~sieb** *n* (-*ẹs*; -*e*) criba *f* metálica; **~stärke** *f* grueso *m* de alambre; **~stift** *m* (-*ẹs*; -*e*) punta *f*, clavillo *m*; **~verbindung** *f Tele.* comunicación *f* telegráfica *bzw.* telefónica; ⚡ (*Schaltung*) empalme *m* de alambres; **~verhau** *m* (-*ẹs*; -*e*) alambrada *f*; **~zange** *f* corta-alambres *m*; **~zieher** *m* ⊕ trefilador *m*; *fig.* instigador *m* oculto; **~ziehe'rei** *f* ⊕ trefilería *f*; *fig.* instigación *f* oculta, intriga *f*, maquinación *f*.

Drain...: → *Drän...*

Drai'sine *f* velocípedo *m*; 🚂 autocarril *m*, vagoneta *f* de inspección.

dra'konisch *adj.* draconiano.

drall *adj. Faden*: (re)torcido; (*stämmig*) robusto, fornido, fuerte; (*untersetzt*) rechoncho, regordete, rollizo; (*pausbäckig*) mofletudo; (*enganliegend*) apretado; ceñido, justo; *fig. Mädchen, Frau*: P frescachona; ~*es Mädel* mocetona, real moza; 2 *m* (-*ẹs*; *0*) (*Umwindung*) torsión *f*; (*Geschoß*2) inclinación *f* del rayado; (*Gewehrzüge*) paso *m* del rayado.

'Drama *n* (-*s*; *Dramen*) drama *m*; poesía *f* dramática.

Dra'matik *f* (*0*) dramática *f*, dramaturgia *f*; **~er** *m* dramaturgo *m*, autor *m* dramático.

dra'matisch *adj.* dramático.

dramati'sieren (-) *v/t.* dramatizar (*a. fig.*); adaptar a la escena.

Drama|'turg *m* (-*en*) *Thea.* asesor *m* literario; adaptador *m* de obras teatrales; **~tur'gie** *f* dramaturgia *f*.

dran → *daran*.

Drä'nage [-ʒə] *f* avenamiento *m*; ⚕ drenaje *m*.

Drang *m* (-*ẹs*; *0*) *der Geschäfte*: apremio *m*; (*Eile*) urgencia *f*; (*Antrieb*) ímpetu *m*; impulso *m*; (*Trieb*) afán *m*, deseo *m* incontenible, *fig.* sed *f* (*nach* de); (*Bedrängnis*) apretura *f*; aprieto *m* (*a. fig.*); (*Notdurft*) necesidad *f* apremiante (*de hacer aguas*).

drang *pret. von dringen.*

'drängeln (-*le*) F *v/t.* apretujarse; codear; empujar; atropellar; *Arg.* pechar.

'drängen 1. *v/t.* (*drücken*) apretar, oprimir, estrechar; (*vorantreiben*) empujar; *j-n in die Ecke* ~ *fig.* arrinconar a alg., acosar; *fig.* acuciar, urgir, apurar, atosigar; *Schuldner*: apremiar; *zur Eile*: dar prisa, instar, urgir; (*antreiben*) estimular; (*belästigen*) importunar, molestar, F incordiar; *ich lasse mich nicht* ~ no me dejo atosigar; es *drängt* (*nicht*) (no) corre prisa; *sich* ~ apretarse (contra); amontonarse, agolparse, acudir en gran masa; atropellarse; arremolinarse; *sich durch e-e Menge* ~ abrirse paso a través de la multitud; *sich um j-n* ~ apiñarse en torno a alg.; *es drängt mich zu inf.* me siento impulsado a *inf.*; me veo en la necesidad de *inf.*; **2.** *v/i.* urgir; *die Sache drängt* la cosa urge, el asunto no admite demora; *die Zeit drängt* el tiempo apremia; ~ *auf* insistir en, exigir a/c.; → *gedrängt*; 2 *n fig.* insistencia *f*; apremio *m*; *auf* ~ *von* a ruego de, a instancias de.

'Drangsal *f* (-; -*e*) *u. n* (-*s*; -*e*) (*Notlage*) aprieto *m*, apuro *m*; situación *f* angustiosa; trance *m* difícil; (*Leiden*) sufrimientos *m/pl.*, penalidades *f/pl.*, pena *f*, tormento *m*; tribulaciones *f/pl.*; (*Widerwärtigkeiten*) vicisitudes *f/pl.*, contrariedades *f/pl.*, *fig.* calvario *m*; peripecias *f/pl.*; (*Schikane*) vejación *f*.

drangsa'lieren (-) *v/i.* vejar; (*quälen*) atormentar; (*belästigen*) molestar, importunar, F incordiar; (*plagen*) acosar, atosigar.

drä'nier|en (-) *v/t.* avenar; encañar, *gal.* drenar; **2ung** *f* avenamiento *m*; ⚕ drenaje *m*.

Drape'rie *f* colgaduras *f/pl.*; cortinajes *m/pl.*

dra'pier|en (-) *v/t.* adornar, engalanar; (*verkleiden*) vestir; *Falten*: plegar artísticamente; **2ung** *f* (*Gewänder*) ropaje *m*; paños *m/pl.*

Drä'sine *f* → *Draisine*.

'drastisch *adj.* enérgico; (*wirksam*) eficaz; ⚕ drástico; ~*er Ausdruck* expresión gráfica; expresión enérgica *od.* rotunda.

'drauf F **I.** *adv.* → *darauf*; **II.** *int.* ¡duro!, ¡de firme!; ¡a ellos!, P ¡a por ellos!; (*schlag zu*) ¡leña!, P ¡zúmbale!, ¡caliéntale!; **2gänger** *m* hombre *m* impetuoso *od.* vehemente; F tipo *m* de rompe y rasga; (*Wagehals*) hombre *m* temerario, valiente, arrojado; F bragado; *in der Liebe*: tenorio *m*; **~gängerisch** *adj.* emprendedor; atrevido; arrojado, osado; esforzado, resuelto, animoso; **2gängertum** *m* (-*s*; *0*) impetuosidad *f*, vehemencia *f*; arrojo *m*; **~gehen** (*L*) F *v/i.* consumirse, gastarse; (*verlorengehen*) perderse; (*Geld*) esfumarse, volar; (*kaputtgehen*) arruinarse; P (*sterben*) P hincar el pico *m*; □ diñarla.

'Draufgeld *n* (-*ẹs*; -*er*) arras *f/pl.*, señal *f*.

drauf'los|arbeiten (-*e*-) *v/i.* trabajar a más no poder; **~gehen** (*L*; *sn*) *v/i.* ir derecho a; **~reden** (-*e*-) *v/i.* hablar a tontas y a locas; **~schlagen** *v/i.* (*L*) repartir palos *m/pl.* a ciegas; **~wirtschaften** (-*e*-) *v/i.* derrochar.

'draußen *adv.* afuera, fuera; (*im Freien*) al aire libre; (*in der Fremde*) en el extranjero; *da* ~ allá fuera; ~ *auf dem Lande* en el campo; ~ *in der Welt* por el mundo.

'Drechsel|bank *f* (-; ⸚*e*) torno *m*; **2n** (-*le*) *v/t.* tornear; *fig.* elaborar *od.* formar complicadamente; (*gedrechselt sprechen*) hablar rebuscadamente.

'Drechsler *m* tornero *m*.

'Dreck P *m* (-*ẹs*; *0*) (*Schmutz*) suciedad *f*; porquería *f*, inmundicia *f*; (*Schlamm*) lodo *m*, fango *m*, cieno *m*; (*Kehricht*) basura *f*; (*Kot*) V mierda *f*; (*Mist*) estiércol *m*; *fig.* (*Kleinigkeit*) bagatela *f*, fruslería *f*; (*Plunder*) trastos *m/pl.*, morralla *f*; *in den* ~ *ziehen* arrastrar por el fango; P *er kümmert sich um jeden* ~ F mete las narices en todo; P *er kümmert sich e-n* ~ *darum* todo eso le tiene sin cuidado (*od.* F le importa un rábano); P *das geht dich e-n* ~ *an!* ¡a ti qué te importa!; P *du verstehst e-n* ~ *davon* F no entiendes ni jota de eso; P *er hat Geld wie* ~ F está podrido de rico; *da sitzen wir schön im* ~*!* ¡nos hemos lucido!; ¡en buena nos hemos metido!; **~fink** *m* (-*s*; -*en*) puerco *m*, F guarro *m*, gorrino *m*; **2ig** *adj.* sucio (*a. fig.*); inmundo; puerco; (*eklig*) asqueroso; (*unanständig*) indecente; P *es geht ihm* ~ le va muy mal, F las está pasando negras; **~skerl** P *m* (-*s*; -*e*) *fig.* cerdo *m*, cochino *m*; mal sujeto *m*; **~spatz** *m* (-*es od.* -*en*; -*en*) F → *Dreckfink*.

Dreh F *m* (-*ẹs*; -*e*) (*Trick*) truco *m*, maña *f*; *den rechten* ~ *finden* F arreglárselas para lograr a/c.; dar con el truco para a/c.

'Dreh...: **~achse** *f* eje *m* de rotación; **~arbeiten** *f/pl.* trabajos *m/pl.* de rodaje; **~automat** *m* (-*en*) torno *m* automático; **~bank** *f* (-; ⸚*e*) torno *m*; **2bar** *adj.* giratorio, rotatorio; **~beanspruchung** ⊕ *f* esfuerzo *m* de torsión; **~beginn** *m* (-*s*; *0*) *Film*: comienzo *m* del rodaje; **~bewegung** *f* movimiento *m* giratorio, rotación *f*; **~bleistift** *m* (-*ẹs*; -*e*) lápiz *m* portaminas; **~bohrer** *m* taladro *m* rotatorio; **~brücke** *f* puente *m* giratorio; **~buch** *n* (-*ẹs*; ⸚*er*) *Film*: guión *m*; **~buchverfasser** *m* guionista *m*; **~bühne** *Thea. f* escenario *m* giratorio.

'drehen *v/t. u. v/i.* girar (*a.* ⊕); *Scheibe*: (hacer) girar; *Kurbel, Winde*: dar vueltas a; *Zigarette*: liar; (*zwirnen*) torcer, hilar; *Strick*: trenzar; (*drechseln*) tornear; *Film*: rodar; *Drehorgel*: tocar; (*wenden*) volver; *Wind*: cambiar, variar; *Schiff*: virar; *sich* ~ (*Mechanik*) rodar; moverse *od.* dar vueltas (*um* alrededor de); *um e-e Achse*: girar (sobre); *um e-n Mittelpunkt*: girar alrededor de *od.* en torno a; *sich um*~ volverse; *sich* ~ *und winden* retorcerse; *fig.* resistirse a.

'Dreh...: **~er** *m* ⊕ tornero *m*; **~feld** ⚡ *n* (-*ẹs*; -*er*) campo *m* rotatorio; **~gelenk** ⊕ *n* (-*ẹs*; -*e*) articulación *f* giratoria; **~geschwindigkeit** *f* velocidad *f* de rotación; **~griff** *m* (-*ẹs*; -*e*) *Motorrad*: empuñadura *f* giratoria; **~knopf** *m* (-*ẹs*; ⸚*e*) botón *m* giratorio; botón *m* de control; **~kondensator** *m* (-*s*; -*en*) condensador *m* variable; **~kraft** *f* (*0*) fuerza *f* de torsión *bzw.* de rotación; **~kran** *m* (-*ẹs*; ⸚*e*) grúa *f* giratoria; **~krankheit** *Vet. f* (*0*) modorra *f*; **~kreuz** *n* (-*es*; -*e*) torniquete *m*; ⊕ (*Handgriff*) manivela *f* en cruz; ~-

orgel *f* (-; -*n*) organillo *m*; **~punkt** *m* (-*es*; -*e*) ⊕ centro *m* de rotación; *fig.* centro *m*; **~scheibe** *f* placa *f* giratoria; *Töpferei*: torno *m* de alfarero; *Tele.* disco *m* giratorio; **~schranke** *f* barrera *f* giratoria; **~strom** ⚡ *m* (-*es*; *0*) corriente *f* trifásica; **~strommotor** *m* (-*s*; -*en*) motor *m* trifásico; **~stuhl** *m* (-*es*; ¨*e*) sillón *m* giratorio; **~teil** ⊕ *n* (-*es*; -*e*) pieza *f* torneada; (*drehbares Teil*) parte *f* giraroria; **~tisch** *m* (-*es*; -*e*) ⊕ mesa *f* giratoria; *Opt.* (*Mikroskop*) portaobjetos *m*; **~tür** *f* puerta *f* giratoria **~turm** ⚓, ⚔ *m* (-*es*; ¨*e*) torre *f* giratoria; **~ung** *f* vuelta *f*; *im Kreise*: *a.* giro *m*; *um e-e Achse*: rotación *f*; *um e-n Körper*: revolución *f*; (*Verbindung*) torsión *f*; **~wähler** *m* selector *m* giratorio; **~zahl** *Auto.* *f* número *m* de revoluciones (por minuto) (*Abk.* r.p.m.); **~zahlbereich** *m* (-*es*; -*e*) límite *m* del número de revoluciones; **~zahlmesser** *m* contador *m* de revoluciones; **~zahlregler** *m* regulador *m* del número de revoluciones.

drei *f* tres *m*; ~ *Uhr* las tres; ~*viertelzehn* las diez menos cuarto; *halb* ~ las dos y media; *sie waren ihrer* ~ eran (*od.* había) tres de ellos; *ehe man bis* ~ *zählen konnte* en un santiamén, en un abrir y cerrar de ojos; *er kann nicht bis* ~ *zählen* no sabe dónde tiene la mana derecha; *er sieht aus, als ob er nicht bis* ~ *zählen könnte* F parece una mosquita muerta; *aller guten Dinge sind* ~ F a la tercera va la vencida.

ˈ**drei...**: **2achser** *Auto.* *m* coche *m* de tres ejes *od.* de seis ruedas; **2ˈachteltakt** ♪ *m* (-*es*; -*e*) compás *m* de tres por ocho; **2akter** *Thea.* *m* pieza *f* en tres actos; **~armig** *adj.* de tres brazos; **~bändig** *adj.* en tres tomos; **~basisch** ⚗ *adj.* tribásico; **2bein** *n* trípode *m*; **~beinig** *adj.* con tres pies; **2blatt** ⚘ *n* *Klee*: trébol *m*; **~blätterig** ⚘ *adj.* tripétalo; de tres hojas; **2bund** *Pol.* *m* (-*es*; *0*) Triple Alianza *f*; **2decker** *m* ⚓ navío *m* de tres puentes; ✈ triplano *m*; **~dimensional** *adj.* tridimensional; *Klang*: estereofónico; **~drähtig** *adj.* trifilar; **2eck** *n* triángulo *m*; (*Riß*) F siete *m*; **2eckgeschäft** ⚕ *n* (-*es*; -*e*) transacción *f* triangular; **~eckig** *adj.* triangular; **2eckschaltung** ⚡ *f* conexión *f* en delta; **~ˈeinig** *adj.* uno y trino; **2ˈeinigkeit** *Rel.* *f* (*0*) Trinidad *f*; **~erlei** *adj.* de tres clases; *auf* ~ *Art* de tres maneras diferentes; **~fach** *adj.* triple, tres veces mayor; *in* ~*er Ausfertigung* por triplicado; **2fachschnur** ⚡ *f* (-; ¨*e*) cordón *m* triple; **2fachstecker** ⚡ *m* enchufe *m* de tres espigas; **2ˈfadenlampe** *f* lámpara *f* de tres filamentos; **2ˈfaltigkeit** *Rel.* *f* (*0*) Trinidad *f*; **2ˈfarbendruck** *m* (-*es*; -*e*) tricromía *f*; **2ˈfarbenphotographie** *f* fotografía *f* tricrómica; **~farbig** *adj.* tricolor, de *od.* en tres colores; **2fuß** *m* (-*es*; ¨*e*) trípode *m*; **~füßig** *adj.* de tres pies; **2gangsgetriebe** *n* engranaje *m* de tres velocidades; **~gängig** ⊕ *adj.* *Gewinde*: de triple rosca; **2gespann** *n* (-*es*; -*e*) triga *f*; tronco *m* de tres caballos; *fig.* trío *m*; **2gestirn** *n* (-*es*; -*e*) triunvirato *m*; **~gestrichen** ♪ *adj.*: ~*e Note* fusa *f*; **2gitterröhre** *f* *Radio*: péntodo *m*; **~glied(e)rig** *adj.* trino, ternario; ⅍ ~*e Größe* trinomio *m*; **~hundert** *adj.* trescientos; **2hundert** *f* (*Zahl*) número *m* trescientos; **~hundertjährig** *adj.* tricentenario; **~hundertste** *adj.*, **2hundertstel** *n* tricentésimo *m*; **~jährig** *adj.* de tres años; **~jährlich I.** *adj.* trienal; **II.** *adv.* cada tres años; **~kantig** *adj.* triangular; *Opt.* prismático; **2ˈkäsehoch** F *m* (-*s*; -*s*) chicuelo *m*, *fig.* tapón *m*; **2klang** ♪ *m* (-*es*; ¨*e*) trítono *m*; **2ˈkönigsfest** *n* (-*es*; *0*) Epifanía *f*, día *m* de Reyes; **2ˈmächteabkommen** *Pol.* *n* pacto *m* tripartito; **~mal** *adv.* tres veces; **~malig** *adj.* triple; *sein* ~*er Versuch* sus tres intentos; **2master** *m* ⚓ navío *m* de tres palos; (*Hut*) sombrero *m* de tres picos, tricornio *m*; **2ˈmeilenzone** ⚓, ⚖ *f* límite *m* fronterizo de tres millas; **~monatig** *adj.* de tres meses; **~monatlich I.** *adj.* trimestral; **II.** *adv.* cada tres meses, trimestralmente; **~motorig** *adj.* trimotor.

drein → *darein.*

ˈ**drei...**: **~phasig** ⚡ *adj.* trifásico; **~polig** *adj.* tripolar; de tres polos; **~prozentig** ⚕ *adj.* al tres por ciento; **2rad** *n* (-*es*; ¨*er*) triciclo *m*; **2radwagen** *Auto.* *m* furgoneta *f* de tres ruedas; **~reihig** *adj.* en *od.* de tres filas; **2röhrenempfänger** *m* *Radio*: receptor *m* de tres válvulas; **2ruderer** *m* trirreme *f*; **2satz** ⅍ *m* (-*es*; ¨*e*) regla *f* de tres; **~säurig** ⚗ *adj.* triácido; **~schichtig** *adj.* de tres capas; *Glas*: triplex; **~seitig** *adj.* de tres lados *od.* caras; ⅍ trilátero; *Opt.* prismático; **~silbig** *adj.* trisílabo; **~sitzig** *adj.*, (**2sitzer** *m*) (coche *m*) de tres plazas; **~spaltig** *adj.* de (*od.* en) tres columnas; **2spänner** *m* → *Dreigespann*; **~spännig** *adj.* con (un tronco de) tres caballos; **~sprachig** *adj.* en tres idiomas, trilingüe; **2sprung** *m* (-*es*; ¨*e*) *Sport*: triple salto *m*.

ˈ**dreißig** *adj.* treinta; *im Alter von* ~ *Jahren* a los treinta años de edad; **2** *f* (número *m*) treinta *m*; **~er** *adj.*: *in den* 2*n sein* (*Alter*) haber pasado los treinta años; *in den* ~ *Jahren* (*Zeit*) por los años treinta; **2er(in** *f*) *m* hombre *m* (mujer *f*) de treinta años *od.* de treinta y tantos años; **~jährig** *adj.* de treinta años; *der* 2*e Krieg* *Hist.* la Guerra de los Treinta Años; **~ste** *adj.* trigésimo; **2stel** *n* trigésima parte *f*; trigésimo *m*.

dreist *adj.* audaz, osado; atrevido; (*frech*) insolente, impertinente; desvergonzado, descarado; F sinvergüenza; *greifen Sie nur* ~ *zu!* sírvase sin cumplidos.

ˈ**dreistellig** *adj.*: ~*e Zahl* número de tres cifras.

ˈ**Dreistigkeit** *f* audacia *f*, osadía *f*; atrevimiento *m*; (*Frechheit*) insolencia *f*, impertinencia *f*; descaro *m*, desfachatez *f*; *die* ~ *haben zu inf.* tener el atrevimiento *bzw.* descaro de *inf.*

ˈ**drei...**: **~stimmig** ♪ *adj.* de (*adv.* a) tres voces; **~stöckig** *adj.* de tres pisos; **~stufig** *adj.* de tres escalones *od.* grados; *Motor*: de tres velocidades; **~stündig** *adj.* de tres horas; **~tägig** *adj.* de tres días; **~teilig** *adj.* tripartito, dividido en tres partes; (*Schrank*) de tres cuerpos; (*Anzug*) terno *m*; **~viertel** *adj.* tres cuartas partes, tres cuartos; **2ˈvierteltakt** ♪ *m* (-*es*; -*e*) compás *m* de tres por cuatro; **2zack** *m* (-*es*; -*e*) tridente *m*; **~zehn** *adj.* trece; **~zehnte** *adj.* décimo tercero; **~zehntel** *adj.* treceavo; **2zylindermotor** *m* (-*s*; -*en*) motor *m* de tres cilindros.

Drell *m* (-*s*; -*e*) → *Drillich.*

ˈ**Dresch|e** F *f* (*0*) paliza *f*, tunda *f*; **2en** (*L*) *v/t.* trillar; (*prügeln*) apalear; → *Phrase, Stroh*; **~er** *m* trillador *m*; **~flegel** *m* trillo *m*; **~maschine** *f* máquina *f* trilladora; **~tenne** *f* era *f*.

Dres's|eur *m* (-*s*; -*e*) adiestrador *m*; (*Bändiger*) domador *m*; **2ieren** (-) *v/t.* adiestrar, amaestrar; (*zureiten*) *a.* domar; ⊕ acabar; **~ur** *f* adiestramiento *m*, amaestramiento *m*; (*Pferde*) doma *f*.

ˈ**dribb|eln** (-*le*) *v/t.* *Fußball*: regatear; **2ling** *n* (-*s*; *0*) regate *m*.

Drill ⚔ *m* (-*s*; *0*) ejercicio *m* intensivo.

ˈ**Drillbohrer** *m* broca *f* helicoidal.

ˈ**drillen** *v/t.* ⚔ instruir, ejercitar intensivamente; *fig.* F hacer sudar tinta; vejar; (*schulen*) instruir, adiestrar; ⊕ (*verdrehen*) hacer girar rápidamente; (*Faden*) torcer; (*bohren*) barrenar.

ˈ**Drillich** *m* (-*es*; -*e*) dril *m*; terliz *m*, *Am.* brin *m*; **~anzug** *m* (-*es*; ¨*e*) traje *m* de faena; **~zeug** ⚔ *n* (-*es*; *0*) ropas *f/pl.* de faena.

ˈ**Drilling** *m* (-*s*; -*e*) (*Kind*) trillizo *m*; *Jgdw.* escopeta *f* de tres cañones.

ˈ**Drillmaschine** ⚒ *f* máquina *f* para sembrar en hileras.

drin → *darin.*

ˈ**dringen** (*L*; *sn*) *v/i.* *durch et.*: atravesar, pasar a través de; penetrar por; abrirse paso por, forzar el paso; *fig.* *es dringt mir durchs Herz* me traspasa el corazón, me parte el alma; *aus et.*: salir de, escaparse de; *Geräusch*: venir de; *in et.*: irrumpir en; penetrar en; internarse en; (*ein*~) penetrar por la fuerza, forzar la entrada en, abrirse camino; *fig.* profundizar en; *in die Öffentlichkeit* ~ trascender al público, difundirse; *in j-n* ~ pedir a alg. a/c. con urgencia; apremiar a alg.; (*bittend*) instar a alg.; *bis zu et.* ~ llegar (*od.* penetrar, avanzar) hasta; *zum Herzen* ~ llegar al corazón de alg.; ~ *auf* (*ac.*) insistir en; exigir; urgir; → *gedrungen*; **~d I.** *adj.* urgente; apremiante; *Gefahr*: inminente; *Verdacht*: fundado, vehemente; (*Notwendigkeit*) imperioso, apremiante; (*Termin*) perentorio; ~*e Bitte* instancia, ruego encarecido; ~*es Gespräch Tele.* conferencia urgente; **II.** *adv.* urgentemente, con urgencia; ~ *notwendig* absolutamente necesario; ~ *verdächtig* altamente sospechoso; ~ *abraten* advertir *od.* prevenir seriamente contra; disuadir formalmente; ~ *bitten* rogar encarecidamente; solicitar con empeño; ~ *brauchen* necesitar con urgencia.

'**dringlich** *adj.* urgente; apremiante; perentorio; 2**keit** *f* urgencia *f*; apremio *m*; perentoriedad *f*; (*Vor*2) prioridad *f*.

'**Dringlichkeits...:** ~**antrag** *m* (-*es*; ⸚*e*) *Parl.* moción *f* de urgencia; ~**fall** *m* (-*es*; ⸚*e*) caso *m* de especial urgencia; ~**liste** *f* lista *f* por orden de prioridad.

'**drinnen** *adv.* (por *od.* allá) dentro, adentro; en el interior.

'**dritt** *adj.*: *zu* ~ de a tres; entre los tres; *wir waren zu* ~ éramos tres; ~**e** *adj.* tercer(o); *der* ~ *Juni* el tres de junio; *Ferdinand III.* (*der* 2) Fernando III (Tercero); *aus* ~*r Hand* de tercera mano; *in der* ~*n Person Gr.* en (la) tercera persona; *der* ~*e Stand* el tercer estado; 2**e(r)** *m* tercero *m*; *unbeschadet der Rechte* ~*r* sin perjuicio de tercero; 2**el** *n* tercio *m*, tercera parte *f*; *zwei* ~ dos tercios; ~**eln** (-*le*) *v/t.* dividir en tres partes *f/pl.*; ~**ens** *adv.* tercero, en tercer lugar; ~**letzt** *adj.* antepenúltimo.

'**droben** *adv.* arriba; encima; *da* ~ allá arriba; (*im Himmel*) en el cielo.

'**Droge** *f* droga *f*; ~**nhandlung** *f*, ~'**rie** *f* droguería *f*.

Droge'riewaren *f/pl.* artículos *m/pl.* de droguería.

Dro'gist [-oˑ'g-] *m* (-*en*) droguero *m*.

'**Drohbrief** *m* (-*es*; -*e*) carta *f* conminatoria; carta amenazadora.

'**drohen** *v/i.* amenazar (*ac.*); *mit Krieg* ~ amenazar con la guerra; (*bedrohlich bevorstehen*) amenazar, ser inminente; amagar; cernerse sobre; *es droht zu regnen* amenaza lluvia; *das Haus droht einzustürzen* la casa amenaza ruina; *er weiß noch nicht, was ihm droht* todavía no sabe lo que le aguarda; ~**d** *adj.* amenazador; (*bevorstehend*) inminente; alarmante.

'**Drohne** *f* abejorro *m*; zángano *m*; *fig.* zángano *m*, holgazán *m*.

'**dröhnen** *v/i. Donner, Geschütz*: retumbar; *Schritte*: resonar; (*brummen*) zumbar; (*erzittern*) retemblar, estremecerse, trepidar, sacudir; *mir dröhnt der Kopf* me zumban los oídos; 2 *n* (*Donner*) estampido *m*; (*Sturm*) bramido *m*; (*Schlacht*) fragor *m*, estruendo *m*; (*Motor*) zumbido *m*; (*Widerhall*) resonancia *f*.

'**Drohung** *f* amenaza *f*; conminación *f*; (*Einschüchterung*) intimidación *f*; *leere* ~ amenaza jactanciosa, F ronca *f*, bravata *f*.

'**drollig** *adj.* gracioso, donoso; chistoso, jocoso, chusco; *Kind*: mono; 2**keit** *f* gracia *f*, donosura *f*; jocosidad *f*.

Drome'dar *n* (-*s*; -*e*) dromedario *m*.

drosch *pret. von dreschen.*

'**Droschke** *f* coche *m* de punto; (*in Madrid*: simón *m*; manuela *f*); *Auto.* taxi *m*; ~**ngaul** *m* (-*es*; ⸚*e*) jamelgo *m*, F penco *m*; ~**nhalteplatz** *m* (-*es*; ⸚*e*) punto *m*, parada *f* de coches; (*von Taxis*) parada *f* de taxis; ~**nkutscher** *m* cochero *m* de punto.

'**Drossel** *f Orn.* (-; -*n*) tordo *m*; mirlo *m*; ⚡ bobina *f* de reacción; ~**ader** *Anat. f* (-; -*n*) vena *f* yugular; ~**klappe** *f* válvula *f* de mariposa (*od.* de estrangulación); 2**n** (-*le*) *v/t.* estrangular, ocluir; *fig.* reducir; ~**spule** ⚡ *f* bobina *f* de reactancia; ~**ung** *f* estrangulación *f*; ~**ventil** *n* (-*es*; -*e*) → *Drosselklappe*.

'**drüben** *adv.* al otro lado; más allá.

'**drüber** → *darüber*.

'**Druck** *m* (-*es*; *0*) **1.** presión *f* (*a.* ⊕, ⚕ *u. fig.*); *der Hand*: apretón *m*; (*Zusammendrückung*) compresión *f*; (*Niederdrückung*) depresión *f*; (*Last*) peso *m*; *atmosphärischer* ~ presión atmosférica; ~ *und Gegendruck* presión y contrapresión, acción y reacción; *Dampf unter* ~ vapor bajo presión; *fig.* (*Drang, Zwang*) presión *f*; (*Bedrückung*) opresión *f*; (*Bürde*) carga *f*, peso *m*; (*Alp*2) pesadilla *f*; ~ *ausüben auf* ejercer presión sobre; F *im* ~ *sein* estar en un aprieto (*od.* en apuros); **2.** (*pl.* -*e*) *Typ.* impresión *f*; (*Gedrucktes*, ~*art*) imprenta *f*; (*Bild*) estampa *f*; (*Ab*2) copia *f*; (*Auflage*) edición *f*; *im* ~ *erscheinen* ser publicado; *im* ~ *sein* estar en prensa; *in* ~ *geben* dar a la estampa; mandar publicar; ~ *und Verlag von* Imprenta y Editorial de; ~**abfall** ⊕ *m* (-*es*; *0*) descenso *m* de la presión; ~**beanspruchung** *f* esfuerzo *m* de presión; ~**bogen** *Typ. m* pliego *m* de imprenta; (*Korrekturbogen*) galerada *f*, prueba *f* de imprenta; ~**buchstabe** *m* (-*n*) tipo *m* de imprenta, letra *f* de molde; *in* ~*n schreiben* escribir en letras de molde.

'**Drückeberger** F *m bei der Arbeit*: F candongo *m*, zanguango *m*; ⚔ *fig.* emboscado *m*; (*Simulant*) simulador *m*.

'**Druck...:** ~**elektrizität** *f* (*0*) piezoelectricidad *f*; ~**empfindlichkeit** ⚕ *f* (*0*) sensibilidad *f* a la presión.

'**drucken** *v/t. Typ.* imprimir; (*wieder*~) reimprimir; (*herausgeben*) publicar; editar; ⊕ estampar; *er lügt wie gedruckt* miente más que habla.

'**drücken 1.** *v/t.* apretar; *Taste*: oprimir; *j-m die Hand* ~ estrechar a alg. la mano; (*schieben*) empujar; *j-m et.* (*heimlich*) *in die Hand* ~ poner (deslizar) en la mano de alg. a/c.; *j-n an sich* ~ estrechar en los brazos a alg.; *fig.* (*nieder*~) oprimir, deprimir; agobiar, abrumar; *Schuh*: apretar; *Preise*: hacer bajar; *Rekord*: superar, batir; **2.** *v/refl.*: F *sich* ~ (*fortstehlen*) escabullirse, evadirse, F escurrir el bulto, *fig.* evaporarse; *sich* ~ (*beim Zahlen*) F hacerse el distraido (*od.* el sueco); *sich vor e-r Pflicht* ~ rehuir (substraerse a) una obligación; *sich um e-e Antwort* ~ eludir la respuesta; *sich um e-e Verpflichtung* ~ eludir (zafarse de) un compromiso; ⚔ *sich* ~ *fig.* emboscarse; (*simulieren*) simular una enfermedad; **3.** *v/i.* ~ *auf* (*ac.*) oprimir (*a. fig.*), apretar; *auf den Knopf* ~ apretar (oprimir, pulsar) el botón; ~ *auf* (*ac.*) pesar sobre (*a. fig.*); → *gedrückt*; 2 *n* → *Druck*; ~**d** *adj.* abrumador, agobiador; *Hitze*: sofocante; ~*e Last fig.* carga onerosa *od.* gravosa.

'**Drucker** *Typ. m* impresor *m*; tipógrafo *m*.

'**Drücker** *m Türklinke*: picaporte *m*; pestillo *m*; *am Gewehr*: gatillo *m*; ⊕ trinquete *m*; (*Druckknopf*) botón *m*, pulsador *m*.

'**Druckerarbeit** *f* trabajo *m* de imprenta; impresión *f*.

Drucke'rei *f* imprenta *f*, tipografía *f*; taller *m* tipográfico; (*Textil*2) estampación *f*, estampado *m*.

'**Druck-erlaubnis** *f* (-; *0*) autorización *f* para imprimir; licencia *f*; (*seitens der Kirche*) imprimátur *m*.

'**Drucker...:** ~**presse** *f* prensa *f*; rotativa *f*; ~**schwärze** *f* (*0*) tinta *f* de imprenta *od.* tipográfica; ~**zeichen** *n* pie *m* de imprenta.

'**Druck...:** ~**fahne** *Typ. f* galerada *f*; ~**farbe** *f* tinta *f* de imprenta; (*Textilindustrie*) colorante *m* para estampados; ~**fehler** *m* errata *f* de imprenta; ~**fehlerverzeichnis** *n* (-*ses*; -*se*) fe *f* de erratas; 2**fertig** *adj.* despachado para ser impreso; ~**festigkeit** ⊕ *f* (*0*) resistencia *f* a la (com)presión; ~**gefälle** *n* caída *f* de presión; ~**kabine** *f* cabina *f* con aire a presión; ~**knopf** *m* (-*es*; ⸚*e*) ⊕ botón *m* (de contacto); pulsador *m*; *am Kleid*: botón *m* automático, botón *m* de presión; ~**knopfanlasser** *m Auto.* botón *m* de arranque, botón *m* de puesta en marcha; ~**kosten** *pl.* gastos *m/pl.* de impresión; ~**legung** *Typ. f* impresión *f*; ~**leitung** ⊕ *f* tubería *f* de presión; ~**luft** *f* (*0*) aire *m* comprimido; ~**luftbremse** *f* freno *m* de aire comprimido; ~**maschine** *Typ. f* máquina *f* tipográfica (*od.* de imprimir); ~**messer** ⊕ *m* manómetro *m*; ~**ort** *m* (-*es*; -*e*) lugar *m* de impresión; pie *m* de imprenta; ~**papier** *n* (-*s*; -*e*) papel *m* de imprenta; ~**platte** *f* estereotipo *m*; ~**posten** F *m* puesto *m* de fácil trabajo *bzw.* ⚔ de poco peligro; F enchufe *m*; ~**probe** *f Typ.* prueba *f* de imprenta; ⊕ prueba *f* de (com)presión; ~**pumpe** *f* bomba *f* impelente; ~**punkt** *m* (-*es*; -*e*) ⊕ punto *m* de presión; 2**reif** *adj.* despachado (*fig.* maduro) para ser impreso; ~**sache** *f* impresos *m/pl.*; ~**schraube** ⊕ *f* tornillo *m* de presión; ~**schrift** *f* letra *f* de molde; (*Veröffentlichung*) folleto *m*, impreso *m*; publicación *f*; ~**seite** *f* página *f* impresa; *Typ.* plana *f*; 2**sen** (-*t*) F *v/i.* titubear; (*trödeln*) remolonear; ~**stock** *Typ. m* (-*es*; ⸚*e*) clisé *m*, plancha *f*; ~**taste** *f* tecla *f*; ~**telegraph** *m* (-*en*) teleimpresor *m*; ~**ventil** *n* (-*es*; -*e*) válvula *f* de presión; ~**verband** ⚕ *m* (-*es*; ⸚*e*) vendaje *m* compresivo; ~**verfahren** *n* procedimiento *m* tipográfico; ~**walze** *f Typ.* rodillo *m* de imprenta; ⚒ rodillo *m* compresor; ~**zylinder** *Typ. m* rodillo *m* (*od.* cilindro *m*) impresor; ⊕ cilindro *m* compresor.

'**Drudenfuß** *m* (-*es*; ⸚*e*) pentagrama *m*, estrella *f* de cinco puntas.

'**drum** *adv.* → *darum*; *das* 2 *und Dran* todo lo correspondiente *od.* complementario a a/c.; *mit allem* 2 *und Dran* con todos los accesorios; F con todos los requilorios; F con todos sus pelos y señales.

'**drunten** *adv.* abajo; *da* ~ allá abajo.

'**drunter und** '**drüber** *adv.*: *alles ging* ~ allí no había orden ni concierto; F todo andaba manga por hombro; aquello era un lío.

'Druse *f Min.* drusa *f*; *Vet.* muermo *m*.

'Drüse *Anat. f* glándula *f*; ganglio *m*; ⚕ *an den* ~*n leiden* padecer adenitis; ser escrofuloso; ~*n mit innerer Sekretion* glándulas endocrinas *od.* de secreción interna; ~*n mit äußerer Sekretion* glándulas de secreción externa.

'Drüsen...: ~entzündung ⚕ *f* adenitis *f*; **~krankheit** ⚕ *f* adenopatía *f*; **~tuberkulose** ⚕ *f (0)* tuberculosis *f* ganglionar.

'drüsig *adj.* glandular.

'Dryade *Myt. f* dríade *f od.* dría (-da) *f*.

'Dschungel *m* selva *f* virgen, jungla *f*.

'Dschunke *f* junco *m*.

du *pron.* tú; *Arg.* P vos; *auf* ~ *und* ~ *stehen* tutearse, tener íntima amistad; *j-n mit* ~ *anreden* tutear (*od.* tratar de tú) a alg.

Dua'lismus [-a·'l-] *m (-s; 0)* dualismo *m*.

'Dübel ⊕ *m* espiga *f*; tarugo *m*, taco *m*.

Du'blette *f* duplicado *m*; *Gr.* doblete *m*.

'ducken *v/t. den Kopf*: bajar; inclinar; (*demütigen*) humillar; *fig.* F *j-n* ~ bajar los humos a alg.; *sich* ~ agacharse; encogerse; agazaparse, acurrucarse; (*ausweichend*) F escurrir el bulto, hurtar el hombro; *fig.* doblegarse, F achantar(se).

'Duckmäuser *m* F mosquita *m* muerta, mátalas callando *m*; (*Scheinheiliger*) hipócrita *m*; mojigato *m*; **2ig** *adj.* hipócrita; gazmoño, mojigato.

Dude'lei *f* música *f* ratonera.

'dudeln *(-le) v/i.* tocar desafinadamente; F cencerrear; *auf Dudelsack*: tocar la gaita.

'Dudelsack ♪ *m (-s; ⸚e)* gaita *f*, cornamusa *f*; *auf dem* ~ *spielen* tocar la gaita; **~pfeifer** *m* gaitero *m*.

Du'ell [du·'ɛl] *n (-s; -e)* duelo *m*, lance *m* de honor; ~ *auf Pistolen* duelo a pistola.

Duel|'lant [-ɛ'la-] *m (-en)* duelista *m*; **2'lieren** [-ɛ'li:-] (-) *v/refl.* batirse en duelo *m*.

Du'ett [du·'ɛt] ♪ *n (-es; -e)* dúo *m*.

'Duft *m (-es; ⸚e)* (*Dunst*) exhalación *f*; (*Wohlgeruch*) aroma *m*, fragancia *f*, perfume *m*; **2en** *(-e-) v/i.* despedir *od.* exhalar un aroma; oler bien, tener buen olor *od.* aroma; dar olor; embalsamar, perfumar (*el aire*); ~ *nach* oler a; **2end** *adj.* fragante, aromático; perfumado; oloroso, de buen olor; **2ig** *adj.* vaporoso; (*leicht, zart*) delicado; primoroso; (*wohlriechend*) → *duftend*; **2los** *adj.* inodoro, sin olor; **~stoff** *m (-es; -e)* su(b)stancia *f* aromática.

Du'katen *m* ducado *m*; **~gold** *n (-es; 0)* oro *m* fino.

'duld|en *(-e-) v/t.* sufrir; (*ertragen*) aguantar, soportar; conllevar; (*zulassen, hinnehmen*) tolerar, permitir, consentir, *stillschweigend*: disimular, F hacer la vista gorda; *die Sache duldet keinen Aufschub* el asunto no admite demora; *ich dulde nicht, daß* no tolero (*od.* permito, consiento) que; **2er(in** *f*) *m* sufridor(a *f*) *m*; *Rel.* mártir *m/f*; **~sam** *adj.* tolerante (*gegen* hacia), indulgente (con); **2samkeit** *f (0)* tolerancia *f*; **2ung** *f* tolerancia *f*, consentimiento *m*; resignación *f*.

'dumm *adj.* tonto, *Am. a.* zonzo; (*blöde*) bobo, estúpido; mentecato, memo; (*einfältig*) ingenuo, simple; (*albern*) fatuo, necio, majadero; *fig.* F ganso *m*; (*ungeschickt*) torpe, lerdo; (*unwissend*) ignorante, estólido; (*ärgerlich*) desagradable, fastidioso, molesto; ~*er Junge* jovenzuelo, mozalbete; e-e ~*e Sache* un asunto desagradable; ~*er Streich* travesura, jugarreta, trastada; ~*es Zeug!* ¡qué tontería!; ~*es Zeug reden* decir disparates, hablar tonterías; *mir ist ganz* ~ *im Kopf* me dan mareos, la cabeza me da vueltas; F *für* ~ *verkaufen* tomar por tonto; *sich* ~ *stellen* hacerse el tonto; *er ist nicht so* ~ F no tiene pelo de tonto; *so* ~ *müßte ich sein!* ¿iba yo a ser tan tonto?; *das ist zu* ~*!* ¡es un fastidio!; *schließlich wurde es mir zu* ~ acabé por cansarme de todo ello; **2e(r)** *m* tonto *m*; *der* ~ *sein* quedarse con las ganas; ser el que acaba pagando (*od.* F haciendo el primo); *die* ~*n sterben nicht aus* los tontos nunca se acaban; **~dreist** *adj.* impertinente; descarado, insolente; **2heit** *f* tontería *f*; estupidez *f*; necedad *f*, majadería *f*; (*Unwissenheit*) ignorancia *f*; (*Unklugheit, a. Handlung*) imprudencia *f*; (*Torheit*) bobada *f*, simpleza *f*; (*Fehler*) torpeza *f*; F plancha *f*, coladura *f*; (*Taktlosigkeit*) indiscreción *f*, falta *f* de tacto; e-e ~ *begehen od. machen* cometer una tontería; (*Taktlosigkeit*) cometer una indiscreción, F meter la pata; ~*en treiben* hacer el payaso; **2kopf** *m (-es; ⸚e)* mentecato *m*; F zoquete *m*, *fig.* pedazo *m* de alcornoque; (*Narr*) imbécil *m*; tonto *m*, estúpido *m*; **~stolz** *adj.* tontivano.

dumpf *adj. Schall, Schmerz*: sordo; *Stimme*: bronco, ronco; ~*er Aufprall* un golpe sordo; *ein* ~*er Schrei* un grito ahogado; *Luft*: pesado, *im Zimmer*: enrarecido; *Wetter*: sofocante, bochornoso; (*muffig*) enmohecido; (*geistig niedergedrückt*) deprimido; apático; (*undeutlich*) indistinto, impreciso; vago; (*düster*) lóbrego, sombrío.

'dumpfig *adj.* (*feucht*) húmedo; (*muffig*) enmohecido; (*stickig*) sofocante; (*schwül*) bochornoso; (*nicht gelüftet*) cargado, sofocante, enrarecido; *dumpfiger Geruch* olor a cerrado.

'Düne *f* duna *f*; **~ngras** ⚘ *n (-es; ⸚er)* arenaria *f*.

Dung *m (-es; 0)* abono *m*; (*Mist*) estiércol *m*.

'Düngemittel ⚒ *n* abono *m*, fertilizante *m*.

'düngen *v/t.* abonar; (*mit Mist*) *a.* estercolar.

'Dünger *m* abono *m*; (*Mist*) estiércol *m*; *künstlicher* ~ abonos químicos.

'Dung...: ~erde *f* mantillo *m*, humus *m*; tierra *f* abonada; **~grube** *f* estercolero *m*.

'dunkel *adj. allg.* o(b)scuro; (*trüb*) turbio; (*düster*) sombrío; (*nebelhaft*) nebuloso; (*finster*) tenebroso, lóbrego; (*Teint*) moreno; *fig.* (*geheimnisvoll*) misterioso; enigmático; *Gefühl, Erinnerung*: vago; (*verworren*) confuso; ~ *machen* o(b)scurecer a/c.; ~ *werden* ponerse o(b)scuro; (*Tag*) empezar a o(b)scurecer; *Existenz*: sospechoso, dudoso; *Geschäft*: turbio; *das dunkle Mittelalter* la tenebrosa Edad Media; → *Punkt*; 2 *n* o(b)scuridad *f*; *fig. a.* tinieblas *f/pl.*, misterio *m*; *fig. j-n im* ~*n lassen* dejar a alg. en la incertidumbre; *fig. Sprung ins* ~ salto en las tinieblas; *im* ~*n tappen* andar a tientas, F dar palos al aire.

'Dünkel *m Anmaßung*: arrogancia *f*; *Eitelkeit*: presunción *f*, vanidad *f*; *Hochmut*: soberbia *f*.

'dunkel...: ~blau *adj.* azul o(b)scuro; **~braun** *adj.* castaño o(b)scuro.

'dünkelhaft *adj.* arrogante; presuntuoso, vanidoso; petulante.

'dunkel...: ~häutig *adj.* moreno, atezado; **2heit** *f* o(b)scuridad *f*; (*tiefe* ~) tinieblas *f/pl.*; (*Düsternis*) tenebrosidad *f*, lobreguez *f*; *bei anbrechender* ~ al anochecer; **2kammer** *Phot. f (-; -n)* cámara *f* o(b)scura; *Raum*: laboratorio *m* fotográfico; **2mann** *m (-es; ⸚er)* (*Feind der Aufklärung*) obscurantista *m*; (*dunkler Ehrenmann*) individuo *m* sospechoso; **~n** *(-le) v/i.* o(b)scurecer (-se); **~rot** *adj.* rojo o(b)scuro; **2schalter** ⚡ *m* interruptor *m* de resistencia progresiva.

'dünken *v/i.* parecer; *es dünkt mich* (*a. mir*), *daß* me parece que; *sich* ~ creerse, tenerse por; *er dünkt sich weise* se cree ser (*od.* se tiene por) muy sabio; *er dünkt sich was Besseres* tiene una elevada opinión de sí mismo; F se cree algo.

'dünn *adj. allg.* delgado; sutil; (*zart*) delicado, fino; (*schwach*) débil, poco consistente; *Licht*: tenue; *Regen, Staub*: menudo; *Anzug*: ligero; *Gewebe, Bart*: ralo; (*schlank*) esbelto; (*mager*) delgado; flaco; *Stimme*: débil; (*unzureichend*) escaso, exiguo; *Flüssigkeit*: flúido, (*verdünnt*) diluido, (*wässerig*) claro, acuoso; *Luft*: *Phys.* enrarecido; ~ *säen* sembrar ralo *od.* claro; ~ *bevölkert* de población muy escasa; ~ *werden* enflaquecer; adelgazar, *Haar*: clarear; F *sich* ~*e machen* marcharse disimuladamente, F evaporarse; **2bier** *n (-es; -e)* cerveza *f* floja; **2darm** *m (-es; ⸚e)* intestino *m* delgado; **2druckpapier** *n (-s; -e)* papel *m* biblia; **2e, 2heit** *f* delgadez *f*; sutileza *f*; tenuidad *f*; finura *f*; esbeltez *f*; flojedad *f*; raleza *f*; *Flüssigkeit*: fluidez *f*; *der Luft*: *Phys.* rarefacción *f*, enrarecimiento *m*; **~flüssig** *adj.* (muy) fluido; *Zement*: líquido; **~wandig** *adj.* de paredes delgadas.

Dunst *m (-es; ⸚e)* (*Ausdünstung*) vaho *m*, exhalación *f*; (*Dampf*) vapor *m*; (*Rauch*) humo *m*; (*Nebel*) neblina *f*, bruma *f*; *fig. j-m e-n blauen* ~ *vormachen* engañar, F hacer a alg. comulgar con ruedas de molino; *er hat keinen* (*blassen*) ~ *davon* no tiene ni la menor idea de ello.

'dünsten *(-e-)* **1.** *v/t.* cocer el vapor;

rehogar; **2.** *v/i.* vah(e)ar, echar vaho *m*; (*dampfen*) despedir vapor *m*.

Dunst|glocke *f*, **~haube** *f* campana *f* de humo *od.* vaho.

'dunstig *adj.* vaporoso; (*feucht*) húmedo; (*neblig*) neblinoso; → *dumpfig*.

'Dunstkreis *m* (*-es*; *-e*) atmósfera *f*; *fig.* ambiente *m*.

'Dunstschleier *m* velo *m* de niebla.

'Dünung ⚓ *f* mar *m/f* de fondo *od.* de leva; (*Ufer*2) resaca *f*.

Duo'dez *Typ. n* (*-es*; *0*): *in* ~ en dozavo; **~band** *m* (*-es*; *⸗e*) tomo *m* en dozavo; **~fürst** *m* (*-en*) principillo *m*, reyezuelo *m*.

Duodezi'malsystem *m* (*-es*; *0*) sistema *m* duodecimal.

dü'pieren (-) *v/t.* embaucar, engañar, engatusar.

Du'plik ⚖ *f* dúplica *f*; contrarréplica *f*.

Dupli'kat *n* (*-es*; *-e*) duplicado *m*; (*Kopie*) copia *f*.

Duplizi'tät *f* duplicidad *f*.

Dur ♪ *n* tono *m* mayor.

'Dur-alumin(ium) *n* (*-s*; *0*) duraluminio *m*.

durch I. *prp.* (*ac.*) por; (*quer* ~) a través de; ~ *ganz Spanien* a través de España; por toda España; (*mittels*) por, por medio de, mediante; (~ *Vermittlung von*) por mediación de; ~ *vieles inf.* a fuerza de *inf.*; → *wegen*; (*geteilt* ~) 𝔄 dividido por *od.* entre; (*Zeitdauer*) durante; *das ganze Jahr* ~ (durante) todo el año; *die ganze Nacht* ~ (durante) toda la noche; **II.** *adv.*: *es ist drei* (*Uhr*) ~ ya pasa de las tres; *hast du das Buch schon* ~? ¿has acabado ya el libro?; ~ *sein* haber pasado; (*in e-r Prüfung*) haber aprobado; *fig.* estar a salvo; ⚕ estar fuera de peligro; *Speise*: estar a punto; ~ *und* ~ de un extremo a otro, de parte a parte, F de cabo a rabo; (*ganz*) enteramente, completamente, por completo; *fig. Person*: F hasta los tuétanos; *ein Politiker* ~ *und* ~ un político de cuerpo entero; ~ *und* ~ *ein Ehrenmann* un perfecto caballero; ~ *und* ~ *naß* F calado hasta los huesos.

'durchackern (*-re*) *v/t.* ⚘ arar a fondo; F *fig.* hacer concienzudamente a/c.

'durcharbeiten (*-e-*) **1.** *v/t.* trabajar a fondo; (*geistig*) estudiar a fondo, hacer un estudio concienzudo; *den Körper*: ejercitar, entrenar; *Teig*: amasar; bregar; (*zu Ende führen*) completar, acabar; *sich* ~ abrirse camino; lograr su objetivo a fuerza de trabajar; **2.** *v/i.* trabajar ininterrumpidamente.

durch'aus *adv.* absolutamente; enteramente, del todo, por completo; de todo punto; (*unbedingt*) a todo trance; ~ *nicht* de ningún modo, en manera alguna; nada de eso; ni hablar; *er ist* ~ *nicht reich* no es rico ni mucho menos; *wenn du es* ~ *willst* si te empeñas de ello; *sie wollte es* ~ *erreichen* quería conseguirlo a todo trance.

'durchbacken (*L*) *v/t.* recocer, cocer bien.

durch'beben *v/t.* agitar; estremecer.

'durch|beißen (*L*) *v/t.* partir con los dientes *m/pl.*; *fig. sich* ~ abrirse paso, imponerse; *fig.* arrostrar el temporal; **~betteln** (*-le*) *v/refl.* vivir mendigando *od.* de limosnas *f/pl.*; recorrer pordioseando; **~beuteln** (*-le*) *v/t. Mehl*: cerner; tamizar; **~biegen** (*L*) *v/refl.* doblar; **~bilden** (*-e-*) *v/t.* dar una educación completa; instruir a fondo; (*entwickeln*) desarrollar plenamente, perfeccionar; **~blättern** (*-re*) *v/t. Buch*: hojear; **~bleuen** *v/t.* apalear, F medir las costillas; 2**blick** *m* (*-es*; *-e*) vista *f*; perspectiva *f*; **~blicken** *v/i.* mirar por, mirar a través de; *fig.* aparecer por entre, asomar; ~ *lassen* dejar entrever, dar a entender.

durch'blut|en (*-e-*; -) ⚕ *v/t.* regar por la sangre; 2**ung** *f* riego *m* sanguíneo.

durch'bohren (-) *v/t. mit dem Dolch, Schwert usw.*: traspasar, atravesar; (*durchlöchern*) agujerear, horadar, barrenar; ⊕ perforar, taladrar; *Chir.* (*Schädel*) trepanar; *fig. j-n mit den Blicken* ~ penetrar con la mirada; **~d** *adj. Blick*: penetrante; *Schmerz*: punzante.

'durch|braten (*L*) *v/t.* asar bien; *durchgebraten*: bien asado, a punto; **~brechen I.** (*L*) **1.** *v/t.* romper, quebrar; *Loch, Straße*: abrir; *Mauer*: derribar; **2.** *v/i.* romperse, quebrarse; (*zum Vorschein kommen*) manifestarse; aparecer; *Sonne*: romper *od.* rasgar las nubes; *Blüten*: brotar; *Zähne*: salir; *Krankheit*: declararse; (*entwischen*) escaparse; evadirse; **II.** *durch'brechen v/t.* abrir rompiendo, atravesar; abrirse camino a través de; ⚔ abrir brecha en; *Front, Blockade*: romper; (*durchlöchern*) perforar; *fig.* romper; *Vorschriften*: infringir, quebrantar; **~brennen** (*L*) *v/t. u. v/i.* (*sn*) quemar(se); agujerearse por contacto con el fuego; ⚡ *Sicherung, Lampe*: fundirse; F *fig.* (*ausreißen*) escaparse, fugarse; *mit der Zeche* ~ irse sin pagar; *sie brannte mit ihm durch* se fugó (*od.* escapó) con él; *mit der Kasse* ~ alzarse con los fondos; **~bringen** (*L*) *v/t.* (= **~bekommen**) hacer pasar; llevar *od.* conducir a través de; sacar adelante; *e-n Patienten*: curar; *Kinder*: criar; educar; *Gesetz*: *Parl.* pasar; → *durchdrücken*; *Geld*: derrochar, despilfarrar; malgastar; *sich* ~ ganarse la vida; sustentarse; *sich ehrlich* ~ vivir honradamente; *sich kümmerlich* ~ F vivir al día, ir tirando.

durch'brochen *adj.*: **~e** *Arbeit* (*Stickerei*) calado; *der Goldschmiede*: (trabajo de) filigrana.

'Durchbruch *m* (*-es*; *⸗e*) ruptura *f*; ⊕ perforación *f*; *e-s Dammes*: ruptura *f*; *e-r Flut*: desbordamiento *m*; (*Lücke*) boquete *m*, brecha *f*; ⚔ irrupción *f*, penetración *f*; ⚕ perforación *f*; rotura *f*; erupción *f*; *Zähne*: ⚕ dentición *f*; *zum* ~ *kommen* abrirse paso; aparecer, manifestarse, hacerse patente; **~s-stelle** ⚔ *f* punto *m* de penetración; **~s-versuch** ⚔ *m* (*-es*; *-e*) intento *m* de ruptura del frente.

durch'dacht *adj.*: *gut* ~ bien meditado, hecho con ponderación; *Plan*: bien ideado *od.* concebido.

durch'denken (*L*; -) *v/t.* examinar minuciosamente *od.* a fondo; (*überlegen*) meditar, ponderar bien a/c.

'durch|drängen *v/t.*: *sich* ~ abrirse paso (*a codazos*); **~drehen 1.** *v/t.* girar, hacer girar; **2.** *v/i.* F pasarse de la cabeza; **~dringen 1.** (*L*) *v/i.* abrirse paso, penetrar (*durch* a través de); *Flüssigkeit*: calar, filtrarse; rezumar; *Nachricht*: trascender; *fig. Person*: tener éxito *m*; hacerse valer, imponerse; *Meinung*: prevalecer; **2.** (*L*; -) *v/t. durch'dringen* penetrar por *od.* a través de; *Flüssigkeit*: infiltrar; *Stoffe*: impregnar; empapar; *fig.* infiltrar; (*erfüllen*) imbuir, inspirar; *sich gegenseitig* ~ compenetrarse; **~d** *adj. Kälte, Blick, Geruch*: penetrante; *Schrei*: estridente; *Verstand*: agudo, perspicaz.

Durch'dringung *f* penetración *f*; infiltración *f*; *Pol. friedliche* ~ penetración pacífica.

'durchdrücken *v/t.* hacer pasar a través de; romper apretando; *Knie*: tender; *fig.* → *durchsetzen*.

durch'drungen *adj.* imbuido; persuadido; compenetrado; (*überzeugt*) convencido (*von* de); *von Schmerz* ~ transido de dolor.

durch'duften (*-e-*; -) *v/t.* llenar de fragancia *f*.

durch'eilen (-; *sn*) *v/t.* (*v/i.* *'durcheilen*) pasar rápidamente; recorrer a toda prisa; cruzar de prisa.

durchein'ander *adv.* mezclado(s), revuelto(s) (unos con otros); en desorden, desordenadamente; sin orden ni concierto; (*wahllos*) sin distinción; *ganz* ~ *sein Person*: estar aturdido *od.* confuso; 2 *n* confusión *f*, desorden *m*, embrollo *m*; caos *m*; promiscuidad *f*; F revoltijo *m*; *Lärm*: bullicio *m*, barullo *m*, F jaleo *m*; **~bringen** (*L*) *v/t.* revolver, desordenar; *j-n*: aturdir, desconcertar; *Begriffe*: confundir; **~geraten** (*L*; *sn*) *v/i.* aturdirse, desconcertarse, F hacerse un lío; *Begriffe*: confundir; **~mengen** *v/t.* (entre)mezclar; **~reden** (*-e-*) *v/i.* hablar confusamente; hablar todos a un tiempo; **~werfen** (*L*) *v/t.* confundir; poner en desorden *m*, embrollar.

'durchfahren (*L*; *sn*) **1.** *v/i.* pasar (*en auto, tren, barco*) por un lugar *m*; *ohne Halt*: sin parada *f*; ⚓ sin escala *f*; *der Zug fährt durch* el tren es directo *od.* no tiene parada (en todo el trayecto); **2.** (-) *v/t. durch'fahren* atravesar; recorrer; → **1.**; *das Meer* ~ surcar el mar; *fig.* cruzar, pasar rápidamente; *der Gedanke durchfuhr mich* me pasó por la mente la idea.

'Durchfahrt *f* pasaje *m*; (*Straße*) paso *m*; travesía *f*; (*Tor*) puerta *f* cochera; (*Furt*) vado *m*; ~ *verboten!* se prohibe el paso; **~shöhe** *f* altura *f* de paso; **~srecht** *n* (*-es*; *-e*) derecho *m* de pasaje; **~szoll** *m* (*-es*; *⸗e*) derechos *m/pl.* de tránsito, peaje *m*.

'Durchfall *m* (*-es*; *⸗e*) ⚕ diarrea *f*; (*Mißerfolg*) fracaso *m*; 2**en** (*L*; *sn*) *v/i.* caer por; *im Examen*: ser suspendido; *Sch.* ser cateado od. calabaceado; *bei e-r Wahl*: ser derrotado; *Thea.* fracasar, F irse al foso

m; ~ *lassen* (*Examen*) suspender, *Sch.* catear, calabacear, colgar.
'**durch|faulen** *v/i.* pudrirse completamente; **~fechten** (*L*) *v/t.*: *e-e Sache* ~ luchar con tesón hasta lograr su propósito; *sich* ~ abrirse paso luchando; **~feilen** *v/t.* cortar con la lima; *fig.* pulir, acabar.
durch'feuchten (*-e-*; *-*) *v/t.* humedecer, empapar.
'**durchfinden** (*L*) *v/refl.* hallar el camino; orientarse; *er findet sich nicht mehr durch* está desorientado; no sabe cómo resolver (*od.* abordar) la situación.
durch'flechten (*L*; *-*) *v/t.* entrelazar, entretejer.
durch'fliegen 1. (*L*; *-*) *v/t.* atravesar *od.* cruzar volando *bzw.* en avión *m*; *e-e Strecke*: cubrir en vuelo *m* una distancia; *fig. Buch*: leer de prisa *od.* por encima; **2.** (*L*) *v/i.* '*durchfliegen* pasar volando *bzw.* en avión *m* (*durch* por); F *im Examen*: ser suspendido.
durch'fließen (*L*; *-*) *v/t.* atravesar; correr por; pasar por.
'**Durchfluß** *m* (*-sses*; *⸚sse*) paso *m* (*del agua*); **~geschwindigkeit** ⊕ *f* velocidad *f* de paso (*od.* circulación); **~menge** *f* cantidad *f* (*od.* caudal *m*) de paso.
durch'fluten (*-e-*; *-*) *v/t.* inundar; *fig. a.* colmar.
durch'forsch|en (*-*) *v/t.* investigar a fondo; indagar; (*genau*) escudriñar; *Land*: explorar; **2ung** *f* investigación *f*; indagación *f*; exploración *f*.
durch'forsten (*-e-*; *-*) *v/t.* (*Wald*) aclarar.
'**Durchfracht** ✝ *f* transporte *m* (*od.* flete *m*) directo; **~konossement** *n* (*-es*; *-e*) conocimiento *m* de tránsito.
'**durchfragen** *v/i.* preguntar sucesivamente (*a varias personas*); *sich* ~ orientarse preguntando.
'**durchfressen** (*L*) *v/t.* (*nagend*) roer; *Geol.*, *ätzend*: corroer; F *sich* ~ (*als Schmarotzer*) vivir a costa de otros; P vivir de gorra.
'**durchfrieren** (*L*) *v/i.* *Teich*: helarse completamente; *Person*: aterirse, quedarse transido de frío.
'**Durchfuhr** ✝ *f* tránsito *m*.
'**durchführ|bar** *adj.* realizable, ejecutable; factible, hacedero, practicable; viable; **2barkeit** *f* (*0*) viabilidad *f*, posibilidad *f* de realización (*od.* ejecución); **~en** *v/t.* llevar *od.* conducir por; llevar adelante; llevar a la (poner en) práctica; *Draht usw.*: pasar por; *Gesetz*: aplicar; hacer cumplir; *Untersuchung usw.*: efectuar; *Gesuch*, *Reklamation*: tramitar; ⚖ *Prozeß*: substanciar; *s-e Rolle*: desempeñar; (*veranstalten*) organizar; *Arbeit*: acabar, rematar; (*verwirklichen*) realizar, ejecutar; llevar a cabo (*od.* a efecto).
'**Durchführung** *f* ejecución *f*; realización *f*; organización *f*; tramitación *f*; conclusión *f*, término *m*; *e-s Gesetzes*: aplicación *f*; cumplimiento *m*; *e-r Leitung*: paso *m*; **~sbestimmungen** *f/pl.* normas *f/pl.* para la ejecución; **~sverordnung** *f zum Gesetz*: decreto *m* de aplicación.
'**Durchfuhr...**: **~verbot** ✝ *n* (*-es*; *-e*) prohibición *f* de tránsito de mercancías.
durch'furcht *adj.* surcado (*de arrugas*).
'**durchfüttern** *v/t.* *Rock*: forrar enteramente; *j-n*: mantener, alimentar; *sich* ~ *lassen von j-m* vivir a costa de alg.
'**Durchgabe** *f* transmisión *f*; (*Bekanntgabe*) anuncio *m* especial.
'**Durchgang** *m* (*-es*; *⸚e*) paso *m*; pasaje *m*; (*enger* ~) pasadizo *m*; (*Flur*) pasillo *m*; corredor *m*; *im Gebirge*: desfiladero *m*; ✝ tránsito *m*; *kein* ~! no hay paso; prohibido el paso.
'**Durchgäng|er** *m Pferd*: caballo *m* que fácilmente se desboca; **2ig I.** *adj.* general, universal; **II.** *adv.* generalmente, usualmente, en general; sin excepción; en todos los casos.
'**Durchgangs...**: **~bahnhof** *m* (*-es*; *⸚e*) estación *f* de tránsito; **~güter** *n/pl.* mercancías *f/pl.* en tránsito; **~handel** *m* (*-s*; *0*) comercio *m* de tránsito; **~schein** *m* (*-es*; *-e*) guía *f* de circulación; **~straße** *f* vía *f od.* arteria *f* de (gran) tránsito *od.* circulación; **~verkehr** *m* (*-s*; *0*) tráfico *m* de tránsito; ✝ comercio *m* de tránsito; **~visum** *n* (*-s*; *-visa*) visado *m* de tránsito; **~wagen** 🚃 *m* (*Abk. D-Wagen*) vagón *m* de pasillo; coche *m* directo; **~zoll** *m* (*-es*; *⸚e*) derechos *m/pl.* de tránsito; **~zug** *m* (*-es*; *⸚e*) (*Abk. D-Zug*) tren *m* directo; (*Schnellzug*) tren *m* expreso.
'**durchgeben** (*L*) *v/t.* *Nachricht*: transmitir; *im Radio*: anunciar.
'**durchgehen** (*L*; *sn*) **1.** *v/i.* pasar (*durch* por); (*durchdringen*) atravesar; (*fliehen*) huir, escaparse; *Liebende*: fugarse; *Pferd*: desbocarse; ⊕ *Motor*, *Auto*: embalarse, dispararse; *Gesuch*: ser aprobado *od.* aceptado; *Gesetz*: pasar; (*geduldet werden*) tolerar; *et.* ~ *lassen* dejar pasar; perdonar; disimular, pasar por alto, F hacer la vista gorda; *mit j-m* ~ (*Gefühl usw.*) dejarse llevar de (no dominar) sus sentimientos hacia alg.; **2.** *v/t.* recorrer; (*erörtern*, *besprechen*) tratar; (*prüfen*) examinar; revisar; (*noch einmal* ~) repasar; (*durchlesen*) leer rápidamente; **~d I.** *adj.* (*fortlaufend*) continuo, permanente; (*ununterbrochen*) ininterrumpido; *~er Zug* tren *m* expreso directo; *~e Fahrkarte* billete de correspondencia; **II.** *adv.* → *durchgängig*; (*durchweg*) continuamente.
durch'geistigt *adj.* espiritualizado; (*Buch*) ingenioso.
'**durch|gerben** ⊕ *v/t.* adobar por completo; F *fig.* zurrar la badana a alg.; **~gießen** (*L*) *v/t.* echar por; (*seihen*) colar, filtrar; **~gleiten** (*L*; *sn*) *v/i.* pasar deslizándose; **~glühen** *v/t.* poner al rojo; ⚡ *Lampe*: quemarse; *fig.* (*-*) *durch'glühen* inspirar; inflamar; **~greifen** (*L*) *v/i. fig.* obrar con energía; adoptar medidas rigurosas; actuar con mano dura; **~greifend** *adj.* radical; enérgico, severo; **~halten** (*L*) *v/t. u. v/i.* no cejar; resistir, aguantar; mantenerse firme; perseverar (*et.* en); ⚓ *Kurs*: mantener el rumbo; **2hang** ⊕ *m* (*-es*; *⸚e*) comba *f*; **~hauen** *v/t.* cortar (*de un golpe*); *entzwei*: partir por medio; (*spalten*) hender; (*prügeln*) pegar, golpear, F zurrar; *sich* ~ abrirse paso a viva fuerza; **~hecheln** (*-le*) *v/t.* rastrillar; cardar; *fig.* criticar, censurar; F despellejar a alg.; **~heizen 1.** *v/t.* calentar bien; **2.** *v/i.* mantener la calefacción encendida (*toda la noche*); **~helfen** (*L*) *v/i.* ayudar a salir de una situación difícil; *sich* ~ abrirse paso; F ir saliendo adelante; ir viviendo *od.* tirando.
durch'irren (*-*) *v/t.* vagar, errar, andar errante por.
'**durch|jagen 1.** (*sn*) *v/i.* cruzar a carrera abierta; **2.** *v/t.* andar cazando por; *Land*: pasar rápidamente por; **~kämmen** *v/t.* rastrillar; peinar cuidadosamente (*a. fig.* ⚔); **~kämpfen** *v/t. u. sich* ~ → *durchfechten*; **~kauen** *v/t.* masticar bien; *fig.* rumiar a/c.; F repetir cien veces a/c.; **~kneten** (*-e-*) *v/t.* amasar bien; **~kochen** *v/t.* cocer bien; recocer; **~kommen** (*L*; *sn*) *v/i.* pasar por; (*~dringen*) lograr pasar; *fig.* tener éxito *m*; salir triunfante; lograr salir adelante; *im Examen*: aprobar; *Kranke*: lograr curarse, restablecerse; *mit et.* ~ (*auskommen*) arreglarse con los medios disponibles; *kümmerlich* ~ vivir al día, F ir tirando; *er möge sehen, wie er durchkommt* él verá cómo se las arregla; **~kosten** *v/t.* saborear bien; probar de todo un poco; *fig.* pasar; *Leiden*: *a.* sufrir, padecer.
durch'kreuzen (*-t*; *-*) *v/t.* cruzar, atravesar; *fig.* frustrar, malograr, desbaratar.
'**durchkriechen** (*L*; *sn*) *v/i.* pasar arrastrándose.
'**Durch|laß** *m* (*-sses*; *⸚sse*) paso *m*; pasaje *m*; abertura *f*; (*Leitung*) conducto *m*; (*Wasserabzugsrohr*) tubo *m* de desagüe; (*Schleuse*) compuerta *f*; (*Filter*) filtro *m*; *um* ~ *bitten* pedir permiso para pasar; **2lassen** (*L*) *v/t.* dejar pasar, dar paso *m*; *Antrag*, *Prüfling*: aprobar; admitir; *Phys.* ser permeable a; *kein Licht* ~ ser opaco; (*filtern*) filtrar, colar; *fig.* consentir; → *durchgehen lassen*; **2lässig** *adj.* permeable; (*porös*) poroso; *für Licht*: transparente; **~lässigkeit** *f* (*0*) permeabilidad *f*; porosidad *f*; transparencia *f*.
'**Durch|laucht** *f* Alteza *f* Serenísima; *Seine* ~ Su Alteza; (*als Anrede*) Alteza; **2'lauchtig(st)** *adj.* Serenísimo.
'**durchlauf|en** (*L*) **1.** *v/i.* pasar corriendo; *Flüssigkeit*: pasar (*durch* por); atravesar; filtrarse; **2.** *v/t.* recorrer (*a. fig.*); *Sohlen*: gastar; *sich die Füße* ~ despearse, molerse los pies caminando; *Sport*: *e-e Strecke* ~ cubrir una distancia; *fig. Gerücht*: propagarse, extenderse; **~end** *adj.* continuo (*a.* ⊕).
durch'leben (*-*) *v/t.* *Zeit*: pasar; vivir; *et.* (*mit*) ~ ser testigo de, presenciar a/c.
'**durch|leiten** (*-e-*) *v/t.* conducir por *od.* a través de; **~lesen** (*L*) *v/t.* leer hasta el fin; *flüchtig*: leer por encima; **~leuchten** (*-e-*) **1.** *v/i.* traslucir (*a. fig.*); **2.** (*-*) *v/t. durch'leuchten* alumbrar, penetrar de luz *f*; ⚕ examinar (*od.* mirar) por

rayos X; examinar en la pantalla radioscópica; *Eier*: examinar al trasluz; *fig.* (*untersuchen*) investigar, analizar; (*aufklären*) dilucidar, aclarar, poner en claro.

Durch'leuchtung ⚕ *f* radioscopia *f*; examen *m* radioscópico; **~sschirm** *m* (*-es*; *-e*) pantalla *f* radioscópica.

'durchliegen (*L*; *sn*) *v/refl.* ⚕ decentarse por decúbito.

durch'lochen (-) *v/t.* perforar; *Fahrkarte usw.*: picar; *Autoreifen*: pinchar.

durch'löcher|n (*-re*; -) *v/t.* perforar; agujerear, horadar; *mit Kugeln*: acribillar; **~t** *adj.* perforado; agujereado; *von Kugeln*: acribillado.

durch'lüft|en (*-e-*; -) *v/t.* ventilar, airear; **2ung** *f* ventilación *f*, aireación *f*.

'durchmachen *v/t.* pasar por; *Leiden*: sufrir, padecer; soportar, aguantar.

'Durchmarsch *m* (*-es*; *⸚e*) paso *m* (*de tropas*); marcha *f* a través de; **2ieren** (-) *v/i.* pasar por *od.* a través de.

durch'messen (*L*; -) *v/t.* medir de un extremo a otro; (*durchschreiten*) atravesar; recorrer; *Strecke*: cubrir, recorrer.

'Durchmesser *m* diámetro *m*; (*Geschützrohr2*) calibre *m*.

'durch|mischen *v/t.* entremezclar; **~müssen** (*L*) *v/i.* tener que pasar por; **~mustern** (*-re*) *v/t.* examinar minuciosamente; escudriñar; *bsd.* ⚔ pasar revista *f* a.

durch'nässen (*-ßt*; -) *v/t.* empapar, calar; *ganz durchnäßt* F calado hasta los huesos, hecho una sopa.

'durch|nehmen (*L*) *v/t.* *Thema*: tratar de; explicar; **~numerieren** (-) *v/t.* numerar correlativamente; **~pausen** (*-t*) *v/t.* calcar, copiar; **~peitschen** *v/t.* fustigar, azotar; *fig.* pasar a toda prisa; *Parl.* hacer votar precipitadamente; **~pressen** (*-ßt*) *v/t.* estrujar, exprimir; hacer pasar a presión *f*; pasar apretadamente por; **~prüfen** *v/t.* examinar minuciosamente; **~prügeln** (*-le*) *v/t.*: *j-n* ~ sobar la badana, apalear, F moler las costillas a alg.

durch'quer|en (-) *v/t.* atravesar, cruzar; *fig.* → *durchkreuzen*; **2ung** *f* travesía *f*.

'durchquetschen *v/t.* hacer pasar apretando; *Kartoffeln, Gemüse*: pasar por el prensa-purés.

durch'rasen (*-t*; -) *v/t.* atravesar raudamente; F pasar como un bólido *m*.

'durch|räuchern (*-re*) *v/t.* *Fleisch usw.*: ahumar; *Raum*: llenar de humo *m*; (*desinfizieren*) fumigar; **~rechnen** (*-e-*) *v/t.* calcular detalladamente; *Rechnung*: revisar; **~regnen** (*-e-*) *v/i.*: *hier regnet es durch* aquí penetra la lluvia; **~reiben** (*L*) *v/t.* → *durchscheuern*; **2reise** *f* paso *m*, tránsito *m*; *auf der* ~ *sein* estar de paso; **~reisen 1.** (*-t*; *sn*) *v/i.* viajar (*durch* por); pasar sin detenerse; **2.** (-) *v/t.* *durch'reisen* viajar por *od.* recorrer (*un país*); **2reisende(r** *m*) *f* viajero (-a *f*) *m* de paso; *f*; **2reisevisum** *n* (*-s*; *-visa*) visado *m* de tránsito; **~reißen 1.** (*L*) *v/t.* romper; *Papier*: rasgar; *Stoff*: desgarrar; **2.** (*sn*) *v/i.* romperse; desgarrarse.

'durchreiten (*-e-*; *sn*) **1.** *v/t.* *Pferd*: hacer mataduras *f/pl.* a un caballo; *sich* ~ llagarse cabalgando; *durch'reiten* recorrer a caballo *m*; **2.** *v/i.* pasar a caballo (*durch* por).

durch'rennen (*L*; -) **1.** *v/t.* pasar corriendo; **2.** *v/i.* *'durchrennen* atravesar corriendo.

durch'rieseln (*-le*; -) **1.** *v/t.* correr por; gotear; *Bach*: discurrir por; *fig.* *es durchrieselte mich* sentí un escalofrío; **2.** *v/i.* *'durchrieseln* manar por, pasar a gotas; trascolarse.

'durchringen (*L*) *v/refl.*: *sich zu e-m Entschluß* ~ tomar una decisión después de larga lucha consigo mismo; acabar por resolverse.

'durch|rosten (*-e-*; *sn*) *v/i.* destruirse por la oxidación; **~rühren** *v/t.* agitar, revolver bien, batir; **~rutschen** (*sn*) *v/i.* atravesar resbalando; **~rütteln** (*-le*) *v/t.* sacudir fuertemente; **~sacken** (*sn*) ✈ *v/i.* descender bruscamente; **2sage** *f*, **~sagen** *v/t.* → *Durchgabe, durchgeben*; transmitir; **~sägen** *v/t.* serrar, cortar con la sierra.

durch'säuern (*-e-*; -) *v/t.* acedar, agriar; ⚗ acidificar; *Teig*: fermentar.

'durchschalten (*-e-*) *v/t.* *Tele.* conectar, poner en comunicación.

'durchschauen 1. *v/i.* mirar por, ver a través de; **2.** (-) *v/t.* *durch'schauen fig.* et. ~ penetrar, comprender, adivinar la razón de a/c.; *j-n* ~ descubrir *od.* calar las intenciones *bzw.* adivinar los planes de alg.; F *fig.* ver el juego de alg.; *dich habe ich durchschaut* F a ti te he calado yo.

durch'schauern (*-re*; -) *v/t.* hacer estremecer; *fig.* *es durchschauerte ihn* le dio un escalofrío.

'durch|scheinen (*L*) *v/i.* traslucirse, transparentarse; lucir a través de; **~scheinend** *adj.* *Mattscheibe*: traslúcido; *Glas*: transparente, diáfano; **~scheuern** (*-re*) *v/t.* restregar; rozar; *Stoff*: gastarse por el roce; *sich* ~ ⚕ excoriarse; **~schießen** (*L*) **1.** (*sn*) *v/i.* pasar rápidamente; (*durcheilen*) *a.* cruzar velozmente; **2.** *v/t.* tirar por *od.* a través de; *durch'schießen* atravesar (*con un proyectil*); *Gedanke*: cruzar por la mente; *Typ.* espaciar, regletear; *Buch*: interfoliar.

durch'schiffen (-) *v/t.* navegar por; atravesar *od.* cruzar navegando; *Liter.* surcar (*las olas, los mares*).

'durchschimmern (*-re*) *v/i.* lucir débilmente; traslucirse.

'Durchschlag *m* (*-es*; *⸚e*) *Sieb*: colador *m*; *Maschinenschrift*: copia *f* a máquina; *Werkzeug*: punzón *m*, sacabocados *m*; ⚡ descarga *f* disruptiva; **2en** (*L*) *v/i.* pasar (*durch* por *od.* a través de); *Papier*: embeber; *Farbe*: traspasar; (*wirken*) ser eficaz, ⚕ *a.* hacer efecto *m*, obrar; (*Erfolg haben*) tener éxito *m*; (*zum Vorschein kommen*) salir a través de, aparecer; **2.** *v/t.* pasar (*durch* et. por *od.* a través de a/c.); *durch Sieb*: colar; *sich* ~ abrirse paso (⚔ con las armas); *fig.* ganarse la vida penosamente. F ir pasando *od.* tirando; *durch'schlagen* pasar por, atravesar a/c.; *Panzer*: arrollar; (*durchbohren*) perforar, punzonar; *Kugel*: penetrar; atravesar; (*Öffnung*) abrir un boquete en; **2end** *adj.* (*wirkungsvoll*) eficaz; *Grund, Argument*: contundente; *Beweis*: *a.* irrefutable; *~er Erfolg* éxito sensacional *od.* completo, *Thea. a.* éxito resonante *od.* ruidoso; **~festigkeit** ⚡ *f* (*0*) resistencia *f* dieléctrica; **~papier** *n* (*-s*; *-e*) papel *m* para copias; (*sehr dünn*) papel *m* cebolla; (*Kohlepapier*) papel *m* carbón; **~skraft** *f* (*0*) (*Geschoß*) fuerza *f* de percusión; poder *m* de penetración; *fig.* eficacia *f*.

'durch|schlängeln (*-le*) *v/refl.* *Fluß usw.*: serpentear; *Person*: *fig.* sortear dificultades, F ir viviendo; **~schleichen** (*L*) *v/refl.* deslizarse, escurrirse, colarse por; **~schleppen** *v/t.* arrastrar por *od.* a través de; (*Schlepper*) remolcar a través de; *sich* ~ *fig.* ir viviendo penosamente, arrastrar una vida dura; **~schleusen** (*-t*) *v/t.* hacer pasar (*un barco*) por una esclusa; *fig.* *j-n*: guiar a alg.; *verwaltungsmäßig*: encauzar; **~schlüpfen** (*sn*) *v/i.* deslizarse, escurrirse; pasar inadvertido; **~schmelzen** *v/t. u. v/i.* fundir(se); **~schmuggeln** (*-le*) *v/t.* pasar de contrabando *m*; **~schneiden** (*L*) *v/t.* cortar, separar; partir en dos; *Anat.* seccionar; △ cortar; dividir; (*kreuzen*) cruzar, atravesar; *die Wellen*: surcar.

'Durchschnitt *m* (*-es*; *-e*) corte *m*; ⊕ sección *f*; △ intersección *f*; (*Mittelwert*) valor *m* medio, término *m* medio, promedio *m*; *der* ~ *der Leute* el común de las gentes; *im* ~ por término medio; *über* (*unter*) *dem* ~ superior (inferior) al promedio; **2lich I.** *adj.* medio; mediano; *Preis, Einkommen*: medio; *Qualität, Größe*: mediano; (*gewöhnlich*) común, ordinario, corriente; (*mittelmäßig*) mediano; mediocre; **II.** *adv.* por término medio; de ordinario.

'Durchschnitts...: *in Zssg(n) mst.* medio; **~bestimmung** ⚗ *f* análisis *m* promedial; **~einkommen** *n* ingreso *m* medio; **~geschwindigkeit** *f* velocidad *f* media; **~linie** △ *f* línea *f* de intersección; **~mensch** *m* (*-en*) persona *f* corriente; persona *f* adocenada *od.* mediocre; F uno del montón; **~qualität** *f* calidad *f* mediana; **~wert** *m* (*-es*; *-e*) valor *m* medio.

'Durchschreibe|block *m* (*-es*; *⸚e*) talonario *m* con hojas de calco; **~buch** *n* (*-es*; *⸚er*) ✝ libro *m* copiador; **2n** (*L*) *v/t.* calcar; **~papier** *n* (*-s*; *-e*) → *Durchschlagpapier*.

'durchschreiten (*L*; *sn*) *v/i.* (*u. v/t.* *durch'schreiten* [-]) recorrer *bzw.* cruzar *od.* atravesar a pie *od.* a grandes pasos *m/pl.*

'Durchschrift *f* copia *f* (*a máquina od. calcada*).

'Durchschuß *m* (*-sses*; *⸚sse*) *Weberei*: trama *f*; (*Wunde*) ⚕ trayecto *m* del proyectil (*en una herida por arma de fuego*); herida *f* (*por proyectil*) con orificio de entrada y salida; *Typ.* espacio *m* entre líneas;

regleta *f*; **~blatt** *n* (-*es*; ⸚*er*) hoja *f* interfoliada.
ˈ**durchschütteln** (-*le*) *v/t.* sacudir fuertemente; *die Kälte durch*ˈ*schüttelte ihn* estaba tiritando de frío.
durchˈ**schwärmen** (-) *v/t.*: *die Nacht* ~ F pasarse la noche de juerga, *Arg.* farrear toda la noche.
durchˈ**schweifen** (-) *v/t.* vagar por.
ˈ**durchschwimmen** (*L*) **1.** (*sn*) *v/i.* pasar nadando (*Sachen*: flotando) por; **2.** (-) *v/t. durch*ˈ*schwimmen a.* pasar *od.* cruzar a nado.
ˈ**durchschwitzen** (-*t*) *v/t.* trasudar; empapar de sudor *m*.
durchˈ**segeln** (-*le*; -) *v/t. die Meere*: cruzar *od.* surcar los mares *m/pl.*
ˈ**durch|sehen** (*L*) **1.** *v/i.* mirar (*durch* por *od.* a través de); **2.** *v/t.* mirar; *flüchtig*: ojear, ver por encima; (*nochmals* ~) revisar, repasar; (*prüfen*) examinar; *Gepäck*: registrar; *Korrekturbogen*: corregir *bzw.* leer (*las pruebas*); *Auflage e-s Buches*: revisar; corregir; **~seihen** *v/t.* (tras)colar, filtrar; tamizar; **~setzen** (-*t*) *v/t.* **a**) lograr, conseguir; realizar; llevar adelante; (*erzwingen*) obligar a, forzar a; *s-n Kopf* ~ F salirse con la suya; ~, *daß jd. et. tut* obligar a alg. a hacer a/c.; *sich* ~ imponerse, hacerse respetar; imponer su voluntad; *Meinung*: hacer prevalecer su opinión; (*erfolgreich sein*) conseguir éxito, triunfar; *im Leben*: abrirse camino en la vida; *Erzeugnis*: imponerse en el mercado; **b**) (-) *durch*ˈ*setzen* entremezclar; ⚗ saturar (*mit* con, de).
ˈ**Durchsicht** *f* vista *f*; *Besichtigung*: inspección *f*; *Prüfung*: examen *m*; (*polizeilich, zollamtlich*) registro *m*; *Typ. Druckbogen*: lectura *f bzw.* corrección *f* (*de pruebas*); *e-r Auflage*: revisión *f*; corrección *f*; *bei* (*der*) ~ *unserer Bücher* ✝ al revisar nuestros libros; **2ig** *adj.* transparente, diáfano; (*Mattscheibe*) traslúcido; (*durchbrochen*) calado; (*glasklar*) hialino; *fig.* (*offensichtlich*) evidente; **~igkeit** *f* (*0*) transparencia *f*, diafanidad *f*; traslucidez *f*; *fig.* evidencia *f*.
ˈ**durchsickern** (-*re*; *sn*) *v/i.* filtrarse, rezumar(se); *fig.* ⚔ infiltrarse; *Nachricht*: cundir, difundirse.
ˈ**durchsieben** *v/t.* colar, filtrar; *Mehl*: cerner; tamizar; (*durch grobes Sieb*) cribar; *mit Kugeln*: *durch*ˈ*sieben* acribillar a balazos.
ˈ**durch|spielen** *v/t.* ♪ tocar *bzw.* repasar una pieza; *ganz*: tocar una pieza hasta el fin; *Fußball*: (*abspielen*) pasar (zu a); *sich* ~ avanzar regateando; **~sprechen** (*L*) *v/t.* hablar por; *Tele.* telefonear; (*erörtern*) tratar *od.* discutir punto por punto; **~stechen** (*L*) **1.** *v/i.* pinchar *bzw.* picar a través de; **2.** *v/t.* perforar; *mit e-r Nadel*: atravesar, traspasar; *Chir.* puncionar; *Damm*: perforar; cortar; *durch*ˈ*stechen* → *durch*ˈ*bohren.*
ˈ**durch|stecken** *v/t.* (hacer) pasar (*durch* por); **2stecknadel** *f* (-; -*n*) pasador *m*; **~stehen** (*L*) *v/t.* → *durchhalten*; **2stich** *m* (-*es*; -*e*) pinchazo *m*; *Straßenbau*: excavación *f*, desmonte *m*; *Einschnitt*: trinchera *f*; *Öffnung*: perforación *f*; abertura *f*, boquete *m*; brecha *f*.
durchˈ**stöbern** (-*re*; -) *v/t.* revolver; *Raum*: registrar; *Gebiet*: batir; reconocer; explorar.
ˈ**durchstoßen** (*L*) **1.** *v/i.* ⚔ avanzar impetuosamente (*a. Sport*); **2.** *v/t.* **a**) empujar por *od.* a través de; romper *bzw.* hundir empujando; **b**) (-) *durch*ˈ*stoßen* calar, atravesar; → *durchbohren*; ⚔ romper la resistencia; ✈ *Wolken*: volar a través de.
ˈ**durchstreichen** (*L*) *v/t.* **a**) tachar, borrar; eliminar; *mit Strichen*: rayar; **b**) *durch*ˈ*streichen* recorrer; reconocer, explorar; ⚔ *a.* patrullar.
durchˈ**streifen** *v/t.* vagar por; recorrer; ⚔ reconocer; patrullar por; (*Polizei*) rondar.
ˈ**durchströmen** (*sn*) *v/i.* (*u. v/t. durch*ˈ*strömen* [-]) fluir sin interrupción *f*, correr continuamente; atravesar; invadir, inundar; *fig.* colmar, llenar, henchir, inundar.
ˈ**durchstudieren** (-) *v/t.* estudiar a fondo.
durchˈ**such|en** (-) *v/t.* rebuscar; escudriñar; *Haus, Gepäck*: registrar; *Gebiet*: batir, reconocer; *Gefangene*: registrar, *nach Waffen*: cachear; **2ung** *f* rebusca *f*, búsqueda *f*; registro *m*; cacheo *m*; **2ungsbefehl** *m* (-*es*; -*e*) orden *f* de registro; **2srecht** ⚓ *n* derecho *m* de visita.
ˈ**durchtanzen** *v/t.* bailar hasta el fin; *Schuhe*: desgastar bailando; *die Nacht* ~ bailar toda la noche.
durchˈ**tränken** (-) *v/t.* embeber, empapar de; impregnar de.
ˈ**durchtrainiert** *adj.* bien preparado *od.* ejercitado, (bien) entrenado.
ˈ**durchtreten** (*L*) *v/t. Schuhe*: desgastar; *Auto.*: *Pedal*: pisar a fondo.
durchˈ**trieben** *adj.* taimado, astuto; (*schalkhaft*) pícaro; pillo; **2heit** *f* (*0*) astucia *f*; picardía *f*; pillería *f*.
durchˈ**wachen** (-) *v/t.*: *die Nacht* ~ pasar la noche en vela; pasar la noche despierto *od.* sin (poder) dormir.
ˈ**durchwachsen**[1] (*L*; *sn*) *v/i.* crecer a través de.
durchˈ**wachsen**[2] *adj. Fleisch, Speck*: entreverado.
ˈ**durch|wagen** *v/refl.* atreverse a pasar; **~walken** *v/t.* ⊕ abatanar; *fig.* batanear, F moler a palos a alg.
durchˈ**wandern** (-*re*; -) *v/t.* recorrer a pie; hacer una excursión por; *Liter.* peregrinar por.
durchˈ**wärmen** (-) *v/t.* calentar bien.
durchˈ**waten** (-*e*-; -) *v/t.* (*u. v/i.* ˈ*durchwaten*) vadear.
durchˈ**weben** (*L*; -) *v/t.* entretejer.
ˈ**Durchweg** *m* (-*es*; -*e*) paso *m*, pasaje *m*, pasadizo *m*, pasillo *m*.
ˈ**durchweg** *adv.* (*ausnahmlos*) siempre; sin excepción; (*allgemein*) generalmente, por lo general; (*durch und durch*) por completo; por entero, enteramente.
durchˈ**weich|en** (-) *v/t.* ablandar; *durch Nässe*: empapar; **~t** *adj.* ablandado; empapado.
ˈ**durchwinden** (*L*) *v/refl.*: *sich* ~ *Fluß*: serpentear por; *Person*: abrirse paso a través de; *fig.* sortear dificultades; salir con apuros de una situación difícil.
durchˈ**wirken** (-) *v/t.* entretejer, entrelazar (*mit* con).
durchˈ**wühlen** (-) *v/t. Erde*: remover, *von Schweinen*: hozar; (*durchsuchen*) rebuscar, revolver buscando; registrar; *sich* ˈ*durchwühlen fig.* abrirse camino trabajosamente.
durchˈ**würzen** (-*t*; -) *v/t.* salpimentar, sazonar (*a. fig.*); *mit Duft*: perfumar.
ˈ**durch|zählen** *v/t.* contar uno por uno; (*noch einmal* ~) recontar; **~zechen** *v/t.*: *die Nacht* ~ pasar la noche bebiendo *od.* F de juerga; **~zeichnen** (-*e*-) *v/t.* calcar (*un dibujo*); **2zeichnung** *f* calco *m*.
ˈ**durchziehen** (*L*) **1.** *v/t.* **a**) *Linie*: trazar; (*durch et.*) hacer pasar por; *Faden*: enhebrar; *Graben*: abrir; *sich* ~ extenderse por, penetrar en; *fig.* saturarse, impregnarse (*mit* de); **b**) (-) *durch*ˈ*ziehen* recorrer; atravesar de un extremo a otro; pasar por; *mit Faden usw.*: entretejer; **2.** (*sn*) *v/i.* pasar sin detenerse; pasar por.
durchˈ**zucken** (-) *v/t.* cruzar (*como un rayo*) *Schmerz j-n*: sacudir.
ˈ**Durchzug** *m* (-*es*; ⸚*e*) paso *m*; (*Luft*) corriente *f* de aire; *freier* ~ paso *bzw.* tránsito libre; ⚒ arquitrabe *m*; **~skraft** *Auto. f* (*0*) fuerza *f* de tracción.
ˈ**durch|zwängen, ~zwingen** (*L*) *v/t.* hacer pasar a viva fuerza *f* (*durch* por); *sich* ~ pasar trabajosamente por; abrirse paso por la fuerza; F colarse a viva fuerza.
ˈ**dürfen** (*L*) *v/i.* poder (*hacer a/c.*); (*das Recht zu et. haben*) tener derecho *m* a, tener el derecho de; (*die Erlaubnis zu et. haben*) tener permiso *m* para; estar autorizado a; (*moralisch*) deber; *ich darf* puedo *bzw.* debo; *du darfst nicht* no debes; *das darfst du nicht tun* no debes hacer eso, no está bien que hagas eso; *darf man?* ¿se puede?, ¿está permitido?; *man darf nicht* no se puede; no hay que; (*moralisch*) no se debe, no es lícito; *das darf man nicht tun* eso no se hace; *es darf niemand herein* no se permite entrar a nadie; *das hättest du nicht sagen* ~ no debieras haber dicho eso; *darf ich Sie et. fragen?* ¿me permite hacerle una pregunta?; *darf ich Ihnen eine Zigarette anbieten?* ¿me permite ofrecerle un cigarrillo?; *wie darf er behaupten, daß ...?* ¿cómo puede atreverse a afirmar que ...?; *wenn ich so sagen darf* si se me permite la frase, por así decir; *darf ich Sie bitten um ...?* ¿hace usted el favor de darme ...?; *ich darf sagen* yo diría; *man darf wohl annehmen, daß ...* bien puede suponerse que ...; *wir* ~ *es bezweifeln* nos permitimos (tenemos motivos para) dudarlo; *man darf erwarten* es de esperar; *darf ich bitten?* (*auffordernd*) cuando usted(es) guste(n) *od.* quiera(n); (*Wahrscheinlichkeit*) *es dürfte leicht sein* será fácil, no sería difícil; *es dürfte sich erübrigen* sería superfluo; *es dürfte zu e-r Krise führen* bien pudiera motivar una crisis; *das dürfte Herr X sein* (supongo que) será *od.* sería el

señor X; *es dürfte allen bekannt sein, daß* ... supongo que todos saben *od.* sabrán que; sabido es que.
ˈ**durfte** *pret. von dürfen.*
ˈ**dürftig** *adj.* (*bedürftig*) necesitado; (*arm*) pobre; indigente; (*ungenügend*) insuficiente; (*spärlich*) escaso, exiguo; (*erbärmlich, gering*) mezquino, miserable; *in* ~*en Verhältnissen leben* vivir con estrechez; ²**-keit** *f* (*0*) necesidad *f*; pobreza *f*; indigencia *f*; insuficiencia *f*, escasez *f*, estrechez *f*; mezquindad *f*.
dürr *adj.* (*trocken*) seco; *Boden*: árido, estéril; (*mager*) flaco, *Person*: *a.* enjuto (*de carnes*); *mit* ~*en Worten* en escuetas palabras, secamente.
ˈ**Dürre** *f* sequedad *f*; aridez *f*, esterilidad *f*; (*Regenmangel*) sequía *f*; *Person*: flacura *f*, flaqueza *f*.
Durst *m* (*-es*; *0*) sed *f* (*nach* de; *a. fig.*); ~ *haben* tener sed; ~ *machen* dar sed, excitar la sed; *s-n* ~ *löschen* apagar la sed.
ˈ**dürsten** *v/i.* tener sed *f*; *mich dürstet* tengo sed; *fig.* estar sediento (*nach* de).
ˈ**durstig** *adj.* sediento; *e-e* ~*e Kehle haben* F tener seco el gaznate.
ˈ**durststillend** *adj.* que quita *od.* apaga la sed.
ˈ**Dur-ton|art** *f*, ~**stufe** ♪ *f* tono *m* mayor.
ˈ**Dusch|e** *f* ducha *f*; *fig. e-e kalte* ~ *verabreichen* arrojar un jarro de agua fría sobre; ²**en** *v/t. u. v/i.* duchar; *sich* ~ ducharse, tomar una ducha.
ˈ**Düse** *f* ⊕ tobera *f*; (*Zerstäubungs*²) pulverizador *m*; (*Einspritz*²) inyector *m*; *Blasebalg*: cañón *m* de fuelle.
ˈ**Dusel** F *m* (*-s*; *0*) (*Schwindel*) mareo *m*, vértigo *m*; (*Glück*) suerte *f* (inesperada), F *fig.* potra *f*, chamba *f*; ~ *haben* tener suerte, ser afortunado; F tener potra; ²**ig** *adj.* (*schwindlig*) mareado; (*schläfrig*) soñoliento, amodorrado; (*verträumt*) iluso; soñador; ²**n** (*-le*) *v/i.* dormitar; (*träumen*) fantasear; soñar despierto.
ˈ**Düsen|antrieb** *m* (*-es*; *-e*) propulsión *f* de chorro; ~**flugzeug** *n* (*-es*; *-e*) avión *m* de reacción; ~**halter** *Auto. m* porta-tobera *m*; ~**jäger** *m* avión *m* de caza de reacción; ~**vergaser** *Auto. m* carburador *m* de inyector.
ˈ**Dussel** F *m* (*Dummkopf*) tonto *m*; mentecato *m*, majadero *m*; estúpido *m*; F babieca *m*; ²**ig** *adj.* (*dumm*) tonto; bobo; simple; (*schläfrig*) soñoliento, adormilado; (*unaufmerksam*) atontado; embobado; ensimismado.
ˈ**düster** *adj.* oscuro, sombrío, tenebroso (*alle a. fig.*); (*dumpf*) lóbrego; *fig.* (*traurig*) melancólico, triste; tétrico, lúgubre; ²**heit** (*0*), ²**keit** *f* (*0*) oscuridad *f*, tenebrosidad *f*; lobreguez *f*; *fig.* tristeza *f*, melancolía *f*.
ˈ**Dutzend** *n* (*-s*; *-e*) docena *f*; ~*e von Menschen* docenas de personas; *im* ~ *billiger* F a trece por docena; ²**(e)mal** *adv.* docenas de veces; ~**mensch** *m* (*-en*) persona *f* adocenada *od.* mediocre; F uno de tantos; ~**preis** *m* (*-es*; *-e*) precio *m* por docena; ~**ware** *f* mercancía *f* ordinaria, F género *m* de tres al cuarto; ²**weise** *adv.* por docenas; (*zu Dutzenden*) a docenas; *fig.* a montones, a porradas.
ˈ**Duz|bruder** [-u:-] *m* (*-s*; ¨), ~**freund** *m* (*-es*; *-e*) amigo *m* íntimo; ²**en** (*-t*) *v/t.* tutear, tratar *od.* hablar de tú a; *sich mit j-m* ~ tutearse con alg.
ˈ**dwars** ⚓ *adv.* tanto avante, de través; ²**linie** ⚓ *f* línea *f* sencilla de frente; ²**wind** ⚓ *m* (*-es*; *-e*) viento *m* a la cuadra.
Dyn *Phys. n* dina *f*.
Dyˈ**nam|ik** *f* (*0*) dinámica *f*; *fig.* naturaleza *f* dinámica; ²**isch** *adj.* dinámico.
Dynaˈ**mismus** *Phil. m* (*-*; *0*) dinamismo *m*.
Dynaˈ**mit** [-aˑˈmi:t] *n* (*-es*; *0*) dinamita *f*; *mit* ~ *sprengen* dinamitar, volar con dinamita; ~**patrone** *f* cartucho *m* de dinamita.
Dyˈ**namo** *m* (*-s*; *-s*), ~**maschine** *f* dínamo *f*, máquina *f* dinamoeléctrica, generador *m*; ~**meter** *n* dinamómetro *m*.
Dynasˈ**tie** [-ˈti:] *f* dinastía *f*.
dyˈ**nastisch** *adj.* dinástico.
Dysenteˈ**rie** ⚕ *f* (*0*) disentería *f*.
Dys-pepˈ**sie** ⚕ *f* dispepsia *f*.
Dys-troˈ**phie** ⚕ *f* distrofia *f*.
ˈ**D-Zug** [ˈde:tsu:k] *m* (*-es*; ¨*e*) tren *m* directo; tren *m* expreso.

E

E, e *n* E, e *f*; **E, e** ♪ *n* mi *m*.

ˈ**Ebbe** *f* reflujo *m*; marea *f* baja, bajamar *f*; ~ *und Flut* flujo y reflujo; bajamar y pleamar; es *ist* ~ la marea está baja; F *fig. in m-m Geldbeutel ist* ~ estoy sin un céntimo; 2**n** *v/i.* bajar la marea; es *ebbt* la marea está bajando.

ˈ**eben I.** *adj.* (*flach*) llano, raso; ⩓ plano; (*glatt*) liso; (*ebenmäßig*) igual; **II.** *adv.* (*genau*) justamente, exactamente, cabalmente; ~! ¡justo!, ¡eso es!; (*gerade*) precisamente; *das wollte ich* ~ *sagen* justamente eso iba a decir yo; ~ *damals* precisamente entonces; ~ *erst* ahora mismo, ahora precisamente; *er wollte* ~ *gehen* estaba a punto de irse, ya iba a marcharse; *das* ~ *suche ich* eso es justamente lo que busco; *er kam* ~ *recht* llegó en el preciso instante; *sie ist nicht* ~ *schön* no es precisamente una belleza; (*knapp*) es *wird* ~ *reichen* alcanzará justamente; *als Füllwort*: *er ist* ~ *schon alt* al fin y al cabo, ya es un hombre viejo; es *ist* ~ *zu gefährlich* que es demasiado peligroso no puede negarse; *das nun* ~ *nicht* al contrario; todo menos eso; 2**bild** *n* (-*ęs*; -*er*) *j-s*: fiel retrato *m*, viva imagen *f*; *das* ~ *s-s Vaters* el vivo retrato de su padre; ~**bürtig** *adj.* de igual linaje *od.* alcurnia; *fig.* igual; de igual clase *od.* condición *od.* calidad; *j-m* ~ *sein* ser igual a alg., poder medirse con alg.; *ein* ~*er Nachfolger* un digno sucesor; ~**da(selbst)** *adv.* allí mismo; *in Büchern*: ibídem (*Abk.*: ibíd.); ~**der**, ~**die**, ~**das(selbe)** *adj.* el mismo, la misma, lo mismo.

ebenˈ**deswegen** *adv.* por eso mismo, precisamente por eso (ello).

ˈ**Ebene** *f Geogr.* llanura *f*; planicie *f*; *Am.* llano *m*, *Arg.* pampa *f*; ⩓ plano *m*; ⊕ superficie *f* plana; *schiefe* ~ plano inclinado; *fig.* plano *m*, nivel *m*; *Besprechungen auf höherer* ~ conversaciones de alto nivel; *auf staatlicher* ~ entre (los) gobiernos; *auf gleicher* ~ *liegen mit* estar al mismo nivel de *od.* en igual plano que; *auf die schiefe* ~ *geraten fig.* deslizarse por la pendiente, ir por mal camino.

ˈ**eben...:** ~**erdig** *adj.* de planta baja, bajo; a nivel del suelo; ~**falls** *adv.* asimismo, también; lo mismo, igualmente; ~ *nicht* (*kein*) tampoco; → *auch*; 2**heit** *f* llanura *f*; lisura *f*; 2**holz** *n* (-*es*; *0*) ébano *m*; 2**maß** *n* (-*es*; *0*) simetría *f*, proporción *f*; armonía *f*; euritmia *f*; ~**mäßig** *adj.* simétrico, bien proporcionado; armónico; *Liter.* eurítmico.

ˈ**ebenso** *adv.* lo mismo; de igual (del mismo) modo, de la misma manera; ~ *wie* lo mismo que, igual que; así como; *in Europa* ~ *wie in Amerika* tanto (lo mismo) en Europa como (que) en América; (*ebenfalls*) asimismo, igualmente, también; → *auch*; ~ *groß wie* tan grande como; ~**gut** *adv.* igual(mente), lo mismo; tan bueno (como) ~**lange** *adv.*: ~ *wie* el mismo tiempo que; ~**oft** *adv.* las mismas veces, con la misma frecuencia; ~**sehr**, ~**viel** *adv.*: ~ *wie* tanto como; ~**viele** *adj.* otros tantos; ~**wenig** *adv.*: ~ *wie* tan poco como; *ich* ~ yo tampoco.

ˈ**Eber** *Zoo. m* (*zahmer*) verraco *m*; (*wild*) jabalí *m*; ~**esche** ♀ *f* serbal *m*.

ˈ**ebnen** (-*e*-) *v/t.* allanar (*a. fig.*), aplanar; *glatt machen*: alisar; *gleich machen*: nivelar, igualar; *Boden*: *a.* terraplenar.

Eboˈ**nit** *n* (-*s*; *0*) ebonita *f*.

ˈ**Echo** *n* (-*s*; -*s*) eco *m* (*a. fig.*); *Widerhall*: resonancia *f*; *fig.* repercusión *f*; 2**en** *v/i.* producir eco *m*, resonar; 2**frei** *adj.* anecoico; ~**lot** *n* (-*ęs*; -*e*) ⚓ sonda *f* acústica; ✈ altímetro *m* acústico.

ˈ**Echse** *f* lagarto *m*; reptil *m*.

ˈ**echt** (-*est*) *adj.* genuino; (*eigen*) propio; (*wahr*) verdadero; (*rein*) puro; (*wirklich*) real; (*original*) original; (*rechtmäßig*) legítimo; *Farbe*: sólido; *Haar*: natural; *Sprache*: castizo; *Urkunde usw.*: auténtico; ⩓ ~*er Bruch* fracción propia; *ein* ~*er Spanier* un español de pura cepa; *ein* ~*er Freund* un amigo verdadero; ~*es Gold* oro de ley; *ein* ~*er Rembrandt* un Rembrandt auténtico; *nicht* ~ falso; (*gefälscht*) falsificado; (*künstlich*) artificial; 2**heit** *f* (*0*) genuinidad *f*; autenticidad *f*; (*Reinheit*) pureza *f*; (*Rechtmäßigkeit*) legitimidad *f*; *Farbe*: solidez *f*.

ˈ**Eck|ball** *m* (-*ęs*; ⸚*e*) *Fußball*: saque *m* de esquina, *angl.* córner *m*; ~**brett** *n* (-*ęs*; -*er*) rinconera *f*; tabla *f* angular.

ˈ**Ecke** *f innen*: rincón *m* (*a. fig. Gegend*); *außen*: esquina *f*; (*Winkel bildend*) ángulo *m*; (*Kante*) canto *m*; (*Straßen*2) esquina *f*; (*Käse*2) porción *f*; (*kurzer Weg*) corta distancia *f*; *an allen* ~*n und Enden* por todas partes; *in die* ~ *drängen* (*a. fig.*) arrinconar, acorralar; *um die* ~ a la vuelta de la esquina; F *fig. um die* ~ *bringen* matar alevosamente, asesinar; *um die* ~ *gehen* doblar la esquina; ~**nsteher** *m fig.* vago *m*, holgazán *m*.

ˈ**Ecker** ♀ *f* (-; -*n*) bellota *f*.

ˈ**Eck...:** ~**fenster** *n* ventana *f* de chaflán; ~**haus** *n* (-*es*; ⸚*er*) casa *f* de (la) esquina; casa *f* que hace esquina.

ˈ**eckig** *adj.* angular, esquinado; anguloso; *fig.* torpe, desmañado; (*ungeschliffen*) basto; desgarbado.

ˈ**Eck...:** ~**lohn** *m* (-*ęs*; ⸚*e*) salario *m* básico; ~**pfeiler** *m* pilastra *f* angular; *Brückenbau*: estribo *m*; ~**stein** *m* (-*ęs*; -*e*) piedra *f* angular (*a. fig.*); *Prellstein*: guardacantón *m*; *Karten*: cuadro *m*; ~**zahn** *m* (-*ęs*; ⸚*e*) colmillo *m*, (*diente*) canino *m*.

Ecuaˈ**dor** *n* El Ecuador *m*.

Ecuadoriˈ**an|er** *m* ecuatoriano *m*; 2**isch** *adj.* ecuatoriano.

ˈ**edel** *adj.* noble; hidalgo; caballeroso; *von edler Herkunft* de noble ascendencia; *Pferd*: de pura raza; *fig. Sinnesart*: noble, → *edeldenkend*; *Körperteile*: partes nobles; *Stein*, *Metall*: precioso; *Wein*: generoso; ~**denkend** *adj.* noble; hidalgo; generoso, magnánimo; 2**frau** *f* dama *f* noble; señora *f* principal; 2**fräulein** *n* (-*s*; -*s*) doncella *f* noble; 2**gas** *n* (-*es*; -*e*) gas *m* noble; ~**gesinnt** *adj.* → *edeldenkend*; 2**hirsch** *m* (-*es*; -*e*) ciervo *m* real; 2**holz** *n* (-*es*; ⸚*er*) madera *f* preciosa; 2**kastanie** *f* castaño *m* común; 2**knabe** *m* (-*n*) paje *m*; doncel *m*; 2**mann** *m* (-*ęs*; -*leute*) noble *m*; hidalgo *m*, caballero *m*; gentilhombre *m*; aristócrata *m*, magnate *m*; *pl. Edelleute*: nobleza *f*, los nobles *m/pl.*; 2**marder** *m* marta *f* común; 2**metall** *n* (-*s*; -*e*) metal *m* precioso; 2**mut** *m* (-*ęs*; *0*) nobleza *f* de sentimientos; grandeza *f* de alma; hidalguía *f*; (*Großherzigkeit*) generosidad *f*, magnanimidad *f*; ~**mütig** *adj.* noble; hidalgo; generoso, magnánimo; (*ritterlich*) caballeroso; 2**obst** *n* (-*es*; *0*) fruta *f* de mesa; 2**rost** *m* (-*es*; *0*) pátina *f*; 2**sorte** *f* ♰ calidad *f* selecta; 2**stahl** *m* (-*ęs*; ⸚*e*) acero *m* afinado; 2**stein** *m* (-*ęs*; -*e*) piedra *f* preciosa; *geschliffener*: piedra *f* tallada; 2**tanne** *f* abeto *m* blanco, pinabete *m*; 2**weiß** ♀ *n* (-, -*es*; -*e*) leontopodio *m* alpino, rosa *f* blanca de los Alpes; 2**wild** *n* (-*ęs*; *0*) caza *f* mayor.

Eˈ**dikt** *n* (-*ęs*; -*e*) edicto *m*.

ˈ**Edle(r** *m*) *m/f* → *Edelfrau*, *Edelmann.*

ˈ**e-Dur** ♪ *n* (-; *0*) mi *m* mayor.

ˈ**Efeu** *m* (-*s*; *0*) hiedra *f*, yedra *f*.

'Eff-eff F *n*: et. *aus dem* ~ *können* F saber a/c. al dedillo.

Ef'fekt [ɛ'fɛkt] *m* (-*ęs*; -*e*) efecto *m*; ⊕ (*Wirkungsgrad*) *a.* eficiencia *f*; (*Ergebnis*) resultado *m*; *Weberei*: dibujo *m*; *nach* ~ *haschen* afán de notoriedad; *auf* ~ *angelegt* calculado para hacer efecto; **~beleuchtung** *f* efecto *m* de luz decorativo; *Film*: efecto *m* de luz.

Ef'fekten *pl.* (*Habe*) efectos *m/pl.* (personales); *Habseligkeiten*: objetos *m/pl.*, cosas *f/pl.*; F chismes *m/pl.*, bártulos *m/pl.*; ✝ (*Wertpapiere*) efectos *m/pl.*, valores *m/pl.*, títulos *m/pl.*; **~bestand** *m* (-*ęs*; ¨*e*) valores *m/pl.* en cartera; **~börse** *f* bolsa *f* de valores; **~geschäft** *n* (-*ęs*; -*e*) transacción *f* de valores; **~händler** *m* agente *m* de cambio y bolsa; **~makler** *m* corredor *m* de bolsa; **~markt** *m* (-*ęs*; ¨*e*) mercado *m* de valores; **~paket** *n* (-*ęs*; -*e*) paquete *m* de valores.

Ef'fektenhascherei *f* efectismo *m*; afán *m* de notoriedad; prurito *m* sensacionalista.

effek'tiv *adj.* efectivo (*a.* ⚡, ⊕); ✝ ~*er Wert* valor efectivo; ~*e Verzinsung* interés efectivo *od.* neto; **2leistung** ⊕ *f* potencia *f* efectiva, rendimiento *m* útil; **2stärke** ⚔ *f* (*0*) efectivos *m/pl.*

effektu'ieren (-) *v/t.* efectuar, realizar; *Aufträge*: ejecutar.

ef'fektvoll *adj.* de gran efecto, impresionante; espectacular, sensacional; vistoso, F de relumbrón.

e'gal *adj.* (*gleich*) igual; F (*einerlei*) *das ist* ~ es igual, es lo mismo, no importa; *das ist mir* ~ me da lo mismo, me es igual; *ganz* ~ *wo* no importa dónde.

egali'sieren (-) *v/t.* igualar; nivelar.

'Egel *Zoo. m* sanguijuela *f*.

'Egge *f* rastrillo *m*; ✓ grada *f*; **2n** *v/t.* rastrillar; gradar.

Ego|'ismus *m* (-; *0*) egoísmo *m*; **~'ist(in** *f*) *m* (-*en*), **2'istisch** *adj.* egoísta *m/f*; **2'zentrisch** *adj.* egocéntrico.

'ehe *cj.* antes de *inf.*; antes (de) que *subj.*; → *eher, ehest.*

'Ehe *f* matrimonio *m*; (~*bund*) unión *f* conyugal; *geschiedene* ~ matrimonio disuelto; *wilde* ~ concubinato, amancebamiento; *in wilder* ~ *leben* P vivir amontonado(s); *zweite* ~ segundas nupcias; *aus erster* ~ del primer matrimonio; *e-e* ~ *schließen* contraer matrimonio; **~anbahnung** *f* agencia *f* de matrimonios; **~band** *n* (-*ęs*; -*e*) vínculo *m* conyugal, lazo *m* matrimonial; **~beratungsstelle** *f* consultorio *m* de información prematrimonial; **~bett** *n* (-*ęs*; -*en*) cama *f* de matrimonio; lecho *m* conyugal; *Poes.* tálamo *m* nupcial; **2brechen** *v/i.* (*nur im inf.*) cometer adulterio; **~brecher(in** *f*) *m*, **2brecherisch** *adj.* adúltero (-a *f*) *m*; **~bruch** *m* (-*ęs*; ¨*e*) adulterio *m*.

'ehedem *adv.* antes, antaño, antiguamente; en tiempos pasados, en otros tiempos.

'Ehe...: ~fähigkeit *f* (*0*) nubilidad *f*; **~frau** *f* → *Ehegattin*; **~gatte** *m* (-*n*) esposo *m*, marido *m*; consorte *m*; *bsd.* ⚖ cónyuge *m*; **~gatten** *pl.* → *Eheleute*; **~gattin** *f* esposa *f*, señora *f*; consorte *f*; *bsd.* ⚖ cónyuge *f*; F mujer *f*; **~glück** *n* (-*ęs*; *0*) felicidad *f* conyugal; **~hälfte** F *f* cara mitad *f*, media naranja *f*; **~hindernis** *n* (-*ses*; -*se*) ⚖ impedimento *m* dirimente del matrimonio; **~leben** *n* (-*s*; *0*) vida *f* conyugal; **~leute** *pl.* matrimonio *m*; esposos *m/pl.*; consortes *m/pl.*; cónyuges *m/pl.*; **2lich** *adj.* conyugal; matrimonial; *Kind*: legítimo, de legítimo matrimonio; *für* ~ *erklären* (*Kind*) legitimar; ~*e Gemeinschaft* (*Pflichten*) comunidad (débito) conyugal; **2lichen** *v/t.* contraer matrimonio *m* con, casarse con; **~lichkeit** *f* (*0*) *e-s Kindes*: legitimidad *f*; **~losigkeit** *f* (*0*) soltería *f*; celibato *m*.

'ehe|malig *adj.* antiguo (*vorangestellt*); pasado; anterior, de antes; ex; ~*er König* ex rey; **~mals** *adv.* → *ehedem*.

'Ehe...: ~mann *m* (-*ęs*; ¨*er*) marido *m*, esposo *m*, P hombre *m*; ⚖ cónyuge *m*; **2mündig** *adj.* de edad legal para casarse; **~mündigkeit** ⚖ *f* (*0*) mayoría *f* de edad matrimonial; **~paar** *n* (-*ęs*; -*e*) matrimonio *m*; **~pflicht** *f* débito *m* conyugal.

'eher *adv.* (*früher*) antes (*als* que); más temprano; (*schneller*) más pronto; (*lieber*) más bien, primero; (*vielmehr*) más bien; *alles* ~ *als das* todo menos eso, todo antes que eso; *um so* ~ *als* tanto más cuanto que; *je* ~, *desto lieber* cuanto antes mejor; *ich würde* ~ *sterben* antes morir que; preferiría morir antes que; ~ *heute als morgen* antes hoy que mañana; *das läßt sich* ~ *hören* eso ya suena mejor.

'Ehe...: ~recht ⚖ *n* (-*ęs*; *0*) derecho *m* matrimonial; **~ring** *m* (-*ęs*; -*e*) anillo *m* de esponsales (*od.* de boda); alianza *f*.

'ehern *adj.* de bronce; *fig. a.* férreo, diamantino, firme.

'Ehe...: ~scheidung *f* divorcio *m*, **~scheidungsklage** *f* demanda *f* de divorcio; (*Prozeß*) pleito *m* de divorcio; **~schließung** *f* casamiento *m*, celebración *f* del matrimonio; → *Trauung*; **~stand** *m* (-*ęs*; *0*) matrimonio *m*; **~standsdarlehen** *m* préstamo *m* matrimonial.

'ehestens *adv.* lo antes posible, cuanto antes; a la mayor brevedad; (*höchstens*) a lo sumo.

'Ehe...: ~stifter(in *f*) *m* casamentero (-a *f*) *m*; **~streit** *m* (-*ęs*; -*e*) disputa *f* doméstica; querella *f* conyugal; **~trennung** *f* separación *f* legal; **~versprechen** *n* promesa *f* de matrimonio; **~vermittler(in** *f*) *m* agente *m/f* matrimonial; **~vertrag** *m* (-*ęs*; ¨*e*) capitulaciones *f/pl.* matrimoniales; **2widrig** *adj.* incompatible con los deberes matrimoniales; ⚖ ~*e Beziehungen* relaciones ilícitas (*extraconyugales*).

'Ehrabschneider(in *f*) *m* difamador(a *f*) *m*, calumniador(a *f*) *m*, maldiciente *m*; F deshonrabuenos *m*.

'ehrbar *adj.* honrado; honorable, respetable; (*sittsam*) honesto, íntegro; (*anständig*) decente; **2keit** *f* (*0*) honradez *f*; honestidad *f*, integridad *f*; decencia *f*.

'Ehrbegier(de) *f* (*0*) → *Ehrgeiz*.

'Ehre *f* honor *m*; honra *f*; (*Auszeichnung*) distinción *f*; (*Selbstachtung*) dignidad *f*; (*Ansehen*) reputación *f*, prestigio *m*; (*Ruhm*) gloria *f*; ~*n pl.* honores *m/pl.*; *es sich zur* ~ *anrechnen* considerar (como) un honor; tener a mucha honra a/c.; *j-m* ~ *erweisen* rendir honor, honrar a alg.; *j-m die letzte* ~ *erweisen* rendir el último tributo a alg.; *j-m* (*keine*) ~ *machen* ser (no ser) un honor para alg.; *in* ~*n halten* respetar; venerar; (*j-s Andenken*) honrar la memoria de alg.; *auf* ~ *halten* tener dignidad; ser pundonoroso; *mit* ~*n bestehen* quedar bien; *bei et.*: salir airoso de; *s-e* ~ *dareinsetzen zu* ... hacer cuestión de honor ...; *j-n um s-e* ~ *bringen* quitar la honra a alg.; desprestigiar a alg.; *wieder zu* ~*n kommen* volver a gozar del favor de; (*Mode usw.*) volver a estar en boga; ~, *wem* ~ *gebührt* a cada cual lo suyo; a tal señor, tal honor; *j-n wieder zu* ~*n bringen* vindicar el honor de alg.; *Ihr Wort in* ~*n* con (*od.* guardando) todos los respetos debidos a usted; *mit wem habe ich die* ~? ¿con quién tengo el honor (de hablar)?; *ihm zu* ~*n* en su honor; *zu* ~*n von* en honor de, en homenaje a; *zur größeren* ~ *Gottes* para mayor gloria de Dios.

'ehren *v/t.* honrar; (*achten*) respetar; (*verehren*) venerar, reverenciar; *sein Vertrauen usw. ehrt mich* me honra, es un honor para mí; *das ehrt dich* esto te honra.

'Ehren...: ~amt *n* (-*ęs*; ¨*er*) cargo *m* honorífico; empleo *m* honorario; **2amtlich** *adj.* honorífico; honorario; no retribuido; **~bezeigung** *f*, **~bezeugung** *f* testimonio *m* de respeto; homenaje *m*; ⚔ saludo *m* militar; ~*en pl.* honores *m/pl.*; **~bürger** *m* hijo *m* predilecto *bzw.* adoptivo de una ciudad; **~bürgerrecht** *n* (-*ęs*; -*e*) ciudadanía *f* honoraria; **~dame** *f* dama *f* de honor; **~doktor** *m* (-*s*; -*en*) doctor *m* honoris causa; **~erklärung** *f* ⚖ retractación *f*; **~gast** *m* (-*es*; ¨*e*) huésped *m* de honor; **~geleit** *n* (-*ęs*; -*e*) escolta *f* de honor; **~gericht** *n* (-*ęs*; -*e*) tribunal *m* de honor; **~grabmal** *n* (-*ęs*; ¨*er*) cenotafio *m*; **2haft** *adj.* (*Person*) honorable, respetable; honrado; digno, íntegro; (*Sache*) honroso; **~haftigkeit** *f* (*0*) honorabilidad *f*; dignidad *f*, caballerosidad *f*; honradez *f*, hombría *f* de bien; decoro *m*, decencia *f*; **2halber** *adv.* por (razón de) honor; *Doktor* ~ doctor *m* honoris causa; **~handel** *m* (-*s*; ¨) lance *m* de honor; duelo *m*; **~kompanie** ⚔ compañía *f* de honor; **~kodex** *m* (-*es*; -*e*) código *m* del honor; **~kränkung** *f* agravio *m*, ofensa *f* al honor; ultraje *m*; → *Verleumdung*; **~legion** *f* Legión *f* de Honor; **~mal** *n* (-*ęs*; -*e*) (*Denkmal*) monumento *m* conmemorativo; (*Grabmal*) cenotafio *m*; **~mann** *m* (-*ęs*; ¨*er*) hombre *m* de honor, caballero *m*; hombre *m* honrado; **~mitglied** *n* (-*es*; -*er*) miembro *m* honorario; **~pflicht** *f* deber *m* de honor; **~pforte** *f* arco *m* triunfal; **~platz** *m* (-*es*; ⸚*e*) puesto *m od.* sitio *m* de honor; **~preis** *m* (-*es*; -*e*) premio *m* de honor; ♀ verónica *f*; **~recht** *n* (-*es*; -*e*) *Verlust der bürgerlichen ~e* pérdida de los derechos civiles y políticos; **~rettung** *f* vindicación *f*; rehabilitación *f*; **2rührig** *adj.* difamatorio; injurioso; **~sache** *f* cuestión *f* de honor; (*Duell*) lance *m* de honor; **~salve** *f* salva *f* de honor; **~schuld** *f* deuda *f* de honor; **~sold** *m* (-*es*; -*e*) pensión *f* honorífica; **~strafe** *f* pena *f* infamante; **~tafel** *f* (-; -*n*) cuadro *m* de honor; **~tag** *m* (-*es*; -*e*) aniversario *m*; día *m* memorable *od.* solemne; **~titel** *m* título *m* honorífico; **2voll** *adj.* honroso; honorable; (*ruhmvoll*) glorioso; **~wache** *f* guardia *f* de honor; **2wert** *adj.* honorable; **~wort** *n* (-*es*; -*e*) palabra *f* de honor; *auf ~* bajo palabra de honor; (*auf*) *mein ~!* ¡palabra de honor!; *sein ~ geben* dar palabra de honor, empeñar su palabra; **2wörtlich** *adv.* bajo palabra de honor; **~zeichen** *n* distintivo *m* honorífico; insignia *f*; (*Orden*) condecoración *f*; cruz *f*.

'**ehr...:** **~erbietig** *adj.* respetuoso deferente; reverente; **2erbietigkeit** *f* (*0*), **2erbietung** *f* (*0*) respeto *m*, deferencia *f*; alta consideración *f*; (*Verehrung*) veneración *f*; **2furcht** *f* (*0*) profundo respeto *m*; veneración *f*; reverencia *f*; *~ einflößen* infundir respeto; **~furchtgebietend** *adj.* que impone respeto; respetable, digno de respeto; **~fürchtig** *adj.* respetuoso; reverente; **~furchtslos** *adj.* irrespetuoso; irreverente; **~furchtsvoll** *adj.* → *ehrfürchtig*; **2gefühl** *n* (-*es*; *0*) sentimiento *m* del honor; pundonor *m*; (*Selbstachtung*) dignidad *f*; propio decoro *m*, propia estimación *f*; **2geiz** *m* (-*es*; *0*) ambición *f*; **~geizig** *adj.* ambicioso.

'**ehrlich I.** *adj.* (*redlich*) honrado; (*aufrichtig*) sincero; ingenuo; (*aufrecht*) probo, íntegro; (*anständig*) decente; (*offen*) franco; (*treu*) leal, fiel; (*verläßlich*) formal, serio; *Spiel*: limpio; *der ~e Name* el buen nombre; *ein ~er Mann* un hombre de bien; *in ~em Kampf* en buena lid; **II.** *adv. ~ gesagt* a decir verdad, hablando con franqueza; *~ spielen* jugar limpio; *er meinte es ~* obró de buena fe, lo hizo con la mejor intención; **2keit** *f* (*0*) honradez *f*; probidad *f*, integridad *f*; sinceridad *f*, franqueza *f*; formalidad *f*; lealtad *f*.

'**ehr...:** **~los** *adj.* sin honor; deshonrado; (*gemein*) vil, infame; **2losigkeit** *f* deshonor *m*; falta *f* de honor; vileza *f*, infamia *f*; **~sam** *adj.* → *ehrbar*; **2sucht** *f* (*0*) ambición *f* desmedida; afán *m* de honores; **~süchtig** *adj.* (desmedidamente) ambicioso; ávido de honores; **2ung** *f* homenaje *m* (*gen.* a); **~vergessen** *adj.* sin honra; ruin, infame, vil; **2verlust** ⚖ *m* (-*es*; *0*) interdicción *f* civil; **2würden** *m*: *Ew. ~* Vuestra Reverencia; Reverendo Padre (*Abk.* Rvdo.P.); **~würdig** *adj.* venerable; *Geistlicher*: reverendo; **2würdigkeit** *f* (*0*) venerabilidad *f*.

ei *int.* ¡toma!, ¡vaya!; ¡calle!; ¡ay!; ¡tate!; ¡ah!; *~ wer kommt denn da!* ¡ay, mira quién viene aquí!

Ei *n* (-*es*; -*er*) huevo *m*; *Physiol.* óvulo *m*; *frisches* (*rohes*) *~* huevo fresco (crudo); *faules ~* huevo podrido; *hart* (*weich*) *gekochtes ~* huevo duro (pasado por agua); *gebratene* (*verlorene*) *~er* huevos fritos (escalfados); *aus dem ~ kriechen* salir del cascarón; *fig. das ~ des Kolumbus* el huevo de Colón; *wie auf ~ern gehen* andar como pisando huevos; *wie ein ~ dem andern gleichen* parecerse como dos gotas de agua *od.* como un huevo a otro; *wie ein rohes ~ behandeln* tratar con sumo cuidado; tratar con guante blanco; *wie aus dem ~ gepellt* de punta en blanco, *Am.* muy paquete; *das ~ will klüger sein als die Henne* pretender enseñar el padrenuestro al cura; *~er legen* (*Vögel*) poner huevos; (*Fische*) desovar.

'**Eibe** ♀ *f* tejo *m*.

'**Eibisch** ♀ *m* (-*es*; -*e*) altea *f*, malvavisco *m*.

'**Eich-amt** *n* (-*es*; ⸚*er*) oficina *f* de contraste de pesas y medidas.

'**Eich-apfel** ♀ *m* (-*s*; ⸚) agalla *f* de roble.

'**Eiche** *f* roble *m*; (*Stein2*) encina *f*.

'**Eichel** ♀ *f* (-; -*n*) bellota *f*; *Anat.* glande *m*; **2förmig** *adj.* en forma de bellota; **~häher** *Orn. m* arrendajo *m*; **~mast** *f* montanera *f*.

'**eichen**[1] *adj.* de roble *bzw.* de encina.

'**eichen**[2] *v/t.* (*Maße, Gewichte*) contrastar, aforar; (*Schiff*) arquear; (*Meßglas*) graduar; (*kalibrieren*) calibrar; → *geeicht*.

'**Eichen...:** **~blatt** *n* (-*es*; ⸚*er*) hoja *f* de encina *bzw.* roble; **~holz** *n* (-*es*; *0*) madera *f* de encina *bzw.* roble; **~laub** *n* (-*es*; *0*) hojas *f/pl.* de encina (*a.* ⚔); **~lohe** *f* casca *f* (*de roble*); tanino *m*.

'**Eich...:** **~gewicht** *n* (-*es*; -*e*) peso *m* normal *od.* de aforo; **~hörnchen**, **~kätzchen** *Zoo. n* ardilla *f*; **~lampe** *f* lámpara *f* de contraste; **~maß** *n* (-*es*; -*e*) patrón *m* (*para pesas y medidas*); **~meister** *m* inspector *m* de pesas y medidas, almotacén *m*; **~stab** *m* (-*es*; ⸚*e*) varilla *f* de aforo; **~stempel** *m* sello *m* de contraste; **~ung** ⊕ *f* contraste *m*, aforo *m*; graduación *f*; ⚓ arqueo *m*; **~wert** *m* (-*es*; -*e*) valor *m* de contraste.

Eid *m* (-*es*; -*e*) juramento *m*; *falscher ~* juramento en falso, perjurio; *an ~es Statt* en lugar de juramento; → *eidesstattlich*; *unter ~* bajo juramento; → *eidlich*; *e-n ~ leisten od. ablegen* prestar juramento, jurar; *e-n falschen ~ schwören* jurar en falso, perjurar; *j-m e-n ~ abnehmen* tomar juramento a alg.; *unter ~ aussagen* declarar bajo juramento; *darauf lege ich jeden ~ ab* puedo jurarlo.

'**Eidam** *m* (-*es*; -*e*) yerno *m*, hijo *m* político.

'**Eid...:** **~brecher(in** *f*) *m* perjuro (-a *f*) *m*; **~bruch** *m* (-*es*; ⸚*e*) perjurio *m*; **2brüchig** *adj.* perjuro; *~ werden* perjurarse, faltar a la fe jurada.

'**Eidechse** *f* lagarto *m*; (*Zaun2*) lagartija *f*.

'**Eider|daunen** *f/pl.* plumón *m* de flojel; (*Steppdecken*) edredón *m* de plumón; **~ente**, **~gans** *f* (-; ⸚*e*) pato *m* de flojel, ánsar *m*.

'**Eides...:** **~abnahme** *f* toma *f* de juramento; **~formel** *f* (-; -*n*) fórmula *f* de juramento; **~leistung** *f* prestación *f* de juramento; **2stattlich** *adj.* en lugar de juramento; *~e Erklärung* declaración formal en lugar de juramento, declaración jurada; → *eidlich*.

'**Eid...:** **~genosse** *m* (-*n*) confederado *m*; **~genossenschaft** *f* confederación *f*; *Schweizer ~* Confederación Helvética; **2genössisch** *adj.* federal; confederado; *engS.* suizo.

'**eidlich I.** *adj.* jurado; *~e Aussage* declaración *od.* afirmación bajo juramento; **II.** *adv.* bajo juramento; *~ bezeugen* testificar bajo juramento; *sich ~ verpflichten* juramentarse, comprometerse con juramento (zu a), jurar (*inf.*); *~ verpflichtet sein* estar obligado por juramento.

'**Eidotter** *m* yema *f* de(l) huevo.

'**Eier...:** **~becher** *m* huevera *f*; **~brikett** *n* (-*s*; -*s*) ovoide *m* (*de carbón*); **~handgranate** ⚔ *f* granada *f* (de mano) ovoide; **~händler** *m* huevero *m*; **~kognak** *m* (-*s*; -*s*) licor *m* de huevo; **~kuchen** *m* tortilla *f* (de harina, leche y azúcar); **~laden** *m* (-*s*; ⸚) huevería *f*; **2legend** *adj. Zoo.* ovíparo; *~e Henne* gallina ponedora; **~löffel** *m* cucharilla *f* para huevos; **~punsch** *m* (-*es*; *0*) ponche *m* de huevo; **~schale** *f* cáscara *f* de huevo; **~schnee** *m* (-*s*; *0*) *Kochkunst*: clara *f* batida a punto de nieve; **~speise** *f* plato *m* de huevos; **~stock** *Anat. m* (-*es*; ⸚*e*) ovario *m*; **~uhr** *f* ampolleta *f*, reloj *m* (*pequeño*) de arena.

'**Eifer** *m* (-*s*; *0*) celo *m*; (*glühender ~*) ardor *m*, fervor *m*; (*leidenschaftlicher ~*) pasión *f*; (*Begeisterung*) entusiasmo *m*; (*Streben*) afán *m*; (*Emsigkeit*) diligencia *f*; (*Fleiß*) asiduidad *f*; *blinder ~* pasión ciega; *Rel.* fanatismo *m*; *in ~ geraten* acalorarse; excitarse; *im ~ des Gefechtes* en el ardor de la lucha; *fig.* en el calor de la disputa.

'**Eiferer** *m*, '**Eiferin** *f* fanático (-a *f*) *m*.

'**eifern** (-*re*) *v/i.* mostrar celo *m* en; (*streben*) trabajar con ahínco *m*; (*schmähen*) clamar, fulminar *od.* lanzar invectivas (*gegen* contra); (*wett~*) rivalizar, competir con.

'**Eifersucht** *f* (*0*) celos *m/pl.* (*auf ac.* de); *aus ~* por celos; (*Neid*) envidia *f*.

Eifersüchte'lei *f* celos *m/pl.* mezquinos; pequeñas envidias *f/pl.*

'**eifersüchtig I.** *adj.* celoso; (*neidisch*) envidioso; *~ sein auf ac.* tener celos de; *~ werden* llegar a tener celos; **II.** *adv.*: ~ *wachen über* et. guardar celosamente a/c.

ˈ**eiförmig** *adj.* oval, ovalado; aovado, ovoide.

ˈ**eifrig** *adj.* celoso; (*leidenschaftlich*) apasionado; ardiente, fervoroso; (*heftig*) vehemente; (*emsig*) diligente; (*begeistert*) entusiasta; (*tätig*) activo; (*fleißig*) asiduo; estudioso; (*über*~) oficioso; (*fürsorglich*) solícito; *sich* ~ *bemühen um* esforzarse en hacer todo lo posible para.

ˈ**Eigelb** *n* (-*es*; -*e*) yema *f* de(l) huevo.

ˈ**eigen** *adj.* propio; (*eigentümlich*) *a.* particular, peculiar, característico, típico de; *bsd.* ⚕ específico; (*genau*) escrupuloso; exigente; (*innewohnend*) inherente a; (*persönlich*) personal; (*seltsam*) singular, curioso; raro, extraño; (*heikel*) delicado; (*zugehörig*) perteneciente a; ~*e Ansicht* opinión propia *od.* personal; *ein* ~*es Haus* (*Zimmer*) *haben* tener casa (habitación) propia; *sein* ~*er Herr sein* ser independiente, no depender de nadie; *auf od. für* ~*e Rechnung* por cuenta propia; *mit* ~*en Augen* con mis (*bzw.* tus, sus *usw.*) propios ojos; *mit* ~*er Hand* con su propia mano; (*bei Unterschriften*) de su puño y letra; *aus* ~*em Antrieb* espontáneamente; por propio impulso; *auf* ~*e Kosten* a expensas propias; *aus* ~*er Erfahrung* por propia experiencia; *in* ~*er Sache* en un asunto personal *od.* propio; *zu* ~ *haben* poseer, ser propietario de a/c.; *sich* et. *zu* ~ *machen* hacer suyo; *dies ist mein* ~ esto es mío, esto me pertenece; *die ihm* ~*e Ehrlichkeit* la sinceridad que le caracteriza.

ˈ**Eigen...:** ~**antrieb** ⊕ *m* (-*es*; *0*) autopropulsión *f*; ~**art** *f* particularidad *f*; singularidad *f*; peculiaridad *f*; característica *f* especial; *künstlerische usw.*: originalidad *f*; ♀**artig** *adj.* particular; singular; peculiar; característico; especial; original; ~**artigkeit** *f* → *Eigentümlichkeit*; ~**bedarf** *m* (-*es*; *0*) necesidades *f/pl.* propias; *e-s Landes*: necesidades *f/pl.* nacionales; ~**bericht** *m* (-*es*; *0*) información *f* especial; ~ *unserer Zeitung* información especial de nuestro corresponsal (en); ~**besitz** *m* (-*es*; *0*) propiedad *f* personal; ⚖ nuda propiedad *f*; ~**brötler** *m* solitario *m*; extravagante *m*, F tipo *m* raro; ♀**brötlerisch** *adj.* excéntrico, extravagante; *Pol.* particularista; ~**dünkel** *m* (-*s*; *0*) presunción *f*, vanidad *f*; ~**erzeugung** *f* producción *f* propia; *e-s Landes*: producción *f* nacional; ~**fabrikat** *n* (-*es*; -*e*) artículo *m* de fabricación propia; ~**gesetzlichkeit** *f* autonomía *f*; ~**gewicht** *n* (-*es*; -*e*) *Phys.* peso *m* específico; ⊕ peso *m* muerto, *Brücke*: peso *m* propio; (*Leergewicht*) tara *f*, peso *m* en vacío; ✝ peso *m* neto; ♀**händig** *adj. u. adv.* por su propia mano; *Brief*: autógrafo; ~ *unterschrieben* (*geschrieben*) firmado (escrito) de mi *bzw.* tu *od.* su puño y letra; ~ *übergeben* entregar en propia mano *od.* personalmente; ⚖ ~*es Testament* testamento ológrafo; ~**heim** *n* (-*es*; -*e*) casa *f* propia; ~**heit** *f* → *Eigentümlichkeit*; ~**kapital** ✝ *n* (-*s*; -*ien*) capital *m* propio; ~**leben** *n* (-*s*; *0*) vida *f* individual; vida *f* interior; ~**liebe** *f* (*0*) propia estimación *f*; egoísmo *m*; egotismo *m*; egolatría *f*; ~**lob** *n* (-*es*; *0*) alabanza *f* propia, elogio *m* de sí mismo, F autobombo *m*; ~ *stinkt!* la alabanza propia envilece; ♀**mächtig I.** *adj.* arbitrario; **II.** *adv.* arbitrariamente; ~ *handeln* obrar arbitrariamente, hacer por sí y ante sí; ~**mächtigkeit** *f* arbitrariedad *f*; ~**name** *m* (-*ns*; -*n*) nombre *m* propio; ~**nutz** *m* (-*es*; *0*) interés *m* personal, propio provecho *m*; egoísmo *m*; ♀**nützig** *adj. u. adv.* interesado; egoísta; ~ *handeln* obrar por interés *od.* interesadamente.

ˈ**eigens** *adv.* (*besonders*) especialmente, expresamente; (*absichtlich*) intencionadamente, con intención; a propósito, adrede, aposta.

ˈ**Eigenschaft** *f* cualidad *f*; condición *f*; (*Merkmal*) atributo *m*, característica *f*, carácter *m*; *physikalische, chemische*: propiedad *f*; *wirksame*: virtud *f*; (*Beschaffenheit*) calidad *f*; (*Wesen*) naturaleza *f*; *gute* (*schlechte*) ~*en* buenas (malas) cualidades; *in s-r* ~ *als* en su calidad de; ~**swort** *Gr.* *n* (-*es*; ⸚*er*) adjetivo *m* (calificativo).

ˈ**Eigen...:** ~**sinn** *m* (-*es*; *0*) obstinación *f*; porfía *f*; (*Starrköpfigkeit*) testarudez *f*, terquedad *f*, tozudez *f*; (*Launenhaftigkeit*) capricho *m*; (*Zähigkeit*) tenacidad *f*; tesón *m*; ♀**sinnig** *adj.* obstinado; porfiado; (*starrköpfig*) testarudo, terco, tozudo, F *fig.* cabezudo; (*verbissen*) recalcitrante; (*zäh*) tenaz; (*launisch*) caprichoso, voluntarioso; ~**staatlichkeit** *f* (*0*) soberanía *f*; ♀**ständig** *adj.* independiente; ⚖ ~*e Verbrechen* delitos específicos.

ˈ**eigentlich I.** *adj.* propio; (*wirklich*) real, verdadero; (*innewohnend, bsd. Wert*) intrínseco; *im* ~*en Sinne des Wortes* en el sentido propio (*od.* estricto, literal) de la palabra; **II.** *adv.* (*tatsächlich*) en realidad, realmente, verdaderamente; (*recht* ~) por excelencia, por antonomasia; (*genau*) exactamente; (*ausdrücklich*) expresamente; (*im Grunde genommen*) en el fondo; (*genau gesagt*) propiamente dicho, hablando con propiedad; (*genau genommen*) bien mirado, considerándolo *od.* mirándolo bien; (*offen gesagt*) a decir verdad, en verdad; *was wollen Sie* ~? ¿qué es lo que usted quiere?; *wo geschah das* ~? ¿dónde ocurrió eso exactamente?

ˈ**Eigentor** *n* (-*es*; -*e*) *Fußball*: marcar en la propia meta; F gol *m* colado.

ˈ**Eigentum** *n* (-*s*; ⸚*er*) propiedad *f*; (*Grund*♀) bienes *m/pl.* raíces; (~*srecht*) título *m* de propiedad; *bewegliches* ~ bienes muebles; *unbewegliches* ~ bienes inmuebles; *das ist mein* ~ es de mi propiedad, es mío *od.* me pertenece.

ˈ**Eigentümer**(**in** *f*) *m* propietario (-a *f*) *m*, dueño (-a *f*) *m*; ✝ *von Wechseln, Effekten usw.*: tenedor *m*.

ˈ**eigentümlich** *adj.* propio de; particular, peculiar, característico, típico de; específico; (*innewohnend*) inherente a; (*seltsam*) singular, curioso; raro, extraño; (*persönlich*) personal; privativo de; ♀**keit** *f* propiedad *f*; particularidad *f*, peculiaridad *f*; especialidad *f*; (*Seltsamkeit*) singularidad *f*; (*Merkmal*) carácter *m* propio; característica *f*, rasgo *m* distintivo *od.* característico; *der Sprache*: modismo *m*, giro *m*, *mundartliche*: regionalismo *m*; (*psychologische* ~) idiosincrasia *f*.

ˈ**Eigentums...:** ~**nachweis** *m* (-*es*; -*e*) título *m* de propiedad; ~**recht** *n* (-*es*; -*e*) derecho *m* de propiedad; juro *m*; (*Urheberrecht*) propiedad *f* literaria; derechos *m/pl.* de autor; *sich das* ~ *vorbehalten* reservarse el derecho de propiedad; ~**übertragung** *f* transmisión *f* de propiedad; ~**vergehen** *n* delito *m* contra la propiedad; ~**vorbehalt** ⚖ *m* (-*es*; -*e*) reserva *f* de dominio; ~**wohnung** *f* vivienda *f* (adquirida) en propiedad, piso *m* propio.

ˈ**Eigen...:** ~**vermögen** *n* bienes *m/pl.* propios; *der Ehefrau*: ⚖ bienes *m/pl.* parafernales; ~**versorgung** *f* (*0*) abastecimiento *m* propio; ~**wärme** *f* (*0*) calor *m* específico; ~**wechsel** ✝ *m* pagaré *m*; ~**wert** *m* (-*es*; -*e*) valor *m* intrínseco; ~**wille** *m* (-*ns*; *0*) propia voluntad *f*; → *Eigensinn*; ♀**willig** *adj.* voluntarioso; → *eigensinnig*.

ˈ**eignen** (-*e*-) **1.** *v/refl.*: *sich* ~ *für* ser apropiado (adecuado, conveniente, a propósito) para; servir para; *Person*: ser apto para, tener las cualidades (*od.* condiciones) necesarias para; **2.** *v/i.*: *j-m*: ser propio (*od.* característico) de; → *geeignet*.

ˈ**Eigner**(**in** *f*) *m* → *Eigentümer*.

ˈ**Eignung** *f* aptitud *f*, idoneidad *f*; disposición *f*; talento *m*, dotes *f/pl.*; ~**s-prüfung** *f* examen *m* de aptitud; examen *m* (p)sicotécnico.

ˈ**Eiland** *n* (-*es*; -*e*) isla *f*; (*kleines* ~) islote *m*.

ˈ**Eil|auftrag** *m* (-*es*; ⸚*e*) encargo *m* urgente; ~**bestellung** ✝ *f* remesa *f* urgente; ~**bote** *m* (-*n*) mensajero *m*; correo *m*; *durch* ~*n* ✉ por correo urgente; ~**brief** *m* (-*es*; -*e*) carta *f* urgente; *Aufschrift*: Urgente.

ˈ**Eile** *f* (*0*) prisa *f*; (*Schnelligkeit*) rapidez *f*, celeridad *f*; (*Flinkheit*) presteza *f*, prontitud *f*; (*Dringlichkeit*) urgencia *f*; (*überstürzte*) precipitación *f*; ~ *haben Person*: tener prisa; *Sache*: ser urgente; *es hat keine* ~ no corre (*od.* no tiene) prisa; *in aller* ~ muy de prisa, a (*od.* con) toda prisa; F a escape, de prisa y corriendo; (*überstürzt*) precipitadamente, atropelladamente; (*mit Beschleunigung*) aceleradamente; *in der* ~ con las prisas; ~ *mit Weile* si tienes prisa, vístete despacio.

ˈ**Eileiter** *Anat.* *m* oviducto *m*, trompa *f* uterina.

ˈ**eilen** *v/i. u. sich* ~ darse prisa, apresurarse; (*rasen*) correr, volar; *eil dich!* ¡date prisa!, ¡venga!; ~ *zu od. nach* acudir presurosamente a, correr a, ir *od.* acudir corriendo a; *zu Hilfe* ~ acudir en socorro de; *Sache*: correr prisa; ser urgente; *es eilt* *nicht* (*damit*)! no corre prisa; *die Zeit eilt* el tiempo vuela; *Aufschrift*: *Eilt!* Urgente; **~d** *adj.* → *eilig*; **~ds** *adv.* muy de prisa; a toda prisa, a escape, a todo correr.

'**eilfertig** *adj.* presuroso, apresurado; (*überstürzt*) precipitado; **⁀keit** *f* (*0*) apresuramiento *m*, presteza *f*; prisa *f*; precipitación *f*.

'**Eil...:** **~fracht** *f* transporte *m* a gran velocidad; **~gespräch** *Tele. n* (*-ės*; *-e*) conferencia *f* telefónica urgente; **~gut** 🚂 *n* (*-ės*; *⸚er*) mercancías *f*/*pl.* de gran velocidad; *als ~ befördern* enviar por (*od.* en) gran velocidad (*Abk.* G.V.).

'**eilig 1.** *adj.* apresurado; (*hastig*) presuroso; (*rasch*) rápido, ligero; (*dringend*) urgente; apremiante; (*überstürzt*) precipitado; **2.** *adv.* de prisa, apresuradamente; presurosamente; prontamente; con urgencia; (*überstürzt*) precipitadamente, atropelladamente; corriendo, volando; *es ~ haben* tener (llevar) prisa, estar de prisa; *wohin so ~?* ¿a dónde tan de prisa?; *ich habe es nicht ~* no tengo (*od.* no me corre) prisa; **~st** *adv.* a toda prisa, muy de prisa; con toda urgencia; lo más pronto posible; a todo correr.

'**Eil...:** **~marsch** ⚔ *m* (*-es*; *⸚e*) marcha *f* forzada; **~post** *f* (*0*) correspondencia *f* urgente; **~sache** *f* asunto *m* urgente; **~schritt** ⚔ *m* (*-ės*; *-e*) paso *m* ligero; **~zug** *m* (*-ės*; *⸚e*) tren *m* rápido, F rapidillo *m*.

'**Eimer** *m* cubo *m*; ⊕ cangilón *m*; **~kette** *f Bagger*: cadena *f* de cangilones; **⁀weise** *adv.* a cubos; *fig.* a cántaros.

'**ein**(**-e** *m*/*f*; **-**(**e**)**s** *bzw.* **ein** *n*); **I.** *adj.* un, uno, una; *um ~s* a la una; *~ für allemal* de una vez para siempre; *~ und derselbe* el mismo; *es ist ~ und dasselbe* es lo mismo; *er ist ihr ~ und alles* él lo es todo para ella, es su único bien; *in ~em fort* sin interrupción, continuamente; *nicht ~en einzigen Tag* ni un solo día, ni un día siquiera; *an ~ und demselben Tag* en el mismo día; *~s sein mit j-m* estar de perfecto acuerdo con alg.; *die ~e Tochter* una de las hijas; *die beiden Begriffe sind ~s* son lo mismo *od.* son la misma cosa; *~s gefällt mir nicht* una cosa hay que no me agrada; *~s trinken* tomar un vaso, F echar un trago; *j-m ~s versetzen* dar (F atizar) un golpe a alg.; *noch ~s!* uno más, otro más; *es kommt alles auf ~s hinaus* todo viene a ser la misma cosa; *es ist mir alles ~s* todo me da igual; **II.** *art.*/ *indef.* un *m*; una *f*; *~ Berg* una montaña; *~ Europäer* un europeo; *~es Tages* un día; *~ jeder* cada uno; cada cual; *~e andere Sache* otra cosa; *~ andermal* otra vez; *~e halbe Stunde* media hora; *in ~em derartigen Fall* en un caso así, en tal caso; *welch ~ Glück!* ¡qué felicidad!; *~ Greco* (*Bild*) un Greco; *~ gewisser Herr X* (un) cierto señor X.; *sie hat ~en schlechten Ruf* tiene mala fama; **III.** *pron.*/*indef. irgend~* uno; algún; cualquier; *irgend ~e* alguna; cualquier(a); *~er m-r Freunde* uno de mis amigos; *~er von beiden* uno de los dos; *~er von vielen* uno de tantos; *~er nach dem andern* uno después de otro, sucesivamente; *manch ~er* muchos; hay quien(es); *wenn ~er behauptet* si uno dice *od.* afirma; *was für ~er?* ¿cuál?; *das tut ~em gut* esto sienta bien (a uno); *~s ums andere* alternativamente; **IV.** *adv.*: *nicht ~ und aus wissen* no saber qué hacer; *bei j-m ~ und aus gehen* frecuentar la casa de alg.; *~ oder aus?* ¿entrar o salir?; *an Geräten*: *~!* ⚡ conectado.

'**ein|achsig** *adj. Fahrzeug usw.*: de un solo eje; *Phys.* uniaxial; **⁀akter** *Thea. m* pieza *f* en (de) un acto.

ein'ander *adv.* uno a otro, *mehrere*: unos a otros; (*gegenseitig*) mutuamente, recíprocamente; → *an-*, *auf-*, *auseinander usw.*

'**ein-arbeit|en** (*-e*) *v*/*t.*: *sich ~ in* (*ac.*) iniciarse en; adquirir práctica en, adiestrarse en; familiarizarse con; ponerse al corriente de; → *anlernen*, *einführen*; **⁀ungszeit** *f* (*0*) período *m* de adaptación profesional *od.* de iniciación; período *m* de prácticas.

'**ein...:** **~armig** *adj.* manco; ⊕ *~er Hebel* palanca de un solo brazo; **~äschern** (*-re*) *v*/*t.* (*bsd. Leiche*) incinerar; *Stadt usw.*: reducir a cenizas *f*/*pl.*; ⚗ calcinar; **⁀äscherung** *f* reducción *f* a cenizas; ⚗ calcinación *f*; *Leichen*: incineración *f*, cremación *f*; **⁀äscherungsofen** *m* (*-s*; *⸚*) horno *m* crematorio; **~atmen** (*-e-*) *v*/*t.* aspirar, inspirar, inhalar; *tief ~* aspirar profundamente; **⁀atmung** *f* (*0*) aspiración *f*, inspiración *f*; **~atomig** *adj.* monoatómico; **~ätzen** (*-t*) *v*/*t.* grabar (*al agua fuerte*); **~äugig** *adj.* tuerto; *Opt.* monocular.

'**Ein...:** **~bahnstraße** *f* calle *f* de dirección única; **⁀bahnig** *adj.* 🚂 de una sola vía; **⁀balsamieren** (-) *v*/*t.* embalsamar; **~balsamierung** *f* embalsamamiento *m*; **~band** *m* (*-ės*; *⸚e*) encuadernación *f*; (*~decke*) tapa *f*; **⁀bändig** *adj.* en un tomo; **⁀basig** ⚗ *adj.* monobásico.

'**Einbau** ⊕ *m* (*-ės*; *-ten*) montaje *m*, instalación *f*; incorporación *f*, empotrado *m*; **⁀en** *v*/*t.* montar, instalar; incorporar, empotrar; (*einfügen*) insertar; **~fehler** *m* defecto *m* de montaje; **~möbel** *n*/*pl.* muebles *m*/*pl.* funcionales; *eingebauter Schrank* armario empotrado.

'**Einbaum** *m* (*-ės*; *⸚e*) canoa *f*, piragua *f*.

'**ein...:** **~begreifen** (*L*; -) *v*/*t.* comprender, incluir; abarcar; englobar; (*mit*) (*e*)*inbegriffen* comprendido, incluido en; **~behalten** (*L*; -) *v*/*t.* retener; conservar (*en su poder*); *zu Unrecht ~* detentar; **~beinig** *adj.* cojo; de una sola pierna.

'**einberuf|en** (*L*; -) *v*/*t. Versammlung*, *Parlament*: convocar; ⚔ llamar a filas *f*/*pl.*, *Am.* enrolar; **⁀ung** *f* convocatoria *f*; ⚔ llamamiento *m* a filas; **⁀ungsbescheid** ⚔ *m* (*-ės*; *-e*) orden *f* de incorporación a filas.

'**ein...:** **~betonieren** (-) ⊕ *v*/*t.* empotrar en hormigón *m*; **~betten** (*-e-*) *v*/*t.* (*begraben*) enterrar; ⊕ empotrar, embutir; introducir.

'**Einbett|kabine** *f* ⚓ camarote *m* individual; **~zimmer** *n* habitación *f* de una cama.

'**ein...:** **~beulen** *v*/*t.* abollar; **⁀beulung** *f* abolladura *f*; **~beziehen** (*L*; -) *v*/*t.* incluir; **⁀beziehung** *f* inclusión *f*; **~biegen** (*L*) **1.** *v*/*t.* doblar, encorvar, volver hacia dentro; **2.** *v*/*i.*: *~ in* (*ac.*) entrar en, doblar a, tomar (*ac.*); *links ~* doblar (*od.* torcer) a la izquierda.

'**einbilden** (*-e*): *sich et. ~* imaginarse, figurarse a/c.; (*glauben*) creer, pensar; *iro.* envanecerse de poseer méritos imaginarios; vivir en la ilusión de; *sich et. steif und fest ~* estar firmemente convencido de a/c., F tener metida a/c. en la cabeza; *sich viel ~* presumir mucho, tener un alto concepto de sí mismo; *sich et. ~ auf* (*ac.*) estar orgulloso de a/c.; preciarse *od.* presumir de; envanecerse, vanagloriarse de a/c.; *bilde dir ja nicht ein, daß* no vayas a creerte que; *darauf brauchst du dir nichts einzubilden* no es como para que te enorgullezcas de eso; *darauf kannst du dir et. ~* con eso ya puedes darte tono y presumir; *ich bilde mir nicht ein, ein Genie zu sein* no pretendo ser un genio; → *eingebildet*.

'**Einbildung** *f* imaginación *f*; fantasía *f*; (*Trugbild*) ilusión *f*; ficción *f*, quimera *f*; (*Dünkel*) presunción *f*, fatuidad *f*, presuntuosidad *f*, engreimiento *m*; (*Eitelkeit*) vanidad *f*; (*Großtuerei*) ostentación *f*; **~skraft** *f* (*0*), **~svermögen** *n* (*-s*; *0*) imaginación *f*; fantasía *f*; facultad *f* imaginativa; imaginación *f* creadora.

'**ein...:** **~binden** (*L*) *v*/*t.* encuadernar; **~blasen** (*L*) *v*/*t.* soplar en; ⚕ insuflar; ⊕ *a.* inyectar; *Thea.* apuntar; *fig. j-m et. ~* sugerir *od.* insinuar a/c. a alg.

'**Einbläser** *m* inspirador *m*.

'**Einblattdruck** *Typ. m* (*-ės*; *-e*) hoja *f* impresa por una cara.

'**ein...:** **~bläuen** *v*/*t. Wäsche*: azular; **~bleuen** *v*/*t.* (*einprägen*) inculcar; (*einpauken*) F enseñar a palos.

'**Einblick** *m* (*-ės*; *-e*) mirada *f* (*in ac.* en); *fig.* examen *m* somero de a/c.; *kürzer*: ojeada *f*, vistazo *m*; *~ gewinnen* enterarse de, formarse idea general de; *~ gewähren* permitir examinar; *~ nehmen* enterarse de, adquirir una idea general de; examinar, inspeccionar; *er hat ~ in die Akten* tiene acceso al examen directo de los documentos.

'**ein...:** **~booten** (*-e-*) *v*/*t.* embarcar; **~brechen** (*L*) **1.** *v*/*t.* romper; *Tür*, *Wand*: derribar, echar abajo; **2.** *v*/*i.* (*zerbrechen*) romperse; (*gewaltsam eindringen*) violentar, forzar; penetrar *od.* entrar violentamente en; *Diebe*: escalar (*ac.*); cometer robo *m* con fractura; ⚔ irrumpir en, hacer irrupción en; *in ein Land*: invadir (*ac.*); *die Nacht bricht ein* anochece, comienza a anochecer, oscurece.

'**Einbrecher** *m* ladrón *m* (*que roba con fractura*).

'**ein...:** **~brennen** (*L*) *v*/*t. Mehl*: tostar; *Email*: fundir; *Faß*: azufrar; ⚕ cauterizar; *ein Zeichen ~* marcar a fuego, marcar con hierro candente; **⁀brennlack** *m* (*-ės*; *-e*) barniz *m* al fuego; **~bringen** (*L*) *v/t.* introducir; *Ernte*: recolectar, recoger; entrojar; *Antrag, Klage usw.*: presentar; ✝ *Kapital*: aportar, contribuir con; *Nutzen*: rendir, producir; rentar; *Zinsen*: devengar; (*wieder~*) reparar, compensar; *Zeit*: recobrar, recuperar; *Typ. Zeile*: incluir, encajar; *eingebrachtes Gut* (*der Frau*) bienes aportados al matrimonio, ⚖ bienes dotales; **~brocken** *v/t. Brot*: desmigajar; ensopar; *fig. j-m et.* ~ jugar una mala pasada a alg.; *sich et.* ~ F meterse en un lío; *das hast du dir selbst eingebrockt* tú mismo te has metido en el berenjenal; *jetzt hat er sich aber et. eingebrockt* ¡en buena se ha metido!; ¡buena la ha armado!

ˈ**Einbruch** *m* (-*es*; ⸗*e*) ⚔ *in ein Land*: invasión *f*; *in e-e Stellung, Linie*: irrupción *f*, penetración *f*, infiltración *f*; ⚖ robo *m* con fractura; ~ *verüben* cometer un robo con fractura; P dar un palanquetazo; ✝ *Börse*: retroceso *m*, descenso *m* fuerte; *bei ~ der Nacht* al anochecer, al cerrar la noche; **~sdiebstahl** *m* (-*es*; ⸗*e*) robo *m* con fractura *bzw.* con escalo; **~sfront** *f Wetter*: frente *m* frío; ⚔ frente *m* de penetración; **&ssicher** *adj.* a prueba de robo; **~sversicherung** *f* seguro *m* contra el robo.

ˈ**Einbuchtung** *f e-s Flusses*: recodo *m*; *Bucht*: ensenada *f*; *Einschnitt*: escotadura *f*.

ˈ**ein...**: **~buddeln** (-*le*) *v/t.* F: *sich* ~ (*Tiere*) esconderse bajo tierra; ⚔ atrincherarse; **~bürgern** (-*re*) *v/t.* nacionalizar, naturalizar (*ac.*), dar carta *f* de naturaleza a; *sich* ~ nacionalizarse, adquirir carta *f* de naturaleza (*a. fig.*), naturalizarse (*a. fig.*: *Fremdwort, Sitte usw.*); *fig.* generalizarse, ser adoptado; **&bürgerung** *f* adquisición *f* de la nacionalidad, naturalización *f*; *fig.* adopción *f*, general aceptación *f*.

ˈ**Einbuße** [-u:-] *f Verlust*: pérdida *f*; menoscabo *m*, merma *f*, mengua *f*; *Schaden*: daño *m*; deterioro *m*, desperfecto *m*; *das tut s-m Ansehen keine* ~ eso no menoscaba su buena fama.

ˈ**ein...**: **~büßen** [-y:-] (-*t*) *v/t.* perder, sufrir pérdidas *f/pl.*; *an Wert* ~ desmerecer; **~dämmen** *v/t.* poner diques *m/pl.* a; *Fluß*: encauzar; (*aufhalten*) contener; *fig. a.* reprimir, poner dique *m* (*od.* coto *m*) a; *Feuer*: localizar; *fig. a.* restringir, limitar; **~dampfen** *v/t.* evaporar; **~decken** *v/t.* cubrir; *Haus*: *a.* techar; ✝ *Effekten*: volver a comprar; *sich* ~ *mit* aprovisionarse de, abastecerse de, hacer provisión de; almacenar; *eingedeckt sein mit* estar bien abastecido de, tener abundantes provisiones de.

ˈ**Eindecker** ✈ *m* monoplano *m*.

ˈ**ein...**: **~deichen** *v/t.* poner diques *m/pl.* a; **~deutig** *adj.* inequívoco; (*offensichtlich*) claro, patente, palmario; *fig.* terminante; *s-e Haltung ist* ~ su actitud no deja lugar a dudas; **~deutschen** *v/t.* germanizar; **~dicken** *v/t.* espesar; ⚗ condensar, concentrar; **~dosen** (-*t*) *v/t.* envasar en latas *bzw.* en cajas; **~drängen** *v/refl.* introducirse, meterse por fuerza en; intrusarse; (*in fremde Angelegenheiten*) entremeterse en; inmiscuirse *od.* ingerirse en; **~drillen** → *einexerzieren*.

ˈ**eindring|en** (*L*; *sn*) *v/i.* entrar por la fuerza; penetrar (violentamente), irrumpir en; *in e-e Gesellschaft*: meterse sin ser llamado, F colarse en; *in ein Land*: internarse en, ⚔ invadir; *Flüssigkeit*: infiltrarse (*a.* ⚔ *u. Pol.*); (*durchbohren*) atravesar; penetrar; *fig.* (*ergründen*) adentrarse en una materia; *in den Geist e-s Volkes* ~ penetrar en el espíritu de un pueblo; *auf j-n* ~ acometer a alg.; (aba)lanzarse sobre alg.; *mit Worten*: insistir en; apremiar a alg.; instar a alg.; **~lich I.** *adj.* penetrativo; penetrante; (*nachdrücklich*) enérgico; (*rührend*) conmovedor; (*eindrucksvoll*) impresionante; (*beharrlich*) insistente, apremiante; (*überzeugend*) persuasivo; **II.** *adv.* encarecidamente; **&lichkeit** *f* (*0*) insistencia *f*; energía *f*; énfasis *m*; fuerza *f*; **&ling** *m* (-*s*; -*e*) intruso *m*; (*Angreifer*) invasor *m*.

ˈ**Eindruck** *m* (-*es*; ⸗*e*) impresión *f*; (*Spur*) marca *f*, señal *f*; huella *f*; (*Wirkung*) efecto *m*; *guter* (*schlechter*) ~ buena (mala) impresión; *bleibender* ~ impresión duradera; ~ *machen auf* (*ac.*) causar *od.* producir impresión en *bzw.* a; impresionar a; *den* ~ *erwecken, daß* dar la impresión de que; F ~ *schinden* querer impresionar para obtener alguna ventaja; *nur um* ~ *zu schinden* sólo para producir efecto; **&en** *v/t.* imprimir; *eingedruckte Marke* sello en relieve.

ˈ**ein...**: **~drücken** *v/t.* imprimir, estampar; (*platt drücken*) aplanar; (*zermalmen*) aplastar; (*einbeulen*) abollar, *stärker*: deformar; ⚔ *die Front*: romper; *Tür*: forzar, derribar; *Glasscheibe*: romper (*haciendo presión*); **~drucksfähig** *adj.* impresionable; **~drucksvoll** *adj.* impresionante; espectacular, sensacional; de gran efecto; **~dünsten** (-*e*-) *v/t.* evaporar; concentrar; → *dünsten*; **~ebnen** (-*e*-) *v/t.* nivelar; aplanar, allanar; **&ehe** *f* monogamia *f*.

ˈ**einen** *v/t.* → *einigen*.

ˈ**ein...**: **~eiig** *Physiol. adj.* univitelino; *~e Zwillinge* gemelos univitelinos; **~engen** *v/t.* estrechar; (*begrenzen*) restringir, limitar, circunscribir; *fig.* coartar.

ˈ**einer I.** *pron.* → *ein*; **II.** & *m Arith.* unidad *f*; *Boot*: bote *m* individual, esquife *m*; **~lei** *adj.* igual, lo mismo; (*gleichgültig*) indiferente; *von* ~ *Art* de la misma clase; *ist ganz* ~ no importa, es lo mismo, igual (*od.* lo mismo) da; *es ist mir* ~ me es igual (*od.* indiferente), me da igual, tanto se me da; ~ *ob* tanto si, lo mismo si; ~ *wer* quienquiera que sea, no importa quién; ~, *wir gehen hin!* ¡no importa, vamos allá!; **&lei** *n* (-*s*; *0*) uniformidad *f*; (*Eintönigkeit*) monotonía *f*.

ˈ**einernten** (-*e*-) *v/t.* recolectar, cosechar (*a. fig.*), recoger.

ˈ**einerseits**, ˈ**einesteils** *adv.* por un lado, de una parte.

ˈ**einexerzieren** (-) *v/t.* ejercitar, instruir (*ac.*).

ˈ**einfach I.** *adj.* sencillo; simple; (*schlicht*) sencillo; mero; escueto; (*bescheiden*) modesto; (*unkompliziert*) simple; (*nicht schwierig*) sencillo, fácil; (*elementar*) elemental; *~e Fahrkarte* billete sencillo; *~e Buchführung* contabilidad por partida simple; *~es Essen* comida frugal; *ein ~er Mann* un hombre sencillo *bzw.* modesto; *ein ~er Mechaniker* un simple mecánico; *es ist nicht so* ~ no es tan fácil como parece; *die ~e Tatsache, daß* el mero hecho de; *aus dem ~en Grunde, daß* por la sencilla razón de; **II.** *adv.* sencillamente; simplemente; *das ist* ~ *wunderbar* es realmente maravilloso; *es war mir* ~ *unmöglich* me fue de todo punto imposible; **&heit** *f* (*0*) sencillez *f*; simplicidad *f*; modestia *f*; frugalidad *f*; *der* ~ *halber* para simplificar las cosas; para mayor claridad *bzw.* sencillez.

ˈ**ein...**: **~fädeln** (-*le*) *v/t. Nadel*: enhebrar; *Perlen*: ensartar; *fig.* tramar, urdir ingeniosamente un plan; **~fahren** (*L*) **1.** *v/i.*: ~ *in* entrar en; llegar en un vehículo; *Zug*: llegar (*al andén*); ⚒ bajar (*a la mina*); **2.** *v/t. Getreide*: acarrear (*al granero*); recoger; entrojar; *Pferd*: amaestrar para el tiro; *Auto.* rodar; *sich* ~ (*Auto.*) ejercitarse en conducir; *fig.* acostumbrarse a a/c.; **&fahrt** *f* entrada *f*; *e-s Zuges*: llegada *f*; ⚒ bajada *f* a la mina; (*Eingang*) entrada *f*; *Hafen*: boca *f* del puerto; ⚒ bocamina *f*; (*Tor&*) puerta *f* cochera; **&fahrtzeit** *f Auto.* período *m* de rodaje.

ˈ**Einfall** *m* (-*es*; ⸗*e*) → *Einsturz*; ⚔ incursión *f*, irrupción *f* (*in ac.* en), invasión *f* (de); *Phys. Licht*: incidencia *f*; (*Idee*) idea *f*, pensamiento *m*; *glücklicher* ~ feliz idea *f*; (*witziger* ~) salida *f*; (*geistreicher* ~) ocurrencia *f*; (*Laune*) antojo *m*, capricho *m*; humorada *f*; *er kam auf den* ~ se le ocurrió; F *du hast Einfälle wie ein altes Haus!* F ¡se te ocurre cada cosa!, ¡qué cosas tienes!; **&en** (*L*) *v/i.* caerse; *Licht*: incidir; ⚔ invadir (*ac.*); irrumpir en; ♪ entrar; *mit dem Chor* ~ entrar con el coro; (*in die Rede fallen*) interrumpir; *in das Gespräch* ~ terciar *od.* intervenir en la conversación; (*einstürzen*) hundirse, derrumbarse, venirse abajo; *j-m* ~ (*in den Sinn kommen*) ocurrirse a alg. a/c.; venirse a las mientes a alg. a/c.; *mir fällt jetzt nichts ein* no se me ocurre nada; *dabei fällt mir et. ein* esto me recuerda (*od.* me hace recordar) una cosa; a propósito de esto se me ocurre una cosa; *es fällt mir jetzt nicht ein* no lo recuerdo en este momento; *das fällt mir nicht im Traum ein* eso no se me ocurre ni en sueños; F ¡eso ni soñarlo!; *was fällt dir ein!* ¿qué te has figurado?, ¿pero qué te has creído?; *sich* (*dat.*) ~ *lassen zu* (*inf.*) atreverse a; *laß dir das ja nicht* ~! ¡no te atrevas a hacer eso!, ¡no se te ocurra hacer tal cosa!; **&end** *Phys. adj.* incidente; **&sreich** *adj.*

de feliz imaginación; muy ocurrente; **~swinkel** *m* ángulo *m* de incidencia.

'**Ein...:** **~falt** *f* (0) (*Unschuld*) inocencia *f*; (*Naivität*) ingenuidad *f*, candidez *f*; simplicidad *f*; (*Dummheit*) simpleza *f*; **2fältig** *adj.* inocente; ingenuo, cándido; simple; (*töricht*) mentecato, bobo; **~falts-pinsel** *m* bobo *m*, F pazguato *m*, P lila *m*, gilí *m*; **~familienhaus** *n* (-es; ¨er) casa *f* unifamiliar; **2fangen** (*L*) *v/t.* coger; *Verbrecher*: capturar; *fig.* j-n ~ echar el gancho a alg.; **2farbig** *adj.* unicolor; *Stoff*: liso; *Typ.* monocromo; **2fassen** (-ßt) *v/t.* guarnecer; *mit e-m Zaun*: cercar; (*umsäumen*) orlar, ribetear; acenefar; *Quelle*: captar; *Bild*: encuadrar; *Edelstein*: engastar; **~fassung** *f* (*Gehege*) recinto *m*; (*Zaun*) cerca *f*; (*Rand*) borde *m*; (*Saum*) orla *f*, ribete *m*; cenefa *f*; (*Edelstein*) engaste *m*; (*Bild*) marco *m*; **2fetten** (-e-) *v/t.* engrasar; **~fetten** *n* engrase *m*; **2finden** (*L*) *v/refl.*: sich ~ acudir; concurrir; presentarse, personarse, *bsd.* ⚖ comparecer; (*teilnehmen*) asistir; **2flechten** (*L*) *v/t.* entretejer, entrelazar (in *ac.* con); *Haare*: trenzar; *fig.* mencionar incidentalmente, aludir a, tocar; *Erzählung*: intercalar; **2fliegen** ✈ (*L*; *sn*) **1.** *v/i.* entrar volando; *feindlich*: hacer una incursión aérea; **2.** *v/t.* hacer vuelos *m/pl.* de prueba con; **~flieger** *m* piloto *m* de pruebas; **2fließen** (*L*; *sn*) *v/i.* (*münden*) desaguar en, desembocar en; (*Flüssigkeiten*) fluir en; *fig.* (mit ~ lassen) mencionar de pasada; **2flößen** [-ø:-] (-t) *v/t.* ⚕ instilar; administrar; *fig.* j-m et. ~ inspirar; *Furcht*: infundir; **2fluchten** (-e-) ⚠ *v/t.* alinear.

'**Einflug** *m* ✈ (-es; ¨e) vuelo *m* de aproximación; ⚔ incursión *f* aérea; **~schneise** *f* corredor *m* aéreo.

'**Einfluß** *m* (-sses; ¨sse) *Mündung*: desembocadura *f*; *fig.* influencia *f*, influjo *m* (auf *ac.* en, sobre); *j-n*: *a.* valimiento *m* (con), ascendiente *m* (sobre); *Macht*: autoridad *f*; valía *f*; *Wirkung*: efecto *m*; *Ansehen*: prestigio *m*, crédito *m*; ~ haben (auf) tener influjo *od.* influir (en, sobre); e-n ~ ausüben (auf) ejercer influjo, influir (en, sobre); unter dem ~ von bajo el influjo de; *von et.*: *a.* bajo los efectos de; **~bereich** *m* (-es; -e) *bsd. Pol.* esfera *f* de influencia; **2reich** *adj.* (muy) influyente, de mucha influencia; de gran valimiento; prestigioso.

'**ein...:** **~flüstern** (-re) *v/t.*: j-m et. ~ susurrar, decir al oído; *fig.* sugerir, insinuar; (*vorsagen*) *Sch.* soplar; **2flüsterung** *f fig.* insinuación *f*, sugerencia *f*; **~fordern** (-re) ✝ *v/t.* *Außenstände*: reclamar, exigir el pago; *Steuern*: recaudar; **2forderung** *f* reclamación *f*; *von Geldern*: cobro *m*; *von Steuern*: recaudación *f*; **~förmig** *adj.* uniforme; → eintönig; **2förmigkeit** *f* (0) uniformidad *f*; monotonía *f*; **~fressen** (*L*) *v/refl.* corroer; **~fried(ig)en** (-e-) *v/t.* rodear de un vallado, cercar; *mit Hecke* (*Mauer*, *Zaun*) cercar con seto *m* vivo (un muro, una valla); **2friedigung** *f* cerca *f*; vallado *m*; seto *m*; **~frieren** (*L*; *sn*) *v/i.* helar(se), congelarse; ✝ *Guthaben*: congelar; *Schiff*: quedar aprisionado por los hielos; eingefroren congelado (*a. Kredit, Guthaben usw.*); **~fugen** ⊕ *v/t.* encajar; ensamblar; **~fügen** *v/t.* incluir, incorporar; (*zusätzlich*) añadir, agregar; (*einschieben*) insertar; *in e-n Rahmen*: encuadrar; *in e-e Schrift*: intercalar, interpolar; sich ~ in (*ac.*) acomodarse a; *Person*: *a.* adaptarse a; **2fügung** *f* inclusión *f*; inserción *f*; interpolación *f*; adaptación *f*; **~fühlen** *v/refl.*: sich ~ in (*ac.*) *fig.* tratar de comprender; compenetrarse de; (*verstehen*) intuir; (*mitempfinden*) compartir los sentimientos de alg.; **2fühlungsvermögen** *n* (-s; 0) comprensión *f*; sensibilidad *f*, tacto *m*, delicadeza *f*; intuición *f*; compenetración *f*.

'**Einfuhr** ✝ *f* importación *f*; ~ und Ausfuhr importación y exportación; **~abgabe** *f* impuesto *m* de entrada; **~artikel** *m* artículo *m* de importación; **~beschränkung** *f* restricción *f* de la importación; **~bestimmungen** *f/pl.* disposiciones *f/pl.* reguladoras de la importación; **~bewilligung** *f* licencia *f* (*od.* permiso *m*) de importación.

'**einführ|bar** *adj.* importable; **~en** *v/t.* *allg.* introducir; *Mode*: *a.* lanzar; *Sitte, System*: implantar; *Maßnahmen*: adoptar; *Einrichtungen*: establecer; *et.* (allgemein) ~ generalizar; ✝ *Waren*: importar, introducir; *j-n*: presentar (*bei j-m* a alg.); (*in die Gesellschaft* en sociedad); *j-n in et.* ~ (*einweihen*) iniciar a alg. en a/c.; *feierlich in ein Amt*: instalar; *et.*: *in e-e Öffnung, Wunde usw.* introducir; ⊕ *a.* pasar por; insertar en; gut eingeführt *Person*: bien relacionado; *Firma*: acreditado.

'**Einfuhr...:** **~erlaubnis** *f* (-; -se), **~genehmigung** *f* → Einfuhrbewilligung; **~hafen** *m* (-s; ¨) puerto *m* de entrada; **~handel** *m* (-s; 0) comercio *m* de importación; **~kontingent** *n* (-es; -e) cupo *m* de importación; **~land** *n* (-es; ¨er) país *m* importador; **~lizenz** *f* licencia *f* de importación; **~prämie** *f* prima *f* de importación; **~schein** *m* (-es; -e) comprobante *m* del permiso de importación; **~sperre** *f*, **~stop** *m* (-s; -s) suspensión *f* de las importaciones; **~überschuß** *m* (-sses; ¨sse) excedente *m* de importación.

'**Einführung** *f allg.* introducción *f*; (*Vorstellung*) presentación *f*; (*Einweihung*) iniciación *f*; *feierliche*: instalación *f* (*en un alto cargo*); *von Maßnahmen*: adopción *f*; *von Sitten, Systemen*: implantación *f*; *von Einrichtungen*: establecimiento *m*; ✝ importación *f*; **~sfeierlichkeit** *f* ceremonia *f* de instalación; **~sgesetz** *n* (-es; -e) ⚖ ley *f* de introducción; **~skabel** ⚡ *n* cable *m* de entrada; **~skursus** *m* (-; -kurse) curso *m* de iniciación *od.* orientación; **~sreklame** *f* (0) campaña *f* publicitaria de presentación; **~sschreiben** *n* carta *f* de presentación.

'**Einfuhr...:** **~verbot** *n* (-es; -e) prohibición *f* de importar; **~waren** *f/pl.* mercancías *f/pl.* de importación; **~zoll** *m* (-es; ¨e) derechos *m/pl.* de importación *od.* de entrada.

'**einfüll|en** *v/t.* llenar; echar (in *ac.* en); envasar; *in Flaschen*: embotellar; **2öffnung** *f* abertura *f* de relleno; **2trichter** *m* embudo *m* de relleno; ⊕ tolva *f* de carga.

'**Ein...:** **~gabe** *f* memorial *m*; petición *f*; *Gesuch*: solicitud *f*, instancia *f* (einreichen: presentar; machen hacer; richten elevar, dirigir a); **2gabeln** (-le) *v/t.* ⚔ graduar el tiro.

'**Eingang** *m* (-es; ¨e) entrada *f*; (*Zugang*) acceso *m*; (*Tür*) puerta *f* (de entrada); (*Einleitung*) introducción *f*; preámbulo *m*; exordio *m*; (*Beginn*) comienzo *m*, principio *m*; ✝ *von Waren*: llegada *f*; *Summe, Schreiben*: recepción *f*; ✝ ~ vorbehalten salvo buen cobro (*Abk.* s.b.c.); ✝ Eingänge *von Waren*: entradas, mercancías recibidas; *von Zahlungen*: pagos recibidos; *von Briefen*: correo del día; (*Einnahmen*) ingresos *m/pl.*; bei ~ a la recepción; nach ~ previa (después de la) recepción; kein ~! se prohibe la entrada; sich ~ verschaffen procurarse acceso a, conseguir entrada en; abrirse paso a.

'**eingangs** *adv.* al principio, al comienzo; al empezar, al comenzar; **2anzeige** *f*, **2bestätigung** *f* acuse *m* de recibo; **2buch** ✝ *n* (-es; ¨er) libro *m* (*od.* registro *m*) de entradas; **2datum** *n* (-s; -daten) fecha *f* de entrada; **2formel** *f* (-; -n) preámbulo *m*; *im Brief*: encabezamiento *m*; **2halle** *f* vestíbulo *m*; **2kreis** *m* (-es; -e) *Radio*: circuito *m* de entrada; **2stempel** *m* sello *m* de entrada; **2tor** *n* (-es; -e) puerta *f* de entrada; **2zoll** *m* (-es; ¨e) derechos *m/pl.* de entrada.

'**ein...:** **~gebaut** ⊕ *adj.* incorporado; empotrado; montado, instalado; **~geben** (*L*) *v/t.* *Arznei*: dar, administrar; *Bittschrift*: presentar, → einreichen; *fig.* j-n (*zur Beförderung usw.*): recomendar; *j-m* (*e-n Gedanken usw.*): inspirar, sugerir; **2gebung** *f* inspiración *f*; sugestión *f*; insinuación *f*; (*glücklicher Einfall*) brillante (*od.* feliz) idea *f*; **~gebildet** *adj.* *Krankheit*: imaginario; (*vermeintlich*) supuesto; (*erträumt*) soñado; imaginado; (*dünkelhaft*) presuntuoso, presumido, fatuo, engreído; (*anmaßend*) arrogante; **~geboren** *adj.* *Sohn Gottes*: Unigénito; (*einheimisch*) nativo, indígena; (*angeboren*) innato; ⚕ congénito; **2geborene(r m)** *m/f* indígena *m/f*, natural *m/f*; (*Ureinwohner*) aborigen *m/f*; die ~en los indígenas; los aborígenes; **~gedenk** *adj.*: e-r Sache ~ sein (*gen.*) acordarse de a/c., recordar (*ac.*); **~gefallen** *adj.* *Haus*: derruido, ruinoso; (*abgezehrt*) demacrado; mit ~en Augen con los ojos hundidos; *Schulter*: caído; **~gefleischt** *adj. fig.* (*Laster, Sitte*) inveterado, arraigado; ~er Junggeselle F solterón empedernido; ~er Katholik F católico a machamartillo.

'eingehen (*L*) **1.** *v/i.* entrar (*a. fig.*); ✝ *Briefe, Waren*: llegar, recibirse; *Gelder*: ingresar (*en caja*); *Kleider, Stoffe*: encoger; (*aufhören*) dejar de existir, cesar, acabar; (*erlöschen*) extinguirse; (*absterben*) ⚘ perecer, *Tiere*: morir; *Betrieb*: cerrar; *Firma, Gesellschaft*: disolverse; *Zeitung*: dejar de aparecer (*od.* de publicarse); ~ lassen abandonar; am ≈ sein estar en vías de desaparición; ~ auf (*ac.*) entrar en; (*einwilligen*) consentir en; acceder a, condescender a; *Probleme*: abordar; *Vorschlag*: aceptar (*ac.*); *Plan*: acoger favorablemente; *e-e Sache*: mostrar interés por; *auf Einzelheiten*: entrar en detalles; auf j-n ~ corresponder a, *nachsichtig*: F seguir el humor a alg.; *j-m*: (*einleuchten*) ir de acuerdo con; auf nichts ~ no transigir con nada; no acceder a nada; ~ in (*ac.*) pasar a, formar parte de; → Geschichte; **2.** *v/t.* e-e Ehe ~ contraer matrimonio; *Risiko*: correr, afrontar (*un peligro*); *Vergleich*: arreglarse, llegar a un arreglo; *Verbindlichkeit*: contraer; *Bedingungen*: aceptar, admitir; *Vertrag*: ajustar; *Wette*: hacer, concertar; **~d I.** *adj.* detenido; (*gründlich*) detallado, minucioso; exhaustivo; (*sorgfältig*) escrupuloso, concienzudo; nicht ~ (*von Stoff*) inencogible; **II.** *adv.* detenidamente, con detención; detalladamente, con todo detalle.

'ein...: ~gelassen ⊕ *adj.* empotrado; **~gelegt** *adj.*: ~e Arbeit trabajo de incrustación, taracea; **≈gemachte(s)** *n* conservas *f/pl.*; (*Obst*) frutas *f/pl.* en conserva; dulce *m*; *in Essig*: encurtido *m*; **~gemeinden** (-*e*-; -) *v/t.* incorporar (*ac.*) a *od.* en un municipio; **≈gemeindung** *f* incorporación *f*; **~genommen** *adj.* predispuesto (für en *od.* a favor de; gegen contra); für j-n ~ sein sentir afecto *od.* simpatía hacia alg.; gegen j-n ~ sein estar predispuesto contra alg.; sentir antipatía hacia alg.; von j-m ~ sein estar prendado de alg., *stärker*: estar ciego por alg.; für et. ~ sein ser partidario de a/c.; *stärker*: ser un apasionado de a/c.; von sich ~ presuntuoso, infatuado, pagado de sí mismo; **≈genommenheit** *f* (*0*) predisposición *f* (a favor de *bzw.* contra); prejuicio *m* (gegen contra); parcialidad *f*; *von sich selbst*: presunción *f*; **~gerostet** *adj.* enmohecido; *fig.* rancio; **≈gesandt** *n* (-*s*; -*s*) remitido *m*; comunicado *m*; **~geschlechtig** ⚘ *adj.* diclino, unisexual; **~geschnappt** *adj.* F amostazado, F picado; **~geschrieben** *adj.* ~er Brief carta certificada; **~gesessen** *adj.* avecindado, domiciliado; autóctono; **≈gesessene(r** *m*) *m/f* residente *m/f*; **~gestandenermaßen** *adv.* por confesión propia; ~ hat er gelogen confiesa haber mentido; **≈geständnis** *n* (-*ses*; -*se*) confesión *f*; **~gesteh(e)n** (*L*) *v/t.* confesar; (*zugeben*) reconocer; admitir, conceder.

'Eingeweide *n/pl. Anat.* vísceras *f/pl.*; *im Unterleib*: entrañas *f/pl.* (*a. fig.*); *Gedärme*: intestinos *m/pl.*, P tripas *f/pl.*; **~bruch** ⚕ *m* (-*es*; ¨*e*) enterocele *m*; **~schmerz** *m* (-*es*; -*en*) dolor *m* intestinal.

'ein...: ~geweiht *adj.* → einweihen; **≈geweihte(r** *m*) *m/f* iniciado (-a *f*) *m*, adepto (-a *f*) *m*; **~gewöhnen** *v/t. u. v/refl.* acostumbrar(se), habituar (-se) a; aclimatar(se); **≈gewöhnung** *f* aclimatación *f*; familiarización *f*; **~gewurzelt** *adj.* arraigado; inveterado; **~gezahlt** ✝ *adj. Aktien, Kapital*: desembolsado.

'ein...: ~gießen (*L*) *v/t.* echar, verter (*in ac.* en); *fig.* infundir; ⊕ fundir en; **~gleisig** *adj.* 🚂 de vía sencilla; **~gliedern** (-*re*) *v/t.* incorporar (*in ac.* a); integrar en, incluir en; (*hinzufügen*) agregar a, añadir a; (*anpassen*) acomodar a, ajustar a; (*zuweisen*) asignar a; *Gebiet*: anexionar; **≈gliederung** *f* incorporación *f*; integración *f*; anexión *f*; **~graben** (*L*) *v/t.* enterrar; soterrar; (*verstecken*) esconder enterrando; *mit Stichel*: burilar; *mit Meißel*: cincelar; *fig. ins Gedächtnis*: grabar; sich ~ *Tiere*: esconderse bajo tierra; ⚔ atrincherarse; *fig. ins Gedächtnis*: grabarse (*en la memoria*); **~gravieren** (-) *v/t.* grabar; **~greifen** (*L*) *v/i. Anker usw.*: agarrar; ⊕ *Zähne*: engranar, endentar; encajar; *fig.* intervenir en; ⚔ entrar en acción *f*; *vermittelnd*: terciar; *störend*: injerirse en, (entro)meterse en; in j-s Rechte ~ usurpar los derechos de alg.; in ein Gespräch ~ intervenir en una conversación, F meter baza; **≈greifen** *n fig.* intervención *f*; acción *f*; **~greifend** *adj. fig.* → durchgreifend; **≈griff** *m* (-*es*; -*e*) *Chir.* operación *f*, intervención *f* quirúrgica; ⊕ engranaje *m*, engrane *m*; *fig.* acción *f*; intervención *f*; (*Einmischung*) intromisión *f*, injerencia *f*; (*Übergriff*) transgresión *f*; *in j-s Rechte*: usurpación *f* (*in ac.* de); **≈guß** *m* (-*sses*; *0*) *Met.* (*Form*) molde *m*, forma *f*.

'ein...: ~hacken *v/i. Vogel*: ~ auf picotear (*ac.*); *fig.* molestar, importunar; **~haken** *v/t.* enganchar; colgar de; bei j-m ~ tomar el brazo de alg.; eingehakt gehen ir del brazo; F ir de bracete *od.* bracero; bei et. ~ sacar a colación a/c.; **≈halt** *m* (-*es*; -*e*): ~ gebieten *od.* tun (*dat.*) poner término a; poner dique a, contener (*ac.*), oponerse a; contrarrestar (*ac.*); reprimir a/c.; **~halten** (*L*) **1.** *v/t.* (*hemmen*) detener; interrumpir, suspender; *fig. Brauch*: seguir, conservar; *Frist*: observar, atenerse a; *Versprechen, Verpflichtung*: cumplir; **2.** *v/i.* detenerse, pararse; *mit et.* ~ dejar de hacer a/c.; interrumpir, suspender; demorar; halt ein! ¡alto ahí!; ¡pon punto final!, ¡deja eso!; **≈haltung** *f* observancia *f*, cumplimiento *m*; **~hämmern** (-*re*) *v/t.* martill(e)ar; *Nagel*: clavar; *fig.* j-m et. ~ F grabar en la memoria a fuerza de machacar; **~handeln** (-*le*) *v/t.* comprar, adquirir; (*eintauschen*) trocar por; (*herausschlagen*) comprar ventajosamente; **~händig** *adj.* manco; **~händigen** *v/t.*: j-m et. ~ entregar en (propia) mano; **~hängen** *v/t.* colgar (*in ac.* de), *bsd.* ⊕ suspender; *Telefonhörer*: colgar; *Tür*: enquiciar; sich bei j-m ~ F colgarse del brazo de alg.; **~hauchen** *fig. v/t.* inspirar a alg. a/c.; j-m neues Leben ~ dar nueva vida a alg.; **~hauen** (*L*) **1.** *v/i.*: auf j-n ~ dar de palos a alg., arremeter a golpes contra alg.; ⚔ cargar sobre, cerrar con(tra); *fig. beim Essen*: engullir, F embaular, comer a dos carrillos; **2.** *v/t.* golpear sobre; hacer un corte *od.* una entalladura en; *Nagel*: clavar; *Tür*: forzar; *Loch*: abrir; *Fleisch*: tajar; **~heften** (-*e*-) *v/t.* hilvanar, coser (*in ac.* en); *Akten*: encarpetar; *Buch, Heft*: encuadernar; **~hegen** *v/t.* cercar, vallar; **~heimisch** *adj.* (*bodenständig*) nativo; aborigen; indígena (*a.* ⚘); (*häuslich*) doméstico, casero; ✝ interior, nacional; ~er Markt mercado interior; ~es Agrarprodukt producción agrícola nacional *od.* del país; *Krankheit*: endémico; *Sprache*: vernáculo; die ≈en los naturales del país; ≈e und Fremde propios y extraños; **~heimsen** (-*t*) *v/t. Ernte*: cosechar, recoger; *Getreide*: entrojar; *fig.* (*einstecken*) embolsarse; *Gewinn*: ganar mucho y fácilmente; er hat dabei ordentlich eingeheimst ha hecho un magnífico negocio, F ha hecho su agosto, *fig.* se ha puesto las botas; **~heiraten** (-*e*-) *v/i.*: ~ in ein Geschäft pasar a ser copartícipe en el negocio por razón de matrimonio; ~ in e-e Familie emparentarse con una familia mediante matrimonio.

'Einheit *f* unidad *f* (*a.* ⚕, ⚔ *u. Phys.*); *Ganzes*: conjunto *m*; *Kontinuität*: continuidad *f*; *Gleichmäßigkeit*: uniformidad *f*; *Phil.* mónada *f*; *Thea.*: die drei ~en unidad de acción, de tiempo y de lugar; zu e-r ~ verbinden unificar; **≈lich** *adj.* uniforme; homogéneo; continuo; (*Vorgehen usw.*) común, concorde; (*genormt*) normal(izado); (*harmonisch*) armónico; *Kommando*: unificado; *Regierung*: central(izado); *Pol.* unitario; centralista; **~lichkeit** *f* uniformidad *f*; homogeneidad *f*; continuidad *f*; conformidad *f*; armonía *f*; *Pol.* unidad *f*; centralización *f*.

'Einheits...: ~bauart ⊕ *f* tipo *m* normal(izado), tipo *m* uniforme de construcción; **~bestrebungen** *f/pl.* tendencias *f/pl.* unitarias *od.* unificadoras; **~front** *f* frente *m* único; **~kurs** ✝ *m* (-*es*; -*e*) cambio *m* único; **~kurzschrift** *f* (*0*) sistema *m* universal de taquigrafía; **~partei** *f* partido *m* unificado; **~preis** ✝ *m* (-*es*; -*e*) precio *m* único; **~satz** ✝ *m* (-*es*; ¨*e*) tipo *m* unitario; **~schule** *f* escuela *f* única; **~staat** *m* (-*es*; -*en*) Estado *m* unitario; **~tarif** *m* (-*es*; -*e*) tarifa *f* única; **~zeit** *f* hora *f* oficial.

'ein...: ~heizen (-*t*) *v/i.* calentar (*con estufa*), encender lumbre *f*;

fig. j-m ~ F *fig.* machacar sobre alg. para que haga a/c.; **~hellig** *adj.* unánime; *adv.* de común acuerdo; por unanimidad; **2helligkeit** *f* unanimidad *f*.

ein'her...: *adv. in Zssgn.* ir *bzw.* andar por; **~gehen** (*L*) *v/i.* ir caminando por; *fig.* ir parejo; **~reiten** (*L*) *v/i.* ir cabalgando por; **~schlendern** (*-re*) *v/i.* andar callejeando *od.* paseando por; **~schreiten** (*L*) *v/i.* ir a paso mesurado; **~stolzieren** (-) *v/i.* andar muy ufano, pavonearse.

'ein...: **~holen** *v/t.* recoger; (*entgegengehen*) salir a recibir a, ir (*od.* salir) al encuentro de; *Segel, Flagge*: arriar; *Tau, Schiff*: halar; (*einkaufen*) comprar; ~ *gehen* ir de compras; (*erreichen*) alcanzar, dar alcance a; (*überholen*) adelantar(se) a; *fig.* dejar atrás, aventajar, superar; (*beschaffen*) procurar(se); obtener; (*erbitten*) solicitar, pedir; *Auskünfte*: tomar, adquirir; *Befehle*: recibir; *Rat*: tomar (*bei* de); *Verlust*: resarcirse de, recuperar, recobrar; *Zeit*: recuperar; **2horn** *n* (*-es*; *⸚er*) unicornio *m*; **2hufer** *Zoo. m* solípedo *m*; **~hüllen** *v/t.* envolver (*in ac.* en); cubrir (*mit* con); *in Decken*: arropar; (*verdecken*) cubrir, tapar; *zum Schutz*: abrigar; *in dicken Nebel gehüllt* envuelto en densa niebla; *er hüllte sich in Schweigen* se cerró en un mutismo absoluto.

'einig *adj.* acorde, conforme; (*geeint*) unido; ~ *sein* estar de acuerdo *od.* conformes (*über ac.* sobre); *mit j-m* ~ *sein* estar de acuerdo *od.* conforme con alg.; *mit j-m* ~ *werden* llegar a un acuerdo (*od.* a una inteligencia) con alg.; (*sich*) ~ *werden über ac.* llegar a un (ponerse de) acuerdo sobre, convenir en; *er ist sich selbst nicht* ~, *was er tun soll* está indeciso, no sabe qué hacer; **~e** *pron/indef.* unos, algunos; unas, algunas; unos cuantos; unas cuantas; varios; varias; *vor* **~n** *Tagen* hace algunos días; (*etwa*) unos; unas; ~ *hundert Jahre* unos cientos de años; **2es** *n* algo, alguna cosa *f*; *ich könnte dir* ~ *erzählen* podría contarte un par de cosas; → *allerhand*; **~emal** *adv.* algunas (varias) veces.

'einig...: **~en** *v/t.* unir; unificar; armonizar; (*versöhnen*) conciliar; *sich* ~ ponerse de (llegar a un) acuerdo; arreglarse; **~ermaßen** *adv.* en cierto modo; hasta cierto punto; así así; regular; medianamente; un poco; (*ziemlich*) bastante; **~gehen** (*L*) *v/i.* ir de acuerdo, estar de acuerdo (*mit* con); **2keit** *f* (*0*) unidad *f*, unión *f*; *Eintracht*: armonía *f*, concordia *f*; *der Ansichten*: conformidad *f*, acuerdo *m*; ~ *macht stark* la unión hace la fuerza; **2ung** *f* acuerdo *m*; *Pol.* unión *f*; unificación *f*; ☤ *Vergleich*: arreglo *m*; avenencia *f*; *Versöhnung*: conciliación *f*; ~ *erzielen* llegar a un acuerdo *bzw.* arreglo.

'ein-impf|en *v/t.*: ⚕ inocular (*a. fig.*), vacunar; *fig.* imbuir, inculcar; **2ung** *f* inoculación *f* (*a. fig.*), vacunación *f*.

'einjagen *v/t.*: *Furcht* ~ dar (F meter) miedo; *j-m Furcht* ~ atemorizar, intimidar (*od.* infundir miedo) a alg.; *e-n Schrecken* ~ dar un susto.

'einjährig *adj.* de un año; ⚘ anual; *Kalb, Lamm*: añal.

'ein...: **~kalkulieren** (-) *v/t.* incluir en el cálculo; **~kapseln** (*-le*) *v/t.* ⊕ encapsular; blindar; ⚕ *sich* ~ enquistarse, encapsularse; *fig.* aislarse, vivir retraido, *fig.* meterse en su concha; **~kassieren** (-) *v/t.* cobrar; *Steuern*: recaudar; **2kassierung** *f* cobro *m*; recaudación *f*.

'Ein|kauf *m* (*-es*; *⸚e*) compra *f*, adquisición *f*; *Einkäufe machen* hacer compras; *Einkäufe machen gehen* ir (*od.* salir) de compras; **2kaufen 1.** *v/t.* comprar; *sich* ~ *in* adquirir un derecho mediante pago de una cantidad; **2.** *v/i.* hacer compras *f/pl.*; **2käufer(in** *f*) *m* comprador (a *f*) *m*; ☤ agente *m* de compras.

'Einkaufs...: **~abteilung** *f* departamento *m* de compras; **~genossenschaft** *f* cooperativa *f* de compras; **~leiter** *m* jefe *m* de compras; **~netz** *n* (*-es*; *-e*) bolsa *f* de malla (*para la compra*); **~preis** *m* (*-es*; *-e*) precio *m* de compra; **~tasche** *f* bolsa *f* para la compra.

'Einkehr *f* (*0*) parada *f* (*en un hotel, albergue usw.*); *fig.* introspección *f*; recogimiento *m*; ~ *halten bei sich* hacer examen de conciencia; **2en** *v/i.* (*logieren*) hospedarse, albergarse, F parar en; *in e-m Café* ~ ir (entrar) a tomar a/c. en un café.

'ein...: **~keilen** *v/t.* enclavar; acuñar; fijar; *eingekeilt sein* (*im Gedränge*) *fig.* F estar como sardinas en lata; **~kellern** (*-re*) *v/t.* embodegar; **2kellerung** *f* encovadura *f*; **~kerben** *v/t.* hacer muescas *f/pl.* en; entallar; **2kerbung** *f* muesca *f*; entalladura *f*; **~kerkern** (*-re*) *v/t.* encarcelar; **2kerkerung** *f* encarcelamiento *m*; **~kesseln** (*-le*) ⚔ *v/t.* copar; **2kesselung** ⚔ *f* copo *m*; **~kitten** (*-e-*) *v/t.* enmasillar; **~klagbar** ⚖ *adj.* reclamable judicialmente; **~klagen** ⚖ *v/t.* reclamar judicialmente; **~klammern** (*-re*) *v/t.* ⊕ unir con grapas *f/pl.*; *Typ.* poner entre paréntesis *m/pl.*

'Einklang ♪ *m* (*-es*; *⸚e*) unisonancia *f*; *Akkord*: acorde *m* (*a. fig.*); *Radio*: sintonía *f*; *fig.* consonancia *f*, armonía *f*; *in* ~ *bringen* concertar, armonizar, conciliar; compaginar; hacer compatible *bzw.* compatibles; *im* ~ *stehen mit* concordar, armonizar con; ser compatible con; cuadrar con; (*entsprechen*) corresponder a, coincidir con; *nicht im* ~ *stehen mit* ser incompatible con; no estar en consonancia con.

'ein...: **~kleben** *v/t.* pegar (*in ac.* en); **~kleiden** (*-e-*) *v/t.* vestir; *Amtsperson*: investir; ⚔ dar el uniforme, equipar; *fig. Gedanken*: expresar en palabras *f/pl.* un pensamiento; **2kleidung** *f* vestido *m*; investidura *f*; *Mönch*: toma *f* de hábito; *Nonne*: toma *f* del velo; ⚔ equipo *m*; *fig.* modo *m* de expresar *bzw.* narrar; **~klemmen** *v/t.* encajar; enclavar; (*kneifen*) coger (*in ac.* entre); (*quetschen*) apretar, oprimir; (*fest*) inmovilizar; ⊕ sujetar; engrapar; *fig.* aprisionar entre; **2klemmung** *f* ⚕ estrangulación *f*; **~klinken** *v/t. Tür*: cerrar con picaporte *m*; **~klopfen** *v/t.* introducir golpeando; hincar; **~knicken 1.** *v/t.* doblar; plegar; (*winkelförmig*) acodar; **2.** *v/i.* doblarse; (*zerbrechen*) quebrarse; *Knie*: doblar; **~kochen** *v/t. u. v/i.* (*eindicken*) concentrar(se) por cocción *f*; (*einmachen*) cocer en almíbar *m*.

'einkommen (*L*) *v/i.* (*sn*) *Geld*: ingresar; entrar; ~ *um* solicitar (*ac.*), presentar una solicitud pidiendo a/c.; *gegen et.* ~ presentar un escrito de protesta contra; **2** *n* ingresos *m/pl.*; *Staat*: rentas *f/pl.* públicas; ~ *aus Arbeit* (*Kapital*) rentas de trabajo (capital); *festes* ~ ingresos fijos; **2steuer** *f* (-; *-n*) impuesto *m* sobre la renta; impuesto *m* de utilidades; **2steuererklärung** *f* declaración *f* de ingresos (*a efectos tributarios*).

'Einkreis-empfänger *m Radio*: receptor *m* primario.

'einkreis|en (*-t*) ⚔ *v/t.* envolver, cercar; (*abschließen, a. Pol.*) aislar; **2ung** *f* cerco *m*; **2ungs-politik** *f* (*0*) política *f* de aislamiento (*od.* cerco).

'einkremen *v/t.* aplicar crema a.

'Einkünfte *f/pl.* ingresos *m/pl.*; rentas *f/pl.*; (*Gewinn*) ganancias *f/pl.*, beneficios *m/pl.*; (*aus e-m Amt*) emolumentos *m/pl.*

'einkuppeln (*-le*) ⊕ *v/t.* acoplar; *Auto.* embragar.

'einlad|en (*L*) *v/t. Waren*: cargar en; ⚓ embarcar en; *j-n*: invitar; **~end** *adj.* (*verlockend*) tentador, seductor; (*anziehend*) atractivo; (*lecker*) apetitoso; **2ung** *f* invitación *f*; *auf* ~ *von* por invitación de; **2ungskarte** *f* tarjeta *f* de invitación; **2ungsschreiben** *n* carta *f* de invitación.

'Einlage *f im Brief*: anexo *m*, escrito *m* incluido en (*od.* adjunto a) una carta; *Schneiderei*: entretela *f*; (*Schuh2*) plantilla *f* ortopédica; (*Einlegesohle*) plantilla *f*; (*Zahn2*) empaste *m* provisional; *e-r Zigarre*: tripa *f*; ⊕ (*Schicht*) capa *f* intermedia; *Auto.* (*Reifen2*) tela *f* interior reforzadora; ☤ imposición *f* (*befristete* a plazo; *feste* a vencimiento fijo); inversión *f*; aportación *f*; (*Spar2*) imposición *f*; *Spiel*: puesta *f*; *Thea.*: número *m* (♪ pieza *f*) fuera de programa; *Kochkunst*: plato *m* adicional; **~kapital** ☤ *n* (*-s*; *-lien*) capital *m* invertido *bzw.* aportado.

'einlager|n (*-re*) *v/t.* ☤ almacenar; depositar; **2ung** *f* almacenamiento *m*.

'Einlaß *m* (*-sses*; *⸚sse*) (*Eintritt*) entrada *f*; (*Zulassung*) admisión *f*; ⊕ *a.* toma *f*; → *Eintritt*.

'einlassen (*L*) *v/t.* dejar *bzw.* hacer entrar; (*zulassen*) admitir; (*einführen*) introducir; (*einfügen*) insertar, encajar; ⊕, ⚠ ~ *in* empotrar en; *Kleid*: ajustar; *fig. sich* ~ *auf od. in* (*ac.*) meterse en; lanzarse a; comprometerse en; *Vorhaben*: aventurarse en, F embarcarse en;

Vorschlag: aceptar; *sich in e-e Diskussion* ~ meterse a discutir, entrar en discusiones con; *sich in ein Gespräch* ~ entablar conversación con; *sich mit j-m* ~ meterse con alg.; tener trato con; trabar *od.* entablar relaciones con alg.; hacer caso a alg.; comprometerse con alg.; *mit Frauen*: P liarse con; *ich lasse mich nicht darauf ein* no me meto en esas cosas; no hago caso de eso.

ˈ**Einlaß...**: **~karte** *f* tarjeta *f* de admisión; **~öffnung** ⊕ *f* entrada *f*, admisión *f*; **~rohr** *n* (*-es*; *-e*) tubo *m* de admisión; **~ventil** *n* (*-s*; *-e*) válvula *f* de admisión.

ˈ**Einlauf** ⚕ *m* (*-es*; *⸚e*) enema *f*, lavativa *f*, irrigación *f* intestinal; *weitS.* → *Eingang.*

ˈ**einlaufen** (*L*; *sn*) **1.** *v/i.* entrar corriendo; llegar; *weitS.* → *eingehen*; *in e-n Hafen*: entrar, arribar; *Stoff*: encogerse; *nicht* ~*d* inencogible; **2.** *v/t. Motor*: ~ *lassen* hacer marchar en adaptación; ♀ *n* llegada *f*, ⚓ *a.* arribada *f*; *von Stoff*: encogimiento *m.*

ˈ**ein...**: **~läuten** (*-e-*) *v/t.* anunciar con toque *m* de campanas, tocar a; **~leben** *v/refl.* adaptarse a; habituarse *od.* acostumbrarse (*in dat.* a); aclimatarse; *fig.* familiarizarse con, penetrarse del espíritu de a/c.; ♀**legearbeit** *f* taracea *f*; **~legen** *v/t.*: ~ *in* (*ac.*) poner *od.* meter en; *in e-n Brief*: incluir, acompañar; *Tanz usw.* añadir, intercalar; *Geld*: depositar; imponer; *Film*: cargar (*la cámara*); *Kochkunst*: conservar; *in Essig*: poner en vinagre *m*, *Fisch*: escabechar; *in Salz*: salar; *Lanze*: enristrar; ⊕ *mit Elfenbein usw.*: incrustar, taracear; *mit Gold- od. Silberdraht*: damasquinar; *eingelegte Arbeit* trabajo de taracea *bzw.* de ataujía *od.* damasquinado; (*Holzmosaik*) marquetería *f*, taracea *f*, incrustación *f*; *fig. ein gutes Wort für j-n* ~ interceder en favor de alg.; → *Berufung*; *Verwahrung*; *Veto*; *Ehre mit* **et.** ~ honrarse con a/c.; ganar honores, alcanzar renombre con a/c.; *mit ihm wirst du keine Ehre* ~ con él no ganarás buena fama; ♀**leger** *m Bank*: imponente *m*; depositante *m*; ♀**legesohle** *f* plantilla *f.*

ˈ**einleit|en** (*-e-*) *v/t.* introducir; iniciar; (*vorbereiten*) preparar, disponerse a hacer a/c.; ♪ preludiar (*a. fig.*); *Buch*: prologar; *Schriftstück*: encabezar; *Verhandlungen*: entablar, iniciar; ⚖ *Untersuchung*, *Verfahren*: instruir; *Scheidung*: solicitar; *e-n Prozeß* ~ incoar un proceso; *Zivilrecht*: entablar un pleito (*gegen* contra); **~end** *adj.* preliminar; introductorio; ♀**ung** *f* introducción *f*; iniciación *f*, comienzo *m*, apertura *f*; preparación *f*; encabezamiento *m*; ♪ preludio *m* (*a. fig.*); ♪ *Ouvertüre*: obertura *f*; *e-s Buches*: prólogo *m*; *e-r Rede*: exordio *m*; *Vorbereitungen*: preparativos *m/pl.*; ⚖ incoación *f*, instrucción *f*; *e-s Gerichtsverfahrens*: enjuiciamiento *m.*

ˈ**ein...**: **~lenken** *v/i.*: ~ *in ac.* (hacer) entrar en; *im Wagen*: doblar a (*otra calle*); *fig.* transigir, ceder; bajar el tono; **~lernen** *v/t.* → *anlernen*; *sich* et. ~ aprender bien (*od.* de memoria) a/c.; **~lesen** (*L*) *v/refl.*: *sich* ~ *in ein Thema usw.*: familiarizarse con; **~leuchten** (*-e-*) *v/i.* parecer evidente; convencer; *es leuchtet mir nicht ein* no me convence; no lo (comprendo) veo claro; **~leuchtend** *adj.* obvio; evidente, claro; convincente; *das ist* ~ eso es evidente; eso salta a la vista *od.* F cae de su peso; **~liefern** (*-re*) *v/t.* entregar; *j-n*: hacer ingresar en; *ins Krankenhaus* ~ trasladar al hospital; *ins Gefängnis* ~ conducir a la cárcel; ♀**lieferung** *f* entrega *f*; ingreso *m*; ♀**lieferungsschein** *m* (*-es*; *-e*) (*Post*♀) resguardo *m*; **~liegend** *adj.* incluso, adjunto, incluido; **~lochen** *v/t.* F (*einsperren*) encarcelar, F enchironar, poner a la sombra; **~lösbar** *adj.* cobrable; (*fällig*) pagadero; *durch Tilgung*: redimible, amortizable; reembolsable.

ˈ**einlös|en** (*-t*) *v/t. Hypothek*: redimir; *Wertpapiere*: rembolsar; *Banknoten*: retirar (*de la circulación*); *Rechnung*, *Schuld*: pagar, abonar, saldar; *Wechsel*: abonar; *Scheck*: cobrar; *Pfand*: rescatar, desempeñar; *Gefangene*: redimir, rescatar; (*kassieren*) cobrar; (*wechseln*) cambiar; canjear; *fig. Versprechen*: cumplir; ♀**ung** *f* redención *f*; rembolso *m*; retirada *f* (*de la circulación*); pago *m*, abono *m*; cobro *m*; rescate *m*; canje *m*; ♀**ungs-termin** *m* (*-s*; *-e*) fecha *f* de vencimiento.

ˈ**ein|löten** (*-e-*) ⊕ *v/t.* soldar en, unir soldando; **~lullen** *v/t.* arrullar; *fig.* entretener.

ˈ**einmach|en** *v/t.* poner en conserva; → *Eingemachtes*; ♀**glas** *n* (*-es*; *⸚ser*) tarro *m*; ♀**zucker** *m* (*-s*; *0*) azúcar *m* para confitar.

ˈ**einmal** *adv.* una vez; (*künftig*) un día (u otro); (*ausnahmsweise*) por una vez; ~ *hell*, ~ *dunkel* unas veces claro y otras oscuro; ~ (*erstens*) *weil* en primer lugar porque; *auf* ~ de una vez; (*plötzlich*) de pronto, de repente, de improviso, de golpe; (*gleichzeitig*) a la vez, al mismo tiempo; (*in e-m Zug*) de un golpe, F de un tirón, de una sentada; (*ohne Umstände*) sin más ni más; *es war* ~ érase una vez, había una vez; *das war* ~ eso era antes (*od.* antaño), eso ya pasó (a la historia); *das gibt's nur* ~ esto es de lo que no hay; *nicht* ~ ni aun, ni siquiera; *noch* ~ otra vez, una vez más; *er ist noch* ~ *so alt wie ich* me dobla la edad; *haben Sie schon* ~ *versucht...?* ¿ha intentado usted alguna vez...?; *das ist nun* ~ *so* las cosas son así (y nada puede cambiarlas), F no hay que darle vueltas; *hör* ~! ¡escucha!; *stell dir* ~ *vor* imagínate *od.* figúrate; *gib mir doch* ~ a ver si me das; ~ *ist keinmal* una vez no importa; una golondrina no hace verano; un día es un día; ~ *um das andere* una vez sí y otra no; alguna que otra vez; ~ *über das andere* una y otra vez, reiteradas veces.

Einmal'eins *n* (*-*; *-*) tabla *f* de multiplicar; rudimentos *m/pl.* de aritmética.

ˈ**einmalig** *adj.* único; único existente; hecho (por) una sola vez; *nach* ~*em Durchlesen* después de una sola lectura; *Ausgabe*: extraordinario; *fig.* (*einzigartig*) sin par; sin precedente, único en su género; ~*e Gelegenheit* ocasión única; ~*es Visum* visado válido por una sola vez.

ˈ**Ein...**: **~mannbetrieb** *m* empresa *f* unipersonal; **~mann-U-Boot** ⚔ *n* (*-es*; *-e*) submarino *m* individual; **~marsch** ⚔ *m* (*-es*; *⸚e*) entrada *f*; ♀**marschieren** (*-*; *sn*) *v/i.* entrar en; ♀**mauern** (*-re*) *v/t.* (*umgeben*) cercar con un muro; amurallar; emparedar; ⊕, ⚠ empotrar; ♀**meißeln** (*-le*) *v/t.* cincelar, grabar, esculpir en; ♀**mengen** *v/t.* mezclar, entremezclar; *fig. sich* ~ *in ac.* entrometerse, inmiscuirse, mezclarse en; (*vermittelnd*) intervenir en; ♀**mieten** (*-e-*) *v/t.*: *sich* ~ alquilar una habitación (*in dat.* en, *bei* en casa de); tomar un piso; *Getreide*: ensilar; ♀**mischen** *v/t.* → *einmengen*; **~mischung** *f* mezcla *f*; *fig.* intromisión *f*, ingerencia *f*, *bsd. Pol.* intervención *f*; ♀**motorig** *adj.* de un motor, monomotor; ♀**motten** (*-e-*) *v/t. Kleidung*: preservar contra la polilla; ♀**mummeln** (*-le*) *v/t.*: *sich* ~ abrigarse bien; *im Bett*: arroparse, arrebujarse; ♀**münden** (*-e*) *v/i. Fluß*, *Straße*: desembocar en; *Kanal*: desaguar en; **~mündung** *f* desembocadura *f*; desagüe *m*; *Anat. Nerven*, *Ader*: anastomosis *f*; 🚂 empalme *m*; ♀**mütig** *adj.* unánime; *adv.* de común acuerdo; por unanimidad; **~mütigkeit** *f* (*0*) unanimidad *f.*

ˈ**einnähen** *v/t.* coser en; *Chir.* suturar.

ˈ**Einnahme** *f* ⚔, ⚕ toma *f*; *e-s Landes*: conquista *f*; (*Besetzung*) ocupación *f*; ✝ entrada *f*, ingreso *m*; (*Verdienst*) ganancia *f*; (*Einkommen*) ingreso *m*; (*Ertrag*) producto *m*; renta *f*; ~*n und Ausgaben* ingresos y gastos; **~buch** ✝ *n* (*-es*; *⸚er*) libro *m* de entradas; **~quelle** *f* fuente *f* de ingresos.

ˈ**einnebeln** (*-le*) *v/t.* ⚔ (en)cubrir con niebla artificial.

ˈ**einnehmen** (*L*) *v/t.* ⚓ *Ladung*: tomar carga, embarcar; *Essen*, *Arznei*: tomar; *Geld*: recibir, cobrar, percibir; *Steuern*: recaudar; (*verdienen*) ganar; ⚔ tomar; apoderarse de; *Festung*: *a.* expugnar; *Land*: conquistar; (*besetzen*) ocupar; *Platz*, *Stelle*: ocupar; *s-n Platz* ~ ocupar su asiento; *j-s Stelle* ~ sustituir a alg. en su puesto; *fig. e-e Haltung* ~ adoptar (observar) una actitud; *zuviel Platz* ~ ocupar demasiado espacio; *fig.* (*fesseln*) cautivar; *j-n für sich* ~ ganarse las simpatías de alg.; *j-n gegen* (*für*) *j-n od. et.* ~ prevenir a alg. contra (a favor de) alg. *od.* a/c.; **~d** *adj. fig.* (*angenehm*) agradable; (*anziehend*) atractivo, simpático; (*bezaubernd*) seductor.

ˈ**Ein...**: **~nehmer** *m* receptor *m*; colector *m*; (*Kassierer*) cobrador *m*; *von Steuern*: recaudador *m*; ♀**nikken** *v/i.* adormitarse, dar cabezadas *f/pl.*; **2nisten** (*-e-*) *v/refl.* anidar (-se), hacer su nido *m* en; *fig.* establecerse; instalarse; afincarse.

'**Ein...:** **~öde** *f* soledad *f*; *Wüste*: desierto *m*; yermo *m*; *Hochsteppe*: páramo *m*; *Am.* puna *f*; **2ölen** *v/t.* aceitar, *bsd.* ⊕ engrasar, lubri(fi)car; **2ordnen** (*-e-*) *v/t.* ordenar; poner en su sitio *m*; *Akten*: clasificar; *ins Ganze*: integrar en, incorporar a; *Auto. sich rechts ~* tomar la fila (*de vehículos*) de la derecha; **~ordnung** *f* ordenamiento *m*.

'**ein...:** **~packen** *v/t.* empaquetar; *Paket*: *a.* hacer; (*einwickeln*) envolver; *Waren*: embalar; envasar; *j-n*: hacer la maleta (*a. fig.*); F *fig. da können wir ~* F podemos liar el petate; P apaga y vámonos; **~passen** (*-ßt*) ⊕ *v/t.* ajustar, adaptar (*in ac.* a); encajar en; **~pauken** F *v/t.* inculcar, F machacar; *j-n et. ~* F *fig.* meter en la cabeza a/c. a alg. a fuerza de repetírsela; **2pauker** *m Sch.* repetidor *m*; **~pfählen** *v/t.* estacar, empalizar; **2pfählung** *f* estacada *f*, empalizada *f*; **~pferchen** *v/t. Vieh*: apriscar; acubilar, encorralar; *fig.* F embanastar; *wie Schafe eingepfercht* como sardinas en lata; **~pflanzen** (*-t*) *v/t.* plantar; *fig.* implantar; inculcar (*en la mente*); → *einimpfen*; **~pfropfen** *v/t.* ⚘ injertar; **2'phasen...**, **~phasig** ⚡ *adj.* monofásico; **~planen** *v/t.* incluir en el plan; **~pökeln** (*-le*) *v/t.* salar, poner en salmuera; *Fleisch*: curar; *eingepökeltes Rindfleisch* carne en conserva; **~polig** ⚡ *adj.* monopolar, unipolar; **~prägen** *v/t.* estampar; imprimir; grabar; *fig. j-m et. ~* inculcar a alg. a/c.; *sich ~* hacer impresión en; *Worte*: grabarse en la memoria; *sich et. ~* (*dat.*) grabar en la mente; aprender de memoria a/c.; **~prägsam** *adj.* fácil de retener en la memoria; *Melodie*: F pegadizo; **2prägung** *f* impresión *f*; *fig.* inculcación *f*; **~pressen** (*-ßt*) *v/t.* prensar; comprimir, apretar; estrujar; ⊕ encajar a presión *f*; **~prob(ie-r)en** (-) *v/t. Thea.* ensayar; **~pudern** (*-re*) *v/t.* empolvar; *Gesicht*: *a.* darse polvos *m/pl.*; **~puppen** *Zoo. v/refl.* transformarse en crisálida.

'**einquartier|en** (-) *v/t.* alojar; *Gäste*: *a.* hospedar; ⚔ acantonar, alojar; *sich ~* alojarse *bzw.* hospedarse en; **2ung** *f* ⚔ acantonamiento *m*, alojamiento *m*; *Gäste*: huéspedes *m/pl.*; *Soldaten*: soldados *m/pl.* alojados (*en una casa*).

'**ein...:** **~rahmen** *v/t.* encuadrar, poner marco *m* a; **~rammen** *v/t.* hincar; hundir (*con un martinete*); **~rasten** (*-e-*) *v/i.* ⊕ engranar; encajar (*en una entalladura*), enganchar en; **~räuchern** (*-re*) *v/t.* ahumar llenar de humo; fumigar.

'**einräum|en** *v/t. Möbel*: colocar (*en su sitio*); *Zimmer*: amueblar; (*wegräumen*) quitar, recoger; (*einrichten*) arreglar, disponer; (*abtreten*) ceder; *Recht*: reconocer; ✝ *Frist, Kredit*: conceder; (*zugeben*) reconocer, admitir; **2ung** *f* colocación *f*; recogida *f*; arreglo *m*, disposición *f*; cesión *f*; reconocimiento *m*; concesión *f*; **2ungssatz** *Gr. m* (*-es*; *ᵘe*) proposición *f* concesiva.

'**einrechnen** (*-e-*) *v/t.*: *~ in ac.* incluir en una cuenta *od.* en un cálculo; tener en cuenta; (*nicht*) *eingerechnet* (no) incluido.

'**Einrede** *f* objeción *f*; (*Widerspruch*) contradicción *f*; (*Erwiderung*) réplica *f*; ⚖ excepción *f*; *prozeßhindernde ~* excepción dilatoria.

'**ein...:** **~reden** (*-e-*) **1.** *v/t.*: *j-m et. ~* hacer a alg. creer a/c.; querer convencer a alg. de a/c.; persuadir a alg. a a/c.; *j-m Mut ~* alentar (dar ánimos) a alg.; *sich et. ~* F meterse a/c. en la cabeza; *das lasse ich mir nicht ~* eso no lo creo; F a otro perro con ese hueso; **2.** *v/i.*: *auf j-n ~* hablar con insistencia a alg. para conseguir a/c.; tratar de convencer a alg.; **~regnen** (*-e-*) *v/i.*: *eingeregnet sein* ser detenido por la lluvia; *sich ~* ponerse lluvioso el tiempo; **~regulieren** (-) ⊕ *v/t.* ajustar, regular; **~reiben** (*L*) *v/t.* frotar, friccionar, *stärker*: restregar; **2reibung** *f* frotamiento *m*, fricción *f*; friega *f*; **2reibungsmittel** *n* linimento *m*; **~reichen** *v/t.* entregar; *Schriftstück*: presentar, someter a; *Gesuch*: presentar, elevar; *s-n Abschied*: solicitar, pedir (*el retiro*); *e-e Klage*: presentar (*una demanda*); ✝ *Forderung*: formular, presentar (*una reclamación*); **2reichung** *f* entrega *f*; presentación *f*; **~reihen** *v/t.*: *~ in* incluir en, incorporar a; colocar en; (dis)poner en fila; *in e-e Klasse*: poner con *od.* entre los de igual clase; encasillar; ⚔ alistarse; incorporarse a; *Am.* enrolarse; → *eingliedern*; *sich ~* ponerse en fila; *als Mitglied*: hacerse socio *od.* miembro de; **~reihig** *adj. Anzug*: de una fila de botones; ⊕ de una hilera; *~e Nietung* remachado simple; **2reise** *f* entrada *f*; **2reisegenehmigung** *f* permiso *m* de entrada; **2reisevisum** *n* (*-s*; *-visa*) visado *m* de entrada; **~reißen** (*L*) **1.** *v/t.* (*zerreißen*) desgarrar; *Stoff, Papier*: rasgar; *Haus usw.*: demoler, derribar; **2.** *v/i.* desgarrarse; rasgarse; *fig. Unsitte*: extenderse, propagarse; arraigarse; **~reiten** (*L*) **1.** *v/i.* entrar a caballo; **2.** *v/t. Pferd*: domar; **~renken** *v/t.* (*einfügen*) encajar; ⚕ reducir (*una luxación*); *fig.* arreglar, componer; **~rennen** (*L*) **1.** *v/t.* atropellar corriendo; *Tür usw.*: derribar, echar abajo; *fig. offene Türen ~* F *fig.* matar mosquitos a cañonazos; *sich den Kopf ~* estrellarse la cabeza contra la pared, embestir a ciegas contra a/c.; **2.** *v/i.*: *j-m das Haus ~* asediar a alg. a todas horas.

'**einrich|ten** (*-e-*) *v/t.* arreglar; organizar; disponer; poner; *es so ~, daß* hacer de modo que (*subj.*); arreglar de forma que (*subj.*); procurar (*inf.*); ⚕ *Glied*: reducir; *Wohnung*: amueblar; decorar; *sich e-e Wohnung ~* poner casa *od.* piso; (*errichten*) establecer; (*einführen*) implantar, introducir; (*gründen*) fundar, crear; ⊕ instalar; (*ausrüsten*) equipar; (*justieren*) ajustar; (*anpassen*) acomodar, adaptar a; *Typ. Seiten ~* compaginar; ⚔ *Geschütz*: apuntar; *Karte*: orientar; *sich ~* establecerse; instalarse; *auf et.* (*ac.*) prepararse para; adoptar las medidas convenientes para; *nach et.*: acomodarse a; atenerse a; (*sparen*) ahorrar; saber administrarse; ajustar los gastos a los ingresos; → *häuslich*; **2tung** *f* arreglo *m*; organización *f*; (*Anordnung*) disposición *f*; (*Gründung*) fundación *f*, creación *f*; (*Einführung*) implantación *f*; *e-r Wohnung*: mobiliario *m*; decoración *f*; ⊕ (*Ausrüstung*) equipo *m*; (*Einbau*) instalación *f*, montaje *m*; (*Einstellung*) colocación *f*; (*Justierung*) ajuste *m*; (*Anpassung*) adaptación *f*, acomodación *f*; (*Anlage*) instalación *f*; (*Vorrichtung*) aparato *m*; mecanismo *m*, dispositivo *m*; (*öffentliche ~*) establecimiento *m*; institución *f*; ⚕ reducción *f*; **2tungsgegenstände** *m/pl.* muebles *m/pl.*, enseres *m/pl.*

'**ein...:** **~riegeln** (*-le*) *v/t.* cerrar con cerrojo *m*; **2riß** *m* (*-sses*; *-sse*) desgarradura *f*, ⚕ *a.* fisura *f*; **2ritt** *m* (*-es*; *-e*) entrada *f* a caballo; **~rollen** *v/t.* enrollar, arrollar; **~rosten** (*-e-*) *v/i.* oxidarse, enmohecerse (*a. fig.*).

'**einrück|en** **1.** *v/t. Anzeige*: insertar, publicar; poner; *in Briefen usw.*: dejar un espacio; ⊕ embragar; *~ und ausrücken* embragar y desembragar; *Kupplung*: acoplar, enganchar; *Typ. Zeile*: *fig.* sangrar; **2.** *v/i.* entrar (*in* en); *zum Militär*: ser llamado a filas, ingresar en el ejército; **2hebel** ⊕ *m* palanca *f* de embrague; **2ung** *f* inserción *f*, publicación *f*; **2vorrichtung** *f* dispositivo *m* de embrague *bzw.* acoplamiento.

'**einrühren** *v/t.* mezclar revolviendo; diluir, desleír en; *Eier*: batir; F *fig.* → *einbrocken*.

Eins *f* uno *m*; *im Zeugnis*: sobresaliente *m*; **2** una cosa; → *ein*.

'**ein...:** **~sacken** *v/t.* ensacar; *Geld*: embolsar; *fig. a.* meter en el bolsillo; **~salben** *v/t.* untar; ungir; **~salzen** (*-t*) *v/t.* salar; adobar; *Fleisch*: curar; **~sam** *adj.* solitario; (*allein*) solo; (*abgelegen*) aislado; apartado, retirado; *~es Leben* vida retirada; *~er Mensch* hombre retraido, solitario; (*verlassen*) abandonado, perdido; (*unbewohnt*) desierto, inhabitado; **2samkeit** *f* (*0*) soledad *f*; lugar *m* solitario; aislamiento *m*; retiro *m*; **~sammeln** (*-le*) *v/t.* recoger; *Geld*: recaudar; ⚘ recolectar; *fig.* ganar, cosechar; **~sargen** *v/t.* poner en el ataúd; F *fig. Hoffnung*: abandonar.

'**Einsatz** *m* (*-es*; *ᵘe*) (*eingesetztes Stück*) pieza *f* insertada *bzw.* intercalada; *Tisch*: tabla *f* adicional; *am Kleid*: aplicación *f*; *am Oberhemd*: pechera *f*; (*Spitzen2*) entredós *m*; *im Koffer*: bandeja *f*; (*Geschirrhalter*) salvilla *f*; *für Essig und Öl*: vinagreras *f/pl.*; *Met.* carga *f*; *der Gasmaske*: filtro *m*, cartucho *m*; (*Spiel2*) puesta *f*; (*Pfand*) señal *f*; (*Opfer*) sacrificio *m*; *fig.* ♪ entrada *f*; ataque *m*; (*Verwendung*) empleo *m*, uso *m*, utilización *f*, aplicación *f*; ⚔ ataque *m*; entrada *f* en acción; *von Kavallerie*: carga *f*; (*Auftrag*) misión *f*; (*Kriegs2*) acción *f* de guerra; *im ~* en acción; ⊕ en funcionamiento; (*Anstrengung*) esfuerzo *m*; trabajo *m* duro; (*Wagnis*) arrojo *m*;

unter ~ *seines Lebens* con riesgo de su vida; **~befehl** ⚔ *m* (-*es*; -*e*) orden *f* de ataque *od.* de entrada en acción; **2bereit** *adj.* preparado para actuar; ⊕ dispuesto para funcionar; ⚔ prevenido para entrar en acción; (*opferwillig*) dispuesto al sacrificio; (*kühn*) arrojado; **~bereitschaft** *f* (*0*) disposición *f* (para entrar en acción); ⚔ (*Kampfgeist*) moral *f*, espíritu *m*; (*Kühnheit*) arrojo *m*, denuedo *m*; **2fähig** *adj.* utilizable; (*verfügbar*) disponible; ⚔ en condiciones para combatir; *Person*: apto *od.* capaz para un servicio; **~flug** *m* (-*es*; ⸗*e*) misión *f* aérea; **~gruppe** ⚔ *f* grupo *m* para misión especial; **~stück** ⊕ *n* (-*es*; -*e*) pieza *f* de inserción; (*Ersatzstück*) pieza *f* de recambio; → *Einsatz*; **~wagen** *m* coche *m* de reserva; **~zug** *m* (-*es*; ⸗*e*) tren *m* de reserva.

'**ein...:** **~säuern** (-*re*) *v/t.* ⚗ acidificar; *Brot*: leudar, fermentar con levadura *f*; **~saugen** *v/t.* aspirar; chupar; (*schlürfen*) sorber; (*aufsaugen*) empaparse de; *fig.* absorber, embeber; **~säumen** *v/t.* orlar; ribetear; hacer un dobladillo a; **~schalten** (-*e*-) *v/t.* interpolar (*bsd.* ℞); (*einschieben*) insertar, encajar; *Tag, Wort*: intercalar; ⚡ conectar; enchufar; *Licht*: dar, encender (*la luz*); *Radio*: poner; *Kupplung*: embragar; *Motor*: poner en marcha; *Auto.*: *den ersten Gang* ~ poner en primera (velocidad); *e-n anderen Gang* ~ cambiar de velocidad; *sich* ~ *fig.* intervenir en, F tomar cartas.

'**Einschalter** *m* ⚡ conectador *m*; conmutador *m*, interruptor *m*.

'**Einschalt|hebel** *m* palanca *f* de mando; **~stellung** *f* ⊕ posición *f* de embrague, (⚡ de circuito cerrado); **~ung** *f* interpolación *f* (*bsd.* ℞); inserción *f*; intercalación *f*; ⚡ conexión *f*, cierre *m* del circuito; ⊕ embrague *m*; *Motor*: puesta *f* en marcha; *fig.* intervención *f*.

'**ein...:** **~schärfen** *v/t.* inculcar; *Befehl*: intimar; *j-m et.* ~ recomendar encarecidamente (encarecer) a/c. a alg.; **~scharren** *v/t.* soterrar; *Tiere*: *sich* ~ meterse bajo tierra; **~schätzen** (-*t*) *v/t.* *allg.* calcular (*auf ac.* en); tasar; evaluar, valorar; estimar, apreciar; *richtig* ~ valorar debidamente, justipreciar; *j-n*: apreciar (mucho); **2schätzung** *f* tasación *f*; evaluación *f*, valoración *f*; estimación *f*, apreciación *f*; justiprecio *m*; **~schenken** *v/t.* echar de beber; *j-m* (*ein Glas*) *Wein* ~ escanciar, servir (un vaso de) vino a alg.; *fig.* *j-m reinen Wein* ~ decir lisa y llanamente la verdad a alg.; F cantárselas claras a alg.; **~schicken** *v/t.* enviar, remitir; → *einsenden*; **~schieben** (*L*) *v/t.* introducir, hacer entrar, F meter; (*dazwischen* ~) interponer; intercalar, interpolar; **2schiebsel** *n*, **2schiebung** *f* introducción *f*; interposición *f*; intercalación *f*, interpolación *f*.

'**Einschienenbahn** *f* monocarril *m*; ferrocarril *m* de un solo raíl.

'**ein...:** **~schießen** (*L*) *v/t.* ⚔ demoler a cañonazos; *Gewehr*: probar; *Brot*: enhornar; *Weberei*: tramar; *Fußball*: marcar (*un tanto*); *fig.* *Geld*: aportar, contribuir con; ⚔ hacer ejercicios de tiro; *Artillerie*: corregir el tiro; **2schießen** *n* ⚔ corrección *f* de tiro; **~schiffen** *v/t.* embarcar; *sich* ~ embarcarse (*nach* para), ir a bordo; **2schiffung** *f* *Ladung*: embarque *m*; *Passagiere, Truppen*: embarco *m*; **~schirren** *v/t.* enjaezar; **~schlafen** (*L*; *sn*) *v/i.* adormecerse, dormirse, *Liter.* conciliar el sueño; *Glieder*: entumecerse, dormirse; *fig.* (*sterben*) morir, fallecer; dormirse en la paz del Señor; *Gespräch*: apagarse, languidecer; *Brauch*: decaer; **~schläf(e)rig** *adj.* *Bett*: (*cama*) individual; **~schläfern** (-*re*) *v/t.* adormecer; ⚕ narcotizar; **~schläfernd** *adj.* adormecedor; ⚕ soporífero; *fig. a.* aburrido, pesado, latoso; **2schläferung** *f* adormecimiento *m*; ⚕ narcotización *f*; **2schläferungsmittel** ⚕ *n* narcótico *m*, soporífico *m*.

'**Einschlag** *m* (-*es*; ⸗*e*) *Hülle*: envoltura *f*; *Briefumschlag*: sobre *m*; *am Kleid usw.*: doblez *m*, alforza *f*; ⊕ *Weberei*: trama *f*; *Blitz*: caída *f*; *Forstwirtschaft*: tala *f*; ⚔ *e-s Geschosses*: impacto *m*; *Auto.*: oblicuidad *f* de las ruedas delanteras; ángulo *m* de giro del volante; *fig.* matiz *m*; dejo *m*, sabor *m*; tendencia *f*; **2en** (*L*) **1.** *v/t.* *Nagel usw.*: clavar; *Pfahl*: hincar, hundir; (*zerbrechen*) romper; *Eier*: cascar; *in die Suppe*: desleír; *Tür*: derribar, echar abajo; *Schädel, Fenster*: romper; *Zähne, Auge*: saltar; *Boden e-s Fasses*: desfondar; (*einwickeln*) envolver; (*falten*) doblar; *am Kleid*: *a.* alforzar; *Weg*: seguir, tomar (*a. fig.*), echar por; *Laufbahn*: seguir; **2.** *v/i.* (*annehmen*) aceptar; *Blitz*: caer; *Geschoß*: hacer impacto *m*; *fig.* *wie e-e Bombe* ~ caer como una bomba, causar sensación; (*Erfolg haben*) triunfar, tener éxito *m*; ✝ tener buena acogida *f*; *gut* (*schlecht*) ~ dar buen (mal) resultado, salir bien (mal) a/c.; *in j-s Hand* ~ estrechar la mano a alg.; *fig.* aceptar con un apretón de manos; *auf j-n* ~ dar de golpes a alg., golpear.

'**einschlägig** *adj.* pertinente; relativo a, referente a; (*entsprechend*) correspondiente; *Behörde*: competente; **~e** *Literatur* literatura especial sobre una materia; bibliografía *f*; **~es** *Geschäft* negocio *m* del ramo.

'**Einschlag...:** **~papier** *n* (-*s*; -*e*) papel *m* de embalaje; **~winkel** *m* *Auto.*: ángulo *m* de giro del volante; ángulo *m* de oblicuidad de las ruedas delanteras; ⚔ ángulo *m* del impacto.

'**ein...:** **~schleichen** (*L*) *v/i.* *u.* *v/refl.*: *sich* ~ introducirse (furtivamente) en; introducirse subrepticiamente *od.* insidiosamente en; *Fehler*: deslizarse; *sich in j-s Vertrauen* ~ ir ganándose hábilmente la confianza de alg.; **~schleifen** (*L*) ⊕ *v/t.* esmerilar; *Kolben*: adaptar; **~schleppen** *v/t.* llevar arrastrando; *Schiff*: remolcar; *Krankheit*: importar, traer; **~schleusen** (-*t*) *fig.* *v/t.* encauzar; **~schließen** (*L*) *v/t.* encerrar; cerrar (*con llave*) en; (*umgeben*) rodear, circundar, cercar (*mit* de); *in e-n Brief*: incluir; ⚔ cercar; *Stadt, Festung*: sitiar; *Hafen*: bloquear; *fig.* incluir; comprender, abarcar; (*enthalten*) contener; *j-n ins Gebet* ~ tener presente a alg. en sus oraciones, rogar por alg.; **~schließlich** *adj.* inclusive, incluido, incluso; ✝ ~ *Verpackung* incluido el embalaje; **~schlummern** (-*re*; *sn*) *v/i.* adormecerse, adormilarse, adormitarse; *fig.* (*sterben*) dormirse en la paz del Señor; **~schlürfen** *v/t.* sorber; *mit Behagen*: saborear; *Luft*: aspirar, respirar con delicia *f*; **2schluß** *m* (-*sses*; ⸗*sse*) inclusión *f*; *mit* ~ *von* → *einschließlich*; **~schmeicheln** (-*le*) *v/i.*: *sich bei j-m* ~ congraciarse con alg., captarse las simpatías de alg.; insinuarse en el ánimo de alg.; F hacer la rosca (*od.* la pelotilla) a alg.; **~schmeichelnd** *adj.* insinuante; congraciador; zalamero; **2schmeichelung** *f* congraciamiento *m*; zalamería *f*; **~schmelzen** (*L*) *v/t. u. v/i.* (re)fundir, (re-) fundirse; derretir(se); **~schmieren** *v/t.* untar; ⊕ engrasar, lubri(fi)car; **~schmuggeln** (-*le*) *v/t.* introducir de contrabando *m*, F pasar de matute; F pasar de estraperlo; *sich* ~ introducirse furtivamente, F colarse; **~schnappen** *v/i.* (*Schloß*) cerrarse de golpe; ⊕ engranar; encajar a (cerrarse con) resorte; F (*sich ärgern*) picarse, amoscarse, mosquearse; **~schneiden** (*L*) **1.** *v/t.* cortar en; (*einkerben*) tallar en, entallar en; *Namen usw.*: grabar en; **2.** *v/i.* hacer una incisión en; (*weitS. Kragen, Riemen*) hacer daño *m*; **~schneidend** *adj.* *fig.* incisivo; tajante; radical; (*entscheidend*) decisivo, terminante; radical; **~schneien** *v/i.* cubrirse de nieve; *eingeschneit* quedar enterrado bajo (🚂 quedar detenido *od.* bloqueado por) la nieve; **2schnitt** *m* (-*es*; -*e*) incisión *f* (*bsd. Chir.*); corte *m*; *Kerbe*: entalladura *f*, muesca *f*; *im Gelände*: cortadura *f*, paso *m*; 🚂 trinchera *f*; *Zäsur*: cesura *f*; **~schnüren** *v/t.* *Paket*: atar (*con un cordel*), encordelar; (*drücken*) apretar, oprimir; (*würgen*) ahogar, estrangular; → *einengen*.

'**einschränk|en** *v/t.* restringir; limitar; (*räumlich* ~) localizar; *Willensfreiheit*: coartar; *Ausgaben*: reducir, limitar (*auf ac.* a); *Produktion, Umfang*: reducir; *sich* ~ economizar, reducir los gastos; **~end** *adj.* restrictivo; **2ung** *f* restricción *f*; limitación *f*; localización *f*; coartación *f*; reducción *f*; *ohne* ~ sin reservas; sin restricción; libremente.

'**einschrauben** *v/t.* atornillar.

'**Einschreibe|brief** *m* (-*es*; -*e*) carta *f* certificada (*Am.* registrada); **~gebühr** *f* (*Brief*) tasa *f* de certificado; (*Universität*) derechos *m/pl.* de matrícula; (*Verein*) cuota *f* de entrada.

'**einschreib|en** (*L*) *v/t.* (*eintragen*) inscribir (*in ac.* en); (*buchen*) asentar en; registrar; ⚔ alistar; ✉ certificar (*Am.* registrar); *sich* ~ (*als Mitglied*) inscribirse; (*als Soldat*) alistarse; *Universität*: matricularse; **2en** *n* certificado *m*; **2ung** *f* inscripción *f*; asiento *m*; registro *m*; matrícula *f*.

ˈ**ein...:** **~schreiten** (*L*) *fig. v/i.* intervenir; ~ *gegen* adoptar *od.* tomar medidas (enérgicas) contra; ⚖ proceder judicialmente contra; **2schreiten** *n* intervención *f*; **~schrumpfen** (*sn*) *v/i.* arrugarse, avellanarse; *Gewebe*: encogerse; *Obst*: acorcharse; **~schüchtern** (*-re*) *v/t.* intimidar, amedrentar; (*stärker*) atemorizar, acobardar; **2schüchterung** *f* intimidación *f*; **2schüchterungsversuch** *m* (*-es*; *-e*) intento *m* de intimidación; **2schuß** *m* (*-sses*; *⸗sse*) (*Treffer*) impacto *m*; (*Loch*) orificio *m* de entrada (*a. Wunde*); ♆ (*Kapital*) capital *m* invertido; ⊕ *Weberei*: trama *f*; **2schußgarn** *n* (*-es*; *-e*) hilo *m* de trama; **~schütten** (*-e-*) *v/t.* echar *od.* verter en; **~schwärzen** (*-t*) *v/t.* ennegrecer; **~schwenken** (*sn*) *v/i.* ⚔ hacer una conversión; *fig.* avenirse, conformarse, allanarse; **~segnen** (*-e-*) *v/t. I.C.* (*weihen*) consagrar; (*segnen*) bendecir; *I.P.* confirmar; **2segnung** *f* consagración *f*; bendición *f*; confirmación *f*; **~sehen** (*L*) *v/t.* (*prüfen*) examinar; ⚔ observar, tener vista sobre; *fig.* (*verstehen*) comprender; (*erkennen*) ver, echar de ver, notar, darse cuenta de a/c.; *Unrecht, Irrtum*: reconocer; *ich sehe nicht ein, warum* no veo por qué; **2sehen** *n* comprensión *f*; *ein ~ haben* tener consideración, apreciar *od.* considerar las circunstancias; (*vernünftig sein*) ser razonable; ponerse en razón; **~seifen** *v/t.* (en)jabonar; *fig.* F (*betrügen*) engañar, embaucar, F dar el timo; **~seitig** *adj.* ⊕ de un lado, de (*od.* en) una cara; *Pol.*, ⚖, ⚕: unilateral; (*parteiisch*) parcial; (*ausschließlich*) exclusivo; exclusivista; (*subjektiv*) subjetivo; (*engstirnig*) estrecho de miras; de cortos alcances; *~e Ernährung* nutrición incompleta; **2seitigkeit** *f* (*0*) parcialidad *f*; exclusivismo *m*; estrechez *f* de miras; criterio *m* unilateral; **~senden** (*L*) *v/t.* enviar, remitir; (*übermitteln*) transmitir; **2sender(in** *f*) *m* remitente *m/f* (*a. an Zeitungen*); **2sendung** *f* envío *m*; ♆ remesa *f*; **~senken** *v/t.* hundir; hincar; ♣ acodar; **2senkung** *f* hundimiento *m*, (*Mulde*) depresión *f*; hondonada *f*, hondón *m*.

ˈ**Einser** *m* uno *m*.

ˈ**einsetz|en** (*-t*) **1.** *v/t.* poner, colocar (en); ♣ plantar; Ⓐ su(b)stituir; *Anzeige*: insertar; ♆ (*buchen*) asentar; (*einfügen*) insertar; (*stiften, gründen*) establecer, instituir, crear; *Ausschuß usw.*: constituir; ⚔ hacer entrar en acción; *Geld*: (*im Spiel*) hacer una puesta, atravesar; *in ein Amt*: instalar; investir; *als Bevollmächtigten*: constituir en, designar como; *als Erben*: instituir por; *als Vorsitzenden*: designar, nombrar; (*anwenden*) emplear, aplicar; movilizar; *fig.* poner en juego; *das Leben*: arriesgar, exponer, *wagemutig*: jugarse la vida; *sich für et. ~* abogar por, pugnar por; *für j-n*: interceder por (en *od.* a favor de) alg.; intervenir a favor de alg.; *sich voll ~* poner a contribución todas sus energías, emplearse a fondo; **2.** *v/i.* empezar, comenzar; ♪ entrar, atacar; **2ung** *f* colocación *f*; Ⓐ su(b)stitución *f*; inserción *f*; institución *f*; constitución *f*; instalación *f*, *Pol.* investidura *f*; nombramiento *m*, designación *f*; empleo *m*; → *Einsatz*.

ˈ**Einsicht** *f* vista *f*; inspección *f*; *Prüfung*: examen *m* (*in ac.* de); *fig.* discernimiento *m*, juicio *m*; *Verständnis*: comprensión *f*; *Kenntnis*: conocimiento *m*; *Verstand*: entendimiento *m*, inteligencia *f*; *Klugheit*: prudencia *f*; *Vernunft*: razón *f*; *~ nehmen in ac.* examinar *ac.*; enterarse de, tomar conocimiento de; *zur gefälligen ~* para su conocimiento; *zur ~* ♆ para su examen; como muestra; *zur ~ kommen* entrar en razón; **2ig** *adj.* → *einsichtsvoll*; **~nahme** *f* (*0*) vista *f*; inspección *f*, examen *m*; **2slos** *adj.* incomprensivo; **2svoll** *adj.* (*vernünftig*) razonable, juicioso, sensato, prudente; (*klug*) inteligente, de claro entendimiento; (*verständig*) comprensivo, considerado.

ˈ**ein...:** **~sickern** (*-re*) *v/i.* filtrarse, infiltrarse (*a.* ⚔); **2siedeˈlei** *f* ermita *f*; **2siedler(in** *f*) *m* ermitaño (-a *f*) *m*; anacoreta *m/f*, eremita *m*; *fig.* solitario *m*; **~siedlerisch** *adj.* eremítico; solitario; **2siedlerkrebs** *Zoo. m* (*-es*; *-e*) ermitaño *m*; **~silbig** *adj.* monosilábico; *~es Wort* monosílabo *m*; *fig.* (*wortkarg*) taciturno; de pocas palabras; (*kurz angebunden*) seco; lacónico; **2silbigkeit** *f* (*0*) *fig.* taciturnidad *f*; laconismo *m*; **~singen** (*L*) *v/t. Kind*: adormecer cantando; *sich ~* ejercitarse en el canto; **~sinken** (*L*; *sn*) *v/i.* hundirse; *im Wasser*: *a.* sumergirse; ⚠ (*Fundament*) sentarse; **2sitzer** *m* ✈ monoplaza *m*; **~sitzig** *adj.* de un solo asiento.

ˈ**Einsonderungsdrüse** *Anat. f* glándula *f* endocrina.

ˈ**ein...:** **~spannen** *v/t.* tender (*in ac.* entre); *in e-n Rahmen ~* sujetar *od.* poner en un bastidor; *Pferd*: enganchar; *Ochsen*: uncir; *Saite*: poner; ⊕ *Werkstück*: fijar, sujetar; *fig.* hacer cooperar; poner en servicio; **2spänner** *m* carruaje *m* de un caballo; *fig.* solitario *m*, F tipo *m* raro; **~spännig** *adj.* de un caballo; **~sparen** *v/t.* ahorrar, economizar; **2sparung** *f* ahorros *m/pl.*, economías *f/pl.*; **~speicheln** (*-le*) *v/t.* ensalivar; **~speisen** (*-t*) ⊕ *v/t.* alimentar; **~sperren** *v/t.* encerrar; *ins Gefängnis*: encarcelar; F enchiquerar; *ins Irrenhaus*: recluir; *in e-n Käfig*: enjaular; **~spielen** *v/t.*: *sich ~* ♪ practicar, ejercitarse en tocar un instrumento; *Zeiger*: oscilar; *Waage*: balancearse; *sich ~* (*Person*) adquirir práctica; *fig. sich aufeinander ~* (*Person*) compenetrarse, entenderse bien, completarse mutuamente; *gut eingespielt sein* (*Sport*) estar bien entrenado (*od.* en buena forma).

ˈ**einspinnen** (*L*) *v/t.* mezclar hilando; *sich ~ Zoo.* formar el capullo; *fig.* aislarse, hacer vida retirada; *in Gedanken eingesponnen* abismado en profundas reflexiones; ensimismado.

ˈ**Einsprache** *f* → *Einspruch*.

ˈ**ein...:** **~sprechen** (*L*) *v/i.*: *auf j-n ~* hablar con insistencia a alg. para conseguir a/c.; **~sprengen** *v/t.* (*Tür*) derribar, forzar; *mit Wasser*: rociar; *den Boden*: regar; (*einmischen*) entremezclar; **~springen** (*L*; *sn*) *v/i.* entrar de un salto; ⊕ encajar, engranar; *Stoff*: encoger; (*sich einbiegen*) combarse; *fig.* (*aushelfen*) ayudar, F acudir al quite, echar una mano; *für j-n ~* remplazar (suplir *od.* su(b)stituir) a alg.; (*ablösen*) relevar; *~der Winkel* entrante *m*.

ˈ**Einspritz|düse** *f Auto.* (*Diesel*): inyector *m*; **2en** (*-t*) *v/t.* inyectar; **~nadel** ⚕ *f* (*-*; *-n*) aguja *f* hipodérmica; **~pumpe** *f Auto.* bomba *f* de inyección; **~ung** *f* inyección *f*; **~vergaser** *m Auto.* carburador *m* de pulverización.

ˈ**Einspruch** *m* (*-es*; *⸗e*) objeción *f*; reclamación *f*; protesta *f*; *Pol.* veto *m*; ⚖ excepción *f*; *~ erheben* protestar, formular una protesta (*gegen* contra); reclamar; oponerse a; ⚖ excepcionar; **~srecht** *n* (*-es*; *-e*) (derecho *m* de) veto *m*.

ˈ**einspurig** *adj.* 🚂 de vía (*Am.* trocha) sencilla, de una sola vía.

einst *adv.* (*vormals*) un día; en otros tiempos, antiguamente, antaño; (*künftig*) algún día, un día, día vendrá en que.

ˈ**ein...:** **~stampfen** *v/t.* (*zerkleinern*) machacar; (*feststampfen*) apisonar; *Papier*: hacer maculatura *f*; convertir en pasta *f*; **2stand** *m* (*-es*; *⸗e*) *Antritt*: entrada *f* en funciones; **2standspreis** *m* (*-es*; *-e*) precio *m* de adquisición; **2standsrecht** ⚖ *n* (*-es*; *0*) derecho *m* de retracto; **~stauben** *v/t.* cubrirse de polvo *m*; espolvorear; **~stechen** (*L*) *v/t.* picar; pinchar; *mit Stichel*: punzar; *Nadel*: prender; *Loch*: agujerear; perforar; (*eingravieren*) grabar; **~stecken** *v/t.* poner, meter (*in* en); *Nadel*: clavar; pinchar; ⚡ *Stecker*: enchufar; *Schwert*: envainar; *fig. Gewinn*: embolsarse; *Tadel*: tragar; *Schlag*: encajar (el golpe).

ˈ**Einsteckkamm** *m* (*-es*; *⸗e*) peineta *f*.

ˈ**ein...:** **~stehen** (*L*; *sn*) *v/i.*: *~ für* responder de, hacerse responsable de; garantizar; (*als Stellvertreter*) remplazar a alg.; **~steigen** (*L*; *sn*) *v/i.*: *~ in* (*Fahrzeug*) subir a; (*ins Fenster*) entrar por; F (*in ein Geschäft*) participar en; (*einklettern*) escalar; ⚒ bajar (*a la mina*); **2steigeloch** *n* (*-es*; *⸗er*) (*Kessel usw.*) abertura *f* de limpieza.

ˈ**einstell|bar** *adj.* ajustable, regulable, graduable; **~en** *v/t.* colocar, poner (*in, bei* en); *im Lager*: depositar en; (*abstellen*) suprimir; anular; *Auto.*: encerrar (*en el garage*); (*parken*) estacionar, aparcar; ⚔ alistar; *Arbeitskräfte*: contratar; *Dienstbote*: ajustar; (*beschäftigen*) emplear, ocupar *ac.*; *Mechanismus*: ajustar; regular, graduar; *Waage*: equilibrar; *Radio*: sintonizar; *Opt.* enfocar (*a. fig.*); *das Auge*: acomodar; *in e-e Richtung*: orientar; *in Betrieb nehmen*: hacer funcionar, poner en servicio *m*; (*aufgeben*) cesar, parar; dejar de hacer a/c., no continuar *ac.*; *Zahlung*, *Verhandlungen*, ⚔ *Feindseligkeiten*: suspender; ⚔ *das Feuer*: cesar; *die Arbeit*: abandonar el trabajo, (*streiken*) declararse en huelga *f*; *Betrieb*: (*vorläufig*) suspender, interrumpir, *endgültig*: cesar; cerrar; ⚖ *Verfahren*: sobreseer; *sich* ~ aparecer, presentarse; sobrevenir; acudir, personarse, ⚖ comparecer (*vor* ante); *Schmerzen*, *Folgen*: hacerse sentir; *Wetter usw.*: llegar; *Gedanke*, *Wort*: ocurrirse; *fig.* *sich* ~ *auf* ajustarse a, adaptarse a; *auf et.*: (*vorbereiten*) prepararse para; *eingestellt auf et.* preparado *od.* dispuesto para; especialmente dedicado a; (*ausgerichtet auf*) orientado a *od.* hacia; *eingestellt gegen* opuesto a; predispuesto contra.

'**einstellig** *adj.* 𝔄 de una cifra; ~*e Zahl* número dígito.

'**Einstell|knopf** *m* (-*es*; ⸗*e*) *Radio*: botón *m* de sintonización; **~marke** ⊕ *f* marca *f* de referencia.

'**Einstellung** *f* colocación *f*; ⚔ alistamiento *m*; *Arbeiter usw.*: contratación *f*; *Beschäftigung*: ocupación *f*, empleo *m*; ⊕ ajuste *m*; regulación *f*, graduación *f*; *Opt.*, *Phot.*: enfoque *m*; *Radio*: sintonización *f*; *Richtung*: orientación *f*; *Beendigung*: cese *m*; *Betrieb*, *Zahlungen*, ⚔ *Feindseligkeiten*: suspensión *f*; *Streik*: huelga *f*; ⚖ *des Verfahrens*: sobreseimiento *m*; *Haltung*: actitud *f* (*zu*, *gegenüber* frente a); *Ansicht*: ideas *f/pl.*, ideología *f*; opinión *f*, concepto *m*; criterio *m*; punto *m* de vista.

'**einstemmen** *v/t.* ⊕ escoplear; *die Arme* ~ F ponerse en jarras.

'**einstens** *adv.* → *einst.*

'**einsticken** *v/t.* bordar (*in* en).

'**einstig** *adj.* (*ehemalig*) antiguo; (*künftig*) futuro, venidero.

'**einstimm|en** ♪ *v/i.* acompañar (*en coro*) a; cantar a coro; *in ein Lied* ~ unir su voz a las de los que cantan; *fig.* consentir en; estar de acuerdo con; **~ig** *adj.* ♪ de una sola voz; unísono; *fig.* unánime; *adv.* al unísono, a una voz; por unanimidad, unánimemente; **2igkeit** *f* (*0*) unanimidad *f*; común acuerdo *m*.

'**einstmals** *adv.* → *einst.*

'**ein...:** **~stöckig** *adj.* (*Haus*) de un piso; **~stopfen** *v/t.* meter en; rellenar; (*Pfeife*) llenar; **~stoßen** (*L*) *v/t.* empujar; (*Mauer*, *Tür*) derribar; (*Fensterscheibe*) romper, quebrar; **~streichen** (*L*) *v/t.* (*Geld*) embolsar; **~streuen** *v/t.* esparcir; *fig.* insertar; **~strömen** *v/t.* fluir en, afluir; entrar (*a chorros*); **2-strömventil** ⊕ *n* (-*s*; -*e*) válvula *f* de admisión; **~studieren** (-) *v/t.* estudiar; *Thea.* (*Stück*) ensayar; (*Rolle*) estudiar; **~stufen** *v/t.* clasificar; asignar a una categoría; **~-stufig** ⊕ *adj.* de un solo paso *od.* escalón; **2stufung** *f* clasificación *f*; **~stündig** *adj.* de una hora; **~stündlich** *adv.* cada hora; **~stürmen** *v/i.*: ~ *auf* (*ac.*) abalanzarse sobre; arremeter contra; *fig.* asaltar; *Ideen*: agolparse (*en la mente*); sobrevenir.

'**Einsturz** *m* (-*es*; ⸗*e*) *Verfall*: desmoronamiento *m*; (*durch Senkung*) hundimiento *m*; derrumbamiento *m*; *Erdrutsch*: desprendimiento *m*; *dem* ~ *nahe sein* (*Haus*, *Mauer*) amenazar ruina.

'**einstürzen** (-*t*) *v/i.* *Boden*, *Stollen*: hundirse; *Haus*, *Mauer*: derrumbarse; *Erdreich*: desprenderse; (*verfallen*) desmoronarse; *fig.* *auf j-n*: lanzarse sobre.

'**einstweil|en** *adv.* entretanto, mientras tanto; (*vorläufig*) por de (*od.* lo) pronto, por ahora, de momento; **~ig** *adj.* temporal, provisional; interino; ⚖ ~*e Verfügung* medida cautelar provisoria.

'**eintägig** *adj.* de un día; ⚘, ⚕ efímero (*a. fig.*).

'**Eintagsfliege** *f* cachipolla *f*, efímera *f*; *fig.* éxito *m* efímero.

'**Eintänzer** *m* bailarín *m* profesional; gigoló *m*.

'**ein...:** **~tauchen** **1.** *v/t.* *ins Wasser*: zambullir; *unter Wasser*: sumergir; *Brot*, *Feder*: mojar; *Schwamm*: empapar; **2.** *v/i.* zambullirse, bucear; sumergirse; **2tausch** *m* (-*es*; -*e*) cambio *m*, trueque *m*; canje *m*; **~tauschen** *v/t.* cambiar, trocar; canjear (*gegen* por); **~-teilen** *v/t.* dividir (*in ac.* en); (*anordnen*) organizar; (*verteilen*) distribuir; repartir; *in Grade*: graduar; *in Abschnitte*: seccionar; *in Klassen*: clasificar; *in Parzellen*: parcelar; *Zeit*: disponer; *zur Arbeit*: asignar; **~teilig** *adj.* de una pieza.

'**Einteilung** *f* división *f*; organización *f*; distribución *f*; reparto *m*; graduación *f*; clasificación *f*; disposición *f*.

'**eintönig** *adj.* monótono (*a. fig.*); (*langweilig*) aburrido; **2keit** *f* (*0*) monotonía *f*; uniformidad *f*.

'**Eintopfgericht** *n* (-*es*; -*e*) plato *m* único; puchero *m*.

'**Ein...:** **~tracht** *f* (*0*) armonía *f*, concordia *f*; **2trächtig** *adj.* concorde; unánime; *adv.* en armonía; **~trag** *m* (-*es*; ⸗*e*) (*Buchung*) asiento *m*; *fig.* (*Abbruch*) perjuicio *m*, daño *m*; ~ *tun* perjudicar, causar un daño; **2tragen** (*L*) *v/t.* inscribir; registrar; ✝ asentar; (*in der Matrikel*) matricular; (*verursachen*) ocasionar; *Nutzen*: rendir, producir; *sich* ~ inscribirse; matricularse; *eingetragenes Warenzeichen* marca registrada; **2träglich** *adj.* (*Geschäft*) lucrativo, productivo; (*lohnend*) remunerador, rentable; **~träglichkeit** *f* (*0*) productividad *f*; rendimiento *m*; **~tragung** *f* inscripción *f*; registro *m*; ✝ asiento *m*; **2träufeln** (-*le*) *v/t.* instilar; **2-treffen** (*L*; *sn*) *v/i.* (*ankommen*) llegar; → *eingehen*; (*geschehen*) suceder, ocurrir; (*sich erfüllen*) realizarse, cumplirse; **~treffen** *n* llegada *f*; **2treiben** (*L*) *v/t.* *Nägel*: clavar, fijar; *Hut*: abollar; *Vieh*: recoger, apriscar; *Steuern*: recaudar; *Schulden*: activar el cobro de, ⚖ apremiar; **~treibung** *f* cobro *m*, recaudación *f*.

'**eintreten** (*L*) **1.** *v/i.* entrar (*in ein Haus* en una casa); *fig.* *in j-s Dienste*: entrar (*al servicio de alg.*); *in e-n Verein*: ingresar en; *in ein Amt*: entrar (*en funciones*); *in Verhandlungen*: entrar en, entablar (*negociaciones*); (*sich ereignen*) ocurrir, suceder; realizarse; producirse; (*stattfinden*) verificarse, tener lugar *m*; (*unvermutet*) sobrevenir; *Fall*: presentarse, darse; *Schwierigkeiten*: surgir; *Umstände*: darse; *Tod*: sobrevenir; producirse; *für j-n*: abogar por; responder de; interceder por; defender a; *für et.*: luchar por; → *befürworten*; **2.** *v/t.* pisar, apisonar; *Tür*: abrir (*de un puntapié*); *sich e-n Dorn* ~ clavarse una espina en el pie; **~denfalls** *adv.* si llegará (*od.* si se diera) el caso; en caso dado.

'**eintrichtern** (-*re*) *v/t.* llenar con un embudo; *fig.* *j-m et.* ~ inculcar, F meter en la cabeza a fuerza de machacar.

'**Eintritt** *m* (-*es*; -*e*) entrada *f*; (*Einlaß*) admisión *f*; acceso *m*; (*Anfang*) comienzo *m*, principio *m*; *in e-n Verein usw.*: ingreso *m* en, afiliación *f* a; ~ *frei!* entrada libre; ~ *verboten* prohibida la entrada; **~sgeld** *n* (-*es*; -*er*) precio *m* de entrada; **~skarte** *f* entrada *f*, localidad *f*; *Am.* boleto *m*.

'**ein...:** **~trocknen** (-*e*-; *sn*) *v/i.* irse secando; secarse; (*einschrumpfen*) avellanarse; **~tröpfeln** (-*le*) *v/t.* → *einträufeln*; **~trüben** *v/refl.* enturbiarse; *Himmel*: nublarse; **2trübung** *f* nubosidad *f*; **~tunken** *v/t.* mojar en salsa *f*; **~üben** *v/t.* estudiar; *sich* ~ practicar, ejercitarse; *Thea.* ensayar; **2übung** *f* estudio *m*; ejercicio *m*, práctica *f*; *Thea.* ensayo *m*.

'**einverleib|en** (-) *v/t.* *allg.* introducir en; incorporar a *od.* en, incluir en; *Land*: anexionar; **2ung** *f* incorporación *f*, inclusión *f*; anexión *f*; ⚕ ingestión *f*.

'**Einvernehmen** *n* (-*s*; *0*) acuerdo *m*, conformidad *f*; armonía *f*; *in gutem* ~ *mit j-m stehen* llevarse bien, estar en buenas relaciones, entenderse bien con alg.; *in* ~ *mit* de acuerdo (conformidad) con, en armonía con; *sich mit j-m ins* ~ *setzen* ponerse de (llegar a un) acuerdo con alg.

'**einverstanden** *adj.* de acuerdo, conforme; ~ *sein* estar de acuerdo *od.* conforme (*mit* con); ~! ¡conforme!, ¡de acuerdo!

'**Einverständnis** *n* (-*ses*; -*se*) conformidad *f*, acuerdo *m*; → *Einvernehmen*; (*Zustimmung*) asentimiento *m*, consentimiento *m* (*zu* a); (*geheimes*) inteligencia *f*; ⚖ connivencia *f*.

'**ein...:** **~wachsen** [-ks-] (*L*; *sn*) *v/i.* crecer hacia dentro; *eingewachsener Nagel* uñero *m*; **2wand** *m* (-*es*; ⸗*e*) objeción *f*; (*Entgegnung*) réplica *f*; *Einwände gegen et. vorbringen* formular (hacer) objeciones a, poner reparos a a/c.; → *Einspruch*; **2wanderer** *m* inmigrante *m*; **~wandern** (-*re*; *sn*) *v/i.* inmigrar; **2wanderung** *f* inmigración *f*; **~wandfrei** *adj.* inmejorable; correcto; (*unanfechtbar*) irrecusable; (*tadellos*) impecable, irreprochable; ~*e Führung* conducta intachable; (*fehlerfrei*) perfecto; **~wärts** *adv.* hacia adentro; **~-weben** *v/t.* entretejer; **~wechseln**

(*-le*) *v/t.* cambiar; (*tauschen*) *a.* trocar (gegen por); canjear; **~wecken** *v/t.* → *einmachen*; **~wegflasche** *f* botella *f* de un solo uso; **~weichen** *v/t.* remojar, poner en remojo *m* (*a. Wäsche*); macerar.

ˈ**einweih|en** *v/t. Rel.* consagrar; bendecir; *Priester*: ordenar; *Denkmal usw.*: inaugurar; ~ *in* iniciar en; *j-n in ein Geheimnis* ~ poner a alg. en el secreto de a/c.; *eingeweiht* (*Mitwisser*) *sein* estar en el secreto, F estar en el ajo; ≈**ung** *f* consagración *f*; bendición *f*; ordenación *f*; inauguración *f*; iniciación *f*; ≈**ungsrede** *f* discurso *m* inaugural.

ˈ**einweis|en** (*L*) *v/t.* guiar, dirigir; *in ein Amt*: instalar; *in e-e Wohnung*: acomodar en; *in ein Krankenhaus*: hospitalizar; disponer el ingreso en; *Personal*: dar instrucciones *f/pl.* para el servicio; ≈**ung** *f* guía *f*; instalación *f*, toma *f* de posesión; instrucción *f*; asignación *f* (*de un servicio*).

ˈ**einwend|en** (*L*) *v/t.* objetar (*gegen* a); oponerse (*gegen* a); *es läßt sich nichts dagegen* ~ nada hay que objetar, nada hay que decir contra eso; ≈**ung** *f* objeción *f*; reparo *m*; *~en erheben gegen* formular objeciones a; poner reparos a; argumentar contra, oponerse a; formular protestas contra.

ˈ**ein...:** **~werfen** (*L*) *v/t.* tirar; *Fenster*: romper (*a pedradas*); *Brief*: echar (*al buzón*); *fig.* objetar; **~wertig** ⚗ *adj.* monovalente; **~wickeln** (*-le*) *v/t.* envolver en; *Kind*: fajar; (*einrollen*) enrollar; F *fig.* engañar; *durch Schmeicheln*: F engatusar, camelar; ≈**wickelpapier** *n* (*-s*; *-e*) papel *m* de embalaje; **~wiegen** *v/t. Kind*: adormecer (*meciendo la cuna*); *fig.* arrullar.

ˈ**einwillig|en** *v/i.*: ~ *in ac.* consentir en; estar conforme con; aprobar; ≈**ung** *f* consentimiento *m*; asentimiento *m*, aprobación *f*, aquiescencia *f*; conformidad *f*; acuerdo *m*.

ˈ**einwirk|en** *v/i.*: ~ *auf* obrar, actuar sobre *od.* en; *weitS.* producir efecto sobre *od.* en; (*beeinflussen*) influir en *od.* sobre, ejercer influjo en *od.* sobre; ~ *lassen* ⚗ hacer actuar (*auf* sobre); ≈**ung** *f* influencia *f*, influjo *m*; efecto *m*; acción *f*.

ˈ**Einwohner**(**in** *f*) *m* habitante *m/f*; *e-s Ortes*: vecino (-a *f*) *m*; ~ˈ**meldeamt** *n* (*-es*; *⁼er*) oficina *f* de empadronamiento; **~schaft** *f* (*0*) habitantes *m/pl.*; vecindario *m*; **~zahl** *f* número *m* de habitantes, población *f*; **~zählung** *f* censo *m*.

ˈ**Einwurf** *m* (*-es*; *⁼e*) *Fußball*: saque *m* de línea; *für Briefe*: (boca *f* del) buzón *m*; *für Münzen*: ranura *f*; *fig.* objeción *f*, reparo *m*.

ˈ**einwurzeln** (*-le*) *v/refl.* arraigarse (*a. fig.*); → *eingewurzelt*.

ˈ**Einzahl** *f* (*0*) *Gr.* (*número*) singular *m*.

ˈ**einzahl|en** *v/t.* pagar, ingresar (*en una cuenta*); *Sparbuch*: imponer; pagar a cuenta; ☤ *voll eingezahlt* totalmente desembolsado; ≈**er**(**in** *f*) *m* imponente *m/f*; ≈**ung** *f* pago *m*, ingreso *m*; imposición *f*; (*Teilzahlung*) pago *m* a cuenta; ≈**ungsschein** *m* (*-es*; *-e*) resguardo *m* de ingreso.

ˈ**einzäun|en** *v/t.* cercar, vallar; ≈**ung** *f* cerca *f*, vallado *m*.

ˈ**einzeichn|en** (*-e-*) *v/t.* dibujar en; marcar en; (*einschreiben*) inscribir; ≈**ung** *f* dibujo *m*; inscripción *f*.

ˈ**Einzel|akkord** *m* (*-es*; *-e*) contrato *m* individual de trabajo; **~angaben** *f/pl.* datos *m/pl.* aislados; **~aufhängung** *f Auto.* suspensión *f* independiente; **~aufstellung** *f* relación *f* detallada, especificación *f*; **~ausgabe** *f Buch*: edición *f* separada *bzw.* parcial; **~behandlung** ⚕ *f* tratamiento *m* individual; **~betrag** *m* (*-es*; *⁼e*) importe *m* único; **~darstellung** *f Liter.* monografía *f*; **~fall** *m* (*-es*; *⁼e*) caso *m* aislado; caso *m* particular; **~fertigung** *f* construcción *f* única; **~gabe** ⚕ *f* dosis *f* única; **~gänger** *fig. m* solitario *m*; **~haft** ⚖ *f* (*0*) aislamiento *m* celular; incomunicación *f*; *in* ~ *setzen* incomunicar; **~handel** *m* (*-s*; *0*) comercio *m* al por menor; **~handelspreis** *m* (*-es*; *-e*) precio *m* al por menor; **~händler** *m* ☤ detallista *m*, minorista *m*; **~haus** *n* (*-es*; *⁼ser*) casa *f* aislada; **~heit** *f* detalle *m*, pormenor *m*; *besondere*: particularidad *f*; *bis in alle ~en* hasta el más pequeño detalle; *mit allen ~en* con todo detalle; *sich mit ~en befassen* entrar en detalles; **~kampf** *m* (*-es*; *⁼e*) ⚔ lucha *f* cuerpo a cuerpo; *Sport*: competición *f* individual; **~kosten** *pl.* gastos *m/pl.* detallados; **~leben** *n* vida *f* solitaria.

ˈ**einzellig** *adj. Biol.* monocelular, unicelular.

ˈ**einzeln I.** *adj.* singular; solo, único; (*besonders*) particular, especial; (*für sich allein*) individual; aislado; *Dame*: sola; (*abgetrennt*) separado; suelto; *Schuhe usw.*: desparejado; *die ~en Teile* las diferentes (distintas *od.* diversas) partes; *jeder ~e* cada uno; todos y cada uno; *~e Teile* algunas partes; *im ~en* en detalle, (*Ggs. im allgemeinen*) en particular; *ins ~e gehen* puntualizar, particularizar; entrar en detalles; **II.** *adv.* uno por uno; individualmente, separadamente; ~ *angeben od. aufführen* especificar, detallar, exponer detalladamente *od.* en detalle; ☤ ~ *verkaufen* vender al por menor; ≈**e**(**r**) *m*: *der* ~ el individuo.

ˈ**Einzel...:** **~nummer** *f* (*-*; *n*) (*Zeitung, Zeitschrift*) número *m* suelto; **~person** *f* individuo *m*; **~preis** *m* (*-es*; *-e*) precio *m* por unidad; **~spiel** *n* (*-es*; *-e*) *Tennis*: partido *m* individual; ≈**stehend** *adj.* aislado; *Gebäude*: *a.* separado; (*allein*) solo; (*einsam*) solitario; **~stück** *n* (*-es*; *-e*) pieza *f* única; ♪ solo *m*; **~teil** *m* (*-es*; *-e*) elemento *m* componente; ⊕ pieza *f* suelta; accesorio *m*; (*Ersatzteil*) pieza *f* de recambio; **~unternehmer** *m* empresario *m* particular; **~unterricht** *m* (*-es*; *0*) clase *f od.* lección *f* particular; **~verkauf** ☤ *m* venta *f* al por menor; **~wesen** *n* individuo *m*; **~zimmer** *n* habitación *f* individual.

ˈ**einzieh|bar** *adj.* ⊕ replegable; *Zoo.* retráctil; *Geld*: cobrable; *Güter*: embargable; **~en** (*L*) **1.** *v/t.* hacer entrar; ⊕ replegar, retraer; ✈ (*Fahrgestell*) replegar; *Faden, Band*: pasar; *Flagge*: arriar; ⚓ *Segel*: *a.* aferrar, amainar; *Ruder*: retirar; *Luft*: aspirar; *Flüssigkeit*: absorber; (*zusammenziehen*) encoger, *bsd. Phys., Glied*: contraer; ⊕ reducir; *Balken*: atravesar; *Typ.* hacer entrar (*una línea*); ⚔ llamar a filas *f/pl.*; ⚔ *Posten*: retirar; ⚖ confiscar; embargar; *Steuer*: recaudar; (*einkassieren*) cobrar; *Banknoten, Münzen*: retirar (*de la circulación*); *Erkundigungen* ~ tomar *od.* pedir informes (*über* sobre); **2.** *v/i.* entrar en (*a.* ⚔); *in e-e Wohnung*: instalarse, mudarse a; *bei j-m*: ir a vivir en casa de; *Flüssigkeit*: penetrar, infiltrarse en; ≈**fahrwerk** ✈ *n* (*-es*; *-e*) tren *m* de aterrizaje replegable; ≈**ung** *f* ⚔ llamamiento *m* a filas; ⚖ confiscación *f*; embargo *m*; ☤ cobro *m*; *von Steuern*: recaudación *f*; *von Münzen*, ⚔ *Posten usw.*: retirada *f*.

ˈ**einzig I.** *adj.* (*einzeln*) uno; (*alleinig*) solo; (*ohnegleichen*) único (en su clase *od.* género), sin par; **II.** *adv.* ~ *und allein* únicamente; única y exclusivamente; ~ *dastehen* ser único, no tener par; *mein ~er Gedanke* mi único pensamiento; *ein ~es Mal* una sola vez; *nicht ein ~es Mal* ni una sola vez, ni una vez siquiera; *der ~e* el único; *das ~e* lo único, la única cosa; *~er Sohn* hijo único; **~artig** *adj.* único; singular; incomparable; sin par; ≈**artigkeit** *f* unicidad *f*.

ˈ**einzuckern** (*-re*) *v/t.* azucarar.

ˈ**Einzug** *m* (*-es*; *⁼e*) entrada *f* (*in ac.* en); *in e-e Wohnung*: mudanza *f*; instalación *f* en; *s-n* ~ *halten in* → *einziehen* 2.

ˈ**einzwängen** *v/t.* introducir por fuerza *f*; *fig.* constreñir.

ˈ**Eipulver** *n* huevo *m* en polvo.

ˈ**E-is** ♪ *n* mi *m* sostenido.

Eis *n* (*-es*; *0*) hielo *m*; (*Speise*≈) helado *m*; mantecado *m*; *auf* ~ *legen* poner en hielo; *fig.* aplazar indefinidamente un asunto; *das* ~ *brechen* romper el hielo (*a. fig.*); *fig. j-n aufs* ~ *führen* engañar astutamente a alg.; tender un lazo a alg.; ~ *am Stiel* polo *m*.

ˈ**Eis...:** **~bahn** *f* pista *f* de hielo; **~bank** *f* banco *m* de hielo; **~bär** *m* (*-en*) oso *m* blanco; ≈**bedeckt** *adj.* cubierto de hielo; **~bein** *n* (*-es*; *-e*) pata *f* de cerdo cocida; **~berg** *m* (*-es*; *-e*) iceberg *m*; **~beutel** *m* bolsa *f* de hielo; **~bildung** *f* formación *f* de hielo; **~block** *m* (*-es*; *⁼e*) témpano *m* de hielo; (*Stange*) barra *f* de hielo; **~blumen** *f/pl. am Fenster*: flores *f/pl.* de escarcha; **~bombe** *f* (*Kochkunst*) helado *m* (*de molde esférico grande*); *gal.* bomba *f* glacée; **~brecher** ⚓ *m* rompehielos *m*; **~decke** *f* capa *f* de hielo; **~diele** *f* heladería *f*.

ˈ**eisen** (*-t*) *v/t.* helar.

ˈ**Eisen** *n* hierro *m*; *schmiedbares* (*sprödes*) ~ hierro maleable (quebradizo); (*Werkzeug*) herramienta *f*; (*Huf*≈) herradura *f*; → *Bügel*≈, *Guß*≈, *Roh*≈ *usw.*; *j-n in* ~ *legen* aherrojar a alg.; poner esposas *bzw.* grillos a alg.; *fig.* *heißes ~ anfassen* tocar una cuestión espinosa *od.* delicada, pisar terreno peligroso; *altes ~* hierro viejo, chatarra *f*; *zum alten ~ werfen* arrinconar, desechar por inservible; *zwei ~ im Feuer haben* mantener en reserva otra posibilidad; asegurarse por los dos lados, F encender una vela a Dios y otra al diablo; *(man muß) das ~ schmieden, solange es heiß ist* (hay que) hacer las cosas en caliente; el llanto, sobre el difunto; **~abfälle** *m/pl.* desperdicios *m/pl.* de hierro; **2arm** *adj.* pobre en hierro; **2artig** *adj.* ferroso, férrico; ferruginoso; **~azetat** ⚗ *n* (-*s*; -*e*) acetato *m* de hierro.

'**Eisenbahn** *f* ferrocarril *m*; (*Zug*) tren *m*; → *Bahn*.

'**Eisenbahn...**: → *Bahn*; **~abteil** *n* (-*es*; -*e*) departamento *m*; *Am.* compartimiento *m*; **~betrieb** *m* (-*es*; -*e*) servicio *m* ferroviario; **~betriebsmaterial** *n* (-*s*; -*ien*) material *m* móvil; **~direktion** *f* dirección *f* de ferrocarriles; **~er** *m* ferroviario *m*; **~knotenpunkt** *m* (-*es*; -*e*) nudo *m* ferroviario; **~netz** *n* (-*es*; -*e*) red *f* de ferrocarriles; **~schaffner** *m* revisor *m*; **~station** *f* estación *f* de ferrocarril; **~tarif** *m* (-*es*; -*e*) tarifa *f* ferroviaria; **~transport** *m* (-*es*; -*e*) transporte *m* por ferrocarril; **~unglück** *n* (-*es*; -*e*) accidente *m* ferroviario; catástrofe *f* ferroviaria; **~verbindung** *f* comunicación *f* ferroviaria; **~wagen** *m* vagón *m*; **~zug** *m* (-*es*; ⸚*e*) tren *m*.

'**Eisen...**: **~band** *n* (-*es*; ⸚*er*) fleje *m*; **~bau** *m* (-*es*; -*ten*) construcción *f* metálica; **~bergwerk** *n* (-*es*; -*e*) mina *f* de hierro; **~beschlag** *m* (-*es*; ⸚*e*) herraje *m*; **2beschlagen** *adj.* reforzado con flejes; *Tür usw.*: guarnecido con hierro; **~beton** *m* (-*s*; *0*) hormigón *m* armado; **2-bewehrt** *adj.* blindado; **~blech** *n* (*es*; -*e*) chapa *f* de hierro; palastro *m*; **~chlorid** ⚗ *n* (-*s*; *0*) cloruro *m* férrico; **~draht** *m* (-*es*; ⸚*e*) alambre *m* (de hierro); **~erz** *n* (-*es*; -*e*) mineral *m* de hierro; **~gehalt** *m* (-*es*; *0*) contenido *m* en hierro; **~gieße'rei** *f* fundición *f* de hierro; **~glanz** *m* (-*es*; *0*) hierro *m* especular, hematites *f*; **~guß** *m* (-*sses*; *0*) hierro *m* colado; **2haltig** *adj.* ferrífero; (*bsd. Mineralwasser*) ferruginoso; **~hammer** *m* (*Werkzeug*) martinete *m* de forja; (*Werk*) fragua *f*, forja *f*; **2hart** *adj.* duro como (el) hierro; **~hochbau** *m* (-*es*; -*ten*) construcciones *f/pl.* de hierro elevadas; **~hut** ♀ *m* (-*es*; *0*) acónito *m*; **~hütte** *f* planta *f* siderúrgica; **~industrie** *f* industria *f* siderúrgica; **~'kohlenstoff** *m* (-*es*; *0*) carburo *m* de hierro; **~konstruktion** *f* construcción *f* metálica *od.* de hierro; estructura *f* de hierro; **~kraut** ♀ *n* (-*es*; *0*) verbena *f*; **~mangan-erz** *n* (-*es*; -*e*) ferromanganeso *m*; **~mennige** *f* (*0*) minio *m* de hierro; **~oxyd** ⚗ *n* (-*es*; *0*) óxido *m* de hierro; **~platte** *f* plancha *f* de hierro; **~rost** *m* (-*es*; *0*) herrumbre *f*, orín *m*; (*Gitter*) parrilla *f*; **2schaffend** *adj.* siderúrgico; **~spat** *Min. m* (-*es*; *0*) espato *m* de hierro, siderita *f*; **~stange** *f* barra *f* de hierro; **~träger** *m* viga *f* de hierro; **~walzwerk** *n* (-*es*; -*e*) laminador *m* de hierro; **~waren** *f/pl.* (*artículos de*) ferretería *f*; **~warenhändler** *m* ferretero *m*; **~warenhandlung** *f* ferretería *f*; **~werk** *n* (-*es*; -*e*) (*Konstruktion*) construcción *f* de hierro; (*Fabrik*) fábrica *f* siderúrgica; **~zeit** *f* (*0*) edad *f* del hierro.

'**eisern** *adj.* de hierro; metálico; *bsd. fig.* férreo; *fig.* (*unnachgiebig*) inflexible, rígido, duro; (*unveränderlich*) inmutable, inalterable; → *Besen*; *~e Lunge* ⚕ pulmón de acero; *~e Ration* ración de hierro; *~er Bestand* reserva permanente; *~er Fleiß* celo infatigable; *~e Gesundheit* salud de roble; *~er Vorhang Thea.* telón metálico; *Pol.* telón de acero; *~er Wille* voluntad férrea.

'**Eis...**: **~feld** *n* (-*es*; -*er*) campo *m* de hielo; nevero *m*; **~fläche** *f* superficie *f* helada; **2frei** *adj.* libre de hielo(s); **~gang** *m* (-*es*; *0*) deshielo *m*; **2gekühlt** *adj.* helado; **~glätte** *f* (*0*) piso *m* resbaladizo (*por el hielo*); **2grau** *adj.* encanecido; canoso; **~heilige** *m/pl.* días *m/pl.* fríos de los santos Mamerto, Pancracio y Servacio (*en mayo*); **~hockey** *n* (-*s*; *0*) hockey *m* sobre hielo.

'**eisig** *adj.* helado, glacial (*a. fig.*).

'**Eis...**: **~kaffee** *m* (-*s*; -*s*) café *m* helado; granizado *m* de café; **2kalt** (*0*) *adj.* helado, glacial, frío como el hielo; **~keller** *m* depósito *m* de hielo; *fig.* nevera *f*; **~krem** *f* (-; -*s*) mantecado *m* helado; **~kunstlauf** *m* (-*es*; *0*) patinaje *m* artístico; **~lauf** *m* patinaje *m*; **2laufen** (*L*; *sn*) *v/i.* patinar (*sobre hielo*); **~läufer(in** *f*) *m* patinador(a *f*) *m*; **~maschine** *f* heladora *f*; **~meer** *n* (-*es*; -*e*): *Nördliches* (*Südliches*) *~* océano Glacial Ártico (Antártico); **~pickel** *m* pico *m* de alpinista; **~schicht** *f* capa *f* de hielo; **~scholle** *f* témpano *m* de hielo; **~schrank** *m* (-*es*; ⸚*e*) nevera *f*; (*elektrischer ~*) *a.* refrigeradora *f*; (*großer ~*) cámara *f* frigorífica; **~sport** *m* (-*es*; *0*) deportes *m/pl.* sobre hielo; **~stadion** *n* pista *f* helada; **~vogel** *m* (-*s*; ⸚) martín *m* pescador, alción *m*; **~waffel** *f* (-; -*n*) helado *m* en barquillo *bzw.* en galletas; **~wasser** *n* (-*s*; *0*) agua *f* helada; agua *f* de hielo; **~würfel** *m* cubito *m* de hielo; **~zapfen** *m* carámbano *m*, canelón *m*; **~zeit** *f* (*0*) período *m* (*od.* época *f*) glacial; **~zone** *f* zona *f* glacial.

'**eitel** (-*tl*-) *adj.* vanidoso, fatuo; (*Dame*) coqueta; (*Sache*) vano; frívolo; (*eingebildet*) presuntuoso, petulante; (*leer, nichtig*) vacuo, vano; (*bloß*) puro, mero; (*fruchtlos*) vano, estéril, baldío; *~ sein auf ac.* envanecerse de, jactarse de; *eitles Gerede* pura palabrería, nada más que palabras; *eitles Gold* puro oro; *eitle Hoffnung* (*Versprechung*) vana esperanza (promesa); **2keit** *f* vanidad *f*; coquetería *f*; presuntuosidad *f*, petulancia *f*.

'**Eiter** ⚕ *m* (-*s*; *0*) pus *m*; **~beule** *f* absceso *m*; **2bildend** *adj.* piógeno; **~bildung** *f* supuración *f*; **~bläschen** *n* pústula *f*; **~erreger** *m* germen *m* piógeno; **~herd** *m* (-*es*; -*e*) foco *m* purulento; **2ig** *adj.* purulento; **2n** (-*re*) *v/i.* supurar; **~ung** *f* supuración *f*.

'**Eiweiß** *n* (-*es*; -*e*) clara *f* de huevo; ⚗ albúmina *f*; **2arm** *adj.* pobre en albúmina; **2haltig** *adj.* albuminoso; **~körper** *m/pl.* proteínas *f/pl.*; **~mangel** ⚕ *m* (-*s*; *0*) carencia *f* proteínica; **~stoff** *m* (-*es*; -*e*) albúmina *f*.

'**Eizelle** *Biol. f* óvulo *m*.

'**Ekel 1.** *m* (-*s*; *0*) asco *m*; *Überdruß*: hastío *m*; *Übelkeit*: náuseas *f/pl.*, F ganas *f/pl.* de vomitar; *Widerwille*: repugnancia *f* (*vor dat.* a, de), aversión *f* (a); *~ empfinden über* tener asco *bzw.* aversión a, sentir repugnancia hacia; *~ erregen* dar asco *bzw.* náuseas, repugnar; → *ekeln*; **2.** *n* F (*Person*) individuo *m* antipático, P tío *m* asqueroso; *er ist mir ein ~* F le tengo atravesado en la boca del estómago; **2erregend** *adj.* asqueroso; (*abstoßend*) repugnante, repulsivo; nauseabundo; **2haft** *adj.*, **2ig** *adj.* → *ekelerregend*; **2n** (-*le*) *v/refl. u. unprs.* dar asco a, repugnar; *es ekelt mich od. mich ekelt od. ich ekele mich davor dat.* me da asco, me repugna; siento náuseas.

ekla'tant *adj.* ruidoso, resonante; sensacional; brillante; (*offenbar*) evidente, palmario.

'**eklig** *adj.* → *ekelig*.

Ek'sta|se [-st-] *f* éxtasis *m*; *in ~ geraten* extasiarse; **2tisch** *adj.* extático.

Ekua'dor → *Ecuador*.

Ek'zem ⚕ *n* (-*s*; -*e*) eczema *m*.

E'lan *m* (-*s*; *0*) brío *m*, ímpetu *m*; → *Schwung*.

e'lastisch *adj.* elástico (*a. fig.*); (*biegsam, a.* ⊕, *Auto. u. fig.*) flexible.

Elastizi'tät *f* (*0*) elasticidad *f*; flexibilidad *f*.

'**Elbe** *f* (*Fluß*) Elba *m*.

Elch *m* (-*es*; -*e*) *Zoo.* alce *m*, anta *f*.

Ele'fant *m* (-*en*) *Zoo.* elefante *m*; **~enrüssel** *m* trompa *f*; **~enzahn** *m* (-*es*; ⸚*e*) colmillo *m* de elefante.

ele'gan|t *adj.* elegante; **2z** *f* (*0*) elegancia *f*.

Ele'gie *f* elegía *f*.

e'legisch *adj.* elegíaco; *fig.* lastimero; melancólico.

elektrifi'zier|en (-) *v/t.* electrificar; **2ung** *f* electrificación *f*.

E'lektriker *m* electricista *m*.

e'lektrisch I. *adj.* eléctrico; *~e Bahn* tren eléctrico; *~e Beleuchtung* alumbrado eléctrico; *~er Strom* corriente eléctrica; *~er Stuhl* silla eléctrica; *~e Uhr* reloj eléctrico; **II.** *adv.* eléctricamente; **2e** F *f* tranvía *m* (eléctrico).

elektri'sier|bar *adj.* electrizable; **~en** *v/t.* electrizar (*a. fig.*); **2maschine** *f* máquina *f* electrostática; **2ung** *f* electrización *f*.

Elektrizi'tät *f* (*0*) electricidad *f*; (*Strom*) corriente *f* eléctrica; **~smesser** *m* electrómetro *m*; **~smessung** *f* electrometría *f*; **~sversorgung** *f* (*0*) suministro *m* de

electricidad; **~swerk** *n* (*-es*; *-e*) central *f* eléctrica; **~zähler** *m* contador *m* de electricidad.
E'lektro|analyse *f* electroanálisis *m*; **~chemie** *f* (*0*) electroquímica *f*; **2'chemisch** *adj.* electroquímico.
Elek'trode *f* electrodo *m*; *e-s galvanischen Elementes*: placa *f*; *negative ~* cátodo; *positive ~* ánodo; *ummantelte ~* electrodo recubierto; *blanke ~* electrodo desnudo; **~nabstand** *m* (*-es*; *"e*) distancia *f* entre los electrodos; **~nmetall** ⊕ *n* (*-s*; *-e*) metal *m* de electrodo.
E'lektro...: **~diagnose** ⚕ *f* electrodiagnóstico *m*; **~dynamik** *f* (*0*) electrodinámica *f*; **2dynamisch** *adj.* electrodinámico; **~gerät** *n* (*-es*; *-e*) aparato *m* eléctrico; **~geschäft** *n* (*-es*; *-e*) tienda *f* de artículos eléctricos; **~herd** *m* (*-es*; *-e*) cocina *f* eléctrica; (*klein*) hornillo *m* eléctrico; **~ingenieur** *m* ingeniero *m* electricista; **~kardio'gramm** ⚕ *n* (*-s*; *-e*) electrocardiograma *m*; **~kardiograph** *m* (*-en*) electrocardiógrafo *m*; **~karren** *m* carro *m* eléctrico.
Elektro'ly|se *f* electrólisis *f*; **~t** *n* (*-en*; *-e*) electrólito *m*; **2tisch** *adj.* electrolítico.
E'lektro...: **~magnet** *m* (*-en*) electroimán *m*; **~mechanik** *f* (*0*) electromecánica *f*; **~mechaniker** *m* mecánico *m* electricista; electricista *m*; **2mechanisch** *adj.* electromecánico; *adv.* electromecánicamente; **2medizinisch** *adj.* electromédico; **~'meter** *n* electrómetro *m*; **~mobil** *n* (*-s*; *-e*) electromóvil *m*; (*Kraftwagen*) coche *m* eléctrico; **~motor** *m* (*-s*; *-en*) motor *m* eléctrico; **2motorisch** *adj.* electromotor, electromotriz.
'Elektron *n* (*-s*; *-en*) electrón *m*.
Elek'tronen...: **~aussendung** *f*, **~emission** *f* emisión *f* de electrones; **~blitz** *m* (*-es*; *-e*) *Phot.* luz-relámpago *f* electrónica, *angl.* flash *m* electrónico; **~gehirn** *n* (*-s*; *-e*) cerebro *m* electrónico; **~hülle** *f* envoltura *f* *od.* corona *f* electrónica (*del átomo*); **~kamera** *f* (*-*; *-s*) cámara *f* electrónica; **~mikroskop** *n* (*-s*; *-e*) microscopio *m* electrónico; **~rechner** *m* calculadora *f* electrónica, ordenador *m* (electrónico); **~röhre** *f* válvula *f* electrónica; tubo *m* electrónico; **~stoß** *m* (*-es*; *"e*) choque *m* *od.* impacto *m* electrónico.
Elek'tro|nik *f* (*0*) electrónica *f*; **2nisch** *adj.* electrónico.
E'lektro...: **~ofen** *m* (*-s*; *"*) *Met.* horno *m* eléctrico; (*Heiz2*) estufa *f* eléctrica; **~physik** *f* (*0*) electrofísica *f*; **2plattieren** (-) *v/t.* galvanizar, enchapar electrolíticamente; **~schock** ⚕ *m* (*-s*; *-s*) electrochoque *m*, *angl.* electroshock *m*; **~schweißung** *f* soldadura *f* eléctrica.
Elektro'skop *n* (*-s*; *-e*) electroscopio *m*.
Elektro'sta|tik *f* (*0*) electrostática *f*; **2tisch** *adj.* electrostático.
Elektro'tech|nik *f* (*0*) electrotecnia *f*; **~niker** *m* (*Elektroingenieur*) electrotécnico *m*; (*Elektroinstallateur*) instalador *m* electricista; **2nisch** *adj.* electrotécnico.
Elektrothera|'peutik *f* (*0*) electroterapia *f*; **2'peutisch** *adj.* electroterápico; **~'pie** *f* (*0*) electroterapia *f*.
elektro'thermisch *adj.* electrotérmico.
Elektroty'pie *f* electrotipia *f*.
Ele'ment *n* (*-es*; *-e*) elemento *m* (*a.* ⚗, *Phys.*); ⚡ pila *f*; *fig.* *in s-m ~ sein* estar en su elemento (*od.* en sus glorias); **~e** *n/pl.* (*Anfangsgründe*) elementos *m/pl.*, rudimentos *m/pl.*; *die vier ~ Phil.* los cuatro elementos de la naturaleza.
elemen'tar *adj.* elemental; (*grundlegend*) fundamental, primordial; (*anfängerisch*) rudimentario; (*primitiv*) primitivo; (*wesentlich*) esencial; (*unwiderstehlich*) irresistible; (*heftig*) violento, impetuoso; **2buch** *n* (*-es*; *"er*) epítome *m*; (*Fibel*) cartilla *f*; **2gewalt** *f* violencia *f* incontenible (*de las fuerzas naturales*); **~klasse** *f* clase *f* elemental; **2lehrer** *m* maestro *m* de primera enseñanza; **2schule** *f* escuela *f* de enseñanza primaria; **2stoff** ⚗ *m* (*-es*; *-e*) elemento *m*; **2teilchen** *n* partícula *f* subatómica; **2unterricht** *f* (*-es*; *0*) enseñanza *f* elemental *od.* primaria.
'Elen *m u. n Zoo.* anta *f*, alce *m*.
'Elend *n* (*-es*; *0*) miseria *f*; (*Not*) necesidad *f*; (*Armut*) pobreza *f*, penuria *f*, indigencia *f*; (*Unglück*) desgracia *f*; *ins ~ geraten* caer en la miseria, empobrecer; *im (größten) ~ leben* vivir en la (mayor) miseria; *j-n ins ~ stürzen* arruinar a alg.; *es ist schon ein ~ mit ihm* es una verdadera calamidad.
'elend I. *adj.* miserable; (*arm*) pobre, mísero; (*beklagenswert*) deplorable, lamentable; (*unglücklich*) infeliz, desgraciado, desdichado; (*kärglich*) mezquino; (*kränklich*) enfermizo; (*verächtlich*) miserable, vil, ruin; *~e Bude* cuchitril, tugurio; **II.** *adv.* *~ aussehen* tener mala cara (*od.* mal aspecto); *sich ~ fühlen* sentirse mal (*od.* indispuesto); **~iglich** *adv.* miserablemente.
'Elendsviertel *n* barrios *m/pl.* pobres, barrios *m/pl.* (*od.* barriadas *f/pl.*) de chabolas.
Ele'vator ⊕ *m* (*-s*; *-en*) elevador *m*.
E'lev|e *m* (*-n*) aprendiz *m*; discípulo *m*; **~in** *f* aprendiza *f*; discípula *f*.
elf *adj.* once.
'Elf¹ *f Fußball*: once *m*, equipo *m*.
Elf² *Myt.* *m* (*-en*) silfo *m*; elfo *m*; **~e** *f* sílfide *f*.
'Elfenbein *n* (*-es*; *0*) marfil *m*; **2ern** *adj.* de marfil, marfileño, *Poes.* ebúrneo; **2farbig** *adj.* de color marfil; **~küste** *Geogr.* *f* Costa *f* de Marfil; **~schnitzerei** *f* talla *f* en marfil.
'Elfen...: **~könig** *Myt.* *m* (*-s*; *0*) rey *m* de los elfos; **~königin** *Myt.* *f* reina *f* de las sílfides; **~reigen** *m* danza *f* de los silfos *bzw.* de las sílfides.
'elf...: **~fach** *adj.*, **~mal** *adj.* once veces; **2'meter(ball)** *m* *Fußball*: *angl.* penalty *m*.
'elfte *adj.* undécimo; *König, Jahrhundert, Datum*: once; **2l** *n* onzavo *m*; **~ns** *adv.* en undécimo lugar; undécimo.
elimi'nieren (-) *v/t.* eliminar.
E'lite *f* lo más selecto; la flor y nata, la crema; *in Zssgn.* selecto, escogido; **~truppen** *f/pl.* tropas *f/pl.* escogidas.
Eli'xier [-i'ks-] *n* (*-s*; *-e*) elixir *m*.
'Elle *f* vara *f*; *Anat.* cúbito *m*.
'Ell(en)bogen *m* codo *m*; *mit dem ~ stoßen* codear, dar con el codo a; *sich einen Weg mit den ~ bahnen* abrirse paso a codazos; **~freiheit** *f* (*0*) *fig.* libertad *f* de acción; **~gelenk** *n* (*-es*; *-e*) articulación *f* del codo.
'Ellen...: **2lang** *f* (*0*) *adj.* de una vara de largo; *fig.* larguísimo, interminable; *hum.* kilométrico; **~maß** *n* vara *f* de medir.
El'lip|se *f* ⩘ elipse *f*; *Gr.* elipsis *f*; **2tisch** *adj.* elíptico.
'Elmsfeuer *n* fuego *m* de San Telmo.
Elo'xalverfahren ⊕ *n* procedimiento *m* de oxidación electrolítica.
elo'xieren (-) ⊕ *v/t.* oxidar electrolíticamente.
'Elsaß *n* Alsacia *f*; **~-'Lothringen** *n* Alsacia-Lorena *f*.
'Elsäss|er *m*, **~erin** *f*, **2isch** *adj.* alsaciano *m*, alsaciana *f*.
'Elster *f* (*-*; *-n*) *Orn.* urraca *f*, picaza *f*.
'elterlich *adj.* paterno, de los padres; ⚖ *~e Gewalt* patria potestad.
'Eltern *pl.* padres *m/pl.*; **~beirat** *m* (*-es*; *"e*) consejo *m* escolar de padres de familia; **~haus** *n* (*-es*; *"er*) casa *f* paterna; **~liebe** *f* (*0*) amor *m* paternal; **2los** *adj.* sin padres, huérfano (*de padre y madre*); **~schaft** *f* (*0*): *die ~* los padres de familia *bzw.* de los alumnos de una escuela; **~teil** *m* (*-es*; *-e*) el padre *bzw.* la madre.
E'mail [e'ˈmaɪ(l)] *n* (*-s*; *-s*) esmalte *m*; **~arbeiter** *m* esmaltador *m*; **~farbe** *f* pintura *f* de esmalte; **~geschirr** *n* (*-es*; *-e*) vajilla *f* esmaltada; **~lack** *m* (*-es*; *-e*) laca *f* de esmalte.
email'lieren (-) *v/t.* esmaltar.
Emanati'on *f* emanación *f*.
Emanzi|pati'on *f* emancipación *f*; **2'pieren** (-) *v/t.* emancipar.
Em'bargo ⚓ *n* (*-s*; *-s*) embargo *m* (*de barcos*); *ein ~ legen auf* declarar sometida a embargo a/c. (*destinada a país hostil*); *allg.* prohibir la exportación de determinadas mercancías.
Embo'lie ⚕ *f* embolia *f*.
'Embryo *m* (*-s*; *-s*) embrión *m*; **~lo'gie** *f* (*0*) embriología *f*; **2'nal** *adj.* embrionario.
emeri'tier|en (-) *Uni.* *v/t.* jubilar; **2ung** *f* jubilación *f*.
Emi'grant *m* (*-en*) emigrante *m*.
emi'grieren (-; *sn*) *v/i.* emigrar.
emi'nen|t *adj.* eminente, ilustre, insigne; **2z** *f* (*Titel der Kardinäle*) Eminencia *f*; (*Anrede*) Eminentísimo Señor; *Seine ~* Su Eminencia.
Emissi'on [-sĭ-] *f* emisión *f* (*a. Phys. u.* ✝ *Wertpapiere*); **~sbank** ✝ *f* banco *m* de emisión de valores; **~sgeschwindigkeit** *Phys.* *f* velocidad *f* de emisión; **~skurs** ✝ *m* (*-es*; *-e*) tipo *m* de emisión; **~svermögen** *Phys.* *n* potencia *f* de emisión.
emit'tieren (-) ✝ *v/t.* emitir.
'e-Moll ♪ *n* mi *m* menor.
emp'fahl *pret. von empfehlen*.
Emp'fang *m* (*-es*; *"e*) recepción *f* (*a. Radio*); *Erhalt, bsd.* ✝: recibo *m*; *Aufnahme*: acogida *f*, recibimiento *m*; *Annahme*: aceptación *f*; *nach ~*

von después de recibir; *bei* ~ *von* a la recepción de, al recibir, *bsd. von Waren*: a la entrega de; *j-m e-n guten (schlechten)* ~ *bereiten* recibir cordialmente (con frialdad) a alg.; *den* ~ *bestätigen* acusar recibo de; *in* ~ *nehmen* recibir; (*annehmen*) tomar, aceptar; hacerse cargo de; **2en** (*L*; -) *v/t.* recibir (*a. Gäste, Besuch*); *Gehalt*: cobrar, percibir; (*annehmen*) tomar, aceptar; (*aufnehmen*) acoger; (*schwanger werden*) concebir.

Emp'fänger *m* receptor *m* (*a. Radio*); *e-r Summe*: perceptor *m*; ✝ *von Waren*: consignatario *m*; *e-s Briefes*: destinatario *m*; *e-s Wechsels*: aceptante *m*; (*Abtretungs2*) endosatario *m*.

emp'fänglich *adj.* susceptible; sensible (für a); ⚕ predispuesto a; *für Eindrücke*: impresionable; **2keit** *f* (*0*) susceptibilidad *f*; sensibilidad *f*; predisposición *f*; impresionabilidad *f*.

Emp'fängnis *f* (-; -*se*) concepción *f*; *die Unbefleckte* ~ (*Mariä*) *I.C.* la Inmaculada Concepción (de María); **2verhütend** *adj.* anticonceptional; ~*des Mittel* medio anticoncepcional; **~verhütung** *f* (*0*) anticoncepción *f*; **~verhütungsmittel** *n* anticonceptivo *m*.

Emp'fangs...: **~antenne** *f* antena *f* receptora; **~bereich** *m* (-*es*; -*e*) *Radio*: alcance *m* de recepción; **~bescheinigung** *f* acuse *m* de recibo; (*Quittung*) recibo *m*; **~bestätigung** *f* acuse *m* de recibo; **~chef** *m* (-*s*; -*s*) jefe *m* de recepción; **~gerät** *n* (-*es*; -*e*) radiorreceptor *m*; **~schein** *m* (-*es*; -*e*) recibo *m*; ✉ resguardo *m*; **~stärke** *f* (*0*) *Radio*: intensidad *f* de recepción; **~station** *f* ✝ estación *f* de destino; *Radio*: estación *f* receptora; **~störung** *f* *Radio*: interferencia *f*; **~tag** *m* (-*es*; -*e*) día *m* de recibo; **~zimmer** *n* sala *f* de recibir; sala *f* de recepciones.

emp'fehlen (*L*; -) *v/t.* recomendar; (*anvertrauen*) encomendar; *sich* ~ (*Sache*) recomendarse (für para); *sich* ~ *dem Schutze*: encomendarse a; (*sich verabschieden*) despedirse; *sich j-m* ~ ofrecer sus respetos a; *ich empfehle mich Ihnen!* (*mündlich*) ¡servidor de usted!; *am Briefschluß*: le saluda (muy) atentamente; quedo (se reitera) de usted atento y seguro servidor; ~ *Sie mich ...* haga presentes mis saludos a; muchos recuerdos (de mi parte) a; ~ *Sie mich Ihrer Frau Gemahlin* mis respetos a (*od.* póngame a los pies de) su señora; *es empfiehlt sich, zu inf.* es recomendable (*od.* aconsejable) *inf.*; *sich französisch* ~ despedirse a la francesa; **~swert** *adj.* recomendable.

Emp'fehlung *f* recomendación *f*; *auf* ~ *von* por recomendación de; *gute* ~*en haben* tener buenas recomendaciones *od.* referencias; *meine besten* ~*en an* muchos recuerdos (*od.* cordiales saludos) de mi parte a; **~sschreiben** *n* carta *f* de recomendación.

Empfinde'lei *f* sentimentalismo *m*; sensiblería *f*.

emp'finden (*L*; -) *v/t.* sentir; (*gewahren*) percibir; (*erfahren*) experimentar.

emp'findlich *adj.* sensible (*a. Phot.*, ⊕ gegen a); ⚕ alérgico a (*bsd. a. fig.*); (*zart*) delicado; (*empfindsam*) sentimental; (*verwundbar*) vulnerable; (*heikel*) delicado, vidrioso; (*reizbar*) irritable; (*leicht gekränkt*) susceptible; (*leicht zu beeindrucken*) impresionable; (*empfindungsfähig*) sensitivo; *Schmerz*: agudo; *Kälte*: penetrante; *Strafe*: severo, ejemplar; *Verlust*: sensible *bzw.* doloroso; *Phot.* ~ *machen* sensibilizar; **2keit** *f* sensibilidad *f*; delicadeza *f*; susceptibilidad *f*; impresionabilidad *f*.

emp'findsam *adj.* sensible; emotivo; afectivo; (*gefühlvoll*) sentimental; **2keit** *f* sensibilidad *f*; emotividad *f*; sentimentalismo *m*, *desp.* sensiblería *f*.

Emp'findung *f* sensación *f*; (*Wahrnehmung*) percepción *f*; *weitS.* sentimiento *m*; **2slos** *adj.* insensible (für, gegen a); **~slosigkeit** *f* (*0*) insensibilidad *f*; **~svermögen** *n* (-*s*; *0*) sensibilidad *f*; perceptibilidad *f*.

emp'fohlen *p/p. von empfehlen.*

Em'pha|se [-'fɑ:-] *f* énfasis *m*; **2tisch** *adj.* enfático; *adv.* con énfasis, enfáticamente.

Em'pir|ik *f* (*0*) empirismo *m*; **~iker** *m*, **2isch** *adj.* empírico *m*.

em'por *adv.* (hacia) arriba; en *od.* a lo alto; hacia el cielo; **~arbeiten** (-*e*-) *v/refl.*: *sich* ~ *fig.* adelantar, prosperar por propio esfuerzo; encumbrarse; **~blicken** *v/i.* levantar los ojos, alzar la vista (zu a).

Em'pore ⚠ *f* (*Kirche*) coro *m* alto; tribuna *f*, galería *f* alta.

em'pören (-) *v/t.* (*aufbringen*) irritar, encolerizar; *fig.* sublevar, indignar; *zum Aufstand bringen*: sublevar; amotinar; (*beleidigen*) ofender, herir los sentimientos de; (*schockieren*) escandalizar; *sich* ~ sublevarse, rebelarse, alzarse (en armas) contra; amotinarse; (*zornig werden*) indignarse, enfurecerse, encolerizarse; *empört* encolerizado, enfurecido; (*entrüstet*) indignado; (*schockiert*) escandalizado; **~d** *adj.* escandaloso; vergonzoso; indignante.

Em'pörer *m* rebelde *m*; sedicioso *m*; revoltoso *m*; insurrecto *m*; **2isch** *adj.* rebelde; sedicioso; insurreccional; revoltoso.

em'por...: **~heben** (*L*) *v/t.* levantar, alzar; *fig.* exaltar, ensalzar; **~kommen** (*L*; *sn*) *v/i.* subir; elevarse; *fig.* prosperar, progresar; llegar a ocupar una elevada posición; encumbrarse; **2kömmling** *m* (-*s*; -*e*) advenedizo *m*; arribista *m*; **~ragen** *v/i.*: ~ *über* dominar *ac.*; sobresalir de; elevarse encima de; **~schießen** (*L*; *sn*) *v/i.* *Pflanzen*: brotar; espigarse; *Fontäne*: surtir; **~schnellen** (*sn*) *v/i.* levantarse de un salto; *Preise*: subir vertiginosamente; **~schrauben** *v/refl.* ✈: *sich* ~ subir en espiral (*a.* ✝ *Preise*); **~schwingen** (*L*) *v/refl.* remontarse, elevarse rápidamente; *fig.* encumbrarse; **~steigen** (*L*; *sn*) *v/i.* subir, ascender; elevarse; **~streben** *v/i.* hacer esfuerzos *m/pl.* para elevarse; *fig.* tener altas aspiraciones *f/pl.*; **~treiben** (*L*) *v/t.* levantar; empujar hacia arriba; hacer subir (*a.* ✝ *Preise*); *auf Auktionen*: pujar.

Em'pörung *f* (*Aufstand*) sublevación *f*; rebelión *f*; sedición *f*; levantamiento *m*, alzamiento *m*; insurrección *f*; (*Revolte*) motín *m*, revuelta *f*; (*Meuterei*) amotinamiento *m*; (*Entrüstung*) indignación *f*.

'emsig *adj.* (*geschäftig*) activo, diligente; (*fleißig*) laborioso; asiduo; aplicado, estudioso; (*eifrig*) celoso; (*unermüdlich*) infatigable; **2keit** *f* (*0*) actividad *f*, diligencia *f*; laboriosidad *f*; asiduidad *f*; celo *m*.

emul|'gieren (-) ⚗ *v/t. u. v/i.* emulsionar; **2si'on** *f* emulsión *f*.

'End|absicht *f* intención *f* final; **~bahnhof** *m* (-*es*; ⸚*e*) estación *f* terminal *od.* de término; **~be-arbeitung** ⊕ *f* acabado *m*; **~betrag** *m* (-*es*; ⸚*e*) importe *m* total; **~buchstabe** *m* (-*n*[*s*]; -*n*) letra *f* final.

'Ende *n* (-*s*; -*n*) (*zeitlich*) fin *m*; *Beendigung*: terminación *f*; *Schluß*: fin *m*, final *m*; término *m*; *Endstück*: extremo *m*, extremidad *f*; remate *m*; cabo *m*; *Abschluß*: conclusión *f*, terminación *f*; *Ausgang*: desenlace *m*; *Tod*: muerte *f*, desenlace *m* fatal *od.* funesto; *Ergebnis*: resultado *m*; *am Geweih*: punta *f*; *äußerstes* ~ último extremo; ~ *Januar* a fines de enero; *am* ~ *des Monats* a fines (*od.* últimos) de mes; *am* ~ al final; (*doch*) después de todo; (*vielleicht*) acaso, quizá, tal vez; a lo mejor; (*schließlich*) finalmente, por último; por fin; *letzten* ~*s* al fin y al cabo, en definitiva, en conclusión, en resumidas cuentas; *e-r Sache ein* ~ *machen* acabar con; poner término a, dar fin a; *s-m Leben ein* ~ *machen* suicidarse, quitarse la vida; *zu* ~ *führen* acabar, terminar, dar cima a; llevar a cabo; *fig.* coronar; *zum guten* ~ *führen* llevar a feliz término; *zu* ~ *gehen* tocar a su fin; acabarse; terminar; *fig.* extinguirse; (*allmählich*) estar acabándose; → enden; (*knapp werden*) ir escaseando; *zu* ~ *sein* acabarse; estar acabándose; (*vorüber sein*) haber terminado; *Vorräte, Kräfte*: agotarse; estar agotado; ~ *gut, alles gut* si el fin es bueno lo demás no importa; *das dicke* ~ *kommt noch* F aún queda el rabo por desollar; *das* ~ *vom Lied* el (triste) resultado; *der Tag ging zu* ~ declinaba el día; *es geht mit ihm zu* ~ está muriéndose *od.* para morir, F está en las últimas; *es ist noch ein gutes* ~ *bis dahin* aún queda un buen trecho por recorrer; *alles muß einmal ein* ~ *haben* todo tiene que acabar alguna vez; *das nimmt kein* ~ esto es cosa de nunca acabar, esto es inacabable, F aquí hay tela para rato; *an allen Ecken und* ~*n* por doquiera, en todas partes; *mit s-r Weisheit am* ~ *sein* no saber ya qué decir *od.* contestar.

en'demisch ⚕ *adj.* endémico.

'enden (-*e*-) **1.** *v/t.* → *beend(ig)en*; **2.** *v/i.* acabar(se), terminar(se); (*aufhören*) cesar; (*sterben*) morir, fallecer, expirar; *Frist*: vencer, caducar, expirar; *nicht ~ wollend* interminable; incesante.

'End...: ~ergebnis *n* (*-ses; -se*) resultado *m* final *od.* definitivo; **~geschwindigkeit** *f* velocidad *f* final; **&gültig** *adj.* definitivo; *Antwort*: terminante *od.* definitiva; ⚖ *~es Scheidungsurteil* sentencia final.

'endigen *v/t. u. v/i.* → *enden*; *Gr.* ~ *auf ac.* terminar en.

En'divie [-vĭə] ⚘ *f* escarola *f*, endibia *f*.

'End...: ~kampf *m* (*-es; ⸚e*) *Sport*: (encuentro *m*) final *f*; **~lauf** *m* (*-es; ⸚e*) *Sport*: carrera *f* final.

'endlich I. *adj.* final; (*endgültig*) definitivo; (*begrenzt*) limitado; (*sterblich*) perecedero; (*spät erfolgend*) tardío; ⅍ *u. Phil.* finito; **II.** *adv.* finalmente, por fin, en fin; ~ *doch* al fin y al cabo, en resumidas cuentas; *~!* ¡por fin!; ¡acabáramos!; **&keit** *f* (*0*) *Phil.* lo finito.

'endlos *adj.* infinito; interminable, inacabable; (*unbegrenzt*) ilimitado, sin límites; (*unaufhörlich*) incesante; ⊕ sin fin; continuo.

'End...: ~lösung *f* solución *f* definitiva; **~montage** ⊕ *f* montaje *m* final; **~produkt** *n* (*-es; -e*) producto *m* final; **~punkt** *m* (*es; -e*) (punto *m*) extremo *m*; **~reim** *m* (*-es; -e*) rima *f* consonante (perfecta); **~resultat** *n* (*-es; -e*) resultado *m* definitivo; **~runde** *f Sport*: → *Endkampf*; **~silbe** *f* sílaba *f* final; **~spiel** *n* (*-es; -e*) → *Endkampf*; **~spurt** *m* (*-es; -e*) *Sport*: esfuerzo *m* final (*cerca de la meta*); **~station** *f* estación *f* final *od.* (de) término; **~stück** *n* (*-es; -e*) pieza *f* terminal; **~stufe** ⚡ *f* grado *m* final; **~summe** *f* suma *f* total.

'Endung *f Gr.* desinencia *f*, terminación *f*.

'End...: ~ursache *f* causa *f* final; **~urteil** *n* (*-s; -e*) ⚖ sentencia *f* final *od.* ejecutoria; **~röhre** *f Radio*: válvula *f* final *od.* de salida; **~wert** *m* (*-es; -e*) valor *m* final; **~ziel** *n* (*-es; -e*) objetivo *m* final, meta *f*; **~zweck** *m* (*-es; -e*) finalidad *f*, objeto *m* final; propósito *m*.

Ener'getik [eˑnɛr'geː-] *Phys. f* (*0*) energética *f*.

Ener'gie [eˑnɛr'giː] *f* energía *f*; *fig. a.* fuerza *f*, vigor *m*; *Erhaltung der ~* conservación de la energía; *kinetische* (*potenzielle*) ~ energía cinética (potencial); **~aufspeicherung** *f* acumulación *f* de energía; **~bedarf** *m* (*-es; 0*) energía *f* necesaria; **~einheit** *f* unidad *f* de energía; **&geladen** *fig. adj.* lleno de energía, dinámico; **&los** *adj.* sin energía, débil; **~losigkeit** *f* (*0*) falta *f* de energía, debilidad *f*; **~quelle** *f* fuente *f* de energía; **~umwandlung** *f* transformación *f* de energía; **~verbrauch** *m* (*-es; 0*) consumo *m* de energía.

e'nergisch *adj.* enérgico; (*kräftig*) vigoroso; (*tätig*) activo, dinámico; (*entschlossen*) decidido, resuelto; (*fest*) firme.

eng *adj.* estrecho (*a. fig.*); angosto; (*beschränkt*) limitado; (*gedrängt*) apretado; (*dicht*) denso, espeso; *Masche*: tupido; (*innig*) íntimo; *Kleid*: (*anliegend*) ceñido, muy ajustado; ~ *befreundet sein* ser íntimos amigos; *~er machen allg.* reducir, restringir; *Kleid*: estrechar, ajustar; *im ~eren Sinne* en sentido estricto; propiamente dicho; *~erer Ausschuß* comisión especial; → *Wahl*.

Engage'ment [ãˑgaˑʒ(ə)'mãː] *n* (*-s; -s*) *Verpflichtung*: compromiso *m*; *Vertrag*: contrato *m*; *Thea.* contrata *f*; ✝ *Stellung*: colocación *f*.

enga'gieren [ãˑga'ʒiː-] (-) *v/t.* contratar; ajustar; ✝ *Kapital*: invertir; (*zum Tanz auffordern*) sacar a bailar; *sich ~* comprometerse; *sehr engagiert sein* estar muy ocupado *od.* atareado.

'engbrüstig *adj.* estrecho de pecho; → *kurzatmig*.

'Enge *f* estrechez *f* (*a. fig.*); angostura *f*; *Ort*: paso *m* angosto; (*Meer&*) estrecho *m*; *Paß*: desfiladero *m*; *in die ~ treiben* acorralar, *fig.* poner entre la espada y la pared; poner en un aprieto.

'Engel *m* ángel *m*; *guter* (*gefallener*) ~ ángel bueno (caído); F *die ~ im Himmel singen hören* ver las estrellas (*al recibir un golpe*); **~chen** *n* angelito *m*, querubín *m*; **&gleich** *adj.* como un ángel; **&haft** *adj.* angelical; (*himmlisch*) angélico, seráfico; **~schar** *f* coro *m* de ángeles; **~sgeduld** *f* (*0*) paciencia *f* de Job (*od.* de benedictino); **~sgruß** *m* (*-es; ⸚e*) salutación *f* angélica, ángelus *m*, Ave *m* María; **~szunge** *f*: *mit ~n reden* hablar como los ángeles, hablar muy persuasivamente; **~wurz** ⚘ *f* (*0*) angélica *f*.

'Engerling *m* (*-s; -e*) larva *f* del abejorro, gusano *m* blanco.

'engherzig *adj. fig.* estrecho de miras; mezquino; poco generoso; **&keit** *f* (*0*) estrechez *f* de miras; mezquindad *f*, pequeñez *f*.

'England *n* Inglaterra *f*; **&feindlich** *adj.* anglófobo; antibritánico; **~freund** *m* (*-es; -e*), **&freundlich** *adj.* anglófilo *m*.

'Engländer *m* inglés *m*; ⊕ (*Schraubenschlüssel*) llave *f* inglesa; **~in** *f* inglesa *f*.

'englisch *adj.* inglés; *in Zssgn.* anglo-; *~e Kirche* Iglesia anglicana; ⚕ *~e Krankheit* raquitismo *m*; *~es Pflaster* tafetán inglés; & *n*: *das ~*(e) el (idioma) inglés, la lengua inglesa; *auf &* en inglés; *Rel.* *~er Gruß* → *Engelsgruß*; *aus dem &en* del inglés; *ins &e* al inglés; *~-deutsch adj.* anglo-alemán; *Wörterbuch*: inglés-alemán; **&horn** ♪ *n* (*-es; ⸚er*) cuerno *m* inglés; **&leder** *n* cuero *m* inglés; piel *f* de topo; **~sprechend** *adj.* de lengua inglesa.

'engmaschig *adj.* de malla tupida.

'Engpaß *m* (*-sses; ⸚sse*) paso *m* angosto, desfiladero *m*; (*Schlucht*) garganta *f*; *fig.* escasez *f*.

en'gros [ã'groː] *adv.* ✝ al por mayor; **&handel** *m* (*-s; 0*) (**&händler** *m*, **&preis** *m* [*-es; -e*]) comercio *m* (comerciante *m*, precio *m*) al por mayor.

'engspaltig *adj.* apretado, estrechamente espaciado.

'engstirnig *adj.* de cortas luces; obcecado; estrecho de miras.

'Enkel *m* nieto *m*; *weitS.*: *die ~* los descendientes; **~in** *f* nieta *f*; **~kind** *n* (*-es; -er*), **~sohn** *m* (*-es; ⸚e*) nieto *m*; **~tochter** *f* (*-; ⸚*) nieta *f*.

En'klave *f* enclave *m*.

e'norm *adj.* enorme.

En'semble [ã'sãbl] *n* (*-s; -s*) *Thea.* compañía *f*; personal *m* artístico; ♪ toda la orquesta.

ent'art|en (*-e-; -; sn*) *v/i.* degenerar; *fig.* (*Sitten*) corromperse; depravarse; **~et** *adj.* degenerado; *fig.* desnaturalizado; depravado; **&ung** *f* degeneración *f*; *fig.* depravación *f*, corrupción *f*; decadencia *f*.

ent'äußer|n (*-re; -*) *v/t.*: *sich e-r Sache ~* deshacerse de, desprenderse de, enajenarse de, desposeerse de a/c.; → *veräußern*; **&ung** *f* enajenación *f*.

ent'behr|en (-) *v/t.* (*nicht haben*) carecer de; estar privado *od.* desprovisto de; (*vermissen*) echar de menos, notar la falta de; *~ können* poder prescindir de; poder pasarse sin, poder abstenerse de; *ich kann ihn nicht ~* no puedo prescindir de él; *die Beschuldigung entbehrt jeder Grundlage* la inculpación carece de todo fundamento; **~lich** *adj.* prescindible; (*unnötig*) innecesario, inútil; (*überflüssig*) superfluo; **&lichkeit** *f* (*0*) superfluidad *f*; **&ung** *f* privación *f*; *Mangel*: carencia *f*, falta *f*; *Not*: necesidad *f*, estrechez *f*.

ent'bieten (*L; -*) *v/t.* ofrecer, brindar; *j-m s-n Gruß ~* saludar *bzw.* enviar *od.* transmitir sus saludos a alg.; *j-n zu sich ~* llamar, mandar buscar, hacer venir a alg.

ent'bind|en (*L; -*) *v/t.* dispensar, eximir; relevar; (*von e-m Eid*) desligar; ⚗ liberar; ⚕ *Frau*: asistir en el parto; ⚕ *entbunden werden von* dar a luz *ac.*; **&ung** *f* dispensa *f*, exención *f*; ⚕ *Geburt*: parto *m*, alumbramiento *m*; **&ungsanstalt** *f* (casa *f* de) maternidad *f*.

ent'blättern (*re; -*) *v/t.* dehojar; *sich ~* deshojarse.

ent'blöß|en [-øː-] (*-t; -*) *v/t. allg.* descubrir; *Körper*: desnudar; *sein Haupt ~* descubrirse; *Schwert*: desnudar, desenvainar; ⚔ desguarnecer; *Chir.* exteriorizar; *sich ~* despojarse de; *fig.* despojar, privar de; **~t** *adj.* descubierto; desnudo; *fig.* despojado de, privado de; (*ohne Hilfe*) desamparado; (*mittellos*) sin recursos; **&ung** *f* descubrimiento *m*; desnudamiento *m*; (*Blöße*) desnudez *f*; *fig.* despojo *m*, privación *f*; desamparo *m*; *Mangel*: falta *f* de recursos.

ent'brennen (*L; -; sn*) *v/i.* inflamarse; encenderse (*a. fig.*); *Zorn*: encolerizarse; *Kampf*: trabarse, empeñarse.

ent'deck|en (-) *v/t.* descubrir; (*finden*) hallar; (*herausfinden*) averiguar; (*aufdecken*) revelar; (*offenbaren*) hacer patente, poner de manifiesto; *sich j-m ~* confiarse a alg.; **&er** *m* descubridor *m*; **&ung** *f* descubrimiento *m*; hallazgo *m*; revelación *f*; **&ungsreise** *f* viaje *m* de exploración, expedición *f*.

'Ente *f* pato *m*, ánade *m/f*; *fig.* bulo *m*, serpiente *f* de mar.

ent'ehr|en (-) *v/t.* deshonrar (*a. e-e Frau*); infamar; **~end** *adj.* deshonroso; infamatorio, infamante (*a.*

Strafe); **2ung** *f* deshonor *m*; deshonra *f*; infamación *f*.

ent'eign|en (*-e-*; -) *v/t.* expropiar; desposeer; **2ung** *f* expropiación *f*; desposeimiento *m*.

ent'eilen (-; *sn*) *v/i.* escapar precipitadamente; (*fliehen*) huir.

ent'eisen (*-t*; -) *v/t.* deshelar, descongelar.

ent'eisen|en (*-e-*; -) ⚗ *v/t. Wasser usw.*: desferruginar, eliminar el hierro; **2ung** *f* desferruginación *f*, desferrización *f*.

Ent'eisung *f* (*0*) descongelación *f*; eliminación *f* del hielo.

'Enten...: **~braten** *m* pato *m* asado; **~ei** *n* (*-es*; *-er*) huevo *m* de pata; **~jagd** *f* caza *f* de ánades silvestres *od.* salvajes; **~schnabel** *m* (*-s*; ¨) pico *m* de ánade *od.* pato; ⚕ espéculo *m*; **~teich** *m* (*-es*; *-e*) estanque *m* con patos.

'Enterbeil ⚓ *n* (*-es*; *-e*) hacha *f* de abordaje.

ent'erb|en (-) *v/t.* desheredar; **2ung** *f* desheredación *f*, desheredamiento *m*.

'Enterhaken ⚓ *m* arpón *m* (*od.* gancho *m*) de abordaje.

'Enterich *m* (*-s*; *-e*) pato *m* macho.

'enter|n (*-re*; -) ⚓ *v/t.* abordar; aferrar con garfios *m/pl.*; **2n** *n*, **2ung** *f* abordaje *m*.

ent'fachen (-) *v/t.* atizar (*el fuego*); *fig.* excitar (*los ánimos*); reavivar.

ent'fahren (*L*; -; *sn*) *v/i. Wort*: escaparse; *j-m* ~ huir *od.* escapar de alg.

ent'fallen (*L*; -; *sn*) *v/i. den Händen*: caer(se), irse, escaparse (*de las manos*); *fig. j-m* ~ (*aus dem Gedächtnis*) no acordarse ya de alg., haber olvidado el nombre de alg.; *die Sache ist mir* ~ se me ha ido de la memoria, lo he olvidado; (*nicht in Frage kommen*) no haber lugar a, no proceder, ser improcedente; (*wegfallen*) suprimirse; (*zugeteilt werden*) recaer (*auf ac.* en, sobre), corresponder a; *auf ihn entfiel ein Drittel* le correspondió un tercio; *in Formularen*: *entfällt* no afecta (*al caso*).

ent'falt|en (*-e-*; -) *v/t.* desdoblar; (*auswickeln*) desenvolver; (*ausbreiten*) extender; (*aufrollen*) desarrollar (*a. fig.*); *Fahne*, ⚔ desplegar; (*fördern*) fomentar; (*zeigen*) ostentar; *Fähigkeiten*: desarrollar; *Tätigkeit*: desplegar; *sich* ~ desdoblarse; desenvolverse; extenderse, propagarse; desarrollarse; desplegarse; **2ung** *f* (*0*) desdoblamiento *m*; ⚔ despliegue *m*; (*Förderung*) fomento *m*; (*Entwicklung*) desarrollo *m* (*a. fig.*); desenvolvimiento *m* (*a. fig.*).

ent'färb|en (-) *v/t.* de(s)colorar, descolorir; (*bleichen*) palidecer; *sich* ~ → *verfärben*; **2ung** *f* de(s)coloración *f*; **2ungsmittel** *n* de(s)colorante *m*.

ent'fasern (*-re*; -) *v/t.* desfibrar; *Stoff*: deshilachar.

ent'fern|en (-) *v/t.* (*fernhalten*) alejar; (*wegstellen*) apartar, poner aparte; (*beseitigen*) eliminar, quitar; *aus dem Amte*: remover, separar; *Chir. Tumor*: extirpar; *Organ*: resecar; *Zahn*, *Fremdkörper*: extraer; (*trennen*) separar; (*zurückziehen*) retirar; (*ausradieren*) borrar; (*streichen*) tachar; *Fleck*: quitar; *sich* ~ alejarse; retirarse, apartarse (*a. fig.*); (*weggehen*) irse, marcharse; (*abweichen*) desviarse; (*verreisen*) ausentarse; **~t** *adj.* (*abgelegen*) apartado, retirado; (*entlegen*) distante, lejano (*a. Verwandte*); (*weit* ~: *zeitlich u. räumlich*) remoto; *10 km von X* ~ a 10 kilómetros (de distancia) de X; *fig.* ~*e Ähnlichkeit* vaga semejanza; *weit* ~! muy lejos de eso; *weit* ~ *davon, zu inf.* bien (*od.* muy) lejos de *inf.*; *nicht im* ~*esten* ni remotamente, ni con mucho, F ni por asomo, ni por soñación; **2ung** *f* distancia *f*; *Beseitigung*: eliminación *f*; *Chir.* extirpación *f*; resección *f*; extracción *f*; *Abberufung*: remoción *f*, separación *f*; *Fernhaltung*: alejamiento *m*, apartamiento *m*; *Abwesenheit*: ausencia *f*; ⚔ *Schußweite*: alcance *m*; *in e-r* ~ *von* a una distancia de; *auf kurze* (*weite*) ~ a corta (larga) distancia; *aus einiger* ~ desde cierta distancia; **2ungsmesser** *m* telémetro *m*; *Person*: telemetrista *m*; **2ungsskala** *Phot. f* (-; *-skalen*) escala *f* de distancias.

ent'fessel|n (*-le*; -) *v/t.* desencadenar (*a. fig. Krieg, Sturm, Leidenschaften*); desatar (*a. fig.*); **~t** *adj.* desencadenado (*a. fig.*); **2ung** *f* desencadenamiento *m* (*a. fig.*).

ent'fett|en (*-e-*; -) *v/t.* desengrasar, eliminar *od.* extraer la grasa; **2ung** *f* desengrase *m*; **2ungskur** ⚕ cura *f* de adelgazamiento; **2ungsmittel** *n* ⚗ desengrasante *m*; detergente *m*.

ent'flamm|bar *adj.* inflamable; **~en** (-) **1.** *v/t.* inflamar, encender (*beide a. fig.*); **2.** *v/i.* inflamarse, encenderse; *fig.* → *entbrennen*; **~end** *adj.* inflamativo; **2ungspunkt** *m* (*-es*; *-e*) punto *m* de inflamación.

ent'flecht|en (*L*; -) *v/t.* desconcentrar; *Kartelle*: *neol.* descartelizar; **2ung** *f* desconcentración *f*.

Ent'fleckungsmittel *n* quitamanchas *m*.

ent'fliegen (*L*; -; *sn*) *v/i.* escapar volando; alzar *od.* levantar el vuelo.

ent'fliehen (*L*; -; *sn*) *v/i.* huir, fugarse; (*entgehen*) escapar (*dat.* de); *Zeit*: volar, pasar volando.

ent'fließen (*L*; -; *sn*) *v/i.* fluir de; *fig.* emanar de.

ent'fremd|en (*-e-*; -) *v/t.* extrañar; alienar, enajenar; *sich* (*gegenseitig*) ~ enajenarse, distanciarse, entibiar las relaciones; **2ung** *f* (*0*) alienación *f*.

ent'fritt|en (*-e-*; -) *v/t. Radio*: interrumpir la cohesión; **2ung** *f* descohesión *f*.

Ent'froster *Auto. m* descongelador *m*.

ent'führ|en (-) *v/t.* arrebatar; *Mädchen*: raptar; *bsd. Kind*: secuestrar; **2er** *m* raptor *m*; secuestrador(a *f*) *m*; **2ung** *f* robo *m* violento; rapto *m*; secuestro *m*.

ent'gas|en (*-t*; -) *v/t.* desgasificar; **2ung** *f* desgasificación *f*; saneamiento *m* de gases.

ent'gegen *adv.*; *prp.* (*dat.*); *Gegensatz*: en oposición a; en contra de; contrariamente a; frente a; contra; ~ *allen Erwartungen* contra (contrariamente a) todo lo que se esperaba; *Richtung*: al encuentro de; hacia; **~arbeiten** (*-e-*) *v/i.* actuar contra; oponerse a; contrariar *ac.*; contrarrestar *a/c.*; **~bringen** (*L*) *v/t.* (*darbieten*) presentar, ofrecer; prestar; *fig. Gefühle usw.*: mostrar; manifestar; **~eilen** (*sn*) *v/i.* correr (acudir presurosamente) al encuentro de; **~gehen** (*L*; *sn*) *v/i. j-m*: ir (salir) al encuentro de alg.; ir hacia; *fig.* aproximarse, acercarse; *e-r Gefahr, Zukunft*: afrontar, arrostrar; *dem Ende* ~ estar a punto de terminar, aproximarse al final; **~gesetzt** *adj.* opuesto; *fig. a.* contrario; (*feindlich*) antagónico; (*widersprechend*) contradictorio; *Rhet.* antitético; (*genau* ~) diametralmente opuesto; *in* ~*er Richtung* en sentido contrario; **~halten** (*L*) *v/t.* (*reichen*) presentar; *fig.* oponer; (*einwenden*) objetar; *zum Vergleich*: comparar, cotejar; **~handeln** (*-le*) *v/i.* obrar contra; oponerse a; contrariar *ac.*; contrarrestar *ac.*; (*Gesetz*) infringir, transgredir, contravenir; **~kommen** (*L*; *sn*) *v/i. j-m*: ir (salir) al encuentro de alg.; *fig.* (*nachgeben*) transigir con, hacer concesiones *f/pl.*; (*gefällig sein*) complacer; acoger favorablemente; (*helfen*) ayudar, apoyar; *Wünschen*: satisfacer, atender; (*Gefordertes leisten*) cumplir; **2kommen** *n* complacencia *f*; *Liebenswürdigkeit*: deferencia *f*, atención *f*; amabilidad *f*; benevolencia *f*; ~ *finden* hallar cordial acogida; *kein* ~ *finden* ser mal acogido; **~kommend** *adj.* complaciente; atento, deferente; amable, afable; servicial; *Fahrzeug, Verkehr*: en dirección contraria; **~laufen** (*L*; *sn*) *v/i. j-m*: correr al encuentro de alg.; *fig.* oponerse a; ser contrario a; **2nahme** *f* recepción *f*, aceptación *f*; **~nehmen** (*L*) *v/t.* recibir, aceptar, tomar; hacerse cargo de; **~rücken** (*sn*) ⚔ *v/i. dem Feinde*: avanzar contra; **~sehen** (*L*) *v/i.* esperar, aguardar *ac.*; *e-r Gefahr*: ver venir, (prepararse a) afrontar; *Ihrer baldigen Antwort* ~*d* en espera de su pronta contestación; *e-r Sache freudig* ~ esperar con alegría una cosa; **~setzen** (*-t*) *v/t.* oponer a; contraponer a; → *entgegengesetzt*; **~stehen** (*L*) *v/i.* oponerse a; ser opuesto *od.* contrario a; *dem steht nichts entgegen* nada se opone a ello, no hay inconveniente; ~*d* contrario, opuesto, adverso; **~stellen** *v/t.* oponer; → *entgegensetzen, entgegenhalten*; **~stemmen** *v/refl.* oponerse enérgicamente a, resistirse a; luchar contra; **~strecken** *v/t.* tender; extender; **~treten** (*L*; *sn*) *v/i.* ir hacia alg.; *fig.* oponerse a; rechazar; hacer frente a, afrontar; *feindlich*: → *entgegenstemmen*; **~wirken** *v/i.* → *entgegenarbeiten*; **~ziehen** (*L*; *sn*) *v/i.* avanzar (*od.* marchar) hacia.

ent'gegn|en (*-e-*; -) *v/i.* (*antworten*) contestar, responder; reponer;

schärfer: replicar; 2**ung** *f* contestación *f*, respuesta *f*; réplica *f*.
ent'gehen (*L*; -; *sn*) *v/i*. escapar (*j-m* a alg.; *e-r Sache* de a/c.); (*entschlüpfen*) substraerse a, eludir; *e-r Gefahr* ~ escapar de un peligro; *fig. j-m* ~ pasar inadvertido a alg.; ~ *lassen* dejar pasar, desaprovechar; *sich die Gelegenheit* ~ *lassen* desaprovechar (*od.* desperdiciar) la ocasión; *sich das Vergnügen* ~ *lassen*, *zu* privarse del placer de; *es kann ihm nicht* ~, *daß* no puede pasarle inadvertido que; *er ließ sich die Gelegenheit nicht* ~ no desperdició la ocasión.
ent'geistert *adj.* estupefacto, atónito, F patidifuso, turulato, bizco.
Ent'gelt *n* (-*es*; *0*) (*Gegenwert*) equivalente *m*; compensación *f*; (*Vergütung*) remuneración *f*, pago *m*; (*Belohnung*) recompensa *f*; *gegen* ~ pagado, retribuido; *ohne* ~ gratis, gratuitamente; 2**en** (*L*; -) *v/t*. pagar, remunerar; recompensar; *fig.* (*büßen*) expiar; *j-n et.* ~ *lassen* hacer pagar a/c. a alg., hacer a alg. sufrir las consecuencias de a/c.; 2**lich** *adj.* remunerado.
ent'gift|en (-*e*-; -) *v/t*. ⚕ desintoxicar; desemponzoñar; *fig. die Atmosphäre*: purificar; 2**ung** ⚕ *f* (*0*) desintoxicación *f*; 2**ungsmittel** *n* desintoxicante *m*; antitóxico *m*.
ent'glasen (-*t*; -) ⊕ *v/t*. desvitrificar.
ent'gleis|en (-*t*; -; *sn*) *v/i*. descarrilar; ~ *lassen* hacer descarrilar; *fig.* cometer un desliz; salirse de tono; 2**ung** *f* descarrilamento *m*; *fig.* desliz *m*; salida *f* de tono; desaire *m*; F plancha *f*, P metedura *f* de pata.
ent'gleiten (*L*; -; *sn*) *v/i*. deslizarse; *aus den Händen*: escurrirse *od.* irse de (*las manos*); *fig.* evadirse.
ent'gräten (-*e*; -) *v/t*. quitar las espinas a.
ent'haar|en (-) *v/t*. pelar; depilar; 2**ung** *f* (*0*) depilación *f*; 2**ungsmittel** *n* depilatorio *m*.
ent'halten (*L*; -) **1.** *v/t*. contener; encerrar; *weitS. a.* abarcar; comprender, incluir; *mit* ~ *sein* estar incluido en; **2.** *v/refl.*: *sich* ~ (*gen.*) abstenerse de; contenerse; *Parl. sich der Stimme* ~ abstenerse (de votar); *er konnte sich des Lachens nicht* ~ no podía contener (*od.* reprimir) la risa.
ent'haltsam *adj.* abstinente; *vom Alkohol*: abstemio; *Am.* temperante; (*mäßig*) moderado; *im Essen und Trinken*: sobrio; (*geschlechtlich*) continente; 2**keit** *f* (*0*) abstinencia *f*; moderación *f*; sobriedad *f*; continencia *f*; templanza *f*, temperancia *f*.
Ent'haltung *f* (*0*) abstención *f* (*a. Stimm*2).
ent'härten (-*e*-; -) *v/t*. *Wasser*: descalcificar; rebajar la dureza; *Stahl*: destemplar.
ent'haupt|en (-*e*-; -) *v/t*. decapitar, cortar la cabeza; 2**ung** *f* decapitación *f*; (*Hinrichtung*) ejecución *f*.
ent'häuten (-*e*-; -) *v/t*. desollar, despellejar.
ent'heb|en (*L*; -) *v/t*. relevar (*gen.* de); *e-r Pflicht usw.*: eximir, dispensar de; *des Amtes*: separar; *vorläufig*: suspender; 2**ung** *f* separación *f*; suspensión *f*.
ent'heilig|en (-) *v/t*. profanar; 2**ung** *f* profanación *f*; sacrilegio *m*.
ent'hüll|en (-) *v/t*. descubrir; destapar; *Denkmal*: inaugurar, descubrir; (*zeigen*) mostrar; (*abziehen*) quitar (*el velo usw.*); *fig.* revelar, divulgar; (*aufdecken*) sacar a la luz, F *fig.* tirar de la manta; (*entlarven*) desenmascarar; *sich* ~ *als* revelarse como; 2**ung** *f* descubrimiento *m*; inauguración *f*; *fig.* revelación *f*.
ent'hülsen (-*t*; -) *v/t*. (*schälen*) descascarar; mondar; (*Hülsenfrüchte*) desvainar.
Enthusi'as|mus *m* (-; *0*) entusiasmo *m*; ~**t(in** *f*) *m* (-*en*) entusiasta *m/f*; *für Sport, bsd. Fußball*: F hincha *m*; 2**tisch** *adj.* entusiasta; *adv.* con entusiasmo.
ent'jungfer|n (-*re*; -) *v/t*. desflorar, P desvirgar; 2**ung** *f* desfloración *f*.
ent'kalken (-) *v/t*. descalcificar.
ent'keimen (-) **1.** *v/i*. germinar; brotar; *fig.* surgir de; derivar de; **2.** *v/t*. desgerminar; desinfectar; (*keimfrei machen*) esterilizar; *Milch*: pasteurizar.
ent'kern|en (-) *v/t*. *Steinobst*: deshuesar; *Äpfel*: despepitar; 2**ner** *m* deshuesador *m*.
ent'kleiden (-*e*-; -) *v/t*. desnudar, desvestir; *sich* ~ desnudarse, desvestirse, quitarse las ropas; *fig. e-r Sache* ~ despojar de una cosa.
ent'kohlen (-) ⊕ *v/t*. descarbonizar.
ent'kommen (*L*; -; *sn*) *v/i*. escapar(se), huir; *aus e-r Gefahr* ~ salvarse de un peligro; *mit knapper Not* ~ *fig.* salvarse en una tabla, escaparse por un pelo; 2 *n* huida *f*, fuga *f*; evasión *f*.
ent'koppeln (-*le*; -) *v/t*. ⚡ desacoplar; *Radio*: neutralizar.
ent'korken (-) *v/t*. (*Flasche*) descorchar, destapar.
ent'körnen (-) *v/t*. ⊕ desgranar; *Baumwolle*: desmotar.
ent'kräft|en (-*e*-; -) *v/t*. debilitar; (*entnerven*) enervar; (*erschöpfen*) extenuar, agotar; *fig.* ⚖ invalidar, anular; *Gerücht*: desvirtuar; 2**ung** *f* (*0*) debilitación *f*; enervación *f*; extenuación *f*, agotamiento *m*; ⚕ adinamia *f*; *fig.* ⚖ invalidación *f*, anulación *f*.
ent'kuppeln (-*le*; -) ⊕ *v/t*. desacoplar; *Auto*. desembragar.
ent'lad|en (*L*; -) *v/t*. descargar (*a. Schußwaffe, Last, Schüttgut*, ⚡ *und Gewitter*); *Sprengstoff*: hacer explosión *f*; *fig. sein Zorn entlud sich über uns* descargó (*od.* desfogó) sus iras sobre nosotros; 2**er** *m* descargador *m*; ⚡ excitador *m*.
Ent'lade...: ~**rampe** *f* rampa *f* de descarga; ~**spannung** ⚡ *f* (*0*) tensión *f* de descarga; ~**strom** ⚡ *m* (-*es*; *0*) (*Batterie*) corriente *f* de descarga.
Ent'ladung *f* descarga *f*; *Sprengladung*: explosión *f* (*a. fig.*).
ent'lang *adv. u. prp.* (*mit vorangehendem ac. od. an mit dat.*) a lo largo de.
ent'larven [-f-] (-) *v/t*. desenmascarar *ac.*; poner en evidencia, descubrir (*intrigas, manejos ocultos usw.*).
ent'lassen (*L*; -) *v/t*. ⚔ *Soldaten*: licenciar (*a.* ⚓); *Truppen*: desmovilizar; *Patient*: dar de alta; *Gefangene*: poner en libertad; excarcelar; *Arbeitnehmer*: despedir; (*wegjagen*) echar, despachar, F *fig.* dar el pasaporte; *Beamte*: separar del empleo, destituir; (*mit Pension* ~) jubilar; pensionar; *Offizier*: retirar; *Geschworene*: exonerar.
Ent'lassung *f* ⚔ licenciamiento *m*; ⚕ alta *f*; ⚖ *Gefangene*: excarcelación *f*; *Arbeitnehmer*: despido *m*; *Beamte*: separación *f* del servicio, destitución *f*; → *Abschied*; ~**sgesuch** *n* (-*es*; -*e*) dimisión *f*; ⚖ petición *f* de libertad condicional; ~**sschein** *m* ⚔ (-*es*; -*e*) licencia *f* absoluta; ⚕ certificado *m* de alta; ~**sschreiben** *n* carta *f od.* escrito *m* de dimisión.
ent'lasten (-*e*-; -) *v/t*. descargar (*a. fig.*); aliviar, aligerar la carga; (*befreien*) liberar, eximir de; *von Pflichten*: exonerar; ⚖ ~*der Umstand* circunstancia eximente; ✝ *j-n für e-n Betrag* ~ abonar una suma en la cuenta de alg.
Ent'lastung *f* descarga *f* (*a.* △); alivio *m*, aligeramiento *m*; exoneración *f*; *fig.* descargo *m*; *vom Verkehr*: descongestión *f*; ✝ *zu unserer* ~ a nuestro favor; ⚖ *zu s-r* ~ *führte er an* alegó en su descargo; ✝ *j-m* ~ *erteilen* → *entlasten*; ~**s-angriff** ⚔ *m* (-*es*; -*e*) ataque *m* diversivo; ~**sstraße** *f* carretera *f* auxiliar; ~**sventil** ⊕ *n* (-*s*; -*e*) válvula *f* de descarga; ~**szeuge** ⚖ *m* (-*n*) testigo *m* de descargo; ~**szug** *m* (-*es*; *ᵘe*) tren *m* complementario.
ent'laub|en (-) *v/t*. deshojar; ~**t** *adj.* deshojado; F pelado.
ent'laufen (*L*; -; *sn*) *v/i*. huir; escaparse de; *Gefangene*: *a.* evadirse, fugarse; ⚔ desertar; *Hund, Katze*: extraviarse.
ent'laus|en (-*t*; -) *v/t*. despiojar; 2**ung** *f* despiojamiento *m*.
ent'ledig|en (-) *v/t*. librar, eximir, dispensar de; *sich* ~ *gen.* deshacerse (desprenderse) de a/c.; desembarazarse de; *e-r Pflicht*: librarse de *od.* evadir (*una obligación*); *e-r Bürde*: quitarse de encima (*a. fig.*); *s-r Kleider*: despojarse de, quitarse *ac.*; *e-s Auftrages*: cumplir *ac.*; 2**ung** *f* (*0*) descargo *m*; *fig.* ejecución *f*, cumplimiento *m*.
ent'leer|en (-) *v/t*. vaciar; *Ballon*: desinflar; 🖂 recoger; *den Darm* ~ evacuar (*od.* exonerar) el vientre; 2**ung** *f* vaciamiento *m*; evacuación *f*; *des Darms*: *a.* exoneración *f*; *des Briefkastens*: recogida *f*.
ent'legen *adj.* distante; lejano; remoto; (*abgelegen*) apartado, retirado; aislado; 2**heit** *f* (*0*) distancia *f*; apartamiento *m*, retiro *m*; aislamiento *m*.
ent'lehn|en (-) *v/t*. tomar (*od.* recibir) prestado; pedir prestado; (*Geld*) tomar a préstamo *m*; *Gr.* derivar (*aus dat.* de); (*übernehmen*) tomar de; (*unerlaubt*) *Liter.* plagiar de; (*zitieren*) citar; 2**ung** *f* préstamo *m*; (*Zitat*) cita *f*; (*Plagiat*)

plagio *m*; ~ *aus dem Englischen* voz *f* (de procedencia) inglesa; anglicismo *m*.

ent'leih|en (*L*; -) *v/t*. → *entlehnen*; **2er(in** *f*) *m* prestatario (-a *f*) *m*.

ent'lob|en (-) *v/refl.*: *sich* ~ disolver los esponsales, romper el compromiso matrimonial; **2ung** *f* disolución *f* de los esponsales.

ent'locken (-) *v/t*. sonsacar; F tirar de la lengua; ♪ arrancar.

ent'lohn|en (-) *v/t*. remunerar; pagar; **2ung** *f* remuneración *f*; *Gehalt*: sueldo *m*; → *Entgelt*.

ent'lüft|en (-*e*-; -) *v/t*. evacuar el aire de; (*durchlüften*) ventilar, airear; **2ung** *f* evacuación *f* del aire (*gen*. de); *Lüftung*: ventilación *f*, aireación *f*; **2ungsrohr** *n* (-*es*; -*e*) tubo *m* de evacuación del aire; **2ungsvorrichtung** *f* dispositivo *m* de ventilación (*od*. aireación).

entmagneti'sier|en (-) *v/t*. desiman(t)ar; **2ung** *f* desiman(t)ación *f*.

ent'mann|en (-) *v/t*. castrar, capar; *fig*. afeminar, enervar; **2ung** *f* castración *f*, capadura *f*; *fig*. afeminación *f*, enervamiento *m*.

ent'menscht *adj*. inhumano; embrutecido, bestializado.

entmilitari'sier|en (-) *v/t*. desmilitarizar; **2ung** *f* (*0*) desmilitarización *f*.

ent'minen (-) ⚔ *v/t*. limpiar de minas *f/pl*.

ent'mischen ⚗ (-) *v/t*. desintegrar, descomponer.

ent'mündig|en (-) *v/t*. poner bajo tutela; ⚖ incapacitar; ~**t** *adj*. (legalmente) incapacitado; **2ung** *f* ⚖ incapacitación *f*.

ent'mutig|en (-) *v/t*. desanimar, desalentar, descorazonar; ~**end** *adj*. desalentador, descorazonador; ~**t** *adj*. desalentado, desanimado; (*niedergeschlagen*) abatido; **2ung** *f* desaliento *m*, desánimo *m*; (*Niedergeschlagenheit*) abatimiento *m*.

Ent'nahme *f* toma *f*; ⚕ *von Blut usw.*: extracción *f*; (*Probe*) prueba *f*; *von Geld*: retirada *f* (*de fondos*); ✝ *bei* ~ *von* tomando *ac.*, comprando *ac*.

entnazifi'zier|en (-) *v/t*. *neol*. desnazificar; **2ung** *f* desnazificación *f*.

ent'nehmen (*L*; -) *v/t*. tomar (*aus* de); *der Tasche usw.*: sacar de; *Geld* (*abheben*) retirar; *e-m Buch*: tomar de; (*zitieren*) citar de; *fig*. (*erfahren*) saber por; (*schließen*) inferir, deducir de; *ich entnehme Ihren Worten, daß* de sus palabras deduzco (*od*. infiero) que; ✝ *nicht entnommene Gewinne* beneficios no distribuidos.

ent'nerven [-f-] (-) *v/t*. enervar; ~**d** *adj*. enervante.

ent'öl|en (-) *v/t*. desaceitar; extraer el aceite; **2er** *m* separador *m* de aceite.

ent'puppen (-) *v/refl.*: (*Seidenraupe*) salir del capullo; *fig*. *sich* ~ quitarse la máscara; *sich* ~ *als* revelarse como, resultar ser.

ent'rahmen (-) *v/t*. desnatar.

ent'rätseln (-*le*; -) *v/t*. (*lösen*) resolver; (*erklären*) aclarar, explicar; *Geheimschrift usw.*: descifrar; *Geheimnis*: adivinar, descubrir, desvelar.

ent'recht|en (-*e*-; -) *v/t*.: *j-n* ~ privar a alg. de sus derechos; **2ung** *f* privación *f* de derechos.

En'tree *n* (-*s*; -*s*) (derecho *m* de) entrada *f*; *Vorzimmer*: antesala *f*; *Vorspeise*: entrada *f*.

ent'reißen (*L*; -) *v/t*. arrebatar (*a. fig.*); (*losreißen*) arrancar (*a. fig.*); *fig. dem Tode usw.*: salvar de.

ent'richt|en (-*e*-; -) *v/t*. pagar, satisfacer, abonar; **2ung** *f* pago *m*, abono *m*.

ent'rinden (-*e*-; -) *v/t*. descortezar.

ent'ringen (*L*; -) *v/i*.: *j-m et*. ~ arrebatar *od*. quitar violentamente a/c. a alg.; *sich j-s Lippen, Brust usw.* ~ escaparse de.

ent'rinnen (*L*; -) *v/i*. escapar(se), huir (*dat*. de); *Zeit*: pasar, correr; *e-r Gefahr* ~ salvarse de un peligro; 2 *n*: *es gibt kein* ~ no hay escape posible, no hay salvación.

ent'rollen (-) **1.** *v/i*. caer rodando; *Wagen*: alejarse; **2.** *v/t*. desarrollar; *Fahne, Segel*: desplegar; *sich* ~ desarrollarse.

ent'rosten (-*e*-; -) *v/t*. desoxidar, quitar la herrumbre.

ent'rück|en (-) *v/t*. apartar, alejar de; *den Blicken* ~ su(b)straer a las miradas de, ocultar de la vista de; *fig*. extasiar, arrobar; ~**t** *adj*. *fig*. extasiado, arrobado; (*geistesabwesend*) ensimismado; *den Sorgen* ~ libre de preocupaciones.

ent'rümpel|n (-*le*; -) *v/t*. desalojar de trastos el desván; **2ung** *f* eliminación *f* de trastos.

ent'rüst|en (-*e*-; -) *v/t*. indignar; (*erzürnen*) irritar, enojar, *stärker*: encolerizar, enfurecer; (*schockieren*) escandalizar; *sich* ~ indignarse; irritarse, enojarse; encolerizarse, enfurecerse, ponerse furioso; *bsd. sittlich*: escandalizarse (*über ac*. de); ~**et** *adj*. indignado; irritado, enojado; furioso; escandalizado; **2ung** *f* indignación *f*; irritación *f*, enojo *m*; exasperación *f*.

Ent'safter *m* exprimidera *f* (eléctrica).

ent'sag|en (-) *v/t*. (*dat*.) renunciar (*ac. od*. a); abstenerse de; resignarse; (*aufgeben*) desistir de; abandonar; *dem Thron* ~ abdicar; *s-m Glauben* ~ renegar de la fe; **2ung** *f* renunciación *f*; renuncia *f*; resignación *f*; abdicación *f*; abstención *f*; (*Selbst2*) abnegación *f*; ~**ungsvoll** *adj*. abnegado.

Ent'satz ⚔ *m* (-*es*; *0*) socorro *m*; liberación *f* del asedio.

ent'schädig|en (-) *v/t*. *Verlust, Schaden*: indemnizar; resarcir; compensar; (*geleistete Dienste*) recompensar; *sich* ~ desquitarse, resarcirse (*für* de); *für Auslagen*: reembolsarse de; **2ung** *f* indemnización *f*; resarcimiento *m*; reembolso *m*; compensación *f*; *Belohnung*: recompensa *f*; ⚖ ~ *verlangen* reclamar indemnización por daños; → *Schadenersatz*.

ent'schärfen (-) *v/t*. *Sprengkörper*: desarmar; *Munition*: neutralizar; *fig*. F quitar hierro.

Entscheid ⚖ *m* (-*es*; -*e*) resolución *f* judicial; → *Entscheidung*.

ent'scheiden (*L*; -) *v/t*. decidir (*über ac*. sobre); resolver, determinar; ⚖ fallar, *weitS*. resolver, decretar; *sich* ~ decidirse (*für* por, a favor de; *gegen* contra), tomar una resolución, adoptar una decisión; (*wählen*) optar por; *er entschied sich* (*schließlich*) *für den teuren Wagen* se decidió (finalmente) por el coche más caro; *du mußt dich* ~ tienes que decidirte; *wir haben uns entschieden, nicht hinzugehen* hemos resuelto no ir; ~**d** *adj*. decisivo; (*schlüssig*) concluyente, terminante; (*endgültig*) definitivo; (*kritisch*) crítico; *Augenblick*: *a*. crucial; ⚖ decisorio; ~ *sein für* ser decisivo para.

Ent'scheidung *f* decisión *f*; determinación *f*; resolución *f*; ⚖ fallo *m*; resolución *f* judicial; → *Urteil*; *der Geschworenen*: veredicto *m*; *der Sachverständigen*: dictamen *m* pericial; (*Schiedsspruch*) laudo *m* arbitral; (*zwischen zwei Dingen*) opción *f*, alternativa *f*; ⚕ crisis *f*; *e-e* ~ *treffen* adoptar (*od*. tomar) una decisión; *die letzte* ~ *haben* tener la última palabra; *zur* ~ *bringen* someter a decisión; *zur* ~ *kommen* llegar a una decisión; *Sport*: *Kampf ohne* ~ empate *m*; *Boxen*: combate *m* nulo; ~**sbefugnis** *f* (-; -*se*) competencia *f*, jurisdicción *f*; ~**sgrund** *m* (-*es*; ⸚*e*) factor *m* decisivo; ~**skampf** *m* (-*es*; ⸚*e*) *Fußball usw.*: eliminatoria *f*; (*Endspiel*) final *f*; ~**sschlacht** *f* batalla *f* decisiva; ~**sspiel** *n* (-*es*; -*e*) *Sport*: (*bei unentschiedenem Spiel*) partido *m* de desempate; (*Endspiel*) final *f*; ~**sstunde** *f* hora *f* crítica *od*. suprema; **2svoll** *adj*. decisivo; crucial, crítico; fatal.

ent'schieden I. *adj*. decidido; (*entschlossen*) *a*. resuelto, determinado; (*nachdrücklich*) categórico, terminante; perentorio; *Ton*: autoritario, enérgico; *ein* ~*er Gegner von* un enemigo declarado de; **II.** *adv*. (*fest*) firmemente, resueltamente; (*zweifellos*) decididamente, seguramente, indudablemente, sin duda; **2heit** *f* (*0*) decisión *f*, firme determinación *f od*. resolución *f*; firmeza *f*; energía *f*; *mit* ~ decididamente, con toda energía (*od*. firmeza); *mit* ~ *ablehnen* rechazar rotundamente.

ent'schlacken (-) *v/t*. ⊕ eliminar las escorias; ⚕ depurar.

ent'schlafen (*L*; -; *sn*) *v/i*. dormirse; *fig*. morir, expirar; **2e(r** *m*) *m/f* difunto (-a *f*) *m*.

ent'schleiern (-*re*; -) *v/t*. quitar el velo a; *fig*. revelar, descubrir.

ent'schließ|en (*L*; -) *v/refl*. decidirse, resolverse, determinarse (*zu tun* a hacer); **2ung** *f* resolución *f*; → *Beschluß*.

ent'schlossen *adj*. resuelto, decidido, determinado; ~ *sein, zu inf*. estar resuelto a *inf*.; *kurz* ~ sin vacilar un instante; **2heit** *f* (*0*) resolución *f*, decisión *f*; firmeza *f*, energía *f*.

ent'schlummern (-*re*; -; *sn*) *v/i*. dormirse, adormecerse; (*sterben*) morir, expirar.

ent'schlüpfen (-; *sn*) *v/i*. escurrirse, deslizarse; escabullirse; (*entkom-*

men) escapar, huir (*aus dat.* de); *fig. Wort*: escaparse; *dem Gedächtnis* ~ escaparse de la memoria.
Ent'schluß *m* (*-sses*; *⸗sse*) resolución *f*; (*Entscheidung*) decisión *f*; determinación *f*; *e-n* ~ *fassen* tomar una resolución (determinación *od.* decisión); *zu e-m* ~ *kommen* (*Versammlung*) llegar a un acuerdo; **~kraft** *f* (*0*) (energía *f* de) iniciativa *f*, determinación *f*.
ent'schlüsseln (*-le*; -) *v/t.* descifrar.
ent'schuldbar *adj.* disculpable, excusable, perdonable.
ent'schuldig|en (-) *v/t.* disculpar, excusar, dispensar; perdonar; (*rechtfertigen*) justificar; *sich* ~ disculparse (*bei j-m* con *od.* ante alg.; *für et.* por a/c.), excusarse; presentar (dar) sus excusas a alg.; *j-n* ~ *bei* disculpar a alg. con (*od.* ante) otra persona; *sich* ~ *lassen* disculparse (excusarse) por mediación de otra persona; *es läßt sich nicht* ~ no admite disculpa; no tiene perdón, es imperdonable; *er entschuldigte sich mit Unwissenheit* se disculpó alegando ignorancia; ~ *Sie!* ¡perdone usted!; ¡dispense usted!; *ich bitte Sie, mich zu* ~ le ruego me perdone; **⸗ung** *f* disculpa *f*, excusa *f*; perdón *m*; (*Ausrede, Vorwand*) excusa *f*, pretexto *m*; *als od. zur* ~ *für* como excusa por *bzw.* para; *dafür gibt es keine* ~ eso no tiene excusa; **⸗ungsgrund** *m* (*-es*; *⸗e*) excusa *f*; **⸗ungsschreiben** *n* carta *f* de excusa *od.* de disculpa.
Ent'schuldung *f* liquidación *f* de deudas; *von Grundeigentum*: cancelación *f* de hipoteca.
ent'schweben (-; *sn*) *v/i.* → *entschwinden*.
ent'schwefeln (*-le*; -) *v/t.* desazufrar, desulfurar.
ent'schwinden (*L*; -; *sn*) *v/i.* desaparecer; desvanecerse, ir extinguiéndose; *dem Gedächtnis* ~ irse de la memoria, olvidarse.
ent'seelt *adj.* inánime, exánime; (*tot*) muerto, sin vida.
ent'senden (*L*; -) *v/t.* enviar; despachar, mandar; (*Vertreter*) delegar.
ent'setzen (*-t*; -) *v/t. des Amtes*: separar, destituir; ⚔ *Festung*: levantar el sitio; liberar; (*erschrekken*) espantar, horrorizar, aterrar; *sich* ~ espantarse, horrorizarse, quedar espantado (horrorizado *od.* aterrado); *moralisch*: escandalizarse.
Ent'setzen *n* (*-s*; *0*) (*Schrecken*) horror *m*, espanto *m*, terror *m*, pavor *m*; pánico *m*; consternación *f*.
ent'setzlich I. *adj.* horrible, espantoso, terrible, horroroso (*alle a.* F *ungemein, höchst*); aterrador; (*riesig*) enorme, tremendo; (*scheußlich*) atroz; **II.** *adv.* horriblemente, espantosamente, terriblemente, horrorosamente; aterradoramente; enormemente, tremendamente.
Ent'setzung *f vom Amt*: destitución *f*, separación *f*; ⚔ levantamiento *m* del sitio; liberación *f*.
ent'seuch|en (-) *v/t.* sanear; (*desinfizieren*) desinfectar; **⸗ung** *f* saneamiento *m*; desinfección *f*; **⸗ungsmittel** *n* desinfectante *m*.
ent'sichern (*-re*; -) *v/t. Feuerwaffe*: quitar el seguro, amartillar.
ent'siegeln (*-le*; -) *v/t.* desellar, quitar el sello.
ent'sinnen (*L*; -) *v/refl.*: *sich* ~ (*gen.*) acordarse de, recordar a/c.; *wenn ich mich recht entsinne* si mal no recuerdo, si no me falla la memoria.
ent'sittlich|en (-) *v/t.* desmoralizar; depravar, pervertir, corromper; **⸗ung** *f* (*0*) desmoralización *f*; depravación *f*, perversión *f*; corrupción *f* moral.
ent'spann|en (-) *v/t.* ⊕ destensar; *Feder, Seil*: aflojar; *Gase*: expandirse; *Bogen*: distender; *Muskeln*: relajar, laxar; *fig. Geist*: esparcir; *sich* ~ *Person*: recrearse, distraerse; *Lage*: mejorar; normalizarse, despejarse; **⸗ung** *f* aflojamiento *m*; relajación *f*; *Pol.* distensión *f*; *fig. Erleichterung*: alivio *m*; *Zerstreuung*: recreo *m*, esparcimiento *m*, distracción *f*; *eine* ~ *der politischen Lage trat ein* la tensión política ha disminuido *od.* cedido un poco.
ent'spinnen (*L*; -) *v/refl.* originarse (*una discusión*), trabarse (*una pelea*), entablarse (*una conversación*).
ent'sprech|en (*L*; -) *v/i.* (*dat.*) corresponder a, estar de acuerdo *od.* conforme con; (*gleichwertig sein*) equivaler a; (*sich decken mit*) coincidir con, concordar con; (*passen zu*) cuadrar con, ser adecuado a; (*erfüllen*) cumplir; *Anforderungen*: satisfacer; *e-r Bitte*: acceder a; *e-r Erwartung*: responder a; *e-r Vorschrift*: cumplir (con), seguir; *e-m Zweck*: ser a propósito *od.* conveniente para, convenir a; **~end I.** *adj.* correspondiente (*dat.* a); relativo a a/c.; (*angemessen*) adecuado (a), *sinngemäß*: análogo (a), *im Verhältnis*: proporcionado (a); (*jeweilig betreffend*) respectivo; (*zweck~*) oportuno, pertinente; adecuado *od.* conveniente al caso; **II.** *adv.* (*gemäß*) con arreglo a, de conformidad con, conforme a, según; en virtud de; ~ *handeln* obrar en consecuencia; ~ *würdigen* apreciar debidamente; *den Umständen* ~ de acuerdo *od.* según las circunstancias; *im* ~*en Augenblick* en el momento oportuno; **⸗ung** *f* correspondencia *f*; conformidad *f*, concordancia *f*; equivalencia *f*; (*Ähnlichkeit*) analogía *f*.
ent'sprießen (*L*; -; *sn*) *v/i.* (*dat.*) brotar de; *fig.* nacer de; *fig.* → *entstammen*.
ent'springen (*L*; -; *sn*) *v/i.* (*entfliehen*) escaparse, huir; evadirse (*dat. aus* de); *Fluß*: nacer; *fig.* brotar de; originarse (*aus* en); provenir de; → *entstammen*.
ent'staatlich|en (-) *v/t.* desnacionalizar; **⸗ung** *f* desnacionalización *f*.
ent'stammen (-; *sn*) *v/i.* (*abstammen von*) descender de; (*herrühren von*) proceder, (pro)venir, derivarse (*dat.* de); tener su origen en, desviarse (*dat.* de).
ent'stauben (-) *v/t.* desempolvar, limpiar de (quitar el) polvo.
ent'stehen (*L*; -; *sn*) *v/i.* nacer, originarse; surgir; formarse (*aus* de); (*sich herleiten*) proceder, venir, resultar (*aus* de), derivarse de (*a. Gr.*); ~ *durch* ser causado, originado *od.* producido por, ser debido a; *Feuer*: producirse, *Krieg*: estallar; *die daraus entstandenen Kosten* los gastos ocasionados por; *im* ⸗ *begriffen* en proceso de formación; (*anfänglich*) naciente; embrionario (*a. fig.*), ⚕ *Krankheit*: incipiente.
Ent'stehung *f* origen *m*; nacimiento *m*; formación *f*; creación *f*; comienzo *m*, principio *m*; génesis *f*; **~sart** *f* modo *m* de formación; generación *f*; **~sgeschichte** *f* (*0*) Génesis *m*; **~slehre** *f* genética *f*.
ent'steigen (*L*; -; *sn*) *v/i.* salir (*dat.* de); *e-m Wagen*: *a.* bajar, apearse de; *fig.* alzarse, elevarse, subir.
ent'steinen (-) *v/t. Obst*: deshuesar.
ent'stell|en (-) *v/t.* deformar, desfigurar; (*häßlich machen*) afear; (*verstümmeln*) mutilar; *fig.* (*fälschen*) adulterar; *Tatsachen, Bericht*: desfigurar, falsear, tergiversar; *Wahrheit*: desvirtuar; **⸗ung** *f* deformación *f*, desfiguración *f*; adulteración *f*; falseamiento *m*, tergiversación *f*.
ent'stör|en (-) *v/t. Radio*: eliminar interferencias *f/pl.*; *entstört* libre de interferencias; **⸗er** *m Radio*: dispositivo *m* antiparasitario; **⸗ung** *f* eliminación *f* de interferencias, protección *f* antiparasitaria.
ent'strömen (-; *sn*) *v/i.* fluir, manar; *Gas*: escapar.
ent'sumpfen (-) *v/t.* avenar terrenos pantanosos.
ent'täusch|en (-) *v/t.* desengañar; desilusionar, desencantar; decepcionar; *Hoffnungen*: frustrar, defraudar; **~t** *adj.* desengañado; desilusionado, desencantado; ~*t werden* sufrir un desengaño; **⸗ung** *f* desengaño *m*; desilusión *f*, desencanto *m*, decepción *f*; F chasco *m*.
ent'thron|en (-) *v/t.* destronar; **⸗ung** *f* destronamiento *m*.
ent'trümmer|n (*-re*; -) *v/t.* descombrar; **⸗ung** *f* descombro *m*.
ent'völker|n (*-re*; -) *v/t.* despoblar; *Gebiet*: *a.* dejar yermo; **~t** *adj.* despoblado, yermo; (*leer*) desierto; **⸗ung** *f* despoblación *f*.
ent'wachsen [-ks-] (*L*; -; *sn*) *v/i.* (*dat.*) ⚘ brotar de; *fig.* → *entstehen*; *der Schule* ~ *sein* no estar ya en edad escolar; *der elterlichen Gewalt* ~ emanciparse; libertarse de la tutela paterna; *den Kinderschuhen* ~ *sein* F ser ya mayorcito.
ent'waffn|en (*-e-*; -) *v/t.* desarmar (*a. fig.*); **⸗ung** *f* desarme *m*.
ent'walden (*-e-*; -) *v/t.* desmontar; despoblar de árboles *m/pl.*, talar un bosque.
ent'warn|en (-) *v/i. Luftschutz*: dar la señal de cese de alarma; **⸗ung** *f* señal *f* de cese de alarma.
ent'wässer|n (*-re*; -) *v/t.* desaguar; (*durch Gräben*) avenar; *Teich*: desangrar; *Moor*: desecar; **⸗ung** *f* desagüe *m*; avenamiento *m*; **⸗ungsanlagen** *f/pl.* instalaciones *f/pl.* de desagüe; **⸗ungsrohr** *n* (*-es*; *-e*) tubo *m* de desagüe.
'entweder *cj.*: ~ ... *oder* o ... o ...; sea ... (o) sea ...; ya ... ya ...; ~ *oder!* o una cosa u otra, una de dos; F lo

toma o lo deja; *es gibt kein 2 Oder* no hay alternativa.

ent'weichen (*L*; -; *sn*) *v/i. Person*: huir, escapar(se), fugarse; *Gefangene*: *a.* evadirse; *Gase*: escaparse; 2 *n* evasión *f*, fuga *f*; (*von Gasen*) escape *m*, fuga *f*.

ent'weih|en (-) *v/t.* profanar; **2ung** *f* profanación *f*; sacrilegio *m*.

ent'wend|en (-*e*-; -) *v/t.* robar, quitar; su(b)straer; ⚖ hurtar; (*unterschlagen*) desfalcar, malversar; **2ung** *f* robo *m*; su(b)stracción *f*; ⚖ hurto *m*; (*Unterschlagung*) desfalco *m*, malversación *f*.

ent'werf|en (*L*; -) *v/t.* proyectar; *flüchtig*: bosquejar, esbozar (*a. fig.*); *Muster*: diseñar; *Konstruktion*: planear, delinear; *Vertrag usw.*: formular, (*schriftlich*) redactar, hacer un borrador; *Plan*: trazar (un plano), *bsd. fig.* idear, concebir (un plan); **2er** ⊕ *m* delineante *m*.

ent'wert|en (-*e*-; -) *v/t. Währung*: desvalor(iz)ar; *Kurse*: depreciar; *Geld*: (*außer Kurs setzen*) desmonetizar, (*einziehen*) retirar de la circulación; *Wertzeichen*: inutilizar; anular; **2ung** *f* (*Abwertung*) desvalor(iz)ación *f*; depreciación *f*; (*Außerkurssetzen*) desmonetización *f*; retirada *f* de la circulación; *von Wertzeichen usw.*: inutilización *f*; anulación *f*; **2ungsstempel** *m Post*: matasellos *m*.

ent'wick|eln (-*le*; -) *v/t.* desarrollar, desenvolver; *Phot.* revelar; (*erzeugen*) generar, engendrar (*a.* ⚘), producir (*a. Gase*); (*gestalten*) formar; (*darlegen*) exponer, desarrollar; *Tatkraft usw.* desplegar, mostrar; *Geschwindigkeit*: alcanzar; ⚔ desplegar; *sich* ~ desarrollarse; (*organisch*) evolucionar; ⚗ (*Gase*) producirse, desprenderse; ⚔ desplegarse; ⚘ engendrarse; (*räumlich*) extenderse; *sich aus et. zu et.* ~ transformarse *od.* convertirse en; llegar a ser *bzw.* a formar; evolucionar hasta; acabar siendo *od.* por ser; **2ler** *m Phot.* revelador *m*.

Ent'wicklung *f* desarrollo *m* (*a. Biol.*), desenvolvimiento *m*; *Biol.* evolución *f*; (*Bildung*) formación *f*; (*Erzeugung*) generación *f*, producción *f*, ⚗ *Gase*: *a.* desprendimiento *m*; *Phot.* revelado *m*; ⚔ despliegue *m*; (*Darlegung*) exposición *f*, desarrollo *m*, elucidación *f*; (*das Werden*) génesis *f*; (*im Mutterleib*) gestación *f* (*a. fig.*).

Ent'wicklungs...: **~bad** *Phot. n* (-*es*; *"er*) baño *m* revelador; **2fähig** *adj.* susceptible *od.* capaz de desarrollo, desarrollable; *Biol.* (*lebensfähig*) viable; **~gang** *m* (-*es*; *0*) proceso *m* evolutivo; evolución *f*; desenvolvimiento *m* progresivo; **~geschichte** *f* (*0*) *Biol.* ontogenia *f*, biogénesis *f*; ⚕ embriología *f*; **2geschichtlich** *adj.* ontogénico, biogenético; ⚕ embriológico; **~helfer** *m* voluntario *m*; **~hilfe** *f* ayuda *f* a los países en vías de desarrollo; **~jahre** *n/pl.* pubertad *f*; **~land** *n* (-*es*; *"er*) *Pol.* país *m* en vías de desarrollo; **~lehre** *f Biol.* teoría *f* de la evolución; ⚕ embriología *f*; **~möglichkeit** *f* posibilidad *f* de desarrollo; **~stadium** *n* (-*s*; -*dien*) fase *f* de desarrollo; **~störung** *f* trastorno *m* del desarrollo; **~stufe** *f* grado *m* de desarrollo; **~tendenz** *f* tendencia *f* evolutiva; **~zeit** *f* período *m* de desarrollo; pubertad *f*; ⚕ tiempo *m* de incubación.

ent'winden (*L*; -) *v/t.*: *j-m et.* ~ arrebatar de las manos a alg. a/c.

ent'wirr|en (-) *v/t.* desenredar, desenmarañar (*a. fig.*); *fig.* poner en claro, desembrollar un asunto; **2ung** *f* desenredo *m*, desembrollo *m*.

ent'wischen (-; *sn*) *v/i.* escaparse, F escurrirse, escabullirse.

ent'wöhn|en (-) *v/t.* desacostumbrar, deshabituar (*gen.* de); *Kind*: destetar; *sich* ~ desacostumbrarse, deshabituarse; perder la costumbre *od.* el hábito de; *Trinker*: dejar la bebida; **2ung** *f* deshabituación *f*; *Kind*: destete *m*.

ent'wölken (-) *v/i.*: *sich* ~ (*Himmel*) desencapotarse, despejarse; *fig. a.* serenarse.

ent'würdig|en (-) *v/t.* degradar, envilecer; rebajar, humillar; **~end** *adj.* degradante, envilecedor; humillante; **2ung** *f* degradación *f*, envilecimiento *m*, humillación *f*.

Ent'wurf *m* (-*es*; *"e*) (*Zeichnung*) dibujo *m*, trazado *m*, diseño *m*; (*Skizze*) bosquejo *m*, esbozo *m* (*beide a. fig.*), boceto *m*; croquis *m*; (*Modell*) modelo *m*; (*Plan*) plano *m*; (*Projekt*) plan *m*, proyecto *m*; (*Konzept*) borrador *m*; (*Gesetz2*) proyecto *m* de ley; (*Vertrags2*) minuta *f*; *im ~ sein* estar en planeamiento.

ent'wurzel|n (-*le*; -) *v/t.* arrancar de raíz, desarraigar (*a. fig.*); **2ung** *f* desarraigo *m* (*a. fig.*).

ent'zauber|n (-*re*; -) *v/t.* desencantar, deshechizar; **2ung** *f* desencantamiento *m*.

ent'zerr|en (-) *v/t. Phot.* rectificar; *Tele.*: corregir, compensar; **2ung** *f* rectificación *f*; corrección *f*, compensación *f*.

ent'zieh|en (*L*; -) *v/t.*: *j-m et.* ~ su(b)straer (privar de, desposeer de) a/c. a alg.; (*wegnehmen*) quitar; (*vorenthalten*) retener; (*aufheben*) suprimir; (*zurückziehen*) retirar; *Kräfte* ~ restar energías; *j-m s-n Vertrauen* ~ retirar a alg. su confianza; *j-m ein Amt* ~ destituir del cargo a alg.; *j-m das Wort ~ Parl.* retirar a alg. (el uso de) la palabra; ⚗ extraer; *Kohlensäure* ~ descarbonatar; *sich* ~ su(b)straerse a; (*vermeiden*) evitar; escapar a; *e-r Pflicht usw.*: su(b)straerse a, rehuir, eludir, evadir; *dem Gericht*: su(b)straerse a la acción de la justicia; *es entzog sich m-r Aufmerksamkeit* (*m-r Kenntnis*) se escapó a mi atención (a mi conocimiento); *es entzieht sich m-r Zuständigkeit* está (*od.* cae) fuera de mi competencia; *es entzieht sich jeder Berechnung* es incalculable; **2ung** *f* su(b)stracción *f*; privación *f*; retirada *f*; supresión *f*; ⚗ extracción *f*; **2ungskur** *f* cura *f* de deshabituación *od.* de privación (*de un tóxico*).

ent'ziffer|bar *adj.* descifrable; **~n** (-*re*; -) *v/t.* descifrar; *bei unbekanntem Schlüssel*: hallar (dar con) la clave; **2ung** *f* descifre *m*; criptoanálisis *m*.

ent'zück|en (-) *v/t.* encantar; cautivar, fascinar; embelesar, arrobar; (*stärker*) extasiar; (*hinreißen*) arrebatar, transportar; **2en** *n* → *Entzückung*; **~end** *adj.* encantador, delicioso; cautivador, fascinador; arrobador; **~t** *adj.* encantado; **2ung** *f* (*0*) encanto *m*; embeleso *m*, arrobo *m*; (*stärker*) éxtasis *m*; rapto *m*, transporte *m*; *in ~ geraten* extasiarse; transportarse.

Ent'zug *m* (-*es*; *0*) → *Entziehung*.

ent'zündbar *adj.* inflamable; **2keit** *f* (*0*) inflamabilidad *f*.

ent'zünd|en (-*e*-; -) *v/t.* inflamar (*a. fig. u.* ⚕); *Feuer*: encender, hacer arder; *sich* ~ inflamarse (*a. fig. u.* ⚕); arder, encenderse; (*aufflammen*) llamear; **~lich** *adj.* inflamable; ⚕ inflamatorio; **2ung** *f* inflamación *f* (*a.* ⚕); ignición *f*; **2ungsherd** ⚕ *m* (-*es*; -*e*) foco *m* inflamatorio; **2ungs-punkt** *m* punto *m* de ignición.

ent'zwei *adv.* en (dos) pedazos; (*zerbrochen*) roto, quebrado; deshecho, destrozado; (*in Stücken*) hecho pedazos; (*gespalten*) partido; (*zerrissen*) rasgado; (*zerfetzt*) desgarrado; **~brechen** (*L*) *v/t. u. v/i.* romper(se) en dos; **~en** (-) *v/t.* separar, desunir; *Personen*: enemistar; desavenir; *sich* ~ desunirse, separarse; *Personen*: desavenirse; enemistarse, romper las amistades; **~gehen** (*L*; *sn*) *v/i.* romperse en (*od.* hacerse) pedazos; partirse en dos pedazos; **~reißen** (*L*) *v/t. u. v/i.* romper(se); rasgar(se); desgarrar(se); **~schlagen** (*L*) *v/t.* romper; hacer pedazos, F hacer trizas; partir *od.* separar a golpes; **~schneiden** (*L*) *v/t.* cortar en (dos) trozos; **2ung** *f* desunión *f*; disensión *f*; ruptura *f*; discordia *f*; desavenencia *f*.

'Enzian [-tsĭ-] ⚘ *m* (-*s*; -*e*) genciana *f*.

En'zyklika *f* (-; -*ken*) encíclica *f*.

Enzyklo|pä'die *f* enciclopedia *f*; **2'pädisch** *adj.* enciclopédico; **~pä'dist** *m* (-*en*) enciclopedista *m*.

En'zym *Biol. n* (-*s*; -*e*) enzima *f*; **2isch** *adj.* enzimático.

Epau'lett [eˑpoˑ-] *n* (-*s*; -*s*), **~e** *f* charretera *f*.

ephe'mer *adj.* efímero (*a. fig.*).

Epide'mie [eˑpiˑdeˑ-] *f* epidemia *f*.

epi'demisch *adj.* epidémico.

Epi'gone *m* (-*n*) epígono *m*; *in der Kunst*: decadente *m*; imitador *m*; **2nhaft** *adj.* decadente; imitativo; **~ntum** *n* (-*es*; *0*) decadentismo *m*.

Epi'gramm *n* (-*s*; -*e*) epigrama *m*.

epigram'matisch [-a'mɑː-] epigramático.

Epi'graph *n* (-*s*; -*e*) epígrafe *m*.

'Epik *f* (*0*) poesía *f* épica; **~er** *m* (poeta *m*) épico *m*.

Epiku're|er *m*, **2isch** *adj.* epicúreo *m*; *fig.* sibarita *m*; **~'ismus** *m* (-; *0*) epicureísmo *m*.

Epilep'sie [-ɛ'psiː] *f* (*0*) epilepsia *f*.

Epi'lep|tiker(in *f*) *m*, **2tisch** *adj.* epiléptico (-a *f*) *m*; *~er Anfall* ataque *m* epiléptico.

Epi'log *m* (-*s*; -*e*) epílogo *m*.

'episch *adj.* épico, heroico.

Epi'sod|e *f* episodio *m*; incidente *m*; **2enhaft**, **2isch** *adj.* episódico.

E'pistel *f* (-; -*n*) epístola *f*.

Epi'thaph *n* (-*s*; -*e*) epitafio *m*.

Epi'thel *Biol. n* (*-s*; *-e*) epitelio *m*; **~gewebe** *n* tejido *m* epitelial.
epo'chal *adj.* trascendente, que hace época; (*denkwürdig*) memorable.
E'poche *f* época *f*; ~ *machen* hacer época; **2machend** *adj.* trascendental; memorable; sensacional; famoso.
'Epos *n* (-; *Epen*) epopeya *f*; poema *m* épico.
'Eppich ⚘ *m* (*-és*; *-e*) apio *m*; (*Efeu*) hiedra *f*, yedra *f*.
Equi'page [e·k(v)i·'pɑːʒə] *f* coche *m*, carruaje *m*; carretela *f*; ⚓ equipo *m*.
er *pron/pers.* él; ~ *selbst* él mismo; ~ *ist* es es él; 2 *m* (*Anrede*) *ehm.* vos, tú; *ein* 2 *und e-e Sie* un hombre y una mujer, F uno y una.
er'achten (*-e-*; -) *v/t.*: ~ *für od. als* considerar, juzgar, estimar, creer; tener por; conceptuar de; reputar por; *es für unnötig* ~ considerar (juzgar) innecesario.
Er'achten *n* opinión *f*, juicio *m*, concepto *m*; parecer *m*; *m-s* ~*s* (*Abk.* m.E.) en mi opinión, a mi juicio, a mi parecer, a mi entender, a mi modo de ver.
er'arbeiten (*-e-*; -) *v/t.* conseguir (*od.* ganar) a fuerza de trabajar; *Wissensstoff*: adquirir (*un sólido conocimiento*); *Wissenschaft*: profundizar (*en una ciencia*); (*zusammentragen*) compilar, extractar.
'Erb|adel *m* (*-s*; *0*) nobleza *f* hereditaria; **~anlage** *Biol. f* factor *m* hereditario; **~anspruch** ⚖ *m* (*-és*; *⸚e*) pretensión *f* de una herencia; **~anteil** *m* (*-és*; *-e*) → *Erbteil*.
er'barmen (-) *v/t. j-n*: dar lástima *f*; *er erbarmt mich* me da lástima de él; *sich j-s* ~ compadecerse de, tener compasión con alg.; apiadarse de, tener piedad de alg.; *Herr, erbarme Dich unser* Señor, ten piedad de nosotros.
Er'barmen *n* (*-s*; *0*) (*Mitleid*) lástima *f*, conmiseración *f*; compasión *f*; *bsd. Rel.* piedad *f*, misericordia *f*; *ohne* ~ sin compasión; despiadadamente, sin piedad; *er hatte kein* ~ no tuvo piedad; *das ist zum* ~ es una lástima (*od.* un dolor); es una desgracia; **2swert**, **2swürdig** *adj.* digno de lástima (*od.* de compasión); deplorable, lamentable.
er'bärmlich *adj.* (*bedauernswert*) deplorable, lamentable; (*jämmerlich*) lastimoso; lastimero; (*elend*) pobre, miserable; (*gering*) mezquino; (*abscheulich*) detestable; (*unglückselig*) infeliz, desdichado; (*gemein*) ruin, bajo; infame, vil; **2keit** *f* estado *m* (*od.* condición *f*) lamentable *od.* deplorable; (*Elend*) pobreza *f*, miseria *f*; (*Kleinlichkeit*) mezquindad *f*; (*Gemeinheit*) ruindad *f*, bajeza *f*; infamia *f*, vileza *f*.
er'barmungs|los *adj.* despiadado; *adv.* sin piedad, sin compasión; **~voll** *adj.* compasivo; misericordioso, clemente.
er'bau|en (-) *v/t.* construir, edificar; *Denkmal*: erigir, levantar; (*gründen*) fundar; *fig.* edificar; *sich* ~ *an* (*dat.*) fortalecerse espiritualmente, edificarse con; sentir íntimo gozo con; F *er ist nicht besonders erbaut davon* no está precisamente muy entusiasmado con ello; **2er** *m* constructor *m*; *Gründer*: fundador *m*; **~lich** *adj.* edificante (*a. iro.*); ~*e Lektüre* lectura edificante, *bsd. Rel.* lectura piadosa *od.* devota; **2ung** *f* construcción *f*, edificación *f*; (*e-s Denkmals*) erección *f*; *Gründung*: fundación *f*; *fig.* edificación *f*; **2ungsbuch** *n* (*-és*; *⸚er*) devocionario *m*; **2ungsstunde** *f* hora *f* de meditación devota.
'Erb...: **~begräbnis** *n* (*-ses*; *-se*) panteón *m* de familia; **2berechtigt** *adj.* ⚖ titular *m* de un derecho sucesorio→ **~bild** *Biol. n* (*-és*; *-er*) genotipo *m*.
'Erbe 1. *m* (*-n*) heredero *m*; sucesor *m*; (*Begünstigter*) beneficiario *m*; (*Vermächtnisnehmer*) legatario *m*; *gesetzlicher* ~ heredero legítimo; *leiblicher* ~ heredero natural; *ohne leibliche* ~*n* sin descendencia; *mutmaßlicher* ~ presunto heredero; *j-n zum* ~*n einsetzen* instituir (por) heredero a alg.; **2.** *n* (*-s*; *0*) herencia *f* (*a. fig.*); (*Vermächtnis*) legado *m*; *fig. j-s* ~ *antreten* aceptar (⚖ adir) la herencia de alg.
er'beben (-) *v/i.* temblar; estremecerse; 2 *n* temblor *m*; estremecimiento *m*.
'erb·eigen *adj.* hereditario; adquirido por herencia, heredado; **2tum** *n* (*-és*; *⸚er*) herencia *f*, propiedad *f* hereditaria; alodio *m*.
'erben *v/t.* heredar (*ac.*), suceder a.
'Erben|gemeinschaft *f* comunidad *f* sucesoria; **~haftung** *f* (*0*) responsabilidad *f* sucesoria.
er'betteln (*-le*; -) *v/t.* mendigar; conseguir mendigando; *fig.* conseguir con ruegos.
er'beuten (*-e-*; -) *v/t.* ganar; ⚓, *Jgdw.* apresar; ⚔ capturar.
'Erb...: **2fähig** *adj.* capaz para suceder *od.* heredar; **~fähigkeit** ⚖ *f* capacidad *f* sucesoria; **~faktor** *m* (*-s*; *-en*) *Biol.* factor *m* hereditario; **~fall** *m* (*-és*; *⸚e*) (caso *m* de) sucesión *f*; **~fehler** *m* defecto *m* hereditario; **~feind** *m* (*-és*; *-e*) enemigo *m* mortal *od.* jurado; (*Teufel*) el Enemigo; **~folge** *f* sucesión *f*; *gesetzliche* ~ sucesión intestada *od.* ab intestato; ~ *in gerader Linie* sucesión en línea (di)recta; **~folgekrieg** *m* (*-és*; *-e*) *Hist.* Guerra *f* de Sucesión; **2gesund** *adj.* sin tara hereditaria; **~gesundheitslehre** ⚕ *f* (*0*) eugenesia *f*; **~gut** ⚖ *n* (*-és*; *0*) bienes *m/pl.* relictos; patrimonio *m* (*a. fig.*); *Landgut*: heredad *f*, predio *m*; (*Erbschaft*) herencia *f* (*a. fig.*); **~hof** *m* (*-és*; *⸚e*) heredad *f* no enajenable, patrimonio *m* familiar hereditario.
er'bieten (*L*; -) *v/refl.*: *sich* ~ ofrecerse (*zu* a *od.* para).
'Erbin *f* heredera *f*, sucesora *f*; → *Erbe 1*.
er'bitten (*L*; -) *v/t.* solicitar, pedir; rogar la concesión de a/c.
er'bitter|n (*-re*; -) *v/t.* irritar, exasperar, enconar; enfurecer; **~t** *adj.* irritado, exasperado, enconado; resentido, rencoroso; (*heftig*, *wild*) fiero, enfurecido; et. ~ *bekämpfen* combatir encarnizadamente a/c.; ~*ter Kampf* lucha encarnizada (*od.* reñida, enconada); **2ung** *f* irritación *f*, exasperación *f*, encono *m*; animosidad *f*; rencor *m*, resentimiento *m*; (*Heftigkeit*) fiereza *f*; (*Wut*) furor *m*, saña *f*.
'erbkrank *adj.* aquejado por una dolencia hereditaria; **2heit** *f* enfermedad *f* hereditaria.
er'blassen (*-ßt*; -; *sn*) *v/i.* palidecer, perder el color, ponerse pálido; (*Stoff*) desteñirse; *Poes.* morir, expirar.
'Erb...: **~lasser(in** *f*) *m* testador (-a *f*) *m*; ⚖ *a.* causante *m/f* (*de la herencia*); **~lehre** *Biol. f* (*0*) genética *f*.
er'bleichen (-; *sn*) *v/i.* → *erblassen*.
'erblich *adj.* hereditario; (*erbbar*) heredable, sucesible; ~*e Belastung* ⚕ tara hereditaria; ~ *belastet sein* tener una tara hereditaria, estar tarado; **2keit** *f* (*0*) herencia *f*; ⚖ sucesibilidad *f*.
er'blicken (-) *v/t.* ver; (*deutlich*) distinguir; *in der Ferne*: divisar; (*merken*) notar; (*entdecken*) descubrir; *das Licht der Welt* ~ nacer, venir al mundo.
er'blind|en (*-e-*; -; *sn*) *v/i.* cegar, perder la vista, quedar(se) ciego; **2ung** *f* pérdida *f* de la vista; ceguedad *f*, *bsd.* ⚕ ceguera *f*.
er'blühen (-; *sn*) *v/i.* → *aufblühen*.
'Erb...: **~masse** *f* masa *f* de bienes de la herencia; acervo *m* común; *Biol.* factores *m/pl.* hereditarios; **~onkel** *m* tío *m* rico, F *fig.* tío *m* de América.
er'bosen (*-t*; -) *v/t.* enfadar; enojar, irritar; exasperar, encolerizar; *sich* ~ enfadarse; enojarse, irritarse; exasperarse, encolerizarse.
er'bötig *adj.*: *zu et.* ~ *sein* estar dispuesto (ofrecerse) a hacer a/c.
'Erb...: **~pacht** ⚖ *f* enfiteusis *f*, censo *m* enfitéutico *od.* hereditario; **~pächter** ⚖ *m* enfiteuta *m*.
er'brechen (*L*; -) *v/t.* (*öffnen*) abrir rompiendo; *Tür*, *Geldschrank*: forzar; *Brief*: abrir; *Siegel*: romper; ⚕ vomitar (*a. sich* ~); 2 *n* ⚕ vómito *m*.
'Erb·recht *n* (*-és*; *0*) derecho *m* sucesorio.
er'bringen (*L*; -) *v/t.* producir, rendir, rentar; ⚖ *Beweise*: aducir.
'Erbschaft *f* herencia *f*; (*Vermächtnis*) legado *m*; **~s-anspruch** *m* (*-és*; *⸚e*) pretensión *f* a la herencia; título *m* sucesorio; **~s-ausschlagung** *f* ⚖ repudiación *f* de la herencia; **~s-steuer** *f* (-; *-n*) impuesto *m* sucesorio (*od.* sobre la herencia); → *Nachlaß...*
'Erb...: **~schein** *m* (*-és*; *-e*) declaración *f* de herederos; **~schleicher** (**-in** *f*) *m* heredípeta *m/f*; F cazador (-a *f*) *m* de herencias.
Erbse ['ɛrpsə] *f* guisante *m*; *Am.* arvejo (-a *f*) *m*; **~nbrei** *m* (*-és*; *0*) puré *m* de guisantes; **2nförmig** *adj.* pisiforme; **~nsuppe** *f* sopa *f* de guisantes.
'Erb...: **~stück** *n* (*-és*; *-e*) objeto *m* heredado; mueble *m* de familia; **~sünde** *Rel. f* pecado *m* original; **~tante** *f* tía *f* rica; **~teil** ⚖ *n* (*-és*; *-e*) (*Erbmasse*) hijuela *f*; (*Pflichtteil*) legítima *f*; (*Erbschaft*) herencia *f*; (*Anteil*) parte *f od.* porción *f* de la herencia; **~teilung** *f* ⚖ partición *f* de la herencia; **~übergang** *m* (*-és*;

0) transmisión *f* de título sucesorio; **~vertrag** *m* (*-es*; *⸗e*) pacto *m* sucesorio; **~verzicht** *m* (*-es*; *0*) renuncia *f* a la herencia; **~zins** *m* (*-es*; *-en*) censo *m* enfitéutico.

'**Erd|achse** *f* (*0*) eje *m* terrestre; **~anschluß** ⚡ *m* (*-sses*; *⸗sse*) conexión *f* a tierra; **~apfel** *m* (*-s*; *⸗*) patata *f*, *Am.* papa *f*; **~arbeit** *f* trabajo *m* de excavación *bzw.* de desmonte; **~arbeiter** *m* desmontista *m*; **⁓artig** *adj.* terroso, térreo; **~aufklärung** ⚔ *f* (*0*) reconocimiento *m* del terreno; **~bahn** *f* (*0*) *Astr.* órbita *f* de la Tierra; **~ball** *m* (*-es*; *0*) globo *m* terráqueo *od.* terrestre; **~beben** *n* s(e)ismo *m*; terremoto *m*; (*schwaches*) temblor *m* de tierra; **~bebengebiet** *n* (*-es*; *-e*) zona *f* sísmica; **~bebenkunde** *f* (*0*) sismología *f*; **~bebenmesser** *m* sismómetro *m*; **⁓bebensicher** *adj.* asísmico, a prueba de terremoto; **~beere** ⚘ *f* fresa *f*; **~beobachtung** ⚔ *f* (*0*) observación *f* del terreno; **~bewegung** *f* (*Erdarbeiten*) trabajos *m/pl.* de desmonte; **~bewohner** *m* morador *m od.* habitante *m* de la Tierra; terrícola *m*; **~boden** *m* (*-s*; *0*) superficie *f* de la tierra; suelo *m*; terreno *m*; dem ~ gleichmachen arrasar, no dejar piedra sobre piedra; **~bohrer** *m* sonda *f* de suelo; **~bohrung** *f* sondaje *m*, perforación *f* del suelo; **~damm** *m* (*-es*; *⸗e*) terraplén *m*; **~draht** ⚡ *m* (*-es*; *⸗e*) hilo *m* de derivación a tierra; conductor *m* a tierra; **~druck** *Geol.* *m* (*-es*; *0*) presión *f* de la tierra.

'**Erde** *f* tierra *f*; (*Planet*) Tierra *f*; (*Welt*) mundo *m*; (*Bodenart*) suelo *m*, terreno *m*; *fig.* piso *m*; (*Humus*) mantillo *m*; ⚡ → Erdung; seltene ~n tierras raras *od.* nobles; (*Erdball*) la tierra, el mundo, nuestro planeta *m*, el globo terrestre *od.* terráqueo; auf ~n en la tierra, en este mundo; auf der ganzen ~ en todo el mundo; über der ~ sobre la tierra; unter der ~ bajo tierra, subterráneo; zu ebener ~ a flor de tierra, a ras del suelo; zur ~ gehörig terrestre; *bsd. Liter.* terrenal, terreno; j-n unter die ~ bringen enterrar a alg.; *fig.* matar a disgustos a alg.; der ~ übergeben (*Tote*) dar tierra (*od.* sepultura) a, enterrar, sepultar (*ac.*); zur ~ fallen caer a tierra, caer al suelo.

'**erden** (*-e-*) ⚡ *v/t.* conectar *od.* derivar a tierra.

'**Erden|bürger** *m* ser *m* humano, mortal *m*; **~glück** *n* (*-es*; *0*) dicha *f* terrenal; **~güter** *n/pl.* bienes *m/pl.* terrenos.

er'**denk|en** (*L*; *-*) *v/t.* imaginar, concebir, idear; (*erfinden*) inventar; → erdichten; **~lich** *adj.* imaginable, concebible; (*möglich*) posible; sich alle ~e Mühe geben hacer todo lo posible, poner el mayor empeño en, no escatimar esfuerzos para.

'**Erdenleben** *n* vida *f* terrenal.

'**Erd...:** **~erschütterung** *f* temblor *m* de tierra; **⁓fahl**, **⁓farben** *adj.* de color terroso *od.* térreo; **~ferne** *Astr.* *f* (*0*) apogeo *m*; **~floh** *m* (*-es*; *⸗e*) pulgón *m*; **~gas** *n* (*-es*; *-e*) gas *m* natural; **~geist** *m* (*-es*; *-er*) gnomo *m*; **~geschoß** *n* (*-sses*; *-sse*) piso *m* bajo, planta *f* baja, *Am.* bajos *m/pl.*; **~gürtel** *Geogr.* *m* zona *f*; **~hälfte** *f* hemisferio *m*; **⁓haltig** *adj.* terroso, térreo; **~harz** *n* (*-es*; *-e*) betún *m*, asfalto *m*; **~haufen** *m* montón *m* de tierra; (*Hügel*) montículo *m*.

er'**dicht|en** (*-e-*; *-*) *v/t.* imaginar; (*erfinden*) inventar, idear, forjar; (*vorgeben*) fingir, pretextar, mentir; **~et** *adj.* imaginado; inventado; imaginario, ficticio; simulado, fingido, mentido; **⁓ung** *f* (*Erfindung*) invento *m*; invención *f*, ficción *f*, fantasía *f*; fábula *f*; mito *m*.

'**erdig** *adj.* terroso, térreo; *Geschmack, Geruch*: a tierra.

'**Erd...:** **~innere** *n* (*-n*; *0*) interior *m* de la Tierra; **~kabel** *n* cable *m* subterráneo; **~karte** *f* mapamundi *m*, planisferio *m*; **~klemme** ⚡ *f* borne *m* de conexión a tierra; **~klumpen** *m* terrón *m*, gleba *f*; **~kreis** *m* (*-es*; *-e*) orbe *m*; **~krume** *f* superficie *f* del suelo, mantillo *m*; **~krümmung** *f* curvatura *f* terrestre; **~kruste** *f* (*0*) → Erdrinde; **~kugel** *f* (*0*) globo *m* terrestre; **~kunde** *f* (*0*) geografía *f*; **~leiter** ⚡ *m* conductor *m* de tierra; **~leitung** ⚡ *f* conexión *f* a tierra; toma *f* de tierra; **~magnetismus** *m* (*-*; *0*) magnetismo *m* terrestre; **~mandel** ⚘ *f* (*-*; *-n*) chufa *f*; **~massen** *f/pl.* masas *f/pl.* de tierra; **~maus** *f* (*-*; *⸗e*) ratón *m* de campo; **~messung** *f* geodesia *f*; **~mine** ⚔ *f* mina *f* terrestre; **⁓nahe** *fig. adj.* con apego a la tierra; inclinado a todo lo terreno; **~nähe** *Astr.* *f* (*0*) perigeo *m*; *fig.* mundanalidad *f*; **~nuß** ⚘ *f* (*-*; *⸗sse*) cacahuete *m*, *Am.* maní *m*; **~oberfläche** *f* (*0*) superficie *f* de la Tierra; **~öl** *m* (*-es*; *0*) petróleo *m*; *Am. a.* kerosén *m*; **~ölvorkommen** *n* yacimiento *m* petrolífero.

er'**dolchen** (*-*) *v/t.* apuñalar, matar a puñaladas *f/pl.*

'**Erd...:** **~pech** *n* (*-s*; *0*) betún *m* natural; **~pol** *m* (*-s*; *-e*) polo *m*; **~reich** *n* (*-es*; *0*) tierra *f*; terreno *m*; (*Ackerscholle*) terruño *m*.

er'**dreisten** (*-e-*; *-*) *v/refl.*: sich ~ zu atreverse a; tener el atrevimiento (*od.* la osadía) de; F tener la desfachatez de.

'**Erdrinde** *f* (*0*) corteza *f* terrestre; *Geol.* litosfera *f*.

er'**dröhnen** (*-*) *v/t.* → dröhnen.

er'**drossel|n** (*-le*; *-*) *v/t.* estrangular; **⁓ung** *f* estrangulación *f*.

er'**drücken** (*-*) *v/t.* aplastar (*a. fig.*), matar apretando; (*ersticken*) ahogar, sofocar; ~des Beweismaterial pruebas contundentes; ~e Mehrheit mayoría aplastante; von Arbeit erdrückt agobiado de trabajo; von Sorgen erdrückt abrumado por las preocupaciones.

'**Erd...:** **~rutsch** *m* (*-es*; *-e*) corrimiento *m* de tierras; (*Bergrutsch*) desprendimiento *m* de tierras; **~salz** *n* (*-es*; *0*) sal *f* gema; **~satellit** *m* (*-en*) satélite *m* de la Tierra; **~schicht** *f* capa *f* de tierra; *Geol.* estrato *m*; **~schluß** ⚡ *m* (*-sses*; *⸗sse*) contacto *m* a tierra; **~scholle** *f* terrón *m*, gleba *f*; *fig.* terruño *m*; **~sicht** ✈ *f* (*0*) visibilidad *f* del suelo; **~spalte** *f* grieta *f* del terreno; **~stoß** [-o:-] *m* (*-es*; *⸗e*) sacudida *f* sísmica; **~strich** *Geogr.* *m* (*-es*; *-e*) zona *f*; (*Gegend*) región *f*; **~strom** *m* (*-es*; *⸗e*) corriente *f* telúrica *od.* terrestre; **~teil** *Geogr.* *m* (*-es*; *-e*) continente *m*; parte *f* del mundo.

er'**duld|en** (*-e-*; *-*) *v/t.* (*aushalten*) resistir, aguantar, soportar; (*erleiden*) sufrir, padecer; → dulden; **⁓ung** *f* (*0*) tolerancia *f*.

'**Erd...:** **~umdrehung** *f* rotación *f* de la Tierra; **~umfang** *m* (*-es*; *0*) circunferencia *f* de la Tierra; **~umsegelung** *f* circumnavegación *f*; vuelta *f* al mundo.

'**Erdung** ⚡ *f* toma *f* de tierra; derivación *f* a tierra.

'**Erd...:** **⁓verlegt** *adj.*: ~e Kabel cables subterráneos; **~wall** *m* (*-es*; *⸗e*) terraplén *m*; **~wand** *f* tapia *f*; **⁓wärts** *adv.* hacia tierra.

er'**eifer|n** (*-re*; *-*) *v/refl.*: sich ~ acalorarse, excitarse, alterarse (über *ac.* por); (*heftig werden*) apasionarse, arrebatarse; **⁓ung** *f* (*0*) acaloramiento *m*, excitación *f*; apasionamiento *m*, vehemencia *f*.

er'**eignen** (*-e-*; *-*) *v/refl.*: sich ~ suceder, ocurrir, pasar; *bsd. Liter.*: acontecer, acaecer; (*stattfinden*) tener lugar.

Er'eignis *n* (*-ses*; *-se*) suceso *m*; sucedido *m*; *bsd. Liter.* acontecimiento *m*, acaecimiento *m*; (*Vorfall*) incidente *m*, evento *m*; (*vorübergehendes*) episodio *m*; (*Erscheinung*) fenómeno *m*; (*Unglück*) accidente *m*; **⁓reich** *adj.* rico en acontecimientos; lleno de aventuras.

er'**eilen** (*-*) *v/t.* (*einholen*) alcanzar; das gleiche Schicksal hat ihn ereilt le alcanzó la misma suerte, sufrió el mismo destino; der Tod hat ihn ereilt le sorprendió la muerte.

Ere'mit *m* (*-en*) eremita *m*, ermitaño *m*; anacoreta *m*.

er'**erb|en** (*-*) *v/t.* heredar (von de); **~t** *adj.* heredado; hereditario (*a. Biol.*).

er'**fahren I.** (*L*; *-*) *v/t.* (llegar a) saber, tener noticia *f* (*od.* estar informado) de a/c.; enterarse de; (*erleben*) experimentar; (*erleiden*) sufrir, padecer; *Leid, Freude, Verlust usw.*: experimentar; et. ~ haben estar enterado (tener noticia) de, saber ya; wie ich ~ habe según me han informado; die Produktion erfuhr e-e Steigerung la producción experimentó un aumento; **II.** *adj.* experimentado; (*Fachmann*) experto, perito; (*geübt*) práctico (in en); (*gewandt*) ducho, versado, entendido (in en).

Er'fahrung *f* experiencia *f* (*a. Erlebnis*); *Kenntnis*: conocimiento *m* práctico, *Phil.* conocimiento *m* empírico; *Praxis*: práctica *f*; (*gewohnheitsmäßige*) rutina *f*; technische ~ pericia técnica; aus ~ por experiencia; durch ~ klug werden escarmentar; in ~ bringen (*ac.*) saber, tener noticia (conocimiento) de; enterarse de; (*herausfinden*) averiguar, llegar a saber; ~en machen adquirir experiencia; wir haben mit dem Gerät gute ~en gemacht el aparato ha dado buenos resultados; die ~ zeigt, daß la experiencia muestra (*od.* enseña) que; ~ ist die Mutter der

Weisheit la experiencia es madre de la ciencia.

Er'fahrungs...: ~austausch *m* (*-es*; *0*) intercambio *m* de experiencias; **2gemäß** *adv.* la experiencia nos enseña que ...; según muestra la experiencia; **2mäßig** *adj.* experimental; *Phil.* empírico, basado en la experiencia; **~satz** *m* (*-es*; *¨e*) *Phil.* principio *m* empírico; Ꜳ axioma *m*; **~wissenschaft** *f* ciencia *f* empírica.

er'fass|en (*-ßt*; *-*) *v/t.* (*packen*) asir, coger, *bsd. Am.* agarrar; (*geistig*) comprender; (*erkennen*) darse cuenta de, hacerse cargo de; *statistisch*: registrar; ⚔ (*mustern*) alistar; (*in sich schließen*) abarcar, incluir, comprender (*alle a. fig.*); *von e-m Verlangen erfaßt werden* estar poseido del (*od.* dominado por el) deseo de; **2ung** *f* (*0*) ⚔ alistamiento *m*; registro *m*.

er'finden (*L*; *-*) *v/t.* inventar; crear; idear; (*entdecken*) hallar, descubrir; (*erdichten*) forjar, inventar, idear.

Er'finder *m* inventor *m*; **~geist** *m* (*-es*; *0*) genio *m* inventivo; ingenio *m*; **~in** *f* inventora *f*; **2isch** *adj.* inventivo; (*scharfsinnig*) ingenioso; (*phantasievoll*) imaginativo; (*schöpferisch*) creador; (*findig*) fértil en recursos; *Not macht ~* la necesidad aguza el ingenio.

Er'findung *f* invento *m*; invención *f*; (*Entdeckung*) descubrimiento *m*; (*Schöpfung*) creación *f*; (*Erdichtetes*) ficción *f*; (*Geflunker, Lüge*) invención *f*; embuste *m*, mentira *f*; patraña *f*; *Arg.* F macana *f*; **~sgabe** *f* inventiva *f*, genio *m od.* talento *m* inventivo; (*Phantasie*) imaginación *f*, fantasía *f*; **~s-patent** *n* (*-es*; *-e*) patente *f* de invención; **2sreich** *adj.* → *erfinderisch*.

er'flehen (*-*) *v/t.* implorar; *e-e Gnade*: impetrar; (*erlangen*) conseguir con súplicas.

Er'folg *m* (*-es*; *-e*) *Ergebnis*: resultado *m*; *Folge*: consecuencia *f*; *Wirkung*: efecto *m*; *glücklicher ~* feliz éxito; *mit ~* con éxito, con buen resultado, con fruto; *~ haben* tener (lograr, alcanzar) éxito; *keinen ~ haben* no tener éxito, fracasar, tener resultado adverso; *Thea.* fracasar, *Theaterstück*: *a.* irse al foso; *Unternehmung, Plan*: malograrse, fracasar; *Bemühungen*: ser infructuoso (estéril, inútil); *von ~ gekrönt* coronado por el éxito; *er hatte keinerlei ~ bei ihm* no consiguió nada de él; **2en** (*-*; *sn*) *v/i.* resultar; seguir (a continuación); (*sich einstellen*) presentarse; (*sich ereignen*) suceder, ocurrir; realizarse; verificarse; tener lugar; *Zahlung*: ☤ efectuarse; *es ist noch keine Antwort erfolgt* todavía no se ha recibido contestación; **2los I.** *adj.* infructuoso, estéril; inútil, ineficaz, vano; **II.** *adv.* en vano; sin éxito; sin resultado; infructuosamente; **~losigkeit** *f* (*0*) fracaso *m*; infructuosidad *f*, esterilidad *f*; ineficacia *f*; inutilidad *f*; **2reich** *adj.* feliz; afortunado; (*wirksam*) eficaz; *adv.* con éxito; **~sbuch** *n* (*-es*; *¨er*) libro *m* de gran venta; **~sfilm** *m* (*-es*; *-e*) película *f* de gran éxito; **~srechnung** ☤ *f* balance *m* de pérdidas y ganancias; **2versprechend** *adj.* prometedor, esperanzador.

er'forderlich *adj.* necesario, preciso; (*verlangt*) requerido; (*tunlich*) conveniente; *unbedingt ~* indispensable, imprescindible; *falls ~* si es necesario, si es preciso, si hace falta; **~enfalls** *adv.* en caso necesario, en caso de necesidad, si el caso lo requiere.

er'forder|n (*-re*; *-*) *v/t.* requerir; suponer; pedir; reclamar, *stärker*: exigir; (*erforderlich machen*) hacer necesario; *Zeit*: requerir; *das erfordert viel Arbeit* (*hohe Kosten*) esto supone mucho trabajo (elevados gastos); **2nis** *n* (*-ses*; *-se*) necesidad *f*; (*dringende*) exigencia *f*; (*Voraussetzung*) requisito *m*.

er'forsch|en (*-*) *v/t.* *Land*: explorar; (*untersuchen*) investigar; (*prüfen*) examinar; (*ergründen*) sondear; inquirir, indagar; *wissenschaftlich*: investigar, estudiar; **2er** *m* explorador *m*; investigador *m*; **2ung** *f* exploración *f*; investigación *f*; indagación *f*.

er'fragen (*-*) *v/t.* informarse preguntando; *zu ~ bei* darán razón en, dirigirse a.

er'frechen (*-*) *v/refl.*: *sich ~ zu* tener el atrevimiento (la osadía, F la frescura) de; atreverse a.

er'freu|en (*-*) *v/t.* alegrar, causar alegría a; (*belustigen*) regocijar, divertir *ac.*; (*befriedigen*) contentar; **~t** *adj.* contento, satisfecho (*über ac.* de); *ich bin darüber erfreut* me alegro de ello; *sich ~ an* (*dat.*) gozar (*ac. od.* de); *sich e-r Sache ~* gozar *ac.*; *sich guter Gesundheit ~* gozar (*od.* disfrutar) de buena salud; *sehr erfreut!* (*beim Vorgestelltwerden*) ¡tanto gusto!, ¡mucho gusto!, ¡encantado!

er'freulich *adj.* agradable, halagüeño; favorable; *Nachrichten usw.*: grato; (*ermutigend*) alentador; (*befriedigend*) satisfactorio; **~erweise** *adv.* afortunadamente, por fortuna.

er'frier|en (*L*; *-*; *sn*) *v/i.* helarse (*a.* ♀), congelarse; morirse de frío; *Glied*: entumecerse de frío; *Füße, Ohren, usw.*: congelarse; *erfroren* helado, congelado; *ich bin erfroren* estoy transido (*od.* yerto) de frío; *fig.* estoy helado.

er'frisch|en (*-*) *v/t.* refrescar; (*abkühlen*) enfriar; refrigerar; (*beleben*) reanimar; *sich ~ Person*: refrescarse; orearse; (*geistig*) recrearse; **~end** *adj.* refrescante; refrigerante; reanimador; **2ung** *f* refresco *m* (*a. Getränk*); (*Appetitshappen*) refrigerio *m*, bocadillo *m*, F piscolabis *m*; **2ungsraum** *m* (*-es*; *¨e*) bar *m*; cantina *f*.

er'füllen (*-*) *v/t.* llenar (*mit* de, *a. fig.*); (*verwirklichen, ausführen*) realizar, ejecutar; (*Pflicht, Versprechen, Vertrag*) cumplir; *Aufgabe*: desempeñar, cumplir; *Auftrag*: ejecutar; *Bitte*: acceder a; *Bedingungen*: cumplir con; *Erwartungen*: satisfacer; colmar; *Verpflichtung*: atender a, cumplir; *Zweck*: llenar, responder a, corresponder a; *sich ~* realizarse; cumplirse; *erfüllt sein von* estar lleno de; estar poseido de.

Er'füllung *f* realización *f*; ejecución *f*; cumplimiento *m*; desempeño *m*; satisfacción *f*; *in ~ gehen* → *sich erfüllen*; **~s-ort** ☤ *m* (*-es*; *-e*) lugar *m* de ejecución (*de las obligaciones contractuales*); **~s-politik** *f* (*0*) política *f* de accesión; **~s-tag** ☤ *m* (*-es*; *-e*) fecha *f* de la liquidación *bzw.* del vencimiento.

Erg *Phys.* *n* ergio *m*.

er'gänzen (*-t*; *-*) *v/t.* (*vervollständigen*) completar, complementar; (*hinzufügen*) añadir, agregar; (*ersetzen*) suplir; (*auffüllen*) llenar; ☤ *Lager*: completar, surtir; ⚔ *Truppen*: completar (*los efectivos*); *sich* (*gegenseitig*) ~ completarse (mutuamente); *sich ~ zu* ser el complemento de (*a.* Ꜳ); **~d** *adj.* complementario; suplementario; (*zum Ganzen gehörig*) integrante; (*zusätzlich*) adicional.

Er'gänzung *f* complemento *m* (*a. Gr.*); *Zusatz*: suplemento *m*; *Wiederherstellung*: reintegración *f*; restitución *f*; *zu e-m Gesetz*: enmienda *f*; **~s...** *in Zssgn* → *ergänzend*.

Er'gänzungs...: ~band *m* (*-es*; *¨e*) suplemento *m*, volumen *m* suplementario; apéndice *m*; **~farbe** *f* color *m* complementario; **~mannschaften** ⚔ *f/pl.* tropas *f/pl.* de reserva, reservas *f/pl.*; **~teil** *n* (*-es*; *-e*) parte *f* integrante *od.* suplementaria; **~steuer** *f* (*-*; *-n*) impuesto *m* suplementario; **~wahl** *f* elección *f* complementaria; **~winkel** *m* (*zu 90°*) ángulo *m* complementario; (*zu 180°*) ángulo *m* suplementario.

er'gattern (*-re*; *-*) *v/t.* F *fig.* pescar, atrapar; birlar; (*erbetteln*) pordiosear; *Nachrichten*: cazar.

er'gaunern (*-re*; *-*) *v/t.* obtener por malas artes *f/pl.*; estafar, timar.

er'geben (*L*; *-*) **I. 1.** *v/t.* dar por resultado *m* (*a.* Ꜳ); *Summe*: arrojar; (*betragen*) ascender a; (*abwerfen*) producir, rendir; (*erweisen*) mostrar, revelar; alegar; (*beweisen*) probar, demostrar, evidenciar; **2.** *v/refl.*: ⚔ *sich ~* entregarse, rendirse, rendir las armas; *Festung, Heer*: capitular, rendirse; *sich e-r Sache ~* consagrarse a, dedicarse a, entregarse a; *e-m Laster*: darse a; (*geschlechtlich*) entregarse a; *Schwierigkeiten usw.*: surgir; *sich ~ aus* resultar de; estar en función de; derivarse de; *sich ~* (*in ein Schicksal*) resignarse; (*sich fügen*) avenirse, resignarse (*in ac.* a); *daraus ergibt sich, daß* de ello resulta (*od.* se infiere, se deduce) **II.** *adj.* entregado a; *bsd. Pol.* adicto a, afecto a; *e-m Laster*: dado a, entregado a; (*treu*) leal, fiel; (*gefaßt*) resignado; (*untertänig*) sumiso; *Gott ~* entregado a Dios; siervo de Dios; (*e-m Heiligen*) devoto de; *Ihr ~er Diener* su humilde servidor; *Ihr ~er* (*Briefschluß*) su seguro servidor (*Abk.* s.s.s.); *Ihr sehr ~er* (*Briefschluß*) de usted atento y seguro servidor (*Abk.* de Vd. atto. y s.s.); **~st** *adv.* humildemente; respetuosamente (*a.*

Briefschluß); 2**heit** *f* (*0*) afecto *m*, apego *m*; devoción *f*; lealtad *f*, fidelidad *f*, ley *f*; (*Unterwerfung*) sumisión *f*; (*Gefaßtheit*) resignación *f*.

Er'gebnis *n* (*-ses*; *-se*) resultado *m*; (*Folge*) consecuencia *f*; (*Wirkung*) efecto *m*; → *Ertrag*; 2**los I.** *adj.* sin resultado; infructuoso, estéril; **II.** *adv.* infructuosamente; ~ *bleiben* no dar resultado; quedar en nada, no resultar (nada).

Er'gebung *f* (*0*) sumisión *f* (*in ac.* a); resignación *f*; ⚔ capitulación *f*, rendición *f*.

er'gehen (*L*; -; *sn*) *v/i.* *Gesetz*: publicarse *bzw.* votarse; (*Urteil*) ⚖ pronunciar; ~ *lassen* (*Erlaß*, *Urteil*) publicar; (*Gesetz*) promulgar; (*Weisung*, *Befehl*) dar; (*Einladung*) enviar; *über sich* ~ *lassen* sufrir, aguantar; soportar con paciencia; *Gnade für Recht* ~ *lassen* ser clemente; *sich* ~ (*im Garten*) orearse, pasearse, tomar el fresco (*en el jardín*); *fig.* *sich* ~ *in Hoffnungen*: alentar (*esperanzas*); *in Verwünschungen*: desatarse en (*maldiciones*); *in Klagen*: desahogarse en (*lamentaciones*); *in Komplimenten*: deshacerse en (*cumplidos*); *über ein Thema*: explayarse sobre (*un tema*); *es würde ihm schlecht* ~ iba a pasarlo mal, lo pasaría mal; *wie mag es ihm ergangen sein?* ¿qué habrá sido de él?; *wie ist es dir ergangen?* ¿cómo te ha ido?, ¿cómo lo has pasado?; 2 *n* estado *m* de salud (*od. fig.* de cosas).

er'giebig *adj.* productivo; (*fruchtbar*) fértil, fecundo, *bsd.* ⚘ *Feld*: feraz; (*reich*) rico, abundante (*an dat.* en); *Geschäft*: lucrativo, productivo, remunerador; *Farbe usw.*: de mucho rendimiento; 2**keit** *f* (*0*) productividad *f*; fertilidad *f*, fecundidad *f*, feracidad *f*; riqueza *f*, abundancia *f*.

er'gießen (*L*; -) *v/t.* derramar, verter; *sich* ~ *aus* manar de; *sich* ~ *in* desaguar en; derramar *od.* verter sobre; *Fluß*: desembocar en; *sich* ~ *über* (*ac.*) derramarse sobre.

er'glänzen (*-t*; -; *sn*) *v/i.* resplandecer, brillar, relucir.

er'glühen (-; *sn*) *v/i.* abrasarse; *Gesicht*: ruborizarse; *fig.* enardecerse, encenderse; *fig.* *vor Scham* ~ enrojecer de vergüenza, sonrojarse; *in Zorn* ~ arder en cólera.

er'götz|en (*-t*; -) *v/t.* recrear, deleitar; (*erfreuen*) divertir; (*belustigen*) regocijar; *sich* ~ divertirse; deleitarse (*an dat.* en, *mit* con); *an e-m Anblick*: recrear la vista, deleitarse en la contemplación de; *schadenfroh*: complacerse en el mal ajeno; F *fig.* reírse por dentro; 2**en** *n* deleite *m*, recreo *m*; diversión *f*; regocijo *m*; ~**lich** *adj.* (*köstlich*) delicioso; (*unterhaltend*) divertido, recreativo; (*angenehm*) agradable, placentero; (*drollig*) regocijante, festivo, gracioso, F chusco.

er'grau|en (-; *sn*) *v/i.* encanecer; envejecer; ~**t** *adj.* encanecido.

er'greif|en (*L*; -) *v/t.* tomar, asir, coger, *Arg.* agarrar (*an dat.* de, *bei* por); (*fest* ~) agarrar; *Feder*: tomar; *Schwert*: empuñar; *Verbrecher*: capturar, prender; F echar mano a; *fig. Beruf*: abrazar, seguir; *Besitz* ~ tomar posesión (*von* de); *Gelegenheit*: aprovechar; *Gemüt*: conmover, enternecer; (*beeindrucken*) impresionar; emocionar; *Maßregel*: tomar, adoptar; → *Flucht*, *Macht*, *Partei*, *usw.*; ~**end** *adj.* conmovedor; emocionante; patético; 2**ung** *f* (*0*) (*von Dieben*) captura *f*.

er'griffen *adj.* (*bewegt*) conmovido; impresionado, afectado; emocionado; *von Fieber* (*Panik*) ~ atacado por la fiebre (presa del pánico); 2**heit** *f* (*0*) profunda emoción *f*; conmoción *f*.

er'grimmen (-; *sn*) *v/i.* irritarse, airarse, encolerizarse.

er'gründ|en (*-e-*; -) *v/t.* sondear; *fig.* llegar hasta el fondo de, profundizar en, ahondar en, penetrar en; (*erforschen*) explorar; investigar a fondo; (*ermitteln*) averiguar; 2**ung** *f* sondeo *m*, penetración *f*.

Er'guß *m* (*-sses*; *⸚sse*) derrame *m* (*a.* ⚕); *von Gefühlen*: efusión *f*; desbordamiento *m*; *lyrischer* ~ lirismo *m*.

er'haben *adj.* elevado; saliente; △ ~*e Arbeit* relieve; (*Metall*, *Stickerei*) realce; △ *ganz* ~*e Arbeit* alto relieve; △ *halb* ~*e Arbeit* medio relieve; *flach* ~*e Arbeit* bajorrelieve; *fig.* sublime, noble; (*berühmt*) ilustre, eminente; (*großartig*) grandioso, magnífico, majestuoso; (*Geist*) excelso; ~ *über ac.* superior a; por encima de; *über alles Lob* ~ superior a todo elogio; *über jeden Tadel* ~ por encima de todas las críticas; 2**e** *Phil.* *n* lo sublime; 2**heit** *f* (*0*) elevación *f*, altura *f*; *fig.* sublimidad *f*; nobleza *f*, grandeza *f* de alma; grandiosidad *f*, magnificencia *f*, majestuosidad *f*; excelsitud *f*.

Er'halt *m* (*-es*; *0*) recepción *f*, recibo *m*; → *Empfang*.

er'halten (*L*; -) **I.** *v/t.* (*bekommen*) recibir; (*erlangen*) alcanzar, lograr, conseguir; obtener (*a.* ⚗); *e-n Preis*: ser galardonado *od.* premiado con; (*gewinnen*) ganar; *Gehalt*: cobrar, percibir; *Brauch*: perdurar; *Frieden*: mantener; (*unterstützen*) sostener; (*ernähren*) sustentar; alimentar; *j-n am Leben* ~ salvar la vida a alg.; *sich* ~ conservarse; sostenerse; sustentarse; mantenerse; *sich* ~ *von* vivir de, sostenerse con; *sich gesund* ~ conservar la salud, conservarse sano; ✝ *e-n besseren Preis* ~ conseguir un precio más ventajoso; **II.** *p/p.*: *gut* ~ bien conservado (*a. von älteren Personen*); en buen estado, en buenas condiciones; *schlecht* ~ (*beschädigt*) deteriorado; en mal estado, en malas condiciones; ~ *bleiben* conservarse; permanecer invariable; continuar, seguir; *noch* ~ *sein* perdurar; sobrevivir; ✝ *dankend* ~ recibí; *zu* ~ → *erhältlich*.

Er'halter(in *f*) *m* *Ernährer*: sostén *m* de la familia.

er'hältlich *adj.* obtenible; *nicht* (*schwer*) ~ imposible (difícil) de obtener; ✝ ~ *bei od. in dat.* de venta en; *Auskünfte sind* ~ *bei* informarán (*od.* darán razón) en.

Er'haltung *f* (*0*) conservación *f* (*a. der Energie*, *von Bauten usw.*); mantenimiento *m* (*a. des Friedens*); entretenimiento *m* (*a. von Maschinen*); sostenimiento *m* (*a. der Familie*); *Ernährung*: manutención *f*, sustento *m*; *Stütze*: sostén *m* (*der Familie*).

er'handeln (*-le*; -) *v/t.* (*kaufen*) comprar, adquirir; (*feilschen*) regatear.

er'hängen (-) *v/t.*: *sich* ~ colgarse (*an dat.* de), ahorcarse.

er'härt|en (*-e-*; -) *v/t.* endurecer; *fig.* corroborar, confirmar; *eidlich* ~ afirmar bajo juramento, jurar; 2**ung** *f fig.* corroboración *f*, confirmación *f*.

er'haschen (-) *v/t.* atrapar; F *fig.* pescar, cazar al vuelo, captar.

er'heben (*L*; -) *v/t.* (*aufheben*) levantar; (*emporheben*) alzar; *fig.* (*erhöhen*) elevar; (*preisen*) alabar, ensalzar, exaltar; (*ermitteln*) investigar; inquirir, indagar; ⅍ elevar a una potencia; *Steuern*: (*auferlegen*) imponer, (*eintreiben*) recaudar, cobrar; *Einwände*: objetar, hacer objeciones *f/pl.* (gegen a); *Anspruch* ~ *auf ac.* reclamar a/c.; *e-e Forderung* ~ formular (*od.* hacer) una reclamación; *e-e Frage* ~ formular (*od.* hacer) una pregunta; plantear una cuestión; *ein Geschrei* ~ ponerse a gritar; F armar(se) una gritería; ⚖ *Klage* ~ presentar una demanda (*gegen* contra); *Protest* ~ formular una protesta; *auf den Thron* (*in den Adelsstand*) ~ elevar al trono (ennoblecer); *s-e Hand* ~ *gegen* alzar la mano contra; *s-e Stimme* ~ levantar la voz; ⅍ *ins Quadrat* ~ elevar al cuadrado; *sich* ~ (*aufstehen*) levantarse, ponerse en pie; *Frage*, *Problem*: plantearse; *Streit*: suscitarse; *Sturm*, *Wind*: levantarse; *Schwierigkeiten*: surgir; *Vogel*: alzar el vuelo; *sich* ~ *gegen* alzarse (en armas), rebelarse, sublevarse contra; *sich* ~ *über* elevarse sobre; *fig.* *sich über j-n* ~ considerarse superior a alg.; ~**d** *adj.* *fig.* sublime; (*erbauend*) *Theo.* edificante; (*feierlich*) solemne; (*rührend*) conmovedor, impresionante.

er'heblich I. *adj.* considerable; *Verluste*, *Schaden*: *a.* serio, grave; *Menge*: cuantioso; (*wichtig*) importante; ⚖ pertinente; **II.** *adv.* considerablemente; ~ *besser* mucho mejor; 2**keit** *f* (*0*) importancia *f*; cuantía *f*; gravedad *f*; ⚖ pertinencia.

Er'hebung *f* (*Boden*2) elevación *f*, eminencia *f*, altura *f*; *fig.* elevación *f*; (*Erbauung*) *Theo.* edificación *f*; (*Lob*) alabanza *f*, enaltecimiento *m*; (*Beförderung*) ascenso *m*, promoción *f*; *von Steuern*: recaudación *f*, cobro *m*; ⅍ elevación *f* a potencias, potenciación *f*; (*Ermittlung*) investigación *f*; información *f*; recolección *f* de datos; (*Rundfrage*) encuesta *f*; (*Aufstand*) sublevación *f*, rebelión *f*; revuelta *f*; *Pol.* revolución *f*; (*Meuterei*) amotinamiento *m*; ⅍ ~ *ins Quadrat* elevación al cuadrado; *seelische* ~ *Theo.* anagogía *f*; edificación espiritual; ~**en** *f/pl.*: ~ *an-*

stellen über recoger datos sobre; realizar investigaciones sobre; (*polizeilich*) hacer pesquisas *od.* indagaciones; (*Rundfrage*) hacer una encuesta sobre.

er'heischen (-) *v/t.* requerir, reclamar, hacer necesario.

er'heiter|n (-*re*; -) *v/t.* alegrar; (*ergötzen*) divertir; regocijar; *sich* ~ alegrarse (*a. Gesicht*); divertirse; regocijarse; *Himmel*: serenarse, despejarse; **~nd** *adj.* hilarante; gracioso, divertido; cómico; **2ung** *f* diversión *f*; (*Heiterkeit*) hilaridad *f*.

er'hell|en (-) **1.** *v/t.* alumbrar, iluminar; *Farben*: avivar; *fig.* aclarar, esclarecer, poner en claro; **2.** *v/i.*: *daraus erhellt* de ahí resulta (se infiere *od.* se deduce); **2ung** *f* iluminación *f*; esclarecimiento *m*.

er'hitz|en (-*t*; -) *v/t.* calentar, *stärker*: caldear; (*pasteurisieren*) pasteurizar; *fig. Leidenschaften*: excitar; avivar; *Phantasie*: inflamar, excitar (*a. Gemüt*); (*erzürnen*) irritar; *sich* ~ calentarse; *fig. Gemüt*: excitarse; caldearse; *Gespräch*: acalorarse; *Gefühle*: enardecerse; (*zornig werden*) irritarse; *die Gemüter erhitzen sich* los ánimos se excitan; **2er** *m* calentador *m*; **~t** *adj.* calentado; caldeado; *Person*: excitado; *fig. Debatte, Gespräch*: acalorado; (*zornig*) irritado; **2ung** *f* (*0*) calentamiento *m*; caldeo *m*; (*Heizung*) calefacción *f*; *fig.* acaloramiento *m*.

er'hoffen (-) *v/t.* aguardar a/c.

er'höh|en (-) *v/t.* levantar, alzar; elevar; *fig.* (*steigern*) *allg.* aumentar; acrecentar; (*verstärken*) intensificar; *im Rang*: promover, ascender (zu a); *Würde, Verdienst, Wirkung*: realzar; *Gehalt, Gewinn, Preis, Appetit*: aumentar; *sich* ~ aumentarse; *sich um 5%* ~ aumentar(se) en un cinco por ciento; **~t** *p/p. erhöhte Temperatur* ⚕ fiebre ligera; *in erhöhtem Maße* en mayor medida, en mayores proporciones.

Er'höhung *f* elevación *f*; (*Anhöhe*) eminencia *f*, altura *f*, elevación *f* del terreno; (*Hügel*) colina *f*; loma *f*; *fig.* (*Steigerung*) aumento *m*; (*Verstärkung*) intensificación *f*; (*der Löhne, der Preise*) aumento *m*, subida *f*; (*Verbesserung*) mejoramiento *m*; **~swinkel** *m* ángulo *m* de elevación; **~szeichen** ♪ *n* sostenido *m*.

er'hol|en (-) *v/refl.* (*ausruhen*) descansar, reposar; recrearse; *nach der Arbeit*: recobrar fuerzas *f/pl.*; ✝ *Preise, Kurse, Markt*: recuperarse; *Geschäfte*: mejorar; (*schadlos halten*) reembolsarse (gastos hechos); *von Verlusten*: resarcirse de; *von e-m Schreck*: serenarse; reponerse, rehacerse de; *von e-r Ohnmacht*: volver en sí; ⚕ *Kranker*: aliviarse; reponerse, restablecerse; (*genesen*) convalecer; **~sam** *adj.* reposado, tranquilo, sosegado; reparador.

Er'holung *f* (*Ruhe*) reposo *m*, descanso *m*; recreo *m*; ⚕ restablecimiento *m*, recuperación *f* de la salud; (*Genesung*) convalecencia *f*; *des Marktes*: ✝ recuperación *f* del mercado; (*Ferien*) vacaciones *f/pl.*; *zur* ~ *in X weilen* estar de vacaciones en X.

Er'holungs...: **2bedürftig** *adj.* necesitado de reposo; **~fähigkeit** *f* (*0*) capacidad *f* de recuperación; **~heim** *n* (-*es*; -*e*) hogar *m* de reposo; sanatorio *m*; **~kur** *f* cura *f* de reposo; **~ort** *m* (-*es*; -*e*) lugar *m* de vacaciones *bzw.* de reposo *od.* ⚕ para restablecimiento sanatorial; *Sommerfrische*: lugar *m* de veraneo; **~pause** *f* pausa *f* (*para restablecerse*); F respiro *m*; descanso *m*; (*in der Schule*) recreo *m*; **~reise** *f* viaje *m* de recreo.

er'hör|en (-) *v/t.* oír, escuchar; *Bitte, Gebet*: atender; **2ung** *f* accesión *f* (*a un ruego*); ~ *finden* ser escuchado *od.* atendido benévolamente.

'Erika ⚘ *f* (*0*) brezo *m*.

er'innern (-*re*; -) *v/t.*: *j-n an et.* ~ (*ac.*) recordar a/c. a alg.; traer a la memoria a/c. a alg.; *hinweisend*: atraer la atención de alg. hacia a/c.; (*anspielen*) aludir (*od.* hacer alusión) a; (*erwähnen*) mencionar; *j-n daran* ~, *daß* recordar a alg. que; *das erinnert mich an e-e Geschichte* esto me recuerda cierta historia; *sich* ~ (*gen. od. an ac.*) acordarse de, recordar (*ac.*); *wenn ich mich recht erinnere* si mal no recuerdo, si no estoy trascordado; *soviel ich mich* ~ *kann* que yo recuerde, según puedo recordar; *es erinnert stark an Goethe* esto recuerda mucho a Goethe.

Er'innerung *f* recuerdo *m*; remembranza *f*; reminiscencia *f*; evocación *f*; (*feierliche*) conmemoración *f*; (*Gedächtnis*) memoria *f*; (*Mahnung*) advertencia *f*, aviso *m*, recordatorio *m*; *j-m et. in* ~ *bringen* → *erinnern*; *die* ~ *wachrufen an* (*ac.*) rememorar, evocar, despertar el recuerdo de; *zur* ~ *an* (*ac.*) en recuerdo (*od.* en memoria *bzw.* en conmemoración) de; → *Gedächtnis*.

Er'innerungs...: **~medaille** *f* medalla *f* conmemorativa; **~tafel** *f* (-; -*n*) lápida *f* conmemorativa; **~vermögen** *n* (-*s*; *0*) memoria *f*; retentiva *f*.

er'jagen (-) *v/t. Jgdw.* cazar, dar caza a; *fig.* cazar, pescar, atrapar; conseguir laboriosamente a/c.

er'kalten (-*e*-; -; *sn*) *v/i.* enfriarse; *fig. Gefühle, Freundschaft usw.*: *a.* entibiarse.

er'kält|en (-*e*-; -) *v/t.* enfriar; *sich* ~ resfriarse; F pescar un resfriado; *er ist stark erkältet* tiene un fuerte resfriado; **2ung** *f* enfriamiento *m*; (*Schnupfen*) resfriado *m*, *Am.* resfrío *m*.

er'kämpfen (-) *v/t.* ganar *od.* conseguir luchando; *er mußte sich s-e Stellung hart* ~ tuvo que luchar duramente para conseguir su empleo.

er'kaufen (-) *v/t.* comprar; pagar; (*bestechen*) sobornar; *fig. et. teuer* ~ *müssen* tener que pagar muy caro (por) a/c.

er'kennbar *adj.* reconocible (*an dat.* por); (*wahrnehmbar*) perceptible; *Phil.* cognoscible; (*unterscheidbar*) distinguible, *Phil.* identificable.

er'kennen (*L*; -) *v/t.* reconocer (*an dat.*, *als* por); (*wahrnehmen*) percibir; (*unterscheiden*) discernir, distinguir; (*entdecken*) descubrir; ⚕ *Krankheit*: diagnosticar; (*geistig erfassen*) conocer; (*zugeben*) reconocer; (*sich vergegenwärtigen, einsehen*) ver, darse cuenta de; → *durchschauen*; *Bib.* (*Weib*) conocer a; ⚖ *j-n für schuldig (nicht schuldig)* ~ *Richter*: dictar fallo condenatorio (absolutorio); *Geschworene*: pronunciar veredicto de culpabilidad (inculpabilidad); ⚖ ~ *auf* (*ac.*) condenar a (*una pena*); ✝ *j-n* ~ *für* acreditar a alg. por (*una suma*); ~ *lassen* sugerir, dejar ver *bzw.* entrever; *zu* ~ *geben* exteriorizar, exponer, expresar; indicar; significar; dar a entender; *sich zu* ~ *geben* darse a conocer; *fig.* descubrirse, quitarse la máscara.

er'kenntlich *adj.* (*wahrnehmbar*) perceptible; (*dankbar*) agradecido, reconocido; *sich j-m* ~ *zeigen für* mostrarse agradecido a alg. por; **2keit** *f* agradecimiento *m*, reconocimiento *m*; gratitud *f*.

Er'kenntnis **1.** *f* (-; -*se*) conocimiento *m*; (*Wahrnehmung*) percepción *f*; (*Verständnis*) entendimiento *m*, comprensión *f*; (*Unterscheidung*) discernimiento *m*; *Phil.* cognición *f*; *zur* ~ *kommen* (*gen.*) reconocer su error; darse cuenta de la realidad; **2.** ⚖ *n* (-*ses*; -*se*) fallo *m*, sentencia *f*; *der Geschworenen*: veredicto *m*; ~ *auf Todesstrafe* imposición de la pena de muerte, condenar a muerte; **~theorie** *f* (*0*) teoría *f* del conocimiento; **~vermögen** *n* (-*s*; *0*) facultad *f* cognoscitiva; entendimiento *m*, intelecto *m*, inteligencia *f*.

Er'kennung *f* reconocimiento *m*; identificación *f*; **~sdienst** *m* (-*es*; *0*) servicio *m* de identificación; **~smarke** ⚔ *f* chapa *f* de identificación; **~swort** *n* (-*es*; -*e*) santo *m* y seña, contraseña *f*; **~szeichen** *n* signo *m* distintivo; marca *f*, señal *f*; contraseña *f*; ⚕ síntoma *m*; (*Abzeichen*) distintivo *m*; insignia *f*.

'Erker *m* mirador *m*; balcón *m* salidizo; **~fenster** *n* ventana *f* de mirador; **~zimmer** *n* aposento *m* salidizo.

er'kiesen (*L*; -) *v/t. Poes.* elegir, escoger.

er'klär|bar *adj.* explicable; **~en** *v/t.* (*erläutern*) explicar; (*deuten*) interpretar; (*definieren*) definir; (*veranschaulichen*) ilustrar; (*dartun*) demostrar; poner en claro, aclarar, dilucidar; (*aussprechen, kundtun*) manifestar, declarar, ⚖ *a.* deponer; (*kommentieren*) comentar; glosar; ~ *für od. als* dar por, declarar; calificar de; *für null und nichtig* ~ declarar nulo; *den Krieg* ~ declarar la guerra; *sich* ~ (*Sache*) explicarse por, ser debido a; *so erklärt sich* así se explica; *Person*: (*sich aussprechen*) declararse (*a. e-e Liebeserklärung*), explicarse; *sich* ~ *für* (*gegen*) declararse a favor (en contra) de; *sich einverstanden* ~ *mit* declararse conforme con; *ich kann es mir nicht* ~ no puedo explicármelo, no lo comprendo; *erklärter Gegner* enemigo declarado; **~end** *adj.* explicativo; ilustrativo; aclaratorio; *bsd.* ⚖ declaratorio; **~lich** *adj.* → erklärbar; (*verständlich*) comprensible; (*offensichtlich*) evidente, obvio, fácil de comprender; *aus ~en Gründen* por razones muy comprensibles; *das ist leicht ~* eso es fácil de explicar; *es ist mir nicht ~, wie* no me explico cómo; **2ung** *f* (*Erläuterung*) explicación *f*; (*Deutung*) interpretación *f*, *der Heiligen Schrift*: exégesis *f*; (*Begriffsbestimmung*) definición *f*; (*Grund*) razón *f*; motivo *m*; (*Kommentar*) comentario *m*; glosa *f*; (*Veranschaulichung*) ilustración *f*; (*Aussage, Feststellung*) manifestación *f*, declaración *f*; ⚖ deposición *f*, declaración *f*; → *eidesstattlich*; *von j-m e-e ~ fordern* pedir explicaciones a alg.; *e-e ~ abgeben* hacer una declaración (*a. Pol.*); *zur ~ dieser Maßnahme* como explicación a esta medida; *das wäre e-e ~ für s-e Handlungsweise* eso explicaría su modo de proceder.

er'klecklich *adj.* considerable, cuantioso; bastante grande; de monta.

er'klettern (*-re*; -), **er'klimmen** (*L*; -) *v/t.* *Bäume*: trepar a, encaramarse en; *Steilwand*: escalar (*a. fig.*); *Berg*: *a.* subir a, ascender a.

er'klingen (*L*; -; *sn*) *v/i.* sonar, *stärker*: resonar; *~ lassen* (*Lied*) entonar; (*Gläser*) chocar; (*Glocken*) sonar; repicar.

er'kor *pret. von* erkiesen.

er'koren *adj.* elegido; selecto; escogido.

er'krank|en (-; *sn*) *v/i.* enfermar (*an dat.* de), caer enfermo; contraer una enfermedad; **2ung** *f* enfermedad *f*, dolencia *f*; *e-s Organs*: afección *f*; *im ~sfalle* en caso de enfermedad.

er'kühnen (-) *v/refl.*: *sich ~ zu* atreverse a; osar (*inf.*); tener la osadía *od.* el atrevimiento de (*inf.*).

er'kunden (*-e-*; -) *v/t.* explorar; ⚔ reconocer.

er'kundig|en (-) *v/refl.*: *sich ~* informarse (*nach, über ac.* de, sobre); adquirir informes sobre; preguntar por; *sich bei j-m über et. ~* preguntar a/c. a alg.; pedir a alg. informes sobre a/c.; **2ung** *f* información *f*; informe *m*; *~en einziehen* tomar informes.

Er'kundung ⚔ *f* reconocimiento *m*; → *Aufklärung*.

er'künsteln (*-le*; -) *v/t.* afectar, fingir, simular.

er'lahmen (-; *sn*) *v/i.* paralizarse; ⚕ *a.* quedar paralítico, baldarse, tullirse; *fig.* ir debilitándose; *Kräfte*: desfallecer, flaquear; *Interesse*: decaer.

er'lang|en (-) *v/t.* (*erreichen*) alcanzar; (*sich verschaffen*) obtener; conseguir, lograr; (*erwerben*) adquirir; (*gewinnen*) ganar; *wieder ~* recobrar, recuperar; **2ung** *f* obtención *f*; consecución *f*, logro *m*; adquisición *f*; recobro *m*.

Er'laß *m* (*-sses*; *-sse*) (*Befreiung*) exención *f*, dispensación *f*; *e-r Schuld, Strafe*: remisión *f*; ⚖ (*Begnadigung*) indulto *m*; *e-r Sünde*: perdón *m*, absolución *f*; (*Verordnung*) decreto *m*; orden *f*; edicto *m*; *Ministerial2* Orden Ministerial; *e-s Gesetzes*: promulgación *f*; † → *Nachlaß*.

er'lassen (*L*; -) *v/t.* *Schuld*: perdonar; *Geldschuld*: condonar; *Strafe*: remitir; ⚖ (*begnadigen*) indultar; *Sünde*: perdonar, absolver; *Befehl*: dar; (*Verordnung*) dictar, *veröffentlichen*: publicar; *Gesetz*: promulgar; *Verpflichtung*: eximir, dispensar (*j-m et.* a alg. de a/c.).

er'läßlich *adj.* remisible; dispensable; perdonable; *Sünde*: venial; (*entbehrlich*) prescindible.

er'lauben (-) *v/t.* permitir; (*dulden*) consentir, tolerar, sufrir; (*behördlich bzw. seitens e-s Vorgesetzten*) autorizar; *j-m et. ~* permitir a alg. (hacer) a/c.; dar *od.* conceder permiso (*bzw.* autorización) a alg. para hacer a/c.; *sich ~, zu* (*inf.*) permitirse (*inf.*), tomarse la libertad de (*inf.*); → *erdreisten*; *sich et. ~* (*gönnen*) permitirse a/c.; *sich Frechheiten ~* tomarse libertades, propasarse; *wenn Sie ~* con su permiso; *~ Sie!* permítame usted; *was ~ Sie sich?* ¿cómo se atreve usted?; *ich kann mir das ~* puedo (*od.* estoy en condiciones de) permitirme esto.

Er'laubnis *f* (*0*) permiso *m*; *behördlich*: licencia *f*; (*Ermächtigung*) autorización *f*; (*Zustimmung*) venia *f*; consentimiento *m*; *um ~ bitten* pedir permiso (*j-n* a alg.; *für* para); solicitar licencia; pedir autorización; *~ erteilen* dar (conceder) permiso *bzw.* licencia; autorizar; **~schein** *m* (*-es*; *-e*) permiso *m*; licencia *f*; patente *f*.

er'laubt *adj.* permitido, autorizado; (*zulässig*) lícito; admisible.

er'laucht *adj.* ilustre; esclarecido, preclaro; insigne, egregio; sublime; *Titel*: Excelentísimo.

er'lauschen (-) *v/t.* escuchar decir a/c. a otro; escuchar disimuladamente (*una conversación*).

er'läuter|n (*-re*; -) *v/t.* explicar; aclarar, dilucidar; (*kommentieren*) comentar; *durch Beispiele*: ejemplificar, ilustrar con ejemplos *m/pl.*; **~nd** *adj.* explicativo; aclaratorio; ilustrativo; **2ung** *f* explicación *f*; aclaración *f*, dilucidación *f*; ilustración *f*; comentario *m*; (*Anmerkung*) nota *f*; apostilla *f*.

'Erle ♀ *f* aliso *m*; (*Schwarz2*) álamo *m* negro.

er'leb|en (-) *v/t.* vivir (lo bastante) para ver a/c.; (llegar a) ver a/c.; (*erfahren*) experimentar; pasar por; *Schlimmes*: sufrir, padecer, pasar; (*Zeuge sein von*) ver, presenciar, ser testigo *m/f* de; *glückliche Tage ~* gozar días venturosos; *Enttäuschungen ~* sufrir desengaños; *ich habe es oft erlebt* con frecuencia he visto suceder estas cosas; *das wirst du nicht mehr ~* no llegarás a verlo; *hat man schon so etwas erlebt?* ¿habráse visto cosa igual?; *er will et. ~* quiere recibir impresiones; quiere divertirse; F *nun, er soll et. ~* ¡va a ver lo que le aguarda!; **2nis** *n* (*-ses*; *-se*) experiencia *f*; *Psych.* sensación *f*; emoción *f*; *Phil.* vivencia *f*; (*Ereignis*) acontecimiento *m*; suceso *m*; episodio *m*; (*Zwischenfall*) incidente *m*; (*Abenteuer*) aventura *f*; *es war (ihm) ein ganz großes ~* fue un gran acontecimiento (para él).

er'ledig|en (-) *v/t.* (*beenden*) terminar, acabar; (*durchführen*) efectuar, llevar a cabo, ejecutar; (*aus der Welt schaffen*) liquidar; (*in Ordnung bringen*) arreglar; (*amtlich*) gestionar; (*auf dem Dienstweg*) tramitar; (*Auftrag*) cumplir; (*Angelegenheit, Korrespondenz*) despachar; (*Frage, Streitfall*) resolver; (*Zweifel*) aclarar; (*Geschäft*) ultimar, despachar; *j-n ~* matar (F liquidar, P cargarse) a alg.; *damit erledigen sich die übrigen Punkte* con esto quedan resueltas las demás cuestiones; **~t** *adj.* terminado; (*in Ordnung*) arreglado; *Amt, Stelle*: vacante; (*Geschäft, Korrespondenz*) despachado; *Aktenvermerk*: archívese; *es ist ~* ya está arreglado *bzw.* despachado; ya está (hecho); *fig.* (*erschöpft*) F molido, hecho polvo (*od.* cisco); *er ist ~* (*ruiniert usw.*) está arruinado; ha perdido su empleo, *bzw.* su reputación *od.* el aprecio de que gozaba; ya no cuenta para nada; **2ung** *f* terminación *f*; conclusión *f*; ejecución *f*; liquidación *f*; arreglo *m*; gestión *f*; tramitación *f*; cumplimiento *m*; despacho *m*; solución *f*; ultimación *f*.

er'legen (-) *v/t.* *Wild*: matar; (*zahlen*) pagar, satisfacer, † *a.* desembolsar; (*hinterlegen*) depositar.

er'leichter|n (*-re*; -) *v/t.* *e-e Aufgabe*: facilitar; *e-e Bürde*: aligerar; *Not, Schmerz*: aliviar, mitigar; *das Gewissen*: descargar; *das Herz*: desahogar; *Zahlung*: † dar facilidades *f/pl.* de pago; *sich ~* (*Notdurft verrichten*) hacer una necesidad, exonerar el vientre; *sich das Herz ~* desahogar sus penas; *er erleichterte mich um m-e Geldbörse* me hurtó (F me timó) el portamonedas; *erleichtert aufatmen* respirar con alivio, dar un suspiro de satisfacción; **2ung** *f* facilitación *f*; aligeramiento *m*; alivio *m*; descargo *m*; desahogo *m*; facilidad *f*; *~en f/pl.* (*bsd.* †) facilidades *f/pl.*

er'leiden (*L*; -) *v/t.* (*erdulden*) soportar, aguantar; *Niederlage, Verlust, Schaden*: sufrir; ⚕ *Krankheit*: padecer; *den Tod*: morir; *Veränderungen*: experimentar.

er'lern|bar *adj.*: *leicht* (*schwer*) *~* fácil (difícil) de aprender; **~en** (-) *v/t.* aprender; **2ung** *f* (*0*) estudio *m*.

er'lesen *adj.* escogido; selecto; exquisito; de excelente calidad.

er'leucht|en (*-e-*; -) *v/t.* alumbrar; iluminar (*a. fig., bsd. Theo.*); *fig.* ilustrar, esclarecer; inspirar; **2ung** *f* iluminación *f*; *fig.* ilustración *f*, esclarecimiento *m*; *bsd. Theo.* revelación *f*; (*Einfall*) inspiración *f*.

er'liegen (*L*; -; *sn*) *v/i.*: *e-r Versuchung usw.* sucumbir (*dat. bzw. an dat.* a); ceder a, rendirse a; (*zum Opfer fallen*) ser víctima de; *unter e-r Last ~* caer abrumado bajo el peso de una carga; ⚒, *Grube*:

zum ♀ *kommen* agotarse; e-r *Krankheit* ~ morir de una enfermedad.
er'listen (*-e-*; -) *v/t.* lograr con astucia a/c.
'Erlkönig *Myt. m* (*-es; 0*) rey *m* de los elfos.
er'logen *adj.* → *erlügen.*
Er'lös *m* (*-es; -e*) producto *m*; (*Reingewinn*) beneficio *m* neto.
er'losch *pret. von erlöschen.*
er'löschen (*L; -; sn*) *v/i.* apagarse; extinguirse; *Schrift*: borrarse; *Farbe*: amortiguarse; (*erbleichen*) palidecer; *fig.* apagarse; extinguirse; dejar de existir; *Leben, Leidenschaft*: extinguirse; *Frist, Vertrag*: caducar, expirar; *Ansprüche*: prescribir.
Er'löschen *n* extinción *f*; caducidad *f*, expiración *f*; prescripción *f*.
er'loschen[1] *p/p. von erlöschen.*
erloschen[2] *adj.* extinguido; caducado; (*erblindet*) ciego.
er'lös|en (*-t; -*) *v/t.* salvar; *Rel. a.* redimir; (*befreien*) libertar; *fig.* librar de; (*loskaufen*) rescatar, redimir; *das erlösende Wort sprechen fig.* romper el hielo; ♀**er** *Rel. m* Redentor *m*, Salvador *m*; *Pol.* libertador *m*; ♀**ung** *f* salvación *f*; *Rel. a.* redención *f*; (*Befreiung*) liberación *f*; (*Loskauf*) rescate *m*, redención *f*; (*Erleichterung*) alivio *m*.
er'lügen (*L; -*) *v/t.* mentir, inventar; *erlogen adj.* falso, inventado; ficticio; *das ist* ~ eso es (una) mentira; es una patraña.
er'mächtig|en (-) *v/t.* autorizar; dar poder *m*, *bsd.* ⚕ apoderar *ac.*; *ermächtigt sein zu inf.* estar autorizado (*bzw.* tener poder) para *inf.*; ♀**ung** *f* autorización *f*; poder *m*.
er'mahn|en (-) *v/t.* exhortar; amonestar; (*warnen*) prevenir, advertir; apercibir; ~**end** *adj.* exhortador; amonestador; ♀**ung** *f* exhortación *f*; amonestación *f*; (*Warnung*) advertencia *f*; apercibimiento *m*; (*guter Rat*) consejo *m* amistoso.
er'mangel|n (*-le; -*) *v/i.* (*gen.*) carecer de, tener necesidad *f od.* falta *f* de; echar de menos a/c.; *es an nichts* ~ *lassen* no ahorrar esfuerzos *od.* sacrificios; *er ermangelte jeglichen Feingefühls* reveló una absoluta falta de tacto; ♀**ung** *f* (*0*) falta *f*, carencia *f*; *in* ~ (*gen.*) a falta de, en defecto de; por no tener (*ac.*), por no disponer de, careciendo de; *in* ~ *e-s Besseren* a falta de mejor cosa.
er'mannen (-) *v/refl.*: *sich* ~ recobrar el valor (*od.* el dominio de sí mismo); sacar fuerzas de flaqueza, F hacer de tripas corazón; portarse como un hombre.
er'mäßig|en [-ɛː-] (-) *v/t.* moderar; disminuir, rebajar; *Preise*: *a.* reducir (*auf ac.* en); *zu ermäßigten Preisen* a precios reducidos; ♀**ung** *f* reducción *f* de precio, rebaja *f*.
er'matt|en (*-e-; -*) **1.** *v/t.* cansar; fatigar; **2.** *v/i.* cansarse; fatigarse, *stärker*: agotarse; (*nachlassen*) desfallecer, flaquear, debilitarse; *Interesse usw.*: decaer; ~**et** *adj.* cansado; fatigado; agotado; desfallecido; ♀**ung** *f* (*0*) cansancio *m*; fatiga *f*; agotamiento *m* (mental *bzw.* físico); lasitud *f*; desfallecimiento *m*; ♀**ungsstrategie** ⚔ *f* (*0*) estrategia *f* de desgaste.
er'messen (*L; -*) *v/t.* medir; (*abschätzen*) estimar, apreciar; (*berechnen*) calcular; (*beurteilen*) juzgar; (*erwägen*) considerar; (*prüfen*) examinar; (*begreifen*) comprender; darse cuenta; (*folgern*) inferir, deducir, concluir (*aus* de).
Er'messen *n* juicio *m*; opinión *f*; parecer *m*; criterio *m*; *nach freiem* ~ a su albedrío (*od.* arbitrio); a discreción; *nach m-m* ~ en mi opinión, a mi parecer, a mi juicio; *nach menschlichem* ~ en lo que humanamente cabe apreciar *bzw.* prever; *ich stelle es in Ihr* ~ lo dejo a su discreción (*od.* a su buen criterio); *nach bestem* ~ según su mejor criterio.
er'mitteln (*-le; -*) *v/t.* averiguar; (*bsd. polizeilich*) indagar; (*entdecken*) descubrir, hallar; (*feststellen*) determinar; establecer; comprobar; *Ort, Aufenthalt*: localizar; *j-s Identität* ~ identificar a alg.
Er'mitt(e)lung *f* averiguación *f*; descubrimiento *m*; (*Feststellung*) determinación *f*; establecimiento *m*; comprobación *f*; (*Untersuchung*) investigación *f*; (*polizeiliche*) pesquisa *f*, indagación *f*; ~*en anstellen über* hacer una investigación sobre; (*durch Rundfrage*) realizar una encuesta sobre; (*polizeilich*) hacer pesquisas sobre; ~**s-ausschuß** *m* (*-sses; ⸚sse*) comisión *f* investigadora; ~**sverfahren** ⚖ *n* sumario *m*.
er'möglichen (-) *v/t.* facilitar, posibilitar, hacer posible *od.* factible a/c.; *j-m et.* ~ facilitar (*od.* hacer posible) a/c. a alg.; (*gestatten*) permitir.
er'mord|en (*-e-; -*) *v/t.* asesinar; ♀**ung** *f* asesinato *m*.
er'müden (*-e-; -*) *v/t. u. v/i.* → *ermatten*; ~**d** *adj.* fatigoso; *fig.* fastidioso, molesto.
Er'müdung *f* cansancio *m*; fatiga *f* (*a.* ⊕); (*äußerste*) agotamiento *m*; (*Mattigkeit*) lasitud *f*; ~**s-erscheinung** *f* síntoma *m* de fatiga; ~**s-festigkeit** *f* (*0*) *Met.* resistencia *f* a la fatiga; ~**sgrenze** *f* ⊕ límite *m* de fatiga.
er'munter|n (*-re; -*) *v/t.* despertar; *fig. j-n*: animar, avivar; (*anregen*) estimular, excitar, alentar (*zu et.* a hacer a/c.); (*aufheitern*) alegrar; (*beleben*) animar; (*ermahnen*) exhortar a hacer a/c.; *sich* ~ despertarse; animarse, cobrar ánimos; alegrarse; ♀**ung** *f* animación *f*; estimulación *f*, excitación *f*; aliento *m*; exhortación *f*; (*Anreiz*) estímulo *m*; incentivo *m*.
er'mutig|en (-) *v/t.* animar, alentar (*j-n zu et.* a alg. a hacer a/c); ~**end** *adj.* alentador; estimulante; ♀**ung** *f* aliento *m*; estímulo *m*.
er'nähr|en (-) *v/t.* alimentar, nutrir; (*erhalten*) sustentar, mantener; *sich* ~ *von* alimentarse de; vivir de (*a. fig.*); *schlecht ernährt* mal alimentado, ⚕ desnutrido; ♀**er**(**in** *f*) *m e-r Familie*: sostén *m* de la familia.
Er'nährung *f* alimentación *f*, (*bsd.* ⚕) nutrición *f*; (*Nahrung*) alimento *m*; (*Diät*) dieta *f*, régimen *m*; (*Unterhalt*) sustento *m*.
Er'nährungs...: ~**amt** *n* (*-es; ⸚er*) (*Span.*) Junta *f* Central de Abastos; ~**güter** *n/pl.* alimentos *m/pl.*; comestibles *m/pl.*, víveres *m/pl.*; ~**faktor** *m* (*-s; -en*) factor *m* nutritivo; ~**krankheit** *f* enfermedad *f* de la nutrición; ~**kunde** *f* (*0*) bromatología *f*, dietética *f*; ~**spezialist** *m* (*-en*) bromatólogo *m*, especialista *m* en enfermedades de la nutrición; ~**therapie** *f* (*0*) dietética *f*; ~**weise** *f* régimen *m* alimenticio; ~**wirtschaft** *f* (*0*) economía *f* de la alimentación; ~**zustand** *m* (*-es; ⸚e*) estado *m* de nutrición.
Er'nannte(r *m*) *m/f* nombrado (-a *f*) *m*.
er'nenn|en (*L; -*) *v/t.* nombrar; designar; *er wurde zum Vorsitzenden ernannt* fue nombrado (designado para el cargo de) presidente; ♀**ung** *f* nombramiento *m*; designación *f*; ♀**ungsurkunde** *f* credencial *f*; título *m*.
er'neuern (*-re; -*) *v/t.* renovar; (*Beschädigtes*) restablecer; ⊕ (*reparieren*) reparar; *Vertrag*: renovar; prorrogar; *Gemälde, Gebäude*: restaurar; *Kräfte*: recuperar; *Beziehungen*: reanudar; *Auto. Öl*: cambiar; (*wiederholen*) repetir, reiterar, renovar; (*neu beleben*) reavivar; *sich* ~ renovarse.
Er'neuerung *f* renovación *f*; restauración *f*; reanudación *f*; cambio *m*; repetición *f*; ~**sschein** ⚕ *m* (*-es; -e*) (*Wertpapiere*) talón *m* de renovación.
er'neut I. *adj.* renovado; (*wiederholt*) repetido, reiterado; **II.** *adv.* renovadamente; repetidamente, reiteradamente; de nuevo.
er'niedrig|en (-) *v/t.* (re)bajar; *fig.* (*entwürdigen*) degradar; envilecer; (*demütigen*) humillar, rebajar; ♪ (*e-n Halbton tiefer setzen*) bajar medio tono; ⚕ *Preise*: reducir, rebajar; *sich* ~ degradarse, envilecerse; (*sich demütigen*) humillarse, rebajarse; ~**end** *adj.* degradante, envilecedor; humillante; ♀**ung** *f* degradación *f*, envilecimiento *m*; humillación *f*, rebajamiento *m*; bajeza *f*; *Preise*: rebaja *f*, reducción *f*.
Ernst *m* (*-es; 0*) seriedad *f*; (*Wesen*) formalidad *f*; (*Bedrohlichkeit*) gravedad *f*, seriedad *f*; (*Strenge*) severidad *f*, rigor *m*; (*Würdigkeit*) gravedad *f*; solemnidad *f*; *im* ~ en serio, de veras; *allen* ~*es* seriamente, (muy) en serio; *in vollem* ~ con toda seriedad; ~ *machen mit* poner en práctica, comenzar en serio (*ac.*); *et. im* ~ *meinen* conceptuar como serio algo; tomar *bzw.* decir en serio a/c.; *es ist mein voller* ~ hablo (lo digo) muy en serio; *ist das Ihr* ~? ¿de veras?; ¿habla usted en serio?; *wollen Sie das im* ~ *behaupten?* ¿de veras afirma usted eso?, ¿lo dice en serio?
ernst (*-est*) *adj.* serio; (*bedrohlich*) grave, crítico; (*feierlich*) solemne; grave; formal; (*streng*) severo, riguroso; (*wichtig*) grave, importante; (*düster*) tétrico; *ein* ~*er Rivale* un serio rival; *et.* ~ *meinen* considerar como seria a/c. *bzw.*

tomar *od.* decir en serio a/c.; *es war ~ gemeint* fue dicho en serio; F no habló en broma; *et. ~ nehmen* tomar en serio a/c.; *die Sache wird ~* la cosa se pone seria; *jetzt wird's ~!* ahora va de veras; *es ist nichts ⁓es* no es nada grave.

'**Ernst...:** **~fall** *m* (*-es*; *⸚e*) emergencia *f* grave; *im ~* (*im Notfall*) en caso de necesidad *bzw.* de urgencia; en caso de peligro; ⚔ en caso de guerra; **⁓gemeint** *adj.* serio; **⁓haft** *adj.* serio, grave; formal; **⁓lich** *adj.* → *ernsthaft*; *adv.* seriamente, gravemente; formalmente; de veras; *~ krank* gravemente enfermo.

'**Ernte** *f* recolección *f*; (*Ertrag*) cosecha *f*; (*Mahd*) siega *f*; (*Wein⁓*) vendimia *f*; (*Zucker⁓*) zafra *f*; **~arbeit** *f* faenas *f/pl.* de la recolección; **~arbeiter** *m* segador *m*; bracero *m* del campo; *Am.* peón *m*; **~ausfall** *m* (*-es*; *⸚e*) malogro *m* de la cosecha; (*Verlust*) pérdida *f* de la cosecha; **~dankfest** *n* (*-es*; *-e*) acción *f* de gracias por la cosecha; **~fest** *f* (*-es*; *-e*) fiesta *f* de la cosecha; **~maschine** *f* máquina *f* segadora-agavilladora; cosechadora *f*, motocultor *m*.

'**ernten** (*-e-*) *v/t.* cosechar (*a. fig.*), recoger la cosecha; recolectar (*ac.*), hacer la recolección; (*mähen*) segar.

'**Ernte...:** **~schäden** *m/pl.* daños *m/pl.* sufridos por la cosecha; **~segen** *m* (*-s*; *0*) cosecha *f* abundante, cosecha *f* de bendición; **~vorhersage** *f* pronóstico *m* de la cosecha; **~zeit** *f* (*0*) tiempo *m* de la cosecha, período *m* de la recolección; tiempo *m* de la siega.

er'nüchter|n (*-re*; *-*) *v/t.* desembriagar; *fig.* desengañar, desilusionar, desencantar; **⁓ung** *f* desencanto *m*, desilusión *f*.

Er'ober|er *m* conquistador *m*; (*in der Liebe*) *fig. a.* tenorio *m*; **⁓n** *v/t.* conquistar (*a. fig.*); ⚔ *Land*: conquistar; *Stadt*: *a.* tomar; *im Sturm ~* tomar por asalto (*a. fig.*); **~ung** *f* conquista *f* (*a. fig.*); ⚔ *a.* toma *f*; **~ungskrieg** *m* (*-es*; *-e*) guerra *f* de conquista; **~ungszug** *m* (*-es*; *⸚e*) expedición *f* de conquista; (*Beutezug*) algara *f*; correría *f*, incursión *f*.

er'öff|nen (*-e-*; *-*) *v/t.* abrir (*a. Geschäft, Sitzung, Kredit, Konto, Aussichten*); (*feierlich*) inaugurar; *das Feuer (die Feindseligkeiten) ~* romper el fuego (las hostilidades); (*beginnen*) empezar, comenzar (*ac.*), dar comienzo a; (*mitteilen*) manifestar, declarar; comunicar, hacer saber, *förmlich*: notificar; (*vertraulich*) decir confidencialmente; *j-m et. ~* descubrir *od.* revelar a/c. a alg.; informar de a/c. a alg.; *sich ~ Möglichkeit*: presentarse, ofrecerse; *sich j-m ~* confiar a alg. su íntimo sentir; desahogarse con alg.; **⁓nung** *f* abertura *f*; apertura *f*; inauguración *f*; comienzo *m*; manifestación *f*, declaración *f*; comunicación *f*; notificación *f*; revelación *f*; confidencia *f*; *~ des Konkursverfahrens* ⚖ declaración *f* de quiebra.

Er'öffnungs...: **~ansprache** *f* discurso *m* inaugural; **~beschluß** ⚖ *m* (*-sses*; *⸚sse*) acuerdo *m* de apertura; **~bilanz** ✝ *f* balance *m* de apertura; **~feier** *f* (*-*; *-n*) acto *m* (*od.* ceremonia *f*) inaugural, inauguración *f*; **~kurs** ✝ *m* (*-es*; *-e*) cambio *m* (*od.* cotización *f*) de apertura; **~sitzung** *f* sesión *f* inaugural; *Parl.* sesión *f* de apertura.

er'örter|n (*-re*; *-*) *v/t.* discutir, debatir; controvertir; ventilar; **⁓ung** *f* discusión *f*, debate *m*; controversia *f*; *zur ~ stehen* estar sometido a discusión.

E'ro|tik *f* (*0*) erotismo *m*; **⁓tisch** *adj.* erótico; *~e Literatur* literatura erótica *od.* amatoria.

'**Erpel** *m* pato *m* (macho).

er'picht *adj.* obstinado en, encaprichado en; apasionado por; *stärker*: loco por; ávido de; ansioso de; *auf Geld usw.*: codicioso de, sediento de; *~ sein auf* (*ac.*) obstinarse en; encapricharse en; apasionarse por; estar loco por; estar ávido (*bzw.* ansioso *od.* sediento) de.

er'press|en (*-ßt*; *-*) *v/t.* obtener con amenaza (*de pública difamación od. daño*); extorsionar; **⁓er(in** *f*) *m* chantajista *m/f*; (*im Amt*) concusionario (-a *f*) *m*; **⁓ung** *f* chantaje *m*; extorsión *f*; (*im Amt*) concusión *f*; **⁓ungsversuch** *m* (*-es*; *-e*) tentativa *f* de chantaje *m*; intento *m* de extorsión.

er'prob|en (*-*) *v/t.* probar, ensayar; someter a prueba; experimentar; **~t** *adj.* probado; (*erfahren*) experimentado; experto; (*zuverlässig*) seguro; (*treu*) fiel, adicto, leal; **⁓ung** *f* prueba *f*, ensayo *m*.

er'quick|en (*-*) *v/t.* (*stärken*) confortar; restaurar; (*erfrischen*) refrescar; (*ergötzen*) recrear; deleitar; **~end**, **~lich** *adj.* confortador; refrescante; recreativo; agradable, delicioso; (*Schlaf*) reparador; **⁓ung** *f* confortación *f*; refrescamiento *m*; recreo *m*; recreación *f*; deleite *m*.

er'raten (*L*; *-*) *v/t.* adivinar; (*Rätsel*) resolver; (*Lösung*) acertar.

er'ratisch *Geol. adj.* errático.

er'rechnen (*-e-*; *-*) *v/t.* calcular.

er'reg|bar *adj.* excitable; irritable; (*zornig*) *a.* irascible; (*nervös*) nervioso; (*leicht zu beeindrucken*) impresionable; (*empfindlich*) sensible; susceptible; **⁓barkeit** *f* (*0*) excitabilidad *f*; irritabilidad *f*; impresionabilidad *f*; sensibilidad *f*; susceptibilidad *f*; **~en** (*-*) *v/t.* excitar; *Gemüt*: conmover, *stärker*: emocionar; (*reizen*) irritar; (*anstacheln*) estimular, incitar; (*erzürnen*) enojar, encolerizar, enfurecer; (*verursachen*) causar, provocar; ⚕ *u.* ⚒ producir; (*antreiben*) excitar (*ac.*); (*aufregen*) agitar; *Argwohn, Interesse*: despertar; *Leidenschaft*: excitar; *Streit*: promover, suscitar; *Appetit*: abrir, despertar; *Aufsehen, Bewunderung, Freude, Neid*: causar; *Zorn*: provocar; ⚡ excitar; *Gelächter ~* mover a risa, hacer reír; *sich ~* excitarse *usw.*; *zürnend*: enojarse; indignarse, irritarse, encolerizarse; *Gemüter*: acalorarse; **~end** *adj.* excitante; *rührend*: conmovedor; emocionante; ⚕ (*a. ~es Mittel*) excitante; estimulante; → *besorgnis~ usw.*; **⁓er** *m* ⚡ excitador *m*; ⚕ agente *m* patógeno; virus *m*; (*Keim*) germen *m*; **⁓erspannung** ⚡ *f* tensión *f* (*od.* voltaje *m*) de excitación; **⁓strom** ⚡ *m* (*-es*; *⸚e*) corriente *f* de excitación; **~t** *adj.* excitado; agitado; *Debatte usw.*: acalorado; *Zeit*: turbulento; **⁓ung** *f* excitación *f* (*a.* ⚡ *u.* ⚕); agitación *f*; acaloramiento *m*; *Zorn*: irritación *f*, ira *f*; *Gemütsbewegung*: emoción *f*; (*geschlechtliche*) apetito *m* sexual, libídine *f*; ⚖ *~ öffentlichen Ärgernisses* escándalo público.

er'reichbar *adj.* asequible, accesible; *fig. a.* realizable; alcanzable; *leicht ~* fácil de alcanzar, alcanzadizo; *allen ~* al alcance de (accesible a) todos; *nicht ~* inaccesible; inalcanzable, fuera de alcance; *zu Fuß leicht ~* se llega allá fácilmente a pie.

er'reich|en (*-*) *v/t.* alcanzar; *e-n Ort*: llegar a; *wo kann ich Sie telephonisch ~?* ¿a dónde puedo llamarle por teléfono?; (*einholen*) alcanzar; *fig.* conseguir, obtener; (*erlangen*) alcanzar, lograr; (*gleichkommen*) igualar (en); *ein hohes Alter ~* llegar a (alcanzar una) edad avanzada; *sein Ziel ~* alcanzar su objetivo; *s-n Zweck ~* lograr su propósito; *das Ufer ~* ganar la orilla; *alles, was dabei erreicht wurde, war* lo único que se consiguió con ello fue; *ich erreichte, daß* logré (*od.* conseguí) que; *nichts wurde erreicht* todo fue en vano, no se consiguió nada; **⁓ung** *f* (*0*) logro *m*; consecución *f*; obtención *f*.

er'rett|en (*-e-*; *-*) *v/t.* salvar (*von, aus* de); *Rel. a.* redimir; (*befreien*) libertar; **⁓er(in** *f*) *m* salvador(a *f*) *m*; libertador(a *f*) *m*; *Rel.* Salvador *m*, Redentor *m*; **⁓ung** *f* (*0*) salvación *f*; salvamento *m*; liberación *f*; *Rel.* salvación *f*, redención *f*.

er'richt|en (*-e-*; *-*) *v/t.* *Denkmal*: erigir; *Gebäude*: levantar, edificar, construir; *fig.* (*gründen*) fundar, crear, establecer; ⩘ *das Lot*: levantar; *Geschäft*: abrir, establecer; *Testament*: hacer; **⁓ung** *f* (*0*) erección *f*; edificación *f*, construcción *f*; fundación *f*, creación *f*; establecimiento *m*.

er'ringen (*L*; *-*) *v/t.* conseguir (*luchando*); *Erfolg*: obtener; *Preis, Ruhm*: *a.* ganar; *den Sieg ~* conseguir la victoria, triunfar; salir victorioso.

er'röten (*-e-*; *-*; *sn*) *v/i.* ruborizarse, F ponerse colorado; (*vor Scham*) sonrojarse, enrojecer de vergüenza *f*; *tief ~* abochornarse; **⁓** *n* rubor *m*; sonrojo *m*; *j-n zum ~ bringen* sacar a alg. los colores a la cara.

Er'rungenschaft *f* *Erwerbung*: adquisición *f*; *fig.* progreso *m*, adelanto *m*; *Großtat*: conquista *f*; **~sgemeinschaft** ⚖ *f* comunidad *f* de gananciales.

Er'satz *m* (*-es*; *0*) su(b)stitución *f*; (*Vergütung*) compensación *f*; (*Entschädigung*) indemnización *f*; (*Schaden⁓*) indemnización *f* por daños; (*Wiedergutmachung*) reparación *f*; (*Rückerstattung*) restitución *f*, reintegro *m*; (*Austauschstoff*) su(b)stitutivo *m*; sucedáneo *m*; ⚔ reserva *f*; (*Rekruten*) reclutas *m/pl.*;

Chir. (*Glied*) prótesis *f*; (*Gegenwert*) equivalente *m*; → *Ersetzung, ~mann, ~mittel, ~teil*; *als ~ für* en compensación *bzw.* su(b)stitución de; (*Belohnung*) en recompensa *od.* pago de; *~ leisten für* indemnizar *bzw.* compensar por; **~anspruch** *m* (-*es*; ⸚*e*) derecho *m* a indemnización; reclamación *f* por daños y perjuicios; **~bataillon** *n* (-*s*; -*e*) batallón *m* de reserva (*od.* de depósito); **~batterie** *f* pila *f* de recambio; **~einheit** ⚔ *f* unidad *f* de reserva (*od.* de depósito); **~erbe** ⚖ *m* (-*n*) heredero *m* subsidiario; **~fahrer** *m* conductor *m* su(b)stituto; **~heer** *n* (-*es*; -*e*) ejército *m* de reserva; **~kaffee** *m* (-*s*; *0*) sucedáneo *m* de café; **~kasse** *f* seguro *m* de enfermedad complementario *od.* adicional; **~leder** *n* cuero *m* imitado; **~leistung** *f* indemnización *f*, pago *m* de daños; **~mann** *m* (-*es*; ⸚*er od.* -*leute*) su(b)stituto *m*, suplente *m*; *Sport*: reserva *m*; **~mine** *f Füllbleistift, Kugelschreiber*: mina *f* de recambio; **~mittel** *n* sucedáneo *m*; substitutivo *m*; **~pflicht** *f* obligación *f* de indemnizar; **~rad** *Auto. n* (-*es*; ⸚*er*) rueda *f* de reserva (*od.* de repuesto); **~reifen** *m* neumático *m* de repuesto (*od.* de recambio); **~reserve** ⚔ *f* (*Span.*) segunda situación *f* de servicio activo; reserva *f*; **~spieler** *m Thea.* actor *m* suplente; *Stk.* sobresaliente *m* (de espada); reserva *m*; *Sport*: → *Ersatzmann*; **~teil** ⊕ *n* (-*es*; -*e*) pieza *f* de recambio (*od.* de repuesto); *Zubehör*: accesorio *m*; **~wahl** *f* elección *f* complementaria; **~wesen** ⚔ *n* (-*s*; *0*) comisión *f* de reclutamiento; **2weise** *adv.* en su(b)stitución de; **~zahn** *m* (-*es*; ⸚*e*) diente *m* postizo.

er'saufen (*L*; -; *sn*) F *v/i.* ahogarse; ⚒ (*Schacht*) inundarse.

er'säufen (-) *v/t.* ahogar; F beber para olvidar; ahogar sus penas en alcohol.

er'schaff|en (*L*; -) *v/t.* crear; (*erzeugen*) producir, hacer; **2er(in** *f*) *m* creador(a *f*) *m*; (*Gott*) Creador *m*, Sumo Hacedor *m*; **2ung** *f* (*0*) creación *f*.

er'schallen (-; *sn*) *v/i.* resonar; (*dumpf*) retumbar; *Glocken*: repicar.

er'schauern (-*re*; -; *sn*) *v/i.* estremecerse; *vor Angst, Kälte usw.*: temblar (*vor* de); sentir escalofríos.

er'scheinen (*L*; -; *sn*) *v/i. allg.* aparecer; (*sich offenbaren*) manifestarse; revelarse; (*Zeit*) llegar, venir; (*auftauchen*) surgir; emerger; (*sich zeigen*) presentarse, mostrarse; dejarse ver; hacer acto de presencia; (*bei e-m Fest usw.*) concurrir a; *vor Gericht ~* comparecer ante el tribunal; *nicht ~* no presentarse, faltar; F brillar por su ausencia; *am Fenster ~* asomarse a la ventana; *Buch*: publicarse; *soeben erschienen* acaba de publicarse; *~ lassen* publicar; *erscheint monatlich* (*Zeitschrift*) se publica mensualmente; (*den Anschein haben*) parecer; *es erscheint mir angebracht* me parece procedente; *es erscheint ratsam* parece aconsejable.

Er'scheinen *n* aparición *f*; *e-s Buches*: publicación *f*; *im ~ begriffen* (*Buch*) se publicará en breve; (*vor Gericht*) comparecencia *f*.

Er'scheinung *f* aparición *f*; (*Natur*2) fenómeno *m*; (*Geister*2) aparición *f*; espectro *m*, fantasma *m*; (*Traumbild*) visión *f*; (*Anzeichen*) signo *m*; (*Krankheits*2) síntoma *m*; (*Offenbarung*) manifestación *f*; revelación *f*; (*Auftreten*) presentación *f*; (*äußere ~*) apariencia *f*; (*Aussehen*) aspecto *m*; (*Person*) personaje *m*, personalidad *f*, figura *f*; (*Ankunft*) venida *f*, llegada *f*; advenimiento *m*; *in ~ treten* presentarse, manifestarse; *fig.* surgir, entrar en escena; (*fühlbar werden*) hacerse (*od.* dejarse) sentir.

Er'scheinungs...: ~bild ⚕ *n* (-*es*; -*er*) cuadro *m* sintomático; *Biol.* fenotipo *m*; **~fest** *Rel. n* (-*es*; -*e*) Epifanía *f*; **~form** *f* manifestación *f*; apariencia *f*; forma *f* (*bajo la que se exterioriza a/c.*); *Biol.* genotipo *m*; **~jahr** *n* (-*es*; -*e*) año *m* de publicación; **~welt** *f* (*0*) mundo *m* visible *od.* físico.

Er'schienene(r *m*) *m/f* ⚖ compareciente *m/f*.

er'schieß|en (*L*; -) *v/t.* matar de un tiro *od.* a tiros *m/pl.*; ⚔ (*hinrichten*) fusilar, pasar por las armas; *sich ~* matarse de un tiro, F pegarse un tiro, saltarse la tapa de los sesos; **2ung** ⚔ *f* (*Hinrichtung*) fusilamiento *m*; **2ungskommando** *n* (-*s*; -*s*) piquete *m* de ejecución.

er'schlaff|en (-) **1.** *v/i.* (*sn*) *Muskel*: relajarse; *Person*: debilitarse, extenuarse, perder las energías; *fig.* languidecer; enervarse, afeminarse; **2.** *v/t.* relajar; (*erschöpfen*) extenuar; debilitar; enervar; **2ung** *f* relajación *f*; debilitación *f*; postración *f*; enervación *f*; ⚕ atonía *f*, flaccidez *f*.

er'schlagen (*L*; -) **I.** *v/t.* matar a golpes *m/pl.*; **II.** *adj.* (*verblüfft*) atónito, estupefacto; (*erschöpft*) rendido, F molido, hecho polvo.

er'schleich|en (*L*; -) *v/t.* obtener subrepticiamente *od.* por astucia *f*; captar (*el afecto, la voluntad usw. de alg.*); *sich j-s Gunst ~* insinuarse en el ánimo de alg.; ganarse mañosamente la simpatía de alg.; **2ung** *f* captación *f*; ⚖ subrepción *f*.

er'schließ|en (*L*; -) *v/t.* abrir, hacer accesible; *Quelle*: alumbrar; (*nutzbar machen*) explotar, poner en explotación *f*; *Absatzgebiet usw.*: abrir; *Land*: colonizar, abrir a la explotación; *Baugelände*: urbanizar; (*unerforschtes*) explorar; (*folgern*) inferir, deducir; *Wort*: derivar; (*offenbaren*) descubrir, revelar; *sich j-m ~* abrir su pecho a alg., revelar a alg. su íntimo sentir; **2ung** *f e-s Landes*: puesta *f* en explotación *od.* cultivo.

er'schmeicheln (-*le*; -) *v/t.*: *et. von j-m ~* conseguir de alg. con halagos a/c.; *sich j-s Gunst ~* granjearse con lisonjas el favor *od.* la simpatía de alg.

er'schöpf|en (-) *v/t.* agotar; apurar; (*ermüden*) cansar; fatigar; *Vorräte, Bodenschätze, Kräfte, Geduld, Mittel*: agotar; *Thema*: *a.* tratar exhaustivamente; *sich ~* agotarse; **~end** *adj.* agotador; (*gründlich*) completo, exhaustivo; *adv.* a fondo, por extenso; exhaustivamente; **~t** *adj.* agotado, exhausto; (*ermüdet*) cansado; fatigado, F rendido; **2ung** *f* (*0*) agotamiento *m*; *Müdigkeit*: cansancio *m*, *stärker*: fatiga *f*; ⚕ extenuación *f*; agotamiento *m* (*geistige*: mental; *körperliche*: físico); *bis zur ~* hasta el agotamiento.

er'schrecken 1. (-) *v/t.* espantar, aterrar, horrorizar; (*einschüchtern*) atemorizar, intimidar; *plötzlich*: asustar, dar un susto a, sobresaltar; *j-n zu Tode ~* dar a alg. un susto mortal; **2.** (*L*; -; *sn*) *v/i. u. sich ~* espantarse, horrorizarse; asustarse (*über ac.* de), sobresaltarse, alarmarse; (*schaudern*) estremecerse, sobrecogerse; 2 *n* espanto *m*, horror *m*, terror *m*; (*Furcht*) miedo *m*; pavor *m*; (*plötzliches*) susto *m*; sobresalto *m*; **~d** *adj.* espantoso, terrible, horrible; alarmante; horripilante.

er'schrocken[1] *p/p. von* (*er*)*schrekken*.

er'schrocken[2] *adj.* espantado, aterrado, horrorizado; atemorizado; asustado, sobresaltado.

er'schütter|n (-*re*; -) *v/t.* sacudir; *fig.* estremecer, hacer temblar; *Gesundheit, Stellung, Entschluß*: quebrantar; *Vertrauen*: hacer perder; (*bestürzen*) trastornar, perturbar, alterar; (*rühren*) conmover, afectar, impresionar; emocionar; *das konnte ihn nicht ~* no le causó ninguna impresión, F se quedó tan fresco; **~nd** *adj.* estremecedor; (*ergreifend*) conmovedor, impresionante; emocionante; **2ung** *f* sacudida *f*, sacudimiento *m*; conmoción *f* (*a.* ⚕); ⊕ vibración *f*, trepidación *f*; *fig.* (*Rührung*) emoción *f*; (*Störung*) perturbación *f*, trastorno *m*; **~ungsfrei** ⊕ *adj.* exento de vibraciónes; **~ungssicher** ⊕ *adj.* resistente a vibraciones *bzw.* a golpes *od.* a sacudidas.

er'schwer|en (-) *v/t.* dificultar; complicar; hacer más difícil; (*hemmen*) impedir *ac.*; poner trabas *f/pl.* a, entorpecer, estorbar; (*verschlimmern*) agravar; **~end** *adj.* (*bsd.* ⚖) agravante; **2ung** *f* dificultad *f*; complicación *f*; agravación *f*; (*Hindernis*) impedimento *m*, obstáculo *m*.

er'schwindeln (-*le*; -) *v/t.* obtener fraudulentamente (*od.* con trampas); (*betrügerisch*) estafar, F timar.

er'schwing|en (*L*; -) *v/t.*: *et. ~ können* tener suficiente dinero para comprar *bzw.* permitirse a/c.; **~lich** *adj.* al alcance de los medios disponibles; *zu ~en Preisen* a precios razonables, F al alcance de todos los bolsillos.

er'sehen (*L*; -) *v/t.* echar de ver; notar; observar; (*entnehmen*) saber *od.* enterarse por; (*schließen*) colegir de, conjeturar por; juzgar por; inferir de; *daraus ist zu ~, daß* de ello se infiere (*od.* deduce) que; ello muestra que.

er'sehnen (-) *v/t.* desear *bzw.* esperar con ansia; anhelar; añorar, pensar con nostalgia en.

er'setz|bar *adj.* remplazable, su(b)stituible; ⊕ *a.* cambiable; *Schaden*:

reparable; resarcible; *Ausgaben*: reembolsable; *Verlust*: recuperable; compensable; **~en** (-*t*; -) *v/t.* et.: remplazar, su(b)stituir a/c. por; (*Fehlendes*) suplir la falta de; (*an die Stelle treten von*) hacer las veces de, ocupar el lugar de; *j-n*: *a.* su(b)stituir, remplazar a alg.; (*wiedergutmachen*) reparar; (*entschädigen für*) indemnizar; compensar por; *Schaden*, *Verlust*: reparar; resarcir; (*wiedererstatten*) restituir; *Auslagen*: reembolsar, reintegrar; **2ung** *f* (*0*) su(b)stitución *f*; reparación *f*; resarcimiento *m*; indemnización *f*; compensación *f*; reembolso *m*; reintegro *m*; restitución *f*.

er'sichtlich *adj.* (*sichtbar*) visible; (*offenbar*) claro, evidente, manifiesto, palmario; obvio; *ohne ~en Grund* sin motivo claro alguno; *daraus wird ~* ello muestra (*od.* pone de manifiesto).

er'sinnen (*L*; -) *v/t.* imaginar, idear; (*erfinden*) inventar.

er'sitz|en (*L*; -) ⚖ *v/t.* adquirir por prescripción *f* (*od.* por usucapión *f*); **2ung** ⚖ *f* (*0*) usucapión *f*; prescripción *f*; **2ungsfrist** *f* (*0*) plazo *m* de prescripción.

er'spähen (-) *v/t.* divisar, columbrar; espiar; atisbar.

er'spar|en (-) *v/t.* ahorrar, economizar; *fig.* evitar; *j-m e-e Demütigung ~* evitar a alg. una humillación; *Geld ~* ahorrar dinero, hacer ahorros; *j-m Kosten ~* evitar gastos a alg.; *erspare dir deine Bemerkungen* guárdate para ti tus observaciones; *~ Sie sich die Mühe* F (*seien Sie unbesorgt*) no se preocupe usted; (*bemühen Sie sich nicht*) no se moleste usted; **2nis** *f* (-; *-se*) ahorro *m* (*an dat.* de); economía *f*.

er'sprießlich *adj.* (*nützlich*) útil, provechoso, beneficioso; productivo; (*heilsam*) saludable; (*vorteilhaft*) ventajoso; **2keit** *f* (*0*) utilidad *f*, provecho *m*.

erst [e:-] **I.** *adv.* primero, primeramente; en primer lugar; (*anfangs*) al principio, al comienzo; (*zuvor*) antes, previamente; ante todo, sobre todo; (*bloß*) sólo, solamente, tan sólo; nada más que; (*nicht früher als*) no antes de; no hasta que; (*eben*) ~ ahora mismo, en este (mismo) instante *od.* momento; *~ als* sólo cuando; *Am.* recién cuando; *~ dann* sólo entonces; *~ jetzt* ahora mismo; sólo ahora; precisamente ahora; *Am.* recién ahora; *~ gestern* sólo ayer; ayer mismo; *Am.* recién ayer; *~ kürzlich* hace poco, últimamente, recientemente; *er kommt ~ morgen* no vendrá hasta mañana; *~ nach der Vorstellung* cuando (una vez que) la función haya terminado; *wenn du ~ abgereist bist* cuando te hayas marchado, cuando hayas partido; *~ recht* tanto más (*wo* cuanto que, *wenn* cuando); con mayor razón; *jetzt ~ recht!* justamente por eso; ahora más que nunca; ¡pues ahora con más motivo!; *jetzt ~ recht nicht* ahora sí que no, ahora menos que nunca; *das verschlimmert die Lage ~ recht* eso es precisamente lo que agrava la situación; *wäre er doch ~ hier!* ¡ojalá estuviera él aquí!; **II.** *adj.* → erste.

er'stark|en (-; *sn*) *v/i.* fortalecerse, robustecerse; **2ung** *f* fortalecimiento *m*.

er'starr|en (-; *sn*) *v/i.* (*Glieder*) entumecerse, envararse; *vor Kälte*: arrecirse, pasmarse de frío; (*starr werden*) ponerse rígido *od.* tieso; *Phys.*, ⚗: solidificarse; *Zement*: fraguarse; *Blut*: coagularse; (*gefrieren*) helarse, congelarse; *fig. vor Schreck ~* horripilarse, quedar petrificado de espanto; *das Blut erstarrte ihm in den Adern* la sangre se le heló en las venas; **~t** *adj.* entumecido, envarado; (*starr*) rígido, tieso; (*erstaunt*) estupefacto, pasmado; *fig.* petrificado; **2ung** *f* (*0*) entumecimiento *m*, envaramiento *m*; (*Starrheit*) rigidez *f*; (*Staunen*) estupor *m*, estupefacción *f*; (*Schreck*) espanto *m*; ⚗, *Phys.* solidificación *f*; *Blut*: coagulación *f*; *Zement*: fraguado *m*; **2ungs-punkt** *Phys.* *m* (-*es*; *0*) punto *m* de solidificación; *von Blut*: punto *m* de coagulación.

er'statt|en (-*e*-; -) *v/t.* restituir, devolver; *Kosten*: reintegrar, reembolsar; → *ersetzen*; *Bericht ~ über ac.* dar cuenta de, informar sobre; **2ung** *f* restitución *f*, devolución *f*; (*Rückzahlung*) reembolso *m*, reintegro *m*; (*e-s Berichts*) presentación *f* (*de un informe*).

'Erstaufführung *f Thea.* estreno *m*.

er'staunen (-) **1.** *v/i.* (*sn*) admirarse, asombrarse, maravillarse (*über ac.* de); quedar asombrado *od.* maravillado de; (*überrascht sein*) sorprenderse, quedar sorprendido de; (*verblüfft sein*) quedar atónito *od.* estupefacto; **2.** *v/t.* → *in 2 setzen*; **2** *n* admiración *f*; asombro *m*; (*Überraschung*) sorpresa *f*; (*Verblüffung*) estupefacción *f*; (*Befremden*) extrañeza *f*; *in 2 geraten* → *erstaunen 1*; *in 2 setzen* asombrar *ac.*, causar asombro *od.* admiración a; pasmar; (*überraschen*) sorprender, causar sorpresa a; (*befremden*) extrañar, causar extrañeza a; *sehr zu m-m ~* con gran sorpresa mía; con gran asombro mío.

er'staun|lich *adj.* admirable; asombroso; pasmoso; sorprendente; extraño; extraordinario; (*wunderbar*) maravilloso; (*gewaltig*) estupendo; (*großartig*) portentoso; prodigioso; **~t** *adj.* admirado; asombrado; pasmado; sorprendido; extrañado; maravillado; estupefacto, atónito, F boquiabierto.

'Erst...: ~ausführung ⊕ *f* prototipo *m*; **~ausgabe** *f*, **~druck** *m* (-*es*; -*e*) primera edición *f*; *älteste*: edición *f* príncipe; **2beste** *adj.* → *erste beste*; **~besteigung** *f* primera ascensión *f*.

'erste *adj. der, die, das ~* el primer(o), la primera, lo primero; *Karl der 2* (*Karl I.*) Carlos Primero (Carlos I); *der 2 des Monats* el primero de mes; *am ~n Mai* el primero de mayo; *fig.* el primero de todos; el mejor; el más importante, el principal; (*ursprünglich*) primitivo; *~ Güte* ✝ primera calidad; *2 Hilfe* primera cura; cura de urgencia; *aus ~r Hand* de primera mano; *der ~ beste* el primero que llegue (*od.* que se presente); *das ~ beste* cualquier cosa, lo primero que haya a mano; *er war der ~, der es tat* fue el primero que lo hizo, fue el primero en hacerlo; *in ~r Linie, an ~r Stelle* en primer lugar; primeramente, lo primero de todo; *fürs ~* por de (*od.* por lo) pronto; por ahora, de (*od.* por el) momento; → *Mal*; *zum ~n, zweiten, zum dritten!* ¡a la una, a las dos, a las tres!; *das ~ was ihm einfiel* lo primero que se le ocurrió.

er'stechen (*L*; -) *v/t.*: *j-n ~* matar a alg. a puñaladas; (*mit dem Messer*) acuchillar; (*mit dem Dolch*) apuñalar.

er'steh|en (*L*; -) **1.** *v/t.* comprar, adquirir; **2.** *v/i.* (*sn*) resurgir; **2ung** *f* compra *f*, adquisición *f*.

er'steig|bar *adj.* escalable; **~en** (*L*; -) *v/t.* subir *ac.*; *Berg*: subir a; *Bergwand*: escalar; *kletternd*: trepar; **2ung** *f* subida *f*; ascensión *f*; escalamiento *m*; escalada *f*.

er'stellen (-) *v/t.* proveer, suministrar; *Gebäude*: construir, edificar, levantar.

'erstenmal *adv.*: *zum ~* por primera vez, por vez primera.

'erstens *adv.* primero, primeramente, en primer lugar.

'erster → *erste*.

er'sterben (*L*; -; *sn*) *v/i.* expirar; morir (*vor* de); extinguirse, desaparecer; *fig. Ton usw.*: extinguirse, apagarse.

'erst...: ~geboren *adj.* primogénito; **2geburt** *f* primogenitura *f*; primer hijo *m*, primogénito *m*; **2geburtsrecht** *n* (-*es*; *0*) derecho *m* de primogenitura; **~genannt** *adj.* citado en primer lugar; precitado; (*erstere*) el primero.

er'stick|en (-) **1.** *v/t.* ahogar (*a. fig.*); sofocar (*a. fig. Feuer, unterdrücken, dämpfen*); *bsd. durch Gas*, ⚕: asfixiar; → *Keim*; **2.** *v/i.* (*sn*) ahogarse; sofocarse; asfixiarse; *fig. in Arbeit ~* estar abrumado de trabajo; *mit erstickter Stimme* con voz ahogada *od.* entrecortada; **~end** *adj.* sofocante; asfixiante; **2ung** *f* (*0*) ahogo *m*; sofoco *m*, sofocación *f* (*a. fig.*); asfixia *f*; **2ungs-anfall** ⚕ *m* (-*es*; ⸗*e*) ataque *m* de disnea; **2ungs-tod** *m* (-*es*; *0*) muerte *f* por asfixia.

'erst...: ~instanzlich ⚖ *adj.* de (*adv.* en) primera instancia; *~e Gerichtsbarkeit* primera instancia; **~klassig** *adj.* de primera clase *bzw.* categoría; de primer orden; ✝ superior, de primera calidad; F de primera; *Wertpapier*: seguro.

'erstlich *adv.* → *erstens*.

'Erstling *m* (-*s*; -*e*) (*Sohn*) primogénito *m*, primer hijo *m*; *fig.* primicia *f*; **~s-ausstattung** *f* canastilla *f* (*para recién nacido*); **~sdruck** *m* (-*es*; -*e*) incunable *m*; **~sfrüchte** *f/pl.* primicias *f/pl.*; **~sversuch** *m* (-*es*; -*e*) primer ensayo *m*; → *Jungfern...*

'erst...: ~malig I. *adj.* primero; **II.** *adv. a.* **~mals** por primera vez.

'Erst...: ~meldung *f Zeitungswesen*: información *f* exclusiva; **2rangig** *adj.* de primer orden; → *erstklassig*.

er'streben (-) *v/t.* aspirar a, pretender; (*begehren*) ambicionar; **~swert**

adj. deseable; apetecible; digno *od.* merecedor de esfuerzo.

er'strecken (-) *v/refl.* extenderse (*über ac.* sobre, *bis* hasta); *sich ~ auf ac.* comprender, abarcar; *fig.* referirse a; *Zeit*: durar.

er'stürm|en (-) *v/t.* tomar al (*od.* por) asalto *m*; **2ung** *f* (toma *f* por) asalto *m.*

er'suchen [-u:-] (-) *v/t.*: *um et. ~* solicitar, pedir a/c.; reclamar a/c.; *j-n (dringend) ~ zu* rogar (encarecidamente) a alg. que *subj.*; *formell*: requerir.

Er'suchen *n* petición *f*; ruego *m*; solicitud *f*; requerimiento *m*; *auf ~ von* a petición *bzw.* ruego(s) de; a instancia(s) de; a requerimiento de.

er'tappen (-) *v/t.* sorprender; coger, F atrapar, pillar; *auf frischer Tat ~* sorprender en flagrante delito (*od.* in fraganti); F coger a alg. con las manos en la masa.

er'teil|en (-) *v/t.* dar (*a. Auskunft, Rat, Befehl, Anweisungen, Auftrag*); (*gewähren*) conceder, otorgar; (*Würde, Amt, Ermächtigung*) conferir; *Patent, Erlaubnis*: conceder; *Unterricht ~* dar clases; → *Lob, Vollmacht, Wort usw.*; **2ung** *f* concesión *f.*

er'tönen (-; *sn*) *v/i.* sonar; resonar; (*Klingel, Glocke*) tocar.

Er'trag *m* (-*es*; *̈-e*) producto *m*; ⚒ rendimiento *m*; (*Einnahme*) ingreso *m*; beneficio *m*, ganancia *f*; (*Kapital-2*) renta *f*, rédito *m*; *fig.* fruto *m*; **2en** (*L*; -) *v/t.* (*leiden*) sufrir; (*vertragen*) soportar, sobrellevar; (*aushalten*) aguantar, resistir; (*dulden*) tolerar; **2fähig** *adj.* productivo; **~fähigkeit** *f* (*0*) productividad *f.*

er'träglich *adj.* soportable; aguantable; (*leidlich*) tolerable, llevadero; (*ziemlich gut*) regular, mediano, aceptable; (*Preis*) accesible.

er'traglos *adj.* improductivo.

Er'trag...: **2reich** *adj.* productivo; **~sfähigkeit** *f* (*0*) (capacidad *f* de) rendimiento *m*; ✐ fertilidad *f*; **~srechnung** *f* cálculo *m* de ganancias y pérdidas; **~swert** *m* (-*es*; -*e*) rendimiento *m* efectivo; valor *m* capitalizado.

er'tränken (-) *v/t.*: *sich ~* ahogarse (*voluntariamente*), arrojarse al agua.

er'träum|en (-) *v/t.* soñar con, imaginarse a/c.; **~t** *adj.* imaginario, fantástico; quimérico; soñado, ideal.

er'trinken (*L*; -; *sn*) *v/i.* ahogarse, morir ahogado; sumergirse en el agua; *ertrunken* ahogado; *Tod durch 2* asfixia por sumersión; *2 n* ahogamiento *m.*

er'trotzen (-*t*; -) *v/t.* conseguir porfiando; conseguir con amenazas *f/pl.*; arrebatar violentamente.

er'tüchtig|en (-) *v/t.* fortalecer, vigorizar; (*körperlich*) *a.* educar; ejercitar, adiestrar; *Sport*: entrenar; **2ung** *f* (*0*) fortalecimiento *m* corporal; educación *f* física; adiestramiento *m*; *Sport*: entrenamiento *m.*

er'übrigen (-) *v/t.* ahorrar, economizar; *sich ~* no ser necesario, holgar, estar de más; (*überflüssig sein*) ser superfluo; *es erübrigt sich jedes Wort* huelgan las palabras.

Erupti'on *f Geol. u.* ⚕: erupción *f.*

Erup'tivgestein *Geol. n* (-*es*; -*e*) roca *f* volcánica *od.* eruptiva.

er'wachen (-; *sn*) *v/i.* despertar(se); *fig.* aparecer, manifestarse; *Tag*: amanecer, despuntar; *Gefühle*: despertar(se); *2 n* despertar *m.*

er'wachsen [-ks-] **1.** (*L*; -; *sn*) *v/i.* crecer, desarrollarse; (*entstehen*) nacer; brotar de; *fig. ~ aus* resultar de, originarse de; **II.** *adj.* crecido, desarrollado; *~er Mensch* adulto, persona adulta; (*mündig*) mayor de edad; **2e(r** *m*) *m/f* adulto (-a *f*) *m*; **2heit** *f* (*0*) madurez *f*; edad *f* adulta.

er'wäg|en (*L*; -) *v/t.* ponderar; (*überlegen*) considerar, reflexionar sobre; (*prüfen*) examinar detenidamente; (*in Betracht ziehen*) tomar en cuenta; (*vorhaben*) proyectar; **2ung** *f* ponderación *f*; consideración *f*; *in ~ ziehen* tomar en consideración; *in der ~, daß* considerando que.

er'wählen (-) *v/t.* elegir; (*aussuchen*) escoger; *durch Abstimmung*: elegir, votar a.

er'wähn|en (-) *v/t.* mencionar *ac.*, hacer mención *f* de; nombrar; citar; (*anspielen auf*) aludir a; **~enswert** *adj.* digno de mención; **2ung** *f* mención *f*; cita *f.*

er'wärm|en (-) *v/t.* calentar; *sich ~* calentarse; *fig. sich ~* entusiasmarse, sentir entusiasmo por; interesarse vivamente por; **2ung** *f* (*0*) calentamiento *m*; calefacción *f.*

er'warten (-*e*-; -) *v/t.* esperar; (*abwarten*) aguardar a/c.; (*warten auf*) esperar; (*erhoffen*) contar con; tener la esperanza de; *et. kaum ~ können* esperar con ansia *bzw.* con impaciencia; *ein Kind ~* estar embarazada; *es ist zu ~* es de esperar; *wie zu ~* como era de esperar; *wenn er wüßte, was ihn erwartet!* ¡si supiera lo que le aguarda!; *über 2* más de lo que se esperaba; *wider alles 2* contra toda previsión, contra todo lo que podía esperarse; contrariamente a lo esperado.

Er'wartung *f* espera *f*; (*Hoffnung*) esperanza *f*; expectativa *f*; (*Spannung*) expectación *f*; *in ~ Ihrer Antwort* en espera *de su respuesta*; *den ~en entsprechen* conforme a lo esperado; **2svoll** *adj.* lleno de expectación; (*ungeduldig*) ansioso, impaciente; *adv.* en actitud expectante, con expectación.

er'weck|en (-) *v/t.* despertar (*a. fig.*); *vom Tode*: resucitar; *fig. Gefühle*: excitar; *Erinnerung*: evocar; *Hoffnung*: alentar, avivar; *Verdacht*: despertar; *Interesse*: estimular; despertar; *Vertrauen*: inspirar; *Furcht*: infundir; *bei j-m den Glauben ~, daß* hacer a alg. creer que; → *Anschein, Eindruck usw.*; **2ung** *f* despertamiento *m*; resurrección *f*; *fig.* excitación *f*; evocación *f*; estimulación *f.*

er'wehren (-): *sich ~* (*gen.*) defenderse de; librarse de, su(b)straerse a; resistir; *sich der Tränen (des Lachens) ~* contener *od.* reprimir las lágrimas (la risa); *man konnte sich des Eindrucks nicht ~, daß* no era posible su(b)straerse a la impresión de que.

er'weich|en (-) *v/t.* ablandar (*a. fig.*); suavizar; reblandecer (*a.* ⚕); *fig.* (*rühren*) conmover, enternecer; *sich ~ lassen* ablandarse, dejarse ablandar; enternecerse; ceder; **~end** *adj.* ⚕ emoliente; **2ung** *f* (*0*) ablandamiento *m*; reblandecimiento *m* (*a.* ⚕); *fig.* enternecimiento *m.*

Er'weis *m* (-*es*; -*e*) → *Beweis.*

er'weis|en (*L*; -) *v/t.* (*beweisen*) probar, demostrar; *Gesinnung*: manifestar, dar pruebas de; *j-m Achtung*: mostrar; *Dienst*: prestar, hacer; *Ehre, Gerechtigkeit, Gefallen*: hacer; *Gehorsam*: prestar; *Gunst*: otorgar, conceder; *Ehren*: tributar; *sich ~* evidenciarse; *sich dankbar ~* mostrarse agradecido; *sich ~ als* mostrarse, dar pruebas *od.* muestras de; resultar; *das Mittel hat sich als unwirksam erwiesen* el remedio ha resultado ineficaz; *sich als unbegründet (richtig) ~* resultar infundado (cierto *bzw.* exacto); **~lich** **I.** *adj.* demostrable; comprobable; (*offenbar*) evidente, notorio, patente; **II.** *adv.* notoriamente.

er'weiter|n (-*re*; -) *v/t.* ensanchar; (*ausdehnen*) extender, ampliar (*a. fig.*); (*verlängern*) prolongar, alargar; (*vergrößern*) agrandar; (*vermehren*) aumentar; *Phys. u.* ⚕: dilatar (*a. fig.*); **~nd** *adj.* extensivo; **~t** *adj. a.* extenso; *im ~en Sinne* en sentido más amplio; **2ung** *f* ensanchamiento *m*, ensanche *m* (*a. Stadtteil*); extensión *f*; ampliación *f* (*a. e-r Fabrikanlage*); *Phys. u.* ⚕ dilatación *f*; aumento *m*; **2ungsbau** *m* (-*es*; -*ten*) (edificio *m*) anexo *m*; **~ungsfähig** *adj.* ampliable; extensible; *Phys. u.* ⚕ dilatable.

Er'werb *m* (-*es*; -*e*) adquisición *f*; (*Kauf*) *a.* compra *f*; (*Verdienst*) ganancia *f*; lucro *m*; (*Unterhalt*) sustento *m*; (*Beruf*) profesión *f*; oficio *m*; (*Arbeit*) trabajo *m*; **2en** (*L*; -) *v/t.* adquirir; *käuflich*: *a.* comprar; *durch Arbeit*: ganar; *durch Bemühung*: conseguir, lograr; *ein Vermögen*: hacer; *sich sein Brot ~* ganarse la vida (*od.* el pan); *fig. Rechte, Kenntnisse, usw.*: adquirir; *j-s Achtung, Dank*: merecer; *j-s Freundschaft, Wohlwollen*: ganarse; *sich Verdienste ~ um* merecer bien de; **~er(in** *f*) *m* adquisidor(a *f*) *m*, comprador(a *f*) *m*; ⚖ concesionario (-a *f*) *m.*

er'werbs...: **~behindert** *adj.* incapacitado para el trabajo; **2betrieb** *m* (-*es*; -*e*) empresa *f* de negocios; **~fähig** *adj.* apto para el trabajo; **2fähigkeit** *f* (*0*) aptitud *f* (*od.* capacidad *f*) para el trabajo; **2genossenschaft** *f* sociedad *f* cooperativa; **2gesellschaft** *f* sociedad *f* (*od.* empresa *f*) comercial; **~los** *adj. usw.* → *arbeitslos usw.*; **2minderung** *f* (*0*) incapacidad *f* parcial para el trabajo; **2mittel** *n* medios *m/pl.* de subsistencia (*od.* de vida); **2quelle** *f* fuente *f* de recursos *bzw.* de ingresos; **2sinn** *m* (-*es*; *0*) adquisividad *f*, espíritu *m* industrioso; **2steuer** *f* (-; -*n*) impuesto *m* de utilidades; **~tätig** *adj.* que ejerce una profesión *bzw.* un oficio; **2tätige(r** *m*) *m/f* empleado (-a *f*) *m*; asalariado (-a *f*) *m*; **2tätigkeit** *f* actividades *f/pl.* profesionales; industria *f*; **~un-**

fähig *adj.* incapacitado para el trabajo; **2unfähigkeit** *f (0)* incapacidad *f* para el trabajo; **2urkunde** ⚖ *f* escritura *f* de compra; **2zweig** *m (-es; -e)* ramo *m* industrial *bzw.* de negocios; (*Beruf*) profesión *f*; oficio *m*.
Er'werbung *f* adquisición *f*.
er'wider|n *(-re; -) v/t.* (*antworten*) contestar, responder; (*entgegnen*) reponer, replicar (*auf ac.* a); (*vergelten*) devolver; *Gefühle, Gefälligkeit*: corresponder a; *Besuch*: devolver; *e-n Gruß* ~ devolver el (contestar al) saludo; *Gleiches mit Gleichem* ~ pagar en la misma moneda; ⚖ replicar; **2ung** *f* (*Antwort*) contestación *f*, respuesta *f*; (*Entgegnung*) réplica *f* (*a.* ⚖); reciprocidad *f*; correspondencia *f*; (*Heimzahlung*) desquite *m*.
er'wiesen → *erweisen*; **~ermaßen** *adv.* según se ha demostrado *od.* evidenciado.
er'wirken *(-) v/t.* obtener, conseguir; *Zahlung*: hacer efectivo; *j-m et.* ~ conseguir a/c. para alg.; proporcionar a/c. a alg.
er'wischen *(-) v/t.* atrapar, coger; F pillar, pescar; → *ertappen*; *sich* ~ *lassen* dejarse atrapar, F caer en el garlito; F *ihn hat's erwischt* ha sido víctima de una desgracia; ⚔ ha sido herido *bzw.* muerto.
er'wünscht *adj.* deseado; (*wünschenswert*) deseable; (*günstig*) favorable, oportuno, F a la medida; *das ist mir sehr* ~ me viene muy a propósito (F de perilla *od.* a pedir de boca).
er'würgen *(-) v/t.* estrangular, ahogar; (*hinrichten*) agarrotar.
Er'würgen *n* estrangulación *f*.
Erz *n (-es; -e)* mineral *m*; (*Bronze*) bronce *m*; (*Roh2*) mena *f*.
'Erz...: *in Zssgn* (= *arg, sehr*) archi...; **~ader** ⚒ *f (-; -n)* vena *f* (*od.* veta *f*) metalífera, filón *m*.
er'zähl|en *(-) v/t.* contar; (*berichten*) referir, relatar; *kunstvoll*: narrar; *man hat mir erzählt* me han dicho (*od.* contado); *man erzählt sich* se dice, la gente dice; *man erzählte von ihr* se decía (*od.* contaba) de ella; *wem* ~ *Sie das!* ¡a quién se lo viene usted a decir!; *fig.* F *ich kann et. davon* ~ (*weiß Bescheid*) de eso podría yo contar muchas cosas, yo sé algo de eso; *das können Sie anderen* ~! P ¡eso vaya usted a contárselo a su abuela!; **~end** *adj.* narrativo; descriptivo; **2er(in** *f*) *m* narrador(a *f*) *m*; *von Märchen, Liter.* cuentista *m/f*; (*Schriftsteller*) novelista *m/f*; escritor(a *f*) *m* de cuentos; **2ung** *f* narración *f*; (*Bericht*) relato *m*; (*Beschreibung*) descripción *f*; (*Märchen*) cuento *m* (*a. fig.*); (*Geschichte*) historia *f* (*a. fig.*); (*Roman*) novela *f*; (*Novelle*) novela *f* corta; (*Legende*) leyenda *f*; **2ungs-kunst** *f (0)* arte *f* de narrar; talento *m* narrativo; narrativa *f*.
'Erz...: **~art** *f* especie *f* de mineral; **~aufbereitung** *f* preparación *f* del mineral; **~bergwerk** *n (-s; -e)* mina *f*.
'Erz|bischof *m (-es; ⸚e)* arzobispo *m*; **2bischöflich** *adj.* arzobispal; **~bistum** *n (-s; ⸚er)* arzobispado *m*.
'Erz...: **~bösewicht** *m (-es; -e)* malvado *m*; **2dumm** *adj. (0)* F tonto de solemnidad; **~engel** *m* arcángel *m*.
er'zeug|en *(-) v/t. Kinder*: engendrar, procrear; (*hervorbringen*) crear; producir, ⚘ *a.* cultivar; *industriell*: fabricar, manufacturar, elaborar; confeccionar; *Phys.*, ⚗, ⊕: generar; (*bilden*) formar; *fig.* (*verursachen*) causar; (*hervorrufen*) provocar, originar, dar origen *m* a; *Gefühle*: engendrar; producir; **2er** *m* (*Vater*) padre *m*, progenitor *m*; procreador *m*; ✝ *von Ware*: productor *m*, (*Hersteller*) *a.* fabricante *m*; ⚡ generador *m*; **2erin** *f* madre *f*; *Firma*: casa *f* productora; **2erland** *n (-es; ⸚er)* país *m* productor *od.* de origen; **2erpreis** ✝ *m (-es; -e)* precio *m* de producción; **2nis** *n (-ses; -se)* producto *m*; (*Bodenerzeugnisse*) productos *m/pl.* del suelo; ✝, ⚗ producto *m*; (*Fabrikat*) *a.* artículo *m*; *eigenes* ~ fabricación propia; *Deutsches* ~ Fabricado en Alemania; *des Geistes, der Kunst*: producción *f* literaria *bzw.* artística; *iro.* engendro *m*.
Er'zeugung *f* (*Zeugung*) procreación *f*, engendramiento *m*; *Phys.*, ⚗, ⊕ generación *f*; *weitS.* producción *f*; fabricación *f*, manufactura *f*, elaboración *f*; confección *f*; (*Bildung*) formación *f*; *fig.* creación *f*; producción *f*; provocación *f*; **~skosten** *pl.* coste *m* (*od.* gastos *m/pl.*) de fabricación *od.* de producción; **~skraft** *f (0)* fuerza *f* generativa; **~slinie** ⚡ *f* generatriz *f*.
'Erz...: **~feind** *m (-es; -e) Rel.* el Demonio, el Enemigo; *weitS.* enemigo *m* jurado *od.* mortal; **~gang** *m (-es; ⸚e)* → *Erzader*; **~gauner** *m* bribonazo *m*, pícaro *m* redomado (*od.* F de siete suelas); **~gießer** *m* fundidor *m* de bronce; **~gieße'rei** *f* fundición *f* de bronce; **~grube** *f* mina *f*; **2haltig** *adj.* metalífero; **~herzog(in** *f*) *m (-es; ⸚e)* archiduque *m*, archiduquesa *f*; **2herzoglich** *adj.* archiducal; **~herzogtum** *n (-s; ⸚er)* archiducado *m*; **~hütte** *f* fundición *f* de metales.
er'zieh|en *(L; -) v/t.* (*aufziehen*) criar; *geistig*: educar; ~ *zu et.* preparar para, adiestrar; *wohlerzogen* bien educado; bien criado; *schlecht erzogen* mal educado; malcriado; **2er** *m* educador *m*; (*Pädagoge*) pedagogo *m*; (*Lehrer*) maestro *m*; (*Hauslehrer*) preceptor *m*; profesor *m* particular; **2erin** *f* educadora *f*; (*Pädagogin*) pedagoga *f*; (*Lehrerin*) maestra *f*; (*Hauslehrerin*) institutriz *f*; profesora *f* particular; **~erisch** *adj.* educador, educativo; educacional; pedagógico.
Er'ziehung *f (0)* educación *f*; (*Aufziehen*) crianza *f*; (*Bildung*) instrucción *f*; (*Ausbildung*) *a.* formación *f*; ejercitación *f*, adiestramiento *m*; (*Manieren*) urbanidad *f*, cortesía *f*; corrección *f*, buenas maneras *f/pl.*; *von guter* ~ bien educado; cortés, correcto; *er hat e-e gute* ~ *genossen* ha recibido una buena (*od.* esmerada) educación; *keine* ~ *haben* no tener educación, ser descortés (ineducado, mal educado *od.* malcriado); **~s-anstalt** *f* establecimiento *m* (*od.* centro *m*) de educación; instituto *m* pedagógico; (*Schule*) escuela *f*, colegio *m*; internado *m*; *Besserungsanstalt*; **~slehre** *f (0)* pedagogía *f*; **~smethode** *f* método *m* de educación (*od.* educativo); método *m* pedagógico; **~sministerium** *n (-s; -rien) Span.* Ministerio *m* de Educación y Ciencia; **~s-system** *n* sistema *m* educacional (*od.* educativo); sistema *m* pedagógico; **~swesen** *n (-s; 0)* instrucción *f* pública; educación *f* popular; **~swissenschaft** *f (0)* ciencia *f* de la educación, pedagogía *f*.
er'zielen *(-) v/t.* obtener (*a. Erfolg, Gewinn, Preis*); conseguir, lograr; (*erreichen*) alcanzar; *Sport*: (*Treffen*) marcar (*un tanto*).
er'zittern *(-re; -; sn) v/i.* estremecerse; temblar; (*heftig*) *et.*: retemblar.
'Erz...: **~lager** *n* yacimiento *m* de mineral; **~lügner** *m* gran embustero *m*; **~narr** *m (-en)* tonto *m* hasta las cachas; tonto *m* de remate; **~priester** *m* arcipreste *m*; **~probe** *f* muestra *f* de mineral; **~schelm** *m (-es; -e)* pícaro *m* redomado; **~stift** *n (-es; -e)* arzobispado *m*.
er'zürnen *(-) v/t.* enojar, irritar; indignar; encolerizar; *sich mit j-m* ~ enfadarse con alg.
'Erz...: **~vater** *m (-s; ⸚)* patriarca *m*; **~verhüttung** *f* fundición *f* de minerales.
er'zwingen *(L; -) v/t.* forzar, obtener por (la) fuerza a/c.; obligar a hacer a/c.; *den Eintritt* ~ forzar la entrada, penetrar por la fuerza; *Gehorsam* ~ hacer (obligar a) obedecer; reducir a la obediencia; *e-e Entscheidung* ~ forzar una decisión; *ein Geständnis* ~ arrancar una confesión; *et. von j-m* ~ obtener de alg. por fuerza a/c.; obligar a alg. a hacer *bzw.* a dar a/c.
er'zwungen *adj.* forzado; obligado; (*erheuchelt*) fingido; (*unnatürlich*) afectado; *ein ~es Lächeln* una sonrisa forzada.
es[1] [ɛs] *pron./pers.*: *ac.* le, la, lo; (*betont*) *ac.* esto, eso, ello; aquello; **1.** *als Subjekt*: (*meist nicht übersetzt*) ~ (*das Messer, das Buch usw.*) *ist auf dem Tisch* está sobre la mesa; **2.** *bei unprs. Verben*: ~ *schneit*, ~ *regnet*, ~ *donnert* nieva, llueve, truena; ~ *gibt zu viele Menschen* hay demasiada gente; ~ *scheint* parece; ~ *scheint mir, daß* me parece que; ~ *ist zwei Jahre her* hace dos años; **3.** *als Objekt*: *ich nahm es* (*das Buch*) lo tomé; (*das Haus*) la tomé; *ich halte* ~ *für unnütz* lo considero inútil; *da hast du* ~! ¡ahí lo tienes!; *ich weiß* ~ lo sé; *er wird* ~ *bereuen* se arrepentirá de ello; *ohne* ~ sin él *bzw.* sin ella *od.* sin ello; **4.** *als Ersatz od. Ergänzung des Prädikates*: *er ist reich, ich bin* ~ *auch* él es rico, yo también; *ich hoffe* ~ así lo espero; *er hat* ~ *mir gesagt* él me lo ha dicho; *wer ist* ~? — *ich bin* ~ ¿quién es? — soy yo; *sie sind* ~ son ellos; *bist du bereit?* — *ja, ich bin* ~ sí, lo estoy; *sind Sie krank?* — *nein, ich bin* ~ *nicht* no,

no lo estoy; *ich kann (will)* ~ puedo (quiero); *ich will* ~ *versuchen* lo intentaré *od.* voy a intentarlo; *er sagte, ich sollte gehen, und ich tat* ~ y así lo hice; *ich ziehe* ~ *vor zu gehen* prefiero marcharme; **5.** *oft unübersetzt*: **a)** *bei 3. p. des Verbs*: *so war* ~ así fue; *so war* ~ *nicht* no fue así; ~ *ist nicht so* no es así; ~ *ist (nicht) wahr* (no) es verdad; *wer ist der Junge?* — ~ *ist mein Bruder* (es) mi hermano; *wer sind diese Mädchen?* — ~ *sind m-e Schwestern* (son) mis hermanas; ~ *ist kalt* hace frío; ~ *war einmal ein König* una vez era (*od.* érase una vez) un rey; ~ *sei denn, daß* a menos (*od.* salvo) que *subj.*; a no ser que *subj.*; ~ *ist Zeit zu* es hora de *inf.*; ~ *lebe der König!* ¡viva el rey!; **b)** = *man*: ~ *wird erzählt* se dice (*od.* se cuenta); ~ *heißt in der Bibel* en la Biblia se dice; **6.** *als gen.*: *ich habe* ~ *satt* (*bin* ~ *müde*) estoy harto (estoy cansado) de; ~ *gut haben* estar contento con su suerte; ser bien tratado; estar a gusto; *die haben* ~ *gut!* ¡ésos sí que disfrutan!

es² [ɛs] ♪ *n* mi *m* bemol; **'2-Dur** *n* mi *m* bemol mayor; **'~-Moll** *n* mi *m* bemol menor.

'Esche *f* fresno *m*; 2 *adj.* de fresno; **~nholz** *n* (*-es*; *0*) madera *f* de fresno.

'Esel *m* asno *m*, burro *m*, borrico *m*, pollino *m* (*alle a. fig.*), jumento *m*; F (*Dummkopf*) ignorante *m*; estúpido *m*, zoquete *m*; (*Tölpel*) bruto *m*, bestia *m/f*, animal *m*.

Ese'lei *f* estupidez *f*, majadería *f*, necedad *f*; F burrada *f*, animalada *f*.

'eselhaft *adj.* asnal, borrical.

'Eselin *f* asna *f*, burra *f*, borrica *f*, pollina *f*, jumenta *f*.

'Esels|brücke *f fig. Sch.*: chuleta *f*; **~distel** ⚘ *f* (*-*; *-n*) cardo *m* borriquero; **~geschrei** *n* (*-es*; *0*) rebuzno *m*; **~ohr** *n* (*-es*; *-en*) oreja *f* de asno; *im Buch*: doblez *m*.

Eska'dron ⚔ *f* escuadrón *m*.

Eska'pade *f* escapada *f*.

'Eskimo *m* (*-s*; *-s*) esquimal *m*.

Es'kor|te *f* ⚔ escolta *f*; convoy *m*; **2'tieren** (-) *v/t.* escoltar; convoyar.

eso'terisch *adj.* esotérico.

'Espe ⚘ *f* álamo *m* temblón, tiemblo *m*; **~nlaub** *n* (*-es*; *0*) hojas *f/pl.* de tiemblo; *wie* ~ *zittern* temblar como un azogado.

'Eßapfel *m* (*-s*; *¨*) manzana *f* de mesa.

Es'say *m* ensayo *m*; **~'ist(in** *f*) *m* ensayista *m/f*.

'eß|bar *adj.* comestible; **2besteck** *n* (*-es*; *-e*) → Besteck.

'Esse *f Rauchfang*: campana *f* de chimenea; *Schornstein*: (cañón *m* de la) chimenea *f*; *Feuerstelle*: hogar *m*, fogón *m*; *Schmiede*: fragua *f*.

'essen (*L*) *v/t. u. v/i.* comer; *zu Mittag* ~ almorzar, comer; *zu Abend* ~ cenar, comer; *auswärts* ~ comer fuera (de casa); *gern* ~ gustar; *ich esse gern Fisch* me gusta el pescado; *warm* ~ tomar comidas calientes; *abends kalt* ~ cenar fiambres; *Suppe* ~ tomar sopa; *leer* ~ rebañar el plato, F dejar limpio el plato; *sich satt* ~ saciar el hambre, (comer hasta) hartarse, P atracarse; *tüchtig* ~ comer con buen apetito; *zuviel* ~ comer demasiado (*od.* con exceso); *wann* ~ *Sie?* ¿a qué hora (*od.* cuándo) come usted?; *wo* ~ *Sie?* ¿dónde come usted?, ¿a dónde va usted a comer?; *haben Sie schon gegessen?* ¿ha comido *bzw.* cenado usted ya?; *man ißt dort ganz gut* allí se come muy bien, allí dan muy buenas comidas; *ich esse gerade* estoy comiendo.

'Essen *n* comida *f*; (*Verpflegung*) comidas *f/pl.*; (*Kost*) alimento *m*; alimentación *f*; (*Gericht*) plato *m*; (*Mahlzeit*) comida *f*, F pitanza *f*; (*Mittag2*) almuerzo *m*, comida *f* (de mediodía); (*Abend2*) cena *f*, comida *f*; ⚔, ⚓, *Gefängnis*: rancho *m*; (*Fest2*) banquete *m*, festín *m*.

'Essenszeit *f* hora *f* de comer *bzw.* de cenar.

Es'senz [ɛ'sɛ-] *f* esencia *f* (*a. fig.*).

'Esser *m*: *ein schwacher* ~ *sein* comer poco; *ein starker* ~ *sein* ser de buen comer, F tener buen saque; *er ist ein guter* ~ F tiene buen diente.

'Eß...: **~gelage** *n* banquete *m*; **~geschirr** *n* (*-es*; *-e*) vajilla *f*; **~gier** *f* (*0*) glotonería *f*; **2gierig** *adj.* glotón, voraz; F tragón.

'Essig *m* (*-s*; *-e*) vinagre *m*; *zu* ~ *werden fig.* F aguarse, desbaratarse; fracasar; **2artig** *adj.* vinagroso, avinagrado; ⚗ acético, acetoso; **~äther** *m* (*-s*; *0*) éter *m* acético, acetato *m* de etilo; **~bildung** *f* (*0*) acetificación *f*; **~ester** *m* (*-s*; *0*) éster *m* acético; **~fabrik** *f* fábrica *f* de vinagre; **~flasche** *f* vinagrera *f*; **~gärung** *f* (*0*) fermentación *f* acética; **~gurke** *f* pepinillo *m* en vinagre; **2sauer** ⚗ *adj.* acético; **~es** *Ammonium* acetato amónico; **~e** *Tonerde* acetato de alúmina; **~säure** *f* (*0*) ácido *m* acético; **~- und Ölständer** *m* vinagreras *f/pl.*

'Eß...: **~kastanie** *f* castaña *f*; **~korb** *m* (*-es*; *¨e*) cesta *f* (con viandas); **~löffel** *m* cuchara *f*; **~löffelvoll** *m* cucharada *f*; **~lust** *f* (*0*) apetito *m*, ganas *f/pl.* de comer; **~tisch** *m* (*-es*; *-e*) mesa *f* de comedor; **~waren** *f/pl.* comestibles *m/pl.*; viandas *f/pl.*; *bsd.* ⚔ vituallas *f/pl.*; víveres *m/pl.*; **~zimmer** *n* comedor *m*.

'Est|e *m* (*-n*), **~in** *f*, **2nisch** *adj.* estonio *m*, estonia *f*.

'Ester ⚗ *m* éster *m*.

'Estland *n* Estonia *f*.

E'strade *f* estrado *m*.

'Estrich *m* (*-s*; *-e*) pavimento *m*; suelo *m* embaldosado; *aus Zement*: suelo *m* de cemento.

eta'blieren (-) *v/t.* establecer; *sich* ~ establecerse (*a. geschäftlich*).

Etablisse'ment [-blɪs(ə)'mɑ̃:] *n* (*-s*; *-s*) establecimiento *m*.

E'tage [-ʒə] *f* piso *m*; **~nheizung** *f* calefacción *f* individual; **~nkessel** ⊕ *m* caldera *f* con hervidores superpuestos; **~nrost** ⊕ *m* (*-es*; *-e*) emparrillado *m* de pisos; **~nventil** ⊕ *n* (*-s*; *-e*) válvula *f* escalonada; **~nwohnung** *f* piso *m*.

Eta'gere [-'ʒɛ:ʀə] *f* estantería *f*, estante *m*; (*Glasschrank*) vitrina *f*.

E'tappe *f* etapa *f* (*a.* ⚔ *Rastort*); ⚔ (zona *f* de) retaguardia *f*; (*Stützpunkt*) base *f*; *fig.* etapa *f*, período *m*; (*Teilstrecke*, *Stufe*) etapa *f*; (*Tagesmarsch*) *a.* jornada *f*; **2nweise** *adv.* por etapas.

E'tat [-'tɑ:] *m* (*-s*; *-s*) presupuesto *m*; *den* ~ *aufstellen* hacer el presupuesto; *nicht im* ~ *vorgesehen* no incluido en el presupuesto; **~ausgleich** *m* (*-es*; *-e*) nivelación *f* del presupuesto; **2mäßig** *adj.* presupuestario; *Ausgabe*: ordinario, permanente, incluido en el presupuesto; *Beamter usw.*: de plantilla; **~sberatung** *f* discusión *f* del presupuesto; **~sjahr** *n* (*-es*; *-e*) ejercicio *m* económico; **~s-posten** *m* partida *f* presupuestaria; **~stärke** ⚔ *f* efectivo *m* reglamentario.

etepe'tete F *adj.* remilgado; de mírame y no me toques.

'Eth|ik *f* (*0*) ética *f*; **2isch** *adj.* ético.

Ethno|'graph *m* (*-en*) etnógrafo *m*; **~gra'phie** *f* (*0*) etnografía *f*; **2'graphisch** *adj.* etnográfico; *adv.* etnográficamente; **~'loge** *m* (*-n*) etnólogo *m*; **~lo'gie** *f* (*0*) etnología *f*.

Eti'kett *n* (*-es*; *-e*) etiqueta *f*, marbete *f*; rótulo *m*.

Eti'kette *f* etiqueta *f*, ceremonial *m*; *diplomatische*: protocolo *m*.

etiket'tier|en (-) *v/t.* poner etiquetas *f/pl.*; **2maschine** *f* máquina *f* rotuladora.

'etliche *pron./indef.* algunos, algunas, unos, unas; ~ *20* unos veinte; ~ *hundert* algunos centenares; **~s** algo, algunas (*od.* varias) cosas; una o dos cosas.

Etsch *f* (río) Adigio *m*.

E'tüde ♪ *f* estudio *m*.

Etu'i [e'ˈtvi:] *n* (*-s*; *-s*) estuche *m*.

'etwa *adv.* (*ungefähr*) aproximadamente, cerca de; *nachgestellt*: o cosa así, poco más o menos; (*vielleicht*) acaso, quizá, tal vez; (*zum Beispiel*) por ejemplo, digamos; *falls* ~ por si acaso; *nicht* ~ *wegen* no precisamente por; *es wird* ~ *zehn Minuten dauern* durará unos (*od.* será cosa de) diez minutos; *ist das* ~ *besser?* ¿acaso es mejor esto?; *denken Sie* ~ *nicht, daß* no vaya usted a creer que; **~ig** *adj.* eventual, posible; **~e** *Unkosten* los gastos que hubiere (*od.* que eventualmente se originen).

'etwas I. *pron./indef.* **a)** algo; alguna (*od.* una) cosa; *bei Verneinung*: nada; *adv.* algo, un poco; ~ *wissen* saber algo; ~ *essen* comer algo; (*ein wenig*) comer un poco; *ohne* ~ *zu sagen* sin decir nada; *aus ihm wird* ~ es un hombre que promete *od.* que llegará a ser algo; *das wäre* ~ *für dich* esto te vendría muy bien *od.* sería buena cosa para ti; *noch* ~! ¡otra cosa!; ¡un poco más!; *noch* ~? ¿algo más?; *es ist doch* ~ ya es algo; algo es algo; *so* ~ una cosa así, algo así por el estilo; F *so (et)was!* (*Staunen*) ¡hay que ver!; ¿pero es posible?; (*Ärger*) ¡pues vaya!, *iro.* ¡hombre, qué bonito!; *so* ~ *von Unverschämtheit!* ¡habráse visto desvergüenza!; *ich habe nie so* ~ *gehört* nunca he oido semejante cosa; ~ *anderes* otra cosa; ~ *ganz anderes* algo muy distinto (*od.* diferente); *das ist* ~ *anderes* eso es otra cosa; eso ya es distinto; F eso es harina de otro costal; ~ *über 100 Mark* algo más de cien marcos, cien marcos y

pico; **b)** *vor Substantiven*: ~ *Geld* algo (*od.* un poco) de dinero; ~ *Gutes* (*Unverständliches, Merkwürdiges, Lächerliches usw.*) algo bueno (incomprensible, extraño, ridículo *usw.*); *ich möchte ~ Milch trinken* desearía tomar un poco de leche; **II.** 2 *n*: *ein gewisses ~* un no sé qué.
Etymo|'loge *m* (*-n*) etimólogo *m*, etimologista *m*; **~lo'gie** *f* (*0*) etimología *f*; **2'logisch** *adj.* etimológico.
euch *pron/pers.* (*unbetont*) os; (*betont*) a vosotros, a vosotras; *setzt ~!* ¡sentaos!; *hinter ~* detrás de vosotros *bzw.* vosotras.
'euer *pron/pers.*: vuestro, vuestra; vuestros, vuestras; de vosotros, de vosotras; *Eure* (*Abk.* Ew.) *Exzellenz* vuestra excelencia, vuecencia (*Abk.* V.E.); (*als Anrede*) Excelentísimo Señor (*Abk.* Exmo. Sr.); *Eure Majestät* Vuestra Majestad; (*Abk.* V.M.); (*als Anrede*) Señor; *der eu(e)r(ig)e, eurer* el vuestro; *unser und euer Freund* nuestro común amigo; *dieses Buch ist das ~e* este libro es el vuestro.
'Eugen *m* Eugenio *m*.
Eu'gen|ik *f* (*0*) eugenesia *f*; **2isch** *adj.* eugenésico.
'Eule *f* (*Schleier2*) lechuza *f*; (*Uhu*) búho *m*; (*Waldohr2*) mochuelo *m*; *fig.* *~n nach Athen tragen fig.* llevar hierro a Vizcaya; **~nspiegel** *m* travieso *m*, pícaro *m*; **~nspiege'lei** *f* travesura *f*, picardía *f*, jugarreta *f*.
Eu'nuch [-'nu:x] *m* (*-en*) eunuco *m*.
Euphe'mis|mus [-f-] *m* (*-; -men*) eufemismo *m*; **2tisch** *adj.* eufemístico.
'eure → *euer*.
'eurerseits *adv.* de vuestra parte, por vuestra parte.
'euresgleichen *pron.* los iguales a vosotros, gente como vosotros; vuestros semejantes; los vuestros.
'euret|halben, ~wegen, *um* **~willen** *adv.* por vosotros; por vuestra causa; (con) respecto a vosotros.
'eurige *pron/pos.*: *der ~* el vuestro; *die ~* la vuestra; *das ~* lo vuestro; *die 2n* los vuestros; vuestros parientes, vuestra familia; → *euer*.
Eu'ra|sien *n* Eurasia *f*; **~sier(in** *f*) *m*, **2sisch** eurásico *m*, eurásica *f*.
Eu'ropa *n* Europa *f*.
Euro'pä|er [-ro·'pɛ:ər] *m* **~erin** *f*, **2isch** *adj.* europeo *m*, europea *f*.
europä-i'sieren (-) *v/t.* europeizar.
Eu'ropa...: ~meisterschaft *f* campeonato *m* de Europa; **~rat** *m* (*-es; 0*) Consejo *m* de Europa.
'Euter *n* ubre *f*.
Euthana'sie *f* (*0*) eutanasia *f*.
evaku'ier|en (-) *v/t.* evacuar (*a.* ⚕); **2te(r** *m*) *m/f* evacuado (-a *f*) *m*; **2ung** *f* evacuación *f*.
evan'gelisch [e·vaŋ'g-] *adj.* evangélico; protestante, luterano.
Evange'list *m* (*-en*) *Bib.* Evangelista *m*; (*Missionar*) misionero *m* protestante.
Evan'gelium *n* (*-s; -lien*) Evangelio *m*; *Matthäus2* el Evangelio según San Mateo.
Eventuali'tät [e·ventu·a·-] *f* eventualidad *f*, contingencia *f*.
eventu'ell I. *adj.* eventual; **II.** *adv.* eventualmente; en caso necesario, si fuera necesario; por si acaso.
Evoluti'on *f* evolución *f*; **~s-theorie** *f* (*0*) teoría *f* de la evolución.
'Ewer ⚓ *m* gabarra *f*; **~führer** *m* gabarrero *m*.
'ewig I. *adj.* eterno; (*unaufhörlich*) perpetuo; (*ständig*) incesante, continuo; (*endlos*) infinito; (*unsterblich*) inmortal; *~er Friede Pol.* paz perpetua; *Rel.* paz eterna; *~er Haß* odio inextinguible; *~er Schnee* nieves perpetuas; *~e Lampe Rel.* luminaria *f*; *der 2e* (*Gott*) el Padre Eterno; *das ~e Leben* la vida eterna; *die 2e Stadt* la Ciudad Eterna, Roma; *der 2e Jude* el judío errante; *seit ~en Zeiten* desde tiempos inmemoriales; F *du mit deinem ~en Jammern* tú con tus eternas lamentaciones; F *das ~e Lied* la eterna canción; **II.** *adv.* eternamente; perpetuamente; sin cesar, constantemente; *auf ~* para siempre; a perpetuidad; eternamente; perpetuamente; *~ lange* una eternidad; *es ist ~ schade* es una verdadera lástima; **2keit** *f* eternidad *f*; perpetuidad *f*; *bis in alle ~* por toda la eternidad; hasta el fin de los siglos; *Rel.* por los siglos de los siglos; *ich wartete e-e ~* esperé una eternidad; **~lich** *adv.* *Rel.* eternamente; perpetuamente; para (por) siempre.
ex [ɛks]: *~ trinken* apurar hasta la última gota, beberse de un trago.
Ex [ɛks] *in Zssgn.* ex.
ex'akt [ɛ'ksakt] **I.** *adj.* exacto; (*sorgfältig*) esmerado, cuidadoso; (*pünktlich*) puntual; (*zutreffend*) preciso; *die ~en Wissenschaften* las ciencias exactas; **II.** *adv.* exactamente; esmeradamente; **2heit** *f* (*0*) exactitud *f*; esmero *m*; puntualidad *f*; precisión *f*.
exal'tiert *adj.* exaltado.
Ex'amen *n* examen *m*; *ins ~ gehen* presentarse a examen, examinarse; → *Prüfung*; **~s-arbeit** *f* trabajo *m*; tesis *f*.
Exami'n|and *m* (*-en*) examinando *m*, candidato *m*; **~ator** *m* (*-s; -en*) examinador *m*; **2ieren** (-) *v/t.* examinar.
Exe|'gese *f* exégesis *f*; **~'get** *m* (*-en*) exegeta *m*.
exeku't|ieren (-) *v/t.* ejecutar; **2ion** *f* ejecución *f*; **~iv** *adj.* ejecutivo; **2ivgewalt** *f* (*0*) poder *m* ejecutivo; **2ivorgan** *n* (*-s; -e*) órgano *m* ejecutivo; **~or** *m* (*-s; -en*) agente *m* ejecutivo; **~orisch** *adj.* ejecutorio.
Ex'empel *n* ejemplo *m*; (*Vorbild*) modelo *m*; ℞ problema *m* aritmético; *ein ~ an j-m statuieren* infligir a alg. un castigo ejemplar, hacer un escarmiento con alg.
Exem'plar *n* (*-s; -e*) *Muster*: modelo *m*; *e-s Buches*: ejemplar *m*; *e-r Zeitschrift*: *a.* número *m*; *Abzug*: (*Typ.*) copia *f*; F *er ist ein prächtiges ~ iro.* es un magnífico ejemplar; **2isch I.** *adj.* (*musterhaft, abschreckend*) ejemplar; **II.** *adv.* ejemplarmente; *j-n ~ bestrafen* imponer a alg. un castigo ejemplar.
exer'zier|en (-) **I.** *v/t.* (*bsd.* ⚔) ejercitar, instruir; **II.** *v/i.* ⚔ hacer la instrucción *bzw.* ejercicios *m/pl.* *od.* maniobras *f/pl.*; **2en** *n* ⚔ instrucción *f*; ejercicio *m*; maniobra *f*; **2munition** *f* munición *f* de fogueo; **2patrone** *f* cartucho *m* de fogueo; **2platz** *m* (*-es; ⸚e*) campo *m* de instrucción *od.* de maniobras; (*für Artillerie*) polígono *m* de tiro.
Exer'zi|tium *n* (*-s; -ien*) *Schule*: tema *m*, ejercicio *m*; **~tien** *pl.* *Rel.* ejercicios *m/pl.* espirituales.
Exhibitio'nis|mus [-tsĭo-] *m* (*-; 0*) exhibicionismo *m*; **~t** *m* exibicionista *m*.
exhu'mieren (-) *v/t.* exhumar.
Ex'il *n* (*-s; -e*) destierro *m*, *neol.* exilio *m*; *im ~* en el destierro, en el exilio; *im ~ lebende Person* desterrado, proscrito; expatriado; exiliado; *ins ~ gehen* expatriarse; exiliarse; *ins ~ schicken* desterrar; F exiliar; **~regierung** *f* *neol.* gobierno *m* en el exilio.
Existentia'list [-tsĭa-] *m* (*-en*) existencialista *m*.
Existenti'alphilosophie *f* (*0*) filosofía *f* existencial, existencialismo *m*.
Exi'stenz *f* existencia *f*; (*Wesen*) individuo *m*, ser *m*; (*Unterhalt*) vida *f*, medios *m/pl.* de vida; *e-e sichere ~* una posición segura; *sich* (*dat.*) *e-e ~ gründen* crearse una posición; asegurarse un medio de vida; *verkrachte ~* (*Person*) *fig.* un náufrago de la vida, un fracasado; *dunkle ~* individuo sospechoso; **~bedingungen** *f/pl.* condiciones *f/pl.* de vida; **~berechtigung** *f* (*0*) derecho *m* a existir; razón *f* de ser; **2fähig** *adj.* capaz de existir; **~kampf** *m* (*-es; ⸚e*) lucha *f* por la existencia (*od.* por la vida); **~minimum** *n* (*-s; -minima*) mínimo *m* vital; **~mittel** *n/pl.* medios *m/pl.* de existencia (*od.* de subsistencia).
exi'stieren (-) *v/i.* existir; (*leben*) vivir; *noch ~* existir todavía, subsistir; sobrevivir.
exklu'siv *adj.* selecto, distinguido; **~e** *adv.* exclusive, con exclusión de, sin contar, excluyendo; **2i'tät** *f* (*0*) exclusivismo *m*.
Exkommunikati'on *f* excomunión *f*.
exkommuni'zieren (-) *v/t.* excomulgar.
Exkre'mente *n/pl.* excrementos *m/pl.*, heces *f/pl.*
Ex'kre|t *Physiol.* *n* (*-es; -e*) excreción *f*; **~'tion** *f* excreción *f*.
Ex'kurs *m* (*-es; -e*) (*Abschweifung*) digresión *f*; (*Anhang*) apéndice *m*.
Exkursi'on *f* excursión *f*.
Ex'libris *m* (*-; -*) ex libris *m*.
exmatriku'lieren (-) *v/t.* *Uni.* causar baja como alumno (*para estudiar en otra Universidad*).
'Exmeister *m* ex campeón *m*.
exmit'tieren (-) *v/t.* *j-n*: (*aus e-m Verein*) expulsar de; (*aus e-r Wohnung*) desahuciar.
exo'gen *adj.* exógeno.
ex'otisch *adj.* exótico.
Expansi'on *f* expansión *f*.
Expansi'ons...: ~hub (*-es; 0*) *Auto.* carrera *f* de expansión; **~kraft** *f* (*0*) *Phys.* fuerza *f* expansiva; **~politik** *f* (*0*) política *f* de expansión, *neol.* expansionismo *m*; **~politiker** *m* *neol.* expansionista *m*; **~ventil** ⊕ *n* (*-s; -e*) válvula *f* de expansión.
Expe|di'ent [-'dĭɛ-] † *m* (*-en*) (*La-*

gerangestellter) dependiente *m* encargado de la expedición; (*Versender*) expedidor *m*; 2'**dieren** (-) *v/t.* expedir, despachar; ~**diti'on** *f* (*Versand*) expedición *f*; (*Büro*) oficina *f* de expedición; (*Zeitungs*2) administración *f*; (*Forschungsreise, Kriegszug*) expedición *f*; ~**diti'onskorps** *n* (-; -) ⚔ cuerpo *m* (*od.* ejército *m*) expedicionario.

Experi|'ment *n* (-es; -e) experimento *m*, experiencia *f*; 2**men'tal** *adj.*, 2**men'tell** *adj.* experimental; 2-**men'tieren** (-) *v/i.* experimentar, hacer experimentos *od.* experiencias.

Ex'perte *m* (-n) perito *m*, experto *m*.

explo'dieren (-; *sn*) *v/i.* hacer explosión, estallar, explotar.

Explosi'on *f* explosión *f*; estallido *m*; *zur* ~ *bringen* hacer estallar *od.* explotar.

Explosi'ons...: ~**druck** *m* (-es; 0) presión *f* de la explosión; 2**fähig** *adj.* explosivo; ~**gefahr** *f* peligro *m* de explosión; ~**kraft** *f* (0) fuerza *f* explosiva; ~**motor** *m* (-s; -en) motor *m* de explosión; motor *m* de combustión (interna); 2**sicher** *adj.* a prueba de explosión; ~**welle** *f* onda *f* de la explosión.

explo'siv *adj.* explosivo; 2**stoff** *m* (-es; -e) materia *f* explosiva, explosivo *m*; *fig.* dinamita *f*.

Expo'n|ent *m* (-en) ♈ (*a. fig.*) exponente *m*; 2**ieren** (-) *v/t.* (*erklären*) exponer, explicar; (*aussetzen, Phot.*) exponer; *sich* ~ exponerse a; arriesgar.

Ex'port *m* (-es; -e) exportación *f*; (*Exportiertes*) exportaciones *f/pl.*; → *Ausfuhr*; ~**abteilung** *f* sección *f* de exportación; ~**artikel** *m* artículo *m* de exportación.

Expor'teur *m* (-s; -e) exportador *m*.

Ex'port...: ~**geschäft** *n* (-es; -e) operación *f* de exportación; (*Handel*) comercio *m* de exportación; ~**haus** *n* (-es; ¨er) casa *f* (*od.* firma *f*) exportadora.

expor'tieren (-) *v/t.* exportar (*nach* a).

Ex'port...: ~**land** *n* (-es; ¨er) país *m* exportador; (*Bestimmungsland*) país *m* de destino; ~**kaufmann** *m* (-es; -*leute*) exportador *m*; ~**leiter** *m* jefe *m* de la sección de exportación; ~**quote** *f* cupo *m* de exportación; ~**verpackung** *f* embalaje *m* para exportación; → *Ausfuhr*.

Expo'sé *n* (-s; -s) memorándum *m*; (*Film*) sinopsis *f*; exposición *f*; informe *m*.

ex'preß 1. *adj.* expreso; 2**zug** *m* (-es; ¨e) (tren *m*) expreso *m*; **2.** *adv.* expresamente; 2**gut** *n* (-es; ¨er) mercancía *f* (*enviada*) por expreso.

Expressio'nis|mus *m* (-; 0) expresionismo *m*; ~**t(in** *f*) *m* (-en), 2-**tisch** *adj.* expresionista *m/f*.

ex 'tempore *adv.* de pronto, de improviso; extemporáneamente; 2 *n* *Thea.* improvisación *f*, F *fig.* morcilla.

extempo'rieren *v/t. u. v/i.* improvisar.

exten'siv *adj.* extensivo; ↗ ~*e Wirtschaft* cultivo extensivo.

ex'tern *adj.* externo; 2**e(r** *m*) *m/f* alumno (-a *f*) externo (-a).

exterritori'al *adj.* extraterritorial; 2**i'tät** *f* (0) ext(rat)erritorialidad *f*.

'extra I. *adv.* extra; especialmente; por separado, aparte; (*obendrein*) además, por añadidura, adicionalmente; **II.** 2 *n* extra *m*, plus *m*; *die* ~*s* los extras; **III.** *adj. in Zssgn.* extraordinario, especial; (*zusätzlich*) accesorio, adicional; 2**blatt** *n* (*Zeitung*) extraordinario *m*, edición *f* especial; 2**dividende** ✝ *f* dividendo *m* suplementario *od.* extraordinario; ~**fein** *adj.* extrafino, de superior calidad.

extra'hieren (-) *v/t.* extraer.

Ex'trakt *m* (-es; -e) extracto *m*.

Extra-ordi'narius [-ʀius] *Univ.* *m* (-; -*rien*) catedrático *m* supernumerario.

'Extrawurst F *f* (-; ¨e): *j-m e-e* ~ *braten* hacer una excepción con alg.; *e-e* ~ *gebraten haben wollen* pretender ser tratado mejor que los demás.

extrava'gant *adj.* extravagante.

ex'trem *adj.* extremo; 2 *n* (-s; -e) extremo *m*; *von e-m* ~ *ins andere fallen* caer de un extremo en el otro.

Extremi'tät *f* extremidad *f*.

Exzel'lenz [-tsɛ'lɛnts] *f* Excelencia *f*; *Seine* ~ Su Excelencia; *Euer* (*Abk. Ew.*) ~ (*Anrede*) Vuecencia; Su Excelencia.

Ex'zenter|presse ⊕ *f* prensa *f* excéntrica; ~**scheibe** *f* disco *m* excéntrico.

ex'zen|trisch *adj.* excéntrico (*a. fig.*); 2**trizi'tät** ⊕ *f* (0) excentricidad *f* (*a. fig.*).

Ex'zerpt *n* extracto *m*, nota *f* extractada.

Ex'zeß [ɛks'tsɛs] *m* (-*sses*; -*sse*) exceso *m*; extralimitación *f*, abuso *m*; (*Gewalttätigkeit*) exceso *m*, violencia *f*, disturbio *m*.

F

F, f *n* F, f *f*; ♪ *n* fa *m*.

'Fabel *f* (-; -*n*) fábula *f*; *e-s Dramas, e-s Romans*: argumento *m*; *fig.* (*Lüge*) fábula *f*, embuste *m*, mentira *f*; (*unglaubliche Geschichte*) patraña *f*, invención *f*; conseja *f*; (*Märchen*) cuento *m*; **~dichter** *m* fabulista *m*.

Fabe'lei *f* cuentos *m/pl.*, historias *f/pl.* fantásticas; patrañas *f/pl.*

'fabel...: ~haft I. *adj.* fabuloso; legendario; mítico; (*erstaunlich*) maravilloso, prodigioso; (*unglaublich*) increíble; (*großartig*) excelente, magnífico; F estupendo, formidable; *ein ~er Kerl* una excelente persona, F un buen chico; **II.** *adv.* fabulosamente; maravillosamente; (*großartig*) magníficamente, F estupendamente; **~n** (-*le*) *v/i.* contar historias *f/pl. od.* cuentos *m/pl.*; F *fig.* (*lügen*) contar cuentos chinos; → *faseln*; **2land** *n* (-*es*; *0*) país *m* fabuloso *od.* legendario; **2tier** *n* (-*es*; -*e*) animal *m* fabuloso; **2welt** *f* (*0*) reino *m* de la fantasía *od.* de la fábula.

Fa'brik *f* fábrica *f*; manufactura *f*; (*Werkstatt*) talleres *m/pl.*; **~anlage** *f* instalación *f*, planta *f* fabril.

Fabri'kant [-'k-] *m* (-*en*) fabricante *m*.

Fa'brik...: ~arbeit *f* trabajo *m* en la fábrica; → *Fabrikware*; **~arbeiter** *m* obrero *m* industrial; operario *m*; trabajador *m* (*de una fábrica*); **~arbeiterin** *f* obrera *f*; operaria *f*.

Fabri'kat *n* (-*es*; -*e*) producto *m*, artículo *m* manufacturado; (*Gewebe*) manufacturas *f/pl.*; *deutsches ~* producto de fabricación alemana.

Fabrikati'on *f* fabricación *f*, producción *f*, manufactura *f*.

Fabrikati'ons...: ~fehler *m* defecto *m* de fabricación; **~gang** *m* (-*es*; *⸚e*) proceso *m* de fabricación; **~geheimnis** *n* (-*ses*; -*se*) secreto *m* de fabricación; **~nummer** *f* (-; -*n*) número *m* de fabricación (*de la serie*); **~programm** *n* (-*es*; -*e*) programa *m od.* plan *m* de fabricación; **~stätte** *f* taller *m* de fabricación; **~zweig** *m* (-*es*; -*e*) ramo *m* industrial.

Fa'brik...: ~besitzer(in *f*) *m* propietario (-a *f*) *m* de una fábrica, fabricante *m/f*; **~betrieb** *m* (-*es*; -*e*) (*Tätigkeit*) actividad *f* fabril; → *Fabrik*; **~direktor** *m* (-*s*; -*en*) director *m* de fábrica; **~gebäude** *n* edificio *m* de la fábrica; **~mädchen** *n* obrera *f*, operaria *f* (joven); **~marke** *f* marca *f* registrada *od.* de fábrica; **2mäßig** *adj.* fabril; *~ hergestellt* manufacturado, fabricado, *serienweise*: en serie; **2neu** *adj.* nuevo de fábrica; F flamante; **~nummer** *f* (-; -*n*) (*Werksnummer*) número *m* de fábrica; **~preis** *m* (-*es*; -*e*) precio *m* de fábrica; **~ware** *f* artículos *m/pl.* fabricados *od.* manufacturados; **~zeichen** *n* → *Fabrikmarke*.

fabri'zieren *v/t.* fabricar, manufacturar; *fig.* hacer.

fabu'lieren (-) *v/i.* → *fabeln*.

Fa'cette [s] *f* faceta *f*; cara *f*.

Fach *n* (-*es*; *⸚er*) (*Abteil*) departamento *m*, compartimiento *m*; sección *f*; *im Schrank, in der Aktentasche*: división *f*; *im Tresor, in Tabellen*: casilla *f*; (*Schub2*) cajón *m*; gaveta *f*; (*Schrank2*) anaquel *m*; (*Bücherbord*) estante *m*; *der Tür, der Wand*: panel *m*; *Typ. im Schriftkasten*: cajetín *m*; (*Spalte*) columna *f*; *in der Honigwabe*: celdilla *f* (*a.* ⚘); △ (*Zwischenraum*) entrepaño *m*; *fig.* campo *m* de actividades; (*Beruf*) profesión *f*; oficio *m*; (*Branche*) ramo *m*; (*Lehr2*) asignatura *f*; *wissenschaftliches Gebiet*: materia *f*, disciplina *f*; especialidad *f*; *Mann vom ~* perito *od.* técnico en la materia; especialista; *Musiker usw. von ~* profesional, de profesión; *sein ~ verstehen* conocer bien su oficio; *fig.* saber lo que trae entre manos; *das schlägt nicht in mein ~* no soy competente para esto *od.* no es de mi competencia; no entiendo de esto.

...fach *adj. in Zssgn. ab 4*: ... veces más *bzw.* mayor; *zehn~* diez veces más *bzw.* diez veces mayor.

'Fach...: ~arbeit *f* trabajo *m* de especialista; **~arbeiter** *m* operario *m od.* obrero *m* especializado (*od.* calificado); **~arzt** *m* (-*es*; *⸚e*) (médico *m*) especialista *m* (für en); **~ausbildung** *f* educación *f od.* formación *f* profesional; especialización *f*; **~ausdruck** *m* (-*es*; *⸚e*) tecnicismo *m*, término *m* técnico; **~berater** *m* asesor *m* técnico; **~bildung** *f* → *Fachausbildung*.

'fächeln (-*le*) *v/t. u. v/i.* abanicar; *sich ~* abanicarse.

'Fächer *m* abanico *m*; **~antenne** *f* antena *f* en (forma de) abanico; **2förmig** *adj.* en forma de abanico; **~motor** *m* (-*s*; -*en*) motor *m* con cilindros dispuestos en abanico; **~palme** *f* ⚘ latania *f*.

'Fach...: ~gebiet *n* (-*es*; -*e*) especialidad *f*; ramo *m* especial; **~gelehrter** *m* especialista *m*; (*Wissenschaftler*) especialista *m* eminente, autoridad *f* (*en una materia*); **2gemäß, 2gerecht** *adj.* (*Arbeit usw.*) hecho con pericia; **~geschäft** *n* (-*es*; -*e*) establecimiento *m* del ramo; **~größe** *f* autoridad *f* (*en una materia*); **~gruppe** *f* asociación *f* gremial; asociación *f* profesional; **~kenntnisse** *f/pl.* conocimientos *m/pl.* especiales *od.* técnicos (*de una materia*); **~kräfte** *f/pl.* especialistas *m/pl.*, personal *m* especializado; personal *m* técnico; **2kundig** *adj.* competente, experto, perito; **~lehrkraft** *f* (-; *⸚e*) profesor *m* especial; **2lich** *adj.* profesional, especial, técnico; **~literatur** *f* literatura *f* técnica *od.* especial de una materia; **~mann** *m* (-*es*; *⸚er od.* -*leute*) profesional *m*; perito *m*, técnico *m*; especialista *m*; experto *m*; **2männisch** *adj.* competente; profesional; del ramo; (*Arbeit*) de especialista, hecho con pericia; *~es Urteil* dictamen pericial; **~personal** *n* (-*s*; *0*) → *Fachkräfte*; **~presse** *f* prensa *f* técnica *bzw.* profesional; prensa *f* científica; **~redakteur** *m* (-*s*; -*e*) redactor *m* especial *od.* técnico; **~schaft** → *Fachgruppe*; **~schule** *f* escuela *f* profesional *bzw.* especial; **~schulwesen** *n* (-*s*; *0*) enseñanza *f* técnica; **~simpe'lei** *f* charla *f* inoportuna sobre cuestiones profesionales; **2simpeln** (-*le*) *v/i.* pedantear sobre cosas *f/pl.* del oficio; **~sprache** *f* terminología *f* técnica, tecnología *f*; lenguaje *m* profesional; *iro.* jerga *f*; **~studium** *n* (-*s*; -*studien*) estudios *m/pl.* especiales *od.* profesionales; **~verband** *m* (-*es*; *⸚e*) asociación *f* profesional; **~werk** *n* (-*es*; -*e*) (*Buch*) tratado *m* especial; △ maderaje *m*, maderamen *m*; entramado *m*; **~werkbrücke** *f* puente *m* de celosía; **~werkhaus** *n* (-*es*; *⸚er*) casa *f* con fachadas entramadas; **~wissen** *n* (-*s*; *0*) → *Fachkenntnisse*; **~wissenschaft** *f* especialidad *f* científica; **~wort** *n* (-*es*; *⸚er*) término *m* técnico; **~wörterbuch** *n* (-*es*; *⸚er*) diccionario *m* técnico; **~zeitschrift** *f* revista *f* especializada.

'Fackel *f* (-; -*n*) antorcha *f* (*a. fig.*); (*Kien2*) tea *f*; (*Wachs2*) blandón *m*; (*Wind2*) hacha *f*; **2n** (-*le*) *v/i.* (*zögern*) vacilar, titubear; *er fackelte nicht lange* no vaciló un instante, F no se anduvo en contemplaciones *od.* no se paró en barras; **~schein** *m* (-*es*; *0*) resplandor *m* de las antorchas; **~träger** *m* portador *m* de antorcha; **~zug** *m* (-*es*; *⸚e*) desfile *m bzw.* manifestación *f* con antorchas.

'Fädchen *n* hilillo *m*, filamento *m*.

ˈ**fade** *adj. Geschmack*: insípido; insubstancial; (*bsd. salzlos*) soso; (*bsd. Obst*) desabrido; (*schal, bsd. Getränke*) flojo; *fig.* (*geistlos*) insípido, insustancial, insulso; (*langweilig*) soso, aburrido; (*Person*) *a.* zonzo.

ˈ**Faden** *m* (-*s*; ¨) hilo *m*; (*Näh*2) *a.* hebra *f*; *gezwirnter*: hilo *m* retorcido; (*Nähseide*) torzal *m*; (*Bind*2) bramante *m*; (*Faser*) fibra *f*; ⚡ hilo *m*, *Glühbirne*: filamento *m*; ⚓ *Maß*: braza *f*; ~ *ziehen* (*Wein usw.*) ahilar, hacer madeja; *fig. den* ~ *verlieren* perder el hilo; *keinen trockenen* ~ *am Leibe haben* estar calado hasta los huesos; *er hält alle Fäden in der Hand* tiene todos los resortes en la mano, F es el que corta el bacalao; *s-n Leben hängt an e-m* ~ su vida está pendiente de un hilo; 2**förmig** *adj.* filiforme; 2**führer** ⊕ *m* guía-hilos *m*; ~**kreuz** *n* (-*es*; -*e*) *Opt.* retículo *m*, cruz *f* reticular; *Weberei*: en(tre)cruzamiento *m*; ~**nudeln** *f/pl.* fideos *m/pl.*; ~**rolle** *f* carrete *m* de hilo; 2**scheinig** *adj.* raído, deshilachado; *fig. Ausrede*: pobre; ~**wurm** ⚕ *m* (-*es*; ¨*er*) nematodo *m*; filaria *f*; ~**zähler** *m* (*Weberei*) cuentahilos *m*; 2**ziehend** *adj.* filamentoso, hebroso.

ˈ**Fadheit** *f* (*0*) insipidez *f*; *fig.* insulsez *f*, sosería *f*; sandez *f*.

Faˈ**gott** ♩ *n* (-*es*; -*e*) fagot(e) *m*; ~**bläser**, **Fagot**ˈ**tist** *m* (-*en*) fagotista *m*.

ˈ**fähig** *adj.* capaz; (*gescheit*) hábil, inteligente; ~ *zu* capaz de; (*Sache*) susceptible de; (*geeignet*) apto, idóneo, competente para; en condiciones de; ~ *machen zu* capacitar para; *mst. m.s.*: *zu allem* ~ capaz de todo, capaz de hacer cualquier cosa; 2**keit** *f* capacidad *f*; habilidad *f*; aptitud *f*, idoneidad *f*; (*Anlage*) disposición *f* natural; *geistig*: talento *m*; inteligencia *f*; (*geistiges Vermögen*) facultad *f*.

ˈ**fahl** *adj.* (*blaß*) pálido; (*bleich*) lívido; (*düster*) cárdeno; (*verschossen*) descolorido, desteñido; ~**gelb** *adj.* amarillento; pajizo; ~**grau** *adj.* grisáceo, pardusco; *Gesicht*: lívido; ~**rot** *adj.* leonado.

ˈ**Fähnchen** *n* banderita *f*; (*Wimpel*) gallardete *m*; ⚓ grímpola *f*; (*Lanzen*2) banderola *f*; (*Absteck*2) guión *m*; *Sport*: banderín *m*; *fig.* (*Kleid*) vestido *m* veraniego barato.

ˈ**fahnd**|**en** (-*e*-) *v/i.*: *nach j-m* ~ perseguir *od.* buscar a alg. (*la policía*); 2**ung** *f* pesquisa *f*; 2**ungsstelle** *f* departamento *m* de investigación criminal.

ˈ**Fahne** *f* bandera *f*; enseña *f*; *bsd.* ⚓ pabellón *m*; (*Reiter*2) estandarte *m*; (*Kirchen*2) pendón *m*, guión *m*; estandarte *m*; (*National*2) pabellón *m* nacional; (*Rauch*2) estela *f* de humo; *Jgdw.* (*des Wildes*) hopo *m*; *Typ.* galerada *f*, prueba *f*; *bei der* ~ *dienen* estar haciendo el servicio militar, estar sirviendo a la patria; *die* ~ *hochhalten* mantener en alto el pabellón; *mit fliegenden* ~*n* a banderas desplegadas.

ˈ**Fahnen...**: ~**eid** *m* (-*es*; -*e*) (*Eidesformel*) juramento *m* (*Handlung*: jura *f*) de la bandera; ~**flucht** *f* (*0*) deserción *f*; 2**flüchtig** *adj.*, ~**flüchtige(r)** *m* desertor *m*; ~**junker** *m* cadete *m*; ~**stange** *f*, ~**stock** *m* (-*es*; ¨*e*) asta *f* de la bandera; ~**träger** *m* abanderado *m*; ~**tuch** *n* (-*es*; ¨*er*) colgadura *f*; ~**weihe** ⚔ *f* bendición *f* de la bandera.

ˈ**Fähnlein** *n* → *Fähnchen*; *fig.* grupo *m* de tropas montadas; (*Pfadfinder*) sección *f* de exploradores.

ˈ**Fähnrich** ⚔ *m* (-*s*; -*e*) alférez *m*; ⚓ ~ *zur See* guardiamarina *m*; *Hist.* portaestandarte *m*, alférez *m*.

ˈ**Fahr**|**ausweis** *m* (-*es*; -*e*) → *Fahrkarte*; ~**bahn** *f* (*der Straße*) calzada *f*; *rechte* (*linke*) ~ calzada derecha (izquierda); *Rennbahn*: pista *f*; (*Landstraße*) carretera *f*; *Autobahn*: autopista *f*; 2**bar** *adj. Weg*: transitable; *Gewässer*: navegable; ⊕ móvil, portátil; ~*e Anlagen* instalaciones portátiles; 2**bereit** *adj.* dispuesto para salir; ⚓ en franquía; ~**damm** *m* (-*es*; ¨*e*) calzada *f*; ~**dienst** 🚂 *m* (-*es*; -*e*) servicio *m* de andén; ~**dienstleiter** *m* jefe *m* de movimiento.

ˈ**Fähre** *f Fährboot*: barco *m* transbordador; barca *f* de pasaje; (*Drahtseil*2) transbordador *m* aéreo; (*schwebende* ~) transbordador *m* suspendido; *fliegende* ~ puente transbordador.

ˈ**Fahr-eigenschaften** *Auto. f/pl.* propiedades *f/pl.* de marcha.

ˈ**fahren** (*L*) **1.** *v/i.* (*sn*) *in beliebigem Fahrzeug*: ir (mit en); viajar en; (*hinunter*~) bajar (a); (*hinauf*~) subir (a); (*hinein*~) entrar (en); ⚓ navegar; *Wagen, Zug*: ir, circular; (*in Fahrt sein*) estar en marcha *f*; *mit dem Fahrstuhl* ~ subir *bzw.* bajar en el ascensor; *der Zug fährt zweimal am Tag* el tren circula dos veces al día; *dieser Zug fährt Sonntags nicht* este tren no circula los domingos; *das Schiff fährt alle 3 Tage* el barco hace la travesía (*od.* hace el servicio) cada tres días; *auf dem Fahrrad* ~ ir en bicicleta; *mit der Bahn* ~ ir (*od.* viajar) en tren; *erster Klasse* ~ viajar en primera clase; *spazieren* ~ pasear en coche; *durch die Stadt* ~ pasear (*od.* dar un paseo) en coche por la ciudad; (*hindurch*~) pasar por (*od.* atravesar) la ciudad; *über e-n Fluß* (*Platz usw.*) ~ cruzar (*od.* atravesar) un río (una plaza *usw.*); *aus dem Hafen* ~ salir del puerto, zarpar; ⚓ *auf Grund* ~ encallar, embarrancar; *gegen et.* ~ chocar (*od.* dar) contra; *gen Himmel* ~ (*Rel.*) subir a los cielos; *zur Hölle* ~ (*Rel.*) bajar a los infiernos; F *fig.* irse al infierno *od.* al diablo; *aus dem Bett* ~ saltar de la cama; despertar sobresaltado; *in die Kleider* ~ vestirse apresuradamente; *mit der Hand* ~ *über* pasar la mano por; ~ *lassen* (*Boot, Zug usw.*) poner en marcha; (*loslassen*) soltar; *fig.* renunciar a, abandonar; *Sie* ~ *besser* (*billiger*), *wenn* le conviene más *inf.* (le resulta más barato *inf. od.* si *ind.*); *er ist gut* (*schlecht*) *dabei ge*~ la empresa le ha resultado bien (mal); *was ist in ihn ge*~? F ¿qué demonios le ha pasado?; *in die Tasche* ~ meter la mano en el bolsillo; *es fuhr mir durch den Sinn* me pasó por la cabeza la idea de; *gut* (*schlecht*) *bei e-m Handel* ~ hacer un buen (mal) negocio; *rechts* ~ circular por (*od.* llevar) la derecha; *er kann* ~ sabe conducir (*un auto*); es un buen conductor; *fahr*(*e*) *wohl!* ¡adiós!, ¡Dios te acompañe!; **2.** *v/t.* (*lenken*) conducir, guiar; pilotar; (*befördern*) transportar; *Personen*: conducir (*nach* a); *hin*~ llevar, *her*~ traer; *Steine, Heu usw.*: acarrear, portear, transportar; *ein Schiff auf den Grund* ~ varar un barco; *e-e Strecke* ~ recorrer un trayecto; *j-n an e-n Ort* ~ conducir *od.* llevar a alg. (*en un vehículo*) a un lugar; *j-n spazieren* ~ llevar a alg. a dar un paseo en coche; ~ *oder gehen wir?* ¿tomamos un coche (*bzw.* tranvía, autobús, taxi *usw.*) o vamos a pie?; 2 *n* (*Reise*) viaje *m*, viajar *m*; (*Auto fahren*) conducir *m bzw.* viajar en auto *m*; (*Fortbewegung*) locomoción *f*; (*von Gütern*) transporte *m*, acarreo *m*; ~**d** *adj.*: ~*er Händler* vendedor *m* ambulante; ~*er Ritter* caballero *m* andante; ~*es Volk* (*Landstreicher*) vagabundos *m/pl.*; gente *f* errante; (*Wandervolk*) nómadas *m/pl.*; ~*e Habe* bienes *m/pl.* muebles; ~*e Artillerie* artillería *f* montada.

ˈ**Fahrer** *m* (*Auto*) conductor *m*, *gal.* chófer *m*; (*Motorrad*2) motorista *m*; ~**flucht** *f* (*0*) fuga *f* después de causar un accidente; ~**sitz** *m* (-*es*; -*e*) asiento *m* del conductor.

ˈ**Fahr...**: ~**gast** *m* (-*es*; ¨*e*) viajero *m*; ⚓, ✈ pasajero *m*; ~**gastschiff** *n* (-*es*; -*e*) vapor *m* de línea; barco *m* de pasajeros; ~**geld** *n* (-*es*; -*er*) precio *m* del billete; ⚓ pasaje *m*; *Taxe*: precio *m* del recorrido.

ˈ**Fährgeld** *n* (-*es*; -*er*) barcaje *m*; pasaje *m*.

ˈ**Fahr...**: ~**gelegenheit** *f* ocasión *f* de ir en un vehículo; servicio *m* de transporte; ~**geschwindigkeit** *f* velocidad *f* (de marcha); ~**gestell** *n* (-*es*; -*e*) *Auto.* chasis *m*; ✈ tren *m* de aterrizaje.

ˈ**fahrig** *adj.* (*unstet*) inconstante, voluble; (*nervös*) inquieto, nervioso; (*unaufmerksam*) distraído.

ˈ**Fahrkarte** *f* billete *m*, *Am.* boleto *m*; ⚓ pasaje *m*; *einfache* ~ billete sencillo *od.* de ida; ~ *hin und zurück* billete de ida y vuelta; *e-e* ~ *lösen nach* tomar (*od.* sacar) billete para.

ˈ**Fahrkarten...**: ~**ausgabe** *f* despacho *m* de billetes; taquilla *f*; *Am.* boletería *f*; ~**kontrolleur** *m* (-*s*; -*e*) revisor *m*; ~**schalter** *m* → *Fahrkartenausgabe*; ~**verkäufer** *m* empleado *m* del despacho de billetes; taquillero *m*.

ˈ**fahrlässig** *adj.* negligente, descuidado; ~*e Tötung* ⚖ homicidio por imprudencia; 2**keit** *f* negligencia *f*; incuria *f*; descuido *m*; ⚖ imprudencia *f*; *grobe* ~ imprudencia temeraria.

ˈ**Fahr...**: ~**lehrer** *m* profesor *m* de conducción (de autos); ~**leistung** *f Auto.* rendimiento *m* en carretera.

ˈ**Fähr**|**mann** *m* (-*es*; -*leute*) barquero *m*; ~**schiff** *n* (-*es*; -*e*) barco *m* portatrenes; barco *m* transbordador de automóviles; **~seil** *n* (-*es*; -*e*) andarivel *m*.

'**Fahrnis** ⚖ *f* (-; -*se*) bienes *m/pl.* muebles; **~gemeinschaft** *f* → *Gütergemeinschaft*.

'**Fahr...**: **~plan** *m* (-*es*; ¨*e*) horario *m* de trenes; **2planmäßig** *adj.* regular; *der Zug fährt* (*kommt*) ~ *ab* (*an*) *um 12 Uhr* el tren sale (llega) regularmente a las doce; **~praxis** *f* (*0*) práctica *f* en la conducción (*de autos*); **~preis** *m* (-*es*; -*e*) precio *m* del billete; **~preisanzeiger** *m* *Auto.* taxímetro *m*; **~preis-ermäßigung** *f* reducción *f* del precio del billete, tarifa *f* reducida; **~prüfung** *Auto. f* examen *m* (*teórico y práctico*) de conducción; **~rad** *n* (-*es*; ¨*er*) bicicleta *f*; F bici *f*; **~rinne** *f* ⚓ canal *m*; (*Wagenspur*) rodada *f*; **~schein** *m* (-*es*; -*e*) → *Fahrkarte*; **~scheinheft** *n* (-*es*; -*e*) 🚂 billete-talonario *m* para líneas combinadas; **~schule** *Auto. f* escuela *f* de chóferes; **~schüler(in** *f*) *m* aspirante *m/f* a conductor(a *f*) *m*; **~straße** *f* carretera *f*; → *Fahrdamm*; **~strecke** *f* trayecto *m*, recorrido *m*; distancia *f*; → *zurücklegen*; **~stuhl** *m* (-*es*; ¨*e*) ascensor *m*; *für Güter*: montacargas *m*; (*Rollstuhl*) sillón *m* de ruedas; **~stuhlführer** *m* ascensorista *m*; **~stuhlkabine** *f* cabina *f* del ascensor; **~stuhlschacht** *m* (-*es*; ¨*e*) caja *f* del ascensor; **~stunde** *Auto. f* lección *f* práctica de conducción.

Fahrt *f* *Reise*: viaje *m* (en coche, tren, barco *usw.*); *zur See*: travesía *f*; crucero *m*; *Ausflug*: excursión *f*; (*Rund2*) vuelta *f*; ~ *ins Blaue* viaje recreativo sin destino conocido; *Weg*: camino *m*, ruta *f*; *Strecke*: trayecto *m*; (*zurückgelegte Strecke*) recorrido *m*; ⚓ *Kurs*: derrotero *m*; *Tempo*: marcha *f*; *Geschwindigkeit*: velocidad *f*; *in voller* ~ en plena marcha; *freie* ~! ¡vía libre!; 🚂 *freie* ~ *geben* poner la señal de vía libre, dar vía libre; *freie* ~ *haben* tener vía libre (*a. fig.*); *gute* ~! ¡buen viaje!; ⚓ *halbe* (*volle*) ~ media (a toda) máquina *od.* velocidad; *auf der* ~ *nach Toledo* camino de Toledo; F *j-n in* ~ *bringen* irritar *od.* enfurecer a alg.; *in* ~ *kommen* ir ganando velocidad; *fig.* tomar bríos; (*sich erbosen*) montar en cólera; *in* ~ *sein* F estar eufórico (*od.* en sus glorias); (*erbost sein*) estar furioso; '**~ausweis** *m* (-*es*; -*e*) billete *m*; *Auto.* permiso *m* de conducción, carnet *m* de conductor.

'**Fährte** *f* huella *f*, rastro *m*; pista *f*; *auf der falschen* ~ *sein* estar despistado; seguir una pista equivocada.

'**Fahrt...**: **~messer** ✈ *m* velocímetro *m*; **~richtung** *f* dirección *f*; ⚓ rumbo *m*; *gegen die* ~ *fahren* (*Straßenverkehr*) ir a contramano; **~richtungsanzeiger** *Auto.* *m* flecha *f* de dirección; (*Blinklicht*) luz *f* de cambio de dirección; **~unterbrechung** *f* interrupción *f* del viaje; **~wind** ✈, ⚓ *m* (-*es*; -*e*) viento *m* favorable.

'**Fahr...**: **~vorschrift** *f* reglamento *m* de tráfico; **~wasser** ⚓ *n* agua *f* navegable; → *Fahrrinne*; *fig.* senda *f*; tendencia *f*; *im richtigen* ~ *sein* estar en su elemento (*od.* en sus glorias); **~weg** *m* (-*es*; -*e*) → *Fahrbahn*; carretera *f*; camino *m* real; **~werk** *n* (-*es*; -*e*) ⊕ mecanismo *m* de traslación; ✈ → *Fahrgestell*; **~zeit** *f* horas *f/pl.* de marcha (*od.* de recorrido); *Fahrtdauer*: duración *f* del viaje (*od.* del trayecto); *des Motors*: kilometraje *m* recorrido; **~zeug** *n* (-*es*; -*e*) vehículo *m*, carruaje *m*; ⚓ embarcación *f*; (*Schiff*) barco *m*, buque *m*; vapor *m*; **~zeughalter** *m* *Auto.* propietario *m* de un automóvil; *Versicherung*: tenedor *m*; **~zeugkolonne** *f* caravana *f* de automóviles; **~zeugmotor** *m* (-*s*; -*en*) motor *m* para vehículos; **~zeugpapiere** *n/pl.* *Auto.* documentación *f* del automóvil; **~zeugpark** *m* (-*s*; -*s*) *Auto.* parque *m* móvil; 🚂 material *m* móvil; **~zeugverkehr** *m* (-*s*; *0*) tráfico *m* (*od.* tránsito *m*) rodado.

fair *adj.* leal, correcto; *Sport* limpio.

fä'kal *adj.* fecal.

Fä'kalien *pl.* materias *f/pl.* fecales, heces *f/pl.*; **~abfuhr** *f* evacuación *f* de las materias fecales.

'**Fakir** ['fɑːkɪʀ] *m* (-*s*; -*e*) faquir *m*.

Fak'simile [-'ziːmiˑleˑ] *n* (-*s*; -*s*) facsímil *m*.

Fakti'on *Pol. f* facción *f*.

'**faktisch I.** *adj.* real, efectivo; **II.** *adv.* realmente, efectivamente, de hecho.

fakti'tiv *Gr. adj.* factitivo.

'**Faktor** *m* ⅍ (-*s*; -*en*) factor *m*; (*Verwalter*) administrador *m*; (*Handelsvertreter*) agente *m*; (*Vorarbeiter*) capataz *m*; *Typ.* regente *m* de imprenta; *fig.* factor (*a. Biol.*); *bestimmender* ~ factor determinante.

Fakto'rei [-'ʀaɪ] ✝ factoría *f*.

Fak'totum *n* (-*s*; -*s*) factótum *m*.

'**Fak|tum** *n* (-*s*; *Fakta od. Fakten*) hecho *m*; **~ten** *n/pl.* hechos *m/pl.*; (*Angaben*) datos *m/pl.*; realidades *f/pl.*

Fak'tur(a) ✝ *f* factura *f*, nota *f*.

faktu'rieren (-) *v/t.* facturar.

Fakul'tät *Uni. f* facultad *f*.

fakulta'tiv *adj.* facultativo.

'**falb** *adj.* amarillento; **2e(r)** *m* *Pferd*: caballo *m* bayo *bzw.* overo.

'**Falbel** *f* (-; -*n*) volante *m*, faralá *m*.

'**Falke** *m* (-*n*) halcón *m*; **~n-auge** *n* *fig.* ojo *m* de lince (*od.* de águila); **~nbeize**, **~njagd** *f* cetrería *f*.

'**Falkner** *m* halconero *m*.

Fall[1] *m* (-*es*; ¨*e*) caída *f*; (*Sturz*) *a.* derrumbamiento *m*; *im Fallschirm, des Barometers*: descenso *m*; (*Wasser2*) cascada *f*; salto *m*; catarata *f*; → *Gefälle*; *fig. Untergang*: ruina *f*; *Niedergang*: decadencia *f*; ⚔ *e-r Festung, Stadt*: caída *f*; ✝ *der Kurse, Preise*: baja *f*; *Bankrott*: quiebra *f*; *e-r Regierung, Monarchie usw.*: caída *f*; (*Angelegenheit*) asunto *m*; *Gr.*, ⚕: caso *m*; ⚖ causa *f*; *im* ~*e Müller u. Genossen* en la causa seguida a Müller y otros; *auf alle Fälle* en todo caso, de todos modos; (*unbedingt*) a toda costa, a todo trance; sea como sea; *auf keinen* ~ de ningún modo, de ninguna manera; en ningún caso; *gesetzt den* ~, *daß* supongamos que; *im* ~*e, daß* (en) caso (de) que *subj.*; caso de *inf.*; *für alle Fälle* en todo caso; F por si acaso, por sí o por no; *im besten* ~*e* en el mejor caso, en el caso más favorable; *im schlimmsten* ~*e* en el peor caso, poniéndonos en lo peor; si todo falla; en último caso; *in den meisten Fällen* en la mayoría de los casos; *in diesem* ~*e* en ese (*od.* tal) caso; siendo así; *von* ~ *zu* ~ *entscheiden* resolver según los casos (*od.* según las circunstancias de cada caso); *zu* ~ *bringen* hacer caer, derribar; *fig.* (*entehren*) seducir, deshonrar; (*ruinieren*) causar la ruina de, arruinar a; (*Regierung*) derribar; *Parl. e-n Antrag*: desechar; hacer fracasar; *zu* ~ *kommen* caer; *fig.* dejarse seducir; arruinarse; *das ist ganz mein* ~ F esto es lo que a mí me gusta; *das ist auch bei ihm der* ~ ése es también su caso, también él se encuentra (*od.* está) en el mismo caso; *das ist der* ~ así es; *das ist nicht der* ~ no es así, no es ése el caso; *es gibt Fälle, wo* hay (*od.* se dan) casos en que; *Knall und* ~ de repente, de pronto; F sin más ni más; de golpe y porrazo, de sopetón.

Fall[2] ⚓ *n* (-*s*; -*en*) driza *f*.

'**fällbar** ⚗ *adj.* precipitable.

'**Fall...**: **~beil** *n* (-*es*; -*e*) guillotina *f*; **~beschleunigung** *f* aceleración *f* de la caída; **~brücke** *f* puente *m* levadizo.

'**Falle** *f* trampa *f* (*a. fig.*); *Schlinge*: lazo *m* (*a. fig.*); ⊕ *Fallklinke*: trinquete *m*, gatillo *m*; *Wasserbau*: compuerta *f*; *e-e* ~ *stellen* armar una trampa; *fig. j-m*: tender un lazo a alg.; *in die* ~ *gehen* caer en el lazo (*od.* en la red, F en el garlito); F (*zu Bett gehen*) irse a la cama.

'**fallen** (*L*; *sn*) *v/i.* caer (*auf, an ac.* a; *in ac.* en); (*purzeln*) caer rodando por el suelo; (*hin~*) dar una caída, caerse al suelo; (*plötzlich*) caerse, desplomarse; *aufs Gesicht* ~ caer de bruces; *auf den Rücken* ~ caer de espaldas; ⚔ *Stellung, Festung, Stadt*: caer; *Soldat*: caer, morir en acción *f* de guerra; *Barometer*: descender; *Flut, Vorhang*, ✝ *Preis, Wertpapiere*: bajar; ♪ bajar el tono; ✝ ~*de Tendenz* tendencia a la baja; *fig.* (*nachlassen*) disminuir, decrecer; declinar; (*hörbar werden*) oírse; *Schüsse fielen* se oyeron (unos) disparos; *es fielen harte Worte* hubo palabras muy duras; *Fest usw.*: caer (*auf* en); *in e-e Kategorie*: pertenecer a, entrar en; *unter ein Gesetz*: caer bajo; estar amparado por *una ley*; *an j-n* ~ *durch Erbübergang*: recaer en; *als Anteil auf j-n* ~ tocar *od.* corresponder a; *das Los fiel auf mich* me cayó en suerte; ~*lassen* dejar caer; *fig. Person*: *a.* abandonar a; desamparar a; prescindir de; *Bemerkung*: deslizar, dejar caer; *Bombe*: lanzar; *e-n Gedanken*: desechar; *e-n Plan*: abandonar; *Ansprüche*: renunciar a; desistir de; *sich* ~ *lassen* dejarse caer; (*einstürzen*) caerse; *aus allen Wolken* ~ *fig.* llevarse una gran desilusión *bzw.* sorpresa; *in Sünde* (*Versuchung*) ~ caer en pecado (en la tentación); *j-m in die Rede* ~ interrumpir (*od.* cortar la palabra) a alg.; *j-m in den Arm* ~ sujetar el brazo a alg.; *fig.* coartar la acción de alg.; *j-m um den Hals* ~ echar los brazos al cuello de alg.; abrazar a alg.; *j-m zu Füßen* ~ arrojarse (*od.* echarse) a los pies de alg.; *er ist nicht auf den Kopf gefallen* F no tiene pelo de tonto; *gefallenes Mädchen* muchacha que ha tenido un desliz; *das Kleid fällt hübsch* el vestido cae bien; *es fällt mir schwer* me cuesta trabajo, es difícil para mí, *seelisch*: es muy duro (*od.* doloroso) para mí; → *Auge, Extrem, Last, Nerven, Opfer, Ungnade usw.*

'**Fallen** *n* (*-s*; *0*) caída *f* (*a. fig.*); *des Geländes*: declive *m*; *des Barometers*: descenso *m*; ✝ *von Kursen*: baja *f*; *im* ~ *sein* ir bajando.

'**fällen** *v/t. Bäume*: talar, derribar; *Holz*: cortar; *Gegner*: derribar; *Tier*: matar; ⚔ *Bajonett*: calar; *Lanze*: abatir; ⚗ precipitar; ⚖ *Lot*: trazar, bajar; ⚖ *Urteil* ~ dictar sentencia, fallar; *fig.* emitir juicio sobre.

'**Fallensteller** *m* trampero, cazador *m* con trampas (*od.* cepo).

'**Fall...:** ~**gatter** *n* rastrillo *m*; ~**geschwindigkeit** *Phys. f* velocidad *f* de caída; ~**gesetz** *n* (*-es*; *0*) ley *f* de la gravedad; ~**grube** *f* (*Falle*) trampa *f* (para caza mayor); ~**hammer** ⊕ *m* (*-s*; *=*); martinete *m*; ~**höhe** *f* altura *f* de caída; ~**holz** *n* (*-es*; *=er*) árboles *m/pl.* derribados (*por el viento*).

fal'lieren ✝ *v/i.* quebrar, declararse en quiebra *f*.

'**fällig** *adj.* (*zahlbar*) pagadero; *Betrag*: debido; *Wechsel*: vencido; *Termin*: cumplidero: *längst* ~ vencido con exceso; *wenn* ~ al vencer; ~ *werden* vencer; ♀**keit** *f* (*0*) vencimiento *m*; *bei* ~ al vencimiento; *vor* ~ antes del vencimiento; ♀**keits-tag** *m* (*-es*; *-e*), ♀**keitstermin** *m* (*-es*; *-e*) fecha *f* de vencimiento.

Falli'ment ✝ *n* (*-s*; *-s*) quiebra *f*, bancarrota *f*.

fal'lit ✝ *adj.* insolvente, quebrado; ♀ *n* (*-en*) quebrado *m*.

'**Fall...:** ~**klappe** *f Tele.* indicador *m* de disco; ~**klinke** *f* gatillo *m*, trinquete *m*; ~**obst** *n* (*-es*; *0*) fruta *f* caediza; ~**reep** ⚓ *n* (*-s*; *-e*) escalerilla *f* de portalón; pasarela *f* de embarque; ~**reeptür** ⚓ *f* portalón *m*; ~**rohr** *n* (*-es*; *-e*) (*Dachröhre*) canalón *m*.

falls *adv.* (en) caso (de) que *subj.*, caso de *inf.*; (*angenommen*) suponiendo que *subj.*; (*vorausgesetzt*) siempre (y cuando) que *subj.*, si.

'**Fallschirm** *m* (*-es*; *-e*) paracaídas *m*; *mit* ~ *abspringen* lanzarse con paracaídas; ~**absprung** *m* (*-es*; *=e*) descenso *m* en (*od.* salto *m* con) paracaídas; ~**jäger** *m* paracaidista *m*; ~**jägerdivision** *f* división *f* de (tropas) paracaidistas; ~**kombination** *f* equipo *m* de paracaidista; ~**leuchtbombe** *f* bomba *f* luminosa (*con paracaídas*); ~**springen** *n* paracaidismo *m*; ~**springer(in** *f*) *m* paracaidista *m/f*; ~**truppen** *f/pl.* tropas *f/pl.* paracaidistas.

'**Fall...:** ~**strick** *m* (*-es*; *-e*) lazo *m*, trampa *f* (*beide a. fig.*); *fig.* red *f*, celada *f*, F garlito *m*; ~**sucht** ⚕ *f* (*0*) epilepsia *f*; ~**süchtige(r** *m*) *m/f* epiléptica (-o *m*) *f*; ~**treppe** *f* escala *f* colgante, ⚓ escala *f* de viento; ~**tür** *f* trampa *f*; *Thea.* escotillón *m*; ⚓ escotilla *f*.

'**Fällung** ⚗ *f* precipitación *f*; ~**smittel** *n* precipitante *m*.

'**Fall...:** ~**wind** *m* (*-es*; *-e*) viento *m* descendente; ~**winkel** *m* ⚒ ángulo *m* de inclinación; ⚠, ⚔ inclinación *f*; *e-s Geschosses*: ángulo *m* de descenso.

falsch I. *adj. allg.* falso; (*unrichtig*) inexacto; incorrecto; (*irrig*) erróneo, equivocado; ~*e Anwendung* mal empleo; ~*e Bezeichnung* denominación equivocada; ♪ ~*er Ton* tono falso; (*unecht*) falso; imitado, F de pega; *Haar, Zähne*: postizo; (*gefälscht*) falsificado; *Geld*: falso; (*verfälscht*) adulterado; (*künstlich*) artificial; (*nachgeahmt*) imitado; (*unwahr*) falso; ~*e Angaben* datos falsos; ~*er Eid* juramento falso, perjurio; ~*es Zeugnis* falso testimonio; ~*er Name* nombre falso *od.* supuesto; (*betrügerisch*) fraudulento; *Freund*: falso; (*treulos*) infiel, desleal; (*wortbrüchig*) pérfido, fementido; (*heimtückisch*) alevoso, traidor; ~*er Prophet* falso profeta; ~*e Rippe* costilla falsa; ~*es Spiel* juego sucio; ~*e Würfel* dado amañado; (*heuchlerisch*) hipócrita, insincero, fingido; (*zornig*) irritado; *Pferd*: zaíno; ~*er Stolz* falso orgullo; **II.** *adv.*: ~ *antworten* responder equivocadamente; ~ *auffassen* interpretar mal *od.* erróneamente; *Uhr*: ~ *gehen* andar mal; ~ *aussprechen* pronunciar mal *od.* incorrectamente; ~ *schreiben* escribir con faltas *od.* defectuosamente; ~ *singen* desafinar, cantar mal; ~ *unterrichtet* mal informado; ~ *geraten!* ¡no ha acertado usted!; ~ *verbunden!* se ha equivocado usted de número; ~ *schwören* jurar en falso; ~ *spielen* (*Kartenspiel*) hacer trampas; ~ *fahren Auto.*: ir a contramano; ~ *rechnen* equivocarse (en el cálculo); ~ *verstehen* comprender *bzw.* interpretar mal.

Falsch *m* (*-es*; *0*) falsedad *f*; (*Doppelzüngigkeit*) doblez *f*, falsía *f*; *ohne* ~ (*naiv*) ingenuo, candoroso, inocente; (*aufrichtig*) sincero, leal.

'**Falsch...:** ~**be-urkundung** ⚖ *f* falsedad *f* ideal; ~**buchung** *f* inscripción *f* fraudulenta; ~**eid** *m* (*-es*; *-e*) juramento *m* falso, perjurio *m*.

'**fälsch|en** *v/t. Wahrheit, Tatsachen*: falsear; *Urkunden, Unterschrift, Geld, Bild*: falsificar; ✝ *Rechnung, Bücher usw.*: amañar; *Lebensmittel*: adulterar; ♀**er(in** *f*) *m* falsario (-a *f*) *m*; falsificador(a *f*) *m*; adulterador(a *f*) *m*.

'**Falschgeld** *n* (*-es*; *-er*) *Münze*: moneda *f* falsa; *Banknote*: billete *m* falso *od.* falsificado.

'**Falschheit** *f* falsedad *f*; *e-r Person*: falsía *f*; *fig.* perfidia *f*, deslealtad *f*; (*Doppelzüngigkeit*) doblez *f*.

'**fälschlich(erweise)** *adv.* falsamente; fraudulentamente.

'**Falsch...:** ~**meldung** *f* noticia *f* falsa; (*Ente*) bulo *m*; ~**münzer** *m* monedero *m* falso, falsificador *m* de moneda; ~**münze'rei** *f* fabricación *f* de moneda falsa, falsificación *f* de moneda; ~**spieler** *m* fullero *m*, tramposo *m*; tahur *m*.

'**Fälschung** *f* ⚖ falsedad *f*; *von Urkunden, Unterschriften, Geld*: falsificación *f*; *von Lebensmitteln*: adulteración *f*; (*Nachahmung*) imitación *f*.

Fal'sett ♪ *n* (*-es*; *-e*) falsete *m*.

'**falt|bar** *adj.* plegable; ♀**blatt** *n* (*-es*; *=er*) prospecto *m* plegado; ♀**boot** *n* (*-es*; *-e*) bote *m* plegable; canoa *f* plegable; ♀**dach** *n* (*-es*; *=er*) *Auto.* capota *f* (*od.* techo *m*) plegable.

'**Falte** *f* pliegue *m*; (*Runzel*) arruga *f*; (*Schneider*♀) doblez *m*, pliegue *m*; dobladillo *m*; (*Doppel*♀) tabla *f*; (*Bügel*♀, *in der Hose*) raya *f*; *im Tuch* (*unerwünscht*) arruga *f*; *Bodenwelle*: pliegue *m* del terreno; ~*n werfen* hacer pliegues; *die Stirn in* ~*n ziehen* fruncir el ceño *od.* las cejas; *in* ~*n legen* → *falten*.

'**fälteln** (*-le*) *v/t.* plegar, doblar; *Kleid*: plisar; hacer dobleces *m/pl.* en; (*kräuseln*) rizar.

'**falten** (*-e-*) *v/t.* doblar; *Tuch*: *a.* plegar; *Stirn*: arrugar; *sich* ~ (*knittern*) arrugarse; *es läßt sich mühelos* ~ puede plegarse (*od.* doblarse) con facilidad; *die Hände* ~ juntar las manos (entrecruzando los dedos).

'**Falten...:** ♀**los** *adj.* sin pliegues, sin dobleces; (*ohne Runzeln*) sin arrugas, liso; ~**rock** *m* (*-es*; *=e*) falda *f* plisada; ~**wurf** *m* (*-es*; *=e*) *Kunst*: ropaje *m*.

'**Falter** *m* mariposa *f*; (*Nacht*♀) falena *f*, esfinge *f*.

'**faltig** *adj.* doblado; plegado; plisado; *Haut*: arrugado; rugoso; (*gekräuselt*) rizado; *Stirn*: fruncido; arrugado.

'**Falt...:** ~**schachtel** *f* (*-*; *-n*) caja *f* (*de cartón*) plegable; ~**stuhl** *m* (*-es*; *=e*) silla *f* plegable; ~**ung** *f* plegado *m*; ⚘ *der Blätter*: prefoliación *f*.

'**Falz** *m* (*-es*; *-e*) pliegue *m*; ⊕ *Klempnerei*: *a.* reborde *m*; *Buchbinderei*: pliegue *m*; *Tischlerei*: (*Fuge*) encaje *m*, ensambladura *f*, juntura *f*; (*Auskehlung*) ranura *f*, acanaladura *f*; (*Kerbschnitt*) muesca *f*; ~**bein** *n* (*-es*; *-e*) plegadera *f*; ♀**en** (*-t*) *v/t.* plegar, doblar; *Klempnerei*: *a.* rebordear; *Tischlerei*: ensamblar; (*auskehlen*) ranurar, acanalar; ~**fräser** *m* fresa *f* para ensambladura; ~**hobel** *m* guillame *m*; ~**maschine** *f* máquina *f* plegadora; ~**ziegel** *m* teja *f* de encaje.

'**Fama** *f* (*-*; *Famen*) Fama *f*.

famili'är *adj.* familiar; íntimo; ~*er Ausdruck* expresión familiar *od.* coloquial.

Fa'milie *f* familia *f* (*a. Zoo. u.* ⚘); *fig.* hogar *m*; *von guter* ~ de buena familia; ~ *haben* tener hijos; *er hat* ~ es un padre de familia; *es liegt in der* ~ es propio de la familia, viene de casta; *das kommt in den besten* ~*n vor* casos así se dan también en las mejores familias; nadie está libre de eso; *kinderreiche* ~ familia *f* numerosa.

Fa'milien...: **~ähnlichkeit** *f* aire *m* (*od.* parecido *m*) de familia; **~album** *n* (-*s*; -*alben*) álbum *m* familiar; **~angelegenheit** *f* asunto *m* de familia; **~anschluß** *m* (-*sses*; *0*): mit ~ con pensión en familia; ~ haben ser tratado como uno más de la familia; **~bande** *n/pl.* lazos *m/pl.* de familia; **~beihilfe** *f* subsidio *m* familiar; **~forschung** *f* investigación *f* genealógica; **~glück** *n* (-*es*; *0*) felicidad *f* doméstica; **~gruft** *f* panteón *m* de familia; **~gut** *n* (-*es*; ⸚*er*) patrimonio *m* familiar; **~haupt** *n* (-*es*; ⸚*er*) cabeza *m* de familia; **~kreis** *m* seno *m* de la familia; im ~ en familia; **~leben** *n* vida *f* familiar *od.* de familia; **~mitglied** *n* (-*es*; -*er*) miembro *m* (*od.* persona *f*) de la familia; **~nachrichten** *f/pl. Zeitung*: información *f* de natalicios, bodas y fallecimientos; **~name** *m* (-*ns*; -*n*) apellido *m*; **~rat** *m* (-*es*; ⸚*e*) consejo *m* de familia; **~recht** *n* (-*es*; -*e*) derecho *m* de familia; **~stand** *m* (-*es*; *0*) estado *m* (civil); **~stück** *n* (-*es*; -*e*) recuerdo *m* de familia; **~unterstützung** *f* → Familienbeihilfe; **~vater** *m* (-*s*; ⸚) padre *m* de familia; **~zulage** *f* plus *m* de cargas familiares; **~zuwachs** *m* (-*es*; *0*) aumento *m* de la familia.

fa'mos *adj.* excelente, magnífico, admirable; F estupendo; *Arg.* macanudo; ~er Kerl! F ¡qué tío más grande!, ¡qué tipo!

Fa'nal *n* (-*es*; -*e*) fanal *m*; *fig. a.* antorcha *f*.

Fa'na|tiker *m* fanático *m*; *Sport*: F hincha *m*; **⁀tisch** *adj.* fanático; **⁀ti'sieren** *v/t.* fanatizar; **~'tismus** *m* (-; *0*) fanatismo *m*.

fand *pret. von* finden.

Fan'fare *f* charanga *f*.

'Fang *m* (-*es*; ⸚*e*) (*Fangen*) captura *f*, apresamiento *m*; (*Beute*) presa *f*; (*Fisch⁀*) pesca *f*; *im Netz*: redada *f* (*a. fig.*); *Jgdw.* caza *f*; den ~ geben rematar; *Zoo.* (*Reißzahn*) colmillo *m*; (*Vogelkrallen*) garras *f/pl.*; e-n guten ~ tun hacer una buena presa; (*beim Fischen*) hacer una buena redada (*a. fig.*); *et. od. j-n in s-n* Fängen halten tener en sus garras; **~arm** *Zoo. m* (-*es*; -*e*) tentáculo *m*; **~ball** *m* (-*es*; ⸚*e*) juego *m* de pelota; **~eisen** *n* cepo *m*; (*Spieß*) venablo *m*.

'fangen (*L*) *v/t.* coger, *bsd. Arg.* agarrar; (*packen*) asir, tomar; agarrar; *engS.* capturar, prender; *bsd.* ⚓ apresar; ⚔ coger prisionero; (*fischen*) pescar; *Jgdw.* cazar; *in der Falle*: coger en la trampa; *im Netz*: coger en la red; *in e-r Schlinge*: coger con lazo *m*; *mit dem Lasso*: enlazar; Feuer ~ prender fuego, encenderse; *fig.* entusiasmarse, enardecerse; enamorarse; sich ~ enredarse; caer en la trampa *bzw.* red *od.* en el lazo (*a. fig.*); sich wieder ~ recobrar la serenidad; ✈ recuperar la posición horizontal; sich ~ lassen caer en la trampa; dejarse apresar.

'Fänger *m Jgdw.* rematador *m*; → Fangzahn.

'Fang...: **~frage** *f* pregunta *f* capciosa; **~leine** *f* ⚓, ✈ amarra *f*; calabrote *m*; (*Lasso*) lazo *m*; **~messer** *n Jgdw.* cuchillo *m* de monte; **~vorrichtung** *f* ⊕ dispositivo *m* de retención *od.* seguridad; *Straßenbahn*: salvavidas *m*; **~zahn** *Zoo. m* (-*es*; ⸚*e*) colmillo *m*.

Fant *m* (-*es*; -*e*) tontivano *m*, fatuo *m*; necio *m*, mentecato *m*; F niño *m* gótico; *Bursche*: boquirrubio *m*.

Fanta'sie ♪ *f* fantasía *f*; **⁀ren** ♪ (-) *v/i.* improvisar.

'Farb|anstrich *m* (-*es*; -*e*) capa *f* (*od.* mano *f*) de pintura; **~band** *n* (-*es*; ⸚*er*) cinta *f* (de máquina de escribir); **~diapositiv** *m* (-*s*; -*e*) diapositiva *f* en color; **~druck** *m* cromolitografía *f*.

'Farbe *f* color *m*; (*Farbton*) matiz *m*; (*Färbung*) colorido *m*; → Farbstoff; *zum Auftragen*: pintura *f*; *für Haar, Stoffe*: tinte *m*; *Typ.* tinta *f*; (*Tinktur*) tintura *f*; (*Beize*) barniz *m*; (*Gesichts⁀*) tez *f*; (*Karten⁀*) palo *m*; ~ bekennen (*Kartenspiel*) seguir el palo; *fig.* poner las cartas boca arriba, quitarse la careta; die ~ wechseln cambiar de color; *fig. a.* demudarse, F ponerse de mil colores; *Pol.* cambiar de partido, F chaquetear; s-n ~n treu bleiben seguir fiel a sus convicciones.

'farb-echt *adj.* de color permanente *od.* sólido; *Film*: ortocromático.

'Färbe|faß *n* (-*sses*; ⸚*sser*) baño *m* de tintura; **~kraft** *f* (*0*) poder *m* colorante; **~mittel** *n* colorante *m*.

'farb-empfindlich *Phot. adj.* ortocromático; **⁀keit** *f* ortocromatismo *m*.

'färben *v/t.* teñir; blau (grün, rot *usw.*) ~ teñir de azul (de verde, de rojo *usw.*); (*anstreichen*) pintar, dar de color *m*; *Stoff, Haar*: teñir; *Glas, Papier*: colorar; mit Blut gefärbt tinto en sangre; (*tönen*) matizar; schön ~ *fig.* pintar de color de rosa; sich ~ (*Tomaten, Kirschen usw.*) colorear; sich rot ~ ponerse colorado; (*erröten*) *a.* ruborizarse; ~ lassen (*Kleid*) dar a teñir; (*tendenziös*) gefärbter Bericht información tendenciosa; mit Humor gefärbt sazonado con humor.

'Farben|abstufung *f* gradación *f* de los colores; **~abweichung** *f* aberración *f* cromática; **~band** *n* (-*es*; ⸚*er*), **~bild** *Phys. n* (-*es*; -*er*) espectro *m*; **~beständigkeit** *f* (*0*) solidez *f* del color; **⁀blind** *adj.* ⚕ acromatóptico, daltoniano; **~blindheit** *f* (*0*) ⚕ acromatopsia *f*, daltonismo *m*; **~druck** *Typ. m* (-*es*; -*e*) cromotipografía *f*; impresión *f* en colores; (*Bild*) cromotipia *f*, cromo *m*; **⁀empfindlich** *adj.* sensible al color; *Phot.* ortocromático; **⁀freudig** *adj.* vistoso; colorista; **~händler** *m* comerciante *m* de pinturas y barnices; **~industrie** *f* industria *f* de colorantes; **~kasten** *m* (-*s*; ⸚) caja *f* de pinturas; **~kleckser** *m* pintor *m* de brocha gorda; *desp.* pintamonas *m*; **~kreis** *m* (-*es*; -*e*) disco *m* cromático; **~lehre** *Phys. f* (*0*) teoría *f* de los colores; **~messer** *m* colorímetro *m*; **⁀prächtig** *adj.* vistoso, de brillante colorido; **⁀reich** *adj.* muy vistoso; rico en colores; **~reinheit** *f* (*0*) pureza *f* cromática; **~skala** *f* (-; -*skalen*) escala *f* cromática (*od.* de colores); **~spiel** *n* (-*es*; -*e*) juego *m* de colores; irisación *f*; opalescencia *f*; **~steindruck** *m* (-*es*; -*e*) cromolitografía *f*; **~zerstreuung** *f* dispersión *f* de colores; **~zusammenstellung** *f* combinación *f* de colores.

'Färber *m* tintorero *m*.

Färbe'rei *f* tintorería *f*.

'Farb...: **~fernsehen** *n* (-*s*; *0*) televisión *f* en colores; **~film** *m* (-*es*; -*e*) película *f* en colores; **~filter** *Photo. m* filtro *m* cromático (*od.* de color); **~gebung** *f* coloración *f*; **~holz** *n* (-*es*; ⸚*er*) madera *f* tintórea; palo *m* campeche.

'farbig *adj.* de color; en colores, de colores; *Opt.* cromático; (*bemalt*) pintado; coloreado; (*gefärbt*) teñido; *fig.* pintoresco; *Stil*: colorista; → bunt; **⁀e(r** *m*) *m/f* hombre *m* (mujer *f*) de color; die ⁀n la gente (*od.* población *f*) de color.

'Farb...: **~kissen** *n* tampón *m*, almohadilla *f* de entintar; **~körper** *m* materia *f* colorante; *Biol.* pigmento *m*; **~lack** *m* (-*es*; -*e*) pintura *f* de esmalte; **⁀los** *adj.* incoloro (*a. fig.*); (*blaß*) descolorido; *Opt.* acromático; **~losigkeit** *f* (*0*) *Opt.* acromatismo; *fig.* falta *f* de colorido; **~mine** *f für Drehbleistift*: mina *f* de color; **~muster** *n* muestra *f* de color; **~photographie** *f* fotografía *f* en color; (*Bild*) *a.* cromofotografía *f*; **~stift** *m* (-*es*; -*e*) lápiz *m* de color; **~stoff** *m* (-*es*; -*e*) → Farbkörper; ⊕ colorante *m*; **~stufe** *f* tonalidad *f*; **~ton** *m* (-*es*; ⸚*e*) tono *m* de color, matiz *m*; tinta *f*; **⁀tonrichtig** *adj. Phot.* ortocromático.

'Färbung *f* coloración *f*; colorido *m*; tinción *f*; *der Haut*: pigmentación *f*; (*Tönung*) tinte *m*, matiz *m* (*a. fig.*); tonalidad *f*; *fig.* tendencia *f*, orientación *f*.

'Farb...: **~walze** *f* rodillo *m* de entintar; **~waren** *f/pl.* colores *m/pl.*, pinturas *f/pl.*, barnices *m/pl.*; **~werk** *Typ. n* (-*es*; -*e*) batería *f* de tintaje; (*Fabrik*) fábrica *f* de pinturas; **~wert** *m* (-*es*; -*e*) valor *m* cromático; **~zelle** *Biol. f* célula *f* pigmentaria.

'Farce ['-sə] *f Kochkunst*: relleno *m*; *Thea.* farsa *f* (*a. fig.*).

Fa'rinzucker *m* (-*s*; *0*) azúcar *m* en polvo.

'Farm *f* granja *f* agropecuaria; *Am.* hacienda *f*; *Arg.* estancia *f*; **~er** *m* granjero *m*; *Am.* hacendero *m*; *Arg.* estanciero *m*; (*Kolonist*) colono *m*.

'Farn ⚘ *m* (-*es*; -*e*), **~kraut** *n* (-*es*; ⸚*er*) helecho *m*.

'Farre *m* (-*n*) novillo *m*; (*unter 1 Jahr*) becerro *m*.

'Färse *f* novilla *f*; (*unter 1 Jahr*) becerra *f*.

Fa'san *m* (-*es*; -*e*) faisán *m*.

Fa'sanen...: **~hahn** *m* (-*es*; ⸚*e*) faisán *m*; **~henne** *f* faisana *f*; **~jagd** *f* caza *f* del faisán; **~zucht** *f* (*0*) cría *f* de faisanes.

Fasane'rie *f* faisanería *f*.

Fa'schine *f* fajina *f*.

'Fasching *m* (-*s*; -*e od.* -*s*) carnaval *m*; → Fastnacht.

Fa'schis|mus *m* (-; *0*) fascismo *m*; **~t(in** *f*) *m*, **⁀tisch** *adj.* fascista *m/f*.

ˈ**Fase** ⊕ *f* chaflán *m*, bisel *m*.
Faseˈlei *f* vaniloquio *m*; (*Unsinn*) desatino *m*, disparate *m*; (*wirres Zeug*) galimatías *m*; (*Alters*2) chochez *f*.
ˈ**Fasel|hans** *m* (*-en*; *-e*) (*Schwätzer*) vanilocuo *m*, necio *m*, parlanchín *m*; 2**ig** *adj*. (*verworren*) confuso; 2**n** (*-le*) *v/i*. (*Unsinn reden*) disparatar, desbarrar; ⚕ desvariar; *im Alter*: chochear; (*schwindeln*) F *fig*. contar cuentos chinos.
ˈ**Faser** *f* (*-*; *-n*) *Anat*., ♀: fibra *f* (*a. fig*.); (*Faden*) hilo *m*; filamento *m*; (*von Bohnen, Fleisch*2) hebra *f*; (*Tuch*2) hilacha *f*; *chemische* ~ fibra *f* artificial; 2**artig** *adj*. fibroso; filamentoso.
ˈ**Fäserchen** *n* fibrila *f*; filamento *m*; (*loses*) hilacha *f*.
ˈ**Faser...:** ~**gewebe** *n* tejido *m* fibroso; ~**holzplatte** *f* tabla *f* de fibra prensada; 2**ig** *adj*. fibroso; filamentoso; (*zerfasert*) deshilachado; 2**n** (*-re*) *v/t*. deshilachar; *v/i*. deshilacharse; 2**nackt** *adj*. desnudo, en cueros (vivos); ~**stoff** *m* (*-es*; *-e*) materia *f* fibrosa; ⚗ fibrina *f*.
Faß *n* (*-sses*; *ˮsser*) (*Riesen*2) tonel *m*; (*mittleres* ~) barrica *f*, bocoy *m*, cuba *f*; (*kleines* ~) barril *m*; (*Bottich*) tina *f*; (*Wein*2, *Apfelwein*2) pipa *f*; *Bier vom* ~ cerveza de barril; *in Fässer füllen* entonelar *bzw*. embarrilar; *das schlägt dem* ~ *den Boden aus!* F ¡esto ya pasa de castaño oscuro!
Fasˈsade [faˈsaː-] *f* fachada *f* (*a. fig*.), frontispicio *m*; ~**nkletterer** *m* escalatorres *m*; (*Dieb*) ladrón *m* escalador.
ˈ**faßbar** *adj*. *konkret*: tangible; *geistig*: comprensible; concebible; inteligible; imaginable.
ˈ**Faß...:** ~**bier** *n* (*-es*; *-e*) cerveza *f* de barril; ~**binder** *m* tonelero *m*; ~**boden** *m* (*-s*; *ˮ*) fondo *m* (del tonel *bzw*. del barril).
ˈ**Fäßchen** *n* barrilito *m*.
ˈ**Faßdaube** *f* duela *f*.
ˈ**fassen** (*-ßt*) **1.** *v/t*. coger (*Arg*. agarrar), asir (*an dat*. de; *bei* por); (*nehmen*) tomar; (*packen*) agarrar; (*sich klammern an*) agarrarse a *od*. de; *mit der Faust*: empuñar (*z. B. Pistole, Schwert*); (*fangen*) atrapar; *Verbrecher*: prender, capturar; *am Kragen* ~ coger por el cuello; *an od. bei der Hand* ~ coger de *od*. por la mano; *fig*. *geistig*: concebir; comprender, formarse una idea de; *es ist nicht zu* ~ es increíble *od*. inconcebible; (*unbegreiflich*) es incomprensible; ⚔ *Essen*: recoger el rancho; ⊕ (*ein*~) montar; *Edelsteine, Perlen*: engastar, engarzar; (*abfüllen*) llenar; (*enthalten*) contener; comprender; (*aufnehmen können*) tener cabida *od*. capacidad para; (poder) contener; caber; *fig*. *in sich* ~ incluir, comprender; abarcar; → *Auge, Beschluß, Entschluß, Fuß, Neigung, Vorsatz, Wurzel usw*.; *j-n bei der Ehre* ~ apelar al honor de alg.; *j-n beim Wort* ~ coger a alg. por la palabra; *in Worte* ~ expresar con palabras, formular; *fig*. *sich* ~ moderarse; contenerse, reprimirse, dominarse; (*sich beruhigen*) serenarse, sosegarse; *sich in Geduld* ~ resignarse; armarse de paciencia; *sich kurz* ~ ser conciso, expresarse concisamente; ser breve, expresar *od*. decir a/c. en pocas palabras; ~ *Sie sich kurz!* ¡sea breve!; **2.** *v/i*. ⊕ agarrar; (*Zahnräder*) engranar, endentar (*in ac*. con); → *gefaßt*.
ˈ**faßlich** *adj*. concebible; comprensible; 2**keit** *f* (*0*) comprensibilidad *f*.
Fasˈson *f* (*-*; *-s*) forma *f*; modelo *m*; estilo *m*; (*Schneider*2) hechura *f*; ⊕ corte *m*, sección *f*; ~**arbeit** ⊕ *f* trabajo *m* de perfilado.
fassoˈnieren ⊕ *v/t*. perfilar.
ˈ**Faßreifen** *m* aro *m* de barril.
ˈ**Fassung** *f* ⊕ armadura *f*; *Brille*: montura *f*; *Glühlampe*: portalámparas *m*; *Juwel*: engaste *m*, engarce *m*; *fig*. *schriftliche*: redacción *f*; (*Wortlaut*) texto *m*; versión *f*; *deutsche, englische usw*. ~ versión alemana, inglesa *usw*.; (*Stil*) estilo *m*; (*Ausdrucksweise*) modo *m* de expresarse, forma *f* de expresión; (*Gemütsruhe*) serenidad *f*, sosiego *m*; (*Beherrschtheit*) dominio *m* de sí mismo; (*Geistesgegenwart*) serenidad *f*, presencia *f* de ánimo; (*Ergebung*) resignación *f*; *aus der* ~ *bringen* desconcertar, aturdir, F sacar de quicio; *die* ~ *bewahren* conservar la serenidad; *die* ~ *verlieren* inmutarse; desconcertarse, perder la serenidad; F perder la cabeza; *die* ~ *wiedergewinnen* recobrar el aplomo, sosegarse; *er war ganz außer* ~ estaba fuera de sí; ~**sgabe** *f* (*0*), ~**skraft** *f* (*0*) (capacidad *f* de) comprensión *f*, capacidad *f* mental; 2**slos** *adj*. (*bestürzt*) consternado; (*erstaunt*) atónito; (*verwirrt*) desconcertado, aturdido; perplejo; (*sprachlos*) pasmado, F turulato; (*überrascht*) sorprendido; *ich war völlig* ~ F me quedé de una pieza; ~**slosigkeit** *f* (*0*) desconcierto *m*, aturdimiento *m*; perplejidad *f*; consternación *f*; ~**sraum** *m* (*-es*; *ˮe*) cabida *f*; ~**svermögen** *n* (*-s*; *0*) cabida *f*, capacidad *f*; *fig*. → *Fassungsgabe*.
ˈ**faßweise** *adv*. por toneles *bzw*. barriles.
fast *adv*. casi; (*nahe an*) cerca de, alrededor de; → *beinahe*; ~ *nicht* apenas; casi no; ~ *nichts* casi nada; ~ *nie* casi nunca; ~ *nur* casi únicamente.
ˈ**fasten** (*-e-*) *v/i*. ayunar (*a. Rel*.); guardar dieta.
ˈ**Fasten** *n* ayuno *m*, abstinencia *f* (*beide a. Rel*.); dieta *f*; ~**predigt** *f* sermón *m* de cuaresma; ~**speise** *f* comida *f* de vigilia; ~**zeit** *f* cuaresma *f*.
ˈ**Fastnacht** *f* (*0*) (martes *m* de) carnaval *m*; ~**s-kostüm** *n* (*-es*; *-e*) vestido *m* de carnaval; disfraz *m*, traje *m* de máscara; ~**sscherz** *m* (*-es*; *-e*) broma *f* de carnaval.
ˈ**Fasttag** *m* (*-es*; *-e*) día *m* de ayuno (*od*. de abstinencia *od*. de vigilia).
Fasˈzikel *m* fascículo *m*; (*Akten*2) legajo *m*; (*Heft*) cuaderno *m*.
fasziˈnieren (*-*) *v/t*. fascinar.
faˈtal *adj*. (*verhängnisvoll*) fatal, funesto; (*unselig*) aciago, desgraciado; (*unangenehm*) desagradable, molesto, fastidioso; *iro*. dichoso.
Fataˈlis|mus *m* (*-*; *0*) fatalismo *m*; ~**t(in** *f*) *m* (*-en*), 2**tisch** *adj*. fatalista *m/f*.
Fataliˈtät *f* fatalidad *f*; desgracia *f*; adversidad *f*.
ˈ**Fata Morˈgana** *f* (*- -*; *- Morganen od. - Morganas*) espejismo *m*; *fig*. *a*. ilusión *f* engañosa.
ˈ**Fatum** *n* (*-s*; *Fata*) hado *m*; (*Geschick*) destino *m*, sino *m*, suerte *f*.
ˈ**Fatzke** F *m* (*-n*) (*Geck*) pollo *m* pera, currutaco *m*; *fig*. figurín *m*; niño *m* gótico; *Arg*. compadrito *m*; (*Dummkopf*) mentecato *m*, memo *m*, F gilí *m*.
ˈ**fauchen** *v/i*. *Tier*: bufar (*a. fig*.); (*prusten*) resoplar; (*keuchen*) jadear; *Maschine*: zumbar; (*schimpfen*) echar venablos *m/pl*. *od*. pestes *f/pl*.
faul *adj*. podrido (*a. fig*.), putrefacto, pútrido; (*stinkend*) fétido, maloliente; (*verdorben*) corrompido, descompuesto; *Obst, Fleisch*: picado; *Metall, Gestein*: quebradizo; (*morsch*) carcomido; *Zahn*: cariado, picado; *fig*. ✝ sin valor; *Wechsel*: de cobro dudoso; *Firma*: de poca confianza; *Kunde*: moroso; (*verdächtig*) sospechoso; (*unklar*) turbio, oscuro, poco claro; (*unsicher*) inseguro; *Sport*: (*unfair*) sucio; (*träge*) perezoso, indolente, poltrón; gandul, haragán, holgazán; ~*e Ausrede* excusa barata; ~*e Redensarten* palabras hueras; ~*e Sache* asunto turbio; ~*er Witz* chiste malo *od*. sin gracia; ~*e Witze machen* hacer chistes malos; ~*er Zauber* embeleco, trampantojo; *sich auf die* ~*e Haut legen* → *faulenzen*; *an der Sache ist etwas* ~ F *fig*. aquí hay gato encerrado.
ˈ**Faul...:** ~**baum** *m* (*-es*; *ˮe*) arraclán *m*; ~**bett** *n* (*-es*; *0*): *sich aufs* ~ *legen* → *faulenzen*; 2**brüchig** *adj*. *Metall, Stein*: quebradizo.
ˈ**Fäule** *f* (*0*) → *Fäulnis*.
ˈ**faulen** *v/i*. pudrir(se), podrir(se), podrecer(se); (*sich zersetzen*) descomponerse, corromperse; *Holz*: carcomerse; *Obst*: echarse a perder, macarse; *Zahn, Knochen*: cariarse; 2 *n* → *Fäulnis*.
ˈ**faulen|zen** (*-t*) *v/i*. haraganear, holgazanear, gandulear; 2**zer(in** *f*) *m* holgazán *m*, holgazana *f*, haragán *m*, haragana *f*, gandul (-a *f*) *m*; F tumbón *m*; P gandumbas *m*; (*Müßiggänger*) ocioso *m*; (*Sessel*) poltrona *f*; 2**zeˈrei** *f* pereza *f*; haraganería *f*, holgazanería *f*, holganza *f*; poltronería *f*; (*Nichtstun*) ocio *m*, ociosidad *f*.
ˈ**Faul...:** ~**fieber** ⚕ *n* (*-s*; *0*) fiebre *f* pútrida; *fig*. *hum*. holgazanitis *f*; ~**heit** *f* (*0*) pereza *f*, F galbana *f*; (*Nachlässigkeit*) negligencia *f*, desidia *f*; (*Nichtstun*) ociosidad *f*; 2**ig** *adj*. podrido, podre; pútrido, putrefacto; (*morsch*) carcomido.
ˈ**Fäulnis** *f* (*0*) podredumbre *f*; putridez *f*; putrefacción *f*; (*Zersetzung*) descomposición *f*; ⚕ sepsis *f*; *der Knochen*: caries *f*; *in* ~ *übergehen* pudrirse, podrecerse; 2**beständig** *adj*. resistente a la putrefacción; 2**erregend** *adj*. putrefactivo; séptico; ~**erreger** *m* germen *m* de la putrefacción; 2**hemmend**, 2**verhütend** ⚕ *adj*. antiputrescible,

antipútrido; antiséptico; **~vorgang** *m* (*-es*; *=e*) proceso *m* de putrefacción.
ˈ**Faul...**: **~pelz** *m* (*-es*; *-e*) → *Faulenzer*; **~tier** *Zoo. n* (*-es*; *-e*) perezoso *m* (*a. fig.*).
Faun *m* (*-es*; *-e*) fauno *m*.
ˈ**Fauna** *f* (*-*; *Faunen*) fauna *f*.
Faust *f* (*-*; *=e*) puño *m*; e-e ~ *machen* cerrar la mano; *die* ~ *ballen* apretar el puño; *j-m* e-e ~ *machen* amenazar con el puño a alg.; *fig. auf eigene* ~ por cuenta propia, bajo su responsabilidad; por propia iniciativa; *mit eiserner* ~ con mano de hierro; *mit der* ~ *auf den Tisch schlagen* dar un puñetazo sobre la mesa; *fig.* imponerse con resolución y energía; *das paßt wie die* ~ *aufs Auge* eso pega como a un santo cristo un par de pistolas.
ˈ**Fäustchen** *n* puñito *m*; *fig. sich ins* ~ *lachen* reírse disimuladamente (*del mal ajeno*), reírse por dentro.
ˈ**faustdick** *adj.* (grande) como un puño; *fig.* e-e ~e *Lüge* una solemne mentira, una mentira de a folio; *er hat es* ~ *hinter den Ohren* F es un mátalas callando, tiene mucha trastienda; es un vivo, está de vuelta (de todos los viajes).
ˈ**fausten** (*-e-*) *v/t. Fußball*: rechazar (*el balón*) con el puño.
ˈ**Faust...**: 2**groß** *adj.* como (*od.* del tamaño de) un puño; **~handschuh** *m* (*-es*; *-e*) mitón *m*; **~kampf** *m* (*-es*; *=e*) lucha *f* a puñetazos; *als Sportart*: pugilato *m*, boxeo *m*; **~kämpfer** *m* púgil *m*; *mit Handschuhen*: *a.* boxeador *m*; **~keil** *m* (*-es*; *-e*) ⚒ mallo *m*, martillo *m* de mano, mazo *m*; **~pfand** *n* (*-es*; *=er*) prenda *f*; **~recht** *n* (*-es*; *0*) derecho *m* del más fuerte; **~regel** *f* (*-*; *-n*) regla *f* empírica; **~schlag** *m* (*-es*; *=e*) puñetazo *m*.
Favoˈrit(in *f*) *m* (*-en*) favorito (-a *f*) *m*.
ˈ**Faxen** *f/pl.* bromas *f/pl.*; payasadas *f/pl.*; travesuras *f/pl.*; (*Ausflüchte*) pretextos *m/pl.*; *mach' keine* ~ ¡déjate de bromas!; ~ *schneiden* hacer muecas *f/pl.*, gesticular; **~macher** *m* bromista *m*; (*Bengel*) niño *m* travieso.
ˈ**Fazit** *n* (*-s*; *-e od. -s*) resultado *m*; suma *f* total.
ˈ**F-Dur** ♪ *n* fa *m* mayor.
ˈ**FD-Zug** 🚂 *m* (*-es*; *=e*) tren *m* extrarrápido.
ˈ**Februar** [ˈfeːbʀuˑɑːʀ] *m* (*-s*; *-e*) febrero *m*.
ˈ**Fecht|boden** *m* (*-s*; *=*) sala *f* de esgrima (*od.* de armas); **~bruder** F *m* (*-s*; *=*) vagabundo *m*, *Arg.* atorrante *m*; **~degen** *m zum Stoß*: florete *m*; (*Haudegen*) espada *f*.
ˈ**fechten** (*L*) *v/i.* esgrimir; (*kämpfen*) combatir, batirse; (*fuchteln*) manotear; (*betteln*) mendigar, pordiosear; vagabundear.
ˈ**Fechten** *n* esgrima *f*.
ˈ**Fechter** *m* esgrimidor *m*; (*altrömischer*) gladiador *m*; (*Bettler*) mendigo *m*, pordiosero *m*; vagabundo *m*; **~in** *f* esgrimadora *f*; **~stellung** *f* posición *f* de guardia.
ˈ**Fecht...**: **~gang** *m* (*-es*; *=e*) asalto *m*; **~handschuh** *m* (*-es*; *-e*) guante *m* de esgrima; **~kunst** *f* (*0*) esgrima *f*; **~maske** *f* careta *f* de esgrima; **~meister** *m* maestro *m* de armas, profesor *m* de esgrima; **~schule** *f* escuela *f* de esgrima; **~schurz** *m* (*-es*; *-e*) peto *m*; **~turnier** *n* (*-s*; *-e*) torneo *m* de esgrima; **~unterricht** *m* (*-es*; *0*) lecciones *f/pl.* de esgrima.
ˈ**Feder** *f* (*-*; *-n*) pluma *f* (*a. Schmuck*2, *Schreib*2 *u.* ~*spitze*); (*Flaum*2) plumón *m*; ⊕ resorte *m*, (*Sprung*2, *Spiral*2) muelle *m*; *Auto.* ballesta *f*; *Tischlerei*: lengüeta *f*; ~ *und Nut Holz*: lengüeta y ranura; *sich mit fremden* ~*n schmücken* adornarse con plumas ajenas; *die* ~ *ergreifen* tomar la pluma; e-e *gute* ~ *führen* tener buena pluma, manejar bien la pluma; *in die* ~ *diktieren* dictar; F *noch in den* ~*n liegen* estar todavía en la cama; **~antrieb** ⊕ *m* (*-es*; *-e*) accionamiento *m* a resorte; 2**artig** *adj.* plumoso; (*biegsam*) elástico; **~ball** *m* (*-es*; *=e*) volante *m*; (*Spiel*) juego *m* del volante; **~barometer** *n* barómetro *m* aneroide; **~bein** *Auto.*, ✈ *n* (*-es*; *-e*) horquilla *f* telescópica; pata *f* telescópica; **~besen** *m* plumero *m*; **~bett** *n* (*-es*; *-en*) plumón *m*, colchón *m* de pluma; (*Daunen*2) edredón *m* de pluma; **~blatt** ⊕ *n* (*-es*; *=er*) hoja *f* de ballesta; **~bolzen** ⊕ *m* perno *m* de ballesta; **~brett** *n* (*-es*; *-er*) *Turnen*: trampolín *m*; **~busch** *m* (*-es*; *=e*) (*Schmuck*) penacho *m*, plumero *m*; *Zoo.* copete *m*, moño *m*; **~decke** *f* edredón *m* de pluma; **~druck** ⊕ *m* (*-es*; *0*) presión *f* de muelle; **~fuchser** *m* F plumífero *m*; chupatintas *m*; escribidor *m*; **~führung** *f* dirección *f*; administración *f* centralizada; **~gabel** *Auto. f* (*-*; *-n*) horquilla *f* telescópica; **~gehäuse** *n Uhr*: tambor *m*; **~gewicht(ler** *m*) *n* (*-es*; *0*) *Sport*: peso *m* pluma; 2**ig** *adj.* plumoso; **~halter** *m* portaplumas *m*; **~kasten** *m* (*-s*; *=*) plumero *m*, caja *f* portaplumas; **~kiel** *m* (*-es*; *-e*) cañón *m* de pluma; **~kissen** *n* almohadón *m* (*od.* cojín *m*) de pluma; **~kraft** *f* (*0*) elasticidad *f*, fuerza *f* elástica; **~krieg** *m* (*-es*; *-e*) polémica *f*; 2ˈ**leicht** *adj.* ligero (*Arg.* liviano) como una pluma; **~lesen** *n fig.*: *nicht viel* ~*s machen* no gastar cumplidos; **~matratze** *f* colchón *m* de muelles; **~messer** *n* cortaplumas *m*.
ˈ**federn** (*-re*) **1.** *v/i. Vogel*: mudar, estar en la muda; (*elastisch sein*) ser elástico; *Wagen*: *gut gefedert sein* tener buena suspensión; *Sport*: saltar, brincar; **2.** *v/t.* (*rupfen*) desplumar; ⊕ *Tischlerei*: unir por lengüeta *f*; 2**d** *adj.* elástico, flexible; ⊕ ~ *angebracht* montado *od.* suspendido en muelles.
ˈ**Feder...**: **~ring** ⊕ *m* (*-es*; *-e*) anillo *m* elástico; **~schloß** *n* (*-sses*; *=sser*) cerradura *f* de resorte; **~schmuck** *m* (*-es*; *0*) adorno *m* de plumas; (*Helm*) airón *m*; **~spitze** *f* pluma *f*; puntos *m/pl.* de la pluma; **~stahl** *m* (*-es*; *0*) acero *m* para resortes; **~strich** *m* (*-es*; *-e*) rasgo *m* de pluma; (*kräftiger*) plumazo *m* (*a. fig.*); **~ung** *f* ⊕ muelles *m/pl.*; (*bsd. Wagen*) suspensión *f* elástica; amortiguación *f*; → *Federkraft*; **~vieh** *n* (*-es*; *0*) aves *f/pl.* de corral; **~waage** *f* balanza *f* de resorte; **~werk** *n* (*-es*; *-e*) mecanismo *m* de resortes; **~wild** *n* (*-es*; *-e*) aves *f/pl.* de caza; **~wisch** *m* (*-es*; *-e*) plumero *m*; **~wolke** *f* cirro *m*; **~zeichnung** *f* dibujo *m* a pluma; **~zirkel** *m* compás *m* de muelle; **~zug** *m* (*-es*; *=e*) → *Federstrich*.
Fee *f* hada *f*.
ˈ**Fe-en...**: 2**haft** *adj.* como un hada; de hada; *fig.* mágico; (*zauberisch*) encantador; (*wunderbar*) maravilloso; **~königin** *f* reina *f* de las hadas; **~land** *n* (*-es*; *0*) país *m* de las hadas; **~märchen** *n* cuento *m* de hadas; **~reigen** *m* danza *f* de las hadas.
ˈ**Fegefeuer** *n* (*-s*; *0*) purgatorio *m*.
ˈ**fegen 1.** *v/t.* (*polieren*) pulir; *Stahl*: *a.* bruñir; (*reinigen*) limpiar; (*scheuern*) fregar, estregar; (*kehren*) barrer; *Schornstein*: deshollinar; ✓ *Getreide*: cribar; *Hirsch*: *das Geweih* ~ restregar las astas; (*wegreißen, wegblasen*) arrastrar, barrer; arrancar; **2.** *v/i.* (*sausen*) pasar raudamente; *Sturm*: azotar.
ˈ**Fehde** *f* (*Streit*) querella *f*; (*Feindschaft*) hostilidad *f*; *fig.* guerra *f*, contienda *f*; (*Herausforderung*) desafío *m*, reto *m*; *j-m* ~ *ansagen* retar, arrojar el guante a alg.; **~brief** *m* (*-es*; *-e*) cartel *m* de desafío; **~handschuh** *m* (*-es*; *-e*) guante *m* de desafío; *den* ~ *aufnehmen* recoger el guante, aceptar el reto; *den* ~ *hinwerfen* arrojar el guante.
fehl *adj.* equivocado; ~ *am Platze* fuera de lugar, inadecuado; (*Bemerkung*) no venir al caso.
ˈ**Fehl** *m* (*-es*; *0*) tacha *f*, defecto *m*; *ohne* ~ sin tacha; **~anruf** *Tele. m* (*-es*; *-e*) llamada *f* equivocada; **~anzeige** *f* respuesta *f* negativa; ⊕ (*Meßinstrument*) indicación *f* defectuosa; **~ball** *m* (*-es*; *=e*) *Tennis*: fallo *m*; 2**bar** *adj.* falible; **~barkeit** *f* (*0*) falibilidad *f*; **~bestand** *m* (*-es*; *=e*) deficiencia *f*, falta *f*; **~betrag** *m* (*-es*; *=e*) déficit *m*; **~bezeichnung** *f* denominación *f* errónea; **~bitte** *f* ruego *m* desatendido; e-e ~ *tun* pedir en vano; recibir una negativa, *schroff*: sufrir un desaire; **~blatt** *n* (*-es*; *=er*) *Karten*: carta *f* mala; **~bogen** *Typ. m* (*-s*; *=*) hoja *f* mal impresa; **~diagnose** ⚕ *f* diagnóstico *m* erróneo, error *m* de diagnóstico; **~druck** *Typ. m* (*-es*; *-e*) impresión *f* borrosa *bzw.* con erratas *od.* defectuosa.
ˈ**fehlen** *v/i.* faltar; hacer falta; (*abwesend sein*) estar ausente; (*in der Schule*) faltar a; (*bei e-r Feier*) no asistir a; (*bei Anruf*) no estar presente; (*vermißt werden*) ser echado de menos; *es fehlt uns an* (*dat.*) necesitamos, nos (hace) falta, carecemos; *es an nichts* ~ *lassen* hacer todo lo posible, no regatear esfuerzos, intentarlo todo; (*e-n Fehler begehen*) cometer un error, incurrir en una falta; (*sich irren*) equivocarse; (*sündigen*) pecar; *gegen j-n* ~ faltar (al respeto) a alg.; *gegen das Gesetz* ~ infringir (*od.* violar) la ley; (*vorbeischießen*) errar (*od.* no dar en) el blanco; *weit gefehlt!* está usted muy equivocado; *fehlt Ihnen etwas?* ¿qué le pasa a usted?; (*sind Sie krank?*) ¿le duele a usted algo?;

mir fehlt nichts no me pasa (*bzw.* no me duele) nada; *es fehlte nicht viel und* ... a poco más, por poco se, poco faltó para que *subj.*; *das fehlte gerade noch! iro.* ¡esto es lo que faltaba!, ¡sólo faltaba eso!; *e-e Ausrede fehlte ihm nie* nunca le faltaron pretextos; *an mir soll es nicht* ~ por mí no ha de quedar; *wenn alles fehlt fig.* en el último caso: *du hast uns sehr gefehlt* te hemos echado mucho de menos; *wo fehlt's denn?* (*Kranker*) ¿dónde le duele a usted?; 2 *n* falta *f*; (*Mangel*) defecto *m*; (*Nichterscheinen*) ausencia *f*; **~d** *adj.* ⚔: *als* ~ *gemeldet werden* figurar en el parte de bajas; *das* 2*e* lo que falta; ✝ déficit *m*; *der* (*die*) 2*e* el (la) ausente.

ˈ**Fehl-entscheidung** *f* dictamen *m* equivocado; *Sport*: decisión *f* equivocada *od.* errónea.

ˈ**Fehler** *m* falta *f*; (*Mangel*) defecto *m*; *moralisch*: vicio *m*; (*Charakter*2) defecto *m*; (*schwache Seite*) flaqueza *f*; (*Makel*) tacha *f*; *körperlicher* ~ defecto físico; (*Unvollkommenheit*) imperfección *f*; ⊕ defecto *m*; *Typ.* (*Druck*2) errata *f*; *Sport*: falta *f*; *Gr.* (*Aussprache*2) vicio *m* de dicción; (*ortographischer* ~) falta *f* de ortografía; (*Versehen*) descuido *m*, inadvertencia *f*; (*Mißgriff*) desacierto *m*; (*Irrtum*) error *m*, yerro *m*, equivocación *f*; (*Sünde*) pecado *m*; (*Schuld*) culpa *f*; (*Unsinn*) disparate *m*, desatino *m*; *dummer*, *grober*: patochada *f*; *e-n* ~ *machen* cometer una falta; incurrir en un error; (*Taktlosigkeit*) falta *f* de tacto, incorreción *f*; *das war allein sein* ~ la culpa fue exclusivamente suya; *jeder hat s-e* ~ todos tenemos nuestros defectos; 2**frei** *adj.* sin defecto (*a.* ⊕), sin falta; correcto; (*makellos*) sin tacha; *bsd. fig.* perfecto; irreprochable, intachable, impecable; **~grenze** *f* límite *m* de error, tolerancia *f*; 2**haft** *adj.* (*mangelhaft*) defectuoso; (*unrichtig*) incorrecto; (*irrig*) erróneo, equivocado; (*Gewicht*) deficiente; *~e Stelle im Stoff usw.*: defecto, parte defectuosa; 2**los** *adj.* → *fehlerfrei*; **~losigkeit** *f* (*0*) ausencia *f* de defectos *bzw.* de faltas *od.* de errores; **~quelle** *f* fuente *f* de errores; origen *m* de la falta; ⊕ causa *f* del defecto; **~verzeichnis** *n* (*-ses*; *-se*) *Typ.* fe *f* de erratas.

ˈ**Fehl...**: **~farbe** *f Karten*: fallo *m*; **~fracht** *f* carga *f* muerta; **~geburt** *f* aborto *m*; 2**gehen** (*L*; *sn*) *v/i.* extraviarse, errar el camino (*beide a. fig.*); *fig.* equivocarse; *Schuß*: errar el blanco; (*mißlingen*) frustrarse; fracasar, salir mal; **~gewicht** *n* (*-es*; *-e*) falta *f* de peso; ✝ merma *f*; 2**greifen** (*L*) *v/i.* apoyarse en falso; *fig.* desacertar, equivocarse; F hacer una plancha; **~griff** *m* (*-es*; *-e*) *fig.* equivocación *f*, desacierto *m*; error *m*, yerro *m*; F plancha *f*; **~investition** ✝ *f* inversión *f* equivocada; **~jahr** ⸙ *n* (*-es*; *-e*) año *m* de mala cosecha; **~kalkulation** *f* cálculo *m* erróneo *od.* equivocado; **~kauf** *m* (*-es*; *⸚e*) mala compra *f*; **~landung** ✈ *f* aterrizaje *m* defectuoso; 2**leiten** (*-e-*) *v/t.* dirigir erradamente, des(en)caminar; *von Briefen*: dar curso *m* equivocado; **~prognose** *f* pronóstico *m* falso *od.* desacertado; 2**schießen** (*L*) *v/i.* errar (*od.* no dar en) el blanco, errar el tiro; *fig.* equivocarse, F colarse; **~schlag** *m* (*-es*; *⸚e*) golpe *m* en falso; *fig.* fracaso *m*, malogro *m*; 2**schlagen** (*L*) *v/i.* errar el golpe; *fig.* fracasar; malograrse, frustrarse, quedar en nada; **~schluß** *m* (*-sses*; *⸚sse*) razonamiento *m* falso, conclusión *f* ilógica, paralogismo *m*; **~schuß** *m* (*-sses*; *⸚sse*) tiro *m* errado; **~spekulation** *f* especulación *f* equivocada; **~spruch** ⚖ *m* (*-es*; *⸚e*) sentencia *f* equivocada; error *m* judicial; **~start** *m* (*-s*; *-s*) salida *f* en falso; **~stoß** *m* (*-es*; *⸚e*) golpe *m* errado *od.* en falso; (*Billard*) pifia *f*; 2**treten** (*L*) *v/i.* dar un traspié, dar un paso en falso; **~tritt** *m* (*-es*; *-e*) paso *m* en falso, traspié *m*; *fig.* plancha *f*, F coladura *f*, metedura *f* de pata; *moralisch*: desliz *m*; (*Mißgriff*) yerro *m*; **~urteil** *n* (*-es*; *-e*) juicio *m* erróneo; ⚖ error *m* judicial; 2**zünden** (*-e-*) *v/i. Auto.* fallar el encendido; **~zündung** *f Auto.* encendido *m* defectuoso.

ˈ**feien** *Poes. v/t.* hacer invulnerable (*gegen* contra); → *gefeit*.

ˈ**Feier** *f* (*-*; *-n*) (*Fest*) fiesta *f*; (*Arbeitsruhe*) descanso *m*; (*Feiertag*) día *m* festivo (*od.* de fiesta); *e-s Festes*: celebración *f*; (*Festlichkeit*) festividad *f*, solemnidad *f*; acto *m* solemne; (*Gesellschaft*) reunión *f*; *zur* ~ *des Tages* para celebrar *bzw.* conmemorar el día; **~abend** *m* (*-s*; *-e*) hora *f* de cesar el trabajo; cesación *f* del trabajo; ✝ hora *f* de cierre; (*Freizeit*) tiempo *m* libre (después del trabajo); ~ *machen* terminar la jornada, cesar el trabajo (del día).

ˈ**feierlich** *adj.* solemne; (*förmlich*) ceremonioso; ~ *begehen* celebrar (solemnemente); 2**keit** *f* solemnidad *f*; *Fest*: fiesta *f*; festividad *f*, *öffentlich*: acto *m*; (*Feier*) ceremonia *f*; (*Aufwand*) pompa *f*.

ˈ**feier|n** (*-re*) **1.** *v/t. Fest, Sieg, usw.*: celebrar; (*mit Pomp*) solemnizar; (*Festtag einhalten*) observar, guardar; *Gast*: agasajar; festejar; (*heilig halten*) santificar; (*gedenken*) conmemorar; (*ehren, rühmen*) ensalzar, enaltecer; *man muß das* ~ esto hay que celebrarlo; **2.** *v/i.* (*nicht arbeiten*) hacer fiesta *f*, feriar; (*ruhen*) descansar; holgar, estar sin hacer nada; ~ *müssen* estar en paro forzoso; → *streiken*; 2**n** *n* celebración *f*; 2**schicht** *f* jornada *f* de descanso; *~en einlegen* introducir turnos de descanso; 2**stunde** *f* hora *f* de descanso (*od.* de recreo); *festliche*: hora *f bzw.* acto *m* solemne; 2**tag** *m* (*-es*; *-e*) día *m* de descanso; *Festtag*: día *m* festivo (*od.* de fiesta); *gebotener* ~ fiesta de guardar (*od.* de precepto); *nationaler* ~ fiesta nacional; *gesetzlicher* ~ día feriado.

ˈ**feige** *adj.* cobarde; (*furchtsam*) medroso, pusilánime; F gallina, temerón.

ˈ**Feige** ♀ *f* higo *m*; **~nbaum** *m* (*-es*; *⸚e*) higuera *f*; **~nblatt** *n* (*-es*; *⸚er*) hoja *f* de higuera; *bei Statuen*: hoja *f* de parra; **~nkaktus** *m* (*-* *od.* *-ses*; *-se od.* *-kakteen*) chumbera *f*; *Frucht*: higo *m* chumbo.

ˈ**Feig...**: **~heit** *f* (*0*) cobardía *f*; 2**herzig** *adj.* pusilánime; **~herzigkeit** *f* (*0*) pusilanimidad *f*; **~ling** *m* (*-s*; *-e*) cobarde *m*, menguado *m*, F gallina *m*; **~warze** ⚕ *f* condiloma *m*.

feil *adj.* vendible; de (*od.* en) venta; (*bestechlich*) venal.

ˈ**Feilbank** *f* (*-*; *⸚e*) banco *m* de limar.

ˈ**feil|bieten** (*L*) *v/t.* poner en (*od.* a la) venta *f*; ofrecer; *sich* ~ prostituirse; 2**bietung** *f* puesta *f* en venta; ofrecimiento *m*.

ˈ**Feile** *f* lima *f*; *grobe* (*flache*) ~ lima basta (plana); *dreikantige* (*vierkantige*) ~ lima triangular (cuadrada); *fig. die letzte* ~ *legen an* (*ac.*) dar la última mano a; 2**n** *v/t.* limar; *fig. a.* pulir, refinar, perfeccionar; **~nhauer** *m* limero *m*; cortador *m* de limas.

ˈ**feil|halten** (*L*) *v/t.* poner a la venta; *Maulaffen* ~ F mirar boquiabierto, F *fig.* papar moscas; 2**heit** *f* (*0*) venalidad *f*.

ˈ**Feillicht** ⊕ *n* (*-es*; *-e*) limaduras *f/pl.*

ˈ**Feilkloben** *m* tornillo *m* de mano.

ˈ**feilsch|en** *v/i.*: *um et.* ~ regatear a/c.; 2**en** *n* regateo *m*; 2**er** *m* regatón *m*.

ˈ**Feil|späne** *m/pl.* limaduras *f/pl.*, limalla *f*; **~strich** *m* (*-es*; *-e*) limada *f*.

ˈ**Feim(en)** ⸙ *m* (*-es*; *0*) hacina *f*; *Am.* parva *f*.

fein *adj.* fino (*a. Gold, Silber, Staub*); *Regen, Körner*: *a.* menudo; (*dünn*) *a.* delgado; (*sehr dünn*) tenue, sutil; *fig.* (*schön*) hermoso; (*hübsch*) bonito, lindo; (*erlesen*) selecto, exquisito; (*vornehm*) distinguido; (*elegant*) elegante; (*zart*) delicado; (*verfeinert*) refinado; (*sorgfältig gearbeitet*) esmerado; (*genau*) preciso, exacto; (*spitzfindig*) sutil; *~e Stimme* voz aguda; *sich* ~ *machen* ataviarse; *~er Ton* buen tono; *~e Leute* F gente bien; *~es Benehmen* modales distinguidos, buenas maneras; *~e Welt* mundo elegante; *~es Gefühl* sentimiento delicado, *~er Kopf* espíritu sutil, mente privilegiada; *~er Unterschied* diferencia sutil; sutileza; *iro. du bist mir ein ~er Freund!* F ¡valiente amigo tengo en ti!; *e-e ~e Nase* (*ein ~es Ohr*) *haben* tener buen olfato (oído fino); *~er Geschmack* gusto refinado; ~ *schmecken* (*von Speisen*) saber muy bien, tener un sabor exquisito; *er ist* ~ *heraus* disfruta una posición envidiable, *weitS.* es un hombre de suerte; *da sind wir* ~ *heraus! iro.* ¡nos hemos lucido!; *~!* ¡muy bien!, ¡excelente!, F ¡estupendo!; *das ist etwas* 2*es* esto es cosa exquisita; F esto sí que es bueno.

ˈ**Fein...**: **~abstimmung** *f Radio*: sintonización *f* de precisión; **~arbeit** *f* trabajo *m* delicado (*od.* de precisión); **~bäcker** *m* pastelero *m*; confitero *m*; **~bäckeˈrei** *f* pastelería *f*; confitería *f* fina; **~blech** *n* (*-es*; *-e*) chapa *f* fina.

feind *adj.*: *j-m* (*e-r Sache*) ~ *sein* ser hostil a alg. (ser enemigo de *od.* opuesto a a/c.); *j-m* ~ *werden* enemistarse (*od.* malquistarse) con alg.; F ponerse a malas con alg.

Feind *m* (-*es*; -*e*) enemigo *m*; (*Gegner*) adversario *m*; antagonista *m/f*; (*Rivale*) rival *m/f*; *der böse* ~ el (espíritu) maligno, Satanás, el Enemigo; *gegen den* ~ *marschieren* marchar contra el enemigo; *den* ~ *angreifen* atacar al enemigo; *zum* ~*e übergehen* pasarse al enemigo.

Feind...: **~berührung** ⚔ *f* contacto *m* con el enemigo; **~einwirkung** *f* acción *f* del enemigo; **~eshand** *f* (*0*): *in* ~ *fallen* caer en poder del enemigo; **~esland** *n* (*0*) (-*es*; *0*) país *m* enemigo; **~flug** ✈ *m* (-*es*; ⸚*e*) vuelo *m* contra el enemigo, misión *f* de combate; incursión *f* aérea; **~in** *f* enemiga *f*; **2lich** *adj.* enemigo; (~ *gesinnt*) hostil; *Geschick*: adverso; (*angreifend*) agresivo; ~ *gesinnt sein* ser enemigo de *od.* contrario a; tener aversión a; **~lichkeit** *f* sentimientos *m/pl.* hostiles; **~schaft** *f* enemistad *f*; (*feindliche Gesinnung*) hostilidad *f*; (*Haß*) odio *m*; (*Groll*) rencor *m*; (*Erbitterung*) animosidad *f*; (*Böswilligkeit*) malevolencia *f*; (*Gegnerschaft*) antagonismo *m*; rivalidad *f*; (*Zwietracht*) discordia *f*; *in Feindschaft leben mit* estar enemistado con; F estar a matar con; **2selig** *adj.* hostil; → *böswillig*; **~seligkeit** *f* hostilidad *f*; *die* ~*en eröffnen* (*einstellen*) romper, abrir (cesar; suspender) las hostilidades; *Eröffnung* (*Einstellung*) *der* ~*en* iniciación (cesación) de las hostilidades.

'Fein...: **~einstellung** *f* ⊕ graduación *f* (ajuste *m*) de precisión; *Opt.* enfoque *m* de precisión; **~eisen** *n* hierro *m* fino; **2faserig** *adj. Holz*: de fibra fina; **2fühlend, 2fühlig** *adj.* sensible; (*zartfühlend*) delicado; **~gebäck** *n* (-*es*; *0*) pasteles *m/pl.*; galletas *f/pl.* finas; **~gefühl** *n* (-*es*; *0*) tacto *m*; delicadeza *f* (de sentimientos); **~gehalt** *m* (-*es*; *0*) quilate *m*; (*von Münzen*) ley *f*; **~gespinst** *n* (-*es*; -*e*) hilo *m* de oro *bzw.* de plata; **~gold** *n* (-*es*; *0*) oro *m* fino; **~heit** *f* fineza *f*; finura *f*; (*Zartheit*) delicadeza *f*; (*Zierlichkeit, Grazie*) gracia *f*, gentileza *f*; (*Eleganz*) distinción *f*, elegancia *f*; *des Umgangs*: finura *f*; *des Stils*: galanura *f*, elegancia *f*; *des Fühlens*: tacto *m*, delicadeza *f*; (*Raffinesse*) refinamiento *m*, sutilidad *f*; (*Qualität*) exquisitez *f*; *Schönheit e-r Arbeit*: primor *m*; (*Nuance*) matiz *m*; **2hörig** *adj.* de oído fino; **2körnig** *adj.* de grano fino; **~kost** *f* (*0*) comestibles *m/pl.* finos; **~kosthandlung** *f* tienda *f* de comestibles finos; *Am.* fiambrería *f*; **~machen** ⊕ *n der Metalle*: afinamiento *m*; **2maschig** *adj.* de malla tupida *od.* fina; **~mechanik** *f* (*0*) mecánica *f* de precisión; **~mechaniker** *m* mecánico *m* de precisión; **~messer** *m* micrómetro *m*; **2porig** *adj.* de poros finos; **~schliff** ⊕ *m* (-*es*; -*e*) pulido *m* fino; **~schmecker** *m* aficionado *m* a la buena cocina; *fig.* sibarita *m*; **~silber** *n* (-*s*; *0*) plata *f* fina; **~sinn** *m* (-*es*; *0*) espíritu *m* sutil *od.* agudo; **2sinnig** *adj.* (de espíritu) sutil; ingenioso, perspicaz; **~stbe-arbeitung** ⊕ *f* acabado *m* de alta precisión; **2ste** *adj.* finísimo, superfino; **~ste** *n*: *das* ~ *von et. fig.* la flor y nata; **~struktur** *Phys.* *f* microestructura *f*; **~waage** *f* balanza *f* de precisión; **~wäsche** *f* (*0*) ropa *f* blanca fina; **~zucker** *m* (-*s*; *0*) azúcar *m* refinado.

feist *adj.* gordo, rollizo; (*Person*) *a.* obeso; **'2heit** *f* (*0*) gordura *f*, obesidad *f*.

'feixen F *v/i.* reír irónicamente.

Feld *n* (-*es*; -*er*) campo *m* (*a.* ▨, *Sport*); *Gelände*: terreno *m*; campaña *f*; *Boden, Grund*: suelo *m*, tierra *f*; *fig. Gebiet*: campo *m* de actividad, dominio *m*; materia *f*, especialidad *f*; *Sport*: (*Gruppe*) pelotón *m*; *Gefilde*: campiña *f*; ⚠ compartimiento *m*; *Füllung*: panel *m*, entrepaño *m*; *Schachspiel*: escaque *m*, casilla *f*; (*Seh2*) campo *m* visual; *Phys. magnetisches* (*elektrisches*) ~ campo magnético (eléctrico); ⚔ *ins* ~ *ziehen* ir a la guerra; *fig. zu* ~*e ziehen gegen* arremeter contra; emprender una campaña contra; ⚔ *im* ~*e* en campaña; *aus dem* ~*e schlagen* derrotar (poner en fuga) al enemigo; *fig.* eliminar, derrotar; *das* ~ *behaupten* quedar dueño del campo; *das* ~ *räumen* abandonar el campo (*a. fig.*); despejar el campo; *auf freiem* ~*e* a campo raso; en descampado; a campo abierto; *das* ~ *bebauen* (*od. bestellen*) cultivar el campo; *Sport*: *vom* ~ *weisen* expulsar del campo; *auf dem* ~*e der Ehre* en el campo del honor; *durch die* ~*er streifen* (re)correr el campo; *er hat freies* ~ tiene plena libertad de acción.

'Feld...: **~arbeit** *f* faenas *f/pl.* agrícolas, labores *f/pl.* del campo; **~arbeiter** *m* (*Lohnarbeiter*) bracero *m*, *Am.* peón *m*; mozo *m* de labranza; **~bahn** 🚂 *f* ferrocarril *m* portátil; **~bestellung** *f* labranza *f*; **~bett** *n* (-*es*; -*en*) cama *f* de campaña, catre *m*; **~blume** ✿ *f* flor *f* silvestre; **~diebstahl** *m* (-*es*; ⸚*e*) hurto *m* rural; merodeo *m*; **~erregung** ⚡ *f* excitación *f* de campo; **~flasche** *f* cantimplora *f*; **~flugplatz** ⚔ *m* (-*es*; ⸚*e*) campo *m* de aviación; **~früchte** ✿ *f/pl.* frutos *m/pl.* del campo; **~geistliche(r)** ⚔ *m* capellán *m* castrense; **~gendarmerie** *f* policía *f* militar; **~gleichung** ⚡ *f* ecuación *f* de Maxwell; **~gottesdienst** *m* (-*es*; -*e*) misa *f* de campaña; **2grau** *adj.* gris verdoso; **~herr** ⚔ *m* (-*en*) general *m* (en jefe); *der Oberste* ~ el generalísimo (de los ejércitos); **~huhn** *Orn.* *n* (-*es*; ⸚*er*) perdiz *f*; (*junges* ~) perdigón *m*; **~hüter** *m* guarda *m* rural; **~klee** ✿ *m* (-*s*; *0*) trébol *m* silvestre; **~küche** ⚔ *f* cocina *f* de campaña; **~lazarett** ⚔ *n* (-*es*; -*e*) hospital *m* de sangre, ambulancia *f*; **~lerche** *Orn.* *f* alondra *f* común; **~mark** *f* límites *m/pl.* de un campo; (*e-r Gemeinde*) término *m* municipal; **~marschall** ⚔ *m* (-*s*; ⸚*e*) mariscal *m*; **~maus** *Zoo.* *f* (-; ⸚*e*) ratón *m* de campo; **~messer** *m* agrimensor *m*; geodesta *m*; **~meßkunst** *f* (*0*) agrimensura *f*; geodesia *f*; **~post** ⚔ *f* (*0*) correo *m* militar; **~postnummer** ⚔ *f* (-; -*n*) número *m* de estafeta militar; **~regler** ⚡ *m* reóstato *m* de excitación; **~salat** ✿ *m* (-*es*; *0*) hierba *f* de los canónigos; **~schaden** *m* (-*s*; ⸚) daño *m* causado en el campo; **~spat** *Min.* *m* feldespato *m*; **~stärke** ⚡ *f* (*0*) intensidad *f* de campo; **~stecher** *m* gemelos *m/pl.* (de campaña); *einrohriger*: anteojo *m* (de larga vista), catalejo *m*; **~stein** *Min.* *m* (-*es*; -*e*) feldespato *m*; (*Grenzstein*) mojón *m*; **~stuhl** *m* (-*es*; ⸚*e*) silla *f* plegable; **~webel** ⚔ *m* sargento *m* mayor; **~weg** *m* (-*es*; -*e*) camino *m* vecinal; (*Pfad*) vereda *f*; **~zug** *m* (-*es*; ⸚*e*) campaña *f*; ⚔ *a.* expedición *f* militar; **~zugs-plan** ⚔ *m* (-*es*; ⸚*e*) plan *m* de campaña.

'Felge *f* ⊕ llanta *f*; *Holzstück*: pina *f*; ↗ barbecho *m*; *Turnen*: molinete *m*; *auf den* ~*n fahren* rodar sobre la llanta; **2n** *v/t. Rad*: poner llantas *f/pl.* a; **~nbank** *f* (-; ⸚*e*) máquina *f* para montar llantas; **~nbremse** *f* freno *m* sobre la llanta.

'Fell *n* (-*es*; -*e*) *Haut, Pelz*: piel *f*; pellejo *m*; *Haarkleid*: pelaje *m*; (*gegerbtes, ohne Haar*) cuero *m*; (*ungegerbtes*) piel *f* en bruto; *das* ~ *abziehen* desollar (*ac.*); *fig.* F *ein dickes* ~ *haben* tener piel de elefante; *j-m das* ~ *über die Ohren ziehen fig.* desollar a uno vivo; *sich das* ~ *über die Ohren ziehen lassen* dejarse explotar; F *j-m das* ~ *gerben* (*od. versohlen*) F zurrar la badana (*od.* zumbarle la pandereta) a alg.; **~handel** *m* (-*s*; *0*) peletería *f*; **~händler** *m* peletero *m*.

'Fels *m* (-*es*; -*en*) *Gesteinsmasse*: roca *f*; peña *f*; peñón *m*; (*einzelstehender*) tolmo *m*; (*größer*) peñasco *m*, risco *m*; (*kleiner, runder*) morro *m*; **~abhang** *m* (-*es*; ⸚*e*) despeñadero *m*, derrocadero *m*; **~bank** *f* (-; ⸚*e*) *Riff*: arrecife *m*; **~block** *m* (-*es*; ⸚*e*) roca *f*; (*hoher*) tolmo *m*; **~boden** *m* (-*s*; ⸚) suelo *m* roqueño.

'Felsen *m* → *Fels*; **~bein** *Anat.* *n* (-*es*; -*e*) peñasco *m*; **2fest** *adj.* firme como una roca; *fig.* inquebrantable; *ich bin* ~ *davon überzeugt* estoy absolutamente convencido de ello; **~gebirge** *n* *Geogr.* Montañas *f/pl.* Rocosas; **~keller** *m* cueva *f* (*excavada en la roca*); **~klippe** *f* ⚓ escollo *m*; **~küste** *f* costa *f* rocosa; **~malereien** *f/pl.* pinturas *f/pl.* rupestres; **~riff** *n* (-*es*; -*e*) arrecife *m*; **~spitze** *f* cresta *f*; pic(ach)o *m*; **~wand** *f* (-; ⸚*e*) pared *f* de una roca; peña *f* escarpada.

'felsig *adj.* rocoso; cubierto de rocas; de roca; roqueño.

'Fels...: **~geröll** *n* (-*es*; -*e*) rocalla *f*; **~kluft** *f* (-; ⸚*e*) precipicio *m*; despeñadero *m*; **~masse** *f* (*Gestein*) roca *f*; **~spalte** *f* hendedura *f*; grieta *f*; **~spitze** *f* pic(ach)o *m*.

'Fem|e *f Hist.*: *die* ~ la Santa Vehma; **~gericht** *n* (-*es*; -*e*) tribunal *m* de la Vehma.

ˈ**Femininum** *Gr. n* (*-s*; *Feminina*) femenino *m.*
ˈ**Fenchel** ♀ *m* (*-s*; *0*) hinojo *m.*
Fenn *n* (*-es*; *-e*) terreno *m* pantanoso.
ˈ**Fenster** *n* ventana *f*; *bis zum Fußboden*: balcón *m*; (*Wagen*~) ventanilla *f*; (*Laden*~) escaparate *m*, *Am.* vidriera *f*; (*Schiebe*~) ventana *f* corrediza; (*Guck*~, *Klapp*~) ventanillo *m*; (*e-s Gartenbeetes*) vidriera *f*; (*Kirchen*~) *bsd. buntes*: vidriera *f*; *großes*: ventanal *m*; (*Oberlicht*) claraboya *f*; (*Kurbel*~) ventana *f* de manivela; *aus dem ~ sehen*, *zum ~ hinaussehen* mirar por la ventana; *sich ans ~ stellen* ponerse a la ventana; *sich aus dem ~ lehnen* asomarse a la ventana; *zum ~ hinauswerfen* arrojar (*od.* echar) por la ventana; *die ~(scheiben) einschlagen* (*od. einwerfen*) romper las vidrieras (*od.* los cristales de la ventana); **~bank** *f* (*-*; *¨e*) repisa *f*; **~beschläge** *m/pl.* herrajes *m/pl.* de ventana; **~brett** *n* (*-es*; *-er*) apoyo *m* de ventana; alféizar *m*; **~briefumschlag** *m* (*-es*; *¨e*) sobre *m* transparente; **~brüstung** *f* antepecho *m*; **~flügel** *m* hoja *f* de ventana; **~gitter** *n* reja *f* (de ventana); **~glas** *n* (*-es*; *¨er*) vidrio *m* común; **~griff** *m* (*-es*; *-e*) tirador *m*; **~heber** *m Auto.* alzacristales *m*; **~kitt** *m* (*-es*; *-e*) masilla *f*; **~kreuz** *n* (*-es*; *-e*) crucero *m* de ventana; **~kurbel** *f Auto.* manivela *f* alzacristales; **~laden** *m* (*-s*; *¨*) contraventana *f*; (*Sommerladen*) persiana *f*; **~leder** *n* gamuza *f*; **~ln** (*-le*) F *v/i.* subir a (*bzw.* entrar por) la ventana para cortejar; ~**los** *adj.* sin ventanas; **~nische** *f* hueco *m* de la ventana; **~öffnung** *f* ventana *f*; alféizar *m*; **~pfeiler** *m* entreventana *f*; **~pfosten** *m* jamba *f*; **~platz** *m* (*-es*; *¨e*) asiento *m* de ventanilla; **~putzer** *m* limpiaventanas *m*; **~rahmen** *m* marco *m*, bastidor *m*; **~riegel** *m* falleba *f*; **~rouleau** *n* (*-s*; *-s*) estor *m*, cortina *f* corrediza; (*Rollo*) persiana *f* enrollable; **~scheibe** *f* vidrio *m*, cristal *m* de ventana; **~schutz** *m* (*-es*; *0*) *gegen Zugluft*: burlete *m*; **~spiegel** *m* espejo *m* móvil de ventana; **~sturz** *m* (*-es*; *¨e*) dintel *m* de ventana; *Hist. Prager ~* la Defenestración de Praga; **~vertiefung** *f* hueco *m* de la ventana; alféizar *m*; **~vorhang** *m* (*-es*; *¨e*) cortina *f*; *in halber Höhe*: visillo *m.*
ˈ**Ferdinand** *m* Fernando *m.*
ˈ**Ferien** *pl.* vacaciones *f/pl.*; (*Sommerfrische*) veraneo *m*; *sechs Wochen ~ haben* tener seis semanas de vacaciones; *in die ~ gehen* ir de vacaciones *bzw.* de veraneo; **~kolonie** *f für Schulkinder*: colonia *f* escolar; **~kurs(us)** *m* (*-es*; *-e*) curso *m* de vacaciones; **~sonderzug** *m* (*-es*; *¨e*) tren *m* especial de vacaciones; **~zeit** *f* tiempo *m* (*od.* época *f*) de vacaciones; **~zug** *m* (*-es*; *¨e*) tren *m* de recreo.
ˈ**Ferkel** *n* cerdito *m*; lechón *m*, cochinillo *m*; *fig.* guarro *m*, cochino *m*; ~**n** (*-le*) *v/i.* parir la cerda; *fig.* portarse como un cerdo.
Ferˈmate ♪ *f* calderón *m*; fermata *f.*
Ferˈment *n* (*-es*; *-e*) fermento *m.*
Fermen|tatiˈon *f* fermentación *f*; ~ˈ**tieren** (-) *v/t. u. v/i.* fermentar.
fern I. *adj.* lejano; (*entlegen*) apartado; (*auseinanderliegend*) distante; *Zeit*: remoto (*a. Ort*); *der ~e Osten* el Extremo Oriente; **II.** *adv.* lejos; *von ~(e)* (des)de lejos; *das liegt mir ~* está lejos de mi ánimo; estoy muy lejos de eso.
ˈ**Fern...**: **~amt** *Tele. n* (*-es*; *¨er*) central *f* (telefónica) interurbana; **~anruf** *m* (*-es*; *-e*) conferencia *f* interurbana; **~anschluß** *m* (*-sses*; *¨sse*) comunicación *f* (*od.* conexión *f*) interurbana; **~antrieb** ⊕ *m* (*-es*; *-e*) accionamiento *m* (*od.* mando *m*) a distancia; **~anzeiger** *m* teleindicador *m*; **~aufklärung** ⚔ *f* reconocimiento *m* a gran distancia; **~aufklärungsflugzeug** *n* (*-es*; *-e*) avión *m* de reconocimiento a gran distancia; **~aufnahme** *f* telefotografía *f*; **~auslöser** *m Phot.* disparador *m* a distancia (*od.* automático); **~bahn** 🚂 *f* gran línea *f*; **~beben** *n* terremoto *m* (*od.* temblor *m* de tierra) a gran distancia; **~bedienung** ⊕ *f* manejo *m* a distancia; ~**betätigt** *adj.* accionado a distancia; teledirigido; ~**bleiben** (*L*; *sn*) *v/i.* estar ausente de; mantenerse alejado de; (*sich enthalten*) abstenerse de; (*sich nicht beteiligen*) no tomar parte en, no intervenir en; **~bleiben** *n* ausencia *f*; (*Enthaltung*) abstención *f*; **~dienst** *m* (*-es*; *-e*) servicio *m* (telefónico) interurbano; **~e** *f* lejanía *f*; *in der ~* a lo lejos; *aus der ~* (des)de lejos; *aus weiter ~* (des)de muy lejos; *das liegt noch in weiter ~* eso todavía está muy lejos; todavía falta mucho para eso; *in die ~ schweifen* correr mundo; *fig.* divagar; **~empfang** *m* (*-es*; *0*) *Radio*: recepción *f* a gran distancia.
ˈ**ferner** *adv.* (*außerdem*) además; (*länger*) por más tiempo; (*desgleichen*) *Kanzleistil*: otrosí, ítem.
ˈ**Ferner** *m* glaciar *m.*
ˈ**fernerhin** *adv.* en lo sucesivo; en adelante.
ˈ**Fern...**: **~fahrer** *m* conductor *m* de camión para transportes interurbanos; **~fahrt** *f Auto.* gran trayecto *m*; ⚓ crucero *m*; **~flug** ✈ *m* (*-es*; *¨e*) vuelo *m* a gran distancia; **~gasleitung** *f* gasoducto *m*; ~**gelenkt** *adj.* teledirigido; **~geschütz** *n* (*-es*; *¨e*) cañón *m* de largo alcance; **~gespräch** *n* (*-es*; *-e*) conferencia *f* telefónica interurbana; ~**gesteuert** *adj.* teledirigido; **~glas** *n* (*-es*; *¨er*) gemelos *m/pl.*; *einrohriges*: anteojo *m* (de larga vista), catalejo *m*; ~**halten 1.** (*L*) *v/t.* mantener alejado (*od.* a distancia); **2.** *v/refl.*: *sich von et. ~* mantenerse alejado (*od.* al margen) de a/c.; evitar mezclarse en a/c.; **~heizung** *f* calefacción *f* a distancia; *städtische ~* calefacción urbana; ~**her** *adv.* (des)de lejos; **~kampf-artillerie** *f* artillería *f* de largo alcance; **~kurs(us)** *m* (*-es*; *-e*) curso *m* por correspondencia; **~laster** *m* camión *m* de transporte interurbano; **~lastzug** *m* (*-es*; *¨e*) convoy *m* de camiones pesados; **~leitung** *f* ⚡ línea *f* de conducción a gran distancia; *Tele.* línea *f* interurbana; **~lenkung** *f* telemando *m*; teledirección *f*; **~licht** *n* (*-es*; *-er*) *Auto.* faro *m* de carretera; ~**liegen** (*L*) *v/i.* estar lejos de; *das liegt mir fern* está lejos de mi ánimo; estoy muy lejos de eso; ~**liegend** *adj.* lejano; remoto; **~meldebataillon** ⚔ *n* (*-s*; *-e*) batallón *m* de transmisiones; **~melder** *m* teleindicador *m*; **~meldedienst** *m* (*-es*; *-e*) servicio *m* de telecomunicación; **~meldenetz** *n* (*-es*; *-e*) red *f* de telecomunicaciones; **~meldetechnik** *f* (*0*) teletecnia *f*; **~meldewesen** *n* (*-s*; *0*) telecomunicación *f*; ~**mündlich** *adj.* por teléfono; ~**östlich** *adj.* del Extremo Oriente; **~photographie** *f* (*0*) telefotografía *f*; **~rohr** *m* (*-es*; *-e*) anteojo *m* (de larga vista); *Astr.* telescopio *m*; **~ruf** *m* (*-es*; *-e*) llamada *f* telefónica; → *Fernanruf*; *auf Briefköpfen*: Teléfono (*Abk.* Tel.); **~schalter** *m* teleinterruptor *m*; **~schnellzug** 🚂 *m* (*-es*; *¨e*) tren *m* expreso; **~schreiben** *n* (*mensaje transmitido por*) teletipo *m*; **~schreiber** *m* (*Gerät*) teletipo *m*; teleimpresor *m*; (*a. Bildsender*) teleautógrafo *m*; *Meßtechnik*: telerregistrador *m*; (*Person*) (*~in f*) *m* teletipista *m/f*; **~schuß** *m* (*-sses*; *¨sse*) *Sport*: tiro *m* desde lejos.
ˈ**Fernseh|ansager(in** *f*) *m* locutor (-a *f*) *m* de televisión; **~antenne** *f* antena *f* de televisión; **~apparat** *m* (*-es*; *-e*) aparato *m* de televisión, televisor *m*; **~bericht** *m* (*-es*; *-e*) información *f* por televisión; **~bild** *n* (*-es*; *-er*) imagen *f* televisada; **~bildfläche** *f* superficie *f* de la imagen televisada; **~bildschirm** *m* (*-es*; *-e*) pantalla *f* de televisión; **~empfang** *m* (*-es*; *0*) recepción *f* de televisión; **~empfänger** *m* receptor *m* de televisión, televisor *m*; **~en** *n* televisión *f*; *Farb*~ televisión en colores; *räumliches ~* televisión estereoscópica; *durch ~ übertragen* televisar; **~er(in** *f*) *m* telespectador(a *f*) *m*; **~film** *m* (*-es*; *-e*) película *f* televisada, telefilm *m*; **~gebühr** *f* impuesto *m* de televisión; **~gerät** *n* (*-es*; *-e*) → *Fernsehempfänger*; **~interview** *n* (*-s*; *-s*) entrevista *f* televisada; **~kamera** *f* (*-*; *-s*) cámara *f* de televisión; **~kanal** *n* (*-s*; *¨e*) canal *m* de televisión; **~kino** *n* (*-s*; *-s*) telecine(matógrafo) *m*; **~netz** *n* (*-es*; *-e*) red *f* de emisoras de televisión; **~programm** *n* (*-s*; *-e*) programa *m* de televisión; **~reportage** *f* información *f* televisada, reportaje *m* televisado; **~schirm** *m* (*-es*; *-e*) pantalla *f* de televisión; **~sender** *m* emisora *f* de televisión; *durch ~ übertragen* televisar; **~sendung** *f* emisión *f* de televisión; **~studio** *f* (*-s*; *-s*) estudio *m* de televisión; **~technik** *f* (*0*) técnica *f* de la televisión; **~teilnehmer(in** *f*) *m* abonado (-a *f*) *m* a la televisión; → *Fernsehzuschauer*; **~turm** *m* (*-es*; *¨e*) torre *f* de estación emisora de televisión; **~übertragung** *f* transmisión *f* de televisión; **~zuschauer(in** *f*) *m* telespectador(a *f*) *m.*

'**Fern|sicht** *f* perspectiva *f*; (*Rundblick*) panorama *m*, vista *f*; **&sichtig** *adj.* présbita.

'**Fernsprech|amt** *n* (*-es*; *¨er*) oficina *f* de teléfonos; (*Vermittlung*) central *f* telefónica; **~anlage** *f* instalación *f* telefónica; **~anschluß** *m* (*-sses*; *¨sse*) comunicación *f* telefónica; *haben Sie ~?* ¿tiene usted teléfono en su domicilio?; **~apparat** *m* (*-es*; *-e*) teléfono *m*, aparato *m* telefónico; (*Selbstwähler*) teléfono *m* automático; **~automat** *m* (*-en*) teléfono *m* de ficha *bzw.* de moneda; **~beamter** *m*, **~beamtin** *f* telefonista *m/f*; **~buch** *n* (*-es*; *¨er*) guía *f* de teléfonos; **&en** (*L*) *v/i.* telefonear; **~er** *m* teléfono *m*; *drahtloser ~* radioteléfono *m*, teléfono *m* sin hilos; *öffentlicher ~* teléfono público; **~gebühr** *f* tarifa *f* telefónica; cuota *f* de abono al teléfono; **~geheimnis** *n* (*-ses*; *-se*) secreto *m* de las comunicaciones telefónicas; **~leitung** *f*, **~linie** *f* línea *f* telefónica; **~netz** *n* (*-es*; *-e*) red *f* telefónica; **~nummer** *f* (*-*; *-n*) número *m* de teléfono; **~stelle** *f* estación *f* telefónica; *öffentliche ~* teléfono público; **~teilnehmer(in** *f*) *m* abonado (-a *f*) *m* al teléfono; **~verbindung** *f* comunicación *f* telefónica; **~verkehr** *m* (*-s*; *0*) servicio *m* telefónico; **~vermittlung** *f* central *f* telefónica; **~wesen** *n* (*-s*; *0*) telefonía *f*; **~zelle** *f* cabina *f* telefónica, locutorio *m*; **~zentrale** *f* central *f* telefónica (*od.* de teléfonos).

'**Fern|spruch** *m* (*-es*; *¨e*) telefonema *m*; **&stehen** (*L*) *v/i.* (*dat.*) *fig.* ser extraño a; **~steuer-anlage** *f e-r Rakete*: instalación *f* para mando a distancia; **~steuerung** *f* telemando *m*; telecontrol *m*; **~transport** *m* (*-es*; *-e*) transportes *m/pl.* interurbanos (*od.* por carretera); **~trauung** *f* casamiento *m* por poderes; **~unterricht** *m* (*-es*; *0*) enseñanza *f* por correspondencia; **~unterrichtskurs** *m* (*-es*; *-e*) curso *m* por correspondencia; **~verkehr** *m* (*-s*; *0*) 🚂 servicio *m* directo (*od.* de grandes líneas); *Straße*: tráfico *m* por carretera; *Tele.* servicio *m* interurbano; **~verkehrsomnibus** *m* (*-ses*; *-se*) ómnibus *m*, autocar *m*; **~verkehrsstraße** *f* carretera *f* de gran circulación; **~waffe** *f* arma *f* de gran alcance; **~weh** *n* (*-s*; *0*) añoranza *f* de países lejanos; **~wirkung** *f* ⚔ *des Geschützes*: efecto *m* a gran distancia; ⚡ acción *f* a distancia; (*Gedankenübertragung*) telepatía *f*; transmisión *f* del pensamiento; **~ziel** *n* (*-es*; *-e*) objetivo *m* lejano; **~zug** 🚂 *m* (*-es*; *¨e*) tren *m* de línea principal; tren *m* expreso.

'**Ferri|ammonsulfat** ⚗ *n* (*-es*; *-e*) sulfato *m* férrico amónico; **~azetat** *n* (*es*; *-e*) acetato *m* férrico; **~chlorwasserstoff** *m* (*-es*; *0*) ácido *m* ferriclórico.

Fer'rit *Geol. n* (*-es*; *0*) ferrita *f*.

'**Ferro|azetat** ⚗ *n* (*-es*; *-e*) acetato *m* ferroso; **~chlorid** *n* (*-es*; *-e*) cloruro *m* ferroso; **~legierung** *f* ferroaleación *f*; **~magnetismus** *m* (*-*; *0*) ferromagnetismo *m*; **~sulfat** *n* (*-es*; *-e*) sulfato *m* ferroso; **~zyanid** *n* (*-es*; *0*) ferrocianuro *m*.

'**Ferse** *f* talón *m*, zancajo *m*; *verstärkte ~ am Strumpf*: talón reforzado; *fig. j-m auf den ~n sitzen* (*od. sein od. folgen*) ir pisando a alg. los talones; (per)seguir a alg. muy de cerca; **~nbein** *Anat. n* (*-es*; *-e*) calcáneo *m*; **~n-einlage** *f für Schuhe*: plantilla *f* de tacón; **~nflechse** *f* → *Fersensehne*; **~ngeld** *n* (*-es*; *0*): *~ geben* poner pies en polvorosa; **~nleder** *n* contrafuerte *m*; **~nsehne** *f* tendón *m* de Aquiles.

'**fertig** *adj.* (*bereit*) preparado, dispuesto; listo, pronto (zu para); (*beendet, abgeschlossen*) terminado, acabado, concluido; hecho; (*gewandt*) hábil, diestro; (*geübt*) ejercitado; (*vollendet*) acabado; ⊕ prefabricado; *Kleider*: confeccionado, hecho; *Essen*: preparado, *gar*: a punto; (*erschöpft*) agotado, exhausto; (*ruiniert*) arruinado; hundido en la miseria; *mit et. ~ sein* haber terminado *od.* concluido a/c.; *nun ist's ~, ~ ist die Laube* ya está (hecho); F ¡listo el bote!; *fix und ~* todo listo; *ich bin ~* ya he terminado; estoy preparado; (*erschöpft*) estoy rendido (*od.* molido *od.* F hecho polvo); *mit et. ~ werden* acabar (terminar *od.* llevar a cabo) a/c.; despachar a/c.; *nicht damit ~ werden* no poder salir adelante con a/c.; *ich kann nicht ohne ihn ~ werden* no puedo prescindir de él; sin su ayuda no puedo hacerlo *od.* conseguirlo; *mit j-m ~ werden* vencer hábilmente la resistencia de alg.; *fig.* F trastear a alg.; *mit ihm bin ich ~* he roto con él toda relación; *sieh zu, wie du ~ wirst* tú verás cómo te las arreglas; *er bringt es ~* es muy capaz de hacerlo; *~!* ¡ya está!, ¡listo!; *Sport*: *Achtung! ~! los!* ¡atención!, ¡preparados!, ¡ya!; **&bauweise** ⊕ *f* construcción *f* prefabricada; **&-be-arbeitung** ⊕ *f* acabado *m*; trabajo *m* de acabado; **~bekommen** (*L*), **~bringen** (*L*) *v/t.* acabar; (*zustande bringen*) conseguir, lograr; llevar a cabo; **&erzeugnis** *n* (*-ses*; *-se*), **&fabrikat** *n* (*-es*; *-e*) producto *m* acabado (manufacturado *od.* confeccionado); **&haus** *n* (*-es*; *¨er*) casa *f* prefabricada; **&keit** *f* habilidad *f*, destreza *f*; (*Übung*) práctica *f*; rutina *f*; (*Leichtigkeit*) facilidad *f*, soltura *f*; (*Behendigkeit*) prontitud *f*, presteza *f*; (*Sprach&*) facilidad *f* de expresión (*od.* de palabra); *in et. ~ besitzen* ser experto (*od.* hábil, práctico, experimentado) en a/c.; **&kleidung** *f* ropas *f/pl.* hechas *od.* confeccionadas; **~kriegen** *v/t.* → *fertigbekommen*; **~machen** *v/t. u. v/refl.* (*vollenden*) terminar, acabar, concluir; llevar a cabo; *sich ~machen zu* prepararse (disponerse, aprestarse) a *od.* para hacer a/c.; *fig. j-n ~machen* dar buena cuenta de alg.; P romper la crisma (*od.* machacar los huesos) a alg.; (*zugrunde richten*) arruinar a alg.; (*abkanzeln*) sermonear a alg.; **&produkt** *n* (*-es*; *-e*) producto *m* manufacturado; **~stellen** *v/t.* (*vollenden*) acabar, terminar; **&stellung** *f* terminación *f*; ⊕ acabado *m*; elaboración *f*; **&ung** *f* ⊕ fabricación *f*, elaboración *f*, manufactura *f*; **&ungsfehler** *m* ⊕ defecto *m* de fabricación; **&ungsjahr** *n* (*-es*; *-e*) año *m* de fabricación; **&ungskosten** *pl.* gastos *m/pl.* de fabricación; **&ungszeit** *f* tiempo *m* de fabricación; **&ware** *f* producto *m* acabado (manufacturado *od.* confeccionado).

Fes[1] *m od. n* (*-es*; *-e*) fez *m*.

Fes[2] ♪ *n* fa *m* bemol.

fesch *adj.* F elegante; (*Mädchen*) garbosa, (re)salada; guapa; garrida.

'**Fessel** *f* (*-*; *-n*) *Kette*: cadena *f* (*a. fig.*); *Fußeisen*: grillos *m/pl.*; *Handschellen*: esposas *f/pl.*; *Hemmnis*: traba *f* (*a. fig.*); *am Pferdefuß*: trabadero *m*; *in ~n legen* (*od. schlagen*) → *fesseln*; *die ~n abschütteln* sacudirse las cadenas; **~ballon** *m* (*-s*; *-s*) globo *m* cautivo; **~gelenk** *Vet. n* (*-es*; *-e*) menudillo *m*; **&n** (*-le*) *v/t.* encadenar, aherrojar; (*binden*) ligar; *die Hände ~* (*mit Stricken*) maniatar; (*mit Handschellen*) esposar; *e-m Pferde die Füße ~* trabar un caballo; *fig.* (*bezaubern*) cautivar, fascinar; (*stark in Anspruch nehmen*) absorber; (*interessieren*) interesar; (*festhalten*) fijar, retener; *Blick, Aufmerksamkeit*: atraer; *j-n an sich ~* ganarse la firme adhesión de alg.; *ans Bett gefesselt sein* estar encamado, tener que guardar cama; **&nd** *adj.* cautivador, fascinador, fascinante; (*spannend*) emocionante.

fest *adj.* firme (*a.* ✝ *Börse, Kurse, Markt*); ⚗ (*dickflüssig*) consistente; denso, espeso; viscoso; (*dicht in s-n Teilen*) compacto; denso; (*haltbar, solide*) sólido; (*hart*) duro; (*starr*) rígido; (*unbeweglich*) fijo (*a. Gehalt, Preis, Kosten, Stellung,* ⊕ *u. Astr.*); (*dauerhaft*) estable (*a. Währung, Lage*); duradero (*a. Frieden, Freundschaft*); (*unerschütterlich*) firme, inconmovible; (*widerstandsfähig*) resistente; (*kräftig*) fuerte; (*gleichbleibend*) invariable, constante, permanente; (*gesetzt*) sentado; *Gewebe*: tupido; *Farbe*: sólido, inalterable; *Wohnsitz*: fijo; *Schlaf*: profundo; ⚔ *Ort usw.*: fortificado; *~ entschlossen zu* firmemente decidido a; *~ angelegtes Geld* dinero inmovilizado; inversión fija; *~ werden* afirmarse, consolidarse; (*gerinnen*) coagularse; ⚗ solidificarse; *~en Fuß fassen* tomar pie; *der ~en Meinung sein* creer firmemente; *fig. e-e ~e Hand haben* tener mano firme; *~ schlafen* F dormir a pierna suelta; *~ überzeugt sein* estar firmemente convencido; *~ versprechen* prometer formalmente; *~ anblicken* mirar con fijeza, clavar los ojos en, fijar la mirada en; *sich ~ vornehmen* tomar la firme resolución de; *~ an et. glauben* creer firmemente en a/c.; *~ bei et. bleiben* persistir (*od.* perseverar) en a/c.; *~er schrauben* atornillar fuertemente; *die Bande ~er knüpfen* reforzar los vínculos (*od.* los lazos); P *immer ~e!* ¡duro!, ¡dale de firme!

Fest *n* (*-es*; *-e*) fiesta *f* (*feiern, begehen*: celebrar); *für j-n ein ~ veranstalten* dar (*od.* ofrecer *bzw.* organizar) una fiesta en honor de alg.; *Rel. die drei hohen ~e* las tres Pascuas; *frohes ~!* ¡felices Pascuas!; (*Schmaus*) convite *m*; *bewegliche* (*unbewegliche*) *~e* fiestas movibles (fijas).

ˈ**Fest...**: **~akt** *m* (*-es*; *-e*) ceremonia *f*; **~ausschuß** *m* (*-sses*; *⸚sse*) comisión *f* organizadora de una fiesta; comisión *f* de festejos; **~beleuchtung** *f* iluminación *f*; **2besoldet** *adj.* con sueldo fijo; **2binden** (*L*) *v/t.* atar, sujetar; *Knoten*: anudar; **2bleiben** (*L*; *sn*) *v/i.* mantenerse firme, no ceder; **~e** *f* ⚔ fortaleza *f*; (*befestigter Ort*) plaza *f* fuerte; ciudadela *f*; (*Himmelszelt*) firmamento *m*; ⚒ macizo *m* de roca; **~essen** *n* comida *f* de gala; banquete *m*; (*Schmaus*) convite *m*; **2fahren** (*L*) *v/refl.* no poder avanzar más; no poder continuar; *fig.* estancarse; ⚓ tocar fondo *m*; encallar; **2fressen** ⊕ (*L*) *v/refl.*: *sich ~* agarrarse; agarrotarse; **~gabe** *f* ofrenda *f*; **~gedicht** *n* (*-es*; *-e*) poesía *f* de circunstancias; **~gelage** *n* festín *m*; banquete *m*; F cuchipanda *f*, francachela *f*; **~gesang** *m* (*-es*; *⸚e*) canto *m* de fiesta; (*Hymne*) himno *m*; **~halle** *f* salón *m* de fiestas; **2halten** **1.** (*L*) *v/t.* sujetar firmemente; (*festnehmen*) detener; (*zurückhalten, behalten*) retener; (*fesseln*) sujetar, asegurar; **2.** *v/i.*: *an et. ~* (*dat.*) (*haften*) quedar fijo (*od.* adherido) a; **3.** *v/refl.*: *sich an et.* (*dat.*) *~* agarrarse a (*od.* asirse de) a/c.; *starr an s-r Meinung ~* seguir aferrado a su opinión; F seguir en sus trece *an e-r Vorschrift usw. ~* atenerse (estrictamente) a; *halten Sie sich fest!* ¡agárrese usted bien!; **~halten** *n* adhesión *f* (*an dat.* a); **2heften** (*-e-*) *v/t.* fijar; coser; **2igen** **1.** *v/t.* afirmar; (*Beziehungen*) estrechar; *Währung*: estabilizar; (*Gesundheit*) fortalecer; (*konsolidieren*) consolidar; **2.** *v/refl.*: *sich ~* afirmarse; estabilizarse; consolidarse.

ˈ**Festigkeit** *f* (*0*) firmeza *f*; (*Haltbarkeit*) ⊕ solidez *f*; consistencia *f*; (*Dichte*) compacidad *f*; densidad *f*; (*Dauerhaftigkeit*) estabilidad *f*; (*Beharrlichkeit*) constancia *f*; perseverancia *f*; (*Zähigkeit*) tenacidad *f*; (*Härte*) dureza *f*; (*Widerstandsfähigkeit*) resistencia *f*; (*Standhaftigkeit*) firmeza *f*; tesón *m*; **~sberechnung** ⊕ *f* cálculo *m* de resistencia; **~sgrenze** ⊕ *f* límite *m* de resistencia; (*Bruchgrenze*) límite *m* de ruptura; **~slehre** ⊕ *f* (*0*) teoría *f* de la resistencia de materiales; **~s-prüfung** ⊕ *f* ensayo *m* de resistencia.

ˈ**Festigung** *f* fortalecimiento *m*; consolidación *f*; estabilización *f* (*a. Währung*); estrechamiento *m*.

ˈ**fest...**: **~keilen** *v/t.* acuñar; sujetar por cuñas *f/pl.*; **~klammern** (*-re*) *v/t.* sujetar con grapas *f/pl.*; *sich ~* agarrarse a (*a. fig.*); *fig.* aferrarse a; **~kleben** **1.** *v/i.* estar (*od.* quedar) pegado *od.* adherido (*an dat.* a); **2.** *v/t.* pegar; **2kleid** *n* (*-es*; *-er*) traje *m* *bzw.* vestido *m* de fiesta; **~klemmen** **1.** *v/t.* (*zusammendrücken*) apretar (*con pinza usw.*); (*festmachen*) fijar; inmovilizar; **2.** *v/refl.*: *sich ~* (*sich festfressen*) agarrotarse; **~knüpfen** *v/t.* anudar fuertemente; **2land** *n* (*-es*; *⸚er*) tierra *f* firme; (*Erdteil*) continente *m*; **~ländisch** *adj.* continental; **~legen** **1.** *v/t.* fijar; (*verpflichten*) comprometer; obligar; (*vertraglich*) estipular; (*bestimmen*) determinar, fijar; *Grundsatz, Regel, im Gesetz usw.*: establecer; *Kapital*: inmovilizar, invertir; **2.** *v/refl.*: *sich ~ auf* (*ac.*) comprometerse (*od.* obligarse) a a/c.; **2legung** *f* fijación *f*; (*Bestimmung*) determinación *f*; *e-s Planes, e-s Grundsatzes usw.*: establecimiento *m*; *von Kapital*: inmovilización *f*, inversión *f*.

ˈ**festlich** *adj.* de fiesta; (*voll Pracht*) pomposo; (*feierlich*) solemne; (*Tag*) festivo; *adv. j-n ~ bewirten* agasajar a alg.; *sich ~ kleiden* vestirse de fiesta; F endomingarse; *~ begehen* celebrar, solemnizar; **2keit** *f* solemnidad *f*; (*Fest*) fiesta *f*, festividad *f*; (*Pracht*) pompa *f*; (*Festakt*) ceremonia *f*; acto *m* solemne.

ˈ**Festlied** *n* (*-es*; *-er*) canción *f* de fiesta; canto *m* solemne; (*Hymne*) himno *m*.

ˈ**festliegen** (*L*) *v/i.* estar inmovilizado; *Termin*: estar fijado; *Kranker*: estar en cama *f*; *Kapital*: estar invertido.

ˈ**Festlokal** *n* (*-es*; *-e*) sala *f* de fiestas.

ˈ**fest...**: **~machen** *v/t.* sujetar (*an dat.* a); fijar; ☤ confirmar; cerrar, ajustar; ⚓ amarrar; **2machen** *n* sujeción *f*; fijación *f*; ☤ confirmación *f*; ajuste *m* definitivo; ⚓ amarre *m*.

ˈ**Festmahl** *n* (*-es*; *⸚er*) banquete *m*; festín *m*; (*Schmaus*) convite *m*.

ˈ**Festmeter** *n* metro *m* cúbico (de madera de tronco).

ˈ**fest...**: **~nageln** (*-le*) *v/t.* clavar, fijar con clavos *m/pl.*; *fig. j-n ~* comprometer a alg. a hacer a/c.; **2nahme** *f* detención *f*, captura *f*; **~nehmen** (*L*) *v/t.* detener, capturar; **2nehmen** *n* detención *f*.

ˈ**Fest...**: **~ordner** *m* organizador *m* de una fiesta; **~ordnung** *f* programa *m* de una fiesta; **~preis** ☤ *m* (*-es*; *-e*) precio *m* fijo; **~punkt** *m* (*-es*; *-e*) punto *m* fijo (*od.* de referencia); **~rede** *f* discurso *m* (oficial); **~redner** *m* orador *m* (de una ceremonia); **~saal** *m* (*-es*; *-säle*) salón *m* de fiestas; salón *m* de actos.

ˈ**festsaugen** *v/refl.*: *sich ~* adherirse por succión.

ˈ**Festschmaus** *m* (*-es*; *⸚e*) festín *m*; convite *m*; comida *f*.

ˈ**fest...**: **~schnallen** *v/t.* sujetar con hebillas *f/pl.*; **~schnüren** *v/t.* atar *od.* sujetar (*con nudo od. lazo*); **~schrauben** *v/t.* atornillar, apretar un tornillo; **2schrift** *f* opúsculo *m* conmemorativo; *für j-n*: homenaje *m* a; **~setzen** **1.** (*-t*) *v/t.* fijar; establecer; (*bestimmen*) determinar; (*begrenzend*) limitar; (*verordnen*) decretar; (*regeln*) regular, reglar; *vertraglich*: estipular; (*vorschreiben*) prescribir; (*berechnen*) liquidar; (*einsperren*) encarcelar; *Gehalt*: asignar; *Frist, Steuer, Ort, Zeit*: fijar; **2.** *v/refl.*: *sich ~* establecerse; **2setzen** *n*, **2setzung** *f* fijación *f*; establecimiento *m*; (*Bestimmung*) determinación *f*; *vertragliche*: estipulación *f*; (*Berechnung*) liquidación *f*; (*Festnahme*) encarcelamiento *m*; **~sitzen** (*L*) *v/i.* estar (sólidamente) fijo; (*bewegungsunfähig sein*) estar inmovilizado; quedar clavado en el sitio; *durch Panne*: tener una avería; *in Eis, Schnee*: quedar aprisionado por los hielos *bzw.* detenido por la nieve; ⚓ estar encallado.

ˈ**Festspiele** *n/pl.* festival *m*; (*Film2*) festival *m* cinematográfico *od.* de cine.

ˈ**fest...**: **~stampfen** *v/t.* apisonar; **~stecken** *v/t.* fijar; sujetar (*con alfileres*); **~stehen** (*L*) *v/i.* mantenerse firme; *Sachen*: estar firme (*od.* fijo, fijado), estar sólidamente asentado; *fig.* (*sicher sein*) ser cierto (*od.* positivo), ser un hecho; *es steht fest, daß* consta (*od.* el hecho es) que; *da es feststeht, daß* siendo así (*od.* un hecho) que; *soviel steht fest, daß* lo cierto es que; **~stehend** *adj.* ⊕ estacionario; *Axe*: fijo; *fig. Tatsache*: cierto, positivo; *Ziel*: fijo; **~stellbar** *adj.* comprobable; identificable; determinable; **~stellen** *v/t.* comprobar, verificar; (*ermitteln*) averiguar; (*bestimmen*) determinar; (*festsetzen*) fijar, establecer; (*erklären*) declarar; (*klären*) aclarar; *Ort, Lage*: localizar; *Tatsache*: consignar (*od.* hacer constar); *Krankheit*: diagnosticar; ⊕ sujetar, fijar; (*verklemmen*) bloquear; ⚖ *j-s Identität ~* identificar a alg.; **2stellschraube** *f* tornillo *m* de sujeción; **2stelltaste** *f* tecla *f* fijadora (*od.* de sujeción); **2stellung** *f* comprobación *f*, verificación *f*; (*Ermittlung*) averiguación *f*; (*Bestimmung*) determinación *f*; (*Festsetzung*) fijación *f*; establecimiento *m*; (*Erklärung*) declaración *f*; ⊕ fijación *f*, sujeción *f*; ⚖ *~ der Identität* identificación *f*; **2stellungsklage** ⚖ *f* acción *f* orientada a conseguir un juicio declarativo; **2stellungsurteil** ⚖ *n* (*-es*; *-e*) juicio *m* declarativo; **2stellvorrichtung** ⊕ *f* dispositivo *m* de fijación (*od.* de sujeción).

ˈ**Fest...**: **~tag** *m* (*-es*; *-e*) día *m* festivo (*od.* de fiesta); día *m* feriado; **2täglich** *adj.* de fiesta; solemne; **2tags** *adv.* en (los) días de fiesta.

ˈ**festtreten** (*L*) *v/t.* apisonar; pisar firme.

ˈ**Festung** *f* fortaleza *f*; (*befestigter Ort*) plaza *f* fuerte; *e-r Stadt*: ciudadela *f*.

ˈ**Festungs...**: **~graben** *m* (*-s*; *⸚*) foso *m*; **~gürtel** *m* cinturón *m* de fortalezas; **~werk** *n* (*-es*; *-e*) (obra *f* de) fortificación *f*.

ˈ**fest...**: **~verzinslich** ☤ *adj.* a interés fijo; en renta fija; **2vorstellung** *f* función *f* de gala; **2werden** *n* (*Gerinnen*) coagulación *f*; ⚗ solidificación *f*; **2woche** *f* festival *m*; **~wurzeln** (*-le*) *v/i.* arraigar; **2zug** *m* (-*ės*; ⸗*e*) cortejo *m*; desfile *m* (solemne); ⚔ parada *f*, desfile *m*; *Rel.* procesión *f*; cabalgata *f*.

ˈ**Fetisch** *m* (-*es*; -*e*) fetiche *m*; ídolo *m*; **~anbeter** *m* fetichista *m*.

Fetiˈ**schis|mus** *m* (-; *0*) fetichismo *m*; **~t** *m* (-*en*), **2tisch** *adj.* fetichista *m*/*f*.

fett *adj.* gordo, craso; (*~leibig*) gordo, grueso, F atocinado; (*~süchtig*) ⚕ obeso; *Physiol.* adiposo; (*dick*) gordo, grueso, craso; (*schmierig*) grasiento; (*fleckig*) pringoso; *fig.* (*einträglich*) pingüe, lucrativo; *dick und ~* gordo y grueso; *~e Brühe* caldo su(b)stancioso (*od.* rico en grasa); *~er Bissen* un buen bocado; *~er Boden* tierra grasa; (*Ackerboden*) feraz, fértil; *~e Pfründe* sinecura, prebenda, F canonjía; *~ machen* engordar; (*Tiere*) *a.* cebar; *~ werden* engordar, echar carnes; *Typ. ~ drucken* imprimir en caracteres gruesos (*od.* en negrilla); F *das macht den Kohl nicht ~* con eso no se gana nada; de poco sirve eso.

ˈ**Fett** *n* (-*ės*; -*e*) grasa *f*; (*fettes Fleisch*) gordo *m*; (*Schmalz*) sebo *m*; ⚗ materia *f* grasa; ⊕ (*Schmier2*) grasa *f*; *pflanzliches* (*tierisches*) *~* grasa vegetal (animal); *~e und Öle* materias grasas; *mit ~ bestreichen* engrasar; untar; *das ~ von et. abschöpfen* quitar la grasa de encima; *fig.* F llevarse lo mejorcito; *~ ansetzen* engordar, echar carnes; *fig.* F *j-m sein ~ geben* dar a alg. su merecido; *er hat sein ~ weg fig.* F ése ya se ha llevado lo suyo; **~ablagerung** ⚕ *f* depósito *m* de grasa; **~auge** *n auf der Suppe*: ojo *m* (*de grasa*); **~bauch** F *m* (-*ės*; ⸗*e*) barriga *f*, panza *f*, P tripa *f*; **2bäuchig** *adj.* ventrudo, F panzudo, barrigón; **~büchse** *f* ⊕ engrasador *m*; **~druck** *Typ. m* (-*ės*; -*e*) impresión *f* en negrilla; **~e** *n* (*fettes Fleisch*) carne *f* gorda *od.* entreverada; **2en** (-*e*-) *v*/*t.* engrasar, ⊕ *a.* lubri(fi)car; **~fleck** *m* (-*ės*; -*en*) mancha *f* de grasa; **2fleckig** *adj.* grasiento, pringoso; **2frei** *adj.* sin (*od.* exento de) grasa; **~gas** *n* (-*es*; -*e*) (*Ölgas*) gas *m* de aceite; **2gedruckt** *Typ. adj.* impreso en caracteres gruesos (*od.* en negrilla); **~gehalt** *m* (-*ės*; *0*) contenido *m* de grasa; **~geschwulst** ⚕ *f* (-; ⸗*e*) lipoma *m*; **~gewebe** *n Physiol.* tejido *m* adiposo; **2haltig** *adj.* grasoso; **~heit** *f* (*0*) grasa *f*; ⚕ obesidad *f*; **~henne** ⚘ *f* telefio *m*; **~hering** *m* (-*s*; -*e*) arenque *m* blanco (*od.* graso); **~herz** ⚕ *n* (-*ens*; -*en*) corazón *m* adiposo; **2ig** *adj.* grasoso; graso; (*ölig*) untuoso; ⚕ adiposo; (*schmierig*) grasiento, pringoso; **~igkeit** *f* (*0*) graseza *f*; (*Öligkeit*) untuosidad *f*; (*Fettleibigkeit*) gordura *f*; ⚕ obesidad *f*, adiposis *f*; **~klumpen** *m* (*Person*) P tío *m* gordo; **~kohle** *f* carbón *m* graso, hulla *f* bituminosa; **2leibig** *adj.* gordo, obeso; **~leibigkeit** *f* (*0*) gordura *f*, ⚕ obesidad *f*; **2lösend** *adj.* ⚗ disolvente de grasas; *Biol.* lipolítico; **~näpfchen** *n*: *ins ~ treten* F meter la pata; **~papier** *n* (-*ės*; -*e*) papel *m* parafinado; **~polster** *n* ⚕ panículo *m* adiposo; **~presse** *f* engrasador *m* a presión, pistola *f* de engrase; **~säure** ⚗ *f* ácido *m* graso; **~schicht** *f* capa *f* de grasa; (*Fettpolster*) panículo *m* adiposo; **~seife** *f* jabón *m* untuoso; **2spaltend** ⚗ *adj.* disociante de grasa; **~spritze** ⊕ *f* bomba *f* de engrase; **~stift** *m* (-*ės*; -*e*) lápiz *m* graso; **~sucht** ⚕ *f* (*0*) adiposis *f*, obesidad *f*, polisarcia *f*; **2süchtig** *adj.* obeso; **~teile** *m*/*pl.* partes *f*/*pl.* grasas; **~wanst** *m* (-*es*; ⸗*e*) → *Fettbauch*; **~wolle** *f* lana *f* grasa; **~wulst** ⚕ *m* (-; ⸗*e*) panículo *m* adiposo.

ˈ**Fetzen** *m* (*Lumpen*) harapo *m*, andrajo *m*, guiñapo *m*; (*Lappen*) trapo *m*; (*abgerissener*) jirón *m*; *~ Papier* pedazo de papel; *et. in ~ reißen* hacer pedazos *od.* trizas a/c.; rasgar en trozos; *in ~ gehen* deshacerse en jirones; *in ~ gekleidet gehen* andar hecho un guiñapo.

feucht *adj.* húmedo; (*angefeuchtet*) humedecido; (*naß*) mojado; *~ machen* humedecer; *~ werden* humedecerse.

ˈ**Feuchtigkeit** *f* (*0*) humedad *f*; *der Haut*: mador *m*; trasudor *m*; *vor ~ zu schützen* protéjase contra la humedad; **~sgehalt** *m* (-*ės*; *0*) proporción *f* centesimal de humedad; *~ der Luft* grado higrométrico; **~sgrad** *m* (-*ės*; -*e*) grado *m* de humedad; **~smesser** *m* higrómetro *m*.

ˈ**feucht|kalt** *adj.* frío y húmedo; **~warm** *adj.* caliente y húmedo.

feuˈ**dal** *adj.* feudal; *fig.* aristocrático, exclusivo; suntuoso.

Feudaˈ**lismus** *m* (-; *0*) feudalismo *m*.

Feuˈ**dal|system** *n* (-*s*; *0*), **~wesen** *n* (-*s*; *0*) sistema *m* feudal; feudalismo *m*.

ˈ**Feuer** *n* fuego *m* (*a. fig. u.* ⚔); (*Herd2*) lumbre *f*; *von Edelsteinen*: brillo *m*; (*Brand*) incendio *m*; (*großer Brand*) conflagración *f* (*a. fig.*); *fig.* (*Glut*) llama *f*; calor *m*; ardor *m*; (*Schwung*) fogosidad *f*; brío *m*, ímpetu *m*; *bei gelindem* (*starkem*) *~* a fuego lento (vivo); *~ anmachen* encender la lumbre; *das ~ anstecken* encender (el) fuego; (*als Brandstifter*) pegar fuego a; *~ anlegen* encender el fuego, hacer lumbre; *in ~ geraten*, *~ fangen fig.* encenderse; inflamarse; enardecerse; entusiasmarse; *j-n um ~ bitten* pedir lumbre a alg.; *~ anbieten* ofrecer lumbre; *~ geben* dar lumbre; (*schießen*) hacer fuego, disparar; *das ~ eröffnen* romper el fuego; ⚔ *das ~ vorverlegen* (*zurückverlegen*) alargar (acortar) el tiro; ⚔ *unter ~ nehmen* disparar sobre; ⚔ *unter ~ stehen* ser batido por el fuego enemigo; ⚔ *das ~ einstellen* cesar el fuego; *zwischen zwei ~ geraten* ser cogido entre dos fuegos (*a. fig.*); *~ speien* (*Vulkan, Geschütze*) vomitar fuego; *~ sprühen* echar chispas (*a. fig.*); *fig. ~ und Flamme sein für* entusiasmarse (*od.* arder de entusiasmo) por; *für j-n durchs ~ gehen* ser capaz de llegar hasta el infierno por alg.; *mit dem ~ spielen* jugar con fuego; *das ~ schüren* atizar el fuego (*a. fig.*); *fig. Öl ins ~ gießen* echar leña al fuego; *die Kastanien für j-n aus dem ~ holen* sacarle a alg. las castañas del fuego; *gebranntes Kind scheut das ~* el gato escaldado del agua fría huye; → *Eisen*; *~!* (*rufen*) (gritar) ¡fuego!; **~alarm** *m* (-*ės*; -*e*) alarma *f* de incendio, toque *m* a fuego; **~anzünder** *m* encendedor *m*; **~bake** *f* ⚓ baliza *f* luminosa; **~ball** *m* (-*ės*; ⸗*e*) *Astr.* bólido *m*; **~befehl** ⚔ *m* (-*ės*; -*e*) orden *f* de disparar; **~bekämpfung** *f* lucha *f* contra el fuego; **~bereich** ⚔ *m* (-*ės*; -*e*) zona *f* de fuego; **2bereit** ⚔ *adj.* preparado para entrar en fuego; **2beständig** *adj.* resistente al fuego; ⚗ *u.* ⊕ *a.* refractario; **~beständigkeit** *f* (*0*) resistencia *f* al fuego; **~bestattung** *f* cremación *f*; incineración *f*; **~bock** *n* (-*ės*; ⸗*e*) morillo *m*; **~bohne** ⚘ *f* judía *f* escarlata; **~eifer** *m* (-*s*; *0*) celo *m* ardiente; (*Inbrunst*) fervor *m*; **~einstellung** ⚔ *f* cesación *f* del fuego; **~er-öffnung** ⚔ *f* apertura *f* de fuego; **~esse** *f* chimenea *f*; (*Schmiede*) fragua *f*; **2farben, 2farbig** *adj.* color de fuego; rojo encendido; **2fest** *adj.* resistente al fuego; (*Stoff*) incombustible; ininflamable; (*Metall*) ignífugo; ⊕ refractario, a prueba de fuego; *~es Glas* vidrio refractario (*od.* resistente al fuego); cristal de Jena; **~festigkeit** *f* (*0*) incombustibilidad *f*; **2flüssig** *adj.* ígneo; *Geol.* eruptivo, volcánico; **2fressend** *adj.* ignívoro; **~garbe** *f* (*Feuerwerk*) girándula *f* de cohetes; **2gefährlich** *adj.* inflamable; combustible; **~gefecht** ⚔ *n* (-*ės*; -*e*) tiroteo *m*; **~geschwindigkeit** *f* (*Schußfolge*) rapidez *f* de tiro; **~glocke** *f* campana *f* de incendios; **~haken** *m der Feuerwehr*: gancho *m* de incendio; (*Schüreisen*) hurgón *m*, gancho *m*; (*Kesselhaken*) llares *f*/*pl.*; **~herd** *m* (-*ės*; -*e*) foco *m* del incendio; (*Feuerstätte*) hogar *m*; fogón *m*; **~hydrant** *m* (-*en*) boca *f* de incendio; **~kraft** *f* (*0*) potencia *f* de fuego; ⚔ intensidad *f* de fuego; **~kugel** *f* (-; -*n*) *Astr.* bólido *m*; **~land** *Geogr. n* Tierra *f* de Fuego; **~leiter** *f* (-; -*n*) escala *f* de bomberos; (*Rettungsleiter*) escalera *f* de incendio; **~lilie** ⚘ *f* lirio *m* rojo; **~linie** *f* (*Schußlinie*) línea *f* de tiro; **~löschapparat** *m* (-*ės*; -*e*) extintor *m* de incendios; **~löschboot** *n* (-*ės*; -*e*) barco *m* de servicio de incendios; **~löschgerät** *n* (-*ės*; -*e*), **~löscher** *m* extintor *m*; **~löschmittel** *n* materia *f* extintora; **~löschstelle** *f* parque *m* de bomberos; **~löschwagen** *m* bomba *f* automóvil de incendios; **~mal** *n* (-*ės*; -*e*) lunar *m*; ⚕ naevus *m*; **~mauer** *f* (-; -*n*) ⚠ pared *f* medianera; **~meer** *n* (-*es*; -*e*) mar *m* de llamas; **~melder** *m* aparato *m* avisador de incendio; **~meldestelle** *f* puesto *m* de aviso de incendios; **~meldung** *f* aviso *m* de incendio; **2n** (-*re*) *v*/*i.* hacer fuego (*a.* ⚔); *mit Holz, Kohle usw.*: calentar con; (*schießen*) disparar, tirar (*auf ac.* sobre); **~pause** *f*: *~!* ¡alto el fuego!; **~probe** *f* (*Hist. als Gottesurteil*) prueba *f* del fuego; (*Probealarm*) simulacro *m* de incendio; *Met.* prueba *f* del fuego; *fig. die*

~ *aushalten* resistir la prueba suprema; **~rad** *n* (*-ės*; *⸚er*) girándula *f*, rueda *f* pirotécnica; **~raum** *m* (*-ės*; *⸚e*) ⊕ hogar *m*; caja *f* de fuego; **♀rot** *adj.* (rojo) encendido; *Haar*: rojo, azafranado; ~ *im Gesicht werden* F ponerse rojo como un tomate; **~salamander** *m* salamandra *f*; **~säule** *f* columna *f* de fuego; **~sbrunst** *f* (*-*; *⸚e*) incendio *m*; **~schaden** *m* (*-s*; *⸚*) daño *m* causado por incendio; siniestro *m*; **~schaufel** *f* (*-*; *-n*) badila *f*; **~schein** *m* (*-ės*; *-e*) resplandor *m* (*od.* luz *f*) del fuego; resplandor *m* del incendio; **~schiff** ⚓ *n* (*-ės*; *-e*) buque *m* faro; **~schirm** *m* (*-ės*; *-e*) pantalla *f*; (*Kamingitter*) guardafuego *m*; **♀schluckend** *adj.* ignívoro, pirófago; **~schlund** *Poes. m* (*-ės*; *⸚e*) (*Geschütz, Krater*) boca *f* de fuego; **~schutz** *m* (*-es*; *0*) protección *f* contra incendio; ⚔ fuego *m* de apoyo; **~schutzmittel** *n* producto *m* ignífugo; **~schwamm** *m* (*-ės*; *⸚e*) yesca *f*; **~(s)gefahr** *f* peligro *m* de incendio; (*Versicherung*) riesgo *m* de incendio; **~sglut** *f* brasa *f*; **♀sicher** *adj.* → *feuerfest*; **~snot** *f* (*-*; *⸚e*) siniestro *m* causado por el fuego; **♀speiend** *adj.* que vomita fuego; *~er Berg* volcán en actividad; **~spritze** *f* bomba *f bzw.* manga *f* de incendios; **~stahl** *m* (*-ės*; *0*) eslabón *m*; **~stätte** *f*, **~stelle** *f* hogar *m*; fogón *m*; (*Brandstelle*) lugar *m* del incendio; **~stein** *m* (*-ės*; *-e*) pedernal *m*; *für Feuerzeug*: piedra *f* para encendedor; **~stellung** *f* ⚔ posición *f* de fuego; *Geschütz in ~ bringen* emplazar la artillería; **~stoß** ⚔ *m* (*-es*; *⸚e*) ráfaga *f* de ametralladora; **~taufe** ⚔ *f* bautismo *m* de fuego; **~tod** *m* (*-ės*; *0*): *den ~ erleiden* perecer abrasado; (*Strafe*) suplicio *m* del fuego; muerte *f* en la hoguera; **~überfall** ⚔ *m* (*-ės*; *⸚e*) tiroteo *m bzw.* bombardeo *m* por sorpresa *od.* imprevisto *m*.

'Feuerung *f* (*Heizung*) calefacción *f*; (*Brennmaterial*) combustible *m*; leña *f*; (*Feuerstelle*) hogar *m*; fogón *m*; **~smaterial** *n* (*-s*; *-ien*) combustibles *m/pl.*

'Feuer...: **~unterstützung** ⚔ *f* apoyo *m* con fuego; **~ver-einigung** ⚔ *f* concentración *f* de fuego; **~vergoldung** *f* dorado *m* al fuego; **~verhütung** *f* prevención *f* de incendios; **~versicherung** *f* seguro *m* contra incendios; **~versicherungsgesellschaft** *f* compañía *f* de seguros contra incendios; **~versicherungspolice** *f* póliza *f* de seguro contra incendios; **♀verzinkt** *adj.* galvanizado al fuego; **♀verzinnt** *adj.* estañado *m* al fuego; **~vorhang** *m* (*-ės*; *⸚e*) ⚔ cortina *f* de fuego; *Thea.* telón *m* metálico; **~wache** *f* retén *m* de bomberos; **~waffe** *f* arma *f* de fuego; **~walze** ⚔ *f* fuego *m* rodante; **~wehr** *f* cuerpo *m* de bomberos; **~wehrmann** *m* (*-ės*; *⸚er od. -leute*) bombero *m*; **~wehrschlauch** *m* (*-ės*; *⸚e*) manguera *f* de incendios; **~wehrwagen** *m* bomba *f* automóvil de incendios; **~werk** *n* (*-ės*; *-e*) fuegos *m/pl.* artificiales; **~werker** *m* pirotécnico *m*; ⚔ artificiero *m*; **~werke'rei** *f* pirotecnia *f*; **~werks-artikel** *m*, **~werkskörper** *m* artículos *m/pl.* pirotécnicos; (*Raketen*) cohetes *m/pl.*; (*Knallkörper*) petardos *m/pl.*; **~werks-kunst** *f* (*0*) pirotecnia *f*; **~wirkung** ⚔ *f* eficacia *f* de tiro; **~zange** *f* tenazas *f/pl.* (*para fuego*); **~zeichen** *n* almenara *f*; ⚓ fanal *m*; señal *f* luminosa; **~zeug** *n* (*-ės*; *-e*) encendedor *m*, mechero *m*; **~zeugbenzin** *n* (*-s*; *0*) bencina *f* para encendedores; **~zone** ⚔ *f* zona *f* de fuego; **~zunder** *m* yesca *f*; **~zug** *m* (*-ės*; *⸚e*) canal *m* de llamas; (*Luftzufuhr*) tiro *m* del hogar.

Feuille'ton [føˑiˈtɔŋ] *n* (*-s*; *-s*) folletín *m*; (*Zeitungs♀*) suplemento *m* literario.

Feuilleto'nist (*-en*) *m* folletinista *m*; **♀isch** *adj.* folletinesco.

'feurig I. *adj.* de fuego; (*brennend*) ardiente (*a. fig.*); inflamado; *Geol.* ígneo; *Auge*: centelleante; *Pferd*: fogoso, brioso; *~er Wein* vino generoso; *fig.* (*glühend*) abrasador; (*begeistert*) entusiasta; (*inbrünstig*) fervoroso; (*leidenschaftlich*) apasionado; (*lebhaft*) vehemente; fogoso; **II.** *adv.* con ímpetu; ardientemente.

Fez *m* (*-es*; *-e*) (*Spaß*) broma *f*; (*Unsinn*) tontería *f*.

ff *Abk.* = *sehr fein* muy fino, de excelente calidad; *Abk.* = *folgende Seiten* y páginas siguientes; *et. aus dem ~ verstehen* conocer a fondo a/c.; F saber a/c. al dedillo.

Fi'aker *m* coche *m* de punto, simón *m*, fiacre *m*.

Fi'asko *n* (*-s*; *-s*) fracaso *m*; ~ *machen* fracasar.

'Fibel *f* (*-*; *-n*) abecedario *m*; cartilla *f*; (*Spange*) fíbula *f*.

'Fiber *Anat. u.* ♀ *f* (*-*; *-n*) fibra *f*.

Fi'brille *Anat. f* fibrila *f*.

Fi'brin *n* (*-s*; *0*) fibrina *f*; **♀haltig** *adj.* fibrinoso.

Fi'brom ⚕ *n* (*-s*; *-e*) fibroma *m*.

fi'brös *adj.* fibroso.

'Fichte ♀ *f* abeto *m* rojo (*od.* del Norte); picea *f*; (*Tanne*) pino *m*.

'Fichten...: **~apfel** *m* (*-s*; *⸚*) piña *f*; **~harz** *n* (*-es*; *-e*) resina *f* de pino; **~holz** *n* (*-es*; *⸚er*) madera *f* de abeto; **~nadel** *f* (*-*; *-n*) pinocha *f*; **~wald** *m* (*-ės*; *⸚er*) pinar *m*; bosque *m* de abetos; **~zapfen** *m* piña *f*.

Fide-ikom'miß ⚖ *n* (*-sses*; *-sse*) fideicomiso *m*.

fi'del *adj.* alegre, festivo; de buen humor; jovial; *fig.* F *~es Haus* hombre de buen humor.

'Fieber ⚕ *n* fiebre *f*; (*a. fig.*), calentura *f*; *hohes ~* fiebre alta; ~ *haben* tener fiebre; (*das*) ~ *bekommen* coger una fiebre; *vor ~ glühen* (*zittern*) arder (temblar) de fiebre; **~anfall** *m* (*-ės*; *⸚e*) acceso *m* de fiebre; **♀artig** *adj.* febril; **~ausbruch** *m* (*-ės*; *⸚e*) ataque *m* de fiebre; **♀frei** *adj.* sin fiebre; ⚕ apirético; **~frost** *m* (*-es*; *⸚e*) escalofríos *m/pl.* (de fiebre); **~hitze** *f* (*0*) ardor *m* febril; **♀haft**, **♀ig** *adj.* febril (*a. fig.*), calenturiento; ~ *arbeiten* trabajar febrilmente; **♀krank** *adj.* enfermo de fiebre, calenturiento; que tiene fiebre (*od.* temperatura); **~kranke(r** *m*) *m/f* enfermo (-a *f*) *m* con fiebre; **~kurve** *f* curva *f* de temperatura; **~mittel** *n* febrífugo *m*; **♀n** (*-re*) *v/i.* tener fiebre (*od.* calentura); (*phantasieren*) delirar; *fig.* ~ *nach* arder de *od.* por; **~rinde** *Phar. f* quina *f*; **~schauer** *m* escalofrío *m* de fiebre; **~tabelle** *f* hoja *f* de temperaturas; **~thermometer** *n* termómetro *m* clínico; **♀vertreibend** *adj.* febrífugo; *~es Mittel* febrífugo *m*; **~wahn** *m* (*-s*; *0*) delirio *m* de la fiebre; **~zustand** *m* (*-ės*; *⸚e*) estado *m* febril.

'Fied|el *f* (*-*; *-n*) violín *m*; **~elbogen** *m* (*-s*; *⸚*) arco *m* de violín; **♀eln** (*-le*) *v/i.* tocar (*desp.* rascar) el violín; **~ler(in** *f*) *m* violinista *m/f*; *desp.* rascatripas *m/f*.

Fi'gur *f* figura *f*; Ꝟ, ⊕ *a.* diagrama *m*, representación *f* gráfica; (*Rede♀*) metáfora *f*, expresión *f* metafórica; (*Form*) forma *f*; (*Körperwuchs*) talla *f*, estatura *f*; (*Schach usw.*) pieza *f*; *Mal. Bild in ganzer ~* retrato de cuerpo entero; *e-e komische ~ machen* hacer un papel ridículo; *e-e gute ~ haben* tener buen tipo; ser bien plantado.

Figu'rant(in *f*) *m* (*-en*) figurante (-a *f*) *m*, comparsa *m/f*; *als ~ auftreten* hacer de comparsa.

figu'rieren (-) *v/t. u. v/i.* figurar.

Figu'rine *f* figurín *m*; modelo *m*.

fi'gürlich I. *adj.* figurado, figurativo; metafórico; *im ~en Sinne* en sentido figurado; **II.** *adv.* metafóricamente.

Fik|ti'on *f* ficción *f*; **♀'tiv** *adj.* ficticio.

Fi'let [-le:] *n* (*-s*; *-s*) filete *m* (*a. Kochkunst*); **~arbeit** ⊕ *f* fileteado *m*; **~braten** *m* filete *m* frito *bzw.* asado.

Fili'al|bank *f* sucursal *f* de un banco; **~e** *f* sucursal *f*; (*Tochtergesellschaft*) filial *f*.

Fili'gran *n* (*-s*; *-e*) filigrana *f*; **~arbeit** *f* trabajo *m* de filigrana.

Fili'pino *m* (*-s*; *-s*) filipino *m*.

Film *m* (*-ės*; *-e*) película *f*, cinta *f*, film(e) *m*; (*drehen* rodar; *vorführen* proyectar; *laufen* pasar); *entwickelter* (*unentwickelter*; *stummer*; *plastischer*; *dreidimensionaler*) ~ película impresionada (virgen; muda; en relieve; tridimensional); *e-n neuen ~ einlegen* cargar la cámara.

'Film...: **~archiv** *n* (*-s*; *-e*) archivo *m* cinematográfico, filmoteca *f*; **~atelier** *n* (*-s*; *-s*) estudio *m* cinematrográfico; **~aufnahme** *f* impresión *f*, rodaje *m* (*de una película*); **~band** *n* (*-ės*; *⸚er*) cinta *f*; **~bauten** *m/pl.* decoraciones *f/pl.*; **~be-arbeitung** *f* adaptación *f* cinematográfica; **~bericht** *m* (*-ės*; *-e*) reportaje *m* cinematográfico; **~diva** *f* (*-*; *-diven*) → *Filmstar*; **~drehbuch** *n* (*-ės*; *⸚er*) guión *m*; **♀en** *v/t.* impresionar; rodar, filmar; realizar (una película); **~festspiele** *m/pl.* festival *m* cinematográfico; **~freund** *m* (*-ės*; *-e*) aficionado *m* al cine; **~hersteller** *m* productor *m* cinematográfico; **~herstellung** *f* producción *f* cinematográfica; **~industrie** *f* industria *f* cinematográfica (*od.* del cine); **~kamera** *f* (*-*; *-s*) cámara *f* tomavistas, cámara *f* cinematográfica; **~kassette** *f* chasis *m*; **~klub** *m* cineclub *m*; **~kopie** *f* copia *f* de película; **~kritik** *f* crítica *f* de cine; **~kritiker** *m* crítico *m* de cine; **~kunde** *f* cinematografía *f*; **~kunst** *f* (*0*) arte *m* de la pantalla, cinematografía *f*; **~künstler(in** *f*) *m* cineasta *m*, artista *m/f* de cine; **~leinwand** *f* (*0*) pantalla *f*; **~magazin** *n* (*-s*; *-e*) revista *f* cinematográfica ilustrada; **~o'thek** *f* filmoteca *f*; **~pack** *n* (*-es*; *-en*) película *f* plana (*od.* rígida); film-pack *m*; **~produktion** *f* producción *f* cinematográfica; **~produzent** *m* (*-en*) productor *m* cinematográfico; **~prüfstelle** *f* oficina *f* de censura cinematográfica; **~regisseur** *m* (*-s*; *-e*) director *m* de escena cinematográfico, director *m* artístico; **~reklame** *f* publicidad *f* cinematográfica; **~reportage** *f* → *Filmbericht*; **~rolle** *f* rollo *m* (*od.* carrete *m*) de película; (*Darsteller∽*) papel *m*; **~schauspieler(in** *f*) *m* cineasta *m*, actor *m* (actriz *f*) de cine, actor *m* cinematográfico, actriz *f* cinematográfica; **~schriftsteller** *m* escritor *m* cinematográfico; guionista *m*; **~spule** *f* bobina *f* (*od.* carrete *m*) de película; **~star** *m* (*-s*; *-s*) estrella *f* de la pantalla; **~streifen** *m* cinta *f*; **~studio** *n* (*-s*; *-s*) estudio *m* (cinematográfico); **~technik** *f* (*0*) técnica *f* cinematográfica; cinematografía *f*; **~theater** *n* cine(matógrafo) *m*; **~transport** *m* (*-es*; *-e*) avance *m* de cinta; **~trommel** *f* (*-*; *-n*) tambor *m* (*od.* rollo *m*) de película; **~verleih** *m* (*-es*; *-e*), **~vertrieb** *m* (*-es*; *-e*) distribución *f* de películas; *Gesellschaft*: (empresa *f*) distribuidora *f*; **~verleiher** *m* distribuidor *m* de películas; **~vorführer(in** *f*) *m* operador (-a *f*) *m*; **~vorführung** *f*, **~vorstellung** *f* proyección *f* de películas; función *f* de cine; **~vorführungsgerät** *n* (*-es*; *-e*) proyector *m* de películas, aparato *m* de proyección cinematográfica; **~vorführungsraum** *m* (*-es*; *¨e*) sala *f* de proyecciones; *engS.* cabina *f* de proyección; **~welt** *f* (*0*) mundo *m* cinematográfico (*od.* del cine); **~werbung** *f* → *Filmreklame*; **~wesen** *n* (*-s*; *0*) cinematografía *f*; **~wirtschaft** *f* (*0*) industria *f* cinematográfica; **~zensur** *f* censura *f* cinematográfica.

'**Filter** *m u. n* filtro *m* (*a. Phot.*); **~einlage** *f* cartucho *m* filtrante (*a. der Gasmaske*); **~kaffee** *m* (*-s*; *-s*) café *m* filtrado; **~kanne** *f* cafetera *f* de filtro; **~kohle** *f* carbón *m* para filtro; **~maschine** *f* (*Kaffeemaschine*) cafetera *f* exprés; **~mundstück** *n* (*-es*; *-e*) boquilla *f* de filtro; **∽n** (*-re*) *v/t.* filtrar; **~papier** *n* (*-es*; *-e*) papel *m* (de) filtro (*od.* filtrante); **~zigarrette** *f* cigarrillo *m* con filtro.

Fil'trat *n* (*-es*; *-e*) producto *m* filtrado.

Fil'trier...: **~apparat** *m* (*-es*; *-e*) aparato *m* para filtrar, filtro *m*; **∽en** *v/t.* filtrar; **~en** *n* → *Filtrierung*; **~maschine** *f* filtro *m*; (*Kaffeemaschine*) cafetera *f* exprés; **~papier** *n* (*-es*; *-e*) papel *m* para filtrar; **~trichter** *m* embudo *m* de filtro; **~tuch** *n* (*-es*; *¨er*) tela *f* de filtro; tamiz *m* para colar; **~ung** *f* filtrado *m*; filtración *f*.

¹**Filz** *m* (*-es*; *-e*) fieltro *m*; F (*Geizhals*) mezquino *m*; F agarrado *m*, roñoso *m*; *zu ~ verarbeiten* fieltrar; *mit ~ auslegen* guarnecer (*od.* revestir) de fieltro; **~dichtung** ⊕ *f* guarnición *f* de fieltro; **∽en I. 1.** (*-t*) *v/t.* fieltrar; **2.** *v/i.* (*knausern*) tacañear, cicatear; **II.** *adj.* de fieltro; **~hut** *m* sombrero *m* de fieltro; **∽ig** *adj.* afieltrado; ⚘ tomentoso; *fig.* F (*knauserig*) avariento; mezquino, tacaño; F agarrado, roñoso; **~laus** *f* (*-*; *¨e*) ladilla *f*; **~pantoffeln** *m/pl.* zapatillas *f/pl.* de fieltro; **~schuhe** *m/pl.* zapatos *m/pl.* de fieltro; **~sohle** *f* plantilla *f* de fieltro; **~streifen** *m* tira *f* de fieltro; **~unterlage** *f* almohadilla *f* de fieltro; *Typ.* mantilla *f*; (*Bier∽*) platillo *m* de fieltro.

'**Fimmel** *m* (*-s*; *0*) (*Hanf*) cáñamo *m*; F (*Besessenheit*) manía *f*; obsesión *f*, idea *f* fija; F *er hat e-n ~* le falta un tornillo; está guillado *od.* tocado de la cabeza; está chiflado.

Fi'nale ♪ *n* final *m* (*a. Sport*).

Fi'nanz *f*, *mst. pl.* **~en** hacienda *f* pública; (*bsd. Am.*) finanzas *f/pl.*; **~abkommen** *n* acuerdo *m* financiero; **~abteilung** *f* sección *f* financiera; **~amt** *n* (*-es*; *¨er*) (*Span.*) Delegación *f* de Hacienda; oficina *f* de recaudación; fisco *m*; **~ausgleich** *m* (*-es*; *0*) equilibrio *m* financiero; compensación *f* financiera; **~ausschuß** *m* (*-sses*; *¨sse*) comisión *f* financiera (*od.* de hacienda); **~beamter** *m* funcionario *m* de Hacienda; **~blatt** *n* (*-es*; *¨er*) periódico *m* financiero; **~gebarung** *f* régimen *m* financiero; política *f* fiscal; **~geschäft** *n* (*-es*; *-e*) operación *f* financiera; **~gesetzgebung** *f* legislación *f* de Hacienda; **~hilfe** *f* ayuda *f* financiera.

finanzi'ell *adj.* financiero; económico; pecuniario; *in ~er Hinsicht* desde el punto de vista financiero.

finan'zier|en (*-*) *v/t.* financiar; costear (*ac.*); suministrar fondos *m/pl.* para; **∽ung** *f* financiación *f*; **∽ungsplan** *m* (*-es*; *¨e*) plan *m* de financiación.

Fi'nanz...: **~jahr** *n* (*-es*; *-e*) año *m* financiero; año *m* (*od.* ejercicio *m*) económico; año *m* fiscal; **~kreise** *m/pl.* círculos *m/pl.* financieros; **~krise** *f* crisis *f* financiera; **~lage** *f* situación *f* financiera; **~mann** *m* (*-es*; *-leute*) financiero *m*; hacendista *m*; **~minister** *m* (*Span.*) ministro *m* de Hacienda; (*Am. a.* de Finanzas); **~ministerium** *n* (*-s*; *-ministerien*) (*Span.*) Ministerio *m* de Hacienda; (*Am. a.* de Finanzas); **~politik** *f* (*0*) política *f* financiera; **~verwaltung** *f* (administración *f* de) Hacienda *f*; **~welt** *f* (*0*) mundo *m* financiero; **~wesen** *n* (*-s*; *0*) hacienda *f* pública; **~wirtschaft** *f* (*0*) economía *f* pública.

'**Findel|anstalt** *f*, **~haus** *n* (*-es*; *¨er*) casa *f* de expósitos, inclusa *f*; **~kind** *n* (*-es*; *-er*) (niño) expósito *m*, F inclusero *m*.

'**find|en** (*L*) **1.** *v/t.* encontrar, hallar; (*dafürhalten*) creer, estimar; considerar; (*unvermutet*) encontrarse con; (*zufällig*) dar con; *Beifall ~* tener éxito; ser aplaudido; *Glauben ~* hallar crédito; *Ruhe ~* encontrar reposo; *ich finde keine Worte* no encuentro palabras; *wie ~ Sie das Buch?* ¿qué opina usted del libro?; *ich finde, daß …* me parece (*od.* opino) que; *ich finde es angebracht* lo considero (*od.* estimo) conveniente; (*für*) *ratsam ~* juzgar prudente (*od.* aconsejable); *~ Sie nicht?* ¿no le parece a usted?; *das finde ich auch* opino lo mismo; *ich finde nichts dabei* no veo inconveniente en ello; *an et. Gefallen ~* hallar placer en a/c.; *ich finde an ihm Gefallen* me gusta (*od.* agrada); **2.** *v/refl.* encontrarse; *sich in et.* (*ac.*) *~* acomodarse a, avenirse a, conformarse con; (*sich fügen*) resignarse a; *das wird sich ~* ya veremos; (*schon in Ordnung kommen*) ya se arreglará; *es ~ sich Menschen, die …* siempre hay gente que; nunca falta alguien que; **∽er(in** *f*) *m* el (la) que encuentra (*bzw.* ha encontrado); **∽erlohn** *m* (*-es*; *¨e*) recompensa *f* por un hallazgo devuelto.

'**findig** *adj.* ingenioso; *~er Kopf* espíritu ingenioso, hombre de agudo ingenio; ⚒ *~er Gang* filón explotable; **∽keit** *f* ingeniosidad *f*.

'**Findling** *m* (*-s*; *-e*) expósito *m*, F inclusero *m*; (*Stein*) roca *f* errática.

Fi'nesse *f* fineza *f*; **~n** *pl.* (*Kniffe*) artimañas *f/pl.*, martingalas *f/pl.*

'**Finger** *m* dedo *m*; *der große ~* dedo del corazón; *der kleine ~* meñique *m*; *sich in den ~ schneiden* cortarse (en) un dedo; *einen wehen ~ haben* tener un dedo dolorido; tener un panadizo; *sich die ~ nach et. lecken* chuparse los dedos de gusto con a/c.; *sich die ~ verbrennen* quemarse los dedos; *fig. a.* pillarse los dedos; *sich et. aus den ~n saugen* F sacarse de la manga a/c.; *j-m auf die ~ sehen* vigilar de cerca (*od.* no perder de vista) a alg.; *mit dem ~ auf j-n zeigen* señalar a alg. con el dedo; *fig. j-m auf die ~ klopfen* darle a alg. en los nudillos; *die ~ bei et. im Spiel haben* estar mezclado en el asunto, F andar en el ajo; *die ~ von et. lassen* guardarse de tocar a/c.; no meterse en el asunto; *den ~ auf die Wunde legen* poner el dedo en la llaga; *an den ~n abzählen* contar por los dedos; *fig.* ser bien fácil de ver; *et. an den ~n hersagen können* saber a/c. al dedillo; *lange ~ machen* ser largo de uñas; *keinen ~ rühren* no mover ni un dedo; *fig. man kann ihn um den ~ wickeln* se puede hacer con él lo que se quiera; es blando como la cera; *j-n um den ~ wickeln* F meterse a uno en el bolsillo; *wenn er mir zwischen die ~ kommt!* ¡si un día le atrapo!; **~abdruck** *m* (*-es*; *¨e*) impresión *f* digital; huella *f* dactilar; **~abdruckverfahren** *n* dactiloscopia *f*; **∽breit** *adj.* de un dedo de ancho; **∽dick** *adj.* del grosor de un dedo; **∽fertig** *adj.* diestro, ágil de dedos; **~fertigkeit** *f* destreza *f*, agilidad *f* de dedos; **~geschwür** ⚕ *n* (*-es*; *-e*) panadizo *m*; **~glied** *n* (*-es*; *-er*) falange *f*; **~hut** *m* (*-es*; *¨e*) dedal *m*; ⚘ digital *f*; **~knöchel** *m* nudillo *m*; **∽lang** *adj.* de un dedo de largo; **~ling** *m* (*-s*; *-e*) dedil *m*; **∽n 1.** *v/i.*

mover los dedos; **2.** *v/t.* tocar suavemente con los dedos; (*Klavier*) teclear; (*Angelegenheit*) arreglar, manejar; **~nagel** *m* (*-s*; *¨*) uña *f*; **~reif** *m* (*-es*; *-e*), **~ring** *m* (*-es*; *-e*) anillo *m*; sortija *f*; **~satz** ♪ *m* (*-es*; *¨e*) posición *f* de los dedos; pulsación *f*, digitación *f*; **~spitze** *f* punta *f* (*bzw.* yema *f*) del dedo; **~spitzengefühl** *fig. n* (*-es*; *-e*) tacto *m*, delicadeza *f*; tino *m*; **~übung** ♪ *f* ejercicio *m* de pulsación; **~zeig** *m* (*-es*; *-e*) indicación *f*; aviso *m*, advertencia *f*; indicio *m*; F pista *f*.

fin'gier|en (-) *v/t.* fingir, simular; **2en** *n* fingimiento *m*, simulación *f*; **~t** *adj.* fingido, simulado; ficticio; imaginario; ~*er Name* nombre supuesto; ~*e Rechnung* ✝ cuenta simulada.

'Fink *Orn. m* (*-en*) pinzón *m*; **~enschlag** *m* (*-es*; *¨e*) gorjeo *m* del pinzón; **~ler** *m* pajarero *m*.

'Finne[1] *f* (*Flosse*) aleta *f*; ⊕ *e-s Hammers*: peña *f* del martillo.

'Finne[2] *f* ⚕ (*Pustel*) pústula *f*; botón *m*; gran(ill)o *m*; (*Gesichts2*) barro *m*; *Vet. der Schweine*: landrilla *f*.

'Finn|e[3] *m* (*-n*) finlandés *m*; **~in** *f* finlandesa *f*.

'finnig *adj.* ⚕ pustuloso; granujiento; *Vet.* landrilloso.

'finn|isch *adj.* finlandés; *der 2 Meerbusen* el golfo de Finlandia; **2land** *n* Finlandia *f*.

'Finnwal *Zoo. m* (*-es*; *-e*) rorcual *m*.

'finster *adj.* o(b)scuro; tenebroso; (*Raum*) lóbrego; *es ist* ~ está o(b)scuro; *es wird* ~ comienza a o(b)scurecer; está anocheciendo; *es war schon ~e Nacht* ya era noche cerrada; *fig.* sombrío; lúgubre; tétrico; (*Miene*) hosco; ceñudo, adusto; ~ *aussehen* tener aire sombrío *bzw.* semblante adusto; ~*e Gedanken haben* tener pensamientos sombríos; **2e(s)** *n* o(b)scuridad *f*, tinieblas *f/pl.*; *im Finstern* a oscuras; *im Finstern tappen* andar a tientas (*a. fig.*); **~nis** *f* (*0*) o(b)scuridad *f*, tinieblas *f/pl.*; *Astr.* eclipse *m*.

'Finte *f* finta *f* (*a. Fechtk.*); *List*: ardid *m*; estratagema *f*.

'Firlefanz *m* (*-es*; *0*) fruslería *f*; (*Unsinn*) necedad *f*; pampirolada *f*; (*Person*) fatuo *m*; ~ *treiben* hacer (*od.* decir) tonterías.

firm *adj.*: ~ *sein in et.* conocer a fondo a/c.

'Firma *f* (*-*; *Firmen*) casa *f* (de comercio); firma *f*; (*Name*) razón *f* social; *eingetragene* ~ casa comercial registrada.

Firma'ment *n* (*-es*; *-e*) firmamento *m*; *Poes.* bóveda *f* celeste.

'firm(el|n *v/t. I.C.* confirmar; **2ung** *f* confirmación *f*.

'Firmen...: **~bezeichnung** ✝ *f* razón *f* social; **~inhaber** *m* propietario *m* de una casa comercial; **~name** *m* (*-ns*; *-n*) razón *f* social; **~register** *n* registro *m* de comercio; **~schild** *n* (*-es*; *-er*) rótulo *m* comercial; **~stempel** *m* sello *m* de la casa (comercial); **~verzeichnis** *n* (*-ses*; *-se*) anuario *m* de comercio.

fir'mieren ✝ *v/i. u. v/t.* expresar como razón *f* social; *wir ~ X und Co.* nuestra razón social es X y Cía.

'Firm|ling *m* (*-s*; *-e*) confirmando *m*; **~ung** *f I.C.* confirmación *f*.

Firn *m* (*-es*; *-e*) ventisquero *m*.

firn *adj.* (*bsd. von Früchten u. Wein*) del año pasado; **'2ewein** *m* (*-es*; *-e*) vino *m* añejo.

'Firnfeld *n* (*-es*; *-er*) campo *m* de ventisquero.

'Firnis *m* (*-ses*; *-se*) barniz *m* (*a. fig.*); **2sen** (*-ßt*) *v/t.* barnizar (*a. fig.*); **~sen** *n* barnizado *m*.

'Firnschnee *m* (*-s*; *0*) ventisquero *m*.

First *m* (*-es*; *-e*) *e-s Berges*: cresta *f*; cima *f*; (*Haus2*) caballete *m*, cumbrera *f*; (*Giebel*) remate *m*; ⚒ techo *m* de la galería; **'~ziegel** ⚠ *m* teja *f* de cumbrera.

Fis ♪ *n* fa *m* sostenido.

'Fisch *m* (*-es*; *-e*) pez *m*; *als Speise*: pescado *m*; *gebratener* ~ pescado frito; *geräucherter* ~ pescado ahumado; *fliegender* ~ *Ict.* pez *m* volador; *fig. das ist weder ~ noch Fleisch* esto no es ni chicha ni limonada; *stumm wie ein* ~ callado como un muerto; (*munter*) *wie ein ~ im Wasser* estar como el pez en el agua; **~adler** *Orn. m* halieto *m*, águila *f* pescadora; **~angel** *f* (*-*; *-n*) anzuelo *m*; **2arm** *adj.* pobre en pesca; **~bank** *f* (*-*; *¨e*) banco *m* de pesca; **~behälter** *m* vivero *m* de peces; **~bein** *n* (*-es*; *-e*) (barba *f* de) ballena *f*; **~besteck** *n* (*-es*; *-e*) cubierto *m* para pescado; **~blase** *f* vejiga *f* de pez; (*Schwimmblase*) vejiga *f* natatoria; **~blut** *fig. n* (*-es*; *0*): ~ *haben* F tener sangre de horchata; **~brut** *f* alevín *m*; (*Laich*) freza *f*; **~dampfer** *m* vapor *m* pesquero.

'fischen I. *v/t. u. v/i.* pescar (*a. fig.*); ~ *gehen* ir a pescar, ir de pesca; *fig. im Trüben* ~ pescar en río revuelto; **II. 2** *n* pesca *f*.

'Fischer(in *f*) *m* pescador(a *f*) *m*; **~boot** *n* (*-es*; *-e*) barco *m* pesquero; lancha *f* pesquera; **~dorf** *n* (*-es*; *¨er*) pueblo *m* de pescadores.

Fische'rei *f* pesca *f*; (*Gewerbe*) pesca *f*, industria *f* pesquera; (*Fangstelle*) pesquería *f*, pesquera *f*; **~bezirk** *m* (*-es*; *-e*), **~gebiet** *n* (*-es*; *-e*) pesquería *f*; **~erlaubnisschein** *m* (*-es*; *-e*) licencia *f* de pesca; **~gerechtsame** *f* (*0*) derecho *m* de pesca.

'Fischer...: **~gerät** *n* (*-es*; *-e*) aparejos *m/pl.* de pesca; **~hütte** *f* cabaña *f* de pescador; **~leine** *f* sedal *m*; **~ring** *m* (*-es*; *-e*) (*päpstlicher*) Anillo *m* del Pescador.

'Fisch...: **~erlaubnis** *f* (*0*) autorización *f* para pescar; *gesetzliche*: levantamiento *m* de la veda de pesca; **~fang** *m* (*-es*; *¨e*) pesca *f*; **~fanggerät** *n* (*-es*; *-e*) aparejos *m/pl.* de pesca; **~filet** *n* (*-s*; *-s*) filete *m* de pescado; **~flosse** *f* aleta *f*; **2fressend** *adj.* piscívoro, ictiófago; **~gabel** *f* (*-*; *-n*) tenedor *m* para pescado; (*Harpune*) fisga *f*; **~garn** *n* → *Fischnetz*; **~gerechtigkeit** *f* (*0*) derecho *m* de pesca; **~gericht** *n* (*-es*; *-e*) (plato *m* de) pescado *m*; **~geruch** *m* (*-es*; *¨e*) olor *m* a pescado; **~geschäft** *n* (*-es*; *-e*) pescadería *f*; **~geschmack** *m* (*-es*; *0*) sabor *m* a pescado; **~gräte** *f* espina *f* de pez *bzw.* de pescado; raspa *f*; **~gründe** *m/pl.* pesquera *f*; **~haken** *m* ⚓ bichero *m*, garfio *m*; (*Angelhaken*) anzuelo *m*; **~halle** *f* lonja *f* del pescado; pescadería *f*; **~händler** *m im Einzelhandel*: pescadero *m*; **~handlung** *f* pescadería *f*; **~kasten** *m* (*-s*; *¨*) vivero *m* de peces; **~köder** *m* cebo *m* para la pesca, güeldo *m*; **~konserven** *f/pl.* conservas *f/pl.* de pescado; **~kunde** *f* ictiología *f*; **~laich** *m* (*-es*; *-e*) freza *f*; **~leim** *m* (*-es*; *0*) cola *f* de pescado; ictiocola *f*; **~markt** *m* (*-es*; *¨e*) mercado *m* de pescado; **~mehl** *n* (*-es*; *0*) harina *f* de pescado; **~milch** *f* (*0*) lechecillas *f/pl.* de pescado; **~netz** *n* (*-es*; *-e*) red *f* de pescar; *großes Schleppnetz*: jábega *f*; **~otter** *Zoo. f* (*-*; *-n*) nutria *f*; **2reich** *adj.* abundante en pesca; **~reiher** *Orn. m* garza *f* cenicienta; **~reuse** *f* nasa *f*; **~rogen** *m* huevas *f/pl.* (de pez); **~schuppe** *f* escama *f* de pez; **~schwarm** *m* (*-es*; *¨e*) banco *m* de pesca; **~speise** *f* (plato *m* de) pescado *m*; **~suppe** *f* sopa *f* de pescado; **~teich** *m* (*-es*; *-e*) vivero *m*; estanque *m* de piscicultura; **~tran** *m* (*-es*; *0*) aceite *m* de pescado; (*Wal~*) aceite *m* de ballena; (*Lebertran*) aceite *m* de hígado de bacalao; **~vergiftung** *f* intoxicación *f* causada por pescado, ictismo *m*; **~weiher** *m* vivero *m*; **~zucht** *f* (*0*) piscicultura *f*; **~zuchtanstalt** *f* piscifactoría *f*; **~züchter** *m* piscicultor *m*; **~zug** *m* (*-es*; *¨e*) redada *f*; *fig.* pesa *f*.

Fisima'tenten F *pl.* (*Ausflüchte*) pretextos *m/pl.*, subterfugios *m/pl.*; F chánchárras máncharras *f/pl.*; (*Umstände*) F tiquismiquis *m/pl.*; ~ *machen* buscar subterfugios, F escurrir el bulto *od.* el paquete.

fis'kalisch *adj.* fiscal.

'Fiskus *m* (*-*; *0*) fisco *m*, erario *m*, tesoro *m* (público).

'Fistel *f* (*-*; *-n*) ⚕ fístula *f*; ♪ falsete *m*; **2artig** *adj.* fistuloso; **~stimme** *f* voz *f* de falsete.

'Fittich *m* (*-es*; *-e*) *Poes.* ala *f*; *j-n unter s-e ~e nehmen fig.* amparar (*od.* proteger) a alg.; tomar a alg. bajo su protección.

fix I. *adj.* (*fest*) *Gehalt*, *Kosten*, *Preise*: fijo; ~*e Idee* monomanía, idea fija, obsesión; (*flink*) ágil, ligero; (*geschickt*) hábil, diestro; (*behend*) vivo, rápido; pronto, presto; ~ *und fertig* todo listo; despachado; **II.** *adv.* *mach'* ~! ¡aviva!, ¡date prisa!; *und ~ hatte er alles gemacht* F y en un santiamén lo había hecho todo.

Fixa'tiv *n* (*-s*; *-e*) *Phot.* fijador *m*.

Fix|auftrag ✝ *m* (*-es*; *¨e*) orden *f* a plazo fijo; **2en** *v/i.* (*Börse*) jugar a la baja; **~er** *m* bajista *m*; **~geschäft** ✝ *n* (*-es*; *-e*) operación *f* a plazo fijo.

Fi'xier|bad *Phot. n* (*-es*; *¨er*) baño *m* fijador; **2en** (-) *v/t.* fijar (*a. Phot.*); *j-n* ~ mirar fijamente a alg.; **~en** *n*, **~ung** *f* fijación *f*; *Phot.* fijado *m*; **~mittel** *n*, **~salz** *n* (*-es*; *-e*) *Phot.* fijador *m*.

'Fixkauf *m* (*-es*; *¨e*) compra *f* a plazo fijo.

'**Fixstern** *Astr. m* (*-ės; -e*) estrella *f* fija.
'**Fixum** *n* (-; *Fixa*) (*Gehalt*) sueldo *m* fijo; (*feste Summe*) cantidad *f* fija.
Fjord *m* (*-ės; -e*) fiordo *m*, fiord *m*.
'**flach** *adj*. (*eben*) llano; plano; (*ohne Hindernisse*) raso; (*glatt*) liso; (*niedrig*) bajo; (*oberflächlich*) superficial (*a. fig.*); *Nase, Kahn*: chato; *Schuß* ⚔: rasante, raso; ~es *Land* país llano; llanura; ~es *Dach* techo plano; azotea; ~es *Wasser* agua baja; (*seicht*) de bajo fondo, poco profundo; *Schlag mit der* ~en *Klinge* cintarazo *m*; *mit der* ~en *Hand* con la palma de la mano; ~er *Teller* plato llano (*od.* liso); ~er *Winkel* ángulo plano; 2**bahn** *f* ⊕ plano *m* de deslizamiento; ⚔ trayectoria *f* plana; 2**bahngeschütz** ⚔ *n* (*-es; -e*) cañón *m* de trayectoria plana; 2**ball** *m* (*-ės; ⸗e*) *Tennis*: pelota *f* a ras de la red; *Fußball*: balón *m* raso; 2**bild** *n* (*-ės; -er*) bajorrelieve *m*; 2**dach** *n* (*-ės; ⸗er*) azotea *f*; techo *m* plano; 2**draht** *m* (*-ės; ⸗e*) alambre *m* plano; 2**druck** *Typ. m* (*-ės; -e*) impresión *f* plana; 2**druckmaschine** *f* máquina *f* para impresión plana.
'**Fläche** *f* (*Ober*2) superficie *f*; ⩚ plano *m*; (*Seite*) cara *f*; *e-s Diamanten*: faceta *f*; (*Ebene*) plano *m*; *Geogr.* llanura *f*, planicie *f*; ⩚ *u. Phys.* geneigte (senkrechte) ~ plano inclinado (vertical).
'**Flacheisen** *n* ⊕ hierro *m* plano.
'**Flächen...**: ~**antenne** *f* antena *f* llana; ~**bedarf** ⊕ *m* (*-ės; 0*) superficie *f* necesaria; ~**blitz** *m* (*-es; -e*) relámpago *m* difuso; ~**inhalt** *m* (*-ės; -e*) superficie *f*; ⩚ área *f*; ~**maß** *n* (*-es; -e*) medida *f* de superficie; ~**messung** ⩚ *f* planimetría *f*; ~**winkel** ⩚ *m* ángulo *m* plano; ángulo *m* diedro.
'**flach...**: ~**fallen** F (*L; sn*) *v/i*. fracasar de fijo; F fracasar impepinablemente; 2**feile** ⊕ *f* lima *f* plana; 2**feuer** ⚔ *n* tiro *m* rasante; ~**gedrückt** *adj*. aplastado; ~**gehend** ⚓ *adj*. de poco calado; 2**heit** *f* (*0*) aplanamiento *m*; *fig.* trivialidad *f*; 2**kopf** *m* (*-ės; ⸗e*) cabeza *f* achatada; *fig.* mentecato *m*, pobre *m* de espíritu; ~**köpfig** *adj*. de cabeza achatada; *fig.* de pocas luces (*od.* de cortos alcances); 2**land** *n* (*-ės; 0*) país *m* llano; llanura *f*, *Am.* llano *m*; 2**meißel** ⊕ *m* escoplo *m*; 2**relief** ['-ʀeˑlĭɛf] *n* (*-s; -s*) bajorrelieve *m*; 2**rennen** *Sport. n* carrera *f* lisa.
'**Flachs** [-ks] ⚘ *m* (*-es; 0*) lino *m* (*brechen* agramar); 2**blond** *adj*. rubio de estopa.
'**Flach-schuß** *m* (*-sses; ⸗sse*) *Fußball*: tiro *m* raso.
'**Flachs...**: ~**farbe** *f* gris *m* de lino; 2**farben** *adj*. gris de lino; ~**feld** *n* (*-ės; -er*) linar *m*; ~**haar** *n* (*-ės; -e*) cabello *m* de color (rubio) estopa; ~**hechel** *f* rastrillo *m*; ~**kopf** *m* (*-ės; ⸗e*) pelirrubio *m*; ~**röste** *f* enriado *m* del lino; ~**spinne'rei** *f* hilandería *f* de lino, linera *f*.
'**Flach...**: ~**spule** *f* bobina *f* aplanada; ~**zange** *f* alicates *m/pl.* planos; ~**ziegel** *m* teja *f* plana.

'**flackern** (*-re*) **I.** *v/i. Licht*: oscilar; titilar; *Feuer*: flamear, llamear; **II.** 2 *n des Lichtes*: oscilación *f*; titilación *f*; *des Feuers*: llamarada *f*; 2**d** *adj.* (*zitternd*) trémulo.
'**Fladen** *m* flan *m*; (*Kuchen*) torta *f*; (*Kuh*2) boñigo *m*, boñiga *f*.
'**Flagge** *f* bandera *f*; pabellón *m*; → *Fahne*; *die* ~ *streichen* arriar la bandera (*a. fig.*); *die* ~ *hissen* izar (⚓ *a.* enarbolar) la bandera; *unter spanischer* ~ *segeln* navegar bajo pabellón español.
'**flaggen** **1.** *v/t.* embanderar; ⚓ empavesar; (*signalisieren*) hacer señales *f/pl.* con banderas; **2.** *v/i.* ondear (*bzw.* izar *od.* arbolar) la bandera; 2 *n* ⚓ empavesado *m*; 2**parade** *f* saludo *m* de la bandera; 2**signal** *n* (*-ės; -e*) señal *f* por medio de banderas; ⚓ señal *f* marítima; 2**stange** *f* asta *f*; 2**winker** ⚓ *m* semáforo *m*.
'**Flaggschiff** *n* (*-ės; -e*) buque *m* insignia, buque *m* almirante; *Hist.* nave *f* capitana.
'**Flak** *f* (-; *-[s]*) (*Abk. von* Fliegerabwehrkanone = cañón de defensa antiaérea; artillería *f* antiaérea); ~**artillerie** *f* artillería *f* antiaérea; ~**batterie** *f* batería *f* antiaérea; ~**feuer** *n* fuego *m* antiaéreo; ~**geschütz** *n* (*-es; -e*) cañón *m* antiaéreo; ~**granate** *f* granada *f* antiaérea; ~**rakete** *f* cohete *m* antiaéreo; ~**sperre** *f* barrera *f* antiaérea.
Fla'kon [-'kɔŋ] *m* (*-s; -s*) frasquito *m*, pomo *m*.
'**Flam|e** *m* (*-n*) flamenco *m*; ~**in** (*od.* **Flämin**) *f* flamenca *f*.
Fla'mingo [-'mɪŋoˑ] *Orn. m* (*-s; -s*) flamenco *m*.
'**flämisch** *adj.* flamenco.
'**Flamme** *f* llama *f*; *fig. a.* fuego *m*; F (*Geliebte*) amada *f*, adorada *f*; F prenda *f* querida; *hum.* dulcinea *f*; *fig.* amor *m*; *in* ~n *stehen* arder, estar en llamas; *in* ~n *geraten* inflamarse; *in* ~n *setzen* encender, inflamar; pegar fuego a, incendiar; *Feuer und* ~ *sein für* arder de entusiasmo por; 2**n** **1.** *v/i.* arder, estar en llamas; arrojar llamas; (*funkeln*) centellear; (*lodern*) flamear; *fig. sein Gesicht flammte vor Zorn* sus ojos centelleaban de ira, tenía el rostro encendido por la cólera; **2.** *v/t.* exponer a la llama; *Geflügel*: sollamar; chamuscar; 2**nd** *adj.* inflamado, ardiente; ~**nmeer** *n* (*-ės; -e*) mar *m* de llamas; ~**nschrift** *fig. f* letras *f/pl.* de fuego; ~**nschwert** *n* (*-ės; -er*) espada *f* flamígera; 2**nspeiend** *adj.* vomitando (*od.* escupiendo) fuego; ~**ntod** *m* (*-ės; 0*) muerte *f* en las llamas; ~**nwerfer** ⚔ *m* lanzallamas *m*.
'**Flammeri** *m* (*-od. -s; -s*) crema *f* (con zumo de frutas).
'**flammig** *adj. Stoff*: de muaré *od.* moaré.
'**Flammpunkt** ⊕ *m* (*-ės; -e*) punto *m* de inflamación.
'**Fland|ern** *n* Flandes *m*; 2**risch** *adj.* flamenco.
Fla'nell *m* (*-s; -e*) franela *f*; 2**en** *adj.* de franela; ~**hemd** *n* camisa *f* de franela.

fla'nieren (-) **I.** *v/i.* callejear; vagar (*od.* pasear) por las calles; **II.** 2 *n* callejeo *m*; paseo *m*.
'**Flanke** *f* ⚔, ⊕ flanco *m*; *des Körpers*: costado *m*; (*Berg*2) falda *f*; (*Turnen*) volteo *m*; *Fußball*: (*Flügel*) ala *f*; *in die* ~ *fallen* ⚔ atacar de flanco; *die* ~ *ungedeckt lassen* dejar el flanco al descubierto; 2**n** *v/i. Fußball*: centrar; ~**n-angriff** *m* (*-ės; -e*), ~**nstoß** *m* (*-es; ⸗e*) ⚔ ataque *m* de flanco; ~**nball** *m* (*-ės; ⸗e*) (*Fußball*) centro *m*; ~**ndeckung** ⚔ *f* cobertura *f* de los flancos; flanqueo *m*; *auf dem Marsch*: guardaflanco *m*; ~**nfeuer** *n* fuego *m* flanqueado (*od.* de flanco); tiro *m* oblicuo; ~**nmarsch** *m* (*-es; ⸗e*) marcha *f* de flanco; ~**nschutz** *m* (*-es; 0*), ~**nsicherung** *f* cobertura *f* de los flancos; flanqueo *m*; *auf dem Marsch*: guardaflanco *m*.
flan'kieren (-) **I.** *v/t.* flanquear; **II.** 2 *n* flanqueo *m*.
'**Flansch** *m* (*-es; -e*), ~**e** *f* ⊕ brida *f*; (*Rand*) collar *m*; 2**en** *v/t.* bridar; ~**rohr** *n* (*-ės; -e*) tubo *m* con bridas; ~**verbindung** *f* unión *f* por bridas.
Flaps *m* (*-es; -e*) (*Flegel*) mal educado *m*; grosero *m*; gamberro *m*; (*Tölpel*) palurdo *m*, bruto *m*.
'**flapsig** *adj.* (*flegelhaft*) ineducado; grosero; agamberrado, paleto.
'**Fläschchen** *n* botellín *m*; frasco *m*; frasquito *m*, pomo *m*; *für Säuglinge*: biberón *m*.
'**Flasche** *f* botella *f*; (*Kinder*2) biberón *m*; (*Korb*2) damajuana *f*; bombona *f*; (*Wasser*2) garrafa *f*; *Leydener* ~ *Phys.* botella de Leiden; *e-e* ~ *Wein* una botella de vino; *einschließlich* ~ ✝ incluido (el) casco; *auf* ~n *ziehen* embotellar; *e-e* ~ *verkorken* (*entkorken*) encorchar (descorchar *od.* destapar) una botella; *mit der* ~ *großziehen* criar con biberón.
'**Flaschen...**: ~**bier** *n* (*-ės; -e*) cerveza *f* embotellada (*od.* en botellas); ~**boden** *m* (*-s; ⸗*) fondo *m* de botella; ~**bürste** *f* escobilla *f*, limpiabotellas *m*; ~**füllmaschine** ⊕ *f* (máquina *f*) llenadora *f* de botellas; ~**gas** *n* (*-es; -e*) gas *m* comprimido (*od.* en botellas); ~**gestell** *n* (*-ės; -e*) porta-botellas *m*; 2**grün** *adj.* verde botella; ~**hals** *m* (*-es; ⸗e*) gollete *m*; ~**kind** *n* (*-es; -er*) niño *m* criado con biberón; ~**korb** *m* (*-ės; ⸗e*) cestilla *f* porta-botellas; ~**kühler** *m* cubillo *m* (*para refrescar botellas*); ~**kühltruhe** *f* enfriador *m* de botellas; ~**kürbis** ⚘ *m* (*-ses; -se*) calabaza *f* vinatera, calabacino *m*; ~**milch** *f* (*0*) leche *f* embotellada (*od.* en botellas); ~**öffner** *m* abre-botellas *m*, descapsulador *m*; ~**post** ⚓ *f* (*0*) botella *f* arrojada al mar (*con un mensaje*); ~**schrank** *m* (*-ės; ⸗e*) estante *m* para botellas; porta-botellas *m*; ~**spüler** *m*, ~**spülmaschine** ⊕ *f* enjuagadora *f* (*od.* lavadora *f*) de botellas; ~**ständer** *m* porta-botellas *m*; ~**verkorkungsmaschine** ⊕ *f* máquina *f* para taponar botellas; ~**wein** *m* (*-ės; -e*) vino *m* embotellado; 2**weise** *adv.*

en botellas; por botellas; **~zug** ⊕ *m* (-*es*; *=e*) aparejo *m*, poli(s)pasto *m*.

'**Flatter|geist** *m* (-*es*; *0*) espíritu *m* veleidoso; **2haft** *adj.* veleidoso, voluble; (*unbeständig*) inconstante; (*leichtsinnig*) ligero; atolondrado; **~haftigkeit** *f* (*0*) volubilidad *f*; inconstancia *f*; ligereza *f*; atolondramiento *m*; veleidad *f*.

'**Flattermine** ⚔ *f* fogata *f*.

'**flattern** (-*re*) **I.** *v/i.* *Vögel*: aletear; (*umher~*) revolotear; (*hin und her~*) mariposear; *Fahne*: ondear; *Segel*: flamear; *im Winde ~* flotar al viento; **II.** 2 *n* aleteo *m*; revoloteo *m*.

'**Flattersinn** *m* (-*es*; *0*) espíritu *m* voluble *od.* veleidoso.

flau *adj.* (*schwach*) débil, flojo (*a. fig. Börse*); (*matt*) lánguido; (*lau*) tibio; (*entkräftet*) decaído; ✝ (*lustlos*) desanimado; *Getränk*: flojo; *mir ist ~* me siento desfallecer; *das Geschäft geht ~* los negocios languidecen (*od.* van mal); ⚓ *~er werden* encalmarse; '**2heit** *f* (*0*) debilidad *f*, flojedad *f*; desfallecimiento *m*; ✝ desanimación *f*; pesadez *f*; estancamiento *m*.

Flaum *m* (-*es*; *0*) *Vogel*: plumón *m*; *Bart*: bozo *m*; *Haar*: vello *m*; ♀ pelusilla *f*.

'**Flaum...:** **~bart** *m* (-*es*; *=e*) bozo *m*; **~feder** *f* (-; -*n*) plumón *m*; flojel *m*; **~haar** *n* (-*es*; -*e*) vello *m*; pelusa *f*; **2ig** *adj.* plumoso; velloso; **2weich** *adj.* muy blando; suave; mullido.

Flaus, Flausch *m* (-*es*; -*e*) (*Wollstoff*) sayal *m*, frisa *f*; (*Haar2*) mechón *m*.

'**Flause** *f* patraña *f*, embuste *m*, *Arg.* macana *f*; (*Ausrede*) subterfugio *m*, pretexto *m* vano; F chancharras máncharras *f/pl.*, (*Unsinn*) necedad *f*, F pampirolada *f*; *~n machen* contar patrañas; *mach keine ~(n)!* F ¡no me vengas con cuentos chinos!

'**Flaute** *f* ⚓ calma *f* (chicha); ✝ (*Börse*) desanimación *f*; estancamiento *m*; (*Depression*) depresión *f*.

Fläz P *m* (-*es*; -*e*) grosero *m*; patán *m*, palurdo *m*; '**2en** (-*t*) *v/refl.*: *sich ~* portarse como un palurdo.

'**Flechs|e** *Anat. f* tendón *m*; **2ig** *adj.* tendinoso.

'**Flecht|arbeit** *f* trenzado *m*; **~band** *n* (-*es*; *=er*) cinta *f* para trenzar; **~e** *f* (*Haar2*) mata *f* de pelo; (*Zopf*) trenza *f*; ♀ liquen *m*; ⚕ herpe(s) *m/f* (*pl.*); empeine *m*; ⚕ *fressende ~* lupus *m*; **2en** (*L*) *v/t. u. v/refl.*: trenzar; (*weben*) tejer; (*ineinander*) entretejer; *in Zöpfe ~* trenzar, hacer trenzas; *Korb, Kranz, Zopf*: hacer; *Band ins Haar ~* entrelazar con cintas el pelo; *sich um et. ~* enredarse en torno a a/c.; **~er** *m* trenzador *m*; **~weide** ♀ *f* mimbrera *f*; **~werk** *n* trenzado *m*; (*aus Weide*) tejido *m* de mimbres; (*aus Draht*) rejilla *f*, enrejado *m*; ⚠ malla *f*.

'**Fleck** *m* (-*es*; -*e*) (*Schmutz2*) mancha *f*; (*Flicken*) remiendo *m*; (*Stelle*) sitio *m*, lugar *m*, punto *m*; (*auf der Tierhaut*) mancha *f*; *Kochkunst*: callos *m/pl.*; *fig.* (*Schand2*) mancha *f*, mácula *f*; baldón *m*, oprobio *m*; (*blauer ~*) ⚕ equimosis *f*, F cardenal *m*; *nicht vom ~ gehen, sich nicht vom ~ rühren* no moverse del sitio; *nicht vom ~ kommen* no avanzar, no adelantar un paso; *das Herz auf dem rechten ~ haben* tener el corazón en su sitio; ser hombre de bien; **2en 1.** *v/t. Schuhe*: remendar; (*be~*) manchar; (*sprenkeln*) motear; (*bespritzen*) salpicar; **2.** *v/i.* mancharse fácilmente, dejar manchas *f/pl.*; **~en** *m* mancha *f*; (*Markt2*) villa *f*; (*Dorf*) lugar *m*; pueblo *m*; ⚕ *~ pl.* (*Masern*) sarampión *m*; escarlatina *f*; **2enlos** *adj.* sin mancha; *fig.* sin tacha, intachable; inmaculado; (*lauter*) puro; *bsd. Theo.* inocente; **~enreiniger** *m* quitamanchas *m*; **~enwasser** *n* quitamanchas *m*; **~fieber** ⚕ *n* (-*s*; *0*) fiebre *f* tifoidea; **2ig** *adj.* manchado; (*gesprenkelt*) moteado; (*beschmutzt*) ensuciado; (*bespritzt*) salpicado de manchas; *Obst*: macado; *~ werden* mancharse; **~typhus** ⚕ *m* (-; *0*) tifus *m* exantemático, fiebre *f* tifoidea.

'**fleddern** (-*re*) *v/t.* → *ausplündern*.

'**Fleder|maus** *Zoo. f* (-; *=e*) murciélago *m*; **~wisch** *m* (-*es*; -*e*) plumero *m*.

'**Flegel** *m* ⚒ trillo *m*; *fig.* (*Bauern2*) palurdo *m*, patán *m*, paleto *m*, payo *m*; (*grober Mensch*) grosero *m*; bruto *m*; (*unerzogener Mensch*) mal educado *m*; (*freches Ding*) impertinente *m*; (*Halbstarker*) gamberro *m*.

Flege'lei *f* grosería *f*; mala educación *f*; falta *f* de educación; (*Unverschämtheit*) impertinencia *f*; gamberrada *f*, desvergüenza *f*.

'**flegelhaft** *adj.* grosero; zafio; ineducado; *bsd. von Kindern*: malcriado; mal educado; (*bäuerisch*) rústico; (*unverschämt*) impertinente; agamberrado; **2igkeit** *f* grosería *f*; zafiedad *f*; (*Unverschämtheit*) impertinencia *f*.

'**Flegel|jahre** *n/pl.* edad *f* ingrata; F edad *f* del pavo; **2n** (-*le*) *v/refl.* portarse zafiamente; *sich auf e-n Sessel ~* F despatarrarse en un sillón.

'**flehen I.** *v/i.*: *zu j-m ~* pedir encarecidamente a alg.; suplicar a alg.; implorar a alg.; **II.** 2 *n* súplica *f*; imploración *f*; **~tlich I.** *adj.* suplicante; ferviente; vehemente; **II.** *adv.* con instancia; encarecidamente; fervorosamente.

Fleisch *n* (-*es*; *0*) carne *f*; ♀ *a.* pulpa *f*; *gehacktes ~* carne picada; ⚕ *wildes ~* carnosidad, excrecencia carnosa; *von ~ und Blut* de carne y hueso; → *Fisch*; *vom ~(e) fallen* enflaquecer; *~ (Mensch) werden Theo.* encarnar(se), hacerse carne; *fig. sich ins eigene ~ schneiden* obrar contra sus propios intereses; *fig.* (*sündiges ~*) la carne.

'**Fleisch...:** **~abfälle** *m/pl.* despojos *m/pl.* de carne; piltrafas *f/pl.*; **~bank** *f* (-; *=e*) tabla *f* (de carnicero); **~(be)schau** *f* inspección *f* de carnes; **~(be)schauer** *m* inspector *m* de mataderos; inspector *m* de abastos; **~brühe** *f* caldo *m* (de carne); **~diät** *f* (*0*) régimen *m* de carnes; **~er** *m* carnicero *m*; **~ergesell(e)** *m* mozo *m* de carnicería; oficial *m* carnicero; **~erhaken** *m* gancho *m* (*od.* garabato *m*) de carnicero; **~erladen** *m* (-*s*; *=*) carnicería *f*; **~erlehrling** *m* (-*s*; -*e*) aprendiz *m* de carnicero; **~ermeister** *m* maestro *m* carnicero; **~ersfrau** *f* carnicera *f*; **~eslust** *f* (*0*) concupiscencia *f*, apetito *m* carnal; **~extrakt** *m* (-*es*; -*e*) extracto *m* de carne; **~farbe** *f* (color *m*) encarnado *m*; **2farben, 2farbig** *adj.* encarnado, de color carne; **~faser** *Anat. f* (-; -*n*) fibra *f* muscular; **~fliege** *f* moscarda *f*; **2fressend** *adj.* carnívoro, carnicero; **~fresser** *m* carnívoro *m*; **~gabel** *f* (-; -*n*) trinchante *m*; **~gericht** *m* (-*es*; -*e*) plato *m* de carne; **2geworden** *adj. Theo.*: *das ~e Wort* el Verbo hecho carne *od.* Encarnado; **~hackmaschine** *f* máquina *f* de picar carne; **~hauer** *m* carnicero *m*; **2ig** *adj.* carnoso; ♀ *Früchte*: *a.* pulposo; *Blatt*: carnoso; **~klößchen** *Kochkunst*: albondiguilla *f*; **~klumpen** *m* (*dicke Person*) F bola *f* de sebo; **~konserven** *f/pl.* conservas *f/pl.* cárnicas; **~kost** *f* (*0*) régimen *m* de carne; (*Fleischgericht*) plato *m* de carne; **2lich** *adj.* carnal; **2los** *adj.* descarnado; **~made** *Zoo. f* cresa *f*; **~mangel** *m* (-*s*; *=*) escasez *f* de carne; **~markt** *m* (-*es*; *=e*) mercado *m* de la carne; **~messer** *n* cuchillo *m* de carnicero; cuchillo *m* de cocina; **~pastete** *f* pastel *m bzw.* empanada *f* de carne; **2rot** *adj.* encarnado; **~saft** *m* (-*es*; *=e*) jugo *m* de carne; **~schau** *f* → *Fleischbeschau*; *Thea. iro.*: revista *f* de mínimo vestuario; **~scheibe** *f* lonja *f* (*od.* tajada *f*) de carne; escalope *m*; **~teile** *Anat. m/pl.* partes *f/pl.* carnosas; **~ton** *m* (-*es*; *0*) tono *m* encarnado; **~topf** *m* (-*es*; *=e*) olla *f*, puchero *m*; *fig. sich nach den Fleischtöpfen Ägyptens sehnen* recordar (con nostalgia) las ollas de Egipto; **~vergiftung** *f* intoxicación *f* por tomaínas; ⚕ botulismo *m*; **~waren** *f/pl.* productos *m/pl.* cárneos; **~werdung** *Theo. f* Encarnación *f* (del Verbo Divino); **~wolf** *m* (-*es*; *=e*) picadora *f* de carnes; **~wunde** *f* herida *f* en la carne; **~wurst** *f* (-; *=e*) *allg.* embutido *m*; fiambre *m* de carne.

Fleiß *m* (-*es*; *0*) aplicación *f*; asiduidad *f*; (*Emsigkeit*) diligencia *f*; (*Sorgfalt*) cuidado *m*, esmero *m*; (*Anstrengung*) esfuerzo *m*; (*Eifer*) celo *m*; *allen ~ auf et.* (*ac.*) *verwenden* poner todo su afán en a/c.; *mit ~* (*absichtlich*) adrede, aposta, con intención, expresamente, (*mit Vorbedacht*) deliberadamente; *ohne ~ kein Preis* no hay atajo sin trabajo; no se pescan truchas a bragas enjutas; **2ig I.** *adj.* asiduo; diligente; (*Schüler*) aplicado; estudioso; (*sorgfältig*) cuidadoso, esmerado; (*eifrig*) celoso; (*regsam*) activo, laborioso, industrioso; *~e Arbeit* trabajo esmerado; **II.** *adv.* con aplicación; asiduamente; diligentemente; (*sorgfältig*) cuidadosamente, con esmero; (*eifrig*) celosamente; *~ studieren* estudiar con asiduidad.

flek'tieren (-) **I.** *v/t. u. v/i. Gr.* (*Substantiv*) declinar(se); (*Verb*) conjugar(se); **II.** ♀ *n* declinación *f*; conjugación *f*.

ˈ**flennen** F *v/i.* lloriquear, gimotear.

ˈ**fletschen** *v/t.*: *die Zähne* ~ (*Hund*) regañar los dientes.

Flexiˈon [-ˈksĭo:n] *Gr. f* (in)flexión *f*; ~**s-endung** *Gr. f* desinencia *f*; terminación *f*.

Fliˈbustier *m* (*-s; -s*) filibustero *m*.

ˈ**Flick|arbeit** *f* remiendo *m*; (*Pfuscherei*) chapucería *f*; ♀**en** *v/t.* remendar (*ac.*); *Wäsche*: repasar, recoser; *Strümpfe*: zurcir, repasar; *Reifen*: poner un parche; (*reparieren*) reparar, componer; *fig. j-m et. am Zeuge* ~ enmendar la plana a alg.; ~**en** *m* remiendo *m*; pieza *f*; *auf Gummi*: parche *m*.

ˈ**Flicker** *m* remendón *m*; ~**in** *f* remendona *f*; *Kunststopferin*: zurcidora *f*.

Flickeˈrei *f allg.* compostura *f*; remiendo *m*; recosido *m*; zurcido *m*; (*Pfuscherei*) chapucería *f*.

ˈ**Flick|kasten** *m* (*-s;* ⸚) *Auto.* caja *f* de herramientas; ~**werk** *n* (*-es; 0*) *Flickendecke*: centón *m*; (*geistiges*) compilación *f* mal hecha; (*aus Zitaten*) *fig.* centón *m*; *Pfuscherei*: chapucería *f*; ~**wort** *n* (*-es;* ⸚*er*) *Gr.* partícula *f* expletiva; (*im Vers*) ripio *m*; ~**zeug** *n* (*-es; 0*) *Nähzeug*: avíos *m/pl.* de costura; *Fahrrad*: estuche *m* de reparación; bote *m* de parches.

ˈ**Flieder** ♀ *m* (*Holunder*) saúco *m*; (*Syringe*) lila *f*; *spanischer* ~ lila común; ~**blüte** *f* flor *f* de saúco *bzw.* lila; ~**strauß** *m* (*-es;* ⸚*e*) ramo *m* de lilas; ~**tee** *m* (*-s; -s*) infusión *f* de flor de saúco.

ˈ**Fliege** *Zoo. f* mosca *f*; (*kleine* ~) mosquita *f*; *spanische* ~ cantárida *f*, *Phar.* vejigatorio *m*; (*Querbinder*) mariposa *f*; (*Bärtchen am Kinn*) mosca *f*; perilla *f*; *keiner* ~ *et. zuleide tun* ser incapaz de matar una mosca; *fig. in der Not frißt der Teufel* ~*n* a falta de pan buenas son tortas; *zwei* ~*n mit e-r Klappe schlagen* matar dos pájaros de un tiro.

ˈ**fliegen** (*L; sn*) **I. 1.** *v/i.* volar; *im Flugzeug*: *a.* ir en avión *m*; *in die Höhe* ~ volar a lo alto; (*Vögel*) levantar *od.* alzar el vuelo; ✈ elevarse (en el aire); (*flattern*) flotar; *in die Luft* ~ hacer explosión, estallar, *sprengen*: volar; (*losstürzen*) precipitarse; F (*entlassen werden*) ser despedido, F ser echado; **2.** *v/t. Maschine*: pilotar; *Strecke*: volar; ⚔ *e-n Einsatz* ~ realizar una misión aérea; **II.** ♀ *n* vuelo *m*; ~ *in geschlossener Formation* vuelo en formación cerrada; ~**d** *adj.* volante; volador; (*flatternd*) flotante; *mit* ~*en Fahnen* a banderas desplegadas; ✈ ~*es Personal* personal volante (*od.* de navegación); ~*er Start* despegue por lanzamiento; ~*er Händler* vendedor ambulante, buhonero; *mit* ~*en Haaren* con el pelo al aire; (*wirr*) desgreñado; *der* ~*e Holländer* ♪ El buque fantasma, El holandés errante.

ˈ**Fliegen...**: ~**dreck** *m* (*-es; 0*) mancha *f* (P cagada *f*) de mosca; ~**falle** *f* ♀ dionea *f*; ~**fänger** *m* atrapamoscas *m*; ~**fenster** *n* alambrera *f*; ~**gewicht(ler** *m*) *n* (*-es; -e*) *Boxen*: peso *m* mosca; ~**klappe** *f*, ~**klatsche** *f* (pala *f*) matamoscas *m*; ~**kopf** *Typ. m* (*-es;* ⸚*e*) letra *f* invertida; ~**netz** *n* (*-es; -e*) *für Pferde*: espantamoscas *m*; ~**papier** *n* (*-es; -e*) papel *m* matamoscas; ~**pilz** ♀ *n* (*-es; -e*) agárico *m* muscario, oronja *f* falsa; ~**schnäpper** *Orn. m* papamoscas *m*; ~**schrank** *m* (*-es;* ⸚*e*) fresquera *f*.

ˈ**Flieger** *m* aviador *m*; piloto *m*; ~**abzeichen** *n* distintivo *m* (*od.* insignia *f*) de aviación; ~**alarm** *m* (*-es; -e*) alarma *f* aérea; ~**angriff** *m* (*-es; -e*) ataque *m* aéreo; ~**bombe** *f* bomba *f* de avión; ~**deckung** *f* refugio *m* antiaéreo; ~**dreß** *m* (*-; 0*) equipo *m* de piloto.

Fliegeˈrei *f* (*0*) aviación *f*.

ˈ**Flieger...**: ~**horst** *m* (*-es; -e*) base *f* aérea; ~**in** *f* aviadora *f*; ~**offizier** *m* (*-s; -e*) oficial *m* de aviación; ~**schule** *f* escuela *f* de aviación; ~**schuppen** *m* hangar *m*; ~**sicht** *f* (*0*): *gegen* ~ *gedeckt* protegido contra reconocimiento aéreo; ~**staffel** *f* (*-; -n*) escuadrilla *f* de aviones; ~**tauglichkeit** *f* (*0*) aptitud *f* para el vuelo; ~**verband** *m* (*-es;* ⸚*e*) formación *f* de aviones.

ˈ**flieh|en** (*L; sn*) **1.** *v/t.* huir (*vor dat.* de); (*meiden*) rehuir, evitar; **2.** *v/i.* huir, escaparse; darse a la fuga; *zu j-m* ~ refugiarse en casa de alg.; ♀**en** *n* huída *f* (*vor dat.* de); ~**end** *adj.* en fuga; ♀**kraft** *Phys. f* (*0*) fuerza *f* centrífuga; ♀**kraftregler** *m* regulador *m* centrífugo.

ˈ**Fliese** *f Platte*: losa *f*, baldosa *f*; (*glasierte*) azulejo *m*; *mit* ~*n belegen* embaldosar, enlosar; azulejar; ~**nbelag** *m* (*-es;* ⸚*e*), ~**nfußboden** *m* (*-s;* ⸚) embaldosado *m*, enlosado *m*; ~**nleger** *m* solador *m*.

Fließ *n* (*-es; -e*) arroyuelo *m*.

ˈ**Fließ|arbeit** *f Fließfertigung*: trabajo en serie (*od.* en cinta continua); *Fließfabrikation*: producción *f* en serie; ~**band** *n* (*-es;* ⸚*er*) cinta *f* continua (*od.* sin fin); *Förderband*: cinta *f* transportadora; ~**bandanfertigung** *f* → *Fließarbeit*; ~**bandmontage** *f* montaje *m* en serie (*od.* en cinta continua).

ˈ**fließen** (*L; sn*) **I.** *v/i.* correr (*a. fig.*); fluir, manar; ⚡ *Strom*: circular; *Papier*: embeber; ⊕ (*flüssig werden*) fundirse, derretirse; hacerse fluido; *fig.* ~ (*hervorgehen*) *aus* desprenderse (*od.* resaltar) de; ~ *durch* pasar por (*od.* atravesar); *ins Meer* ~ desembocar (*od.* desaguar) en el mar; **II.** ♀ *n* (*Lauf, Strom*) flujo *m*; ⊕ fusión *f*; ~**d I.** *adj.* corriente; ~*es Wasser* agua corriente; *fig.* ~*er Stil* estilo fluido (*od.* fácil); **II.** *adv.* ~ *sprechen* hablar con soltura (con facilidad *od.* corrientemente); ~ *lesen* leer de corrido (*od.* con facilidad); ~ *schreiben* escribir con soltura *od.* a vuela pluma.

ˈ**Fließpapier** *n* (*-es; -e*) *Löschpapier*: papel *m* secante.

ˈ**Flimmer** *m* luz *f* trémula, vislumbre *m*; *Min.* (*Glimmer*) mica *f*; ♀**n** (*-re*) *v/i.* centellear; *Poes.* rielar; (*zittern*) vibrar (*a. Film*); *Licht*: titilar; *es flimmert ihm vor den Augen* se le va la vista, F le hacen chiribitas los ojos; ~**n** *n* centelleo *m*; (*Zittern*) vibración *f* (*a. des Films*); *des Lichtes*: titilación *f*.

ˈ**flink** *adj.* ágil, ligero; (*geschickt*) hábil, diestro; (*aufgeweckt*) vivo, despabilado, despierto; (*prompt*) pronto, presto; ♀**heit** *f* (*0*) agilidad *f*; prontitud *f*, presteza *f*.

ˈ**Flinte** *f Gewehr*: fusil *m*; carabina *f*; *Hist.* mosquete *m*; (*Schrot*♀) escopeta *f*; *fig. die* ~ *ins Korn werfen* echar la soga tras el caldero; ~**nkolben** *m* culata *f*; ~**nkugel** *f* (*-; -n*) bala *f*; ~**nlauf** *m* (*-es;* ⸚*e*) cañón *m* de fusil; ~**nschaft** *m* (*-es; -e*) caja *f*; ~**nschrot** *n* (*-es; -e*) perdigones *m/pl.*; postas *f/pl.*; ~**nschuß** *m* (*-sses;* ⸚*sse*) fusilazo *m*; escopetazo *m*; ~**nschußweite** *f* (*0*): *bis auf e-e* ~ a tiro de fusil.

Flirt *m* (*-s; -s*) coqueteo *m*, flirteo *m*; ♀**en** *v/i.* coquetear, flirtear.

ˈ**Flitter** *m* (*Blättchen*) lentejuelas *f/pl.*; *fig.* (*Tand*) baratijas *f/pl.*, chucherías *f/pl.*; *et. mit* ~ *besetzen* adornar con lentejuelas; *fig.* oropel; ~**glanz** *m* (*-es; 0*) brillo *m* falso; ~**gold** *n* (*-es; 0*) oropel *m*; *bsd. zum Sticken*: lámina *f* dorada; ~**kram** *m* (*-es; 0*) baratijas *f/pl.*, chucherías *f/pl.*; ♀**n** (*-re*) *v/i.* destellar; ~**staat** *m* (*-es; 0*), ~**werk** *n* (*-es; 0*) perifollos *m/pl.*, adorno *m* falso; ~**wochen** *f/pl.* luna *f* de miel.

ˈ**Flitz|bogen** *m* (*-s;* ⸚) arco *m*; ♀**en** (*-t*) *v/i.* pasar como un rayo, ir disparado *od.* como una bala.

flocht *pret. von flechten.*

ˈ**Flock|e** *f* copo *m*; (*Woll*♀) vedija *f*; ~*n bilden* formar copos; ♀**en** *v/i.* formar copos *m/pl.*; ~**enbildung** *f* floculación *f*; ~**enblume** ♀ *f* centáurea *f*; ♀**ig** *adj.* coposo, con copos; floculento; borroso; ~**seide** *f* borra *f* de seda, seda *f* azache; ~**wolle** *f* borra *f* de lana.

ˈ**Floh** *m* (*-es;* ⸚*e*) pulga *f*; *fig. j-m e-n* ~ *ins Ohr setzen* echar a alg. la pulga detrás de la oreja; ~**biß** *m* (*-sses; -sse*), ~**stich** *m* (*-es; -e*) picadura *f* de pulga.

ˈ**flöhen** *v/t. u. v/refl.* espulgar(se); ♀ *n* espulgo *m*.

ˈ**Flohzirkus** *m* (*-ses; -se*) exhibición *f* de pulgas amaestradas.

Flor[1] *m* (*Blüte u. Blütezeit*) floración *f*; florescencia *f*; *fig.* florecimiento *m*, prosperidad *f*; *in* ~ en flor; *fig.* en boga; en auge.

Flor[2] *m* (*-s; -e*) (*Stoff*) crespón *m*; (*Schleier*) velo *m*; (*Gaze*) gasa *f*.

ˈ**Flora** ♀ *f* (*-; Floren*) flora *f*.

ˈ**Flor|band** *n* (*-es;* ⸚*er*) cinta *f* de crespón; ~**binde** *f als Zeichen der Trauer*: brazal *m* de crespón.

Florenˈti|ner(in *f*) *m* florentino (-a *f*) *m*; ♀**nisch** *adj.* florentino.

Floˈrenz *n* Florencia *f*.

Floˈrett *n* (*-es; -e*) florete *m*; ~**band** *n* (*-es;* ⸚*er*) hiladillo *m*; ~**fechten** *n* esgrima *f* de florete; ~**fechter(in** *f*) *m* floretista *m/f*; ~**seide** *f* seda *f* azache.

floˈrieren (-) *v/i. fig.* florecer; prosperar, F ir viento en popa.

ˈ**Flor|schleier** *m* velo *m* de crespón; ~**strumpf** *m* (*-es;* ⸚*e*) media *f* de gasa.

'**Floskel** *f* (-; *-n*) flor *f* retórica; **~n** *f/pl.* floreo *m*, floreos *m/pl.*
Floß [oː] *n* (*-es*; *⁼e*) balsa *f*; (*geflößtes Holz*) almadía *f*, balsa *f*.
'**flößbar** *adj. Gewässer*: flotable.
'**Floßbrücke** *f* puente *m* de balsas.
'**Flosse** *f Ict.* aleta *f*; ✈ estabilizador *m*; F (*Hand*) mano *f*.
'**flößen I.** (*-t*) *v/t. Holz*: conducir maderada *f* aguas abajo; **II.** 2 *n* conducción *f* de almadías.
'**Flossenfüßler** *Zoo. m/pl.* pinnípedos *m/pl.*
'**Flößer** *m* almadiero *m*; balsero *m*; ganchero *m*.
Flöße'rei *f* (*0*) transporte *m* de maderada.
'**Floßfeder** (-; *-n*) *Ict. f* aleta *f*.
'**Floßholz** *n* (*-es*; *⁼er*) madera *f* en balsas (*od.* almadías).
'**Flöt|e** ♪ *f* flauta *f*; ~ *spielen* tocar la flauta; **2en** (*-e-*) *v/t. u. v/i.* tocar la flauta; *fig.* hablar melifluamente; *Vögel*: cantar, gorjear; (*pfeifen*) silbar; **~enbläser(in** *f*) *m* flautista *m/f.*; **2engehen** P (*L*; *sn*) *v/i.* perderse, extraviarse; arruinarse; **~enregister** *n in Orgeln*: flautado *m*; **~enstimme** *f* ♪ parte *f* de flauta; (*beim Singen*) voz *f* flautada; (*beim Sprechen*) voz *f* aflautada; F *fig.* voz *m* meliflua; **~enton** *m* (*-es*; *⁼e*) sonido *m* de la flauta; F *fig. j-m die Flötentöne beibringen* enseñar a alg. a portarse como es debido; **~enzug** *m* (*-es*; *⁼e*) → *Flötenregister.*
Flö'tist(in *f*) *m* (*-en*) flautista *m/f.*
flott *adj.* ligero; (*flink*) ágil; (*schick*) elegante; ✝ animado; F (*von Personen*) garboso; guapo; *Lebenswandel*: alegre, frívolo; ⚓ a flote; *~er Bursche* chico simpático; *adv.* ~ *gehen* ir bien; *fig.* ir viento en popa, prosperar; ~ *leben* F vivir a lo loco; disfrutar de la vida; F darse la gran vida; ~ *schreiben* escribir con facilidad (*od.* soltura).
'**Flotte** *f* flota *f*; *kleine* ~ flotilla *f*; (*Kriegs*2) armada *f*; (*Handels*2) marina *f* mercante.
'**Flotten...:** **~abkommen** *n* acuerdo *m* naval; **~basis** *f* (-; *-basen*) base *f* naval; **~flaggschiff** *n* (*-es*; *-e*) buque *m* almirante; **~manöver** *n* maniobras *f/pl.* navales; **~parade** *f* revista *f* naval; **~station** *f* puerto *m* militar (*od.* de reunión); **~stützpunkt** *m* (*-es*; *-e*) base *f* naval; **~verband** *m* (*-es*; *⁼e*) formación *f* naval; **~ver-ein** *m* (*-es*; *-e*) liga *f* marítima.
'**flottgehend** *adj. Geschäft*: que marcha (*od.* va) bien.
flot'tierend *adj. Schuld*: flotante.
'**Flot'tille** *f* flotilla *f*.
'**flottmachen** ⚓ *v/t.* poner a flote (*a. fig.*); *wieder* ~ (*Schiff*) desencallar; sacar a flote (*a. fig.*).
flott'weg *adv.* sin interrupción; (*ohne zu zögern*) sin vacilar; (*im Handumdrehen*) en un periquete; (*ohne weiteres*) sin más ni más.
Flöz [øː] *Geol. n* (*-es*; *-e*) capa *f*, estrato *m*.
'**Fluch** [uː] *m* (*-es*; *⁼e*) maldición *f*; (*Verwünschung*) imprecación *f*; *Rel.* anatema *m*; (*Gotteslästerung*) blasfemia *f*; juramento *m*; (*Kraftwort*) taco *m*, terno *m*, palabra *f* gruesa (*ausstoßen* proferir, F soltar); **2beladen, 2belastet** *adj.* maldito; **2en** *v/i.* maldecir; imprecar; blasfemar; jurar; F soltar tacos; *j-m* ~ maldecir a alg.; *auf j-n* ~ echar pestes contra alg.
Flucht *f* huida *f*; (*eilige*) fuga *f*; *aus Gewahrsam*: evasión *f*; △ (*Bau*2) alineación *f*; (*Reihe*) serie *f*; ~ *von Gemächern* serie de habitaciones; ⊕ juego *m*; ⚔ (*geordnete* ~) retirada *f*; (*ungeordnete* ~) desbandada *f*; *auf der* ~ durante (*od.* en) la huida; ⚔ *in voller* ~ en plena derrota, a la desbandada; *die* ~ *ergreifen* emprender la huida; evadirse; *in die* ~ *schlagen* poner en fuga; '**2artig** *adv.* a la desbandada; precipitadamente; ⚔ en derrota.
'**flüchten** (*-e-*; *sn*) **I.** *v/i. u. v/refl.*: *sich* ~ huir; escaparse; fugarse, emprender la fuga; evadirse; refugiarse; **II.** 2 *n* huida *f*.
'**flüchtig I.** *adj.* fugitivo; ~ *werden* huir, emprender la huida; (*entwischen*) escaparse; (*vergänglich*) pasajero; fugaz; efímero; (*unbeständig*) inconstante; (*eilig*) rápido; (*oberflächlich*) superficial; *Arbeit*: descuidado, poco esmerado; chapucero; ⚗ volátil; *Prüfung*: somero; **II.** *adv.* (*eilig*) rápidamente; de prisa; a escape; (*leichtsinnig*) a la ligera; ligeramente; (*oberflächlich*) superficialmente; ~ *lesen* leer por encima; ~ *sehen* dar un vistazo; ~ *entwerfen* bosquejar; **2keit** *f* rapidez *f*; (*Unbeständigkeit*) inconstancia *f*; (*Lässigkeit*) negligencia *f*; (*Oberflächlichkeit*) superficialidad *f*; ⚗ volatilidad *f*; **2keitsfehler** *m* descuido *m*.
'**Flüchtling** *m* (*-s*; *-e*) refugiado *m*; (*auf der Flucht befindlich*) fugitivo *m*; (*Ausreißer*) fugado *m*; ⚔ prófugo *m*; desertor *m*; *aus Gewahrsam*: evadido *m*; (*politischer*) exiliado *m*; refugiado *m*; **~sfamilie** *f* familia *f* de refugiados; **~slager** *n* campo *m* de refugiados; **~s-organisation** *f*: *Internationale* ~ Organización Internacional para los Refugiados (*Abk.* O.I.R.); **~sstrom** *m* (*-es*; *⁼e*) oleada *f* de refugiados; **~sverband** *m* (*-es*; *⁼e*) asociación *f* de refugiados.
'**Flucht...:** **~linie** △ *f* alineación *f* (de fachadas); **~punkt** *m* (*-es*; *-e*) punto *m* de alineación (*od.* de mira); **~verdacht** *m* (*-es*; *0*) sospecha *f* de huida; **2verdächtig** *adj.* sospechoso de querer huir; **~versuch** *m* (*-es*; *-e*) tentativa *f* de fuga (*od.* de evasión); e-e ~ *machen* intentar huir.
Flug *m* (*-es*; *⁼e*) vuelo *m*; (*Schwarm*) bandada *f*; *im ~e* en (*od.* durante el) vuelo; *fig.* (*eiligst*) a escape, volando, a toda prisa.
'**Flug...:** **~abwehr** *f* (*0*) defensa *f* antiaérea; **~abwehrkanone** *f* cañón *m* antiaéreo; **~abwehrrakete** *f* cohete *m* antiaéreo; **~asche** *f* pavesa *f*; **~bahn** *f der Geschosse*: trayectoria *f*; ✈ trayecto *m*; **~ball** (*-es*; *⁼e*) *Tennis, Fußball*: bolea *f*; **2bereit** *adj.* preparado para el vuelo; **~betrieb** *m* (*-es*; *0*) servicio *m* aéreo; **~blatt** *n* (*-es*; *⁼er*) hoja *f* volante; octavilla *f*; (*Schmähschrift*) libelo *m*; **~boot** *n* (*-es*; *-e*) hidroavión *m*; **~dauer** *f* (*0*) duración *f* del vuelo; **~dienst** *m* (*-es*; *0*) servicio *m* aéreo.
'**Flügel** *m* ala *f* (*a.* ⚔, ✈, *Sport, Gebäude*); (*Klavier*) piano *m* de cola; (*Tür*2, *Fenster*2) hoja *f*, batiente *m*; *der Lunge*: *Anat.* lóbulo *m*; ⊕ *Schaufel, Blatt*: paleta *f*; ♣ apéndice *m*; *e-r Windmühle*: aspa *f*; *der Flügelschraube, des Mühlrades*: aleta *f* (*a. an Bombe, Ventilator*); *mit den ~n schlagen* batir las alas, aletear; *fig. j-m die* ~ *stutzen* (*od. beschneiden*) cortar a alg. las alas; *die* ~ *hängen lassen* agachar las orejas, quedar alicaido; *j-m* ~ *verleihen* dar alas a alg.
'**Flügel...:** **~decke** *f* (*der Insekten*) élitro *m*; **~fenster** *n* ventana *f* de batientes; **2lahm** *adj.* aliquebrado; *fig.* paralizado; **2los** *adj.* sin alas; *Zoo.* áptero; **~mutter** ⊕ *f* (-; *-n*) tuerca *f* de mariposa; **~rad** ⊕ *n* (*-es*; *⁼er*) rueda *f* de paletas (*od.* de aletas); **~schlag** *m* (*-es*; *⁼e*) aletazo *m*; aleteo *m*; **~schraube** ⊕ *f* tornillo *m* de aletas; **~spannweite** *f* envergadura *f*; **~stürmer** *m* (*Fußball*) extremo *m*; **~tür** *f* puerta *f* de dos hojas; **~weite** *f* envergadura *f*.
'**Flug...:** **~erfahrung** *f* experiencia *f* de vuelo; **~feld** *n* (*-es*; *-er*) campo *m* de aviación; aerodromo *m*; **2fertig** *adj.* preparado para volar; **~gast** *m* (*-es*; *⁼e*) pasajero *m* (de avión).
'**flügge** *adj.* volantón; *fig.* (*Mädchen*) casadera; ~ *sein* poder volar con sus propias alas; ~ *werden* empezar a volar, tomar alas; *fig.* poder valerse por sí mismo.
'**Flug...:** **~gelände** *n* terreno *m* de aviación; **~geschwindigkeit** *f* velocidad *f* de vuelo; **~gesellschaft** *f* compañía *f* (de navegación) aérea; **~gewicht** *n* (*-es*; *-e*) peso *m* total (*en vuelo*); **~hafen** *m* (*-s*; *⁼*) aeropuerto *m*; aerodromo *m*; **~hafenleitung** *f* dirección *f* del aeropuerto; **~hafer** ♣ *m* (*-s*; -) avena *f* loca; **~halle** *f* hangar *m*; **~höhe** *f* altura *f* de vuelo; *absolute* ~ techo *m*; *Ballistik*: perpendicular *f* de la trayectoria; **~kapitän** *m* (*-s*; *-e*) capitán *m* de un avión; **~karte** *f* billete *m* (*od.* pasaje *m*) de avión; **2klar** *adj.* preparado para volar; **~lehrer** *m* instructor *m* de vuelo; **~linie** *f* línea *f* aérea; **~loch** *n* (*-es*; *⁼er*) *e-s Bienenstocks*: piquera *f*; **~motor** *m* (*-s*; *-en*) motor *m* de aviación; **~personal** *m* (*-s*; *0*) personal *m* de navegación; **~plan** *m* (*-es*; *⁼e*) horario *m* (del servicio aéreo); **~platz** *m* (*-es*; *⁼e*) campo *m* de aviación; aerodromo *m*; **~platzgelände** *n* terreno *m* de aviación; **~platz-umrandungsfeuer** *n* balizamiento *m* de la pista; **~prüfung** *f* prueba *f* de vuelo; **~richtung** *f* dirección *f* de vuelo; **~route** *f* ruta *f* aérea.
flugs *adv.* (*eilends*) volando, a escape; (*im Handumdrehen*) F en un santiamén, en un abrir y cerrar de ojos; (*sofort*) en el acto, inmediatamente, al punto.
'**Flug...:** **~sand** *m* (*-es*; *0*) arena *f* movediza; **~schein** *m* (*-es*; *-e*) (*Flug-*

karte) billete *m* (*od.* pasaje *m*) de avión; (*Flugzeugführerschein*) patente *f* de piloto aviador; **~schneise** *f* corredor *m* aéreo; **~schrift** *f* folleto *m* de propaganda; (*Schmähschrift*) libelo *m*; **~schüler** *m* alumno *m* de escuela de aviación, alumno *m* piloto; **~sicherung** *f* (*0*) seguridad *f* aérea; **~sicherungsdienst** *m* (*-es*; *0*) servicios *m/pl.* de seguridad aérea; **~strecke** *f* línea *f* aérea; *zurückgelegte*: distancia *f* recorrida; trayecto *m*; **~streckenbefeuerung** *f* balizamiento *m* de línea (aérea); **~stunde** *f* hora *f* de vuelo; **~stützpunkt** *m* (*-es*; *-e*) base *f* aérea; **~tag** *m* (*-es*; *0*) jornada *f* aeronáutica; festival *m* de aviación; **2tauglich** *adj.* apto para volar; **~tauglichkeit** *f* (*0*) aptitud *f* para el vuelo; **~taxi** *n* (*-s*; *-s*) taxi *m* aéreo; **~technik** *f* (*0*) aeronáutica *f*; ⊕ ingeniería *f* aeronáutica; **2technisch** *adj.* aeronáutico; **2tüchtig** *adj.* navegable; **~tüchtigkeit** *f* (*0*) navegabilidad *f*; **~veranstaltung** *f* concurso *m* aeronáutico (*od.* de aviación); **~verbindung** *f* communicación *f* aérea; **~verkehr** *m* (*-s*; *0*) tráfico *m* aéreo; **~versuch** *m* (*-es*; *-e*) vuelo *m* de ensayo; **~wesen** *n* (*-s*; *0*) aeronáutica *f*; aviación *f*; **~wetterdienst** *m* (*-es*; *0*) servicio *m* meteorológico de la aviación; **~wetterwarte** *f* estación *f* meteorológica de la aviación; **~wissenschaft** *f* aeronáutica *f*; **~zeit** *f* duración *f* del vuelo.

'Flugzeug (*-es*; *-e*) avión *m*, aeroplano *m*; (*Maschine*) aparato *m*; (*kleines* ~) avioneta *f*; das ~ benutzen tomar el avión; im ~ reisen viajar en avión; **~ausstellung** *f* exposición *f* aeronáutica; **~bau** *m* (*-es*; *0*) construcción *f* aeronáutica; **~besatzung** *f* tripulación *f* (de un avión); **~fabrik** *f* fábrica *f* de aviones; **~führer** *m* piloto *m* (aviador); **~führerschein** *m* (*-es*; *-e*) patente *f* de piloto aviador; **~geschwader** *n* escuadrilla *f* de aviones; **~halle** *f* hangar *m*; **~industrie** *f* (*0*) industria *f* aeronáutica; **~kabine** *f* cabina *f* (de mando) de avión; **~konstrukteur** *m* (*-s*; *-e*) constructor *m* de aviones; **~modell** *n* (*-s*; *-e*) modelo *m* de avión; **~motor** *m* (*-s*; *-en*) motor *m* de aviación (*od.* de avión); **~mutterschiff** *n* (*-es*; *-e*) buque *m* portaaviones; barco *m* nodriza (*para aviones*); **~rumpf** *m* (*-es*; *¨e*) cuerpo *m* del avión; *gal.* fuselaje *m*; **~schlepp** *m* (*-es*; *0*) remolque *m* por avión; **~schuppen** *m* hangar *m*; **~stewardeß** *f* (*-*; *-ssen*) azafata *f*; **~träger** *m* portaaviones *m*; **~treibaviones**; **~unglück** *n* (*-es*; *-e*) accidente *m* de aviación; **~wart** *m* (*-es*; *-e*) mecánico *m* de aviación; **~werkstoff** *m* (*-es*; *-e*) combustible *m* para *n* (*-es*; *-e*) fábrica *f* de aviones.

'Fluidum ['flu:ɪdʊm] *n Phys.* (*-s*; *Fluida*) flúido *m*; *fig.* efluvio *m*.

fluktu'ieren (*-*) **I.** *v/i.* fluctuar; **II.** 2 *n* fluctuación *f*.

'Flunder *f* (*-*; *-n*) *Ict.* (*Scholle*) platija *f*; (*Seezunge*) lenguado *m*.

Flunke'rei *f* patraña *f*; (*Prahlerei*) fanfarria *f*; faroleo *m*; farolada *f*.

'Flunker|er *m* embustero *m*; (*Prahlhans*) farolero *m*; **2n** (*-re*) *v/i.* contar patrañas *f/pl.*; (*prahlen*) farolear.

'Fluor ['flu:ɔr] *n* (*-s*; *0*) fluor *m*; **~ammonium** *n* (*-s*; *0*) fluoruro *m* amónico.

Fluores'zenz [-oˑrɛs'ts-] *f* (*0*) fluorescencia *f*.

fluores'zierend *adj.* fluorescente.

Fluo'rid *n* (*-es*; *-e*) fluoruro *m*.

'Fluor|salz *n* (*-es*; *-e*) fluoruro *m*; **~wasserstoffsäure** *f* (*0*) ácido *m* fluorhídrico.

Flur¹ *f* campo *m*; *weite*: campiña *f*.

Flur² *m* (*-es*; *-e*) (*Haus*2) zaguán *m*; (*Diele*) vestíbulo *m*; (*Wandelgang*) pasillo *m*; (*Treppen*2) descansillo *m*.

'Flur...: **~bereinigung** *f* concentración *f* parcelaria; **~register** *n* catastro *m*; **~schaden** *m* (*-s*; *¨*) daños *m/pl.* causados en el campo.

'fluschen F *v/i.* (*sn*) ir a paso ligero.

'Fluß *m* (*-sses*; *¨sse*) río *m*; (*kleiner*) riachuelo *m*, arroyo *m*; (*Strom*) corriente *f*; (*Lauf*) curso *m*; (*Fließen*) flujo *m*; ⚕ weißer ~ leucorrea *f*, flujo *m* blanco; ⚗, *Met.* (*Schmelzen*) fusión *f*; licuación *f od.* licuefacción *f*; ⚡ flujo *m*; *fig.* (*Wortschwall*) verbosidad *f*, verborrea *f*; *fig.* in ~ bringen activar, animar, avivar; in ~ sein estar en acción; **2ab(wärts)** *adv.* aguas abajo; **~arm** *m* brazo *m* de río; **2auf(wärts)** *adv.* aguas arriba; **~bett** *n* (*-es*; *-en*) lecho *m* (*od.* cauce *m*) de un río; **~dampfer** *m* vapor *m* fluvial; **~fisch** *m* (*-es*; *-e*) pez *m* de río; **~fische'rei** *f* (*0*) pesca *f* fluvial; **~hafen** *m* (*-s*; *¨*) puerto *m* fluvial.

'flüssig *adj.* líquido; ✝ *a.* disponible; (*nicht fest*) fluido (*a.* ⚗); *fig.* *Stil*: fluido, fácil; **~e** Nahrung alimentos líquidos; ✝ ~e Gelder capital disponible; capitales líquidos; ~ machen ⚗ licuar, (*schmelzen*) fundir; ✝ movilizar, (*zu Geld machen*) realizar; ~ werden ⚗ licuarse, (*schmelzen*) fundirse; **2keit** *f* (*Zustand*) liquidez *f*; fluidez *f*; (*Stoff*) líquido *m*; fluido *m*; *Physiol.* licor *m*; *des Stiles*: fluidez *f*, facilidad *f*; **2keitsbremse** *f* freno *m* hidráulico; **2keitsdruck** *m* (*-es*; *0*) presión *f* hidrostática; **2keitsgetriebe** *n* transmisión *f* hidráulica; **2keitskupplung** *f* acoplamiento *m* hidráulico; **2machung** *f* (*0*) ⚗ licuación *f*; ✝ *von Kapitalien*: movilización *f*, *zu Geld*: realización *f*; **2werden** *n* ⚗ licuación *f*; fusión *f*.

'Fluß...: **~kies** *m* (*-es*; *0*) guijo *m*; **~krebs** *Zoo.* *m* (*-es*; *-e*) cangrejo *m* de río; **~lauf** *m* (*-es*; *¨e*) curso *m* de un río; **~mittel** ⊕ *n* fundente *m*; **~mündung** *f* desembocadura *f* (de un río); **~netz** *n* (*-es*; *-e*) red *f* fluvial; **~pferd** *Zoo.* *n* (*-es*; *-e*) hipopótamo *m*; **~säure** *f* ácido *m* fluorhídrico; **~schiffahrt** ⚓ *f* (*0*) navegación *f* fluvial; **~schiffer** *m* barquero *m*; **~spat** *Min.* *m* (*-es*; *-e*) espato *m* flúor, fluorita *f*; **~stahl** *m* (*-es*; *0*) acero *m* homogéneo (*od.* fundido); **~übergang** *m* (*-es*; *¨e*) paso *m* de un río; vado *m*; **~ufer** *n* orilla *f* (*od.* margen *f*) de un río; ribera *f*; **~wasser** *n* agua *f* de río.

'flüstern (*-re*) *v/i. u. v/t.* cuchichear; *bsd. Poes.* susurrar; *j-m* et. ins Ohr ~ hablar al oído, decirle a alg. a/c. al oído; 2 *n* cuchicheo *m*; *Poes.* murmullo *m*, susurro *m*.

'Flut *f* ⚓ flujo *m*; marea *f*; (*Ggs. Ebbe*) pleamar *f*, marea *f* alta; **~en** *pl.* (*Wogen*) olas *f/pl.*; *bsd. Poes.* ondas *f/pl.*; (*Überschwemmung*) inundación *f*; *fig.* diluvio *m*; *von Worten*: torrente *m*; *von Tränen*: raudal *m*; ⚓ die ~ benutzen aprovechar la marea; **2en** (*-e-*) *v/i.* (*wachsen*) crecer (*od.* subir) la marea; (*strömen*) fluir; *fig.* afluir, concurrir en gran masa *f*; (*wogen*) ondear; agitarse en oleadas *f/pl.*; **~hafen** *m* (*-s*; *¨*) puerto *m* de marea; **~höhe** *f* (*0*) altura *f* de la marea; **~kraftwerk** ⊕ *n* (*-es*; *-e*) central *f* mareomotriz; **~licht** *n* (*-es*; *-er*) luz *f* profusa; luminación *f* indirecta; **~lichtlampe** *f* foco *m* de luz profusa; **~lichtspiel** *n* (*-es*; *-e*) *Fußball*: partido *m* nocturno; **~messer** *m* ⚓ mareógrafo *m*; **~motor** *m* (*-s*; *-en*) mareomotor *m*; **~strom** *m* (*-es*; *0*) marea *f* ascendente; **~welle** *f* onda *f* de la marea; **~zeit** *f* (hora *f* de la) pleamar *f*.

'f-Moll ♪ *n* fa *m* menor.

fob ✝ *Abk. für frei an Bord* franco a bordo.

'Fock|mars ⚓ *m* (*-*; *-e*) cofa *f* de trinquete; **~mast** *m* (*-es*; *-en*) palo *m* trinquete; **~segel** *n* vela *f* de trinquete.

Födera|'lismus *m* (*-*; *0*) federalismo *m*; **~'list** *m* (*-en*), **2'listisch** *adj.* federalista *m/f*; **~ti'on** *f* federación *f*; **2'tiv** *adj.* federativo (-a *f*) *m*; **~'tivstaat** *m* (*-es*; *-en*) Estado *m* (con)federado; república *f* federal.

föde'rieren (*-*) *v/t. u. v/refl.* (con-) federar, (con)federarse.

'Fohlen I. *n* potro (-a *f*) *m*; **II.** 2 *v/i.* parir la yegua; **~stute** *f* (*zur Zucht*) yegua *f* (de cría).

Föhn *m* (*-es*; *-e*) viento *m* cálido del sur (*en los Alpes*).

'Föhre ⚘ *f* pino *m* silvestre.

'Fokus *Phys.* *m* (*-*; *-*) foco *m*.

'Folge *f* (*Reihen*2) serie *f*; (*Aufeinander*2, *Erb*2) sucesión *f*; (*Fortsetzung*) continuación *f*; (*Folgerung*) consecuencia *f*; (*Ergebnis*) resultado *m*; (*Wirkung*) efecto *m*; bunte ~ miscelánea *f*; ~leisten (*stattgeben*) acceder a, (*gehorchen*) obedecer, prestar obediencia a; *Gesuch*: atender; *Rat*: seguir; *Aufforderung*: corresponder a; *Befehl*, *Vorschrift*: cumplir (*ac.*); e-r Einladung ~ leisten aceptar una invitación; in der ~ en lo sucesivo; (*anschließend*) a continuación, acto seguido; zur ~ haben dar por resultado; tener como consecuencia; ~n haben, von ~n sein tener consecuencias; ~n nach sich ziehen traer consecuencias, F *fig.* traer cola; an den ~n e-r Wunde a consecuencia de una herida; die ~n tragen sufrir las consecuencias; **~erscheinung** *f* consecuencia *f*; ⚕ secuela *f*, manifestación *f* ulterior.

'folgen (*sn*) *v/i.* (*dat.*) seguir (*ac.*); (*nachfolgen*) suceder (a); (*gehorchen*) obedecer (a); (*sich ergeben*) resultar (aus de); seguirse (aus de); inferirse (aus de); *j-m* auf Schritt und Tritt ~ ir tras de alg. a todas partes; *j-m* auf dem Fuße ~ seguir a alg. muy de cerca; F *fig.* ir pisando a alg. los talones; *wie folgt* como sigue; *Fortsetzung folgt* continuará; *auf Regen folgt Sonnenschein* después de la tormenta viene la calma; **~d** *adj.* siguiente; *der ~e Tag* el día siguiente; *am ~en Morgen* a la mañana siguiente; *mit ~em Wortlaut* en estos términos; cuyo contenido (*od.* texto) es el siguiente (*od.* es como sigue); **~de(r)** *m*, **~de** *f*, **~de(s)** *n*: *der (die, das) Folgende* el (la, lo) siguiente; *er schreibt uns Folgendes* nos escribe lo siguiente, he aquí lo que nos escribe; **~dermaßen** *adj.* del modo siguiente, en la forma siguiente; en los siguientes términos, como a continuación se expresa; *am Anfang e-s Satzes*: he aquí cómo; **~reich** *adj.* rico en consecuencias; **~schwer** *adj.* de graves consecuencias; de (gran) trascendencia.

'**folge...: ~recht** *adj.*, **~richtig** *adj.* consecuente; lógico; *~ denken und handeln* pensar y obrar consecuentemente; **2richtigkeit** *f* (*0*) consecuencia *f*, lógica *f*; **~rn** (*-re*) *v/t.* argüir; deducir, inferir (*aus* de); colegir; inducir; *als Schlußfolgerung*: concluir; **2rung** *f* deducción *f*; (*Schluß2*) conclusion *f*; inducción *f*; **2satz** *m* (*-es*; *⸚e*) *Phil.*, ⚕ corolario *m*, *Gr.* oración *f* consecutiva; **~widrig** *adj.* inconsecuente; ilógico; **2widrigkeit** *f* inconsecuencia *f*; falta *f* de lógica; **2zeit** *f* período *m* (*od.* época *f*) siguiente; (*Zukunft*) futuro *m*; porvenir *m*.

'**folg|lich** *adv. u. cj.* por consiguiente, por (lo) tanto; en consecuencia; *Liter.* por ende; (*also*) así pues, conque; pues; **~sam** *adj.* obediente; (*gefügig*) dócil; **2samkeit** *f* (*0*) obediencia *f*; docilidad *f*.

Foli'ant [-lĭ-] *m* (*-en*) tomo *m* en folio.

'**Folie** ['-lĭə] *f* hoja *f*, laminilla *f*; (*Spiegel2*) azogue *m*; *fig. zur ~ dienen* dar relieve *od.* realce a a/c.

'**Folio** ['-lĭo·] *n* (*-s*; *Folien od. -s*) folio *m*; *Buch in ~* tomo en folio; **~format** *n* (*-es*; *-e*) tamaño *m* en folio.

'**Folter** *f* (*-*; *-n*) tormento *m* (*a. fig.*), suplicio *m*; tortura *f*; *j-n auf die ~ spannen* dar tormento a alg., torturar a alg.; *fig.* tener en suspenso; **~bank** *f* (*-*; *⸚e*) potro *m*, caballete *m* de tortura; **~kammer** *f* (*-*; *-n*) cámara *f* de tormento; **~knecht** *m* (*-es*; *-e*) torcionario *m*; **2n** *n* (*-re*) *v/t.* dar tormento *m*; (*quälen*) atormentar (*a. fig.*); dar suplicio *m*; **~qual** *f* tortura *f*; suplicio *m*, tormento *m* (*alle a. fig.*); **~werkzeug** *n* (*-es*; *-e*) instrumento *m* de tortura.

Fön *m* (*-es*; *-e*) secador *m* eléctrico (para el cabello).

Fond *m* (*-s*; *-s*) (*Hintergrund*) fondo *m*; (*Grundlage*) fundamento *m*.

Fon'dant *m* bombón *m* relleno (*blando*)

'**Fonds** ⚘ *m* (*-*; *-*) (*Kapital*) fondos *m/pl.*; (*Gelder*) capitales *m/pl.*; **~börse** *f* bolsa *f* de fondos públicos; **~makler** *m* agente *m* de cambio.

Fon'täne *f* fuente *f* monumental; (*Springbrunnen*) surtidor *m*.

Fonta'nelle *Anat. f* fontanela *f*.

'**foppen** *v/t.* (*necken*) embromar, F tomar el pelo; (*täuschen*) chasquear.

Foppe'rei *f* broma *f*, F tomadura *f* de pelo; chasco *m*.

for'cieren (*-*) *v/t.* forzar.

'**Förde** *f* ría *f*.

'**Förder|anlage** *f* instalación *f* de transporte; ⚒ instalación *f* (*od.* maquinaria *f*) de extracción; **~ausfall** ⚒ *m* (*-es*; *⸚e*) pérdida *f* de extracción; **~bahn** *f* vía *f* de transporte; **~band** *n* (*-es*; *⸚er*) cinta *f* transportadora; (*Fließband*) cinta *f* continua; **~er** ⊕ *m* transportador *m*.

'**Förder|er** *m*, **~in** *f* promotor (-a *f*) *m*, fomentador(a *f*) *m*; patrocinador(a *f*) *m*.

'**Förder|gerüst** ⚒ *n* (*-es*; *-e*) armazón *m* de montacargas; **~gut** ⚒ *n* (*-es*; *⸚er*) material *m* extraido; **~hund** ⚒ *m* (*-es*; *-e*) → *Förderwagen*; **~kohle** ⚒ *f* carbón *m* bruto; **~korb** ⚒ *m* (*-es*; *⸚e*) jaula *f* de extracción; **~leistung** *f* capacidad *f* de transporte; ⚒ capacidad *f* de extracción; **~menge** ⚒ *f* cantidad *f* extraida, extracción *f* (total).

'**förderlich** *adj.* (*nützlich*) provechoso, útil, favorable.

'**Förder|maschine** ⚒ *f* máquina *f* de elevación (*od.* de extracción); **~mittel** *n* medio *m* de transporte *bzw.* extracción.

'**fordern** (*-re*) *v/t.* pedir, solicitar; *als Eigentum*: reivindicar; *Recht*: reclamar; *Opfer*: causar, ocasionar; *et. von j-m ~* pedir a/c. a alg.; (*stärker*) exigir a/c. de alg.; *j-n vor Gericht ~* demandar a alg. ante los tribunales; *j-n (zum Zweikampf) ~* desafiar *od.* provocar a duelo a alg.; retar a alg.; *j-n auf Degen (Pistole) ~* desafiar a alg. a batirse a espada (pistola); *polizeilichen Schutz ~* requerir el auxilio de la fuerza pública.

'**fördern** (*-re*) *v/t.* activar, impulsar; promover, fomentar; proteger; *als Gönner*: patrocinar; (*beschleunigen*) acelerar; (*begünstigen*) favorecer; (*helfen*) ayudar, socorrer; secundar; (*ermutigen*) animar, alentar; ⚒ extraer; (*transportieren*) transportar; *zutage ~* ⚒ extraer; *fig.* sacar a la luz del día; revelar, poner de manifiesto; *~des Mitglied* socio protector.

'**Förder...: ~schacht** ⚒ *m* (*-es*; *⸚e*) pozo *m* de extracción; **~schnecke** *f* tornillo *m* transportador (*od.* sin fin); (*Archimedische Spirale*) tornillo *m* de Arquímedes; **~seil** *n* (*-es*; *-e*) cable *n* de transporte; ⚒ cable *m* de extracción; **~soll** ⚒ *n* (*-[s]*; *-[s]*) extracción *f* obligada *od.* impuesta; **~trum** ⚒ *m* (*-es*; *-e od. Trüm[m]er*) compartimiento *m* de extracción; **~turm** ⚒ *m* (*-es*; *⸚e*) castillete *m* de extracción.

'**Forderung** *f* petición *f*; *stärker*: exigencia *f*; *als Eigentum*: reivindicación *f*; *von Rechten*: reclamación *f*; (*Anspruch*) pretensión *f*; *~ vor Gericht* demanda (ante los tribunales); (*Duell2*) desafío *m*, reto *m*; ⚘ (*Schuld*) crédito *m*; *abtretbare (nicht abtretbare; befristete; bevorrechtete; nicht bevorrechtete; bestrittene) ~* crédito cesible (no cesible; a plazo fijo; privilegiado; no privilegiado; discutido).

'**Förderung** *f* fomento *m*; impulso *m*; patrocinio *m*; (*Beschleunigung*) aceleración *f*; (*Begünstigung*) favorecimiento *m*; (*Hilfe*) ayuda *f*; (*Ermutigung*) aliento *m*; estímulo *m*; ⚒ extracción *f*; (*Transport*) transporte *m*; *Neol.* promoción *f*.

'**Förder|wagen** ⚒ *m* vagoneta *f* (de transporte); **~winde** ⚒ *f* torno *m* de extracción.

Fo'relle *Ict. f* trucha *f*; **~nfang** *m* (*-es*; *⸚e*) pesca *f* de la trucha; **~nteich** *m* (*-es*; *-e*) estanque *m* de truchas.

fo'rensisch *adj.* forense.

'**Forke** *f* ⸙ horca *f*, horquilla *f*; (*hölzerne*) bieldo *m*; F (*Gabel*) tenedor *m*.

Form *f* forma *f*; (*Art und Weise*) manera *f*, modo *m*, forma *f*; (*Machart*) hechura *f*; *durch Umrisse bezeichnet*: figura *f*; (*Guß2*) molde *m*; (*Muster*) modelo *m*; patrón *m*; (*Umgangs2*) modales *m/pl.*, maneras *f/pl.*, modos *m/pl.*; (*Typus*) tipo *m*; *aus der ~ bringen* deformar; *aus der ~ kommen* deformarse; *Sport*: bajar de forma; *in e-e andere ~ bringen* reformar; rehacer; *die ~(en) beachten* guardar las formas; *streng auf die ~ bedacht* formalista; *in ~ (gen.)* en forma de; *der ~ wegen* por fórmula; por salvar las apariencias; *in aller ~* formalmente; *in gehöriger ~* en (su) debida forma; *(gut) in ~ sein Sport*: estar en (buena) forma; *sich in ~ fühlen* sentirse en buenas condiciones; F hallarse en forma.

for'mal *adj.* formal; concerniente a la forma; *~e Bildung* = **2bildung** *f* (*0*) disciplina *f* intelectual; educación *f* formal.

'**Form-aldehyd** ⚗ *n* (*-es*; *0*) formaldehido *m*.

For'malien *pl.* formalidades *f/pl.*

Forma'lin ⚗ *n* (*-s*; *0*) formalina *f*.

Forma'lis|mus *m* (*-*; *0*) formalismo *m*; **~t** *m* (*-en*) formalista *m*; **2tisch** *adj.* formalista.

Formali'tät *f* formalidad *f*; requisito *m*; *die erforderlichen ~en erfüllen* cumplir las formalidades requeridas (*od.* de rigor), cumplir los requisitos necesarios.

For'mat *n* (*-es*; *-e*) tamaño *m*; *e-s Buches*: formato *m*; *fig. ein Mann von ~* una personalidad; un hombre de calidad (*od.* de categoría).

Formati'on *f* formación *f*; ⚔ *a.* unidad *f*; ✈ *geschlossene ~* formación de vuelo cerrada.

'**formbar** *adj.* plástico; **2keit** *f* (*0*) plasticidad *f*.

'**Formblatt** *n* (*-es*; *⸚er*) formulario *m*; hoja *f* impresa, impreso *m*.

'**Formel** *f* (*-*; *-n*) fórmula *f*; ⚗ *a.* notación *f* química; **~buch** *n* (*-es*; *⸚er*) formulario *m*; **~kram** *m* (*-s*; *0*) formalidades *f/pl.*; formalismo *m*; *iro.* formalismo *m* etiquetero; **~wesen** *n* (*-s*; *0*) formalismo *m*; formalidades *f/pl.*; (*gesellschaftliches*) etiqueta *f*.

for'mell *adj.* formal.

'**form|en** *v/t.* formar; (*anpassen*) amoldar; (*gestalten*) dar forma *f*; (*stilistisch*) formular, redactar; (*modeln*) modelar; *Gießerei*: moldear; **2en** *n* → *Formung*; **2enlehre** *Gr. f* (*0*) morfología *f*; **2enmensch** *m* (*-en*) formalista *m*; **2ensinn** *m* (*-es*; *0*) sentido *m* de la forma;

2er ⊕ *m* moldeador *m*; **2e'rei** *f* (*Gießerei*) taller *m* de moldeo; **2fehler** *m* defecto *m* de forma; ⚖ quebrantamiento *m* de forma; *gesellschaftlicher*: infracción *f* de la etiqueta; **2gebung** *f* modelado *m*; **~gerecht** *adj.* en debida forma; **~gewandt** *adj.* de distinguidas maneras; que tiene trato de gentes; **2gießer** ⊕ *m* moldeador *m*.

for'mier|en (-) *v/t.* formar; **2en** *n*, **2ung** *f* formación *f*.

'förmlich *adj.* formal; en (toda) forma; en buena (debida) forma; (*ausdrücklich*) expreso; (*offiziell*) oficial; (*feierlich*) ceremonioso; (*tatsächlich*) verdadero; **2keit** *f* formalidad *f*; (*übertriebene*) formalismo *m*; (*Feierlichkeit*) ceremonia *f*; (*gesellschaftliche*) etiqueta *f*.

'Form...: 2los *adj.* amorfo; informe; *fig.* (*Benehmen*) incorrecto; descortés; (*zwanglos*) sin cumplidos, sin ceremonias; **~losigkeit** *f* amorfia *f*; *fig.* incorrección *f*; descortesía *f*; inconveniencia *f*; **~maschine** ⊕ *f* máquina *f* de moldear; **~sache** *f* (*0*): *das ist bloß* ~ es (una) pura formalidad; **~sand** *m* (-*es*; *0*) arena *f* de moldeo; **2schön** *adj.* de bella forma; **~schönheit** *f* (*0*) belleza *f* de formas; **~stahl** ⊕ *m* (-*es*; *0*) herramienta *f* para perfilar; **2treu** *adj.* indeformable.

Formu|'lar *n* (-*s*; -*e*) formulario *m* (*ausfüllen* llenar); **2'lieren** (-) *v/t.* formular; expresar; (*Schriftstück*) redactar; **~'lierung** *f* expresión *f*; redacción *f* definitiva.

'Formung *f* formación *f*; (*Modellierung*) modelado *m*; (*Abguß*) vaciado *m*; *Gießerei*: moldeo *m*.

'Form...: ~ver-änderung *f* alteración *f* (*od.* modificación *f*) de la forma; (*Verformung*) deformación *f*; **2voll-endet** *adj.* de forma perfecta; **~vollendung** *f* (*0*) perfección *f* de formas; **2widrig** *adj.* contrario a las formas.

forsch (-*est*) F *adj.* enérgico; (*wagemutig*) arrojado, intrépido, bizarro; (*flott*) elegante; *Am.* guapo.

'forschen *v/i.* investigar; ~ *nach* inquirir, indagar; *nach j-s Aufenthalt* ~ tratar de averiguar el paradero de alg.; ~ *in* (*dat.*) buscar en; 2 *n* investigación *f*; **~d** *adj.*: ~*er Blick* mirada escrutadora *od.* inquisidora.

'Forscher(**in** *f*) *m* investigador(a *f*) *m*; (*Er2*) explorador *m*; **~drang** *m* (-*es*; *0*) afán *m* de investigación, curiosidad *f* científica, celo *m* investigador; **~geist** *m* (-*es*; *0*) espíritu *m* investigador.

'Forschung *f* investigación *f*; ~*en treiben* hacer investigaciones.

'Forschungs...: ~abteilung *f* departamento *m* de investigaciones; **~anstalt** *f* instituto *m* de investigaciones; (*Labor*) laboratorio *m* de investigaciones; **~arbeit** *f* trabajo *m* de investigación; **~gebiet** *n* (-*es*; -*e*) campo *m* de investigación; **~gemeinschaft** *f*: *Deutsche* ~ Comunidad Alemana de Investigaciones; **~programm** *n* (-*s*; -*e*) programa *m* de investigaciones; **~reaktor** *m* (-*s*; -*en*) reactor *m* experimental; **~reise** *f* viaje *m* de exploración; **~reisende**(**r**) *m* explorador *m*; **~satellit** *m* satélite *m* científico; **~stätte** *f* centro *m* de investigación; **~zentrum** *n* (-*s*; -*zentren*) centro *m* de investigaciones.

'Forst *m* (-*es*; -*e*) bosque *m*; selva *f*; monte *m*; **~akademie** *f* Escuela *f* de Montes; **~amt** *n* (-*es*; ¨*er*) inspección *f* *od.* jefatura *f* forestal; **~aufseher** *m* guarda *m* forestal; guardabosque *m*; **~beamte**(**r**) *m* funcionario *m* (de la administración) de montes; (*höherer*) ingeniero *m* de montes.

'Förster *m* (*Forstmeister*) inspector *m* (*bzw.* ingeniero *m*) de montes.

Förste'rei *f* casa *f* del guardabosque; casa *f* forestal.

'Forst...: ~fach *n* (-*es*; *0*) (*Forstwissenschaft*) dasonomía *f*; (*Studium*) carrera *f* de (ingeniero de) montes; (*Forstwirtschaft*) silvicultura *f*; **~frevel** *m* delito *m* forestal; **~gesetz** *m* (-*es*; -*e*) ley *f* forestal; **~haus** *n* (-*es*; ¨*er*) → *Försterei*; **~hüter** *m* guarda *m* forestal; **~kultur** *f* (*0*), **~kunde** *f* (*0*) silvicultura *f*; **~meister** *m* inspector *m* de montes; **~recht** *n* (-*es*; -*e*) derecho *m* forestal; **~revier** *n* (-*s*; -*e*) distrito *m* forestal; **~schule** *f* Escuela *f* de Montes; **~schutz** *m* (-*es*; *0*) protección *f* forestal; **~verwaltung** *f* administración *f* forestal; **~wirt** *m* (-*es*; -*e*) silvicultor *m*; **~wirtschaft** *f* (*0*) silvicultura *f*; explotación *f* forestal; **~wissenschaft** *f* (*0*) dasonomía *f*; silvicultura *f*.

Fort [foːʀ] ⚔ *n* (-*s*; -*s*) fuerte *m*; *kleines*: fortín *m*.

fort *adv.* (*abwesend*) ausente; ~ *sein* estar ausente; (*verloren*) *mein Buch ist* ~ he perdido (*od.* extraviado) el libro; me han quitado el libro; mi libro ha desaparecido; (*weit*) lejos; (*weggegangen*) *er ist* ~ ha salido; se ha ido (*od.* marchado); ~! ¡váyase!, ¡márchese!; ¡fuera de aquí!; ~ *mit Dir!* ¡vete!, ¡márchate!; ¡lárgate!; ¡largo de aquí!; ~ *mit ihm!* ¡que lo echen!, ¡fuera!; *ich muß* ~ tengo que marcharme; *in e-m* ~ continuamente; sin descanso; sin interrupción; sin cesar; sin parar; ~ *und* ~ siempre, incesantemente, ininterrumpidamente, *stärker*: eternamente; *und so* ~ y así sucesivamente; etcétera (*Abk.* etc.).

'fort...: ~an *adv.* desde ahora; (de aquí) en adelante; en lo sucesivo; **~begeben** (*L*; -) *v/refl.*: *sich* ~ irse, marcharse; **2bestand** *m* (-*es*; ¨*e*) subsistencia *f*; mantenimiento *m*; continuación *f*; continuidad *f*; **~bestehen** (*L*; -) *v/i.* continuar existiendo; subsistir; mantenerse; persistir; perdurar; **2bestehen** *n* → *Fortbestand*; **~bewegen** (-) **1.** *v/t.* hacer avanzar; mover hacia adelante; desplazar; transportar; **2.** *v/refl.*: *sich* ~ moverse; desplazarse; avanzar; **2bewegung** *f* locomoción *f*; **2bewegungsmittel** *n* medio *m* de locomoción; (*Fahrzeug*) vehículo *m*; **~bilden** (-*e*-) *v/t. u. v/refl.* perfeccionar(se); **2bildung** *f* (*0*) perfeccionamiento *m*; **2bildungslehrgang** *m* (-*es*; ¨*e*) curso *m* de perfeccionamiento; **2bildungsschule** *f* escuela *f* complementaria; escuela *f* de adultos; **2bildungsunterricht** *m* (-*es*; *0*) enseñanza *f* postescolar (*od.* complementaria); **~bleiben** (*L*; *sn*) *v/i.* no venir; *lange* ~ tardar en volver; **~bringen** (*L*) *v/t.* llevar, conducir; trasladar; transportar; llevar consigo; **2dauer** *f* (*0*) continuación *f*; duración *f*; persistencia *f*; permanencia *f*; continuidad *f*; **~dauern** (-*re*) *v/i.* continuar (existiendo); persistir; durar; perdurar; **2dauern** *n* → *Fortdauer*; **~dauernd** *adj.* persistente; incesante, ininterrumpido; permanente; continuo; eterno, perpetuo; **~denken** (*L*) *v/t.*: *et.* ~ hacer abstracción de a/c.; **~eilen** (*sn*) *v/i.* irse precipitadamente; **~entwickeln** (-*le*; -) **1.** *v/t.* continuar desarrollando; **2.** *v/refl.*: *sich* ~ continuar desarrollándose; evolucionar; **2entwick**(**e**)**lung** *f* evolución *f*; desarrollo *m* ulterior.

Forte-pi'ano *n* (-*s*; -*s od.* -*ni*) piano *m*.

'fort...: ~erben *v/refl.*: *sich* ~ ser hereditario; pasar de una generación a otra; **~fahren** (*L*) **1.** *v/i.* partir en (coche, auto, tren *usw.*); (*weiter verrichten*) continuar, (pro-)seguir; **2.** *v/t.* (*wegschaffen*) llevar, transportar; **2fall** *m* (-*es*; *0*) supresión *f*; **~fallen** (*L*; *sn*) *v/i.* ser suprimido; no tener lugar; **~fliegen** *v/i.* volar, irse volando; **~führen** *v/t.* (*fortsetzen*) continuar, (pro)seguir; (*wegführen*) llevar, conducir, transportar; **2führung** *f* continuación *f*; **2gang** *m* (-*es*; *0*) (*Weggang*) partida *f*, salida *f*; (*Ablauf*) marcha *f*; curso *m*; (*Entwicklung*) desarrollo *m*; (*Fortschritt*) adelanto *m*, progreso *m*; *die Dinge nehmen ihren* ~ las cosas siguen su curso; **~geben** (*L*) *v/t.* dar; deshacerse de, desembarazarse de a/c.; **~gehen** (*L*; *sn*) *v/i.* irse, marcharse; salir, partir; retirarse; (*weitergehen*) continuar; **~geschritten** *adj.* avanzado; adelantado; desarrollado; *Kursus für 2e* curso medio *bzw.* superior; **~gesetzt** *adj.* continuo; reiterado, repetido; *durch ~es Arbeiten* con un trabajo asiduo; *wird* ~ *Veröffentlichung*: continuará; **~helfen** (*L*) *v/i.* ayudar a huir; *fig.* ayudar a alg. a continuar a/c.; socorrer a alg.; **~hin** *adv.* → *fortan*; **~jagen** **1.** *v/t.* arrojar, echar fuera de; (*Wild*) ahuyentar; **2.** *v/i.* partir a todo galope; **~kommen** (*L*; *sn*) *v/i.* salir; marcharse; (*gedeihen*) medrar; (*vorwärtskommen*) avanzar; *fig.* progresar, adelantar; abrirse paso; conseguir lo que se pretende; *mach, daß du fortkommst!* ¡vete!, ¡márchate!; ¡lárgate de aquí!; ¡despeja!; **2kommen** *n* progreso *m*; *glückliches* ~ éxito *m*; *sein* ~ *finden* ganarse la vida; **~lassen** (*L*) *v/t.* dejar salir; (*auslassen*) omitir; suprimir; **~laufen** (*L*; *sn*) *v/i.* escaparse, huir; ponerse a salvo; **2laufen** *n* huida *f*; **~laufend** *adj.* (*ununterbrochen*) seguido, ininterrumpido, continuo; (*aufeinanderfolgend*) consecutivo;

~ *numerieren* numerar correlativamente; ~*e Nummer* número de orden; ~**leben** *v/i.* continuar viviendo; sobrevivir; *in s-n Werken* ~ sobrevivir en sus obras; ♀**leben** *n* supervivencia *f*; ~**machen** *v/refl.*: *sich* ~ irse, marcharse; escaparse, F largarse, eclipsarse; ~**müssen** (*-ßt*) *v/i.* tener que marcharse; ~**nehmen** (*L*) *v/t.* quitar; ~**pflanzen** (*-t*) *v/t.* reproducir; propagar (*a. Licht, Schall u. fig.*); transmitir; *sich* ~ reproducirse; propagarse; transmitirse; (*sich*) ~ *auf j-n* transmitir(se) a alg.; ♀**pflanzung** *f* reproducción *f*; propagación *f* (*a. fig.*); transmisión *f*; ♀**pflanzungsfähigkeit** *f* (*0*) *Biol.* capacidad *f* reproductora; ♀**pflanzungsgeschwindigkeit** *f* (*0*) *Phys.* velocidad *f* de propagación; ~**pflanzungsorgane** *n/pl. Biol.* órganos *m/pl.* de la reproducción; ♀**pflanzungstrieb** *m* (*-es*; *0*) *Biol.* instinto *m* de reproducción; ♀**pflanzungsvermögen** *n* (*-s*; *0*) *Biol.* capacidad *f* reproductora; ~**räumen** *v/t.* quitar; desembarazar, despejar; ~**reisen** (*-t*; *sn*) *v/i.* marchar de viaje; ~**reißen** (*L*) *v/t.* (*mitreißen*) arrastrar (consigo); (*wegreißen*) arrancar; ~**rücken** *v/t.* apartar, quitar; remover; ♀**satz** *m* (*-es*; *⸚e*) *Anat.* apéndice *m*; (*Knochen*♀) apófisis *f*; ~**schaffen** *v/t.* transportar; trasladar; F quitar de en medio; ~**scheren** F *v/refl.*: *sich* ~ irse, F largarse; *scher dich fort !* P ¡vete a la porra!; ~**scheuchen** *v/t.* ahuyentar, (*bsd. Tiere*) *a.* espantar; ~**schicken** *v/t.* enviar; ~**schleichen** (*L*) *v/refl.*: *sich* ~ marcharse disimuladamente; F escurrirse; ~**schleppen 1.** *v/t.* arrastrar; (*mitnehmen*) llevar consigo; llevar tras de sí; **2.** *v/refl.*: *sich* ~ arrastrarse; ~**schleudern** (*-re*) *v/t. Stein usw.*: tirar, arrojar, lanzar; ~**schreiten** (*L*; *sn*) *v/i.* seguir caminando; *fig.* avanzar; progresar, adelantar; hacer progresos; ♀**schreiten** *n* avance *m*; progreso *m*; progresión *f*; ~**schreitend** *adj.* progresivo; ♀**schritt** *m* (*-es*; *-e*) progreso *m*, adelanto *m*; ~*e machen* hacer progresos; progresar; → *Fortschreiten*; ♀**schrittler(in** *f*) *m* progresista *m/f*, amante *m/f* del progreso; ~**schrittlich** *adj.* progresivo; progresista; ~*e Gesinnung* progresismo; ~*er Mensch* progresista, avanzado, hombre de ideas modernas; ~**schwemmen** *v/t.* arrastrar (la corriente); ~**sehnen** *v/refl.*: *sich* ~ tener ansias de marcharse; ~**setzen** (*-t*) *v/t.* continuar, (pro)seguir; *seine Geschäfte wieder* ~ reanudar sus negocios; (*wegsetzen*) poner en otro lado; ♀**setzung** *f* continuación *f*; ~ *folgt* continuará (en el próximo número); ~ *und Schluß* concluirá (en el próximo número); ♀**setzungsroman** *m* (*-s*; *-e*) novela *f* por entregas; ~**stehlen** (*L*) *v/refl.*: *sich* ~ escaparse furtivamente, irse con disimulo; ~**stellen** *v/t.* poner a un lado; ~**stoßen** (*L*) *v/t.* empujar, apartar de un empujón; ~**stürmen** *v/i.* irse precipitadamente; ~**stürzen** (*-t*) *v/i.* salir precipitadamente, F salir disparado; ~**traben** *v/i.* alejarse al trote; ~**tragen** (*L*) *v/t.* trasladar a otro lugar; llevarse consigo; ~**treiben** (*L*) **1.** *v/t.* expulsar; arrojar; **2.** *v/i.* ser arrastrado por la corriente; ⚓ derivar.

For'tuna *f* (*0*) Fortuna *f*.

'fort...: ~**währen** *v/i.* continuar; durar; ~**während I.** *adj.* continuo; **II.** *adv.* continuamente; sin interrupción; ~**wälzen** (*-t*) **1.** *v/t.* arrollar; **2.** *v/refl.*: *sich* ~ arrastrarse; *Strom*: arrastrar las aguas; *Menschenmenge*: avanzar lentamente; ~**werfen** (*L*) *v/t.* tirar (a un lado); lanzar, arrojar; ~**wirken** *v/i.* seguir (*od.* continuar) obrando; ~**wollen** *v/i.* (*L*) querer marcharse (*od.* salir); ~**ziehen** (*L*; *sn*) **1.** *v/t.* arrancar; **2.** *v/i.* marcharse; ir a vivir a otra parte; (*aus der Wohnung*) ~ mudarse (de casa); (*auswandern*) emigrar.

'Forum *n* (*-s*; *-s od. Fora*) foro *m*; *fig.* (*Gerichtsstand*) tribunal *m* competente; *das gehört nicht vor mein* ~ eso no es de mi competencia; *j-n vor das* ~ *zerren* sacar a alg. a la vergüenza pública.

fos'sil [fɔ'siːl] *adj.*, ♀ *n* fósil *m*.

fö'tal *adj.* fetal.

'Foto... → *Photo...*

'Fötus *m* (*-ses*; *-se*) feto *m*.

'Foxtrott *m* (*-s*; *-e*) fox(trot) *m*.

Foyer [fo·a'jeː] *Thea. n* (*-s*; *-s*) foyer *m*.

'Fracht *f* (*Geld*) porte *m*; ⚓ flete *m*; (*Ladung*) carga *f*; ⚓ cargamento *m*; flete *m*; (*Wagenbeförderung, Fuhrlohn*) acarreo *m*; (*Luft*♀) flete *m* aéreo; (~*gebühr*) porte *m*, gastos *m/pl.* de transporte; ⚓ flete *m*; ~**brief** *m* (*-es*; *-e*) 🚂 talón *m* (de expedición); guía *f*; ⚓ conocimiento *m*; ~**dampfer** *m*, ~**er** *m* carguero *m*; ~ *mit Passagierkabinen* vapor de pasaje y carga; ~**flugzeug** *n* (*-es*; *-e*) avión *m* de carga; ♀**frei** *adj.* franco de porte *bzw.* de flete; ~**führer** *m* porteador *m*; conductor *m* de camión; ~**fuhrwesen** *n* (*-s*; *0*) acarreo *m*; camionaje *m*; ~**gebühr** *f*, ~**geld** *n* (*-es*; *0*) gastos *m/pl.* de transporte; camionaje *m*; ⚓ flete *m*; ~**gut** *n* (*-es*; *⸚er*) carga *f*; ⚓ *a.* cargamento *m*; 🚂 mercancías *f/pl.* (transportadas) en pequeña velocidad; *als* ~ en pequeña velocidad (*Abk.* p.v.); ~**kahn** *m* (*-es*; *⸚e*) chalana *f*; gabarra *f*; ~**kosten** *pl.* → *Frachtgebühr*; ~**raum** ⚓ *m* (*es*; *⸚e*) bodega *f* (de carga); (*Ladefähigkeit*) capacidad *f* de carga; ~**satz** *m* (*-es*; *⸚e*) tarifa *f* de transportes; ⚓ tarifa *f* de fletes; ~**schein** *m* (*-es*; *-e*) → *Frachtbrief*; ~**schiff** *n* (*-es*; *-e*) barco *m* mercante (*od.* de carga); ~**spediteur** *m* (*-s*; *-e*) agente *m* de transportes; ⚓ fletador *m*; ~**spesen** *pl.* → *Frachtgebühr*; ~**stück** *n* (*-es*; *-e*) bulto *m*, fardo *m*; ~**tarif** *m* (*-es*; *-e*) → *Frachtsatz*; ♀**- und zollfrei** *adv.* franco de porte *bzw.* de flete y derechos; ~**verkehr** *m* (*-s*; *0*) transporte *m* de mercancías; ~**versicherung** *f* ⚓ seguro *m* de flete; ~**vertrag** *m* contrato *m* de transporte; ⚓ contrato *m* de fletamento; ~**wagen** *m* carro *m* de transporte; camión *m*; ~**zettel** *m* → *Frachtbrief*.

'Frack *m* (*-es*; *⸚e*) frac *m*; *sich in den* ~ *werfen* vestirse de frac; *bitte* ~ (*auf Einladungen*) traje de etiqueta; ~**schoß** *m* (*-es*; *⸚e*) faldón *m* (del frac); ~**zwang** *m* (*-es*; *0*): ~ (*Frack vorgeschrieben*) el frac es de rigor.

'Frage *f* pregunta *f*; (*Nach*♀) demanda *f* (*a.* ✝); *Gr.* interrogación *f*; (*Streit*♀, *Probleme*) cuestión *f*, problema *m*; *aktuelle* ~ cuestión actual (*od.* de actualidad); *offene* ~ cuestión indecisa (*od.* por decidir); *schwebende* ~ cuestión pendiente; *soziale* ~ cuestión social; *auf die* ~ a la pregunta; *e-e* ~ *stellen* hacer una pregunta; plantear una cuestión; *e-e* ~ *beantworten, auf e-e* ~ *antworten* responder a una pregunta; *in* ~ *stellen* poner en duda; discutir; *die in* ~ *stehenden Probleme* los problemas planteados (*od.* en cuestión); *e-e* ~ *aufwerfen* (*behandeln*; *lösen*) plantear (tratar; resolver) una cuestión; *mit* ~*n bestürmen* asediar a preguntas; *e-e* ~ *auf die Tagesordnung setzen* incluir una cuestión en la orden del día; *es ist noch die* ~, *ob ...* falta saber si...; está por decidir si...; *es ergibt sich die* ~, *ob* se plantea la cuestión de si...; *das ist noch die* ~ eso es lo que hay que saber; *es ist e-e* ~ *der Zeit* es cuestión de tiempo; *das ist e-e andere* ~ eso es otra cuestión; *das ist eben die* ~ esa es la cuestión precisamente; *das ist außer* ~ eso está fuera de duda; *ohne* ~ sin duda, indudable; *das kommt nicht in* ~! ¡eso no puede ser!; eso no viene al caso; F de eso, nada; ¡ni hablar!; *das ist keine* ~ (*das ist nicht fraglich*) en eso no cabe duda, eso no ofrece duda; *es bleibt die* ~, *ob ...* queda por saber si...; *dumme* (*od. lächerliche*) ~! ¡vaya una pregunta!, ¡qué pregunta más tonta!; ~**bogen** *m* cuestionario *m*; ~**form** *Gr. f* forma *f* interrogativa; ~**fürwort** *Gr. n* (*-es*; *⸚er*) pronombre *m* interrogativo; ♀**n 1.** *v/t. u. v/i.* preguntar; (*ausfragen*) interrogar (*ac.*); *j-n et.* ~ preguntar a alg. a/c.; *j-n um et.* ~ pedir a alg. a/c.; *j-n nach et.* ~ preguntar a alg. por a/c.; *j-n* (*ausfragen*) ~ hacer preguntas a alg.; *prüfend*: interrogar; *nach j-m* ~ (*ihn zu sprechen wünschen*) preguntar por alg.; *ich fragte ihn* (*erkundigte mich*) *nach s-m Bruder* le pregunté por su hermano; *j-n nach j-s Befinden* ~ preguntar a alg. por la salud de otro; *j-n um Rat* ~ pedir consejo a alg.; *nicht nach et.* ~ no preocuparse por a/c.; F no importarle a alg. un comino a/c.; *nicht viel* (*od. lange*) ~ F hacer sin más ni más a/c.; **2.** *v/refl.*: *sich* ~ preguntarse; *ich frage mich, ob...* me pregunto si...; *das fragt sich* eso es dudoso; **3.** *v/unprs.*: *es fragt sich, ob* ~ queda por saber si...; queda por resolver si...; ✝ *gefragt* (*Artikel*) solicitado; ♀**nd** *adj.* interrogador; *Gr.* interrogativo; *j-n* ~ *ansehen*

mirar sin comprender; *~er Blick* mirada interrogativa.
'Frager(in *f*) *m* interrogador(a *f*) *m*; (*bei Gespräch*) interlocutor(a *f*) *m*; *im Parlament*: interpelador (-a *f*) *m*.
Frage'rei *f* pregunteo *m* molesto, manía *f* de preguntar.
'Frage...: ~satz *Gr. m* (-*es*; ¨*e*) frase *f* interrogativa; **~steller(in** *f*) *m* → *Frager*; (*lästiger*) preguntón *m*; **~stellung** *f* modo *m* de plantear una cuestión; *im Parlament*: interpelación *f*; *Gr.* construcción *f* interrogativa; *Phil.* términos *m/pl.* del problema; **~wort** *Gr. n* (-*es*; ¨*er*) partícula *f* interrogativa; **~zeichen** *Gr. n* interrogante *m*, (signo *m* de) interrogación *f*.
'frag|lich *adj.* en cuestión; (*unentschieden*) problemático; (*bestreitbar*) discutible; (*umstritten*) discutido; (*zweifelhaft*) dudoso; (*ungewiß*) incierto; **~los** *adj.* fuera de (toda) duda, indudable; indiscutible.
Frag'ment *n* (-*es*; -*e*) fragmento *m*.
fragmen'tarisch *adj.* fragmentario.
'fragwürdig *adj.* dudoso; (*zweideutig*) equívoco; (*verdächtig*) sospechoso; problematico.
Frakti'on *f* fracción *f*; *Parl. a.* minoría *f*; grupo *m* (parlamentario).
fraktio'nier|en (-) *v/t.* fraccionar; **⁀ung** *f* fraccionamiento *m*.
Frakti'ons|beschluß *Parl. m* (-*sses*; ¨*sse*) acuerdo *m* de la minoría; **~führer** *m* jefe *m* de la minoría; **~sitzung** *f* reunión *f* de la fracción parlamentaria (*od.* de la minoría); **~zwang** *m* (-*es*; *0*) disciplina *f* de voto.
Frak'tur[1] ⚕ *f* fractura *f*.
Frak'tur[2] *Typ. f* caracteres *m/pl.* góticos.
Frak'tur[3] *f fig.*: *mit j-m ~ reden* decirle a alg. cuatro verdades.
Frak'turschrift *f* → *Fraktur*[2].
frank 1. *adj.* franco; *~ und frei* franco y sincero; **2.** *adv.* francamente; con toda franqueza (*od.* sinceridad); paladinamente.
Frank *m* (-*s*; -*en*) *Münze*: franco *m*.
'Franke *m* (-*n*) *Hist.* franco *m*; (*aus Franken*) natural *m* de Franconia.
'Franken[1] *Geogr. n* Franconia *f*.
'Franken[2] *m Münze*: franco *m*.
'Frankenland *n* Franconia *f*.
'Frankfurt *n*: *~ am Main* Francfort del Main; *~er Würstchen* salchichas *f/pl.* de Francfort.
fran'kier|en (-) *v/t.* franquear; **⁀en** *n* franqueo *m*; **⁀maschine** *f* máquina *f* de franquear; **~t** *adj.* franqueado; *ungenügend ~* con franqueo insuficiente; **⁀ung** *f* franqueo *m*; **⁀ungszwang** *m* (-*es*; *0*) franqueo *m* obligatorio.
'Fränk|in *f Hist.* franca *f*; (*aus Franken*) natural *f* de Franconia; **⁀isch** *adj. Hist.* franco; (*von Franken*) de Franconia.
'franko ✝ *adv.* franco (de porte); *als Aufschrift*: porte pagado; *~ Waggon* franco sobre vagón.
'Frankreich *n* Francia *f*.
'Franse *f* fleco *m*; franja *f*; **⁀n** (-*t*) *v/t.* franjear; **~nbesatz** *m* (-*es*; ¨*e*) guarnición *f* de flecos.
Franz *m* Francisco *m*.
'Franz|band *m* (-*es*; ¨*e*) pasta *f* (española), encuadernación *f* en piel; (*Buch*) libro *m* encuadernado en piel; **~branntwein** *m* (-*es*; *0*) aguardiente *m* de vino.
Franzis'kaner(in *f*) *m* franciscano (-a *f*) *m*; **~orden** *m* orden *f* franciscana (*od.* de San Francisco).
Franz'ose *m* (-*n*) francés *m*.
Fran'zosen...: ⁀feindlich *adj.* francófobo; antifrancés; **⁀freundlich** *adj.* francófilo.
Fran'zösin *f* francesa *f*.
fran'zösisch *adj.* francés; de Francia; *die ~e Sprache*; *das ⁀*(e) el idioma francés, la lengua francesa; el francés; *auf ~*, *im ⁀en* en francés; *ins ⁀e übersetzen* traducir al francés; *⁀ sprechen* hablar francés; *⁀ können* saber (el) francés; *⁀ lernen* aprender (el) francés; *⁀ radebrechen* chapurrear el francés; *~e Redensart* galicismo; *sich ~ empfehlen* despedirse a la francesa; *~-deutsch adj.* francoalemán; *Wörterbuch*: francés-alemán.
frap'pant *adj.* sorprendente; chocante.
frap'pieren *v/t.* sorprender; chocar.
'Fräs|arbeit ⊕ *f* fresado *m*; **⁀en** (-*t*) *v/t. u. v/i.* fresar; **~en** *n* fresado *m*; **~er** *m* fresador *m*; (*Werkzeug*) fresa *f*; **~maschine** *f* fresadora *f*; **~vorrichtung** *f* dispositivo *m* para fresar.
Fraß [a:] *m* (-*es*; *0*) (*Tierfutter*) *allg.* comida *f*; (*Grasfutter*) pasto *m*; (*schlechtes, ungenießbares Essen*) bazofia *f*; (*übermäßiger*) comilona *f*; ⚕ (*Knochen⁀*) caries *f* ósea; (*Säure⁀*) corrosión *f*.
fraterni'sieren (-) *v/i.* fraternizar.
Fratz *m* (-*es*; -*e*): *kleiner ~* bribonzuelo *m*, granujilla *m*; (*verwöhntes Kind*) niño *m* mimado; (*Geck*) tontivano *m*, pisaverde *m*, pollo *m* pera, *Arg.* compadrito *m*.
'Fratze *f* mueca *f*, gesto *m*, visaje *m*, gesticulación *f*; (*Zerrbild*) caricatura *f*; (*häßliches Gesicht*) cara *f* de hereje; cara *f* grotesca, *fig.* carátula *f*; *~n schneiden* hacer muecas (*od.* visajes); **⁀nhaft** *adj.* grotesco, ridículo; caricaturesco.
Frau *f* mujer *f*; (*Ehe⁀*) *a.* esposa *f*; *m-e ~* mi mujer, *förmlich:* mi esposa; *Ihre ~ Gemahlin* su señora; *Ihre ~ Mutter* su señora madre; *~ Elisabeth* doña Isabel; *~ Linares geb. Sánchez* la señora (Sánchez) de Linares; *~ Professor X* la señora de X (*od.* del Profesor X); *~ Gräfin* (la) señora condesa; *gnädige ~!* (*in der Anrede*) ¡señora!; *die gnädige ~* la señora; *die junge ~* la joven, *neu vermählt*: la recién casada; *e-e ledige* (*geschiedene*) *~* una mujer soltera (divorciada); *e-e alte ~* una mujer vieja, *höflicher*: una señora anciana; *e-e ältere ~* una señora de edad; *die ~ des Hauses* la dueña de (la) casa; *zur ~ nehmen* tomar por esposa; *zur ~ geben* dar en matrimonio; *Rel. Unsere Liebe ~* Nuestra Señora.
'Frauen...: ~abteil 🚃 *n* (-*es*; -*e*) reservado *m* de señoras; **~arbeit** *f* trabajo *m* femenino; **~arzt** *m* (-*es*; ¨*e*) ginecólogo *m*; **~bewegung** *f* (*0*) movimiento *m* feminista; feminismo *m*; **~feind** *m* (-*es*; -*e*) misógino *m*; **~frage** *f* feminismo *m*; **⁀haft I.** *adj.* de mujer; femenino, femenil; **II.** *adv.* femenilmente; afeminadamente; **~heilkunde** *f* (*0*) ginecología *f*; **~herrschaft** *f* (*0*) matriarcado *m*; **~klinik** *f* clínica *f* ginecológica; **~kloster** *n* (-*s*; ¨) convento *m* de monjas; **~krankheit** *f* enfermedad *f* de la mujer; **~rechte** *n/pl.* derechos *m/pl.* de la mujer; **~rechtler(in** *f*) *m* feminista *m/f*; **~sperson** *f* → *Frauenzimmer b*); **~sport** *m* (-*es*; *0*) deporte *m* femenino; **~stimmrecht** *n* (-*es*; *0*), **~wahlrecht** *n* (-*es*; *0*) sufragio *m* femenino, (derecho *m* al) voto *m* de la mujer; **~werk** *n* (-*es*; *0*) obra *f* femenina; **~zeitschrift** *f* revista *f* femenina; **~zimmer** *n* **a)** *ehm.* doncella *f*; moza *f*; **b)** F mujer *f*; *m.s.*: P hembra *f*, mujerzuela *f*; P furcia *f*; *liederliches ~* mujer *f* de mala vida, ramera *f*, V puta *f*.
'Fräulein *n* señorita *f* (*a. in der Anrede*; *Abk.* Srta.); *ehm.* (*adliges*) doncella *f*; (*Kinder⁀*) institutriz *f*; *~ Carmen* la señorita Carmen; *~ Martínez* la señorita Martínez; *gnädiges ~* (F *~ od. mein ~*) señorita.
'frech *adj.* (*unverschämt*) insolente, impertinente, F fresco; (*schamlos*) desvergonzado, descarado, F desfachatado; (*verwegen*) atrevido; **⁀dachs** F *m* (-*es*; -*e*) fresco *m*, F frescales *m*; sinvergüenza *m*; insolente *m*; **⁀heit** *f* insolencia *f*, impertinencia *f*; F frescura *f*; desvergüenza *f*, descaro *m*, F desfachatez *f*.
Fre'gatte ⚓ *f* fragata *f*; **~nkapitän** *m* (-*s*; -*e*) capitán *m* de fragata.
frei *adj.* libre; (*unabhängig*) independiente; (*befreit, ausgenommen*) exento; (*~mütig*) franco; (*aufrichtig*) sincero; ⚘ libre; desprendido; (*hemmungslos*) licencioso; (*unentgeltlich*) gratuito; (*kostenlos*) sin gastos; (*unbesetzt*) *Zimmer, Sitzplatz*: libre; *Amt, Stelle*: vacante; ✉ franco de porte; *~ Bahnstation* ✝ franco estación; *~ Schiff* franco a bordo; *~ ab Berlin* puesto en Berlín; *~ bis Berlin* entregado en Berlín; *~ (ins) Haus* (entregado) a domicilio; *~er Wille* libre albedrío; *aus ~en Stücken* voluntario; *adv.* voluntariamente; espontáneamente; de buen grado; *~e Fahrt* viaje gratuito; *Signal*: vía libre; *~e Künste* artes liberales; *~er Beruf* profesión liberal; *~e Stelle* puesto vacante; *~e* (*leere*) *Seite* página en blanco; *~es Geleit* salvoconducto; *~e Liebe* amor libre; *~e Übersetzung* traducción libre; *~er Eintritt* entrada libre; *~e Stadt* ciudad libre; *~er Markt* mercado libre; *~e Zeit* tiempo libre; horas desocupadas (*od.* de ocio); *in ~er Luft* al aire libre; *unter ~em Himmel* a cielo descubierto, a la intemperie, *nachts*: al sereno; *auf ~em Felde* al raso; *aus ~er Hand zeichnen* dibujar a mano alzada; *aus ~er Hand schießen* disparar sin apoyo; *die ~e Wahl haben* poder escoger a su gusto; *~e Kost und*

Logis haben recibir comida y alojamiento gratuitamente; *~e Wohnung haben* tener vivienda gratuita; *~ erfinden* inventar, (*improvisieren*) improvisar; *~ stehen* (*Gebäude*) estar aislado; *ein ~es Leben führen* llevar una vida independiente, (*ausschweifendes Leben*) tener una vida disoluta; *~en Lauf lassen* dar rienda suelta a; dejar correr; *~e Hand haben* tener campo libre; tener carta blanca; *j-m ~e Hand lassen* dejar a alg. el campo libre; dar carta blanca a alg.; *j-m völlig ~e Hand lassen* dejar plena libertad de acción a alg.; *auf ~en Fuß setzen* poner en libertad; *sein ~er Herr sein* ser dueño de su voluntad; *~er Tag* día feriado; día libre; *Schule*: día de asueto; *~ machen* (*abräumen*) desembarazar (*von* de); despejar; *wir haben ~* tenemos vacación; *Schule*: no hay clase; *~er Nachmittag* tarde libre; *so ~ sein, zu* (*inf.*) tomarse la libertad de (*inf.*); *ich bin so ~!* con su permiso; es *steht Ihnen ~, zu* (*inf.*) es usted muy dueño de (*inf.*); *~ ausgehen* no tener que pagar nada; ⚖ ser absuelto; *~ sprechen* (*offen*) hablar francamente, (*aus dem Stegreif*) improvisar; *~ lassen* (*Zeile*) dejar en blanco; *~ werden* recobrar la libertad, *Platz, Wohnung*: quedar libre, ⚗ quedar libre; *Gase*: desprenderse; *~ von Steuern* exento (*od.* libre) de impuestos; *~ von Fehlern* sin faltas *bzw.* defectos; *~ vom Wehrdienst* exento del servicio militar; *~ von Sorgen* libre de cuidados; *~ von Fieber* sin fiebre; *~ von Vorurteilen* libre de prejuicios; ✈ *20 Kilo Gepäck ~* derecho al transporte gratuito de veinte kilos de equipaje.

ˈ**Frei...:** **~antwort** *f* respuesta *f* pagada; **~bad** *n* (*-es*; *⸗er*) piscina *f bzw.* baños *m/pl.* al aire libre; **~ballon** *m* (*-s*; *-s*) globo *m* libre; **2beruflich** *adv.*: *~ tätig sein* ejercer una profesión liberal; **~betrag** *m* (*-es*; *⸗e*) cantidad *f* libre de cargas tributarias; **~beuter** *m* pirata *m*, corsario *m*; *Hist.* filibustero *m*; **~beuteˈrei** *f* piratería *f*; *Hist.* filibusterismo *m*; **~billet** *n* (*-es*; *-e od. -s*) billete *m* de favor; *Thea.* entrada *f* gratuita; 🚂 (*Dauer2*) pase *m*; **2bleibend** ✝ **I.** *adj.* facultativo; *~er Preis* precio facultativo; **II.** *adv.* sin compromiso; **~bord** ⚓ *n* (*-es*; *-e*) franco bordo *m*; **~börse** *f* → *Freiverkehrsbörse*; **~brief** *m* (*-es*; *-e*) carta *f* de franquicia; *der Sonderrechte erteilt*: carta *f* de privilegio; (*Geleitbrief*) carta *f* de inmunidad, salvoconducto *m*; **~denker** *m* librepensador *m*; **~denkertum** *n* (*-s*; *0*) librepensamiento *m*.

ˈ**Freie** *n*: *im ~n* al aire libre; (*unter freiem Himmel*) a cielo descubierto, *nachts*: al sereno; *Spiele im ~n* juegos al aire libre.

ˈ**freien** *v/i.* pedir en matrimonio.

ˈ**Freier** *m* pretendiente *m*; **~sfüße** *m/pl.*: *auf ~n gehen* buscar esposa.

ˈ**Frei...:** **~exemplar** *n* (*-s*; *-e*) ejemplar *m* gratuito; **~fahrschein** *m* (*-es*; *-e*) pase *m* de libre circulación; (*für eine Fahrt*) billete *m* gratuito; **~fahrt** *f* viaje *m* gratuito; circulación *f* gratuita; **~fläche** *f* espacio *m* libre *od.* sin edificar; **~frau** *f* baronesa *f*; **~gabe** *f* (*Freilassung*) liberación *f*; *e-s Sperrkontos*: desbloqueo *m*; *von Beschlagnahmtem*: restitución *f*; ⚖ desembargo *m*; *~ von bewirtschafteten Waren* supresión del racionamiento; ✈ *des Starts*: autorización *f*; (*Eröffnung*) apertura *f*; **2geben** (*L*) *v/t.* (*freilassen*) libertar, poner en libertad; *Sperrkonto*: desbloquear; *Beschlagnahmtes*: restituir; ⚖ desembargar; *bewirtschaftete Waren ~* suprimir el racionamiento; *zum Verkauf ~* autorizar la venta libre; ✈ *Start*: autorizar; (*eröffnen*) abrir; *Schule*: dar asueto ⚖ *die Leiche ~* autorizar la inhumación del cadáver; **2gebig** *adj.* liberal; generoso; desprendido; munificente; **~gebigkeit** *f* (*0*) liberalidad *f*; largueza *f*; generosidad *f*; munificencia *f*; **~geist** *m* (*-es*; *-er*) librepensador *m*; *Pol.* (*als System*) liberalismo *m*; **~geisteˈrei** *f* librepensamiento *m*; **2geistig** *adj.* liberal; **~gelassene(r)** *m* liberto *m*; **~gepäck** *n* (*-es*; *0*) equipaje *m* de transporte gratuito; **~grenze** ✝ *f* tolerancia *f*; **~gut** *n* (*-es*; *⸗er*) mercancía *f* exenta de derechos aduaneros; **~hafen** *m* (*-s*; *⸗*) puerto *m* franco; **2halten** (*L*) *v/t.*: *j-n ~* pagar por alg.; *Platz*: reservar; **~handel** ✝ *m* (*-s*; *0*) libre cambio *m*; **~handelszone** ✝ *f* zona *f* de libre cambio; **2händig** *adj. u. adv. zeichnen*: a mano alzada; *schießen*: sin apoyo; ✝ *~ verkaufen* vender de mano a mano; **2händlerisch** *adj.* librecambista; **~handzeichnen** *n* dibujo *m* a mano alzada; **2hängend** ⊕ *adj.* suspendido libremente.

ˈ**Freiheit** *f* libertad *f*; (*Unabhängigkeit*) independencia *f*; (*Vorrecht*) privilegio *m*; (*Befreiung*; *Erlaß*) exención *f*; *in* (*voller*) *~* con (toda) libertad; *persönliche ~*, *~ der Person* libertad personal (*od.* individual); *dichterische ~* licencia poética; *j-m die ~ rauben* privar de la libertad a alg.; (*widerrechtlich*) secuestrar a alg.; *j-m die ~ schenken* dar la libertad a alg.; *in ~ setzen* libertar, poner en libertad; *~ der Meere* libertad de los mares; *sich die ~ nehmen* permitirse la libertad de; *sich ~en herausnehmen* tomarse libertades; *sich gegen j-n ~en herausnehmen* permitirse familiaridades con alg.; propasarse; *volle ~ haben* tener plena libertad (zu para); **2lich** *adj.* de la libertad; *Pol.* liberal.

ˈ**Freiheits...:** **~beraubung** *f* privación *f* de la libertad individual; (*widerrechtliche*) secuestro *m*; detención *f* ilegal; **~drang** *m* (*-es*; *0*) anhelo *m* (*fig.* sed *f*) de libertad; **~entzug** *m* (*-es*; *0*) privación *f* de libertad; **~kampf** *m* (*-es*; *⸗e*) lucha *f* por la libertad; **~krieg** *m* (*-es*; *-e*) guerra *f* de (la) independencia; **~liebe** *f* (*0*) amor *m* a la libertad; **2liebend** *adj.* amante de la libertad; **~rechte** *n/pl.* libertades *f/pl.*; **~strafe** *f* ⚖ pena *f* de reclusión; (*Gefängnis*) encarcelamiento *m*; prisión *f*.

ˈ**frei...:** **~heraus** *adv.* con franqueza; **2herr(in** *f*) *m* (*-n*) barón *m*, baronesa *f*; **~kämpfen** *v/refl.* libertarse luchando; **2karte** *f Thea.* entrada *f* gratuita (*od.* de favor); **~kommen** (*L*; *sn*) *v/i.* ser puesto en libertad; ⚔ quedar exento del servicio militar; **2korps** [ˈ-koːʀ] ⚔ *n* (-; -) cuerpo *m* de voluntarios; **2kuvert** [-vɛʀt] *n* (*-s*; *-s*) sobre *m* franqueado; **~lassen** (*L*) *v/t.* (*Gefangene*) poner en libertad *f*, F soltar; (*Sträflinge*) excarcelar; (*Sklaven*) manumitir; (*Raum*) dejar en blanco; **2lassung** *f* liberación *f*; *verfügen*: *a.* libertad *f*; *von Sträflingen*: excarcelación *f*; *von Sklaven*: manumisión *f*; **2lauf** *m* (*-es*; *⸗e*) *Fahrrad*: rueda *f* (*od.* piñón *m*) libre; **~legen** *v/t.* descubrir, dejar al descubierto; despejar; *Chir.* exteriorizar; **2legung** *f* descubrimiento *m*; despejo *m*; *Chir.* exteriorización *f*; **2leitung** ⚡ *f* línea *f* aérea; *Oberleitung*: catenaria *f*.

ˈ**freilich** *adv.* (*bejahend*) claro está, desde luego, sí, *Am.* ¿cómo no?; sin duda; (*zu Anfang*) verdad es que; (*anknüpfend*) por cierto que, claro que, se comprende que.

ˈ**Frei...:** **~licht-aufführung** *f* representación *f* al aire libre; **~lichtaufnahme** *f* toma *f* de vistas exteriores; **~lichtbühne** *f* teatro *m* al aire libre; **~lichtkino** *n* (*-s*; *-s*) cine *m* al aire libre; **2liegen** (*L*) *v/i.* estar al desnudo; **2liegend** *adj.* al desnudo; **~los** *n* (*-es*; *-e*) (*Lotterie*) reintegro *m*; **~luftspiele** *n/pl.* juegos *m/pl.* al aire libre; **2machen 1.** *v/t.* (*von Hindernissen*) quitar, desembarazar; (*Straße*) despejar; (*Sitzplatz, Wohnung*) desocupar; (*enttrümmern*) descombrar; *fig. den Weg* (*od. die Bahn*) *~* abrir camino; allanar obstáculos; ✉ franquear; (*befreien*) libertar; (*dispensieren*) eximir de, liberar de; **2.** *v/refl. fig.* (*sich befreien*) libertarse de; su(b)straerse a; (*sich dispensieren*) eximirse de; (*Urlaub nehmen*) tomarse unas vacaciones; **~machen** *n*, **~machung** *f* (*von Hindernissen*) eliminación *f*; (*Enttrümmerung*) descombro *m*; (*Befreiung*) liberación *f*; (*Dispensierung*) exención *f*; ✉ franqueo *m*; **~machungszwang** *m* (*-es*; *0*) franqueo *m* obligatorio; **~marke** ✉ *f* sello *m* de correos; *Am.* estampilla *f*; **~maurer** *m* (franc)masón *m*; **~maureˈrei** *f* (*0*) masonería *f*; **2maurerisch** *adj.* masónico; **~maurerloge** [ʒ] *f* logia *f* masónica; **~mut** *m* (*-es*; *0*) franqueza *f*; (*Aufrichtigkeit*) sinceridad *f*; **2mütig** *adj.* franco; (*aufrichtig*) sincero; **~mütigkeit** *f* (*0*) → Freimut; **~platz** *m* (*-es*; *⸗e*) → Freistelle; **2schaffend** *adj. Künstler*: libre; **~schar** ⚔ guerrilla *f*; partida *f*; **~schärler** ⚔ *m* guerrillero *m*; **~schüler(in** *f*) *m* becario (-a *f*) *m*; **2schwebend** ⊕ *adj.* libremente suspendido; **~schwimmer(in** *f*) *m* nadador(a *f*) *m* técnicamente capacitado (-a); **~sinn** *m* (*-es*; *0*) *Pol.* espíritu *m* liberal, liberalismo *m*; **2sinnig** *adj. Pol.* liberal; **2spielen** *v/t. u. v/refl. Fußball*: desmarcar(se); **2sprechen** (*L*) *v/t. Rel.*, ⚖ absolver; **~sprechen** *n*, **~sprechung** *f*, **~spruch** *m* (*-es*; *⸗e*) *Rel. u.* ⚖ absolución *f*; ⚖ sentencia *f* absolutoria;

veredicto *m* de inculpabilidad; ~ *aus Mangel an Beweisen* ⚖ absolución por falta de pruebas; 2**sprechend** ⚖ *adj.* absolutorio; ~**staat** *m* (-*es*; -*en*) Estado *m* libre; ~**stadt** *f* (-; "*e*) ciudad *f* libre; ~**statt** *f* (-; "*en*), ~**stätte** *f* asilo *m*, refugio *m*; (*kirchliche*) sagrado *m*; 2**stehen** *v/i.*: *es steht Ihnen frei, zu* (*inf.*) es usted muy dueño de (*inf.*), es usted libre de (*inf.*); queda (*od.* dejo) a su discreción (*inf.*); 2**stehend** *adj.* aislado; ~**stelle** *f Schule*: plaza *f* gratuita; (*Stipendium*) beca *f*; 2**stellen** *v/t.*: *j-n von et.* ~ eximir (*od.* dispensar) a alg. de a/c.; *j-m et.* ~ dejar al buen criterio (*od.* a la discreción) de alg. hacer a/c.; ~**stellung** *f*: ~ *vom Wehrdienst* exención del servicio militar; ~**stil** *m* (-*es*; -*e*) *Sport*: estilo *m* libre; ~**stilringen** *n Sport*: lucha *f* libre; ~**stoß** *m* (-*es*; "*e*) *Fußball*: golpe *m* franco; ~**stunde** *f* hora *f* libre; ~**tag** *m* (-*es*; -*e*) viernes *m*; 2**tags** *adv.* los viernes; ~**tisch** *m* (-*es*; -*e*) mesa *f* franca; *Schule*: comedor *m* (*od.* cantina *f*) escolar; ~**tod** *m* (-*es*; *0*) suicidio *m*; ~**treppe** *f* escalinata *f*; ~**übungen** *f/pl.* gimnasia *f* sueca, ejercicios *m/pl.* gimnásticos sin aparatos; ~**umschlag** ✉ *m* (-*es*; "*e*) sobre *m* franqueado; ~**verkehr** *m* (-*s*; *0*), ~**verkehrsbörse** *f* ✝ *Börse*: mercado *m* libre; ~**verkehrskurs** ✝ *m* (-*es*; -*e*) cotización *f* extraoficial; ~**werden** ⚗ *n* liberación *f*; desprendimiento *m*; ~**wild** *n* (-*es*; *0*) *fig.* presa *f* fácil; 2**willig I.** *adj.* voluntario (*a.* ⚔); espontáneo; **II.** *adv.* voluntariamente; espontáneamente; de (buen) grado; ~**willige(r)** *m* voluntario *m*; ~**willigkeit** *f* (*0*) espontaneidad *f*; ~**zeit** *f* (*0*) tiempo *m* libre *od.* disponible; ratos *m/pl.* de ocio; ~**zeitgestaltung** *f* aprovechamiento *m* del tiempo libre; empleo *m* recreativo de las horas libres; ~**zone** *f* zone *f* libre; 2**zügig** *adj.* libre para elegir su residencia; ~**zügigkeit** *f* (*0*) libertad *f* de residencia.

ˈ**fremd** *adj.* (*unbekannt*) desconocido; (*orts*~) forastero; (*ausländisch*) extranjero; (*exotisch*) exótico; (*seltsam*) extraño; (*andern gehörig*) ajeno; (*ungewohnt*) insólito; *ich bin hier* ~ soy forastero, no soy de aquí; *er ist mir* ~ no le conozco; *das ist mir ganz* ~ esto es para mí enteramente desconocido; no comprendo nada de esto; *das kommt mir* ~ *vor* me parece extraño; no lo entiendo; *unter* ~*em Namen* bajo nombre supuesto; *in* ~*e Hände kommen* caer en manos ajenas; *sich mit* ~*en Federn schmücken* adornarse con plumas ajenas; ~*e Sprachen* idiomas extranjeros; ✝ ~*e Gelder* capitales extranjeros; *für* ~*e Rechnung* por cuenta ajena; ~**artig** *adj.* (*ungewöhnlich*) insólito, inusitado; desacostumbrado; (*seltsam*) extraño; raro; (*exotisch*) exótico; 2**artigkeit** *f* (*Seltsamkeit*) extrañeza *f*; raridad *f*; 2**e** *f* (*0*) (país *m*) extranjero *m*; *in der* (*die*) ~ en el extranjero; en tierra extraña; 2**e(r** *m*) *m/f* extraño (-a *f*) *m*; (*Ausländer*) extranjero (-a *f*) *m*; (*Orts*2) forastero (-a *f*) *m*; (*Gast*) huésped *m/f*; extraño *m*.

ˈ**Fremden...**: ~**buch** *n* (-*es*; "*er*) (*im Hotel*) registro *m* de viajeros; 2**feindlich** *adj.* xenófobo; ~**führer** *m* guía *m*; ~**haß** *m* (-*sses*; *0*) xenofobia *f*; ~**heim** *n* (-*es*; -*e*) pensión *f*; ~**industrie** *f* (*0*) industria *f* del turismo; ~**legion** *f* legión *f* extranjera *f*; ~**legionär** *m* (-*s*; -*e*) legionario *m*; ~**polizei** *f* (*0*) policía *f* de extranjeros; ~**verkehr** *m* (-*s*; *0*) turismo *m*; ~**verkehrs-amt** *n* (-*es*; "*er*) oficina *f* de turismo; *Span.* Patronato *m* Nacional de Turismo; ~**verkehrsverein** *m* (-*es*; -*e*) asociación *f* para el fomento del turismo; ~**zimmer** *n* (*im Hotel, Pension usw.*) habitación *f*; *privat*: cuarto *m* de huéspedes.

ˈ**Fremd...**: ~**herrschaft** *f* dominación *f* extranjera; ~**kapital** *n* (-*s*; -*ien*) capital *m* extranjero; ~**körper** ⚕ *m* cuerpo *m* extraño; 2**ländisch** *adj.* extranjero; (*exotisch*) exótico; ~**ling** *m* (-*s*; -*e*) advenedizo *m*; → *Fremde(r)*; 2**rassig** *adj.* de raza extranjera; ~**sprache** *f* lengua *f* extranjera, idioma *m* extranjero; 2**sprachlich** *adj.* en idioma extranjero; ~*er Unterricht* (*Schrift*) redactado en una lengua extranjera; enseñanza de lenguas extranjeras; ~**strom** ⚡ *m* (-*es*; "*e*) corriente *f* ajena; ~**wort** *n* palabra *f* extranjera; extranjerismo *m*, barbarismo *m*; ~**wörterbuch** *n* (-*es*; "*er*) diccionario *m* de extranjerismos.

freˈnetisch *adj.* frenético.

frequenˈtieren (-) *v/t.* frecuentar.

Freˈquenz *f* frecuencia *f* (*a.* ⚡); (*häufiger Besuch*) frecuentación *f*; (*Besucherzahl*) asistencia *f*; ~**band** *n* (-*es*; "*er*) *Radio*: banda *f* de frecuencias; ~**bereich** *m* (*es*; -*e*) gama *f* de frecuencias; ~**messer** *m* frecuencímetro *m*; ~**modulation** *f* *Radio*: modulación *f* de frecuencias; ~**wandler** *m* convertidor *m* de frecuencias.

ˈ**Fresk|e** *f*, ~**o** *n* (-*s*; -*ken*) fresco *m*; *a fresco malen* pintar al fresco.

ˈ**Fresko...**: ~**bild** *n* (-*es*; -*er*), ~**gemälde** *n* (pintura *f* al) fresco *m*; ~**maler** *m* pintor *m* de frescos; ~**malerei** *f* pintura *f* al fresco.

ˈ**Freßbeutel** *m für Pferde usw.*: morral *m*.

ˈ**Fresse** P *f* jeta *f*, P morros *m/pl.*; *j-m in die* ~ *schlagen* darle a alg. un sopapo en los morros, romperle la jeta a alg.; *halt' die* ~! ¡cierra el pico!; *eine große* ~ *haben* darse importancia, F farolear.

ˈ**fressen** (*L*) *v/t. u. v/i.*: (*von Tieren*) comer; (*gierig*) devorar; (*verschlingen*) tragar, engullir; ⚗ (*ätzen*) corroer; ⊕ (*durch Reibung*) morder; (*abgrasen*) pacer; (*aufzehren*) consumir; ⚕ *um sich* ~ (*Geschwür*) extenderse progresivamente; *sich dick und voll* ~ hartarse, F atracarse, darse un atracón; *an j-m e-n Narren gefressen haben* estar entusiasmado con alg.; estar loco por alg.; F *Kilometer* ~ tragar kilómetros; 2 *n* (*Futter*) comida *f*; (*Grünfutter*) pasto *m*; P *fig. ein gefundenes* ~ un maná llovido del cielo.

ˈ**Fresser** P *m* glotón *m*; F tragón *m*, comilón *m*, tragaldabas *m*.

Fresseˈrei P *f* glotonería *f*; (*Schmaus*) F comilona *f*; hartazgo *m*, atracón *m*, panzada *f*.

ˈ**Freß...**: ~**gier** *f* (*0*) (*von Menschen*) glotonería *f*; (*von Tieren*) voracidad *f*; 2**gierig** *adj.* glotón; voraz; ~**napf** *m* (-*es*; "*e*), ~**näpfchen** *n* comedero *m*; ~**sack** *m* (-*es*; "*e*) *für Pferde*: morral *m*; P (*Person*) → *Fresser*; ~**trog** *m* (-*es*; "*e*) comedero *m*; dornajo *m*; ~**werkzeuge** *n/pl.* *der Insekten*: pinzas *f/pl.*

ˈ**Frettchen** *Zoo.* *n* hurón *m*.

ˈ**Freude** *f* alegría *f*; (*Heiterkeit, Fröhlichkeit*) alborozo *m*, regocijo *m*; (*Vergnügen*) placer *m*; (*Wonne*) delicia *f*, gozo *m*; (*Jubel*) júbilo *m*; (*innere*) satisfacción *f*, contento *m*; *überströmende* ~ alegría desbordante; *vor* ~ de alegría, de placer; *voll(er)* ~ lleno de alegría; *zu m-r großen* ~ con gran satisfacción mía; *er ist m-e einzige* ~ él es mi única alegría; *es ist m-e einzige* ~ es mi único placer; *mit* ~*n* gustosamente, muy gustoso, con mucho gusto, F de mil amores; ~ *machen* alegrar; *j-m e-e große* ~ *bereiten* (*od. machen*), *j-n in große* ~ *versetzen* dar a alg. una gran alegría, F dar un alegrón a alg.; *j-m die* ~ *verderben* aguar la fiesta a alg.; *sich e-e* ~ *aus et. machen* alegrarse de a/c.; *s-e* ~ *an et.* (*dat.*) *haben* hallar placer en a/c., complacerse en a/c.; *vor* ~ *weinen* llorar de alegría; *außer sich vor* ~ *sein* no caber en sí de gozo; *es ist e-e rechte* ~, *das zu sehen* es un placer ver esto, da gusto ver esto; *herrlich und in* ~*n leben* vivir regaladamente; *es ist mir e-e große* ~ es un gran placer para mí; *welche* ~! ¡qué alegría!; ¡cuánto me alegro!, ¡cuánto lo celebro!

ˈ**Freuden...**: ~**botschaft** *f* buena (*od.* grata) noticia *f*; ~**fest** *n* (-*es*; -*e*) fiesta *f* alegre; ~**feuer** *n* hoguera *f* de fiesta, fogata *f* (*en señal de regocijo*); ~**geschrei** *n* (-*es*; *0*) gritos *m/pl.* de júbilo; ~**haus** *n* (-*es*; "*er*) burdel *m*, mancebía *f*, casa *f* de prostitución; 2**leer**, 2**los** *adj.* sin alegría; ~**mädchen** *n* prostituta *f*, mujer *f* pública (*od.* de mala vida); P furcia *f*, V puta *f*; ~**mahl** *n* (-*es*; -*e od.* "*er*) gaudeamus *m*; ~**rausch** *m* (-*es*; *0*) embriaguez *f* de la alegría; ~**schrei** *m* (-*es*; -*e*) grito *m* de júbilo (*od.* de alegría); ~**tag** *m* (-*es*; -*e*) día *m* de alegría; ~**tanz** *m* (-*es*; "*e*): *e-n* ~ *aufführen* bailar de alegría; ~**taumel** *m* (-*s*; *0*) transporte *m* de alegría; alegría *f* loca (*od.* desbordante); ~**tränen** *f/pl.* lágrimas *f/pl.* de alegría.

ˈ**freude...**: ~**strahlend** *adj.* radiante de alegría; ~**trunken** *adj.* ebrio de alegría.

ˈ**freudig I.** *adj.* alegre, gozoso; (*glücklich*) feliz, dichoso; (*fröhlich*) jovial; (*begeistert*) entusiasta; ~*es Ereignis* fausto acontecimiento; **II.** *adv.* con alegría; (*bereitwillig*) gustosamente, (muy) gustoso; de (muy) buena gana; 2**keit** *f* (*0*) alegría *f*, gozo *m*; (*Fröhlichkeit*) jovialidad *f*; → *Freude*.

'**freudlos** *adj.* sin alegría; tristón.

'**freuen 1.** *v/t.* alegrar; causar alegría *od.* placer *es freut mich, zu* (*inf.*) me alegra (*inf.*), es un placer para mí (*inf.*); *es freut mich, daß* me alegro de que (*subj.*), me complace que (*subj.*); *das freut mich sehr* lo celebro mucho; *es würde mich sehr freuen, wenn* celebraría mucho que (*subj.*), tendría mucho placer en (*inf.*); **2.** *v/refl.*: *sich ~ über* (*ac.*) alegrarse de; complacerse en; celebrar a/c.; tener la satisfacción (*od.* el placer) de; *sich ~ an et.* (*dat.*) deleitarse en; *sich ~ auf* (*ac.*) esperar gozoso (*ac.*).

'**Freund** *m* (*-es*; *-e*) amigo *m*; *als ~* como amigo; *vertrauter ~* amigo íntimo (*od.* de confianza); *dicker ~* amigo íntimo, F amigote, *Arg.* amigazo; *ein ~ von mir* un amigo mío; uno de mis amigos; *lieber ~!* ¡amigo mío!; *im Brief*: querido amigo; estimado amigo mío; *sie sind* (*gute*) *~e* son (buenos) amigos; *unter ~en* entre amigos; *mit j-m* (*gut*) *~ sein* ser (muy) amigo de alg.; *~ sein von et.* ser amigo de a/c.; ser aficionado a a/c.; *wir bleiben die alten ~e* (seguimos) tan amigos como siempre; *~e gewinnen* hacer amistades; ganarse amigos; **~eshand** *f* (-; *¨e*) mano *f* amiga; **~eskreis** *m* (*-es*; *-e*) amistades *f/pl.*, amigos *m/pl.*; **~in** *f* amiga *f*; novia *f*.

'**freundlich** *adj.* amable; (*wohlwollend*) benévolo; (*gütig*) bondadoso; complaciente; (*friedlich*) apacible; (*leutselig*) afable; (*freundschaftlich*) amistoso; (*angenehm*) agradable; (*herzlich*) cordial; cariñoso; *Zimmer, Farbe*: alegre; *Gesicht*: risueño; *Gegend*: ameno; *Klima*: suave; *Wetter*: agradable; sereno, apacible; ✝ *Börse, Markt*: bien dispuesto; *~es Angebot* amable ofrecimiento; *das ist sehr ~* (*von Ihnen*) (es usted) muy amable; *seien Sie bitte so ~* tenga la bondad (*od.* amabilidad) de, hágame el favor de; *j-n ~ empfangen* recibir (*od.* acoger) con amabilidad a alg.; *et. ~ aufnehmen* acoger favorablemente a/c.; dispensar favorable acogida a a/c.; *e-n ~en Anblick gewähren* sonreír; *Phot. bitte recht ~!* ¡sonría, por favor!; *bestellen Sie ihm ~e Grüße!* hágale presentes mis cordiales saludos, salúdele afectuosamente de mi parte; **2keit** *f* amabilidad *f*; (*Güte*) bondad *f*; condescendencia *f*; (*Höflichkeit*) deferencia *f*; (*Wohlwollen*) benevolencia *f*; (*Leutseligkeit*) afabilidad *f*; *haben Sie die ~, zu* (*inf.*) tenga la bondad de (*inf.*).

'**freundlos** *adj.* sin amigos.

'**Freundschaft** *f* amistad *f*; *aus ~* por amistad; *für j-n ~ hegen* abrigar sentimientos amistosos hacia alg.; *mit j-m ~ schließen* contraer (*od.* trabar) amistad con alg., hacerse amigo de alg.; **2lich** *adj.* amistoso; de amigo; (*herzlich*) cordial; (*gütlich*) amigable; *mit j-m in ~e Beziehungen treten* entablar relaciones amistosas con alg.; *mit j-m auf ~em Fuße stehen* tener amistad con alg.

'**Freundschafts...**: **~bande** *n/pl.* lazos *m/pl.* de amistad; **~besuch** *m* (*-es*; *-e*) visita *f* amistosa; **~beteuerungen** *f/pl.* protestas *f/pl.* de amistad; **~bezeigung** *f* testimonio *m* (*od.* prueba *f*) de amistad; **~bund** *m* (*-es*; *¨e*), **~bündnis** *n* (*-ses*; *-se*) alianza *f*; **~dienst** *m* (*-es*; *-e*) servicio *m* de amigo (*erweisen*: prestar); buenos *m/pl.* oficios; **~pakt** *m* (*-es*; *-e*) pacto *m* de amistad; **~spiel** *n* (*-es*; *-e*) *Sport*: partido *m* amistoso; **~vertrag** *m* (*-es*; *¨e*) tratado *m* de amistad.

'**Frevel** [f] *m* delito *m*; crimen *m*; (*Missetat*) desafuero *m*, desmán *m*; (*Beleidigung*) ofensa *f*; ultraje *m*; (*Zuwiderhandlung*) contravención *f*, violación *f*; (*Anschlag*) atentado *m* (*an dat.*; *gegen* a; contra); (*Bosheit*) maldad *f*; *Rel.* sacrilegio *m*; (*Lästerung*) blasfemia *f*; **2haft** *adj.* (*gottlos*) impío sacrílego; (*schändlich*) nefando; **~mut** *m* (*-es*; *0*) maldad *f*; temeridad *f*; **2n** (*-le*) *v/i.* cometer un delito *bzw.* un desmán *od.* desafuero; *~ an* (*dat.*), *~ gegen* cometer un atentado (*od.* atentar) a (*j-n*: contra); *Rel.* pecar; (*lästern*) blasfemar; *gegen das Gesetz ~* violar la ley; **~tat** *f* → *Frevel*; **~wort** *n* (*-es*; *-e*) blasfemia *f*.

'**freventlich** *adj.* → *frevelhaft*.

'**Frevler(in** *f*) *m* criminal *m/f*, malhechor(a *f*) *m*; *Rel.* sacrílego (-a *f*) *m*; (*Gotteslästerer*) blasfemo (-a *f*) *m*; **2isch** *adj.* → *frevelhaft*.

'**Frieda** *f* Federica *f*.

'**Friede(n)** *m* (*-ns*; *-n*) paz *f*; *bewaffneter ~* paz armada; *den ~n aufrechterhalten* (*stören*; *bedrohen*; *brechen*; *wiederherstellen*) mantener (turbar; amenazar; violar; restablecer) la paz; *~n schließen* concertar la paz; *mit j-m ~n schließen* F hacer las paces con alg.; *um ~n bitten* solicitar la paz; *in ~n leben* vivir en (santa) paz; *um des lieben ~ns willen* para tener paz; *laß mich in ~n!* ¡déjame en paz!; *~ s-r Asche!* ¡descanse en paz!; *fig. ich traue dem ~n nicht* F no las tengo todas conmigo.

'**Friedens...**: **~abschluß** *m* (*-sses*; *¨sse*) conclusión *f* de la paz; **~angebot** *n* (*-es*; *-e*) proposición *f* de paz; **~bedingung** *f* condición *f* de paz; **~bedrohung** *f* amenaza *f* para la paz; **~bewegung** *f* movimiento *m* pacifista; **~bruch** *m* (*-es*; *¨e*) violación *f* de la paz; **~engel** *fig. m* ángel *m* de la paz; pacifista *m/f*; **~gericht** *n* (*-es*; *-e*) juzgado *m* de paz; *Span.* juzgado *m* municipal; **~göttin** *f* Paz *f*; **~heer** *n* (*-es*; *-e*) ⚔ ejército *m* activo (*en tiempos de paz*); **~konferenz** *f* conferencia *f* de la paz; *Haager ~* Conferencia de la Paz, de La Haya; **2mäßig I.** *adj.*: *~e Qualität* (*Vorkriegsqualität*) calidad de antes de la guerra; **II.** *adv.* como en tiempos de paz; (*vorkriegsmäßig*) como antes de la guerra; **~no'belpreis** *m* (*-es*; *-e*) Premio *m* Nobel de la Paz; **~pfeife** *f* pipa *f* de paz; **~(präsenz-)stärke** ⚔ *f* (*0*) efectivos *m/pl.* (en tiempos) de paz; **~richter** *m* juez *m* de paz; *Span.* juez *m* municipal; **~schluß** *m* (*-sses*; *¨sse*) conclusión *f* de la paz; **~stifter(in** *f*) *m* pacificador(a *f*) *m*; **~stiftung** *f* pacificación *f*; **~störer(in** *f*) *m* perturbador(a *f*) *m* de la paz; (*Störenfried*) F aguafiestas *m/f*; **~unterhändler** *m* negociador *m* de la paz; **~verhandlungen** *f/pl.* negociaciones *f/pl.* de paz; **~vermittler** *m* mediador *m* de (la) paz; **~vermittlung** *f* mediación *f* de paz; **~vertrag** *m* (*-es*; *¨e*) tratado *m* de paz; **~wille** *m* (*-ns*; *0*) ánimo *m* de paz; pacifismo *m*; **~wirtschaft** *f* (*0*) economía *f* de (tiempos de) paz; **~zeit** *f*: *in ~en* en tiempos de paz.

'**fried...**: **~fertig** *adj.* pacífico; **2fertigkeit** *f* (*0*) carácter *m* pacífico; espíritu *m* conciliador; **2hof** *m* (*-es*; *¨e*) cementerio *m*; camposanto *m*; necrópolis *f*; **~lich** *adj.* (*friedliebend*) pacífico; amante de la paz; (*ungestört*) en paz; (*ruhig*) tranquilo, apacible; *Vergleich*: amistoso, amigable; *die ~e Beilegung internationaler Streitfälle* el arreglo pacífico de los conflictos internacionales; **2lichkeit** *f* (*0*) carácter *m* pacífico; *als Zustand*: estado *m* de paz; (*Ruhe*) tranquilidad *f*; apacibilidad *f*; sosiego *m*; **~liebend** *adj.* pacífico; amante de la paz; **~los** *adj.* sin reposo; inquieto; agitado.

'**Friedrich** *m* Federico *m*.

'**frieren I.** *v/i. u. v/unprs.* helar; congelarse; *es friert* hiela, está helando; *der Teich ist gefroren* el estanque está helado; *es friert mich, mich friert* tengo frío; *mich friert an den Füßen* tengo frío en los pies, tengo los pies helados; **II.** **2** *n* (*Gefühl der Kälte*) sensación *f* de frío *m*; (*Erstarren*) congelación *f*.

'**Fries** *m* (*-es*; *-e*) ⚠ friso *m*; *Tuch*: frisa *f*.

'**Friese** *m* (*-n*) frisón *m*.

'**Friesel** *m u. n* ⚕ fiebre *f* miliar.

'**Fries|in** *f* frisona *f*; **2isch** *adj.* frisón, frisio; **~land** *n* Frisia *f*.

fri'gid *adj.* frígido.

Frigidi'tät *f* (*0*) frigidez *f*.

Frikas'see [-a'se:] *n* (*-s*; *-s*) *Kochkunst*: fricasé *m*; *von Geflügel*: pepitoria *f*.

frikas'sieren (-) *v/t.* hacer un fricasé.

Frikti'on *f* fricción *f*.

'**frisch** *adj.* fresco; (*neu*) nuevo (*a. Gemüse*); (*eben geschehen*) reciente; (*munter*) vivo; despierto, despabilado; *Farbtöne*: vivo; *~es Obst* fruta fresca; *~e Wäsche* ropa lavada (y planchada), ropa limpia; *~ und munter* animado y resuelto; con buena salud; *noch ~* bien conservado; *~es* (*od. ~ gebackenes*) *Brot* pan del día; *~es Ei* huevo fresco; *~ gelegtes Ei* huevo del día; *sich ~ halten* conservarse fresco; *~ angekommen* recién llegado; *~ rasiert* recién afeitado; *auf ~er Tat* in fraganti, en flagrante delito, F con las manos en la masa; *~ vom Faß* directamente del barril; *~e Luft schöpfen* tomar el fresco; respirar aire fresco; *in ~er Luft* al aire libre, al fresco; *~ machen* refrescar; *~ werden* refrescarse; (*Wind, Wetter*) refrescar; *~ aussehen, e-e ~e Gesichtsfarbe haben* tener buen color (*od.* un color sano), tener la tez fresca; *von ~em Aussehen* de aspecto sano y robusto, F frescachón; *~en Mut fassen* cobrar nuevos ánimos; et. *noch in ~er Erinnerung haben* tener un recuerdo todavía fresco en la memoria; *~e Wäsche anziehen* mudar la ropa, ponerse ropa limpia; *ein ~es Hemd anziehen* mudar la camisa; *ein Bett ~ überziehen* mudar la ropa de cama; *~ gestrichen* recién pintado; *als Warnung*: ¡cuidado con la pintura!, ¡ojo, mancha!; *das 2e Haff Geogr.* la ensenada de Koenigsberg; **2-arbeit** ⊕ *f* afinado *m*; **~auf** *int.* ¡ánimo!, ¡adelante!; ¡ea, vamos!; **2blei** *n* (*-es; 0*) plomo *m* refinado; **2dampf** *m* (*-es; 0*) vapor *m* vivo; **2e** *f* (*0*) frescura *f*; frescor *m*; (*Kühle*) fresco *m*; (*Jugend2*) vigor *m* (lozanía *f*) juvenil; *von Farben*: viveza *f* (*a. fig.*); **2ei** *n* (*-es; -er*) huevo *m* del día; **2eisen** *n* (*-s; 0*) hierro *m* afinado; **~en** **1.** *v/t.* (*frisch machen*) refrescar; *Met.* afinar; *Blei, Kupfer*: reavivar; (*puddeln*) pudelar; **2.** *v/i. Jgdw.* (*Junge werfen*) *Wildsau*: parir; **2en** *Met. n* afinación *f*; *von Blei, Kupfer*: reavivación *f*; (*Puddeln*) pudelado *m*; **2fleisch** *n* (*-es; 0*) carne *f* fresca; **2gemüse** *n* legumbres *f/pl.* frescas; **2ling** *Jgdw. m* (*-s; -e*) jabato *m*; **2wasser** *n* agua *f* fresca.

frisch'weg *adj.* sin vacilar.

'Frischzellentherapie ⚕ *f* (*0*) terapia *f* con células frescas.

Fri'seur *m* (*-s; -e*) peluquero *m*; **~puppe** *f* maniquí *m* de peluquero.

Fri'seuse *f* peluquera *f*; peinadora *f*.

Fri'sier...: ~creme *f* (*-; -s*) crema *f* para el cabello; **2en** (*-*) **1.** *v/t.* peinar; arreglar el pelo; *fig.* (*herrichten*) colorear, *stärker*: desfigurar; falsear; *frisierte Rechnung* cuenta amañada; F cuentas galanas; **2.** *v/refl.* peinarse; arreglarse el pelo; **~haube** *f* redecilla *f* para el pelo; **~mantel** *m* (*-s; ¨*) peinador *m*; **~salon** *m* (*-s; -s*) (salón *m* de) peluquería *f*; **~tisch** *m* (*-es; -e*) tocador *m*.

'Frist *f* (*Zeit*) tiempo *m*; (*bestimmter Zeitraum*) plazo *m*; término *m*; (*Aufschub*) prórroga *f*; dilación *f*, demora *f*; ✝ moratoria *f*; (*Gnaden2*) plazo *m* de gracia; respiro *m*; ✝ (*bei Wechseln*) días *m/pl.* de favor; *e-e ~ gewähren* (*festsetzen; verlangen; überschreiten; einhalten; verlängern*) conceder (fijar *od.* señalar; pedir; exceder; observar; prorrogar) un plazo; *nach Ablauf der ~* después de transcurrido el plazo; *die ~ läuft am ... ab* el plazo expira el ...; *die ~ ist abgelaufen* el plazo ha expirado; *innerhalb e-r ~ von 10 Tagen* en el término de 10 días; *in Jahres2* en el término de un año; de hoy en un año; *in kürzester ~* en el plazo más breve posible, cuanto antes; *auf kurze ~* a corto plazo; **~ablauf** *m* (*-es; ¨e*) expiración *f* de un plazo; *bei ~* a la expiración del plazo; **2en** (*-e-*) *v/t.* ✝ *Wechsel*: prorrogar, aplazar; *sein Leben* (*mühsam*) *~* ganarse penosamente la vida, F ir tirando; **~gesuch** *n* (*-es; -e*) solicitud *f* (*od.* petición *f*) de prórroga; **~gewährung** *f* concesión *f* de plazo *bzw.* de prórroga; ✝ (*bei Konkurs*) moratoria *f*; **~verlängerung** *f* prórroga *f*; **2los** *adj.* sin aviso; *~ entlassen* despedir en el acto; *~e Entlassung* despido sin previo aviso; **~ung** *f* prolongación *f*, *bsd.* ✝ prórroga *f*; **~zahlung** *f* pago *m* a plazos; **2zeitig** *adj.* dentro del plazo señalado *od.* prescrito.

Fri'sur *f* peinado *m*.

'Fritter ⚡ *m* cohesor *m*; radioconductor *m*.

fri'vol *adj.* (*leichtfertig*) frívolo; ligero; (*schlüpfrig*) lascivo; (*vermessen*) atrevido.

Frivoli'tät *f* frivolidad *f*; ligereza *f*; lascivia *f*; atrevimiento *m*.

'froh *adj.* (*zufrieden*) contento, satisfecho (über *ac.* de); (*lustig*) alegre; de buen humor; (*erfreulich*) agradable; (*glücklich*) feliz; *~es Gesicht* cara alegre, F cara de pascuas; *~es Ereignis* fausto acontecimiento; *~e Botschaft* buena nueva; *~en Mutes* de buen humor; contento, gozoso; *~e Weihnachten!* ¡felices pascuas!; *e-r Sache* (*gen.*) *~ werden* alegrarse de a/c.; *s-s Lebens nicht ~ werden* no gozar de la vida; **~gemut** *adj.* contento; satisfecho; de buen humor; jovial.

'fröhlich *adj.* alegre, gozoso; jovial; lleno de alegría; *~e Weihnachten!* ¡felices pascuas!; **2keit** *f* (*0*) alegría *f*, gozo *m*; contento *m*; jovialidad *f*; buen humor *m*.

froh|'locken *v/i.* alegrarse; regocijarse; saltar de alegría *f*; dar gritos *m/pl.* de júbilo; *~ über* et. (*ac.*) acoger con júbilo a/c.; **2'locken** *n* júbilo *m*; gritos *m/pl.* de júbilo; regocijo *m*, alborozo *m*; **'2sinn** *m* (*-es; 0*) buen humor *m*; jovialidad *f*; genio *m* alegre.

fromm *adj.* piadoso; (*religiös*) religioso; (*andächtig*) pío, devoto; (*unschuldig*) inocente; *auf Tiere bezogen*: manso; (*Wunsch*) vano, irrealizable; *~e Lüge* mentira piadosa.

Frömme'lei *f* falsa devoción *f*; beatería *f*, santurronería *f*; gazmoñería *f*, mojigatería *f*.

'frömmeln (*-le*) *v/i.* fingir devoción *f*, ser beato; **~d** *adj.* santurrón, beato, mojigato, ñoño.

'frommen I. *v/i.* ser provechoso *od.* útil, servir (zu para); **II. 2** *n* beneficio *m*; utilidad *f*; *zu Nutz und ~* (*gen.*) para el bien de.

'Frömmigkeit *f* (*0*) piedad *f*; religiosidad *f*; devoción *f*.

'Frömmler(in *f*) *m* beato (-a *f*) *m*, santurrón *m*, santurrona *f*; mojigato (-a *f*) *m*, gazmoño (-a *f*) *m*; F tragasantos *m/f*.

'Fron *f*, **~dienst** *m* (*-es; -e*) *Hist.* servidumbre *f* feudal; vasallaje *m*.

'frönen *v/i.* abandonarse (*od.* entregarse) a; ser esclavo de.

Fron'leichnam(sfest) *m* (*-s; 0*) fiesta *f* (*od.* día *m*) del Corpus.

'Front *f* frente *m*; △ fachada *f*; frontis(picio) *m*; ⚔ frente *m* (de combate); ⚔ *auf breiter ~* en un amplio frente; *auf der ganzen ~* en todo el frente; *an die ~ gehen* marchar al frente; *an der ~ sein* estar en el frente; *die ~ durchbrechen* (*od. durchstoßen*) romper el frente; *e-e ~ aufbauen* establecer un frente; *die ~ begradigen* rectificar el frente; *die ~ abschreiten* revistar (*a pie*) las tropas formadas; *~ machen* ⚔ (*Gruß*) cuadrarse; *~ machen gegen* ⚔ hacer frente a; *fig. a.* afrontar; *klar in ~ sein Sport*: ir en cabeza; **~-abschnitt** ⚔ *m* (*-es; -e*) sector *m* (del frente); **2'al** *adj.* frontal, de frente; **~'al-angriff** ⚔ *m* (*-es; -e*) ataque *m* frontal; **~'al-ansicht** *f* vista *f* de frente; **~antrieb** *m* (*-es; -e*) *Auto.* impulsión *f* (del eje) frontal, tracción *f* anterior; **~-begradigung** *f* rectificación *f* del frente; **~dienst** *m* (*-es; -e*) servicio *m* en el frente; **~flug** ✈ *m* misión *f* (*en el frente*); **~flugzeug** *n* (*-es; -e*) avión *m* de primera línea.

Frontis'piz △ *n* (*-es; -e*) frontispicio *m*.

'Front...: ~kämpfer *m* combatiente *m* (*del frente*); **~kämpferbund** *m* (*-es; ¨e*) asociación *f* de antiguos combatientes; **~linie** *f* línea *f* del frente; **~lücke** *f* ⚔ bolsa *f*; *e-e ~ schließen* (*od. bereinigen*) eliminar una bolsa; **~offizier** *m* (*-s; -e*) oficial *m* de tropa *bzw.* del servicio; **~seite** △ *f* fachada *f*; frontispicio *m*; **~truppen** *f/pl.* tropas *f/pl.* combatientes; **~ver-änderung** *f* modificación *f* del frente; **~wechsel** ⚔ *m* cambio *m* de frente; conversión *f*; *fig.* nueva orientación *f*, cambio *m* de rumbo.

'Frosch *m* (*-es; ¨e*) *Zoo.* rana *f*; *Feuerwerk*: triquitraque *m*, buscapiés *m*; ♪ nuez *f*; *e-n ~ im Halse haben* tener ronquera; *fig. sei kein ~!* ¡no hagas remilgos!; **~gequake** *n* el croar de las ranas; **~keule** *f* anca *f* de rana; **~laich** *m* (*-es; 0*) huevas *f/pl.* de rana; **~mann** *m* (*-es; ¨er*) hombre-rana *m*; **~perspektive** *f* perspectiva *f* a ras del suelo; vista *f* desde abajo; **~schenkel** *m* → *Froschkeule*; **~teich** *m* (*-es; -e*) estanque *m* de ranas.

'Frost *m* (*-es; ¨e*) helada *f*; (*Kälte*) frío *m* (que hiela); **2beständig** *adj.* resistente al frío; incongelable; **~-beule** ⚕ *f* sabañón *m*.

'frösteln (*-le*) **I.** *v/i. u. v/unprs.* tiritar (de frío); *ich fröstle, mich fröstelt* (*vor Kälte*) estoy tiritando de frío, me estoy helando de frío; (*vor Fieber*) siento escalofríos; *es fröstelt* está helando; **II. 2** *n* ⚕ escalofrío *m*, *mst. pl.* escalofríos.

'frostig *adj. kalt*: frío (*a. fig.*); *gefroren*: helado; *eisig*: glacial (*a. fig.*); **2keit** *fig. f* (*0*) frialdad *f*.

'Frost...: ~mittel *n* remedio *m* contra los sabañones; **~salbe** *f* pomada *f od.* ungüento *m* contra sabañones; **~schaden** *m* (*-s; ¨*) daño *m* causado por las heladas; **~schutzmittel** *n* anticongelante *m*; **~schutzscheibe** *f* cristal *m* protector contra helada; **2sicher** *adj.* resistente al frío; **~wetter** *n* (tiempo *m* de) heladas *f/pl.*

Frot'té-stoff *m* (*-es; -e*) tela *f* esponjosa.

frot'tier|en (*-*) *v/t.* frotar, friccionar; **2en** *n* fricción *f*; **2(hand)tuch** *n* (*-es; ¨er*) toalla *f* de rizo; toalla *f* rusa *od.* turca *od.* esponja.

ˈ**Frucht** *f* (-; ¨e) fruto *m* (*a. fig.*); *Obst*: fruta *f*; frutas *f/pl.*; ⚕ (*Leibes*♀) embrión *m*; feto *m*; *Getreide*: cereales *m/pl.*; *fig.* (*Ergebnis*) resultado *m*; *die ersten Früchte Poes.* las primicias; (*Frühobst*) frutas tempranas; ♀**bar** *adj.* fecundo (*a. fig.*); (*viel liefernd*) productivo; ✓ fértil, feraz (*a. fig.*); (*Mensch, Tier*) prolífico; ~ *machen* fecundar; fertilizar; ~**barkeit** *f* (*0*) fecundidad *f*; fertilidad *f*, ✓ *a.* feracidad *f*; productividad *f*; ~**baum** *m* (-ẹs; ¨e) árbol *m* frutal; ~**bonbons** *m/pl. od. n/pl.* caramelos *m/pl.* de frutas; ♀**bringend** *adj.* fructífero (*a. fig.*); *fig.* (*ersprießlich*) fructuoso; (*vorteilhaft*) ventajoso; productivo; lucrativo.

ˈ**Früchtchen** *n* frutilla *f*; *fig.* F *ein schönes* ~ (*iro.*) una buena alhaja (*od.* pieza); F niño *bzw.* niña repipi.

ˈ**Frucht...**: ~**dampfer** *m* vapor *m* frutero; ~**eis** *n* (-*es*; *0*) helado *m* de frutas; ♀**en** (-*e*-) *v/i.* fructificar; *fig. a.* dar fruto, ser útil *od.* provechoso; *nicht*(*s*) ~ ser infructuoso; ser inútil, no servir para nada; ~**fleisch** ♀ *n* (-*es*; *0*) pulpa *f*; ~**folge** ✓ *f* rotación *f* de cultivos; ~**gehäuse** *n*, ~**hülle** ♀ *f* pericarpio *m*; ~**kapsel** ♀ *f* (-; -*n*) folículo *m*, cápsula *f*; ~**keim** ♀ *m* (-ẹs; -*e*) germen *m*; ~**knoten** ♀ *m* ovario *m*; ♀**los** *adj. fig.* infructuoso; (*nutzlos*) inútil, vano; (*unfruchtbar*) estéril; ~**losigkeit** *f* (*0*) infructuosidad *f*; inutilidad *f*; esterilidad *f*; ~**presse** *f* exprimidera *f* de frutas; ♀**reich** *adj.* abundante en frutos; *fig.* fructífero, productivo; ~**saft** *m* (-ẹs; ¨e) zumo *m* de frutas; *eingedickter*: jarabe *m* de frutas; ~**salat** *m* (-ẹs; -*e*) macedonia *f* de frutas; ~**schale** *f* frutero *m*; (*Haut*) piel *f*; cáscara *f*; ♀**tragend** *adj.* fructífero; ~**wasser** *Physiol. n* líquido *m* amniótico; ~**wechsel** ✓ *m* rotación *f* de cultivos; ~**zucker** ⚗ *m* fructosa *f*.

fru'gal *adj.* frugal.

Frugaliˈtät *f* (*0*) frugalidad *f*.

ˈ**früh I.** *adj.* temprano; *am* ~*en Morgen* muy de mañana, de madrugada; ~*es Obst* fruta temprana; (*vorzeitig*) prematuro; (~*reif*) precoz; (*morgendlich*) matutino, matinal; (*anfänglich*) primitivo; *von* ~*er Jugend an* desde la más temprana juventud, desde edad muy temprana; **II.** *adv.* temprano; *sehr* ~ de madrugada, muy temprano, F tempranito; *um 5 Uhr* ~ a las cinco de la madrugada (*od.* de la mañana); ~ *am Abend* a primera hora de la noche; ~ *und spät* mañana y tarde; por la mañana y por la noche; *von* ~ *bis spät* desde la mañana hasta la noche; de estrella a estrella; de sol a sol; *so* ~ *wie möglich* lo antes posible, cuanto antes; *morgen* ~ mañana temprano; *heute* ~ hoy a primera hora (de la mañana); ~ *aufstehen* (*gewöhnlich, stets*) madrugar; (*ausnahmsweise*) levantarse temprano; *zu* ~ *kommen* llegar antes de tiempo; *10 Minuten zu* ~ *ankommen* llegar diez minutos antes de la hora; (*zu*) ~ *sterben* morir prematuramente; ♀**apfel** *m* (-*s*; ¨) manzana *f* temprana; ♀**aufsteher(in** *f*) *m* madrugador(a *f*) *m*; ♀**beet** ✓ *n* (-ẹs; -*e*) tabla *f* de mantillo; ♀**diagnose** ⚕ *f* diagnóstico *m* precoz; ♀**e** *f* (*0*) mañana *f*; (*Tagesanbruch*) madrugada *f*; *in aller* ~ muy de madrugada, al rayar el alba; ~**er I.** *adj.* **1.** *comp. von früh*; **2.** (*ehemalig*) antiguo; ex; (*vorhergehend*) precedente; (*früherliegend*) anterior; **II.** *adv.* más pronto; (*vorher*) antes, anteriormente, con anterioridad; (*ehemals*) antes; en otros tiempos, antiguamente; *je* ~, *desto besser*; *je* ~, *je lieber* cuanto antes mejor; ~ *oder später* tarde o temprano; un día u otro, a la larga o a la corta; ~**est** *adj.* **1.** *sup. von früh*; **2.** (*erst*) *der* ~*e* el primero; (*älteste*) el más antiguo; ~**estens** *adv.* lo más pronto (*od.* lo antes) posible, cuanto antes; a más tardar.

ˈ**Früh...**: ~**geburt** *f* parto *m* prematuro; (*Fehlgeburt*) aborto *m*; ~**gemüse** *n* legumbres *f/pl.* tempranas; ~**gotik** ⌂ *f* (*0*) estilo *m* gótico primitivo; ~**gottesdienst** *m* (-ẹs; -*e*) *I.C.* misa *f* de alba, primera misa *f*; *I.P.* oficio *m* matutino; ~**gymnastik** *f* (*0*) gimnasia *f* matinal; ~**jahr** *n* (-ẹs; -*e*) primavera *f*; ~**jahrsmesse** *f* feria *f* de primavera; ~**kartoffel** *f* (-; -*n*) patata *f* temprana; ~**konzert** *n* (-ẹs; -*e*) concierto *m* matinal.

ˈ**Frühling** *m* (-*s*; -*e*) primavera *f*; ~**s-anfang** *m* (-ẹs; *0*) comienzo *m* de la primavera; ~**sblume** *f* flor *f* primaveral (*od.* de primavera); ♀**shaft** *adj.* primaveral; ~**skleid** *n* (-ẹs; -*er*) vestido *m* de primavera; ♀**smäßig** *adj.* primaveral; de primavera; ~**snachtgleiche** *Astr. f* equinoccio *m* de primavera; ~**s-tag** *m* (-ẹs; -*e*) día *m* primaveral (*od.* de primavera); ~**szeit** *f* (estación *f* de) primavera *f*.

ˈ**Früh...**: ~**messe** *f* misa *f* de(l) alba, primera misa *f*; ~**mette** *f* maitines *m/pl.*; ♀**morgens** *adv.* muy de mañana, de madrugada; al amanecer; ~**obst** *n* (-ẹs; *0*) fruta *f* temprana; ♀**reif** *adj.* precoz; ♀ temprano; ~**reif** *m* (-ẹs; *0*) escarcha *f* matinal; ~**reife** *f* (*0*) precocidad *f*; ~**schicht** *f* turno *m* de la mañana; ~**schoppen** *m* aperitivo *m* matinal; ~**stück** *n* (-ẹs; -*e*) desayuno *m*; ♀**stücken** *v/i.* desayunarse; ~**stückszeit** *f* hora *f* del desayuno; ♀**zeitig I.** *adj.* precoz; (*früh*) temprano; (*vorzeitig*) prematuro; **II.** *adv.* temprano; (*rechtzeitig*) a tiempo; (*vorzeitig*) prematuramente; antes de tiempo; ~**zeitigkeit** *f* (*0*) precocidad *f*; ~**zug** 🚂 *m* (ẹs; ¨e) tren *m* de la mañana; ~**zündung** *f* *Auto.* ignición *f* prematura, encendido *m* anticipado; *bei Sprengung*: ⚒ tiro *m* prematuro.

ˈ**F-Schlüssel** ♪ *m* clave *f* de fa.

ˈ**Fuchs** *m* (-*es*; ¨e) *Zoo.* zorro *m*, raposo *m*; *fig. schlauer* ~ zorro (*od.* perro) viejo, pícaro *m*; (*Pferd*) alazán *m*; (*Student*) novato *m*; (*Verbindungsstudent*) aspirante *m* a admisión definitiva; (*beim Billard*) pifia *f*; ⊕ (*Rauchkanal*) canal *m* de llamas; (*rothaariger Mensch*) pelirrojo (-a *f*) *m*; *fig. wo die Füchse sich Gutenacht sagen* en los quintos infiernos; ~**balg** *m* (-*es*; ¨e) piel *f* de zorro; ~**bau** *m* (-ẹs; -*e*) *Jgdw.* zorrera *f*; ~**eisen** *n*, ~**falle** *f* cepo *m*; ♀**en** (-*t*) *v/t.* enfadar; fastidiar, F incordiar.

ˈ**Fuchsia** *f*, ˈ**Fuchsie** *f* ♀ fucsia *f*.

Fuchˈsin [iː] ⚗ *n* (-*s*; *0*) fucsina *f*.

ˈ**Füchsin** *Zoo. f* zorra *f*, raposa *f*.

ˈ**Fuchs...**: ~**jagd** *f* caza *f* del zorro; ~**loch** *Jgdw. n* (-ẹs; ¨er) madriguera *f* del zorro, zorrera *f*; ~**major** *m* (-*s*; -*e*) (*Studentenverbindung*) mentor *m* de los aspirantes a admisión definitiva; ~**pelz** *m* (-*es*; -*e*) piel *f* de zorro; ♀**rot** *adj.* (*Farbe*) bermejo; (*Haar*) pelirrojo; azafranado; (*Pferd*) alazán; ~**schwanz** *m* (-*es*; ¨e) cola *f* de zorra; ♀ amaranto *m*; (*Säge*) serrucho *m*; ~**stute** *f* yegua *f* alazana.

ˈ**fuchsteufelswild** *adj.* furioso, fuera de sí; ~ *werden* ponerse hecho una furia (*od.* un demonio *od.* un basilisco).

ˈ**Fuchtel** *f* (-; -*n*) férula *f*; *unter j-s* ~ *stehen* estar bajo la férula de alg.; ♀**n** (-*le*) *v/i.*: *mit den Händen* ~ manotear, agitar las manos.

ˈ**Fuder** *n* carretada *f*; (*Faß*) cuba *f*; ♀**weise** *adv.* a *od.* por carretadas; (*Wein*) por cubas.

Fug *m*: *mit* ~ *und Recht* con perfecto (*od.* todo) derecho; de justicia, de buena (*od.* con) razón.

ˈ**Fuge**[1] *f* ⊕ unión *f*; junta *f*, juntura *f*; (*Verblattung*) ensambladura *f*; (*Einfügung*) encajadura *f*, encaje *m*; (*Einschnitt*) entalladura *f*; (*Rille*) ranura *f*; (*Kerbe*) muesca *f*; (*Spalt*) hendidura *f*; *aus den* ~*n bringen* desencajar; dislocar; *aus den* ~*n gehen* desencajarse; dislocarse; desvencijarse; *fig.* (*sich auflösen*) disolverse; desorganizarse; *fig. aus den* ~*n* fuera de quicio.

ˈ**Fuge**[2] ♪ *f* fuga *f*.

ˈ**fugen** *v/t.* juntar, unir; *Bretter*: ensamblar; encajar.

ˈ**fügen 1.** *v/t.* juntar, unir; (*passend ordnen*) arreglar, ordenar, disponer; (*ineinanderfügen*) encajar; (*Bretter*) ensamblar; *wie Gott es fügt* como Dios quiera (*od.* disponga); **2.** *v/refl.*: *sich* ~ unirse (*an ac.* a); *fig.* (*geschehen*) suceder, ocurrir; (*sich unterwerfen*) someterse (*unter ac.* a); (*sich anpassen*) acomodarse (*in ac.* a); conformarse (*in ac.* con); (*sich schicken*) resignarse (*in ac.* a); (*nachgeben*) ceder; doblegarse (*in ac.* a); *das fügt sich gut* esto viene a propósito (*od.* a la medida).

ˈ**Fugen|kelle** ⌂ *f* llana *f* de rejuntar; ♀**los** *adj.* sin junturas.

ˈ**füg|lich I.** *adj.* conveniente; oportuno; **II.** *adv.* convenientemente; oportunamente; (*mit Fug*) con razón; (*wohl*) bien; ~**sam** *adj.* dócil; (*umgänglich*) tratable; (*anpassungsfähig*) acomodadizo, acomodaticio; ♀**samkeit** *f* docilidad *f*; carácter *m* acomodaticio; ♀**ung** *f* ⊕ (*Verbindung*) unión *f*, juntura *f*; (*Ineinander*♀) ensambladura *f*; *fig.* (*Zusammentreffen*) coincidencia *f*; (*Schicksal*) destino *m*; (*Unterwerfung*) sumisión *f*; *die göttliche*

~ la (Divina) Providencia; *Gottes* ~ los designios (*od.* caminos) de Dios.

'**fühlbar** *adj.* sensible; (*berührbar*) tangible; (*merkbar*) perceptible; (*greifbar*) palpable; ~*er Verlust* pérdida sensible; ~*er Mangel an* (*dat.*) sensible escasez de; *j-m et.* ~ *machen* hacer sentir a alg. a/c.; ~ *werden, sich* ~ *machen* hacerse sentir *od.* notar.

'**fühlen 1.** *v/t.* (*empfinden*) sentir; (*erfahren*) experimentar; (*befühlen*) tocar; palpar; tentar; *j-m den Puls* ~ tomar el pulso a alg.; **2.** *v/refl.*: *sich wohl* (*glücklich*) ~ sentirse bien (feliz); *sich betroffen* (*beleidigt*) ~ darse por aludido (ofendido); *sich behaglich* ~ estar a sus anchas; *sich verpflichtet* ~ creerse obligado; **3.** *v/i.* experimentar sensaciones *f/pl.*; *fig. j-m auf den Zahn* ~ sondear las intenciones de alg.; 2 *n* (*Gefühl, Empfindung*) sensación *f*; → *Gefühl.*

'**Fühl...:** ~**er** *m Zoo.* antena *f*; *fig.* tanteo *m*; *fig. s-e* ~ *ausstrecken* tantear el terreno; ~**horn** *Zoo. n* (*-es*; *⸚er*) antena *f*; ~**ung** *f* contacto *m*; ⚔ (*Tuch*2) tacto *m* de codos; ~ *bekommen* entrar en relación con; ~ *haben mit* estar en relación (*od.* contacto) con; ~ *nehmen mit j-m* ponerse al habla con alg., ponerse en contacto con alg.; ⚔ *mit dem Feind in* ~ *bleiben* mantener el contacto con el enemigo; ~**ungnahme** *f* (*0*) *fig.* cambio *m* de pareceres; contacto *m*; sondeo *m*.

'**Fuhre** *f* (*Wagen*) carro *m*; (*Ladung*) carretada *f*; (*Transport*) acarreo *m*.

'**führen 1.** *v/t.* conducir (*a. Auto.*); llevar; (*geleiten*) acompañar; guiar; ⚓, ✈ pilotar; (*leiten*) dirigir; (*lenken, steuern*) conducir, guiar; *Dame*: dar el brazo a; *Geschäft*: (*leitend*) dirigir, (*verwaltend*) administrar; *Amt*: desempeñar; ⚔ *Truppen*, ⚓ *Schiff*: mandar; *Trupp, Gruppe*: capitanear, *Pol. a.* acaudillar; *Beweis*: aducir; *Haushalt, Rechnung, Bücher, Tagebuch, Kasse, Korrespondenz*: llevar; *Schlag*: dirigir (gegen contra); descargar, dar; *Gespräch, Unterredung*: (sos)tener; *Namen*: llevar; *Titel*: *a.* tener; *Waren*: vender, tener a la venta; *Protokoll*: redactar; *Feder, Schwert* (*handhaben*) manejar; ~ *nach* (*Verkehrsmittel*) ir; *Straße*: *a.* conducir; *an der Hand* ~ llevar de la mano; *am Gängelband* ~ (*Kind*) llevar con andadores; *fig.* tener bajo tutela; *vor Augen* ~ poner en evidencia; *zu e-m guten* (*bösen*) *Ende* ~ conducir a buen (mal) fin; *j-n auf den rechten Weg* ~ poner a alg. en buen camino; *j-n den rechten Weg* ~ llevar a alg. por el buen camino; *e-e glückliche* (*unglückliche*) *Ehe* ~ vivir en feliz matrimonio (ser desgraciado en el matrimonio); *fig. j-n aufs Glatteis* ~ tender un lazo a alg.; *j-n hinters Licht* ~ engañar a alg.; *das Wort* ~ llevar la palabra; *das große Wort* ~ hablar en tono campanudo; F llevar la voz cantante; *den Vorsitz* ~ presidir una reunión; *bei sich* ~ llevar consigo (*od.* llevar encima); *mit sich* ~ *Fluß*: arrastrar, acarrear (*a. fig.*); *zu weit* ~ llevar demasiado lejos; *in Versuchung* ~ tentar; *Rel. führe uns nicht in Versuchung* no nos dejes caer en la tentación; *fig. im Munde* ~ tener siempre en (*od.* no caérsele de) la boca; *im Schilde* ~ encubrir un designio; ocultar una mala intención; *die Aufsicht* ~ *über* (*ac.*) tener la inspección de; vigilar a/c.; *Klage* ~ formular (*od.* presentar) una queja contra; *mit j-m* (*od. gegen j-n*) *Krieg* ~ hacer la guerra a; *e-n Prozeß* ~ *von Parteien*: pleitear, entablar pleito (gegen contra); *von Advokaten*: abogar, defender; **2.** *v/refl.*: *sich gut* (*schlecht*) ~ comportarse *od.* conducirse bien (mal); **3.** *v/i.* (*an der Spitze sein*) estar en cabeza; ir a la cabeza; figurar en primera línea; desempeñar una función rectora; *wohin soll das* ~? ¿adónde irá a parar todo esto?; *das führt zu nichts* esto no conduce a nada; ~**d** *adj.* conductor; (*leitend*) director; dirigente; directivo, rector; (*an der Spitze*) de primer orden, de primera categoría; de mayor importancia; (*hervorragend*) eminente, prominente; relevante, destacado; (*maßgebend*) autorizado; de mayor competencia; (*vorherrschend*) preponderante; ~*e Kreise fig.* círculos directores; dirigentes *m/pl.*; ~*e Stellung* puesto *m* directivo.

'**Führer** *m* conductor *m*; (*Vorgesetzter*) jefe *m*; (*Leiter*) director *m*; *Sport*: capitán *m*; (*Wagen*2) conductor *m*; (*Fremden*2) *Person*: guía *m*; *Buch*: guía *f*; (*Lokomotiv*2) maquinista *m*; (*Kran*2) maquinista *m* de grúa; (*Flugzeug*2) piloto *m*; (*Betriebsleiter*) jefe *m*; (*Geschäfts*2) gerente *m*; ⚔ jefe *m*; caudillo *m*; *Pol.* (*Partei*2) jefe *m* (político), líder *m*; (*Parteileiter*) dirigente *m*; (*Parteigewaltiger*) *hum.* jefazo *m*; *desp.* cacique *m* (*Rädels*2) cabecilla *m*; ~**eigenschaften** *f/pl.* dotes *f/pl.* de mando; ~**haus** *n* (*-es*; *⸚er*) cabina *f* del conductor *bzw.* del maquinista; ~**in** *f* jefa *f*; regidora *f*; ~**kabine** ✈ *f* cabina *f* del piloto; 2**los** *adj.* sin jefe, acéfalo; ~**prinzip** *n* (*-s*; *-ien*) principio *m* autoritario; ~**schaft** *f* (*0*) (*Vorsitz*) jefatura *f*; (*Leitung*) dirección *f*; *Pol.* (*Parteiführung*) jeraquías *f/pl.* del partido; mandos *m/pl.*; ~**schein** *m* (*-es*; *-e*) ✈ patente *f* de piloto; *e-s Fahrzeugs*: permiso *m* de conducción; carnet *m* de conductor; ~**schein-entzug** *m* (*-es*; *0*) retirada *f* del carnet de conductor; ~**sitz** *m* (*-es*; *-e*) ✈ asiento *m* del piloto; *Auto.* asiento *m* del conductor; ~**stand** *m* (*-es*; *⸚e*) puesto *m* del conductor; ✈ puesto *m* del piloto; 🚂 puesto *m* del maquinista; ~**tum** *n* (*-s*; *0*) caudillaje *m*; *Am.* liderazgo *m*.

'**Fuhr...:** ~**geld** *n* (*-es*; *-er*), ~**lohn** *m* (*-es*; *⸚e*) gastos *m/pl.* de acarreo; gastos *m/pl.* de transporte; camionaje *m*; ~**mann** *m* (*-es*; *-leute*) volquetero *m*; carretero *m*; camionista *m*; *Astr.* Auriga *m*; ~**park** *m* (*-es*; *-s od. -e*) parque *m* de vehículos de transporte.

'**Führung** *f* conducta *f*; ⚔, ⚓ mando *m*; ✈ pilotaje *m*; ⊕ *e-s Maschinenteiles*: guía *f*; conducción *f*; *e-s Geschäfts*: gestión *f*; gerencia *f*; ✝ *der Bücher*: teneduría *f* (de libros); ⚖ (*Prozeß*2) procedimiento *m*; (*Führerschaft*) jefatura *f*; dirección *f*; *bei guter* ~ observando buena conducta; *die* ~ *übernehmen* tomar la dirección; ⚔ asumir el mando; *Sport*: ponerse en cabeza; *in* ~ *sein Sport*: llevar ventaja; ir (*bzw.* mantenerse) en cabeza.

'**Führungs...:** ~**arm** ⊕ *m* (*-es*; *-e*) brazo *m* de conducción; ~**bahn** ⊕ *f* corredera *f*; vía *f bzw.* plano *m* de deslizamiento; ~**gremium** *n* (*-s*; *-gremien*) núcleo *m* dirigente; ~**leiste** ⊕ *f* listón *m* de guía; ~**ring** *m* (*-es*; *-e*) (*Geschoß*2) anillo *m* de impulsión y conducción; ~**rolle** ⊕ *f* polea *f* de guía; ~**schiene** ⊕ *f* raíl-guía *m*; → *Führungsbahn*; ~**stab** ⚔ *m* (*-es*; *⸚e*) estado *m* mayor operativo; ~**stange** ⊕ *f* vástago *m* de guía; (*an der Straßenbahn*) trole *m*; ~**zeugnis** *n* (*-ses*; *-se*) certificado *m* de (buena) conducta.

'**Fuhr...:** ~**unternehmen** *n* empresa *f* de transportes; ~**unternehmer** *m* empresario *m* de transportes, transportista *m*; ~**werk** *n* (*-es*; *-e*) vehículo *m*, carruaje *m*; ~**wesen** *n* (*-s*; *0*) *allg.* transportes *m/pl.*; (*mit Werkstatt*) carretería *f*; acarreo *m*; *mit Lastwagen*: (servicio *m* de) camionaje *m*; ⚔ tren *m* de bagaje.

'**Füll|ansatz** ⊕ *m* (*-es*; *⸚e*) apéndice *m*; ~**bleistift** *m* (*-es*; *-e*) lápiz *m* portaminas; ~**e** *f* (*0*) abundancia *f*; *fig.* plenitud *f*; plétora *f*; (*Überfluß*) opulencia *f*; exuberancia *f*; profusión *f*; (*Menge*) gran cantidad *f*; (*Reichtum*) riqueza *f*; (*Körper*2) gordura *f*; (*Geräumigkeit*) amplitud *f*; *in Hülle und* ~ en gran abundancia; F a tutiplén; F a porrillo; *in Hülle und* ~ *leben* vivir en la opulencia.

'**füllen** *v/t.* llenar (*mit* de); *Kochkunst*: rellenar; *Ballon*: inflar; *Zähne*: empastar; orificar; ~ *in* (*ac.*) echar *od.* verter en; *in Flaschen* ~ embotellar; *in Säcke* ~ ensacar; *in Fässer* ~ embarrilar; entonelar; *gefüllte Blumen* flores dobles; 2 *n* → *Füllung.*

'**Füllen** *n Zoo.* potro *m*; *weibliches*: potra *f*, potranca *f*.

'**Füll...:** ~**er** F *m*, ~**feder** *f* (*-*; *-n*), ~**federhalter** *m* (pluma *f*) estilográfica *f*; ~**federhaltertinte** *f* tinta *f* para estilográficas; ~(**feder**)**halterverschlußkappe** *f* capuchón *m* de la estilográfica; ~**horn** *n* (*-es*; *⸚er*) cuerno *m* de la abundancia; cornucopia *f*; 2**ig** *adj.* grueso; F regordete; *Schneiderei*: amplio; ~ *machen* ensanchar; ~**masse** *f* masa *f* de relleno; ~**material** *n* (*-s*; *-ien*) material *m* de relleno; ~**öffnung** *f Met.* abertura *f* (*od.* lumbrera *f*) de carga; ~**rumpf** *m* (*-es*; *⸚e*) tolva *f* de carga; ~**schraube** *Auto. f* tapón *m* de rosca; ~**sel** *n Kochkunst*: relleno *m*; *fig.* (*Vers*2) ripio *m*; ~**steine** ⚒ *m/pl.* ripios *m/pl.*; ~**stoff** *m* (*-es*; *-e*) → *Füllmaterial*; ~**stutzen** *m* tubuladura *f* de relleno; ~**trichter** *Met. m* tolva *f* (*od.* embudo *m*) de carga; ~**ung** *f* relleno *m*; *e-s Ballons*: insuflación *f*; *e-s Zahnes*: empaste *m*; orificación *f*; *e-s Bratens*: relleno *m*; *von Flaschen*: embotellado *m*; *von Fässern*: embarrilado *m*; (*Ladung*) carga *f*; **~vorrichtung** *f* dispositivo *m* de carga; **~wort** *n* (-*es*; ¨*er*) partícula *f* expletiva.

Fund *m* (-*es*; -*e*) hallazgo *m*; (*Fundsache*) objeto *m* hallado *bzw.* perdido *od.* extraviado; **~abgabestelle** *f* depósito *m* de objetos hallados.

Funda'ment *n* (-*es*; -*e*) fundamento *m*; △ *a.* cimentación *f*, cimientos *m/pl.*; (*Sockel*) base *f*; *fig.* fundamento *m*, base *f*; △ *das ~ legen* sentar (*od.* echar) los cimientos (*zu* de).

fundamen'tal *adj.* fundamental, básico; **2satz** *m* (-*es*; ¨*e*) principio *m* fundamental.

fundamen'tieren (-) *v/t.* asentar (*od.* echar) los cimientos (de).

'Fund...: ~büro *n* (-*s*; -*s*) depósito *m* de objetos hallados; **~gegenstand** *m* (-*es*; ¨*e*) objeto *m* hallado; **~geld** *n* (-*es*; *0*) recompensa *f* (*por hallazgo y entrega de un objeto perdido*); **~grube** *fig.* *f* filón *m*, mina *f*.

fun'dier|en (-) *v/t.* fundamentar; *Schuld*: consolidar; (*gründen*) fundar, establecer; **~t** *adj.*: *~e Schuld* deuda consolidada; *~es Wissen* conocimientos sólidos; **2ung** *f* fundamentación *f*; *e-r Schuld*: consolidación *f*.

'Fund...: ~ort *m* (-*es*; -*e*) lugar *m* del hallazgo; **~stück** *n* (-*es*; -*e*) objeto *m* hallado; **~unterschlagung** *f* retención *f* de un objeto hallado.

fünf I. *adj.* cinco; *~ gerade sein lassen* F hacer la vista gorda; *an den ~ Fingern abzählen* contar con los dedos de una mano; **II.** 2 *f* cinco *m*.

'fünf...: ~aktig *adj.* en cinco actos; **2eck** ⦟ *n* (-*es*; -*e*) pentágono *m*; **~eckig** *adj.* pentagonal; **~erlei** *adj.* de cinco clases (*od.* especies); **~fach, ~fältig I.** *adj.* quíntuple; **II.** *adv.* cinco veces; **2flächner** ⦟ *m* pentaedro *m*; **~füßig** *adj.*: *~er Vers* verso pentámetro; **~'hundert** *adj.* quinientos; **2'jahresplan** *m* (-*es*; ¨*e*) plan *m* quinquenal; **~jährig** *adj.* de cinco años (de edad); de (*od.* que dura) cinco años; quinquenal; **~jährlich** *adv.* cada cinco años; **2kampf** *m* (-*es*; ¨*e*) pentatlón *m*; **~mal** *adv.* cinco veces; **~malig** *adj.* repetido cinco veces; **2'markstück** *n* (-*es*; -*e*) moneda *f* de cinco marcos; **~monatlich** *adv.* cada cinco meses; **2pesetenstück** *n* (-*es*; -*e*) duro *m*; **~prozentig** *adj.* al cinco por ciento; **~seitig** *adj.* de cinco páginas; ⦟ pentagonal; **2silber** *m*, **~silbig** *adj.* (*Vers*) pentasílabo *m*; **~stellig** *adj.* *Zahl*: de cinco cifras; **~stöckig** *adj.* *Haus*: de cinco pisos; **2tagewoche** *f* semana *f* de cinco días; **~tägig** *adj.* de cinco días (de edad); de (*od.* que dura) cinco días; **~tausend** *adj.* cinco mil; **~te** *adj.* quinto; *~es Kapitel* capítulo quinto; *der* (*den, am*) *~(n) Mai* el cinco de mayo; *Berlin, den 5. Mai* Berlín 5 de mayo; *Karl der 2 (V.)* Carlos Quinto (Carlos V); *fig. das ~ Rad am Wagen sein* estar de más; **2tel** *n* quinto *m*; la quinta parte; (1/5) un quinto; **~tens** *adv.* en quinto lugar; (*bei Aufzählungen*) quinto; **2'uhrtee** (-*s*; -*s*) el té (de las cinco); **~zehn** *adj.* quince; **~zehnte** *adj.* décimoquinto; **~zig I.** *adj.* cincuenta; *in den ~er Jahren* en la década de 1950 a 1960; en los años cincuenta; **II. 2zig** *f* cincuenta *m*; **2ziger(in** *f*) *m* hombre *m* (mujer *f*) de cincuenta años; F cincuentón *m*, cincuentona *f*; *in den Fünfzigern sein* haber pasado la cincuentena; **2zig'jahrfeier** *f* (-; -*n*) cincuentenario *m*; **~zigjährig** *adj.* de cincuenta años; **~zigste** *adj.* quincuagésimo; **2zigstel** *n* la quincuagésima parte; (1/50) un cincuentavo.

fun'gieren (-) *v/i.*: *~ als* actuar de; hacer las veces de; F estar de.

'Funk *m* (-*es*; *0*) radio *f*; radiotelegrafía *f*, telegrafía *f* sin hilos (*Abk.* T.S.H.); → *Rundfunk, Radio*; **~anlage** *f* instalación *f* radiotelegráfica; equipo *m* de radiotelegrafía; **~apparat** *m* (-*es*; -*e*) aparato *m* de radiotelegrafía; **~bake** *f* baliza *f* con dispositivo radiotelegráfico, boya *f* TSH; **~bastler** *m* aficionado *m* a la radiotelegrafía; **~bearbeitung** *f* *Hörspiel*: adaptación *f* radiofónica; **~bericht** *m* (-*es*; -*e*) información *f* *bzw.* crónica *f* radiofónica; reportaje *m* radiado; **~bild** *n* (-*es*; -*er*) fotografía *f* radiada, foto-radiograma *m*, telefoto *f*.

'Fünkchen *n* chispita *f*; *fig.* → *Funke*.

'Funke *m* (-*ns*; -*n*) chispa *f*; *fig. a.* relámpago *m*; *~n sprühen* echar chispas (*a. fig.*), chisporrotear; *fig.* ápice *m*, átomo *m*, vestigio *m*, pizca *f*; *kein ~n Wahrheit* ni un ápice de verdad; *kein ~n Hoffnung* ni un rayo de esperanza.

'Funk-einrichtung *f* instalación *f* radiotelegráfica (*od.* de telegrafía sin hilos).

'funkeln (-*le*) **I.** *v/i.* (*strahlen*) brillar, resplandecer; (*glitzern*) relucir; (*sprühen*) chispear, echar chispas (*a. fig.*); destellar; centellear; (*aufleuchten*) fulgurar; *Meer*: (*Poes.*) rielar; **II.** 2 *n* brillo *m*, resplandor *m*; centelleo *m*; fulgor *m*.

funkelnagel'neu *adj.* flamante; F nuevecito.

'funken I. radiar, radiotelegrafiar, transmitir un radio(tele)grama; **II.** 2 *n* radiotelegrafía *f*.

'Funken *m* → *Funke*; **~entladung** *f* descarga *f* por chispas; **~fänger** *m* parachispas *m*; **~induktor** *m* (-*s*; -*en*) inductor *m* de chispas; **~regen** *m* lluvia *f* de chispas; **~sprühen** *n* chisporroteo *m*; **2sprühend** *adj.* chispeante; **~strecke** *f* distancia *f* explosiva de las chispas; **~telegraphie** *f* (*0*) telegrafía *f* sin hilos (*Abk.* T.S.H.), radiotelegrafía *f*.

'Funk...: 2entstört *adj.* protegido contra interferencias; **~entstörung** *f* protección *f* antiparasitaria, supresión *f* de interferencias; **~er** *m* radiotelegrafista *m*; **2ferngesteuert** *adj.* radiodirigido; **~fernpeilung** *f* radiodetección *f*; radiodirección *f*; **~fernsprechen** *n* radiofonía *f*; radiotelefonía *f*; **~fernsprecher** *m* radioteléfono *m*; **~feuer** *n* radiofaro *m*; **~gerät** *n* (-*es*; -*e*) → *Funkapparat*; **2gesteuert** *adj.* radiodirigido; **~haus** *n* (-*es*; ¨*er*) (*Sendestelle*) estación *f* radiotelegráfica; radioemisora *f*; **~kompaß** *m* (-*sses*; -*sse*) radiocompás *m*; **~meldung** *f*, **~nachricht** *f* → *Funkspruch*; **~meß-anlage** *f* instalación *f* de radar; **~navigation** *f* (*0*) radionavegación *f*; **~ortung** *f* radiolocalización *f*; **~peilanlage** *f* instalación *f* radiogoniométrica; **~peilgerät** *n* (-*es*; -*e*) radiogoniómetro *m*; **~peilstelle** *f* estación *f* radiodetectora; **~peilung** *f* radiogoniometría *f*; **~sender** *m* emisora *f* radiotelegráfica; emisora *f* radiotelefónica; **~sendung** *f* emisión *f* radiofónica; **~signal** *n* (-*es*; -*e*) señal *f* emitida por radio(telegrafía); **~sprechgerät** *n* equipo *m* radiotelefónico; **~sprechverkehr** *m* (-*s*; *0*) radiotelefonía *f*; **~spruch** *m* (-*es*; ¨*e*) mensaje *m* radiotelegráfico, radiograma *m*; radiotelefonema *m*; **~station** *f*, **~stelle** *f* estación *f* emisora; emisora *f* radiofónica; emisora *f* radiotelegráfica (*od.* de T.S.H. = telegrafía sin hilos); **~steuerung** *f* radiodirección *f*; **~stille** *f* (*0*) silencio *m* interemisiones; tiempo *m* muerto; **~streife** *f*, **~streifenwagen** *m* coche *m* radiopatrulla; **~technik** *f* (*0*) radiotécnica *f*; **~techniker** *m* radiotécnico *m*; **2technisch** *adj.* radiotécnico; **~telegramm** *n* (-*es*; -*e*) radio(tele)grama *m*; **~telephonie** *f* (*0*) radiotelefonía *f*.

Funkti'on *f* función *f* (*a.* ⦟); (*Tätigkeit*) actuación *f*; *in ~ treten* entrar en funciones.

funktio'nal *adj.* funcional.

Funktio'när *m* (-*s*; -*e*) funcionario *m*; (*Partei2*) dirigente *m* sindical *od.* político; (*bezahlter*) empleado *m* de un partido *od.* sindicato.

funktio'nell *adj.* funcional.

funktio'nieren I. *v/i.* funcionar; **II.** 2 *n* funcionamiento *m*.

Funkti'ons-störung *f* ⚕ trastorno *m* funcional.

'Funk...: ~turm *m* (-*es*; ¨*e*) torre *f* portaantenas; **~verbindung** *f* comunicación *f* por radio; *in ~ stehen* (*treten*) estar en (establecer) comunicación por radio; **~verkehr** *m* radiocomunicación *f*; **~wagen** *m* coche-emisora *m*; **~weg** *m*: *auf dem ~* por radio; **~werbung** *f* publicidad *f* radiada; **~wesen** *n* (-*s*; *0*) radiotelegrafía *f*; radiotelefonía *f*; (*Funktechnik*) radiotécnica *f*; **~zeitschrift** *f* revista *f* de radio y televisión.

für I. *prp.* (*ac.*) por; para; a; contra; *Zweck, Ziel, Bestimmung*: *ein Buch ~ dich* un libro para ti; *ein Mittel ~ Kopfschmerzen* un remedio para (*od.* contra) el dolor de cabeza; e-e *Sendung ~ Valencia* ☤ una remesa para Valencia; *~ heute* para hoy; *Verhältnis*: *ich halte es ~ unklug* lo considero desacertado; *~ wen halten Sie mich?* ¿por quién me toma usted?; (*was anbetrifft*) en cuanto a, respecto a; *ich ~ meinen Teil* por mi parte; *ich ~ m-e Person* por lo que a mí toca; en cuanto a mí; en lo que a mí respecta (*od.* concierne); *Einteilung, Verteilung*: *Mann ~ Mann* uno por uno, uno a uno; uno después de otro; *Tag ~ Tag* día por día; *Punkt ~ Punkt* punto por punto; *Schritt ~ Schritt* paso a paso; *Wort ~ Wort* palabra por palabra; *Vergleich*: *~ sein Alter* para su edad, para sus años; ~ *das wenige Geld, das du verdienst, arbeitest du zuviel* para lo poco que ganas trabajas demasiado; *Interesse*: *ich habe Interesse* ~ tengo interés por; *ich möchte es* ~ *mein Leben gern erreichen* daría cualquier cosa por lograrlo; *Gunst, Hingabe*: *ich stimme* ~ *ihn* yo voto por él; ~ *m-e Familie tue ich alles* por mi familia soy capaz de todo; *alles spricht* ~ *ihn* todo habla en su favor; ~ *das Vaterland* por la Patria; (*zugunsten von*) a favor de; *Preis*: ~ *10 Mark* por diez marcos; ~ *je 5 Mark* a cinco marcos por pieza; ~ *diesen Preis* a ese precio, por ese precio; *Stellvertretung, Ersatz*: (*als Austausch für*) a cambio de, por; (*anstatt*) en lugar de; en sustitución de; *das ist e-e Sache* ~ *sich* esto es cosa aparte; este es asunto muy distinto; ~ *sich leben* vivir solo (*od.* retirado); ~ *sich allein* solo; por sí solo; para sí; (*aus sich heraus*) de por sí; ~ *sich denken* pensar para sí; *die Sache an und* ~ *sich* la cosa en sí (misma); *das hat viel* ~ *sich* esto es muy plausible; (*was für*) *was* ~ *Äpfel sind das?* ¿qué (clase de) manzanas son éstas?; *was* ~ *ein Mensch ist das?* ¿qué clase de persona es?; *was* ~ *ein Buch ist das?* ¿qué libro es ése?; *was* ~ *Bücher liest du?* ¿qué (clase de) libros lees?; *was* ~ *ein Lärm!* ¡pero qué estrépito!; *was* ~ *e-e Frau!* ¡qué mujer!; *Möglichkeit*: ~ *alle Fälle*, ~ *den Fall* (para el) caso de que *subj.*; por si (acaso) *subj.*; ~*s erste* primero, primeramente; (*zunächst*) por de pronto; **II.** *adv.* ~ *und* ~ sin cesar, continuamente; (para) siempre; **III.** ♀ *n*: *das* ~ *und Wider* el pro y el contra.

Fu'rage [-ʒə] *f* (*0*) forraje *m*.

'Fürbitte *f* intercesión *f* (*für* a *od.* en favor de); *Rel.* ruego *m*; ~ *einlegen für* interceder por; *Rel.* rogar (orar *od.* rezar) por; ⚖ abogar por.

'Furche *f* surco *m*; (*Rinne*) canal *m*; (*Runzel*) arruga *f*; cisura *f*; **♀n** *v/t.* surcar; (*runzeln*) arrugar.

'Furcht *f* (*0*) temor *m* (*aus* por; *vor* a; de); (*Angst*) miedo *m*; (*Schrekken*) terror *m*; (*Entsetzen*) espanto *m*; (*Besorgnis*) aprensión *f*; (*argwöhnische*) recelo *m*; (*schaudernde*) pavor *m*; *aus* ~ *vor j-m* por temor *od.* miedo de *od.* a alg.; *aus* ~ *zu* (*inf.*) por temor *od.* miedo a, de (*inf.*); *aus* ~ *vor et.* por temor *od.* miedo a a/c.; *aus* ~, *daß* por temor *od.* miedo de que (*subj.*); *j-n in* ~ *versetzen* amedrentar, atemorizar (*ac.*) a alg.; infundir (F meter) miedo a alg.; *ohne* ~ *und Tadel* (*Ritter*) sin (miedo y sin) tacha; *umkommen vor* ~ morirse de miedo; **♀bar** *adj.* temible; tremendo; (*schrecklich*) terrible, horrible (*beide a. fig.*); (*abscheulich*) atroz; (*schauderhaft*) pavoroso; (*entsetzlich*) espantoso (*a. fig.*); (*gewaltig*) horrendo; (*sehr groß*) enorme; formidable; **~barkeit** *f* (*0*) carácter *m* terrible; pavorosidad *f*.

'fürchten (-*e*-) *v/t. u. v/refl.* temer; (*argwöhnisch*) recelar; *j-n* ~ temer (tener miedo) a alg.; et. ~ temer (tener miedo a) a/c.; *sich* ~ tener miedo (*vor dat.* a); ~, *daß* temer que (*subj.*); ~ *für* temer por; *sich* ~ *zu* (*inf.*) tener miedo de (*inf.*); **II.** ♀ *n* → *Furcht*.

'fürchterlich *adj.* → *furchtbar*.

'furcht|erregend *adj.* → *furchtbar*; **~los** *adj.* sin temor; sin miedo; (*unerschrocken*) impávido; (*wagemutig*) intrépido; **♀losigkeit** *f* (*0*) impavidez *f*; intrepidez *f*; **~sam** *adj.* temeroso; (*schüchtern*) tímido; (*ängstlich*) medroso, miedoso; pusilánime; F temerón; (*feig*) cobarde; (*argwöhnisch*) receloso; **♀samkeit** *f* (*0*) pusilanimidad *f*; timidez *f*; (*Feigheit*) cobardía *f*.

'Furie *f* furia *f*.

Fu'rier ⚔ *m* furriel *m*.

für'liebnehmen (*L*) *v/i.*: ~ *mit* contentarse con, darse por satisfecho con.

Fur'nier *n* (-*es*; -*e*) ⊕ chapa *f od.* hoja *f* de madera; enchapado *m*; **♀en** *v/t.* enchapar, cubrir con chapas *f/pl.* de madera; (*auf beiden Seiten*) contrachap(e)ar; **~en** *n*, **~ung** *f* enchapado *m*; **~holz** *n* (-*es*; ⸚*er*) madera *f* para enchapado; hojas *f/pl.* de madera contraplacadas.

Fu'rore *f* (*0*) *od. n* furor *m*; ~ *machen* causar gran sensación.

'Fürsorge *f* (*0*) solicitud *f*; cuidados *m/pl.*; *staatliche* (*soziale*) ~ asistencia *f* benéfico-social; auxilio *m* social; **~amt** *n* (-*es*; ⸚*er*) oficina *f* de asistencia social; (*Vormundschaftsgericht*) *Span.* Tribunal *m* Tutelar de Menores; **~rin** *f* asistenta *f* social; **~wesen** *n* (-*s*; *0*) sistema *m* asistencial benéfico-social.

'Für|sprache *f* (*0*) intercesión *f*; ~ *einlegen für* interceder por; **~sprecher** *m* intercesor *m*; (*Anwalt*) abogado *m*.

'Fürst(in *f*) *m* (-*en*) príncipe *m*, princesa *f*; **~bischof** *m* (-*s*; ⸚*e*) príncipe *m* obispo; **~engeschlecht** *n* (-*es*; -*er*) dinastía *f*; **~entum** *n* (-*es*; ⸚*er*) principado *m*; **♀lich** *adj.* de príncipe; principesco; *fig.* regio; (*bewirten*) a cuerpo de rey; ~ *leben* vivir a lo grande *od.* como un duque; vivir principescamente.

Furt *f* vado *m*.

Fu'runkel ⚕ *m* furúnculo *m*, divieso *m*.

furunku'lös ⚕ *adj.* furunculoso.

Furunku'lose ⚕ *f* furunculosis *f*.

'Für|witz *m* (-*es*; *0*) indiscreción *f*; curiosidad *f* indiscreta; **~wort** *Gr.* *n* (-*es*; ⸚*er*) pronombre *m*.

Furz V *m* (-*es*; ⸚*e*) pedo *m*; **'♀en** (-*t*) V *v/i.* ventosear, V soltar pedos *m/pl.*

'Fusel F *m* (*Schnaps*) aguardiente *m* malo, P aguardiente *m* matarratas.

'Fusel-öl *n* (-*es*; -*e*) aceite *m* empireumático.

Füsi'lier ⚔ *m* (-*s*; -*e*) fusilero *m*; soldado *m* de infantería; **♀en** (-) ⚔ *v/t.* fusilar, pasar por las armas.

Fusi'on *f* fusión *f*.

fusio'nieren [-zĭo'ni:-] (-) *v/t.* fusionar.

Fuß *m* (-*es*; ⸚*e*) (*Menschen♀, Möbel♀, Vers♀, bei manchen Tieren u. als Maß*) pie *m*; *Tier*: pata *f* (*a. Möbel♀*); *e-r Bildsäule*: basa *f*; pedestal *m*; *zu* ~ a pie; *zu* ~ *gehen* ir a pie; *gut zu* ~ *sein* ser buen andador; *von Kopf bis* ~ de pies a cabeza; *zehn* ~ *lang* de diez pies de largo; *auf gleichem* ~ en pie de igualdad; *mit dem* ~ *stoßen* dar un puntapié (*od.* una patada) a; *mit dem* ~ *an et. stoßen* dar (*od.* tropezar) con el pie contra; *mit e-m* ~ *im Grabe stehen fig.* estar con un pie en la sepultura; *j-m auf den* ~ *treten* dar un pisotón a alg.; *fig.* ofender a alg.; *j-m zu Füßen fallen* echarse a los pies de alg.; *auf die Füße fallen* caer de pie; *auf eigenen Füßen stehen* ser independiente, vivir por cuenta propia; *sich auf eigene Füße stellen* hacerse independiente; *fig. mit Füßen treten* pisotear; hollar (*beide a. fig.*); *festen* ~ *fassen* asentar pie firme en; *fig. a.* arraigar en; consolidarse; *auf schwachen Füßen stehen* asentar sobre base endeble; *den Boden unter den Füßen verlieren* perder pie (*a. fig.*); *keinen* ~ *vor den anderen setzen können* no poder dar paso; *fig. mir sind Hände und Füße gebunden* estoy atado de pies y manos; *j-m auf dem* ~*e folgen* seguir de cerca a alg.; F *fig.* ir pisando a alg. los talones; *auf großem* ~*e leben* vivir a lo grande, vivir con boato *od.* con regalo; *auf freien* ~ *setzen* poner en libertad; *auf gleichem* ~ *stehen* estar a la par con, estar a la misma altura que; *mit j-m auf gutem* (*schlechtem*) ~ *stehen* estar en buenos términos (estar en relaciones poco amistosas) con alg.; *das hat Hand und* ~ eso está bien hecho; eso tiene sentido; *das hat weder Hand noch* ~ esto no tiene pies ni cabeza.

'Fuß...: **~abdruck** *m* (-*es*; -*e*) huella *f* (del pie); **~abtreter** *m metallener*: limpiabarros *m*; (*Fußmatte*) limpiapiés *m*, felpudo *m*; **~angel** *f* (-; -*n*) (*Falle*) cepo *m*; **~anlasser** *Auto. m* pedal *m* de arranque; **~antrieb** ⊕ *m* (-*es*; -*e*) propulsión *f* a pedal; **~arzt** *m* (-*es*; ⸚*e*) cirujano *m* pedicuro; **~bad** *n* (-*es*; ⸚*er*) baño *m* de pies; ⚕ pediluvio *m*; **~ball** *m* (-*es*; ⸚*e*) balón *m*, pelota *f* de fútbol; ~ *spielen* jugar al fútbol; **~ballen** *Anat. m* tenar *m*; **~ballfanatiker** *m* entusiasta *m* del fútbol; F hincha *m*; **~ballclub** *m* (-*s*; -*s*) club *m* de fútbol; **~ballmannschaft** *f* equipo *m* de fútbol; **~ballmeisterschaft** *f* campeonato *m* de fútbol; **~ballplatz** *m* (-*es*; ⸚*e*) campo *m* de fútbol; estadio *m*; *Arg.* cancha *f*; **~ballspiel** *n* (-*es*; -*e*) fútbol *m*; (*Kampf*) partido *m* (*od.* encuentro *m*) de fútbol; **~ball(spiel)er** *m* jugador *m* de fútbol, futbolista *m*; **~ballstiefel** *m/pl.* botas *f/pl.* de fútbol; **~balltoto** *m* (-*s*; *0*) quinielas *f/pl.* de fútbol; **~ballverband** *m* (-*es*; ⸚*e*) federación *f* de clubs de fútbol; **~ballverein** *m* (-*es*; -*e*) club *m* de fútbol; **~ballweltmeister** *m* campeón *m* mundial de fútbol; **~ballweltmeisterschaft** *f* campeonato *m* mundial de fútbol; **~bank** *f* (-; ⸚*e*), **~bänkchen** *n* escabel *m*; **~bekleidung** *f* calzado *m*; **~boden** *m* (-*s*; ⸚) suelo *m*, piso *m*; (*Stein♀, Fliesen♀*) pavimento *m*; (*Parkett*) entarimado *m*; **~bodenbelag** *m* (-*es*; ⸚*e*) revestimiento *m* del suelo; parqué *m*; (*Teppich*) alfombra *f*; estera *f*; **~bodenwachs** *n* (-*es*; -*e*) cera *f* para suelos; encáustico *m*; **~breit** *m*: *keinen ~ weichen* no (retro)ceder ni un palmo; **~bremse** *f* freno *m* de pedal; **~bremshebel** *m* palanca *f* del freno de pedal; **~brett** *n* (-*ẹs*; -*er*) *Auto usw.*: estribo *m*; **~decke** *f* cubrepiés *m*; **~eisen** *n* grillos *m/pl.*; (*Falle*) cepo *m*.

'**Fussel** F *m* mota *f*; hilacha *f*.

'**fußen** (-*t*) *v/i. Jgdw.* posarse; *fig.* estribar, fundarse, basarse, apoyarse (*auf dat.* en).

'**Fuß...**: **~ende** *n des Bettes*: pie *m bzw.* pies *m/pl.* de la cama; **~fall** *m* (-*ẹs*; ¨*e*) postración *f*; genuflexión *f*; arrodillamiento *m*; e-*n* ~ *vor j-m tun* echarse a los pies de alg.; postrarse ante alg.; **2fällig I.** *adj.* postrado; arrodillado; **II.** *adv.* de rodillas, de hinojos, arrodillado (ante); postrado (a los pies de); **~fessel** *f* (-; -*n*) *Anat.* empeine *m*; (*Strick*) traba *f*; *für Pferde*: arropea *f*; **~fesseln** *f/pl.* grillos *m/pl.*; **~gänger** *m* peatón *m*, transeúnte *m*; (*Wanderer*) caminante *m*; *guter ~* buen andador; **~gängerbrücke** *f* pasarela *f* para peatones; **~gängerverkehr** *m* (-*s*; *0*) circulación *f* de peatones; **~gängerweg** *m* (-*ẹs*; -*e*) acera *f*; **~gashebel** *m Auto.* (pedal *m* del) acelerador *m*; **~gelenk** *Anat. n* (-*ẹs*; -*e*) articulación *f* del pie; **~gestell** *n* (-*ẹs*; -*e*) pedestal *m*; (*dreifüßiges*) trípode *m*; (*Bock*) caballete *m*; **~gicht** ⚕ *f* (*0*) podagra *f*; **~hebel** *m Auto.* pedal *m*; **2hoch** *adj.* de un pie de altura; **~knöchel** *Anat. m* tobillo *m*; **~lappen** *m* peal *m*; **~leiden** *n* enfermedad *f* de los pies; **~leiste** *f* rodapié *m*; zócalo *m*.

'**Füßling** *m* (-*s*; -*e*) pie *m* (de la media); escarpín *m*.

'**Fußmarsch** *m* marcha *f* a pie.

'**Fuß...**: **~matte** *f* limpiapiés *m*, felpudo *m*; **~note** *f* nota *f* (de pie de la página); **~pfad** *m* (-*ẹs*; -*e*) sendero *m*, senda *f*; vereda *f*; **~pflege** *f* (*0*) higiene *f* de los pies; **~pfleger(in** *f*) *m* pedicuro (-a *f*) *m*; **~raste** *f Auto.* apoyapiés *m*; **~reise** *f* viaje *m* a pie; **~sack** *m* (-*ẹs*; ¨*e*) folgo *m*; **~schalter** *m* interruptor *m* de pedal; **~schemel** *m* escabel *m*; **~schweiß** *m* (-*es*; *0*) sudor *m* de los pies; **~sohle** *f* planta *f* del pie; **~soldat** ⚔ *m* (-*en*) soldado *m* de infantería; **~spitze** *f* punta *f* del pie; **~spur** *f* pisada *f*; huella *f* (del pie); **~stapfen** *f/pl.* → *Fußspur*; *in j-s ~ treten* seguir las huellas de alg.; **~steuerung** *f* mando *m* por pedal; **~stütze** *f Auto.* apoyo *m* para los pies, apoyapiés *m*; **~tritt** *m* (-*ẹs*; -*e*) puntapié *m*; patada *f*; (*am Wagen*) estribo *m*; *j-m* e-*n ~ versetzen* dar un puntapié a alg.; **~truppen** *f/pl.* ⚔ infantería *f*, tropas *f/pl.* de a pie; **~umschalter** *m* conmutador *m* de pedal; **~volk** ⚔ *n* (-*ẹs*; *0*) gente *f* de a pie; gregarios *m/pl.*; **~wanderung** *f* excursión *f* a pie; **~wärmer** *m* calientapiés *m*; braserillo *m*; **~waschung** *Rel. f* ablución *f*; (*am Gründonnerstag*) lavatorio *m*; **~weg** *m* (-*ẹs*; -*e*) camino *m* de peatones; (*Pfad*) sendero *m*; **~wurzel** *Anat. f* (-; -*n*) tarso *m*.

futsch F *int.*: ~ *sein* haberse perdido *od.* extraviado a/c.; quedar estropeado a/c.; ~ *ist es!* ¡acabóse!; ¡voló!; ¡y adiós si te vi!; ¡voló el pájaro!

'**Futter**[1] *n* (*Nahrung*) alimento *m*; F pitanza *f*, condumio *m*; *für das Vieh*: comida *f*; (*Grün2*) pasto *m*, forraje *m*; (*Stall2*) pienso *m*; (*Heu2*) heno *m*; (*Körner2*) granos *m/pl.*; (*Mast2*) cebo *m*.

'**Futter**[2] *n* (*Kleider2*) forro *m* (*a.* ⊕); (*Verkleidung*) ⊕ revestimiento *m*; (*Pelz*) forro *m* de pieles.

Futte'ral *n* (-*s*; -*e*) estuche *m*; *bsd. für Messer, Dolch usw.*: vaina *f*; *für Feuerwaffen, Regenschirme*: funda *f*.

'**Futter...**: **~beutel** *m* morral *m*; **~feld** *f* (-*ẹs*; -*er*) herrenal *m*; **~gerste** ⚘ *f* (*0*) cebada *f* forrajera; **~getreide** *n* cereales *m/pl.* forrajeros; **~gras** *n* (-*es*; *0*) forraje *m*; pación *f*; **~kammer** *f* (-; -*n*) almacén *m* para el forraje; henil *m*; **~kartoffeln** *f/pl.* patatas *f/pl.* forrajeras; **~krippe** *f* pesebre *m*; *fig. Pol.* comedero *m*; enchufe *m*; **~leinwand** *f* entretela *f*; **~mittel** *n* forrajes *m/pl.*; piensos *m/pl.*; **2n 1.** *v/t.* dar de comer a; *Tiere*: *a.* echar de comer a; **2.** *v/i.*: *von Tieren*: comer; *von Menschen*: comer con gran apetito *m*, F forrarse, atiborrarse, ponerse las botas.

'**füttern**[1] (-*re*) **I.** *v/t.* alimentar (*mit* con); *Kind, Kranken*: dar de comer a; *von Tieren*: echar (*od.* dar) de comer a; *Pferde, Rinder*: dar (*od.* echar) pienso *m* a; dar forraje *m* a; *Masttiere, Vögel im Nest*: cebar; **II.** 2 *n* → *Fütterung*[1].

'**füttern**[2] (-*re*) **I.** *v/t. Kleider*: forrar (*mit* de); *mit Pelz ~* forrar de pieles; *mit Watte ~* guatear; ⊕ forrar, revestir, guarnecer; **II.** 2 *n* → *Fütterung*[2].

'**Futter...**: **~napf** *m* (-*es*; ¨*e*) comedero *m*; **~neid** *fig. m* (-*ẹs*; *0*) envidia *f* profesional; **~pflanze** *f* planta *f* forrajera; **~raufe** *f* pesebre *m*; **~rübe** *f* remolacha *f* forrajera; **~sack** *m* (-*ẹs*; ¨*e*) cebadera *f*; morral *m*; **~schneidemaschine** *f* cortadora *f* de forrajes; **~seide** *f* seda *f* para forros; **~stoff** *m* (-*ẹs*; -*e*) (*für Tiere*) forraje *m*; (*Tuch*) tela *f* para forros; **~stroh** *n* (-*ẹs*; *0*) paja *f* de trigo; **~trog** *m* (-*ẹs*; ¨*e*) comedero *m*.

'**Fütterung**[1] *f des Viehs*: forraje *m*; alimentación *f*.

'**Fütterung**[2] *f von Kleidern*: forro *m*; ⊕ revestimiento *m*.

'**Futter...**: **~wert** *m* (-*ẹs*; *0*) valor *m* alimenticio; **~zeug** *n* (-*ẹs*; *0*) género *m* para forros.

Fu'tur *Gr. n* (-*s*; *Futura*) futuro *m*; *zweites ~* futuro perfecto.

Futu'ris|mus *m* (-; *0*) futurismo *m*; **~t** *m* (-*en*) futurista *m*; **2tisch** *adj.* futurista.

G

G, g *n* G, g *f*; ♪ sol *m*; *G-Dur* sol mayor; *g-Moll* sol menor.
Gabar'dine *m* (-*s*; *0*) *od.* *f* (*0*) gabardina *f*.
'Gabe *f* don *m*; (*Geschenk*) regalo *m*, obsequio *m*; (*Schenkung*) donativo *m*; dádiva *f*; (*Dargebrachtes*) ofrenda *f*; ⚕ (*Arznei*2) dosis *f*; toma *f*; *milde* ~ limosna *f*; *j-n um e-e milde* ~ *bitten* pedir una limosna a alg.; *e-e milde* ~ *reichen* dar una limosna; *fig.* (*Begabung*) don *m*; facultad *f*; talento *m*; dotes *f/pl.*; disposición *f* natural.
'Gabel *f* (-; -*n*) horquilla *f* (*a.* ⊕, ⚒ *u. Fahrrad*); (*Heu*2) horca *f*; (*Stroh*2) bieldo *m*; (*Ruder*2) chumacera *f*; *Tele.* (*Hörer*2) horquilla *f*; (*Tisch*2) tenedor *m*; **~arm** *m* (-*es*; -*e*) vara *f*; **~bissen** *m* bocadillo *m*; **~deichsel** *f* (-; -*n*) limonera *f*; vara *f* *bzw.* varas *f/pl.*; **2förmig** *adj.* ahorquillado; bifurcado; ♀ bífido; *sich* ~ *teilen* ahorquillarse; **~frühstück** *n* (-*es*; -*e*) comida *f* matinal caliente; (*Imbiß*) F tentempié *m*; **~gehörn** *Jgdw. n* (-*es*; -*e*) cerceta *f*; **~hirsch** *Jgdw. m* (-*es*; -*e*) ciervo *m* de cuatro puntas; **2n** (-*le*) **1.** *v/t.* coger con el tenedor *bzw.* ⚒ con la horquilla; ⚒ ahorquillar; **2.** *v/refl.*: *sich* ~ bifurcarse; **~pferd** *n* (-*es*; -*e*) (caballo *m*) limonero *m*; **~stapler** ⊕ *m* estibadora *f* de horquilla; **~stück** ⊕ *n* (-*es*; -*e*) pieza *f* ahorquillada; **~stütze** ⊕ *f* horquilla *f* de apoyo; **~ung** *f* bifurcación *f*; ♀ dicotomía *f*; **~weihe** *Orn. f* milano *m*; **~zacke** *f*, **~zinke** *f* diente *m*, púa *f*.
'Gabentisch *m* (-*es*; -*e*) mesa *f* con los regalos.
'gackern **I.** *v/i.* (-*re*) cacarear; (*Bruthenne*) cloquear; **II.** 2 *n* cacareo *m*; cloqueo *m*.
'Gaffel ⚓ *f* (-; -*n*) pico *m* de cangreja; **~segel** *n* (vela *f*) cangreja *f*.
'gaff|en *v/i.* mirar con la boca abierta; mirar cayéndose la baba; F papar moscas *f/pl.*; **2er(in** *f*) *m* pasmón *m*, pasmona *f*; pasmarote *m*; (*Neugieriger*) curioso *m*; mirón *m*; F papamoscas *m*.
Ga'gat *Min. m* (-*es*; -*e*) azabache *m*.
'Gage [-ʒə] *f* *Thea.* sueldo *m*; *einmalige der Schauspieler*: suma *f* recibida por la actuación; ⚔ paga *f*; gaje *m*; → *Gehalt*.
'gähnen **I.** *v/i.* bostezar; (*Abgrund*) abrirse; **II.** 2 *n* bostezo *m*.
'Gala ['gala·] *f* (*0*) traje *m* de etiqueta; uniforme *m* de gala; *in* (*großer*) ~ *erscheinen* presentarse vestido de (gran) gala; F vestido de tiros largos; **~abend** *m* (-*s*; -*e*) *Thea.* función *f* de gala; **~anzug** *m* (-*es*; ⁼*e*) traje *m* de etiqueta.
Gala'lith *n* (-*s*; *0*) galalita *f*.
Ga'lan *m* (-*s*; -*e*) galán *m*; galanteador *m*.
ga'lant *adj.* galante; amatorio; (*höflich*) cortés; *~es Abenteuer* aventura galante.
Galante'rie [-tə-] *f* galantería *f*; **~arbeit** *f* bisutería *f*; **~artikel** *m/pl.* bisutería *f* fina; artículos *m/pl.* de fantasía (*od.* de lujo); **~waren** *f/pl.* → *Galanterieartikel*; **~warenhändler(in** *f*) *m* bisutero (-a *f*) *m*; **~warenhandlung** *f* comercio *m* de bisutería fina.
'Gala...: **~tag** *m* (-*es*; -*e*) día *m* de gala; **~uniform** *f* uniforme *m* de gala; **~vorstellung** *f* función *f* de gala.
Gale'asse ⚓ *f* galeaza *f*.
Ga'leere ⚓ *f* galera *f*.
Gale'one ⚓ *f* galeón *m*.
Gale'ote ⚓ *f* galeota *f*.
Gale'rie [-lə-] *f* galería *f*; *Thea.* F paraíso *m*, gallinero *m*.
'Galgen *m* horca *f*; patíbulo *m*, cadalso *m*; *j-n an den* ~ *bringen* llevar a alg. a la horca, hacer ahorcar a alg.; *an den* ~ *kommen* ser ahorcado; **~frist** *f fig.* respiro *m* de gracia; plazo *m* perentorio; **~gesicht** *n* (-*es*; -*er*) cara *f* patibularia; **~humor** *m* (-*s*; *0*) humor *m* macabro; alegría *f* forzada; **~strick** *m* (-*es*; -*e*), **~vogel** *m* (-*s*; ⁼) carne *f* de horca.
Ga'lic|ien *n* (*span. Provinz*) Galicia *f*; **~ier(in** *f*) *m* gallego (-a *f*) *m*; **2isch** *adj.* gallego; galaico.
Gali'lä|a *n* Galilea *f*; **~er** *m* galileo *m*; **2isch** *adj.* galileo.
Gali'on ⚓ *n* (-*s*; -*s*) tajamar *m*, espolón *m*; **~sfigur** *f* mascarón *m* de proa.
'gälisch *adj.* gaélico.
Ga'lizien *n* (*Land nördlich der Karpaten*) Galitzia *f*.
Ga'lizier(in *f*) *m* galiciano (-a *f*) *m*.
'Gall-apfel ♀ *m* (-*s*; ⁼) (nuez *f* de) agalla *f*; **~säure** ⚗ *f* (*0*) ácido *m* gálico.
'Galle *f der Menschen u. fig.*: bilis *f*; *der Tiere u. fig.*: hiel *f*; ♀ agalla *f*; *die* ~ *läuft ihm über* se pone de un genio insufrible; *s-e* ~ *ausschütten* descargar su bilis sobre; *Gift und* ~ *speien* F ponerse hecho un basilisco; echar sapos y culebras; **2führend** *adj.* ⚕ colédoco.
'Gall-eiche ♀ *f* coscoja *f*.
'gallen|bitter *adj.* (*0*) amargo como la hiel; **2blase** *Anat. f* vesícula *f* biliar; **2blasen-entzündung** ⚕ *f* colecistitis *f*; **2(er)brechen** *n* vómito *m* bilioso; **2fett** *n* (-*es*; *0*) colesterina *f*; **2fieber** ⚕ *n* fiebre *f* biliosa; **2gang** *Anat. m* (-*es*; ⁼*e*) conducto *m* colédoco *od.* biliar; **2leiden** *n* afección *f* biliar; **2stein** ⚕ *m* (-*es*; -*e*) cálculo *m* biliar; **2steinkolik** *f* cólico *m* hepático; **2steinkrankheit** *f* (*0*) litiasis *f* biliar; **2weg** *Anat. m* (-*es*; -*e*) → *Gallengang*.
'Gallert *n* (-*es*; -*e*), **Gal'lerte** *f* gelatina *f*; (*Gelee*) jalea *f*.
'gallert-artig *adj.* gelatinoso; *Phys.* coloide; ⚗ glutinoso.
'Gallien *n* la Galia.
'Gallier(in *f*) *m* galo (-a *f*) *m*.
'gallig *adj.* ⚕ biliar; bilioso; *fig.* atrabiliario; bilioso; P de mala leche.
galli'kanisch *adj.* galicano.
'gallisch *adj.* galo.
Galli'zismus *m* (-; *Gallizismen*) galicismo *m*.
Gal'lone *f* galón *m*.
'Gallwespe *f* cínife *m*.
Gal'mei *Min. m* (-*s*; -*e*) calamina *f*.
Ga'lon *m* (-*s*; -*s*), **~e** *f* (*Borte*) galón *m*.
Ga'lopp *m* (-*s*; -*e od.* -*s*) galope *m*; *im* ~ a galope; *in gestrecktem* ~ a galope tendido; ~ *anschlagen* ponerse a galopar; *im* ~ *reiten* galopar.
galop'pieren [-ɔ'piː-] **I.** *v/i.* (-; *sn*) galopar; *~de Schwindsucht* ⚕ tisis *f* galopante; **II.** 2 *n* (*Gangart*) galope *m*; (*Reiten*) galopada *f*.
Ga'losche *f* chanclo *m*; (*Holz*2) zueco *m*; galocha *f*.
gal'vanisch *adj.* galvánico.
Galvani'seur *m* (-*s*; -*e*) galvanizador *m*.
galvani'sier|en (-) *v/t.* galvanizar; **2ung** *f* galvanización *f*.
Galva'nismus *m* (-; *0*) galvanismo *m*.
Gal'vano [-'v-] *Typ. n* (-*s*; -*s*) galvano *m*.
Galvano|'meter *n* galvanómetro *m*; **~'plastik** *f* galvanoplastia *f*.
Ga'masche *f* (*kurze, über Halbschuh*) botín *m*; (*bis zum Knie*) polaina *f*.
'Gambe ♪ *f* viola *f* de gamba.
Gam'bit *n* (-*s*; -*s*) *Schach*: gambito *m*.
Ga'met *Biol. m* (-*en*) gameto *m*.
'Gammastrahlen *Phys. m/pl.* rayos *m/pl.* gamma.
'Gammler *m* *hum.* melenudo *m*, golfante *m* yeyé.
Gang *m* (-*es*; ⁼*e*) marcha *f*; *Gangart*: (modo *m* de) andar *m*, *Pferd*: paso *m*, andadura *f*; *Auto.* (*Geschwindigkeit*) velocidad *f*; *den zweiten* ~ *einschalten* poner la segunda velocidad; *den* ~ *wechseln* cambiar la

velocidad; (*Spazier*2) paseo *m*; vuelta *f* (*machen* dar; *durch* por); (*Verlauf*) curso *m*; *von der Uhr*: marcha *f*; *Fechtk.* asalto *m*; *Stk.* suerte *f*; (*Entwicklung*) desarrollo *m*, evolución *f*; der ~ der Geschäfte la marcha de los negocios; der ~ der Ereignisse la marcha (*od.* el rumbo) de los acontecimientos; die Sache geht ihren ~ el asunto sigue su curso; (*Besorgung*) recado *m*; *geschäftlich*: comisión *f*; e-n ~ in die Stadt machen ir a la ciudad a hacer compras; (*Durch*2, *Verbindungs*2) pasaje *m*; (*Bogen*2) arcada *f*; *im Hause*: pasillo *m*; corredor *m*; (*Flur*) vestíbulo *m*; (*Wandel*2, 🚂) pasillo *m*; (*unterirdischer* ~) galería *f* (*a.* ⚒); (*Weg*) camino *m*, vía *f*; (*Allee*) paseo *m*; avenida *f*; *bei den Mahlzeiten*: plato *m*, erster ~ entrada *f*; ⚒ (*Erz*2) filón *m*, vena *f*; *Anat.*, ⚘: conducto *m*; (*Gewinde*) paso *m*; (*Betätigung*) ⊕ accionamiento *m*; (*Bewegung*) movimiento *m*; (*Betrieb*) ⊕ funcionamiento *m*; *e-r Maschine*: marcha *f*, movimiento *m*; ⊕ toter ~ marcha muerta; in ~ bringen (*od.* setzen) poner en marcha (*od.* en movimiento); *fig.* activar; in ~ kommen ponerse en marcha (*od.* en movimiento); im ~e sein marchar; estar en marcha; *fig.* es ist et. im ~e algo flota en el ambiente; in vollem ~ sein estar en plena marcha; ir a toda marcha; (*Geschäft*) estar en plena actividad; in ~ halten mantener en marcha; außer ~ setzen (*anhalten*) parar; (*Getriebe*) desembragar.

gang *adj.*: das ist ~ und gäbe es cosa corriente *od.* usual; esto se ve todos los días; F no es nada del otro jueves.

'**Gang...:** ~**an-ordnung** *f Auto.* disposición *f* de las velocidades; ~**art** *f* (modo *m* de) andar *m*; *Pferd*: paso *m*, andadura *f*; ⚒ ganga *f*; ⊕ marcha *f*; 2**bar** *adj. Weg*: transitable; *fig.* viable; practicable; *Münze*: en circulación; (*gebräuchlich*) de uso corriente; muy usado; ☤ *Ware*: vendible, de fácil salida; ~**barkeit** *f* (*0*) *e-s Weges*: viabilidad *f* (*a. fig.*); *von Münzen*: curso *m*; ☤ *von Waren*: facilidad *f* de venta.

'**Gängel|band** *n* (*-es*; *0*) andadores *m/pl.*; am ~ führen llevar con andadores (*a. fig.*); *fig.* tener bajo su tutela; 2**n** (*-le*) *v/t.* llevar con andadores; *fig.* tener a alg. cogido de la oreja.

'**Gang...:** ~**erz** ⚒ *n* (*-es*; *-e*) mineral *m* con ganga; ~**hebel** *m Auto.* palanca *f* de cambio de velocidad; ~**höhe** *f e-r Schraube*: paso *m*.

'**gängig** *adj.*: ~er Ausdruck expresión (de uso) corriente; → gangbar.

'**Gangliensystem** [-ŋliən-] *Anat. n* (*-s*; *-e*) sistema *m* ganglionar.

Gan'grän *n* (*-s*; *-e*), ~**e** *f* ⚕ gangrena *f*.

gangrä'nös ⚕ *adj.* gangrenoso.

'**Gang...:** ~**schalter** *m*, ~**schalthebel** *m Auto.* palanca *f* de cambio de velocidad; ~**schaltung** *f Auto.* cambio *m* de velocidades; ~**spill** ⚓ *n* (*-es*; *-e*) cabrestante *m*.

'**Gangster** ['gɛŋstə] *m* pistolero *m*, *angl.* gangster *m*; ~**bande** *f* banda *f* de gangsters; ~**tum** *n* (*-s*; *0*), ~**unwesen** *n* (*-s*; *0*) gangsterismo *m*.

'**Gangway** ['gɛŋveɪ] *f* (*-*; *-s*) pasarela *f*, escalerilla *f* de (des)embarque.

'**Gangwechsel** *m Auto.* cambio *m* de velocidades de marcha.

'**Gangwerk** *n* (*-es*; *-e*) *e-r Uhr*: mecanismo *m*.

'**Gangzahl** *f Auto.* número *m* de velocidades; *e-s Gewindes*: número *m* de espiras.

Gans *f* (*-*; ⸚*e*) ganso *m*; (*weibliche*) gansa *f*, oca *f*; *fig.* dumme ~ F pavisosa *f*, pavitonta *f*.

'**Gäns-chen** *n* gansito *m*.

'**Gänse...:** ~**blümchen** *n* maya *f*, margarita *f*; ~**braten** *m* asado *m* de ganso; ~**brust** *f* (*-*; ⸚*e*) pechuga *f* de ganso; ⚕ tórax *m* en quilla; ~**feder** *f* (*-*; *-n*) pluma *f* de ganso; ~**fett** *n* (*-es*; *0*) grasa *f* de ganso; ~**füßchen** *n/pl.* comillas *f/pl.*; in ~ entre comillas; ~**haut** *f* (*0*) *fig.* carne *f* de gallina; ich bekomme ~ se me pone carne de gallina; ~**kiel** *m* (*-es*; *-e*) pluma *f* de ganso; ~**klein** *n* (*-s*; *0*) menudillos *m/pl.* de ganso; ~**leberpastete** *f* pasta *f* de hígado de ganso; ~**marsch** *m* (*-es*; *0*): im ~ gehen ir en fila india; ~**rich** *m* (*-s*; *-e*) ganso *m*, macho *m* de la oca; ~**schmalz** *n* (*-es*; *0*) grasa *f* de ganso; ~**wein** *m* (*-es*; *0*) F *hum.* agua *f*.

ganz I. *adj.* (*all*) todo; (*ungeteilt*) entero; (*unversehrt*) intacto; (*vollständig*) completo; íntegro; (*völlig*) total; die ~e Stadt toda la ciudad; la ciudad entera; ein ~es Jahr un año entero; den ~en Tag todo el (santo) día; ~e 8 Tage ocho días enteros (*od.* bien contados); ~ Deutschland toda Alemania; Alemania entera; 𝔄 ~e Zahl número entero; ♪ ~e Note redonda, semibreve; ein ~es Brot un pan entero; von ~em Herzen de todo corazón; ~ Rom toda Roma; die ~e Welt el mundo entero; (*alle*) todo el mundo; zwei ~e Stunden dos horas enteras (y verdaderas); ein ~er Redner un orador de verdad, todo un orador; *Mal.* in ~er Figur de cuerpo entero; **II.** *adv.* (*gänzlich*) enteramente; (*vollständig*) completamente; por completo; del todo; *vor adj. u. adv.*: muy; (*ziemlich*) bastante; ~ gut bastante bien; das ist et. ~ anderes eso es cosa muy distinta; ~ allein completamente solo; F solito; F ~ groß! (*prima*) ¡estupendo!; ~ besonders muy especialmente; sobre todo; principalmente; nicht ~ no del todo; ~ recht! perfectamente, muy bien; exactamente; ~ wenig un poquito; ~ und gar enteramente; absolutamente, en absoluto; por completo; totalmente; ~ und gar nicht de ningún modo; por nada del mundo; es ist mir ~ gleich me es (completamente) igual, lo mismo me da; ~ der Vater el vivo retrato de su padre; ~ Auge und Ohr todo ojos y oídos; er ist ~ der Mann danach éste es el hombre que hace falta; ~ oder teilweise en su totalidad o en parte, en todo o en parte; ~ gleich, was du tust cualquier cosa que hagas; hagas lo que hagas; '2**bildnis** *n* (*-ses*; *-se*) retrato *m* de cuerpo entero; '2**e**(**s**) *n* todo *m*; das ~ el todo; (*ganze Zahl*) número *m* entero; (*Gesamtbetrag*) total *m*; (*Gesamtheit*) totalidad *f*; conjunto *m*; im 2n en total; en suma; (*in Bausch u. Bogen*) en bloque; en globo; im 2n genommen considerado en conjunto; aufs ~ gehen jugarse el todo por el todo; es geht ums ~ está en juego todo; '2**fabrikat** *n* (*-es*; *-e*) producto *m* acabado; '2**heit** *f* (*0*) → Ganze(s); '2**heitsmethode** *f* (*0*) método *m* global (*od.* de globalización); '~**jährig** *adv.* todo el año; '2**leder**(**ein**)**band** *m* (*-es*; ⸚*e*) encuadernación *f* en piel; '2**leinen**(**ein**)**band** *m* (*-es*; ⸚*e*) encuadernación *f* en tela.

'**gänzlich I.** *adj.* entero; total; (*vollständig*) completo; (*absolut*) absoluto; **II.** *adv.* enteramente; por entero; totalmente; (*vollständig*) completamente; por completo; (*absolut*) absolutamente; en absoluto.

'**Ganz...:** ~**metallkonstruktion** *f* construcción *f* (enteramente) metálica; ~**seide** *f* (*0*) seda *f* pura; ~**stahlkarosserie** *f* carrocería *f* (enteramente) de acero; 2**tägig** *adv.* todo el día; 2**wollen** *adj.* todo (de) lana; ~**zeug** *n* (*-es*; *-e*) *Papier*: pasta *f* de papel.

gar I. *adj. Speisen*: en su punto; suficientemente cocido *bzw.* asado; (*fertig*) a punto; ~ machen *Leder*: curtir; *Metalle*: refinar; **II.** *adv.* (*sehr*) muy; ~ nicht no, de ningún modo; das ist ~ nicht leicht esto no es nada fácil; ~ nichts absolutamente nada, nada en absoluto, nada absolutamente; ~ zu wenig demasiado poco; *steigernd*: (*sogar*) hasta; aun (*vor dem Verb*); aún (*hinter dem Verb*); oder ~ o tal vez, o quizá; cuando no; warum nicht ~! ¡no faltaba más!; ¿por qué no?

Ga'rage [-ʒə] *f* garage *m*; den Wagen in die ~ stellen encerrar el coche; ~**nbesitzer** *m* garagista *m*; ~**nbox** *f* jaula *f*; ~**n-inhaber** *m* garagista *m*; ~**nwärter** *m* vigilante *m* de garage.

Ga'rant *m* (*-en*) garante *m*, fiador *m*.

Garan'tie *f* garantía *f*; ohne ~ sin garantía; unter ~ stehen estar garantizado; auf et. ~ geben garantizar a/c.; ~**fonds** *m* (*-*; *-*) fondo *m* de garantía; 2**ren** (*-*) *v/t. u. v/i.* garantizar; ~ für et. garantizar (*od.* responder de) a/c.; ☤ e-n Wechsel ~ avalar una letra; ~**schein** *m* (*-es*; *-e*) certificado *m* de garantía; ~**verpflichtung** *f* obligación *f* de garantía; ~**versprechung** *f* promesa *f* de garantía; ~**vertrag** *m* (*-es*; ⸚*e*) contrato *m* de garantía; *Pol.* gegenseitiger ~ tratado de garantía mutua; ~**wechsel** ☤ *m* letra *f* de cambio avalada; ~**wert** *m* (*-es*; *-e*) (*Wertpapiere*) valor *m* de garantía.

'**Garaus** *m* (*-*; *0*): j-m den ~ machen rematar, dar el golpe de gracia a alg.; F dar jaque mate a alg.

'**Garbe** *f* gavilla *f*; ⚔ (*Geschoß*2) ráfaga *f*; ~n binden agavillar, hacer gavillas; ~**nbindemaschine** *f* agavilladora *f*.

'**Gärbottich** *m* (*-es*; *-e*) cuba *f* de fermentación.

ˈ**Garde** ⚔ *f* guardia *f*; **~korps** ⚔ *n* (-; -) cuerpo *m* de guardia.
Gardeˈrobe [-də-] *f* (*Kleidung*) ropa *f*, vestidos *m/pl.*; indumentaria *f*; *Thea.* (*Kostümraum*) vestuario *m*, guardarropía *f*; (*Kleiderablage*) guardarropa *m*; (*Ankleideraum*) *Thea.* camarín *m*; vestuario *m*; **~nfrau** *f* encargada *f* del guardarropa; **~nmarke** *f* ficha *f* (*od.* contraseña *f*) de guardarropa; **~nraum** *m* (-*es*; ⸚*e*) guardarropa *m*, *Thea.* guardarropía *f*; **~nschrank** *m* (-*es*; ⸚*e*) (armario *m*) ropero *m*, guardarropa *m*; **~nständer** *m* percha *f*.
Garderobiˈere *f e-r Schauspielerin*: ayudanta *f* (*od.* doncella *f*) de camarín; (*Garderobenfrau*) encargada *f* del guardarropa.
Garˈdine *f* cortina *f*; *fig.* *hinter schwedischen ~n* en la cárcel, F a la sombra, en chirona; **~nhalter** *m* alzapaño *m*, abrazadera *f* para cortinas; **~npredigt** *f* F bronca *f* conyugal; **~nring** *m* (-*es*; -*e*) anilla *f*; **~nspanner** *m* estirador *m* de cortinas; **~nstange** *f* riel *m* para cortinas y visillos.
Garˈdist ⚔ *m* (-*en*) guardia *m* de corps; soldado *m* de la guardia.
ˈ**gären I.** *v/i.* fermentar; (*a. fig.*); *Teig*: *a.* venirse; *Wein*: hervir; *v/unprs. fig.* *es gärt im Volke* hay efervescencia (*od.* agitación) en las masas; **II.** 2 *n* → *Gärung*.
ˈ**Gar|küche** *f* casa *f* de comidas; (*billige ~*) bodegón *m*, figón *m*; **~leder** *n* cuero *m* curtido.
ˈ**Gärmittel** *n* fermento *m*.
Garn *n* (-*es*; -*e*) hilo *m*; (*Woll*2) estambre *m*; *Jgdw.*, *Fischerei*, *Vogelfang*: red *f*; *fig.* *ins ~ gehen* caer en la red (*od.* en el lazo); *sein ~ spinnen* contar patrañas *od.* historias inverosímiles.
Garˈnele *f Zoo.* gamba *f*; camarón *m*, quisquilla *f*.
ˈ**Garnhaspel** *f* (-; -*n*) devanadera *f*.
garˈnieren I. *v/t.* (-) guarnecer (*mit* de) (*a. Speisen*); orlar; **II.** 2 *n* guarnición *f*; orladura *f*.
Garniˈson ⚔ *f* guarnición *f*; *in ~* (*liegen*) (estar) de guarnición; **~dienst** *m* (-*es*; -*e*) servicio *m* de plaza; 2**dienstfähig** *adj.* apto para servicio de plaza; **~kirche** *f* ⚔ iglesia *f* de la guarnición; **~lazarett** *n* (-*es*; -*e*) hospital *m* militar; **~stadt** *f* (-; ⸚*e*) plaza *f* militar *od.* fuerte.
Garniˈtur *f* (*Besatz*) guarnición *f*; (*Verzierung*) adorno *m*; (*Auswahl*) selección *f*; (*Zusammenstellung von Waren*) surtido *m*; *Satz*: juego *m*; ⚔ uniforme *m*; *fig.* *die erste ~* (*von Schriftstellern*, *Sport usw.*) lo más selecto, lo mejor, F la flor y nata.
ˈ**Garn...**: **~knäuel** *n* ovillo *m*; **~rolle** *f* carrete *m* (de hilo); **~spule** *f* bobina *f*; huso *m*; carrete *m*; **~strähne** *f* madeja *f*; **~weber(in** *f*) *m* tejedor(a *f*) *m*; **~winde** *f* devanadera *f*.
ˈ**garstig** *adj.* (*böse*) malo; (*häßlich*) feo; (*abstoßend*) repugnante; repulsivo; (*abscheulich*) abominable; (*gemein*) bajo, abyecto; infame, vil.
ˈ**Gärstoff** *m* (-*es*; -*e*) fermento *m*; (*Hefe*) levadura *f*.
ˈ**Gärtchen** *n* jardinillo *m*, jardincito *m*; huertecillo *m*.
ˈ**Garten** *m* (-*s*; ⸚) (*Zier*2) jardín *m*; (*Obst*2, *großer Nutz*2) huerta *f*; (*Gemüse*2, *kleiner Nutz*2) huerto *m*; *botanischer ~* jardín botánico; *zoologischer ~* jardín zoológico; *in Madrid*: casa de fieras; (*Lust*2) vergel *m*; **~anlage** *f* jardines *m/pl.* públicos; parque *m*; **~arbeit** *f* trabajo *m* de jardinería *bzw.* de horticultura; **~arbeiter** *m* jardinero *m*; hortelano *m*; **~architekt** *m* (-*en*) arquitecto *m* paisajista; **~bank** *f* (-; ⸚*e*) banco *m* (con respaldo); **~bau** *m* (-*es*; *0*) horticultura *f*; **~bauausstellung** *f* exposición *f* hortícola; **~beet** *n* (-*es*; -*e*) tabla *f* de huerta; (*viereckiges*) cuadro *m*; (*schmales*) arriate *m*; *mit Blumen verziert*: parterre *m*; **~blume** *f* flor *f* cultivada; **~erdbeere** *f* fresa *f* de huerta; fresón *m*; **~erde** *f* mantillo *m*, humus *m*; **~fest** *n* (-*es*; -*e*) fiesta *f* en un jardín; **~gemüse** *n* hortalizas *f/pl.*; **~geräte** *n/pl.* útiles *m/pl.* de jardinería *bzw.* de horticultura; **~gewächs** *n* (-*es*; -*e*) planta *f* de jardín; (*nützliches*) hortaliza *f*; legumbre *f*; **~haus** *n* (-*es*; ⸚*er*) quinta *f*; **~häuschen** *n* pabellón *m*; **~kunst** *f* (*0*) jardinería *f*; (*Gartenbau*) horticultura *f*; floricultura *f*; **~laube** *f* cenador *m*, *Arg.* glorieta *f*; **~lokal** *n* (-*es*; -*e*) restaurante *m bzw.* cervecería *f od.* café *m* con jardín; merendero *m*; **~messer** *n* podadera *f*; **~möbel** *n/pl.* muebles *m/pl.* de jardín; **~mohn** ⚘ *m* (-*es*; -*e*) adormidera *f*; **~schau** *f* exposición *f* de horticultura *bzw.* de floricultura; **~schere** *f* tijeras *f/pl.* de jardinero; **~schirm** *m* (-*es*; -*e*) sombrilla *f* de jardín; **~schlauch** *m* (-*es*; ⸚*e*), **~spritze** *f* manguera *f* de jardín; **~stadt** *f* (-; ⸚*e*) ciudad-jardín *f*; **~stuhl** *m* (-*es*; ⸚*e*) silla *f* de jardín; **~tisch** *m* (-*es*; -*e*) mesa *f* de jardín; **~wirtschaft** *f* horticultura *f*; (*Lokal*) → *Gartenlokal*; **~zaun** *m* (-*es*; ⸚*e*) cerca *f*; seto *m*; (*Gitter*) verja *f*.
ˈ**Gärtner** *m* jardinero *m*; (*Handels*2) horticultor *m*; hortelano *m*; *fig.* *den Bock zum ~ machen* poner al lobo a guardar las ovejas; meter al zorro en el gallinero.
Gärtneˈrei *f* horticultura *f*; (*Zier*2) jardinería *f*; (*Betrieb*) cultivo *m* y venta de productos hortícolas.
ˈ**Gärtner|in** *f* jardinera *f*; hortelana *f*; *Kochkunst*: *nach ~ Art* a la jardinera; 2**isch** *adj.* de jardinero; 2**n** (-*re*) *v/i.* hacer trabajos de jardinería.
ˈ**Gärung** *f* fermentación *f*; *fig.* efervescencia *f*, agitación *f* (*en los ánimos*); *in ~ sein* fermentar; *in ~ kommen* entrar en fermentación; 2**s-erregend** *adj.* zimógeno; zimótico; **~s-erreger** *m* germen *m* fermentativo, fermento *m*; **~slehre** *f* (*0*) zimología *f*; **~smittel** *n* fermento *m*; **~sprozeß** *m* (-*sses*; -*sse*) proceso *m* de fermentación; **~s-stoff** *m* (-*es*; -*e*) fermento *m*; **~sverfahren** *n* procedimiento *m* de fermentación; zimotécnica *f*.
Gas *n* (-*es*; -*e*) gas *m*; *in ~ verwandeln* gasificar; *Auto.* *~ geben* dar gas; acelerar; *~ wegnehmen* cortar el gas (*od.* la aceleración); (*flüssiges*) gas *m* licuado.
ˈ**Gas...**: **~abwehr** ⚔ *f* (*0*) defensa *f* antigás; **~abzug** ⊕ *m* (-*es*; ⸚*e*) escape *m* (*od.* fuga *f*) de gas; ⚔ **~alarm** *m* (-*es*; -*e*) alarma *f* de ataque con gases; **~angriff** ⚔ *m* (-*es*; -*e*) ataque *m* con gases; **~anstalt** *f* (*Gaswerk*) fábrica *f* de gas; **~anzünder** *m* encendedor *m* de gas; **~arbeiter** *m* gasista *m*; 2**artig** *adj.* gaseoso; gaseiforme; **~austritt** *m* (-*es*; -*e*) salida *f* de gas; **~automat** *m* (-*en*) (*Münzzähler*) contador *m* de gas automático (*od.* de moneda); **~bade-ofen** *m* (-*s*; ⸚) calentador *m* de gas para baño; **~behälter** *m* gasómetro *m*; **~beleuchtung** *f* alumbrado *m* de gas; **~bildung** *f* gasificación *f*; formación *f* de gases; **~bombe** *f* ⚔ bomba *f* de gas; ⊕ recipiente *m* de gas (comprimido); **~brenner** *m* mechero *m* de gas; 2**dicht** *adj.* hermético, impermeable a los gases; **~dichte** *f* (*0*) densidad *f* del gas; **~druck** *m* (-*es*; *0*) presión *f* del gas; **~dynamomaschine** *f* dínamo *f* de gas; **~entwickler** *m* gasógeno *m*, generador *m* de gas; **~entwicklung** *f* desprendimiento *m* de gas; **~feuerung** *f* (*Gasheizung*) calefacción *f* de gas; **~flamme** *f* llama *f* de gas; **~flasche** *f* bombona *f* de gas (comprimido); 2**förmig** *adj.* gaseiforme; **~füllung** *f* insuflación *f* de gas; **~(fuß)hebel** *m Auto.* pedal *m* del acelerador; **~gebläse** *n* soplete *m* de gas; 2**gekühlt** *adj.* refrigerado por gas; **~gemisch** *n* (-*es*; -*e*) mezcla *f* de gases; **~generator** *m* (-*s*; -*en*) gasógeno *m*; **~geruch** *m* (-*es*; ⸚*e*) olor *m* de gas; **~gewinnung** *f* producción *f* de gas; **~glühlicht** *n* (-*es*; *0*) luz *f* de gas incandescente; **~granate** *f* granada *f* de gas; **~hahn** *m* (-*es*; ⸚*e*) llave *f* de gas; 2**haltig** *adj.* gaseoso; **~hebel** *m Auto.* acelerador *m*; **~heizung** *f* calefacción *f* de gas; **~herd** *m* (-*es*; -*e*) cocina *f* de gas; **~hülle** *f* envoltura *f* gaseosa; **~kammer** *f* (-; -*n*) cámara *f* de gas; **~kampfstoff** ⚔ *m* (-*es*; -*e*) gas *m* de combate; **~kocher** *m* hornillo *m* de gas.
Gasˈkogn|e [gasˈkɔɲə] *f* Gascuña *f*; **~er(in** *f*) *m*, 2**isch** *adj.* gascón *m*, gascona *f*.
ˈ**Gas...**: **~koks** *m* (-*es*; *0*) cok *m* (*od.* coque *m*) de gas; 2**krank** *adj.* intoxicado por gas; **~krieg** *m* (-*es*; -*e*) guerra *f* química; **~kühlung** *f* (*0*) refrigeración *f* por gas; **~lampe** *f* lámpara *f* de gas; **~laterne** *f* farol *m* de gas; (*Straßen*2) farola *f* de gas; **~leitung** *f* conducción *f* de gas; gas(e)oducto *m*; (*Fern*2) gasoducto *m*; **~licht** *n* (-*es*; *0*) luz *f* de gas; **~-Luftgemisch** *n* (-*es*; -*e*) mezcla *f* de aire y gas; **~maske** *f* careta *f* antigás; **~messer** *m* gasómetro *m*; *in der Wohnung*: contador *m* de gas; **~motor** *m* (-*s*; -*en*) motor *m* de gas; **~ofen** *m* (-*s*; ⸚) estufa *f* de gas.
Gasoˈlin *n* (-*s*; *0*) gasolina *f*.
Gasoˈmeter *m* gasómetro *m*.
ˈ**Gas...**: **~pedal** *n* (-*s*; -*e*) *Auto.* acelerador *m*; **~raum** *m* (-*es*; ⸚*e*) cámara *f* de gas; **~rechnung** *f* factura *f* (*od.* cuenta *f bzw.* recibo *m*) del gas; **~rohr** *n* (-*es*; -*e*), **~röhre** *f*

tubo *m* de gas; cañería *f* de gas; **~schutz** *m* (*-es*; *0*) protección *f* antigás.

ˈ**Gäß·chen** *n* callejuela *f*.

ˈ**Gas·schieber** *m am Motorrad*: válvula *f* giratoria; ⊕ válvula *f* corredera de gas.

ˈ**Gasse** *f* calle *f* estrecha; calleja *f*; *hohle* ~ desfiladero *m*; *Typ.* calle *f*; *fig.* e-e ~ *bilden* formar dos filas; **~ndirne** *f* prostituta *f* de baja estofa; V puta *f* callejera *od.* pesetera; **~nhauer** *m* canción *f* callejera; estribillo *m* popular; **~njunge** *m* (*-n*) golfillo *m*.

ˈ**gas·sicher** *adj.* protegido contra gases.

Gast *m* (*-es*; *⸗e*) huésped *m*; *eingeladener*: invitado *m*; (*Fremder*) forastero *m*; (*Tisch*2) convidado *m*; comensal *m*; (*Stammtisch*2) tertuliano *m*; (*Hotel*2) huésped *m*; cliente *m*; *e-s Restaurants*: parroquiano *m*; (*Kur*2) *e-s Badeortes*: agüista *m*; (*Fest*2) invitado *m*; *Thea.* actor *m* forastero; (*ungebetener* ~) intruso *m*; *zu* ~ *laden* invitar; *zu* ~ *sein bei j-m* estar en casa de (*od.* ser huésped de) alg.; *wir haben Gäste* tenemos visita.

ˈ**Gästebuch** *n* (*-es*; *⸗er*) álbum *m* de visitantes.

ˈ**gast...**: **~frei** *adj.* hospitalario; 2**freiheit** *f* (*0*) hospitalidad *f*; 2**freund** *m* (*-es*; *-e*) huésped *m*; **~freundlich** *adj.* hospitalario; *j-n* ~ *aufnehmen* acoger como huésped a alg.; 2**freundschaft** *f* (*0*) hospitalidad *f*; 2**geber** *m* anfitrión *m*; (*Hausherr*) dueño *m* de la casa; 2**geberin** *f* señora *f* de la casa; 2**geberpflichten** *f/pl.* deberes *m/pl.* de la hospitalidad; 2**haus** *n* (*-es*; *⸗er*) fonda *f*, hospedería *f*; casa *f* de huéspedes; 2**hof** *m* (*-es*; *⸗e*) hotel *m*; *kleiner*: albergue *m*, parador *m*; 2**hofbesitzer(in** *f*) *m* propietario (-a *f*) *m* de un hotel; hotelero *m*; 2**hörer(in** *f*) *m* oyente *m/f*.

gasˈ**tieren** (-) *v/i.* banquetear; *Thea.* actuar en un teatro *m* extranjero *bzw.* distinto del habitual.

ˈ**gast...**: **~lich** *adj.* hospitalario; 2**lichkeit** *f* (*0*) hospitalidad *f*; 2**mahl** *n* (*-es*; *⸗er*) banquete *m*; 2**mannschaft** *f Sport*: equipo *m* visitante; 2**professor** *m* (*-s*; *-en*) profesor *m* temporal invitado; 2**recht** *n* (*-es*; *0*) derecho *m* de hospitalidad.

ˈ**gastrisch** ⚕ *adj.* gástrico.

Gaˈ**stritis** ⚕ *f* (*0*) gastritis *f*.

ˈ**Gastrolle** *Thea. f* papel *m* representado por un actor forastero (*od.* que se halla de paso).

Gastroˈ**nom** *m* (*-en*) gastrónomo *m*.

Gastronoˈ**mie** *f* (*0*) gastronomía *f*.

gastroˈ**nomisch** *adj.* gastronómico.

ˈ**Gast...**: **~spiel** *n* (*-es*; *-e*) *Thea.* actuación *f* de una compañía forastera; **~spielreise** *f Thea. fr.* tournée *f*; **~stätte** *f* restaurante *m*; **~stättengewerbe** *n* (*-s*; *0*) industria *f* hotelera; **~stube** *f* (*im Wirtshaus*) comedor *m*; (*privat*) sala *f* de recibir; **~tafel** *f* (*-*; *-n*), **~tisch** *m* (*-es*; *-e*) mesa *f* redonda; **~vorstellung** *f* → *Gastspiel*; **~wirt** *m* (*-es*; *-e*) (*Gasthofbesitzer*) fondista *m*; (*Hotelbesitzer*) hotelero *m*; (*Restaurantbesitzer*) dueño *m* de un restaurante; (*Schankwirt*) tabernero *m*; **~wirtschaft** *f* fonda *f*; posada *f*; (*Restaurant*) restaurante *m*; casa *f* de comidas; (*Schenke*) taberna *f*; cervecería *f*; **~zimmer** *n* (*im Wirtshaus*) comedor *m*; (*privat*) cuarto *m* de huéspedes.

ˈ**Gas...**: **~uhr** *f* contador *m* de gas; 2**vergiftet** *adj.* intoxicado por el gas; **~vergiftung** *f* intoxicación *f* por el gas *bzw.* por los gases; **~versorgung** *f* (*0*) suministro *m* de gas; *weitS.* servicio *m* de gas; **~werk** *n* (*-es*; *-e*) fábrica *f* de gas; **~zähler** *m* contador *m* de gas; **~zelle** *f* cámara *f* de gas; **~zufuhr** *f* admisión *f* de gas.

Gatt ⚓ *n* (*-es*; *-en od. -s*) canalizo *m*.

ˈ**Gatte** *m* (*-n*) marido *m*, esposo *m*; cónyuge *m*; **~n** *pl.* esposos *m/pl.*; cónyuges *m/pl.*; matrimonio *m*; **~nliebe** *f* (*0*) amor *m* conyugal; **~nmord** *m* (*-es*; *-e*) parricidio *m*; uxoricidio *m*.

ˈ**Gatter** *n* (*Gitter*) reja *f*; enrejado *m*; (*Garten*2) verja *f*; **~säge** *f* sierra *f* alternativa (*od.* de hojas múltiples); **~tor** *n* (*-es*; *-e*), **~tür** *f* puerta *f* enrejada; cancela *f*; **~werk** *n* (*-es*; *0*) enrejado *m*.

ˈ**Gattin** *f* esposa *f*; F mujer *f*; *Ihre* ~ su señora, su esposa.

ˈ**Gattung** *f Zoo.*, ⚘: género *m*; (*Familie*) familia *f*; (*Rasse*) raza *f*; (*Art, Sorte*) especie *f*; clase *f*; tipo *m*; (*Liter.*) género *m*; **~sbegriff** *m* (*-es*; *-e*) noción *f* genérica; *Gr.* → **~sname** *m* (*-ns*; *-n*) nombre *m* genérico (*od.* común *od.* apelativo).

Gau *m* (*-es*; *-e*) (*Bezirk*) distrito *m*; cantón *m*; comarca *f*; (*Landschaft*) región *f*, comarca *f*.

ˈ**Gaudium** *n* (*-s*; *0*) (*Freude*) gozo *m*, alegría *f*; (*Vergnügen*) placer *m*; (*Belustigung*) diversión *f*; regocijo *m*; *zum allgemeinen* ~ para general regocijo, para diversión de todos.

ˈ**Gaukelbild** *n* (*-es*; *-er*) imagen *f* engañosa; ilusión *f*; fantasmagoría *f*; (*Gespenst*) fantasma *m*; (*Erscheinung*) aparición *f*.

Gaukeˈ**lei** *f* juego *m* de manos, prestidigitación *f*; escamoteo *m*; (*Blendwerk*) fantasmagoría *f*; (*Possenspiel*) bufonería *f od.* bufonada *f*.

ˈ**gaukel|haft** *adj.* engañoso; ilusorio; fantasmagórico; mágico; **~n** (*-le*) *v/i.* (*flattern*) revolotear; (*täuschen*) embaucar, engañar; (*Taschenspielerei treiben*) hacer juegos de manos (*od.* de prestidigitación); *mit Kugeln usw.*: hacer juegos malabares; (*Possenspiel treiben*) hacer (*od.* decir) bufonadas; 2**spiel** *n* (*-es*; *-e*) → *Gaukelei*.

ˈ**Gaukler** *m* prestidigitador *m*; malabarista *m*; (*Seiltänzer*) volatinero *m*; (*Possenreißer*) bufón *m*; (*Betrüger*) impostor *m*; (*Quacksalber*) charlatán *m*; (*Magier*) mago *m*.

Gaul *m* (*-es*; *⸗e*) caballo *m*; *schlechter*: rocín *m*; *desp.* penco *m*, jamelgo *m*; *fig.* e-m *geschenkten* ~ *sieht man nicht ins Maul* a caballo regalado no le mires el diente.

ˈ**Gaumen** *m* paladar *m*, cielo *m* de la boca; *den* ~ *kitzeln* raspar, picar al paladar; **~laut** *m* (*-es*; *-e*) sonido *m* palatal, letra *f* palatal; **~platte** *f* paladar *m* artificial; **~segel** *Anat. n* velo *m* del paladar; **~zäpfchen** *Anat. n* úvula *f*, F campanilla *f*.

ˈ**Gauner(in** *f*) *m* estafador(a *f*) *m*, timador(a *f*) *m*; truhán *m*; (*abgefeimter* ~) pícaro *m*; bellaco *m*, pillo *m*, granuja *m*; (*Halunke*) bribón *m*, bribona *f*; **~bande** *f* banda *f* de estafadores; pandilla *f* de bribones.

Gauneˈ**rei** *f* estafa *f*, timo *m*; bellaquería *f*, pillada *f*, granujada *f*; bribonada *f*; truhanería *f*.

ˈ**gauner|haft** *adj.* bellaco, abellacado; abribonado, (de) bribón; pícaro; truhanesco; **~n** (*-re*) *v/i.* estafar, timar; bribonear; 2**sprache** *f* (*0*) germanía *f*, jerga *f* del hampa; caló *m*; argot *m*; 2**streich** *m* (*-es*; *-e*) → *Gaunerei*; 2**welt** *f* (*0*) hampa *f*, gente *f* de los bajos fondos.

ˈ**Gaze** [-zə] *f* gasa *f*; (*Florstoff*) crespón *m*; (*Tüll*) tul *m*; **~bausch** *m* (*-es*; *⸗e*) torunda *f* de gasa; **~binde** *f* venda *f* de gasa; **~sieb** *n* (*-es*; *-e*) tamiz *m* de gasa.

Gaˈ**zelle** *Zoo. f* gacela *f*.

Geˈ**ächtete(r)** *m* proscrito *m*.

Geˈ**ächze** [-ˈɛçtsə] *n* (*-s*; *0*) gemidos *m/pl.*

Geˈ**äder** *n* (*-s*; *0*) sistema *m* venoso; (*Holz*) vetas *f/pl.*; (*Marmorierung*) jaspeado *m*; 2**t** *adj.* veteado; jaspeado.

geˈ**artet** *adj.*: *gut* ~ de buen natural; *die Menschen sind so* ~ la naturaleza humana es así.

Geˈ**äst** *n* (*-es*; *0*) ramaje *m*.

Geˈ**bäck** *n* (*-es*; *-e*) pastelería *f*, pasteles *m/pl.*; (*Keks*) galletas *f/pl.*; pastas *f/pl.*; bizcochos *m/pl.*

Geˈ**bälk** *n* (*-es*; *0*) maderamen *m*; viguería *f*; (*Dach*2) armadura *f*.

geˈ**ballt** *adj. Faust*: apretado; crispado; *Ladung usw.*: concentrado.

geˈ**bannt** *p/p. von bannen.*

Geˈ**bärde** [ɛː] *f* (*Gesichts*2) gesto *m*; (*Hand*2, *Bewegung*) ademán *m*; ~*n machen* hacer gestos; *heftige*: gesticular; 2**n** (*-e-*; *-*) *v/refl.*: *sich* ~ (com)portarse; conducirse; *sich ernst* ~ adoptar un aire de seriedad; *sich wie ein Kind* (*od. kindisch*) ~ portarse como un niño; *sich närrisch* ~ gesticular como un histrión; **~nspiel** *n* (*-es*; *0*) (*Mimik*) mímica *f*; (*Pantomimik*) pantomima *f*; **~nsprache** *f* lenguaje *m* mímico.

geˈ**baren I.** *v/refl.* (-): *sich* ~ conducirse, portarse; **II.** 2 *n* conducta *f*.

geˈ**bär|en** (*L*; -) *v/t.* parir; (*nur v. Frauen*) alumbrar, dar a luz (*a. fig.*); *vor der Zeit* ~ malparir, abortar; *fig.* (*erzeugen*) producir; *geboren werden* nacer; venir al mundo; 2**en** *n* parto *m*, alumbramiento *m*; 2**ende** *f*, 2**erin** *f* parturienta *f*; (*Mutter*) madre *f*; 2**mutter** *Anat. f* (*-*; *⸗*) matriz *f*; útero *m*; 2**mutterhals** *Anat. m* (*-es*; *⸗e*) cuello *m* uterino; 2**muttersenkung** ⚕ *f* descenso *m* de la matriz; 2**mutterspiegel** *Chir. m* espéculo *m* ginecológico; 2**muttervorfall** ⚕ *m* (*-es*; *⸗e*) prolapso *m* uterino.

Geˈ**bäude** *n* edificio *m*; inmueble *m*; *jede Art v. Bauwerk*: construcción *f*, edificación *f*; *fig.* sistema *m*; **~block** *m* (*-es*; *-s*), **~komplex** *m* (*-es*; *-e*) grupo *m* de edificios; (*Straßenblock*) manzana *f* (de casas);

Am. cuadra *f*; **~schäden** *m/pl.* daños *m/pl.* causados a los edificios; **~steuer** *f* (-; *-n*) contribución *f* inmobiliaria; **~versicherung** *f* seguro *m* inmobiliario.

'gebefreudig *adj.* dadivoso.

Ge'bein *n* (*-es*; *-e*) huesos *m/pl.*; **~e** *pl.* (*Totengebeine*) osamenta *f*; (*sterbliche Hülle*) restos *m/pl.* mortales; (*Knochengerüst*) esqueleto *m.*

Ge'bell *n* (*-es*; *0*) ladrido *m.*

'geben I. (*L*) **1.** *v/t.* dar; (*hinreichen*) presentar; (*aushändigen*) dar, entregar; (*anbieten*) ofrecer; (*hervorbringen*) producir; dar; (*abliefern*) entregar; *Theaterstück*: representar; F dar, poner, echar; *Titel*: conceder, otorgar; *j-m den Abschied ~* despedir a alg.; *j-m ein Almosen ~* dar limosna a alg.; *j-m Antwort ~* responder (*od.* contestar *od.* dar una respuesta) a alg.; *j-m recht* (*unrecht*) *~* (no) dar la razón a alg.; F *j-m den Rest ~* (*ihn erledigen*) dar la puntilla a alg.; *von et. Zeugnis ~* dar fe (*od.* testimonio) de a/c.; *Anlaß zu et. ~* dar lugar a; dar pie (*od.* motivo) para a/c.; *zu verstehen ~* dar a entender; *zu denken ~* dar que pensar; *j-m Aufklärung ~ über* (*ac.*) explicar *od.* aclarar a alg. a/c.; ✝ *auf Kredit ~* dar a crédito; ✝ *Kredit ~* conceder un crédito; *sich Mühe ~* tomarse la molestia de; *sich e-e Blöße ~* descubrir el lado flaco; *Privatstunden ~* dar clases particulares; *Rabatt ~* conceder (*od.* hacer) una rebaja; *Rechenschaft ~ von* rendir cuentas de; *j-m schuld ~* imputar a alg. a/c.; echar a alg. la culpa de a/c.; *j-m e-n Wink ~* hacer a alg. una seña; *Spiel*: *Karten ~* dar; *Gott geb's!* ¡Dios lo quiera!; *gebe Gott, daß* quiera Dios que (*subj.*); *verloren ~* dar por perdido; *auf die Post ~ Brief usw.*: llevar al correo; echar al correo; *viel* (*wenig*) *~ auf* hacer mucho (poco) caso de; apreciar mucho (no apreciar gran cosa) a/c.; *~ Sie her!* ¡démelo!, ¡déme eso!, P ¡venga eso!; *das Jawort ~* dar el sí; *in Druck ~* mandar imprimir, dar a la estampa; *in Pension ~* (*Schüler*) enviar como interno a un colegio; *in die Lehre ~* poner de aprendiz (*od.* en aprendizaje); *in Verwahrung ~* dar en custodia; poner en depósito; *j-m die Hand darauf ~* dar a alg. palabra de hacer a/c.; *von sich ~* despedir; lanzar; *Worte*: expresar; *Flüche*: proferir; *Speisen*: vomitar; *keinen Laut von sich ~* no decir palabra, F no rechistar; no decir ni pío; *kein Lebenszeichen von sich ~* no dar señales de vida; *j-m seine Tochter zur Frau ~* dar su hija en matrimonio a alg.; *zu essen und zu trinken ~* dar de comer y beber; *fig.* es *j-m ~* decirle a alguien las verdades del barquero; *ein Wort gab das andere* se trabaron de palabras; **2.** *v/i. Kartenspiel*: *wer gibt?* ¿quién da?; ¿quién es mano?; **3.** *v/refl.*: *sich ~ Schmerz*: calmarse; *Schwierigkeit*: allanarse; *sich gefangen ~* entregarse *od.* darse prisionero; *sich zufrieden ~* darse por contento (*od.* por satisfecho); *sich zu erkennen ~* darse a conocer; *es wird sich schon ~* ya se arreglará, ya habrá una solución; **4.** *v/unprs.*: *es gibt* hay; *was gibt es* (*od.* *gibt's*) *Neues?* ¿qué hay de nuevo?; *es wird Regen ~* va a llover; *es wird Gewitter* (*Krach*) *~* va a haber tormenta (F bronca); *zur gegebenen Zeit* en el momento oportuno, a su (debido) tiempo; *es ist nicht jedem gegeben* no es dado a todos; no está al alcance de cualquiera; **II.** ♀ *n Kartenspiel*: *am ~ sein* ser mano; *~ ist seliger denn Nehmen* más vale dar que tomar.

'Geber(in *f*) *m* dador(a *f*) *m*; *Schenker*: donador(a *f*) *m*, donante *m/f*; *Tele.* transmisor *m.*

Ge'bet *n* (*-es*; *-e*) oración *f*; *stilles* (*lautes*) *~* oración mental (vocal); (*Bittgebet*) plegaria *f*; *ein ~ verrichten* orar, rezar una oración; *fig. j-n ins ~ nehmen* llamar a capítulo a alg.; (*verhören*) interrogar severamente a alg.; (*ermahnen*) amonestar con severidad, F sermonear a alg.; **~buch** *n* (*-es*; *⸗er*) devocionario *m*; (*Brevier*) breviario *m*; **~läuten** *n* toque *m* de oración.

ge'beten *p/p. v. bitten.*

ge'beugt *adj.* encorvado; *fig.* (*niedergeschlagen*) abatido.

Ge'biet *n* (*-es*; *-e*) territorio *m*; (*Gegend*) región *f*; comarca *f*; (*Besitztum*) dominio *m* (*a. fig.*); *fig.* ⚖ (*Zuständigkeit*) jurisdicción *f*; (*Zone*) zona *f*; sector *m*; (*Bergbau*♀) cuenca *f*; *e-r Gemeinde*: término *m* municipal; *fig.* (*Fach*♀) campo *m*, terreno *m*, dominio *m*; *Fachmann auf dem ~ der Kernphysik* autoridad en (el terreno *od.* campo de la) física nuclear; *ein weites ~* un vasto campo de actividades; *besetztes* (*unbesetztes*) *~* territorio ocupado (no ocupado).

ge'biet|en (*L*; -) *v/t. u. v/i.* (*befehlen*) mandar, ordenar; (*verordnen*) decretar; (*erfordern*) requerir; (*verfügen*) disponer (*über ac.* de); (*herrschen*) reinar sobre; mandar, regir (*ac.*); *j-m Schweigen ~* imponer silencio a alg.; *Ehrfurcht ~* imponer respeto; → *geboten*; ♀**er** *m* señor *m*; dueño *m*, amo *m*; (*Herrscher*) soberano *m*; ♀**erin** *f* señora *f*; dueña *f*, ama *f*; (*Herrscherin*) soberana *f*; **~erisch** *adj.* imperioso; imperativo; (*autoritär*) autoritario; dictatorial; (*stolz*) soberbio; altivo; (*Ton*) categórico; conminativo.

Ge'biets...: **~abtretung** *f* cesión *f* territorial; **~anspruch** *m* (*-es*; *⸗e*), **~forderung** *f* reivindicación *f* territorial; **~erweiterung** *f* aumento *m* de territorio; **~hoheit** *f* (*0*) soberanía *f* territorial; **~körperschaft** *f* corporación *f* territorial; **~streifen** *m* zona *f*; **~streitigkeiten** *f/pl.* litigios *m/pl.* territoriales.

Ge'bilde *n* obra *f*; creación *f*; (*Erzeugnis*) producto *m*; (*Bildung*) formación *f*; (*Bild*) imagen *f*; (*Weberei*) dibujo *m*; (*Bau, Gefüge*) estructura *f*; *fig.* complejo *m.*

ge'bildet I. *p/p. v. bilden*; **II.** *adj.* culto, instruido; ilustrado.

Ge'bimmel *n* (*-s*; *0*) repique(teo) *m*, campaneo *m.*

Ge'binde *n* haz *m*; (*Garbe*) gavilla *f*; (*Faß*) tonel *m*, cuba *f*; barril *m*; (*Blumenstrauß*) ramo *m*; ramillete *m*; (*Kranz*) guirnalda *f.*

Ge'birg|e *n* (cadena *f* de) montañas *f/pl.*; montes *m/pl.*; sierra *f*; ⚒ roca *f*; ♀**ig** *adj.* montañoso.

Ge'birgs...: **~artillerie** *f* artillería *f* de montaña; **~ausläufer** *m* estribaciones *f/pl.* de una montaña; **~bahn** *f* ferrocarril *m* de montaña; **~beschreibung** *f* orografía *f*; **~bewohner(in** *f*) *m* montañés *m*, montañesa *f*; **~bildung** *f* orogenia *f*; **~dorf** *n* (*-es*; *⸗er*) pueblo *m* de la montaña; **~gegend** *f* región *f* montañosa; **~grat** *m* (*-es*; *-e*) cresta *f*; **~jäger** ⚔ *m* soldado *m* de tropas de montaña; **~kamm** *m* (*-es*; *⸗e*) sierra *f*; **~kette** *f* cadena *f* de montañas; cordillera *f*; sierra *f*; **~kunde** *f* (*0*) orología *f*; **~land** *n* (*-es*; *⸗er*) país *m* montañoso; serranía *f*; **~paß** *m* (*-sses*; *⸗sse*) puerto *m*, paso *m*; (*Engpaß*) desfiladero *m*; **~pflanze** ♣ *f* planta *f* de montaña; **~schlucht** *f* garganta *f*; barranco *m*; **~stock** *Geol. m* (*-es*; *⸗e*) macizo *m* montañoso; **~straße** *f* carretera *f* de montaña; **~truppen** *f/pl.* tropas *f/pl.* de montaña; **~volk** *n* (*-es*; *⸗er*) gente *f* de la montaña, montañeses *m/pl.*; **~wand** *f* (-; *⸗e*) pared *f* rocosa; ladera *f* tajada a pico; **~zug** *m* (*-es*; *⸗e*) cordillera *f.*

Ge'biß *n* (*-sses*; *-sse*) dentadura *f*; *künstliches*: dentadura *f* postiza; prótesis *f* dental; *am Zaum*: bocado *m.*

ge'bissen *p/p. v. beißen.*

Ge'bläse *n* ⊕ (*Maschine*) máquina *f* soplante; (*Blasebalg*) fuelle *m*; *zum Löten*: soplete *m*; (⊕ *u. Auto.*) compresor *m*; (*Blaseeinrichtung*) ventilador *m*; **~luft** *f* (*0*) viento *m*; **~motor** *m* (*-s*; *-en*) motor *m* de sobrealimentación; motor *m* de compresión.

ge'blieben *p/p. v. bleiben.*

Ge'blök(e) *n* (*-es*; *0*) *der Schafe*: balido *m*; *der Rinder*: mugido *m.*

ge'blümt *adj.* rameado; floreado.

Ge'blüt *n* (*-es*; *0*) sangre *f* noble; *Stamm*: estirpe *f*; *Geschlecht*: raza *f*, linaje *m*; *Prinz von ~* príncipe de prosapia (*od.* de sangre).

ge'bogen I. *p/p. v. biegen*; **II.** *adj.* curvo, corvo; acodado; arqueado; doblado.

ge'boren *p/p. v. gebären u. adj.*: nacido; *~ werden* nacer; *~ in* (*dat.*) nacido en, natural de; *~er Deutscher* alemán de nacimiento; alemán de origen; *blind ~* ciego de nacimiento; *ein ~er Verbrecher* un criminal nato; *er ist der ~e Künstler* nació para (ser) artista; *geborene Meyer* nacida (*od.* de soltera) Meyer; *Frau Maria Schmidt geborene Müller* doña Maria Müller de Schmidt; *sie ist e-e ~e Weber* es una hija del señor Weber.

ge'borgen I. *p/p. v. bergen*; **II.** *adj.* (en) salvo; ♀**heit** *f* (*0*) (*Sicherheit*) seguridad *f*; (*Zurückgezogenheit*) recogimiento *m.*

ge'borsten *p/p. v. bersten.*

Ge'bot *n* (*-es*; *-e*) mandamiento *m*; mandato *m*; (*Befehl*) orden *f*; (*Vorschrift*) precepto *m*; (*Erlaß*) decreto *m*; (*Gesetz*) ley *f*; *des Gewissens*; dictado *m*; (*Angebot*) oferta *f*, *bei Versteigerung*: *a.* postura *f*; *höheres ~* (*bei Versteigerung*) puja *f*; *Rel.* die

zehn ~*e* el Decálogo, los diez mandamientos (de la ley de Dios); ~ *der Stunde* la alternativa del momento; *j-m zu* ~*e stehen* estar a la disposición (*od.* a las órdenes) de alg.; *Not kennt kein* ~ la necesidad carece de ley; 2**en I.** *p/p. v. bieten*; **II.** *adj.*: ~ *sein* imponerse; *es ist dringend* ~ es urgente; es absolutamente indispensable *od.* imprescindible.
Ge'botszeichen *n Auto.* (*Fahrtrichtung*) señal *f* de circulación obligada.
ge'bracht *p/p. v. bringen.*
ge'brannt *p/p. v. brennen.*
Ge'bräu *n* (*-ės*; *-e*) (*Getränk*) brebaje *m*; (*Gemisch*) mezcolanza *f*.
Ge'brauch *m* (*-ės*; *ᵘe*) uso *m*; (*Verwendung*) empleo *m*; aplicación *f*; (*Sitte*) costumbre *f*; (*Gewohnheit*) hábito *m*; (*Handhabung*) manejo *m*; *die Gesetze und Gebräuche des Krieges* las leyes y costumbres de la guerra; *zum täglichen* ~ para uso diario; ~ *machen von* usar; utilizar, emplear; hacer uso de; servirse de; *e-n guten* ~ *machen von* hacer buen uso de; *in* ~ *kommen* comenzar a ser empleado; generalizarse (el uso); *außer* ~ *sein* estar fuera de uso; no usarse ya; ser anticuado; *außer* ~ *kommen* caer en desuso; *in* ~ *nehmen* usar, emplear; servirse de; *zu beliebigem* ~ para todos los usos; *zum inneren* (*äußeren*) ~ para uso interno (externo); *vor* ~ *schütteln* agítese antes de usarlo; 2**en** (-) *v/t.* usar; utilizar; emplear; hacer uso de; (*handhaben*) manejar; *Arznei*: tomar; usar; *Kur*: seguir un tratamiento; *Gewalt* ~ emplear la fuerza; recurrir a la fuerza; ~ (*verwenden*) zu emplear (*od.* utilizar) para; *zu* ~ *sein* poder servir para; *sich zu allem* ~ *lassen* prestarse (*od.* ser utilizable) para todo; *zu nichts zu* ~ *sein* no servir para nada; *äußerlich* (*innerlich*) *zu* ~*!* para uso externo (interno); → *brauchen*; *gebraucht*.
ge'bräuchlich *adj.* en uso; *Wörter, Redensart*: de uso corriente; (*üblich*) usual; común; admitido por el uso; consagrado por el uso; (*herkömmlich*) acostumbrado, habitual; (*allgemein*) general, corriente; ~ *werden* hacerse usual; 2**keit** *f* (*0*) empleo *m* corriente; utilidad *f*.
Ge'brauchs|anweisung *f* modo *m* de empleo; instrucciones *f/pl.* para el uso; ~**artikel** *m*, ~**gegenstand** *m* (*-ės*; *ᵘe*) artículo *m* de primera necesidad; objeto *m* de uso corriente; ~**fahrzeug** *n* (*-ės*; *-e*) vehículo *m* utilitario; 2**fertig** *adj.* listo para el uso; dispuesto para el servicio; ~**graphiker** *m* dibujante *m* publicitario; ~**güter** *n/pl.* artículos *m/pl.* de consumo; ~**muster** *n* modelo *m* registrado; ~**musterschutz** *m* (*-es*; *0*) protección *f* legal de modelos registrados; ~**vorschrift** *f* → *Gebrauchsanweisung*; ~**wert** *m* (*-ės*; *-e*) valor *m* útil; valor *m* de utilidad.
ge'braucht I. *p/p. v. gebrauchen*; **II.** *adj.* usado; *Buch, Wagen usw.*: de ocasión, de segunda mano.
ge'bräunt *p/p. v. bräunen.*
Ge'braus *n* (*-es*; *0*) fragor *m*; estrépito *m*; *des Windes, des Meeres*: bramido *m*; *im Ohr*: zumbido *m*.
ge'brechen I. *v/unprs.* (*L*; -): *es gebricht mir an* (*dat.*) carezco de, me falta(n), me hace(n) falta (*nom.*); necesito (*ac.*); **II.** 2 *n* defecto *m*; ⚕ achaque *m*; (*Schwäche*) debilidad *f*; (*Verbildung*) defecto *m* físico; vicio *m* de conformación.
ge'brechlich *adj.* (*zerbrechlich*) quebradizo, frágil; (*schwach*) débil; (*kränklich*) achacoso, enfermizo; (*hinfällig*) caduco; (*altersschwach*) decrépito; (*zart*) delicado; 2**keit** *f* fragilidad *f*; achacosidad *f*; (*Schwäche*) debilidad *f*; (*Hinfälligkeit*) caducidad *f*; (*Altersschwäche*) decrepitud *f*, debilidad *f* senil.
ge'brochen I. *p/p. v. brechen*; **II.** *adj.*: *fig. jd.*: quebrantado; *mit* ~*em Herzen* con el corazón desgarrado; con la muerte en el alma; ~*es Deutsch* alemán chapurreado; *er spricht* ~*es Deutsch* chapurrea el alemán.
Ge'brodel *n* (*-s*; *0*) borboteo *m*.
Ge'brüder *m/pl.* hermanos *m/pl.*; *die* ~ *Grimm* los hermanos Grimm; ✝ *Abk.* Hnos.
Ge'brüll *n* (*-ės*; *0*) *Stier*: bramido *m*; *Rind*: mugido *m*; *Löwe*: rugido *m*; *fig.* vociferación *f*; griterío *m*.
ge'bückt *p/p. v. bücken u. adj.*: ~ *gehen* ir encorvado.
Ge'bühr *f* (*Verpflichtung*) deber *m*, obligación *f*; (*Abgaben*) derechos *m/pl.*; impuestos *m/pl.*; tasa *f*; (*Kosten*) gastos *m/pl.*; (*Beitrag*) cuota *f*; (*Tarif*) tarifa *f*; ✉ porte *m*; (*Prämie*) prima *f*; ~*en f/pl. für Arzt usw.*: honorarios *m/pl.*; *nach* ~ debidamente, convenientemente; *über* ~ más de lo debido; con exceso, excesivamente; sobremanera.
ge'bühren (-) *v/i. u. v/refl.*: *j-m* ~ corresponder a alg.; pertenecer a alg.; *sich* ~ ser debido; ser justo; convenir; proceder; *wie es sich gebührt* como es debido; como procede; *es gebührt sich, zu* (*inf.*) procede *od.* conviene (*inf.*); *das gebührt sich nicht* eso no debe hacerse; *wie es sich für einen Ehrenmann gebührt* como corresponde a un hombre de bien; ~**d I.** *adj.* debido; correspondiente; conveniente; (*wohlanständig*) decoroso, decente; (*richtig*) justo; (*verdient*) merecido; *j-m die* ~*e Achtung erweisen* guardar a (*od.* tener con) alg. las consideraciones debidas; **II.** *adv.* = ~**dermaßen** *adv.*, ~**derweise** *adv.* debidamente, como es debido; en debida forma.
Ge'bühren...: ~**erlaß** *m* (*-sses*; *ᵘsse*) exención *f* de derechos; ~**ermäßigung** *f* reducción *f* de derechos; 2**frei** *adj.* exento de derechos; ~**freiheit** *f* (*0*) exención *f* de derechos; franquicia *f*; ~**nachlaß** *m* (*-sses*; *ᵘsse*) → *Gebührenermäßigung*; ~**ordnung** *f* tarifa *f*; *Zoll*, ⚖ arancel *m*; 2**pflichtig** *adj.* sujeto a (pago de) derechos; ~**satz** *m* (*-es*; *ᵘe*) tarifa *f*; *der Ärzte usw.*: tarifa *f* de honorarios; arancel *m*.
ge'bührlich *adj.* → *gebührend.*
ge'bunden[1] *p/p. v. binden.*
ge'bunden[2] *adj.* ligado; ⚗ combinado; (*latent*) latente; *Typ.* (*Buch*) encuadernado; ✝ *Preis*: fijo; *vertraglich* ~ obligado por contrato; *in* ~*er Rede* en verso; → *binden*; 2**heit** *f* (*0*) obligación *f*; sujeción *f*; (*Enge*) estrechez *f*.
Ge'burt *f* nacimiento *m* (*a. fig.*); *vor* (*nach*) *Christi* ~ antes (después) de Jesucristo; *bei s-r* ~ al nacer; *von* ~ *an, seit m-r* ~ desde mi nacimiento; (*Gebären*) parto *m*, alumbramiento *m*; *schwere* ~ parto laborioso; (*Leibesfrucht*) fruto *m*; *fig.* (*Ursprung*) origen *m*; *Deutscher von* ~ alemán de origen; de nacionalidad alemana; *von vornehmer* ~ de ilustre origen; de noble linaje *od.* alcurnia.
Ge'burten...: ~**beihilfe** *f* subsidio *m* de alumbramiento; ~**beschränkung** *f* limitación *f* de la natalidad (*od.* de los nacimientos); ~**erhebung** *f* estadística *f* de natalidad; ~**kontrolle** *f* control *m* de los nacimientos; ~**prämie** *f* premio *m* de natalidad; ~**regelung** *f* regulación *f* (*od.* control *m*) de los nacimientos; ~**rückgang** *m* (*-ės*; *ᵘe*) descenso *m* de la natalidad; 2**schwach** *adj.*: ~*e Jahrgänge* años de exigua natalidad; ~**überschuß** *m* (*-sses*; *ᵘsse*) excedente *m* de nacimientos; ~**verhütung** *f* prevención *f* de nacimientos; anticoncepcionismo *m*; ~**ziffer** *f* (-; *-n*) natalidad *f*; ~**zuwachs** *m* (*-es*; *0*) aumento *m* de la natalidad.
ge'bürtig *adj.* oriundo, natural (*aus* de); ~*er Deutscher* alemán de nacimiento; alemán de origen.
Ge'burts...: ~**adel** *m* (*-s*; *0*) nobleza *f* hereditaria; ~**anzeige** *f* anuncio *m* de natalicio; (*behördlich*) declaración *f* de nacimiento; ~**datum** *n* (*-s*; *-daten*) fecha *f* de nacimiento; ~**fehler** *m* defecto *m* congénito; ~**haus** *n* (*-es*; *ᵘer*) casa *f* natal; ~**helfer** *m* tocólogo *m*; ~**helferin** *f* partera *f*, comadrona *f*; ~**hilfe** *f* (*0*) asistencia *f* al parto; ⚕ obstetricia *f*; ~**jahr** *n* (*-ės*; *-e*) año *m* de nacimiento; ~**land** *n* (*-ės*; *ᵘer*) país *m* natal; ~**ort** *m* (*-ės*; *-e*) lugar *m* de nacimiento; ~**register** *n* registro *m* de nacimientos; (*kirchliches*) libro *m* de bautismos; ~**schein** *m* (*-ės*; *-e*) partida *f* de nacimiento; ~**stadt** *f* (-; *ᵘe*) ciudad *f* natal; ~**tag** *m* (*-ės*; *-e*) fecha *f* de nacimiento; (*Festtag*) cumpleaños *m*; ~**tagsfeier** *f* (-; *-n*) celebración *f* de cumpleaños; ~**tagskind** *n* (*-ės*; *-er*) el (*od.* la) que celebra su cumpleaños; ~**urkunde** *f* → *Geburtsschein*; ~**wehen** *f/pl.* dolores *m/pl.* (precursores) del parto; ~**zange** *Chir. f* fórceps *m*.
Ge'büsch *n* (*-es*; *-e*) broza *f*; (*Gestrüpp*) matorral *m*; maleza *f*; zarzal *m*; (*Dickicht*) espesura *f*; (*Gehölz*) monte *m* bajo; soto *m*.
Geck *m* (*-en*) fatuo *m*; (*Narr*) tonto *m* presuntuoso; necio *m*; (*Mode*2) F niño *m* gótico, pollo *m* pera, lechuguino *m*, *fig.* narciso *m*; figurín *m*; *Arg.* compadrito *m*; 2**enhaft** *adj.* fatuo, presumido; tontivano.
Ge'dächtnis *n* (*-ses*; *-se*) memoria *f*; (*Erinnerung*) recuerdo *m*; *aus* (*nach*) *dem* ~ de memoria; *et. im* ~ *bewahren* conservar (*od.* retener) en la memoria a/c.; *et. aus dem* ~ *verlieren* olvidar a/c.; perder el recuerdo de a/c.; *sich et. ins* ~ *zurückrufen* recordar (*od.* acordarse de) a/c.;

rememorar a/c.; *j-m et. ins ~ zurückrufen* recordar a alg. a/c.; hacer recordar a alg. a/c.; *im ~ verhaftet* impreso en la memoria; *aus dem ~ tilgen* borrar de la memoria; *zum ~ von* en memoria de; a la memoria de; *ein gutes (schlechtes) ~ haben* tener buena (mala) memoria; *ein kurzes ~ haben* ser corto de memoria; *wenn mein ~ mich nicht trügt* si mal no recuerdo, si la memoria no me es infiel; *ein gutes ~ für Daten haben* tener buena memoria para (*od.* retener bien) las fechas; *sein ~ ist wie ein Sieb* es muy flaco de memoria; **~fehler** *m* defecto *m* de memoria; **~kraft** *f* (*0*) memoria *f*, retentiva *f*; **~lücke** *f* laguna *f* en la memoria; **2schwach** *adj.* flaco de memoria, desmemoriado; **~schwäche** *f* flaqueza *f* de memoria; **~schwund** *m* (*-es*; *0*) pérdida *f* de la memoria, ⚕ amnesia *f*; **~störung** *f* perturbación *f* de la memoria; **~stütze** *f* medio *m* (m)nemotécnico; **~übung** *f* ejercicio *m* de (la) memoria; **~verlust** *m* (*-es*; *0*) pérdida *f* de la memoria, ⚕ amnesia *f*.

ge'dämpft *adj.* (*abgeschwächt*) atenuado; *Ton*: apagado; *Schlag*: amortiguado; *Kochk.*: rehogado; *mit ~er Stimme* a media voz; en voz baja; → *dämpfen*.

Ge'danke *m* (*-ns*; *-n*) pensamiento *m*; (*Begriff*, *Vorstellung*) idea *f*, concepto *m*; *Phil.* concepción *f*; (*Einfall*) ocurrencia *f*; (*Betrachtung*) reflexión *f*; meditación *f*; consideración *f* (*über ac.* sobre); (*Erinnerung*) recuerdo *m*; (*Absicht*) intención *f*; (*Vermutung*) sospecha *f*; conjetura *f*; (*Ahnung*) presentimiento *m*; (*Plan*) designio *m*; plan *m*, proyecto *m*; (*Hoffnung*) esperanza *f*; (*Meinung*) opinión *f*; *schon der ~*, *der bloße ~* la sola idea de; ya con sólo pensarlo; *trübe ~n* pensamientos tristes; *in ~n* (*im Geiste*) mentalmente, (*aus Zerstreutheit*) por distracción; *in ~n sein* estar pensativo; (*besorgt sein*) estar preocupado; (*geistesabwesend*) estar ensimismado; *in ~n versunken* abismado en su meditación; *schwarzen ~n nachhängen* entregarse a reflexiones tristes; *~n wälzen fig.* rumiar (*od.* dar vueltas a) una idea; *et. in ~n tun* hacer a/c. sin pensar *od.* sin querer; hacer a/c. maquinalmente; *s-e ~n nicht beisammen haben* estar distraido; *wo warst du mit deinen ~n?* ¿dónde tenías la cabeza?; *mit dem ~n spielen, zu* (*inf.*) acariciar la idea de (*inf.*); *e-n ~n hegen* abrigar una idea; *sich ~n machen* (*besorgt sein*) estar preocupado *bzw.* inquieto; intranquilizarse, inquietarse; preocuparse (*über ac.* de); *j-s ~n lesen* intuir el pensamiento de alg.; *wer brachte ihn auf den ~n?* ¿quién le sugirió la idea?; *wie kommst du auf den ~n?* ¿cómo se te ocurre eso?; *j-n auf andere ~n bringen* distraer *od.* apartar a alg. de una idea; *sich auf andere ~n bringen* distraerse; pensar en otra cosa; *auf andere ~n kommen* cambiar de idea *bzw.* de opinión; *er verfiel auf den ~n, zu* (*inf.*) concibió la idea de; se le ocurrió la idea de; dio en (*inf.*); *mit dem ~n umgehen, zu* (*inf.*) proyectar, pensar en, proponerse (*inf.*); *der ~ an* (*ac.*) la idea de; *kein ~!* F ¡ni pensarlo!, ¡ni por pienso!, ¡ni por asomo!; *Am.* ¡qué esperanza!; *die ~n sind frei* el pensamiento es libre.

Gedanken...: **2arm** *adj.* pobre de ideas; **~armut** *f* (*0*) ausencia *f* de ideas; **~austausch** *m* (*-es*; *0*) cambio *m* de ideas *bzw.* de impresiones; **~blitz** *m* (*-es*; *-e*) idea *f* repentina; (*geistreicher*) agudeza *f*, ocurrencia *f*; salida *f*; **~flug** *m* (*-es*; *0*) elevación *f* de ideas; vuelo *m* de la fantasía; **~folge** *f* sucesión *f* de ideas; **~freiheit** *f* (*0*) libertad *f* de pensamiento; **~fülle** *f* (*0*) abundancia *f* de ideas; **~gang** *m* (*-es*; *⸗e*) orden *m* de las ideas; ilación *f* de las ideas; raciocinio *m*; **2leer** *adj.* sin ideas; vacío (de toda idea); **~leere** *f* (*0*) ausencia *f* de ideas; **~lesen** *n* (*-s*; *0*) intuición *f* del pensamiento; **~leser** *m* adivinador *m* del pensamiento; **2los** *adj.* (*-est*) irreflexivo; aturdido; (*zerstreut*) distraido; (*mechanisch*) maquinal; **~losigkeit** *f* irreflexión *f*; aturdimiento *m*; (*Zerstreutheit*) distracción *f*, inadvertencia *f*; **2reich** *adj.* rico (*od.* fecundo) en ideas; **~reichtum** *m* (*-es*; *0*) riqueza *f* de pensamiento; abundancia *f* de ideas; **~strich** *m* (*-es*; *-e*) guión *m*; raya *f*; **~übertragung** *f* transmisión *f* del pensamiento; telepatía *f*; **~verbindung** *f* asociación *f* de ideas; **2voll** *adj.* rico en ideas; (*nachdenklich*) pensativo, meditabundo; (*sorgenvoll*) preocupado; **~welt** *f* (*0*) ideología *f*; ideario *m*; mundo *m* de las ideas.

ge'danklich *adj.* mental; (*intellektuell*) intelectual; ideológico.

Ge'därm *n* (*-es*; *-e*), **~e** *n Anat.* intestinos *m/pl.*; P tripas *f/pl.*

Ge'deck *n* (*-es*; *-e*) cubierto *m*; *trockenes ~* cubierto sin vino; *Tischzeug*: servicio *m* de mesa.

Ge'deih *m* (*-es*; *0*): *auf ~ und Verderb* pase lo que pase, venga lo que viniere; **2en** (*L*; *-*; *sn*) *v/i.* prosperar; (*groß werden*) aumentar; (*vorwärtskommen*) adelantar, medrar; (*blühen*) florecer, prosperar; (*wachsen*) crecer; ⚘, *Tiere*: *a.* medrar; (*sich entwickeln*) desarrollarse; (*Frucht bringen*) fructificar, dar buen resultado; *nur v. Pflanzen*: darse bien; (*Erfolg haben*) tener éxito; *die Sache ist so weit gediehen, daß* las cosas han llegado a tal punto que; **~en** *n* prosperidad *f*; florecimiento *m*; (*Großwerden*) aumento *m*; (*Wachsen*) crecimiento *m*; (*Entwicklung*) desarrollo *m*; medro *m*; (*Erfolg*) éxito *m*; **2lich** *adj.* próspero; floreciente; (*ersprießlich*) fructífero, provechoso; saludable.

Ge'denk|blatt *n* (*-es*; *⸗er*) hoja *f* conmemorativa; hoja *f* de álbum; **2en** (*L*; *-*) *v/i.* (*gen. od. an ac.*): *e-r Sache ~* pensar en a/c.; (*sich erinnern*) acordarse de a/c., recordar a/c.; (*erwähnen*) hacer mención de a/c., mencionar a/c.; (*feierlich*) conmemorar a/c.; *~ zu* (*beabsichtigen*) proponerse (*inf.*); pensar (*inf.*); tener la intención de hacer a/c.; **~en** *n* memoria *f*, recuerdo *m*; *zu s-m ~* en su memoria; *seit Menschen2* desde tiempos inmemoriales; **~feier** *f* (*-*; *-n*) conmemoración *f*; fiesta *f* conmemorativa; **~rede** *f* discurso *m* conmemorativo; **~stein** *m* (*-es*; *-e*) monumento *m* conmemorativo; **~tafel** *f* (*-*; *-n*) placa *f* *bzw.* (*steinerne*) lápida *f* conmemorativa; **~tag** *m* (*-es*; *-e*) (*Jahrestag*) aniversario *m*.

Ge'dicht *n* (*-es*; *-e*) poesía *f*; versos *m/pl.*; (*größeres*; *episches*) poema *m*; **~form** *f*: *in ~* en verso; **~sammlung** *f* florilegio *m* de poesías; antología *f*.

ge'diegen *adj.* (*rein*) puro; (*massiv*) macizo; sólido; *Min.* puro, nativo; *Gold, Silber*: de ley; fino; *fig.* (*echt*) genuino, verdadero; (*solide*) cabal, honrado, formal; probo, íntegro; (*gehaltreich*) sólido; (*gut gemacht*) bien hecho, esmerado, hecho a conciencia; *~e Kenntnisse* conocimientos sólidos; **2heit** *f* (*0*) solidez *f* (*a. fig.*); *Min.* pureza *f*; (*Sorgfältigkeit*) esmero *m*; (*Rechtschaffenheit*) probidad *f*; honradez *f*; autenticidad *f*.

ge'diehen *p/p. v. gedeihen.*

Ge'dinge *n* arreglo *m* especial; (*Akkord*) destajo *m* (*a.* ⚒); *im ~* a tanto alzado; *im Akkord*: a destajo.

Ge'dräng|e *n* (*-s*; *0*) apretura *f*; (*Menschen2*) gentío *m*; aglomeración *f* de gente; *fig.* aprieto *m*, apuro *m*; *ins ~ kommen, im ~ sein* estar en un aprieto (*od.* en una situación apurada); **2t I.** *p/p. v. drängen*; **II.** *adj.* apretado, comprimido; apiñado; *Stil*: conciso, breve; *~e Übersicht* (*Inhaltsangabe*) sumario *m*; (*Zusammenfassung*) resumen *m*; (*Abriß*) compendio *m*; **III.** *adv.*: *~ voll* colmado; atestado; abarrotado; *~ sitzen* estar sentado apretadamente; *~ schreiben* escribir con letra apretada; **~theit** *f* (*0*) (*Dichte*) densidad *f*; compacidad *f*; *des Stils*: concisión *f*; *der Ereignisse*: sucesión *f* rápida.

ge'drechselt *adj. Stil*: pulido.

ge'droschen *p/p. v. dreschen.*

ge'drückt I. *p/p. v. drücken*; **II.** *adj.* (*niedergeschlagen*) deprimido; abatido; **2heit** *f* (*0*) depresión *f*; abatimiento *m*.

ge'drungen I. *p/p. v. dringen*; **II.** *adj.* (*kompakt*) compacto; (*gedrängt*) comprimido; apretado; *Gestalt*: rechoncho, F regordete; *Stil*: conciso; denso; **2heit** *f* (*0*) (*Kompaktheit*) compacidad *f*; *des Stils*: concisión *f*; densidad *f*.

Ge'duld *f* (*0*) paciencia *f*; *~ haben* tener paciencia (*mit* con); *die ~ verlieren* perder la paciencia; *mit* (*od. in*) *~ (er)tragen* tomar (soportar *od.* llevar) con paciencia; *j-s ~ erschöpfen* agotar a alg. la paciencia; *sich mit ~ wappnen* armarse de paciencia; *mir reißt die ~* se me acaba la paciencia; *die ~ auf die Probe stellen* poner a prueba la paciencia; *nur ~!* ¡paciencia!; **2en** (*-e-*; *-*) *v/refl.*: *sich ~* tener paciencia; (*warten*) esperar, aguardar; **2ig I.** *adj.* paciente; **II.** *adv.* pacientemente, con paciencia; **~sfaden** F *m* (*-s*; *⸗*): *mir reißt der ~* se me acaba la paciencia; **~sprobe** *f*: *j-n auf e-e ~ stellen* poner a prueba la paciencia

de alg.; **~sspiel** *n* (-*ẹs*; -*e*) juego *m* de paciencia; rompecabezas *m*.
ge'dungen I. *p/p. v. dingen*; **II.** *adj.*: *~er Mörder* asesino pagado.
ge'dunsen *adj.* hinchado; abultado.
ge'ehrt *adj.*: *in Briefen*: *Sehr ~er Herr!* Muy señor mío: ...
ge'eicht I. *p/p. v. eichen*: **II.** *adj.*: *auf et. ~ sein* ser experto (entendido *od.* versado) en a/c.
ge'eignet *adj.* propio, apropiado, adecuado (*zu* para); idóneo, apto (para); (*fähig*) capaz (*zu* de); (*passend*) conveniente, a propósito (*zu* para); *~e Maßnahme* medida apropiada; *~es Mittel* medio adecuado; *im ~en Augenblick* en el momento oportuno.
Geest *f*, **'~land** *n* (-*ẹs*; *0*) terreno *m* elevado y seco; páramo *m*; secadal *m*.
Ge'fahr *f* peligro *m*; (*Wagnis*) riesgo *m*; *auf die ~ hin* a riesgo de; ⚚ *auf s-e ~* a su riesgo; ⚚ *auf eigene Rechnung und Gefahr* por su cuenta y riesgo; *es ist ~ im Verzug* hay peligro en la demora; el peligro es inminente; *~ laufen zu* (*inf.*) correr peligro (*od.* riesgo) de, arriesgar (*inf.*); *in ~ sein* (*schweben*) estar en peligro; peligrar; *in ~ geraten, in ~ kommen, sich in ~ begeben* exponerse al peligro; *in ~ bringen* poner en peligro; *außer ~* fuera de peligro; **2bringend** *adj.* peligroso.
ge'fährd|en (-*e*-; -) *v/t.* poner en peligro; (*bedrohen*) amenazar; (*aufs Spiel setzen*) arriesgar, aventurar; *Ruf, Stellung*: comprometer; *die internationale Sicherheit ~* amenazar la seguridad internacional; **2ung** *f* (*0*) amenaza *f*.
ge'fahr|drohend *adj.* amenazador; **2engebiet** *n* (-*ẹs*; -*e*) zona *f* peligrosa; **2enherd** *m* (-*ẹs*; -*e*) *Pol.* foco *m* de conflictos; **2enquelle** *f* fuente *f* de peligros; **2enzone** *f* zona *f* peligrosa.
ge'fährlich *adj.* peligroso; (*gewagt*) arriesgado; (*ernst*) serio; (*kritisch*) crítico; *Krankheit*: grave; **2keit** *f* peligrosidad *f*; peligro *m*; *e-r Krankheit*: gravedad *f*.
ge'fahr|los *adj.* (-*est*) sin riesgo; (*sicher*) seguro; *adv.* sin peligro (*od.* riesgo); sobre seguro; a mansalva; **2losigkeit** *f* (*0*) ausencia *f* de peligro; (*Sicherheit*) seguridad *f*.
Ge'fährt *n* vehículo *m*.
Ge'fährt|e *m* (-*n*), **~in** *f* compañero (-a *f*) *m*; camarada *m/f*.
ge'fahrvoll *adj.* lleno de peligros; muy peligroso; (*mißlich*) crítico.
Ge'fälle *n* (*Neigung*) declive *m*; desnivel *m*; (*Abhang*) pendiente *f*; *e-s Flusses*: salto *m*; ⚡ (*Spannungs2*) caída *f* de tensión; (*Abgaben*) derechos *m/pl.*, impuestos *m/pl.*; (*Einnahmen*) rentas *f/pl.*; emolumentos *m/pl.*; *starkes ~* (*Fluß*) corriente rápida.
ge'fallen I. (*L*; -) *v/i.*, *v/refl. u. v/unprs.* agradar, placer, gustar; convenir; *wie gefällt Ihnen ...?* ¿le gusta a usted ...?, ¿qué le parece a usted ...?; *wie es Ihnen gefällt* como usted guste; *es gefällt mir hier* me agrada (*od.* gusta) este lugar, me encuentro muy bien aquí; *sich ~ in* (*dat.*) complacerse en; *sich et. ~ lassen* tolerar a/c.; (*es ertragen*) sufrir, aguantar, soportar a/c.; (*es hinnehmen*) admitir, consentir en, conformarse con a/c.; *sich alles ~ lassen* consentirlo todo, pasar por todo; doblegarse a todo; *sich nichts ~ lassen* no tolerar nada, *fig.* F no sufrir ancas; *das lasse ich mir ~!* ¡así me gusta!; *das kann man sich allenfalls noch ~ lassen* eso todavía puede pasar; **II.** *p/p. v. fallen*; **III.** *adj.* ⚔ muerto en la guerra; caído en el frente; *~es Mädchen* muchacha caída; muchacha perdida *od.* deshonrada; *~er Engel* ángel caído.
Ge'fallen[1] *m* (*Gefälligkeit*) favor *m*; servicio *m*; amabilidad *f*; *j-n um e-n ~ bitten* pedir un favor a alg.; *tun Sie mir den ~, zu* (*inf.*) hágame el favor (tenga la bondad *od.* amabilidad) de (*inf.*).
Ge'fallen[2] *n* (-*s*; *0*) placer *m*, gusto *m*, agrado *m*; *an et. ~ finden* hallar gusto (*od.* satisfacción) en a/c. *bzw.* en hacer a/c.; aficionarse (*od.* tomar afición) a a/c.; *an et. ~ haben* tener placer (*od.* gusto) en a/c.; agradar (*od.* gustar) a/c.; *Ihnen zu ~* para complacerle a usted; *nach ~* a discreción, a voluntad; a su gusto, a placer.
Ge'falle|nendenkmal *n* (-*ẹs*; *"er od.* -*e*) monumento *m* a los caídos en la guerra; **~nenfriedhof** *m* (-*ẹs*; *"e*) cementerio *m* de guerra; **~ne(r)** *m* muerto *m* (*od.* caído *m*) en la guerra.
ge'fällig *adj.* amable; complaciente; (*dienstfertig*) servicial; (*zuvorkommend*) atento, obsequioso; (*genehm*) agradable; *was ist ~?* ¿en qué puedo servirle?, ¿qué se le ofrece?; ⚚ *Ihrer ~en Antwort entgegensehend* en espera de su grata respuesta; *j-m ~ sein* complacer a (*od.* ser complaciente con) alg.; *Zigaretten ~?* ¿desea usted cigarillos?; **2keit** *f* amabilidad *f*; complacencia *f*; (*Dienst*) favor *m*; servicio *m*; *j-m e-e ~ erweisen* hacer un favor a alg.; prestar un servicio a alg.; *aus ~* por complacencia; por (hacer un) favor; **2keits-akzept** *n* (-*ẹs*; -*e*), **2keitswechsel** *m* ⚚ letra *f* convencional *od.* proforma; **~st** *adv.* si usted gusta; *nehmen Sie ~ Platz!* sírvase tomar asiento; *sei ~ still!* ¡a ver si te callas!
Ge'fall|sucht *f* (*0*) afán *m* de agradar; (*weibliche*) coquetería *f*; **2süchtig** *adj.* deseoso de agradar; coqueta *f*; F coquetón *m*.
ge'faltet *adj.* plegado; doblado.
ge'fangen *adj.* prisionero; cautivo; (*in Haft*) preso, detenido; **2e(r)** *m* (*Kriegs2*) prisionero *m* (de guerra); cautivo *m*; (*Häftling*) detenido *m*; ⚖ penado *m*, preso *m*; **2enanstalt** *f* establecimiento *m* penitenciario; **2en-austausch** *m* (-*es*; *0*) canje *m* de prisioneros; **2enfürsorge** *f* (*0*) asistencia *f* a los prisioneros; **2enlager** *n* campo *m* de prisioneros; (*ziviles*) campo *m* de concentración; **2entransport** *m* (-*ẹs*; -*e*) ⚔ transporte *m* de prisioneros; ⚖ conducción *f* de presos; **2enwagen** *m* coche *m* celular; **2enwärter(in** *f*) *m* guardián *m* de prisión; celadora *f*; carcelero (-a *f*) *m*; **~geben** (*L*) *v/refl.*: *sich ~* entregarse prisionero; darse preso; **~halten** (*L*) *v/t.* retener en prisión; tener encarcelado *od.* preso; tener cautivo; **2nahme** *f* (*0*) detención *f*; captura *f* (*a.* ⚔); **~nehmen** (*L*) *v/t.* detener; capturar (*a.* ⚔); hacer prisionero; *fig.* (*fesseln*) cautivar; **2schaft** *f* (*0*) ⚖ prisión *f*; ⚔ cautiverio *m*, cautividad *f*; ⚔ *in ~ geraten* caer (*od.* ser hecho) prisionero; *Rückkehr aus der ~* vuelta del cautiverio; **~setzen** (-*t*) *v/t.* meter en prisión, encarcelar; **2setzung** *f* encarcelamiento *m*.
Ge'fängnis *n* (-*ses*; -*se*) cárcel *f*, prisión *f*; establecimiento *m* penitenciario; (*Zuchthaus*) presidio *m*, penal *m*; *ins ~ wandern* ir a la cárcel; *ins ~ werfen* meter en la cárcel; *im ~ sitzen* estar en la cárcel; *zu drei Monaten ~ verurteilen* condenar a tres meses de cárcel; **~direktor** *m* (-*s*; -*en*) director *m* de un establecimiento penitenciario (*bzw.* de una cárcel *od.* prisión); **~haft** *f* (*0*) prisión *f*; **~hof** *m* (-*ẹs*; *"e*) patio *m* de la cárcel; **~strafe** ⚖ *f* pena *f* de prisión menor (*6 Monate bis 6 Jahre*); **~wärter(in** *f*) *m* → *Gefangenenwärter(in)*; **~zelle** *f* celda *f*.
Ge'fasel *n* (-*s*; *0*) vaniloquio *m*, charla *f* estúpida; (*Altersfaselei*) chocheces *f/pl.*; (*Unsinn*) desatinos *m/pl.*
Ge'fäß [ɛː] *n* (-*es*; -*e*) (*Geschirr*) vasija *f*; (*Behälter*) recipiente *m*; *Anat. u.* ⚘: vaso *m*; *am Degen*: cazoleta *f*; **~bildung** *Physiol. f* vascularización *f*; **~entzündung** ⚕ *f* inflamación *f* vascular; **~erkrankung** ⚕ *f* angiopatía *f*; **~erweiterung** ⚕ *f* vasodilatación *f*; **~lehre** *f* (*0*) angiología *f*; **~system** *n* (-*s*; -*e*) sistema *m* vascular; **~ver-engung** ⚕ *f* vasoconstricción *f*; **~zellen** ⚘ *f/pl.* células *f/pl.* vasculares.
ge'faßt I. *p/p. von fassen*; **II.** *adj.* (*ruhig*) sereno, tranquilo; con calma; (*ergeben*) resignado; *~ sein auf* (*ac.*) estar preparado para; *auf das Schlimmste ~* preparado para lo peor; *sich auf alles ~ machen* prepararse para todo; **2heit** *f* (*0*) serenidad *f*, tranquilidad *f*; calma *f*; (*Ergebenheit*) resignación *f*.
Ge'fecht *n* (-*ẹs*; -*e*) combate *m*; (*Einsatz*) acción *f*; (*Zusammenstoß*) encuentro *m*; (*Geplänkel*) escaramuza *f*; *außer ~ setzen* poner fuera de combate; *in ein ~ kommen* trabar combate, entrar en acción; ⚓ *klar zum ~* en zafarrancho de combate; *in der Hitze des ~s* en lo más recio de la lucha; *fig.* en el calor de la disputa; **~s-ausbildung** ⚔ *f* adiestramiento *m* para el combate; **~sbereich** *m* (-*ẹs*; -*e*) zona *f* de acción; **2sbereit** *adj.* dispuesto para el combate (*od.* para entrar en acción); **~s-einheit** *f* unidad *f* táctica; **~s-entwicklung** *f* desarrollo *m* del combate; **~sfeld** *n* (-*ẹs*; -*er*), **~sgebiet** *n* (-*ẹs*; -*e*), **~sgelände** *n* terreno *m* de combate; **2sklar** ⚓ *adj.* en zafarrancho de combate; **~slage** *f* situación *f* táctica; **~slärm** *m* (-*ẹs*; *0*) fragor *m* del combate; **~spause** *f* calma *f* momentánea en el combate; **~sstand** *m* (-*ẹs*; *"e*) ⚔

puesto *m* de mando avanzado; ⚓ (*Kommandoturm*) torre *f* de mando; **~sstreifen** *m* zona *f* de acción; **~s-turm** *m* (-*es*; ¨*e*) ⚓ cúpula *f*; **~s-übung** *f* simulacro *m* de combate; **~sverlauf** *m* (-*es*; ¨*e*) → Gefechtsentwicklung.

ge'feit *adj.*: ~ gegen a prueba de; inmune contra.

Ge'fieder *n* plumaje *m*; **2t** *adj.* plumado; *Pfeil*: con plumas; ✿ plumado.

Ge'filde *n Poes.* (*Felder*) campiña *f*, campos *m/pl.*; (*Land*) país *m*; (*Landschaft*) paisaje *m*; ~ der Seligen los Campos Elíseos.

gefl. *Abk. für* gefällig.

ge'flammt *adj.* flameado.

Ge'flecht *n* (-*es*; -*e*) trenzado *m*; (*Draht2*) enrejado *m*; tela *f* metálica; (*Maschen2*) malla *f*; (*Weiden2*) zarzo *m*; *Körbe, Stühle usw.*: (tejido *m* de) mimbre *m*; (*Zopf2*) trenza *f*; (*netzartiges*) red *f*; *Anat.* plexo *m*.

ge'fleckt *adj.* manchado; (*marmoriert*) jaspeado; (*gesprenkelt*) salpicado; *Tuch*: moteado; (*gekörnt*) graneado.

ge'flissen *adj.* aplicado; **~tlich** **I.** *adj.* intencionado; premeditado; **II.** *adv.* intencionadamente; adrede, a propósito, expresamente; a sabiendas.

ge'flochten *p/p. v.* flechten.

ge'flogen *p/p. v.* fliegen.

ge'flohen *p/p. v.* fliehen.

ge'flossen *p/p. v.* fließen.

Ge'fluche *n* (-*s*; *0*) juramentos *m/pl.*; (*Blasphemien*) blasfemias *f/pl.*; (*Kraftworte*) F tacos *m/pl.*, palabras *f/pl.* gruesas.

Ge'flügel *n* (-*s*; *0*) aves *f/pl.* de corral; (*Fleisch*) carne *f* de pluma; **~farm** *f* granja *f* avícola; **~händler** (-**in** *f*) *m* pollero (-a *f*) *m*; **~handlung** *f* pollería *f*; **~klein** *n* (-*s*; *0*) menudillos *m/pl.* de ave; **~markt** *m* (-*es*; ¨*e*) mercado *m* de aves (*od.* de la pluma); **~stall** *m* (-*es*; ¨*e*) gallinero *m*.

ge'flügelt *adj.* alado (*a. fig.*); *Poes.* alígero; *fig.* ~es Wort frase célebre; sentencia; refrán, proverbio; dicho.

Ge'flügel|zucht *f* cría *f* de aves; avicultura *f*; **~züchter(in** *f*) *m* avicultor(a *f*) *m*.

Ge'flunker *n* (-*s*; *0*) → Flunkerei.

Ge'flüster *n* (-*s*; *0*) cuchicheo *m*; *fig.* susurro *m*, murmullo *m*.

Ge'folg|e *n* (-*s*; *0*) comitiva *f*, séquito *m*; (*Ehren2*) cortejo *m*; (*Bedeckung*) escolta *f*; *fig.* im ~ haben llevar aparejado, llevar consigo; tener por consecuencia; **~schaft** *f Pol.* seguidores *m/pl.*; partidarios *m/pl.*, adeptos *m/pl.*; *im Betrieb*: personal *m*; **~smann** *m* (-*es*; ¨*er od.* -*leute*) (*Lehnsmann*) vasallo *m*; *Pol.* secuaz *m*, seguidor *m*; partidario *m*.

ge'fragt [ɑː] **I.** *p/p. v.* fragen; **II.** *adj.* buscado; ⚕ solicitado.

ge'fräßig [ɛː] *adj.* voraz; glotón, F tragón, comilón; **2keit** *f* (*0*) voracidad *f*; glotonería *f*; gula *f*.

Ge'freite(r) ⚔ *m* cabo *m*.

'Gefrier|anlage *f* instalación *f* frigorífica; **2en** (*L*; -; *sn*) *v/i.* helar(se), congelar(se); congelar; **~en** *Phys. n* congelación *f*; **2fest** *adj.* resistente al frío; **~fleisch** *n* (-*es*; *0*) carne *f* congelada; **~punkt** *Phys. m* (-*es*; -*e*) punto *m* de congelación; **~raum** *m* (-*es*; ¨*e*) cámara *f* frigorífica; **~schrank** *m* (-*es*; ¨*e*) nevera *f*; *Am.* heladera *f*; **~schutzmittel** *n* anticongelante *m*; **~verfahren** *n* procedimiento *m* de congelación; **~zone** *f* zona *f* de congelación.

ge'froren *p/p. v.* frieren.

Ge'fror(e)ne(s) *n* helado *m*.

Ge'füge *n* (*Schreinerei*) ensambladura *f*, juntura *f*, encaje *m*; ⊕ estructura *f* (*a. fig.*); *Min.* (con)textura *f*; (*Schicht*) capa *f*; estrato *m*; (*Gewebe*) tejido *m*; (*Gelenk*) articulación *f*; *fig.* (*System*) sistema *m*.

ge'fügig *adj.* tratable; (*biegsam*) flexible; (*willfährig*) acomodaticio; (*fügsam*) dócil; (*nachgiebig*) dúctil; **2keit** *f* (*0*) (*Biegsamkeit*) flexibilidad *f*; (*Willfährigkeit*) carácter *m* acomodaticio; (*Fügsamkeit*) docilidad *f*; ductilidad *f*.

Ge'fühl *n* (-*es*; -*e*) sentimiento *m*; (*Eindruck*) impresión *f*; (*sinnliche Empfindung*) sensación *f*; (*Empfindlichkeit*) sensibilidad *f*; (*Tastsinn*) tacto *m* (*a. Fein2*); (*Instinkt*) instinto *m*; (*Intuition*) intuición *f*; ~ für das Schöne sentimiento de lo bello; ~ haben tener corazón (*od.* alma); ich habe das ~, daß tengo la impresión de que...; ~ haben für ser sensible a; ohne ~ insensible; mit ~ singen cantar con sentimiento (*od.* alma); mit ~ lesen (spielen; hersagen) leer (tocar; recitar) con expresión; mit gemischten ~en con sentimientos dispares; preocupado; nada satisfecho; j-s ~e verletzen herir (*od.* ofender) los sentimientos de alg.; von s-n ~en überwältigt dominado por sus sentimientos; **2los** *adj.* insensible (*a. fig.*; gegen a); (*leidenschaftslos*) impasible; (*hartherzig*) duro, sin corazón; (*kalt*) frío; (*gleichgültig*) apático; **~losigkeit** *f* insensibilidad *f*; (*Gleichmut*) impasibilidad *f*; (*Gleichgültigkeit*) apatía *f*; (*Hartherzigkeit*) dureza *f* (de corazón); (*Kälte*) frialdad *f*; **~s-armut** *f* (*0*) sequedad *f* de corazón; **~s-ausbruch** *m* (-*es*; ¨*e*) efusión *f* sentimental; **2sbetont** *adj.* sentimental; **~sduse'lei** *f* sentimentalismo *m*, F sensiblería *f*; **~sleben** *n* (-*s*; *0*) vida *f* afectiva; **2smäßig I.** *adj.* (*intuitiv*) intuitivo; **II.** *adv.* intuitivamente; por intuición; **~smensch** *m* (-*en*) hombre *m* sentimental; hombre *m* de carácter sensible *bzw.* impulsivo; **~smoment** *n* (-*es*; -*e*) factor *m* pasional; **~snerv** *m* (-*s*; -*en*) nervio *m* sensitivo *od.* sensorial; **~ssache** *f* cuestión *f* de sentimiento; **2sselig** *adj.* sentimental; lírico; **~seligkeit** *f* (*0*) sentimentalismo *m*; lirismo *m*; **~ssinn** *m* (-*es*; *0*) (sentido *m* del) tacto *m*; **~swärme** *f* (*0*) calor *m* (del sentimiento); ardor *m*; **~swert** *m* (-*es*; -*e*) valor *m* sentimental; **2svoll** *adj.* lleno de sentimiento; (*empfindsam*) sensible; (*zärtlich*) tierno, delicado; (*sentimental*) sentimental; (*warmherzig*) caluroso; (*liebevoll*) afectuoso; cariñoso.

ge'funden *p/p. v.* finden.

ge'gangen *p/p. v.* gehen.

ge'geben I. *p/p. v.* geben; **II.** *adj.*: zu ~er Zeit a su (debido) tiempo; innerhalb e-r ~en Frist dentro del plazo fijado (*od.* previsto); unter den ~en Umständen dadas las (*od.* en estas) circunstancias; **~enfalls** *adv.* dado el caso; si se diera el caso; si hubiere lugar a ello; **2e(s)** *n* lo que conviene hacer; **2heit** *f* dato *m*; (*Tatsache*) hecho *m*; (*Umstand*) circunstancia *f*; premisa *f*.

'gegen *prp.* (*ac.*) *Richtung, Zeit*: hacia; ~ Mittag hacia medio día; ~ Norden liegen estar situado hacia el norte; (*ungefähr*) *bei Zahlen*: unos, cerca de; *Uhrzeit*: hacia, a eso de; ~ 3 Uhr hacia (*od.* a eso de) las tres; *persönlich*: con, para, para con; *feindlich*: contra, en contra (de); *Tausch*: a cambio de; contra; por; (*in bezug auf*) respecto de; *Vergleich*: en comparación con; gefühllos sein ~ ser insensible a; gut ~ Fieber bueno para (*od.* contra) la fiebre; freundlich ~ dich (mich) amable para contigo (conmigo); Widerwillen ~ et. aversión a a/c.; ~ m-n Willen contra mi voluntad; a pesar mío; ~ mich contra mí, en contra mía; ~ die Vernunft contrario a la razón; ⚕ ~ Quittung contra recibo; ~ bar al contado; ich wette 10 ~ eins, daß apuesto diez contra uno a que.

'Gegen...: ~abzug *Typ. m* (-*es*; ¨*e*) contraprueba *f*; **~aktion** *f* contramedida *f*; (*Vergeltungsmaßnahme*) represalia *f*; **~angriff** *m* (-*es*; -*e*) contraataque *m*; **~anklage** *f* recriminación *f*; **~antrag** *m* (-*es*- ¨*e*) contraproposición *f*; **~antwort** *f* réplica *f*; **~anzeige** ⚕ *f* contraindicación *f*; **~befehl** *m* (-*es*; -*e*) contraorden *f*; **~behauptung** *f* aseveración *f* contraria; **~bericht** *m* (-*es*; -*e*) informe *m* contrario; **~beschuldigung** *f* → Gegenanklage; **~bestrebung** *f* esfuerzo *m* contrario; **~besuch** *m* (-*es*; -*e*): j-m e-n ~ machen devolver la visita a alg.; **~bewegung** *f* movimiento *m* contrario; (*Reaktion*) reacción *f*; (*Gegenströmung*) contracorriente *f*; **~beweis** *m* (-*es*; -*e*) prueba *f* de lo contrario; contraprueba *f*; den ~ antreten probar lo contrario; **~buch** *n* (-*es*; ¨*er*) ⚕ libro *m* de contrarregistro; **~buchung** *f* ⚕ contrapartida *f*; **~bürgschaft** *f* caución *f* subsidiaria.

'Gegend *f* comarca *f*; región *f*; (*Landschaft*) paisaje *m*; (*Stadtviertel*) barrio *m*; (*Richtung*) dirección *f*; lado *m*; umliegende ~ alrededores *m/pl.*, inmediaciones *f/pl.*; contornos *m/pl.*

'Gegen...: ~dampf *m* (-*es*; ¨*e*) contravapor *m*; **~dienst** *m* (-*es*; -*e*) servicio *m* recíproco; desquite *m*; reciprocidad *f*; als ~ en correspondencia (*od.* reciprocidad) a; ich bin zu ~en stets bereit siempre estoy a la recíproca; siempre dispuesto a corresponder a los servicios; **~druck** *m* (-*es*; *0*) contrapresión *f*; (*Gegenwirkung*) reacción *f*.

gegen-ein'ander *adv.* uno contra otro, uno en contra del otro; (*gegenseitig*) mutuamente, recíprocamente; **~halten** (*L*) *v/t.* (*vergleichen*) contraponer; comparar, cotejar; confrontar; **~prallen** (*sn*) *v/i.* chocar; entrechocar; **Ϩprallen** *n* choque *m*.

'Gegen...: ~erklärung *f* declaración *f* contradictora *od.* en sentido contrario; **~forderung** *f* demanda *f* recíproca; ⚖ reconvención *f*; **~frage** *f*: *eine ~ stellen* responder a una pregunta con otra; **~füßler** *m* antípoda *m*; **~gabe** *f*, **~geschenk** *n* (*-es*; *-e*) regalo *m* de desquite; *ein ~ machen* corresponder a un regalo con otro; **~gewicht** *n* (*-es*; *-e*) contrapeso *m*; **~gift** ⚕ *n* (*-es*; *-e*) contraveneno *m*, antídoto *m*; **~grund** *m* (*-es*; *⸗e*) argumento *m* opuesto; razón *f* contraria; **~gruß** *m* (*-es*; *⸗e*) saludo *m* correspondido; devolución *f* del saludo; ⚓ (*Salve*) contrasalva *f*; **~kandidat** *m* (*-en*) contrincante *m*; (*Rivale*) rival *m*; **~klage** ⚖ *f* reconvención *f*; **~kläger(in** *f*) *m* demandante *m/f* reconvencional; **~kraft** *f* (*-*; *⸗e*) fuerza *f* antagonista; (*Reaktion*) reacción *f*; **~leistung** *f* compensación *f*; † contrapartida *f*; **~licht** *n* (*-es*; *0*) contraluz *f*; **~lichtaufnahme** *Phot.* *f* (fotografía *f* hecha a) contraluz *f*; **~liebe** *f* (*0*) amor *m* recíproco; (*keine*) *~ finden* (no) ser correspondido en su amor; **~maßnahme** *f* contramedida *f*; (*Vergeltungsmaßnahme*) represalia *f*; **~mittel** *n* ⚕ antídoto *m*; **~mutter** ⊕ *f* (*-*; *-n*) contratuerca *f*; **~offensive** *f* contraofensiva *f*; **~papst** *Hist.* *m* (*-es*; *⸗e*) antipapa *m*; **~partei** *f* *Pol.* partido *m* de oposición; oposición *f*; ⚖ parte *f* contraria; **~posten** † *m* contrapartida *f*; **~probe** *f* prueba *f* opuesta; **~propaganda** *f* (*0*) contrapropaganda *f*; **~rechnung** *f* verificación *f*; (*Gegenforderung*) cuenta *f* deudora; (*zu machender Abzug*) descuento *m*; **~rede** *f* réplica *f*; (*Einwand*) objeción *f*; ⚖ excepción *f*; **~reformation** *f* (*0*) *Hist.* Contrarreforma *f*; **~register** † *n* contrapartida *f*; **~revolution** *f* contrarrevolución *f*; **~richtung** *f* sentido *m* opuesto; **~satz** *m* (*-es*; *⸗e*) oposición *f*; (*Widerspruch*) contradicción *f*; *Rhet.* antítesis *f*; (*Kontrast*) contraste *m*; *im ~ zu* al contrario de; contrariamente a; en contraposición a *od.* con, en oposición a; a diferencia de; *im ~ stehen zu, e-n ~ bilden zu* contrastar (*od.* estar en contraste) con; estar en oposición *bzw.* contradicción con; **Ϩsätzlich** *adj.* contrario, opuesto; contradictorio; *Rhet.* antitético; *Gr.* adversativo; **~schlag** *m* (*-es*; *⸗e*) contragolpe *m*; **~schrift** *f* (*Widerlegung*) refutación *f* escrita; (*Verteidigungsschrift*) defensa *f*; (*Antwort*) réplica *f*; **~schuld** † *f* deuda *f* pasiva; **~seite** *f* lado *m* opuesto; (*Umseite*) reverso *m*; → *Gegenpartei*; **Ϩseitig** *adj.* mutuo; recíproco; (*zweiseitig*) bilateral; *~er Garantievertrag* tratado de garantía mutua; **~seitigkeit** *f* (*0*) mutualidad *f*; reciprocidad *f*; *auf ~* mutuo; *auf ~ beruhen* ser recíproco; **~seitigkeitsversicherung** *f* seguro *m* mutuo; **~seitigkeitsvertrag** *m* (*-es*; *⸗e*) tratado *m* de reciprocidad; **~sinn** *m* (*-es*; *-e*): *im ~* en sentido contrario; **~spiel** *n* (*-es*; *-e*) *Sport*: partido *m* de desquite; **~spieler** *m* contrario *m*; (*Rivale*) rival *m*; *bei Hasardspielen*: punto *m*; **~spionage** *f* (*0*) contraespionaje *m*; **~stand** *m* (*-es*; *⸗e*) objeto *m*; (*Thema*) asunto *m*, tema *m*; (*Inhalt*) materia *f*; (*Angelegenheit*) asunto *m*; *~ des Mitleids* (*Spottes*) *sein* ser objeto de lástima (de burla); **Ϩständlich** *adj.* objetivo; **Ϩstandslos** *adj.* sin objeto; sin razón de ser; (*überflüssig*) superfluo; **~stimme** *f* (*sich gegen et. erklärende Stimme*) voz *f* contraria; (*bei Abstimmungen*) voto *m* en contra; ♪ contraparte *m*; **~stoß** *m* (*-es*; *⸗e*) contragolpe *m*; ⊕ *a.* repercusión *f*; ⚔ contraataque *m* inmediato; **~strich** *m* (*-es*; *-e*) repelo *m*; **~strom** ⚡ *m* (*-es*; *⸗e*) contracorriente *f*; **~strömung** *f* contracorriente *f* (*a. fig.*); **~strophe** *f* antistrofa *f*; **~stück** *n* (*-es*; *-e*) (*Pendant*) compañero *m*, pareja *f*; (*Gegensatz*) contraste *m*; *das ~ bilden zu* hacer juego con, formar pareja con; **~tanz** *m* (*-es*; *⸗e*) contradanza *f*; **~teil** *n* (*-es*; *-e*) lo contrario; *im ~* al contrario, por lo contrario; *das gerade ~* exactamente (*od.* justamente) lo contrario; *ich wette das ~!* ¡a que no!; **Ϩteilig** *adj.* contrario; opuesto; *~e Wirkung* efecto contraproducente.

gegen'über I. *prp.* (*dat.*) enfrente de, frente a; *bsd. fig.* ante; en presencia de; **II.** *adv.* enfrente; frente a frente; cara a cara; (*verglichen mit*) comparado con; *mir ~* (*in m-r Gegenwart*) delante de mí, en mi presencia, *bsd. fig.* ante mí; (*feindlich*) contra mí; (*freundlich*) para conmigo; *sich e-r Aufgabe usw. ~ sehen* verse ante; **III.** Ϩ *n*: *mein ~* quien está en frente de mí; (*Nachbar*) mi vecino de enfrente; **~liegen** (*L*) *v/i.* estar situado enfrente de; **~liegend** *adj.* opuesto, frontero; **~setzen** (*-t*) *v/t.*: *setzen Sie sich mir gegenüber* siéntese usted enfrente de mí; **~stehen** (*L*) *v/i.* hallarse enfrente de, estar frente a; *e-r Gefahr*: afrontar; *sich ~* estar frente a frente *od.* cara a cara; (*feindlich*) enfrentarse a; oponerse a; (*sich entsprechen*) corresponderse; **~stellen** *v/t.* oponer; ⚖ carear, confrontar; (*vergleichen*) comparar, contraponer; **Ϩstellung** *f* oposición *f*; ⚖ careo *m*, confrontación *f*; (*Vergleichung*) comparación *f*, contraposición *f*; **~treten** (*L*; *sn*) *v/i.* (*dat.*) presentarse ante; *fig.* enfrentarse (*od.* hacer frente) a.

'Gegen...: ~unterschrift *f* (*amtliche*) refrendo *m*; refrendata *f*; **~verkehr** *m* (*-s*; *0*) circulación *f* a contramano, doble circulación *f*; **~verpflichtung** *f* obligación *f* recíproca; **~versicherung** *f* (*Rückversicherung*) contraseguro *m*; **~versprechen** *n*, **~versprechung** *f* promesa *f* recíproca; **~vorschlag** *m* (*-es*; *⸗e*) contraproposición *f*; **~vorwurf** *m* (*-es*; *⸗e*) recriminación *f*; **~wart** *f* (*0*) presencia *f*; (*Jetztzeit*) actualidad *f*; época *f* actual, tiempos *m/pl.* actuales; *Gr.* presente *m*; *in m-r ~* en mi presencia; *in ~ von* (*od. gen.*) en presencia de; **Ϩwärtig I.** *adj.* presente; *Zeit*: *a.* actual; *bei et. ~ sein* presenciar; estar presente (*od.* asistir) a a/c.; **II.** *adv.* ahora; en la actualidad, actualmente; (*heutzutage*) hoy (en) día; **Ϩwartsnah** *adj.* actual; **~wechsel** † *m* contralibranza *f*, resaca *f*; **~wehr** *f* defensa *f*; resistencia *f*; **~wert** *m* (*-es*; *-e*) contravalor *m*; equivalencia *f*; **~wind** *m* (*-es*; *-e*) viento *m* contrario; ⚓ viento *m* de proa; **~winkel** ⊿ *m* ángulo *m* opuesto; *innere und äußere ~ pl.* ángulos correspondientes; **~wirkung** *f* reacción *f*; **Ϩzeichnen** (*-e-*) *v/i.* refrendar; **~zeichner** *m* refrendario *m*; **~zeichnung** *f* refrendo *m*; refrendata *f*; **~zeuge** ⚖ *m* (*-n*) testigo *m* de descargo *bzw.* de cargo; **~zug** *m* (*-es*; *⸗e*) *Spiel*: contrajugada *f*; 🚂 tren *m* en dirección contraria.

ge'glichen *p/p. v. gleichen.*

ge'gliedert I. *p/p. v. gliedern*; **II.** *adj.* articulado.

ge'glitten *p/p. v. gleiten.*

ge'glommen *p/p. v. glimmen.*

'Gegner|(in *f*) *m* adversario (-a *f*) *m*; *in bezug auf Meinung*: antagonista *m/f*; (*Feind*) enemigo (-a *f*) *m*; (*Rivale*) rival *m/f*; **Ϩisch** *adj.* contrario, opuesto; de la parte adversaria; *Pol.* del partido opuesto; de la oposición; ⚔ enemigo; **~schaft** *f* antagonismo *m*; rivalidad *f*; enemistad *f*; oposición *f*; = *Gegner pl.*

ge'golten *p/p. v. gelten.*

ge'goren *p/p. v. gären.*

ge'gossen *p/p. v. gießen.*

ge'griffen *p/p. v. greifen.*

Ge'habe *n* (*-s*; *0*) conducta *f*, comportamiento *m*; modales *m/pl.*; (*Ziererei*) afectación *f*; rebuscamiento *m*; **Ϩn** *v/refl.* (*nur im Präsens*) comportarse; conducirse; *gehab' dich wohl!* ¡adiós!, ¡ve con Dios!, ¡que lo pases bien!

Ge'hackte(s) *n Kochk.*: carne *f* picada; picadillo *m*; gigote *m*.

Ge'halt¹ *m* (*-es*; *-e*) (*Substanz*) substancia *f*, elementos *m/pl.* constitutivos; (*Inhalt*) contenido *m*; *Münze* (*Fein*Ϩ) ley *f*; ⚒ riqueza *f* (*an dat.* en); contenido *m*; proporción *f* centesimal (*an dat.* de); (*Raum*) capacidad *f*; *fig.* valor *m*; mérito *m*; *innerer ~* valor intrínseco; *geistiger ~* substancia, fondo.

Ge'halt² *n* (*-es*; *⸗er*) *der Beamten, Angestellten*: sueldo *m*; haber *m*, paga *f*; *der Arbeiter*: salario *m*, jornal *m*; *der Soldaten*: soldada *f*; *in freien Berufen*: honorarios *m/pl.*, emolumentos *m/pl.*; *ein festes ~ beziehen* tener sueldo fijo.

ge'halt|en *adj.* (*verpflichtet*) obligado (zu a); **~los** *adj. v. Erzen*: pobre (*an dat.* en); *fig.* sin valor; huero; fútil, insignificante; (*oberflächlich*) superficial; **Ϩlosigkeit** *f* (*0*) *v. Erzen*: pobreza *f* (*an dat.* en); *fig.* insignificancia *f*; futilidad *f*; superficialidad *f*; **~reich** *adj. v. Erzen*: rico (*an dat.* en); *fig.* (*wertvoll*) valioso, de gran valor; sustancial.

Ge'halts...: ~abbau *m* (*-es*; *0*) reducción *f* de sueldos *bzw.* de salarios; **~abzug** *m* (*-es*; *⸗e*) descuento *m* del sueldo *bzw.* salario; **~ansprüche** *m/pl.* pretensiones *f/pl.* (de sueldo); **~aufbesserung** *f* mejora *f* (*od.* aumento *m*) de sueldo *bzw.* de salario; **~empfänger(in** *f*) *m* perceptor *m* de haberes; empleado (-a *f*) *m* de plantilla; asalariado (-a *f*) *m*; **~erhöhung** *f* aumento *m* de sueldo *bzw.* de salario; **~forderungen** *f/pl.* pretensiones *f/pl.* de sueldo *bzw.* de salario; **~gruppe** *f* categoría *f* (de sueldo); grupo *m* salarial; **~kürzung** *f* reducción *f* de sueldo *bzw.* de salario; **~liste** *f* nómina *f*; **~skala** *f* (-; *-skalen*) escala *f* de sueldos *bzw.* de salarios; **~sperre** *f* suspensión *f* del pago de sueldos *bzw.* de salarios; **~stufe** *f* (*bei Beamten*) categoría *f* escalafonal; **~vorschuß** *m* (*-sses*; *⸚sse*) anticipo *m* de sueldo; **~zahlung** *f* abono *m* de los haberes (*od.* del sueldo *bzw.* del salario); **~zulage** *f* sobresueldo *m*.

ge'haltvoll *adj.* → *gehaltreich*.

Ge'hänge *n* (*Abhang*) declive *m*; pendiente *f*; (*Blumen*≈) guirnalda *f*; festón *m*; (*Ohr*≈) pendientes *m/pl.*; (*Uhr*≈) dije *m*; *des Hundes*: orejas *f/pl.*; *des Degens*: tahalí *m*.

ge'hangen *p/p. v. hängen.*

ge'harnischt *adj.* en arnés, encorazado; *fig.* enérgico; *~e Antwort* respuesta agria *od.* dura.

ge'hässig *adj.* odioso; aborrecible; (*böswillig*) malévolo; *fig.* venenoso; (*feindselig*) hostil; ≈**keit** *f* odiosidad *f*; malevolencia *f*; encono *m*; hostilidad *f*; (*Handlung*) grosería *f*; palabra hiriente; *fig.* venenosidad *f*.

Ge'häuse *n* (*Etui*) estuche *m*; (*Büchse*, *Uhr*≈) caja *f*; (*Kapsel*) cápsula *f*; (*Kompaß*≈) bitácora *f*; ♀ *e-r Frucht*: corazón *m*; *Zoo.* (*Schnecken*≈, *Schale der Muscheltiere*) concha *f*; ⊕, *Auto.*: cárter *m*, caja *f* del motor.

Ge'hege *n* cercado *m*; (*Wald*≈) coto *m* forestal; (*Weide*) dehesa *f*; *Jgdw.* coto *m*, vedado *m* (de caza); *fig.* *j-m ins ~ kommen* cazar en vedado ajeno; invadir el terreno de otro.

ge'heim *adj.* secreto; (*verborgen*) oculto, escondido; (*unbekannt*) desconocido; (*geheimnisvoll*) misterioso; (*heimlich*, *unerlaubt*) clandestino; (*vertraulich*) confidencial; (*verhohlen*) encubierto; (*esoterisch*) esotérico, oculto; (*vertraut*) privado, íntimo; *im ~en* en secreto; ≈*er Rat* (*Titel*) consejero privado; *~e Tür* puerta secreta; *in ~er Abstimmung beschließen* acordar en votación secreta; *~e Polizei* policía secreta; ≈**abkommen** *n* acuerdo *m* secreto; ≈**agent** *m* (*-en*) agente *m* secreto; ≈**befehl** *m* (*-es*; *-e*) orden *f* secreta; ≈**bericht** *m* (*-es*; *-e*) informe *m* confidencial; ≈**bote** *m* (*-n*) emisario *m*; ≈**bund** *m* (*-es*; *⸚e*) sociedad *f* secreta; *Pol.* alianza *f* secreta; ≈**bündelei** *f* asociación *f* clandestina; ≈**dienst** *m* (*-es*; *-e*) servicio *m* secreto; espionaje *m*; (*Geheimpolizei*) policía *f* secreta; ≈**diplomatie** *f* (*0*) diplomacia *f* secreta; ≈**fach** *n* (*-es*; *⸚er*) compartimiento *m* secreto; ≈**fonds** *m* (-; -) fondo *m* secreto; **~halten** (*L*) *v/t.* mantener en secreto; ocultar; (*verhehlen*) encubrir; (*verstekken*) esconder (*vor j-m* de alg.); ≈**haltung** *f* mantenimiento *m* del secreto; ocultación *f*; encubrimiento *m*; ≈**konto** *n* (*-s*; *-konten*) cuenta *f* secreta; ≈**lehre** *f* doctrina *f* esotérica; ≈**mittel** *n* medio *m* *od.* remedio *m* secreto.

Ge'heimnis *n* (*-ses*; *-se*) secreto *m*; *tiefes*: misterio *m*; arcano *m*; *öffentliches ~* secreto a voces; *ein ~ vor j-m haben* ocultar a alg. un secreto; tener secretos para alg.; *j-n in das ~ einweihen* poner a alg. en el secreto; *in ein ~ eingeweiht sein* estar en el secreto; *das ~ bewahren* guardar el secreto; *ein ~ machen aus* hacer de a/c. un secreto; *ein ~ ausplaudern* (*preisgeben*) divulgar (revelar) un secreto; *hinter das ~ kommen* averiguar (*od.* dar con) el secreto; **~krämer** *m* secretista *m*; **~krä-me'rei** *f* secreteo *m*; ≈**voll** *adj.* misterioso; (*rätselhaft*) enigmático; *~ tun* secretear; andar con secretos; F darse un aire misterioso.

Ge'heim...: **~polizei** *f* (*0*) policía *f* secreta; **~polizist** *m* (*-en*) agente *m* de la policía secreta; (*Detektiv*) detective *m*; **~rat** *m* (*-es*; *⸚e*) consejero *m* privado; **~sache** *f* asunto *m* secreto; **~schloß** *n* (*-sses*; *⸚sser*) cerradura *f* secreta; **~schrift** *f* escritura *f* cifrada; **~sender** *m* *Radio*: emisora *f* clandestina; **~sitzung** *f* sesión *f* secreta; **~sprache** *f* lenguaje *m* secreto; **~tinte** *f* tinta *f* simpática; **~tue'rei** *f* (*0*) secreteo *m*; **~tür** *f* puerta *f* secreta; **~vertrag** *m* (*-es*; *⸚e*) tratado *m* secreto; **~wissenschaft** *f* ciencias *f/pl.* ocultas, ocultismo *m*.

Ge'heiß *n* (*-es*; *0*) orden *f*; mandato *m*; *auf sein ~* por orden suya.

ge'hemmt I. *p/p. v. hemmen*; *adj.* cohibido; refrenado.

'gehen I. (*L*; *sn*) *v/i.*, *v/unprs. u. v/refl.* ir; (*zu Fuß ~*) ir a pie, andar, caminar; marchar; (*weg~*) irse, marcharse; (*hinaus~*) salir; *Zug*: salir, partir; *Teig*: fermentar, F venirse; *Gerücht*: correr, circular; ⊕ funcionar; *Uhr*: andar, marchar; *e-n Weg ~* tomar un camino; *der Wind geht* hace viento; *es geht die Rede, daß* se dice que; *gut ~* (*Ware*) venderse bien; *wie geht es Ihnen?* ¿cómo está usted?; *wie geht es dir?* ¿cómo te va?; *wie geht's?* ¿qué tal?; *es geht mir gut* estoy bien; me va bien; *es geht mir soso* así así; regular; F vamos tirando; *es gehe wie es wolle* pase lo que pase; suceda lo que suceda; *so geht's in der Welt* así va el mundo; *das Geschäft geht gut* el negocio marcha bien; *wie geht's mit der Angelegenheit?* ¿cómo anda el asunto?; ¿qué hay del asunto?; *die Sache geht schief* la cosa va mal; la cosa toma mal cariz; *es wird schon ~* todo se arreglará; ya se conseguirá lo que sea; F ¡pierda usted cuidado!; *so gut es eben geht* lo mejor que se pueda; *das geht nicht* (*läßt sich nicht machen*) no puede hacerse; (*ist unmöglich*) no puede ser; no es posible; *so geht es nicht* así no puede ser; de ese modo no es posible; *so geht es nicht weiter* así no se puede seguir; *das geht nicht anders* no puede ser de otro modo; es éste el único medio; *zugrunde ~* perecer; arruinarse; ⚓ hundirse; *e-r Sache* (*gen.*) *verlustig ~* perder a/c.; *sich's gut ~ lassen* darse buena vida; F pegarse la gran vida; (*sich keine Sorgen machen*) vivir despreocupadamente; *sich ~ lassen* ser negligente, descuidarse; F ponerse a sus anchas; (*zuchtlos*) desenfrenarse; olvidar las buenas maneras; *sich et. durch den Kopf ~ lassen* reflexionar (*od.* meditar) sobre a/c.; pesar bien a/c.; *früh schlafen ~* acostarse temprano; *wir haben noch drei Stunden zu ~* aun nos quedan tres horas de camino; *seines Weges ~* proseguir su camino; *geh deiner Wege!* ¡vete!, ¡márchate de aquí!; *geh mir aus den Augen!* ¡quítateme de delante!, ¡quítate de mi vista!; *bei j-m aus und ein ~* frecuentar la casa de alg.; ir a menudo a casa de alg.; *s-e Ansicht geht dahin, daß* él opina que; su opinión es que; *darüber geht nichts* no hay nada mejor que esto; *weit ~* ir lejos; *so weit ~, daß* llegar hasta el extremo de; llegar a; *zu weit* (*über die Schicklichkeit hinaus*) *~* pasar los límites; ir demasiado lejos; descomedirse; F pasar de la raya; *wenn alles gut geht* si todo sale bien; *m-e Uhr geht falsch* mi reloj anda (*od.* marcha) mal; ⚓ *sehr tief ~* haber mucho calado; *zum Arzt ~* ir al médico; *an die Arbeit ~* ponerse a trabajar; *es geht ihm an den Kragen* se juega la cabeza; *an Krücken ~* andar con muletas; ⚓ *an(s) Land ~* ir a tierra; desembarcar; *geh nicht an diese Sachen!* ¡no toques eso!; *auf ein Kilo ~ 5 Stück* entran cinco piezas en kilo; *auf's Land ~* ir de campo; *auf den Leim ~* F caer en el garlito; *das geht ihm auf die Nerven* eso le ataca los nervios; *auf die Post ~* ir a correos; *das Fenster geht auf den* (*nach dem*) *Garten* la ventana da al jardín; *e-r Sache* (*dat.*) *auf den Grund ~* examinar detenidamente (*od.* a fondo) a/c.; *auf Reisen ~* ir (*od.* salir) de viaje; *auf die andere Seite ~* pasar al otro lado; *die Uhr* (*od.* es) *geht auf zehn* van a dar (*od.* son cerca de) las diez; *auf die 50 ~* frisar en los cincuenta años; *es geht auf Leben und Tod* es cuestión de vida o muerte; *es geht auf den Sommer* está próximo el verano; *es geht auf dich* eso te concierne (*od.* te afecta) a ti; eso reza contigo; ⊕ *aus den Fugen ~* desquiciarse; *j-m aus dem Wege ~* dejar paso libre a alg.; (*absichtlich*) evitar el encuentro con alg.; *aus dem Zimmer ~* salir de la habitación; *das geht mir nicht aus dem Kopf* no se me quita de la cabeza; *~ durch* (*durchqueren*) atravesar, cruzar; *das geht gegen mein Gewissen* eso está en contra de mi conciencia; *in Erfüllung ~* cumplirse, realizarse; *in die Falle ~* caer en la trampa; *in e-e Kirche ~* entrar en una iglesia; *ins Theater ~* ir al teatro; *er geht in sein zwanzigstes Jahr* va a cumplir los veinte años; *in die Höhe ~* subir, aumentar; *es ~ ... Personen in diesen Saal* en esta sala caben ... personas; *in die Schule ~* ir a la escuela *bzw.* al colegio; *in die Stadt ~* ir a la ciudad; *in sich ~* volver sobre sí, (*Reue* *empfinden*) arrepentirse; *in Schwarz* (*od. Trauer*) ~ ir de luto; *in Stücke* ~ romperse en pedazos; *das geht in die Tausende* asciende a varios millares; *ins Wasser* ~ entrar al agua, (*sich ins Wasser werfen*) tirarse al agua; *mit j-m* ~ ir con alg., (*ihn begleiten*) acompañar a alg.; *mit e-m Mädchen* ~ (*mit ihm verkehren*) estar en relaciones con una muchacha; *wenn es nach ihm ginge* si por él fuera, si de él dependiera, si en su mano estuviese; *neben j-m* ~ ir al lado de alg.; *um die Stadt* ~ dar una vuelta a la ciudad; *über e-n Berg* ~ trasponer una montaña; *der Brief geht über München* la carta va vía Munich; *der Zug geht über Sevilla* el tren pasa por Sevilla; *das geht über m-e Kräfte* esto es superior a mis fuerzas; *es geht nichts über* ... no hay nada mejor que ...; *das geht über alle Begriffe* supera todo lo imaginable; *das geht mir über alles* esto me importa más que todo; *es geht um* ... se trata de ...; *unter die Soldaten* ~ hacerse soldado; sentar plaza de soldado; *von j-m* (*weg*)~ apartarse de alg.; abandonar (*od.* dejar solo) a alg.; *von Hand zu Hand* ~ pasar (*od.* ir) de mano en mano; *j-m nicht von der Seite* ~ no apartarse de alg.; estar pegado a alg.; F ser la sombra de alg.; *vor sich* ~ (*geschehen*) ocurrir, suceder, pasar; (*stattfinden*) tener lugar; *zu Ende* ~ acabarse, tocar a su fin; *j-m zur Hand* ~ asistir (*od.* ayudar) a alg.; *zu j-m* ~ (*ins Haus*) ir a casa de alg.; ir a ver a alg.; (*auf ihn zu*) ir hacia (*od.* dirigirse) a alg.; abordar a alg.; *zur Kirche* ~ ir a la iglesia; *j-m zu Leibe* ~ arremeter contra alg.; *zur Neige* ~ tocar a su fin; *zu Tisch* ~ ir a comer; sentarse a la mesa; *behutsam zu Werke* ~ proceder con prudencia, obrar con tacto; **II.** ♀ *n* marcha *f*; *das* ~ *fällt ihm schwer* le cuesta trabajo andar; *das Kommen und* ♀ las idas y venidas, el vaivén.

Ge'henkte(r) *m* ahorcado *m*.

'Geher *m Sport*: andarín *m*.

ge'heuer *adj.*: *nicht ganz* ~ sospechoso; *es ist hier nicht* ~ no se siente uno aquí muy seguro.

Ge'heul *n* (*-es*; *0*) (*Wölfe, Hunde*) aullido *m*; (*Geschrei*) clamor *m*; griterío *m*; *v. Kindern*: lloro *m*; (*Klagen*) lamentos *m/pl.*; alarido *m*; *des Sturmes*: bramido *m*.

Ge'hilf|e *m* (*-n*) ayudante *m*; (*Mitarbeiter*) colaborador *m*; *e-s Handwerkers*: oficial *m*; (*Amts*♀) ayudante *m*; asistente *m*; auxiliar *m*; *e-s Anwalts*: pasante *m*; (*Handlungs*♀) dependiente *m*; **~in** *f* ayudanta *f*; colaboradora *f*; auxiliar *f*; oficiala *f*; (*Haus*♀) asistenta *f*; sirvienta *f*.

Ge'hirn *Anat. n* (*-es*; *-e*) encéfalo *m*; (*Organ*) cerebro *m*; *auf das* ~ *bezüglich*: cerebral; **~blutung** ⚕ *f* hemorragia *f* cerebral; **~entzündung** *f* encefalitis *f*; **~erschütterung** *f* conmoción *f* cerebral; **~erweichung** *f* reblandecimiento *m* cerebral; **~haut** *Anat. f* (*-*; *⸗e*) meninge *f*; **~hautentzündung** *f* meningitis *f*; **~kasten** F *m* (*-s*; *⸗*) cholla *f*, chola *f*; **~krankheit** *f*, **~leiden** *n* afección *f* cerebral; **~rinde** *f* corteza *f* cerebral; **~schale** *Anat. f* cráneo *m*; **~schlag** *m* (*-es*; *⸗e*) apoplejía *f*, hemorragia *f* cerebral; **~substanz** *f* substancia *f* encefálica; **~tätigkeit** *f* funciones *f/pl.* cerebrales; **~tumor** *m* (*-s*; *-en*) tumor *m* cerebral; **~wäsche** *f* lavado *m* de cerebro; **~windung** *f* circunvolución *f* cerebral.

ge'hoben I. *p/p. v. heben*; **II.** *adj.* elevado; *in ~er Stimmung* muy entusiasmado; de muy buen humor, F de fiesta; *mit ~er Stimme* en tono patético *od.* engolado.

Ge'höft [øː] *n* (*-es*; *-e*) (*Bauernhof*) casa *f* de labor; (*Farm*) granja *f*.

ge'holfen *p/p. v. helfen.*

Ge'hölz *n* (*-es*; *-e*) soto *m*; (*Wäldchen*) bosquecillo *m*; (*Forst*) monte *m*; arbolado *m*.

ge'hopst F *adj.*: *das ist* ~ *wie gesprungen* tanto da lo uno como lo otro; tanto monta.

Ge'hör *n* (*-es*; *0*) oído *m*; *ein gutes* ~ *haben* tener buen oído (*a. Sinn für Musik*); *ein scharfes* ~ *haben* tener oído fino; *absolutes* ~ audición absoluta; *nach dem* ~ *spielen* tocar de oído; ~ *finden* ser escuchado; *kein* ~ *finden* ser desoído; no ser escuchado; F hallar oídos sordos; *j-m* ~ *schenken* prestar oídos (*od.* atención) a alg.; *sich* ~ *verschaffen* hacerse escuchar; ♪ *zu* ~ *bringen* (*spielen*) tocar, (*singen*) cantar.

ge'horchen I. *v/i.* (-): *j-m* ~ obedecer (*od.* prestar obediencia) a alg.; *j-m nicht* ~ desobedecer a alg.; **II.** ♀ *n* obediencia *f*.

ge'hören (-) **1.** *v/i.* ser de, pertenecer a; *es gehört mir* es mío; *zu et.* ~ pertenecer a; (*als Teil*) formar parte de; (*in Verbindung stehen mit*) tener relación con; *er gehört zu den besten Pianisten* figura entre los mejores pianistas; *unbedingt zu e-r Sache* ~ ser parte integrante de a/c.; *das gehört nicht zur Sache* eso no es del caso; eso no viene al caso (*od.* F no viene a cuento); *das gehört nicht hierher* eso no corresponde aquí; eso está aquí fuera de lugar; *das gehört zur Sache* eso tiene relación con el asunto; *das gehört nicht zum Thema* eso cae fuera del tema; *wohin gehört dies?* ¿dónde corresponde esto?; ¿dónde hay que poner (*od.* colocar) esto?; *dieser Stuhl gehört nicht hierher* no es aquí el sitio de esa silla; (*erforderlich sein*) ser necesario, hacer falta; *dazu gehört viel Geld* para eso se necesita (*od.* hace falta) mucho dinero; *dazu gehört Zeit* eso requiere tiempo; *es gehört Mut dazu* hace falta valor para eso; hay que tener valor para eso; *er gehört ins Gefängnis* deberían meterle en la cárcel; su sitio es la cárcel; **2.** *v/refl.*: *sich* ~ convenir, ser conveniente; proceder; (*sich schicken*) ser decoroso; *das gehört sich nicht* eso no es procedente; eso no se hace; *wie es sich gehört* como es debido; F como Dios manda.

Ge'hör|fehler *m* defecto *m* del oído; **~gang** *Anat. m* (*-es*; *⸗e*) conducto *m* auditivo.

ge'hörig I. *adj.*: *zu et.* ~ perteneciente a; pertinente a; (*passend*) conveniente; (*erforderlich*) requerido; necesario; (*verdient*) merecido; (*gebührend*) debido; (*tüchtig*) bueno; grande; fuerte; bonito; (*nicht*) *zur Sache* ~ (no) pertinente al caso; *e-e ~e Tracht Prügel* una soberana (*od.* fenomenal) paliza; *in ~er Form* en debida forma; **II.** *adv.* convenientemente; (*gebührend*) debidamente, como es debido; (*tüchtig*) bien; de firme; de lo lindo; F a modo.

ge'hörlos *adj.* sordo; **♀igkeit** *f* (*0*) sordera *f*.

Ge'hörn *n* (*-es*; *-e*) cornamenta *f*; *Jgdw.* puntas *f/pl.*

Ge'hörnerv *Anat. m* (*-s*; *-en*) nervio *m* auditivo.

ge'hörnt *adj.* astado; con cuernos, cornudo (*a. fig.*).

Ge'hör-organ *n* (*-s*; *-e*) órgano *m* auditivo.

ge'horsam I. *adj.* obediente; (*folgsam*) dócil; **II.** *adv.* obedientemente, con obediencia; **III.** ♀ *m* (*-es*; *0*) obediencia *f*; ♀ *leisten* obedecer; *den* ♀ *aufkündigen* negarse a obedecer; negar la obediencia; *sich* ♀ *verschaffen* hacerse obedecer; *den* ♀ *verweigern* desobedecer; **♀-spflicht** *f* (*0*) deber *m* de obediencia; **♀sverweigerung** *f* (*0*) desobediencia *f*; ⚔ insubordinación *f*.

Ge'hör...: **~schärfe** *f* (*0*) agudeza *f* auditiva; **~sinn** *m* (*-es*; *0*) sentido *m* del oído; **~störungen** *f/pl.* trastornos *m/pl.* de la audición; **~verlust** *m* (*-es*; *0*) pérdida *f* del oído.

'Gehrock *m* (*-es*; *⸗e*) levita *f*.

'Gehrung ⊕ *f* inglete *m*.

'Geh...: **~steig** *m* (*-es*; *-e*) acera *f*; **~störung** *f* trastorno *m* de la marcha; **~versuch** *m* (*-es*; *-e*) tentativa *f* de andar; **~weg** *m* (*-es*; *-e*) acera *f*; **~werk** *n* (*-es*; *-e*) (*Uhr*) mecanismo *m* de reloj.

'Geier ['gaɪɐ] *Orn. m* buitre *m*; F *hol's der* ~! ¡que el diablo lo lleve!; **~falke** *Orn. m* (*-n*) gerifalte *m*.

'Geifer *m* (*-s*; *0*) baba *f*; (*Zornes*♀) espumarajo *m*; **♀n** (*-re*) *v/i.* babear; *vor Zorn* ~ espumajear de cólera; echar espumarajos; **♀nd** *adj.* baboso.

'Geige *f* violín *m*; *die erste* ~ *spielen* ser el primer violín de la orquesta; *fig.* llevar la batuta (*od.* la voz cantante); *fig. die zweite* ~ *spielen* F ser el último mono; (*auf der*) ~ *spielen* tocar el violín; *fig. der Himmel hängt ihm voller ~n* todo lo ve color de rosa; **♀n** *v/i.* tocar el violín.

'Geigen...: **~bau** *m* (*-es*; *0*) construcción *f* de violines; **~bauer** *m* constructor *m* de violines; **~bogen** *m* arco *m* de violín; **~hals** *m* (*-es*; *⸗e*) mango *m* de violín; **~harz** *n* (*-es*; *0*) colofonia *f*; **~holz** *n* (*-es*; *⸗er*) madera *f* para violines; **~kasten** *m* (*-s*; *⸗*) estuche *m* (*od.* caja *f*) de violín; **~saite** *f* cuerda *f* de violín; **~schlüssel** ♪ *m* clave *f* de sol; **~spiel** *n* (*-es*; *0*) música *f* de violín; **~spieler(in** *f*) *m* violinista *m/f.*; **~steg** *m* (*-es*; *-e*) puente *m* de violín; **~stimme** *f* parte *f* de violín; **~strich** *m* (*-es*; *-e*) golpe *m* de arco, arqueada *f*.

'Geiger(in *f*) *m* violinista *m/f*.

'Geigerzähler *Phys. m* contador *m* Geiger.

geil *adj. Boden*: demasiado graso; ⚘ (*üppig wuchernd*) exuberante; (*wollüstig*) lascivo, lúbrico, lujurioso; (*brünstig*) cachondo; *v. Tieren*: en celo; **2heit** *f* (*0*) *der Vegetation*: exuberancia *f*; (*Wollust*) lascivia *f*, lubricidad *f*, lujuria *f*; (*v. Tieren*) celo *m*.

'**Geisel** *m*, *f* (-; -*n*) rehén *m*; *~n stellen* poner rehenes a disposición; *als ~ geben* dar en rehenes; *als ~ dienen* servir de rehén.

'**Geiser** *m* géiser *m*.

Geiß *f* cabra *f*; '**~bart** ⚘ *m* (-*es*; *0*) ulmaria *f*; reina *f* de los prados; '**~blatt** ⚘ *n* (-*es*; *0*) madreselva *f*; '**~bock** *m* (-*es*; ⁼*e*) macho *m* cabrío, cabrón *m*; *Am.* chivo *m*.

'**Geißel** *f* (-; -*n*) látigo *m*; (*Zuchtrute*) flagelo *m*; *Rel. zur Kasteiung*: disciplina *f*; *fig.* (*Plage*) azote *m*; **~bruder** *m* (-*s*; ⁼) *Rel.* flagelante *m*, disciplinante *m*; **~hieb** *m* (-*es*; -*e*) latigazo *m*; azote *m*; **2n** (-*le*) azotar (*ac.*), dar azotes a; fustigar (*a. fig.*); flagelar; *Rel. sich ~* disciplinarse; (*strafen*) castigar; *fig.* (*heftig tadeln*) censurar duramente; fustigar; estigmatizar; **~n** *n*, **~ung** *f* flagelación *f*; *Rel.* disciplinas *f/pl.*; *fig.* fustigación *f*; estigmatización *f*; censura *f*.

'**Geißler** *m Rel.* flagelante *m*, disciplinante *m*.

Geist *m* (-*es*; -*er*) espíritu *m*; (*Seele*) alma *f*; (*Sinn*) mente *f*; (*Verstand*) inteligencia *f*; (*Genie*) ingenio *m*; (*Genius*) genio *m*; (*Kampf2*) ⚔ espíritu *m*, moral *f*; (*Esprit*) agudeza *f* mental; (*Witz*) donaire *m*; gracia *f*, sal *f*; (*Gespenst*) fantasma *m*, espectro *m*; (*Erscheinung*) aparición *f*; *e-s Verstorbenen*: aparecido *m*; (*Kobold*) duende *m*; *~ der Zeit* espíritu de la época; *der böse ~* el demonio, el espíritu maligno (*od.* del mal), el maligno; *vom bösen ~ besessen* poseído del demonio; *Rel. der Heilige ~* el Espíritu Santo; *~ und Körper* cuerpo y espíritu; cuerpo y alma; *ein großer ~* una mente privilegiada; *Mann von ~* hombre de gran ingenio; *gebildeter ~* espíritu cultivado; *beschränkter ~* espíritu limitado; *der ~ der französischen Sprache* el genio de la lengua francesa; *im ~e* mentalmente, con el pensamiento; en espíritu; *in j-s ~e handeln* obrar según las intenciones de alg.; *wes ~es Kind ist er?* ¿qué clase de persona es?; *er ist von allen guten ~ern verlassen* está dejado de la mano de Dios; ha perdido la cabeza; *den* (*od. s-n*) *~ aufgeben* (*od. aushauchen*) expirar, entregar el alma a Dios; *Poes.* exhalar el último suspiro; **2bildend** *adj.* formativo del espíritu; (*erbaulich*) edificante.

'**Geister...:** **~bahn** *f* tren *m* infernal; **~beschwörung** *f* nigromancia *f*; *Rel.* exorcismo *m*; **~erscheinung** *f* aparición *f*; visión *f*; **~geschichte** *f* cuento *m* de aparecidos; **~glaube** *m* (-*ns*; *0*) (*Spiritismus*) espiritismo *m*; (*Aberglaube*) superstición *f*; **2haft** *adj.* fantástico; (*gespenstig*) espectral; fantasmal; (*übernatürlich*) sobrenatural; misterioso; *Stimme*: sepulcral, de ultratumba; **~schiff** *n* (-*es*; -*e*) buque *m* fantasma; **~stunde** *f* hora *f* de los fantasmas; medianoche *f*; **~welt** *f* (*0*) mundo *m* de los espíritus; mundo *m* sobrenatural.

'**Geistes...:** **2abwesend** *adj.* (*zerstreut*) distraído; (*nachdenklich*) pensativo; ensimismado; **~abwesenheit** *f* (*0*) (*Zerstreutheit*) distracción *f*; **~anlagen** *f/pl.* aptitudes *f/pl.* intelectuales; **~anstrengung** *f* esfuerzo *m* mental; **~arbeit** *f* trabajo *m* intelectual; **~arbeiter** *m* (trabajador *m*) intelectual *m*; **~armut** *f* (*0*) pobreza *f* de espíritu; **~art** *f* mentalidad *f*; **~bildung** *f* (*0*) cultura *f* intelectual; **~blitz** *m* (-*es*; -*e*), **~funke** *m* (-*ns*; -*n*) salida *f*; rasgo *m* de ingenio; réplica *f*; **~freiheit** *f* (*0*) (*Denkfreiheit*) libertad *f* de pensamiento; **~gabe** *f* talento *m*; dotes *f/pl.* espirituales; **~gegenwart** *f* (*0*) presencia *f* de ánimo; serenidad *f*; **2gestört** *adj.* alienado; demente, loco; enajenado; *~ sein* estar perturbado; **~gestörte(r** *m*) *m/f* loco (-a *f*) *m*, demente *m/f*; alienado (-a *f*) *m*; **~gestörtheit** *f* (*0*) alienación *f* mental; demencia *f*, locura *f*, enajenación *f* mental; **~größe** *f* genio *m*; (*Hochherzigkeit*) magnanimidad *f*; grandeza *f* de alma; **~haltung** *f* estado *m* de espíritu; mentalidad *f*; ideología *f*; **~kraft** *f* (-; ⁼*e*) (*Denkkraft*) facultad *f* intelectual; **2krank** *adj.* → *geistesgestört*; **~kranke(r** *m*) *m/f* → *Geistesgestörte(r)*; **~krankheit** *f* alienación *f* mental; demencia *f*, locura *f*; enajenación *f* mental; **~leben** *n* (-*s*; *0*) vida *f* espiritual; vida *f* intelectual; **~richtung** *f* tendencia *f* espiritual; (*Schule*) escuela *f*; **~schärfe** *f* (*0*) agudeza *f* de espíritu; **2schwach** *adj.* pobre de espíritu; imbécil; **~schwäche** *f* (*0*) pobreza *f* de espíritu; debilidad *f* mental; imbecilidad *f*; **~stärke** *f* (*0*) fuerza *f* de espíritu; energía *f* mental; agudeza *f* de ingenio; **~störung** *f* alienación *f* mental; perturbación *f* (*od.* trastorno *m*) mental; **~trägheit** *f* (*0*) torpeza *f* del espíritu; pereza *f* mental; **~verfassung** *f* mentalidad *f*; estado *m* de ánimo; ⚔ moral *f*; **2verwandt** *adj.* congenial; **~verwandte(r)** *m* espíritu *m* congénere *od.* congenial; **~verwandtschaft** *f* afinidad *f* espiritual; congenialidad *f*; **~verwirrung** *f* trastorno *m* mental, perturbación *f* mental; **~welt** *f* (*0*) mundo *m* intelectual; **~wissenschaften** *f/pl.* ciencias *f/pl.* del espíritu; ciencias *f/pl.* filosóficas; **~zerrüttung** *f* enajenación *f* mental; trastorno *m* (*od.* perturbación *f od.* desequilibrio *m*) mental; **~zustand** *m* (-*es*; ⁼*e*) estado *m* mental; *j-n auf s-n ~ untersuchen* someter a alg. a un examen psiquiátrico.

'**geistig** *adj.* (*unkörperlich*) espiritual; inmaterial; (*den Verstand betreffend*) intelectual; (*das Gemüt betreffend*) mental; *~e Aufgeschlossenheit* amplitud de espíritu; *~er Gehalt* su(b)stancia; fondo; *~e Einstellung* (*od. Haltung*) mentalidad; estado de ánimo; *~er Vorbehalt* reserva mental; *~e Elite* lo más selecto de la intelectualidad; *~es Eigentum* propiedad intelectual; *~er Diebstahl* plagio; *vor dem ~en Auge* en espíritu; en la imaginación; *~e Liebe* amor platónico; *~e Getränke* bebidas espirituosas *od.* alcohólicas; **2keit** *f* (*0*) espiritualidad *f*; intelectualidad *f*; inmaterialidad *f*.

'**geistlich** *adj.* espiritual; (*zum Klerus gehörig*) clerical; (*kirchlich*) eclesiástico; *~er Orden* orden religiosa; *~er Stand* el sacerdocio; *~e Musik* música sagrada (*od.* sacra); *~e Macht* potencia espiritual; **2e(r)** *m* eclesiástico *m*, clérigo *m*; (*katholischer*) sacerdote *m*; (*Pfarrer*) cura *m*; (*protestantischer*) pastor *m*; (*Ordens2*) religioso *m*; (*Gefängnis2*, *Schiffs2*, *Feld2*) capellán *m*; **2keit** *f* (*0*) clero *m*, clerecía *f*; personas *f/pl.* eclesiásticas.

'**Geist...:** **2los** *adj.* (-*est*) falto de ingenio; (*fade*) insípido, insulso; (*dumm*) tonto, estúpido; (*langweilig*) aburrido, sin gracia; **~losigkeit** *f* (*0*) falta *f* de ingenio; (*Fadheit*) insipidez *f*, insulsez *f*; **2reich** *adj.* ingenioso; (*witzig*) agudo, chispeante, gracioso; **2tötend** *adj.* embrutecedor; tedioso, monótono; **2voll** *adj.* → *geistreich*.

Geiz *m* (-*es*; *0*) avaricia *f*; (*Begehrlichkeit*) codicia *f*; (*Knausern*) tacañería *f*; mezquindad *f*; **2en** (-*t*) *v/i.* ser avaro *od.* parco (*mit* de); (*knausern*) tacañear; *~ nach* (*verlangen*) apetecer, anhelar, ansiar; codiciar; '**~hals** *m* (-*es*; ⁼*e*), '**~hammel** *m*, '**~kragen** *m* avaro *m*; avariento *m*; *fig.* judío *m*; (*Knicker*) tacaño *m*, F verrugo *m*; '**2ig** *adj.* avaro, avariento; mezquino; (*knauserig*) tacaño, F agarrado; roñoso; '**~ige(r)** *m* → *Geizhals*.

Ge'jammer *n* (-*s*; *0*) lamentaciones *f/pl.*; jeremiada *f*.

Ge'jauchze *n* (-*s*; *0*) gritos *m/pl.* de júbilo (*od.* de alegría).

Ge'johle *n* (-*s*; *0*) gritería *f*.

Ge'jubel *n* (-*s*; *0*) gritos *m/pl.* de júbilo.

ge'kachelt *adj.* revestido de azulejos; *mit Fliesen*: embaldosado.

ge'kannt *p/p. v. kennen*.

Ge'keife *n* (-*s*; *0*) gritería *f*; F zambra *f*, jaleo *m*, jarana *f*.

Ge'kicher *n* (-*s*; *0*) risas *f/pl.* sofocadas.

Ge'kläff *n* (-*es*; *0*), **~e** *n* (-*s*; *0*) ladridos *m/pl.* agudos; gañido *m*.

Ge'klapper *n* (-*s*; *0*) tableteo *m*; *e-s Wagens*: traqueteo *m*; (*Zähne*) castañeteo *m*; (*Geklirr, Gerassel*) tintineo *m*.

Ge'klatsche *n* (-*s*; *0*) palmoteo *m*; *fig.* comadrerías *f/pl.*, chismes *m/pl.*, cotilleo *m*.

Ge'klimper *n* (-*s*; *0*) ♪ (*auf dem Klavier*) tecleo *m*; (*Gitarre*) rasgueo *m*.

Ge'klingel *n* (-*s*; *0*) tintineo *m*; campanilleo *m*.

Ge'klirr *n* (-*es*; *0*) tintineo *m*; (*bei zerbrechendem Geschirr*) estrépito *m*, F estropicio *m*; (*Degen*) choque *m*.

ge'klommen *p/p. v. klimmen*.

ge'klungen *p/p. v. klingen*.

Ge'knatter *n* (-*s*; *0*) traqueteo *m*; (*Maschinengewehr usw.*) tableteo *m*; (*Radio*) crepitación *f*; *des Motors*: explosiones *f/pl.*

ge'knickt *fig. adj.* abatido; deprimido; desalentado.
ge'kniffen *p/p. v. kneifen.*
Ge'knister *n* (*-s; 0*) crepitación *f*; *der Seide*: crujido *m*; *der Funken*: chisporroteo *m*.
ge'konnt I. *p/p. v. können*; **II.** *adj. das ist* ~ esto demuestra pericia.
ge'körnt *adj.* granulado.
Ge'krächze *n* (*-s; 0*) graznidos *m/pl.*
Ge'kreisch *n* (*-es; 0*) chillidos *m/pl.*
Ge'kritzel *n* (*-s; 0*) garabato *m*, garrapato *m*.
ge'krochen *p/p. v. kriechen.*
ge'kröpft ⊕ *adj.* acodado; ~*er Rahmen Auto.*: chasis rebajado.
Ge'kröse *n* (*Eingeweide*) asadura *f*; tripas *f/pl.*, mondongo *m*; *Anat.* mesenterio *m*.
ge'krümmt *adj.* encorvado; arqueado.
ge'künstelt *adj.* artificial; rebuscado; afectado; (*geschraubt*) amanerado; (*erkünstelt*) facticio; (*gezwungen*) forzado.
Gel ⚗ *n* (*-s; -e*) gel *m*.
Ge'lächter *n* risa *f*; *lautes* ~ risa ruidosa, risotada *f*; *schallendes* ~ carcajada *f*; *in schallendes* ~ *ausbrechen* romper a reír a carcajadas; *zum* ~ *werden* ponerse en ridículo; ser la irrisión de la gente.
ge'lackmeiert F *adj.*: ~ *sein* ser objeto de una broma (F de una tomadura de pelo); (*betrogen*) ser engañado; ser timado.
ge'laden *adj.* cargado (*a. Feuerwaffe*, ⚡); *Gast*: invitado; ⚖ citado; F *fig. auf j-n* ~ *sein* estar furioso contra alg.; → *laden.*
Ge'lage *n* banquete *m*; festín *m*; (*Freß*∼) comilona *f*; F francachela *f*.
ge'lagert I. *p/p. v. lagern*; **II.** *adj.*: *in besonders* ~*en Fällen* en casos muy especiales.
ge'lähmt *adj.* impedido (*an dat.* de), tullido; ⚕ paralítico.
Ge'lände *n* terreno *m*; (*Landschaft*) paisaje *m*; (*Gegend*) región *f*; comarca *f*; *hügeliges* (*od. unebenes*) ~ terreno accidentado; *vielgestaltiges* (*leeres*; *offenes*; *bedecktes*) ~ terreno variado (vacío; descubierto *od.* raso; cubierto); *im* ~ sobre el terreno; ~ *gewinnen* (*verlieren*) ganar (perder) terreno; *das* ~ *abtasten* tantear el terreno; ~**abschnitt** *m* (*-es; -e*) sección *f* de terreno; ~**aufnahme** *f* levantamiento *m* de un plano; alzado *m* topográfico; triangulación *f*; ~**beschaffenheit** *f* naturaleza *f* del terreno; ~**beschreibung** *f* topografía *f*; descripción *f* del terreno; ~**be-urteilung** *f* apreciación *f* del terreno; ~**erkundung** *f* reconocimiento *m* del terreno; ~**falte** *f* pliegue *m* del terreno; ~**form** *f* forma *f* del terreno; ∼**gängig** *adj. Auto. usw.*: para toda clase de terreno; ~**gestaltung** *f* configuración *f* del terreno; ~**hindernis** *n* (*-ses; -se*) obstáculo *m* del terreno; ~**karte** *f* carta *f* topográfica; ~**kunde** *f* (*0*) topografía *f*; ~**lauf** *m* (*-es; ¨e*) *Sport*: carrera *f* campo a través; *angl.* cross country *m*; ~**punkt** *m* (*-es; -e*) punto *m* del terreno.
Ge'länder *n* baranda *f*, barandilla *f*; (*Säulen*∼) balaustrada *f*; (*Treppen*∼) barandilla *f*, pasamano *m*; (*Brücken*∼) pretil *m*, baranda *f*.
Ge'lände...: ~**ritt** *m* (*-es; -e*) carrera *f* a caballo en campo abierto; ~**sprung** *m* (*-es; ¨e*) accidente *m* de terreno; ~**streifen** *m* faja *f* del terreno; ~**übungen** *f/pl.* ejercicios *m/pl.* en campo abierto; ~**verstärkung** ⚔ *f* organización *f* del terreno; ~**wagen** *m* vehículo *m* para todo terreno.
Ge'länderstab *m* (*-es; ¨e*) balaustre *m*.
ge'langen (*-; sn*) *v/i.*: ~ *an* (*ac.*) *od. zu* llegar a; *fig.* alcanzar, lograr, conseguir a/c.; *mein Brief ist nicht zu ihm* (*in s-e Hände*) *gelangt* mi carta no ha llegado a su poder (*od.* a sus manos); *zu Ruhm* ~ alcanzar la gloria; *zu e-r Ansicht* ~ formarse una opinión; *zu e-m Vergleich* ~ llegar a un compromiso; *zum Abschluß* ~ llegar a término; *zum Verkauf* ~ ponerse a la venta; *zur Ausführung* ~ ser ejecutado, ser puesto en ejecución; *zur Aufführung* (*Theaterstück*) ~ ser representado; ♪ ser ejecutado; *zur Einstimmigkeit* ~ llegar a un acuerdo por unanimidad; *zu Reichtum* ~ hacer fortuna, llegar a ser rico; *et. an j-n* ~ *lassen* hacer llegar a/c. a alg.; *zu s-m Zwecke* ~ lograr su objeto.
Ge'laß *n* (*-sses; -sse*) pieza *f*, aposento *m*.
ge'lassen I. *adj.* tranquilo; plácido; apacible; (*unerschütterlich*) impasible; imperturbable; (*stoisch*) estoico; (*ergeben*) resignado; (*heiteren Gemüts*) sosegado, sereno; **II.** *adv.* con calma; (*ergeben*) con resignación; (*besonnen*) con serenidad; con sangre fría; ∼**heit** *f* (*0*) calma *f*; placidez *f*; tranquilidad *f*; sosiego *m*, serenidad *f*; impasibilidad *f*; imperturbabilidad *f*; resignación *f*; F sangre *f* fría.
Gela'tine [ʒe·la·'ti:nə] *f* (*0*) gelatina *f*; (*Speise*∼) gelatina *f* culinaria.
gelati|'nieren [ʒe·-] (*-*) *v/t.* convertir en gelatina *f*; ~'**nös** *adj.* gelatinoso.
Ge'laufe *n* (*-s; 0*) vaivén *m*; idas y venidas *f/pl.*
ge'läufig *adj.* (*fließend*) corriente; (*vertraut*) familiar, bien conocido; (*üblich*) usual, acostumbrado; *er spricht ein* ~*es Spanisch*; *er spricht* ~ *Spanisch* habla español con soltura (*od.* facilidad); ∼**keit** *f* (*0*) facilidad *f*; (*bsd. im Sprechen, Lesen od. Schreiben*) soltura *f*; *der Zunge*: volubilidad *f*; (*Praxis*) práctica *f*; rutina *f*.
ge'launt *adj.* dispuesto; *gut* (*schlecht*) ~ de buen (mal) humor.
Ge'läut *n* (*-es; -e*), ~*e n Glocken*: toque *m bzw.* repique *m* de campanas; *Schellen*: tintineo *m*; *Glockenspiel*: carillón *m*; *unter dem* ~ *der Glocken* al son de las campanas.
ge'läutert *adj.* purificado.
gelb I. *adj.* amarillo; ~ *werden* amarillecer; ~ *machen* teñir *bzw.* pintar de amarillo; ~*e Rübe* zanahoria *f*; ~*es Fieber* fiebre *f* amarilla; *das* ∼*e Meer* el mar Amarillo; *der* ∼*e Fluß* el río Amarillo; ~ *und grün vor Neid werden* palidecer de envidia; **II.** ∼ *n* (*-s; 0*) (color *m*) amarillo *m*; (*Ei*∼) yema *f* de huevo; '~**braun** *adj.* amarillo oscuro; '∼**buch** *n* (*-es; ¨er*) *Dipl.* libro *m* amarillo; '∼**fieber** *n* (*-s; 0*) fiebre *f* amarilla; '∼**filter** *Phot. m* filtro *m* amarillo; '∼**gießer** ⊕ *m* latonero *m*, fundidor *m* de cobre (*od.* bronce); '~**grün** *adj.* amarillo verdoso; '∼**guß** ⊕ *m* (*-sses; ¨sse*) latón *m*; '~**lich** *adj.* amarillento; '∼**scheibe** *Phot. f* filtro *m* amarillo; '∼**schnabel** *fig. m* (*-s; ¨*) mozalbete *m*, boquirrubio *m*; '∼**sucht** ⚕ *f* (*0*) ictericia *f*; '~**süchtig** ⚕ *adj.* ictérico; '∼**wurzel** ⚘ *f* (*0*) cúrcuma *f*.
Geld *n* (*-es; -er*) dinero *m*; *Am. a.* plata *f*; F cuartos *m/pl.*; tela *f*, mosca *f*, pasta *f*, guita *f*; P parné *m*, monís *m*; (*kleines* ~; *Wechsel*∼) dinero *m* suelto; calderilla *f*; (*e-s Landes*) moneda *f*; (*auf* ~ *bezüglich*) pecuniario; financiero; (*auf Währung bezüglich*) monetario; (*Münzsorten*) especies *f/pl.*; (*Vermögen*) fortuna *f*; *bares* ~ dinero contante; *falsches* ~ dinero falso; *e-e Menge* ~ mucho dinero; F un dineral; un Potosí; *fest angelegtes* ~ dinero inmovilizado; *öffentliche* ~*er* fondos públicos; *in barem* ~ *bezahlen* pagar en metálico (*od.* en efectivo); *ich habe kein* ~ *bei mir* no llevo dinero encima; ~ *wie Heu haben* tener mucho dinero, F ser un Creso; *zu* ~ *kommen* hacer fortuna; *im* ~ *schwimmen* nadar en oro; ~ *verdienen* ganar dinero; ~ *erhalten* (*od. bekommen*) recibir dinero; ~ *abheben* (*aufnehmen*; *vorstrecken*) retirar (tomar a préstamo; adelantar) dinero; ~ *langfristig anlegen* colocar dinero a largo plazo; *um* ~ *verlegen sein* no tener dinero, F estar sin un cuarto, estar sin blanca; (*knapp bei Kasse sein*) andar mal (*od.* escaso) de fondos; *zu* ~ *machen* vender, convertir en dinero; *zu s-m* ~*e kommen* recuperar su dinero; *das kostet viel* ~ esto es muy caro; F esto cuesta un dineral; *es sich viel* ~ *kosten lassen* hacer grandes sacrificios de dinero para a/c.; *um* ~ *spielen* jugar dinero; *das* ~ *zum Fenster hinauswerfen* F gastar el dinero a lo loco; *mit* ~ *um sich werfen* tirar el dinero a manos llenas; F ~ *springen lassen* gastar con rumbo; *sich schlecht von* ~ *trennen können* no desprenderse fácilmente del dinero; *nicht mit* ~ *zu bezahlen* no hay dinero que lo pague; no se paga con dinero; *er ist sein* ~ *los* se ha quedado sin dinero; ~ *spielt keine Rolle* el dinero es lo de menos; ~ *regiert die Welt* poderoso caballero es Don Dinero; ~ *macht nicht glücklich* el dinero no es la felicidad; *nicht für* ~ *und gute Worte* por nada del mundo.
'**Geld...:** ~**abfindung** *f* ajuste *m* de compensación en dinero; ~**abwertung** *f* depreciación *f* (*od.* desvalorización *f*) del dinero; ~**angelegenheit** *f* asunto *m* de dinero; ~**anhäufung** *f* acumulación *f* de dinero; ~**anlage** *f* colocación *f* (*od.* inversión *f*) de dinero; ~**anleihe** *f* empréstito *m* financiero; ~**anweisung** ✉ *f* giro *m* postal; ~**aristokratie** *f* plutocracia *f*; ∼**arm** *adj.* desprovisto (*od.* escaso) de fondos; ~**ar-**

~**mut** *f* (*0*) penuria *f* de dinero; ~**aufnahme** *f* préstamo *m*; ~**aufwertung** *f* revalorización *f* de la moneda; ~**ausfuhr** *f* exportación *f* de dinero; ~**ausgabe** *f* gasto *m*; desembolso *m*; (*Notenausgabe*) emisión *f* de moneda; ~**bedarf** *m* (-*es*; *0*) necesidad *f* de dinero *od.* de fondos; ~**beitrag** *m* (-*es*; ¨*e*) aportación *f*; (*Unterstützung*) subvención *f*; (*Beisteuer*) cuota *f*; ~**belohnung** *f* recompensa *f* en dinero; ~**bestand** *m* (-*es*; ¨*e*) disponibilidades *f*/*pl.* en efectivo, dinero *m* en caja; ~**betrag** *m* (-*es*; ¨*e*) suma *f*, cantidad *f*; importe *m*; ~**beutel** *m*, ~**börse** *f* monedero *m*, portamonedas *m*; bolsa *f*; ~**brief** ✉ *m* (-*es*; -*e*) pliego *m* de valores declarados; ~**briefträger** ✉ *m* cartero *m* repartidor de giros; ~**buße** *f* multa *f*; ~**einheit** *f* unidad *f* monetaria; ~**einlage** *f* imposición *f* de dinero; depósito *m*; ~**einnahme** *f* entrada *f*, ingreso *m*; cobro *m*; ~**einnehmer** *m* cobrador *m*; ~**einwurf** *m* (-*es*; ¨*e*) *bei Automaten*: ranura *f* (para echar la moneda); ~**entschädigung** *f* indemnización *f* en metálico; ~**entwertung** *f* depreciación *f* (*od.* desvalorización *f*) monetaria; (*völlige*) desmonetización *f*; ~**er** *n*/*pl.* capital *m*; fondos *m*/*pl.*; ~**erhebungsvollmacht** *f* poder *m* para retirar fondos; ~**ersparnis** *f* (-; -*se*) ahorro *m* de dinero; ~**eswert** *m* (-*es*; -*e*) valor *m* en efectivo; ~**flüssigkeit** *f* (*0*) liquidez *f*; ~**forderung** *f* crédito *m* pecuniario; (*Mahnung*) reclamación *f* de pago; ~**frage** *f* cuestión *f* de dinero; ~**geber** *m* † aportador *m* de fondos; socio *m* capitalista; F caballo *m* blanco; ~**geschäft** *n* (-*es*; -*e*) operación *f* monetaria; transacción *f*; ~**geschenk** *n* (-*es*; -*e*) regalo *m* en dinero; ~**gier** *f* (*0*) codicia *f*; afán *m* de dinero; 2**gierig** *adj.* codicioso; ~**heirat** *f* casamiento *m* por interés (*od.* por dinero); ~**herrschaft** *f* (*0*) plutocracia *f*; capitalismo *m*; ~**hilfe** *f* ayuda *f* económica; ~**hortung** *f* acumulación *f* de dinero; ~**institut** *n* (-*es*; -*e*) establecimiento *m* bancario; instituto *m* de crédito; ~**kasse** *f* (*Ladenkasse*) caja *f*; ~**klemme** *f* dificultad *f* financiera; F apuro *m* de dinero; ~**knappheit** *f* (*0*) escasez *f* de dinero (*od.* de fondos); (*Geldnot*) penuria *f* de dinero; ~**krise** *f* crisis *f* monetaria; ~**kurs** *m* (-*es*; -*e*) (*Wechselkurs*) tipo *m* de cambio; (*Nachfrage*) cotización *f* demandada; ~**lage** *f* (*0*) situación *f* monetaria; ~**leute** *pl.* los financieros; 2**lich** *adj.* de dinero, pecuniario; (*finanziell*) financiero; ~**macht** *f* (-; ¨*e*) potencia *f* financiera; ~**makler** *m* agente *m* de cambio; ~**mangel** *m* (-*s*; *0*) escasez *f* de dinero; ~**mann** *m* (-*es*; -*leute*) financiero *m*; banquero *m*; capitalista *m*; ~**markt** *m* (-*es*; ¨*e*) mercado *m* monetario; ~**mittel** *n*/*pl.* recursos *m*/*pl.* pecuniarios; recursos *m*/*pl.* financieros; fondos *m*/*pl.*; ~**münze** *f* moneda *f*; ~**not** *f* (*0*) penuria *f* de dinero; falta *f* de dinero; ~**opfer** *n* sacrificio *m* pecuniario (*od.* de dinero); ~**politik** *f* (*0*) política *f* monetaria; ~**preis** *m* (-*es*; -*e*) tipo *m* de cambio; (*als Gewinn*) premio *m* en metálico; ~**quelle** *f* fuente *f* de entradas (*od.* de recursos); ~**reform** *f* reforma *f* monetaria; ~**reserve** *f* reserva *f* monetaria; reserva *f* de fondos; ~**rolle** *f* cartucho *m* de moneda; ~**sache** *f* asunto *m* de dinero; ~**sack** *m* (-*es*; ¨*e*) (*versiegelter*) talega *f* de dinero precintada; *fig.* F ricachón *m*; ~**sammlung** *f* colecta *f*; cuestación *f*; ~**satz** *m* (-*es*; ¨*e*) tasa *f* monetaria; ~**schein** *m* (-*es*; -*e*) billete *m* de banco; ~**schneider** *m* usurero *m*; ratero *m*; ~**schneide'rei** *f* usura *f*; ratería *f*; ~**schöpfung** *f* creación *f* de dinero; ~**schrank** *m* (-*es*; ¨*e*) caja *f* de caudales; ~**schrankknacker** *m* ladrón *m* de cajas de caudales; ~**schuld** *f* deuda *f* de dinero; ~**sendung** *f* remesa *f* de dinero *bzw.* de valores en metálico; ~**sorgen** *f*/*pl.* preocupaciones *f*/*pl.* de dinero; ~**sorten** *f*/*pl.* clases *f*/*pl.* de moneda; billetes *m*/*pl.* y monedas; ~**spende** *f* donativo *m* de dinero; ~**strafe** *f* multa *f*; *mit e-r ~ belegen* multar, imponer una multa; ~**stück** *n* (-*es*; -*e*) moneda *f*; ~**summe** *f* suma *f*, cantidad *f*; ~**system** *n* (-*s*; -*e*) sistema *m* monetario; ~**täsch·chen** *n* portamonedas *m*; ~**tasche** *f* (*Brieftasche*) cartera *f*; (*Geldscheintasche*) billetero *m*; (*Geldbörse*) monedero *m*, portamonedas *m*; *im Herrenanzug*: bolsillo *m*; ~**theorie** *f* teoría *f* monetaria; ~**überfluß** *m* (-*sses*; *0*) plétora *f* de capitales; ~**überhang** *m* (-*es*; ¨*e*) excedente *m* de dinero; ~**überweisung** *f* transferencia *f* de fondos; ~**umlauf** *m* (-*es*; *0*) circulación *f* monetaria (*od.* de dinero); ~**umsatz** *m* (-*es*; ¨*e*) movimiento *m* de fondos; ~**umstellung** *f* reforma *f* monetaria; ~**unterschlagung** ⚖ *f* desfalco *m*; malversación *f* de caudales; ~**unterstützung** *f* ayuda *f* pecuniaria; (*staatliche*) subvención *f*; subsidio *m*; ~**vergütung** *f* indemnización *f* en metálico; ~**verkehr** *m* (-*s*; *0*) → *Geldumlauf*; ~**verknappung** *f* (*0*) → *Geldknappheit*; ~**verlegenheit** *f* dificultades *f*/*pl.* económicas; *in ~ sein* F estar en un apuro de dinero; ~**verleiher** *m* prestamista *m*; ~**verlust** *m* (-*es*; -*e*) pérdida *f* de dinero; ~**verschwendung** *f* derroche *m* de dinero; ~**volumen** *n* volumen *m* monetario; ~**vorrat** *m* (-*es*; ¨*e*) existencias *f*/*pl.* en caja; ~**vorschuß** *m* (-*sses*; ¨*sse*) anticipo *m*; ~**vorteil** *m* (-*es*; -*e*) ventaja *f* pecuniaria; ~**währung** *f* moneda *f*; ~**wechsel** *m* cambio *m* de moneda; ~**wert** *m* (-*es*; -*e*) valor *m* monetario; ~**wesen** *n* (-*s*; *0*) hacienda *f*, *Am.* finanzas *f*/*pl.*; Banca *f*; ~**wirtschaft** *f* (*0*) economía *f* monetaria; ~**wucher** *m* (-*s*; *0*) usura *f*; † agiotaje *m*; ~**wucherer** *m* usurero *m*; † agiotista *m*; ~**zähler** *m* contador *m* de moneda; ~**zeichen** *n* signo *m* monetario; ~**zufluß** *m* (-*sses*; ¨*sse*) afluencia *f* de dinero.

Ge'lee [ʒe'le:] *n* (-*s*; -*s*) gelatina *f*; (*Speise*) jalea *f*.

ge'legen I. *p*/*p. v. liegen*; **II.** *adj.* situado, *Am.* ubicado; ⚖ sito; *nach Süden ~* mirando (*od.* de cara) al sur; *nach der Straße ~* dando a la calle; (*passend*) conveniente, oportuno; *adv.* a propósito, a la medida, F de perilla; *das kommt ihm recht ~* eso le viene muy a propósito; F eso le viene a pedir de boca; *ihm ist daran ~, daß* lo que a él le interesa es ... (*inf.*); lo que a él le importa es que ... (*subj.*); *es ist ihm nichts daran ~, daß* poco le importa que (*subj.*); *was ist daran ~?* ¿qué importa eso?

Ge'legenheit *f* ocasión *f*; (*günstige*) oportunidad *f*; (*Konjunktur*) coyuntura *f*; *bei ~ von* con ocasión de; con motivo de; *~ haben zu* (*inf.*) tener ocasión de (*inf.*); *bei dieser ~* en esta ocasión; con tal motivo; en tales circunstancias; *bei der ersten* (*besten*) *~* en la primera ocasión (que se presente); en la primera oportunidad; *bei jeder ~* en toda ocasión; siempre, a cada instante; *bei passender ~* en el momento oportuno; *die ~ ergreifen* aprovechar la ocasión; *die ~ beim Schopf ergreifen* (*od. fassen*) F agarrar la ocasión por los pelos; *die ~ verpassen* desaprovechar la ocasión; *~ geben zu* dar ocasión (*od.* margen) para; dar lugar a, motivar (*ac.*); *~ macht Diebe* la ocasión hace al ladrón.

Ge'legenheits...: ~-arbeit *f* trabajo *m* ocasional; ~**dieb** *m* (-*es*; -*e*) descuidero *m*; ~**gedicht** *n* (-*es*; -*e*) poesía *f* de circunstancias; ~**kauf** *m* (-*es*; ¨*e*) (compra *f* de) ocasión *f*; ganga *f*; ~**verbrecher** ⚖ *m* delincuente *m* ocasional.

ge'legentlich I. *adj.* ocasional; (*zufällig*) casual, accidental, incidental; **II.** *adv.* en ocasiones; (*beiläufig*) de paso; (*zufällig*) por casualidad; *~ s-s Besuches* con ocasión de su visita; *kommen Sie ~ vorbei* venga usted cuando quiera (*od.* cuando tenga ocasión).

ge'lehrig *adj.* dócil; (*klug*) inteligente; (*leicht auffassend*) con facilidad para aprender; de inteligencia despierta; 2**keit** *f* (*0*) docilidad *f*; inteligencia *f*.

Ge'lehrsamkeit *f* (*0*) erudición *f*; saber *m*; sabiduría *f*.

ge'lehrt *adj.* sabio; *in Geisteswissenschaften*: erudito, docto; (*wissenschaftlich*) científico; (*allgemein gebildet*) letrado, culto; F *hum.* leido y escribido; (*in et. erfahren*) instruido; versado en; F *fig.* *~es Haus* un pozo de ciencia; 2**e**(**r**) *m* sabio *m*; (*Forscher*) investigador *m*; (*Geisteswissenschaftler*) erudito *m*; polígrafo *m*; (*Gebildeter*) hombre *m* de letras.

Ge'leise *n* (*Wagenspur*) carril *m*, rodada *f*; 🚂 vía *f* (férrea); (*Schiene*) raíl *m*, riel *m*; 🚂 *totes ~* vía muerta *f*; apartadero *m*; *fig. aus dem ~ bringen* desviar (del buen camino), des(en)caminar; *im* (*alten*) *~ bleiben* seguir la rutina de antes; no salirse de su cauce; *aus dem ~ kommen* 🚂 descarrilar; *fig.* apartarse del cauce normal; *iro.* descarrilar; *fig. wieder ins ~ kommen* volver las cosas a su cauce (*od.* a la normalidad); *fig. wieder ins ~ bringen* encarrilar; volver a encauzar por el buen camino; *die Verhandlungen sind auf ein totes ~ geraten* las negociaciones se han estancado.

Ge'leit *n* (-*es*; -*e*) (*Begleitung*) acompañamiento *m*; (*Gefolge*) séquito *m*; (*Eskorte*) escolta *f*; (*Trauer*2) cortejo *m* (*od.* comitiva *f*) fúnebre; ⚔ *u.* ⚓ escolta *f*; *bsd.* ⚓ convoy *m*; *j-m freies* (*od. sicheres*) *~ geben* dar salvoconducto a alg.; *j-m das ~ geben* acompañar a alg.; ⚔ *u.* ⚓ escoltar a alg.; *j-m das letzte ~ geben* rendir a alg. el último tributo; **~brief** *m* (-*es*; -*e*) salvoconducto *m*; **2en** (-*e*-; -) *v/t.* (*führen*) conducir; (*begleiten*) acompañar; (*schützend*) escoltar; *j-n an die Tür ~* acompañar a alg. a (*od.* hasta) la puerta; ⚔ *u.* ⚓ escoltar; ⚓ *mst.* convoyar; **~en** *n* → *Geleit*; **~flugzeug** *n* (-*es*; -*e*) avión *m* de escolta; **~schein** ♆ *m* (-*es*; -*e*) pasavante *m*, *angl.* navicert *m*; **~schiff** ⚓ *n* (-*es*; -*e*) buque *m* (de) escolta; **~schutz** *m* (-*es*; *0*) ⚔ *u.* ⚓ escolta *f*; *mst.* ⚓ convoy *m*; *~ geben* ⚔ *u.* ⚓ escoltar; *mst.* ⚓ convoyar; **~wort** *n* (-*es*; -*e*) prefacio *m*; **~zug** ⚓ *m* (-*es*; *ue*) convoy *m*.

Ge'lenk *n* (-*es*; -*e*) *Anat.* articulación *f*; ⊕ juntura *f*; *e-r Kette*: eslabón *m*; (*Scharnieren*) charnela *f*, bisagra *f*; (*Hand*2) muñeca *f*; **~band** *n* (-*es*; *ue*r) *Anat.* ligamento *m* articular; ⊕ charnela *f*; **~entzündung** ⚕ *f* artritis *f*; **2ig** *adj.* (*mit Gelenk versehen*) articulado; (*gewandt*) ágil; (*biegsam*) flexible; **~igkeit** *f* (*0*) (*Gewandtheit*) agilidad *f*, soltura *f*; (*Biegsamkeit*) flexibilidad *f*; **~kopf** *Anat.* (-*es*; *ue*) cóndilo *m*; **~kupplung** ⊕ *f* acoplamiento *m* articulado; **~pfanne** *Anat. f* cótila *f*, cavidad *f* cotiloidea; **~puppe** *f* muñeca *f* articulada; **~rheumatismus** ⚕ *m* (-; *0*) reumatismo *m* articular; **~steife** ⚕ *f* anquilosis *f*.

ge'lernt *adj. Arbeiter*: c(u)alificado.

Ge'liebte(r *m*) *m/f* amante *m/f*; (*Mätresse*) *a.* querida *f*; *Liter.* amado (-a *f*) *m*.

ge'liehen *p/p. v. leihen.*

ge'lier|en [ʒeˈ-] (-) *v/i.* gelatinizar(se); **2ung** *f* gelatinización *f*.

ge'lind(e) *adj.* (*mild*) suave, dulce; (*angenehm*) agradable; (*heiter*) apacible; (*nachsichtig*) indulgente; *Temperatur*: moderado; *Klima*: benigno; *Kälte*: no muy intenso; *Strafe*: leve; *bei ~em Feuer* a fuego lento; *~ere Seiten aufziehen* bajar el tono, F bajar el diapasón; *~e gesagt* por no decir más; dicho sea con indulgencia; *j-n ~e behandeln*; *mit j-m ~e verfahren* tratar a alg. con indulgencia; ser indulgente con alg.

ge'lingen I. (*L*; -; *sn*) *v/i.* realizarse; salir bien, tener éxito *m*; F cuajar; dar buen resultado *m*; *es gelingt mir et. zu tun* consigo (*od.* logro) hacer a/c.; *es ist mir gelungen zu* he conseguido (*inf.*), he logrado (*inf.*); *ihm gelingt alles* todo le sale bien; lo consigue todo; *ihm gelingt nichts* todo le sale mal; no consigue nada; *nicht ~* frustrarse, fracasar; **II.** 2 *n* éxito *m*, resultado *m* favorable; logro *m*.

Ge'lispel *n* (-*s*; *0*) ceceo *m*; (*Flüstern*) cuchicheo *m*, bisbiseo *m*.

ge'litten *p/p. v. leiden.*

'gellen *v/i.* producir un sonido agudo *od.* estridente; (*kreischen*) chillar; (*nachhallen*) resonar; **~d** *adj.* agudo, penetrante; (*schrill*) estridente.

ge'loben I. (-) *v/t.* prometer solemnemente; hacer voto *m* solemne de; hacer promesa *f* de; *Bib. das Gelobte Land* la Tierra de Promisión; **II.** 2 *n* → *Gelöbnis.*

Ge'löbnis *n* (-*ses*; -*se*) promesa *f* solemne; *Rel.* voto *m*.

ge'logen *p/p. v. lügen.*

ge'löst *adj.* (*erleichtert*) aliviado; desembarazado; **2heit** *f* (*0*) (*Erleichterung*) alivio *m*.

gelt I. *adj.* (*unfruchtbar*) estéril; **II.** *int.*: *~?* ¿(no es) verdad?; ¿no es eso?, ¿no es así?; ¿eh?

'gelt|en 1. (*L*) *v/i.* valer; *die Sache gilt mir viel* esto tiene (*od.* es de) mucha importancia para mí; *das gilt nichts bei mir* eso para mí no vale nada; (*gültig sein*) ser valedero *od.* válido; *Geld*: tener curso *m* legal; *Gesetz*: estar vigente (*od.* en vigor); *als Gesetz* (*Regel*) *~* servir como ley (regla *od.* norma); ser ley (regla *od.* norma); (*geschätzt sein*) ser estimado; gozar de crédito *od.* estimación; *er gilt viel* se le tiene en gran estima; *viel bei j-m ~* tener mucho valimiento con alg.; tener influencia sobre alg.; *für et. ~* pasar (*od.* ser tenido) por a/c.; *~ als* pasar por; ser considerado como; *~ von* (*für*) ser aplicable a; valer para; *das gleiche gilt für* (*od. von ihm*) *ihn* lo mismo (*od.* otro tanto) puede decirse de él; lo mismo también es válido para él; *was von dir* (*für dich*) *gilt, gilt auch von mir* (*für mich*) lo que es aplicable a (*od.* para) ti, también lo es a (*od.* para) mí; lo que vale para ti, también vale para mí; *das gilt dir* eso va por ti; eso es para ti; *jetzt gilt es dir* ahora te toca a ti; *da gilt kein Aber* (*keine Entschuldigung*) no hay pero (disculpa) que valga; *das gilt nicht* eso no vale; eso no está permitido; *der Vertrag gilt nicht* el contrato no es válido; *et. ~ lassen* admitir a/c.; dejar pasar; *das lasse ich ~!* (*zustimmend*) ¡muy bien!; ¡eso sí!; ¡conforme con eso!; **2.** *v/unprs.*: *es gilt, zu* (*inf.*) se trata de (*inf.*); *hier gilt es zu kämpfen* aquí hay que luchar; *jetzt gilt's!* ¡ahora es el momento!; *es gilt das Leben* la vida está en juego; *was gilt die Wette?* ¿qué apostamos?; *es gilt!* ¡acepto!; ¡conforme!, ¡de acuerdo!; *wenn es gilt* cuando haga falta; cuando se trata de; cuando llega el momento de; **2en** *n* → *Geltung*; **~end** *adj.*: *die ~e Meinung* la opinión dominante (*od.* más general); *das ~e Recht* la ley vigente; (*sich*) *~ machen* hacer(se) valer.

'Geltung *f* valor *m*; (*Wichtigkeit*) importancia *f*, *fig.* peso *m*; (*Ansehen*) autoridad *f*, respeto *m*; prestigio *m*; crédito *m*; (*Wertschätzung*) estima *f*; (*Gültigkeit*) validez *f*; (*Einfluß*) influencia *f*; *des Geldes*: curso *m* legal; ⚖ vigencia *f*; *~ haben* (*maßgebend sein*) tener autoridad; *Gesetz*: estar vigente (*od.* en vigor); ser vigente; *zur ~ bringen* hacer valer; *zur ~ kommen, sich ~ verschaffen* imponerse; hacerse valer; distinguirse; sobresalir; resaltar; *e-r Sache ~ verschaffen* hacer respetar a/c.; **~sbedürfnis** *n* (-*ses*; *0*) afán *m* de imponerse; ansia *f* de notoriedad; afán *m* de figurar; **~sbereich** *m* (-*es*; -*e*) (*Anwendungsbereich*) campo *m* de aplicación; → **~sbezirk** *m* (-*es*; -*e*), **~sgebiet** *n* (-*es*; -*e*): *~ e-s Gesetzes* territorio de aplicación de una ley; **~sdauer** *f* (*0*) plazo *m* de validez; **~ssucht** *f* afán *m* de prestigo.

Ge'lübde *n Rel.* voto *m* (solemne); *ein ~ ablegen* hacer un voto.

ge'lungen I. *p/p. v. gelingen*; **II.** *adj.* (*vollendet*) acabado; perfecto; (*vortrefflich*) magnífico, soberbio, F estupendo, formidable.

Ge'lüst *n* (-*es*; -*e*) deseo *m*; (*Laune*) capricho *m*, antojo *m*; (*Anwandlung*) veleidad *f*; (*Verlangen*) apetito *m*; apetencia *f*; *ein ~ nach et. haben* sentir apetencia de a/c.; **2en** (-*e*-; -) *v/unprs.*: *es gelüstet mich nach et.* se me antoja (*od.* siento ganas de) a/c.; *sich et. ~ lassen* apetecer a/c.; codiciar a/c.

ge'mach [aː] *adv.* (*langsam*) despacio, lentamente; (*allmählich*) poco a poco, paulatinamente; *nur ~!* ¡despacio!, F ¡despacito!; ¡vamos por partes!

Ge'mach [aː] *n* (-*es*; *ue*r) (*Zimmer*) cuarto *m*, habitación *f*; aposento *m*; (*kleineres*) gabinete *m*; (*größeres*) sala *f*; salón *m*.

ge'mächlich I. *adj.* (*ruhig*) sosegado, tranquilo; (*bequem*) cómodo; descansado; (*friedlich*) apacible; (*langsam*) lento, pausado; *Leben*: acomodado; *ein ~es Leben führen* vivir acomodadamente; **II.** *adv.* despacio; cómodamente; indolentemente; **2keit** *f* (*0*) comodidad *f*; sosiego *m*, tranquilidad *f*; apacibilidad *f*; lentitud *f*.

ge'macht *p/p. u. adj.* hecho (*aus* de); *ein ~er Mann* hombre de fortuna; *~!* ¡de acuerdo!; ¡hecho!; ¡convenido!

Ge'mahl *m* (-*es*; -*e*) esposo *m*; (*Prinz*2) príncipe *m* consorte; *Ihr Herr ~* su esposo; **~in** *f* esposa *f*; *Ihre Frau ~* su señora; *grüßen Sie Ihre Frau ~* mis respetos a su señora; póngame a los pies de su señora.

ge'mahnen (-) *v/t.*: *j-n an et. ~* (*ac.*) recordar a/c. a alg.

Ge'mälde [ɛː] *n* cuadro *m*; pintura *f*; **~ausstellung** *f* exposición *f* de pinturas; **~galerie** *f* museo *m* de pinturas; pinacoteca *f*; **~sammlung** *f* colección *f* de pinturas (*od.* de cuadros).

Ge'markung *f Grenze*: límites *m/pl.*, *Liter.* confines *m/pl.*; término *m*.

ge'masert *adj.* veteado.

ge'mäß [ɛː] **I.** *adj.* (*angemessen*) adecuado a *od.* para; conforme con *od.* a; **II.** *prp.* (*dat.*) según (*ac.*); de acuerdo con, de conformidad con; con arreglo a; conforme a; *~ den geltenden Bestimmungen* de conformidad con las disposiciones vigentes; ~ *Ihren Anweisungen* de acuerdo con (*od.* según) sus instrucciones; **⁲heit** *f* (*0*) conformidad *f*; **~igt** *adj.* moderado; *Klima*: templado.

Ge'mäuer *n* murallas *f/pl.*; *altes ~* casa ruinosa; (restos *m/pl.* de) murallas *f/pl.* antiguas.

Ge'mecker *n* (*-s*; *0*) balidos *m/pl.*; *fig.* F critiqueo *m*, murmuraciones *f/pl.*

ge'mein *adj.* común; (*öffentlich*) público; (*gewöhnlich*) vulgar, ordinario; (*niedrig*) bajo; ruin, villano; (*roh*) brutal; (*pöbelhaft*) grosero, soez; plebeyo; (*volkstümlich*) popular; (*familiär*) familiar; (*unanständig*) indecente, indecoroso; obsceno; (*schändlich*) innoble; vil; infame; *~ werden* caer en lo vulgar; *mit j-m nichts ~ haben* no tener nada (de) común con alg.; *sich mit j-m ~ machen* mostrarse confianzudo con inferiores; *sich ~ machen* envilecerse, encanallarse; prostituirse; *der ~e Mann* el hombre del pueblo (*od.* de la calle); *das ~e Volk* el vulgo; el común de las gentes; *~er Soldat* soldado raso; *~er Kerl* bribón; *~er Ausdruck* expresión vulgar; *Ꜹ ~er Bruch* fracción ordinaria (*od.* propia).

Ge'meinde *f* (*Gemeinschaft*) comunidad *f*; (*Stadt⁲*) ayuntamiento *m*, concejo *m*, municipio *m*; (*Einwohnerschaft*) vecindario *m*; (*Pfarr⁲*) parroquia *f*, feligresía *f*; *zur ~ gehörig* comunal, (*Stadt⁲*) municipal; (*Zuhörer⁲*) auditorio *m*; **~abgaben** *f/pl.* impuestos *m/pl.* municipales; **~angelegenheit** *f* asunto *m* municipal *bzw.* público; **~ausschuß** *m* (*-sses*; *ⁿsse*) comisión *f* municipal; **~beamte(r)** *m* funcionario *m* municipal; **~bezirk** *m* (*-es*; *-e*) término *m* municipal; **~glied** *n* (*-es*; *-er*) vecino *m*; *Rel.* feligrés *m*; **~haus** *n* (*-es*; *ⁿer*) (*Rathaus*) ayuntamiento *m*, casa *f* consistorial; *I.P.* diaconía *f*; **~haushalt** *m* (*-es*; *-e*) presupuesto *m* municipal; **~kasse** *f* cajas *f/pl.* municipales; **~ländereien** *f/pl.* terrenos *m/pl.* comunales; **~mitglied** *n* (*-es*; *-er*) vecino *m*; *Rel.* feligrés *m*; **~ordnung** *f* reglamentación *f* municipal; **~rat** *m* (*-es*; *ⁿe*) (*Körperschaft*) ayuntamiento *m*, concejo *m*; (*Person*) concejal *m*; *Rel.* junta *f* parroquial; **~schule** *f* escuela *f* municipal; **~schwester** *f* (*-*; *-n*) diaconisa *f*; **~steuern** *f/pl.* impuestos *m/pl.* municipales; **~verband** *m* (*-es*; *ⁿe*) mancomunidad *f*; **~vertreter** *m weltlich*: delegado *m* municipal; *kirchlich*: delegado *m* parroquial; **~vertretung** *f weltlich*: delegación *f* municipal; *kirchlich*: delegación *f* parroquial; **~verwaltung** *f* administración *f* municipal; **~vorsteher** *m* alcalde *m* (rural); **~wahlen** *f/pl.* elecciones *f/pl.* municipales; **~weide** *f* pastos *m/pl.* comunales; **~zuschlag** *m* (*-es*; *ⁿe*) recargo *m* municipal.

Ge'mein|e(r) ⚔ *m* soldado *m* raso; **~e(s)** *n* lo común; lo vulgar.

ge'mein...: **~gefährlich** *adj.* que constituye un peligro público; **⁲geist** *m* (*-es*; *0*) espíritu *m* de cuerpo, compañerismo *m*; *Pol.* civismo *m*; **⁲gläubige(r)** ⚖ *m* acreedor *m* de una quiebra; **~gültig** *adj.* generalmente admitido; **⁲gut** *n* (*-es*; *0*) bien *m* común *od.* público; *fig.* patrimonio *m* general; *~ werden* llegar a ser del dominio público; *zum ~ machen* vulgarizar, popularizar; **⁲heit** *f* bajeza *f*; (*Schändlichkeit*) infamia *f*, vileza *f*; villanía *f*; canallada *f*; (*Unverschämtheit*) impudor *m*, cinismo *m*; (*Rüpelhaftigkeit*) grosería *f*, ordinariez *f*; **~hin** *adv.* comúnmente, por lo común; en general; ordinariamente; **⁲nutz** *m* (*-es*; *0*) interés *m* común (*od.* público); *~ geht vor Eigennutz* el interés general prevalece sobre el interés particular; **~nützig** *adj.* de interés común (*od.* general *od.* público); de utilidad pública; *~es Unternehmen* empresa de utilidad pública; **⁲nützigkeit** *f* (*0*) utilidad *f* pública; **⁲platz** *m* (*-es*; *ⁿe*) lugar *m* común, tópico *m*; (*Plattheit*) trivialidad *f*; (*Binsenwahrheit*) perogrullada *f*; **~rechtlich** *adj.* de derecho común; **~sam I.** *adj.* común; colectivo; *~e Sache machen* hacer causa común (*mit* con); *der ⁲e Markt* el Mercado Común; *in der Ehe*: *~er Besitz* comunidad de bienes; *~er Haushalt* vida común; *~es Konto* cuenta común (*od.* ⚖ indistinta); *~e Kasse* caja común; *~e Kasse führen* hacer caja común; *Ꜹ ~er Nenner* común denominador; **II.** *adv.* en común, juntos; *~ haften* ser solidariamente responsables; **⁲samkeit** *f* comunidad *f*; *~ der Anschauungen und Empfindungen* comunión; **~schädlich** *adj.* perjudicial para el interés general.

Ge'meinschaft *f* comunidad *f*; (*Körperschaft*) colectividad *f*; *eheliche ~* comunidad conyugal; *häusliche ~* vida común; *atlantische ~* comunidad atlántica; *Europäische ~ für Kohle und Stahl* Comunidad Europea del Carbón y del Acero; *in ~ mit j-m* en unión con alg., en colaboración con alg.; *~ der Gläubigen Rel.* comunión de los fieles; (*Verkehr*) relaciones *f/pl.*, trato *m*; *mit j-m ~ haben* tener relaciones (*od.* trato) con alg.; **⁲lich I.** *adj.* común; mancomunado; colectivo; solidario; *auf ~e Kosten* a expensas de todos; *~e Rechnung* cuenta común; **II.** *adv.* en común; juntos; colectivamente; en acción común; mancomunadamente; *im Einverständnis*: de (común) acuerdo; *~ haften* responder solidariamente; *~ zeichnen* firmar conjuntamente; **~lichkeit** *f* comunidad *f*.

Ge'meinschafts...: **~antenne** *f* antena *f* colectiva; **~arbeit** *f* obra *f* común; trabajo *m* mancomunado; **~betrieb** *m* (*-es*; *-e*) empresa *f* colectiva; **~empfang** *m* (*-es*; *ⁿe*) recepción *f* colectiva; **~erziehung** *f* (*0*) coeducación *f*; **~gefühl** *n* (*-es*; *0*) sentimiento *m* de solidaridad; → **~geist** *m* (*-es*; *0*) (*Bürgersinn*) civismo *m*; (*soziales Empfinden*) sentido *m* social; (*Korpsgeist*) espíritu *m* de cuerpo, compañerismo *m*; **~konto** *n* (*-s*; *-konten*) cuenta *f* conjunta; **~küche** *f* (*Kantine*) cantina *f*; **~kunde** *f* (*0*) (*Bürgerkunde*) instrucción *f* cívica; **~leben** *n* (*-s*; *0*) vida *f* en común; **~produktion** *f* coproducción *f*; **~raum** *m* (*-es*; *ⁿe*) sala *f* común; **~schule** *f* escuela *f* mixta; **~sendung** *f* emisión *f* colectiva; **~sinn** *m* (*-es*; *0*) espíritu *m* colectivo; → *Gemeinschaftsgefühl*; **~werk** *n* (*-es*; *-e*) obra *f* común.

Ge'mein...: **~schuld** ⚖ *f* masa *f* global de la quiebra; **~schuldner** ⚖ *m* quebrado *m*; **~sinn** *m* (*-es*; *0*) → *Gemeinschaftsgeist*; **⁲verständlich** *adj.* comprensible para todos; popular; *~ machen* vulgarizar; **~wesen** *n* comunidad *f*; **~wohl** *n* (*-es*; *0*) bien *m* común; interés *m* público; utilidad *f* pública.

Ge'meng|e *n* mezcla *f* (*a.* ⚒); *Met.* aleación *f*; (*Hand⁲*) pelea *f*; bronca *f*, trifulca *f*; **~sel** *n* mezcla *f*; (*Mischmasch*) mezcolanza *f*.

ge'messen *adj.* mesurado; comedido; (*fest, bestimmt*) preciso; (*förmlich*) formal; (*ernst*) grave; (*reserviert*) reservado; (*würdig*) digno; *~ schreiten* marchar acompasadamente; *~ an* comparado a *od.* con; *~er Befehl* orden terminante; **⁲heit** *f* (*0*) mesura *f*; comedimiento *m*; (*Ernst*) gravedad *f*; (*Reserve*) reserva *f*; (*Förmlichkeit*) formalidad *f*; (*Würdigkeit*) dignidad *f*.

Ge'metzel *n* carnicería *f*; (*Blutbad*) matanza *f*; degollina *f*.

ge'mieden *p/p. v. meiden.*

Ge'misch *n* (*-es*; *-e*) mezcla *f* (*a.* ⚒); *Met.* aleación *f*; *Phar.* mixtura *f*.

ge'mischt *adj.* mezclado; mixto; *~e Klasse* clase mixta; *~e Kommission* comisión mixta; *Ꜹ ~er Bruch* número mixto; *mit ~en Gefühlen* con sentimientos dispares (*od.* variados); *~es Gemüse* verduras variadas; **⁲bauweise** *f* (*0*) construcción *f* mixta; **⁲warenhändler(in** *f*) *m* comerciante *m/f* en géneros mixtos; **⁲warenhandlung** *f* bazar *m*; tienda *f* de géneros mixtos.

'Gemme *f* gema *f*; (*vertiefte*) piedra *f* preciosa entallada; (*Kamee*) camafeo *m*.

ge'mocht *p/p. v. mögen.*

ge'molken *p/p. v. melken.*

'Gems|bock *Zoo. m* (*-es*; *ⁿe*) macho *m* de la gamuza; rebeco *m*; **~e** *f* gamuza *f*; **⁲farben** *adj.* color de gamuza; color sepia; agamuzado; **~jagd** *f* caza *f* de gamuzas; **~jäger** *m* cazador *m* de gamuzas; **~leder** *n* (piel *f* de) gamuza *f*.

Ge'munkel *n* (*-s*; *0*) (*Gerüchte*) rumores *m/pl.*; (*Geflüster*) cuchicheo *m*, bisbiseo *m*.

ge'münzt *adj.* amonedado; *fig. das ist auf mich ~* eso va por mí.

Ge'murmel *n* (*-s*; *0*) murmullo *m*; (*Säuseln*) susurro *m*.

Ge'müse *n* verduras *f/pl.*; hortalizas *f/pl.*; (*Hülsenfrüchte*) legumbres *f/pl.*; *frisches ~* legumbres frescas *od.* verdes; **~arten** *f/pl.* legumbres *f/pl.*; **~bau** *m* (*-es*; *0*) horticultura *f*; **~beet** *n* (*-es*; *-e*) bancal *m* de legumbres; **~garten** *m* (*-s*; *ⁿ*) huerto *m*; huerta *f*; **~gärtner** *m* hortelano *m*; **~händler(in** *f*) *m* verdulero (-a *f*) *m*; **~handlung** *f* verdulería *f*; **~konserven** *f/pl.* legumbres *f/pl.* en conserva; conservas *f/pl.* vegetales; **~markt** *m* (*-es*; *ⁿe*) mercado *m* de verduras; **~salat** *m* (*-es; -e*) macedonia *f* de legumbres; **~suppe** *Kochk. f* sopa *f* de verduras, sopa *f* juliana.

ge'müßigt *adv.*: *sich ~ sehen, zu* (*inf.*) verse obligado a (*inf.*).

ge'mußt *p/p. v. müssen.*

ge'mustert *adj.* (*Stoff*) con dibujos.

Ge'müt *n* (*-es; -er*) facultades *f/pl.* afectivas; alma *f*; ánimo *m*; corazón *m*; *die ~er* los ánimos; los espíritus; *j-m et. zu ~e führen* representar vivamente a/c. a alg.; (*fühlen lassen*) hacer a alg. sentir (vivamente) a/c.; *sich et. zu ~e führen* tomar a pechos a/c.; F *schmausend*: regalarse con a/c.; **2lich** *adj.* (*bequem*) cómodo, confortable; (*behaglich*) agradable, placentero; acogedor, íntimo; (*heiter*) apacible, ameno; *~es Leben haben* tener una vida holgada (*od.* cómoda *od.* desahogada *od.* libre de cuidados); *Person*: (*umgänglich*) de fácil trato; jovial, F campechano; (*liebevoll*) afectuoso, cordial; (*gutmütig*) bondadoso; F (*ruhig, behäbig*) bonachón; *hier ist es ~* aquí se está deliciosamente; F aquí está uno a sus anchas; *~ gehen* ir con toda calma; F ir pian pianito; *ein ~er Kerl* un buen chico; **~lichkeit** *f* (*0*) *e-s Ortes*: amenidad *f*, apacibilidad *f*; *des Heimes*: intimidad *f*; (*Annehmlichkeit*) comodidad *f*; holgura *f*; *Personen*: sencillez *f*, llaneza *f*; cordialidad *f*; jovialidad *f*, F campechanía *f*; *da hört aber die ~ auf!* ¡es inaudito!; ¡esto ya es demasiado!; F esto ya pasa de la raya (*od.* de castaño oscuro); ¡ya está bien!

ge'müts...: **~arm** *adj.* de corazón seco; **2art** *f*, **2beschaffenheit** *f* carácter *m*; genio *m*; temperamento *m*; naturaleza *f*, disposición *f* natural; **2bewegung** *f* emoción *f*; **~krank** *adj.* (*geisteskrank*) alienado, loco, demente; (*schwermütig*) melancólico; (*hypochondrisch*) hipocondríaco; **2krankheit** *f* (*Geisteskrankheit*) alienación *f* mental, locura *f*, demencia *f*; (*Schwermütigkeit*) melancolía *f*; depresión *f*; hipocondría *f*; **2leben** *n* (*-s; 0*) vida *f* afectiva; **2mensch** *m* (*-en*) hombre *m* de sentimientos; hombre *m* de corazón; **2ruhe** *f* (*0*) sosiego *m* de ánimo; serenidad *f*; tranquilidad *f* de espíritu; **2stimmung** *f*, **2verfassung** *f*, **2zustand** *m* (*-es; ¨e*) estado *m* (*od.* disposición *f*) de ánimo; humor *m*; talante *m*.

ge'mütvoll *adj.* sensible; sentimental; todo corazón.

gen [ɛ] *prp.* (*ac.*) *Poes.* hacia.

Gen [eː] *Biol. n* (*-s; -e*) gen *m*.

ge'nau I. *adj.* exacto; (*bestimmt*) preciso; (*klar umrissen*) definido; (*kleinlich*) minucioso; meticuloso; (*peinlich ~*) escrupuloso; (*ausführlich*) detallado; (*richtig, knapp*) justo; (*empfindlich*) sensible; (*sorgfältig*) esmerado; (*pünktlich*) puntual; *im Ausgeben*: F cicatero; (*sparsam*) economizador; (*geizig*) mezquino; (*streng*) estricto; *~ere Einzelheiten* más amplios detalles; *bei ~erer Betrachtung* observando más detenidamente; *~so* igual; ni más ni menos; *~so gut wie* tan bueno como; lo mismo que; **II.** *adv.* exactamente; (*bestimmt*) precisamente; (*kleinlich*) minuciosamente; meticulosamente; (*peinlich ~*) escrupulosamente; (*ausführlich*) detalladamente, pormenorizado; (*sorgfältig*) esmeradamente; (*pünktlich*) puntualmente; (*geizig*) mezquinamente; (*streng*) estrictamente; (*gerade*) justamente; *~ zwei Pfund* dos libras justas; *um zwei Uhr ~* a las dos en punto; *m-e Uhr geht ~* mi reloj marca la hora exacta; mi reloj anda bien; *~ passen* (*gehen*) venir justo; *~ nehmen* tomar a la letra (*od.* al pie de la letra); ser muy escrupuloso, F hilar muy delgado; *das darf man nicht so ~ nehmen* no hay que tomarlo tan al pie de la letra; *~ wissen* saber de fijo; saber a ciencia cierta (*od.* a punto fijo); *~ kennen* conocer a fondo; *~ angeben* precisar, puntualizar; especificar; *~ erzählen* detallar; contar con todo detalle; hacer un relato detallado de; *et. ~ überlegen* reflexionar bien sobre a/c.; pensar bien a/c.; *j-n ~er kennenlernen* conocer mejor a alg.; **~gehend** *adj. Uhr*: de precisión; que anda bien; **~genommen** *adv.* en rigor; en realidad; **2igkeit** *f* exactitud *f*; precisión *f*; (*Richtigkeit*) justeza *f*; (*Empfindlichkeit*) sensibilidad *f*; (*Geiz*) mezquindad *f*; **2igkeitsgrad** *m* (*-es; -e*) grado *m* de precisión; **~so** *adv.*: *~ gut wie du* tan bien como tú.

Gen'darm [ʒan'daʀm] *m* (*-en*) gendarme *m*; *Span.* guardia *m* civil.

Gendarme'rie [ʒan-] *f* gendarmería *f*; *Span.* Guardia *f* Civil.

Genea|'loge [ge·ne·a·'loːgə] *m* (*-n*) genealogista *m*; **~lo'gie** [-o·'giː] *f* genealogía *f*; **2'logisch** *adj.* genealógico.

ge'nehm *adj.* grato, agradable; (*passend*) conveniente; (*annehmbar*) aceptable; *j-m ~ sein* gustar (*od.* agradar) a alg.; ser del agrado de alg.; *wann es Ihnen ~ ist* cuando usted guste.

ge'nehmig|en (-) *v/t.* (*bewilligen*) conceder; (*annehmen*) aceptar; (*zustimmen*) consentir en; (*gutheißen*) aprobar; (*erlauben*) permitir; autorizar; *Vertrag*: ratificar; *Gesuch*: acceder a; *nicht ~* (*Bitte*) desatender; (*Gesuch*) desestimar; F *sich e-n ~* tomarse una copa, echar un trago; **2ung** *f* (*Bewilligung*) concesión *f*; (*Zustimmung*) consentimiento *m*; (*Billigung*) aprobación *f*; (*Erlaubnis*) autorización *f* (*einholen* pedir; *erteilen* conceder, dar; *verweigern* denegar); licencia *f*; permiso *m*; *e-s Vertrages*: ratificación *f*; *nach vorheriger ~* previa autorización; **2ungs-antrag** *m* (*-es; ¨e*) solicitud *f* de autorización; **2ungsbescheid** *m* (*-es; -e*) notificación *f* de concesión; **~ungspflichtig** *adj.* sujeto a autorización.

ge'neigt I. *p/p. v. neigen*; **II.** *adj.* inclinado (*a. fig.*); *fig. j-m ~ sein* estar bien (*od.* favorablemente) dispuesto hacia alg.; tener afecto a alg.; sentir simpatía hacia alg.; *~ sein zu* estar inclinado (*od.* dispuesto) a; *j-m ein ~es Ohr schenken* atender benévolamente a alg.; *ein ~es Ohr finden* ser escuchado con benevolencia; **2heit** *f* (*0*) inclinación *f* (*a. fig.*); declive *m*; (*Wohlgesinntheit*) benevolencia *f*; simpatía *f*.

Gene'ral [ge·ne-] ⚔ *m* (*-s; -e od.* ¨*e*) general *m*; *~ der Infanterie* general de infantería; *kommandierender ~* general en jefe; **~admiral** ⚓ *m* (*-s; -e*) almirante *m* general; *Span.* capitán *m* general de la Armada; **~agent** ✝ *m* (*-en*) agente *m* general; **~agentur** ✝ *f* agencia *f* general; **~amnestie** *f* amnistía *f* general; **~baß** ♩ *m* (*-sses;* ¨*sse*) bajo *m* continuo; **~bevollmächtigte(r)** ✝ *m* apoderado *m* general; **~bilanz** ✝ *f* balance *m* general; **~direktion** *f* dirección *f* general; **~direktor** *m* (*-s; -en*) director *m* general; **~'feldmarschall** ⚔ *m* (*-s;* ¨*e*) mariscal *m* (de campo); *Span.* capitán *m* general del Ejército; **~gouverneur** *m* (*-s; -e*) gobernador *m* general; **~intendant** *m* (*-en*) intendente *m* general; *Thea.* director *m* artístico.

generali'sieren I. (-) *v/t.* generalizar; **II.** 2 *n* generalización *f*.

Genera'lissimus ⚔ *m* (*-; -mi*) generalísimo *m*.

Generali'tät ⚔ *f* generalato *m*; los generales.

Gene'ral...: **~kommando** ⚔ *n* (*-s; -s*) mando *m* en jefe; (*Hauptquartier*) cuartel *m* general; **~konsul** *m* (*-s; -n*) cónsul *m* general; **~konsulat** *n* (*-es; -e*) consulado *m* general; **~probe** *Thea. f* ensayo *m* general; **~quittung** *f* finiquito *m*; **~sekretär** *m* (*-s; -e*) secretario *m* general; **~srang** *m* (*-es; 0*) generalato *m*; grado *m* de general; **~'staats-anwalt** ⚖ *m* (*-es;* ¨*e*) Fiscal *m* del Tribunal Supremo; **~stab** ⚔ *m* (*-es;* ¨*e*) Estado *m* Mayor (*des Heeres; der Luftwaffe* del Ejército; de las Fuerzas Aéreas); **~stäbler** *m* oficial *m* de Estado Mayor; **~stabschef** *m* (*-s; -s*) jefe *m* del Estado Mayor; **~stabskarte** *f* carta *f* geográfica (*od.* mapa *m*) de Estado Mayor; **~stände** *Hist. m/pl.* Estamentos *m/pl.*; **~streik** *m* (*-es; -s*) huelga *f* general; **~'super-intendent** *I.P. m* (*-en*) superintendente *m* general; **~überholung** *f* revisión *f* completa; **~versammlung** *f* asamblea *f* general; **~vertreter** *m* representante *m* general; **~vollmacht** *f* pleno poder *m*; poder *m* general.

Generati'on *f* generación *f*; *die junge ~* la joven generación.

Gene'rator [ge·ne·-] ⊕ *m* (*-s; -en*) generador *m*; ⚡ (*Drehstrom2*) alternador *m*.

gene'rell [ge·nə-] *adj.* general.

ge'nerisch *adj.* genérico.

gene'rös *adj.* (*-est*) generoso.

Ge'nese ⚕ *f* génesis *f*.

ge'nesen (*L; -*) *v/i.* curar (*von e-r Krankheit* de una enfermedad); (*sich erholen*) convalecer; restablecerse; *e-s Kindes ~* dar a luz un niño; **2de(r** *m*)*m/f* convaleciente *m/f*.

'Genesis ['gɛne·zɪs, 'geː-] *Bib. f* (*0*) Génesis *m*.

Ge'nesung *f* curación *f*; restablecimiento *m*; (*Zeit der ~*) convalecencia *f*; *auf dem Wege der ~ sein* estar en vías de restablecimiento (*od.* de curación); **~s-urlaub** *m* (*-es; -e*) licencia *f* de convalecencia.

Ge'netik *f* (*0*) genética *f*.

ge'netisch *adj.* genético.

Genf *n* Ginebra *f*; **'~er(in** *f*) *m* ginebrino (-a *f*) *m*; *der Genfer See* el lago de Ginebra (*od.* lago Lemán).

geni'al [-nĭ-] **I.** *adj.* genial, de genio; ingenioso; **II.** *adv.* de una manera genial.

Geniali'tät [-nĭa·li-] *f* (*0*) genialidad *f*; ingeniosidad *f*.

Ge'nick *n* (*-es*; *-e*) nuca *f*, cerviz *f*; (*Hinterkopf*) cogote *m*; (*Hals*) cuello *m*; *v. Tieren*: pescuezo *m*; *sich das ~ brechen* desnucarse; F romperse la crisma; **~fang** *Jgdw. m* (*-es*; *0*): *den ~ geben* (*dat.*) rematar (*ac.*); **~schuß** *m* (*-sses*; *⁼sse*) tiro *m* en la nuca; **~starre** ⚕ *f* (*0*) meningitis *f* cerebroespinal.

Ge'nie [ʒe·-] *n* (*-s*; *-s*) genio *m*; (*Person*) hombre *m* genial; (hombre *m* de) genio *m*; *verkanntes ~* genio ignorado; F *verbummeltes ~* genio frustrado.

ge'nieren [ʒe·-] (-) *v/refl.*: *sich ~, et. zu tun* tener reparo en (*od.* no atreverse a) hacer a/c.; *sich vor j-m ~* sentirse cohibido delante de alg.; (*sich schämen*) avergonzarse, sentir vergüenza; (*stören*) molestar, incomodar; *sich ~* (*sich Zwang auferlegen*) reprimirse.

ge'nieß|bar *adj.* comestible; (*trinkbar*) potable; F bebestible; *fig.* soportable; **2barkeit** *f* (*0*) (*Trinkbarkeit*) potabilidad *f*; **~en** (*L*; -) *v/t.* (*essen*) comer, tomar; (*trinken*) beber, tomar; (*kosten von*) probar; *mit Behagen*: saborear; *fig.* disfrutar, gozar de; *Erziehung*: recibir; *es ist nicht zu ~* no se puede comer *bzw.* beber; no hay quien coma *bzw.* beba esto; *nicht zu ~ fig.* insoportable, inaguantable; *diplomatische Immunität ~* gozar de inmunidad diplomática; **2en** *n* → *Genuß*; **2er(in** *f*) *m* sibarita *m/f*; vividor *m*.

Ge'niestreich [ʒe·-] *iro. m* (*-es*; *-e*) genialidad *f*.

Geni'talien [-lĭən] *Anat. pl.* partes *f/pl.* genitales; órganos *m/pl.* genitales.

'Genitiv ['ge:ni·ti:f] *Gr. m* (*-s*; *-e*) genitivo *m*.

'Genius [-nĭʊs] *m* (-; *Genien*) genio *m*.

ge'nommen *p/p. v. nehmen*.

ge'normt *adj.* normalizado.

ge'noß *pret. v. genießen*.

Ge'noss|e *m* (*-n*), **~in** *f* compañero (-a *f*) *m*, camarada *m/f*. (*a. Pol.*); ✝ socio *m*; ⚖ *Genossen*: consortes *m/pl*.

ge'nossen *p/p. v. genießen*.

Ge'nossenschaft *f* (sociedad *f*) cooperativa *f*; (*Gewerkschaft*) sindicato *m*; (*Bruderschaft*) hermandad *f*; (*Berufs2*) gremio *m*; (*Gesellschaft*) sociedad *f*, asociación *f*; **2lich** *adj.* cooperativo; **~sbank** *f* banco *m* cooperativo; **~sbewegung** *f* movimiento *m* cooperativista; **~sbund** *m* (*-es*; *0*): *Internationaler ~* Alianza Cooperativa Internacional; **~sregister** *n* registro *m* de cooperativas; **~sverband** *m* (*-es*; *⁼e*) sociedad *f* cooperativa; **~swesen** *n* (*-s*; *0*) sociedades *f/pl.* cooperativas; sindicalismo *m*; sindicatos *m/pl*.

'Genotyp *Biol. m* (*-s*; *-en*) genotipo *m*.

'Genre ['ʒɑ̃:rə] *n* (*-s*; *-s*) género *m*; especie *f*; índole *f*; **~bild** *n* (*-es*; *-er*) cuadro *m* de género; **~maler** *m* pintor *m* de género; **~male'rei** *f* pintura *f* de género.

'Genua *n* Génova *f*.

Genu'es|er *m* genovés *m*; **~erin** *f* genovesa *f*; **2isch** *adj.* genovés.

ge'nug *adv.* bastante, suficiente; *Liter.* harto; asaz; *~ Geld* bastante (*od.* suficiente) dinero; *~ der Worte!* ¡basta de palabrería!; *~ der Scherze!* ¡basta de bromas!; *~ davon!* ¡basta ya!; *~!* ¡basta!; *mehr als ~* más que suficiente; más de lo necesario; *~ sein* bastar; ser suficiente (*od.* bastante); *es ist ~ für uns da* aquí hay bastante para nosotros; *das beste ist gerade gut ~* por bueno que sea no lo es bastante; *~ haben von fig.* estar harto ya de; *ich habe an e-m Buch ~* me basta con un libro; me contento con un libro; *~ zum Leben haben* tener lo suficiente para vivir; tener con qué vivir; *er ist Manns ~, zu* (*inf.*) es hombre capaz para (*inf.*); *wir sind ~* somos bastantes; *nicht ~, daß er ihn tröstete, er half ihm auch* no sólo le consoló sino que además le ayudó.

Ge'nüge *f* (*0*) suficiencia *f*; (*Befriedigung*) satisfacción *f*; *zur ~* suficientemente; bastante, lo suficiente; *e-r Sache* (*dat.*) *~ tun* (*od. leisten*) dar abasto a a/c.; *j-m ~ tun* satisfacer (*od.* contentar) a alg.; *s-r Pflicht ~ tun* cumplir (con) su deber.

ge'nügen (-) *v/i.* bastar, ser suficiente; *j-m ~* satisfacer (*od.* contentar) a alg.; *e-r Sache ~* dar abasto a a/c.; *um der Nachfrage zu ~* para satisfacer (*od.* hacer frente a) la demanda; *es genügt, es zu sehen* basta con verlo; **2** *n* → *Genüge*; **~d** *adj.* suficiente, bastante; (*befriedigend*) satisfactorio; pasable; *Examensnote*: aprobado.

ge'nügsam *adj.* contentadizo, fácil de contentar; (*mäßig im Essen und Trinken*) sobrio; (*nur v. einfachen Speisen lebend*) frugal; (*gemäßigt in s-n Ansprüchen*) moderado; (*bescheiden*) modesto; *~ sein* contentarse con poco; **2keit** *f* (*0*) (*Mäßigkeit*) sobriedad *f*; moderación *f*; (*Einfachheit im Essen*) frugalidad *f*; (*Bescheidenheit*) modestia *f*.

ge'nug|tun (*L*) *v/i.*: *j-m ~* satisfacer (*od.* contentar) a alg.; **2tu·ung** *f* (*0*) satisfacción *f*; (*für e-e Kränkung*) *a.* reparación *f*; *~ fordern* exigir una satisfacción (*von j-m für et.* a alg. por a/c.), exigir una reparación; pedir explicaciones; *j-m ~ geben* dar satisfacción (*od.* explicaciones) a alg.; desagraviar a alg.; *sich ~ verschaffen* tomar satisfacción, desagraviarse; (*sich rächen*) vengarse, tomar venganza (*für* de); *zu s-r ~* a (*bzw.* para) su satisfacción.

'Genus ['ge:nʊs, 'ge·-] *Gr. n* (-; *Genera*) género *m*.

Ge'nuß *m* (*-sses*; *⁼sse*) gozo *m*, placer *m*; goce *m*, disfrute *m*; *hoher ~* delicia *f*; (*Verzehr*) consumo *m*; el comer *bzw.* el beber; *allg.* uso *m*; (*Nutzen*) provecho *m*; (*Besitz*) posesión *f*; ⚖ (*Nutznießung*) usufructo *m*; *in den ~ e-r Sache kommen* entrar en el disfrute de a/c.; *im ~ e-r Sache sein* disfrutar (*od.* gozar) de a/c.; *sich dem ~ hingeben* entregarse a los placeres; **~mensch** *m* (*-en*) sibarita *m*; epicúreo *m*; **~mittel** *n* estimulantes *m/pl.*; **~recht** *n* (*-es*; *-e*) derecho *m* de disfrute; **2reich** *adj.* (*angenehm*) agradable, placentero; (*köstlich*) delicioso; **~sucht** *f* (*0*) avidez *f* de placeres; sensualidad *f*; **2süchtig** *adj.* entregado a los placeres; sensual.

Geodä'sie [ge·o·-] *f* (*0*) geodesia *f*.

geo'dätisch *adj.* geodésico.

Geo'graph *m* (*-en*) geógrafo *m*.

Geogra'phie *f* (*0*) geografía *f*.

geo'graphisch *adj.* geográfico.

Geo'loge *m* (*-n*) geólogo *m*.

Geolo'gie *f* (*0*) geología *f*.

geo'logisch *adj.* geológico.

Geo'meter *m* geómetra *m*; (*Landmesser*) agrimensor *m*.

Geome'trie *f* geometría *f*; *analytische* (*darstellende*; *nichteuklidische*) *~* geometría analítica (descriptiva; no euclidiana).

geo'metrisch *adj.* geométrico.

Geo|phy'sik *f* (*0*) geofísica *f*; **2physi'kalisch** *adj.* geofísico.

'Geo|politik *f* (*0*) geopolítica *f*; **2politisch** *adj.* geopolítico.

ge'ordnet *adj.* ordenado; (*diszipliniert*) disciplinado; *in ~en Verhältnissen leben* vivir con arreglo a sus posibilidades económicas; *alphabetisch* (*chronologisch*) *~* por orden alfabético (cronológico); → *ordnen*.

Ge'org *m* Jorge *m*.

Geor'gine [ge·ɔ-] ⚘ *f* dalia *f*.

geo'zentrisch *adj.* geocéntrico.

Ge'päck *n* (*-es*; *0*) equipaje *m*; ⚔ bagaje *m*; *sein ~ aufgeben* facturar el equipaje; (*zum Aufbewahren*) entregar el equipaje en la consigna; **~abfertigung** *f* facturación *f* de equipajes; **~annahme(stelle)** *f* depósito *m* de equipajes; recepción *f* de equipajes; **~aufbewahrung(sstelle)** *f* consigna *f*; *sein Gepäck in die ~ geben* entregar (*od.* depositar) el equipaje en la consigna; *sein Gepäck von der ~ holen* retirar su equipaje de la consigna; **~aufbewahrungsschein** *m* (*-es*; *-e*) resguardo *m* de la consigna; **~ausgabe** *f*, **~auslieferung** *f* entrega *f* de equipajes; **~beschädigung** *f* avería *f* de equipaje; **~freigrenze** *f* límite *m* de transporte gratuito de equipaje; **~halter** *m* portaequipajes *m*; **~karren** *m* carretilla *f* para equipajes; **~netz** *n* (*-es*; *-e*) rejilla *f*; **~raum** *m* (*-es*; *⁼e*) consigna *f*; *Auto.* compartimiento *m* para equipajes; **~revision** *f* registro *m* de equipajes; **~schaden** *m* (*-s*; *⁼*) daño *m* causado al equipaje; **~schalter** *m* ventanilla *f* de equipajes; **~schein** *m* (*-es*; *-e*) talón *m* de equipajes; **~stück** *n* (*-es*; *-e*) bulto *m*; **~träger** *m am Bahnhof*: mozo *m* de estación; mozo *m* de cuerda, *Arg.* changador *m*; **~übergewicht** *n* (*-es*; *0*) exceso *m* de equipaje; **~versicherung** *f* seguro *m* de equipajes; **~wagen** *m* furgón *m*.

ge'panzert *adj.* blindado; acorazado.

Ge'pard *Zoo. m* (*-s*; *-e*) onza *f*.

ge'pfeffert *adj.* sazonado con pimienta; salpimentado; picante (*a. fig.*); *fig. Preis*: carísimo.

Ge'pfeife *n* (*-s*; *0*) silbidos *m/pl.*
ge'pfiffen *p/p. v. pfeifen.*
ge'pflegt *adj.* bien cuidado; (*gebildet*) culto; (*sauber*) aseado, pulcro; (*Stil*) pulido; *in der Kleidung*: atildado; → *pflegen.*
Ge'pflogenheit *f* costumbre *f.*
ge'plagt [ɑː] *adj.* atormentado; (*belästigt*) importunado; (*bedrängt*) acosado (*von* por).
Ge'plänkel ⚔ *n* escaramuza *f*; (*Schießerei*) tiroteo *m.*
Ge'plapper *n* (*-s*; *0*) cháchara *f*, parloteo *m.*
Ge'plärr *n* (*-es*; *0*), **~e** *n* (*-s*; *0*) lloriqueo *m*, gimoteo *m*; (*Schreierei*) chillería *f.*
Ge'plätscher *n* (*-s*; *0*) *Poes.* murmullo *m*; *des Wassers*: chapaleteo *m.*
Ge'plauder *n* (*-s*; *0*) charla *f*, plática *f*; F palique *m*, parloteo *m.*
ge'polstert *adj.* acolchado; acojinado.
Ge'polter *n* (*-s*; *0*) estrépito *m*; alboroto *m*; batahola *f*; barullo *m.*
Ge'präge *n* impresión *f*; (*Stempel*) sello *m*, *auf Münzen*: cuño *m*, sello *m* (*beides a. fig.*); *fig.* carácter *m*, fisonomía *f*; impresión *f*, marca *f*; impronta *f.*
Ge'pränge *n* (*-s*; *0*) pompa *f*; fausto *m*; boato *m.*
Ge'prassel *n* (*-s*; *0*) ruido *m* graneado; *des Feuers*: crepitar *m*, crepitación *f*; chisporroteo *m*; (*Krachen*) crujido *m.*
Ge'prellte(r *m*) *m/f* estafado (-a *f*) *m*, F timado (-a *f*) *m.*
ge'priesen *p/p. v. preisen.*
ge'prüft *adj.*: *staatlich* ~ con diploma oficial; *fig.* (*leid*~) probado en los sufrimientos.
Ge'quake *n* (*-s*; *0*) croar *m.*
Ge'quassel *n*, **Ge'quatsche** *n* (*-s*; *0*) F charloteo *m*, cháchara *f.*
ge'quollen *p/p. v. quellen.*
ge'rade I. *adj.* recto (*a. fig.*), derecho (*a. fig. u. Körperhaltung*); (*ohne Umweg*) directo; *Zahlen*: par; *Charakter, Wesen*: recto; (*aufrichtig*) sincero; (*freimütig*) franco; (*bieder*) leal; *das ~ Gegenteil*; *~ das Gegenteil* todo lo contrario; precisamente lo contrario; *in ~m Widerspruch zu* diametralmente opuesto a; *fünf ~ sein lassen* F no hilar tan delgado; hacer la vista gorda; **II.** *adv.* (*genau*) justamente, precisamente; exactamente; (*soeben*) ahora mismo; en este momento; *Am.* recién; *~ ein Jahr* justamente un año; *es ist ~ drei Uhr* son las tres en punto; *~ in dem Augenblick, als ...* precisamente en el momento en que ...; *das fehlte ~ noch!* ¡lo único que faltaba!, F ¡lo que faltaba para echar el completo!; *das geschieht dir ~ recht* te está muy bien empleado; *das ist mir ~ recht* es lo mejor que podría desear, F me viene a pedir de boca; *das ist ~ umgekehrt* es precisamente lo contrario; es al revés; *~ auf sein Ziel lossteuern* ir directamente a su objetivo; *nun ~!* ¡ahora más que nunca!; *~ dabei sein, et. zu tun* disponerse a hacer a/c.; estar a punto de hacer a/c.; *~ beim Lesen, Schreiben, Essen usw. sein* (*durch ger.*) estar leyendo, escribiendo, comiendo *usw.*; *~ recht kommen* venir muy a punto; F venir a la medida; *j-m ~ recht sein* venirle muy bien a alg.; *wie es ~ kommt* a lo que salga; como pinte *od.* como caiga; *~ als ob* (*od. wenn*) como si (*subj.*); *~ gegenüber* directamente enfrente; **III.** ♀ *f* (*-n*; *-n*) ⅍ (línea *f*) recta *f*; *Boxen*: *rechte* (*linke*) ~ un directo con la derecha (izquierda); *Sport*: *in die ~ einbiegen* entrar en la recta.
gerade'aus *adv.* todo derecho, todo seguido; ⚔ ¡de frente!; **♀empfänger** *m Radio*: receptor *m* (de montaje) directo.
ge'rade|biegen (*L*) *v/t.* enderezar; **~halten** (*L*) *v/t.*: *sich ~* mantenerse derecho.
gerade-her'aus *adv.* con toda franqueza, francamente; F hablando en plata; (*ohne Umschweife*) sin rodeos.
ge'rademachen *v/t.* enderezar.
ge'raderichten (*-e-*) *v/t.* enderezar.
ge'rädert *adj.*: *wie ~ sein* estar derrengado (*od.* molido *od.* aspeado).
ge'rade|sitzen (*L*) *v/i.* sentarse erguido; **~so** *adv.* lo mismo, igual; la misma cosa; exactamente lo mismo; *er kommt mir ~ vor wie ...* me hace el efecto de; **~stehen** (*L*) *v/i.* estar derecho (*od.* de pie); estar erguido; *fig. für et. ~* responder de a/c.
ge'rade(s)wegs *adv.* directamente; todo derecho; (*freimütig*) sin rodeos; con toda franqueza; (*ohne Umstände*) sin cumplidos; *~ auf et. losgehen* ir derecho al asunto, F ir al grano; no andarse por las ramas.
gerade'zu *adv.* directamente, derecho; (*geradeheraus*) con toda franqueza, francamente; *es ist ~ erstaunlich* es realmente sorprendente; *das ist ~ Wahnsinn* es una verdadera locura.
Ge'rad|führung ⊕ *f* guía *f* rectilínea; **~heit** *f* (*0*) *e-r Linie*: rectitud *f*, derechura *f* (*beides a. fig.*); (*Aufrichtigkeit*) sinceridad *f*; (*Freimut*) franqueza *f*; (*Biederkeit*) lealtad *f*; **♀linig** *adj.* recto, rectilíneo; *adv.* en línea recta; **♀sinnig** *adj.* (*aufrichtig*) sincero, franco, abierto.
ge'rammelt F *adv.*: *~ voll* colmado; repleto; abarrotado.
Ge'ran|ie *f*, **~ium** *n* (*-s*; *Geranien*) ♀ geranio *m.*
ge'rannt *p/p. v. rennen.*
Ge'rassel *n* (*-s*; *0*) fragor *m*; estrépito *m*; ruido *m* de hierros; ⚕ crepitación *f*; *v. Ketten, Waffen usw.*: ruido *m* de cadenas, armas *usw.*
Ge'rät *n* (*-es*; *-e*) utensilio *m*; (*Werkzeug*) herramienta *f*; útiles *m/pl.*; (*Instrument*) instrumento *m*; (*Apparat*) aparato *m*; (*Ausrüstung*) pertrechos *m/pl.*; ⚒ aperos *m/pl.*; (*Fischfang*♀) aparejos *m/pl.*; (*Turngeräte*) aparatos *m/pl.*; (*Zubehör*) accesorios *m/pl.*; (*Hausrat*) enseres *m/pl.*; (*Küchen*♀) utensilio *m* de cocina; *Radio*: aparato *m*, receptor *m*; **~ekasten** *m* (*-s*; ꞈ) caja *f* para herramientas.
ge'raten I. (*L*; *-*; *sn*) *v/i.*: *~ nach* llegar a; ir a parar a; *gut* (*schlecht*) *~* salir bien (mal); dar buen (mal) resultado; *~ in* (*ac.*) caer en; dar en; *bsd. moralisch*: incurrir en; *in j-s Hände ~* caer en manos de alg.; *an j-n ~* verse cara a cara con alg.; arremeter contra alg.; *an den Bettelstab ~* caer en la pobreza; tener que pedir limosna; *aneinander ~* tener un altercado con alg.; llegar a las manos con alg.; *an e-e falsche Adresse ~* equivocar la dirección; ir a parar a otro sitio; *auf e-n Abweg* (*od. falschen Weg*) *~* errar el camino; extraviarse (*a. fig.*); ⚓ *auf Grund ~* tocar fondo; encallar, varar; *außer sich ~* ponerse fuera de sí; *vor Freude außer sich ~* ponerse loco de alegría; no caber en sí de gozo; *in Angst ~* asustarse; F coger miedo; *in Armut ~* caer en la pobreza, empobrecer; *in Bestürzung ~* consternarse; *in Brand ~* incendiarse; inflamarse; *in e-e Falle ~* caer en una trampa; *in Gefahr ~* verse expuesto a un peligro; *in Gefahr ~, zu* (*inf.*) correr el riesgo de (*inf.*); *in Gefangenschaft ~* caer prisionero, ser hecho prisionero; *in Konkurs ~* quebrar, hacer quiebra; *in Not ~* verse en una situación apurada; *in Schulden ~* contraer deudas, F entramparse; *in Schweiß ~* romper a sudar; *in Schwierigkeiten ~* encontrar dificultades; *ins Stocken ~* estancarse; *in Streit ~* reñir; tener un altercado con; F armar camorra (*od.* gresca) con; (*handgreiflich*) llegar a las manos con; *in Verfall ~* arruinarse; desmoronarse; decaer; *in Vergessenheit ~* caer en (el) olvido; *in Verlegenheit ~* verse en una situación embarazosa; *in Verlust ~* perderse, extraviarse; *in Verwirrung ~* (*Person*) desconcertarse, quedar perplejo; (*Sache*) embrollarse; *ins Wanken ~* tambalearse; F *sich in die Haare ~* llegar a las manos; F armar gresca (*od.* andar a la greña) con alg.; *in Wut ~* encolerizarse; *in Zahlungsschwierigkeiten ~* tener dificultades para hacer frente a los pagos; *in Zorn ~* montar en cólera; *j-m unter die Finger ~* caer en manos de alg.; **II.** *adj.* (*ratsam*) aconsejable, prudente; indicado, conveniente; *gut ~e Kinder* niños bien educados; *das ~ste wäre* lo mejor sería (*inf.*).
Ge'räte|stecker ⚡ *m* caja *f* de contacto (para aparatos eléctricos); enchufe *m*; **~turnen** *n* (*-s*; *0*) gimnasia *f* (*od.* ejercicios *m/pl.* gimnásticos) con aparatos; **~übung** *f* ejercicio *m* con aparatos; **~wagen** *m* carruaje *m* para herramientas.
Gerate'wohl *n*: *aufs ~* al azar, a la ventura; a la buena de Dios; F al (buen) tuntún; a lo que salga.
Ge'rätschaft *f* → *Gerät.*
ge'raum *adj.*: *~e Zeit* largo tiempo; F un buen rato; *seit ~er Zeit* desde hace ya tiempo; desde hace largo tiempo.
ge'räumig *adj.* espacioso; amplio; vasto; **♀keit** *f* (*0*) espaciosidad *f*; vasta extensión *f*; gran amplitud *f.*
Ge'raune *n* (*-s*; *0*) cuchicheo *m*, bisbiseo *m.*
Ge'räusch *n* (*-es*; *-e*) ruido *m*; **~dämpfer** *m Motorrad*: silenciador *m*; ⊕ amortiguador *m* de ruidos; **~kulisse** *f* ruidos *m/pl.* de fondo; **♀los** *adj.* sin ruido (*a. adv.*); silen-

cioso; ~e *Feuerwaffe* arma de fuego silenciosa; **~losigkeit** *f* (*0*) ausencia *f* de ruido; silencio *m*; **~macher** *m Thea., Film, Radio*: técnico *m* de ruidos; **~pegel** *m* nivel *m* de ruido; **2voll** *adj.* ruidoso (*a. fig.*); alborotado; tumultuoso; estrepitoso.

'**gerb|en** *v/t.* (*Häute*) curtir; adobar; *sämisch* ~ agamuzar; *weiß* ~ adobar en blanco; *fig. j-m das Fell* ~ F zurrar la badana a alg.; zumbarle la pandereta a alg.; **2en** *n* curtido *m*, curtimiento *m*, curtidura *f*; **2er** *m* curtidor *m*; adobador *m* de pieles; (*Sämisch2*) agamuzador *m*; (*Weiß2*) pellejero *m*; adobador *m* en blanco.

Gerbe'rei *f* tenería *f*, curtiduría *f*; (*Weiß2*) pellejería *f*.

'**Gerb|erlohe** *f* corteza *f* curtiente; **~stoff** *m* (*-es*; *-e*) materia *f* curtiente; ⚗ tanino *m*.

ge'recht *adj.* justo; (*gerechtigkeitsliebend*) justiciero; (*billig*) equitativo; (*gerade*) recto; (*rechtmäßig*) legal; legítimo; (*verdient*) merecido; ~*e Forderungen* pretensiones legítimas; *die* ~*e Sache* la buena causa; *die* ~*e Strafe* el justo castigo; *j-m* ~ *werden* hacer justicia a alg.; *e-r Sache* ~ *werden* corresponder a; dar abasto a; cumplir, (*ihr genügen*) satisfacer (*ac.*); *in allen Satteln* ~ *sein* ser hábil en todo y para todo; ~*er Himmel!* ¡cielo santo!; **2e(r)** *m* (hombre *m*) justo *m*; *den Schlaf des* ~*n schlafen* dormir el sueño de los justos; **~fertigt** *adj.* justificado.

Ge'rechtigkeit *f* (*0*) justicia *f*; (*Billigkeit*) equidad *f*; (*Unparteilichkeit*) imparcialidad *f*; (*Rechtmäßigkeit*) legitimidad *f*; ~ *fordern* pedir justicia; ~ *üben* practicar la justicia; ~ *walten lassen* ser justo; proceder con justicia; *j-m* ~ *widerfahren lassen* hacer justicia a alg.; *der* ~ *freien Lauf lassen* dejar libre cauce a la justicia; **~sliebe** *f* (*0*) amor *m* a la justicia; **~s-sinn** *m* (*-es*; *0*) espíritu *m* de justicia.

Ge'rede *n* (*-s*; *0*) habladurías *f/pl.*; (*Nachrede*) murmuración *f*; (*Geschwätz*) chismes *m/pl.*, hablillas *f/pl.*; F comadrerías *f/pl.*; (*Gerücht*) rumores *m/pl.*; *sich ins* ~ *bringen* dar que hablar a la gente; *ins* ~ *kommen* andar en lenguas; *das ist leeres* ~ es hablar por hablar.

ge'regelt *adj.* arreglado; *durch Verordnungen*: reglamentado; (*reguliert*) regulado; (*regelmäßig*) regular; (*ordentlich*) ordenado.

ge'reichen (-) *v/i.*: *zu et.* ~ contribuir a a/c.; redundar (*zum* en); causar; hacer (*ac.*); *j-m zum Nutzen* ~ redundar en beneficio (*od.* provecho) de alg.; ser beneficioso (*od.* provechoso) para alg.; *j-m zur Ehre* ~ honrar (*od.* hacer honor) a alg.; *j-m zur Schande* ~ ser una vergüenza para alg.; *zum Nachteil* ~ redundar en perjuicio de alg.

ge'reizt *adj.* irritado; **2heit** *f* (*0*) irritación *f*.

ge'reuen (-) *v/unprs.*: *es gereut mich* me arrepiento de ello; *lassen Sie es sich nicht* ~ no se arrepienta de ello; no lo sienta usted.

'**Gerhard** *m* Gerardo *m*.

Ge'richt[1] *n* (*-es*; *-e*) (*Speise*) comida *f*; (*Teller, Gang*) plato *m*.

Ge'richt[2] ⚖ *n* (*-es*; *-e*) tribunal *m* (de justicia); (*niederes* ~) juzgado *m*; (*Saal*) sala *f* (de audiencia); (*Gebäude*) palacio *m* de justicia; audiencia *f*; juzgado *m*; *vor* ~ judicialmente; *von* ~*s wegen* por orden judicial; ~ *halten* reunirse en sesión *od.* audiencia, (*Recht sprechen*) administrar justicia; *beim* ~ *verklagen* demandar ante los tribunales; *vor* ~ *fordern* (*od. laden*) citar ante un tribunal (*bzw.* ante el juez); *vor* ~ *erscheinen* comparecer ante el tribunal *bzw.* ante el juez; *vor* ~ *stehen* comparecer en juicio; *j-n vor* ~ *ziehen* (*od. stellen od. bringen*) llevar a alg. a los tribunales; *sich dem* ~ *stellen* presentarse ante el tribunal *bzw.* ante el juez; *über j-n zu* ~ *sitzen* juzgar a alg.; *fig. mit j-m scharf ins* ~ *gehen* juzgar severamente a alg.; *Jüngstes* ~ el juicio final; **2lich** ⚖ *adj.* judicial; forense; (*rechtsförmig*) jurídico; ~*e Verfolgung* acción judicial; ~*es Verfahren* procedimiento judicial; *ein* ~*es Verfahren einleiten* incoar una causa; ~*e Versteigerung* licitación *f* (*od.* subasta *f*) judicial; ~*er Nachweis* prueba judicial; ~*e Hinterlegung* consignación judicial; ~*e Beglaubigung* legalización judicial; ~*er Beschluß* decisión judicial; *j-n* ~ *belangen* entablar una acción judicial contra alg.; demandar judicialmente a alg.; (*strafrechtlich*) querellarse contra alg.; ~ *vorgehen* proceder judicialmente (*gegen* contra); ~ *geltend machen* hacer valer judicialmente.

Ge'richts...: **~akten** *f/pl.* autos *m/pl.*; **~arzt** *m* (*-es*; *⸚e*) médico *m* forense; **~barkeit** *f* jurisdicción *f*; **~beamte(r)** *m* funcionario *m* de justicia; (*Richter*) magistrado *m*; juez *m*; **~behörde** *f* autoridad *f* judicial; **~beisitzer** *m* asesor *m*; **~beschluß** *m* (*-sses*; *⸚sse*) decisión *f* judicial; **~bezirk** *m* (*-es*; *-e*) jurisdicción *f*; distrito *m*; *bsd. Span.* partido *m* judicial; **~diener** *m* ujier *m*; alguacil *m*; **~ferien** *pl.* vacaciones *f/pl.* judiciales; **~gebäude** *n* palacio *m* de justicia; audiencia *f*; juzgado *m*; **~gebühren** *f/pl.* aranceles *m/pl.* judiciales; **~hof** *m* (*-es*; *⸚e*) tribunal *m* (de justicia); *oberster* ~ (*Span.*) Tribunal Supremo; *der Internationale* ~ Tribunal Internacional de Justicia; **~kanzlei** *f* secretaría *f* judicial; **~kosten** *pl.* costas *f/pl.* judiciales; **~medizin** *f* (*0*) medicina *f* legal; **~mediziner** *m* médico *m* forense; **2medizinisch** *adj.* médico-legal; **~offizier** *m* (*-s*; *-e*) oficial *m* del cuerpo jurídico militar; **~ordnung** *f* reglamento *m* judicial; **~person** *f* → *Gerichtsbeamter*; **~pflege** *f* (*0*) administración *f* de justicia; **~saal** *m* (*-es*; *-säle*) sala *f* de audiencia; **~sachverständige(r)** *m* jurisperito *m*; **~schranke** *f* barra *f*; **~schreiber** *m* actuario *m*; secretario *m* judicial; *ehm.* escribano *m*; **~siegel** *n* sello *m* de la secretaría judicial; **~sitzung** *f einzelne*: audiencia *f*; (*Tagung*) sesión *f*; **~stand** *m* (*-es*; *⸚e*) competencia *f*; **~tag** *m* (*-es*; *-e*) día *m* de audiencia; **~urteil** *n* (*-s*; *-e*) resolución *f* judicial; **~verfahren** *n* procedimiento *m* judicial; **~verfassung** *f* organización *f* judicial; **~verhandlung** *f* vista *f* de una causa; sesión *f* del tribunal; **~vollzieher** *m* agente *m* ejecutivo; **~wesen** *n* (*-s*; *0*) foro *m*; justicia *f*; asuntos *m/pl.* judiciales.

ge'rieben I. *p/p. v. reiben*; **II.** *adj. fig.* taimado, astuto, redomado; F zorro; ~*er Kerl* un vivo.

ge'riefelt *adj.* estriado; acanalado.

Ge'riesel *n* (*-s*; *0*) *e-s Baches*: susurro *m* de las aguas; (*Nieseln*) llovizna *f*; (*Gemurmel*) murmullo *m*.

ge'ring *adj.* pequeño; (*unbedeutend*) insignificante; de poca consideración (*od.* importancia); de poco valor; mínimo; (*dürftig*) exiguo; (*knapp*) escaso; (*kurz*) corto; (*winzig*) diminuto; (*niedrig*) bajo, *v. Preis*: *a.* módico, moderado; *von* ~*er Herkunft* de baja extracción; de humilde cuna; (*wenig*) poco; (*wertlos*) fútil; (*beschränkt*) limitado; restringido, reducido; (*ohne inneren Wert*) de poco (*od.* escaso) valor; (*gemein*) común, ordinario; *um e-n* ~*en Preis* a bajo precio; ~*e Kenntnisse* escasos conocimientos; *das* ~*e Interesse* el menor interés; *in* ~*er Entfernung von* a poca (*od.* corta) distancia de; *mit* ~*en Ausnahmen* con contadas excepciones; *ich bin in nicht* ~*er Verlegenheit* estoy en un gran apuro; ~*er als* ... menor que ...; inferior a ...; ~*er machen*, ~*er werden* disminuir; *nichts* 2*eres als* nada menos que ...; *kein* 2*erer als* ... el mismo ..., el propio ...; *nicht das* 2*ste* ni lo más mínimo; *das* 2*ste, was er tun kann* lo menos que puede hacer; *nicht im* ~*sten* de ninguna manera; *das ist m-e* ~*ste Sorge* es mi menor preocupación; eso es lo de menos; *beim* ~*sten Geräusch* al menor ruido; *nicht der* ~*ste Zweifel* ni la menor duda; *nicht die* ~*ste Ahnung von et. haben* no tener ni la menor idea (*od.* noción) de a/c.; no tener ni remota idea de a/c.; *der* 2*ste* el más humilde; **~achten** (*-e-*) *v/t.* tener en poco, menospreciar; hacer poco caso de; **~fügig** *adj.* (*unbedeutend*) insignificante; poco importante; de poca consideración; de poco valor; (*winzig*) mínimo; diminuto; (*nichtig*) fútil, baladí; **2fügigkeit** *f* insignificancia *f*; poca importancia *f*; (*Nichtigkeit*) futilidad *f*; **~haltig** *adj.* de poco valor; *Münzen*: de baja ley; **~schätzen** (*-t*) *v/t.* tener en poco, menospreciar; desdeñar; hacer poco caso de; (*verachten*) despreciar; **~schätzig I.** *adj.* desdeñoso; despreciativo, despectivo; **II.** *adv.* desdeñosamente, con desdén; con menosprecio; despectivamente; **2schätzung** *f* (*0*) desdén *m*; menosprecio *m*; (*Verachtung*) desprecio *m*; **~wertig** *adj.* de poco valor; inferior, ordinario; (*mittelmäßig*) mediocre.

ge'rinn|bar *adj.* (*Blut*) coagulable; **2barkeit** *f* (*0*) coagulabilidad *f*; **2e** *n* (*Rinnen*) derrame *m*; (*Rinne*) canal *m*; (*Röhre*) tubería *f*; ⚒ reguera *f*; *e-r Schleuse*: conducto *m*; canal *m*; (*Dach2*) gotera *f*; (*Mühl2*) saetín *m*;

~en (*L*; -; *sn*) *v/i*. (*Blut*) coagularse; (*Milch*) cuajarse; cortarse; (*gefrieren*) congelarse; ~ *machen* coagular; *Milch*: cuajar; (*gefrieren lassen*) congelar; *geronnene Milch* leche cuajada; **2en** *n* coagulación *f*; (*Milch*) caseación *f*; (*Gefrieren*) congelación *f*; **2sel** *n* cuajarón *m*; (*Blut2*) coágulo *m* de sangre; (*Rinnsal*) reguero *m*; arroyito *m*; **2ung** *f* (*0*) coagulación *f*; **~ungshemmend** *adj*. anticoagulante.

Ge'ripp|e *n Anat*. esqueleto *m*; costillar *m*; osamenta *f*; △ armazón *f*, armadura *f*; ⚓ casco *m*; *fig*. esqueleto *m*; **2t** *adj*. *Stoff*: con bordones; △ con nervaduras; estriado, acanalado; ♀ nervifoliado; con nervadura.

ge'rissen *adj*. astuto, taimado, ladino; F marrajo, zorro; muy ducho; *ein ~er Kerl* un pícaro redomado; **2heit** *f* (*0*) astucia *f*, F zorrería *f*.

ge'ritten *p/p. v. reiten*.

Ger'man|e *m* (-*n*) germano *m*; **~in** *f* germana *f*; **~ien** *n* Germania *f*; **2isch** *adj*. germánico.

germani'sier|en (-) *v/t*. germanizar; **2ung** *f* germanización *f*.

Germa'nis|mus *m* (-; *Germanismen*) germanismo *m*; **~t** *m* (-*en*) germanista *m*; **~tik** *f* (*0*) filología *f* germánica, germanística *f*.

'gern(e) *adv*. gustosamente, con mucho gusto; *herzlich* ~ con sumo gusto, F con mil amores; (*gutwillig*) gustoso; de buen grado, de buena gana; *ich möchte ~ wissen* desearía saber; quisiera saber; me gustaría saber; *das glaube ich ~!* ¡ya lo creo!; ~ *gesehen sein* ser bien visto; ser bienquisto; ~ *sein an e-m Ort*: estar con gusto en, gustar (*un lugar*); *j-n ~ haben* (*od. mögen*) querer a alg.; *et. ~ haben* gustar a/c.; *et. ~ tun* hacer con gusto a/c.; *ich reise ~* me gusta viajar; *er sieht es ~, daß* ... le gusta que (*subj*.); ~ *geschehen!* lo he hecho gustoso; ¡de nada!, ¡no hay de qué!; P *er kann mich ~ haben* ¡que se vaya a la porra!; **2egroß** *m* (-; -*e*) (*Ehrgeizling*) ambiciosillo *m*; (*Prahlhans*) F farolero *m*; fantasmón *m*; (*Kind*) presumidillo *m*.

Ge'röchel *n* (-*s*; *0*) estertor *m*.

ge'rochen *p/p. v. riechen*.

Ge'röll *n* (-*es*; -*e*) cantos *m/pl*. rodados; (*Kiesel*) guijarros *m/pl*.; (*Fels2*) rocalla *f*; (*Schutt*) escombros *m/pl*.

ge'ronnen *p/p. v.* (*ge*)*rinnen*.

'Gerste ♀ *f* (*0*) cebada *f*.

'Gersten...: **~brot** *n* (-*es*; -*e*) pan *m* de cebada; **~feld** *n* (-*es*; -*er*) cebadal *m*, campo *m* de cebada; **~graupen** *f/pl*. cebada *f* mondada; **~grütze** *f* (*0*) cebada *f* perlada; **~korn** *n* (-*es*; "*er*) grano *m* de cebada; ⚕ orzuelo *m*; **~malz** *n* (-*es*; *0*) cebada *f* malteada; **~mehl** *n* (-*es*; *0*) harina *f* de cebada; **~saft** *m* (-*es*; *0*) (*Bier*) cerveza *f*; **~schleim** *m* (-*es*; *0*) papilla *f* de cebada; **~zucker** *m* (-*s*; *0*) azúcar *m* de cebada.

'Gerte *f* vara *f*; varita *f*, varilla *f*; mimbre *f*; (*Reit2*) fusta *f*.

Ge'ruch *m* (-*es*; "*e*) (*Duft*) olor *m*; (*Sinn*) olfato *m*; (*Wohl2*) perfume *m*, aroma *m*; *fig*. reputación *f*, fama *f*; *schlechter ~* mal olor *m*, hedor *m*, fetidez *f*; *e-n feinen ~ haben* tener buen olfato; *den ~ beseitigen* quitar el (mal) olor; *neol*. desodorar; **2beseitigend** *adj*. desodorante; **~es** *Mittel* desodorante *m*; **2los** *adj*. sin olor, inodoro; (*ohne Geruchssinn*) sin olfato; ~ *machen* hacer inodoro; **~losigkeit** *f* (*0*) ausencia *f* de olor; (*ohne Geruchssinn*) pérdida *f* del olfato, ⚕ anosmia *f*; **~snerv** *m* (-*s*; -*en*) nervio *m* olfativo; **~ssinn** *m* (-*es*; *0*) (sentido *m* del) olfato *m*.

Ge'rücht *n* (-*es*; -*e*) rumor *m*; *ein ~ verbreiten* (*od. in Umlauf setzen*) difundir un rumor; propalar (*od*. poner en circulación) un rumor; *das allgemeine ~* el rumor público; *es geht* (*od. läuft*) *das ~, daß* ... corre la voz (*od*. corren rumores) de que ...; **~emacher** *m* alarmista *m*.

ge'ruchtilgend *adj*. desodorante.

ge'rüchtweise *adv*. según el rumor público; *ich habe es nur ~ gehört* sólo lo sé de oídas.

ge'rufen *adj*.: *das kommt wie ~* esto llega muy a propósito; F esto viene como llovido del cielo.

ge'ruhen [-'ʀuːən] (-) *v/i*. dignarse (*od*. tener a bien) hacer a/c.

ge'rührt *adj*. emocionado; conmovido; tocado íntimamente.

ge'ruhsam *adj*. sosegado, tranquilo; *~e Nacht!* ¡buenas noches!

Ge'rumpel *n* (-*s*; *0*) *e-s Wagens*: traqueteo *m*, sacudidas *f/pl*.

Ge'rümpel *n* (-*s*; *0*) (*Plunder*) cachivaches *m/pl*.; balumba *f*; (*Möbel*) trastos *m/pl*:; (*Eisenkram*) chatarra *f*.

Ge'rundium [ge'ʀundĭ-] *Gr. n* (-*s*; *Gerundien*) gerundio *m*.

ge'rungen *p/p. v. ringen*.

Ge'rüst *n* (-*es*; -*e*) (*Bau2*) andamio *m*; andamiaje *m*; (*Gebälk*) armazón *m*; (*Gestell*) caballete *m*; (*Schau2*) tablado *m*; (*Richtblock*) cadalso *m*, patíbulo *m*; *fig*. esqueleto *m*; **~bau** *m* (-*es*; -*ten*) construcción *f* de andamios; **~klammer** *f* (-; -*n*) grapón *m* de andamiaje.

Ge'rüttel *n* (-*s*; *0*) *e-s Wagens*: sacudidas *f/pl*.; traqueteo *m*.

Ges ♪ *n* (-; -) sol *m* bemol; **~-Dur** *n* (-; *0*) sol *m* bemol mayor; **2-Moll** *n* (-; *0*) sol *m* bemol menor.

ge'salbt *adj*. ungido; *der 2e des Herrn* el Ungido del Señor.

Ge'salzene(s) *n* salazón *f*.

ge'samt *adj*. todo; (*völlig*) total; entero; íntegro; global; (*vollständig*) completo; (*allgemein*) general; (*gemeinsam*) colectivo, en conjunto; *das 2e* el todo; la totalidad; el conjunto; *die ~e Bevölkerung* toda la población; **2ansicht** *f* vista *f* de conjunto; **2auflage** *f* tirada *f* global; **2ausfuhr** ✝ *f* exportación *f* total; **2ausgabe** *f* edición *f* completa; obras *f/pl*. completas; **2bedarf** *m* (-*es*; *0*) necesidad *f* total; **2begriff** *m* (-*es*; -*e*) noción *f* general; **2betrag** *m* (-*es*; "*e*) importe *m* total; total *m*; **2bild** *n* (-*es*; -*er*) cuadro *m* de conjunto; aspecto *m* general; **~deutsch:** *Ministerium für ~e Fragen* Ministerio de Asuntos Pan-alemanes; **2eigentum** *n* (-*s*; *0*) propiedad *f* colectiva; **2eindruck** *m* (-*es*; "*e*) impresión *f* general (*od*. de conjunto); **2einfuhr** ✝ *f* importación *f* total; **2einnahme** *f* ingresos *m/pl*. totales; **2ergebnis** *n* (-*ses*; -*se*) resultado *m* definitivo; *Sport*: clasificación *f* final; **2ertrag** *m* (-*es*; "*e*) ⚒ rendimiento *m* total; ✝ producto *m* total; (*Einkommen*) ingreso *m* total; **2gewicht** *n* (-*es*; *0*) peso *m* total; **2gläubiger** *m/pl*. acreedores *m/pl*. solidarios; **2haftung** *f* garantía *f* solidaria; **2heit** *f* (*0*) totalidad *f*; colectividad *f*; conjunto *m*; **2hypothek** *f* hipoteca *f* solidaria; **2index** *m* (-*es*; -*e*) índice *m* general; **2kapital** *n* (-*s*; -*ien*) capital *m* total; **2kosten** *pl*. gastos *m/pl*. totales; **2lage** *f* (*0*) situación *f* general; **2leistung** *f* rendimiento *m* total; **2liste** *f* lista *f* global; **2masse** *f* masa *f* total; **2plan** *m* (-*es*; "*e*) plan *m* general; **2preis** *m* (-*es*; -*e*) precio *m* global; **2produkt** *n* (-*es*; -*e*) producto *m* total; **2produktion** *f* producción *f* total; **2prokura** *f* (*0*) poder *m* colectivo; **2regelung** *f* reglamentación *f* general; **2schaden** *m* (-*s*; ") totalidad *f* de los daños; **2schau** *f* (*0*) vista *f* de conjunto; **2schuld** *f* deuda *f* solidaria; **2schuldner** *m* deudor *m* solidario; **~schuldnerisch** *adj*.: *~e Haftung* solidaridad; **2strafe** ⚖ *f* acumulación *f* de penas; **2summe** *f* suma *f* total; importe *m* total; total *m*; **2tonnage** *f* tonelaje *m* global; **2überblick** *m* (-*es*; -*e*), **2übersicht** *f* vista *f* general; **2umsatz** *m* (-*es*; "*e*) total *m* de ventas; venta *f* total; **2unkosten** *pl*. total *m* de gastos; **2unterricht** *m* (-*es*; *0*) método *m* global; **2vermögen** *n* totalidad *f* de (los) bienes; **2versicherung** *f* seguro *m* total; **2vertretung** *f* representación *f* colectiva; **2wert** *m* (-*es*; -*e*) valor *m* global *od*. total; **2wille(n)** *m* (-*ns*; *0*) voluntad *f* general; **2wirtschaftspolitik** *f* (*0*) política *f* económica de conjunto; **2wohl** *n* (-*s*; *0*) bien *m* público; **2zahl** *f* número *m* total; totalidad *f*.

ge'sandt *p/p. v. senden*.

Ge'sandt|e(r) *m* enviado *m*; *Dipl*. ministro *m* plenipotenciario; (*Botschafter*) embajador *m*; *päpstlicher ~* nuncio *m* (de Su Santidad); *außerordentlicher ~* enviado *m* extraordinario; **~in** *f* embajadora *f*; **~schaft** *f* legación *f*; (*Botschaft*) embajada *f*; *päpstliche ~* nunciatura *f*; **~schaftspersonal** *n* (-*s*; *0*) personal *m* de la embajada *bzw*. legación.

Ge'sang *m* (-*es*; "*e*) canto *m*; *der Vögel*: *a*. gorjeo *m*; (*Lied*) canción *f*; *Rel*. cántico *m*; *Gregorianischer* (*Ambrosianischer*) ~ canto gregoriano (ambrosiano); *e-n ~ anstimmen* (*vortragen*) entonar (interpretar) una canción; *einstimmiger* (*mehrstimmiger*) ~ canto a una voz (a varias voces); **~buch** *Rel. n* (-*es*; "*er*) libro *m* de cánticos; (*Chorbuch*) cantoral *m*; **~lehrer(in *f*)** *m* profesor(a *f*) *m* de canto; **~nummer** *f* (-; -*n*) cantable *m*; **~s-einlage** *f* intermedio *m* de canto; **~skunst** *f* (*0*) arte *m* del canto; **~stück** *n* (-*es*; -*e*) pieza *f* de canto; **~stunde** *f*, **~unterricht** *m* (-*es*; *0*) lección *f* de canto; **~verein** *m* (-*es*; -*e*) agrupación *f* coral; orfeón *m*; coro *m*.

Ge'säß [ɛː] *n* (-*es*; -*e*) trasero *m*; F

asentaderas *f/pl.*, posaderas *f/pl.*; P cachas *f/pl.*; V culo *m*; *hum.* mapa *m* mundi; *Anat.* región *f* glútea; (*After*) ano *m*; (*Hinterbacken*) nalgas *f/pl.*; **~bein** *Anat. n* (-*es*; -*e*) isquión *m*; **~muskeln** *m/pl.* músculos *m/pl.* glúteos; **~tasche** *f* bolsillo *m* posterior del pantalón.

ge'sättigt *adj.* saciado; ⚗ saturado.

Ge'säusel *n* (-*s*; *0*) murmullo *m*, susurro *m*.

ge'schädigt I. *p/p. v. schädigen*; **II.** *adj.* siniestrado; **2e(r** *m*) *m/f* siniestrado (-a *f*) *m*, damnificado (-a *f*) *m*.

Ge'schäft *n* (-*es*; -*e*) negocio *m*; (*Beschäftigung*) ocupación *f*, *bsd. häusliche*: quehaceres *m/pl.*; *s-n ~en nachgehen* atender sus negocios; cuidar de sus asuntos; ✝ negocio *m*; transacción *f*; (*Handel*) comercio *m*; negocio *m*; (*Unternehmung*) empresa *f* comercial; (*Transaktion*) transacción *f*, operación *f* comercial; *laufende ~e* negocios corrientes; *dunkle ~e* negocios turbios; *ergebnisloses ~* negocio sin fruto; *mit j-m ~e haben* tener negocios comunes con alg.; *in ~en reisen* hacer un viaje de negocios; *von ~en sprechen* hablar de negocios; *~e machen* hacer negocios; *ein gutes* (*schlechtes*) *~ machen* hacer un buen (mal) negocio; *ein ~ abschließen* (*od. tätigen*) concertar (*od.* concluir) un negocio; cerrar un trato; *wie geht das ~?* ¿cómo marchan los negocios?; *das ~ geht gut* los negocios van bien; *~ ist ~* los negocios son los negocios; (*Gewerbe*) profesión *f*; oficio *m*; (*Arbeit*) trabajo *m*; (*Handelshaus*) casa *f* (*od.* establecimiento *m*) comercial; firma *f*, casa *f* de comercio; (*Laden*) comercio *m*, tienda *f*, (*großes*) almacenes *m/pl.*; F *sein ~ verrichten* hacer sus necesidades; *sein ~ machen* (*profitieren*) F hacer su agosto; *fig.* ponerse las botas; **~emacher** *m* hombre *m* de negocios; negociante *m*; F un águila para los negocios; **~emache'rei** *f* afán *m* mercantilista; **2ig** *adj.* activo; (*fleißig*) industrioso; (*rührig*) dinámico, enérgico; (*eifrig*) solícito; **~igkeit** *f* (*0*) actividad *f*; (*Rührigkeit*) dinamismo *m*; (*Eifrigkeit*) solicitud *f*; **2lich** *adj.* comercial; de negocios; *~e Beziehungen* relaciones comerciales; *~e Angelegenheit* asunto de negocios; *~ tätig sein* estar dedicado a los negocios; *~ verhindert sein* estar impedido por sus ocupaciones (*od.* por asuntos de negocio).

Ge'schäfts...: ~abschluß *m* (-*sses*; ¨*sse*) conclusión *f* de un negocio; (*Bilanz*) balance *m*; **~angelegenheit** *f* (asunto *m* de) negocio *m od.* negocios *m/pl.*; **~anteil** *m* (-*es*; -*e*) participación *f* (en un negocio); **~anzeige** *f* anuncio *m* (comercial); **~aufgabe** *f* cesación *f* de comercio, liquidación *f* de negocio; **~aufschwung** *m* (-*es*; ¨*e*) empuje *m* (*od.* auge *m*) de los negocios; **~aufsicht** *f* (*0*): *gerichtliche ~* vigilancia legal; **~auftrag** *m* (-*es*; ¨*e*) orden *f*, pedido *m*; **~aussichten** *f/pl.* perspectivas *f/pl.* de los negocios; **~bereich** *m* (-*es*; -*e*) campo *m* (*od.* esfera *f*) de actividades; ⚖ *u. Pol.* jurisdicción *f*; competencia *f*; atribuciones *f/pl.*; *e-s Ministers*: cartera *f*; **~bericht** *m* (-*es*; -*e*) balance *m* de negocios; memoria *f*; **~betrieb** *m* (-*es*; -*e*) empresa *f* comercial; **~beziehungen** *f/pl.* relaciones *f/pl.* comerciales; **~branche** *f* ramo *m* de negocios; **~brief** *m* (-*es*; -*e*) carta *f* comercial (*od.* de negocios); **~buch** *n* (-*es*; ¨*er*) libro *m* de comercio; **~entwicklung** *f* desarrollo *m* de los negocios; **~erfahrung** *f* experiencia *f* (*od.* práctica *f*) en los negocios; práctica *f* comercial; **~eröffnung** *f* apertura *f* de una casa comercial *bzw.* de una tienda *usw.*; **~erweiterung** *f* ampliación *f* del negocio; **2fähig** *adj.* capaz de contratar, ⚖ capaz de gestión; **~fähigkeit** *f* (*0*) ⚖ capacidad *f* de gestión; **~freund** *m* (-*es*; -*e*) corresponsal *m*; **2führend** *adj.* gestor; **~führer** *m* gerente *m*; **~führung** *f* gerencia *f* de negocios; gestión *f* de negocios.

Ge'schäfts...: ~gang *m* (-*es*; ¨*e*) marcha *f* de los negocios; trámite *m*; **gebaren** *n* (-*s*; *0*) práctica *f* en los negocios; gestión *f*; manera *f* de negociar; **~gebäude** *n* edificio *m* comercial; **~gegend** *f* barrio *m* comercial; **~geheimnis** *n* (-*ses*; -*se*) secreto *m* comercial; (*Fabrikationsgeheimnis*) secreto *m* de fabricación; **~geist** *m* (-*es*; *0*) espíritu *m* mercantil; **2gewandt** *adj.* práctico (*od.* versado) en los negocios; **~haus** *n* (-*es*; ¨*er*) casa *f* comercial (*od.* de comercio); almacén *m*; (*Firma*) razón *f* social, firma *f* (comercial); **~inhaber(in** *f*) *m* dueño (-a *f*) *m* de una casa comercial; jefe *m* (*od.* principal *m*) de una tienda *od.* comercio; **~jahr** *n* (-*es*; -*e*) ejercicio *m* (económico); **~kapital** *n* (-*s*; -*ien*) capital *m* social; **~korrespondenz** *f* correspondencia *f* comercial; **~kosten** *pl.* gastos *m/pl.* generales; **~kreis** *m* (-*es*; -*e*) → *Geschäftsbereich*; *in ~en* en los círculos comerciales; **2kundig** *adj.* versado en los negocios; experto en los negocios; **~lage** *f* situación *f* de los negocios (*od.* del comercio); **~leben** *n* (-*s*; *0*) vida *f* comercial; **~leiter** *m* gerente *m*; **~leitung** *f* gestión *f* administrativa; **~leute** *pl.* los hombres de negocios; **~mann** *m* (-*es*; -*leute*) hombre *m* de negocios; comerciante *m*; negociante *m*; *kein ~ sein* no entender de negocios; **2mäßig** *adj.* comercial; *fig.* rutinario; normal; burocrático; **~ordnung** *f Parl.* reglamento *m*; *die ~ einhalten* cumplir (*od.* observar) el reglamento; *Parl. e-n Antrag zur ~ stellen* presentar una moción relativa al reglamento; *das Wort zur ~ verlangen* pedir la palabra para una cuestión de orden; **~ordnungs-ausschuß** *Parl. m* (-*sses*; ¨*sse*) comisión *f* de reglamento de la Cámara; **~papiere** *n/pl.* papeles *m/pl.* de negocios; documentos *m/pl.* comerciales; **~reise** *f* viaje *m* de negocios; **~reisende(r)** *m* viajante *m*; comisionista *m*; **~risiko** *n* (-*s*; -*s*) riesgo *m* de los negocios; **~rückgang** *m* (-*es*; ¨*e*) retroceso *m* de los negocios.

Ge'schäfts...: ~schluß *m* (-*sses*; *0*) cierre *m*; **~sprache** *f* (*0*) lenguaje *m* comercial; **~stelle** *f* (*Agentur*) agencia *f*; (*Filiale*) sucursal *f*; (*Büro*) oficina *f*, despacho *m*; secretaría *f*; **~stil** *m* (-*es*; *0*) estilo *m* comercial; **~stille** *f* (*0*) calma *f* en los negocios; **~stockung** *f* estancamiento *m* de los negocios; **~straße** *f* calle *f* comercial; **~stunden** *f/pl.* horas *f/pl.* de oficina (*od.* de despacho); **~tätigkeit** *f* actividad *f* comercial; **~teilhaber(in** *f*) *m* socio (-a *f*) *m*; *stille(r) ~* socio comanditario; **~träger** *Dipl. m* encargado *m* de negocios; **2tüchtig** *adj.* ducho en los negocios; hábil para el comercio; **~tüchtigkeit** *f* (*0*) habilidad *f* comercial; **2unfähig** *adj.* incapaz de contratar; incapaz de gestión; **~unkosten** *pl.* gastos *m/pl.* generales; **~unternehmen** *n* empresa *f* comercial; **~verbindlichkeit** *f* obligación *f* comercial; **~verbindung** *f* relaciones *f/pl.* comerciales (*od.* de negocios); *mit j-m in ~ treten* entablar relaciones comerciales con alg.; **~verkehr** *m* (-*s*; *0*) movimiento *m* de compras y ventas; transacciones *f/pl.*; → *Geschäftsverbindung*; **~verlauf** *m* (-*es*; *0*) curso *m* de los negocios; **~verlegung** *f* traslado *m* de una casa comercial *bzw.* de una tienda *od.* de un comercio; **~verlust** *m* (-*es*; -*e*) pérdida *f*; **~viertel** *n* barrio *m* comercial; **~vorgang** *m* (-*es*; ¨*e*) transacción *f*; **~wagen** *m* camioneta *f* de reparto; furgoneta *f*; **~welt** *f* (*0*) mundo *m* de los negocios; mundo *m* comercial; **~zeichen** *n* marca *f*; **~zimmer** *n* oficina *f*, despacho *m*; **~zweig** *m* (-*es*; -*e*) ramo *m* de negocios; ramo *m* de comercio.

ge'schah *pret. v. geschehen.*

Ge'schaukel *n* (-*s*; *0*) balanceo *m*; bamboleo *m*; *v. Wagen*: traqueteo *m*, sacudidas *f/pl.*

ge'scheh|en (*L*; -; *sn*) *v/i.* suceder, ocurrir, pasar; (*stattfinden*) tener lugar, celebrarse; (*zustoßen*) sobrevenir; (*sich verwirklichen*) realizarse, efectuarse; *Liter.* acontecer, acaecer; *was auch ~ mag* pase lo que pase; ocurra lo que ocurra; *es geschehe!* ¡sea!; *dein Wille geschehe!* ¡hágase tu voluntad!; *was ist ~?* ¿qué ha pasado?, ¿qué ha ocurrido? *es ist ~!* ¡ya no tiene remedio!; *~e Dinge sind nicht zu ändern* lo hecho, hecho está; F a lo hecho, pecho; *als ob nichts ~ wäre* como si no hubiera pasado nada; *was soll damit ~ ?* ¿y qué vamos a hacer con esto?; *~ lassen* tolerar, consentir; dejar hacer; *ihm ist Unrecht ~* se le ha hecho una injusticia; *das geschieht dir recht* te está bien empleado; *es soll ihm nichts ~* no le pasará nada; *es geschieht viel für die Kranken* se hace mucho por los enfermos; *es ist um mich ~!* ¡estoy perdido!; **2ene(s)** *n* lo hecho; **2nis** *n* (-*ses*; -*se*) acontecimiento *m*.

ge'scheit *adj.* (-*est*) inteligente; discreto; (*klug*) prudente; (*vernünftig*) razonable, sensato; (*richtig urteilend*) juicioso; (*geschickt*) hábil; *~er Einfall* buena idea; *er ist nicht recht ~* no está en su juicio; *sei doch ~!* ¡no seas tonto!; *et. ~ anfangen* proceder con tino; *ich werde daraus nicht* ~ no entiendo nada de esto; **2heit** *f* (*0*) inteligencia *f*; buen sentido *m*, sensatez *f*; (*Klugheit*) prudencia *f*; (*Scharfsinnigkeit*) espíritu *m* juicioso.

Ge'schenk *n* (*-es*; *-e*) regalo *m*; obsequio *m*; (*Gabe*) donativo *m*; (*Belohnung*) gratificación *f*; *j-m et. zum* ~ *machen* regalar a alg. a/c.; obsequiar a alg. con a/c.; *zum* ~ *erhalten* recibir como regalo; **~abonnement** *n* (*-s*; *-s*) suscripción *f* gratuita; **~artikel** *m/pl.* artículos *m/pl.* para regalo; **~gutschein** *m* (*-es*; *-e*) vale-regalo *m*; **2weise** *adv.* como regalo *od.* obsequio; de regalo.

Ge'schicht|e *f* historia *f*; (*Früh2*) prehistoria *f*; *alte* ~ historia de la antigüedad (*od.* de la edad antigua); *mittlere* ~ historia medieval (*od.* de la edad media); *neuere* (*neueste*) ~ historia de la edad moderna (contemporánea); *biblische* ~ historia sagrada; (*Erzählung*) cuento *m*; (*Vorgang*) acontecimiento *m*; hecho *m*; suceso *m*; (*Schilderung*) narración *f*; *der* ~ *angehören* pertenecer a la historia; F *das ist e-e ganz andere* ~ ésa es una historia aparte; *das ist e-e andere* ~ F ése es otro cantar; F *keine* ~*n* (*Umstände*) *machen!* ¡nada de cumplidos!; *iro. das ist e-e schöne* ~*!* ¡lucidos estamos!, ¡estamos frescos!; *das ist e-e dumme* ~ (*Ärger*) ¡es un fastidio!; *es ist die alte* ~ es lo de siempre; es el cuento (*od.* el cantar) de siempre; *das ist e-e alte* ~ eso ya está olvidado de puro sabido; **~en-erzähler(in** *f*) *m* cuentista *m/f*; **2lich I.** *adj.* histórico; **II.** *adv.* desde el punto de vista histórico; **~lichkeit** *f* (*0*) historicidad *f*.

Ge'schichts...: **~bild** *n* (*-es*; *0*) concepción *f* de la historia; **~buch** *n* (*-es*; *=er*) libro *m* de historia; **~fälschung** *f* falseamiento *m* de la historia; **~forscher** *m* historiador *m*; investigador *m* de la historia; **~forschung** *f* investigaciones *f/pl.* históricas; estudios *m/pl.* históricos; **~kenntnis** *f* (*-*; *-se*) conocimiento *m* de la historia; **~lehrer** *m*, **~-professor** *m* (*-s*; *-en*) profesor *m* de historia; **~-philosophie** *f* (*0*) filosofía *f* de la historia; **~-schreiber** *m* historiador *m*; historiógrafo *m*; **~schreibung** *f* (*0*) historiografía *f*; **~-studium** *n* (*-s*; *-studien*) estudio(s) *m/*(*pl.*) de la historia; **~-stunde** *f*, **~-unterricht** *m* (*-es*; *0*) lección *f* de historia; **~werk** *n* (*-es*; *-e*) obra *f* de historia; **~wissenschaft** *f* (*0*) ciencia *f* histórica; historia *f*.

Ge'schick *n* (*-es*; *-e*) (*Schicksal*) destino *m*; suerte *f*; (*Fatum*) hado *m*; *gutes* (*böses*) ~ buena (mala) estrella; (*Fertigkeit*) = **~lichkeit** *f* habilidad *f*; destreza *f*; maña *f*; (*Befähigung*) aptitud *f*; (*geistige Anlage*) talento *m*; disposición *f*; (*Kunstfertigkeit*) arte *m*; **~lichkeits-prüfung** *f* prueba *f* de habilidad; **~lichkeitsspiel** *n* (*-es*; *-e*) juego *m* de habilidad; **2t** *adj. u. adv.* hábil; diestro; mañoso; *sich* ~ *anstellen* darse maña (*um zu* para; *bei* en); ~ *sein zu* ser hábil *od.* mañoso para; ~ *lavieren* nadar entre dos aguas; nadar y guardar la ropa.

Ge'schiebe *n Geol.* cantos *m/pl.* rodados; materiales *m/pl.* de acarreo.

ge'schieden I. *p/p. v. scheiden*; **II.** *adj.* separado; *Eheleute*: divorciado; *Ehe*: disuelto; ~*er Mann* (~*e Frau*) divorciado (divorciada); *fig. wir sind* ~*e Leute* hemos roto definitivamente nuestras relaciones; F hemos tarifado; **2e(r** *m*) *m/f* divorciado (-a *f*) *m*.

ge'schienen *p/p. v. scheinen.*

Ge'schieße *n* (*-s*; *0*) tiroteo *m*; fuego *m* de fusilería.

Ge'schimpfe *n* (*-s*; *0*) improperios *m/pl.*; F (*Meckerei*) refunfuño *m*.

Ge'schirr *n* (*-es*; *-e*) → *Gerät*; (*Gefäß*) vasija *f*; (*Trink2*) vaso *m*; copa *f*; *irdenes* ~ loza *f*; (*Küchen2*) batería *f* de cocina; (*Nacht2*) servicio *m*, orinal *m*; (*Tisch2*) vajilla *f* (de mesa); (*Tee2*) juego *m* de té; (*Kaffee2*) juego *m* de café; (*Pferde2*) arneses *m/pl.*, guarniciones *f/pl.*; ⚔ *a.* atalaje *m*; (*Gespann*) tiro *m*; (*Wagen u. Gespann*) coche *m* y caballos; (*das*) ~ *spülen* fregar la vajilla; *fig. sich ins* ~ *legen* F dar el callo; *das* ~ *anlegen* (*dat.*) aparejar (*ac.*); **~kammer** *f* (*-*; *-n*) guadarnés *m*; **~schrank** *m* (*-es*; *=e*) aparador *m*; **~spülmaschine** *f* lavavajillas *m*; **~wäscher** *m* lavaplatos *m*.

ge'schissen V *p/p. v.* V *scheißen.*

Ge'schlecht *n* (*-es*; *-er*) (*Art*) género *m* (*a. Gr.*); especie *f*; *das menschliche* ~ el género humano; *natürliches*: sexo *m*; (*Abstammung*) ascendencia *f*; (*Rasse*) raza *f*; (*Familie*) familia *f*; (*Generation*) generación *f*; *die kommenden* ~*er* las generaciones futuras (*od.* venideras); *von* ~ *zu* ~ de generación en generación; *Gr. das männliche* (*weibliche*; *sächliche*) ~ el género masculino (femenino; neutro); *das andere* ~ el otro sexo; *das starke* (*schwache*) ~ el sexo fuerte (débil); *Leute beiderlei* ~*s* personas de uno y otro sexo, personas de ambos sexos; **~erfolge** *f* generación *f*; descendencia *f*; sucesión *f*; **~erkunde** *f* (*0*) genealogía *f*; **2lich** *adj.* sexual; (*e-r Gattung angehörig*) genérico; ~*er Verkehr* relaciones sexuales; comercio carnal; (*Akt*) coito *m*; ~*e Anziehungskraft* atractivo *m* sexual; ~*e Aufklärung* iniciación *f* sexual; **~lichkeit** *f* (*0*) sexualidad *f*.

Ge'schlechts...: **~akt** *m* (*-es*; *-e*) coito *m*; cópula *f*; **~bestimmung** *f* determinación *f* del sexo; **~beziehungen** *f/pl.* relaciones *f/pl.* sexuales, comercio *m* carnal; **2krank** *adj.* atacado de una enfermedad venérea; **~krankheit** *f* enfermedad *f* venérea; **~leben** *n* (*-s*; *0*) vida *f* sexual; **2los** *adj.* asexual; **~name** *m* (*-ns*; *-n*) apellido *m*; ♀ *u. Zoo.* nombre *m* genérico; **~organ** *n* (*-s*; *-e*) órgano *m* sexual *od.* genital; **~reife** *f* (*0*) pubertad *f*; **~teile** *m/pl.* órganos *m/pl.* genitales; **~trieb** *m* (*-es*; *0*) instinto *m* sexual; **~verkehr** *m* (*-es*; *0*) relaciones *f/pl.* sexuales, comercio *m* carnal; (*Akt*) coito *m*, cópula *f*; **~wort** *Gr. n* (*-es*; *=er*) artículo *m*.

ge'schlichen *p/p. v. schleichen.*

ge'schliffen I. *p/p. v. schleifen*; **II.** *adj. Glas*: tallado; biselado; *fig.* pulido, afinado; de buenas maneras.

Ge'schlinge *n* entrelazamiento *m*; (*Gedärm*) entrañas *f/pl.*, intestinos *m/pl.*; (*Gekröse*) asaduras *f/pl.*

ge'schlissen *p/p. v. schleißen.*

ge'schlossen I. *p/p. v. schließen*; **II.** *adj.* cerrado; ~*e Gesellschaft* reunión privada; círculo privado; *bei* ~*en Türen* a puertas cerradas; *ein* ~*es Ganzes* un bloque compacto; un conjunto armonioso; ~*er Vokal* vocal cerrada; ~*er Wagen* coche cerrado; *Auto gal.*: limusina; *die Sitzung ist* ~ se ha levantado la sesión; ~ *zurücktreten* dimitir colectivamente; **2heit** *f* (*0*) unidad *f*; conjunto *m*; solidaridad *f*.

Ge'schluchze *n* (*-s*; *0*) sollozos *m/pl.*

ge'schlungen *p/p. v. schlingen.*

Ge'schmack *m* (*-es*; *=e*) gusto *m* (*a. fig.*); (*als chemische Eigenschaft*) sabor *m*; *von gutem* ~ (*Speise*) sabroso; de buen paladar; *fig.* de buen gusto; *das ist nicht nach m-m* ~ esto no es de mi gusto; *an et.* (*dat.*) ~ *finden, e-r Sache* (*dat.*) ~ *abgewinnen* tomar gusto (*od.* tomar afición *od.* aficionarse) a a/c.; *für et.* ~ *haben* tener gusto para a/c.; *j-n auf den* ~ *bringen zu* aficionar a alg. a; *auf den* ~ *kommen* tomar gusto a; *den* ~ *an et.* (*dat.*) *verlieren* perder el gusto de a/c.; *e-n bitteren* ~ *im Munde haben* tener la boca amarga; *jeder nach s-m* ~ cada cual a su gusto; *die Geschmäcker sind verschieden, über die* ~ *läßt sich nicht streiten* sobre gustos nada hay escrito; **2los** *adj.* (*-est*) sin gusto; (*schal*) sin sabor, insípido; soso; *fig.* de mal gusto; cursi; **~losigkeit** *f* mal gusto *m*; cursilería *f*; (*Taktlosigkeit*) incorrección *f*; falta *f* de delicadeza; **~snerv** *m* (*-s*; *-en*) nervio *m* gustativo; **~srichtung** *f* (tendencia *f* del) gusto *m*; (*Stil*) estilo; *m* **~(s)sache** *f* cuestión *f* de gustos; **~ssinn** *m* (*-es*; *0*) (sentido *m* del) gusto *m*; **~sver-irrung** *f* aberración *f* del gusto; **2swidrig** *adj.* de mal gusto; contrario al buen gusto; **~swidrigkeit** *f* mal gusto *m*; **2voll I.** *adj.* de buen gusto; **II.** *adv.* con gusto.

Ge'schmeide *n* aderezo *m*; joyas *f/pl.*, alhajas *f/pl.*; **~kästchen** *n* joyero *m*.

ge'schmeidig *adj.* (*weich*) suave; blando; (*biegsam*) flexible; (*elastisch*) elástico; (*flink*) ágil; *Metall*: dúctil; (*hämmerbar*) maleable; **2keit** *f* (*0*) suavidad *f*; blandura *f*; flexibilidad *f*; elasticidad *f*; ductilidad *f*; maleabilidad *f*.

Ge'schmeiß *n* (*-es*; *0*) bichos *m/pl.*, sabandijas *f/pl.*; *fig.* F (*Gesindel*) canalla *f*, gentuza *f*, chusma *f*.

Ge'schmetter *n* (*-s*; *0*) (*Trompeten2*) sonido *m* de trompetas; *Poes.* clangor *m*.

Ge'schmiere *n* (*-s*; *0*) embadurnamiento *m*; (*Sudelei*) mamarrachada *f*; *Mal.* pintarrajo *m*; (*Gekritzel*) garabatos *m/pl.*

ge'schmissen *p/p. v. schmeißen.*
ge'schmolzen *p/p. v. schmelzen.*
Ge'schnarche *n* (*-s*; *0*) ronquidos *m/pl.*
Ge'schnatter *n* (*-s*; *0*) *der Gänse*: graznido *m*; *fig.* charla *f*, parloteo *m*.
ge'schniegelt *adj.*: ~ *und gebügelt* acicalado; F emperejilado; de punta en blanco.
ge'schnitten *p/p. v. schneiden.*
ge'schoben *p/p. v. schieben.*
ge'scholten *p/p. v. schelten.*
Ge'schöpf *n* (*-es*; *-e*) criatura *f* (*a. fig.*).
ge'schoren *p/p. v. scheren.*
Ge'schoß *n* (*-sses*; *-sse*) proyectil *m*; *des Gewehrs, der Kanone*: bala *f*; *ferngesteuertes* ~ proyectil teledirigido; (*Stockwerk*) piso *m*; **~aufschlag** *m* (*-es*; *⸚e*) punto *m* de caída; **~bahn** *f* trayectoria *f*.
ge'schossen *p/p. v. schießen.*
Ge'schoß|garbe *f* ⚔ haz *m* de proyectiles; ráfaga *f*; descarga *f* cerrada; **~höhe** ⚠ *f* altura *f* del piso; **~mantel** *m* (*-s*; *⸚*) envoltura *f* de un proyectil; **~wirkung** *f* ⚔ eficacia *f* del tiro; efecto *f* del proyectil.
ge'schränkt ⊕ *adj.* (*Riemen*) cruzado.
ge'schraubt *fig. adj.* afectado; amanerado, alambicado; forzado; **2heit** *f* (*0*) afectación *f*; ~ *des Stils* amaneramiento del estilo.
Ge'schrei *n* (*-es*; *0*) gritos *m/pl.*; voces *f/pl.*; *dauerndes* ~ gritería *f*; vocerío *m*; (*wirres*) barullo *m*, algarabía *f*; F follón *m*; jaleo *m*; (*schrilles*) chillido *m*; (*lautes*) vociferación *f*; *des Esels*: rebuzno *m*; *des Hahns*: canto *m*; (*Aufhebung*) ruido *m*; *großes* ~ *erheben* dar voces *od.* gritos; vociferar; *fig.* (*sich entrüsten*) indignarse; F poner el grito en el cielo; *viel Geschrei von et.* (*od. über et.*) *machen* hacer gran ruido a propósito de a/c.; *viel* ~ (*Reklame*) *um et. machen* hacer mucha propaganda de a/c.; *viel* ~ *und wenig Wolle* mucho ruido y pocas nueces; mucho ruido para nada.
Ge'schreibsel *n* (*-s*; *0*) garrapatos *m/pl.*, garabatos *m/pl.*
ge'schrieben *p/p. v. schreiben.*
Ge'schriebene(s) *n* lo escrito; escrito *m*; documentos *m/pl.* (escritos); la letra.
ge'schrie(e)n *p/p. v. schreien.*
ge'schritten *p/p. v. schreiten.*
ge'schunden *p/p. v. schinden.*
Ge'schütz *n* (*-es*; *-e*) cañón *m*, pieza *f* de artillería; boca *f* de fuego; *schweres* (*leichtes*) ~ cañón pesado (ligero), pieza pesada (ligera); *das* ~ *richten auf* apuntar (*od.* enfilar) el cañón sobre; *die* ~*e auffahren* emplazar la artillería; *die* ~*e in Feuerstellung bringen* emplazar las piezas de artillería; colocar los cañones en batería; *fig. schweres* ~ *auffahren* emplear la artillería gruesa; **~bedienung** *f* artilleros *m/pl.*; servidores *m/pl.* de las piezas; **~donner** *m* (*-s*; *0*) cañoneo *m*; cañonazos *m/pl.*; estampido *m* del cañón; **~feuer** *n* fuego *m* de artillería; cañoneo *m*; **~führer** *m* ⚔ cabo *m* de artillería; ⚓ cabo *m* de mar (*od.* de cañón); **~lafette** *f* cureña *f*; **~park** *m* (*-es*; *0*) parque *m* de artillería; **~pforte** ⚓ *f* portañola *f*, tronera *f*, cañonera *f*; **~rohr** *n* (*-es*; *-e*) cañón *m*; **~stand** *m* (*-es*; *⸚e*), **~stellung** *f* emplazamiento *m*.
ge'schützt *adj.*: ~ *vor* protegido de, al abrigo de.
Ge'schützturm *m* (*-es*; *⸚e*) ⚓ cúpula *f*; ⚔ torre *f* blindada.
Ge'schwader ⚓ *u.* ✈ *n* escuadra *f*; (*kleines* ~) escuadrilla *f*; **~führer** *m* jefe *m* (*od.* comandante *m*) de escuadra.
Ge'schwätz *n* (*-es*; *0*) *harmloses*: F parloteo *m*, cháchara *f*; palique *m*; (*Klatsch*) habladurías *f/pl.*, chismes *m/pl.*; F comadrerías *f/pl.*; (*unwahres Gerede*) murmuración *f*; (*Wortschwall*) verbosidad *f*, F verborrea *f*; charlatanería *f*; **2ig** *adj.* locuaz, hablador, F parlanchín; (*wortreich*) verboso; charlatán; (*taktlos*) indiscreto; **~igkeit** *f* (*0*) locuacidad *f*; (*Wortschwall*) verbosidad *f*, F verborrea *f*; charlatanería *f*; (*Taktlosigkeit*) indiscreción *f*.
ge'schweift *adj.* curvado; combado; *Augenbrauen*: arqueado.
ge'schweige *adv. u. cj.*: ~ *denn* ni mucho menos; menos aún; y no hablemos de; y no digamos; por no hablar de; con mayor razón.
ge'schwiegen *p/p. v. schweigen.*
ge'schwind I. *adj.* rápido, veloz; (*beschleunigt*) acelerado; (*behend*) pronto, presto; **II.** *adv.* pronto; de prisa, ligero; rápidamente; **2igkeit** *f* velocidad *f*; (*Schnelligkeit*) rapidez *f*; (*Behendigkeit*) prontitud *f*, presteza *f*; *mit hoher* (*od. großer*) ~ a (*od.* con) gran velocidad; *mit e-r* ~ *von* a una velocidad de; *die* ~ *herabsetzen* reducir la velocidad.
Ge'schwindigkeits...: **~abfall** *m* (*-es*; *⸚e*) pérdida *f* (brusca) de velocidad; **~begrenzung** *f*, **~beschränkung** *f* limitación *f* de velocidad; **~messer** *m Auto.* taquímetro *m*; ⊕ velocímetro *m*; ✈ acelerómetro *m*; **~prüfung** *f* prueba *f* de velocidad; **~regler** *m* regulador *m* de velocidad; **~rekord** *m* (*-es*; *-e*) marca *f* (*gal.* record *m*) de velocidad; **~überschreitung** *f* exceso *m* de velocidad; **~verlust** *m* (*-es*; *-e*) pérdida *f* de velocidad.
Ge'schwirr *n* (*-s*; *0*) *v. Insekten*: zumbido *m*; *v. Kugeln*: silbido *m*.
Ge'schwister *pl.* hermanos *m/pl.*; **~kind** *n* (*-es*; *-er*) primo *m* (hermano); prima *f* (hermana); (*Neffe, Nichte*) sobrino *m*; sobrina *f*; **2lich** *adj.* fraternal; **~liebe** *f* (*0*) amor *m* fraternal; **~paar** *n* (*-es*; *-e*) hermanos *m/pl.*; hermano *m* y hermana *f*.
ge'schwollen I. *p/p. v. schwellen*; **II.** *adj.* inflado; ⚕ hinchado, tumefacto; **2heit** *f* (*0*) ⚕ hinchazón *f*, tumefacción *f*; *fig.* hinchazón *f*; presunción *f*, engreimiento *m*.
ge'schwommen *p/p. v. schwimmen.*
ge'schworen I. *p/p. v. schwören*; **II.** *adj.* jurado; ~*er Feind* enemigo jurado (*od.* declarado); **2engericht** *n* (*-es*; *-e*) *Mitglieder*: jurados *m/pl.*; *Einrichtung*: (tribunal *m* del) jurado *m*; **2enliste** *f* lista *f* de jurados; **2enobmann** *m* (*-es*; *⸚er od. -obleute*) presidente *m* del jurado; **2enspruch** *m* (*-es*; *⸚e*) veredicto *m* del jurado; **2e(r)** *m* jurado *m*.
Ge'schwulst *f* (*-*; *⸚e*) hinchazón *f*; ⚕ tumor *m*.
ge'schwunden *p/p. v. schwinden.*
ge'schwungen *p/p. v. schwingen.*
Ge'schwür ⚕ *n* (*-es*; *-e*) úlcera *f*; (*Abzeß*) absceso *m*; **~bildung** *f* ulceración *f*; **2ig** *adj.* ulceroso; ~ *werden* ulcerarse.
'Ges-Dur ♪ *n* (*-*; *0*) sol *m* bemol mayor.
ge'segnet *adj. Rel.* bendito; ~*en Andenkens* de feliz memoria (*od.* recordación); *mit Gütern* ~ colmado de bienes; *e-e* ~*e Ernte* una cosecha de bendición.
Ge'sell(e) *m* (*-n*) compañero *m*; camarada *m*; (*Handwerker*) oficial *m*; → *Kerl.*
ge'sellen (*-*) *v/t.* asociar; unir, juntar; *sich* ~ *zu* unirse a; asociarse a *od.* con; juntarse (*od.* reunirse) con; *gleich und gleich gesellt sich gern* cada oveja con su pareja; *iro.* Dios los cría y el diablo los junta.
Ge'sellen|prüfung *f* examen *m* final de aprendizaje; **~stück** *n* (*-es*; *-e*) pieza *f* para el examen de maestría; **~zeit** *f* período *m* de oficialía.
ge'sellig *adj.* sociable; comunicativo; *das* ~*e Leben* la vida social; **2keit** *f* (*0*) sociabilidad *f*.
Ge'sellschaft *f* sociedad *f* (*a. Pol. u.* †); (*Begleitung*) compañía *f*; (*Fest*2) reunión *f*; fiesta *f* de sociedad; (*Abend*2) velada *f*; *ehm.* sarao *m*; (*Verein*) sociedad *f*; agrupación *f*; (*Verband*) asociación *f*; (*Körperschaft*) entidad *f*; (*Klub*) círculo *m*, centro *m*, club *m*; (*Stammtisch*) tertulia *f*, F peña *f*; *in* ~ (*gemeinsam*) en común; *in guter* ~ en buena compañía; *die gute* (*vornehme*) ~ la buena (alta) sociedad; *geschlossene* ~ círculo privado, club; *j-m* ~ *leisten* (*dat.*) hacer compañía (*od.* acompañar) a alg.; *wir haben* ~ (*Gäste*) tenemos invitados; *e-e* ~ *geben* dar una velada *bzw.* una reunión; *in* ~ *leben* vivir en sociedad; vivir en compañía (*mit* de); *in die* ~ *eingliedern* (*verstaatlichen*) socializar; *die* ~ *Jesu* la Compañía de Jesús; † *e-e* ~ *gründen* fundar una sociedad; ~ *mit beschränkter Haftung* (*Abk. G.m.b.H.*) sociedad (de responsabilidad) limitada (*Abk.* S. Ltda.); **~er** *m* † *e-s Geschäfts*: socio *m*; *stiller* ~ socio comanditario; (*Gefährte*) compañero *m*; (*Begleiter*) acompañante *m*; *guter* ~ hombre ameno; **~erin** *f* (*Begleiterin*) señora *f bzw.* señorita *f* de compañía; acompañante *f*; (*Gefährtin*) compañera *f*; † *e-s Geschäfts*: asociada *f*, socia *f*; **2lich** *adj.* de la sociedad; (*gemeinschaftlich*) colectivo; (*sozial*) social; (*umgänglich*) sociable; *adv.* en sociedad; ~*e Produktion* producción colectiva; ~*e Verhältnisse* condiciones sociales; ~*e Beziehungen* relaciones sociales; ~*e Stellung* posición social.
Ge'sellschafts...: **~abend** *m* (*-s*; *-e*) reunión *f*; velada *f*; **~anteil** † *m* (*-es*; *-e*) participación *f* (social); **~anzug** *m* (*-es*; *⸚e*) traje *m* de etiqueta (*od.* de sociedad); **~bericht** *m* (*-es*; *-e*) crónica *f* de sociedad; **~dame** *f* señora *f bzw.* señorita *f* de compañía; **~firma** † *f* (*-*; *-fir-*

men) razón *f* social; **~form** *f* forma *f* de sociedad (*od.* de vida social); **~gründung** *f* fundación *f* de una sociedad; **~kapital** *n* (-*s*; -*ien*) capital *m* social; **~klasse** *f* clase *f* social; **~kleid** *n* (-*es*; -*er*) vestido *m* de noche; **~name** ✝ *m* (-*ns*; -*n*) razón *f* social; **~lehre** *f* sociología *f*; **~ordnung** *f* orden *m* social; **~raum** *m* (-*es*; ⸗*e*) salón *m*; **~rechte** *n*/*pl.* derechos *m*/*pl.* sociales; **~reise** *f* viaje *m* colectivo; **~satzungen** *f*/*pl.* estatutos *m*/*pl.*; **~schicht** *f* capa *f* social; **~spiel** *n* (-*es*; -*e*) juego *m* de sociedad; **~stück** *Thea. n* (-*es*; -*e*) drama *m* social; **~vermögen** *n* haber *m* social; bienes *m*/*pl.* sociales; **~vertrag** *m* (-*es*; ⸗*e*) *Pol.* contrato *m* social; ✝ contrato *m* de sociedad; **~wissenschaft** *f* (*0*) sociología *f*; **~zimmer** *n* salón *m*.

Ge'senk ⊕ *n* (-*es*; -*e*) estampa *f*; matriz *f*; *im ~ schmieden* forjar en estampa; **~hammer** *m* (-*s*; ⸗) embutidera *f*; **~schmied** *m* (-*es*; -*e*) forjador *m* de estampa; **~schmieden** *n* forjado *m* en estampa; **~schmiedepresse** *f* prensa-estampa *f*; **~stahl** *m* (-*es*; *0*) acero *m* para matrices.

Ge'setz *n* (-*es*; -*e*) ley *f*; (*Regel*) regla *f*, norma *f*; (*Statut*) estatuto *m*; (*Natur*2) ley *f* natural; *im Sinne des ~es* en el espíritu de la ley; en el sentido de la ley; *nach dem ~* según la ley; de acuerdo con la ley; *im Namen des ~es!* en nombre de la ley; *ein ~ einbringen* (*annehmen od. verabschieden*; *verkünden*; *umgehen*; *außer Kraft setzen*) proponer (aprobar; promulgar; eludir; derogar) una ley; *das ~ ist angenommen* la ley ha sido aprobada; *das ~ verfügt* la ley dispone; *ein ~ übertreten* contravenir (*od.* infringir) una ley; *unter ein ~ fallen* caer bajo el rigor de una ley; *~e geben* legislar; *~ werden* hacerse ley; entrar en vigor; convertirse en ley; *ungeschriebenes ~* ley no escrita; *Unkenntnis des ~es schützt vor Strafe nicht* la ignorancia de la ley no exime del castigo; ✝ *~ von Angebot und Nachfrage* la ley de la oferta y la demanda; *das ~ des Handelns* la iniciativa; **~blatt** *n* (-*es*; ⸗*er*) boletín *m* legislativo; **~buch** *n* (-*es*; ⸗*er*) código *m*; *Bürgerliches ~* código civil; **~entwurf** *m* (-*es*; ⸗*e*) proyecto *m* de ley.

Ge'setzes...: **~kraft** *f* (*0*) fuerza *f* legal (*od.* de ley); *~ haben* tener fuerza de ley; *~ erlangen* erigirse en ley; adquirir fuerza de ley; *~ geben* dar fuerza legal; **~lücke** *f* laguna *f* de la ley; **~-tafeln** *Bib. f*/*pl.* Tablas *f*/*pl.* de la Ley; **~-text** *m* (-*es*; -*e*) texto *m* legal; **~-übertretung** *f* infracción *f* de la ley; **~-umgehung** *f* fraude *m* a la ley; **~verletzung** *f* violación *f* de la ley; **~vorlage** *f* proyecto *m* de ley (*einbringen* proponer; *ablehnen* rechazar); **~vorschrift** *f* disposición *f* legal.

Ge'setz...: 2**gebend** *adj.* legislativo; *~e Gewalt* poder *m* legislativo; *~e Versammlung* asamblea *f* legislativa; *Span.* Cortes *f*/*pl.*; **~geber** *m* legislador *m*; **~gebung** *f* legislación *f*; 2**kundig** *adj.* conocedor de las leyes; **~kundige(r)** *m* jurisperito *m*; legista *m*; 2**lich I.** *adj.* legal; (*gesetzmäßig*) conforme a la ley; (*rechtmäßig*) legítimo; *~er Feiertag* fiesta legal; *~es Zahlungsmittel* moneda legal; *~er Vertreter* representante legal; *~er Erbe* heredero legítimo; **II.** *adv.* legalmente; (*rechtmäßig*) legítimamente; *~ geschützt* registrado legalmente; patentado; *~ anerkennen* legitimar; **~lichkeit** *f* (*0*) legalidad *f*; legitimidad *f*; 2**los** *adj.* sin ley; ilegal; anárquico; **~losigkeit** *f* (*0*) ilegalidad *f*; anarquía *f*; 2**mäßig** *adj.* legal; conforme a la ley; (*regelmäßig*) legítimo; **~mäßigkeit** *f* legalidad *f*; (*Regelmäßigkeit*) regularidad *f*; (*Rechtmäßigkeit*) legitimidad *f*; **~sammlung** *f* recopilación *f* de leyes; (*Gesetzbuch*) código *m*.

ge'setzt *adj.* (*ruhig*) sosegado, sereno; (*ausgeglichen*) ponderado; (*ernst*) grave, serio; (*gereift*) maduro; *~, daß ...* supongamos que ...; **~enfalls** *adv.* (supuesto el) caso que (*subj.*); en caso que (*subj.*); pongamos por caso que (*subj.*); 2**heit** *f* (*0*) sosiego *m*, serenidad *f*; ponderación *f*; gravedad *f*, seriedad *f*; madurez *f*; *fig.* peso *m*.

Ge'setz...: **~vorlage** *f* proyecto *m* de ley (*einbringen* proponer; *ablehnen* rechazar); 2**widrig** *adj.* ilegal; contrario a la ley; (*unrechtmäßig*) ilegítimo; **~widrigkeit** *f* ilegalidad *f*; ilegitimidad *f*.

ge'sichert *adj.* seguro; asegurado (*gegen* contra); (*geschützt*) protegido; al abrigo de; → *sichern*.

Ge'sicht *n* (-*es*; -*er*) cara *f*; (*Antlitz*) faz *f*, rostro *m*; (*Sehvermögen*) vista *f*; (*Miene*) semblante *m*; aire *m*; (*Fratze*) mueca *f*, visaje *m*; gesto *m*; (*Schnute*) jeta *f*; (*Erscheinung*) (*pl.* -*e*) aparición *f*; visión *f*; (*Sinnestäuschung*) alucinación *f*; (*Anblick, Äußeres*) aspecto *m*; *das Zweite ~* previsión *f* de sucesos futuros; *das ~ abwenden* apartar la vista; *zu ~ bekommen* (llegar a) ver; *das ~ verändern* mudar de semblante; *die Sonne im ~ haben* estar de cara al sol; *sein wahres ~ zeigen fig.* quitarse la máscara; *das ~ verlieren* (*wahren*) perder (mantener) el prestigio; *aufs ~ fallen* caer de bruces; F besar el suelo; *j-m ins ~ sehen* mirar a alg. cara a cara; *den Dingen ins ~ sehen* encararse con la realidad; ver las cosas como son; *j-m ins ~ lachen* F reírse en las narices de alg.; *j-m die Wahrheit ins ~ schleudern* decirle a alg. las verdades en la cara; *j-m ins ~ spucken* escupir a alg. en la cara; *ein saures ~ machen* poner cara de vinagre; *ein grimmiges ~ machen* poner cara de perro; *ein finsteres ~ machen* poner cara hosca; fruncir el ceño; *ein kummervolles ~ haben* tener gesto preocupado; *ein böses ~ machen* poner mala cara; *ein schiefes ~ machen, das ~ verziehen* torcer el gesto; *ein langes ~ machen* poner cara larga; F quedar con un palmo de narices; *ein erschrockenes* (*erstauntes*) *~ machen* estar cariacontecido; *ein freudestrahlendes ~* una cara de pascuas; *ein ~ wie sieben Tage Regenwetter haben* tener gesto hosco; F tener cara fúnebre; *fig. j-m im ~ geschrieben stehen* llevarlo escrito en la frente; *~er schneiden* hacer muecas (*od.* gestos); hacer visajes; *ein ~ ziehen* hacer una mueca; gesticular; *das steht Ihnen gut zu ~* eso le sienta bien; *das schlägt allen Regeln ins ~* esto contradice todas las reglas; *j-m ins ~ schlagen* cruzar la cara a alg.; *die Sache bekommt ein anderes ~* la cosa toma otro cariz; *er ist s-m Vater wie aus dem ~ geschnitten* es el vivo retrato de su padre; **~chen** *n*: *hübsches ~* (*junges Mädchen*) un buen palmito.

Ge'sichts...: **~ausdruck** *m* (-*es*; ⸗*e*) fisonomía *f*, expresión *f* de la cara; **~chirurg** *m* (-*en*) especialista *m* en cirugía estética; **~chirurgie** *f* (*0*) cirugía *f* estética; **~creme** *f* (-; -*s*) crema *f* facial; **~farbe** *f* tez *f*; **~feld** *n* (-*es*; -*er*) campo *m* visual; **~kreis** *m* (-*es*; -*e*) horizonte *m* (*a. fig.*); **~lage** ⚕ *f* (*bei der Geburt*) presentación *f* facial; **~maske** *f* mascarilla *f* (*a.* ⚕); **~massage** *f* masaje *m* facial; **~muskel** *Anat. m* (-*s*; -*n*) músculo *m* facial; **~nerv** *Anat. m* (-*s*; -*en*) nervio *m* facial; (*Sehnerv*) nervio *m* óptico; **~neuralgie** ⚕ *f* neuralgia *f* facial; **~pflege** *f* (*0*) cuidados *m*/*pl.* de la tez (*od.* del cutis); **~punkt** *m* (-*es*; -*e*) punto *m* de vista; *fig. a.* ángulo *m*; aspecto *m*; *unter diesem ~* desde ese punto de vista; **~rose** ⚕ *f* erisipela *f* facial; **~schmerz** *m* (-*es*; -*en*) → *Gesichtsneuralgie*; **~schnitt** *m* (-*es*; -*e*) rasgo *m* fisonómico; **~seife** *f* jabón *m* facial; **~verjüngung** *f* rejuvenecimiento *m* facial; **~wasser** *n* (-*s*; ⸗) loción *f* facial; **~winkel** *m Anat.* ángulo *m* facial; *Opt.* ángulo *m* visual; *fig.* punto *m* de vista; **~zug** *m* (-*es*; ⸗*e*) rasgo *m* fisonómico; facción *f* (*mst.* facciones *pl.*).

Ge'sims *n* (-*es*; -*e*) moldura *f*; (*Kranz*2) cornisa *f*.

Ge'sinde *n* servidumbre *f*; (personal *m* de) servicio *m*.

Ge'sindel *n* (-*s*; *0*) (*Mob*) canalla *f*, chusma *f*, gente *f* ruin; (*Gauner*) granujería *f*; (*Unterwelt*) gente *f* del hampa.

Ge'sindestube *f* cuarto *m* de la servidumbre.

ge'sinnt *adj.* animado de un cierto sentimiento hacia; *feindlich ~* hostil; *j-m gut* (*übel*) *~ sein* sentir simpatía (antipatía) hacia alg.; *wie ist er politisch ~?* ¿cuáles son sus ideas políticas?

Ge'sinnung *f* sentimientos *m*/*pl.*; (*Überzeugung*) convicción *f* (*mst.* convicciones *pl.*); (*Meinung*) opinión *f*; *Pol.* credo *m*; (*Charakter*) carácter *m*; (*Denkart*) modo *m* de pensar; *niedrige ~* bajeza de espíritu; ruindad de alma.

Ge'sinnungs...: **~genosse** *m* (-*n*) *Pol.* correligionario *m*; amigo *m* político; 2**los** *adj.* sin carácter (*od.* principios); (*treulos*) desleal; **~losigkeit** *f* (*0*) falta *f* de carácter (*od.* principios); 2**treu** *adj.* leal; **~wechsel** *m* cambio *m* de opinión (*od.* de frente).

ge'sitt|et *adj.* (*sittlich*) moral; (*anständig*) decente; (*höflich*) cortés, urbano; (*wohlerzogen*) bien educado; (*gebildet*) culto; *Volk*: civiliza-

do; 2**ung** *f* (*0*) (*Sittlichkeit*) moral *f*; (*Anständigkeit*) decencia *f*; (*Höflichkeit*) cortesía *f*, urbanidad *f*; (*gute Erziehung*) buena educación *f*; civilidad *f*; (*Bildung*) cultura *f*; *e-s Volkes*: civilización *f*.
Ge'söff F *n* (-*es*; -*e*) brebaje *m*.
ge'soffen P *p/p. v. saufen*.
ge'sogen *p/p. v. saugen*.
ge'sondert *adj.* separado.
ge'sonnen I. *p/p. v. sinnen*; **II.** *adj.*: ~ *sein zu* estar dispuesto a ... (*inf.*); tener la intención de ... (*inf.*); proponerse a/c.
ge'sotten *p/p. v. sieden*.
Ge'spann *n* (-*es*; -*e*) *v. Pferden*: tiro *m*, tronco *m*, atelaje *m*; *Ochsen*: yunta *f*; *fig.* pareja *f*.
ge'spannt *adj.* tenso, tirante (*beides a. fig.*); *fig.* ~*e Aufmerksamkeit* viva atención; ~ *sein auf* (*ac.*) estar curioso por saber; esperar con impaciencia; estar ansioso de (*inf.*); ~*e Verhältnisse* relaciones tirantes; tirantez de relaciones; ~*e Lage* situación tensa; *mit j-m auf* ~*em Fuße stehen* estar en relaciones tirantes con alg.; estar enemistado con alg.; 2**heit** *f* (*0*) tensión *f*, tirantez *f*; (*Neugier*) curiosidad *f*.
Ge'spenst *n* (-*es*; -*er*) fantasma *m*; espectro *m*; (*Geist*) aparecido *m*, alma *f* en pena; *überall* ~*er sehen* antojársele a uno los dedos huéspedes; *fig. wie ein* ~ *aussehen* parecer un espectro.
Ge'spenster...: ~**erscheinung** *f* aparición *f* de almas en pena; ~**geschichte** *f* historia *f* de fantasmas; cuento *m* de aparecidos; narración *f* fantástica; F cuento *m* de miedo; 2**haft** *adj.* fantástico; espectral; como un fantasma; fantasmal; ~**stunde** *f* (*0*) hora *f* de los aparecidos.
ge'spenstisch *adj.* → *gespensterhaft*.
Ge'sperre ⊕ *n* trinquete *m*, gatillo *m*.
ge'sperrt I. *p/p. v. sperren*; **II.** *adj.* cerrado; *für den Verkehr* ~ prohibida la circulación; *Straße* ~*!* no hay paso; *Typ.*: ~*er Druck* caracteres espaciados.
ge'spie(e)n *p/p. v. speien*.
Ge'spinst *n* (-*es*; -*e*) hilado *m*; hilo *m*; (*Gewebe*) tejido *m*; trama *f* (*a. fig.*); ~**faser** *f* (-; -*n*) fibra *f* textil.
ge'sponnen *p/p. v. spinnen*.
Ge'spött *n* (-*es*; *0*) (*Ironie*) ironía *f*; (*Sarkasmus*) sarcasmo *m*, ludibrio *m*; burla *f*, mofa *f*; *harmloses*: broma *f*; (*Gegenstand des Spottes*) objeto *m* de burla *bzw.* de risa *bzw.* de broma; *zum* ~ *dienen* servir de irrisión; *Person*: ser el hazmerreír de todos; *zum* ~ *der Leute werden* llegar a ser la irrisión de la gente; *sich zum* ~ *machen* ponerse en ridículo; *j-n zum* ~ *machen* ridiculizar (*od.* poner en ridículo) a alg.; *mit j-m sein* ~ *treiben* burlarse (*od.* mofarse) de alg.; (*harmlos*) bromear con alg.; F tomar el pelo a alg.
Ge'spräch [ɛː] *n* (-*es*; -*e*) conversación *f*; (*Unterredung*) coloquio *m*, plática *f*; (*Zwie*2) diálogo *m*; (*Rede*) discurso *m*; (*leichtes* ~) charla *f*; *Tele.* conferencia *f* (*anmelden* pedir); conversación *f* telefónica; *sich in ein* ~ *mit j-m einlassen* entablar conversación con alg.; *ein* ~ *mit j-m führen* conversar (*od.* sostener una conversación) con alg.; (*plaudern*) platicar con alg., F charlar con alg.; *das* ~ *auf et. bringen* llevar la conversación hacia un asunto; *das* ~ *dreht sich um* ... la conversación trata sobre ...; 2**ig** *adj.* conversador; (*mitteilsam*) comunicativo, expansivo; (*geschwätzig*) locuaz; hablador, F parlanchín; *j-n* ~ *machen fig.* desatar la lengua a alg.; ~**igkeit** *f* (*0*) carácter *m* comunicativo; (*Geschwätzigkeit*) locuacidad *f*, verbosidad *f*, F verborrea *f*; labia *f*.
Ge'sprächs...: ~**anmeldung** *Tele. f* petición *f* de conferencia; ~**dauer** *Tele. f* (*0*) duración *f* de la conferencia; ~**form** *f*: *in* ~ en forma dialogada; ~**gegenstand** *m* (-*es*; ⸗*e*) tema *m* de la conversación; ~**partner(in** *f*) *m* interlocutor(a *f*) *m*; ~**stoff** *m* (-*es*; -*e*) → *Gesprächsgegenstand*; 2**weise** *adv.* conversando; (*in Gesprächsform*) en forma de diálogo.
ge'spreizt *adj.* afectado; 2**heit** *f* afectación *f*.
ge'sprenkelt *adj.* moteado; (*gefleckt*) salpicado.
ge'sprochen *p/p. v. sprechen*.
ge'sprossen *p/p. v. sprießen*.
ge'sprungen *p/p. v. springen*.
ge'staffelt *adj.* escalonado.
Ge'stalt *f* forma *f*; figura *f*; (*Wuchs*) talla *f*, estatura *f*; talle *m*; (*Zuschnitt*) hechura *f*; (*Körper*2) complexión *f*; *Liter.* personaje *m*; (*Anblick, Äußeres*) aspecto *m*; *der Erde*: configuración *f*; *in* ~ *von* en forma de; *schön von* ~, *von schöner* ~ de bellas formas; *Rel. das Abendmahl in beiderlei* ~ la comunión bajo las dos especies; *e-m Gedanken* ~ *verleihen* dar forma concreta a una idea; *sich in seiner wahren* ~ *zeigen* mostrarse en su verdadero ser, *fig.* quitarse (*od.* dejar caer) la máscara; *fig.* ~ *annehmen* tomar forma; realizarse, cristalizar; tomar cuerpo; *e-e andere* ~ *annehmen* transformarse, adoptar otra forma; ~ *geben* = 2**en** (-*e*-; -) **1.** *v/t.* formar; (*entwickeln*) desarrollar; *Escul.* modelar; *schöpferisch* ~ crear; **2.** *v/refl.*: *sich* ~ formarse, tomar forma; (*sich entwickeln*) desarrollarse; *sich* ~ *zu* transformarse en; *fig.* resultar; ~**er(in** *f*) *m* creador(a *f*) *m*; 2**erisch** *adj.* creador; 2**et** *adj.* formado; modelado; ~**lehre** *f* (*0*) morfología *f*; *des menschlichen Körpers*: somatología *f*; 2**los** *adj.* amorfo; ~**psychologie** *f* (*0*) psicología *f* somática.
Ge'staltung *f* formación *f*; conformación *f*; configuración *f*; (*Formgebung*) delineación *f*; (*Entwicklung*) desarrollo *m*; (*Anordnung*) disposición *f*; estructuración *f*; (*Aufbau*) contextura *f*; *Escul.* modelado *m*; *künstlerische*: creación *f*; realización *f*; (*Stilisierung*) estilización *f*; (*Stil, Zuschnitt*) estilo *m*; 2**sfähig** *adj.* plástico; ~**skraft** *f* (-; ⸗*e*) fuerza *f* creadora.
Ge'stammel *n* (-*s*; *0*) balbuceo *m*.
ge'standen *p/p. v. stehen*.
ge'ständ|ig *adj.* ⚖ confeso; ~ *sein* confesar (su culpa), declararse culpable; *überführt und* ~ ⚖ convicto y confeso; 2**nis** *n* (-*ses*; -*se*) confesión *f*; ⚖ *a.* declaración *f*; *ein* ~ *ablegen* confesar; declararse culpable; *ein* ~ *von j-m erpressen* arrancar a alg. una confesión; *j-n zum* ~ *bringen* hacer a alg. confesar.
Ge'stänge *n* ⊕ varillas *f/pl.*; varillaje *m*; *Jgdw.* puntas *f/pl.*
Ge'stank *m* (-*es*; *0*) hedor *m*, fetidez *f*, mal olor *m*; *mit* ~ *erfüllen* apestar.
ge'statten (-*e*-; -) *v/t.* permitir; (*einwilligen*) consentir en; (*dulden*) tolerar; ~ *Sie!* con su permiso; ~ *Sie, daß* ... permita usted que ...
'Geste ['gestə] *f* gesto *m* (*a. fig.*).
ge'stehen I. (*L*; -) *v/t.* ⚖ confesar; (*zugeben*) reconocer; admitir; *ich muß* ~, *daß* debo reconocer que; *offen gestanden* a decir verdad; hablando francamente; **II.** 2 *n* → *Geständnis*.
Ge'stehungskosten *pl.* coste *m* de adquisición; gastos *m/pl.* de producción; precio *m* de producción.
Ge'stein *n* (-*es*; -*e*) roca *f*; *Min.* mineral *m*; ~**sbohrmaschine** *f* perforadora *f* rotativa de roca; ~**sgang** ⚒ *m* (-*es*; ⸗*e*) filón *m*; ~**skunde** *f* (*0*) litología *f*, petrografía *f*; mineralogía *f*.
Ge'stell *n* (-*es*; -*e*) ⊕ armazón *f*; bastidor *m*; (*Bock*2) caballete *m*; (*Bretter*2) tablado *m*; (*Fuß*2) pedestal *m*; (*Sockel*) zócalo *m*; (*Bücher*2) estante *m*; (*Rahmen*) bastidor *m*; *der Brille*: montura *f*; *des Fahrrads*: cuadro *m*; *des Pfluges*: bastidor *m*; *Auto.*: chasis *m*; ~**pflug** *m* (*es*; ⸗*e*) arado *m* de bastidor; ~**säge** *f* sierra *f* de bastidor.
Ge'stellung *f* 🚂 suministro *m*; ~**sbefehl** ⚔ *m* (-*es*; -*e*) llamamiento *m* a filas; orden *f* de presentación para reconocimiento; 2**s-pflichtig** ⚔ *adj.* sujeto a reclutamiento; ~**s-pflichtig(er)** ⚔ *m Span.* recluta *m* en caja; quinto *m*.
'gestern I. *adv.* ayer; ~ *früh* (*od. morgen*) ayer por la mañana; ~ *mittag* ayer a medio día; ~ *abend* anoche; *von* ~ de ayer; *fig.* F *nicht von* ~ *sein* tener experiencia; F *iro.* no haberse caído de un nido; *mir ist, als ob es* ~ *wäre* me parece como si hubiera sido ayer; **II.** 2 *n* (-; *0*): *das* ~ el pasado, el ayer.
ge'stiefelt *adj.* calzado con botas; *der* ~*e Kater* (*Märchenfigur*) el gato con botas.
ge'stiegen *p/p. v. steigen*.
ge'stielt *adj. v. Messern usw.*: con mango; *Zoo. u.* ⚘ pedunculado; ⚘ peciolado.
gestiku'lieren I. (-) *v/i.* gesticular, hacer gestos *m/pl.*; **II.** 2 *n* gesticulación *f*.
Ge'stirn *n* (-*es*; -*e*) astro *m*; (*Sternbild*) constelación *f*; 2**t** *adj.* estrellado, lleno de estrellas.
ge'stoben *p/p. v. stieben*.
Ge'stöber *n* remolino *m* de nieve; ventisca *f*.
ge'stochen *p/p. v. stechen*.
ge'stohlen *p/p. v. stehlen*.
Ge'stöhne *n* (-*s*; *0*) gemidos *m/pl.*; gimoteo *m*.
ge'storben *p/p. v. sterben*.

ge'stört *adj. Tele.* interferido; → *stören.*
Ge'stotter *n* (*-s; 0*) tartamudeo *m*; (*Gestammel*) balbuceo *m.*
Ge'sträuch *n* (*-es; -e*) matorral *m*, matorrales *m/pl.*; (*Dickicht*) maleza *f*; (*Dornen*≈) zarzal *m*; (*Büsche*) arbustos *m/pl.*
ge'streift *adj.* rayado; ⚘ estriado.
ge'streng *adj.* severo, riguroso.
ge'strichen I. *p/p. v. streichen*; **II.** *adj.*: lleno hasta el borde; *frisch* ~! ¡cuidado con la pintura!, ¡recién pintado!; ¡ojo, mancha!
'gestrig *adj.* de ayer; *am* ~*en Tage* ayer; en el día de ayer; *am* ~*en Abend* anoche.
ge'stritten *p/p. v. streiten.*
Ge'strüpp *n* (*-es; -e*) broza *f*; maleza *f*; *das* ~ *entfernen* desbrozar.
Ge'stühl *n* (*-es; -e*) sillería *f*; (*Chor*≈) sillería *f* del coro.
Ge'stümper F *n* (*-s; 0*) chapucería *f.*
ge'stunken *p/p. v. stinken.*
Ge'stüt *n* (*-es; -e*) acaballadero *m*; ~**hengst** *m* (*-es; -e*) caballo *m* padre; ~**pferd** *n* (*-es; -e*) caballo *m* de sangre (*od.* de raza).
Ge'such [u] *n* (*-es; -e*) solicitud *f* (*einreichen* presentar; hacer; elevar; *richten an* dirigir a; *unterstützen* apoyar; *bewilligen* atender, estimar; *ablehnen od. abschlägig bescheiden* desestimar); (*Bittschrift*) petición *f*; *bsd.* ⚖ pedimento *m*; (*Bitte*) ruego *m*, súplica *f*; *dringendes* ~ instancia *f*, demanda *f*; ~**steller(in** *f*) *m* solicitante *m/f.*; (*Bittsteller*) peticionario (-a *f*) *m.*
ge'sucht [uː] *adj.* buscado; ✝ solicitado; (*geziert*) rebuscado, afectado; amanerado; preciosista.
Ge'sudel *n* (*-s; 0*) (*Kleckserei*) chafarrinón *m*; (*Pfuscherei*) chapucería *f*; *Mal.* pintarrajo *m*, mamarrachada *f*; (*Kritzelei*) garabateo *m.*
Ge'summe *n* (*-s; 0*) zumbido *m.*
ge'sund *adj.* (*ᵘer od. -er*; *ᵘest od. -est*) sano; (*körperlich wohl*) bien de salud; con buena salud; (*der Gesundheit förderlich*) saludable, salubre; (*heilsam*) salutífero; (*hygienisch*) higiénico; *ein* ~*er Schlaf* un sueño profundo; ~*er Appetit* buen apetito; ~*e Zähne* dientes sanos; ~*e Luft* aire sano; ~*e Nahrung* alimentación sana (*od.* su(b)stanciosa); *geistig* ~ sano de espíritu; *von* ~*em Körper* sano de cuerpo; ~ *und wohlbehalten* sano y salvo; ~ *aussehen* tener buen aspecto, F tener buena cara; *e-e* ~*e Gesichtsfarbe haben* tener la tez fresca; tener buen color; *sich* ~ *erhalten* conservarse sano; *sich* ~ *fühlen* sentirse bien; *j-n* ~ *machen* sanar (*od.* curar) a alg.; *wieder* ~ *werden* sanar; restablecerse, recobrar la salud; ~ *und munter sein* F estar vivito y coleando; ~ *wie ein Fisch im Wasser* sano como un roble; *j-n* ~ *schreiben* dar de alta a alg.; *bleiben Sie* ~! ¡que usted siga bien!; *fig. das ist ihm ganz* ~ eso es muy saludable para él; *fig. der* ~*e Menschenverstand* el buen sentido; el sentido común; ~**beten** (*-e-*) *v/t. Rel.* curar por la oración; (*abergläubisch*) ensalmar; ≈**beter** *m* ensalmador *m*; ≈**brunnen** *m* fuente *f* salutífera; aguas *f/pl.* minerales; (*Jungbrunnen*) fuente *f* de (eterna) juventud; ~**en** (*-e-; -; sn*) *v/i.* curar, sanar; restablecerse, recuperar la salud; (*allmählich*) convalecer; (*sanieren*) sanear.
Ge'sundheit *f* (*0*) salud *f*; *der Luft, des Wassers, des Klimas*: salubridad *f*; *bei guter* ~ *sein* tener (*od.* disfrutar de) buena salud; ~! *beim Niesen*: ¡Jesús!; *von* ~ *strotzen* rebosar salud; *auf j-s* ~ *trinken* beber a la salud de alg.; ≈**lich** *adj.* sanitario; higiénico.
Ge'sundheits...: ~**amt** *n* (*-es; ᵘer*) *Span.* Inspección *f* de Sanidad; ~**dienst** *m* (*-es; 0*) servicio *m* de sanidad pública; servicio *m* de higiene; ~**einrichtungen** *f/pl.* instalaciones *f/pl.* sanitarias; ≈**förderlich** *adj.* saludable, salubre; (*heilsam*) salutífero; ~**fürsorge** *f* (*0*) higiene *f* pública; *als Amt*: departamento *m* de higiene pública; ~**gründe** *m/pl.*: *aus* ~*n* por motivos de salud; ~**lehre** *f* (*0*) higiene *f*; ~**maßnahme** *f* medida *f* sanitaria; medida *f* de higiene; ~**paß** ⚓ *m* (*-sses; ᵘsse*) patente *f* de sanidad; ~**pflege** *f* (*0*) higiene *f*; *öffentliche*: higiene *f* pública, servicio *m* sanitario; ~**polizei** *f* (*0*) policía *f* sanitaria; ~**regel** *f* (*-; -n*) regla *f* de higiene; ~**rücksichten** *f/pl.*: *aus* ~ por razones de salud; ≈**schädlich** *adj.* insalubre, malsano; nocivo para la salud; ~**wesen** *n* (*-s; 0*) higiene *f* pública; ≈**widrig** *adj.* → *gesundheitsschädlich*; ~**zeugnis** *n* (*-ses; -se*) certificado *m* médico; ~**zustand** *m* (*-es; ᵘe*) estado *m* sanitario; *e-s Menschen*: estado *m* de salud.
ge'sundmachen *v/t.* (*bereichern*) enriquecer; *sich* ~ enriquecerse.
Ge'sundung *f* (*0*) restablecimiento *m*; convalecencia *f*; (*Sanierung*) saneamiento *m*; *wirtschaftliche* ~, ~ *der Wirtschaft* saneamiento económico; saneamiento de la economía.
ge'sungen *p/p. v. singen.*
ge'sunken *p/p. v. sinken.*
ge'tan *p/p. v. tun.*
Ge'tändel *n* (*-s; 0*) broma *f*, chanza *f*; (*Liebelei*) coqueteo *m*, flirteo *m.*
Ge'tier *n* (*-es; 0*) animales *m/pl.*; F bichos *m/pl.*
ge'tigert *adj.* (*Fell*) atigrado; (*Marmor*) jaspeado.
Ge'töse *n* (*-s; 0*) estrépito *m*; estruendo *m*; (*Kampf*≈) fragor *m*; (*Höllenlärm*) pandemónium *m*; *e-r Menge*: batahola *f*, bara(h)unda *f*; *des Meeres*: bramido *m.*
ge'tragen *adj.* (*feierlich*) solemne.
Ge'trampel *n* (*-s; 0*) pataleo *m.*
Ge'tränk *n* (*-es; -e*) bebida *f*; *desp.* brebaje *m*; ~**esteuer** *f* (*-; -n*) impuesto *m* sobre las bebidas.
ge'trauen (*-*) *v/refl.*: *sich* ~, *et. zu tun* atreverse a (*od.* osar) hacer a/c.
Ge'treide *n* cereales *m/pl.*; (*Korn*) granos *m/pl.*; (*Weizen*) trigo *m*; ~**art** *f* variedad *f* de trigo *bzw.* de cereales; ~**bau** *m* (*-es; 0*) cultivo *m* de cereales; ~**boden** *m* (*-s; ᵘ*) tierra *f* de pan llevar; (*Speicher*) granero *m*; ~**börse** ✝ *f* bolsa *f* de cereales; ~**brand** ⚘ *m* (*-es; ᵘe*) tizón *m*; ~**ernte** *f* cosecha *f* de trigo; recolección *f* del trigo; ~**feld** *n* (*-es; -er*) campo *m* de trigo, trigal *m*; campo *m* de cereales; ~**gemenge** *n* mezcla *f* de cereales; ~**handel** *m* (*-s; 0*) comercio *m* de cereales (*od.* de granos); ~**händler** *m* negociante *m* de trigos; ~**land** *n* (*-es; ᵘer*) tierra *f* de cereales; país *m* productor de cereales; ~**markt** *m* (*-es; ᵘe*) mercado *m* de cereales *bzw.* de trigos; ~**pflanze** *f* (planta *f*) cereal *m*; ~**produkt** *n* (*-es; -e*) producto *m* de cereales; ~**putzmaschine** *f*, ~**reiniger** *m* limpiadora *f* de granos; ~**rost** *m* (*-es; 0*) tizón *m*; ~**schwinge** ⚘ *f* bieldo *m*; ~**sortiermaschine** *f* clasificadora *f* de granos; ~**speicher** *m* granero *m*; silo *m*; ~**zoll** *m* (*-es; ᵘe*) impuesto *m* sobre la importación de cereales.
ge'trennt I. *p/p. v. trennen*; **II.** *adj.* separado; **III.** *adv.* separadamente; ~ *schlafen* dormir en cama aparte.
ge'treu *adj.* fiel; leal; ≈**e(r** *m*) *m/f* fiel compañero (-a *f*) *m*; (*Parteigänger*) partidario *m*, seguidor *m*; secuaz *m*; ~**lich** *adv.* fielmente; lealmente.
Ge'triebe *f* ⊕ engranaje *m*; transmisión *f*; mecanismo *m*; (*Treibrad*) rueda *f* motriz; (*Räder*≈) rodaje *m*, ruedas *f/pl.*; (*Uhrwerk*) mecanismo *m*; (*Gang*≈) *Auto.* cambio *m* de marchas; *stufenlos regelbares* ~ engranaje sin escalones; *fig.* agitación *f*, animación *f*, movimiento *m*; ~**bremse** *f* freno *m* sobre el mecanismo; ~**gehäuse** *n*, ~**kasten** *m* (*-s; ᵘ*) caja *f* del mecanismo; *Auto.* caja *f* (del cambio) de velocidades; ~**motor** *m* (*-s; -en*) motor *m* de engranaje.
ge'trieben *p/p. v. treiben.*
Ge'triebe|rad *n* (*-es; ᵘer*) piñón *m*; ~**welle** *f* árbol *m* de la caja de velocidades.
ge'troffen *p/p. v. treffen.*
ge'trogen *p/p. v. trügen.*
ge'trost [oː] **I.** *adj.* confiado, seguro, lleno de confianza; **II.** *adv.* con absoluta confianza; sin temor; tranquilamente, con toda tranquilidad.
ge'trösten (*-e-; -*) *v/refl.*: *sich* ~ (*gen.*) esperar a/c. con confianza.
ge'trunken *p/p. v. trinken.*
'Getto *n* (*-s; -s*) judería *f*; ghetto *m.*
Ge'tue [-'tuːə] *n* (*-s; 0*) afectación *f*; aspavientos *m/pl.*; (*Ziererei*) remilgos *m/pl.*; F garambainas *f/pl.*
Ge'tümmel *n* (*Lärm*) ruido *m*; batahola *f*; (*Gedränge*) barullo *m*, turbamulta *f*; (*Tumult*) tumulto *m*, (*Schlacht*≈) riña *f* tumultuaria.
ge'tüpfelt *adj.* con puntos; moteado.
ge'tupft *adj.* moteado.
ge'übt *adj.* ejercitado; (*geschickt*) hábil, diestro; ≈**heit** *f* (*0*) habilidad *f*; (*Übung*) ejercicio *m*; (*Praxis*) práctica *f*; experiencia *f*; (*Gewandtheit*) maña *f*, destreza *f.*
Ge'viert *n* (*-es; -e*) cuadrado *m*; *Astr.* cuadratura *f.*
Ge'wächs [ks] *n* (*-es; -e*) vegetal *m*; (*Pflanze*) planta *f*; (*Auswuchs*) excrecencia *f*; ⚕ *a.* tumor *m*, neo-

plasia *f*; *eigenes* ~ (*Wein*) vino de la propia cosecha.

ge'wachsen [ks] *adj.*: *gut* ~ tener buen tipo (*od.* buena figura); *j-m* ~ *sein* poder competir con alg.; *e-r Sache* ~ *sein* estar en condiciones de hacer frente a a/c.; *der Lage* ~ *sein* estar a la altura de la situación.

Ge'wächshaus *n* (*-es*; *⸚er*) invernadero *m*, estufa *f*.

ge'wagt *adj.* arriesgado; (*kühn*) osado, audaz; atrevido; ~*es Spiel treiben* jugar fuerte.

ge'wählt *adj.* escogido; selecto; *sich* ~ *ausdrücken* expresarse en términos escogidos.

ge'wahr *adj.*: ~ *werden* (*ac.*) echar de ver; notar; descubrir; percibir; *in der Ferne*: divisar.

Ge'währ *f* (*0*) garantía *f*; fianza *f*; (*Sicherheit*) seguridad *f*; *ohne* ~ sin garantía, sin compromiso; *für et.* ~ *leisten* garantizar a/c.; salir garante de a/c.; responder de a/c.

ge'wahren (-) *v/t.* → *gewahr werden*.

ge'währ|en (-) *v/t.* conceder; otorgar; (*geben*) dar; (*darbieten*) ofrecer, *Liter.* brindar; (*verschaffen*) procurar, proporcionar; (*erlauben*) permitir; (*einwilligen*) consentir en; *Bitte*: acceder a; *Wunsch*: satisfacer; *Kredit, Entschädigung*: conceder; ~ *lassen* dejar hacer; *j-m Schutz* ~ proteger a alg.; *j-m Einlaß* ~ permitir a alg. entrar (*od.* la entrada) en; *gewährt bekommen* obtener; **2en** *n e-r Gunst*: otorgamiento *m*; *e-s Wunsches*: satisfacción *f*; *v. Kredit, Entschädigung*: concesión *f*; (*Ermächtigen*) autorización *f*; **2frist** *f* plazo *m* de garantía; **~leisten** (-*e*-; -) *v/t.* garantizar; responder de; **2leistung** *f* garantía *f*; fianza *f*.

Ge'wahrsam I. *m* (*-es*; *-e*) custodia *f*; depósito *m*; (*Haft*) arresto *m*; detención *f* preventiva; *in* ~ *bringen* poner en lugar seguro; *in* ~ *nehmen* (*geben*) tomar (dar) en depósito *od.* en custodia; *j-n in* ~ *bringen* llevar a alg. a la cárcel; **II.** *n* (*-es*; *-e*) (*Gefängnis*) cárcel *f*; *sicheres* ~ lugar seguro; *in* ~ *nehmen* (*verhaften*) detener.

Ge'währsmann *m* (*-es*; *⸚er od. -leute*) garante *m*, fiador *m*; (*Quelle*) autoridad *f*.

Ge'währung *f e-r Gunst*: otorgamiento *m*; *e-s Wunsches*: satisfacción *f*; *v. Kredit, Entschädigung*: concesión *f*; (*Ermächtigung*) autorización *f*.

Ge'walt *f* (*Macht*) poder *m*; potencia *f*; (*Stärke*) fuerza *f*; (*Heftigkeit*) vehemencia *f*; (*Ungestüm*) impetuosidad *f*, ímpetu *m*; (*Zwang*) violencia *f*; *moralische*: autoridad *f* (moral); *öffentliche* ~ poder público; *väterliche* (*od. elterliche*) ~ ⚖ patria potestad; *gesetzgebende* (*ausübende*) ~ poder legislativo (ejecutivo); *höhere* ~ fuerza mayor; *rohe* ~ brutalidad, fuerza bruta; violencia; *mit* ~ por la fuerza, a viva fuerza; *mit aller* ~ con toda fuerza, a la fuerza; (*um jeden Preis*) a todo trance; *mit roher* ~ por la violencia; por la fuerza bruta; *mit* ~ *aufbrechen* (*Tür, Geldschrank usw.*) forzar; ~ *anwenden* valerse (*od.* usar) de la fuerza; emplear la violencia; *j-m* ~ *antun* hacer fuerza a alg.; hacer violencia (*od.* violentar) a alg.; *e-r Frau*: violar; *in j-s* ~ *stehen* estar a merced de alg.; *in j-s* ~ *geraten* caer en poder de alg.; *in s-e* ~ *bekommen* apoderarse de; *in s-r* ~ *haben* dominar; tener en su poder; *über j-n* ~ *haben* (*moralisch*) tener autoridad (*od.* ascendiente) sobre alg.; *sich in der* ~ *haben* ser dueño de sí mismo; *Entziehung* (*od. Entzug*) *der elterlichen* ~ privación de la patria potestad; ~ *geht vor Recht* donde la fuerza oprime, la ley se quiebra; **~-androhung** *f* amenaza *f* de violencia; **~-anwendung** *f* empleo *m* de la fuerza; *ohne* ~ sin recurrir a la fuerza; **~enteilung** *f* (*0*) ⚖ separación *f* de poderes; **~handlung** *f* acto *m* de violencia; **~herrschaft** *f* despotismo *m*; tiranía *f*; **~herrscher** *m* déspota *m*; tirano *m*; **2ig I.** *adj.* poderoso; *bsd.* ⊕ potente; (*stark*) fuerte; (*heftig*) violento; vehemente; impetuoso; (*ungeheuer*) enorme, grandioso, inmenso; gigantesco, colosal; fenomenal, estupendo; tremendo; **II.** *adv.* poderosamente; (*stark*) fuertemente; (*heftig*) violentamente; con vehemencia; impetuosamente; (*ungeheuer*) enormemente, grandiosamente *usw.*; *sich* ~ *irren* estar en un gran error; equivocarse completamente; **2los** *adj. u. adv.* sin violencia; **~losigkeit** *f* (*0*) renuncia *f* a la violencia; **~marsch** *m* (*-es*; *⸚e*) marcha *f* forzada; **~maßnahme** *f* medida *f* coercitiva *bzw.* violenta *bzw.* arbitraria; **~mensch** *m* (*-en*) hombre *m* brutal; *Pol.* terrorista *m*; **~mißbrauch** *m* (*-es*; *⸚e*) abuso *m* de poder; **2sam I.** *adj.* violento; *e-s* ~*en Todes sterben* morir de muerte violenta; morir a mano airada; **II.** *adv.* violentamente, con violencia; por la fuerza, a viva fuerza; ~ *öffnen* forzar; **~samkeit** *f* violencia *f*; **~streich** *m* (*-es*; *-e*) arbitrariedad *f*; ⚔ golpe *m* de mano; **~tat** *f* acto *m* de violencia; acto *m* brutal; atrocidad *f*; atropello *m*; (*Frevel*) desafuero *m*; (*Attentat*) atentado *m*; *zu* ~*en schreiten* proceder por vías de hecho; **2tätig** *adj.* violento; (*roh*) brutal; **~tätigkeit** *f* violencia *f*; (*Roheit*) brutalidad *f*; **~verbrecher** *m* criminal *m* peligroso; **~verzicht** *m* renuncia *f* al uso de la fuerza.

Ge'wand *n* (*-es*; *⸚er od. -e*) vestido *m*; (*Kleidung*) ropas *f/pl.*; *bsd. Mal.* ropaje *m*; *Rel. u. Poes.* vestidura *f*.

ge'wandt I. *p/p. v. wenden*; **II.** *adj.* (*flink*) ágil, ligero; (*klug*) inteligente, listo; (*geschickt*) hábil, diestro; (*taktvoll*) diplomático; (*erfahren*) versado (*in dat.* en); *Stil*: fluido; ~ *sein im Umgang*: tener don de gentes; **2heit** *f* (*0*) (*Flinkheit*) agilidad *f*; (*Klugheit*) inteligencia *f*; (*Geschicklichkeit*) habilidad *f*, destreza *f*; *des Ausdrucks*: fluidez *f*; soltura *f*.

ge'wann *pret. v. gewinnen*.

ge'wärtig *adj.*: *e-r Sache* ~ *sein* esperar (*od.* aguardar) a/c.; contar con a/c.; **~en** (-) *v/t.*: *et.* ~ esperar a/c.; estar en espera de a/c.; *et. zu* ~ *haben* deber esperar a/c.; tener que contar con a/c.

Ge'wäsch *n* (*-es*; *0*) (*Unsinn*) desatinos *m/pl.*, disparates *m/pl.*; (*Klatsch*) comadrerías *f/pl.*; chismes *m/pl.*, habladurías *f/pl.*; (*Albernheit*) tonterías *f/pl.*, sandeces *f/pl.*

Ge'wässer *n* agua *f*; aguas *f/pl.*; *stilles* ~ agua mansa; *stehendes* ~ agua muerta; **~kunde** *f* (*0*) hidrología *f*.

Ge'webe *n* tejido *m* (*a. Biol.*); *Stoff*: *a.* tela *f*; *Webart*: textura *f*; **~lehre** *Biol. f* (*0*) histología *f*.

ge'weckt *adj.* despierto; despejado; vivo, vivaz; avispado, listo; **~heit** *f* (*0*) inteligencia *f* (despierta); viveza *f* de espíritu; vivacidad *f*.

Ge'wehr *n* (*-es*; *-e*) ⚔ fusil *m*; (*Stutzen*) carabina *f*; (*Jagd2*) escopeta *f*; (*Waffe*) arma *f*; ⚔ (*das*) ~ *über!* ¡sobre el hombro armas!; ~ *ab!* ¡descansen armas!; *präsentiert das* ~*!* ¡presenten armas!; *die* ~*e zusammensetzen* formar pabellones; *ins* ~ *treten* tomar las armas; ~ *bei Fuß stehen* (estar) en posición de descansen armas; *Jgdw.* defensas *f/pl.*, colmillos *m/pl.* (del jabalí); **~feuer** *n* fuego *m* de fusilería; **~kolben** *m* culata *f* (del fusil); **~kugel** *f* (-; *-n*) bala *f* de fusil; **~lauf** *m* (*-es*; *⸚e*) cañón *m* del fusil; **~pyramide** *f* pabellón *m* de armas; **~riemen** *m* portafusil *m*; **~schaft** *m* (*-es*; *⸚e*) caja *f* del fusil; **~schloß** *n* (*-sses*; *⸚sser*) cerrojo *m* del fusil; **~schrank** *m* (*-es*; *⸚e*) armario *m* para armas de fuego; **~schuß** *m* (*-sses*; *⸚sse*) disparo *m* (*od.* tiro *m*) de fusil; balazo *m*; **~ständer** *m* estante *m* de armas, armero *m*; **~stock** *m* (*-es*; *⸚e*) baqueta *f*.

Ge'weih *Jgdw. n* (*-es*; *-e*) cuerna *f*, cornamenta *f*; cuernos *m/pl.*; **~spitzen** *f/pl.* puntas *f/pl.*

ge'weiht *adj.* sagrado; ~*es Wasser* agua bendita; ~*e Stätte* santuario.

Ge'werbe *n* industria *f*; arte *f* industrial; (*Beruf*) profesión *f*; (*Handwerk*) oficio *m*; (*Beschäftigung*) ocupación *f*; (*Tätigkeit*) actividad *f*; *ein* ~ *betreiben* ejercer una profesión *bzw.* un oficio; ejercer una industria; **~aufsicht** *f* (*0*) inspección *f* del trabajo; inspección *f* industrial; **~ausstellung** *f* exposición *f* industrial; **~bank** *f* banco *m* industrial; **~betrieb** *m* (*-es*; *0*) empresa *f* industrial *bzw.* comercial; **~erlaubnis** *f* (-; *-se*) licencia *f* profesional; patente *f* industrial; **~ertragssteuer** *f* (-; *-n*) contribución *f* industrial; **~fleiß** *m* (*-es*; *0*) industria *f*; **~freiheit** *f* libertad *f* industrial; libertad *f* profesional; **~gericht** *n* (*-es*; *-e*) tribunal *m* industrial; jurado *m* de empresa; **~kammer** *f* (-; *-n*) cámara *f* industrial; **~krankheit** *f* enfermedad *f* profesional; **~kunde** *f* (*0*) tecnología *f*; **~museum** *n* (*-s*; *-museen*) museo *m* industrial (*od.* de artes y oficios); **~ordnung** *f* (*0*) reglamento *m* de industrias; **~recht** *n* (*-es*; *0*) código *m* industrial; **~schein** *m* (*-es*; *-e*) licencia *f* profesional; patente *f* industrial; **~schule** *f* escuela *f* industrial;

Span. Escuela *f* de Oficialía y Maestría Industrial; **~steuer** *f* (-; *-n*) contribución *f* industrial; impuesto *m* sobre patentes industriales; **2-steuerpflichtig** *adj.* sujeto a contribución industrial *bzw.* a impuesto sobre patentes industriales; **~treibende(r)** *m* industrial *m*; comerciante *m*; fabricante *m*; artesano *m*; **~zählung** *f* censo *m* industrial; **~-zweig** *m* (*-ės*; *-e*) rama *f* de la industria.

ge'werb|lich *adj.* industrial; (*berufsmäßig*) profesional; ~*es Eigentum* propiedad industrial; **~smäßig** *adj.* → *gewerblich*; *adv.* profesionalmente; como profesión *bzw.* oficio; **2s-zweig** *m* (*-ės*; *-e*) ramo *m* industrial (*od.* de la industria); **~tätig** *adj.* industrial; **2tätigkeit** *f* actividad *f* industrial; industria *f*.

Ge'werkschaft *f* sindicato *m*; ⚒ consorcio *m* minero; *der Internationale Bund freier* ~*en* (*Abk.* I.B.F.G.) la Confederación Internacional de Sindicatos Libres (*Abk.* C.I.S.L.); *e-r* ~ *beitreten* sindicarse; *e-e* ~ *bilden* organizar un sindicato; **~ler** *m* trabajador *m* sindicado; (*Funktionäre*) dirigente *m* sindical; **2lich** *adj.* sindical(ista); (~ *organisiert*) sindicado; *sich* ~ *organisieren* (*od. zusammenschließen*) sindicarse.

Ge'werkschafts...: **~bewegung** *f* movimiento *m* sindical; sindicalismo *m*; **~bund** *m* (*-ės*; *ᵘe*) confederación *f* de sindicatos; *der Welt*2 la Federación Sindical Mundial; **~-führer** *m* dirigente *m* sindical; **~mitglied** *n* (*-ės*; *-er*) (trabajador *m*) sindicado *m*; **~organisation** *f* organización *f* sindical; **~politik** *f* (*0*) política *f* sindical; **~verband** *m* (*-ės*; *ᵘe*) unión *f* de sindicatos; **~-wesen** *n* (*-s*; *0*) sindicalismo *m*.

ge'wesen *p/p. v. sein*.

ge'wichen *p/p. v. weichen*.

Ge'wicht *n* (*-ės*; *-e*) peso *m*; *fig. a.* importancia *f*; autoridad *f*; influencia *f*; (*Belastung, Ladung*) carga *f*; *fehlendes* ~ merma *f*; *totes* ~ peso muerto; (*Eigen*2) peso *m* propio; *Phys. das spezifische* ~ el peso específico; (*Molekular*2) peso *m* molecular; *nach dem* ~ *verkaufen* vender al peso; *volles* (*gutes*; *leichtes*) ~ *geben* dar el peso corrido (justo; mermado); *es fehlt am* ~ está falto de peso; *fig. es fällt schwer ins* ~ es muy importante; es de mucho peso; *auf et.* ~ *legen* (*ac.*) dar *od.* conceder importancia a a/c.; *e-r Sache* ~ *beimessen* atribuir importancia a a/c.; *ins* ~ *fallen* ser de peso; ~ *haben* tener (mucho) peso; **~heben** *Sport n* levantamiento *m* de peso; **2ig** *adj.* pesado; de peso; *fig.* de peso, de relieve; (*wichtig*) importante; (*ernst*) grave; **~igkeit** *f* (*0*) peso *m*; (*Wichtigkeit*) importancia *f*; (*Ernst*) gravedad *f*.

Ge'wichts...: **~abgang** *m* (*-ės*; *ᵘe*) ✝ falta *f* de peso, merma *f*; **~abnahme** *f* disminución *f* (*od.* pérdida *f*) de peso; **~angabe** *f* declaración *f* del peso; **~einheit** *f* unidad *f* ponderal (*od.* de peso); **~grenze** *f* límite *m* de peso; **~-klasse** (*Boxen*) *f* categoría *f* de peso; **~mangel** *m* (*-s*; *0*) deficiencia *f* (*od.* falta *f*) de peso; **~satz** *m* (*-es*; *ᵘe*) juego *m* de pesas; **~-schwund** *m* (*-ės*; *0*) pérdida *f* de peso; **~unterschied** *m* (*-ės*; *-e*) diferencia *f* de peso; **~verlust** *m* (*-es*; *-e*) → *Gewichtsabnahme*; **~zunahme** *f* aumento *m* de peso.

ge'wieft *adj.* astuto, ladino; taimado; maligno.

ge'wiegt *adj.* (*erfahren*) experimentado, experto; (*schlau*) taimado, ladino, astuto, F vivo, espabilado.

Ge'wieher [-'viːər] *n* (*-s*; *0*) relincho *m*; (*Gelächter*) risotadas *f/pl.*, carcajadas *f/pl.*

ge'wiesen *p/p. v. weisen*.

ge'willt *adj.*: ~ *sein zu* estar dispuesto a; tener la intención (*od.* el propósito) de.

Ge'wimmel *n* (*-s*; *0*) hormigueo *m*; hervidero *m*; (*Menge*) muchedumbre *f*, gentío *m*; aglomeración *f* de gente.

Ge'wimmer *n* (*-s*; *0*) gemidos *m/pl.*; lamentos *m/pl.*; ayes *m/pl.*; (*e-s Kindes*) gimoteo *m*; lloriqueo *m*.

Ge'winde *n* (*Blumen*2) guirnalda *f*; 𝔄 festón *m*; (*Kranz*) corona *f*; *Anat. im Ohr*: laberinto *m*; ⊕ (*Scharnier*) charnela *f*; *e-r Schraube*: rosca *f*; filete *m*; (*Mutter*2) filete *m* de tuerca; *rechtsgängiges* (*linksgängiges*) ~ rosca a la derecha (a la izquierda); ~ *schneiden* terrajar, filetear; **~bohrer** *m* terraja *f*; **~-bohrmaschine** *f* roscadora *f*; **~-bolzen** *m* perno *m* roscado; **~drehbank** *f* (-; *ᵘe*) torno *m* de filetear; **~gang** *m* (*-ės*; *ᵘe*) paso *m* del filete (*od.* de la rosca); **~lehre** *f* calibre *m* para roscas; **~schneiden** *n* terrajado *m* de filetes; *Innengewinde*: roscado *m*; **~schneidkopf** *m* (*-ės*; *ᵘe*) cabezal *m* de terrajar; *für Innengewinde*: cabezal *m* de roscar; **~-schneidmaschine** *f* roscadora *f*; **~steigung** *f* paso *m* de un tornillo; **~strähler** *m* peine *m* para roscar.

Ge'winn *m* (*-ės*; *-e*) ganancia *f*; ✝ *a.* beneficio *m*; (*Vorteil*) provecho *m*; *bsd. m.s.* lucro *m*; (*Lotterie*2) premio *m*; *reiner* ~ beneficio líquido; ~ *aus Beteiligung* beneficios de participación; ~ *aus Kapital* rentas de capital; ~ *und Verlust* ganancias y pérdidas; ~ *abwerfen*; producir ganancia; ~ *bringen* rendir beneficio; ser lucrativo; *große* ~*e erzielen* obtener grandes ganancias; *am* ~ *beteiligt sein* participar en los beneficios; *mit* (*ohne*) ~ *verkaufen* vender con (sin) ganancia; *aus et.* ~ *ziehen* sacar provecho de a/c.; **~anteil** *m* (*-ės*; *-e*) participación *f* en los beneficios; parte *f* del beneficio; (*Dividende*) dividendo *m*; *Thea. des Verfassers*: derechos *m/pl.* de autor; **~anteilschein** ✝ *m* (*-ės*; *-e*) cupón *m* (de dividendo); **~ausschüttung** *f* distribución *f* de beneficios; reparto *m* de dividendo; **~beteiligung** *f* participación *f* en los beneficios; **2bringend** *adj.* beneficioso; remunerador, lucrativo; provechoso; ventajoso.

ge'winnen (*L*; -) **1.** *v/t.* ganar (*an dat., bei* con, en); (*erwerben*) adquirir; (*erobern*) conquistar; (*erlangen*) obtener; conseguir, alcanzar; lograr; (*verdienen*) ganar; ⚒ beneficiar, extraer; ⚗ obtener; *Preis*: ganar; *Gunst*: ganarse; atraerse; *Ansehen* ~ ganar en importancia; (*Person*) ganar en consideración; adquirir renombre; *Überzeugung* ~ llegar a convencerse (*od.* a persuadirse) de; *ein anderes Aussehen* ~ cambiar de aspecto; F tomar otro cariz; *Einfluß* ~ *auf* adquirir influjo sobre; *die Oberhand über j-n* ~ superar a alg.; *den Sieg* ~ *über* (*ac.*) triunfar (*od.* alcanzar la victoria) sobre; vencer (a); *Sport*: *3:2* ~ ganar por (un tanteo de) tres a dos; *j-n zum Freunde* ~ ganarse la amistad de alg.; hacerse amigo de alg.; *Freunde* ~ hacer amistades; *j-s Herz* ~ ganarse el corazón de alg.; *Zeit zu* ~ *suchen* tratar de ganar tiempo; *Boden* ~ ganar terreno; *e-n Prozeß* ~ ⚖ ganar un pleito; *j-n für et.* ~ interesar a alg. en a/c.; *das große Los* ~ tocarle a alg. el premio mayor (F el gordo); *Geschmack* ~ *an* (*dat.*) tomar gusto a a/c.; **2.** *v/i.* (*besser werden*) mejorar (*an dat.* de); *bei et.* ~ ganar en; (*Sieger bleiben*) triunfar; *in der Lotterie* ~ ganar en la lotería; *an Klarheit* ~ ganar en claridad; *damit ist viel gewonnen* ya es una gran ventaja; con eso ya se ha adelantado mucho; *wie gewonnen, so zerronnen* los dineros del sacristán, cantando se vienen y cantando se van.

Ge'winn...: **2end** *adj.* acogedor, simpático; atrayente; ~*es Lächeln* sonrisa cautivadora (*od.* seductora); ~*es Äußeres* aspecto atractivo; porte simpático; **~er(in** *f*) *m* ganador (-a *f*) *m*; (*Sieger*) vencedor *m*; **2gierig** *adj.* ávido de ganancia; ~*er Mensch* logrero *m*; **~liste** *f* lista *f* de números premiados; (*Lotterie*) lista *f* del sorteo; **~los** *n* (*-es*; *-e*) billete *m* premiado; premio *m*; **~nummer** *f* (-; *-n*) número *m* premiado (*od.* agraciado); **~schrumpfung** *f* retroceso *m* de los beneficios; **~spanne** *f* margen *m* de beneficio; **~-steuer** *f* (-; *-n*) impuesto *m* de utilidades; **~streben** *n* (*-s*; *0*) interés *m*; afán *m* de ganancia; (*Habsucht*) codicia *f*; **2süchtig** *adj.* interesado; ávido de ganancia; codicioso; ⚖ *in* ~*er Absicht* con ánimo de lucro; **~überschuß** *m* (*-sses*; *ᵘsse*) excedente *m* de beneficios; **~-und Verlust-Konto** *n* (*-s*; *-Konten*) cuenta *f* de pérdidas y ganancias; **~ung** *f* (*Erwerbung*) adquisición *f*; ⚒ extracción *f*; explotación *f*, beneficio *m*; (*Produktion*) producción *f*; ⚗ obtención *f*; **~verteilung** *f* reparto *m* de beneficios; **~vortrag** ✝ *m* (*-ės*; *ᵘe*) traslado *m* de saldo de ganancias.

Ge'winsel *n* (*-s*; *0*) gimoteo *m*; ayes *m/pl.*; (*Kind*) lloriqueo *m*; (*Hund*) gañido *m*.

Ge'wirr *n* (*-ės*; *-e*) confusión *f*; embrollo *m*, enredo *m*; barullo *m*; (*Labyrinth*) laberinto *m*; F lío *m*.

ge'wiß (*-sser*; *-ssest*) **I.** *adj.* cierto; (*sicher*) seguro; *gewisse Leute* cierta gente; ciertas personas; *gewisse Dinge* ciertas cosas; *ein gewisser Meyer* un tal Meyer; *ein gewisses Etwas* un no sé qué; *in gewisser Hinsicht* (*od. Beziehung*) en cierto modo; *s-r Sache ~ sein* saber con toda certeza (*od.* seguridad) a/c.; saber a ciencia cierta a/c.; saber positivamente a/c.; *so viel ist ~, daß* ... lo cierto es que ...; **II.** *adv.* por cierto; ciertamente, con certeza; seguramente; sin duda, indudablemente; *ganz ~* con toda certeza; *aber ~!* ¡claro que sí!; *~!* ciertamente; sí, por cierto; *Am.* ¿cómo no?; *~ nicht!* no, por cierto; claro que no; desde luego que no.

Ge'wissen *n* conciencia *f*; *mit gutem ~* en conciencia; sin cargo de conciencia; *nach bestem Wissen und ~* según mi leal saber y entender; *ein reines ~ haben* tener la conciencia limpia; *ein ruhiges ~ haben* tener la conciencia tranquila; *ein gutes* (*schlechtes*) *~ haben* tener satisfacción (remordimiento) de conciencia; *ein weites ~ haben* tener ancha la conciencia; F tener la manga ancha; *et. auf dem ~ haben* tener a/c. sobre la conciencia; *sein ~ entlasten* descargar la conciencia; *sein ~ prüfen* (*od. erforschen*) hacer examen de conciencia; *j-m ins ~ reden* apelar a la conciencia de alg.; *sich ein ~ aus et. machen* considerar a/c. como un cargo de conciencia; *um sein ~ zu beruhigen* para tranquilizar su conciencia; *das ~ schlägt ihm* le remuerde la conciencia; **2haft** *adj.* concienzudo; (*peinlich ~*) escrupuloso; (*sorgfältig*) esmerado; *~ arbeiten* trabajar a conciencia; **~haftigkeit** *f* (*0*) escrupulosidad *f*; esmero *m*; escrúpulo *m*; **2los** *adj.* (*-est*) sin conciencia; sin escrúpulo; *adv. ~ handeln* obrar de mala fe; **~losigkeit** *f* (*0*) falta *f* de conciencia; falta *f* de escrúpulos; (*Unredlichkeit*) deslealtad *f*; mala fe *f*.

Ge'wissens...: **~angst** *f* (*-; ¨e*), **~bisse** *m/pl.* remordimiento *m* de conciencia; **~frage** *f* caso *m* de conciencia; **~freiheit** *f* (*0*) libertad *f* de conciencia; **~konflikt** *m* (*-es; -e*) conflicto *m* de conciencia; **~prüfung** *f* examen *m* de conciencia; **~zwang** *m* (*-es; 0*) (*v. außen*) coacción *f* moral; *bsd. Rel.* intolerancia *f* religiosa; (*innerlicher ~*) imperativo *m* de la conciencia; **~zweifel** *m* escrúpulo *m* de conciencia.

gewisser'maßen [ɑ:] *adv.* en cierto modo; hasta cierto punto; por así decirlo.

Ge'wißheit *f* certeza *f*, certidumbre *f*; *augenscheinliche ~* evidencia *f*; *mit voller ~* con toda (*od.* absoluta) certeza; *zur ~ werden* convertirse en realidad; confirmarse; *~ erlangen* adquirir la certeza de; *sich ~ verschaffen* cerciorarse (*über ac.* de).

Ge'witter *n* tormenta *f* (*a. fig.*); *es ist ein ~ im Anzug* el tiempo está de tormenta; amenaza tormenta; *ein ~ geht nieder* (*od. bricht los*) se desencadena una tormenta (*über ac.* sobre); *das ~ ist vorüber* ya ha pasado la tormenta; **~bö** *f* ráfaga *f* tormentosa; **~front** *f* frente *m* tormentoso; **~himmel** *m* (*-s; 0*) cielo *m* tormentoso; **2ig** *adj.* de tormenta, tormentoso; ⚓ borrascoso; **~luft** *f* (*0*) atmósfera *f* cargada; **2n** (*-re; -*) *v/unprs.*: *es gewittert* hay tormenta; **~nacht** *f* (*-; ¨e*) noche *f* de tormenta; **~neigung** *f* amenaza *f* de tormenta; **~regen** *m*, **~schauer** *m* aguacero *m*, chubasco *m*; **2schwül** *adj.* sofocante, bochornoso; **~schwüle** *f* (*0*) bochorno *m*; **~störungen** *f/pl.* perturbaciones *f/pl.* atmosféricas; **~wolke** *f* nube *f* de tormenta, nubarrón *m*.

ge'witz(ig)t *adj.* escarmentado; (*schlau*) ladino; listo, avispado.

ge'woben *p/p. v. weben.*

Ge'woge *n* (*-s; 0*) ondulación *f*; undulación *f*; (*Menge*) aglomeración *f* de gente; apretura *f*; F barullo *m*.

ge'wogen I. *p/p. v. wägen u. wiegen*; **II.** *adj.* (*wohlwollend*) benévolo; (*geneigt*) favorable, propicio; *j-m ~ sein* tener afecto a alg.; **2heit** *f* (*0*) benevolencia *f*; afecto *m*, afección *f*; simpatía *f*; bienquerencia *f*.

ge'wöhnen (*-*) **1.** *v/t.* acostumbrar (*an ac.* a); habituar a; (*vertraut machen*) familiarizar (con); **2.** *v/refl. sich ~* acostumbrarse (*an ac.* a); habituarse a; adquirir el hábito de; (*sich vertraut machen*) familiarizarse con; *sich an ein Klima ~* aclimatarse (*a. fig.*); *man gewöhnt sich an alles* se acostumbra uno a todo.

Ge'wohnheit *f* hábito *m*; (*Sitte*) costumbre *f*; (*Brauch*) uso *m*; usanza *f*; (*Routine*) rutina *f*; *e-e alte ~* una vieja costumbre; *die Macht der ~* la fuerza de la costumbre; *aus ~* por costumbre; *e-e ~ annehmen* adquirir una costumbre, contraer un hábito; *die ~ annehmen, zu* (*inf.*) acostumbrarse a (*inf.*), habituarse a (*inf.*); *die ~ haben, zu* (*inf.*) tener la costumbre de (*inf.*); acostumbrar *od.* soler (*inf.*); *sich et. zur ~ machen* acostumbrarse *od.* habituarse a a/c.; *zur ~ werden* convertirse en hábito; *aus der ~ kommen* perder la costumbre de; deshabituarse.

Ge'wohnheits...: **2mäßig I.** *adj.* habitual; acostumbrado; rutinario; **II.** *adv.* habitualmente; **~mensch** *m* (*-en*) (hombre *m*) rutinero *m*; **~recht** ⚖ *n* (*-es; -e*) derecho *m* consuetudinario; **~trinker(in** *f*) *m* bebedor(a *f*) *m* habitual; **~verbrecher** *m* delicuente *m* habitual.

ge'wöhnlich I. *adj.* (*allgemein*) general; (*zur Gewohnheit geworden*) habitual, acostumbrado; (*herkömmlich*) usual; (*regelmäßig*) regular; (*gangbar*) corriente; (*mittelmäßig*) mediocre; mediano; (*gemein*) común, ordinario (*a. desp.*); (*vulgär*) vulgar, bajo; (*abgedroschen*) trivial; *zur ~en Stunde* a la hora acostumbrada; **II.** *adv.* ordinariamente, de ordinario, habitualmente; (*im allgemeinen*) en general, por lo general; comúnmente; (*vulgär*) vulgarmente; (*abgedroschen*) trivialmente; *wie ~* como de costumbre, como siempre; *et. ~ tun* acostumbrar (*od.* tener la costumbre de) hacer a/c.; *~* (*vulgär*) *werden* caer en la ordinariez; **2e(s)** *n*: lo ordinario, lo general, lo corriente; (*Gemeine*) lo común; (*Vulgäre*) lo vulgar.

ge'wohnt *adj.* habituado, acostumbrado; → *gewöhnlich*; *et.* (*od. an et. ac.*) *~ sein* estar habituado (*od.* acostumbrado) a a/c.; *in ~er Weise* en la forma acostumbrada; como de costumbre; **~er'maßen** *adv.* acostumbradamente; por costumbre; de costumbre.

Ge'wöhnung *f* habituación *f*; *~ an ein Klima* aclimatación *f* (*a. fig.*).

Ge'wölbe *n* bóveda *f*; *unterirdisches ~* bóveda subterránea; (*Grab2*) cripta *f*; (*Festungs2*) casamata *f*; **~bogen** *m* arco *m* de bóveda; **~stein** *m* (*-es; -e*) dovela *f*; **~träger** *m* soporte *m* de bóveda.

ge'wölbt *adj.* abovedado; arqueado; ovalado.

Ge'wölk *n* (*-es; 0*) nubes *f/pl.*; (*dunkles*) nubarrones *m/pl.*

ge'wonnen I. *p/p. v. gewinnen*; **II.** *adj.*: *~es Spiel haben* tener el juego ganado.

ge'worben *p/p. v. werben.*

ge'worden *p/p. v. werden.*

ge'worfen *p/p. v. werfen.*

Ge'wühl *n* (*-es; 0*) (*Verwirrung*) confusión *f*; (*Menge*) multitud *f*, gentío *m*; apretura *f*; (*Lärm*) barullo *m*, bulla *f*, F jaleo *m*; *im ~ der Schlacht* en el fragor de la batalla; en lo más recio de la pelea.

ge'wunden I. *p/p. v. winden*; **II.** *adj.* sinuoso; tortuoso; serpenteado; (*verdreht*) retorcido.

ge'würfelt *adj.* (*Papier*) cuadriculado; (*Stoff*) a cuadros.

Ge'würm *n* (*-es; -e*) gusanos *m/pl.*; (*Kriechtiere*) sabandijas *f/pl.*; *fig.* bichos *m/pl.*

Ge'würz *n* (*-es; -e*) especia *f*; (*Würzung*) condimento *m*; *an et. ~e tun* condimentar *od.* sazonar a/c.; **~handel** *m* (*-s; 0*) especiería *f*; **~händler** (**-in** *f*) *m* especiero (-a *f*) *m*; **~handlung** *f* especiería *f*; **~kräuter** *n/pl.* especias *f/pl.*; **~nelke** *f* clavo *m*; **2t** *adj.* condimentado, sazonado; (*aromatisch*) aromático; **~waren** *f/pl.* especias *f/pl.*; **~wein** *m* (*-es; -e*) vino *m* aromatizado.

ge'wußt *p/p. v. wissen.*

ge'zackt, ge'zahnt, ge'zähnt *adj.* ⊕ dentado; ▨ dentellado; danchado.

Ge'zänk *n* (*-es; 0*), **Ge'zanke** *n* (*-s; 0*) altercado *m*; disputa *f*; F bronca *f*; pelotera *f*.

Ge'zappel *n* (*-s; 0*) agitación *f*, inquietud *f*.

ge'zeichnet *adj.* (*unterschrieben*) firmado; *auf Briefen usw.*: *~* (*Abk.* gez.) firmado (*Abk.* Fdo.); *vom Tode ~* marcado por la muerte; *~er Betrag* cantidad suscrita; † *voll ~* totalmente suscrito.

Ge'zeiten *pl.* marea *f*; flujo *m* y reflujo; **~kraftwerk** *n* (*-es; -e*) central *f* eléctrica de aprovechamiento de las mareas; central *f* mareomotriz; **~strom** *m* (*-es; ¨e*) corriente *f* de marea; **~tafel** *f* (*-; -n*) tabla *f* de mareas; **~wechsel** *m* cambio *m* de marea.

Ge'zeter *n* (*-s; 0*) gritos *m/pl.*; vociferación *f*; griterío *m*; clamoreo *m*.

ge'ziehen *p/p. v. zeihen.*

ge'ziemen (*-*) *v/i.*, *v/unprs. u. v/refl.*: *sich ~* convenir; *wie es sich geziemt* convenientemente; como es debido; en debida forma; como debe ser; **~d** *adj.* conveniente; (*anständig*) decente, decoroso; (*ge-*

hörig) debido; *mit ~em Respekt* con el debido respeto.
Ge'zier|e *n* (*-s; 0*) (*Ziererei*) remilgos *m/pl.*; melindres *m/pl.*, dengues *m/pl.*; **2t** *adj.* afectado; amanerado; (*zimperlich*) remilgado, melindroso; → *gekünstelt*; **~t-heit** *f* afectación *f*; amaneramiento *m*; remilgo *m*; melindre *m*.
Ge'zisch *n* (*-es; 0*) silbidos *m/pl.*; *spöttisches*: pita *f*, abucheo *m*; **~el** *n* (*-s; 0*) cuchicheo *m*; bisbiseo *m*.
ge'zogen I. *p/p. v.* ziehen; **II.** *adj. Gewehrlauf*: rayado.
Ge'zücht *n* (*-es; -e*) raza *f*; *desp.* engendro *m*; (*Sippschaft*) *desp.* ralea *f*.
ge'zuckert *adj.* azucarado.
Ge'zweig *n* (*-es; 0*) ramaje *m*; ramas *f/pl*.
Ge'zwitscher *n* (*-s; 0*) gorjeo *m*; trinos *m/pl.*; *fig.* F parloteo *m*.
ge'zwungen I. *p/p. v.* zwingen; **II.** *adj.* violento; forzado; (*affektiert*) afectado; *Lachen*: risa *f* falsa, F *fig.* risa *f* del conejo; **2heit** *f* (*0*) afectación *f*; constreñimiento *m*.
'Ghana *n* Ghana *f*.
Gibel'line *Hist. m* (*-n*) gibelino *m*.
Gicht[1] *Met. f* (*Hochofenladung*) carga *f*; (*Hochofenmündung*) boca *f* de alto horno.
Gicht[2] ⚕ *f* (*0*) gota *f*; *an ~ leidend* gotoso *m*; **'~anfall** *m* (*-es; ⸗e*) ataque *m* de gota; **'2artig** *adj.* gotoso; **'~gas** *Met. n* (*-es; -e*) gas *m* de alto horno; **'~knoten** ⚕ *m* nódulo *m* gotoso, tofo *m*; **'2krank** *adj.* gotoso; **'~kranke(r** *m*) *m/f* enfermo (-a *f*) *m* de gota; gotoso (-a *f*) *m*.
'Giebel △ *m* frontón *m*; (*abgetreppter ~*) frontispicio *m* escalonado; **~dach** *n* (*-es; ⸗er*) remate *m*; (*Winkel*) aguilón *m*; **~feld** *n* (*-es; -er*) tímpano *m*; **2förmig** *adj.* (*spitz*) puntiagudo; cónico; **~seite** *f* frontispicio *m*; **~stube** *f*, **~zimmer** *n* buhardilla *f*, sotabanco *m*; habitación *f* abuhardillada; **~wand** *f* (*-; ⸗e*) hastial *m*.
'Giekbaum ⚓ *m* (*-es; ⸗e*) palo *m* de cangrejo.
'Gier *f* (*0*) avidez *f* (*nach* de); afán *m*, ansia *f* (de); (*Hab2*) codicia *f*; (*Freß2*) voracidad *f*; glotonería *f*; **2en** *v/i.*: *nach* et. *~* anhelar a/c.; codiciar a/c.; ⚓ dar guiñadas; **2ig** *adj.* ávido (*nach* de); (*freß~*) voraz; glotón; (*hab~*) codicioso.
'Gieß|bach *m* (*-es; ⸗e*) torrente *m*; **2en** (*L*) **1.** *v/t.* verter; echar (*in ac.* en); (*ver~*) extender (*auf, über ac.* sobre); (*verschütten*) derramar (*über ac.* sobre); ⊕ (*formen*) vaciar, moldear; *in Sand ~* colar *od.* fundir en arena; *Metall, Glas*: fundir; *Blumen*: regar; *fig. Öl ins Feuer ~* echar leña al fuego; **2.** *v/i. u. v/unprs.*: es gießt llueve a cántaros; está diluviando; **~en** *n Met.* fundición *f*; colada *f*; *der Blumen*: riego *m*; **~er** *m* fundidor *m*; (*Former*) vaciador *m*.
Gieße'rei *f* fundición *f*; **~fachmann** *m* (*-es; ⸗er od. -fachleute*) técnico *m* de fundición; **~meister** *m* maestro *m* fundidor.
'Gieß...: **~form** *f* molde *m* de fundición; **~grube** *f* foso *m* de colada; **~kanne** *f* regadera *f*; **~kelle** *f* cuchara *f* de fundidor (*od.* de colada); **~maschine** *f* máquina *f* de moldeo; **~pfanne** *f* caldero *m* de colada; **~rinne** *f* canal *m* de colada.
Gift *n* (*-es; -e*) veneno *m* (*a. fig.*); *bsd. Liter.* ponzoña *f*; *bsd.* ⚕ tóxico *m*; *j-m ~ geben* (*ihn vergiften*) envenenar a alg.; *~ nehmen* (*sich vergiften*) envenenarse; *fig. ~ und Galle speien* echar venablos (*od.* echar sapos y culebras); *fig. da will ich ~ drauf nehmen* apostaría la cabeza (*od.* el tipo).
'Gift...: **~becher** *m* copa *f* de veneno; *Hist.* cicuta *f*; **~blase** *f* vesícula *f* del veneno; **2fest** *adj.* inmune (contra el veneno); inmunizado; *~ machen* inmunizar; **2frei** *adj.* atóxico, exento de su(b)stancias tóxicas; inofensivo; **~gas** ⚔ *n* (*-es; -e*) gas *m* tóxico (*od.* asfixiante); **2grün** *adj.* (verde) cardenillo; **2ig** *adj. Pflanzen, Tiere usw.*: venenoso (*a. fig.*); *bsd. Liter.* ponzoñoso; ⚕ tóxico; virulento (*a. fig.*); (*vergiftet*) envenenado; emponzoñado; *fig.* mordaz; (*boshaft*) malicioso; *~e Zunge* lengua viperina; *~e Ausdünstung* miasma *m*; **~igkeit** *f* (*0*) venenosidad *f* (*a. fig.*); ⚕ toxicidad *f*; virulencia *f* (*a. fig.*); *fig.* mordacidad *f*; (*Wut*) furia *f*; (*Boshaftigkeit*) malicia *f*; malignidad *f*; **~kunde** *f* (*0*) toxicología *f*; **~mischer(in** *f*) *m* envenenador(a *f*) *m*; **~mittel** *n* antídoto *m*; **~mord** *m* (*-es; -e*) asesinato *m* por envenenamiento; **~mörder(in** *f*) *m* envenenador(a *f*) *m*; **~nudel** F *f* (*-; -n*) (*Person*) F mal bicho *m*; (*Zigarre*) tagarnina *f*; **~pfeil** *m* (*-es; -e*) flecha *f* envenenada; **~pflanze** ♀ *f* planta *f* venenosa; **~pilz** ♀ *m* (*-es; -e*) hongo *m* venenoso; seta *f* venenosa; **~schlange** *Zoo. f* serpiente *f* venenosa; **~stoff** *m* (*-es; -e*) tóxico *m*, materia *f* tóxica; (*Toxin*) toxina *f*; **~zahn** *m* (*-es; ⸗e*) diente *m* venenoso.
Gig ⚓ *n* (*-s; -s*) canoa *f* del comandante; esquife *m*.
Gi'gant *m* (*-en*) gigante *m*; **2isch** *adj.* gigantesco.
'Gilde *f Hist.* gremio *m* (de artesanos); corporación *f*.
'Gimpel *m Orn.* pinzón *m*; *fig.* tonto *m*, babieca *m*, papanatas *m*; F primo *m*; **~fang** *fig. m* (*-es; 0*) engañabobos *m*.
Gin [dʒɪn] *m* (*-s; -s*) ginebra *f*.
ging *pret. v.* gehen.
'Ginster ♀ *m* retama *f*, genista *f*.
'Gipfel *m* cumbre *f*, *spitz zulaufender*: cima *f* (*beide a. fig.*); *e-s Baumes*: copa *f*; *e-s Tempels, e-s Gebäudes*: pináculo *m*; *fig.* (*Höhepunkt*) apogeo *m*, culminación *f*; cúspide *f*; (*Spitze*) ápice *m* (*a. fig.*); *fig. der Macht, des Ruhms*: cenit *m*, apogeo *m*; (*Übermaß*) colmo *m*; *der ~ der Frechheit* el colmo de la desvergüenza; *das ist der ~!* ¡esto es el colmo!; **~höhe** ✈ *f* techo *m*; **~konferenz** *f* conferencia *f* de alto nivel; **2n** (*-le*) *v/i.* culminar (*a. fig.*; *in dat.* en); **~punkt** *m* (*-es; -e*) punto *m* culminante (*a. fig.*).
'Gips *m* (*-es; -e*) yeso *m*; (*gebrannter*) yeso *m* calcinado; *Stuck, Kunst u.* ⚕: escayola *f*; ⚕ *in ~ legen* escayolar; **~abdruck** *m* (*-es; ⸗e*) impresión *f* en yeso; **~abguß** *m* (*-sses; ⸗sse*) modelo *m* en yeso; **~arbeit** *f* (obra *f* de) yesería *f*; **~arbeiter** *m* yesero *m*; estuquista *m*; modelador *m*; **2artig** *adj.* yesoso; **~bewurf** *f* (*-es; ⸗e*) enyesadura *f*; (*~tünche*) enlucido *m*; **~brennen** *n* calcinación *f* de yeso; **~bruch** *m* (*-es; ⸗e*) yesera *f*; **2en** (*-t*) *v/t.* enyesar; (*tünchen*) enlucir; (*stucken*) estucar; **~en** *n* enyesadura *f*; **~er** *m* yesero *m*; estuquista *m*; **~erde** *f* tierra *f* yesífera; **~figur** *f* figura *f* de escayola; **2haltig** *adj.* yesoso, yesífero; **~kelle** *f* llana *f*; **~marmor** *m* (*-s; 0*) estuco *m*; mármol *m* artificial; **~mehl** *n* (*-es; 0*) yeso *m* en polvo; **~modell** *n* (*-s; -e*) modelo *m* (*od.* vaciado *m*) en yeso; **~mörtel** *m* mortero *m* de yeso; **~ofen** *m* (*-s; ⸗*) horno *m* para calcinar yeso; **~platte** *f* lámina *f* de yeso; **~stein** *m* (*-es; -e*) piedra *f* yesosa; **~verband** *Chir. m* (*-es; ⸗e*) vendaje *m* escayolado.
Gi'raffe *Zoo. f* jirafa *f*.
Gi'rant [ʒiˑ'-] ✝ *m* (*-en*) endosante *m*.
Gi'rat [ʒiˑ'-] ✝ *m* (*-en*) endosatario *m*.
gi'rier|bar [ʒiˑ'-] ✝ *adj.* endosable; **~en** (*-*) *v/t.* endosar (*auf j-n* a favor de alg.); transferir; *e-n Wechsel auf e-e Bank ~* endosar una letra a un banco; *blanko ~* endosar en blanco.
Gir'lande *f* guirnalda *f*; △ festón *m*.
'Giro ['ʒiːroˑ] ✝ *n* (*-s; -s*) endoso *m*; giro *m*, transferencia *f*; *e-n Wechsel mit ~ versehen* endosar una letra; **~bank** *f* banco *m* de giro; **~buchung** *f* transferencia *f*; **~konto** *n* (*-s; -konten*) cuenta *f* corriente (*od.* de giro).
Giron'dist [ʒiˑ-] *m* (*-en*), **2isch** *adj.* girondino *m*.
'Giro...: **~überweisung** *f* giro *m* bancario; **~verband** *m* (*-es; ⸗e*) asociación *f* de bancos de giro; **~verbindlichkeiten** *f/pl.* pasivo *m* de las cuentas de giros; **~verkehr** *m* (*-s; 0*) operaciones *f/pl.* de giro; **~zentrale** *f* banco *m* central de giro.
'girren *v/i.* arrullar.
Gis ♪ *n* (*-; -*) sol *m* sostenido (*Dur* mayor; *Moll* menor).
Gischt *m* (*-es; -e*) espuma *f* (de las olas).
Gi'tarre *f* guitarra *f*; *~ spielen* tocar la guitarra; **~nspieler(in** *f*) *m* guitarrista *m/f*.
'Gitter *n* (*Eisen2*) reja *f*; (*~werk*) enrejado *m*; (*Garten2*) verja *f*; (*Tür2*) cancela *f*; (*Kamin2*) guardafuego *m*; *am Fenster*: reja *f*; (*Draht2*) tela *f* metálica; rejilla *f* de alambre; ▨ barras *f/pl.*; (*Geländer*) barand(ill)a *f*; ⚡ *u. Radio*: rejilla *f*; (*Rost*) parrilla *f*; **~bett** *n* (*-es; -en*) cama *f* enrejada; **~brücke** *f* puente *m* de celosía; **~fenster** *n* reja *f*; ventana *f* enrejada (*od.* de reja); **~gleichrichter** *m* rectificador *m* de rejilla; **~kondensator** *m* (*-s; -en*) condensador *m* de rejilla; **~kreis** *m* (*-es; -e*) circuito *m* de rejilla; **~masche** *f* malla *f* de la rejilla; **~mast** *m* (*-es; -e od. -en*) poste *m* (*od.* mástil *m*) de celosía; **~modula-**

tion *f* modulación *f* por rejilla; **~netz** *n* (*-es*; *-e*) *e-r Karte*: cuadrícula *f*; **~platte** *f* placa *f* de rejilla; **~spannung** *f* tensión *f* de rejilla; **~stab** *m* (*-ës*; *⸚e*) barra *f* de verja; barrote *m*; **~steuerung** *f* modulación *f* de rejilla; **~tor** *n* (*-ës*; *-e*), **~tür** *f* puerta *f* enrejada; puerta *f* de verja; **~werk** *n* (*-ës*; *-e*) enrejado *m*; enverjado *m*; celosía *f*; **~widerstand** *m* (*-ës*; *⸚e*) resistencia *f* de rejilla; **~zaun** *m* (*-ës*; *⸚e*) verja *f*, enverjado *m*; enrejado *m*.

Gla'céhandschuh [-'se:-] *m* (*-ës*; *-e*) guante *m* de cabritilla; *fig. j-n mit ~en anfassen* tratar a alg. con máxima delicadeza; cuidar de no herir la susceptibilidad de alg.

Gladi'ator [-dĭ'ɑ:-] *m* (*-s*; *-en*) gladiador *m*.

Gladi'ole ⚘ *f* gladiolo *m*.

Glanz *m* (*-es*; *0*) *leuchtender*: brillo *m* (*a. fig.*); (*blanker ~, Politur*) lustre *m* (*a. fig.*); (*Schimmer*) fulgor *m* (*a. fig.*); *fig.* (*Herrlichkeit*) esplendor *m*, mangnificencia *f*; (*Gepränge*) pompa *f*; (*Blüte*) florecimiento *m*; (*Ruhm*) gloria *f*, fama *f*; (*Luxus*) lujo *m*, boato *m*; (*Relief*) realce *m*; ⊕ (*Atlas2*) satinado *m*; *mit ~* brillantemente; *~ verleihen* dar brillo *bzw.* lustre, (*polieren*) pulir, *Metallen*: bruñir; *s-n ~ verlieren* perder el brillo; deslustrarse, empañarse; **~bürste** *f* cepillo *m* para dar lustre.

'glänzen (*-t*) **1.** *v/i.* brillar, resplandecer; lucir; (*schimmern*) relucir, refulgir; (*strahlen*) radiar; *blitzend*: centellear; *fig.* brillar; distinguirse, señalarse, destacarse (*durch* por); *jd.* lucirse; *mit et. ~* lucir a/c.; *durch Abwesenheit ~* brillar por su ausencia; **2.** *v/t.* dar brillo *od.* lustre a; (*polieren*) pulir; *Metalle*: bruñir; *Papier*: satinar; *Lackleder*: charolar; *Holz*: barnizar; *es ist nicht alles Gold, was glänzt* no es oro todo lo que reluce; **~d I.** *adj.* brillante (*a. fig.*), resplandeciente; lúcido; lustroso; (*schimmernd*) reluciente, refulgente; (*strahlend*) radiante (*a. fig.*); (*prachtvoll*) espléndido, magnífico, soberbio; (*pomphaft*) suntuoso; (*Fest, Rolle*) lucido; **II.** *adv.* brillantemente; *~ machen* → *glänzen v/t.*; *fig.* maravillosamente; divinamente; F estupendamente; *~ aussehen* tener un magnífico aspecto.

'Glanz...: ~farbe *f* color *m* brillante; **~firnis** *m* (*-ses*; *-se*) barniz *m* (*od.* laca *f*) brillante; **~garn** *n* (*-ës*; *-e*) hilo *m* satinado; **~kattun** *m* (*-s*; *0*) indiana *f* engomada; **~kobalt** *n* (*-ës*; *0*) cobalto *m* lustroso; **~kohle** *f* carbón *m* brillante; **~leder** *n* (*-s*; *0*) cuero *m* charolado; charol *m*; (*Saffian2*) tafilete *m*; **~leinen** *n* (*-s*; *0*) tela *f* engomada; **~leistung** *f* actuación *f* brillante; **2los** *adj.* sin brillo, deslucido (*a. fig.*); (*matt*) mate, opaco; (*erloschen*) extinguido; (*trübe*) empañado; **~nummer** *Thea.* *f* (*-*; *-n*) número *m* sensacional; **~papier** *n* (*-s*; *-e*) papel *m* satinado; **~pappe** *f* cartón *m* satinado; **~periode** *f* época *f* de esplendor; **~stärke** *f* (*0*) almidón *m* brillante; **~taf(fe)t** *m* (*-ës*; *-e*) tafetán *m* de lustre; **2voll** *adj.* esplendoroso; brillante; (*prachtvoll*) espléndido, magnífico, soberbio; **~weiß** *n* (*-es*; *0*) blanco *m* brillante; **~zeit** *f* → *Glanzperiode*.

'Glas *n* (*-es*; *⸚er*) cristal *m*; (*Stoff*) vidrio *m*; (*Trink2*) vaso *m*, *mit Fuß*: copa *f*; (*Brillen2*) lentes *f/pl.*; cristales *m/pl.*; (*Spiegel2*) luna *f*; (*Fern2*) gemelos *m/pl.*; prismáticos *m/pl.*; *geschliffenes* (*splitterfreies*; *beschlagsicheres*; *bruchsicheres*; *mattiertes*) *~* cristal tallado (inastillable; inempañable; irrompible; esmerilado); *Vorsicht ~!* ¡Frágil!; *aus e-m ~ trinken* beber en un vaso; *ein ~ Wein* un vaso (*bzw.* una copa) de vino; ✝ *ohne ~* sin casco; *gern ins ~ gucken* F ser aficionado a empinar el codo; *zu tief ins ~ gucken* tomar una copa de más; ⚓ (*-es*; *-en*) (*halbe Stunde*) media hora *f*; **~arbeiter** *m* vidriero *m*; **2artig** *adj.* vidrioso; vítreo; *Min.* hialino; **~auge** *n* (*-s*; *-n*) ojo *m* de cristal; **~ballon** *m* (*-s*; *-s od. -e*) bombona *f*; (*Korbflasche*) damajuana *f*; ⚗ (*Retorte*) retorta *f*; **~bläser** *m* soplador *m* de vidrio; **~bläse'rei** *f* vidriería *f*.

'Gläs·chen *n* vasito *m bzw.* copita *f*; *ein ~ zuviel* una copita de más; *ein ~ trinken* echar un trago.

'Glas|dach *n* (*-ës*; *⸚er*) tejado *m* (*od.* techo *m*) de vidrio.

'Glaser *m* vidriero *m*; **~arbeiten** *f/pl.* (trabajos *m/pl.* de) vidriería *f*.

'Glaserdiamant *m* (*-en*) diamante *m* de vidriero.

Glase'rei *f* vidriería *f*.

Glaser|handwerk *n* (*-ës*; *0*) vidriería *f*; **~kitt** *m* (*-ës*; *0*) masilla *f*.

'Gläser|klang *m* (*-ës*; *0*) choque *m* de vasos (*od.* de copas); **~korb** *m* (*-ës*; *⸚e*) vasera *f*; **2n** *adj.* de vidrio *bzw.* de cristal; vítreo; vidriado; *Min.* hialino; *bsd. fig.* vidrioso; *~er Blick* mirada vidriosa; **~tuch** *n* (*-ës*; *⸚er*) paño *m* para cristalería.

'Glas...: ~fabrik *f* vidriería *f*; fábrica *f* de vidrios; **~faden** *m* (*-s*; *⸚*) filamento *m* de vidrio; **~fenster** *n* vidriera *f*; **~flasche** *f* botella *f* de vidrio; (*Karaffe*) garrafa *f*; **~fläschchen** *n* frasco *m* de cristal; (*Phiole*) redoma *f*; **~fliese** *f* baldosa *f* de vidrio; **~fluß** *m* (*-sses*; *⸚sse*) *Glashütte*: vidrio *m* en pasta; **~gefäß** *n* (*-es*; *-e*) recipiente *m* de cristal (*od.* de vidrio); **~geschirr** *n* (*-ës*; *-e*) vajilla *f* de cristal, cristalería *f*; **~glocke** *f* campana *f* de cristal; fanal *m*; **2grün** *adj.* verde botella; (*hellgrün*) verde claro; glauco; (*seegrün*) verde mar; **~handel** *m* (*-s*; *0*) comercio *m* de cristalería; **2hart** *adj.* (*0*) duro como el vidrio; **~haus** *n* (*-es*; *⸚er*) (*Treibhaus*) invernáculo *m*, invernadero *m*; **~haut** *Anat.* *f* (*-*; *⸚e*) membrana *f* vítrea *od.* hialina; **~hütte** *f* vidriería *f*; fábrica *f* de vidrios (*od.* de cristales).

gla'sieren I. (*-*) *v/t.* (*Töpfe*) vidriar; (*firnissen*) barnizar; (*satinieren*) satinar; (*emaillieren*) esmaltar; *Kuchen*: glasear; **II. 2** *n* vidriado *m*; barnizado *m*; esmaltado *m*; glaseado *m*; satinado *m*.

'glasig *adj.* vidrioso (*a. fig.*).

'Glas...: ~industrie *f* industria *f* cristalera; industria *f* del vidrio; **~kasten** *m* (*-s*; *⸚*) vitrina *f*; **~kirsche** *f* guinda *f* garrafal; **2klar** *adj.* claro como el cristal; transparente; *Liter.* diáfano, límpido; **~kolben** *m* ⚗ matraz *m*; ⚡ bombilla *f*; **~kugel** *f* (*-*; *-n*) bola *f* de vidrio; (*hohle*) globo *m* de cristal; **~maler** *m* pintor *m* en vidrio; **~malerei** *f* pintura *f* vítrea (*od.* en vidrio); **~masse** *f* masa *f* de vidrio fundido; **~ofen** *m* (*-s*; *⸚*) horno *m* de vidriería; **~papier** *n* (*-s*; *-e*) papel *m* de lija (*od.* de esmeril); **~perle** *f* perla *f* de vidrio; **~platte** *f* placa *f* de vidrio; **~quarz** *m* (*-es*; *-e*) *Min.* cuarzo *m* hialino; **~röhre** *f* tubo *m* de cristal (*od.* de vidrio); **~sand** *m* (*-ës*; *0*) arena *f* vitrificable; **~scheibe** *f* cristal *m*, vidrio *m*; *mit ~n versehen* poner cristales; **~scherbe** *f* casco *m* de vidrio; **~schleifer** *m* pulidor *m* de vidrio; **~schrank** *m* (*-ës*; *⸚e*) vitrina *f*; **~splitter** *m* fragmento *m* de vidrio; astilla *f* de vidrio; **~stöpsel** *m* tapón *m* esmerilado; **~sturz** *m* (*-es*; *⸚e*) campana *f*; **~tür** *f* puerta *f* vidriera.

Gla'sur *f* (*Töpfer2*) vidriado *m*; (*Emaille*) esmalte *m*; (*Firnis*) barniz *m*; *für Backwerk*: glaseado *m*; **~blau** *n* (*-s*; *0*) zafre *m*; **~brand** *m* (*-ës*; *⸚e*) cocción *f* (*od.* fusión *f*) del esmalte; **~ofen** *m* (*-s*; *⸚*) horno *m* para esmaltar.

'Glas...: ~veranda *f* (*-*; *-veranden*) veranda *f* de cristales; **~versicherung** *f* seguro *m* contra rotura de vidrios; **~wand** *f* (*-*; *⸚e*) pared *f* vidriera divisoria; **~waren** *f/pl.* cristalería *f*; (*Glasschmuck*) bisutería *f* de cristal; **~warenhandlung** *n* (*-*; *-en*) tienda *f* de artículos de cristal; almacén *m* de cristalería fina; **~watte** *f* guata *f* de vidrio; **2weise** *adv.* por vasos; por copas; al copeo; **~wischer** *m* *Auto.* limpia-parabrisas *m*; **~wolle** *f* lana *f* de vidrio; **~ziegel** *m* ladrillo *m* de vidrio.

glatt (*-er od. ⸚er*; *-est od. ⸚est*) **I.** *adj.* liso; (*eben*) llano; (*flach, platt*) plano; (*geglättet*) alisado; (*schlüpfrig*) resbaladizo; escurridizo; (*unbehaart*) sin pelo, *Männergesicht*: lampiño; imberbe; (*kahl*) raso; (*glänzend*) pulido, terso; (*klar, einwandfrei*) neto; *Rechnung, Betrag, Geschäft*: redondo; *Stil*: terso, pulido; (*weich*) suave; ✈ *Landung*: normal; (*übertrieben freundlich*) empalagoso; (*katzenfreundlich*) meloso; (*schmeichelhaft*) adulador; (*einschmeichelnd*) insinuante; (*gewandt*) hábil; *~es Haar* pelo (*od.* cabello) liso; *~e See* mar llana; *~e Absage* negativa rotunda; *~er Sieg* victoria neta; *~e Lüge* pura mentira; *~er Beweis* prueba concluyente; **II.** *adv.* (*ohne Schwierigkeit*) sin dificultad; sin obstáculo; (*leicht*) fácilmente, con facilidad; (*rundweg*) rotundamente; (*offen*) francamente; (*klar*) netamente; (*einfach*) sencillamente; (*völlig*) completamente, por completo; enteramente; absolutamente, en absoluto; *~ ablehnen* rechazar de plano; *~ anliegen* venir justo; estar ceñido; *~ abgehen* desarrollarse sin (la menor) dificultad.

'Glätte *f* lisura *f*; (*Ebenheit*) llanura

f; (*Weichheit*) suavidad *f*; (*Schlüpfrigkeit*) estado *m* resbaladizo; (*Politur*) pulimento *m*; *Stil*: tersura *f*; *Min.* (*Blei*~) litargirio *m*; *fig.* maneras *f/pl.* insinuantes.

'**Glatt-eis** *n* (*-es*; *0*) superficie *f* helada; suelo *m* helado resbaladizo; *fig. j-n aufs ~ führen* embaucar a alg.; tender un lazo a alg.; **~bildung** *f* formación *f* de hielo resbaladizo.

'**Glätt-eisen** *n* pulidor *m*, bruñidor *m*.

'**glätten I.** (*-e-*) *v/t.* alisar; (*polieren*) pulir; (*mit dem Hobel*) acepillar; (*eben machen*) aplanar; nivelar; *Haut*: desarrugar; (*glänzend machen*) *Tuch*: calandrar; *Papier*: satinar; *Edelstein*: abrillantar; *Metalle*: bruñir; (*Falten entfernen*) alisar; quitar las arrugas, desarrugar; *Gerolltes*: desenrollar; desplegar; (*mit der Feile*) limar (*a. fig.*); **II.** ~ *n* alisamiento *m*; pulimento *m*; (*Ebenen*) aplanamiento *m*; (*Glänzendmachen*) *v. Metallen*: bruñido *m*; *v. Papieren*: satinado *m*; (*Kalandern*) calandrado *m*.

'**Glätter** ⊕ *m* bruñidor *m*, pulidor *m*.

'**Glatt...**: **~feile** ⊕ *f* lima *f* dulce; **~haarig** *adj.* de pelo liso; **~hobel** *m* garlopa *f*; cepillo *m*; **~hobeln** (*-le*) *v/t.* acepillar; **~machen** *v/t.* → *glätten*; *fig.* saldar; arreglar; (*bezahlen*) pagar, liquidar.

'**Glättmaschine** *f* aplanadora *f*; (*Poliermaschine*) pulidora *f*; (*Kalander*) calandria *f*; (*Satiniermaschine*) satinadora *f*.

'**glattrasiert** *adj.* afeitado pulcramente; bien apurado.

'**Glättstahl** *m* (*-es*; *⸚e*) → *Glätteisen*.

'**glatt...**: **~stellen** ☨ *v/t.* liquidar; **~stellung** ☨ *f* liquidación *f*; **~streichen** (*L*) *v/t.* alisar; **~weg** *adv.* rotundamente; (*ohne weiteres*) sin más ni más.

'**Glatz|e** *f* calva *f*; *völlige*: cabeza *f* calva; (*Kahlköpfigkeit*) calvicie *f*; *e-e ~ bekommen* quedar calvo; **~kopf** *m* (*-es*; *⸚e*) (*Person*) calvo *m*; (*Glatze*) calva *f*; **~köpfig** *adj.* calvo; **~köpfigkeit** *f* (*0*) calvicie *f*; ⚕ alopecia *f*.

'**Glaube** *m* (*-ns*; *0*), **~n** *m* (*-s*; *0*) fe *f* (*an ac.* en); (*Überzeugung*) creencia *f* (*an ac.* en); (*Bekenntnis*) credo *m*; (*Religion*) religión *f*; (*Zutrauen*) confianza *f*; (*Vertrauen*) crédito *m*; *~ an Gott* creencia en Dios; fe en Dios; *blinder ~* fe ciega; *in gutem ~n handeln* obrar de buena fe; *auf Treu und ~n* de buena fe; *~n schenken* dar crédito; creer (*ac.*); *~n finden* hallar crédito; *vom ~n abfallen* renunciar a la fe profesada; apostatar; *dem ~n abschwören* abjurar; *e-n ~n bekennen* profesar una fe; *s-n ~n wechseln* cambiar de religión; *wenn man ihm ~n schenken darf* a creerle; si ha de creérsele; *der ~ versetzt Berge* la fe todo lo puede; la fe mueve montañas.

'**glauben I.** *v/t. u. v/i.* creer; (*annehmen*) suponer; (*meinen*) pensar opinar; *j-n reich ~* creer rico a alg.; *j-n et. ~ machen* hacer a alg. creer a/c.; *das will ich ~* eso creo yo muy bien; ya lo creo; *ich glaube ja* creo que sí; *ich glaube nein* creo que no; *j-m ~* creer (*od.* dar crédito) a alg.; (*vertrauen*) confiar en (*od.* fiarse de) alg.; *j-m aufs Wort ~* creer a alg. bajo su palabra; *das dürfen Sie mir ~* bien puede usted creerme; *~ Sie mir!* ¡créame usted!; *ich glaube es Ihnen* le creo a usted; se lo creo; *an et. ~* creer en a/c.; *an j-s Versprechen ~* creer en las promesas de alg.; *an s-n Stern ~* creer en su buena estrella; *ich glaube nicht daran* no lo creo; no creo en eso; *an Gespenster ~* creer en fantasmas; *an Gott ~* creer en Dios; *wenn man ihm ~ darf* (*soll*) si ha de creérsele; *wie ich glaube* según creo; *das soll e-r ~* eso que se lo cuenten a otro (F a su abuela); *das ist kaum zu ~* parece mentira; *das ist nicht zu ~* es increíble; *wer hätte das geglaubt!* ¡quién iba a creerlo!; *felsenfest ~* creer firmemente; creer a pie juntillas; *er mußte dran glauben* tuvo que pagar las consecuencias (F los vidrios rotos); (*sterben*) hubo de morir; **II.** ~ *n* → *Glaube*.

'**Glaubens...**: **~abfall** *m* (*-es*; *0*) apostasía *f*; **~änderung** *f* cambio *m* de religión; **~artikel** *m* artículo *m* de fe; **~bekenntnis** *n* (*-ses*; *-se*) profesión *f* de fe; *das Apostolische ~* el Credo; **~bewegung** *f* movimiento *m* religioso; **~bote** *m* (*-n*) apóstol *m*; **~eifer** *m* (*-s*; *0*) celo *m* religioso; **~feind** *m* (*-es*; *-e*) enemigo *m* de la fe; **~frage** *f* cuestión *f* de fe; **~freiheit** *f* libertad *f* de cultos; **~genosse** *m* (*-n*), **~genossin** *f* correligionario (-a *f*) *m*; **~krieg** *m* (*-es*; *-e*) guerra *f* de religión; **~lehre** *f* dogma *m* (de fe); (*Unterricht*) catecismo *m*; (*Lehre v. den christlichen Glaubenssätzen*) teología *f* dogmática; **~sache** *f* materia *f* (*od.* cuestión *f*) de fe; **~satz** *m* (*-es*; *⸚e*) dogma *m*; **~spaltung** *f* cisma *m*; **~streit** *m* (*-es*; *-e*) controversia *f* religiosa; **~wert** *adj.* digno de fe; **~zwang** *m* (*-es*; *0*) coacción *f* religiosa; **~zwist** *m* (*-es*; *-e*) disidencia *f* religiosa.

'**Glaubersalz** ⚗ *n* (*-es*; *0*) sulfato *m* de sosa.

'**glaubhaft** *adj.* creíble; digno de fe, fidedigno; digno de crédito; (*authentisch*) auténtico; *~ machen* hacer creíble; (*beweisen, nachweisen*) probar, demostrar; evidenciar; **~igkeit** *f* (*0*) credibilidad *f*; (*Authentizität*) autenticidad *f*.

'**gläubig** *adj.* lleno de fe; *Rel.* creyente, fiel; (*recht~*) ortodoxo; (*leicht~*) crédulo; **~e**(**r**[1] *m*) *m/f Rel.* creyente *m/f*, fiel *m/f*.

'**Gläubiger**[2] (**~in** *f*) *m* ☨ acreedor (-a *f*) *m*; *bevorrechtigter ~* acreedor privilegiado; *die ~ befriedigen* satisfacer a los acreedores; **~aufgebot** *n* (*-es*; *-e*) convocación *f* de acreedores; **~ausschuß** *m* (*-sses*; *⸚sse*) comisión *f* de acreedores; **~land** *n* (*-es*; *⸚er*) país *m* acreedor; **~versammlung** *f* junta *f* de acreedores.

'**Gläubigkeit** *f* (*0*) fe *f* (confiada).

'**glaub|lich** *adj.* creíble; (*wahrscheinlich*) verosímil, probable; *das ist kaum ~* es casi increíble; **~würdig** *adj.* → *glaubhaft*; **~würdigkeit** *f* (*0*) credibilidad *f*; (*Authentizität*) autenticidad *f*.

gleich I. *adj.* igual; (⚹ = igual a); (*ähnlich*) parecido, semejante; similar; (*analog*) análogo; (*identisch*) idéntico; (*~wertig*) equivalente; (*~förmig*) uniforme; (*~gültig*) indiferente; *der, die, das ~e* el mismo, la misma, lo mismo; *er ist immer der ~e* sigue siendo el que era (*od.* el mismo); *das ~e* lo mismo, la misma cosa; *das ist ~* es igual; es la misma cosa; es lo mismo; *aufs ~e hinauslaufen* venir a ser lo mismo; *aus dem ~en Grunde* por la misma razón; *mit ~em Recht* con el mismo derecho; *mit gleichen Rechten und Pflichten* con los mismos derechos y obligaciones; *von ~em Alter* de la misma edad; *von ~er Art* de la misma especie (*od.* clase); *in ~er Weise* de la misma manera, de igual modo, igualmente; *auf ~er Stufe* (*ebenbürtig*) al mismo nivel de, a la par; *in ~em Schritt* al mismo paso; *zu ~er Zeit* al mismo tiempo; *~e Ursachen, ~e Wirkungen* las mismas causas producen siempre los mismos efectos; *zu ~en Teilen* a partes iguales; *in ~er Entfernung, in ~em Abstand* a igual distancia; *mit ~en Waffen* con armas iguales; con las mismas armas; *mit ~em Maß messen* (*unparteilich sein*) tratar por igual; *mit ~er Post* ☨ por separado; *mit j-m auf ~em Fuße stehen* estar en pie de igualdad con alg.; *fig. j-m mit ~er Münze heimzahlen* pagar a alg. con la misma moneda; *das ist ihm ~* eso le es igual; igual le da; *~ und ~ gesellt sich gern* cada oveja con su pareja; **II.** *adv.* (*augenblicklich*) al instante; (*auf der Stelle*) en el acto; (*sofort, so~*) inmediatamente, en seguida; (*in ~er Weise*) de la misma manera, de igual modo, igualmente; (*gerade*) justamente; *~!* ¡un momento!; *~ jetzt* ahora mismo; *~ hier* aquí mismo; *~ nachher* luego; después; *~ heute* hoy mismo; *~ anfangs* desde un principio; ya al comienzo; *~ darauf* acto seguido; al poco rato; inmediatamente después; *ich bin ~ wieder da* vuelvo en seguida; *er kommt ~, er wird ~ kommen* viene en seguida; va a venir ahora; no tardará en venir; *~ et. tun* ir a hacer a/c.; *~ bei s-r Ankunft* inmediatamente después de su llegada; a su llegada; *~ hoch* (*breit; tief*) de la misma altura (anchura; profundidad); *~ groß* del mismo tamaño; *~ gegenüber* directamente enfrente; *~ weit entfernt* a igual distancia; *~ viel* otro tanto; *~ als wenn* (*od. ob*) como si (*subj.*), igual que si (*subj.*); *wie heißt er doch ~?* ¿cómo se llama?, ¿cuál es su nombre?; *das dachte ich mir doch ~!* ya me lo había figurado; *das ist ~ geschehen* es cosa de un momento; **III.** *prp.* (*dat.*) *~wie* igual que; *~ e-m König* como un rey.

'**gleich...**: **~alt(e)rig** *adj.* de la

misma edad; **~artig** *adj.* de la misma especie (*od.* naturaleza); homogéneo; similar; (*einförmig*) uniforme; (*identisch*) idéntico; **2artigkeit** *f* homogeneidad *f*; similitud *f*; (*Einförmigkeit*) uniformidad *f*; (*Identität*) identidad *f*; igualdad *f*; **~bedeutend** *adj.* idéntico (*mit* a); (*gleichwertig*) equivalente (*mit* a); *Gr.* (*sinnverwandt*) sinónimo (*mit* de); **~berechtigt** *adj.* con los mismos derechos; *als ~er Partner* como socio con iguales derechos; **2berechtigung** *f* (*0*) *Pol.* igualdad *f* de derechos; **~bleiben** (*L*; *sn*) *v/refl.*: *sich ~* permanecer invariable; quedar igual; no cambiar; **~bleibend** *adj.* invariable; ⚹ constante; (*stabil*) estable; *Stimmung*: indiferente; **~denkend** *adj.* de igual modo de pensar.

ˈ**gleichen** (*L*) *v/i. u. v/refl.* (*gleichkommen*) igularse a *od.* con alg. (*in dat.* en); (*ähneln*) parecerse, asemejarse, semejar a; *sie ~ sich wie ein Ei dem anderen* se parecen como dos gotas de agua.

ˈ**gleicher|gestalt, ~maßen, ~weise** *adv.* de igual forma; de la misma manera, de igual modo; igualmente.

ˈ**Gleiche**(**s**) *n* lo mismo; la misma cosa; *ein ~s tun* hacer lo mismo; *aufs 2 hinauslaufen* venir a ser lo mismo; *~s mit ~m vergelten* pagar en (*od.* con) la misma moneda.

ˈ**gleich...**: **~falls** *adv.* igualmente; asimismo; *danke, ~!* ¡gracias, igualmente!; **~farbig** *adj.* del mismo color; **~förmig** *adj.* (*übereinstimmend*) conforme; (*einförmig*) uniforme; (*eintönig*) monótono; (*unveränderlich*) invariable; (*beharrlich*) constante; ⊕ homogéneo; ⚹ (*Figur*) simétrico; (*ähnlich*) semejante; análogo; (*~bleibend*) igual; **2förmigkeit** *f* (*0*) conformidad *f*; (*Einförmigkeit*) uniformidad *f*; (*Eintönigkeit*) monotonía *f*; (*Unveränderlichkeit*) invariabilidad *f*; (*Beharrlichkeit*) constancia *f*; ⊕ homogeneidad *f*; ⚹ (*der Figuren*) simetría *f*; **~geschlechtlich** *adj.* del mismo sexo; ⚘ homosexual; **~gesinnt** *adj.* animado por los mismos sentimientos; **~gestellt** *adj.* de la misma categoría; asimilado (*mit* a); equiparado (*mit* a); (*gleichberechtigt*) con iguales derechos; (*gleichwertig*) equivalente; **~gestimmt** *adj.* ♪ al unísono; *fig.* → *gleichgesinnt*; **2gewicht** *n* (*-es*; *0*) equilibrio *m* (*a. fig.*); *stabiles* (*labiles*) *~* equilibrio estable (inestable); *ins ~ bringen* equilibrar; *sich im ~ befinden* estar en equilibrio; *das ~ halten* (*verlieren*; *wiederfinden*; *wiederherstellen*; *stören*) mantener (perder; volver a hallar; restablecer; alterar) el equilibrio; *sich* (*gegenseitig*) *das ~ halten* equilibrarse; *aus dem ~ bringen* desequilibrar; *e-r Sache das ~* (*Gegengewicht*) *halten* contrabalancear a/c.; **2gewichtslage** *f* posición *f* de equilibrio; **2gewichts-sinn** *m* (*-es*; *0*) sentido *m* del equilibrio; **2gewichts-störung** *f* alteración *f* (*od.* perturbación *f*) del equilibrio; **2gewichts-übung** *f* ejercicio *m* de equilibrio; **2gewichts-zustand** *m* (*-es*; *0*) estado *m* de equilibrio; **~gültig** *adj.* indiferente (*gegen* a); indolente; (*gefühllos*) insensible (*gegen* a); (*stumpf*) apático; *das ist ihm ~* eso le es indiferente (*od.* igual); *~ was du machst* es igual hagas lo que hagas; **2gültigkeit** *f* indiferencia *f*; indolencia *f*; (*Gefühllosigkeit*) insensibilidad *f*; (*Stumpfheit*) apatía *f*; **2heit** *f* igualdad *f*; (*Identität*) identidad *f*; (*Parität*) paridad *f*; (*Gleichförmigkeit*) conformidad *f*; (*Einförmigkeit*) uniformidad *f*; (*Gleichartigkeit*) homogeneidad *f*; *~ vor dem Gesetz* igualdad ante la ley; **2heitszeichen** ⚹ *n* signo *m* de igualdad; **2klang** *m* (*-es*; *⁼e*) ♪ unisonancia *f*; (*Akkord*) acorde *m*; (*Harmonie*) armonía *f*; (*Reim*) consonancia *f*; *v. Wörtern*: homonimia *f*; **~kommen** (*L*; *sn*) *v/i.* equivaler a (*in dat.* en); *j-m ~* igualar a alg. (*an, in dat.* en); **2lauf** ⊕ *m* (*-es*; *0*) sincronismo *m*; (*Synchronisierung*) sincronización *f*; **~laufend** *adj.* paralelo; **~lautend** *adj.* (*Text*) igual, idéntico; † conforme; *Gr.* (*Wort*) homónimo; *für ~e Abschrift* por copia conforme; *~ buchen* asentar de conformidad; **~machen** *v/t.* igualar; (*einebnen*) nivelar; aplanar; *dem Erdboden ~* arrasar; **2macher** *n* igualador *m*; nivelador *m* (*beide a. fig.*); **2maß** *n* (*-es*; *0*) proporción *f*; simetría *f*; **~mäßig** *adj.* proporcionado; simétrico; (*einförmig*) uniforme; (*homogen*) homogéneo; (*regelmäßig*) regular; **2mäßigkeit** *f* simetría *f*; proporcionalidad *f*; (*Einförmigkeit*) uniformidad *f*; (*Gleichartigkeit*) homogeneidad *f*; (*Regelmäßigkeit*) regularidad *f*; **2mut** *m* (*-es*; *0*) ecuanimidad *f*; tranquilidad *f* de ánimo; (*Ruhe*) calma *f*; sosiego *m*; serenidad *f*; (*Unerschütterlichkeit*) impasibilidad *f*; **~mütig** *adj.* ecuánime; (*ruhig*) sosegado; tranquilo; sereno; (*unerschütterlich*) impasible; **~namig** *adj.* del mismo nombre; del mismo apellido; *Gr.* homónimo; ⚹ *~ machen* reducir a un común denominador; **2nis** *n* (*-ses*; *-se*) (*Allegorie*) alegoría *f*; (*Symbol*) símbolo *m*; (*Metapher*) metáfora *f*; (*Bild*) imagen *f*; (*Vergleich*) comparación *f*; *Bib.* parábola *f*; **~nishaft** *adj.* (*allegorisch*) alegórico; (*symbolisch*) simbólico; (*metaphorisch*) metafórico; *Bib.* parabólico; **~rangig** *adj.* de la misma categoría; (*gleichwertig*) equivalente; **~richten** (*-e-*) ⚡ *v/t.* rectificar; **2richter** ⚡ *m* rectificador *m*; **2richterröhre** ⚡ *f* válvula *f* rectificadora; **2richtung** ⚡ *f* rectificación *f*; **~sam** *adv.* (*sozusagen*) por así decir; como quien dice; (*einigermaßen*) en cierto modo; (*ungefähr*) poco más o menos; *~ als ...* (*als ob*) como si (*subj.*); **~schalten** (*-e-*) *v/t.* coordinar; (*vereinheitlichen*) unificar; ⊕ sincronizar; **2schaltung** *f* coordinación *f*; (*Vereinheitlichung*) unificación *f*; ⊕ sincronización *f*; **~schenk**(**e**)**lig** ⚹ *adj.* isósceles; **2schritt** *m* (*-es*; *0*) paso *m* acompasado; *im ~ marschieren* marchar a compás; **~sehen** (*L*) *v/i.* parecerse, semejar(se); **~seitig** ⚹ *adj.* equilátero; **2seitigkeit** ⚹ *f* (*0*) igualdad *f* de lados; **~setzen** (*-t*), **~stellen** *v/t.* equiparar; igualar; poner en la misma categoría; poner al mismo nivel; (*vergleichen*) comparar; **2stellung** *f* equiparación *f*; igualación *f*; asimilación *f*; nivelación *f*; **2strom** ⚡ *m* (*-es*; *⁼e*) corriente *f* continua; **2stromleitung** ⚡ *f* línea *f* de corriente continua; **2strommotor** *m* (*-s*; *-en*) motor *m* de corriente continua; **2takt** *m* (*-es*; *0*) sincronismo *m*; **~tun** (*L*) *v/t.*: es *j-m ~* imitar a alg.; competir con alg.; *es j-m ~ wollen* intentar hacer lo mismo que alg.; **2ung** ⚹ *f* ecuación *f*; *algebraische ~* ecuación algebraica; *~ ersten* (*zweiten*) *Grades* ecuación de primer (segundo) grado; *e-e ~ auflösen* resolver una ecuación; **~viel** *adv.* otro tanto; *~ wer* no importa quién; *~ ob* tanto importa que (*subj.*); poco importa que (*subj.*); **~wertig** *adj.* equivalente (*mit* a); igual; del mismo valor; *~ sein mit* ser del mismo valor que; equivaler a; ser equivalente a; **2wertigkeit** *f* (*0*) equivalencia *f*; **~wie** *adv.* como; lo mismo que; igual a, al igual de; **~wink**(**e**)**lig** ⚹ *adj.* equiángulo; **~wohl** *adv.* sin embargo, no obstante; con todo; **~zeitig I.** *adj.* simultáneo; (*zeitgenössisch*) contemporáneo (*mit* de); coetáneo; **II.** *adv.* simultáneamente, al mismo tiempo; **2zeitigkeit** *f* (*0*) simultaneidad *f*; sincronismo *m*; **~ziehen** (*L*) *v/i.* *Sport*: *mit j-m ~* alcanzar a alg.

ˈ**Gleis** *n* (*-es*; *-e*) → *Geleise*; **~abschnitt** *m* (*-es*; *-e*) sector *m* de vía; **~anlage** *f* rieles *m/pl.*, railes *m/pl.*, vías *f/pl.*; sistema *m* de vías; **~anschluß** *m* (*-sses*; *⁼sse*) vía *f* de empalme; **~bettung** *f* balastado *m* de la vía; **~kreuzung** *f* cruce *m* de vías; **~überführung** *f* paso *m* de vía; **~übergang** *m* (*-es*; *⁼e*) paso *m* a nivel.

ˈ**gleißen** (*-t*) *v/i.* brillar, lucir, resplandecer.

ˈ**Gleit|bahn** *f* (*Rutsche*) tobogán *m*; ⊕ vía *f* de deslizamiento; **~boot** ✈ *n* (*-es*; *-e*) hidroplaneador *m*; hidroplano *m*; **2en** (*L*; *sn*) *v/i.* deslizarse; (*rutschen*) resbalar, dar un resbalón; *Auto.* patinar; ✈ planear; *die Hand ~ lassen über* pasar la mano por; *aus den Händen ~* escaparse (*od.* escurrirse) de las manos; **~en** *n* deslizamiento *m*; resbalamiento *m*; *Auto.* patinaje *m*; **2end** *adj.* movible, móvil; deslizable; resbaladizo; *~er Preis* precio inestable; *~e Lohnskala* escala móvil de salarios; **~fläche** *f* superficie *f* de deslizamiento; **~flieger** *m* planeador *m*; *neol.* velovolista *m*; **~flug** ✈ *m* (*-es*; *⁼e*) vuelo *m* planeado; **~**(**flug**)**winkel** *m* ángulo *m* de planeo; **~flugzeug** *n* (*-es*; *-e*) planeador *m*; **~kufe** ✈ *f* patín *m* de aterrizaje; **~lager** *n* cojinete *m* de deslizamiento; **~schiene** *f* guía *f*; raíl *m* de deslizamiento; **~schutz** *m* (*-es*; *0*) *Auto.* antideslizante *m*; **~schutzkette** *f* cadena *f* antideslizante; **~schutzreifen** *m/pl. Auto.* cubiertas *f/pl.* antideslizantes; **2sicher** *adj.* antideslizante; **~sitz** *m* (*-es*; *-e*) asiento *m* móvil ajustable; **~wachs** *n* (*-es*; *0*) *Schi*: cera *f* para esquí; **~widerstand** ⊕ *m* (*-es*; *ᵘe*) resistencia *f* al deslizamiento.

'Gletscher *m* glaciar *m*, helero *m*; **~bildung** *f* formación *f* de glaciares; glaciación *f*; **~brand** *m* (*es*; *0*) quemadura *f* por insolación en un glaciar; **~eis** *n* (*-es*; *0*) hielo *m* de glaciar; **~kunde** *f* (*0*) glaciología *f*; glaciarismo *m*; **~schnee** *m* (*-s*; *0*) conchesta *f*, nieve *f* de glaciar; **~see** *m* (*-s*; *-n*) lago *m* glaciar; **~spalte** *f* grieta *f* de glaciar; **~tor** *m* (*-es*; *-e*) boca *f* de un glaciar; **~wanderung** *f* excursión *f* sobre glaciares.

glich *pret. v. gleichen.*

Glied *n* (*-es*; *-er*) miembro *m* (*a. Anat.*); (*Gelenk*) articulación *f*; (*Finger2*) falange *f*; (*Mit2*) miembro *m*; socio *m*; *Anat. männliches ~* pene *m*, miembro *m* viril; *künstliches ~ Chir.* prótesis *f*, miembro *m* artificial; *des Bandwurms*: anillo *m*; Ѧ término *m*; miembro *m*; *e-r Kette*: eslabón *m*; (*Geschlecht*) generación *f*; *bis ins dritte ~* hasta la tercera generación; ⚔ fila *f*; línea *f*; *in Linie zu drei ~ern* en formación de tres filas; *in Reih und ~ marschieren* marchar en formación; *aus dem ~ treten* salir de la fila; *ins ~ zurücktreten* volver a la fila; *an allen ~ern zittern* temblar como un azogado.

'Glieder...: **~bau** *m* (*-es*; *0*) estructura *f* de los miembros; *von kräftigem ~* membrudo; de robusta complexión; **~füßler** *Zoo. m/pl.* artrópodos *m/pl.*; **~gicht** ⚕ *f* (*0*) gota *f*; **2lahm** *adj.* paralítico, tullido; **~lähmung** ⚕ *f* parálisis *f*.

'gliedern (*-re*) *v/t.* articular; (*einteilen*) dividir (*in ac.* en); (*staffeln*) escalonar; (*verteilen*) distribuir, repartir; (*unterteilen*) subdividir; (*verknüpfen*) encadenar, eslabonar; (*ordnen*) organizar; disponer, coordinar; (*gruppieren*) agrupar; clasificar; *2 n →* *Gliederung*.

'Glieder...: **~puppe** *f* (*Spielzeug*) muñeca *f* articulada; (*Marionette*) títere *m*; marioneta *f*; (*Drahtpuppe*) maniquí *m*; **~reißen** ⚕ *n* (*-s*; *0*) dolores *m/pl.* en los miembros; **~ung** *f* articulación *f*; (*Einteilung*) división *f*; (*Gliederbau*) estructura *f* de los miembros; (*Staffelung*) escalonamiento *m*; (*Organisation*) organización *f*; (*Formation*) formación *f*, ⚔ *a.* dispositivo *m*; (*Verknüpfung*) encadenamiento *m*; eslabonamiento *m*; (*Aufbau*) estructuración *f*; plan *m*; (*Verteilung*) distribución *f*; reparto *m*; *~ der Bevölkerung nach Berufen* distribución de la población según profesiones y oficios; **~zucken** *n* (*-s*; *0*) ⚕ convulsiones *f/pl.*; espasmos *m/pl.*; **~zug** *m* (*-es*; *ᵘe*) tren *m* articulado.

'Glied...: **~maßen** *pl.* miembros *m/pl.*, extremidades *f/pl.*; *mit kräftigen ~* membrudo; **2weise** ⚔ *adv.* por filas.

'glimmen I. *v/i.* arder sin llama; lucir débilmente; *unter der Asche*: arder debajo de la ceniza; *~de Asche* rescoldo *m*; **II.** *2 n* combustión *f* lenta; resplandor *m* débil; *fig.* ardor *m*.

'Glimmentladung ⚡ *f* descarga *f* de efluvios.

'Glimmer *Min. m* mica *f*; **2artig** *adj.* micáceo; **~plättchen** *n* laminilla *f* de mica; **~schiefer** *Min. m* (*-s*; *0*) esquisto *m* micáceo.

'Glimm|lampe *f* lámpara *f* de efluvios; **~stengel** F cigarro *m bzw.* cigarillo *m* encendido.

'glimpflich I. *adj.* (*mild*) suave; (*nachsichtig*) indulgente; (*gemäßigt*) moderado; *Strafe*: leve; **II.** *adv.* (*mild*) suavemente, con suavidad; (*nachsichtig*) con indulgencia; (*gemäßigt*) moderadamente, con moderación; *~ davonkommen* salir bien librado; salir sin mayor daño.

'glitsch|en F *v/i.* resbalar; deslizarse sobre; **~ig** *adj.* resbaladizo; *Aal usw.*: escurridizo.

glitt *pret. v. gleiten.*

'glitzern I. (*-re*) *v/i.* destellar; centellear; *Poes.* rielar; **II.** *2 n* destello *m*; centelleo *m*.

glo'bal *adj.* global; **2summe** *f* suma *f* global.

Globu'lin *Biol. n* (*-s*; *-e*) globulina *m*.

'Globus *m* (*- od. -ses*; *Globen od. -se*) globo *m* (terrestre); (*Himmels2*) esfera *f* armilar.

'Glöckchen *n* campanilla *f*; (*Schelle*) cascabel *m*.

'Glocke *f* campana *f*; (*Klingel, Hand2*) campanilla *f*; ⚡ *u. am Fahrrad*: timbre *m*; *für elektrische Lampen*: tulipa *f*; (*Glas2*) globo *m*; (*Vieh2*) esquila *f*; cencerro *m*; (*Käse2*) quesera *f*; *am Degen*: cazoleta *f*; *die ~n läuten* tocar las campanas; *fig.* et. *an die große ~ hängen* propalar a los cuatro vientos a/c.; divulgar un secreto; *fig.* dar la campanada; hacer público un escándalo; *wissen, was die ~ geschlagen hat* saber a qué atenerse; F estar al cabo de la calle.

'Glocken...: **~blume** ⚘ *f* campánula *f*, farolillo *m*; campanilla *f*; **2förmig** *adj.* acampanado, en forma de campana; **~geläut** *n* (*-es*; *-e*), **~geläute** *n* toque *m* (*od.* repique *m*) de campanas; (*Glockenspiel*) carillón *m*; **~gießer** *m* fundidor *m* de campanas; **~gieße'rei** *f*, **~guß** *m* (*-sses*; *ᵘsse*) fundición *f* de campanas; **~gut** *n* (*-es*; *0*) metal *m* campanil; bronce *m* de campana; **2hell** *adj.* (*0*) *Poes.* argentino; **~hut** *m* (*-es*; *ᵘe*) sombrero *m* acampanado; **~isolator** ⚡ *m* (*-s*; *-en*) aislador *m* de campana; **~klang** *m* (*-es*; *ᵘe*) tañido *m* de campanas; → *Glockengeläute*; **2rein** *adj.* (*0*) → *glockenhell*; **~rock** *m* (*-es*; *ᵘe*) falda *f* acampanada; **~schlag** *m* campanada *f*; *auf den ~, mit dem ~* al dar la hora; a la hora en punto; **~schwengel** *m* badajo *m*; **~seil** *n* (*-es*; *-e*) cuerda *f* de la campana; **~spiel** *n* (*-es*; *-e*) carillón *m*; **~stuhl** *m* (*-es*; *ᵘe*) armazón *m* de las campanas; **~turm** *m* (*-es*; *ᵘe*) campanario *m*; (*alleinstehender*) campanil *m*; **~zeichen** *n* campanada *f*; (señal *f* de) timbre *m*; **~zug** *m* (*-es*; *ᵘe*) cuerda *f* de campana; *Klingel*: cordón *m* de la campanilla.

'Glöckner *m* campanero *m*.

glomm *pret. v. glimmen.*

'Glorie [-ʀĭə] *f* gloria *f*; **~nschein** *m* (*-es*; *-e*) nimbo *m*; aureola *f*.

glorifi'zieren (-) *v/t.* glorificar.

glori'os (*-est*), **'glorreich** *adj.* glorioso.

Glos'sar [glɔ'sɑːʀ] *n* (*-s*; *-e*) glosario *m*.

Glos'sator *m* (*-s*; *-en*) glosador *m*.

'Glosse *f* glosa *f*; comentario *m*; *~n machen über* (*ac.*) glosar (*ac.*); *fig.* criticar *od.* censurar a/c.

glos'sieren (-) *v/t.* glosar; comentar; *fig.* (*tadeln*) censurar, criticar.

'Glotz|augen *n/pl.* ojos *m/pl.* saltones; **2äugig** *adj.* de ojos saltones, con ojos saltones; **2en** (*-t*) *v/i.* abrir desmesuradamente los ojos; (*erschrocken*) mirar boquiabierto.

'Glück *n* (*-es*; *0*) felicidad *f*, dicha *f*; (*Schicksal*) fortuna *f*, suerte *f*; (*Erfolg*) éxito *m*; (*Wohlstand*) prosperidad *f*; *viel ~!* ¡mucha suerte!; *~ bringen* traer suerte; *großes ~ haben* tener mucha suerte; *vom ~ begünstigt sein* ser afortunado, ser favorecido por la suerte; *kein ~ haben* no tener suerte; F tener mala pata; *sein ~ machen* hacer fortuna; tener éxito; *sein ~ versuchen* probar fortuna (*od.* suerte); *das ~ lacht ihm* la fortuna le sonríe; *nichts trübt sein ~* nada turba su felicidad; (*es ist*) *ein ~, daß ...* es una suerte que ...; *es ist sein ~, daß ...* tiene la suerte de que ...; *er kann von ~ reden* bien puede decir que ha tenido suerte; *da kann man von ~ reden!* ¡eso sí que ha sido suerte!; ¡qué suerte!, ¡vaya suerte!; *er hat noch ~ im Unglück* aún ha tenido suerte en la desgracia; *zum ~* afortunadamente, por fortuna; por suerte; felizmente; *auf gut ~* al azar, a la (buena) ventura; F al (buen) tuntún; a lo que salga; a la buena de Dios; *j-m viel ~ wünschen* desear a alg. mucha suerte *bzw.* mucha felicidad; *j-m zum neuen Jahr ~ wünschen* desear a alg. felices pascuas (*od.* un feliz año nuevo); *j-m ~ wünschen* felicitar a alg.; dar a alg. la enhorabuena; *jeder ist s-s ~es Schmied* cada cual es artífice de su fortuna; *~ und Glas, wie leicht bricht das* del bien al mal no hay ni el canto de un real; *mehr ~ als Verstand haben* tener más suerte que letras; *~auf!* ¡buena suerte!; *Bergleute*: ¡buena vuelta!; **2bringend** *adj.* que trae suerte; de buen agüero; venturoso.

'Glucke *f* (*Bruthenne*) clueca *f*; **2n** *v/i.* cloquear; (*brüten*) empollar.

'glücken (*sn*) *v/i. u. v/unprs.* salir bien; dar buen resultado; *alles glückt ihm* todo le sale bien; tiene suerte en todo.

'gluckern I. (*-re*) *v/i.* (*Wasser*) borboritar; hacer gluglú; **II.** *2 n* borboritos *m/pl.*; gluglú *m*.

'glück|lich I. *adj. innerlich*: feliz, dichoso; *äußerlich*: afortunado; (*blühend*) próspero; (*günstig*) favorable; (*vorteilhaft*) ventajoso; (*Ereignis*) fausto; (*Zukunft*) venturoso;

~e Reise! ¡feliz viaje!, ¡buen viaje!; *~er Zufall* feliz casualidad; *unter e-m ~en Stern geboren sein* haber nacido con buena estrella; **II.** *adv.* con felicidad, felizmente, bien; *~ machen* hacer feliz *od.* dichoso; *sich ~ fühlen* sentirse feliz *od.* dichoso; *sich ~ schätzen* considerarse dichoso; *~ ankommen* llegar felizmente *od.* bien; **2liche(r** *m*) *m/f*: *Sie ~r!* ¡feliz usted!; ¡qué suerte tiene usted!; **~licher'weise** *adv.* felizmente; afortunadamente, por fortuna; **2sbringer** *m* (*Amulett*) amuleto *m*; mascota *f*; **~'selig** *adj.* muy feliz, felicísimo; (*strahlend*) radiante de felicidad (*od.* de alegría); *Rel.* bienaventurado; **2'seligkeit** *f* (*0*) felicidad *f*, dicha *f* suprema; *Rel.* bienaventuranza *f*; beatitud *f*.

'glucksen I. (*-t*) *v/i.* borboritar, gloglotear; (*aufstoßen*) hipar; **II.** 2 *n* borboritos *m/pl.*, gluglú *m*.

'Glücks...: **~fall** *m* (*-ɇs; ¨e*) suerte *f*, lance *m* de fortuna; (*Zufall*) feliz coincidencia *f*; *bsd. beim Spiel*: F chiripa *f*; **~gefühl** *n* (*-ɇs; -e*) felicidad *f*; *Rel.* bienaventuranza *f*, beatitud *f*; **~göttin** *f* la (diosa) Fortuna; **~güter** *n/pl.* riquezas *f/pl.*, bienes *m/pl.* de fortuna; **~hafen** *m* (*-s; ¨*) tómbola *f*; **~jäger** *m* aventurero *m*; **~kind** *n* (*-ɇs; -er*) favorito *m* de la suerte; hombre *m* afortunado; F niño *m* de la bola; potroso *m*; *beim Spiel*: chambón *m*; *er ist ein ~* ha nacido de pie; tiene una suerte loca; **~klee** *m* (*-s; 0*) trébol *m* de cuatro hojas; **~pilz** *m* (*-es; -e*) → *Glückskind*; **~rad** *n* (*-ɇs; ¨er*) rueda *f* de la fortuna; **~ritter** *m* aventurero *m*; caballero *m* de industria; **~sache** *f* (*0*) cuestión *f* de suerte; **~spiel** *n* (*-ɇs; -e*) juego *m* de azar; **~stern** *m* (*-ɇs; -e*) buena estrella *f*; **~strähne** *f* racha *f* de suerte; **~tag** *m* (*-ɇs; -e*) día *m* afortunado *od.* de suerte.

'glück...: **~strahlend** *adj.* radiante de felicidad; **2s-treffer** *m* golpe *m* de suerte; *beim Spiel*: jugada *f* afortunada *od.* F de chiripa; **2s-umstände** *m/pl.* circunstancias *f/pl.* favorables *od.* afortunadas; (*Glück*) suerte *f*, fortuna *f*; **2swurf** *m* (*-ɇs; ¨e*) tirada *f* afortunada; F tirada *f* de chiripa; **2szufall** *m* (*-ɇs; ¨e*) → *Glücksfall*; **~verheißend** *adj.* de buen agüero; **2wunsch** *m* (*-es; ¨e*) felicitación *f*; enhorabuena *f*; parabién *m*; *Glückwünsche zum Jahreswechsel* felicitación *f* de pascuas (*od.* de año nuevo); *herzliche Glückwünsche* mi cordial felicitación; *j-m s-n ~ aussprechen* felicitar a alg.; dar a alg. la enhorabuena; **2wunschkarte** *f* tarjeta *f* de felicitación; **2wunschschreiben** *n* carta *f* de felicitación; **2wunschtelegramm** *n* (*-s; -e*) telegrama *m* de felicitación.

'Glüh|birne *f* bombilla *f*; **~draht** ⚡ *m* (*-ɇs; ¨e*) filamento *m* incandescente; **2en 1.** *v/i.* arder, estar en ignición; (*weiß~*) estar incandescente; *fig.* arder (*vor dat.* de); **2.** *v/t.* enrojecer al fuego, poner al rojo; ⚗ calcinar; *Met.* recocer; **2end** *adj.* ardiente (*a. fig.*); (*weiß~*) candente, incandescente; *fig.* (*inbrünstig*) fervoroso, ferviente; *~ machen* poner al rojo vivo; *~e Kohlen* brasas *f/pl.*; *fig.* (*wie*) *auf ~en Kohlen sitzen* estar en ascuas; **~faden** ⚡ *m* (*-s; ¨*) → *Glühdraht*; **~hitze** *f* (*0*) calor *m* abrasador *od.* tórrido; ⊕ temperatura *f* de incandescencia; **~kathode** ⚡ *f* cátodo *m* incandescente; **~kerze** *f Auto.* bujía *f* incandescente; **~lampe** ⚡ *f* bombilla *f*, lámpara *f* incandescente; **~licht** *n* (*-ɇs; 0*) luz *f* de incandescencia; **~ofen** *m* (*-s; ¨*) ⚗ horno *m* de calcinar; *Met.* horno *m* de recocer; (*Temperofen*) horno *m* de templar; **~strumpf** *m* (*-ɇs; ¨e*) manguito *m* (*od.* camisa *f*) incandescente; **~wein** *m* (*-ɇs; -e*) vino *m* caliente; **~wurm** *m* (*-ɇs; ¨er*), **~würmchen** *n Zoo.* luciérnaga *f*.

Glu'kose ⚗ *f* (*0*) glucosa *f*.

Glut *f* ardor *m* (*a. fig.*); (*Feuer*) fuego *m* (*a. fig.*); (*Hitze*) calor *m*; *fig.* (*inbrünstig*) fervor *m*; (*Kohlen2*) brasa *f*; ascua *f*; (*Aschen2*) rescoldo *m*; (*Herd2, Zigarren2*) lumbre *f*; *zur ~ bringen* poner al rojo; *fig. in ~ bringen* inflamar; **'2rot** *adj.* rojo vivo.

Gluta'minsäure ⚗ *f* (*0*) ácido *m* glutámico.

Glyko'gen *Biol. n* (*-s; 0*) glucógeno *m*.

Glyko'koll ⚗ *n* (*-s; 0*) glicocola *f*.

'Glyptik *f* (*0*) glíptica *f*.

Glypto'thek *f* gliptoteca *f*.

Glyze'rin [glytsə-] ⚗ *n* (*-s; 0*) glicerina *f*; **~säure** *f* (*0*) ácido *m* glicérico; **~seife** *f* jabón *m* de glicerina.

Gly'zin(i)e ⚘ *f* glicina *f*.

g-Moll ♪ *n* (*-; 0*) sol *m* menor.

'Gnade *f* gracia *f* (*a. Rel.*); (*~ngabe*) merced *f*; (*Milde*) clemencia *f*; (*Barmherzigkeit*) misericordia *f*; (*Mitleid*) compasión *f*, piedad *f*; (*Nachsicht*) indulgencia *f*; (*Gunst*) favor *m*; *von Gottes ~n* por la gracia de Dios; *e-e ~ erbitten* (*gewähren*) pedir (conceder) una gracia; *sich et. als ~ erbitten* pedir a/c. como gracia *bzw.* como favor; *sich j-m auf ~ und Un2 ergeben* entregarse a la merced de alg.; ⚔ rendirse incondicionalmente; *um ~ bitten* pedir perdón; (*stärker*) pedir misericordia; ⚔ pedir cuartel; *vor j-s Augen ~ finden* hallar favor a los ojos de alg.; *bei j-m ~ finden* caer en gracia a alg.; ser acogido con simpatía por alg.; *~ für Recht ergehen lassen, ~ walten lassen* ser clemente, optar por la clemencia frente al rigor de la ley; *j-m e-e ~ erweisen* hacer (*od.* otorgar) a alg. un favor *bzw.* una merced; *von j-m wieder in ~n aufgenommen werden* volver a gozar del favor de alg.; *ohne ~* (*und Barmherzigkeit*) sin piedad (ni compasión); *aus ~* (*und Barmherzigkeit*) por misericordia; *Rel. in der ~ stehen* estar en gracia (de Dios); *~!* ¡piedad!, ¡misericordia!; *Euer ~n* vues(tr)a merced.

'Gnaden...: **~akt** *m* (*-ɇs; -e*) acto *m* de gracia *bzw.* de clemencia; (*Begnadigung*) indulto *m*; **~beweis** *m* (*-es; -e*), **~bezeigung** *f* testimonio *m* de benevolencia; **~bild** *n* (*-ɇs; -er*) imagen *f* milagrosa; **~brot** *n* (*-ɇs; 0*) (pequeña) pensión *f* de caridad; *bei j-m das ~ essen* vivir de la caridad de alg.; **~erlaß** *Pol. m* (*-sses; ¨sse*) amnistía *f*; **~frist** *f* plazo *m* de gracia; **~gabe** *f* merced *f*; **~geschenk** *n* (*-ɇs; -e*) gratificación *f*; **~gesuch** ⚖ *n* (*-ɇs; -e*) petición *f* de gracia; recurso *m* de gracia; *ein ~ einreichen* presentar (*od.* elevar) un recurso de gracia; **2los** *adj.* sin piedad; **~mittel** *Theo. n* medio *m* de la gracia; sacramento *m*; **2reich** *adj. Rel.* lleno de gracia; milagroso; (*mildtätig*) caritativo; **~stoß** *m* (*-es; ¨e*) golpe *m* de gracia; **~tod** *m* (*-ɇs; 0*) eutanasia *f*; **~weg** *m* (*-ɇs; 0*): *auf dem ~e* a título de gracia.

'gnädig I. *adj.* graciable; (*günstig*) propicio, favorable; (*mild*) clemente; (*mitleidig*) compasivo; (*barmherzig*) misericordioso; (*herablassend*) condescendiente; (*nachsichtig*) indulgente; (*wohlwollend*) benévolo; (*gütig*) benigno; *Rel.* lleno de gracia; *Strafe*: leve; *Gott sei uns ~!* ¡Dios se apiade de nosotros!; ¡Dios nos tenga de su mano!; *~e Frau!* señora; *~er Herr!* señor; *~es Fräulein!* señorita; **II.** *adv.* graciosamente; (*nachsichtig*) con indulgencia; (*wohlwollend*) benévolamente, con benevolencia; *machen Sie es ~!* no sea usted demasiado severo; *~ davonkommen* salir bien librado.

Gneis *Min. m* (*-es; -e*) gneis *m*.

Gnom *m* (*-en*) gnomo *m*.

'Gnom|e *f* sentencia *f*; máxima *f*; **~endichtung** *f* poesía *f* gnómica; **2isch** *adj.* gnómico.

'Gnosis *f* (*0*) gnosis *f*, gnosticismo *m*.

'Gnost|ik *f* (*0*) gnosticismo *m*; **~iker** *m* gnóstico *m*; **2isch** *adj.* gnóstico.

Gnosti'zismus *m* (*-; 0*) gnosticismo *m*.

Gnu *Zoo. n* (*-s; -s*) ñu *m*.

Gobe'lin [go·bə'lɛ̃:] *m* (*-s; -s*) tapiz *m*.

'Gockel *m*, **~hahn** *m* (*-ɇs; ¨e*) gallo *m*.

'Gold *n* (*-ɇs; 0*) oro *m*; *in ~ bezahlen* pagar en oro; *mit ~ plombieren* (*Zahn*) orificar; *fig. et. mit ~ aufwiegen* comprar (*bzw.* vender) a/c. a peso de oro; *das ist ~ wert, das ist nicht mit ~ aufzuwiegen* esto no se paga con oro; vale tanto oro como pesa; *ein Herz treu wie ~* un corazón de oro; *es ist nicht alles ~, was glänzt* no todo es oro lo que reluce; **~abfluß** † *m* (*-sses; ¨sse*) salida *f* de oro; **~ader** ⚒ *f* (*-; -n*) filón *m* de oro; **~agio** † *n* (*-s; 0*) prima *f* del oro; **~ammer** *Orn. f* (*-; -n*) verderón *m*; **~anleihe** *f* empréstito *m* en oro; **~arbeit** *f* orfebrería *f*; **~aufkauf** *m* (*-ɇs; ¨e*) compra *f* de oro; **~ausfuhr** *f* exportación *f* de oro; **~barren** *m* barra *f* de oro; **~bergwerk** *n* (*-ɇs; -e*) mina *f* de oro; **~bestand** *m* (*-ɇs; ¨e*) existencias *f/pl.* oro; **~bilanz** *f* balance-oro *m*; **~blättchen** *n* hoja *f* de oro batido; **~blech** *n* (*-ɇs; -e*) oro *m* en láminas; **~block(länder** *n/pl.*) *m* (*-ɇs; 0*) bloque *m* del oro; **~borte** *f* galón *m* de oro; **~brokat** *m* (*-ɇs; -e*) brocado *m* de oro; **~buchstabe** *m* (*-ns; -n*) letra *f* de oro; **~deckung**

✝ *f* reservas *f/pl.* oro; **~dollar** *m* (*-s; -s*) dólar-oro *m*; **2durchwirkt** *adj.* bordado en oro; bordado de espejuelo; **2en** *adj.* de oro; *Liter.* áureo; (*goldfarbig, vergoldet*) dorado; ▨ gualdo; *~e Hochzeit* bodas de oro; *die ~e Mitte* el justo medio; *fig. ~e Berge versprechen* prometer el oro y el moro; *der ~e Schnitt* la sección áurea; *das 2e Kalb* el becerro de oro; *das 2e Horn* el Bósforo; **~erz** *n* (*-es; -e*) mineral *m* de oro; **~faden** *m* (*-s;* ¨) hilo *m* de oro; **~farbe** *f* color *m* de oro; color *m* dorado; **2farben, 2farbig** *adj.* dorado, de color de oro; **~fasan** *m* (*-es; -e*) faisán *m* dorado; **~feder** *f* (*-; -n*) pluma *f* de oro; **~fisch** *Ict. m* (*-es; -e*) pez *m* de colores; **~fischglas** *n* (*-es; ¨er*) pecera *f*; **~flitter** *m* oropel *m*; lentejuela *f* de oro; **~förderung** *f* extracción *f* de oro; **~fuchs** *m* (*-es; ¨e*) alazán *m* tostado *od.* dorado; (*Goldstück*) moneda *f* de oro; **2führend** *Min. adj.* aurífero; **~füllung** *f e-s Zahnes*: orificación *f*; **~gehalt** *m* (*-es; -e*) contenido *m* de oro; *Münzen*: quilate *m*; **2gelb** *adj.* amarillo dorado; **~gewinnung** *f* obtención *f* del oro; extracción *f* de oro; producción *f* de oro; **~gier** *f* (*0*) sed *f* de oro; **~glanz** *m* (*-es; 0*) brillo *m* del oro; **~gräber** *m* buscador *m* de oro; **~grube** ⚒ *f* mina *f* de oro; **~grund** *m* (*-es; ¨e*) *Mal.* fondo *m* de oro; **~haar** *n* (*-es; -e*) cabellos *m/pl.* dorados; **2haltig** *adj.* aurífero; **~handel** *m* (*-s; 0*) comercio *m* del oro; **2ig** *adj.* dorado; *fig.* (*köstlich*) delicioso; (*prächtig*) magnífico; *ein ~es Kind* F un niño muy mono; **~industrie** *f* industria *f* del oro; **~käfer** *m* escarabajo *m* dorado; **~kind** *n* (*-es; -er*) F *in der Anrede*: rico *m*, rica *f*; **~klausel** *f* (*-; -n*) cláusula-oro *f*; **~klumpen** *Min. m* pepita *f* de oro; **~küste** *f* (*0*) *Geogr.* la Costa de Oro; **~lack** *m* (*-es; -e*) barniz *m* de oro; **~legierung** *f* aleación *f* de oro; **~leiste** *f* listón *m* dorado; **~mark** *f* (*0*) marco *m* oro; **~medaille** *f* medalla *f* de oro; **~mine** ⚒ *f* mina *f* de oro; **~mundstück** *n* (*-es; -e*) *e-r Zigarette*: boquilla *f* dorada; **~münze** *f* moneda *f* de oro; **~münzsystem** *n* (*-s; 0*) sistema *m* monetario basado en el oro; *weitS.* patrón *m* oro.

'**Gold...:** **~papier** *n* (*-s; -e*) papel *m* dorado; **~parität** *f* paridad *f* oro; **~pfund** *n* (*-es; -e*) libra *f* oro; **2plattiert** *adj.* chapado de oro; **~plombe** *f*, **~plombierung** *f* orificación *f*; **~probe** *f* prueba *f* del oro; **~punkt** ✝ *m* (*-es; -e*) valor *m* oro, paridad *f* oro; **~rahmen** *m* marco *m* dorado; **~regen** ⚘ *m* codeso *m*, citiso *m*; **2reich** *adj.* rico en oro; aurífero; **~reif** *m*, **~ring** *m* (*-es; -e*) anillo *m* de oro; **~reserve** *f* reserva *f* oro; **~sachen** *f/pl.* objetos *m/pl.* de oro; orfebrería *f*; (*Schmuck*) joyas *f/pl.* (*od.* alhajas *f/pl.*) de oro; **~sand** *Min. m* (*-es; 0*) arena *f* aurífera; **~schaum** ⊕ *m* (*-es; 0*) oro *m* en hojas; **~scheidewasser** *n* (*-s; 0*) agua *f* regia; **~schläger** *m* batidor *m* de oro, batihoja *m*; **~schlägerhaut** *f* (*-; ¨e*) película *f* de batihoja; **~schmied** *m* (*-es; -e*) orfebre *m*; **~schmiedearbeit** *f* orfebrería *f*; (*et. Gefertigtes*) pieza *f* de orfebrería; **~schnitt** *m* (*-es; 0*): *Buch in ~* libro de canto dorado; **~standard** *m* (*-s; 0*) patrón *m* oro; **~staub** *m* (*-es; 0*) oro *m* en plovo; **~sticke'rei** *f* bordado *m* de oro; **~stück** *n* (*-es; -e*) (*Münze*) moneda *f* de oro; **~sucher** *m* buscador *m* de oro; **~topas** *Min. m* (*-es; -e*) topacio *m* oriental; **~tresse** *f* galón *m* de oro; **~vorrat** *m* (*-es; ¨e*) reserva *f* de oro; **~waage** *f* balanza *f* para oro; pesamonedas *m*; *fig. jedes Wort auf die ~ legen* pesar bien las palabras; **~währung** ✝ *f* patrón *m* oro; **~waren** *f/pl.* orfebrería *f*; joyería *f*; **~wäsche** *f* lavado *m* del oro; **~wäscher** *m* lavador *m* de oro; **~wäsche'rei** *f* lavadero *m* de oro; **~wasser** *n* (*-s; 0*): *Danziger ~* aguardiente *m* de Danzig; **~wert** *m* (*-es; 0*) valor *m* oro; **~zahlung** *f* pago *m* en oro; **~zahn** *m* (*-es; ¨e*) diente *m* de oro; **~zugang** ✝ *m* (*-es; ¨e*) afluencia *f* de oro.

Golf¹ *m* (*-es; -e*) golfo *m*.

'**Golf²** *n* (*-s; 0*) golf *m*; **~ball** *m* (*-es; ¨e*) pelota *f* de golf; **~keule** *f*, **~schläger** *m* maza *f* de golf; **~klub** *m* (*-s; -s*) club *m* de golf; **~platz** *m* (*-es; ¨e*) campo *m* (*od.* terreno *m*) de golf; **~spiel** *n* (*-es; -e*) (juego *m* del) golf *m*; **~spieler(in** *f*) *m* jugador(a *f*) *m* de golf.

'**Golfstrom** *m* (*-es; 0*) corriente *f* del Golfo.

'**Golgatha** *n* Gólgota *m*, Calvario *m*.

Go'morr(h)a *n* Gomorra *f*.

'**Gondel** *f* (*-; -n*) góndola *f*; ✈ barquilla *f*; **~führer** *m* gondolero *m*; **~lied** *n* (*-es; -er*) barcarola *f*; **2n** (*-le; sn*) *v/i.* pasear *od.* ir en góndola.

Gondo'liere [-'lǐe:rə] *m* (*-; Gondolieri*) gondolero *m*.

Gong *m* (*-s; -s*) gong *m*, batintín *m*.

'**gönn|en** *v/t.*: *j-m et. ~* no envidiar a/c. a alg.; alegrarse de que alg. disfrute a/c.; *j-m et. nicht ~* envidiar a/c. a alg.; ver con desagrado la satisfacción de otro; (*gewähren*) *sich et. ~* permitirse a/c.; *er gönnt sich nicht das geringste Vergnügen* se abstiene de toda diversión; *ich gönne es Ihnen* lo celebro por usted; **2er(in** *f*) *m* protector(a *f*) *m*; (*Wohltäter*) bienhechor(a *f*) *m*; **~erhaft** *adj.*: *~e Miene* → **2ermiene** *f* aire *m* protector (*od.* de superioridad); **2erschaft** *f* (*0*) protección *f*; patronato *m*.

Gono'kokkus ⚕ *m* (*-; -kokken*) gonococo *m*.

Gonor'rhoe [-'rø:] ⚕ *f* gonorrea *f*; blenorragia *f*.

'**Göpel** *m* ⚓ cabrestante *m*; (*Schöpfrad*) noria *f*; **~werk** ⚒ *n* (*-es; -e*) malacate *m*.

gor *pret. v. gären.*

'**Gör** *n* (*-es; -en*), **~e** *f* chicuela *f*, chiquilla *f*; mozuela *f*; niña *f* yeyé.

'**gordisch** *adj.*: *der ~e Knoten* el nudo gordiano (*a. fig.*) (*zerhauen* cortar).

Go'rilla *Zoo. m* (*-s; -s*) gorila *m*.

'**Gösch** ⚓ *f* bandera *f* del bauprés.

goß *pret. v. gießen.*

'**Gosse** *f* (*Straßenrinnstein*) arroyo *m* (*a. fig.*); *bedeckter*: alcantarilla *f*.

'**Got|e** *m* (*-n*), **~in** *f* godo (-a *f*) *m*; **~ik** *f* (*0*) (estilo *m*) gótico *m*; **2isch** *adj.* gótico; *~e Schrift* letra gótica.

Gott *m* (*-es; ¨er*) *Rel.* Dios *m*; *Myt.* dios *m*; *~ der Herr* el Señor; *~ der Allmächtige* el Todopoderoso; *~es Sohn* el Hijo de Dios; *der liebe ~* Dios (Nuestro Señor); *die Wege ~es* los caminos de Dios; *das Wort ~es* el Verbo Divino; la Sagrada Escritura; *an ~ glauben* creer en Dios; *mein ~!* ¡Dios mío!; ¡por Dios!; *ach ~!, du lieber ~!* ¡oh Dios mío!; ¡ay Dios mío!; *bei ~!* ¡por Dios!; (*Schwurformel*) ¡juro por Dios!; *großer ~!* ¡Santo Dios!; *barmherziger ~!* Dios misericordioso!; *~ sei Dank!* ¡gracias a Dios!, ¡Dios sea loado!; *vergelt's ~!* ¡Dios se lo pague!; *mit ~!* (*beim Abschied*) ¡con Dios!; ¡anda con Dios!; ¡quede usted con Dios!; *mit ~es Hilfe* con la ayuda de Dios; *von ~es Gnaden* por la gracia de Dios; por derecho divino; *leider ~es!* por desgracia, desgraciadamente; desafortunadamente; *~ sei mit uns!* ¡Dios nos asista!; ¡Dios sea con nosotros!; *~ stehe uns bei!* ¡Dios nos ayude! ¡Dios nos tenga de su mano!; *in ~es Namen* en nombre de Dios; (*meinetwegen*) sea pues; por mí no hay reparo; *um ~es Willen* por (amor de) Dios; *wolle ~!, ~ gebe es!* ¡Dios lo haga!; ¡Dios lo quiera!; *gebe ~, daß ...* quiera Dios que ... (*subj.*); ¡ojalá! ... (*subj.*); *behüt' dich ~!* Dios te guarde; *~ bewahre* (*od. behüte*) ¡no lo quiera Dios!; ¡Dios nos libre!; *weiß ~!* ¡bien (lo) sabe Dios!; sabe Dios (*ob* si); *das wissen die Götter!* eso sólo Dios lo sabe; *~ befohlen!* (*beim Abschied*) ¡anda con Dios!; ¡quede usted con Dios!; *so wahr mir ~ helfe!* ¡así Dios me salve!; *das liegt in ~es Hand* Dios dirá; *er ist ganz von ~ verlassen* está dejado de la mano de Dios; no está en su cabal juicio; *er läßt den lieben ~ e-n guten Mann sein* no piensa en el mañana; todo lo deja a la ventura de Dios; *wenn ~ es will* si Dios quiere; Dios mediante; *wie ~ in Frankreich leben* vivir como las diosas; P vivir como Dios; *wie es ~ gefällt* como Dios disponga; *der Mensch denkt, ~ lenkt* el hombre propone y Dios dispone; '**2ähnlich** *adj.* hecho a imagen de Dios; semejante a Dios; '**~ähnlichkeit** *f* (*0*) semejanza *f* a Dios; naturaleza *f* divina; divinidad *f*; '**2begnadet** *adj.* divino; inspirado por la gracia divina.

'**Götter** *n/pl.* dioses *m/pl.*; **~bild** *n* (*-es; -er*) ídolo *m*; **~dämmerung** *f* (*0*) ocaso *m* de los dioses; **~funke** *m* (*-ns; -n*) *fig.* (*des Dichters*) estro *m* divino.

'**gottergeben** *adj.* sumiso a la voluntad divina.

'**Götter...:** **2gleich** *adj.* semejante a los dioses; **~lehre** *f* mitología *f*; **~sage** *f* mito *m*; **~speise** *Myt. f* ambrosía *f*; **~trank** *Myt. m* (*-es; ¨e*) néctar *m*; **~welt** *f* (*0*) reino *m* mitológico (*od.* de los dioses); Olimpo *m*.

'**Gottes...:** **~acker** *m* (*-s;* ¨) cementerio *m*; **~anbeterin** *Zoo. f* mantis *f* religiosa; **∼dienst** *m* (*-es*; *-e*) culto *m* (*od.* oficio *m*) divino; ∼ *halten* celebrar los oficios divinos; **2dienstlich** *adj.* del culto; (*liturgisch*) litúrgico; **∼friede** *m* (*-ns*; *0*) *Hist.* tregua *f* de Dios; **∼furcht** *f* (*0*) temor *m* de Dios; (*Frömmigkeit*) piedad *f*; religiosidad *f*; **2fürchtig** *adj.* temeroso de Dios; (*fromm*) piadoso; **∼gabe** *f* don *m* divino; **∼geißel** *f* (*-*; *-n*) azote *m* de Dios; **∼haus** *n* (*-es*; *⸚er*) iglesia *f*; templo *m*; **∼lästerer** *m* blasfemo *m*; **2lästerlich** *adj.* blasfemo, blasfematorio; sacrílego; **∼lästerung** *f* blasfemia *f*; sacrilegio *m*; **∼leugner(in** *f*) *m* ateo (-a *f*) *m*; **∼leugnung** *f* ateísmo *m*; **∼lohn** *m* (*-es*; *0*) recompensa *f* de Dios; et. *um* ∼ *tun* hacer a/c. por amor de Dios; **∼urteil** *Hist.* *n* (*-s*; *-e*) ordalías *f/pl.*; juicio *m* de Dios; **∼verächter(in** *f*) *m* impío (-a *f*) *m*; **∼verachtung** *f* (*0*) impiedad *f*; **∼verehrung** *f* culto *m* divino.

'gott...: **∼gefällig** *adj.* grato a (los ojos de) Dios; *ein* ∼*es Leben führen* vivir como Dios manda; obrar *od.* vivir santamente; **∼geweiht** *adj.* consagrado a Dios; **∼gläubig** *adj.* deísta; **2hard** *Geogr.* *m*: *der Sankt* ∼ el San Gotardo; **2heit** *f* divinidad *f*; deidad *f*.

'Göttin *f* diosa *f*.

'göttlich *adj.* divino; de Dios; (*erhaben*) sublime, excelso; *das* 2*e* lo divino; **2keit** *f* (*0*) divinidad *f*; naturaleza *f* divina.

'Gott...: **'2lob** *int.* ¡gracias a Dios!; ¡alabado sea Dios!; **2los** *adj.* impío; ateo; (*ruchlos*) malvado; **∼lose(r** *m*) *m/f* ateo (-a *f*) *m*; impío (-a *f*) *m*; **∼losigkeit** *f* ateísmo *m*; impiedad *f*; **∼mensch** *Theo.* *m* (*-en*; *0*) Hombre-Dios *m*; **2selig** *adj.* devoto, piadoso; **∼seligkeit** *f* (*0*) devoción *f*, piedad *f*; **∼vater** *m* (*-s*; *0*) Dios Padre *m*; **2vergessen** *adj.* → *gottlos*; **2verlassen** *adj.* dejado de la mano de Dios; (*stärker*) maldito; **∼vertrauen** *n* (*-s*; *0*) confianza *f* en Dios; **2voll** *adj.* divino (*a. fig.*); (*köstlich*) delicioso.

'Götze *m* (*-n*) ídolo *m*; fetiche *m*; dios *m* falso; **∼nbild** *n* (*-es*; *-er*) ídolo *m*; **∼ndiener(in** *f*) *m* idólatra *m/f*; fetichista *m/f*; **∼ndienst** *m* (*-es*; *-e*) idolatría *f*; fetichismo *m*; **∼ntempel** *m* templo *m* pagano.

Gouver|'nante [gu·v-] *f* institutriz *f*; **∼'neur** [-'nø:ʀ] *m* (*-s*; *-e*) gobernador *m*.

Grab *n* (*-es*; *⸚er*) sepultura *f*; fosa *f*; (∼*mal*) tumba *f*; sepulcro *m*; (*Familien*2) panteón *m*; (*prachtvolles*) mausoleo *m*; *das Heilige* ∼ el Santo Sepulcro; *über das* ∼ *hinaus* hasta la eternidad; *zu* ∼*e läuten* doblar, tocar a muerto; *zu* ∼*e tragen* llevar a enterrar (*od.* al cementerio); enterrar, sepultar; *j-n zu* ∼*e geleiten* asistir al entierro de alg.; rendir a alg. el último homenaje; *mit e-m Bein im* ∼*e stehen* estar con un pie en la sepultura; *sein* ∼ *schaufeln* cavar su propia fosa; *mit ins* ∼ *nehmen* llevarse consigo a la tumba; *sich im* ∼*e umdrehen* revolverse en la sepultura; *wie ein* ∼ *schweigen* callarse como un muerto; **'∼denkmal** *n* (*-es*; *⸚er*) monumento *m* fúnebre; mausoleo *m*; enterramiento *m*.

'graben (*L*) **1.** *v/i.* cavar; (*Gräben ziehen*) zanjar, abrir zanjas *f/pl.*; (*ausgraben*) hacer excavaciones *f/pl.*; (*mit dem Grabstichel*) burilar; *nach Gold* ∼ buscar oro; **2.** *v/t.* cavar (*a.* ⛏); *mit der Hacke*: azadonar; *mit dem Spaten*: cavar; *tiefer machen*: ahondar; *Brunnen, Gräben*: abrir; *mit dem Grabstichel*: burilar; grabar; (*durchwühlen*) remover la tierra; (*ausgraben*) desenterrar; *Kartoffeln*: arrancar; **3.** *v/refl.*: *sich in die Erde* ∼ soterrarse; *fig. sich ins Gedächtnis* ∼ grabarse en la memoria.

'Graben *m* (*-s*; *⸚*) (*Burg*2) foso *m*; (*Schützen*2) ⚔ trinchera *f*; (*Straßen*2) zanja *f*; (*Abzugs*2) conducto *m* de desagüe; *e-n* ∼ *ziehen* cavar un foso *bzw.* abrir una zanja; **∼bagger** *m* excavadora *f*; **∼böschung** ⚔ *f*: *äußere* ∼ contraescarpa *f*; *innere* ∼ escarpa *f*; **∼krieg** *m* (*-es*; *-e*) guerra *f* de trincheras; **∼mörser** ⚔ *m* mortero *m* de trinchera; **∼pflug** ⛏ *m* (*-es*; *⸚e*) arado *m* para arrejacar; **∼sohle** *f* solera *f* de zanja; **∼wehr** ⚔ *f* caponera *f*.

'Gräber[1] *m* cavador *m*.

'Gräber[2] *pl. v. Grab*; **∼bauten** *pl.* (*prähistorische*) construcciones *f/pl.* tumularias; **∼feld** *n* (*-es*; *-er*) (*prähistorisches*) cementerio *m* prehistórico; **∼fund** *m* (*-es*; *-e*) hallazgo *m* tumulario.

'Grabes...: **∼dunkel** *n* (*-s*; *0*) tinieblas *f/pl.* sepulcrales; **∼kirche** *f* (*0*) *in Jerusalem*: Iglesia *f* del Santo Sepulcro; **∼ruhe** *f* (*0*), **∼stille** *f* (*0*) silencio *m* sepulcral; paz *f* del sepulcro; **∼stimme** *f* (*0*) voz *f* sepulcral *od.* de ultratumba.

'Grab...: **∼geläute** *n* doble *m*; toque *m* a muerto; **∼gesang** *m* (*-es*; *⸚e*) canto *m* fúnebre; **∼gewölbe** *n* cripta *f*; **∼hügel** *m* túmulo *m*; **∼inschrift** *f* inscripción *f* sepulcral; epitafio *m*; **∼legung** *f* entierro *m*, enterramiento *m*, inhumación *f*; **∼lied** *n* (*-es*; *-er*) → *Grabgesang*; **∼mal** *n* (*-es*; *⸚er od. -e*) monumento *m* fúnebre; mausoleo *m*; **∼rede** *f* oración *f* fúnebre; **∼schändung** *f* profanación *f* de sepulcro; **∼stätte** *f* sepultura *f*, tumba *f*; **∼stein** *m* (*-es*; *-e*) losa *f* (sepulcral); *mit Inschrift*: lápida *f*; **∼stichel** ⊕ *m* buril *m*; punzón *m*; **∼tuch** *n* (*-es*; *⸚er*) mortaja *f*; **∼urne** *f* urna *f* funeraria.

Grad *m* (*-es*; *-e*) grado *m*; Ⱥ *Gleichung ersten* (*zweiten*) ∼*es* ecuación de primer (segundo) grado; ∼ *Celsius* grado centígrado; *das Thermometer steht auf 10* ∼ *über Null* el termómetro marca diez grados sobre cero; *bei 12* ∼ *Kälte* a doce grados bajo cero; *um 5* ∼ *steigen* (*fallen*) subir (bajar) cinco grados; *akademischer* ∼ grado académico; *Vetter ersten* ∼*es* primo hermano; *Vetter zweiten* ∼*es* primo segundo; *fig. bis zu e-m gewissen* ∼*e* hasta cierto punto; *in hohem* ∼*e* en alto grado; altamente; *im höchsten* ∼*e* en máximo grado; sumamente, en sumo grado; en extremo; *in geringerem* ∼ en menor grado; *bis zu dem* ∼*e, daß* ... hasta el extremo de ...; hasta el punto de ...; *in* ∼*e einteilen* graduar; **'∼abzeichen** *n* insignia *f* (de grado); **'∼bogen** *m* arco *m* graduado; Ⱥ transportador *m*; **'∼einteilung** *f* graduación *f*; división *f* en grados; (*Skala*) escala *f* graduada.

Gradi'ent *Phys.* *m* (*-en*) gradiente *m*.

gra'dier|en (*-*) ⊕ *v/t.* (*Salz*) evaporar; concentrar; **2ung** *f* (*Gradeinteilung*) graduación *f*; ⊕ evaporación *f*; concentración *f*; **2waage** *f* (*Senkwaage*) areómetro *m*; **2werk** *n* (*-es*; *-e*) ⊕ torre *f* de graduación salina; (*Kühlturm*) torre *f* refrigeradora.

'Grad...: **∼leiter** *f* (*-*; *-n*) escala *f* graduada; **2linig** *adj.* rectilíneo; **∼messer** *m* escala *f* graduada; *fig.* barómetro *m*; **∼netz** *n* (*-es*; *-e*) *e-r Landkarte*: red *f* de coordenadas geográficas; **∼teiler** Ⱥ *m* nonio *m*; **2u'ell** *adj.* gradual; **2u'ieren** (*-*) *v/i.* graduar; **∼verwandtschaft** *f* parentesco *m* de grado; **2weise** *adv.* gradualmente; por grados.

'Graf *m* (*-en*) conde *m*; **∼enkrone** *f* corona *f* condal; **∼enstand** *m* (*-es*; *0*) (*Würde*) dignidad *f* de conde, condado *m*.

'Gräf|in *f* condesa *f*; **2lich** *adj.* condal.

'Grafschaft *f* condado *m*; (*Würde*) dignidad *f* de conde.

Gral *m* (*-s*; *0*): *der Heilige* ∼ el Santo Grial.

Gram *m* (*-es*; *0*) pena *f*, pesar *m*; aflicción *f*; (*Verdruß*) disgusto *m*; *vor* ∼ *sterben* morir de pena.

gram *adj.*: *j-m* ∼ *sein* guardar rencor a alg.; F tener tirria (*od.* hincha) a alg.; *j-m* ∼ *werden* tomar antipatía a alg.; sentir aversión contra alg.

'grämen *v/t. u. v/refl.* afligir; entristecer; apesadumbrar; *sich* ∼ *über* (*ac.*) afligirse *bzw.* entristecerse *bzw.* apesadumbrarse de; *sich zu Tode* ∼ morirse de pena.

'gramerfüllt *adj.* lleno de aflicción, muy afligido; pesaroso; triste; lleno de pena; apenado.

'grämlich *adj.* triste, melancólico; huraño; (*schlechtgelaunt*) malhumorado; F de malas pulgas.

Gramm *n* (*-s*; *-e*) gramo *m*.

Gram'matik [-a'ma-] *f* gramática *f*; *vergleichende* ∼ gramática comparada.

grammati'kalisch, gram'matisch *adj.* gramatical, gramático; ∼*er Fehler* error (*od.* falta) gramatical.

Gram'matiker *m* gramático *m*.

'Grammolekül ⚗ *n* (*-s*; *-e*) molécula-gramo *f*; mol *m*.

Grammo'phon *n* (*-s*; *-e*) gramófono *m*; **∼aufnahme** *f* impresión *f* de un disco; **∼nadel** *f* (*-*; *-n*), **∼stift** *m* (*-es*; *-e*) aguja *f* de gramófono; **∼platte** *f* disco *m* (de gramófono).

'gramvoll *adj.* lleno de aflicción; afligido; (*betrüblich*) triste, pesaroso, apesadumbrado; melancólico.

Gran *n* (*-es*; *-e*) grano *m*.

Gra'nat *Min.* *m* (*-es*; *-e*) granate *m*; **∼apfel** ⚘ *m* (*-s*; *⸚*) granada *f*; **∼apfelbaum** *m* (*-es*; *⸚e*) granado *m*.

Gra'nate *f* ⚔ *u.* ⚘ granada *f*.

Gra'nat|feuer ⚔ *n* (*-s*; *0*) fuego *m*

de obuses; **~loch** *n* (*-es*; *¨er*) hoyo *m* abierto por una granada; **~splitter** *m* casco *m* de granada; casco *m* de metralla; **~stein** *Min. m* (*-es*; *-e*) granate *m*; **~trichter** ⚔ *m* embudo *m* (*od.* cráter *m*) de granada; **~werfer** ⚔ *m* lanza-granadas *m*.
Grand *m* (*-es*; *0*) (*Kies*) guijo *m*.
'**Grande** *m* (*-n*) grande *m*.
Gran'dezza *f* (*0*) dignidad *f*; señorío *m*; hidalguía *f*; *mit* ~ con señorío.
grandi'os [-di'o:s] *adj.* (*-est*) grandioso.
Gra'nit *Min. m* (*-s*; *-e*) granito *m*; *fig. auf* ~ *beißen* encontrar fuerte resistencia; F dar con un hueso duro de roer; **2ähnlich** *adj.* granitoide; **~felsen** *m* roca *f* de granito; **~en** *adj.* de granito, granítico; **2haltig** *adj.* granitoso.
'**Granne** *f* ⚘ barba *f*, arista *f*; (*Weizen*) raspa *f*; (*Borste*) cerda *f*.
granu'lieren I. (-) **1.** *v/t. Metalle usw.*: granular; **2.** *v/i.* ⚕ *Wundfläche*: cubrirse con granulaciones *f/pl.*; **II.** 2 *n* granulación *f* (*a.* ⚕).
'**Graph|ik** *f* artes *f/pl.* gráficas; (*Zeichnung*) dibujo *m*; **~iker** *m* dibujante *m*; artista *m* publicitario; grafista *m*; **2isch** *adj.* gráfico; *~e Darstellung* (representación *f*) gráfica *f*; ~ *darstellen* representar gráficamente.
Gra'phit [gra-'fi:t] *Min. m* (*-s*; *-e*) grafito *m*, plombagina *f*; **2haltig** *adj.* grafitoso, grafítico; **~mine** ⚒ *f* mina *f* de grafito.
Grapho'loge *m* (*-n*) grafólogo *m*.
Grapholo'gie *f* (*0*) grafología *f*.
grapho'logisch *adj.* grafológico.
'**graps(ch)en** (*-t*) F *v/t.* atrapar, agarrar ávidamente.
'**Gras** *n* (*-es*; *¨er*) hierba *f*, yerba *f*; ⚘ *Gräser pl.* gramíneas *f/pl.*; *sich ins* ~ *legen* echarse sobre la hierba; F *fig. ins* ~ *beißen* morder el polvo; *fig. das* ~ *wachsen hören* ver crecer la hierba; creerse muy listo; *fig.* ~ *wachsen lassen über* (*ac.*) echar tierra a; *darüber ist längst* ~ *gewachsen* eso está olvidado hace ya largo tiempo; **~art** *f* especie *f* de gramíneas; **2bewachsen** *adj.* cubierto de hierba; **~büschel** *n* haz *m* de hierba; **~decke** *f* césped *m*.
'**grasen** (*-t*) *v/i.* pacer, pastar.
'**Gras...:** **~fleck** *m* (*-es*; *-en*) *auf Kleidern*: mancha *f* de hierba; (*mit Gras bewachsene Stelle*) manchón *m* de césped; **2fressend** *adj.*, **~fresser** *m* herbívoro *m*; **~futter** *n* (*-s*; *0*) herbaje *m*; **~fütterung** *f* forraje *m* verde, pasto *m* fresco; **2grün** *adj.* verde prado; **~halm** *m* (*-es*; *-e*) brizna *f*; (tallo *m* de) hierba *f*; **~hopser** *m*, **~hüpfer** *m* F (*Heuschrecke*) saltamontes *m*.
'**grasig** *adj.* cubierto de hierba *bzw.* de césped; herboso.
'**Gras...:** **~land** *n* (*-es*; *0*) herbazal *m*; (*Wiesengrund*) pradera *f*; pradería *f*; (*zum Weiden*) pastizal *m*; **~mäher** *m*, **~mähmaschine** *f* (*Garten*) cortacésped *m*; (*Wiesen*) máquina *f* segadora; **~mücke** *Orn. f* curruca *f*; **~narbe** *f* capa *f* de césped; **~samen** *m* simiente *f* de hierba.
gras'sieren [-a'si:-] (-) *v/i.* reinar; (*wüten*) azotar, hacer estragos *m/pl.*
'**gräßlich** *adj.* (*schauderhaft*) horrible, horroroso; (*ekelhaft*) asqueroso, repulsivo; (*fürchterlich*) tremendo; (*entsetzlich*) espantoso; (*sehr grausam*) atroz; (*scheußlich*) monstruoso; **2keit** *f* horror *m*; atrocidad *f*; (*Scheußlichkeit*) monstruosidad *f*.
'**Gras...:** **~steppe** *f* estepa *f*; pradera *f*; sabana *f*; *Arg.* pampa *f*; (*Venezuela*) llano *m*.
Grat *m* (*-es*; *-e*) (*Bergkamm*) cresta *f*; ⊕ (*Gußnaht*) rebaba *f*; △ *nach außen* (*innen*) *vorspringender* ~ lima-tesa (lima-hoya); '**~balken** △ *m* viga *f* diagonal.
'**Gräte** *f* (*Fisch2*) espina *f*; △ arista *f*; **2nlos** *adj.* sin espinas; **2nreich** *adj.* con muchas espinas.
Gratifikati'on *f* gratificación *f*.
'**grätig** *adj.* con (muchas) espinas, espinoso; *fig.* irritable, picajoso.
'**gratis** *adv.* gratis, gratuitamente, F de balde; **2aktie** ✝ *f* acción *f* gratuita; **2angebot** *n* (*-es*; *-e*) oferta *f* gratuita; **2beilage** *f* suplemento *m* gratuito; **2exemplar** *n* (*-s*; *-e*) ejemplar *m* gratuito; **2kostprobe** *f* gustación *f* gratuita.
'**Grätsch|e** *f* salto *m* con las piernas abiertas; **2en** *v/t.*: *die Beine* ~ abrir las piernas, abrirse de piernas; **~sprung** *m* (*-es*; *¨e*) → *Grätsche*; **~stellung** *f* (*0*) posición *f* de piernas abiertas (*od.* con las piernas abiertas). .
Gratu'lant(in *f*) *m* (*-en*) felicitante *m/f.*; congratulante *m/f*.
Gratulati'on *f* felicitación *f*, parabién *m*; congratulaciones *f/pl.*
gratu'lieren (-) *v/i.*: *j-m zu et.* ~ felicitar a alg. por (*od.* con motivo de) a/c.; dar la enhorabuena a alg. por a/c.; *ich gratuliere* ¡mi felicitación!; ¡enhorabuena!
'**grau** *adj.* gris (*a. Himmel*); *Wolke*: pardo; (*düster*) sombrío; (*farblos*) pálido, descolorido; (*fahl*) lívido; (*nebelhaft*) nebuloso; *Haar*: encanecido; (*meliert*) entrecano; et. ~ grisáceo; ⚕ *~er Star* catarata *f*; *Anat.* *~e Hirnsubstanz* substancia gris; ~ *machen* agrisar; ~ *in* ~ *malen* pintar en claroscuro; *fig.* pintar con negros (*od.* sombríos) colores; ~ *werden* ponerse gris; *~e Haare* canas *f/pl.*; *~e Haare bekommen*, ~ *werden* encanecer; *fig. darüber lasse ich mir keine ~en Haare wachsen* F eso no me preocupa lo más mínimo; *der ~e Alltag* el quehacer cotidiano; ~ *anstreichen* pintar de (color) gris; *seit ~er Vorzeit* desde tiempos inmemoriales; *nachts sind alle Katzen* ~ de noche todos los gatos son pardos; **~äugig** *adj.* de ojos grises; **2bart** *m* (*-es*; *¨e*) hombre *m* barbicano; F *fig.* viejecito *m*; vejete *m*; **~blau** *adj.* gris azulado; *der Augen*: garzo; **2brot** *n* (*-es*; *-e*) pan *m* moreno.
Grau'bünd|en *n Geogr.* cantón *m* de los Grisones; **~ner(in** *f*) *m* grisón *m*; grisona *f*.
'**grauen**[1] **I.** *v/i.* (*grau werden*) ponerse gris; *bei Haar*: encanecer; *Tag*: apuntar el día, amanecer; **II.** 2 *n* amanecer *m*, alba *f*; *beim* ~ *des Tages* al amanecer, al rayar el alba.
'**grauen**[2] **I.** *v/refl. u. v/unprs.*: *sich* ~ *vor* (*dat.*) tener miedo a; tener horror a; *mir graut* (*od. es graut mir*) *vor* tengo miedo a; me horroriza (*ac.*); me espanta (*ac.*); me aterra (*ac.*); *davor graut mir* me da miedo; me da horror; **II.** 2 *n* (*-s*; *0*) miedo *m*; pavor *m*; horror *m*, espanto *m*; *j-m* ~ *einflößen* infundir pavor a alg.; *von* ~ *gepackt sein* estar horrorizado; **~erregend**, **~haft**, **~voll** *adj.* horroroso, horrible, espantoso; terrorífico; (*unheilvoll*) funesto; siniestro.
'**Grau...:** **2grün** *adj.* verde grisáceo, gris verdoso; **~guß** *Met. m* (*-sses*; *¨sse*) fundición *f* gris; **2haarig** *adj.* cano(so); **~kopf** *m* (*-es*; *¨e*) F viejecito *m*; vejete *m*.
'**graul|en** F *v/refl. u. v/unprs.*: *sich* ~ *vor* (*dat.*) tener miedo de; *mir grault vor* (*dat.*) tengo miedo de; **~ich** *adj.* (*Farbe*) grisáceo; (*furchtsam*) miedoso; → *grauenerregend*.
'**gräulich** *adj.* grisáceo.
graume'liert *adj. Haar*: entrecano.
'**Graupe** *f* cebada *f* mondada; *feine*: cebada *f* perlada.
Graupeln *f/pl.* granizo *m* menudo; aguanieve *m*.
'**graupeln** *v/unprs.*: *es graupelt* graniza menudo; cae aguanieve.
'**Graupensuppe** *f* sopa *f* de cebada perlada.
Graus *m* (*-es*; *0*) horror *m*, espanto *m*; pavor *m*.
'**grausam** *adj.* cruel; atroz; (*hart*) duro; (*unmenschlich*) inhumano; bárbaro; (*wild*) feroz; **2keit** *f* crueldad *f*; ferocidad *f*; (*Greueltat*) atrocidad *f*; (*Unmenschlichkeit*) inhumanidad *f*; barbaridad *f*.
'**Grauschimmel** *m* caballo *m* tordillo *od.* roano.
'**graus|en** *v/unprs.*: *mir graust* me estremezco de horror (*wenn* ... al *inf.*); me espanta (*ac.*); **2en** *n* (*-s*; *0*) horror *m*; espanto *m*; **~enerregend**, **~ig** *adj.* espantoso, horroroso, horrible; estremecedor; espeluznante.
'**Grau...:** **~specht** *Orn. m* (*-es*; *-e*) pico *m* ceniciento; **~tier** F *n* (*-es*; *-e*) asno *m*, burro *m*, borrico *m*; **~werden** *n der Haare*: encanecimiento *m*; **~werk** *n* (*-es*; *0*) piel *f* de ardilla gris.
Gra'veur [gra'vø:r] *m* (*-s*; *-e*) grabador *m*.
Gra'vieranstalt *f* taller *m* de grabado.
gra'vieren[1] (-) *v/t.* grabar.
gra'vieren[2] (-) ⚖ *v/t.* (*belasten*) agravar; **~d** ⚖ *adj.* agravante; *~e Umstände* circunstancias agravantes.
Gra'vier|nadel *f* (-; *-n*) buril *m*; **~ung** *f* grabado *m*.
'**Gravis** *Gr. m* (-; -) acento *m* grave.
Gravi'tät *f* (*0*) gravedad *f*.
Gravitati'on *f* (*0*) gravitación *f*; **~sgesetz** *n* (*-es*; *-e*) ley *f* de la gravitación (universal); **~skraft** *f* (*0*) gravitación *f*.
gravi'tätisch *adj.* grave; (*feierlich*) solemne.
gravi'tieren (-) *Phys. v/t.* gravitar.
'**Grazie** [-tsĭə] *f* gracia *f*; donaire *m*, garbo *m*, F salero *m*; *Myt.* gracia *f*.
grazi'ös [-'tsĭ-] *adj.* (*-est*) gracioso, airoso, garboso; F saleroso.
'**Gregor** *m* Gregorio *m*.

gregori'anisch *adj.* gregoriano; *der* ~*e Gesang* el canto gregoriano.
Greif *m* (-*es od.* -*en*; -*e od.* -*en*) *Myt. u.* ▨ grifo *m.*
'Greif...: ~**backe** ⊕ *f* mordaza *f*; ~**bagger** *m* excavadora *f* de cuchara; cuchara-draga *f*; ♀**bar** *adj.* palpable; *fig.* concreto, positivo; (*berührbar*) tangible, palpable; (*zur Hand*) al alcance de la mano; (*offenkundig*) evidente, manifiesto; ✝ (*verkäuflich*) vendible; *auf Lager*: disponible; ~*e Gestalt annehmen* tomar forma definitiva; (*sich verwirklichen*) realizarse.
'greifen (*L*) **1.** *v/t.* tomar, (*nicht in Arg.*) coger; (*befühlen*) palpar; (*packen*) asir, agarrar; empuñar; *fig. mit Händen zu* ~ palpable; evidente, manifiesto; *das ist aus der Luft gegriffen* es pura invención (*od.* fantasía); carece de fundamento; *fig. Platz* ~ afianzarse; establecerse; (*sich behaupten*) mantenerse, sostenerse; (*sich verbreiten*) extenderse; ♪ (*Saite*) tocar; **2.** *v/i.*: *an den Hut* ~ saludar, llevarse la mano al sombrero; *aus dem Leben gegriffen* tomado de la vida (*od.* de la realidad); *in die Tasche* ~ meter la mano en el bolsillo; F echar mano a la bolsa; *nach dem Schwert* ~ poner mano a la espada; ~ *nach* extender la mano para coger *od.* agarrar; ♪ *falsch* ~ desentonar; *fig. um sich* ~ propagarse, extenderse; ganar terreno; *j-m unter die Arme* ~ ayudar *od.* auxiliar a alg.; sostener a alg.; F echar una mano a alg.; *zu et.* ~ tomar *od.* coger a/c.; echar mano a a/c.; *fig.* recurrir a; echar mano de; *zur Feder* ~ tomar la pluma; *zum Äußersten* ~ apelar al último recurso; *zu den Waffen* ~ tomar (*od.* empuñar) las armas; *das ist zu hoch gegriffen* es exagerado.
'Greifer *m* ⊕ (*Selbst*♀) cuchara *f* automática; (~*kübel*) cubeta *f*; *Person*: (*Spürer*) *desp.* sabueso *m*; ~**kran** *m* (-*es*; ⸚*e*) grúa *f* con cuchara; ~**schaufel** *f* (-; -*n*) pala *f* de agarre.
'Greif...: ~**klaue** *f*, ~**kralle** *f* garra *f*; ⊕ garra *f* de sujeción, uña *f*; ~**organ** *n* (-*s*; -*e*) órgano *m* de prensión; ~**schwanz** *m* (-*es*; ⸚*e*) cola *f* prensil; ~**zirkel** *m* compás *m* de espesor.
'greinen *v/i.* lloriquear.
Greis *m* (-*es*; -*e*) anciano *m*, viejo *m.*
'Greisen|alter *n* (-*s*; *0*) ancianidad *f*, vejez *f*; senectud *f*; ♀**haft** *adj.* senil; ~**haftigkeit** *f* (*0*) senilidad *f.*
'Greisin *f* anciana *f*; vieja *f*; señora *f* de edad avanzada.
grell *adj. Ton*: agudo; penetrante; (*schrill*) estridente; *Licht*: deslumbrante; *Farben*: muy vivo, subido; (*auffällig*) llamativo; chillón (*a. Stimme*); ~*e Gegensätze* contrastes fuertes; ~ *abstechen gegen* contrastar rudamente con; '~**bunt** *adj.* (*auffällig*) de colores muy llamativos; '~**farbig** *adj.* de colores chillones.
'Gremium *n* (-*s*; *Gremien*) comisión *f*; entidad *f.*
'Grenz|abkommen *n* acuerdo *m* de fronteras; ~**aufseher** *m* guardia *m* fronterizo; (*Span.*) carabinero *m*; (*Zöllner*) aduanero *m*; ~**bahnhof** *m* (-*es*; ⸚*e*) estación *f* fronteriza (*od.* de frontera); ~**befestigung** *f* fortificación *f* de frontera; ~**belastung** ⊕ *f* carga *f* límite; ~**berichtigung** *f* rectificación *f* de frontera; ~**bestimmung** *f* delimitación *f* de frontera; ~**bevölkerung** *f* población *f* fronteriza; ~**bewohner** *m* habitante *m* de la zona fronteriza; ~**bezirk** *m* (-*es*; -*e*) distrito *m* fronterizo; zona *f* fronteriza.
'Grenze *f* límite *m*; (*Landes*♀) frontera *f*; (*Rand*) borde *m*; margen *m*; (*Schranke*) barrera *f*; (*Grundstücks*♀) linde *m/f*; (*äußerstes Ende*) extremo *m*; confín *m*; *e-e* ~ *ziehen* (*festlegen*) trazar (fijar) una frontera; *die* ~ *überschreiten* pasar (*od.* franquear) la frontera; *fig. die* ~*n überschreiten* pasar (*od.* exceder) los límites, extralimitarse; F pasar de la raya; *alles hat s-e* ~*n* todo tiene sus límites; *e-r Sache* ~*n setzen* limitar (*od.* poner límites a) a/c.; *sich in* ~*n halten* no salirse de los límites; contenerse; *Schließung der* ~*n* cierre de fronteras; *ohne* ~*n* → *grenzenlos.*
'grenzen (-*t*) *v/i.* confinar, lindar (*an ac.* con); ser contiguo a; *Grundstücke*: colindar, ser colindante con; *fig.* rayar en; frisar en; acercarse a; ser casi.
'grenzenlos *adj.* sin límites; (*unbeschränkt*) ilimitado; (*unendlich*) infinito; (*unermeßlich*) inmenso; ♀**igkeit** *f* (*0*) (*Unermeßlichkeit*) inmensidad *f.*
'Grenz...: ~**er** *m* → *Grenzaufseher*; ~**fall** *m* (-*es*; ⸚*e*) caso *m* límite; caso *m* extremo; ~**festsetzung** *f* delimitación *f* de fronteras; ~**fluß** *m* (-*sses*; ⸚*sse*) río *m* fronterizo *od.* limítrofe; ~**frequenz** ⚡ *f* frecuencia *f* límite; ~**gänger** *m* trabajador *m* fronterizo; ~**gebiet** *n* (-*es*; -*e*) región *f* (*od.* zona *f*) fronteriza; ~**jäger** *m* guardia *m* fronterizo; (*Span.*) carabinero *m*; ~**kohlenwasserstoff** ⚗ *m* (-*es*; *0*) hidrocarburo *m* saturado; ~**konflikt** *m* (-*es*; -*e*) conflicto *m* de fronteras; ~**kontrolle** *f* revisión *f* de aduana; ~**lehre** ⊕ *f* calibre *m* de tolerancia; ~**linie** *f* línea *f* divisoria *od.* fronteriza; (*Demarkationslinie*) línea *f* de demarcación; *fig.* límite *m* máximo *od.* extremo; ~**mauer** *f* (-; -*n*) pared *f* (*od.* muro *m*) común; (*Brandmauer*) pared *f* medianera; ~**nachbar** *m* (-*s od.* -*n*; -*n*) vecino *m*; ~**pfahl** *m* (-*es*; ⸚*e*) poste *m* fronterizo; ~**polizei** *f* (*0*) policía *f* de fronteras; ~**posten** ⚔ *m* guardia *m* fronterizo; ~**provinz** *f* provincia *f* fronteriza; ~**schutz** *m* (-*es*; *0*) policía *f* de fronteras; ~**situation** *f* situación *f* límite; ~**spannung** ⊕ *f* tensión *f* límite; ~**sperre** *f* cierre *m* de la frontera; ~**stadt** *f* (-; ⸚*e*) ciudad *f* fronteriza; ~**station** 🚂 *f* estación *f* fronteriza; ~**stein** *m* (-*es*; -*e*) mojón *m* (*od.* hito *m*) fronterizo; ~**streit** *m* (-*es*; -*e*) litigio *m* de fronteras; ~**übertritt** *m* (-*es*; -*e*) paso *m* de la frontera; ~**verkehr** *m* (-*s*; *0*) tráfico *m* en la frontera; ~**verletzung** *f* violación *f* de frontera; ~**vertrag** *m* (-*es*; ⸚*e*) acuerdo *m* de fronteras; ~**wache** *f* guardia *f* de fronteras; ~**wächter** *m* guardia *m* fronterizo; (*Span.*) carabinero *m*; (*Zöllner*) aduanero *m*; ~**wert** ⅍ *m* (-*es*; -*e*) valor *m* límite; ~**winkel** *m* ángulo *m* límite; ~**ziehung** *f* trazado *m* de fronteras; ~**zoll(amt** *n* [-*es*; ⸚*er*]) *m* (-*es*; ⸚*e*) aduana *f*; ~**zone** *f* zona *f* fronteriza; ~**zwischenfall** *m* (-*es*; ⸚*e*) incidente *m* de (*od.* en la) frontera.
'Greuel *m* horror *m*; (*Abscheulichkeit*) abominación *f*; (*Greueltat*) atrocidad *f*; *das ist mir ein* ~ me causa horror; *er ist mir ein* ~ le abomino; le aborrezco; ~**hetze** *f* propaganda *f* difamatoria; ~**märchen** *n* atrocidades *f/pl.* supuestas; ~**propaganda** *f* (*0*) → *Greuelhetze*; ~**tat** *f* atrocidad *f*; acción *f* abominable; crueldad *f.*
'greulich *adj.* atroz; abominable; execrable; horrible; espantoso.
'Griebe *f* chicharrón *m.*
'Griech|e *m* (-*n*), ~**in** *f* griego (-a *f*) *m*; ~**enland** *n* Grecia *f*; ~**entum** *n* (-*s*; *0*) helenismo *m*; ♀**isch** *adj.* griego; *die* ~*e Sprache*; *das* ♀*e* la lengua griega, el griego; ♀**isch-ka'tholisch**, ♀**isch-ortho'dox** *adj.* ortodoxo griego; ♀**isch-'römisch** *adj.* grecorromano.
'Gries|gram *m* (-*es*; -*e*) carácter *m* atrabiliario; (*Person*) gruñón *m*, F cascarrabias *m*, vinagre *m*; ♀**grämig** *adj.* atrabiliario; mal humorado, intratable; gruñón; descontentadizo; P de mala leche.
'Grieß *m* (-*es*; -*e*) arena *f* gruesa; grava *f* menuda; ⚒ carbón *m* menudo; ⚕ arenillas *f/pl.*; (*Weizen*♀) sémola *f*; ~**brei** *m* (-*es*; -*e*) papilla *f* de sémola; ~**klöße** *m/pl.* albóndigas *f/pl.* de sémola; ~**mehl** *n* (-*es*; *0*) sémola *f*; ~**suppe** *f* sopa *f* de sémola.
griff *pret. v. greifen.*
Griff *m* (-*es*; -*e*) (*Greifen*) agarro *m*; golpe *m*; (*Tatzen*♀) zarpada *f*, zarpazo *m*; *beim Ringkampf*: presa *f*; ⚔ ~*e pl.* manejo *m* del arma; ⚔ ~*e machen* manejar el arma; presentar el arma; (*Hand*♀) empuñadura *f*; *zum Anfassen*: asidero *m*; (*Hebel*) palanca *f*; (*Kurbel*) manivela *f*; (*Stiel*) mango *m*; (*Henkel*) asa *f*; (*Degen*♀, *Stock*♀) puño *m*; (*Messer*♀) mango *m*; *e-s Koffers*: asa *f*; *an Schubladen*: tirador *m*; *an Truhen*: aldabón *m*; (*Ende*) cabo *m*; (*Kralle*) garra *f*; uña *f*; (*Tatze*) zarpa *f*; ♪ *Hals der Geige, Gitarre usw.*: mástil *m*; *e-n* ~ *nach et. tun* extender la mano para coger *od.* asir a/c.; F echar mano a a/c.; *fig. e-n guten* ~ *tun* tener buena suerte (*od.* buena mano); ♪ *e-n falschen* ~ *tun* desafinar, desentonar; *et. im* ~ *haben* saber manejar a/c.; tener práctica en a/c.; estar acostumbrado a a/c.; '♀**bereit** *adj.* (*zur Hand*) al alcance de la mano; '~**brett** ♪ *n* (-*es*; -*er*) *e-r Geige*: mástil *m*, mango *m*; *e-s Klaviers*, *e-r Orgel*: teclado *m.*
'Griffel *m* pizarrín *m*; ⊕ buril *m*; ⚘ pistilo *m.*
'griff|ig *adj.* (*handlich*) manejable; manuable; (*geschickt*) hábil; (*das Gleiten verhindernd*) antideslizable; ♀**igkeit** *f* (*Handlichkeit*) manejabilidad *f*; (*Geschicklichkeit*) habilidad *f*; ♀**stück** *n* (-*es*; -*e*) empuñadura *f.*
Grill *m* parrilla *f.*
'Grille *f* (*Heimchen*) grillo *m*; (*Zi-*

kade) cigarra *f*; *fig.* capricho *m*, antojo *m*; extravagancia *f*; fantasía *f*, quimera *f*, F chifladura *f*; *~n fangen* estar melancólico *od.* triste; *~n im Kopf haben* tener sus caprichos; **2nhaft** *adj.* caprichoso; extravagante; fantástico, quimérico; soñador; visionario; F chiflado.

Gri'masse *f* mueca *f*, visaje *m*; gesto *m*; *~n machen* (*od. schneiden*) hacer muecas; **~nschneider** *m* gestero *m*.

'Grimm *m* (*-es*; *0*) (*Wut*) furor *m*, furia *f*; rabia *f*, ira *f*; (*Wildheit*) ferocidad *f*; (*Erbitterung*) saña *f*, encono *m*; **~darm** *Anat. m* (*-es*; *⸗e*) colón *m*; **2ig** *adj.* (*wütend*) furioso, *stärker*: furibundo; rabioso; (*wild*) feroz; (*erbittert*) enconado; *fig.* (*schrecklich*) terrible, horrible, espantoso; *Winter*: crudo, riguroso; *es ist ~ kalt* hace un frío que corta; **~igkeit** *f* (*0*) → *Grimm*; *der Kälte, des Winters*: rigor *m*, crudeza *f*.

'Grind ⚕ *m* (*-es*; *-e*) tiña *f*; (*Schorf*) escara *f*; costra *f*; **2ig** *adj.* tiñoso; (*mit Schorf bedeckt*) costroso, cubierto de escaras.

'grinsen I. (*-t*) *v/i.* sonreírse irónicamente; **II.** 2 *n* sonrisa *f* irónica; F risa *f* del conejo.

'Grippe ⚕ *f* gripe *f*; *die ~ haben* tener la gripe; **~epidemie** *f* epidemia *f* de gripe; **2krank** *adj.* griposo; **~pneumonie** *f* neumonía *f* gripal.

Grips F *m* (*-es*; *-e*) sesos *m/pl.*; *fig.* inteligencia *f*; F caletre *m*, cacumen *m*.

'grob [oː] *adj.* (*⸗er*, *⸗st*) (*stark, dick*) grueso; (*plump*) grosero; (*roh*) bruto, brutal; (*ungeschliffen*) tosco, basto; *Person*: *a.* zafio, rudo; (*frech*) impertinente, insolente; (*bäuerisch*) patán, palurdo; (*unhöflich*) descortés, ineducado; incivil; (*ordinär*) chabacano, ordinario; soez; (*unwirsch*) brusco; (*unbearbeitet*) en bruto; (*ungebildet*) inculto; (*annähernd*) aproximativo; *Stoff*: burdo, basto; *~e Fahrlässigkeit* negligencia grave; *~er Unfug* abuso grave; *~e Lüge* solemne mentira; *~e Arbeit* trabajo rudo; *~e Worte* palabras gruesas; *~e Stimme* voz bronca; *~e See* mar gruesa; *~er Spaß* broma de mal gusto; *~er Fehler* falta grave; *~er Irrtum* craso error; *~e Gesichtszüge* facciones toscas; *fig. in ~en Zügen* (*im Umriß*) a grandes rasgos; *~es Brot* pan integral; *~er Kerl* (individuo) grosero; palurdo, rústico; *j-n ~ anfahren* tratar groseramente (*od.* con malos modales) a alg.; tratar con rudeza a alg.; *aus dem Gröbsten heraus sein* haber hecho ya lo más difícil; **2blech** *n* (*-es*; *-e*) chapa *f* gruesa; **2draht** *m* (*-es*; *⸗e*) alambre *m* grueso; **2einstellung** ⊕ *f* ajuste *m* aproximativo; **~faserig** *adj.* de fibra basta; **2feile** *f* lima *f* gruesa; bastarda *f*; **2heit** *f* grosería *f*; (*Roheit*) brutalidad *f*; (*Unhöflichkeit*) descortesía *f*, falta *f* de educación; (*grobes Benehmen*) grosería *f*; incivilidad *f*; ordinariez *f*; (*Frechheit*) impertinencia *f*, insolencia *f*; (*Ungeschliffenheit*) tosquedad *f*; zafiedad *f*; *j-m ~en sagen* (*od.* P *an den Kopf werfen*) decir groserías (*od.* P burradas) a alg.

'Grobian [-biaːn] *m* (*-es*; *-e*) grosero *m*; palurdo *m*, patán *m*, ceporro *m*; F *fig.* cafre *m*, zafio *m*.

'grobkörnig *adj.* de grano grueso.

'gröblich I. *adj.* grueso; grosero; **II.** *adv.*: *~ beleidigen* insultar groseramente.

'grob...: **~maschig** *adj.* de malla gruesa; **~schlächtig** *adj.* grosero; **2schliff** ⊕ *m* (*-es*; *-e*) desbaste *m*; **2schmied** *m* (*-es*; *-e*) herrero *m* de grueso.

Grog *m* (*-s*; *-s*) grog *m*.

'grölen F *v/i.* gritar, chillar; berrear.

'Groll *m* (*-es*; *0*) rencor *m*; animosidad *f*, ojeriza *f*; encono *m*; P hincha *f*; (*Ressentiment*) resentimiento *m*; (*eingewurzelter Haß*) odio *m* inveterado; *ohne ~* sin rencor; *auf j-n e-n ~ haben* guardar rencor a alg.; tener ojeriza a alg.; **2en** *v/i.*: *j-m ~* guardar rencor a alg.; (*schmollen*) F poner hocico; *Donner*: retumbar; **~en** *n* → *Groll*.

'Grön|land *n* Groenlandia *f*; **~länder(in** *f*) *m* groenlandés *m*; groenlandesa *f*; (*kleines Boot*) kayac *m*; **~landfahrer** ⚓ *m* ballenero *m*; **2ländisch** *adj.* groenlandés.

Gros[1] [gRoː] ⚔ *n* (*-*; *-*) grueso *m*.

Gros[2] [gRɔs] ✝ *n* (*-ses*; *-se*) (*12 Dutzend*) gruesa *f*.

'Groschen *m* moneda *f* de diez pfennigs; *keinen ~ haben* no tener un céntimo, P no tener ni gorda; F *der ~ ist gefallen* ahora caigo (en la cuenta).

'groß [oː] (*⸗er*; *⸗t*) **I.** *adj.* gran(de); (*erwachsen*) adulto, mayor; (*geräumig*) espacioso; (*dick*) grueso; (*weit*) amplio, extenso, vasto; (*lang*) largo; (*hochgewachsen*) alto; (*hoch*) elevado; (*umfangreich*) voluminoso; (*stark*) fuerte; (*wichtig*) importante; (*bedeutend*) considerable, notable; (*hervorragend*) eminente, insigne; *~er Buchstabe* (letra *f*) mayúscula *f*; *die ~e Masse* la masa, el vulgo; *~e Pause* pausa larga; *~e Zehe* dedo gordo (del pie); *~er Fehler* falta grave; *~er Unterschied* gran diferencia; *in ~em Gesellschaftsanzug* de (gran) etiqueta; *der 2e Ozean* el océano Pacífico; el Pacífico; *~e Hitze* (*Kälte*) calor (frío) intenso; *der größere* (*größte*) *Teil* la mayor parte; la mayoría; *~ und klein* grandes y pequeños; chicos y grandes; todo el mundo; *wenn du einmal ~ bist* cuando seas grande; *~er Mann* hombre grande; hombre de gran estatura; *fig.* hombre insigne, un gran hombre; *gleich ~ Personen*: de la misma talla (*od.* estatura); *Sachen*: del mismo tamaño; *wie ~ ist er?* ¿qué talla tiene?; *e-e größere Summe* una cantidad bastante grande (*od.* considerable); *im 2en* en grande; en gran escala; *im 2en wie im Kleinen* tanto en las cosas grandes como en las pequeñas; *im ~en* (*und*) *ganzen* en general; (*kurz*) en su(b)stancia, en resumen; *im ~en und kleinen verkaufen* vender al por mayor y al por menor; *mit ~er Mühe* con gran trabajo (*od.* esfuerzo); a duras penas; *in ~en Zügen* a grandes rasgos; *~en Wert legen auf* (*ac.*) atribuir gran importancia a; *e-n ~en Raum einnehmen* ocupar mucho espacio; *fig. ~e Augen machen* enarcar las cejas; mirar con asombro; F abrir unos ojos como platos; *fig. s-e Augen sind größer als sein Mund* F tiene el ojo más grande que la panza; *auf ~em Fuße leben* vivir a lo grande; *~es Aufsehen erregen* producir (*od.* causar) sensación, *fig.* hacer mucho ruido; *fig.* P *ein ~es Maul haben* ser un fanfarrón (*od.* un bocaza); ser un perdonavidas; *das 2e* lo grande; *Friedrich der 2e* Federico el Grande; *Karl der 2e* Carlomagno; *die 2en* los adultos, las personas mayores; **II.** *adv.* *j-n ~ ansehen* mirar asombrado a alg.; *~ auftreten* darse aires de gran señor; *bei ihm geht es ~ her* en su casa se vive a lo grande; *~ denken* pensar noblemente; *v. j-m*: tener alta opinión de alg.; F *er kümmert sich nicht ~ darum* no le preocupa gran cosa; no hace gran caso de ello; *ganz ~!* (*prima*) F ¡estupendo!, ¡formidable!; *~* (*od. größer*) *werden Kind*: crecer; *Sachen*: aumentar; agrandarse; *Mensch*: llegar a la edad adulta; (*sich ausdehnen*) extenderse; ensancharse; *fig.* engrandecerse; *größer machen* hacer más grande, agrandar; aumentar; ampliar, ensanchar; *fig.* engrandecer; *ein Wort ~ schreiben* escribir una palabra con mayúscula; **2abnehmer** ✝ *m* comprador *m* al por mayor; **2admiral** *m* (*-s*; *-e*) gran almirante *m*; (*Span.*) capitán *m* general de la Armada; **2aktionär** *m* (*-s*; *-e*) gran accionista *m*; **2angriff** ⚔ *m* (*-es*; *-e*) gran ataque *m*; ataque *m* en gran escala; **~artig** *adj.* grandioso, imponente; (*ausgezeichnet*) excelente, magnífico, soberbio; (*glänzend*) espléndido; brillante; (*gewaltig*) magno; (*wunderbar*) maravilloso; (*erhaben*) sublime; majestuoso; (*ungeheuer*) enorme, fenomenal; F estupendo, formidable, colosal; P de órdago; **2artigkeit** *f* (*0*) grandiosidad *f*; magnificencia *f*; sublimidad *f*; majestuosidad *f*; **2aufnahme** *f Film* primer plano *m*; **2-Berlin** *n* el Gran Berlín; **2betrieb** *m* (*-es*; *-e*) gran empresa *f*; explotación *f* en gran escala; **~blätt(e)rig** *adj.* de grandes hojas; **2bri'tannien** *n* Gran Bretaña *f*; **~bri'tannisch** *adj.* británico, de la Gran Bretaña; **2buchstabe** *m* (*-ns*; *-n*) (letra *f*) mayúscula *f*.

'Größe [øː] *f* grandeza *f*; *Astr.* magnitud *f*; (*Menge*) *bsd.* 𝔄 cantidad *f*; (*Dicke*) grosor *m*, grueso *m*; (*Ausdehnung*) extensión *f*; (*Dimension*) dimensión *f*; (*Format*) tamaño *m*; (*Weite*) amplitud *f*; (*Rauminhalt*) volumen *m*; *e-s Gefäßes*: capacidad *f*; (*Aufnahmefähigkeit*) cabida *f*; (*Stärke*) fuerza *f*; intensidad *f*; (*Erhabenheit*) sublimidad *f*; majest(uosid)ad *f*; grandeza *f*; (*Bedeutung*) importancia *f*; *e-s Vergehens*: gravedad *f*; (*Körper2*) talla *f*, estatura *f*; *v. Bäumen, Gebäude usw.*: altura *f*; (*Hemd2, Schuh2, Hut2*) número *m*; (*Kleider2, Anzug2*) talla *f*; (*Berühmtheit*) celebridad *f*, eminencia *f*; *v. Film, Bühne*: estrella *f*, astro *m*; *v. Sport*: as *m*; *e-e ~ auf dem Gebiet der Atomfor-*

schung una autoridad en el campo de la investigación nuclear; *Astr.* *Stern erster* ∼ estrella de primera magnitud; *von mittlerer* ∼ de tamaño mediano; de talla media; *der* ∼ *nach ordnen* clasificar por tamaños; ⅍ *unbekannte* ∼ incógnita.

ˈ**Groß...:** **∼einsatz** *m* (-*es*; ⸚*e*) operación *f* en gran escala; **∼eltern** *pl.* abuelos *m/pl.*; **∼enkel(in** *f*) *m* bisnieto (-a *f*) *m.*

ˈ**Größenordnung** *f* orden *m* de magnitud; (*Dimension*) dimensión *f.*

ˈ**großenteils** *adv.* en gran parte; en su mayor parte; en general, generalmente, por lo general.

ˈ**Größen...:** **∼verhältnis** *n* (-*ses*; -*se*) proporción *f*; **∼wahn(sinn)** *m* (-*ẹs*; *0*) delirio *m* de grandezas, megalomanía *f*; **2wahnsinnig** *adj.* megalómano.

ˈ**Größerwerden** *n* crecimiento *m.*

ˈ**Groß...:** **∼fabrikation** *f*, **∼fertigung** *f* fabricación *f* en gran escala; **∼feuer** *n* gran incendio *m*, siniestro *m*; **∼film** *m* (-*ẹs*; -*e*) película *f* de largo metraje; (*Monumentalfilm*) superproducción *f*; **∼flugzeug** *n* (-*ẹs*; -*e*) avión *m* gigante; **∼folio** *n* (-*s*; *0*): *in* ∼ en folio mayor; **∼format** *n* (-*ẹs*; -*e*) gran formato *m*; tamaño *m* grande; **∼funkstation** *f* emisora *f* de gran potencia (*od.* gran alcance); **∼fürst(in** *f*) *m* (-*en*) gran duque (duquesa *f*) *m*; **∼fürstentum** *n* (-*s*; ⸚*er*) gran ducado *m*; **∼garage** *f* garage *m* colectivo; **∼gewerbe** *n* gran industria *f*; **∼grundbesitz** *m* (-*es*; *0*) latifundio *m*; (*Farm*) *Am.* hacienda *f*; *Arg.* estancia *f*; **∼grundbesitzer(in** *f*) *m* terrateniente *m/f*, latifundista *m/f*; *Am.* hacendado *m*; *Arg.* estanciero *m*; **∼handel** *m* (-*s*; *0*) comercio *m* al por mayor; **∼handels-index** *m* (-*es*; -*e*) índice *m* de precios al por mayor; **∼handelspreis** *m* (-*es*; -*e*) precio *m* al por mayor; **∼händler** (-**in** *f*) *m* comerciante *m/f* al por mayor, mayorista *m/f*; **∼handlung** *f* almacén *m* al por mayor; **2herzig** *adj.* generoso; magnánimo; **∼herzigkeit** *f* (*0*) generosidad *f*; magnanimidad *f*; **∼herzog(in** *f*) *m* (-*ẹs*; -*e od.* ⸚*e*) gran duque (duquesa *f*) *m*; **∼herzogtum** *n* (-*s*; ⸚*er*) gran ducado *m*; **∼hirn** *Anat.* *n* (-*ẹs*; -*e*) cerebro *m*; **∼hirnrinde** *Anat.* *f* corteza *f* cerebral; **∼industrie** *f* gran industria *f*; **∼industrielle(r)** *m* gran industrial; **∼inquisitor** *m* (-*s*; -*en*) inquisidor *m* general.

Grosˈsist *m* (-*en*) → *Großhändler.*

ˈ**groß...:** **∼jährig** *adj.* mayor de edad; **2jährigkeit** *f* (*0*) mayoría *f* de edad; **2kapital** *n* (-*s*; *0*) gran capital *m*; **2kapitalismus** *m* (-; *0*) capitalismo *m*; plutocracia *f*; **2kapitalist** *m* (-*en*) gran capitalista *m*; **2kaufmann** *m* (-*ẹs*; -*kaufleute*) → *Großhändler*; **2kotz** P *m* (-*en*) (*Schwätzer*) charlatán *m*; (*Prahler*) fanfarrón *m*; bocaza *m*; **2kraftwerk** ⚡ *n* (-*ẹs*; -*e*) central *f* eléctrica de gran potencia; **2kreuz** *n* (-*es*; -*e*) *e-s Ordens*: gran cruz *f*; **2lautsprecher** *m* altavoz *m* gigante (*od.* de gran potencia); **2loge** *f* *Freimaurerei*: Gran Oriente *m*; **2macht** *f* (-; ⸚*e*) gran potencia *f*; **∼mächtig** *adj.* muy potente; muy poderoso; **2machtstellung** *f* situación *f* de gran potencia; **2mars** ⚓ *m* (-; -*e*) cofa *f* mayor; **∼maschig** *adj.* de grandes mallas; **2mast** ⚓ *m* (-*es*; -*e od.* -*en*) palo *m* mayor; **2maul** *fig.* F *n* (-*ẹs*; ⸚*er*), **∼mäulig** *adj.* (*Schwätzer*) charlatán *m*, F bocaza *m*; (*Prahler*) jactancioso *m*, fanfarrón *m*, F farolero *m*; (*Raufbold*) valentón *m*, bocón *m*; matón *m*, F traganiños *m*, perdonavidas *m*; **2mut** *f* (*0*) generosidad *f*; magnanimidad *f*; **∼mütig** *adj.* generoso; magnánimo; **2mütigkeit** *f* (*0*) → *Großmut*; **2mutter** *f* (-; ⸚) abuela *f*; **∼mütterlich** *adj.* de (una) abuela; como (una) abuela; **∼mütterlicherseits** *adv.* por parte de la abuela; **2neffe** *m* (-*n*) sobrino *m* segundo; **2nichte** *f* sobrina *f* segunda; **2oktav** *Typ.* (-*s*; *0*) octavo *m* mayor; **2onkel** *m* tío *m* abuelo; **2rabbiner** *m* gran rabino *m*; **2raumgüterwagen** *m* vagón *m* de gran capacidad; **2reihenfertigung** *f* fabricación *f* en grandes series; **2reinemachen** *n* (-*s*; *0*) limpieza *f* general; **2schiffahrt** *f* gran navegación *f*; **2schiffahrtskanal** *m* (-*s*; ⸚*e*) canal *m* para buques de gran calado; **2schiffahrtsweg** *m* (-*ẹs*; -*e*) *a.* gran vía *f* de navegación; **2schlächteˈrei** *f* carnicería *f* al por mayor; **2schnauze** P *fig.* *f*, **∼schnäuzig** P *fig. adj.* → *Großmaul, großmäulig*; **2segel** ⚓ *n* vela *f* mayor; **2sprecher** *m* → *Großmaul*; **2sprecheˈrei** *f* (*Geschwätz*) charlatanería *f*; (*Prahlerei*) fanfarronería *f*, fanfarronada *f*; jactancia *f*; F farolería *f*; (*leere Drohung*) baladronada *f*; bravuconada *f*; matonismo *m*; **∼sprecherisch** *adj.* → *großmäulig*; **∼spurig** *fig.* **I.** *adj.* arrogante; fachendoso; F farolero; **II.** *adv.*: ∼ *tun*, ∼ *auftreten* gastar mucha prosopopeya; darse aires de gran señor *bzw.* señora; darse tono *od.* importancia; **2stadt** *f* (-; ⸚*e*) gran ciudad *f*, urbe *f*; metrópoli *f*; **2städter(in** *f*) *m* habitante *m/f* de una gran ciudad; **∼städtisch** *adj.* (propio) de (una) gran ciudad; *die* ∼*e Bevölkerung* la población de las grandes ciudades; **2tante** *f* tía *f* abuela; **2tat** *f* hazaña *f*, proeza *f.*

größt *sup. v. groß.*

ˈ**Großtanklager** *n* centro *m* de aprovisionamiento de gasolina.

ˈ**größt...:** **∼enˈteils** *adv.* por *od.* en la mayor parte, en su mayoría; por lo general, en general; (*gewöhnlich*) ordinariamente; (*zeitlich*) lo más a menudo; **2maß** *n* (-*es*; -*e*) máximum *m*, máximo *m*; **∼möglich** *adj.* lo mayor (*od.* más grande) posible.

ˈ**Groß...:** **∼tuer** *m* jactancioso *m*; arrogante *m*; fachendoso *m*; fanfarrón *m*; fantoche *m*; bravucón *m*; **∼tueˈrei** *f* jactancia *f*; arrogancia *f*; fachenda *f*, ostentación *f*, F faroleo *m*; fanfarronería *f*, portuguesada *f*; bravuconería *f*; **2tun** (*L*) *v/i.* jactarse; fachendear; fanfarronear; darse tono *od.* importancia; darse aires de gran señor *bzw.* señora; *mit et.* ∼ jactarse de a/c.; **∼unternehmen** *n* gran empresa *f*; **∼unternehmer** *m* gran industrial *m*; **∼vater** *m* (-*s*; ⸚) abuelo *m*; **2väterlich** *adj.* de (un) abuelo; como (un) abuelo; **2väterlicherseits** *adv.* de *od.* por (la) parte del abuelo; **∼vaterstuhl** *m* (-*ẹs*; ⸚*e*) sillón *m* de brazos, poltrona *f*; **∼vieh** *n* (-*ẹs*; *0*) ganado *m* mayor; **∼wild** *n* (-*ẹs*; *0*) caza *f* mayor; **∼würdenträger** *m* alto dignatario *m*; **2ziehen** (*L*) *v/t.* criar; educar; **∼ziehen** *n* cría *f*; **2zügig** *adj.* de miras amplias; de alto vuelo; (*freigebig*) liberal; generoso, desprendido; **∼zügigkeit** *f* (*0*) amplitud *f* de miras; (*Freigebigkeit*) liberalidad *f*; generosidad *f*, largueza *f*, prodigalidad *f.*

groˈtesk *adj.* grotesco; ∼*e Figur* adefesio *m*, facha *f*; **2e** *f* *Thea.* juguete *m* cómico, farsa *f*; astracanada *f.*

ˈ**Grotte** *f* gruta *f.*

ˈ**Grübchen** *n* hoyuelo *m.*

grub *pret. v. graben.*

ˈ**Grube** *f* (*Grab*) fosa *f*; ⚒ mina *f*; *in die* ∼ *fahren* bajar a la mina; (*Ausschachtung*) zanja *f*; ⚒ pozo *m*; (*Vertiefung*) hoyo *m*; foso *m*; (*Aushöhlung*) excavación *f*; *wer andern e-e* ∼ *gräbt, fällt selbst hinein* quien siembra cizaña más tarde le araña.

Grübeˈlei *f* cavilación *f*; meditación *f*; sutileza *f.*

ˈ**grübeln I.** (-*le*) *v/i.* cavilar; meditar; *fig.* F rumiar; romperse la cabeza; **II.** 2 *n* → *Grübelei.*

ˈ**Gruben...:** **∼arbeiter** *m* minero *m*; **∼bahn** *f* ferrocarril *m* minero; vía *f* de mina; **∼bau** *m* (-*ẹs*; -*e*), **∼betrieb** *m* (-*ẹs*; -*e*) explotación *f* minera; **∼brand** *m* (-*ẹs*; ⸚*e*) incendio *m* en una mina; **∼feld** *n* (-*ẹs*; -*er*) campo *m* de explotación minera; **∼gas** *n* (-*es*; -*e*) grisú *m*; **∼holz** *n* (-*es*; ⸚*er*) entibos *m/pl.*; **∼lampe** *f*, **∼licht** *n* (-*ẹs*; -*er*) lámpara *f* de minero; **∼schacht** *m* (-*ẹs*; ⸚*e*) pozo *m* de mina; **∼steiger** *m* capataz *m* de minas; **∼stempel** *m* puntal *m* de mina; **∼unglück** *n* (-*ẹs*; -*e*) accidente *m* minero; catástrofe *f* minera; **∼wasser** *n* agua *f* de infiltración; **∼wetter** *n* grisú *m*; **∼zimmerung** *f* entibado *m.*

ˈ**Grübler(in** *f*) *m* soñador(a *f*) *m*; sutilizador(a *f*) *m*; **2isch** *adj.* caviloso; pensativo; soñador.

Gruft *f* (-; ⸚*e*) (*Grab*) tumba *f*, sepulcro *m*; (*Familien2*) panteón *m*; (*Höhle*) caverna *f*; ˈ**∼gewölbe** *n* cripta *f.*

Grum(me)t ⚘ *n* (-*s*; *0*) otoño *m*, segunda hierba *f.*

grün I. *adj.* verde; (*frisch*) fresco; (*unerfahren*) novicio, *bsd.* ⚔ bisoño; ∼*er Tisch* (*Spieltisch*) tapete verde; *am* ∼*en Tisch ausgeheckt fig.* burocrático; de gabinete; sin visión directa de la realidad; F *fig.* ∼*er Junge* mocito; mozalbete; ∼*e Bohnen* judías *f/pl.* verdes; *Am.* porotos *m/pl.* verdes; ∼*e Saat* trigo *m* verde; alcacer *m*; ∼*e Welle* semáforos *m/pl.* sincronizados; sincronización *f* de señales de tráfico; F ∼*e Minna* coche *m* celular; 2*e Woche* semana *f* de la agricultura (*od.* del campo); *fig.* *auf keinen* ∼*en Zweig kommen* no medrar; no salir adelante; *j-n über den* ∼*en Klee loben* poner a alg. por las nubes; ∼ *anstreichen* pintar de verde; ~ *werden* verdear; reverdecer; *mir wird* ~ *und gelb vor Augen* me dan mareos; la cabeza me da vueltas; ~ *vor Neid* amarillo de envidia; *j-n* ~ *und blau schlagen* F *fig.* moler a alg. a palos; (*sich*) ~ *und gelb ärgern* exasperar(se); F *fig. j-m nicht* ~ (*gewogen*) *sein* guardar rencor a alg.; F tener tirria a alg.; **II.** 2 *n* (*-s; 0*) verde *m*; *der Felder, Bäume*: verdor *m*, verdura *f*; *mitten im* ~*en* en pleno verdor; *ins* ~*e hinausziehen* ir a descansar al campo; irse de campo; *bei Mutter* ~ *schlafen* dormir al raso; **'2anlage** *f* césped *m*; parque *m* público; **'~bewachsen** *adj.* cubierto de verdor.

'Grund *m* (*-es; ¨e*) (*tiefste Stelle*) fondo *m*; (*Tal*) valle *m*; (*Erdboden*) suelo *m*; tierra *f*; (*Grundstück*) terreno *m*; (*Grundlage*) fundamento *m*; base *f*; (*Vernunfts*2) razón *f*; porqué *m*; (*Beweg*2) motivo *m*; móvil *m*; (*Ursache*) causa *f*; (*Beweis*2) argumento *m*; ~ *und Boden* bienes raíces; *als* ~ *angeben* invocar como razón; *aus diesem* ~*e* por esta razón; con este (*od.* tal) motivo; por este motivo; *aus naheliegenden Gründen* por razones obvias (*od.* fáciles de comprender); *aus den dargelegten Gründen* por las razones expuestas; *aus irgendeinem* ~*e* por cualquier razón (*od.* motivo); *aus welchem* ~*e?* ¿por qué razón?; ¿por qué motivo?; *aus dem* ~*e, daß* a causa de; porque; *und zwar aus guten Gründen* y con fundada razón para ello; *s-e guten Gründe haben* tener fundadas razones; *aus gesundheitlichen Gründen* por motivos (*od.* razones) de salud; *ohne* (*jeden*) ~ sin (ningún) motivo; inmotivadamente; sin (ninguna) razón; *von* ~ *aus* a fondo; radicalmente; *auf* ~ *von* a base de; (*kraft*) en virtud de; por razón de; *im* ~*e* (*genommen*) en el fondo; bien mirado; pensándolo bien; después de todo; *das ist ein* ~ *mehr* razón de más; *kein* ~ *zur Aufregung* no hay motivo para alterarse; *das Glas bis auf den* ~ *leeren* apurar el vaso; *den* ~ *legen* △ fundamentar, echar los cimientos de; *keinen* ~ *mehr haben, den* ~ *verlieren* (*im Wasser*) perder pie; ~ *haben* (*im Wasser*) tocar fondo, hacer pie; (*keinen*) ~ *haben zu* ... (no) tener motivo para ...; ~ *geben zu* ... dar lugar a; dar pie para; dar motivo a *od.* para; *e-r Sache* (*dat.*) *auf den* ~ *gehen* examinar a fondo una cosa; *den* ~ *legen zu et.* sentar (*od.* establecer) las bases para *od.* de a/c.; ⚓ *auf* ~ *geraten* encallar, varar; ⚓ *in den* ~ *bohren* irse a pique, hundirse; **~akkord** ♪ *m* (*-es; -e*) acorde *m* fundamental; **~anschauung** *f* concepción *f* fundamental; **2anständig** *adj.* muy decente; **~anstrich** ⊕ *m* (*-es; -e*) capa *f* (*od.* pintura *f*) de fondo; **~ausbildung** ⚔ *f* instrucción *f* básica; **~bau** *m* (*-es; -ten*) △ fundamentos *m/pl.*; **~bedeutung** *f* sentido *m* primitivo *od.* fundamental; **~bedingung** *f* condición *f* fundamental; **~begriff** *m* (*-es; -e*) idea *f* fundamental; noción *f* (*od.* concepto *m*) fundamental; **~besitz** *m* (*-es; 0*) bienes *m/pl.* raíces, propiedad *f* inmueble; **~besitzer(in** *f*) *m* propietario (-a *f*) *m* (de bienes raíces); **~bestandteil** *m* (*-es; -e*) elemento *m* fundamental *od.* primario; **~blei** ⚓ *n* (*-es; -e*) sonda *f*; **~buch** *n* (*-es; ¨er*) catastro *m*, registro *m* de la propiedad; **~buchamt** *m* (*-es; ¨er*) oficina *f* del registro de la propiedad; **~dienstbarkeit** *f* servidumbre *f* inmobiliaria; **2ehrlich** *adj.* honrado a carta cabal; **~eigentum** *n* (*-s; 0*) → *Grundbesitz*; **~eigentümer(in** *f*) *m* → *Grundbesitzer(in)*; **~einstellung** *f* actitud *f* fundamental; **~eis** *n* (*-es; 0*) hielo *m* de fondo.

'gründen (*-e-*) *v/t.* fundar; △ echar los cimientos; (*einrichten*) establecer; (*schaffen*) crear; (*errichten*) erigir; *fig.* (*stützen*) basar, apoyar (*auf ac.* en); *sich* ~ (*ac.*) fundarse en; (*sich stützen*) apoyarse en; (*beruhen auf*) basarse en; 2 *n* → *Gründung*.

'Gründer(in *f*) *m* fundador(a *f*) *m*; (*Schöpfer*) creador(a *f*) *m*; **~aktie** ♰ *f* acción *f* de fundador; **~anteil** *m* (*-es; -e*) parte *f* de fundador; **~gesellschaft** *f* sociedad *f* fundadora; **~jahre** *n/pl. Hist. in Deutschland nach 1871*: revolución *f* industrial alemana; **~versammlung** *f* asamblea *f* constituyente.

'Grund...: ~erwerb *m* (*-es; 0*) adquisición *f* de terreno; **~erwerbssteuer** *f* (*-; -n*) impuesto *m* sobre las adquisiciones inmobiliarias; **~erzeugnis** *n* (*-ses; -se*) producto *m* base; **2falsch** *adj.* (*0*) absolutamente falso; **~farbe** *f Opt.* color *m* elemental; (*Untergrund*) fondo *m*; (*Grundanstrich*) capa *f* (*od.* pintura *f*) de fondo; **~fehler** *m* error *m* fundamental *od.* capital; **~feste** *f* fundamento *m*; **~firnis** *m* (*-ses; -se*) barniz *m* de fondo; **~fläche** *f* base *f*; **~form** *f* forma *f* primitiva; *Gr.* infinitivo *m*; **~gebühr** *f* tarifa *f* básica *od.* fija; **~gedanke** *m* (*-ns; -n*) idea *f* fundamental; **~gehalt** *n* (*-es; ¨er*) sueldo *m* base; (*Anfangsgehalt*) sueldo *m* inicial; **2gelehrt** *adj.* muy sabio; muy erudito; ~ *sein* F ser un pozo de ciencia; **~gesetz** *n* (*-es; -e*) ley *f* fundamental *od.* orgánica; (*Verfassung*) constitución *f*; **2gesetzlich** *adj.* constitucional; **~gestein** *n* (*-es; -e*) rocas *f/pl.* primitivas; **~gleichung** ⚗ *f* ecuación *f* fundamental; **~herr** *m* (*-n; -en*) → *Grundbesitzer*; *Hist.* señor *m* feudal.

grun'dier|en (*-*) *v/t.* dar la primera capa; *Mal.* imprimar; poner fondo; **2farbe** *f* pintura *f* (*od.* capa *f*) de fondo; **2lack** *m* (*-es; -e*) barniz *m* de fondo; **2schicht** *f* capa *f* de fondo; **2ung** *f* aplicación *f* de la capa de fondo; *Mal.* imprimación *f*.

'Grund...: ~industrie *f* industria *f* básica; **~irrtum** *m* (*-s; ¨er*) error *m* fundamental *od.* capital; **~kapital** *n* (*-s; -ien*) capital *m* social; **~kredit** *m* (*-es; -e*) crédito *m* hipotecario; **~kredit-anstalt** *f* banco *m* de crédito hipotecario; **~lage** *f* base *f*; fundamento *m*; asiento *m*; *e-r Wissenschaft usw.*: elementos *m/pl.*, fundamentos *m/pl.*; (*Grundsätze*) principios *m/pl.*; *auf der* ~ *von* sobre la base de; *auf gesetzlicher* ~ sobre base legal; *jeder* ~ *entbehren* carecer de todo fundamento; *die* ~*n legen* establecer *od.* sentar las bases (*für* de); *die* ~*n für ein Abkommen schaffen* establecer las bases para un acuerdo; *auf eine sichere* ~ *stellen* fundar sobre base segura; **~lagenforschung** *f* investigación *f* de principios; **2legend** *adj.* fundamental; radical; **~legung** *f* fundación *f*.

'gründlich I. *adj.* sólido; (*tief*) profundo; (*sorgfältig*) cuidadoso, esmerado; escrupuloso; (*v. Grund aus*) radical; (*gewissenhaft*) concienzudo; (*vollständig*) completo; exhaustivo; (*systematisch*) metódico, sistemático; (*eingehend*) detenido, minucioso; ~*e Kenntnisse* conocimientos sólidos (*od.* profundos); **II.** *adv.* a fondo; a conciencia; detenidamente; minuciosamente; esmeradamente, cuidadosamente; *j-m* ~ *s-e Meinung sagen* decirle a alg. crudamente las verdades; **2keit** *f* (*0*) solidez *f*; (*Tiefe*) profundidad *f*; (*Sorgfalt*) esmero *m*, cuidado *m*; escrupulosidad *f*; (*Akribie*) minuciosidad *f*, *neol.* acribia *f*.

'Gründling *Ict. m* (*-s; -e*) gobio *m*.

'Grund...: ~linie *f* base *f*; **~lohn** *m* (*-es; ¨e*) salario *m* básico; **2los I.** *adj.* sin fondo, insondable; *Weg*: intransitable; *fig.* sin fundamento, infundado; inmotivado; **II.** *adv.* sin fundamento, sin razón alguna; (*ohne Veranlassung*) sin ningún motivo, inmotivadamente; **~losigkeit** *f* (*0*) profundidad *f* insondable; *e-s Weges*: mal estado *m*; *fig.* carencia *f* de fundamento; sinrazón *f*; lo infundado de a/c.; **~masse** *Geol. f* masa *f* elemental; **~mauer** △ *f* (*-; -n*) cimientos *m/pl.*, muro *m* de cimentación; (*Stützmauer*) muro *m* de apoyo, contramuro *m*; **~metall** *n* (*-es; -e*) metal *m* de fondo; **~nahrungsmittel** *n/pl.* alimentos *m/pl.* básicos.

Grün'donners·tag *m* (*-es; -e*) Jueves *m* Santo.

'Grund...: ~pfeiler *m* pilar *m* de fundamento; *fig.* sustento *m*, sostén *m*, apoyo *m*; **~platte** ⊕ *f* placa *f* de base; **~preis** *m* (*-es; -e*) precio *m* base; **~prinzip** *n* (*-s; -ien*) principio *m* fundamental; **~problem** *n* (*-s; -e*) problema *m* fundamental; **~rechnungsarten** *f/pl.*: *die vier* ~ las cuatro reglas aritméticas *od.* fundamentales; **~recht** *n* (*-es; -e*) *Hist.* derecho *m* señorial; *e-s Volkes*: derecho *m* fundamental; **~regel** *f* (*-; -n*) regla *f* fundamental; **~rente** *f* renta *f* de fincas; **~riß** *m* (*-sses; -sse*) plano *m* (horizontal), planta *f*; (*kurze Darstellung*) compendio *m*, manual *m*; *e-n* ~ *aufnehmen* levantar un plano; **~satz** *m* (*-es; ¨e*) principio *m*; *unbestreitbar*: axioma *m*; (*Lebensregel*) máxima *f*; (*Devise*) lema *m*; *Rel.* dogma *m*; *Phil.* verdad *f* fundamental; postulado *m*; *als* ~ *haben* tener por principio; **~satzentscheidung** *f* decisión *f* de principio; **2sätzlich I.** *adj.* de principio; **II.** *adv.* en principio; por principio; **2satzlos** *adj.* sin principios; **~schicht** *f* capa *f* de fondo; **~schuld**

f hipoteca *f*, deuda *f* hipotecaria; **∼schule** *f* escuela *f* primaria; **∼stein** *m* (-*ės*; -*e*) ⚠ piedra *f* fundamental; (*Eckstein*) piedra *f* angular (*a. fig.*); *den ∼ legen* poner la primera piedra; **∼steinlegung** *f* colocación *f* de la primera piedra; **∼stellung** *f* posición *f* normal; **∼steuer** *f* (-; -*n*) contribución *f* territorial; **∼stock** *m* (-*ės*; *0*) base *f*; **∼stoff** ⚗ *m* (-*ės*; -*e*) elemento *m*, cuerpo *m* simple; (*Rohstoff*) materia *f* prima; **∼stoffe** *m/pl.* materias *f/pl.* primas básicas; **∼stoffwechsel** ⚕ *m* (-*s*; *0*) metabolismo *m* basal; **∼strich** *m* (-*ės*; -*e*) pierna *f* de letra; **∼stück** *n* (-*ės*; -*e*) ⚖ fundo *m*; *allg.* finca *f*; (*Bauplatz*) solar *m*, terreno *m*; (*Gebäude*) inmueble *m*; *landwirtschaftlich* (*forstwirtschaftlich*) *genutztes ∼* finca rústica (forestal); *ein ∼ belasten* gravar un inmueble; **∼stücksmakler** *m* corredor *m* de fincas; **∼stücksverwalter** *m* administrador *m* de fincas; **∼stücksverwaltung** *f* administración *f* de fincas; **∼stufe** *f Schule*: clase *f* elemental; **∼tarif** *m* (-*s*; -*e*) tarifa *f* básica; **∼taxe** *f* tasa *f* fija; **∼text** *m* (-*es*; -*e*) (texto *m*) original *m*; **∼ton** *m* (-*ės*; ⸚*e*) ♪ tónica *f*, tono *m* fundamental; *Mal.* color *m* fundamental; **∼übel** *n* vicio *m* capital; fuente *f* de todos los males.

ˈ**Gründung** *f* fundación *f*; establecimiento *m*; creación *f*; institución *f*.

ˈ**Gründungs...:** **∼aktie** *f* acción *f* fundacional; **∼jahr** *n* (-*ės*; -*e*) año *m* de la fundación; **∼kapital** *n* (-*s*; -*ien*) capital *m* de fundación; **∼stadium** *n* (-*s*; -*stadien*) etapa *f* fundacional; **∼vertrag** *m* (-*ės*; ⸚*e*) acta *f* constituyente.

ˈ**Grund...:** **∼ursache** *f* causa *f* fundamental; *für Handeln*: razón *f bzw.* motivo *m* fundamental *od.* primordial; **2verkehrt** *adj.* absolutamente equivocado; diametralmente opuesto; *adv.* completamente al revés; **∼vermögen** *n* bienes *m/pl.* inmuebles; **∼vermögenssteuer** *f* (-; -*n*) impuesto *m* sobre la propiedad inmobiliaria; **2verschieden** *adj.* completamente distinto, muy diferente; **∼wahrheit** *f* verdad *f* fundamental; **∼wasser** *n* agua *f* subterránea; **∼wasserstand** *m* (-*ės*; ⸚*e*) nivel *m* del agua subterránea; **∼wissenschaft** *f* ciencia *f* fundamental; **∼wort** *Gr. n* (-*ės*; ⸚*er*) radical *m*; raíz *f* (etimológica); **∼zahl** *f*, **∼zahlwort** *n* (-*ės*; ⸚*er*) número *m* cardinal; **∼zins** *m* (-*es*; -*en od.* -*e*) (*Steuer*) contribución *f* territorial; (*Rente*) renta *f* de fincas; **∼zug** *m* (-*ės*; ⸚*e*) rasgo *m* esencial *od.* fundamental; *Grundzüge pl. e-r Wissenschaft*: elementos *m/pl.*

ˈ**grünen** *v/i.* verdecer, verdear; ponerse verde; enverdecer; reverdecer; 2 *n* reverdecimiento *m*; *der Bäume*: foliación *f*.

ˈ**Grün...:** **∼fink** *Orn. m* (-*en*) verderón *m*; **∼fläche** *f* (*in Städten*) zona *f* verde; **∼futter** *n* (-*s*; *0*) forraje *m*, pasto *m* verde; **2gelb** *adj.* amarillo verdoso; **∼gürtel** *m* cinturón *m* verde (*od.* de verdor); **∼kohl** *m* (-*ės*; *0*) col *f*, berza *f*; **∼kramhändler(in** *f*) *m* verdulero (-a *f*) *m*; frutero (-a *f*) *m*; **2lich** *adj.* verdoso; **∼schnabel** *fig. m* (-*s*; ⸚) mozalbete *m* vanidoso, boquirrubio *m*; (*Neuling*) novato *m*; bisoño *m*; **∼span** ⚗ *m* (-*ės*; *0*) acetato *m* de cobre; cardenillo *m*; *mit ∼ überzogen* acardenillado; *∼ ansetzen* acardenillarse; **∼specht** *Orn. m* (-*ės*; -*e*) pico *m* verde; **∼streifen** *m in der Stadt*: bandas *f/pl.* de césped; **∼werden** *n* (-*s*; *0*) reverdecimiento *m*; *der Bäume*: foliación *f*.

ˈ**grunzen I.** (-*t*) *v/i.* gruñir; **II.** 2 *n* gruñido *m*.

ˈ**Grünzeug** *n* (-*ės*; *0*) verdura *f*.

ˈ**Gruppe** *f* grupo *m*; agrupación *f*; (*Kreis v. Leuten*) corro *m*; *in ∼n* en (*od.* por) grupos; *e-e ∼ bilden* formar un grupo, agruparse; *in ∼n einteilen* dividir en grupos; **∼n-arbeit** *f* trabajo *m* de equipo; **∼n-aufnahme** *f*, **∼nbild** *n* (-*ės*; -*er*) *Phot.* (retrato *m* en) grupo *m*; **∼nführer** ⚔ *m* jefe *m* de grupo; **∼nschalter** ⚡ *m* interruptor *m* de grupos; **2nweise** *adv.* por (*od.* en) grupos.

grupˈpier|en (-) *v/t.* agrupar; *sich ∼* agruparse; **2en** *n*, **2ung** *f* agrupación *f*, agrupamiento *m*.

Grus ⚒ *m* (-*es*; -*e*) carbonilla *f*, cisco *m*.

ˈ**Grusel|film** *m* (-*ės*; -*e*) película *f* espeluznante; F película *f* de miedo; **2ig** *adj.* horripilante, terrorífico; estremecedor; escalofriante; **2n** (-*le*) *v/unprs.*: *es gruselt mich* siento horror; me da miedo; me dan escalofríos.

Gruß [uː] *m* (-*es*; ⸚*e*) saludo *m*; (*Begrüßung*) salutación *f*; *durch Verbeugung*: inclinación *f*; *freundlichen ∼!* saludos afectuosos; *m-e besten Grüße* mis saludos más cordiales (*an ac.* a); *viele Grüße von mir* muchos saludos (*od.* recuerdos) de mi parte; *j-s Grüße bestellen* transmitir (*od.* hacer presentes) los saludos de alg.; *mit herzlichen Grüßen* con un cordial saludo.

ˈ**grüßen** [yː] **I.** (-*t*) *v/t.* saludar; *militärisch ∼* hacer el saludo militar, saludar militarmente; *∼ Sie ihn (herzlich) von mir* salúdele (muy cordialmente) de mi parte; *er läßt Sie (schön) ∼* le envía (muy afectuosos) recuerdos; *grüß Gott!* ¡Dios le(s) guarde!; **II.** 2 *n* → *Gruß.*

ˈ**Grußformel** *f* (-; -*n*) fórmula *f* de saludo.

ˈ**Grußpflicht** ⚔ *f* (*0*) saludo *m* obligatorio.

ˈ**Grütz|beutel** ⚕ *m* lobanillo *m*, ateroma *m*; **∼brei** *m* (-*ės*; -*e*) papilla *f* de avena mondada; **∼e** *f* (*Grieß*) sémola *f*; (*Hafer*2) avena *f* mondada; (*Gersten*2) cebada *f* mondada; *fig.* F (*Verstand*) buenas *f/pl.* entendederas.

ˈ**G-Saite** ♪ *f* cuerda *f* de sol; sol *m*.

ˈ**G-Schlüssel** ♪ *m* clave *f* de sol.

Guaˈjak|baum *m* (-*ės*; ⸚*e*) guayaco *m*; **∼holz** *n* (-*es*; ⸚*er*) (madera *f* de) guayaco *m*; **∼ol** [-ˈkoːl] *Phar. n* (-*s*; *0*) guayacol *m*.

Guˈano *m* (-*s*; *0*) guano *m*.

Guateˈmala *n* Guatemala *f*.

Guatemalˈtek|e *m* (-*n*), **2isch** *adj.* guatemalteco *m*.

ˈ**guck|en** *v/i.* mirar, echar una mirada a; *∼ aus* (*hervorsehen*) asomar; *guck einmal!* ¡mira!; *gern ins Glas ∼* F *fig.* ser aficionado a empinar el codo; *zu tief ins Glas ∼* tomar unas copas de más; **2loch** *n* (-*ės*; ⸚*er*) mirilla *f*.

GueˈrillaǀKämpfer [geˑ-] *m* guerrillero *m*; **∼krieg** *m* (-*ės*; -*e*) guerra *f* de guerrillas; **∼schar** *f* guerrilla *f*.

Guiˈnea [giˑ-] *n* Guinea *f*.

Guilloˈtine [giˑjoˑˈtiːnə] *f* guillotina *f*.

Guiˈnee [giˑ-] *f* guinea *f*.

ˈ**Gulasch** *m/n* (-*ės*; *0*) estofado *m* de vaca a la húngara; **∼kanone** ⚔ F *f* cocina *f* de campaña; **∼suppe** *f* sopa *f* húngara.

ˈ**Gulden** *m* florín *m*.

ˈ**Gully** [ˈguliˑ] *m u. n* (-*s*; -*s*) colector *m*, sumidero *m*.

ˈ**gültig** *adj.* valedero; *bsd. Rel. u.* ⚖ válido (*a. Paß, Visum, Fahrkarte*); (*Gesetz*) vigente; en vigor; (*anwendbar*) aplicable (*für* a); (*zulässig*) admisible; (*rechtmäßig*) legítimo; (*echt*) auténtico; (*beglaubigt*) legalizado; (*Münze*) de curso legal; *∼ machen, für ∼ erklären* declarar valedero; validar; (*für rechtmäßig erklären*) legitimar; (*Gesetzkraft geben*) sancionar; *die Wahl ist ∼* la elección es válida; **2keit** *f* (*0*) validez *f*; *e-s Gesetzes*: vigor *m*, vigencia *f*; (*Rechtmäßigkeit*) legitimidad *f*; (*Echtheit*) autenticidad *f*; *e-r Münze*: curso *m* legal; **2keitsdauer** *f* (*0*) plazo *m* de validez; **2keitserklärung** *f* validación *f*.

ˈ**Gummi** *n od. m* (-*s*; - *od.* -*s*) goma *f*; caucho *m*; (*Radier*2) goma *f* de borrar; (*Klebe*2) goma *f* (de pegar); (*Roh*2) caucho *m*; **∼abfederung** *f* suspensión *f* (*od.* amortiguación *f*) en caucho; **∼absatz** *m* (-*es*; ⸚*e*) tacón *m* de goma; **∼aˈrabikum** *n* (-*s*; *0*) goma *f* arábiga; **2artig** *adj.* elástico; gomoso; **∼artikel** *m/pl.* artículos *m/pl.* de goma; **∼ball** *m* (-*ės*; ⸚*e*) pelota *f* de goma; **∼band** *n* (-*ės*; ⸚*er*) cinta *f* elástica (*od.* de goma); **∼baum** ♀ *m* (-*ės*; ⸚*e*) árbol *m* del caucho (*od.* de la goma); **∼belag** *m* (-*ės*; ⸚*e*) revestimiento *m* de goma; **∼bereifung** *f* neumáticos *m/pl.*; llantas *f/pl.* de goma; **∼boot** *n* (-*es*; -*e*) bote *m* neumático; **∼dichtung** ⊕ *f* empaquetadura *f* de goma (*od.* caucho); **∼druck** *Typ. m* (-*ės*; -*e*) impresión *f* sobre goma; impresión *f* offset; **∼eˈlastikum** *n* (-*s*; *0*) goma *f* elástica; caucho *m*.

gumˈmieren I. (-) *v/t.* engomar; ⊕ vulcanizar; **II.** 2 *n* engomado *m*; ⊕ vulcanización *f*.

ˈ**Gummi...:** **∼faden** *m* (-*s*; ⸚) hilo *m* de goma; **2gelagert** *adj.* apoyado *od.* suspendido en caucho; **∼gewebe** *n* tejido *m* de goma; tela *f* elástica; **∼gurt** *m* (-*ės*; -*e*) correa *f* de caucho; **∼gutt** ⚗ *n* (-*s*; *0*) goma *f* guta; gutagamba *f*; **2haltig** *adj.* gomífero, gomoso; **∼handschuh** *m* (-*ės*; -*e*) guante *m* de goma; **∼harz** ⚗ *n* (-*es*; -*e*) gomorresina *f*; **∼hülle** *f* envoltura *f* de caucho; **∼isolierung** *f* aislamiento *m* de goma; **∼knoten** ⚕ *m* goma *m* (sifilítico); **∼knüppel** *m* porra *f* (de goma); **∼lack** *m* (-*ės*; -*e*) goma *f* laca; **∼linse** *f* lente *f* flexible; **∼mantel** *m* (-*s*; ⸚) impermeable *m*; **∼matte** *f* alfombrilla *f* de goma; **∼puffer** *m* tope *m* de caucho; **~puppe** *f* muñeca *f* de goma; **~reifen** *m* llanta *f* de goma; (*Luft*2) neumático *m*; **~ring** *m* (*-es*; *-e*) anillo *m bzw.* arandela *f* de goma; **~schlauch** *m* (*-es*; *⸗e*) manguera *f* de goma; *Auto.* cámara *f*, neumático *m*; **~schleuder** *f* (*-*; *-n*) tirador *m*; **~schnur** *f* (*-*; *⸗e*) cordón *m* de goma; **~schuhe** *m/pl.* chanclos *m/pl.*; **~schwamm** *m* (*-es*; *⸗e*) esponja *f* de goma; **~sohle** *f* suela *f* de goma; **~stempel** *m* sello *m* de caucho; **~stöpsel** *m* tapón *m* de goma; **~strumpf** *m* (*-es*; *⸗e*) media *f* elástica (*od.* de goma); **~überschuhe** *m/pl.* chanclos *m/pl.*; **~überzug** ⊕ *m* (*-es*; *⸗e*) revestimiento *m* de goma; **~unterlage** *f im Bett*: capa *f* de goma, hule *m*; *für Säuglinge*: tela *f* impermeable; **~walze** *f* rodillo *m* de caucho; **~waren** *f/pl.* artículos *m/pl.* de goma; **~zelle** *f* celda *f* acolchada *od.* de seguridad; **~zug** *m* (*-es*; *⸗e*) elástico *m*.

Gunst *f* (*0*) favor *m*; (*Gnade*) gracia *f*; *bei Fürsten*: privanza *f*; e-e ~ *gewähren* conceder un favor; e-e ~ *erwidern* corresponder a un favor; *j-m* e-e ~ *erweisen* hacer un favor a alg.; *zu j-s* ~*en* en (*od.* a) favor de alg.; *sich um j-s* ~ *bemühen* esforzarse con ahínco en ganarse las simpatías de alg.; *j-s* ~ *erlangen* congraciarse con alg.; ganarse las simpatías de alg.; *bei j-m in* ~ *stehen, sich j-s* ~ *erfreuen* estar en favor con alg.; gozar de las simpatías de alg.; '**~beweis** *m* (*-es*; *-e*) (señal *f* de) favor *m*; prueba *f* de simpatía.

'**günstig** *adj.* favorable; propicio; *Augenblick*: oportuno; (*vorteilhaft*) ventajoso; ~ *aufnehmen* acoger favorablemente; *im* ~*sten Falle* en el mejor de los casos; poniéndonos en lo mejor; *j-m* ~ *gesinnt sein* estar bien predispuesto hacia alg.; *ein* ~*es Licht auf j-n* (et. *ac.*) *werfen* mostrar a alg. (*bzw.* a/c.) en su aspecto más favorable.

'**Günstling** *m* (*-s*; *-e*) favorito *m*; *e-s Fürsten*: *a.* privado *m*, valido *m*; (*Schützling*) protegido *m*, F paniaguado *m*; **~sregierung** *f* (*0*), **~swirtschaft** *f* (*0*) favoritismo *m*.

'**Gurgel** *f* (*-*; *-n*) garganta *f*, F gaznate *m*; *j-n an* (*od. bei*) *der* ~ *packen* agarrar a alg. por el cuello (F pescuezo); *j-m die* ~ *durchschneiden* degollar a alg.; P cortarle la nuez a alg.; F *alles durch die* ~ *jagen* beberse toda su hacienda; 2**n** (*-le*) *v/i.* gargarizar, hacer gárgaras *f/pl.*; (*mit der Bruststimme singen*) cantar con voz *f* gutural; **~n** *n* gárgara(s) *f*(*pl.*); **~wasser** *n* (*-s*; *⸗*) agua *f* para gargarismos.

'**Gurke** ♀ *f* pepino *m*; *kleine*: pepinillo *m*; (*Pflanze*) pepino *m*; cohombro *m*; *saure* ~ pepinillo en vinagre; P (*Nase*) narizota *f*; **~nsalat** *m* (*-es*; *-e*) ensalada *f* de pepino.

'**gurren I.** *v/i.* arrullar; **II.** 2 *n* arrullo *m*.

Gurt *m* (*-es*; *-e*) ceñidor *m*; faja *f*; ⊕ correa *f*, (*Trag*2) tirante *m*; (*Gürtel, Leibriemen*) cinturón *m*; (*Schärpe*) faja *f*; fajín *m*; (*Patronen*2) canana *f*; (*Sattel*2) cincha *f*; (*Hosen*2) pretina *f*; (*Degen*2) cinto *m*; '**~band** *n* (*-es*; *⸗er*) ⊕ tela *f* sin fin; '**~bogen** △ *m* arco *m* toral.

'**Gürtel** *m* cinturón *m* (*a. Leibriemen, Koppel u. Festungs*2); (*Lende*) cintura *f*; (*Hosen*2) pretina *f*; (*Schärpe*) faja *f*; fajín *m*; ⚔, *Geogr.* zona *f*; *j-m e-n* ~ *umschnallen* poner a alg. un cinturón; F *sich den* ~ *enger schnallen* apretarse el cinturón; *fig.* imponerse privaciones; **~flechte** *f*, **~rose** *f* ⚕ (herpes *m*) zóster *m*; **~schlaufe** *f* pasador *m* de cinturón; **~schnalle** *f*, **~spange** *f* hebilla *f* de cinturón; **~tier** *Zoo.* *n* (*-es*; *-e*) armadillo *m*.

'**gürten** (*-e-*) *v/t.* ceñir; *sich* ~ ceñirse; *Pferd*: cinchar.

'**Gurt...**: **~förderer** ⊕ *m* transportador *m* de cinta; **~gewölbe** *n* bóveda *f* de arcos en resalto; **~sims** *m od. n* (*-es*; *-e*) moldura *f* de imposta; **~ung** *f* △ puntal *m*.

'**Guß** *m* (*-sses*; *⸗sse*) (*Regen*2) chaparrón *m*, aguacero *m*; (*Zucker*2) baño *m* de azúcar; *Wasser*: chorro *m*; *Gießerei*: fundición *f*; colada *f*; *schmiedbarer* ~ fundición maleable; *aus e-m* ~ de una pieza, enterizo; *fig. Person*: de cuerpo entero; hecho y derecho; **~abdruck** *Typ.* *m* (*-es*; *⸗e*) clisé *m*; **~asphalt** *m* (*-es*; *0*) asfalto *m* colado; **~beton** *m* (*-s*; *0*) hormigón *m* colado; **~block** *m* (*-es*; *⸗e*) lingote *m*; **~bruch** *m* (*-es*; *⸗e*) chatarra *f* de fundición; **~eisen** *n* (*-s*; *0*) hierro *m* colado, fundición *f* (de hierro); 2**eisern** *adj.* de hierro colado, de fundición; **~fehler** *m* defecto *m* de colada; **~form** *f* molde *m*; lingotera *f*; **~loch** *n* (*-es*; *⸗er*) (*Gießloch*) agujero *m* de colada; (*Hochofen*) piquera *f*; **~messing** *n* (*-s*; *0*) latón *m* colado; **~modell** *n* (*-s*; *-e*) modelo *m* de fundición; **~naht** *f* (*-*; *⸗e*) rebaba *f*; **~rinne** *f* (*Gießerei*) canal *m* de fundición; **~stahl** *m* (*-es*; *0*) acero *m* fundido (*od.* colado); **~stahlwerk** *n* (*-es*; *-e*) fundición *f* de acero; **~stein** *m* (*-es*; *-e*) (*Ausguß*) fregadero *m* de cocina; vertedero *m*; **~stück** *n* (*-es*; *-e*) pieza *f* de fundición; **~waren** *f/pl.* artículos *m/pl.* de hierro colado.

gut (*besser*; *best-*) **I.** *adj.* buen(o); (*heilsam*) saludable; (*gesund*) sano, bueno; (*vorteilhaft*) ventajoso; (*förderlich*) beneficioso; (*nützlich*) útil, conveniente; (*fein, prächtig*) espléndido, magnífico; (*gütig*) bondadoso; (*angemessen*) adecuado, apropiado; *Examensnote*: notable; *sehr* ~ sobresaliente; ~*en Morgen!*, ~*en Tag!* ¡buenos días!; ~*en Abend!* ¡buenas tardes *bzw.* noches!; ~*e Nacht!* ¡buenas noches!; ~*en Tag wünschen* dar los buenos días; *ganz* ~ bastante bueno; ~*e Besserung!* que usted se mejore; que te mejores; *ein* ~*er Mensch* un hombre de bien; ~*e Stube* salón; *aus* ~*er Familie* de buena familia; *bei* ~*er Gesundheit* con buena salud, en buen estado de salud; *in* ~*em Sinne* en buen sentido; *die* ~*e alte Zeit* los buenos tiempos pasados; *es ist* ~*es Wetter* hace buen tiempo; *e-e* ~*e Stunde* una hora larga (*od.* bien cumplida); *in* ~*em Glauben* de buena fe; *e-e* ~*e Weile* un buen rato, un largo rato; *zu* ~*er Letzt* en fin; por último; en definitiva; ~ *sein für* ser bueno (*od.* servir) para; ~ *zu allem* bueno para todo; *zu nichts* ~ no ser bueno (*od.* no servir) para nada; ~*er Dinge sein* estar de buen humor; ~*en Mutes sein* estar alegre y optimista; ~*er Hoffnung sein* estar embarazada *od.* encinta; ~*e Miene zum bösen Spiel machen* hacer de tripas corazón; poner a mal tiempo buena cara; *sich* ~*e Tage machen* disfrutar lo mejor que se pueda; ~ *bei Kasse sein* estar bien de fondos; ~ *zu Fuß sein* ser buen andarín; *das e-e ist so* ~ *wie das andere* tan bueno es lo uno como lo otro; *zu j-m* ~ *sein* portarse bien con alg.; tratar bien a alg.; *j-m* ~ *sein* querer (bien) a alg.; *ein* ~*es Wort für j-n einlegen* interceder por (*od.* en favor de) alg.; *das ist* ~*!* (*iro.*) ¡ésta sí que es buena!; F ¡hombre, qué bien!; *das ist* ~ *und schön* todo eso está muy bien; *seien Sie so* ~ *und schließen Sie die Tür* tenga la bondad (*od.* haga el favor) de cerrar la puerta; *es ist* ~ está bien; *schon* ~*!* ¡ya está bien!, (*das genügt*) ¡basta!; *lassen wir es* ~ *sein!* no hablemos de eso; dejemos eso; no insistamos en eso; *es ist* ~, *daß* es una suerte que (*subj.*); *hier ist* ~ *sein* aquí se está bien; *Sie sind* ~*!* (*iro.*) ¡qué ocurrencias tiene usted!; **II.** *adv.* bien; ~ *schreiben* escribir bien; ~ *riechen* oler bien, tener buen olor; ~ *finden* hallar apropiado; ~ *kennen* conocer bien; *das schmeckt* ~ esto sabe bien, esto tiene buen sabor; *das schmeckt mir* ~ esto me gusta; *es geht ihm* ~ le va bien; *für* ~ *erachten* juzgar (*od.* estimar *od.* creer) oportuno *od.* conveniente; *es ist ganz* ~ está bastante bien; no está mal; et. ~ *aufnehmen* tomar a/c. en el buen sentido; *das tut ihm* ~ esto le sienta bien; ~ *aussehen* tener buen aspecto; producir buen efecto; (*gut gebaut sein*) tener un buen tipo (*od.* una buena figura), *gesundheitlich*: tener buena cara; *es* ~ *haben* vivir holgadamente (*od.* con desahogo); pasarlo bien; *von j-m* ~ *sprechen* hablar bien de alg.; *er täte* ~ *daran, zu gehen* haría bien en marcharse; *es* ~ *meinen* obrar con buena intención; *es* ~ *mit j-m meinen* querer el bien de alg.; *Sie haben* ~ *reden* (*iro.*) es muy fácil hablar; *sich* ~ *stehen* tener de qué vivir; vivir holgadamente; *sich mit j-m* ~ *stehen* estar a bien con alg.; estar en buenas relaciones con alg.; *nicht* ~ *auf j-n zu sprechen sein* F estar de punta con alg.; *auf* ~ *deutsch* F hablando en plata; ~*!* (*abgemacht*) ¡conforme!, ¡de acuerdo!, ¡hecho!; *mach's* ~*!* ¡buena suerte!; *das fängt ja* ~ *an!* (*iro.*) ¡bien empieza esto!; ~ *denn!* ¡pues bien!; *auch* ~*!* ¡pues sea!; ¡pase!; *kurz und* ~ en una palabra; en resumidas cuentas; *recht* ~*!* no está mal; ~ *zwei Jahre* dos años y pico; ~ *so!* está bien (así); F ¡vale!; ~ *und gern* con mucho gusto, F con mil amores; *so* ~ *wie möglich* lo mejor posible; en la medida de lo posible; *so* ~ *er kann* lo mejor que pueda; *so* ~ *wie unmöglich* prácticamente imposible; *so* ~ *wie sicher* casi seguro; ~ *werden* ponerse bien; *wieder* ~ *werden* (*in Ordnung kommen*) arreglarse; *Kranker*: restablecerse, sanar; *Wunde*: curar, (*vernarben*) cicatrizarse; *Ende* ~, *alles* ~ bueno es lo que bien acaba; a buen fin no hay mal principio.

Gut *n* (*-es*; *"er*) bien *m*; (*Eigentum*) propiedad *f*; bienes *m/pl.*; (*Habe*) hacienda *f*; (*Vermögen*) fortuna *f*; (*Land*2) finca *f* rústica; *Farm*: granja *f*; *Am.* hacienda *f*, *Arg.* estancia *f*; *Landhaus*: quinta *f*; casa *f* de campo; (*Ackerfeld*) tierra *f*; (*Ware*) mercancía *f*, *Am.* mercadería *f*; *liegende Güter pl.* bienes raíces; *bewegliche Güter* bienes muebles; *unbewegliche Güter* bienes inmuebles, bienes raíces; *herrenloses* ~ bienes sin dueño; ⚖ bienes mostrencos; *eingebrachtes* ~ *der Ehefrau* ⚖ bienes dotales; *anvertrautes* ~ bienes en depósito; *Hab und* ~ *verlieren* perder toda su hacienda; *das höchste* ~ *Rel.* el bien supremo; *geistige Güter* bienes espirituales; ~ *und Blut* vida y hacienda; *unrecht* ~ *gedeihet nicht* bienes mal adquiridos a nadie han enriquecido.

'**Gut...**: ~**achten** *n* dictamen *m*; informe *m*; (*Sachverständigen*2) dictamen *m* pericial; (*Schiedsspruch*) ⚖ laudo *m*; *ärztliches* ~ dictamen facultativo; certificación *f* médica, *mündlich*: consulta *f* (*a.* ⚖); *von j-m ein* ~ *einholen* pedir el dictamen de alg.; consultar a alg.; *ein* ~ *abgeben* dictaminar sobre; informar (*über ac.* acerca de); ~**achter** *m* perito *m*, experto *m*; (*Schiedsrichter*) árbitro *m*; (*Schätzer*) tasador *m*; 2**achtlich** *adj.* pericial; informativo; consultivo; *sich* ~ *äußern über* (*ac.*) dictaminar sobre; 2**artig** *adj.* de buen natural; ⚕ benigno; 2**bringen** (*L*) ☤ *v/t.* → *gutschreiben*; ~**dünken** *n* (*-s*; *0*) buen parecer *m*, buen criterio *m*; arbitrio *m*; *nach* ~ a discreción; a voluntad; *nach Ihrem* ~ como mejor le parezca a usted; *ich überlasse es Ihrem* ~ lo dejo a su buen criterio (*od.* a su arbitrio).

'**Güte** *f* (*0*) bondad *f*; (*Beschaffenheit*) buena calidad *f*; *haben Sie die* ~, *zu* ... tenga la bondad de (*inf.*); *in* (*aller*) ~ amistosamente; *m-e* ~! ¡Dios mío!; ~**erzeugnis** *n* (*-ses*; *-se*) producto *m* de calidad.

'**Güter...**: ~**abfertigung** *f* despacho *m* de mercancías; ~**abtretung** ⚖ *f* cesión *f* de bienes; ~**annahme** (**-stelle**) *f* depósito *m* *bzw.* expedición *f* de mercancías; ~**ausgabe** (**-stelle**) *f* entrega *f* de mercancías; ~**austausch** *m* (*-es*; *0*) intercambio *m* de mercancías; ~**bahnhof** *m* (*-es*; *"e*) estación *f* de mercancías; ~**beförderung** *f* transporte *m* de mercancías; ~**fernverkehr** *m* (*-s*; *0*) transporte *m* de mercancías a gran distancia; ~**nahverkehr** *m* (*-s*; *0*) transporte *m* de mercancías a corta distancia; ~**gemeinschaft** ⚖ *f* comunidad *f* de bienes; ~**halle** *f* depósito *m* de mercancías; ~**kraftverkehr** *m* (*-s*; *0*) transporte *m* de mercancías por carretera; ~**schuppen** *m*, ~**speicher** *m* tinglado *m*; depósito *m* de mercancías; *Am.* galpón *m* de carga; ~**stück** *n* (*-es*; *-e*) bulto *m*; ~**tarif** *m* (*-s*; *-e*) tarifa *f* de transporte; ~**trennung** ⚖ *f* separación *f* de bienes; ~**verkehr** *m* (*-s*; *0*) movimiento *m* de mercancías; ~**wagen** 🚃 *m* vagón *m* de mercancías; (*Gepäckwagen*) furgón *m*; ~**zug** *m* (*-es*; *"e*) tren *m* de mercancías; ~ *mit Personenwagen* tren mixto.

'**Gute**(s) *n* bueno *n*; bien *m*; *das* ~ *an der Geschichte ist* ... lo bueno del caso es que ...; (*j-m*) ~*s tun* hacer bien (a alg.); *zuviel des* ~*n tun* exagerar, excederse; pecar de; *nichts* ~*s erwarten* no esperar nada bueno (*von* de); *sich zum* ~*n wenden* tomar un rumbo favorable; *alles* ~! ¡buena suerte!; *im* ~*n* por la(s) buena(s); (*freundschaftlich*) amistosamente; (*gutwillig*) de buen grado; (*freiwillig*) espontáneamente; *im* ~*n auseinandergehen* separarse como buenos amigos; *das Bessere ist des* ~*n Feind* lo mejor es enemigo de lo bueno.

'**Güte...**: ~**termin** ⚖ *m* (*-s*; *-e*) juicio *m* de conciliación; ~**verfahren** ⚖ *n* procedimiento *m* de conciliación arbitral; ~**verhandlung** *f* → *Gütetermin*; ~**versuch** *m* (*-es*; *-e*) intento *m* de conciliación; ~**zeichen** *n* marca *f* de calidad; sello *m* de garantía.

'**gut...**: ~**geartet** *adj.* de buen natural; ~**gebaut** *adj.* bien construido (*od.* hecho); ~**gehend** *adj. Laden*: acreditado; ~**gelaunt** *adj.* de buen humor; ~**gemeint** *adj.* bienintencionado, con buena intención; ~**gesinnt** *adj.* bien predispuesto; ~**gewachsen** *adj.* bien desarrollado; de buena figura; ~**gläubig** *adj.* de buena fe; ~**haben** ☤ (*L*) *v/t.* tener acreditado en cuenta; ser acreedor de; 2**haben** ☤ *n* haber *m*, saldo *m* activo (*od.* a favor); *ein* ~ *sperren* bloquear (el haber de) una cuenta; ~**heißen** (*L*) *v/t.* aprobar; (*bestätigen*) sancionar; ratificar; (*genehmigen*) autorizar; ~, *daß* ... dar por bueno que ...; ~**herzig** *adj.* de buen corazón; (*sanftmütig*) bondadoso; (*mildtätig*) caritativo; 2**herzigkeit** *f* (*0*) bondad *f* de corazón; (*Mildtätigkeit*) espíritu *m* caritativo.

'**gütig** *adj.* bueno; bondadoso; (*wohlwollend*) benévolo; (*liebenswürdig*) amable; (*freundlich*) afable; (*mild*) benigno; (*gefällig*) complaciente; condescendiente; *Sie sind sehr* ~ es usted muy amable; *mit Ihrer* ~*en Erlaubnis* con su permiso; *erlauben Sie* ~*st* permítame; *wollen Sie* ~*st* ... (*inf.*) tenga usted la bondad de (*inf.*).

'**gütlich** *adv.* amigablemente, amistosamente; *sich* ~ *tun* regalarse (*an dat.* con), F darse buena vida; *sich* ~ *einigen* llegar a un arreglo; *e-n Prozeß* ~ *beilegen* solucionar un pleito mediante un arreglo.

'**gut...**: ~**machen** *v/t.* (*wieder*~) reparar; (*Übel*) remediar; (*Fehler*) corregir, enmendar; *es ist nicht wieder gutzumachen* es irreparable; es irremediable; ~**mütig** *adj.* bondadoso; F bonachón; *ein* ~*er Mensch* F un alma de Dios; un buenazo; 2**mütigkeit** *f* (*0*) bondad *f*; F carácter *m* bonachón; ~**nachbarlich** *adj.*: ~*e Beziehungen* relaciones de buena vecindad (*od.* de buenos vecinos); ~**sagen** *v/i.*: responder (*für* de); ☤ salir garante *m od.* fiador *m* de.

'**Gutsbesitzer(in** *f*) *m* propietario (-a *f*) *m* de una finca (rural).

'**Gut...**: ~**schein** *m* (*-es*; *-e*) vale *m*; 2**schreiben** (*L*) *v/t.* ☤: ~ *auf Konto von* acreditar *od.* abonar en (la) cuenta de; ~**schrift** ☤ *f* abono *m* (en cuenta); crédito *m*; *zur* ~ *auf das Konto* para acreditar en cuenta; ~**schrifts-anzeige** *f* nota *f* de crédito.

'**Guts...**: ~**haus** *n* (*-es*; *"er*) casa *f* de campo; ~**herr(in** *f*) *m* (*-n*; *-en*) → *Gutsbesitzer(in)*; ~**hof** *m* (*-es*; *"e*) cortijo *m*; granja *f*, casa *f* de labor; *Am.* hacienda *f*; *Arg.* estancia *f*.

'**gutsituiert** *adj.* (*Person*) en buena posición social; ~ *sein* vivir en posición acomodada *od.* desahogada.

'**Guts-pächter** *m* arrendatario *m* de una finca.

'**gutstehen** (*L*) *v/i.*: ~ *für* responder de; salir fiador de.

'**Guts|verwalter** *m* administrador *m*; ~**verwaltung** *f* administración *f* (de fincas).

Gutta'percha *f* (*0*) *od. n* (*- od. -s*; *0*) gutapercha *f*.

'**guttun** (*L*) *v/i.* hacer bien (*j-m* a alg.); *das tut e-m gut* esto sienta bien.

guttu'ral *adj.* gutural; 2**laut** *m* (*-es*; *-e*) sonido *m* gutural.

'**gut-unterrichtet** *adj.* bien informado; ~*e Kreise* círculos *m/pl.* bien informados.

'**gutwillig I.** *adj.* de buena voluntad; (*gefällig*) complaciente; servicial; (*gehorsam*) dócil; **II.** *adv.* de buen grado; de buena voluntad; 2**keit** *f* (*0*) buena voluntad *f*; complacencia *f*; docilidad *f*.

Gym'khana [gym'kaːna] *n* (*-s*; *-s*) *Sport*: carrera *f* de obstáculos.

Gymnasi'al|bildung [-na·'zĭ-] *f* (*0*) estudios *m/pl.* de enseñanza media (*de orientación humanística*); *Abitur*: bachillerato *m*; ~**direktor** *m* (*-s*; *-en*) director *m* de un establecimiento oficial de enseñanza media; *Span.* director *m* de Instituto de enseñanza media.

Gymnasi'ast(in *f*) *m* (*-en*) estudiante *m/f* de bachillerato.

Gym'nasium [-'naːzĭ-] *n* (*-s*; *Gymnasien*) establecimiento *m* oficial de enseñanza media (*de orientación humanística*); *Span.* Instituto *m* de enseñanza media; *Am.* Colegio *m*; Liceo *m*.

Gym'nastik *f* (*0*) gimnasia *f*; ~**er** *m* gimnasta *m*; ~**institut** *n* (*-es*; *-e*) instituto *m* gimnástico; gimnasio *m*; ~**lehrgang** *m* (*-es*; *"e*) curso *m* de gimnasia.

gym'nastisch *adj.* gimnástico.

Gynäko|'loge *m* (*-n*) ginecólogo *m*; tocólogo *m*; ~**lo'gie** *f* (*0*) ginecología *f*; 2'**logisch** *adj.* ginecológico.

Gyro'skop *n* (*-s*; *-e*) giroscopio *m*; 2**isch** *adj.* giroscópico.

H

H, h *n* H, h *f*; ♪ si *m*; *H-Dur* si mayor; *h-Moll* si menor.

ha *int.* ¡ah!

Haag *n*: *den* ~ La Haya; ~*er Abkommen* Convención de La Haya; ~*er Internationaler Schiedsgerichtshof* Tribunal (de Justicia) Internacional de La Haya.

'Haar *n* (-*es*; -*e*) pelo *m*; (*Haupt*Ձ) *a.* cabello *m*; cabellera *f*; (*Tier*Ձ) pelo *m*; pelaje *m*; (*Roß*Ձ) crin *f*; (*Flaum*Ձ) vello *m*, ⚘ (*Früchte, Pflanzen*) pelusa *f*; *am Tuch*: pelo *m*; *falsche* ~*e* pelo postizo; *blonde* ~*e haben* tener el pelo rubio (*od.* los cabellos rubios); *weiße* ~*e* canas *f/pl.*; pelo blanco; *graue* ~*e* pelo gris *od.* cano(so); *die* ~*e lösen* (*schneiden*; *waschen*; *färben*) soltar (cortar; lavar; teñir) el pelo; *sich die* ~*e schneiden lassen* cortarse el pelo, (hacerse) cortar el pelo; *sich das* ~ *machen* peinarse, arreglarse el pelo; *die* ~*e kurz* (*lang*) *tragen* llevar el pelo corto (largo); *um ein* ~ *wäre ich gefallen* por poco me caigo; faltó un pelo para que me cayera; *fig.* ~*e auf den Zähnen haben* no tener pelos en la lengua; ~*e lassen* dejarse las plumas (*od.* los pelos en la gatera); *sich in die* ~*e geraten, sich in den* ~*en liegen* andar a la greña; *sich die* ~*e raufen* mesarse los cabellos, P tirarse de los pelos; *j-m kein* ~ *krümmen* no tocar a alg. ni el pelo de la ropa; *kein gutes* ~ *an j-m lassen* no dejar hueso sano a alg., poner a alg. de vuelta y media (*od.* de oro y azul); *es ist kein gutes* ~ *an ihm* es un granuja redomado; *da stehen e-m die* ~*e zu Berge* se le ponen a uno los pelos de punta; et. *an den* ~*en herbeiziehen* traer a/c. por los pelos (*od.* cabellos); ~*e lassen müssen* sufrir fuertes pérdidas; *fig. darüber lasse ich mir keine grauen* ~*e wachsen* todo eso me tiene sin cuidado; *ein* ~ *in der Suppe finden* tener siempre a/c. que objetar; F encontrar pegas *od.* ver inconvenientes en todo; *mit Haut und* ~*en* enteramente, por entero, completamente.

'Haar...: ~**ausfall** *m* (-*es*; ¨*e*) caída *f* del pelo; ⚕ alopecia *f*; ~**balg** *Anat. m* (-*es*; ¨*e*) folículo *m* piloso; ~**band** *n* (-*es*; ¨*er*) cinta *f* (para el pelo); ~**besen** *m* escoba *f* de crines; ~**bürste** *f* cepillo *m* de cabeza; ~**büschel** *n* mechón *m* de pelo; (*Schopf*) copete *m*, tupé *m*; ~**creme** *f* (-; -*s*) crema *f* capilar; ~**draht** *m* (-*es*; ¨*e*) alambre *m* finísmo; Ձ**en** *v/i.* perder el pelo; pelarse; (*mausern*) pelechar, mudar (el pelo); ~**entfernungsmittel** *n* depilatorio *m*; ~**ersatz** *m* (-*es*; *0*) pelo *m* postizo; ~**esbreite** *f* (*0*): *um* ~ (*beinahe*) por un pelo; en un tris estuvo que (*subj.*); ~**farbe** *f* color *m* del pelo; ~**färbemittel** *n* tintura *f* para el cabello; ~**färben** *n* tintura *f* (*od.* tinte *m*) para el pelo; Ձ**fein** *adj.* (*0*) finísimo; *Phys.* capilar; *fig.* sutilísimo; ~**filz** *m* (-*es*; -*e*) fieltro *m* de pelo; ~**flechte** *f* trenza *f*; coleta *f*; ⚕ herpes *f/pl.* del cuero cabelludo; Ձ**förmig** *adj.* capilar; ~**frisur** *f* peinado *m*; (*Damen*Ձ) *a.* tocado *m*; ~**gefäß** *Anat. n* (-*es*; -*e*) vaso *m* capilar; Ձ**genau** (*0*) **I.** *adj.* exacto, preciso; meticuloso; **II.** *adv.* exactamente, con precisión; meticulosamente.

'haarig *adj.* peludo; piloso; *am Körper*: velludo, velloso; *fig.* (*ärgerlich*) enojoso, molesto; (*schwierig*) peliagudo; (*heikel*) delicado; escabroso; (*peinlich*) penoso.

'Haar...: ~**kamm** *m* (-*es*; ¨*e*) peine *m*; *weiter*: batidor *m*; ~**klammer** *f* (-; -*n*) pinza-horquilla *f*; ~**klaube'rei** *f* sutileza *f*; ~ *treiben* sutilizar; ~**kleid** *Zoo. n* (-*es*; -*er*) pelaje *m*; Ձ**klein** (*0*) **I.** *adj.* fino como un pelo; **II.** *adv.* en los menores detalles, F con pelos y señales; ~**klemme** *f* → *Haarklammer*; ~**knoten** *m im Nacken*: moño *m*; ~**krankheit** ⚕ *f* enfermedad *f* del pelo; ~**künstler(in** *f*) *m* peluquero (-a *f*) *m*; ~**locke** *f* rizo *m*; bucle *m*; Ձ**los** *adj.* sin pelo; (*kahlköpfig*) calvo; *Männergesicht u.* ⚘ lampiño; ~**losigkeit** *f* (*0*) falta *f* de pelo; (*Kahlköpfigkeit*) calvicie *f*, ⚕ alopecia *f*; ~**matratze** *f* colchón *m* de crin; ~**mittel** *n* producto *m* capilar; ~**mode** *f* moda *f* del peinado; ~**nadel** *f* (-; -*n*) horquilla *f*; ~**nadelkurve** *f Auto.* curva *f* en herradura; ~**netz** *n* (-*es*; -*e*) redecilla *f* para el pelo; ~**öl** *n* (-*es*; -*e*) aceite *m* para el cabello; ~**pflege** *f* (*0*) higiene *f* capilar; ~**pflegemittel** *n* producto *m* capilar; ~**pinsel** *m* pincel *m* fino *od.* de pelo; ~**riß** ⊕ *m* (-*sses*; -*sse*) hendidura *f* capilar; ~**röhrchen** *Phys. n* tubo *m* capilar; ~**röhrenwirkung** *f* capilaridad *f*; Ձ**scharf** (*0*) **I.** *adj.* afiladísimo, muy cortante; (*sehr fein*) finísimo; sutilísimo; agudísimo; *fig.* muy exacto (*od.* preciso); *Antwort*: tajante; (*streng*) riguroso; **II.** *adv.* exactamente; con precisión matemática; (*streng*) rigurosamente; (*ganz nahe*) rozando; ~**schere** *f* tijeras *f/pl.* de peluquero; ~**schleife** *f* lazo *m* en el pelo; ~**schmuck** *m* (-*es*; *0*) adorno *m* para el cabello; (*Haarputz*) peinado *m*; tocado *m*; ~**schneidemaschine** *f* maquin(ill)a *f* de cortar el pelo; ~**schnitt** *m* (-*es*; -*e*) peinado *m*; (*Haarschneiden*) corte *m* de pelo; ~**schopf** *m* (-*es*; ¨*e*) → *Haarbüschel*; ~**seite** *f des Leders*: flor *f* del cuero; ~**sieb** *n* (-*es*; -*e*) cedazo *m* (de crin); ~**spalte'rei** *f* sutileza *f*, sutilidad *f*; ~ *treiben fig.* perderse en detalles nimios; ~**spange** *f* broche *m* para el cabello; pasador *m*; ~**strähne** *f* guedeja *f*; mechón *m*; (*unordentlich*) greña *f*; Ձ**sträubend** *adj.* espeluznante; horripilante; ~**strich** *m* (-*es*; -*e*) sentido *m* natural del pelo; *Schrift*: perfil *m*; ~**tolle** *f* copete *m*; tupé *m*; ~**tracht** *f* peinado *m*; ~**trockner** *m* secador *m* eléctrico para el pelo; ~**waschen** *n* lavado *m* de cabeza; ~**wasser** *n* (-*s*; ¨) loción *f* capilar; ~**wickel** *m* bigudí *m*; ~**wild** *n* (-*es*; *0*) *Jgdw.* caza *f* de pelo; ~**wuchs** *m* (-*es*; *0*) crecimiento *m* del pelo; (*Kopfhaar*) cabellera *f*; ~**wuchsmittel** *n* regenerador *m* del cabello; producto *m* capilar; ~**wulst** *m* (-*es*; ¨*e*) rodete *m*; moño *m*; ~**wurzel** *f* (-; -*n*) raíz *f* del pelo; ~**zopf** *m* (-*es*; ¨*e*) trenza *f*; coleta *f*.

'Hab: ~ *und Gut n* toda la hacienda, todos los bienes; ~**e** *f* (*0*) hacienda *f*; (*Eigentum*) propiedad *f*, bienes *m/pl.*; (*Vermögen*) fortuna *f*; *bewegliche* ~ bienes muebles; *unbewegliche* ~ bienes inmuebles.

'haben I. (*L*) **1.** *Hilfsverb* + *p/p.*: haber; *ich habe e-n Brief geschrieben* he escrito una carta; **2.** *v/t.* (*besitzen*) tener; *ich habe ein Haus* tengo una casa; *was hast du davon?* ¿de qué te sirve eso?; ¿qué provecho sacas de ello?; *nichts auf sich* ~ no tener importancia; *er hat viel von s-m Vater* tiene mucho de su padre; *er hat die Nachricht aus erster Hand* la noticia la tiene de fuente fidedigna; *das Buch ist in allen Buchhandlungen zu* ~ el libro se halla a la venta (*od.* puede ser adquirido) en todas las librerías; *das ist nicht mehr zu* ~ eso ya no se encuentra; (*Buch usw.*) está agotado; *zu* ~ *bei* de venta en; *das hat nichts zu sagen* eso no quiere decir nada; *das hat damit nichts zu tun* eso no tiene nada que ver con ello; *ich habe zu tun* tengo que hacer; *ich habe zu arbeiten* tengo que trabajar; *den wievielten* ~ *wir?* ¿a cuántos estamos?; *wir* ~ *den 30. Juni* estamos a treinta de junio; *wir* ~ *Winter* estamos en invierno; *was hat er?* ¿qué tiene?; ¿qué le pasa?; *er hat es im Hals* le duele la garganta; *das Argu-*

ment hat viel für sich el argumento es muy plausible; *die Aufgabe hat es in sich* la tarea es muy difícil; F es un trabajo que se las trae; *sie hatte es mit ihm* era su querida, P estaba liada con él; *er will es so ~* quiere que se haga así; quiere que las cosas sean así; *ich habe nichts dagegen* nada tengo que objetar; no me opongo a ello; *ich habe nichts zu tun* no tengo nada que hacer; F *hat sich was!* F ¡venga ya, hombre!; ¡pamplinas!; *~ Sie sich doch nicht so!* no gaste usted tantos cumplidos; *da ~ wir's!* ¡ahí lo tenemos!; ¿no lo decía yo?; *da hast du's!* ¡ahí ves!; *ich habe es eilig* tengo prisa; *er hat es gut* vive desahogadamente; tiene todo lo que quiere; vive en sus glorias; *es schwer ~* hallarse en una situación difícil; *~ wollen* querer, desear; *gern ~ (j-n)* apreciar, estimar a; (*et.*) gustar; *dafür bin ich nicht zu ~* para eso que no se cuente conmigo; *lieber ~* preferir; *Geduld ~* tener paciencia; *Trauer ~* estar de luto; *an j-m e-n Freund ~* tener en alg. un amigo; *Geld bei sich ~* llevar dinero encima; *j-n über sich ~* tener como superior a alg.; *unter sich ~* estar al frente de; tener bajo su dirección; *die Kasse unter sich ~* llevar la caja; *et. hinter sich ~* (*abgeschlossen*) haber terminado a/c.; *~ Sie die Güte, zu ...* tenga la bondad de ...; **3.** *v/unprs.*: *es hat den Anschein* parece; así parece; *es hat Eile* es urgente; corre prisa; *es hat seine Richtigkeit* así es en efecto; **II.** ᒿ † *n* haber *m*, crédito *m*; *das Soll und ~* el debe y el haber; el débito y el crédito; *ins ~ buchen* pasar al crédito.

'**Habenichts** *m* (*- od. -es*; *-e*) desheredado *m* de la fortuna; F pobretón *m*.

'**Haben|posten** † *m* partida *f* de abono; **~seite** *f* lado *m* del haber; crédito *m*.

'**Hab|gier** *f* (*0*) codicia *f*; **ᒿgierig** *adj.* codicioso; **ᒿhaft** *adj.*: *~ werden* (*gen.*) apoderarse de, lograr coger a; F atrapar (*ac.*), echar mano a.

'**Habicht** *Orn. m* (*-es*; *-e*) azor *m*; **~skraut** ⚘ *n* (*-es*; *⸚er*) vellosilla *f*; **~snase** *f* nariz *f* aguileña.

Habilitati'on *f* adquisición *f* del derecho a enseñar en cátedras universitarias; *Lat.* venia *f* legendi.

habili'tieren (-) *v/refl.*: *sich ~* adquirir el derecho a enseñar en cátedras universitarias; obtener la venia legendi.

'**Habitus** *m* (*-*; *0*) (*Haltung*) actitud *f*; porte *m*; ⚕ hábito *m*.

'**Hab|seligkeiten** *f/pl.* efectos *m/pl.* personales; P (*Klamotten*) trastos *m/pl.*, bártulos *m/pl.*; **~sucht** *f* (*0*) codicia *f*; **ᒿsüchtig** *adj.* codicioso.

'**Hachse** *f* corvejón *m*; *Kochk.*: (*Kalbs*ᒿ) pierna *f* de ternera; (*Schweins*ᒿ) pata *f* de cerdo; codillo *m*.

'**Hack|beil** *n* (*-es*; *-e*) hachuela *f*; **~block** *m* (*-es*; *⸚e*) tajo *m*, tajadero *m*; **~brett** *n* (*-es*; *-er*) tabla *f* para picar carne; ♪ (*Zimbel*) tímpano *m*; **~e** *f* azada *f*, azadón *m*; (*Jät*ᒿ) almocafre *m*, escardillo *m*; (*Spitz*ᒿ) pico *m*; (*Doppel*ᒿ) zapapico *m*.

'**Hacken** *m* (*Ferse*) talón *m* (*a. des Strumpfes*); *die ~ zusammenschlagen* ⚔ cuadrarse; chocar los talones.

'**hacken** *v/t. u. v/i.* (*Fleisch*) picar; (*Holz*) partir, cortar; ⚒ cavar; azadonar; (*Vögel*) picotear; dar picotazos *m/pl.*

'**Hackepeter** *Kochk. m* carne *f* picada; picadillo *m*.

'**Hack...:** **~fleisch** *n* (*-es*; *0*) carne *f* picada; picadillo *m*; **~klotz** *m* (*-es*; *⸚e*) tajo *m*; **~messer** *n* tajadera *f*, cuchillo *m* para picar carne.

'**Häcksel** *m od. n* (*-s*; *0*) paja *f* corta (-da); **~(schneide)maschine** *f* (máquina *f*) cortapaja(s) *m*.

'**Hader**[1] *m* (*-s*;*-n*) (*Lumpen*) harapo *m*, andrajo *m*.

'**Hader**[2] *m* (*-s*; *0*) (*Streit*) riña *f*; querella *f*, disputa *f*; altercado *m*; F pelotera *f*; (*Zwietracht*) discordia *f*; **ᒿn** (*-re*) *v/i.*: *mit j-m ~* reñir *bzw.* disputar *od.* altercar con alg.; *mit dem Schicksal ~* estar descontento con (*od.* de) su suerte; **~n** *n* → *Hader*[2].

'**Hades** *m* (*-*; *0*) infiernos *m/pl.*

'**Hafen** *m* (*-s*; *⸚*) puerto *m*; (*Bucht*) ensenada *f*; ✈ aeropuerto *m*; *fig.* refugio *m*, asilo *m*; *in e-n ~ einlaufen* arribar a un puerto; entrar en un puerto; *e-n ~ anlaufen* hacer escala (*od.* tocar) en un puerto; *aus dem ~ auslaufen* salir del puerto; zarpar; *fig. im sicheren ~ landen* (*sein Ziel erreichen*) llegar a buen puerto; *in den ~ der Ehe einlaufen* casarse; **~amt** *n* (*-es*; *⸚er*) administración *f* del puerto; **~anlagen** *f/pl.* instalaciones *f/pl.* portuarias; muelles *m/pl.*; **~arbeiter** *m* obrero *m* portuario; estibador *m*; (des)cargador *m* de muelle; **~arbeiterstreik** *m* (*-es*; *-s*) huelga *f* portuaria; **~bahnhof** *m* (*-es*; *⸚e*) estación *f* marítima; **~bauten** *pl.* obras *f/pl.* del puerto; instalaciones *f/pl.* portuarias; **~becken** *n* dársena *f*; **~behörde** *f* autoridades *f/pl.* marítimas *bzw.* del puerto; **~damm** *m* (*-es*; *⸚e*) (*Mole*) muelle *m*; (*Ufermauer*) malecón *m*; (*Wellenbrecher*) rompeolas *m*; **~einfahrt** *f* entrada *f* (*od.* boca *f*) del puerto; *enge*: gola *f*; **~einrichtung** *f* instalación *f* portuaria; **~gebühren** *f/pl.*, **~geld** *n* (*-es*; *-er*) derecho *m* de puerto; tasa *f* portuaria; muellaje *m*; **~kran** *m* (*-es*; *⸚e*) grúa *f* de muelle; **~lotse** *m* (*-n*) práctico *m* del puerto; **~meister** *m* capitán *m* de puerto; **~ordnung** *f* reglamentación *f* del puerto; **~platz** *m* (*-es*; *⸚e*) puerto *m*; **~polizei** *f* (*0*) policía *f* del puerto; **~schleuse** *f* esclusa *f* de puerto; **~sperre** *f* cierre *m* del puerto; *für ein Schiff*: embargo *m*; **~stadt** *f* (*-*; *⸚e*) ciudad *f* marítima; puerto *m*; **~wache** *f* vigilancia *f* de muelles; **~wächter** *m* vigilante *m* de muelles; **~zeichen** *n* baliza *f*; **~zoll** *m* (*-es*; *⸚e*) derechos *m/pl.* portuarios.

'**Hafer** ⚘ *m* (*-s*; *0*) avena *f*; *fig. ihn sticht der ~* es un petulante; F tiene muchos humos; **~brei** *m* (*-es*; *0*) papilla *f* de avena; **~flocken** *f/pl.* copos *m/pl.* de avena; **~grütze** *f* (*0*) avena *f* mondada; **~mehl** *n* (*-es*; *0*) harina *f* de avena; **~s(chl)eim** *m* (*-es*; *0*) crema *f* de avena; **~schleimsuppe** *f* sopa *f* de crema de avena; **~stroh** *n* (*-es*; *0*) paja *f* de avena.

Haff *n* (*-es*; *-s od. -e*) bahía *f*.

Haft[1] *f* (*0*) arresto *m*; (*Verhaftung*) detención *f*; ⚖ (*Strafe*) arresto *m* menor; *in ~ nehmen* detener; *in ~ halten* tener detenido; *aus der ~ entlassen* poner en libertad.

Haft[2] *m/n* (*-es*; *-e*) (*Eintagsfliege*) efímera *f*, cachipolla *f*.

'**haft|bar** *adj.* responsable (*für* de, por); *~ machen* hacer responsable de; **ᒿbarkeit** *f* (*0*) responsabilidad *f*; **ᒿbefehl** *m* (*-es*; *-e*) orden *f* de detención; ⚖ auto *m* de prisión (*erlassen* dictar); **ᒿbeschwerde** *f* ⚖ recurso *m* contra el auto de prisión; **ᒿdauer** *f* (*0*) duración *f* del arresto; **~en** (*-e-*) *v/i.* pegar; *~ an* (*dat.*) estar adherido (*od.* pegado *od.* fijado) a; *s-e Blicke ~ lassen auf* fijar la mirada en; *~ für* responder de; *im Gedächtnis ~* grabarse en la memoria; **ᒿen** *n* adherencia *f*; † responsabilidad *f*; **ᒿentlassene(r)** *m* detenido *m* puesto en libertad; **ᒿentlassung** *f* libertad *f*; ⚖ *bedingte ~* libertad condicional; *~ gegen Kaution* libertad bajo fianza; **ᒿfähigkeit** *f* (*0*), **ᒿfestigkeit** *f* (*0*), ⊕ adherencia *f*.

'**Häftling** *m* (*-s*; *-e*) detenido *m*; preso *m*, recluso *m*.

'**Haft|lokal** *n* (*-es*; *-e*) (*Polizeiwache*) comisaría *f*; (*Arrestzelle*) celda *f*, calabozo *m*; **~pflicht** *f* responsabilidad *f* civil; † *mit beschränkter ~* (*Abk. m.b.H.*) con responsabilidad limitada; **ᒿpflichtig** *adj.* responsable; **~pflichtversicherung** *f* seguro *m* de responsabilidad civil; **~schale** *f* microlentilla *f*; **~ung** *f* responsabilidad *f*; *die ~ übernehmen* (*ablehnen*) asumir (declinar) la responsabilidad (*für* de); *aus e-r ~ entlassen* eximir de una responsabilidad; (*un*)*beschränkte ~* responsabilidad (i)limitada; **~ungsausschluß** *m* (*-sses*; *⸚sse*) exención *f* de responsabilidad; **~ungs-umfang** *m* (*-es*; *0*) amplitud *f* de la responsabilidad; **~vermögen** ⊕ *n* (*-s*; *0*) adherencia *f*.

Hag *m* (*-es*; *-e*) (*Hecke*) seto *m*; (*Zaun*) cerca *f*; (*Eingehegtes*) cercado *m*, coto *m*; (*Buschwerk*) mata *f*, matorral *m*; soto *m*; (*Hain*) bosquecillo *m*.

'**Hage|buche** [u:] ⚘ *f* ojaranzo *m*; **~butte** *f* escaramujo *m*; **~dorn** *m* (*-es*; *-e*) espino *m*.

'**Hagel** *m* (*-s*; *0*) granizo *m*; (*großer*) pedrisco *m*, piedra *f*; *Jgdw.* perdigones *m/pl.*; *fig.* lluvia *f*, granizada *f*; *Kugel*ᒿ granizada (*od.* lluvia) de balas; *es droht ~* amenaza granizo; (parece que) va a granizar; **~bö** *f* turbión *m* de granizo; **ᒿdicht** *adj.* (*0*) como granizo; **~korn** *n* (*-es*; *⸚er*) grano *m* de granizo; *Jgdw.* perdigón *m*; **ᒿn** (*-le*) *v/i.* granizar; *es hagelt* graniza (*od.* está granizando); *fig. es hagelte Schläge auf ihn* recibió una lluvia de golpes; **~schaden** *m* (*-s*; *⸚*) daño *m* causado por el granizo; **~schadenversicherung** *f* seguro *m* contra el granizo; **~schauer** *m* granizada *f*; chubasco *m* con granizo; **~schlag** *m* (*-es*; *⸚e*) pedrisco *m*; granizada *f*; *durch ~ vernichtet* (*od. verwüstet*) destruido (*od.* asolado) por el pedrisco; **~schutzkanone** *f* cañón *m* contra el granizo; **~schutzrakete** *f* cohete *m* contra el granizo; **~sturm** *m* (*-es*; *⸚e*) tormenta *f* con granizo; **~wetter** *n* pedrisco *m*; **~wolke** *f* nube *f* (cargada) de granizo.

ˈ**hager** *adj.* flaco, magro; enjuto, seco; (*abgezehrt*) macilento; (*schmächtig*) delgado; **≈keit** *f* (*0*) flaqueza *f*.

ˈ**Hagestolz** *m* (*-es*; *-e*) F solterón *m* (empedernido).

Hagio|ˈgraph *m* (*-en*) hagiógrafo *m*; **~graˈphie** *f* hagiografía *f*.

haˈha *int.* ¡ja, ja!; ¡ah, ya!

ˈ**Häher** [ˈhɛːɐ] *Orn. m* arrendajo *m*.

Hahn *m* (*-es*; *⸚e*) gallo *m*; (*Wetter≈*) veleta *f*; (*Gas≈*) llave *f*; (*Wasser≈*) grifo *m*, *Arg.* canilla *f*; (*Faß≈*) espita *f*; (*Gewehr≈*) gatillo *m*, disparador *m*; *den ~ aufdrehen* (*zudrehen*) abrir (cerrar) el grifo *bzw.* la llave; *den ~* (*ab*)*spannen* (des)armar; *~ im Korbe sein* F *fig.* ser el amo del cotarro; ser un periquito entre ellas; *j-m den roten ~ aufs Dach setzen* pegar fuego a la casa de alg.; *es kräht kein ~ danach* nadie hace caso de ello; nadie se da cuenta.

ˈ**Hähnchen** *n* pollo *m*; pollito *m*.

ˈ**Hahnen...**: **~fuß** ⚘ *m* (*-es*; *0*) ranúnculo *m*; **~kamm** *m* (*-es*; *⸚e*) cresta *f* de gallo; ⚘ gallocresta *f*; **~kampf** *m* (*-es*; *⸚e*) riña *f* de gallos; **~schrei** *m* (*-es*; *-e*) canto *m* del gallo; **~sporn** *m* (*-es*; *-sporen*) espolón *m*; **~tritt** *m* (*-es*; *0*) galladura *f*.

ˈ**Hahnrei** F *m* (*-es*; *-e*) cornudo *m*, V cabrón *m*; F *fig.* novillo *m*; *j-n zum ~ machen* poner cuernos a alg.

ˈ**Hai** *m* (*-es*; *-e*), **~fisch** *m* (*-es*; *-e*) *Ict.* tiburón *m*.

Hain *m* (*-es*; *-e*) bosquecillo *m*, floresta *f*; ˈ**~buche** ⚘ *f* ojaranzo *m*.

Haˈiti *n* Haití *f*.

Haitiˈan|er [haiˑ-] *m* haitiano *m*; **≈isch** *adj.* haitiano.

ˈ**Häkchen** [ɛː] *n* ganchillo *m*; (*Kleider≈*) corchete *m*; (*am ç*) cedilla *f*, virgulilla *f*; *Gr.* apóstrofo *m*.

ˈ**Häkel|arbeit** *f*, **Häkeˈlei** *f* labor *f* de (punto de) encaje, croché *m*; labor *f* de ganchillo; **~garn** *n* (*-es*; *-e*) hilo *m* para ganchillo; **~haken** *m* ganchillo *m*; **≈n** (*-le*) *v/t. u. v/i.* hacer labor *f* de ganchillo, hacer croché *m*; **~nadel** *f* (*-*; *-n*) aguja *f* de gancho; **~stich** *m* (*-es*; *-e*) punto *m* de gancho.

ˈ**Haken** *m* gancho *m* (*a. Boxsport*); garabato *m*; *hängend*: garfio *m*; *an der Wand*: escarpia *f*; *für Ösen*: corchete *m*; (*Brosche*) broche *m*; (*Klaue*) ⊕ uña *f*; (*Dietrich*) ganzúa *f*; (*Kleider≈*) percha *f*; *Jgdw.* e-n *~ schlagen* hurtarse; *fig. die Sache hat* e-n *~* la cosa tiene su intríngulis; F *das ist eben der ~* ahí está el quid precisamente; ahí le duele.

ˈ**haken** *v/t.* enganchar; *sich ~* engancharse (*an, in ac.* a, en); **~förmig** *adj.* ganchudo, en forma de gancho; **≈kreuz** *n* (*-es*; *-e*) cruz *f* gamada, svástica *f*; **≈nagel** *m* (*-s*; *⸚*) escarpia *f*; **≈nase** *f* nariz *f* ganchuda; **≈ziegel** *m* teja *f* de gancho.

ˈ**hakig** *adj.* ganchudo.

Halaˈli *Jgdw. n* (*-s*; *- od. -s*): *~ blasen* tocar con la trompa el final de la cacería.

halb I. *adj.* (*0*) medio (*immer o. art.*); *in Zssgn.* semi- *bzw.* hemi-; *die ~e Stadt* la mitad de la ciudad; *das ~e Leben* la mitad de la vida; *~er Ton* ♪ semitono; *~e Fahrt* ⚓ media máquina; *~e Spalte* media columna; *~e Wahrheit* verdad a medias; *~e Fahrkarte* medio billete; *~es Dutzend* media docena; *~e Maßnahmen* medidas insuficientes; e-e *~e Stunde* media hora; *ein*(*e*) *und e-e ~e Stunde* hora y media; *ein und ein ~es Kilo* kilo y medio; *~ 11* (*Uhr*) las diez y media; *es schlägt ~* da la media; *auf ~er Höhe* a media altura; a media cuesta; *auf ~em Wege* a la mitad del camino; *mit ~er Stimme* a media voz; *nur mit ~em Ohr zuhören* entreoír, escuchar a medias; *zum ~en Preis* a mitad de precio; *ein ~es Jahr* medio año, seis meses, un semestre; **II.** *adv.* (*zur Hälfte*) a medias; por mitad(es); *alles nur ~ machen* hacer todas las cosas a medias; *~ öffnen* entreabrir; *~ gekocht* a medio cocer; *~ angekleidet* a medio vestir; *~ schlafend* medio dormido; *nicht ~ soviel* ni la mitad; *nicht ~ so groß* ni la mitad de grande; *er ist nicht ~ so gut wie sein Bruder* no vale ni la mitad que su hermano; está lejos de igualar a su hermano; *nur ~ soviel* la mitad menos; *das ist ~ so schlimm* no hay para tanto; *er hat den Sinn nur ~ verstanden* no ha entendido más que la mitad; sólo ha entendido a medias; *~ bittend, ~ drohend* entre suplicante y amenazador; *~ und ~* mitad y mitad; por mitades.

ˈ**Halb...**: **≈amtlich** *adj.* oficioso; **≈automatisch** *adj.* semiautomático; **~baumwolle** *f* (*0*) semialgodón *m*; **~bildung** *f* (*0*) seudocultura *f*; conocimientos *m/pl.* superficiales; **~blut** *n* (*-es*; *0*), **~blüter** *m*, **~blutpferd** *n* (*-es*; *-e*) media sangre *m*; **~bruder** *m* (*-s*; *⸚*) hermanastro *m*; (*väterlicherseits*) hermano *m* consanguíneo; (*mütterlicherseits*) hermano *m* uterino; **≈bürtig** *adj.*: *~e Brüder* ⚖ hermanos de un sólo vínculo; *~er Bruder* medio hermano, hermanastro; *~e Schwester* medio hermana, hermanastra; **~dunkel** *n* (*-s*; *0*): *im ~* entre dos luces; *Mal.* claroscuro *m*; **≈durchlässig** *adj.* semipermeable; **~edelstein** *m* (*-es*; *-e*) piedra *f* semipreciosa.

...halben, ˈ**halber** *nachstehende prp.* (*gen.*) a causa de, por razones de; para; (*mit Rücksicht auf*) en consideración a; *der Gesundheit ~* por razones de salud; *der größeren Genauigkeit ~* para mayor exactitud.

ˈ**Halb...**: **≈erhaben** *Escul. adj.* en bajorrelieve; **~e**(**s**) *n*: *das ist nichts ~s und nichts Ganzes* F ni es carne ni pescado; ni pincha ni corta; ni fu ni fa; **~fabrikat** *n* (*-es*; *-e*) producto *m* semiacabado; **≈fein** *adj.* entrefino; **≈fertig** *adj.* semiacabado; a medio hacer; **~fertigware** *f* producto *m* semimanufacturado *od.* semiconfeccionado; **≈fett** *Typ. adj.* media negrilla; **~finale** *n Sport*: semifinal *f*; **~flügler** *Zoo. m/pl.* hemípteros *m/pl.*; **~franzband** *m* (*-es*; *⸚e*) encuadernación *f* a la holandesa, media pasta *f*; **≈gar** *adj.* medio cocido; a medio cocer; **≈gebildet** *adj.* semiletrado; **~gebildete**(**r**) *m* seudointelectual *m*, erudito *m* a la violeta; **~gefrorene**(s) *n Kochk.*: sorbete *m*; **≈geschlossen** *adj.* entreabierto; **~geschoß** △ *n* (*-sses*; *-sse*) entresuelo *m*; **~geschwister** *pl.* hermanastros *m/pl.*, medio hermanos *m/pl.*; hermanastras *f/pl.*; **~gott** *m* (*-es*; *⸚er*) semidiós *m*; **~heit** *f* (*Unzulänglichkeit*) insuficiencia *f*; (*Unvollkommenheit*) imperfección *f*.

halˈbier|en (*-*) *v/t.* partir en dos (partes iguales), dividir en dos partes iguales, partir por la mitad; **≈ung** *f* división *f* en dos partes (iguales); ∡ bisección *f*; **≈ungsebene** *f*, **≈ungsfläche** *f* ∡ plano *m* bisector.

ˈ**Halb...**: **~insel** *f* (*-*; *-n*) península *f*; **~invalide** *m* (*-n*) medio inválido *m*; **~jahr** *n* (*-es*; *-e*) semestre *m*; seis meses *m/pl.*; **≈jährig** *adj.* de seis meses, semestral; *in bezug auf Alter*: de seis meses (de edad); **≈jährlich I.** *adj.* semestral; de cada seis meses; **II.** *adv.* todos los semestres; cada seis meses; semestralmente; **~jahresbilanz** *f* balance *m* semestral; **~jahresdividende** *f* dividendo *m* semestral; **~konsonant** *m* (*-en*) semiconsonante *f*; **~kreis** *m* (*-es*; *-e*) ∡ semicírculo *m*; semicircunferencia *f*; (*Raum*) hemiciclo *m*; **≈kreisförmig** *adj.* semicircular; **~kugel** *f* (*-*; *-n*) hemisferio *m*; **≈kugelförmig** *adj.* hemisférico; **≈lang** *adj.* semilargo; (*Ärmel*) de media manga; *Haar ~ schneiden* cortar el pelo a media melena; **≈laut** *adj. u. adv.* a media voz; **~lederband** *m* (*-es*; *⸚e*) (encuadernación *f* de) media pasta *f*; **~leinen** *n* (*-s*; *0*) (*Stoff*) semihilo *m*, tela *f* mixta; **~leinenband** *m* (*-es*; *⸚e*) (encuadernación *f* de) media tela *f*; **~leiter** *m* semiconductor *m*; **~links** *m* (*-*; *-*) *Fußball*: interior *m* izquierda; **≈mast** *adv.* a media asta; *auf ~ hissen* (*od. setzen*) poner la bandera a media asta; **~messer** ∡ *m* radio *m*; **≈militärisch** *adj.* paramilitar; **≈monatlich I.** *adj.* quincenal, bimensual; **II.** *adv.* cada quince días; **~monatsschrift** *f* revista *f* quincenal *od.* bimensual; **~mond** *m* (*-es*; *-e*) media luna *f*; cuarto *m* creciente *bzw.* menguante; **≈mondförmig** *adj.* lunado, semilunar; **≈nackt** *adj.* medio desnudo, semidesnudo; **≈offen** *adj.* entreabierto, a medio abrir; *Gr.* medio abierto, mediano; **≈part** *adv.*: *mit j-m ~ machen* ir a medias con alg.; **~pension** *f* media pensión *f*; **~rechts** *m* (*-*; *-*) *Fußball*: interior *m* derecha; **≈rechts** *adv.* ⚔ media a la derecha; **≈reif** *adj.* medio maduro (*a. fig.*); **~relief** *n* (*-s*; *-s od. -e*) (*Bildwerk*) bajorrelieve *m*; **≈roh** *adj.* medio crudo; **≈rund** *adj.* casi redondo; semicircular; en anfiteatro; **~rundfeile** *f* lima *f* de media caña; **~schatten** *m* (*-s*; *0*) *Phys.* penumbra *f*; *Mal.* media tinta *f*; **~schlaf** *m* (*-es*; *0*) somnolencia *f*; *im ~* medio dormido; **~schuh** *m* (-*es*; -*e*) zapato *m*; **~schwergewicht(ler** *m*) *n* (-*es*; *0*) *Sport*: peso *m* semipesado; **~schwester** *f* (-; -*n*) hermanastra *f*, medio hermana *f*; (*väterlicherseits*) hermana *f* consanguínea; (*mütterlicherseits*) hermana *f* uterina; **~seide** *f* (*0*) sedalina *f*, media seda *f*; **2seiden** *adj*. de media seda, de sedalina; **2seitig** *adj*.: ⚕ *~e Lähmung* hemiplejía *f*; **2sitzend**: *~e Stellung* posición semisentada; **~starke(r)** *m* gamberro *m*; **2starr** ✈ *adj*. semirrígido; **2steif** *adj*.: *~er Kragen* cuello semiblando; **~stiefel** *m* borceguí *m*; (*Damen2*) botina *f*; **2stündig** *adj*. de media hora; **2stündlich** *adj*. *u*. *adv*. cada media hora; **~tag** *m* (-*es*; -*e*) medio día *m*; **2tägig** *adj*. de medio día; **~tagsbeschäftigung** *f* empleo *m* de media jornada; **~ton** ♪ *m* (-*es*; *¨e*) semitono *m*; **2tot I.** *adj*. medio muerto; **II.** *adv*.: *sich ~ lachen* F morirse (*od*. troncharse) de risa; **~vers** *m* (-*es*; -*e*) hemistiquio *m*; **~vokal** *m* (-*s*; -*e*) semivocal *f*; **2voll** *adj*. a medio llenar, medio lleno; **2wach** *adj*. medio despierto; **~waise** *f* huérfano (-a *f*) *m* de padre *bzw*. de madre; **2wegs** *adv*. a medio camino; F (*leidlich*) así así; regular; (*ungefähr*) casi; (sobre) poco más o menos; **~welt** *f* (*0*) mundo *m* galante; **~weltdame** *f* golfa *f*; mujer *f* de vida airada, meretriz *f*; **~wissen** *n* (-*s*; *0*) → *Halbbildung*; **2wöchentlich** *adj*. bisemanal; **~wolle** *f* (*0*) semilana *f*, mezcla *f* de lana y algodón; **2wollen** *adj*. de semilana; **2wüchsig** *adj*. (*junge Leute*) adolescente *m/f*.; **~zeit** *f* (*0*) *Sport*: (medio) tiempo *m*; *zur ~* al acabar el primer tiempo; *erste* (*zweite*) *~* primer (segundo) tiempo; **~zeug** *n* (-*es*; *0*) semiproducto *m*; *Papier* media *f* pasta.

'**Halde** *f* (*Bergabhang*) falda *f*, ladera *f*; ⚒ vaciadero *m*, montón *m* de mineral; (*Schlacken2*) escorial *m*; **~nbestand** ⚒ *m* (-*es*; *¨e*) existencias *f/pl*. de mineral; **~n·erz** *n* (-*es*; -*e*) mineral *m* de vaciadero; **~nvorrat** ⚒ *m* (-*es*; *¨e*) → *Haldenbestand*.

half *pret*. *v*. *helfen*.

'**Hälfte** *f* mitad *f*; (*Mitte*) medio *m*; *zur ~* mitad y mitad; a medias; *um die ~ mehr* (*weniger*) la mitad más (menos); *bis zur ~* hasta la mitad; *um die ~ teurer* la mitad más caro; *um die ~ größer* la mitad más grande; *über die ~ größer* más grande en más de la mitad; *die Kosten zur ~ tragen* pagar la mitad de los gastos; ir a medias en los gastos; *zur ~ an et. beteiligt sein* participar por mitad en a/c.; F *m-e bessere ~* (*Ehefrau*) F mi costilla; mi cara mitad; mi media naranja.

'**Halfter** *f* (-; -*n*), *a*. *m od*. *n* cabestro *m*, ramal *m*; (*Pistolentasche*) funda *f*; **2n** (-*re*) *v/t*. (*Pferd*) encabestrar; **~riemen** *m* (*am Wagen*) correa *f*, tiro *m*; **~strick** *m* (-*es*; -*e*) ronzal *m*, *Am*. bozal *m*.

'**Halle** *f* galería *f*; (*Säulen2*) pórtico *m*; (*Vor2*) atrio *m*; (*Tor2*) portal *m*; (*Saal*) sala *f*; ⊕ (*Fabrik*, *Werkstatt*) nave *f*; (*Vestibül*; *Bahnhofs2*) vestíbulo *m*; (*Turn2*) sala *f* de gimnasia; (*Markt2*) mercado *m* cubierto; *Auto*. garage *m*; ✈ cobertizo *m*, hangar *m*; *Tennis*: pista *f* cubierta; (*Ausstellung*) pabellón *m*.

Halle'luja *n* (-*s*; -*s*) aleluya *f*.

'**hallen** *v/i*. resonar; retumbar.

'**Hallen...**: **~bad** *n* (-*es*; *¨er*) piscina *f* cubierta; **~bahn** *f* pista *f* cubierta; **~turnen** *n* (-*s*; *0*) gimnasia *f* de sala; **~wettspiel** *n* (-*es*; -*e*) *Tennis*: competición *f* de tenis en pista cubierta.

hal'lo I. *int*. *~!* ¡eh!; (*Anruf*) ¡oiga!; *höflicher*: ¡oiga, por favor!; *am Telefon*: (*seitens des Anrufenden*) ¡oiga!; (*seitens des sich Meldenden*) ¡diga!; *beim Begrüßen*: ¡hola!; **II.** 2 *n* (-*s*; -*s*) gritería *f*; griterío *m*; (*wildes Treiben*) alboroto *m*, F jaleo *m* de mil demonios.

Halluzina|ti'on *f* alucinación *f*; **2'torisch** *adj*. alucinador.

'**Halm** *m* (-*es*; -*e*) tallo *m*; (*Gras2*) brizna *f*; (*Stroh2*) brizna *f* de paja; (*Getreide2*) paja *f*; *die Ernte auf dem ~ verkaufen* vender la cosecha en hierba; **~früchte** *f/pl*. cereales *f/pl*.

Hals *m* (-*es*; *¨e*) cuello *m* (*a*. *Anat*.); *bsd*. *v*. *Tieren*: pescuezo *m*; (*Kehle*) garganta *f*; (*Genick*) nuca *f*; (*Kragen*) cuello *m*; (*Flaschen2*) *a*. gollete *m*; (*Geigen2*) mango *m*, mástil *m*; *~ über Kopf* precipitadamente, atropelladamente, F de golpe y porrazo; *~ über Kopf davonlaufen* huir atropelladamente, F salir de estampía; *aus vollem ~e* a voz en cuello; a grito pelado; *aus vollem ~e lachen* reír a carcajadas, F desternillarse de risa; *es im ~e haben*, *e-n schlimmen ~ haben* tener dolor de garganta; *e-n Frosch im ~ haben* tener ronquera (*od*. la voz ronca), F tener carraspera; *am ~ festbinden* amarrar por el cuello; *e-n langen ~ machen* alargar el cuello; *fig*. F alargar la gaita; *die Worte blieben ihm im ~ stecken* se le hizo un nudo en la garganta; *in den falschen ~ bekommen fig*. interpretar torcidamente (*od*. tomar a mal) a/c.; *sich j-m an den ~ werfen*, *j-m um den ~ fallen* abrazar a alg.; *sich et. auf den ~ laden fig*. echarse a/c. sobre las espaldas (*od*. las costillas); cargar con la responsabilidad de a/c.; F apechugar con a/c.; *et. auf dem ~ haben fig*. tener sobre las espaldas (*od*. sobre las costillas) a/c.; *sich et*. (*j-n*) *vom ~e schaffen* desembarazarse de a/c. *bzw*. de alg.; quitarse de encima a/c. *bzw*. a alg.; *bleiben Sie mir damit vom ~e* déjeme en paz con eso; *das kostet ihn den ~* eso le costará la vida; *es geht ihm an den ~* le va la vida en ello; *den ~ umdrehen* retorcer el cuello *bzw*. el pescuezo a; *j-m den ~ abschneiden* degollar (*od*. cortar el cuello) a alg.; *j-m den ~ brechen* desnucar a alg.; F romperle la crisma a alg.; *sich den ~ brechen* desnucarse, F romperse la crisma; *das hat ihm den ~ gebrochen fig*. eso le ha hundido; eso ha acabado con él; eso le ha dado el golpe de gracia; F *es hängt* (*od*. *wächst*) *mir zum ~e heraus* F estoy harto (*od*. estoy hasta la coronilla) de eso; *bis an den ~ in Arbeit stecken* estar agobiado de trabajo; *bis an den ~ in Schulden stecken* F estar entrampado hasta las cejas; *steifer ~* ⚕ tortícolis *f*; *~- und Beinbruch!* ¡buena suerte!

'**Hals...**: **~abschneider** *m* degollador *m*; *fig*. *f* (*Wucherer*) usurero *m*; **~abschneide'rei** *fig*. *f* usura *f*; exacción *f*; **2abschneiderisch** *adj*. (*wucherisch*) usurario; **~ader** *Anat*. *f* (-; -*n*) vena *f* yugular; **~arterie** *Anat*. *f* (arteria *f*) carótida *f*; **~ausschnitt** *m* (-*es*; -*e*) (d)escote *m*; **~band** *n* (-*es*; *¨er*) collar *m* (*a*. *Hunde2*); *Kummet*: collera *f*; **~binde** *f* corbata *f*; **~bräune** ⚕ *f* (*0*) (*häutige Bräune*) crup *m*; *brandige ~* angina *f* diftérica, difteria *f*; **2brechend**, **2brecherisch** *adj*. despeñadizo; *fig*. peligrosísimo, arriesgado; *diese Treppe ist ~* F esta escalera es a propósito para desnucarse; **~bund** *m* (-*es*; *¨e*) (*Hemdkragen*) cuello *m*; **~e** ⚓ *f* amura *f*; **~eisen** *Hist*. *n* argolla *f*; **~entzündung** ⚕ *f* laringitis *f*; inflamación *f* de la garganta; anginas *f/pl*.; **~kette** *f* collar *m*; cadena *f*; **~kragen** *m* cuello *m*; (*loser Hemdkragen*) cuello *m* postizo; *der Geistlichen*: alzacuello *m*; **~krankheit** ⚕ *f* afección *f* (*od*. enfermedad *f*) de la laringe (*od*. de la garganta); **~krause** *f* gorguera *f*; gola *f*; **~länge** *f* *Sport*: *um* (*eine*) *~* por un cuello (de ventaja); **~leiden** ⚕ *n* → *Halskrankheit*; **~-Nasen-'Ohren-Arzt** *m* (-*es*; *¨e*) otorrinolaringólogo *m*; **~schild** *m* (-*es*; -*e*) ⚔ gola *f*; *der Käfer*: protórax *m*; **~schlagader** *Anat*. *f* (-; -*n*) → *Halsarterie*; **~schlinge** *Jgdw*. *f* lazo *m*; **~schmerzen** *m/pl*. dolor *m* de garganta; **~schmuck** *m* (-*es*; *0*) collar *m*; (*hängender ~*) dije *m*; colgante *m*; **2starrig** *adj*. terco, testarudo, F cabezón; **~starrigkeit** *f* terquedad *f*, testarudez *f*, obstinación *f*; **~stück** *n* (-*es*; -*e*) *Schlächterei*: pescuezo *m*; **~tuch** *n* (-*es*; *¨er*) pañuelo *m* de cuello; *für Damen*: pañoleta *f*; *für Herren*: bufanda *f*; **~weh** *n* (-*es*; *0*) → *Halsschmerzen*; **~weite** *f* medida *f* del cuello, número *m*; **~wirbel** *Anat*. *m* vértebra *f* cervical; **~zäpfchen** *Anat*. *n* úvula *f*, F campanilla *f*.

Halt *m* (-*es*; -*e*) parada *f*; ⚔ alto *m*; (*Griff*) asidero *m*; (*e-n*) *~ machen* hacer una parada; ⚔ hacer alto; *e-r Sache ~ gebieten* contener a/c.; poner freno a a/c.; impedir la continuación de a/c.; (*Stütze*) apoyo *m*, sostén *m* (*beide a*. *fig*.); (*innerer ~*) consistencia *f*; *Phys*. cohesión *f*; (*Charakter*) carácter *m*; fuerza *f* moral; (*Festigkeit*) solidez *f*, firmeza *f*.

halt I. *int*.: *~!* (*genug*) ¡basta!; ⚔ *~, wer da?* ¡alto! ¿quién vive?; *~* (*doch*)! ¡un momento!; **II.** *adv*.: *das ist ~ der Lauf der Welt* pues así va el mundo; *er will ~ nicht* pues no quiere; el caso es que no quiere; *das ist ~ so* la cosa es así y no hay nada que hacer.

'**haltbar** *adj*. (*zu halten*) sostenible; (*stark*) fuerte; (*fest*) firme, sólido (*a*. *v*. *Farben*); (*Bestand habend*) consistente; (*dauerhaft*) duradero, durable; (*widerstandsfähig*) resistente; *v. Früchten*: conservable; (*stabil*) estable; *Behauptung*: sostenible; (*vertretbar*) defendible; justificable; *~ machen Lebensmittel*: conservar; **2keit** *f* (*0*) conservabilidad *f*; (*Festigkeit*) solidez *f*; (*Dauerhaftigkeit*) durabilidad *f*; (*Bestand*) consistencia *f*; (*Stabilität*) estabilidad *f*; **2machen** *n v. Lebensmitteln*: conservación *f*.

'**Halte|bogen** ♪ *m* ligado *m*; **~leine** *f* cable *m* de amarre.

'**halten I.** (*L*) **1.** *v/t. u. v/refl.* tener(se) (*a. fig.*); (*an~*) detener, parar; (*auf~*) detener; (*fest~*) sujetar, asegurar; (*zurück~*) retener; contener; (*aufrechter~*) mantener; conservar; (*ein~*) observar, guardar; (*unter~*) entretener; sostener, mantener; (*fassen, ent~*) contener; (*besitzen*) tener, poseer; (*behandeln*) tratar; (*erfüllen*) cumplir; (*stützen*) sostener; apoyar; ⚔ defender; mantener; *Gebote*: observar; *Diener, Lehrer*: tener; *Mahlzeiten*: tomar; *Rede, Vortrag*: pronunciar; *Versprechen, Wort*: cumplir; *Vorlesung*: explicar; *Predigt*: predicar; *Hochzeit*: celebrar; *Fußball usw., e-n Schuß*: parar; *Zeitung*: estar suscrito a; *Mittagsschlaf*: dormir la siesta; *in gutem Zustand ~* mantener en buen estado; conservar; *Schule ~* dar clase; *e-e Stunde ~* dar una lección; *Maß ~* moderarse (*od.* tener moderación); evitar los excesos; *~ von* pensar de; opinar de *od.* sobre; *was ~ Sie davon?* ¿qué opina usted de esto?; ¿qué le parece?; *viel* (*od. große Stücke*) *auf j-n* (*od. von j-m*) *~* tener en gran aprecio a alg.; estimar mucho a alg.; hacer mucho caso de alg.; *viel auf et. ~* dar mucha importancia a a/c.; *j-n auf dem laufenden ~* tener a alg. al corriente de; ☤ *auf dem laufenden ~* tener al día; *mit j-m Schritt ~ fig.* estar al a altura de alg.; *j-n schadlos ~* indemnizar a alg. (*für* por); *ich weiß, was ich davon zu ~ habe* sé a qué atenerme sobre el particular; *~ für* creer; tener por; tomar por; *für et. gehalten werden* pasar (*od.* ser tomado) por; ser considerado como; *für wie alt ~ Sie ihn?* ¿qué edad le supone usted?, F ¿cuántos años le echa?; *wofür ~ Sie mich?* ¿por quién me toma usted?; *es für ratsam ~, zu* (*inf.*) juzgar oportuno (*inf.*), estimar conveniente (*inf.*), creer indicado (*inf.*); *es mit j-m ~* tomar partido por alg.; ser de la opinión de alg.; simpatizar (*od.* hacer causa común) con alg.; *~ Sie es damit, wie Sie wollen* haga usted lo que estime conveniente; F haga usted lo que quiera; P haga usted lo que le dé la gana; *in der Hand ~* tener en la mano; *bei der Hand ~* tener de la mano; *gegen das Licht ~* mirar al trasluz; *in Schach ~* tener en jaque (*a. fig.*); *in die Höhe ~* (*zeigen*) mostrar en alto; *er kann sich nicht ~ vor Lachen* no puede reprimir la risa; *fig. im Zaume ~* refrenar, reprimir; *den Mund ~* guardar silencio, F callarse la boca; *j-n streng ~* tratar a alg. severamente; *in Ehren ~* honrar, respetar (la memoria de); *Freundschaft ~ mit* tener amistad con; *Frieden ~* vivir en paz (*mit* con); *gute Nachbarschaft ~* estar en buenas relaciones con los vecinos; *Ordnung* (*Frieden*) *~* mantener el orden (la paz); *in Ordnung ~* tener en orden; *Ruhe ~* permanecer tranquilo; ♪ *Takt ~* seguir el compás; *Kostgänger ~* tener pensión; tener casa de comidas; *Gericht ~ allg.* administrar justicia; *Gericht ~ über* (*ac.*) juzgar de; *Rel. Messe ~* decir misa, celebrar la misa; *Rast ~* descansar; ⚔ hacer alto; *e-e Sitzung ~* celebrar una sesión; *Wache* (*od. Wacht*) *~* montar la guardia; *haltet den Dieb!* ¡al ladrón!; *an sich ~* contenerse, dominarse; *sich ~* (*sich stützen*) apoyarse; sostenerse; (*Widerstand leisten*) resistir, oponer resistencia; ⚔ defenderse; (*Preise, Kurse*) mantenerse firme; *fig. sich an j-n ~* (*verantwortlich machen*) hacer responsable a alg. de a/c.; *sich an et. ~*: a) agarrarse (*od.* asirse) de; b) *fig.* atenerse a; *sich links* (*rechts*) *~* llevar la izquierda (derecha); *sich schadlos ~* resarcirse (*für* de); *sich aus e-r Sache ~* mantenerse al margen de (*od.* no mezclarse en) un asunto; *sich nicht mehr ~ können vor* ya no poder contenerse de; *sich ~ Früchte*: conservarse; *sich bereit ~* estar preparado; *sich wacker ~* mantenerse firme; **2.** *v/i.* (*festsitzen*) quedar fijo; estar fijo; ser sólido (*a. Farbe*); (*dauerhaft sein*) durar, ser duradero *od.* durable; (*Bestand haben*) ser consistente; (*widerstehen*) restir; (*fest sein*) ser *bzw.* estar duro; ser *bzw.* estar firme; (*haltmachen*) detenerse; hacer alto; (*anhalten*) parar(se); 🚂 *der Zug hält 5 Minuten* el tren para cinco minutos; *Eis*: resistir, estar firme *od.* tener firmeza (suficiente); *auf et. ~* (*achten*) cuidar de, vigilar, guardar, *Ehre, gute Sitte*: velar por, (*Wert legen auf*) conceder valor, dar mucha importancia a; (*bestehen auf*) insistir en; *auf sich ~* cuidar de sí; *zu e-r Partei ~* estar afiliado a un partido; *es hält schwer, zu* (*inf.*) es *od.* resulta difícil (*inf.*); no será fácil (*inf.*); **II.** 2 *n der Handelsbücher*: ☤ teneduría *f* de libros; *e-s Versprechens, der Verträge*: cumplimiento *m*; *Fußball usw.* (*fangen*) parada *f*; *Gebot*: observancia *f*; *e-r Zeitung*: suscripción *f*; *des Zuges*: parada *f*; *v. Fahrzeugen*: estacionamiento *m*; *den Wagen zum ~ bringen* parar el coche; *da gab es für sie kein ~ mehr* ya no hubo modo de contenerles; *Versprechen und ~ sind zweierlei* del dicho al hecho hay un gran trecho.

'**Halte...: ~platz** *m* (*-es*; *⸗e*) parada *f*; estacionamiento *m* (de coches); **~punkt** *m* (*-es*; *-e*) punto *m* de detención; *Phys.* punto *m* crítico.

'**Halter** *m* ⊕ (*Stütze*) apoyo *m*, sostén *m*; (*Stiel*) mango *m*; (*Griff*) asidero *m*; *am Werkzeug*: empuñadura *f*; (*Festklemmer*) sujetador *m*; (*Handtuch2*) toallero *m*; (*Zeitungs2*) porta-periódicos *m*; (*Feder2*) portaplumas *m*.

'**Halte...: ~riemen** *m* (*Bus, Straßenbahn*) asidero *m*; **~seil** *n* (*-es*; *-e*) cable *m* de retención; **~signal** *n* (*-s*; *-e*) 🚂 señal *f* de parada (*od.* de vía cerrada); **~stelle** *f* (*Bus, Straßenbahn*) parada *f*; 🚂 apeadero *m*; **~tau** *n* (*-es*; *-e*) ✈, ⚓ cable *m* de amarre; ⚓ amarra *f*; **~verbot** *n* (*-es*; *-e*) prohibición *f* de parar; estacionamiento *m* prohibido; **~zeichen** *n* → *Haltesignal*.

'**halt...: ~los** *adj.* (*-est*) inconsistente; (*unhaltbar*) insostenible; (*unbegründet*) infundado, sin fundamento; *Charakter*: voluble, inconstante, veleidoso; **2losigkeit** *f* (*0*) inconsistencia *f*, falta *f* de consistencia; inestabilidad *f*; carencia *f* de fundamento; volubilidad *f*; **~machen** *v/i.* detenerse, parar(se); ⚔ hacer alto.

'**Haltung** *f* (*Einstellung*) actitud *f*; (*Benehmen*) conducta *f*, comportamiento *m*; (*Körperstellung*) actitud *f*; postura *f*, posición *f*; (*Betragen*) porte *m*, modales *m/pl.*; (*Geste*) gesto *m*, ademán *m*; ☤ (*Börse*) tendencia *f*; *e-e aufrechte ~ haben* mantenerse erguido; *e-e ~ einnehmen* adoptar una actitud; *~ bewahren* mantener una actitud digna; dominarse; **~sfehler** *m* postura *f* viciosa.

Ha'lunke *m* (*-n*) bribón *m*; pillo *m*, tunante *m*, granuja *m*; pícaro *m*; **~nstreich** *m* (*-es*; *-e*) bribonada *f*.

'**Hamburg** *n* Hamburgo *m*; **~er** *m* hamburgués *m*; **~erin** *f* hamburguesa *f*; **2isch** *adj.* hamburgués, de Hamburgo.

'**hämisch I.** *adj.* malicioso; (*boshaft*) maligno; (*heimtückisch*) taimado, solapado; *~es Lachen* risa maliciosa; **II.** *adv.* con sorna; maliciosamente.

'**Hammel** *m* (*-s*; *- od.* *⸗*) carnero *m*; *fig.* F zoquete *m*, alcornoque *m*; **~braten** *m* asado *m* de carnero; **~fleisch** *n* (*-es*; *0*) (carne *f* de) carnero *m*; **~keule** *f* pierna *f* de carnero; **~rippchen** *n* chuleta *f* de carnero; **~rücken** *m* lomo *m* de carnero; **~sprung** *m* (*-es*; *⸗e*) salto *m* de carnero; *fig. Parl.* votación *f* por división en grupos.

'**Hammer** *m* (*-s*; *⸗*) martillo *m*; *hölzerner ~* mazo *m*; *fig. zwischen ~ und Amboß* entre la espada y la pared; *~ und Sichel* la hoz y el martillo; *fig. unter den ~ bringen* (*kommen*) vender (ser vendido) en pública subasta.

'**hämmer|bar** *adj.* maleable; **2barkeit** *f* (*0*) maleabilidad *f*; **2chen** ♪ *n* (*Klavier~*) macillo *m*.

'**Hammerklavier** *n* (*-s*; *-e*) piano *m* de macillos.

'**hämmern I.** (*-re*) **1.** *v/t.* martill(e)ar; batir; **2.** *v/i. Herz, Schläfen*: palpitar; **II.** 2 *n* martilleo *m*.

'**Hammer...: ~schlag** *m* (*-es*; *⸗e*) martillazo *m*; **~werk** *n* (*-es*; *-e*) fragua *f*, herrería *f*; (*Fallhammer*) martinete *m*; **~werfen** *n* (*-s*; *0*), **~wurf** *m* (*-es*; *⸗e*) *Sport* lanzamiento *m* de martillo.

Hämoglo'bin *n* (*-s*; *0*) hemoglobina *f*.

Hämorrho'iden [hɛːmɔroˑ'iːdən] ⚕ *pl.* hemorroides *f/pl.*
Hämo'stasis ⚕ *f* (-; *-stasen*) hemostasia *f.*
'Hampelmann *m* (*-es*; *⸗er*) títere *m*; (*Pantoffelheld*) F Juan Lanas *m*, calzonazos *m.*
'Hamster *Zoo. m* marmota *f.*
Hamst|e'rei *f* acaparamiento *m*; **'~erer** *m fig.* acaparador *m.*
'hamstern I. (*-re*) *v/t.* acaparar; **II.** ꝰ *n* acaparamiento *m.*
Hand *f* (-; *⸗e*) mano *f*; (*Schrift*) letra *f*; *die hohle* ~ el hueco de la mano; *die flache* ~ la palma de la mano; *zur rechten* (*od. rechter*) ~ a la derecha, a mano derecha; *zur linken* (*od. linker*) ~ a la izquierda, a mano izquierda; *Ehe zur linken* ~ ⚖ matrimonio morganático (*od.* de la mano izquierda); ⚖ *die tote* ~ manos muertas; *die öffentliche* ~ el Estado; *Politik der starken* ~ política enérgica (*od.* de mano dura); *eiserne* ~ mano de hierro; ~! (*Fußball*) mano; ~ *in* ~ *gehen* ir (cogidos) de la mano; *fig.* ir de acuerdo; ~ *drauf!* ¡palabra de honor!; *Hände hoch!* ¡manos arriba!; *Hände weg!* ¡manos quietas!; ¡no se toque eso!; *kalte* (*warme*) *Hände haben* tener las manos frías (calientes); *an* ~ *von* a base de, basado en; inspirado en; en virtud de; *die* ~ *von et. lassen* mantenerse al margen de a/c.; no meterse (*od.* mezclarse) en a/c.; *j-m die* ~ *drücken* (*od. schütteln*) estrechar la mano a alg.; *e-e* ~ *wäscht die andere* una mano con otra se lava; amor con amor se paga; *freie* ~ *haben* tener libertad para; tener carta blanca; *j-m freie* ~ *lassen* dar carta blanca a alg.; dejar plena libertad de acción a alg.; *aus freier* ~ *zeichnen* dibujar a mano alzada (*schießen* tirar sin apoyo); *aus erster* ~ (*Nachricht*) de buena fuente; *e-e glückliche* ~ *haben* tener buena mano; *e-e sichere* ~ *haben* tener una mano segura; *j-m die* ~ *geben* (*reichen*) dar (tender) la mano a alg.; *j-m hilfreiche* ~ *leisten*, *j-m an die* ~ *gehen* ayudar (*od.* prestar ayuda) a alg.; F echar una mano a alg.; *die* ~ *gegen j-n erheben* alzar la mano a alg.; *dafür lege ich m-e* ~ *ins Feuer* pondría por ello mis manos en el fuego; *die* ~ *nicht vor den Augen sehen* F no ver ni gota; no ver más allá de las narices; *j-s rechte* ~ *sein* ser el brazo derecho de alg.; *s-e* ~ *im Spiel haben* intervenir (disimuladamente) en a/c.; *die* ~ *bei et. im Spiel haben* andar metido en el juego; estar (comprometido en un asunto; F andar en el ajo; *alle Hände voll zu tun haben* estar agobiado de trabajo; *die Hände auflegen Rel.* imponer las manos; *die* ~ *auf et. legen* poner mano sobre a/c.; apoderarse de a/c.; incautarse de a/c.; ~ *anlegen* (*helfen*) ayudar a; F echar una mano; arrimar el hombro; ~ *an j-n legen* poner a alg. la mano encima; ~ *an sich legen* atentar contra la propia vida; suicidarse; *die letzte* ~ *an et. legen* (*ac.*) dar la última mano a a/c.; ultimar a/c.; ~ *ans Werk legen* poner manos a la obra; *fig. weder* ~ *noch Fuß haben* no tener sentido; no tener pies ni cabeza; *die Hände über dem Kopf zusammenschlagen vor Staunen*: llevarse las manos a la cabeza; quedar de una pieza; *an der* ~, *bei der* ~, *zur* ~ *haben* tener a mano, tener al alcance de la mano; *bei der* (*od. an die*) ~ *nehmen* tomar *od.* coger de la mano; *bei* (*od. an*) *der* ~ *führen* llevar de la mano; *an die* ~ *geben* proveer, suministrar; *fig.* sugerir; *auf der* ~ *liegen* ser evidente (*od.* palmario *od.* patente); *fig. j-n auf Händen tragen* F traer en palmitas, mimar a alg.; mirarse en los ojos de alg.; *et. aus der* ~ *lassen* dejar escapar de las manos a/c.; *et. aus der* ~ *geben* desprenderse (*od.* deshacerse) de a/c.; renunciar a a/c.; *aus der* ~ *fressen* comer en la mano; *fig.* obedecer incondicionalmente a alg.; *aus der* ~ *legen* poner aparte (*od.* a un lado); *aus der* ~ *in den Mund leben* vivir al día; *aus der* ~ *lesen* leer en (las rayas de) la mano; *aus erster* (*zweiter*) ~ de primera (segunda) mano; *durch j-s Hände gehen* pasar por (las) manos de alg.; *das liegt in Gottes* ~ Dios dirá; *das liegt in s-r* ~ está en su mano; de él depende; a él toca decidir; *et. in die* ~ *nehmen* tomar a/c. en la mano; *fig.* encargarse de (*od.* tomar por su cuenta) a/c.; *et. in der* ~ *haben* tener en la mano; *in andere Hände kommen* (*od. übergehen*) pasar (*od.* ir a parar) a otras manos; cambiar de dueño; *j-m in die Hände arbeiten* hacer el juego a alg.; *in guten Händen* en buenas manos; *in j-s Händen* (*Gewalt*) en manos de, en poder de alg.; *fig. j-n in der* ~ *haben* tener a su merced a alg.; F tener a alg. metido en el bolsillo; *in schlechte Hände geraten* caer en malas manos; *j-m et. in die Hände spielen* hacer el juego a alg.; ayudar a alg. a lograr a/c.; *in die Hände klatschen* dar palmadas, palmotear; aplaudir; *in Händen haben* tener en las manos; (*besitzen*) poseer; (*beherrschen*) dominar (*ac.*), ser dueño de; *fig. ihm sind die Hände gebunden* tiene las manos atadas; *an Händen und Füßen gebunden* atado de pies y manos; *sich mit Händen und Füßen wehren* defenderse con uñas y dientes; *die Hände in den Schoß legen* cruzarse de brazos; estar mano sobre mano; *die Hände lassen von* desistir de; no preocuparse más de; *mit der* ~ *über et. streichen* pasar la mano por a/c.; *mit bewaffneter* ~ a mano armada; *mit eigener* ~ por su (propia) mano; con sus (propias) manos; *mit starker* ~ con mano dura; *mit der* ~ *schreiben* escribir a mano; *mit leeren Händen abziehen* irse con las manos vacías; *mit vollen Händen* a manos llenas; *um die* ~ *e-s jungen Mädchens anhalten* pedir la mano de una muchacha; *unter der* ~ bajo mano, (por) bajo cuerda; (*heimlich*) secretamente; subrepticiamente; *von s-r Hände Arbeit leben* vivir del trabajo de sus manos; *et. geht ihm leicht von der* ~ se da mucha maña para; *et. von der* ~ *weisen* rechazar a/c.; rehusar a/c.; *von langer* ~ *fig.* con mucha antelación; *von* ~ *zu* ~ de mano en mano; *zu* (*eigenen*) *Händen* en propia mano.
'Hand...: **~antrieb** *m* (*-es*; *-e*) accionamiento *m* manual; **~arbeit** *f* trabajo *m* manual (*od.* hecho a mano); **~arbeiter(in** *f*) *m* obrero (-a *f*) *m*, trabajador(a *f*) *m* manual; **~atlas** *m* (- *od. -ses*; *-se od. -atlanten*) atlas *m* portátil *od.* manual; **~auflegen** *n*, **~auflegung** *f Rel.* imposición *f* de (las) manos; **~ausgabe** *f* edición *f* manual; **~ball** *Sport m* (*-es*; *⸗e*) balonmano *m*; **~ballen** *Anat. m* eminencia *f* ténar; **~ballspieler** *Sport m* jugador *m* de balonmano; **~beil** *n* (*-es*; *-e*) hachuela *f*, hacha *f* (pequeña); **~besen** *m* escobilla *f*; **~betätigung** *f*, **~betrieb** *m* (*-es*; *0*) accionamiento *m* manual (*od.* a mano); **~bewegung** *f* movimiento *m* de la mano; ademán *m*; **~bibliothek** *f* biblioteca *f* manual; **~bohrer** *m* barrena *f* de mano; **~bohrmaschine** *f* taladradora *f* portátil (*od.* de mano); **~brause** *f* ducha *f* de mano; **ꝰbreit** *adj.* del ancho de una mano; **~breite** *f* palmo *m*; **~bremse** *f* freno *m* de mano; **~buch** *n* (*-es*; *⸗er*) manual *m*; tratado *m*; **~druck** *Typ. m* (*-es*; *-e*) impresión *f* manual (*od.* a mano).
'Hände *pl. v. Hand*; **~druck** *m* (*-es*; *⸗e*) apretón *m* de manos; **~klatschen** *n* (*-s*; *0*) palmoteo *m*; palmas *f/pl.*; aplauso *m.*
'Handel *m* (*-s*; *0*) ⚚ comercio *m*; (*Handelsverkehr*) tráfico *m*; (*Geschäft*) negocio *m*; (*Markt*) mercado *m*; (*Tausch*ꝰ) cambio *m*; trueque *m*; (*Sache, Angelegenheit*) asunto *m*; ⚖ pleito *m*; (*Vereinbarung*) pacto *m*; *im* ~ *tätig sein* dedicarse al comercio; ~ *treiben* comerciar; *mit et.* ~ *treiben* traficar (*od.* tratar) en; *im* ~ *sein Ware*: hallarse en el comercio; *zum* ~ *gehörig* comercial; ~ *und Wandel* el comercio *od.* tráfico.
'Händel *m/pl.* pendencia *f*, riña *f*, reyerta *f*; disputa *f*; F camorra *f*, gresca *f*; *mit j-m* ~ *haben* tener una disputa con alg.; *mit j-m* ~ *suchen* buscar pendencia (F camorra) con alg.
'handeln I. (*-le*) **1.** *v/i.* actuar, obrar; (*verfahren*) proceder; *ebenso* ~ hacer lo mismo, hacer otro tanto; proceder de igual modo; *er hat nicht gut an mir gehandelt* no se ha portado bien conmigo; *aus eigener Initiative* ~ obrar por propia iniciativa; (*verhandeln*) negociar; (*behandeln*) tratar; *Buch, Vortrag*: ~ *von* tratar de *od.* sobre; versar sobre; *pflichtwidrig* ~ prevaricar; ⚚ (*Handel treiben*) comerciar; tratar, traficar (*mit et.* en); (*feilschen*) regatear; *um den Preis* ~ discutir el precio; *mit sich* ~ *lassen* mostrarse tratable (*od.* dispuesto a tratar); *an der Börse gehandelt werden* negociarse en la Bolsa; **2.** *v/unprs.*: *es handelt sich um* se trata de; *es handelt sich darum, ob ...* falta saber si...; *worum handelt es sich?*

¿de qué se trata?; **II.** 2 *n* acción *f*; (*Verfahren*) procedimiento *m*; (*Feilschen*) regateo *m*; *zum ~ veranlassen* hacer obrar; → *Handlung*.

ˈ**Handels...: ~abkommen** *n* acuerdo *m* comercial; *Allgemeines Zoll- und ~* (*Abk.* GATT) Acuerdo *m* General sobre las Tarifas Arancelarias y el Comercio (*Abk.* GATT); **~adreßbuch** *n* (*-es*; *⸗er*) anuario *m* de comercio; **~agent** *m* (*-en*) agente *m* comercial; **~agentur** *f* agencia *f* comercial; **~artikel** *m* artículo *m* de consumo; **~attaché** *m* (*-s*; *-s*) agregado *m* comercial; **~austausch** *m* (*-es*; *0*) intercambio *m* comercial; **~bank** *f* banco *m* comercial; **~bericht** *m* (*-es*; *-e*) informe *m* comercial; **~beschränkung** *f* restricción *f* comercial; **~besprechungen** *f*/*pl.* negociaciones *f*/*pl.* comerciales; **~betrieb** *m* (*-es*; *-e*) empresa *f* comercial; **~bevollmächtigte(r)** *m* apoderado *m* comercial; **~bezeichnung** *f* denominación *f* comercial; **~beziehungen** *f*/*pl.* relaciones *f*/*pl.* comerciales; **~bilanz** *f* balance *m* comercial; *Pol.* balanza *f* de comercio; **~blatt** *n* (*-es*; *⸗er*) periódico *m* de información comercial; **~börse** *f* Bolsa *f* de Comercio; **~brauch** *m* (*-es*; *⸗e*) uso *m* comercial; **~brief** *m* (*-es*; *-e*) carta *f* comercial; **~bücher** *n*/*pl.* libros *m*/*pl.* de comercio; **~dampfer** *m* vapor *m* mercante; **2einig, 2eins** *adv.*: *~ sein* (*werden*) estar de acuerdo en (concluir) un negocio; convenir (en) el precio; **~fach** *n* (*-es*; *⸗er*) ramo *m* comercial; **~firma** *f* (*-*; *-firmen*) razón *f* social; casa *f* comercial (*od.* de comercio); **~flagge** ⚓ *f* pabellón *m* de la marina mercante; **~flotte** ⚓ *f* flota *f* mercante; **~freiheit** *f* (*0*) libertad *f* de comercio; **~geist** *m* (*-es*; *0*) espíritu *m* comercial; *m.s.* mercantilismo *m*, espíritu *m* mercantil; **~genossenschaft** *f* sociedad *f* comercial; **~gericht** *n* (*-es*; *-e*) tribunal *m* de comercio; **2gerichtlich** *adj.*: *~ eingetragen* inscrito en el registro mercantil; **~gesellschaft** *f* sociedad *f* (*od.* compañía *f*) mercantil *od.* comercial; **~gesetzbuch** *n* (*-es*; *⸗er*) código *m* de comercio; **~gesetzgebung** *f* legislación *f* comercial; **~gewicht** *n* (*-es*; *-e*) peso *m* de comercio; **~hafen** ⚓ *m* (*-s*; *⸗*) puerto *m* comercial; **~haus** *n* (*-es*; *⸗er*) casa *f* de comercio; **~hochschule** *f* escuela *f* superior de comercio; **~interessen** *n*/*pl.* intereses *m*/*pl.* comerciales; **~kammer** *f* (*-*; *-n*) Cámara *f* de Comercio; **~korrespondenz** *f* correspondencia *f* comercial; **~kredit** *m* (*-es*; *-e*) crédito *m* comercial; **~krieg** *m* (*-es*; *-e*) guerra *f* comercial; **~krisis** *f* (*-*; *-krisen*) crisis *f* comercial; **~kunde** *f* (*0*) ciencia *f* mercantil; **~marine** ⚓ *f* marina *f* mercante; **~marke** *f* marca *f* comercial; marca *f* de fábrica; **~minister** *m* ministro *m* de Comercio; **~ministerium** *n* (*-s*; *-ministerien*) Ministerio *m* de Comercio; **~mittelpunkt** *m* (*-es*; *-e*) centro *m* comercial; **~monopol** *n* (*-s*; *-e*) monopolio *m* comercial; **~nachricht** *f* información *f* comercial; **~name** *m* (*-ns*; *-n*) firma *f*; **~niederlassung** *f* establecimiento *m* comercial; (*überseeische*) factoría *f*; **~platz** *m* (*-es*; *⸗e*) plaza *f* comercial; **~politik** *f* (*0*) política *f* comercial; **2politisch** *adj.* político-económico; **~preis** *m* (*-es*; *-e*) precio *m* de venta; **~recht** *n* (*-es*; *0*) derecho *m* mercantil; **~register** *n* registro *m* mercantil; **~reise** *f* viaje *m* de negocios; **~reisende(r)** *m* viajante *m* (de comercio); comisionista *m*; **~schiff** ⚓ *n* (*-es*; *-e*) barco *m* mercante; **~schiffahrt** *f* (*0*) navegación *f* mercante; **~schule** *f* escuela *f* de comercio; **~spanne** *f* margen *m* comercial; **~sperre** *f* interdicción *f* del comercio; ⚔ bloqueo *m*; **~staat** *m* (*-es*; *-en*) Estado *m* comercial; **~stadt** *f* (*-*; *⸗e*) ciudad *f* comercial; **~stand** *m* (*-es*; *0*) el comercio; los comerciantes; ⚖ condición *f* de comerciante; **~straße** *f* ruta *f* comercial; **~teil** *m* (*-es*; *-e*) *e-r Zeitung*: sección *f* económica y financiera; **2üblich** *adj.* usual en el comercio; de uso corriente en el comercio.

ˈ**Händel...: ~sucht** *f* (*0*) carácter *m* pendenciero; **2süchtig** *adj.* pendenciero; F camorrista.

ˈ**Handels...: ~- und Zahlungsabkommen** *n* acuerdo *m* comercial y de pagos; **~unternehmen** *n* empresa *f* comercial; **~verbindungen** *f*/*pl.* relaciones *f*/*pl.* comerciales; **~verbot** *n* (*-es*; *-e*) interdicción *f* de comercio; **~verkehr** *m* (*-s*; *0*) tráfico *m* comercial; intercambio *m* comercial; → *Handelsverbindungen*; **~vertrag** *m* (*-es*; *⸗e*) tratado *m* comercial (*od.* de comercio); **~vertreter** *m* representante *m*; agente *m* (comercial); comisionista *m*; **~vertretung** *f* representación *f* comercial; agencia *f* comercial; **~volk** *n* (*-es*; *⸗er*) pueblo *m* comercial; **~vorrecht** *n* (*-es*; *-e*) monopolio *m*; **~ware** *f* → *Handelsartikel*; **~wechsel** *m* efecto *m* de comercio, letra *f* comercial; **~weg** *m* (*-es*; *-e*) vía *f* comercial; **~wert** *m* (*-es*; *-e*) valor *m* comercial; **~wissenschaft** *f* ciencia *f* comercial; **~zeichen** *n* → *Handelsmarke*; **~zeitschrift** *f* revista *f* mercantil; **~zeitung** *f* → *Handelsblatt*; **~zentrum** *n* (*-s*; *-zentren*) centro *m* comercial; **~zweig** *m* (*-es*; *-e*) ramo *m* del comercio.

ˈ**handeltreibend** *adj.* comerciante; traficante; **2e(r)** *m* comerciante *m*.

ˈ**händeringend** *adj.* retorciendo las manos; (*flehentlich*) suplicante; (*verzweifelt*) desesperado.

ˈ**Hand...: ~exemplar** *n* (*-s*; *-e*) ejemplar *m* de trabajo; (*Autorenexemplar*) ejemplar *m* para uso del autor; **~feger** *m* escobilla *f*; **~fertigkeit** *f* habilidad *f* manual; **~fesseln** *f*/*pl.* esposas *f*/*pl.*; *j-m ~ anlegen* esposar (*od.* poner esposas) a alg.; **2fest** *adj.* robusto, vigoroso, fuerte; sólido; **~feuerlöscher** *m* extintor *m* portátil; **~feuerwaffe** ⚔ *f* arma *f* de fuego portátil; arma *f* de fuego corta; **~fläche** *f* palma *f* de la mano; **2gearbeitet** *adj.* hecho a mano; **~gebrauch** *m* (*-es*; *0*): *Ausgabe zum ~* edición manual; **2gefertigt** *adj.* → *handgearbeitet*; **~geld** *n* (*-es*; *-er*) arras *f*/*pl.*, señal *f*; **~gelenk** *Anat.* *n* (*-es*; *-e*) (articulación *f* de la) muñeca *f*; *et. aus dem ~ tun* hacer con mucha soltura a/c.; improvisar; **~gelenkschützer** *m* muñequera *f*; **2gemacht** *adj.* → *handgearbeitet*; **2gemein** *adj.*: *~ werden* llegar a las manos; **~gemenge** *n* pelea *f*; riña *f*; **~gepäck** *n* (*-es*; *0*) bultos *m*/*pl.* (*od.* equipaje *m*) de mano; **~gepäckraum** *m* (*-es*; *⸗e*) consigna *f*; **2gerecht** *adj.* manejable; fácil de manejar; **2geschmiedet** *adj.* forjado a mano; **2geschrieben** *adj.* manuscrito, escrito a mano; ⚖ (*Testament*) ológrafo; **2gestickt** *adj.* bordado a mano; **2gewebt, 2gewirkt** *adj.* tejido a mano; **~granate** ⚔ *f* granada *f* de mano; **~granatenwerfer** ⚔ *m* lanza-granadas *m*; **2greiflich** *adj.* palpable; (*augenscheinlich*) evidente, manifiesto, palmario; *~ werden* llegar a las manos; **~griff** *m* (*-es*; *-e*) *zum Festhalten*: asidero *m*; (*Stiel*) mango *m*; (*Henkel*) asa *f*; (*Knauf*) puño *m*; (*Kurbel*) manivela *f*; (*Bewegung*) manipulación *f*; (*Kunstgriff*) artificio *m*, artimaña *f*; truco *m*; **~habe** *f* (*0*) manejo *m*; *fig.* motivo *m*, pretexto *m*; *~ bieten zu* dar motivo *od.* margen a; **2haben** *v*/*t.* manejar; manipular; (*gebrauchen*) utilizar, emplear (*ac.*), servirse de; *fig.* ⚖ aplicar; **~habung** *f* manejo *m*; manipulación *f*; ⚖ aplicación *f*; **~harmonika** *f* (*-*; *-s*) acordeón *m*; **~hebel** *m* palanca *f* de mano.

ˈ**Handikap** [ˈhɛndiˌkɛp] *n* (*-s*; *-s*) handicap *m*.

ˈ**Hand...: ~karre** *f* carretilla *f*; **~koffer** *m* maleta *f*; **~korb** *m* (*-es*; *⸗e*) cesta *f*; **~kurbel** *f* (*-*; *-n*) manivela *f*; **~kuß** *m* (*-sses*; *⸗sse*) beso *m* en la mano; (*Hoffeierlichkeit*) besamanos *m*; *e-n ~ geben* besar la mano; **~lampe** *f* lámpara *f* portátil; **~langer** *m bei Maurern*: peón *m* de mano; *fig.* ayuda *f*; (*Helfershelfer*) cómplice *m*; **~laterne** *f* linterna *f*; farol *m* de mano; **~leder** *n* guantelete *m*; **~leiste** *f am Geländer*: pasamano *m*.

ˈ**Händler** *m* tratante *m*; traficante *m*; (*Verkäufer*) vendedor *m*; (*Kaufmann*) comerciante *m*; (*Hausierer*) buhonero *m*; *fliegender* (*umherziehender*) *~* vendedor ambulante; **~in** *f* vendedora *f*; **~preis** *m* (*-es*; *-e*) precio *m* al por mayor; precio *m* para revendedores.

ˈ**Hand...: ~lesekunst** *f* (*0*) quiromancia *f*; **~leser(in** *f*) *m* quiromántico (-a *f*) *m*; **2lich** *adj.* manuable; manejable, fácil de manejar; *fig.* tratable; **~lichkeit** *f* (*0*) manejabilidad *f*; **~liniendeutung** *f* → *Handlesekunst*; **~liniendeuter** (**-in** *f*) *m* → *Handleser(in)*.

ˈ**Handlung** *f* acción *f*; (*Tat*) acto *m*, hecho *m*; (*Handelshaus*) casa *f* de comercio; (*Laden*) tienda *f*; *große*: almacenes *m*/*pl.*; *e-s Theaterstücks, Romans usw.*: acción *f*; argumento *m*, asunto *m*; *Ort der* ~ lugar de la acción; *strafbare* ~ acción punible, delito.

'**Handlungs...:** ~**bevollmächtigte(r)** ☤ *m* apoderado *m*; ~**fähigkeit** ⚖ *f (0)* capacidad *f* (de obrar); ~**freiheit** *f (0)* libertad *f* de acción; ~**gehilfe** *m (-n)* ☤ dependiente *m*; ~**reisende(r)** *m* → *Handelsreisende(r)*; ~**verlauf** *m (-es; ¨e) Thea.* desarrollo *m* de la acción; ~**vollmacht** ☤ *f* poder *m*; ~**weise** *f* modo *m* de obrar; proceder *m*; (*Verfahren*) procedimiento *m*.

'**Hand...:** ~**pferd** *n (-es; -e)* caballo *m* de mano; ~**pflege** *f (0)* cuidado *m* de las manos; ~**pfleger(in** *f*) *m* manicuro (-a *f*) *m*; ~**presse** *Typ. f* prensa *f* de mano; minerva *f*; ~**rad** *n (-es; ¨er)* ⊕ rueda *f* de mano; volante *m* (de maniobra); ~**ramme** *f* (*Pflasterramme*) pisón *m* de mano; ~**reichung** *f* ayuda *f*, asistencia *f*, servicio *m*; ~**rücken** *m* dorso *m* de la mano; ~**säge** *f* serrucho *m*; ~**satz** *Typ. m (-es; 0)* composición *f* manual; ~**schellen** *f/pl.* → *Handfesseln*; ~**schlag** *m (-es; 0)* (*Händedruck*) apretón *m* de manos; *durch* ~ *versprechen* prometer solemnemente; ~**schlitten** *m* tobogán *m*; ~**schreiben** *n* carta *f* autógrafa; ~**schrift** *f* escritura *f*, letra *f*; (*Schriftwerk*) manuscrito *m*; *e-e gute* ~ *haben* tener buena letra; ~**schriftendeuter** *m* grafólogo *m*; ~**schriftendeutung** *f* grafología *f*; ~**schriftenkunde** *f (0)* paleografía *f*; 2**schriftlich I.** *adj.* escrito a mano, manuscrito; ~*es Testament* ⚖ testamento ológrafo; **II.** *adv.* por escrito.

'**Handschuh** *m (-es; -e)* guante *m*; (*Panzer*2) guantelete *m*; (*Faust*2) mitón *m*; (*Box*2) guante *m* de boxeo; *sich die* ~*e anziehen* (*ausziehen*) ponerse (quitarse) los guantes; *fig. j-n mit seidenen* ~*en anfassen* tratar a alg. con sumo cuidado; *j-m den* ~ *hinwerfen* arrojar el guante a alg.; ~**fabrik** *f* fábrica *f* de guantes; ~**fach** *n (-es; ¨er) Auto.* guantera *f*; ~**geschäft** *n (-es; -e)* guantería *f*; ~**größe** *f* número *m* (de guante); ~**laden** *m (-s; ¨)* → *Handschuhgeschäft*; ~**leder** *n* (*Ziegenleder*) cabritilla *f*; ~**macher** *m* guantero *m*; ~**weiter** *m* ensanchador *m* (de guantes).

'**Hand...:** ~**schutz** *m (-es; 0)* guardamano *m*; ~**siegel** *n* sello *m* (privado); ~**spiegel** *m* espejo *m* de mano; ~**stand** *m (-es; ¨e) Sport:* vertical *f* sobre las manos; ~**sticke'rei** *f* bordado *m* a mano; ~**streich** *m (-es; -e)* golpe *m* de mano; ~**tasche** *f* (*Reise*2) maletín *m*; (*Damen*2) bolso *m*; bolsillo *m*; (*Akten*2) cartera *f* (de documentos); ~**tuch** *n (-es; ¨er)* toalla *f*; ~**tuchhalter** *m*, ~**tuchständer** *m* toallero *m*; ~**umdrehen** *n (-s; 0)*: *im* ~ en un santiamén, en un abrir y cerrar de ojos; ~**voll** *f (-; -)* puñado *m*; ~**waffe** *f* arma *f* portátil; ~**wagen** *m* carro *m* de mano; ~**webstuhl** *m (-es; ¨e)* telar *m* de mano.

'**Handwerk** *n (-es; -e)* oficio *m*; (*als Stand*) artesanía *f*; *ein* ~ *erlernen* (*ausüben*) aprender (ejercer) un oficio; *sein* ~ *verstehen* saber su oficio; *fig. j-m das* ~ *legen* poner fin a las actividades de alg.; impedir que alg. continúe haciendo daño; *fig. j-m ins* ~ *pfuschen* hacer la competencia a alg.; ~**er** *m* artesano *m*; *allg.* trabajador *m* manual, obrero *m*; ~**erstand** *m (-es; 0)* artesanía *f*; 2**lich** *adj.* de artesano; de artesanía; ~**sbetrieb** *m (-es; -e)* (*Werkstatt*) taller *m* de artesanía; ~**sbursche** *m (-n)* compañero *m* de oficio; (*wandernder*) artesano *m* ambulante; ~**sgerät** *n (-es; -e)* instrumento *m* de trabajo; ~**skammer** *f (-; -n)* cámara *f* de artesanos; 2**smäßig** *adj.* de artesanía; *fig.* mecánico; ~**smeister** *m* maestro *m* (artesano); ~**smesse** *f* feria *f* de artesanía; ~**swesen** *n (-s; 0)* artesanía *f*; ~**szeug** *n (-es; 0)* útiles *m/pl.* de trabajo; *eisernes:* herramientas *f/pl.*

'**Hand...:** ~**wörterbuch** *n (-es; ¨er)* diccionario *m* manual; ~**wurzel** *Anat. f (-; -n)* carpo *m*, muñeca *f*; ~**zeichen** *n* marca *f*; (*Paraph*) rúbrica *f*; (*Signal*) señal *f* con la mano; *Parl. Abstimmung durch* ~ votación alzando la mano; ~**zeichnen** *n*, ~**zeichnung** *f* dibujo *m* a mano; ~**zettel** *m* hoja *f* (*od.* papel *m*) volante.

'**hanebüchen** *adj.* inaudito; increíble; escandaloso.

'**Hanf** ⚘ *m (-es; 0)* cáñamo *m*; ~**breche** *f* agramadera *f*; 2**en** *adj.* de cáñamo; ~**garn** *n (-es; -e)* hilo *m* de cáñamo; ~**leinen** *n*, ~**leinwand** *f (0)* tela *f* de cáñamo.

'**Hänfling** *Orn. m (-s; -e)* pardillo *m*.

'**Hanf...:** ~**öl** *n (-es; 0)* aceite *m* de cañamones; ~**same(n)** *m (-ns; -n)* cañamón *m*; ~**schwinge** *f* espadilla *f*; ~**seil** *n (-es; -e)* cuerda *f* (*od.* soga *f*) de cáñamo; ~**werg** ⚓ *n (-es; 0)* estopa *f* de cáñamo.

Hang *m (-es; ¨e)* (*Abhang*) pendiente *f*; cuesta *f*; declive *m*; *fig.* (*Neigung*) inclinación *f*, propensión *f* (*zu* a); (*natürliche Anlage*) disposición *f*; (*Tendenz*) tendencia *f*; (*leidenschaftlicher*) pasión *f*.

'**Hangar** ✈ *m (-s; -s)* hangar *m*.

'**Hänge|antenne** *f* antena *f* colgante; ~**backe** *f* moflete *m*; ~**bauch** *m (-es; ¨e)* ⚕ vientre *m* péndulo; ~**boden** *m (-s; ¨)* △ desván *m*, camaranchón *m*; *zum Trocknen:* secadero *m*; ~**brücke** *f* puente *m* colgante; ~**brüste** ⚕ *f/pl.* mamas *f/pl.* péndulas; F pechos *m/pl.* caídos; ~**gerüst** △ *n (-es; -e)* andamio *m* colgado; ~**lager** ⊕ *n* soporte *m* suspendido; ~**lampe** *f* lámpara *f* colgante (*od.* de suspensión); ~**lippe** *f* labio *m* belfo; ~**matte** *f* hamaca *f*.

'**hangen** (*L*) → *hängen v/i.*

'**hängen I. 1.** *v/i.* (*L*) (*herab*~) colgar, pender; estar colgado *od.* suspendido (*an dat.* de); (*schief stehen*) *Mauer:* estar inclinado; ~ *an* (*dat.*) colgar de; estar colgado de *od.* en; estar adherido (*od.* pegado) a; *fig. an j-m* ~ tener cariño (*od.* apego *od.* ley) a alg.; *an Sachen:* tener afición a; (*ab*~) depender de; *voll* ~ (*Baum*) estar cargado de; *fig. an e-m Faden* ~ pender (*od.* estar pendiente) de un hilo; *fig. der Himmel hängt ihm voller Geigen* todo lo ve de color de rosa; **2.** *v/refl.* (*L*): *sich an j-n* ~ (*ac.*) acogerse a la protección de alg.; F pegarse a alg.; no dejar a alg. ni a sol ni a sombra; *Laufsport:* pegarse a; (*sich anklammern*) engancharse a; **3.** *v/t.* colgar, suspender (*an ac.* de, en); *an den Galgen* ~ ahorcar; *gehängt werden* ser ahorcado; (*anhaken*) enganchar; (*heften*) pegar, fijar a; *fig. den Kopf* ~ *lassen* estar cabizbajo; abatirse, descorazonarse; *fig. den Mantel nach dem Wind* ~ arrimarse al sol que más calienta; *fig.* et. *an den Nagel* ~ renunciar a a/c.; *fig. sein Herz* ~ *an* poner el corazón en; **II.** 2 *n* suspensión *f*; colgamiento *m*; (*Henken*) ahorcadura *f*; F *mit* ~ *und Würgen* a duras penas; ~**bleiben** (*L*; *sn*) *v/i. bei e-r Prüfung:* suspender, ser suspendido, *Sch.* ser cateado; ~ *an* (*dat.*) quedar enganchado en; (*ankleben*) quedar pegado *od.* adherido (*an dat.* en); ~**d** *adj.* pendiente; colgado (*an dat.* de); ~*e Gärten* pensiles *m/pl.*, jardines *m/pl.* colgantes.

'**Hänge...:** ~**ohren** *n/pl.* orejas *f/pl.* caídas *od.* gachas; ~**schloß** *n (-sses; ¨sser)* candado *m*; ~**seil** *n (-es; -e)* cable *m* flojo; ~**weide** ⚘ *f* sauce *m* llorón; ~**werk** △ *n (-es; -e)* armadura *f* (con tirante y pendolón).

'**Hangwind** ✈ *m (-es; -e)* corriente *f* ascendente orográfica.

Hans *m* Juan *m*; ~ *im Glück* F el niño de la bola; *er ist* ~ *Dampf in allen Gassen* F es perrillo de todas las bodas; se le encuentra hasta en la sopa.

'**Hansa** *f (0)* Hansa *f od.* Ansa *f*; ~**bund** *Hist. m (-es; 0)* la Liga (h)anseática.

'**Häns-chen** [-sç-] *n* Juanito *m*.

'**Hanse** *f (0)*: *die* ~ la Hansa (*od.* Ansa).

Hanse'at *m (-en)*, 2**isch** *adj.* (h)anseático *m*.

Hänse'lei *f* burlas *f/pl.*; F tomadura *f* de pelo, chungueo *m*.

'**hänseln I.** *(-le) v/t.* burlarse de; F tomar el pelo a; chunguearse de; **II.** 2 *n* → *Hänselei*.

'**Hanse-stadt** *f (-; ¨e)* ciudad *f* (h)anseática.

'**Hans...:** ~**narr** *m (-en)* (*Dummkopf*) tonto *m*, mentecato *m*; imbécil *m*; ~**wurst** *m (-es; -e)* (*Narr*) bufón *m*; *im Zirkus:* payaso *m*; *Thea.* arlequín *m*; polichinela *m*; gracioso *m*.

Hanswursti'ade *f* bufonada *f*; payasada *f*; arlequinada *f*.

'**Hantel** *f (-; -n)* pesa *f*; 2**n** *(-le) v/i. Sport:* hacer ejercicios con pesas; ~**übung** *f* ejercicio *m* con pesas.

han'tier|en *(-) v/i.:* ~ *mit* manejar (*ac.*); manipular; ocuparse en; 2**en** *n* ocupación *f*; (*Handhabung*) manejo *m* (*mit* de); manipulación *f*; maniobra *f*; 2**ung** *f* → *Hantieren*; † (*Gewerbe*) oficio *m*.

'**hapern** *v/i.*: *da hapert es!* F ¡ahí está el intríngulis!; *es hapert uns an Geld* andamos mal de dinero; *im Englischen hapert es bei ihm* el inglés es su punto flojo; *woran hapert es?* ¿dónde está el defecto?

'**Häppchen** *n* bocadillo *m*.

'**Happen** *m* bocado *m*.

'**happig** F *adj.* (*gierig*) ávido; (*gefräßig*) glotón; *Preis:* exorbitante.

'**Härchen** [ɛ:] *n* pelillo *m*.

'Harem *m* (*-s*; *-s*) harem *od.* harén *m.*

'hären *adj.* de pelo tejido; *~es Gewand* cilicio *m.*

Häre'sie [hɛre-] *f* herejía *f.*

Hä'ret|iker *m* hereje *m*; **2isch** *adj.* herético.

'Harfe *f* harpa *f*; *die ~ spielen* tocar *od.* tañer el harpa.

Harfe'nist(in *f*) *m* (*-en*) arpista *m/f.*

'Harfen...: **~spiel** *n* (*-es*; *0*) música *f* de arpa; tañido *m* del arpa; **~spieler(in** *f*) *m* arpista *m/f*; **~ton** *m* (*-es*; *⸚e*) sonido *m* del arpa.

'Harke *f* ⚒ rastro *m*, rastrillo *m*; *fig. j-m zeigen, was e-e ~ ist* decirle a alg. las verdades del barquero, decirle a alg. cuántas son cinco; **2n** *v/t.* rastrillar; **~n** *n* rastrillaje *m.*

'Harlekin [-ləki:n] *m* (*-s*; *-e*) arlequín *m.*

Harleki'nade [-ləki·'nɑ:-] *f* arlequinada *f.*

Harm *m* (*-es*; *0*) (*Gram*) aflicción *f*, cuita *f*; (*Kummer*) pena *f*, pesar *m*; (*Kränkung*) ofensa *f*; (*Schaden*) daño *m.*

'härmen *v/refl.* afligirse; apenarse, apesadumbrarse; preocuparse; *sich ~ über* (*ac.*) afligirse de.

'harm|los (*-est*) **I.** *adj.* (*unschuldig*) inocente; (*unschädlich*) inofensivo; *Phar.* ⚕ *a.* innocuo; (*arglos*) cándido; (*unbefangen*) ingenuo; *~er Mensch* un alma de Dios; **II.** *adv.* inocentemente; sin mala intención; ingenuamente; **2losigkeit** *f* inocencia *f*; carácter *m* inofensivo; innocuidad *f*; candidez *f*, ingenuidad *f.*

Harmo'nie *f* armonía *f* (*a. fig.*); **~lehre** ♪ *f* (*0*) (teoría *f* de la) armonía *f*; **2ren** (-) *v/i.* estar en armonía; concordar (*mit* con); *bsd. Farben*: armonizar; *mit j-m ~* congeniar (*od.* entenderse bien) con alg.

Har'monika *f* (-; *-s od. Harmoniken*) *f* (*Mund2*) armónica *f*; (*Zieh2*) acordeón *m.*

har'monisch *adj.* (*dem Ohr angenehm*) armonioso; (*die Harmonie betreffend*) armónico (*a.* ⅌).

harmoni'sieren (-) *v/t.* armonizar (*a. fig.*).

Har'monium [-nĭ] ♪ *n* (*-s*; *Harmonien*) armonio *m.*

'Harn *m* (*-es*; *0*) orina *f*; *den ~ lassen* orinar; **~absonderung** *f* secreción *f* urinaria; **~analyse** *f* análisis *m* de orina; **~apparat** *m* (*-es*; *-e*) aparato *m* urinario; **~ausscheidung** *f* eliminación *f* de la orina; **~beschwerden** ⚕ *f/pl.* disuria *f*; **~blase** *Anat. f* vejiga *f* (urinaria); **~blasenentzündung** ⚕ *f* cistitis *f*, inflamación *f* de la vejiga; **~drang** *m* (*-es*; *0*) necesidad *f* (F gana *f*) de orinar; **2en** *v/i.* orinar; hacer aguas menores; P mear; **~en** *n* micción *f*; P meada *f*; **~fluß** ⚕ *m* (*-sses*; *0*) incontinencia *f* de orina; **~flut** ⚕ *f* diuresis *f*; **~gang** *m* (*-es*; *⸚e*) meato *m* urinario; **~glas** *n* (*-es*; *⸚er*) orinal *m*; **~grieß** ⚕ *m* (*-es*; *0*) arenillas *f/pl.*

'Harnisch *m* (*-es*; *-e*) arnés *m*; (*Brust2*) coraza *f*; (*Rüstung*) armadura *f*; *fig. in ~ bringen* exasperar; *in ~ geraten* exasperarse, indignarse; montar en cólera.

'Harn...: **~lassen** *n* micción *f*; **~leiter** *Anat. m* uréter *m*; **~röhre** *Anat. f* uretra *f*; **~röhrenentzündung** *f*, **~röhrenkatarrh** ⚕ *m* (*-s*; *-e*) uretritis *f*; **~röhrensonde** *f* sonda *f* uretral; catéter *m*; **~ruhr** ⚕ *f* poliuria *f*; **~säure** ⚗ *f* (*0*) ácido *m* úrico; **~stein** ⚕ *m* (*-es*; *-e*) cálculo *m* urinario; **~stoff** *m* (*-es*; *-e*) urea *f*; **~strenge** ⚕ *f* (*0*) tenesmo *m* vesical, estranguria *f*; **2treibend** *adj.* diurético; *~es Mittel* diurético *m*; **~vergiftung** ⚕ *f* uremia *f*; **~verhaltung** ⚕ *f* retención *f* de orina; **~wege** *Anat. m/pl.* vías *f/pl.* urinarias; **~zwang** ⚕ *m* (*-es*; *0*) → *Harnstrenge.*

Har'pune *f* arpón *m*; (*Tauchsport*) fusil *m* acuático; **~ngeschütz** *n* (*-es*; *-e*) lanza-arpones *m.*

Harpu'nier *m* (*-s*; *-e*), **~er** *m* arponero *m.*

harpu'nieren (-) *v/t.* arponear.

Har'pyie [-'py:jə] *Myt. f* arpía *f.*

'harren I. *v/i.*: *auf et. od. e-r Sache* (*gen.*) *~* aguardar (*od.* esperar) con impaciencia a/c.; **II. 2** *n* (*Erwartung*) espera *f*; (*Hoffnung*) esperanza *f*; (*Geduld*) paciencia *f*; perseverancia *f.*

'harsch *adj.* duro; rudo (*a. fig.*); **2schnee** *m* (*-s*; *0*) nieve *f* helada.

hart (*⸚er*; *⸚est*) **I.** *adj.* duro; (*erhärtet*) endurecido; (*fest*) firme, sólido; (*rauh*) rudo, áspero (*a. fig.*); (*erbittert*) encarnizado; (*heftig*) violento; (*streng*) riguroso; severo; (*unbeugsam*) inflexible; (*grausam*) cruel; (*gefühllos*) insensible; (*mühevoll*) penoso; (*schwierig*) difícil, dificultoso; arduo; *~es Ei* huevo duro; *~es Brot* pan duro; *~es Wasser* agua cruda *od.*. gorda; *~es Geld* (dinero en) monedas; *~e Währung* divisa fuerte; *~er Kampf* combate encarnizado; *~es Leben* vida dura; *~es Los* cruel destino; *~e Strafe* castigo severo; *~e Worte* palabras duras; *~er Verlust* sensible pérdida; *~e Wahrheit* verdad cruda; *~e Notwendigkeit* dura necesidad; *~e Zeiten* tiempos difíciles *od.* duros; *~er Winter* invierno crudo *od.* riguroso; *~er Schlag* golpe duro; *fig.* rudo golpe; *~e Aussprache* pronunciación dura; *~es Gesetz* ley severa; *e-n ~en Schädel haben* tener la cabeza dura; F ser cabezón; *zu j-m ~ sein* ser duro con alg.; *~ im Nehmen sein* soportar con entereza; F encajar bien los golpes; *das ist e-e ~e Nuß* F *fig.* es un hueso duro de roer; *e-n ~en Stand haben* estar en una situación difícil *od.* penosa; **II.** *adv.*: *~ an* (*dat.*) muy cerca de; *~ streifen an* (*ac.*) rayar en; *~ machen* endurecer, (*fest machen*) solidificar; *~ werden* endurecerse; solidificarse; *Geol.* concrecionarse; (*Zement*) fraguar; *~ arbeiten* trabajar duramente; F trabajar como un negro; *~ bleiben* mantenerse inflexible; *das kommt ihn ~ an* se le hace duro *od.* difícil; *es ging ~ auf ~* se luchó a brazo partido (*od.* a vida o muerte); *~ aneinandergeraten* tener un choque violento; *~ spielen* (*Sport*) jugar duro (*od.* con dureza); *~ anzufühlen* duro al tacto; *j-n ~ anfahren* hablar con aspereza a alg.; *j-m ~ zusetzen* apremiar a alg.; asediar (*od.* importunar) a alg.; *j-m ~ auf dem Fuße folgen* seguir a alg. muy de cerca; F ir pisando a alg. los talones.

'härtbar ⊕ *adj.* templable.

'Härte *f* dureza *f* (*a. fig.*); *der Haut*: aspereza *f*; *des Stahls*: temple *m*; *fig.* (*Strenge*) rigor *m*, severidad *f*; *des Charakters*: rigidez *f*; austeridad *f*; (*Ausdauer*) resistencia *f*; (*Ungerechtigkeit*) injusticia *f*; rigor *m* injusto; **~bad** ⊕ *n* (*-es*; *⸚er*) baño *m* de temple; **~grad** *m* (*-es*; *-e*) grado *m* de dureza; **2n** (*-e-*) **1.** *v/t.* endurecer; *Stahl*: templar; **2.** *v/i. u. v/refl.* endurecerse; **~n** *n* endurecimiento *m*; *des Stahls*: temple *m*; **~ofen** ⊕ *m* (*-s*; *⸚*) horno *m* para templar; **~prüfung** *f* ensayo *m* de la dureza; **~'rei** ⊕ *f* taller *m* de templado; **~riß** *m* (*-sses*; *-sse*) grieta *f* causada por el temple; **~skala** *f* (-; *-s od. -skalen*) escala *f* de dureza.

'Hart...: **~faserplatte** *f* plancha *f* de fibra dura; **~floß** ⊕ *n* (*-es*; *⸚e*) fundición *f* especular; **~flügler** *Zoo. m/pl.* coleópteros *m/pl.*; **2gekocht** *adj.* bien cocido; (*Ei*) duro; → *hartgesotten*; **~geld** *n* (*-es*; *-er*) moneda *f* (metálica); **2gelötet** *adj.* soldado a fuego; **2gesotten** *adj. fig.* endurecido; empedernido; *ein ~er Kerl* un pícaro redomado; **~glas** *n* (*-es*; *⸚er*) vidrio *m* templado; **~gummi** *n* (*-s*; *0*) ebonita *f*; **~gummiplatte** *f* placa *f* de ebonita; **~guß** ⊕ *m* (*-sses*; *⸚sse*) fundición *f* dura; **2herzig** *adj.* duro (de corazón); **~herzigkeit** *f* (*0*) dureza *f* (de corazón); **~holz** *n* (*-es*; *⸚er*) madera *f* dura; **2leibig** *adj.* ⚕ estreñido; *fig.* F agarrado como una lapa; **~leibigkeit** *f* (*0*) ⚕ estreñimiento *m*; **~lot** ⊕ *n* (*-es*; *0*) soldadura *f* fuerte (*od.* dura); **2löten** (*-e-*) *v/t.* soldar al fuego; **2mäulig** *adj.* (*Pferd*) duro de boca; **~meißel** *m* cortafrío *m*; **~metall** *n* (*-es*; *-e*) metal *m* duro; **~metallwerkzeug** *n* (*-es*; *-e*) herramienta *f* de metal duro; **2näckig** *adj.* (*beharrlich*) tenaz, tesonero; (*eigensinnig*) obstinado; (*starrköpfig*) terco, testarudo; (*dauernd*) persistente; *Krankheit*: pertinaz; *~ bestehen* obstinarse, porfiar (*auf dat.* en); **~näckigkeit** *f* (*0*) tenacidad *f*, tesón *m*; obstinación *f*; terquedad *f*, testarudez *f*; persistencia *f*; pertinacia *f*; **~papier** *n* (*-es*; *-e*) papel *m* duro (*od.* prensado); **2schalig** *adj.* de cáscara dura; **~spiritus** *m* (-; *0*) alcohol *m* solidificado.

'Härtung *f* endurecimiento *m*; *Stahl*: temple *m.*

Harz¹ [ɑ:] *Geogr. m*: der *~* el Harz.

'Harz² [ɑ:] *n* (*-es*; *-e*) resina *f*; (*Kunst2*) resina *f* sintética; (*flüssiges ~*) trementina *f*; *~ abzapfen* resinar; **~arbeiter** *m* resinero *m*; **~baum** *m* (*-es*; *⸚e*) árbol *m* resinoso; **2en** (*-t*) *v/t.* resinar; **2haltig** *adj.* resinífero; **2ig** *adj.* resinoso; **~industrie** *f* industria *f* resinera.

Ha'sardspiel *n* (*-es*; *-e*) juego *m* de azar.

Ha'schee *n Kochk.*: picadillo *m* de carne.

'haschen I. 1. *v/t.* atrapar; (*packen*) coger, agarrar; (*jagen*) cazar; *Spiel*: *sich ~* jugar a perseguirse y cogerse; **2.** *v/i.*: *~ nach* esforzarse por atrapar (*ac.*); *fig.* ambicionar; perseguir con ahínco; *nach Effekt* ~ tratar de producir efecto; *Thea.* actuar para la galería; **II.** ≈ *n*: *das* ~ *nach Effekt* afán de notoriedad; efectismo.

ˈ**Häs·chen** *n* liebrecilla *f*.

ˈ**Häscher** *m* esbirro *m*; *ehm.* alguacil *m*; corchete *m*.

ˈ**Haschisch** *n* (-; *0*) haxix *m*, hachich *m*.

ˈ**Hase** *m* (-*n*) liebre *f*; (*junger*) lebrato *m*; *Kochk.*: *falscher* ~ picadillo de carnes mezcladas; *fig.* (*Feigling*) gallina *m*; *fig. da liegt der* ~ *im Pfeffer* F ahí está el busilis; ésa es la madre del cordero; *fig. ein alter* ~ un viejo zorro; *dort, wo sich Fuchs und* ~ *gute Nacht sagen* un lugar remoto; F donde Cristo dio las tres voces; *wissen, wie der* ~ *läuft* conocer el truco; estar al cabo de la calle; *sehen, wie der* ~ *läuft* esperar a ver el rumbo que toman las cosas.

ˈ**Hasel** ♀ *f* (-; -*n*) avellano *m*; **~gebüsch** ♀ *n* (-*es*; -*e*) avellanar *m*, avellaneda *f*; **~gerte** *f* vara *f* de avellano; **~huhn** *Orn. n* (-*es*; ¨*er*) ortega *f*; francolín *m*; **~maus** *Zoo. f* (-; ¨*e*) lirón *m*; **~nuß** ♀ *f* (-; ¨*sse*) avellana *f*; **~(nuß)strauch** *m* (-*es*; ¨*er*) avellano *m*.

ˈ**Hasen...**: **~braten** *m* asado *m* de liebre; **~fell** *n* (-*es*; -*e*) piel *f* (*od.* pellejo *m*) de liebre; **~fuß** *m* (-*es*; ¨*e*) pata *f* de liebre; *fig.* cobarde *m*, F mandria *m*, gallina *m*; **~jagd** *f* caza *f* de la liebre; **~klein** *n* (-*s*; *0*), **~pfeffer** *m* (-*s*; *0*) *Kochk.*: estofado *m bzw.* encebollado *m* de menudillos de liebre; **~scharte** ⚕ *f* labio *m* leporino; **~schrot** *Jgdw. n* (-*es*; *0*) perdigones *m*/*pl*.

ˈ**Häsin** *f* liebre *f* hembra.

ˈ**Haspe** *f* (*Angel*) gozne *m*; (*Fenster-, Türband*) pernio *m*; (*Krampe*) grapa *f*, garfio *m*.

ˈ**Haspel** *m*/*f* (*Garn*≈) devanadera *f*; (*Hebebock*) cabria *f*; ⚓ cabrestante *m*; (*Winde mit Kreuz*) aspa *f*; ≈**n** *v*/*t*. (-*le*) devanar, aspar; (*empor*~) guindar, elevar, ⚓ izar; **~n** *n* devanado *m*.

Haß *m* (-*sses*; *0*) odio *m* (*gegen* a); *aus* ~ *gegen* por odio a; ~ *hegen od. haben auf* (*ac.*) tener odio a; (*Erbitterung*) animosidad *f*, antipatía *f*; (*Abscheu*) aborrecimiento *m*, aversión *f*; (*Feindschaft*) hostilidad *f*.

ˈ**hassen** (-*ßt*) *v*/*t*. odiar; ~ *lernen* concebir odio contra, tomar odio a; *wie die Pest* ~ odiar a muerte, odiar como a la peste; (*verabscheuen*) aborrecer, detestar; abominar; **~swert** *adj.* aborrecible, detestable; abominable; (*verhaßt*) odioso.

ˈ**haß...**: **~erfüllt** *adj.* lleno de odio; ≈**gefühle** *n*/*pl*. sentimientos *m*/*pl*. de odio.

ˈ**häßlich** *adj.* feo; *Person*: *a.* mal encarado; (*mißgestaltet*) desfigurado, deforme; monstruoso; *fig.* feo; (*unangenehm*) desagradable; (*abscheulich*) detestable; (*unliebenswürdig*) poco amable; desatento; irrespetuoso; ~ *machen* afear; ~ *werden* ponerse feo; ≈**keit** *f* fealdad *f*; *fig.* desatención *f*; falta *f* de amabilidad; acción *f* repugnante.

ˈ**Hast** *f* (*0*) prisa *f*; precipitación *f*; *mit* (*od. in*) ~ de prisa, con prisa; precipitadamente; ≈**en** (-*e*-; *sn*) *v*/*i*. apresurarse, darse prisa, *Am.* apurarse; (*sich überstürzen*) precipitarse; **~en** *n* → *Hast*; ≈**ig I.** *adj.* presuroso; precipitado; **II.** *adv.* a toda prisa; precipitadamente.

Hätscheˈlei *f* caricias *f*/*pl*.

ˈ**hätscheln** [ɛː] **I.** (-*le*) *v*/*t*. acariciar; (*verzärteln*) mimar; **II.** ≈ *n* caricias *f*/*pl*.

ˈ**hatte** *pret. v. haben.*

Hatz *f Jgdw.* caza *f* a caballo (con perros); acoso *m* del jabalí con perros.

ˈ**Häubchen** *n* gorrita *f*; (*Kinder*≈) capillo *m*.

ˈ**Haube** *f* cofia *f*; (*Kappe*) gorra *f*; (*Käppchen*) caperuza *f*; (*Helm*) casco *m*; (*Nonnen*≈) toca *f*; *Auto*: (*Motor*≈) capota *f*, cubierta *f*; ⊕ (*oberster Teil*) sombrerete *m*, casquete *m*; ⊕ (*Schutz*≈) cubierta *f*; ⊕ (*Dampf*≈) cúpula *f* de vapor; ⚗ *e-r Retorte*: montera *f*; (*Deckel*) tapa *f*; *der Vögel*: moño *m*, copete *m*; (*Kappe der Falken*) capirote *m*; △ (*Kuppel*) cúpula *f*; (*Mauerkappe*) albardilla *f*; *Zoo.* (*Netzmagen der Wiederkäuer*) bonete *m*; *fig. unter die* ~ *bringen* (*kommen*) casar(se); **~nlerche** *Orn. f* cogujada *f*.

Hauˈbitze ⚔ *f* obús *m*.

ˈ**Haublock** *m* (-*es*; ¨*e*) tajo *m*.

ˈ**Hauch** *m* (-*es*; -*e*) (*Atem*) aliento *m*; (*Wind*≈) soplo *m*; *Poes.* hálito *m*; (*Aushauchung*) expiración *f*; *Gr.* aspiración *f*; ≈**dünn** *adj.* sutil, tenue, finísimo; ≈**en** *v*/*i*. soplar; (*aus*~) expirar; exhalar; (*atmen*) respirar; *Gr.* aspirar; **~laut** *m* (-*es*; -*e*) sonido *m* aspirado; ≈**zart** *adj.* sutil, grácil, vaporoso.

ˈ**Haudegen** *m* (*Schwert*) espadón *m*; montante *m*; (*Raufbold*) espadachín *m*; *fig. m. s.* militarote *m*; *ein alter* ~ un viejo soldado.

ˈ**Haue** *f* (*Hacke*) azada *f*; (*Spitzhacke*) pico *m*; *doppelte*: zapapico *m*; F (*Prügel*) palos *m*/*pl*., estacazos *m*/*pl*.; zurra *f*, paliza *f*, tunda *f*; ~ *bekommen* llevar una paliza (*od.* una zurra *od.* una ensalada de estacazos).

ˈ**hauen 1.** *v*/*i*. (*schlagen*) golpear (*gegen* contra); batir (*ac.*); *nach j-m* ~ acometer a (*od.* arremeter contra); *um sich* ~ repartir golpes a diestro y siniestro; **2.** *v*/*t*. (*schlagen*) golpear; batir; (*prügeln*) *j-n* ~ pegar (*od.* golpear) a alg.; F sacudir el polvo (*od.* dar una zurra) a alg.; (*hacken*) *Fleisch*: picar; *Weg, Loch*: hacer, abrir; ⛏ cavar; *Holz*: cortar; *Bäume*: *a.* talar; *Steine*: labrar, tallar; *Escul. in Stein* ~ esculpir en piedra; ⚒ *Erz* ~ picar mineral; *mit der Peitsche* ~ dar latigazos; *mit der Faust* ~ dar puñetazos; et. *in Stücke* ~ despedazar (*od.* hacer pedazos) a/c.; *j-n übers Ohr* ~ engañar *od.* chasquear a alg.; F timar (*od.* dar el timo) a alg.; **3.** *v*/*refl.*: *sich* ~ reñir, pelear(se).

ˈ**Hauer**[1] ⚒ *m* picador *m* (minero).

ˈ**Hauer**[2] *Jgdw. m* (*Zahn des Ebers*) colmillo *m*, remolón *m*.

ˈ**Häuer** ⚒ *m* picador *m* (minero).

ˈ**Häufchen** *n* montoncito *m*; *fig.* puñado *m*; pequeña cantidad *f*; *ein* ~ *Unglück* hecho una calamidad.

ˈ**Haufe, ~n** *m* montón *m*; cúmulo *m*; *geschichteter*: pila *f*; *v. Heu, Stroh*: almiar *m*; *fig.* (*Schwarm*) enjambre *m*; multitud *f*; (*Menge*) gran cantidad *f*; (*Schar*) tropel *m*; (*Volks*≈) gentío *m*, muchedumbre *f*; aglomeración *f* de gente; *~n Kinder* F nube *f* de chiquillos, chiquillería; *über den ~n werfen* tumbar, derribar; P tirar patas arriba; *fig. Pläne*: desbaratar, echar por tierra; *Bedenken usw.*: arrojar por la borda; *über den ~n schießen* matar a tiros.

ˈ**häufeln I.** (-*le*) *v*/*t. u. v*/*i*. ⛏ recalzar, acollar; **II.** ≈ *n* aporcadura *f*.

ˈ**häufen** *v*/*t. u. v*/*refl.* acumular(se); amontonar(se); apilar(se); *sich* ~ (*zunehmen*) crecer, aumentar; *Maß*: colmar; *drei gehäufte Teelöffel* tres cucharaditas de las de café colmadas.

ˈ**haufen|weise** *adv.* a montones; en gran cantidad, en abundancia; en masa; (*scharenweise*) en tropel; ≈**wolke** *f* cúmulo *m*.

ˈ**häufig I.** *adj.* frecuente; (*wiederholt*) repetido, reiterado; (*ständig*) continuo, continuado; (*zahlreich*) numeroso; (*reichlich*) copioso, abundante; **II.** *adv.* frecuentemente, a menudo, con frecuencia; ≈**keit** *f* (*0*) frecuencia *f*; ≈**keits·tabelle** *f* tabla *f* de frecuencia.

ˈ**Häufung** *f* acumulación *f* (*a.* ⚖); cúmulo *m*; amontonamiento *m*; apilamiento *m*; (*Zunahme*) aumento *m*; (*Wiederholung*) repetición *f*.

ˈ**Hauklotz** *m* (-*es*; ¨*e*) tajo *m*.

Haupt *n* (-*es*; ¨*er*) cabeza *f*; (*Ober*≈) jefe *m*; *e-r Familie*: cabeza *m* de familia; *erhobenen ~es* con la cabeza levantada; *gesenkten ~es* cabizbajo; *mit bloßem* (*od. entblößtem*) ~ descubierto; *gekrönte Häupter* testas coronadas; *fig.* ⚔ *den Feind aufs* ~ *schlagen* derrotar (decisivamente) al enemigo.

ˈ**Haupt...**: *in Zssgn mst.* principal; **~abschnitt** *m* (-*es*; -*e*) sección (*od.* parte *f*) principal; *v. der Zeit*: época *f* principal; **~absicht** *f* objetivo *m* principal; fin *m* último; **~agent** *m* (-*en*) agente *m* (*od.* representante *m*) general; **~agentur** *f* agencia *f* (*od.* representación *f*) general; **~aktionär** ✝ *m* (-*s*; -*e*) accionista *m* principal; **~altar** *m* (-*s*; ¨*e*) altar *m* mayor; **~amt** *n* (-*es*; ¨*er*) *Tele.* central *f* (de teléfonos); ≈**amtlich I.** *adj.* titular; *~e Beschäftigung* ocupación principal; **II.** *adv.* profesionalmente; **~anschluß** *Tele. m* (-*sses*; ¨*sse*) conexión *f* principal; (*Leitung*) línea *f* principal; **~arbeit** *f* trabajo *m* principal; parte *f* principal del trabajo; **~armee** ⚔ *f* ejército *m* principal; grueso *m* del ejército; **~artikel** *m* ✝ artículo *m* principal; *e-r Zeitung*: artículo *m* de fondo; editorial *m*; **~augenmerk** *n* (-*es*; *0*): *sein* ~ *richten auf* (*ac.*) fijarse principalmente en; **~ausschuß** *m* (-*sses*; ¨*sse*) comité *m* central; **~bahnhof** *m* (-*es*; ¨*e*) estación *f* central; **~beruf** *m* (-*es*; -*e*) profesión *f bzw.* oficio *m* principal; ≈**beruflich I.** *adj.* profesional;

II. *adv.* profesionalmente; **~beschäftigung** *f* ocupación *f* principal; empleo *m* principal; **~bestandteil** *m* (-*es*; -*e*) elemento *m* principal; componente *m* principal; **~beweggrund** *m* (-*es*; ¨*e*) motivo (*od.* móvil) *m* principal; **~betrag** *m* (-*es*; ¨*e*) suma *f* total; **~blatt** *n* (-*es*; ¨*er*) *e-r Zeitung*: primera plana *f*; **~buch** ☤ *n* (-*es*; ¨*er*) libro *m* mayor; **~darsteller(in** *f*) *m* protagonista *m/f*; primer actor *m*, primera actriz *f*; **~deck** ⚓ *n* (-*es*; -*e*) cubierta *f* principal; **~eigenschaft** *f* cualidad *f* dominante; característica *f* principal; **~eingang** *m* (-*es*; ¨*e*) entrada *f* principal; **~erbe** *m* (-*n*) (**~erbin** *f*) heredero (-a *f*) *m* principal *bzw.* universal; **~erfordernis** *n* (-; -*se*) condición *f* (*od.* requisito *m*) principal; **~erzeugnis** *n* (-*ses*; -*se*) producto *m* principal; **~fach** *n* (-*es*; ¨*er*) *Studium*: asignatura *f* (*od.* materia *f*) principal; especialidad *f*; **~farbe** *f* color *m* (pre)dominante; **~fehler** *m* defecto *m* principal; error *m* fundamental; (*Vergehen*, *Verstoß*) falta *f* principal; **~feind** *m* (-*es*; -*e*) enemigo *m* principal; **~feldwebel** ⚔ *m* brigada *m*; **~figur** *f* figura *f* principal; *Thea.* personaje *m* principal; **~film** *m* (-*es*; -*e*) película *f* principal (*od.* base *f* del programa); **~frage** *f* cuestión *f* fundamental (*od.* principal); **~gebäude** *n* edificio *m* principal; **~gedanke** *m* (-*ns*; -*n*) idea *f* principal *bzw.* fundamental; **~gericht** *n* (-*es*; -*e*) F plato *m* fuerte; **~geschäft** *n* (-*es*; -*e*) ☤ casa *f* central *od.* matriz; **~geschäftsstelle** *f* oficina *f* *bzw.* agencia *f* principal; **~geschäftsstunden** *f/pl.*, **~geschäfts-zeit** *f* horas *f/pl.* de afluencia; **~gesichts-punkt** *m* (-*es*; -*e*) punto *m* de vista principal; **~gewinn** *m* (-*es*; -*e*) premio *m* mayor, F (premio *m*) gordo *m*; **~gläubiger** *m* acreedor *m* principal; **~grund** *m* (-*es*; ¨*e*) razón *f* principal; **~haar** *n* (-*es*; -*e*) cabellos *m/pl.*, cabellera *f*; **~hahn** *m* (-*es*; ¨*e*) grifo *m* principal; **~inhalt** *m* (-*es*; *0*) contenido *m* principal; substancia *f*; (*Inhaltsangabe*) sumario *m*, resumen *m*; **~interesse** *n* (-*s*; -*n*) interés *m* principal *bzw.* fundamental; **~kabel** *n* cable *m* principal; **~kampf** *m* (-*es*; ¨*e*) *Sport* encuentro *m* decisivo; **~kasse** *f* caja *f* central; **~kassierer** *m* cajero *m* principal; **~kriegsverbrecher** *m* gran criminal *m* de guerra; **~leitung** *f* ⚡ línea *f* principal.

'**Häuptling** *m* (-*s*; -*e*) (*Stammes*⁓) jefe *m* de tribu; (*Indianer*⁓) cacique *m*; *e-r Bande*: cabecilla *m*, jefe *m*; ⁓**s** *adv.* de cabeza.

'**Haupt...**: **~linie** 🚂 *f* línea *f* principal; **~macht** *f* (-; ¨*e*) gran potencia *f*; potencia *f* principal; ⚔ fuerzas *f/pl.* principales; → *Hauptarmee*; **~mahlzeit** *f* comida *f* principal; **~mangel** *m* (-*s*; ¨) defecto *m* principal; **~mann** *m* (-*es*; *Hauptleute*) (*Oberhaupt*) jefe *m*; ⚔ capitán *m*; **~markt** *m* (-*es*; ¨*e*) mercado *m* central; ☤ mercado *m* principal; **~masse** *f* grueso *m*; **~mast** ⚓ *m* (-*es*; -*e*) palo *m* mayor; **~merkmal** *n* (-*es*; -*e*) carácter *m* distintivo; rasgo *m* característico; **~messe** *Rel.* *f* misa *f* mayor; **~mieter** *m* inquilino *m*, arrendatario *m*; **~motiv** *n* (-*es*; -*e*) tema *m* dominante; **~nahrung** *f* alimento *m* básico; **~nenner** ∡ *m* denominador *m* común; **~niederlage** ☤ *f* depósito *m* central *od.* general; **~niederlassung** *f* casa *f* central, establecimiento *m* principal; **~ort** *m* (-*es*; -*e*) lugar *m* más importante; **~person** *f* personaje *m* principal; **~postamt** *n* (-*es*; ¨*er*) Casa *f* (*od.* Central *f*) de Correos; (Administración *f* de) Correos; **~posten** ☤ *m* partida *f* principal; **~punkt** *m* (-*es*; -*e*) punto *m* capital *od.* esencial; **~quartier** ⚔ *n* (-*es*; -*e*) cuartel *m* general; **~quelle** *f* fuente *f* principal; **~rechnungsarten** *f/pl.* reglas *f/pl.* principales del cálculo; **~regel** *f* (-; -*n*) regla *f* fundamental *bzw.* general; **~register** *n* (*Inhaltsverzeichnis*) índice *m* general; ♪ *e-r Orgel*: registro *m* principal; **~reisezeit** *f* temporada *f* (principal) de turismo; **~rohr** *n* (-*es*; -*e*) *e-r Leitung*: tubo *m* principal; **~rolle** *Thea.* *f* papel *m* principal (*a. fig.*); **~sache** *f* cosa *f* (*od.* punto *m*) principal; lo esencial; lo principal; lo que (más) importa; *in der ~* en el fondo, (*besonders*) sobre todo, (*im allgemeinen*) en general; *der ~ nach* en su(b)stancia; ⁓**sächlich I.** *adj.* principal; esencial; capital; **II.** *adv.* principalmente; ante todo, sobre todo; **~saison** *f* (-; -*s*) temporada *f* principal; **~satz** *m* (-*es*; ¨*e*) *Gr.* oración *f* principal; ♪ tema *m*; motivo *m*; ∡ axioma *m*; **~schalter** ⚡ *m* interruptor *m* *bzw.* conmutador *m* principal; **~schiff** △ *n* (-*es*; -*e*) (*e-r Kirche*) nave *f* principal; **~schlacht** ⚔ *f* batalla *f* principal; (*Entscheidungsschlacht*) batalla *f* decisiva; **~schlag-ader** *Anat.* *f* (-; -*n*) aorta *f*; **~schlüssel** *m* llave *f* maestra; **~schuld** *f* culpa *f* principal; ☤ deuda *f* principal; **~schuldige(r)** *m* culpable *m* principal; **~schuldner** *m* ☤ deudor *m* principal; **~schwierigkeit** *f* dificultad *f* principal; F *fig.* hueso *m*; **~segel** ⚓ *n* vela *f* mayor; **~sicherung** ⚡ *f* fusible *m* principal; **~sitz** *m* (-*es*; -*e*) sede *f* principal; centro *m*; **~spaß** *m* (-*es*; ¨*e*) burla *f* sonada; **~stadt** *f* (-; ¨*e*) capital *f*; metrópoli *f*; ⁓**städtisch** *adj.* metropolitano; de la capital; **~stärke** *f* (*0*): *das ist s-e ~* ése es su fuerte; **~stollen** ⚒ *m* galería *f* principal; **~straße** *f* carretera *f* principal *od.* de primer orden; *e-r Stadt*: calle *f* principal; calle *f* mayor; **~strecke** 🚂 *f* línea *f* principal; **~strom** *m* (-*es*; ¨*e*) río *m* principal; ⚡ corriente *f* (inductora) principal; **~stück** *n* (-*es*; -*e*) parte *f* (*od.* pieza *f*) principal; *Rel.* (*des Glaubens*) artículo *m*; **~stütze** *f* apoyo *m* principal (*a. fig.*); **~summe** *f* suma *f* total; **~sünde** *f* *Rel.* pecado *m* capital; **~tätigkeit** *f* ocupación *f* principal; **~teil** *m* (-*es*; -*e*) parte *f* principal; **~tor** *n* (-*es*; -*e*) puerta *f* principal; **~träger** △ *m* viga *f* principal *od.* maestra; **~treffen** *n* encuentro *m* decisivo; **~treffer** *m* *Lotterie*: primer premio *m*, F (premio *m*) gordo *m*; **~treppe** *f* escalera *f* de honor; **~trumpf** *fig.* *m* (-*es*; ¨*e*): *s-n ~ ausspielen* triunfar (*a. fig.*); **~tugend** *f* *Rel.* virtud *f* cardinal; **~unterschied** *m* (-*es*; -*e*) diferencia *f* esencial *bzw.* principal; **~ursache** *f* causa *f* principal; **~vene** *Anat.* *f* gran vena *f* coronaria; **~verfahren** ⚖ *n* procedimiento *m* de plenario; **~verhandlung** ⚖ *f* juicio *m* oral; vista *f* (de la causa); **~verkehr** *m* (-*s*; *0*) gran circulación *f*; **~verkehrsstraße** *f* arteria *f* principal de tráfico; calle *f* de gran circulación; **~verkehrsstunden** *f/pl.*, **~verkehrszeit** *f* horas *f/pl.* punta (*od.* de mayor tráfico); **~versammlung** *f* asamblea *f* general; **~vertreter** *m* ☤ representante *m* general; **~verwaltung** *f* administración *f* central; **~vorhang** *Thea.* *m* (-*es*; ¨*e*) telón *m* de boca; **~weg** *m* (-*es*; -*e*) camino *m* real; **~welle** ⊕ *f* árbol *m* principal; **~werk** *n* (-*es*; -*e*) obra *f* principal (*od.* más importante); **~wort** *n* (-*es*; ¨*er*) *Gr.* (nombre *m*) su(b)stantivo *m*; **~zeuge** *m* (-*n*), **~zeugin** *f* testigo *m/f* principal; **~ziel** *n* (-*es*; -*e*) fin *m* *bzw.* objetivo *m* principal; **~zollamt** *n* (-*es*; ¨*er*) dirección *f* general de aduanas; **~zug** *m* (-*es*; ¨*e*) rasgo *m* característico; **~zweck** *m* → *Hauptziel*.

Haus *n* (-*es*; ¨*er*) casa *f*; (*Gebäude*) edificio *m*; (*Wohnung*) vivienda *f*; domicilio *m*; (*Heim*) hogar *m*; morada *f*; *Parl.* Cámara *f*; (*Fürsten*⁓) casa *f*, dinastía *f*; (*Familie*) familia *f*; (*Firma*) casa *f* comercial, firma *f*; (*Hauswesen*) régimen *m* doméstico; *der Schnecke*: concha *f*; *Thea.* sala *f*; *volles ~* llenazo; F *fig.* *ein altes ~* un buen amigo *od.* compañero; *fideles ~* hombre de buen humor; *gelehrtes ~* un pozo de ciencia; *das ~ Bourbon* *Hist.* la Casa de Borbón; *das ~ Österreich od. Habsburg* *Hist. Span.* la Casa de Austria, los Austrias; *fünfstöckiges ~* casa de cinco pisos; *~ und Hof haben*, *ein eigenes ~ haben* tener casa propia; *~ an ~ wohnen* vivir (en la casa de) al lado; *in demselben ~ wohnen* vivir (*od.* habitar) en la misma casa; *j-m das ~ verbieten* prohibir a alg. la entrada en casa; *der Herr (die Dame) des ~es* el dueño (la señora) de la casa; *zu ~e in* (*wohnhaft*) domiciliado en; *zu ~e sein* estar en casa; *viel zu ~e hocken* ser muy casero; *zu ~e bleiben* quedarse en casa; *das ~ hüten* guardar la casa; *zum ~e gehören* ser de casa *bzw.* de la familia; *in j-s ~* en casa de alg.; *außer ~ sein* no estar en casa; estar fuera (*od.* de viaje); *von ~e kommen* venir de casa; *kommen Sie gut nach ~e!* ¡que le vaya bien!; (*bei Reisen*) ¡buen (*od.* feliz) viaje!; *nach ~e gehen* ir a *od.* para casa; *nach ~e* (*in s-e Heimat*) *zurückkehren* regresar a su país; *j-n nach ~e bringen* (*od. begleiten*) acompañar a alg. a su casa; *j-n mit nach ~e nehmen od. bringen* traer a alg.

a casa; *nach ~e schicken* enviar a casa, mandar para casa; *zu ~e arbeiten* trabajar en casa; *frei (ins) ~* ✝ franco a domicilio; *ins ~ liefern* entregar a domicilio; *vom ~e abholen* recoger a domicilio; *j-n aus dem ~e werfen* echar de casa a alg.; poner a alg. en la puerta (de la calle); *von ~ zu ~ gehen* ir de casa en casa (*od.* de puerta en puerta); *bei mir zu ~e* (*in m-r Heimat*) en mi país; en mi tierra; *wo sind Sie zu ~e?* ¿de qué país es usted?; *er ist in Berlin zu ~e* es de Berlín; *im ~e von* en casa de; *von ~e aus* originariamente, de origen; *von ~e aus reich sein* ser de familia rica; *aus gutem ~e sein* ser de buena familia; *außer ~ essen* comer fuera; *tun Sie, als ob Sie zu ~e wären!* está usted en su casa; *fig. mit der Tür ins ~ fallen* no guardar miramientos; F meter las cuatro patas; *offenes ~ haben* tener la casa abierta para todos; *öffentliches ~* casa pública, burdel; *ein großes ~ führen* vivir con gran lujo; F vivir a lo grande; *fig. in et. zu ~e sein* (*dat.*) estar familiarizado con, ser versado en a/c.; *er ist in dieser Sprache zu ~e* ese idioma le es familiar; *herzliche Grüße von ~ zu ~* cordiales saludos de todos para todos; *jeder ist Herr in s-m ~e* F cada cual manda en su casa, y Dios en la de todos.

'**Haus...:** **~angestellte(r** *m*) *m/f* criado (-a *f*) *m*; servidor *m*, sirvienta *f*; **~anschluß** *m* (*-sses; ¨sse*) (⚡, *Wasser*) acometida *f* (casera); **~anzug** *m* (*-es; ¨e*) traje *m* de casa; **~apotheke** *f* botiquín *m* casero; **~arbeit** *f* quehaceres *m/pl.* domésticos; *Schule*: trabajo *m* (escolar) de casa; deberes *m/pl.*; (*Heimarbeit*) labor *m* casera; trabajo *m* domiciliario; **~arrest** *m* (*-es; -e*) arresto *m* domiciliario; **~arznei** *f* remedio *m* casero; **~arzt** *m* (*-es; ¨e*) médico *m* de la familia; médico *m* de cabecera; **~aufgabe** *f* trabajo *m* (escolar) de casa; **2backen** *adj.* casero; *fig.* prosaico, trivial; *Frau*: sencilla y honrada; **~ball** *m* (*-es; ¨e*) baile *m* en casa (particular); **~bar** *f* (*-; -s*) mueble-bar *m*; **~bedarf** *m* (*-es; 0*) necesidades *f/pl.* domésticas; **~besitzer(in** *f*) *m* propietario (-a *f*) *m* de una casa; casero (-a *f*) *m*; **~besuch** *m* (*-es; -e*) *des Arztes*: visita *f* (domiciliaria); **~bewohner(in** *f*) *m* vecino (-a *f*) *m*; (*Mieter*) inquilino (-a *f*) *m*; **~bibliothek** *f* biblioteca *f* particular; **~boot** *n* barco *m* habitable; pontón *m*; **~brand(kohle** *f*) *m* carbón *m* para uso doméstico.

'**Häus-chen** *n* casita *f*; (*Pförtner*2) casilla *f*; (*Bahnwärter*2) caseta *f*; (*Schilder*2) garita *f*; (*Garten*2) pabellón *m*; (*Hütte*) cabaña *f*; *fig. aus dem ~ sein* estar fuera de sí; *aus dem ~ bringen* (*geraten*) sacar (salir) de quicio *od.* de sus casillas; poner a alg. (ponerse) fuera de sí.

'**Haus...:** **~dame** *f* ama *f* de gobierno; señora *f* de compañía; **~diebstahl** *m* (*-es; ¨e*) hurto *m* doméstico; **~diele** *f* vestíbulo *m*; **~diener** *m* criado *m*, servidor *m*; **~dienerschaft** *f* (*0*) servidumbre *f*; **~drache** *fig. m* (*-n*) F marimandona *f*; **~eigentümer(in** *f*) *m* → *Hausbesitzer(in)*; **~einrichtung** *f* mobiliario *m*, menaje *m*.

'**hausen** (*-t-*) *v/i.* (*wohnen*) vivir, habitar; (*haushalten*) tener casa *f* puesta; (*sich einquartieren*) alojarse; (*übernachten*) pernoctar; (*Unwesen treiben*) causar estragos, devastar.

'**Hausen** *Ict. m* esturión *m*; **~blase** *f* (*Fischleim*) cola *f* de pescado, colapez *f*.

'**Häuser...:** **~block** *m* (*-es; ¨e*) manzana *f*, *Am. a.* cuadra *f*; **~gruppe** *f* grupo *m* de casas; (*Weiler*) caserío *m*; **~makler** *m* corredor *m* de casas; **~reihe** *f* hilera *f* de casas; **~verwaltung** *f* administración *f* de casas.

'**Haus...:** **~flur** *m* (*-es; -e*) vestíbulo *m*; (*offener*) zaguán *m*; **~frau** *f* ama *f* de casa; dueña *f* de la casa; **2fraulich** *adj.* de ama de casa; casero; **~freund** *m* (*-es; -e*) amigo *m* de la casa; (*Liebhaber*) *m. s.* amigo *m*; F cortejo *m*; **~friede** *m* (*-ns*) paz *f* doméstica; **~friedensbruch** *m* (*-es; ¨e*) violación *f* de domicilio; ⚖ allanamiento *m* de morada; **~garten** *m* (*-s; ¨*) jardín *m* particular; **~gebrauch** *m* (*-es; 0*) uso *m* doméstico; **~gehilfin** *f* criada *f*; *Arg.* mucama *f*; **~gemeinschaft** *f* comunidad *f* familiar; **~genosse** *m* (*-n*), **~genossin** *f* convecino (-a *f*) *m*; coinquilino (-a *f*) *m* **~gerät** *n* (*-es; -e*) enseres *m/pl.* domésticos; utensilio *m* doméstico; **~glocke** *f* campanilla *f*; **~götter** *m/pl. Myt.* (dioses *m/pl.*) lares *m/pl.*; penates *m/pl.*; **~halt** *m* (*es; -e*) (gobierno *m* de la) casa *f*; (*Staats*2) presupuesto *m*; *s-n eigenen ~ haben* tener su propia casa; *gemeinsamer ~* casa común; *mit j-m den ~ führen* compartir con alg. casa y gastos comunes; *j-m den ~ führen* cuidar de la casa de alg.; (*außer*)*ordentlicher ~* presupuesto (extra)ordinario; *ausgeglichener ~* presupuesto nivelado; *den ~ bewilligen Parl.* aprobar los presupuestos; **2halten** (*L*) *v/i.* gobernar la casa; *mit et. ~* economizar (*ac.*); **~hälterin** *f* ama *f* de gobierno; ama *f* de llaves; **2hälterisch** *adj.* (*den Haushalt betreffend*) doméstico; (*sparsam*) económico; ahorrativo; *~ mit et. umgehen* economizar, ahorrar a/c.

'**Haushalts...:** **~arbeit** *f* trabajo *m* (*od.* quehacer *m*) doméstico; **~artikel** *m* artículo *m* (para uso) doméstico; **~ausgaben** *f/pl.* gastos *m/pl.* presupuestarios; **~ausschuß** *Parl. m* (*-sses; ¨sse*) comisión *f* del presupuestos; **~beratungen** *f/pl.* discusión *f* del presupuesto; **~beschränkungen** *f/pl.* restricciones *f/pl.* presupuestarias; **~führung** *f* gestión *f* presupuestaria; (*Haushaltung*) gobierno *m* de la casa; *doppelter ~* sostenimiento simultáneo de dos casas; **~gegenstände** *m/pl.* enseres *m/pl.* (*od.* utensilios *m/pl.*) domésticos; **~geld** *n* (*-es; -er*) dinero *m* para los gastos domésticos; **~gemeinschaft** *f* comunidad *f* doméstica; **~gerät** *n* (*-es; -e*) aparato *m* de uso doméstico; utensilio *m* doméstico; *elektrisches*: (aparato *m*) electrodoméstico *m*; **~gesetz** *n* (*-es; -e*) ley *f* de presupuestos; **~gleichgewicht** *n* (*-es; 0*) nivelación *f* presupuestaria; **~jahr** *n* (*-es; -e*) ejercicio *m* (*od.* año *m*) económico; **~kommission** *f* → *Haushaltsausschuß*; **~kredit** *m* (*-es; -e*) crédito *m* presupuestario; **~plan** *m* (*-es; ¨e*) presupuesto *m*; *in den ~ aufnehmen* incluir en el presupuesto; **~voranschlag** *m* (*-es; ¨e*) proyecto *m* de presupuesto; previsiones *f/pl.* presupuestarias; **~waren** *f/pl. Haushaltsartikel.*

'**Haushaltung** *f* gobierno *m* de la casa; economía *f* doméstica; *die ~ lernen* estudiar en una escuela del hogar; **~sbuch** *n* (*-es; ¨er*) libro *m* de gastos domésticos; **~skosten** *pl.* gastos *m/pl.* domésticos; **~svorstand** *m* (*-es; ¨e*) cabeza *m* de familia.

'**Haus...:** **~herr(in** *f*) *m* (*-n; -en*) dueño *m* (señora *f*) de la casa; amo (-a *f*) *m* de la casa; **2hoch I.** *adj.* de la altura de una casa; *fig.* enorme, descomunal; **II.** *adv. fig.* enormemente; *die Mannschaft ist ~ geschlagen worden* el equipo ha sufrido una derrota aplastante; *j-m ~ überlegen sein* estar a cien codos por encima de alg.; **~hofmeister** *m* mayordomo *m*; **~hund** *m* perro *m* casero.

hau'sier|en (*-*) *v/i.* hacer el comercio ambulante; vender por las casas; **2en** *n* comercio *m* ambulante; **2er** (**-in** *f*) *m* vendedor(a *f*) *m* ambulante; buhonero *m*, mercachifle *m*; **2handel** *m* (*-s; 0*) comercio *m* ambulante (*od.* de buhonería); venta *f* callejera *bzw.* de puerta en puerta.

'**Haus...:** **~industrie** *f* industria *f* casera; **~kapelle** *Rel. f* oratorio *m*, capilla *f* privada; **~katze** *f* gato *m* doméstico; **~kleid** *n* (*-es; -er*) vestido *m* de casa; bata *f*; **~knecht** *m* (*-es; -e*) criado *m*; *in Gasthöfen*: mozo *m*; **~kollekte** *f* cuestación *f* a domicilio; **~kost** *f* (*0*) comida *f* ordinaria; **~lehrer** *m* profesor *m* particular; preceptor *m*; **~lehrerin** *f* institutriz *f*.

'**häuslich I.** *adj.* casero; doméstico; hogareño; (*sparsam*) económico; (*privat*) privado, particular; (*gern zu Hause bleibend*) casero; *~e Frau* mujer de su casa; *~er Mann* hombre casero; *Schule*: *die ~en Arbeiten* trabajos escolares hechos en casa; deberes; *~es Leben* vida de familia; vida hogareña; *~er Zwist* querella doméstica; *~e Angelegenheit* asunto privado; **II.** *adv.*: *sich ~ niederlassen* establecerse en algún sitio; poner casa; F instalarse confortablemente; **2keit** *f* casa *f*; (*Heim*) hogar *m*; intimidad *f* del hogar; (*Familienleben*) vida *f* de familia; (*Liebe zum Heim*) afición *f* a la vida hogareña.

'**Haus...:** **~liste** *f amtliche*: padrón *m* municipal; **~mädchen** *n* criada *f*; sirvienta *f*, muchacha *f* de servicio; *Arg.* mucama *f*; **~mannskost** *f* (*0*) comida *f* casera; cocina *f* casera; **~marder** *Zoo. m* fuina *f*, garduña *f*; **~meister** *m* conserje *m*; portero *m*; **~meisterloge** *f* portería *f*; **~miete** *f* alquiler *m*, renta *f*; **~mittel** *n* remedio *m* casero; **~mutter** *f* (-; ¨) madre *f* de familia; *e-r Pension*: patrona *f*; **2mütterlich** *adj.* de (buena) madre de familia; maternal; **~nummer** *f* (-; *-n*) número *m* (de la casa); **~ordnung** *f* reglamento *m* (*od.* régimen *m*) interior de la casa; **~personal** *n* (-*s*; *0*) personal *m* de servicio, servidumbre *f*; **~putz** *m* (-*es*; *0*) limpieza *f* general; **~rat** *m* (-*és*; *0*) mobiliario *m*; utensilios *m/pl.* (*od.* enseres *m/pl.*) domésticos; menaje *m*; **~ratversicherung** *f* seguro *m* de mobiliario y enseres domésticos; **~recht** *n* (-*és*; *0*) derecho *m* doméstico; *des Hausherrn*: derecho *m* de casa (del cabeza de familia); *e-r Einrichtung*: reglamento *m* interior; **~rock** *m* (-*és*; ¨*e*) vestido *m* de casa; **~sammlung** *f* → *Hauskollekte*; **~schlüssel** *m* llave *f* de casa; **~schneiderin** *f* costurera *f* a domicilio; **~schuhe** *m/pl.* zapatillas *f/pl.*; chinelas *f/pl.*; **~schwalbe** *Orn. f* golondrina *f*; **~schwamm** ♀ *m* (-*és*; ¨*e*) hongo *m* destructor, moho *m*.

ˈ**Hausse** [ˈhoːs] ✝ *f* alza *f*; **~spekulant** *m* alcista *m*; **~spekulation** *f* especulación *f* al alza.

Hausˈsier [hoːˈsǐeː] ✝ *m* (-*s*; -*s*) alcista *m*.

ˈ**Haus...:** **~stand** *m* (-*es*; *0*) → *Haushalt*; *e-n eigenen ~ gründen* poner casa; fundar una familia; **~steuer** *f* (-; *-n*) impuesto *m* sobre la propiedad inmobiliaria; **~suchung** ⚖ *f* registro *m* domiciliario; *e-e ~ vornehmen* practicar *od.* hacer un registro domiciliario.

ˈ**Hau·stein** ⚠ *m* (-*és*; -*e*) (piedra *f*) sillar *m*.

ˈ**Haus...:** **~telefon** *n* (-*s*; -*e*) teléfono *m* particular; **~tier** *n* (-*és*; -*e*) animal *m* doméstico; **~tochter** *f* (-; ¨) muchacha *f* auxiliar del ama de casa; **~tor** *n* (-*és*; -*e*) puerta *f* cochera; **~trauer** *f* (*0*) luto *m* de familia; **~trauung** *f* boda *f* celebrada en casa; **~tür** *f* puerta *f* de (la) casa; puerta *f* de la calle, portal *m*; **~- und Grundbesitzerverein** *m* (-*és*; -*e*) asociación *f* de propietarios de terrenos e inmuebles; **~vater** *m* (-*s*; ¨) padre *m* de familia; **~verwalter** *m* administrador *m* (de una casa); mayordomo *m*; **~verwaltung** *f* administración *f* de casas *od.* inmuebles; **~wart** *m* (-*és*; -*e*) portero *m*; **~wirt(in** *f*) *m* (-*és*; -*e*) dueño (-a *f*) *m* de la casa; patrona *f*; **~wirtschaft** *f* economía *f* doméstica; (*Haushalt*) gobierno *m* de la casa; **~wirtschafts-unterricht** *m* (-*és*; *0*) enseñanzas *f/pl.* del hogar; **~zins** *m* (-*es*; -*e od.* -*en*) alquiler *m*; **~zinssteuer** *f* (-; *-n*) impuesto *m* de inquilinato.

Haut *f* (-; ¨*e*) piel *f*; (*Fell*) pellejo *m*, cuero *m*; *v. Obst*: piel *f*; *e-r Flüssigkeit*: telilla *f*; *Anat.* dermis *f*; (*Ober*2) epidermis *f*; (*bsd. Gesichts*2) cutis *m*; (*Schleim*2) mucosa *f*, membrana *f* mucosa; (*Ei*2) fárfara *f*; ♀ túnica *f*; *Zoo.* (*samt Haaren, Federn usw.*) tegumento *m*; *harte ~* (*Schwiele*) callosidad *f*; *durchnäßt bis auf die ~* calado hasta los huesos; *e-m Tier die ~ abziehen* desollar un animal; *er ist nur ~ und Knochen* está en los huesos; no tiene más que el pellejo; *sich die ~ aufschürfen* desollarse, producirse una erosión; *fig. aus der ~ fahren* exasperarse, ponerse fuera de sí; F salir de sus casillas; estallar; *s-e ~ zu Markte tragen* exponerse a un riesgo; arriesgar la vida (F el pellejo); *sich s-r ~ wehren* defenderse; vender cara su vida; F defender el pellejo; *mit heiler ~ davonkommen* salir bien librado; escapar con vida; *fig.* salvarse por los pelos; *auf der faulen ~ liegen* F estar tumbado a la bartola; holgazanear; *ich möchte nicht in s-r ~ stecken* F no quisiera estar en su pellejo; *mit ~ und Haaren* completamente; F *e-e ehrliche ~* un hombre honrado (a carta cabal), F un alma de Dios; ⚕ *Einspritzung unter die ~* inyección subcutánea *od.* hipodérmica; *e-e neue ~ bekommen* mudar la piel.

ˈ**Haut...:** **~abschürfung** ⚕ *f* excoriación *f*, desolladura *f*; **~arzt** *m* (-*es*; ¨*e*) dermatólogo *m*; **~atmung** *f* respiración *f* cutánea; **~ausschlag** ⚕ *m* (-*és*; ¨*e*) erupción *f* cutánea, exantema *m*.

ˈ**Häutchen** *n* película *f*, cutícula *f*; *Anat.* membrana *f*; *Zoo.*, ♀ túnica *f*; *Ei*: fárfara *f*; *auf Flüssigkeiten*: telilla *f*.

ˈ**Haut...:** **~creme** *f* (-; -*s*) crema *f* para el cutis; **~drüse** *Anat. f* glándula *f* cutánea; (*Talgdrüse*) glándula *f* sebácea.

ˈ**häuten I.** (-*e*-) *v/t.* desollar (*od.* despellejar) un animal; quitar la piel a; pelar; *sich ~ Zoo.* mudar la piel; (*Schlange*) mudar la camisa; ⚕ descamar(se); **II.** 2 *n Zoo.* muda *f*; ⚕ descamación *f*.

ˈ**Haut...:** **2eng** *adj.* muy ceñido; **~entzündung** ⚕ *f* dermitis *f*, inflamación *f* de la piel; **~farbe** *f* color *m* de la piel; (*Teint*) tez *f*; (*Fleischfarbe*) *Mal.* encarnación *f*; **~flügler** *Zoo. m/pl.* himenópteros *m/pl.*; **~gewebe** *Anat. n* tejido *m* cutáneo.

ˈ**häutig** *adj. Anat.*, ♀ membranoso.

ˈ**Haut...:** **~jucken** *n* picazón *f*, ⚕ prurito *m*; **~krankheit** ⚕ *f* enfermedad *f* de la piel, dermatosis *f*; **~kunde** *f* (*0*), **~lehre** *f* (*0*) dermatología *f*; **~ödem** *n* (-*s*; -*e*) eczema *m*; edema *m* cutáneo; **~pflege** *f* (*0*) higiene *f* de la piel; **~salbe** *f* pomada *f* (*od.* ungüento *m*) para la piel; **~transplantation** *f*, **~übertragung** ⚕ *f* transplantación *f* cutánea, injerto *m* cutáneo.

ˈ**Häutung** *Zoo. f* muda *f*.

ˈ**Hauzahn** *Jgdw. m* (-*és*; ¨*e*) colmillo *m*; (*oberer des Ebers*) remolón *m*.

Haˈvanna *f* la Habana; **~zigarre** *f* (cigarro *m*) habano *m*.

Havaˈrie *f* avería *f*; *~ erleiden* sufrir una avería; *~ aufmachen* tasar la avería; **2rt** *adj.* averiado.

Havaˈrist *m* (-*en*) dueño *m* de un barco naufragado.

ˈ**H-Bombe** *f* bomba *f* H; bomba *f* de hidrógeno.

ˈ**Hebamme** *f* comadrona *f*, partera *f*.

ˈ**Hebe|arm** *m* (-*és*; -*e*) brazo *m* de palanca; **~baum** *m* (-*és*; ¨*e*) palanca *f*, alzaprima *f*; **~bock** *m* (-*és*; ¨*e*) cabria *f*; gato *m*; **~bühne** *f* plataforma *f* de elevación, elevador *m*; **~eisen** *n* palanca *f* de hierro; (*Brechstange*) palanqueta *f*; **~kran** *m* (-*és*; ¨*e*) grúa *f*.

ˈ**Hebel** *m* palanca *f*; (*Kurbel*) manivela *f*; *e-n ~ ansetzen* aplicar una palanca; *fig. alle ~ in Bewegung setzen* apelar a todos los medios; F tocar todas las teclas; **~arm** *m* (-*és*; -*e*) brazo *m* de palanca; **~griff** *m* (-*és*; -*e*) mango *m* de palanca; **~kraft** *f* (-; ¨*e*), **~moment** *n* (-*és*; -*e*) efecto *m* (*od.* momento *m*) de palanca; **~schalter** ⚡ *m* interruptor *m* de palanca; **~stütze** *f* apoyo *m* de la palanca; **~waage** *f* báscula *f* de palanca; **~werk** *n* (-*és*; -*e*) sistema *m* de palancas.

ˈ**Hebe|maschine** *f* elevador *m*, máquina *f* elevadora; **~muskel** *Anat. m* (-*s*; *-n*) (músculo *m*) elevador *m*.

ˈ**heben I.** (*L*) *v/t. u. v/refl.* levantar, alzar; elevar; (*an~*) alzar un poco; (*be~*) suprimir, hacer desaparecer; *fig.* allanar, resolver; (*begünstigen*) favorecer; (*fördern*) impulsar, activar; (*vergrößern*) aumentar; (*erhöhen*) realzar, elevar; (*verbessern*) mejorar; *Stimme*: alzar, levantar; *das Haupt*: erguir; *Schatz*: desenterrar; *Schiff*: poner a flote; *Farbe*: acentuar; *Arith. Bruch*: simplificar; *fig.* (*schärfer hervortreten lassen*) hacer resaltar, poner de relieve; enaltecer; *sich ~* levantarse, alzarse; elevarse; *Handel usw.*: *sich wieder ~* reanimarse, recuperarse; *sich ~* ⚗ destruirse, compensarse; *j-n aufs Pferd ~* ayudar a alg. a montar a caballo; *aus dem Sattel ~* desmontar a alg.; *fig.* hacer perder los estribos a alg.; *aus den Angeln ~* sacar de quicio (*a. fig.*); *fig. j-n in den Himmel ~* poner a alg. por las nubes; *ein Kind aus der Taufe ~* sacar de pila; F *e-n ~* (*trinken*) echar un trago; empinar el codo; **II.** 2 *n* elevación *f*; *e-s Schiffes*: puesta *f* a flote; (*Gewicht*2) levantamiento *m* de peso; *fig.* (*Vergrößern*) aumento *m*.

ˈ**Heber** *m* (*Saug*2) sifón *m*; (*Stech*2) bombillo *m*; ⚗ (*Pipette*) pipeta *f*; ⊕ elevador *m*; (*Hebel*) palanca *f*; *Auto.* gato *m*; *Anat.* (*Hebemuskel*) (músculo *m*) elevador *m*.

ˈ**Hebe...:** **~schiff** *n* (-*és*; -*e*) buque-grúa *m*; **~vorrichtung** *f*, **~werk** *n* (-*és*; -*e*) elevador *m*, mecanismo *m* de elevación; **~winde** *f* gato *m*; cabria *f*.

Heˈbrä|er(in *f*) *m* hebreo (-a *f*) *m*; **2isch** *adj.* hebreo; (*jüdisch*) judío; *das* 2*e*; *die ~e Sprache* la lengua hebrea, el hebraico (*od.* hebreo).

ˈ**Hebung** *f* levantamiento *m*; elevación *f* (*a. fig.*); *fig.* fomento *m*; (*Vergrößerung*) aumento *m*; *e-s Schiffes*: puesta *f* a flote; *im Vers*: sílaba *f* tónica.

ˈ**Hechel** *f* (-; *-n*) *Spinnerei*: rastrillo *m*; **~bank** *f* (-; ¨*e*) banco *m* de rastrillar; **~maschine** *f* rastrilladora *f*, peinadora *f*; **2n** (-*le*) *v/t. Spinnerei*: rastrillar, peinar; **~n** *n* rastrillaje *m*.

ˈ**Hecht** *Ict. m* (-*és*; -*e*) lucio *m*; *fig. ein toller ~* F un tío castizo; *der ~ im Karpfenteich* la zorra en el gallinero; el lobo en el redil; **2grau** *adj.* gris azulado; **~sprung** *m* (-*és*; ¨*e*) *Schwimmen*: salto *m* de carpa.

Heck *n* (-*es*; -*e od.* -*s*) ⚓ popa *f*; ✈ cola *f*; (*Zaun*) cerca *f*, cercado *m*; (*Holzzaun*) valla *f*; (*Pfahlzaun*) empalizada *f*; (*Gattertür*) cancilla *f*.
ˈ**Hecke** *f* ♀ seto *m* (vivo); (*Vogel*2) nidal *m*; (*Brut*) nidada *f*; (*Zeit des Heckens*) tiempo *m* de empollar.
ˈ**hecken** *v/t. u. v/i.* (*sich paaren*) aparearse; (*brüten*) empollar; (*sehr oft* ~) pulular.
ˈ**Hecken...:** ~**rose** ♀ *f* escaramujo *m*, zarzarrosa *f*; ~**schere** *f* tijeras *f/pl.* de jardinero; ~**schütze** *m* (-*n*) tirador *m* emboscado, paco *m*; ~**zaun** *m* (-*es*; ⁼*e*) seto *m* vivo.
ˈ**Heck...:** ~**flagge** ⚓ *f* pabellón *m* de popa; 2**lastig** *adj.* estibado de popa; ~**licht** *n* (-*es*; -*er*) farol *m* (*od.* luz *f*) de popa; ~**motor** *m* (-*s*; -*en*) *Auto.* motor *m* posterior; ⚓ motor *m* de popa; ~**raddampfer** *m* vapor *m* con rueda de popa; ~**zeit** *f* (*von Vögeln*) tiempo *m* de la postura.
ˈ**heda** *int.* ¡eh!
ˈ**Hede** *f* estopa *f*.
ˈ**Hederich** [-də-] ♀ *m* (-*s*; *0*) mostaza *f* silvestre; rabanillo *m*.
Hedoˈnis|mus *m* (-; *0*) hedonismo *m*; ~**t** *m* (-*en*), 2**tisch** *adj.* hedonista *m/f*.
Heer *n* (-*es*; -*e*) ⚔ ejército *m*; *stehendes* ~ ejército activo *bzw.* permanente; *fig.* multitud *f*; (*Schwarm*) enjambre *m*, nube *f*; ~**bann** ⚔ *m* (-*es*; -*e*) *ehm.* llamamiento *m* de guerra, apellido *m*.
ˈ**Heeres...:** ~**abteilung** *f* cuerpo *m* de ejército; (*kleinere*) destacamento *m*; ~**bedarf** *m* (-*es*; *0*) material *m* de guerra, pertrechos *m/pl.*; ~**bericht** *m* (-*es*; -*e*) parte *m* oficial de guerra; ~**dienst** *m* (-*es*; -*e*) servicio *m* militar; ~**ergänzung** *f* reclutamiento *m*; ~**flüchtige(r)** *m* desertor *m*; prófugo *m*; ~**gruppe** *f* agrupación *f* de ejércitos; ~**kraft** *f* (*0*), ~**macht** *f* (-; ⁼*e*) fuerzas *f/pl.* armadas; ~**leitung** *f* alto mando *m*; ~**lieferant** *m* (-*en*) proveedor *m* del ejército; ~**lieferungen** *f/pl.* suministros *m/pl.* para el ejército; 2**pflichtig** *adj.* sujeto al servicio militar.
ˈ**Heer...:** ~**führer** *m* general *m* (en jefe); jefe *m* de un ejército; ~**lager** *n* campamento *m*; ~**säule** *f* columna *f*; ~**schar** *f* hueste *f*, legión *f*; ejército *m*; *die himmlischen* ~*en* las legiones celestiales; ~**schau** *f* revista *f*; desfile *m* militar; ~**straße** *f* carretera *f* estratégica; camino *m* militar *od.* estratégico; pista *f*; ~**wesen** *n* (-*s*; *0*) milicia *f*; ejército *m*; régimen *m* militar.
ˈ**Hefe** *f* levadura *f*; (*Bodensatz*) hez *f* (*a. fig.*); (*Hefegut*) fermento *m*; ~**pilz** ♀ *m* (-*es*; -*e*) (hongo *m* de la) levadura *f*; ~**teig** *m* (-*es*; -*e*) masa *f* con levadura.
ˈ**Heft** *n* (-*es*; -*e*) (*Griff*) puño *m*; (*Stiel*) mango *m*; (*Schwanz*) cabo *m*; (*Schreib*2) cuaderno *m*; (*Zeitschriften*2) número *m*; (*Exemplar*) ejemplar *m*; (*Broschüre*) folleto *m*; (*Faszikel*) fascículo *m*; (*Lieferung*) entrega *f*; *fig. das* ~ *in den Händen haben* ser dueño de la situación, F tener la sartén por el mango; ~**draht** *m* (-*es*; ⁼*e*) hilo *m* metálico para encuadernar.

ˈ**heften I.** (-*e*-) **1.** *v/t.* unir (*an ac.* a); (*festhalten*) sujetar, fijar; *mit Klebstoff*: pegar; (*vornähen*) hilvanar; (*nähen*) coser; *Buch*: encuadernar; *fig. die Augen* (*den Blick*) ~ *auf* (*ac.*) clavar *od.* fijar la mirada en; **2.** *v/refl.*: *sich an et.* ~ (*ac.*) pegarse a; quedar adherido a *od.* fijado en; (*folgen*) seguir; *sich an j-s Fersen* ~ ir pisando a alg. los talones; seguir a alg. como la sombra al cuerpo; **II.** 2 *n e-s Buches*: encuadernación *f*.
ˈ**Heft|er** *m für Schriftstücke*: clasificador *m*; → *Heftmaschine*; ~**faden** *m* (-*s*; ⁼), ~**garn** *n* (-*es*; -*e*) hilo *m* de hilvanar.
ˈ**heftig** *adj.* vehemente; violento; (*stürmisch*) impetuoso; (*stark*) fuerte, recio; (*schwer zu ertragen*) rudo; (*rauh*) brusco; (*lebhaft*) vivo, vivaz; (*leidenschaftlich*) apasionado; (*aufbrausend*) arrebatado; (*reizbar*) irascible; (*wütend*) furioso; *Schmerz*: agudo; *Kampf*: encarnizado; *Kälte*, *Winter*: riguroso; *Phys.* intenso; ~ *werden* arrebatarse; encolerizarse, irritarse; *Wind, Sturm*: arreciar; *j-n* ~ *anfahren* increpar a alg.; tratar con dureza a alg.; 2**keit** *f* (*0*) vehemencia *f*; violencia *f*; ímpetu *m*, impetuosidad *f*; fuerza *f*; brusquedad *f*; viveza *f*, vivacidad *f*; pasión *f*, apasionamiento *m*; *Phys.* intensidad *f*.
ˈ**Heft...:** ~**klammer** *f* (-; -*n*) grapa *f*; (*Büroklammer*) sujetapapeles *m*, clip *m*; ~**mappe** *f* clasificador *m*; ~**maschine** *f* máquina *f* para coser folletos y libros; máquina *f* para coser con hilo metálico; (*Büro*) grapadora *f*, cosedora *f*; ~**nadel** *Chir.* *f* (-; -*n*) aguja *f* para sutura; ~**naht** *f* (-; ⁼*e*) hilván *m*; ~**pflaster** ⚕ *n* emplasto *m* adhesivo; esparadrapo *m*; *englisches* ~ tafetán inglés; ~**rand** *m* (-*es*; ⁼*er*) margen *m* del cuaderno; ~**stich** *m* (-*es*; -*e*) hilván *m*; ~**zwecke** *f* chinche *f*; *mit* ~*n festmachen* sujetar con chinches.
Hegeliˈaner *m* hegeliano *m*.
ˈ**Hegemeister** *m* guarda *f* forestal.
Hegemoˈnie *f* hegemonía *f*.
ˈ**hegen** *v/t.* (*erhalten*) guardar, conservar; (*schützen*) proteger; (*einfriedigen*) acotar, cercar; (*enthalten*) encerrar, contener; albergar; (*haben*) tener; *Hoffnung*: alimentar; acariciar; abrigar; ~ *und pflegen* cuidar con todo cariño; *gegen j-n Haß* ~ tener odio a alg.; abrigar odio contra alg.; *Zweifel* ~ abrigar dudas; *Vertrauen* ~ tener confianza (*zu ac.* en); *Verdacht* (*od. Argwohn*) ~ desconfiar *od.* sospechar *od.* tener sospechas (*gegen* de).
ˈ**Hehl** *n* (-*es*; *0*) disimulo *m*; *ohne* ~ (hablando) francamente *od.* con toda franqueza; *kein* ~ *aus et. machen* no ocultar (*od.* no disimular) a/c.; no hacer un secreto de a/c.; 2**en** ⚖ *v/t.* encubrir; ~**er(in** *f*) *m* encubridor(a *f*) *m*.
Hehleˈrei ⚖ *f* encubrimiento *m*.
hehr *adj.* augusto; sublime *m*; (*majestätisch*) majestuoso.
ˈ**Heid|e**[1] *m* (-*n*) pagano *m*; *Bib. die* ~*n* los gentiles.
ˈ**Heide**[2] ♀ *f* brezo *m*; (*Landschaft*) brezal *m*; landa *f*; ~**blume** *f* flor *f* de brezo; ~**kraut** ♀ *n* (-*es*; *0*) brezo *m*.
ˈ**Heidelbeere** ♀ *f* arándano *m*.
ˈ**Heiden...:** ~**angst** *f* (-; ⁼*e*) miedo *m* cerval; ~**arbeit** *f*: *das ist e-e* ~ es un trabajo ímprobo; *fig.* es una obra de romanos; ~**geld** F *n*: *das kostet mich ein* ~ esto me cuesta un dineral (*od.* un ojo de la cara); ~**lärm** *m* (-*es*; *0*) ruido *m* infernal; 2**mäßig** *fig.* F *adj.* enorme, formidable, colosal; ~**spaß** [ɑː] *m* (-*es*; *0*) broma *f* muy divertida; ~**tempel** *m* templo *m* pagano; ~**tum** *n* (-*s*; *0*) paganismo *m*.
ˈ**Heiderös·chen** ♀ *n* zarzarrosa *f*.
ˈ**Heidin** *f* pagana *f*.
ˈ**heidnisch** *adj.* pagano; *Bib.* gentil; (*ungläubig*) infiel; (*gottlos*) ateo; impío.
ˈ**Heidschnucke** *Zoo. f* oveja *f* de las landas.
ˈ**heikel** *adj.* (*schwierig*) difícil, F peliagudo; (*verwickelt*) embrollado, complicado; espinoso; (*schlüpfrig*) escabroso; (*kitzlig, fig.*) delicado; (*peinlich*) penoso; (*lästig*) molesto, engorroso; *Person*: (*wählerisch, anspruchsvoll*) fastidioso, difícil de contentar.
heil *adj.* (*gesund*) sano; sano y salvo; (*geheilt*) curado; (*intakt*) intacto; en buen estado; (*unbeschädigt*) indemne; (*unverwundet*) ileso; (*ganz*) entero; *mit* ~*er Haut davonkommen* salir bien librado; haber salvado la vida (F el pellejo).
Heil *n* (-*es*; *0*) *Rel.* salvación *f* (*a. fig.*); (*Anschauung Gottes*) bienaventuranza *f*, gloria *f*; (*Gesundheit*) salud *f*; ~ *dem König!* ¡viva el rey!; *sein* ~ *versuchen* probar fortuna; *im Jahre des* ~*s* en el año de gracia; *sein* ~ *in der Flucht suchen* buscar su salvación en la huida.
ˈ**Heiland** *Rel. m* (-*es*; *0*) Salvador *m*; (*Erlöser*) Redentor *m*.
ˈ**Heil...:** ~**anstalt** *f* sanatorio *m*; (*Irrenanstalt*) sanatorio *m* para enfermos mentales; manicomio *m*; ~**bad** *n* (-*es*; ⁼*er*) baño *m* medicinal; (*Kurort*) balneario *m*; estación *f* (hidro)termal; 2**bar** *adj.* curable; ~**barkeit** *f* (*0*) curabilidad *f*; ~**behandlung** *f* tratamiento *m* curativo; 2**bringend** *adj.* saludable; salutífero; ~**butt** *Ict. m* (-*es*; -*e*) mero *m*; 2**en 1.** *v/t.* curar (*von* de), sanar; (*abhelfen*) remediar; **2.** *v/i.* sanar, curarse; (*Wunde*) *a.* cicatrizar; ~**en** *n* curación *f*; *e-r Wunde*: *a.* cicatrización *f*; 2**end** *adj.* curativo; ~**erde** *f* tierra *f* medicinal; 2**froh** *adj.* contentísimo; muy contento; ~**gehilfe** *m* (-*n*) auxiliar *m* del médico; ~**gymnastik** *f* (*0*) gimnasia *f* terapéutica.
ˈ**heilig** *adj.* santo; (*geheiligt*) sagrado; (*geweiht*) consagrado; (*feierlich*) solemne; (*unverletzlich*) inviolable, sacrosanto; *die* 2*e Schrift* la Sagrada Escritura, la (Santa) Biblia; *der* 2*e Vater* el Padre Santo, el Papa; *der* 2*e Geist* el Espíritu Santo; *die* 2*en Drei Könige* los Reyes Magos; *Fest der* 2*en Drei Könige* el día de Reyes; *das* ~*e Abendmahl* la Santa Cena; *das* 2*e Land* Tierra Santa, los Santos Lugares; *das* 2*e Grab* el Santo

Sepulcro; *der 2e Stuhl* la Santa Sede; *die 2e Jungfrau* la Santísima Virgen; *die 2e Dreifaltigkeit* la Santísima Trinidad; *die 2e Familie* la Sagrada Familia; *der ~e Antonius* San Antonio; *der ~e Thomas* Santo Tomás; *der ~e Dominikus* Santo Domingo; *~er Abend* Nochebuena; *für ~ erklären* canonizar; *hoch und ~ versprechen* prometer solemnemente; *~e Pflicht* deber sagrado; *ihm ist nichts ~* para él no hay nada sagrado; *es ist mein ~er Ernst* lo digo muy en serio; *schwören bei allem, was ~ ist* jurar por lo más sagrado; **2'abend** *m* (*-s*; *-e*) Nochebuena *f*; *am ~* el día de Nochebuena.

'heiligen I. *v/t.* santificar; (*heiligsprechen*) canonizar; (*seligsprechen*) beatificar; (*weihen*) consagrar; *der Zweck heiligt die Mittel* el fin justifica los medios; **II.** 2 *n* santificación *f*; (*Heiligsprechen*) canonización *f*; (*Seligsprechen*) beatificación *f*; (*Weihen*) consagración *f*.

'Heiligen...: **~bild** *n* (*-es*; *-er*) imagen *f* (de santo); estampa *f*; **~geschichte** *f* leyenda *f* de santos; hagiografía *f*; **~schein** *m* (*-es*; *-e*) aureola *f* (*a. fig.*), nimbo *m*; *mit e-m ~ umgeben* aureolar (*a. fig.*), nimbar; **~schrein** *m* (*-es*; *-e*) camarín *m*; urna *f*.

'Heilig|e(r *m*) *m/f* santo *m*, santa *f*; *fig. wunderlicher* (*od. sonderbarer*) *~r* individuo estrafalario *od.* extravagante; **~e(s)** *n*: *das ~* las cosas santas; *et. ~s* algo santo (*od.* sagrado).

'heilig...: **~halten** (*L*) *v/t.* venerar; *den Sonntag*: santificar; **2haltung** *f* veneración *f*; *des Sonntags*: santificación *f*; descanso *m* dominical; *e-s Versprechens*: cumplimiento *m* riguroso; **2keit** *f* (*0*) santidad *f*; (*Unverletzlichkeit*) inviolabilidad *f*; *Seine ~ (der Papst)* Su Santidad; **~sprechen** *v/t.* canonizar; **2sprechung** *f* canonización *f*; **2tum** *n* (*-es*; *⸚er*) santuario *m*; sagrario *m*; lugar *m* sagrado; (*Reliquie*) reliquia *f*; **2ung** *f* → *Heiligen*.

'Heil...: **~kraft** *f* (*-*; *⸚e*) virtud *f* curativa; **2kräftig** *adj.* curativo; saludable, salutífero; **~kraut** ♀ *n* (*-es*; *⸚er*) planta *f* (*od.* hierba *f*) medicinal; **~kunde** *f* (*0*) medicina *f*, ciencia *f* médica; terapéutica *f*; **2kundig** *adj.* versado en medicina; **~kundige(r)** *m* médico *m*; terapeuta *m*; **~kunst** *f* (*0*) arte *m* de la medicina; **2los** *adj.* sin remedio; (*verzweifelt*) desesperado; (*verheerend*) desastroso; (*unheilvoll*) funesto, aciago; (*ruchlos*) infame; (*zum Verzweifeln*) desesperante; (*unglaublich*) increíble; (*gräßlich*) atroz; (*unverbesserlich*) incorregible; **~magnetismus** *m* (*-*; *0*) mesmerismo *m*; **~massage** *f* masaje *m* terapéutico; **~methode** *f* método *m* terapéutico (*od.* curativo); medicación *f*; **~mittel** *n* remedio *m*; medicina *f*, medicamento *m*; **~mittellehre** *f* (*0*) farmacología *f*; **~pädagogik** *f* (*0*) pedagogía *f* terapéutica; **~pflanze** *f* planta *f* medicinal; **~pflaster** *n* emplasto *m*; **~praktiker** *m* curandero *m*; **~quelle** *f* manantial *m* de agua medicinal; **~salbe** *f* ungüento *m* curativo; **2sam** *adj.* bueno (para la salud), salutífero; ⚕ curativo; (*gesund*) sano, saludable; salubre; (*ersprießlich*) útil, provechoso; (*vorteilhaft*) ventajoso; **~s-armee** *f* Ejército *m* de Salvación; **~serum** *n* (*-s*; *-seren od. -sera*) suero *m* antitóxico; **~slehre** *Theo. f* doctrina *f* de la gracia; **~stätte** *f* sanatorio *m*; **~trank** *m* (*-es*; *⸚e*) poción *f*; **~ung** *f*, **~ungs-prozeß** *m* (*-sses*; *-sse*) (proceso *m* de la) curación *f*; *e-r Wunde*: *a.* cicatrización *f*; **~verfahren** ⚕ *n* procedimiento *m* terapéutico; tratamiento *m* médico; medicación *f*; **~wirkung** *f* efecto *m* curativo *od.* terapéutico; **~wissenschaft** *f* (*0*) ciencia *f* médica.

heim *adv.* (*nach Hause*) a casa; a su casa; (*in die Heimat*) a su país; a su tierra; a su patria chica.

'Heim *n* (*-es*; *-e*) hogar *m* (*a. Jugend2*), casa *f*; (*Wohnung*) morada *f*; domicilio *m*; *e-s Klubs usw.*: local *m* social; (*Zufluchtstätte*) asilo *m*; (*Elternhaus*) casa *f* paterna; (*Studenten2*) residencia *f* de estudiantes; **~arbeit** *f* trabajo *m* domiciliario; *~ verrichten* trabajar en casa; **~abend** *m* (*-s*; *-e*) velada *f* hogareña; **~arbeiter** *m* trabajador *m* domiciliario; **~arbeiterin** *f* trabajadora *f* domiciliaria.

'Heimat *f* país *m* natal, tierra *f* (natal); (*Vaterland*) patria *f*; *engere*: terruño *m*; *aus der ~ vertreiben* expulsar del propio país; *in die ~ entlassen* ⚔ licenciar; *in die ~ zurückschicken* repatriar; **~dichter** *m* poeta *m* regional; **~dorf** *n* (*-es*; *⸚er*) pueblo *m* natal; **~hafen** ⚓ *m* (*-s*; *⸚*) puerto *m* de matrícula; **~kunde** *f* (*0*) geografía *f* regional; **~land** *n* (*-es*; *⸚er*) → *Heimat*; **2lich** *adj.* (del país) natal; patrio; de la tierra (natal); (*~ anmutend*) que recuerda al país natal; **~liebe** *f* (*0*) amor *m* a la tierra natal; apego *m* al terruño; **2los** *adj.* sin domicilio; sin patria; apátrida; **~lose(r** *m*) *m/f* apátrida *m/f*; **~ort** *m* (*-es*; *-e*) lugar *m* de nacimiento; lugar *m* de origen; **~recht** *n* (*-es*; *0*) derecho *m* de ciudadanía; derecho *m* de domicilio; **~schein** *m* (*-es*; *-e*) certificado *m* de nacionalidad; **~staat** *m* (*-es*; *-en*) país *m* de origen; **~stadt** *f* (*-*; *⸚e*) ciudad *f* natal; **~vertriebener** *m* expulsado *m* de su país; (*Flüchtling*) refugiado *m*.

'heim...: **~begeben** (*L*) *v/refl.*: *sich ~* volver a casa; volver (*od.* regresar) a su país; **~begleiten** (*-e*; *-*), **~bringen** (*L*) *v/t.*: *j-n ~* acompañar a alg. a (su) casa.

'Heimchen *Zoo. n* grillo *m*.

'heim...: **~eilen** *v/i.* apresurarse a volver a casa; **~elig** *adj.* hogareño; confortable; que hace recordar la propia casa; **~fahren** (*L*; *sn*) *v/i.* regresar a casa (en coche, tren, barco *usw.*); **2fahrt** *f* regreso *m* (en un vehículo); *auf der ~* a la vuelta, en el viaje de regreso; **2fall** ⚖ *m* (*-es*; *⸚e*) reversión *f*, devolución *f*; **~fallen** ⚖ (*L*; *sn*) *v/i.* revertir, recaer (*an j-n* en); **~fällig** ⚖ *adj.* reversible; **2fallsrecht** ⚖ *n* (*-es*; *-e*) derecho *m* de devolución; **~finden** (*L*) *v/i.* hallar el camino (para regresar a casa); **~fliegen** (*L*; *sn*) *v/i.* regresar en avión *m*; **~führen** *v/t.*: *j-n ~* acompañar a alg. a (su) casa; *e-e Braut ~* casarse, contraer matrimonio con; **2gang** *m* (*-es*; *0*) regreso *m* (a casa); *fig.* fallecimiento *m*; **2gegangene(r** *m*) *m/f* difunto (-a *f*) *m*, finado (-a *f*) *m*; **~gehen** (*L*; *sn*) *v/i.* volver (*od.* regresar) a casa; *fig.* fallecer; **~holen** *v/t.* ir a buscar a alg.; ir a recoger a alg.; **2industrie** *f* industria *f* doméstica; **~isch I.** *adj.* → *heimatlich*; (*häuslich*) doméstico, casero; (*örtlich*) local; (*traulich*) íntimo; (*eingeboren*) indígena (*a.* ♀); (*angestammt*) nativo; (*national*) nacional; *Sprache*: vernáculo; *~ sein* estar en su casa; (*wohnen*) estar domiciliado (*od.* tener su domicilio) en; *in et. ~ sein* ser versado en una materia; **II.** *adv.*: *sich ~ fühlen* estar (*od.* sentirse) como en su propia casa; *~ werden* aclimatarse; **2kehr** *f* (*0*) vuelta *f* (*od.* regreso *m*, *Liter.* retorno *m*) al hogar *bzw.* a (su) casa; regreso *m* a la patria; **~kehren, ~kommen** (*L*; *sn*) *v/i.* volver (*od.* regresar) a casa; volver *od.* regresar (*Liter.* retornar) a la patria; repatriarse; **2kehrer** *m* repatriado *m*; **2kunft** *f* (*0*) → *Heimkehr*; **2leiter(in** *f*) *m* director (-a *f*) *m* de un hogar *bzw.* una residencia; **~leuchten** (*-e-*) *v/i.*: *fig. j-m ~* F enviar a paseo a alg.; soltar cuatro frescas a alg.; **~lich I.** *adj.* secreto; (*verborgen*) oculto, escondido; (*unauffällig*) disimulado; (*verschwiegen*) sigiloso; (*unerlaubt*) clandestino; (*getarnt, heimtückisch*) encubierto; (*verstohlen*) furtivo; (*erschlichen*) subrepticio; (*traulich*) íntimo; (*gemütlich*) confortable; (*anheimelnd*) hogareño; **II.** *adv.* en secreto, secretamente; con disimulo; a hurtadillas, a escondidas; sigilosamente; *~ lachen* reír a socapa; *~, still und leise* discretamente; *sich ~ entfernen* marcharse disimuladamente; F despedirse a la francesa; **2lichkeit** *f* secreto *m*; misterio *m*; disimulo *m*; sigilo *m*; clandestinidad *f*; encubrimiento *m*; (*Traulichkeit*) intimidad *f*; (*Verschlossenheit*) reserva *f*; **2lichtue'rei** *f* secreteo *m*; F tapujo *m*; **~lichtun** (*L*) *v/i.* adoptar un aire misterioso; F andar con tapujos *m/pl.*; **2reise** *f* → *Heimfahrt*; **~schicken** *v/t.* enviar a (su) casa *bzw.* a su patria; *fig.* → *heimleuchten*; **2spiel** *n* (*-es*; *-e*) *Sport* partido *m* en casa; **2stätte** *f* hogar *m* familiar; casa *f* (propia); (*Asyl*) asilo *m*; *fig.* cuna *f*; **2stättengesellschaft** *f* sociedad *f* constructora de casas para familias; **~suchen** *v/t.* (*Kummer*) afligir, atribular; *Rel.* visitar; (*verwüsten*) devastar, asolar; (*prüfen*) someter a dura prueba *f*; (*Feind*) depredar; (*Leiden*) atacar; (*Ungeziefer*) infestar; *mit Plagen*: plagar; azotar, castigar; *heimgesucht* (*von e-m Unglück betroffen*) siniestrado; *vom Krieg heimgesucht* asolado por la guerra; **≈suchung** *f* aflicción *f*, tribulación *f*; (*Prüfung*) prueba *f*; (*Geißel*) azote *m*; (*Plage*) plaga *f*; *Rel.* ~ *Mariä* la Visitación de Nuestra Señora; **~treiben** (*L*) *v/t. Vieh*: conducir al corral; **≈tücke** *f* (*Hinterlistigkeit*) alevosía *f*; (*Treulosigkeit*) perfidia *f*; traición *f*; falsedad *f*; (*Bosheit*) malicia *f* encubierta; (*Hinterhältigkeit*) insidia *f*, asechanza *f*; **~tückisch** *adj.* alevoso; pérfido; traidor; malicioso; insidioso (*a. fig. Krankheit*); **~wärts** *adv.* hacia (su) casa; a casa; hacia la (*od.* su) patria; **≈weg** *m* (*-es*; *-e*) regreso *m*, (camino *m* de) vuelta *f*; *sich auf den ~ machen* ponerse en camino hacia casa; regresar *od.* volver a casa; **≈weh** *n* (*-es*; *0*) nostalgia *f*; **≈wehr** *f* milicia *f* nacional; **~zahlen** *fig. v/t.*: *j-m et. ~* pagar a alg. en la misma moneda; *ich werde es dir ~!* ¡ya me las pagarás!; **~ziehen** (*L*; *sn*) *v/i.* volver a casa.

'**Heinrich** *m* Enrique *m*.

'**Heinzelmännchen** *n* trasgo *m*, duende *m*; gnomo *m*.

'**Heirat** *f* casamiento *m*; (*Ehe*) matrimonio *m*; (*Hochzeit*) boda *f*; *standesgemäße ~* casamiento entre personas de igual condición; *~ zur linken Hand* matrimonio morganático; **≈en 1.** (*-e-*) *v/t.* casarse con, contraer matrimonio con; **2.** *v/i.* casarse, contraer matrimonio; *unter s-m Stande ~* casarse con persona de condición inferior; malcasar(se); *aus Liebe ~* casarse por amor; *des Geldes wegen ~* casarse por interés (*od.* por el dinero); **~en** *n* → *Heirat*.

'**Heirats...**: **~antrag** *m* (*-es*; *⸗e*) petición *f* de mano; petición *f* en matrimonio; proposición *f* matrimonial; *j-m e-n ~ machen* pedir la mano de; pedir en matrimonio a; **~anzeige** *f* participación *f* de boda; (*Ehewunsch*) anuncio *m* matrimonial; **~büro** *n* (*-s*; *-s*) agencia *f* de matrimonios; **≈fähig** *adj.* núbil; casadero; **~fähigkeit** *f* nubilidad *f*; **~gut** *n* (*-es*; *⸗er*) dote *f*; **~kandidat** *m* (*-en*) pretendiente *m*; **≈lustig** *adj.* deseoso de casarse; **~register** *n* registro *m* de matrimonios; **~schwindel** *m* timo *m* del casamiento; **~schwindler** *m* estafador *m* de novias; **~stifter(in** *f*) *m* casamentero (-a *f*) *m*; **~vermittler(in** *f*) *m* agente *m/f* matrimonial; **~vermittlung** *f* agencia *f* de matrimonios; **~versprechen** *n* promesa *f* de matrimonio; **~vertrag** *m* (*-es*; *⸗e*) contrato *m* matrimonial; capitulaciones *f/pl.*

'**heischen** *v/t.* pedir; (*fordern*) exigir; reclamar.

'**heiser I.** *adj.* ronco; *vorübergehend*: enronquecido; **II.** *adv.*: *sich ~ schreien* enronquecer gritando; *~ werden* enronquecer; **≈keit** *f* (*0*) ronquera *f*; *vorübergehende*: enronquecimiento *m*.

heiß I. *adj.* caliente; (*brennend*) ardiente; *kochend* (*od. siedend*) *~* hirviendo; *~e Zone* zona *f* tórrida; *Land, Klima*: cálido, *Wetter*: caluroso (*beide a. fig.*); *es ist ~* (*es Wetter*) hace calor; *mir ist ~* tengo calor; *~e Quelle* fuente *f* termal; *fig.* (*heftig*) ardiente; (*lebhaft*) vehemente; (*inbrünstig*) ferviente, fervoroso; (*leidenschaftlich*) apasionado; *~es Blut haben* ser de temperamento ardiente, ser fogoso; *ein ~er Kopf sein* ser vivo de genio; *es war ein ~er Kampf* fue una lucha encarnizada; *~e Tränen weinen* llorar amargamente; *fig. ~es Eisen* cuestión delicada (*od.* peligrosa); *~e Ware* contrabando; *um den ~en Brei herumgehen* andarse con rodeos; **II.** *adv.* (*heftig*) ardientemente; (*inbrünstig*) con fervor, fervorosamente; (*leidenschaftlich*) apasionadamente; *~ machen* calentar; *~ werden* calentarse; *fig. da ging es ~ her* la lucha fue durísima; la cosa se puso al rojo vivo; *j-m die Hölle ~ machen* hacer a alg. la vida insoportable; amargar la vida (F calentar) a alg.; '**~blütig** *adj.* ardiente, fogoso; apasionado; vehemente; *Zoo.* de sangre caliente; '**≈dampf** ⊕ *m* (*-es*; *⸗e*) vapor *m* recalentado.

'**heißen**[1] **1.** (*L*) *v/t.* (*nennen*) llamar; nombrar; denominar; (*bezeichnen*) calificar; (*befehlen*) mandar; ordenar; *wer hat Sie das geheißen?* ¿quién le ha dicho que haga eso?, ¿quién le ha mandado (hacer) eso?; *j-n willkommen ~* dar la bienvenida a alg. *das heiße ich e-e gute Nachricht* esto es lo que se dice una buena noticia; **2.** *v/i.* (*sich nennen*) llamarse; tener por nombre, denominarse; (*mit Familiennamen*) apellidarse; (*bedeuten*) significar, querer decir; (*gleichbedeutend sein mit*) equivaler a; *was soll das ~?* ¿qué quiere decir eso?, ¿qué significa eso?; *soll das ~, daß...?* ¿significa eso que ...?, ¿acaso quiere usted decir con eso que ...?; *das will et. ~* eso ya es algo; ahí es nada; *das will nicht viel ~* eso no es (*od.* no significa) gran cosa; *das will nichts ~* eso no quiere decir nada; *das hieße alles verlieren* eso equivaldría a perderlo todo; *wie heißt das auf spanisch?* ¿cómo se dice eso en español?; *wie ~ Sie?* ¿cómo se llama usted?, ¿cuál es su gracia?; *das heißt* (*Abk. d. h.*) es decir; esto es; *das heißt also, daß* ... es decir, que ...; o sea que ...; **3.** *v/unprs.*: *es heißt, daß* se dice que ...; dicen que ...; corre el rumor (*od.* hay rumores) de que ...; *es hieß ausdrücklich* se indicó expresamente; se había declarado formalmente; *hier heißt es vorsichtig sein* aquí hay que tener cuidado; *es heißt in der Bibel* en la Biblia se dice; *damit es nicht heiße* ... para que no se diga que ...

'**heißen**[2] (*-t*) ⚓ *v/t.* izar.

'**heiß...**: **~ersehnt** *adj.* vivamente deseado; **~geliebt** *adj.* amado apasionadamente; adorado; **≈hunger** *m* (*-s*; *0*) hambre *f* canina; **~hungrig** *adj.* hambriento (*nach* de); voraz; **~laufen** (*L*; *sn*) *v/i.* ⊕ recalentarse; **≈laufen** ⊕ *n* recalentamiento *m*; **≈luftmaschine** *f* máquina *f* de aire caliente; **≈luftturbine** *f* turbina *f* de aire caliente; **≈sporn** *m* (*-es*; *-e*) *fig.* hombre *m* exaltado; *Pol.* extremista *m*; **≈wasserbereiter** *m* calentador *m* de agua; **≈wasserheizung** *f* calefacción *f* con agua caliente; **≈wasserspeicher** *m* depósito *m* de agua caliente.

'**heiter** *adj.* sereno; (*klar*) claro; (*rein*) puro; (*friedlich*) apacible; (*fröhlich*) alegre; festivo; jovial; (*gut gelaunt*) de buen humor; (*amüsant*) divertido; (*lachend*) risueño; hilarante; *iro.* bonito; *wieder ~ werden* (*Himmel*) despejarse; (*Wetter*) serenarse; **≈keit** *f* (*0*) serenidad *f*; claridad *f*; pureza *f*; apacibilidad *f*; alegría *f*; buen humor *m*; (*Gelächter*) hilaridad *f*, risas *f/pl.*; **≈keits-erfolg** *m* (*-es*; *-e*) éxito *m* de risa.

'**Heiz|anlage** *f* instalación *f* de calefacción; **~apparat** *m* (*-es*; *-e*) aparato *m* de calefacción; calorífero *m*; **≈bar** *adj.* calentable; (*Zimmer*) con calefacción; **~batterie** *f Radio*: pila *f* de alimentación; **~effekt** *m* (*-es*; *-e*) efecto *m* calorífico; **≈en** (*-t*) **1.** *v/t.* calentar; (*Ofen, Herd, Kessel*) encender; hacer fuego, encender lumbre en; *Radio*: alimentar; **2.** *v/i.* arder; calentar; *dieses Zimmer heizt sich gut* esta habitación se calienta en seguida (*od.* es fácil de calentar); **~en** *n* calefacción *f*; ⊕ caldeo *m*; **~er** *m* 🚂, ⚓ fogonero *m*; **~faden** *m* (*-s*; *⸗*) filamento *m* (incandescente); **~fläche** *f* superficie *f* de calefacción; **~gas** *n* (*-es*; *-e*) gas *m* de calefacción; **~gerät** *n* (*-es*; *-e*) calorífero *m*; aparato *m* de calefacción; **~kessel** *m* caldera *f* (de calefacción); **~kissen** *n* almohadilla *f* eléctrica; **~körper** *m* (*Zimmer≈*) radiador *m*; **~kraft** *f* (*0*) potencia *f* calorífica; **~material** *n* (*-s*; *-ien*) combustible(s) *m* (*pl.*); **~ofen** *m* (*-s*; *⸗*) calorífero *m*; estufa *f*; **~öl** *n* (*-es*; *-e*) aceite *m* combustible; **~platte** *f* hornillo *m* (eléctrico); ⊕ placa *f* de calentamiento; **~raum** *m* (*-es*; *⸗e*) (*Feuerraum*) hogar *m*; (*Kesselraum*) sala *f* de calderas; **~rohr** *n* (*-es*; *-e*) tubo *m* de calefacción; ⊕ (*Rauchrohr*) tubo *m* de fuego (*od.* de humos); **~röhrenkessel** ⊕ *m* caldera *f* multitubular; **~schlange** *f* serpentín *m* de calefacción; **~sonne** *f* radiador *m* eléctrico (parabólico); **~spannung** *f Radio*: tensión *f* de filamento; **~strom** *m* (*-es*; *0*) *Radio*: circuito *m* de alimentación; **~ung** *f* calefacción *f*; ⊕ caldeo *m*; (*Heizkörper*) radiador *m*; *elektrische ~* calefacción eléctrica; **~ungs-anlage** *f* instalación *f* de calefacción; **~ungskosten** *pl.* gastos *m/pl.* de calefacción; **~ungstechnik** *f* (*0*) técnica *f* de la calefacción; **~wert** *Phys. m* (*-es*; *-e*) potencia *f* calorífica; **~widerstand** *m* (*-es*; *⸗e*) *Radio*: resistencia *f* de filamento; reóstato *m* de calefacción.

Heka'tombe *f* hecatombe *f*.

Hek'tar *n* (*-s*; -) hectárea *f*.

'**hektisch** ⚕ *adj.* hético; *fig.* febril, inquieto, agitado; vertiginoso.

Hekto'graph *m* (*-en*) hectógrafo *m*, multicopista *m*.

hektogra'phieren (-) *v/t.* multicopiar.

ˈ**Hektoliter** *n* (*-s*; -) hectolitro *m*.
Held *m* (*-en*) héroe *m*; *Liter.* (*e-s Dramas od. Romans*) protagonista *m*; der ~ *des Tages* el hombre del día; F *kein* ~ *in et. sein* no ser una lumbrera en alguna materia.
ˈ**Helden...:** ~**dichtung** *f* poesía *f* épica; ~**gedenktag** *m* (*-es*; *-e*) *Span.* Día *m* de los Caídos; ~**gedicht** *n* (*-es*; *-e*) poema *m* épico; epopeya *f*; cantar *m* de gesta; ~**gestalt** *f* héroe *m*, figura *f* heroica; 2**haft** *adj.* heroico; ~**haftigkeit** *f* (*0*) heroísmo *m*; ~**mut** *m* (*-es*; *0*) heroísmo *m*; 2**mütig I.** *adj.* heroico; **II.** *adv.* heroicamente; como un héroe; ~**mutter** *Thea. f* (-; ⸚) dueña *f*; ~**rolle** *Thea. f* papel *m* trágico; papel *m* de protagonista; ~**sage** *f* leyenda *f* heroica; ~**tat** *f* acción *f* heroica; hazaña *f*, proeza *f* (*beide a. iro.*); ~**tenor** *m* (*-s*; ⸚*e*) tenor *m* dramático; ~**tod** *m* (*-es*; *0*) muerte *f* heroica *od.* gloriosa; *den* ~ *sterben* morir como un héroe; morir por la patria; ~**tum** *n* (*-s*; *0*) heroísmo *m*; ~**vater** *Thea. m* (*-s*; ⸚) barba *m*; ~**volk** *n* (*-es*; ⸚*er*) pueblo *m* heroico (*od.* de héroes); ~**zeitalter** *n* tiempos *m/pl.* heroicos.
ˈ**Held|in** *f* heroína *f*; (*im Drama, Roman*) *a.* protagonista *f*; 2**isch** *adj.* heroico.
ˈ**Helena** *f*, **Heˈlene** *f* Elena *f*.
ˈ**helfen** (*L*) *v/i.*: *j-m* ~ (*behilflich sein*) ayudar (*od.* prestar ayuda) a alg.; (*in der Not*) auxiliar *od.* socorrer a alg.; (*beistehen*) asistir a alg.; secundar a alg.; (*unterstützen*) apoyar a alg.; *j-m bei et.* ~ ayudar a alg. en a/c.; ayudar a alg. a (*inf.*); *ich helfe ihm in den* (*aus dem*) *Mantel* le ayudo a ponerse (quitarse) el abrigo; *sich selber* ~ *können* bastarse a sí mismo; F bastarse y sobrarse; *sich zu* ~ *wissen* saber arreglarse (F manejarse) bien; saber cuidar de sí; ~ *gegen* ⚕ ser bueno para, ser eficaz contra; *sich nicht mehr zu* ~ *wissen* ya no saber qué hacer; *ich kann mir nicht* ~ no puedo remediarlo, (*ich kann nicht umhin*) no puedo menos de (*inf.*); *ich kann mir nicht* ~, *ich muß lachen* no puedo contener la risa; ~ *zu* (*dienen*) servir para; (*nützen*) ser útil para; ser bueno para; *was hilft's?* ¿de qué sirve eso?; *was hilft das Klagen?* ¿de qué sirve lamentarse?; *es wird dir nichts* ~ de nada te servirá eso; *es hilft alles nichts, wir müssen gehen* no hay alternativa, tenemos que marcharnos; nos guste o no, tenemos que irnos; *ihm ist nicht mehr zu* ~ ya no hay remedio para él; *da ist nicht zu* ~ nada puede remediarse (*od.* hacerse); esto ya no tiene remedio; *das hilft nichts* todo eso es inútil; de nada vale eso; *es half alles nichts* todo fue inútil (*od.* en vano); *damit ist mir nicht geholfen* con eso no se me ayuda en nada; *so wahr mir Gott helfe* así Dios me salve; *ich werde dir* ~! *drohend*: ¡ya te daré lo tuyo, descuida!; *j-m auf die Beine* ~ ayudar a alg. a levantarse; *j-m in der Not* ~ auxiliar *od.* socorrer a alg. necesitado de ayuda; *j-m aus der Verlegenheit* ~ ayudar a alg. a salir de un apuro; *j-m bei der Arbeit* ~ ayudar a alg. en su trabajo; *hilf dir selbst, so hilft dir Gott* ayúdate y Dios te ayudará.
ˈ**Helfer(in** *f*) *m* ayudante (-a *f*) *m*; asistente *m*; asistenta *f* (*bsd. im Haushalt*); auxiliar *m*; (*Mitarbeiter*) colaborador(a *f*) *m*; ~ *in der Not* salvador *m*; ~**shelfer(in** *f*) *m* cómplice *m/f*.
ˈ**Helgoland** *n* (isla *f* de) Heligoland.
Helioˈgraph *m* (*-en*) heliógrafo *m*.
Heliograˈphie *f* (*0*) heliografía *f*; telegrafía *f* óptica.
Heliograˈvüre *f* heliograbado *m*, fotograbado *m*.
Helioˈskop *Astr. n* (*-es*; *-e*) helioscopio *m*.
Helioˈstat *Phys. m* (*-en*) helióstato *m*.
Heliotheraˈpie *f* (*0*) helioterapia *f*.
Helioˈtrop ♀, *Phys. u. Min. n* (*-s*; *-e*) heliotropo *m*.
helioˈzentrisch *Astr. adj.* heliocéntrico.
ˈ**Helium** *n* (*-s*; *0*) helio *m*.
hell *adj.* claro; (*klangreich*) sonoro; (*schmetternd*) resonante; (*strahlend*) resplandeciente; radiante; (*erleuchtet*) iluminado; (*leuchtend*) luminoso; (*glänzend*) brillante; (*durchsichtig*) transparente; límpido, diáfano; (*wolkenlos*) *Himmel*: despejado, sereno; (*scharf*) agudo (*a. Stimme*); *Licht, Farbe*: vivo; *fig.* (*intelligent*) inteligente; ingenioso; agudo, perspicaz; (*geweckt*) vivo, despierto; (*rein*) puro; nítido; ~*es Bier* cerveza rubia; ~*es Gelächter* sonoras carcajadas; ~ *auflachen* soltar una carcajada; ~*er Jubel* júbilo desbordante; ~*e Freude* gran alborozo *od.* alegría; *s-e* ~*e Freude an et. haben* (*dat.*) hallar gran placer en a/c.; ~*er Neid* pura envidia; ~*er Unsinn* puro disparate; ~*er Wahnsinn* gran locura; ~*e Augenblicke* momentos de lucidez; ~*er Kopf* espíritu lúcido; *in* ~*en Scharen* en tropel; en masa; *es ist* ~*er Tag* ya es de día; *am* ~*en* (*lichten*) *Tag* en pleno día; *bis in den* ~*en Tag hinein schlafen* dormir hasta ya bien entrado el día; *in* ~*er Begeisterung* con gran entusiasmo; *es wird* ~ *nach trübem Wetter*: el tiempo se aclara, *am Morgen*: amanece; *der Mond scheint* ~ hay luna clara.
ˈ**Hellas** *n* Grecia *f*; la Hélada.
ˈ**hell|blau** *adj.* azul claro *od.* celeste; (*Augen*) zarco; ~**blond** *adj.* rubio claro; ~**braun** *adj.* pardusco; moreno claro; *Haar, Augen*: castaño claro; *Pferd*: bayo (claro); 2**dunkel** *n* penumbra *f*; *Mal.* claroscuro *m*; 2**e** *f* (*0*) claridad *f*; (*Licht*) luz *f*; (*Tageslicht*) luz *f* del día; (*Glanz*) brillo *m*; (*Durchsichtigkeit*) transparencia *f*.
Helleˈbarde [hɛlə-] ⚔ *f* alabarda *f*.
Helˈle|ne [hɛˈle:-] *m* (*-en*) heleno *m*, griego *m*; 2**nisch** *adj.* heleno, helénico, griego.
Helleˈnismus *m* (-; *0*) helenismo *m*.
Heller *m* (*alte Münze*) ardite *m*, cuarto *m*, ochavo *m* (*alle a. fig.*); céntimo *m*, *Am.* centavo *m* (*beide a. fig.*); *keinen roten* ~ *haben* no tener ni un céntimo; F estar sin un cuarto; no tener ni (una perra) gorda; *alles auf* ~ *und Pfennig bezahlen* pagar hasta el último céntimo; *keinen* ~ *wert sein* F no valer un pitoche *od.* ochavo.
ˈ**Helle(s)** *n* caña *f* de cerveza (dorada *od.* rubia).
ˈ**helleuchtend** *adj.* (*bei Trennung*: *hell-leuchtend*) luminoso.
ˈ**hell...:** ~**farbig** *adj.* de color claro; de tono claro; ~**gelb** *adj.* amarillo claro; (*strohgelb*) pajizo; ~**glänzend** *adj.* brillante, resplandeciente; ~**grau** *adj.* gris claro (*od.* perla); ~**grün** *adj.* verde claro; ~**haarig** *adj.* de cabellos rubios; rubio; ~**hörig** *adj.* de oído muy fino; △ de paredes delgadas; ~ *werden* (*die Ohren spitzen*) aguzar el oído, (*Verdacht schöpfen*) concebir sospechas; F escamarse; ~**icht** (*bei Trennung*: *hell-licht*) *adj.*: *am* ~*en Tage* en pleno día; 2**igkeit** *f* (*0*) claridad *f*; *Phot.* luminosidad *f*; 2**igkeitsgrad** *m* (*-es*; *-e*) grado *m* de claridad *bzw.* de luminosidad; 2**igkeitsmesser** *m* luxímetro *m*.
ˈ**Helling** ⚓ *m/f* (-; *-en od. Helligen*) grada *f*; dique *m* de construcción.
ˈ**hell...:** ~**(l)icht** *adj.* → *hell-licht*; 2**sehen** *n* videncia *f*; telepatía *f*; 2**seher(in** *f*) *m* vidente *m/f*; ~**seherisch** *adj.* vidente; telepático; ~**sichtig** *adj.* clarividente; 2**sichtigkeit** *f* clarividencia *f*; ~**strahlend** *adj.* radiante; ~**tönend** *adj.* sonoro; de claro sonido; 2**werden** *n*: *beim* ~ al romper el alba.
Helm *m* (*-es*; *-e*) casco *m*; (*Ritter*2) yelmo *m*; △ cúpula *f*; ⚗ tapa *f* del alambique; ⚓ (caña *f* del) timón *m*; (*Stiel*) mango *m*; ˈ~**bezug** *m* (*-es*; ⸚*e*) cubrecasco *m*; ˈ~**busch** *m* (*-es*; ⸚*e*) penacho *m*; ˈ~**dach** △ *n* (*-es*; ⸚*er*) remate *m*; cúpula *f*; ˈ~**stutz** *m* (*-es*; *-e*) cimera *f*; ˈ~**zierat** *m* (*-es*; *0*) crestón *m*; lambrequín *m*.
Heˈlot *m* (*-en*) *Hist.* ilota *m*.
ˈ**Hemd** *n* (*-es*; *-en*) camisa *f*; *Rel. härenes* ~ (*Büßer*2) cilicio *m*; ~ *mit Schillerkragen* camisa con cuello abierto; *sein* ~ *anziehen* (*ausziehen*) ponerse (quitarse *bzw.* mudarse) la camisa; *fig. j-n bis aufs* ~ *ausziehen* arruinar por completo a alg.; F dejar sin camisa a alg.; *s-e Gesinnung* (*od. Meinung*) *wie das* ~ *wechseln* cambiar de opinión como de camisa; *sein letztes* ~ *hergeben* dar hasta la camisa; *das* ~ *ist mir näher als der Rock* la caridad bien entendida empieza por uno mismo; *fig. kein* ~ *auf dem Leibe haben* no tener ni camisa que ponerse; ser un descamisado; ~**ärmel** *m* manga *f* de camisa; *in* ~*n* en mangas de camisa; 2**ärmelig** *adj.* en mangas de camisa; ~**bluse** *f* blusa-camisa *f*; camisero *m*; ~**blusenkleid** *n* (*-es*; *-er*) vestido-bata *m*.
ˈ**Hemden...:** ~**einsatz** *m* (*-es*; ⸚*e*) pechera *f*; ~**fabrik** *f*, ~**geschäft** *n* (*-es*; *-e*) camisería *f*; ~**fabrikant(in** *f*) *m* (*-en*) camisero (-a *f*) *m*; ~**knopf** *m* (*-es*; ⸚*e*) botón *m* de camisa; (*Manschettenknopf*) gemelo *m*; ~**macher(in** *f*) *m* camisero (-a *f*) *m*; ~**matz** F *m* (*-es*; *-e*) nene *m* en

pelele; ~**stoff** *m* (-*es*; -*e*) tela *f* (*od.* tejido *m*) para camisas.

'**Hemd...**: ~**hose** *f* combinación *f*; ~**kragen** *m* cuello *m* (de camisa); ~**krause** *f* chorrera *f*; ~**weite** *f* número *m* (de camisa).

Hemi'sphär|e [-ɪs'fɛ:-] *f* hemisferio *m*; 2**isch** *adj.* hemisférico.

'**hemmen** *v/t.* (*aufhalten*) detener, parar; (*bremsen*) frenar; (*verhindern*) impedir; (*behindern*) obstruir; (*stören*) estorbar; (*verlangsamen*) moderar; (*verzögern*) retardar; (*einschränken*) restringir, limitar; ⚕ inhibir; (*zurückhalten*) contener; *Flut*: represar, estancar (*a. fig.*); *Stoß*: amortiguar; *Rad*: engalgar; calzar; (*zügeln*) refrenar, poner freno a; (*unterdrücken*) reprimir; *in dieser Umgebung fühle ich mich gehemmt* en este ambiente me siento cohibido; ~**d** *adj.* contrario a; represivo; obstructor; ⚕ inhibitorio; (*das Gegenteil bewirkend*) contraproducente.

'**Hemm...**: ~**nis** *n* (-*ses*; -*se*) traba *f*; estorbo *m*; (*Hindernis*) impedimento *m*, obstáculo *m*; ~**schuh** *m* (-*es*; -*e*) (*Keil*) calza *f*; ⊕ zapata *f* de freno *bzw.* de retención; (*auf der Wagenachse*) galga *f*; *fig.* (*Zügel*) freno *m*; *den* ~ *anlegen* engalgar; *fig.* refrenar, poner freno a; ~**ung** *f* detención *f*; retardación *f*; restricción *f*; ⚕ inhibición *f*; *fig.* cohibición *f*; (*moralische*) escrúpulo *m*; *Uhr*: escape *m*; ⊕ (*Sperrhaken*) trinquete *m*; (*Bremse*) freno *m*; (*Lade*2) ⚔ encasquillamiento *m*; ~*en haben* sentirse cohibido; tener escrúpulos; 2**ungslos** *fig. adj.* desenfrenado; sin escrúpulos; ~**ungslosigkeit** *f* (*0*) desenfreno *m*; ~**vorrichtung** *f am Rad*: galga *f*; (*Bremse*) freno *m*.

Hengst *m* (-*es*; -*e*) caballo *m* entero; (*Zucht*2) semental *m*, caballo *m* padre; *junger* ~ potro *m*.

'**Henkel** *m* asa *f*; *am* ~ *fassen* tomar (*od.* coger) por el asa; ~**glas** *n* (-*es*; ¨*er*) vaso *m* con asa; ~**korb** *m* (-*es*; ¨*e*) cesta *f* de asa; ~**krug** *m* (-*es*; ¨*e*) jarro *m* (con asa *od.* asas); ~**topf** *m* (-*es*; ¨*e*) pote *m* con asas.

'**henken I.** *v/t.* ahorcar; **II.** 2 *n* ahorcadura *f*.

'**Henker** *m* verdugo *m*; *amtlich*: ejecutor *m* de la justicia; *scher dich zum* ~! ¡vete al diablo!; *zum* ~! ¡demonio!; ~**beil** *n* (-*es*; -*e*) hacha *f* del verdugo; ~**block** *m* (-*es*; ¨*e*) tajo *m* (del cadalso); ~**schwert** *n* (-*es*; -*er*) espada *f* de verdugo; ~**sdienst** *m* (-*es*; -*e*) oficio *m* de verdugo; *fig.* flaco servicio *m*; ~**sfrist** *f* plazo *m* perentorio; ~**shand** *f* (*0*): *durch* ~ por mano del verdugo; ~**sknecht** *m* (-*es*; -*e*) mozo *m* del verdugo, sayón *m*; *amtlich*: asistente *m* del ejecutor; ~**smahl**(**zeit** *f*) *n* última comida *f* de un condenado a muerte; *fig.* F banquete *m* de despedida.

'**Henne** *f* gallina *f*; (*Weibchen gewisser Vogelarten*) hembra *f*; *junge* ~ polla *f*.

Hep'tan ⚗ *n* (-*es*; *0*) heptano *m*.

her I. *adv.* aquí, acá; por aquí; de este lado; *komm* ~! ¡ven aquí!, ¡ven acá!, ¡acércate!; *kommen Sie* ~! ¡venga usted!; *nur immer* ~! ¡venga eso!; ~ *damit!* ¡déme usted (*bzw.* dame) eso!, ¡venga eso!; ~ *zu mir!* ¡(para) aquí!; *von* ... ~ (de parte) de ...; *von Süden* ~ del sur, desde el sur; *von da* ~ de allí, desde allí; *von oben* (*unten*) ~ de *od.* desde arriba (abajo); *von außen* ~ de fuera, desde fuera; *von weit* ~ de lejos, desde lejos; *Bier* ~! ¡venga cerveza!, ¡que traigan cerveza!; *fig. nicht weit* ~ *sein* no significar (*od.* valer) gran cosa; *hinter j-m* ~ *sein* (*verfolgend*) perseguir de cerca a alg., ir a los alcances de alg.; *hinter e-r Sache* ~ *sein* tratar de conseguir a/c.; perseguir a/c.; *rings um*~ alrededor de ...; *rings um ihn* ~ alrededor de él, en torno suyo, a su alrededor; *hin und* ~ de acá para allá; de un lado a (*od.* para) otro; *hin und* ~ *gehen* ir y venir; et. *hin und* ~ *überlegen* considerar en todos los aspectos a/c.; cavilar sobre a/c.; rumiar a/c.; *von alters* ~ desde tiempos inmemoriales; *wie lange ist es* ~? ¿cuánto tiempo hace?; *es ist ein Jahr* ~ hace un año; *von je* ~ de (*od.* desde) siempre; *wo ist er* ~? ¿de qué país es (él)?; ¿de dónde procede?; *wo kommt er* ~? ¿de dónde viene (él)?; *wo hat er das* ~? ¿dónde ha adquirido (él) eso?; **II.** 2 *n*: *das Hin und* ~ el ir y venir; el vaivén.

he'rab *adv.* abajo; hacia *od.* para abajo; *von oben* ~ de arriba (abajo); *fig.* con altivez; (con aire) altanero; ~**begeben** (*L*; -) *v/refl.*: *sich* ~ bajar; ~**bemühen** (-) **1.** *v/t.*: *j-n* ~ pedir a alg. que baje; **2.** *v/refl.*: *sich* ~ inclinarse; ~**blicken** *v/i.* mirar hacia abajo; *fig. auf j-n* ~ mirar a alg. con desprecio; ~**drücken** *v/t.* (hacer) bajar; *Preis*: rebajar, reducir; 2**drückung** *f des Preises*: rebaja *f*, reducción *f*; ~**eilen** (*sn*) *v/i.* bajar apresuradamente; ~**fahren** (*L*; *sn*) *v/t.* bajar; descender; ~**fallen** (*L*; *sn*) *v/i.* caer (al suelo); 2**fallen** *n* caída *f*; ~**fliegen** (*L*; *sn*) *v/i.* volar abajo; abatir el vuelo; descender (volando); ~**fließen** (*L*; *sn*) *v/i. in Tropfen*: gotear; correr (*in dat.* hacia); *Fluß*: nacer (*von* en); descender; ~**führen** *v/t.* llevar *bzw.* conducir abajo; ~**gehen** (*L*; *sn*) *v/i.* bajar (*a. Preise*), descender; *im Preis* ~ reducir el precio; 2**gehen** *n* descenso *m*; *der Preise*: reducción *f*, rebaja *f*; ~**gleiten** (*L*; *sn*) *v/i.* ir descendiendo; deslizarse hacia abajo; ~**hängen** *v/i.* pender, colgar; ~*d* colgante; *Flügel, Ohren*: caídas; ~**holen** *v/t.* (hacer) bajar; (*Flagge, Segel*) arriar; ~**kommen** (*L*; *sn*) *v/i.* bajar, descender; *fig.* decaer; venir a menos; ~**lassen** (*L*) **1.** *v/t.* bajar; hacer bajar; ✝ rebajar; *Vorhänge usw.*: bajar; **2.** *v/refl.*: *sich* ~ descolgarse (*am Seil* por una cuerda); *fig. sich zu j-m* ~ ser condescendiente con alg.; *sich zu et.* ~ condescender en a/c.; *sich* ~, et. *zu tun* dignarse hacer a/c.; ~**lassend** *adj.* condescendiente; (*geringschätzig*) desdeñoso; altanero; *adv.* con aire de desprecio; 2**lassung** *f* (*0*) *fig.* condescendencia *f*; ~**laufen** (*L*; *sn*) *v/i.* bajar corriendo; correr abajo; *Flüssigkeiten*: → *herabfließen*; *Weg*: descender, bajar; ~**mindern** (-*re*) *v/t.* reducir; disminuir; ~**nehmen** (*L*) *v/t. v. Haken*: descolgar; *v. Kreuz*: descender; (*wegnehmen*) quitar; ~**regnen** (-*e*-) *v/i.* llover (*auf ac.* sobre); ~**reichen** *v/t.* alcanzar (desde arriba); ~**reißen** (*L*) *v/t.* arrancar; ~**rollen** (*sn*) *v/i.* bajar rodando; rodar abajo; (*Tränen*) correr, caer; ~**schaffen** *v/t.* llevar *od.* trasladar abajo; bajar; ~**schießen** (*L*) **1.** *v/t.* derribar de un tiro; *Jgdw.* matar al vuelo; **2.** (*sn*) *v/i.* (*stürzen*) precipitarse *od.* lanzarse (*auf ac.* sobre); (*sich herabstürzen*) precipitarse, arrojarse; ~**schütteln** (-*le*) *v/t.* hacer caer sacudiendo; ~**schweben** (*sn*) *v/i.* descender planeando; ~**sehen** (*L*) *v/i.* → *herabblicken*; ~**setzen** (-*t*) *v/t.* bajar; colocar más bajo; *Preis*: rebajar, reducir; *zu herabgesetzten Preisen* a precio reducido; *fig. Ruf*: desacreditar, desprestigiar; denigrar; 2**setzung** *f* disminución *f*; *des Preises*: reducción *f*, rebaja *f*; *fig. des Rufes*: descrédito *m*, desprestigio *m*; denigración *f*; ~**sinken** (*L*; *sn*) *v/i.* caer lentamente, ir cayendo; bajar; (*absinken*) hundirse; ~**springen** (*L*; *sn*) *v/i.* saltar abajo; ~**steigen** *v/i.* bajar, descender (*von* de); ~**stoßen** (*L*) **1.** *v/t.* empujar hacia abajo; **2.** *v/i.* precipitarse, lanzarse (*auf ac.* sobre); *Raubvögel*: abatirse sobre; ✈ picar; ~**strömen** *v/i. Regen*: llover torrencialmente; ~**stürzen** (-*t*) **1.** *v/t.* precipitar (*von* desde); *v. Felsen*: despeñar; **2.** (*sn*) *v/i.* caer (*von* de); despeñarse; **3.** *v/refl.*: *sich* ~ arrojarse, precipitarse (*von* desde); despeñarse; ~**tropfen** *v/i.* gotear; ~**wälzen** (-*t*) *v/t.* rodar abajo; ~**werfen** (*L*) *v/t.* tirar, echar abajo; ~**würdigen** *v/t.* degradar; envilecer; *sich* ~ degradarse; envilecerse; 2**würdigung** *f* degradación *f*; envilecimiento *m*; ~**ziehen** (*L*) **1.** *v/t.* tirar hacia abajo; *fig.* → *herabwürdigen*; **2.** (*sn*) *v/i.* bajar, descender.

He'ral|dik *f* (*0*) heráldica *f*; 2**disch** *adj.* heráldico.

he'ran *adv.* por aquí, por este lado; *komm* ~! ¡ven acá!, ¡acércate!; ~**arbeiten** (-*e*-) *v/refl.*: *sich* ~ aproximarse lentamente; ⚔ (*mühsam*) aproximarse (penosamente); ~**bilden** (-*e*-) *v/t. u. v/refl.* formar(se); 2**bildung** *f* formación *f*; ~**bringen** (*L*) *v/t.* aproximar, acercar, (a)traer; ~**drängen** *v/refl.*: *sich* ~ *an* (*ac.*) abrirse paso empujando para llegar a; ~**eilen** (*sn*) *v/i.* acudir presuroso; acercarse rápidamente; ~**fliegen** (*L*; *sn*) *v/i.* aproximarse volando; ~**führen** *v/t.* conducir hasta; ~**gehen** (*L*; *sn*) *v/i.* acercarse, aproximarse (*an ac.* a); *an e-e Aufgabe*: emprender, abordar; ~**holen** *v/t.* aproximar; traer; ~**kommen** (*L*; *sn*) *v/i.* acercarse, aproximarse; llegar; ⚔ avanzar; ~**machen** *v/refl.*: *sich an* et. ~ (*ac.*) emprender *od.* abordar una tarea; ponerse a hacer a/c.; *sich an j-n* ~ acercarse *od.* abordar a alg.; ~**nahen** *v/i.* acercarse, aproximarse; llegar; ⚔ avanzar; *v. drohenden Gefahren*: ser inminente; 2**nahen** *n* aproximación *f*;

~pirschen *v/refl.*: *sich ~* ir acercándose con precaución; acercarse furtivamente; **~reichen** *v/i.*: *~ an* (*ac.*) alcanzar a; *fig. an j-n ~* igualar a alg.; **~reifen** (*sn*) *v/i.* madurar, ir madurando; *zum Manne ~* llegar a la edad madura; **~rollen** (*sn*) *v/i.* aproximarse rodando; **~rücken 1.** *v/t.* aproximar, acercar; **2.** (-; *sn*) *v/i.* aproximarse, acercarse; **℞rücken** *n* aproximación *f*; **~schleichen** (*L*; *sn*) *v/i.* aproximarse lentamente *od.* con precaución; acercarse furtivamente; ir acercándose poco a poco; **~schwimmen** (*L*; *sn*) *v/i.* acercarse nadando (*od.* a nado); **~treten** (*L*; *sn*) *v/i.* acercarse, aproximarse (*an ac.* a); *an j-n ~* dirigirse (*od.* abordar) a alg.; **~wachsen** (*L*; *sn*) *v/i.* crecer, ir creciendo; **℞wachsen** *n* crecimiento *m*; **~wagen** *v/refl.*: *sich ~ an* (*ac.*) osar acercarse a; *fig.* atreverse a emprender; **~winken** *v/t.*: *j-n ~* hacer señas a alg. para que se acerque; **~ziehen** (*L*) **1.** *v/t.* atraer; *fig. j-n ~* (*interessieren für*) interesar a alg. en; (*sich berufen auf*) referirse a; (*aufziehen*) criar; educar; (*um Rat fragen*) consultar a; *~ zu* llamar a; emplear en; hacer contribuir a; ⚔ *zum Heeresdienst ~* alistar; *Am.* enrolar; **2.** (*sn*) *v/i.* → *herannahen.*

he'rauf *adv.* hacia arriba; arriba; subiendo; *von unten ~* de abajo arriba; desde abajo; ⚔ *von unten ~ dienen* pasar por todos los grados; *da ~* por allí; *~ und herab* (*od. hinab*) subiendo y bajando; *die Treppe ~* subiendo la escalera; escaleras arriba; **~arbeiten** (*-e-*) *v/refl.*: *sich ~* elevarse por su propio esfuerzo; crearse una posición; **~bemühen** (-) **1.** *v/t.*: *j-n ~* pedir a alg. que suba; **2.** *v/refl.*: *sich ~* tomarse la molestia de subir; **~beschwören** (*L*; -) *v/t.* evocar; *fig.* (*verursachen*) causar, originar; provocar; **~bitten** (*L*) *v/t.* rogar a alg. que suba; **~bringen** (*L*) *v/t.* llevar *od.* trasladar arriba; subir; *j-n ~* conducir *od.* acompañar a alg. arriba; **~eilen** (*sn*) *v/i.* subir de prisa; **~führen** *v/t.* llevar *od.* conducir (hacia) arriba; **~gehen** (*L*; *sn*) *v/i.* subir (a); **~helfen** (*L*) *v/i.* ayudar a subir; **~holen** *v/t.* subir; *j-n*: hacer subir a alg.; **~klettern** (*-re*; *sn*), **~klimmen** (*L*; *sn*) *v/i.* trepar; (*Berg*) subir; escalar; **~kommen** (*L*; *sn*) *v/i.* subir; llegar (*od.* transportar) arriba; **~laufen** (*L*; *sn*) *v/i.* subir corriendo; **~rükken** (*sn*) *v/i.* subir; avanzar; **~schrauben, ~setzen** (*-t*) *v/t.* (*Preis*) subir, elevar, aumentar; *Docht*: subir; **~steigen** (*L*; *sn*) *v/i.* subir (*auf ac.* a); **~tragen** (*L*) *v/t.* llevar (*od.* trasladar *od.* transportar) arriba; subir; **~ziehen** (*L*) **1.** *v/t.* alzar; tirar hacia arriba; **2.** (*sn*) *v/i.* *Gewitter*: amenazar, cernerse.

he'raus *adv.* fuera; afuera; hacia fuera; fuera de; por fuera; *~ damit!* ¡enséñelo *bzw.* enséñalo!; ¡venga eso!; *~ mit der Sprache!* ¡explíquese!, ¡hable!; P ¡desembucha!; *frei ~* francamente, con (toda) franqueza; sin rodeos; (*schonungslos*) crudamente; *von innen ~* desde adentro; *nach vorn ~ wohnen* habitar en un piso que da a la calle; *zum Fenster ~* por la ventana; *da ~* saliendo (por allí); *unten ~* por debajo; *~!* (F *a. Abk. raus*) ¡fuera de aquí!, F ¡largo de aquí!; *~* (F *raus*) *mit ihm!* ¡fuera!, ¡fuera con él!, ¡echarle!; *das ist noch nicht ~* (*steht noch nicht fest*) todavía no es seguro (*od.* no se sabe con certeza); *das Buch ist noch nicht ~* el libro todavía no ha aparecido; **~arbeiten** (*-e-*) **1.** *v/t.* (*Stein, Holz*) cincelar, labrar; (*Plastik*) trabajar en relieve; *aus dem Groben ~* desbastar; *fig.* (*hervortreten lassen*) poner de relieve, realzar, destacar; **2.** *v/refl.*: *sich ~* lograr salir adelante; **~beißen** (*L*) **1.** *v/t.* arrancar con los dientes; **2.** *v/refl.*: *sich ~* salir de una situación apurada; **~bekommen** (*L*; -) *v/t.* lograr sacar; *Geständnis*: arrancar; *Rätsel*: adivinar; *Aufgabe*: resolver, solucionar; *Geld*: recibir de vuelta; *Flecken*: quitar; (*entdecken*) descubrir; (*erfahren*) llegar a saber; (*finden*) hallar, encontrar; (*erforschen*) averiguar; *Arith.* obtener como resultado *m*; **~bemühen** (-) **1.** *v/t.*: *j-n ~* rogar a alg. que salga; **2.** *v/refl.*: *sich ~* tomarse la molestia de salir; **~bitten** (*L*) *v/t.* rogar salir; **~blicken** *v/i.*: *aus dem Fenster ~* mirar por la ventana; **~brechen** (*L*) *v/t.* arrancar; quitar rompiendo; **~bringen** (*L*) *v/t.* sacar, llevar afuera; ☤ lanzar al mercado; *Buch*: publicar; editar; *Thea.* estrenar; *Fleck*: quitar, sacar; (*erfahren*) llegar a saber; (*entwirren*) desenredar, desembrollar; (*erraten*) adivinar; (*entdecken*) descubrir; *Sinn*: llegar a comprender; *Wort*: proferir; decir; *kein einziges Wort ~ können* no poder decir ni (una sola) palabra; *aus j-m nichts ~* no lograr sacarle a alg. ni una palabra; **~drängen** *v/t.* hacer salir apretando (*od.* empujando); **~dringen** (*L*; *sn*) *v/i.* *Flüssigkeit, Rauch*: salir(se); **~drücken** *v/t.* empujar hacia afuera; exprimir; **~dürfen** (*L*) *v/i.* tener permiso *m* para salir; **~ekeln** (*-le*) *v/t.*: *j-n ~* F amargar la vida a alg. hasta que se marche asqueado; **~eilen** (*sn*) *v/i.* salir de prisa; **~fahren** (*L*; *sn*) *v/i.* salir en coche; *fig.* (*herausrutschen*) escaparse; *das Wort ist ihm herausgefahren* se le escapó la palabra; **~fallen** (*L*; *sn*) *v/i.* caer fuera; **~finden** (*L*) **1.** *v/t.* descubrir; distinguir (*aus, zwischen dat.* entre); **2.** *v/refl.*: *sich ~* encontrar la salida; *fig.* (*sich zu helfen wissen*) saber arreglarse (F manejarse), bastarse a sí mismo; **~fischen** *v/t.* sacar del agua; **~fliegen** (*L*; *sn*) *v/i.* salir (volando); **~fließen** (*L*; *sn*) *v/i.* derramarse; desbordarse; *Quelle*: brotar, fluir; **℞forderer** *m* provocador *m*; *zum Duell*: desafiador *m*, retador *m*; **~fordern** (*-re*) *v/t.* *Gegenstand*: reclamar la devolución; (*feindlich*) provocar; *zum Duell*: desafiar, retar; **~fordernd** *adj.* provocador; provocativo; desafiador, retador; (*anmaßend*) arrogante; **℞forderung** *f* provocación *f*; desafío *m*, reto *m*; *schriftliche ~* cartel de desafío; **~fühlen** *v/t.* sentir; barruntar; (*erraten*) adivinar; **~führen** *v/t.* llevar afuera; acompañar afuera; **℞gabe** *f* (*Auslieferung*) entrega *f*; (*Rückerstattung*) devolución *f*, ⚖ restitución *f*; *e-s Buches*: publicación *f*; edición *f*; **~geben** (*L*) *v/t.* dar; (*ausliefern*) entregar; (*zurückerstatten*) devolver, ⚖ restituir; *Geld*: dar la vuelta; *Buch*: publicar; editar; dar a la luz; **℞geber** *m e-s Buches*: editor *m*; *e-r Zeitung*: director *m*; **~gehen** (*L*; *sn*) *v/i.* salir (*aus* de); *auf die Straße ~ Zimmer*: dar a la calle; *beim* ℞ al salir, a la salida (*aus* de); **~greifen** (*L*) *v/t.* entresacar; (*wählen*) escoger; **~gucken** *v/i.*: *aus der Tasche ~* asomar, asomando del bolsillo; *aus dem Fenster ~* mirar por la ventana; **~haben** (*L*) *v/t.* haber descubierto; *ich hab's heraus* ahora comprendo; (*Lösung*) ya di con solución; **~halten** (*L*) *v/refl.*: *sich aus et. ~* mantenerse al margen de un asunto; no mezclarse en a/c.; **~hängen 1.** *v/i.* colgar fuera; *die Zunge ~ lassen Hund*: estar con la lengua fuera; tener la lengua colgando; **2.** *v/t.* colgar (fuera); *Fahne*: arbolar; **~hauen** *v/t.* sacar a golpes; ⚔ abrirse paso con las armas; **~heben** (*L*) *v/t.* sacar (*aus* de); *fig.* realzar, destacar, poner de relieve; **~helfen** (*L*) *v/i.* ayudar a salir de; *beim Aussteigen*: ayudar a bajar; *fig. j-m* (*aus der Not*) *~* ayudar a alg. a salir de un apuro; **~holen** *v/t.*: *aus der Tasche ~* sacar del bolsillo; *aus dem Hause ~* ir a buscar a alg. a su casa; *das Letzte aus sich ~* hacer lo humanamente posible; F poner toda la carne en el asador; **~jagen** *v/t.* echar afuera; **~kehren** *fig. v/t.*: *den ... ~* presumir de, F echárselas de; **~klauben** *v/t.*: *~ aus* (*dat.*) sacar de; escoger de entre; **~kommen** (*L*; *sn*) *v/i.* salir (*aus* de); (*entfliehen*) escapar de; *fig. aus e-r Gefahr ~* escapar (*od.* salvarse) de un peligro; (*erscheinen*) aparecer; *Buch*: publicarse; (*entdeckt werden*) descubrirse; (*bekanntwerden*) divulgarse; llegar a saberse; *mit der Wahrheit ~* confesar (*ac.*); *Ergebnis*: resultar; *was kommt dabei heraus?* ¿cuál es el resultado de eso?; ¿qué provecho hay en eso?; *auf eins* (*od. dasselbe*) *~* venir a ser lo mismo; *dabei kommt nichts heraus* eso no conduce a nada; con eso no se adelanta nada; *fig. aus der Verwunderung nicht ~* no salir de su asombro; *sein Los ist mit e-m Gewinn herausgekommen* su número ha salido premiado; **~können** (*L*) *v/i.* poder salir; **~kriechen** (*L*; *sn*) *v/i.* salir arrastrándose (*aus dem Ei* del cascarón); **~kriegen** F *v/t.* → *herausbekommen*; **~kristallisieren** (-) *v/refl.*: *sich ~* cristalizarse; **~lassen** (*L*) *v/t.* dejar *bzw.* hacer salir; *Gefangene*: poner en libertad; **~laufen** (*L*; *sn*) *v/i.* correr (hacia) afuera; salir corriendo; **~legen** *v/t.* poner fuera *bzw.* aparte; **~lehnen** *v/refl.*: *sich ~* asomarse; **~lesen** (*L*) *v/t.* → *herausklauben*; *~ aus* interpretar (*ac.*); **~locken** *v/t.* atraer hacia fuera; *ein Geheimnis aus j-m ~* sonsacar a alg. un secreto; **~lösen** ⚗ *v/t.* eliminar; **~lügen** (*L*) *v/refl.*: *sich ~* salir de un apuro recurriendo a la mentira; **~machen 1.** *v/t. Fleck*: quitar; **2.** *v/refl.*: *sich* ~ ⚕ mejorar; (*schön werden*) embellecerse, F ponerse guapo; **~nehmbar** ⊕ *adj.* separable; desmontable; **~nehmen** (*L*) *v/t.* sacar (*aus* de); quitar (de); retirar (de); (*ausbauen*) desmontar; *Chir.* extirpar; extraer; *fig. sich et.* ~ permitirse a/c.; *sich* (*große*) *Freiheiten* ~ tomarse mucha libertad; *sich* (*zu*)*viel* ~ excederse; propasarse; ser muy atrevido; **~platzen** (*-t, sn*) *v/i.* estallar; *mit et.* ~ F dejar escapar; soltar; salir *od.* descolgarse con; (*mit Lachen*) prorrumpir en carcajadas; **~pressen** (*-ßt*) *v/t.* exprimir; *Geld*: sacar; *Geständnis*: arrancar; *Saft*: extraer; *aus j-m et.* ~ extorcar a alg. a/c.; **~putzen** (*-t*) *v/t.* engalanar; adornar; *j-n*: ataviar; *sich* ~ ataviarse, F emperejilarse; **~quellen** (*L*; *sn*) *v/i.* brotar; **~ragen** *v/i.* sobresalir (*aus* en; *über ac.* entre); *aus et.* ~ elevarse sobre (*od.* por encima de) a/c.; **~reden** (*-e-*) **1.** *v/t.*: *frei* ~ hablar francamente; **2.** *v/refl.*: *sich* ~ (*sich entschuldigen*) disculparse, excusarse; → *herauslügen*; **~reißen** (*L*) **1.** *v/t.* arrancar; quitar; extraer; extirpar; **2.** *v/refl.*: *sich* (*aus der Not*) ~ salir de un apuro; **Ձreißen** *n* extracción *f*; extirpación *f*; **~rücken 1.** *v/t. Geld*: pagar, desembolsar, F aflojar la mosca; **2.** (*sn*) *v/i.*: *mit et.* ~ mostrar a/c.; (*gestehen*) confesar a/c.; *mit der Sprache* ~ decidirse a hablar claramente; **~rufen** (*L*) **1.** *v/t. j-n* ~ llamar a alg. para que salga; ⚔ *die Wache* ~ llamar a las armas; *Thea.* llamar a escena; **2.** *v/i. zum Fenster* ~ llamar (a voces) por la ventana; **Ձrufen** *Thea. n* llamada *f* a escena; **~sagen** *v/t.* declarar francamente; (*gestehen*) confesar; *sagen wir es* (*nur*) *gleich heraus!* digámoslo ya de una vez; **~schaffen** *v/t.* transportar afuera; sacar; hacer salir; (*entfernen*) quitar; (*verschwinden machen*) hacer desaparecer; **~schälen** *v/t.* sacar; desenvolver; (*Frucht*) mondar, pelar; **~schauen** *v/i.*: *aus dem Fenster* ~ mirar por la ventana; asomarse a la ventana; **~scheren** *v/refl.*: *sich* ~ marcharse; **~schicken** *v/t.* decir a alg. que salga; enviar a alg. (a)fuera; **~schießen** (*L*; *sn*) *v/i. Quelle*: brotar (*aus* de); **~schlagen** (*L*) **1.** *v/t.* sacar a golpes; *fig.* sacar (*aus* de); (*gewinnen*) ganar; sacar provecho *m* de; *s-e Kosten* ~ cubrir (los) gastos, resarcirse de los gastos; **2.** *v/i.* salir (*aus dat.* de, por); **~schleichen** (*L*) *v/refl.*: *sich* ~ deslizarse hacia afuera; marcharse a hurtadillas; **~schleppen** *v/t.* arrastrar afuera; **~schleudern** (*-re*) *v/t.* lanzar, arrojar; **~schlüpfen** *v/i.* deslizarse hacia afuera; **~schneiden** (*L*) *v/t.* cortar; *Chir.* extirpar; **~schrauben** *v/t.* des(a)tornillar; **~sehen** (*L*) *v/i.*: *aus der Tasche* ~ asomar del bolsillo; *aus dem Fenster* ~ mirar por (*bzw.* asomarse a) la ventana; **~springen** (*L*; *sn*) *v/i.* saltar afuera; *jd.*: arrojarse, tirarse (*aus* de); *et.*: desprenderse; *Flüssigkeiten*: brotar; salir; (*entweichen*) escaparse; *dabei springt nichts heraus* eso no produce ningún provecho (*od.* no rinde ningún beneficio); **~spritzen** (*-t*; *sn*) *v/i.* salir a chorro; **~sprudeln** (*-le*; *sn*) *v/i.* brotar, manar; (*wallend*) borbotar; **~stecken** *v/t.* poner *od.* colocar fuera; *Fahne*: desplegar; **~stellen 1.** *v/t.* poner afuera; (*zeigen*) mostrar; (*zur Schau stellen*) exhibir, exponer; *Spieler*: oponer; *fig.* (*hervorheben*) evidenciar; poner de relieve, hacer resaltar; destacar; **2.** *v/refl.*: *sich* ~ mostrarse, manifestarse; (*als Ergebnis*) resultar; (*entdeckt werden*) descubrirse; *es hat sich herausgestellt, daß* ... se ha comprobado que...; ha resultado (que)...; quedó evidenciado que...; **~strecken** *v/t.* sacar; extender; *den Kopf* ~ asomar la cabeza, *zum Fenster*: a la ventana; *j-m die Zunge* ~ sacar(le) la lengua a alg.; **~streichen** (*L*) *v/t.* borrar; tachar; *fig.* (*rühmen*) alabar, enaltecer, ensalzar; F poner en los cuernos de la luna; **~strömen** (*sn*) *v/i.* (*Quelle*) brotar; (*wallend*) salir a borbotones; (*Menschenmenge*) salir en masa; **~stürmen** (*sn*) *v/i.* salir con impetuosidad *f*; **~stürzen** (*-t*) **1.** *v/t.* arrojar; (*sich*) *zum Fenster* ~ arrojar(se) *od.* tirar(se) por la ventana; **2.** (*-sn*) *v/i.* salir precipitadamente, F salir de estampía; **~suchen** *v/t.* escoger, separar (*aus* de); **~treten** (*L*; *sn*) *v/i.* salir, salirse (*aus* de); (*hervorragen*) sobresalir; destacarse de; **~treiben** (*L*) *v/t.* echar afuera; **~wachsen** (*L*; *sn*) *v/i.* ⚘ crecer, brotar (*aus* de); *er ist aus s-n Kleidern herausgewachsen* la ropa le ha quedado corta; F *fig. das wächst mir zum Halse heraus* ya estoy de eso hasta la coronilla; ya estoy harto de eso; **~wagen** *v/refl.* atreverse a salir; *sich mit der Sprache* ~ atreverse a hablar; **~wälzen** (*-t*) *v/t.* hacer rodar hacia afuera, sacar rodando; **~werfen** (*L*) *v/t.* arrojar; echar (a)fuera; **~winden** (*L*) *v/refl.*: *sich* ~ lograr (*od.* F arreglárselas para) salir de una situación apurada; **~wirtschaften** (*-e-*) *v/t.* obtener (*aus* de), sacar (de); **~wollen** (*L*) *v/t.* querer salir; *mit der Sprache nicht* ~ no querer hablar; F no querer soltar prenda; **~ziehen** (*L*) *v/t.* sacar (*aus* de); extraer (de); ⚕, *Zahn*: extraer; *Nagel*: arrancar, sacar; ⚔ *Truppenteil*: retirar; (*exzerpieren*) extractar.

herb *adj.* áspero; (*scharf*) acre; (*sauer*) ácido, agrio; (*zusammenziehend*) astringente; *Wein*: seco; *fig.* (*bitter*) amargo; acerbo; (*beißend*) mordaz; cáustico; (*streng*) austero; (*rauh*) rudo, áspero.

Her'barium [-rĭ-] *n* (*-s*; *Herbarien*) herbario *m*.

'Herbe *f* (*0*) aspereza *f*; acritud *f*; acidez *f*; *fig.* amargura *f*; acerbidad *f*; rudeza *f*, aspereza *f*; (*Strenge*) austeridad *f*.

her'bei *adv.* aquí, acá; por aquí, por acá; por este lado; hacia aquí; ~! ¡acérquense!; ¡vengan aquí!; **~bringen** (*L*) *v/t.* traer *bzw.* llevar; (*verschaffen*) procurar, proporcionar; *Beweise*: aducir; alegar; **~eilen** (*sn*) *v/i.* acudir (de prisa); **~fliegen** (*L*; *sn*) *v/i.* llegar volando; *fig.* acudir rápidamente; **~führen** *v/t.* traer; *fig.* causar, producir; originar; motivar; ocasionar; acarrear; *Gelegenheit*: proporcionar; **~holen** *v/t.* ir a buscar; ~ *lassen* enviar a buscar; **~kommen** (*L*; *sn*) *v/i.* acercarse; **~lassen** (*L*) *v/refl.*: *sich* ~ consentir en; condescender en; (*gnädigst*) dignarse hacer a/c.; **~laufen** (*L*; *sn*) *v/i.* acudir corriendo; **~locken** *v/t.* atraer; **~rufen** (*L*) *v/t.* llamar; hacer venir; **~schaffen** *v/t.* (*bringen*) traer; (*verschaffen*) procurar, proporcionar; (*Beweise*) aducir; alegar; (*kommen lassen*) hacer venir; (*beisteuern*) aportar; contribuir con; **~schleppen** *v/t.* arrastrar penosamente; **~sehnen** *v/t.* anhelar la llegada de; **~strömen** (*sn*) *v/i.* afluir; llegar en masa; **~stürzen** (*-t*; *sn*) *v/i.* precipitarse hacia; acudir presurosamente; **~tragen** (*L*) *v/t.* traer *bzw.* llevar; **~winken** *v/t.*: *j-n* ~ llamar a alg. por señas; **~wünschen** *v/t.* → *herbeisehnen*; **~ziehen** (*L*) *v/t.* traer, arrastrar (*an dat.* por); *fig.* atraer; *an den Haaren* ~ traer por los cabellos.

'her...: ~bekommen (*L*; *-*) *v/t.* lograr traer; conseguir; obtener; procurarse; *wo soll ich das Geld* ~? ¿de dónde voy a sacar el dinero?; **~bemühen** (*-*) **1.** *v/t.*: *j-n* ~ invitar a alg. a venir; rogar a alg. que venga; **2.** *v/refl.*: *sich* ~ tomarse la molestia de venir; **~beordern** (*-re*; *-*) *v/t.*: *j-n* ~ ordenar a alg. que venga.

'Herberg|e ['hɛʀbɛʀgə] *f* (*Wirtshaus*) albergue *m*, hospedería *f*, parador *m*; posada *f*, mesón *m*; (*Hütte*) refugio *m*; (*Unterkunft*) alojamiento *m*; (*Jugend*Ձ) albergue *m* juvenil; *j-m* ~ *geben* dar hospedaje (*od.* hospedar *od.* albergar) a alg.; **~smutter** *f* (*-*; *ⁿ*) dueña *f* de un albergue; posadera *f*, mesonera *f*; **~svater** *m* (*-s*; *ⁿ*) (*Gastwirt*) posadero *m*, mesonero *m*.

'her...: ~bestellen (*-*) *v/t.* llamar, hacer venir; ⚖ citar; **~beten** (*L*) *v/t.* recitar maquinalmente.

'Herbheit *f* (*0*) → *Herbe*.

'her...: ~bitten (*L*) *v/t.* rogar a alg. que venga; **~bringen** (*L*) *v/t.* traer.

'Herbst *m* (*-es*; *-e*) otoño *m*; *im* ~ en otoño; **~abend** *m* (*-s*; *-e*) tarde *f bzw.* noche *f* de otoño; **~anfang** *m* (*-es*; *0*) comienzo *m* del otoño; **~blume** ⚘ *f* flor *f* otoñal (*od.* de otoño); **Ձen 1.** *v/unprs.*: *es herbstet* ya llega el otoño; **2.** (*-e-*) *v/t.* (*ernten*) cosechar; (*Trauben*) vendimiar; **~ferien** *pl.* vacaciones *f/pl.* de otoño; **Ձlich** *adj.* de otoño; (*zum Herbst gehörig*) otoñal; **~ling** *m* (*-s*; *-e*) fruto *m* de otoño, fruta *f* otoñal; **~monat** *m* (*-es*; *-e*) mes *m* de otoño; *weitS.* septiembre *m*; **~rose** *f* rosa *f* de otoño; **~tag** *m* (*-es*; *-e*) día *m* de otoño; **~wetter** *n* (*-s*; *0*) tiempo *m* otoñal; **~zeitlose** ⚘ *f* cólquico *m*.

Herd [eː] *m* (*-es*; *-e*) (*Feuerstelle*) hogar *m* (*a. fig.*); (*Ofen*) horno *m*; (*Gas*Ձ) hornillo *m* de gas; (*Koch*Ձ) fogón *m*; *Met.* crisol *m*; (*Mittel-*

punkt) centro *m*; ⚕ (*Krankheits*≈) foco *m* patógeno; *e-s Erdbebens*: epicentro *m*; *am* ~ junto al fuego; *e-n eigenen* ~ *gründen* fundar un hogar; '**~buch** *n* (-*es*; ⸗*er*) (*für Zuchtvieh*) registro *m* pecuario.

'**Herde** ['he:r-] *f* rebaño *m* (*a. fig.*); hato *m*; (*Rudel*) manada *f*; *fig.* grey *f*; **≈nmäßig** *adj.* gregario; **~nmenschentum** *n* (-*s*; *0*) gregarismo *m*; **~ntier** *n* (-*es*; -*e*) animal *m* gregario; **~ntrieb** *m* (-*es*; -*e*) instinto *m* gregario; gregarismo *m*; espíritu *m* gregario; **≈nweise** *adv.* en rebaños *od.* manadas; *fig.* en tropel.

'**Herd...**: **~frischen** *Met. n* afino *m* al bajo hogar; **~frischenstahl** *m* (-*es*; *0*) acero *m* refinado; **~kohle** *f* carbón *m* para uso doméstico; **~platte** *f* solera *f*; *Küchenherd*: chapa *f* de la cocina.

he'rein *adv.* adentro; aquí dentro; hacia adentro, hacia el interior; ~! ¡adelante!; *hier* ~! ¡entre por aquí!; **~begeben** (*L*; -) *v/refl.*: *sich* ~ entrar en *od.* a; **~bekommen** (*L*; -) *v/t.* hacer entrar; lograr introducir *od.* meter; ✝ recibir; *Geld*: cobrar; *Sender*: captar; **~bemühen** (-) *v/t.*: *j-n* ~ rogar a alg. que entre; *sich* ~ tomarse la molestia de entrar; **~bitten** (*L*) *v/t.*: *j-n* ~ rogar a alg. que entre; **~brechen** (*L*; *sn*) *v/i.* irrumpir, penetrar con ímpetu; ⚔ invadir; *Nacht*: caer, cerrar; *Unheil*: sobrevenir; **~bringen** (*L*) *v/t.* entrar, introducir; llevar adentro; recoger; **~drängen** *v/refl.*: *sich* ~ penetrar sin derecho en algún lugar; F colarse de rondón; **~dringen** (*L*; *sn*) *v/i.* penetrar por la fuerza en; **~fahren** (*L*; *sn*) *v/i.* entrar (en coche); **≈fall** (F '**Reinfall**) *m* (-*es*; ⸗*e*) fracaso *m*; engaño *m*, F chasco *m*; **~fallen** (F '**reinfallen**) (*L*; *sn*) *v/i.* caer adentro; *fig.* llevarse un chasco; ~ *auf* dejarse engañar (por las apariencias); F caer en la trampa (*od.* en el garlito); **~führen** *v/t.*: ~ *in* (*ac.*) hacer pasar a; **~helfen** (*L*) *v/i.* ayudar a entrar; **~holen** *v/t.*: *j-n* ~ hacer venir a alg.; *et.* ~ recoger a/c.; meter adentro a/c.; **~klettern** (-*re*; *sn*) *v/i.* entrar trepando; **~kommen** *v/i.* (*L*; *sn*) entrar; **~lassen** (*L*) *v/t.* dejar entrar; hacer pasar; **~legen** *v/t. fig.*: *j-n* ~ engañar a alg.; estafar, F dar el timo a alg.; **~locken** *v/t.* atraer (*in ac.*, *nach* a); **~nehmen** (*L*) *v/t.* → *hereinholen*; **~platzen** (-*t*; *sn*) *v/i. fig.* entrar de improviso; llegar intempestivamente; **~reden** (-*e*-) *v/i.*: *in et.* ~ mezclarse en una conversación; F meter (su) cuchara; **~regnen** *v/unprs.*: *es regnet herein* (aquí) entra la lluvia; **~reichen 1.** *v/t.*: *et.* ~ *in* pasar a/c. para adentro; **~rufen** (*L*) *v/t.* llamar; **~scheinen** (*L*) *v/i.* penetrar en; **~schleichen** (*L*) *v/refl.*: *sich* ~ entrar furtivamente; penetrar deslizándose; **~schneien 1.** *v/unprs.*: *es schneit herein* entra la nieve; **2.** *v/i. fig.* llegar de improviso (F de sopetón); F entrar de rondón; **~sehen** (*L*) *v/i.* mirar (*in ac.* en); **~strömen** (*sn*) *v/i. fig.* afluir de todos los lados; entrar en tropel; **~stürmen** (*sn*) *v/i.* entrar con ímpetu; **~stürzen** (-*t*; *sn*) *v/i.* entrar precipitadamente en; **~tragen** (*L*) *v/t.* llevar *bzw.* transportar adentro; introducir en; **~treten** (*L*; *sn*) *v/i.* entrar; **~winken** *v/t.*: *j-n* ~ hacer a alg. señas para que entre; **~ziehen** (*L*) **1.** (*sn*) *v/i.* entrar; **2.** *v/t.* tirar *bzw.* arrastrar hacia adentro; *fig. j-n in et.* ~ enredar a alg. en un asunto; F meter a alg. en un lío.

'**her...**: **~erzählen** (-) *v/t.* contar detalladamente; **~fahren** (*L*) **1.** *v/t.* traer en coche; *Güter*: acarrear; **2.** (*sn*) *v/i.* llegar *od.* venir en coche; **≈fahrt** *f* llegada *f*; *auf der* ~ viniendo (*od.* al venir) para aquí; **~fallen** (*L*; *sn*) *v/i.*: ~ *über* (*ac.*) caer, (aba-) lanzarse sobre; **~finden** (*L*) *v/i.* encontrar el camino; **~führen** *v/t.* traer (aquí); **≈gang** *m* (-*es*; ⸗*e*) llegada *f*; venida *f*; (*Verlauf*) curso *m* de los acontecimientos; marcha *f* de las cosas; (*Umstände*) circunstancias *f/pl.*; detalles *m/pl.*; *den ganzen* ~ *e-r Sache erzählen* contar con todo detalle lo ocurrido; contar lo que pasó (*od.* cómo fue la cosa); **~geben** (*L*) *v/t.* dar; (*leihen*) prestar; (*zurückgeben*) devolver; *sein Letztes* ~ F *fig.* dar hasta la camisa; *sich* ~ *zu* prestarse a; **~gebracht** *adj.* tradicional; (*allg. eingeführt*) admitido; (*üblich*) usual, corriente; habitual, de costumbre; (*offiziell*) de rigor, F de rúbrica; **≈gebrachte(s)** *n* tradición *f*; uso *m*; costumbre *f*; **~gehen** (*L*; *sn*) **1.** *v/i.*: *hinter j-m* ~ seguir a (*od.* ir detrás de) alg.; *neben j-m* ~ ir al lado de alg.; *vor j-m* ~ preceder a (*od.* ir delante de) alg.; **2.** *v/unprs.* (*sich zutragen*) ocurrir, suceder, pasar; *es geht lustig her* aquí se divierte uno; *es ging hoch her* F hubo gran jolgorio; se echó la casa por la ventana; *es ging hart her* la lucha fue encarnizada; *es ging wüst her* hubo un gran alboroto; P se armó un follón de mil diablos; **~gehören** *v/i.* estar en su lugar; ser a propósito; **~gelaufen** *adj.* venido de no se sabe dónde; **~halten** (*L*) **1.** *v/t.* (*darbieten*) ofrecer, presentar; tender; **2.** *v/i.*: ~ *müssen* tener que sufrirlo; tener que pagar por; F ser el que paga el pato; **~holen** *v/t.* ir a buscar, ir por; ~ *lassen* enviar a buscar; *fig. weit hergeholt* rebuscado; (*Gründe*) sofístico; **~hören** *v/i.* escuchar.

'**Hering** *Ict. m* (-*s*; -*e*) arenque *m* (*grüner* fresco; *marinierter* en escabeche; *gesalzener* salado; *geräucherter* ahumado); *fig. wie die* ~*e zusammengedrängt* como sardinas en lata *od.* banasta.

'**Herings...**: **~boot** ⚓ *n* (-*es*; -*e*) barco *m* pesquero de arenques; **~fang** *m* (-*es*; ⸗*e*) pesca *f* del arenque; **~fänger** *m* pescador *m* de arenques; **~fangzeit** *f* época *f* de la pesca del arenque; **~faß** *n* (-*sses*; ⸗*sser*) barril *m* de arenques; **~fischer** *m* → *Heringsfänger*; **~fische'rei** *f* → *Heringsfang*; **~lake** *f* salmuera *f* (de arenque); **~milch** *f* (*0*) lechecilla *f* de arenque; **~netz** *m* (-*es*; -*e*) arenquera *f*; **~rogen** *m* huevas *f/pl.* de arenque; **~salat** *m* (-*es*; -*e*) ensalada *f* de arenque; **~schwarm** *m* (-*es*; ⸗*e*) banco *m* de arenques; **~zeit** *f* → *Heringsfangzeit*; **~zug** *m* (-*es*; ⸗*e*) banco *m* de arenques.

'**her...**: **~jagen** *v/t.*: *j-n vor sich* ~ perseguir a alg.; **~kommen** (*L*; *sn*) *v/i.* venir (aquí *od.* acá); acercarse; aproximarse; llegar; (*abstammen*) provenir, venir; descender (*von* de); (*sich herleiten*) derivarse, proceder (*von* de); (*hervorgehen*) resultar de, ser debido a; (*hergereist kommen*) venir, proceder de; *kommen Sie her!* ¡venga usted aquí!; *wo kommt er her?* ¿de dónde viene? *bzw.* (*gebürtig sein*) ¿de qué país es?; **≈kommen** *n* tradición *f*; (*Sitte*) uso *m*, costumbre *f*; → *Herkunft*; **~kömmlich** *adj.* tradicional; (*konventionell*) convencional; (*üblich*) usual, corriente; habitual, de costumbre.

'**Herkules** *Myt. m* Hércules *m*; **~arbeit** *f* trabajo *m* de Hércules; labor *f* ímproba.

her'kulisch *adj.* hercúleo.

'**Herkunft** *f* (*0*) (*Ankunft*) llegada *f*; venida *f*; (*Herstammen*) origen *m*; procedencia *f* (*a.* ✝); (*Geburt*) nacimiento *m*; origen *m*; familia *f*; extracción *f*; *von niederer* ~ de baja extracción; **~sbescheinigung** *f* ✝ certificado *m* de origen; **~sbezeichnung** *f* ✝ marca *f* de origen; **~sland** *n* (-*es*; ⸗*er*) país *m* de origen.

'**her...**: **~laufen** (*L*; *sn*) *v/i.* acudir, venir corriendo; *hinter j-m* ~ correr tras (*od.* detrás) de alg.; **~leiern** (-*re*) *v/t.* canturrear; salmodiar; **~leiten** (-*e*-) *v/t.* conducir hacia *bzw.* traer hasta aquí; *fig.* derivar (*von* de); (*folgern*) deducir de; *sich* ~ derivarse (*von* de); **≈leiten** *n*, **≈leitung** *f* derivación *f*; (*Folgern*) deducción *f*; **~locken** *v/t.* atraer; **~machen** *v/refl.*: *sich über et.* ~ (*ac.*) ponerse a hacer a/c.; *sich über j-n* ~ lanzarse (*od.* precipitarse) sobre alg; arremeter contra alg.

'**Hermann** *m* Germán *m*; Armando *m*; *Hist.* Arminio *m*.

Herme'lin [-mə-] *n* (-*s*; -*e*) *Zoo.* armiño *m*; **~fell** *n* (-*es*; -*e*) armelina *f*; **~pelz** *m* (-*es*; -*e*) piel *f* de armiño.

'**Hermes** *Myt. m* Hermes *m*; (*bei den Römern*) Mercurio *m*.

her'metisch I. *adj.* hermético; **II.** *adv.* herméticamente; ~ *verschlossen* cerrado herméticamente.

Her'mine *f* Herminia *f*; Armanda *f*.

'**hermüssen** (*L*) *v/i.* tener que venir, ser obligado a venir.

her'nach [ɑ:] *adv.* después, luego; (*später*) más tarde; posteriormente.

'**hernehmen** (*L*) *v/t.* tomar; sacar (*aus* de); *wo soll ich das Geld* ~? ¿de dónde voy a sacar el dinero?

her'nieder *adv.* hacia abajo; → *herab.*

He'ro|des *m* Herodes *m*; **~dias** *f* Herodías *f*; **~enkult** *m* (-*es*; -*e*) culto *m* a los héroes.

Hero'in *n* (-*s*; *0*) heroína *f*.

he'roisch *adj.* heroico.

Hero'ismus *m* (-; *0*) heroísmo *m*.

'**Herold** [e:] *m* (-*es*; -*e*) heraldo *m*.

'**Heros** *m* (-; *Heroen*) (*Held*) héroe *m*; *Myt.* semidiós *m*.

'**herplappern** (-*re*) *v/t.* recitar maquinalmente.

Herr *m* (-*n*; -*en*) señor *m*, caballero *m*; (*Besitzer*) dueño *m*, propietario *m*, amo *m*; (*Chef*) jefe *m*; patrón *m*; (*Tanzpartner*) pareja *f*; (*Herrscher*) soberano *m*; *mit Namen, Titel*: señor (*Abk.* Sr.); ~ *García* el señor García; *Anrede*: señor García; ~ *Pedro* don Pedro (*Abk.* D. Pedro); ~ *und Frau García* los señores de García; ⚔ *Anrede*: ~ *Hauptmann!* ¡mi capitán!; *Anrede*: ~ *Präsident* (*Professor, Graf, Pfarrer*) señor presidente (profesor, conde, cura); *mein* ~! ¡caballero!, *steif*: ¡señor mío!; *meine* (*Damen und*) ~*en!* (Señoras y) Señores; *Sehr geehrter* ~! *im Brief*: Muy señor mío; *gnädiger* ~ (*Anrede seitens der Dienerschaft*) señor; señorito; *alte(r)* ~ *Sch.* antiguo estudiante; F *mein alter* ~ (*Vater*) mi padre; *Ihr* ~ *Vater* su señor padre; *Rel. der* ~ el Señor; *Gott der* ~ Dios Nuestro Señor; ~ *des Hauses* el amo de (la) casa; ~ *im Hause sein* mandar en su casa; *mein* ~ *und Gebieter* mi dueño y señor; *sein eigener* ~ *sein* no depender de nadie; ser dueño de sí mismo; ~ *über et. sein* dominar sobre (*od.* ser dueño de) a/c.; *e-r Sache* (*gen.*) ~ *werden* dominar a/c.; apoderarse (*od.* hacerse dueño) de a/c.; *sich zum* ~*en machen über* (*ac.*) apoderarse (*od.* adueñarse) de; ~ *über Leben und Tod Hist.* señor de horca y cuchillo; dueño de vidas y haciendas; *den großen* ~*n spielen* darse aires de gran señor; *aus aller* ~*en Länder* de todo el mundo; de todas las partes del mundo; *Toilette*: (*für*) ~*en* caballeros; *jeder ist* ~ *in s-m Hause* cada cual manda en su casa; *niemand kann zwei* ~*en dienen* no se puede repicar y andar en la procesión; ~**chen** *n* señorito *m*; F amo *m* (del perro).

ˈ**her...:** ~**reichen** *v/t. u. v/i.* tender; pasar; **2reise** *f* (viaje *m* de) venida *f*; (*Rückreise*) regreso *m*; *auf der* ~ viniendo hacia acá; al regreso; ~**reisen** (-*t*; *sn*) *v/i.* venir aquí.

ˈ**Herren...:** ~**anzug** *m* (-*es*; ⸚*e*) traje *m* de caballero; ~**artikel** *m/pl.* artículos *m/pl.* para caballero; ~**bekanntschaft** *f* relación *f* amistosa con un hombre; ~**bekleidung** *f* ropas *f/pl.* para caballero; ~**doppel** (-**spiel** [-*es*; -*e*]) *n Tennis*: doble *m* masculino; ~**einzel**(**spiel**) *n Tennis*: individual *m* masculino; ~**fahrer** *m Auto.*: automovilista *m* aficionado; ~**fahrrad** *n* (-*es*; ⸚*er*) bicicleta *f* de hombre; ~**friseur** *m* peluquero *m* (de caballeros); ~**gesellschaft** *f* tertulia *f* (de caballeros); círculo *m*; ~**haus** *n* (-*es*; ⸚*er*) casa *f* señorial; ~**hemd** *n* (-*es*; -*en*) camisa *f* de caballero; ~**hof** *m* (-*es*; ⸚*e*) finca *f* señorial; casa *f* solariega; ~**konfektion** *f* confecciones *f/pl.* para caballero; ~**leben** *n* (-*s*; *0*) vida *f* de gran señor; *ein* ~ *führen* vivir a lo grande, F darse la gran vida, P pegarse la vida padre; **2los** *adj.* sin dueño; (*verlassen*) abandonado; (*nicht abgeholt*) no reclamado; ~*es Gut* ⚖ bienes mostrencos; ~**mensch** *m* (-*en*) hombre *m* dominante; ~**mode** *f* moda *f* masculina; ~**partie** *f* (*Ausflug*) excursión *f* masculina; ~**reiten** *n* carrera *f* de jinetes aficionados; ~**reiter** *m* jinete *m* aficionado *m*; ~**schneider** *m* sastre *m* para caballeros; ~**schnitt** *m* (-*es*; -*e*) corte *m* de pelo a estilo masculino; (*Damenfrisur*) F *gal.* peinado *m* a lo garsón; ~**schuhe** *m/pl.* zapatos *m/pl.* para caballero; ~**sitz** *m* (-*es*; -*e*) casa *f* señorial *od.* solariega; *im* ~ *reiten* montar a horcajadas; ~**socken** *f/pl.* calcetines *m/pl.*; ~**toilette** *f* excusado *m od.* retrete *m* para caballeros; *Aufschrift*: caballeros; ~**zimmer** *n* gabinete *m*, despacho *m*; estudio *m*; biblioteca *f*.

ˈ**Herrgott** *m* Dios *m*; *der* ~ el Señor; *den* ~ *e-n guten Mann sein lassen* dejarlo todo a la ventura de Dios; ~**sfrühe** *f* (*0*): *in aller* ~ muy de madrugada, F muy tempranito; ~**sschnitzer** *m* tallista *m* de crucifijos; imaginero *m*.

ˈ**herrichten** (-*e*-) *v/t.* aderezar; (*vorbereiten*) preparar; *Zimmer*: arreglar; *Bett*: hacer; (*ordnen*) disponer; ⊕ (*einstellen*) ajustar; (*passend machen*) adaptar.

ˈ**Herrin** *f* señora *f*; (*Besitzerin*) dueña *f*; ama *f*; (*Herrscherin*) soberana *f*.

ˈ**herrisch** *adj.* (*gebieterisch*) imperioso; autoritario; en tono de mando; (*hochmütig*) altanero; arrogante; (*schroff*) brusco; seco; (*schneidend*) tajante; F mandón.

ˈ**herrlich I.** *adj.* (*großartig*) magnífico, soberbio; (*köstlich*) delicioso; (*hervorragend*) excelente; (*glänzend*) brillante; (*ausgesucht*) exquisito; (*prunkvoll*) suntuoso, lujoso; (*prächtig*) espléndido; (*wunderbar*) maravilloso; (*reizend*) encantador; **II.** *adv.* magníficamente; ~ *und in Freuden leben* darse buena vida; **2keit** *f* magnificencia *f*; excelencia *f*; brillo *m*; exquisitez *f*; suntuosidad *f*, lujo *m*; esplendor *m*; (*Erhabenheit*) grandeza *f*; majestad *f*; *Rel.* gloria *f*.

ˈ**Herrschaft** *f* (*Beherrschung*) dominación *f*; dominio *m*; imperio *m*; (*Macht*) poder *m*; (*Mächtigkeit*) potencia *f*; poderío *m*; (*Regierungsausübung*) gobierno *m*; (*Regierungszeit e-s Fürsten*) reinado *m*; (*höchste Gewalt*) soberanía *f*; (*Autorität*) autoridad *f*; (*Besitz*) dominio *m*; (*Vor*2) supremacía *f*; (*Oberbefehl*) mando *m*; *unumschränkte* ~ poder absoluto; ~ *über sich selbst* dominio de sí mismo; *die* ~ (*Arbeitgeber*) los amos, *Am.* los patrones; *die* ~*en* los señores; el señor y la señora; F los señoritos; *m-e* ~*en!* ¡Señores!; *die* ~ *führen* ejercer el poder; gobernar; **2lich** *adj.* señorial.

ˈ**herrschen** *v/i.* dominar (*über ac.* sobre); mandar; (*regieren*) gobernar; *Monarch u. fig.*: reinar; *es herrscht schlechtes Wetter* reina mal tiempo; *es herrscht Schweigen* reina silencio; ~**d** *adj.* dominante; reinante (*a. fig.*).

ˈ**Herrscher** *m* soberano *m*; (*König*) *a.* rey *m*, monarca *m*; (*Fürst*) príncipe *m*; (*Gebieter*) señor *m*; *unumschränkter* ~ autócrata; ~**familie** *f*, ~**geschlecht** *n* (-*es*; -*er*), ~**haus** *n* (-*es*; ⸚*er*) dinastía *f*; ~**gewalt** *f* poder *m* soberano; ~**in** *f* soberana *f*; reina *f* (*a. fig.*).

ˈ**Herrsch|sucht** *f* (*0*) despotismo *m*; espíritu *m* dominante; (*Machtgier*) afán *m* inmoderado de mandar; sed *f* de poder; **2süchtig** *adj.* imperioso; dominante; despótico; F mandón.

ˈ**her...:** ~**rücken 1.** *v/t.* acercar; **2.** (*sn*) *v/i.* acercarse; ~**rufen** (*L*) *v/t.* llamar; ~**rühren** *v/i.*: ~ *von* provenir *od.* venir de; (*abgeleitet werden*) derivarse de; (*verursacht sein*) resultar de; deberse *od.* ser debido a; ser causado *od.* motivado por; ~**sagen** *v/t.* decir; recitar; *aus dem Gedächtnis* ~ recitar de memoria; ~**schaffen** *v/t.* hacer venir; (*bringen*) traer; ~**schicken** *v/t.* enviar aquí; ~**sehen** (*L*) *v/i.* mirar aquí; mirar a *od.* por este lado; ~**setzen** (-*t*) **1.** *v/t.* poner aquí; **2.** *v/refl.*: *sich* ~ sentarse aquí; ~**stammen** *v/i.* (*jd.*) descender de; *von e-m Land*: ser natural (*od.* oriundo) de; *Wort*: derivarse de; ~**stellbar** *adj.* elaborable; ~**stellen** *v/t.* poner (*od.* colocar) aquí; (*erzeugen*) producir; (*machen*) hacer; elaborar; (*fabrikmäßig*) fabricar, manufacturar; *synthetisch* ~ sintetizar; (*bauen*) construir, *bsd.* ⚠ edificar; (*erneuern*) renovar; *Gesundheit, Text*: restablecer; *Gemälde, Gebäude*: restaurar; *Verbindung*: establecer; ⚡ *Stromkreis*: cerrar; *das Gleichgewicht* ~ establecer el equilibrio; **2steller** *m* fabricante *m*; productor *m* (*a. Film*); constructor *m*.

ˈ**Herstellung** *f* fabricación *f*, manufactura *f*; producción *f* (*a. Film*); elaboración *f*, confección *f*; construcción *f*; (*Wieder*2) restablecimiento *m* (*a.* ⚕); restauración *f*; renovación *f*.

ˈ**Herstellungs...:** ~**fehler** *m* defecto *m* de fabricación; ~**gang** *m* (-*es*; ⸚*e*) proceso *m* de fabricación (*od.* de producción); ~**kosten** *pl.* gastos *m/pl.* de fabricación (*od.* de producción); ~**land** *n* (-*es*; ⸚*er*) país *m* productor; ~**preis** *m* (-*es*; -*e*) precio *m* de fábrica (*od.* de producción); ~**verfahren** *n* procedimiento *m* de fabricación.

ˈ**her...:** ~**stottern** (-*re*) *v/t.* balbucear; recitar atropelladamente; farfullar; ~**stürzen** (-*t*; *sn*) *v/i.* aproximarse precipitadamente; *über j-n* ~ arrojarse sobre alg.; ~**tragen** (*L*) *v/t.* traer; ~**treiben** (*L*) *v/t.*: *vor sich* ~ empujar delante de sí; (*Vieh*) conducir; ~**treten** (*L*; *sn*) *v/i.* acercarse, adelantarse; venir aquí.

Hertz *Phys. n* (-; -) ciclos *m/pl.* por segundo; Hertz *m*; ~*sche Wellen* ondas *f/pl.* hertzianas.

heˈ**rüber** *adv.* a este lado; de este lado; hacia aquí *od.* acá; ~ *und hinüber* de un lado a otro; ~**bringen** (*L*) *v/t.* traer para aquí; traer acá; traer del otro lado; *über den Fluß* ~ traer de la otra orilla; ~**geben** (*L*) *v/t. bei Tisch*: pasar; ~**kommen** (*L*; *sn*) *v/i.* venir del otro lado acá; cruzar, atravesar; ~**reichen** *v/t.* → *herübergeben*; ~**tragen** (*L*) *v/t.* traer a este lado; traer acá.

heˈ**rum** *adv.* alrededor (*um* de); (*rund*~, *rings*~) en torno (de); *um den Tisch* ~ alrededor de la mesa; *im Kreis* ~ a la redonda; *die Reihe* ~

por turno; *hier* ~ por aquí (alrededor); *dort* ~ por allí; allá, en aquella región; ~ *sein* haber dado la vuelta; *um die Ecke* ~ a la vuelta de la esquina; *um Weihnachten* ~ hacia (*od.* alrededor de) Navidad; *um 10 Mark* ~ alrededor de diez marcos; (*vorbei, abgelaufen*) haber pasado; **~albern** (*-re*) *v/i.* decir bobadas *f/pl.* (F sin ton ni son); **~balgen** *v/refl.*: *sich* ~ pelearse, andar a la greña; **~bekommen** (*L*; -) *v/t.*: *j-n* ~ hacer a alg. cambiar de opinión; persuadir a alg.; **~blättern** (*-re*) *v/i.*: *in e-m Buch* ~ hojear un libro; **~bringen** (*L*) *v/t.* lograr doblar; *Zeit*: matar; **~bummeln** (*-le*) *v/i.* callejear; vagar; pasear por las calles; andar de acá para allá; **~drehen** *v/t.* dar vuelta(s) a; *Kopf*: volver; *den Schlüssel zweimal* ~ dar dos vueltas a la llave, cerrar con doble vuelta; *fig. j-m die Worte im Munde* ~ desfigurar el sentido de las palabras de alg.; *sich* ~ volverse (*nach* hacia); girar; *sich im Kreise* ~ girar en torno; dar vueltas (*od.* una vuelta); **~drücken** *v/refl.*: *sich* ~ holgazanear; *sich um et.* ~ zafarse; evadir (-se); F escurrir el hombro; **~fahren** (*L*) **1.** (*sn*) *v/i.*: ~ *um* dar la vuelta a; ⚓ *um ein Kap* ~ doblar un cabo; *um die Straßenecke* ~ doblar la esquina; *ziellos*: ir de acá para allá (en un vehículo); *in der Welt* ~ recorrer el mundo; **2.** *v/t.*: *j-n* ~ pasear a alg. (en coche *usw.*); **~flattern** (*-re*; *sn*) *v/i.* revolotear; **~fliegen** (*L*; *sn*) *v/i.* *ziellos*: volar de un lado para otro; *um et.* ~ volar alrededor de a/c.; revolotear; **~fragen** *v/i.* preguntar en torno; *überall* ~ preguntar (*od.* informarse) en todas partes; **~fuchteln** (*-le*) *v/i. mit den Händen* (*Armen*) ~ manotear (bracear); *mit dem Säbel* ~ blandir el sable; **~führen** **1.** *v/t.* (llevar a) pasear; *ziellos*: llevar de un lado a otro sin dirección fija; *e-n Graben um et.* ~ abrir un foso (*od.* una zanja) alrededor de a/c.; *e-e Mauer um et.* ~ cercar de un muro a/c.; levantar un muro alrededor de a/c.; *j-n in der Stadt* ~ servir a alg. de guía en la ciudad; *j-n an der Nase* ~ burlarse de alg.; F tomar el pelo a alg.; **2.** *v/i. um et.* ~ dar una vuelta alrededor de a/c.; **~geben** (*L*) *v/t.* hacer circular; repartir; *bei Tisch*: pasar; **~gehen** (*L*; *sn*) *v/i.* circular; *ziellos*: andar de acá para allá; (*Zeit*) pasar; ~ *um* dar la vuelta a; girar en torno de; (*spazierend*) pasearse alrededor de; (*Wächter*) hacer la ronda por; ~ *in* (*dat.*) pasearse (*od.* dar una vuelta) por; *fig. um den heißen Brei* ~ andar con rodeos; *fig. das geht mir im Kopf herum* eso me tiene preocupado; estoy dando vueltas a esa idea; *es geht das Gerücht herum* corre el rumor; **~hacken** *v/i. fig.*: *auf j-m* ~ *fig.* pinchar continuamente a alg.; **~horchen** *v/i.* curiosear; escuchar aquí y allá; **~irren** (*sn*) *v/i.* andar errando; **~kommen** (*L*; *sn*) *v/i.* (*herkommen*) venir (*zu j-m* a casa de alg.; a visitar a alg.); *um die Straßenecke* ~ doblar la esquina; *er ist weit herumgekommen* ha viajado mucho; ha corrido mucho mundo; *fig. um et.* ~ lograr evitar a/c.; atajar a/c.; **~kramen** *v/i.*: ~ *in* (*dat.*) revolver; registrar; **~laufen** (*L*; *sn*) *v/i.* *ziellos*: correr de un lado a otro; *um et.* ~ correr alrededor de a/c.; *Kind*: corretear; *müßig* ~ callejear; *frei* ~ (*Tier*) andar suelto (*in dat.* por); **~legen** *v/t.*: *um et.* ~ poner (*od.* colocar) alrededor de a/c.; *sich* ~ (*sich herumdrehen*) volverse; **~liegen** (*L*) *v/i.* estar colocado *bzw.* situado alrededor de; (*unordentlich*) estar desordenadamente (*od.* en desorden) aquí y allá; **~lungern** (*-re*) *v/i.* holgazanear; **~reden** (*-e-*) *v/i.* charlar; *um et.* ~ F hablar sin (querer) ir al grano; **~reichen** *v/t.* hacer circular (*od.* pasar de mano en mano); *bei Tisch*: servir; **~reisen** (*-t*; *sn*) *v/i.* *ziellos*: viajar de un lado a otro; *in e-m Lande* ~ recorrer (*od.* viajar por) un país; *in der Welt* ~ correr mundo; **~reiten** (*L*; *sn*) *v/i.* pasear a caballo; (*in dat.* por); *fig. auf et.* ~ insistir siempre en la misma cosa; *immer auf j-m* ~ molestar (*od.* F incordiar) continuamente a alg.; **~rennen** (*L*; *sn*) *v/i.* *ziellos*: correr de un lado para otro; *um et.* ~ correr alrededor de a/c.; **~schicken** *v/t.* hacer circular; *überall* ~ enviar a todas partes; **~schlagen** (*L*) *v/i.*: ~ *nach* moverse bruscamente hacia un lado; ladearse; *sich* ~ luchar (*mit* con *od.* contra); **~schleichen** (*L*; *sn*) *v/i.*: *um et.* ~ rondar; **~schlendern** (*-re*; *sn*) *v/i.* → *herumbummeln*; **~schleppen** *v/t.*: *mit sich* ~ arrastrar consigo; **~schlingen** (*L*) *v/t.*: ~ *um* pasar (un lazo) alrededor de; *sich* ~ *um* enroscarse en; **~schnüffeln** (*-le*) *v/i. fig.* curiosear; fisgonear, huronear, F meter las narices en todo; **~schweifen** *v/i.* correr de acá para allá; vagabundear; andar vagando; **~schwirren** (*sn*) *v/i.* revolotear; **~setzen** (*-t*) *v/t.*: ~ *um* disponer (*od.* colocar) alrededor de; *sich um et.* ~ sentarse alrededor (*od.* en torno) de a/c.; **~sitzen** (*L*) *v/i.*: ~ *um* estar sentado alrededor de; *müßig* ~ estar sentado ociosamente; **~spazieren** (-; *sn*) *v/i.* pasearse, andar paseando; **~spielen** *v/i.*: *mit et.* ~ juguetear con a/c.; **~spionieren** (-) *v/i.* espiar; **~sprechen** (*L*) *v/t.* divulgar, propalar; *sich* ~ divulgarse; **~springen** (*L*; *sn*) *v/i.*: ~ *um* dar saltos alrededor de; *Kind*: retozar; *mit j-m* ~ burlarse de alg.; **~stehen** (*L*) *v/i.*: ~ *um* estar alrededor de; *um j-n* ~ formar corro alrededor de alg.; rodear a alg.; *müßig* ~ estar ocioso *od.* F papando moscas; **~stöbern** (*-re*) *v/i.* → *herumkramen, herumschnüffeln*; **~stochern** (*-re*) *v/i.* escarbar; **~streichen** (*L*), **~streifen** *v/i.* vagar, andar vagando (*od.* errando) por; **~streiten** (*L*) *v/refl.*: *sich* ~ disputar (*über ac.* sobre); (*sich laut zanken*) F andar a la greña; **~strolchen** *v/i.* vagabundear; **~tanzen** (*-t*) *v/i.*: ~ *um* bailar alrededor de; *fig. j-m auf der Nase* ~ burlarse de alg.; hacer de alg. lo que se quiere; **~tappen**, **~tasten** (*-e-*) *v/i.* andar a tientas; **~toben** *v/i.* retozar; **~tollen** *v/i.* loquear; **~tragen** (*L*) *v/t.* *Nachricht*: propalar; ~ *um* llevar (consigo) a todas partes; **~treiben** (*L*) *v/refl.*: *sich* ~ correr de acá para allá; vagabundear; callejear; *sich in Cafés* ~ andar por los cafés; *sich in zweifelhaften Lokalen* ~ frecuentar establecimientos sospechosos (*od.* de dudosa reputación); F andar de picos pardos; **Ⓢtreiber(in** *f*) *m* vagabundo (-a *f*) *m*; andorrero (-a *f*) *m*; (*Nachtschwärmer*) trasnochador *m*; **~trödeln** (*-le*) F *v/i.* perder (*od.* malgastar) el tiempo; **~tummeln** (*-le*) *v/refl.*: *sich* ~ retozar; **~wälzen** (*-t*) *v/refl.*: *sich* ~ revolcarse (*auf dat.* en); *im Bett*: dar vueltas en la cama; **~werfen** (*L*) *v/t.* *Boot, Auto*: hacer virar; ~ *um* esparcir, tirar alrededor; **~wirtschaften** (*-e-*) F *v/i.* trajinar; **~wickeln** (*-le*) *v/t.*: ~ *um* envolver en; **~wühlen** *v/i.* → *herumkramen*; **~zanken** *v/refl.*: *sich* ~ → *herumstreiten*; **~zerren** *v/t.* llevar a tirones por; **~ziehen** (*L*) **1.** *v/t.*: ~ *um* trazar *bzw.* levantar *bzw.* hacer alrededor de; *e-e Linie um et.* ~ trazar una línea alrededor de; *e-n Graben um et.* ~ abrir una zanja alrededor de; *die Decke um sich* ~ envolverse en la manta; **2.** (*sn*) *v/i.* *ziellos*: andar de un lugar a otro; vagar, andar vagando; *in der Stadt* ~ dar una vuelta alrededor de la ciudad; **3.** *v/refl.*: *sich* ~ *um* extenderse alrededor de; *Graben*: rodear; **~ziehend** *adj.* (*Händler*) ambulante; (*Volk*) nómada; (*Strolch*) vagabundo, giróvago.

he'runter *adv.* → *herab*; ~! ¡baje usted!; *gerade* ~! bajando todo derecho; *vom Berg* ~ de lo alto de la montaña; ~ *mit ihm!* ¡abajo (con él)!; ~ *damit!* ¡quítate eso!; **~bringen** (*L*) *v/t.* bajar, llevar abajo; *fig.* (*zugrunde richten*) arruinar; (*schwächen*) debilitar; **~drücken** *v/t.* apretar hacia abajo; *Preise*: (hacer) bajar; **~fahren** (*L*; *sn*) *v/t.* bajar; **~fallen** (*L*; *sn*) *v/i.* caer (*zur Erde* a tierra); **~fliegen** (*L*; *sn*) *v/i.* descender (planeando); **~gehen** (*L*; *sn*) *v/i.* bajar (*a. Preise, Temperatur*), descender; ✈ *im Gleitflug* ~ descender en vuelo planeado; **~gießen** (*L*) *v/t.* verter desde arriba; **~handeln** (*-le*) *v/t.* (*bei Preisen*) conseguir una rebaja de precio; **~hauen** (*L*) *v/t.* derribar; F *j-m e-e* ~ dar un bofetón a alg.; F pegarle una torta a alg.; **~holen** *v/t.* *Flugzeug*: derribar; *Flagge*: arriar; **~klappen** *v/t.* bajar; abatir; **~kommen** (*L*; *sn*) *v/i.* bajar; *fig.* venir a menos; *sittlich*: caer muy bajo; degenerar en; envilecerse, degradarse; (*verfallen*) desmoronarse; deteriorarse; *fig.* decaer, ir en decadencia; *er wird dabei gesundheitlich* ~ eso arruinará su salud; *heruntergekommen sein fig.* haber venido (muy) a menos; estar empobrecido; (*demoralisiert sein*) estar demoralizado; (*entwürdigt sein*) estar envilecido; (*ruiniert sein*) estar arruinado; **~lassen** (*L*) *v/t.* (*Vorhang*) bajar; (*Rolladen*) correr; *sich* ~ descolgarse; *sich mit dem Fallschirm* ~ arrojarse con paracaídas; et. *vom Preis* ~ rebajar el precio de a/c.; **~leiern** (*-re*) *v/t.* salmodiar; **~machen** *v/t.* (*herablassen*) bajar; *fig.* (*kritisieren*) criticar duramente, censurar; *j-n* ~ (*abkanzeln*) reprender severamente a alg.; F poner verde a alg.; sermonear a alg.; (*herabsetzen, herabwürdigen*) menospreciar; denigrar; **~nehmen** (*L*) *v/t.* bajar; ⚓ arriar; **~purzeln** (*-le*; *sn*) *v/i.* caer volteando; rodar; **~putzen** (*-t*) F *v/t.* → *heruntermachen*; **~reißen** (*L*) *v/t.* arrancar; *Haus*: demoler, derribar; *fig.* echar abajo, (*verächtlich behandeln*) vilipendiar, (*herabwürdigen*) menospreciar, (*kritisieren*) criticar severamente; **~rutschen** (*sn*) *v/i.* deslizarse (hacia abajo); F *er kann mir den Buckel* ~ ¡que se vaya a la porra!; **~schalten** (*-e-*) *v/t. Auto.* cambiar a menor velocidad; **~schießen** (*L*) *v/t.* ✈, ⚔ derribar (a tiros); **~schlagen** (*L*) *v/t.* derribar a golpes; *Früchte*: varear; *Verdeck*: bajar; **~schlucken** *v/t.* tragar; **~schrauben** *v/t.* bajar; *fig.* reducir; **~sehen** (*L*) *v/i.* mirar hacia abajo; **~sein** (*L*) *v/i.* haber venido a menos; andar mal; (*gesundheitlich*) estar mal de salud; estar debilitado; **~setzen** (*-t*) *v/t.* bajar; *Preis*: *a.* reducir; **~stürzen** (*-t*) *v/i.* desplomarse; **~tropfen** *v/t.* gotear; **~werfen** (*L*) *v/t.* tirar abajo; **~wirtschaften** (*-e-*) *v/t.* arruinar; **~ziehen** (*L*) *v/t.* tirar hacia abajo; *Vorhang, Verdeck*: bajar.

her'vor *adv.* adelante; hacia adelante; más adelante; (*heraus*) fuera; *hinter...* ~ (por) detrás de; *zwischen...* ~ por entre; *unter...* ~ debajo de; *über...* ~ encima de, sobre; **~blicken** *v/i.*: *hinter et.* ~ (*dat.*) mirar desde detrás de a/c.; (*sichtbar werden*) aparecer, mostrarse; entreverse; **~brechen** (*L*; *sn*) *v/i.* salir (con ímpetu), prorrumpir; (*plötzlich*) salir de repente; ⚔ hacer una salida; *fig.* estallar, reventar; *die Sonne bricht aus dem Gewölk hervor* el sol aparece por entre las nubes; **~bringen** (*L*) *v/t.* (*erzeugen*) producir; (*zeugen*) engendrar; (*gebären*) dar a luz; (*schaffen*) crear; (*bewirken*) causar; *Worte*: proferir; **2bringung** *f* producción *f*; (*Zeugung*) generación *f*; engendramiento *m*; (*Schaffen*) creación *f*; **~drängen** *v/t.* hacer salir; empujar hacia afuera; *sich* ~ abrirse paso a través de; salir a viva fuerza; *fig.* destacarse, distinguirse; llamar la atención; imponerse; **~dringen** (*L*; *sn*) *v/i.* atravesar; salir; surgir; → *hervorbrechen*; **~gehen** (*L*; *sn*) *v/i.* salir (*aus* de); (*entstehen*) nacer de; (*herrühren*) provenir de; proceder de; tener su origen en; ~ *aus* resultar de; seguirse de; *daraus geht hervor, daß* de ello resulta (*od.* se infiere *od.* se desprende) que; **~heben** (*L*) *v/t.* hacer resaltar, poner de relieve, realzar (*a. Mal.*), destacar; (*betonen*) acentuar; subrayar (*a. fig.*); *Formen*: dibujar; *sich* ~ destacar, distinguirse por; **~holen** *v/t.* sacar (*aus* de); *fig.* hacer resaltar, poner de relieve; exhibir; **~kommen** (*L*; *sn*) *v/i.* salir (*aus* de); aparecer; mostrarse; **~kriechen** (*L*; *sn*) *v/i.* salir arrastrándose; **~leuchten** (*-e-*) *v/i.* brillar; lucir con gran brillo; *fig.* distinguirse (*aus* entre); **~locken** *v/t.* atraer hacia afuera; sacar con maña; **~quellen** (*L*; *sn*) *v/i.* manar, brotar; **~ragen** *v/i.* resaltar; sobresalir (*a. fig.*); *aus dem Wasser* ~ emerger del agua; ~ *über* (*ac.*) elevarse sobre; dominar; *fig.* distinguirse, descollar (*aus* entre); señalarse (*durch* por); ser superior (*über ac.* a); **~ragend** *adj.* saliente (*a. fig.*); *fig.* sobresaliente, relevante, destacado; eminente, prominente; superior; ilustre, distinguido; importante, notable; extraordinario; **~rufen** (*L*) *v/t.* llamar; *Thea.* llamar a escena; *fig.* (*ins Leben rufen*) crear, fundar; (*bewirken*) causar, provocar (*a.* ⚕); dar motivo a, motivar (*ac.*); *bsd. Streit*: promover; suscitar (*ac.*); dar lugar *od.* origen a; *Bewunderung*; causar; *Eindruck*: producir; *Mitleid*: excitar; **~schleichen** *v/i.* salir furtivamente (*aus* de); **~sprießen** (*L*; *sn*) *v/i.* brotar; **~springen** (*L*; *sn*) *v/i.* saltar hacia adelante; (*hervorragen*) resaltar; **~sprudeln** (*-le*; *sn*) *v/i. Quelle*: brotar; borbo(ri)tar; **~stechen** (*L*) *fig. v/i.* sobresalir, destacar; distinguirse; **~stechend** *adj.* destacado; saliente; eminente, prominente; (*auffallend*) soprendente, *Farbe*: llamativo; chillón; (*vorherrschend*) predominante; **~stehen** (*L*) *v/i.* salir; **~stehend** *adj.* saliente; ~*e Augen* ojos saltones; ~*e Backenknochen* pómulos salientes; **~strecken** *v/t.* extender; sacar; **~stürzen** (*-t*; *sn*) *v/i.* precipitarse (*od.* lanzarse) hacia adelante; **~suchen** *v/t.* buscar (*aus* entre; *unter dat.* por entre); sacar (*aus* de); **~tauchen** (*sn*) *v/i.* emerger; (*erscheinen*) aparecer; *fig.* nacer; brotar; **~treten** (*L*; *sn*) *v/i.* adelantarse; avanzar (uno o más pasos *m/pl.*); ⚔ salir de la fila, dar un paso (*od.* unos pasos) al frente; (*hervorragen*) resaltar; *fig.* distinguirse; destacarse; sobresalir; (*Umrisse*) dibujarse; (*vorherrschen*) predominar; **~tun** (*L*) *v/refl.*: *sich* ~ (*sich auszeichnen*) distinguirse; (*sich ein Ansehen geben*) darse importancia, F darse tono; **~wagen** *v/refl.*: *sich* ~ atreverse a avanzar (*od.* a salir); **~zaubern** (*-re*) *v/t.* producir (*od.* hacer aparecer) como por encanto; **~ziehen** (*L*) *v/t.* sacar (a la luz).

'her...: **~wagen** *v/refl.*: *sich* ~ atreverse a venir (*od.* a acercarse); **~wälzen** (*-t*) *v/refl.*: *sich* ~ afluir en masa; **~wärts** *adv.* hacia aquí; para acá; por este lado, por aquí; **2weg** *m* (*-es*; *0*): *auf dem* ~ al venir, al volver, al regresar; a la vuelta, al regreso; regresando, volviendo.

Herz *n* (*-ens*; *-en*) corazón *m* (*a. fig.*); (*Mut*) *a.* valor *m*, coraje *m*; (*Seele*) alma *f*; (*Mittelpunkt, Kartenspiel, Kern e-r Sache*) corazón *m*; (*Gemüt*) ánimo *m*; (*Busen*) seno *m*; *goldenes* ~ corazón de oro; *ein Mann von* ~ un hombre de corazón; *edles* ~ corazón noble; ~ *von Stein* corazón de piedra; ~ *haben* tener corazón; *ein* ~ *haben für* tener comprensión para; simpatizar con; sentir compasión por; *fig. ein gutes* ~ *haben* tener buen corazón; *kein* ~ (*im Leibe*) *haben* no tener corazón; ser cruel; ser insensible; *im Grunde des* ~*ens* en el fondo del alma; en las entretelas del corazón; *aus tiefstem* ~*en* de todo corazón; del fondo del alma; *von* ~*en* de corazón; *von* ~*en gern* F con mil amores; *von ganzem* ~*en* de todo corazón; con toda el alma; *ich bedaure es von* ~*en* F lo siento en el alma; lo siento de veras; *ein weiches* (*hartes*) ~ *haben* ser blando (duro) de corazón; *schweren* ~*ens* bien a pesar mío *bzw.* tuyo, suyo *usw.*; con el corazón oprimido; F con gran dolor de mi alma; *j-s* ~ *gewinnen* ganarse el corazón de alg.; *s-m* ~*en e-n Stoß geben* violentarse; *sich ein* ~ *fassen* cobrar ánimo; F hacer de tripas corazón; *j-s* ~ *brechen* (*stehlen*) desgarrar (robar) el corazón de alg.; *das* ~ *auf dem rechten Fleck haben* ser persona sensata; tener el corazón en su sitio; *s-m* ~*en Luft machen* desahogarse; *j-m sein* ~ *ausschütten* (*od. offenbaren*) sincerarse con alg.; abrir (*od.* descubrir) su pecho a alg.; *das* ~ *auf der Zunge haben* tener el corazón en la mano; *er spricht, wie es ihm ums* ~ *ist* habla con toda franqueza; *sie sind ein* ~ *und e-e Seele* F son uña y carne; *das bricht ihm das* ~ eso le parte el alma (*od.* le desgarra el corazón); *das macht ihm das* ~ *schwer* eso le causa mucha pena; *das* ~ *blutet ihm* se le parte el alma; *das greift ihm ans* ~ eso le llega al corazón (*od.* al alma); *von* ~*en kommen* salir del alma (*od.* del corazón); *es liegt mir am* ~*en, zu* (*inf.*) me importa (*od.* interesa) mucho (*inf.*); *das liegt mir am* ~*en* me preocupa mucho eso; *mir fällt ein Stein vom* ~*en* se me quita un peso de encima; *sich et. zu* ~*en nehmen* tomar a pechos; *zu* ~*en gehen* llegar al alma; hablar al corazón; impresionar hondamente; *j-m et. ans* ~ *legen* encarecer a alg. a/c.; recomendar con insistencia a alg. a/c.; *j-n ans* ~ *drücken* estrechar en sus brazos (*od.* contra su pecho) a alg.; *et. auf dem* ~*en haben* tener un pesar; tener el deseo de confesar a/c.; *sein* ~ *an et. hängen* poner el corazón en a/c.; *j-n in sein* ~ *geschlossen haben* tener gran cariño (*od.* querer mucho) a alg.; *es wird ihm schwach ums* ~ le flaquea el corazón; *du weißt nicht, wie mir ums* ~ *ist* tú no sabes mi íntimo sentir; tú no sabes mis sentimientos; *mir ist leicht ums* ~ me siento aliviado; *das* ~ *fiel ihm in die Hosen* F se le cayó el alma a los pies; *das* ~ *lacht ihm im Leibe* el corazón le salta de gozo; *ein Kind unter dem* ~*en tragen* estar encinta; *et. nicht übers* ~ *bringen* no tener valor para; no atreverse a; no poder decidirse a hacer a/c.; *auf* ~ *und Nieren prüfen* examinar detenidamente (*od.* con toda minuciosidad); *Hand aufs* ~*!*

¡palabra de honor!; ¡cada uno meta la mano en su pecho!; *wes das ~ voll ist, des geht der Mund über* de la abundancia del corazón habla la boca; *es tut dem ~en wohl* conforta el ánimo.

'**Herz·ader** *Anat. f* (-; *-n*) aorta *f.*

'**herzählen I.** *v/t.* enumerar; **II.** 2 *n* enumeración *f.*

'**herz·allerliebst** *adj.* (*hübsch*) precioso, lindísimo, encantador, F muy mono; **2e(r** *m*) *f* novia (-o *m*) *f.*

'**herzaubern** (*-re*) *v/t.* traer *bzw.* producir por arte de magia (*od.* por encanto).

'**Herz...:** **~anfall** *m* (*-es*; *⸗e*) ataque *m* cardíaco (*od.* al corazón); **~as** *n* (*-ses*; *-se*) *Kartenspiel*: as *m* de corazones; **~beklemmung** ⚕ *f* opresión *f* del corazón; **~beschleunigung** ⚕ *f* taquicardia *f*; **~beschwerden** *f/pl.* afección *f* cardíaca; trastornos *m/pl.* cardíacos; **~beutel** *Anat. m* pericardio *m*; **~beutel-entzündung** ⚕ *f* pericarditis *f*; **2bewegend** *adj.* emocionante; impresionante; conmovedor; **~blatt** *n* (*-es*; *⸗er*) ⚘ hoja *f* de retoño; cogollo *m*; *fig.* (*Liebling*) tesoro *m*; **~blut** *n* (*-es*; *0*) sangre *f* del corazón; **2brechend** *adj.* desgarrador; **~bube** *m* (*-n*) *Kartenspiel*: sota *f* de corazones; **~chen** *n* corazoncito *m*; (*Liebling*) *mein ~!* ¡amor mío!; **~dame** *f Kartenspiel*: dama *f* de corazones.

'**her·zeigen** *v/t.* mostrar, enseñar.

'**herzen** *v/t.* (*umarmen*) abrazar, estrechar contra el pecho; (*kosen*) acariciar.

'**Herzens...:** **~angelegenheit** *f* asunto *m* amoroso; **~angst** *fig. f* (-; *⸗e*) angustia *f*, congoja *f*; **~brecher** *m* F Don Juan *m*, tenorio *m*, castigador *m*; **~freude** *f* gran alegría *f*; íntima satisfacción *f*; **2froh** *adj.* muy alegre *od.* contento; **~grund** *m* (*-es*; *⸗e*): *aus ~* con toda el alma, de todo corazón, F con alma y vida; **2gut** *adj.* muy bondadoso; *er ist ein ~er Mensch* tiene muy buen corazón; F es un pedazo de pan; *ich bin ihm ~* le quiero con toda el alma; **~güte** *f* (*0*) bondad *f* de corazón; **~lust** *f* (*0*): *nach ~* a sus anchas, a placer; **~qual** *f* gran tormento *m*; **~wunsch** *m* (*-es*; *⸗e*) deseo *m* ardiente *od.* vehemente; sueño *m* dorado.

'**Herz...:** **~entzündung** ⚕ *f* inflamación *f* del corazón; carditis *f*; **2erfreuend** *adj.* que recrea el ánimo, que alegra el corazón; **2ergreifend** *adj.* conmovedor; emocionante; **2erhebend** *adj.* edificante; que eleva el corazón; sublime; **2erquickend** *adj.* → *herzerfreuend*; **2erschütternd** *adj.* desgarrador; estremecedor; **~erweiterung** ⚕ *f* dilatación *f* del corazón; cardioectasia *f*; **~fehler** ⚕ *m* defecto *m* cardíaco; lesión *f* cardíaca; **~fell** *Anat. n* (*-es*; *-e*) pericardio *m*; **2förmig** *adj.* en forma de corazón; ⚘ acorazonado; **~gegend** *Anat. f* (*0*) región *f* precordial; **~geräusch** ⚕ *n* (*-es*; *-e*) soplo *m* cardíaco; **2gewinnend** *adj.* que se gana los corazones; simpático; **~grube** *Anat. f* epigastrio *m*; **2haft** *adj.* (*mutig*) valiente; (*beherzt*) intrépido, arrojado; (*entschlossen*) decidido, resuelto; (*kräftig*) enérgico, vigoroso; *ein ~er Schluck* un buen trago; **~haftigkeit** *f* (*0*) (*Mut*) valor *m*; (*Beherztheit*) intrepidez *f*, arrojo *m*; (*Entschlossenheit*) resolución *f.*

'**her·ziehen 1.** *v/t.* atraer; **2.** (*sn*) *v/i.* venir a vivir (*od.* a establecerse) aquí; (*sich nähern*) aproximarse; *über j-n ~* (*ac.*) zaherir, denigrar a alg.

'**herzig** *adj.* → *herzallerliebst.*

'**Herzinfarkt** *m* infarto *m* cardíaco.

herz'innig *adj.* cordial; entrañable, íntimo; sincero.

'**Herz...:** **~insuffizienz** ⚕ *f* insuficiencia *f* cardíaca; **~kammer** *Anat. f* (-; *-n*) ventrículo *m* (del corazón); **~kirsche** ⚘ *f* guinda *f* garrafal; **~klappe** *Anat. f* válvula *f* cardíaca; **~klappenfehler** ⚕ *m* lesión *f* valvular; defecto *m* valvular; **~klopfen** *n* palpitaciones *f/pl.*; *beschleunigtes ~* taquicardia *f*; *mit ~* con el corazón palpitante; **~krampf** ⚕ *m* (*-es*; *⸗e*) angina *f* de pecho; **2krank** *adj.* cardíaco, enfermo del corazón; **~kranke(r** *m*) *f* cardíaco (-a *f*) *m*, enfermo (-a *f*) *m* del corazón; **~krankheit** *f*, **~leiden** *n* enfermedad *f* del corazón, afección *f* cardíaca, ⚕ cardiopatía *f*; **~lähmung** ⚕ *f* parálisis *f* del corazón; **2lich I.** *adj.* cordial; (*liebevoll*) afectuoso; cariñoso; (*innig empfunden*) íntimo; (*aufrichtig*) sincero; *Brief*: *~e Grüße* afectuosos saludos; *mein ~stes Beileid* mi más sentido pésame; **II.** *adv.* cordialmente; (*liebevoll*) afectuosamente; cariñosamente; *~ gern* con mucho gusto; *es tut mir ~ leid* lo siento en el alma; *~ willkommen!* ¡bienvenido!; **~lichkeit** *f* cordialidad *f*; afectuosidad *f*; sinceridad *f*; **~liebste(r** *m*) *m/f* amado (-a *f*) *m* de mi corazón; **2los** *adj.* sin corazón; insensible; desalmado; cruel; **~losigkeit** *f* (*0*) insensibilidad *f*; crueldad *f*; **~mittel** *n* cardiotónico *m*, cordial *m*; **~muskel** *Anat. m* (*-s*; *-n*) miocardio *m*; **~muskelentzündung** ⚕ *f* miocarditis *f.*

'**Herzog** *m* (*-es*; *⸗e*) duque *m*; **~in** *f* duquesa *f*; **2lich** *adj.* ducal; de(l) duque; **~tum** *n* (*-s*; *⸗er*) ducado *m.*

'**Herz...:** **~schlag** ⚕ *m* (*-es*; *⸗e*) ataque *m* de apoplejía; (*Schlagen*) latido *m* cardíaco; **~schwäche** ⚕ *f* debilidad *f* cardíaca; **~spezialist** *m* (*-en*) cardiólogo *m*; **2stärkend** *adj.* cordial, cardioestimulante; **~stärkung** *f*, **~stärkungsmittel** *n* cordial *m*, cardiotónico *m*; **~stillstand** ⚕ *m* (*-es*; *0*) asistolia *f*; **~stück** *n* (*-es*; *-e*) 🚂 corazón *m* de aguja; *fig.* núcleo *m*; **~tätigkeit** *f* actividad *f* cardíaca; **~ton** ⚕ *m* (*-es*; *⸗e*) tono *m* cardíaco; **~verfettung** ⚕ *f* degeneración *f* adiposa del corazón; **~vergrößerung** ⚕ *f* hipertrofia *f* del corazón; dilatación *f* cardíaca; **~verpflanzung** *f* transplante *m* de corazón; **~vorhof** *m* (*-es*; *⸗e*), **~vorkammer** *f* (-; *-n*) *Anat.* aurícula *f*; **~weh** ⚕ *n* (*-es*; *0*) cardialgia *f*; **2zerreißend** *fig. adj.* desgarrador.

Hespe'riden *f/pl.* Hespérides *f/pl.*

'**Hess|en** *n* Hesse; **2isch** *adj.* de Hesse.

He'täre *f Hist.* hetaira *f*; *fig.* prostituta *f.*

hetero'dox *adj.* heterodoxo.

Heterodo'xie *f* heterodoxia *f.*

hetero'gen [heˑteˑroˑ'geːn] *adj.* heterogéneo.

Heterogeni'tät *f* (*0*) heterogeneidad *f.*

'**Hetz|artikel** *m* artículo *m* demagógico *bzw.* difamatorio *od.* injurioso; **~blatt** *n* (*-es*; *⸗er*) periódico *m* demagógico *bzw.* difamatorio.

'**Hetze** *f* (*Hetzjagd*) caza *f* a caballo; *mit Hunden*: caza *f* con perros; (*Meute*) jauría *f*; traílla *f* de perros de caza; (*Eile*) precipitación *f*; (*Verfolgung*) persecución *f*; *fig.* campaña *f* difamatoria; agitación *f.*

'**hetzen** (*-t*) **1.** *v/t.* (*Hunde*) azuzar (*gegen* contra; *a. fig.*); *den Hund auf j-n ~* soltar el perro contra (*od.* echar el perro a) alg.; (*Wild*) correr; cazar; acosar (*a. fig.*); ojear; (*verfolgen*) perseguir; *zu Tode ~* perseguir a muerte (*od.* hasta hacer reventar); *Jgdw.* acosar; *von allen Hunden gehetzt sein fig.* tener el colmillo retorcido; estar más corrido que zorro viejo; (*quälen*) atormentar; (*aufreizen*) incitar; *Leute aufeinander ~* encizañar a la gente; **2.** *v/i.* (*eilen*) apresurarse; precipitarse; (*Zwietracht säen*) encizañar, sembrar la discordia; *gegen j-n ~* excitar los ánimos contra alg.; (*verleumden*) difamar (*od.* denigrar) a alg.; *sich ~* ajetrearse; 2 *n* → Hetze.

'**Hetze|r** *m Jgdw.* montero *m* de traílla; ojeador *m*; *fig.* agitador *m*; demagogo *m*; agente *m* provocador; (*Verleumder*) calumniador *m*, difamador *m*; **~'rei** *f* (*Aufwiegelung*) agitación *f*; subversión *f*; (*Verleumdung*) calumnia *f*, difamación *f*; (*Eile*) prisa *f*, precipitación *f*; **2risch** *adj.* provocador; demagógico; subversivo; difamatorio, calumnioso.

'**Hetz...:** **~hund** *m* (*-es*; *-e*) perro *m* de caza; (*Windhund*) galgo *m*; (*Hasen2*) lebrel *m*; **~jagd** *f* → Hetze; **~kampagne** *f* campaña *f* (contra); campaña *f* difamatoria *bzw.* de agitación; **~presse** *f* (*0*) prensa *f* difamatoria *bzw.* subversiva; **~rede** *f* discurso *m* incendiario *od.* subversivo; **~redner** *m* orador *m* subversivo, agitador *m*; agente *m* provocador; **~schrift** *f* libelo *m* (infamatorio).

'**Heu** *n* (*-es*; *0*) heno *m*; *fig. Geld wie ~ haben* ser muy rico; tener el dinero a montones, apalear el oro; **~boden** *m* (*-s*; *⸗*) henil *m*, henal *m*; **~bündel** *n* gavilla *f* de heno.

Heuche'lei *f* hipocresía *f*; farisaísmo *m*; (*Verstellung*) disimulo *m*; (*Unaufrichtigkeit*) insinceridad *f*, duplicidad *f*, doblez *f*; (*Falschheit*) falsía *f*; (*Frömmelei*) gazmoñería *f*, santurronería *f*; (*Farce*) farsa *f.*

'**heucheln** (*-le*) **1.** *v/i.* ser hipócrita; **2.** *v/t.* fingir, aparentar, afectar, simular; F matarlas callando.

'**Heuchler** *m* hipócrita *m*; (*Frömmler*) santurrón *m*, gazmoño *m*; (*Komödiant*) farsante *m*; **~in** *f* hipó-

crita *f*; santurrona *f*, gazmoña *f*; **2isch I.** *adj.* hipócrita; gazmoño, santurrón; farisaico; (*falsch*) falso; **II.** *adv.* con hipocresía, hipócritamente; (*falsch*) con falsía *od.* falsedad.
'heuen I. *v/i.* henificar; **II.** 2 *n* henaje *m.*
'heuer *adv.* hogaño, este año.
'Heuer¹ ⚒ *m* segador *m* de heno.
'Heuer² ⚓ *f* (-; -*n*) paga *f od.* salario *m* de los marineros.
'heuern (-*re*) *v/t.* alquilar; *Schiff*: fletar; *Matrosen*: contratar, *gal.* enrolar.
'Heu·ernte *f* siega *f* del heno.
'Heuervertrag ⚓ *m* (-*es*; ⸚*e*) contrato *m* de trabajo entre patrón y marinero.
'Heu...: ~fieber ⚕ *n* (-*s*; *0*) fiebre *f* del heno; **~gabel** *f* (-; -*n*) horca *f* de heno; horquilla *f*; (*hölzerne*) bieldo *m*; **~haufen** *m* hacina *f* (*od.* montón *m*) de heno.
'Heul|boje ⚓ *f* boya *f* acústica *od.* silbante; **2en** *v/i.* (*schreien*) gritar; *Hund*, *Wolf*: aullar; *Wind*: bramar; (*weinen*) llorar; gemir; F lloriquear, gimotear; (*plärren*) berrear; *mit den Wölfen ~ fig.* aullar con los lobos, contemporizar; F *es war zum* 2 era como para morirse de risa; **~en** *n* (*Geschrei*) clamores *m/pl.*; griterío *m*; *des Windes*: bramido *m*; *des Hundes*, *des Wolfes*: aullido *m*; (*Weinen*) lloro *m*, llanto *m*; F lloriqueo *m*, gimoteo *m*; *~ und Zähneklappern* (allí será) el llanto y el crujir de dientes; **~e'rei** F *f* (*Weinen*) lloriqueos *m/pl.*; **~sirene** *f* sirena *f* de alarma; **~suse** F *f* (niña *f*) llorona *f.*
'Heu...: ~monat *m* julio *m*; **~pferd** *n* saltamontes *m*; **~rechen** *m* rastro *m.*
'heurig *adj.* de este año; **2e(r)** *m* vino *m* nuevo (*od.* de la última cosecha).
'Heu...: ~scheuer *f* → *Heuboden*; **~schnupfen** ⚕ *m* (-*s*; *0*) catarro *m* estival; fiebre *f* del heno; **~schober** *m* → *Heuhaufen*; **~schrecke** *f* langosta *f*; (*grüne*) saltamontes *m*; **~schreckenschwarm** *m* (-*es*; ⸚*e*) enjambre *m* de langostas; **~schuppen** *m* → *Heuboden.*
'heute *adv.* hoy; *bis ~* hasta hoy; hasta la fecha; *noch ~*, *~ noch* (*gleich heute*) hoy mismo; (*noch immer*) todavía hoy; hoy todavía; hasta hoy; *~ morgen* (*nachmittag*; *abend*) esta mañana (tarde; noche), hoy por la mañana (tarde; noche); *~ mittag* (hoy) a mediodía; *~ in acht Tagen*, *~ über acht Tage* de hoy en ocho días; *~ vor acht Tagen* hace ocho días; *von ~ an* desde hoy, de hoy en adelante, a partir de hoy; *von ~ auf morgen fig.* de hoy a mañana; de un día para otro; (*Hals über Kopf*) precipitadamente; (*plötzlich*) de pronto, de repente, F de golpe y porrazo; *welches Datum ist ~?* ¿a cuántos estamos?; *Mädchen von ~* muchachas de hoy; 2 *n*: *das ~* el día de hoy.
'heutig *adj.* de hoy; del día; (*gegenwärtig*) actual; moderno; de ahora; *der ~e Tag* el día de hoy; *am ~en Tage* hoy; en el día de hoy; *bis zum ~en Tage* hasta hoy; hasta la fecha; *die ~e Zeitung* el periódico de hoy; **~entags** *adv.* → *heutzutage.*
'heutzutage *adv.* hoy (en) día; en la actualidad; actualmente; en los tiempos que corren; en nuestros días.
'Heu...: ~wagen *m* carreta *f* (para transportar heno); **~(wende)maschine** *f*, **~wender** *m* tornadera *f* de heno.
Hexa'ed|er *n* hexaedro *m*; **2risch** *adj.* hexaédrico.
Hexa|'gon *n* (-*s*; -*e*) hexágono *m*; **2go'nal** *adj.* hexagonal.
He'xameter [hɛ'ksa:-] *m* hexámetro *m.*
hexa'metrisch *adj.* hexámetro.
'Hexe *f* bruja *f*; (*Zauberin*) hechicera *f*; *Schimpfwort*: bruja *f*; arpía *f*; tarasca *f.*
'hexen *v/i.* brujear, hacer brujerías *f/pl.*; (*zaubern*) hacer sortilegios *m/pl.*; *ich kann doch nicht ~* no puedo hacer milagros (*od.* imposibles); *das geht wie gehext* parece cosa de magia; *wie gehext* como por encanto.
'Hexen...: ~glaube *m* (-*ns*; *0*) creencia *f* en brujas *od.* en brujerías; **~kessel** *fig. m* infierno *m*; **~kraut** ♀ *n* (-*es*; *0*) circea *f*; **~kreis** *m* (-*es*; -*e*) círculo *m* mágico; **~kunst** *f* (-; ⸚*e*) brujería *f*; magia *f*; hechicería *f*; **~meister** *m* brujo *m*; (*Zauberer*) hechicero *m*; mago *m*; **~prozeß** *m* (-*sses*; -*sse*) proceso *m* contra brujas; **~sabbat** *m* (-*s*; -*e*) aquelarre *m*; **~schuß** ⚕ *m* (-*sses*; *0*) lumbago *m*; **~verfolgung** *f* persecución *f* de las brujas.
Hexe'rei *f* brujería; hechicería *f*; magia *f*; *das ist doch keine ~* no es ninguna cosa de magia.
Hi'atus *Gr. m* hiato *m.*
hieb *pret. v. hauen.*
Hieb *m* (-*es*; -*e*) (*Schlag*) golpe *m*; *auf e-n ~* de un golpe; *fig. auf den ersten ~* al primer intento; *j-m e-n ~ versetzen* asestar (*od.* dar) un golpe a alg.; *der ~ hat gesessen* (*ist fehlgegangen*) el golpe ha encajado de lleno (ha fallado); *~e bekommen* recibir (*od.* llevar) golpes; *~e austeilen* (*od. versetzen*) repartir golpes; *es hat ~e gesetzt* ha habido golpes; *fig. das ist ein ~ auf mich* eso va por mí.
'Hieb...: 2- und stichfest *adj.* invulnerable; *fig.* sólido; a toda prueba; *~er Beweis* prueba contundente; **~- und 'Stoßwaffe** *f* arma *f* cortante y punzante; arma *f* de punta y filo; **~waffe** *f* arma *f* cortante; **~wunde** *f* herida *f* incisa.
hielt *pret. v. halten.*
hier *adv.* aquí; *Appell*: *~!* ¡presente!; ✝ en *bzw.* de ésta; en *bzw.* de esta plaza; *auf Briefen*: Presente; *~ ist* (*sind*) ... aquí está (están) ...; he aquí...; aquí tiene usted...; *~ bin ich* aquí estoy; *~ kommt er* aquí viene, F aquí le tenemos; *der Mann ~* este hombre; *~ und da* (*örtlich*) aquí y allá; (*zeitlich*) a veces; de vez en cuando; *~ herum* dando la vuelta por aquí; *von ~ an* de aquí en adelante; a partir de aquí; *~ auf Erden* en este mundo; *~ ruht* aquí yace; *~ oben* (*unten*) aquí arriba (abajo); (*in diesem Falle*) en este caso; (*bei dieser Gelegenheit*) con tal ocasión; (*diesmal*) esta vez; (*bei diesem Worte*) diciendo esto; (*in dieser Beziehung*) a este respecto; *~, nimm!* ¡aquí tienes!, ¡toma!; **'~an** *adv.* en esto *od.* ello; *~ siehst du* ahí ves.
Hierar'chie [hi·e·ʀaʀ'çi:] *f* jerarquía *f.*
hie'rarchisch *adj.* jerárquico.
'hier...: ~auf *adv.* a (en; sobre) esto *od.* ello; (*zeitlich*) después (de ello; de lo cual); posteriormente, más tarde; luego; (*gleich*) acto seguido; **~aus** *adv.* de aquí; de esto, de ello; *~ geht hervor* de ello resulta (*od.* se desprende) que; **~behalten** (*L*; -) *v/t.* retener; **~bei** *adv.* en esto; con esto; haciendo (*bzw.* diciendo *usw.*) esto; (*zeitlich*) al mismo tiempo; (*beigeschlossen*) adjunto; incluso; **~bleiben** (*L*; *sn*) *v/i.* quedarse aquí; **~durch** *adv.* por *od.* con esto; por *od.* con ello; por aquí; *fig.* (*dadurch*) por este medio; así; **~für** *adv.* por *bzw.* para esto; por *bzw.* para ello; **~gegen** *adv.* contra esto (*od.* eso *od.* ello); a esto (*od.* eso *od.* ello); (*hingegen*) en cambio; por otra parte; **~her** *adv.* acá; para acá; por *bzw.* para este lado; *bis ~* hasta aquí; hasta hoy, hasta la fecha; *~ gehören fig.* venir al caso, F venir a cuento; **~herkommen** (*L*; *sn*) *v/i.* venir acá; **~herum** *adv.* aquí cerca; por aquí; **~hin** *adv.* aquí; hacia *od.* para aquí *od.* acá; *~ und dorthin* por aquí y (por) allá; de un lado para otro; **~in** *adv.* en esto; en ello; aquí dentro; (*eingeschlossen*) adjunto; incluso, incluido; **~mit** *adv.* con esto *od.* eso; (*bei diesen Worten*) diciendo esto; con estas palabras; *~ bescheinige ich, daß* ... Certifico: Que ...; **~nach** *adv.* (*folgern*) según eso (*od.* esto *od.* ello); (*zeitlich*) después de eso (*od.* esto *od.* ello); acto seguido; a continuación; **~neben** *adv.* aquí al lado; cerca de aquí, (por) aquí cerca.
Hiero'glyph|e [hi·e·ʀo·'gly:fə] *f*, **2isch** *adj.* jeroglífico *m.*
Hie'ronymus *m* Jerónimo *m.*
'hier...: ~orts *adv.* aquí; por acá; ✝ en ésta; → *hierzulande*; **2sein** *n* presencia *f*; **~selbst** *adj.* aquí mismo; (*in dieser Stadt*) en esta ciudad; ✝ en ésta; **~über** *adv.* por aquí encima; *Richtung*: por (*bzw.* para *od.* hacia) este lado; por aquí; (*über dieses Thema*) sobre eso, acerca de eso; **~um** *adv.* alrededor (*od.* en torno) de esto *od.* ello; **~unter** *adv.* debajo de esto *od.* ello; entre esto *od.* ello; *~ verstehen* entender por; **~von** *adv.* de esto (*od.* eso *od.* ello); **~zu** *adv.* a esto, a ello; (*zu diesem Zweck*) para ello; a tal efecto, para tal fin; (*außerdem*) además; (*zu diesem Punkt*) respecto a esto *od.* eso; *~ kommt* a ello hay que añadir; **~zulande** *adv.* en este país; aquí; (*bei uns*) entre nosotros.
'hiesig *adj.* de aquí; de esta ciudad *od.* ✝ plaza; local.
hieß *pret. v. heißen.*
'Hifthorn ♪ *n* (-*es*; ⸚*er*) cuerno *m* de caza.

ˈ**Hilfe** *f* (*Beistand*) ayuda *f*; asistencia *f*; (*Hilfeleistung*) auxilio *m*, socorro *m*; (*Unterstützung*) apoyo *m*; *ärztliche* ~ asistencia médica *od.* facultiva; *gegenseitige* ~ ayuda mutua; socorro mutuo; (*zu*) ~! ¡socorro!, ¡auxilio!; *mit* ~ *von* con ayuda de, (*e-r Person*: con la ayuda de); *mit Gottes* ~ con la ayuda de Dios; *ohne fremde* ~ sin ayuda de nadie; *um* ~ *rufen* pedir socorro *od.* auxilio (*j-n* a. alg.); *j-n um* ~ *bitten* pedir ayuda a alg.; solicitar la ayuda de alg.; *j-m* ~ *leisten* socorrer *od.* auxiliar a alg.; prestar ayuda *od.* auxilio a alg.; asistir a alg.; *j-m zu* ~ *kommen* (*eilen*) ir (acudir) en socorro de alg.; et. *zu* ~ *nehmen* recurrir a; valerse de; *j-m die erste* ~ *leisten* prestar a alg. los primeros auxilios; *bei Verwundeten*: curar de primera intención, hacer la primera cura (*od.* la cura de urgencia); *iro. du bist mir e-e schöne* ~ ¡bonita ayuda tengo en ti!; 2**flehend** *adj.* suplicante; implorando auxilio; ~**leistung** *f* asistencia *f*; prestación *f* de auxilio; *Pflicht zur* ~ obligación de prestar asistencia; ~**ruf** *m* (-*es*; -*e*) grito *m* de socorro; demanda *f* de auxilio; 2**suchend** *adj.* en busca de socorro; implorando ayuda; (*Blick*) suplicante.

ˈ**hilf|los** *adj.* desamparado; (*mittellos*) sin recursos; (*verlassen*) abandonado; desvalido; (*ungeschickt*) incapaz de valerse; 2**losigkeit** *f* (*0*) desamparo *m*; abandono *m*; desvalimiento *m*; falta *f* de recursos; ~**reich** *adj.* (*wohltätig*) benéfico; (*mildtätig*) caritativo; (*mitleidig*) compasivo; (*hilfsbereit*) servicial; *j-m* ~*e Hand leisten*, *adv. j-m* ~ *zur Seite stehen* ayudar (*od.* prestar auxilio) a alg.; F echar una mano a alg.

ˈ**Hilfs...:** ~**aktion** *f* acción *f* de socorro; ~**angestellte**(**r** *m*) *m/f* empleado (-a *f*) *m* auxiliar; ~**arbeiter** *m* peón *m*; ~**arzt** *m* (-*es*; ¨*e*) médico *m* auxiliar; 2**bedürftig** *adj.* necesitado, menesteroso; desvalido, desamparado; pobre, indigente; ~**bedürftige**(**r** *m*) *m/f* necesitado (-a *f*) *m*, menesteroso (-a *f*) *m*; desvalido (-a *f*) *m*; ~**bedürftigkeit** *f* (*0*) necesidad *f*; pobreza *f*, indigencia *f*; desamparo *m*, desvalimiento *m*; 2**bereit** *adj.* dispuesto a ayudar; (*willfährig*) complaciente; servicial; (*mildtätig*) caritativo; ~**bereitschaft** *f* (*0*) disposición *f* a ayudar; (*Mildtätigkeit*) caridad *f*; ~**dienst** *m* (-*es*; -*e*) servicio *m* auxiliar; (*Notdienst*) servicio *m* de urgencia; ~**fonds** *m* (-; -) fondo *m* de socorro; ~**geistliche**(**r**) *m* cura *m* ecónomo; coadjutor *m*; ~**gelder** *n/pl.* subsidios *m/pl.*; *f* caja *f* de socorro; ~**kraft** *f* (-; ¨*e*) auxiliar *m/f*; ~**kreuzer** ⚓ *m* crucero *m* auxiliar; ~**lehrer**(**in** *f*) *m* maestro (-a *f*) *m* auxiliar; *an höheren Schulen*: profesor(a *f*) *m* auxiliar; ~**leistung** *f* ayuda *f*; asistencia *f*; buenos oficios *m/pl.*; ~**linie** ⅍ *f* línea *f* auxiliar; ~**maschine** *f* máquina *f* auxiliar; ~**maßnahme** *f* medida *f* de socorro; ~**mittel** *n* medio *m*; recurso *m*; (*Ausweg*) expediente *m*, arbitrio *m*; (*Heilmittel*) remedio *m*; ~**motor** *m* (-*s*; -*en*) motor *m* auxiliar; ~**organisation** *f* organización *f* de socorro; ~**personal** *n* (-*s*; *0*) personal *m* auxiliar; ~**plan** *m* (-*es*; ¨*e*) plan *m* de ayuda; ~**prediger** *m* *I.C.* vicario *m*; *I.P.* pastor *m* adjunto; ~**programm** *n* (-*s*; -*e*) programa *m* de ayuda; ~**quelle** *f* recurso *m*; ~**schule** *f* escuela *f* especial para retrasados mentales; ~**schwester** *f* (-; -*n*) enfermera *f* auxiliar; ~**truppen** ⚔ *f/pl.* tropas *f/pl.* auxiliares; ~**verb** *Gr. n* (-*s*; -*en*) (verbo *m*) auxiliar *m*; ~**ver-ein** *m* (-*es*; -*e*) asociación *f* de beneficencia; ~**werk** *n* (-*es*; -*e*) obra *f* benéfica *od.* asistencial; ~**wissenschaft** *f* ciencia *f* auxiliar; ~**zeitwort** *n* (-*es*; ¨*er*) → *Hilfsverb*; ~**zug** *m* (-*es*; ¨*e*) tren *m* de socorro.

Hiˈ**malaja** *m*: *der* ~, *das* ~*gebirge* el Himalaya.

ˈ**Himbeer|e** ⚘ *f* frambuesa *f*; ~**saft** *m* (-*es*; ¨*e*) zumo *m* de frambuesa; ~**strauch** ⚘ *m* (-*es*; ¨*er*) frambueso *m*.

ˈ**Himmel** *m* cielo *m*; (*Himmelsgewölbe*) *a.* firmamento *m*, bóveda *f* celeste; (*Bett*2) colgadura *f* (*od.* cielo *m*) de cama; (*Thron*2) dosel *m*; *am* ~ en el cielo; *zum* ~ *aufblicken* elevar los ojos al cielo; *fig. wie ein Blitz aus heiterem* ~ caer como una bomba; *das Blaue vom* ~ *lügen* F mentir más que un sacamuelas; ~ *und Erde in Bewegung setzen* mover cielo y tierra; *dem* ~ *sei Dank!* ¡gracias a Dios!; ¡alabado sea Dios!; ¡bendito sea Dios!; *Gott im* ~! ¡Santo Dios!; ¡cielos!; *das weiß der* ~ eso (sólo) Dios lo sabe; *du lieber* ~! ¡Dios mío!; *das verhüte der* ~! ¡no lo quiera Dios!; *um* ~*s willen!* ¡por el amor de Dios!; *in den* ~ *kommen* ir al (*od.* ganar el) cielo; *gen* ~ *fahren* subir al cielo; *wie vom* ~ *gefallen* venir como llovido del cielo; *fig. in den* ~ *heben* poner en las nubes (*od.* en los cuernos de la luna); *der* ~ *hängt ihm voller Geigen* todo lo ve de color de rosa; *er ist im siebenten* ~ está en el séptimo cielo (*od.* en la gloria *od.* en Jauja); *den* ~ *offen sehen* ver el cielo abierto; *der* ~ *würde einstürzen, wenn...* se hundiría el firmamento si...; *das schreit* (F *das stinkt*) *zum* ~ esto clama al cielo; *unter freiem* ~ al aire libre; *unter freiem* ~ *schlafen* dormir al raso (*od.* a la intemperie); 2**an** *adv.* hacia el cielo; 2**angst** *adj.*: *mir wurde* ~ F sentí un miedo espantoso; ~**bett** *n* (-*es*; -*en*) cama *f* con colgadura; 2**blau** *adj.* azul celeste; ▨ azur; ~**fahrt** *Rel. f* (*0*) *Christi*: la Ascensión del Señor; *Mariä*: la Asunción de Nuestra Señora; ~**fahrtsfest** *n* (-*es*; -*e*), ~**fahrts-tag** *m* (-*es*; -*e*) *Christi*: (fiesta *f od.* día *m* de) la Ascensión; *Mariä*: (fiesta *f od.* día *m* de) la Asunción; 2**hoch I.** *adj.* altísimo; **II.** *adv.*: *j-n* ~ *erheben* poner a alg. en las nubes (*od.* en los cuernos de la luna); *j-n* ~ *um et. bitten* suplicar a alg. con el mayor empeño a/c.; ~**reich** *n* (-*es*; *0*) *Rel.* reino *m* de los cielos; *fig. des Menschen Wille ist sein* ~ la mayor felicidad del hombre es hacer su voluntad; 2**schreiend** *adj.* que clama al cielo; (*empörend*) indignante; (*unerhört*) inaudito.

ˈ**Himmels...:** ~**beschreibung** *f* cosmografía *f*; ~**erscheinung** *f* meteoro *m*; *Rel.* aparición *f* celestial; ~**gegend** *f* región *f* del cielo; *die vier* ~*en* los cuatro puntos cardinales; (*Zone*) zona *f*; ~**gewölbe** *n* bóveda *f* celeste; firmamento *m*; cielo *m*; ~**karte** *f* planisferio *m* celeste; ~**königin** *f* Reina *f* de los Cielos, la Santísima Virgen; ~**körper** *m Astr.* cuerpo *m* celeste, astro *m*; ~**kugel** *f* (*0*) globo *m* (*od.* esfera *f*) celeste; ~**kunde** *f* (*0*) astronomía *f*; ~**leiter** *f* (-; -*n*) escala *f* de Jacob; ~**raum** *m* (-*es*; *0*) espacio *m* celeste; ~**reklame** *f* publicidad *f* aérea; ~**richtung** *f* punto *m* cardinal; ~**schlüssel** ⚘ *m* primavera *f*, prímula *f*; ~**strich** *m* (-*es*; -*e*) zona *f*; latitud *f*; (*Gegend*) región *f*; 2**stürmend** *adj.* titánico; ~**wagen** *m Myt.* carro *m* celeste; *Astr.* Osa *f* Mayor; ~**zelt** *n* (-*es*; -*e*) bóveda *f* celeste.

ˈ**himmel...:** ~**wärts** *adv.* hacia el cielo; ~**weit** *adj. u. adv.* (*sehr entfernt*) muy lejano; muy lejos; (*sehr groß*) enorme, inmenso; ~ *verschieden sein* ser diametralmente opuestos; ser encialmente distintos; *es ist ein* ~*er Unterschied zwischen* hay una enorme diferencia entre; difieren entre sí como el día y la noche.

ˈ**himmlisch** *adj.* celeste; *fig.* celestial; (*göttlich*) divino; (*erhaben*) sublime; (*aufs Jenseits gerichtet*) espiritual; (*entzückend*) encantador; (*herrlich*) magnífico; (*köstlich*) delicioso; precioso.

hin *adv. örtlich*: hacia allí, hacia allá; para allá; por aquella parte; hacia aquel sitio; *nach Norden* ~ hacia el norte; *nach oben* (*unten*) ~ para arriba (abajo); *an...* ~ (*dat.*) a lo largo de; *ich will nicht* ~ no quiero ir allá; *wo ist er* ~? ¿a dónde ha ido?; ~ *und her* de un lado para otro; de acá para allá; et. ~ *und her überlegen* meditar bien a/c.; considerar el pro y el contra de a/c.; *das* 2 *und Her* el vaivén; el ir y venir; ~ *und zurück* 🚂 ida y vuelta; *zeitlich*: ~ *und wieder* a veces, de vez en cuando; a ratos; de tarde en tarde; *das ist noch lange* ~ todavía falta mucho; ~ *sein* (*vergangen*) haber pasado; (*nicht mehr vorhanden*) haberse acabado; (*verloren sein*) estar perdido; (*zugrunde gerichtet*) estar arruinado; (*ramponiert*) estar deteriorado, estropeado; (*tot*) estar *bzw.* haber muerto; *sie ist* ~ (*hingerissen*) está entusiasmada; *auf die Gefahr* ~, *alles zu verlieren* a riesgo de perderlo todo; *auf sein Versprechen* ~ fiándose de su promesa (*od.* palabra); *aufs Ungewisse* ~ a todo riesgo; *vor sich* ~ *reden* hablar entre dientes.

hiˈ**nab** *adv.* abajo, hacia abajo; *den Fluß* ~ río abajo; bajando el río; *hinauf und* ~ subiendo y bajando; ~**fahren** (*L*; *sn*) *v/i. u. v/t.* bajar; ~**fallen** (*L*; *sn*) *v/i.* caer (*zu Boden* a tierra *od.* al suelo) **~gehen** (*L*; *sn*), **~laufen** (*L*; *sn*), **~steigen** (*L*; *sn*) *v/t. u. v/i.* bajar; **~schlängeln** (*-le*) *v/refl.*: *sich ~* bajar serpenteando; **~stürzen** (*-t*) **1.** *v/t.* precipitar; *sich ~* precipitarse; **2.** (*sn*) *v/i.* precipitarse; (*hinabfallen*) caer.

hi'nan *adv.* arriba, hacia arriba; **~steigen** (*L*; *sn*) *v/i.* subir; *den Berg ~* escalar (subir a) la montaña.

'hin·arbeiten (*-e-*) *v/i.*: *auf et. ~* (*ac.*) trabajar para lograr a/c.; proponerse a/c.; aspirar a a/c.

hi'nauf *adv.* arriba, hacia arriba; subiendo; *den Fluß ~* remontando el río; aguas arriba; *die Treppe* (*den Hang*) *~* escaleras (cuesta) arriba; **~arbeiten** (*-e-*) *v/refl.*: *sich ~* prosperar a fuerza de trabajo; *sich den Berg ~* subir penosamente a la montaña; **~befördern** (*-re*) *v/t.* subir; llevar arriba; **~begleiten** (*-e-*) *v/t.*: *j-n ~* acompañar a alg. (hasta) arriba; **~blicken** *v/i.* mirar hacia arriba; mirar a lo alto; **~bringen** (*L*) *v/t.* subir; llevar (*bzw.* trasladar *od.* transportar) arriba; **~fahren** (*L*) **1.** (*-sn*) *v/i.* subir (en coche *usw.*); *den Fluß ~* remontar el río; **2.** *v/t.* transportar hacia arriba; **~gehen** (*L*; *sn*) *v/i.* subir; *beim 2* subiendo; al subir; **~klettern** (*-re*; *sn*) *v/i.* encaramarse, trepar (*auf ac.* a; *an dat.* por); **~kommen** (*L*; *sn*) *v/i.* subir; (*es schaffen*) llegar a la cumbre alcanzar su objetivo; **~laufen** (*L*; *sn*) *v/i.* subir corriendo; **~reichen** **1.** *v/t.* alcanzar (desde abajo); **2.** *v/i.* alcanzar la parte más alta; alcanzar hasta arriba; **~rücken** (*sn*) *v/i.* avanzar; **~schaffen** *v/t.* subir; llevar *bzw.* transportar arriba; **~schicken** *v/t.* enviar arriba; **~schnellen** (*sn*) *v/i.* *Preise*: subir (de golpe); **~schrauben** *v/t.* aumentar, subir; **~setzen** (*-t*) *v/t.* *Preise usw.*: subir, aumentar; **~steigen** (*L*; *sn*) *v/i.* subir; elevarse (*beide a. fig.*); **~tragen** (*L*) *v/t.* subir; trasladar *od.* llevar arriba; **~treiben** (*L*) *v/t.* *Preise*: hacer subir; **~ziehen** (*L*) *v/t.* tirar hacia arriba; (*hochwinden*) guindar; aupar; (*hissen*) izar.

hi'naus *adv.* afuera, hacia afuera; *~!* ¡salga usted!; ¡fuera de aquí!, F ¡largo de aquí!; *~ mit ihm!* ¡fuera!, ¡fuera con él!, F ¡que lo echen!; *zum Fenster ~* por la ventana; *nach vorn* (*hinten*) *~ wohnen* vivir en un piso exterior (interior); *auf Monate ~* por *bzw.* para varios meses; *wo soll das ~?* ¿qué se pretende con eso?; ¿a qué viene eso?; *worauf will er ~?* ¿qué es lo que pretende?; *über et. ~* más allá de; *ich weiß nicht wo ~ fig.* no sé qué hacer; **~begleiten** (*-e-*; -) *v/t.*: *j-n ~* acompañar a alg. hasta la puerta; **~beugen** *v/refl.*: *sich zum Fenster ~* asomarse a la ventana; **~blicken** *v/i.*: *aus dem Fenster ~* mirar por la ventana; **~bringen** (*L*) *v/t.* llevar *od.* conducir afuera; *j-n ~* acompañar a alg. afuera; **~ekeln** *v/t.* obligar a alg. a marcharse asqueado; **~fahren** (*L*) **1.** (*sn*) *v/i.* salir (*en un vehículo*); *Schiff*: (*auslaufen*) hacerse a la mar; **2.** *v/t.* *Wagen usw.*: salir; *j-n ~* llevar a alg. a pasear en coche; **~feuern** (*-re*) F *v/t.* → *hinauswerfen*; **~fliegen** (*L*; *sn*) F *v/i.* ser echado a la calle; **~führen** *v/t.*: *j-n ~* acompañar a alg. hasta la puerta; **~gehen** (*L*; *sn*) *v/i.* salir afuera; salir; *Fenster*: *~ auf* dar a; *nach Süden ~* dar al mediodía *od.* al sol; *Absicht*: *~ auf* tender a; aspirar a; *~ über* (*ac.*) exceder *od.* pasar de; superar (*ac.*), ser superior a; **~geleiten** (*-e-*; -) *v/t.*: *j-n ~* acompañar a alg. hasta la puerta; **~greifen** (*L*) *v/i.*: *über et. ~* (*ac.*) alcanzar más allá de; **~jagen** *v/t.* echar fuera; **~kommen** (*L*; *sn*) *v/i.* venir afuera; *fig. auf dasselbe* (*od. eins*) *~* venir a ser lo mismo; **~komplimentieren** (-) *v/t.* echar a alg. con aparente amabilidad; **~laufen** (*L*; *sn*) *v/i.* salir corriendo; (*enden*) *~ auf* (*ac.*) acabar en; *auf eins ~* (venir a) ser lo mismo; **~legen** *v/t.* sacar; poner fuera; (*auslegen*) *Waren*: exponer; **~lehnen** *v/refl.*: *sich ~* asomarse; **~ragen** *v/i.*: *~ über* (*ac.*) elevarse sobre; descollar entre; sobresalir; **~reichen** *v/i.*: *~ über* (*ac.*) exceder de; extenderse (*od.* llegar) más allá de; **~schaffen** *v/t.* transportar afuera; **~schauen** *v/i.*: *aus dem Fenster ~* mirar por la ventana; **~schicken** *v/t.* enviar; *j-n ~* hacer salir a alg.; **~schieben** (*L*) *v/t.* empujar hacia afuera; *zeitlich*: aplazar; demorar, diferir; **~schießen** (*L*) *v/i.* tirar por encima del blanco; *fig.* ir más allá de, exceder; **~schleudern** (*-re*) *v/t.* lanzar; **~schmeißen** (*L*) *v/t.* F: *j-n ~* echar a alg.; **~sehen** (*L*) *v/i.*: *aus dem Fenster ~* mirar por (*od.* desde) la ventana; **~sein** (*L*) *v/i.*: *über et. ~* (*ac.*) exceder, haber pasado (*ac.*); ser superior a, estar por encima de; **~setzen** (*-t*) *v/t.*: *j-n ~* poner a alg. en la puerta; echar a alg. a la calle; **~stellen** *v/t.* poner afuera; **~stoßen** (*L*) *v/t.* empujar hacia afuera; hacer salir a empujones; **~stürzen** (*-t*; *sn*) *v/i.* salir precipitadamente; *sich zum Fenster ~* arrojarse por la ventana; **~treiben** (*L*) *v/t.* arrojar; expulsar; **~wachsen** (*L*; *sn*) *v/i.*: *über sich ~* superarse; **~wagen** *v/refl.*: *sich ~* atreverse a salir; **~weisen** (*L*) *v/t.* F enseñar la puerta; **~werfen** (*L*) *v/t.* tirar afuera; (*ausweisen*) echar fuera (*aus* de); *zum Fenster ~* tirar por la ventana; *zur Tür ~* echar a la calle; poner en la puerta, F poner de patitas en la calle; **~wollen** (*L*) *v/i.* querer salir; *fig. ~ auf* (*ac.*) pretender (*od.* aspirar a) a/c.; *worauf willst du hinaus?* ¿qué es lo que pretendes?; *ich weiß, worauf du hinauswillst* ya sé por dónde vas; ya te veo venir; *worauf will das hinaus?* ¿qué significa eso?; *hoch ~* tener grandes pretensiones, F picar muy alto; **~ziehen** (*L*) **1.** *v/t.* sacar; (*in die Länge ziehen*) retardar, demorar, F dar largas; **2.** (*sn*) *v/i.* salir; *aufs Land ~* irse a vivir al campo; **3.** *v/refl.*: *sich ~* prolongarse; retardarse; durar mucho tiempo, F eternizarse.

'hin...: **~begeben** (*L*; -) *v/refl.*: *sich ~* dirigirse a, ir a; **~begleiten** (*-e-*; -) *v/t.* acompañar (a alguna parte); **~bemühen** (-) **1.** *v/t.*: *j-n ~* pedir a alg. que vaya a alguna parte; **2.** *v/refl.*: *sich ~* tomarse la molestia de ir a alguna parte; **~bestellen** (-) *v/t.* citar; **2blick** *fig.* *m*: *im ~ auf* (*ac.*) considerando que; en atención a; teniendo presente que; en vista de; teniendo en cuenta que; con respecto a; **~blicken** *v/i.* mirar hacia; **~bringen** (*L*) *v/t.* llevar a; *j-n ~* conducir (*od.* acompañar) a alg. a; *Vermögen*: dilapidar; *die Zeit ~* pasar el tiempo; *sein Leben kümmerlich ~* ir viviendo, F ir tirando; **~brüten** (*-e-*) *v/i.*: *vor sich ~* estar ensimismado; (*stärker*) estar sumido en profunda apatía; **~denken** (*L*) *v/i.*: *wo denken Sie hin?* ¿qué se ha creído usted?; ¿qué había pensado usted?

'hinderlich *adj.* contrario; (*beschwerlich*) embarazoso, molesto, engorroso; *j-m in et. ~ sein* (*dat.*) servir de estorbo a alg. para hacer a/c., impedir a alg. hacer a/c.

'hindern (*-re*) *v/t.* impedir; estorbar; contrariar; *j-n am Schreiben ~* estorbar a alg. al escribir; (*zurückhalten*) detener; retener; (*hemmen*) entorpecer; (*lästig sein*) embarazar; (*stören*) molestar.

'Hindernis *n* (*-ses*; *-se*) impedimento *m*, obstáculo *m*; (*Schwierigkeit*) dificultad *f*, inconveniente *m*; *ein ~ nehmen* (*od. überwinden*) salvar un obstáculo; *ein ~ beseitigen* apartar *od.* quitar un obstáculo; *auf ~se stoßen* chocar con obstáculos; *j-m ein ~* (*od. ~se*) *in den Weg legen* poner obstáculos a alg.; (*Hemmnis*) traba *f*; (*Hürde*) *Sport*: valla *f*; (*Unbequemlichkeit*) estorbo *m*; embarazo *m*; *unvermutetes ~* contratiempo *m*; ⚖ impedimento *m*; **~bahn** *f* pista *f* para carreras de obstáculos; **~lauf** *m* (*-es*; *⸗e*), **~rennen** *n* carrera *f* de obstáculos; **~springen** *n* salto *m* de obstáculos.

'hindeuten (*-e-*) *v/i.*: *auf et. ~* indicar, denotar a/c.; (*zeigen*) mostrar a/c.; señalar a/c.; (*zu verstehen geben*) dar a entender a/c.; (*anspielen*) aludir (*od.* hacer alusión) a a/c.

'Hindin *Zoo. f* cierva *f*; corza *f*.

'hindrängen **1.** *v/t.* empujar hacia; **2.** (*sn*) *v/i.* *fig.* afluir (*zu*, *nach* hacia); **3.** *v/refl.*: *sich ~ nach* afluir (*od.* acudir en masa) hacia.

'Hindu *m* (-; *-s*) indio *m*, hindú *m*; **~frau** *f* india *f*, hindú *f*.

Hindu'ismus *m* (-; *0*) hinduísmo *m*.

hin'durch *adv.* a través de, atravesando; *hier ~* (pasando) por aquí; *mitten ~* por en medio de; *ganz ~* de parte a parte; *durch das Fenster ~* por la ventana; *zeitlich*: durante; *die ganze Nacht ~* (durante) toda la noche; *den ganzen Tag ~* todo el (F santo) día; *das ganze Jahr ~* (durante) todo el año; *Jahre ~* durante años; largos años; años enteros; *drei Monate ~* durante tres meses; **~gehen** (*L*; *sn*) *v/i.* atravesar; *~ zwischen* pasar por entre.

Hindu'stan *n* Indostán *m*; **~i** *n*

(-; *0*) indostanés *m*; (*Sprache*) indostaní *m*.

'**hin...**: **~dürfen** (*L*) *v/i*. tener permiso *m* para ir allá; **~eilen** (*sn*) *v/i*. acudir presurosamente.

hi'nein *adv*. en, dentro; adentro; para adentro; por dentro; *tief in die Nacht* ~ muy entrada la noche; *ins Meer* (*Land*) ~ mar (tierra) adentro; *mitten* ~ en medio de; *hier* (*dort*) ~ entrando por aquí (allí); ~ *ins Wasser!* ¡al agua!; **~arbeiten** (-*e*-) *v/t*. agregar; intercalar; *sich* ~ penetrar en; *fig*. familiarizarse con a/c.; **~bauen** Δ *v/t*. empotrar (*in ac*. en); **~begeben** (*L*; -) *v/refl*.: *sich* ~ entrar en; **~bekommen** (*L*) *v/t*. conseguir meter (*od*. introducir *od*. hacer entrar) en; **~bringen** (*L*) *v/t*. conducir (*od*. llevar) adentro; **~denken** (*L*) *v/refl*.: *sich in j-s Lage* ~ ponerse en el lugar (*od*. el caso) de alg.; hacerse cargo de la situación de alg.; **~drängen** *v/t*. empujar hacia adentro; *sich* ~ penetrar empujando; **~drücken** *v/t*. hacer entrar apretando; apretar hacia adentro; **~fallen** (*L*; *sn*) *v/i*. caer (*in ac*. a; en); **~finden** (*L*) *v/refl*.: *sich in et*. ~ (*ac*.) adaptarse, acomodarse a a/c.; familiarizarse con a/c.; (*sich fügen*) resignarse; **~gehen** (*L*; *sn*) *v/i*. entrar (*in ac*. en); *es gehen 100 Personen in den Saal hinein* en la sala caben cien personas; **~geraten** (*L*; *sn*) *v/i*. ir a dar en, ir a parar en; caer en; **~knien** *v/refl*.: *sich* ~ *in* (*ac*.) F *fig*. dedicarse con entusiasmo a; **~lassen** (*L*) *v/t*. dejar entrar; **~laufen** (*L*; *sn*) *v/i*. entrar corriendo (*in ac*. en); **~leben** *v/i*.: *in den Tag* ~ vivir al día; **~legen** *v/t*. meter; *fig*. *j-n* ~ engañar a alg.; **~lesen** (*L*) *v/refl*.: *sich* ~ *in* (*ac*.) familiarizarse con a/c. mediante la lectura; **~mischen** *v/t*. mezclar; *sich* ~ *in* (*ac*.) entrometerse, inmiscuirse en; F meterse en; **~passen** (-*ßt*) **1.** *v/i*. caber (*in ac*. en); **2.** *v/t*. ajustar (*in ac*. a); encajar en; **~reden** (-*e*-) *v/i*.: *j-m* ~ (*ins Gespräch*) interrumpir a alg.; *ins Blaue* ~ hablar a tontas y a locas; *sich in Zorn* ~ acabar por enfurecerse hablando; **~reiten** (-*e*-) *v/i*. entrar a caballo (*in ac*. en); *sich tüchtig* ~ *fig*. F dar un patinazo; **~schieben** (*L*) *v/t*. meter, colocar en *bzw*. adentro; introducir en; **~schlüpfen** (*sn*) *v/i*. introducirse furtivamente en, F colarse; *in s-e Pantoffeln* ~ ponerse las zapatillas; **~schreiben** (*L*) *v/t*. escribir *bzw*. apuntar en; inscribir en; **~stecken** *v/t*. meter, introducir en; *Geld*: invertir en; **~treiben** (*L*) *v/t*. hacer entrar (por la fuerza); *Nagel*: clavar; introducir; **~treten** (*L*; *sn*) *v/i*. entrar en; **~tun** (*L*) *v/t*. meter *od*. poner en; introducir en; *e-n Blick* ~ *in* (*ac*.) echar una ojeada (*od*. dar un vistazo) a; **~wagen** *v/refl*.: *sich* ~ atreverse a entrar; **~werfen** (*L*) *v/t*. echar adentro; → *hineintun*; **~wollen** (*L*) *v/i*. querer entrar; *das will mir nicht in den Kopf hinein* eso no me cabe en la cabeza; **~ziehen** (*L*) *v/t*.: tirar *bzw*. arrastrar hacia adentro; *fig*. *j-n* ~ (*verwickeln*) in comprometer a alg.; enredar a alg. en un asunto; F meter a alg. en un lío; **~zwängen** *v/t*. hacer entrar a la fuerza; encajar (a presión).

'**hin...**: **~fahren** (*L*) **1.** (*sn*) *v/i*. ir (en coche *usw*.) a; *fig*. (*weggehen*) irse, marcharse; **2.** *v/t*. llevar (en coche *usw*.); *j-n*: *a*. conducir; *Lasten*: transportar; **2fahrt** *f* (viaje *m* de) ida *f*; *auf der* ~ a la ida; (*Fahrkarte für*) *Hin- und Rückfahrt* (billete de) ida y vuelta; **~fallen** (*L*; *sn*) *v/i*. caer(se) al suelo; *der Länge nach* ~ caer de bruces; **~fällig** *adj*. (*gebrechlich*) *Person*: caduco; *Sache*: frágil; (*schwach*) débil; (*altersschwach*) decrépito; (*vergänglich*) perecedero; (*Einsturz drohend*) ruinoso; *fig*. (*gegenstandslos*) ilusorio; vano; (*überholt*; *ungültig*) nulo, sin validez; ~ (*ungültig*) *werden* caducar (*a*. ⚖); **2fälligkeit** *f* (*0*) caducidad *f*; debilidad *f*; *fig*. (*Ungültigkeit*) caducidad *f*; **~finden** (*L*) *v/i*. encontrar el camino; **~fließen** (*L*; *sn*) *v/i*. correr a; fluir hacia; *fig*. *Zeit*: transcurrir; **2flug** ✈ *m* (-*es*; ⁼*e*) vuelo *m* de ida; **~'fort** *adv*. (de aquí *bzw*. desde hoy) en adelante, en lo sucesivo; **2fracht** ⚓ *f* flete *m* de ida; (*Ladung*) carga *f* de ida; **~führen** *v/t*. *u*. (*sn*) *v/i*. llevar a, conducir a; *fig*. ir a parar; *wo soll das* ~? ¿a dónde irá a parar todo esto?; ¿dónde acabará esto?

hing *pret*. *v*. *hängen*.

'**hin...**: **2gabe** *f* (*0*) (*Abgabe*) entrega *f*; (*Preisgabe*; *Abtretung*) abandono *m*; (*Inbrunst*) fervor *m*; (*Leidenschaft*) pasión *f*; (*Ergebenheit*, *religiöse*) devoción *f*; **2gang** *m* (-*es*; *0*) ida *f*; *fig*. (*Tod*) muerte *f*, fallecimiento *m*; **~geben** (*L*) *v/t*. dar; (*übergeben*) entregar; (*aufgeben*; *preisgeben*) abandonar; (*opfern*) sacrificar; (*abtreten*) ceder; *sich* ~ entregarse a; abandonarse a; (*sich widmen*) dedicarse a, consagrarse a; *sich dem Laster* ~ entregarse al vicio; *sich der Hoffnung* ~ abrigar la esperanza; *sie gab sich ihm hin* se entregó a él; **~gebend** *adj*. (*fromm*) devoto; (*selbstlos*) abnegado; (*inbrünstig*) ferviente; (*leidenschaftlich*) apasionado; **2gebung** *f* → *Hingabe*; (*Selbstverleugnung*) abnegación *f*; **~'gegen** *adv*. por el contrario; en cambio; **~gehen** (*L*; *sn*) *v/i*. ir (allá; allí); *so vor sich hin gehen* ir sin rumbo fijo; ~ *lassen* dejar pasar; F hacer la vista gorda; *j-m et*. ~ *lassen fig*. perdonar a/c. a alg.; *das mag diesmal noch* ~ pase por esta vez; *Zeit*: pasar, transcurrir; (*sterben*) fallecer, morir; **~gehören** (-) *v/i*. estar en su sitio; pertenecer (zu a); *wo gehört er hin?* ¿dónde es su sitio? ¿dónde le corresponde estar?; *wo gehört das hin?* ¿dónde hay que poner esto?; *fig*. *da nicht* ~ no venir al caso; **~gelangen** (*sn*) *v/i*. llegar a; **~geraten** (*L*; *sn*) *v/i*. caer en; ir a parar a; *niemand weiß, wo er* ~ *ist* nadie sabe qué ha sido de él; **2gerichteter** *m* ajusticiado *m*; **~gerissen** *fig*. *adj*. entusiasmado; embelesado; **~gleiten** (*L*; *sn*) *v/i*.: ~ *über* deslizarse sobre; **~halten** (*L*) *v/t*. (*Hand*) tender; (*Gegenstand*) presentar; ofrecer; *fig*. (*verzögern*) retardar; demorar, retrasar; F dar largas; (*warten lassen*) hacer esperar; *j-n* ~ (*vertrösten*) entretener con engaño las esperanzas de alg.; F *fig*. torear a alg.; *j-n mit Versprechungen* ~ entretener con promesas a alg.; **~haltend** *adj*. dilatorio; retardador; **~hängen** *v/t*. colgar, suspender (*an ac*. de); **~hauen** P **1.** *v/t*. *Arbeit*: chapucear; **2.** (*sn*) *v/i*.: P *das haut hin* esto marcha bien, P esto pita; (*passen*) esto vale *od*. sirve; **3.** *v/refl*.: P *sich* ~ (*schlafen gehen*) acostarse, P irse al catre; **~horchen** *v/i*. escuchar; aguzar el oído; **~hören** *v/i*. escuchar.

'**hinken I.** *v/i*. cojear (*auf e-m Fuß* de un pie), *Arg*. renguear; ser cojo; *fig*. claudicar; cojear; **II.** 2 *n* cojera *f*; claudicación *f*; **~d** *adj*. cojo; claudicante; **2de(r** *m*) *m/f* cojo (-a *f*) *m*.

'**hin...**: **~knien** *v/i*. arrodillarse, ponerse de rodillas; **~kommen** (*L*; *sn*) *v/i*. llegar; ir; *ich komme nirgends hin* no voy a ningún sitio; no salgo (de casa); *fig*. *wo kommen wir denn da hin?* ¿a dónde iremos a parar?; *wo ist meine Uhr hingekommen?* ¿qué ha sido de mi reloj?; **~kritzeln** (-*le*) *v/t*. garrapatear; escribir a vuela pluma; **~langen 1.** *v/t*.: *j-m et*. ~ alargar a/c. a alg.; **2.** (*sn*) *v/i*.: *nach et*. ~ extender el brazo hacia a/c.; alcanzar a/c.; ~ *bis zu* extenderse hasta; *fig*. (*genügen*) bastar, alcanzar, ser suficiente; **~länglich I.** *adj*. suficiente, bastante; **II.** *adv*. suficientemente; bastante; **~lassen** (*L*) *v/t*. dejar ir (zu a); **~laufen** (*L*; *sn*) *v/i*. correr (zu a *bzw*. hacia); **~legen** *v/t*. poner, colocar; ~! ⚔ ¡cuerpo a tierra!; *sich* ~ acostarse (*auf ac*. en); tenderse (sobre); **~leiten** (-*e*-), **~lenken** *v/t*. conducir a; dirigir hacia; *das Gespräch* ~ *auf* llevar la conversación a tratar de; **~lümmeln** (-*le*) F *v/refl*.: *sich* ~ repantigarse; F tumbarse a la bartola; **~metzeln** (-*le*), **~morden** (-*e*-) *v/t*. asesinar, matar; **~nehmen** (*L*) *v/t*. tomar; (*annehmen*) aceptar; *et. geduldig* (*od*. *ruhig*) ~ tomar con paciencia (*od*. con calma) a/c.; (*ertragen*) soportar; (*sich gefallen lassen*) aguantar; tolerar, consentir; (*leiden*) sufrir; (*zulassen*) admitir; *Kränkung*: tragar(se); **~neigen** (*sn*) *v/i*.: *zu et*. ~ propender a; *sich* ~ *zu* inclinarse hacia.

'**hin...**: **~opfern** (-*re*) *v/t*. sacrificar; inmolar; **2opfern** *n*, **2opferung** *f* sacrificio *m*; inmolación *f*; **~pflanzen** (-*t*) *v/t*. *u*. *v/refl*.: *sich* ~ F plantarse; ponerse en jarras; **~pfuschen** F *v/t*. chapucear; **~plumpsen** (-*t*; *sn*), **~purzeln** (-*le*; *sn*) *v/i*. dar en el suelo; dar un batacazo; **~raffen** *v/t*. arrebatar; *hingerafft werden fig*. morir; **~reichen 1.** *v/t*. dar; ofrecer; (*bei Tisch*) pasar; *die Hand*: tender: alargar; **2.** *v/i*. alcanzar; (*genügen*) bastar, ser suficiente; **~reichend** *adj.* → *hinlänglich*; **≈reise** *f* (viaje *m* de) ida *f*; *auf der* ~ a la ida; *Hin- und Rückreise* viaje de ida y vuelta; **~reisen** (*-t*; *sn*) *v/i.* ir allí; **~reißen** (*L*) *v/t.* arrastrar; (*entzücken*) arrebatar, entusiasmar; *sich* ~ *lassen* arrebatarse; *sich* ~ *lassen von* dejarse llevar de; *hingerissen sein* (*begeistert*) estar entusiasmado; (*entzückt*) estar encantado (*od.* maravillado *od.* extasiado); **~reißend** *adj.* arrebatador; irresistible; (*entzükkend*) encantador; **~richten** (*-e-*) *v/t.* dirigir hacia; *Verbrecher*: ejecutar, ajusticiar; (*enthaupten*) decapitar; (*hängen*) ahorcar; *auf dem elektrischen Stuhl*: electrocutar; *mit der Würgschraube*: dar garrote, agarrotar; **≈richtung** *f* ejecución *f*; *auf dem elektrischen Stuhl*: electrocución *f*; **~rollen** *v/t. u. v/i.* rodar hacia; **~schaffen** *v/t.* trasladar allí; **~schauen** *v/i.* mirar hacia; **~scheiden** (*L*; *sn*) *v/i.* fallecer, expirar, morir; **≈scheiden** *n* fallecimiento *m*, muerte *f*; **~schicken** *v/t.* enviar a; **~schlachten** (*-e-*) *v/t.* matar; degollar; asesinar; **~schlagen** (*L*; *sn*) *v/i.* dar un golpe (*gegen* contra); (*stürzen*) caer violentamente; *der Länge nach* ~ F caer redondo; **~schleppen** *v/t.* arrastrar; (*verlängern*) prolongar; *sich* ~ arrastrarse; prolongarse; **~schludern** (*-re*) F *v/t.* chapucear; chafallar, frangollar; hacer a/c. de prisa y mal; **~schmeißen** (*L*) F *v/t.* echar, arrojar; (*umschmeißen*) tirar al suelo; **~schmieren** *v/t.* emborronar; (*schreibend*) trazar garabatos, garrapatear; **~schreiben** (*L*) *v/t.* escribir; *rasch* ~ escribir a vuela pluma; **~schütten** (*-e-*) *v/t.* verter, derramar; **~schwinden** (*L*; *sn*) *v/i.* desvanecerse, desaparecer; **~sehen** (*L*) *v/i.* mirar hacia; *genau* ~ fijarse bien; *ohne hinzusehen* sin mirar; sin levantar los ojos; **~setzen** (*-t*) *v/t.* poner, colocar; *sich* ~ sentarse, tomar asiento; **≈sicht** *f* respecto *m*; *in dieser* ~ a este respecto, (con) respecto a ello; *in gewisser* ~ hasta cierto punto; en cierto modo; en cierto sentido; *in jeder* ~ por todos conceptos, en todo respecto; desde todos los puntos de vista; *in vieler* ~ en muchos respectos; *in e-r* ~ en un sentido; *in* ~ *auf* (*ac.*) → **~sichtlich** *prp.* (*gen*) respecto a *od.* de, con respecto a; en lo que toca (*od.* atañe *od.* concierne) a; en lo concerniente a; en punto a; **~siechen** (*sn*) *v/i.* languidecer, ir consumiéndose; **~sinken** (*L*; *sn*) *v/i.* caer, desplomarse; (*ohnmächtig werden*) desmayarse, desvanecerse; *tot* ~ desplomarse (*od.* caer) muerto; **~sprechen** (*L*) *v/i.*: *vor sich* ~ hablar solo; **~stellen** *v/t.* colocar, poner en; *als Muster* ~ citar (*od.* poner) como ejemplo; señalar como modelo; ~ *als* dar por; declarar (por); presentar como; *sich* ~ ponerse *od.* colocarse en; *sich* ~ *als* fingirse (*ac.*); aparentar (*od.* fingir) ser *bzw.* estar; **~sterben** (*L*; *sn*) *v/i.* ir muriendo; **~streben** *v/i.*: ~ *nach* tender a; procurar obtener; **~strecken** *v/t.* *Hand*: tender, alargar; (*niederstrecken*) derribar; (*hinwerfen*) tirar; *sich* ~ extenderse; **~strömen** *v/i.* afluir (*nach* hacia); **~stürzen** (*-t*; *sn*) *v/i.* (*fallen*) caer al suelo; (*eilen*) precipitarse (*nach* hacia); **~sudeln** (*-le*) F *v/t.* → *hinschludern.*

hint'an|setzen, ~stellen *v/t.* (*zurückstellen*) postergar, posponer; (*vernachlässigen*) descuidar, desatender; (*in e-e Ecke*) arrinconar; **≈setzung** *f*, **≈stellung** *f* negligencia *f*, descuido *m*; *mit* ~ en menoscabo de; desatendiendo; sin consideración a; **~stehen** (*L*) *v/i.* estar desatendido *od.* descuidado.

'hinten *adv.* detrás, atrás; *von* ~ por detrás; por atrás; *nach* ~ hacia atrás; hacia el fondo; ⚓ a popa; *nach* ~ *gelegenes Zimmer* habitación que da al patio; (*im Hintergrund*) al fondo, en el fondo; ~ *im Saal* en el fondo de la sala; (*am Ende*) al final; a la cola; ~ *im Buch* al final del libro; *sich* ~ *anschließen* ponerse a la cola; ⚔ cerrar marcha; ~ *antreten* ponerse en la cola, hacer (*od.* formar) cola; *nach* ~ *ausschlagen* (*Pferd*) cocear, dar coces; ~ *aufsitzen* ir a la grupa; *von* ~ desde (*od.* por) atrás; *von* ~ *angreifen* atacar alevosamente (*od.* por la espalda); *von* ~ *anfangen* comenzar por el final; **~'an** *adv.* detrás, a (*od.* en) la zaga; a la cola; al fin(al); **~herum** *adv.* por detrás; *fig.* (*heimlich*) clandestinamente; (*betrügerisch*) fraudulentamente; **~'nach** *adv.* → *hintenan*; **~'über** *adv.* de espaldas; boca arriba.

'hinter I. *prp.* (*Lage*: *dat.*; *Richtung*: *ac.*) detrás de; *zeitlich*: después de; tras; ~ *j-s Rücken* a espaldas de alg.; ~ *j-m hergehen* ir detrás de alg.; seguir a alg.; seguir los pasos de alg.; ~ *j-m her sein* andar tras de alg.; perseguir a alg.; F ir pisando los talones a alg.; ~ *et. her sein* ir (*od.* andar) tras de a/c.; hacer por lograr a/c.; *j-n* ~ *sich haben* ser perseguido por alg.; (*von ihm gestützt werden*) estar apoyado por (*od.* contar con el apoyo de) alg.; F tener las espaldas (bien) guardadas por alg.; ~ *j-m stehen* estar detrás de alg.; *fig.* apoyar a alg.; *fig.* ~ *et. kommen* (*ac.*) descubrir a/c.; ~ *j-s Schliche kommen* descubrir las intrigas de alg.; ~ *sich lassen* dejar atrás; dejar tras de sí; *j-n*: *fig.* adelantarse a alg.; aventajar a alg.; *et.* ~ *sich haben* tener tras de sí; (*abgeschlossen haben*) haber terminado a/c.; *das Schlimmste haben wir* ~ *uns* ya hemos pasado lo más difícil; *j-n* ~*s Licht führen* engañar a alg.; *j-m eins* ~ *die Ohren geben* dar un bofetón (*od.* un pescozón) a alg.; *fig. er hat es* ~ *den Ohren* es muy listo (*od.* vivo); tiene mucha trastienda; está de vuelta de todos los viajes; tiene más conchas que un galápago; *ich schreibe es mir* ~ *die Ohren* me doy por enterado (*od.* advertido); lo tendré presente; *mit et.* ~ *dem Berge halten* ocultar sus intenciones; disimular a/c.; ~ *et. stecken* amparar ocultamente a/c.; ser el causante (oculto) de a/c.; ~ *Schloß und Riegel bringen* poner bajo cerrojo; poner a buen recaudo; *die Tür* ~ *sich zumachen* cerrar la puerta tras de sí; **II.** *adj.* posterior; de atrás; de detrás; último; trasero; *die* ~*en Reihen* las últimas filas; *der* ~*e Teil* la parte posterior (*od.* de atrás).

'Hinter...: **~achse** *f* eje *m* posterior; **~backe** *f* nalga *f*; **~bein** *n* (*-es*; *-e*) pata *f* posterior (*od.* trasera); *sich auf die* ~*e stellen* (*Pferd*) encabritarse; *fig.* enseñar los dientes; **~'bliebene(r** *m*) *m/f* superviviente *m/f*; *die Hinterbliebenen* (*Familienangehörige*) deudos *m/pl.*; (*bei Sterbefällen*) la familia del finado; (*bsd. bei Katastrophen*) supervivientes *m/pl.*; **~'bliebenenfürsorge** *f* (*0*) ayuda *f* a los supervivientes *bzw.* a la viuda y huérfanos; **~'bliebenenversicherung** *f* seguro *m* en favor de los supervivientes; **≈'bringen** (*L*; -) *v/t.*: *j-m et.* ~ informar a alg. secretamente sobre a/c.; denunciar *od.* delatar a/c. a alg.; **~bringer(in** *f*) *m* denunciante *m/f*; delator(a *f*) *m*; **~deck** ⚓ *n* (*-s*; *-s*) cubierta *f* de popa; **≈drein** *adv.* → *hinterher.*

'hintere *adj.* posterior; de atrás; trasero; *der* ~ *Teil* la parte posterior; **≈(r)** F *m* trasero *m*, V culo *m*; nalgas *f/pl.*, posaderas *f/pl.*; *fig.* F mapamundi *m*.

hinter-ein'ander *adv.* uno detrás de otro, uno tras otro; *zeitlich*: sucesivamente; uno después de otro; *drei Tage* ~ tres días seguidos *od.* consecutivos; ~ *gehen* ir en fila (india); **~schalten** (*-e-*) ⚡ *v/t.* conectar en serie; **≈schaltung** ⚡ *f* conexión *f* en serie.

'Hinter...: **~flügel** △ *m* ala *f* posterior; **~front** △ *f* fachada *f* posterior; **~fuß** *m* (*-es*; *⸚e*) pata *f* posterior *od.* trasera; **~gebäude** *n* cuerpo *m* posterior (de un edificio); **~gedanke** *m* (*-ns*; *-n*) reserva *f* mental; segunda intención *f*; reticencia *f*; *ohne* ~*n* sin reserva; de buena fe; **≈'gehen** (*L*; -) *v/t.* engañar; embaucar; burlar; **~'gehung** *f* engaño *m*; supercheria *f*; burla *f*; **~grund** *m* (*-es*; *⸚e*) fondo *m*; *Thea.* foro *m*; *in den* ~ *treten* retirarse, apartarse; pasar a segundo término; perder importancia; *in den* ~ *drängen* relegar a segundo término; **~gründe** *fig. m/pl.* razones *f/pl.* secretas, motivos *m/pl.* ocultos; **≈gründig** *fig. adj.* enigmático; profundo; recóndito; **~halt** *m* (*-es*; *-e*) emboscada *f*; celada *f*; (*Falle*) trampa *f*, lazo *m*; *e-n* ~ *legen* tender una celada; *in e-n* ~ *fallen* caer en una emboscada; *im* ~ *liegen* estar emboscado (*od.* en acecho); *aus dem* ~ a mansalva; *fig. et. im* ~ *haben* tener a/c. en reserva; *ohne* ~ sin reserva; **≈hältig** *adj.* insidioso; disimulado; reticente; alevoso; **~hältigkeit** *f* disimulo *m*; alevosía *f*; **~hand** *f* (-; *⸚e*) (*Pferd*) cuarto *m* trasero; *Kartenspiel*: *die* ~ *haben* ser trasmano; **~haupt** *Anat. n* (*-es*; *⸚er*) occipucio *m*; **~hauptbein** *Anat. n* (*-es*; *-e*) (hueso *m*) occipital *m*; **~haus** *n* (*-es*; *⸚er*) (*Hofgebäude*) edificio *m* trasero; ∾**her** *adv.* detrás (de él, ella *usw.*); *Poes.* en pos de; *zeitlich*: después (del hecho); luego, más tarde; posteriormente; ∾'**hergehen** (*L*; *sn*) *v/i.* ir detrás; seguir; ∾'**herkommen** (*L*; *sn*) *v/i.* venir detrás; ∾'**herlaufen** (*L*; *sn*) *v/i.* correr detrás de; perseguir a; ~**hof** *m* (-*es*; ¨*e*) patio *m* interior; ~**indien** *n* Indochina *f*; ~**kopf** *Anat. m* (-*es*; ¨*e*) → *Hinterhaupt*; ~**lader** ⚔ *m* fusil *m* de retrocarga; ~**land** *n* (-*es*; ¨*er*) interior *m* del país; *neol.* hinterland *m*; ⚔ (*Etappe*) (zona *f* de) retaguardia *f*; ∾'**lassen** (*L*; -) *v/t.* dejar; *sterbend*: dejar al morir; *letztwillig*: legar; *er hinterließ kein Testament* no dejó testamento al morir; ⚖ murió ab intestato; *Nachricht* ~ dejar aviso *od.* encargo de; mandar decir; ~*e Werke* obras póstumas; ~'**lassenschaft** *f* ⚖ bienes *m/pl.* relictos; (*Erbteil*) herencia *f*; ∾**lastig** *adj.* ✈ pesado de cola; ⚓ pesado de popa; ~'**lassung** *f*: *mit* ~ *großer Schulden* dejando muchas deudas; ~**lauf** *Jgdw. m* (-*es*; ¨*e*) pata *f* trasera; ∾'**legen** (-) *v/t.* depositar; ⚖ consignar (*a. Gepäck*); *hinterlegter Gegenstand* (*od. Betrag*) depósito *m*; *als Pfand* ~ dar en prenda; ~'**leger** *m* depositante *m*; ~'**legung** *f* depósito *m*; consignación *f*; *gegen* ~ contra depósito (*von* de); ~'**legungsschein** *m* (-*es*; -*e*) resguardo *m* de depósito; ~**leib** *m* (-*es*; -*er*) *v. Insekten*: abdomen *m*; ~**list** *f* (*0*) (*Arglist*) astucia *f*; (*Treulosigkeit*) perfidia *f*; (*Verrat*) traición *f*; (*Heimtücke*) alevosía *f*; ⚖ dolo *m*; (*List*) artificio *m*, estratagema *f*, artimaña *f*; ∾**listig** *adj.* (*arglistig*) astuto; (*treulos*) pérfido; (*verräterisch*) traidor; (*tückisch*) alevoso; (*betrügerisch*) engañoso, falso; (*verschlagen*) artero, ladino; ~**mann** *m* (-*es*; ¨*er*) el que está detrás; el que sigue; ⚔ *letzter*: soldado *m* que cierra fila; † *auf Wechseln*: endosante *m* posterior: ⚓ (*Schiff*) matalote *m* de popa; *im Fußball*: zaguero *m*, defensa *m*; (*Anstifter*) instigador *m* oculto; (*Drahtzieher*) maquinador *m*; ~**mannschaft** *f Sport*: defensa *f*; ∾'**mauern** (-*re*; -) △ *v/t.* rellenar con ladrillos *m/pl.*; ~'**mauerung** △ *f* mampostería *f* de relleno; ~**pförtchen** *n* puertecilla *f* trasera *od.* (*geheime*) secreta; *fig. sich ein* ~ *offen lassen* reservarse una salida; ~**pforte** *f* puerta *f* trasera *od.* posterior; ~**pfote** *f* pata *f* trasera; ~**pommern** *n* Pomerania *f* Ulterior; ~**rad** *n* (-*es*; ¨*er*) rueda *f* trasera *od.* posterior; ~**rad-antrieb** *m* (-*es*; -*e*) tracción *f* posterior; accionamiento *m* por el eje posterior *od.* trasero; ~**radbremse** *f* freno *m* de la rueda posterior *od.* trasera; ~**radfederung** *f* suspensión *f* (en muelles) de la rueda posterior; ~**radreifen** *m* neumático *m* de la rueda posterior; ∾**rücks** *adv.* por detrás; *fig.* con alevosía; traidoramente; ~**schiff** ⚓ *n* (-*es*; -*e*) popa *f*; ∾**schlingen** (*L*), ∾**schlucken** *v/t.* tragar; ~**seite** *f* parte *f* trasera (*od.* de atrás); lado *m* posterior; (*Kehrseite*) reverso *m*; revés *m*; ~**sitz** *m* (-*es*; -*e*) asiento *m* trasero; *im Wagen*: fondo *m* (del coche); ∾**st** (*sup. v. hinter*) más lejano; extremo; (*letzter*) último; ~**steven** ⚓ *m* codaste *m*; ~**stück** *n* (-*es*; -*e*) parte *f* posterior; ~**teil** *n* (-*es*; -*e*) parte *f* posterior; ⚓ popa *f*; (*Sitzfläche*) trasero *m*; nalgas *f/pl.*, posaderas *f/pl.*, F *fig.* mapamundi *m*; V culo *m*; ~**treffen** *n* (-*s*; *0*): *fig. ins* ~ *kommen* (*od. geraten*) perder terreno; ser relegado al último lugar; ser eclipsado; ∾'**treiben** (*L*; -) *v/t.* (*verhindern*) impedir, imposibilitar; (*vereiteln*) hacer fracasar, frustrar; *Pol. a.* torpedear; ~**treppe** *f* escalera *f* de servicio; ~**treppenroman** *m* (-*es*; -*e*) novela *f* por entregas; novelón *m*; ~**tür** *f* puerta *f* trasera; (*Schlupftür*) puerta *f* secreta *od.* falsa; ~**wäldler** *m fig.* provinciano *m* rancio; ~**wand** *f* (-; ¨*e*) fachada *f* posterior; pared *f* del fondo; ∾**wärts** *adv.* (*von hinten*) por detrás; ∾'**ziehen** (*L*; -) *v/t.* ⚖ *Steuern*: defraudar ~'**ziehung** *f* defraudación *f*; ~**zimmer** *n* habitación *f* interior.

'**hin...**: ~**tragen** (*L*) *v/t.* llevar a; ~**träumen** *v/i.*: *vor sich* ~ soñar despierto; ~**treten** (*L*; *sn*) *v/i.*: *vor j-n* ~ presentarse ante alg.; ~**tun** (*L*) *v/t.* poner, colocar.

hi'nüber *adv.* al otro lado; hacia allá; hacia el otro lado; al lado opuesto; (*über hinweg*) por encima de; F ~ *sein* (*Lebensmittel*) estar echado a perder; (*Gegenstand*) estar deteriorado; (*Person*) estar muerto; ~**blicken** *v/i.* mirar al (*od.* hacia el) otro lado; *zu j-m* ~ dirigir la mirada a alg.; ~**bringen** (*L*) *v/t.* transportar (*od.* trasladar) al otro lado; (*hinüberführen*) conducir (*od.* llevar) al otro lado; ~**eilen** (*sn*) *v/i.* correr al (*od.* hacia el) otro lado; ~**fahren** (*L*) **1.** *v/t.* trasladar a (*en un vehículo*); **2.** (*sn*) *v/i.* pasar al otro lado; ~ *nach* trasladarse (*en un vehículo*) a, hacer un viaje a; ~**führen** *v/t.* conducir (*od.* llevar) al otro lado; ~**gehen** (*L*; *sn*) *v/i.* ir (*od.* pasar *od.* trasladarse) al otro lado; ~**helfen** (*L*) *v/i.* ayudar a pasar (*od.* a atravesar); ~**kommen** (*L*; *sn*) *v/i.* pasar al otro lado; (*besuchen*) ir a ver (*od.* a visitar); ~**lassen** (*L*) *v/t.* dejar pasar al otro lado; ~**laufen** (*L*; *sn*) *v/i.* → *hinübereilen*; ~**ragen** *v/i.*: *über et.* ~ elevarse por encima de a/c.; ~**reichen 1.** *v/i.* alcanzar (al otro lado); **2.** *v/t.* (*bei Tisch*) pasar; ~**schaffen** *v/t.* → *hinüberbringen*; ~**schwimmen** (*L*; *sn*) *v/i.*: *über den Fluß* ~ cruzar (*od.* atravesar) el río a nado; ~**setzen** (-*t*) **1.** *v/t.* trasladar enfrente; colocar *od.* poner enfrente; **2.** *v/i.* pasar (*od.* trasladarse) al otro lado de; ~**springen** (*L*; *sn*) *v/i.* saltar por encima de; saltar al otro lado; *über e-n Graben* ~ saltar una zanja; ~**steigen** (*L*; *sn*) *v/i.* pasar por encima; ~ *über* (*ac.*) subir por encima de; (*Gebirge*) atravesar; ~**tragen** (*L*) *v/t.* llevar (*od.* trasladar) al otro lado; ~**wechseln** (-*le*) *v/i.* pasar al otro lado; ~**werfen** (*L*) *v/t.* tirar (*od.* arrojar) al otro lado; echar por encima; ~**ziehen** (*L*) **1.** *v/t.* tirar hacia el otro lado; *Gr.* unir (*nach* a, con); **2.** (*sn*) *v/i.* ir (*od.* trasladarse *od.* pasar) al otro lado.

'**Hin und 'Her** *n* vaivén *m*.

'**hin- und 'her...**: ~**bewegen** (-) *v/t.* agitar; *sich* ~ agitarse; (*Schwingungen machen*) oscilar; ∾**bewegung** *f* (movimiento *m* de) vaivén *m*; (*Schwingung*) oscilación *f*, movimiento *m* oscilatorio; ~**gehen** (*L*; *sn*) *v/i.* ir y venir; *auf der Straße*: circular; ∾**gehen** *n* idas *f/pl.* y venidas; *auf der Straße*: circulación *f*; ∾**gerede** *n* largos debates *m/pl.*; ~**raten** (*L*) *v/i.* hacer mil conjeturas *f/pl.*; ~**reden** (-*e*-) *v/i.* debatir *od.* hablar largamente (*über ac.* sobre); ~**schütteln** (-*le*) *v/t.* sacudir; ∾**schütteln** *n* sacudimiento *m*; ~**schwanken** (*sn*) *v/i.* bambolear(se); (*taumeln*) tambalear(se); zigzaguear; *fig.* titubear, vacilar; ∾**schwanken** *n* bamboleo *m*; tambaleo *m*; *fig.* titubeo *m*, vacilación *f*; irresolución *f*; ~**schwingen** (*L*) *v/t.* oscilar; ~**streiten** (*L*) *v/i.*: *über et.* ~ (*ac.*) debatir (*hitzig*: disputar) sobre a/c.; ~**taumeln** (-*le*; *sn*) *v/i.* tambalearse; ~**überlegen** *v/t. fig.* rumiar; ~**wogen** *v/i.* ondear; ondular; undular; ∾**wogen** *n* ondeo *m*; ondulación *f*; undulación *f*; ~**zerren** *v/t.* traer de allá para acá; *j-n* ~ F *fig.* traer a alg. como un zarandillo.

'**Hin- und 'Rück|fahrt** *f* ida *f* y vuelta; ~**fracht** *f* flete *m* de ida y vuelta; ~**reise** *f* viaje *m* de ida y vuelta.

hi'nunter *adv.* abajo, hacia abajo; *da* ~ bajando por allí; *da* ~! ¡baje usted por allí!; *den Fluß* ~ río abajo, bajando el río; *die Straße* ~ bajando la calle, calle abajo; *die Treppe* ~ escalera abajo, bajando la escalera; ~ *mit ihm!* ¡abajo!, ¡fuera con él!; ~**begleiten** (-*e*-; -) *v/t.* acompañar abajo *bzw.* hasta la calle; ~**blicken** *v/i.* mirar (hacia) abajo; ~**bringen** (*L*) *v/t.*: *j-n* ~ acompañar a alg. (hasta) abajo; *et.* ~ bajar a/c.; ~**fahren** (*L*; *sn*) *v/i. u. v/t.* bajar (*en un vehículo*); ~**fallen** (*L*; *sn*) *v/i. u. v/t.* caer (*zu Boden* al suelo *od.* a tierra); *die Treppe* ~ caerse por la escalera; ~**führen 1.** *v/t.* conducir *od.* llevar abajo; (*hinuntergeleiten*) acompañar hasta abajo *bzw.* hasta la calle; **2.** *v/i. Treppe, Weg usw.*: conducir a; ~**gehen** (*L*; *sn*) *v/i.* bajar; ~**gießen** (*L*) *v/t.* verter; *Getränke*: beber de un trago; ~**helfen** (*L*) *v/i.*: *j-m* ~ ayudar a alg. a bajar; ~**lassen** (*L*) *v/t.* bajar; *j-n* ~ hacer bajar a alg., (*ihn hinunterbegleiten*) acompañar a alg. (hasta) abajo; ~**reichen 1.** *v/t.* tender hacia abajo; **2.** *v/i.* ~ *bis* llegar hasta abajo; ~**schauen** *v/i.* mirar hacia abajo; ~**schlucken**, ~**schlingen** (*L*) *v/t.* tragar, engullir; ~**sehen** (*L*) *v/i.* → *hinunterschauen*; ~**steigen** (*L*; *sn*) *v/i. u. v/t.* bajar; ~**stürzen** (-*t*) **1.** *v/t.* precipitar; *Getränke*: beber de un trago; **2.** (*sn*) *v/i.* precipitarse, arrojarse por; (*hinunterfallen*) caer (*zu Boden* al suelo *od.* a tierra); ~**tragen** (*L*) *v/t.* llevar abajo, bajar; ~**werfen** (*L*) *v/t.* tirar, arrojar (hacia abajo).

'**hinwagen** *v/refl.*: *sich* ~ atreverse a ir allá.

'**Hinweg** *m* (-*es*; -*e*) ida *f*; *auf dem* ~ a la ida, en el viaje de ida.

hin'weg *adv.* a lo lejos; ~ *mit euch!*

¡quitaos de ahí!; ~ *mit ihm!* ¡fuera con él!, ¡que lo echen!; *über et.* ~ (*ac.*) por encima de; *ich bin darüber* ~ ya no me preocupa eso; **~bringen** (*L*) *v/t.*: *j-n über e-e Schwierigkeit* ~ ayudar a alg. a salir de una situación difícil; **~eilen** (*sn*) *v/i.* marcharse apresuradamente; **~führen** *v/t.* conducir; **~gehen** (*L*; *sn*) *v/i.* irse; *über et.* ~ (*ac.*) pasar por encima; *fig.* pasar por alto a/c.; **~gleiten** (*L*; *sn*) *v/i.* deslizar (*über ac.* sobre); **~helfen** (*L*) *v/i.* → *hinwegbringen*; **~kommen** (*L*; *sn*) *v/i.*: *er kommt darüber nicht hinweg* (*Kranker*) no logra restablecerse; **~raffen** *v/t.* arrebatar; **~schreiten** (*L*; *sn*) *v/i.* → *hinweggehen*; **~sehen** (*L*) *v/i.*: *über et.* ~ (*ac.*) mirar por encima a/c.; *fig.* no hacer caso de a/c., F hacer la vista gorda sobre a/c.; **~setzen** (*-t*) *v/refl.*: *sich* ~ *über* (*ac.*) no hacer caso de; *fig.* reírse de; *Vorschriften usw.*: F saltarse a la torera; **~springen** (*L*; *sn*) *v/i.*: *über et.* ~ (*ac.*) saltar por encima de a/c.; **~täuschen** *v/t.*: ~ *über* (*ac.*) querer engañar(se); ocultar con ilusiones una realidad; minimizar las cosas.

'**hin...:** **²weis** *m* (*-es*; *-e*) indicación *f*, dato *m*; (*Anspielung*) alusión *f*; (*Warnung*) advertencia *f*; (*Bezug*) referencia (*auf ac.* a); (*Bemerkung*) nota *f*; (*Richtlinie*) instrucción *f*; *unter* ~ *auf* con referencia a, refiriéndose (*bzw.* refiriéndonos) a; **~weisen** (*L*) *v/i.*: *auf et.* ~ (*ac.*) indicar, señalar (*ac.*); (*verweisen*) remitir a; (*anspielen*) aludir a, hacer alusión a; *j-n auf et.* ~ (*ac.*) advertir a/c. a alg.; llamar la atención de alg. sobre a/c.; **~weisend** *adj. Gr.* demostrativo; **²weisung** *f* → *Hinweis*; **²weisschild** *n* (*-es*; *-er*) rótulo *m* indicador; **~welken** (*sn*) *v/i.* irse marchitando; **~wenden** (*-e-*) *v/refl.*: *sich* ~ *nach* (*zu*) volverse hacia; dirigirse a; **~werfen** (*L*) *v/t.* echar, arrojar; tirar; (*umwerfen*) echar por tierra, tirar al suelo; *Gedanken, Zeichnung*: bosquejar, esbozar; (*aufgeben*) abandonar; *sich* ~ echarse al suelo; *sich vor j-m* ~ echarse a los pies de alg.; **~'wieder(um)** *adv.* en cambio; *zeitlich*: de nuevo; **~wollen** (*L*) *v/i.* querer ir allá.

Hinz *m*: ~ *und Kunz* fulano y zutano.

'**hin...:** **~zählen** *v/t.* contar; **~zeigen** *v/i.*: *auf et.* ~ (*ac.*) señalar, indicar a/c. (con el dedo); (*Wetterfahne*) apuntar, señalar hacia; **~ziehen** (*L*) **1.** *v/t.* tirar hacia; atraer hacia; *zeitlich*: demorar, F dar largas a a/c.; **2.** (*sn*) *v/i.* (*sich niederlassen*) ir a establecerse en; ir a vivir en; (*umziehen*) mudarse a; *längs der Küste* ~ costear, navegar a lo largo de la costa; **3.** *v/refl.*: *sich* ~ (*erstrecken*) extenderse; *zeitlich*: prolongarse; retardarse; tardar mucho; **~zielen** *v/i.*: ~ *auf* (*ac.*) apuntar a *od.* sobre; *fig.* poner la mira en, aspirar a; *Sache*: tender a; estar orientado a.

hin'zu *adv.* a eso, a ello; (*außerdem*) además; aparte de eso *od.* ello; **~bekommen** (*L*; -) *v/t.* recibir además (*od.* por añadidura); **~denken** (*L*) *v/t.* añadir mentalmente; sobre(e)ntender; **~dichten** (*-e-*) *v/t.* inventar; añadir por su cuenta; **~fügen** *v/t.* añadir, agregar (*zu* a); **²fügung** *f* adición *f*, añadidura *f*; **~gehören** (-) *v/i.*: ~ *zu* pertenecer a; formar parte de; **~gesellen** (-) *v/refl.*: *sich* ~ juntarse con; **~kommen** (*L*; *sn*) *v/i.* juntarse *bzw.* reunirse con; agregarse a; (*unvermutet*) sobrevenir (*a.* ⚕ *Komplikation*); *es kommt noch hinzu, daß* (a ello) hay que añadir que; añádase a ello que; es más ...; **~rechnen** (*-e-*) *v/t.* añadir, agregar (*zu* a); incluir en; ⅍ sumar; **~setzen** (*-t*) *v/t.* añadir, agregar (*zu* a); poner con; **²setzung** *f* añadidura *f*; adición *f*; **~treten** (*L*; *sn*) *v/i.* (*sich anschließen*) reunirse con; agregarse a; *es tritt hinzu, daß* (a ello) hay que añadir que; **~tun** (*L*) *v/t.* → *hinzufügen*; **²tun** *n* añadidura *f*; adición *f*; *ohne mein* ~ sin intervención mía; sin ninguna responsabilidad por mi parte; **²wahl** *f* coopción *f*; **~wählen** *v/t.* ccoptar; **~zählen** *v/t.* añadir; incluir en; **~ziehen** (*L*) *v/t.* (*einbeziehen*) incluir; *Arzt*: consultar; **²ziehung** *f* (*Einbeziehung*) inclusión *f*; *e-s Arztes*: consulta *f*.

'**Hiob** *m* Job *m*.

'**Hiobs...:** **~bote** *m* (*-n*) mensajero *m* de desgracias; **~botschaft** *f* mala noticia *f*; noticia *f* funesta; **~geduld** *f* (*0*) paciencia *f* de Job.

'**Hippe** *f* ✂ (*Gartenmesser*) podadera *f*; (*Sense*) guadaña *f* (*a. fig.*: *des Todes* de la Muerte).

Hippo'drom *m* (*-s*; *-e*) hipódromo *m*.

hippo'kratisch ⚕ *adj.* de Hipócrates; hipocrático.

'**Hirn** *n* (*-es*; *-e*) cerebro *m*; **~anhang** *Anat. m* (*-es*; *¨e*) hipófisis *f*; **~gespinst** *n* (*-es*; *-e*) quimera *f*; fantasmagoría *f*; (*Idee*) idea *f* descabellada; **~haut** *Anat. f* (-; *¨e*) meninge *f*; **~hautentzündung** ⚕ *f* meningitis *f*; **~holz** ⊕ *n* (*-es*; *¨er*) madera *f* frontal (*od.* de testa); **~masse** *Anat. f* masa *f* encefálica; **~schale** *Anat. f* cráneo *m*; **~schlag** ⚕ *m* (*-es*; *¨e*) apoplejía *f*, hemorragia *f* cerebral; **²verbrannt** *adj.* disparatado, extravagante, descabellado; F loco de atar.

'**Hirsch** *m* (*-es*; *-e*) ciervo *m*, (*bsd. Jgdw. u. Kochkunst*) venado *m*; **~fänger** *m* cuchillo *m* de monte; **~geweih** *n* (*-es*; *-e*) cuernos *m/pl.* de(l) ciervo; **~hornsalz** ⚗ *n* (*-es*; *0*) carbonato *m* amónico; **~jagd** *f* caza *f* del venado; **~käfer** *Zoo. m* ciervo *m* volante; **~kalb** *n* (*-es*; *¨er*) cervato *m*; **~keule** *f* pierna *f* de venado; **~kuh** *f* (-; *¨e*) cierva *f*; **~leder** *n* piel *f* de ciervo *od.* venado; (*Sämischleder*) gamuza *f*; **²ledern** *adj.* de piel de ciervo *od.* venado; de gamuza; de ante; **~schweiß** *Jgdw. m* (*-es*; *0*) sangre *f* de venado; **~ziemer** *m* lomo *m* de venado.

'**Hirse** *f* (*0*) mijo *m*; **~brei** *m* (*-es*; *0*) papilla *f* de mijo; **~fieber** ⚕ *n* (*-s*; *0*) fiebre *f* miliar; **~korn** *n* (*-es*; *¨er*) grano *m* de mijo.

Hirt *m* (*-en*) pastor *m* (*bsd. Schaf²*); (*Rinder²*) vaquero *m*; (*Ziegen²*) cabrero *m*; (*Schweine²*) porquero *m*; *fig.* (*Seelen²*) pastor *m* de almas; *Rel.* der Gute ~e el Buen Pastor.

'**Hirten...:** **~amt** *n* (*-es*; *0*) funciones *f/pl.* pastorales; (*Stand der Geistlichen*) estado *m* eclesiástico; **~brief** *I.C. m* (*-es*; *-e*) carta *f* pastoral; **~dichtung** *f* poesía *f* bucólica; **~flöte** *f* caramillo *m*; zampoña *f*; **~gedicht** *n* (*-es*; *-e*) bucólica *f*; égloga *f*; (*Idylle*) idilio *m*; (*provenzalisches, galizisches*) pastorela *f*; **~knabe** *m* (*-n*) pastorcillo *m*, *Span.* zagal *m*; **~lied** *n* (*-es*; *-er*) canción *f* pastoril; **~mädchen** *n* pastorcilla *f*, *Span.* zagala *f*; **~roman** *m* (*-es*; *-e*) novela *f* pastoril; **~spiel** *n* (*-es*; *-e*) pastoral *f*, drama *m* bucólico; **~stab** *m* (*-es*; *¨e*) cayado *m*; (*Bischofsstab*) báculo *m* pastoral; **~tasche** *f* zurrón *m*; **~täschel** ⚘ *n* bolsa *f* de pastor, mostaza *f* silvestre; **~volk** *n* (*-es*; *¨er*) pueblo *m* nómada *od.* de pastores.

'**Hirtin** *f* pastora *f*; (*Rinder²*) vaquera *f*; *junge* ~ pastorcilla *f*, *Span.* zagala *f*.

His ♪ *n* si *m* sostenido.

His'pan|ien *n Hist.* Hispania *f*; **~ist** *m* hispanista *m*.

'**hiss|en** (*-ßt*) *v/t.* izar; *Fahne*: *a.* enarbolar; **²tau** *n* (*-es*; *-e*) ⚓ driza *f*.

His'tor|ie [-'toːrĭə] *f* historia *f*; **~i-enmaler** *m* pintor *m* de historia; **~iker** *m* historiador *m*.

Historio'graph *m* (*-en*) historiógrafo *m*.

his'torisch *adj.* histórico.

Histri'one *m* (*-n*) histrión *m*.

'**Hitz|ausschlag** ⚕ *m* (*-es*; *¨e*) eritema *m* solar; **~bläs-chen** *n* vesícula *f* eritematosa; **~draht** ⊕ *m* (*-es*; *¨e*) hilo *m* térmico.

'**Hitze** *f* (*0*) calor *m* (*a. fig.*); *Glut*: ardor *m* (*a. fig.*); *fig.* impetuosidad *f*; fogosidad *f*; vehemencia *f*; *Jähzorn*: arrebato *m* de cólera; *Erregung*: irritación *f*; *Leidenschaft*: pasión *f*; *drückende* ~ calor sofocante; *tropische* ~ calor tropical; *in der* ~ *des Gefechtes* en el fragor (*od.* en lo más recio) del combate; *fig.* en el calor de la disputa; *in* ~ *geraten* acalorarse; *j-n in* ~ *bringen* (*erregen*) irritar a alg., (*aufbringen*) enfurecer a alg.; *bei schwacher* ~ *kochen lassen* cocer a fuego lento; **²beständig** *adj.* refractario; resistente al calor; **~beständigkeit** *f* (*0*) resistencia *f* al calor; **²empfindlich** *adj.* sensible al calor, termosensible; **~empfindlichkeit** *f* (*0*) sensibilidad *f* al calor; **~ferien** *pl.* vacaciones *f/pl.* caniculares; **~grad** *m* (*-es*; *-e*) grado *m* de calor; **~welle** *f* ola *f* de calor.

'**hitzig I.** *adj.* caliente; ⚕ *~es Fieber* fiebre aguda; (*glühend*) ardiente (*a. fig.*); *fig.* (*leidenschaftlich*) apasionado; (*feurig*) fogoso; (*ungestüm*) impetuoso, vehemente; (*lebhaft*) vivo; (*jähzornig*) colérico, irascible; (*barsch*) brusco; (*heftig*) violento; *Debatte, Diskussion*: acalorado; *Gefecht, Wettkampf*: reñido; *Angriff*: furioso; ~ *sein* ser vivo de genio; ~ *werden* acalorarse; apasionarse; encolerizarse; (*nur*) *nicht* so ~! ¡despacito!, ¡sin sulfurarse!; F ¡pare usted la jaca!; **II.** *adv. fig.* con ardor; con apasionamiento; vivamente.

'**Hitz...:** **~kopf** *m* (-*es*; *=e*) (hombre) colérico *m*; F cascarrabias *m*; **2köpfig** *adj.*: ~ *sein* ser vivo de genio; **~pickel** *m/pl.*, **~pocken** *f/pl.* ⚕ pústulas *f/pl.* eritematosas (*por insolación cutánea*); **~schlag** *m* (-*es*; *=e*) insolación *f*.

hm *int.* ¡hum!

hob [o:] *pret. v. heben.*

'**Hobel** *m* cepillo *m* (de carpintero); garlopa *f*; **~bank** *f* (-; *=e*) banco *m* de carpintero; **~eisen** *n* cuchilla *f* de cepillo; **~maschine** *f* (a)cepilladora *f*; **~messer** *n* → *Hobeleisen*; **2n** (-*le*) *v/t.* (a)cepillar; *fig.* pulir, desbastar, F desasnar; **~n** *n* (a)cepilladura *f*; **~span** *m* (-*es*; *=e*) viruta *f*; **~späne** *m/pl.* virutas *f/pl.*, (a)cepilladuras *f/pl.*

'**Hobler** *m* acepillador *m*.

Ho'boe [ho·'bo:ə] ♪ *f* oboe *m*.

Hobo'ist ♪ *m* (-*en*) oboe *m*.

hoch [o:] **I.** *adj.* (*ch vor e* = *h*; *hohe, hoher, hohes*; → *comp. höher, sup. höchst*) alto; elevado; (~ *gewachsen*) de gran altura, *Person*: de gran estatura *od.* talla; muy alto; *100 Meter ~ sein* tener cien metros de altura; *hohes Zimmer* habitación alta; *hohe Schuhe* botas (*Stöckelschuhe*: zapatos de tacón alto); *Ehre, Verdienst, Ansehen*: gran(de); *in hohem Ansehen stehen* gozar de gran estimación (*od.* ser muy apreciado); gozar de gran prestigio; *Hist. die Hohe Pforte* la Sublime Puerta; *es ist hohe Zeit* ya es hora de; el tiempo urge; *Ton, Zahl, Stellung*: elevado; *hoher Preis*: precio elevado *od.* alto (*stärker*: exorbitante); ♪ *hohes C* (*des Tenors*) do *m* de pecho; *fig. e-n hohen Ton anschlagen* hablar en tono altanero, F *fig.* alzar el gallo; *hohes Spiel* juego fuerte; *hohe Politik* alta política; *hohes Alter* edad avanzada; *hohe Zinsen* intereses elevados; *hohe Temperatur* temperatura elevada; *hohes Fieber* fiebre alta; *hohe Schule* (*Reitkunst*) alta escuela; *hohe Feste* fiestas solemnes; *hohe See* alta mar; *auf hoher See* en alta mar; *hohe Geldstrafe* fuerte multa; *bei hoher Strafe* bajo severa pena; *hoher Beamter* alto funcionario; *hoher Offizier* ⚔ alto jefe; *Hoher Kommissar* Alto Comisario; *hoher Adel* la alta nobleza; F *hohes Tier* F pez muy gordo; *hohe Denkungsart* sentimientos elevados; *hoher Norden* extremo norte; ~ *zu Roß* a caballo; *fig. sich aufs hohe Roß setzen* F mirar a todo el mundo por encima del hombro; *das Haus ist zwei Stockwerke* ~ la casa tiene dos pisos; *es liegt zwei Fuß hoher Schnee* hay dos pies de nieve; *fig. auf die hohe Kante legen* reservar *od.* poner aparte; (*Geld*) ahorrar; *e-e hohe Meinung haben von* tener un alto concepto de; *in hohem Maße* en gran medida; *in hohem Grade* en alto grado; *mit hoher Geschwindigkeit* a (*od.* con) gran velocidad; *ein hohes Lied singen auf* hacer grandes elogios de; **II.** *adv.* sumamente, altamente; alto; *Hände ~!* ¡manos arriba!; *Kopf ~* ¡arriba el corazón!; ¡ánimo!; *der König lebe ~!* ¡viva el rey!; *vier Mann ~* ⚔ en cuatro filas; de cuatro en fondo; *sie kamen fünf Mann ~* vinieron (hasta) cinco hombres; *drei Treppen ~* en el tercer piso; ⚖ *drei ~ fünf* tres elevado a cinco (*od.* a la quinta potencia); ~ *und niedrig* grandes y pequeños; ~ *oben* en lo alto; ~ *oben in od. auf* (*dat.*) en lo más alto de; ~ *über* (*dat.*) a gran altura sobre; ~ *im Preise stehen* ser muy caro; estar muy caro; *ich schätze ihn ~* le tengo en gran estima; le aprecio mucho; *das ist mir zu ~* es superior a mis facultades; escapa a mi entendimiento; no lo comprendo; *den Kopf ~ tragen* llevar la cabeza erguida; *desp.* ser muy orgulloso *bzw.* presuntuoso; *die Nase ~ tragen* tener un aire altanero; *der Vorhang ist ~* (*Thea.*) se ha levantado el telón; *es geht ~ her* hay gran jolgorio; *die Kurse stehen ~* la cotización es muy alta; *die See geht ~* hay marejada; la mar está agitada; ~ *wohnen* vivir (*od.* habitar) en un piso alto; ~ *spielen* jugar fuerte; ~ *gewinnen* ganar una gran suma; *bsd. Sport*: ganar por amplio margen; ~ *verlieren* sufrir una fuerte pérdida *bzw.* una gran derrota; *zu ~ bemessen* calcular con gran exceso; *zu ~ singen* cantar con voz muy aguda; *j-m et. ~ anrechnen* estimar (en) mucho a/c. a alg.; ~ *hinauswollen*; ~*streben* tener grandes ambiciones; *zu ~ hinauswollen* tener demasiadas pretensiones, F *fig.* picar muy alto; ~ *und heilig versprechen* prometer solemnemente; ~ *und heilig schwören* jurar por lo más sagrado; *wenn es ~ kommt* a lo sumo, a lo más; todo lo más; *es kommt mir ~* (*Übelkeit*) siento náuseas (*a. fig.*), siento (*od.* me dan) ganas de vomitar; *der Schnee liegt ~* ha caido una gran nevada; *fig. ~ über den anderen stehen* ser muy superior a los demás; estar muy por encima de los otros; sobresalir.

Hoch *n* (-*s*; -*s*) viva *m*; (*Trinkspruch*) brindis *m*; *ein ~ auf j-n ausbringen* brindar por alg.; beber a la salud de alg.; (*Wetterkunde*) zona *f* de alta presión; anticiclón *m*.

'**hoch...:** **~achtbar** *adj.* muy estimable; muy honorable; dignísimo, ilustre; **~achten** (-*e*-) *v/t.* tener en gran estima, apreciar mucho; respetar; **2achtung** *f* gran estima *f od.* aprecio *m*; alta consideración *f*; *mit vorzüglicher ~* (*Briefschluß*) le saluda muy atentamente; *bei aller ~ vor* con la debida consideración a; con todo el respeto debido a; **~achtungsvoll I.** *adj.* respetuoso; **II.** *adv.* con la mayor consideración; (*Briefschluß*) respetuosamente; quedo de usted atento y seguro servidor (*Abk.* atto. y s.s.); le saluda (muy) atentamente; **2adel** *m* la alta nobleza; **2altar** *m* (-*es*; *=e*) altar *m* mayor; **2amt** *Rel. n* (-*es*; *=er*) misa *f* mayor; misa *f* solemne; *das ~ halten* oficiar; **~angesehen** *adj.* muy apreciado; muy respetado; **~ansehnlich** *adj.* muy distinguido; (*beträchtlich*) muy considerable; **2antenne** *f Radio*: antena *f* exterior; **~arbeiten** (-*e*-) *v/refl.*: *sich ~* lograr éxito a fuerza de trabajo; **~aufgeschossen** *adj.* espigado; **2bahn** *f* metropolitano *m* aéreo; ferrocarril *m* aéreo; **2bau** *m* (-*es*; *0*) construcción *f* alta (*od.* sobre nivel de tierra); (*Oberbau*) superestructura *f*; **~bedeutsam** *adj.* muy importante; trascendental; **~begabt** *adj.* muy inteligente; superdotado; **~beglückt** *adj.* muy feliz; **~bejahrt** *adj.* de edad avanzada; muy anciano; F cargado de años, muy entrado en años; *hum.* matusalén; **~berühmt** *adj.* muy célebre; ilustre, eminente; **~betagt** *adj.* → *hochbejahrt*; **2betrieb** *m* (-*es*; *0*) actividad *f* intensa; **~bezahlt** *adj.* muy bien pagado; **~bringen** (*L*) *v/t. fig.* hacer prosperar; dar impulso a; (*wieder~*) poner a flote, restablecer; **2burg** *f fig.* baluarte *m*; foco *m*; **2burgund** *n* Franco Condado *m*; **~busig** *adj.* de pecho alto; **2decker** ✈ *m* avión *m* de alas sobreelevadas; **~deutsch** *adj.* alto alemán; **2deutsch** *n* alto alemán *m*; (*Schriftdeutsch*) alemán *m* literario; **2druck** *m* (-*es*; *0*) alta presión *f*; ⚕ *des Blutes*: hipertensión *f*; *Typ.* impresión *f* de relieve; *fig. mit ~ arbeiten* trabajar a toda presión *od.* trabajar de firme; **2druckdampfkessel** *m* caldera *f* de vapor de alta presión; **2druckdampfmaschine** *f* máquina *f* de vapor de alta presión; **2druckgebiet** *Meteo. n* (-*es*; -*e*) zona *f* de alta presión, anticiclón *m*; **2ebene** *f* meseta *f*, altiplanicie *f*; *Am.* altiplano *m*; **~ehrwürdig** *adj.* reverendísimo; **~elegant** *adj.* muy elegante; **~empfindlich** *Phot. adj.* supersensible; **~entwickelt** *adj.* muy desarrollado; muy adelantado; (*vervollkommnet*) perfeccionado; **~entzückt**, **~erfreut** *adj.* encantado; (*begeistert*) entusiasmado; **~explosiv** *adj.* muy explosivo; **~fahren** (*L*; *sn*) *v/i.* sobresaltar; *aus dem Schlafe ~* despertar sobresaltado; (*aufbrausen*) encolerizarse; **~fahrend** *fig. adj.* (*stolz*) orgulloso; altivo; altanero; (*anmaßend*) arrogante; **~fein** *adj.* superfino; selecto, exquisito; **2finanz** *f* alta Banca *f*; **2fläche** *f* → *Hochebene*; **~fliegen** (*L*; *sn*) *v/i.* volar a gran altura *f*; **~fliegend** *adj.* que vuela a gran altura; *fig.* ambicioso; *Plan*: de alto vuelo, vasto; **2flug** ✈ *m* (-*es*; *=e*) vuelo *m* de altura; **2flut** *f* marea *f* alta, pleamar *f*; *fig.* gran masa *f*; diluvio *m*; **2form** *f* (*0*) *Sport*: *in ~ sein* estar en plena forma; **2format** *n* (-*es*; -*e*) formato *m* alto; **~frequent** ⚡ *adj.* de alta frecuencia; **2frequenz** ⚡ *f* alta frecuencia *f*; **2frequenzhärtung** ⊕ *f* temple *m* por alta frecuencia; **2frequenzstrom** ⚡ *m* (-*es*; *=e*) corriente *f* de alta frecuencia; **2frequenzverstärker** *m* amplificador *m* de alta frecuencia.

'**hoch...:** **~geachtet** *adj.* muy estimado; muy respetado; **~gebildet** adj. muy culto; **2gebirge** n altas montañas f/pl.; **~geboren** adj. linajudo; als Titel: ilustre; **~ge·ehrt** adj. muy apreciado; in Briefen: ~er Herr! Muy distinguido señor mío; **2gefühl** n (-s; 0) sentimiento m elevado od. sublime; (Begeisterung) entusiasmo m; exaltación f; **~gehen** (L; sn) v/i. subir; (explodieren) hacer explosión f; die See geht hoch la mar está agitada; hay marejada; Preise: subir; fig. (sich erregen) ponerse furioso; indignarse; **2gehen** n der Preise: subida f; **~gekämmt** adj. Haar: peinado hacia atrás; **~gelegen** adj. alto; elevado; situado sobre una altura; **~gelehrt** adj. muy docto od. erudito; **~gemut** adj. animoso; lleno de confianza; ufano; **2genuß** m (-sses; ¨sse) delicia f; goce m inefable; gran placer m; **2gericht** n (-ẹs; -e) alto tribunal m; (Galgen) patíbulo m; **2gesang** m (-ẹs; ¨e) himno m; **~geschätzt** adj. muy apreciado; **~geschlossen** adj. Kleid: cerrado (hasta el cuello); **~geschürzt** adj. (Rock) arregazado; **~gesinnt** adj. noble; de sentimientos elevados; **~gespannt** adj. Dampf: de alta presión; ⚡ de alta tensión; fig. ~e Erwartung gran expectación; (Ungeduld) ansia febril; **~gestellt** adj. de (alta) categoría; de elevada posición (social); de alto rango; Typ. volado; **~gesteckt** adj. Ziel: elevado; **~gestreift** adj. Ärmel: arremangado; **~gewachsen** adj. de gran estatura od. talla; **2glanz** m (-es; 0) brillo m intenso; **~gradig I.** adj. de alto grado; intenso; elevado; ~es Fieber fiebre alta; **II.** adv. en alto grado; **2gradigkeit** f (0) intensidad f; **~halten** (L) v/t. mantener en alto; fig. apreciar mucho, tener en gran estima; die Preise ~ mantener elevados los precios; **2haus** n (-es; ¨er) casa f muy elevada; (Wolkenkratzer) rascacielos m; **~heben** (L) v/t. levantar; alzar; **~herrschaftlich** adj. Haus: señorial; Wohnung: lujoso, muy elegante; suntuoso; **~herzig** adj. magnánimo, generoso; **2herzigkeit** f (0) magnanimidad f, generosidad f; **~kämmen** v/t. peinar hacia atrás; **~kant I.** adj. de canto; **II.** adv.: ~ stellen poner de canto; **2kirche** f Iglesia f episcopal (od. anglicana); **~klappen** v/t. subir; levantar, alzar; **~klettern** (-re; sn) v/i. trepar; **~klingend** adj. Titel: pomposo; F rimbombante; **~kommen** (L; sn) v/i. (heraufkommen) subir; (aufstehen) levantarse; (aufkommen) establecerse; implantarse; (es zu et. bringen) tener éxito m; abrirse camino m; (auftauchen) surgir; aparecer; (wieder ~; sich erholen) restablecerse; **2konjunktur** f ⚚ coyuntura f favorable; período m de gran prosperidad económica; **~konzentriert** adj. muy concentrado; **2land** n (-ẹs; ¨er) tierras f/pl. altas; macizo m montañoso; montaña f; **2länder(in** f**)** m montañés m, montañesa f; serrano (-a f) m; **~leben**: j-n ~ lassen brindar por alg.; beber a la salud de alg.; ... lebe hoch! ¡viva ...!; **~legen** ⚡ v/t. instalar una línea aérea; **2leistungsmotor** m (-s; -en) motor m de gran rendimiento (od. potencia); **2leitung** ⚡ f línea f aérea.

'hoch...: ~löblich adj. muy loable; **2meister** m Gran Maestre m; **2mittelalter** n (-s; 0) alta edad f media; **~modern** adj. ultramoderno; **2mut** m (-ẹs; 0) soberbia f; altanería f; orgullo m; altivez f; (Arroganz) arrogancia f; **~mütig** adj. soberbio; altanero; orgulloso; altivo; (anmaßend) arrogante; ~ werden ensoberbecerse; **~näsig** adj. F → hochmütig; **~nehmen** (L) v/t. (heben) levantar, alzar; fig. j-n ~ (hänseln) F tomar el pelo a alg.; j-n ~ (schröpfen) explotar despiadadamente a alg.; **2ofen** m (-s; ¨) alto horno m; **2parterre** n entresuelo m; **2plateau** n (-s; -s) altiplanicie f; **~prozentig** adj. muy concentrado, de alto grado de concentración; **~pumpen** v/t. elevar con bomba f; **~qualifiziert** adj. muy calificado; **~raffen** v/t. alzar; Rock: arregazar; (ar)remangar; **~ragend** adj. muy elevado; Fels: empinado; **~rappeln** (-le) v/refl.: sich ~ reponerse; restablecerse; **2relief** n (-s; -s) alto relieve m; **~rot** adj. rojo vivo; (Gesicht) rubicundo; **2rufe** m/pl. vivas m/pl.; **~rund** adj. convexo; **2saison** f (-; -s) apogeo m de la temporada; in der ~ en plena temporada; **~schätzen** v/t. → hochachten; **2schätzung** f (0) → Hochachtung; **~schlagen** (L) v/t. Kragen: subirse; **~schnellen** v/i. subir con rapidez f; **~schule** f escuela f superior; universidad f; Technische ~ Escuela Superior Técnica; Pädagogische ~ Escuela Normal; **2schüler(in** f**)** m estudiante m/f; **2schullehrer** m profesor m; (Universitätsprofessor) catedrático m (de universidad); **2schulreife** f (0) bachillerato m; **2schulstudium** n (-s; -studien) estudios m/pl. superiores; **2schulwesen** n (-s; 0) enseñanza f superior (od. universitaria); **~schwanger** adj. en estado (de embarazo) muy avanzado, F en meses mayores; **2seefischerei** f pesca f de altura; **2seeflotte** ⚓ f flota f de alta mar; **2seeschlepper** m remolcador m de alta mar; **2sitz** Jgdw. m (-es; -e) paranza f, aguard(ader)o m; **2sommer** m canícula f, pleno verano m; **~sommerlich** adj. canicular, estival; **2spannung** ⚡ f alta tensión f; **2spannungsleitung** ⚡ f línea f de alta tensión; **2spannungsnetz** n (-es; -e) red f de alta tensión; **2spannungsstrom** m (-ẹs; ¨e) corriente f de alta tensión; **2springer** m saltador m de altura; **2sprung** m (-ẹs; ¨e) salto m de altura.

höchst I. adj. (sup. v. hoch) el más alto; fig. supremo; sumo; (größt) el mayor; Phys., ⊕ u. ⚚ máximo; ~er Preis precio máximo; im Rang: de mayor categoría; (äußerst) extremo; der ~e Punkt el punto culminante (od. más elevado); Astr. cenit (a. fig.); das ~e Wesen el Ser Supremo; das ~e Gut Rel. el sumo bien; von ~er Wichtigkeit de capital (od. máxima) importancia; ~e Vollkommenheit suma perfección; im ~en Grade en máximo grado; es ist ~e Zeit ya es más que hora (zu inf. de); el tiempo apremia od. urge; ~es Glück el colmo de la felicidad; ~e Not suma (od. extrema) necesidad; in ~en Tönen von j-m reden hacer grandes elogios de alg.; **II.** adv. sumamente, altamente; extremadamente, en extremo; muy; ~ angenehm sumamente agradable; das ist ~ lächerlich no puede ser más ridículo; **2e** n: das ~ lo más alto; el punto culminante; lo más sublime; el apogeo; el súmmum; F el colmo.

'hoch...: ~stämmig adj. (de tronco) alto; **2stape'lei** f impostura f; (Betrug) estafa f; **2stapler** m impostor m; estafador m; caballero m de industria.

'Höchst...: ~alter n (-s; 0) edad f máxima; **~be·anspruchung** f esfuerzo m máximo; **~belastung** f carga f máxima; **~betrag** m (-ẹs; ¨e) (importe m) máximo m, máximum m; suma f máxima; bis zum ~ von hasta el importe máximo de; **~dauer** f (0) duración f máxima.

'hoch...: ~stehend adj. elevado, relevante; de importancia; de categoría; de alto nivel; **~steigen** (L; sn) v/i. subir; elevarse.

höchst'eigenhändig adj. u. adv. de su propia mano; de su puño y letra.

'höchstens adv. a lo sumo, a lo más; cuando más; F a todo tirar.

'Höchst...: ~fall m (-ẹs; 0): im ~ → höchstens; **~form** f (0) superlativo m; Sport: excelente forma; **~gebot** n (-ẹs; -e) (bei Auktionen) la mejor postura; **~gehalt** m (-ẹs; 0) contenido m máximo; **~gehalt** n (-ẹs; ¨er) sueldo m máximo; **~geschwindigkeit** f velocidad f máxima; zulässige ~ velocidad límite; **~gewicht** n (-ẹs; 0) peso m máximo; **~grenze** f límite m máximo; **~kommandierende(r)** ⚔ m general m en jefe; generalísimo m; **~kurs** ⚚ m (-es; -e) cotización f máxima; **~leistung** f rendimiento m máximo; Sport: angl. record m; **~lohn** m (-ẹs; ¨e) salario m máximo; **~maß** n (-es; 0) máximum m; **2per'sönlich** adv. en persona; **~preis** m (-es; -e) precio m máximo; **~satz** m (-es; ¨e) tarifa f máxima; **~stand** m (-ẹs; 0) nivel m máximo; **~strafe** f pena f máxima.

'hochstrebend adj. fig. ambicioso; Plan: de alto vuelo.

'Höchst...: ~tarif m (-ẹs; -e) tarifa f máxima; **~wert** m (-ẹs; -e) valor m máximo; **2zulässig** adj. máximo admisible.

'hoch...: ~tönend adj. altisonante; campanudo, rimbombante; fig. enfático; grandilocuente; **2tour** f excursión f alpina; ⊕ auf ~en a alta presión (a. fig.); **2tourist(in** f**)** m (-en) alpinista m/f; **~trabend** fig. adj. (schwülstig) pomposo, ostentoso; Rede: → hochtönend; **~tragen** (L) v/t.: den Kopf ~ llevar la cabeza erguida; **~treiben** (L) v/t. Preise: hacer subir; **~verdient** adj. meritísimo; benemérito; **~ver-**

ehrt *adj.* → *hochgeehrt*; 2**verrat** *m* (*-es*; *0*) alta traición *f*; 2**verräter** *m* reo *m* de alta traición; **~verräterisch** *adj.* de alta traición; traidor; 2**wald** *m* (*-s*; *"er*) monte *m* alto; 2**wasser** *n* crecida *f*, avenida *f*, riada *f*; inundación *f*; *der See*: marea *f* alta, pleamar *f*; 2**wassergefahr** *f* (*0*) peligro *m* de inundación; 2**wasserkatastrophe** *f* catástrofe *f* causada por las aguas; 2**wasserschaden** *m* (*-s*; *"*) daños *m/pl.* causados por la inundación; **~wertig** *adj.* de gran valor; de alta calidad; ⚗ muy concentrado; *Erz*: rico; **~wichtig** *adj.* muy importante, de gran importancia; (*v. gewichtigen Folgen*) de gran trascendencia; 2**wild** *Jgdw. n* (*-es*; *0*) caza *f* mayor; **~winden** (*L*) *v/t.* guindar; **~wirksam** *adj.* muy eficaz; muy activo; **~wohlgeboren** *adj.* de ilustre cuna; *Euer* 2 (*Anrede im Brief*) Muy distinguido señor mío; 2**würden:** *Euer* (*od. Ew.*) ~ (*Anrede für kath. Geistliche in höheren Stellungen*) Monseñor, *bei Bischöfen*: (Su) Ilustrísima, *bei Kardinälen*: (Su) Eminencia; **~würdig** *adj.*: *~er Herr* (*Anrede bei kath. Geistlichen*) Reverendo Padre; **~zahl** ⨯ *f* exponente *m*.

'**Hochzeit** [ɔ] *f* boda *f*, bodas *f/pl.*; (*Trauung*) casamiento *m*, enlace *m* (nupcial); *silberne* (*goldene*; *diamantene*) ~ bodas de plata (de oro; de diamante); ~ *halten* (*od. machen*) celebrar la boda (*od.* las bodas); *zu j-s ~ gehen* ir a la boda de alg.; *man kann nicht auf zwei ~en zugleich tanzen* no se puede repicar y andar en la procesión al mismo tiempo; 2**lich** *adj.* nupcial.

'**Hochzeits...:** **~essen** *n* banquete *m* de bodas; **~feier** *f* (*-*; *-n*) celebración *f* de la boda; ceremonia *f* nupcial; → **~feier(lichkeit)** *f* (*-*; *-n*), **~fest(lichkeit** *f*) *n* (*-es*; *-e*) boda *f*, bodas *f/pl.*; **~flug** *m* (*-es*; *"e*) *der Bienen*: vuelo *m* nupcial; **~gast** *m* (*-es*; *"e*) invitado *m* a la boda; **~gedicht** *n* (*-es*; *-e*) epitalamio *m*; **~geschenk** *n* (*-es*; *-e*) regalo *m* de boda; **~gesellschaft** *f* invitados *m/pl.* a la boda; **~kleid** *n* (*-es*; *-er*) vestido *m* de novia; vestido *m* nupcial; **~mahl** *n* (*-es*; *"er*) → *Hochzeitsessen*; **~marsch** ♪ *m* (*-es*; *"e*) marcha *f* nupcial; **~reise** *f* viaje *m* de novios (*od.* de bodas); **~schmaus** *m* (*-es*; *"e*) → *Hochzeitsessen*; **~tag** *m* (*-es*; *-e*) día *m* de la boda; **~zug** *m* (*-es*; *"e*) cortejo *m* nupcial.

'**hochziehen** (*L*) *v/t.* elevar; levantar; (*hochwinden*) guindar; (*hissen*) izar; (*Augenbrauen*) enarcar; *Hosen*: subir(se); *Ärmel*: (ar)remangar.

'**Hock|e** *f* (*Garben*2) gavilla *f*; 2**en** *v/i.* acurrucarse; (*auf den Fersen*) estar en cuclillas; (*gebückt*) estar agachado; *immer zu Hause ~ estar* siempre metido en casa; ser muy casero; **~er** *m* taburete *m*; escabel *m*.

'**Höcker** *m allg.* protuberancia *f*; (*Buckel*) giba *f*, joroba *f*; ⚕ tuberosidad *f*; (*Erd*2) eminencia *f*; (*Auswuchs*) excrecencia *f*; (*Beule*) abolladura *f*; 2**ig** *adj.* (*buckelig*) giboso, jorobado; ⚕ tuberoso; (*Gelände*) accidentado; (*rauh*) áspero; (*holprig*) fragoso; (*verbeult*) abollado.

'**Hockey** ['hɔke·] *n* (*-s*; *0*) *angl.* hockey *m*; **~ball** *m* (*-es*; *"e*) pelota *f* de hockey; **~spieler(in** *f*) *m* jugador(a *f*) *m* de hockey.

'**Hode** *f od. m*, **~n** *m Anat.* testículo *m*; **~nbruch** ⚕ *m* (*-es*; *"e*) hernia *f* escrotal; **~n-entzündung** ⚕ *f* orquitis *f*; **~nsack** *Anat. m* (*-es*; *"e*) escroto *m*.

Hof *m* (*-es*; *"e*) corte *f*; *auf dem* ~, *bei ~e*, *am ~e* en la corte; en palacio; ~ *halten* tener corte; recibir en corte; (*Gast*2) hotel *m*; (*Bauern*2) granja *f*; casa *f* de labor; (*Gefängnis*2) patio *m* de la cárcel; (*Kasernen*2) patio *m* del cuartel; (*Innen*2) patio *m*; (*Hühner*2, *Vieh*2) corral *m*; (*Landhaus*) quinta *f*; casa *f* de campo; *von Haus und ~ treiben* desposeer de los bienes; *fig. j-m den ~ machen* hacer la corte (*od.* el amor) a; cortejar (*ac.*); (*flirten*) galantear, flirtear.

'**Hof...:** **~adel** *m* (*-s*; *0*) nobleza *f* de la corte; **~amt** *n* (*-es*; *"er*) cargo *m* en la corte; **~arzt** *m* (*-es*; *"e*) médico *m* de cámara; **~ball** *m* (*-es*; *"e*) baile *m* de la corte *bzw.* en palacio; **~besitzer** *m* propietario *m* de una granja; **~burg** *f* palacio *m* imperial *bzw.* real; **~clique** *f* camarilla *f*; **~dame** *f* dama *f* de honor; dama *f* de palacio; **~etikette** *f* etiqueta *f* de palacio; ceremonial *m* de la corte; 2**fähig** *adj.* admitido en la corte.

'**Hoffahrt** *f* (*0*) (*Hochmut*) soberbia *f*; (*Stolz*) orgullo *m*; (*Großtun*) ostentación *f*; (*Arroganz*) arrogancia *f*; (*Eitelkeit*) vanidad *f*; (*Dünkel*) altanería *f*.

'**hoffärtig** *adj.* soberbio; orgulloso; arrogante; vano; altanero.

'**hoffen I.** *v/t. u. v/i.* esperar (*daß* que *subj.*); *zuversichtlich*: contar con; confiar (*od.* tener confianza) en; *auf et.* ~ (*ac.*) esperar a/c.; *auf j-n ~* confiar en alg.; *ich will es ~* así lo espero; confío en que así sea; *wir wollen das Beste ~* tengamos confianza; *es ist zu ~* es de esperar; *bis zum letzten ~* confiar (*od.* no perder la esperanza) hasta el último momento; *auf die Zukunft ~* confiar en el futuro; *auf bessere Zeiten ~* esperar tiempos mejores; **II.** 2 *n* → *Hoffnung*; **~tlich** *adv.* espero que, confío en que (*sub.*); así lo espero; ~ *kommst du* espero (*od.* confío en) que vengas.

'**Hoffnung** *f* (*Hoffen*) esperanza *f*; (*Erwartung*) espera *f*; expectativa *f*; (*Zuversicht*) confianza *f*; (*Traum*) ilusión *f*; *in der ~, daß* en la esperanza de que, esperando que; ~ *schöpfen* concebir esperanzas; *die ~ verlieren* perder la(s) esperanza(s); *die ~ aufgeben* abandonar (*od.* renunciar a) toda esperanza; *die ~ wecken* despertar la esperanza; *die ~ zerstören* destruir (*od.* echar por tierra) las esperanzas; *j-m die ~ nehmen* quitar a alg. la esperanza; desilusionar a alg.; *s-e ~ setzen auf* poner su(s) esperanza(s) en; *sich ~en auf et. machen* abrigar (*od.* tener) esperanzas de conseguir a/c.; *die ~ hegen* abrigar (*od.* tener *od.* acariciar) la esperanza de; *guter ~* (*schwanger*) *sein* estar encinta; *j-m ~en machen* dar esperanzas a alg.; *sich keine ~en machen* no hacerse ilusiones; *e-e ~ auf Erfolg haben* tener esperanzas de éxito; *von der ~ leben, daß* vivir en la esperanza de que (*subj.*); *letzte ~* última esperanza; *getäuschte* (*vergebliche*; *trügerische*) ~ esperanza defraudada (vana; engañosa); *begründete* (*unbegründete*) ~ esperanza fundada (infundada); ~ *auf Besserung* esperanza de mejoría; *das Kap der Guten ~* el cabo de Buena Esperanza.

'**Hoffnungs...:** 2**los** *adj.* sin esperanza; (*verzweifelt*) desesperado; ~ *daniederliegen* en estado desesperado; **~losigkeit** *f* (*0*) desesperanza *f*; desesperación *f*; 2**reich** *adj.* muy esperanzado; **~schimmer** *m* rayo *m* de esperanza; 2**voll** *adj.* lleno de esperanza; (*vielversprechend*) muy prometedor; alentador.

'**Hof...:** **~gesinde** *n* (*-s*; *0*) *bei Bauern*: mozos *m/pl.* de labranza; *fürstliches*: servidumbre *f* de palacio; **~haltung** *f* corte *f*; casa *f* real; 2**halten** (*L*) *v/i.* tener corte *f*; **~hund** *m* (*-es*; *-e*) mastín *m*.

ho'fieren (*-*) *v/i.*: *j-n ~* hacer la corte (*od.* el amor) a alg.; cortejar a alg.; (*schmeicheln*) adular *od.* lisonjear a alg.

'**höfisch** *adj.* cortesano, palaciego, palatino; *~e Dichtung* poesía cortesana *bzw.* trovadoresca.

'**Hof...:** **~kreise** *m/pl.* círculos *m/pl.* palatinos; **~leben** *n* (*-s*; *0*) vida *f* de la corte.

'**höflich** *adj.* cortés; urbano, fino; *gegen Damen*: galante; (*liebenswürdig*) amable; (*verbindlich*) atento; 2**keit** *f* cortesía *f*; urbanidad *f*, finura *f*; amabilidad *f*; atención *f*; *gegen Damen*: galantería *f*; *aus ~* por cortesía; 2**keitsbesuch** *f* (*-es*; *-e*) visita *f* de cortesía (*od.* de cumplido); 2**keitsbezeigung** *f* cumplido *m*; 2**keitsformel** *f* (*-*; *-n*) fórmula *f* de cortesía; 2**keitsformen** *pl.* reglas *f/pl.* de cortesía; etiqueta *f*.

'**Hoflieferant** *m* (*-en*) proveedor *m* de la Real Casa.

'**Höfling** *m* (*-s*; *-e*) cortesano *m*, palaciego *m*.

'**Hof...:** **~maler** *m* pintor *m* de cámara; **~marschall** *m* (*-s*; *"e*) mayordomo *m* mayor de palacio; **~meister** *m* mayordomo *m*; (*Erzieher*) ayo *m*; preceptor *m*; 2**meistern** (*-re*) *v/t.* censurar, criticar; **~narr** *m* (*-en*) bufón *m*; **~partei** *f* camarilla *f*; **~poet** *m* (*-en*) poeta *m* cortesano; **~prediger** *m* capellán *m* real; predicador *m* de la corte; **~rat** *m* (*-es*; *"e*) consejero *m* áulico; **~raum** *m* (*-es*; *"e*) patio *m*; (*für Vieh*) corral *m*; **~schranze** *f* cortesano *m*, palaciego *m*; (*kriecherischer*) cortesano *m* servil *od.* rastrero; **~sitte** *f* etiqueta *f* de palacio; **~staat** *m* (*-es*; *0*) corte *f*; **~theater** *n* teatro *m* real; **~tor** *n* (*-es*; *-e*) puerta *f* cochera; **~tracht** *f* traje *m* de corte; **~trauer** *f* luto *m* de la corte; **~wohnung** *f* piso *m* interior; **~zwang** *m* (*-es*; *0*) etiqueta *f* palaciega *od.* cortesana.

'**Höhe** *f* altura *f*; (*Erhebung*) elevación *f*; (*An*2) colina *f*, loma *f*; (*Gipfel*) cima *f*, cumbre *f*; (*Bedeu-*

tung, Größe) importancia *f*, magnitud *f*; (*Niveau*) nivel *m*; *über Meeresspiegel*: altitud *f*; *e-r Summe*: importe *m*; *bis zur* ~ (*bis zum Betrage*) *von* hasta el valor (*od.* importe) de; ~ *gewinnen* ganar altura; *e-e* ~ *von 2 Metern* dos metros de altura (*od.* de alto); *auf der* ~ *von* ⚓ a la altura de; *fig. auf der* ~ *sein* (*informiert sein*) estar al corriente *od.* al tanto; (*der Lage*) estar a la altura de la situación *od.* de las circunstancias; *auf der* ~ *s-r Zeit sein* estar a la altura de su época; *auf der* ~ *s-s Ruhmes* en el apogeo de su gloria (*od.* fama); *auf gleicher* ~ al (mismo) nivel de; a la (misma) altura de; *aus der* ~ *von* (des)de lo alto de; *in der* ~ arriba; en el aire; en las alturas; *in die* ~ (hacia) arriba; *in die* ~ *bringen* elevar; *in die* ~ *fahren* subir; (*auffahren*) sobresaltarse; dar un respingo; *in die* ~ *gehen* subir; *Preise*: *a.* aumentar; *in die* ~ *halten* mantener en alto; *in die* ~ *heben* alzar, levantar; *in die* ~ *ragen* alzarse, elevarse; *in die* ~ *treiben* elevar; *Preise*: hacer subir; *in die* ~ *richten* enderezar, erguir; *in die* ~ *schießen* lanzar hacia arriba; (*wachsen*) crecer rápidamente; *in die* ~ *schwingen* alzar (*od.* levantar) el vuelo; *in die* ~ *sehen* alzar la vista, levantar los ojos a; *in die* ~ *steigen* subir, elevarse; *in die* ~ *werfen* echar al aire; *in die* ~ *winden* guindar; *in die* ~ *ziehen* elevar, subir; (*hinaufziehen*) tirar hacia arriba; (*hochwinden*) guindar; (*hissen*) izar; *das ist die* ~! ¡esto es el colmo!; *Ehre sei Gott in der* ~! ¡Gloria a Dios en las alturas!

'**Hoheit** *f* (*Erhabenheit*) sublimidad *f*, grandeza *f*; (*Adel*) nobleza *f*; (*Ober*2) soberanía *f*; (*Titel*) Alteza *f*; *Seine* (*Ihre*) *Königliche* ~ Su Alteza Real (*Abk.* S.A.R.).

'**Hoheits...**: **~abzeichen** *n* símbolo *m* de la soberanía; insignia *f*, emblema *m* nacional; **~akt** *m* (*-es*; *-e*) acto *m* de soberanía; **~gebiet** *n* (*-es*; *-e*) territorio *m* de soberanía; *deutsches* ~ territorio alemán; **~gewässer** *n/pl.* aguas *f/pl.* jurisdiccionales *od.* territoriales; **~rechte** *n/pl.* derechos *m/pl.* de soberanía; (*Regalien*) regalía *f* de la corona; (*Privileg*) prerrogativa *f*; 2**voll** *adj.* majestuoso; **~zeichen** *n* → *Hoheitsabzeichen*.

Hohe'lied *Bib. n*: *das* ~ el Cantar de los Cantares.

'**Höhen...**: **~angabe** *f* indicación *f* de la altura; marca *f* geodésica; **~flosse** ✈ *f* plano *m* fijo de profundidad, estabilizador *m*; **~flug** ✈ *m* (*-es*; *⸚e*) vuelo *m* de altura; **~kabine** *f* cabina *f* de presión acondicionada; **~klima** *n* (*-s*; *0*) clima *m* de altura; **~krankheit** *f* (*Bergkrankheit*) mal *m* de las alturas (*od.* de montaña); **~kur** *f* cura *f* de altura; **~(luft)kur·ort** *m* (*-es*; *-e*) estación *f* climática de altura; **~lage** *f* altitud *f*; **~linie** *f Landkarte*: curva *f* de nivel; **~luft** *f* (*0*) (*Bergluft*) aire *m* de montaña; clima *m* de altura; **~messer** *m* altímetro *m*; *auf akustischer Grundlage*: altímetro *m* sónico; **~messung** *f* altimetría *f*; hipsometría *f*; **~rekord** *m* (*-es*; *-e*) marca *f od.* record *m* de altura; **~ruder** ✈ *n* timón *m* de profundidad; **~schichtlinie** *f* curva *f* de nivel; **~schreiber** *m* barógrafo *m*; **~sonne** *f* sol *m* de altitud; (*Apparat*) lámpara *f* de cuarzo (*od.* de rayos ultravioleta); *Behandlung mit* ~ tratamiento con rayos ultravioleta; **~steuer** ✈ *n* (*-s*; *-*) timón *m* de altura *od.* de profundidad; **~strahlen** *m/pl.* rayos *m/pl.* cósmicos; **~strahlung** *f* radiación *f* cósmica; **~unterschied** *m* (*-es*; *-e*) desnivel *m*, diferencia *f* de nivel; **~verlust** ✈ *m* (*-es*; *-e*) pérdida *f* de altura; **~zahl** *f Karte*: cota *f*; **~zug** *m* (*-es*; *⸚e*) cadena *f* de colinas; serranía *f*.

Hohe'priester *m* sumo sacerdote *m*; **~amt** *n* (*-es*; *0*), **~tum** *n* (*-es*; *0*) pontificado *m*; 2**lich** *adj.* pontifical.

'**Höhepunkt** *m* (*-es*; *-e*) punto *m* culminante; (*Gipfel*) cumbre *f*, cima *f*; *Astr.* cenit *m*; *fig.* apogeo *m*; colmo *m*; *s-n* ~ *erreichen* culminar, alcanzar el punto culminante; *auf dem* ~ *sein* estar en el punto culminante; estar en su apogeo.

'**höher I.** *adj.* (*comp. v. hoch*) más alto, más elevado; *fig.* superior; ~ *als* más alto que, más elevado que; superior a; *um 3 Meter* ~ *als* tres metros más alto que; ~*er Beamte*(*r*) funcionario *m* de categoría media; ~*er Blödsinn* solemne tontería; *die* ~*en Klassen* las clases altas; ~*e Schule* escuela (de enseñanza) secundaria; *das* ~*e Schulwesen* la segunda enseñanza; la enseñanza media; ~*e Mathematik* matemáticas superiores; ~*e Gewalt* fuerza mayor; *auf* ~*en Befehl* por orden superior; *in* ~*em Sinne* en un sentido más elevado; **II.** *adv.* ~ *hängen* colgar más alto; *fig. j-m den Brotkorb* ~ *hängen* F *fig.* poner a alg. la cesta del pan en el alero; someter a alg. por hambre; ~ *schrauben* subir, *Preise*: elevar, hacer subir; *immer* ~ cada vez más alto; *fig.* ~ *rücken* avanzar; *das Herz schlägt ihm* ~ el corazón le palpita con más fuerza.

'**hohl I.** *adj.* hueco; (*leer*) vacío; (*ausgehöhlt*) ahuecado; excavado; (*vertieft*) cóncavo; (*eitel*) hinchado, engreído; *die* ~*e Hand* el hueco de la mano; ~*e Wangen* mejillas hundidas; ~*e Augen* ojos hundidos; ~*e Stimme* voz hueca *od.* cavernosa; ~*er Zahn* diente cariado; ~*e Nuß* nuez vacía; ⚓ ~*e See* mar tendida; *fig.* hueco, vacío; ~*er Kopf* cabeza hueca; ~*e Worte* palabras hueras; **II.** *adv. die See geht* ~ hay mar tendida; ~ *machen* ahuecar; ~ *werden* ahuecarse; ~ *klingen* sonar hueco; 2**ader** *Anat. f* (*-*; *-n*) vena *f* cava; **~äugig** *adj.* de ojos hundidos; 2**bohrer** *m* barrena *f* hueca.

'**Höhle** *f* caverna *f* (*a.* ⚕); (*Grotte*) gruta *f*; antro *m*; (*Felsen*2) cueva *f*; (*Loch, Grube*) hoyo *m*; *der wilden Tiere*: guarida *f* (*a. Räuber*2); *von Kaninchen usw.*: madriguera *f*; (*Hohlraum*) hueco *m*; cavidad *f*, cuenca *f* (*beide a. Anat.*); (*Aushöhlung*) excavación *f*; 2**n** *v/t.* ahuecar.

'**Höhlen...**: **~bär** *Zoo. m* (*-en*) oso *m* de las cavernas; **~bewohner** *m* hombre *m* de las cavernas; troglodita *m*; **~forscher** *m* espeleólogo *m*; **~forschung** *f*, **~kunde** *f* (*0*) espeleología *f*; **~male'rei** *f* pinturas *f/pl.* rupestres; **~mensch** *m* (*-en*) → *Höhlenbewohner*; **~wohnung** *f* cueva *f* (habitable).

'**Hohl...**: 2**erhaben** *adj.* cóncavo-convexo; **~fläche** *f* concavidad *f*; 2**gehend** ⚓ *adj.* agitado; 2**geschliffen** *adj.* cóncavo; **~glas** *n* (*-es*; *⸚er*) vidrio *m* hueco; **~heit** *f* cavidad *f*; oquedad *f*; (*Hohlrundung*) concavidad *f*; *fig.* nulidad *f*; insignificancia *f*; vanidad *f*; **~kehle** *f* ⊕ estría *f*, canal *m/f*; **~klinge** *f* hoja *f* vaciada; **~kopf** *m* (*-es*; *⸚e*) cabeza *f* hueca, *fig.* F calabacín *m*; 2**köpfig** *adj.* abobado; mentecato; **~körper** *m* cuerpo *m* hueco; **~kugel** *f* (*-*; *-n*) bola *f* hueca; **~maß** [aː] *n* (*-es*; *-e*) medida *f* de capacidad; **~meißel** ⊕ *m* gubia *f*; **~raum** *m* (*-es*; *⸚e*) cavidad *f*; hueco *m*, vacío *m*; **~saum** *m* (*-es*; *⸚e*) vainica *f*; calado *m*; **~schliff** *m* (*-es*; *-e*) (*Klinge*) vaciado *m*; **~spiegel** *m* espejo *m* cóncavo.

'**Höhlung** *f* concavidad *f*; (*Hohlraum*) cavidad *f* (*a. Anat.*); hueco *m*, oquedad *f*; caverna *f* (*a.* ⚕); (*Aus*2) excavación *f*; (*Felsen*2) cueva *f*; (*Schlucht*) desfiladero *m*, garganta *f*.

'**Hohl...**: **~vene** *Anat. f* vena *f* cava; 2**wangig** *adj.* de mejillas hundidas; (de rostro) demacrado; **~weg** *m* (*-es*; *-e*) camino *m* hondo; (*Engpaß*) desfiladero *m*, *bsd. Am.* cañada *f*; **~ziegel** *m* ladrillo *m* hueco; (*Dachziegel*) teja *f* hueca; **~zirkel** *m* compás *m* de espesores; **~zylinder** *m* cilindro *m* hueco.

Hohn *m* (*-es*; *0*) (*Verachtung*) desprecio *m*, desdén *m*; befa *f*; (*Spott*) burla *f*, mofa *f*, *stärker*: escarnio *m*; (*Ironie*) ironía *f* cruel; (*Gelächter*) ludibrio *m*, irrisión *f*; *bitterer* ~ sarcasmo *m*; *zum* ~(*e*) *e-r Person*: a despecho de alg.; *zum Spott und* ~ *werden* (llegar a) ser la irrisión de la gente.

'**höhnen** *v/t.* burlarse *od.* mofarse de; escarnecer (*ac.*), hacer escarnio de.

'**Hohngelächter** *n* risa *f* burlona; *herausfordernd*: risa *f* provocativa *od.* ofensiva.

'**höhnisch** *adj.* burlón; escarnecedor; (*ironisch*) irónico; (*sarkastisch*) sarcástico; (*geringschätzig*) desdeñoso; (*boshaft*) malicioso.

'**Hohn...**: **~lächeln** *n* sonrisa *f* burlona; 2**lächeln** (*-le*) *v/i.* sonreír burlonamente; sonreír desdeñosamente (*od.* con desdén); **~lachen** *n* risa *f* burlona; 2**lachen** *v/i.* reír burlonamente; 2**sprechen** (*L*) *v/i.*: *j-n* ~ escarnecer *od.* afrentar a alg.; mofarse de alg.; *der Vernunft* ~ (*dat.*) ser contrario a toda razón.

ho'ho *int.* ¡caramba!

'**Höker** *m* (*Wiederverkäufer*) revendedor *m* (al pormenor); baratillero *m*; **~in** *f* revendedora *f* (al pormenor); vendedora *f* de baratijas; 2**n** (*-re*) *v/i.* tener una tiendecilla *bzw.* un tenderete *od.* un puesto de venta callejera; vender baratijas *f/pl.*

Hokus'pokus *m* (*-*; *0*) juego *m* de manos, escamoteo *m*; arte *m* de birlibirloque; *fig.* farsa *f*, charlatanismo *m*.

hold *adj.* favorable, propicio; *j-m* ~

sein sentir afecto hacia alg.; tener cariño (*od.* querer mucho) a alg.; *das Glück ist ihm ~* la fortuna le sonríe.

ˈ**Holder** ♀ *m* (*Holunder*) saúco *m*.

ˈ**holdselig** *adj. Rel.* lleno de gracias; (*reizend*) agraciado, encantador; (*huldvoll*) afectuoso; **≈keit** *f* (*0*) gracia *f*.

ˈ**holen** *v/t.* ir *bzw.* venir a buscar *od.* por; ir *bzw.* venir a recoger; traer a/c.; ir a comprar; *~ lassen* mandar (*od.* enviar a) buscar; mandar por; *aus der Tasche ~* sacar del bolsillo; *hol' ihn der Teufel!* ¡que se vaya al diablo!; *Atem ~* tomar aliento; respirar; *sich bei j-m Rat ~* tomar consejo de alg.; *sich e-n Schnupfen ~* pescar (*od.* atrapar) un resfriado; *dabei ist nichts zu ~* (de ahí) no se saca nada.

ˈ**holla** *int.* ¡hola!; ¡eh!; ¡alto ahí!

ˈ**Holland** *n* Holanda *f*.

ˈ**Holländ|er(in** *f*) *m* holandés *m*, holandesa *f*; *der Fliegende ~* El Buque Fantasma; *Papierherstellung*: calandria *f*; *Holländer Käse* queso de Holanda (*od.* de bola); **≈isch** *adj.* holandés, de Holanda; *die ~e Sprache, das ≈e*; *≈ n* la lengua holandesa, el holandés.

ˈ**Hölle** *f* infierno *m*; *zur ~ fahren* descender a los infiernos; *in die ~ kommen* ir al infierno; ser condenado; *fig. j-m die ~ heiß machen* amargar a alg. la vida; atormentar a alg.; *j-m das Leben zur ~ machen* hacer a alg. la vida un infierno; *der Weg zur ~ ist mit guten Vorsätzen gepflastert* de buenas intenciones está empedrado el infierno.

ˈ**Höllen...**: **~angst** *f* (*-; ¨e*) angustia *f* mortal; **~brut** *f* (*0*) engendro *m* infernal; **~fahrt** *f* descenso *m* a los infiernos; **~feuer** *n* fuego *m* del infierno; fuego *m* eterno; **~fürst** *m* (*-en; 0*) Príncipe *m* de las Tinieblas, Lucifer *m*; **~hund** *m* (*-es; -e*) (*Can m*) Cerbero *m*; **~lärm** *m* (*-es; 0*) ruido *m* infernal; F ruido *m* de mil demonios; (*Durcheinander*) algarabía *f* de todos los diablos; **~maschine** *f* máquina *f* infernal; **~pein** *f* (*0*), **~qual** *f* tortura *f* (*od.* suplicio *m od.* martirio *m*) infernal; sufrimiento *m* atroz; **~stein** *m* (*-es; 0*) ⚗ nitrato *m* de plata; *Phar.* piedra *f* infernal; **~strafen** *f/pl.* penas *f/pl.* eternas (*od.* del infierno); **~tempo** (*-s; 0*): *ein ~ fahren* ir a una velocidad endiablada.

ˈ**höllisch I.** *adj.* infernal (*a. fig.*); de los infiernos; (*teuflisch*) diabólico; (*verteufelt*) endiablado; F (*übermäßig*) excesivo; (*ungeheuer*) enorme, tremendo; *ein ~es Spektakel* una batahola infernal; un estrépito de todos los diablos; **II.** *adv.* (*furchtbar; sehr*) endiabladamente; muy.

Holm *m* (*-es; -e*) (*kleine Insel*) islote *m*; (*Leiter*) larguero *m*; (*Turnen*) barra *f*.

ˈ**holp(e)rig I.** *adj.* áspero; desigual; fragoso; **II.** *adv.*: *~ lesen* leer con vacilación.

ˈ**holpern** (*-re; sn*) *v/i.* (*Wagen*) dar sacudidas *f/pl.*; (*stolpern*) tropezar, trompicar; (*sich überstürzen*) atropellarse.

ˈ**Holschuld** *f* ⚖ deuda *f* pagable a domicilio del deudor.

holterdieˈpolter *adv.* F atropelladamente; de prisa y corriendo.

Hoˈlunder ♀ *m* saúco *m*; **~blüte** *f* flor *f* de saúco; **~strauch** *m* (*-es; ¨er*) saúco *m*; **~tee** *m* (*-s; 0*) infusión *f* de (flor de) saúco.

Holz *n* (*-es; ¨er*) madera *f*; *als Stoff*: *a.* palo *m*; (*Brenn≈*) leña *f*; *Stückchen ~* leña menuda; *Stück ~ Bau*: madero *m*, *Brenn≈*: leño *m*; *fig.* (*Art, Schlag*) madera *f*; *rissiges* (*gemasertes; gedämpftes*) *~* madera resquebrajada (con vetas; tratada al vapor); *astreiches ~* madera ramosa *od.* nudosa; *astfreies ~* madera sin nudos; *grünes ~* madera verde; *abgelagertes* (*feinfaseriges*) *~* madera curada (de fibras finas); *flüssiges ~* pasta de madera; *aus ~* de madera; *~ hacken* (*od. spalten*) partir leña, hacer astillas; *~ fällen* cortar leña; *fig. aus demselben ~ geschnitzt sein* ser de la misma madera.

ˈ**Holz...**: **~abfälle** *m/pl.* desperdicios *m/pl.* de madera; **~apfel** *m* (*-s; ¨*) manzana *f* silvestre; **~arbeit** *f* trabajo *m* en madera; obra *f* tallada; **≈arm** *adj.* pobre en maderas; **~art** *f* clase *f* (*od.* especie *f*) de madera; **≈artig** *adj.* leñoso; **~asche** *f* cenizas *f/pl.* de madera; **~bau** *m* (*-es; -ten*) construcción *f* de madera; **~bearbeitung** *f* trabajo *m* de madera; **~be-arbeitungsmaschine** *f* máquina *f* para trabajar la madera; **~bekleidung** *f*, **~belag** *m* (*-es; ¨e*) revestimiento *m* de madera; **~bestand** *m* (*-es; ¨e*) (riqueza *f* en) maderas *f/pl.*; **~bildhauer** *m* escultor *m* en madera, tallista *m*; **~blasinstrument** *n* (*-es; -e*) instrumento *m* de viento de madera; **~block** *m* (*-es; ¨e*) tajo *m*; bloque *m* de madera; **~bock** *m* (*-es; ¨e*) caballete *m*; tijera *f*; (*Käfer*) algavaro *m*; (*Zecke*) garrapata *f*; **~boden** *m* (*-s; ¨*) (*Fußboden*) piso *m* de madera; entarimado *m*; (*Holzstall*) leñera *f*; **~bohrer** *m* barrena *f*; **~brei** *m* (*-es; 0*) pasta *f* de madera; **~brücke** *f* puente *m* de madera; **~bündel** *n* haz *m* de leña; **~druck** *m* (*-es; -e*) xilografía *f*, impresión *f* xilográfica; **~dübel** *m* taco *m* de madera; **~einlege-arbeit** *f* marquetería *f*, taracea *f*; **~einschlag** *m* (*-es; ¨e*) tala *f*.

ˈ**holzen I.** (*-t*) **1.** *v/i.* cortar leña *f* (*en el bosque*); **2.** *v/t.* revestir de madera *f*; ⚒ entibar; F (*prügeln*) apalear; *Fußball*: jugar duro; **II.** *≈ n* ⚒ entibación *f*.

ˈ**hölzern** *adj.* de madera, en madera; *fig.* seco; áspero; (*steif*) tieso; (*linkisch*) torpe, desmañado; (*Stil*) insípido, soso; aburrido.

ˈ**Holz...**: **~essig** ⚗ *m* (*-s; 0*) ácido *m* piroleñoso; **~fachwerk** *n* (*-es; -e*) entramado *m*; **~fällen** *n* tala *f*; **~fäller** *m* leñador *m*; **~faser** ♀ *f* (*-; -n*) fibra *f* leñosa (*od.* de madera); **~faserplatte** *f* plancha *f* de fibra de madera; **~faserstoff** *m* (*-es; -e*) xilógeno *m*; celulosa *f*; **~feuerung** *f* combustión *f* de leña; **≈frei** *adj.* exento de madera; **~frevel** *m* delito *m* forestal; **~gas** *n* (*-es; -e*) gas *m* de madera; **~geist** *m* (*-es; 0*) ⚗ alcohol *m* metílico; **~generator** *m* (*-s; -en*) gasógeno *m*; **~gerechtigkeit** *f* (*0*) derecho *m* de cortar leña; **~hacker** *m* leñador *m*; **~häher** *Orn. m* picamadero *m*; **~hammer** *m* mazo *m*; **~handel** *m* (*-s; 0*) comercio *m* de maderas; **~händler** *m* comerciante *m* de maderas, maderero *m*; **~hauer** *m* leñador *m*; **~haus** *n* (*-es; ¨er*) casa *f* de madera; **~heizung** *f* calefacción *f* con leña; **≈ig** *adj.* leñoso; **~imprägnierung** *f* impregnación *f* de la madera; **~käfer** *Zoo. m* → *Holzbock*; **~klotz** *m* (*-es; ¨e*) tarugo *m* de madera; tajo *m*; bloque *m* de madera; *fig.* zoquete *m*; **~kohle** *f* carbón *m* vegetal; **~kohlenmeiler** *m* carbonera *f*; **~kohlenteer** *m* (*-es; 0*) brea *f* de carbón vegetal; **~konstruktion** *f* construcción *f* en madera; (*Balkenwerk*) maderamen *m*; **~kopf** F *m* (*-es; ¨e*) melón *m*; **~kreuz** *n* (*-es; -e*) cruz *f* de madera; **~lager** *n* almacén *m* de maderas; **~maleˈrei** *f* pintura *f* sobre madera; **~masse** *f* pasta *f* (*od.* pulpa *f*) de madera; **~nagel** *m* (*-s; ¨*) clavija *f*; *für Schuhsohlen*: estaquilla *f*; **~pantinen** *f/pl.* zuecos *m/pl.*; **~papier** *n* (*-es; -e*) papel *m* de celulosa; **~pflaster** *n* pavimento *m* de madera; **~pflock** *m* (*-es; ¨e*) tarugo *m*, taco *m* de madera; **~pfosten** *m* poste *m* de madera; **~platz** *m* (*-es; ¨e*) almacén *m* de maderas; **≈reich** *adj.* rico en maderas; **~säge** *f* sierra *f* para madera; **~säure** ⚗ *f* ácido *m* piroleñoso; **~schale** *f* escudilla *f* de madera; **~scheit** *n* (*-es; -e*) leño *m*, trozo *m* de leña; **~schlag** *m* (*-es; ¨e*) tala *f*; **~schneidekunst** *f* (*0*) grabado *m* en madera; xilografía *f*; **~schnitt** *m* (*-es; -e*) grabado *m* en madera; **~schnitzer** *m* grabador *m* en madera; tallista *m*; (*von Heiligenbildern*) imaginero *m*; **~schnitzeˈrei** *f* talla *f*; escultura *f* en madera; **~schraube** *f* tornillo *m* para madera; *aus Holz*: tornillo *m* de madera; **~schuh** *m* (*-es; -e*) zueco *m*; **~schuppen** *m* leñera *f*; **~schwamm** *m* (*-es; ¨e*) hupe *f*, hongo *m* de la madera; **~schwelle** *f* 🚂 traviesa *f* de madera; **~span** *m* (*-es; ¨e*) viruta *f*; **~spielwaren** *f/pl.* juguetes *m/pl.* de madera; **~spiritus** ⚗ *m* → *Holzgeist*; **~splitter** *m* astilla *f* de madera; **~stift** *m* (*-es; -e*) → *Holznagel*; **~stoff** *m* (*-es; -e*) celulosa *f*; **~stoß** *m* (*-es; ¨e*) pila *f* de madera; montón *m* de leña; (*Scheiterhaufen*) hoguera *f*; **~täfelung** *f* entarimado *m*; friso *m* de madera; **~taube** *Orn. f* palomo *m* silvestre; **~teer** *m* (*-es; 0*) → *Holzkohlenteer*; **~trocknung** *f* secado *m* de la madera; **~überschuhe** *m/pl.* zuecos *m/pl.*; almadreñas *f/pl.*; **~verbindung** *f* ensamble *m*, ensambladura *f*; **~verkleidung** *f* revestimiento *m* de madera; **~verkohlung** *f* carbonización *f* de madera; **~verschlag** *m* (*-es; ¨e*) tabique *m* de madera; **~vertäfelung** *f* → *Holztäfelung*; **~vorrat** *m* (*-es; ¨e*) provisión *f* de leña; **~wand** *f* (*-; ¨e*) → *Holzverschlag*; **~waren** *f/pl.* artículos *m/pl.* de madera; **~weg** *m* camino *m* del bosque; *fig. auf dem ~ sein* estar

equivocado; engañarse; **~werk** *n* (*-es*; *0*) (*Zimmerwerk*) maderamen *m*; (*Getäfel*) revestimiento *m* de madera; **~wolle** *f* lana *f* de madera; **~wurm** *Zoo. m* (*-es*; *⸚er*) carcoma *f*; **~zapfen** *m* clavija *f*; **~zellstoff** *m* (*-es*; *-e*) lignocelulosa *f*; **~zucker** *m* azúcar *m* de leña; xilosa *f*.
Ho'mer *m* Homero *m*; **2isch** *adj.* homérico; *~es Gelächter* carcajada homérica *od.* solemne.
homo|'gen *adj.* homogéneo; **~geni'sieren** (-) *v/t.* homogenizar; **2geni'tät** *f* homogeneidad *f*; **~'log** *adj.* homólogo; **2'nym** *Gr. n* (*-s*; *-e*) homónimo *m*; **~'nym(isch)** *adj.* homónimo.
Homöo|'path [ho·mø·o·-] *m* (*-en*) homeópata *m*; **~pa'thie** *f* (*0*) homeopatía *f*; **2'pathisch** *adj.* homeopático; *~ behandeln* tratar homeopáticamente.
Homopho'nie *f* homofonía *f*.
Homo|sexuali'tät *f* (*0*) homosexualidad *f*; **2sexu'ell** [-zɛksu·'ɛl] *adj.* homosexual; **~sexu'elle(r)** *m* homosexual *m*, invertido *m*, sodomita *m*; P maricón *m*, marica *m*.
Ho'munkulus (-; *-se od. Homunkuli*) *m* homúnculo *m*.
Hon'duras *n* Honduras *f*; *aus ~* hondureño.
ho'nett *adj.* honesto, honrado; (*anständig*) decente.
'Honig *m* (*-s*; *0*) miel *f* (*a. fig.*); *den ~ ausnehmen* castrar las colmenas; *mit ~ bestreichen* untar de (*od.* con) miel; *mit ~ gesüßt* endulzado con miel; *fig. j-m ~ um den Mund schmieren* hacerse de miel con alg.; F camelar (*od.* dar coba) a alg.; **2artig** *adj.* meloso; **2bereitend** *adj.* melífico; **~bereitung** *f* melificación *f*; **~biene** *f* abeja *f* obrera; **~farbe** *f* color *m* melado; **2gelb** *adj.* amarillo de miel; **~geruch** *m* (*-es*; *0*) olor *m* a (*od.* de) miel; **~geschmack** *m* (*-es*; *0*) sabor *m* a miel; **~kuchen** *m* pan *m* de especias y miel; **~mond** *m* (*-es*; *-e*) luna *f* de miel; **~schleuder** *f* (*-*; *-n*) extractor *m* (*od.* centrífuga *f*) de miel; **~seim** *m* (*-es*; *-e*) miel *f* virgen; **2süß** *adj.* dulce como la miel; *fig.* melifluo; meloso; **~topf** *m* (*-es*; *⸚e*) tarro *m* de miel; **~wabe** *f* panal *m* de miel; **~zelle** *f* celdilla *f*.
Hon'neurs [hɔ'nø:-] *pl.*: *die ~ machen* hacer los honores.
Hono'rar *n* (*-s*; *-e*) honorarios *m/pl.*; (*Vergütung*) retribución *f*, remuneración *f*; (*Belohnung*) gratificación *f*; *e-s Anwalts*: minuta *f*; **~konsul** *m* (*-s*; *-n*) cónsul *m* honorario; **~professor** *m* (*-s*; *-en*) catedrático *m* honorario.
Honora'tioren [-'tsĭo:-] *m/pl.* los notables; las personalidades más distinguidas.
hono'rier|en (-) *v/t.* remunerar, retribuir; *Wechsel*: ✝ aceptar; *nicht ~* rehusar, negar la aceptación; **2ung** *f* remuneración *f*, retribución *f*; ✝ *e-s Wechsels*: aceptación *f*.
'hopfen *v/t.* echar el lúpulo a la cerveza.
'Hopfen ⚘ *m* lúpulo *m*; *fig. an ihm ist ~ und Malz verloren* es un hombre incorregible; es un caso perdido; **~bau** *m* (*-es*; *0*) cultivo *m* de lúpulo; **~darre** *f* estufa *f* para secar el lúpulo; **~feld** *n* (*-es*; *-er*) campo *m* de lúpulo; **~mehl** *n* (*-es*; *0*) lupulina *f*; **~stange** *f* rodrigón *m* de lúpulo; *fig.* varal *m*, *bsd. Frau*: pendón *m*; **~zapfen** *m* ⚘ estróbilo *m* del lúpulo.
hopp *int.* ¡arriba!; ¡aúpa!, ¡upa!; ¡ea!
'hoppla *int.* F (*entschuldigend*) ¡perdón!; (*warnend*) ¡cuidado!
hops: *~ gehen* F (*untergehen*) perderse, extraviarse; (*verschwinden*) desaparecer; (*sterben*) morir; perecer; F palmar, P diñarla.
'hopsa *int.* ¡ahí va!; → *hoppla*.
'hops|en (*-t*; *sn*) *v/i.* saltar; brincar, dar brincos *m/pl.*; **2er** *m* salto *m*, brinco *m*.
'Hör-apparat *m* (*-es*; *-e*) ⊕ receptor *m*; *für Schwerhörige*: audífono *m*.
Ho'raz *m* Horacio *m*; **2isch** *adj.* horaciano.
'hörbar *adj.* audible; perceptible (al oído); *nicht ~* imperceptible al oído; *kaum ~* apenas perceptible; **2keit** *f* (*0*) perceptibilidad *f* del sonido, audibilidad *f*; **2keitsbereich** *m* (*-es*; *-e*) zona *f* de audibilidad.
'horchen *v/t.* escuchar; estar a la escucha; aguzar el oído; (*spionieren*) espiar.
'Horcher(in *f*) *m* curioso (-a *f*) *m*; (*Spion*) espía *m/f*.
'Horch...: **~gerät** *n* (*-es*; *-e*) ⚔ detector *m* de sonido; aparato *m* de escucha; **~posten** ⚔ *m* puesto *m* de escucha; (*Person*) escucha *m*; **~rohr** *n* (*-es*; *-e*) trompetilla *f* acústica; ⚕ estetoscopio *m*.
'Horde *f* horda *f*; (*Nomaden2*) *a.* tribu *f* nómada; (*Bande*) banda *f*, cuadrilla *f*; **2nweise** *adv.* en tropel, en bandas.
'hören I. *v/t. u. v/i.* oír; (*zuhören*) escuchar; (*erfahren*) saber; tener noticia de a/c.; *wie ich höre* según me han informado; *Kolleg*: asistir a; *nur mit halbem Ohr ~* oír a medias; *singen (sprechen) ~* oír cantar (hablar); *die Messe ~* oír misa; *gut (schlecht) ~* oír bien (mal); *schwer ~* ser duro de oído; *auf j-n ~* escuchar (*od.* hacer caso) a alg.; (*j-m gehorchen*) obedecer a alg.; *auf et. ~* escuchar a/c.; prestar atención a a/c.; *auf j-s Rat ~* atender el consejo de alg.; *auf keinen Rat ~* no escuchar consejos de nadie; *auf den Namen ... ~* responder al nombre de ...; *Hund*: atender por ...; *sagen ~* oír decir; *ich habe es von ihm (selbst) gehört* se lo he oído decir a él mismo; *ich habe davon gehört* he oído hablar de ello; *von sich ~ lassen* dar noticia de sí; *man hörte nie mehr etwas von ihm* nunca ha vuelto a saberse de él; *Sie sollen von mir ~* ya recibirá usted noticias mías; (*gar*) *nichts von sich ~ lassen* no dar noticia de sí; no dar señales de vida; *von et. nichts ~ wollen* no querer saber nada de a/c.; *nicht ~ wollen* (*ungehorsam sein*) hacerse el sordo, (*nicht Vernunft annehmen wollen*) no querer entrar en razón; *das Gras wachsen ~* pasarse de listo; *~ Sie mal!* ¡oiga usted!; *~ Sie mal zu!* ¡escuche usted!; *sich ~ lassen* hacerse oír; *fig.* (*glaubhaft sein*) ser plausible; *das läßt sich ~* ¡así se habla!, (*verdient Beachtung*) sea en buena hora, (*das ist annehmbar*) es aceptable, (*das ist möglich*) puede ser; *das hört sich gut an* es agradable oír eso; **II. 2** *n* audición *f*; (*Gehör*) oído *m*; *ihm verging ~ und Sehen* se quedó atónito (*od.* pasmado); **2sagen** *n*: *nur vom ~ wissen* saber sólo de oídas.
'Hörer|(in *f*) *m* oyente *m/f*; *Radio*: radioyente *m/f*, radioescucha *m/f*; (*Student*) oyente *m/f*; (*Gerät*) *Tele.* receptor *m*; auricular *m*; *den ~ abnehmen* (*auflegen*) descolgar (colgar) el auricular; (*Kopf2*) auricular *m*, casco *m*; **~gabel** *Tele. f* (*-*; *-n*) horquilla *f* del teléfono; **~schaft** *f* (*0*) auditorio *m*; oyentes *m/pl.*
'Hör...: **~fehler** *m* error *m* de audición; ⚕ defecto *m* del oído; insuficiencia *f* auditiva; **~folge** *f* programa *m* de las audiciones; **~frequenz** *f* audiofrecuencia *f*; **~gerät** *n* (*-es*; *-e*) *für Schwerhörige*: audífono *m*, aparato *m* auditivo.
'hörig *adj.* sujeto a (un) señor; esclavo (*a. fig.*); *er ist ihr ~* es esclavo de su pasión por ella; **2e(r)** *m* siervo *m*, esclavo *m*; **2keit** *f* servidumbre *f*.
Hori'zont *m* (*-es*; *-e*) horizonte *m*; *am ~* en el horizonte; *fig. von beschränktem ~* de limitado horizonte, de cortos alcances; *s-n ~ erweitern* ampliar (*od.* ensanchar) su horizonte mental; *das geht über m-n ~* esto está fuera de mis alcances.
horizon'tal *adj.* horizontal; **2bewegung** *f* movimiento *m* horizontal; **2e** ⚓ *f* (línea *f*) horizontal *f*; **2ebene** *f* plano *m* horizontal; **2flug** *m* (*-es*; *⸚e*) vuelo *m* horizontal; **2schnitt** *m* (*-es*; *-e*) sección *f* horizontal.
Hor'mon [hɔʀ-] *n* (*-s*; *-e*) hormona *f*; **~behandlung** ⚕ *f* tratamiento *m* hormonal; hormonoterapia *f*; **~tätigkeit** *f* actividad *f* hormonal.
'Hörmuschel *Tele. f* (*-*; *-n*) auricular *m*.
Horn *n* (*-es*; *⸚er*) cuerno *m* (*a. Stoff u. v. Schnecke*); *des Stiers*: *a.* asta *f*; pitón *m*; ♪ trompeta *f*; (*Jagd2*) trompa *f* de caza; (*Wald2*) cuerno *m bzw.* trompa *f* (de caza); *bsd.* ⚔ corneta *f*; (*Signal2*) clarín *m*; (*Hupe*) bocina *f*; (*Fühler*) antena *f*; (*Bergspitze*) pico *m*; (*Schwiele*) callosidad *f*; *das Goldene ~* el Bósforo; *auf dem ~ blasen, ins ~ stoßen* tocar la trompeta *bzw.* la trompa, la corneta *usw.*; *mit den Hörnern stoßen* cornear, dar cornadas; *die Hörner herausstrecken (einziehen)* sacar (meter) los cuernos; *den Stier an den Hörnern packen* asir (*od.* agarrar) al toro por los cuernos; *fig. sich die Hörner ablaufen* (*od. abstoßen*) aprender a fuerza de dura experiencia; F sentar la cabeza; *j-m die Hörner aufsetzen* poner (los) cuernos a alg.; *mit j-m in dasselbe ~ blasen* ir de acuerdo (*od.* estar en connivencia) con alg.; *Kap ~ Geogr.* cabo de Hornos.
'Horn...: **2artig** *adj.* córneo; corniforme; **~bläser** ♪ *m im Orchester*: trompa *m*; **~blende** *Min. f* hornablenda *f*; **~brille** *f* gafas *f/pl.* de concha.

'**Hörnchen** *n* (*Gebäck*) media luna *f*.
'**hörnen**[1] *adj*. córneo, de cuerno; (*gehörnt*) con cuernos, cornudo.
'**hörnen**[2] *v/refl*.: *sich* ~ apitonar.
'**Hörner** *pl*. *v*. *Horn*; **~klang** *m* (*-es*; *⁼e*) son *m* de las trompas *bzw*. trompetas; toque *m* de cornetas; **2n** *adj*. córneo, de cuerno; **~stoß** *m* topetada *f*, *Stier*: cornada *f*.
'**Hör-nerv** *Anat*. *m* (*-s*; *-en*) nervio *m* auditivo.
'**Horn...**: **~fäule** *Vet*. *f* gabarro *m*; **~haut** *f* (*-*; *⁼e*) *an Händen u. Füßen*: callosidad *f*; *des Auges*: *Anat*. córnea *f*; **~haut-entzündung** ⚕ *f* queratitis *f*, inflamación *f* de la córnea; **~hautgeschwür** ⚕ *n* (*-es*; *-e*) úlcera *f* de la córnea; **~haut-übertragung** *Chir*. *f* queratoplastia *f*, injerto *m* (*od*. trasplante *m*) de córnea.
'**hornig** *adj*. córneo.
Hor'nisse *Zoo*. *f* avispón *m*.
Hor'nist ♪ *m* (*-en*) corneta *m* (*a*. ⚔), trompeta *m*; cornetín *m*; *im Orchester*: trompa *m*.
'**Horn...**: **~kamm** *m* (*-es*; *⁼e*) peine *m* de asta; **~kluft** *Vet*. *f* (*-*; *⁼e*) rafa *f*; **~knopf** *m* (*-es*; *⁼e*) botón *m* de asta; **~ochse** F *m* (*-n*) zopenco *m*; **~signal** *n* (*-s*; *-e*) ⚔ toque *m* de corneta; **~spalte** *Vet*. *f* → *Hornkluft*; **~stoff** *m* (*-es*; *-e*), **~substanz** *f* queratina *f*.
'**Hornung** *m* febrero *m*.
'**Horn...**: **~vieh** *n* (*-es*; *0*) animales *m/pl*. de cuernos; ganado *m* vacuno *bzw*. cabrío; **~viper** *Zoo*. *f* (*-*; *-n*) cerasta *f*.
'**Hör-organ** *n* (*-es*; *-e*) órgano *m* de la audición.
Horo'skop [hoʀɔ-] *n* (*-es*; *-e*) horóscopo *m*; *j-m das ~ stellen* hacer (*od*. sacar) el horóscopo de alg.
'**Hörprobe** *f* audición *f*.
hor'rend [hɔ'ʀɛ-] *adj*. (*schrecklich*) horrible, horrendo; (*ungeheuer groß*) enorme, *Preis*: exorbitante.
'**Hör...**: **~rohr** *n* (*-es*; *-e*) trompetilla *f* acústica; ⚕ estetoscopio *m*; **~saal** *m* (*-es*; *-säle*) aula *f*; *stufenförmig ansteigend*: anfiteatro *m*; **~spiel** *n* (*-es*; *-e*) *Radio*: pieza *f* teatral radiofónica; radiocomedia *f*.
Horst *m* (*-es*; *-e*) (*Gehölz*) bosque *m*; (*Nest*) nido *m*; (*Adler2*) aguilera *f*; (*Flieger2*) base *f* aérea.
'**Hörstärke** *f* *Radio*: potencia *f* de (la) audición.
'**horsten** (*-e-*) *v/i*. anidar(se), hacer su nido *m*.
'**Hort** *m* (*-es*; *-e*) (*Schatz*) tesoro *m*; (*Kinder2*) guardería *f* infantil; (*Schutz*) amparo *m*, protección *f*; (*Zuflucht*) refugio *m*, asilo *m*; (*Bollwerk*) baluarte *m*; *fig*. apoyo *m*, sostén *m*; **2en** (*-e-*) *v/t*. acumular; *Geld*: atesorar; **~en** *n* acumulación *f*; *v*. *Geld*: atesoramiento *m*.
Hor'tensie [-ziə] *f* ✿ hortensia *f*; (*Vorname*) Hortensia *f*.
'**Hörtrichter** *m* trompetilla *f* acústica.
'**Hortung** *f* acumulación *f*; *v*. *Geld*: atesoramiento *m*.
'**Hörweite** *f* (*0*) alcance *m* de audición; alcance *m* de la voz.
'**Hose** *f* pantalón *m*; (*Knie2*) calzón *m*; (*Damen2*) pantalón *m* de señora; *in die ~n schlüpfen* ponerse el pantalón; *fig*. *das Herz fiel ihm in die ~n* se acobardó; F se le encogió el ombligo; *das ist Jacke wie ~* es lo mismo; lo mismo da (lo uno que lo otro); *fig*. *sie hat die ~n an* es ella la que lleva los pantalones; P *die ~n voll haben* tener miedo, V estar cagado de miedo; *j-m die ~n strammziehen* dar una tunda a alg.; F zumbarle la pandereta a alg.
'**Hosen...**: **~aufschlag** *m* (*-es*; *⁼e*) vuelta *f* del pantalón; **~bandorden** *m* Orden *f* de la Jarretera; **~bein** *n* (*-es*; *-e*) pernera *f* (del pantalón); **~boden** *m* (*-s*; *⁼*) fondillos *m/pl*. del pantalón; **~bund** *m* (*-es*; *⁼e*) pretina *f* (*od*. ajustador *m*) del pantalón; **~klammer** *f* (*-*; *-n*) *für Radfahrer*: pinza *f*; **~knopf** *m* botón *m* de pantalón; **~matz** *m* F braguillas *m*; **~näherin** *f* pantalonera *f*; **~naht** *f* (*-*; *⁼e*) costura *f* del pantalón; **~rock** *m* (*-es*; *⁼e*) falda-pantalón *f*; **~rolle** *Thea*. *f* papel *m* de hombre (representado por una actriz); **~schlitz** *m* (*-es*; *-e*) bragueta *f*; **~schnalle** *f* hebilla *f* del pantalón; **~spanner** *m* percha *f* de pantalones; **~steg** *m* (*-es*; *-e*) trabilla *f*; **~stoff** *m* tela *f* para pantalones; **~tasche** *f* bolsillo *m* del pantalón; **~träger** *m/pl*. tirantes *m/pl*.
hosi'anna(h) *int*. (2 *n*) hosanna (*m*).
Hospi'tal *n* (*-s*; *⁼er od. -e*) *für Kranke*: hospital *m*; *für Greise*: asilo *m*; *für Waisenkinder*: *a*. hospicio *m*; **~schiff** ⚓ *n* (*-es*; *-e*) buque-hospital *m*.
Hospi'tant(in *f*) *m* (*-en*) *Gasthörer*: oyente *m/f*.
hospi'tieren *v/i*. asistir como oyente a un curso.
Ho'spiz [-'piːts] *n* (*-es*; *-e*) hospicio *m*; hospedería *f*; asilo *m*; (*Heim*) albergue *m* (religioso).
'**Hostess** *f* azafata *f*.
'**Hostie** [-tiə] *f* *Rel*. hostia *f*; *die geweihte ~* la santa hostia, la sagrada forma; **~ngefäß** *n* (*-es*; *-e*) copón *m*; **~nschrein** *m* (*-es*; *-e*) tabernáculo *m*; **~nteller** *m* patena *f*.
Ho'tel *n* (*-s*; *-s*) hotel *m*; **~angestellte(r** *m*) *m/f* empleado (-a *f*) *m* de hotel; **~besitzer(in** *f*) *m* hotelero (-a *f*) *m*, propietario (-a *f*) *m* de un hotel; **~boy** *m* (*-s*; *-s*) botones *m* (de hotel); **~dieb** *m* (*-es*; *-e*) rata *m* de hotel; **~diener** *m* mozo *m* de hotel; **~dienst** *m* (*-es*; *-e*) servicio *m* hotelero; **~gewerbe** *n* (*-s*; *0*) industria *f* hotelera; **~halle** *f* vestíbulo *m* (*angl*. hall *m*) del hotel.
Hote'lier [-tɛ'lieː] *m* (*-s*; *-s*) hotelero *m*.
Ho'tel...: **~page** *m* (*-n*) botones *m*; **~portier** *m* (*-s*; *-s*) portero *m* de hotel; **~rechnung** *f* cuenta *f* del hotel; **~zimmer** *n* habitación *f* (de hotel).
hott *int*. ¡arre!
Hotten'tott|(e) *m* (*-n*) hotentote *m*; **~in** *f* hotentota *f*.
hu *int*. ¡uf!
hü *int*. ¡arre!
Hub *m* (*-es*; *⁼e*) elevación *f*; ⊕ *des Kolbens*: carrera *f*; '**~brücke** *f* puente *m* levadizo.
'**hüben** *adv*. de (*od*. por) esta parte; *~ und drüben* por ambos lados; acá y a(cu)llá; *~ wie drüben* a este lado como al otro; acá como allá.
Hu'bertus *m* San Huberto *m*; **~jagd** *f* caza *f* de San Huberto.
'**Hub...**: **~geschwindigkeit** *f* velocidad *f* de elevación; *des Kolbens*: velocidad *f* de carrera; **~kraft** *f* (*-*; *⁼e*), **~leistung** *f* potencia *f* de elevación; **~pumpe** *f* bomba *f* elevadora; **~raum** *m* (*-es*; *⁼e*) *Auto*. cilindrada *f*.
hübsch I. *adj*. bonito (*a*. *iro*.), lindo, precioso, F guapo; (*reizend*) gracioso, F mono; (*zierlich*) primoroso; *wie ~!* ¡qué bonito!; *e-e ~e Gelegenheit* una bonita ocasión; *e-e ~e Summe* una bonita suma; *es ist noch ein ~es Stück Weges* aun falta un buen trecho; **II.** *adv*. (*sehr*) muy; (*gut*) bien; (*gehörig*) como es debido; *sei ~ artig!* ¡sé formal!; *das werde ich ~ bleibenlassen* me guardaré muy bien de ello; *das wirst du ~ sein lassen* no harás (*od*. te guardarás de hacer) semejante cosa.
'**Hub...**: **~schrauber** *m* autogiro *m*, helicóptero *m*; **~seil** *n* (*-es*; *-e*) cable *m* de elevación; **~weg** *m* (*-es*; *-e*) *Auto*. carrera *f* del émbolo; **~werk** *n* (*-es*; *-e*) mecanismo *m* de elevación; **~zähler** *m* *Auto*. cuentacarreras *m*.
'**Hucke** *f* ⚒ → *Hocke*; *fig*. *j-m die ~ voll hauen* moler a alg. las costillas; **2pack** *adv*. a cuestas; a horcajadas.
'**Hudel** *m* rodilla *f*; paño *m* de cocina.
Hude'lei *f* chapucería *f*.
'**hud|eln** (*-le*) *v/i*. chapucear; frangollar; **2ler** *m* chapucero *m*.
'**Huf** *m* (*-es*; *-e*) uña *f*; (*Pferde2*) casco *m*; **~beschlag** *m* (*-es*; *⁼e*), **~eisen** *n* herradura *f*; *e-m Pferde die ~ auflegen* herrar un caballo; **~eisenbogen** *m* (*-s*; *⁼*) arco *m* de herradura; **2eisenförmig** *adj*. en forma de herradura; **~eisenmagnet** *m* (*-es od. -en*; *-en od. -e*) imán *m* en U (*od*. en forma de herradura); **~gänger** *Zoo*. *m/pl*. ungulados *m/pl*.; **~lattich** ✿ *m* (*-s*; *0*) fárfara *f*, tusílago *m*; **~nagel** *m* (*-s*; *⁼*) clavo *m* de herradura; **~schlag** *m* (*-es*; *⁼e*) coz *f*; (*Geräusch*) ruido *m* de cascos; **~schmied** *m* (*-es*; *-e*) herrador *m*; **~schmiede** *f* herrería *f*.
'**Hüft...**: **~bein** *Anat*. *n* (*-es*; *-e*) hueso *m* ilíaco; **~e** *Anat*. *f* cadera *f*; (*Tier2*) anca *f*; *mit den ~n wackeln, sich in den ~n wiegen* contonearse; **~gelenk** *Anat*. *n* (*-es*; *-e*) articulación *f* de la cadera; **~gelenkentzündung** ⚕ *f* coxitis *f*; **~gürtel** *m* (*Strumpfhalter*) porta-ligas *m*; **~halter** *m* faja *f*.
'**Huftiere** *Zoo*. *n/pl*. ungulados *m/pl*.
'**Hüft...**: **~knochen** *Anat*. *m* hueso *m* ilíaco; **2lahm** *adj*. derrengado; **~nerv** *m* (*-s*; *-en*) nervio *m* ciático; **~schmerz** ⚕ *m* (*-es*; *-en*) dolor *m* ciático; **~stütz** *Turnen* *m* (*-es*; *-e*): *mit ~* con las manos en las caderas; **~verrenkung** *f* luxación *f* de la cadera; **~weh** ⚕ *n* (*-es*; *0*) ciática *f*.
'**Hügel** *m* colina *f*; collado *m*; cerro *m*; (*Erhöhung*) eminencia *f*; altura *f*; (*Erd2*) mota *f*; mogote *m*; **2ig**

adj. montuoso; accidentado; **~kette** *f* cadena *f* de colinas; **~land** *n* (-*es*; ¨*er*) terreno *m* *bzw.* país *m* montuoso *od.* ondulado.
ˈ**Hugeˈnott|e** *n* (-*n*) hugonote *m*; **~in** *f* hugonota *f*.
ˈ**Hugo** *m* Hugo *m*.
Huhn *n* (-*es*; ¨*er*) pollo *m*; (*Henne*) gallina *f*; *Orn.* (*hühnerartiger Vogel*) gallinácea *f*; *gebratenes* ~ pollo asado; F *fig. dummes* ~ pavitonta *f*.
ˈ**Hühnchen** *n* pollo *m*; pollito *m*; (*Küken*) polluelo *m*; (*junge Henne*) pollita *f*; *gebratenes* ~ pollo asado; *fig. mit j-m ein* ~ *zu rupfen haben* tener que ajustar cuentas con alg.
ˈ**Hühner...**: **~auge** *n* ojo *m* de gallo; ⚕ callo *m*; **~augenmesser** *n* cortacallos *m*; **~augenmittel** *n* callicida *m*; **~augenpflaster** *n* (emplasto *m*) callicida *m*; **~braten** *m* pollo *m* asado; **~brühe** *f* caldo *m* de gallina; **~brust** *f* (-; ¨*e*) pechuga *f* de pollo *bzw.* de gallina; ⚕ tórax *m* de pichón; **~ei** *n* (-*es*; -*er*) huevo *m* de gallina; **~farm** *f* granja *f* avícola; **~frikassee** *n* (-*s*; -*s*) fricasé *m* de gallina; **~habicht** *m* (-*es*; -*e*) milano *m*; **~haus** *n* gallinero *m*; **~hof** *m* (-*es*; ¨*e*) corral *m* de gallinas; **~hund** *Jgdw. m* (-*es*; -*e*) (perro *m*) perdiguero *m*; braco *m*; **~jagd** *f* caza *f* de la perdiz; **~keule** *f* muslo *m* de pollo; **~leiter** *f* escalera *f* del gallinero; **~pastete** *f* empanada *f* de pollo; **~schrot** *Jgdw. m* (-*es*; *0*) perdigones *m/pl.*; **~stall** *m* (-*es*; ¨*e*) gallinero *m*; **~stange** *f* percha *f* del gallinero; **~suppe** *f* → *Hühnerbrühe*; **~vögel** *m/pl.* gallináceas *f/pl.*; **~zucht** *f* (*0*) avicultura *f*; **~züchter** *m* avicultor *m*.
hui *int.*: ~! ¡huy!; *in e-m* ⁓ en un abrir y cerrar de ojos; en un santiamén, en un periquete.
Huld *f* (*0*) (*Wohlwollen*) benevolencia *f*; (*Gunst*) favor *m*; (*Gnade*) merced *f*, clemencia *f*; *in j-s* ~ *stehen* gozar del favor de alg.
ˈ**huldig|en** *v/i.*: *j-m* ~ rendir (*od.* tributar) homenaje a alg.; *durch Beifall*: ovacionar a alg.; *e-r Dame*: hacer la corte a; *e-r Sache* ~ ser aficionado a a/c.; *e-r Ansicht* ~ sostener una opinión; *sich* ~ *lassen* recibir los homenajes (*von* de); **⁓ung** *f* homenaje *m*; (*Beifall*) ovación *f*; **⁓ungs-eid** *m* (-*es*; -*e*) juramento *m* de fidelidad.
ˈ**huld|reich**, **~voll** *adj.* (*gnädig*) clemente; (*gütig*) benévolo.
ˈ**Hülle** *f* envoltura *f*; *sterbliche* ~ restos mortales; (*Gewand*) vestidos *m/pl.*, prendas *f/pl.* (de ropa); (*Decke*) cubierta *f*; (*Überzug, Schutz*⁓) funda *f*; (*Futteral*) estuche *m*; (*Gewandung*) *Mal.* ropaje *m*; (*Schleier*) velo *m*; (*Mantel*) manto *m*; (*Binde*) faja *f*; (*Maske*) máscara *f*; *Zoo., Anat.* tegumento *m*; ⚘ involucro *m*; → *Hülse*; *in* ~ *und Fülle* en abundancia, en profusión; F a porrillo; *in* ~ *und Fülle haben* tener en gran abundancia; *Geld in* ~ *und Fülle haben* nadar en la abundancia; apalear el oro; **⁓n** *v/t.* envolver; cubrir; *sich* ~ cubrirse (*in ac.* de); envolverse en; *fig. sich in Schweigen* ~ guardar silencio; quedar(se) callado.
ˈ**Hülse** *f* (*Schote*) vaina *f*; (*Schale*) cáscara *f*; *des Getreidekorns*: cascabillo *m*; (*Kapsel*) cápsula *f*; (*Aufsteck*⁓ *des Füllhalters*) capuchón *m*; (*Bleistift*⁓) guardapuntas *m*; (*Futteral*) vaina *f*; ⚔ (*Geschoß*⁓) cartucho *m*; (*Patronen*⁓) vaina *f* de cartucho, casquillo *m*; *am Gewehr*: caja *f*; ⊕ (*Kupplungs*⁓) manguito *m*; **~nfrüchte** *f/pl.* legumbres *f/pl.* secas; (*Pflanzen*) leguminosas *f/pl.*; **~nschlüssel** *m* llave *f* tubular.
huˈman *adj.* humano; **⁓biologie** *f* (*0*) biología *f* humana.
humaniˈsieren *v/t.* humanizar.
Humaˈnis|mus *m* (-; *0*) humanismo *m*; **~t** *m* (-*en*; -*en*) humanista *m*; **⁓tisch** *adj.* humanista; clásico.
humaniˈtär *adj.* humanitario.
Humaniˈtät *f* (*0*) humanidad *f*.
ˈ**Humbug** *m* (-*s*; *0*) patraña *f*, F *fig.* cuento *m* tártaro; embuste *m*; *Am.* macana *f*.
ˈ**Hummel** *Zoo. f* (-; -*n*) abejorro *m*; *fig. wilde* ~ muchacha traviesa *od.* retozona, revoltosa.
ˈ**Hummer** *Zoo. m* bogavante *m*; (*Languste*) langosta *f*; **~mayonnaise** *f* mayonesa *f* de langosta; **~schere** *f* pinza *f* de langosta.
Huˈmor *m* (-*s*; *0*) humor *m*; *er hat keinen* ~ no tiene sentido del humor.
Humoˈralpathologie ⚕ *f* (*0*) patología *f* humoral, humorismo *m*.
Humoˈreske [-oˑˈrɛs-] *f* novela *f* humorística; cuento *m* festivo.
Humoˈrist *m* (-*en*) humorista *m*; escritor *m* festivo; **⁓isch** *adj.* humorístico; festivo.
huˈmorvoll *adj.* (*Person*) chistoso; jovial; (*Erzählung*) humorístico; chistoso, festivo, gracioso.
ˈ**humpeln** (-*le*; *sn*) *v/i.* cojear.
ˈ**Humpen** *m* (*Becher*) gran copa *f*; vaso *m* grande.
ˈ**Humus** *m* (-; *0*) humus *m*, mantillo *m*; **~boden** *m* (-*s*; ¨), **~erde** *f* humus *m*, tierra *f* vegetal; **⁓reich** *adj.* rico en humus; **~säure** *f* ácido *m* húmico.
Hund *m* (-*es*; -*e*) perro *m*, *Liter.* can *m*; ⚒ vagoneta *f*; *junger* ~ perrito *m*; cachorro *m*; *bissiger* ~ perro mordedor; *Astr. großer* (*kleiner*) ~ Can Mayor (Menor); *fig. bekannt wie ein bunter* ~ ser archiconocido; *wie* ~ *und Katze leben* llevarse como el perro y el gato; *auf den* ~ *gekommen sein* ir de mal en peor; estar en la mayor miseria; *j-n auf den* ~ *bringen* arruinar a alg.; *vor die* ~*e gehen* acabar mal; sucumbir; *mit allen* ~*n gehetzt sein* ser muy astuto; F sabérselas todas; estar de vuelta de todos los viajes; *da liegt der* ~ *begraben* ahí está el quid (*od.* el busilis); *den Letzten beißen die* ~*e* el último mono es el que se ahoga; ~*e, die* (*viel*) *bellen, beißen nicht* perro ladrador nunca es mordedor.
ˈ**Hunde...**: **~abteil** 🚃 *n* (-*es*; -*e*) perrera *f*; **~arbeit** F *f* (*0*) trabajo *m* ímprobo *od.* engorroso; **⁓artig** *adj.* canino; perruno; **~ausstellung** *f* exposición *f* canina; **⁓elend** F (*0*) *adj.*: *mir ist* ~ me siento muy mal; **~friedhof** *m* (-*es*; ¨*e*) cementerio *m* para perros; **~futter** *n* alimento *m* para perros; perruna *f*; **~gattung** *f* raza *f* (*od.* especie *f*) canina; **~gebell** *n* (-*es*; *0*) ladrido *m*; **~hütte** *f* casilla *f* del perro; perrera *f*; **~kälte** *f* (*0*) frío *m* intenso; **~kuchen** *m* galleta *f* para perros; perruna *f*; **~leben** F *n* (-*s*; *0*) vida *f* aperreada; vida *f* perra; **~leine** *f* cuerda *f* *od.* correa *f* (para atar el perro); **~marke** *f* chapa *f* (de perro); **⁓müde** *adj.* (*0*) cansadísimo; F hecho polvo; **~napf** *m* (-*es*; ¨*e*) escudilla *f* del perro; **~pfoten** *f/pl.* patas *f/pl.* del perro; **~rasse** *f* raza *f* canina; **~rennen** *n* carrera *f* de galgos.
ˈ**hundert** *adj.* ciento (*vor su.*: cien); *etwa* (*od. gegen od. rund*) ~ alrededor de cien(to), unos cien; un centenar; ~ *Jahre alt* secular, *v. Personen*: centenario.
ˈ**Hundert** *n* (-*s*; -*e*) centenar *m*; centena *f*; *vier vom* ~ (*Abk.* 4%) cuatro por ciento; ~*e von* centenares de; *zu* ~*en* a centenares; *unter* ~ *nicht einer* ni uno solo entre ciento; **~er** *m Arith.* centena *f*; (*Ziffer 100*) ciento *m*; (*Geldschein*) billete *m* de cien (marcos, pesetas *usw.*); **⁓erlei** *adv.* de cien clases *od.* especies distintas; *fig.* de mil clases.
ˈ**hundert...**: **~fach**, **~fältig** *adj.* céntuplo; centuplicado; cien veces más; **~gradig** *adj.* centígrado; **⁓ˈjahrfeier** *f* (-; -*n*) centenario *m*; **~jährig** *adj.* centenario, secular; de cien años; ~*es Jubiläum* centenario; **⁓jährige(r)** *m* centenario *m*; **~jährlich** *adj.* cada cien años; **~mal** *adv.* cien veces; **⁓-ˈMeter-Lauf** *m* (-*es*; ¨*e*) carrera *f* de (los) cien metros; **~prozentig** *adj.* de un ciento por ciento; *fig.* absoluto; **⁓satz** *m* (-*es*; ¨*e*) tanto *m* por ciento; *gal.* porcentaje *m*; **⁓schaft** *f* ⚔ compañía *f*; *der Polizei*: centuria *f*; **~st** *adj.* centésimo; *fig. vom* ⁓*en ins Tausendste kommen* divagar, irse por las ramas; perderse en mil detalles; **⁓stel** *n* centésima parte *f*, centésimo *m*, centavo *m*; **~tausend** *adj.* cien mil; ⁓*e von* centenares de miles de; **~teilig** *adj.* centesimal; **~weise** *adv.* a centenares.
ˈ**Hunde...**: **~schlitten** *m* trineo *m* de perros; **~schnauze** *f* hocico *m* de perro; **~sperre** *f* prohibición *f* de dejar sueltos los perros; **~steuer** *f* (-; -*n*) impuesto *m* sobre los perros; **~wache** ⚓ *f* guardia *f* de media noche a cuatro de la madrugada; **~wetter** *n* (-*s*; *0*) tiempo *m* de perros; **~zucht** *f* (*0*) cría *f* de perros; canicultura *f*; **~züchter** *m* criador *m* de perros; **~zwinger** *m* perrera *f*.
ˈ**Hündin** *f* perra *f*.
ˈ**hündisch** *adj.* de perro, perruno; *fig.* (*kriechend*) servil; rastrero; (*schamlos*) desvergonzado.
ˈ**Hunds...**: **~fott** P *m* (-*es*; ¨*er*) perro *m*; canalla *m*; (*Feigling*) gallina *m*; **⁓föttisch**, **⁓gemein** *adj.* abyecto; infame; canallesco; **⁓miserabel** F *adj.* (*0*) malísimo, pésimo; **~stern** *Astr. m* (-*es*; *0*) Sirio *m*; **~tage** *m/pl.*

canícula *f*; *mitten in den* ~*n* en plena canícula; **~tagsferien** *pl.* vacaciones *f/pl.* caniculares; **~wut** *Vet. u.* ⚕ *f* rabia *f*, hidrofobia *f*.

ˈ**Hüne** *n* (*-n*) gigante *m*, hércules *m*; (*Hunne*) huno *m*; **~ngestalt** *f* coloso *m*, figura *f* hercúlea; **~ngrab** *n* (*-es*; *ⁿer*) túmulo *m*; **Ձnhaft** *adj.* gigantesco; hercúleo.

ˈ**Hunger** *m* (*-s*; *0*) hambre *f* (*a. fig.*; *nach* de); (*Eßlust*) apetito *m*, gana *f* de comer; ~ *haben* tener hambre; *leichter*: tener gana de comer; ~ *bekommen* empezar a tener hambre; *großen* ~ *haben* tener mucha hambre, estar hambriento; F tener un hambre feroz; *e-n* ~ *wie ein Wolf haben* tener un hambre canina; *keinen* ~ *haben* no tener hambre; *leichter*: no tener gana de comer; *s-n* ~ *stillen* matar el hambre; ~ *leiden* sufrir (*od.* pasar) hambre; *durch* ~ *zwingen* reducir por el hambre; *vor* ~ *sterben* morir de hambre; ~ *ist der beste Koch* a buen hambre no hay pan duro; **~jahr** *n* (*-es*; *-e*) año *m* de hambre; **~künstler** *m* ayunador *m* profesional; **~kur** ⚕ *f* dieta *f* absoluta; **~leider** *m* pobre diablo *m*; F *fig.* muerto *m* de hambre; **~lohn** *m* (*-es*; *ⁿe*) salario *m* de hambre; salario *m* mezquino *od.* irrisorio; **Ձn** (*-re*) *v/i. u. v/unprs.* tener hambre; (*Hunger leiden*) pasar hambre; *es hunger mich, mich hungert* tengo hambre; (*fasten*) ayunar; *aus Gesundheitsrücksichten*: guardar dieta *f* absoluta; *j-n* ~ *lassen* hacer pasar hambre a alg.; **~ödem** ⚕ *m* (*-s*; *-e*) edema *m* de hambre (*od.* de la inanición); **~snot** *f* (*-*; *ⁿe*) hambre *f*; (*Knappheit*) escasez *f*; **~streik** *m* (*-s*; *-s*) huelga *f* del hambre; *in den* ~ *treten* declarar la huelga del hambre; **~tod** *m* (*-es*; *0*) muerte *f* por inanición; *den* ~ *sterben* morir de hambre; **~tuch** *fig. n*: *am* ~ *nagen fig.* morirse de hambre; no tener lo necesario para vivir; F no tener dónde caerse muerto; **~typhus** ⚕ *m* (*-*; *0*) tifus *m* exantemático.

ˈ**hungrig** *adj.* hambriento (*a. fig.*; *nach* de); famélico; *fig.* ávido (*nach* de); *sehr* ~ *sein fig.* estar muerto de hambre, tener un hambre feroz.

ˈ**Hünin** *f* giganta *f*.

ˈ**Hunne** *n* (*-n*) huno *m*.

ˈ**Hup|e** *f* (*Auto*Ձ) bocina *f*; **Ձen** *v/i.* tocar la bocina; **~enknopf** *m* (*-*; *ⁿe*) botón *m* de la bocina; **~ensignal** *n* (*-s*; *-e*), **~enzeichen** *n* bocinazo *m*; señal *f* (dada) con la bocina; **~verbot** *n* (*-es*; *0*) prohibición *f* de señales acústicas.

ˈ**hupfen** (*sn*) *v/i.* → *hüpfen*; *das ist gehupft wie gesprungen* tanto da una cosa como otra; F olivo y aceituno, todo es uno.

ˈ**hüpfen I.** (*sn*) *v/i.* brincar, saltar (*vor Freude* de alegría); *auf e-m Bein* ~ saltar a la pata coja; **II.** Ձ *n* salto *m*, brinco *m*.

ˈ**Hürde** *f* (*Hecke*) zarzo *m*; (*Pferch*) aprisco *m*, redil *m*; corral *m*; (*Weideplatz*) dehesa *f*, *Arg.* potrero *m*; *Sport*: valla *f*; **~nlauf** *m* (*-es*; *ⁿe*), **~nrennen** *n Sport*: carrera *f* de vallas (*od.* de obstáculos); **~nläufer** (**-in** *f*) *m* corredor(a *f*) *m* de vallas; **~nsprung** *m* (*-es*; *ⁿe*) salto *m* de vallas *od.* obstáculos.

ˈ**Hure** P *f* prostituta *f*, meretriz *f*, ramera *f*, V puta *f*; **Ձn** P *v/i.* fornicar, V joder; *v. Frauenzimmern*: prostituirse; **~nhaus** *n* (*-es*; *ⁿer*) burdel *m*, casa *f* pública *od.* V de putas; **~r** *m* F putañero *m*.

Hureˈrei P *f* prostitución *f*; *als Sünde*: fornicación *f*.

hurˈra [hʊˈʀa·] *int.* ¡viva!; ¡hurra!; ~ *rufen* (*od. schreien*) vitorear, aclamar; dar hurras.

ˈ**Hurrikan** *m* (*-s*; *-s od. -e*) huracán *m*, ciclón *m*.

ˈ**hurtig I.** *adj.* rápido, ligero; (*flink*) ágil; presto; **II.** *adv.* pronto; ~ *machen* apresurarse, darse prisa; **Ձkeit** *f* (*0*) rapidez *f*, ligereza *f*; agilidad *f*, presteza *f*; prontitud *f*.

Huˈsar *m* (*-en*) húsar *m*.

ˈ**husch** *int.* (*leise!*) ¡chitón!; (*verscheuchend*) ¡ox!; (*schnell*) ¡vivo!; ~, ~! ¡zis, zas!; **Ձe** *f* (*Regenschauer*) aguacero *m*; **~en** *v/i.* deslizarse (*od.* pasar) rápidamente (*über* por); pasar como una exhalación.

ˈ**Hüsing** ⚓ *f* (*-*; *-e*) piola *f* de tres cabos.

Husˈsit *m* (*-en*) husita *m*; **~enkriege** *m/pl.* guerras *f/pl.* husitas.

ˈ**hüsteln** [yː] **I.** (*-le*) *v/i.* toser ligeramente; carraspear; **II.** Ձ *n* tosecilla *f*.

ˈ**husten** [uː] **1.** (*-e-*) *v/i.* toser; *trocken* ~ tener una tos seca; *fig.* ~ *auf* (*ac.*) desdeñar; **2.** *v/t.* (*aus*~) expectorar; *Blut* ~ expectorar (*od.* escupir) sangre; F *fig. ich werde dir (et)was* ~ puedes esperar sentado.

ˈ**Husten** *m* (*-s*; *0*) tos *f*; ~ *haben* tener tos; estar acatarrado; **~anfall** *m* (*-es*; *ⁿe*) acceso *m* de tos; **~bonbons** *m/pl.* pastillas *f/pl.* pectorales (*od.* contra la tos); **~mittel** *n* remedio *m* contra la tos; **~reiz** *m* (*-es*; *0*) tos *f* irritativa; irritación *f* bronquial; **~saft** *m* (*-es*; *ⁿe*) jarabe *m* pectoral; **Ձstillend** *adj.* calmante de la tos.

Hut[1] *f* (*0*) (*Obhut, Aufsicht*) guardia *f*, custodia *f*, vigilancia *f*; (*Schutz*) protección *f*; (*Vorsicht*) prevención *f*, precaución *f*; *auf der* ~ *sein* estar sobre aviso; andar prevenido (*od.* con cuidado); estar (ojo) alerta; *auf der* ~ *sein vor* estar prevenido (*od.* en guardia) frente a; *in j-s* ~ *sein* estar bajo la vigilancia *bzw.* protección de alg.; *in s-e* ~ *nehmen* tomar bajo su protección *bzw.* custodia.

Hut[2] *m* (*-es*; *ⁿe*) sombrero *m*; ⚘ *der Pilze*: sombrerete *m*; *steifer* ~ (sombrero) hongo *m*; *weicher* ~ sombrero flexible; *den* ~ *aufsetzen* (*lüften*) ponerse (quitarse) el sombrero; cubrirse (descubrirse); *den* ~ *aufbehalten* permanecer cubierto; no descubrirse; *den* ~ *abnehmen* (*od. ziehen*) quitarse el sombrero; descubrirse; *vor j-m den* ~ *abnehmen* (*od. ziehen*) descubrirse ante alg., F dar un sombrerazo a alg.; *den* ~ *in die Stirn drücken* calarse el sombrero; *fig. unter e-n* ~ *bringen* poner de acuerdo; conciliar; F *da geht e-m der* ~ *hoch!* ¡esto ya es demasiado!; ¡esto ya pasa de los límites (*od.* de la raya)!

ˈ**Hut...:** **~ablage** *f* percha *f*; **~band** *n* (*-es*; *ⁿer*) cinta *f* del sombrero; **~besatz** *m* (*-es*; *ⁿe*) adorno *m* del sombrero.

ˈ**hüten 1.** (*-e-*) *v/t.* guardar; velar por; (*gut erhalten*) conservar; (*schützen*) proteger; (*bewachen*) custodiar; vigilar; (*sorglich*) cuidar; *Vieh*: guardar; apacentar; *j-n vor et.* ~ (*dat.*) preservar a alg. de a/c.; *das Bett* ~ guardar cama; **2.** *v/refl.*: *sich* ~ *vor* guardarse de; preservarse de; andar con cuidado; *sich* ~, *et. zu tun* guardarse muy bien de hacer a/c.; *ich werde mich* ~! ¡me guardaré bien de ello!, ¡Dios me libre de hacerlo!; *er soll sich* ~! ¡que ande con cuidado!, F ¡que ande con ojo!; ~ *Sie sich vor ihm!* ¡tenga cuidado con él!; ~ *Sie sich, daß Sie nicht ...* cuide usted de no (*inf.*).

ˈ**Hüter(in** *f*) *m* guarda *m/f*; guardián *m*, guardiana *f*; *fig.* protector(a *f*) *m*; (*Vieh*Ձ) apacentador(a *f*) *m* de ganado; pastor(a *f*) *m*.

ˈ**Hut...:** **Ձfabrik** *f* fábrica *f* de sombreros; **~feder** *f* (*-*; *-n*) pluma *f* de sombrero; **~form** *f* horma *f* (de sombrero); **~futter** *n* forro *m* del sombrero; **~geschäft** *n* (*-es*; *-e*) sombrerería *f*; **~kopf** *m* (*-es*; *ⁿe*) copa *f* (del sombrero); **~krempe** *f* ala *f* (del sombrero); **~laden** *m* (*-s*; *ⁿ*) sombrerería *f*; **~macher(in** *f*) *m* sombrerero (-a *f*) *m*; **~macherei** *f* → *Hutfabrik*; **~nadel** *f* (*-*; *-n*) alfiler *f* de sombrero; **~schachtel** *f* (*-*; *-n*) sombrerera *f*; **~schleife** *f* (*Abzeichen*) escarapela *f*; (*Schmuck*) cinta *f*, lazo *m*; **~schnur** *f* (*-*; *ⁿe*) cordón *m* del sombrero; F *fig. über die* ~ *gehen* pasar de la raya; **~ständer** *m* percha *f* (para sombreros); **~stumpen** *m* horma *f* de sombreros.

ˈ**Hütte** *f* cabaña *f*; (*Stroh*Ձ) choza *f*, *Am.* bohío *m*; (*Schutz*Ձ) refugio *m*, albergue *m* alpino; (*Holz*Ձ) barraca *f*; (*Lehm*Ձ) choza *f*; (*bloßes Schutzdach*) cobertizo *m*; ⊕ (*Eisenhammer*) forja *f*, fragua *f*; (*Schmelz*Ձ) fundición *f*; (*Eisen*Ձ) taller *m* siderúrgico; ⚒ mina *f*.

ˈ**Hütten...:** **~arbeiter** *m* (obrero *m*) siderúrgico *m*; **~industrie** *f* industria *f* siderúrgica; **~ingenieur** *m* (*-s*; *-e*) ingeniero *m* sidero-metalúrgico; **~koks** *m* cok (*od.* coque) *m* metalúrgico; **~kunde** *f* (*0*) (*Eisen*Ձ) siderurgia *f*; (*Metallurgie*) metalurgia *f*; **Ձkundlich** *adj.* siderúrgico; metalúrgico; **~werk** *n* (*-es*; *-e*) taller *m* siderúrgico; (*Gießerei*) fundición *f*; planta *f* siderúrgica; **~wesen** *n* (*-s*; *0*) industria *f* siderúrgica *od.* metalúrgica; metalurgia *f*.

ˈ**Hutverzierung** *f* adorno *m* del sombrero.

ˈ**hutz(e)lig** *adj.* avellanado; arrugado; seco.

ˈ**Hutzucker** *m* (*-s*; *0*) azúcar *m* en pilones.

Hyˈäne [hyˈɛː-] *Zoo. f* hiena *f*.

Hyaˈzinth [hy·a·-] *Min. m* jacinto *m*; **~e** ⚘ *f* jacinto *m*.

hy'brid *adj.* híbrido; **~er** *Charakter* hibridismo *m.*
Hybridati'on *f* hibridación *f.*
Hy'brid|e *m* (*-n*), **2isch** *adj.* híbrido *m.*
Hybridi'tät *f* hibridismo *m.*
'Hydra *Myt. f* hidra *f.*
Hy'drant *m* (*-en*) boca *f* de riego *bzw.* de incendio.
Hy'drat ⚗ *n* (*-ės*; *-e*) hidrato *m.*
Hydratati'on *f* hidratación *f.*
Hy'draul|ik *f* (*0*) hidráulica *f*; **2isch** *adj.* hidráulico; **~e** *Presse* prensa hidráulica.
Hydra'zin ⚗ *n* (*-s*; *0*) hidracina *f.*
Hydra'zon ⚗ *n* hidrazona *f.*
Hy'drid ⚗ *n* (*-s*; *-e*) hidruro *m.*
hy'drier|en (-) ⚗ *v/t.* hidrogenar; **2en** *n*, **2ung** *f* hidrogenación *f.*
'Hydro...: ~chi-non *n* (*-s*; *0*) hidroquinona *f*; **~dy'namik** *f* (*0*) hidrodinámica *f*; **2geni'sieren** (-) *v/t.* hidrogenar; **~gra'phie** *f* (*0*) hidrografía *f*; **~lo'gie** *f* hidrología *f*; **2logisch** *adj.* hidrológico; **~'lyse** *f* hidrólisis *f*; **~'meter** *n* hidrómetro *m*; **~mikro'phon** *n* (*-s*; *-e*) hidrófono *m*; **~pa'thie** ⚕ *f* (*0*) hidropatía *f*; **~'phon** *n* (*-s*; *-e*) hidrófono *m*; **~'plan** *m* (*-ės*; *⸚e*) hidroplano *m*; **~'statik** *f* hidrostática *f*; **2'statisch** *adj.* hidrostático; **~thera'pie** ⚕ *f* hidroterapia *f*; **~'xyd** *n* (*-ės*; *-e*) hidróxido *m.*
Hy'gien|e [-'gĭe:-] *f* (*0*) higiene *f*; **~iker** *m* higienista *m*; **2isch** *adj.* higiénico.
Hygro|'meter *Phys. n* higrómetro *m*; **2'metrisch** *adj.* higrométrico; **~'skop** *Phys. n* (*-s*; *-e*) higroscopio *m*; **2'skopisch** *adj.* higroscópico.
'Hymen *Anat. n* himen *m.*
'Hymn|e *f*, **~us** *m* (*-*; *Hymnen*) himno *m.*
Hyperästhe'sie ⚕ *f* hiperestesia *f.*
Hy'per|bel *Rhet.*, *Math. f* (*-*; *-n*) hipérbole *f*; **2belförmig**, **2belhaft**, **2'bolisch** *adj.* hiperbólico.
'hypermodern *adj.* ultramoderno.
Hyper|tro'phie *f* (-) hipertrofia *f*; **2'trophisch** *adj.* hipertrófico.
Hyp'no|se *f* hipnosis *f*; **2tisch** *adj.* hipnótico.
Hypnoti|'seur *m* (*-s*; *-e*) hipnotizador *m*; **2'sieren** (-) *v/t.* hipnotizar; **~'sieren** *n* hipnotización *f.*
Hypno'tismus *m* (*-*; *0*) hipnotismo *m.*
Hypochlo'rit ⚗ *n* (*-ės*; *-e*) hipoclorito *m.*
Hypo'chond|er [-'xɔn-] *m* hipocondríaco *m*; **~'rie** *f* (*0*) hipocondría *f*; **2risch** *adj.* hipocondríaco; **~rium** *Anat. n* hipocondrio *m.*
Hypo'physe [-'fy:-] *Anat. f* hipófisis *f.*
Hyposul'fit ⚗ *n* (*-ės*; *-e*) hiposulfito *m.*
Hypote'nuse *Math. f* hipotenusa *f.*
Hypo'thek *f* hipoteca *f* (*bestellen* constituir; *löschen* cancelar; *tilgen* amortizar); *auf ~ leihen* hacer un préstamo sobre hipoteca; *mit e-r ~ belasten* hipotecar, gravar con hipoteca; *erste (zweite) ~* primera (segunda) hipoteca.
hypothe'karisch [-e·'ka:-] *adj.*: **~e** *Eintragung* inscripción hipotecaria; *gegen ~e Sicherheit* contra hipoteca; *~ sichern* hipotecar.
Hypo'theken...: ~ablösung *f* cancelación *f* de una hipoteca; **~anlagen** *f/pl.* fondos *m/pl.* hipotecarios; **~anleihe** *f* préstamo *m* hipotecario; **~aufwertung** *f* revalorización *f* de hipotecas; **~bank** *f* banco *m* hipotecario; **~bestellung** *f* constitución *f* de una hipoteca; **~brief** *m* (*-ės*; *-e*) cédula *f* hipotecaria; **~buch** *n* (*-ės*; *⸚er*) registro *m* hipotecario; **~eintragung** *f* inscripción *f* hipotecaria; **~forderung** *f* crédito *m* hipotecario; **2frei** *adj.* sin hipotecas; libre de hipotecas; **~gläubiger** *m* acreedor *m* hipotecario; **~löschung** *f* → *Hypothekenablösung*; **~ordnung** *f* régimen *m* hipotecario; **~pfandbrief** *m* (*-ės*; *-e*) cédula *f* hipotecaria; **~recht** *n* (*-ės*; *0*) derecho *m* hipotecario; **~schuld** *f* deuda *f* hipotecaria; **~schuldner** *m* deudor *m* hipotecario; **~schuldverschreibung** *f* cédula *f* hipotecaria; **~tilgung** *f* amortización *f* de una hipoteca; **~umwandlung** *f* conversión *f* de hipoteca; **~urkunde** *f* hipoteca *f*, contrato *m* hipotecario; **~vorrang** *m* (*-ės*; *0*) prioridad *f* de hipoteca; **~zinsen** *pl.* intereses *m/pl.* hipotecarios.
Hypo'the|se *f* hipótesis *f*; **2tisch** *adj.* hipotético.
Hyste'rie [-te·-] *f* histerismo *m*, histeria *f.*
Hy'steriker(in *f*) *m* histérico (-a *f*) *m.*
hys'terisch *adj.* histérico.

I

I, i *n* I, i *f*; *fig.* der *Punkt* (*od. das Tüpfelchen*) *auf dem* ~ el punto sobre la i.
i *int.* (*Ekel*) ¡uf!, ¡qué asco!; (*Schreck*) ¡qué horror!; ~ *wo!* ¡bah!; ¡quiá!, ¡ni hablar!, ¡ni pensarlo!.
I'ber|er *m* ibero *m*; **~ien** *n* Iberia *f*; **2isch** *adj.* ibero, ibérico; *die* ~*e Halbinsel* la Península Ibérica.
'Ibis *Orn. m* (*-ses*; *-se*) ibis *m*.
ich I. *pron/pers.* yo (*vor Verben meist unübersetzt*: ~ *komme* vengo; *dagegen betont*: yo vengo); *hier bin* ~ aquí estoy; *betont*: aquí estoy yo; *ich bin es!* soy yo; (*als Antwort*: *sind Sie ...?*) lo soy; ~, *der* ~ *Sie kenne* yo que le conozco a usted; ~ *Unglücklicher!* ¡infeliz de mí!; ~ *Armer!* ¡pobre de mí!; **II.** 2 *n* yo *m*; *mein ganzes* ~ todo mi ser; *mein anderes* (*od. zweites*) ~ mi otro yo; **'~bezogen** *adj.* egocéntrico; **'2bezogenheit** *f* (*0*) egocentrismo *m*; **'2form** *f*: *in der* ~ *schreiben* escribir en primera persona.
Ich'neumon *Zoo. m* (*-s*; *-e od. -s*) mangosta *f*.
'Ich|roman *m* (*-s*; *-e*) *m* novela *f* escrita en primera persona; **~sucht** *f* (*0*) egoísmo *m*; **2süchtig** *adj.* egoísta.
Ichthyolo'gie *f* (*0*) ictiología *f*.
Ichthyo'saurus *Zoo. m* (*-*; *-saurier*) ictiosaurio *m*.
ide'al [i·de·'ɑːl] **I.** *adj.* ideal; ~ *schön* de una belleza ideal; **II.** 2 *n* (*-s*; *-e*) ideal *m*; (*Vorbild*) modelo *m*; (*Prototyp*) prototipo *m*; *das* ~*e* lo ideal.
ideali'sier|en (-) *v/t.* idealizar; **2en** *n*, **2ung** *f* idealización *f*.
Idea'lis|mus *m* (*-*; *0*) idealismo *m*; *aus reinem* ~ *handeln* obrar por puro idealismo; **~t(in** *f*) *m* (*-en*) idealista *m/f*; **2tisch** *adj.* idealista.
Ideali'tät *f* (*0*) idealidad *f*.
Ide'alwert *m* (*-es*; *-e*) valor *m* ideal.
I'dee *f* idea *f*; (*Gedanke*) pensamiento *m*; (*Begriff*) noción *f*; *fixe* ~ obsesión, idea fija; *gute* ~ buena idea; F *e-e* ~ (*ein bißchen*) una pizca; *keine* ~ *von et. haben* no tener ni la menor idea de a/c.; *er kam auf die* ~, *zu* (*inf.*) se le ocurrió (*inf.*), tuvo la ocurrencia de (*inf.*); *wer brachte ihn auf die* ~*?* ¿quién le sugirió la idea de eso?.
ide'ell [-e·'ɛl] *adj.* ideal.
i'deen|arm [i·'deːən-] *adj.* pobre de ideas; **2assoziation** *f* asociación *f* de las ideas; **2folge** *f* sucesión *f* de ideas; **2gemeinschaft** *f* comunidad *f* de ideas; **2reichtum** *m* (*-s*; *0*) abundancia *f* de ideas; **2verbindung** *f* asociación *f* de ideas; conexión *f* de ideas; **2welt** *f* (*0*) mundo *m* de las ideas; ideario *m*; (*e-s Menschen*) ideología *f*; (*e-s Volkes*) mentalidad *f*.
'Iden *pl.*: *die* ~ *des März* los idus de marzo.
identifi'zier|bar *adj.* identificable; **~en** (-) *v/t.* identificar; *sich* ~ identificarse (*mit* con); **2en** *n*, **2ung** *f* identificación *f*.
i'dentisch *adj.* idéntico (*mit* a).
Identi'tät *f* (*0*) identidad *f*; *j-s* ~ *feststellen* comprobar la identidad de alg.; **~snachweis** *m* (*-es*; *-e*) prueba *f* de identidad.
Ideo|'gramm *n* (*-s*; *-e*) ideograma *m*; **~'loge** *m* (*-n*) ideólogo *m*; **~lo'gie** *f* ideología *f*; **2'logisch** *adj.* ideológico.
Idi'om [i·dĭ-] *n* idioma *m*.
idio'matisch *adj.* idiomático.
Idiosyn|kra'sie *Physiol. f* idiosincrasia *f*; **2'kratisch** *adj.* idiosincrásico.
Idi'ot *m* (*-en*) idiota *m*.
Idio'tie *f* idiotez *f*.
idi'otisch *adj.* idiota.
Idio'tismus *m* (*-*; *0*) *Gr.* idiotismo *m*; ⚕ idiotez *f*.
I'dol *n* (*-s*; *-e*) ídolo *m*.
I'dyll *n* (*-s*; *-e*), **~e** *f* idilio *m*; **2isch** *adj.* idílico.
'Igel *Zoo. m* erizo *m*; **~stacheln** *m/pl.* púas *f/pl.* de erizo; **~stellung** ⚔ *f* posición-erizo *f*.
I'gnatius *m* Ignacio *m*, Iñigo *m*.
Igno|'rant *m* (*-en*) ignorante *m*; **~'ranz** *f* (*0*) ignorancia *f*; **2'rieren** (-) *v/t.* (*nicht wissen*) desconocer, ignorar, no saber; *j-n* ~ aparentar no conocer a alg.; no hacer caso a alg.; pasar por alto a alg.; *et.* ~ desentenderse de a/c.; pasar por alto a/c.; no darse por enterado de a/c.
ihm *pron/pers.* (*dat. v.* er, es) a él; *tonlos*: le; *vor* lo *usw.* se; *ich gebe es ihm* se lo doy.
ihn *pron/pers.* (*ac. v.* er) *j-n*: a él, *et.*: él; *tonlos*: *j-n*: le, *et.*: lo.
'ihnen *pron/pers.* **1.** (*dat. pl. v.* er, sie, es) a ellos, a ellas; *tonlos*: les; *vor* lo *usw.* se; **2.** 2 (*dat. v. Sie*) a usted, a ustedes; *tonlos*: le, les; *vor* lo *usw.* se.
ihr I. *pron/pers.* **1.** (*dat. v. sie sg.*) a ella; *tonlos*: le, la; *vor* lo *usw.* se; **2.** (*nom. pl. v. du, in Briefen*: 2) vosotros (-as *f*) *m*; **II.** *pron/pos.* su, *pl.* ~e sus; *betont*: de él, de ella, (*mehrere Besitzer*) de ellos, de ellas; *mein und* ~ *Bruder* mi hermano y el suyo; 2(e) su(s), el (los) ... de usted(es); su(s) ... de usted(es); **III.** **'~er, '~e, '~es**: *der* (*die, das*) **'~e** *od.* **'~ige** *substantivische pron/pos.*: el suyo, la suya, lo suyo; de ella *bzw.* de ellos *bzw.* de ellas; 2 de usted(es); **'~er I.** *pron/pos.* de usted(es); **II.** (*gen. v. sie*) a) *sg.* de ella; b) *pl.* de ellos, de ellas; *es waren* ~ *sechs* eran seis.
'ihrerseits *adv.* de *od.* por su parte; en cuanto a ella *bzw.* ellos; *sie* ~ ella *bzw.* ellos a su vez; 2 de parte de usted.
ihres'gleichen *adj.* su igual; otro como ella *bzw.* ellos *od.* ellas, *bzw.* usted(es); 2 su igual; su semejante.
'ihret|halben, ~wegen, (um) ~willen *adv.* por causa de ella *bzw.* ellos *bzw.* ellas *bzw.* usted(es); por ella *bzw.* ellos *bzw.* ellas *bzw.* usted(es); 2 por causa de usted; por usted.
I'kone *f* icono *m*.
Ikonogra'phie *f* (*0*) iconografía *f*.
Ikono'skop *n* (*-s*; *-e*) iconoscopio *m*.
Ikosa'eder *n* ⩕ icosaedro *m*.
Ili'ade *f*, **'Ilias** *f* (*0*) Ilíada *f*.
'ille|gal *adj.* ilegal; **2gali'tät** *f* ilegalidad *f*.
'illegi|tim *adj.* ilegítimo; **2timi'tät** *f* (*0*) ilegitimidad *f*.
Illumi|nati'on *f* iluminación *f*; **2'nieren** (-) *v/t.* iluminar; **~'nierung** *f* iluminación *f*.
Illusi'on [-u·'zĭ-] *f* ilusión *f*; *sich* ~*en machen* hacerse ilusiones (*über* sobre); *sich* ~*en hingeben* ilusionarse; *j-m die* ~*en zerstören* desilusionar (*od.* quitar las ilusiones) a alg.
illu'sorisch *adj.* ilusorio; ~ *machen* hacer ilusorio a/c.
Illustrati'on [-st-] *f* ilustración *f*.
Illu'strator *m* (*-s*; *-en*) ilustrador *m*.
illu'strieren (-) *v/t.* ilustrar; *illustrierte Zeitung* periódico ilustrado.
Il'lyrien *n* Iliria *f*.
'Iltis *Zoo. m* (*-ses*; *-se*) turón *m*.
imagi'när *adj.* imaginario.
'Imbiß *m* (*-sses*; *-sse*) colación *f*; refrigerio *m*; F piscolabis *m*, tentempié *m*; *e-n kleinen* ~ *nehmen* tomar un bocadillo.
Imitati'on *f* imitación *f*.
imi'tieren (-) *v/t.* imitar.
'Imk|er *m* apicultor *m*; **~e'rei** *f* apicultura *f*.
imma'nen|t *adj.* inmanente; **2z** *f* (*0*) inmanencia *f*.
Im'manuel *m* Manuel *m*.
Immatriku|lati'on *f* matrícula *f*; **~lati'ons-urkunde** *f* certificado *m* de matrícula; **2'lieren** (-) *v/t.* matricular; *sich* ~ *lassen* matricularse en un centro de enseñanza.
'Imme *f* abeja *f*.
im'mens *adj.* inmenso.
'immer *adv.* siempre; (*unaufhörlich*) sin cesar; continuamente; (*beständig*) constantemente; (*jedenfalls*) cada vez; *auf* (*od. für*) ~ para siempre; *auf* ~ *und ewig* para toda la

eternidad; *noch* ~, ~ *noch* todavía, aun; *er studiert* ~ *noch* sigue estudiando; ~, *wenn er kam* siempre (*od.* cada vez) que ha venido; ~ *mehr* cada vez más; ~ *weniger* cada vez menos; ~ *besser* cada vez mejor; ~ *schlimmer* cada vez peor; de mal en peor; ~ *größer* cada vez mayor (*od.* más grande); *wie* ~ como siempre, como de costumbre; *wer auch* ~ *es Ihnen gesagt haben mag* quienquiera que se lo haya dicho, sea quien sea quien se lo haya dicho; *was er* ~ *sagen mag* diga lo que diga; *was er auch* ~ *für Gründe haben mag* sean cuales fueran sus razones; *wo* ~ *wir sein mögen* dondequiera que estemos; *das wird ja* ~ *schöner iro.* esto se va poniendo cada vez mejor; **~'fort** *adv.* siempre; continuamente; sin cesar, sin interrupción; **2grün** ⚘ *n* (-*s*; *0*) siempreviva *f*; **~'hin** *adv.* siempre; de todos modos; sea lo que sea; **~!** ¡así y todo!; *das ist* ~ et. algo es algo; **~während** *adj.* perpetuo; continuo, permanente; incesante; **~'zu** *adv.* continuamente; sin cesar; sin parar.

Immi|'grant(in *f*) *m* (-*en*) inmigrante *m/f*; **~grati'on** *f* inmigración *f*; **2'grieren** (-) *v/i.* inmigrar.

immi'nent *adj.* inminente.

Immobili'ar|kredit [-'lĭɑːʀ-] *m* (-*es*; -*e*) crédito *m* inmobiliario; **~vermögen** *n* bienes *m/pl.* raíces *od.* inmuebles.

Immo'bilien [-'biːlĭən] *pl.* inmuebles *m/pl.*, bienes *m/pl.* inmuebles; fincas *f/pl.*; **~bank** *f* banco *m* de la propiedad inmobiliaria; **~gesellschaft** *f* sociedad *f* inmobiliaria; **~handel** *m* (-*s*; *0*) compraventa *f* de inmuebles; **~vermögen** *n* bienes *m/pl.* inmuebles.

immobili'sier|en (-) *v/t.* inmovilizar; **2en** *n*, **2ung** *f* inmovilización *f*.

immo'ralisch *adj.* inmoral.

Immora'lismus *m* (-; *0*) inmoralidad *f*.

Immor'telle ⚘ *f* siempreviva *f*.

im'mun *adj.* inmune (*gegen* contra); inmunizado contra; *Pol.* inviolable; ~ *machen* inmunizar (*gegen* contra).

immuni'sier|en (-) *v/t.* inmunizar (*gegen* contra); **2en** *n*, **2ung** *f* inmunización *f*.

Immuni'tät *f* (*0*) inmunidad *f* (*a. Parl.*); *die* ~ *gewähren* (*aufheben*) otorgar (levantar) la inmunidad parlamentaria; *Parl. Antrag auf Aufhebung der* ~ suplicatorio; *diplomatische* ~ *genießen* gozar de (los privilegios de la) inmunidad diplomática.

Impe'danz ⚡ *f* impedancia *f*.

Impera'tiv *Gr. m* (-*s*; -*e*) (modo *m*) imperativo *m*; *Phil. kategorischer* ~ imperativo categórico; **2isch** *adj.* imperativo; imperioso.

Impe'rator *m* (-*s*; -*en*) (*Kaiser*) emperador *m*; (*als römischer Titel*) imperator *m*.

'Imperfekt *Gr. n* (-*s*; -*e*) imperfecto *m*.

Imperia'lis|mus *m* (-; *0*) imperialismo *m*; **~t** *m* (-*en*) imperialista *m*; **2tisch** *adj.* imperialista.

Im'perium [-ʀĭum] *n* (-*s*; -*rien*) imperio *m*.

imperti'nen|t *adj.* impertinente; **2z** *f* impertinencia *f*.

'Impf|arzt *m* (-*es*; ¨*e*) médico *m* vacunador; **2en** *v/t.* vacunar; *wieder* ~ revacunar; (*ein~*) inocular; **~en** *n* vacuna(ción) *f*; (*Ein2*) inoculación *f*; **~er** *m* vacunador *m*; inoculador *m*; **~ling** *m* (-*s*; -*e*) niño *m* que va a ser vacunado *bzw.* niño *m* recién vacunado; **~pflicht** *f* (*0*) vacuna(ción) *f* obligatoria; **2pflichtig** *adj.* sujeto a vacunación obligatoria; **~schein** *m* (-*es*; -*e*) certificado *m* de vacuna(ción); **~stoff** ⚕ *m* (-*es*; -*e*) vacuna *f*; **~ung** *f* vacuna(ción) *f*; (*Ein2*) inoculación *f*; **~zwang** *m* (-*es*; *0*) vacuna(ción) *f* obligatoria.

impli'zieren (-) *v/t.* implicar.

im'plizite *adv.* implícitamente.

Impondera'bilien [-'biːlĭən] *n/pl.* imponderables *m/pl.*

impo'nieren (-) *v/i.* imponer; infundir respeto *m*.

Im'port ⚓ *m* (-*es*; -*e*) importación *f* (*aus* procedente de); **~artikel** *m* artículo *m* de importación; **~e** *f mst.* **~en** *pl.* cigarros *m/pl.* habanos.

Impor'teur ⚓ *m* (-*s*; -*e*) importador *m*.

Im'port|firma *f* (-; -*men*) casa *f* importadora; **~geschäft** *n* (-*es*; -*e*) negocio *m* de importación; **~handel** *m* (-*s*; *0*) comercio *m* de importación.

impor'tieren (-) **I.** *v/t.* importar; **II.** **2** *n* importación *f*.

Im'port|überschuß *m* (-*sses*; ¨*sse*) excedente *m* de importación; **~zoll** *m* (-*es*; ¨*e*) derechos *m/pl.* de importación.

impo'sant *adj.* imponente, grandioso; espectacular.

'impoten|t ⚕ *adj.* impotente; **2z** *f* (*0*) impotencia *f*.

imprägʼnieren (-) **I.** *v/t.* impregnar; **II.** **2** *n* impregnación *f*.

Impre'sario [-ʀĭo] *m* (-*s*; -*s*) empresario *m*.

Impressio'nis|mus *m* (-; *0*) impresionismo; **~t** *m* (-*en*) impresionista *m*; **2tisch** *adj.* impresionista.

Impri'matur *n* (-*s*; *0*) permiso *m* de imprimir; imprimátur *m*.

Improvi|sati'on *f* improvisación *f*; **~'sator** *m* (-*s*; -*en*) improvisador *m*; **2'sieren** *v/t.* improvisar; **~'sieren** *n* improvisación *f*.

Im'puls *m* (-*es*; -*e*) impulso *m*; *bsd.* ⊕ impulsión *f*; **~geber** *m* impulsador *m*.

impul'siv *adj.* impulsivo.

im'stande *adj.*: ~ *sein zu* estar en condiciones de, estar capacitado para; ser capaz de; poder hacer a/c.

Im'stichlassen *n* abandono *m*.

in *prp.* (*wo? dat.*; *wohin? ac.*) en; a; dentro de; de; entre; por; *im Garten* en el jardín; *im Gefängnis* en la cárcel; *im Orient* en Oriente; ~ *der Stadt* en la ciudad; ~ *der Fremde* en el extranjero; ~ *der Ferne* a lo lejos; *im Norden* al norte; *im Alter von* a la edad de; *er verdient 500 Mark im Monat* gana 500 marcos al mes; ~ *drei Wochen* (*nach Ablauf von*) al cabo de tres semanas; (*im Laufe von*) en tres semanas; (*binnen 3 Wochen*) dentro de tres semanas; ~ *der Nacht* de noche, por la noche; *im Jahre 1969* en (el año) 1969; *im Sommer* en (el) verano; *im Januar* en enero; *im vorigen Jahr* el año pasado; ~ *diesen Tagen* estos días; ~ *eurer Mitte* entre vosotros; *im Infinitiv* en infinitivo; *im Spanischen* en español; ~ *m-m ganzen Leben* en (toda) mi vida; ~ *Anbetracht* (*gen.*) en vista de, en atención a; ~ *dieser Beziehung* a este respecto; *im Chor* a coro; *im voraus* por adelantado; ~ *aller Eile* a toda prisa; ~ *die Hände des Feindes fallen* caer en manos del enemigo.

'in-aktiv *adj.* inactivo; *Offizier*: retirado; *Beamter*: jubilado.

In-akti'vierung *f* inactivación *f*.

In-aktivi'tät *f* (*0*) inactividad *f*.

In-'angriffnahme *f* (*0*) iniciación *f*, comienzo *m*.

In-'anspruchnahme *f* (*0*) (*Benutzung*) utilización *f*, empleo *m*; (*Beschäftigung*) ocupación *f*.

'in-artikuliert *adj.* inarticulado.

In-'augenscheinnahme *f* (*0*) inspección *f*.

'Inbegriff *m* (-*s*; -*e*) (*Wesen*) esencia *f*; su(b)stancia *f*; quintaesencia *f*; (*Zusammenfassung*) síntesis *f*, resumen *m*; compendio *m*; (*Muster*) modelo *m*, ejemplo *m*, dechado *m*; prototipo *m*; *der* ~ *der Dummheit* el colmo de la imbecilidad.

'inbegriffen *adj.* incluido, comprendido; *alles* ~ todo incluido.

Inbe'sitznahme *f* (*0*) toma *f* de posesión.

Inbe'trieb|setzung *f*, **~stellung** *f* *e-r Industrie*: comienzo *m* de la explotación; ⊕ puesta *f* en marcha (*a. fig.*).

'Inbrunst *f* (*0*) (*Eifer*) ardor *m*; fervor *m*; (*Leidenschaft*) pasión *f*; vehemencia *f*.

'inbrünstig **I.** *adj.* ardiente; ferviente; apasionado; vehemente; **II.** *adv.* con ardor; con fervor.

Inchoa'tiv *Gr. n* (-*s*; -*e*) (verbo *m*) incoativo *m*.

Indan'threnfarbstoffe *m/pl.* su(b)stancias *f/pl.* colorantes al indantrén.

in'dem **I.** *adv.* en es(t)e momento, en eso; entretanto; **II.** *cj.* mientras; durante; ~ *er arbeitete* mientras trabajaba; durante su trabajo; ~ *er dies tat* haciendo esto, al hacer esto.

Indemni'tät *f* (*0*) indemnidad *f*.

'Inder(in *f*) *m* indio (-a *f*) *m*.

in'des, in'dessen **I.** *adv.* en eso, en es(t)e instante *od.* momento; entretanto; **II.** *cj.* entretanto, en tanto que, mientras tanto; (*immerhin*) de todos modos; (*jedoch*) sin embargo, no obstante; a pesar de todo, con todo; (*Gegensatz*) mientras que.

'Index *m* (-[*es*]; -*e u. Indizes*) índice *m* (*a.* ℞); *I.C.* Indice *m* (expurgatorio); *auf den* (*dem*) ~ *setzen* (*stehen*) poner (estar) en el Indice; **~zahl** *f* índice *m*.

'indezen|t *adj.* indecente; **2z** *f* (*0*) indecencia *f*.

Indi'an|er(in *f*) *m* indio (-a *f*) *m*; **2isch** *adj.* indio.

'Indien *n* la India; West2 las Indias Occidentales.

In'dienststellung *f* ⊕ puesta *f* en servicio.
'Indier(in *f*) *m* indio (-a *f*) *m*.
'indifferen|t *adj.* indiferente; **2z** *f* indiferencia *f*.
indi'gniert *adj.* indignado.
'Indigo *m* (-*s*; *0*) añil *m*, índigo *m*; **~blau** *n* azul *m* de añil; **~farbstoff** *m* (-*es*; -*e*) indigotina *f*.
Indikati'on ⚕ *f* indicación *f*.
'Indikativ *Gr. m* (-*s*; -*e*) (modo *m*) indicativo *m*.
'indirekt *adj.* indirecto; ⚔ **~er** *Schuß* tiro indirecto; **~e** *Wahlen* sufragio indirecto; **~e** *Steuer* contribución indirecta.
'indisch *adj.* indio; *der* **2e** *Ozean* el océano Indico.
'indiskret *adj.* indiscreto.
Indiskreti'on *f* indiscreción *f*.
'indiskutabel (-*le*) *adj.* indiscutible.
'indispo|niert [sp] *adj.* indispuesto; **2siti'on** *f* indisposición *f*.
individu|ali'sieren (-) *v/t.* individualizar; **2ali'sierung** *f* individualización *f*; **2a'lismus** *m* (*0*) individualismo *m*; **2a'list(in** *f*) *m* (-*en*) individualista *m/f*; **~a'listisch** *adj.* individualista; **2ali'tät** *f* individualidad *f*; **~'ell I.** *adj.* individual; **II.** *adv.* individualmente; **2'elle** *n* lo individual.
Indi'viduum [-'viːduˑum] *n* (-*s*; -*dien*) individuo *m*.
In'dizienbeweis ⚖ *m* (-*es*; -*e*) prueba *f* indiciaria.
indi'zieren (-) *v/t.* indicar.
Indo'china *n* Indochina *f*.
Indochi'nes|e *m* (-*n*) indochino *m*; **~in** *f* indochina *f*; **2isch** *adj.* indochino.
Indoger'man|e *m* (-*n*) indogermano *m*, indoeuropeo *m*; **2isch** *adj.* indogermánico.
'indolen|t *adj.* indolente; **2z** *f* (*0*) indolencia *f*.
Indo'nes|ien *n* Indonesia *f*; **~ier(in** *f*) *m* indonesio (-a *f*) *m*; **2isch** *adj.* indonesio.
Indossa'ment ✝ *n* (-*s*; -*e*) endoso *m*.
Indos'sa|nt *m* (-*en*) endosante *m*; **~t** *m* (-*en*) endosado *m*; **~'tar** *m* (-*s*; -*e*) endosatario *m*.
indos'sier|bar *adj.* endosable; **~en** (-) *v/t.* endosar.
Induk'tanz *Phys. f* inductancia *f*.
Indukti'on *f* inducción *f*; **~s-apparat** *m* (-*es*; -*e*) inductor *m*; **~s-elektrizität** *f* (*0*) electricidad *f* por inducción; **2sfrei** *adj.* sin inducción; no inductivo; **~sspule** *f* bobina *f* de inducción; **~sstrom** *m* (-*es*; *0*) corriente *f* inductora (*od.* de inducción); **~svermögen** *n* (-*s*; *0*) capacidad *f* de inducción.
induk'tiv *adj.* inductivo.
Induktivi'tät *f* (*0*) inductividad *f*.
In'duktor *m* (-*s*; -*en*) inductor *m*.
industriali'sier|en (-) *v/i.* industrializar; **2en** *n*, **2ung** *f* industrialización *f*.
Indus'trie *f* industria *f*; **~aktie** ✝ *f* acción *f* industrial; **~anlage** *f* instalación *f* industrial; **~arbeiter(in** *f*) *m* obrero (-a *f*) *m* industrial; **~ausstellung** *f* exposición *f* industrial; **~bank** *f* banco *m* industrial; **~betrieb** *m* (-*es*; -*e*) explotación *f* industrial; taller *m* industrial; **~bezirk** *m* (-*es*; -*e*) distrito *m* industrial; **~erzeugnis** *n* (-*ses*; -*se*) producto *m* industrial; **~führer** *m* gran industrial *m*, magnate *m* de la industria; **~gebiet** *n* (-*es*; -*e*) región *f* industrial; **~gelände** *n* terreno *m* industrial; **~kammer** *f* (-; -*n*) cámara *f* de industria; **~kapazität** *f* capacidad *f* de la industria; **~kapitän** *m* (-*s*; -*e*) → *Industrieführer*; **~konzern** *m* (-*s*; -*e*) trust *m* (*od.* sindicato *m*) industrial; **~kredit** *m* (-*es*; -*e*) crédito *m* industrial; **~krise** *f* crisis *f* industrial; **~land** *n* (-*es*; ⸚*er*) país *m* industrial(izado).
industri'ell *adj.* industrial; **2e(r)** *m* industrial *m*, fabricante *m*.
Indus'trie|magnat *m* (-*en*) magnate *m* de la industria; **~messe** *f* feria *f* industrial; **~obligationen** ✝ *f/pl.* obligaciones *f/pl.* industriales; **~papiere** ✝ *n/pl.* valores *m/pl.* industriales; **~potential** *n* (-*s*; -*e*) potencial *m* industrial; **~produktion** *f* producción *f* industrial; **~sektor** *m* (-*s*; -*en*) sector *m* industrial; **~staat** *m* (-*es*; -*en*) Estado *m* industrial; **~stadt** *f* (-; ⸚*e*) ciudad *f* industrial; **~tätigkeit** *f* (*0*) actividad *f* industrial; **~unternehmen** *n* empresa *f* industrial; **~verband** *m* (-*es*; ⸚*e*) asociación *f* industrial; **~verlagerung** *f* desplazamiento *m* industrial; **~viertel** *n* barrio *m* industrial; **~werbung** *f* (*0*) publicidad *f* industrial; **~werte** *m/pl.* valores *m/pl.* industriales; **~wirtschaft** *f* (*0*) economía *f* industrial; **~zentrum** *n* (-*s*; -*zentren*) centro *m* industrial; **~zweig** *m* (-*es*; -*e*) ramo *m* de la industria.
indu'zieren I. ⚡ *u. Phys.* (-) *v/t.* inducir; **II. 2** *n* inducción *f*.
in-ein'ander *adv.* uno en (*bzw.* dentro de) otro; unos dentro de otros; **~fassen** (-*ßt*) *v/i.* ⊕ engranar; **~flechten** (*L*) *v/t.* entrelazar, entretejer; **~fließen** *v/i.* (*L*) (*Flüsse*) confluir; *allg.* reunirse; confundirse; **~fügen** *v/t.* juntar, (re)unir; encajar; ajustar; **2fügen** *n* encaje *m*; **~greifen** (*L*) *v/i.* ⊕ engranar; enlazar con; *fig.* encadenarse entre sí; engranar; **2greifen** *n* engranaje *m*; *fig. a.* encadenamiento *m*; **~passen** (-*ßt*) *v/i.* encajar; **~schiebbar** *adj.* telescópico; encajable uno en otro; **~er** *Tisch* mesa de tablero extensible; **~schieben** (*L*) **1.** *v/t.* encajar (uno con otro); **2.** *v/refl.* encajarse; **~schlingen** (*L*), **~weben** (*L*) *v/t.* entrelazar; entretejer; **~wirken** *v/i.* actuar uno sobre otro; actuar recíprocamente.
In-emp'fangnahme *f* (*0*) recepción *f*.
in'fam I. *adj.* infame; **II.** *adv.* de una manera infame.
Infa'mie *f* infamia *f*.
In'fant *m* (-*en*) infante *m*; **~in** *f* infanta *f*.
Infante'rie ⚔ *f* infantería *f*; **~angriff** *m* (-*es*; -*e*) ataque *m* de infantería; **~unterstützung** *f* apoyo *m* de infantería.
Infante'rist ⚔ *m* (-*en*) soldado *m* de infantería.
infan'til *adj.* infantil.
Infanti'lismus ⚕ *m* (-; *0*) infantilismo *m*.
In'farkt ⚕ *m* (-*es*; -*e*) infarto *m*.
Infekti'on ⚕ *f* infección *f*; *sich* e-e ~ *zuziehen* contraer una infección, contagiarse; **~sgefahr** *f* peligro *m* de infección; **~sherd** *m* (-*es*; -*e*) foco *m* infeccioso; **~skrankheit** *f* enfermedad *f* infecciosa *od.* contagiosa.
Inferiori'tät *f* (*0*) inferioridad *f*; **~s-komplex** *m* (-*es*; -*e*) complejo *m* de inferioridad.
infer'nalisch *adj.* infernal.
infil'trieren (-) *v/i.* infiltrar.
Infinitesi'malrechnung *f* cálculo *m* infinitesimal.
'Infinitiv *Gr. m* (-*s*; -*e*) (modo *m*) infinitivo *m*; **~satz** *m* (-*es*; ⸚*e*) proposición *f* infinitiva.
infi'zier|en (-) *v/t. u. v/refl.* infectar(se); **2en** *n*, **2ung** *f* infección *f*.
Inflati'on *f* inflación *f*; *latente* ~ inflación latente; *die* ~ *eindämmen* contener la inflación.
inflatio'nistisch *adj.* inflacionista.
Inflati'ons|erscheinung *f* síntoma *m* de inflación; **~gefahr** *f* peligro *m* de inflación; **~gewinnler** *m* beneficiario *m* de la inflación; **~strömung** *f* corriente *f* inflacionista; **~tendenz** *f* tendencia *f* inflacionista; **~zeit** *f* época *f* de inflación.
Influ'enz [-'ɛnts] ⚡ *f* inducción *f* estática.
Influ'enza [-'ɛntsaˑ] ⚕ *f* (*0*) gripe *f*.
in'folge *prp.* (*gen.*) a consecuencia de, debido a; **~'dessen** *adv.* por consiguiente, por (lo) tanto.
Infor|mati'on *f* información *f* (*über ac.* de, sobre); *zwecks* ~ a título informativo; para información; **~mati'onsbüro** *n* (-*s*; -*s*) oficina *f* de información; **~mati'onsminister** *m* ministro *m* de Información; **2'mieren** (-) *v/t.* informar; *sich* ~ informarse (*über ac.* de, sobre).
In'fragestellung *f* planteamiento *m* de la cuestión.
'infra|rot *adj.* infrarrojo; **2rotstrahler** *m* radiador *m* infrarrojo; **2schall** *m* (-*es*; *0*) infrasonido *m*; **2struktur** *f* infraestructura *f*.
Infusi'on *f* infusión *f*; **~s-tierchen** *n/pl.*, **Infu'sorien** *n/pl. Zoo.* infusorios *m/pl.*
In'gangsetzung *f* puesta *f* en marcha.
Ingeni'eur [-ʒeˑ'nĭøːʀ] *m* (-*s*; -*e*) ingeniero *m*; perito *m*, técnico *m* especializado; ⚓ maquinista *m*; **~büro** *n* oficina *f* técnica; **~schule** *f* escuela *f* industrial; **~wesen** *n* (-*s*; *0*) ingeniería *f*.
In'gre|di-ens *n* (-; -*dienzien*), **~di'enz** [-'dĭɛnts] *f* ingrediente *m*.
'Ingrimm *m* (-*es*; *0*) ira *f* reconcentrada; rabia *f* secreta; **2ig** *adj.* rabioso; rencoroso.
'Ingwer ['iŋvər] ⚘ *m* (-*s*; *0*) jengibre *m*.
'Inhaber(in *f*) *m* (*Eigentümer*) propietario (-a *f*) *m*, dueño (-a *f*) *m*; (*Besitzer*) poseedor(a *f*) *m*; ✝ *e-s Titels*: tenedor *m*; *e-s Wechsels*: portador *m*; *e-s Amtes*, *e-s Kontos*, *e-s Passes*: titular *m/f*; *e-s Geschäfts*: dueño (-a *f*) *m*; ✝ *auf den* ~ *lautendes Papier* efecto al portador; *auf den* ~ *ausstellen* emitir al portador; *an den* ~ *zahlbar* pagadero al portador; **~aktie** *f* acción *f* al portador;

~papier † *n* (*-s*; *-e*) efecto *m*; (*od.* título *m*) al portador; **~scheck** *m* (*-s*) cheque *m* al portador; **~schuldverschreibung** *f* obligación *f* al portador; **~wechsel** *m* letra *f* al portador; **~wertpapiere** *n/pl.* valores *m/pl.* al portador.
inhaf'tier|en (-) *v/t.* detener; **2ung** *f* detención *f*; arresto *m*; encarcelamiento *m*.
In'haftnahme *f* encarcelamiento *m*; arresto *m*.
Inhalati'on *f* inhalación *f*; **~s-apparat** *m* (*-es*; *-e*) inhalador *m*.
inha'lieren (-) **I.** *v/t.* inhalar; hacer inhalaciones *f/pl.*; **II.** *n* inhalación *f*.
'Inhalt *m* (*-es*; *-e*) contenido *m*; (*Raum2*) capacidad *f*; ⩓ (*Flächen2*) superficie *f*, área *f*; *e-s Körpers*: volumen *m*; (*Thema*) asunto *m*, tema *m*; *wesentlicher ~* su(b)stancia; *~ und Form* el fondo y la forma; **2lich** *adj.* en cuanto al contenido; **~s-angabe** *f* sumario *m*; resumen *m*; *bei Sendungen*: declaración *f* del contenido; **~sbestimmung** *f* ⩓ (*Flächen2*) determinación *f* del área; (*Raum2*) determinación *f* de la capacidad; cubicación *f*; **~s-erklärung** *f bei Sendungen*: declaración *f* del contenido; **2(s)leer, 2(s)los** *adj.* vacío; hueco, huero; sin contenido; *fig.* sin valor, sin fondo; **2(s)reich, 2(s)schwer** *adj.* su(b)stancial; profundo; trascendental, de gran alcance; **~sverzeichnis** *n* (*-ses*; *-se*) tabla *f* de materias, índice *m*; (*gedrängte Übersicht*) sumario *m*; **2(s)voll** *adj.* su(b)stancial; profundo; **~swert** *m* (*-es*; *-e*) valor *m* del contenido.
Initi'al|buchstabe [i·ni·tsi̯ɑ:-] *m* (*-ns*; *-n*), **~e** *f* (letra *f*) inicial *f*.
Initia'tive [-tsi̯a·-] *f* (*0*) iniciativa *f*; *die ~ ergreifen* tomar la iniciativa; *keine ~ haben* carecer de iniciativa; *aus eigener ~* por propia iniciativa.
Injekti'on *f* inyección *f*; **~sspritze** *f* jeringuilla *f* (para inyecciones).
In'jektor ⊕ *m* (*-s*; *-en*) inyector *m*.
inji'zieren (-) *v/t.* inyectar.
In'jurie *f* injuria *f*; ofensa *f*; **~nklage** *f* ⚖ querella *f* por injuria.
In'kasso † *n* (*-s*; *-s*) cobro *m*; cobranza *f*; *das ~ übernehmen* encargarse del cobro; *zum ~ einsenden* enviar al cobro; *zum ~ vorzeigen* presentar al cobro; **~abteilung** *f* sección *f* de cobros; **~auftrag** *m* (*-es*; *⸚e*) orden *f* de cobro; **~büro** *n* (*-s*; *-s*) oficina *f* de cobros; **~gebühr** *f* derechos *m/pl.* de cobro; **~papier** *n* (*-s*; *-e*) efecto *m* remitido al cobro; **~provision** *f* comisión *f* por cobro; **~spesen** *pl.* gastos *m/pl.* de re(e)mbolso *od.* cobro; **~vollmacht** *f* poder *m* de cobro; **~wechsel** *m* cobranza *f*.
Inklinati'on *f Phys.* inclinación *f* (*a. fig.*); **~snadel** *f* (*-*; *-n*) aguja *f* de inclinación.
inklu'sive *adv.* incluso, inclusive.
in'kognito I. *adv.* incógnito; *~ reisen* viajar de incógnito; **II.** 2 *n* (*-s*; *-s*) incógnito *m*; *das ~ wahren* guardar el incógnito.
inkommensu'rabel *adj.* inconmensurable.
inkommo'dieren (-) *v/t.* incomodar.
'inkompeten|t *adj.* incompetente; (*sich*) *für ~ erklären* declarar(se) incompetente; **2z** *f* incompetencia *f*.
'inkonsequen|t *adj.* inconsecuente; **2z** *f* inconsecuencia *f*.
'inkorrekt *adj.* incorrecto; **2heit** *f* incorrección *f*.
In'kraft|setzung *f* puesta *f* en vigor; **~treten** *n* entrada *f* en vigor.
inkrimi'nieren (-) *v/t.* incriminar.
Inkubati'on ⚕ *f* incubación *f*; **~szeit** *f* período *m* de incubación.
Inku'nabel *f* (*-*; *-n*) incunable *m*.
In'kurssetzung *f* puesta *f* en circulación.
'Inland *n* (*-es*; *0*) interior *m* (del país); **~eis** *n* (*-es*; *0*) banco *m* de hielo.
'Inländer(in *f*) *m* habitante *m/f* del país; natural *m/f* del país, nacional *m*; **2isch** *adj.* (*Ware*) del país, nacional; (*einheimisch*) indígena.
'Inlands|anleihe *f* empréstito *m* interior; **~bedarf** *m* (*-es*; *0*) (necesidades *f/pl.* de) consumo *m* interior; **~handel** *m* (*-s*; *0*) comercio *m* interior; **~markt** *m* (*-es*; *⸚e*) mercado *m* interior; **~paß** *m* (*-sses*; *⸚sse*) pasaporte *m* para el interior; **~post** *f* (*0*) correo *m* interior; **~porto** *n* (*-s*; *-porti*) franqueo *m* interior; **~schuld** *f* deuda *f* interior; **~tarif** *m* (*-es*; *-e*) tarifa *f* interior; **~telegramm** *n* (*-s*; *-e*) telegrama *m* (para el) interior; **~verbrauch** *m* (*-es*; *0*) consumo *m* interior; **~ware** *f* producto *m* del país *od.* nacional; **~wechsel** *m* letra *f* de cambio sobre el interior; **~wert** *m* (*-es*; *-e*) valor *m* interior.
'Inlaut *Gr.* *m* (*-es*; *-e*) tono *m* medial; vocal *f* intermedia.
'Inlet(t) *n* (*-es*; *-e*) funda *f* de edredón.
'inliegend *adj.* adjunto.
in'mitten *prp.* (*gen.*) en medio de.
'inne|haben (*L*) *v/t.* poseer, tener; *Stellung, Amt*: ocupar; desempeñar, ejercer; **~halten** (*L*) **1.** *v/t.* observar, cumplir; **2.** *v/i.* pararse, detenerse; (*e-e Pause machen*) hacer una pausa; *mit der Arbeit ~* dejar de trabajar, suspender el trabajo.
'innen *adv.* (a)dentro, en el interior; *nach ~ zu* hacia (a)dentro; para (a)dentro; *von ~* (*heraus*) desde (a)dentro; por dentro; de adentro hacia afuera; **2abmessung** *f* dimensión *f* interior; **2ansicht** *f* (vista *f*) interior *m*; **2antenne** *f* antena *f* interior; **2architekt** *m* (*-en*) arquitecto-decorador *m*; decorador *m*; **2aufnahme** *f Phot.* interior *m* (*a. Film*); *e-e ~ drehen* rodar un interior; **2ausstattung** *f* decoración *f* interior; *Auto*: guarnición *f* interior; **2bahn** *f Sport*: pista *f* interior; **2beleuchtung** *f* iluminación *f* interior; **2dekorateur** *m* (*-s*; *-e*) decorador *m* (de interiores); **2dekoration** *f* decoración *f* interior; **2dienst** *m* (*-es*; *0*) servicio *m* interior; (*Bürodienst*) servicio *m* de oficina; **2durchmesser** *m* diámetro *m* interior; **2einrichtung** *f* instalación *f* interior; decoración *f* de interiores; **2fläche** *f* superficie *f* interior; **2hof** *m* (*-es*; *⸚e*) patio *m* interior; **2leben** *n* (*0*) vida *f* interior; **2ministerium** *n* (*-s*; *-rien*) Ministerio *m* del Interior; *Span.* ministerio *m* de la Gobernación; **2politik** *f* (*0*) política *f* interior; **~politisch** *adj.* concerniente a la política interior; **2raum** *m* (*-es*; *⸚e*) interior *m*; **2seite** *f* lado *m* interior; **2stadt** *f* (*-*; *⸚e*) centro *m* de la ciudad; **2steuerung** *f Auto.* conducción *f* interior; **2stürmer** *m Fußball*: interior *m*; **2tasche** *f* bolsillo *m* interior; **2welt** *f* (*0*) mundo *m* interior; **2winkel** ⩓ *m* ángulo *m* interno; **2zimmer** *n* habitación *f* interior.
'inner *adj.* interior; interno (*a.* ⚕); (*wesentlich*) intrínseco; (*das eigene Haus betreffend*) doméstico; (*Gedanken*: íntimo, secreto; *die ~e Stadt* el centro de la ciudad; el interior de la población; *~e Stimme* voz interior; *~e Angelegenheit* asunto interno; *Rel.* *2e Mission* Misión Interior; *~e Medizin* medicina interna.
Inne'reien *f/pl.* entrañas *f/pl.*; vísceras *f/pl.* interiores; (*v. Geflügel*) menudillos *m/pl.*
'Inner|e(s) *n* interior *m*; la parte íntima *bzw.* interior; fondo *m*; *fig.* ser *m*; (*Gewissen*) el fuero interno; *in m-m ~n* en lo íntimo de mi ser; en mi fuero interno; *Minister des ~(e)n* ministro del Interior (*Span.* de la Gobernación); *im ~(e)n Afrikas* en el interior de Africa; **2halb I.** *adv.* por dentro; en el interior de; **II.** *prp. örtlich* (*gen.*) dentro de; *~ des Weichbildes* dentro del perímetro urbano, en el interior de la población; *zeitlich* (*dat. u. gen.*) dentro de, en el plazo de; *~ 24 Stunden* en el plazo (*od.* término) de veinticuatro horas; **2lich** *adj.* interior; íntimo; mental; *Phar.* *~ anzuwenden* para uso interno; **2politisch** *adj.* concerniente a la política interior; **2st** *adj.* íntimo; lo más profundo; **~ste(s)** *n* corazón *m*; fondo *m*; *das ~ der Erde* las entrañas de la tierra; *im 2n Herzen* en lo más íntimo (*od.* recóndito) del corazón.
'inne|werden (*L*) *v/t.* (*erfahren*) enterarse, llegar a saber; (*verstehen*) comprender; **~wohnen** *v/i.*: *e-r Sache ~* (*dat.*) ser inherente a a/c.
'innig *adj.* íntimo; (*tiefempfunden*) entrañable, hondamente sentido; (*herzlich*) cordial; (*zärtlich*) tierno; (*lieb*) cariñoso; (*freundschaftlich*) amistoso; (*inbrünstig*) fervoroso, ferviente; (*Liebe*) acendrado; *mein ~ster Wunsch* mi deseo más ardiente; *mein ~es Beileid* mi más sentido pésame; **2keit** *f* (*0*) intimidad *f*; hondo sentimiento *m*; cariño *m*; (*Herzlichkeit*) cordialidad *f*; (*Zärtlichkeit*) ternura *f*; **~lich** *adj.* → *innig.*
'Innung *f* corporación *f*; (*Zunft*) gremio *m*; **~swesen** *n* (*-s*; *0*) sistema *m* gremial; gremios *m/pl.*
'in-offiziell *adj.* no oficial; oficioso.
inoku'lier|en (-) *v/t.* inocular; **2en** *n*, **2ung** *f* inoculación *f*.
'in-opportun *adj.* inoportuno.
Inquisiti'on *Rel.* *f* inquisición *f*; Santo Oficio *m*; **~sgericht** *n* (*-es*; *-e*) Tribunal *m* de la Inquisición.
Inqui'sitor *m* (*-s*; *-en*) inquisidor *m*.
inquisi'torisch *adj.* inquisitorial.

'Insass|e *m* (*-n*), **~in** *f* (*Bewohner*) habitante *m/f*, morador(a *f*) *m*, vecino (-a *f*) *m*; *e-s Gefängnisses*: recluso (-a *f*) *m*; *e-s Fahrzeuges*: ocupante *m/f*; viajero (-a *f*) *m*; *e-s Flugzeuges*, *e-s Schiffes*: pasajero (-a *f*) *m*; tripulante *m*.
insbe'sondere *adv*. en particular, particularmente; especialmente; principalmente; sobre todo.
'Inschrift *f* inscripción *f*; *auf Grabsteinen*: epitafio *m*; *auf Münzen*: leyenda *f*.
In'sekt *m* (*-ęs*; *-en*) insecto *m*.
In'sekten|forscher *m* entomólogo *m*; **♀fressend** *adj*. insectívoro; **~fresser** *Zoo*. *m/pl*. insectívoros *m/pl*.; **~kunde** *f* (*0*), **~lehre** *f* (*0*) entomología *f*; **~pulver** *n* polvos *m/pl*. insecticidas; **~sammlung** *f* colección *f* de insectos; **~stich** *m* (*-ęs*; *-e*) picadura *f* de insecto; **♀vernichtend** *adj*. insecticida; **~vernichtungsmittel** *n* insecticida *m*.
'Insel *f* (-; *-n*) isla *f*; *die ~ Ibiza* la isla de Ibiza; **~bewohner(in** *f*) *m* insular *m/f*, isleño (-a *f*) *m*; **~chen** *n* isleta *f*; islote *m*; **~gruppe** *f* grupo *m* de islas; **~meer** *n* (*-ęs*; *0*) archipiélago *m*; **~staat** *m* (*-ęs*; *-en*) Estado *m* insular; **~volk** *n* (*-ęs*; *¨er*) pueblo *m* insular; **~welt** *f* (*0*) archipiélago *m*.
Inse'rat *n* (*-ęs*; *-e*) anuncio *m*; **~enannahme** *f* recepción *f* de anuncios; (*Schalter*) ventanilla *f* de recepción de anuncios; **~enbüro** *n* (*-s*; *-s*) agencia *f* de publicidad; **~enteil** *m* (*-ęs*; *-e*) *e-r Zeitung*: sección *f* de anuncios.
Inse'rent *m* (*-en*) anunciante *m*.
inse'rieren (-) **I.** *v/t*. insertar (*od*. poner *od*. publicar) un anuncio (*in ac*. en); **II.** ♀ *n* inserción *f*.
Inserti'onsgebühren *f/pl*. gastos *m/pl*. de publicidad.
ins|ge'heim *adv*. en secreto, secretamente; ocultamente; **~ge'mein** *adv*. en general; por lo común, comúnmente; **~ge'samt** *adv*. en total, en suma; todos juntos.
In'signien *pl*. insignias *f/pl*.
inskri'bieren (-) **I.** *v/t*. inscribir; **II.** ♀ *n* inscripción *f*.
in'sofern *adv*. en cuanto que, en tanto que (*ind./subj*.); hasta aquí; en la medida que; (*unter der Bedingung*) con tal que, siempre que (*subj*.); en este (ese) sentido.
'insolven|t *adj*. insolvente; **♀z** *f* insolvencia *f*.
in'sonderheit *adv*. particularmente, en particular, especialmente; sobre todo.
in'soweit *adv*. → *insofern*.
Inspek|'teur [-spɛk'tøːʀ] *m* (*-s*; *-e*) inspector *m*; **~ti'on** *f* inspección *f*; (*Überwachung*) vigilancia *f*; **~ti'onsreise** *f* viaje *m* de inspección.
In'spektor [-ʃp-] *m* (*-s*; *-en*) inspector *m*; vigilante *m*.
Inspi|rati'on [-spiʀa'-] *f* inspiración *f*; **~'rieren** (-) *v/t*. inspirar.
Inspizi'ent [-sp-] *m* (*-en*) inspector *m*; *Thea*. traspunte *m*, (*Film*) regidor *m*.
inspi'zier|en [-sp-] (-) *v/t*. inspeccionar; (*beaufsichtigen*) vigilar; **♀en** *n*, **♀ung** *f* inspección *f*; (*Beaufsichtigen*) vigilancia *f*.
Install|a'teur [-stala'-] *m* (*-s*; *-e*) instalador *m*; ⚡ montador *m* electricista; (*Klempner*) fontanero *m*; **~ati'on** *f* instalación *f*; **~ati'onsgeschäft** *n* (*-ęs*; *-e*) tienda *f* de materiales para instalaciones.
instal'lier|en [-st-] (-) *v/t*. *u*. *v/refl*. instalar(se); establecer(se); **♀en** *n*, **♀ung** *f* instalación *f*; establecimiento *m*.
in'standhalten (*L*) *v/t*. mantener en buen estado; conservar.
In'standhaltung *f* (*Wartung*) mantenimiento *m*, entretenimiento *m*; conservación *f*; **~skosten** *pl*. gastos *m/pl*. de entretenimiento *od*. conservación.
'inständig I. *adj*. (*dringlich*) urgente; *~e Bitte* ruego encarecido; **II.** *adv*. con encarecimiento *od*. instancia, instantemente; con empeño.
in'standsetzen *v/t*. poner en condiciones *f/pl*., arreglar; (*wiederherstellen*) restablecer; *wieder ~* reparar, componer; renovar.
In'standsetzung *f* arreglo *m*; reparación *f*, compostura *f*; (*Wiederherstellung*) restablecimiento *m*; **~s-arbeiten** *f/pl*. trabajos *m/pl*. de reparación; **~s-kosten** *pl*. gastos *m/pl*. de reparación; **~swerkstatt** *f* (-; *¨en*) taller *m* de reparaciones.
In'stanz [-'stants] ⚖ *f* (*Gerichtsbehörde*) instancia *f*; *in erster* (*letzter*) *~ entscheiden* juzgar en primera (última) instancia; **~enweg** *m* (*-ęs*; *-e*) trámite *m*; (*einhalten* seguir); *auf dem ~* por las vías de trámite prescritas; **~enzug** *m* (*-ęs*; *¨e*) prosecución *f* de instancias; tramitación *f*.
In'stinkt [-st-] *m* (*-ęs*; *-e*) instinto *m*; *aus ~* por instinto; instintivamente.
instink'tiv, in'stinktmäßig I. *adj*. instintivo; **II.** *adv*. instintivamente; por instinto.
Insti'tut [-st-] *n* (*-ęs*; *-e*) instituto *m*; (*Anstalt*) establecimiento *m*; (*Einrichtung*) institución *f*; (*Pensionat*) colegio *m*.
Instituti'on [-st-] *f* institución *f*.
institutio'nell [-st-] *adj*. institucional.
instru'ieren [-st-] (-) *v/t*. *u*. *v/refl*. instruir(se).
Instrukti'on [-st-] *f* instrucción *f*; (*Reglement*) reglamento *m*.
instruk'tiv [-st-] *adj*. instructivo.
Instru'ment [-st-] *n* (*-ęs*; *-e*) instrumento *m*; *ein ~ spielen* tocar un instrumento.
instrumen'tal [-st-] *adj*. instrumental; **♀begleitung** *f* acompañamiento *m* de orquesta.
Instrumenta'list [-st-] *m* (*-en*) instrumentista *m*.
Instrumen'tal|musik [-st-] *f* (*0*) música *f* instrumental; **~satz** *m* composición *f* instrumental.
Instrumentati'on [-st-] *f* instrumentación *f*; orquestación *f*.
Instru'menten|brett [-st-] *n* (*-ęs*; *-er*) ✈ *u*. *Auto*. tablero *m* de instrumentos; **~flug** ✈ *m* (*-ęs*; *¨e*) vuelo *m* dirigido; **~macher** ♪ *m* fabricante *m* de instrumentos.
instrumen'tier|en [-st-] ♪ *v/t*. instrumentar; orquestar; **♀en** *n*, **♀ung** *f* instrumentación *f*; orquestación *f*.
Insub-ordinati'on *f* insubordinación *f*.
Insu'laner(in *f*) *m* isleño (-a *f*) *m*, insular *m/f*; insulano (-a *f*) *m*.
Insu'lin *n* (*-s*; *0*) insulina *f*.
Insur'gent *m* (*-en*) insurrecto *m*, rebelde *m*; sedicioso *m*.
Ins'werksetzen *n* realización *f*; ejecución *f*.
insze'nier|en [ɪnstse'-] (-) *v/t*. *Thea*. escenificar; poner en escena *f*; **♀en** *n*, **♀ung** *f* escenificación *f*; puesta *f* en escena.
in'takt *adj*. intacto; (*unbescholten*) íntegro.
inte'gral I. *adj*. integral; **II.** ♀ *n* (*-s*; *-e*) = **♀e** Å *f* integral *f*; **♀rechnung** *f* cálculo *m* integral.
Integrati'on *f* integración *f*.
inte'grieren (-) *v/t*. integrar (*a*. Å); **~d** *adj*. integrante; *~er Bestandteil* parte integrante.
Integri'tät *f* (*0*) integridad *f*.
Intel'lekt *m* (*-ęs*; *0*) intelecto *m*.
Intellektua'lismus *m* (-; *0*) intelectualismo *m*.
intellektu'ell [-tɛlɛk-] *adj*. intelectual; **♀e(r)** *m* intelectual *m*; *die Intellektuellen als Klasse*: la intelectualidad, los intelectuales.
intelli'gen|t *adj*. inteligente; **♀z** *f* (*0*) inteligencia *f*; *die ~ als Klasse*: la intelectualidad, los intelectuales; **♀ztest** *m* (*-ęs*; *-e u. -s*) prueba *f* de inteligencia.
Inten|'dant *m* (*-en*) intendente *m*; *Thea*., *Radio* director *m* (general); **~dan'tur** *f*, **~'danz** *f* intendencia *f*.
Intensi'tät *f* (*0*) intensidad *f*.
inten'siv [-'ziːf] *adj*. intenso; ⚒ intensivo.
intensi'vier|en (-) *v/t*. intensificar; **♀en** *n*, **♀ung** *f* intensificación *f*.
inter-alli'iert *adj*. interaliado.
Inter'dikt *n* (*-ęs*; *-e*) *Rel*., ⚖ interdicto *m*; entredicho *m*; *mit dem ~ belegen* poner entredicho; interdecir.
interes'sant I. *adj*. interesante; **II.** *adv*. de una manera interesante.
Inte'resse [-'ʀɛsə] *n* (*-s*; *-n*) interés *m*; *~ zeigen* mostrar interés (*für* por); *in j-s ~* en interés de alg.; *im ~ der Allgemeinheit* en interés de todos, en interés general; *es liegt in Ihrem ~* es de interés para usted; es en interés de usted; *es liegt in Ihrem ~, es zu tun* está en su interés el hacerlo; *aus ~* por interés; *~ haben* tener interés, interesarse (*an dat*. en); *er hat kein ~ dafür* no tiene ningún interés en ello; *die ~n in Einklang bringen* conciliar (*od*. armonizar) los intereses; *j-s ~n vertreten* (*od*. *wahrnehmen*) defender (*od*. salvaguardar) los intereses de alg.; *j-s ~n wahren* velar por los intereses de alg.; *~ erwecken* (*od*. *finden*) suscitar (*od*. despertar) interés; *berechtigtes ~* interés legítimo; *öffentliches ~* interés público; *Wahrung der ~n* salvaguardia de los intereses; **♀los** *adj*. sin interés; (*gleichgültig*) indiferente; **~losigkeit** *f* desinterés *m* (*für* por); **~ngebiet** *n* (*-ęs*; *-e*) *Pol*. esfera *f* de intereses, zona *f* de influencia; (*Spezialität*) especialidad *f*; **~ngemeinschaft** *f* comunidad *f* de intereses; **~nsphäre** *f* → *Interessen-*

gebiet; **~nvertretung** *f* representación *f* de intereses.
Interes'sent(in *f*) *m* (*-en*) interesado (-a *f*) *m*.
interes'sier|en (-) *v/t. u. v/refl.* interesar; *sich* ~ interesarse (*für* por *alg.*, en *a/c.*); *das interessiert mich nicht* no me interesa eso; *ich interessiere mich nicht dafür* no tengo interés en eso; *an et. interessiert sein* (*dat.*) estar interesado en a/c.; **2te(r** *m*) *m/f* interesado (-a *f*) *m*.
Interfe'renz [-tɛʀfe·'rɛnts] *Phys. f* interferencia *f*.
'Interim *n* (*-s*; *-s*) ínterin *m*, interimidad *f*.
interi'mistisch I. *adj.* interino; provisional; **II.** *adv.* en calidad de interino; (*inzwischen*) en el ínterin.
'Interims|aktie ✝ *f* talón *m* provisional (de acciones); **~ausschuß** *m* (*-sses*; *⸗sse*) comisión *f* interina; **~dividende** *f* dividendo *m* provisional; **~regierung** *f* gobierno *m* provisional *od.* interino; **~schein** ✝ *m* (*-ęs*; *-e*) resguardo *m* (*od.* talón *m*) provisional.
Inter|jekti'on *Gr. f* interjección *f*; **2konfessio'nell** *adj.* interconfesional; **2kontinen'tal** *adj.* intercontinental; **~kontinen'talrakete** *f* cohete *m* intercontinental; **~'mezzo** [-mɛtso·] *n* (*-s*; *-s u. -mezzi*) intermedio *m*; **2mit'tierend** *adj.* intermitente.
in'tern *adj.* interno.
Inter'nat *n* (*-ęs*; *-e*) internado *m*.
inter|natio'nal *adj.* internacional; *die* 2*e* la Internacional; *die* 2*e Handelskammer* la Cámara de Comercio Internacional; *die* 2*e Vereinigung für gewerblichen Rechtsschutz* la Asociación Internacional para la Protección de la Propiedad Industrial; 2*es Arbeitsamt* Oficina Internacional del Trabajo; *der* 2*e Bund freier Gewerkschaften* la Confederación Internacional de Sindicatos Libres; *der* 2*e Bund christlicher Gewerkschaften* la Confederación Internacional de Sindicatos Cristianos; *das* 2*e Olympische Komitee* el Comité Olímpico Internacional; *der* 2*e Luftverkehrsverband* la Asociación Internacional de Transportes Aéreos; *der* 2*e Währungsfonds* el Fondo Monetario Internacional; *die* 2*e Liga für Menschenrechte* la Liga Internacional de los Derechos del Hombre; *das* 2*e Rote Kreuz* la Cruz Roja Internacional; *das* 2*e Komitee des Roten Kreuzes* el Comité Internacional de la Cruz Roja; *die Sozialistische* 2*e* la Internacional Socialista; *das* 2*e Institut für Statistik* el Instituto Internacional de Estadística; *das* 2*e Landwirtschaftsinstitut* el Instituto Internacional de Agricultura; **~nationali'sieren** (-) *v/t.* internacionalizar; **2nationali'sierung** *f* internacionalización *f*; **2nationa'lismus** *m* (-; *0*) internacionalismo *m*; **2nationalität** *f* (*0*) internacionalidad *f*.
Inter'natsschüler(in *f*) *m* alumno (-a *f*) *m* de un internado, interno (-a *f*) *m*.
In'terne(r) *m*, **In'terne** *f* interno (-a *f*) *m*.
inter'nier|en (-) *v/t.* internar; **2te(r** *m*) *m/f* internado (-a *f*) *m*; **2ung** *f* internación *f*; **2ungslager** *n* campo *m* de internación *f*.
interparlamen'tarisch *adj.* interparlamentario; *die* 2*e Union* la Unión Interparlamentaria.
Interpel'lant *m* (*-en*) interpelante *m*.
Interpella'tion *f* interpelación *f*.
interpel'lier|en (-) *v/i.* interpelar; **2en** *n*, **2ung** *f* interpelación *f*.
Interpolati'on *f* interpolación *f*.
interpo'lier|en (-) *v/t.* interpolar; **2en** *n*, **2ung** *f* interpolación *f*.
Inter'pret *m* (*-en*) intérprete *m*; exegeta *m*.
Interpretati'on *f* explicación *f* de textos; (*Deutung*) interpretación *f*; exégesis *f*.
interpre'tier|en (-) *v/t. Text. Autor*: explicar; (*deuten*) interpretar; **2en** *n*, **2ung** *f* → *Interpretation*.
inter|pun'gieren (-), **~punk'tieren** (-) *Gr. v/t.* puntuar, poner la puntuación; **2punkti'on** *Gr. f* puntuación *f*; **2punkti'onszeichen** *n* signo *m* de puntuación.
Inter'regnum *n* (*-s*; *-nen od. -na*) interregno *m*.
Interroga'tivpronomen *Gr. n* (*-s*; *- u. -mina*) pronombre *m* interrogativo.
Inter'vall *n* (*-s*; *-e*) intervalo *m*.
interve'nier|en (-) *v/i.* intervenir; **2en** *n*, **2ung** *f*, **Interventi'on** *f* intervención *f*.
Inter'view [-tɐ'vjuː] *n* (*-s*; *-s*) entrevista *f*; *ein* ~ *geben* conceder una entrevista; **2en** [-'vjuːən] (-) *v/t.*: *j-n* ~ tener una entrevista con alg., entrevistarse con alg.; **~er** *m* interlocutor *m*.
Inter'zonen|abkommen *n* acuerdo *m* interzonal; **~grenze** *f* frontera *f* interzonal *od.* entre zonas; **~handel** *m* (*-s*; *0*) comercio *m* interzonal; **~handelsabkommen** *n* acuerdo *m* comercial interzonas; **~paß** *m* (*-sses*; *⸗sse*) pase *m* interzonal; **~verkehr** *m* (*-s*; *0*) tráfico *m* interzonal; **~zug** *m* (*-ęs*; *⸗e*) tren *m* interzonal.
Inthronisati'on *f* entronización *f*.
in'tim [-iː-] *adj.* íntimo; ~*e Beziehungen* relaciones íntimas.
Intimi'tät *f* intimidad *f*.
'Intimus *m* (-; *-mi*) amigo *m* íntimo.
'intoleran|t [-lə-] *adj.* intolerante; **2z** *f* intolerancia *f*.
Intonati'on *f* entonación *f*.
into'nieren (-) ♪ *v/t.* entonar.
intransi'gen|t *adj.* intransigente; **2z** *f* intransigencia *f*.
'intransitiv *Gr. adj.* intransitivo.
intrave'nös ⚕ *adj.* intravenoso.
Intri'gant(in *f*) *m* (*-en*) intrigante *m/f*.
In'trige *f* intriga *f*.
intri'gieren (-) *v/i.* intrigar.
Intuiti'on *f* intuición *f*.
intui'tiv *adj.* intuitivo.
In'-umlaufsetzen ✝ *n* puesta *f* en circulación; emisión *f*.
inva'lid(e) [-va·'liːt, -də] *adj.* inválido; **2e** *m* inválido *m*; mutilado *m*.
Inva'liden|rente *f* pensión *f* de invalidez (*beziehen* percibir, cobrar); **~versicherung** *f* seguro *m* de invalidez.
Invalidi'tät *f* (*0*) invalidez *f*.
Invasi'on *f* invasión *f*.
Inven'tar *n* (*-s -e*) inventario *m* (*aufnehmen* hacer, formar); *Hausrat*: mobiliario *m*; **~aufnahme** *f* formación *f* (*od.* levantamiento *m*) del inventario.
inventari'sieren (-) *v/t.* inventariar; hacer (*od.* establecer, formar) el inventario.
Inven'tar|stück *n* (*-ęs*; *-e*) objeto *m* inventariado, pieza *f* del inventario; **~verzeichnis** *n* (*-ses*; *-se*) especificación *f* del inventario.
Inven'tur *f* inventario *m*; ~ *machen* inventariar, hacer inventario; **~ausverkauf** *m* (*-ęs*; *⸗e*) liquidación *f* de saldos (previo inventario).
Inversi'on *Gr. f* inversión *f*.
inve'stier|en (-) *v/t.* ✝ invertir; colocar; *j-n* ~ *mit* investir a alg. de; **2en** *n*, **2ung** *f* inversión *f*; colocación *f*.
Investiti'on *f* inversión *f*; **~s-anleihe** *f* préstamo *m* de inversión; **~sgüter** *n/pl.* bienes *m/pl.* de equipo; bienes *m/pl.* de producción; **~skredit** *m* (*-ęs*; *-e*) crédito *m* de inversión; **~s-plan** *m* (*-ęs*; *⸗e*) *m* plan *m* de inversión.
Investi'tur *f* investidura *f*; **~streit** *m* (*-ęs*; *0*) *Hist.* Guerra *f* de las Investiduras.
'inwendig I. *adj.* interior, interno; **II.** *adv.* por dentro, adentro; en el interior; interiormente.
inwie|'fern, **~'weit** *adv.* hasta qué punto, hasta dónde; en qué medida; en qué sentido *od.* modo, cómo.
In'zest *m* (*-es*; *-e*) *m* incesto *m*.
'Inzucht *f* (*0*) *Biol.* endogamia *f*.
in'zwischen *adv.* entretanto; (*bis dahin*) mientras tanto.
I'on ['iːɔn, i·'oːn] *Phys. n* (*-s*; *-en*) ion *m*; **~enstrom** *m* (*-ęs*; *0*) corriente *f* de iones; **~enwanderung** *f* migración *f* de los iones.
Ionisati'on *f* ionización *f*.
i'onisch *adj.* jonio; ⚠ (*Stil*) jónico; *das* 2*e Meer* el mar Jonio; ~*e Säulenordnung* orden jónico.
ioni'sier|en (-) *v/t.* ionizar; **2ung** *f* ionización *f*.
Iono'sphäre *f* (*0*) ionosfera *f*.
I'ota *n* (*-[s]*; *-s*) jota *f*.
Iphi'genie *f* Ifigenia *f*.
'I-Punkt *m* (*-ęs*; *-e*) punto *m* sobre la i.
I'rak *m* Irak *m*; **~er(in** *f*) *m* iraquí *m*, iraquesa *f*; **2isch** *adj.* iraqués.
I'ran *m* Irán *m*; **~ier(in** *f*) *m* iraní (-a *f*) *m*; **2isch** *adj.* iranio.
'irden *adj.* (*aus Erde*) térreo, de tierra; (*aus Tonerde*) de arcilla; (*aus Steingut*) de loza; (*aus Lehm*) de barro; ~*es Geschirr* loza.
'irdisch *adj.* terrestre; (*weltlich*) mundano; secular; (*Ggs. himmlisch*) terrenal; (*zeitlich*) temporal; (*sterblich*) mortal, perecedero; **2e(s)** *n*: *das* ~ las cosas de este mundo.
'Ir|e ['iːʀə] *m* (*-n*) irlandés *m*; **~in** *f* irlandesa *f*.
I'rene *f* Irene *f*.
'irgend *adv.*: ~ *etwas* algo, alguna cosa, *verneint*: nada; cualquier cosa; ~ *jemand* alguien, *verneint*: nadie; cualquier persona; *wenn* ~ en cuanto (*subj.*); **~ein** *pron/indef.* (*pl.* **~welche**) algún (algunos); ~ *beliebiger* cualquier, cualquiera (cualesquiera); *verneint*: ningún (ningunos), *nachgestellt*: alguno(s);

~eine(r) *pron/indef.* alguno, *verneint*: ninguno; alguien, *verneint*: nadie; *desp.* un cualquiera; **~einmal** *adv.* alguna vez; **~'wann** *adv.* algún día; en un momento cualquiera; no importa cuándo; **~'was** *pron/indef.* → *irgend etwas*; **~'welcher** *pron/indef.* → *irgendein*; **~'wer** *pron/indef.* → *irgendjemand*; **~'wie** *adv.* de cualquier modo (*od.* manera); sea como sea; no importa cómo; **~'wo** *adv.* en alguna parte; en cualquier sitio; no importa dónde; **~wo'her** *adv.* de alguna parte; de cualquier sitio; de no importa dónde; **~wo'hin** *adv.* a alguna parte; a algún sitio (*od.* lugar); a no importa dónde.
I'ridium *n* (*-s*; *0*) iridio *m.*
'Irin *f* → *Ire.*
'Iris *f* (*0*) *Myth.* Iris *f*; *Anat.* iris *m*; ⚘ íride *f*; **~blende** *f* diafragma *m* iris.
'ir|isch *adj.* irlandés, de Irlanda; *die* **2***e See* el mar de Irlanda; *die ~e Sprache*; *das* **2**(e) la lengua irlandesa; el irlandés; **2land** *n* Irlanda *f*; **2länder(in** *f*) *m* irlandés *m*, irlandesa *f*; **~ländisch** *adj.* irlandés.
Iro'nie *f* (*0*) ironía *f.*
i'ronisch *adj.* irónico.
ironi'sieren (-) *v/t.* ironizar.
irratio'nal *adj.* irracional.
Irrationa'lismus *m* (-; *0*) irracionalismo *m.*
'irre I. *adj.* (*verirrt*) extraviado, perdido; *fig.* desorientado; (*wirr*) confuso; (*fälschlich*) erróneo; (*im Irrtum*) equivocado; (*geistig gestört*) ⚕ demente, loco, enajenado; *~ werden* enloquecer, enajenarse, F perder el juicio, volverse loco; *~ werden an* (*dat.*) no saber a qué atenerse; desconcertarse; **II. 2** *f*, **2**(r) *m* ⚕ demente *m/f*, loco (-a *f*) *m*, enajenado (-a *f*) *m*; **III. 2** *f* (*Verirrung*) extravío *m*; (*Irrtum*) error *m*; *in die ~ führen* extraviar, descaminar; *fig.* desorientar; *fig.* engañar; *in die ~ gehen* extraviarse; *fig.* andar desorientado *bzw.* equivocado.
'irreal *adj.* irreal.
Irreali'tät *f* irrealidad *f.*
Irreden'tis|mus *m* (-; *0*) irredentismo *m*; **~t** *m* (*-en*) irredentista *m.*
'irre|führen *v/t.* extraviar; desviar del camino; *fig.* desorientar; (*täuschen*) engañar; inducir a error; **~gehen** (*L*) *v/i.* extraviarse, errar el camino; *fig.* andar descaminado; (*sich irren*) equivocarse; **~gehen** *n* extravío *m.*
irregu'lär *adj.* irregular.
'irreleiten (*-e-*) *v/t.* → *irreführen.*
irreli|gi'ös *adj.* irreligioso; **2giosi'tät** *f* (*0*) irreligiosidad *f.*

'irremachen *v/t.* inducir a error *m*; apartar del (buen) camino; engañar; (*außer Fassung bringen*) desconcertar.
'irren I. *v/i.* errar, incurrir en (*od.* cometer) un error, equivocarse; (*herum~*) errar, andar errante *od.* vagando por; (*im Irrtum sein*) estar equivocado; estar en un error; *Rel.* pecar, caer en (el) pecado; *wenn ich nicht irre* si no me equivoco; salvo error; **II.** *v/refl.*: *sich ~* equivocarse (*in der Straße* de calle; *im Datum* en la fecha); *du irrst dich* te equivocas; estás en un error; **2** *ist menschlich* errar es humano; **~d** *adj.* errante; errabundo; **2anstalt** *f*, **2haus** *n* (*-es*; *⸗er*) manicomio *m*; **2arzt** *m* (*-es*; *⸗e*) alienista *m*; psiquiatra *m.*
'irre|reden (*-e-*) *v/i.* delirar, desvariar; desatinar; **2reden** *n* delirio *m*, desvarío *m*; desatino *m*; **2sein** *n* (*-s*; *0*) locura *f*, demencia *f*, alienación *f* mental.
'Irr|fahrt *f* odisea *f*; **~gang** *m* (*-es*; *⸗e*) (*labyrinthischer Weg*) laberinto *m*; dédalo *m*; **~garten** *m* (*-s*; *⸗*) laberinto *m*; **~glaube** *m* (*-ns*; *0*) heterodoxia *f*; (*Ketzerei*) herejía *f*; **2gläubig** *adj.* heterodoxo; (*ketzerisch*) herético; **~gläubige** *m/f*, **~r** *m* heterodoxo (-a *f*) *m*; hereje *m/f.*
'irrig *adj.* erróneo, equivocado; (*ungenau*) inexacto; (*falsch*) falso.
Irri'gator [-ˈʀi·-] *m* (*-s*; *-en*) irrigador *m.*
irriger'weise *adv.* por error *od.* equivocación, equivocadamente.
irri'tieren (-) *v/t.* irritar.
'Irr|lehre *f* doctrina *f* falsa *od.* errónea; *Rel.* doctrina *f* herética; (*Ketzerei*) herejía *f*; **~licht** *n* (*-es*; *-er*) fuego *m* fatuo; *Am.* luz *f* mala; **~sinn** *m* (*-es*; *0*) locura *f*, demencia *f*, enajenación *f* mental; **2sinnig** *adj.* loco, demente, enajenado; *~e Schmerzen* dolores atroces; *es ist ~ teuer* es carísimo; **~sinnige(r** *m*) *m/f* loco (-a *f*) *m*, demente *m/f*; **~tum** *m* (*-es*; *⸗er*) error *m*, yerro *m*; (*Versehen*) equivocación *f*; *~ vorbehalten* salvo error; *e-n ~ begehen* cometer un error; *sich im ~ befinden* estar en un error; *s-n ~ einsehen* reconocer su error; *j-n über e-n ~ aufklären* sacar a alg. de un error; *es hat sich ein ~ eingeschlichen* se ha deslizado un error; **2tümlich I.** *adj.* erróneo; **II.** *adv.* = **2tümlicher'weise** *adv.* por error; por equivocación; **~ung** *f* (*Irrtum*) error *m*; yerro *m*; (*Versehen*) equivocación *f*; desliz *m*; (*Verwirrung*) confusión *f*; (*Verirrtsein*) extravío *m*; **~wahn** *m* (*-es*; *0*) (*Aberglaube*) superstición *f*; (*Vorurteil*) prejuicio *m*; (*Fieberwahn*) delirio *m*; **~weg** *m* (*-es*; *-e*) camino *m* falso; *fig.* extravío *m*; *auf ~e geraten* extraviarse; **~wisch** *m* (*-es*; *-e*) fuego *m* fatuo; *fig.* duende *m.*

isa'bellfarben *adj.* (*Pferd*) isabelino.
'Ischias [ˈɪʃĭas] ⚕ *f* (*0*) ciática *f.*
'Islam [ˈɪslɑːm] *m* (*-s*; *0*) Islam *m.*
Isla'mit(in *f*) *m* (*-en*) islamita *m/f*; **2isch** *adj.* islámico; *Person*: islamita.
'Island *n* Islandia *f.*
'Isländ|er(in *f*) *m* islandés *m*, islandesa *f*; **2isch** *adj.* islandés, de Islandia.
Iso'bare *f* línea *f* isobárica.
iso'chron *adj.* isócrono.
Isolati'on *f* aislamiento *m.*
Isolatio'nismus *Pol.* *m* (-; *0*) aislacionismo *m.*
Isolati'onsmittel *n* aislante *m.*
Iso'lator *m* (*-s*; *-en*) aislador *m.*
I'solde *f* Isolda *f.*
Iso'lier|band *n* (*-es*; *⸗er*) cinta *f* aisladora *od.* aislante; **2bar** *adj.* aislable; **~baracke** ⚕ *f* pabellón *m* de aislamiento; **2en** (-) *v/t.* aislar; ⚖ incomunicar; **~en** *n* aislamiento *m*; **~haft** *f* (*0*) reclusión *f* celular; *in ~ sein* estar incomunicado; **~knopf** *m* (*-es*; *⸗e*) botón *m* aislador; **~lack** *m* (*-es*; *-e*) barniz *m* aislante; **~mittel** *n* aislador *m*; **~platte** *f* placa *f* aisladora; **~schicht** *f* capa *f* aisladora *od.* aislante; **~schutz** *m* (*-es*; *0*) revestimiento *m* aislador; **~stoff** *m* (*-es*; *-e*) material *m* aislador; **~ung** *f* aislamiento *m.*
iso'mer *adj.* isómero *m.*
iso'morph *adj.* isomorfo.
Iso'therme *f* línea *f* isoterma.
Iso'top *n* (*-s*; *-e*) isótopo *m*; *radioaktives ~* radioisótopo *m.*
iso'trop *adj.* isotrópico.
'Israel *n* Israel *m.*
Israe'lit(in *f*) [-eˈˈliːt] *m* (*-en*) israelita *m/f*; israelí *m/f*; **2isch** *adj.* israelita; israelí.
'Ist|ausgabe *f* gasto *m* efectivo; **~bestand** *m* (*-es*; *⸗e*) (*Kasse*) saldo *m* efectivo *od.* neto; (*Waren*) existencias *f/pl.*; **~einnahme** *f* ingresos *m/pl.* efectivos.
'Isthmus *m* (-; *-men*) istmo *m.*
'Istrien *n* Istria *f.*
'Ist-stärke ⚔ *f* (*0*) fuerza *f* efectiva, efectivos *m/pl.* reales.
I'talien *n* Italia *f.*
Itali'en|er(in *f*) [-aˈlĭeː-] *m* italiano (-a *f*) *m*; **2isch** *adj.* italiano; *die ~e Sprache* la lengua italiana, el italiano.
'I-Tüpfelchen *n* el punto sobre la i.

J

J, j *n* J, j *f.*

ja I. *adv.* sí; *ich sage* ~ yo digo que sí; *ich glaube,* ~ creo que sí; *o* ~*!* ¡oh sí!; ¡claro que sí!; *aber* ~*!* ¡sí!, ¡pues sí!; ~ *doch!* sí, por cierto; así es; *Widerspruch*: F ¡te digo que sí!; ~ *freilich* sin duda; desde luego; *Am.* ¡cómo no!; ~ *sogar* y aun, y hasta; ~ *sogar (selbst)* incluso, hasta; *zu et.* ~ *sagen* consentir en a/c.; *zu allem* ~ *sagen* consentir en todo; decir que sí a todo; *tue das* ~ *nicht!* ¡guárdate de hacer eso!; *ich sagte es dir* ~ ya te lo había dicho yo; *das ist* ~ *unmöglich!* ¡pero sí (esto) es imposible!; *das denke* ~ *nicht* no vayas a creerte eso; *Sie wissen* ~, *daß* bien sabe usted que; *kommen Sie* ~ *wieder* no deje usted de volver; *er hat ihm verziehen,* ~ *er hat ihm geholfen* además de perdonarle incluso le ha ayudado; *das ist* ~ *sehr leicht* esto es bien fácil; *da ist er* ~*!* ¡ahí viene!, ¡ahí le tenemos!; **II.** 2 *n* (-; *0*) el sí; *mit* ~ *antworten* contestar afirmativamente.

'Jabo *m* → *Jagdbomber.*

Jacht ⚓ *f* yate *m.*

'Jacke *f* chaqueta *f*, americana *f*, *Am.* saco *m*; (*Joppe*) cazadora *f*; zamarra *f*; *für Damen*: chaqueta *f*; chaquetón *m*; *das ist* ~ *wie Hose* igual da una cosa que otra; **~nkleid** *n* (-*es*; -*er*) *der Damen*: vestido *m* de (hechura) sastre *od.* de chaqueta.

Ja'ckett [ʒa'kɛt] *n* (-*s*; -*e u.* -*s*) (*Herren*2) chaqueta *f*, americana *f*, *Am.* saco *m*; (*Cutaway*) chaqué *m*; (*Frauen*2 *u. Kinder*2) chaquetilla *f*.

Ja'cobi *n*: *zu* ~ para (*od.* en) el día de Santiago.

Ja'cobus *m* Santiago *m*, Jaime *m*.

'Jade *Min. m* (-; *0*) jade *m*.

Jagd [jɑːkt] *f* caza *f*; *hohe* ~ caza mayor *od.* de montería; *niedere* ~ caza menor; *die Wilde* ~ *Myt.* la caza infernal; ~ *auf Hasen* caza de la liebre; *auf die* ~ *gehen* ir (*od.* salir) de caza *od.* a cazar; ~ *machen auf* (*ac.*) dar caza a, cazar (*a. fig.*); (*Verfolgung*) persecución *f*.

'Jagd...: **~anzug** *m* (-*es*; ⸚*e*) traje *m* de caza(dor); **~aufseher** *m* guardabosque *m*; montero *m*; **~ausdruck** *m* (-*es*; ⸚*e*) término *m* cinegético; **~ausflug** *m* (-*es*; ⸚*e*) cacería *f*, partida *f* de caza; (*Treibjagd*) batida *f*; **2bar** *adj.* que se puede cazar; **2berechtigt** *adj.* con derecho a cazar; con licencia de caza; **~berechtigung** *f* → *Jagdgerechtigkeit*; **~beute** *f* caza *f*, piezas *f/pl.* cobradas; **~bomber** *m* bombardero *m* de caza; **~einsitzer** ✈ *m* avión *m* de caza monoplaza; **~eröffnung** *f* apertura *f* de la temporada de caza; **~falke** *m* (-*n*) halcón *m* adiestrado para la caza; **~flieger** *m* aviador *m* de caza; **~fliege'rei** *f* (*0*) aviación *f* de caza; **~flinte** *f* escopeta *f* (de caza); **~flugzeug** *n* (-*es*; -*e*) avión *m* de caza; **~frevel** *m* caza *f* furtiva; **~gebiet** *n* (-*es*; -*e*) → *Jagdrevier*; **~gehege** *n* coto *m* (de caza); **2gerecht** *adj.* conforme a las reglas de la caza; **~gerechtigkeit** *f* derecho *m* de caza; **~gewehr** *n* (-*es*; -*e*) escopeta *f* de caza; rifle *m*; **~haus** *n* (-*es*; ⸚*er*) casita *f* del cazador *bzw.* del montero; pabellón *m* de caza; **~horn** *n* (-*es*; ⸚*er*) trompa *f* de caza; **~hund** *m* (-*es*; -*e*) perro *m* de caza; **~hütte** *f* (*als Anstand*) paranza *f*; **~messer** *n* cuchillo *m* de monte; **~munition** *f* munición *f* de caza; **~netz** *n* (-*es*; -*e*) red *f* de caza; **~pacht** *f* arrendamiento *m* de terreno de caza; **~pächter** *m* arrendatario *m* de un terreno de caza; **~patrone** *f* cartucho *m* de caza; **~recht** *n* (-*es*; -*e*) → *Jagdgerechtigkeit*; (*Regelung*) reglamento *m* de la caza; **~rennen** *n* carrera *f* de obstáculos; **~revier** *n* (-*s*; -*e*) cazadero *m*, coto *m* de caza; distrito *m* de caza; **~schein** *m* (-*es*; -*e*) licencia *f* de caza; **~schlößchen** *n* pabellón *m* de caza; **~schutz** ✈ *m* (-*es*; *0*) escolta *f* de cazas; **~sport** *m* (-*es*; *0*) deporte *m* de la caza; **~spieß** *m* (-*es*; -*e*) jabalina *f*; venablo *m*; **~springen** *n* salto *m* de obstáculos; **~staffel** *f* (-; -*n*) escuadrilla *f* de caza; **~stiefel** *m/pl.* botas *f/pl.* de caza (-dor); **~tasche** *f* morral *m*; **~vergehen** *n* delito *m* de caza; caza *f* furtiva *od.* en vedado; **~wesen** *n* (-*s*; *0*) cinegética *f*; **~zeit** *f* época *f* de caza.

'jagen I. 1. *v/t.* cazar; ir de caza *f*; *aus dem Hause* ~ echar de casa; *zum Teufel* ~ mandar al diablo; *in die Flucht* ~ poner en fuga; *sich e-e Kugel durch den Kopf* ~ levantarse la tapa de los sesos; *j-m e-e Kugel durch den Kopf* ~ pegarle a alg. un tiro en la cabeza; *ein Pferd zu Tode* ~ reventar un caballo; (*verfolgen*) perseguir; *ein Ergebnis jagte das andere* los acontecimientos se sucedieron rápidamente; *Fußball*: *das Leder ins Netz* ~ clavar el balón en la red; **2.** *v/i.* (*dahin*~) correr a toda velocidad; *reitend*: galopar, ir a galope; ~ *nach* (*als Ziel verfolgen*) perseguir, correr tras; **II.** 2 *n* caza *f* (*nach* de); (*Verfolgen*) persecución *f*; 2 *m* sección *f* forestal *bzw.* de un bosque.

'Jäger *m* cazador *m*; *der wilde* ~ *Myt.* el Cazador Infernal; ✈ aviador *m* de caza; avión *m* de caza; ⚔ cazador *m*; (*Gebirgs*2) cazador *m* de montaña.

Jäge'rei *f* montería *f* (*0*); caza *f*; arte *f* venatoria.

'Jäger|haus *n* (-*es*; ⸚*er*) casa *f* del montero; **~in** *f* cazadora *f*; **~latein** *n* (-*s*; *0*) fanfarronadas *f/pl.* de cazador; **~smann** *m* (-*es*; -*leute*) cazador *m*; **~sprache** *f* (*0*) lenguaje *m* de (los) cazadores.

'Jaguar ['jɑːguˑɑːr] *Zoo. m* (-*s*; -*e*) jaguar *m*; *Am. a.* onza *f*.

jäh I. *adj.* (*schnell*) rápido; (*plötzlich*) repentino, súbito; *e-s* ~*en Todes sterben* morir repentinamente; (*ungestüm*) impetuoso; (*überstürzt*) precipitado; (*vorschnell*) brusco; vivo, pronto; (*unbesonnen*) irreflexivo; (*aufbrausend*) impulsivo, arrebatado; (*unerwartet*) inesperado; (*abschüssig*) escarpado, empinado; **II.** *adv.* → *jählings*; **'~lings** *adv.* (*schnell*) rápidamente; (*plötzlich*) repentinamente, de repente; súbitamente; (*überstürzt*) precipitadamente; (*vorschnell*) bruscamente.

Jahr *n* (-*es*; -*e*) año *m*; *alle* ~*e* todos los años; *nach* ~*en* después de muchos años; *vor zwei* ~*en* hace dos años; *vor* ~*en* hace años; *nach einigen* ~*en* pasados algunos años; *in jenen* ~*en* por aquellos años; en aquel entonces; *übers* ~ de aquí a un año; *ein* ~ *ums andere* año tras año; *von* ~ *zu* ~ de año en año; *auf viele* ~*e hinaus* pasados muchos años; *mit den* ~*en* con los años, andando el tiempo; *seit* ~ *und Tag* desde hace mucho tiempo; *zu* ~*en kommen* ir entrando en años; *in mittleren* ~*en sein* estar en edad madura; *in den besten* ~*en sein* estar en sus mejores años, estar en la flor de la edad; *bei* ~*en* de edad (avanzada), entrado en años; *im* ~*e 1960* en 1960, en el año (de) 1960; *im Laufe des* ~*es* en el (trans-) curso del año; *er ist zwölf* ~*(e)* tiene doce años; *er ist in den dreißiger* ~*en* ha cumplido la treintena; *ein halbes* ~ medio año; seis meses, un semestre; *dieses* ~ este año, hogaño; *voriges* ~ el año pasado; *nächstes* ~ el próximo año, el año que viene; *das ganze* ~ (*hindurch*) (durante) todo el año; *j-m ein gutes neues* ~ *wünschen* desear a alg. un feliz año nuevo; **2'aus, 2'ein** *adv.* todos los años, de año en año; **'~buch** *n* (-*es*; ⸚*er*) (*Chronik*) crónica *f*; (*statistisches, Kalender*) anuario *m*; *Jahrbücher pl.* anales *m/pl.*; **'2elang I.** *adj.* de muchos años; **II.** *adv.*

durante muchos años, durante años enteros, F años y años.

'**jähren**: *es jährt sich heute, daß* ... hoy hace un año que ...

'**Jahres...**: **~abonnement** *n* (*-s*; *-s*) abono *m* (*Zeitung*: suscripción *f*) anual; **~abschluß** ⚚ *m* (*-sses*; *⸚sse*) balance *m* anual; **~abschlußprämie** *f* prima *f* de fin de año; **~anfang** *m* (*-ęs*; *⸚e*) comienzo *m* del año; **~ausweis** *m* (*-es*; *-e*) *e-s Unternehmens*: balance *m* anual; **~bericht** *m* (*-ęs*; *-e*) informe *m* (*od.* memoria *f*) anual; **~bilanz** *f* balance *m* anual (*od.* de fin de año); **~durchschnitt** *m* (*-ęs*; *-e*) promedio *m* anual; **~einkommen** *n* renta *f* anual; **~ertrag** *m* (*-ęs*; *⸚e*) rendimiento *m* anual; **~feier** *f* (*-*; *-n*), **~fest** *n* (*-es*; *-e*) aniversario *m*; **~frist** *f* plazo *m* de un año; *innerhalb ~* en el transcurso de un año; dentro de un año; *nach ~* pasado un año; al cabo de un año; **~gehalt** *n* (*-ęs*; *⸚er*) sueldo *m* anual; **~gewinn** *m* (*-ęs*; *-e*) ganancia *f* (*od.* beneficio *m*) anual; **~kongreß** *m* (*-sses*; *-sse*) congreso *m* anual; **~prämie** *f* prima *f* anual; **~produktion** *f* producción *f* anual; **~rate** *f* anualidad *f*; **~rente** *f* renta *f* anual; **~ring** ⚘ *m* (*-ęs*; *-e*) cerco *m* anual; capa *f* anual; **~schluß** *m* (*-sses*; *⸚sse*) fin *m* de año; **~schlußbilanz** *f* balance *m* de fin de año; **~tag** *m* (*-ęs*; *-e*) aniversario *m*; **~umsatz** ⚚ *m* (*-es*; *⸚e*) cifra *f* anual de ventas *bzw.* de transacciones; **~urlaub** *m* vacación *f* anual; **~verbrauch** *m* (*-ęs*; *0*) consumo *m* anual; **~versammlung** *f* asamblea *f* anual; **~wechsel** *m* año *m* nuevo; **~wende** *f* fin *m* de año; **~zahl** *f* (número *m* del) año *m*; *weitS.* fecha *f*; **~zahlung** *f* anualidad *f*; **~zeit** *f* estación *f* (del año).

'**Jahr|gang** *m* (*-ęs*; *⸚e*) año *m*; *von Weinen*: cosecha *f*; ⚔ quinta *f*; **~'hundert** *n* (*-s*; *-e*) siglo *m*; **2'hundertealt** *adj.* de muchos siglos, secular; **2'hundertelang** *adv.* durante siglos; **~'hundertfeier** *f* (*-*; *-n*) (fiesta *f* del) centenario *m*; **~'hundertwende** *f* fin *m* de siglo; época *f* de entresiglos.

'**jährlich I.** *adj.* anual; **II.** *adv.* anualmente, cada año.

'**Jahr|markt** *m* (*-ęs*; *⸚e*) feria *f*; **~marktbude** *f* barraca *f* de feria; **~markthändler** *m* vendedor *m* de feria; **~'tausend** *n* (*-s*; *-e*) período *m* de mil años, milenio *m*; milenario *m*; **~'zehnt** *n* decenio *m*; **2'zehntelang I.** *adj.* de muchos decenios; **II.** *adv.* durante decenios.

'**Jähzorn** *m* (*-s*; *0*) (arrebato *m* de) cólera *f*; *als Eigenschaft*: irascibilidad *f*, iracundia *f*, mal genio *m*; **2ig** *adj.* irascible, iracundo, colérico.

Jak *Zoo. m* (*-s*; *-s*) yack *m*.

'**Jakob** *m* Jacobo *m*; *Bib.* Jacob *m*.

Jako'bin|er *Hist. m* jacobino *m*; **~ermütze** *f* gorro *m* frigio; **2isch** *adj.* jacobino.

Jalou'sie *f* celosía *f*; *aufklappbare*: persiana *f*.

Ja'maika *n* Jamaica *f*; *~-Rum* ron de Jamaica.

'**Jamb|e** *f* yambo *m*; **2isch** *adj.* yámbico.

'**Jammer** *m* (*-s*; *0*) (*Elend*) miseria *f*; (*Not*) apuro *m*; (*Drangsal*) calamidad *f*; (*Wehklage*) lamento *m*, gemido *m*; (*Verzweiflung*) desesperación *f*; (*Unglück*) desgracia *f*; (*Herzeleid*) aflicción *f*; desolación *f*; *es ist ein ~, zu sehen* ... da lástima ver ...; *es ist ein ~* es una pena; **~geschrei** *n* (*-ęs*; *0*) clamor *m*; lamentaciones *f/pl.*; gritos *m/pl.* lastimeros; **~gestalt** *f* hombre *m* hecho una lástima; **~lappen** *m* individuo *m* afeminado; P marica *m*, sarasa *m*; **~leben** *n* (*-s*; *0*) vida *f* miserable.

'**jämmerlich** *adj.* (*Lage, Zustand*) lastimoso; (*elendig*) miserable, mísero; (*kläglich*) lamentable, deplorable; (*erbärmlich*) digno de compasión; (*herzzerreißend*) desgarrador; desconsolador; (*betrübend*) triste; (*minderwertig*) detestable; *~ schreien* dar gritos lastimeros; dar gritos desgarradores; **2keit** *f* (*0*) miseria *f*; estado *m* deplorable.

'**jammer|n** (*-re*) **I. 1.** *v/i.* (*klagen*) lamentarse, quejarse (*über ac.* de); (*wimmern*) gemir; **2.** *v/t. u. v/unprs.*: *j-n ~n* tener lástima de alg.; *jd ~t mich, es ~t mich j-s* me da lástima alg.; **II. 2n** → *Jammer.*

'**jammer|schade** *adj.*: *es ist ~* es una verdadera lástima; *~!* ¡qué lástima!; **2tal** *n* (*-ęs*; *0*) valle *m* de lágrimas; **~voll** *adj.* → *jämmerlich.*

'**Janhagel** *m* (*-s*; *0*) populacho *m*, chusma *f*; plebe *f*.

Jani'tscharenmusik *f* (*0*) música *f* turca *bzw.* de genízaros.

'**Jänner** *m* enero *m*.

Janse'nis|mus *m* (*-*; *0*) jansenismo *m*; **~t** *m* (*-en*), **2tisch** *adj.* jansenista *m/f*.

'**Januar** ['ja·nu·aːʀ] *m* (*-s*; *-e*) enero *m*.

'**Janus** *m* Jano *m*; **~kopf** *m* (*-ęs*; *0*) cabeza *f* de Jano.

'**Japan** *n* el Japón.

Ja'pan|er(in *f*) *m* japonés *m*, japonesa *f*; **2isch** *adj.* japonés; nipón; *die ~e Sprache*; *das 2(e)* la lengua japonesa; el japonés; '**~lack** *m* (*-ęs*; *-e*) laca *f* japonesa; '**~papier** *n* (*-s*; *-e*) papel *m* japonés.

'**jappen,** '**japsen** (*-t*) *v/i.* jadear.

Jar'gon [ʒaʀ'gɔŋ] *m* (*-s*) jerga *f*, jerigonza *f*.

'**Jasager** *m* F uno *m* que a todo dice amén; uno *m* de reata.

Jas'min ⚘ *m* (*-s*; *0*) jazmín *m*.

'**Jaspis** *Min. m* (*-ses*; *-se*) jaspe *m*.

'**jät|en** (*-e-*) ✎ **I.** *v/t. u. v/i.* escardar; sachar; *Unkraut ~* arrancar la mala hierba; **II. 2en** *n* escarda *f*; **2hacke** *f* escardillo *m*.

'**Jauche** *f* agua *f* de estiércol, abono *m* líquido; ⚕ pus *m*; **~(n)grube** *f* pozo *m* estercolero; **~wagen** *m* carro-cuba *m* para estercolar.

'**jauchz|en** (*-t*) *v/i.* lanzar gritos *m/pl.* de júbilo; **2en** *n* gritos *m/pl.* de alegría *od.* de júbilo; **2er** *m* grito *m* de alegría, exclamación *f* de júbilo.

'**jaulen** *v/i.* gemir; gimotear; (*Hund*) aullar.

'**Jause** *f* merienda *f*; **2n** (*-t*) *v/i.* merendar.

'**Java** *n* Java *f*.

Ja'van|er(in *f*) *m* javanés *m*, javanesa *f*; **2isch** *adj.* javanés.

ja'wohl *adv.* sí; ciertamente, sí por cierto; bien.

'**Jawort** *n* (*-ęs*; *-e*) sí *m*; (*Einwilligung*) consentimiento *m*; asentimiento *m*; *ihr ~ geben Frau*: dar *od.* conceder su mano.

Jazz [jats, dʒɛs] *m* (*-*; *0*) *angl.* jazz *m*; '**~fanatiker** *m* fanático *m* del jazz; '**~kapelle** *f* orquesta *f* de jazz; *angl.* jazz-band *m*; '**~musik** *f* (*0*) música *f* de jazz; '**~orchester** *n* orquesta *f* de jazz; jazz-band *m*.

je *adv. u. cj.* (*jemals*) jamás, nunca; *hast Du ~ so etwas gesehen?* ¿has visto jamás cosa parecida?; *von ~ (her), seit ~(her)* (de) siempre; *stärker*: desde tiempos inmemoriales; *~ und ~* en todo tiempo, en cualquier momento, (*v. Zeit zu Zeit*) de vez en cuando, (*bisweilen*) a veces; *distributiv*: *~ zwei und zwei* dos a dos; *~ zwei* (*2 zugleich*) de dos en dos; (*zwei von jedem*) dos de cada uno; *~ ein(er)* sendos *pl.*; *er gab den drei Kindern ~ zwei Mark* dio dos marcos a cada uno de los tres niños; (*Telegraph*) *für ~ zehn Wörter* por cada diez palabras; *~ nach den Umständen* según las circunstancias; *~ nachdem* según que (*subj.*); eso depende (de las circunstancias); *als Antwort*: según (y cómo); *~ mehr ..., desto mehr* ... cuanto más ... (tanto) más ...; *~ weniger, desto weniger* cuanto menos ... menos ...; *~ mehr, desto besser* cuanto más, tanto mejor; *mehr als ~* más que nunca; *~ eher, ~ lieber* cuanto antes mejor; *~ weiter wir kommen* a medida que avanzamos.

'**jedenfalls** *adv.* en todo caso; de todos modos; (*was auch geschehen mag*) suceda lo que suceda; (*wie dem auch sei*) sea como fuera.

'**jeder,** '**jede,** '**jedes** *pron/indef.* **1.** *adj.* cada, *verallgemeinernd*: todo, todos; *jeden Augenblick* en cualquier momento, en todo momento; *er wird jeden Augenblick da sein* llegará de un momento a otro; *zu jeder Stunde* a todas horas, a cualquier hora; *jedes dritte Wort* cada tres palabras; *ohne jeden Zweifel* sin ninguna duda, sin duda alguna; *jeden Monat* cada mes, todos los meses; *~ Student* todo estudiante, todos los estudiantes; **2.** *su.* (*ein*) *~* cada uno, cada cual; *all und jeder* todos y cada uno, todo el mundo, todos sin excepción; *jeder, der* ... quien ...; todo aquel que ...; cualquiera que ...; *das weiß jeder* eso lo sabe cualquiera (*od.* todo el mundo), eso lo saben todos; *jedem das Seine* a cada cual lo suyo; *jeder von uns* cada uno (*od.* cualquiera) de nosotros; *jeder von euch hat s-e Pflicht getan* todos sin excepción habéis cumplido vuestro deber.

'**jeder|mann** *pron/indef.* cada uno, cada cual; todo el mundo; *~s Freund* amigo de todo el mundo; **~zeit** *adv.* en todo momento, en cualquier momento, siempre; a cualquier hora.

'**jedesmal** *adv.* cada vez, siempre (*wenn od. wo* que); en cada caso.

je'doch *adv.* sin embargo, no obstante; (*immerhin*) con todo; (*aber*) pero, empero, mas.

'jedweder, 'jedwede(s) *pron/indef.*, **'jeglich** *pron/indef.* → *jeder.*

Jeep [dʒi:p] *m* (*-s*; *-s*) *angl.* jeep *m.*

'jeher *adv.*: *von* ~ (de *od.* desde) siempre.

Je'hova *m* Jehová *m.*

Je'längerje'lieber ⚘ *n* madreselva *f.*

'jemals *adv.* jamás.

'jemand *pron/indef.* alguien, *verneint*: nadie; alguno *verneint*: ninguno; ~ *anders* otra persona, otro; ~ *sonst* (algún) otro; *weder er noch sonst* ~ ni él ni nadie; *ist* ~ *da?* ¿hay alguien ahí?; *ich kenne e-n gewissen* 2, *der* ... conozco a cierta persona que ...

'Jemen *m* Yemen *m.*

Jeme'nit|e *m* (*-n*), **2isch** *adj.* yemenita *m/f*, yemení *m/f.*

'jener, 'jene, 'jenes *pron/dem.* **1.** *adj.* ese, esa, eso; aquel, aquella, aquello; *an jenem Tage* aquel día; **2.** *su.* ése, ésa; aquél, aquélla; *bald dieser, bald jener* ora éste, ora aquél; *dieser und jener* éste y aquél; el uno y el otro; varias personas; *dies und jenes* tal y tal cosa; esto y aquello; estas y otras cosas; *von diesem und jenem sprechen* hablar de unas cosas y otras, hablar de varias cosas; *wie jener sagte* como decía el otro.

'jenseitig *adj.* del otro lado; *das* ~*e Ufer* la orilla opuesta.

'jenseits I. *prp.* (*gen.*) al otro lado de, del otro lado; *Poes.* allende; ~ *der Alpen* (*Pyrenäen*) transalpino (transpirenaico); ~ *des Rheins* al (*od.* del) otro lado del Rhin; ~ *der Grenze* más allá de la frontera; **II.** *adv.* del (*od.* al) otro lado; de aquel lado; **III.** 2 *n* (*-*; *0*): *das* ~ el más allá, el otro mundo, la otra vida; *aus dem* ~ de ultratumba; F *j-n ins* ~ *befördern* F enviar a alg. al otro barrio.

Jeremi'ade *f* jeremiada *f.*

Jere'mias *m* Jeremías *m*; *die Klagelieder Jeremiä* las Lamentaciones de Jeremías.

Je'rusalem *n* Jerusalén *m*; *aus* ~ jerosolimitano.

Je'saias *m* Isaías *m.*

Jesu'it *m* (*-en*) jesuita *m*; ~**enorden** *m* Compañía *f* de Jesús; ~**enschule** *f* colegio *m* de jesuitas; **2isch** *adj.* jesuita; jesuítico.

'Jesus *m* Jesús *m*; ~ *Christus* Jesucristo; ~**kindlein** *n* Niño Jesús *m.*

Jett [dʒɛt] *Min. m/n* (*-es*; *0*) azabache *m*, ámbar *m* negro.

'jetzig *adj.* de ahora; de hoy; (*gegenwärtig*) presente, actual; de nuestros días; (*zeitgenössisch*) contemporáneo; *in* ~*er Zeit* en nuestro tiempo; hoy (en) día; en los tiempos que corren; en la actualidad.

jetzt I. *adv.* ahora, al presente; (*gegenwärtig*) actualmente; ~ *oder nie* ahora o nunca; (*heutzutage*) hoy (en) día; (*in diesem Augenblick*) en este instante *od.* momento; (*damals*) entonces; (*einstweilen*) por de (*od.* lo) pronto; *bis* ~ hasta ahora *bzw.* aquí *od.* hoy; hasta el presente; hasta la fecha; *für* ~ por el momento, por ahora; *von* ~ *ab* (*an*) desde ahora, (de hoy *od.* de ahora) en adelante; ~, *wo* ... ahora que ...; *eben* ~ ahora mismo; **II.** 2 *n*, **2zeit** *f* actualidad *f*; tiempo *m* (*od.* época *f*) actual; presente *m.*

'jeweilig I. *adj.* respectivo, correspondiente; (*augenblicklich*) actual; (*etwaig*) eventual; (*amtierend*) en funciones; *bei* ~*er Sendung* con cada envío; **II.** *adv.* respectivamente; (*jedesmal*) cada vez.

'Jiddisch *n* (*-[s]*; *0*) yiddish *m*, dialecto *m* judío-alemán.

'Jiu-'Jitsu ['dʒu:'dʒi:tsu:] *n* (*-s*; *0*) jiu-jitsu *m.*

Job *m* trabajo *m*; empleo *m* (provisional); ocupación *f.*

'Jobber ☤ *m* agiotista *m.*

Joch *n* (*-es*; *-e*) yugo *m*; *ins* ~ *spannen Ochsen*: uncir, enyugar; *fig. das* ~ *abschütteln* (*od. abwerfen*) sacudir el yugo; *unter das* ~ *bringen* someter al yugo; subyugar; (*Gespann, Ochsen*) yunta *f*; *zwei* ~ *Ochsen* dos yuntas de bueyes; (*Feldmaß*) yugada *f*; (*Berg*2) puerto *m*; garganta *f*, paso *m*; ⚠ *Querbalken*: travesaño *m*; *Tragbalken*: través *m*; '~**bein** *Anat. n* (*-es*; *-e*) hueso *m* malar *od.* cigomático; pómulo *m*; '~**bogen** *Anat. m* (*-s*; *¨*) arco *m* cigomático; '~**brücke** ⊕ *f* puente *m* de pilotes.

'Jockei ['dʒɔkaɪ, '-ki:] *m* (*-s*; *-s*) *angl.* jockey *m.*

Jod ⚗ *n* (*-es*; *0*) yodo *m*; '~**dämpfe** *m/pl.* vapores *m/pl.* de yodo.

'jodeln (*-le*) *v/i.* cantar a la tirolesa.

'jodhaltig *adj.* yodado; yodurado; yodífero.

Jo'did *n* (*-es*; *-e*) *n* yoduro *m.*

jo'dieren (*-*) *v/t.* yodurar.

'Jodkali(um) *n* (*-s*; *0*) yoduro *m* potásico.

'Jodler *m* cantante *m* tirolés.

'Jodnatrium *n* (*-s*; *0*) yoduro *m* sódico.

Jodo'form ⚗ *n* (*-s*; *0*) yodoformo *m*; ~**gaze** *f* gasa *f* yodoform(iz)ada.

'Jod|silber *n* (*-s*; *0*) yoduro *m* de plata; ~**tinktur** *f* tintura *f* de yodo; ~**vergiftung** *f* yodismo *m.*

'Joghurt ['jo:gurt, 'jɔ-] *n* (*-s*; *0*) yogur *m.*

'Johann *m*, **Jo'hanna** *f* Juan *m*, Juana *f.*

Jo'hannes *m* Juan *m*; ~ **der Evangelist** San Juan Evangelista; ~ **der Täufer** San Juan Bautista.

Jo'hanni(s) *n* (*24. Juni*) San Juan; *zu* ~ por San Juan.

Jo'hannis|beere ⚘ *f*; *rote* ~ grosella *f*; *schwarze* ~ casis *m*; ~**beersaft** *m* (*-es*; *¨e*) zumo *m* de grosella (*bzw.* de casis); ~**beerstrauch** *m* (*-es*; *¨er*) grosellero *m*; ~**beerwein** *m* (*-es*; *-e*) vino *m* de grosella *bzw.* de casis; ~**brot** ⚘ *n* (*-es*; *0*) algarroba *f*; ~**brotbaum** ⚘ *m* (*-es*; *¨e*) algarrobo *m*; ~**fest** *n* (*-es*; *-e*) fiesta *f* de San Juan; ~**feuer** *n* hoguera *f* de San Juan; ~**käfer** *m* luciérnaga *f*, gusano *m* de luz.

Johan'niter *m* caballero *m* de la Orden de San Juan; ~**orden** *m* Orden *f* de San Juan (de Jerusalén *bzw.* de Malta).

'johlen I. *v/i.* dar voces, gritar, F armar jaleo *m*; **II.** 2 *n* gritería *f*, vocerío *m*; algazara *f*, F jaleo *m.*

'Jokus *m* (*-*; *-se*) broma *f*, chanza *f.*

'Jolle ⚓ *f* yola *f.*

Jong'l|eur *m* (*-s*; *-e*) malabarista *m*; **2ieren** (*-*) *v/i.* hacer juegos *m/pl.* malabares; *fig.* hacer alardes de habilidad.

'Joppe *f* chaqueta *f*; cazadora *f*; zamarra *f*; (*Haus*2) batín *m.*

'Jordan *m* Jordán *m.*

Jor'dan|ien *n* Jordania *f*; ~**ier** *m*, **2isch** *adj.* jordano *m.*

'Josef, 'Joseph *m* José *m.*

Jo'sepha *f* Josefa *f.*

Jose'phine *f* Josefina *f.*

'Josua *m* Josué *m.*

'Jota *n* (*-[s]*; *-s*) jota *f.*

Jour'nal [ʒur'nɑ:l] *n* (*-s*; *-e*) periódico *m*, diario *m.*

Journa'lismus *m* (*-*; *0*) periodismo *m.*

Journa'list(in *f*) *m* (*-en*) periodista *m/f*; ~**enberuf** *m* (*-es*; *0*) periodismo *m*; ~**enstil** *m* (*-s*; *0*) estilo *m* periodístico; ~**ik** *f* (*0*) periodismo *m*; **2isch** *adj.* periodístico.

jovi'al [jo:'vĭɑ:l] *adj.* jovial.

Joviali'tät *f* (*0*) jovialidad *f.*

'Jubel *m* (*-s*; *0*) júbilo *m*; transportes *m/pl.* de alegría; regocijo *m*; ~**ablaß** *Rel. m* (*-sses*; *¨sse*) jubileo *m*; ~**feier** *f* (*-*; *-n*), ~**fest** *n* (*-es*; *-e*) jubileo *m*; ~**geschrei** *n* (*-es*; *0*) gritos *m/pl.* de júbilo *od.* alegría; ~**jahr** *n* (*-es*; *-e*) *I.C.* Año *m* Santo, año *m* jubilar *od.* de jubileo; F *alle* ~*e einmal* muy raramente, F *fig.* de Pascuas a Ramos; **2n** (*-le*) *v/t.* dar gritos *m/pl.* de júbilo *od.* alegría; regocijarse; ~**n** *n* → *Jubel.*

Jubi'lar(in *f*) *m* (*-es*; *-e*) persona *f* objeto de homenaje (*por cumplir 25 bzw. 50 años de servicios*).

Jubi'läum [-'lɛ:um] *n* (*-s*; *Jubiläen*) aniversario *m*; fiesta *f* conmemorativa.

jubi'lieren (*-*) *v/i.* → *jubeln.*

juch'he *int.* ¡ole!, ¡olé!.

'Juchten *n od. m* (*-s*; *0*) ~**leder** *n* piel *f* de Rusia.

'juck|en I. 1. *v/i.* picar; *stärker*: escocer; *es juckt mich die Haut* me pica la piel, siento picor en la piel; *fig. ihm juckt das Fell* F merece que le bajen los humos; **2.** *v/t.* rascar; *sich* ~ rascarse; **II.** 2 *n*, **2reiz** *m* (*-es*; *0*) picor *m*, comezón *f*, picazón *f*; ⚕ prurito *m.*

Ju'däa *n* Judea *f.*

'Judas *m*: ~ *Ischariot* Judas Iscariote; ~**kuß** *m* (*-sses*; *¨sse*) beso *m* de Judas.

'Jude *m* (*-n*) judío *m*; israelita *m*, hebreo *m*; *der Ewige* ~ el judío errante; ~**nfeind(in** *f*) *m* (*-es*; *-e*) antisemita *m/f*; **2nfeindlich** *adj.*: antisemita; ~**nfrage** *f* (*0*) problema *m* judío; ~**nhetze** *f* (*0*) propaganda *f* antisemita *od.* antijudía; ~**ntum** *n* (*-s*; *0*) judaísmo *m*; (*Volk*) judíos *m/pl.*; ~**nverfolgung** *f* persecución *f* de los judíos; pogrom *m*; ~**nviertel** *n* barrio *m* judío; judería *f*; ghetto *m.*

'Jüd|in *f* judía *f*; israelita *f*, hebrea *f*; **2isch** *adj.* judío, judía; (*Gesetz*) judaico; ~**ische** *n*: *das* ~ el carácter judío.

'Judo *n* (*-s*; *0*) judo *m*; ~**kämpfer** *m* judoca *m.*

'Jugend *f* (*0*) juventud *f*; (*junge Leute*) la gente joven, la mocedad, los jóvenes; (*Kindheit*) infancia *f*; niñez *f*; (*Jünglingsalter*) adolescencia *f*; *von* ~ *auf* desde niño; desde joven; *frühe* ~ temprana juventud;

studentische ~ juventud estudiantil, los estudiantes.

'Jugend...: ~alter *n* (*-s; 0*) juventud *f*, edad *f* juvenil; adolescencia *f*; **~amt** *n* (*-es; ⸚er*) departamento *m* de protección de menores; **~bewegung** *f* movimiento *m* de la juventud; **~blüte** *f* (*0*) flor *f* de la juventud (*od.* de la edad); **~buch** *n* (*-es; ⸚er*) libro *m* juvenil; **~büche'rei** *f* biblioteca *f* infantil; **~erinnerung** *f* recuerdo *m* de juventud *bzw.* de la infancia; **~freund(in** *f*) *m* (*-es; -e*) amigo (-a *f*) *m* de la juventud *bzw.* de la niñez *od.* de la infancia; **~frische** *f* (*0*) brío *m* juvenil; verdor *m* de la edad; **~fürsorge** *f* (*0*) protección *f* de menores; asistencia *f* a la juventud; **⁀gefährdend** *adj.* corruptor de (*bzw.* peligroso para) la juventud; **~gefährte** *m* (*-n*) compañero *m* de la juventud *bzw.* de la infancia; **~gericht** *n* (*-es; -e*) tribunal *m* tutelar de menores; **~heim** *n* (*-es; -e*) hogar *m* juvenil; **~herberge** *f* albergue *m* juvenil; **~jahre** *n/pl.* años *m/pl.* de la juventud; edad *f* juvenil; **~kraft** *f* (*0*) fuerza *f od.* vigor *m* de la juventud; **~kriminalität** *f* (*0*) delincuencia *f* juvenil; **~lager** *n* campamento *m* juvenil; **⁀lich** *adj.* (*jung*) joven, mozo; (*der Jugend eigen*) juvenil; *~er Verbrecher* delincuente juvenil (*od.* menor de edad); *~er Liebhaber, ~e Liebhaberin Thea.* galán joven, dama joven; *~es Aussehen* aspecto juvenil; **~liche** *f*, **~licher** *m* menor *m/f* (de edad); (*Halbwüchsiger*) adolescente *m/f*; *die ~n* los menores; *~ unter 18 Jahren sg.* menor de 18 años; *~ pl. unter 16 Jahre haben keinen Zutritt* prohibida la entrada a los menores de dieciséis años; *für ~ geeignet* apto para menores; **~liebe** *f* (*0*) primeros *m/pl.* amores; (*Person*) primer *m* amor; **~organisation** *f* organización *f* juvenil; **~pflege** *f* (*0*) asistencia *f* a la juventud; **~richter** *m* juez *m* de (tribunal de) menores; **~schutz** *m* (*-es; 0*) protección *f* de la juventud; **~schutzgesetz** *n* (*-es; -e*) ley *f* de protección de la juventud; **~streich** *m* (*-es; -e*) travesura *f* (de muchachos); **~sünde** *f* pecado *m* de la juventud; **~traum** *m* (*-es; ⸚e*) sueño *m* de juventud; **~werk** *n* (*-es; -e*) *e-s Dichters*: obra *f* de la juventud; **~wettkämpfe** *m/pl.* competiciones *f/pl.* juveniles; **~zeit** *f* juventud *f*; años *m/pl.* mozos; **~zeitschrift** *f* revista *f* para la juventud.

Jugo|'slawe *m* (*-n*) yugoslavo *m*; **~'slawin** *f* yugoslava *f*; **~'slawien** *n* Yugoslavia *f*; **⁀'slawisch** *adj.* yugoslavo.

'Juli ['ju:li·] *m* (*-[s]; -s*) julio *m*.

'Julia *f* Julia *f*.

Juli'an *m* Juliano *m*; **⁀isch** *adj.* juliano.

'Julius *m* Julio *m*.

jung (*⸚er; ⸚st*) *adj.* joven; *~ und alt* mozos y viejos; *von ~ auf* desde joven, desde la juventud; desde la niñez; *die ~en Leute* la juventud, los jóvenes; *~es Volk* gente moza; *die ⁀en* los jóvenes; los mozos; *der ~e Ehemann* el recién casado; *die ~e Ehefrau, die ~e Frau* la recién casada; la joven esposa; *die ~en Eheleute* los recién casados; *~er Mann* joven *m*; *~es Mädchen* joven *f*; F *~er Dachs* (*Grünschnabel*) mozalbete *m*; *~e Bohnen* (*Erbsen*) judías (guisantes) verdes; *~es Gemüse* legumbres frescas; *~er Wein* vino nuevo; *~ aussehen* tener aspecto joven; *er hat ~ geheiratet* se ha casado joven; *wieder ~ machen* (*werden*) rejuvenecer; **'⁀brunnen** *m* fuente *f* de juventud.

'Junge I. *m* (*-n*) muchacho *m*; (*Bursche*) mozo *m*; *kleiner ~* chico *m*, chiquillo *m*; chaval *m*, rapaz *m*; (*Schlingel*) pillete *m*, pilluelo *m*; *grüner ~* mozalbete *m*, mozuelo *m*; *ungezogener ~* malcriado *m*; ⚓ (*Schiffs⁀*) grumete *m*; *schwerer ~* (*Verbrecher*) criminal peligroso; **II. ~(s)** *n v. Tieren*: cría *f*; *Hund, Raubtier*: cachorro *m*; *Vogel*: polluelo *m*; *Taube*: pichón *m*; *~ pl. werfen, ~ pl. bekommen* = **⁀n** *v/i.* parir; **⁀nhaft** *adj.* amuchachado; pueril; de chiquillo; **~nstreich** *m* (*-es; -e*) travesura *f*, trastada *f*.

'jünger I. *adj.* (*comp. v. jung*) más joven; *mein ~er Bruder* mi hermano menor; *meine ~e Schwester* mi hermana menor; *er ist zwei Jahre ~ als ich* es dos años más joven que yo; *sie sieht ~ aus, als sie ist* parece más joven de lo que es; aparenta menos edad de la que tiene; **II. ⁀** *m* discípulo *m*; *Plinius der ~e* Plinio el Joven.

'Jungfer ['juŋfɐ] *f Liter.* doncella *f*; (*Mädchen*) muchacha *f*, joven *f*, moza *f*; (*Fräulein*) señorita *f*; (*Junggesellin*) soltera *f*; (*Ehrendame*) dama *f* de honor; (*Kammer⁀*) camarera *f*, doncella *f* de cámara; *alte ~* solterona; *alte ~ bleiben* quedar(se) soltera; F *fig.* quedarse para vestir santos.

'jüngferlich *adj.* de doncella; (*keusch*) virginal; puro; (*zimperlich*) melindroso; *~ tun* aparentar ingenuidad.

'Jungfern|fahrt ⚓ *f* viaje *m* inaugural, primer viaje *m*; **⁀haft** *adj.* → *jüngferlich*; **~haut** *f* (*-; ⸚e*), **~häutchen** *n Anat.* himen *m*; **~schaft** *f* virginidad *f*.

'Jung|frau *f* doncella *f*; *Rel. u. Poes.*: virgen *f*; (*junges Mädchen*) joven *f*, muchacha *f*; moza *f*; *Astr.* Virgo *m*; *Geogr.* Jungfrau *f*; *die ~ von Orleans* Juana de Arco, la Doncella de Orleans; *die heilige ~* la Santísima Virgen; **⁀fräulich** *adj.* virginal; virgen; (*keusch*) casto, puro; **~fräulichkeit** *f* (*0*) virginidad *f*; doncellez *f*; **~gesell(e)** *m* (*-n*) soltero *m*, *Liter.* célibe *m*; *eingefleischter ~* solterón empedernido; *alter ~* viejo solterón; **~gesellenleben** *n* (*-s; 0*) vida *f* de soltero; **~gesellin** *f* soltera *f*; **~gesellenwohnung** *f* piso *m* de soltero; **~lehrer(in** *f*) *m* maestro (-a *f*) *m* auxiliar.

'Jüngling *m* (*-s; -e*) adolescente *m*; joven *m*, mozo *m*; *Liter.* doncel *m*, mancebo *m*; **~s-alter** *n* (*-s; 0*) adolescencia *f*.

jüngst I. *adj.* (*sup. v. jung*) el más joven; *Schreiben*: último; *Nachricht*: reciente; der (die) ⁀e (*in der Familie*) el hijo (la hija) menor; *das ⁀e Gericht* el juicio final; *der ⁀e Tag* el día del juicio; **II.** *adv.* recientemente; últimamente.

'Jung|steinzeit *f* (*0*) neolítico *m*; **⁀vermählt** *adj.* recién casado *m*; **~vermählte** *pl.*: *die ~n* los recién casados; **~vieh** *n* (*-es; 0*) ganado *m* menor.

'Juni ['ju:ni·] *m* (*-[s]; -s*) junio *m*.

'junior *adj.* joven; *Herr Meier ~* el señor Meier hijo; **⁀chef** *m* (*-s; -s*) hijo *m* del jefe.

Juni'oren|klasse *Sport. f* neófitos *m/pl.*, F promesas *f/pl.*; **~rennen** *n* carrera *f* de neófitos.

'Junker *m* joven *m* noble; aristócrata *m* rural; *Liter.* doncel *m*; *Pol.* latifundista *m*, terrateniente *m*; **~tum** *n* (*-s; 0*) aristocracia *f* rural.

'Juno ['ju:no·] *Myt. f* Juno *f*.

ju'nonisch *adj.* de Juno, juniano; *fig.* arrogante, majestuoso.

'Jupiter ['ju:pi·-] *m Myt., Astr.* Júpiter *m*; **~lampe** *f Film*: lámpara *f* de arco; reflector *m*.

'Jura¹ ['ju:ʀa·] ⚖ *n/pl.*: *~ studieren* estudiar Derecho.

'Jura² *m Geogr.* der ~ el Jura; *aus dem ~ Geol.* jurásico; **~bildung** *f*, **~formation** *f Geol.* formación *f* jurásica; **~kalk** *m* (*-es; 0*) caliza *f* jurásica.

'Jürgen *m* Jorge *m*.

ju'ridisch *adj.* jurídico.

Jurispru'denz *f* (*0*) Jurisprudencia *f*.

Ju'rist *m* (*-en*) jurista *m*; (*Rechtsgelehrter*) jurisconsulto *m*; (*Student*) estudiante *m* de Derecho; **⁀isch** *adj.* jurídico; *⁀e Fakultät* Facultad de Derecho; *~e Person* persona jurídica; **~ensprache** *f* (*0*) lenguaje *m* jurídico.

'Jury ['ju:ʀi·, 'ʒy·ʀi:] *f* ⚖ (*-; -s*) jurado *m*.

Jus *n* derecho *m*.

Jus'tiz *f* (*0*) justicia *f*; **~beamter** *m* funcionario *m* de la administración de justicia; **~behörde** *f* autoridad *f* judicial; **~gebäude** *n* palacio *m* de justicia; *Span.* audiencia *f*; **~irrtum** *m* (*-s; ⸚er*) error *m* judicial; **~minister** *m* ministro *m* de Justicia; **~ministerium** *n* (*-s; -ministerien*) Ministerio *m* de Justicia; **~mord** *m* (*-es; -e*) asesinato *m* judicial *od.* legal; **~palast** *m* (*-es; ⸚e*) palacio *m* de justicia; **~verwaltung** *f* administración *f* de justicia.

'Jute *f* (*0*), **~hanf** *m* (*-s; 0*) yute *m*.

'Jütland *n* Jutlandia *f*.

'Jütländ|er(in *f*) *m* jutlandés *m*, jutlandesa *f*; **⁀isch** *adj.* jutlandés.

Ju'wel *n* (*-s; -en*) joya *f*; alhaja *f* (*a. fig.*); *~en pl.* joyas *f/pl.*; (*Edelsteine*) pedrería *f*, piedras *f/pl.* preciosas.

Ju'welen|arbeit *f* obra *f* de joyería *bzw.* de orfebrería; **~diebstahl** *m* (*-es; ⸚e*) robo *m* de joyas; **~handel** *m* (*-s; 0*) comercio *m* de joyas; joyería *f*; **~händler** *m* joyero *m*; **~kästchen** *n* joyero *m*.

Juwe'lier [-ve·'li:ʀ] *m* (*-s; -e*) joyero *m*; platero *m*; **~arbeit** *f* → *Juwelenarbeit*; **~geschäft** *n* (*-es; -e*) joyería *f*; platería *f*; **~kunst** *f* (*0*) orfebrería *f*; **~waren** *f/pl.* artículos *m/pl.* de joyería *bzw.* de bisutería fina.

Jux F *m* (*-es; -e*) (*Spaß*) chanza *f*, broma *f*; *sich e-n ~ machen* gastar una broma.

K

K, k *n* K, k *f*.
'kaaken *v/t. Heringe*: destripar.
Ka'bale *f* intriga *f*, maquinación *f*.
Kaba'rett [ka·ba·'rɛt] *n* (-*s*; -*e*) cabaret *m* literario; sala *f* de fiestas.
Kabaret'tist(in *f*) *m* (-*en*) artista *m/f* de cabaret.
'Kabbala *f* (*0*), **Kabba'listik** *f* (*0*) cábala *f*.
kabba'listisch *adj*. cabalístico.
Kabbe'lei F *f* riña *f*, pendencia *f*, F pelotera *f*, gresca *f*.
'kabbeln (-*le*) F *v/refl*.: *sich* ~ reñir (F armar gresca) con alg.
'Kabel *n* cable *m*; *umsponnenes* ~ cable revestido; *entstörtes* ~ cable blindado; *zweiadriges* ~ cable bifilar; *unterseeisches* ~ cable submarino; *ein* ~ *abrollen* (*legen*) desenrollar (colocar *od*. tender) un cable; **~ader** *f* (-; -*n*) conductor *m*; **~auftrag** ✝ *m* (-*es*; ⸗*e*) orden *f* cablegráfica; **~bericht** (-*es*; -*e*) *m* información *f* cablegráfica; **~depesche** *f*, **~meldung** *f* cable (-grama) *m*.
'Kabeljau *Ict*. *m* (-*s*; -*e u*. -*s*) bacalao *m* (fresco); *Dorsch*: pescadilla *f* gruesa.
'Kabel|leger ⚓ *m* (barco *m*) cablero *m*; **~legung** *f* colocación *f* de un cable; **2n** (-*le*) *v/t*. *u*. *v/i*. cablegrafiar; **~schacht** *m* (-*es*; ⸗*e*) cámara *f* de cables; **~schuh** *m* (-*es*; -*e*) terminal *m* (de cable); **~trommel** *f* (-; -*n*) tambor *m* de cables; **~überweisung** ✝ *f* giro *m* cablegráfico; **~werk** *n* (-*es*; -*e*) ⚓ cordaje *m*; (*Fabrik*) fábrica *f* de cables.
Ka'bine *f* ⚓ camarote *m*; ✈, (*Ankleide2*) cabina *f*; (*Telefon2*) *a*. locutorio *m*; (*Bade2*) caseta *f*, cabina *f*; **~nkoffer** *m* baúl *m* de camarote; **~nroller** *m* motoneta *f*.
Kabi'nett *n* (-*s*; -*e*) gabinete *m*; *Pol*. *a*. consejo *m* de ministros; **~sbeschluß** *m* (-*sses*; ⸗*sse*) acuerdo *m* del consejo de ministros; **~s-chef** *m* (-*s*; -*s*) presidente *m* del consejo (de ministros), jefe *m* del gobierno; **~sfrage** *f* cuestión *f* de gabinete; **~skrise** *f* crisis *f* ministerial; **~sordnung** *f* orden *f* ministerial; **~ssitzung** *f* sesión *f* (*od*. reunión *f*) del consejo de ministros.
Kabrio'lett *n* (-*s*; -*e*) *gal*. cabriolé *m*; automóvil *m* descapotable.
Ka'byl|e *m* (-*n*), **~in** *f* cábila *f*.
'Kachel *f* (-; -*n*) azulejo *m*; **~ofen** *m* (-*s*; ⸗) estufa *f* de azulejos.
Ka'daver *m* animal *m* muerto; (*Aas*) carroña *f*; **~gehorsam** *m* (-*s*; *0*) obediencia *f* ciega.
Ka'denz ♪ *f* cadencia *f*.
'Kader ⚔ *m* cuadro *m*.
Ka'dett *m* (-*en*) cadete *m*; alumno *m* de una academia militar; **~en-anstalt** *f* colegio *m* de cadetes; academia *f* militar.
'Kadi *m* (-*s*; -*s*) cadí *m*; *fig*. juez *m*.
'Kadmium ⚗ *n* (-*s*; *0*) cadmio *m*; **~gelb** *n* (-*es*; *0*) amarillo *m* de cadmio.
'Käfer *m* escarabajo *m*; *Zoo*. coleóptero *m*; netter ~ *fig*. chica bonita.
Kaff *n* (-*es*; *0*) (*Spreu*) tamo *m*, granzas *f/pl*.; F (-*s*; -*e u*. -*s*) (*Ortschaft*) *desp*. villorrio *m*.
'Kaffee *m* (-*s*; *0*) café *m* (*gemahlener* molido; *ungemahlener* en grano; *ungerösteter* crudo, sin tostar; *schwarzer* solo, puro; *koffeinfreier* descafeinado); e-e *Tasse* ~ una taza de café; ~ *mit Milch* café con leche; ~ *mit Schnaps* café con gotas *bzw*. con copa; ~ *rösten* tostar café; ~ *kochen* hacer café; ~ *trinken* tomar café; *den* ~ *mahlen* moler el café; *j-n zum* ~ *einladen* invitar a café a alg.; **~anbau** *m* (-*es*; *0*) cultivo *m* de café; **~baum** ⚘ *m* (-*es*; ⸗*e*) cafeto *m*; **~bohne** *f* grano *m* de café; **2braun** *adj*. de color café; **~brett** *n* (-*es*; -*er*) bandeja *f*; **~büchse** *f* bote *m* de café; **~eis** *n* (-*es*; *0*) helado *m* de café; **~ersatz** *m* (-*es*; *0*) sucedáneo *m* de café; **~geschirr** *n* (-*es*; -*e*) servicio *m* (*od*. juego *m*) de café; **~grund** *m* (-*es*; *0*) poso *m* de café; **~haus** *n* (-*es*; ⸗*er*) café *m*; **~hausbesitzer** *m* cafetero *m*, dueño *m* de un café; **~kanne** *f* cafetera *f*; **~klatsch** F *m* (-*es*; *0*) charla *f* de café; chismorrería *f*; **~löffel** *m* cucharilla *f* de café; **~maschine** *f* cafetera *f* (exprés); **~mühle** *f* molinillo *m* de café; **~pflanzung** *f*, **~plantage** *f* plantación *f* de café; cafetal *m*; **~röster** *m* tostador *m* de café; **~röste'rei** *f* tostadero *m* de café; **~satz** *m* (-*es*; *0*) poso *m* de café; **~strauch** *m* (-*es*; ⸗*er*) cafeto *m*; **~tante** F *f* comadre *m* charlatana; **~tasse** *f* taza *f* para café; **~trommel** *f* (-; -*n*) tostador *m* (cilíndrico) de café; **~wärmer** *m* cubre-cafetera *m*.
Kaffe'in ⚗ *n* (-*s*; *0*) cafeína *f*.
'Kaffer *m* cafre *m* (*a*. *fig*.).
'Käfig *m* (-*s*; -*e*) jaula *f*.
'Kaftan *m* (-*s*; -*e*) caftán *m*.
kahl *adj*. (*enthaart*) sin pelo; pelado; (*nackt*) desnudo; (*geschoren*) rapado; *v*. *Personen*: *Kopf*: calvo, F pelón; *Gesicht*: (barbi)lampiño; *v*. *Tieren*: sin pelo; pelado; *v*. *Vögeln*: sin plumas; desplumado; *v*. *Bäumen*: (*ohne Blätter*) deshojado, sin hojas; (*öde*) *Landschaft*: pelado; desolado; yermo; (*leer*) desierto; (*ohne Pflanzenwuchs*) sin vegetación; (*glatt*) liso; (*abgeschabt*) raído; (*abgenutzt*) gastado; (*ärmlich*) pobre; (*erbärmlich*) miserable; **'~geschoren** *adj*. (*Kopf*) pelado al rape; **'2heit** *f* (*0*) *des Kopfes*: calvicie *f*; ⚕ alopecia *f*; *e-s Berges usw*.: desnudez *f*; *fig*. pobreza *f*; **'2kopf** *m* (-*es*; ⸗*e*) (*Glatze*) calva *f*; (*Mann*) calvo *m*, F pelón *m*; **'~köpfig** *adj*. calvo; **'2köpfigkeit** *f* (*0*) calvicie *f*; **'2schlag** *m* (-*es*; ⸗*e*) *im Walde*: desmonte *m* completo; (*Lichtung*) claro *m*.
Kahm *m* (-*es*; -*e*) moho *m*; *auf Flüssigkeiten*: telilla *f*, lapa *f*; *auf Wein*, *Bier usw*.: flor *f*; **'2en** *v/i*. cubrirse de moho *bzw*. de flor; **'2ig** *adj*. mohoso, cubierto de moho *bzw*. de lapa.
Kahn *m* (-*es*; ⸗*e*) bote *m*; (*Kanu*) canoa *f*, piragua *f*; (*Fischer2*) barca *f*, lancha *f*; *größerer*: barco *m*; (*Last2*) chalana *f*; F (*Bett*) catre *m*; F (*Kittchen*) chirona *f*; ~ *fahren* pasearse en bote; F *in den* ~ (*schlafen*) *gehen* ir a acostarse, F irse al catre; **'~fahrt** *f*, **'~partie** *f* excursión *f* en barco.
Kai [kaɪ] *m* (-*s*; -*s*) muelle *m*; *franko* ~ franco muelle; **'~anlagen** *f/pl*. muelles *m/pl*.; **'~arbeiter** *m* obrero *m* portuario; cargador *m* (del muelle), estibador *m*; **'~gebühr** *f*, **'~geld** *n* (-*es*; -*er*) muellaje *m*.
'Kaiman *Zoo*. *m*. (-*s*; -*e*) caimán *m*; *Arg*. yacaré *m*.
'Kaimauer *f* (-; -*n*) *f* muro *m* del muelle.
Kain *m* Caín *m*; **'~smal** (-*es*; ⸗*er*), **'~szeichen** *n* estigma *m* de Caín.
'Kaiphas *m* Caifás *m*.
'Kairo *n* El Cairo.
'Kaiser(in *f*) *m* emperador *m*, emperatriz *f*; *fig*. *sich um des* ~*s Bart streiten* disputar por una insignificancia; *gebt dem* ~, *was des* ~*s ist* dad al César lo que es del César; **~adler** *Orn*. *m* águila *f* imperial; **~krone** *f* corona *f* imperial (*a*. ⚘); **2lich** *adj*. imperial; **~reich** *n* (-*es*; -*e*) imperio *m*; **~schnitt** *Chir*. *m* (-*es*; -*e*) (operación *f*) cesárea *f*; **~tum** *n* (-*s*; *0*) imperio *m*; **~würde** *f* (*0*) dignidad *f* imperial.
'Kajak ['kɑːjak] *m* (-*s*; -*s*) káyac *m*.
Ka'jüte *f* camarote *m*.
'Kakadu ['ka·ka·du·] *Orn*. *m* (-*s*; -*s*) cacatúa *f*.
Ka'kao *m* (-*s*; *0*) cacao *m*; F *j-n durch den* ~ *ziehen* poner a alg. en ridículo; tomar el pelo a alg.; (*j-n schlecht machen*) hablar mal de alg., despellejar a alg.; **~baum** ⚘ *m* (-*es*; ⸗*e*) (árbol *m* del) cacao *m*; **~bohne** *f*

almendra *f* (*od.* grano *m*) de cacao; **~butter** *f* (*0*) mantequilla *f* de cacao; **2haltig** *adj.* que contiene cacao; **~pflanzung** *f* plantación *f* de cacao, cacaotal *m*; **~pulver** *n* cacao *m* en polvo; **~schote** *f* mazorca *f* de cacao.
'Kakerlak *m* (*-s*; *-en*) cucaracha *f*; (*Albino*) albino *m*.
Kak'teen ⚘ *f/pl.* cactus *m*, cacto *m*.
Kalami'tät *f* calamidad *f*.
Ka'lander ⊕ *m* calandria *f*; **~lerche** *Orn. f* calandria *f*; **2n** (*-re*) ⊕ *v/t.* calandrar.
'Kalauer ['kɑːlauɐ] *m* retruécano *m*; **2n** *v/i.* (*-re*) hacer retruécanos.
Kalb *n* (*-ės*; *¨er*) (*Stier2*) ternero *m*; becerro *m*; (*Rinds2*) ternera *f*; (*Hirsch2*) cervato *m*; (*Reh2*) corcito *m*; *Kochkunst*: ternera *f*; (*Mädchen*) F chica *f* pavitonta; *das goldene ~ anbeten* adorar el becerro de oro; **'2en** (*v. Kühen*) *v/i.* parir.
'kälbern (*-re*) **I.** *v/i.* (*v. Kühen*) parir; (*albern*) conducirse puerilmente; (*sich übergeben*) vomitar; (*schäkern*) retozar; **II.** *adj.* (*aus Kalbfleisch*) de ternera *bzw.* de vaca.
'Kalb|fell *n* (*-ės*; *-e*) *n* piel *f* de ternera *bzw.* de becerro; **~fleisch** *n* (*-es*; *0*) (carne *f* de) ternera *f*; **~leder** *n* (*-s*; *0*) (cuero *m* de) becerro *m*; **2ledern** *adj.* de (cuero de) becerro.
'Kalbs...: **~braten** *m* asado *m* de ternera, ternera *f* asada; **~brust** *f* (*-*; *¨e*) pecho *m* de ternera; **~frikassee** *n* (*-s*; *-s*) fricasé *m* de ternera; **~fuß** *m* (*-es*; *¨e*) pata *f* de ternera; **~hachse** *f*, **~hechse** *f*, **~keule** *f* pierna *f* de ternera; **~kopf** *m* (*-ės*; *¨e*) cabeza *f* de ternera; *fig.* memo *m*, imbécil *m*, mentecato *m*; **~kotelett** *n* (*-ės*; *-e u. -s*) chuleta *f* de ternera; **~leber** *f* (*-*; *-n*) hígado *m* de ternera; **~lende** *f* solomillo *m* de ternera; **~milch** *f* (*0*) mollejas *f/pl.* de ternera; **~nierenbraten** *m* solomillo *m* (*od.* riñonada *f*) de ternera; **~ragout** *n* (*-s*; *-s*) estofado *m* de ternera; **~schlegel** *m* → *Kalbshachse*; **~schnitzel** *n* escalope *m* de ternera.
Kal'daune *f mst. pl.*: **~n** tripas *f/pl.*; *Kochkunst*: callos *m/pl.*
Kaleidos'kop *n* (*-s*; *-e*) cal(e)idoscopio *m*.
Ka'lenden *f/pl.* calendas *f/pl.*
Ka'lender *m* calendario *m*; *als Buch od. zum Aufhängen*: almanaque *m*; (*Abreiß2*) calendario *m* de taco; (*Wand2*) almanaque *m* mural; (*Taschen2*) agenda *f* de bolsillo; *hundertjähriger ~* calendario perpetuo; **~block** *m* (*-ės*; *¨e*) taco *m* de calendario; **~jahr** *n* (*-ės*; *-e*) año *m* civil.
Ka'lesche *f* calesa *f*.
Kal'fakt|er *m*, **~or** *m* (*-s*; *-en*) (*Heizer*) encargado *m* de la calefacción; (*Hausmeister*) conserje *m*; portero *m*; *fig.* (*Schmeichler*) adulador *m*, F pelotillero *m*.
Kal'fat|erer ⚓ *m* calafateador *m*; **2ern** (*-re*) *v/t.* calafatear; **~ern** *n* calafateo *m*.
'Kali ⚗ *n* (*-s*; *0*) potasa *f*; *ätzendes ~* potasa cáustica; *kohlensaures ~* carbonato de potasa; *schwefelsaures ~* sulfato de potasa.
Ka'liber *n* calibre *m* (*a. fig.*); **~maß** *n* (*-es*; *-e*) calibre *m*.
kali'brieren (*-*) ⊕ *v/t.* calibrar.
Ka'lif *m* (*-en*) califa *m*.
Kali'fat *n* (*-ės*; *-e*) *n* califato *m*.
Kali'forn|ien *n* California *f*; **~ier** (**-in** *f*) *m* californiano (-a *f*) *m*; **2isch** *adj.* californiano.
'Kali|dünger *m* abono *m* potásico; **2haltig** *adj.* potásico; **~hydrat** *n* (*-ės*; *-e*) potasa *f* hidratada; hidrato *m* de potasa.
'Kaliko ✝ *m* (*-s*; *-s*) calicó *m*; estampado *m*.
'Kali|lauge *f* solución *f* de potasa cáustica; **~salpeter** *m* (*-s*; *0*) nitrato *m* de potasa; **~salz** *n* (*-es*; *0*) sal *f* potásica.
'Kalium ⚗ *n* (*-s*; *0*) potasio *m*; **~azetat** *n* (*-s*; *0*) acetato *m* potásico; **~chlorid** *n* (*-s*; *0*) cloruro *m* potásico.
'Kaliwerk *n* (*-ės*; *-e*) fábrica *f* de potasa.
Kalk *m* (*-ės*; *-e*) cal *f*; *gelöschter* (*ungelöschter*) *~* cal apagada (viva); *~ brennen* calcinar la cal; *mit ~ bewerfen* revocar; *mit ~ tünchen* encalar; enjalbegar; **'~ablagerungen** *f/pl.* depósitos *m/pl.* calcáreos; **'~anstrich** *m* (*-ės*; *-e*) blanqueo *m* con cal; **'2artig** *adj.* calcáreo, calizo; **'~bewurf** *m* (*-ės*; *¨e*) revoque *m* con cal; **'~brenner** ⊕ *m* calero *m*, calera *f*; **'~brenne'rei** *f* calera *f*; fábrica *f* de cal; (*Ofen*) horno *m* de cal; **'2en** *v/t.* blanquear con cal, enjalbegar; encalar; **'~erde** *f* tierra *f* caliza; **'~gebirge** *Geol. n* rocas *f/pl.* calcáreas; **'~grube** *f* poza *f* para matar la cal; **'2haltig** *adj.* calcífero; **'2ig** *adj.* calcáreo, calizo; **'~mangel** *m* (*-s*; *0*) falta *f* de cal; ⚕ carencia *f* de calcio; **'~milch** *f* (*0*) lechada *f* de cal; **'~mörtel** *m* (*-s*; *0*) argamasa *f*, mortero *m* de cal (y arena); **'~ofen** *m* (*-s*; *¨*) horno *m* de cal; **'~putz** △ *m* (*-es*; *0*) revoque *m* de cal; **'~stein** *Min. m* (*-ės*; *-e*) piedra *f* caliza *od.* calcárea; calcita *f*; **'~steinbruch** *m* (*-ės*; *¨e*) cantera *f* de piedra caliza; **'~tuff** *Min. m* (*-s*; *0*) toba *f*; **'~tünche** *f* blanqueo *m*, encaladura *f*.
Kalku|lati'on *f* cálculo *m*; **~lati'onsbasis** *f* (*0*) base *f* de cálculo; **~lati'onsfehler** *m* error *m* de cálculo; **~'lator** *m* (*-s*; *-en*) calculador *m*; **2'lieren** (*-*) *v/t. u. v/i.* calcular; **~'lierung** *f* cálculo *m*.
'Kalkwasser *n* (*-s*; *0*) agua *f* de cal.
'Kalla ⚘ *f* (*-*; *-s*) cala *f*.
Kalligra'phie *f* (*0*) caligrafía *f*.
kalli'graphisch *adj.* caligráfico.
Kal'mück|e *m* (*-n*), **2isch** *adj.* calmuco *m*.
'Kalmus ⚘ *m* (*-*; *-se*) ácoro *m*; cálamo *m* aromático.
'Kalomel *Phar. n* (*-s*; *0*) calomelano *m*.
Kalo'rie [kaˑloˑ'riː] *f* caloría *f*.
Kalori'met|er *n* calorímetro *m*; **2risch** *adj.* calorimétrico.
kalt (*¨er*; *¨est*) *adj.* frío (*a. fig.*); (*eis~*) helado; (*frigid*) frígido; *fig.* (*leidenschaftslos*) impasible; insensible; (*gleichgültig*) indiferente; (*frostig*) frío; seco; *es ist ~* hace frío; *mir ist ~* tengo frío; *~e Füße haben* tener los pies fríos *od.* helados; *~e Hände haben* tener las manos frías; *~ machen* enfriar; (*abkühlen*) refrescar; *~ werden* enfriar(se); *es wird ~* empieza a hacer frío; *mir wird ~* empiezo a sentir frío; *~ essen* comer fiambres; *~e Platte* plato de fiambres variados; *~ baden* tomar un baño frío; *~ biegen* (*walzen*) doblar (laminar) en frío; *~ schmieden* (*ziehen*) forjar (estirar) en frío; *es überläuft ihn ~ dabei* eso le da un escalofrío; *fig. ~er Krieg* guerra fría; *~es Blut bewahren* conservar la sangre fría; *mit ~em Blute* a (*od.* con) sangre fría; *das läßt ihn ~* eso no le impresiona; eso le tiene sin cuidado; *j-m die ~e Schulter zeigen* dar de lado a alg.; **'2bearbeitung** ⊕ *f* trabajo *m* en frío; **'2blüter** *Zoo. m/pl.* animales *m/pl.* de sangre fría; **'~blütig I.** *adj. v. Tieren*: de sangre fría; *fig.* que tiene sangre fría; sereno; impávido; **II.** *adv.* con sangre fría; con serenidad, serenamente; **'2blütigkeit** *f* (*0*) sangre *f* fría; serenidad *f*; impavidez *f*; **'~brüchig** *adj.* quebradizo en frío.
'Kälte *f* (*0*) frío *m*; *fig.* frialdad *f*; (*Frigidität*) frigidez *f*; *wir haben 5 Grad ~* hay (una temperatura de) cinco grados bajo cero; *scharfe* (*beißende*) *~* frío intenso; *vor ~ zittern* temblar de frío.
'Kälte...: **~anlage** *f* instalación *f* frigorífica; **2beständig** *adj.* resistente al frío; **~beständigkeit** *f* (*0*) resistencia *f* al frío; **~einbruch** *m* (*-ės*; *¨e*) descenso *m* súbito de temperatura; **2empfindlich** *adj.* sensible al frío; **2erzeugend** *adj.* frigorífico; **~erzeugung** *f* (*0*) producción *f* de frío; **~erzeugungsmaschine** *f* refrigerador *m*; **~gefühl** *n* (*-ės*; *-e*) sensación *f* de frío; **~grad** *m* (*-ės*; *-e*) grado *m* de frío (bajo cero); **~industrie** *f* (*0*) industria *f* frigorífica; **~leistung** *f* (*0*) capacidad *f* frigorífica; **~maschine** *f* máquina *f* frigorífica; **~mittel** *n* agente *m* frigorífico; **2n** (*-e-*) *v/t.* refrigerar; **~schutzmittel** *n* medio *m* anticongelante, antigel *m*; **~technik** *f* (*0*) técnica *f* del frío; **~techniker** *m* técnico *m* frigorista; **~welle** *f* ola *f* de frío.
'kalt...: **~geformt** *adj.* moldeado en frío; **2hämmern** *n* batido *m* en frío; **~herzig** *adj.* frío; insensible; impasible; **2herzigkeit** *f* (*0*) insensibilidad *f*; impasibilidad *f*; **~lächelnd** *adj.* cínico; **2leim** *m* (*-ės*; *0*) cola *f* para pegar en frío; **2luft** *f* (*0*) aire *m* frío; **2lufteinbruch** *m* (*-ės*; *¨e*) irrupción *f* de aire frío; **2luftfront** *f* frente *m* frío; **~machen** F *v/t.* matar; liquidar; P guindar, dejar seco; **2schale** *f* sopa *f* fría; **2schmieden** *n* forja *f* en frío; **~schnäuzig** F *adj.* insensible; **~stellen** *fig. v/t.* privar de toda influencia; eliminar; **2wasserbehandlung** ⚕ *f* tratamiento *m* hidroterápico; **2'wasserheilanstalt** ⚕ *f* establecimiento *m* hidroterápico; **2wasserheilkunde** *f* (*0*) hidroterapia *f*; **2wasserkur** *f* cura *f* hidroterápica; **2welle** *f* ondulación *f* (permanente) en frío.

Kal'varienberg *m* (-*es*; *0*) (monte *m*) Calvario *m*.
Kalvi'nis|mus *m* (-; *0*) calvinismo *m*; **~t** *m* (-*en*) calvinista *m*; **2tisch** *adj.* calvinista.
kalzi'nieren (-) **I.** *v/t.* calcinar; **II.** 2 *n* calcinación *f*.
'Kalzium ['-tsĭum] ⚗ *n* (-*s*; *0*) calcio *m*; **~karbid** *n* (-*s*; -*e*) carburo *m* de calcio.
kam *pret. v. kommen.*
Kama'rilla *f* (-; -*illen*) camarilla *f*.
Kam'bodscha *n* Camboya *f*.
Kambod'schan|er *m* camboyano *m*; **2isch** *adj.* camboyano.
Kam'büse ⚓ *f* cocina *f* (del barco).
Ka'mee [ka'ˈmeː] *f* camafeo *m*.
Ka'mel *n* (-*es*; -*e*) camello *m*; (*einhöckriges*) dromedario *m*; *fig.* (*Schimpfwort*) majadero *m*, memo *m*; burro *m*; zopenco *m*; **~führer** *m* camellero *m*; **~haar** *n* (-*es*; *0*) pelo *m* de camello; **~haardecke** *f* manta *f* de pelo de camello; **~haarmantel** *m* (-*s*; ⁼) abrigo *m* de pelo de camello.
Ka'melie ⚘ *f* camelia *f*.
Ka'melkuh *f* (-; ⁼*e*) camella *f*.
Ka'melle F *f*; *das sind alte* (F *olle*) **~n** todo eso son cuentos transnochados *od.* archisabidos.
Kame'lott *m* (-*es*; -*e*) (*Wollstoff*) camelote *m*.
Ka'mel|stute *f* camella *f*; **~treiber** *m* camellero *m*.
'Kamera ['-əʀɑ'] *f* (-; -*s*) cámara *f* (*od.* máquina *f*) fotográfica; (*Film*2) cámara *f* cinematográfica; *e-e* ~ *auf j-n richten* enfocar a alg.
Kame'rad [-ə'ʀɑːt], (**-in** *f*) *m* (-*en*) camarada *m/f*; compañero (-a *f*) *m*.
Kame'radschaft *f* camaradería *f*; compañerismo *m*; **2lich** *adj.* de camarada; de compañero; **~sgeist** *m* (-*es*; *0*) espíritu *m* de compañerismo.
'Kamera|mann *m* (-*es*; ⁼*er u.* -*leute*) operador *m*; **~ständer** *m*: *fahrbarer* ~ plataforma corrediza.
Kame'run *n* el Camerún.
Ka'mille ⚘ *f* manzanilla *f*; **~ntee** *m* (-*s*; *0*) infusión *f* de manzanilla.
Ka'min *m* (-*s*; -*e*) chimenea *f* (*a. im Gebirge*); **~feger** *m* deshollinador *m*; **~feuer** *n* lumbre *f* de la chimenea; **~gitter** *n* guardafuego *m*; **~schirm** *m* (-*es*; -*e*) pantalla *f* de chimenea; **~sims** *n* (-*es*; -*e*) repisa *f* de chimenea; **~uhr** *f* reloj *m* de chimenea; **~vorsetzer** *m* → *Kamingitter*.
Kami'sol *n* (-*s*; -*e*) camisola *f*.
Kamm *m* (-*es*; ⁼*e*) (*Haar*2) peine *m*; *weiter* ~ batidor *m*, *enger* ~ peine fino; (*Zier*2) peineta *f*; (*Hahnen*2; *Wogen*2) cresta *f*; (*Gebirgs*2) cima *f*, cumbre *f*; ⊕ (*Woll*2) carda *f*; *v. Pferd*: crines *f/pl.*; *Schlächterei*: morrillo *m*; *fig. alles über e-n* ~ *scheren* medirlo todo por el mismo rasero; cortarlo todo por el mismo patrón; *j-m schwillt der* ~ *fig.* alg. alza el gallo.
'Kämmaschine ⊕ *f* (máquina *f*) peinadora *f*.
'kämmen I. 1. *v/t.* peinar; pasar el peine; *Wolle*: cardar; *wider den Strich* ~ peinar a contrapelo; **2.** *v/refl.*: *sich* ~ peinarse; darse una peinada; **II.** 2 *n der Wolle*: cardado *m*.
'Kammer *f* (-; -*n*) cámara *f* (*a.* ⚘, ⊕ *u. Parl.*); (*Zimmer*) aposento *m*, cuarto *m*, habitación *f*; (*Schlaf*2) dormitorio *m*, alcoba *f*; *in Kasernen*: depósito *m* de vestuario; *des Geschützes*: recámara *f*; **~auflösung** *Pol. f* disolución *f* de la Cámara.
'Kämmer(in *f*) *m* peinador(a *f*) *m*.
'Kämmerchen *n* camarín *m*.
'Kammerdiener *m* ayuda *m* de cámara.
Kämme'rei[1] ⊕ *f* cardería *f*.
Kämme'rei[2] *f* (*Finanzverwaltung*) tesorería *f*; **~kasse** *f* (*Stadtkasse*) caja *f* municipal.
'Kämmerer ['kɛmərɐ] *m* (*Schatzmeister*) tesorero *m* municipal; → *Kammerherr*.
'Kammer|frau *f* camarera *f*; **~fräulein** *n* (*bei Hofe*) doncella *f* de honor; **~gericht** ⚖ *n* (-*es*; -*e*) *ehem.* Tribunal *m* Supremo de Prusia; **~herr** *m* (-*en*) (*bei Hofe*) chambelán *m*, gentilhombre *m* de cámara; *päpstlicher*: camarlengo *m*; **~jäger** *m* F destructor *m* de sabandijas; **~kätzchen** *n* criadita *f*.
'Kämmerlein camarín *m*; gabinete *m*.
'Kammer|musik *f* (*0*) música *f* de cámara; **~orchester** *n* orquesta *f* de cámara; **~präsident** *m* (-*en*) presidente *m* de la Cámara; **~sänger(in** *f*) *m* cantante *m/f* (de cámara); **~spiele** *n/pl.* teatro *m* de salón; **~ton** *m* (-*es*; *0*) diapasón *m* normal; **~wahlen** *f/pl.* elecciones *f/pl.* a diputados; **~zofe** *f* camarera *f*, doncella *f* (de cámara); *Thea.* graciosa *f*.
'Kamm|garn *n* (-*es*; -*e*) (hilo *m* de) estambre *m*; **~garngewebe** *n* tejido *m* de estambre; **~garnwolle** *f* (*0*) lana *f* de peine; **~haar** *n* (*ausgekämmtes Haar*) peinaduras *f/pl.*; **~(m)acher** *m* peinero *m*, fabricante *m* de peines; **~rad** *n* (-*es*; ⁼*er*) rueda *f* dentada; **~stück** *n* (-*es*; -*e*) *Schlächterei*: cuello *m*, pescuezo *m*; **~wolle** *f* (*0*) estambre *m*.
'Kämpe *m* (-*n*) campeón *m* (für de).
Kam'pescheholz *n* (-*es*; *0*) palo *m* (de) campeche.
Kampf *m* (-*es*; ⁼*e*) combate *m*; ⚔ *a.* acción *f* (de guerra); (*Schlacht*) batalla *f*; (*Ringen*, *a. fig.*) lucha *f*; *bsd. im Stier*2: lidia *f*; (*Spiel*) partido *m*; contienda *f*; (*Wett*2) torneo *m*; campeonato *m*; (*Box*2) combate *m* de boxeo; (*Tätlichkeiten*) pelea *f*; riña *f*; ~ *auf Leben und Tod* lucha a muerte; ~ *Mann gegen Mann* lucha cuerpo a cuerpo; ~ *ums Dasein* lucha por la existencia (*od.* por la vida); *in ehrlichem* ~ en buena lid; *j-m den* ~ *ansagen* desafiar (*od.* retar) a alg.; *j-n zum* ~*e stellen* obligar a alg. a combatir; *sich zum* ~*e stellen* aceptar el combate; hacer frente al adversario; *den* ~ *eröffnen* comenzar el combate; *den* ~ *einstellen* cesar la lucha; **'~ansage** *f* desafío *m*; reto *m*; **'~bahn** *f Sport*: estadio *m*; *Am.* cancha *f*; (*Piste*) pista *f*; **'2bereit** *adj.* dispuesto para el combate; **'~einheit** ⚔ *f* unidad *f* táctica.
'kämpfen I. 1. *v/i.* combatir; (*ringen*) luchar (*gegen* contra; *um*, *für* por; *mit* con); (*sich schlagen*) pelear; batirse; *bsd. v. Stierkämpfer*: lidiar; *mit dem Tode* ~ estar en la agonía; **2.** *v/t.* *e-n Kampf* ~ sostener una lucha (*gegen* contra); **II.** 2 *n* combate *m*; lucha *f*; **~d** *adj.* combatiente; ~*e Truppen* tropas combatientes; **2de(r)** *m* combatiente *m*.
'Kampfer *m* (-*s*; *0*) alcanfor *m*; *mit* ~ *tränken* alcanforar.
'Kämpfer *m* combatiente *m*; luchador *m* (*a. fig. u. Ring*2); (*Box*2) boxeador *m*, púgil *m*; △ imposta *f*, arquitrabe *m*; **2isch** *adj.* combativo.
'Kampfer|kraut ⚘ *n* (-*es*; *0*) alcanforada *f*; **~spiritus** *m* (-; *0*) alcohol *m* alcanforado.
'Kampf...: 2fähig *adj.* en condiciones de combatir; apto para la lucha; **~flieger** ⚔ *m* piloto *m* de combate; **~flugzeug** ⚔ *n* (-*es*; -*e*) avión *m* de combate; **~gas** *n* (-*es*; -*e*) gas *m* de combate; **~gebiet** *n* (-*es*; -*e*) zona *f* de operaciones; **~gefährte** *m* (-*n*), **~genosse** *m* (-*n*) ⚔ compañero *m* de armas; **~geist** *m* (-*es*; *0*) ánimo *m* combativo, ⚔ espíritu *m* militar; **~gericht** *n* (-*es*; -*e*) jurado *m*; **~geschwader** ⚔ *n* escuadra *f* de combate; **2gewohnt** *adj.* aguerrido; **~gruppe** *f* grupo *m* de combate; **~hahn** *m* (-*es*; ⁼*e*) gallo *m* de pelea; *fig.* camorrista *m*; **~handlung** *f* operación *f* militar; **~kraft** *f* (*0*) valor *m* combativo; combatividad *f*; **~linie** ⚔ *f* línea *f* de combate; **2los** *adj.* sin lucha; **~lust** *f* (*0*) combatividad *f*; **2lustig** *adj.* combativo; (*kriegerisch*) belicoso; **~mittel** *n* medio *m* de combate; **2müde** *adj.* cansado de combatir; **~platz** *m* (-*es*; ⁼*e*) lugar *m* del combate; (*Arena*) arena *f*; (*Schlachtfeld*) campo *m* de batalla; *beim Duell*: terreno *m* del honor; *zu Kampfspielen*: liza *f*; palenque *m* (*a. fig.*); *den* ~ *betreten* entrar en liza; → *Kampfbahn*; **~preis** *m* (-*es*; -*e*) premio *m* de la lucha; **~richter** *m* árbitro *m*; *pl. a.* jurado *m*; **~spiel** *n* (-*es*; -*e*) torneo *m*; **~stärke** *f* (*0*) efectivo *m* de combate; **~stoffe** *m/pl.* materias *f/pl.* de guerra química; **~truppe** *f* tropas *f/pl.* en operaciones; **2unfähig** *adj.* incapaz de combatir; ~ *machen* poner fuera de combate; **~verband** ⚔ *m* (-*es*; ⁼*e*) unidad *f* *bzw.* formación *f* táctica; **~wagen** ⚔ *m* carro *m* de combate; *schwerer*: carro *m* de asalto, tanque *m*.
kam'pieren (-) *v/i.* acampar.
'Kanaan *n* (la tierra de) Canaán *m*.
'Kanada *n* Canadá *m*.
Ka'nad|ier(in *f*) *m* [-'nɑːdiɐ] canadiense *m/f*; **2isch** *adj.* canadiense, del Canadá.
Ka'nake *m* (-*n*) canaco *m*.
Ka'nal *m* (-*s*; ⁼*e*) canal *m* (*a. Funk u. fig.*); *Geogr.*: der Ärmel2 el Canal de la Mancha; (*Leitungsrinne*, *Anat. u. fig.*) conducto *m*; (*Röhre*) tubo *m* (*a. Anat.*); (*Bewässerungs*2) acequia *f*; (*Abzugs*2) alcantarilla *f*; P *fig. ich habe den* ~ *voll* estoy harto; P me he hinchado de beber; **~bau** *m* (-*es*; -*ten*) construcción *f* de un canal; (*Kanalisation*) canalización *f*;

~**deckel** *m* (*Abzugs*②) boca *f* del alcantarillado; ~**inseln** *f/pl.*: *die* ~ las islas del Canal de la Mancha.
Kanalisati'on *f* canalización *f*; *städtische*: alcantarillado *m*; ~**s-arbeiter** *m* obrero *m* del alcantarillado, pocero *m*; manobrero *m*; ~**snetz** *n* (-*es*; -*e*) red *f* de canalización; red *f* del alcantarillado *od.* de cloacas; ~**s-öffnung** boca *f* del alcantarillado.
kanali'sier|bar *adj.* canalizable; ~**en** (-) *v/t.* canalizar; *Straße*: alcantarillar; *Fluß*: encauzar; ②**ung** *f* canalización *f*.
Ka'nal|küste *f* costa *f* del Canal (de la Mancha); ~**strahl** *Phys. m* (-*es*; -*en*) rayo-canal *m*; ~**überquerung** *f* travesía *f* del Canal (de la Mancha).
'Kanapee *n* (-*s*; -*s*) canapé *m*; sofá *m*.
Ka'narienvogel [-'nɑːʀ·ĭən-] *Orn. m* (-*s*; ⸚) canario *m*.
ka'narisch *adj.*: *die* ②*en Inseln* las islas Canarias.
Kan'dare *f* bocado *m*, freno *m*; *fig. j-n an die* ~ *nehmen* F meter en cintura a alg.
Kande'laber *m* candelabro *m*.
Kandi|'dat(in *f*) *m* (-*en*) candidato (-a *f*) *m*; (*bei Universitätsprüfungen*) graduando *m*; (*Bewerber*) aspirante *m/f*; opositor(a *f*) *m*; ~**'datenliste** *f* lista *f* de candidatos; ~**da'tur** *f* candidatura *f*; ②**'dieren** (-) *v/i.* presentar su candidatura; aspirar a.
kan'dieren (-) *v/t.* escarchar; garapiñar; *kandierte Früchte* frutas escarchadas; *kandierte Mandeln* peladillas; (*mit braunem Zucker*) almendras garapiñadas.
'Kandis *m* (-; *0*), ~**zucker** *m* (-*s*; *0*) azúcar *m* cande.
Ka'neel [ka·'neːl] *m* (-*s*; -*e*) canela *f* (en rama).
'Kanevas [-v-] *m* (- *od.* -*ses*; - *u.* -*se*) *m* cañamazo *m*.
'Känguruh ['kɛŋgu·ʀu·] *Zoo. n* (-*s*; -*s*) canguro *m*.
Ka'ninchen *Zoo. n* conejo *m* (*zahmes* doméstico; *wildes* de monte); *weibliches* ~ coneja *f*; *junges* ~ gazapo *m*; ~**bau** *m* (-*es*; -*e*) conejera *f*; ~**fell** *n* (-*es*; -*e*) piel *f* de conejo; ~**gehege** *n* conejar *m*; ~**höhle** *f*, ~**loch** *n* (-*es*; ⸚*er*) madriguera *f*; conejera *f*, gazapera *f*; ~**stall** *m* (-*es*; ⸚*e*) corral *m* para conejos, conejera *f*.
Ka'nister *m* lata *f*, bidón *m*.
'Kännchen *n dim. v. Kanne*; jarrita (-o *m*) *f*.
'Kanne *f* jarra *f*; jarro *m*; (*Gefäß*) vasija *f*; *für Benzin*: lata *f*, bidón *m*; (*Wasser*②) cántaro *m*; *es gießt wie mit* ~*n* está lloviendo a cántaros.
kanne'lier|en (-) *v/t.* acanalar, estriar; ②**ung** *f* acanaladura *f*, estría *f*, canal *m*.
Kanni'bal|e *m* (-*n*) caníbal *m*; antropófago *m*; ②**isch I.** *adj.* de caníbal; *fig.* tremendo, espantoso, atroz; **II.** *adv. fig.* prodigiosamente; F endiabladamente.
Kanniba'lismus *m* (-; *0*) canibalismo *m*; antropofagia *f*.
'kannte *pret. v. kennen.*
'Kannvorschrift *f* disposición *f* facultativa.
'Kanon ['kɑːnɔn] *m* (-*s*; -*s*) canon *m*; regla *f*.
Kano'nade ⚔ *f* cañoneo *m*.
Ka'none *f* ⚔ cañón *m*, pieza *f* de artillería; (*richten* enfilar; apuntar); F *fig.* as *m*; *fig. das ist unter aller* ~ peor no puede ser; es detestable; *mit* ~*n nach Spatzen schießen* matar mosquitos a cañonazos.
Ka'nonen...: ~**boot** ⚓ *n* (-*es*; -*e*) cañonero *m*; ~**donner** *m* (-*s*; *0*) estruendo *m* de los cañones; ~**feuer** *n* (-*s*; *0*) fuego *m* de artillería; cañoneo *m*; ~**futter** F *n* (-*s*; *0*) carne *f* de cañón; ~**gießer** *m* fundidor *m* de cañones; ~**gieße'rei** *f* fundición *f* de cañones; ~**kugel** *f* (-; -*n*) bala *f* de cañón; ~**lauf** *m* (-*es*; ⸚*e*) cañón *m*; ~**ofen** *m* (-*s*; ⸚) estufa *f* de hierro; ~**rohr** *n* (-*es*; -*e*) cañón *m*; ~**schuß** *m* (-*sses*; ⸚*sse*) cañonazo *m*; *einen* ~ *weit* a tiro de cañón; ~**schußweite** *f* (*0*) alcance *m* del cañón.
Kano'nier ⚔ *m* (-*s*; -*e*) artillero *m*.
Ka'no|niker *m*, ~**nikus** *m* (-; -*ker*) canónigo *m*; ②**nisch** *adj.* canónico; ~*es Recht* derecho canónico.
kanoni'sier|en (-) *v/t.* canonizar; ②**ung** *f* canonización *f*.
Kan'tate ♪ *f* cantata *f*.
'Kante *f* canto *m*; ⛏, (*Schnitt*②) arista *f*; (*Häuser*②) esquina *f*; (*Seite*) lado *m*; (*Rand*) borde *m*; (*Einfassung*) orla *f*; (*Tuch*②) orilla *f*; (*Spitze*) ⛬ encaje *m*; F *fig. auf die hohe* ~ *legen* ahorrar, reservar aparte; ②**n** (-*e*-) *v/t. Holz, Stein*: escuadrar; (*mit e-r Einfassung versehen*) orlar; (*auf die* ~ *stellen*) poner de canto; *Kiste*: volcar; *nicht* ~! ¡no volcar!
'Kanten *m* (*Brot*②) canto *m*, cantero *m*.
'Kanthaken *m* gancho *m*; garfio *m*; F *fig. j-n beim* ~ *fassen* agarrar a alg. por el cuello.
Kantha'ride *f* cantárida *f*.
'Kantholz ⊕ *n* (-*es*; ⸚*er*) madera *f* escuadrada.
Kanti'aner *m* kantiano *m*.
'kantig *adj.* esquinado (*a. fig.*); (*winklig*) angular; (*eckig*) anguloso; ~ *behauen* (*Holz, Stein*) escuadrar; ...~ *in Zssgn. z. B. drei*~ de tres cantos.
Kanti'lene ♪ *f* cantilena *f*.
Kan'tine *f* cantina *f*; ~**nwirt(in** *f*) *m* (-*es*; -*e*) cantinero (-a *f*) *m*.
'kantisch *adj.* kantiano.
Kan'ton *m* (-*s*; -*e*) cantón *m*.
kanto'nal [-o·'nɑːl] *adj.* cantonal.
kanto|'nieren (-) *v/t.* acantonar; ②**'nieren** *n* acantonamiento *m*; ②**'nist** *m* (-*en*): *er ist ein unsicherer* ~ no es de fiar; no se puede contar con él.
'Kantor *m* (-*s*; -*en*) *ehm.* chantre *m*.
'Kanu *n* (-*s*; -*s*) canoa *f*, piragua *f*; ~**fahren** *n* piragüismo *m*; ~**fahrer** (-**in** *f*) *m* piragüista *m/f*, canoero *m*.
Ka'nüle *f* cánula *f*.
'Kanzel *f* (-; -*n*) púlpito *m*; cátedra *f* sagrada; ✈ carlinga *f*; *e-s Panzers, e-r Kasematte*: torreta *f*; cúpula *f*; *die* ~ *besteigen* subir al púlpito; *von der* ~ *herab* desde el púlpito; ~**rede** *f* sermón *m*, oración *f* sagrada; ~**redner** *m* predicador *m*; orador *m* sagrado.
Kanz'lei *f* (*Staats*②) cancillería *f*; (*Gerichts*②) secretaría *f*; (*Büro*) despacho *m*; *e-s Notars*: notaría *f*; *e-s Rechtsanwaltes*: bufete *m*; ~**diener** *m* portero *m*; (*Bote*) ordenanza *m*; ~**papier** *n* (-*s*; -*e*) papel *m* de oficio; (*gestempeltes*) papel *m* sellado; ~**schreiber** *m* escribiente *m*; ~**sekretär** *m* (-*s*; -*e*) secretario *m* de cancillería; ~**sprache** *f*, ~**stil** *m* (-*es*; *0*) lenguaje *m bzw.* estilo *m* administrativo; (*Juristenstil*) estilo *m* forense; *m. s.* estilo *m* curialesco; ~**vorsteher** *m* jefe *m* de despacho.
'Kanzler *m* canciller *m*; ~**amt** *n* (-*es*; *0*) cancillería *f*.
Kanz'list *m* (-*en*) oficinista *m*; *in e-r Anwaltskanzlei*: pasante *m*.
Kao'lin *n* (-*s*; -*e*) caolín *m*.
Kap *n* (-*s*; -*s*) cabo *m*; (*Vorgebirge*) promontorio *m*; *das* ~ *der Guten Hoffnung* el cabo de Buena Esperanza.
Ka'paun *m* (-*s*; -*e*) capón *m*.
Kapazi'tät *f* capacidad *f*; (*wissenschaftliche*) *fig. a.* eminencia *f*; ~**s-ausnutzung** *f* aprovechamiento *m* de la capacidad; ~**sschwund** *m* (-*es*; *0*) pérdida *f* de capacidad.
Ka'pee F *n*: *schwer von* ~ *sein* F ser duro de mollera.
Ka'pell|e *f* capilla *f*; *im Freien*: ermita *f*; (*Haus*②) oratorio *m*; ♪ orquesta *f*; ⚔ banda *f* de música; ~**meister** *m* ♪ director *m* de orquesta; ⚔ director *m* de la banda.
'Kaper[1] ⚘ *f* (-; -*n*) alcaparra *f*.
'Kaper[2] ⚓ *m* corsario *m*, pirata *m*; ~**brief** *m* (-*es*; -*e*) patente *f* de corso.
Kape'rei *f* corso *m*; apresamiento *m*.
'kapern (-*re*) ⚓ **I. 1.** *v/i.* ir a corso; **2.** *v/t. Schiff*: apresar; *fig.* poner mano sobre, coger; **II.** ② *n* apresamiento *m*.
'Kapern|sauce *f* salsa *f* alcaparrada; ~**strauch** *m* (-*es*; ⸚*er*) alcaparro *m*.
'Kaperschiff ⚓ *n* (-*es*; -*e*) barco *m* pirata *od.* corsario; buque *m* armado en corso.
ka'pieren (-) F *v/t.* comprender.
Kapil'largefäße [-i'lɑːʀ-] *Anat. n/pl.* vasos *m/pl.* capilares.
Kapillari'tät *f* (*0*) capilaridad *f*.
Kapi'tal I. *n* (-*s*; -*ien*) capital *m* (*brachliegendes* inactivo; improductivo; *eingezahltes* desembolsado; *flüssiges* líquido; *festliegendes* inmovilizado; *gezeichnetes* suscrito; *stehendes* fijo; inmovilizado; *totes* muerto, improductivo; *überschüssiges* excedente; *verfügbares* disponible); *ein* ~ *einlegen* colocar *bzw.* invertir un capital; *ein* ~ *festlegen* inmovilizar un capital; *zum* ~ *schlagen* acumular al capital; capitalizar; *fig.* ~ *aus et. schlagen* sacar (todo el) beneficio (posible) de a/c.; **II.** ② *adj.* magnífico, excelente; exquisito; (*Verbrechen, Irrtum*) capital; F (*vorzüglich*) estupendo.
Kapi'tal...: ~**abfindung** *f* indemnización *f* en capital; ~**abgabe** *f* impuesto *m* sobre el capital; ~**abschöpfung** *f* absorción *f* de capital; ~**abwanderung** *f* emigración *f* de capitales; ~**aktie** *f* acción *f* de capital; ~**anhäufung** *f* acumula-

ción *f* de capitales; **~anlage** *f* colocación *f bzw.* inversión *f* de capital *od.* de capitales; *gewinnbringende ~* colocación de capital beneficiosa; *sichere ~* colocación de capital segura; *(un)produktive ~* colocación de capital (im)productiva; *vorteilhafte ~* colocación de capital ventajosa; **~anteil** *m* (-*es*; -*e*) participación *f* en el capital; **~aufbringung** *f* aportación *f* de capital; **~aufnahme** *f* empréstito *m*; **~bedarf** *m* (-*es*; *0*) necesidad *f* de capital; **~bewegung** *f* movimiento *m* de capitales; **~bildung** *f* formación *f* de capital; constitución *f* del capital; **~einkommen** *n* rentas *f/pl.* de capital; **~erhöhung** *f* aumento *m* de capital; **~ertrag** *m* (-*es*; *⸚e*) producto *m* (*od.* renta *f*) del capital; **~ertragssteuer** *f* (-; -*n*) impuesto *m* sobre las rentas de capital; **~flucht** *f* (*0*) evasión *f* de capitales.

Kapi'talien *n/pl.* capitales *m/pl.*; *die ~ aufbringen* reunir los capitales.

kapitali'sier|en (-) *v/t.* capitalizar; **2en** *n*, **2ung** *f* capitalización *f.*

Kapita'lis|mus *m* (-; *0*) capitalismo *m*; **~t** *m* (-*en*) capitalista *m*; **2tisch** *adj.* capitalista.

Kapi'tal...: **~knappheit** *f* (*0*) escasez *f* (*od.* penuria *f*) de capitales; **2kräftig** *adj.* que dispone de capital considerable; bien provisto de fondos; **~lenkung** *f* dirección *f* de capitales; **~mangel** *m* (-*s*; *0*) penuria *f* (*od.* falta *f*) de capitales; **~markt** *m* (-*es*; *⸚e*) mercado *m* de capitales; **~schwund** *m* (-*es*; *0*) desaparición *f* de capitales; **~steuer** *f* (-; -*n*) impuesto *m* sobre el capital; **~steuerung** *f* → *Kapitallenkung*; **~umlauf** *m* (-*es*; *0*) circulación *f* de capital; **~verbrechen** ⚖ *n* crimen *m* capital; **~verkehr** *m* (-*s*; *0*) circulación *f* de capital; **~verlust** *m* (-*es*; -*e*) pérdida *f* de capitales; **~vermögen** *n* capital(es) *m*(*pl.*); **~wertzuwachs** *m* (-*es*; *0*) aumento *m* del valor del capital; **~zins** *m* (-*es*; -*en*) interés *m* del capital; **~zufluß** *m* (-*sses*; *⸚sse*) afluencia *f* de capitales; **~zusammenlegung** *f* fusión *f* (*od.* agrupamiento *m*) de capitales.

Kapi'tän *m* (-*s*; -*e*) capitán *m*; ⚔ *~ zur See* capitán de navío; **~leutnant** *m* (-*s*; -*s*) teniente *m* de navío.

Ka'pitel [-'pɪtəl] *n* capítulo *m*; *fig. das ist ein ~ für sich* eso es historia aparte; (*Dom*2) cabildo *m*; **2fest** *adj.*: *~ sein in* (*dat.*) ser versado en una materia, tener sólidos conocimientos de (F estar empollado en).

Kapi'tell △ *n* (-*s*; -*e*) capitel *m.*

Kapi'tol *n* Capitolio *m.*

kapito'linisch *adj.* capitolino.

Kapitu|'lant ⚔ *m* (-*en*) reenganchado *m*; **~lati'on** *f* capitulación *f*; ⚔ (*Verpflichtung*) reenganche *m*; *bedingungslose ~* capitulación incondicional *od.* sin condiciones; **2'lieren** (-) *v/i.* capitular; *Soldaten*: *auf ein Jahr ~* (*weiterdienen*) reengancharse por un año.

Kap'lan *m* (-*s*; *⸚e*) capellán *m*; (*Vikar*) vicario *m*; coadjutor *m.*

'Käppchen *n* casquete *m*; (*des Priesters*) solideo *m.*

'Kappe *f* (*Mütze*) gorra *f*; (*Kapuze*) capucha *f*; (*Rotkäppchen*2) caperuza *f*; (*Basken*2) boina *f*; (*Frauen*2) cofia *f*; (*Strick*2, *Bade*2) gorro *m*; (*Priester*2) solideo *m*; (*viereckige ~*) bonete *m* (*a. der Priester*); (*Mauer*2) albardilla *f*; (*Kuppel*) cúpula *f*; (*äußere Schuh*2) puntera *f*; (*hintere Schuh*2) talón *m*, calcañar *m*; *e-s Zahns*: corona *f*; ⊕ *Deckel*, *Haube*: capuchón *m*; casquete *m*; *fig.* et. *auf s-e ~ nehmen* asumir la responsabilidad de a/c.

'kappen *v/t. Bäume*: desmochar, descabezar; ⚓ *Tau*, *Mast*: cortar; *Hähne*: capar; *Schuhe*: poner punteras.

'Käppi ⚔ *n* (-*s*; -*s*) quepis *m*; *Span.* ros *m.*

'Kappnaht *f* (-; *⸚e*) costura *f* doble.

Kapri'ole *f* cabriola *f*; *~n machen* dar cabriolas.

kaprizi'ös [-prɪtsĭø:s] *adj.* caprichoso.

'Kapsel *f* (-; -*n*) cápsula *f*; (*Etui*) estuche *m*; (*Mikrophon*2) cápsula *f* microfónica; (*Spreng*2) detonador *m*; cápsula *f* fulminante; ⚘ pericarpio *m*; **2förmig** *adj.* capsular; **~frucht** ⚘ *f* (-; *⸚e*) fruto *m* capsular.

ka'putt F *adj.* roto; estropeado; destrozado, F hecho trizas; (*erschöpft*) muy fatigado, reventado, rendido, F hecho polvo (*od.* cisco); **~gehen** (*L*) *v/i.* romperse; estropearse; (*zugrunde gehen*) arruinarse; (*krepieren*) reventar; **~machen** *v/t.* romper; estropear; destrozar, F hacer añicos; (*ruinieren*) arruinar; *das macht mich ganz ~* esto me parte por el eje; esto me mata; **~schlagen** (*L*) *v/i.* romper; hacer pedazos, destrozar.

Ka'puze *f* capucha *f*; *der Mönche*: cogulla *f.*

Kapu'ziner|(in *f*) *m* capuchino (-a *f*) *m*; **~affe** *Zoo. m* mono *m* capuchino; **~kloster** *n* (-*s*; *⸚*) convento *m* de capuchinos; **~kresse** ⚘ *f* (*0*) capuchina *f*; **~mönch** *m* (-*es*; -*e*) (monje *m od.* fraile *m*) capuchino *m.*

Kara'biner ⚔ *m* carabina *f*; tercerola *f*; **~haken** *m* porta-carabina *m.*

Ka'raffe *f* garrafa *f.*

Karambo|'lage [-'lɑ:ʒə] *f* (*beim Billardspiel*) carambola *f*; *Auto.* choque *m*, F choque *m* de carambola; **2'lieren** (-) *v/i.* (*beim Billard*) hacer billa; *Auto.* chocar por carambola.

Kara'mel *m* (-*s*; *0*) caramelo *m*; **~bonbon** *m/n* (-*s*; -*s*) bombón *m.*

Ka'rat *n* (-*es*; -*e*), **~gewicht** *n* (-*es*; *0*) quilate *m*; **~gold** *n* (-*es*; *0*) oro *m* de ley.

ka'rätig *adj.*: *achtzehnkarätiges Gold* oro de dieciocho quilates.

Ka'rausche *Ict. f* carpa *f* dorada.

Kara'wane *f* caravana *f*; **~nführer** *m* caravanero *m*; **~nstraße** *f* camino *m* de caravanas.

Karawanse'rei *f* caravasar *m.*

Kar'batsche *f* látigo *m* (de correa); vergajo *m.*

Kar'bid [-'bi:t] *n* (-*es*; -*e*) carburo *m* (de calcio); **~lampe** *f* lámpara *f* de acetileno.

Kar'bol ⚗ *n* (-*s*; *0*) carbol *m*, fenol *m*; **~säure** *f* (*0*) ácido *m* carbólico *od.* fénico; **~wasser** *n* agua *f* fenicada.

Karbo'nade *Kochkunst f* chuleta *f* (a la parrilla).

Karbo'nat ⚗ *n* (-*es*; -*e*) carbonato *m.*

karboni'sieren (-) *v/t.* carbonizar.

Karbo'rund ⊕ *m* (-*es*; -*e*) (*Poliermittel*) carborundo *m.*

Kar'bunkel ⚕ *m* carbunc(l)o *m*; ántrax *m.*

karbu'rieren (-) *v/t.* carburar.

Kar'dan|gelenk ⊕ *n* articulación *f* cardán; **2isch** *adj.*: *~e Aufhängung* suspensión cardán; **~welle** *f* árbol *m* cardán.

Kar'dätsche *f* (*Wollkratze*) carda *f*, peine *m* de cardar; *für Pferde*: (*Striegel*) bruza *f*, almohaza *f*; **2n** (-) *v/t.* cardar; *Pferd*: cepillar; (*striegeln*) almohazar.

'Karde *f*, *a.* **~ndistel** *f* ⚘ (-; -*n*) cardencha *f.*

Kardi'nal *m* (-*s*; *⸚e*) cardenal *m*; **~fehler** *m* error *m* fundamental; **~punkt** *m* (-*es*; -*e*) punto *m* cardinal; **~shut** *m* (-*es*; *⸚e*) capelo *m* cardenalicio; (*Käppchen*) birreta *f*; **~skollegium** *n* (-*s*; -*gien*) Sacro Colegio *m* cardenalicio; **~swürde** *f* (*0*) cardenalato *m*; **~tugenden** *f/pl.* virtudes *f/pl.* cardinales; **~zahl** *f* número *m* cardinal.

Kardio|'gramm ⚕ *n* (-*s*; -*e*) cardiograma *m*; **~'graph** *m* (-*en*) cardiógrafo *m.*

Ka'renzzeit *f* tiempo *m* de carencia; (*bei Versicherungen*) plazo *m* de espera.

Kar'freitag *m* (-*es*; -*e*) Viernes *m* Santo.

Kar'funkel *m Min.* carbúnculo *m*, carbunclo *m*; ⚕ furúnculo *m.*

karg *adj.* escaso; raro; poco abundante; contado; (*schäbig*) mezquino; (*armselig*) pobre, miserable; *Mahl*: frugal; *Landschaft*: árido; **'~en** *v/i.* ser mezquino; escatimar (*ac.*); tacañear; **2heit** *f* (*0*) escasez *f*; carencia *f*, falta *f* (*an dat.* de); (*Schäbigkeit*) mezquindad *f*; (*Armut*) pobreza *f* (*an dat.* de); *e-s Mahls*: frugalidad *f.*

'kärglich *adj.* (*knapp*) escaso, exiguo; (*ärmlich*) pobre; (*dürftig*) mezquino; **2keit** *f* (*0*) (*Knappheit*) escasez *f*, exigüidad *f*; (*Armut*) pobreza *f*; (*Dürftigkeit*) mezquindad *f.*

ka'ribisch *adj.* caribe; *die 2en Inseln* las pequeñas Antillas; *das 2e Meer* el mar Caribe (*od.* de las Antillas).

ka'riert *adj.* (*Stoff*) a (*od.* de) cuadros; (*Papier*) cuadriculado.

'Karies ⚕ *f* (*0*) caries *f*; *mit ~ anstecken* cariar; *~ des Zahns* (*Knochens*) caries dental (ósea).

Karika|'tur *f* caricatura *f*; *~en zeichnen* hacer caricaturas; **2'turenhaft** *adj.* caricaturesco; **~tu'rist** *m* (-*en*) caricaturista *m.*

kari'kieren (-) *v/t.* caricaturizar; hacer la caricatura de.

kari'ös *adj.*: *~er Zahn* diente cariado; muela cariada.

karita'tiv *adj.* caritativo.

Karl *m* Carlos *m*; *~ der Dicke* Carlos el Craso; *~ der Kühne* Carlos el

Temerario; ~ *der Kahle* Carlos el Calvo; ~ *V* Carlos Quinto; ~ *der Große* Carlomagno.

Karme'liter *m* carmelita *m*; **~mönch** *m* (*-es*; *-e*) (religioso *m*) carmelita *m*; **~in**, **~nonne** *f* (religiosa *f*, monja *f*) carmelita *f*; **~orden** *m* orden *f* del Carmen.

karme'sin(rot) *adj.* carmesí.

Kar'min *n* (*-s*; *0*) carmín *m*; **2farben**, **2rot** *adj.* carmín.

Karne'ol *Min. m* (*-s*; *-e*) cornalina *f*.

'Karneval ['-nəval] *m* (*-s*; *-s u. -e*) carnaval *m*.

Kar'nickel F *n* (*Kaninchen*) conejo *m*; *fig.* (*Sündenbock*) *das* ~ *sein* servir de cabeza de turco; ser el cordero de la fábula.

Kar'nies △ *n* (*-es*; *-e*) cornisa *f*.

'karnisch *adj.*: *die 2en Alpen* los Alpes Cárnicos.

'Kärnt|en *n* Carintia *f*; **~ner(in** *f*) *m* carintio (-a *f*) *m*; **2(ner)isch** *adj.* carintio; de Carintia.

'Karo *n* (*-s*; *-s*) cuadro *m* (*a. Muster u. Kartenspiel*).

Karo'line *f* Carolina *f*; *Geogr.*: *die ~n* las (islas) Carolinas.

'Karoling|er *m/pl.* Carolingios *m/pl.*; **2isch** *adj.* carolingio.

'Karomuster *n* dibujo *m* a cuadros.

Ka'rosse *f* carroza *f*.

Karosse'rie [-sə'ʀiː] *f* carrocería *f*; *mit e-r ~ versehen* carrozar; **~arbeiter** *m* obrero *m* carrocero; **~blech** *n* (*-es*; *-e*) chapa *f* para carrocería; **~fabrikant** *m* (*-en*) fabricante *m* de carrocerías.

Ka'rotte ♀ *f* zanahoria *f*.

Kar'paten *pl.*, *a.* **~gebirge** *n* Cárpatos *m/pl.*

'Karpfen *Ict. m* carpa *f*; ~ *blau* carpa cocida; **~teich** *m* (*-es*; *-e*) vivero *m* de carpas; *der Hecht im ~* el lobo en el redil.

kar'rarisch *adj.*: *~er Marmor* mármol de Carrara.

'Karre *f* → *Karren*; F (*altes Auto*) cacharro *m*.

Kar'ree [ka'ʀeː] *n* (*-s*; *-s*) cuadrado *m*; ⚔ cuadro *m* (*bilden* formar).

'karren *v/t. u. v/i.* acarrear, carretear.

'Karren *m* (*einrädriger Schub2*) carretilla *f*; (*zweirädriger*) carreta *f*; carro *m*; (*Kipp2*) volquete *m*; *fig.* F *den ~ aus dem Dreck fahren* (*od. ziehen*) sacar el pie del lodo; *den ~ einfach laufen lassen* dejar rodar la bola; **~gaul** *m* (*-es*; *¨e*) caballo *m* de tiro; (*Mähre*) rocín *m*, F penco *m*, jamelgo *m*; **~ladung** *f*, **~voll** *m* (*-s*; *0*) carretada *f*.

Karri'ere [ka'ʀiɛːʀə] *f* carrera *f*; ~ *machen* hacer carrera.

Karst[1] ⚒ *m* (*-es*; *-e*) azada *f*; azadón *m*; (*zweizinkiger*) zapapico *m*.

Karst[2] *Geogr. m* Karst *m*.

Kar'täuser *m* cartujo *m*; **~kloster** *n* (*-s*; *¨*) cartuja *f*, convento *m* de cartujos; **~likör** *m* (*-s*; *0*) *fr.* chartreuse *m*.

'Karte *f* (*Speise2*) carta *f*; (*Wein2*) carta *f* de vinos; (*Fahr2*) billete *m*; *Am.* boleto *m*; (*Eintritts2*) entrada *f*; (*Land2*) mapa *m*, carta *f* geográfica; (*See2*) carta *f* marítima; (*Post2*) tarjeta *f* (postal); (*Spiel2*) carta *f*, naipe *m*; (*Kartei2*) ficha *f*; (*Besuchs2*) tarjeta *f* de visita; *s-e ~* (*Besuchs2*) *abgeben* dejar tarjeta; *die ~* (*Speise2*) *studieren* estudiar la carta; *nach der ~ speisen* elegir (uno o más platos) de la carta; comer a la carta; *e-e ~ aufziehen* reforzar con tela un mapa; *die ~n legen* echar las cartas; *ein Spiel ~n* una baraja; *~n spielen* jugar a las cartas (*od.* a los naipes); *die ~n abheben* cortar; *~n aufnehmen beim Spiel* tomar cartas, robar; *keine guten ~n haben* no tener juego; (*die*) *~n geben* dar (*od.* repartir) las cartas; *die ~n mischen* barajar; *e-e ~ ablegen* descartar una carta; *s-e ~n aufdecken* enseñar el juego; *j-m in die ~n sehen* mirar las cartas (*od.* ver el juego) de alg.; *sich nicht in die ~n sehen lassen*, *mit verdeckten ~n spielen* ocultar el juego; *mit offenen ~n spielen* jugar a cartas vistas; *alles auf e-e ~ setzen* jugarlo todo a una carta; *fig. a.* jugarse el todo por el todo.

Kar'tei *f* fichero *m*; **~karte** *f* ficha *f*; **~kasten** *m* (*-s*; *¨*) fichero *m*; **~schrank** *m* (*-es*; *¨e*) archivador *m*, fichero *m*.

Kar'tell *n* (*-s*; *-e*) (*Herausforderung zum Duell*) cartel *m* de desafío; (*Vereinigung*) consorcio *n* (*od.* sindicato *m*) industrial, *angl.* trust *m*; cártel *m*; **~bildung** *f* constitución *f* de un consorcio industrial; cartelización *f*; **~entflechtung** *f* descartelización *f*; **~träger** *m* padrino *m* de duelo.

'Karten...: **~automat** *m* (*-en*) (*Post2*) distribuidor *m* automático de tarjetas postales; **~bild** *n* (*-es*; *-er*) *Kartenspiel*: figura *f* de la baraja; **~brief** ✉ *m* (*-es*; *-e*) postal-carta *f*; **~haus** *n* (*-es*; *¨er*) castillo *m* de naipes (*a. fig.*); ⚓ caseta *f* de derrota; **~kunststück** *n* (*-es*; *-e*) truco *m* de cartas; **~legen** *n* cartomancia *f*; **~legerin** *f* echadora *f* de cartas, cartomántica *f*; **~lesen** ⚔ *n* lectura *f* de cartas geográficas; **~spiel** *n* (*-es*; *-e*) juego *m* de cartas (*od.* de naipes); (*Spielkarten*) baraja *f*; (*Partie*) partida *f* de cartas; **~spieler(in** *f*) *m* jugador(a *f*) *m* de cartas; **~ständer** *m* porta-mapas *m*; **~tasche** *f* guardamapas *m*; (*für Besuchskarten*) tarjetero *m*; **~verkauf** *m* (*-es*; *0*) (*Thea.*, *Kino usw.*) venta *f* (*od.* despacho *m*) de localidades; **~werk** *n* (*-es*; *-e*) atlas *m*; **~zeichnen** *n* cartografía *f*; **~zeichner** *m* cartógrafo *m*.

karte|si'anisch *adj.* cartesiano; **2sia'nismus** *m* (*-*; *0*) cartesianismo *m*.

kar'tesisch *adj.* cartesiano.

Kar'tha|ger(in *f*) *m* cartaginés *m*, cartaginesa *f*; **2gisch** *adj.* cartaginés; **~go** *n* Cartago *m*.

Kar'toffel *f* (*-*; *-n*) patata *f*; *Am.* papa *f*; *~n schälen* mondar (*od.* pelar) patatas; *in Butter geschwenkte ~n* patatas salteadas; patatas rehogadas en mantequilla; F (*dicke Nase*) nariz *f* de nabo; F (*Taschenuhr*) patata *f*; F (*Loch im Strumpf*) tomate *m*; **~anbau** *m* (*-es*; *0*) cultivo *m* de la patata; **~branntwein** *m* (*-es*; *0*) aguardiente *m* de patata; **~brei** *m* (*-es*; *0*) puré *m* de patata; **~ernte** *f* recolección *f* de la patata; **~erntemaschine** *f* (máquina *f*) arrancadora *f* de patatas; **~feld** *n* (*-es*; *-er*) patatal *m* (*od.* patatar); **~käfer** *m* dorífora *m*; **~klößchen** *n* croquetas *f/pl.* de patata; **~mehl** *n* (*-es*; *0*) fécula *f* de patata; **~nase** *f* F nariz *f* de nabo; **~püree** *n* (*-s*; *0*) puré *m* de patata; **~quetsche** *f* prensa-purés *m*; **~salat** *m* (*-es*; *-e*) ensalada *f* de patata; **~schalen** *f/pl.* mondaduras *f/pl.* (*od.* pellejos *m/pl.*) de patata; **~schälmaschine** *f* (máquina *f*) mondadora *f* de patatas; **~schleuder** ⚒ *f* (*-*; *-n*) arrancadora *f* de patatas; **~stärke** *f* (*0*) almidón *m* de patata; **~suppe** *f* sopa *f* de patata.

Karto|'graph *m* (*-en*) cartógrafo *m*; **~gra'phie** *f* (*0*) cartografía *f*; **2'graphisch** *adj.* cartográfico.

Kar'ton [-'tɔŋ] *m* (*-s*; *-s*) cartón *m*; (*Schachtel*) caja *f* de cartón.

Karto'nage [-'nɑːʒə] *f* cartonaje *m*; **~nfabrik** *f* cartonería *f*; fábrica *f* de cartonajes; **~nfabrikant** *m* (*-en*) fabricante *m* de cartones; **~händler** *m* cartonero *m*; **~n-industrie** *f* (*0*) industria *f* del cartón.

karto'nieren (*-*) *v/t.* (*Bücher*) encartonar, encuadernar en cartón, empastar; (*in Karton packen*) encartonar.

Kar'tonverpackung *f* cartonaje *m*.

Karto'thek *f* cartoteca *f*, fichero *m*.

Kar'tusche *f* cartucho *m*; **~nhülse** *f* casquillo *m*.

Karus'sell [-ʊ'sɛl] *n* (*-s*; *-s u. -e*) carrusel *m*; (*Drehgerät*) tío *m* vivo, tiovivo *m*, caballitos *m/pl.*

'Karwoche *f* Semana *f* Santa.

Karya'tide *f* cariátide *f*.

'Karzer *m Hist.* cárcel *f* universitaria; calabozo *m*.

Karzi'nom ⚕ *n* (*-s*; *-e*) carcinoma *m*.

Ka'schemme F *f* tabernucho *m* de mala fama.

ka'schieren (*-*) *v/t.* disimular; tapar, ocultar; escamotear.

'Kaschmir 1. *m* (*-s*; *-e*) (*Stoff*) casimir *m*; **2.** (*Land*) Cachemira *f*.

'Käse *m* queso *m*; (*Weiß2*, *Quark*) requesón *m*; F (*dummes Zeug*) tonterías *f/pl.*; **2artig** *adj.* caseoso; **~bereitung** *f* elaboración *f* de queso; industria *f* del queso; **~blatt** F *n* (*-es*; *¨er*) (*Zeitung*) periodicucho *m*; **~fabrik** *f* fábrica *f* de quesos; quesería *f*; **~fabrikant** *m* (*-en*) fabricante *m* de quesos; **~glocke** *f* quesera *f*; **~handel** *m* (*-s*; *0*) comercio *m* de quesos; quesería *f*; **~händler** *m* quesero *m*.

Kase'in *n* (*-s*; *0*) caseína *f*; **~bildung** *f* caseificación *f*.

'Käse|kuchen *m* tarta *f* de queso; **~made** *f* gusano *m* del queso.

Kase'matte [-zə-] ⚔ *f* casamata *f*.

'Käse|messer *n* cuchillo *m* para queso; **~milbe** *f* ácaro *m* del queso.

'käsen (*-t*) *v/i.* hacer queso *m*; *Milch*: cortarse; cuajarse; ~ *lassen* caseificar.

'Käseplatte *f* plato *m* de queso variado.

Käse'rei [kɛ'ze-] *f* quesería *f*.

'Käserinde *f* corteza *f* de queso.

Ka'serne *f* cuartel *m*; **~ndienst** *m* (*-es*; *0*) servicio *m* de cuartel; **~nhof** *m* (*-es*; *¨e*) patio *m* del cuartel.

kaser'nier|en (-) ⚔ *v/t.* acuartelar; **♀ung** *f* acuartelamiento *m.*

'Käse|stange *f* barra *f* de hojaldre con queso; **~stoff** ⚗ *m* caseína *f.*

'käsig *adj.* caseoso; F *(bleich)* pálido, descolorido, macilento.

Ka'sino *n* (*-s; -s*) casino *m*; círculo *m*; ⚔ mesa *f* de oficiales.

Kas'kade *f* cascada *f*; **♀nartig** *adj.* en cascada.

'Kaskoversicherung *f* seguro *m* a todo riesgo.

'Kaspar *m* Gaspar *m.*

'Kasperle *m* polichinela *m*; **~the-ater** *n* teatro *m* guiñol *od.* de títeres.

'kaspisch [-sp-] *adj.* caspio; *das ♀e Meer* el mar Caspio.

'Kassa ☿ *f* (-; *Kassen*): *per ~* al contado; **~geschäft** *n* (*-es; -e*) operación *f* al contado.

Kassati'on *f* ⚖ casación *f*, anulación *f* (de sentencia); *(Dienstentlassung)* destitución *f*; **~s-gericht** *n* (*-es; -e*), **~s-hof** ⚖ *m* (*-es; ⸚e*) tribunal *m* de casación.

'Kasse *f* caja *f*; *Thea.* contaduría *f*; *(~nbestand)* existencias *f/pl.* en caja; *sofortige ~* al contado; *per ~ bezahlen* pagar al contado; *gegen ~ verkaufen* vender al contado; *mit der ~ durchgehen* fugarse con la caja; *e-n Griff in die ~ tun* F meter mano a la caja; *die ~ führen (od. unter sich haben)* llevar la caja; *~ machen* hacer la caja; *(gut) bei ~ sein* disponer (*od.* estar bien) de fondos; *nicht bei ~ sein* andar mal de fondos; *gemeinsame ~* caja común; *gemeinsame ~ machen* hacer caja común.

'Kassen...: ~abschluß *m* (*-sses; ⸚sse*) cierre *m* de caja; *(Bilanz)* balance *m* de caja; **~angelegenheit** *f* asunto *m* financiero; cuestión *f* de dinero; **~anweisung** *f* bono *m* de caja; *(Banknote)* billete *m* de banco; **~arzt** *m* (*-es; ⸚e*) médico *m* de la caja de seguro; **~ausgang** *m* (*-es; ⸚e*) salida *f* de caja; **~beamte(r)** *m* cajero *m*; **~beleg** *m* (*-es; -e*) comprobante *m* de caja; **~bestand** *m* (*-es; ⸚e*) dinero *m* en caja *od.* en efectivo; **~bilanz** *f* balance *m* de caja; **~block** *m* (*-es; -s*) bloque *m* de caja; **~bote** *m* (*-n*) ordenanza *m* de caja; **~buch** *n* (*-es; ⸚er*) libro *m* de caja; **~defizit** *n* (*-s; -e*) déficit *m* en caja; **~diebstahl** *m* (*-es; ⸚e*) desfalco *m*, distracción *f* de fondos; **~eingang** *m* (*-es; ⸚e*) entrada *f* en caja; **~einnehmer** *m* cajero *m*; cobrador *m*; **~erfolg** *m* (*-es; -e*) *Thea.* éxito *m* de taquilla; **~fehlbetrag** *m* (*-es; ⸚e*) déficit *m* en caja; **~führer(in** *f*) *m* cajero (-a *f*) *m*; tesorero (-a *f*) *m*; **~konto** *n* (*-s; -konti od. -konten*) cuenta *f* de caja; **~prüfung** *f* arqueo *m*; **~rabatt** *m* (*-es; -e*) descuento *m* por pago al contado; **~raum** *m* (*-es; ⸚e*) caja *f*; **~revision** *f* arqueo *m*; *e-e ~ vornehmen* hacer arqueo; **~schalter** *m* ventanilla *f* de caja; **~schein** *m* (*-es; -e*) *(Kassenbeleg)* comprobante *m* de caja; *(Kassenanweisung)* bono *m* de caja; *(Banknote)* billete *m* de banco; **~schrank** *m* (*-es; ⸚e*) caja *f* fuerte (*od.* de caudales); **~stand** *m* (*-es; 0*) estado *m* de caja; **~stunden** *f/pl.* horas *f/pl.* de caja; **~sturz** *m* (*-es; ⸚e*) arqueo *m*; *~ machen* hacer arqueo; **~überschuß** *m* (*-sses; ⸚sse*) excedente *m* en caja, superávit *m*; **~umsatz** *m* (*-es; ⸚e*) movimiento *m* de caja; **~verwalter(in** *f*) *m* cajero (-a *f*) *m*; *(Vereins♀)* tesorero (-a *f*) *m*; **~wart** *m* (*-es; -e*) cajero *m*; **~zettel** *m* *(im Kaufhaus)* vale *m* de caja.

Kasse'rolle [-sə-] *f* cacerola *f.*

Kas'sette [-'sɛtə] *f* cajita *f*; *Phot.* chasis *m*; ⚠ cuadrícula *f* de artesonado; *(Bücher)* estuche *m.*

'Kassia ♀ *f* (-; *Kassien*) casia *f.*

kas'sier|en (-) *v/t.* cobrar; *Urteil:* anular, casar; *(aus dem Dienst entlassen)* destituir; **♀er(in** *f*) *m* cajero (-a *f*) *m*; *(Vereins~)* tesorero (-a *f*) *m*; *(Ein~)* cobrador *m.*

Kasta'gnette [-tan'jɛtə] *f* castañuela *f.*

Kas'tanie [-'tɑ:niə] *f* castaña *f*; *kandierte ~ fr.* marrón glacé; *fig. für j-n die ~n aus dem Feuer holen* sacarle a alg. las castañas del fuego; **~nbaum** ♀ *m* (*-es; ⸚e*) castaño *m*; **♀nbraun** *adj.* castaño, *gal.* marrón; **~nhändler(in** *f*) *m* vendedor(a *f*) *m* de castañas; castañera *f*; **~nholz** *n* (*-es; ⸚er*) madera *f* de castaño; **~nwald** *m* (*-es; ⸚er*), **~nwäldchen** *n* castañar *m*, castañedo *m.*

'Kästchen *n Schachtel:* cajita *f*; *Etui:* estuche *m*; *(Schmuck♀)* cofrecillo *m*; *(Teil♀)* casilla *f.*

'Kaste *f* casta *f*; raza *f*; clase *f.*

kas'tei|en (-) *v/t. u. v/refl.* mortificar(se); lacerar(se), macerar(se); **♀en** *n*, **♀ung** *f* mortificación *f*; maceración *f*, laceración *f.*

Kas'tell *n* (*-s; -e*) castillo *m.*

Kastel'lan [-tɛ'lɑ:n] *m* (*-s; -e*) *Schloßherr:* castellano *m*; *Burgvogt:* alcaide *m*; *Hausmeister:* conserje *m*; **~in** *f* castellana *f.*

'Kasten *m* (*-s; ⸚*) caja *f*; cofre *m* (*a. Truhe*); *(Truhe)* arca *f*; *(Schublade)* cajón *m*; gaveta *f*; *(Chassis)* chasis *m*; *(Brief♀)* buzón *m*; *(Kohlen♀)* cajón *m* para el carbón; *Typ.* *(Setz♀)* caja *f* de imprenta; cajetín *m*; *(Fußballtor)* portería *f*; *(altes Haus)* caserón *m* destartalado; *(altes Auto)* F cacharro *m*, cafetera *f*; F *(Gefängnis)* chirona *f*, P trena *f*; F *et. auf dem ~ haben* tener una buena cabeza; **~drachen** *m* cometa *f* celular; **~geist** *m* (*-es; 0*) espíritu *m* de casta; **~herrschaft** *f* (*0*) dominio *m* de casta; **~kipper** *m*, **~kippwagen** *m* vagoneta *f* de caja basculante; vagón *m od.* carro *m* basculante; volquete *m*; **~möbel** *pl.* muebles *m/pl.* de elementos agregables; **~schloß** ⊕ *n* (*-sses; ⸚sser*) cerradura *f* con palastro; **~wagen** *m* 🚃 vagón *m* de mercancías cubierto; *Auto.* furgoneta *f.*

Kas'ti|lien *n* Castilla *f*; **~lier(in** *f*) *m* castellano (-a *f*) *m*; **♀lisch** *adj.* castellano.

Kas'trat *m* (*-en*) castrado *m.*

Kastrati'on *f* castración *f.*

kas'trier|en (-) *v/t.* castrar, *(bsd. v. Tieren)* capar; **♀en** *n*, **♀ung** *f* castración *f.*

Kasu'ar *Orn.* *m* (*-s; -e*) casuario *m.*

Kasu'ist *m* (*-en*) casuista *m*; **~ik** *f* (*0*) casuística *f*; **♀isch** *adj.* casuístico.

'Kasus *Gr.* *m* (-; -) caso *m.*

Kata'falk *m* (*-es; -e*) catafalco *m.*

Kata'kombe *f* catacumba *f.*

Kata'la|ne *m* (*-n*) catalán *m*; **♀nisch** *adj.* catalán.

Kata'log *m* (*-es; -e*) catálogo *m*; *nach ~ verkaufen* vender a precio de catálogo.

katalogi'sieren (-) *v/t.* catalogar.

Kata'logpreis *m* (*-es; -e*) precio *m* de catálogo.

Kata'lo|nien *n* Cataluña *f*; **♀nisch** *adj.* catalán.

Kataly'sator *m* (*-s; -en*) catalizador *m.*

Kata'lyse *f* catálisis *f.*

Kata'pult *m u. n* (*-es; -e*) catapulta *f*; **~flugzeug** *n* (*-es; -e*) avión *m* de lanzamiento por catapulta.

katapul'tieren (-) *v/t.* lanzar con catapulta; catapultar.

Kata'pultstart *m* (*-es; -e u. -s*) lanzamiento *m* con catapulta.

Kata'rakt *m* (*-es; -e*) catarata *f.*

Ka'tarrh ⚕ *m* (*-s; -e*) catarro *m*; *(Schnupfen)* resfriado *m.*

katar'rhalisch [-'ʀɑ:-] *adj.* catarral.

Ka'taster *m/n* catastro *m*; **~amt** *n* (*-es; ⸚er*) oficina *f* del catastro; **~register** *m* registro *m* (*od.* lista *f*) catastral.

katastro'phal *adj.* catastrófico.

Kata'strophe [-'stro:fə] *f* catástrofe *f*; siniestro *m.*

Kate'chese *Rel.* *f* catequesis *f.*

Kate'chet *m* (*-en*) catequista *m*; **~ik** *f* (*0*) catequismo *m.*

kate'chisier|en (-) *v/t.* catequizar.

Kate'chismus [-'çis-] *m* (-; *-men*), **~unterricht** *m* (*-es; -e*) catecismo *m*; F doctrina *f.*

Katechu'mene *m* (*-n*) catecúmeno *m.*

Katego'rie *f* categoría *f*; *in e-e ~ fallen* corresponder a una categoría.

kate'gorisch I. *adj.* categórico; terminante; **II.** *adv.* categóricamente; terminantemente, de modo terminante *od.* categórico.

'Kater *m* gato *m*; *der gestiefelte ~* el gato con botas; *fig.* F *e-n ~ haben* sentir el malestar *(posterior)* de la borrachera, F tener resaca.

Katha'rina *f* Catalina *f.*

'Kätchen *n*, **'Käthe** *f* Catalina *f.*

Ka'theder *m/n* cátedra *f*; **~weisheit** *f* sabiduría *f* libresca.

Kathe'drale *f* catedral *f.*

Ka'thete ⟁ *f* cateto *m.*

Ka'theter ⚕ *m* catéter *m*, sonda *f.*

Ka'thode *f* cátodo *m*; **~nstrahlen** *m/pl.* rayos *m/pl.* catódicos.

Katho'lik(in *f*) *m* (*-en*) católico (-a *f*) *m.*

ka'tholisch *adj.* católico; *die ♀e Kirche* la (Santa) Iglesia Católica (Apostólica Romana).

Katholi'zismus *m* (-; *0*) Catolicismo *m.*

katili'narisch *adj.*: *die ~en Reden* Catilinarias *f/pl.*

'Kato *m* Catón *m.*

Kat'tun [ka't-] *m* (*-s; -e*) tela *f* de algodón estampada; cotonada *f*; *bedruckter ~* indiana; **~leinwand** *f* (*0*), **~stoff** *m* (*-es; -e*) → *Kattun.*

'katz|balgen *v/refl.*: *sich ~* pelearse, andar a la greña; **~buckeln** (*-le*) *v/i.* F *fig.* lisonjear servilmente (*ac.*); F dar coba, echar incienso.

'Kätzchen *n* gatito *m*; F minino *m*,

morrongo *m*; ⚘ amento *m*; (*Kerzenblüte*) candelilla *f*.

ˈ**Katze** *f* gato *m*; *weibliche*: gata *f*; ⚓ *neunschwänzige* ~ gato de nueve colas; *ein Wurf junger* ~*n* ventregada de gatos; *verwilderte* ~ gato montés; *so naß wie e-e* ~ empapado hasta los huesos; *fig. falsche* ~ persona falsa y malévola; *wie Hund und* ~ *leben* vivir como el perro y el gato; *die* ~ *aus dem Sack lassen* destapar el secreto; *die* ~ *im Sack kaufen* comprar a/c. en el arca cerrada; comprar a ciegas; *wie die* ~ *um den heißen Brei herumgehen* andar con rodeos; andarse por las ramas; *bei Nacht sind alle* ~*n grau* de noche todos los gatos son pardos; *die* ~ *läßt das Mausen nicht* el hijo de la gata, ratones mata; el zorro muda de pelo pero de mañas no; *fig. das ist für die Katz'* todo es inútil; esto no vale un comino; ~ *und Maus spielen* jugar al gato y el ratón.

ˈ**Katzen...**: 2**artig** *adj.* felino; gatuno; *fig.* pérfido, traicionero; ~**-auge** *n* (*-s*; *-n*) ojo *m* de gato; *Fahrrad*: catafoto *m*; ~**buckel** *m* lomo *m* enarcado; *fig.* e-n ~ *machen* lisonjear servilmente (*ac.*); 2**freundlich** *adj. fig.* hipócrita, falso, falaz; ~**geschrei** *n* (*-es*; *0*) maullido *m*; ~**gold** *Min. n* (*-es*; *0*) mica *f* amarilla; ~**jammer** F *m* (*-s*; *0*) malestar *m* siguiente a la borrachera; *moralischer* ~ remordimiento *m*, pesar *m*; ~**kopf** *m* (*-es*; *"e*) cabeza *f* de gato; *fig. Ohrfeige*: cogotazo *m*, pescozón *m*; capirotazo *m*; ~**musik** *f* (*0*) F música *f* ratonera; cencerrada *f*; ~**pfötchen** *n* pata *f* de gato; ~**silber** *Min. n* (*-s*; *0*) mica *f* blanca; ~**sprung** *m* (*-es*; *"e*) salto *m* de gato; *fig.* es ist nur ein ~ está a dos pasos de aquí; ~**steg** *m* (*-es*; *-e*), ~**steig** *m* (*-es*; *-e*) sendero *m* muy estrecho; ~**wäsche** *f*: ~ *machen* F *fig.* lavarse la punta de la nariz; lavarse con la toalla mojada.

ˈ**Kauderwelsch** *n* (*-[s]*; *0*) galimatías *m*; jerga *f*, jerigonza *f*; guirigay *m*; 2**en** *v/i.* chapurrear; F hablar en gringo *m*.

kauˈdinisch *adj.*: *die* ~*en Engpässe* las horcas caudinas.

ˈ**kauen I.** *v/t. u. v/i.* masticar, mascar; *an den Nägeln* ~ roerse las uñas; *Tabak* ~ mascar tabaco; **II.** 2 *n* masticación *f*.

ˈ**kauern** (*-re*) *v/i. u. v/refl.* (*auf den Fersen*) ponerse en cuclillas; acuclillarse; acurrucarse; (*sich bücken*) agacharse; *zum Verstecken*: agazaparse, esconderse.

Kauf *m* (*-es*; *"e*) compra *f*; (*Erwerbung u. Erworbenes*) adquisición *f*; (~*geschäft*) (operación *f* de) compra *f*; ~ *und Verkauf* compraventa *f*; ~ *nach Ansicht* compra previo examen; ~ *nach Gewicht* compra al peso; ~ *nach Maß* compra a la medida; ~ *nach Muster* compra según muestra; ~ *auf Probe* compra a prueba; ~ *auf feste Rechnung* compra en firme; ~ *auf Kredit* compra a crédito; e-n ~ *machen* hacer *od.* efectuar una compra; e-n ~ *abschließen* cerrar *od.* concluir una compra; *fig.* et. *mit in* ~ *nehmen* tener que conformarse con a/c.; tener que aceptar como añadidura a/c.; *leichten* ~*es davonkommen* salir sin gran perjuicio; salir bien librado; ˈ~**abschluß** *m* (*-sses*; *"sse*) conclusión *f* de una compra; ˈ~**angebot** *n* (*-es*; *-e*) oferta *f* de compra; ˈ~**auftrag** *m* (*-es*; *"e*) orden *f* de compra; ˈ~**bedingungen** *f/pl.* condiciones *f/pl.* de compra; ˈ~**brief** *m* (*-es*; *-e*) contrato *m* de compra; *bei Verkauf*: contrato *m* de venta; (*Besitzurkunde*) título *m* de propiedad.

ˈ**kaufen I.** *v/t.*, *v/i. u. v/refl.* comprar; adquirir; *ich habe (mir) e-n Hut gekauft* (me) he comprado un sombrero; *von (bei) j-m et.* ~ comprar a/c. a alg.; *beim Bäcker* ~ comprar en la panadería; *bei der Firma X* ~ comprar en la casa X; *bei wem* ~ *Sie gewöhnlich?* ¿dónde acostumbra usted a comprar *od.* a hacer sus compras?; ¿dónde se surte usted?; *für j-n et.* ~ comprar a/c. a *od.* para alg.; et. *für 100 Peseten* ~ comprar a/c. por cien pesetas; *gegen bar* ~ comprar al contado; *auf Teilzahlung* (*od. Ratenzahlung*, F *Stottern*) ~ comprar a plazos; *im kleinen* (*großen*) ~ comprar al por menor (mayor); *teuer* (*billig*) ~ comprar caro (barato); *aus erster Hand* ~ comprar de primera mano; *in Bausch und Bogen* ~ comprar en bloque; *auf Borg* (*Kredit*) ~ comprar a crédito; *auf Rechnung* ~ comprar a cuenta; *für eigene Rechnung* ~ comprar por su cuenta (*od.* por cuenta propia); *für fremde Rechnung* ~ comprar por cuenta ajena; *fig. was ich mir dafür kaufe!* F ¿y qué saco yo de todo eso?; *den werd' ich mir* ~! ¡ése ya me las pagará!; *Spiel*: *Karten* ~ robar; **II.** 2 *n* → *Kauf*.

ˈ**Käufer(in** *f*) *m* comprador(a *f*) *m*; (*Kunde*) cliente *m*; parroquiano *m*; e-*n* ~ *finden* encontrar comprador; ~**land** *n* (*-es*; *"er*) país *m* comprador; ~**streik** *m* (*-es*; *-s*) huelga *f* de compradores.

ˈ**Kauf...**: ~**geld** *n* (*-es*; *-er*) precio *m* de compra *bzw.* de venta; ~**genehmigung** *f* autorización *f* de compra; ~**geschäft** *n* (*-es*; *-e*) transacción *f* mercantil; ~**halle** *f* bazar *m*; (*Markt*) mercado *m*; ~**haus** *n* (*-es*; *"er*) (grandes) almacenes *m/pl.*; ~**herr** *m* (*-n*; *-en*) gran negociante *m*; ~**kontrakt** *m* (*-es*; *-e*) contrato *m* de compra *bzw.* de venta; ~**kraft** *f* (*0*) poder *m* adquisitivo, capacidad *f* adquisitiva; 2**kräftig** *adj.* con dinero suficiente para comprar; (*solvent*) solvente; ~**kraftlenkung** *f* dirección *f* (*od.* encauzamiento *m*) del poder adquisitivo; ~**kraftüberhang** *m* (*-es*; *"e*) excedente *m* de poder adquisitivo; *den* ~ *abschöpfen* absorber la capacidad adquisitiva excedente; ~**laden** *m* (*-s*; *"*) tienda *f*; comercio *m*; ~**leute** *pl.* → *Kaufmann*; expertos *m/pl.* comerciales.

ˈ**käuflich I.** *adj.* comprable, adquirible; (*verkäuflich*) vendible; (*bestechlich*) venal; **II.** *adv.* en venta, de venta; a título de compra *bzw.* de venta; ~ *erwerben* comprar, adquirir mediante compra; ~ *überlassen* vender; 2**keit** *f* (*0*) venalidad *f*.

ˈ**Kauf|lust** *f* (*0*) vivo deseo *m* de comprar, ganas *f/pl.* de comprar; (*Nachfrage*) demanda *f* intensa; 2**lustig** *adj.* deseoso de comprar; bien dispuesto a comprar; ~**mann** *m* (*-es*; *-leute*) comerciante *m*; negociante *m*; (*Großhändler*) comerciante *m* (en gran escala); (*kleiner* ~) tendero *m*; *der* ~ *von Venedig* (*Drama*) El mercader de Venecia; 2**männisch I.** *adj.* comercial; mercantil; ~*er Angestellter* empleado de comercio; ~*e Beziehungen* relaciones comerciales; ~*e Interessen* intereses comerciales; **II.** *adv.* desde el punto de vista comercial; ~**mannsberuf** *m* (*-es*; *-e*) comercio *m*; *in den* ~ *eintreten* dedicarse al comercio, hacerse comerciante; ~**mannschaft** *f* el comercio, los comerciantes; (*Handelsstand*) la clase comercial, los comerciantes; ~**mannsgeist** *m* (*-es*; *0*) espíritu *m* mercantil; ~**preis** *m* (*-es*; *-e*), ~**summe** *f* precio *m* de compra; ~**vertrag** *m* (*-es*; *"e*) contrato *m* de compra *bzw.* de venta, contrato *m* de compraventa; ~**wert** *m* (*-es*; *-e*) valor *m* de compra; ~**zwang** *m* (*-es*; *0*) obligación *f* de comprar, compra *f* obligatoria; *kein* ~ *Kaufhaus*: entrada libre; *ohne* ~ sin compromiso.

ˈ**Kaugummi** *m* (*-s*; *-[s]*) goma *f* de mascar, chicle *m*.

Kauˈkas|ier(in *f*) *m* caucasiano (-a *f*) *m*; 2**isch** *adj.* caucásico.

ˈ**Kaukasus** *m*: *der* ~ el Cáucaso.

ˈ**Kaul|barsch** *Ict. m* (*-es*; *-e*) acerina *f*; ~**quappe** *Zoo. f* renacuajo *m*.

kaum *adv.* (*fast*) casi; (*soeben*) recién; (*schwerlich*) apenas, difícilmente; *ich glaube* ~, *daß* dudo que ... (*subj.*), no creo que (*subj.*); ~ ... *als* no bien ... cuando ...; apenas ... cuando ...; ~ *5 Minuten* apenas cinco minutos.

ˈ**Kaumuskel** *Anat. m* (*-s*; *-n*) músculo *m* masticatorio.

kauˈsal *adj.* causal.

Kausaliˈtät *f* (*0*) causalidad *f*; ~**sprinzip** *n* (*-es*; *0*) principio *m* de causalidad.

Kauˈsal|satz *Gr. m* (*-es*; *"e*) oración *f* causal; ~**zusammenhang** *m* (*-es*; *"e*) relación *f* de causa a efecto, nexo *m* causal.

ˈ**kaustisch** *adj.* cáustico.

ˈ**Kautabak** *m* (*-s*; *-e*) tabaco *m* de mascar.

Kauˈtel *f* precaución *f*, prevención *f*; reserva *f*.

Kautiˈon [-ˈtsĭo:n] *f* caución *f*, fianza *f*; e-e ~ *stellen* depositar una fianza; ⚖ *gegen* ~ *freilassen* poner en libertad bajo fianza; 2**sfähig** *adj.* capaz (*od.* en condiciones) de depositar una fianza; 2**s-pflichtig** *adj.* sujeto a fianza; ~**ssumme** *f* fianza *f*, suma *f* depositada como fianza.

ˈ**Kautschuk** *m* (*-s*; *-e*) caucho *m*; goma *f* elástica; *künstlicher* ~ caucho sintético, goma sintética; ~**baum** ⚘ *m* (*-es*; *"e*) árbol *m* del caucho; ~**milch** *f* (*0*) látex *m*; ~**waren** *f/pl.* artículos *m/pl.* de goma.

ˈ**Kauwerkzeuge** *n/pl.* órganos *m/pl.* masticatorios, aparato *m* de la masticación.

Kauz *Orn. m* (*-es*; *"e*) lechuza *f*; mochuelo *m*; (*Wald*2) autillo *m*; *fig.*

wunderlicher ~ individuo estrafalario, tipo extravagante; F bicho raro.
Kava'lier *m* (-*s*; -*e*) caballero *m*; **2smäßig** *adj.* de caballero, caballeroso; noble, digno.
Kaval'kade *f* cabalgata *f*.
Kavalle|'rie [ka·valə'ʀi:] ⚔ *f* caballería *f* (*schwere* pesada; *leichte* ligera); **~'rist** *m* (-*en*) soldado *m* de caballería.
Ka'verne ⚕ *f* caverna *f*.
'Kaviar ['kɑ:vĭɑ:ʀ] *m* (-*s*; -*e*) caviar *m*; **~brötchen** *n* bocadillo *m* de caviar.
'Kebs|e *f*, **~weib** *n* ['ke:ps-] (-*es*; -*er*) concubina *f*, manceba *f*; **~ehe** *f* concubinato *m*, amancebamiento *m*.
keck *adj.* audaz; osado, atrevido; (*verwegen*) temerario; (*frech*) descarado, impertinente; fresco; **'2heit** *f* audacia *f*; osadía *f*, atrevimiento *m*; (*Verwegenheit*) temeridad *f*; (*Arroganz*) arrogancia *f*; (*Frechheit*) descaro *m*; impertinencia *f*; frescura *f*.
'Kegel *m zum Spielen*: bolo *m*; *Berg*: pico *m*; ⩓ cono *m* (*abgestumpfter* truncado); ~ *schieben* jugar a los bolos; *die* ~ *aufstellen* armar los bolos; *mit Kind und* ~ *spazierengehen* ir a pasear con toda la familia; **~bahn** *f* bolera *f*; *Am.* cancha *f* (*od.* pista *f*) de bolos; **~form** *f* (*0*), **~gestalt** *f* (*0*) conicidad *f*; **2förmig** *adj.* cónico; conoide; conoidal; **~junge** *m* (-*n*) chico *m* que arma los bolos; **~kugel** *f* (-; -*n*) bola *f*; *die* ~ *werfen* lanzar la bola; **~kupplung** ⊕ *f* acoplamiento *m* por cono de fricción; **~mantel** ⩓ *m* (-*s*; ⸚) superficie *f* del cono; **2n** (-*le*) *v/i.* jugar a los bolos; **~partie** *f* partida *f* de bolos; **~rad** ⊕ *n* (-*es*; ⸚*er*) rueda *f* cónica; engranaje *m* cónico; **~radgetriebe** *n* engranaje *m* de ruedas cónicas; **2schieben** (*L*) *v/i.* jugar a los bolos; **~schnitt** ⩓ *m* sección *f* cónica; **~spiel** *n* juego *m* de bolos; **~spieler** *m* jugador *m* de bolos; **~stumpf** ⩓ *m* tronco *m* de cono; **2stumpfförmig** *adj.* en forma de cono truncado; **~ventil** *n* (-*s*; -*e*) válvula *f* de asiento cónico.
'Kegler *m* jugador *m* de bolos.
'Kehl|ader *Anat.* *f* (-; -*n*) vena *f* yugular; **~deckel** *Anat.* *m* epiglotis *f*; **~e** *f* (*Gurgel*) garganta *f*; (*Kehlkopf*) laringe *f*; △ acanaladura *f*; *aus voller* ~ a voz en cuello; *j-n an der* ~ *packen* agarrar a alg. por el cuello; *j-m die* ~ *zuschnüren* estrangular a alg.; *j-m das Messer an die* ~ *setzen* poner a alg. el puñal al cuello; *e-e ausgepichte* ~ *haben* beber como una esponja; *e-e trockene* ~ *haben* F tener seco el gaznate; et. *in die falsche* ~ *bekommen* (*sich verschlucken*) atragantarse; *fig.* interpretar torcidamente a/c.; **2en** ⊕ *v/t.* acanalar; estriar; **~hobel** *m* bocel *m*, acanalador *m*; **~kopf** *Anat.* *m* (-*es*; ⸚*e*) laringe *f*; (*Adamsapfel*) F nuez *f*; **~kopf-entzündung** *f*, **~kopfkatarrh** ⚕ *m* (-*s*; *0*) laringitis *f*; **~kopfkrebs** ⚕ *m* (-*es*; *0*) cáncer *m* de la laringe; **~kopfmikrophon** *n* (-*s*; -*e*) laringófono *m*; **~kopfschnitt** *Chir.* *m* (-*es*; -*e*) laringotomía *f*; **~spiegel** ⚕ *m* laringoscopio *m*; **~laut** *m* (-*es*; -*e*) sonido *m* gutural; **~leiste** △ *f* moldura *f*; (*Doppel2*) talón *m*.
'Kehr|aus *m* (-; *0*) (*bei Tanzveranstaltungen*) último *m* baile; fin *m* de la fiesta; *den* ~ *machen* dar fin a la fiesta; acabar con todo; F echar el cierre; **~besen** *m* escoba *f*.
'Kehre *f Biegung*: (re)vuelta *f*; *Kurve*: curva *f*; viraje *m*.
'kehren¹ *v/t.* (*fegen*) barrer; *Schornstein*: deshollinar.
'kehren² *v/t.*, *v/i. u. v/refl.* (*wenden*) volver, dar vuelta a; (*umwenden*) *sich* ~ volverse; *sich* ~ *gegen* volverse contra; *j-m den Rücken* ~ volver la espalda a alg.; *alles zum besten* ~ tomar las cosas por el lado bueno; *das Oberste zuunterst* ~ volver lo de arriba abajo; desordenarlo *od.* trastornarlo todo; *sich nicht* ~ *an* (*ac.*) no hacer ningún caso de; *in sich* ~ ensimismarse; *in sich gekehrt sein* estar ensimismado *od.* absorto; ⚔ *rechtsum* (*linksum*) *kehrt!* ¡media vuelta a la derecha (izquierda)!
'Kehricht *m/n* (-*es*; *0*) barreduras *f/pl.*; (*Müll*) basura *f*; *weitS.* inmundicia *f*; **~eimer** *m* cubo *m* de la basura; **~haufen** *m* montón *m* de barreduras *bzw.* basura.
'Kehr|maschine *f* barredera *f*; **~reim** *m* (-*es*; -*e*) estribillo *m*; **~seite** *f* (*e-s Blattes*) vuelta *f*; (*e-s Tuches*) revés *m*; ~ *der Medaille* el reverso de la medalla (*a. fig.*).
kehrt: ⚔ *ganze Abteilung* ~! ¡media vuelta a la derecha!; **'~machen** *v/i.* (*zurückkehren*) volver atrás, dar la vuelta, volver sobre sus pasos; **'2wendung** *f* media vuelta *f*.
'Kehrwert *m* (-*es*; -*e*) valor *m* recíproco.
'keif|en *v/i.* (*zanken*) regañar; (*brummen*) gruñir, refunfuñar; **2en** *n* regaño *m*; gruñido *m*, refunfuño *m*; **2er** *m* regañador *m*; refunfuñador *m*; F cascarrabias *m*; regañón *m*.
Keil *m* (-*es*; -*e*) cuña *f* (*a.* ⊕ *u.* △); (*Hemm2*) calza *f*; (*Nuten2*) chaveta *f*; △ (*Schlußstein*) clave *f* de bóveda; *Schneiderei*: ensanche *m*, *dreieckiger* ~ cuchillo *m*; *auf e-n groben Klotz gehört ein grober* ~ a tal tronco, tal hacha; a pillo, pillo y medio; **'~e** F *f* (*0*) paliza *f*, zurra *f*; **'2en** *v/t.* fijar con cuñas; ⊕ acuñar; (*e-n Keil unterlegen*) calzar; F (*prügeln*) apalear, F sacudir el polvo a alg.; (*werben*) *Studenten*: captar nuevos afiliados (*para una asociación*); F enganchar.
'Keiler *Jgdw.* *m* jabalí *m*.
Keile'rei *f* pendencia *f*, riña *f*; F camorra *f*, trifulca *f*.
'Keil|ferse *f* tacón *m* en forma de cuña; **2förmig** *adj.* cuneiforme, en forma de cuña; **~hacke** *f*, **~haue** *f* piqueta *f*; **~hose** *f* pantalón *m* fusiforme; **~kissen** *n* travesero *m*; **~riemen** *m* correa *f* trapezoidal; **~schrift** *f* (*0*) escritura *f* cuneiforme; **~stein** △ *m* (-*es*; -*e*) cuña *f*; **~stück** *n* (-*es*; -*e*) pieza *f* en forma de cuña; **~treiber** ⊕ *m* botador *m* de cuñas.
Keim *m* (-*es*; -*e*) germen *m* (*a. fig.*); (*Embryo*) embrión *m*; (*Kristall2*) núcleo *m* cristalino; *im* ~ en germen; *fig. im* ~ *vorhanden sein* estar en estado embrionario; *im* ~ *ersticken* sofocar en su origen; **~e** *treiben* germinar; **'~bildung** *f* germinación *f*; **'~bläs·chen** *n* vesícula *f* germinal *od.* blastodérmica; **'~blatt** ⚘ *n* (-*es*; ⸚*er*) cotiledón *m*; **'~drüse** *Anat.* *f* glándula *f* genital *od.* germinativa; **'2en 1.** *v/i.* germinar (*a. fig.*); (*knospen*) retoñar; (*treiben*) brotar; (*entstehen*) nacer (*a. fig.*); (*sich entfalten*) desarrollarse; **2.** *v/t.* hacer germinar; **'~en** *n* germinación *f*; (*Entstehen*) nacimiento *m*; (*Entfalten*) desarrollo *m*; **'2fähig** *adj.* germinativo; **'~fähigkeit** *f* (*0*) poder *m* germinativo; **'2frei** *adj.* esterilizado; ~ *machen* esterilizar; **'~ling** *m* (-*s*; -*e*) brote *m*, germen *m*; embrión *m*; **'~topf** *m* (-*es*; ⸚*e*) germinador *m*; **'2tötend** *adj.* germicida; microbicida; bactericida; esterilizador; **'~träger** ⚕ *m* portador *m* de gérmenes; **'~zelle** *f* célula *f* germinal.
kein *pron/indef.* (*vor Verben*) no; (*vor su.*) (no) ningún; (*hinter su.*) (no) alguno; *ich habe* ~ *Buch* no tengo libro; no tengo ningún libro; no tengo libro alguno; *ich habe* ~ *Geld* no tengo dinero; *er ist* ~ *Spanier* (él) no es español; *das ist* ~ *Baum* esto no es un árbol; ~ *Mensch* nadie; ~ *bißchen* absolutamente nada; ~ *einziges Mal* ni una sola vez; *du bist* ~ *Kind mehr* ya no eres un niño; ~ *anderer als er* nadie sino él; ningún otro; *das Stück hat gar* ~*en Erfolg gehabt* la pieza no ha tenido ningún éxito (*od.* no ha tenido el menor éxito); *es ist noch* ~*e 5 Minuten her* no hace ni (siquiera) cinco minutos; **'~er, '~e, '~es** *pron/indef.* ningún, ninguno; ninguna; nadie; *unter* ~*er Bedingung* bajo ninguna condición; a ningún precio; *in* ~*em Falle* en ningún caso; ~*er von beiden* ninguno de los dos; ni el uno ni el otro; ~*er hat es gesagt* nadie (*od.* ninguno) lo ha dicho; *es ist* ~*e leichte Aufgabe* no es ninguna tarea fácil; *als Antwort*: *ich habe keins* no tengo (ninguno); **'~er'lei** *adj.* ningún; de ninguna clase, de ningún género, de ninguna especie; *ich habe* ~ *Recht darauf* no tengo ningún derecho a eso; *auf* ~ *Weise* de ningún modo, en modo alguno; **'~esfalls** *adv.* en ningún caso; de ningún modo; (*als Antwort*) nada de eso; **'~es'wegs** *adv.* de ninguna manera, de ningún modo, en modo alguno; **'~mal** *adv.* ninguna vez; nunca, jamás; *einmal ist* ~ una no es ninguna; una vez no importa.
Keks [ke:ks] *m* (- *od.* -*es*; - *od.* -*e*) galleta *f*; **'~fabrik** *f* fábrica *f* de galletas.
Kelch *m* (-*es*; -*e*) copa *f*; *Rel. u.* ⚘: cáliz *m*; *den* ~ *bis zur Neige trinken* apurar el cáliz hasta las heces; **'~blatt** ⚘ *n* (-*es*; ⸚*er*) sépalo *m*; **'~blüter** ⚘ *m/pl.* calicifloras *f/pl.*; **'2förmig** *adj.* caliciforme; **'~glas** *n* (-*es*; ⸚*er*) copa *f* (en forma de cáliz).
'Kelle *f* (*Schöpf2*) cucharón *m*; (*Maurer2*) paleta *f*, *Am.* cuchara *f*; *zum Glätten*: llana *f*.
'Keller *m* (*Geschoß*) sótano *m*; (*Wein2*) bodega *f*; (*Kellergewölbe*) cueva *f*; **~assel** *f* cochinilla *f* de humedad.

Kelle'rei *f* bodegas *f/pl.*
'Keller|fenster *n* respiradero *m*, tragaluz *m*; **~geschoß** *n (-sses; -sse)* sótano *m*; **~gewölbe** *n* cueva *f*; **~loch** *n (-es; ⸚er)* respiradero *m*; **~lokal** *n* bodega *f*; **~meister** *m* bodeguero *m*; (*Hofbeamter*) sumiller *m* de la cava; **~wechsel** † *m* giro *m* ficticio; letra *f* de cambio ficticia; **~wohnung** *f* sótano *m* (habitable).
'Kellner *m* camarero *m*; *Am. a.* mozo *m*; **~in** *f* camarera *f*.
'Kelt|e *m (-n)*, **~in** *f* celta *m/f*; **~en** *m/pl.* celtas *m/pl.*
'Kelter *f* lagar *m*.
Kelte'rei *f* (*Kelterhaus*) lagar *m*.
'keltern *(-re) v/t.* pisar *bzw.* prensar la uva.
'keltisch *adj.* celta.
'kenn|bar *adj.* (re)conocible; **2daten** ⊕ *n/pl.* características *f/pl.*; **~en** (*L*) *v/t. u. v/refl.* conocer; *sich* ~ conocerse; *j-n dem Namen nach (vom Sehen)* ~ conocer a alg. de nombre (de vista); *j-n an der Stimme* ~ conocer a alg. por la voz; (*wissen*) saber; (*unterscheiden*) discernir; *e-n Stoff gründlich (durch und durch)* ~ poseer (conocer a fondo) una materia; *in- und auswendig* (*od. wie s-e Westentasche*) ~ F conocer al dedillo; *j-n in- und auswendig* ~ F saber los puntos que calza alg.; F *s-e Pappenheimer* ~ *fig.* conocer el paño; *er kennt sich nicht mehr vor Wut* está fuera de sí de rabia; **~enlernen** *v/t.*: *j-n* ~ (llegar a) conocer a alg.; trabar conocimiento con alg.; *du sollst mich noch* ~ *drohend*: vas a saber con quién tratas; **2er(in** *f*) *m* conocedor(a *f*) *m*; (*Fachmann*) experto *m*, perito *m*, técnico *m*; **2erblick** *m (-es; -e)* mirada *f* de conocedor; **2ermiene** *f* aire *m* de conocedor; **2karte** *f* tarjeta *f* de identidad; **2lichter** ⚓, ✈ *n/pl.* luces *f/pl.* de posición; **2marke** *f* (*Identifizierungsmarke*) chapa *f* de identidad; **2(n)ummer** *f (-; -n)* número *m* indicador.
'kenntlich *adj.* (re)conocible; fácil de (re)conocer; ~ *machen* marcar, (*etikettieren*) poner etiquetas; *sich* ~ *machen* darse a conocer.
'Kenntnis *f (-; -se)* conocimiento *m*; **~se** *f/pl.* conocimientos *m/pl.*; (*Wissen*) saber *m*; *gründliche* **~se** sólidos conocimientos; *allgemeine* **~se** conocimientos generales; (*wissenschaftliche Bildung*) instrucción *f*; *in* ~ *der Sachlage* con conocimiento de causa; *von et.* ~ *haben* tener conocimiento de a/c.; estar informado de (*od.* sobre) a/c.; *von et.* ~ *nehmen* informarse (*od.* enterarse) de a/c.; † tomar (buena) nota de; *j-n von et. in* ~ *setzen, j-m et. zur* ~ *bringen* dar conocimiento de a/c. a alg.; poner a/c. en conocimiento de alg.; enterar (*od.* informar) a alg. de a/c.; poner a alg. al corriente de a/c.; hacer saber (*od. amtlich*: notificar) a alg. a/c.; *es ist zu m-r* ~ *gelangt, daß* ha llegado a mi conocimiento que; **~nahme** *f (0)*: *zur* ~ para información; a título informativo; *zu Ihrer* ~ para su conocimiento; para su gobierno; **2reich** *adj.* muy instruido; sabio, docto, erudito.
'Kenn|wort *n (-es; ⸚er)* lema *m*; ⚔ consigna *f*, santo *m* y seña; **~zahl** *f* número *m* indicador; índice *m*; **~zeichen** *n* marca *f*, señal *f*; signo *m*; (*Abzeichen*) insignia *f*; (*Unterscheidungsmerkmal*) característica *f*; (signo *m*) distintivo *m*; (*Kriterium*) criterio *m*; (*Anzeichen*) indice *m*; (*Symptom*) síntoma *m*; *besondere* ~ (*pl.*) señas particulares; **2zeichnen** *(-e-)* **1.** *v/t.* (*mit Merkzeichen versehen*) marcar, señalar; (*etikettieren*) poner etiquetas *f/pl.*; (*charakterisieren*) caracterizar; calificar (*als* de); **2.** *v/refl.*: *sich* ~ (*charakterisieren*) caracterizarse; **2zeichnend** *adj.* característico; **~ziffer** *f (-; -n)* cifra *f* índice; índice *m*; *e-s Logarithmus*: característica *f*.
Ken'taur *Myt. m (-en)* centauro *m*.
'kentern *(-re; sn)* ⚓ *v/i.* zozobrar.
Ke'ra|mik *f* cerámica *f*; **2misch** *adj.* cerámico.
'Kerbe *f* (*Einschnitt*) muesca *f*; entalladura *f*; *fig. in dieselbe* ~ *hauen* tirar de la misma cuerda.
'Kerbel ⚘ *m* perifollo *m*.
'kerben *v/t.* hacer muescas en; entallar; (*auszacken*) dentar.
'Kerb|holz *n (-es; ⸚er)* tarja *f*; *fig.* et. *auf dem* ~ *haben* tener algo sobre la conciencia; **~tier** *n (-es; -e)* insecto *m*.
'Kerker *m* (*Gefängnis*) cárcel *f*; (*Verlies*) calabozo *m*; mazmorra *f*; **~haft** *f (0)* prisión *f*; reclusión *f*; **~meister(in** *f*) *m* carcelero (-a *f*) *m*.
Kerl *m (-es; -e)* F hombre *m*; tío *m*; P gachó *m*; *desp.* individuo *m*, sujeto *m*; tipo *m*; (*Schuft*) bribón *m*; *ganzer* ~ todo un hombre, un hombre de cuerpo entero; *armer* ~ un pobre hombre, un infeliz; *desp.* un pobre diablo; *braver* ~ una buena persona; *elender* ~ un miserable; *dummer* ~ mentecato, estúpido, memo; *guter* ~ un buen hombre; *gutmütiger* ~ un bendito, un alma de Dios; *ehrlicher* ~ un hombre honrado, un hombre de bien; *liederlicher* ~ un mal sujeto; *geriebener* (*od. durchtriebener od. gerissener*) ~ un vivo; *gemeiner* (*od. niederträchtiger*) ~ un mal hombre, un sujeto despreciable; *grober* ~ bruto, grosero, F pedazo de bárbaro; *junger* ~ muchacho, chico, mozo; *sonderbarer* ~ un tipo raro *od.* extravagante; **'~chen** *n* hombrecito *m*; chiquito *m*, chiquitín *m*; muchachito *m*.
Kern *m (-es; -e) Biol., Astr. u. fig.*: núcleo *m* (*a. Atom2*); (*Steinobst*) hueso *m*; *Am.* carozo *m*; (*Nuß2*) carne *f*; (*Trauben2, Apfelsinen2*) grano *m*; *der Artischocken, Salatköpfe*: corazón *m* (*a. v. Baum*; *~stück*; *Inneres*); *der Melone*: pipa *f*; (*Apfel2, Birnen2 usw.*) pepita *f*; *des Kabels, des Geschützes*: alma *f*; *fig.* (*Gehalt*) su(b)stancia *f*; (*das Wichtigste*) quintaesencia *f*; (*Wesen*) esencia *f*; *das ist des Pudels* ~ ése es el secreto de la cuestión; F ahí está el busilis (de la cosa); *auf den* ~ *e-s Problems stoßen* tocar el fondo del problema; *der* ~ *der Sache* la esencia (*od.* la médula *od.* el meollo) de la cuestión.
'Kern...: **~aufbau** *m (-es; 0)* estructura *f* nuclear; **2deutsch** *adj.* alemán de pura cepa; **~durchmesser** *m* diámetro *m* del núcleo; **~energie** *f* energía *f* nuclear; **~fach** *n (-es; ⸚er) Schule*: disciplina *f* básica; **2fest** *adj.* muy sólido, F fuerte como un roble; **~fleisch** *n (-es; 0)* carne *f* de filete, solomillo *m*; **~forschung** *f (0)* investigación *f* nuclear; **~frage** *f* cuestión *f* capital; **~frucht** *f (-; ⸚e)* fruta *f* de pepitas (*od.* de grano); **~gedanke** *m (-n)* idea *f* esencial; **~gehäuse** *n e-r Frucht*: corazón *m*; celdilla *f*; **2gesund** *(0) adj.* rebosante de salud; lleno de salud; **~holz** *n (-es; ⸚er)* cerne *m*, madera *f* de corazón; **2ig** *adj.* ⚘ pepitoso; *fig.* (*fest*) firme; (*stark*) fuerte; vigoroso; (*stämmig*) robusto; (*wirksam*) enérgico; **~ladung** *Phys. f* carga *f* del núcleo; **~leder** *n* cuero *m* de calidad selecta; **~obst** *n (-es; 0)* fruta *f* de pepita (*od.* grano); **2los** *adj.* (*Obst*) sin pepita (*od.* sin grano); **~physik** *f (0)* física *f* nuclear; **~punkt** *m (-es; -e)* punto *m* esencial; **~reaktion** *Phys. f* reacción *f* nuclear; **~reaktor** *m (-s; -en)* reactor *m* nuclear; **~schatten** *m* cono *m* de sombra; **~seife** *f* jabón *m* duro (*od.* de piedra); **~spaltung** *f* desintegración *f od.* fisión *f* nuclear; **~spruch** *m (-es; ⸚e)* sentencia *f* profunda; **~strahlung** *f* radiación *f* nuclear; **~stück** *n (-es; -e)* parte *f* esencial; corazón *m*; médula *f*; **~teilchen** *Phys. n* nucleón *m*; **~truppen** ⚔ *f/pl.* tropas *f/pl.* selectas; **~umwandlung** *Phys. f* transformación *f* nuclear; **~waffen** *f/pl.* armas *f/pl.* (termo)nucleares; **~wolle** *f (0)* lana *f* de lomo; **~zerfall** *Phys. m (-es; 0)* desintegración *f* nuclear.
'Kerze *f* bujía *f* (*a.* ⊕); (*Wachs2, Stearin2*) vela *f*; (*Kirchen2*) cirio *m*.
kerzen|ge'rade *adj.* derecho como una vela (*od.* como un huso); **'2gießer** *m* fabricante *m* de velas (de cera); velero *m*; **'2leuchter** *m* candelero *m*; *mit Griff*: palmatoria *f*; **'2licht** *n (-es; -e od. -er)*, **'2schein** *m (-es; 0)* luz *f* de vela; *bei* ~ a la luz de la vela (*bzw.* de las velas); **'2stärke** *f* intensidad *f* luminosa (en bujías); **'2zündung** *f beim Motor*: encendido *m* por bujías.
'Kescher *m* (*Fischgerät*) buitrón *m*.
keß F *adj.* (*frech*) fresco; desenvuelto; (*elegant*) elegante; (*schlau*) avispado, vivo; (*flott*) garboso.
'Kessel *m* caldera *f*; *großer*: calderón *m*; *kleiner*: caldero *m*; (*Wasser2*) hervidor *m*; (*Kochtopf*) olla *f*; marmita *f*; cazuela *f*, cacerola *f*; ⚔ (*Feld2*) marmita *f*; ⊕ (*Dampf2*) caldera *f* de vapor; generador *m* (de vapor); (*Tal2*) valle *m* cerrado; *Wasserbaukunst*: cámara *f* de esclusa; ⚔ (*Einkesselung*) copo *m*; **~anlage** *f* instalación *f* de calderas; **~druck** *m (-es; 0)* presión *f* (en la caldera); **~explosion** *f* explosión *f* de caldera; **~flicker** *m* calderero *m* ambulante; **~haken** *m* llares *f/pl.*; **~haus** *n (-es; ⸚er)* edificio *m bzw.* departamento *m* de calderas; **~jagd** *f Jgdw.* batida *f*; **~pauke** ♪ *f* timbal *m*; **~raum** *m (-es; ⸚e)* sala *f* de calderas; **~schmied** *m (-es; -e)* calderero *m*; **~schmiede** *f* calderería *f*; **~stein** *m (-es; 0)* incrustaciones *f/pl.*; *den* ~ *abkratzen* (*abklop-*

fen) raspar (picar) las incrustaciones; **~stein(lösungs)mittel** *n* desincrustante *m*; **~treiben** *n Jgdw.* batida *f* (*veranstalten* dar); **~voll** *m* calderada *f*; **~wagen** *m* 🚃 vagón-cisterna *m*.

'**Kettchen** *n* cadenita *f*.

'**Kette**[1] *f* cadena *f* (*a. fig.*); (*Hals*~, *Ordens*~) collar *m*; (*Blumen*~) guirnalda *f*; ⚔ cordón *m*; *fig.* lazo *m*, vínculo *m*; *an die ~ legen* encadenar, *Hund*: atar; *j-n in ~n legen* encadenar a alg.; (*fesseln*) aherrojar; *e-e ~ bilden* formar cadena; *von der ~ lösen* desencadenar, *Hund*: soltar.

'**Kette**[2] *Jgdw. f*: *~ Rebhühner* bandada de perdices.

'**ketten** (*-e-*) *v/t. u. v/refl.* encadenar, unir con cadenas *f/pl.*; (*fesseln*) aherrojar; *sich ~* encadenarse (*a. fig.*); (*Weberei*) urdir.

'**Ketten...**: **~antrieb** *m* (*-ės*; *0*) transmisión *f* por cadena; **~aufhängung** ⊕ *f* suspensión *f* catenaria; **~brief** *m* (*-ės*; *-e*) cadena *f* de la buena suerte; **~bruch** *m* (*-ės*; *¨e*) fracción *f* continua; **~brücke** *f* puente *m* colgante; **~förmig** *adj.* en forma de cadena; ⚗ en cadena; **~geklirr** *n* (*-ės*; *0*) ruido *m* de cadenas; **~gelenk** *n* (*-ės*; *-e*), **~glied** *n* (*-ės*; *-er*) eslabón *m*; **~geschäft** *n* (*-ės*; *-e*) empresa *f* con surcursales múltiples; **~gewölbe** *n* cadeneta *f*; **~handel** *m* (*-s*; *0*) comercio *m* por intermediarios; **~hund** *m* (*-ės*; *-e*) mastín *m*; perro *m* de cadena; **~panzer** *m* cota *f* de malla; **~rad** *n* (*-ės*; *¨er*) *Fahrrad*: piñón *m*; *Uhr*: rueda *f* de cadena; **~raucher** *m* fumador *m* empedernido; **~reaktion** *f* reacción *f* en cadena; **~rechnung** *f*, **~regel** *Arith. f* (*-*; *-n*) regla *f* conjunta; **~schluß** *m* (*-sses*; *¨sse*) (*Logik*) sorites *m*; **~schutz** *m* (*-es*; *0*) *Fahrrad*: cubrecadena *m*; **~stich** *m* (*-ės*; *-e*) punto *m* de cadeneta; **~sträfling** *m* (*-s*; *-e*) forzado *m*, presidiario *m*.

'**Ketzer** *m* hereje *m*.

Ketze'rei *f* herejía *f*.

'**Ketzer|gericht** *n* (*-ės*; *-e*) tribunal *m* de la Inquisición; *Span. a.* Santo Oficio *m*; **~in** *f* (mujer *f*) hereje *f*; **~isch** *adj.* herético; **~verbrennung** *f* auto *m* de fe; **~verfolgung** *f* persecución *f* de los herejes.

'**keuch|en I.** *v/i.* jadear; respirar con dificultad *f*; anhelar; *Pferde*: jadear; **II.** ~ *n* jadeo *m*; respiración *f* dificultosa; anhelación *f*; **~end** *adj.* jadeante; anhelante; **~husten** *m* tos *f* ferina.

'**Keule** *f* maza *f* (*a. Turngerät*); (*Streitkolben*) clava *f*, porra *f*; cachiporra *f*; (*Stößel*) mano *f* de almirez; (*Geflügel*~) muslo *m*; (*Hammel*~, *Kalbs*~) pierna *f*; (*Wild*~) pernil *m*; **~nschlag** *m* (*-ės*; *¨e*) mazazo *m*, porrazo *m*; **~nschwingen** *n* ejercicio *m* con mazas.

keusch *adj.* casto; honesto; púdico; (*enthaltsam*) continente; '**~heit** *f* (*0*) castidad *f*; honestidad *f*; pudicicia *f*; (*Enthaltsamkeit*) continencia *f*; **~heitsgelübde** *n* voto *m* de castidad; **~heitsgürtel** *m* cinturón *m* de castidad.

'**Khaki** ['kɑːkiː] *n* (*-s*; *0*) caqui *m*; **~uniform** *f* uniforme *m* de caqui.

Khan *m* (*-s*; *-e*) (*Herrschertitel*) kan *m*.

'**Kichererbse** ♀ *f* garbanzo *m*.

'**kichern I.** (*-re*) *v/i.* reír a socapa; reprimir la risa; **II.** ~ *n* risas *f/pl.* sofocadas; risita *f*.

Kicks *m* (*-*; *-*) golpe *m* en falso; *e-n ~ machen* (*beim Billard*) hacer una pifia; (*beim Singen*) soltar un gallo; **~en** *v/i.* (*-t*) errar el golpe; (*beim Billard*) pifiar.

'**Kickstarter** *m beim Motorrad*: pedal *m* de arranque.

'**Kiebitz** *m* (*-es*; *-e*) *Orn.* avefría *f*; *fig. beim Spiel*: espectador *m*, F mirón ; **~en** (*-t*) *v/i.* (*beim Spiel zuschauen*) F estar de mirón.

'**Kiefer**[1] *Anat. m* maxilar *m*, mandíbula *f*; *der Vierbeiner*: quijada *f*.

'**Kiefer**[2] ♀ *f* (*-*; *-n*) pino *m* común.

'**Kiefer|höhle** *Anat. f* seno *m* maxilar; **~klemme** ⚕ *f* trismo *m*; **~knochen** *Anat. m* hueso *m* maxilar; **~muskel** *Anat. m* (*-s*; *-n*) músculo *m* maxilar.

'**Kiefern|holz** *n* (*-es*; *¨er*) madera *f* de pino; **~nadel** *f* (*-*; *-n*) pinocha *f*; **~samen** *m* piñón *m*; **~wald** *m* (*-es*; *¨er*) pinar *m*; **~zapfen** *m* piña *f*.

'**Kiek|er** F *m* catalejo *m*; *auf dem ~ sein* mirar (*od.* velar) por; vigilar (*ac.*); *er hat mich auf dem ~* F no me quita el ojo de encima; me mira con escama; **~indiewelt** F *m* (*-s*; *-s*) braguillas *m*; boquirrubio *m*.

Kiel[1] *m* (*-ės*; *-e*) (*Feder*) cañón *m*.

Kiel[2] ⚓ *m* (*-ės*; *-e*) (*Schiffs*~) quilla *f*; (*Blatt*~) carena *f*; *auf den ~ legen* poner en grada, poner la quilla a un barco; '**~boden** *m* (*-s*; *¨*) sentina *f*; '**~en** *v/t.* emplumar; ⚓ poner la quilla; '**~holen** *v/t. Schiff*: carenar; *Matrosen*: dar carena *f* a; '**~holen** *n* carena *f* (*a. als Strafe*); '**~länge** *f* ⚓ eslora *f*; '**~legung** *f* puesta *f* en grada; ~'**oben** *adj.* con la quilla al aire; '**~raum** *m* (*-ės*; *¨e*) cala *f*; '**~wasser** *n* (*-s*; *0*) estela *f*; *j-m im ~ folgen* seguir la estela de alg.; '**~wasserlinie** *f* línea *f* de flotación.

'**Kieme** *f Ict.* branquia *f*; *äußerlich sichtbare*: agalla *f*; **~natmung** *f* (*0*) respiración *f* branquial; **~ndeckel** *m* opérculo *m*.

Kien *m* (*-ės*; *-e*) leña *f* resinosa; '**~apfel** *m* (*-s*; *¨*) piña *f*; '**~fackel** *f* (*-*; *-n*) antorcha *f* de pino, tea *f*; '**~holz** *n* (*-es*; *¨er*) leña *f* resinosa; '**~ig** *adj.* resinoso; '**~ruß** *m* (*-es*; *0*) negro *m* de humo; '**~span** *m* (*-ės*; *¨e*) astilla *f* resinosa, tea *f*.

'**Kiepe** *f* capacho *m*; (*Korb*) canasta *f*; (*bsd. zur Weinlese*) cuévano *m*.

Kies *m* (*-es*; *-e*) (*Schotter*~) grava *f* menuda; guijo *m*; (*~sand*) arena *f* gruesa; guija *f*; (*grober ~*) cantos *m/pl.* rodados, guijarros *m/pl.*; *Min.* pirita *f*; F (*Geld*) dinero *m*, F tela *f*, pasta *f*; P parné *m*; *mit ~ bestreuen* cubrir con grava; '**~ader** ⚒ *f* (*-*; *-n*) vena *f* (*od.* filón *m*) de pirita; '**~artig** *adj.* arenisco; *Min.* piritoso; '**~boden** *m* (*-s*; *¨*) terreno *m* guijarroso.

'**Kiesel** *m* guijarro *m*, canto *m* rodado; guija *f*; *Min.* sílice *f*; (*Feuerstein*) pedernal *m*; **~artig** *adj.* silíceo; **~erde** *f* ⚗ silicio *m*; *Min.* tierra *f* silícea; **~gur** *f* (*0*) harina *f* fósil; **~haltig** *adj.* silíceo; **~säure** ⚗ *f* (*0*) ácido *m* silícico; **~stein** *m* (*-ės*; *-e*) → *Kiesel*.

'**Kies|grube** *f* guijarral *m*; **~grund** *m* (*-ės*; *¨e*) terreno *m* pedregoso, suelo *m* guijarreño; **~haltig**, **~ig** *adj.* guijarreño, guijarroso; guijeño; **~weg** *m* (*-ės*; *-e*) camino *m* pedregoso; (*beschotterter*) camino *m* cubierto de guijo.

Kikeri'ki *n* (*-s*; *-e*) canto *m* del gallo; quiquiriquí *m*.

'**Kilo** *n* (*-s*; *- od. -s*), **~'gramm** *n* (*-s*; *-*) kilo(gramo) *m*; **~gram'meter** *n* kilográmetro *m*; **~'grammkalorie** *f* kilocaloría *f*; **~'hertz** *n* (*-es*; *-*) kilociclo *m*; **~'liter** *n* kilolitro *m*.

Kilo'meter *m* kilómetro *m*; *Entfernung in ~n* distancia en kilómetros; F *~ fressen* tragar kilómetros; **~fresser** F *m Auto.* tragakilómetros *m*, tragaleguas *m*; **~messer** *m* contador *m* de kilómetros, cuenta-kilómetros *m*; **~stand** *m* (*-ės*; *0*) kilómetros *m/pl.* recorridos, kilometraje *m*; **~stein** *m* (*-ės*; *-e*) poste *m* (*od.* mojón *m*) kilométrico; **~zahl** *f* kilómetros *m/pl.* recorridos, kilometraje *m*; **~zähler** *m* cuenta-kilómetros *m*.

Kilo'watt *n* (*-s*; *-*) kilovatio *m*; **~stunde** *f* kilovatio-hora *m*, kw/h.

Kimm ⚓ *f* (*0*) horizonte *m*; '**~e** *f* (*Kerbe*) muesca *f*, entalladura *f*; *hervorragend*: reborde *m*; ⚔ *am Gewehr*: muesca *f* de mira; '**~ung** *f* (*Luftspiegelung*) espejismo *m*.

Ki'mono *m* (*-s*; *-s*) kimono *m*.

Kind *n* (*-ės*; *-er*) niño *m*, niña *f*; *kleines ~* F nene *m*, nena *f*; *das älteste* (*jüngste*) *~ e-r Familie* el hijo mayor (menor) de una familia; *eheliches ~* hijo legítimo; *uneheliches ~* hijo natural (*od.* ilegítimo); *~ aus erster Ehe* hijo de primer matrimonio; *an ~es Statt annehmen* adoptar, prohijar; *an ~es Statt angenommenes ~* hijo adoptivo; *artiges ~* niño juicioso; *verwöhntes* (*od. verzogenes*) *~* niño mimado; *von ~ auf* desde la infancia, desde niño; *ein ~ unterschieben* (*aussetzen*) su(b)stituir por otro (abandonar) a un niño recién nacido; *ein ~ erwarten* (*werdende Mutter*) estar encinta (*od.* embarazada), hallarse en estado (F interesante), esperar un niño; *ein ~ bekommen* dar a luz un niño, tener un niño; *ein ~ zur Welt bringen* traer un hijo al mundo; *e-m ~ das Leben schenken* dar la vida a una criatura; *ein ~ entwöhnen* destetar a un niño; *ein ~ wickeln* fajar a un niño; *ein ~ spazierenfahren* pasear a un niño (*en un cochecito*); *sich wie ein ~ anstellen* portarse como niño, hacer niñadas; *seien Sie doch kein ~!* ¡no sea usted niño!; *das versteht jedes ~* eso lo entiende un niño; *er ist ein ~ des Todes* está perdido; *ein ~ s-r Zeit* un hombre de su siglo, un hijo de su época; *das ~ beim rechten Namen nennen* llamar las cosas por su nombre; F llamar al pan, pan y al vino, vino; *sich bei j-m lieb ~ machen* congraciarse con alg.; ganarse las simpatías de alg.; *das ~ mit dem Bade ausschütten* condenar por igual a justos y a pecadores;

mit ~ und Kegel con toda la familia; con toda la impedimenta; F *wir werden das ~ schon schaukeln* ¡no haya cuidado, que nosotros lo arreglaremos todo!; *gebranntes ~ scheut das Feuer* el gato escaldado, del agua fría huye; '**~bett** *n* (-*es*; *0*) sobreparto *m*, ⚕ puerperio *m*; *im ~ liegen* estar de parto; '**~bettfieber** ⚕ *n* fiebre *f* puerperal.

'**Kindchen** *n* F nene *m*, nena *f*.

'**Kinder...:** **~arbeit** *f* trabajo *m* infantil; **~arzt** *m* (-*es*; ⸚*e*) pediatra *m*; **~beihilfe** *f* subsidio *m* familiar; **~bekleidung** *f* ropas *f/pl.* para niños; **~bett(stelle** *f*) *n* cama *f* de (*od.* para) niño; **~bewahranstalt** *f* casa-cuna *f*; guardería *f* infantil; **~billett** *n* (-*es*; -*e od.* -*s*) billete *m* de niño; **~brei** *m* (-*es*; -*e*) papilla *f*; **~buch** *n* (-*es*; ⸚*er*) libro *m* infantil (*od.* para niños).

Kinde'rei *f* niñería *f*, chiquillada *f*; puerilidad *f*.

'**Kinder...:** **~ermäßigung** *f* reducción *f* para niños; **~erziehung** *f* (*0*) educación *f* de los niños; **~fahrkarte** *f* billete *m* infantil, medio billete *m*; **~fahrrad** *n* (-*es*; ⸚*er*) bicicleta *f* de niño; **~fest** *n* (-*es*; -*e*) fiesta *f* infantil; **~frau** *f* niñera *f*, ama *f* seca; **~fräulein** *n* institutriz *f*; aya *f*, niñera *f*; **~freund(in** *f*) *m* (-*es*; -*e*) amante *m/f* de los niños; **~funk** *m* (-*s*; *0*) radio *f* infantil; **~fürsorge** *f* (*0*) patronato *m* de protección a la infancia; (*Kinderpflege*) puericultura *f*; **~garten** *m* (-*s*; ⸚) jardín *m* de la infancia; F parvulario *m*; **~gärtnerin** *f* maestra *f* de párvulos; **~geschichten** *f/pl.* historietas *f/pl.* para niños; **~geschrei** *n* (-*es*; *0*) gritería *f* de niños; **~heilkunde** *f* (*0*) pediatría *f*; **~heim** *n* (-*es*; -*e*), **~hort** *m* (-*es*; -*e*) casa-cuna *f*; guardería *f* infantil; hogar *m* infantil; **~hilfsfonds** *m*: *Internationaler ~* Fondo Internacional de Ayuda a la Infancia; **~jahre** *n/pl.* (años *m/pl.* de la) infancia *f*; **~klapper** *f* (-; -*n*) sonajero *m*; **~kleidung** *f* ropas *f/pl.* para niños; **~krankheit** *f* enfermedad *f* infantil; enfermedad *f* de los niños; **~lähmung** ⚕ *f*: *spinale ~* poliomielitis *f*; parálisis *f* infantil; **2leicht** *adj.* (*0*) sumamente fácil; *das ist ~* esto es un juego de niños; F esto es coser y cantar; **2lieb** *adj.*: *~ sein* querer mucho a los niños; amar a los niños; **~liebe** *f* (*0*) amor *m* filial; *der Eltern*: amor de los padres a los hijos; **~lied** *n* (-*es*; -*er*) canción *f* infantil; canción *f* para niños; **2los** *adj.* sin hijos; **~losigkeit** *f* (*0*) falta *f* de hijos; **~mädchen** *n* niñera *f*; **~märchen** *n* cuento *m* infantil; **~mehl** *n* (-*s*; *0*) harina *f* lacteada; **~nahrung** *f* (*0*) alimentos *m/pl.* para niños; **~narr** *m* (-*en*), **~närrin** *f* gran amante *m/f* de los niños; **~pflege** *f* (*0*) puericultura *f*; **2reich** *adj.* que tiene muchos hijos; *~e Familie* familia numerosa; **~schreck** *m* (-*s*; -*s*) coco *m*; **~schuh** *m* (-*es*; -*e*) zapatito *m* de niño; *fig. den ~en entwachsen sein* haber salido ya de la infancia; F *fig.* no mamarse ya el dedo; *noch in den ~en stecken* estar todavía en mantillas; estar todavía en los comienzos *od.* estar en estado embrionario; **~schutz** *m* (-*es*; *0*) protección *f* de la infancia; *Internationale Union für ~* Unión Internacional de Protección a la Infancia; **~schwarm** *m* (-*es*; ⸚*e*) enjambre *m* de chiquillos; **~schwester** *f* (-; -*n*) niñera *f*; **~spiel** *n* (-*es*; -*e*) juego *m* infantil; *fig. a.* bagatela *f*; **~spielplatz** *m* (-*es*; ⸚*e*) parque *m* infantil; **~spielzeug** *n* (-*es*; -*e*) juguete *m*; **~sprache** *f* (*0*) lenguaje *m* de los niños; **~sterblichkeit** *f* (*0*) mortalidad *f* infantil; **~stimme** *f* voz *f* infantil (*od.* de niño); **~streich** *m* (-*es*; -*e*) chiquillada *f*; **~stube** *f* cuarto *m* de los niños; e-e *gute ~ haben* estar bien educado; **~stuhl** *m* (-*es*; ⸚*e*) sillita *f* de niño; **~vorstellung** *f* sesión *f* infantil; **~waage** *f* balanza *f* para pesar niños; **~wagen** *m* cochecito *m* de niño; **~wärterin** *f* niñera *f*; **~zulage** *f*, **~zuschlag** *m* (-*es*; *0*) subsidio *m* familiar, puntos *m/pl.* por hijos.

'**Kindes...:** **~alter** *n* (-*s*; *0*) infancia *f*; niñez *f*; **~aussetzung** *f* abandono *m* de un niño; **~beine** *n/pl.*: *von ~n an* desde la más tierna infancia; **~entführer(in** *f*) *m* secuestrador (-a *f*) *m* de un niño; **~entführung** *f* secuestro *m* de un niño; **~kind** *n* (-*es*; -*er*) nieto *m*, nieta *f*; **~liebe** *f* (*0*) amor *m* filial; cariño *m* infantil; **~mord** *m* (-*es*; -*e*) asesinato *m* de un niño; *bsd. e-s Neugeborenen*: infanticidio *m*; **~mörder(in** *f*) *m* infanticida *m/f*; **~nöte** *f/pl.* dolores *m/pl.* (precursores) del parto; **~pflicht** *f* deber *m* filial; **~psychologie** *f* (*0*) (p)sicología *f* del niño; **~raub** *m* (-*es*; -*e*) → *Kindesentführung*; **~unterschiebung** *f* su(b)stitución *f* de un recién nacido por otro.

'**Kindheit** *f* (*0*) infancia *f*; niñez *f*; *von ~ an* desde la más tierna infancia, desde niño.

'**kindisch** *adj.* (*Gesicht*) aniñado; (*einfältig*) simple; *v. Personen*: infantil; (*Greis*) chocho; *v. Handlungen*: pueril, de niño; *~ sein* ser niño; *~ werden* (*Greis*) volver a la infancia; *~ reden* (*handeln*) decir (hacer) niñadas; *sich ~ betragen* portarse como una criatura.

'**kindlich** *adj.* (*e-m Kinde gemäß*) infantil, de niño; (*dem Kinde geziemend*) filial; (*unbefangen*) cándido; (*unschuldig*) inocente; (*treuherzig*) ingenuo; **2keit** *f* (*0*) simplicidad *f* de la infancia; (*die dem Kinde geziemt*) sentimiento *m* filial; (*Unbefangenheit*) candidez *f*; (*Unschuld*) inocencia *f*; (*Treuherzigkeit*) ingenuidad *f*; (*Reinheit*) candor *m*.

'**Kindschaft** *f* filiación *f*.

'**Kinds|kopf** F *m* (-*es*; ⸚*e*) alma *f* de cántaro; **~pech** *Physiol. n* meconio *m*.

ˌ**Kinds-taufe** *f Fest*: bautizo *m*; *Sakrament*: bautismo *m*.

Kine'matik *f* (*0*) cinemática *f*.

Kinemato'graph *m* (-*en*) cine (-matógrafo) *m*.

kinemato'graphisch *adj.* cinematográfico.

Ki'net|ik *Phys. f* (*0*) cinética *f*; **2isch** *adj.* cinético.

'**Kinkerlitzchen** F *pl.* (*Krimskrams*) chismes *m/pl.*; cachivaches *m/pl.*; baratijas *f/pl.*; (*Nichtigkeiten*) bagatelas *f/pl.*, niñerías *f/pl.*

Kinn *n* (-*es*; -*e*) barbilla *f*; '**~backe(n** *m*) *f Anat.* maxilar *m* (inferior); mandíbula *f*; '**~backenkrampf** ⚕ *m* (-*es*; ⸚*e*) trismo *m*; '**~band** *n* (-*es*; ⸚*er*) barboquejo *m*; '**~bart** *m* (-*es*; ⸚*e*) perilla *f*; '**~haken** *m Boxsport*: gancho *m* a la mandíbula; **~kette** *f des Pferdes*: barbada *f*.

'**Kino** F *n* (-*s*; -*s*) cine *m*; *ins ~ gehen* ir al cine; **~besucher(in** *f*) *m* espectador(a *f*) *m*; **~leinwand** *f* (*0*) pantalla *f*; **~raum** *m* (-*es*; ⸚*e*) sala *f* de cine; **~reklame** *f* publicidad *f* en los cines; **~saal** *m* (-*es*; -*säle*) sala *f* de cine; **~vorstellung** *f* sesión *f* de cine.

'**Kipfel** *n* (*Gebäck*) media luna *f*, *fr.* croissant *m*.

'**kipp|bar** *adj.* basculante; **2bewegung** *f* movimiento *m* basculante; **2e** *f* (*Wippe*) báscula *f*; F (*Zigarettenstummel*) colilla *f*; *auf der ~ stehen* estar a punto de caer; *fig.* ✝ estar al borde de la quiebra; **~en 1.** (*sn*) *v/i.* perder el equilibrio; (*schaukeln*) bambolear, oscilar; (*wirklich fallen*) caer; (*um~*) volcar; *Waage*: tropezar; **2.** *v/t.* (*um~*) volcar; (*zur Seite*) ladear, inclinar; bascular; (*aus~*) descargar; **2er** *m* dispositivo *m* basculante; basculador *m*; **2fenster** *n* ventana *f* basculante; **2hebel** *m* palanca *f* basculante; **2karren** *m* volquete *m*; vagoneta *f* basculante; **2kübel** *m* caldero *m* volcador; **2lastwagen** *m* camión *m* basculante; **2lore** *f* vagoneta *f* basculante; **2schalter** *m* interruptor *m* de palanca; **~sicher** *adj.* estable, fijo; **2sicherung** *f* estabilizador *m*; **2ständer** *m* soporte *m* basculante; **2vorrichtung** *f* dispositivo *m* basculante; **2wagen** *m* 🚃 vagón *m* basculante; (*Kippkarren*) volquete *m*.

'**Kirchdorf** *n* (-*es*; ⸚*er*) aldea *f* con iglesia.

'**Kirche** *f* (*Gebäude*) iglesia *f*, *protestantische*: templo *m*; (*Einrichtung*) Iglesia *f*; *die katholische* (*protestantische*; *reformierte*; *anglikanische*) *~* la Iglesia católica (protestante; reformada; anglicana); (*Gottesdienst*) culto *m*; oficio *m* divino; (santa) misa *f*; servicio *m* divino; *in die ~ gehen* ir a la iglesia.

'**Kirchen...:** **~älteste(r)** *I.P. m* consejero *m* parroquial; **~amt** *n* (-*es*; ⸚*er*) ministerio *m* eclesiástico; sacerdocio *m*; **~bann** *m* (-*es*; *0*) excomunión *f*; entredicho *m*; *in den ~ tun* excomulgar; **~bau** *m* (-*es*; -*ten*) construcción *f* de una iglesia; **~behörde** *f* autoridad *f* eclesiástica; **~besuch** *m* (-*es*; -*e*) frecuentación *f* del culto; **~buch** *n* (-*es*; ⸚*er*) registro *m* parroquial; **~buße** *f* penitencia *f* (canónica); **~chor** *m* (-*es*; ⸚*e*) coro *m*; **~diebstahl** *m* (-*es*; ⸚*e*) hurto *m* sacrílego; **~diener** *m* (*Küster*) sacristán *m*; **~fahne** *f* gonfalón *m*; **2feindlich** *adj.* anticlerical; **~fenster** *n* vidriera *f*; *großes*: ventanal *m*; **~fest** *n* (*-es*; *-e*) fiesta *f* religiosa; **~fürst** *m* (*-en*) prelado *m*; príncipe *m* de la Iglesia; **~gelder** *n/pl.* fondos *m/pl.* *bzw.* ingresos *m/pl.* de la iglesia; *I.C.* fábrica *f*; **~gemeinde** *f* parroquia *f*; **~gemeinderat** *m* (*-es*; *⸚e*) *I.P.* junta *f* parroquial administrativa; **~geräte** *n/pl.* vasos *m/pl.* sagrados; **~gesang** *m* (*-es*; *⸚e*) (*Lied*) cántico *m*; (*Lobgesang*) himno *m*; (*das Singen*) canto *m* litúrgico; música *f* sagrada; **~geschichte** *f* (*0*) historia *f* eclesiástica (*od.* de la Iglesia); **~jahr** *n* (*-es*; *-e*) año *m* eclesiástico; **~konzert** *n* (*-es*; *-e*) concierto *m* religioso (*od.* de música sacra); **~lehre** *f* (*0*) doctrina *f* de la Iglesia; dogma *m*; **~lehrer** *m* Doctor *m* de la Iglesia; **~lied** *n* (*-es*; *-er*) cántico *m*; **~maus** *f* (*0*): *fig. arm wie e-e ~* F más pobre que una rata; **~musik** *f* (*0*) música *f* religiosa (*od.* sagrada); **2politisch** *adj.* relativo a la política eclesiástica; **~rat** *m* (*-es*; *⸚e*) **1.** (*Verwaltungsorgan*) *I.P.* consistorio *m*; sínodo *m*; → *Kirchengemeinderat*; **2.** (*Titel*) *I.P.* consejero *m* eclesiástico; miembro *m* del consistorio; **~raub** *m* (*-es*; *0*) robo *m* sacrílego; **~recht** ⚖ *n* (*-es*; *0*) derecho *m* canónico; **2rechtlich** *adj.* canónico; **~rechtslehrer** *m* canonista *m*; **~regiment** *n* (*-es*; *0*) gobierno *m* de la Iglesia; régimen *m* teocrático; **~schändung** *f* sacrilegio *m*; profanación *f*; **~schatz** *m* (*-es*; *⸚e*) tesoro *m* de la iglesia; **~schiff** △ *n* (*-es*; *-e*) nave *f*; **~seitenschiff** *n* (*-es*; *-e*) nave *f* lateral; **~spaltung** *f* cisma *m*; **~staat** *m* (*-es*; *0*) Estado *m* Vaticano, Santa Sede *f*; *Hist.* Estados *m/pl.* Pontificios; **~steuer** *f* (*-*; *-n*) impuesto *m* eclesiástico; **~streit** *m* (*-es*; *-e*) *Pol.* conflicto *m* con la Iglesia; **~stuhl** *m* (*-es*; *⸚e*) escaño *m*; **~tag** *m* (*-es*; *-e*) *I.C.* Congreso *m* Católico; *I.P.* Congreso *m* Evangélico; *Deutscher Evangelischer ~* Congreso Sinodal de la Iglesia Evangélica Alemana; **~vater** *m* (*-s*; *⸚*) Padre *m* de la Iglesia; **~versammlung** *f* *I.C.* concilio *m* (*allgemeine* ecuménico); *bsd. I.P.*: sínodo *m*; **~vorstand** *m* (*es*; *⸚e*) consejo *m* parroquial administrativo; *I.C.* consejo *m* de fábrica, mayordomía *f*; **~vorsteher** *m* presidente *m* del consejo parroquial; *I.C.* mayordomo *m* de fábrica; **~zucht** *f* (*0*) disciplina *f* eclesiástica.

ˈ**Kirch...**: **~gang** *m* (*-es*; *⸚e*) ida *f* a misa; *zur Trauung*: cortejo *m* nupcial; **~gänger(in** *f*) *m* feligrés *m*, feligresa *f*; **~hof** *m* (*-es*; *⸚e*) cementerio *m*; **2lich** *adj.* eclesiástico, de la Iglesia; (*geistlich*) espiritual; (*kirchenrechtlich*) canónico; (*Geistliche betreffend*) clerical; *~ gesinnt* religioso; devoto; *~e Trauung* matrimonio canónico; *sich ~ trauen* casarse canónicamente, F casarse por la Iglesia; **~spiel** *n* (*-es*; *-e*) parroquia *f*, feligresía *f*; **~sprengel** *m* *I.C.* diócesis *f*; curato *m*; *I.P.* parroquia *f*; **~turm** *m* (*-es*; *⸚e*) campanario *m*; torre *f* de la iglesia; **~turmpolitik** *f* (*0*) política *f* de campanario; **~turmspitze** *f* flecha *f* del campanario; **~weihe** *f* consagración *f* de una iglesia; **~weihfest** *n* (*-es*; *-e*) aniversario *m* de la consagración de una iglesia; romería *f*; **~zeit** *f* horas *f/pl.* de los oficios divinos.

ˈ**Kirmes** *f* romería *f*; kermesse *f*; verbena *f*; (*Jahrmarkt*) feria *f*.

ˈ**kirnen** *v/t.* mazar; → *buttern*.

ˈ**kirre** *adj.* (*zahm*) domesticado; manso; *fig.* dócil, sumiso; *~ machen* = **~n** *v/t.* (*zähmen*) domesticar; *fig.* doblegar; (*ködern*) atraer con halagos *m/pl.*

Kirsch *m* (*-es*; *-*) marrasquino *m*; kirsch *m*; ˈ**~baum** *m* (*-es*; *⸚e*) cerezo *m*; ˈ**~blüte** *f* flor *f* de cerezo; ˈ**~branntwein** *m* (*-es*; *-e*) licor *m* de cereza, marrasquino *m*; **~e** *f* cereza *f*; (*saure ~*) guinda *f*; *fig. mit ihm ist nicht gut ~n essen* F es hombre de malas pulgas; ˈ**~kern** *m* (*-es*; *-e*) hueso *m* de cereza; ˈ**~kuchen** *m* tarta *f* de cereza *bzw.* de guindas; ˈ**2rot** *adj.* rojo cereza; ˈ**~saft** *m* (*-es*; *⸚e*) zumo *m* de cerezas; ˈ**~stein** *m* (*-es*; *-e*) → *Kirschkern*; ˈ**~stiel** *m* (*-es*; *-e*) rabo *m* de cereza; ˈ**~wasser** *n* (*-s*; *0*) → *Kirschbranntwein*.

ˈ**Kissen** *n* almohada *f*; (*Sofa2*) cojín *m*; (*Sitz2*) almohadón *m*; (*Roll2*) rollo *m*; **~bezug** *m* (*-es*; *⸚e*), **~überzug** *m* (*-es*; *⸚e*) funda *f*.

ˈ**Kistchen** *n* caja *f* pequeña; cajita *f*; cofrecillo *m*.

ˈ**Kiste** *f* caja *f*; cajón *m*; (*Truhe*) arca *f*; F *alte ~* (*Auto*) cacharro *m*; *in ~n packen* encajonar; *fig.* F *... und fertig ist die ~* F ... y listo el bote; ... y sanseacabó; *e-e ~ zunageln* clavar una caja.

ˈ**Kisten|deckel** *m* tapa *f* de la caja; **~fabrik(ation)** *f* fábrica *f* de cajas de madera; **~holz** *n* (*-es*; *⸚er*) madera *f* para cajas; **~macher** *m* carpintero *m*; **~öffner** *m* abrecajas *m*.

Kitsch *m* (*-es*; *0*) cursilería *f*; (*Bild*) mamarracho *m*, mamarrachada *f*; ˈ**2ig** *adj.* cursi; de mal gusto, ramplón; de pacotilla.

Kitt (*-es*; *-e*) *m* (*Stein2*) cemento *m*; (*Glaser2*) masilla *f*; (*Teer2*) betún *m*; (*Bindemittel*) *allg.* aglutinante *m*, pegamento *m*.

ˈ**Kittchen** F *n* cárcel *f*; F chirona *f*, abanico *m*; P trena *f*; *ins ~ stecken* poner a la sombra; meter en chirona F *fig.* enchiquerar.

ˈ**Kittel** *m* blusa *f*; (*Ärzte2*, *Laboratoriums2*) *a.* bata *f*; (*Fuhrmanns2*) capote *m*; **~schürze** *f* delantal *m*.

ˈ**kitten** (*-e-*) *v/t.* unir *od.* pegar con cemento *bzw.* masilla; *fig.* componer, arreglar; F remendar.

Kitz *n* (*-es*; *-e*), ˈ**~e** *f* (*Zicklein*) cabrito *m*, (*Lamm*) corderito *m*; (*Rehkalb*) corcito *m*.

ˈ**Kitzel** *m* cosquilleo *m*; cosquillas *f/pl.*; (*Jucken*) comezón *m*, ⚕ prurito *m*; (*Sinnen2*) voluptuosidad *f*; (*Gelüst*) deseo *m* irresistible; **2ig** *adj.* cosquilloso; *fig.* (*heikel*) escabroso; delicado; (*mißlich*) espinoso; **2n** *v/t. u. v/unprs.* (*-le*) cosquillear, hacer cosquillas; *es kitzelt mich* siento un cosquilleo; tengo cosquillas; *fig.* adular; **~n** *n* cosquilleo *m*.

ˈ**Kitzler** *Anat. m* clítoris *m*.

ˈ**kitzlig** *adj.* → *kitzelig*.

Klaˈbautermann ⚓ *m* (*-es*; *⸚er*) duendecillo *m*, trasgo *m*.

ˈ**Kladde** *f* borrador *m*.

kladderaˈdatsch *int.* ¡cataplum!

Kladderaˈdatsch *m* (*-es*; *-e*) desbarajuste *m*, revoltijo *m*; estropicio *m*; P fregado *m*; *da haben wir den ~!* ¡nos hemos lucido!

ˈ**klaffen** *v/i.* estar abierto *od.* hendido; estar entreabierto; (*sich öffnen*) (entre)abrirse; (*schlecht schließen*) encajar mal; *hier klafft ein Widerspruch* aquí hay una flagrante contradicción; *~de Wunde* herida (muy) abierta.

ˈ**kläff|en** *v/i.* ladrar, gañir; aullar; **2en** *n* ladrido (agudo) *m*, gañido *m*; aullido *m*; **2er** *m* perro *m* ladrador; gozque *m*; (*Person*) *fig.* vocinglero *m*; P voceras *m*.

ˈ**Klafter** (*-*; *-n od. -*) *f* (*Längenmaß*) braza *f*; toesa *f*; (*Holzmaß*) cuerda *f*; (*Raummaß für Holz*) estéreo *m*; **2n** (*-re*) *v/t. Holz*: medir.

ˈ**klagbar** *adj.* acusable; *~ werden* entablar demanda.

ˈ**Klage** *f* (*Beschwerde*) queja *f*; (*Seufzen*) gemido *m*; (*Jammern*) lamentación *f*; ⚖ demanda *f*; querella *f*; acción *f* judicial; *in ~n ausbrechen* prorrumpir en lamentaciones; *~ führen über* (*ac.*) quejarse de; ⚖ *e-e ~ einreichen* (*anbringen od. anhängig machen*) presentar demanda *bzw.* querella *od.* entablar una acción judicial (*gegen* contra; *wegen* por); **~abweisung** ⚖ *f* denegación *f* de una demanda; **~be-antwortung** ⚖ *f* defensa *f*; respuesta *f*; **~gedicht** *n* (*-es*; *-e*) elegía *f*; **~geschrei** *n* (*-es*; *0*) lamentos *m/pl.*, ayes *m/pl.*, lamentaciones *f/pl.*; **~grund** ⚖ *m* (*-es*; *⸚e*) fundamento *m* de la demanda; **~laut** *m* (*-es*; *-e*) gemido *m*; **~lied** *n* (*-es*; *-er*) canto *m* fúnebre, treno *m*; *m. s.* jeremiada *f*; *~er Jeremiä* las lamentaciones de Jeremías; **~mauer** *f* (*-*; *-n*) muro *m* de las lamentaciones; **2en 1.** *v/i.* quejarse; (*jammern*) lamentarse (*über ac.* de, por); (*bedauern*) dolerse de a/c.; ⚖ demandar (*gegen* a; *auf ac.* por) presentar demanda *bzw.* querella; entablar una acción judicial; **2.** *v/t.*: *j-m et. ~* quejarse a alg. de a/c.; *j-m sein Leid ~* confiar sus penas a alg.; **~n** *n* quejas *f/pl.*; (*Jammern*) lamentaciones *f/pl.*; **2nd** *adj.* (*traurig*) triste; (*kläglich*) lastimero; quejumbroso; ⚖ *~er Teil* parte demandante *od.* actora; **~punkt** ⚖ *m* (*-es*; *-e*) punto *m* litigioso; (*Beschuldigung*) acusación *f*.

ˈ**Kläger(in** *f*) *m* ⚖ *im Zivilprozeß*: actor(a *f*) *m*, demandante *m/f*; *in e-r Kriminalsache*: querellante *m/f*; *öffentlicher ~* acusador público.

ˈ**Klage|ruf** *m* (*-es*; *-e*) grito *m* de dolor; gemido *m* lastimero; **~sache** *f* causa *f*; proceso *m*; pleito *m*; **~schrift** ⚖ *f* escrito *m* de demanda; **~ton** *m* (*-es*; *⸚e*) tono *m* dolorido *od.* lastimero; **~weg** *m*: *auf dem ~e* judicialmente; *den ~*

beschreiten proceder judicialmente, recurrir a los tribunales; **⁓weib** *n* (*-es*; *-er*) plañidera *f*; **⁓zurücknahme** ⚖ *f* (*0*) desistimiento *m* de la demanda.

ˈ**kläglich** *adj.* (*klagend*) quejumbroso; (*weinerlich*) lastimero; (*elend*) lastimoso; (*kümmerlich*) ridículo, triste; (*beklagenswert*) lamentable, *nicht v. Personen*: deplorable; (*erbärmlich*) miserable; e-e ⁓e *Rolle spielen* hacer un triste papel; **2keit** *f* (*0*) miseria *f*; (*beklagenswerter Zustand*) estado *m* deplorable *od.* lamentable.

Klaˈmauk F *m* (*-s*; *0*) alboroto *m*, trapatiesta *f*; algarabía *f*.

klamm *adj.* (*beengt*) estrecho, apretado; (*erstarrt*) rígido, tieso; (*feucht*) húmedo; F ⁓ *sein* andar mal de fondos (*od.* de dinero); *der Schnee ist* ⁓ la nieve está endurecida *od.* cuajada.

Klamm *f* garganta *f*; barranco *m*, torrentera *f*.

ˈ**Klammer** *f* (-; *-n*) (*Heft2*) grapa *f*; ⚕ erina *f*; (*Wäsche2*) pinza *f* (para ropa); (*Büro2*) prendedor *m*; *Gr.*, *Typ.*, *Algebra*: paréntesis *m*; *runde* ⁓*n pl.* paréntesis *m/pl.*; *eckige* ⁓*n pl.* corchetes *m/pl.*; *geschweifte* ⁓ abrazadera *f*; *in* ⁓*n setzen* poner entre paréntesis; **⁓beutel** *m* saquito *m od.* bolsa *f* de pinzas; **2n** (*-re*) *v/t.*: *sich* ⁓ *an* agarrarse a; abrazarse a; aferrarse a.

Klaˈmotten F *f/pl.* (*Ziegelsteinstücke*) cascotes *m/pl.*; *alte* ⁓ trastos *m/pl.*; chismes *m/pl.*, cachivaches *m/pl.*; bártulos *m/pl.*

ˈ**Klampe** ⚓ *f* tojino *m*.

ˈ**Klampfe** ♪ *f* guitarra *f*.

klang *pret. v. klingen.*

Klang *m* (*-es*; *⁼e*) sonido *m*; (*harmonischer*) son *m*; *der Stimme*: tono *m*; *in Worten*: acento *m*; (*Widerhall*) resonancia *f*; *mit Sang und* ⁓ a tambor batiente; con bombo y platillos; *ohne Sang und* ⁓ a cencerros tapados; *guten* ⁓ *haben* ♪ sonar bien, tener buen sonido; *fig.* ser reputado, gozar de merecido renombre; F tener buen cartel.

ˈ**Klang...**: **⁓farbe** *f* timbre *m*; tonalidad *f*; **⁓fülle** *f* (*0*) sonoridad *f*; **⁓lehre** *f* (*0*) acústica *f*; **2los** *adj.* sordo; afónico; *Phys.* sin sonido; no sonoro; **⁓losigkeit** *f* (*0*) afonía *f*; falta *f* de voz *bzw.* de sonoridad; **⁓regler** *m* regulador *m* de tono; **⁓regelung** *f* regulación *f* de tono; **2rein** *adj.* nítido, puro; **⁓reinheit** *f* (*0*) pureza *f* de sonido; fidelidad *f*; **2voll** *adj.* sonoro; *fig. Name*: prestigioso; **⁓welle** *f* onda *f* sonora; **⁓wirkung** *f* efecto *m* musical; **⁓wort** *n* (*-es*; *⁼er*) *Gr.* palabra *f* onomatopéyica; **⁓zeichen** ♪ *n* accidental *m*.

ˈ**Klapp|bett** *n* (*-es*; *-en*) cama *f* plegable; catre *m*; **⁓brücke** *f* puente *m* de báscula; puente *m* basculante; **⁓deckel** *m* tapa *f* con charnela.

ˈ**Klapp|e** *f am Tisch*: ala *f*; *Schneiderei*: (*Taschen2*) pata *f*, cartera *f*; (*Revers*) solapa *f*; (*Aufschlag*) vuelta *f*; (*Deckel*) tapa *f*; (*Fliegen2*) matamoscas *m*; *zwei Fliegen mit e-r* ⁓ *schlagen* matar dos pájaros de un tiro (*od.* de una pedrada); (*Fall2*) trampa *f*; (*Ventil*) válvula *f*; (*Verschluß2*) chapaleta *f*; (*Hosen2*) bragueta *f*; *am Ofen*, *Instrument*: llave *f*; *an der Flöte*: lengüeta *f*; *an der Trompete*: pistón *m*; ⚘, *Zoo.* valva *f*; *Anat.* válvula *f*; P (*Bett*) piltra *f*, catre *m*; *in die* ⁓ *gehen* irse al catre; (*Mund*) F pico *m*; *halt die* ⁓! ¡cállate la boca!, ¡cierra el pico!; **2en 1.** *v/i. Tür, Laden*: tabletear; cencerrear; cerrarse con ruido *m*; *fig. das klappt* esto va bien; esto cuaja; *es hat geklappt* ha salido (*od.* resultado) bien; ha cuajado la cosa; se ha logrado; **2.** *v/t. u. v/refl.*: (*sich*) *in die Höhe* ⁓ alzar(se), levantar(se); **⁓en** *n* tableteo *m*; *fig. es kommt zum* ⁓ llega el momento crítico; **⁓entasche** *f* bolsillo *m* de cartera; **⁓ventil** *n* (*-s*; *-e*) válvula *f* de charnela; **⁓verschluß** *m* (*-sses*; *⁼sse*) cierre *m* de válvula.

ˈ**Klapper** *f* (-; *-n*) (*Schnarre*) carraca *f*; matraca *f*; (*Tanz2*) castañuelas *f/pl.*; (*Kinder2*) sonajero *m*; (*Mühl2*) tarabilla *f*; *der Schlange*: cascabel *m*; **2dürr** *adj.* esquelético; F más flaco que un fideo; **2ig** *adj. Möbel usw.*: desvencijado; *Person*: *fig.* muy débil; achacoso; F hecho una cataplasma (*od.* una carraca); **⁓kasten** F *m* (*-s*; *⁼*) (*Klavier*) pianucho *m* desvencijado, F carraca *f*; **⁓mühle** *f* molino *m* de tarabilla; *Poes.* molino *m*; *fig. s-e* ⁓ *steht nicht still* F no da paz a la sinhueso; **2n** (*-re*) *v/i.* matraquear; (*Hufe*) chacolotear; (*Mühle*) tabletear; (*Storch*) castañetear; *mit den Zähnen* ⁓ dentellar, castañetear los dientes, dar diente con diente (*vor Kälte* de frío); **⁓n** *n* matraqueo *m*; *der Mühle*: tableteo *m*; *des Storches*: castañeteo *m*; *der Schreibmaschine*: tecleo *m*; (*Gerassel*) chacoloteo *m*; ruido *m* de hierros; *der Zähne*: castañeteo *m*; (*Zittern*) trepidación *f*; traqueteo *m*; **⁓schlange** *Zoo. f* serpiente *f* de cascabel; crótalo *m*; **⁓storch** (*-es*; *⁼e*) F *m* cigüeña *f*.

ˈ**Klapp...**: **⁓fenster** *n* ventana *f* basculante *od.* giratoria; **⁓horn** ♪ *n* (*-es*; *⁼er*) cornetín *m* de pistón; **⁓hut** *m* (*-es*; *⁼e*) clac *m*; **⁓kamera** *f* máquina *f* fotográfica de fuelle; **⁓kragen** *m* cuello *m* vuelto; **⁓messer** *n* navaja *f* (de muelle); **2rig** *adj.* → *klapperig*; **⁓sitz** *m* (*-es*; *-e*) asiento *m* movible *od.* plegadizo; *im Wagen*: bigotera *f*; *im Auto*: traspuntín *m*; **⁓stuhl** *m* (*-es*; *⁼e*) silla *f* plegable; silla *f* de tijera; catrecillo *m*; **⁓tisch** *m* (*-es*; *-e*) mesa *f* plegable (*od.* de charnelas); **⁓tür** *f* trampa *f*; **⁓verdeck** *n* (*-es*; *-e*) *e-s Wagens*: capota *f*; **⁓visier** ⚔ *n* (*-s*; *-e*) alza *f*.

Klaps *m* (*-es*; *-e*) golpe *m*; (*mit der flachen Hand*) manotada *f*; palmada *f*; (*ins Gesicht*) bofetada *f*, F sopapo *m*; F *e-n* ⁓ *haben* estar tocado de la cabeza; estar majareta; **2en** (*-t*) *v/t.* dar palmadas a; abofetear, dar sopapos.

klar I. *adj.* claro; (*durchsichtig*) transparente, diáfano; *Himmel*: límpido; (*heiter*) sereno; (*rein*) puro, limpio; (*licht*) lúcido; (*verständlich*) inteligible, comprensible; (*lesbar*) legible; (*deutlich*) neto; (*unterschieden*) distinto; (*einleuchtend*) evidente; *Phot.* (*Bild*) nítido; (*kristall⁓*) cristalino; ⁓ *werden Flüssigkeiten*: clarificarse, *Angelegenheit*: aclararse, *Himmel*: despejarse; *j-m* ⁓*en Wein einschenken* decir a alg. la pura verdad; ⁓! ¡claro!, ¡naturalmente!; *das ist* ⁓ claro está; F *na*, ⁓! ¡claro, hombre!; *ins* ⁓*e bringen* poner en claro; *ins* ⁓*e kommen* empezar a ver claro; *man muß sich darüber im* ⁓*en sein* hay que tener presente (*od.* en cuenta) que; *ich bin mir im* ⁓*en darüber* ya me hago cargo de ello; lo veo perfectamente claro; estoy enterado (*od.* al corriente) del asunto, lo sé perfectamente; ⚓ ⁓ *sein od. liegen* estar pronto (*od.* listo) para zarpar; ⁓ *Deck!* ¡despeja cubierta!; ⁓ *zum Gefecht!* ¡zafarrancho de combate!; **II.** *adv.* claramente, con claridad; ⁓ *denken* pensar lógicamente; ⁓ *sehen* ver claro; ⁓ *zutage treten*, ⁓ *auf der Hand liegen* estar perfectamente claro; ser evidente *od.* plausible.

ˈ**Klara** *f* Clara *f*.

ˈ**Klär|anlage** *f* instalación *f* de clarificación; **⁓becken** *n* cámara *f* de clarificación (*od.* de decantación).

ˈ**klarblickend** *adj.* clarividente; (*scharfsichtig*) perspicaz; sagaz.

ˈ**klären I.** *v/t. u. v/refl.* clarificar; *fig.* aclarar, dilucidar, esclarecer; *sich* ⁓ clarificarse; aclararse; **II.** 2 *n* clarificación *f*; *fig.* esclarecimiento *m*.

ˈ**Klärbottich** *m* (*-es*; *-e*) cuba *f* de clarificación.

ˈ**Klare(s)** *n* (*v. Ei*) clara *f*; *fig. ins* 2 *bringen* poner en claro; *ins* 2 *kommen* empezar a ver claro; *ich bin mir im* 2*n darüber* lo veo claro; me hago cargo de ello; lo sé perfectamente.

ˈ**Klarheit** *f* (*0*) claridad *f*; (*Durchsichtigkeit*) transparencia *f*, diafanidad *f*, *vom Himmel*: limpidez *f*; (*Reinheit*) pureza *f*; (*Heiterkeit*) serenidad *f*; *Phot.* (*Bild*) nitidez *f*; (*Augenscheinlichkeit*) evidencia *f*; *des Geistes*: lucidez *f*; ⁓ *in et. bringen* (*ac.*) aclarar *od.* poner en claro a/c.

klaˈrier|en ⚓ *v/t.* despachar en la aduana; **2ung** *f* declaración *f* de entrada *bzw.* de salida.

Klariˈnette ♪ *f* clarinete *m*; **⁓nbläser** *m* clarinete *m*; clarinetista *m*.

Klarinetˈtist *m* (*-en*) → *Klarinettenbläser*.

ˈ**klar|legen** *v/t. fig.* explicar; aclarar, poner en claro; dilucidar, esclarecer; evidenciar; *j-m et.* ⁓ hacer comprender a alg. a/c.; **2legung** *f* explicación *f*; aclaración *f*; esclarecimiento *m*; **⁓machen** *v/t.* explicar; aclarar, poner en claro; (*erhellen*) clarear; *j-m et.* ⁓ hacer comprender a alg. a/c.; *sich et.* ⁓ darse cuenta de a/c.; ⚓ aprestarse para; hacer los preparativos para; *zum Kampfe* ⁓ hacer zafarrancho de combate.

ˈ**Klärmittel** *n* clarificador *m*.

ˈ**klarstell|en** *v/t.* → *klarlegen*; **2ung** *f* → *Klarlegung*.

'**Klärung** *f* clarificación *f*; purificación *f*; *fig.* aclaración *f*; esclarecimiento *m*.
'**klarwerden** (*L, sn*) **1.** *v/i.* explicarse; **2.** *v/refl.*: *sich über et.* ~ comprender a/c.
'**Klasse** *f* clase *f*; *bei Volksschulen*: grado *m*; sección *f*; *bei höheren Schulen*: curso *m*; *Führerschein erster* ~ carnet de conductor de primera clase; *Fahrkarte erster (zweiter)* ~ billete de primera (segunda) clase; *erster* ~ (*ersten Ranges*) de primera clase *bzw.* categoría *od.* fila; *die mittlere (untere; obere)* ~ la clase media (baja; alta); *die besitzende (herrschende)* ~ la clase poseedora (dominante); *die arbeitende* ~ la clase trabajadora (*od.* obrera); *in* ~*n einteilen* clasificar; *in der* ~ (*Schule*) en clase.
'**Klassen...**: ~**älteste(r)** *m* alumno *m* de más edad de la clase; ~**arbeit** *f* composición *f*; ejercicio *m*; ≈**bewußt** *adj.* con conciencia de clase; ~**bewußtsein** *n* (*-s*; *0*) conciencia *f* de clase; ~**buch** *n* (*-es*; *"er*) diario *m* de clase; ~**einteilung** *f* clasificación *f*; *Schule*: división *f* en grados *bzw.* secciones; ~**erste(r)** *m Schule*: el primero de la clase; ~**geist** *m* (*-es*; *0*) espíritu *m* de clase (*od.* de casta); ~**haß** *m* (*-sses*; *0*) odio *m* de clases; ~**kamerad(in** *f*) *m* (*-en*) compañero (-a *f*) *m* de clase; ~**kampf** *m* (*-es*; *"e*) lucha *f* de clases; ~**lehrer(in** *f*) *m* maestro (-a *f*) *m* de sección; ≈**los** *adj.* sin clases; ~**lotterie** *f* lotería *f* en series; ~**spiegel** *m* plan-horario *m* escolar; ~**stärke** *f* número *m* de alumnos de una sección; ~**unterschiede** *m/pl.* diferencias *f/pl.* de clase; ~**zimmer** *n* (sala *f* de) clase *f*; aula *f*.
klas'sieren (-) *v/t.* clasificar.
klassifi'zier|en (-) *v/t.* clasificar; ≈**en** *n*, ≈**ung** *f* clasificación *f*.
'**Klass|ik** *f* (*0*) clasicismo *m*; ~**iker** *m* (autor *m*) clásico *m*; ≈**isch** *adj.* clásico.
Klassi'zismus *m* (-; *0*) clasicismo *m*.
klatsch *int.* ¡zas!
Klatsch *m* (*-es*; *-e*) F (*Geschwätz*) chismes *m/pl.*, habladurías *f/pl.*, comadrerías *f/pl.*; F cotilleo *m*, comadreo *m*, chismorreo *m*; '~**base** *f* F cotilla *f*; cotorra *f*; '~**blatt** F *n* (*-es*; *"er*) periodicucho *m* escandaloso.
'**Klatsche** *f* (*Fliegen*≈) matamoscas *m*.
'**klatschen I.** *v/i.*: *mit den Händen* (*od. in die Hände*) ~ dar palmadas, palmotear; aplaudir, batir palmas; *j-m Beifall* ~ aplaudir a alg.; *Regen*: ~ *gegen* azotar (*ac.*); *fig.* (*schwatzen*) F cotillear, comadrear, chismorrear; *über j-n* ~ murmurar de alg.; **II.** ≈ *n* (*Beifall*) aplausos *m/pl.*; palmas *f/pl.* *fig.* → *Klatsch.*
'**Klatsch|geschichte** *f* habladuría *f*, chisme *m*, comadrería *f*; crónica *f* escandalosa; ≈**haft** *adj.* chismoso; ~**haftigkeit** *f* (*0*) inclinación *f* *bzw.* afición *f* a comadrear; comadrería *f*, habladuría *f*.
'**Klatsch|maul** F *n* (*-es*; *"er*) chismoso *m*, chismosa *f*; cotilla *m/f*; correveidile *m*; ~**mohn** *m* (*-s*; *0*), ~**rose** *f* ⚘ amapola *f*; ≈**naß** *adj.* F hecho una sopa, calado hasta los huesos; ≈**süchtig** *adj.* chismoso; ~**weib** F *n* (*-es*; *-er*) → *Klatschbase.*
'**klauben** *v/t. u. v/i.* limpiar, espurgar; (*auslesen*) escoger de entre, sacar *od.* separar de; *Worte* ~ sutilizar, ergotizar.
'**Klaue** *f allg.* uña *f*; *des Löwen usw.*, *der Raubvögel*: garra *f*; (*Huf*) pezuña *f*; (*Tatze*) zarpa *f*; F (*Schrift*) garrapatos *m/pl.*; ⊕ (*Haken*) uña *f*, garra *f*; gancho *m*; *mit den* ~*n pakken* echar la garra a; *in j-s* ~*n (Händen) sein* estar en las garras de alg.; *j-m in die* ~*n (Hände) fallen* caer en las garras de alg.
'**klauen** P *v/t.* raspar, timar; apandar; afanar; birlar.
'**Klauen|hieb** *m* (*-es*; *-e*) zarpazo *m*; ~**kupplung** ⊕ *f* acoplamiento *m* de garras; ~**seuche** *Vet.* *f* glosopeda *f*; *Maul- und* ~ fiebre aftosa.
Klaus *m* Nicolás *m*.
'**Klause** *f* (*Gebirgspaß*) desfiladero *m*; (*Mönchs*≈) celda *f*; (*Einsiedelei*) ermita *f*.
'**Klausel** (-; *-n*) ⚖ *f* cláusula *f*; estipulación *f* particular.
'**Klausner** *m* eremita *m*, ermitaño *m*.
Klau'sur *f Rel.* clausura *f* (*auferlegen* imponer); *in der* ~ *Schule*: bajo vigilancia; ~**arbeit** *f* examen *m* escrito vigilado (*a puerta cerrada*).
Klavia'tur [-vïa·-] ♪ *f* teclado *m*.
Kla'vier *n* (*-s*; *-e*) piano *m*; ~ *spielen* tocar el piano; ~**auszug** *m* (*-es*; *"e*) partitura *f* para piano; ~**bauer** *m* fabricante *m* de pianos; ~**bearbeitung** *f* transcripción *f* para piano; ~**begleitung** *f* acompañamiento *m* de piano; ~**hocker** *m* taburete *m* de piano; ~**konzert** *n* (*-es*; *-e*) (*Komposition*) concierto *m* para piano; *e-s Solisten*: recital *m* de piano; ~**lehrer(in** *f*) *m* profesor(a *f*) *m* de piano; ~**schlüssel** *m* clave *f* de do; ~**schule** *f* escuela *f* de piano; (*Methode*) método *m* de piano; ~**spiel** *n*: *sein* ~ su ejecución en el piano; ~**spieler(in** *f*) *m* pianista *m/f*; ~**stimmer** *m* afinador *m* de pianos; ~**stück** *n* (*-es*; *-e*) pieza *f* *od.* composición *f* para piano; ~**stuhl** *m* (*-es*; *"e*) → *Klavierhocker*; ~**stunde** *f* lección *f* de piano; ~**virtuose** *m* (*-n*) pianista *m* de concierto, virtuoso *m*; ~**vortrag** *m* (*-es*; *"e*) recital *m* de piano.
'**Klebe|kraft** *f* (*0*) fuerza *f* adhesiva; ~**marke** *f* sello *m* de cuota de seguro social; ~**mittel** *n* (*Leim*) cola *f*; (*Gummi*) goma *f*; ⚕ aglutinante *m*; ≈**n 1.** *v/i.* adherir(se), pegar(se) (*an dat.* a); ⚕ aglutinarse; *an j-m* (*an e-r Sache*) ~ tener apego a; *am Buchstaben* ~ atenerse a la letra; *Blut klebt an s-n Händen* tiene las manos manchadas de sangre; **2.** *v/t.* pegar; ⚕ aglutinar; (*mit Gummi*) engomar; (*mit Leim*) encolar; F *j-m e-e* ~ pegarle un tortazo a alg.; dar a alg. un sopapo *od.* una morrada; ~**n** *n* encolamiento *m*; (*Anhaften*) adherencia *f*; ≈**nd** *adj.* pegadizo; adhesivo; aglutinante; ~**pflaster** *Phar.* *n* emplasto *m* adhesivo; ~**r** *m* cola *f*; ⚗ gluten *m*; ≈**rig** *adj.* pegajoso; adhesivo; (*schleimig*) viscoso; glutinoso; ~**rolle** *f* cinta *f* engomada *od.* adhesiva; ~**stoff** *m* (*-es*; *-e*) su(b)stancia *f* adhesiva; ⚗ gluten *m*; → *Klebemittel*; ~**streifen** *m* → *Kleberolle*; ~**zettel** *m* etiqueta *f* engomada.
'**klebrig** *adj.* → *kleberig*; ≈**keit** *f* (*0*) pegajosidad *f*; adhesividad *f*; viscosidad *f*.
Klecks *m* (*-es*; *-e*) (*Fleck*) mancha *f*; (*Tinten*≈) borrón *m*; '≈**en** (*-t*) *v/i.* hacer borrones *m/pl.*; manchar (*con pintura od. tinta*); *Feder*: echar borrones; (*besudeln*) emborronar; embadurnar; '~**er** *m Maler*: pintor *m* chapucero (*od.* de brocha gorda); F pintamonas *m*; ~**e'rei** *f* borrones *m/pl.*; (*schlechtes Bild*) F pintarrajo *m*, mamarracho *m*.
Klee ⚘ *m* (*-s*; *0*) trébol *m*; '~**blatt** *n* (*-es*; *"er*) hoja *f* de trébol; *fig.* trío *m*; *vierblättriges* ~ trébol de cuatro hojas; '≈**blattförmig** *adj.* ⚘ trifoliado; ▨ trebolado; '~**blattbogen** ⚠ *m* (*-s*; *"*) arco *m* trebolado; '~**feld** *n* (*-es*; *-er*) campo *m* de trébol; '~**futter** *n* pasto *m* de trébol; '~**salz** ⚗ *n* (*-es*; *0*) oxalato *m* potásico, sal *f* de acederas; *saures* ~ oxalato; ~**säure** ⚗ *f* (*0*) ácido *m* oxálico.
Klei *m* (*-es*; *0*) arcilla *f*; tierra *f* arcillosa.
'**Kleiber** *Orn.* *m* trepatroncos *m*.
Kleid *n* (*-es*; *-er*) (*Damen*≈) vestido *m*; (*Ordens*≈) hábito *m*; ~**er** *pl.* ropa *f*; *abgelegte* ~*er* ropa usada; *in s-n* ~*ern schlafen* dormir vestido; ~*er machen Leute* el hábito hace al monje; '≈**en** (*-e-*) **1.** *v/t.* vestir; (*schmücken*) adornar (*mit* de); *sich* ~ vestirse; *sich in Schwarz* ~ vestirse de negro; *fig. in Worte* ~ expresar con palabras; **2.** *v/i.*: *gut* ~ sentar (*od.* ir) bien.
'**Kleider...**: ~**ablage** *f* guardarropa *m*; ~**aufwand** *m* (*-es*; *0*) lujo *m* en el vestir; ~**bügel** *m* percha *f*; ~**bürste** *f* cepillo *m* (para ropa); ~**haken** *m* percha *f*; ~**händler** *m* vendedor *m* de ropas hechas, ropero *m*; (*Trödler*) ropavejero *m*; ~**hülle** *f* funda *f* para ropa; ~**kammer** *f* (-; *-n*) guardarropa *m*; ~**laus** *f* (-; *"e*) piojo *m* de los vestidos; ~**motte** *f* polilla *f*; ~**puppe** *f* maniquí *m*; ~**sack** *m* (*-es*; *"e*) → *Kleiderhülle*; ~**schnitt** *m* (*-es*; *-e*) patrón *m*; ~**schrank** *m* (*-es*; *"e*) (armario *m*) ropero *m*; ~**ständer** *m* perchero *m*; ~**stange** *f* percha *f*; ~**stoff** *m* (*-es*; *-e*) tela *f* para vestidos.
'**kleidsam** *adj.* que sienta bien; elegante; bonito; ≈**keit** *f* (*0*) elegancia *f* (en el vestir).
'**Kleidung** *f* ropa *f*; vestidos *m/pl.*; indumentaria *f*; *Mal.* ropaje *m*; ~**sstück** *n* (*-es*; *-e*) prenda *f* de vestir.
'**Klei|e** *f* salvado *m*, afrecho *m*; ~**enmehl** *n* (*-s*; *0*) moyuelo *m*; ≈**ig** *adj.* que contiene salvado; furfuráceo.
klein I. *adj.* pequeño; (*knapp*) escaso; (*unbedeutend*) insignificante; (*winzig*) diminuto, minúsculo; menudo; (*geringfügig*) exiguo; (*verschwindend* ~) mínimo; imperceptible; microscópico; (*kurz*) corto; breve; (*zwergenhaft*) pigmeo, enano; ~*er Geist* espíritu estrecho; ~*er Buchstabe* letra minúscula; ~*es Holz* leña menuda; ~*es Geld* dinero suelto, calderilla; ~*er Finger* dedo meñique; ~*er Junge* chico; ~*er Bruder* hermano menor; *der* ~*e Mann*

el hombre vulgar; *das* ~*ere Übel* el mal menor; *die* ~*en Leute* la gente baja *od.* vulgar; ~ *und groß* pequeños y grandes, altos y bajos; jóvenes y viejos; ♪ ~*e Terz* tercera menor; *ein* (*ganz*) ~ *wenig* un poquito; *aus* ~*en Verhältnissen stammen* ser de origen humilde *od.* modesto; *von* ~ *auf* desde niño *bzw.* niña, desde pequeño *bzw.* pequeña, desde la más tierna edad; *die* ~*en Kinder* los niños, la gente menuda; (*Babys*) los nenes; *im* ~*en* en pequeño; en pequeña escala; en miniatura; *im* ~*en verkaufen* vender al por menor; ~*er werden* ir disminuyendo, reducirse; hacerse más pequeño; **II.** *adv.*: ~ *gewachsen* de pequeña estatura, de poca talla, F bajito; *er schreibt* ~ escribe con letra menuda; *ein Wort* ~ *schreiben* escribir una palabra con minúscula; ~ *anfangen* empezar modestamente, comenzar con (casi) nada; ~ *beigeben* ceder; doblegarse; F bajar las orejas; *von j-m* ~ *denken* no tener muy elevado concepto de alg.; menospreciar a alg.; *sich* ~ *machen* (*sich demütigen*) humillarse; achicarse; ~*er machen* reducir; disminuir; (*zerkleinern*) desmenuzar; partir en trozos; *sich* ~*er machen* empequeñecerse; (*sich einziehen*) encogerse; *kurz und* ~ *schlagen* F hacer trizas *od.* añicos; no dejar títere con cabeza; *bis ins* ~*ste* hasta el más pequeño detalle.

'Klein...: ~**arbeit** *f* trabajo *m* minucioso *od.* detallado; trabajo *m* de filigrana; ~**'asien** *n* el Asia Menor; ~**auto**(**bus** *m* [-*ses*; -*se*]) *n* (-*s*; -*s*) microbús *m*; ~**auto**(**mobil** [-*s*; -*e*]) *n* (-*s*; -*s*) auto(-móvil) *m* pequeño; ~**bahn** *f* ferrocarril *m* secundario; ferrocarril *m* de vía estrecha; ~**bauer** *m* (-*n*) labrantín *m*, pegujalero *m*; *Am.* chacarero *m*; ~**betrieb** *m* (-*es*; -*e*) empresa *f* pequeña; ~**bildkamera** *f* (-; -*s*) máquina *f* para fotografías de tamaño reducido; ~**buchstabe** *m* (-*ns*; -*n*) (letra *f*) minúscula *f*; ~**bürger** *m* pequeño burgués *m*; ~**bürgertum** *n* (-*s*; *0*) pequeña burguesía *f*; ~**e** *f*: *die* ~ la pequeña, la pequeñuela, la chica; (*Baby*) la nena; ~**e**(**r**) *m*: *der* ~*e* el pequeño, el pequeñuelo, el chico; (*Baby*) el nene; *Kleine und Große pl.* pequeños y grandes; ~**e**(**s**) *n*: et. ~*s* poca cosa; (*Kleinigkeit*) una bagatela, una pequeñez; *im* ~*n* en pequeño; en miniatura; ~**erwerden** *n* disminución *f*, reducción *f* progresiva; ~**fahrzeug** *n* (-*es*; -*e*) vehículo *m* pequeño; coche *m od.* auto(móvil) *m* pequeño; ~**flugzeug** *n* (-*es*; -*e*) avioneta *f*; ~**format** *n* (-*es*; -*e*) tamaño *m* pequeño; ~**garten** *n* (-*s*; ¨) jardinillo *m*; huertecillo *m*; ~**geld** *n* (-*es*; *0*) dinero *m* suelto; calderilla *f*; ~**gewerbe** *n* pequeña industria *f*; ~**gewerbetreibende**(**r**) *m* pequeño industrial *m*; 2**gläubig** *adj.* de poca fe; (*verzagt*) pusilánime; ~**gläubigkeit** *f* (*0*) falta *f* de fe; (*Verzagtheit*) pusilanimidad *f*; 2**hacken** *v/t.* (*Fleisch*) picar; (*Holz*) cortar en pequeños trozos, hacer leña menuda; ~**handel** *m* (-*s*; *0*) comercio *m* al por menor; ~**händler**(**in** *f*) *m* comerciante *m/f* al por menor, menorista *m/f*, detallista *m/f*; ~**heit** *f* pequeñez *f*; insignificancia *f*; ~**hirn** *Anat. n* (-*es*; -*e*) cerebelo *m*; ~**holz** *n* (-*es*; *0*) leña *f* menuda; F ✂ ~ *machen* hacerse astillas.

'Kleinigkeit *f* pequeñez *f*, menudencia *f*, bagatela *f*; (*Unbedeutendes*) insignificancia *f*, nimiedad *f*, nadería *f*, futilidad *f*; (*elender Kram*) chuchería *f*, baratija *f*; ~*en pl.* pequeñeces *f/pl.*, menudencias *f/pl.*; (*Einzelheiten*) detalles *m/pl.* menudos; *sich um* ~*en kümmern* ocuparse en nimiedades; pararse en pequeñeces *od.* en pelillos; ~**skrämer** *m* cominero *m*, reparón *m*; ~**skräme'rei** *f* escrupulosidad *f* exagerada; minuciosidad *f*.

'Klein...: ~**industrie** *f* industria *f* modesta; ~**kaliberbüchse** *f* carabina *f* de pequeño calibre; ~**kaliberschießen** *n* tiro *m* (con armas) de pequeño calibre; 2**kalibrig** *adj.* de pequeño calibre; 2**kariert** *adj.* a cuadros pequeños; ~**kind** *n* (-*es*; -*er*) niño *m* de corta edad; (*bsd. schultechnisch*) párvulo *m*; ~**kinderbe'wahranstalt** *f* casa-cuna *f*; guardería *f* infantil; 2**körnig** *adj.* de grano menudo; ~**kraftwagen** *m* auto(móvil) *m* pequeño; ~**kram** *m* (-*es*; *0*) nimiedades *f/pl.*; naderías *f/pl.*; menudencias *f/pl.*; ~**krieg** ⚔ *m* (-*es*; -*e*) guerra *f* de guerillas; 2**kriegen** *v/t.*: et. ~ acabar con a/c.; *j-n* ~ hacer entrar en razón a alg., F bajar los humos a alg., meter en cintura a alg.; ~**kunstbühne** *f* cabaret *m* artístico; ~**lastwagen** *m* camioneta *f*; 2**laut** *adj.* apocado; azorado; ~ *werden* no atreverse a sacar la voz del cuerpo; F bajar las orejas; perder el aplomo; *j-n* ~ *machen* hacer a alg. bajar el tono; ~ *abziehen* F salir rabo entre piernas, salir con las orejas gachas; ~**lebewesen** *n* microorganismo *m*; 2**lich** (*engstirnig*) de miras estrechas; (*geizig*) mezquino, tacaño; (*genau*) minucioso, meticuloso; (*umständlich*) formalista; (*weitläufig*) nimio; (*armselig*) miserable; ~**lichkeit** *f* estrechez *f* de miras; mezquindad *f*, tacañería *f*; minuciosidad *f*, meticulosidad *f*; nimiedad *f*; ~**lieferwagen** *m* moto-carro *m*; furgoneta *f*; 2**machen** *v/t.* cortar en pequeños trozos; 2**mahlen** *v/t.* (*L*) moler fino; ~**mut** *m* (-*es*; *0*) pusilanimidad *f*; 2**mütig** *adj.* pusilánime, apocado; desalentado, descorazonado; ~ *werden* perder el ánimo, desalentar(se), descorazonarse.

'Kleinod *n* (-*es*; -*e u.* -*ien*) joya *f*, alhaja *f*; tesoro *m* (*a. fig.*).

'Klein...: ~**rentner** *m* modesto rentista *m*; ~**staat** *m* (-*es*; -*en*) Estado *m* pequeño; Estado *m* secundario; ~**staate'rei** *f* (*0*) particularismo *m* de los pequeños Estados; ~**stadt** *f* (-; ¨*e*) villa *f*, pequeña ciudad *f*; ~**städter**(**in** *f*) *m* habitante *m/f* de una pequeña ciudad; provinciano (-a *f*) *m*; 2**städtisch** *adj.* provinciano, de provincias; ~**st-auto** *n* (-*s*; -*s*) coche *m* miniatura, *neol.* biscuter *m*; ~**stkind** *n* (-*es*; -*er*) niño *m* de pecho; ~**tierzucht** *f* (*0*) cría *f* de ganado menor; ~**verdiener** *m* asalariado *m* modesto; ~**verkauf** *m* (-*es*; *0*) venta *f* al por menor; ~**verkaufs-preis** *m* (-*es*; -*e*) precio *m* de venta al por menor; ~**vieh** *n* (-*es*; *0*) ganado *m* menor; ~**wagen** *m* → *Kleinfahrzeug*; ~**wild** *n* (-*es*; *0*) caza *f* menor.

'Kleister *m* engrudo *m*; 2**n** (-*re*) *v/t.* engrudar, pegar (*con engrudo*); ~**n** *n* engrudamiento *m*; ~**pinsel** *m* brocha *f* de engrudar; ~**topf** *m* (-*es*; ¨*e*) pote *m* de engrudo.

Kle'matis ✿ *f* (-; -) clemátide *f*.

'Klemens *m* Clemente *m*.

'Klemme *f* pinza *f*; ⚡ borne *m*; terminal *m*; (*Schraubstock*) torno *m*; *fig.* apuro *m*, aprieto *m*; atolladero *m*, situación *f* embarazosa; *in der* ~ *sein* (*od. sitzen od. stecken od. sich befinden*) estar en un aprieto, encontrarse en un apuro; estar en un atolladero; *j-m aus der* ~ *helfen* sacar a alg. de un aprieto (*od.* de un apuro *od.* atolladero).

'klemmen *v/t.* apretar; sujetar; ⊕ enclavar; *sich* ~ ⊕ atascarse; *Tür*: encajar mal; *sich den Finger* ~ magullarse el dedo en; F (*stehlen*) hurtar, F birlar, escamotear.

'Klemmenspannung ⚡ *f* tensión *f* en los bornes.

'Klemmschraube *f* ⚡ borne *m* con espiga roscada.

'Klempner *m* hojalatero *m*; fontanero *m*.

Klempne'rei *f* hojalatería *f*.

'Klempner|handwerk *n* (-*es*; *0*) hojalatería *f*; ~**ware** *f* (artículos *m/pl.* de) hojalatería *f*; ~**werkstatt** *f* (-; ¨*en*) (taller *m* de) hojalatería *f*; lampistería *f*.

Kle'opatra *f* Cleopatra *f*.

'Klepper *m* jaca *f*; jamelgo *m*, rocín *m*, penco *m*.

Klepto'man|e *m* (-*n*) cleptómano *m*; ~**in** *f* cleptómana *f*.

Kleptoma'nie *f* (*0*) cleptomanía *f*.

kleri'kal *adj.* clerical.

Klerika'lismus *m* (-; *0*) clericalismo *m*.

'Kleriker *m* clérigo *m*, eclesiástico *m*.

'Klerus *m* (-; *0*) clero *m*.

'Klette *f* ✿ lampazo *m*; lapa *f*; bardana *f*; *fig. sich wie e-e* ~ *an j-n hängen* seguir a alg. como la sombra al cuerpo; pegarse a alg. como una lapa; ~**nwurzelöl** *n* (-*es*; *0*) aceite *m* de bardana.

Klette'rei *f* escalada *f*.

'Kletter|eisen *n* garfios *m/pl.*; (*der Bergsteiger*) trepadores *m/pl.*; ~**er** *m*, ~**in** *f* escalador(a *f*) *m*; ascensionista *m/f*; ~**mast** *m* (-*es*; -*e*) (*mit Preisen an der Spitze*) cucaña *f*; 2**n** (-*re*; *sn*) *v/i.* subir; ~ *auf* (*ac.*) subir a, trepar a; encaramarse (*auf ac.* en); *Berg, Mauer*: escalar (*ac.*); *Preise*: subir: *auf e-n Berg* ~ escalar una montaña; hacer una ascensión a; ~**n** *n* (*Bergsteigen*) alpinismo *m*, montañismo *m*; (*Bergbesteigung*) escalada *f*; ascensión *f*; 2**nd** *adj. Zoo.*, ✿: trepador; ~**pflanze** ✿ *f* planta *f* trepadora; ~**rose** ✿ *f* rosal *m* trepador; ~**schuhe** *m/pl.* zapatos *m/pl.* de montañero; ~**seil** *n* (-*es*; -*e*) cuerda *f* de trepar; (*beim Turnen*) cuerda *f* lisa; ~**stange** *f* (*Turnen*) cucaña *f*; escala *f* (de travesaños); ~**vögel** *m/pl.* aves *f/pl.* trepadoras.

Kli'ent(**in** *f*) *m* (-*en*) cliente *m/f*.

ˈ**Klima** *n* (*-s*; *-s od. -te*) clima *m*; (*sich*) *an das ~ gewöhnen* aclimatar(se); **~anlage** *f* instalación *f* de acondicionamiento del aire; *Saal mit ~* sala con aire acondicionado.
klimakˈterisch ⚕ *adj.* climatérico.
Klimakˈterium ⚕ *n* (*-s*; *Klimakterien*) climaterio *m*, menopausia *f*.
kliˈmatisch *adj.* climático; **~er** *Kurort* balneario climático.
ˈ**Klimax** *f Rhet.* (*-*; *-e*) gradación *f*; ⚕ climaterio *m*, edad *f* crítica.
Klimˈbim F *m* (*-s*; *0*) (*Rummel*) algazara *f*; jaleo *m*, zambra *f*; (*Gepränge*) boato *m*, F bambolla *f*.
ˈ**Klimakunde** *f* (*0*) climatología *f*.
ˈ**klimm|en** (*sn*) *v/i.* trepar (*auf ac.* a), subir trabajosamente; **2zug** *m* (*-es*; *"e*) (*Turnen*) flexión *f* de brazos; ejercicio *m* de tracción.
ˈ**Klimper|kasten** F *m* (*-s*; *"*) pianucho *m*; **2n** (*-re*) *v/i. u. v/t.* tocar sin ton ni son; *mit dem Gelde ~* hacer sonar el dinero; F *auf dem Klavier ~* aporrear el piano; (*Gitarre*) rasguear; *hum.* rascar; cencerrear; **~n** *n* tintineo *m*; *auf dem Klavier*: tecleo *m*.
ˈ**Klinge** *f* hoja *f*; cuchilla *f*; (*Degen*) espada *f*, *Poes.* acero *m*; *mit der flachen ~* de plano; *Fechtk. die ~n kreuzen* cruzar las espadas; *er schlägt e-e gute ~* es un buen esgrimidor; ⚔ *über die ~ springen lassen* pasar a cuchillo.
ˈ**Klingel** *f* (*-*; *-n*) (*kleine Schelle*) campanilla *f*; ⚡ (*Druck2*) timbre *m*; **~beutel** *m* bolsa *f* para recoger limosnas en la iglesia; **~knopf** *m* (*-es*; *"e*) botón *m* del timbre; **2n** (*-le*) **1.** *v/i.* tocar la campanilla *bzw.* el timbre; **2.** *v/unprs. es klingelt* suena el timbre *bzw.* la campanilla; llaman; **3.** *v/t.*: *j-n aus dem Schlafe ~* despertar a alg. a fuerza de tocar el timbre *od.* la campanilla; **~n** *n* tintineo *m*; campanilleo *m*; *Tele.* timbre *m*; **~schnur** *f* (*-*; *"e*), **~zug** *m* (*-es*; *"e*) cordón *m* de campanilla; **~zeichen** *n* timbrazo *m*.
ˈ**klingen** (*L*) **1.** *v/t.* (*Glocken*) tocar; **2.** *v/i.* sonar; tintinear; *die Ohren ~ ihm* le zumban los oídos; *mit den Gläsern ~* chocar los vasos (*od.* las copas); *fig. das klingt sonderbar* parece muy extraño; *das klingt wie ein Märchen* parece como un cuento maravilloso; **~d** *adj.*: *in ~er Münze* en dinero contante y sonante; ⚔ *mit ~em Spiel* a tambor batiente.
ˈ**kling, klang** *int.* tintin, tilín.
ˈ**Klin|ik** *f* clínica *f*; **~iker** *m*, **2isch** *adj.* clínico *m*.
ˈ**Klinke** *f* picaporte *m*; (*Sicherheits2*) pestillo *m*; ⊕ gatillo *m*, trinquete *m*; **2n** *v/i.* levantar *bzw.* apretar el picaporte.
ˈ**Klinker** △ *m* ladrillo *m* recocido *od.* refractario.
klipp *adv.*: *~ und klar* francamente; sin ambages ni rodeos, F hablando en plata; paladinamente.
ˈ**Klippe** *f Fels*: peña *f*, roca *f* (a flor de agua); ⚓ escollo *m* (*a. fig.*), arrecife *m*; *blinde ~n* abrojos *m/pl.*; rompiente *f*; *e-e Reihe ~n* arrecifes; **~nküste** *f* costa *f* llena de escollos; **2nreich** *adj.* peñascoso; sembrado de arrecifes.
ˈ**Klipper** ✈, ⚓ *m* clíper *m*.
ˈ**Klippfisch** *Ict. m* (*-es*; *-e*) bacalao *m* salado.
ˈ**klipp, klapp** *int.* ¡zis, zas!, ¡clic, clac!
ˈ**klirren I.** *v/i. Waffen, Sporen, Ketten*: sonar; *Gläser usw.*: tintinear; *Fenster*: temblar; **II.** 2 *n* ruido *m*; *der Fenster*: temblor *m*; *der Gläser usw.*: tintineo *m*.
Kli|ˈschee [kliˈʃeː] *Typ. n* (*-s*; *-s*) cliché *m*, clisé *m*, galvano *m*; **2ˈschieren** (*-*) *v/t.* clisar, estereotipar; **~ˈschieren** *n* clisado *m*.
Klisˈtier *n* (*-es*; *-e*) lavativa *f*, ayuda *f*, ⚕ enema *m*, clister *m*; *j-m ein ~ geben* dar *od.* administrar a alg. una lavativa; **~spritze** *f* jeringa *f*; irrigador *m*.
ˈ**Klitoris** *Anat. f* (*-*; *-*) clítoris *m*.
ˈ**klitsch(e)naß** F *adj.* calado hasta los huesos, hecho una sopa.
ˈ**klitschig** *adj.* pastoso.
Klo F *n* (*-s*; *-s*) retrete *m*, excusado *m*.
Kloˈake [-oːˈɑː-] *f* cloaca *f*.
ˈ**Klob|en** *m* (*Holz*) leño *m*; ⊕ (*Rolle*) polea *f*, garrucha *f*; (*Schraubstock*) torno *m* de mano; *fig.* (*Kerl*) palurdo *m*, patán *m*; zoquete *m*; **2ig** *adj.* macizo; *fig.* (*ungeschickt*) torpe; (*grob*) grosero; tosco; (*schwerfällig*) pesado; (*dumm*) zafio, tonto, mentecato.
klomm *pret. v. klimmen.*
ˈ**Klöpfel** *m* mazo *m*.
ˈ**klopfen 1.** *v/i.* golpear; *Herz*: latir; palpitar; *Motor*: detonar; ratear; *sanft ~* dar golpecitos (*auf* sobre, en); *auf den Busch ~ fig.* tantear el terreno; *j-m auf die Finger ~ fig.* darle a alg. en los nudillos; *j-m auf die Schulter ~* dar a alg. palmad(it)as sobre el hombro; **2.** *v/unprs.*: *es klopft* llaman (a la puerta); **3.** *v/t.* golpear; (*schlagen*) pegar; *Wäsche*: batir; ⚕ percutir; *Steine*: labrar; picar; *Teppich*: sacudir; *den Staub aus den Kleidern ~* sacudir el polvo de la ropa; *e-n Nagel in die Wand ~* clavar un clavo en la pared; *an die Tür ~* llamar a la puerta; *j-n aus dem Schlaf ~* despertar a alg. llamando a su puerta.
ˈ**Klopfen** *n* golpeo *m*; ⚕ percusión *f*; *des Herzens*: latido *m*; palpitación *f*; *des Pulses*: pulsación *f*; *des Teppichs*: sacudidura *f*, sacudimiento *m*; *des Motors*: detonación *f*; rateo *m*.
ˈ**Klopfer** *m* (*Teppich2*) sacudidor *m*; (*Schlegel*) mazo *m*; pala *f*; (*Tür2*) aldaba *f*; (*Entfritter*) descohesor *m*; *Tele.* receptor *m* acústico.
ˈ**Klopf...**: **2fest** *adj. Auto.* antidetonante; **~festigkeit** *f* (*0*) poder *m* antidetonante; **~geist** *m* (*-es*; *-er*) espíritu *m* golpeador; **~peitsche** *f* zorros *m/pl.*; **~zeichen** *n* señal *f* acústica.
ˈ**Klöppel** *m* (*Glocken2*) badajo *m*; *am elektrischen Läutewerk*: martillo *m*, macillo *m*; (*Schlegel*) mazo *m*; (*Spitzen2*) bolillo *m*; **~arbeit** *f* labor *f* de encaje (de bolillos); (*Seiden2*) blonda *f*; **~garn** *n* (*-es*; *-e*) hilo *m* para (hacer) encajes; **~kissen** *n* mundillo *m*; **~muster** *n* modelo *m od.* patrón *m* de encaje; **2n** *v/t.* (*-le*): *Spitzen ~* hacer encajes de bolillos.
ˈ**Klöpplerin** *f* encajera *f*.
Klops *Kochk. m* (*-es*; *-e*) albóndiga *f*; albondiguilla *f*.
Kloˈsett *n* (*-es*; *-e od. -s*) retrete *m*, excusado *m*, water-closet *m* (*Abk.* W.C.), servicio *m*; **~becken** *n* (taza *f* de) inodoro *m*; **~bürste** *f* escobillón *m* de retrete; **~deckel** *m* tapa *f* de retrete; **~papier** *n* (*-es*; *0*) papel *m* higiénico; **~sitz** *m* (*-es*; *-e*) asiento *m* de retrete; **~spüler** *m* aparato *m* de irrigación del inodoro.
Kloß [oː] *m* (*-es*; *"e*) bola *f*; (*Erd2*) terrón *m*; *Kochk.*: (*mit Fleisch*) albóndiga *f*; (*Kartoffel2*) bola *f* de patata rallada; *fig. e-n ~ im Halse haben* tener un nudo en la garganta; ˈ**~brühe** *f*: F *das ist klar wie ~* está más claro que el agua.
ˈ**Klößchen** *n Kochk.*: albondiguilla *f*.
ˈ**Kloster** [oː] *n* (*-s*; *"*) convento *m*; monasterio *m*; *ins ~ gehen* (*Mann*) tomar el hábito, F meterse fraile; (*Frau*) tomar el velo, F meterse monja; *in ein ~ sperren* (*od. stecken*) enclaustrar, encerrar en un convento; **~bruder** *m* (*-s*; *"*) religioso *m*; fraile *m*; (*Mönch*) monje *m*; **~gang** *m* (*-es*; *"e*) claustro *m*; **~gelübde** *n* voto *m* solemne, profesión *f* religiosa; **~kirche** *f* iglesia *f* conventual; **~leben** *n* (*-s*; *0*) vida *f* monacal *od.* monástica.
ˈ**klösterlich** *adj.* del convento; conventual; (*Mönche betreffend*) monacal; monástico.
ˈ**Kloster...**: **~regel** *f* (*-*; *-n*) regla *f* monacal *od.* monástica; **~schule** *f* escuela *f* conventual; **~zelle** *f* celda *f*; **~zucht** *f* (*0*) disciplina *f* monástica.
Kloˈthilde *f* Clotilde *f*.
Klotz *m* (*-es*; *"e*) bloque *m* de madera; *kleiner*: tarugo *m*, zoquete *m*; (*Kloben*) leño *m*; (*Baumstamm*) tronco *m*; (*Hack2*) tajo *m*; (*Amboß2*) cepo *m*; *fig.* (*ungehobelter Mensch*) palurdo *m*, patán *m*; zoquete *m*, zopenco *m*; porro *m*, lerdo *m*; cipote *m*; *fig. e-n ~ am Bein haben* no tener libertad de acción; *auf e-n groben ~ gehört ein grober Keil* a pillo, pillo y medio; ˈ**2ig I.** *adj.* macizo; *fig.* grosero; tosco; abrutado, zopenco, cipote; F (*gewaltig*) enorme; **II.** *adv.*: F *~ viel* enormemente; muy, muchísimo.
Klub *m* (*-s*; *-s*) club *m*; casino *m*, círculo *m*; centro *m*; ˈ**~kamerad** *m* (*-en*) compañero *m* de club; consocio *m*; ˈ**~kampf** *m* (*-es*; *"e*) competición *f* interclubs; ˈ**~lokal** *n* (*-es*; *-e*) local *m* del club; local *m* social; ˈ**~mitglied** *n* (*-es*; *-er*) socio *m* de un club; ˈ**~sessel** *m* sillón *m* de cuero, butacón *m*.
Kluft *f* (*-*; *"e*) (*Spalt*) grieta *f*; hendidura *f*; (*Abgrund*) abismo *m* (*a. fig.*), sima *f*; precipicio *m*; F (*-*; *-en*) (*Kleidung*) uniforme *m*; traje *m*.
klug (*"er*; *"sten*) *adj.* inteligente; (*vernünftig*) sensato; de buen sentido; (*gescheit*) juicioso, discreto; (*scharfsinnig*) perspicaz; sagaz; (*vorsichtig*) prudente; cauto; (*weise*) sabio; (*geschickt*) hábil; (*schlau*) astuto; F listo, avisado; *ich bin nun ebenso ~ wie vorher* sigo sin enten-

derlo; ~ *reden* hacerse el entendido; *ich kann nicht daraus* ~ *werden* no logro entender esto; no entiendo nada de esto; *man wird aus ihm nicht* ~ de él no se sacará nada en claro; ese hombre es un enigma; *durch Schaden wird man* ~ de los escarmentados nacen los avisados; *durch (fremden) Schaden* ~ *werden* escarmentar (en cabeza ajena); *es ist das Klügste, zu (inf.)* lo más sensato es (*inf.*).

Klüge|'lei *f* sutilezas *f/pl.*, argucias *f/pl.*; **'2ln** (*-le*) *v/i.* sutilizar.

'Klugheit *f* (*0*) inteligencia *f*; discreción *f*; (*Unterscheidungsvermögen*) discernimiento *m*; (*gesunder Menschenverstand*) buen sentido *m*; sensatez *f*, cordura *f*; (*Scharfsinnigkeit*) perspicacia *f*; sagacidad *f*; (*Vorsichtigkeit*) prudencia *f*; (*Weisheit*) sabiduría *f*; (*Geschicklichkeit*) habilidad *f*; (*Schlauheit*) astucia *f*; *aus* ~ por prudencia.

'klüglich *adv.* prudentemente; sabiamente.

'klug...: ~reden (*-e-*), **~schnacken** *v/i.* hablar pedantescamente; **2-schnacker** *m* sabelotodo *m*.

'Klümpchen *n* grumo *m*; (*Blut2*) coágulo *m*; (*Kügelchen*) bolita *f*.

'Klump|en *m* masa *f* compacta; *runder*: pella *f*; bola *f*; *durch Gerinnen*: grumo *m*; (*Haufen*) montón *m*; (*Zucker2, Erd2*) terrón *m*; ~ *Blut* coágulo (*od.* cuajarón) de sangre; ~ *Gold* pepita de oro; ~ *Butter* pella de manteca; *fig. in* ~ *hauen* hacer pedazos, F no dejar títere con cabeza; **2en** *v/t.* engrumecerse; **~fuß** *m* (*-es*; *⸚e*) pie *m* deforme *od.* contrahecho; **2ig** *adj.* grumoso; ~ *werden* engrumecerse.

'Klüngel *m Pol.* camarilla *f*; pandilla *f*.

'Klunker *m/f* (*-*; *-n*) (*Troddel*) borla *f*; (*Klümpchen*) grumo *m*; (*Lumpen*) harapo *m*, guiñapo *m*; (*Ziegenkot*) sirle *m*.

'Kluppe *f* (*Schneid2*) terraja *f*; (*Spann2*) mordacilla *f*; (*Zange*) tenaza *f*; (*Wäscheklammer*) pinza *f*.

'Klüse ⚓ *f* escobén *m*.

'Klüver ⚓ *m* foque *m*; **~baum** *m* (*-es*; *⸚e*) botalón *m*.

'knabbern (*-re*) *v/i. u. v/t.* mordiscar (*an et. dat.* a/c.); *Maus*: roer (*ac.*).

'Knabe *m* (*-n*) muchacho *m*, chico *m*; *kleiner*: niño *m*, rapaz *m*; **~nalter** *n* (*-s*; *0*) puericia *f* (*7-14 años*); adolescencia *f*; **~nchor** *m* (*-es*; *⸚e*) coro *m* de niños; (*Kirchen2*) escolanía *f*; **2nhaft** *adj.* aniñado; (*albern*) pueril; **~nkraut** ⚘ *n* (*-es*; *0*) satirión *m*; **~nliebe** *f* (*0*) pederastia *f*; **~nschule** *f* escuela *f* de niños; **~nstimme** *f* voz *f* de niño; **~nstreich** *m* (*-es*; *-e*) muchachada *f*, chiquillada *f*; galopinada *f*, pillada *f*.

knack *int.* ¡crac!

'knack|en 1. *v/i.* crujir; restallar; (*knistern*) crepitar; **2.** *v/t. Nüsse usw.*: cascar, partir; *Geldschrank*: forzar; **2en** *n* crujido *m*; (*Knittern*) crepitación *f*; **2er** F *m fig.*: *alter* ~ vejestorio *m*; **2geräusch** *n* (*-es*; *-e*) *Tele.* crepitación *f*; **2laut** *m* (*-es*; *-e*) *Gr.* sonido *m* explosivo; **2mandel** *f* (*-*; *-n*) almendra *f* mollar; **2s** *m* (*-es*; *-e*) crac *m*; (*Schaden*) ligero quebranto *m*, daño *m* leve; (*Spalt*) grieta *f*; *er hat e-n* ~ *weg gesundheitlich*: tiene la salud quebrantada, (*er ist nicht ganz richtig im Kopf*) anda un poco mal de la cabeza; F está algo chiflado (*od.* chalado); **2wurst** *f* (*-*; *⸚e*) salchicha *f* (de Francfort) gruesa.

'Knagge *f* ⊕ *Nocken*: leva *f*; tope *m* (graduable).

'Knall *m* (*-es*; *-e*) (*Explosion*) estallido *m*, explosión *f*; *v. Schüssen*: detonación *f*, estampido *m*; (*Pfropfen2*) taponazo *m*; (*Peitschen2*) chasquido *m*; *fig.* ~ *und Fall* de golpe y porrazo; F *er hat 'nen* ~ está tocado de la cabeza; **~bonbon** *m* (*-s*; *-s*) bolita *f* fulminante; **~büchse** *f* (*Spielzeug*) tiratacos *m*; **~dämpfer** *m* silenciador *m*; **~effekt** *m* (*-s*; *-e*) efecto *m* teatral; **2en 1.** *v/i.* (*explodieren*) estallar, hacer explosión; detonar; (*schießen*) disparar un tiro; *Schuß*: oírse (un tiro *od.* tiros); *Peitsche*: chasquear el látigo, restallar; *mit dem Gewehr* ~ hacer disparos con el fusil; *den Pfropfen* ~ *lassen* hacer saltar el tapón; *in die Luft* ~ (*sprengen*) volar; **2.** *v/unprs.*: *es knallt* se oye una detonación; **3.** *v/t. Fußball*: disparar, tirar (un zambombazo); F *j-m e-e* ~ pegarle un tortazo a alg.; **~erbse** *f* garbanzo *m* de pega; **~e'rei** *f* tiroteo *m*; profusión *f* de estallidos; **~frosch** *m* (*-es*; *⸚e*) buscapiés *m*; **~gas** *n* (*-es*; *0*) gas *m* detonante; **~gasgebläse** ⚗ *n* soplete *m* oxhídrico; **2ig** *adj. Farben*: chillón, detonante; **~körper** *m* petardo *m*; **~quecksilber** ⚗ *n* (*-s*; *0*) fulminato *m* de mercurio; **2rot** *adj.* (*0*) rojo vivo, carmín; ~ *werden* F ponerse (rojo) como un tomate; **~säure** ⚗ *f* (*0*) ácido *m* fulmínico.

knapp I. *adj.* escaso; (*kurz*) corto; (*eng*) estrecho; *Kleider*: justo, ceñido, ajustado; *das Geld ist bei ihm* ~, *er ist* ~ *bei Kasse* F anda escaso de dinero; *fig.* (*bündig*) sucinto; *Stil*: conciso; (*nur eben ausreichend*) apenas suficiente; (*kärglich*) mezquino; (*dürftig*) escaso, exiguo; (*beschränkt*) limitado, reducido; *mit* ~*er Not davonkommen* librarse a duras penas, F salvarse por los pelos; *sein* ~*es Auskommen haben* tener lo justo para vivir (F para ir tirando); ~(*er*) (*seltener*) *werden* ir escaseando; **II.** *adv.* (*kaum*) apenas; escasamente; (*gerade noch*) justamente; *m-e Zeit ist* ~ *bemessen* dispongo de muy corto tiempo, tengo el tiempo (muy) contado.

'Knappe *m Schildträger*: escudero *m*; ⚒ minero *m*.

'knapphalten (*L*) *v/t.*: *j-n* ~ tratar mezquinamente a alg., escatimar las cosas a alg.

'Knappheit *f* (*0*) escasez *f*; (*Enge*) estrechez *f*; *des Geldes*: penuria *f*; (*Stil*) concisión *f*; (*Ärmlichkeit*) mezquindad *f*; (*Dürftigkeit*) escasez *f*, exigüidad *f*.

'Knappschaft ⚒ *f* corporación *f* de mineros; **~skasse** *f* caja *f* de socorros mineros; **~verband** *m* (*-es*; *⸚e*) asociación *f* minera.

'Knarre *f Klapper*: matraca *f*, carraca *f* (*a. Bohr2*); F ⚔ *Gewehr*: fusil *m*, F chopo *m*; **2n** *v/i.* rechinar; *Tür*: chirriar, *Rad*: *a.* cantar; *Dielen, Schuhe*: crujir; **~n** *n* rechinamiento *m*; chirrido *m*; crujido *m*.

Knast *m* (*-es*; *-e*) (*Knoten im Holz*) nudo *m*; F (*Buckel*) giba *f*, joroba *f*, F chepa *f*; (*Rücken*) espalda *f*; (*Geld*) P parné *m*, monises *m/pl.*; (*Gefängnis*) P trena *f*, F chirona *f*, abanico *m*; ~ *schieben fig.* F estar a la sombra.

'Knaster F *m Tabak*: tabaco *m* de hebra para pipa.

'knattern (*-re*) **I.** *v/i. Feuer*: chisporrotear; crepitar (*a. Schüsse*); traquetear; **II.** 2 *n* chisporroteo *m*; crepitación *f*; *Maschinengewehr*: tableteo *m*; *Gewehrgeknatter*: fuego *m* graneado; (*Radio*) crepitación *f*.

'Knäuel ['knɔʏəl] *m/n* ovillo *m*; *fig. von Menschen*: aglomeración *f*; *auf ein(en)* ~ *wickeln* ovillar, hacer un ovillo; *sich zu e-m* ~ *ballen fig.* hacerse un ovillo, aovillarse; **2n** *v/t.* (*-le*) ovillar; *sich* ~ ovillarse.

Knauf *m* (*-es*; *⸚e*) (*Schwert2*) pomo *m*; ⚠ *e-r Säule*: capitel *m*.

'Knauser *m* tacaño *m*; cicatero *m*; F roñoso *m*, verrugo *m*, cutre *m*.

Knause'rei *f* tacañería *f*; cicatería *f*, mezquindad *f*; parsimonia *f*; F roñería *f*.

'knauser|ig *adj.* tacaño; cicatero, mezquino; miserable; ruin; F agarrado, roñoso; **~n** (*-re*) *v/i.* tacañear; escatimar, cicatear.

'knautsch|en *v/t.* chafar, aplastar; arrugar; **~ig** *adj.* chafado, aplastado; arrugado; *fig.* (*mißmutig*) malhumorado; (*bedrückt*) F apabullado.

'Knebel *m* garrote *m*; (*Mund2*) mordaza *f*; ⚓ cazonete *m*; ⊕ manilla *f*, muletilla *f*; (*Spannholz*) tarabilla *f*; **~bart** *m* (*-es*; *⸚e*) bigote *m*; **2n** (*-le*) *v/t.* agarrotar; *durch Mundknebel*: amordazar (*a. fig.*).

Knecht *m* (*-es*; *-e*) ⚘ mozo *m* de labranza, gañán *m*; *Am.* peón *m*; (*Stall2*) mozo *m* de cuadra; (*unfreier*) esclavo *m*; (*Leibeigener*) siervo *m*; **'2en** *v/t.* (*-e-*) avasallar, subyugar; esclavizar; (*tyrannisieren*) tiranizar; **'~en** *n* servidumbre *f*; **'2isch** *adj.* servil; (*kriechend*) rastrero; **'~schaft** *f* servidumbre *f*, *stärker*: esclavitud *f*.

'kneif|en (*L*) **1.** *v/t.* pellizcar; *j-n in den Arm* ~ pellizcar (*od.* dar un pellizco) a alg. en el brazo; **2.** *v/i.* F *fig.* buscar pretextos *m/pl.*; sustraerse a una obligación, F escurrir el bulto; no aceptar; *beim Fechten*: hurtar el cuerpo; **2en** *n* pellizco *m*; **2er** *n* lentes *m/pl.*; **2zange** *f* tenazas *f/pl.* de sujeción; alicates *m/pl.*

'Kneip|abend *m* (*-s*; *-e*) (*Verbindungsstudenten*) reunión *f* nocturna para beber y cantar; **~bruder** *m* (*-s*; *⸚*) bebedor *m*, F borrachín *m*; **~e** *f* taberna *f*, F tasca *f*; cafetín *m*, tupi *m*; ventorrillo *m*, figón *m*; (*Bier2*) cervecería *f*; (*Kneipabend*) francachela *f*; **2en**

v/i. beber; F empinar el codo, *fig.* soplar; (*von Kneipe zu Kneipe gehen*) ir de taberna en taberna, *fig.* F recorrer las estaciones; **~e'rei** *f* francachela *f.*

'Kneippkur ⚕ *f* tratamiento *m* hidroterápico según Kneipp.

'Kneipwirt *m* (*-es*; *-e*) tabernero *m*; F tasquero *m.*

'knet|bar *adj.* amasable; (*plastisch*) plástico, modelable; **~en** (*-e-*) *v/t.* amasar; (*massieren*) hacer masajes *m/pl.*; **2en** *n* amasadura *f*; ⚕ amasamiento *m*; (*Massieren*) masaje *m*; **2gummi** *m* (*-s*; *-s*) goma *f* plástica, plastilina *f*; **2maschine** *f* amasadora *f* (mecánica); **2masse** *f* masa *f* plástica; **2trog** *m* (*-es*; *"e*) amasadera *f.*

Knick *m* (*-es*; *-e od. -s*) (*Sprung*) raja *f*, hendidura *f*; (*Bruch*) rotura *f*; (*Biegung, Knie*) acodamiento *m*, codo *m*; (*Falte*) pliegue *m*, dobladura *f*; (*Hecke*) seto *m* vivo; (*Eselsohr*) doblez *m* (*en la hoja de un libro*); '**~ei** *n* huevo *m* cascado; '**2en 1.** *v/i.* doblarse; (*springen*; *rissig werden*) resquebrajarse, rajarse; (*brechen*) romperse, quebrarse; (*platzen*) reventar, estallar; *beim Gehen*: doblar las rodillas (*al andar*); **2.** *v/t.* (*brechen*) romper; *Halm, Blumenstiele*: quebrar; (*zerdrücken*) aplastar; (*falten*) plegar, doblar; ⊕ romper por flexión *f*; *fig.* (*betrüben*) afligir; desalentar, deprimir; '**~en** ⊕ *n* rotura *f* por flexión.

'Knicker *m* tacaño *m*; cicatero *m*; F roñoso *m*, verrugo *m*, cutre *m.*

'Knickerbocker *pl.* pantalón *m* bombacho.

'Knickfestigkeit ⊕ *f* (*0*) resistencia *f* a la flexión (*od.* al pandeo).

Knicks *m* (*-es*; *-e*) reverencia *f*; **2en** *v/i.* hacer una reverencia.

Knick|stütz (*-es*; *-e*) *m Turnübung*: apoyo *m* sobre los brazos acodados; **2ung** ⊕ *f* flexión *f*, pandeo *m.*

Knie *n* (*-s*; *-*) rodilla *f*; ⊕ cod(ill)o *m*; *e-s Flusses, Weges*: recodo *m* (*machen, bilden* hacer); *die ~ beugen* doblar la rodilla; *auf ~n* de rodillas; *auf die ~ fallen* ponerse (*od.* hincarse) de rodillas *od.* de hinojos; caer de rodillas (*vor j-m* ante alg.); *auf den ~n liegen* estar de rodillas (*od.* de hinojos), estar arrodillado; *j-n in die ~ zwingen* hacer a alg. doblar la rodilla; *j-n auf ~n bitten* pedir de rodillas a alg. a/c.; *et. übers ~ brechen* obrar atropelladamente; (*pfuschen*) *fig.* hilvanar de cualquier modo, improvisar chapuceramente.

'Knie...: **~bänkchen** *n* reclinatorio *m*; **~beuge** *f* flexión *f* de rodillas (*od.* de piernas); **~beule** *f der Hose*: rodillera *f*; **2nd** → *kniefällig*; ⚔ rodilla en tierra; **~fall** *m* (*-es*; *"e*) genuflexión *f*; postración *f*, prosternación *f*; *e-n ~ tun* hacer una genuflexión; ponerse de rodillas (*od.* de hinojos); **2fällig** *adj.* de rodillas; **2frei** *adj.*: *~er Rock* falda corta (*por encima de la rodilla*); **~gelenk** *n* (*-es*; *-e*) *Anat.* articulación *f* de la rodilla; ⊕ articulación *f* de rótula; **~hebel** ⊕ *m* palanca *f* acodada; **2hoch** *adj. u. adv.* hasta la(s) rodilla(s); **~holz** *n* (*-es*; *"er*) (*Zwerg-, Bergkiefer*) pino *m* enano (*od.* de montaña); **~hosen** *f/pl.* pantalones *m/pl.* cortos, *ehm.* calzón *m*; **~kehle** *f* corva *f*, *Anat.* hueco *m* poplíteo; **~länge** *f* largo *m* hasta la rodilla; **2n** *v/i.* arrodillarse, ponerse de rodillas (*od.* de hinojos); (*auf den Knien sein*) estar arrodillado (*od.* de rodillas); **~riemen** *m* tirapié *m*; **~rohr** ⊕ *n* (*-es*; *-e*) tubo *m* acodado; **~scheibe** *Anat.* *f* rótula *f*; **~scheiben(sehnen)reflex** ⚕ *m* (*-es*; *-e*) reflejo *m* rotuliano; **~schützer** *m* rodillera *f*; **~strumpf** *m* (*-es*; *"e*) media *f* corta; media *f* de sport; **~stück** ⊕ *n* (*-es*; *-e*) pieza *f* acodada; **2tief** *adj.* hasta la rodilla; **~wärmer** *m* rodillera *f*; **2weich** *adj.*: *ich bin ~* me flaquean las piernas.

'kniff *pret. v. kneifen.*

Kniff *m* (*-es*; *-e*) (*Kneifen*) pellizco *m*; (*Fleck auf der Haut*) *a.* cardenal *m*; (*Falte*) pliegue *m*, doblez *m*; *fig.* (*Kunstgriff*) artificio *m*; treta *f*, artimaña *f*; truco *m*; F martingala *f*; (*List*) ardid *m*; '**2(e)lig** *adj.* (*verzwickt*) complicado, intrincado; (*schwierig*) difícil, arduo, espinoso; F peliagudo; (*heikel*) delicado; escabroso.

'kniffen *v/t.* plegar, doblar.

'knips|en (*-t*) *v/t. u. v/i.* 🚂 (*Fahrkarte*) picar, perforar; *Phot.* disparar, hacer (*od.* sacar) una foto; ⚡ (*an~*) encender la luz; *mit den Fingern ~* castañetear los dedos; **2zange** *f* 🚂 pinza *f* picadora.

Knirps *m* (*-es*; *-e*) hombrecillo *m*; (*Zwerg*) enano *m*; (*Kind*) chicuelo *m*, chiquillo *m*, arrapiezo *m*; F renacuajo *m*; (*kleiner Mann*) F milhombres *m*, arrancapinos *m.*

'knirschen I. *v/i.* crujir; *mit den Zähnen ~* rechinar los dientes; **II. 2** *n* crujido *m*; rechinamiento *m.*

'knistern (*-re*) **I.** *v/i.* crujir; (*prasseln*) crepitar; *Feuer*: chisporrotear; **II. 2** *n* crujido *m*; (*Prasseln*) crepitación *f*; *des Feuers*: chisporroteo *m.*

'Knittelvers *m* (*-es*; *-e*) verso *m* ramplón; copla *f* de ciego.

'Knitter|falte *f* pliegue *m*, arruga *f*; **2frei** *adj.* inarrugable; **2n** (*-re*) *v/t.* arrugar; chafar, ajar; **~n** *n* arrugamiento *m.*

'Knobel *m* taba *f*; (*Würfel*) dado *m*; **~becher** *m* cubilete *m*; bota *f* de soldado; **2n** (*-le*) *v/i.* (*würfeln*) jugar a los dados.

'Knoblauch ⚘ *m* (*-es*; *0*) ajo *m*; *mit ~ würzen* sazonar con ajo; **~zehe** *f* diente *m* de ajo.

'Knöchel *m Anat.* (*Finger2*) nudillo *m*; (*Fuß2*) tobillo *m*, maléolo *m*; (*Würfel*) dado *m*; **~bandage** *f* vendaje *m* maleolar; **~chen** *n* taba *f*; huesecillo *m*; **~spiel** *n* (*-es*; *-e*) juego *m* de las tabas.

'Knochen *m* hueso *m*; *ohne ~* sin hueso; deshuesado; *die ~ herausnehmen* deshuesar; *er ist nur Haut und ~* está en los huesos; *naß bis auf die ~* calado hasta los huesos; **2artig** *adj.* huesoso; **~asche** *f* ceniza *f* de huesos calcinados; **~bau** *m* (*-es*; *0*) estructura *f* ósea; contextura *f* ósea; **~bildung** *f* osificación *f*; **~bruch** *m* (*-es*; *"e*) fractura *f* ósea; **~durchmeißelung** *Chir.* *f* osteotomía *f*; **~erweichung** ⚕ *f* osteomalacia *f*; **~fäule** *f*, **~fraß** ⚕ *m* (*-es*; *0*) caries *f* ósea; **~fett** *n* (*-es*; *0*) grasa *f* de hueso; **~gerippe** *n*, **~gerüst** *n* (*-es*; *-e*) esqueleto *m*; osamenta *f*; **~gewebe** *n* tejido *m* óseo; **~gewebe-entzündung** ⚕ *f* osteítis *f*; **~haut** *Anat.* *f* (*-*; *"e*) periostio *m*; **~haut-entzündung** ⚕ *f* periostitis *f*; **~kohle** *f* carbón *m* animal; **~lehre** *f* (*0*) osteología *f*; **~leim** *m* (*-es*; *0*) cola *f* de huesos; **2los** *adj.* sin hueso; deshuesado; **~mark** (*-es*; *0*) *n* médula *f* ósea; **~mark-entzündung** ⚕ *f* osteomielitis *f*; **~mehl** *n* (*-s*; *0*) huesos *m/pl.* en polvo; **~mühle** ⊕ *f* molino *m* para pulverizar huesos; **~öl** *n* aceite *m* animal (*od.* de huesos); **~säge** *f* sierra *f* para huesos; *Chir.* osteótomo *m*; **~splitter** *Chir.* *m* esquirla *f*; **~tuberkulose** ⚕ *f* (*0*) tuberculosis *f* ósea; **~verletzung** *f* lesión *f* ósea.

'knochig [-xɪç] *adj.* óseo; huesoso, huesudo; *Fleisch*: con mucho hueso.

Knock'out *m* (*-s*; *-s*) *angl.* knockout *m* (*Abk.* k.o.); *j-n ~ schlagen* poner knockout a alg., noquear a alg.

'Knödel *m* (*Fleisch2*) albóndiga *f*; (*Kartoffel2*) bola *f* de patata rallada.

'Knoll|e *f*, **~en** *m* ⚘ tubérculo *m*; (*Zwiebel*) bulbo *m*; (*Auswuchs*) excrecencia *f*; ⚕ nódulo *m*; tubérculo *m*; tuberosidad *f*; (*Klümpchen*) grumo *m.*

'Knollen...: **~blätterpilz** ⚘ *m* (*-es*; *-e*) amanita *f* cetrina; **2förmig** ⚘ *adj.* bulbiforme; **~gewächs** ⚘ *n* (*-es*; *-e*) tubérculo *m*; planta *f* tuberosa.

'knollig *adj.* ⚘ bulboso; ⚘ tuberculoso; tuberoso; grumoso.

Knopf *m* (*-es*; *"e*) botón *m* (*a. an der Florettspitze*); *an e-m Stock*: puño *m*; (*Degen2*) pomo *m*; (*Nadel2*) cabeza *f* de alfiler; (*Griff*) empuñadura *f*; F *fig.* tipejo *m*; ⚡ (*Drücker*) botón *m*, pulsador *m*; *stoffbezogener ~* botón forrado; *auf den ~ drücken* apretar (*od.* oprimir) el botón; *e-n ~ annähen* coser (*od.* pegar) un botón; *der ~ ist abgegangen* se ha caido el botón.

'knöpfen *v/t.* abotonar, abrochar.

'Knopf...: **~fabrik** *f* fábrica *f* de botones, botonería *f*; **~fabrikant** *m* (*-en*) fabricante *m* de botones, botonero *m*; **~loch** *n* (*-es*; *"er*) ojal *m*; *handgenähtes ~* ojal hecho a mano; *blindes ~* ojal cerrado (*od.* cosido); *e-e Blume im ~ tragen* llevar una flor en el ojal; **~loch(näh)maschine** *f* máquina *f* de coser ojales; **~reihe** *f* fila *f* de botones.

'Knöpfstiefel *m/pl.* botas *f/pl.* de botones.

'Knöpfung *f* botonadura *f.*

'knorke F *adj.* estupendo, despampanante.

'Knorpel *m Anat.* cartílago *m*; *Kochkunst*: ternilla *f*; **~haut** *Anat.* *f* (*-*; *"e*) pericondrio *m*; **2ig** *adj.* cartilaginoso.

'**Knorr|en** *m am Holz*: nudo *m*; (*Auswuchs*) excrecencia *f*; protuberancia *f*; **ᴤig** *adj.* nudoso; *fig.* (*derb*) rudo, tosco, basto.

'**Knospe** [-sp-] ♀ *f* gema *f*, yema *f*, botón *m*; (*Blumen*ᴤ) capullo *m*; (*Auge*) ✗ *u.* ♀ ojo *m*; (*Schößling*) brote *m*, renuevo *m*; *fig.* tierna flor *f*; *~n treiben* brotar, echar brotes; *Blüten*: echar botones, abotonar; **ᴤn** *v/i.* echar brotes, brotar; *Blüten*: echar botones, abotonar; (*sich entfalten*) abrirse en flor; despuntar; **~n** *n* florescencia *f*; **~nbildung** *f*, **~ntreiben** *n* gemación *f*; **ᴤntragend** *adj.* gemífero.

'**Knötchen** *n* nudo *m* pequeño; nódulo *m*.

'**Knoten I.** *m* nudo *m* (*a.* ⚓ *u. fig.*); *Thea.* trama *f*; (*Haar*ᴤ) moño *m*, rodete *m*; ⚕ tubérculo *m*; tuberosidad *f*; nodo *m*; bulbo *m*; (*Nerven*ᴤ) ganglio *m*; *e-n ~ ins Taschentuch machen* hacer un nudo en el pañuelo; *den ~ durchhauen* cortar el nudo (*a. fig.*); *fig.* (*Verwicklung*) complicación *f*; (*Schwierigkeit*) dificultad *f*, obstáculo *m*; **II.** ᴤ *v/t. u. v/i.* anudar; **~punkt** *m* (*-es*; *-e*) 🚂 punto *m* de empalme; nudo *m* ferroviario; *Phys.* punto *m* nodal; **~stock** *m* (*-es*; *⸚e*) bastón *m* de nudos.

'**Knöterich** ♀ *m* (*-s*; *-e*) bistorta *f*.

'**knotig** *adj.* nudoso; noduloso; ♀ *a.* tuberculoso; *fig.* palurdo; inculto; zafio, grosero.

Knuff *m* (*-es*; *⸚e*) empujón *m*; *mit der Faust*: puñetazo *m*, puñada *f*; *mit dem Ellbogen*: codazo *m*; 'ᴤ**en** *v/t.* dar empujones; dar puñetazos *bzw.* codazos.

'**knüll|en** *v/t.* arrugar; estrujar; chafar, aplastar; apabullar; **ᴤer** F *m* (*Buch*) libro *m* de gran venta.

'**knüpf|en** *v/t.* anudar; (*binden*) atar, ligar; *Knoten*: hacer; *Weberei*: anudar; hacer redes; *fig.* enlazar, vincular; *Bündnis*: concertar; *Bande enger* (*od. fester*) ~ estrechar los lazos (*od.* los vínculos); *Bedingungen ~ an* poner por condición; **ᴤteppich** *m* (*-s*; *-e*) alfombra *f* de nudo.

'**Knüppel** *m* palo *m*; garrote *m*, tranca *f*; estaca *f*; (*Brötchen*) panecillo *m*; (*Polizei*ᴤ) porra *f*; ✈ palanca *f* de mando; ⊕ (*Vierkant*ᴤ) llantón *m*, paquete *m*; *j-m e-n ~ zwischen die Beine werfen* poner trabas *od.* dificultades a alg.; **~damm** *m* (*-es*; *⸚e*) camino *m* afirmado con troncos de árboles; **ᴤdick** F *adj.*: *ich habe es ~* ya estoy hasta la coronilla; **~holz** *n* (*-es*; *⸚er*) madera *f* de palo; **~weg** *m* camino *m* de troncos.

'**knurr|en** *v/i. Hund*: gruñir (*a. fig.*); *Person*: *a.* refunfuñar; *mein Magen knurrt* P me suenan (*od.* me hacen ruido) las tripas; **ᴤen** *n* gruñido *m*; (*Magen*ᴤ) ⚕ borborigmo *m*; **~ig** *adj.* gruñón, gruñidor.

'**knusp|(e)rig** *adj.* crujiente, cuscurreante; bien tostado; reseco; **~ern** (*-re*) *v/t.* cuscurrear.

'**Knute** *f* látigo *m*, *Am.* rebenque *m*.

'**knutschen** F *v/t. Stoff*: estrujar, arrugar; sobar; (*herzen*) besuquear; acariciar empalagosamente; P magrear.

'**Knüttel** *m* palo *m*; garrote *m*, tranca *f*; estaca *f*; **~vers** *m* (*-es*; *-e*) verso *m* ramplón.

K.o. *m* → *Knockout*.

koagu'lieren (-) *v/i.* coagularse.

Koaliti'on [ko·a·li·-] *f* coalición *f*; **~srecht** *n* derecho *m* de asociación; **~sregierung** *f* gobierno *m* coalicionista.

'**Kobalt** ⚗, *Min. n* (*-s*) cobalto *m*; **~blau** *n* azul *m* de cobalto; **~bombe** *f* bomba *f* de cobalto; **~glanz** *m* (*-es*; *0*) cobaltina *f*.

'**Koben** *m* pocilga *f*.

'**Kobold** ['ko:bɔlt] *m* (*-es*; *-e*) duende *m*; (*Erdgeist*) (g)nomo *m*; (*Irrwisch*) trasgo *m*.

Ko'bolz [ko·'bɔlts] *m*: *~ schießen* dar una voltereta.

Koch *m* (*-es*; *⸚e*) cocinero *m*; ⚔ ranchero *m*; *Küchenchef*: jefe *m* (de cocina); *Hunger ist der beste ~* a buen hambre no hay pan duro; *viele Köche verderben den Brei* muchas manos en la olla echan el guiso a perder.

'**Koch...:** **~apfel** *m* (*-s*; *⸚*) manzana *f* para compota; **~apparat** *m* (*-es*; *-e*) (*elektrischer ~*) hornillo *m* eléctrico; (*Spiritus*ᴤ) infernillo *m* de alcohol; **ᴤbeständig** *adj. Wäsche*: lavable en agua hirviendo; ⚗ resistente a la cocción (*od.* a la ebullición); **~buch** *n* (*-es*; *⸚er*) libro *m* de cocina; **ᴤen 1.** *v/t.* cocer; *Wasser, Milch usw.*: hervir; *Kaffee, Tee*: hacer; *Speisen*: guisar, cocinar, hacer la comida; **2.** *v/i.* cocer; *Wasser, Milch usw.*: hervir, estar hirviendo (*od.* en ebullición); *langsam ~* (*lassen*) cocer a fuego lento; (hacer) hervir a fuego lento; *vor Wut ~* arder de ira; **~en** *n* cocción *f*; (*Sieden*) ebullición *f*; *das ~ verstehen* saber guisar (*od.* cocinar); *das ~ lernen* aprender a guisar (*od.* cocinar); *zum ~ bringen* hacer hervir (*od.* entrar en ebullición); **ᴤend** *adj.* hirviente, hirviendo, en ebullición; **~er** [x] *m* hervidor *m*; *Topf* cacerola *f*; marmita *f*; olla *f*; *elektrischer ~* hervidor eléctrico; (*Topf*) cacerola (*od.* marmita) eléctrica; → *Kochapparat*.

'**Köcher** [ç] *m* carcaj *m*.

'**Koch...:** **ᴤfertig** *adj.* preparado para cocer; **ᴤfest** *adj. Wäsche*: lavable en agua hirviendo; **~geschirr** *n* (*-es*; *-e*) batería *f* de cocina; ⚔ marmita *f* de campaña; **~herd** *m* (*-es*; *-e*) hogar *m*, fogón *m*; (*Gas*ᴤ) hornillo *m* de gas; (*elektrischer ~*) hornillo *m* eléctrico; (*für Kohlen*) cocina *f* de carbón.

'**Köchin** *f* cocinera *f*.

'**Koch...:** **~kessel** *m* caldera *f*; marmita *f*; olla *f*; (*Alleskocher*) marmita *f* universal (*od.* de uso múltiple); **~kiste** *f* marmita *f* noruega; **~kunst** *f* (*-*; *⸚e*) arte *m* culinario; cocina *f*; gastronomía *f*; **~kursus** *m* (*-*; *-kurse*) curso *m* de cocina; **~löffel** *m* cucharón *m*; **~nische** *f* cocina *f* miniatura, cocinita *f*, rincón *m* cocina; **~platte** *f* (*elektrische ~*) hornillo *m* eléctrico; (*Gas*ᴤ) hornillo *m* de gas; **~rezept** *n* (*-es*; *-e*) receta *f* de cocina; **~salz** *n* (*-es*; *0*) sal *f* común (*od.* de cocina); **~salzlösung** *f* ⚗ solución *f* de cloruro sódico; ⚕ *physiologische ~* solución fisiológica de cloruro sódico, suero fisiológico; **~topf** *m* (*-es*; *⸚e*) olla *f*, marmita *f*, pote *m*; cazuela *f*, cacerola *f*; puchero *m*; *elektrischer ~* marmita *f* eléctrica; **~zeit** *f* (tiempo *m* de) cocción *f*.

'**kodderich** F *adj.*: *mir ist ~ zu Mute* me siento indispuesto, F no estoy muy católico.

'**Kode** *m* clave *f*, código *m*.

'**Köder** *m* cebo *m*; (*Fleisch*ᴤ) carnada *f*; *mit e-m ~ versehen* poner cebo a, cebar; *Jgdw.* (*Lockvogel*) señuelo *m*; *fig.* atractivo *m*; **ᴤn** *v/t.* echar cebo a; engañar con señuelo (*a. fig.*); *fig.* atraer, seducir.

'**Kodex** *m* (*- od. -es*; *-e od. Kodices*) ⚖ código *m*; (*alte Handschrift*) códice *m*.

kodifi'zier|en (-) *v/t.* codificar; **ᴤung** *f* codificación *f*.

Kodi'zill ⚖ *n* (*-es*; *-e*) codicilo *m*.

Ko-edukati'on *f* (*0*) coeducación *f*; **~sschule** *f* escuela *f* mixta.

Ko-effizi'ent [-ɛfi·'tsǐɛ-] *m* (*-en*) coeficiente *m*.

ko-exis'ten|t *adj.* coexistente; **ᴤz** *f* coexistencia *f*.

ko-exis'tieren (-) *v/i.* coexistir.

Koffe'in [kɔfe·'i:n] ⚗ *n* (*-s*; *0*) cafeína *f*; **ᴤfrei** *adj.* sin cafeína, descafeinado.

'**Koffer** *m* cofre *m*; (*Reise*ᴤ) baúl *m*; maleta *f* grande; maleta-armario *f*; (*Hand*ᴤ) maleta *f*; *Am.* valija *f*; *s-n ~ packen* hacer las maletas.

'**Köfferchen** *n* maletín *m*; *Am.* valijita *f*.

'**Koffer|grammophon** *n* (*-es*; *-e*) gramófono *m* portátil; **~radio** *n* (*-s*; *-s*) radio *f* portátil; **~raum** *Auto. m* (*-es*; *⸚e*) compartimiento *m* para equipaje; **~träger** *m* mozo *m* (de equipajes); *Arg.* changador *m*.

'**Kognak** ['kɔnǐak] *m* (*-s*; *-s*) coñac *m*; **~bohne** *f* bombón *m* (relleno) de coñac.

Kohä'renz *f* coherencia *f*; *Phys.* cohesión *f*.

Kohäsi'on [-hɛ·'zǐo:n] *Phys. f* cohesión *f*.

Kohl ♀ *m* (*-es*; *-e*) col *f*, berza *f*; F *fig.* majadería *f*, desatino *m*; charlatanería *f*, verbosidad *f*, palabrería *f*; *~ reden* disparatar, decir majaderías; *das macht den ~ nicht fett* con eso no se adelanta nada; '**~blatt** *n* (*-es*; *⸚er*) hoja *f* de col; '**~dampf** P *m* (*-es*; *0*) hambre *f*, P gazuza *f*; *~ schieben* pasar hambre.

'**Kohle** *f* carbón *m*; (*Stein*ᴤ) hulla *f*, carbón *m* de piedra; *weiße ~* hulla blanca; (*Zeichen*ᴤ) carboncillo *m*; (*glühende ~*) brasa *f*, ascua *f*; *mit ~ zeichnen* (*schwärzen*) dibujar al carbón (carbonar); *fig.* (wie) *auf glühenden ~n sitzen* estar en (*od.* sobre) ascuas; *glühende ~n aufs Haupt sammeln* abochornar al enemigo tratándole con nobleza, retribuir mal con bien; ⚓ *~n einnehmen* carbonear; *Europäische Gesellschaft für ~ und Stahl* Comunidad Europea del Carbón y del Acero (*Abk.* C.E.C.A.); **~förderung** *f*, **~gewinnung** *f* extracción *f* del carbón; **~hydrat** ⚗ *n* (*-es*; *-e*) hidrato *m* de carbono.

'**kohlen 1.** *v/i.* (*von Holz*) carbonear, hacer carbón de leña; ⚓ carbo-

near, tomar carbón; **2.** *v/t.* carbonizar.
'Kohlen...: **~abbau** *m* (*-ẹs; 0*) (*Stein*~) explotación *f* hullera; **~anzünder** *m* teas *f/pl.*; **~aufbereitung** *f* preparación *f* del carbón; **~becken** *n* brasero *m*; *Geol.* cuenca *f* hullera; yacimientos *m/pl.* carboníferos; **~bergbau** *m* explotación *f* hullera; **~bergwerk** *n* (*-es; -e*) mina *f* de carbón; (*Stein*~) mina *f* de hulla, hullera *f*; **~bezirk** *m* (*-ẹs; -e*) distrito *m* hullero; **~blende** *Min. f* antracita *f*; **~bohrer** *m* taladro *m* (*od.* broca *f*) para carbón; **~bunker** ⚓ *m* carbonera *f*; **~dampfer** *m* (vapor *m*) carbonero *m*; **~dioxyd** ⚗ *n* (*-s; 0*) anhidrido *m* carbónico, dióxido *m* de carbono; **~dunst** *m* (*-es; ¨e*) óxido *m* de carbono; F tufo *m*; **~eimer** *m* cubo *m* para carbón; **~fadenlampe** *f* lámpara *f* de filamento de carbón; **~feuer** *n* brasa *f*; hoguera *f* de carbón; **~feuerung** *f* calentamiento *m* por carbón; (*Herd*) hogar *m* para carbón; **~flöz** *m od. n* (*-ẹs; -e*) *Geol.* estrato *m* de carbón *bzw.* de hulla; **~förderung** *f* extracción *f* de carbón (*od.* hulla); **~formation** *f* formación *f* carbonífera (*od.* hullera); **~gebiet** *n* (*-ẹs; -e*) cuenca *f* carbonífera; (*Stein*~) cuenca *f* hullera; **~glut** *f* brasa *f*, ascuas *f/pl.*; **~grube** ⚒ *f* mina *f* de carbón; (*Stein*~) mina *f* de hulla, hullera *f*; **~grus** *m* (*-es; 0*) cisco *m*; carbón *m* menudo; **~halde** *f* montón *m* de carbón; **~haltig** *adj.* carbonífero; **~handel** *m* (*-s; 0*) comercio *m* de carbones; **~händler** *m* carbonero *m*; comerciante *m* de carbones; **~handlung** *f* carbonería *f*; almacén *m* de carbones; **~heizung** *f* calefacción *f* con carbón; **~hydrat** ⚗ *n* (*-ẹs; -e*) hidrato *m* de carbono; **~industrie** *f* industria *f* carbonera; **~kasten** *m* (*-s; ¨*) coquera *f*; **~keller** *m* carbonera *f*; **~knappheit** *f* (*0*) escasez *f* (*od.* falta *f*) de carbón; **~krise** *f* crisis *f* carbonera; **~lager** *n* almacén *m* de carbones; *Geol.* yacimiento *m* de carbón; (*Stein*~) yacimiento *m* de hulla; **~markt** *m* (*-ẹs; ¨e*) mercado *m* carbonero; **~meiler** *m* pila *f* de carbón; carbonera *f*; **~monoxyd** *n* (*-ẹs; 0*) monóxido *m* de carbono; **~oxyd** *n* óxido *m* de carbono, monóxido *m* de carbono; **~produktion** *f* producción *f* carbonera; (*Stein*~) producción *f* de hulla; **~revier** *n* (*-s; -e*) → *Kohlenbecken*; **~sauer** ⚗ *adj.* carbónico; *kohlensaures Salz* carbonato *m*; *kohlensaures Wasser* agua carbonatada; **~säure** ⚗ *f* (*0*) ácido *m* carbónico; **~säureschnee** *m* (*-s; 0*) nieve *f* carbónica; **~schaufel** *f* (*-; -n*) paletada *f* de carbón; **~schicht** *f* capa *f* de carbón *bzw.* de hulla; **~schippe** *f* → *Kohlenschaufel*; **~station** ⚓, 🚂 *f* depósito *m* de carbón; **~staub** *m* (*-ẹs; 0*) polvo *m* de carbón; carbonilla *f*; carbón *m* pulverizado; cisco *m*; **~staubfeuerung** *f* calentamiento *m* con carbonilla (*od.* con carbón pulverizado); **~stift** *m* (*-ẹs; -e*) (*Zeichenkohle*) carboncillo *m*; lápiz *m* de carbón; **~stoff** ⚗ *m* (*-ẹs; 0*) carbono *m*; **~stoffhaltig** *adj.* carbónico; **~stoffstahl** *m* (*-ẹs; 0*) acero *m* al carbono; **~syndikat** *n* (*-ẹs; -e*) sindicato *m* carbonero; **~träger** *m* carbonero *m*; **~trimmer** ⚓ *m* (estibador *m*) carbonero *m*; **~versorgung** *f* abastecimiento *m* de carbón; **~vorrat** *m* (*-ẹs; ¨e*) existencias *f/pl.* de carbón; **~wagen** *m* 🚂 vagón *m* carbonero; (*Tender*) ténder *m*; ⚒ vagoneta *f* carbonera; **~wasserstoff** ⚗ *m* (*-ẹs; 0*) hidrocarburo *m*; **~zeche** ⚒ *f* mina *f* de carbón; (*Stein*~) mina *f* de hulla; hullera *f*.
'Kohlepapier (*-ẹs; -e*) *n* papel *m* carbón.
'Köhler *m* carbonero *m*.
Köhle'rei *f* carbonería *f*.
'Kohlestift *m* (*-ẹs; -e*) (*Zeichenkohle*) carboncillo *m*; lápiz *m* de carbón.
'Kohle- und Stahlgemeinschaft *f* *Europäische* ~ Comunidad Europea del Carbón y del Acero (*Abk.* C.E.C.A.).
'Kohlezeichnung *f* dibujo *m* al carbón.
'Kohl...: **~kopf** *m* (*-ẹs; ¨e*) repollo *m*; **~meise** *f* *Orn.* herrerillo *m*; **~rabenschwarz** *adj.* negro como el azabache; **~'rabi** ♀ *m* (*- od. -s; - od. -s*) colinabo *m*; **~rübe** ♀ *f* nabo *m*, nabicol *f*; **~strunk** *m* (*-ẹs; ¨e*) troncho *m* de col; **~weißling** *m* (*-s; -e*) mariposita *f* blanca de las coles.
Ko'horte *f* cohorte *f*.
'Koitus *m* (*-; 0*) coito *m*.
'Koje ⚓ *f* camarote *m*; (*Bett*) litera *f*.
'Koka ♀ *f* (*-; - od. -s*) coca *f*.
Koka'in [koˑka'ˑi:n] *n* (*-s; 0*) cocaína *f*; **~sucht** ⚕ *f* (*0*) cocainomanía *f*; **~süchtige** *f* cocainómana *f*; **~süchtiger** *m* cocainómano *m*.
Ko'karde *f* escarapela *f*.
Koke'rei *f* fábrica *f* de coque.
ko'kett *adj.* (*Frau*) coqueta; (*Mann*) coquetón; **~e** *f* coqueta *f*.
Kokette'rie *f* coquetería *f*.
koket'tieren [-ɛ'ti:-] **I.** (-) *v/i.* coquetear; **II.** ~ *n* coqueteo *m*.
Ko'kille ⊕ *f* coquilla *f*; lingotera *f*, molde *m* de fundición; **~nguß** *m* (*-sses; ¨sse*) fundición *f* en coquilla.
Ko'kon [-kɔŋ] *m* (*-s; -s*) capullo *m* (del gusano de seda); **~faden** *m* (*-s; ¨*) hilo *m* del capullo.
'Kokos|baum ['ko:kɔs-] *m* (*-ẹs; ¨e*) cocotero *m*; **~butter** *f* (*0*) manteca *f* de coco; **~faser** *f* (*-; -n*) fibra *f* de coco; **~fett** *n* (*-ẹs; 0*) grasa *f* de coco; **~läufer** *m* alfombra *f* continua de fibra de coco; **~matte** *f* estera *f* de fibra de coco; **~milch** *f* (*0*) leche *f* de coco; **~nuß** *f* (*-; ¨sse*) coco *m*; **~(nuß)öl** *n* (*-ẹs; 0*) aceite *m* de coco; **~palme** *f* cocotero *m*.
Ko'kotte *f gal.* cocotte *f*, cocota *f*.
Koks [ko:ks] *m* (*-es; -e*) coque *m*; **'~ofen** *m* (*-s; ¨*) horno *m* de coque.
'Kolben (-) *m* (*Keule*) clava *f*; (*Klotz*) maza *f*; (*Gewehr*) culata *f*; (*große Flasche*) damajuana *f*; ⚗ matraz *m*; retorta *f*; alambique *m*; *Jgdw. des Hirsches*: puntas *f/pl.*; ♀ (*Art des Blütenstandes*) panícula *f*; (*Mais*~) mazorca *f*; ⊕ (*Löt*~) hierro *m* para soldar; (*Maschinen*~) émbolo *m*; (*Glühlampe*) bombilla *f*; **~belastung** ⊕ *f* carga *f* del émbolo; **~bolzen** *m* perno *m* (*od.* clavija *f*) de émbolo; **~druck** *m* (*-ẹs; 0*) presión *f* del émbolo; **~hals** *m* (*-es; ¨e*) (*Flaschenhals*) gollete *m*; **~hub** ⊕ *m* (*-ẹs; ¨e*) carrera *f* del émbolo; **~motor** *m* (*-s; -en*) motor *m* de émbolo; **~ring** *m* (*-ẹs; -e*) segmento *m* de émbolo; **~schlag** *m* (*-ẹs; ¨e*), **~stoß** *m* (*-es; ¨e*) ⚔ culatazo *m*; **~spiel** *n* (*-ẹs; -e*) juego *m* de émbolo; **~stange** *f* vástago *m* de émbolo, biela *f*; **~wasserkäfer** *Zoo. m* hidrófilo *m*.
Kol'chose *f* koljós *m*, granja *f* colectiva rusa.
'Kolibri *Orn. m* (*-s; -s*) colibrí *m*, pájaro *m* mosca.
'Kolik ⚕ *f* cólico *m*; **~anfall** *m* (*-ẹs; ¨e*) (ataque *m* de) cólico *m*.
'Kolkrabe *Orn. m* (*-n*) cuervo *m*.
Kollabora'teur *Pol. m* (*-s; -e*) colaborador *m*; *desp.* colaboracionista *m*.
Kollaborati'on *Pol. f* colaboración *f*; *desp.* colaboracionismo *m*.
Kol'laps [kɔ'laps] *m* (*-es; -e*) colapso *m*.
kollate'ral *adj.* colateral; **~erbschaft** *f* sucesión *f* colateral.
kollatio'nier|en [-tsĭ-] (-) *v/t.* colacionar; **~ung** *f* colación *f*.
Kol'leg [kɔ'le:k] *n* (*-s; -s*) (*Vorlesung*) curso *m*; *einzelnes*: clase *f*; *ein ~ halten* desarrollar (*od.* explicar) un curso; *ein ~ hören* (*besuchen*) asistir a un curso, seguir un curso; *ein ~ belegen* matricularse en un curso; inscribirse en un curso; (*Gebäude*) colegio *m*.
Kol'lege *m* (*-n*) (*Amtsbruder*) colega *m*; (*Fachgenosse*) compañero *m*.
Kol'leg|gelder *n/pl.* derechos *m/pl.* de matrícula; **~heft** *n* (*-ẹs; -e*) (*Ringheft*) cuaderno *m* de hojas separables.
kollegi'al [-gĭɑ:l] *adj.* colegial; de colegas; entre colegas; *~ handeln* portarse como colega *od.* compañero; *~es Verhältnis* compañerismo; confraternidad.
Kollegiali'tät *f* (*0*) compañerismo *m*; confraternidad *f*; (*Korpsgeist*) espíritu *m* de cuerpo; solidaridad *f* profesional.
Kol'legin [kɔ'le:-] *f* colega *f*; compañera *f*.
Kol'legium [-'le:gĭ-] *n* (*-s; Kollegien*) colegio *m*; (*Körperschaft*) cuerpo *m*; (*Behörde*) consejo *m*; (*Kardinals*~) colegio *m* de cardenales; Sacro *m* Colegio; (*Lehrer*~) profesorado *m*; (*Professoren*~) claustro *m* de profesores; (*Ärzte*~) colegio *m* de médicos; (*Anwalts*~) colegio *m* de abogados.
Kol'lekte [kɔ'lɛ-] *f* colecta *f*; cuestación *f*; e-e *~ veranstalten* hacer una colecta (*od.* una cuestación).
Kollekti'on *f* colección *f*.
kollek'tiv **I.** *adj.* colectivo; *~e Sicherheit* seguridad colectiva; **II.** ~ *n* colectividad *f*, grupo *m*; mancomunidad *f*; **~begriff** *Gr. m* (*-ẹs; -e*) término *m* colectivo; **~gesellschaft** *f* sociedad *f* colectiva; **~haftung** *f* responsabilidad *f* colectiva.
kollekti'vier|en (-) *v/t.* colectivizar; **~ung** *f* colectivización *f*.
Kollekti'vis|mus *m* (*-; 0*) colectivismo *m*; **~t** *m* (*-en*) colectivista *m*; **~tisch** *adj.* colectivista.
Kollek'tiv|maßnahmen *f/pl.* medidas *f/pl.* colectivas *od.* de carácter colectivo (*ergreifen* adoptar *od.* tomar); **~prokura** ⚖ *f* (*-; -prokuren*)

procuración *f* colectiva (*od.* solidaria); **~schuld** *Pol. f (0)* responsabilidad *f* colectiva; culpabilidad *f* colectiva; **~versicherung** *f* seguro *m* colectivo; **~vertrag** *m (-es; ⸚e)* contrato *m* colectivo; **~wirtschaft** *f* economía *f* colectiva.

Kol'lektor ⚡ *m (-s; -en)* colector *m.*

Koller *m* acceso *m* de rabia; arrebato *m*; delirio *m*; *e-n ~ bekommen* ponerse furioso; *Vet.* vértigo *m* (de los caballos).

'Kollergang *m (-es; ⸚e)* molino *m* de muelas verticales.

'kollern *(-re; sn)* **I.** *v/i.* (*rollen*) rodar; revolcarse; *Truthahn*: hacer glogló; *Gedärme*: sonar; *Taube*: arrullar; *fig.* (*rasen*) enfurecerse, montar en cólera; **II.** ⁓ *n des Truthahns*: glogló *m*; *der Gedärme*: borborigmos *m/pl.*

kolli'dieren (-) *v/i.* chocar (*mit* contra); ⚓ (*Schiff*) abordar; *fig.* estar en pugna; *zeitlich*: coincidir (*mit* con).

Kol'lier [kɔ'lie:] *n (-s; -s)* collar *m.*

Kollimati'on *Opt. f* colimación *f.*

Kolli'mator *Opt. m (-s; -en)* colimador *m.*

Kollisi'on *f* colisión *f.*

'Kollo † *n (-s; Kolli)* bulto *m*, fardo *m.*

Kol'lodium [-di·um] ⚗ *n (-s; 0)* colodión *m*; **~wolle** *f* algodón *m* pólvora, piroxilina *f.*

kollo'id ⚗ **I.** *adj.* coloidal; **II.** ⁓ *n (-s; -e)* coloide *m.*

Kol'loquium *n (-s; Kolloquien)* coloquio *m.*

Köln *n* Colonia *f*; **~er** *m*, **⁓isch** *adj.* de Colonia; **'~isch Wasser** *n* agua *f* de Colonia, colonia *f.*

'Kolon ['ko:lɔn] *n (-s; -s od. Kola) Gr.* dos puntos *m/pl.*; *Anat.* colón *m.*

Kolo'nel *Typ. f (-; 0)* letra *f* de siete puntos, glosilla *f.*

Koloni'al|amt [-nĭ-] *n (-es; ⸚er)* departamento *m* de colonias; **~armee** *f* ejército *m* colonial; **~handel** *m (-s; 0)* comercio *m* de las colonias.

Kolonia'lismus *m (-; 0)* colonialismo *m.*

Koloni'al|macht *f (-; ⸚e)* potencia *f* colonial; **~minister** *m* ministro *m* de Colonias; **~ministerium** *n (-s; -ministerien)* Ministerio *m* de Colonias; **~politik** *f (0)* política *f* colonial; **~waren** *f/pl.* géneros *m/pl.* ultramarinos, productos *m/pl.* coloniales; **~warengeschäft** *n (-es; -e)* tienda *f* de ultramarinos; **~warenhändler** *m* comerciante *m* de ultramarinos; tendero *m* (de ultramarinos).

Kolo'nie *f* colonia *f.*

Kolonisati'on *f* colonización *f.*

kolonisieren (-) *v/t.* colonizar.

Kolo'nist *m (-en)* colono *m*; *ursprünglicher*: colonizador *m*; (*Pflanzer*) plantador *m.*

Kolon'nade [-ɔ'nɑ:-] *f* columnata *f*; arcadas *f/pl.*

Ko'lonne *f* columna *f*; *Pol. Fünfte ~* la quinta columna; (*Mannschaft*) cuadrilla *f* (de obreros); equipo *m*; **~nsteller** *m der Schreibmaschine*: tabulador *m*; **⁓nweise** *adv.* en columnas; por columnas.

Kolo'phonium [-'fo:nĭ-] *n (-s; 0)* colofonia *f.*

Kolo'quinte ⚘ *f* coloquíntida *f.*

Kolora'tur ♪ *f* vocalización *f*; trinos *m/pl.*, adornos *m/pl.*; *~ singen* vocalizar; F *hum.* hacer gorgoritos; **~arie** *f* aria *f* para vocalización; **~sängerin** *f*, **~sopran** *f (-s; -e)* soprano *f* ligera.

kolo'rier|en (-) *v/t.* colorar, colorear; ♪ adornar; **⁓en** *n*, **⁓ung** *f* coloración *f.*

Kolo'rist *m (-en)* colorista *m.*

Kolo'rit [-'ʀi:t] *n (-s; -e)* colorido *m.*

Ko'loß [ko·'lɔs] *m (-sses; -sse)* coloso *m.*

kolos'sal *adj.* colosal; F estupendo, formidable; enorme, tremendo, fenomenal; pistonudo, *Arg.* macanudo.

Kolos'se-um *n (-s; 0)* Coliseo *m.*

Kolpor|'tage [-ʒə] *f* venta *f* ambulante de libros; venta *f* de libros a domicilio; **~'teur** *m (-s; -e)* librero *m* ambulante; **⁓'tieren** (-) *v/t.* vender (*libros, revistas, novelas*) por las calles *bzw.* por las casas; *fig.* divulgar.

Ko'lumbien *n* Colombia *f.*

Kolumbi'an|er *m*, **⁓isch** *adj.* colombiano *m.*

Ko'lumbus *m* Colón *m*; *das Ei des ~* el huevo de Colón.

Ko'lumne *Typ. f* columna *f*; **~ntitel** *m* titulillo *m*; **~nziffer** *f* folio *m.*

'Koma ⚕ *n (-s; 0)* coma *m.*

Kombi'nat ⊕ *n (-es; -e)* agrupación *f* de ramas industriales interdependientes.

Kombinati'on *f* combinación *f* (*a.* ♞, ⚗, *Fußball u. Hemdhose*); (*Monteuranzug*) mono *m*; *Schisport*: *alpine (nordische) ~* carrera alpina combinada (combinación nórdica); **~sgabe** *f* talento *m* de combinación; **~s-schloß** *n (-sses; ⸚sser)* cerradura *f* *bzw.* cerrojo *m* de combinación; candado *m* de clave; **~szange** *f* alicates *m/pl.* universales.

Kombina'torik ♞ *f (0)* teoría *f* de las combinaciones, combinatoria *f.*

kombi'nier|bar *adj.* combinable; **~en** (-) *v/t.* combinar.

'Kombizange *f* alicates *m/pl.* universales.

Kom'büse ⚓ *f* cocina *f* de barco.

Ko'met *Astr. m (-en)* cometa *m*; **~enbahn** *f* órbita *f* del cometa; **~enschweif** *m (-es; -e)* cola *f* del cometa.

Kom|'fort [-'fo:ʀ] *m (-s; 0)* comodidad *f*, confort *m*; elegancia *f*; lujo *m*; **⁓for'tabel** [-ɔʀ-] *adj.* cómodo, confortable; elegante; lujoso.

'Kom|ik *f (0)* comicidad *f*, lo cómico; efecto *m* cómico; **~iker** *m* *Schauspieler*: (actor *m*) cómico *m*; *desp.* comicastro *m*; comediante *m*; *Humorist*: humorista *m*; **⁓isch** *adj.* cómico, jocoso; (*drollig*) gracioso; (*sonderbar*) curioso; raro, singular; extraño; (*lächerlich*) ridículo, bufo, grotesco; F *~er Kautz* tipo raro *od.* extravagante; *Thea. ~e Alte* característica; *~e Oper* ópera bufa; *~!* ¡es curioso!; ¡qué raro!; **⁓e(s)** *n* lo cómico.

Komi'tee [ko·mi·'te:] *n (-s; -s)* comité *m*; comisión *f*; *das Internationale ~ des Roten Kreuzes* el Comité Internacional de la Cruz Roja (*Abk.* C.I.C.R.).

'Komma *n (-s; -s od. -ta)* coma *f*; *ein ~ setzen* (*od. machen*) poner una coma; *3,6* (*3 Komma 6*) tres coma seis, tres enteros y seis décimas.

Komman|'dant *m (-en)* ⚓ comandante *m*; ⚔ → *Kommandeur*; **~dan'tur** *f* comandancia *f*; administración *f* militar de la plaza; **~'deur** *m (-s; -e)* ⚔ comandante *m*; jefe *m*; *e-s Ordens*: comendador *m*; **⁓'dieren** (-) *v/t.* mandar; (*anordnen*) ordenar; (*ab~*) comisionar; *zur Infanterie kommandiert* comisionado para servicio en infantería; *~der General* general en jefe, comandante general.

Kommandi'tär † *m (-s; -e)* socio *m* comanditario.

Komman'dit|e † *f* comandita *f*; **~gesellschaft** sociedad *f* en comandita (*auf Aktien* por acciones).

Kom'mando [kɔ'man-] ⚔ *n (-s; -s)* mando *m*; (*Abteilung*) destacamento *m*; *das ~ führen* mandar, tener el mando; *das ~ übernehmen* (*niederlegen*) tomar *od.* asumir (entregar) el mando; *die Kompanie hört auf mein ~!* la compañía queda bajo mis órdenes; yo asumo el mando de la compañía; **~brücke** ⚓ *f* puente *m* de mando; **~gerät** *n (-es; -e) Auto. usw.*: aparato *m* de mando; **~ruf** *m (-es; -e)* voz *f* de mando; **~stab** *m (-es; ⸚e)* bastón *m* de mando; **~stand** *m (-es; ⸚e)* puesto *m* de mando; **~truppe** *f* comando *m*; **~turm** ⚓ *m (-es; ⸚e)* torre *f* de mando; **~wort** *n (-es; -e)* orden *f* (de mando).

'kommen (*L, sn*) **I.** *v/i.* venir; (*wieder~*) volver; (*an~*) llegar; (*eintreten*) entrar; (*näher~*) acercarse, aproximarse; *vom Sprechenden weg*: ir; *zum Sprechenden hin*: venir; *Sie ~ wie gerufen* llega usted muy oportunamente; *(an)gelaufen ~* llegar corriendo; *(an)gefahren ~* llegar en coche; *geritten ~* llegar a caballo; *komm her!* ¡ven aquí!, ¡ven acá!; *~ Sie heraus!* ¡salga usted!; *(ich) komme schon!* ¡ya voy!; ¡allá voy!; *da kommt er!* ¡ahí viene!; *es kommt ein Gewitter* va a haber tormenta; *es kommen viele Leute her* aquí viene (*od.* acude) mucha gente; *muß es dahin* (*od. so weit*) *~?* ¿hasta ahí (*od.* hasta ese extremo) se ha de llegar?; *es kommt davon, daß* la causa de ello es; ello se debe a; *das kommt davon!* ¡ahí tienes la consecuencia!; *schadenfroh*: ¡bien empleado!; *wie es gerade kommt* según vengan las cosas; al azar, como caiga; *wie es auch ~ mag* pase lo que pase, suceda lo que suceda; venga lo que viniere; *komme* (*od. es mag ~*), *was* (*da*) *wolle* ocurra lo que ocurra, suceda lo que quiera; *wie kam das?* ¿cómo es eso?, ¿cómo se explica eso?, ¿cómo ha ocurrido esto?; *woher* (*od. wie*) *kommt es, daß ...?* ¿cómo se explica que ...?, ¿cómo es (posible) que ... (*subj.*)?; *wie komme ich zu dieser Ehre?* ¿a qué debo este honor?; *das kommt davon, wenn man ...* así sucede cuando ...; eso es lo que ocurre (*od.* pasa) cuando ...;

dazu kommt, daß ... hay que añadir que ...; ~ *lassen* (*ac.*) hacer venir; enviar por, enviar a buscar; *Waren*: pedir, encargar; *zu stehen* ~ ascender a; costar; *teuer zu stehen* ~ costar (*od.* salir, resultar) caro; F costar un ojo de la cara; *das wird ihn teuer zu stehen* ~ le costará caro; *es nicht so weit* ~ *lassen* no permitir que las cosas vayan demasiado lejos (*od.* que lleguen a tal extremo); *er kam und setzte sich neben uns* vino a sentarse junto a nosotros; *ihm kam der Gedanke, zu* ... (*inf.*) tuvo la idea de, se le ocurrió ... (*inf.*); *j-m grob* ~ portarse groseramente con alg.; *er soll mir nur* ~! ¡que venga y se atreva conmigo!; *so lasse ich mir nicht* ~ no me dejo tratar de ese modo; *wenn Sie mir so* ~ si me habla usted en ese tono ..., F si se pone usted así ...; *da kommt erst ein Dorf* se llega primero a un pueblo; et. *dahin* ~ *lassen* dejar venir las cosas; *dahin* ~, *daß* acabar por (*inf.*); *wie* ~ *Sie dazu?* ¿por qué dice usted eso?; ¿cómo se le ocurre a usted eso?; *an e-n Fluß* ~ llegar a un río; *an die Reihe* ~ llegar su turno (*od.* su vez); *an j-s Stelle* ~ su(b)stituir a alg.; ocupar el puesto de alg.; *an den Richtigen* ~ *iro.* ir a dar a buena parte; *an den Tag* ~ llegar a descubrirse (*od.* saberse) a/c.; ~ *auf* (*ac.*) *Anteil*: tocar a; (*sich belaufen*) elevarse a, ascender a; *auf die Welt* ~ venir al mundo, nacer; *auf s-e Kosten* ~ ☤ realizar un beneficio; *fig.* quedar satisfecho; *auf den Geschmack* ~ tomar gusto (*bei* et. a a/c.); *auf die Rechnung* ~ ser tenido en cuenta; estar incluido en la cuenta; *auf* et. (*zu sprechen*) ~ hablar (*od.* tratar) de un asunto; abordar una cuestión; *um wieder auf unseren Gegenstand zu* ~ volviendo a nuestro asunto; *e-r Sache auf die Spur* ~ descubrir la pista de a/c.; *auf den Gedanken* ~, *zu* (*inf.*) tener la idea (*od.* la ocurrencia) de, ocurrírsele a alg. (*inf.*); *auf j-n nichts* ~ *lassen* no tolerar que se hable mal de alg.; defender a alg.; tener simpatía por alg.; *es mußte so* ~ tenía que ser así; no podía ocurrir de otro modo; *ich komme nicht auf s-n Namen* no puedo recordar su nombre; *aus der Mode* ~ pasar de moda; *aus dem Englischen* ~ proceder del inglés; *aus dem Takt* ~ perder el compás; *fig. a.* desconcertarse; *durch e-e Stadt* ~ pasar por (*od.* atravesar) una ciudad; *hinter die Wahrheit* ~ descubrir la verdad; *in Gefahr* ~ exponerse a un peligro; *es kam ihm in den Sinn, zu* (*inf.*) se le ocurrió (*inf.*), tuvo la idea de (*inf.*); *in andere Hände* ~ pasar a otras manos; *in Betracht* (*od. in Frage*) ~ ser tomado en consideración; *das kommt nicht in Frage* eso no puede ser; eso no se toma (*od.* no puede ser tomado) en consideración; *über* et. *ins klare* ~ poner (*od.* sacar) en claro a/c.; *in die Lehre* ~ entrar de aprendiz, comenzar el aprendizaje de; *mit dem Flugzeug* (*Schiff*; *Zug*; *Wagen*) ~ venir en avión (barco; tren; coche); *wie weit bist du mit der Arbeit gekommen?* ¿hasta dónde has llegado en tu trabajo?; ¿cómo anda (*od.* cómo va) tu trabajo?; *nach Hause* ~ volver a casa; ~ *Sie gut nach Hause!* ¡que llegue usted sin novedad a casa!, ¡vaya usted con Dios!; *wie komme ich nach* ...? ¿por dónde se va a ...?; *es soll nicht über m-e Lippen* ~ no diré ni una palabra; *kein Wort kam über s-e Lippen* no despegó los labios; F no rechistó (*od.* no dijo ni pío); *j-m unter die Augen* ~ aparecer ante alg.; *unter die Leute* ~ tratar con la gente, *Gerücht*: extenderse; *um* et. ~ (*das man besitzt*) perder a/c.; quedar privado de a/c.; (*das man erst erhalten soll*) frustrarse una cosa; *ums Leben* ~ perder la vida, perecer, morir; (*nicht*) *vom Fleck* (*od. von der Stelle*) ~ (no) moverse del sitio; (no) avanzar; *fig. a.* (no) adelantar; *von j-m* ~ venir (*bzw.* salir) de casa de alg.; *der Wind kommt von Norden* el viento viene del norte; *j-m nie wieder vor Augen* ~ no volver a aparecer delante de alg.; *komme mir nicht unter die Augen* no quiero volver a verte; *vor j-m* ~ preceder a alg.; *vor den Richter* ~ comparecer ante el juez; *wieder zur Besinnung* ~ volver en sí, recobrar el conocimiento; *fig.* entrar en razón; *wieder zu sich* ~ volver en sí; *zu j-m* ~ venir a casa de alg.; *zu* et. ~ conseguir (*ac.*); *zu nichts* ~ no conseguir nada; no llegar a nada; no adelantar; *wenn es zum Bezahlen kommt* cuando se trata de pagar; cuando llega el momento de pagar (F de aflojar la mosca); *zu Fall* ~ caer; *zu Geld* ~ adquirir fortuna; llegar a tener dinero; *wieder zu Kräften* ~ recuperar las fuerzas; *j-n zu Worte* ~ *lassen* dejar hablar a alg.; *j-m zu Hilfe* ~ acudir en socorro de alg.; venir en ayuda de alg.; *zur Sache* ~ pasar a tratar del asunto, F ir al grano; *j-m zu Ohren* ~ llegar a oídos de alg.; *zur Ruhe* ~ (*sich beruhigen*) tranquilizarse, calmarse; *ins Handgemenge* ~ llegar a las manos; *wenn es zum Kriege kommt* si estalla la guerra; *zu Schaden* ~ sufrir daños, resultar perjudicado; *zu kurz* ~ no conseguir lo deseado, F quedarse con las ganas; *zum Vorschein* ~ aparecer, mostrarse; *zum Ziel* ~ alcanzar su objetivo, lograr la finalidad perseguida; *wie* ~ *Sie dazu?* ¿cómo se atreve usted?; **II.** 2 *n* venida *f*; llegada *f*; *das* ~ *und Gehen* el vaivén; las idas y venidas; **~d** *adj.* (*künftig*) futuro; venidero; próximo; ~ *von* procedente de; *die* ~*e Woche* la semana próxima; *der* ~*e Monat* el mes que entra (*od.* el mes que viene); *der* ~*e Mann fig.* el hombre de mañana; *die* ~*en Generationen* las generaciones venideras.

Kommen|'tar [kɔmɛn-] *m* (*-s*; *-e*) comentario *m*; **~'tator** *m* (*-s*; *-en*) comentarista *m*; **2'tieren** (-) *v/t.* comentar.

Kom'mers *m* (*-es*; *-e*) reunión *f* de estudiantes; **~buch** *n* (*-es*; *⸚er*) cancionero *m* estudiantil.

kommerziali'sier|en (-) *v/t.* comercializar; **2ung** *f* comercialización *f*.

kommerzi'ell [-tsĭ-] *adj.* comercial.

Kom'merzienrat *m* (*-es*; *⸚e*) consejero *m* de comercio.

Kommili'ton|e *m* (*-n*), **~in** *f* compañero (-a *f*) *m* de estudios.

Kom'mis [kɔ'mi:] *m* (-; -) dependiente *m* de comercio.

Kom'miß [kɔ'mɪs] ⚔ *m* (*-sses*; *0*) servicio *m* militar; milicia *f*; *beim* ~ F en la mili.

Kommis'sar [-ɪ'sɑːʀ] *m* (*-s*; *-e*) comisario *m*; (*Polizei*2) comisario *m* (de policía).

Kommissari'at [-'ʀĭ-] *n* (*-es*; *-e*) comisariato *m*, comisaría *f*.

kommis'sarisch [-'sɑ:-] *adj.* provisional, interino.

Kom'mißbrot ⚔ *n* (*-es*; *-e*) pan *m* de munición; F chusco *m*.

Kommissi'on [-ɪ'sĭ-] *f* comisión *f*; *in* ~ en comisión.

Kommissio'när [-'nɛːʀ] *m* (*-s*; *-e*) ☤ comisionista *m*; agente *m*.

Kommissi'ons|artikel *m* artículo *m* de comisión; artículo *m* de devolución; **~gebühr** *f* comisión *f*, corretaje *m*; **~geschäft** *n* (*-es*; *-e*) comisión *f*; operaciones *f/pl.* de comisión; (*Firma*) casa *f* comisionista; *ein* ~ *haben* tener una agencia de comisiones; trabajar a comisión; **~ware** *f* mercancía *f* de comisión; **2weise** *adv.* en comisión.

Kommi'tent *m* (*-en*) comitente *m*, mandatario *m*.

Kom'mode [kɔ'mo:-] *f* cómoda *f*.

Kommo'dore ⚓ *m* (*-s*; *-s od. -n*) comodoro *m*.

kommu'nal *adj.* comunal; municipal; **2anleihe** *f* empréstito *m* municipal; **2bank** *f* banco *m* municipal; **2beamter** *m* funcionario *m* municipal; **2betrieb** *m* (*-es*; *-e*) empresa *f* municipal; **2darlehen** *n* préstamo *m* municipal.

kommunali'sieren (-) *v/t.* municipalizar.

Kommu'nal|kredit *m* (*-es*; *-e*) crédito *m* municipal; **~kreditanstalt** *f* establecimiento *m* de crédito municipal; **~politik** *f* (*0*) política *f* municipal; **~steuer** *f* (-; *-n*) impuesto *m* municipal; **~verwaltung** *f* administración *f* municipal.

Kom'mune *f* municipio *m*, *gal.* comuna *f*; *Hist.* Commune *f*.

Kommuni'kant(in *f*) *m* (*-en*) *I.C.* comulgante *m/f*.

Kommuni'on [-nĭ-] *f I.C.* comunión *f*; *zur ersten heiligen* ~ *gehen* hacer la primera comunión.

Kommu'nis|mus *m* (-; *0*) comunismo *m*; **~t(in** *f*) *m* (*-en*) comunista *m/f*; **2tisch** *adj.* comunista.

kommuni'zieren (-) *v/i.* comunicar; *Rel.* recibir la sagrada comunión, comulgar; **~d** *adj. Phys.* comunicante.

Kommu'tator ⚡ *m* (*-s*; *-en*) conmutador *m*.

kommu'tier|en ⚡ *v/t.* (-) conmutar; **2ung** *f* conmutación *f*.

Komödi'ant(in *f*) *m* (*-en*) comediante *m*; actor *m* cómico; comedianta *f*, actriz *f* cómica.

Ko'mödie [-dĭə] *f* comedia *f*.

Kompa'gnon [-pa'njɔŋ] ☤ *m* (*-s*; *-s*) socio *m*.

kom'pakt *adj.* compacto; **2heit** *f* compacidad *f.*
Kompa'nie *f* compañía *f* (*a.* ⚔); **~chef** *m* (*-s; -s*), **~führer** *m* capitán *m*; jefe *m* de compañía.
'Komparativ *Gr. m* (*-es; -e*) comparativo.
Kompa'rent(in *f*) *m* (*-en*) ⚖ compareciente *m/f.*
Kom'parse *m* (*-n*) *Thea.* comparsa *m*; figurante *m.*
Komparse'rie *f Thea.* comparsería *f*, comparsa *f*; acompañamiento *m.*
'Kompaß *m* (*-sses; -sse*) brújula *f*; (*Bord2*) compás *m*; aguja *f* de bitácora; **~gehäuse** *n* cubeta *f* de la brújula; **~nadel** *f* (*-; -n*) aguja *f* de la brújula; **~peilung** *f* marcación *f*; **~strich** ⚓ *m* (*Kurs*) rumbo *m.*
Kom'pendium [-di·um] *n* (*-s; Kompendien*) compendio *m.*
Kompensati'on *f* compensación *f*; **~s-abkommen** *n* acuerdo *m* de compensación; **~skasse** *f* caja *f* de compensación; **~s-pendel** *n* péndulo *m* compensado.
Kompen'sator ⚡ *m* (*-s; -en*) compensador *m.*
kompensa'torisch *adj.* compensador.
kompen'sieren (-) *v/t.* compensar; *sich ~* compensarse.
kompe'tent *adj.* competente.
Kompe'tenz *f* (*Zuständigkeit*) competencia *f*; *e-s Gerichts*: jurisdicción *f*; (*Befugnis*) atribución *f*; poder *m*; **~konflikt** *m* (*-es; -e*), **~streit** *m* (*-es; -e*) cuestión *f* de competencia; *zwischen zwei Gerichten*: conflicto *m* de jurisdicción; *zwischen Gericht u. Verwaltungsbehörde*: conflicto *m* de atribución; **~überschreitung** *f* extralimitación *f.*
Kompi'lator *m* (*-s; -en*) compilador *m.*
Komple'ment *n* (*-es; -e*) ⊿ *u. Gr.* complemento *m.*
Komplemen'tärfarben [-'tɛːʀ-] *f/pl.* colores *m/pl.* complementarios.
Komple'mentwinkel ⊿ *m* ángulo *m* complementario.
Kom'plet *n* (*- od. -s; -s*) *Schneiderei*: completo *m*, conjunto *m*; (*Anzug*) terno *m.*
kom'plett *adj.* completo, entero.
komplet'tieren (-) *v/t.* completar.
Kom'plex (*-es; -e*) **I.** *m* complejo *m* (*a. Psychoanalyse*); conjunto *m*; *v. Häusern*: grupo *m* de casas; **II.** 2 *adj.* complejo.
Komplexi'tät *f* complejidad *f.*
Komplikati'on *f* complicación *f.*
Kompli|'ment *n* (*-es; -e*) cumplimiento *m*, cumplido *m*; cortesía *f*; (*Verbeugung*) reverencia *f*; *an junge Mädchen*: piropo *m*; galantería *f*; *mein ~ an Ihre Gattin* mis respetos a su señora; **2men'tieren** (-) *v/t.* cumplimentar; hacer cumplidos *m/pl.*
Kom'plize *m* (*-n*) cómplice *m.*
kompli'zier|en (-) *v/t.* complicar; **~t** *adj.* complicado; (*komplex*) complejo; *~er Bruch* fractura complicada; **2theit** *f* complicación *f*; (*Komplexität*) complejidad *f.*
Kom|'plott *n* (*-es; -e*) complot *m*, confabulación *f*; trama *f*; *ein ~ schmieden* tramar un complot; conspirar; **2plot'tieren** (-) *v/i.* tramar (*od.* urdir) un complot.
Kompo'nente *f* ⊿, ⚗ componente *f.*
kompo|'nieren (-) ♪ *v/t.* componer; **2'nist(in** *f*) *m* compositor(a *f*) *m.*
Kompositi'on *f* composición *f.*
Kom'positum *Gr. n* (*-s; Komposita*) palabra *f* compuesta.
Kom'post ⚘ *m* (*-es; -e*) mantillo *m*; estiércol *m*; abono *m* compuesto; *mit ~ düngen* abonar con mantillo; **~haufen** *m* montón *m* de estiércol; estercolero *m.*
Kom'pott *n* (*-es; -e*) compota *f*; **~schale** *f*, **~schüssel** *f*, **~teller** *m* compotera *f.*
kom'preß *Typ. adj.* compacto.
Kom'presse ⚕ *f* compresa *f.*
Kompressibili'tät *f* compresibilidad *f.*
Kompressi'on *f* compresión *f*; **~s-kältemaschine** *f* máquina *f* de refrigeración por compresión; **~s-raum** *m* (*-es; ⸚e*) cámara *f* de compresión; **~s-takt** *m* (*-es; -e*) tiempo *m* de compresión; **~sverminderung** *f* reducción *f* de compresión.
Kom'pressor *m* (*-s; -en*) compresor *m*; **2los** *adj.* sin compresor; **~motor** *m* (*-s; -en*) motor *m* con compresor.
kompri'mieren (-) *v/t.* comprimir.
Kompro'miß *m u. n* (*-sses; -sse*) compromiso *m*; arreglo *m*, acuerdo *m*; transacción *f*; *e-n ~ schließen* concertar un compromiso; *Pol. a.* pactar, transigir; **2los** *adj.* intransigente, opuesto a todo compromiso; **~lösung** *f* solución *f* de compromiso.
kompromit'tieren [-ɪ'tiː-] (-) *v/t.* comprometer; *sich ~* comprometerse.
Kom'tesse *f* condesa *f* soltera; hija *f* de un conde; F condesita *f.*
Kom'tur *m* (*-s; -e*) comendador *m.*
Konden'sat ⚗ *n* (*-es; -e*) producto *m* de condensación.
Kondensati'on *f* condensación *f.*
Konden'sator *m* (*-s; -en*) ⚡, ⊕ condensador *m.*
konden'sier|en (-) *v/t.* condensar; **2en** *n*, **2ung** *f* condensación *f.*
Kon'dens|milch *f* (*0*) leche *f* condensada; **~streifen** ✈ *m* estela *f* de gases condensados; **~wasser** *n* (*-s; - od.* ⸚) agua *f* de condensación.
Konditi'on *f* condición *f.*
Konditio'nal(is) [-di·tsĭo·-] *Gr.* (*-s; -e*) (modo *m*) potencial *m*; **~satz** *m* (*-es; ⸚e*) oración *f* condicional.
konditio'nieren (-) **I.** *v/t.* condicionar; **II.** 2 *n* condicionamiento *m.*
Kon'ditor *m* (*-s; -en*) (*Zuckerbäcker*) confitero *m*; (*Kuchenbäcker*) pastelero *m*; repostero *m.*
Kondito'rei *f* (*Zuckerbäckerei*) confitería *f*; (*Kuchenbäckerei*) pastelería *f*; repostería *f.*
Kon'ditorwaren *f/pl.* dulces *m/pl.*; pasteles *m/pl.*
Kondo|'lenz *f* (*Beileid*) condolencia *f*, pésame *m*; **~'lenzbesuch** *m* (*-es; -e*) visita *f* de pésame; **~'lenzbrief** *m* (*-es; -e*) carta *f* de pésame; **2'lieren** (-) *v/i.* dar el pésame, expresar su condolencia *f.*
Kondomi'nat *n* (*-es; -e*), **Kondo'minium** *n* (*-s; Kondominien*) condominio *m.*
'Kondor ['kɔndɔʀ] *Orn. m* (*-s; -e*) cóndor *m.*
Kondottiere *m* (*-s; Kondottieri*) condotiero *m.*
Kon'dukt *m* (*-es; -e*) cortejo *m* fúnebre.
Konduk'tanz ⚡ *f* (*0*) conductancia *f.*
Konduk'teur *m* (*-s; -e*) conductor *m*; (*Schaffner*) cobrador *m.*
Kon'fekt *n* (*-es; -e*) dulces *m/pl.*; confites *m/pl.*; bombones *m/pl.*
Konfekti'on *f* confección *f*; géneros *m/pl.* confeccionados; ropas *f/pl.* hechas.
Konfektio'när *m* (*-s; -e*) dueño *m* de un comercio de confecciones; empleado *m* en el ramo de la confección; confeccionador *m.*
Konfekti'ons|anzug *m* (*-es; ⸚e*) traje *m* hecho (*od.* confeccionado); **~geschäft** *n* (*-es; -e*) almacén *m* de ropas hechas; (*Laden*) tienda *f* de confecciones; (*als Ladenschild*) confecciones *f/pl.*
Konfe'renz *f* conferencia *f*; (*Lehrer2*) junta *f* de maestros; (*Professoren2*) claustro *m*; (*Tagung*) reunión *f*; (*Kongreß*) congreso *m*; *die ~ ist an e-m toten Punkt angelangt* la conferencia ha llegado a un punto muerto; la conferencia se ha estancado; **~beschluß** *m* (*-sses; ⸚sse*) resolución *f od.* acuerdo *m* de la conferencia; **~dolmetscher** *m* intérprete *m* de conferencias; **~raum** *m* (*-es; ⸚e*) sala *f* de conferencias; **~tisch** *m* (*-es; -e*) mesa *f* de conferencias; (*runder*) mesa *f* redonda; **~zimmer** *n* sala *f* de conferencias *od.* de reunión.
konfe'rieren (-) *v/i.* conferenciar (*mit j-m über* con alg. sobre); *im Kabarett*: presentar los artistas.
Konfessi'on [-ɛ'sĭ-] *f* confesión *f* religiosa; religión *f*; credo *m*; *Hist. die Augsburgische ~* la Confesión de Augsburgo.
konfessio'nell *adj.* confesional.
konfessi'ons|los *adj.* librepensador; deísta; sin religión; **2schule** *f* escuela *f* confesional.
Kon'fetti *n/pl.* confeti *m.*
Konfir'mand(in *f*) *m* (*-en*) *I.P.* confirmando (-a *f*) *m*; **~enunterricht** *m* (*-es; 0*) *I.P.* instrucción *f* religiosa preparatoria de los confirmandos.
Konfir|mati'on *f I.P.* primera comunión *f*; **2'mieren** (-) *v/t. I.P.* administrar la primera comunión.
konfis'zier|bar *adj.* confiscable; **~en** (-) *v/t.* confiscar; **2en** *n*, **2ung** *f* confiscación *f.*
Konfi'türe *f* confitura *f*; (*Marmelade*) mermelada *f*; (*Zuckerwerk*) confite *m.*
Kon'flikt *m* (*-es; -e*) conflicto *m*; *in ~ geraten* entrar (*od.* verse) en conflicto (*mit* con).
Konföde|rati'on *f* confederación *f*; **2'rieren** (-) *v/t.* confederar; *sich ~* confederarse.
kon'form I. *adj.* conforme (*mit* con); **II.** *adv.* conformemente;

~ gehen ir de conformidad, estar (*od.* ir) de acuerdo (*mit j-m* con alg.).
Konfor|'mist *m* (*-en*) conformista *m*; **~mi'tät** *f* conformidad *f*.
konfron'tier|en (-) *v/t.* confrontar; ⚖ carear; **2en** *n*, **2ung** *f* confrontación *f*; ⚖ careo *m*.
kon'fus *adj.* confuso; (*unordentlich*) desordenado; (*außer Fassung*) desconcertado.
Konfusi'on *f* confusión *f*.
kongeni'al *adj.* congenial.
Konglome'rat [-mə-] *Geol. u. Min.* *n* (*-es*; *-e*) conglomerado *m*.
'Kongo *m*: *der ~* (*Fluß, Staat*) el Congo.
Kongo'les|e *m* (*-n*), **~in** *f* congoleño (-a *f*) *m*; **2isch** *adj.* congoleño.
'Kongostaat *m*: *der ~* el Congo.
Kongregati'on *f* congregación *f*.
Kon'greß *m* (*-sses*; *-sse*) congreso *m*; *e-n ~ einberufen* convocar un congreso; *e-n ~ eröffnen* abrir un congreso; **~mitglied** *n* (*-es*; *-er*), **~teilnehmer(in** *f*) *m* congresista *m/f*.
kongru|'ent [-u:'ɛ-] *adj.* congruente (*a.* Ꭿ); coincidente; igual; **2'enz** *f* (*0*) congruencia *f* (*a.* Ꭿ); coincidencia *f*; igualdad *f*; **~'ieren** (-) *v/i.* ser congruente; coincidir; ser igual.
Koni'feren ⚘ *f/pl.* coníferas *f/pl.*
'König *m* (*-s*; *-e*) rey *m* (*von Gottes Gnaden* por la gracia de Dios); *im Namen des ~s* en nombre del rey; *die Heiligen Drei ~e* los Reyes Magos; *Fest der Heiligen Drei ~e* el día de Reyes; la Epifanía; *j-n zum ~ erheben* hacer rey a alg., elevar a alg. al trono; *j-n zum ~ wählen* elegir rey a alg.; **~in** ['-i:gɪn] *f* reina *f*; *Schach*: *a.* dama *f*; **~inmutter** *f* (-; *Königinnenmütter*) reina *f* madre; **~inregentin** *f* reina *f* regente; **~inwitwe** *f* reina *f* viuda; **2lich** ['-ɪklɪç] **I.** *adj.* real; regio; (*königstreu*) realista; *von ~em Blute* de sangre real; **II.** *adv.* regiamente; *sich ~ amüsieren* divertirse de lo lindo; *sich ~ freuen* alegrarse infinitamente; *~ bewirten* tratar a cuerpo de rey; **~reich** *n* ['-ɪk-] (*-es*; *-e*) reino *m*.
'Königs...: **~adler** *m* águila *f* real; **~apfel** *m* (*-s*; ⁼) reineta *f*; **~blau** *n* azul *m* real; azul *m* de cobalto; **~kerze** ⚘ *f* candelaria *f*; **~krone** *f* corona *f* real; **~mord** *m* (*-es*; *-e*) regicidio *m*; **~mörder** *m* regicida *m*; **~schloß** *n* (*-sses*; ⁼*sser*) palacio *m* real; **~tiger** *Zoo. m* tigre *m* real; **~treue** *f Pol.* realismo *m*; **~treue(r** *m*) *f* (*0*) *Pol.* realista *m/f*; legitimista *m/f*; **~wahl** *f* elección *f* de rey; **~wasser** ⚗ *n* (*-s*; *0*) agua *f* regia; **~würde** *f* (*0*) dignidad *f* real, realeza *f*; majestad *f*.
'Königtum ['-ɪç-] *n* (*-s*; *0*) dignidad *f* real, realeza *f*; *weitS.* régimen *m* monárquico, monarquía *f*.
'konisch *adj.* cónico, coniforme; conoidal; conoide.
Konju|gati'on *Gr. f* conjugación *f*; **2'gierbar** *Gr. adj.* conjugable; **2gieren** *Gr.* (-) *v/t.* conjugar; *konjugiert werden* conjugarse.
Konjunkti'on *Gr. f* conjunción *f*.
'Konjunktiv *Gr. m* (*-es*; *-e*) (modo *m*) subjuntivo *m*; **2isch** *Gr. adj.* subjuntivo; en (*od.* con el) subjuntivo.
Konjunk'tur *f* coyuntura *f*; ⚚ situación *f* del mercado; *steigende* (*fallende*) *~* coyuntura ascendente *od.* alcista (coyuntura descendente *od.* bajista); (*Hoch2*) alta coyuntura *f*; (*Tief2*) depresión *f*; **~belebung** *f* reanimación *f* de la coyuntura; **~bericht** *m* (*-es*; *-e*) informe *m* sobre la situación del mercado; **2empfindlich** *adj.* sensible a las alteraciones de la coyuntura; **~empfindlichkeit** *f* (*0*) sensibilidad *f* coyuntural; **~forschung** *f* investigación *f* de los ciclos económicos; análisis *m* del mercado; **~gewinn** *m* (*-es*; *-e*) beneficio *m* (*od.* ganancia *f*) de coyuntura; **~phase** *f* ciclo *m* económico; **~politik** *f* (*0*) política *f* coyuntural (*od.* de coyuntura); **~ritter** *m* oportunista *m*; **~schwankungen** *f/pl.* oscilaciones *f/pl.* (*od.* fluctuaciones *f/pl.*) de la situación del mercado; **~überhitzung** *f* recalentamiento *m* de la coyuntura.
kon'kav [-'kɑ:f] *adj.* cóncavo; **~-konvex** *adj.* cóncavo-convexo; **2spiegel** *Phys. m* espejo *m* cóncavo.
Kon'klave *n* cónclave *m*.
Konkor'danz *f* concordancia *f*.
Konkor'dat *Rel. n* (*-es*; *-e*) concordato *m*.
kon'kret *adj.* concreto; **2um** *Gr. n* (*-s*; *Konkreta*) nombre *m* concreto.
Konku|bi'nat *m a. n* (*-es*; *-e*) concubinato *m*; **~'bine** *f* concubina *f*.
Konkur'rent(in *f*) [-ʊ'rɛ-] *m* (*-en*) competidor(a *f*) *m*.
Konkur'renz *f* ⚚ competencia *f*; (*Mitbewerbung*) competición *f*; *j-m ~ machen* hacer la competencia a alg.; *mit j-m in ~ treten* entrar en competencia con alg.; *außer ~* fuera de concurso; **2fähig** *adj.* capaz de competir; **~firma** *f* (-; *-firmen*), **~geschäft** *n* (*-es*; *-e*) casa *f* competidora; **~kampf** *m* (*-es*; ⁼*e*) lucha *f* de competidores; **~klausel** *f* (-; *-n*) cláusula *f* (prohibitiva) de competencia; **2los** *adj.* sin competencia; fuera de toda competencia; **~neid** *m* (*-es*; *0*) envidia *f* de los competidores; envidia *f* profesional; **~preis** *m* (*-es*; *-e*) precio *m* de competencia; **~unternehmen** *n* empresa *f* competidora; **~verbot** *n* (*-es*; *-e*) prohibición *f* de competencia.
konkur'rieren (-) *v/i.* competir (*in* en; *mit* con); hacer la competencia (*mit* a).
Kon'kurs ⚚ *m* (*-es*; *-e*) quiebra *f*; (*strafbarer*) bancarrota *f*; quiebra *f* fraudulenta; *Zahlungseinstellung*: suspensión *f* de pagos; *den ~ anmelden* declararse en quiebra; *~ machen, in ~ geraten* quebrar; *~ eröffnen* abrir los trámites de la quiebra; **~antrag** *m* (*-es*; ⁼*e*) petición *f* de declaración de la quiebra; **~ausverkauf** *m* (*-es*; ⁼*e*) liquidación *f* por quiebra; **~einstellung** *f* suspensión *f* de la quiebra; **~erklärung** *f* declaración *f* de quiebra; **~eröffnung** *f* apertura *f* de la tramitación de la quiebra; **~gläubiger** *m* acreedor *m* de la quiebra; **~masse** *f* masa *f* global, activo *m* de la quiebra; **~ordnung** *f* disposiciones *f/pl.* relativas a las quiebras; **~schuldner** *m* quebrado *m*; **~verfahren** *n* procedimiento *m* de quiebra; **~vergehen** *n* quiebra *f* fraudulenta; **~verwalter** *m* síndico *m* de la quiebra; **~ware** *f* saldo *m* de la quiebra.
'können (*L*) **I.** *v/t.* poder; (*möglich sein*) ser posible, poder ser; (*fähig sein*) ser capaz de; (*imstande sein*) estar en condiciones de; (*wissen, gelernt haben*) saber; (*verstehen*) entender, comprender; (*dürfen*) tener permiso para; (*Befugnis haben*) estar autorizado (*od.* facultado) para; *es kann sein* puede ser; es posible; tal vez; *es kann sein, daß* ... es posible que ... (*subj.*); puede ser que ... (*subj.*); *ich kann nichts dafür* no es culpa mía; *ich kann nichts dazu tun* no puedo remediarlo; no puedo hacer nada; *ich kann nicht mehr* ya no puedo más; *ich kann nicht anders* no puedo hacer otra cosa; *hier könnte man sagen* ... aquí sí que podría decirse ...; *Sie ~ es mir glauben* puede usted creérmelo; *Spanisch ~* saber (el) español; *auswendig ~* saber de memoria; *lesen* (*schwimmen*) *~* saber leer (nadar); *ich kann es Ihnen nicht sagen* no puedo decírselo; *so gut ich kann* lo mejor que pueda; P *mir kann keiner!* ¡conmigo no hay quien pueda!; *~ Sie noch sehen?* ¿puede usted ver todavía?; **II.** 2 *n* poder *m*; (*Wissen*) saber *m*; (*Fähigkeit*) capacidad *f*; facultad *f*; talento *m*; habilidad *f*.
'Könner *m* conocedor *m* perfecto de una materia.
Kon'nex *m* (*-es*; *-e*) conexión *f*; relación *f*.
Konni'venz *f* connivencia *f*.
Konnosse'ment ⚚ *n* (*-es*; *-e*) conocimiento *m* de embarque.
'konnte *pret. v.* können.
'Konrad(in) *m* Conrado *m*.
'Konrektor *m* (*-s*; *-en*) *e-r Schule*: vicedirector *m*.
Konseku'tiv|dolmetschen *n*, **~übersetzung** *f* interpretación *f* consecutiva.
Kon'sens *m* (*-es*; *-e*) consenso *m*, consentimiento *m*.
konse'quen|t *adj.* consecuente; **2z** *f* consecuencia *f*; *die ~en ziehen* (*tragen*) sacar (sufrir) las consecuencias.
konserva|'tiv [-va'ti:f] *adj.* conservador; **2'tive(r** *m*) [-və] *m/f* conservadora *f*, conservador *m*; **2ti'vismus** [v] *m* espíritu *m* conservador.
Konser'vator *m* (*-s*; *-en*) conservador *m*.
Konserva'torium [-rium] *n* (*-s*; *Konservatorien*) conservatorio *m* (*für Musik* de música).
Kon'serve [-və] *f* conserva *f*; **~nbüchse** *f*, **~ndose** *f* lata *f* de conservas; **~nfabrik** *f* fábrica *f* de conservas; **~nglas** *n* (*-es*; ⁼*er*) tarro *m* de conservas; **~n-industrie** *f* industria *f* conservera.
konser'vier|en [-'vi:-] (-) *v/t.* conservar; (*sich ~*) conservarse; **2en** *n*,

⁀**ung** *f* conservación *f*; ⁀**ungsmittel** *n* agente *m* de conservación; su(b)stancia *f* de conservación.

Konsig|'nant † *m* (*-en*) consignador *m*; ~**na'tar** † *m* (*-es*; *-e*) consignatario *m*; ~**nati'on** † *f* consignación *f*; ~**nati'onsware** *f* mercancía *f* en consignación; ⁀'**nieren** (-) *v/t.* consignar.

Kon'silium *n* (*-s*; *Konsilien*) consejo *m*.

konsis'tent [-zɪs'tɛ-] *adj.* consistente; ⁀**z** *f* consistencia *f*.

Konsis'torium [-zɪs'to:ʀĭ-] *Rel. n* (*-s*; *Konsistorien*) consistorio *m*.

Kon'sole *f* consola *f*.

konsoli'dier|en (-) *v/t.* consolidar; (*sich* ~) consolidarse; *konsolidierte Schuld* deuda consolidada; *konsolidierte Anleihe* empréstito consolidado; ⁀**en** *n*, ⁀**ung** *f* consolidación *f*.

Kon'sols † *pl.* valores *m/pl.* consolidados.

Konso'nant *Gr. m* (*-en*) consonante *f*; ⁀**isch** *adj.* de consonante.

Kon'sorte *m* (*-n*) consorte *m* (*a. m. s.*); † (*Teilnehmer*) consorte *m*; (*Teilhaber*) socio *m*; ⚖ (*Mitschuldiger*) cómplice *m*, consorte *m*.

Konsorti'algeschäft [-tsĭ-] † *n* (*-es*; *-e*) operación *f* sindical (*od.* en consorcio).

Kon'sortium [-tsĭ-] *n* (*-s*; *Konsortien*) asociación *f*, sociedad *f*; † consorcio *m*, sindicato *m*.

konspi|'rieren [-sp-] (-) *v/i.* conspirar; ⁀**rati'on** *f* conspiración *f*.

kons'tant [-st-] *adj.* constante; ⁀**e** ⅍ *f* constante *f*.

Konstanti'nopel [-st-] *n* Constantinopla *f*.

'Konstanz *n* Constanza *f*; ~**e** *f* Constancia *f*.

konsta'tier|en (-) *v/t.* comprobar; *gal.* constatar; ⁀**en** *n*, ⁀**ung** *f* comprobación *f*; *gal.* constatación *f*.

Konstellati'on [-st-] *Astr. f* constelación *f*.

konster'nier|en [-st-] (-) *v/t.* consternar; ~**t** *adj.* consternado.

konstitu'ier|en [-st-] (-) *v/t. u. v/refl.* constituir(se); ~**end** *adj.* constituyente; ~*e Versammlung* asamblea constituyente; ⁀**ung** *f* constitución *f*.

Konstituti'on [-st-] *f* constitución *f*.

konstitutio'nell [-st-] *adj.* constitucional.

konstru'ieren [-st-] (-) **I.** *v/t.* construir; **II.** ⁀ *n* construcción *f*.

Konstruk'teur [-st-] *m* (*-s*; *-e*) constructor *m*.

Konstrukti'on [-st-] *f* construcción *f*.

Konstrukti'ons...: ~**büro** *n* (*-s*; *-s*) oficina *f* técnica; ~**einzelheit** *f* detalle *m* de la construcción; ~**fehler** *m* defecto *m* (*od.* vicio *m*) de construcción; ~**leiter** *m* ingeniero-jefe *m* de construcción; ~**prinzip** *n* (*-s*; *-prinzipien*) principio *m* de construcción; ~**teil** *m* (*-es*; *-e*) elemento *m* (*od.* pieza *f*) de construcción; ~**zeichner** *m* delineante *m* proyectista; ~**zeichnung** *f* dibujo *m* de construcción.

konstruk'tiv [-st-] *adj.* constructivo.

'Konsul ['-zʊl] *m* (*-s*; *-n*) cónsul *m*.

Konsu'lar|agent *m* agente *m* consular; ~**gerichtsbarkeit** *f* (*0*) jurisdicción *f* consular; ⁀**isch** *adj.* consular.

Konsu'lat [-'lɑ:t] *n* (*-es*; *-e*) consulado *m*; ~**sdienst** *m* (*-es*; *-e*) servicio *m* consular; ~**sgebühr** *f* derechos *m/pl.* consulares; ~**ssekretär** *m* (*-s*; *-e*) canciller *m* (*od.* secretario *m*) del consulado.

Konsu'lent *m* (*-en*) abogado *m* consultor.

Konsul|tati'on *f* consulta *f*; ⁀'**tieren** (-) *v/t.* consultar.

Kon'sum *m* (*-s*; *-e*) consumo *m*; F (*mst. Konsum*) → *Konsumverein*.

Konsu'ment(in *f*) *m* (*-en*) consumidor(a *f*) *m*.

Kon'sumgüter *m/pl.* artículos *m/pl.* de consumo.

konsu'mieren (-) *v/t.* consumir.

Kon'sumverein *m* (*-es*; *-e*) cooperativa *f* (*od.* sociedad *f* cooperativa) de consumos.

Kon'takt *m* (*-es*; *-e*) contacto *m*; ⚡ *den* ~ *herstellen* (*unterbrechen*) establecer (interrumpir) el contacto; *fig. mit j-m* ~ *aufnehmen* entrar en relación (*od.* contacto) con alg.; ~**fläche** *f* superficie *f* de contacto; ~**hebel** *m* palanca *f* de contacto; ~**knopf** *m* (*-es*; *⁼e*) pulsador *m*, botón *m* de contacto; ~**photographie** *f* prueba *f* fotográfica por contacto; ~**rolle** *f an Straßenbahnwagen*: polea *f* de contacto; ~**schnur** *f* (-; *⁼e*) (cordón *m*) flexible *m*; ~**stange** *f an Straßenbahnwagen*: trole *m*; ~**stecker** *m*, ~**stift** *m* (*-es*; *-e*), ~**stöpsel** *m* clavija *f* de contacto.

'Konter|admiral ⚓ *m* (*-es*; *-e*) contraalmirante *m*; ~**bande** *f* contrabando *m*; ~**fei** *n* (*-es*; *-e*) retrato *m*; ⁀'**feien** (-) *v/t.* retratar, hacer el retrato de; ~**revolution** *f* contrarrevolución *f*.

'Kontinent *m* (*-es*; *-e*) continente *m*.

kontinen'tal *adj.* continental; ⁀**macht** *f* (-; *⁼e*) potencia *f* continental; ⁀**sperre** *f*, ⁀**system** *n* (*-s*; *0*) *Hist.* Bloqueo *m* (*od.* Sistema *m*) Continental.

Kontin|'gent [-ŋ'g-] *n* (*-es*; *-e*) contingente *m*; † *a.* cupo *m*; ⁀**gen'tieren** (-) *v/t.* fijar (*od.* establecer) cupos; prorratear; ~**gen'tierung** *f* implantación *f* de cupos; fijación *f* del contingente; ~**gen'tierungssystem** *n* (*-s*; *-e*) sistema *m* de contingentes.

kontinu|'ierlich *adj.* continuo; continuado; ⁀**i'tät** *f* (*0*) continuidad *f*.

'Konto *n* (*-s*; *Konti od. Konten*) cuenta *f*; (*Bank*⁀) cuenta *f* bancaria; *a conto, auf* ~ a cuenta; ~ *finto* cuenta ficticia; *laufendes* ~ cuenta corriente; *ein* ~ *eröffnen* abrir una cuenta; *ein* ~ *belasten* (*entlasten*) cargar (descargar) una cuenta; *ein* ~ *abgleichen* saldar una cuenta; *ein* ~ *überziehen* rebasar una cuenta; *überzogenes* ~ cuenta al descubierto (*od.* rebasada); *auf e-m* ~ *verbuchen* poner en cuenta; *von e-m* ~ *abheben* retirar fondos de una cuenta; *fig. das geht auf dein* ~ tú tienes la culpa de ello; ~**auszug** *m* (*-es*; *⁼e*) extracto *m* de cuenta; ~**buch** *n* (*-es*; *⁼er*) libro *m* de cuentas; ~**gegenbuch** *n* (*-es*; *⁼er*) libreta *f* de cuentas; ~**inhaber** (**-in** *f*) *m* titular *m/f* de una cuenta; ~**kor'rent** *n* (*-es*; *-e*) cuenta *f* corriente (*Abk.* c.c.); ~**kor'rentforderung** *f* adeudo *m* en cuenta corriente; ~**kor'rentguthaben** *n* haber *m* (*od.* saldo *m* a favor) en cuenta corriente; ~**kor'rentinhaber(in** *f*) *m* cuentacorrentista *m/f*; ~**kor'rentverkehr** *m* (*-s*; *0*) operaciones *f/pl.* de cuenta corriente; ~**kor'rentzinsen** *m/pl.* intereses *m/pl.* de cuenta corriente; ~**nummer** *f* (-; *-n*) número *m* de la cuenta.

Kon'tor [kon'to:ʀ] *n* (*-s*; *-e*) (*Büro*) oficina *f*, despacho *m*; escritorio *m*; ~**bote** *m* (*-n*), ~**diener** *m* ordenanza *m* de oficina; (*Laufbursche*) botones *m*.

Konto'rist(in *f*) *m* (*-en*) empleado (-a *f*) *m* de oficina.

'Kontoüberziehung † *f* descubierto *m*.

'kontra I. *prp.* contra; **II.** ⁀ *n* contra *m*; ⁀**alt** ♪ *m* (*-s*; *-e*) contralto *m*; ⁀**baß** ♪ *m* (*-sses*; *⁼sse*) contrabajo *m*.

Kontrabas'sist ♪ *m* (*-en*) contrabajo *m*.

kontradik'torisch *adj.* contradictorio.

Kontra|'hent *m* (*-en*) parte *f* contratante; *im Duell*: adversario *m*; ⁀**hieren** (-) *v/t.* contratar; (*zusammenziehen*) contraer; (*zum Duell fordern*) desafiar.

Kon'trakt *m* (*-es*; *-e*) contrato *m*; *e-n* ~ *(ab)schließen* concertar (*od.* concluir, celebrar, hacer) un contrato; ~**abschluß** *m* (*-sses*; *⁼sse*) celebración *f* (*od.* conclusión *f*) de un contrato; ~**bruch** *m* (*-es*; *⁼e*) infracción *f* (*od.* ruptura *f*) de contrato; ⁀**brüchig** *adj.*: ~ *werden* romper (*od.* infringir) un contrato; ~**brüchige(r)** *m* infractor *m* de un contrato; ⁀**lich** *adj.* contractual; ⁀**mäßig** *adj.* contractual; según (lo estipulado en) el contrato; ~**verhältnis** *n* (*-ses*; *-se*) relación *f* contractual; ⁀**widrig** *adj.* contrario al contrato; incompatible con el contrato; ~**widrigkeit** *f* incompatibilidad *f* con el contrato.

'Kontrapunkt ♪ *m* (*-es*; *0*) contrapunto *m*.

kon'trär *adj.* contrario, opuesto.

Kon'trast *m* (*-es*; *-e*) contraste *m*; *e-n* ~ *bilden zu* contrastar con; estar en contraste con.

kontras'tieren (-) *v/i.* contrastar (*mit* con); ~**d** *adj.* que contrasta.

kon'trast|reich *adj.* rico en contrastes; ⁀**wirkung** *f* efecto *m* de contraste.

Kontributi'on ⚔ *f* contribución *f* (de guerra).

Kon'troll|abschnitt *m* (*-es*; *-e*) talón *m* de comprobación; ~**amt** *n* (*-es*; *⁼er*) oficina *f* de intervención; ~**apparat** *m* (*-es*; *-e*) aparato *m* registrador; ~**ausschuß** *m* (*-sses*; *⁼sse*) comisión *f* interventora *bzw.* inspectora; ~**beamte(r)** *m* → *Kontrolleur*; ~**blatt** *n* (*-es*; *⁼er*) hoja *f* de control; ~**e** *f* control *m*; (*Inspektion*) inspección *f*; intervención *f*; (*Durchsicht*) revisión *f*; (*Überwachung*) vigilancia *f*; (*Nachprüfung*) verificación *f*, comprobación *f*; (*Registrierung*) registro *m*; *unter* ~

haben (*meistern*) dominar; *die* ~ *verlieren über* (*ac.*) perder el control de; *die Lage ist unter* ~ la situación está dominada; *e-r* ~ *unterziehen* someter a una inspección *bzw.* a un control; *der* ~ *unterliegen* estar sometido a inspección; estar bajo vigilancia *bzw.* control.

Kontrol'leur [-ɔ'lø:ʀ] *m* (-*s*; -*e*) inspector *m*; 🚂 interventor *m*; (*Schaffner*) revisor *m*; (*Nachprüfer*) verificador *m*.

Kon'troll|gang *m* (-*es*; ⸚*e*) *Polizei*: ronda *f*; **~gerät** *n* (-*es*; -*e*) aparato *m* registrador.

kontrol'lier|bar *adj.* (*feststellbar*) comprobable; (*nachprüfbar*) verificable; **~en** (-) *v/t.* controlar; inspeccionar; revisar; vigilar; verificar, comprobar; registrar; (*prüfen*) examinar; (*beherrschen*) dominar.

Kon'troll|kasse *f* (*Registrierkasse*) caja *f* registradora; **~kommission** *f* comisión *f* interventora; **~(l)ampe** *f* lámpara *f* piloto; **~marke** *f in großen Betrieben*: distintivo *m* (*od.* placa *f*) del personal; **~maßnahme** *f* medida *f* de control; **~nummer** *f* (-; -*n*) número *m* de registro; **~stelle** *f* oficina *f* (*od.* puesto *m*) de control; **~stempel** *m* sello *m* de control; **~strecke** *f* ronda *f*; **~uhr** *f* reloj *m* registrador; **~zettel** *m* comprobante *m*.

Kontro'verse [-'vɛrzə] *f* controversia *f*.

Kontu'maz-urteil ⚖ *n* (-*s*; -*e*) juicio *m* en rebeldía.

Kon'tur *f* contorno *m*, perfil *m*.

'Konus *m* (-; -*se*) cono *m*; **~kupplung** ⊕ *f* acoplamiento *m* cónico.

Konvekti'on ⚡ *f* convección *f*.

Kon'vent *m* (-*es*; -*e*) asamblea *f*; *Hist.* (*National*2) la Convención (Nacional).

Konven'tikel *n* conventículo *m*, conciliábulo *m*.

Konventi'on *f* convención *f*; *die Genfer* ~ la Convención de Ginebra.

Konventio'nalstrafe ⚖ *f* cláusula *f* contractual penal, multa *f* contractual.

konventio'nell *adj.* convencional.

konver|'gent *adj.* convergente; 2**'genz** *f* convergencia *f*; **~'gieren** (-) *v/i.* converger.

Konversati'on *f* conversación *f*; **~slexikon** *n* (-*s*; -*lexika od.* -*lexiken*) enciclopedia *f*, diccionario *m* enciclopédico; **~sstück** *Thea. n* (-*es*; -*e*) comedia *f* de salón.

konver'tier|bar ✝ *adj.* convertible; 2**barkeit** ✝ *f* convertibilidad *f*; **~en** (-) *v/t.* convertir; 2**en** *n*, 2**ung** *f* conversión *f*.

Konver'tit(in *f*) *m* (-*en*) converso (-a *f*) *m*.

kon'vex *adj.* convexo; abombado.

Konvexi'tät *f* convexidad *f*.

Kon'vexlinse *Opt. f* lente *f* convexa.

Kon'vikt *n* (-*es*; -*e*) internado *m* religioso; seminario *m*.

'Konvoi ['kɔnvɔʏ] *m* (-*s*; -*s*) convoy *m*.

konvul'sivisch *adj.* convulsivo.

konze'dieren (-) *v/t.* conceder.

Konzen'trat ⚗ *n* (-*es*; -*e*) concentración *f*; producto *m* concentrado.

Konzentrati'on *f* concentración *f*; **~sfähigkeit** *f* (*0*) capacidad *f* de concentración; **~slager** (*Abk.* KZ) *n* campo *m* de concentración.

konzen'trier|en (-) *v/t. u. v/refl.* concentrar(se); 2**en** *n*, 2**ung** *f* concentración *f*.

kon'zentrisch *adj.* concéntrico.

Kon'zept *n* (-*es*; -*e*) (*Entwurf*) borrador *m*; (*Urschrift*) minuta *f*; *fig. aus dem* ~ *kommen* perder el hilo; desconcertarse, F hacerse un lío; *j-n aus dem* ~ *bringen* F sacar de tino (*od.* de quicio) a alg.; desconcertar a alg.; *das paßt ihm nicht ins* ~ eso no le cuadra.

Konzepti'on *f* concepción *f*.

Kon'zeptpapier *n* (-*es*; -*e*) papel *m* para borrador.

Kon'zern *m* (-*es*; -*e*) sindicato *m* industrial; trust *m*.

Kon'zert ♪ *n* (-*es*; -*e*) concierto *m* (*a. fig.*); (*Solisten*2) recital *m*; *ins* ~ *gehen* ir al concierto; **~abend** *m* (-*s*; -*e*) velada *f* musical.

konzer'tant ♪ *adj.* concertante.

Kon'zertflügel *m* piano *m* de concierto *bzw.* de cola.

kon'zertieren (-) ♪ *v/i.* dar un concierto (*Solist*: un recital).

Kon'zert|meister *m* director *m* de orquesta; concertista *m*; **~saal** *m* (-*es*; -*säle*) sala *f* de conciertos; **~sänger(in** *f*) *m* concertista *m/f*; cantante *m/f* de concierto; **~stück** *n* (-*es*; -*e*) pieza *f* de concierto.

Konzessi'on [-ɛ'sĭ-] *f* concesión *f*; licencia *f*; patente *f*; *e-e* ~ *erteilen* otorgar una concesión; *j-m* **~***en machen* hacer concesiones a alg.

Konzessio'när(in *f*) *m* (-*s*; -*e*) concesionario (-a *f*) *m*.

konzessio'nier|en (-) *v/t.* conceder; *Geschäft*: otorgar una concesión *bzw.* una licencia; autorizar; **~t** *adj.* concesionario.

Konzessi'ons-inhaber(in *f*) *m* concesionario (-a *f*) *m*.

Konzes'sivsatz *Gr. m* (-*es*; ⸚*e*) proposición *f* concesiva.

Kon'zil *n* (-*s*; -*e od. Konzilien*) concilio *m*.

konzili'ant *adj.* conciliador, transigente; afable.

konzi'pieren (-) *v/t.* concebir; (*entwerfen*) hacer un borrador, redactar.

kon'zis *adj.* conciso.

Ko-ope|rati'on *f* cooperación *f*; 2**ra'tiv** *adj.* cooperativo; 2**'rieren** (-) *v/i.* cooperar.

Ko-op|tati'on *f* cooptación *f*; 2**'tieren** (*0*) *v/t.* cooptar.

Ko-ordi|nate [ko:ɔʀ-] ⩘ *f* coordenada *f*; **~'naten-achse** ⩘ *f* eje *m* de coordenadas; **~'natensystem** ⩘ *n* (-*s*; -*e*) sistema *m* de coordenadas; **~nati'on** *f* coordinación *f*; 2**'nieren** (-) *v/t.* coordinar; **~'nieren** *n*, **~'nierung** *f* coordinación *f*; **~'nierungs-ausschuß** *m* (-*sses*; ⸚*sse*) comité *m* de coordinación.

Ko'pal *m* (-*s*; -*e*) resina *f* copal; **~firnis** *m* laca *f* copal.

Kopen'hagen *n* Copenhague *f*.

'Köper *m* (-*s*; *0*) (*Stoff*) cruzado *m*, sarga *f*; 2**n** (-*re*) *v/t.* cruzar.

koperni'kanisch *adj.* copernicano.

Kopf *m* (-*es*; ⸚*e*) cabeza *f*; *e-s Briefes*: (*Anrede*) encabezamiento *m*; (*gedruckt*) membrete *m*; *e-r Münze*: anverso *m*, cara *f*; *e-s Geschosses*: ojiva *f*; ~ *an* ~ cara a cara; frente a frente; ~ *hoch!* ¡alza la cabeza!; *fig.* ¡ánimo!; ¡arriba el corazón!; ~ *weg!* ¡agua va!; *pro* ~ por cabeza, F por barba; ~ *oder Schrift?* ¿cara o cruz?; *heller* (*beschränkter*) ~ mente lúcida (inteligencia limitada); *ein kluger* ~ *sein* tener talento; *s-n eigenen* ~ *haben* ser testarudo; *e-n schweren* ~ *haben* tener la cabeza pesada, tener pesadez de cabeza; *mir tut der* ~ *weh* me duele la cabeza, tengo dolor de cabeza; *j-m den* ~ *abschlagen*, *j-n e-n* ~ *kürzer machen* cortar la cabeza (*od.* decapitar) a alg.; *ich weiß nicht, wo mir der* ~ *steht* no sé dónde tengo la cabeza; *fig. sich den* ~ *zerbrechen* cavilar, F romperse la cabeza, devanarse los sesos; *den* ~ *schütteln* negar con la cabeza; *den* ~ *verlieren* perder la cabeza (F la tramontana); *den* ~ *oben behalten* no perder la cabeza, no desconcertarse; *ich wette m-n* ~, *daß* ... apuesto la cabeza a que ...; *s-n* ~ *durchsetzen* F salirse con la suya; *den* ~ *hängen lassen* abatirse, andar cabizbajo; caérsele a uno el alma a los pies; *fig. j-m den* ~ *zurechtsetzen* hacer a alg. entrar en razón; echar una reprimenda a alg.; *j-m den* ~ *verdrehen* trastornar a alg., volver loco (*od.* hacer perder la cabeza) a alg.; *fig. j-m den* ~ *waschen* F dar a alg. un fregado; poner a alg. de vuelta y media; *es geht um* ~ *und Kragen* aquí hay que jugarse la cabeza; ~ *und Kragen kosten* costar un dineral, F costar un ojo de la cara; *j-m et. an den* ~ *werfen* tirarle a alg. a/c. a la cabeza; *nicht auf den* ~ *gefallen sein* F no tener pelo de tonto; no chuparse el dedo; *auf dem* ~ *stehen* estar invertido; *Schrift*: estar al revés; *alles auf den* ~ *stellen* revolverlo todo, F ponerlo todo patas arriba; *auf den* ~ *fallen* caer de cabeza; *j-m et. auf den* ~ *zusagen* decirle a alg. las cosas en la cara; *auf s-n* ~ *bestehen* F mantenerse (*od.* seguir) en sus trece; *e-n Preis auf j-s* ~ *setzen* poner precio a la cabeza de alg.; *den Nagel auf den* ~ *treffen* dar en el clavo; *aus dem* ~, *im* **~***e* de memoria; *aus dem* ~ *hersagen* recitar de memoria; *das geht mir nicht aus dem* ~ no se me quita de la cabeza; *sich et. aus dem* ~ *schlagen* renunciar a (*od.* desistir de) a/c.; quitarse a/c. de la cabeza; *fig. den* ~ *aus der Schlinge ziehen* librarse de un peligro; *fig. sich et. durch den* ~ *gehen lassen* reflexionar a/c.; pensarlo bien; *sich e-e Kugel durch den* ~ *jagen* pegarse un tiro en la cabeza; *fig. durch den* ~ *schießen* cruzar por la mente; *j-m et. in den* ~ *setzen* sugerir a alg. una idea; F meterle a alg. a/c. en la cabeza; *sich et. in den* ~ *setzen* obstinarse en a/c., F meterse a/c. en la cabeza; P emperrarse en a/c.; *et. im* ~ *haben* F tener algo metido en la cabeza; dar vueltas a una idea; *in den* ~ *steigen* subirse a la cabeza; *er ist im* ~ *nicht richtig* no está en su juicio; F está tocado de la cabeza, P está chalado (*od.* majareta); *mir dreht sich alles im* ~ todo me da vueltas en la cabeza; *das will mir nicht in den* ~ *gehen fig.* no me cabe en la cabeza; me cuesta creerlo; *das geht mir im ~ herum* esto me tiene muy preocupado; *was man nicht im ~ hat, muß man in den Beinen haben* cuando no se tiene cabeza hay que tener pies; *mit dem ~ dafür haften* responder con el cuello; *mit dem ~ gegen et. stoßen* dar con la cabeza contra a/c.; *mit dem ~ gegen* (*fig. durch*) *die Wand rennen* (*fig. a. wollen*) empeñarse en lo imposible; arremeter con la cabeza contra la pared (*a. fig.*); *j-m über den ~ wachsen* desbordar (*od.* superar) a alg.; *die Sache ist ihm über den ~ gewachsen* la empresa es superior a sus fuerzas; *Hals über ~* de cabeza; *bis über den ~ in Schulden stecken* F estar entrampado hasta las cejas; *um e-n ~ größer sein als jd.* ser una cabeza más alto que alg.; *von ~ bis Fuß* de pies a cabeza; *fig. j-n vor den ~ stoßen* ofender a alg.; desairar a alg.; *fig. ein Brett vor dem ~ haben* F no ver más allá de las narices; *fig. ich bin wie vor den ~ geschlagen* estoy como si me hubieran dado un porrazo; estoy desconcertado; F me he quedado turulato; *zu ~ steigen* subirse a la cabeza.

'**Kopf...:** **~arbeit** *f* trabajo *m* mental (*od.* intelectual); **~arbeiter** *m* intelectual *m*; **~ball** *m* (*-ęs*; *⸚e*) *Fußball*: (pase *m bzw.* remate *m* de) cabeza *f*; **~bedeckung** *f* tocado *m*; (*Hut*) sombrero *m*; (*Mütze*) gorra *f*.

'**Köpfchen** *n* cabecita *f*; F *fig. ~ haben fig.* F tener vista; tener cacumen.

'**köpfen I.** *v/t.* decapitar; cortar la cabeza; *Bäume*: descabezar; *Fußball*: pasar *bzw.* rematar de cabeza; dar una cabeza; **II.** 2 *n* decapitación *f*.

'**Kopf...:** **~ende** *n* (*-s*; *-n*) *des Bettes*: cabecera *f*; **~geld** *n* (*-ęs*; *-er*) precio *m* puesto a la cabeza de alg.; (*Steuer*) capitación *f*; **~grind** ⚕ *m* (*-ęs*; *0*) tiña *f*; **~haar** *n* (*-ęs*; *-e*) cabellera *f*; cabellos *m/pl.*, pelo *m*; **~haut** *f* (*-*; *⸚e*) piel *f* de la cabeza; (*behaarte*) cuero *m* cabelludo; **~hörer** *m Radio*: auricular *m*; (*Doppel2*) casco *m*; **~jäger** *m* cazador *m* de cabezas; **~kissen** *n* almohada *f*; **~kissen-überzug** *m* (*-ęs*; *⸚e*) funda *f* de almohada; **~kohl** ⚘ *m* (*-s*; *0*) repollo *m*; **~lage** ⚕ *f* (*bei der Geburt*) presentación *f* cefálica; **~länge** *f Sport*: cabeza *f*; **2lastig** *adj.* con excesivo peso delantero; **~laus** *Zoo. f* (*-*; *⸚e*) piojo *m* de la cabeza; **~lehne** *f* apoyo *m* para la cabeza; **~leiste** *Typ. f* cabecera *f*, viñeta *f*; **2los** *adj.* sin cabeza; acéfalo; *fig.* (*unbesonnen*) aturdido, atolondrado; (*bestürzt*) perplejo; **~losigkeit** *fig. f* (*0*) aturdimiento *m*, atolondramiento *m*; perplejidad *f*; **~maß** *n* (*-es*; *-e*) (*im Hutgeschäft*) conformador *m*; **~naht** *Anat. f* (*-*; *⸚e*) sutura *f* de los huesos craneales; **~nicken** *n* inclinación *f* de cabeza; señal *f* afirmativa; **~nuß** *f* (*-*; *⸚sse*) F cogotazo *m*, capón *m*, coscorrón *m*; **~putz** *m* (*-es*; *0*) tocado *m*; peinado *m*; **~rechnen** *n* cálculo *m* mental; **~rose** ⚕ *f* erisipela *f* (de la cabeza); **~salat** ⚘ *m* (*-ęs*; *0*) lechuga *f*; **2scheu** *adj. Pferd*: espantadizo; *fig.* (*mißtrauisch*) desconfiado, receloso; suspicaz; **~schmerz** ⚕ *m* cefalalgia *f*; dolor *m* de cabeza; (*Migräne*) jaqueca *f*; *~en haben* tener dolor de cabeza; **~schraube** ⊕ *f* tornillo *m* de cabeza redonda; **~schuppen** *f/pl.* caspa *f*; **~schuß** *m* (*-sses*; *⸚sse*) herida *f* de bala en la cabeza; **~schütteln** *n* cabeceo *m*; movimiento *m* negativo con la cabeza; **~sprung** *m* (*-ęs*; *⸚e*) zambullida *f*; *e-n ~ machen* dar una zambullida, zambullirse; **~stand** (*Turnen*) *m* (*-ęs*; *⸚e*) apoyo *m* sobre la cabeza; *e-n ~ machen* ponerse cabeza abajo; **2stehen** *v/i.* estar cabeza abajo; F *fig.* estar fuera de quicio; **~steinpflaster** *n* empedrado *m*; adoquinado *m*; **~steuer** *f* (*-*; *-n*) impuesto *m* por cabeza, capitación *f*; **~stimme** ♪ *f* voz *f* de falsete; **~stoß** *m* (*-es*; *⸚e*) *Fußball*: cabezazo *m*; remate *m* de cabeza; *Billard*: tacazo *m*, tacada *f*; **~stück** *n* (*-ęs*; *-e*) ⊕ cabeza *f*; cabecera *f*; **~stütze** *f* apoyo *m* para la cabeza; **~tuch** *n* (*-ęs*; *⸚er*) pañuelo *m* de cabeza; **2über** *adv.* de cabeza; **2unter** *adv.* cabeza abajo; **~verletzung** *f* herida *f* de la cabeza; **~wäsche** *f*, **~waschen** *n* lavado *m* de cabeza; **~wassersucht** ⚕ *f* (*0*) hidrocefalia *f*; **~weh** *n* (*-ęs*; *0*) → *Kopfschmerz*; **~zahl** *f* número *m* de personas; **~zeile** *f Typ.* titular *m*; **~zerbrechen** *n* quebradero *m* de cabeza; *j-m viel ~ machen* proporcionar a alg. muchos quebraderos de cabeza.

Ko'pie *f* copia *f*; *Phot. a.* prueba; *Mal.* copia *f*, reproducción *f*; (*Pause*) calco *m*; (*Zweitschrift*) duplicado *m*; *fig.* imitación *f*.

Ko'pier|anstalt *f* taller *m* de copia; **~apparat** *m* (*-ęs*; *-e*) aparato *m* copiador; **2en** (*-*) *v/t.* copiar; hacer una copia; *Phot. a.* tirar una prueba; *fig.* imitar; **~en** *n* copia *f*; *fig.* imitación *f*; **~farbe** *f* tinta *f* para copiar; **~maschine** *f* máquina *f* de copiar; prensa *f* de copiar; **~papier** *n* (*-ęs*; *-e*) *Phot.* papel *m* fotográfico (*od.* sensible); (*Durchschlagpapier*) papel *m* para copias; **~presse** *f* prensa *f* de copiar; **~rahmen** *Phot. m* prensa *f* fotográfica, chasis-prensa *m*; **~stift** *m* (*-ęs*; *-e*) (*Tintenstift*) lápiz *m* (de) tinta; **~tinte** *f* tinta *f* de copiar, tinta *f* comunicativa.

'**Kopilot** *m* copiloto *m*.

Ko'pist(in *f*) *m* (*-en*) copista *m/f*.

'**Koppel**[1] (*-*; *-n*) *f Jagdrevier*: coto *m*; *Hunde*: trailla *f*; jauría *f*; (*Paar Tiere*) mancuerna *f*; *Pferde*: tronco *m*; reata *f*; *Esel*: recua *f*; (*eingefriedetes Feld*) cercado *m*; *Weide*: dehesa *f* comunal.

'**Koppel**[2] ⚔ *n* cinturón *m*.

'**kopp|eln** (*-le*) *v/t.* ⊕ *u.* ⚡ acoplar; *Hunde*: atraillar; *Pferde, Maultiere*: (*hintereinander*) reatar; (*nebeneinander*) poner en yunta; (*einfriedigen*) *Feld*: cercar; 🚂 enganchar; **2elriemen** *m* traílla; correa *f* de atar; **2elschloß** *n* (*-sses*; *⸚sser*) broche *m* del cinturón; **2(e)lung** *f* ⊕, ⚡ acoplamiento *m*; **2(e)lungsspule** *f* bobina *f* de acoplamiento; **2elwirtschaft** ✓ *f* cultivo *m* alternado.

'**Kopra** ⚘ *f* (*0*) copra *f*.

'**Kopt|e** *m* (*-n*) copto *m*; **2isch** *adj.* copto.

'**Kopula** *Gr. f* (*-*; *-s od. Kopulae*) cópula *f*.

Kopula|ti'on *f* cópula *f*; unión *f*; (*Trauung*) matrimonio *m*; **2tiv** *adj.* copulativo.

kopu'lier|en (*-*) *v/t.* copular; unir, juntar; ✓ injertar; **2reis** ✓ *n* injerto *m*.

Ko'ralle *Zoo. f* coral *m*; **~nbank** *f* (*-*; *⸚e*) banco *m* de coral; **~nfang** *m* (*-ęs*; *0*) pesca *f* del coral; **~nfischer** *m* pescador *m* de corales; **~nfischerei** *f* pesca *f* del coral; **~nhalsband** *n* (*-ęs*; *⸚er*) collar *m* de corales; **~ninsel** *f* (*-*; *-n*) isla *f* coralífera (*od.* de coral); **~nriff** *n* (*-ęs*; *-e*) arrecife *m* coralino (*od.* de coral); **2nrot** *adj.* coralino; **~nschlange** *Zoo. f* coral *f*, serpiente *f* de coral; **~ntiere** *Zoo. n/pl.* coralarios *m/pl.*; litozoarios *m/pl.*

Ko'ran *m* (*-s*; *-e*) Corán *m*.

Korb *m* (*-ęs*; *⸚e*) (*Trag2, Einkaufs2*) cesta *f*, *kleiner*: cestita *f*; *hoher, mit Henkeln*: canasto *m*, *niedriger*: canasta *f*; *groß, länglich*: banasta *m*; (*großer Trag2*) cesto *m*; *biegsam, mit Henkeln*: capacho *m*; *flach, biegsam*: serón *m*, espuerta *f*; (*Näh2*) canastilla *f*; (*Säbel2*) guardamano *m*, cazoleta *f*; (*Schanz2*) gavión *m*, cestón *m*; (*Ballon2*) barquilla *f*; ⚒ (*Förder2*) cuba *f* de extracción; *fig.* F *j-m e-n ~ geben* desairar a alg.; dar a alg. una negativa; *e-m Freier*: dar calabazas (*od.* calabacear) a un pretendiente; *fig.* F *e-n ~ bekommen* recibir una negativa; llevar un desaire; (*Freier*) llevar calabazas.

'**Korb...:** **~arbeit** *f* trabajo *m* de cestería; **~ball** *m Sport*: baloncesto *m*; **~blütler** ⚘ *m/pl.* compuestas *f/pl.*, compositifloras *f/pl.*; **~flasche** *f* botella *f* forrada; *große*: bombona *f*; damajuana *f*; **~flechter(in** *f*) *m* cestero (-a *f*) *m*; canastero (-a *f*) *m*; **~machergeschäft** *n* (*-ęs*; *-e*) cestería *f*; **~möbel** *n/pl.* muebles *m/pl.* de mimbre; **~sessel** *m* sillón *m* de mimbre; **~stuhl** *m* silla *f* de mimbre; **~wagen** *m* cochecito *m* de niños; **~waren** *f/pl.* (artículos *m/pl.* de) cestería *f*; **~weide** ⚘ *f* mimbre *m*, mimbrera *f*.

'**Kordel** *f* (*-*; *-n*) cordón *m*.

Kordi'lleren *f/pl.* (cordillera *f* de) los Andes.

Kor'don [-'dɔŋ] *m* (*-s*; *-s od. -e*) cordón *m*; cordel *m*; (*Hanf2*) bramante *m*.

Ko'rea [koˑ'reːaˑ] *n* Corea *f*.

Kore'a|ner(in *f*) *m* coreano (-a *f*) *m*; **2nisch** *adj.* coreano.

'**kören** *v/t.* seleccionar, escoger.

'**Korfu** *n* Corfú *m*.

Ko'rinth *n* Corinto *m*; **~e** *f* (uva *f*) pasa *f* de Corinto.

Ko'rinth|er *m* corintio *m*; **2isch** *adj.* corintio.

'**Kork** *m* (*-ęs*; *-e*) corcho *m*; (*Pfropfen*) tapón *m* de corcho; **~absatz** *m* (*-es*; *⸚e*) tacón *m* de corcho; **2artig** *adj.* corchoso, suberoso; **~boje** ⚓ *f* boya *f* de corcho; **~eiche** ⚘ *f* alcornoque *m*; **2en** *adj.* de corcho;

~enfabrik *f* fábrica *f* de tapones de corcho; **~enzieher** *m* sacacorchos *m*; **~gürtel** *m* cinturón *m* salvavidas, cinturón *m* de corcho; **~industrie** *f* industria *f* corchera *bzw.* corchotaponera; **~maschine** *f* máquina *f* para encorchar botellas; **~mundstück** *n* (-*es*; -*e*) boquilla *f* de corcho; **~pfropfen** *m* (tapón *m* de) corcho *m*; **~platte** *f* placa *f* de corcho; plancha *f* de corcho; **~sohle** *f* plantilla *f* de corcho; **~weste** *f* chaleco *m* salvavidas (de corcho); F corchas *m/pl.*

Korn *n* (-*es*; ⸚*er*) grano *m*; (*Getreide*) cereales *m/pl.*, granos *m/pl.*, trigo *m*; (*Roggen*) centeno *m*; *Körner ansetzen* granar; (*Samen*2) semilla *f*, simiente *f*; (*Feingehalt der Münzen*) ley *f*; quilate *m*; (*Visier*2) (punto *m* de) mira *f*; *aufs ~ nehmen* (*ac.*) apuntar sobre, encañonar; *fig.* no perder de vista a alg.; atacar a alg.; *fig. von echtem Schrot und ~* de pura cepa; *von altem Schrot und ~* a la vieja usanza; (*altfränkisch*) rancio; (*~schnaps*) aguardiente *m* de trigo.

'**Korn...:** **~ähre** *f* espiga *f*; **~bau** *m* (-*es*; *0*) cultivo *m* de cereales; **~blume** ⚘ *f* aciano *m*; 2**blumenblau** *adj.* azul violáceo; **~boden** *m* (-*s*; ⸚) granero *m*; **~brand** *m* (-*es*; *0*) caries *f*; tizoncillo *m*; **~branntwein** *m* (-*es*; *0*) aguardiente *m* de trigo.

'**Körnchen** *n* granito *m*; gránulo *m*; *fig. ein ~ Wahrheit* un átomo de verdad; 2**förmig** *adj.* granuliforme.

Kor'nelkirsche ⚘ *f* cornejo *m*, cerezo *m* silvestre.

'**körnen I. 1.** *v/t.* granear; (*granulieren*) granular; *Leder*: agranujar; (*sich ~*) desgranarse; granularse; **2.** *v/i. Getreide*: granar; **II.** 2 *n* graneo *m*; (*Granulieren*) granulación *f*.

'**Körner** ⊕ *m* granete *m*, punzón *m* de marcar.

'**Körner|fresser** *Zoo. m/pl.* granívoros *m/pl.*; **~früchte** *f/pl.*, **~futter** *n* granos *m/pl.*; 2**tragend** *adj.* granífero.

Kor'nett (-*es*; -*e od.* -*s*) ⚔ *m* corneta *m*; **II.** ♪ *n* cornetín *m*.

'**Korn...:** **~feld** *n* (-*es*; -*er*) trigal *m*, campo *m* de trigo; **~früchte** *f/pl.* granos *m/pl.*, cereales *m/pl.*

'**körnig** *adj.* granoso; ⚕ granular; granujiento; (*granulös*) granuloso.

'**Korn...:** **~käfer** *m* gorgojo *m* del trigo; **~kammer** *f* (-; -*n*) granero *m* (*a. fig.*); **~magazin** *n* (-*es*; -*e*) almacén *m* de trigo; **~rade** ⚘ *f* agrostema *f*, neguilla *f*; **~schwinge** ⚒ *f* pala *f*; bieldo *m*; **~speicher** *m* granero *m*; silo *m*.

'**Körnung** *f* ⊕ granulado *m*; ⚕ granulación *f*.

'**Korn...:** **~wicke** ⚘ *f* arveja *f* silvestre; **~wurm** *Zoo. m* (-*es*; ⸚*er*) gorgojo *m* del trigo.

Ko'rona *f* (-; *Koronen*) *Astr. u.* ⚡ corona *f*; (*Zuhörerkreis*) auditorio *m*.

'**Körper** *m* cuerpo *m*; (*Phys. u.* ⩓) *a.* sólido *m*; **~bau** *m* (-*es*; *0*) conformación *f* del cuerpo; **~beherrschung** *f* dominio *m* del cuerpo; **~behinderte(r)** *m* impedido *m*; **~beschaffenheit** *f* (*0*) constitución *f* física, complexión *f*; **~chen** *n* corpúsculo *m*; **~erziehung** *f* (*0*) educación *f* física; **~fülle** *f* (*0*) corpulencia *f*; **~gewicht** *n* (-*es*; -*e*) peso *m* corporal (*od.* del cuerpo); **~größe** *f* talla *f*, estatura *f*; **~haltung** *f* (*0*) actitud *f*; postura *f*; porte *m*; **~haushalt** ⚕ *m* (-*es*; -*e*) metabolismo *m*; **~hygiene** *f* (*0*) higiene *f* corporal; **~inhalt** *m* (-*es*; *0*) volumen *m*; **~kraft** *f* (-; ⸚*e*) fuerza *f* física; **~länge** *f* → *Körpergröße*; **~lehre** *f* (*0*) *Anat.* somatología *f*; ⩓ estereometría *f*; 2**lich** *adj.* corpóreo; (*Ggs. seelisch*) físico; (*stofflich*) material; ⚕ somático; (*leiblich*) corporal; (*Phys. u.* ⩓) sólido; *~e Ausbildung* cultura física; *~e Züchtigung* castigo corporal; 2**los** *adj.* sin cuerpo, incorpóreo; (*stofflos*) inmaterial; **~maß** *n* (-*es*; -*e*) *Phys.* medida *f* de sólidos; *~e pl.* (*anthropologische*) medidas *f/pl.* antropométricas; **~messung** *f* (*anthropologische u. bei Verbrechern*) antropometría *f*; (*Phys. u.* ⩓) medición *f* de sólidos; **~pflege** *f* (*0*) cultura *f* física; (*Körperhygiene*) higiene *f* del cuerpo, aseo *m* corporal (*od.* personal); (*Schönheitspflege*) cosmética *f*; **~pflegemittel** *n* cosmético *m*; **~puder** *m* polvos *m/pl.* de talco; **~schaft** *f* corporación *f*; cuerpo *m*; entidad *f*; *~ des öffentlichen Rechtes* corporación (*od.* entidad) de derecho público; *Gesetzgebende ~* cuerpo legislativo; 2**schaftlich** *adj.* corporativo; **~schaftssteuer** *f* (-; -*n*) impuesto *m* corporativo; **~schulung** *f* ejercicio *m* físico; **~schwäche** *f* debilidad *f* física; ⚕ astenia *f*; **~teil** *m* (-*es*; -*e*) parte *f* del cuerpo; (*Arm, Bein*) extremidad *f*, miembro *m*; **~temperatur** *f* temperatura *f* del cuerpo; **~verletzung** *f* herida *f bzw.* lesión *f* corporal; (*mit tödlichem Ausgang* herida mortal, ⚕ con éxito letal); **~wärme** *f* (*0*) calor *m* corporal; **~welt** *f* (*0*) mundo *m* físico (*od.* material); **~wuchs** *m* (-*es*; *0*) talla *f*, estatura *f*.

Korpo'ral [kɔrpoˑ-] ⚔ *m* (-*s*; -*e*) cabo *m* de escuadra; **~schaft** ⚔ *f* escuadra *f*.

Korpora|ti'on *f* corporación *f*; 2'**tiv** *adj.* corporativo.

Korps [koːʀ] *n* (-; -) ⚔ cuerpo *m* (de ejército); (*studentische Verbindung*) asociación *f* de estudiantes; *das Diplomatische ~* el cuerpo diplomático; '**~geist** *m* (-*es*; *0*) espíritu *m* de cuerpo, compañerismo *m*.

korpu'len|t *adj.* obeso; 2**z** *f* (*0*) ⚕ adiposis *f*, obesidad *f*.

'**Korpus** F *m* (-; *0*) cuerpo *m*; **~ de'likti** ⚖ *n* (--; *Korpora* -) cuerpo *m* del delito.

Kor'puskel *n* (-*s*; -*n*) corpúsculo *m*.

'**Korreferent** *m* (-*en*) segundo ponente *m*.

kor'rekt [kɔ'ʀɛkt] *adj.* correcto; 2**heit** *f* (*0*) corrección *f*; actitud *f* (*od.* conducta *f*) correcta.

Korrekti'on *f* corrección *f*.

Kor'rektor *Typ. m* (-*s*; -*en*) corrector *m* de pruebas.

Korrek'tur [-'tuːʀ] *f* corrección *f* (*Typ.* de pruebas); (*Druckbogen*) *Typ.* prueba *f* de imprenta; *~ lesen* corregir las pruebas; *erste ~* primera prueba, galerada *f*; *zweite ~* segunda prueba, contraprueba *f*; *druckfertige ~* prueba corregida para imprimir; ⚔ *des Feuers*: rectificación *f* (de tiro); **~abzug** *m* (-*es*; ⸚*e*), **~bogen** *m Typ.* prueba *f* de imprenta, galerada *f* (*abziehen* tirar); **~fahne** *Typ. f* galerada *f*; **~lesen** *Typ. n* corrección *f* de pruebas; **~zeichen** *n* signo *m* de corrección de pruebas.

Korre|'lat *n* (-*es*; -*e*) (término *m*) correlativo *m*; **~lati'on** *f* correlación *f*; 2**la'tiv** *adj.* correlativo.

Korrespon|'dent(in *f*) *m* (-*en*) encargado (-a *f*) *m* de la correspondencia; (*Berichterstatter, Pressevertreter*) corresponsal *m*; **~'denz** *f* correspondencia *f*; (*Briefschaften*) correo *m*; *die ~ führen* llevar la correspondencia; estar encargado de la correspondencia; *s-e ~ besorgen* despachar su correspondencia; *e-e ~ unterhalten* sostener correspondencia (*mit* con); **~'denzbüro** *n* (-*s*; -*s*) agencia *f*; 2'**dieren** (-) *v/i.*: *mit j-m ~* estar en (*od.* sostener) correspondencia con alg.; F cartearse con alg.; *~des Mitglied* (miembro) correspondiente *m*.

'**Korridor** [-doːʀ] *m* (-*s*; -*e*) corredor *m*; pasillo *m*.

korri'gieren I. (-) *v/t.* enmendar, corregir; ⚔ *Feuer*: rectificar; *Typ.* corregir las pruebas; **II.** 2 *n* enmienda *f*, corrección *f*; *Typ.* corrección *f* de pruebas; ⚔ *des Feuers*: rectificación *f*.

korro'dieren (-) *v/t.* corroer.

Korrosi'on *f* corrosión *f*; 2**sbeständig**, 2**sfest** *adj.* resistente a la corrosión; **~smittel** *n* corrosivo *m*; **~s-schutzmittel** *n* anticorrosivo *m*.

korrum'pieren (-) *v/t.* corromper.

kor'rupt *adj.* corrupto.

Korrupti'on *f* corrupción *f*.

Kor'sar ⚓ *m* (-*en*) corsario *m*, pirata *m*; **~enschiff** *n* (buque *m*) corsario *m*, barco *m* pirata.

'**Kors|e** *m* (-*n*) corso *m*; **~in** *f* corsa *f*.

Kor'sett *n* (-*es*; -*e*) corsé *m*; **~macherin** *f* corsetera *f*; **~stange** *f* ballena *f* de corsé.

'**Kor|sika** *n* Córcega *f*; 2**sisch** *adj.* corso.

Ko'rund *Min. m* (-*es*; -*e*) corindón *m*.

Kor'vette ⚓ *f* corbeta *f*; **~nkapitän** *m* (-*s*; -*e*) capitán *m* de corbeta.

Kory'phäe [koˑʀyˑ'fɛːə] *f* (-; -*n*) corifeo *m*.

Ko'sak *m* (-*en*) cosaco *m*.

Kosche'nille *f* cochinilla *f*; **~nfarbstoff** *m* (-*es*; *0*) (color *m* de) grana *f*.

'**Koseform** *f* forma *f* cariñosa, término *m* diminutivo.

'**kosen I.** (-*t*) *v/t. u. v/i.* acariciar (*ac.*), hacer caricias; halagar; hacer mimos; hablar con cariño; **II.** 2 *n* caricia *f*; lisonja *f*, halago *m*; mimo *m*.

'**Kose|name** *m* (-*ns*; -*n*) nombre *m* familiar; **~wort** *n* (-*es*; ⸚*er*) palabra *f* acariciadora (*od.* cariñosa *od.* tierna).

'**Kosinus** ['koːziˑnʊs] ⩓ *m* (-; - *od.*

-*se*) coseno *m*; **~satz** *m* teorema *m* del coseno.

Kos'me|tik *f* (*0*) cosmética *f*; **~tikartikel** *m* producto *m* de belleza; **~tiker(in** *f*) *m* especialista *m*/*f* en artes cosméticas; **~tiksalon** *m* instituto *m* de belleza; **2tisch** *adj*. cosmético; *~es Mittel* producto cosmético.

'kosmisch *adj*. cósmico.

Kosmo|go'nie *f* cosmogonía *f*; **2'gonisch** *adj*. cosmogónico.

Kosmo|'graph *m* (*-en*) cosmógrafo *m*; **~gra'phie** *f* cosmografía *f*; **2'graphisch** *adj*. cosmográfico.

Kosmo|lo'gie *f* cosmología *f*; **2'logisch** *adj*. cosmológico; **~'naut** (**-in** *f*) *m* cosmonauta *m*/*f*.

Kosmopo|'lit(in *f*) *m* (*-en*) cosmopolita *m*/*f*; **2'litisch** *adj*. cosmopolita; **~li'tismus** *m* (*-*; *0*) cosmopolitismo *m*.

'Kosmos *m* (*-*; *0*) cosmos *m*, universo *m*.

Kost *f* (*0*) (*Nahrung*) alimento *m*; (*Ernährung*) nutrición *f*; alimentación *f*; (*Schon2*) dieta *f*; (*Beköstigung*) comida *f*; *schmale* (*od. magere*) *~* comida frugal; *freie ~ haben* tener comida gratuita; *freie ~ und Wohnung haben* tener comida y alojamiento gratuitos; tener habitación y comida libres; *in ~ nehmen* (*sein*) tomar (estar) de huésped; *~ und Wohnung* pensión completa.

'kostbar *adj*. (*teuer*) caro, costoso; (*wertvoll*) valioso, precioso; (*vortrefflich*) excelente; (*herrlich*) soberbio, magnífico, espléndido; (*luxuriös*) lujoso, suntuoso; **2keit** *f* gran valor *m*; preciosidad *f*; (*Wertvolles*) objeto *m* precioso (*od*. de gran valor).

'kosten[1] **I.** (*-e-*) *v*/*t*. *Speisen*: gustar, probar; *Getränke*: (*bsd. Wein*) catar; (*genießen*) paladear, saborear; (*versuchen*) probar; **II.** 2 *n* gustación *f*; *e-s Getränkes*: cata *f*.

'kosten[2] (*-e-*) *v*/*i*. costar, valer; *wieviel* (*was*) *kostet dieses Buch?* ¿cuánto (qué) cuesta este libro?; *viel Geld ~* costar mucho (dinero); *es koste, was es wolle* cueste lo que cueste; *sich et. ~ lassen* meterse en gastos; no reparar en gastos.

'Kosten *pl*. (*Ausgaben*) gastos *m*/*pl*.; (*Preis, Wert*) coste *m*; ⚖ costas *f*/*pl*.; *auf ~* (*gen*.) a costa de; por cuenta de; *auf m-e ~* a costa mía; por mi cuenta; *fig*. a mis expensas, a expensas mías; *laufende ~* gastos corrientes; *auf gemeinsame ~* a cuenta común; *auf unsere ~* por nuestra cuenta; *auf j-s ~ leben* vivir a costa de alg.; F vivir de gorra; *mit wenig* (*hohen*) *~* a poco (gran) coste; *zuzüglich der ~* más los gastos; sin incluir los gastos; *die ~ zu Lasten des Empfängers* los gastos por cuenta del destinatario; *zur Deckung der ~* para cubrir (*od*. costear) los gastos; *~ mit sich bringen*; *mit ~ verbunden sein* ocasionar (*od*. suponer) gastos; *~ verursachen* causar gastos; *die ~ einschränken* reducir (los) gastos; *die ~ bestreiten, für die ~ aufkommen* correr con los gastos; pagar (*od*. sufragar) los gastos; *ich werde die ~ davon tragen* los gastos corren por mi cuenta; yo pagaré (*od*. sufragaré) los gastos; *sich ~ machen* meterse en gastos; *e-n Teil der ~ übernehmen* contribuir a los gastos; *j-m die ~ ersetzen* (*od. vergüten*) reembolsar los gastos a alg.; *nicht auf die ~ sehen*; *keine ~ scheuen* no reparar en gastos; no escatimar sacrificios; *auf s-e ~ kommen* resarcirse de los gastos; ⚖ *zu den ~ verurteilt werden* ser condenado a pagar las costas; **~anschlag** *m* (*-es*; *⸗e*) presupuesto *m* (de gastos); **~aufstellung** *f* nota *f* de gastos; **~aufwand** *m* (*-es*; *0*) gasto *m*, gastos *m*/*pl*.; desembolso *m*; **~berechnung** *f* cálculo *m* de los gastos; **~erhöhung** *f* aumento *m* de los gastos; **~ersatz** *m* (*-es*; *0*), **~erstattung** *f* restitución *f* de los gastos; (*Entschädigung*) indemnización *f*; resarcimiento *m*; **~ersparnis** *f* (*-*; *-se*) ahorro *m* de gastos; **~frage** *f* cuestión *f* de gastos; **2frei**, **2los** *adj*. sin gastos, franco, exento de gastos, gratuito; *adv*. gratis; **2pflichtig** ⚖ *adj*. condenado en costas; **~preis** *m* (*-es*; *-e*) coste *m* de producción; *zum ~* a precio de coste; **~punkt** *m* (*-es*; *-e*) cuestión *f* del precio; coste *m*; gastos *m*/*pl*.; **~rechnung** *f* cuenta *f* de gastos; **~senkung** *f* disminución *f* de (los) gastos; **~voranschlag** *m* (*-es*; *⸗e*) presupuesto *m* (aproximado); **~vorschuß** *m* (*-sses*; *⸗sse*) anticipo *m* para gastos.

'Kost|gänger(in *f*) *m* pupilo (-a *f*) *m*, huésped *m*, huéspeda *f*; **~geld** *n* (*-es*; *-er*) pupilaje *m*; pensión *f*.

'köstlich I. *adj*. *dem Geschmack nach*: delicioso (*a. fig*.); *v. Speisen*: *a*. delicado; (*schmackhaft*) sabroso (*a. fig*.); (*erlesen*) exquisito; (*reizend*) encantador; (*herrlich*) magnífico, excelente, soberbio, F estupendo; **II.** *adv*. *sich ~ amüsieren* F pasar un rato delicioso; divertirse de lo lindo; **2keit** *f* esquisitez *f*.

'Kostprobe *f* gustación *f*; bocadillo *m* de prueba; *fig*. muestra *f*.

'kostspielig *adj*. caro, costoso; (*mit Aufwand verbunden*) dispendioso; **2keit** *f* precio *m* elevado; dispendio *m*, gasto *m* excesivo.

Kos'tüm *n* (*-s*; *-e*) (*Damen2*) vestido *m*; (*Schneider2*) traje *m* (hechura) sastre; (*Verkleidung*) disfraz *m*; **~ball** *m* (*-es*; *⸗e*), **~fest** *n* (*-es*; *-e*) baile *m* de trajes (*od*. de disfraces); **~bildner(in** *f*) *m* dibujante *m*/*f* de figurines, figurinista *m*/*f*; *Thea*. sastre *m* de teatros.

kostü'mier|en (-) *v*/*t*. vestir; *sich ~ als* disfrazarse de; **2ung** *f* disfraz *m*.

Kos'tüm|probe *Thea*. *f* ensayo *m* con vestuario; **~schneider(in** *f*) *m* modista *m*/*f*.

'Kostverächter *m*; F *er ist kein ~* come de todo, no hace remilgos a ninguna comida; *fig*. se contenta fácilmente.

Kot *m* (*-es*; *0*) (*Straßen2*) barro *m*, lodo *m*; fango *m*; *v. Menschen*: excremento *m*; materias *f*/*pl*. fecales; ⚕ heces *f*/*pl*.; V mierda *f*, caca *f*; (*Pferde2, Rinder2*) bosta *f*; *mit ~ bespritzen* salpicar de barro (*od*. lodo); *vom ~ reinigen* quitar el barro (*od*. lodo), desenlodar; *fig. in den ~ ziehen* arrastrar por el fango, enfangar.

'Kotangens ℞ *m* (*-*; *-*) cotangente *f*.

Ko'tau *m* (*-s*; *-s*): *~ machen* F humillarse, arrastrarse, hacer zalemas.

Kote'lett [kɔt(ə)'lɛt] *n* (*-es*; *-e od. -s*) chuleta *f*, costilla *f*; **~en** *n*/*pl*. (*Bakkenbart*) patillas *f*/*pl*.

'Köter *m* F chucho *m*; (*kleiner*) gozque *m*, perrillo *m*.

'Kot|fliege *f* mosca *f* escatófaga; **~flügel** *m* *Auto*. aleta *f*, guardabarros *m*; **~grube** *f* letrina *f*, pozo *m* negro.

Ko'thurn *m* (*-s*; *-e*) coturno *m*.

ko'tieren (-) ✝ *v*/*t*. cotizar.

'kotig *adj*. fangoso; enlodado, embarrado; sucio; V merdoso.

Koti'llon *m* (*-s*; *-s*) cotillón *m*.

'kotzen (*-t*) V *v*/*i*. vomitar, arrojar; F *fig*. cambiar la peseta; V *es ist zum ~* da náuseas, P remueve las tripas.

'Krabbe *Zoo*. *f* (*Garnele*) gámbaro *m*; camarón *m*, quisquilla *f*; gamba *f*; (*Taschenkrebs*) cangrejo *m* de mar; F *fig*. (*Kind*) muñeco *m*, monigote *m*.

'krabbeln I. (*-le*) **1.** (*sn*) *v*/*i*. (*Kinder*) andar a gatas; (*wimmeln*) hormiguear, bullir; (*jucken*) hormiguear; **2.** *v*/*t*. (*kitzeln*) cosquillear; **II.** 2 *n* (*Wimmeln*) hormigueo *m*; (*Kitzeln*) cosquilleo *m*.

'Krabbenfang (*-es*, *⸗*) *m* pesca *f* del camarón (*Taschenkrebse*: del cangrejo de mar).

krach! *int*. ¡chas!, ¡crac!

Krach *m* (*-s*; *-e od. -s*) (*Lärm*) ruido *m*; alboroto *m*, batahola *f*; (*heftiger Lärm*) estruendo *m*; (*Knall*) estampido *m*, estallido *m*; (*Streit*) altercado *m*, disputa *f*; *stärker*: escándalo *m*; F bronca *f*, cisco *m*; trapatiesta *f*, marimorena *f*; ✝ crac *m*, catástrofe *f* financiera; (*Bankrott*) bancarrota *f*; *mit Ach und ~* a trancas y barrancas; a duras penas; *~ schlagen* armar un escándalo; F armar bronca; meter bulla; **'2en** *v*/*i*. hacer ruido *m*; (*knallen*) estallar; (*zerkrachen*) quebrarse; chascar, restallar; (*Geschütz*) tronar, retumbar; (*Holz*) crujir; **'~en** *n* (*Knall*) estampido *m*, estallido *m*; *im Holz*: crujido *m*, chasquido *m*; (*heftiger Lärm*) estruendo *m*.

'krächzen I. (*-t*) *v*/*i*. graznar; **II.** 2 *n* graznido *m*.

'Krack|en, **~verfahren** *n* ⊕ fraccionamiento *m* de petróleos, craqueo *m*.

'Kradmelder ⚔ *m* soldado *m* motorista de transmisiones.

kraft *prp*. (*gen*.) en virtud de.

Kraft *f* (*-*; *⸗e*) fuerza *f* (*a. Natur2*, ⚔ *u. mechanische ~*); (*Energie*) energía *f* (*a*. ⚡ *u. fig*.); (*Macht*) potencia *f* (*a*. ⚡ *u*. ⊕); (*Rüstigkeit*) vigor *m*; (*Jugendfrische*) *fig*. savia *f*; (*Vermögen*) poder *m*; *moralische*: virtud *f*; *geistige*: facultad *f*; (*Wirksamkeit*) eficacia *f*; (*Seelenstärke*) fortaleza *f*; (*Fähigkeit*) capacidad *f*; (*Person*) elemento *m* de trabajo; (*Arbeitskräfte*) personal *m*; mano *f* de obra; (*Schreib2*) mecanógrafo (-a *f*) *m*; (*Büro2*) empleado (-a *f*) *m* de oficina; *treibende ~* ⊕ fuerza motriz; *fig*. *Person*: propulsor;

erste ~ (*Persönlichkeit*) capacidad de primer orden; *mit voller* ~ ⚓ a toda máquina; *mit vereinten Kräften* todos juntos (*od.* unidos); *aus* (*od. mit*) *allen Kräften* con todas mis (tus, sus *usw.*) fuerzas; *mit aller* ~ con toda (la) fuerza *od.* con todas las energías; *aus eigener* ~ por (mi, tu, su *usw.*) propio esfuerzo; *nach besten Kräften* con (*od.* por) todos los medios a mi (tu, su *usw.*) alcance; *bei Kräften sein* tener fuerzas, estar fuerte; *alle s-e Kräfte aufbieten* poner todo su empeño en; hacer todo lo posible por; *Kräfte sammeln* hacer acopio de fuerzas; *s-n Kräften zuviel zumuten* confiar demasiado en sus fuerzas; *wieder zu Kräften kommen* recobrar las fuerzas, reponerse, F volver a levantar cabeza; *am Ende s-r* ~ *sein, mit s-n Kräften am Ende sein* haber agotado sus fuerzas; no poder más; *das geht über m-e Kräfte* esto es superior a mis fuerzas; *das steht nicht in meinen Kräften* no está en mi poder hacer eso; no está a mi alcance; *in* ~ *sein* (*treten*) estar (entrar) en vigor; (*wieder*) *in* ~ *setzen* (volver a) poner en vigor; *außer* ~ *setzen* anular; *Gesetz*: abolir, abrogar; derogar; *Vertrag*: rescindir.

'**Kraft...:** ~**anspannung** *f*, ~**anstrengung** *f* esfuerzo *m*; ~**antrieb** *m* (-*ės*; -*e*) fuerza *f* motriz; ~**aufwand** *m* (-*ės*; *0*) esfuerzo *m*; consumo *m* de energía; despliegue *m* de fuerzas; ~**ausdruck** *m* (-*ės*; ⸚*e*) expresión *f* enérgica; F palabra *f* gruesa, taco *m*; ~**äußerung** *f* manifestación *f* de fuerza; ~**bedarf** *m* (-*ės*; *0*) fuerza *f* (*od.* potencia *f*) necesaria (*od.* requerida) para a/c.; ~**brühe** *f* caldo *m* su(b)stancioso, consomé *m*; ~**einheit** *Phys. f* (*0*) unidad *f* de potencia; ~**entfaltung** *f* despliegue *m* de fuerzas; ~**ersparnis** *f* (-; -*se*) economía *f* de fuerzas.

'**Kräfte...:** ~**ausgleich** *m* (-*ės*; *0*) equilibrio *m* de fuerzas; ~**diagramm** *n* (-*ės*; -*e*) diagrama *m* de fuerzas; ~**dreieck** *n* (-*ės*; -*e*) triángulo *m* de fuerzas; ~**ersparnis** *f* (-; -*se*) economía *f* de fuerzas; ~**gleichgewicht** *n* (-*ės*; *0*) equilibrio *m* de fuerzas; ~**paar** *Phys. n* (-*ės*; -*e*) par *m* de fuerzas; ~**parallelogramm** *n* (-*ės*; -*e*) paralelogramo *m* de las fuerzas; ~**verfall** ⚕ *m* (-*ės*; *0*) marasmo *m*; ~**vergeudung** *f* (*0*) derroche *m* de energía; ~**verhältnis** *n* (-*ses*; -*se*) proporción *f* de fuerzas; ~**verteilung** ⚔ *f* distribución *f* de fuerzas.

'**Kraft...:** ~**fahrer(in** *f*) *m* automovilista *m/f*; ~**fahrwesen** *n* (-*s*; *0*) automovilismo *m*; ~**fahrzeug** *n* (-*ės*; -*e*) (vehículo *m*) automóvil *m*; ~**fahrzeug-industrie** *f* industria *f* automovilística; ~**fahrzeugsteuer** *f* (-; -*n*) impuesto *m* sobre los vehículos de motor; *Span.* patente *f*; ~**fahrzeugverkehr** *m* (-*s*; *0*) circulación *f* de automóviles; ~**fahrzeugversicherung** *f* seguro *m* de automóviles; ~**feld** *Phys. n* (-*ės*; *0*) campo *m* de fuerzas; ~**fülle** *f* (*0*) vigor *m*; ~**futter** *n* ceba *f*; ~**gefühl** *n* (-*ės*; *0*) sensación *f* de vigor.

'**kräftig** *adj.* fuerte; vigoroso; (*fest*) sólido; (*handfest*) robusto, recio; (*tat*~) enérgico; (*mächtig*) poderoso; (*nahrhaft*) su(b)stancioso; (*wirksam*) eficaz; ~(*er*) *werden* cobrar fuerzas, fortalecerse; ~**en** *v/t.* fortificar, fortalecer; robustecer; vigorizar; ⚕ *a.* tonificar; *sich* ~ fortalecerse; recuperar fuerzas; ~**end** *adj.* fortificante; ⚕ tonificante; (*belebend*) vivificador; 2**keit** *f* (*0*) fuerza *f*; vigor *m*; 2**ung** *f* fortalecimiento *m*; restauración *f* de las fuerzas; 2**ungsmittel** *n* fortificante *m*; ⚕ tónico *m*; (*Herz*2) cordial *m*.

'**Kraft...:** ~**lastwagen** *m* camión *m*, autocamión *m*; ~**lehre** *f* (*0*) dinámica *f*; ~**leistung** *f* esfuerzo *m*; ⊕ rendimiento *m* dinámico; ~**linie** *Phys. f* línea *f* de fuerza; 2**los** *adj.* sin fuerza; falto de vigor; (*schwach*) débil, flojo; (*asthenisch*) asténico; (*entkräftet*) debilitado; (*erschöpft*) agotado; ⚖ (*ungültig*) nulo, inválido; ~**losigkeit** *f* (*0*) falta *f* de fuerza (*od.* vigor); impotencia *f*; (*Schwäche*) debilidad *f*; (*Asthenie*) astenia *f*; (*Erschöpfung*) agotamiento *m* (físico); ⚖ invalidez *f*, nulidad *f*; ⚕ adinamia *f*; ~**maschine** *f* ⊕ máquina *f* motriz; motor *m*; ⚡ generador *m*, dínamo *f*; ~**mehl** ⚗ *n* (-*ės*; *0*) almidón *m*; ~**meier** *m* bravucón *m*, F perdonavidas *m*; ~**meierei** *f* (*0*) bravuconada *f*; fanfarronería *f*; ~**mensch** *m* (-*en*) atleta *m*; ~**messer** *m* dinamómetro *m*; ~**messung** *f* dinamometría *f*; ~**post** *f* (*0*) autobús *m* (postal) de línea; ~**postverkehr** *m* (-*s*; *0*) servicio *m* postal automóvil; ~**probe** *f* prueba *f* (de fuerza); ~**quelle** *f* fuente *f* de energía; ~**rad** *n* moto (-cicleta) *f*; ~**stoff** ⊕ *m* (-*ės*; -*e*) combustible *m*; carburante *m*; (*Benzin*) gasolina *f*, *Am.* nafta *f*; ~**stoff-anzeiger** *m* indicador *m* de gasolina; ~**stoffbehälter** *m* depósito *m* de gasolina; ~**stoffgemisch** *n* (-*ės*; -*e*) mezcla *f* de carburantes; ~**stoffverbrauch** *m* (-*ės*; *0*) consumo *m* de gasolina; ~**strom** *m* (-*ės*; ⸚*e*) corriente *f* de fuerza; corriente *f* industrial; 2**strotzend** *adj.* pletórico de energías, pleno de vigor; robusto; rebosante de salud; ~**stück** *n* (-*ės*; -*e*) prueba *f* de fuerza; esfuerzo *m* extraordinario; ~**suppe** *f* consomé *m*; ~**überschuß** *m* (-*sses*; *0*) excedente *m* de energías; ~**übertragung** *f* transmisión *f* de fuerza (*od.* de energía); teledinamia *f*; ~**verkehr** *m* (-*s*; *0*) circulación *f* automóvil; (*Transport*) transporte *m* (de viajeros) por carretera; ~**verschwendung** *f* (*0*) derroche *m* de energías; 2**voll** *adj.* pleno de fuerza; vigoroso; (*voll Tatkraft*) enérgico; ~**wagen** *m* auto(móvil) *m*; ~**wagenbau** *m* (-*ės*; *0*) construcción *f* de automóviles; ~**wagenführer(in** *f*) *m* automovilista *m/f*, conductor (-a *f*) *m* de automóvil; ~**wagengüterverkehr** *m* (-*s*; *0*) transporte *m* (de mercancías) por carretera; ~**wagenpark** *m* (-*ės*; -*s u.* -*e*) parque *m* móvil; ~**werk** ⚡ *n* (-*ės*; -*e*) central *f* (de energía) eléctrica; ~**wirkung** *f* efecto *m* dinámico; ~**wort** *n* (-*ės*; ⸚*er*) → *Kraftausdruck*.

'**Kragen** *m* (*Rock*2, *Hemd*2) cuello *m* (*steifer*: duro; *weicher*: blando); *zum Anknöpfen*: cuello *m* postizo; *mit umgebogenen Ecken*: cuello *m* de pajarita; *der Geistlichen*: alzacuello *m*; (*Halskrause*) gola *f*; (*Damen*2) cuello *m* para señora; *j-n beim* ~ *nehmen* coger a alg. por el cuello; *fig. es geht ihm an den* ~ está perdido; puede costarle la vida; *es geht bei ihm um Kopf und* ~ se juega el pescuezo (*od.* la vida); F *am Ende platzte ihm der* ~ acabó por no aguantar más y estalló; ~**knopf** *m* (-*ės*; ⸚*e*) botón *m* sujetador del cuello, gemelo *m* para el cuello; ~**schoner** *m* bufanda *f* ligera; ~**stäbchen** *n* ballenilla *f*; ~**weite** *f* medida *f* del cuello.

'**Kragstein** ⚠ *m* (-*ės*; -*e*) ménsula *f*.

'**Krähe** ['kʀɛːə] *Orn. f* corneja *f*; *e-e* ~ *hackt der anderen nicht die Augen aus* un lobo no muerde a otro lobo.

'**krähen I.** *v/i. Hahn*: cantar; *es kräht kein Hahn danach* nadie se preocupa por eso; **II.** 2 *n* canto *m* del gallo.

'**Krähen|füße** *m/pl. in der Schrift*: garabatos *m/pl.*; (*Runzeln in den Augenwinkeln*) patas *f/pl.* de gallo; ~**nest** *n* (-*ės*; -*er*) nido *m* de cornejas.

'**Krähwinkel** *n* rincón *m* provinciano; pueblo *m* apartado.

'**Krake** *Zoo. m* pulpo *m*.

Kra'keel F *m* (-*ės*; -*e*) (*Lärm*) alboroto *m*; F jaleo *m*, zambra *f*; (*Zank*) reyerta *f*, pendencia *f*; F bronca *f*, camorra *f*, *Am.* bochinche *m*; 2**en** *v/i.* alborotar; vociferar; (*sich zanken*) F armar bronca (*od.* camorra); ~**er** *m* alborotador *m*; (*Zänker*) pendenciero *m*, F camorrista *f*, *Am.* bochinchero *m*.

Kral *m* (-*ės*; -*e*) poblado *m* de hotentotes.

'**Kralle** *f* uña *f*; *des Löwen, des Tigers*: zarpa *f*; *der Raubvögel*: garra *f*; *die* ~*n zeigen* enseñar (*od.* sacar) las uñas; *j-n in den* ~*n haben* tener en sus garras a alg.; 2**n 1.** *v/t.* (*mit den Krallen kratzen*) herir con las garras; (*Katze*) arañar; **2.** *v/refl.*: *sich* ~ *an* agarrarse a; ~**nhieb** *m* (-*ės*; -*e*) zarpazo *m*; arañazo *m*; *j-m e-n* ~ *versetzen* dar a alg. un zarpazo *bzw.* un arañazo.

Kram *m* (-*ės*; *0*) (*Schundware*) género *m* de pacotilla, baratijas *f/pl.*; (*Plunder*) trastos *m/pl.*; chismes *m/pl.*; *der ganze* ~ todos los cachivaches; *fig.* (*Geschäft*) negocio *m*; (*Angelegenheit*) asunto *m*; (*Vorhaben*) plan *m*, proyecto *m*; *das paßt nicht in s-n* ~ eso no le viene a propósito; eso no encaja en sus planes.

'**kramen** *v/i.*: ~ *in* (*dat.*) revolver (*ac.*).

'**Krämer(in** *f*) *m* tendero (-a *f*) *m*; mercader(a *f*) *m*; *für Kurzwaren*: mercero (-a *f*) *m*; *für Gewürze*: abacero (-a *f*) *m*; *kleiner Kaufmann*: (*desp.*) mercachifle *m*; ~**geist** *m* (-*ės*; *0*) mercantilismo *m*; ~**seele** *f* alma *f* de mercader; ~**volk** *n* (-*ės*; *0*) *m.s.* pueblo *m* de mercaderes; ~**ware** *f* géneros *m/pl.* de mercería.

'**Kramladen** *m* (-*s*; ⸚) tiendecilla *f*; (*bsd. für Kurzwaren*) mercería *f*.

ˈ**Krammetsvogel** *Orn.* *m* (-*s*; -) zorzal *m*.

ˈ**Krampe** ⊕ *f* grapa *f*; (*Bügel*) abrazadera *f*.

ˈ**Krampf** ⚕ *m* (-*es*; ⸚*e*) calambre *m*; espasmo *m*; convulsión *f*; *er bekam e-n* ~ le dio un calambre; ~**ader** ⚕ *f* (-; -*n*) variz *f*; ~**aderbruch** *m* (-*es*; ⸚*e*) varicocele *m*; ~**adergeschwür** *n* (-*es*; -*e*) úlcera *f* varicosa; ♀**adrig** *adj*. varicoso; ~**anfall** *m* (-*es*; ⸚*e*) ataque *m* convulsivo; ♀**artig** *adj*. espasmódico; ♀**en** *v/t. u. v/refl.* contraer (*sich* ~: contraerse) convulsivamente; crispar(se); ♀**haft** *adj*. convulsivo; espasmódico; ~*es Lachen* risa convulsiva (*od.* nerviosa); *sich* ~ *halten an* aferrarse a; ~*e Anstrengungen machen* hacer esfuerzos desesperados; ~**husten** *m* tos *f* convulsiva; ♀**lösend**, ♀**stillend** ⚕ *adj*. antiespasmódico, espasmolítico; ~*es Mittel* antiespasmódico *m*.

ˈ**Kran** ⊕ *m* (-*es*; ⸚*e*) grúa *f*; (*Umladebrücke*) transbordador *m*; ⚓ (*Winde*) cabrestante *m*; (*Zapfhahn*) espita *f*; ~**arm** *m* (-*es*; -*e*), ~**ausleger** *m* brazo *m* de grúa, aguilón *m*; ~**brücke** *f* puente *m* grúa; ~**führer** *m* conductor *m* de grúa.

ˈ**Kranich** *Orn.* *m* (-*es*; -*e*) grulla *f*.

krank *adj*. (⸚*er*; ⸚*st*) enfermo (*an dat.* de); *Jgdw.* herido; ~ *werden* enfermar, caer enfermo, F ponerse malo; *wieder* ~ *werden* recaer, tener una recaída; ~ *an Leib und Seele* enfermo de cuerpo y alma; *sich* ~ *fühlen* sentirse enfermo; *sich* ~ *stellen* simular estar enfermo; *sich* ~ *melden* hacerse dar de baja por (estar) enfermo; *sich* ~ *lachen* F ponerse malo (*od.* morirse) de risa; ♀**e(r** *m*) *m/f* enfermo (-a *f*) *m*; *dem Arzt gegenüber*: paciente *m/f*.

ˈ**kränkeln** **I.** (-*le*) *v/i.* estar enfermizo; estar achacoso, tener achaques; estar delicado de salud; **II.** ♀ *n* estado *m* achacoso.

ˈ**kranken** *v/i.*: ~ *an* (*dat.*) adolecer de; padecer de.

ˈ**kränken** **I. 1.** *v/t.* molestar; (*verletzen*) ofender, herir; (*demütigen*) humillar; (*betrüben*) afligir, mortificar, zaherir; **2.** *v/unprs. es kränkt mich tief* (*od. sehr*) me ofende mucho; me hiere; me mortifica; **3.** *v/refl. sich* ~ *über* (*ac.*) mortificarse por; **II.** ♀ *n* ofensa *f*; (*Demütigung*) humillación *f*; (*Betrüben*) aflicción *f*.

ˈ**Kranken...**: ~**anstalt** *f* hospital *m*; sanatorio *m*; casa *f* de salud; ~**auto** *n* (-*s*; -*s*) ambulancia *f*; ~**bahre** *f* camilla *f*; ~**beihilfe** *f* subsidio *m* de enfermedad; ayuda *f* para gastos de enfermedad; (*der Krankenkasse*) socorro *m*; ~**bericht** *m* (-*es*; -*e*) parte *m* facultativo, boletín *m* médico; ~**besuch** *m* (-*es*; -*e*) visita *f* a un enfermo; ~**bett** *n* (-*es*; -*en*) lecho *m* (*od.* cama *f*) del enfermo; *Liter.* lecho *m* del dolor; *am* ~ a la cabecera del enfermo; *auf dem* ~ estar (enfermo) en cama, guardar cama; *vom* ~ *aufstehen* abandonar la cama, levantarse; ~**fürsorge** *f* (*0*) asistencia *f* médica; ~**geld** *n* (-*es*; -*er*) → *Krankenbeihilfe*; ~**geschichte** ⚕ *f* historia *f* clínica, anamnesis *f*; ~**haus** *n* (-*es*; ⸚*er*) hospital *m*; *privates*: clínica *f*; sanatorio *m*; *in ein* ~ *aufnehmen* hospitalizar, admitir en un hospital; *in ein* ~ *bringen* (*einliefern, einweisen*) trasladar a un hospital; hospitalizar; *in ein* ~ *aufgenommen werden* ingresar en un hospital; *in e-m* ~ *unterbringen* hospitalizar; ser hospitalizado; *Aufnahme in ein* ~ hospitalización; ingreso en un hospital; ~**haus-aufenthalt** *m* (-*es*; -*e*) estancia *f* (*od.* permanencia *f*) en un hospital; ~**haus-behandlung** *f* tratamiento *m* estacionario (*od.* en régimen de hospitalización); ~**haus-unterbringung** *f* hospitalización *f*; ~**kasse** *f* caja *f* del seguro de enfermedad; ~**kassen-arzt** *m* (-*es*; ⸚*e*) médico *m* del seguro (de enfermedad); ~**kost** *f* (*0*) dieta *f*; régimen *m*; ~**lager** *n* → *Krankenbett*; ~**pflege** *f* (*0*) asistencia *f* a los enfermos; ~**pfleger(in** *f*) *m* enfermero (-a *f*) *m*; ~**saal** *m* (-*es*; -*säle*) sala *f* de hospital; enfermería *f*; ~**schein** *m* (-*es*; -*e*) volante *m* de asistencia médica; ~**schwester** *f* (-; -*n*) enfermera *f*; (*Nonne*) hermana *f* (de la caridad); ~**stube** *f* habitación *f* del enfermo; *im Krankenhaus*: sala *f* de hospital; enfermería *f*; ~**stuhl** *m* (-*es*; ⸚*e*) silla *f* (rodante) de enfermo; ~**träger** *m* camillero *m*; enfermero *m*; ~**urlaub** *m* (-*es*; -*e*) licencia *f* por enfermedad; ~**versicherung** *f* seguro *m* de enfermedad; ~**wache** *f* velada *f* (a la cabecera del enfermo); ~**wagen** *m* ambulancia *f*; ~**wärter(in** *f*) *m* enfermero (-a *f*) *m*; ~**wesen** *n* (-*s*; *0*) servicio *m* sanitario; ~**zimmer** *n* → *Krankenstube*; ~**zug** 🚂 *m* (-*es*; ⸚*e*) tren-ambulancia *m*.

ˈ**krankhaft** *adj*. enfermizo; morboso; (*pathologisch*) patológico; ♀**igkeit** *f* morbosidad *f*.

ˈ**Krankheit** *f* enfermedad *f*; (*Leiden*) dolencia *f*, afección *f*; mal *m*; *ansteckende* ~ enfermedad contagiosa; *e-e* ~ *bekommen, sich e-e* ~ *zuziehen* contraer (*od.* adquirir, F coger) una enfermedad; ser atacado por una enfermedad (*od.* un mal); enfermar; *e-e* ~ *übertragen* transmitir una enfermedad; (*durch Ansteckung*) contagiar; *e-e* ~ *heilen* curar una enfermedad; *von e-r* ~ *genesen* curar de una enfermedad; *an e-r* ~ *sterben* morir de una enfermedad; *e-e* ~ *feststellen* diagnosticar una enfermedad.

ˈ**Krankheits...**: ~**anfall** *m* (-*es*; ⸚*e*) acceso *m* (de un mal); ~**bericht** *m* (-*es*; -*e*) boletín *m* médico; ~**beschreibung** *f* descripción *f* de una enfermedad; patografía *f*; ~**bestimmung** *f* diagnóstico *m*; ~**bild** *n* (-*es*; -*er*) cuadro *m* clínico (*od.* patológico *od.* nosológico); síndrome *m*, sintomatología *f*; ♀**erregend** *adj*. patógeno; ~**erreger** *m* germen *m* (*od.* agente *m*) patógeno; ~**erscheinung** *f* síntoma *m*; ♀**halber** *adv*. por (*od.* a causa de) enfermedad; ~**herd** *m* (-*es*; -*e*) foco *m* patógeno; ~**keim** *m* (-*es*; -*e*) germen *m* patógeno; ~**lehre** *f* patología *f*; ~**übertragung** *f* transmisión *f* de una enfermedad; (*durch Ansteckung*) contagio *m*; (*Infektion*) infección *f*; ~**urlaub** *m* (-*es*; -*e*) licencia *f* (*bzw.* permiso *m*) por enfermedad; ~**ursache** ⚕ *f* etiología *f*, causa *f* de la enfermedad; ~**verlauf** *m* (-*es*; *0*) curso *m* de la enfermedad; ~**zeichen** *n* síntoma *m*, signo *m* patológico; ~**zustand** *m* (-*es*; ⸚*e*) estado *m* patológico.

ˈ**kränklich** *adj*. enfermizo; delicado de salud; (*schwächlich*) achacoso, enclenque; ♀**keit** *f* (*0*) mala salud *f*; estado *m* enfermizo (*od.* achacoso).

ˈ**Kränkung** *f* ofensa *f*, agravio *m*; insulto *m*; (*Demütigung*) humillación *f*; *j-m e-e* ~ *zufügen* → *kränken*.

ˈ**Kranwagen** *m* *Auto.* auto-grúa *m*.

ˈ**Kranz** *m* (-*es*; ⸚*e*) corona *f*; (*Guirlande*) guirnalda *f*; *zum Tragen v. Lasten auf dem Kopf*: rodete *m*, rodilla *f*; ⚠ (*Gesims*) cornisa *f*; (*Kreis*) círculo *m*; ▨ anillo *m*; *e-s Fleckens*: aureola *f*; ⊕ (*Rad*♀) llanta *f*; ~**arterie** *Anat.* *f* (arteria *f*) coronaria *f*; ~**binder(in** *f*) *m*, ~**flechter(in** *f*) *m* tejedor(a *f*) *m* de coronas; ramilletero (-a *f*) *m*.

ˈ**Kränzchen** *n* coronita *f*; *fig.* (*Gesellschaft*) tertulia *f* de señoras.

ˈ**Kranz|gesims** ⚠ *n* (-*es*; -*e*) cornisa *f*; ~**niederlegung** *f* depósito *m* (solemne) de una corona; ~**vene** *Anat.* *f* vena *f* coronaria.

ˈ**Krapfen** *m* *Kochk.*: bollo *m* de sartén; buñuelo *m*.

Krapp ⚘ *m* (-*es*; *0*) granza *f*; *mit* ~ *färben* teñir con granza; ˈ~**gelb** *n* xantina *f*; ˈ~**rot** *n* rojo *m* de granza; ⚗ alizarina *f*.

kraß *adj*. (-*sser*; -*ssest*) craso; (*grob*) grosero; (*auffallend*) llamativo; (*markant*) pronunciado; *krasse Unwissenheit* crasa ignorancia; *krasser Gegensatz* rudo contraste; *krasser Fuchs* (*Verbindungsstudent*) estudiante de primer semestre.

ˈ**Krater** *m* cráter *m*; ~**bildung** *f* formación *f* de cráteres.

ˈ**Kratz|bürste** *f* cepillo *m* metálico (*od.* rascador); F *fig.* persona *f* arisca, F cascarrabias *m*; ♀**bürstig** F *fig. adj.* quisquilloso; arisco.

ˈ**Kratze** ⊕ *f* rascador *m*; raspador *m*; (*Spinnerei*) card(ench)a *f*; (*Scharre*) raedor *m*.

ˈ**Krätze** ⚕ *f* (*0*) sarna *f*; ⊕ (*Abfall*) escoria *f*; desperdicios *m/pl*.

ˈ**Kratz-eisen** *n* *vor der Tür*: limpiabarros *m*; (*Schabeisen*) raspador *m*; rascador *m*.

ˈ**kratzen** **I.** (-*t*) *v/t. u. v/i.* rascar (*sich* ~ rascarse); (*die Haut ritzen*) arañar; rasguñar; (*schaben*) raspar; (*jucken*) picar; *Spinnerei*: cardar; *sich am Kopf* ~ rascarse la cabeza; *sich hinterm Ohr* ~ rascarse (tras) la oreja; *der Hund kratzt an der Tür* el perro rasguña la puerta; *im Halse* ~ (*Getränk*) rasca (*od.* irrita) la garganta; *die Feder kratzt* la pluma raspea; F *auf der Geige* ~ rascar el violín; *wen's juckt, der kratze sich* el que se pica ajos come; **II.** ♀ *n* arañazo *m*; rasguño *m*; (*Schaben*) raspadura *f*; *Spinnerei*: cardadura *f*.

ˈ**Kratzer** *m* (*Schaber*) raspador *m*; (*Schramme*) arañazo *m*; rasguño *m*; *auf Möbeln*: raya *f*.

ˈ**Krätzer** *m* (*schlechter Wein*) vino *m* peleón, F mostagán *m*.

'**Kratzfuß** F *m* (*-es*; *¨e*) reverencia *f*.
'**krätzig** ⚕ *adj*. sarnoso.
'**Kratzwunde** *f* arañazo *m*; rasguño *m*.
'**krauen** *v/t*. rascar suavemente; (*streicheln*) acariciar.
Kraul *n* (*-es*; *0*) *Schwimmen*: *angl*. crawl *m*; '2**en** *v/i*. nadar a la india; '~**en** *n*, ~**schwimmen** *n angl*. crawl *m*, natación *f* a la india.
kraus *adj*. (*-est*) *Haar*: rizoso; crespo; (*gekräuselt*) rizado; (*gefältet*) fruncido; (*gelockt*) ondulado; *fig*. (*verworren*) confuso; (*verwickelt*) embrollado, enmarañado; ~*e Haare* pelo rizoso *bzw*. rizado; ~ *werden* rizarse; (*sich fälteln*) fruncirse; *die Stirn* ~ *ziehen* fruncir el entrecejo.
'**Krause** *f* (*Hals*2) gola *f*; gorguera *f*; (*Brust*2) chorrera *f*, pechera *f*.
'**Kräusel-eisen** *n* encrespador *m*; tenacillas *f/pl*. de rizar.
'**kräuseln I. 1.** (*-le*) *v/t*. *Haare*: rizar; encrespar, ensortijar; (*fälteln*) fruncir; (*in Locken legen*) ondular; *Wasser*: cabrillear; *sich* ~ rizarse; encresparse; fruncirse; ondularse; **2.** *v/i*. rizarse; (*sich locken*) ondularse; *Wasser*: encresparse; **II.** 2 *n* ondulación *f*; rizado *m*; encrespadura *f*.
'**Kräuselstoff** *m* (*-es*; *-e*) crespón *m*.
'**Krause'minze** ⚘ *f* menta *f* crespa (*od*. rizada).
'**kraus|haarig**, ~**köpfig** *adj*. de cabello rizado *od*. crespo; 2**kopf** *m* persona *f* de cabello crespo; ⊕ fresa *f* cónica.
Kraut *n* (*-es*; *¨er*) hierba *f*; (*Kohl*) col *f*, berza *f*; (*Weißkohl*) repollo *m*; (*Gemüse*) hortaliza *f*; (*Tabak*) tabaco *m*; *Blätter an Kartoffeln, Karotten usw*.: hojas *f/pl*.; (*Heil*2) hierba *f* medicinal; *feine Kräuter* finas hierbas; *Phar*. *Kräuter pl*. simples *m/pl*.; *Kräuter sammeln* herborizar; *Pflanzen*: *ins* ~ *schießen* crecer rápidamente; *wie* ~ *und Rüben fig*. en un desorden caótico; *dagegen ist kein* ~ *gewachsen* contra eso no hay remedio; *wider den Tod ist kein* ~ *gewachsen* todo tiene remedio menos la muerte.
'**krauten** ⚒ **I.** (*-e-*) *v/t*. escardar; **II.** 2 *n* escardadura *f*.
'**Kräuter...**: ~**buch** *n* (*-es*; *¨er*) herbario *m*; ~**käse** *m* queso *m* verde (*od*. de hierbas finas); ~**kunde** *f* (*0*) botánica *f*; ~**kur** ⚕ *f* tratamiento *m* con simples (*od*. con hierbas medicinales); ~**likör** *m* (*-s*; *-e*) licor *m* de hierbas aromáticas; ~**saft** *m* (*-es*; *¨e*) zumo *m* de hierbas; ~**sammler(in** *f*) *m* herborizador (-a *f*) *m*; herbolario *m*; ~**suppe** *f* sopa *f* de hierbas finas, sopa *f* juliana; ~**tee** *m* (*-s*; *-s*) tisana *f*, infusión *f* de hierbas medicinales; ~**wein** *m* (*-es*; *-e*) vino *m* medicinal (*od*. de hierbas aromáticas).
'**Kraut...**: ~**garten** *m* (*-s*; *¨*) huerto *m*; (*größerer*) huerta *f*; ~**hacke** *f* azada *f*; ~**junker** *m* hidalgo *m* de aldea; ~**kopf** *m* (*-es*; *¨e*) repollo *m*; lombarda *f*.
Kra'wall F *m* (*-es*; *-e*) (*Aufruhr*) tumulto *m*; motín *m*; (*Lärm*) alboroto *m*, escándalo *m*, *Am*. bochinche *m*; ~ (*Lärm*) *machen* F armar un alboroto (*od*. un escándalo); ~**macher** *m* (*Aufrührer*) amotinador *m*, cabeza *m* de motín; (*Lärmmacher*) alborotador *m*.
Kra'watte *f* corbata *f*; ~**nnadel** *f* (*-*; *-n*) alfiler *m* de corbata; ~**nseide** *f* (*0*) seda *f* para corbatas.
'**kraxeln** F (*-le*) *v/i*. trepar.
Krea'tur [kreˑaˑ'tuːr] *f* criatura *f*.
Krebs [kreːps] *m* (*-es*; *-e*) *Zoo*. cangrejo *m*; *Astr*. Cáncer *m*; ⚕ cáncer *m*; *Vet*. *u*. ⚘ gangrena *f*; *Buchhandel*: ~*e pl*. libros devueltos al editor.
'**Krebs...**: 2**artig** ⚕ *adj*. canceroso; ~**bekämpfung** *f* lucha *f* contra el cáncer; ~**bildung** ⚕ *f* cancerización *f*; degeneración *f* cancerosa; 2**en** (*-t*) *v/i*. pescar cangrejos *m/pl*.; *fig*. esforzarse en vano; *fig*. *zu* ~ *haben* F vivir arrastradamente; 2**erregend** *adj*. cancerígeno; ~**fang** *m* (*-es*; *¨e*) pesca *f* del cangrejo; ~**forscher** *m* cancerólogo *m*; ~**forschung** *f* cancerología *f*; ~**gang** *m* (*-es*; *0*) marcha *f* retrógrada; *den* ~ *gehen fig*. ir para atrás; ir de mal en peor; ~**geschwür** ⚕ *n* (*-es*; *-e*) úlcera *f* cancerosa; carcinoma *m*; 2**krank** *adj*. canceroso; ~**kranke(r** *m*) *m/f* enfermo (-a *f*) *m* de cáncer, canceroso (-a *f*) *m*; ~**krankheit** ⚕ *f* carcinomatosis *f*, carcinosis *f*; cáncer *m*; 2**rot** *adj*. rojo como un cangrejo; ~**schaden** *m* (*-s*; *¨*) ⚕ afección *f* cancerosa; *fig*. gangrena *f*; ~**schale** *f* caparazón *m* de cangrejo; ~**schere** *f* pinza *f* (*od*. boca *f*) de cangrejo; ~**suppe** *f* sopa *f* (*od*. puré *m*) de cangrejos; ~**wucherung** *f* sarcoma *m*.
kre'denz|en (*-t*) *v/t*. (*darbieten*) ofrecer para beber; (*einschenken*) escanciar; 2**tisch** *m* (*-es*; *-e*) aparador *m*.
'**Kredit**[1] ☿ *n* (*-es*; *-e*) (*Guthaben*) haber *m*; (*Ggs. Debet*) crédito *m*.
Kre'dit[2] *m* (*-es*; *-e*) crédito *m*; *eingefrorener* ~ crédito bloqueado (*od*. congelado); *gewerblicher* ~ crédito industrial; *kurzfristiger* (*langfristiger*) ~ crédito a corto (largo) plazo; *unbeschränkter* ~ crédito ilimitado; *zusätzlicher* ~ crédito suplementario; *ungedeckter* ~ crédito descubierto; ~ *aus öffentlichen Mitteln* crédito público; *auf* ~ *kaufen* comprar a crédito; *e-n* ~ *in Anspruch nehmen* recurrir a un crédito; *e-n* ~ *bewilligen* (*od*. *gewähren*) conceder (*od*. ortogar) un crédito; *zugunsten von j-m e-n* ~ *bis zur Höhe von ... einräumen* (*od*. *eröffnen*) abrir un crédito a favor de alg. hasta el límite de ...; ~ *haben* tener crédito; *e-n* ~ *überschreiten* (*od*. *überziehen*) exceder el límite de un crédito; *s-n* ~ *verloren haben* haber perdido el crédito; ~**abteilung** *f* departamento *m* de créditos; ~**anstalt** *f* establecimiento *m* de crédito; ~**antrag** *m* (*-es*; *¨e*) solicitud *f* de crédito; ~**auftrag** *m* (*-es*; *¨e*) orden *f* de crédito; ~**bank** *f* banco *m* de crédito; ~ *für Wertpapiere* banco de crédito mobiliario; ~**begrenzung** *f* limitación *f* de crédito; ~**brief** *m* (*-es*; *-e*) carta *f* de crédito; ~**einbuße** *f* pérdida *f* de crédito; ~**einschränkung** *f* restricción *f* de crédito; ~**erleichterung** *f* facilidad *f* de crédito; ~**eröffnung** *f* apertura *f* de crédito; 2**fähig** *adj*. digno de crédito, solvente; ~**fähigkeit** *f* (*0*) *e-s Hauses*: crédito *m*, solvencia *f* (*de una casa*); ~**genossenschaft** *f* cooperativa *f* de crédito; ~**geschäft** *n* (*-es*; *-e*) operación *f* de crédito; ~**gewährung** *f* concesión *f* de un crédito; ~**grenze** *f* límite *m* de un crédito.
kredi'tieren (-) *v/t*. *u*. *v/i*. ☿ acreditar (*od*. abonar) en cuenta.
Kre'dit-institut *n* (*-es*; *-e*) instituto *m* (*od*. establecimiento *m*) de crédito.
Kredi'tiv *n* (*-es*; *-e*) *e-s Gesandten*: cartas *f/pl*. credenciales.
kre'dit|los *adj*. sin crédito, desacreditado; 2**losigkeit** *f* (*0*) descrédito *m*; 2**markt** *m* (*-es*; *¨e*) mercado *m* de créditos; 2**nachfrage** *f* demanda *f* de créditos.
'**Kreditor** ☿ *m* (*-s*; *-en*) acreedor *m*.
Kredi'torenkonto *n* (*-s*; *-s od*. *-konti*) cuenta *f* acreedora.
Kre'dit|politik *f* (*0*) política *f* crediticia (*od*. de créditos); ~**posten** *m* partida *f* acreedora; ~**risiko** *n* (*-s*; *-s od*. *-risiken*) riesgo *m* del crédito; ~**saldo** *m* (*-s*; *-s od*. *-salden od*. *-saldi*) saldo *m* acreedor; ~**scheck** *m* (*-s*; *-s*) acreditivo *m* de cheque; ~**system** *n* (*-s*; *-e*) sistema *m* crediticio (*od*. de créditos); ~**tilgung** *f* amortización *f* de créditos; ~**unterlage** *f* garantía *f* real; 2**unwürdig** *adj*. no digno de crédito; ~**verteilung** *f* distribución *f* del crédito; ~**wesen** *n* (*-s*; *0*) sistema *m* crediticio, organización *f* del crédito; ~**wirtschaft** *f* (*0*) economía *f* crediticia; 2**würdig** *adj*. digno de crédito; ~**würdigkeit** *f* (*0*) solvencia *f*.
'**Kreide** *f* creta *f*; (*Schreib*2) tiza *f*, clarión *m*; (*Zeichen*2) tiza *f* de colores; lápices *m/pl*. de colores; (*schwarze* ~) carboncillo *m*; (*Schneider*2) jaboncillo *m* de sastre; F *fig*. *in der* ~ *stehen* tener deudas, F estar entrampado; *bei j-m in der* ~ *stehen* adeudar (*od*. deber) dinero a alg.; 2**artig** *adj*. gredoso, cretáceo; 2**bleich** *adj*. blanco como la cera; ~**boden** *m* (*-s*; *¨*) gredal *m*; ~**fels** *m* (*-en*) roca *f* cretácea; 2**haltig** *adj*. gredoso; *Geol*. cretáceo; ~**papier** *n* (*-es*; *-e*) (*Kunstdruckpapier*) papel *m* greda *od*. porcelana; ~**stift** *m* (*-es*; *-e*) lápiz *m* blanco (*bzw*. de color) para dibujar; 2**weiß** *adj*. blanco como la cal (*fig*. como una sábana *od*. como la pared); ~**zeichnung** *f* dibujo *m* de tiza *bzw*. a lápiz *od*. con lápices (de colores); ~**zeit** *Geol*. *f* (*0*) período *m* cretáceo.
'**kreidig** *adj*. gredoso, cretáceo.
kre'ieren [kreː'iː-] (-) *v/t*. crear.
Kreis *m* (*-es*; *-e*) Ⓐ círculo *m*; (*Kreisumfang*) Ⓐ circunferencia *f*; Ⓐ *e-n* ~ *beschreiben* trazar una circunferencia; (*abschließender, nicht* Ⓐ) cerco *m*; ⚡ (*Strom*2) circuito *m*; *Astr*. órbita *f*; (*Zyklus*) ciclo *m*; (*Verwaltungs*2) distrito *m*; circunscripción *f*; departamento *m*; *fig*. círculo *m*; medio *m*; *Liter*. cenáculo *m*; (*Wirkungs*2) esfera *f*; *e-n* ~ *bilden um* formar un círculo, hacer corro alrededor de, rodear a, ponerse alrededor de; *im* ~*e*; *in e-m Kreis* en círculo; en torno, alrededor; *im*

~ *sitzen* estar sentados en torno a (*od.* alrededor de); *sich im ~e herumstellen* formar corro, formar un círculo; *e-n ~ um et.* (*j-n*) *schließen* cercar a/c. (a alg.); *im ~e der Familie* en el seno de la familia; *im engsten ~e* en la más estricta intimidad; en familia; *in m-n ~en* entre mis conocidos; *in unterrichteten ~en* en los círculos autorizados (*od.* bien informados); *in politischen ~en* en los círculos políticos; *weite ~e der Bevölkerung* amplios sectores de la población.

'**Kreis...**: **~abschnitt** ⩘ *m* (*-es*; *-e*) segmento *m* de círculo; **~arzt** *m* (*-es*; *⸗e*) médico *m* comarcal (*od.* del distrito); **~ausschnitt** ⩘ *m* (*-es*; *-e*) sector *m* de círculo; **~bahn** *f Astr.* órbita *f*; 🚂 ferrocarril *m* local; **~behörde** *f* autoridad *f* del distrito; **~bewegung** *f* movimiento *m* circular (*od.* giratorio); **~bogen** ⩘ *m* (*-s*; *⸗*) arco *m* de circunferencia.

'**kreischen I.** *v/i.* chillar, dar chillidos; vociferar; *Säge, Räder*: chirriar; *~de Stimme* voz estridente *od.* chillona; **II.** 2 *n* grito *m* estridente; chillido *m*; chirrido *m*.

'**Kreis|drehung** *f* rotación *f*; **~einteilung** ⩘ *f* división *f* del círculo; (*verwaltungsmäßig*) división *f* en distritos *od.* departamentos.

'**Kreisel** *m* (*Spielzeug*) *hölzerner*: peón *m*; peonza *f*; *aus Metall*: trompo *m*; *Phys.* (*Gyroskop*) giroscopio *m*; (*Gyrostat*) giróstato *m*; **~bewegung** *Phys. f* movimiento *m* giroscópico; **~kompaß** *m* (*-sses*; *-sse*) brújula *f* giroscópica; **2n** (*-le*) *v/i.* dar vueltas; girar en torno a; **~spiel** *n* (*-es*; *-e*) juego *m* del peón (*od.* de la peonza).

'**kreisen I.** (*-t*) *v/i.* girar (alrededor de *od.* en torno a, de); dar vueltas; (*wirbeln*) arremolinarse; ✈ dar vueltas sobre; volar en espiral; *Blut, Geld*: circular; **II.** 2 *n* movimiento *m* circular; movimiento *m* giratorio *od.* rotatorio; circulación *f*; *der Gestirne*: revolución *f*.

'**Kreis...**: **~fläche** ⩘ *f* área *f* del círculo; **~form** *f* forma *f* circular (*od.* de círculo); **2förmig** *adj.* circular; (*rund*) redondo; *Astr.* orbicular; **~inhalt** *m* (*-es*; *0*) área *f* del círculo; **~lauf** *m* (*-es*; *⸗e*) movimiento *m* circulatorio; *des Blutes*: circulación *f*; **~laufstörung** ⚕ *f* trastorno *m* de la circulación; **~linie** *f* línea *f* circular; ⩘ circunferencia *f*; **2rund** *adj.* redondo; circular; orbicular; **~säge** ⊕ *f* sierra *f* circular.

'**kreißen I.** (*-t*) *v/i.* estar de parto; dar a luz, P parir; **II.** 2 *n* parto *m*.

'**Kreis...**: **~stadt** *f* (*-*; *⸗e*) capital *f* de distrito; **~strom** ⚡ *m* (*-es*; *⸗e*) corriente *f* circular; **~umfang** *m* (*-es*; *0*) circunferencia *f*; **~verkehr** *m* (*-s*; *0*) tráfico *m* circular, circulación *f* giratoria; glorieta *f*.

Krem *m/f* (*-*; *-s*) crema *f*; → *Creme*.

Krema'torium [-'toːrĭ-] *n* (*-s*; *Krematorien*) crematorio *m*; horno *m* crematorio.

kre'mieren (*-*) *v/t.* (*einäschern*) incinerar.

Kreml ['kʀɛm(ə)l] *m*: *der ~* el Kremlin.

'**Krempe** *f* reborde *m*; *e-s Hutes*: ala *f*.

'**Krempel**[1] F *m* (*-s*; *0*) chismes *m/pl.*; trastos *m/pl.*, cachivaches *m/pl.*; balumba *f*; *fig.* metralla *f*.

'**Krempel**[2] ⊕ *f* (*-*; *-n*) carda *f*; **2n** ⊕ (*-le*) *v/t.* cardar; **~n** ⊕ *n* cardadura *f*.

'**krempen** *v/t.*: *e-n Hut ~* levantar el ala del sombrero.

'**Kremser** *m* tartana *f*; jardinera *f*.

Kre'ol|e *m* (*-n*) criollo *m*; **~in** *f* criolla *f*; **2isch** *adj.* criollo.

Kreo'sot [kʀeˑoˑ'zoːt] ⚗ *u. Phar. n* (*-es*; *0*) creosota *f*.

kre'pieren I. (*-*; *sn*) *v/i.* (*platzen*) reventar; ⚔ *Geschoß*: estallar, hacer explosión *f*; *fig.* F morir, P estirar la pata, palmar(la), diñarla; **II.** 2 ⚔ *n e-s Geschosses*: explosión *f*.

'**Krepp** *m* (*-s*; *-s od. -e*) (*Stoff*) crespón *m*; **~flor** *m* (*-s*; *-s od. ⸗e*) crespón *m*; **~gummi** *m* (*-s*; *- od. -s*) goma *f* crepé; **~papier** *n* (*-es*; *-e*) papel *m* cresponado; **~seide** *f* (*0*) crespón *m* de China; **~sohle** *f* suela *f* de (goma) crepé.

'**Kresse** ⚘ *f* berro *m*.

'**Kreta** *n* Creta *f*.

'**Kret|er(in** *f*) *m* cretense *m/f*; **2isch** *adj.* cretense.

'**Krethi und 'Plethi** *pl.* éste, el otro y el de más allá; toda clase de gente; fulano, zutano y mengano.

Kre'tin [kʀeː'tɛ̃ː] *m* (*-s*; *-s*) cretino *m*.

Kreti'nismus *m* (*-*; *0*) cretinismo *m*.

Kreuz *n* (*-es*; *-e*) cruz *f*; *fig. a.* aflicción *f*, penalidad *f*, sufrimiento *m*; (*Körperteil*) *beim Menschen*: *Anat.* región *f* lumbar, F riñones *m/pl.*; *beim Pferd*: grupa *f*, ancas *f/pl.*; ♪ sostenido *m*; *Eisernes ~* Cruz de Hierro; *Rotes ~* Cruz Roja; *Astr. das südliche ~* la Cruz del Sur; 2 *und quer* en todas las direcciones; (*im Zickzack*) en zigzag; *~ am Wege* la cruz del camino; *am ~ sterben* morir crucificado (*od.* en la cruz); *j-n ans ~ schlagen* crucificar a alg., clavar en la cruz a alg.; *j-n aufs ~ legen* F *fig.* engañar a alg.; romper a alg. la crisma; *fig. sein ~ tragen* llevar su cruz; *das ~ nehmen* tomar la cruz; partir a la cruzada; *das ~ predigen* predicar la cruzada; misionar; *das* (*od. ein*) *~ schlagen* persignarse; santiguarse, hacer la señal de la cruz; *fig. zu ~(e) kriechen* someterse, darse por vencido; retractarse, F cantar la palinodia.

'**Kreuz...**: **~abnahme** *f* (*0*) el Descendimiento (de la Cruz); **~auffindung** *I.C. f* (*0*) la Invención de la Santa Cruz; **~band** *n* (*-es*; *⸗er*) △ crucero *m*; *Anat.* ligamento *m* cruzado; 📯 *unter ~* bajo faja; **~bandsendung** 📯 *f* impresos *m/pl.* bajo faja; **~bein** *Anat. n* (*-es*; *-e*) (hueso *m*) sacro *m*; **~berg** *m Rel.* Calvario *m*; **~binde** *Chir. f* vendaje *m* en cruz; **~blütler** ⚘ *m/pl.* crucíferas *f/pl.*; **~bogen** △ *m* arco *m* cruzado; **2brav** *adj.* honrado a carta cabal; **~dorn** ⚘ *m* (*-es*; *0*) cambrón *m*.

'**kreuzen I. 1.** (*-t*) *v/t.* cruzar; (*e-e Straße*) *a.* atravesar; *Rassen*, ✝ *Scheck*: cruzar; *sich ~* cruzarse; (*schneiden*) cortarse; (*mit e-m Kreuz bezeichnen*) marcar con una cruz; **2.** *v/i.* ⚓ cruzar; (*lavieren*) barloventear, navegar de bolina; **II.** 2 *n* cruce *m*; *v. Rassen*: cruzamiento *m*; ⚓ crucero *m*.

'**Kreuzer** *m Münze*: cruzado *m*; ⚓ crucero *m*.

'**Kreuz...**: **~erhöhung** *I.C. f* (*0*) la Exaltación de la Santa Cruz; **~estod** *m* (*-es*; *0*) crucifixión *f*; suplicio *m* de la cruz; **~fahrer** *Hist. m* cruzado *m*; **~fahrt** ⚓ *f* crucero *m*; **~feuer** ⚔ *n* fuego *m* cruzado; *ins ~ nehmen* coger entre dos fuegos; **2fi'del** *adj.* alegre como unas pascuas; **2förmig** *adj.* cruciforme, en (forma de) cruz; crucial; **~gang** *m* (*-es*; *⸗e*) *im Kloster*: claustro *m*; **~gegend** *Anat. f* (*0*) región *f* lumbar; **~gelenk** ⊕ *n* (*-es*; *-e*) articulación *f* cardán; **~gewölbe** △ *n* (*-es*; *-*) bóveda *f* de aristas; **~hacke** *f* zapapico *m*.

'**kreuzig|en** *v/t.* crucificar; **2en** *n*, **2ung** *f* crucifixión *f*.

'**Kreuz...**: **~kopf** ⊕ *m* (*-es*; *⸗e*) cruceta *f*; **2lahm** *adj.* derrengado; *j-n ~ schlagen* deslomar a alg. a estacazos; **~otter** *Zoo. f* (*-*; *-n*) víbora *f* común; **~predigt** *f*: *e-e ~ halten* predicar la cruzada; **~punkt** *m* (*-es*; *-e*) ⩘ punto *m* de intersección; *zweier Bahnen*: cruce *m*; **~ritter** *Hist. m* cruzado *m*; **~schmerzen** ⚕ *m/pl.* dolores *m/pl.* lumbares; F dolor *m* de riñones; **~schnabel** *Orn. m* (*-s*; *⸗*) piquituerto *m*; **~schnitt** *Chir. m* (*-es*; *-e*) incisión *f* crucial; **~spinne** *f* araña *f* crucera; **~stich** *m* (*-es*; *-e*) *Näherei*: punto *m* cruzado (*od.* en cruz); *Schmerz*: dolor *m* lumbar punzante; **~träger** *m Rel.* crucero *m*, cruciferario *m*; △ travesaño *m* en cruce.

'**Kreuzung** *f Straße*, 🚂 *usw.*: cruce *m*; (*Übergang*) 🚂 paso *m* a nivel; *v. Rassen*: cruzamiento *m*; **~spunkt** *m* (*-es*; *-e*), **~sstelle** *f* cruce *m*; ⩘ punto *m* de intersección.

'**Kreuz...**: **2'unglücklich** *adj.* muy deprimido; **~verhör** ⚖ *n* (*-es*; *-e*) interrogatorio *m* contradictorio, repregunta *f*; careo *m*; **~weg** *m* (*-es*; *-e*) cruce *m* de caminos; *I.C.* vía crucis *m*; **~weh** *n* (*-es*; *0*) dolor *m* de riñones; ⚕ dolor *m* lumbar; **2weise** *adv.* en (forma de) cruz; *~ legen* disponer en cruz; **~wort** (**-rätsel**) *n* palabras *f/pl.* cruzadas, crucigrama *m*; **~zug** *Hist. m* (*-es*; *⸗e*) cruzada *f*.

'**kribbel|ig** F *adj.* irritable; nervioso; (*kitzelig*) quisquilloso; **~n 1.** (*-le*) *v/i.* (*wimmeln*) hormiguear; **2.** *v/t.* (*prickeln*) picar; (*jucken*) causar prurito *od.* picazón; (*kitzeln*) cosquillear; **2n** *n* (*Wimmeln*) hormigueo *m*; (*Prickeln*) picor *m*; (*Jucken*) prurito *m*; picazón *m*; (*Kitzeln*) cosquilleo *m*.

'**Kricket** ['kʀɪkət] *n* (*-s*; *-s*) *Sport*: *angl.* criquet *m*; **~spiel** *n* (*-es*; *-e*) juego *m* de criquet; **~schläger** *m* paleta *f* de criquet; **~spieler(in** *f*) *m* jugador(a *f*) *m* de criquet.

'**kriech|en** (*L*; *sn*) *v/i.* reptar, arrastrarse; deslizarse; *mühsam*: arrastrarse penosamente, andar a rastras; *aus e-m Loch ~* salir de un agujero; *aus dem Ei* ~ salir del huevo (*od.* del cascarón); *auf allen Vieren* ~ andar a gatas; *fig. vor j-m* ~ humillarse delante de alg.; arrastrarse a los pies de alg.; (*schmeicheln*) adular rastreramente a alg.; **~end** *adj.* rastrero; *fig.* servil, rastrero, bajo; (*unterwürfig*) lacayuno; **2er** *m* hombre *m* servil *od.* rastrero; F pelotillero *m*; V lameculos *m*; **2e'rei** *f* servilismo *m*; adulación *f* servil (*od.* baja); **~erisch** *adj. fig.* rastrero, servil; lacayuno; **2pflanze** *f* planta *f* rastrera; **2spur** *f* vía *f* para vehículos lentos; **2tier** *Zoo. n* (-*es*; -*e*) reptil *m*.

Krieg *m* (-*es*; -*e*) guerra *f*; *im* ~ en la guerra; *während des* ~*es* durante la guerra; ~ *zu Wasser, zu Lande und in der Luft* guerra en el mar, en tierra y en el aire; *kalter* (*heißer*) ~ la guerra fría (caliente); *totaler* ~ guerra total; ~ *bis aufs Messer* guerra sin cuartel; ~ *bis zum Äußersten* guerra a ultranza (*od.* a muerte); *e-m Lande den* ~ *erklären* declarar la guerra a un país; *e-n* ~ *anfangen* empezar una guerra; *der* ~ *bricht aus* la guerra estalla; ~ *führen gegen* (*od. mit*) hacer la guerra a; estar en guerra con; *ein Land mit* ~ *überziehen* llevar la guerra a un país; invadir un país; *in den* ~ *ziehen* marchar (*od.* ir) a la guerra; *sich im* ~ *befinden* estar en guerra; *den* ~ *ächten* proscribir la guerra; poner la guerra fuera de la ley; *den* ~ *verhüten* prevenir la guerra; *Verhütung des* ~*es* prevención de la guerra.

'kriegen 1. *v/i.* guerrear, hacer la guerra; **2.** *v/t.* (*bekommen*) obtener; recibir; conseguir; coger, agarrar, F pescar, atrapar; *Geld* ~ recibir (*od.* cobrar) dinero; *Briefe* ~ recibir cartas; *e-e Krankheit* ~ contraer una enfermedad; F pescar una enfermedad; *Hiebe* ~ recibir (*od.* llevar) golpes; *Hunger* ~ empezar a sentir apetito; *das werden wir schon* ~ ya lo conseguiremos; *er kriegt es mit mir zu tun* tiene que habérselas conmigo; *ich krieg' ihn schon* ¡ya le atraparé!; ¡ya me las pagará!; F *sich* ~ acabar casándose.

'Krieger *m* guerrero *m*; (*Soldat*) soldado *m*; combatiente *m*; **~bund** *m* (-*es*; ⸗*e*) → *Kriegerverein*; **~denkmal** *n* (-*es*; ⸗*er*) monumento *m* a los muertos (*od.* caídos) de la guerra; **2isch** *adj.* (*den Krieg liebend*) belicoso; (*oft Krieg führend*) guerrero; (*soldatisch*) militar; castrense; *Aussehen*: marcial; ~*e Handlung* acción bélica; **~verein** *m* (-*es*; -*e*) asociación *f* de excombatientes; unión *f* de veteranos; **~witwe** *f* viuda *f* de guerra.

'krieg|führend *adj.* beligerante; *Status e-r* ~*en Macht* beligerancia *f*; **2führende(r)** *m* beligerante *m*; **2führung** *f* estrategia *f*; manera *f* de hacer la guerra; táctica *f*; (*Leitung*) dirección *f* de la guerra.

'Kriegs...: ~anleihe *f* empréstito *m* de guerra; **~artikel** *m/pl.* ordenanzas *f/pl.* militares; ley *f* marcial; **~ausbruch** *m* (-*es*; ⸗*e*) comienzo *m* de la guerra; iniciación *f* de las hostilidades; **~ausrüstung** *f* armamento *m*; **~auszeichnung** *f* condecoración *f* militar; **~bedarf** *m* (-*es*; *0*) material *m* de guerra; **~beil** *n* (-*es*; -*e*) hacha *f* de guerra; *fig. das* ~ *begraben* enterrar el hacha de guerra; abandonar la senda de la guerra; *das* ~ *wieder ausgraben* desenterrar el hacha de guerra; volver a seguir la senda de la guerra; **~berichterstatter** *m* corresponsal *m* de guerra; **~beschädigte(r)** *m* mutilado *m* de guerra; **~blinde(r)** *m* ciego *m* de guerra; **~bräuche** *m/pl.* usos *m/pl.* de la guerra; **~dienst** *m* (-*es*; -*e*) servicio *m* militar; **~dienstverweigerer** *m* (*aus Gewissensgründen*) objetante *m* de conciencia al servicio militar; **~dienstverweigerung** *f* (*aus Gewissensgründen*) objeción *f* de conciencia al servicio militar; **~drohung** *f* amenaza *f* de guerra; **~eintritt** *m* (-*es*; *0*) entrada *f* en (la) guerra; **~ende** *n* (-*es*; *0*) fin *m* de la guerra; **~entschädigung** *f* indemnización *f* de guerra; **~er-eignisse** *n/pl.* acontecimientos *m/pl. bzw.* sucesos *m/pl.* de la guerra; **~erfahrung** *f* experiencia *f* en la guerra; **~erklärung** *f* declaración *f* de guerra; **~fackel** *f* (-; -*n*) *fig.* antorcha *f* de la guerra; **~fall** *m* (-*es*; *0*) caso *m* de guerra; *im* ~ en caso de guerra; **~flagge** *f* bandera *f* (*od.* pabellón *m*) de guerra; **~flotte** ⚓ *f* marina *f* de guerra; *Span.* Armada *f*; **~fuß** *m*: *auf dem* ~ ⚔ en pie de guerra; *fig. mit j-m auf dem* ~ *stehen* F estar a matar con alg.; **~gebiet** *n* (-*es*; -*e*) zona *f* de operaciones; **2gefangen** *adj.*, **~gefangene(r)** *m* prisionero *m* de guerra; *Austausch von Kriegsgefangenen* canje de prisioneros de guerra; *Behandlung* (*Rückführung*) *der Kriegsgefangenen* trato (repatriación) de los prisioneros de guerra; **~gefangenenlager** *n* campo *m* de prisioneros de guerra; **~gefangenschaft** *f* (*0*) cautiverio *m*; *in* ~ *geraten* caer (*od.* ser hecho) prisionero; **~gegner** *m* adversario *m* de la guerra; **~gericht** *n* (-*es*; -*e*) consejo *m* de guerra; tribunal *m* militar; *vor ein* ~ *stellen* llevar ante un consejo de guerra; hacer juzgar por un consejo de guerra; **~gerüchte** *n/pl.* rumores *m/pl.* de guerra; **~geschädigte(r)** *m* damnificado *m* de guerra; **~geschrei** *n* (-*es*; *0*) grito *m* de guerra; **~gesetz** *n* (-*es*; -*e*) ley *f* marcial; **~getümmel** *n* estruendo *m* de la guerra; fragor *m* del combate; **~gewinn** *m* (-*es*; -*e*) lucro *m* de la guerra; beneficios *m/pl.* de la guerra; **~gewinnler** *m* logrero *m* de la guerra; **~glück** *n* (-*es*; *0*) suerte *f* de las armas; fortuna *f* de la guerra; **~gott** *m* (-*es*; ⸗*er*) dios *m* de la guerra; *Myt.* Marte *m*; **~göttin** *f* diosa *f* de la guerra; *Poes.* Belona *f*; **~gräber** *n/pl.* cementerios *m/pl.* de guerra; **~gräberfürsorge** *f* (*0*) servicio *m* de conservación de los cementerios de guerra; **~greuel** *m/pl.* atrocidades *f/pl.* de la guerra; **~hafen** ⚓ *m* (-*s*; ⸗) puerto *m* militar; **~handwerk** *n* (-*es*; *0*) oficio *m* de las armas; **~held** *m* (-*en*) héroe *m* (militar); **~hetzer** *m* instigador *m* a la guerra, belicista *m*; **~hinterbliebene** *pl.* viudas *f/pl.* y huérfanos de guerra; **~industrie** *f* industria *f* (de material) de guerra; **~invalide** *m* (-*n*) mutilado *m* de guerra; **~jahr** *n* (-*es*; -*e*) año *m* de guerra; **~kamerad** *m* (-*en*) compañero *m* de armas; **~kind** *n* (-*es*; -*er*) niño *m* nacido durante la guerra; **~kosten** *pl.* gastos *m/pl.* de guerra; **~kunst** *f* (*0*) arte *f* militar; estrategia *f*; **~lärm** *m* (-*s*; *0*) fragor *m* de las armas; **~lasten** *f/pl.* cargas *f/pl.* (*od.* contribuciones *f/pl.*) de guerra; **~lazarett** *n* (-*es*; -*e*) hospital *m* de campaña; **~lied** *n* (-*es*; -*er*) canción *f* de guerra; **~lieferung** *f* suministros *m/pl.* (*od.* abastecimientos *m/pl.*) militares; **~list** *f* estratagema *f*; ardid *m* de guerra; **~lust** *f* (*0*) belicosidad *f*; belicismo *m*; **2lustig** *adj.* belicoso; belicista; **~macht** *f* (-; ⸗*e*) fuerzas *f/pl.* militares; potencia *f* militar; **~marine** ⚓ *f* marina *f* de guerra; *Span.* Armada *f*; **~maschine** *f* máquina *f* de guerra; ingenio *m* de guerra; **~material** *n* (-*s*; -*ien*) material *m* de guerra; **~minister** *m* ministro *m* de la Guerra; (*Span.*: del Ejército); **~ministerium** *n* (-*s*; -*ministerien*) Ministerio *m* de la Guerra; (*Span.*: del Ejército); **2müde** *adj.* cansado de la guerra; **~neurose** ⚕ *f* neurosis *f* del combatiente; **~not** *f* (-; ⸗*e*) calamidades *f/pl.* de la guerra; **~opfer** *n* víctima *f* de la guerra; **~pfad** *m* (-*es*; -*e*) senda *f* de la guerra; **2pflichtig** *adj.* sujeto al servicio militar; **~plan** *m* (-*es*; ⸗*e*) plan *m* estratégico; **~potential** *n* (-*s*; *0*) potencial *m* de guerra; **~psychose** *f* (*0*) psicosis *f* de guerra; **~rat** *m* (-*es*; ⸗*e*) consejo *m* de guerra; **~recht** *n* (-*es*; *0*) derecho *m* de guerra; (*Standrecht*) ley *f* marcial; *nach* ~ en buena guerra; **~ruf** *m* (-*es*; -*e*) grito *m* de guerra; **~rüstung** *f* armamento *m*; **~(sach)schäden** *m/pl.* daños *m/pl.* de guerra; **~schauplatz** *m* (-*es*; ⸗*e*) teatro *m* de la guerra; **~schiff** ⚓ *n* (-*es*; -*e*) barco *m* (*od.* buque *m*) de guerra; **~schuld** *f* responsabilidad *f* de la guerra; **~schulden** *f/pl.* deudas *f/pl.* de guerra; **~schule** *f* escuela *f* militar; academia *f* militar; **~spiel** *n* (-*es*; -*e*) juego *m* de guerra; **~stand** *m* (-*es*; *0*), **~stärke** *f* (*0*) efectivos *m/pl.* de guerra; **~steuer** *f* (-; -*n*) impuesto *m* de guerra; **~tagebuch** *n* (-*es*; ⸗*er*) diario *m* de guerra; **~tanz** *m* (-*es*; ⸗*e*) danza *f* guerrera; **~tat** *f* hazaña *f* militar; **~teilnehmer** *m* combatiente *m*; *ehemaliger* ~ excombatiente *m*; **~trauung** *f* matrimonio *m* (contraído en tiempo) de guerra; **~treiber** *m* instigador *m* de la guerra; **~verbrechen** *n* crimen *m* de guerra; **~verbrecher** *m* criminal *m* de guerra; **~verschollene(r)** *m* desaparecido *m* en campaña; **~versehrte(r)** *m* mutilado *m* de guerra; **2verwendungsfähig** *adj.* apto para el servicio en el frente; **~volk** *n* (-*es*; ⸗*er*) tropas *f/pl.*, soldados *m/pl.*; *Poes.* huestes *f/pl.*; *desp.* soldadesca *f*; **2wichtig** *adj.* estratégico; de interés militar; **~wirren** *pl.* turbulencias *f/pl.* de la guerra; **~wirtschaft** *f (0)* economía *f* de guerra; **~wissenschaft** *f (0)* ciencia *f* militar; **~zeit** *f: in ~en* en tiempos de guerra; **~ziel** *n (-es; -e)* finalidad *f* (*od.* objetivo *m*) de la guerra; **~zug** *m (-es; ⸚e)* expedición *f* militar; campaña *f*; **~zulage** ⚔ *f* plus *m* de campaña; **~zustand** *m (-es; ⸚e)* estado *m* de guerra; *in den ~ versetzen* poner en pie de guerra; *sich im ~ befinden* hallarse en estado de guerra; estar en guerra.

'Kriek-ente *Orn. f* cerceta *f*.

Krim *f* Crimea *f*.

'Krimi *m* → *Kriminalroman, -film.*

'Krimi'nal|amt *n (-es; ⸚er)* departamento *m* de investigación criminal; **~be-amte(r)** *m allg.* funcionario *m* de policía; agente *m* de policía; (*nicht uniformiert*) *a.* agente *m* de la policía secreta; **~film** *m (-es; -e)* película *f* policíaca; **~gericht** ⚖ *n (-es; -e)* tribunal *m* de lo criminal.

Krimina'list *m (-en)* (*Polizeibeamter*) agente *m* de investigación criminal; (*Strafrechtswissenschaftler*) criminalista *m*; **~ik** *f (0)* criminología *f*.

Kriminali'tät *f (0)* criminalidad *f*, delincuencia *f*.

Krimi'nal...: **~kommissar** *m (-s; -e)* comisario *m* de investigación criminal; **~polizei** *f (0)* policía *f* (de investigación) criminal; policía *f* secreta; **~polizist** *m (-en)* agente *m* de investigación criminal; **~prozeß** ⚖ *m (-sses; -sse)* causa *f* criminal; **~recht** ⚖ *n (-es; 0)* derecho *m* penal; **~roman** *m (-es; -e)* novela *f* policíaca (*Am.* policial); **~sache** *f* → *Kriminalprozeß*; **~statistik** *f* estadística *f* de criminalidad; **~stück** *n (-es; -e) Thea.* pieza *f* (teatral) policíaca; **~wissenschaft** *f (0)* criminología *f*; **~wissenschaftler** *m* criminólogo *m*; penalista *m*.

krimi'nell *adj.* criminal.

'Krimkrieg *m Hist.* guerra *f* de Crimea.

'Krimskrams F *m (- od. -es; 0)* chismes *m/pl.*, cachivaches *m/pl.*

'Kringel *m* (*Gebäck*) rosquilla *f*; rosca *f*; (*Schnörkel*) garabato *m*.

Krino'line *f* miriñaque *m*.

'Krippe *f Säuglingsheim*: casa-cuna *f*; guardería *f* infantil; (*Vieh*≈) pesebre *m*; (*Freßtrog*) comedero *m*; (*Weihnachts*≈) belén *m*, nacimiento *m*; *fig. an der ~ sitzen* F *hum.* tener asegurado el comedero; F *fig.* tener bien cubierto el riñón.

'Kris|e *f* **~is** *f* crisis *f*; *e-e ~ hervorrufen* (*durchmachen*) provocar (atravesar) una crisis; ≈**eln** *v/unprs.*: *es kriselt* se avecina una crisis; ≈**enfest** *adj.* a prueba de crisis; **~enjahr** *n (-es; -e)* año *m* de crisis; **~enzeit** *f* época *f* (*od.* tiempos *m/pl.*) de crisis.

'krispeln *(-le) v/t.* crispar.

Kris'tall *m (-es; -e)* cristal *m* (*a. fig.*); ≈**ähnlich** *adj.* cristalino; **~bildung** *Min. f* cristalización *f*; **~detektor** *m (-s; -en) Radio*: detector *m* de galena; **~eis** *n (-es; 0)* hielo *m* cristalino; ≈**en** *adj.* de cristal, cristalino; **~fabrik** *f*, **~fabrikation** *f* cristalería *f*, fábrica *f* de cristales; **~flasche** *f* frasco *m* de cristal; ≈**förmig** *adj.* cristalino; **~gerät** *n (-es; -e) Radio*: receptor *m* de galena; **~glas** *n (-es; ⸚er)* cristal *m* (*geschliffenes* tallado); ≈**hell** *adj.* cristalino, de una transparencia cristalina.

kristal'lin(isch) *adj.* cristalino.

Kristallisati'on *f* cristalización *f*; **~sgefäß** *n (-es; -e)* cristalizador *m*.

kristalli'sier|bar *adj.* cristalizable; **~en** *(-) v/t. u. v/i. (sn)* cristalizar; *sich ~* cristalizarse; ≈**en** *n*, ≈**ung** *f* cristalización *f*.

Kris'tall|keim *m (-es; -e)* germen *m* de un cristal; **~kern** *m (-es; -e)* núcleo *m* de cristalización; ≈**klar** *adj.* cristalino; **~kunde** *f (0)*, **~(l)ehre** *f (0)* cristalografía *f*.

Kristallo|gra'phie *f (0)* cristalografía *f*; ≈**'graphisch** *adj.* cristalográfico.

Kristallo'id *n (-es; -e)* cristaloide *m*.

Kris'tall|sachen *f/pl.* objetos *m/pl.* de cristal; **~schleifer** *m*, **~schneider** *m* cristalero *m*, biselador *m*; **~waren** *f/pl.* artículos *m/pl.* de cristal; cristalería *f*; **~zucker** *m* azúcar *m* cristalizado.

Kri'terium *n (-s; Kriterien)* criterio *m*.

Kri'tik [-'ti:k] *f* crítica *f*; *tadelnd*: censura *f*; *v. Büchern*: reseña *f*; *~ üben* hacer la crítica de, *tadelnd*: criticar, censurar; *sich der ~ aussetzen, Anlaß zur ~ geben* exponerse a las críticas de; dar lugar a comentarios; *unter aller ~* malísimo, pésimo; *über alle ~ erhaben* superior a toda ponderación.

Kriti'kaster *m* criticastro *m*.

'Kritiker *m* crítico *m*; *tadelnd*: censor *m*, censurador *m*, criticador *m*; F criticón *m*.

kri'tik|los *adj.* sin crítica; sin espíritu crítico; ≈**losigkeit** *f (0)* ausencia *f* de espíritu crítico.

'kritisch *adj.* crítico; *das ~e Alter* la edad crítica; *~er Kopf* espíritu crítico; *~er Augenblick* momento crítico.

kriti'sieren I. *(-) v/t. u. v/i.* hacer la crítica de; *tadelnd*: criticar, censurar; **II.** ≈ *n* crítica *f*.

Kriti'zismus *m (-; 0)* criticismo *m*.

Kritte'lei *f* crítica *f* rebuscada.

'kritt|(e)lig *adj.* puntilloso; caprichoso; criticador; **~eln** *(-le) v/i.* criticar minuciosamente; critiquizar; ≈**ler(in** *f) m* criticón *m* (criticona *f*); criticastro *m*.

Kritze'lei *f* garabateo *m*; garabatos *m/pl.*

'kritzeln I. *(-le) v/i.* rasguear, hacer rasgos con la pluma; (*unleserlich schreiben*) garabatear, garrapatear, escribir mal (*od.* con mala letra); **II.** ≈ *n* garabateo *m*, garrapateo *m*.

Kro'at|e *m (-n)*, **~in** *f* croata *m/f*; **~ien** *f* Croacia *f*; ≈**isch** *adj.* croata.

kroch *pret. v. kriechen.*

'Krocket(spiel) ['krɔkɛt] *n (-es; -e)* juego *m* del croquet.

Kroko'dil *Zoo. n (-es; -e)* cocodrilo *m*; **~leder** *n* piel *f* de cocodrilo; **~stränen** *fig. f/pl.* lágrimas *f/pl.* de cocodrilo.

'Krokus ⚘ *m (-ses; -se)* croco *m*.

'Kronanwärter *m* pretendiente *m* a la corona *od.* al trono.

'Krone *f* corona *f*; *fig.* trono *m*; *fig. zur ~ gelangen* subir al trono; *päpstliche ~* tiara pontificia; ⊠ diadema *f*; (*Baum*≈) copa *f*; (*Blumen*≈) corola *f*; (*Kronleuchter*) araña *f*; (*Mauer*≈) cresta *f*; ⚠ coronamiento *m* (de una obra); *j-m die ~ aufsetzen* coronar a alg.; *sich die ~ aufsetzen* coronarse, ceñirse la corona; *fig. e-r Sache die ~ aufsetzen* coronar (*od.* rematar) una obra; *das setzt allem die ~ auf!* ¡esto ya es el colmo!; F *fig. e-n in der ~ haben* tener una copa de más; estar achispado.

krönen *v/t.* coronar (*a. fig.*); *sich ~* coronarse; ⚠ rematar (*a. fig.*); *j-n zum König ~* coronar rey; *gekrönter Dichter* poeta laureado; *von Erfolg gekrönt* coronado por el éxito; *gekröntes Haupt* testa coronada.

'Kron...: **~erbe** *m (-n)*, **~erbin** *f* heredero (-a *f*) *m* de la corona; **~güter** *n/pl.* bienes *m/pl.* de la corona; **~insignien** *pl.* insignias *f/pl.* reales (*bzw.* imperiales); **~juwelen** *n/pl.* joyas *f/pl.* de la corona; **~kolonie** *f* colonia *f* de la corona; **~leuchter** *m* araña *f*; **~prätendant** *m (-en)* pretendiente *m* a la corona (*od.* al trono); **~prinz** *m (-en)* príncipe *m* heredero; *deutscher ~* Kronprinz; *Span.* Príncipe *m* de Asturias; **~prinzessin** *f* princesa *f* real; *in Deutschland ehm.*: esposa *f* del Kronprinz; *Span.* Princesa *f* de Asturias; **~rat** *m (-es; ⸚e)* consejo *m* de la corona; **~schatz** *m (-es; ⸚e)* tesoro *m* de la corona.

'Krönung *f* coronación *f*; **~sfeierlichkeit** *f* (ceremonia *f* de la) coronación *f*; **~s-tag** *m (-es; -e)* día *m* de la coronación; **~szug** *m (-es; ⸚e)* cortejo *m* de la coronación.

'Kronzeuge *m (-n)* testigo *m* principal.

Kropf *m (-es; ⸚e) Zoo.* (*Vormagen*) buche *m*, papo *m*; ⚕ bocio *m*, F papera *f*; *Vet. der Pferde*: muermo *m*; ⚘ excrecencia *f*; **~achse** ⊕ *f* eje *m* acodado.

'kröpfen *v/t. Gänse usw.*: cebar, engordar; *Bäume*: desmochar; ⊕ acodar.

'kropf|krank *adj.* enfermo de bocio; ≈**kranke(r** *m*) *m/f*, ≈**leidende(r** *m*) *m/f* enfermo (-a *f*) *m* de bocio; ≈**taube** *Orn. f* palomo *m* buchón.

'Kröpfung *f bei Gänsen usw.*: cebadura *f*, engorde *m*; *v. Bäumen*: desmoche *m*; ⊕ codillo *m*.

'Krösus *m (-; -se)* Creso *m* (*a. fig.*).

'Kröte *Zoo. f* sapo *m*, escuerzo *m*; F *fig. giftige ~* arpía *f*; *kleine ~* (*Kind*) diablillo *m*; P *ein paar ~n haben* tener cuatro perras en el bolsillo; *ein paar ~n springen lassen* F aflojar la mosca.

Kro'tonsäure ⚗ *f (0)* ácido *m* crotónico.

'Krücke *f* muleta *f*; *an ~n gehen* andar con muletas; ♪ (*an der Geige*) clavija *f*; (*Rühr*≈) batidera *f*; *Gießerei*: gancho *m* de fundidor.

'Krückstock *m (-es; ⸚e)* muletilla *f*; báculo *m*.

Krug *m (-es; ⸚e)* (*Kanne*) cántaro *m*; jarra *f*; (*einhenkliger*) jarro *m*; *der ~ geht so lange zum Brunnen, bis er bricht* tanto va el cántaro a la fuente, que al fin se rompe; (*Dorfschenke*) posada *f*; mesón *m*; ventorro *m*;

'~wirt *m* (-*es*; -*e*) posadero *m*; mesonero *m*; ventero *m*.
'**Kruke** *f* botellón *m* de barro; F *fig.* individuo *m* estrafalario; facha *f*, adefesio *m*.
'**Krümchen** *n dim. v. Krume* migajita *f*; *fig.* F pizca *f*.
'**Krume** *f* (*Brot*2) miga(ja) *f*.
'**Krüm|el** *m* migaja *f*; 2(**e**)**lig** *adj.* desmenuzable; friable; 2**eln 1.** (-*le*) *v/t.* desmigajar; **2.** *v/i.* desmigajarse.
'**krumig** *adj.* desmenuzable; friable.
krumm *adj.* corvo; 𝔄 curvo; (*gebogen*) curvado; (*gewölbt*) arqueado; (*eingebogen*) doblado; (*gewunden*) tortuoso; (*hakenförmig*) ganchudo; (*mißgestaltet*) contrahecho, deforme; (*sich schlängelnd*) sinuoso; (*verbogen*) torcido; (*verdreht*) retorcido; (*schief*) atravesado; torcido; ~*e Straße* calle tortuosa; ~*e Finger* dedos ganchudos; ~*e Beine* piernas torcidas; ~*e Nase* nariz torcida *bzw.* ganchuda; ~*er Rücken* espalda encorvada; *e-n* ~*en Rücken machen* encorvarse, F doblar el espinazo; ~ *werden* arquearse, alabearse (*bsd. Holz*); doblarse; *Anat.* desviar; *v. Personen*: encorvarse; ~ *biegen* encorvar, doblar; *j-n* ~ *und lahm schlagen* moler las costillas a alg.; dejar a alg. derrengado de una paliza; ~*e Wege gehen* seguir caminos tortuosos (*a. fig.*); '~**beinig** *adj.* patituerto; (*o-beinig*) estevado; (*x-beinig*) (pati)zambo; '2**darm** *Anat. m* (-*es*; ~*e*) íleon *m*.
'**krümm|en** *v/t. u. v/refl.* (*biegen*) *einwärts*: encorvar(se), inclinar(se); plegar(se), doblar(se); (*wölben*) arquear(se); (*drehen*) torcer(se); *kniefömig*: acodar; *sich* ~ (*werfen*) alabearse, combarse; *sich* ~ (*winden*) retorcerse; *sich vor Schmerzen* (*vor Lachen*) ~ retorcerse de dolor (de risa); *fig. sich* ~ (*sich demütigen*) humillarse delante de alg.; *fig. niemand wird dir ein Haar* ~ nadie te hará mal; F nadie te tocará el pelo de la ropa; 2**er** ⊕ *m* tubo *m bzw.* pico *m* acodado.
'**Krumm|holz** *n* (-*es*; ~*er*) madera *f* curvada; 2**linig** *adj.* curvilíneo; 2**nehmen** *fig.* (*L*) *v/t.*: et. ~ tomar a mal a/c.; ~**stab** *m* (-*es*; ~*e*) cayado *m*; (*bischöflicher*) báculo *m*.
'**Krümmung** *f* curvatura *f*; (*Einbiegung*) encorvadura *f*; (*Schweifung*) alabeo *m*, comba(dura) *f*; (*Windung*) sinuosidad *f*; recodo *m*, vuelta *f*; (*Kurve*) curva *f*; (*Verrenkung*) contorsión *f*; ⚕ ~ *des Rückgrates* desviación *f* de la columna vertebral; *nach e-r Seite*: escoliosis *f*; *nach vorn*: lordosis *f*; ~**shalbmesser** *m* radio *m* de curvatura.
Krupp ⚕ *m* (-*s*; *0*) difteria *f* laríngea, crup *m*.
'**Kruppe** *f* grupa *f*, ancas *f/pl*.
'**Krüppel** *m* lisiado *m*; mutilado *m*, inválido *m*; (*Lahmer*) tullido *m*; (*einarmiger*) manco *m*; (*hinkender*) cojo *m*; (*Mißgestalteter*) contrahecho *m*; *zum* ~ *machen* tullir; lisiar; *zum* ~ *werden* tullirse; lisiarse; 2**haft** *adj.* lisiado, impedido; tullido; mutilado, inválido.
'**Kruste** *f* costra *f*; (*Brot*2) corteza *f*; *sich mit e-r* ~ *überziehen* encostrarse; ⚕ (*Schorf*) escara *f*; ~**nbildung** ⚕ *f* escarificación *f*; ~**ntiere** *Zoo. n/pl.* crustáceos *m/pl*.
'**krustig** *adj.* costroso, cubierto de costra.
Kruzi'fix [kru:tsi·'fiks] *n* (-*es*; -*e*) crucifijo *m*, cristo *m*.
'**Krypta** *f* (-; *Krypten*) cripta *f*.
Krypto'gamen ⚘ *f/pl.* criptógamas *f/pl*.
Kryp'ton ⚗ *n* (-*s*; *0*) criptón *m*.
'**Kuba** *n* Cuba *f*.
Ku'ban|er(in *f*) *m* cubano (-a *f*) *m*; 2**isch** *adj.* cubano.
'**Kübel** *m* artesa *f*; cubeta *f*; (*Eimer*) cubo *m*; (*Bottich*) cuba *f*; ⚒ (*Pflanzen*2) maceta *f*; *es gießt wie aus* ~*n* está lloviendo a cántaros; 2**n** *v/i.* F beber como una esponja; ~**wagen** 🚃 *m* vagón-cuba *m*.
ku'bieren 𝔄 **I.** (-) *v/t.* elevar al cubo; **II.** 2 *n* cubicación *f*.
Ku'bik|fuß [-bi:k-] *m* (-*es*; -) pie *m* cúbico; ~**inhalt** *m* (-*es*; *0*) volumen *m*; ~**inhaltsberechnung** *f* cubicación *f*; ~**maß** *n* (-*es*; -*e*) medida *f* de volumen; ~**meter** *n* metro *m* cúbico; *als Holzmaß*: estéreo *m*; ~**wurzel** 𝔄 *f* (-; -*n*) raíz *f* cúbica; *die* ~ *ziehen aus* extraer la raíz cúbica de; ~**zahl** 𝔄 *f* cubo *m* (de un número).
'**kubisch** 𝔄 *adj.* cúbico.
Ku'bis|mus *m* (-; *0*) cubismo *m*; ~**t** *m* (-*en*), 2**tisch** *adj.* cubista *m/f*.
'**Kubus** 𝔄 *m* (-; - *od. Kuben*) cubo *m*.
'**Küche** *f* cocina *f*; (*Kochk.*) arte *m* culinario; *bürgerliche* ~ cocina casera; *die* ~ *besorgen* cocinar, hacer la cocina; *e-e gute* ~ *führen* guisar bien; comer bien; *kalte* ~ fiambres *m/pl*.
'**Kuchen** *m* pastel *m*; (*Torte*) torta *f*; (*Krapfen*) bollo *m*; F *ja* ~*!* ¡narices!; ¡naranjas!; *Am.* ¡mañana!
'**Küchen-abfälle** *m/pl.* desperdicios *m/pl.* (*od.* sobras *f/pl.*) de cocina.
'**Kuchenbäck|er** *m* pastelero *m*; ~**erei** *f* pastelería *f*.
'**Küchen|beil** *n* (-*es*; -*e*) hacheta *f* de cocina; ~**benutzung** *f* derecho *m* a cocina.
'**Kuchenblech** *n* (-*es*; -*e*) tortera *f*.
'**Küchen...:** ~**chef** *m* (-*s*; -*s*) jefe *m* (de cocina); cocinero *m* jefe; ~**dienst** ⚔ *m* (-*es*; -*e*) servicio *m* de cocina; ~**dragoner** *m* F *fig.* sargentona *f*; cocinerota *f*; ~**einrichtung** *f* enseres *m/pl.* de cocina.
'**Kuchenform** *f* molde *m* para pasteles.
'**Küchen...:** ~**garten** *m* (-*s*; ~) huerto *m*; ~**gerät** *n* (-*es*; -*e*), ~**geschirr** *n* (-*es*; -*e*) batería *f* (*od.* utensilios *m/pl.*) de cocina; ~**herd** *m* fogón *m*, hogar *m* de cocina; hornillo *m*; ~**junge** *m* mozo *m* (*od.* pinche *m*) de cocina; marmitón *m*; ~**kräuter** *n/pl.* verduras *f/pl.*; ~**latein** *n* (-*s*; *0*) latín *m* macarrónico; ~**mädchen** *n* moza *f* de cocina; *desp.* maritornes *f*; ~**meister** *m* jefe *m* de cocina; cocinero *m* jefe; *bei ihm ist Schmalhans* ~ en su casa el hambre no tiene tasa; ~**messer** *n* cuchillo *m* de cocina; ~**möbel** *n/pl.* muebles *m/pl.* de cocina; ~**personal** *n* (-*s*; *0*) personal *m* de la cocina.
'**Kuchenrad** *n* (-*es*; ~*er*) rueda *f* para cortar masa.
'**Küchen...:** ~**regal** *n* (-*es*; -*e*) vasar *m*; ~**schabe** *f* cucaracha *f*; ~**schelle** ⚘ *f* pulsatila *f*; ~**schrank** *m* (-*es*; ~*e*) armario *m* de cocina; ~**schürze** *f* delantal *m* de cocina; ~**stuhl** *m* (-*es*; ~*e*) silla *f* de cocina.
'**Kuchen|teig** *m* (-*es*; -*e*) masa *f* (para pasteles *bzw.* tortas); ~**teller** *m* plato *m* para postre.
'**Küchen...:** ~**tisch** *m* mesa *f* de cocina; ~**tuch** *n* (-*es*; ~*er*) paño *m* de cocina; ~**waage** *f* balanza *f* de cocina.
'**Küchlein** *n* pastelito *m*.
'**Kücken** *n* pollito *m*, polluelo *m*; F *fig.* (*junges Mädchen*) pollita *f*.
'**Kuckuck** *m* (-*s*; -*e*) *Orn.* cuclillo *m*; cuco *m*; ⚖ *hum.* sello *m* en señal de embargo; ~ *rufen* imitar el canto del cuco; F *zum* ~*!* ¡al diablo!; *zum* ~ *nochmal!* ¡qué caramba!; *das weiß der* ~*!* ¿quién demonios va a saberlo?; *der* ~ *soll ihn holen!* ¡que se vaya al diablo!; ~**s'ei** *n* huevo *m* de cuc(lill)o; *fig.* echar (*disimuladamente*) sobre espaldas ajenas la carga propia; ~**s-uhr** *f* reloj *m* de cuco.
Kuddel'muddel F *m* embrollo *m*, lío *m*; barullo *m*, confusión *f*, desbarajuste *m*; caos *m*, desorden *m*, F *fig.* merienda *f* de negros.
'**Kufe**[1] *f* cuba *f*; (*bsd. Färbe*2) tina *f*.
'**Kufe**[2] *f* (*Schlitten*2) patín *m*; ✈ (*Schnee*2) patín *m* de aterrizaje.
'**Küfer** *m* tonelero *m*, cubero *m*.
Küfe'rei *f* tonelería *f*.
'**Kugel** *f* (-; -*n*) (*Erd*2) globo *m*; 𝔄 esfera *f*; (*Billard*2) bola *f*; (*Stoß*2) *Sport*: peso *m*; (*Gewehr*2) bala *f*; (*Kanonen*2) proyectil *m* de cañón; (*zum Wählen*) balota *f*; *Anat.* (*Kopf e-s Knochens*) cabeza *f*; *sich e-e* ~ *durch den Kopf jagen* (*od. schießen*) F levantarse la tapa de los sesos; *von* ~*n durchlöchert* acribillado a tiros (*od.* balazos); *von e-r* ~ *getroffen werden* ser herido (*od.* alcanzado) por una bala; ~**abschnitt** *m* (-*es*; -*e*) 𝔄 segmento *m* de esfera; 2**artig** *adj.* esférico; globular; redondo; ~**ausschnitt** 𝔄 *m* (-*es*; -*e*) sector *m* esférico; ~**blitz** *m* (-*es*; -*e*) relámpago *m* esférico; F globo *m* de fuego; ~**blume** ⚘ *f* globularia *f*.
'**Kügelchen** *n* bolita *f*; glóbulo *m*.
'**Kugel...:** ~**durchmesser** 𝔄 *m* diámetro *m* de la esfera; *e-s Geschosses*: calibre *m*; ~**fang** *m* (-*es*; ~*e*) parabalas *m*; 2**fest** *adj.* a prueba de balas, invulnerable; ~**fläche** 𝔄 *f* superficie *f* esférica; ~**form** *f* forma *f* esférica; 𝔄 esfericidad *f*; (*Gießform*) molde *m* para fundir balas; 2**förmig** *adj.* esférico; globular; ~**gelenk** *n* (-*es*; -*e*) ⊕ articulación *f* esférica (*od.* de bola); *Anat.* enartrosis *f*; ~**gestalt** *f* forma *f* esférica; esfericidad *f*; 2**ig** *adj.* esférico; globular; ~**lager** ⊕ *n* cojinete *m* de bolas; 2**n 1.** (-*le*) *v/t. u. v/refl.* (*abrunden*) redondear(se); F *sich vor Lachen* ~ revolcarse (*od.* morirse) de risa; **2.** *v/i.* rodar (über *ac.* por); ~**regen** ⚔ *m* lluvia *f* de balas; 2**rund** *adj.* redondo como una bola; esférico; ~**schnitt** 𝔄 *m* (-*es*; -*e*) segmento *m* de esfera; ~**schreiber** *m* bolígrafo *m*; *Am.*

lapicero *m* de bolilla; **~schreibermine** *f* mina *f* (*od.* repuesto *m*) para bolígrafo; **~segment** ⩘ *n* (*-es*; *-e*) segmento *m* esférico; **2sicher** *adj.* blindado, a prueba de balas; **~spiel** *n* (*-es*; *-e*) juego *m* de bolas, *Arg.* juego *m* de la bocha; **~spitzfeder** *f* (-; *-n*) pluma *f* con punta esférica; **~stoßen** *n Sport*: lanzamiento *m* de peso; **~stoßer(in** *f*) *m* lanzador(a *f*) *m* de peso; **~ventil** *n* (*-s*; *-e*) válvula *f* esférica.

Kuh *f* (-; *ⁿe*) vaca *f*; *junge* ~ ternera *f*, novilla *f*; *dumme* ~ estúpida *f*, atontada *f*, pasmona *f*; **'~blume** ⚘ *f* diente *m* de león; **'~euter** *n* ubre *f*; **'~fladen** *m* boñiga *f* de vaca; **'~glocke** *f* cencerro *m*; (*glockenförmige*) esquila *f*; **'~handel** *fig. m* (*-s*; *0*) chalaneo *m*; (*Feilschen*) regateo *m*; **'~haut** *f* (-; *ⁿe*) piel *f* (*od.* cuero *m*) de vaca; *fig. das geht auf keine* ~ esto ya pasa de la raya; esto ya pasa de castaño oscuro; **'~hirt** (**-in** *f*) *m* (*-en*) vaquero (-a *f*) *m*.

kühl *adj.* fresco, F fresquito; *fig.* frío; *adv.*: con frialdad, fríamente; *es ist hübsch* ~ F hace fresquito; *j-n* ~ *empfangen* recibir con frialdad a alg.; acoger fríamente a alg.; *j-n* ~ *behandeln* tratar con frialdad a alg.; ~ *werden* refrescar (el tiempo); **'2anlage** *f* instalación *f* frigorífica; **'2apparat** *m* (*-es*; *-e*) aparato *m* refrigerador; frigorífico *m*; **'2e** *f* frescura *f*; *fig.* frialdad *f*; *in der* ~ al fresco; **~en** *v/t. u. v/refl.* refrescar(se), enfriar(se); ⊕, ⚗ refrigerar; (*zum Gefrieren bringen*) congelar; *in Eis* ~ poner en hielo; *Wein*: enfriar; helar; *fig. Rache usw.*: saciar sus ansias de (venganza *usw.*); *sein Mütchen* ~ *an* desfogar su cólera en; **2en** *n* enfriamiento *m*; refrigeración *f*; **'~end** *adj.* ⊕, ⚗ refrigerante; (*erfrischend*) refrescante; ~*es Mittel* medio refrigerante; **'2er** *m Auto.*: radiador *m*; ⊕, ⚗ refrigerador *m*; **'2erfigur** *f* mascota *f* del radiador; **'2erhaube** *f*, **'2verkleidung** *f Auto.*: cubre-radiador *m*; **'2verschluß** *m* (*-sses*; *ⁿsse*), **2verschraubung** *f Auto.*: tapón *m* del radiador; **'2gebläse** *n Auto.*: ventilador *m* del radiador; **'2gefäß** *n* (*-es*; *-e*) refrigerador *m*; **'2haus** *n* (*-es*; *ⁿer*) depósito *m* frigorífico; **'2mittel** *n* medio *m* refrigerante; **'2raum** *m* (*-es*; *ⁿe*) cámara *f* frigorífica; **'2rippe** *f Auto.*: aleta *f* de refrigeración (del radiador); **'2schiff** *n* (*-es*; *-e*) barco *m* frigorífico; **'2schlange** *f* serpentín *m* refrigerador; **'2schrank** *m* (*-es*; *ⁿe*) armario *m* frigorífico; refrigeradora *f*; (*im Haushalt*) nevera *f*; **'2trank** *m* refresco *m*, bebida *f* refrescante; **'2ung** *f* refrigeración *f* (*a. Auto.*); enfriamiento *m*; (*Erfrischung*) refresco *m*; **'2wagen** *m* vagón *m* frigorífico; **'2wasser** *n Auto.* agua *f* del radiador; **'2wasserraum** *m* cámara *f* de agua refrigeradora; **'2wirkung** *f* efecto *m* refrigerante.

'Kuh|magd *f* (-; *ⁿe*) vaquera *f*; **~milch** *f* (*0*) leche *f* de vaca; **~mist** *m* (*-es*; *0*) estiércol *m* de vaca(s).

kühn *adj.* arrojado, audaz, osado; (*toll~*) temerario; (*unerschrocken*) intrépido; (*entschlossen*) resuelto; *den Frauen gegenüber*: atrevido; *Karl der 2e* Carlos el Temerario; **'2heit** *f* (*Verwegenheit*) audacia *f*, osadía *f*, arrojo *m*; (*Tollkühnheit*) temeridad *f*; (*Unerschrockenheit*) intrepidez *f*; (*Entschlossenheit*) resolución *f*.

'Kuh|pocken ⚕ *f/pl.* viruela *f* vacuna; vacuna *f*; **~pocken-impfstoff** *m* vacuna *f*; linfa *f* vacuna; **~pocken-impfung** ⚕ *f* vacunación *f* (antivariólica); **~reigen** *m*, **~reihen** *m* aire *m* pastoril suizo; **~stall** *m* (*-es*; *ⁿe*) establo *m* (de vacas); **2warm** *adj.*: ~*e Milch* leche recién ordeñada.

Ku'jon F *m* (*-s*; *-e*) canalla *m*.

kujo'nieren F (-) *v/t.* molestar, importunar; vejar.

'Küken *n* polluelo *m*, pollito *m*.

ku'lan|t *adj.* complaciente; servicial; atento; ⚚ de fácil avenencia; **2z** *f* (*0*) complacencia *f*; buena voluntad; ⚚ facilidad *f* en los negocios.

'Kuli *m* (*-s*; *-s*) *angl.* culi *m*.

kuli'narisch *adj.* culinario.

Ku'lisse *f Thea.* bastidor *m*; *hinter den* ~*n* entre bastidores (*a. fig.*); **~nschieber** *m* tramoyista *m*.

'kullern (*-le*; *sn*) *v/t. u. v/i.* → *kollern.*

Kulminati'on *f* culminación *f*; **~spunkt** *m* (*-es*; *-e*) punto *m* culminante; *fig.* apogeo *m*.

kulmi'nieren (-) *v/i.* culminar.

Kult *m* (*-es*; *-e*) culto *m*; *e-n* ~ *mit et. treiben* rendir culto a a/c.; idolatrar a/c.; **'2isch** *adj.* del culto.

Kulti'vator ⚘ *m* (*-s*; *-en*) cultivador *m* (*a. fig.*).

kulti'vier|bar ⚘ *adj.* cultivable; laborable; **~en** (-) *v/t.* cultivar (*a. fig.*); **~t** *adj.* cultivado; cuidado; *Person, Sprache* culto.

Kul'tur *f* cultura *f*; (⚘, *Bakterien2*) cultivo *m*; (*Gesittung*) civilización *f*; **~abkommen** *n* acuerdo *m* cultural; **~arbeit** *f* obra *f* civilizadora; **~attaché** *Dipl. m* (*-s*; *-s*) agregado *m* cultural; **~aufgabe** *f* misión *f* civilizadora; **~austausch** *m* (*-es*; *0*) intercambio *m* cultural.

kultu'rell *adj.* cultural; ~*e Angelegenheiten* asuntos culturales.

Kul'tur...: **~erbe** *n* (*-s*; *0*) patrimonio *m* cultural; **2fähig** ⚘ *adj.* cultivable; **2feindlich** *adj.* anticultural; enemigo del progreso; hostil a la civilización; **~film** *m* (*-es*; *-e*) película *f* cultural; película *f* documental; película *f* educativa; **2fördernd** *adj.* civilizador; **~geschichte** *f* historia *f* de la civilización; **2geschichtlich**, **2historisch** *adj.* histórico-cultural; **~gut** *n* bienes *m/pl.* culturales; **~kampf** *Hist. m* (*-es*; *0*) (*lucha entre la Iglesia y el Estado, en Alemania, a fines del siglo XIX*); *allg.* persecución *f* de la Iglesia por el Estado y la sociedad; **~land** ⚘ *n* (*-es*; *ⁿer*) tierra *f* cultivable (*od.* laborable); *fig.* país *m* civilizado; **~mensch** *m* (*-en*) hombre *m* civilizado; **~pflanzen** *f/pl.* plantas *f/pl.* cultivadas; **~philosophie** *f* (*0*) filosofía *f* de la cultura; **~schande** *f* (*0*) vergüenza *f* para la civilización; **~stätte** *f* centro *m* cultural; **~stufe** *f* grado *m* de civilización; **~träger** *m* representante *m* de la cultura (*od.* de la civilización); **~volk** *n* (*-es*; *ⁿer*) pueblo *m* civilizado (*od.* culto); **~welt** *f* (*0*) mundo *m* civilizado; **~zentrum** *n* (*-s*; *-zentren*) centro *m* cultural.

'Kultus *m* (-; *Kulte*) culto *m*; **~minister** *m* (**~ministerium** *n* [*-s*; *-ministerien*]) ministro *m* (Ministerio *m*) de Instrucción Pública; *Span.* ministro *m* (Ministerio *m*) de Educación y Ciencia.

'Kümmel ⚘ *m* (*-s*; *0*) comino *m*; (*Schnaps*) kúmmel *m*; **~brot** *n* (*-es*; *-e*) pan *m* con cominos; **~türke** F *m* (*-n*) jactancioso *m*, fanfarrón *m*, F farolero *m*; *wie ein* ~ *schuften* F trabajar como un burro (*od.* como un negro).

'Kummer *m* (*-s*; *0*) pena *f*; pesar *m*, pesadumbre *f*; (*Betrübnis*) aflicción *f*; (*Sorge*) preocupación *f*; *j-m* ~ *bereiten* preocupar (*od.* causar preocupación) a alg.; ser motivo de preocupación para alg.; ~ *haben* estar preocupado; sentir pesadumbre *od.* pesar; *sich* ~ *machen* (*wegen*) inquietarse, estar preocupado (por); *das ist mein größter* (*geringster*) ~ es mi mayor (menor) preocupación; es lo que más (menos) me preocupa *od.* inquieta; *das macht mir wenig* ~ eso no me preocupa gran cosa.

'kümmer|lich I. *adj.* miserable, mísero; (*ärmlich*) pobre; mezquino; *von Wuchs*: desmedrado, raquítico; **II.** *adv.*: ~ *leben* vivir con estrechez; vivir míseramente (*od.* en la miseria); *sich* ~ *durchhelfen* ir pasando; ir viviendo, F ir tirando; **2ling** *m* ser *m* mezquino; **~n 1.** *v/t.* afligir; (*betrüben*) preocupar; *mst. verneint od. fragend*: importar, interesar; (*angehen*) concernir; *das kümmert mich wenig* eso no me preocupa mucho; apenas me preocupa eso; *was kümmert Sie das?* ¿qué le importa a usted eso?; **2.** *v/refl.*: *sich* ~ *um* cuidarse de, mirar por; hacer caso de; interesarse en *od.* por; (*sich einmischen*) meterse en, mezclarse en; *sich nicht um et.* ~ desentenderse de a/c.; no preocuparse de a/c.; (*sich nicht einmischen*) no meterse (*od.* no mezclarse) en; ~ *Sie sich um Ihre Angelegenheiten!* ¡ocúpese usted en sus asuntos!; F *kümmere dich um deinen eigenen Dreck!* ¡métete donde te llamen!; *er kümmert sich um alles* (F *um jeden Dreck*) en todo se mete; (F en todo mete las narices); **2nis** *f* → *Kummer.*

kummervoll *adj.* afligido, lleno de aflicción, cuitado; pesaroso, apesadumbrado, acuitado; (*mühevoll*) penoso.

'Kum(me)t *n* (*-es*; *-e*) collera *f*; *für Kutschpferde*: collerón *m*.

Kum'pan *m* (*-s*; *-e*) compañero *m*; amigote *m*; compadre *m*; (*Spießgeselle*) compinche *m*; *lustiger* ~ hombre jovial; tipo jaranero.

'Kumpel *m* ⚒ minero *m*; (*Kamerad*) camarada *m*.

kumula'tiv *adj.* acumulativo.

kumu'lier|en (-) *v/t.* acumular; **2en** *n*, **2ung** *f* acumulación *f*.

'Kumulus(wolke *f*) *m* (-; *Kumuli*) cúmulo *m*.

ˈ**kündbar** *adj.* revocable; *Darlehen*: rembolsable; *Arbeitnehmer*: sujeto a despido.

ˈ**Kunde**[1] *f* (*Nachricht*) noticia *f*, nueva *f*; (*Kenntnis*) conocimiento *m*; *j-m* ~ *geben von* informar a alg. de; dar conocimiento de.

ˈ**Kunde**[2] *m* (*-n*) cliente *m*; *im Kleinhandel*: *a.* parroquiano *m*; *viele* ~*n haben* tener mucha clientela; *e-n neuen* ~*n gewinnen* adquirir un nuevo cliente; *fig. ein schlauer* ~ F un individuo muy cuco, P un vivales; *ein übler* ~ un sujeto de cuidado, F un mal elemento.

ˈ**künden** (*-e-*) *v/t.* hacer saber; *Poes.* referir, narrar.

ˈ**Kunden...**: ~**dienst** *m* (*-es*; *0*) servicio *m* técnico; servicio *m* postventa; ~**fang** *m* (*-es*; *0*) captación *f* de clientela; atracción *f* de clientes; ~**kreis** *m* (*-es*; *-e*) clientela *f*; ~**werbung** *f* publicidad *f* comercial, propaganda *f*; atracción *f* de clientela; ~**zahl** *f* número *m* de clientes.

ˈ**kundgeb|en** (*L*) *v/t.* hacer saber; anunciar, proclamar; dar a conocer; notificar; publicar, hacer público; declarar; manifestar; (*offenbaren*) revelar; (*Gesetz*) promulgar; 𝔖**ung** *f* manifestación *f* (*a. v. Gefühlen*); (*feierliche*) proclamación *f*; (*Erklärung*) declaración *f*; (*Veröffentlichung*) publicación *f*; notificación *f*; *e-s Gesetzes*: promulgación *f*.

ˈ**kundig** *adj.* informado, enterado; instruido; versado (en); conocedor; (*erprobt*) experimentado; (*Sachverständiger*) experto, perito, técnico; práctico; *des Weges* ~ *sein* saber (*od.* conocer) el camino.

ˈ**kündigen** *v/t. u. v/i* (*Vertrag*) rescindir, cancelar; *Pol.* denunciar; *dem Mieter*: avisar el desahucio; *seitens des Mieters*: avisar el desalojamiento; *Arbeitnehmer*: avisar el cese en el empleo; *seitens des Arbeitgebers*: avisar el despido; ✝ (*Kapital*) solicitar el rembolso (*para fecha determinada*).

ˈ**Kundige(r)** *m* conocedor *m*; (*Sachverständiger*) experto *m*, perito *m*.

ˈ**Kündigung** *f* aviso *m* previo; *e-s Vertrages*: rescisión *f*; cancelación *f*; *Pol.* denuncia *f*; *seitens des Arbeitnehmers*: aviso *m* previo de cese en el empleo; *seitens des Arbeitgebers*: aviso *m* previo de despido; *seitens des Mieters*: aviso *m* previo de desalojamiento; *seitens des Vermieters*: aviso *m* previo de desahucio; *mit monatlicher* ~ con un mes de aviso (*od.* de plazo); ~**sfrist** *f* plazo *m* para el aviso previo; *e-s Vertrages*: plazo *m* de rescisión *bzw.* de denuncia; *e-s Arbeitnehmers*: plazo *m* previo al despido *bzw.* al cese en el empleo; *monatliche* ~ aviso con un mes de anticipación; ~**sschutz** *m* (*-es*; *0*) protección *f* contra el despido; ~**s-termin** *m* (*-s*; *-e*) último día *m* del plazo de aviso.

ˈ**Kundin** *f* cliente *f*; *im Kleinhandel*: parroquiana *f*.

ˈ**kundmach|en** *v/t.* hacer saber; notificar; publicar; 𝔖**ung** *f* notificación *f*; publicación *f*.

ˈ**Kundschaft** *f* clientela *f*; *im Kleinhandel*: parroquia *f*; ⚔ reconocimiento *m*; ⚔ *auf* ~ *ausgehen* = 𝔖**en** (*-e-*) *v/i.* hacer un reconocimiento; salir en descubierta; reconocer el terreno; ~**er** ⚔ *m* explorador *m*; espía *m*.

ˈ**kund|tun** (*L*) *v/t. u. v/refl.* hacer saber; anunciar; notificar; publicar; declarar; (*dartun*) manifestar (-se); *mit Worten*: *a.* expresar(se); (*offenbaren*) revelar(se); ~**werden** (*L*) *v/i.* divulgarse; hacerse público; (*Nachricht*) *a.* cundir.

ˈ**künftig** *adj.* venidero, futuro; ~**hin** *adv.* (*von jetzt an*) en adelante, de ahora en adelante; (*späterhin*) en lo sucesivo, en lo futuro; más adelante.

Kuniˈgunde *f* Cunigunda *f*.

ˈ**Kunkel** *f* (*-*; *-n*) rueca *f*; ~**lehen** *n* feudo *m* femenino.

Kunst *f* (*-*; *⸚e*) arte *m* (*im pl. f*); *die schönen Künste* las bellas artes; *die freien Künste* las artes liberales; *die bildenden Künste* las artes plásticas; (*Verfahren*) procedimiento *m*; *schwarze* ~ magia negra; *das ist keine* ~ eso lo hace cualquiera; F ¡valiente cosa!; *das ist die ganze* ~ en esto y nada más consiste todo; *am Ende s-r* ~ *sein* ya no saber qué decir o qué hacer; *das ist e-e brotlose* ~ es un trabajo ingrato (*od.* nada lucrativo).

ˈ**Kunst...**: ~**akademie** *f* academia *f* de bellas artes; ~**ausdruck** *m* (*-es*; *⸚e*) término *m* técnico; ~**ausstellung** *f* exposición *f* de arte; ~**begeisterung** *f* (*0*) entusiasmo *m* por el arte; ~**beilage** *f* suplemento *m* artístico; ~**bernstein** *m* (*-es*; *-e*) ámbar *m* artificial; ~**blatt** *n* (*-es*; *⸚er*) grabado *m* artístico; (*Zeitung*) periódico *m* de arte; ~**druck** *m* (*-es*; *-e*) impresión *f* artística; ~**druckerei** *f* imprenta *f* artística; talleres *m/pl.* gráficos; ~**druckpapier** *n* (*-es*; *-e*) papel *m* cuché; ~**dünger** ⚘ *m* abono *m* químico; ~**eis** *n* (*-es*; *0*) hielo *m* artificial; ~**eisbahn** *f* pista *f* de hielo artificial.

Künsteˈlei *f* refinamiento *m*; (*Ziererei*) afectación *f*; *im Stil*: amaneramiento *m*; rebuscamiento *m*.

ˈ**künsteln I.** (*-le*) *v/i.* trabajar con primor *m*; *an et.* ~ ejecutar con máximo esmero a/c.; *gekünstelt* afectado; rebuscado; amanerado; (*künstlich*) artificial; (*erkünstelt*) facticio; **II.** 𝔖 *n* → *Künstelei*.

ˈ**Kunst...**: ~**enthusiasmus** *m* (*-*; *0*) entusiasmo *m* por el arte; ~**erziehung** *f* (*0*) educación *f* artística; ~**fahrer(in** *f*) *m* ciclista *m/f* acróbata; ~**faser** *f* (*-*; *-n*) fibra *f* artificial *od.* sintética; 𝔖**fertig** *adj.* hábil; diestro; ~**fertigkeit** *f* (*0*) arte *m*; habilidad *f*; destreza *f*; ~**fleiß** *m* (*-es*; *0*) industria *f*; ~**flieger(in** *f*) *m* aviador *m* acrobático, aviadora *f* acrobática; acróbata *m/f* del aire; ~**flug** ✈ *m* (*-es*; *⸚e*) vuelo *m* acrobático; acrobacia *f* aérea; ~**freund** (**-in** *f*) *m* (*-es*; *-e*) aficionado (-a *f*) *m* a las artes; mecenas *m*; amigo *m* del arte; ~**gärtner** *m* jardinero *m*; floricultor *m*; ~**gärtnerei** *f* jardinería *f*; floricultura *f*; ~**gegenstand** *m* (*-es*; *⸚e*) objeto *m* de arte; 𝔖**gemäß**, 𝔖**gerecht** *adj.* conforme a las reglas del arte; (*planmäßig*) metódico; sistemático; ~**genuß** *m* (*-sses*; *⸚sse*) placer *m* estético; ~**geschichte** *f* (*0*) historia *f* del arte; 𝔖**geschichtlich** *adj.* relativo a la historia del arte; de historia del arte; ~**gewerbe** *n* artes *f/pl.* decorativas (*od.* aplicadas *od.* industriales); ~**gewerbemuseum** *n* (*-s*; *-museen*) museo *m* de artes y oficios; ~**gewerbeschule** *f* escuela *f* de artes decorativas; (*Gewerbeschule*) escuela *f* de artes y oficios; 𝔖**gewerblich** *adj.* de arte decorativo; ~**griff** *m* (*-es*; *-e*) artificio *m*; (*Kniff*) manipulación *f*; F truco *m*, martingala *f*; ~**handel** *m* (*-s*; *0*) comercio *m* de objetos de arte; ~**händler** *m* comerciante *m* de objetos de arte; ~**handwerk** *n* (*-es*; *0*) artesanía *f* artística; artes *f/pl.* industriales; ~**handwerker** *m* artífice *m*; ~**harz** *n* resina *f* sintética; ~**historiker** *m* historiador *m* del arte; tratadista *m* de la historia del arte; ~**honig** *m* (*-s*; *0*) miel *f* artificial; ~**kenner** *m* experto *m* en materia de arte; ~**kniff** *m* → *Kunstgriff*; ~**kritik** *f* crítica *f* de arte; ~**kritiker** *m* crítico *m* de arte; ~**lauf** *m* (*-es*; *⸚e*) *auf dem Eis*: patinaje *m* artístico; ~**läufer(in** *f*) *m* patinador *m* artístico; patinadora *f* artística; ~**leder** *n* cuero *m* artificial, imitación *f* de cuero.

ˈ**Künstler** *m* artista *m*; ~**atelier** *n* (*-s*; *-s*) estudio *m*; ~**fest** *n* (*-es*; *-e*) fiesta *f* de artistas; ~**in** *f* artista *f*; 𝔖**isch I.** *adj.* artístico; de artista; **II.** *adv.* artísticamente; ~**leben** *n* (*-s*; *0*) vida *f* de artista; ~**schaft** *f* (*0*) los artistas; ~**stolz** *m* (*-es*; *0*) orgullo *m* de artista.

ˈ**künstlich I.** *adj.* artificial (*a. Auge, Blume, Befruchtung, Atmung, Licht*); artificioso; (*nachgemacht*) imitado; facticio; (*unecht*) falso; *Haar, Gebiß*: postizo; ⚗ sintético; (*kunstvoll*) hecho con arte; (*geschickt ersonnen*) ingenioso; **II.** *adv.* artificialmente.

ˈ**Kunst...**: ~**liebhaber(in** *f*) *m* → *Kunstfreund(in)*; 𝔖**los** *adj.* sin arte; (*einfach*) sencillo; (*natürlich*) natural; ~**losigkeit** *f* (*0*) ausencia *f* (*od.* falta *f*) de arte; (*Einfachheit*) sencillez *f*; (*Natürlichkeit*) naturalidad *f*; ~**maler** *m* pintor *m* (artista); ~**radfahrer(in** *f*) *m* ciclista *m/f* acróbata; 𝔖**reich** *adj.* artístico; hecho con gran arte; ingenioso; ~**reiter(in** *f*) *m* artista *m/f* ecuestre; amazona *f*; ~**sammlung** *f* colección *f* de objetos de arte; ~**schätze** *m/pl.* tesoros *m/pl.* de arte; ~**schlosser** *m* cerrajero *m* artístico; ~**schreiner** *m* ebanista *m*; ~**schule** *f* escuela *f* de bellas artes; ~**seide** *f* seda *f* artificial; 𝔖**seiden** *adj.* de seda artificial; ~**sinn** *m* (*-es*; *0*) sentido *m* (*od.* gusto *m*) artístico; 𝔖**sinnig** *adj.* de (refinado) gusto artístico; ~**springen** *n* (*Schwimmsport*) salto *m* artístico; ~**stoff** *m* (*-es*; *-e*) materia *f* plástica (*od.* sintética); producto *m* artificial (*od.* sintético); ~**stoff(schall)platte** *f* disco *m* de materia plástica; 𝔖**stopfen** *v/i.* zurcir; ~**stopferei** *f* zurcido *m* invisible; (*Werkstatt*) taller *m* de zurcido fino; ~**stopferin** *f* zurcidora *f* de fino; ~**stück** *n* (*-es*; *-e*) muestra *f* de habilidad; (*Karten*) juego *m* de manos; prestidigitación *f*; *akrobatisches* ~

proeza acrobática; *das ist kein* ~ eso no tiene ningún mérito; eso lo hace cualquiera; **~tischler** *m* ebanista *m*; **~tischlerei** *f* ebanistería *f*; **~verein** *m* (*-es*; *-e*) círculo *m* de bellas artes; sociedad *f* de amigos de las artes; **~verlag** *m* (*-es*; *-e*) editorial *f* de libros de arte; **~verleger** *m* editor *m* de libros de arte; **2verständig** *adj.* experto en arte, entendido en materia de arte; **~verständige(r)** *m* experto *m* en arte; **2voll** *adj.* artístico; primoroso, hecho con gran arte; ingenioso; **~werk** *n* (*-es*; *-e*) obra *f* de arte; **~wert** *m* (*-es*; *-e*) valor *m* artístico; **2widrig** *adj.* contrario a las reglas del arte; **~wissenschaft** *f* ciencia *f* del arte; (*Ästhetik*) estética *f*; **~wolle** *f* lana *f* artificial; **~zweig** *m* (*-es*; *-e*) rama *f* del arte.

'**kunterbunt** *adj.* abigarrado; (*bunt durcheinander*) todo revuelto.

'**Küpe** *f Färberei*: tina *f*; **~nfarbstoffe** *m/pl.* colorantes *m/pl.* a la tina.

'**Kupfer** *n* (*-s*; *0*) cobre *m*; *reines* ~ cobre rojo *od.* puro; (*v. e-r* ~*platte abgedrucktes Bild*) estampa *f*; grabado *m* en cobre; *in* ~ *stechen* grabar en cobre; **2artig** *adj.* cuproso; **~bergwerk** ⚒ *n* (*-es*; *-e*) mina *f* de cobre; **~blau** *n* azurita *f*; **~blech** *n* (*-es*; *-e*) cobre *m* laminado; lámina *f* de cobre; **~draht** *m* (*-es*; *⸗e*) hilo *m* de cobre; **~druck** *m* (*-es*; *-e*) *Typ.* calcotipia *f*; **~erz** *n* (*-es*; *-e*) mineral *m* de cobre; **~erzeugung** *f* producción *f* de cobre; **2farben, 2farbig** *adj.* cobrizo; **~geld** *n* (*-es*; *-er*) moneda *f* de cobre, calderilla *f*; **~geschirr** *n* (*-es*; *-e*) (vajilla *f* de) cobre *m*; **~gewinnung** *f* (*0*) extracción *f* de cobre; **~grün** *n* cardenillo *m*; **2haltig** *adj.* cuprífero; **~kessel** *m* caldera *f* de cobre; **~kies** *m* (*-es*; *0*) pirita *f* de cobre; **~legierung** *f* aleación *f* de cobre; **~münze** *f* moneda *f* de cobre; **2n** *adj.* de cobre; **~platte** *f* lámina *f* (*od.* plancha *f*) de cobre; *Kupferstecherei*: grabado *m* en cobre; cobre *m*; **2rot** *adj.* cobrizo; **~schmied** *m* (*-es*; *-e*) forjador *m* de cobre; **~stecher** *m* grabador *m* en cobre; calcógrafo *m*; **~stecherkunst** *f* (*0*) grabado *m* en cobre; calcografía *f*; **~stich** *m* (*-es*; *-e*) grabado *m* en cobre; (*Bild*) *a.* estampa *f*; **~stichkabinett** *n* (*-es*; *-e*) colección *f* de estampas; **~sulfat** ⚗ *n* (*-es*; *-e*) sulfato *m* de cobre; **~vitriol** ⚗ *n* (*-s*; *0*) sulfato *m* de cobre; *Min.* caparrosa *f* azul; **~waren** *f/pl.* artículos *m/pl.* de cobre; cobres *m/pl.*; **~werk** *n* (*-es*; *-e*) fábrica *f* de cobre.

Ku'pido *Myt. m* Cupido *m*.

ku'pieren (-) *v/t.* cortar.

Ku'pol-ofen *Met. m* (*-s*; *⸗*) horno *m* de cúpula.

Ku'pon [ku·'pɔŋ] *m* (*-s*; *-s*) cupón *m*.

'**Kuppe** *f* cima *f*, cumbre *f*; (*Nadel2*) cabeza *f*; (*Finger2*) yema *f* (del dedo).

'**Kuppel** ⚠ *f* (*-*; *-n*) cúpula *f*; **~bau** ⚠ *m* (*-es*; *-ten*) (*Unterbau*) cimborrio *m*; **~dach** *n* cúpula *f*.

'**Kuppeldienst** *m* alcahuetería *f*, tercería *f*; ~*e leisten* alcahuetear, servir de alcahuete *bzw.* alcahueta.

Kuppe'lei *f* proxenetismo *m*, alcahuetería *f*, tercería *f*.

'**Kuppelgewölbe** ⚠ *n* bóveda *f* esférica.

'**kuppeln 1.** (*-le*) *v/i.* alcahuetear; **2.** *v/t.* ⊕ acoplar; ⊕, *Auto.*: embragar; 🚂 enganchar.

'**Kupp(e)lung** *f* embrague *m*; acoplamiento *m*; 🚂 enganche *m*; *die* ~ *einrücken* (*lösen*) embragar (desembragar); **~sbremse** *f* freno *m* de embrague; **~sfeder** *f* (*-*; *-n*) muelle *m* de embrague; **~sfußhebel** *m* pedal *m* de embrague; **~shebel** *m* palanca *f* del embrague; **~s-pedal** *n* (*-es*; *-e*) pedal *m* del embrague; **~sscheibe** *f* disco *m* de embrague; polea *f* de acoplamiento; **~sschwelle** *f* árbol *m* del embrague; **~sstange** *f* biela *f* de acoplamiento.

'**kuppen** *v/t.* (*Bäume*) desmochar; desramar.

'**Kuppler(in** *f*) *m* proxeneta *m/f*; alcahuete *m*, alcahueta *f*; tercero (-a *f*) *m*; F celestina *f*; (*Zuhälter*) rufián *m*, P chulo *m*; **2isch** *adj.* de alcahuete, de alcahueta; F celestinesco; rufianesco.

Kur ⚕ *f* cura *f*; (*Behandlung*) tratamiento *m*; *e-e* ~ *gebrauchen* (*od. machen*) someterse a (*od.* seguir) un tratamiento.

Kür...: *in Zssg(n) Sport*: libre; estilo *m* libre; a elección; voluntario; → *Kürlauf, Kürübung*.

'**Kur|anstalt** *f* sanatorio *m*; **~arzt** *m* (*-es*; *⸗e*) médico *m* de balneario.

'**Küraß** *m* (*-sses*; *-sse*) coraza *f*.

Küras'sier [-a'siːʀ] ⚔ *m* (*-s*; *-e*) coracero *m*.

Kura'tel ⚖ *f* tutela *f*; curatela *f*, curaduría *f*; *unter* ~ *stehen* estar bajo tutela; *unter j-s* ~ *stehen* estar bajo la tutela de alg.

Ku'rator [ku·'ʀɑː-] *m* (*-s*; *-en*) ⚖ curador *m*; administrador *m*.

Kura'torium [-'toːʀĭ-] *n* (*-s*; *Kuratorien*) ⚖, † (*Verwaltungsrat*) consejo *m* administrativo, *bsd.* † consejo *m* de administración.

'**Kur|aufenthalt** ⚕ *m* (*-es*; *-e*) cura *f*; permanencia *f* temporal en un balneario (*od.* establecimiento sanatorial); **~bad** *n* (*-es*; *⸗er*) balneario *m*; (*Ort*) localidad *f* balnearia.

'**Kurbel** *f* (*-*; *-n*) manivela *f*; manubrio *m*; *an Maschinen*: cigüeñal *m*; **~arm** *m* brazo *m* de manivela; **~gehäuse** *n Auto.* cárter *m* (*od.* caja *f*) del motor; **~getriebe** *n* mecanismo *m* de manivela; **~lager** *n Fahrrad*: pedal *m*; **2n 1.** (*-le*) *v/i.* girar la manivela; dar vueltas al manubrio; **2.** *v/t. Film*: rodar; impresionar; *Motor*: arrancar; (*aufziehen*) dar cuerda a; **~stange** *f* biela *f*; **~welle** *f* árbol *m* de manivela; (árbol *m* de) cigüeñal *m*; árbol *m* excéntrico; **~zapfen** *m* espiga *f*.

'**Kürbis** ⚘ *m* (*-ses*; *-se*) calabaza *f*; **~flasche** *f* calabacino *m*; **~kern** *m* (*-es*; *-e*) pepita *f* de calabaza.

'**Kurd|e** *m* (*-n*) curdo *m*; **~in** *f* curda *f*; **2isch** *adj.* curdo; **~istan** *n* el Curdistán.

'**küren** *v/i.* elegir.

'**Kurfürst** *Hist. m* (*-en*) (príncipe *m*) elector *m*; *der Große* ~ el Gran Elector de Brandenburgo; **~entum** *n* (*-s*; *⸗er*) electorado *m*; **~in** *f* esposa *f* del elector; **2lich** *adj.* electoral, del elector *bzw.* del electorado.

'**Kur|gast** *m* (*-es*; *⸗e*) ⚕ agüista *m*; bañista *m*; (*Sommerfrischler*) veraneante *m*; **~haus** *n* (*-es*; *⸗er*) casino *m* (*de una población balnearia*).

'**Kurie** ['kuːʀĭə] *f* curia *f*.

Ku'rier *m* (*-s*; *-e*) correo *m*; correo *m* diplomático (*od.* de gabinete).

ku'rieren (-) ⚕ *v/t.* (*behandeln*) tratar; (*heilen*) curar.

Ku'rierflugzeug *n* (*-es*; *-e*) avión *m* correo.

Ku'riergepäck *n* (*-es*; *0*) valija *f* diplomática.

kuri'os *adj.* curioso; raro, extraño; singular.

Kuriosi'tät *f* curiosidad *f*; objeto *m* raro; **~enliebhaber** *m* coleccionista *m* de objetos curiosos *od.* raros.

Kuri'osum *n* (*-s*; *Kuriosa*) curiosidad *f*; pieza *f* única; ejemplar *m* único; cosa *f* curiosa *od.* impar.

'**kurisch** *adj.* curlandés, de Curlandia; *das 2e Haff Geogr.* el Haff de Curlandia.

'**Kurkosten** *pl.* gastos *m/pl.* de tratamiento.

'**Kurland** *n* Curlandia *f*.

'**Kurländer** *m* curlandés *m*; **~in** *f* curlandesa *f*.

'**Kürlauf** *m* (*-es*; *⸗e*) *Sport*: carrera *f* libre.

'**Kur|ort** *m* (*-es*; *-e*) estación *f* balnearia *od.* climática; **~park** *m* (*-es*; *-s*) parque *m* del balneario.

Kur'pfalz *f* el Palatinado.

'**Kurpfuscher** *m* curandero *m*; **~'ei** *f* curanderismo *m*; intrusismo *m*.

Kur'rentschrift *f* escritura *f* corriente.

Kurs *m* (*-es*; *-e*) curso *m*; † *v. Devisen*: cambio *m*; *v. Wertpapieren*: cotización *f*; (*Umlauf*) circulación *f*; † *einheitlicher* ~ cambio único; *freier* ~ cambio libre; *amtlicher* ~ cambio oficial; ⚓ rumbo *m* (*a. fig.*), derrota *f*; (*eingezeichneter* ~) derrotero *m*; † *zum* ~ *von* al cambio de; al tipo de; *über* (*unter*) *dem* ~ por encima (por debajo) del tipo de cambio *bzw.* cotización; *die* ~*e drücken* hacer bajar la cotización; *die* ~*e bleiben fest* (*ziehen an*; *geben nach*; *bröckeln ab*; *fallen*) la cotización se mantiene firme (sube; cede; se debilita; baja); *außer* ~ *setzen* retirar de la circulación; ⚓ ~ *nehmen auf* hacer rumbo a, poner proa a; *den* ~ *ändern* cambiar el rumbo; ~ *halten* mantener el rumbo; ~ *absetzen* marcar (*od.* trazar) el derrotero; *einzuschlagender* ~ derrotero a seguir; *e-n falschen* ~ *steuern* seguir una ruta equivocada; *fig. der neue* ~ la nueva orientación.

'**Kursaal** *m* (*-es*; *⸗e*) casino *m* (*de una estación balnearia*).

'**Kurs...**: **~abschlag** † *m* (*-es*; *⸗e*) baja *f* del cambio; **~absetzung** ⚓ ✈ *f* determinación *f* del derrotero; **~abweichung** ⚓ ✈ *f* desviación *f* del rumbo; **~änderung** ⚓ ✈ *f* cambio *m* de rumbo; **~anstieg** † *m* (*-es*; *-e*) alza *m* (*pl. f*); **~anzeigetafel** † *f* (*-*; *-n*) cuadro *m* de cotizaciones; **~bericht** † *m* boletín *m* de cotizaciones; boletín *m* de Bolsa;

~besserung † *f* mejoramiento *m* de los cambios; alza *m* en la cotización; **~blatt** † *n* (-*es*; ¨*er*) boletín *m* de Bolsa; **~buch** 🚂 *n* (-*es*; ¨*er*) guía *f* de ferrocarriles.
'**Kürschner** *m* peletero *m*.
Kürschne'rei *f* peletería *f*; comercio *m* de pieles.
'**Kurs...:** **~differenz** † *f* diferencia *f* de cambio; **2fähig** *adj.* cotizable; **~festsetzung** *f* cotización *f*; **~feststellung** *f* fijación *f* del tipo de cambio; **~gewinn** *m* (-*es*; -*e*) ganancia *f* en el cambio.
kur'sieren I. (-) *v/i.* circular, estar en circulación *f*; **II. 2** *n* circulación *f*.
kur'siv *adv.*: *in* ~ en (letra) cursiva; (*Druckschrift*) en bastardilla *od.* itálica; **2schrift** *f* (letra *f*) cursiva *f bzw.* bastardilla *f od.* itálica *f*.
'**Kurs...:** **~makler** † *m* agente *m* de cambio; *Span.* agente *m* de cambio y bolsa; **~notierung** *f* cotización *f*.
kur'sorisch *adj.*: *~e Lektüre* lectura seguida.
'**Kurs...:** **~parität** † *f* cambio *m* a la par, paridad *f* del cambio; **~rückgang** † *m* (-*es*; ¨*e*) retroceso *m* en el cambio; **~schwankung** † *f* oscilación *f* en los cambios; **~senkung** † *f* descenso *m* de los cambios; **~stand** † *m* (-*es*; ¨*e*) nivel *m* del cambio; **~steigerung** † *f* alza *m* (*pl. f*); **~sturz** † *m* (-*es*; ¨*e*) baja *f* repentina del cambio; **~teilnehmer(in** *f*) *m* participante *m/f* en un curso; **~treiber** † *m* alcista *m*.
'**Kursus** ['kuRzus] *m* (-; *Kurse*) curso *m*; *kurzer*: cursillo *m*.
'**Kurs...:** **~verlust** † *m* (-*es*; -*e*) pérdida *f* de (*od.* en el) cambio; **~wagen** 🚂 *m* coche *m* (*od.* vagón *m*) directo; **~wert** † *m* (-*es*; -*e*) valor *m* cotizado, valor *m* en Bolsa; (*Devisen*) tipo *m* de cambio; **~zettel** † *m* listín *m* de Bolsa; **~zuschlag** † *m* (-*es*; ¨*e*) recargo *m* sobre el cambio.
Kurt *m* Conrado *m*.
'**Kurtaxe** *f* impuesto *m* especial de localidad balnearia *bzw.* veraniega.
'**Kür·übung** *f* ejercicio *m* libre.
'**Kurve** *f* (línea *f*) curva *f*; (*graphische Darstellung*) gráfica *f*; *an Straßen*: curva *f*; recodo *m*; *Auto.*, ✈ viraje *m*; *scharfe* (*od. enge*) ~ curva cerrada; *weite* ~ curva abierta; *überhöhte* ~ peralte *m*; *die* ~ *nehmen* tomar la curva; *in die* ~ *gehen Auto.*, ✈ virar, hacer un viraje; *e-e* ~ *schneiden* cortar una curva; **2n** *v/i.* virar; *nach rechts* (*links*) ~ virar a la derecha (izquierda); **~nbild** *n* (-*es*; -*er*), **~nblatt** *n* (-*es*; ¨*er*), **~ndarstellung** *f* gráfica *f*; **~nlage** *f* (*Schräglage*) inclinación *f*; **~nlampe** *f Auto.* faro *m* móvil; **~nlineal** *n* (-*s*; -*e*) plantilla *f* de curvas; regla *f* curva; **2nreich** *adj.* con muchas curvas.
kurz *adj. u. adv.* (¨*er*; ¨*est*) *Raum*: de poca extensión; *Zeit*: corto, breve, de corta duración; (*flüchtig*) fugaz; (*vorübergehend*) transitorio, pasajero; (*~gefaßt*) sucinto, breve, conciso, escueto; *~e Hose* pantalón corto; *ein ~es Gedächtnis haben* ser flaco de memoria; *~e Zusammenfassung*, *~e Inhaltsangabe* resumen *m*, sumario *m*; *~e Silbe* sílaba *f* breve; *~e Note* nota *f* breve; *e-n ~en Atem haben* tener la respiración corta, F ser corto de resuello; *von ~er Dauer* de corta duración; *auf ~es Ziel* (*~fristig*) a corto plazo; *in möglichst ~er Frist* en el plazo más breve posible; *in ~er Zeit* en breve, dentro de poco; *die ~e Zeit, die* ... el poco tiempo que ...; *in ~en Worten*, *in ~en Zügen* en pocas palabras, sucintamente; *~en Prozeß machen* no andarse con contemplaciones; F no pararse en barras; cortar por lo sano; *~ und bündig* lacónicamente; en pocas palabras; sin rodeos; *~ darauf* poco después, a los pocos momentos, al poco rato; *~ und gut* en una palabra, en suma; en resumen, en resumidas cuentas; en fin; *~ vor Madrid* a poca (*od.* corta) distancia de Madrid, muy cerca de Madrid; *in ~em* dentro de poco, en breve; *nach ~er Zeit* al poco tiempo, poco después; *vor ~em* hace poco (tiempo), recientemente; últimamente; *~ vorher* poco antes, momentos antes; *über ~ oder lang* a la corta o a la larga; tarde o temprano; un día u otro; *fig. ~ angebunden sein* ser breve; ser parco de palabras; no andarse con cumplidos; *~ anbinden* atar corto; *~ entschlossen* con brusca resolución; *sich ~ entschließen zu* decidirse de pronto a; *~ erläutern* explicar sucintamente (*od.* en pocas palabras); *~ abfertigen* despachar con dos palabras; *sich ~ fassen* ser breve; explicarse en breves palabras; *um mich ~ zu fassen* para abreviar; *zu ~ dauern* durar muy poco; *bei et. zu ~ kommen* salir perdiendo en el asunto; F quedarse con las ganas; *es ~ machen* abreviar; *um es ~ zu machen* para ser breves; en una palabra; *~ schneiden* (*Haar*) cortar al rape; *~ und klein schlagen* hacer pedazos (*od.* F trizas); F no dejar títere con cabeza; ⚔ *zu ~ schießen* tirar demasiado corto; ⚔ *~treten* acortar el paso; *~ zusammenfassen* resumir; *fig. den kürzer(e)n ziehen* salir perdiendo en un asunto; F *fig.* tocarle a uno la negra; F tocarle a uno bailar con la más fea; *kürzer machen* acortar; *kürzer werden* acortarse; *e-n kürzeren Weg einschlagen* tomar un camino más corto; *den kürzesten Weg nehmen* tomar el camino más corto; echar por el atajo (*a. fig.*); *in kürzester Zeit* en el más breve plazo.
'**kurz...:** **2arbeit** *f* jornada *f* de trabajo reducida; **2arbeiter(in** *f*) *m* trabajador(a *f*) *m* a jornada reducida; **~ärmelig** *adj.* de manga corta; **~armig** *adj.* de brazos cortos; **~atmig** *adj.* corto de respiración, ⚕ disneico; **2atmigkeit** ⚕ *f* (*0*) disnea *f*; fatiga *f* respiratoria; **2ausgabe** *f* edición *f* resumida; **~beinig** *adj.* de piernas cortas; F paticorto.
'**Kürze** *f zeitlich*: brevedad *f*; corta duración *f*; *in ~* en breve, dentro de poco; *räumlich*: corta extensión *f*; corta distancia *f*; *im Ausdruck*: concisión *f*; laconismo *m*; (*Silbe*) breve; *in aller ~* en pocas palabras; *der ~ halber* para abreviar; *sich der ~ befleißigen* ser breve; *in ~ erzählen* contar en pocas palabras; **2n** *v/t.* abreviar (*a. Rede*); acortar (*a. Kleider, Weg*); (*kurz zusammenstellen*) compendiar; *Thea.* cortar, suprimir; (*herabsetzen*) reducir; disminuir; 𝔄 simplificar; reducir; (*Weg*) atajar.
'**kurzerhand** *adv.* sin vacilar; sin demora; sin consideración; F sin pararse en barras; sin más ni más.
'**kurz...:** **~faserig** *adj.* de fibra corta; **2fassung** *f* versión *f* resumida; **2film** *m* (-*es*; -*e*) (película *f* de) cortometraje *m*; **2form** *f* (*Abkürzung*) abreviatura *f*; **~fristig** *adj.* a corto plazo (*a.* †); **~gefaßt** *adj.* resumido, sucinto; conciso; **2geschichte** *f* historieta *f*; narración *f* breve; (*Anekdote*) anécdota *f*; **~geschnitten** *adj.* (*Haar*) corto; **~geschoren** *adj.* (*Haare*) cortado al rape; **~haarig** *adj.* de pelo rapado; de cabellos cortos; **~halten** (*L*) *v/t. fig.* atar corto; *mit Geld*: tasar el dinero; **~lebig** *adj.* efímero; **2lebigkeit** *f* (*0*) brevedad *f* de la vida.
'**kürzlich** *adv.* hace poco, recientemente, últimamente; el otro día; *Am.* recién; *erst ~* muy recientemente.
'**Kurz...:** **~nachrichten** *f/pl.* noticias *f/pl.* breves; **~parkzone** *f* zona *f* azul; **2schließen** ⚡ (*L*) *v/i.* poner en cortocircuito; **~schluß** ⚡ *m* (-*sses*; ¨*sse*) cortocircuito *m*; **~schrift** *f* taquigrafía *f*; **~schuß** ⚔ *m* (-*sses*; ¨*sse*) tiro *m* corto; **2sichtig** *adj.* miope; *fig.* de miras estrechas; de horizontes limitados; *~ sein* ser miope (*od.* corto de vista); **~sichtigkeit** *f* (*0*) miopía *f*; *fig.* estrechez *f* de miras; **2stielig** ♀ *adj.* de rab(ill)o corto; **~strecke** *f* trayecto *m* corto; **~streckenlaufen** *n* carrera *f* de velocidad en trayecto corto (*od.* de corta distancia); **~streckenläufer** *m angl.* sprinter *m*; **~streckenrakete** *f* cohete *m* dirigido de corto alcance; **2treten** (*L*) *v/i.* acortar el paso; **2um** *adv.* en una palabra; en fin; en resumidas cuentas.
'**Kürzung** *f* abreviación *f*; acortamiento *m*; (*Streichung*) supresión *f*; corte *m* (*Herabsetzung*) reducción *f*, disminución *f*; 𝔄 simplificación *f*; (*Ab2*) abreviatura *f*.
'**Kurz...:** **~waren** *f/pl.* artículos *m/pl.* de mercería; (*Eisen2*) artículos *m/pl.* de ferretería; quincallería *f*; **~warengeschäft** *n* (-*es*; -*e*) mercería *f*; ferretería *f*; quincallería *f*; bazar *m*; **~warenhändler** *m* mercero *m*; ferretero *m*; quincallero *m*; **~warenhandlung** *f* → *Kurzwarengeschäft*; **2weg** *adv.* sin decir más; sin más ni más; **~weil** *f* (*0*) pasatiempo *m*; diversión *f*, distracción *f*; entretenimiento *m*; **2weilig** *adj.* divertido; entretenido; (*spaßig*) chistoso; gracioso; **~welle** ⚕, *Radio f* onda *f* corta; **~wellenbereich** *m* (-*es*; -*e*) *Radio*: gama *f* de ondas cortas; **~wellenempfänger** *m* receptor *m* de onda corta; **~wellentherapie** ⚕ *f* (*0*) radioterapia *f* con ondas cortas; **~wellensender** *m* emisora *f* de onda corta.
kusch! *int.* (*Zeichen für Hunde*) ¡échate!

ˈ**kuschen** *v/i. u. v/refl. Hund*: echarse; *Mensch*: *fig.* F obedecer sin rechistar, F achantarse.

Kuˈsine *f* prima *f.*

Kuß *m* (*-sses*; *ˈ̈sse*) beso *m*; **2echt** *adj.* indeleble.

ˈ**küssen I.** (*-ßt*) *v/t.* besar (*ac.*); *sich* ~ besarse; *j-m* (*od. j-n auf*) *die Stirn, die Wange, den Mund* ~ besar a alg. en la frente, en la mejilla, en la boca; *j-m die Hand* ~ besar la mano a alg.; **II.** 2 *n* besos *m/pl.*

ˈ**kuß...:** ~**fest** *adj.* → *kußecht*; 2**hand** *f* (*-*; *ˈ̈e*) besamanos *m*; *mit* ~ con el mayor placer; *e-e* ~ *zuwerfen* echar *od.* arrojar un beso.

ˈ**Küste** *f* costa *f*; orilla *f*; (*Land längs der* ~) litoral *m*; *längs der* ~ *hinfahren* (*od. segeln*), *die* ~ *befahren* navegar a lo largo de la costa; costear; hacer navegación de cabotaje.

ˈ**Küsten...:** ~**artillerie** ⚔ *f* (*0*) artillería *f* de costa; ~**batterie** *f* batería *f* costera; ~**befestigungen** ⚔ *f/pl.* fortificaciones *f/pl.* de la costa; ~**bewohner(in** *f*) *m* habitante *m/f* de la costa; ~**dampfer** *m* vapor *m* de cabotaje; ~**fahrer** *m* (*Schiff*) barco *m* de cabotaje; (*Seemann*) patrón *m* de cabotaje; ~**fahrt** *f* cabotaje *m*; navegación *f* costera; ~**fahrzeug** *n* (*-es*; *-e*) barco *m* costero; ~**fischerei** *f* pesca *f* costera; ~**gebiet** *n* (*-es*; *-e*) zona *f* costera; litoral *m*; ~**gewässer** *n/pl.* aguas *f/pl.* costeras, mar *m* litoral; aguas *f/pl.* territoriales; ~**land** *n* (*-es*; *ˈ̈er*) costa *f*; litoral *m*; ~**schiffahrt** *f* (*0*) (navegación *f* de) cabotaje *m*; navegación *f* costera; ~**schutz** *m* (*-es*; *0*) defensa *f* de las costas; ~**sperrgebiet** *n* (*-es*; *-e*) zona *f* costera prohibida; ~**stadt** *f* (*-*; *ˈ̈e*) ciudad *f* costeña; ciudad *f* marítima; ~**streifen** *m*, ~**strich** *m* (*-es*; *-e*) litoral *m*; costa *f*; región *f* costera; ~**wache** *f* vigilancia *f* de la costa; ~**wachschiff** *n* (*-es*; *-e*) guardacostas *m*; ~**zone** *f* zona *f* litoral.

ˈ**Küster** *Rel.* sacristán *m.*

Küsteˈrei *f* sacristanía *f.*

ˈ**Kustos** *m* (*-*; *Kustoden*) *e-s Archivs*: archivero *m*; *e-s Museums*: conservador *m*; *e-r Bibliothek*: bibliotecario *m*; (*Franziskaner*2) custodio *m.*

ˈ**Kutsch|bock** *m* (*-es*; *ˈ̈e*) pescante *m*; ~**e** *f* coche *m*; (*Pracht*2) carroza *f*, (*Post*2) diligencia *f*; ~**enschlag** *m* (*-es*; *ˈ̈e*) portezuela *f*; ~**er** *m* cochero *m*; ~**erbock** *m* (*-es*; *ˈ̈e*), ~**ersitz** *m* (*-es*; *-e*) pescante *m.*

kutˈschieren 1. (*-*) *v/i.* ir en coche; **2.** *v/t.* (*lenken*) conducir un coche.

ˈ**Kutschpferd** *n* (*-es*; *-e*) caballo *m* de carroza.

ˈ**Kutte** *f* hábito *m* de monje; cogulla *f.*

ˈ**Kutteln** *f/pl.* (*Kaldaunen*) callos *m/pl.*; (*Därme*) tripas *f/pl.*

ˈ**Kutter** ⚓ *m* cúter *m.*

Kuˈvert [-ˈvɛʀt] *n* (*-es*; *-s*) (*Gedeck*) cubierto *m*; (*Brief*2) sobre *m.*

kuverˈtieren (*-*) *v/t.* meter en un sobre.

Kux ⚒ *m* (*-es*; *-e*) acción *f* minera.

Kyberˈnetik *f* (*0*) cibernética *f.*

L

L, l *n* L, l *f*.

Lab *n* (*-ės*; *-e*) cuajo *m*.

ˈ**Laban** *m* (*-s*; *0*) *Bib.* Labán *m*; *fig. langer Laban* muchacho muy crecido; F un varal.

ˈ**Labbe** *f* P morro *m*, jeta *f*; (*Mund*) boca *f*.

ˈ**labb(e)rig** *adj.* (*quabbelig*) fofo; (*fade*) dulzón; *~e Brühe* bazofia.

ˈ**Labdrüse** *Anat. f* glándula *f* péptica.

ˈ**Lab|e** *f* (*0*) → *Labsal*; **2en** *v/t.* (*erfrischen*) refrescar; (*beleben*) reanimar; (*ergötzen*) recrear; (*erleichtern*) aliviar; *sich ~* refrescarse; recrearse, deleitarse (*an dat.* con); (*genießen*) saborear; **2end** *adj.* refrescante; (*köstlich*) delicioso; recreativo, deleitoso; **~(e)trunk** *m* (*-ės*; *⸚e*) refresco *m*, bebida *f* refrescante.

labiˈal [-ˈbĭ-] *adj.* labial; **2laut** *m* (*-ės*; *-e*) sonido *m* labial.

laˈbil *adj.* lábil; inestable; (*unsicher*) inseguro.

Labiliˈtät *f* (*0*) labilidad *f*; inestabilidad *f*; inseguridad *f*.

ˈ**Labkraut** ⚘ *n* (*-ės*; *⸚er*) cuajaleche *m*; galio *m*.

ˈ**Labmagen** *m* (*-s*; *⸚*) *der Wiederkäuer*: cuajar *m*.

Laˈbor F *n* (*-ės*; *-e*) laboratorio *m*.

Laboˈrant(in *f*) *m* (*-en*) auxiliar *m/f* de laboratorio.

Labo|raˈtorium [-rĭ-] ⚗ *n* (*-s*; *Laboratorien*) laboratorio *m*; **~raˈtoriumsversuch** *m* (*-ės*; *-e*) ensayo *m* de laboratorio; **2ˈrieren** (-) *v/i.* ⚗ experimentar; (*leiden*) *~ an* (*dat.*) sufrir de, padecer (de); adolecer de.

ˈ**Lab|sal** *n* (*-s*; *-e*), **~ung** *f* refresco *m*, refrigerio *m*; *fig.* confortación *f*; solaz *m*; (*Genuß*) delectación *f*; (*Trost*) consuelo *m*; (*Erleichterung*) alivio *m*.

Labyˈrinth *n* (*-ės*; *-e*) laberinto *m*; **2isch** *adj.* laberíntico.

ˈ**Lach-anfall** *m* (*-ės*; *⸚e*) ataque *m* de risa; *e-n ~ haben* estallar de risa.

ˈ**Lache**[1] [a] *f* (*0*) (*Gelächter*) risa *f*; risotada *f*; carcajada *f*.

ˈ**Lache**[2] [ɑː] *f* (*Pfuhl*) lodazal *m*; (*Pfütze*) charco *m*.

ˈ**lächeln** (*-le*) **I.** *v/i.* sonreír (*zu* a); sonreírse (*über ac.* de); **II.** 2 *n* sonrisa *f*; **~d** *adj.* sonriente, (*a. fig. u. Poes.*) risueño.

ˈ**lachen I.** *v/i.* reír; reírse (*über ac.* de); *höhnisch* (*od. hämisch*) *~* reír burlonamente; *gezwungen ~* reír de dientes afuera; *versteckt ~*, *sich ins Fäustchen ~* reír a socapa; reír para sus adentros; *laut* (*od. schallend*) *~* reír a carcajadas; *Tränen ~* llorar de risa; *sich krank ~* morirse de risa; *sich krumm und schief ~* retorcerse (F troncharse) de risa; *das Herz lacht ihm im Leibe* el corazón le rebosa de alegría; *sich e-n Ast ~* reírse a carcajadas; F desternillarse de risa; *j-m ins Gesicht ~* F reírse en las barbas (*od.* en las narices) de alg.; *ich muß darüber ~* me da risa (*nom.*); *daß ich nicht lache!* ¡no me haga usted reír!; *ich lache nur darüber* lo tomo a risa; *das ist nicht zum ~* no es cosa de risa; no es para tomarlo a risa; *er hat nichts zu ~* tampoco él está sobre un lecho de rosas; *Sie haben gut ~ iro.* bien puede usted reírse; *das Glück lacht ihm* la fortuna le sonríe; *wer zuletzt lacht, lacht am besten* al freír será el reír; **II.** 2 *n* risa *f*; *gezwungenes ~* risa forzada *od.* afectada; risa de dientes afuera; *höhnisches* (*od. hämisches*) *~* risa sardónica; risa burlona; *krampfhaftes* (*nervöses*) *~* risa convulsiva (nerviosa); *das ist zum ~* da risa; es para reírse; es ridículo; *zum ~ bringen* hacer reír; *zum ~ reizen* mover a risa; *zum ~ herausfordern* provocar la risa; *in lautes ~ ausbrechen* prorrumpir en carcajadas; echarse a reír; *sich vor ~ nicht halten können* no poder reprimir la risa; *sich vor ~ biegen* retorcerse de risa; F troncharse de risa; *vor ~ weinen* llorar de risa; *sich das ~ verbeißen* morderse los labios para no reír; *sich das ~ nicht verbeißen können* no poder reprimir (*od.* contener) la risa; *mir ist nicht zum ~ zumute* no estoy para reír (*od.* para risas); **~d** *adj.* risueño; *Himmel*: sereno; *Gegend*: ameno; *Erbe*: gozoso, jubiloso.

ˈ**Lacher** *m* reidor *m*; *die ~ auf s-r Seite haben* imponerse con buen humor al adversario; contar con la aprobación de la mayoría.

ˈ**lächerlich** *adj.* ridículo; (*zum Lachen*) risible; (*unbedeutend*) irrisorio; (*spaßhaft*) cómico, grotesco; (*närrisch, possierlich*) bufonesco; (*unsinnig*) absurdo; (*wunderlich*) estrafalario; *~ machen* poner en ridículo; ridiculizar; *sich ~ machen* hacer el ridículo; ponerse (*od.* caer *od.* quedar) en ridículo; **2e** *n* ridículo *m*; *ins ~ ziehen* tomar a risa; ridiculizar; **2keit** *f* ridículo *m*; ridiculez *f*; *der ~ preisgeben* poner en ridículo; ridiculizar.

ˈ**Lach...: ~gas** ⚗ *n* (*-es*; *-e*) gas *m* hilarante; **2haft** *adj.* → *lächerlich*; **~krampf** ⚕ *m* (*-ės*; *⸚e*) risa *f* convulsiva; **~lust** *f* (*0*) ganas *f/pl.* de reír; **2lustig** *adj.* alegre; reidor; **~muskel** *Anat. m* (*-s*; *-n*) músculo *m* risorio.

Lachs [-ks] *Ict. m* (*-es*; *-e*) salmón *m*.

ˈ**Lach-salve** *f* grandes carcajadas *f/pl.*; explosión *f* de risa.

ˈ**Lachs...: ~fang** *m* (*-ės*; *⸚e*) pesca *f* del salmón; **2farben** *adj.* asalmonado, de color salmón; **~forelle** *Ict. f* trucha *f* salmonada; **~schinken** *m* jamón *m* rosado embutido.

ˈ**Lachtaube** *Orn. f* tórtola *f* de (las) Indias.

ˈ**Lack** *m* (*-ės*; *-e*) (*Harzstoff*) laca *f*; (*Firnis*) barníz *m*; (*Glanz2*) charol *m*; (*Japan2*) laca *f* japonesa; **~farbe** *f* barniz *m* para pintores; **~firnis** *m* (*-ses*; *-se*) laca *f* de China; laca *f* (barniz); **~harz** *n* (*-es*; *-e*) laca *f*; **2ˈieren** (-) *v/t.* barnizar; **~ˈieren** *n*, **~ˈierung** *f* barnizado; *m* **~ˈierer** *m* barnizador *m*; **~iereˈrei** *f* taller *m* de barnizado; **~leder** *n* charol *m*; **~mus** ⚗ *n* (*0*) tornasol *m*; **~muspapier** *n* (*-ės*; *-e*) papel *m* de tornasol; **~schuhe** *m/pl.* zapatos *m/pl.* de charol; **~waren** *f/pl.* lacas *f/pl.*

ˈ**Lade** *f* (*Truhe*) arca *f*; (*Kasten*) caja *f*, cofre *m*; (*Koffer*) baúl *m*; (*Schub2*) cajón *m*; gaveta *f*; *des Webstuhls*: batán *m*; **~aggregat** ⚡ *n* (*-ės*; *-e*) grupo *m* de carga; **~arm** *m* (*-ės*; *-e*) brazo *m* de carga; **~bühne** 🚂 *f* plataforma *f* de carga; **~damm** ⚓ *m* (*-ės*; *⸚e*) embarcadero *m*; **~fähigkeit** *f* (*0*) capacidad *f* de carga; **~fläche** *f e-s Wagens*: superficie *f* de carga; **~gebühr** *f*, **~geld** *n* (*-ės*; *-er*) derechos *m/pl.* de carga *bzw.* de embarque; **~gewicht** *n* (*-ės*; *-e*) tonelaje *m*; **~gleis** *n* (*-es*; *-e*) vía *f* de carga; **~grenze** *f* límite *m* de carga; **~hemmung** *f e-r Feuerwaffe*: encasquillamiento *m*; *e-e ~ haben* encasquillarse; **~kanonier** ⚔ *m* (*-ės*; *-e*) cargador *m*; **~kapazität** *f* (*0*) → *Ladefähigkeit*; **~kran** *m* (*-ės*; *⸚e*) grúa *f* de carga; **~luke** ⚓ *f* escotilla *f* de carga; **~meister** *m* jefe *m* de carga.

ˈ**laden**[1] **I.** (*L*) *v/t.* cargar (*a.* ⚔, ⚡, *Wagen, Schiff, Phot.*); *Waren aus e-m Lastwagen* (*Schiff*) *~* descargar un camión (un barco); *blind* (*scharf*) *~* cargar sin (con) bala; *fig. et. auf sich ~* cargar sobre sí, *Verantwortung*: asumir la responsabilidad de, *Haß*: atraer(se) el odio; *e-e Schuld auf sich ~* hacerse culpable de una falta; *fig. e-e Last auf sich ~* imponerse una carga; F *er hat schwer geladen* F está borracho como una uva; *auf j-n geladen sein* estar muy enojado con alg.; **II.** 2 *n* carga *f*.

ˈ**laden**[2] **I.** (*L*) *v/t.* invitar; *j-n zu Tische ~* invitar a alg. a comer; ⚖

vor Gericht ~ citar ante el tribunal; **II.** ♀ *n* invitación *f*; ⚖ citación *f*.

'Laden *m* (-*s*; ¨) tienda *f*, comercio *m*; *großer*: almacén *m*; (*Warenhaus*) bazar *m*; *e-n* ~ *haben* tener una tienda; (*Fenster*♀) contraventana *f*; *fig*. F *er wird den* ~ *schmeißen* él se encargará de resolverlo bien; *er kann den* ~ *zumachen* es hombre perdido; **~angestellte**(**r** *m*) *m*/*f* empleado (-a *f*) *m* de una tienda; dependiente *m* de comercio; **~besitzer**(**in** *f*) *m* propietario (-a *f*) *m od*. dueño (-a *f*) *m* de una tienda; tendero (-a *f*) *m*; **~dieb**(**in** *f*) *m* ladrón *m* de tiendas, ladrona *f* de tiendas; F mechera *f*; **~einrichtung** *f* instalación *f* de una tienda (*a*. *Ausstattung*); **~hüter** *m* artículo *m* invendible; **~inhaber**(**in** *f*) *m* → *Ladenbesitzer*(*in*); **~miete** *f* alquiler *m* de la tienda; **~preis** *m* (-*es*; -*e*) precio *m* de venta; **~raum** *m* (-*es*; ¨*e*) local *m* de una tienda; **~schild** *n* (-*es*; -*er*) rótulo *m*; letrero *m*; **~schluß** *m* (-*sses*; *0*) cierre *m* de los comercios; **~straße** *f* calle *f* comercial; **~stube** *f* trastienda *f*; **~tisch** *m* (-*es*; -*e*) mostrador *m*.

'Lade...: ~platz *m* ⚓ (-*es*; ¨*e*) embarcadero *m*; cargadero *m*; 🚂 plataforma *f* de carga; **~rampe** *f* rampa *f* (*od*. muelle *m*) de carga; (*Ladebühne*) plataforma *f* de carga; **~raum** *m* (-*es*; *0*) capacidad *f* de carga; (*Tonnage*) tonelaje *m*; ⚓ bodega *f*; ⚔ cámara *f*; **~schein** *m* (-*es*; -*e*) ⚓ certificado *m* de carga; ⚓ póliza *f* de cargamento; (*Frachtbrief*) carta *f* de porte; **~schütze** ⚔ *m* (-*en*) cargador *m*; **~spannung** ⚡ *f* tensión *f* de carga; **~station** *f*, **~stelle** ⚡ *f* puesto *m* de carga; **~stock** ⚔ *m* (-*es*; ¨*e*) baqueta *f*; **~streifen** ⚔ *m* *e-s Gewehrs*: peine *m*; *e-r Pistole*: cargador *m*; **~strom** ⚡ *m* (-*es*; *0*) corriente *f* de carga; **~trommel** *f* (-; -*n*) *e-s Revolvers*: barrilete *m*; **~vorrichtung** *f* cargador *m*; *a*. ⚔ dispositivo *m* de carga; **~en** *pl*. ☤, ⚓ facilidades *f*/*pl*. para cargar.

lä'dieren (-) *v*/*t*. deteriorar; estropear; (*verwunden*) lesionar.

'Ladung *f* carga *f* (*a*. *Last*, ⚔, *Spreng*♀, ⚡ *u*. ⚓); ⚓ cargamento *m*; ⚖ citación *f*; (*ein Wagenvoll*) carretada *f*; ⚓ ~ *einnehmen* admitir carga; *die* ~ *verstauen* ⚓ estibar la carga; ⚔ *geballte* ~ carga concentrada; **~s-empfänger** *m* ☤ consignatario *m*; **~sfähigkeit** *f* (*0*) capacidad *f* de carga; **~sverzeichnis** *n* (-*ses*; -*se*) ⚓ manifiesto *m*.

La'fette ⚔ *f* cureña *f*; (*bei Begräbnis*) armón *m* de artillería.

'Laffe *m* (-*n*) fatuo *m*; mequetrefe *m*; lechuguino *m*; F *fig*. niño *m* gótico; *Arg*. compadrito *m*.

lag *pret*. *v*. *liegen*.

'Lage *f* situación *f*; (*Stellung*) posición *f*; (*Zustand*) estado *m*; condiciones *f*/*pl*.; (*Umstände*) circunstancias *f*/*pl*.; (*Körper*♀) posición *f*; postura *f*; ⚕ *des Fötus*: presentación *f*; (*Konjunktur*) coyuntura *f*; *von Gebäuden usw*.: emplazamiento *m*; sitio *m*; *bsd*. *Am*. ubicación *f*; (*Schicht*) capa *f*; △ *Ziegelsteine*: hilada *f*; *Geol*. estrato *m*; ♪ *die hohen* **~n** las notas elevadas; *e-e* ~ *Bier spendieren* pagar una ronda de cerveza; *in der* ~ *sein*, *zu* (*inf*.) estar en condiciones de (*inf*.); ser capaz de (*inf*.); hallarse en el caso de (*inf*.); estar capacitado para; *j-n in die* ~ *versetzen*, *zu* (*inf*.) poner a alg. en condiciones de (*inf*.); *versetzen Sie sich in m-e* ~ póngase usted en mi caso; *in bedrängter* ~ *sein* estar en una situación apurada; *sich in e-r üblen* ~ *befinden* hallarse en una situación difícil; *politische* (*wirtschaftliche*; *finanzielle*; *militärische*; *gespannte*) ~ situación política (económica; financiera; militar, tirante); *die* ~ *darlegen* exponer la situación; *die* ~ *festigt sich* (*verschlechtert sich*) la situación se consolida (empeora *od*. agrava); *über die* ~ *unterrichten* poner al corriente de la situación; **~bericht** *m* (-*es*; -*e*) informe *m* sobre la situación general; **~besprechung** *f* examen *m* de la situación general; ♀**nweise** *adv*. por capas; **~plan** *m* (-*es*; ¨*e*) plano *m* general; △ trazado *m* general.

'Lager *n* (*Ruhestätte*) yacija *f*; (*Bett*) cama *f*, *Poes*. lecho *m*; *Jgdw*. *wilder Tiere*: guarida *f*; cubil *m*; *des Hasen*: madriguera *f*; (*Indianer*♀) *Am*. toldería *f*; ⚔ (*Feld*♀) campamento *m*, vivaque *m* (*aufschlagen* acampar, vivaquear; *abbrechen* levantar el campo); *das* ~ *aufschlagen* (*zelten*) acampar; (*Wein*♀) bodega *f*; ⚔ (*Gefangenen*♀) campo *m* de prisioneros; ☤ almacén *m*; (*Depot*) depósito *m*; (*Vorrat*) existencias *f*/*pl*.; *auf* ~ en almacén; en depósito; *auf* ~ *haben* (*halten*) tener disponible *od*. en almacén; *auf* ~ *nehmen* tomar en depósito, almacenar; *Geol*. capa *f*, yacimiento *m* (*a*. ⚒); ⊕ cojinete *m*; *fig*. *ins andere* ~ *übergehen* pasarse al campo contrario; **~aufnahme** *f* inventario *m* (de las existencias en almacén *od*. en depósito); **~aufseher** *m* guardalmacén *m*; **~bestand** *m* (-*es*; ¨*e*) existencias *f*/*pl*. en almacén; *den* ~ *aufnehmen* inventariar (*od*. hacer el inventario de) las existencias; **~bier** *n* (-*es*; -*e*) cerveza *f* reposada *od*. doble; **~bock** ⊕ *m* (-*es*; ¨*e*) caballete *m*, soporte *m*; **~buch** ☤ *n* (-*es*; ¨*er*) libro *m* de almacén; **~buchse** ⊕ *f* casquillo *m* de cojinete; **~feuer** *n* fuego *m* del campamento; **~gebühr** *f*, **~geld** *n* (-*es*; -*er*) (derechos *m*/*pl*. de) almacenaje *m*; **~halter** *m* almacenista *m*; **~haltung** *f* almacenaje *m*; **~haus** *n* (-*es*; ¨*er*) almacén *m*; depósito *m*.

Lage'rist *m* (-*en*) almacenista *m*; empleado *m* de almacén.

'Lager...: ~keller *m* bodega *f*; **~kosten** *pl*. (gastos *m*/*pl*. de) almacenaje *m*; **~leben** *n* (-*s*; *0*) vida *f* de campamento; **~leiter** *m* jefe *m* de campamento; **~metall** ⊕ *n* (-*es*; -*e*) metal *m* para cojinetes; **~miete** *f* alquiler *m* de almacén; almacenaje *m*.

'lagern (-*re*) **1.** *v*/*i*. (*ruhen*) reposar, descansar; (*lang ausgestreckt liegen*) estar echado; estar tendido (a la larga); ☤ *Waren*: estar almacenado *od*. en almacén; hallarse en (el) depósito; *Wein usw*.: estar en bodega; **2.** *v*/*refl*.: *sich* ~ echarse; tenderse; **3.** *v*/*t*.: tender sobre el suelo; ☤ almacenar; *Wein*: embodegar; ⊕ montar sobre cojinetes; ⚔ acampar (*a*. *Sport*), vivaquear.

'Lager...: ~obst *n* (-*es*; *0*) fruta *f* de guarda; **~ort** *m* (-*es*, -*e*), **~platz** *m* (-*es*; ¨*e*) campamento *m*; *für Waren*: almacén *m*; depósito *m*; **~raum** *m* depósito *m*; *für Wein*: bodega *f* (*a*. ⚓); **~schale** ⊕ *f* cojinete *m*; **~schein** ☤ *m* (-*es*; -*e*) resguardo *m* de depósito; **~schuppen** *m* tinglado *m*; cobertizo *m*; **~spesen** *pl*. → *Lagerkosten*; **~statt** *f*, **~stätte** *f* (*Ruhestätte*) yacija *f*; (*Bett*) cama *f*, *Poes*. lecho *m*; ⚔ campamento *m*; **~ung** *f* ☤ almacenaje *m*; depósito *m*; *Geol*. yacimiento *m*; estratificación *f*; ⊕ (*Stütze*) soporte *m*, asiento *m*; **~verwalter** *m* almacenista *m*; jefe *m* de almacén; **~verzeichnis** *n* (-*ses*; -*se*) inventario *m* de existencias en almacén; **~vorrat** *m* (-*es*; ¨*e*) existencias *f*/*pl*.; **~zapfen** ⊕ *m* vástago *m*, muñón *m*; **~zeit** ☤ *m* plazo *m* de almacenaje; tiempo *m* de almacenaje.

La'gune *f* laguna *f*.

'lahm *adj*. paralizado; ⚕ paralítico; tullido; (*hinkend*) cojo, *Am*. *a*. rengo; *fig*. (*kraftlos*) sin fuerza; ineficaz; (*schwach*) débil; flojo; **~en** *v*/*i*. cojear; ser cojo; *Am*. *a*. renguear.

'lähmen *v*/*t*. paralizar (*a*. *fig*.); *fig*. entorpecer; obstruir; inmovilizar; **~d** *adj*. paralizador.

'Lahm|**e**(**r** *m*) *m*/*f* paralítico (-a *f*) *m*; *weitS*. cojo (-a *f*) *m*; ♀**legen** *v*/*t*. paralizar; inmovilizar; ⚔ neutralizar; **~legen** *n*, **~legung** *f* paralización *f*; inmovilización *f*; ⚔ neutralización *f*.

'Lähmung ⚕ *f* parálisis *f*; *halbseitige* ~ hemiplejía *f*; *fig*. paralización *f*; (*Erstarrung*) entumecimiento *m*.

Laib *m* (-*es*; -*e*): ~ *Brot* pan *m*; hogaza *f*.

'Laich *m* (-*es*; -*e*) desove *m*; ♀**en** *v*/*i*. desovar; **~en** *n* desove *m*, freza *f*; **~zeit** *f* tiempo *m* (*od*. época *f*) de desove *od*. freza.

'Laie ['laɪə] *m* (-*n*) *Rel*. lego *m*; (*Uneingeweihter*) profano *m*; laico *m*; *fig*. (*Neuling*) novicio *m*; **~nbruder** *Rel*. *m* (-*s*; ¨) lego *m*, converso *m*; ♀**nhaft** *adj*. laico; profano; (de) novicio; (*weltlich*) seglar; **~npriester** *m* clérigo *m* secular; **~nrichter** *m* juez *m* lego; **~nschwester** *f* *Rel*. (-; -*n*) lega *f*, conversa *f*; **~ntheater** *n* teatro *m* de aficionados; **~nverstand** *m* (-*es*; *0*) juicio *m* de profano.

La'kai *m* (-*en*) lacayo *m*; ♀**enhaft** *adj*. lacayuno, servil; **~enseele** *f* (*0*) alma *f* servil *od*. rastrera.

'Lake *f* salmuera *f*.

'Laken *n* (*Leinen*) lienzo *m*; (*Tuch*) paño *m*; (*Bett*♀) sábana *f*.

la'konisch *adj*. lacónico.

La'kritze 🌿 *f* regaliz *m*; **~nsaft** *m* (-*es*; ¨*e*) zumo *m* de regaliz; **~nstange** *f* barra *f* de regaliz.

'lallen *v*/*i*. *u*. *v*/*t*. balbucear, balbucir; (*stottern*) tartamudear; ♀ *n* balbuceo *m*; tartamudeo *m*.

'Lama[1] *Zoo*. *n* (-*s*; -*s*) llama *f*.

'Lama[2] *Rel*. *m* (-*s*; -*s*) lama *m*.

Lama'is|mus *Rel. m* (-; *0*) lamaísmo *m*; **~t** *m* lamaísta *m*.
La'melle *f* laminilla *f* (*a.* ♀); ⊕ *a.* lámina *f*; arandela *f*; disco *m*; segmento *m*; ⚡ delga *f*; **~nkühler** *Auto. m* radiador *m* de aletas; **~nkupplung** *f* embrague *m* de discos.
lamen'tieren (-) *v/i.* lamentarse, quejarse (über *ac.* de).
La'mento *n* (-*s*; -*s*) lamentación *f*, queja *f* amarga.
La'metta *n* (-*s*; *0*) oropel *m*; filetes *m/pl.* de oropel; F *iro.* chatarra *f*.
lami'nieren (-) ⊕ *v/t.* laminar.
Lamm *n* (-*es*; ⸚*er*) cordero *m*; **'~braten** *m* cordero *m* asado.
'Lämmchen *n* corderito *m*, corderita *f*.
'lammen *v/i.* (*v. Mutterschaf*) parir.
'Lämmer|geier *Orn. m* quebrantahuesos *m*; **~wolke** *f* cirro *m*.
'Lamm...: **~fell** *n* (-*es*; -*e*) piel *f* de cordero; **~fleisch** *n* (-*es*; *0*) (carne *f* de) cordero *m*; **2fromm** *adj.* manso como un cordero, muy manso; **~(s)geduld** *f* (*0*) paciencia *f* de Job; **~wolle** *f* lana *f* de cordero.
'Lämpchen *n* lamparita *f*.
'Lampe *f* lámpara *f*; (*Glüh2*) bombilla *f*; (*Tisch2 für Petroleum*) quinqué *m*; (*Straßen2*) farol *m*; *Thea.* **~n** candilejas *f/pl.*; *bei der ~* a la luz de la lámpara; **~n-anzünder** *m* (*Gerät*) encendedor *m*; (*Person*) farolero *m*; **~ndocht** *m* (-*es*; -*e*) mecha *f* de lámpara; **~nfabrik** *f* fábrica *f* de lámparas, lamparería *f*; **~nfabrikant** *m* (-*en*) fabricante *m* de lámparas; **~nfassung** ⚡ *f* portalámparas *m*; **~nfieber** *n* (-*s*; *0*) *Thea.* nerviosidad *f* ante la presentación al público; **~nglocke** *f* globo *m* (de lámpara); **~nhändler** *m* lamparero *m*; **~nhandlung** *f* lamparería *f*; **~nlicht** *n* (-*es*; *0*) luz *f* de la lámpara; **~nmacher** *m* lamparero *m*; **~n-öl** *n* (-*es*; *0*) aceite *m* para lámparas; **~nputzer** *m* farolero *m*, lampista *m*; **~nruß** *m* (-*es*; *0*) negro *m* de humo; **~nschein** *m*: *bei ~* a la luz de la lámpara; **~nschirm** *m* (-*es*; -*e*) pantalla *f*; **~nsockel** *m* portalámparas *m*; **~nzylinder** *m* tubo *m* de lámpara.
Lampi'on [-pĭɔŋ] *m* (-*s*; -*s*) farol(illo) *m* de papel; farol(illo) *m* veneciano.
Lam'prete *Ict. f* lamprea *f*.
lan'cier|en [laŋ'si:-] (-) *v/t.* lanzar (*a. fig.*); **2en** *n* lanzamiento *m*; **2rohr** ⚓ *n* (-*es*; -*e*) tubo *m* lanzatorpedos.
Land *n* (-*es*; ⸚*er*) tierra *f*; *festes ~* tierra firme; (*Acker2*) tierra *f* (de labor), suelo *m*; (*Grundstück*) terreno *m*; (*Gebiet*) territorio *m*; país *m*, región *f*; *Pol.* país *m*, nación *f*; (*Staat*) Estado *m*; (*Provinz*) provincia *f*; *Pol. in Deutschland*: Land *m* (*pl.* Länder); *Ggs. zu Stadt*: campo *m*; *auf dem ~e* en el campo; *aufs ~ ziehen* (*od. gehen*) ir al campo; *über ~ gehen* (*od. ziehen*) hacer una excursión al campo; F ir de campo; *zu Wasser und zu ~e* por mar y tierra; de mar y tierra; *an ~ gehen* (*od. steigen*) ⚓ desembarcar, ir (*od.* bajar) a tierra; saltar a tierra; *an ~ setzen* desembarcar; *das ~ bebauen* cultivar la tierra; *flaches* (*od. ebenes od. plattes*) *~* (*Acker2*) campiña *f*; (*Ebene*) llanura *f*; *Bib. das Heilige ~* Tierra Santa; *das Gelobte ~* la Tierra de Promisión; *aus aller Herren Länder* de todas las partes del mundo; *fig. ins ~ gehen* (*Zeit*) pasar, transcurrir; *hier im ~e* en este país; aquí (entre nosotros); *außer ~es sein* estar en el extranjero; *j-n des ~es verweisen* desterrar a alg.; expulsar del país a alg.; ⚓ *~ (in Sicht)!* ¡tierra (a la vista)!
'Land...: **~adel** *m* (-*s*; *0*) nobleza *f* rural *od.* provincial; **~arbeit** *f* faenas *f/pl.* del campo; **~arbeiter** *m* trabajador *m* del campo; bracero *m*; mozo *m* de labranza, gañán *m*; *Am.* peón *m*; **~armee** ⚔ *f* ejército *m* de tierra; **~arzt** *m* (-*es*; ⸚*e*) médico *m* rural *od.* de pueblo.
'Landauer *m* landó *m*.
'Land...: **~aufenthalt** *m* (-*es*; -*e*) estancia *f* en el campo; **~bau** *m* (-*es*; *0*) agricultura *f*; **~besitz** *m* (-*es*; -*e*) (posesión *f* de) fincas *f/pl.* rústicas; **~besitzer** *m* terrateniente *m*, hacendado *m*; propietario *m* rural; **~bevölkerung** *f* (*0*) población *f* rural; **~bewohner(in** *f*) *m* habitante *m/f* del campo; campesino (-a *f*) *m*; **~bezirk** *m* (-*es*; -*e*) distrito *m* rural; **~briefträger** *m* peatón *m*, valijero *m*; **~brot** *n* (-*es*; -*e*) hogaza *f*, pan *m* casero; **~brücke** *Geogr. f* puente *m* de tierra.
'Lande...: **~bahn** ✈ *f* pista *f* de aterrizaje; **~bahnbeleuchtung** ✈ *f* alumbrado *m* de la pista de aterrizaje; **~brücke** *f* ⚓ desembarcadero *m*; embarcadero *m*; *e-s Flugzeugträgers*: puente *m* de aterrizaje; **~deck** ✈ *n* (-*s*; -*s*) cubierta *f* de aterrizaje.
'Land-edelmann *m* (-*es*; *Landedelleute*) hildago *m* rural.
'Lande...: **~feuer** ✈ *n* alumbrado *m* de aterrizaje; **~geschwindigkeit** *f* velocidad *f* de aterrizaje.
'Land-eigentümer(in *f*) *m* terrateniente *m/f*; propietario (-a *f*) *m* de fincas rústicas.
land-'einwärts *adv.* tierra adentro, hacia el interior (del país).
'Lande...: **~klappe** ✈ *f* alerón *m* de aterrizaje; **~licht** ✈ *n* (-*es*; -*er*) → *Landefeuer*.
'landen I. 1. (-*e*-) *v/i.* ⚓ arribar; atracar; abordar; (*zwischen~*) ⚓ hacer escala en, tocar en; ✈ *auf der Erde*: aterrizar; *auf dem Wasser*: amarar; *Passagiere*: desembarcar, bajar a tierra; *Truppen*: desembarcar; (*ankommen*) llegar; (*enden*) acabar; *im Gefängnis ~* acabar en la cárcel; (*sich placieren*) *Sport*: colocarse; **2.** *v/t.* ⚓ *Passagiere, Truppen*: desembarcar; *Waren*: descargar; *Schlag*: dar, F propinar; **II. 2** *n* ⚓ desembarque *m*; *v. Truppen*: desembarco *m*; ✈ *auf der Erde*: aterrizaje *m*; *auf dem Wasser*: amaraje *m*; *auf dem Mond*: alunizaje *f*.
'Land-enge *f* istmo *m*.
'Lande...: **~piste** *f* pista *f* de aterrizaje; **~platz** *m* (-*es*; ⸚*e*) ⚓ embarcadero *m*; desembarcadero *m*; ✈ campo *m* de aterrizaje.
'Länder *pl. v. Land.*
Lände'reien *f/pl.* tierras *f/pl.*; bienes *m/pl.* raíces; fincas *f/pl.* rústicas.
'Länder...: **~kampf** *m* (-*es*; ⸚*e*) *Sport*: torneo *m* internacional; **~kunde** *f* (*0*) geografía *f* política; **~mannschaft** *f Sport*: equipo *m* nacional; **~name** *m* (-*ns*; -*n*) nombre *m* de país; **~spiel** *n* (-*es*; -*e*) *Sport*: competición *f* internacional.
'Land-erziehungsheim *n* (-*es*; -*e*) hogar-escuela *m* rural.
'Landes...: **~angehörige(r** *m*) *m/f* nacional *m/f*; **~angehörigkeit** *f* nacionalidad *f*; **~art** *f* costumbre *f* del país; **~aufnahme** *f* levantamiento *m* topográfico del país; **~beschreibung** *f* topografía *f*; **~brauch** *m* (-*es*; ⸚*e*) costumbre *f* del país.
'Landescheinwerfer ✈ *m* aerofaro *m*.
'Landes...: **~erzeugnis** *n* (-*ses*; -*se*) producto *m* del país; **~farben** *f/pl.* colores *m/pl.* nacionales; **~flagge** *f* bandera *f* nacional; **2flüchtig** *adj.* refugiado; **~fürst(in** *f*) *m* (-*en*) soberano (-a *f*) *m*; príncipe *m* reinante; **~gebiet** *n* (-*es*; -*e*) territorio *m* nacional; **~gesetz** *n* (-*es*; -*e*) ley *f* del país; **~grenze** *f* frontera *f*; **~herr(in** *f*) *m* (-*en*) soberano (-a *f*) *m*; **~hoheit** *f* (*0*) soberanía *f*; **~kind** *n* (-*es*; -*er*) súbdito *m*; hijo *m* del país; **~kirche** *f* iglesia *f* nacional; **2kundig** *adj.* que conoce el país, conocedor del país; **~meister** *m Sport*: campeón *m* nacional; **~sprache** *f* idioma *m* nacional; (*Eingeborenensprache*) lengua *f* indígena.
'Lande...: **~steg** *m* (-*es*; -*e*) embarcadero *m*; **~stelle** *f* embarcadero *m*; desembarcadero *m*.
'Landes...: **~tracht** *f* traje *m* nacional; **~trauer** *f* (*0*) luto *m* (*od.* duelo *m*) nacional.
'Landestreifen *m* pista *f* de aterrizaje.
'Landes...: **2üblich** *adj.* usual en el país; conforme con las costumbres del país; **~vater** *m* (-*s*; ⸚) soberano *m*; padre *m* del pueblo; **~vermessung** *f* topografía *f*; geodesia *f*; **~verrat** *m* (-*es*; *0*) alta traición *f*; **~verräter** *m* traidor *m* a la patria; **~verteidigung** *f* defensa *f* nacional; **~verwaltung** *f* administración *f* pública; **~verweisung** *f* (*0*) proscripción *f*; destierro *m*; expulsión *f* del país; **2verwiesen** *adj.* proscrito; desterrado; **~verwiesene(r** *m*) *m/f* proscrita (-o *m*) *f*; desterrada (-o *m*) *f*; **~währung** *f* moneda *f* nacional.
'Lande...: **~verbot** ✈ *n* (-*es*; -*e*) prohibición *f* de aterrizaje; **~winkel** *m* ángulo *m* de aterrizaje; **~zeichen** *n* señal *f* luminosa de aterrizaje; **~zone** *f* zona *f* de aterrizaje.
'Land...: **~flucht** *f* (*0*) éxodo *m* rural; **2flüchtig** *adj.* fugitivo; *~ werden* huir de su país; **~flugzeug** *n* (-*es*; -*e*) avión *m* terrestre; **~frau** *f* campesina *f*, labradora *f*, aldeana *f*; **2fremd** *adj.* extraño (al país); **~friede** *m* (-*ns*; -*n*) paz *f* pública, orden *m* público; **~friedensbruch** *m* (-*es*; *0*) perturbación *f* del orden público; **~funk** *m* (-*s*; *0*) *Radio*: emisora *f* de información agraria, emisión *f* agrícola; **~geistliche(r)**

m párroco *m* rural, cura *m* de aldea; *I.P.* pastor *m* rural; **~gemeinde** *f Pol.* municipio *m* rural; *Rel.* parroquia *f* rural; **~gericht** *n* (*-es*; *-e*) tribunal *m* regional; audiencia *f* provincial; **~graf** *m* (*-en*) landgrave *m*; **~gräfin** *f* esposa *f* del landgrave; **~grafschaft** *f* landgraviato *m*; **~gut** *n* (*-es*; *⸚er*) finca *f* rústica; *Am.* finca *f* rural; hacienda *f*; *Arg.* estancia *f*; **~haus** *n* (*-es*; *⸚er*) casa *f* de campo; quinta *f*; **~häus·chen** *n* chalet *m*; **~heer** ⚔ *n* (*-es*; *-e*) ejército *m* de tierra; **~jäger** *m* (*Gendarm*) gandarme *m*; *Span.* guardia *m* civil; **~jäge'rei** *f* gendarmería *f*; *Span.* Guardia *f* Civil; **~junker** *m* (*ehm.*) hidalgo *m* lugareño; **~karte** *f* carta geográfica, mapa *m*; **~kreis** *m* (*-es*; *-e*) distrito *m* rural; **~krieg** *m* (*-es*; *-e*) guerra *f* terrestre; **2läufig** *adj.* corriente, común; generalmente aceptado; **~leben** *n* (*-s*; *0*) vida *f* del campo; vida *f* en el campo; **~leute** *pl.* gente *f* del campo; población *f* rural; campesinado *m*.

'**Ländler** ♪ *m* alemanda *f*, baile *m* tirolés.

'**ländlich** *adj.* campesino, del campo; campestre; *Pol.* rural; (*einfach, bäurisch*) rústico; *desp.* de pueblo, pueblerino, aldeano; (*dem Dorfe angehörig*) del pueblo; **2keit** *f* (*0*) carácter *m* rural; rusticidad *f*; (*Einfachheit*) sencillez *f* rústica.

'**Land...:** **~luft** *f* (*0*) aire *m* del campo; **~macht** *f* (*0*) *Pol.* potencia *f* continental; (*Heer*) ejército *m* de tierra; **~mädchen** *n* muchacha *f* aldeana, F moza *f* de pueblo; **~mann** *m* (*-es*; *-leute*) campesino *m*; (*Bauer*) labrador *m*, labriego *m*, *Am.* paisano *m*; (*Dorfbewohner*) aldeano *m*, lugareño *m*; **~marke** *f* (*Grenzstein*) jalón *m*; ⚓ marca *f*; **~maschine** *f* máquina *f* agrícola; **~messer** *m* agrimensor *m*; geodesta *m*; **~mine** ⚔ *f* mina *f* terrestre; **~partie** *f* excursión *f* campestre; **~peilung** ⚓ *f* arrumbamiento *m*; **~pfarre(i)** *f* parroquia *f* rural; **~pfarrer** *m* → *Landgeistlicher*; **~plage** *f* calamidad *f* pública; **~pomeranze** F *f* moza *f* aldeana ingenua; **~rat** *m* prefecto *m*; subgobernador *m*; **~ratte** ⚓ *f* hombre *m* de tierra adentro; *hum.* marinero *m* de agua dulce; **~recht** *n* (*-es*; *0*) derecho *m* local; *Allgemeines* ~ derecho *m* común; **~regen** *m* lluvia *f* general; lluvia *f* persistente, F calabobos *m*; **~reise** *f* viaje *m* por tierra; (*Reise aufs Land*) viaje *m* al campo; **~rücken** *m* cadena *f* de colinas, lomas *f/pl.*

'**Landschaft** *f* paisaje *m*; (*Landstrich*) comarca *f*; país *m*; región *f*; (*Bezirk*) distrito *m*; (*Provinz*) provincia *f*; **2lich** *adj.*: ~ *sehr schöne Gegend* región rica en paisajes pintorescos; paisajístico.

'**Landschafts...:** **~bild** *n* (*-es*; *-er*) panorama *m*, vista *f*, *Mal.* paisaje *m*; **~gärtner** *m* jardinero *m* de paisajes; **~gestaltung** *f* conformación *f* artística del paisaje; **~maler** *m* paisajista *m*; **~male'rei** *f* pintura *f* de paisajes; **~schutz** *m* (*-es*; *0*) protección *f* de lugares de belleza natural; conservación *f* del paisaje.

'**Land...:** **~schildkröte** *Zoo. f* tortuga *f* terrestre; **~schinken** *m Span.* jamón *m* serrano; **~schlacht** ⚔ *f* batalla *f* terrestre; **~see** *m* (*-s*; *-n*) lago *m*; laguna *f*; **~seite** *f* lado *m* de tierra; **~ser** F *m* soldado *m* raso; **~sitz** *m* (*-es*; *-e*) casa *f* de campo; quinta *f*; mansión *f* rural.

'**Lands...:** **~knecht** ⚔ *Hist. m* (*-es*; *-e*) lansquenete *m*; (*Söldner*) mercenario *m*; **~mann** *m* (*-es*; *-leute*) **~männin** *f* compatriota *m/f*; *was ist er für ein ~?* ¿de qué país es?; **~mannschaft** *f* asociación *f* de compatriotas.

'**Land...:** **~spitze** *f* punta *f* de tierra; (*Vorgebirge*) cabo *m*; **~stände** *m/pl. Hist.* Estados *m/pl.* provinciales; **~straße** *f* carretera *f* nacional; **~streicher(in** *f*) *m* vagabundo (-a *f*) *m*; *Arg.* atorrante *m*; **~streiche'rei** *f* vagabundeo *m*; **~streitkräfte** ⚔ *f/pl.* ejército *m* de tierra; **~strich** *m* (*-es*; *-e*) comarca *f*; **~sturm** ⚔ *m* (*-es*; *0*) leva *f* general; milicia *f* territorial; **~tag** *m* Dieta *f*; **~tiere** *m/pl.* animales *m/pl.* terrestres; **~transport** *m* (*-es*; *-e*) transporte *m* por tierra; **~truppen** ⚔ *f/pl.* tropas *f/pl.* de tierra.

'**Landung** *f* (*Ausschiffung*) desembarque *m*; ⚔ (*Angriffs2*) desembarco *m*; ✈ *auf der Erde*: aterrizaje *m*; *auf dem Wasser*: amaraje *m*; *auf dem Mond*: alunizaje *f*; ⚓ (*Ankunft*) arribada *f*; **~sarmee** *f* cuerpo *m* expedicionario; **~sbahn** ✈ *f* pista *f* de aterrizaje; **~sboot** *n* (*-es*; *-e*) barcaza *f* de desembarco; **~sbrücke** *f* ⚓ desembarcadero *m*; embarcadero *m*; *e-s Flugzeugträgers*: puente *m* de aterrizaje; **~sdeck** ⚓ *n* (*-s*; *-s*) cubierta *f* de vuelo *od.* de aterrizaje; **~sgestell** ✈ *n* (*-es*; *-e*) tren *m* de aterrizaje; **~skorps** ⚔ *n* (*-*; *-*) brigada *f* de desembarco; **~s-platz** *m* (*-es*; *⸚e*), **~s-stelle** *f* desembarcadero *m*; embarcadero *m*; atracadero *m*; ✈ campo *m* de aterrizaje; **~s-seil** *n* (*-es*; *-e*) ⚓ cabo *m* de amarre; ✈ cabo *m* de aterrizaje; **~s-steg** *m* pasarela *f*; **~s-stoß** *m* (*-es*; *⸚e*) ✈ choque *m* de aterrizaje; **~s-truppen** *f/pl.* tropas *f/pl.* de desembarco; **~sversuch** ⚔ *m* (*-es*; *-e*) intento *m* de desembarco.

'**Land...:** **~vermessung** *f* agrimensura *f*; geodesia *f*; **~vogt** *m* (*-es*; *⸚e*) *ehm.* baile *m*; corregidor *m*; **~vogtei** *f* bailía *f*; **~volk** *n* (*-es*; *0*) → *Landleute*; **2wärts** *adv.* hacia tierra; **~weg** *m* (*-es*; *-e*) camino *m* vecinal; *auf dem ~e* por vía terrestre, por tierra; **~wehr** ⚔ *f* (*0*) segunda reserva *f*; milicia *f* nacional; **~wein** *m* (*-es*; *-e*) vino *m* del país (*od.* de la tierra); vino *m* corriente; **~wind** *m* (*-es*; *-e*) viento *m* de tierra *od.* terral; **~wirt** *m* (*-es*; *-e*) agricultor *m*; granjero *m*; **~wirtschaft** *f* agricultura *f*; agronomía *f*; (*Anwesen*) granja *f* agrícola; **2wirtschaftlich** *adj.* agronómico; (*den Feldbau betreffend*) agrícola; (*die Wirtschaftsform betreffend*) agrario; *~e Maschinen* (*Erzeugnisse*) máquinas (productos) agrícolas; *~e Genossenschaft* cooperativa agrícola; *~e Hochschule Span.* Escuela de Ingenieros Agrónomos; **~wirtschafts-ausstellung** *f* exposición *f* agrícola; **~wirtschaftsinstitut** *n*: *das Internationale ~* el Instituo Internacional de Agricultura; **~wirtschafts-kammer** *f* (*-*; *-n*) cámara *f* agrícola; **~wirtschaftskunde** *f* (*0*) agronomía *f*; **~wirtschafts-messe** *f* feria *f* agrícola; feria *f* del campo; **~wirtschaftsminister** (**-ium** *n* [-s; *-ministerien*]) *m* ministro *m* (Ministerio *m*) de Agricultura; **~zunge** *f* lengua *f* de tierra.

lang *adj. u. adv.* (*⸚er*; *⸚st*) largo; (*groß*) grande; (*hoch*) alto; *~ und breit, des ~en und breiten* detalladamente, con todo detalle; con todos los pormenores; con minuciosidad, prolijamente; *drei Meter ~ sein* medir (*od.* tener) tres metros de largo *od.* de longitud; *den ganzen Tag ~* (durante) todo el día; *drei Jahre ~* durante tres años; *vor ~en Jahren* hace muchos años; *auf ~e Zeit* por largo tiempo; *seit ~er Zeit* desde hace mucho tiempo; *über kurz oder ~* tarde o temprano; *e-n ~en Hals machen* estirar el cuello; *auf ~e Sicht* a largo plazo; *~ hinschlagen* caerse de bruces; *fig.* F *~e Finger machen* ser largo de uñas; *ein ~es Gesicht machen* poner la cara larga; *auf die ~e Bank schieben* F dar largas (a un asunto); *e-n ~en Arm haben* (*einflußreich sein*) ser muy influyente, tener mucha influencia; *von ~er Hand fig.* de antemano; *vor nicht ~er Zeit* aun no hace mucho tiempo; *~ werden* (*Zeit*) durar, prolongarse excesivamente.

'**lang...:** **~armig** *adj.* de brazos largos; **~atmig** *fig. adj.* prolijo, extenso, muy detallado; **~beinig** *adj.* de piernas largas, largo de piernas, F zanquilargo, zancudo.

'**lange** *adv.* largo tiempo, mucho tiempo; *wie ~?* ¿cuánto tiempo?; *wie ~ noch?* ¿hasta cuándo?; *er hat mir ~ nicht geschrieben* hace mucho tiempo que no me ha escrito; *ich habe ihn ~ nicht gesehen* hace mucho (tiempo) que no le he visto; *er wird es nicht mehr ~ machen* no llegará muy lejos; ya no vivirá mucho; *warten Sie schon ~?* ¿lleva usted mucho tiempo esperando?; *~ brauchen um zu* (*inf.*) tardar mucho en (*inf.*); *~ auf sich warten lassen* hacerse esperar largo tiempo; tardar mucho en venir; *~* (*aus*)*bleiben* tardar mucho en volver; *~ aufbleiben* estar levantado (*od.* velar) hasta muy tarde; *~ halten* durar; F *da kannst du ~ warten iro.* puedes esperar sentado; *er fragte nicht ~* no se anduvo con preámbulos; *~ nicht so alt* mucho menos viejo; *er ist ~ nicht so groß wie du* no es ni con mucho tan alto como tú; le falta mucho para ser tan alto como tú; *schon ~, seit ~em* ya hace mucho tiempo; *es ist schon ~ her* hace ya largo (*od.* bastante) tiempo; *so ~* tanto tiempo; *so ~ bis* hasta; *noch ~ nicht* (*bei weitem nicht*) ni con mucho; bien lejos de eso; (*zeitlich*) falta todavía mucho; no tan pronto; *~ bevor* mucho antes de (*inf.*) *od.* de que (*subj.*); *~ vorher* (*nachher*) mucho tiempo antes (después); *nicht ~ darauf* poco después; *er ist ~ nicht so geschickt* está muy lejos de ser tan inteligente; *wie ~ lernen Sie schon Spanisch?* ¿cuánto tiempo hace que estudia usted español?

ˈ**Länge** *f* largo *m*; *Astr., Geogr., Phys. u.* Ꭓ: longitud *f*; *Film*: metraje *m*; (*in der Metrik*) sílaba *f* larga; *das hat 10 Meter in der ~* tiene diez metros de largo (*od.* de longitud); *unter 10 Grad westlicher ~* a diez grados de longitud oeste; (*Dauer*) duración *f*; *in die ~ ziehen* (*ac.*) prolongar; diferir; F dar largas a un asunto; *sich in die ~ ziehen* (*Angelegenheit*) demorarse un asunto, tardar en resolverse a/c.; *der ~ nach* a lo largo, longitudinalmente; *der ~ nach hinfallen* caer de bruces; *auf die ~* a la larga; con el tiempo; *Sport*: *um e-e ~ gewinnen* ganar por un largo; *das Buch hat ~n* el libro tiene pasajes demasiado prolijos.

ˈ**längelang** *adv.*: *~ hinfallen* caer de bruces (*od.* a la larga); F besar el suelo.

ˈ**langen** **1.** *v/i.* (*ausreichen*) bastar, ser suficiente *od.* bastante; (*heranreichen*) alcanzar a; *er wird mit diesem Geld ~* le bastará con ese dinero; *nach et. ~* extender (*od.* alargar) la mano hacia a/c.; *in die Tasche ~* meter la mano en el bolsillo; **2.** *v/t.* (*ergreifen*) coger, agarrar; (*darreichen*) pasar; ofrecer, presentar; F *j-m e-e Ohrfeige ~* pegar una bofetada a alg.

ˈ**längen** *v/t.* alargar; *sich ~* alargarse.

ˈ**Längen...**: **~achse** *f* eje *m* longitudinal; **~einheit** *f* (*0*) unidad *f* de longitud; **~grad** *m* (*-es*; *-e*) grado *m* de longitud; **~kreis** *m* (*-es*; *-e*) meridiano *m*; **~maß** *n* (*-es*; *-e*) medida *f* de longitud; medida *f* lineal; **~messer** *m der Schneider*: longímetro *m*.

ˈ**lang-entbehrt** *adj.* privado de ello largo tiempo.

ˈ**länger** (*comp. v. lang*) más largo; *zeitlich*: más (tiempo); *~e Zeit* (durante) algún tiempo; *ein Jahr ~* un año más; *zwei Jahre und ~* dos y más años; *es ist ~ als e-n Monat her* hace ya más de un mes; *wir haben nicht ~ Zeit* (*wir können nicht ~ bleiben*) no podemos quedarnos aquí más tiempo, (*wir können nicht ~ warten*) no podemos seguir esperando (por) más tiempo; ya no podemos esperar más; *je ~ desto lieber* cuanto más tiempo, mejor; *~ machen* alargar, prolongar; *~ werden* alargarse, prolongarse; aumentar; *e-e ~e Abwesenheit* una larga (*od.* prolongada) ausencia.

ˈ**Langeweile** *f* (*0*) aburrimiento *m*; (*Überdruß*) tedio *m*, hastío *m*; *aus ~* por aburrimiento; *vor ~ umkommen* morirse de aburrimiento; *j-m die ~ vertreiben* distraer a alg.; *sich die ~ vertreiben* distraerse.

ˈ**Lang...**: **~finger** F *m* ratero *m*; **~format** *n* (*-es*; *-e*) formato *m* oblongo; **2fristig** *adj.* a largo plazo; *~ Geld anlegen* colocar dinero a largo plazo; **2gestreckt** *adj.* extendido; estirado; (*zeitlich*) prolongado; **2haarig** *adj.* de cabello largo; F melenudo; **2halsig** *adj.* de cuello largo, cuellilargo; **~hobel** *m* garlopa *f*; **~holz** *n* (*-es*; *ᵘer*) madera *f* de hilo; maderos *m/pl.* largos; **2hubig** ⊕ *adj.* de carrera larga; **2jährig** *adj.* (*Jahre dauernd*) de muchos años; (*ehemalig*) antiguo; *~e Erfahrung* experiencia de largos años; *~er Freund* viejo amigo; **~lauf** *m* (*-es*; *ᵘe*) *Sport*: carrera *f* de fondo; **~läufer** *m* corredor *m* de fondo; **2lebig** *adj.* de larga vida; longevo; **~lebigkeit** *f* (*0*) longevidad *f*.

ˈ**länglich** *adj.* oblongo; (*Bildformat*) apaisado.

ˈ**Lang...**: **~loch** ⊕ *n* (*-es*; *ᵘer*) agujero *m* oblongo; **~lochbohrmaschine** *f* máquina *f* para barrenar agujeros largos *od.* oblongos; **~lochfräsmaschine** *f* fresadora *f* para agujeros oblongos *od.* largos; **~mut** *f* (*0*) longanimidad *f*; (*Geduld*) paciencia *f*; (*Nachsicht*) indulgencia *f*; **2mütig** *adj.* paciente; indulgente; **2nasig** *adj.* de nariz larga; narigudo.

Langoˈ**barde** *Hist. m* (*-n*) longobardo *m*; lombardo *m*.

ˈ**Lang...**: **~ohr** *n*: *Meister ~* F el burro, el asno; **2ohrig** *adj.* de orejas largas, orejudo; **~rohrgeschütz** ⚔ *n* (*-es*; *-e*) cañón *m* largo.

ˈ**längs** *prp.* (*dat. u. gen.*) a lo largo de; **2achse** *f* eje *m* longitudinal.

ˈ**langsam** *adj.* lento; (*säumig*) tardío; (*schwerfällig*) pesado; *geistig*: tardo (de entendimiento); *adv.* lentamente, despacio; (*allmählich*) poco a poco; paso a paso; *~er gehen* acortar el paso; ir más despacio; *~er fahren* moderar la marcha; *immer ~!* ¡sin apresurarse!, F ¡despacito!; **2keit** *f* (*0*) lentitud *f*; **2treten** *n Streikmethode*: huelga *f* de brazos lentos.

ˈ**Längs-ansicht** *f* vista *f* longitudinal.

ˈ**lang...**: **~schädelig** *adj.* dolicocéfalo; **2schäfter** *m/pl.* botas *f/pl.* altas; **2schiff** ⛪ *n* (*-es*; *-e*) nave *f* principal; **2schläfer(in** *f*) *m* dormilón *m*, dormilona *f*; **~schnäb(e)lig** *adj.* de pico largo; *Zoo.* longuirrostro; **~schwänzig** *Zoo. adj.* de cola larga; **2schwelle** 🚂 *f* larguero *m*.

ˈ**längs...**: **~gestreift** *adj.* a rayas longitudinales; **2parken** *n* estacionamiento *m* en fila; **2richtung** *f* sentido *m* longitudinal; **2schnitt** *m* (*-es*; *-e*) corte *m* longitudinal; **~seits** ⚓ *adv.* al costado del barco.

ˈ**Langspielplatte** *f* disco *m* microsurco *od.* de larga duración.

längst[1] (*sup. v. lang*): *der ~e* el más largo.

längst[2] *adv.* desde hace (mucho) tiempo; hace largo tiempo; *ich weiß es ~* hace tiempo que lo sé; *das ist ~ nicht so gut* está bien lejos de ser tan bueno; ˈ**~ens** *adv.* lo más tarde; a más tardar; (*höchstens*) a lo sumo.

ˈ**langstielig** ⚘ *adj.* de tallo largo; *fig.* F aburrido.

ˈ**Längs...**: **~streifen** *m* banda *f* (*im Stoff*: raya *f*) longitudinal; **~träger** *m* ⛪ viga *f* longitudinal *od.* maestra.

ˈ**Langstrecken...**: **~bomber** ⚔ *m* bombardero *m* de gran radio de acción; **~fahrer** *m* corredor *m* de fondo; **~flugzeug** *n* (*-es*; *-e*) avión *m* de gran radio de acción; **~lauf** *m* (*-es*; *ᵘe*) carrera *f* de fondo; **~läufer(in** *f*) *m* corredor(a *f*) *m* de fondo; **~rakete** *f* cohete *m* de largo alcance.

Lanˈ**guste** *Zoo. f* langosta *f*; **~nfangschiff** *n* (*-es*; *-e*) barco *m* langostero.

ˈ**Lang...**: **2weilen** **1.** *v/t.* aburrir; fastidiar, hastiar; **2.** *v/refl. sich ~*: aburrirse; fastidiarse, hastiarse; *sich zu Tode ~* morirse de aburrimiento, F aburrirse como una ostra; **2weilig** *adj.* aburrido; pesado; F latoso; (*verdrießlich*) fastidioso; *wie ~!* ¡qué aburrimiento!; (*Rede*) F ¡qué lata!, ¡qué tostón!; **~welle** *f Radio*: onda *f* larga; **~wellenbereich** *m* (*-es*; *-e*) gama *f* de ondas largas; **~wellen-empfänger** *m* receptor *m* de onda larga; **~wellensender** *m* emisora *f* de onda larga; **2wellig** *adj. Radio*: de onda larga; **2wierig** *adj.* largo, de larga duración; duradero; ⚕ crónico; (*verdrießlich*) fastidioso; (*lästig*) molesto; *~e Arbeit* trabajo paciente; *~e Verhandlungen* negociaciones laboriosas; **~wierigkeit** *f* larga duración *f*.

Lanoˈ**lin** *n* (*-s*; *0*) lanolina *f*.

ˈ**Lanze** *f* lanza *f*; (*Stoß2*) pica *f*; *mit der ~ stoßen* alancear; *~n stechen* justar; *fig. e-e ~ für j-n brechen* romper una lanza por alg.; **2nförmig** ⚘ *adj.* lanceolado; **~nreiter** ⚔ *m* lancero *m*; **~nspitze** *f* moharra *f*; **~nstechen** *n* justa *f*, torneo *m*; **~nstecher** *m* justador *m*; **~nstich** *m* (*-es*; *-e*), **~nstoß** *m* (*-es*; *ᵘe*) lanzazo *m*.

Lanˈ**zette** *Chir. f* lanceta *f*; **2nförmig** *adj.* lanceolado.

lapiˈdar *adj.* lapidario.

Lapisˈlazuli *m* (*-s*; *-s*) lapislázuli *m*.

Lapˈpalie [laˈpɑːliə] *f* bagatela *f*; pequeñez *f*; nimiedad *f*, insignificancia *f*.

ˈ**Lapp|e** *m* (*-n*) lapón *m*; **~in** *f* lapona *f*.

ˈ**Lapp|en** *m* (*Wisch2*) trapo *m*; *zum Waschen usw.*: paño *m*; (*Fetzen*) harapo *m*; (*Flicken*) remiendo *m*; (*Fleisch2, Haut2*) *Chir.* colgajo *m*; ⚘, *Anat.* lóbulo *m*; *Jgdw. des Hundes*: orejas *f/pl.*; *fig.* F *j-m durch die ~ gehen* escabullirse, escaparse de entre las manos a alg.; **2ig** *adj.* (*zerlumpt*) harapiento, andrajoso; (*lokker*) flojo; desmadejado; ⚘, *Anat.* lobulado.

ˈ**läppisch** *adj.* (*kindisch*) pueril; (*dumm*) necio, tonto, mentecato; (*lächerlich*) ridículo; (*fade*) soso; *~es Zeug* puerilidades *f/pl.*; tonterías *f/pl.*, necedades *f/pl.*

ˈ**Lapp|land** *n* Laponia *f*; **~länder(-in** *f*) *m* lapón *m*, lapona *f*; **2ländisch** *adj.* lapón.

ˈ**Lapsus** *m* (*-*; *-*) lapsus *m*.

ˈ**Lärche** ⚘ *f* alerce *m*; lárice *m*.

Lariˈfari *n* (*-*; *-*) necedades *f/pl.*; *~!* ¡tonterías!; ¡pampiroladas!, ¡pataratas!

ˈ**Lärm** *m* (*-es*; *0*) ruido *m*; (*Krach, Spektakel*) bara(h)únda *f*; (*Gepolter*) estruendo *m*; (*Getöse*) estrépito *m*; (*Radau*) alboroto *m*, F trapatiesta *f*; follón *m*; (*Aufruhr*) tumulto *m*; (*Wirrwarr*) barullo *m*; (*Geschrei*) griterío *m*, bulla *f*; (*Menschengewühl, Straßen2*) bullicio *m*; (*Streit*) pendencia *f*, F bronca *f*, gresca *f*; *ohrenbetäubender* ~ ruido ensordecedor; ~ *machen* hacer (*od.* F meter) ruido; *viel* ~ *machen um* hacer mucho ruido a propósito de; ~ *schlagen* dar alarma, alarmar; tocar a rebato; (*Radau machen*) armar un escándalo; F armar gresca; *blinder* ~ falsa alarma; *viel* ~ *um nichts* tanto ruido para nada; F es más el ruido que las nueces; **~bekämpfung** *f* lucha *f* contra el ruido; **2en** *v/i.* hacer (*od.* F meter) ruido; alborotar; **2end** *adj.* ruidoso; estruendoso, estrepitoso; tumultuoso; bullicioso; *~des Wesen* turbulencia *f*; **~en** *n* → *Lärm*; **~er** *m*, **~macher** *m* alborotador *m*.

'**Larve** [-f-] *f Zoo.* larva *f*; (*Maske*) máscara *f*; careta *f*; (*Gesicht*) cara *f*; F *e-e hübsche* ~ *haben* tener buen palmito.

las *pret. v. lesen.*

'**lasch** *adj.* laxo, flojo; blando; poco activo; **2e** *f* (*Schuh2*) lengüeta *f*; (*Holzeinschnitt*) entalladura *f*; 🚂 (*Schienen2*) eclisa *f*; ⊕ cubrejunta *f*; **2ennietung** ⊕ *f* remachado *m* con cubrejunta; **2heit** *f* (*0*) laxitud *f*; falta *f* de actividad; flojedad *f*.

la'sieren (-) *v/t.* glasear.

Läsi'on *f* lesión *f*.

'**lassen** (*L*) **I.** *v/aux.*, *v/t. u. v/i.* dejar; (*zu~*) permitir; (*veran~*) hacer; mandar; (*nicht hindern*) no impedir, no oponerse a; (*leiden*) sufrir; aguantar; (*dulden*) tolerar, consentir; (*erlauben*) permitir; (*nicht tun*) no hacer; (*unter~*) omitir; (*verzichten*) renunciar a; (*über~*) dejar, (*abtreten*) ceder, (*preisgeben, ver~*) abandonar; (*unterbringen*) *Personen*: alojar, *Sachen*: colocar, poner; *laßt uns beten* oremos; *laßt uns essen* comamos; vamos a comer; ~ *Sie uns gehen!* ¡vámonos!; *laß mal sehen!* veamos; ~ *Sie sich nicht stören!* no se moleste usted; *laß ihn nur kommen!* ¡(déjale) que venga!; *ich lasse ihn bitten!* hágale pasar; dígale que pase; *sich bitten* ~ hacerse de rogar; *das lasse ich mir nicht bieten* eso no lo tolero de ningún modo; ~ *wir das!* dejemos eso; no hablemos más de ello; *wir wollen es dabei* ~ quedamos en ello; *laß es dir gesagt sein!* date por advertido; *laß mich in Ruhe!* ¡déjame en paz!; *laß (doch)!* ¡deja eso!; ¡déjate de eso!; ¡déjalo!; ~ *Sie das doch endlich!* ¡deje eso ya de una vez!; ~ *Sie mich nur machen!* déjeme hacer; ~ *Sie dies meine Sorge sein* eso déjelo de mi cuenta; *laß das sein* (*od. bleiben*) no te metas en eso; deja eso en paz; guárdate de hacer eso; *laß das Weinen!* deja ya de llorar; *holen* ~ enviar a buscar; mandar llamar, hacer venir; *geschehen* ~ dejar pasar *od.* ocurrir; *bestehen* ~ dejar en pie; *j-n warten* ~ hacer esperar a alg.; et. *fallen* ~ dejar caer a/c.; *machen* ~ mandar hacer; F *fig. j-n sitzen* ~ dejar plantado a alg.; *das Rauchen* ~ dejar de fumar; *sehen* ~ dejar ver, mostrar; *merken* ~ dejar entender; *durchblicken* ~ dejar entrever; *die Lampe brennen* ~ dejar encendida la lámpara; *von sich hören* ~ dar noticia de sí; et. *hinter sich* ~ dejar tras de sí a/c.; et. *auf sich beruhen* ~ no seguir en un asunto; *die Leute reden* ~ dejar que la gente diga lo que quiera; *aus dem Spiel* ~ no intervenir en un asunto, (*beiseite* ~) dejar aparte; mantener al margen; *viel zu wünschen übrig* ~ dejar mucho que desear; *vermuten* ~ dar motivo para creer *od.* dar lugar a que se crea; *los~* soltar; *laß mich los!* ¡suéltame!; *im Stich* ~ abandonar; F dejar en la estacada (*od.* en las astas del toro); *nicht mit sich spaßen* ~ no entender de bromas; *niemand zu sich* ~ no recibir a nadie; *von* et. ~ (*ablassen*) renunciar a a/c.; desistir de a/c.; *nicht von s-r Meinung* ~ mantenerse firme en su opinión; *alles stehen und liegen* ~ abandonarlo todo; *nicht aus den Augen* ~ no perder de vista; *alles beim Alten* ~ dejar las cosas como estaban; *außer acht* ~ pasar por alto; no reparar en; no hacer caso de; *das läßt ihn kalt* eso no le da ni frío ni calor; *darüber ließe sich viel sagen* sobre eso habría mucho que hablar; *er ist klug, das muß man ihm* ~ es inteligente, hay que reconocerlo; *ich lasse ihn grüßen* salúdele de mi parte; *wenn es sich machen läßt* si es posible (hacerlo); *es sich nicht nehmen* ~, *zu* (*inf.*) insistir en (*inf.*); *er läßt mit sich reden* es un hombre tratable (*od.* con quien se puede hablar); *das läßt er sich nicht ausreden* no se deja disuadir, F no hay quien se lo quite de la cabeza; *tun Sie, was Sie nicht* ~ *können* haga usted lo que mejor le parezca; et. *tun oder* ~ hacer o dejar de hacer a/c.; *das hättest du dir nicht träumen* ~ nunca te lo hubieras imaginado; *laß die Scherze (sein)!* ¡déjate de bromas!; *sich gehen* ~ (*sorglos sein*) descuidarse; despreocuparse; (*zügellos sein*) desenfrenarse; *sich sehen* ~ dejarse ver; *das kann sich sehen* ~ es muy presentable; *sich nichts sagen* ~ no querer escuchar a nadie; ~ *Sie es sich sagen, daß* ... permítame que le diga que ...; *ich habe mir sagen* ~, *daß* me han dicho que ...; *sich hören* ~ (*annehmbar, glaubhaft sein*) ser aceptable *od.* plausible; *das läßt sich (schon) hören* eso ya es aceptable; eso ya es otra cosa; *das läßt sich nicht vermeiden* es inevitable; eso no se puede evitar; *sich et. gefallen* ~ consentir en; tolerar a/c., (*es ertragen*) aguantar *od.* sufrir *od.* soportar a/c., (*es hinnehmen*) aceptar; *sich alles gefallen* ~ condescender en todo; aguantarlo todo; *es sich einfallen* ~, et. *zu tun* ocurrírse hacer a/c.; *das läßt sich essen* esto puede comerse, esta comida es aceptable; *der Wein läßt sich trinken* este vino es bebestible; no está mal este vino; *das läßt sich (schon) machen* puede hacerse; *das läßt sich nicht übersetzen* es intraducible (*od.* no puede traducirse); *das läßt sich leicht beweisen* es fácil de demostrar; puede demostrarse fácilmente; *da läßt sich nichts mehr ändern* la cosa ya no tiene remedio; *darüber läßt sich reden* sobre eso puede tratarse; *darüber ließe sich viel sagen* acerca de eso podrían decirse muchas cosas; *es läßt sich nicht leugnen* no puede negarse *od.* es innegable; *hier läßt es sich gut sein* aquí se está bien; aquí se está a gusto; *das läßt sich denken* eso se comprende; bien puedo imaginármelo; *sich keine Mühe verdrießen* ~ no omitir ningún esfuerzo; *e-e Seite leer* ~ dejar una página en blanco; *j-m Zeit* ~ dar tiempo a alg.; *sich Zeit* ~ tomarse el tiempo necesario; no darse prisa; *das* (*od. sein*) *Leben* ~ perder la vida, perecer, *für* et. sacrificar la vida por; *Blut* ~ perder sangre; *fig. sich vor Freude nicht zu* ~ *wissen* no caber en sí de alegría; *j-m die freie Wahl* ~ dejar a alg. elegir a su arbitrio; *Federn* (*od. Haare*) ~ F dejarse los pelos en la gatera; *kein gutes Haar an j-m* ~ F *fig.* no dejar a alg. hueso sano; **II.** 2 *n* (*Unterlassen*) omisión *f*; *sein Tun und* ~ su conducta; sus actividades; F su vida y milagros.

'**lässig** *adj.* indolente; (*träge*) perezoso; (*gleichgültig*) indiferente; (*nachlässig*) negligente, dejado; (*sorglos*) despreocupado; **2keit** *f* (*0*) indolencia *f*; (*Gleichgültigkeit*) indiferencia *f*; (*Nachlässigkeit*) negligencia *f*, dejadez *f*; desidia *f*; (*Sorglosigkeit*) despreocupación *f*.

'**läßlich** *adj.*: *~e Sünde* pecado venial *od.* leve.

'**Lasso** *m od. n* (*-s; -s*) lazo *m*.

'**Last** *f* carga *f* (*a.* ⚡, ⚓, ✈ *u. fig.*); (*Schiffs2*) *a.* cargamento *m*; (*Gewicht, Bürde*) peso *m*; (*Steuer2*) gravamen *m*; *~en pl.* (*Abgaben*) impuestos *m/pl.*; cargas *f/pl.*; *bewegliche* (*tote; ruhende; zulässige*) ~ carga móvil (muerta; estática; admisible); *fig. die* ~ *tragen* llevar el peso; *j-m* et. *zur* ~ *legen* imputar a/c. a alg.; *j-m zur* ~ *fallen* ser una carga para alg.; (*lästig werden*) importunar *od.* molestar a alg.; ✝ *zur* ~ *schreiben* cargar en cuenta; *zu ~en von j-m gehen* correr por cuenta (*od.* correr a cargo) de alg.; **~auto** *n* (*-s; -s*) camión *m*; **~dampfer** *m* vapor *m* de carga; carguero *m*.

'**lasten** (*-e-*) *v/i.* pesar (*auf dat.* sobre).

'**Lasten...**: **~aufzug** *m* (*-es; ¨e*) montacargas *m*; **~ausgleich** *m* (*-es; 0*) (*in Deutschland*) compensación *f* para los damnificados de la guerra; perecuación *f* de cargas; **2frei** *adj.* libre (*od.* exento) de cargas; **~segler** *m* planeador *m* de transporte.

'**Laster**[1] *m* (*Lastkraftwagen*) camión *m* (pesado).

'**Laster**[2] *n* vicio *m*; (*Verderbtheit*) depravación *f*; *e-m* ~ *frönen* entregarse a un vicio; *Müßiggang ist aller* ~ *Anfang* la ociosidad es la madre de todos los vicios.

'**Lästerer** *m* maldiciente *m*, detractor *m*; calumniador *m*; (*Gottes2*) blasfemo *m*.

'**lasterhaft** *adj.* vicioso; (*verderbt*) depravado; (*unsittlich*) inmoral; (*liederlich*) disoluto, licencioso; **2igkeit** *f* depravación *f*; inmoralidad *f*; corrupción *f*.

'**Laster...**: **~höhle** *f* antro *m* del

vicio; **∼leben** *n* (-*s*; *0*) vida *f* disoluta *od.* licenciosa.

'läster|lich *adj.* maldiciente; difamador; calumnioso; (*gottes∼*) blasfemador, blasfemo; **2maul** F *n* lengua *f* viperina; *die Lästermäuler* las malas lenguas.

'lästern (-*re*) *v/t. u. v/i.*: *über j-n ∼* difamar a alg.; hablar mal de alg.; (*verleumden*) calumniar a alg.; (*beleidigen*) insultar a alg.; ultrajar a alg.; *Rel.* blasfemar; renegar de; 2 *n* → *Lästerung*.

'Läster...: ∼schrift *f* libelo *m* (infamatorio); **∼ung** *f* maledicencia *f*; difamación *f*; calumnia *f*; insulto *m*; ultraje *m*; *Rel.* blasfemia *f*; **∼zunge** F *f* mala lengua *f*; lengua *f* viperina.

'Last...: ∼esel *m* burro *m* de carga; **∼fahrzeug** *n* (-*es*; -*e*) camión *m*; carro *m* de transportes; **∼fuhrwerk** *n* (-*es*; -*e*) → *Lastwagen*.

'lästig *adj.* (*aufdringlich*) importuno; (*beschwerlich*) pesado, F cargante; (*unbequem*) incómodo, molesto; (*hinderlich*) embarazoso; (*unangenehm*) desagradable; (*verdrießlich*) fastidioso; (*drückend*) gravoso; oneroso; (*ermüdend*) fatigoso; *∼er Ausländer* extranjero indeseable; *∼er Kerl* F pelmazo *m*, *fig.* plomo *m*; *j-m ∼ fallen* (*od. werden*) importunar a alg.; molestar *od.* incomodar a alg.; fastidiar, F incordiar, dar la lata a alg.; **2keit** *f* (*Aufdringlichkeit*) importunidad *f*; (*Unbequemlichkeit*) incomodidad *f*; (*Beschwerlichkeit*) pesadez *f*.

'Last...: ∼kahn *m* (-*es*; *⁼e*) gabarra *f*; chalana *f*; **∼kraftwagen** *m* camión *m*; **∼kraftwagen-anhänger** *m* remolque *m*; **∼kraftwagenführer** *m* conductor *m* de camión; **∼pferd** *n* (-*es*; -*e*) caballo *m* de carga; **∼schiff** *n* (-*es*; -*e*) barco *m* de carga; carguero *m*; **∼schrift** † *f* debe *m*; **∼tier** *n* (-*es*; -*e*) bestia *f* de carga; **∼träger** *m* ganapán *m*; mozo *m* de cuerda; **∼wagen** *m* carro *m* de transporte; (*Kraftwagen*) camión *m*, *kleiner*: camioneta *f*; **∼wagen-anhänger** *m* remolque *m*; **∼zug** *m* (-*es*; *⁼e*) *Auto.*: camión *m* con remolques; 🚂 tren *m* de mercancías.

La'sur *f* (*Firnis*) barniz *m*; (*Glasur*) esmalte *m*; **∼blau** *n*, **2farbig** *adj.* azul *m* ultramarino; **∼stein** *m* (-*es*; -*e*) lapislázuli *m*.

la'sziv *adj.* lascivo.

Laszivi'tät *f* (*0*) lascivia *f*.

La'tein *n* (-*s*; *0*) latín *m*; *mit s-m ∼ zu Ende sein* ya no saber qué decir; **∼amerika** *n* América *f* Latina; Iberoamérica *f*; Hispanoamérica *f*; **2amerikanisch** *adj.* latino-americano; iberoamericano; hispanoamericano; **∼er** *m* latino *m*; (*Altphilologe*) latinista *m*; **2isch** *adj.* latino; *die ∼e Sprache, das 2(e)* el latín; *∼e Buchstaben m/pl.* caracteres *m/pl.* romanos.

la'tent *adj.* latente.

La'tenz ⚕ *f* (*0*) latencia *f*; **∼periode** *f*, **∼zeit** *f* período *m* de latencia (*od.* de incubación).

Late'ranverträge *Pol. m/pl.* pactos *m/pl.* de Letrán.

La'terna 'magica *f* (--; -*e* -*e*) linterna *f* mágica.

La'terne *f* (*Hand2*) linterna *f*; (*Straßen2*) farol *m*, *mehrarmige*: farola *f*; (*Autoscheinwerfer*) faro *m*; ⚓ farol *m*, luz *f*; (*große Schiffs2*) fanal *m*; (*tragbare ∼*) farol *m* (*a.* 🚂).

La'ternen|anzünder *m Person*: farolero *m*; *Gerät*: encendedor *m*; **∼pfahl** *m* (-*es*; *⁼e*) poste *m* de farol.

latini'sieren (-) *v/t.* latinizar.

Lati'nis|mus *m* (-; *0*) latinismo *m*; **∼t** *m* latinista *m*.

Latini'tät *f* (*0*) latinidad *f*.

La'trine *f* ⚔ letrina *f*; evacuatorio *m*.

'Latsche[1] ⚘ *f* pino *m* carrasco.

'Latsche[2] *f*, **∼n** *m* pantuflo *m*; **2n** *v/i.* arrastrar los pies.

'latschig F *adj.* (*schwerfällig*) lento, pesado; (*schlampig*) dejado, descuidado, desaliñado; (*schlaff, matt*) desmadejado; inerte.

'Latte *f* (*Brett*) listón *m*; ripia *f*; (*Dach2*) lata *f*; (*Pfahl*) estaca *f*; (*Fußball*) larguero *m*; **∼nholz** *n* (-*es*; *⁼er*) madera *f* para listones; **∼nkiste** *f* cajón *m* enrejado; (*Käfig*) jaula *f*; **∼nrost** *m* (-*es*; -*e*) rejilla *f*; **∼verschlag** *m* (-*es*; *⁼e*) (*Gitterwerk*) enrejado *m*; **∼nzaun** *m* (-*es*; *⁼e*) empalizada *f*.

'Lattich ⚘ *m* (-*es*; -*e*) lechuga *f*.

Lat'werge *Phar. f* electuario *m*.

Latz *m* (-*es*; *⁼e*) (*Brust2*) peto *m*; (*Säuglings2*) babero *m*, babador *m*; (*Hosen2*) bragueta *f*.

lau *adj.* tibio; *∼ werden* entibiarse (*a. fig.*); *fig.* tibio; (*gleichgültig*) indiferente; desinteresado.

'Laub *n* (-*es*; *0*) follaje *m*; hojas *f/pl.* del árbol; *bsd. mit Zweigen*: enramada *f*; ramaje *m*; (*dichtes ∼*) fronda *f*; *sich mit ∼ bedecken* (*Bäume*) echar hoja; *frisches ∼* hojas verdes; *grünes ∼* verdor *m*; *bsd. Mal.* verdura *f*; *dürres ∼* hojas secas; **∼baum** *m* (-*es*; *⁼e*) árbol *m* de fronda; **∼dach** *n* (-*es*; *⁼er*) techo *m* de ramaje.

'Laube *f* (*Garten2*) cenador *m*, *Arg.* glorieta *f*; (*Wein2*) emparrado *m*; (*Hütte*) caseta *f* de madera; ⛺ (*Vorhalle*) porche *m*, vestíbulo *m*; (*Säulengang*) pórtico *m*; (*Bogengang*) arcada *f*; F *fertig ist die ∼!* F *fig.* ¡listo el bote!; **∼ngang** *m* (-*es*; *⁼e*) *v. Bäumen*: alameda *f*; *mit Weinlaub*: emparrado *m*; ⛺ pérgola *f*; (*Bogengang*) arcada *f*; **∼nkolonie** *f* colonia *f* de casetas de madera con jardinillo.

'Laub...: ∼fall *m* (-*es*; *0*) caída *f* de la hoja; **∼frosch** *Zoo. m* (-*es*; *⁼e*) rana *f* de zarzal; **∼gewinde** *n* guirnalda *f* de follaje; **∼grün** *n* verdor *m*; **∼holz** *n* (-*es*; *⁼er*) árboles *m/pl.* de fronda; **∼hüttenfest** *n der Juden*: Fiesta *f* de los Tabernáculos; **2ig** *adj.* (*Baum*) cubierto de hoja; frondoso; **2los** *adj.* sin hojas; **∼säge** *f* sierra *f* de marquetería; **∼sägearbeit** *f* trabajo *m* de marquetería; **∼sägekasten** *m* (-*s*; *⁼*) caja *f* de utensilios para marquetería; **∼säge'rei** *f* marquetería *f*; **∼sägevorlage** *f* modelos *m/pl.* (*od.* patrones *m/pl.*) para marquetería; **∼wald** *m* (-*es*; *⁼er*) bosque *m* frondoso; floresta *f*; **∼werk** *n* (-*es*; *0*) follaje *m* (*a.* ⛺); hojas *f/pl.*; ramaje *m*; (*dichtes*) frondosidad *f*.

Lauch ⚘ *m* (-*es*; -*e*) (*Porree*) puerro *m*; ajo *m* puerro.

Lau'danum *Phar. n* (-*s*; *0*) láudano *m*.

'Lauer *f*: *auf der ∼ liegen* estar al acecho; *sich auf die ∼ legen* ponerse al acecho; emboscarse; **2n** (-*re*) *v/i.* (*warten*) esperar, aguardar; *in e-m Hinterhalt*: acechar (*ac.*); *∼ auf* (*ac.*) esperar *od.* aguardar con impaciencia a/c.; esperar *od.* aguardar a alg.; **∼n** *n* espera *f*; acecho *m*.

'Lauf *m* (-*es*; *⁼e*) carrera *f*; *der Ereignisse*: curso *m* (*a.* ⚓ *u. Astr.*); *des Wassers*: corriente *f*; (*Ab2*) transcurso *m*, decurso *m* del tiempo; (*Ver2*) curso *m*; ⊕ (*Gang*) marcha *f*; (*Strecke*) recorrido *m*; ♪ escala *f*; ♪ *Läufe üben* hacer escalas; *bei Tieren* (*Zeit der Brunst*) período *m* del celo; (*Kreis2*) circuito *m*; *des Blutes*: circulación *f*; (*Gewehr2*) cañón *m*; *Jgdw.* (*Bein*) pata *f*; (*Wett2*) carrera *f*; *100-Meter-∼* carrera de cien metros; *im ∼e von* en el (trans)curso de; *im ∼e des Monats* (*Jahres*) en el curso del mes (del año); *im ∼e der Zeit* con el tiempo; andando el tiempo; *das ist der ∼ der Welt* así va el mundo; *der ∼ der Dinge* el rumbo de las cosas; *den Dingen ihren ∼ lassen* dejar que las cosas sigan su rumbo; *freien ∼ lassen* dar rienda suelta a; **∼bahn** *f Astr.* órbita *f*; *Sport*: pista *f*; *fig.* carrera *f*; *e-e ∼ einschlagen* seguir una carrera; **∼band** ⊕ *n* (-*es*; *⁼er*) (*Fließband*) cinta *f* contínua; **∼brett** ⚓ *n* (-*es*; -*er*) plancha *f*; pasarela *f*; **∼brücke** *f* puente *m* provisional; ⚓ pasadizo *m*; ⚓ (*Gangway*) pasarela *f*; **∼bursche** *m* (-*n*) chico *m* para recados; *im Hotel*: botones *m*; *im Büro*: ordenanza *m*.

'laufen (*L*; *sn*) *v/i.* correr; (*e-e Strecke*) recorrer; (*strömen*) fluir; (*fließen*) correr; *Zeit*: pasar, transcurrir; *Bahnzüge*: circular; *Motor, Maschine*: marchar, funcionar; *Gefäß*: derramarse, salirse, irse; *Film*: proyectarse; *Blut*: circular; (*sich erstrecken*) extenderse; ir (*von ... bis*: de ... a); (*weg∼*) echar a correr; *hin und her laufen* correr de aquí para allá; correr de un lado a otro; *sich müde* (*zu Tode*) *∼* cansarse corriendo (matarse a fuerza de correr); *sich die Füße wund ∼* despearse; *sich warm∼* ⊕ recalentarse; *auf Grund ∼* ⚓ encallar; *auf den Strand ∼* ⚓ varar en la costa; *j-m in die Arme ∼* darse de manos a boca con alg.; *in sein Verderben ∼* correr hacia su perdición; *j-m in den Weg ∼* encontrarse (*od.* cruzarse) en el camino con alg.; *in den Hafen ∼* ⚓ entrar en el puerto; *aus dem Hafen ∼* ⚓ zarpar; *auf e-e Mine ∼* ⚔ chocar con una mina; *um die Wette ∼* competir a ver quién corre más; *um et. ∼* correr alrededor de a/c.; *nach et. ∼* correr tras de a/c.; *Gefahr ∼* correr peligro *od.* riesgo de; *Schlittschuh ∼* patinar; *es läuft sich hier gut* esta pista es buena; *die Sache läuft gut* el asunto marcha bien; *Sturm ∼* ⚔ lanzarse al (*od.* dar el) asalto; *durch die Adern ∼* correr por las venas;

es lief ihm kalt über den Rücken le dio un escalofrío; *ihm läuft die Nase* está resfriado; le gotea la nariz; *das läuft auf eins hinaus* viene a ser lo mismo; es la misma cosa; *parallel ~ mit* ser paralelo a; (*zeitlich*) coincidir con; *lassen Sie ihn ~* déjele marcharse, (*geben Sie ihn auf*) no se preocupe por él; no haga caso de él; (*geben Sie ihn frei*) déjele en libertad; suéltele, (*veranlassen Sie, daß er läuft*) hágale correr; *~lassen e-n Verhafteten*: poner en libertad; ⊕ *Motor*: poner en marcha; *die Dinge ~ lassen* dejar que las cosas sigan su curso; ⚓ *ein Schiff vom Stapel ~ lassen* botar un barco al agua.

ˈ**Laufen** *n* carrera *f*; (*Gehen*) marcha *f*.

ˈ**laufend** *adj.* corriente; *fig.* (*ständig*) continuo; *die ~en Arbeiten* el trabajo de todos los días; ⊕ *Arbeit am ~en Band* trabajo en serie; *die ~en Geschäfte* los asuntos corrientes; (*amtlich*) los asuntos de trámite; *~e Ausgaben* gastos ordinarios *od.* corrientes; (*Etat*) presupuesto ordinario; ⚚ *~e Zinsen* intereses corrientes; *~er Saldo* saldo pendiente; *~er Wechsel* efecto en circulación; *~er Kredit* crédito abierto; *~es Konto* cuenta corriente; *im ~en Jahr* en el año en curso; *~en Monats* del mes corriente *od.* en curso; *~e Nummer* número correlativo *od.* de orden; *~ numerieren* numerar correlativamente; *auf dem ~en sein* estar al corriente; ⚚ estar al día; *auf dem ~en halten* tener al corriente *od.* al tanto.

ˈ**Läufer** *m* corredor *m*; *Fußball*: medio *m*; (*Eis*≈) patinador *m*; (*Schi*≈) esquiador *m*; *Schach*: alfil *m*; (*Treppen*≈) alfombra *f* de escalera; (*schmaler ~*) alfombra *f* continua; (*Tisch*≈) camino *m* de mesa; ♪ escala *f*; ⊕ (*Schieber*) corredera *f*; ⚡ (*Rotor*) rotor *m*.

Laufeˈrei *f* ajetreo *m*; *j-m viel ~ machen* ajetrear a alg.; F traer a alg. como un dominguillo.

ˈ**Läuferin** *f* corredora *f*; (*Eis*≈) patinadora *f*; (*Schi*≈) esquiadora *f*.

ˈ**Läuferreihe** *f Fußball*: línea *f* de medios.

ˈ**Lauf...:** **~feuer** *n* reguero *m* de pólvora; *fig. sich wie ein ~ verbreiten* difundirse con extraordinaria rapidez; **~fläche** *f des Reifens*: superficie *f* de rodamiento; **~frist** ⚚ *f* (*e-s Schecks*) plazo *m* de circulación; **~gang** ⚓ *m* (*-es*; *⸚e*) escalerilla *f* para subir a bordo; pasarela *f*; **~gewicht** *n* (*-es*; *-e*) pilón *m*; **~graben** ⚔ *m* (*-s*; *⸚*) zanja *f* de aproximación *od.* de comunicación.

ˈ**läufig** *adj.*: *~ sein* (*weibliche Tiere*) estar en celo.

ˈ**Lauf...:** **~junge** *m* (*-n*) → *Laufbursche*; **~käfer** *m* cárabo *m*; **~katze** ⊕ *f* carro *m* (corredizo); **~kran** *m* (*-es*; *⸚e*) grúa *f* corredera; puente *m* grúa; **~kunde** ⚚ *m* (*-n*) cliente *m* ocasional *od.* de paso; **~kundschaft** *f* (*0*) clientela *f* ocasional; **~masche** *f* (*Strumpf*) carrera *f*; *die ~(n) e-s Strumpfs aufnehmen* coger los puntos de una media; **~paß** *m*: *j-m den ~ geben* mandar a paseo a alg.; **~planke** ⚓ *f* plancha *f* de atraque; pasarela *f*; **~rad** *n* (*-es*; *⸚er*) ✈ rueda *f* de aterrizaje; **~rolle** *f* roldana *f*; polea *f*; **~schiene** *f* rail *m* de deslizamiento; riel-guía *m*; **~schritt** *m Sport*: paso *m* gimnástico; ⚔ paso *m* ligero; **~steg** *m* (*-es*; *-e*) pasarela *f*; **~stuhl** *m* (*-es*; *⸚e*) andaderas *f/pl.*; **~zeit** *f* ⚚ plazo *m*; *e-s Schecks*: plazo *m* de circulación; (*Brunstzeit*) período *m* de celo; *Sport*: tiempo *m* de recorrido; *Film*: duración *f* de la proyección; **~zettel** *m* circular *f*; volante *m*.

ˈ**Lauge** *f* lejía *f*; (*Wasch*≈) *a.* colada *f*; ≈**n** *v/t.* poner en lejía, colar; ⚗ lixiviar; **~n** *n* colada *f*; ⚗ lixiviación *f*; ≈**nartig** *adj.* ⚗ alcalino; **~nbad** *n* (*-es*; *⸚er*) baño *m* de lejía; **~nfaß** *n* (*-sses*; *⸚sser*) tina *f* de colada; **~nsalz** *n* (*-es*; *-e*) sal *f* alcalina; **~nwasser** *n* (agua *f* de) lejía *f*.

ˈ**Lauheit** *f* (*0*), ˈ**Lauigkeit** *f* (*0*) tibieza *f*; *fig. a.* indiferencia *f*; *Rel.*, *Pol.* indiferentismo *m*.

ˈ**Laune** *f* humor *m*; (*Grille*) capricho *m*; humorada *f*; (*wetterwendische*) veleidad *f*; (*Gelüst*) antojo *m*; *bei guter* (*schlechter*) *~ sein* estar de buen (mal) humor; *gute* (*schlechte*) *~ haben* tener buen (mal) humor; *~n haben* tener caprichos; (*nicht*) *in der ~ sein für* et. (no) estar de humor para a/c.; F (no) estar en vena.

ˈ**launenhaft** *adj.* caprichoso; antojadizo; (*wetterwendisch*) veleidoso, inconstante; ≈**igkeit** *f* (*0*) caprichos *m/pl.*; carácter *m* veleidoso; carácter *m* caprichoso *bzw.* antojadizo.

ˈ**launig** *adj. jd.*: alegre, jovial; (*humorvoll*) gracioso, divertido, humorístico; (*wetterwendisch*) veleidoso.

Laus *f* (*-*; *⸚e*) piojo *m*; *fig. j-m e-e ~ in den Pelz setzen* echar a alg. la pulga detrás de la oreja; *e-e ~ läuft ihm über die Leber* está muy amostazado; ˈ**~bub(e)** *m* (*-en*) pillete *m*.

ˈ**lausch|en** *v/i.* escuchar (atentamente); *angestrengt*: aguzar el oído; *heimlich*: estar de escucha; espiar; ≈**er(in** *f*) *m* escucha *f*; **~ig** *adj.* ameno; (*zurückgezogen*) retirado; (*friedlich*) apacible.

ˈ**Lause|geld** F *n*: *das kostet ein ~* esto cuesta un dineral (*od.* una barbaridad); **~junge** F *m* (*-n*) pillete *m*; **~kerl** *m* (*-es*; *-e*) (*armer Schlucker*) P piojoso *m*.

ˈ**laus|en** (*-t*) **1.** *v/t.* despiojar; espulgar; **2.** *v/refl.* despiojarse; espulgarse; **~ig** *adj.* piojoso; P (*armselig*) desdichado; P (*schwer*) arduo, penoso, duro.

ˈ**Lausitz** *Geogr. f* Lusacia *f*.

laut[1] **I.** *adj.* (*-est*) alto; (*vernehmlich*) perceptible, audible; (*klar, bestimmt*) claro, distinto; (*stark klingend*) sonoro; (*lärmend*) ruidoso; ♪, *Phys.* intenso; (*öffentlich*) público; *mit ~er Stimme* en voz alta; *~es Gelächter* ruidosas (*od.* sonoras) carcajadas; risotadas; *~es Geschrei erheben* dar gritos; **II.** *adv.* *~ weinen* llorar a gritos; *sprechen Sie ~er!* ¡hable usted más alto!; *~ werden* (*bekannt werden*) divulgarse, hacerse público; *Gerüchte*: correr; *~ werden lassen* manifestar, expresar; divulgar; *~ sprechen* hablar alto (*od.* en voz alta); *~ singen* cantar alto; *~ denken* pensar en voz alta; *~ aufschreien* dar gritos, gritar; *er schrie so ~ er konnte* F se puso a gritar como un condenado; *~ lachen* reír a carcajadas; (*schallend*) dar risotadas.

laut[2] *prp.* (*gen.*) (*gemäß*) según; de acuerdo con; conforme a; de conformidad con; con arreglo a; (*kraft*) en virtud de.

ˈ**Laut** *m* (*-es*; *-e*) sonido *m*; *er gab keinen ~ von sich* se quedó callado; F no dijo ni pío; *Jgdw. ~ geben* (*Hund*) ladrar; **~angleichung** *f Gr.* asimilación *f* (de sonidos).

ˈ**lautbar** *adv.*: *~ werden* divulgarse, hacerse público.

ˈ**Lautbildung** *f* articulación *f* de los sonidos; **~slehre** *f* (*0*) fonética *f*.

ˈ**Laute** ♪ *f* laúd *m*; *die ~ schlagen* tocar el laúd.

ˈ**lauten** (*-e-*) *v/i.* sonar (*a. Gr.*); (*Text*) decir; *~ auf* (*Paß usw.*) estar expedido a nombre de; *der Brief lautet folgendermaßen* la carta dice así; *wie lautet s-e Antwort?* ¿en qué términos contesta?, ¿qué dice en la contestación?; *wie lautet sein Name?* ¿cómo es su nombre?, ¿cómo se llama?; ⚖ *das Urteil lautet auf Tod* (*12 Jahre Zuchthaus*) *für den Angeklagten* ha sido condenado a muerte (a doce años de presidio); ⚚ *auf den Inhaber ~* (*Scheck*) ser pagadero al portador; ⚚ *auf den Namen ~d* nominativo.

ˈ**läuten** (*-e-*) **I.** *v/t.*, *v/i. u. v/unprs.* tocar; *Kirchenglocken*: *a.* repicar; *zu Grabe*: doblar; (*ertönen*) sonar; *es läutet* (*Klingel*) llaman; *es läutet zur Messe* tocan a misa; *fig. ich habe et. ~ hören* creo saber algo de ese asunto; **II.** ≈ *n* toque *m bzw.* repique *m* de campanas.

ˈ**Lauten|schläger(in** *f*) *m* tañedor (-a *f*) *m* de laúd; **~spiel** *n* (*-es*; *0*) tañido *m* de laúd; **~spieler(in** *f*) *m* → *Lautenschläger(in)*.

ˈ**lauter**[1] *adj. u. adv.* (*comp. v. laut*) más alto; *sprechen Sie ~!* ¡hable usted más alto!

ˈ**lauter**[2] *adj.* (*rein*) puro; (*durchsichtig*) transparente; *Flüssigkeit*: claro, límpido; *Edelstein*: (*fleckenlos*) sin mancha; nítido; *fig.* (*aufrichtig*) sincero; *~e Absichten* miras desinteresadas; *das ist die ~e Wahrheit* es la pura verdad.

ˈ**lauter**[3] *uv.* (*nichts als, nur*) nada más que; no ... más que; *aus ~ Höflichkeit* por pura cortesía; *vor ~ Freude* de pura legría; *das ist ~ Gold* es todo oro; *aus ~ Gold* todo de oro; *es sind ~ Lügen* no son más que mentiras; *aus ~ Neugierde* por mera curiosidad.

ˈ**Lauterkeit** *f* (*0*) pureza *f* (*a. fig.*); limpidez *f*; nitidez *f*; *fig.* sinceridad *f*; desinterés *m*.

ˈ**läutern** (*-re*) *v/t.* purificar; ⊕ purgar; ⚗ depurar (*a.* ⚕); *Flüssigkeiten*: clarificar; (*filtern*) filtrar; *durch Destillieren*: destilar; rectificar; *Zucker*: refinar; *Metalle*: afinar, refinar, *im Schmelztiegel*: acrisolar (*a. fig.*); ≈ *n* → *Läuterung*.

ˈ**Läuterung** *f* purificación *f*; ⚗ depuración *f* (*a.* ⚕); clarificación *f*; rectificación *f*; *v. Metallen, Zucker*:

refinación *f*; acrisolamiento *m* (*a. fig.*).

'Läutewerk *n* (*-es*; *-e*) sonería *f* (de reloj); juego *m* de campanas; 🚂 timbre *m* de aviso; (juego *m* de) timbres *m/pl.* de señales.

'Laut...: **~gesetz** *n* (*-es*; *-e*) ley *f* fonética; **2getreu** *adj.* de alta fidelidad; ortofónico.

lau'tier|en (-) *v/t.* silabear; **2methode** *f* (*0*) método *m* fonético (*od.* de silabeo); **2übung** *f* ejercicio *m* fonético.

'Laut...: **~lehre** *Gr. f* (*0*) fonética *f*; **2lich** *adj.* fonético; **2los** *adj.* (*stimmlos*) áfono; afónico; (*geräuschlos*) silencioso; sin hacer ruido; *~e Stille* silencio profundo; **~losigkeit** *f* (*0*) silencio *m* absoluto; **2malend, 2nach-ahmend** *adj.* onomatopéyico; **~male'rei** *f* onomatopeya *f*; **~schrift** *f* transcripción *f* fonética; **2schwach** *adj. Radio*: débil; poco potente; **~sprecher** *m Radio*: altavoz *m*; *Am.* altoparlante *m*; **~sprecheranschluß** *m* (*-sses*; *"sse*) *Radio*: conexión *f* para altavoz; **~sprecherwagen** *m* auto(móvil) *m* con altavoz; **2stark** *adj. Radio*: potente; fuerte, intenso; **~stärke** *f* intensidad *f* de sonido; *Radio*: *a.* volumen *m* (de sonido), potencia *f*; **~stärkeregler** *m* regulador *m* de intensidad (del sonido); **~stärkeschwankung** *f Radio*: fluctuaciones *f/pl.* de la intensidad; *angl.* fading *m*; **~system** *n* (*-es*; *-e*) sistema *m* fonético; **~verschiebung** *Gr. f* mutación *f* de consonantes; **~verstärker** *m Radio*: amplificador *m* (del sonido); **~wandel** *Gr. m* (*-s*; *0*) cambio *m* fonético; **~zeichen** *n* signo *m* fonético.

'lauwarm *adj.* tibio; templado; *~ werden* entibiarse.

'Lava ['la:va·] *f* (*-*; *Laven*) lava *f*; **~glut** *f* lava *f* ardiente; **~strom** *m* (*-es*; *"e*) torrente *m* de lava.

La'vendel ♀ *m* espliego *m*, alhucema *f*; *gal.* lavanda *f*; **~wasser** *n* agua *f* de espliego *od.* de alhucema.

la'vieren (-) *v/i.* ⚓ bordear; barloventear; *fig.* oscilar; (*Umschweife machen*) andar con rodeos; (*paktieren*) pactar.

La'wine *f* alud *m*, avalancha *f*; **2n-artig** *adv.*: como un alud; *~ anwachsen* crecer como bola de nieve; **~ngefahr** *f* (*0*) peligro *m* de desprendimiento de aludes *od.* avalanchas; **2ngefährdet** *adj.* expuesto a los aludes.

'lax *adj.* laxo; relajado; (*schlaff*) flojo; fláccido; *~e Sitten* costumbres relajadas; **2heit** *f* laxitud *f*; relajamiento *m*, relajación *f* (*a. der Sitten*); flaccidez *f*.

La'xier *n* laxante *m*; purgante *m*; **2en** *v/t.* purgar(se); **2end** *adj.* laxante; purgante; **~mittel** *n* laxante *m*; purgante *m*; purga *f*.

Laza'rett *n* (*-es*; *-e*); ⚔ hospital *m* militar; *fliegendes ~* hospital *m* de sangre; **~fieber** ⚕ *n* fiebre *f* de los hospitales; **~gehilfe** *m* (*-n*) enfermero *m*; ⚔ sanitario *m*; **~schiff** *n* (*-es*; *-e*) buque *m* hospital; **~wagen** *m* ambulancia *f*; **~zug** ⚔ *m* (*-es*; *"e*) tren-hospital *m*.

'Lazarus *m* Lázaro *m*.

'Lebe|dame *f* dama *f* de la alta sociedad; (*Halbweltdame*) mujer *f* galante; **~'hoch** *n* viva *m*; brindis *m*; *auf j-n ein ~ ausbringen* brindar por (*od.* a la salud de) alg.; **~mann** *m* (*-es*; *"er*) hombre *m* mundano.

'leben 1. *v/i.* vivir; (*dasein*) existir; (*Leben zeigen*) dar señales de vida; (*wohnen*) vivir; residir; (*weiter~*) seguir viviendo; subsistir; *gut ~* darse buena vida; *zu ~ wissen* saber vivir; *~ von* vivir de; *von der Hand in den Mund ~* vivir al día; *in der Hoffnung ~, daß* vivir en la esperanza de que (*fut.*); *friedlich ~* vivir pacíficamente (*od.* en paz); (*genug*) *zu ~ haben* tener (bastante) de qué vivir; *flott* (*od. auf großem Fuße*) *~* vivir a lo grande; *kümmerlich ~* vivir miserablemente; vegetar, F ir tirando; *er wird nicht mehr lange ~* ya no vivirá mucho; sus días están contados; *zurückgezogen ~* vivir retirado; *zusammen ~ mit* convivir con; *gut* (*schlecht*) *zusammen ~* vivir en armonía (enemistado) con; *er lebt* (*wohnt*) *in Berlin* vive en Berlín; *im Ausland ~* vivir en el extranjero; *~ und ~ lassen* vivir y dejar vivir; *j-n* (*hoch*) *~ lassen* brindar a la salud de alg.; (*Hochrufe*) dar vivas a alg.; *~ Sie wohl!* ¡adiós!; *es lebe der König!* ¡viva el rey!; *für et. ~, e-r Sache ~* (*dat.*) entregarse por entero a a/c.; *er ist mein Vater wie er leibt und lebt* es el vivo retrato de mi padre; **2.** *v/t.*: *sein Leben noch einmal ~* revivir su vida; **3.** *v/unprs.*: *hier lebt es sich gut* aquí da gusto vivir, aquí se vive bien.

'Leben *n* vida *f*; (*Dasein*) existencia *f*; (*Lebenskraft*) fuerza *f* vital; vigor *m*; (*Lebhaftigkeit*) vivacidad *f*; (*geschäftiges Treiben*) animación *f*, movimiento *m*; (*Lebensweise*) manera *f* de vivir; género *m* de vida; (*lebendes Wesen*) ser *m* viviente; criatura *f*; *langes ~* longevidad *f*, larga vida *f*; *Rel. das Ewige* (*zukünftige*) *~* la vida eterna (futura); *auf Tod und ~* a vida o muerte; *Kampf auf ~ und Tod* lucha a vida o muerte; *es geht um ~ und Tod* es cuestión de vida o muerte; *zwischen Tod und ~ schweben* estar entre la vida y la muerte; *das nackte ~* nada más que la vida *od.* la vida y nada más; *mein ganzes ~ hindurch* (durante) toda mi vida; *nie im ~* (jamás) en mi vida; *das habe ich in m-m ~ nicht gesehen* en mi vida he visto cosa igual; *am ~ sein* estar vivo *od.* con vida; vivir; *am ~ bleiben* quedar con vida, sobrevivir, (*dem Tode entrinnen*) salvarse, escapar a la muerte; *am ~ lassen* dejar con vida; *mit s-m ~ bezahlen* pagar con la vida; *sein ~ für et. lassen* morir por a/c.; dar (*od.* sacrificar) la vida por a/c.; *sich elend durchs ~ schlagen* arrastrar una vida llena de privaciones; *sein ~ fristen* ir viviendo, F ir tirando; *ein gutes ~ führen* darse buena vida; *ein flottes ~ führen* vivir a lo grande; darse la gran vida; *ein tolles ~ führen* vivir en continua diversión; *das ~ genießen* gozar de la vida; *in et. ~ bringen, e-r Sache ~ verleihen* dar animación a (*od.* animar) a/c.; *~ erhalten* (*lebendig werden*) animarse; *neues ~ bekommen* reanimarse, avivarse; *ein zähes ~ haben* F *fig.* tener siete vidas; *j-m das ~ schwer* (*od. sauer*) *machen* amargar la vida a alg.; *sich das ~ unnötig schwer machen* complicarse la vida innecesariamente; *voller ~* lleno de vida; *sein ~ einsetzen* (*od. wagen*) arriesgar la vida; *das ~ schenken* (*e-m Kind*) dar a luz (una criatura), (*begnadigen*) perdonar la vida, ⚔ dar cuartel; *ins ~ treten* nacer; dar los primeros pasos en la vida; *ins ~ rufen* crear, fundar; organizar; *ins ~ zurückrufen* resucitar; volver a la vida; *zu neuem ~ erwecken* resucitar; hacer revivir; *zu neuem ~ erwachen* resucitar, renacer; *ums ~ kommen* perder la vida, perecer; (*sich*) *ums ~ bringen* matar(se); *j-m das ~ retten* salvar la vida a alg.; *j-m nach dem ~ trachten* atentar contra la vida de alg.; *j-m das ~ nehmen* quitar la vida a alg.; *sich das ~ nehmen* quitarse la vida, suicidarse; *aus dem ~ scheiden* morir(se); *aus dem ~ schöpfen* tomar del natural; *aus dem ~ gegriffen* tomado del natural *od.* de la vida real; *et. für sein ~ gern tun* desvivirse por hacer *bzw.* por lograr a/c.; *ich wüßte für mein ~ gern, ob ...* daría cualquier cosa por saber si ...; *mit dem ~ davonkommen* sobrevivir, escapar con vida; *nach dem ~ malen* pintar del natural; *~ und Treiben* animación, movimiento; *das ~ e-s Heiligen führen* hacer una vida de santo.

'lebend *adj.* vivo; viviente; *lange ~* vivaz, de larga vida; *~e Sprachen* lenguas vivas; *~e Bilder* cuadros vivos *od.* plásticos; *es war kein ~es Wesen zu sehen* no se veía alma viviente; *~e Hecke* seto vivo; **2e(r** *m*) *m/f* viviente *m/f*, persona *f* viva; *die ~en und die Toten* los vivos y los muertos; **~gebährend** *Zoo. adj.* vivíparo; **2gewicht** *n* (*-es*; *-e*) peso *m* en vivo.

le'bendig *adj.* viviente; vivo (*a. fig.*); (*belebt*) animado; (*rege*) vivaz; (*ausdrucksvoll*) expresivo; (*lebhaft*) vivo; *bei ~em Leibe verbrannt* (*begraben*) *werden* ser quemado (enterrado) vivo; *~ werden* animarse; *wieder ~ werden* revivir; reanimarse; *~ machen* animar; vivificar; *~e Junge gebären* ser vivípara; **2keit** *f* (*0*) vivacidad *f*, viveza *f*; vida *f*.

'Lebens...: **~abend** *m* (*-s*; *-e*) vejez *f*; ocaso *m* de la vida; **~abriß** *m* (*-sses*; *-sse*) esbozo *m* biográfico; **~abschnitt** *m* (*-s*; *-e*) período *m* de la vida; **~alter** *n* edad *f*; **~anschauung** *f* concepción *f* de la vida; **~art** *f* modo *m* (*od.* manera *f*) de vivir; género *m* de vida; (*Benehmen*) comportamiento *m*; modales *m/pl.*, maneras *f/pl.*; **~auffassung** *f* concepto *m* de la vida; **~aufgabe** *f* tarea *f* (*od.* trabajo *m*) de toda una vida; **~äußerung** *f* manifestación *f* vital; **~bahn** *f* (*Laufbahn*) carrera *f*; **~baum** ♀ *m* (*-es*; *"e*) tuya *f*; **~bedingung** *f* condición *f* de vida; (*lebenswichtige*) condición *f* vital; **~bedürfnis** *n* (*-ses*; *-se*) necesidad *f* vital; **2bejahend** *adj.* optimista; **~bejahung** *f* (*0*) optimismo *m* (ante la vida); **~beschreibung** *f* biografía *f*; **~bild** *n* (*-es*; *-er*) semblanza *f*; **~dauer** *f* *(0)* duración *f* de la vida; vida *f*; ⊕ duración *f*; durabilidad *f*; *lange ~* larga vida; *v. Personen*: *a.* longevidad *f*; *auf ~* para toda la vida; **~elixier** *n* (-*s*; -*e*) elixir *m* de larga vida; **~ende** *n* (-*s*; *0*) término *m* de la vida; *bis an sein ~* hasta su muerte; **~erfahrung** *f* experiencia *f* de la vida; **~er-innerung** *f*: *~en pl.* memorias *f/pl.*; **~faden** *m* (-*s*; ¨) hilo *m* de la vida; **2fähig** *adj.* viable; **~fähigkeit** *f* *(0)* viabilidad *f*; **~form** *f* forma *f* de vida; **~frage** *f* cuestión *f* vital; **2fremd** *adj.* ajeno a (las realidades de) la vida; que no conoce la vida; **~freude** *f* alegría *f* de vivir; **2froh** *adj.* contento de la vida, dichoso de vivir; (*lustig, munter*) alegre, gozoso; **~führung** *f* *(0)* manera *f* (*od.* modo *m*) de vivir; conducta *f*; vida *f*; **~fülle** *f* *(0)* plenitud *f* de vida; **~funktion** *f* función *f* vital; **~gefahr** *f* *(0)* peligro *m* de muerte; *in ~ schweben* (*Kranker*) estar entre la vida y la muerte; **2gefährlich** *adj.* muy peligroso; (*tödlich*) mortal; *Wunde*: grave; *Krankheit*: muy grave; mortal; **~gefährte** *m*, **~gefährtin** *f* compañero (-a *f*) *m* en la vida; *Gatte*: esposo *m*; *Gattin*: esposa *f*; **~geister** *m/pl.* espíritus *m/pl.* vitales; *j-s ~ wecken* infundir ánimo a alg.; **~gemeinschaft** *f* comunidad *f* de vida, vida *f* en común; (*Ehe*) vida *f* conyugal; **~geschichte** *f* (historia *f* de la) vida *f*; biografía *f*; **2groß** *adj.* de tamaño natural; **~größe** *f* tamaño *m* natural; **~haltung** *f* *(0)* tren *m* de vida; **~haltungs-index** *m* (-*es*; -*e*) índice *m* del coste de vida; **~haltungskosten** *pl.* coste *m* (*od.* costo *m*) de la vida; **~hunger** *m* (-*s*; *0*) anhelo *m* de vivir; **~ideal** *n* (-*es*; -*e*) ideal *m* de la vida; **~interessen** *n/pl.* intereses *m/pl.* vitales; **~jahr** *n* (-*es*; -*e*) año *m* (de la vida); *in s-m dreißigsten ~* a los treinta años de edad; **~keim** *m* (-*es*; -*e*) germen *m* vital; **2klug** *adj.* que tiene experiencia de la vida; **~klugheit** *f* *(0)* (*Erfahrung*) experiencia *f* de la vida; F mundología *f*; **~kosten** *pl.* coste *m* (*od.* costo *m*) de la vida; **~kraft** *f* (-; ¨*e*) fuerza *f* vital; vitalidad *f*; **2kräftig** *adj.* vigoroso; **~kunde** *f* *(0)* biología *f*; **~künstler** *m*: *er ist ein ~* sabe vivir; **~lage** *f* condiciones *f/pl.* en que se vive; **2länglich** *adj.* perpetuo; para toda la vida; (*Amt, Rente*) vitalicio; ⚖ *~e Zuchthausstrafe* (pena de) cadena perpetua; *~er Sekretär* (*e-r Akademie usw.*) secretario perpetuo; **~lauf** *m* (-*es*; ¨*e*) *Lat.* curriculum *m* vitae; datos *m/pl.* biográficos; **~licht** *Poes.* *n* vida *f*; *j-m das ~ ausblasen* matar (*od.* quitar la vida) a alg.; **~linie** *f der Hand*: línea *f* de vida; **~lust** *f* *(0)* alegría *f* (*od.* gozo *m*) de vivir; **2lustig** *adj.* dichoso de vivir; (*munter, frisch*) de genio alegre; vivaracho; **~mai** *m fig.* flor *f* de la vida; **~mittel** *n/pl.* víveres *m/pl.*; ⚔ *a.* vituallas *f/pl.*; (*Eßwaren*) comestibles *m/pl.*; *mit ~n versehen* abastecer de víveres, aprovisionar; **~mittelgeschäft** *n* (-*es*; -*e*) tienda *f* de comestibles; **~mittelindustrie** *f* industria *f* de la alimentación; **~mittelkarte** *f* cartilla *f* de racionamiento; **~mittelknappheit** *f* *(0)* escasez *f* de víveres; **~mittelversorgung** *f* abastecimiento *m*, aprovisionamiento *m*; **2müde** *adj.* cansado de la vida; **~mut** *m* (-*es*; *0*) energía *f* vital; actividad *f*; **~nähe** *f* *(0)* experiencia *f* práctica; realismo *m*; **~niveau** *n* (-*s*; *0*) nivel *m* de vida; **~notdurft** *f* *(0)* necesidades *f/pl.* de la vida; **2notwendig** *adj.* vital; de primera necesidad; *~er Bedarf* necesidad *f* vital; **~odem** *m* (-*s*; *0*) aliento *m* vital; **~philosophie** *f* filosofía *f* de la vida; (*Lebensweisheit*) filosofía *f* práctica; **~praxis** *f* *(0)* experiencia *f* de la vida; F mundología *f*.

ˈ**lebenssprühend** *adj.* pletórico (*od.* rebosante) de vida.

ˈ**Lebens...**: **~quelle** *f* fuente *f* de (la) vida; fuente *f* de energía; **~raum** *m* (-*es*; ¨*e*) espacio *m* vital; **~regel** *f* (-; -*n*) regla *f* de conducta; norma *f* de vida; máxima *f*; **~rente** *f* renta *f* vitalicia; **~retter** *m* salvador *m*; **~rettungsmedaille** *f* medalla *f* de salvamento; **~roman** *m* (-*es*; -*e*) novela *f* vivida; **~standard** *m* (-*s*; *0*) nivel *m* de vida; **~stellung** *f* posición *f* social; (*Posten*) cargo *m* *bzw.* empleo *m* permanente; **~stil** *m* (-*es*; -*e*) estilo *m* de vida; **~trieb** *m* (-*es*; -*e*) instinto *m* vital; **~überdruß** *m* (-*sses*; *0*) tedio *m* de la vida; **2überdrüssig** *adj.* cansado de vivir; **~unterhalt** *m* (-*es*; *0*) (medios *m/pl.* de) subsistencia *f*; ⚖ alimentos *m/pl.*; *s-n ~ verdienen* ganarse la vida; **~versicherung** *f* seguro *m* de vida; **~versicherungsgesellschaft** *f* compañía *f* de seguros de vida; **~versicherungs-police** *f* póliza *f* de seguro de vida; **2voll** *adj.* lleno de vida; **2wahr** *adj.* realista; tomado de la vida; **~wandel** *m* (-*s*; *0*) → *Lebensführung*; **~weg** *m* (-*es*; -*e*) vida *f*; (*Laufbahn*) carrera *f*; **~weise** *f* modo *m* de vivir; vida *f*; (*Benehmen*) conducta *f*; ⚕ régimen *m*; (*Gewohnheiten*) hábitos *m/pl.*; (*Sitten*) costumbres *f/pl.*; **~weisheit** *f* filosofía *f* (práctica); mundología *f*; **~werk** *n* (-*es*; -*e*): *sein ~* la obra de su vida; **2wert** *adj.* digno de vivir; **2wichtig** *adj.* (de interés) vital; *~er Betrieb* empresa de interés vital; *~e Interessen* intereses vitales; **~wille** *m* (-*ns*; *0*) voluntad *f* de vivir; (*Vitalität*) vitalidad *f*; **~zeichen** *n* señal *f* de vida; **~zeit** *f* duración *f* de la vida; *auf ~* para toda la vida, a perpetuidad, *Zuchthausstrafe*: ⚖ cadena perpetua, *Berufung, Amt*: vitalicio; *Rente auf ~* renta vitalicia; **~ziel** *n* (-*es*-; *e*), **~zweck** *m* (-*es*; -*e*) objeto *m* de la vida; finalidad *f* de la existencia.

ˈ**Leber** *f* (-; -*n*) *Anat.* hígado *m*; F *frei* (*od. frisch*) *von der ~ weg reden* hablar sin ambages ni rodeos; hablar con toda franqueza; F *ich weiß nicht, was ihm über die ~ gekrochen ist* no sé qué mosca la habrá picado; **~anschwellung** ⚕ *f* hipertrofia *f* del hígado; **~blümchen** ⚘ *n* (anémona *f*) hepática *f*; **~entzündung** ⚕ *f* hepatitis *f*, inflamación *f* del hígado; **~fleck** *m* (-*es*; -*e*) mancha *f* hepática; (*Sommersprosse*) peca *f*; **~gegend** *Anat.* *f* *(0)* región *f* hepática; **~haken** *m* *Boxsport*: gancho *m* al hígado; **~kloß** *m* (-*es*; ¨*e*), **~knödel** *m* (-; -) *Kochkunst*: albóndiga *f* de hígado; **2krank**, **2leidend** *adj.* enfermo del hígado, hepático; **~krankheit** *f*, **~leiden** *n* enfermedad *f* del hígado; ⚕ hepatopatía *f*; **~krebs** ⚕ *m* (-*es*; *0*) cáncer *m* del hígado; **~pastete** *f* pastel *m* de hígado; **~schrumpfung** ⚕ *f* cirrosis *f*; **~tran** *m* (-*es*; *0*) aceite *m* de hígado de bacalao; **~wurst** *f* (-; ¨*e*) embutido *m* de hígado; **~zirrhose** ⚕ *f* cirrosis *f* hepática.

ˈ**Lebe...**: **~welt** *f* *(0)* vida *f* mundana; (*vornehme*) aristocracia *f*; (*Halbwelt*) mundo *m* galante; **~wesen** *n* ser *m* viviente; *kleinstes ~* microorganismo *m*; **~ˈwohl** *n* (-*s*; *0*) adiós *m*; *j-m ~ sagen* decir adiós a alg.; despedirse de alg.

ˈ**lebhaft I.** *adj.* vivo; *nur v. Personen*: vivaz; (*lebensvoll*) lleno de vida; (*belebt*) animado (*a. Unterhaltung*); (*rege*) activo (*a.* ⚚); (*munter*) vivaracho; despierto; ⚔ *~e Spähtrupptätigkeit* intensa actividad de patrullas; *~ werden* animarse; **II.** *adv.* vivamente; *~ bedauern* sentir vivamente; *sich et. ~ vorstellen können* poder imaginarse muy bien a/c.; **2igkeit** *f* *(0)* viveza *f*; vivacidad *f*; (*Belebtheit*) animación *f*; ⚚ actividad *f*.

ˈ**Lebkuchen** *m* pan *m* de especias; alajú *m*, alfajor *m*.

ˈ**leb...**: **~los** *adj.* sin vida; inanimado; ⚚ inactivo; **2losigkeit** *f* *(0)* ausencia *f* de vida; ⚚ estancamiento *m*; **2tag** *m*: *das habe ich mein ~ nicht gesehen* en mi vida lo he visto; **2zeiten** *f/pl.*: *bei meinen ~* durante mi vida; *zu ~ meines Vaters* cuando vivía mi padre.

ˈ**lechzen** (-*t*) *v/i.* tener sed; *fig. ~ nach* anhelar a/c.; estar ansioso de; suspirar por; estar sediento de.

Leck *n* (-*es*; -*e*) *in Fässern*: derrame *m*; ⚓ vía *f* de agua; *ein ~ bekommen* ⚓ hacer agua; *ein ~ verstopfen* ⚓ cegar una vía de agua.

leck *adj.*: *~ sein* (*Faß usw.*) perder, pasarse; derramarse; ⚓ hacer agua.

Leˈckage *f* derrame *m*; (*Gewichtsabgang*) merma *f*; ⚓ avería *f*.

ˈ**lecken**[1] **I.** *v/i.* derramarse; salirse, perder; (*ausströmen*) escapar(se); ⚓ hacer agua; **II.** 2 *n* → *Leckage*.

ˈ**lecken**[2] **I.** *v/t. u. v/i.* lamer; (*lutschen, saugen*) chupar; *an et. ~* lamer a/c.; F *fig. sich die Finger danach ~* chuparse los dedos de gusto por; F *wie geleckt* hecho un brazo de mar; **II.** 2 *n* lamedura *f*; chupada *f*.

ˈ**lecker** *adj.* (*köstlich*) delicado, exquisito; (*appetitlich*) apetitoso; (*schmackhaft*) sabroso, rico; *~ aussehen Speisen*: ser apetitoso; F estar diciendo ¡comedme!; **2bissen** *m* (*a.* **Leckeˈrei** *f*) bocado *m* exquisito *od.* delicado; golosina *f*; *pl.* (*a. Leckereien*) golosinas *f/pl.*; (*Süßigkeiten*) dulces *m/pl.*, pasteles *m/pl.*; **~haft** *adj.* goloso; **2haftigkeit** *f* *(0)* golosina *f*; **2maul** *n* (-*es*; ¨*er*), **2mäulchen** *n* goloso *m*.

ˈ**Leder** *n* cuero *m*; (*Fußball*) balón

m, pelota *f*; *weiches*: piel *f*; (*gegerbtes Schaf*2) badana *f*; (*Sämisch*2) gamuza *f*; ante *m*; *genarbtes* (*gepreßtes*) ~ cuero graneado (repujado); *in ~ gebunden* (*Buch*) encuadernado en piel; *vom ~ ziehen* desenvainar; *fig.* arremeter contra; F *j-m das ~ gerben* zurrar la badana a alg.; molerle las costillas a alg.; **~absatz** *m* (*-es*; *"e*) tacón *m* de cuero; **~arbeiten** *f/pl.* trabajos *m/pl.* en cuero; **~band** *m* (*-ẹs*; *"e*) encuadernación *f* en piel; **~dichtung** ⊕ *f* junta *f* de cuero; **~einband** *m* (*-ẹs*; *"e*) → *Lederband*; **2farben** *adj.* color de cuero; **~fett** *n* (*-ẹs*; *-e*) grasa *f* para cuero; **~futteral** *n* (*-s*; *-e*) estuche *m* de cuero; **~gamasche** *f* polaina *f* de cuero; **~handel** *m* (*-s*; *0*) comercio *m* de pieles *bzw.* de cueros *bzw.* de curtidos; **~händler** *m* comerciante *m* en pieles *bzw.* de cueros; **~handschuh** *m* (*-ẹs*; *-e*) guante *m* de piel; **~hose** *f* calzón *m* de cuero; **~jacke** *f* chaquetón *m* de cuero; *pelzgefütterte ~* canadiense *f*; **~koffer** *m* maleta *f* de cuero; **~lappen** *m* gamuza *f*; **~mantel** *m* (*-s*; *"*) abrigo *m* de cuero; **~mappe** *f* cartera *f* de cuero; **2n** *adj.* de cuero; *Handschuhe*: de piel; *fig.* duro como cuero; (*langweilig*) aburrido; fastidioso; (*trocken*) seco; soso; **~öl** *n* aceite *m* para cuero; **~riemen** *m* ⊕ correa *f* de cuero; ⚔ cinturón *m*; *für Rasiermesser*: suavizador *m*; **~rücken** *m e-s Buches*: lomo *m* de piel; **~schürze** *f* mandil *m* de cuero; **~sessel** *m* sillón *m* de cuero; **~waren** *f/pl.* artículos *m/pl.* de cuero *bzw.* de piel; **~zeug** ⚔ *n* (*-s*; *0*) correaje *m*.

ˈ**ledig** *adj.* libre; *von et. ~ sein* estar libre de a/c.; (*unverheiratet*) soltero; *~ bleiben* quedar soltero; *Mädchen*: quedar soltera, F *fig.* quedarse para vestir santos; (*unbesetzt*) desocupado; (*leer*) vacío; *Stelle*: vacante; **2enschein** *m* (*-ẹs*; *-e*) fe *f* de soltería; **2ensteuer** *f* (*-*; *-n*) impuesto *m* de soltería; **~lich** *adv.* sólo, solamente; únicamente; exclusivamente; meramente; puramente.

Lee ⚓ *f* (*0*) sotavento *m*.

leer *adj.* vacío; (*geleert*) vaciado; (*geräumt*) evacuado; (*hohl*) hueco; (*unbesetzt, unbewohnt*) desocupado; (*unbeschrieben*) en blanco; *Stelle*: vacante; *fig.* (*bedeutungslos*) insignificante; (*eitel*) vano; (*unbegründet*) sin fundamento, infundado; (*hohl, sinnlos*) sin sentido; *~e Seite* página en blanco; *mit ~en Händen* con las manos vacías; *~e Drohung* vana amenaza; *~es Geschwätz* palabrería; *das sind ~e Worte* ¡palabras y nada más que palabras!; *Thea.*: *vor ~em Hause spielen* actuar ante la sala vacía; *iro.* actuar para los acomodadores; ⊕ *~laufen* marchar en vacío; *~ machen* vaciar; (*ausräumen*) evacuar; *~ werden* vaciarse; *~ ausgehen* no conseguir nada; irse con las manos vacías; *~ stehen* estar vacío; (*Wohnung*) estar desocupado *od.* desalquilado.

ˈ**Leerdarm** *Anat. m* (*-ẹs*; *"e*) yeyuno *m*.

ˈ**Leere**[1] *n* (*0*) vacío *m*; *ins ~ gehen Schlag*: fallar; *ins ~ starren* estar absorto mirando fijamente al espacio.

ˈ**Leere**[2] *f* (*0*) vacío *m*; (*leerer Raum*) espacio *m* vacío; (*Lücke*) hueco *m*.

ˈ**leeren I.** *v/t.* vaciar; (*räumen*) evacuar; *den Briefkasten ~* hacer la recogida; *der Briefkasten wird täglich dreimal geleert* la recogida se hace tres veces al día; *sich ~* (*Gefäß, Saal usw.*) vaciarse; **II. 2** *n* vaciamiento *m*; (*Räumen*) evacuación *f*; *des Briefkastens*: recogida *f* (de la correspondencia).

ˈ**Leer...**: **~gewicht** *n* (*-ẹs*; *-e*) peso *m* en vacío, ✝ tara *f*; **~lauf** ⊕ *m* (*-ẹs*; *"e*) marcha *f* en vacío; *fig.* esfuerzos *m/pl.* baldíos *od.* inútiles; **2laufen** (*L*; *sn*) *v/i.* marchar en vacío; *Faß*: derramarse; ⚓ *Schiff*: navegar en lastre; **~laufspannung** *f* tensión *f* de marcha en vacío; **2stehend** *adj.* vacío; *Stelle*: vacante; *Wohnung*: desocupado *od.* desalquilado; **~taste** *f* espaciador *m*; **~ung** *f* vaciamiento *m*; (*Räumung*) evacuación *f*; *des Briefkastens*: recogida *f*; **~zug** 🚂 *m* (*-ẹs*; *"e*) tren *m* vacío.

ˈ**Lee...**: **~segel** ⚓ *n* boneta *f*; **~seite** *f* (costado *m* de) sotavento *m*; **2wärts** *adv.* a sotavento.

ˈ**Lefze** *f* bezo *m*, labio *m* grueso; *des Pferdes*: belfo *m*.

leˈgal *adj.* legal.

legaliˈsier|en (*-*) *v/t.* legalizar; **2en** *n*, **2ung** *f* legalización *f*.

Legaliˈtät *f* (*0*) legalidad *f*.

Leˈgat[1] *m* (*-en*) legado *m*, nuncio *m* apostólico.

Leˈgat[2] *n* (*-ẹs*; *-e*) ⚖ legado *m*.

Legatiˈon *f* legación *f*; **~srat** *m* (*-ẹs*; *"e*) consejero *m* de legación; **~ssekretär** *m* (*-s*; *-e*) secretario *m* de legación.

ˈ**Legehenne** *f* (gallina *f*) ponedora *f*.

ˈ**legen I. 1.** *v/t.* poner; (*hin~*) colocar; (*hinstrecken*) tender, extender; (*hinein~*) meter (*in ac.* en); *Eier*: poner; *Leitung*: instalar; ⚡ *Linie*: tender; *Verband*: poner, aplicar; *auf die Erde ~* poner en tierra; *auf die Goldwaage ~ Worte*: pesar; *Geld auf Zinsen ~* colocar dinero a réditos *od.* a interés; *in die Sonne ~* poner al sol; *Wäsche ~* doblar la ropa blanca; *e-e wollene Decke über et. ~* extender una manta sobre a/c.; *zu Bett ~* acostar en la cama; *j-m ein Hindernis* (*od. Hindernisse*) *in den Weg ~* poner obstáculo(s) a alg.; *in Ketten ~* encadenar, poner cadenas; *in Asche ~* reducir a cenizas; *Karten ~* echar las cartas; *e-e Patience ~* hacer un solitario; *den Grundstein ~* poner la primera piedra; *j-m das Handwerk ~* poner fin a los manejos de alg.; impedir que alg. continúe haciendo daño; *j-m et. zur Last ~* imputar a/c. a alg.; *j-m et. in den Mund ~* (*es ihm zuschreiben*) atribuir a/c. a alg., (*es ihm eingeben*) sugerir a/c. a alg.; *auf et. Wert ~* conceder (mucha) importancia a a/c.; *Nachdruck ~ auf* (*ac.*) insistir en; hacer hincapié sobre; acentuar (*ac.*); *die Hände in den Schoß ~* cruzarse de brazos; *die letzte Hand an et. ~* dar la última mano (*od.* los últimos toques) a a/c.; *j-m et. ans Herz ~* recomendar encarecidamente a/c. a alg.; *an den Tag ~* manifestar; **2.** *v/refl.*: *sich ~* ponerse; colocarse; tenderse, echarse; (*umfallen*) tumbarse; (*nachlassen*) calmarse; apaciguarse; disminuir, ceder; (*aufhören*) cesar, pasar; (*zu Bett*) acostarse, *krankheitshalber*: encamarse; *Zorn*: aplacarse; *Wind*: amainar; *sich in die Sonne ~* tenderse al sol; *sich aufs Ohr ~* acostarse; *fig. sich auf et. ~* dedicarse a a/c.; *als Ausweg*: recurrir a a/c.; *sich ins Mittel ~* mediar; intervenir en un asunto; *sich ins Zeug ~* dedicarse con gran actividad a a/c.; poner todo empeño en hacer a/c.; **II. 2** *n* colocación *f*; *v. Eiern*: postura *f*.

legenˈdär *adj.* legendario.

Leˈgende *f* leyenda *f* piadosa; *von Münzen*: leyenda *f*; **2nhaft** *adj.* legendario.

ˈ**Legezeit** *f* época *f* de postura.

leˈgieren[1] (*-*) ⚖ *v/t.* (*vermachen*) legar.

leˈgier|en[2] (*-*) *v/t.* *Metalle*: alear; *Kochkunst*: (*Suppe*) espesar; **2en** *n*, **2ung** *f* *Met.* aleación *f*; **2ungsbestandteil** *m* componente *m* de una aleación.

Legiˈon *f* legión *f*.

Legioˈnär *m* (*-s*; *-e*) legionario *m*.

legislaˈtiv *adj.* legislativo; **2e** *f* (*0*) poder *m* legislativo.

Legislaˈturperiode *f* legislatura *f*.

legiˈtim *adj.* legítimo.

Legitimatiˈon *f* legitimación *f*; **~skarte** *f* tarjeta *f* de identidad; **~spapier** *n* (*-ẹs*; *-e*) documento *m* de identidad.

legitiˈmier|en (*-*) **1.** *v/t.* legitimar; **2.** *v/refl.*: *sich ~* acreditar la personalidad; **2ung** *f* legitimación *f*.

Legitiˈmist *m* (*-en*) legitimista *m*.

Legitimiˈtät *f* (*0*) legitimidad *f*.

ˈ**Lehen** *n* feudo *m*; *zu ~ geben* (*tragen*) dar (poseer) en feudo.

ˈ**Lehm** *m* (*-ẹs*; *-e*) barro *m*; (*Ton*) arcilla *f*; **~boden** *m* (*-s*; *"*) terreno *m* barroso; suelo *m* arcilloso; **~erde** *f* tierra *f* arcillosa; **~grube** *f* barreda *f*, barrera *f*; **~hütte** *f* cabaña *f* de adobes; **2ig** *adj.* barroso; (*tonig*) arcilloso; **~wand** *f* (*-*; *"e*) tapia *f*; **~ziegel** *m* adobe *m*.

ˈ**Lehne** *f* (*Rück*2) respaldo *m*; (*Stütze*) apoyo *m*; (*Arm*2) brazo *m*; (*Berghang*) falda *f*; (*Abfall e-s Gebirges*) vertiente *f*; *verstellbare ~* respaldo graduable; **2n 1.** *v/i.*: *gegen et. ~* estar arrimado contra a/c.; **2.** *v/t.* (*Körper*) reclinar *od.* recostar (*an od. auf ac.* sobre); (*aufstützen*) apoyar (*auf ac.* en); **3.** *v/refl. sich ~ an od. auf* (*ac.*) apoyarse en; reclinarse, recostarse en; arrimarse contra; arrimarse a; *nur v. Sachen*: adosarse a; *sich aus dem Fenster ~* asomarse a la ventana.

ˈ**Lehns...**: **~dienst** *m* (*-es*; *-e*) servicio *m* de vasallo; vasallaje *m*; **~eid** *m* (*-ẹs*; *-e*) homenaje *m*; *den ~ leisten* rendir homenaje al señor.

ˈ**Lehnsessel** *m* sillón *m*; butaca *f*; silla *f* de brazos.

ˈ**Lehns...**: **~folge** *f* sucesión *f* feudal; **~freiheit** *f* (*0*) alodio *m*; **~gut** *n* (*-ẹs*; *"er*) feudo *m*; **~herr** *m* (*-en*) señor *m* feudal; **~herrlichkeit** *f* (*0*) señorío *m*; **~mann** *m* (*-ẹs*; *"er*) vasallo *m*; **~pflicht** *f* deber *m* de vasallo; vasallaje *m*.

'**Lehnstuhl** *m* (-*es*; ⸚*e*) → *Lehnsessel*.

'**Lehns...**: **~verhältnis** *n* (-*ses*; -*se*) vasallaje *m*; **~wesen** *n* (-*s*; *0*) sistema *m* feudal, feudalismo *m*.

'**Lehnwort** *Gr. n* (-*es*; ⸚*er*) palabra *f* advenediza; extranjerismo *m*.

'**Lehr|amt** *n* (-*es*; ⸚*er*) *an Volksschulen*: magisterio *m*; *an höheren Schulen*: profesorado *m* de enseñanza media; *an Universitäten*: profesorado *m* universitario; *in das ~ eintreten* ingresar en el profesorado; **~anstalt** *f* establecimiento *m* de enseñanza; (*Volksschule*) escuela *f* primaria; (*höhere*) *Span.* instituto *m* de enseñanza media; **~auftrag** *m* (-*es*; ⸚*e*): *e-n ~ haben* estar encargado de curso; **~befähigung** *f* aptitud *f* para la enseñanza; **~beruf** *m* (-*es*; -*e*) profesión *f* docente; **~brief** *m* (-*es*; -*e*) certificado *m* de aprendizaje; **~buch** *n* (-*es*; ⸚*er*) (*Schulbuch*) libro *m* de texto; (*Handbuch*) manual *m*; (*Abriß*) compendio *m*.

'**Lehre** *f* lección *f*; (*Vorschrift*) precepto *m*; (*Unterweisung*) instrucción *f*; (*Warnung*) advertencia *f*; (*Abschreckung*) escarmiento *m*; (*System*) sistema *m*; *Rel.* (*Dogma*) dogma *m*; (*philosophische, religiöse ~*) doctrina *f* (*christliche* cristiana); (*Theorie*) teoría *f*; (*Beispiel*) ejemplo *m*; (*Lehrzeit*) aprendizaje *m*; (*Unterricht*) enseñanza *f*; ⊕ *Meßinstrument*: (*Kaliber*) calibrador *m*; (*Schablone*) patrón *m*; *laß dir dies zur ~ dienen* (*od.* e-e *~ sein*) que esto te sirva de lección *bzw.* de escarmiento; *in der ~ sein* estar de aprendiz; *j-n in die ~ geben* (*od. bringen*) poner a alg. en aprendizaje; *aus der ~ kommen* terminar el aprendizaje.

'**lehren** *v/t.* enseñar; instruir; *j-n et. ~* enseñar a alg. a/c.; instruir a alg. en a/c.; *j-n lesen ~* enseñar a leer a alg.; *die Folge wird es ~* el resultado lo dirá; ♀ *n* enseñanza *f*; **~d** *adj.* didáctico; (*belehrend*) instructivo.

'**Lehrer** *m* (*Volksschul*♀) maestro *m* (de primera enseñanza); *e-r staatlichen höheren Schule*: *Span.* catedrático *m* de instituto; *e-r höheren Unterrichtsanstalt, Privat*♀: profesor *m*; *e-r Pädagogischen Akademie, Universitäts*♀: catedrático *m*; **~austausch** *m* (-*es*; *0*) intercambio *m* de profesores *bzw.* de maestros; **~beruf** *m* (-*es*; -*e*) → *Lehrberuf*; **~bildungsanstalt** *f* escuela *f* normal de maestros *bzw.* de maestras; **~examen** *n* (-*s*; - *od.* -*examina*) *Span.* examen *m* de reválida de los estudios del magisterio; **~in** *f* maestra *f*; profesora *f*; **~kollegium** *n* (-*s*; -*kollegien*) junta *f* de maestros; claustro *m* (de profesores); **~mangel** *m* (-*s*; *0*) escasez *f* de maestros *bzw.* de profesores; **~prüfung** *f* → *Lehrerexamen*; **~schaft** *f* (*0*) magisterio *m*; profesorado *m*; cuerpo *m* docente; **~seminar** *n* (-*s*; -*e*) → *Lehrerbildungsanstalt*.

'**Lehr...**: **~fach** *n* (-*es*; ⸚*er*) asignatura *f*; **~film** *m* (-*es*; -*e*) película *f* educativa *od.* didáctica; **~freiheit** *f* (*0*) libertad *f* de enseñanza *bzw.* de cátedra; **~gang** *m* (-*es*; ⸚*e*) curso *m*; **~gedicht** *n* (-*es*; -*e*) poema *m* didáctico; **~gegenstand** *m* (-*es*; ⸚*e*) materia *f* (de enseñanza); **~geld** *n* (-*es*; -*er*) gastos *m/pl.* de aprendizaje; *fig. ~ zahlen müssen* aprender a costa de cruel experiencia; ♀**haft** *adj.* (*didaktisch*) instructivo, didáctico; (*schulmeisterlich*) pedantesco; **~herr** *m* (-*en*) patrón *m*, maestro *m* (de aprendices); **~herrin** *f* maestra *f* (de aprendizas); **~jahr** *n* (-*es*; -*e*) año *m* de aprendizaje; **~körper** *m* cuerpo *m* docente; claustro *m* de profesores; personal *m* docente; **~kraft** *f* (-; ⸚*e*) maestro *m*; profesor *m*; **~ling** *m* (-*s*; -*e*) aprendiz *m*; (*weiblicher*) aprendiza *f*; **~meinung** *f* teoría *f*; doctrina *f*; *Rel.* dogma *m*; **~meister** *m* maestro *m*; *e-s Lehrlings*: *a.* patrón *m*; **~methode** *f* método *m* de enseñanza; **~mittel** *n/pl.* material *m* de enseñanza; **~personal** *n* (-*s*; *0*) personal *m* docente; **~plan** *m* (-*es*; ⸚*e*) plan *m* de enseñanza *od.* de estudios; cuadro *m* de asignaturas; **~probe** *f* lección *f* de prueba; ♀**reich** *adj.* instructivo; **~saal** *m* (-*es*; -*säle*) sala *f* de clase; aula *f*; **~satz** *m* (-*es*; ⸚*e*) tesis *f*; *Rel.* dogma *m*; *Geom.* teorema *m*; proposición *f*; **~spruch** *m* (-*es*; ⸚*e*) sentencia *f*; aforismo *m*; máxima *f*; **~stelle** *f* puesto *m* de aprendiz; **~stoff** *m* (-*es*; *0*) materia *f* de enseñanza; **~stuhl** *m* (-*es*; ⸚*e*) cátedra *f*; **~tätigkeit** *f* (*0*) actividad *f* docente; **~vertrag** *m* (-*es*; ⸚*e*) contrato *m* de aprendizaje; **~weise** *f* método *m* didáctico (*od.* de enseñanza); **~werkstätte** *f* taller *m* de aprendizaje *od.* de prácticas; **~zeit** *f* (tiempo *m* de) aprendizaje *m*; **~zeugnis** *n* (-*ses*; -*se*) certificado *m* de aptitud profesional.

Leib *m* (-*es*; -*er*) (*Körper*) cuerpo *m*; (*Bauch*) vientre *m*, *Anat.* abdomen *m*; (*Rumpf*) tronco *m*; *bei lebendigem ~e verbrannt werden* ser quemado vivo; *harten ~ haben* ⚕ padecer estreñimiento; *gesegneten ~es sein* estar encinta; *nichts auf dem ~e haben* (*sehr arm sein*) F no tener sobre qué caerse muerto; *nichts im ~e haben* no haber comido nada; estar en ayunas; *den Teufel im ~e haben* ser un demonio, F ser de la piel del diablo; *am ganzen ~e zittern* temblar como un azogado; *j-m zu ~e gehen, j-m auf den ~ rücken* arremeter contra alg.; *kein Herz im ~ haben* no tener corazón; *sich j-n vom ~e halten* mantener a alg. a distancia; evitar todo contacto con alg.; *bleib mir vom ~e!* ¡déjame en paz!; *mit ~ und Seele* con cuerpo y alma; con alma y vida; de todo corazón; *der ~ des Herrn Theo.* la Hostia, la Sagrada Forma; *das Herz lacht ihm im ~e* está con el corazón rebosante de alegría; *Thea. die Rolle ist ihm auf den ~ geschrieben* el papel le viene a la medida; el papel parece escrito expresamente para él.

'**Leib...**: **~arzt** *m* (-*es*; ⸚*e*) (*königlicher*) médico *m* de cámara; (*Hausarzt*) médico *m* de cabecera; **~binde** *f* faja *f*; ⚕ faja *f* abdominal; **~chen** *n* (*Mieder*) corpiño *m*; justillo *m*; (*Korsett*) corsé *m*; ♀**eigen** *adj.* siervo; **~eigene(r** *m*) *m/f* siervo (-a *f*) *m*; **~eigenschaft** *f* (*0*) servidumbre *f*.

'**Leibes...**: **~erbe** *m* (-*n*) heredero *m* natural *od.* legítimo; **~erziehung** *f* (*0*) educación *f* física; **~frucht** *f* (*0*) *Poes. ihre ~* el fruto de su vientre; *ungeborene*: feto *m*; **~fülle** *f* obesidad *f*; **~größe** *f* estatura *f*, talla *f*; **~höhle** *Anat. f* cavidad *f* abdominal; **~kraft** *f* (-; ⸚*e*) fuerza *f* física; vigor *m*; *aus Leibeskräften* a más no poder, *schreien*: desgañitarse; **~nahrung** *f* **und ~notdurft** *f* (-; ⸚*e*) necesidades *f/pl.* de la vida; **~strafe** *f* castigo *m* corporal; **~übung** *f* ejercicio *m* físico; *~en pl.* educación *f* física; gimnasia *f*, cultura *f* física; **~umfang** *m* (-*es*; *0*) ⚕ perímetro *m* abdominal; **~visitation** *f* registro *m* corporal; cacheo *m*.

'**Leib...**: **~garde** *f* guardia *f* de corps; **~gardist** *m* (-*en*) guardia *m* de corps; **~gericht** *n* (-*es*; -*e*) plato *m* favorito; **~gurt** *m* (-*es*; -*e*), **~gürtel** *m* cinturón *m*.

'**leibhaft, leib'haftig** *adj.* corporal; (*personifiziert*) personificado, en persona; *Bildnis*: vivo; (*wirklich*) real; verdadero; F de carne y hueso; *der* ♀*e* el diablo, el demonio; *der ~e Teufel* F el mismísimo diablo.

'**leiblich** *adj.* corporal; físico; (*materiell*) material; (*irdisch*) terrestre; *~es Wohl* bienestar *m*; *mein ~er Bruder* mi hermano carnal; *~er Vetter* primo carnal; *mein ~es Kind* mi propio hijo.

'**Leib...**: **~regiment** ⚔ *n* (-*es*; -*er*) *des Königs* regimiento *m* del Rey; **~rente** *f* renta *f* vitalicia; **~riemen** *m* cinturón *m*; **~rock** *m* (-*es*; ⸚*e*) levita *f*; **~schmerzen** *m/pl.* dolor *m* de vientre, P dolor *m* de barriga; ⚕ dolor *m* abdominal; **~schneiden** *n* cólico *m* intestinal; **~wache** *f* → *Leibgarde*; **~wächter** *m* → *Leibgardist*; **~wäsche** *f* (*0*) ropa *f* interior.

'**Leichdorn** *m* (-*es*; -*e*) callo *m*; ojo *m* de gallo.

'**Leiche** *f* (*Toter*) muerto *m*; (*Leichnam*) cadáver *m*; *Typ.* omisión *f*; *fig. wandelnde ~* cadáver viviente *od.* ambulante; *über ~n gehen* no detenerse ante nada; ser duro y sin escrúpulos.

'**Leichen...**: **~ausgrabung** *f* exhumación *f*; **~begängnis** *n* (-*ses*; -*se*) entierro *m*; (*Totenfeier*) funerales *m/pl.*; exequias *f/pl.*; **~beschauer** *m* médico *m* forense; **~bestattung** *f* entierro *m*, inhumación *f*; **~bittermiene** *f* cara *f* fúnebre; ♀**blaß** *adj.* (*0*) cadavérico; lívido; pálido como un muerto; **~blässe** *f* (*0*) palidez *f* mortal *bzw.* cadavérica; lividez *f*; **~fledderer** *m* persona *f* que hurta objetos a cadáveres; **~geruch** *m* (-*es*; *0*) olor *m* cadavérico, F olor *m* a muerto; **~gift** *n* (-*es*; *0*) virus *m* cadavérico; ♀**haft** *adj.* (*0*) cadavérico; **~halle** *f* depósito *m* de cadáveres; *im Friedhof*: capilla *f* de cementerio; **~haus** *n* (-*es*; ⸚*er*) casa *f* mortuoria; (*Leichenschauhaus*) depósito *m* judicial de cadáveres; **~hemd** *n* (-*es*; -*en*) mortaja *f*, sudario *m*; **~öffnung** ⚕ *u.* ⚖ *f* autopsia *f*; **~raub** *m* (-*es*; *0*) robo *m* de cadáver; **~rede** *f* oración *f* fúnebre; **~schändung** *f* profanación *f* de cadáveres; violación *f* de sepulcro; **~schau** ⚖ *f* examen *m* del cadáver (*por el médico forense*); autopsia *f* judicial; **~schauhaus** *n* (*-es; ⸚er*) depósito *m* judicial de cadáveres; **~schmaus** *m* (*-es; 0*) convite *m* funeral; **~starre** ⚕ *f* (*0*) rigidez *f* cadavérica; **~stein** *m* (*-es; -e*) lápida *f* sepulcral; **~träger** *m* sepulturero *m*; **~tuch** *n* (*-es; ⸚er*) sudario *m*; (*Bahrtuch*) paño *m* mortuorio; **~untersuchung** *f* autopsia *f*; **~verbrennung** *f* cremación *f*; incineración *f*; **~verbrennungs-ofen** *m* (*-s; ⸚*) horno *m* crematorio; **~wagen** *m* coche *m* fúnebre; **~zug** *m* (*-es; ⸚e*) cortejo *m od.* comitiva *f* fúnebre.

'Leichnam *m* (*-es; -e*) cadáver *m*.

leicht I. *adj.* (*-est*) ligero (*a. fig. Essen, Kleidung, Musik, Wein, Hand, Schlaf*); *Krankheit*: leve; *Gewicht*: ligero, *Am.* liviano; (*nicht schwierig*) fácil; (*flink*) ágil; (*unbedeutend*) insignificante; (*zart*) tenue, delicado; (*bequem*) cómodo; (*einfach*) sencillo; (*leichtfertig*) ligero; frívolo; *~e Kost* comida ligera; *~er Tabak* tabaco suave; *~e Waffen* (*Truppen*) armas (tropas) ligeras; *~e Wunde* (*Krankheit*) herida (enfermedad) leve; *~es Mädchen* muchacha fácil; *~e Bestrafung* castigo (*od.* ⚖ pena) leve; *~e Erkältung* ligero resfriado; *~e Lektüre* lectura amena; *~er Wind* viento suave, ⚓ brisa; *~er Fehler* falta leve, *als Gebrechen, Mangel*: pequeño defecto; *~er Verdacht* ligera sospecha; *~e Arbeit* trabajo fácil; *~en Schrittes* paso ligero; *~e Mühe* poco esfuerzo; ✝ *~en Absatz finden* venderse fácilmente; *nichts ~er als das* nada más fácil que eso; *et. auf die ~e Schulter nehmen* no dar gran importancia a a/c.; tomar a/c. a la ligera; *das ist ihm ein ~es* eso es muy fácil para él; F eso para él es coser y cantar; **II.** *adv.* ligeramente; levemente; (*nicht schwierig*) fácilmente, con facilidad; *~(er) machen* facilitar, *Lasten*: aligerar; *~ zu tun* fácil de hacer; *~ zu übersetzen* fácil de traducir; *er nimmt alles ~* todo lo toma a la ligera; *nehmen Sie es ~!* ¡no le dé tanta importancia!; *~ gesagt* eso es fácil de decir; *~er gesagt als getan* es más fácil de decir que de hacer; *~ zugänglich* de fácil acceso; *~ verdaulich* fácil de digerir; *er erkältet sich ~* se constipa con facilidad; *~ verzichten* renunciar fácilmente (*od.* con facilidad); *~ säuerlich* ligeramente acidulado; *~ lösbar* fácilmente soluble; *~ entzündbar* muy (*od.* fácilmente) inflamable; *das kann man sich ~ denken* es fácil de imaginar; *das ist ~ möglich* bien pudiera ser; *es könnte ~ anders kommen* bien podría ocurrir otra cosa; *es wird ihm ~ (ums Herz)* se sentirá muy aliviado; *das wird nicht so ~ wieder passieren* no volverá a pasar tan fácilmente.

'leicht...: ꝰathlet(in *f*) *m* (*-en*) atleta *m/f*; **ꝰathletik** *f* (*0*) atletismo *m*; **~bedeckt** *adj.* ligeramente cubierto; **~beschädigt** *adj.* ligeramente deteriorado; **~beschwingt** *adj.* ligero; **ꝰbeton** *m* (*-s; 0*) hormigón *m* ligero; **~bewaffnet** *adj.* ligeramente armado; con armas ligeras; **~beweglich** *adj.* fácil de mover; (muy) movible *od.* móvil; **~blütig** *fig. adj.* (*fröhlich*) alegre, jovial; (*lebhaft*) vivo; **~entzündlich** *adj.* fácilmente inflamable.

'Leichter ⚓ *m* gabarra *f*; chalana *f*; lancha *f*.

'leicht...: ~fallen (*L; sn*) *v/unprs.*: *es fällt ihm leicht, zu ...* no le cuesta trabajo ...; **~faßlich** *adj.* fácil de comprender; **~fertig I.** *adj.* ligero; (*moralisch*) frívolo; (*unbedachtsam*) imprudente; irreflexivo, atolondrado; (*mutwillig*) sin juicio; (*liederlich*) libertino; (*gewissenlos*) sin escrúpulos; (*unbekümmert*) despreocupado; **II.** *adv.* et. *~ behandeln* tratar a/c. a la ligera; **ꝰfertigkeit** *f* (*0*) ligereza *f*; frivolidad *f*; irreflexión *f*; atolondramiento *m*; libertinaje *m*; falta *f* de escrúpulos; despreocupación *f*; **ꝰflugzeug** *n* (*-es; -e*) avión *m* ligero; **~flüssig** *adj.* fácilmente licuable; ⚗ (muy) flúido; (*schmelzbar*) muy fusible; **ꝰfuß** *fig. m* (*-es; 0*) calavera *m*; (*mutwilliger Bursche*) chico *m* atolondrado; **~füßig** *adj.* ligero; ágil; *fig.* ligero; atolondrado; **~ge'kleidet** *adj.* ligeramente vestido; **~gepanzert** *adj.* ligeramente blindado; **~ge'schürzt** *fig. adj.* ligero de ropas, apenas vestido; **ꝰgewicht** *n* (*-es; -e*) *Sport*: peso *m* ligero; **~gläubig** *adj.* crédulo; **ꝰgläubigkeit** *f* (*0*) credulidad *f*; **~'hin** *adv.* a la ligera, ligeramente; (*oberflächlich*) superficialmente, por encima.

'Leichtigkeit *f* (*0*) ligereza *f*; (*Mühelosigkeit*) facilidad *f*; (*Behendigkeit*) agilidad *f*.

'leicht...: ꝰkranke(r) *m* enfermo *m* (en tratamiento) ambulatorio; **~lebig** *adj.* despreocupado; frívolo; **ꝰlebigkeit** *f* (*0*) despreocupación *f*; frivolidad *f*; **ꝰmatrose** *m* (*-n*) marinero *m* de cubierta; **ꝰmetall** *n* (*-es; -e*) metal *m* ligero; **ꝰmetallbau** *m* (*-es; -ten*) construcción *f* de metal ligero; **ꝰmetallgießerei** *f* fundición *f* de metal ligero; **ꝰmetallegierung** *f* aleación *f* ligera; **~nehmen** (*L*) *v/t.* tomar a la ligera; **ꝰsinn** *m* (*-es; 0*) → *Leichtfertigkeit*; **~sinnig** *adj.* → *leichtfertig*; **~sinniger'weise** *adv.* irreflexivamente; **ꝰsinnigkeit** *f* (*0*) → *Leichtfertigkeit*; **~ver'daulich** *adj.* fácil de digerir; **ꝰverletzte(r)** *m* herido *m* leve; **~ver'ständlich** *adj.* fácil de comprender; **ꝰverwundete(r)** *m* → *Leichtverletzte(r)*.

leid *adj.* (*oft adv.*): *es tut mir ~, daß ...* siento *od.* lamento que (*subj.*); *das tut mir ~* lo siento mucho, F lo siento en el alma; *du tust ihm ~* le das lástima; *er tut mir ~* (él) me da lástima; *es wird dir ~ tun* te pesará haberlo hecho; lo lamentarás; et. *~ werden* cansarse de a/c.; estar harto de a/c.

Leid *n* (*-es; 0*) (*Übel*) mal *m*; (*Beleidigung*) ofensa *f*; (*Schaden*) daño *m*; (*Unglück*) desgracia *f*; (*Kummer*) aflicción *f*, pesar *m*; (*Betrübnis*) pena *f*; (*Schmerz*) dolor *m*; *j-m ein ~ (an)tun* (*beleidigen*) ofender a alg.; (*Schaden zufügen*) causar daño a alg.; (*mißhandeln*) maltratar a alg.; *sich ein ~ antun* (*dat.*) suicidarse; *sein ~ klagen* contar sus penas a alg.; *~ tragen um* llevar luto por.

'Leideform *Gr. f* voz *f* pasiva.

'leiden I. 1. (*L*) *v/i.* sufrir, padecer; adolecer (*an dat.* de); *s-e Gesundheit litt stark darunter* su salud ha quedado muy quebrantada por ello; *an Schwindel ~* sufrir mareos; **2.** *v/t.* sufrir; (*bsd. Krankheit od. seelisch*) padecer; (*dulden*) tolerar; (*erdulden*) soportar, aguantar; (*über sich ergehen lassen*) soportar con paciencia *f*; (*erlauben, zulassen*) permitir; *j-n ~ können* (*od. mögen*) querer bien (*od.* apreciar) a alg.; *j-n nicht ~ können* sentir antipatía hacia alg.; F no poder tragar a alg.; et. *nicht ~ mögen* sentir aversión a a/c.; et. *~ mögen* tener afición a a/c.; *ich mag es ~* me gusta *od.* agrada; *die Angelegenheit leidet keinen Aufschub* el asunto no admite demora; *er leidet an der Leber* padece del hígado; *der Film leidet an Längen* la película adolece de ser demasiado larga; *Not ~* estar en la miseria; pasar necesidad; **II. ꝰ** *n* sufrimiento *m*; padecimiento *m*; (*Schmerz*) dolor *m*; (*Gram*) pesar *m*, pena *f*; ⚕ afección *f*, dolencia *f*; (*Unglück*) desgracia *f*; (*Trübsal*) tribulación *f*; *das ~ Christi* la Pasión del Señor (*od.* de Cristo); **~d** *adj.* ⚕ (*krank*) enfermo; (*kränklich*) enfermizo; delicado de salud; (*gebrechlich*) achacoso; *Gr.* pasivo.

'Leiden *Geogr. n* Leiden *m*; ⚡ *~er Flasche* botella de Leiden.

'Leidenschaft *f* pasión *f*; *in ~ geraten* apasionarse; *sich von s-r ~ fortreißen lassen* dejarse llevar de la pasión; *Spielen ist s-e ~* el juego es su pasión; **ꝰlich I.** *adj.* apasionado; (*feurig*) ardiente; fogoso; (*glühend*) fervoroso, ferviente; (*heftig*) vehemente; (*ungestüm*) impulsivo; *~ werden* apasionarse; **II.** *adv.* apasionadamente; ardientemente; *~ lieben* amar apasionadamente (*od.* con pasión); *sich ~ in j-n verlieben* F enamorarse perdidamente de alg.; *sich ~ erregen, ~ werden* apasionarse (*für* por); **~lichkeit** *f* (*0*) apasionamiento *m*; vehemencia *f*; fogosidad *f*; impulsividad *f*; **ꝰslos** *adj.* desapasionado, sin pasión; (*unempfindlich*) impasible, frío; (*objektiv*) imparcial, objetivo; **~losigkeit** *f* (*0*) ausencia *f* de pasión; impasibilidad *f*; desapasionamiento *m*.

'Leidens...: ~gefährte *m*, **~gefährtin** *f* compañero (-a *f*) *m* de infortunio; **~geschichte** *Rel. f* (*0*) Pasión *f* (de Cristo); **~station** *Rel. f*: *die vierzehn ~en* las catorce estaciones del Calvario; **~weg** *Rel. m* (*-es; -e*) calvario *m*, via crucis *m* (*beide a. fig.*).

'leider *adv.* desafortunadamente; *stärker*: desgraciadamente, por desgracia; *~ ist er noch krank* desgraciadamente todavía sigue enfermo; *~ muß ich gehen* lo siento mucho pero tengo que marcharme; *int. ~ (Gottes)!* ¡por desgracia!; *~ (Gottes) kann ich Ihnen nicht helfen* es una verdadera lástima que no pueda ayudarle; desgraciadamente no puedo ayudarle.

ˈ**leidgeprüft** *adj.* que ha sufrido duras pruebas; probado.

ˈ**leidig** *adj.* (*unangenehm*) desagradable; (*lästig*) fastidioso, molesto; (*ärgerlich*) enojoso, F *iro.* dichoso; F (*verwünscht*) condenado, maldito.

ˈ**leidlich I.** *adj.* (*erträglich*) soportable, tolerable; (*mittelmäßig*) regular, mediano; (*halbwegs gut*) pasadero; (*annehmbar*) aceptable; **II.** *adv.* regularmente, medianamente; pasaderamente; F así así.

ˈ**Leid...:** **~tragende**(**r** *m*) *m/f* el *bzw.* la que está de luto; *die ~n* la familia del difunto; *fig. der ~ von et. sein* ser el que sufre las consecuencias de a/c.; *bei et. der ~ sein* ser la víctima; *beim Bezahlen*: F *hum.* ser el pagano; **2voll** *adj.* lleno de dolor; afligido; doloroso; **~wesen** *n* (*-s*; *0*): *zu m-m* (*großen*) *~* (muy *od.* bien) a pesar mío; con gran pesar mío.

ˈ**Leier** ♪ *f* (*-*; *-n*) lira *f*; *fig.* F *es ist immer die alte ~* siempre la misma canción (*od.* cantilena); el disco de siempre; **~kasten** *m* (*-s*; *=*) organillo *m*; **~kastenmann** *m* (*-ės*; *=er*) organillero *m*; **2n** (*-re*) *v/i. u. v/t.* tocar el organillo; *fig.* (*herunter~*) salmodiar; recitar mecánicamente.

ˈ**Leih|amt** *n* (*-ės*; *=er*), **~anstalt** *f* monte *m* de piedad; **~bibliothek** *f*, **~bücherei** *f* biblioteca *f* circulante; **2en** (*L*) *v/t.* (*aus~*) prestar; *auf Zinsen ~* prestar a interés; (*ent~*) tomar prestado (*von j-m* de alg.); *Sache*: pedir prestado (*von j-m* a alg.); (*liefern*) suministrar, proporcionar; *j-m sein Ohr ~* escuchar a alg.; **~en** *n* préstamo *m*; **~frist** *f* plazo *m* de duración del préstamo; **~haus** *m* (*-es*; *=er*) monte *m* de piedad; (*privates*) casa *f* de préstamos; **~schein** *m* (*-ės*; *-e*) papeleta *f* de empeño; **~verkehr** *m* (*-s*; *0*) (*Bücher2*) servicio *m* de préstamo de libros; **2weise** *adv.* prestado, a título de préstamo.

Leim *m* (*-ės*; *-e*) cola *f*; (*Vogel2*) liga *f*; (*Tischler2*) cola *f* (de carpintero); *mit ~ bestreichen* encolar; *aus dem ~ gehen* desencolarse; *fig. j-n auf den ~ führen* engañar a alg.; hacer a alg. caer en una trampa; *auf den ~ gehen* caer en el lazo (*od.* en la trampa *od.* F en el garlito).

ˈ**leimen** *v/t.* encolar; pegar; *Jgdw.* enviscar; *fig. j-n ~* engañar a alg.; *2 n* encolamiento *m.*

ˈ**Leim...:** **~farbe** *f* pintura *f* a la cola; (*Temperafarbe*) pintura *f* al temple; **2ig** *adj.* viscoso; pegajoso, glutinoso; **~rute** *Jgdw. f* vareta *f*, vara *f* enviscada; *mit ~en fangen* cazar con liga; **~stoff** ⚗ *m* (*-ės*; *-e*) gluten *m*; **~topf** *m* (*-ės*; *=e*) cazo *m*, pote *m* para cola.

Lein ⚘ *m* (*-ės*; *-e*) lino *m*; (*Same*) linaza *f.*

ˈ**Leine** *f* cuerda *f*; *dünne*: cordel *m*; (*Wäsche2*) cuerda *f* para tender ropa; (*Lenkseil*) guía *f*; (*Pferde2*) ronzal *m*; *für Hunde*: cuerda *f*; *an der ~ führen* llevar atado; llevar del ronzal; *an die ~ nehmen* atar.

ˈ**Leinen I.** *n* lino *m*; (*Stoff*) tela *f*; (*Wäschestoff*) lienzo *m*; (tela *f* de) hilo *m*; (*Wäsche*) ropa *f* blanca; *rein ~* hilo puro; *grobes ~* lienzo crudo; *in ~ gebunden* (*Buch*) encuadernado en tela; **II.** *2 adj.* de lino; de hilo; **~band** *m* (*-ės*; *=e*) *e-s Buches*: encuadernación *f* en tela; **~damast** *m* adamascado *m* de lino; **~garn** *n* (*-ės*; *-e*) hilo *m* de lino; **~gewebe** *n* (*Wäschestoff*) tejido *m* de lino; **~industrie** *f* industria *f* lencera; **~papier** *n* (*-ės*; *-e*) papel *m* tela *od.* de hilo; **~waren** *f/pl.* (artículos *m/pl.* de) lencería *f*; **~zeug** *n* (*-s*; *0*) (*Stoff*) lienzo *m*; (*Wäsche*) ropa *f* blanca.

ˈ**Lein...:** **~kraut** ⚘ *n* (*-ės*; *0*) linaria *f*; **~kuchen** *m* ⊕ pan *m* (*od.* tortada *f*) de linaza; **~öl** *n* (*-ės*; *0*) aceite *m* de linaza; **~ölfirnis** *m* (*-ses*; *-se*) barniz *m* de aceite de linaza; **~pfad** ⚓ *m* (*-ės*; *-e*) camino *m* de sirga; **~saat** *f*, **~samen** *m* linaza *f*, semilla *f* de lino; **~tuch** *n* (*-ės*; *=er*) tela *f*, lienzo *m*; (*Bettuch*) sábana *f*; **~wand** *f* (*0*) lienzo *m* (*a. Mal.*), tela *f* de lino; (*Wäsche*) ropa *f* blanca, lencería *f*; (*Segeltuch*) lona *f*; *Film*: pantalla *f*; *auf die ~ bringen* llevar a la pantalla; *auf ~ ziehen* (*Buch*) encuadernar en tela; **~weber** *m* tejedor *m* (de lienzos); **~webeˈrei** *f* fábrica *f* de tejidos de lino.

ˈ**leise I.** *adj.* quedo; sin (hacer) ruido; (*kaum hörbar*) bajo; *fig.* (*leicht*) ligero; (*sanft*) suave; (*zart*) delicado; (*fein*) fino; *ein ~s Gehör haben* tener el oído fino; *e-n ~n Schlaf haben* tener el sueño ligero; *~r Verdacht* vaga sospecha; *~r Zweifel* ligera duda; *~r Wind* viento suave; *mit ~n Schritten* con paso quedo; *mit ~r Stimme* en voz baja; **II.** *adv.* sin ruido; suavemente; *~ sprechen* hablar bajo (*od.* quedo *od.* en voz baja); *Am.* hablar despacio; *~r sprechen* hablar más bajo; bajar la voz; *~ gehen* andar silenciosamente; (*auf Zehenspitzen*) andar de puntillas; *~(r) stellen Radio*: bajar; *~ berühren* tocar ligeramente; rozar; *fig. ~ auftreten* proceder con cautela; *nicht im ~sten* ni en lo más mínimo; F ni por asomo; *~!* ¡silencio!; **2treter** *m* (*Duckmäuser*) hipócrita *m*; F mosca *f* muerta, mátalas callando *m.*

ˈ**Leiste** *f* (*Holz2*) listón *m*; varilla *f*; ⩓ filete *m*, listel *m*; (*Latte*) lata *f*; *Tuchmacherei*: orillo *m*; (*Borte*) orla *f*; *Typ.* filete *m*; (*Vignette*) viñeta *f*; *Anat.* ingle *f.*

ˈ**leisten** (*-e-*) **1.** *v/t. Pflicht, Versprochenes*: cumplir; (*ausführen*) ejecutar; (*bewirken*) realizar; (*hervorbringen*) producir; (*machen*) hacer; (*liefern*) proveer, suministrar; (*erfüllen*) cumplir; ⊕ rendir; producir; *Zahlung*: efectuar, hacer; *Dienst, Eid, Hilfe*: prestar; *in e-m Fach et. ~* ser fuerte en una materia; *Buße ~* hacer penitencia; *Folge ~* obedecer; *e-m Befehl Folge ~* cumplir una orden; *e-r Einladung Folge ~* aceptar una invitación; *j-m Gesellschaft ~* hacer compañía a alg.; acompañar a alg.; *Widerstand ~* ofrecer (*od.* oponer) resistencia; *auf et. Verzicht ~* (*ac.*) renunciar a a/c.; *Bürgschaft ~* dar garantía; *für et. Gewähr ~* garantizar a/c.; responder de a/c.; *Beistand ~* prestar auxilio *od.* ayuda; *j-m Hilfe ~* socorrer *bzw.* ayudar a alg.; prestar ayuda a alg.; *j-m Vorschub ~* apoyar (*od.* favorecer) a alg.; *j-m e-n Vorschub ~* conceder a alg. por anticipado a/c.; *e-r Sache Vorschub ~* favorecer a/c.; *nichts Ordentliches ~* no hacer algo que valga la pena; **2.** *v/refl.*: *sich et. ~* permitirse a/c.; *sich e-n Fehler ~* hacer (*od.* cometer) una falta; *das kann sich jeder ~* eso está al alcance de cualquiera (*od.* de todos); *das kann ich mir nicht ~* no puedo permitirme tal lujo.

ˈ**Leisten** *m* (*Schuh2*) horma *f*; *auf* (*od. über*) *den ~ schlagen* ahormar, poner en la horma; *fig. alles über e-n ~ schlagen* medirlo todo por el mismo rasero; medirlo todo con la misma vara; *über denselben ~ geschlagen sein* ser de la misma calaña; *Schuster, bleib bei deinen ~!* ¡zapatero, a tus zapatos!

ˈ**Leisten...:** **~bruch** ⚕ *m* (*-ės*; *=e*) hernia *f* inguinal; **~gegend** *Anat. f* (*0*) región *f* inguinal; **~werk** ⩓ *n* (*-ės*; *-e*) moldura *f.*

ˈ**Leistung** *f* (*Ausführung*) ejecución *f*, cumplimiento *m*; (*Arbeit*) trabajo *m* (realizado); (*Werk*) obra *f*, trabajo *m*; ⊕ rendimiento *m*; efecto *m*; potencia *f*; ⚡ potencia *f*; *aufgenommene* (*abgegebene*) *~* potencia absorbida (generada *od.* suministrada); (*Ertrag*) rendimiento *m*; producto *m*; ✝ beneficio *m*; (*Produktion*) producción *f*; (*Wirksamkeit*) eficacia *f*, eficiencia *f*; (*Verdienst*) mérito *m*; (*Fortschritt*) adelanto *m*, progreso *m*; (*Beitrag*) contribución *f*; (*Zahlung*) pago *m*; *~ in Naturalien* pago en especie; (*Lieferung*) suministro *m*; (*Erfolg, Ergebnis*) resultado *m*; efecto *m*; (*Dienst2*) servicio *m*, ⚖ prestación *f* (de servicio); *e-s Eides*: prestación *m*; (*Sport*) rendimiento *m*; **~en** *pl.* prestaciones *f/pl.*

ˈ**Leistungs...:** **~abfall** ⊕ *m* (*-ės*; *=e*) disminución *f* de potencia; **~abgabe** *f* rendimiento *m*; **~angaben** ⊕ *f/pl.* datos *m/pl. od.* indicaciones *f/pl.* de la potencia; **~anzeiger** *m* indicador *m* de potencia; **~aufnahme** *f* absorción *f* de potencia; **~ausgleich** ✝ *m* (*-ės*; *0*) compensación *f* de prestaciones; **~bereich** ⊕ *m* (*-ės*; *-e*) alcance *m* de capacidad; **2fähig** *adj.* (*produktiv*) productivo; capaz de producir; ✝ solvente; (*tüchtig*) eficiente; eficaz; ⊕ de gran rendimiento *bzw.* potencia; potente; **~fähigkeit** *f* capacidad *f*; potencia *f*; (*Leistung*) rendimiento *m*; (*Wirksamkeit*) eficiencia *f*; (*Produktivität*) productividad *f*, capacidad *f* de producción; potencialidad *f*; (*Ausdauer*) durabilidad *f*; *steuerliche ~* capacidad fiscal; **~faktor** ⊕ *m* (*-s*; *-en*) factor *m* de potencia; **~grenze** *f* límite *m* de capacidad; **~kurve** *f* curva *f* de potencia; **~lohn** *m* (*-ės*; *=e*) salario *m* proporcional al rendimiento; **~messer** ⚡ *m* vatímetro *m*; **~prämie** *f* prima *f* de rendimiento; **~reaktor** *m* (*-s*; *-en*) reactor *m* de potencia; **~schau** *f* exposición *f* del progreso técnico; **~soll** *n* (*-s*; *-s*) producción *f* impuesta; **~sport** *m* (-*es*; *0*) deporte *m* de competición (*od.* de superación); **~steigerung** *f* aumento *m* de rendimiento (*od.* de potencia); **~verlust** *m* (-*es*; -*e*) pérdida *f* de potencia; **~vermögen** *n* → *Leistungsfähigkeit*; **~verzug** ✝ *m* (-*es*; *0*) demora *f* de prestación; **~zulage** *f* → *Leistungsprämie*.

ˈ**Leit|artikel** *m e-r Zeitung*: artículo *m* de fondo; (*redaktioneller*) editorial *m*; **~artikler** *m* editorialista *m*.

ˈ**leiten** (-*e*-) *v/t.* conducir (*a. Phys. u.* ⚡); (*führen*) guiar; (*verwalten*) administrar; (*regieren*) gobernar; *Betrieb, Verkehr, Zeitung, Orchester*: dirigir; *Versammlung*: presidir; *die Aussprache* ~ dirigir los debates; *Wasser*: conducir; *sich von j-m* ~ *lassen* dejarse guiar por alg.; seguir las indicaciones de alg.; *in die Wege* ~ preparar, organizar; encauzar; **~d** *adj.* conductor (*a. Phys. u.* ⚡); director; rector; *~er Ingenieur* ingeniero-jefe *m*; *~e Stellung* puesto rector; cargo directivo; *~e Persönlichkeit* dirigente *m*; *~er Gedanke* idea directriz.

ˈ**Leiter**[1] *m* (*Führer*) guía *m*; *e-s Betriebes*: gerente *m*; *e-s Unternehmens, e-r Schule*: director *m*; (*Chef*) jefe *m*; (*Verwalter*) administrador *m*; *e-r Versammlung*: presidente *m*; *kaufmännischer (technischer)* ~ director comercial (técnico); **~in** *f* (*Direktorin*) directora *f*; (*Chefin*) jefa *f*; (*Verwalterin*) administradora *f*.

ˈ**Leiter**[2] ⚡ *m* conductor *m*.

ˈ**Leiter**[3] *f* (-; -*n*) escalera *f* (de mano); escala *f*; (*Wagen*&) adral *m*; *e-e* ~ *an e-r Wand aufstellen* apoyar una escalera contra una pared; *auf e-e* ~ *steigen* subir por una escalera; **~chen** *n* escalerilla *f*; **~sprosse** *f* escalón *m*; **~wagen** *m* carro *m* con adrales.

ˈ**Leit...:** **~faden** *m* (-*s*; ¨) hilo *m* conductor; (*Lehrbuch*) manual *m*; guía *f*; compendio *m*; **&fähig** *adj.* conductivo; **~fähigkeit** *f* conductibilidad *f*; **~fossil** *Geol. n* (-*s*; -*ien*) fósil *m* característico; **~gedanke** *m* (-*n*) idea *f* directriz; idea *f* dominante; **~hammel** *m* (carnero *m*) manso *m*; *fig.* guía *m*; **~hund** *Jgdw. m* (-*es*; -*e*) perro *m* de guía; **~karte** *f Kartei*: (ficha *f* de) guía *f*, indicador *m*; **~motiv** *n* (-*es*; -*e*) motivo *m* dominante; ♪ tema *m* principal, leitmotiv *m*; **~ochse** *m* (-*n*) cabestro *m*; **~rolle** ⊕ *u.* ⚓ *f* polea *f* (de) guía; **~satz** *m* (-*es*; ¨*e*) principio *m* orientador; (*Grundsatz*) axioma *m*; **~schiene** *f* ⊕ barra *f* de guía; 🚂 contracarril *m*; **~seil** *n* (-*es*; -*e*) *für Jagdhunde*: traílla *f*; *für Pferde*: (*zum Führen*) cabestro *m*; **~spruch** *m* (-*es*; ¨*e*) lema *m*; **~stange** *f der Straßenbahn*: trole *m*; percha *f*; **~stelle** *f* (*Zentrale*) central *f*; **~stern** *m* (-*es*; -*e*) (*Polarstern*) estrella *f* polar; *fig.* norte *m*, guía *m*; **~strahl** *m* (-*es*; -*en*) rayo *m* conductor; ⩘ radio *m* vector.

ˈ**Leitung** *f* dirección *f*; conducción *f* (*a. für Gas, Wasser*); ⚡ línea *f*; *oberirdische (unterirdische)* ~ línea aérea (subterránea); (*Telegraphen*&) línea *f* de telégrafo; (*Stromkreis*) circuito *m*; (*Kabel*) cable *m*; (*Wasser*&, *Gas*&) *als Netz*: canalización *f*; (*Kanal*) conducto *m*; (*Rohr*&) tubería *f*; (*Gas*&, *Wasser*&) cañería *f*; (*Übertragung*) transmisión *f*; (*Geschäfts*&) gerencia *f*; (*Verwaltung*) administración *f*; (*Regierung*) gobierno *m*; (*leitender Ausschuß*) junta *f* directiva; *e-r Versammlung*: presidencia *f*; *unter der* ~ *von* bajo la dirección de, (*unter dem Vorsitz von*) bajo la presidencia de; *mit der* ~ *beauftragt sein* estar encargado de la dirección; *die* ~ *übernehmen* tomar (*od.* hacerse cargo de) la dirección; *Tele.* e-e ~ *bauen* tender una línea; *die* ~ *ist besetzt* la línea está ocupada; *fig.* e-e *lange* ~ *haben* ser tardo de comprensión, F tener malas entendederas, no caer.

ˈ**Leitungs...:** **~draht** ⚡ *m* (-*es*; ¨*e*) hilo *m* conductor; (*Oberleitung*) catenaria *f*; **&fähig** *adj.* conductor, conductivo; conductible; **~fähigkeit** *f* (*0*) conductibilidad *f*; **~hahn** *m* (-*es*; ¨*e*) (*Wasserhahn*) grifo *m* del agua; **~mast** *m* (-*es*; -*e u.* -*en*) poste *m* para catenarias; **~netz** *n* (-*es*; -*e*) ⚡ red *f* del alumbrado; red *f* de distribución; (*der Wasserleitung*) canalización *f*; **~rohr** *n* (-*es*; -*e*) (*Leitung*) conducto *m*; (*für Gas, Wasser*) tubo *m* de la canalización; **~röhre** *f* tubo *m* conductor; **~schnur** ⚡ *f* (-; ¨*e*) cordón *m* conductor, flexible *m*; **~störung** *f* perturbación *f* de línea; **~vermögen** *n* (-*s*; *0*) conductibilidad *f*; **~wasser** *n* agua *f* corriente (*od.* del grifo); **~widerstand** ⚡ *m* (-*es*; ¨*e*) resistencia *f* de la línea.

ˈ**Leit...:** **~vermerk** *m* (-*es*; -*e*) indicación *f* del itinerario; 📯 encaminamiento *m*; **~vermögen** *Phys. n* (-*s*; *0*) conductibilidad *f*; **~welle** ⊕ *f* árbol *m* de transmisión; **~werk** ✈ *n* (-*es*; -*e*) timón *m* y estabilizador de cola; **~wert** ⚡ *m* (-*es*; -*e*) conductancia *f*.

Lektiˈon [lɛkˈtsĭoːn] *f* lección *f*; *fig. j-m e-e* ~ *erteilen* (*Verweis*) dar una lección a alg.

ˈ**Lektor** *m* (-*s*; -*en*) lector *m* (*a. Verlags*&).

Lektoˈrat *n* (-*es*; -*e*) lectorado *m*.

Lekˈtüre *f* lectura *f*.

ˈ**Lende** *Anat. f* (*Hüfte*) cadera *f*; (*Oberschenkel*) muslo *m*; (*Nierengegend*) región *f* lumbar; riñones *m/pl.*; (*Wild*&, *Kalb*&) lomo *m*.

ˈ**Lenden...:** **~braten** *m* lomo *m* asado; **~gegend** *Anat. f* (*0*) región *f* lumbar; **&lahm** *adj.* deslomado, derrengado; *fig.* sin energía, débil; **~schmerzen** ⚕ *m/pl.* lumbago *m*; **~schurz** *m* (-*es*; -*e*) taparrabo *m*; (*Christi am Kreuz*) enagüillas *f/pl.*; **~stich** ⚕ *m* (-*es*; -*e*) punción *f* lumbar; **~stück** *Kochkunst n* (-*es*; -*e*) lomo *m*; solomillo *m*; filete *m*; **~wirbel** *Anat. m* vértebra *f* lumbar.

ˈ**Lenk|achse** ⊕ *f* eje *m* conductor (*od.* de dirección); **~ballon** *m* (-*s*; -*s*) (globo *m*) dirigible *m*; **&bar** *adj.* dirigible; gobernable; *fig. v. Menschen*: tratable; dócil; *~es Luftschiff* dirigible *m*; **~barkeit** *f* (*0*) *fig.* docilidad *f*; **&en** *v/t. u. v/i.* dirigir; (*führen*) guiar; conducir; *Staat, Schiff*: gobernar; *Wagen, Auto*: conducir; ✈ pilot(e)ar; (*handhaben*) manejar; *s-e Schritte* ~ *nach* dirigirse a, encaminarse a; *die Aufmerksamkeit* ~ *auf* atraer la atención sobre; *das Gespräch* ~ *auf* llevar la conversación a; *den Blick* ~ *auf* dirigir la mirada hacia; *der Mensch denkt, Gott lenkt* el hombre propone y Dios dispone; *gelenkte Wirtschaft* economía dirigida; **~en** *n* dirección *f*; gobierno *m*; *e-s Wagens, Autos*: conducción *f*; ✈ pilotaje *m*; (*Handhaben*) manejo *m*; **~er(in** *f*) *m* conductor(a *f*) *m*; **~erschloß** *n* (-*sses*; ¨*sser*) *Auto.* dispositivo *m* de seguridad contra robo; **~rad** *n* (-*es*; ¨*er*) volante *m*; **~radschaltung** *Auto. f* cambio *m* de velocidades acoplado al volante; **~radsteuerung** *f* dirección *f* con volante; **&sam** *adj.* fácil de conducir; (*folgsam*) dócil; (*umgänglich*) tratable; **~stange** *f Fahrrad, Kraftrad*: guía *f*; manillar *m*; **~ung** *f* dirección *f*; gobierno *m*; conducción *f* (*a. Auto. usw.*); manejo *m*; **~ungsausschlag** *m* (-*es*; ¨*e*) *Auto.* ángulo *m* de giro (*od.* de viraje); **~ungs-ausschuß** *m* (-*sses*; ¨*sse*) junta *f* directiva.

Lenz *Poes. m* (-*es*; -*e*) primavera *f*; *sie zählte 20* ~*e* era una muchacha de veinte abriles.

ˈ**lenzen** (-*t*) ⚓ *v/t. u. v/i.* (*pumpen*) achicar; (*vor dem Wind segeln*) sotaventearse.

ˈ**Leo** *m* León *m*.

Leoˈpard [leˑoˑˈpart] *Zoo. m* (-*en*) leopardo *m*.

ˈ**Lepra** [ˈleːpraˑ] ⚕ *f* (*0*) lepra *f*; **~kranke(r)** *m* leproso *m*; **~spital** *n* (-*s*; -*e*) lazareto *m*, leprosería *f*.

leptoˈsom *Physiol. adj.* leptosomático.

ˈ**Lerche** [ˈlɛr-] *Orn. f* alondra *f*; **~nfang** *m* (-*es*; ¨*e*) caza *f* de alondras; **~nstrich** *m* (-*es*; *0*) paso *m* de las alondras.

ˈ**Lern|begier(de)** *f* (*0*) afán *m* de aprender; **&begierig** *adj.* deseoso de aprender; estudioso, aplicado; **~eifer** *m* (-*s*; *0*) aplicación *f*, estudiosidad *f*; **&en** *v/t.* aprender; (*in der Lehre sein*) hacer el aprendizaje; estar de aprendiz; *bei j-m* ~ aprender con alg.; *von j-m et.* ~ aprender a/c. de alg.; F (*büffeln*) empollar; quemarse las cejas estudiando; *Spanisch* ~ aprender (el) español; *lesen* ~ aprender a leer; *Klavier spielen* ~ estudiar piano; aprender a tocar el piano; *auswendig* ~ aprender de memoria; *das lernt sich schwer* esto es difícil de aprender; *daraus* ~ *wir, daß* ... esto nos enseña que ...; *gelernter Arbeiter* trabajador especializado (*od.* calificado); **~en** *n* estudio *m*; (*Lehre*) aprendizaje *m*; *das* ~ *wird ihm schwer* le cuesta trabajo estudiar; aprende con dificultad; **~mittel** *n/pl.* material *m* didáctico, material *m* escolar; **~mittelfreiheit** *f* (*0*) gratuidad *f* del material escolar.

ˈ**Les|art** *f* versión *f*; *verschiedene* ~ variante *f*; **&bar** *adj.* (*leserlich*) legible; (*entzifferbar*) descifrable; (*lesenswert*) digno de ser leído; **~barkeit** *f* (*0*) legibilidad *f*.

ˈ**Les|bier(in** *f*) *m* lesbio (-a *f*) *m*,

natural *m/f* de Lesbós, lesbiano (-a *f*) *m*; **♀isch** *adj.* lesbio, lesbiano.

ˈ**Lese** *f* recolección *f*; cosecha *f*; (*Wein♀*) vendimia *f*; **~abend** *m* (*-s*; *-e*) velada *f* literaria; **~brille** *f* gafas *f/pl.* para leer; **~buch** *n* (*-es*; *⸚er*) libro *m* de lectura; (*Chrestomathie*) crestomatía *f*; (*Elementar♀*) abecedario *m*; **~drama** *n* (*-s*; *-dramen*) drama *m* para lectura (*od.* no teatral); **~fehler** *m* defecto *m* de lectura; **~fibel** *f* (*-*; *-n*) abecedario *m*; **~früchte** *f/pl.* trozos *m/pl.* selectos, crestomatía *f*; **~gesellschaft** *f* círculo *m* literario; círculo *m* de lectura; **~halle** *f* sala *f* de lectura; **~kränzchen** *n*, **~kreis** *m* (*-es*; *-e*) → *Lesegesellschaft*; **~lampe** *f* lámpara *f* para lectura; **~lupe** *f* lupa *f* para leer.

ˈ**lesen I.** (*L*) *v/t. u. v/i.* leer; (*aussuchen*) escoger; (*Vorlesung halten*) explicar una asignatura; dar un curso (über sobre); (*pflücken*) coger; *Messe*: decir, celebrar; *Typ. Korrekturen* ~ corregir las pruebas; *Ähren*: espigar; (*ernten*) cosechar; *Trauben*: vendimiar; *Holz*: buscar; *Gemüse*: limpiar; *dieses Buch liest sich leicht* este libro se lee con facilidad; *das liest sich wie ein Roman* se diría que es una novela; cree uno estar leyendo una novela; *zwischen den Zeilen* ~ leer entre líneas; *Gedanken* ~ leer el pensamiento; *aus der Hand* ~ leer en las rayas de la mano; *fig. j-m die Leviten* ~ reprender severamente a alg.; F sermonear a alg.; echar una filípica a alg.; **II.** ♀ *n* lectura *f*; (*Messe*) celebración *f*; *lautes* ~ lectura en alta voz; *nach einmaligem* ~ después de una simple lectura; **~swert** *adj.* digno de ser leído.

ˈ**Lese|probe** *f Thea.* lectura *f* (de una pieza teatral); **~pult** *n* (*-es*; *-e*) atril *m*.

ˈ**Leser(in** *f*) *m* lector(a *f*) *m*; (*Ähren♀*) espigador(a *f*) *m*; (*Wein♀*) vendimiador(a *f*) *m*.

ˈ**Leseratte** *f* lector(a *f*) *m* apasionado (-a *f*) *m*; F ratón *m* de biblioteca.

ˈ**Leser...: ~briefe** *m/pl. e-r Zeitung*: cartas *f/pl.* al director; **~kreis** *m* (*-es*; *-e*) (círculo *m* de) lectores *m/pl.*; (*Lesekreis*) círculo *m* de lectura; círculo *m* literario; **♀lich** *adj.* legible; **~lichkeit** *f* (*0*) legibilidad *f*; **~schaft** *f* (*0*) lectores *m/pl.*; **~zuschriften** *f/pl.* → *Leserbriefe*.

ˈ**Lese...: ~saal** *m* (*-es*; *-säle*) sala *f* de lectura; **~stoff** *m* (*-es*; *0*) lectura *f*; **~stück** *n* trozo *m* (de lectura); **~übung** *f* ejercicio *m* de lectura; **~zeichen** *n* señal *f*; registro *m*; **~zimmer** *n* gabinete *m* de lectura; **~zirkel** *m* círculo *m* de lectura.

ˈ**Lesung** *f* lectura *f*; *Parl. in erster* (*zweiter*) ~ en primera (segunda) lectura.

Letharˈgie ⚕ *f* (*0*) letargia *f*, letargo *m*.

leˈthargisch *adj.* letárgico.

ˈ**Lett|e** *m* (*-n*) letón *m*; **~in** *f* letona *f*.

ˈ**Letter** *f* (*-*; *-n*) *Typ.* letra *f* de imprenta (*od.* de molde); tipo *m* de imprenta; **~n** *pl.* letras *f/pl.* (*od.* caracteres *m/pl.*) de imprenta; **~nkasten** *m* (*-s*; *⸚*) caja *f* de imprenta; (*kleiner*) cajetín *m*; **~nmetall** *n* (*-es*; *-e*) metal *m* para letras (*od.* tipos) de imprenta; **~nsetzmaschine** *f* monotipo *m*.

ˈ**lett|isch** *adj.* letón; *die ~e Sprache, das ♀(e)* el (idioma) letón; **♀land** *n* Letonia *f*.

ˈ**Lettner** *m e-r Kirche*: coro *m* alto.

letzt I. *adj.* último; *Poes.* postrer(o); (*endgültig*) final; (*äußerst*) extremo, supremo; *~e Nachrichten* noticias de última hora; *in den ~en Jahren* (en) estos últimos años; *in ~er Zeit* últimamente; *im ~en Augenblick* (*od. Moment*) en el último momento (*od.* instante); *das ~e Stündchen* la hora suprema; *~en Sonntag* el pasado domingo; *~e Woche* la semana pasada; *zum ~en Mal* por última vez; *~en Endes* en fin de cuentas; al fin y al cabo; después de todo; *bis auf den ~en Mann* hasta el último hombre; *~er Schrei* último grito; *Matthäi am ~en sein* estar agotándose las últimas reservas; *bis ins ~e prüfen* examinar hasta el último (*od.* menor) detalle; *bis zum ~en Blutstropfen* hasta la última gota de sangre; *die ~e Hand an et. legen* dar la última mano a a/c.; *an ~er Stelle* en último lugar; *j-m die ~e Ehre erweisen* rendir el último tributo a alg.; *Rel. ~e Ölung* la extremaunción; *~er Versuch* último intento, *engS.* supremo esfuerzo; *~er Ausweg* último recurso; *~er Wille* última voluntad; *das ~e Wort haben* decir la última palabra; *in den ~en Zügen liegen* estar en la agonía; *fig. aus dem ~en Loch pfeifen* F estar en las últimas; **II.** ♀ *f uv.*: *zu guter* ~ por último; ˈ**~e**: *der* ~ el último; *der* ♀ *des Monats* el último día del mes; *die* ~ la última; *das* ~ lo último; *das* ~ *hergeben* dar todo lo que se posee, F dar hasta la camisa, (*alles aufbieten*) F echar el resto; ˈ**~enmal** *adv.*: *zum* ~ por última vez; ˈ**~ens**, **~ˈhin** *adv.* últimamente; recientemente; días pasados; *in Aufzählungen*: en último lugar; ˈ**~e(r)** *adj.* último, última; ˈ**~erwähnt**, ˈ**~genannt** *adj.* últimamente citado; ˈ**~lich** *adv.* (*letztens*) últimamente; recientemente; el otro día; (*letzten Endes*) al fin y al cabo; en resumidas cuentas; después de todo; ˈ**~willig** *adj.* testamentario; *~e Verfügung* testamento *m*, última voluntad *f*; *über et. ~ verfügen* (*ac.*) hacer (*od.* otorgar) testamento de a/c.

Leu *Poes. m* (*-en*) león *m*.

ˈ**Leucht|bake** *f*, **~boje** *f* boya *f* luminosa; **~bombe** *f* bomba *f* luminosa; **~draht** ⚡ *m* (*-es*; *⸚e*) filamento *m* luminoso; **~e** *f* (*Licht*) luz *f*; (*Lampe*) lámpara *f*; (*Laterne*) linterna *f*; farol *m*; ⚓ fanal *m*; (*Fackel*) antorcha *f*; *fig.* lumbrera *f*; **♀en** (*-e-*) *v/i.* lucir; alumbrar; (*glänzen*) brillar; (*strahlen*) radiar; (*funkeln*) centellear; *Meer*: fosforescer; *j-m* ~ alumbrar a alg.; *fig. sein Licht ~ lassen* lucirse; **~en** *n* luz *f*; luminosidad *f*; (*Strahlen*) radiación *f*; (*Funkeln*) centelleo *m*; (*Glanz*) brillo *m*; resplandor *m*; (*Meeres♀*) fosforescencia *f*; **♀end** *adj.* luminoso; (*glänzend*) brillante; resplandeciente; (*strahlend*) radiante; (*funkelnd*) centelleante; *Meer*: fosforescente; *~es Beispiel* ejemplo luminoso; **~er** *m* (*Hand♀*) palmatoria *f*; (*Kerzen♀*) candelero *m*, *mehrarmiger*: candelabro *m*; (*Kron♀*) araña *f*; **~faden** ⚡ *m* (*-s*; *⸚*) filamento *m* luminoso (*od.* de lámpara de incandescencia); **~farbe** *f* pintura *f* luminosa (*od.* fosforescente); **~feuer** *n* fanal *m*; **~gas** *n* (*-es*; *-e*) gas *m* del alumbrado; **~geschoß** ⚔ *n* (*-sses*; *-sse*) proyectil *m* luminoso; **~käfer** *m* luciérnaga *f*; **~kompaß** *m* (*-sses*; *-sse*) brújula *f* luminosa; **~kraft** *f* (*0*) potencia *f* luminosa; intensidad *f* lumínica; **~kugel** ⚔ *f* (*-*; *-n*) bala *f* luminosa; **~petroleum** *n* (*-s*; *0*) petróleo *m* para lámpara; **~pistole** ⚔ *f* pistola *f* lanza-cohetes; **~plakat** *n* (*-es*; *-e*) anuncio *m* luminoso; **~rakete** *f* cohete *m* luminoso; **~röhre** *f* tubo *m* fluorescente; **~schiff** ⚓ *n* (*-es*; *-e*) buque-faro *m*; **~schild** *n* (*-es*; *-er*) letrero *m* luminoso; **~schirm** ⚕ *m* (*-es*; *-e*) pantalla *f* fluorescente; **~schrift** *f* escritura *f* luminosa; **~signal** *n* (*-es*; *-e*) señal *f* luminosa; **~skala** *f* (*-*; *-skalen*) escala *f* luminosa; **~spurgeschoß** ⚔ *n* (*-sses*; *-sse*) proyectil *m* trazador; **~spurkugel** ⚔ *f* (*-*; *-n*) bala *f* trazadora; **~spurmunition** ⚔ *f* munición *f* trazadora; **~stab** *m* (*-es*; *⸚e*) linterna *f* eléctrica tubular; **~stoffröhre** *f* tubo *m* fluorescente; **~turm** *m* (*-es*; *⸚e*) faro *m*; **~turmwärter** *m* farero *m*; **~ziffer** *f* (*-*; *-n*) cifra *f* luminosa; **~zifferblatt** *n* (*-es*; *⸚er*) esfera *f* luminosa *od.* fosforescente.

ˈ**leugn|en** (*-e-*) *v/t.* negar; denegar; (*in Abrede stellen*) desmentir, negar la certeza de a/c.; (*bestreiten*) discutir; *es ist nicht zu ~, daß ...* es innegable que ...; no se puede negar que ...; **♀en** *n* negación *f*; denegación *f*; desmentida *f*; **♀er(in** *f*) *m* negador(a *f*) *m*.

Leukäˈmie ⚕ *f* (*0*) leucemia *f*.

Leukoˈplast ⚕ *n* (*-es*; *0*) esparadrapo *m* adhesivo.

Leukoˈzyten *Physiol. pl.* leucocitos *m/pl.*

ˈ**Leumund** *m* (*-s*; *0*) reputación *f*; fama *f*; *in bösen ~ bringen* difamar; desacreditar; **~szeugnis** *n* (*-ses*; *-se*) certificado *m* de buena conducta.

ˈ**Leute** *pl.* gente *f*; gentes *f/pl.*; (*Publikum*) público *m*; (*Menge*) multitud *f*, muchedumbre *f*; gentío *m*; (*Menschen*) personas *f/pl.*; (*Personal*) personal; (*Diener*) servidumbre *f*; ⚔ soldados *m/pl.*, tropa *f*; ⚓ tripulación *f*; *alle* ~ toda la gente; *alle rechtschaffenen* ~ todas las personas honradas (*od.* decentes); *alle alten* ~ todos los viejos; *die jungen* ~ los jóvenes, la gente joven; *die kleinen* ~ la gente humilde, *Kinder*: la gente menuda, los chicos; *anständige* ~ gente honrada; *die armen* (*bemitleidenswerten*) ~ la pobre gente; *die armen* (*nicht reichen*) ~ la gente pobre, los pobres; *die reichen* ~ la gente rica, los ricos; F *fig.* la gente gorda; ~ *von Rang und Stand* gente (*od.* personas) de calidad; *m-e* ~ mi gente; mis hombres; (*Familie*) mi familia; *unter die* ~ *gehen* (*bringen*) ver gente, (*Ge-*

rüchte: divulgar); *unter die ~ kommen* tratar con la gente, (*Gerüchte*: divulgarse); *es sind ~ bei uns* (*wir haben Besuch*) tenemos visita; *s-e ~ kennen* conocer a su gente; saber con quién trata; F *fig.* conocer el paño; *die ~ sagen* es la gente lo dice; se dice; *was werden die ~ dazu sagen?* ¿qué dirá la gente?; *Kleider machen ~* el hábito hace al monje; **~schinder** *m* explotador *m*; *fig.* negrero *m*; **~schinde'rei** *f* (*0*) explotación *f*; malos tratos *m/pl.*
'Leutnant ⚔ *m* (*-s*; *-s*) teniente *m.*
'leutselig *adj.* (*liebenswürdig*) afable; (*wohlwollend*) benévolo; (*herablassend*) condescendiente; (*ungezwungen*) campechano; **2keit** *f* (*0*) afabilidad *f*; benevolencia *f*; condescendencia *f*; campechanía *f.*
Le'vante *f* Levante *m.*
Levan'tin|er *m* levantino *m*; **~erin** *f* levantina *f*; **2isch** *adj.* levantino.
Le'vit *m* (*-en*) levita *m.*
Le'viten *pl.*: *j-m die ~ lesen fig.* reprender con severidad a alg.; F sermonear a alg.; echar una filípica a alg.; dar una lección a alg.
Lev'koje [lɛf'ko:jə] ♀ *f* alhelí *m.*
lexi'kalisch *adj.* lexicológico.
Lexiko|'graph *m* (*-en*) lexicógrafo *m*; **~gra'phie** [-a'fi:] *f* (*0*) lexicografía *f*; **2'graphisch** *adj.* lexicográfico.
'Lexikon *n* (*-s*; *Lexika*) (*Wörterbuch*) diccionario *m*; *für einzelne Werke*: léxico *m*; (*Konversations2*) enciclopedia *f*; diccionario *m* enciclopédico; F *fig. wandelndes ~* diccionario viviente.
Lezi'thin ⚗ *n* (*-s*; *0*) lecitina *f.*
Liai'son *f* (*-*; *-s*) F lío *m*, enredo *m.*
Li'ane ♀ *f* liana *f.*
'Lias *Geol. m* (*-*; *0*) liásico *m*; **~formation** *f* formación *f* liásica.
Liba'nes|e *m* (*-n*) libanés *m*; **~in** *f* libanesa *f*; **2isch** *adj.* libanés.
'Libanon *m* Líbano *m.*
Li'belle *f Zoo.* libélula *f*, F caballito *m* del diablo; ⊕ nivel *m* de aire.
libe'ral *adj.* liberal.
liberali'sier|en (*-*) *v/t.* liberalizar; **2ung** *f* liberalización *f.*
Libera'lis|mus *m* (*-*; *0*) liberalismo *m*; **2tisch** *adj.* liberal.
Liberali'tät *f* (*0*) liberalidad *f.*
Li'ber|ia *n* Liberia *f*; **~ier** *m*, **2isch** *adj.* liberiano *m.*
libidi'nös *adj.* libidinoso; lujurioso, lascivo.
Li'bido *f* (*-*; *0*) libídine *f*; lujuria *f*, lascivia *f.*
Libret'tist *Thea. m* (*-en*) libretista *m.*
Li'bretto *Thea. n* (*-s*; *-s od. Libretti*) libreto *m*, letra *f.*
'Libyen *n* Libia *f.*
'Libyer(in *f*) *m* libio (-a *f*) *m.*
'libysch *adj.* libio.
licht *adj.* (*-est*) (*hell*) claro; (*leuchtend*) luminoso; *Wald, Haare*: ralo; *bei ~em Tage* en pleno día; *fig. ~er Augenblick* intervalo lúcido, momento de lucidez; *~e Stelle im Wald*: claro *m*; *~e Weite* △ vano *m*, luz *f*; anchura *f* interior; ⊕ *~er Durchmesser* diámetro *m* interior; *~e Höhe* altura *f* interior, luz *f*; (*Durchfahrtshöhe*) altura *f* de paso (de un puente).
Licht *n* (*-es*; *-e[r]*) luz *f* (*a. fig.*); (*Helle*) claridad *f*; (*Tages2*) luz *f* diurna (*od.* del día); (*Talg2*) vela *f* de sebo; (*Wachs2*) vela *f* de cera; (*Kerze*) vela *f*, bujía *f*; (*Laterne*) farol *m*; (*Scheinwerfer*) *Auto.* faro *m*; *Mal.* die *~er* los claros; el relieve; *~er und Schatten* claros y sombras; *fig. ein großes ~* una lumbrera; *~ machen* encender la luz; hacer luz; *das ~ ausmachen* apagar la luz; *das ~ ist an* (*aus*) la luz está encendida (apagada); *bei ~* con luz; *beim ~*, *im ~* a la luz (de); *das ~ fällt von oben herein* la luz viene de arriba; *das ~ scheuen* eludir la luz; *das ~ der Welt erblicken* nacer, venir al mundo; *ein günstiges ~ auf et. werfen* mostrar (*od.* hacer ver) a/c. en su aspecto más favorable; *ein ungünstiges ~ auf et. werfen* presentar a/c. bajo un aspecto desfavorable; *mir geht ein ~ auf* empiezo a ver claro; F ya caigo; *j-m ein ~ aufstecken* abrir los ojos a alg.; *alles im schönsten ~ sehen* verlo todo color de rosa; *ans ~ bringen* sacar a luz; *ans ~ kommen* salir a la luz; (*entdeckt werden*) llegar a descubrirse (*od.* a saberse); et. *bei ~ besehen* examinar de cerca; *bei ~ betrachtet* (*alles in allem genommen*) mirándolo (*od.* considerándolo) bien; al fin y al cabo; *gegen das ~* a contraluz; *fig. j-n hinters ~ führen* engañar, burlar a alg.; (*betrügen*) F dar el timo a alg.; *fig. in et. ~ bringen* arrojar luz sobre a/c.; *ins ~ rücken* poner a la luz; et. *ins rechte ~ setzen* (*od. rücken*) mostrar a/c. tal como es en realidad; et. *in ein falsches ~ stellen* (*od. rücken*) presentar a/c. bajo un aspecto desfavorable *od.* equivocado; *sich in e-m neuen ~ zeigen* mostrarse bajo un nuevo aspecto; *j-m im ~ stehen* impedir a alg. ver; *geh mir aus dem ~!* ¡no me quites la luz!; *sein ~ leuchten lassen* lucirse; *sein ~ unter den Scheffel stellen* silenciar sus propios méritos; *es werde ~!* ¡hágase la luz!; *wo ~ ist, da ist auch Schatten* no hay medalla sin reverso; *im ~ der Öffentlichkeit* de cara al público.
'Licht...: **~aggregat** *n* (*-es*; *-e*) (*Stromerzeugungsaggregat*) grupo *m* electrógeno; **~anlage** *f* instalación *f* de alumbrado; **~bad** *n* (*-es*; *¨er*) baño *m* de luz; baño *m* de sol; **2beständig** *adj.* resistente a la luz; **~bild** *n* (*-es*; *-er*) foto(grafía) *f*, retrato *m*; (*Diapositiv*) diapositiva *f*; **~bildausweis** *m* (*-es*; *-e*) tarjeta *f* de identidad con retrato; **~bild-auswertung** *f* fotogrametría *f*; **~bildervortrag** *m* (*-es*; *¨e*) conferencia *f* con proyecciones; **~bildwerfer** *m* (aparato *m*) proyector *m*; **2blau** *adj.* azul celeste; **~blick** *fig. m* rayo *m* de esperanza; **~bogen** ⚡ *m* (*-s*; *¨*) arco *m* (voltaico); **~bogenschweißung** *f* soldadura *f* por arco (voltaico); **2brechend** *adj.* refringente; **~brechung** *Phys. f* refracción *f* de la luz; **~bündel** *n* haz *m* de rayos luminosos; **~druck** *m* (*-es*; *-e*) fototipia *f*, heliograbado *m*, fotograbado; *m* **2durchlässig** *adj.* transparente; **~durchlässigkeit** *f* (*0*) transparencia *f*; **2echt** *adj.* resistente a la luz; (*Farbe*) sólido; **2elektrisch** *adj.* fotoeléctrico; **2empfindlich** *adj.* sensible a la luz; *~ machen* sensibilizar; **~empfindlichkeit** *f* (*0*) sensibilidad *f* a la luz.
'lichten (*-e-*) *v/t.* aclarar; *sich ~* (*heller werden*) aclararse; (*Bäume*) podar; (*Wald*) entresacar, aclarar; ⚓ *e-s Schiffes*: alijar; *die Anker ~* levar anclas, zarpar; ⚔ (*dezimieren*) diezmar; *2 n e-s Baumes*: poda *f*; *e-s Waldes*: clareo *m*; *e-s Schiffes*: alijo *m.*
'Lichter 1. *pl. v. Licht*; **2.** ⚓ *m* gabarra *f*; chalana *f*; **2'loh** *adv.*: *~ brennen* arder en llamas.
'Licht...: **~erscheinung** *f* fenómeno *m* luminoso *od.* óptico; **~geschwindigkeit** *f* (*0*) velocidad *f* de la luz; **~heilkunde** *f* (*0*), **~heilverfahren** ⚕ *n* fototerapia *f*; helioterapia *f*; **~hof** *m* (*-es*; *¨e*) patio *m* acristalado; *Phot., Astr.* halo *m*; **~hofbildung** *Phot. f* formación *f* de halos; **2hoffrei** *Phot. adj.* ortocromático, antihalo; **~jahr** *n* (*-es*; *-e*) año *m* (de) luz; **~kegel** *m* cono *m* luminoso (*od.* de luz); **~kreis** *m* (*-es*; *-e*) círculo *m* luminoso; **~lehre** *f* (*0*) óptica *f*; **~leitung** ⚡ *f* línea *f* de alumbrado (eléctrico); **~maschine** *f* dínamo *f*; **~mast** ⚡ *m* (*-es*; *-e*) poste *m* de alumbrado; **~meer** *n* (*-es*; *0*) océano *m* de luz; **~meß** *f* (*0*) la Candelaria; **~messer** *Opt. m* fotómetro *m*; **~messung** *f* fotometría *f*; **~netz** *n* (*-es*; *-e*) red *f* del alumbrado; **~pausapparat** *m* (*-es*; *-e*) aparato *m* heliográfico (*od.* de heliocalco); **~pause** *f* heliografía *f*, fotocalco *m*, fotocopia *f*; **~paus-papier** *n* (*-es*; *-e*) papel *m* heliográfico; **~pausverfahren** *n* procedimiento *m* heliográfico; **~punkt** *m* (*-es*; *-e*) punto *m* luminoso; **~quelle** *f* fuente *f* de luz; fuente *f* luminosa; **~reklame** *f* publicidad *f* luminosa; anuncio *m* luminoso; **~schacht** *m* (*-es*; *¨e*) patio *m* interior; △ pozo *m* de luz; ⚒ pozo *m* abierto; **~schalter** *m* conmutador *m* (*od.* interruptor *m*) de la luz; F llave *f* de la luz; **~schein** *m* (*-es*; *-e*) resplandor *m*; reflejo *m* de luz; **2scheu** *adj.* que teme (*od.* huye de) la luz (*a. fig.*); ⚕ fotófobo; **~schimmer** *m* vislumbre *m*, resplandor *m* tenue; **~schirm** *m* (*-es*; *-e*) pantalla *f*; **2schwach** *adj.* poco luminoso; **~seite** *f* lado *m* de la luz; *fig.* aspecto *m* favorable, lado *m* bueno; **~signal** *n* (*-s*; *-e*) señal *f* luminosa; **~spielhaus** *n* (*-es*; *¨er*), **~spieltheater** *n* cine(matógrafo) *m*; **2stark** *adj.* (muy) luminoso; **~stärke** *f* (*0*) intensidad *f* luminosa; luminosidad *f*; **~strahl** *m* (*-es*; *-en*) rayo *m* de luz (*a. fig.*); *Opt.* rayo *m* luminoso; **~strom** ⚡ *m* (*-es*; *¨e*) corriente *f* del alumbrado; **~technik** *f* (*0*) luminotécnica *f*; técnica *f* del alumbrado; **2undurchlässig** *adj.* opaco; **~ung** *f* calvero *m*; *im Walde*: claro *m*; **~welle** *Phys. f* onda *f* luminosa; **~zeichen** *n* señal *f* luminosa; **~zelle** *f* célula *f* fotoeléctrica.
Lid *n* (*-es*; *-er*) párpado *m.*
'lid|ern (*-re*) ⊕ *v/t.* empaquetar; **2erung** *f* empaquetadura *f.*

'**Lidschatten** m/pl. sombreado m de ojos.

lieb I. adj. (geliebt) querido, Liter. amado; (teuer, wert) caro; (liebenswürdig) amable; (angenehm) agradable; mein ~er Freund! querido amigo; der ~e Gott Dios; du ~er Gott! ¡Dios mío!; Unsere ≈e Frau Nuestra Señora; la Santísima Virgen, la Virgen María; das ~e Brot el pan (nuestro) de cada día, el pan cotidiano; den ~en langen Tag todo el santo día; um des ~en Friedens willen para tener paz; sich ~ Kind machen congraciarse con alg.; ganarse las simpatías de alg.; mit j-m s-e ~e Not haben sufrir tribulaciones por alg.; mit et. s-e ~e Not haben tener sus dificultades con a/c.; er wird s-e ~e Not haben, um zu (inf.) le costará mucho (inf.), le ha de ser muy difícil (inf.), F se verá negro para (inf.); seien Sie so ~, und geben Sie mir das Buch tenga la bondad (od. haga el favor) de darme el libro; es ist mir ~, daß ... me agrada (od. gusta od. complace) que (subj.); es ist mir nicht ~, daß ... no me agrada que (subj.); wenn dir dein Leben ~ ist si en algo estimas la vida; → lieber, liebst; **II.** ≈ n querido m; querida f; '**~äugeln** v/i.: mit j-m ~ echar miradas amorosas a alg.; coquetear con alg.; F timarse con alg.; mit e-r Reise ~ acariciar la idea de hacer un viaje; '**≈chen** n → Lieb; mein ~! ¡bien mío!

'**Liebe** f amor m; (Zuneigung) inclinación f; afecto m, cariño m; (Liebschaft) amorío m; sinnliche ~ amor sensual (od. físico od. carnal); platonische ~ amor platónico; freie ~ amor libre; christliche ~ caridad (cristiana); kindliche ~ amor filial; abgöttische ~ idolatría; ~ zu amor a; amor por; aus ~ zu s-r Mutter por amor a su madre; Heirat aus ~ casamiento por amor; ~ zu j-m (od. für j-n) empfinden sentir amor hacia od. por alg.; ~ einflößen inspirar amor, enamorar; e-e ~ ist der anderen wert amor con amor se paga; tun (od. erweisen) Sie mir die ~ hágame el favor; **~diener** m adulador m; **~diene'rei** f (0) servilismo m; baja adulación f; **~'lei** f amorío m; (Flirt) galanteo m, flirteo m; coqueteo m; **≈ln** (-le) v/i. galantear, flirtear; coquetear.

'**lieben I.** v/t., v/i. u. v/refl. amar; querer; sich ~ amarse; quererse; (sich) zärtlich ~ amar(se) od. querer(se) tiernamente; (Zuneigung haben) sentir inclinación hacia; sentir afecto od. cariño hacia; (gern mögen) gustar; (vergöttern) idolatrar; adorar; **II.** ≈ n amor m; **~d** adj. amante; die ≈en Liter. los amantes; **≈de(r** m) m/f amante m/f; enamorada (-o m) f; **~swert** adj. digno de ser amado; **~swürdig** adj. amable; das ist sehr ~ von Ihnen (es usted) muy amable; zu j-m ~ sein ser amable con alg.; **≈swürdigkeit** f amabilidad f; afabilidad f.

'**lieber** (comp. v. lieb, gern): ~ haben (mögen, wollen) preferir; gustar más; ich habe ~ (ac.), jd. ist mir ~, (et.) es ist mir ~, ich tue et. ~ me gusta más, prefiero (ac. od. inf.); du solltest ~ (inf.) más valdría que (subj.); ich bleibe ~ zu Hause prefiero quedarme en casa; (eher) más bien, antes.

'**Liebe(r** m) m/f: mein Lieber! F ¡amigo mío!; meine Lieben! (Anrede) ¡amigos míos!; (die Meinigen) mi familia, los míos; meine Liebe querida.

'**Liebe(s)** n (Erfreuliches) cosa f agradable; (Gutes) bien m.

'**Liebes...:** **~abenteuer** n aventura f galante; **~angelegenheit** f asunto m amoroso; **~beweis** m (-es; -e) prueba f de amor; **~brief** m (-es; -e) carta f amorosa (od. de amor); **~dienst** m (-es; -e) (Gefälligkeit) obsequio m, servicio m por amistad; aus Mildtätigkeit: obra f caritativa (od. de caridad); **~drama** n (-s; -dramen) drama m de amor (a. fig.); **~erklärung** f declaración f de amor; **~gabe** f Rel. ofrenda f; aus Mildtätigkeit: donativo m caritativo; ⚔ donativo m (od. regalo m) para los soldados; **~gabenpaket** n (-es; -e) paquete-regalo m; **~gedicht** n (-es; -e) poesía f de amor; **~geschichte** f Liter. novela f amorosa; cuento m amatorio; novela f galante; **~geständnis** n (-ses; -se) confesión f de amor; **~glück** n (-es; 0) felicidad f de amar (od. del amor); **~glut** f amor m apasionado; **~gott** m (-es; ¨er) Myt. Amor m; Cupido m; **~heirat** f casamiento m por amor; **≈krank** adj. enfermo de amor; **~kummer** m (-s; 0) penas f/pl. de amor; **~kunst** f (-; ¨e) arte m amatorio; **~leben** n (-s; 0) (Geschlechtsleben) vida f sexual; **~lied** n (-es; -er) canción f amorosa; **~mahl** n (-es; ¨er) Rel. ágape m; weitS. banquete m; **~müh** f: verlorene ~ penas perdidas; **~paar** n (-es; -e) pareja f de enamorados; novios m/pl.; amantes m/pl.; **~pärchen** n F fig. pareja f de tórtolos; **~pfand** n (-es; ¨er) prenda f de amor; **~rausch** m (-es; 0) arrebato m amoroso; **~roman** m (-es; -e) novela f de amor; **~schwur** m (-s; ¨e) juramento m de amor; **~szene** Thea. f escena f amorosa; **≈toll** adj. loco de amor; **~trank** m filtro m, bebedizo m; **~verhältnis** n (-ses; -se) relaciones f/pl. amorosas ilícitas; F lío m; **~werk** n (-es; -e) obra f de caridad.

'**liebevoll** adj. lleno de amor; cariñoso; tierno.

Lieb'frauenkirche f iglesia f de Nuestra Señora.

'**lieb...:** **~gewinnen** (L) v/t. cobrar cariño a, encariñarse con; aficionarse (od. tomar afición) a a/c.; **~haben** (L) v/t. querer; Poes. amar; bei Personen: tener cariño m (od. afecto m) a; bei Sachen: tener afición a; **≈haber(in** f) m amante m/f; enamorado (-a f) m; Thea. galán m (primera dama f); Kunst, Sport: aficionado (-a f) m; **≈habe'rei** f afición f a; aus ~ por afición; para entretenerse; **≈haberbühne** f teatro m de aficionados; **≈haberpreis** m (-es; -e) precio m entre aficionados; **≈habertheater** n → Liebhaberbühne; **≈haberwert** m (-es; 0) valor m entre coleccionistas od. aficionados; **~kosen** (-) v/t. u. v/i. acariciar; **~kosend** adj. acariciador; **≈kosung** f caricia f; **~lich** adj. agradable; (bezaubernd) encantador; (anmutig) gracioso; (mild) dulce; suave; (köstlich) delicioso; (schön) hermoso; bonito, lindo; (Gegend) ameno; **≈lichkeit** f (0) encanto m; gracia f; dulzura f; suavidad f; delicias f/pl.; hermosura f; **≈ling** m (-s; -e) favorito m, favorita f; (Schoßkind) niño m mimado (a. fig.); **≈lingsbeschäftigung** f ocupación f favorita; **≈lingsdichter** m poeta m predilecto; **≈lingslektüre** f lectura f favorita; **~los** adj. sin amor; sin cariño; seco; (gefühllos) insensible; (hart) duro (de corazón); **≈losigkeit** f falta f de amor bzw. de cariño; sequedad f; insensibilidad f; dureza f (de corazón); **~reich** adj. afectuoso; cariñoso; (zärtlich) tierno; (leutselig) afable; (mild) dulce; **≈reiz** m (-es; -e) atractivo m, encanto m (oft pl.); (Anmut) gracia f; **~reizend** adj. encantador; atrayente, lleno de atractivos; **≈schaft** f amores m/pl.; amoríos m/pl.; galanteo m; flirteo m; relaciones f/pl. amorosas.

liebst sup. v. lieb, gern: am ~en lo mejor, lo preferible; am ~en haben preferir sobre todo; m-e ~e Beschäftigung mi ocupación favorita (od. predilecta); am ~en würde ich (inf.) lo que me gustaría más es (inf.); '**≈e(r** m) m/f querida (-o m) f; '**≈e(s)** n lo más querido; das liebste wäre mir, zu yo preferiría (inf.).

Lied n (-es; -er) canción f; canto m; (Helden≈) cantar m; (Kirchen≈) cántico m; himno m; (volkstümliches) canción f popular; die ~er von Schubert los lieder de Schubert; fig. das ist immer dasselbe ~ es la eterna canción; es el cantar (od. la cantilena) de siempre; davon kann ich ein ~ singen de eso sé yo bastante por experiencia, F de eso sé yo un rato (largo); das ist das Ende vom ~ en esto ha acabado todo.

'**Lieder...:** **~abend** m (-s; -e) recital m de canto; **~buch** n (-es; ¨er) cancionero m; **~dichter** m poeta m lírico; cancionista m.

'**Liederjan** m (-s; -e) individuo m desordenado (od. negligente od. desaliñado); F adán m.

'**Liederkranz** m (-es; ¨e) (Gesangverein) sociedad f (od. agrupación f) coral; orfeón m; (Liederbuch) cancionero m.

'**liederlich** adj. (nachlässig) descuidado, negligente; (unordentlich) desordenado; Kleidung: desaliñado; (ausschweifend) licencioso, libertino; crapuloso, disoluto; ein ~er Kerl un mal sujeto; ~es Frauenzimmer mujer de mala vida; ~e Arbeit trabajo nada esmerado, F chapucería; ein ~es Leben führen llevar una vida viciosa (stärker: vida licenciosa od. de crápula); ~ aussehen vestir con desaliño, F andar hecho un adán; **≈keit** f (0) descuido m, negligencia f; desorden m; falta f de esmero; in der Klei-

dung: desaliño *m*; (*Sittenlosigkeit*) vida *f* licenciosa, libertinaje *m*; depravación *f* (de costumbres).

'Liedersänger(in *f*) *m* liederista *m/f*.

lief *pret. v. laufen*.

Liefe'rant(in *f*) *m* (*-en*) proveedor (-a *f*) *m*.

'Liefer...: ~auftrag *m* (*-es*; *⸚e*) orden *f* de entrega; **~auto** *m* (*-s*; *-s*) camión *m* de reparto; *leichteres*: camioneta *f* de reparto; *kleines*: furgoneta *f*; **2bar** *adj*. entregable; *sofort* (*jederzeit*) ~ listo para entrega inmediata (en todo momento); ~ *bei Eingang der Bestellung* entrega a la recepción de la orden; **~bedingungen** *f/pl*. condiciones *f/pl*. de entrega; **~firma** *f* (*-*; *-firmen*) casa *f* proveedora; **~frist** *f* plazo *m* de entrega; *die* ~ *einhalten* mantener el plazo de entrega; **~junge** *m* (*-n*) (chico *m*) repartidor *m*; **2n** *v/t*. (*aushändigen*) entregar; (*besorgen*) suministrar; (*Waren*) proveer, surtir de; *ins Haus* ~ entregar a domicilio; *e-n Kampf* ~ librar un combate; *e-e Schlacht* ~ librar una batalla; F *er ist geliefert* está perdido; *j-n ans Messer* ~ perder (*od*. arruinar) a alg.; (*ihn preisgeben*) abandonar a sus enemigos a alg.; **~schein** *m* (*-es*; *-e*) talón *m* de entrega; (*spezifizierter*) nota *f*; **~termin** *m* (*-es*; *-e*) fecha *f* de entrega; **~ung** *f* entrega *f*; *bei* ~ a la entrega; *nach* ~ después de la entrega; ~ *frei Haus* entrega franco a domicilio; *das Werk erscheint in* ~*en* la obra se publica por entregas.

'Lieferungs...: ~angebot *n* (*-es*; *-e*) oferta *f* de suministro; **~auftrag** *m* (*-es*; *⸚e*) → *Lieferauftrag*; **~bedingungen** *f/pl*. → *Lieferbedingungen*; **~garantie** *f* garantía *f* de entrega; **~geschäft** *n* (*-es*; *-e*) operación *f* a plazo; **~ort** *m* (*-es*; *-e*) lugar *m* de entrega; **~pflicht** *f* obligación *f* de hacer la entrega; **~preis** *m* (*-es*; *-e*) precio *m* de entrega; **~schein** *m* (*-es*; *-e*) → *Lieferschein*; **~termin** *m* (*-es*; *-e*) → *Liefertermin*; **~vertrag** *m* (*-es*; *⸚e*) contrato *m* de entrega *bzw*. de suministro; (*Zeitkauf*) negocio *m* a plazo; **~verzögerung** *f* demora *f* en la entrega; **~werk** *n* (*-es*; *-e*) (*Fortsetzungswerk*) publicación *f* por entregas.

'Liege *f* (*Chaiselongue*) otomana *f*; (*Gartenmöbel*) silla *f* extensible; **~geld** ⚓ *n* (*-es*; *-er*) gastos *m/pl*. de estadía; **~kur** ⚕ *f* cura *f* de reposo.

'liegen I. (*L*) *v/i*. *Personen*: estar acostado, tendido *od*. echado (*auf dat*. sobre); *im Bett* ~ estar acostado; *Sachen*: estar colocado *od*. puesto; *Ort*: estar situado; *Gebäude*: estar emplazado; (*sich befinden*) hallarse, encontrarse; estar; *Grabschrift*: *hier liegt* aquí yace; *nach* (*od*. *gegen*) *Süden* ~ estar (situado) al sur; *nach dem Hofe* ~ dar al patio; *die Stadt liegt nördlich von* ... la ciudad está (*od*. se halla) situada al norte de ...; *das Dorf liegt 3 km von* ... el pueblo está a tres kilómetros de ...; *Paris liegt an der Seine* París está a orillas del Sena; *dicht neben et*. ~ (*angrenzen*) estar contiguo a; *was liegt daran?* ¿qué importa eso?; *woran liegt das?* ¿cuál es la causa?, ¿a qué obedece?; *daran soll es nicht* ~ no quedará por eso; *an mir soll es nicht* ~ por mí no ha de quedar; *an wem liegt das?* ¿quién tiene (*od*. de quién es) la culpa; *an j-m* ~ (*von j-m abhängen*) depender de alg.; *es liegt an ihm* de él depende; en su mano está; (*die Schuld*) él tiene la culpa; *soviel an mir liegt* en lo que de mí dependa; por mi parte; *mir liegt viel daran*, *daß* me importa (*od*. interesa) mucho que (*subj*.); *mir liegt daran*, *zu* me importa (*od*. interesa) *inf*.; *daran ist mir nichts gelegen* no concedo importancia a eso; no me importa (*od*. interesa) nada de eso; *das lag nicht in m-r Absicht* no era mi intención; *das liegt mir fern* estoy lejos de pensar eso; nada más lejos de mí que tal cosa; *es liegt mir fern, zu* (*inf*.) estoy bien lejos de (*inf*.); *wie liegt die Sache?* ¿cómo está el asunto?, F ¿cómo anda la cosa?; *wie die Dinge* ~ *en* estas condiciones (*od*. circunstancias); en tal estado de cosas; *wie die Dinge nun einmal* ~ dado el punto a que hemos llegado; tal como están (*od*. se presentan) las cosas; *das liegt nicht in m-r Macht* no está en mi poder; *j-m auf der Tasche* ~ vivir a expensas de alg.; *auf Knien* ~ estar arrodillado (*od*. de rodillas); *es liegt Schnee* hay una capa de nieve; *es liegt auf der Hand* es evidente; *der Ton liegt auf der letzten Silbe* el acento carga sobre la última sílaba; *das Wort liegt mir auf der Zunge* tengo la palabra en la punta de la lengua; *die Entscheidung liegt bei* ... la decisión corresponde a ...; a quien toca decidir es a ...; *das liegt in ihm* es propio de su naturaleza; *das liegt mir nicht* no es de mi gusto; F no me va eso; *im* (*od*. *zu*) *Bett* ~ estar acostado, estar en la cama; *als Kranker*: estar en cama, guardar cama; *im tiefsten Schlafe* ~ estar profundamente dormido; *im Sterben* ~ estar en la agonía; *der Unterschied liegt darin, daß* la diferencia consiste en que; ⚔ *in Garnison* ~ estar de guarnición (*in dat*. en); *hier* (*da*) *liegt das Buch* aquí (ahí) está el libro; ⚓ *vor Anker* ~ estar fondeado (*od*. anclado); *zu Tage* ~ ser evidente; *da liegt der Hase im Pfeffer* F ahí está el intríngulis; **II.** 2 *n* ⚕ *im* ~ en decúbito; **~bleiben** (*L*; *sn*) *v/i*. quedar; *im Bett* ~ quedar acostado (*od*. en la cama); *nach e-m Falle*: quedar tendido en el suelo; no poder levantarse; *Arbeit*: suspenderse, quedar interrumpido; quedar sin acabar; ✝ *Ware*: no venderse; *Unerledigtes*: quedar pendiente; *Auto*.: quedar averiado; *unterwegs* ~ quedar (detenido) en el camino; **~d** *adj*. situado; puesto, colocado; acostado; tendido, echado; (*waagerecht*) horizontal; *Statue*: yacente; ~*e Güter* (bienes) inmuebles *m/pl*.; bienes *m/pl*. raíces; **~lassen** (*L*) *v/t*. dejar; (*vergessen*) olvidar; (*aufgeben*) dejar; abandonar; *e-n Ort links* ~ dejar un lugar a la izquierda; *fig*. *j-n links* ~ volver la espalda a alg.; no hacer caso de alg.; **2schaften** *f/pl*. bienes *m/pl*. raíces; (bienes *m/pl*.) inmuebles *m/pl*.

'Liege...: ~platz *m* (*-es*; *⸚e*) ⚓ fondeadero *m*; *am Kai*: atracadero *m*; *für Sonnenbäder*: solarium *m*; **~stuhl** *m* (*-es*; *⸚e*) silla *f* extensible plegable; **~stütz** *m* (*-es*; *-e*) *Turnübung*: apoyo *m* sobre las manos; **~terrasse** *f e-s Sanatoriums*: galería *f* de cura (*od*. de reposo); *für Sonnenbäder*: solarium *m*; **~wagen** 🚃 *m* litera *f*; **~zeit** *f* ⚓ estadía *f*.

lieh *pret. v. leihen*.

ließ *pret. v. lassen*.

Lift *m* (*-es*; *-e*) ascensor *m*; **'~boy** *m* (*-s*; *-s*), **'~führer(in** *f*) *m* ascensorista *m/f*.

'Liga *f* (*-*; *Ligen*) liga *f*; *die Internationale* ~ *für Menschenrechte* la Liga Internacional de los Derechos del Hombre; *die Arabische* ~ la Liga Arabe.

Liga'tur *f* ligadura *f*.

Li'gnin ⚗ *n* (*-s*; *0*) lignina *f*.

Li'gnit *Min*. *m* (*-s*; *-e*) lignito *m*.

Li'gurien *n* Liguria *f*.

Li'guster ✿ *m* aligustre *m*, alheña *f*.

li'ier|en [li'ˈiː-] (*-*) ✝ *v/refl*.: *sich* ~ asociarse (*mit* con *od*. a); F (*Liebespaar*) liarse; **~t** *adj*.: *er ist mit ihr* ~ está liado con ella; F han ligado.

Li'kör *m* (*-s*; *-e*) licor *m*; **~fabrik** *f* fábrica *f* de licores; **~fabrikant** *m* (*-en*) fabricante *m* de licores, licorista *m*; **~flasche** *f* botella *f* de licor; (*Flasche für* ~) licorera *f*; **~glas** *n* (*-es*; *⸚er*) copita *f* para licor; **~service** *n* (*-s*; *-*) servicio *m* de licores.

Lik'torenbündel *n/pl*. fasces *f/pl*. de los lictores.

'lila *adj*. lila; **~farben** *adj*. (color de) lila.

'Lilie ['liːliə] *f* ✿ lirio *m*; (*Garten*2) azucena *f*; ▨ flor *f* de lis; *die drei* ~*n* las flores de lis; **~ngewächse** ✿ *n/pl*. liliáceas *f/pl*.; **2nweiß** *adj*. blanco como un lirio (*od*. una azucena).

Lilipu'taner(in *f*) *m* liliputiense *m/f*.

'Limit *n* (*-s*; *-s*) límite *m*.

limi'tieren *v/t*. limitar.

Limo'nade *f* zumo *m* de frutas; (*Zitronen*2) limonada *f*.

Li'mone ✿ *f* limón *m*; (*Baum*) limonero *m*.

'lind(e) *adj*. suave.

'Linde *f* tilo *m*; **~n-allee** *f* avenida *f* de tilos; **~nbaum** *m* (*-es*; *⸚e*) tilo *m*; **~nblüte** *f* flor *f* del tilo, tila *f*; **~nblütentee** *m* (*-s*; *0*) (infusión *f* de) tila *f*.

'linder|n (*-re*) *v/t*. (*mildern*) suavizar; (*erleichtern*) aliviar; (*mäßigen*) moderar; *Schmerz*: calmar, mitigar; paliar; **~nd** *adj*. calmante; paliativo; **2ung** *f* suavización *f*; alivio *m*; moderación *f*; mitigación *f*; **2ungsmittel** ⚕ *n* calmante *m*; paliativo *m*; lenitivo *m*.

'Lindwurm *m* (*-es*; *⸚er*) dragón *m*.

Line'al [li·ne·'ɑːl] *n* (*-s*; *-e*) regla *f*.

line'ar *adj*. lineal; **2beschleuniger** *Phys*. *m* acelerador *m* lineal; **2zeichnung** *f* dibujo *m* lineal.

Lingu'ist [lɪŋ'guː-] *m* (*-en*) lingüista *m*; **~ik** *f* lingüística *f*; **2isch** *adj*. lingüístico.

'**Linie** ['li:nĭə] *f* línea *f* (*a.* ⚓,✈,⚔ *u. fig.*); *e-s Geschlechtes*: *a.* rama *f*; (*Strich*) raya *f*; *Typ.* filete *m*; (*Äquator*) ecuador *m*; (*Partei*2) *Pol.* línea *f* (ortodoxa) del partido; e-e ~ *ziehen* trazar una línea; *gerade* ~ línea recta; *die schlanke* ~ la línea; *die schlanke* ~ *bewahren* (*verlieren*) conservar (perder) la línea; *Verwandschaft*: *in gerader* ~ en línea directa; *absteigende* (*aufsteigende*) ~ línea descendente (ascendente); *die* ~ *passieren* ⚓ pasar la línea (ecuatorial); *fig. in erster* ~ en primer lugar, ante todo, primeramente; e-e *mittlere* ~ *halten* mantenerse en el justo medio; *auf gleicher* ~ (*Ebene*) *mit* al mismo nivel de; ⚔ *in* ~ en línea; *in* ~ *zu drei Gliedern* formación de tres en fondo; *die vordere* ~ la primera línea; *auf der ganzen* ~ en toda la línea; (*sich*) *in e-r* ~ *aufstellen* alinear(se); ~ *halten beim Schreiben*: seguir la pauta.

'**Linien...**: ~**blatt** *n* (-*es*; ⁼*er*) falsilla *f*, pauta *f*; ~**führung** *f* trazado *m* de la línea; ~**netz** *n* (-*es*; -*e*) red *f* de líneas; ~**papier** *n* (-*es*; -*e*) papel *m* rayado; ~**richter** *m Sport*: juez *m* de línea; ~**schiff** ⚓ *n* (-*es*; -*e*) barco *m* de línea; (*Panzerschiff*) acorazado *m*; ~**system** ♪ *n* (-*s*; -*e*) pentagrama *m*; 2**treu** *Pol. adj.* fiel seguidor (de la línea) del partido; ~**truppen** ⚔ *f/pl.* tropas *f/pl.* de línea; tropas *f/pl.* regulares.

li'nier|en, lini'ier|en [li·ni·'i:-] (-) *v/t. Papier*: rayar, reglar; pautar; 2**en** *n*, 2**ung** *f* rayado *m*.

link *adj.* izquierdo; *die* ~*e Hand* la (mano) izquierda; ~*er Hand* (*adv.*) a la izquierda; *die* ~*e Seite* el lado izquierdo, la izquierda; *Stoff*: revés *m*, *Münze*: reverso *m*, ⚓ *des Schiffes*: babor *m*; *auf der* ~*en Seite* a la izquierda, al lado izquierdo; *Ehe zur* ~*en Hand* matrimonio morganático; '2**e** *f*: *die* ~ la (mano) izquierda; *Pol.* las izquierdas, los partidos izquierdistas; *zur* ~*n* a la izquierda, a mano izquierda; *zu m-r* ~*n* a mi izquierda.

'**linkisch** *adj.* torpe, desmañado.

links *adv.* a (*od.* por) la izquierda; a mano izquierda; (*verkehrt*) al revés, *Stoff*: por el revés; ~ *von* a la izquierda de; *von* ~ *nach rechts* de izquierda a derecha; ~ *schreiben* escribir con la mano izquierda; ~ *stehen Pol.* ser de izquierdas; ~ *fahren* tomar la izquierda; llevar la izquierda; conducir por la izquierda; *sich* ~ *halten* llevar la izquierda; ~ *abbiegen* torcer (*od.* doblar) a la izquierda; ~ *überholen* pasar (*od.* adelantar) por la izquierda; *weder* ~ *noch rechts sehen* andar su camino derecho (*a. fig.*); *fig. j-n* ~ *liegenlassen* volver la espalda a alg.; hacer caso omiso de alg.

'**Links...**: ~'**außen(stürmer)** *m Sport*: extremo *m* izquierda; ~**drall** *m* (-*es*; *0*) torsión *f* a la izquierda; ~**drehung** *f* rotación *f* a la izquierda; 2**gerichtet** *Pol. adj.* izquierdista, de izquierdas; ~**gewinde** ⊕ *n* filete *m* con paso a la izquierda; ~**händer(in** *f*) *m* zurdo (-a *f*) *m*; 2**händig** *adj.* zurdo; 2**herum** *adv.* a la izquierda; ~'**innen(stürmer)** *m Sport*: interior *m* izquierda; ~**kurve** *f* viraje *m* a la izquierda; ~**partei** *Pol. f* partido *m* de izquierdas; 2**radikal** *Pol. adj.*: ~*e Partei* partido de extrema izquierda; ~**steuerung** *f Auto. usw.*: conducción *f* al lado izquierdo; 2**um** *adv.* ⚔ ¡vuelta a la izquierda!; ~**verkehr** *m* (-*s*; *0*) circulación *f* por la izquierda.

'**Linnen** *n* → *Leinen*.

Li'noleum [li·'no·leum] *n* (-; *0*) linóleo *m*; ~**läufer** *m* linóleo *m* (*para pasillos*); ~**teppich** *m* (-*s*; -*e*) linóleo *m* (*para habitaciones*); ~**schnitt** *m* (-*es*; -*e*) grabado *m* en linóleo.

'**Linotyp|e** ['laɪno·taɪp] *f* linotipia *f*; ~**setzer** *m* linotipista *m*.

'**Linse** *f* ⚘ lenteja *f*; *Opt.* lente *f*; *Anat.* (*im Auge*) cristalino *m*; 2**nförmig** *adj.* lenticular; ~**ngericht** *n* plato *m* de lentejas; ~**nsuppe** *f* sopa *f* de lentejas; ~**nsystem** *Opt. n* sistema *m* de lentes.

'**Lippe** *f* labio *m*; (*Hänge*2) befo *m*; belfo *m* (*a. der Tiere*); *an die* ~*n setzen* llevar(se) a los labios; *sich auf die* ~*n beißen* morderse los labios; *fig. es soll nicht über m-e* ~*n kommen* no diré ni una sola palabra; *an j-s* ~*n hängen* estar pendiente de los labios de alg.; F *e-e* ~ *riskieren* soltar una impertinencia.

'**Lippen...**: ~**bekenntnis** *n* (-*ses*; -*se*) F confesión *f* de labios afuera; ~**blütler** ⚘ *m/pl.* labiadas *f/pl.*; 2**förmig** ⚘ *adj.* labiado; ~**laut** *Gr. m* (-*es*; -*e*) sonido *m* labial; ~**stift** *m* (-*es*; -*e*) barrita *f* (*od.* lápiz *m*) de carmín para los labios; P *fig.* chorizo *m*.

li'quid *adj.* líquido.

Liquidati'on *f* ☤ liquidación *f*; *in* ~ *treten* liquidarse.

Liquidati'ons...: ~**bedingungen** *f/pl.* condiciones *f/pl.* de la liquidación; ~**bilanz** *f* balance *m* de la liquidación; ~**erlös** *m* (-*es*; -*e*) producto *m* de la liquidación; ~**preis** *m* (-*es*; -*e*) precio *m* de liquidación; ~**verfahren** *n* procedimiento *m* de liquidación.

Liqui'dator *m* (-*s*; -*en*) liquidador *m*.

liqui'dier|en (-) *v/t.* liquidar; 2**en** *n*, 2**ung** *f* liquidación *f*.

Liquidi'tät *f* (*0*) liquidez *f*.

'**Lira** *f* (-; *Lire*) lira *f*.

'**lispeln** (-*le*) **I.** *v/i.* cecear; (*flüstern*) cuchichear; **II.** 2 *n* ceceo *m*; (*Flüstern*) cuchicheo *m*.

'**Lissabon** *n* Lisboa *f*.

List *f* astucia *f*; (*Kunstgriff*) artificio *m*, (arti)maña *f*; (*Kriegs*2) ardid *m* de guerra; estratagema *f*; (*Finte*) treta *f*; ~ *anwenden* usar de la astucia; recurrir a artificios.

'**Liste** *f* lista *f*; (*Aufstellung*) relación *f*, *detaillierte*: especificación *f*; (*Namens*2) *bsd. v. Gehaltsempfängern*: nómina *f*; (*Matrikel*) registro *m*; ☤ (*Katalog*) catálogo *m*; (*Einwohner*2) padrón *m*; (*Wähler*2) censo *m*; *e-e* ~ *anfertigen* (*od. aufstellen od. machen*) hacer una lista; *auf e-e* ~ *setzen* poner (*od.* incluir) en una lista; *auf die schwarze* ~ *setzen* poner en la lista negra; *von e-r* ~ *streichen* tachar de una lista; *auf e-r* ~ *stehen* figurar (*od.* estar) en una lista.

'**Listen...**: 2**mäßig** *adv.*: ~ *erfassen* hacer una lista de; ~**preis** ☤ *m* (-*es*; -*e*) precio *m* de catálogo; 2**reich** *adj.* lleno de artimañas; muy astuto; ~**wahl** *Parl. f* escrutinio *m* por listas.

'**listig** *adj.* astuto; artero; (*verschmitzt*) ladino; (*klug*) sagaz; *fig.* P zorro; ~**er'weise** *adv.* astutamente, con astucia.

Lita'nei *f Rel.* letanía *f*; *fig.* retahila *f*; *das ist die alte* ~ es la historia (*od.* cantilena) de siempre; F el mismo disco de siempre.

'**Litau|en** *n* Lituania *f*; ~**er(in** *f*) *m*, 2**isch** *adj.* lituano (-a *f*) *m*.

'**Liter** *n od. m* litro *m*.

Lite'rar|historiker *m* historiador *m* de la literatura; 2**isch** *adj.* literario; ~ *gebildet* versado en la literatura.

Lite'rat *m* (-*en*) literato *m*; (*Schriftsteller*) escritor *m*.

Litera'tur *f* literatura *f*; ~**angaben** *f/pl.* bibliografía *f*; ~**beilage** *f e-r Zeitung*: suplemento *m* literario; ~**geschichte** *f* (*0*) historia *f* de la literatura; ~**nachweis** *m* (-*es*, -*e*), ~**verzeichnis** *n* (-*ses*; -*se*) bibliografía *f*; ~**preis** *m* premio *m* literario; ~**zeitschrift** *f* revista *f* literaria.

'**Liter|flasche** *f* botella *f* de un litro; ~**maß** *n* (-*es*; -*e*) litro *m*; 2**weise** *adv.* por litros.

Li'tewka *f* (-; *Litewken*) ⚔ (uniforme *m* de) casaca *f*.

'**Litfaß-säule** *f* columna *f* anunciadora, cartelera *f*.

'**Lithium** ⚗ *n* (-*s*; *0*) litio *m*.

Litho|'graph *m* (-*en*) litógrafo *m*; ~**gra'phie** *f* litografía *f*; 2**gra'phieren** (-) *v/t.* litografiar; 2'**graphisch** *adj.* litográfico.

litt *pret. v. leiden*.

Litur'gie *f* liturgia *f*.

li'turgisch *adj.* litúrgico.

'**Litze** *f* (*Schnur*) cordón *m* (*a.* ⚔ *u.* ⚡); (*Tresse*) galón *m*; (*Borte*) pasamano *m*; (*Paspel*) presilla *f*; ⚡ cordón *m*, flexible *m*.

'**Live-Sendung** *f* (*Funk*, *TV*) emisión *f* (*od.* programa *m*) en directo.

'**Livius** *m* Tito Livio *m*.

'**Liv|land** *n* Livonia *f*; ~**länder(in** *f*) *m*, 2**ländisch** *adj.* livonio (-a *f*) *m*.

Liv'ree [li·'vʀe:] *f* librea *f*.

Lizenti'at [-tsɛn'tsĭɑ:t] *m* (-*en*) licenciado *m*.

Li'zenz *f* licencia *f*; concesión *f*; ~**gebühr** *f* tasa *f* de licencia; ~**inhaber** *m*, ~**nehmer** *m*, ~**träger** *m* concesionario *m*; ~**spieler** *m* (*Fußball*) jugador *m* profesional (con licencia); ~**vertrag** *m* (-*es*; ⁼*e*) contrato *m* de licencia.

'**Lob** *n* (-*es*; *0*) alabanza *f*, elogio *m*; *Liter.* encomio *m*; loor *m*; *bsd. v. Sachen*: ponderación *f*; (*Beifall*) aplauso *m*; (*Billigung*) aprobación *f*; (*Lobrede*) panegírico *m*; *Schule*: buena nota *f*; *einstimmiges* ~ elogio unánime; *zu j-s* ~ en elogio de alg.; *zum* ~*e Gottes* en loor (*od.* alabanza) de Dios; *j-m* ~ *spenden* elogiar a alg.; *j-s* ~ *singen* hacer grandes elogios de alg.; *ein* ~ *ertei-*

len (bekommen) Schule: dar (recibir) una buena nota; ~ *verdienen* merecer elogios, ser digno de elogio; *über alles* ~ *erhaben sein* ser superior a toda ponderación; *mit* ~ *überschütten* colmar de elogios; *mit s-m* ~ *nicht zurückhalten* no regatear elogios; **2en** *v/t.* elogiar (*ac.*), hacer elogios de; (*rühmen*) alabar; encomiar; ponderar; (*billigen*) aprobar; *j-n für* (*od. wegen*) *et.* ~ alabar a alg. por a/c.; F *da lobe ich mir* ... yo prefiero ...; *Gott sei gelobt!* ¡alabado sea Dios!, ¡loado sea Dios!; *man soll den Tag nicht vor dem Abend* ~ antes que acabes, no te alabes; **2end** *adj.* elogioso; laudatorio; encomiable; *mit* ~*en Worten* en términos elogiosos; **2enswert, 2enswürdig** *adj.* digno de alabanza (*od.* de elogio); loable; laudable; **~es-erhebung** *f* alabanza *f*, elogio *m*; ponderación *f*; (*Rede*) panegírico *m*; *sich in* ~*en ergehen über* F *fig.* levantar a alg. hasta los cuernos de la Luna; poner a alg. por las nubes; **~gesang** *Rel. m* (-*és*; ⸚*e*) himno *m*; cántico *m*; **~hudelei** *f* adulación *f* servil.

ˈ**löblich** *adj.* → *lobenswert*; **2keit** *f* mérito *m*.

ˈ**Lob...:** **~lied** *n* (-*és*; -*er*) canto *m* de alabanza; *Rel.* himno *m*; cántico *m*; **2preisen** (-*t*) *v/t.* exaltar los méritos de; *Rel.* glorificar; **~preisung** *f* exaltación *f*; *Rel.* glorificación *f*; **~rede** *f* panegírico *m*; **~redner** *m* panegirista *m*; (*Lobhudler*) adulador *m* servil; P lameculos *m*; **~spruch** *m* (-*és*; ⸚*e*) → *Lob*.

ˈ**Loch** *n* (-*és*; ⸚*er*) agujero *m*; (*Öffnung*) abertura *f*; orificio *m*; (*Höhlung*) hueco *m*; cavidad *f*; (*Vertiefung*) hoyo *m*; *Riß im Stoff*: desgarrón *m*, F siete *m*; (*Billardspiel*) bolsa *f*; *auf Straßen*: bache *m* (*a. Luft2* ✈); *im Käse*: ojo *m*; *elendes* ~ (*Wohnung*) cuchitril *m*, tugurio *m*, chiribitil *m*; F (*Gefängnis*) cárcel *f*, F chirona *f*, abanico *m*; P trena *f*; *im Strumpf*: F *fig.* tomate *m*; *ein* ~ *in die Wand bohren* hacer un agujero en la pared; (*sich*) *ein* ~ *in die Hose reißen* desgarrarse (F hacerse un siete en) el pantalón; *ein* ~ *stopfen* tapar un agujero; *aus e-m anderen* ~ *pfeifen* cambiar de tono; F *auf dem letzten* ~ *pfeifen* estar en las últimas; **~eisen** ⊕ *n* punzón *m*; sacabocados *m*; **2en** *v/t.* agujerear; horadar; ⊕ punzonar; (*bohren*) taladrar, perforar; *Fahrkarten*: picar; **~er** *m* punzonador *m*; taladrador *m*, perforador *m*.

ˈ**löcherig** *adj.* (*durchlöchert*) agujereado; (*porös*) poroso.

ˈ**Loch...:** **~karte** *f* ficha *f* perforada; **~kartensystem** *n* (-*s*; -*e*) sistema *m* de fichas perforadas; **~stanze** ⊕ *f* punzonadora *f*; perforadora *f*; **~streifen** *m* cinta *f* perforada; **~ung** *f* perforación *f*; punzonamiento *m*; **~zange** *f* tenazas *f/pl.* perforadoras; ⊕ sacabocados *m*; **~ziegel** *m* ladrillo *m* perforado.

ˈ**Locke** *f* rizo *m*; sortija *f*; bucle *m*; (*Ringel2*) tirabuzón *m*; ~*n brennen*, *in* ~*n legen* rizar(se) el cabello.

ˈ**locken**[1] *v/t. u. v/refl.* rizar(se) el cabello.

ˈ**locken**[2] **I.** *v/t.* (*an*~) atraer (con halagos), F camelar; *Jgdw.* cazar con reclamo; *Hund*: llamar; *fig.* (*verführen*) seducir; (*reizen*) tentar; *j-m Geld aus der Tasche* ~ F sacarle el dinero (*od.* los cuartos) a alg.; **II.** 2 *n Jgdw.* reclamo *m*; *fig.* seducción *f*; **~d** *adj.* (*anziehend*) atractivo; seductor; tentador **2kopf**; *m* (-*és*; ⸚*e*) cabellera *f* rizada **~wickel** *m* bigudí *m*.

ˈ**locker** *adj.* flojo; (*schwammig*) fofo; (*beweglich*) movedizo; (*lose*) suelto; (*nicht zusammenhängend*) inconsistente; (*porös*) poroso; (*weich*) blando; *Brot*: esponjoso; ⚒ *Boden*: movedizo; *Phys.* incoherente; *fig. moralisch*: laxo, relajado, *Person*: licencioso, libertino, disoluto; *fig.* ~*er Vogel* F calavera *m*; *ein* ~*es Leben führen* vivir licenciosamente; tener costumbres disolutas; *er läßt nicht* ~ no ceja (en su empeño); ~ *machen* relajar, *Schraube usw.*: aflojar, *Boden*: mullir; ~ *werden* relajarse, *Schraube usw.*: aflojarse; **2heit** *f* (*0*) (*Schlaffheit*) flojedad *f*; laxitud *f*; (*Weichheit*) blandura *f*; *a. fig. der Sitten*: relajación *f*, relajamiento *m*; libertinaje *m*, desenfreno *m*; **~n** *v/t. u. v/refl.* relajar; *sich* ~ relajarse; *Schraube usw*: aflojar(se); *Boden*: mullir(se); (*erweichen*) ablandar(se); **~lassen** (*L*) *v/i.* (*nachgeben*) ceder; *nicht* ~ no cejar; no ceder; **2ung** *f* relajamiento *m*, relajación *f* (*a. der Sitten*); aflojamiento *m*; ablandamiento *m*.

ˈ**lockig** *adj.* (*Haar*) rizado; ensortijado.

ˈ**Lock...:** **~mittel** *n* (*Köder*) cebo *m*; *Jgdw.* reclamo *m*, señuelo *m* (*beide a. fig.*); (*Anreiz*) atractivo *m*, aliciente *m*; **~pfeife** *Jgdw.* reclamo *m*; *mit der* ~ *fangen* cazar con reclamo; *Vogelfang mit* ~ caza de aves con reclamo; **~spitzel** *m Pol.* agente *m* provocador; **~ung** *f* incentivo *m*; atracción *f*; (*Verführung*) seducción *f*; **~vogel** *m* (-*s*; ⸚) cimbel *m*; señuelo *m*, reclamo *m* (*a. fig.*).

ˈ**Loden** *m* paño *m* no abatanado, paño *m* tirolés; **~joppe** *f* chaquetón *m* de paño tirolés; **~mantel** *m* (-*s*; ⸚) abrigo *m* de paño tirolés; gabán *m* de loden.

ˈ**lodern I.** (-*re*) *v/i.* llamear, echar llamas, arder (*a. fig.*); **II.** 2 *n* llamas *f/pl.*; *fig.* ardor *m*; **~d** *adj.* llameante.

ˈ**Löffel** *m* cuchara *f*; *größerer*: cucharón *m*; (*Kaffee2*, *Tee2*) cucharilla *f*; (*Schöpf2*) espumadera *f*; *Jgdw. des Hasen*: oreja *f*; (*Bagger2*) cuchara *f*; *die Weisheit mit* ~*n gegessen haben* F ser muy sabihondo; **~bagger** *m* draga *f* de cuchara; **~bohrer** *m* broca *f* de cuchara; **~ente** *Orn. f* pato *m* negro; **~kraut** ⚘ *n* (-*és*; *0*) coclearia *f*; **2n** *v/t.* comer con cuchara; **~reiher** *Orn. m* espátula *f*; **~stiel** *m* (-*és*; -*e*) mango *m* de la cuchara; **~voll** *m* cucharada *f*; **2weise** *adj.* a cucharadas.

log *pret. v. lügen.*

Log ⚓ *n* (-*s*; -*s*) corredera *f*.

Logaˈrith|menrechnung *f* cálculo *m* logarítmico; **~mentafel** *f* (-; -*n*) tabla *f* de logaritmos; **2misch** *adj.* logarítmico; **~mus** *n* (-; *Logarithmen*) logaritmo *m*.

ˈ**Logbuch** ⚓ *n* (-*és*; ⸚*er*) cuaderno *m* (de bitácora).

ˈ**Loge** [ˈlo:ʒə] *f Thea.* palco *m*; (*Freimaurer2*) logia *f* (masónica).

ˈ**Logen...:** **~billet** *n* (-*s*; -*s*) entrada *f* de palco; **~bruder** *m* (-*s*; ⸚) masón *m*; **~schließer(in** *f*) *m Thea.* acomodador(a *f*) *m*.

ˈ**loggen** ⚓ *v/i.* echar la corredera; medir la velocidad del barco.

ˈ**Loggia** *f* (-; -*ien*) △ balcón *m* cubierto.

Loˈgier|besuch [-ˈʒi:ʀ-] *m* (-*és*; -*e*) huéspedes *m/pl.* (alojados en casa); **2en** *v/t. u. v/i.* hospedarse, alojarse; **~gast** *m* (-*és*; ⸚*e*) huésped *m* (para una o más noches); **~zimmer** *n* habitación *f* para huéspedes (visitantes).

ˈ**Logik** *f* (*0*) lógica *f*; **~er** *m* lógico *m*.

Loˈgis [loˈʒi:] *n* (-; -) alojamiento *m*; (*Zimmer*) habitación *f*.

ˈ**logisch** *adj.* lógico; **~erˈweise** *adv.* lógicamente.

Loˈgistik ⚔ *f* (*0*) logística *f*.

ˈ**Logleine** ⚓ *f* corredera *f*.

ˈ**Loh|beize** *f*, **~brühe** *f* ⊕ jugo *m* de tanino.

ˈ**Lohe**[1] [ˈlo:ə] ⊕ *f* tanino *m*, corteza *f* curtiente.

ˈ**Lohe**[2] [ˈlo:ə] *f* (*Flamme*) llama *f*, llamas *f/pl.*; (*Glut*) brasas *f/pl.*

ˈ**lohen**[1] ⊕ **I.** *v/t.* curtir; **II.** 2 *n* curtimiento *m*.

ˈ**lohen**[2] **I.** *v/i.* llamear, echar llamas *f/pl.*; **II.** 2 *n* llamaradas *f/pl.*

ˈ**loh|farben** *adj.* color de tanino; **2gerber** *m* curtidor *m*; **2gerbeˈrei** *f* tenería *f*; curtiduría *f*.

Lohn *m* (-*és*; ⸚*e*) *des Arbeiters*: salario *m*; (*Tages2*) jornal *m*; (*Monats2*) sueldo *m*; (*Bezahlung*) pago *m*; (*Vergütung*) retribución *f*; (*Belohnung*) recompensa *f*, premio *m*, *Poes.* galardón *m*; *zum* ~ *für* en recompensa por; *iro. er hat s-n* ~ *empfangen* ha llevado su merecido.

ˈ**Lohn...:** **~abbau** *m* (-*és*; *0*) reducción *f* de salarios; **~abkommen** *n* acuerdo *m* sobre salarios; **~abrechnung** *f* especificación *f* de la paga; *Vorgang*: cálculo *m* de los salarios; **~abzug** *m* (-*és*; ⸚*e*) deducción *f* (*od.* descuento *m*) del salario; **~angleichung** *f* reajuste *m* de salarios; **~arbeit** *f* trabajo *m* retribuido; **~arbeiter** *m* (trabajador *m*) asalariado *m*; (*Tagelöhner*) jornalero *m*; *Am.* peón *m*; **~arbeiterin** *f* (trabajadora *f*) asalariada *f*; jornalera *f*; **~aufwand** *m* (-*és*; ⸚*e*) gastos *m/pl.* de salarios; **~ausfall** *m* (-*és*; *0*) pérdida *f* de jornal; **~ausgaben** *f/pl.* → *Lohnaufwand*; **~ausgleich** *m* (-*és*; *0*) ajuste *m* de salarios; **~auszahlung** *f* pago *m* del salario; **~buch** *n* (-*és*; ⸚*er*) libro *m* de salarios; **~büro** *n* (-*s*; -*s*) oficina *f* de pagos; **~durchschnitt** *m* (-*és*; *0*) promedio *m* de salarios; **~empfänger(in** *f*) *m* asalariado (-a *f*) *m*; **2en** *v/t. u. v/i.* recompensar; (*bezahlen, vergelten*) pagar; *j-m et.* ~ recompensar a alg. (por) a/c.; *man lohnt diese Arbeit schlecht* este trabajo está mal pagado; *sich* ~ valer la pena; ser útil *od.* provechoso; producir ganancia *od.* beneficio;

ser rentable; es *lohnt sich* (*der Mühe*) *nicht* no vale (*od.* no merece) la pena.

ˈ**löhnen** *v/t. Arbeiter*: pagar el salario a.

ˈ**lohnend** *adj.* que vale la pena; provechoso; (*vorteilhaft*) ventajoso; (*gewinnbringend*) lucrativo, remunerador; rentable.

ˈ**Lohn...**: **~erhöhung** *f* aumento *m* de salarios; **~ersatz** *m* (*-es*; *0*) compensación *f* de salario; **~festsetzung** *f* fijación *f* de salarios; **~forderung** *f* pretensión *f* de salario; **~herabsetzung** *f* reducción *f* de salario; **~herr** *m* patrono *m*; **~index** *m* (*-es*; *-e od. -indizes*) índice *m* de salarios; **~kampf** *m* (*-es*; *⸗e*) lucha *f* por el aumento de salarios; **~kosten** *pl.* costes *m/pl.* de mano de obra; (*Lohnausgaben*) gastos *m/pl.* de salarios; **~kürzung** *f* → *Lohnherabsetzung*; **~liste** *f* lista *f* de jornales; **~minimum** *n* (*-s*; *0*) salario *m* mínimo; **~politik** *f* (*0*) política *f* de salarios; **~rechnung** *f* cálculo *m* de salarios; **~regelung** *f* reglamentación *f* de salarios; **~senkung** *f* baja *f* de salarios; **~skala** *f* (*-*; *-skalen*) escala *f* de salarios; *gleitende* ~ escala móvil de salarios; **~steuer** *f* (*-*; *-n*) impuesto *m* sobre las rentas de trabajo; **~steuer-abzug** *m* (*-es*; *⸗e*) descuento *m* del impuesto sobre los salarios; **~steuerbescheinigung** *f* certificación *f* del pago del impuesto sobre los salarios; **~steuerkarte** *f* tarjeta *f* personal de impuestos sobre rentas de trabajo; **~streit** *m* (*-es*; *-e*) conflicto *m* laboral sobre salarios; **~tabelle** *f* tabla *f* de salarios; **~tag** *m* (*-es*; *-e*) día *m* de paga; **~tüte** *f* sobre *m* con la paga.

ˈ**Löhnung** *f* paga *f*; *der Arbeiter*: *a.* salario *m*.

ˈ**Lohn...**: **~unterschied** *m* (*-es*; *-e*) diferencia *f* de salarios; **~wesen** *n* (*-s*; *0*) sistema *m* de salarios; **~zahlung** *f* pago *m* de salario; **~zulage** *f* extra *m*; **~zuschlag** *m* (*-es*; *⸗e*) plus *m*.

loˈ**kal** *adj.* local; ~*e Streitigkeiten* rencillas locales.

Loˈ**kal** *n* (*-es*; *-e*) local *m*; (*Gaststätte*) restaurante *m*; cervecería *f*; (*Kaffeehaus*) café *m*; cafetería *f*; (*Tanz*⸗) sala *f* de baile; *öffentliches* ~ establecimiento público; **~anästhesie** ⚕ *f* (*0*) anestesia *f* local; **~bahn** *f* ferrocarril *m* local; **~behörde** *f* autoridad *f* local; **~berichterstatter** *m* reportero *m* local; **~blatt** *n* (*-es*; *⸗er*) periódico *m* local; **~e(s)** *n in e-r Zeitung*: crónica *f* local; **~farbe** *f* color(ido) *m* local.

lokaliˈ**sier|bar** *adj.* localizable; **~en** (*-*) *v/t.* localizar; ⸗**ung** *f* localización *f*.

Lok *f* (*-*; *-s*) (*Lokomotive*) locomotora *f*.

Lokaliˈtät *f* localidad *f*.

Loˈkal...: **~kenntnis** *f* (*-*; *-se*) conocimiento *m* del lugar (✝ de la plaza); **~kolorit** *n* (*-es*; *0*) colorido *m* local; **~nachrichten** *f/pl. e-r Zeitung*: información *f* local; **~patriotismus** *m* (*-*; *0*) patriotismo *m* de campanario; regionalismo *m*; **~teil** *m* (*-es*; *-e*) *Zeitung*: sección *f* (de información) local; **~termin** ⚖ *m* (*-es*; *-e*) inspección *f* ocular; **~verhältnisse** *n/pl.* circunstancias *f/pl.* locales; **~verkehr** *m* (*-s*; *0*) tráfico *m* local; **~zug** *m* (*-es*; *⸗e*) tren *m* local.

ˈ**loko** ✝ *adv.* en plaza; ⸗**geschäft** ✝ *n* (*-es*; *-e*) operación *f* en plaza.

Lokomoˈtiv|e *f* locomotora *f*; **~führer** *m* maquinista *m*; **~heizer** *m* fogonero *m*; **~kessel** *m* caldera *f* tubular; **~schuppen** *m* depósito *m* de máquinas.

ˈ**Loko|preis** ✝ *m* (*-es*; *-e*) precio *m* en plaza; **~ware** *f* mercancía *f* disponible (en plaza).

ˈ**Lokus** *m* (*-*; *-se*) retrete *m*, excusado *m*.

ˈ**Lombard|anleihe** ✝ *f* préstamo *m* pignoraticio; **~bank** *f* (*-*; *-en*) banco *m* de créditos pignoraticios; **~bestände** *m/pl.* títulos *m/pl.* pignorados en un banco; **~darlehen** *n* préstamo *m* pignoraticio *od.* sobre garantía de títulos.

Lomˈbard|e *m* (*-n*) lombardo *m*; **~in** *f* lombarda *f*.

Lombarˈdei *Geogr. f* Lombardía *f*.

ˈ**Lombardgeschäft** ✝ *n* (*-es*; *-e*) operación *f* de préstamo sobre mercancías *bzw.* valores.

lombarˈdieren (*-*) ✝ *v/t.*: *Papiere* ~ pignorar títulos; hacer un préstamo (*bzw.* conceder un crédito) sobre garantía de valores.

lomˈbardisch *adj.* lombardo.

ˈ**London** *n* Londres *m*; **~er(in** *f*) *m* londinense *m/f*.

ˈ**Looping** ✈ *n* (*-s*; *-s*): *ein* ~ *machen* rizar el rizo.

ˈ**Lorbeer** [eː] *m* (*-s*; *-en*), **~baum** *m* (*-es*; *⸗e*) ♀ laurel *m*; *fig. sich auf s-n Lorbeeren ausruhen* dormirse sobre sus laureles; *Lorbeeren ernten* cosechar laureles; **~blatt** *n* (*-es*; *⸗er*) hoja *f* de laurel; **~kranz** *m* (*-es*; *⸗e*) corona *f* de laurel; **~zweig** *m* (*-es*; *-e*) rama *f* de laurel.

Lord *m* (*-s*; *-s*) lord *m*; *pl.* lores.

ˈ**Lore**[1] 🚃 *f* (*Feldbahnwagen*) vagoneta *f*; (*Kipp*⸗) vagoneta *f* basculante.

ˈ**Lore**[2] *f* Leonor *f*.

ˈ**Lorenz** *m* Lorenzo *m*; **~strom** *m* (*-es*; *0*) el río San Lorenzo.

Lorˈgnette [lɔrnˈjɛtə] *f* binóculo *m*; (*Stielbrille*) F impertinentes *m/pl.*

ˈ**Lorke** F *f* (*0*) agua *f* sucia; (café *m* de) recuelo *m*.

Los *n* (*-es*; *-e*) (*Anteil*) lote *m*; (*Schicksal*) suerte *f*, destino *m*; (*Lotterie*⸗) billete *m* de lotería; *das große* ~ el premio mayor, F el (premio) gordo; *das große* ~ *gewinnen* tocarle a uno el primer premio (*od.* F el gordo); *durchs* ~ *entscheiden* echar a suertes; *das* ~ *ist gefallen* la suerte está echada.

los *adj.* suelto; desprendido; (*frei*) libre; (*entfesselt*) desencadenado; *der Knopf ist* ~ el botón se ha caído; *der Teufel ist* ~ el diablo anda suelto; *was ist* ~? ¿qué pasa?, ¿qué sucede?, ¿qué ocurre?; es *ist et.* ~ algo pasa; *als ob nichts* ~ *wäre* como si no ocurriera (*od.* pasara) nada; *was ist mit ihm* ~? ¿qué le pasa?, ¿qué le ocurre?; *mit ihm ist nicht viel* ~ no sirve para gran cosa; no es una lumbrera precisamente; *sein Geld ist er* ~ se ha quedado sin blanca; et. ~ *sein* desembarazarse de a/c.; *eine Sorge* ~ *sein* haberse quitado de encima una preocupación; tener una preocupación menos; *j-n* ~ *werden* quitarse de encima (F sacudirse) a alg.; et. ~ *haben* ser entendido en (*od.* conocer muy bien) a/c.; ~! ¡vamos!, ¡en marcha!, ¡andando!; *na, schieß mal* ~! ¡venga!, ¡vamos, habla ya!; F ¡desembucha!; *mach doch* ~! ¡venga ya!; ¡acaba ya de una vez!; *Achtung! fertig!* ~! ¡atención!, ¡preparados!, ¡ya!

ˈ**los-arbeiten** (*-e-*) **1.** *v/t.* separar, desprender; **2.** *v/refl.*: *sich* ~ separarse, desprenderse; *sich von j-m* (*et.*) ~ lograr separarse de alg. (conseguir desprenderse de a/c.); **3.** *v/i. drauf*~ trabajar con ahinco.

ˈ**lösbar** *adj.* soluble (*a. Probleme*); ⸗**keit** *f* (*0*) solubilidad *f*.

ˈ**los...**: **~bekommen** (*L*; *-*) *v/t.* lograr separar *bzw.* desprender *od.* soltar; **~binden** (*L*) *v/t.* desatar; (*freilassen*) soltar; ⚓ desamarrar; **~brechen** (*L*) **1.** *v/t.* soltar *bzw.* separar *bzw.* desprender (rompiendo); **2.** *v/i.* (*sn*) romperse; desprenderse; *fig.* (*ausbrechen*) estallar; *Angriff*: desencadenarse; *Gewitter*: *a.* descargar; **~bröckeln** (*-le*) **1.** *v/t.* desmenuzar; (*Brot*) desmiga(ja)r; **2.** *v/i.* (*sn*) (*Mauer*) desmoronarse; (*Kalk*) desprenderse, desconcharse.

ˈ**Lösch|anlage** *f für Kalk*: instalación *f* de apagado; **~apparat** *m* (*-es*; *-e*) extintor *m*; **~arbeit** *f* trabajo *m* de extinción de un incendio; **~blatt** *n* (*-es*; *⸗er*) (papel *m*) secante *m*; **~eimer** *m* cubo *m* (para incendio).

ˈ**löschen**[1] **I.** *v/t. u. v/i.* apagar (*a. Durst, Licht*); *Brand*: *a.* extinguir; (*ersticken*) sofocar; *Schuld, Hypothek*: cancelar, *allmählich*: amortizar; *Vertrag*: rescindir; *Kalk*: apagar, matar; *Geschriebenes*: borrar, *streichen*: tachar, *ablöschen*: secar; (*vernichten*) aniquilar; **II.** ⸗ *n* apagamiento *m*; *e-s Brandes*: extinción *f*; *v. Schulden, Hypotheken*: cancelación *f*, *allmähliche*: amortización *f*; *e-r Firma*: disolución *f*; *Streichen*: tachadura *f*; *Vernichten*: aniquilamiento *m*.

ˈ**löschen**[2] ⚓ **I.** *v/t. Schiff*: (*entladen*) descargar; *Waren*: desembarcar; **II.** ⚓ ⸗ *n v. Schiffen*: descarga *f*; *Waren*: desembarque *m*.

ˈ**Löscher** *m* (*Feuer*⸗) extintor *m* (de incendios); (*Tinten*⸗) secafirmas *m*; ⚓ descargador *m*.

ˈ**Lösch...**: **~funke** ⚡ *m* (*-n*) chispa *f* interrumpida *od.* apagada; **~geld** ⚓ *n* (*-es*; *-er*) gastos *m/pl.* de descarga; **~gerät** *n* (*-es*; *-e*) extintor *m*; **~hafen** ⚓ *m* (*-s*; *⸗*) puerto *m* de desembarque (*od.* de descarga); **~horn** *n* (*-es*; *⸗er*) apagavelas *m*; **~kalk** *m* (*-es*; *0*) cal *f* apagada *od.* muerta; **~mannschaft** *f* equipo *m* de bomberos; **~papier** *n* (*-es*; *-e*) (papel *m*) secante *m*; **~platz** ⚓ *m* (*-es*; *⸗e*) desembarcadero *m*; descargadero *m*; **~stelle** *f* puesto *m* de bomberos; **~ung** *f* → *Löschen*[1], *Löschen*[2]; **~**

zug *m* (*-es*; *"e*) equipo *m* de bomberos.

ˈ**los...:** **~donnern** (*-re*) *v/i.* estallar como un trueno; *gegen j-n ~* tronar contra alg.; **~drehen** *v/t.* separar retorciendo; *schraubend*: destornillar; **~drücken** *v/t. Gewehr, Pfeil*: disparar.

ˈ**lose** *adj.* suelto; (*locker*) flojo; movedizo; (*losgelöst*) separado; *Schraube*: flojo, aflojado; (*beweglich*) movible; † suelto; al menudeo, *geschüttet*: a granel; *fig.* frívolo; licencioso; (*ohne Zusammenhang*) incoherente; *~s Haar* pelo suelto, cabellos sueltos; *~ sein Zahn*: moverse; *~ werden* separarse, *Schraube*: aflojarse; *fig.* e-e *~e Hand haben* tener la mano ligera; e-e *~ Zunge haben*, e-n *~n Mund haben* tener mala lengua; ser ligero de lengua; ᘓˈ**blattbuch** *n* libro *m* de hojas sueltas *od.* movibles.

ˈ**Lösegeld** *n* (*-es*; *-er*) rescate *m.*

ˈ**los·eisen** (*-t*) F *fig. v/t.* lograr separar *od.* desprender (von de).

ˈ**Lösemittel** *n* ⚗ disolvente *m*; ⚕ expectorante *m.*

ˈ**losen I.** *v/i.* echar suertes; **II.** ᘓ *n* sorteo *m.*

ˈ**lösen** *v/t. u. v/refl.* soltar; (*losbinden*) desatar; (*loslassen*) desasir, soltar; (*lockern*) aflojar; (*trennen*) separar; (*abtrennen*) desprender, desligar; *Schraube*: destornillar; *Bremse*: soltar; *Sport*: *sich ~* despegarse; ⚗ disolver; *sich ~* disolverse; *Frage, Aufgabe, Problem*: resolver, solucionar; *Rätsel*: adivinar; encontrar la solución de; descifrar; *Zweifel*: disipar, desvanecer; *Verwickeltes*: desenredar; desenlazar; *Fahrkarte*: tomar, sacar; *Vertrag*: rescindir, anular, revocar; *Knoten*: deshacer (*a. fig.*); *fig. den Knoten ~* deshacer la intriga; *Pfand*: desempeñar; *Schuß*: disparar, soltar; *fig. j-m die Zunge ~* desatar la lengua a alg.; *sein Verhältnis zu j-m ~* romper las relaciones (*od.* dejar de tener trato) con alg.; *die Verlobung ~* cancelar (*od.* romper) el compromiso matrimonial.

ˈ**los...:** **~fahren** (*L*; *sn*) *v/i.* (*abfahren*) partir; *Fahrzeug*: ponerse en marcha, arrancar; *~ nach* ir derecho a; *auf j-n ~* acometer a (*od.* arremeter contra *od.* arrojarse sobre) alg.; (*beschimpfen*) increpar a alg.; **~feuern** (*-re*) *v/t.* disparar; *~ auf* disparar (*od.* hacer fuego) sobre; **~gehen** (*L*; *sn*) *v/i.* partir, marcharse, irse; *nicht ~ Feuerwaffe*: encasquillarse; (*sich lösen*) dispararse, descargarse; F (*anfangen*) empezar, soltarse a; *auf j-n ~* arremeter contra (*od.* acometer a) alg.; *auf et. frisch ~* ir derecho a a/c.; perseguir con tesón a/c.; *der Knopf ist losgegangen* el botón se ha desprendido (*od.* caido); **~gelöst** *adj.* desligado, desprendido (von de); **~haken** *v/t. Ösen*: desabrochar; *Wagen*: desenganchar; **~hauen 1.** *v/t.* separar cortando a golpes; **2.** *v/i.*: *auf j-n ~* arremeter a estacazos contra alg.; ᘓ**kauf** *m* (*-es*; *"e*) rescate *m*; ⛪ redención *f*; **~kaufen** *v/t. u. v/refl.* rescatar; redimir; **~ketten** (*-e-*) *v/t.* desencadenar; *Hund*: soltar; **~knüpfen** *v/t.* desanudar; **~kommen** (*L*; *sn*) *v/i.* lograr desprenderse (von de); lograr desembarazarse de; (*frei werden*) quedar libre; *aus der Gefangenschaft*: ser puesto en libertad; ✈ despegar; *von j-m ~* lib(e)rarse de alg.; F quitarse (*od.* sacudirse) de encima a alg.; **~koppeln** (*-le*) *v/t. Jgdw.* desatraillar; *Waggons*: desenganchar; **~kriegen** *v/t.* lograr desprender; **~lassen** *v/t.* soltar (*a. fig.*) desasir; dejar caer; *Gefangene*: poner en libertad; *Rede*: F soltar, echar, largar; **~legen** *v/i.* F empezar; *leg los!* ¡venga ya!, ¡empieza ya de una vez!

ˈ**löslich** ⚗ *adj.* soluble (*in dat.* en); *nicht ~* insoluble; ᘓ**keit** *f* (*0*) solubilidad *f.*

ˈ**los...:** **~lösen** *v/t.* desprender; (*trennen*) separar; *sich ~* desprenderse; separarse; ᘓ**lösung** *f* (*Trennung*) separación *f*; **~löten** (*-e-*) *v/t.* desoldar; **~machen** *v/t.* desprender; despegar; (*losbinden*) desatar; (*abhaken*) desenganchar; (*aufknöpfen*) desabrochar; ⚓ *Schiff, Taue*: desamarrar; *Segel*: largar; *sich ~* desprenderse (von de); *Hindernisse wegräumend*: desembarazarse (von de); *v. vormundschaftlicher Gewalt*: emanciparse; (*freimachen*) libertarse; **~marschieren** *v/i.* ponerse en marcha; **~platzen** (*-t*) *v/i. lachend*: soltar una carcajada; **~rasen** (*-t*; *sn*) *v/i.* marcharse corriendo, F salir disparado; **~reißen** (*L*) *v/t.* arrancar; (*trennen*) separar; *sich ~* desprenderse; soltarse; separarse (von de); *Schiff*: romper las amarras; *Hund*: soltar; **~sagen** *v/refl.*: *sich ~ von* desistir de (*od.* renunciar a); *sich trennen*: separarse de; *Rel.* renegar de; ᘓ**sagung** *f* desistimiento *m* (von de); renuncia *f* (a); **~schießen** (*L*) **1.** *v/t. Feuerwaffe*: disparar, descargar; **2.** (*sn*) *v/i. fig.* F (*beginnen*) comenzar a hablar; *schieß los!* ¡venga, habla ya!, ¡suelta lo que tengas que decir!, F ¡desembucha!; *fig. auf j-n ~* arrojarse sobre alg.; acometer a alg.; **~schlagen** (*L*) **1.** *v/t.* separar (a martillazos *od.* a golpes con); † *Ware*: vender a cualquier precio (F a precios tirados); **2.** *v/i.* ⚔ lanzarse al ataque; *weitS.* iniciar las hostilidades; *auf j-n ~* golpear a alg.; **~schnallen** *v/t.* desabrochar; (*Gürtel*) desceñir; **~schrauben** *v/t.* des(a)tornillar; **~sprechen** (*L*) *v/t. Rel.* absolver; ᘓ**sprechung** *f Rel.* absolución *f*; **~sprengen 1.** *v/t.* volar, hacer saltar con un explosivo; **2.** *v/i.* lanzarse al galope; **~springen** *v/i.* lanzarse (*auf j-n ac.* sobre alg.); (*sich ablösen*) desprenderse; **~spülen** *v/t.* *v. Wasser*: arrancar; arrastrar; **~steuern** (*-re*) *v/i.* ⚓ hacer rumbo a; *direkt aufs Ziel ~* ir derecho a su objetivo; **~stürmen** (*sn*) *v/i.* lanzarse *od.* arrojarse (*auf ac.* sobre); (*angreifen*) asaltar, lanzarse al asalto de; **~stürzen** (*-t*; *sn*) *v/i.* lanzarse *od.* arrojarse (*auf ac.* sobre); arremeter (*gegen* contra); **~trennen** *v/t.* → *loslösen*; *Genähtes*: descoser; *Geklebtes*: despegar; ᘓ**trennen** *n*, ᘓ**trennung** *f* separación *f.*

ˈ**Losung**[1] *Jgdw. f des Rotwildes*: excrementos *m/pl.* de los venados.

ˈ**Losung**[2] ⚔ *f* (*Parole*) consigna *f*, santo *m* y seña.

ˈ**Losung**[3] *f* (*Aus*ᘓ) sorteo *m.*

ˈ**Lösung** *f* solución *f* (*a.* ⚗, △ *u.* ⚕); *Thea.* desenlace *m*; (*Trennung*) separación *f*; *e-s Vertrages*: rescisión *f*; anulación *f*; ⚗ (*Vorgang*) disolución *f*; **~smittel** *n* disolvente *m.*

ˈ**Losungswort** ⚔ *n* (*-es*; *-e*) consigna *f*, santo *m* y seña.

ˈ**los...:** **~werden** (*L*) *v/t.*: *j-n bzw. et. ~* desembarazarse de alg. *bzw.* de a/c.; deshacerse de a/c.; librarse de alg. *bzw.* de a/c.; quitarse de encima a/c. *bzw.* a alg.; † lograr vender; *sein Geld ~* perder *bzw.* gastarse todo el dinero; **~werfen** (*L*) ⚓ *v/i.* soltar las amarras; **~wickeln** (*-le*) *v/t.* desenrollar; desenvolver; (*Verwickeltes*) desenmarañar; **~ziehen** (*L*; *sn*) *v/i.* (*fortgehen*) irse, marcharse; *mit Worten*: *~ gegen* (*od.* *über ac.*) arremeter contra; zaherir a alg.; F tronar contra alg. *od.* a/c.

Lot *n* (*-es*; *-e*) (*ehm. Gewicht*) media onza *f*; △ (*Linie*) perpendicular *f*; vertical *f*; (*Blei*ᘓ) ⩓ plomada *f*; ⚓ sonda *f*; (*Lötmetall*) soldadura *f*; *ein ~ fällen* △ trazar una perpendicular; *fig. im ~ sein* estar en orden (*od.* en regla).

ˈ**löt|bar** *adj.* soldable; ᘓ**blei** *n* (*-es*; *0*) ⩓ plomada *f*; ⚓ sonda *f*; ᘓ**eisen** *n* hierro *m* para soldar; soldador *m.*

ˈ**loten I.** (*-e-*) *v/i.* ⩓ echar la plomada; ⚓ sondear; **II.** ᘓ *n* ⚓ sondeo *m.*

ˈ**löten I.** (*-e-*) *v/t.* soldar; *mit Zinn*: estañar; *hart* (*weich*) *~* hacer soldadura fuerte (blanda): **II.** ᘓ *n* soldadura *f*; (*Hart*ᘓ) soldadura *f* fuerte *od.* amarilla.

ˈ**Lothar** *m* Lotario *m.*

ˈ**Lothring|en** *n* Lorena *f*; **~er(in** *f*) *m* lorenés *m*, lorenesa *f*; ᘓ**isch** *adj.* lorenés.

ˈ**Löt|kolben** *m* soldador *m*; **~lampe** *f* lámpara *f* para soldar, soplete *m.*

ˈ**Lotleine** *f* ⩓ hilo *m* de la plomada; ⚓ cordel *m* de la sonda.

ˈ**Lotmittel** *n* soldadura *f.*

ˈ**Lotos** [ˈloːtɔs] ⚘ *m* (*-*; *-*) loto *m*; **~blume** *f* flor *f* de loto.

ˈ**lotrecht** *adj.* a plomo; vertical; perpendicular.

ˈ**Lötrohr** ⊕ *n* (*-es*; *-e*) soplete *m.*

ˈ**Lotse** *m* (*-n*) ⚓ práctico *m* (de puerto); *Fremdenführer*: guía *m*; (*Flug*ᘓ) operador *m* de radar.

ˈ**lotsen** (*-t*) ⚓ *v/i.* pilotar; ᘓ *n* pilotaje *m*; ᘓ**boot** *n* (*-es*; *-e*) lancha *f* del práctico; barco *m* piloto; ᘓ**dienst** *m* (*-es*; *-e*) servicio *m* de práctico; pilotaje *m*; ᘓ**gebühr** *f*, ᘓ**geld** *n* (*-es*; *-er*) (derechos *m/pl.* de) pilotaje *m*; ᘓ**station** *f* estación *f* de prácticos.

ˈ**Lötstelle** *f* soldadura *f.*

ˈ**Lotte** *f* Carlota *f.*

Lotteˈrie *f* lotería *f*; (*Verlosung*) rifa *f*; **~gewinn** *m* (*-es*; *-e*) premio *m* (en la lotería); (*Los*) billete *m* premiado; **~los** *n* (*-es*; *-e*) billete *m* de lotería; **~spiel** *n* (*-es*; *-e*) (juego *m* de la) lotería *f*; **~ziehung** *f* sorteo *m.*

'**lotterig** *adj. Person*: desaliñado; bohemio; *Sache*: hecho sin esmero; chapucero.
'**Lotter...:** ~**leben** *n* vida *f* desordenada; 2**n** (*-re*) *v/i.* hacer vida de bohemio; ~**wirtschaft** *f* (*0*) incuria *f.*
'**Lotto** ['lɔto·] *n* (*-s; -s*), ~**spiel** *n* (*-es; -e*) lotería-quiniela *f.*
'**Lotung** ⚓ *f* sondeo *m.*
'**Lötung** *f* soldadura *f.*
'**Lotus** *m* (*-; -*) → *Lotos.*
'**Löt|wasser** *n* agua *f* para soldar; ~**zinn** *m* (*-s; 0*) estaño *m* para soldar.
'**Löwe** *Zoo. m* (*-n*) león *m* (*a. fig.*); *Astr.* Leo *m.*
'**Löwen...:** ~**anteil** *m* (*-es; -e*) parte *f* del león; 2**artig** *adj.* leonino; ~**bändiger(in** *f*) *m* domador(a *f*) *m* de leones; ~**grube** *f* leonera *f*; ~**herz** *n Hist.*: *Richard* ~ Ricardo Corazón de León; ~**jagd** *f* caza *f* del león; ~**jäger** *m* cazador *m* de leones; ~**maul** ♀ *n* (*-es; 0*) (hierba *f*) becerra *f*, boca *f* de dragón; 2**stark** *adj.* fuerte como un león; ~**zahn** ♀ *m* (*-es; 0*) diente *m* de león; ~**zwinger** *m* leonera *f.*
'**Löwin** *f* leona *f.*
loyal [lo·a·'jɑ:l] *adj.* leal.
Loyali'tät *f* (*0*) lealtad *f.*
'**Luchs** [-ks] *Zoo. m* (*-es; -e*) lince *m* (*a. fig.*); (*Hirsch*2) lobo *m* cerval; *wie ein* ~ *aufpassen* estar muy atento a; F abrir (bien) el ojo; ~**auge** *n* (*-s; -n*): *fig.* ~*n haben* tener vista de lince; 2**äugig** *adj.* de ojos línceos; 2**en** (*-t*) *v/i. fig.* F estar con cien ojos; (*lauern*) acechar, avizorar.
'**Lücke** *f* (*Leere*) vacío *m* (*a. fig.*); *fig.* defecto *m*; *im Text*: laguna *f*; (*Zwischenraum*) espacio *m*; (*Öffnung*) abertura *f*; (*Zahn*2) mella *f*; *leere Stelle*: blanco *m*; (*Auslassung*) omisión *f*; (*Bresche*) brecha *f*; ⚔ *e-e* ~ *reißen* abrir (una) brecha; *e-e* ~ *füllen* llenar una laguna; tapar un hueco; *fig.* suplir una falta.
'**Lücken...:** ~**büßer** *m* (*Stellvertreter*) suplente *m*; F suplefaltas *m*, tapa-agujeros *m*; (*Füllwerk*) relleno *m*; *in Versen*: ripio *m*; 2**haft** *adj.* defectuoso; (*unvollständig*) incompleto; ~**haftigkeit** *f* (*0*) defectuosidad *f*; 2**los** *adj.* continuo, completo; sin solución de continuidad; sin lagunas; sin omisiones.
lud *pret. v. laden.*
'**Luder** *n* (*Aas*) carroña *f*; (*Köder*) carnada *f*; *fig.* P sujeto *m*, individuo *m*; (*Hure*) zorra *f*, V puta *f*; ~**leben** *n* vida *f* de crápula.
'**Ludwig** *m* Luis *m*, Ludovico *m.*
'**Lues** ⚕ *f* (*0*) lúes *f*, sífilis *f.*
lu'etisch *adj.* luético, sifilítico.
Luft *f* (*-; ¨e*) aire *m*; atmósfera *f*, *fig. a.* ambiente *m*; (*Atem*) respiración *f*; ⊕ (*Spielraum*) juego *m*; *aus der* ~ *versorgen* abastecer por medio de aviones; *in frischer* ~ al aire libre; *schlechte* (*od. verbrauchte od. muffige*) ~ aire viciado; *flüssige* (*verdünnte*; *ungesunde*; *schwüle*) ~ aire líquido (enrarecido; malsano; bochornoso *od.* pesado); ~ *holen* respirar, tomar aliento; *langsam und tief* ~ *holen* respirar lentamente y con profundidad; *nach* ~ *schnappen* jadear; *frische* ~ *schöpfen* (*od. schnappen*) tomar el aire *od.* el fresco; *an die frische* ~ *gehen* salir a airearse (*od.* a tomar el aire *od.* el fresco); *j-m* ~ *zufächeln* abanicar a alg.; *an die* ~ *hängen* (*stellen*), *der* ~ *aussetzen* airear, (ex)poner al aire; *die* ~ *herauslassen Reifen*: desinflar; *in die* ~ *schießen* disparar al aire; *in der* ~ *schweben* flotar en el aire; *in die* ~ *hineinreden* hablar por hablar; *in der* ~ *hängen beruflich*: estar en el aire; *das hängt alles* (*noch*) *in der* ~ aún no está decidido; *er ist* ~ *für mich* ése para mí como si no existiera; *sich* ~ *machen* desahogarse; *s-m Herzen* ~ *machen* desahogar su corazón; *s-m Zorn* ~ *machen* descargar sus iras sobre; *keine* ~ *bekommen* tener ahogos, sofocarse; *wieder* ~ *bekommen* recobrar el aliento, volver a respirar; *j-n an die* ~ *setzen* poner a alg. en la calle; echar a alg. a la calle; (*Mieter*) desahuciar; *das ist aus der* ~ *gegriffen* eso es pura invención; carece de (todo) fundamento; *in der* ~ *liegen* cernerse un peligro; amagar; *es liegt et. in der* ~ *fig.* algo flota en el aire; *in die* ~ *sprengen* volar, hacer saltar; *in die* ~ *fliegen* (*od. gehen*) volar; hacer explosión; *von* ~ *und Liebe leben fig.* mantenerse (*od.* vivir) del aire; *es ist dicke* ~ F *fig.* el aire está de tormenta; *die* ~ *ist rein* (ya) ha pasado el peligro.
'**Luft...:** ~**abschluß** ⊕ *m* (*-sses; ¨sse*) cierre *m* hermético; ~**abwehr** *f* (*0*) defensa *f* antiaérea; ~**abzug** ⊕ *m* (*-es; ¨e*) evacuación *f* de aire; ~**alarm** *m* (*-es; -e*) alarma *f* aérea; ~**angriff** ⚔ *m* (*-es; -e*) ataque *m* aéreo; ~**ansicht** *f* vista *f* aérea; 2**artig** *adj.* aeriforme; ~**aufklärung** ⚔ *f* reconocimiento *m* aéreo; ~**aufnahme** *f* vista *f* aérea, aerofoto *f*; ~**aus-tritt** *m* (*-es; 0*) salida *f* de aire; ~**bad** *n* (*-es; ¨er*) baño *m* de aire; ~**ballon** *m* (*-s; -s*) globo *m*; aeróstato *m*; *für Kinder*: glob(it)o *m*; *lenkbarer*: dirigible *m*; (*Fessel*2) globo *m* cautivo; ~**basis** *f* (*-; -basen*) base *f* aérea; ~**bereifung** *f* neumáticos *m/pl.*; ~**bild** *n* (*-es; ¨er*) → *Luftaufnahme*; ~**bild-aufklärung** ⚔ *f* reconocimiento *m* aéreo fotográfico; ~**blase** *f* burbuja *f* de aire; *der Fische*: vejiga *f* natatoria; ~**bombardement** *n* (*-s; -s*) bombardeo *m* aéreo; ~**bremse** *f* freno *m* de aire; aerofreno *m*; ~**brücke** *f* puente *m* aéreo.
'**Lüftchen** *n* airecillo *m*; soplo *m* (de aire); vientecillo *m*; *es weht kein* ~ no se mueve una hoja.
'**Luft...:** 2**dicht I.** *adj.* hermético; **II.** *adv.* herméticamente; ~**dichte** *Phys. f* (*0*) densidad *f* atmosférica; ~**druck** *Phys. m* (*-es; 0*) presión *f* atmosférica; ~**druckbremse** *f* freno *m* de aire comprimido; ~**druckhammer** *m* (*-s; ¨*) martillo *m* neumático (*od.* de aire comprimido); ~**druckmesser** *Phys. m* barómetro *m*; ~**druckprüfer** *m Auto.* comprobador *m* de presión (de aire) en los neumáticos; 2**durchlässig** *adj.* permeable al aire; ~**durchlässigkeit** *f* (*0*) permeabilidad *f* al aire; ~**durchzug** *m* (*-es; 0*) corriente *f* de aire; ~**düse** *f* tobera *f* de aire; ~**einlaß** *m* (*-sses; 0*), ~**eintritt** *m* (*-es; 0*) entrada *f* (*od.* admisión *f*) de aire.
'**lüften** (*-e-*) *v/t.* ventilar; airear; *Kleider*: *a.* (ex)poner al aire, orear; *den Hut* ~ saludar, quitarse el sombrero, *hastig*: F dar un sombrerazo; *fig. Geheimnis*: revelar, airear.
'**luft-entzündlich** *adj.* pirofórico.
'**Lüfter** ⊕ *m* ventilador *m.*
'**Luft...:** ~**erneuerung** *f* renovación *f* del aire; ventilación *f*; ~**erscheinung** *f* fenómeno *m* atmosférico; (*Luftspiegelung*) espejismo *m*; ~**fahrt** *f* (*0*) aviación *f*; navegación *f* aérea; aeronáutica *f*; (*Reise*) viaje *m* en avión; ~**fahrtausstellung** *f* exposición *f* aeronáutica; ~**fahrtgesellschaft** *f* compañía *f* (de navegación) aérea; ~**fahrtindustrie** *f* industria *f* aeronáutica; ~**fahrtminister(ium** *n* [*-s; -rien*]) *m* ministro *m* (Ministerio *m*) del Aire; ~**fahrtwesen** *n* (*-s; 0*) aeronáutica *f*; aviación *f*; ~**fahrzeug** *n* (*-es; -e*) (*Luftschiff*) aeronave *f*; (*Flugzeug*) avión *m*, *ehm.* aeroplano *m*; ~**feuchtigkeit** *f* (*0*) humedad *f* del aire; ~**feuchtigkeitsgrad** *m* (*-es; -e*) grado *m* higrométrico; ~**feuchtigkeitsmesser** *m* higrómetro *m*; ~**filter** *m* filtro *m* de aire; aerofiltro *m*; ~**flotte** *f* flota *f* aérea; 2**förmig** *adj.* aeriforme; ~**fracht** *f* flete *m* aéreo; 2**gekühlt** *adj.* refrigerado por aire; ~**geschwader** *n* escuadra *f* aérea; ~**gewehr** *n* (*-es; -e*) escopeta *f* (*od.* carabina *f*) de aire comprimido; ~**hauch** *m* (*-s; 0*) soplo *m* (de aire); ~**heizung** *f* calefacción *f* por aire caliente; ~**herrschaft** *f* (*0*) dominio *m* del aire; ~**hülle** *f* atmósfera *f.*
'**luftig** *adj.* aéreo; *Zimmer*: bien aireado; *Kleid*: (muy) ligero; (*nebelhaft*) vaporoso (*a. fig. Kleid*); (*windig*) expuesto al viento; (*durchsichtig*) transparente.
'**Luftikus** *m* (*-; -se*) F fantoche *m*, farolón *m*; alocado *m*; F tarambana *m.*
'**Luft...:** ~**inspektion** *f* inspección *f* aérea; ~**kammer** *f* (*-; -n*) cámara *f* de aire; ~**kampf** *m* (*-es; ¨e*) combate *m* aéreo; ~**kissen** *n* almohadilla *f* neumática; ~**kissenboot** *n* aerodeslizador *m*; ~**klappe** ⊕ *f* válvula *f* de aire; ⚠ ventanillo *m* (de aireación); ~**korridor** *m* corredor *m* (*od.* pasillo *m*) aéreo; 2**krank** ⚕ *adj.*: ~ *sein* marearse (en las alturas); ~**krankheit** ⚕ *f* (*0*) enfermedad *f* (*od.* mal *m*) de las alturas; ~**kreis** *m* (*-es; -e*) atmósfera *f*; ~**krieg** *m* (*-es; -e*) guerra *f* aérea; ~**kühlung** *f* refrigeración *f* por aire; ~**kur** *f* cura *f* (por cambio) de aire; ⚕ aeroterapia *f*; ~**kur-ort** *m* (*-es; -e*) balneario *m* climatológico; (*Sanatorium*) sanatorio *m* de altura; ~**landetruppen** ⚔ *f/pl.* tropas *f/pl.* aerotransportadas; ~**landung** ⚔ *f* aterrizaje *m* de tropas aerotransportadas; 2**leer** *adj.* vacío (de aire); ~*er Raum* vacío *m*; *Reifen*: desinflado; ~**leitung** *f Tele.* línea *f* (suspendida) al aire libre; ~**linie** *f* línea *f* recta; ✈ línea *f* aérea; *in der* ~ *Entfernung*: en línea recta; ~**loch** *n* (*-es; ¨er*) ⚠ respiradero *m*; ⊕ ventilación *f*; (*Kamin*) ventosa *f*; ✈

bache *m* (*od.* bolsa *f*) de aire; **~mangel** *m* (-*s*; *0*) falta *f* de aire; **~manöver** *n* maniobras *f/pl.* aéreas; **~matratze** *f* colchón *m* neumático; **~menge** *f* cantidad *f* de aire; **~messer** *Phys.* aerómetro *m*; **~mine** ⚔ *f* mina *f* aérea; **~offensive** *f* ofensiva *f* aérea; **~parade** ⚔ *f* revista *f* de fuerzas aéreas; **~polster** *n* → *Luftkissen*; **~post** *f* (*0*) correo *m* aéreo; *durch* (*od. mit*) ~ por avión; **~postbrief** *m* (-*es*; -*e*) carta *f* por avión; **~postdienst** *m* (-*es*; *0*) servicio *m* aeropostal; **~postlinie** *f* línea *f* aeropostal; **~postnetz** *n* (-*es*; -*e*) red *f* de líneas aeropostales; **~postverbindung** *f* enlace *m* aeropostal; **~postverkehr** *m* (-*s*; *0*) tráfico *m* aeropostal; **~postzuschlag** *m* (-*es*; ⁼*e*) sobretasa *f* de correo aéreo; **~pumpe** *f Phys.* máquina *f* neumática; bomba *f* neumática; *Auto., Fahrrad usw.*: bomba *f*; **~raum** *m* (-*es*; ⁼*e*) espacio *m* aéreo; *den ~ verletzen* violar el espacio aéreo; **~reifen** *m* neumático *m*; **~reiniger** *m* purificador *m* de aire; *Auto.*: filtro *m* de aire; **~reinigung** *f* purificación *f* del aire; ventilación *f*; **~röhre** ⚒ *f* tubo *m* de ventilación; *Anat.* tráquea *f*; **~röhrenäste** *Anat. m/pl.* bronquios *m/pl.*; **~röhren·entzündung** ⚕ *f* traqueítis *f*; **~röhrenkatarrh** ⚕ *m* (-*s*; *0*) catarro *m* bronquial; **~röhrenschnitt** *Chir. m* (-*es*; -*e*) traqueotomía *f*; **~sack** ✈ *m* (-*es*- ⁼*e*) globo *m* compensador; **~schacht** ⚒ *m* (-*es*; ⁼*e*) pozo *m* de ventilación; **~schicht** *f* capa *f* de aire; **~schiff** *n* (-*es*; -*e*) aeronave *f*; *lenkbares ~* dirigible *m*; **~schiffahrt** *f* (*0*) aeronáutica *f*; navegación *f* aérea; *mit Flugzeugen*: *a.* aviación *f*; **~schiffahrtskunde** *f* (*0*) aeronáutica *f*; **~schlacht** *f* batalla *f* aérea; **~schlauch** *m* (-*es*; ⁼*e*) *des Reifens*: cámara *f* (de aire); **~schleuse** *f* esclusa *f* de aire; **~schlitz** *m* (-*es*; -*e*) ranura *f* de ventilación; **~schloß** *n* (-*sses*; ⁼*sser*) fantasía *f* irrealizable; quimera *f*; *Luftschlösser bauen* hacer castillos en el aire; **~schneise** *f* → *Luftkorridor*; **~schlucken** ⚕ *n* aerofagia *f*; **~schraube** *f* hélice *f*; **~schraubentriebwerk** *n* (-*es*; -*e*) propulsión *f* por hélice; **~schutz** ⚔ *m* (-*es*; *0*) defensa *f* antiaérea; **~schutzbunker** *m* refugio *m* antiaéreo; **~schutzgraben** *m* (-*s*; ⁼) trinchera-refugio *f*; **~schutzkeller** *m* refugio *m* antiaéreo subterráneo; *im Hause*: sótano *m*; **~schutzmaßnahmen** *f/pl.* medidas *f/pl.* de defensa antiaérea; **~schutzübung** *f* simulacro *m* de defensa antiaérea; **~spiegelung** *f* espejismo *m*; **~sprung** *m* (-*es*; ⁼*e*) cabriola *f*; voltereta *f*; salto *m* en el aire; *Luftsprünge machen* dar (*od.* hacer) cabriolas; dar volteretas *bzw.* saltos en el aire; **~störungen** *f/pl.* perturbaciones *f/pl.* atmosféricas; **~strahl** *m* (-*es*; -*en*) chorro *m* de aire; **~strahltriebwerk** *n* (-*es*; -*e*) propulsor *m* por reacción; **~strategie** *f* estrategia *f* aérea; **~streitkräfte** *f/pl.*, **~streitmacht** *f* (-; ⁼*e*) fuerzas *f/pl.* aéreas; **~strom** *m* (-*es*; ⁼*e*), **~strömung** *f* corriente *f* atmosférica; (*Luftzug*) corriente *f* de aire; **~stützpunkt** ⚔ *m* (-*es*; -*e*) base *f* aérea; **~taxi** *n* taxi *m* aéreo; **~torpedo** ⚔ *m* (-*s*; -*s*) torpedo *m* aéreo; **~transport** *m* (-*es*; -*e*) transporte *m* aéreo; **2trocken** *adj.* secado al aire; **~tüchtigkeit** *f* (*0*) navegabilidad *f* aérea; **~überlegenheit** *f* (*0*) superioridad *f* (de potencia) aérea.

'Lüftung *f* aireación *f*; ventilación *f*; **~s-anlage** *f* instalación *f* para ventilación; **~srohr** *n* (-*es*; -*e*) tubo *m* de ventilación; *auf Schiffen*: manguera *f* (de ventilación); **~sschacht** ⚒ *m* (-*es*; ⁼*e*) → *Luftschacht*.

'Luft...: **~ver·änderung** ⚕ *f* cambio *m* de aires; **~verbindung** *f* comunicación *f* aérea; *Anschluß*: enlace *m* aéreo; **~verdünnung** *f* rarefacción *f* del aire; **~verkehr** *m* (-*s*; *0*) servicio *m* (*od.* tráfico *m*) aéreo; **~verkehrsgesellschaft** *f* → *Luftfahrtgesellschaft*; **~verkehrslinie** *f* línea *f* aérea; aerovía *f*; **~verkehrsnetz** *n* (-*es*; -*e*) red *f* de líneas aéreas; **~vermessung** *f* geodesia *f* aérea; **~verseuchung** *f*, **~verunreinigung** *f* contaminación *f* atmosférica; **~verteidigung** *f* defensa *f* aérea; **~waffe** *f* ejército *m* del aire; aviación *f* militar; **~waffenunterstützung** *f* apoyo *m* aéreo; **~warndienst** *m* (-*es*; -*e*) servicio *m* de alarma aérea; **~warnung** *f* alarma *f* aérea; **~warte** *f* observatorio *m* meteorológico aeronáutico; **~wechsel** *m* cambio *m* de aires; **~weg** *m* (-*es*; -*e*) ✈ vía *f* (*od.* ruta *f*) aérea; *auf dem ~e* por vía aérea; ⚕ *Atemwege*: vías *f/pl.* respiratorias; **~widerstand** *m* (-*es*; ⁼*e*) resistencia *f* del aire; **~wirbel** *m* torbellino *m*, remolino *m* de viento; **~wurzel** ♀ *f* (-; -*n*) raíz *f* aérea; **~ziegel** ⚠ *m* ladrillo *m* crudo (*od.* secado al aire); adobe *m*; **~zufuhr** *f*, **~zuführung** *f* provisión *f* de aire; ⊕ admisión *f* de aire; **~zug** *m* (-*es*; *0*) corriente *f* de aire; *bei Herd, Kamin*: tiro *m*.

Lug *m* (-*es*; *0*): *~ und Trug* puro engaño; F puro camelo; solemne mentira.

'Lüge *f* mentira *f*; *getarnte*: embuste *m*; *erdichtete*: patraña *f*, F *fig.* cuento *m* chino (*od.* tártaro); *schamlose ~* mentira descarada; *fromme ~* mentira piadosa; *j-n ~n strafen* desmentir a alg.

'lugen *v/i.* mirar; (*spähen*) espiar; *~ aus* asomarse a.

'lügen I. *v/i.* mentir; faltar a la verdad; (*erdichten*) inventar, F contar historias (*od.* camelos *od. fig.* cuentos chinos); *wie gedruckt ~* mentir más que un sacamuelas; **II.** 2 *n* mentira *f*; **2detektor** *m* (-*s*; -*en*) detector *m* de mentiras; **2feldzug** *m* (-*es*; ⁼*e*) (campaña *f* de) propaganda *f* difamatoria; **2gewebe** *n* sarta *f* de mentiras (*od.* de embustes); **~haft** *adj.* mentiroso; embustero; *Liter.* mendaz; (*erdichtet*) inventado; **2haftigkeit** *f* (*0*) afición *f* *bzw.* inclinación *f* a la mentira; costumbre *f* de mentir; mendacidad *f*; *bsd. v. Nachrichten*: falsedad *f*; **2maul** F *n* (-*es*; ⁼*er*) mentiroso *m*; (*Betrüger*) embustero *m*; F bolero *m*.

'Lügner *m* mentiroso *m*; (*Betrüger*) embustero *m*; **~in** *f* mentirosa *f*; embustera *f*; **2isch** *adj.* mentiroso; embustero; mendaz.

Lu'ise *f* Luisa *f*.

'Lukas *m* Lucas *m*; *der heilige ~* San Lucas.

'Luke *f* (*Dach2, Boden2*) tragaluz *m*; (*Oberlicht*) claraboya *f*; ⚓ escotilla *f*.

lukra'tiv *adj.* lucrativo.

lu'kullisch *adj.* lucúlico; (*Mahl*) opíparo; (*prächtig, luxuriös*) suntuoso.

'Lulatsch F *m* (-*es*; -*e*): *langer ~* zangón *m*.

'lullen *v/t.*: *in den Schlaf ~* adormecer con canciones.

'Lumen *Phys. n* (-*s*; *Lumina*) lumen *m*.

'Lümmel *m* (*Rohling*) bruto *m*, F bestia *m*, pedazo *m* de animal; (*Frechling*) descarado *m*, mal educado *m*, F gamberro *m*; (*Grobian*) grosero *m*, hombre *m* zafio.

Lümme'lei *f* grosería *f*; gamberrada *f*.

'lümmel|haft *adj.* grosero; zafio; **~n** (-*le*) *v/i. u. v/refl. sich ~* portarse groseramente; gamberrear.

Lump *m* (-*en*) (*Gauner*) bribón *m*, pícaro *m*; F sinvergüenza *m*, *Am.* cachafaz *m*; (*Schurke*) canalla *m*; (*Strolch*) vagabundo *m*, *Arg.* atorrante *m*.

'lumpen *v/t.*: *sich nicht ~ lassen* no ser mezquino; F ser rumboso, gastar con rumbo el dinero.

'Lumpen *m* (*Fetzen*) harapo *m*, andrajo *m*; *in ~ gehüllt* vestido de harapos, andrajoso, harapiento; **~geld** *n* (-*es*; -*er*) precio *m* irrisorio; **~gesindel** *n* chusma *f*, canalla *f*; **~händler(in** *f*) *m* trapero (-a *f*) *m*; **~hund** *m* (-*es*; -*e*), **~kerl** *m* (-*es*; -*e*) → *Lump*; **~pack** *n* (-*es*; *0*) gentuza *f*; chusma *f*, canalla *f*; **~papier** *n* (-*es*; -*e*) papel *m* de trapo; **~sammler(in** *f*) *m* → *Lumpenhändler(in)*; *hum.* F último tranvía *m bzw.* autobús *m* de la noche; **~ver·arbeitung** ⊕ *f* elaboración *f* de pasta (*od.* pulpa) de trapos.

Lumpe'rei *f* bajeza *f*, infamia *f*; canallada *f*; P cochinada *f*; (*Kleinigkeit*) pequeñez *f*, nimiedad *f*, bagatela *f*.

'lumpig *adj.* (*zerlumpt*) andrajoso, harapiento; (*armselig, knickerig*) mezquino; (*erbärmlich*) miserable; (*gemein*) vil, bajo, ruin; (*geringfügig*) baladí; P *~e 10 Peseten* P diez cochinas pesetas.

Lunch *m* (-*s*; -*s*) almuerzo *m*; **'2en** *v/i.* almorzar.

'Lunge *f Anat.* pulmón *m*; *Fleischerei*: bofes *m/pl.*; ⚕ *eiserne ~* pulmón de acero; *sich die ~ aus dem Leibe schreien* gritar a pleno pulmón; *durch die ~ rauchen* tragar el humo (al fumar).

'Lungen...: **~arterie** *Anat. f* arteria *f* pulmonar; **~bläs·chen** *n* alvéolo *m* pulmonar; **~blutung** ⚕ *f* hemorragia *f* pulmonar; F vómito *m* de sangre; **~entzündung** ⚕ *f* neumonía *f*, pulmonía *f*; **~flügel** *Anat. m* pulmón *m*; **~haschee** *Kochkunst n* picadillo *m* de bofes de ternera; **~heilstätte** *f* sanatorio *m* antituberculoso; **2krank** *adj.* enfermo del pulmón; tuberculoso, tísico; **~-**

kranke(r *m*) *m*/*f* enferma (-o *m*) *f* del pulmón; tuberculosa (-o *m*) *f*; F tísica (-o *m*) *f*; **~krankheit** ⚕ *f* afección *f* (*od.* enfermedad *f*) pulmonar; tuberculosis *f*, tisis *f*; **~kraut** ♀ *n* (-*es*; *0*) pulmonaria *f*; **~lappen** *Anat. m* lóbulo *m* pulmonar; **~krebs** ⚕ *m* (-*es*; *0*) cáncer *m* del pulmón; **≈leidend** *adj.* → *lungenkrank*; **~schlagader** *Anat. f* (-; -*n*) → *Lungenarterie*; **~schwindsucht** ⚕ *f* (*0*) tuberculosis *f* pulmonar, tisis *f*; **≈schwindsüchtig** ⚕ *adj.* tuberculoso, F tísico; **~spitze** *Anat. f* vértice *m* del pulmón; **~spitzentuberkulose** ⚕ *f* (*0*) tuberculosis *f* apical; **~tuberkel** ⚕ *m* tubérculo *m* pulmonar; **~tuberkulose** ⚕ *f* (*0*) → *Lungenschwindsucht*; **~vene** *Anat. f* vena *f* pulmonar.

ˈ**lungern I.** (-*re*) *v*/*i.* holgazanear; **II.** ≈ *n* holgazanería *f*.

ˈ**Lunker** *Met. m* pozo *m*; cavidad *f*.

ˈ**Lunte** *f* mecha *f*; *fig.* ~ *riechen* descubrir el pastel; F oler el poste (*od.* la tostada).

ˈ**Lupe** *Opt. f* lente *f* de aumento, lupa *f*; *fig. unter die* ~ *nehmen* examinar de cerca; escrutar; F pasar a/c. por el tamiz.

ˈ**lupfen** *v*/*t.* alzar ligeramente.

Luˈpine ♀ *f* altramuz *m*, lupino *m*.

ˈ**Lupus** ⚕ *m* (-; - *od.* -*se*) lupus *m*.

ˈ**Lurche** *Zoo. m*/*pl.* batracios *m*/*pl.*; anfibios *m*/*pl.*

Lust (-; ¨*e*) *f* placer *m*; (*Annehmlichkeit*) agrado *m*; (*Belustigung*) diversión *f*; (*Gefallen, Vergnügen*) gusto *m*; (*Freude*) alegría *f*, gozo *m*; (*Genuß*) goce *m*, deleite *m*; (*Verlangen*) gana *f*, ganas *f*/*pl.*; (*Wunsch*) deseo *m*; (*Sinnes*≈) voluptuosidad *f*; (*Neigung*) disposición *f*; inclinación *f*; *fleischliche* ~ deseo *m* carnal, concupiscencia *f*; ~ *haben zu* tener gana(s) de; estar por; *er hat keine* ~ *dazu* no tiene ninguna gana de eso; *er hat keine* ~ *zur Arbeit* no tiene ganas de trabajar; *er hat zu nichts* ~ nada le gusta; *j-m* ~ *machen* hacer a alg. entrar en ganas (*zu* de); *ich bekomme* ~, *zu* (*inf.*) me están dando ganas de (*inf.*); *die* ~ *verlieren zu* ... perder las ganas de ...; *die* ~ *dazu ist mir vergangen* se me han quitado las ganas de ello; *j-m die* ~ *zu et. nehmen* quitarle a alg. las ganas de a/c.; *wenn Sie* ~ *dazu haben* si le gusta *od.* si tiene usted gusto en ello; *ganz wie Sie* ~ *haben* como usted guste; como más le guste (*od.* agrade); *mit* ~ *und Liebe* con verdadero placer; con mil amores; *ohne* ~ *und Liebe* de mala gana; a disgusto; *s-e* ~ *an et. haben* tener placer en (*bzw.* tomar gusto a) a/c.; *es ist e-e* ~, *ihn arbeiten zu sehen* es un verdadero placer (*od.* da gusto) verle trabajar; *s-e* ~ *befriedigen* satisfacer sus deseos; *s-n Lüsten frönen* ser esclavo de sus pasiones.

ˈ**Lust·empfindung** *f* sensación *f* de placer; deleite *m*.

ˈ**Lüster** *m* (*Kronleuchter*) araña *f* (de cristal tallado).

ˈ**lüstern** *adj.* codicioso (*nach* de); (*geil*) lascivo, lúbrico; lujurioso; *nach et.* ~ *sein* codiciar a/c.; desear (*od.* ansiar) a/c.; **≈heit** *f* (*0*) codicia *f*; (*Geilheit*) lascivia *f*, lubricidad *f*; concupiscencia *f*; lujuria *f*.

ˈ**Lust...: ≈erregend** *adj.* que da ganas de; apetitoso; excitante; **~fahrt** *f* viaje *m* de placer; **~garten** *m* (-*s*; ¨) jardín *m* de recreo; **~gefühl** *n* → *Lustempfindung*; **~häuschen** *n* (*Laube*) cenador *m*, *Arg.* glorieta *f*.

ˈ**lustig** *adj.* alegre; de buen humor; (*belustigend*) divertido, gracioso; (*komisch*) cómico; (*drollig*) regocijante; festivo; (*witzig*) chistoso; *Thea.* ~*e Person* gracioso *m*; *es geht* ~ *zu* se divierte uno de lo lindo; *sich* ~ *machen über* (*ac.*) burlarse de; F pitorrearse de alg.; *iro. das kann ja* ~ *werden* vamos a estar divertidos; **≈keit** *f* alegría *f*; buen humor *m*.

ˈ**Lüstling** *m* (-*s*; -*e*) libertino *m*.

ˈ**Lust...: ≈los** *adj.* desanimado (*a.* ✝ *Börse*); **~losigkeit** *f* (*0*) desanimación *f* (*a.* ✝); **~molch** F *m* (-*es*; -*e*) libertino *m*; **~mord** ⚖ *m* (-*es*; -*e*) asesinato *m* con motivación sexual.

ˈ**Lustrum** *n* (-*s*; *Lustra od. Lustren*) lustro *m*.

ˈ**Lust...: ~schloß** *n* (-*sses*; ¨*sser*) palacio *m* de recreo; *königliches* ~ *Span.* real sitio *m*; **~spiel** *Thea. n* (-*es*; -*e*) comedia *f*; **~spieldichter** *m* comediógrafo *m*; **≈wandeln** (-*le*; *sn*) *v*/*i.* pasearse.

ˈ**Luther** *m* Lutero *m*.

Lutheˈraner [-əˈrɑː-] (**-in** *f*) *m* luterano (-a *f*) *m*.

ˈ**luther|isch** *adj.* luterano; **≈tum** *n* (-*s*; *0*) luteranismo *m*.

ˈ**Lutsch|bonbon** *m* (-*s*; -*s*) caramelo *m*; pirulí *m*; **≈en** *v*/*t.* chupar; **~er** *m* chupador *m*; chupete *m*.

ˈ**Lüttich** *n* Lieja *f*.

ˈ**Luv** ⚓ *f* (*0*) barlovento *m*; **≈en** *v*/*i.* orzar; barloventear; **~seite** *f* (costado *m* de) barlovento *m*; **≈wärts** *adv.* a (*od.* hacia) barlovento.

Lux *Phys. n* (-; -) lux *m*.

ˈ**Luxemburg** *n* Luxemburgo *m*; **~er(in** *f*) *m* luxemburgués *m*, luxemburguesa *f*; **≈isch** *adj.* luxemburgués, de Luxemburgo.

luxuriˈös [lʊksuˈrĭøːs] *adj.* (-*est*) lujoso; suntuoso; de lujo.

ˈ**Luxus** *m* (-; *0*) lujo *m*; suntuosidad *f*; *das ist* ~ (*überflüssig*) eso es un lujo; **~artikel** *m* artículo *m* de lujo; **~ausführung** *f* modelo *m* de lujo; **~ausgabe** *f e-s Buches*: edición *f* de lujo; **~dampfer** *m* vapor *m* de lujo; **~erzeugnis** *n* (-*ses*; -*se*) producto *m* de lujo; **~kabine** *f* (*Schiff*) camarote *m* de lujo; **~restaurant** *n* (-*s*; -*s*) restaurante *m* de lujo; **~steuer** *f* (-; -*n*) impuesto *m* suntuario; impuesto *m* (sobre artículos) de lujo; **~ware** *f* artículo *m* de lujo; **~zug** 🚂 *m* (-*es*; ¨*e*) tren *m* de lujo.

Luˈzern *n* Lucerna *f*.

Luˈzerne ♀ *f* alfalfa *f*.

ˈ**Luzie** *f* Lucía *f*.

ˈ**Luzifer** *m* Lucifer *m*.

Lyˈkurg *m* Licurgo *m*.

lymˈphatisch [f] *adj.* linfático.

ˈ**Lymph|drüse** [f] *Anat. f* ganglio *m* linfático; **~e** *f Physiol.* linfa *f*; (*Impfstoff*) vacuna *f*; **~gefäß** *n* (-*es*; -*e*) vaso *m* linfático; **~knoten** *m* ganglio *m* linfático.

ˈ**lynch|en** *v*/*t.* linchar; **≈justiz** *f* (*0*) ley *f* de Lynch; linchamiento *m*.

ˈ**Lyra** *f* (-; *Lyren*) lira *f*; *Astr.* Lira *f*.

ˈ**Lyrik** *f* (*0*) (poesía *f*) lírica *f*; **~er** *m* (poeta *m*) lírico *m*.

ˈ**lyrisch** *adj.* lírico.

Lysoˈform ⚗ *n* lisoformo *m*.

Lyˈsol *n* (-*s*; *0*) lisol *m*.

Lyˈzeum [-ˈtseːʊm] *n* (-*s*; *Lyzeen*) colegio *m* de señoritas.

M

M, m *n* M, m *f*.
Mä'ander ⚓ *m* meandro *m*; (*Zierband*) greca *f*.
Maar *Geol. n* (-*s*; -*e*) lago *m* (de origen) volcánico.
Maas *f* (*Fluß*) Mosa *m*.
Maat ⚓ *m* (-*es*; -*e od.* -*en*) cabo *m* de mar; marinero *m* de primera.
'Mach-art *f* tipo *m* (de construcción); estilo *m*; forma *f*; *e-s Kleides*: hechura *f*; corte *m*.
'Mache *f* (*0*) (*Vortäuschung*) disimulo *m*; apariencia *f* engañosa; (*Getue*) afectación *f*; *das ist doch nur* ~ todo eso es pura comedia.
'machen 1. *v/t.* hacer; ~ + *adj. oft*: poner; (*schaffen*) crear; (*bearbeiten*) trabajar; (*bilden*) formar, organizar; (*fabrizieren*) fabricar, elaborar; confeccionar; (*erzeugen*) producir; (*ausführen*) ejecutar; (*errichten*) edificar, construir; (*verursachen*) causar, producir; *den Anfang* ~ comenzar; *e-n Ausflug* (*Versuch*) ~ hacer una excursión (un ensayo); *Geschäfte* ~ hacer negocios; *Durst* ~ dar sed; *Appetit* ~ abrir el apetito; *Schulden* ~ contraer deudas; *Platz* ~ hacer sitio; *Kaffee* ~ hacer café; *Licht* ~ encender la luz; *das Bett* ~ hacer la cama; *das Zimmer* ~ arreglar la habitación; *e-r Sache ein Ende* ~ poner término (*od.* fin) a a/c.; *e-n Spaziergang* ~ dar un paseo; *j-m das Haar* ~ arreglar el pelo a alg.; peinar a alg.; *sich das Haar* ~ arreglarse el pelo; peinarse; *j-m Hoffnungen* ~ dar esperanzas a alg.; *j-m Angst* ~ dar (F meter) miedo a alg.; *j-m Mut* ~ dar ánimo a alg.; *j-m Sorgen* ~ preocupar a alg.; tener preocupado a alg.; *sich Sorgen* ~ estar preocupado, inquietarse (*um, wegen* por); ~ *Sie sich keine Sorgen* no se preocupe usted; pierda usted cuidado; *es macht mir Mühe, zu* (*inf.*) me cuesta trabajo (*inf.*); *viel zu schaffen* ~ dar mucho que hacer; *sich zu schaffen* ~ trabajar afanosamente; afanarse; *sich lächerlich* ~ ponerse en (*od.* hacer el) ridículo; *sich geltend* ~ hacerse valer; *sich wichtig* ~ darse importancia; *sich über et. Gedanken* ~ (*ac.*) inquietarse, estar preocupado por a/c.; *schlimmer* ~ empeorar; *es j-m recht* ~ satisfacer (*od.* contentar) a alg.; *j-n* (*un*)*glücklich* ~ hacer feliz (desgraciado) a alg.; *j-n gesund* ~ sanar *od.* curar a alg.; *j-n zum General* (*Minister, Direktor*) ~ nombrar *bzw.* hacer general (ministro; director) a alg.; *j-n zum Bettler* ~ arruinar a alg., hundir a alg. en la miseria; *et. zu Geld* ~ vender, realizar *od.* convertir en dinero a/c.; *was macht* (*treibt*) *er?* ¿qué hace?, ¿a qué se dedica?; ¿qué es de él?; *2 mal 2 macht 4* dos por dos son cuatro; *was* (*od. wieviel*) *macht das?* ¿cuánto es?; *das macht zusammen 12 Mark* son doce marcos en total; *das macht man so* esto se hace así; *so etwas macht man nicht* eso no se hace; *was macht das?* (*hat das zu sagen*) ¿qué importa eso?; (*das*) *macht nichts* no importa; no es nada; *das macht ihm nichts* no le interesa (*od.* importa); le tiene sin cuidado; *es macht mich wütend* me pone furioso; me indigna; *was* (*ist da zu*) ~? ¿qué le vamos a hacer?; *nichts zu* ~ no hay nada que hacer; *da ist nichts zu* ~ aquí no se puede hacer nada; esto no tiene remedio; *dagegen ist nichts zu* ~ contra eso no se puede (hacer nada); **2.** *v/refl.*: *sich* ~ (*geschehen*) suceder; (*fortschreiten*) adelantar, progresar, ir prosperando; (*sich arrangieren*) arreglarse, ir arreglándose; (*besser werden*) ir mejorando; *sich gut* ~ dar (*od.* causar) buena impresión; producir buen efecto; *bsd. Sachen*: marchar (*od.* ir bien); dar buen resultado; F *wie geht's dir?* — *Nun, es macht sich* ¿cómo te va? — vamos tirando; *ich mache mir nichts daraus* no me interesa (*od.* importa) eso; no hago caso de eso; (*es gefällt mir nicht*) no me gusta; *mach dir nichts daraus!* no te preocupes por eso; no le des importancia a eso; *sich et.* ~ *lassen* encargar a/c., mandar hacer a/c. (*von j-m* a alg.); *sich an j-n heran*~ dirigirse a alg.; abordar a alg.; *sich an et.* ~ (*ac.*) ponerse a hacer a/c.; emprender a/c.; empezar a/c.; *sich die Mühe* ~ *zu* tomarse la molestia de; *sich auf den Weg* ~ ponerse en camino; *sich aus dem Staube* ~ F salir pitando, F poner pies en polvorosa; **3.** *v/i.*: *lange* ~ tardar mucho (*um zu* en); *mach doch!* (*beeile dich*) ¡despacha!, ¡venga ya!; ¡date prisa!; *mach's gut!* (*Lebewohl*) ¡adiós!; ¡buena suerte!; ¡que te vaya bien!; ~ *Sie, daß* ... haga usted de modo que (*subj.*); *macht, daß ihr wegkommt!* F ¡largaos de aquí!; ~ *in* ✝ comerciar, tratar en; *j-n* ~ *lassen* dejar a alg. hacer lo que le plazca; *laß mich nur* ~ tú déjame a mí; yo me encargaré de ello; déjalo de mi cuenta; **2schaft** *f* maquinación *f*; manejo *m*; intriga *f*; treta *f*.
'Macherlohn *m* hechura *f*.
machiavel'listisch *adj.* maquiavélico.
'Macht *f* (-; *ᵉe*) (*Gewalt*) poder *m*; (*Staat*) potencia *f*; (*Kraft*) fuerza *f* (*a. Phys.*); ⚔ (*Heer*) fuerza *f* armada; (*Herrschaft*) *Pol.* poderío *m*; *moralische*; *gesetzmäßige*: autoridad *f*; (*Einfluß*) ascendiente *m*; influjo *m*; (*Fähigkeit*) facultad *f*, capacidad *f*; *die hohen vertragschließenden Mächte* las altas partes contratantes; *kriegführende Mächte* potencias beligerantes; *übernatürliche Mächte* fuerzas sobrenaturales; *die* ~ *der Gewohnheit* (*des Schicksals*) la fuerza de la costumbre (del destino); *an der* ~ *sein Pol.* estar en el poder; *an die* ~ *kommen* llegar al poder; *die* ~ *übernehmen* asumir el poder; ~ *geht vor Recht* contra la fuerza no existe derecho; *aus eigener* ~ bajo su responsabilidad; por propio impulso, F por sí y ante sí; *mit aller* ~ con todo su poder; con toda su autoridad; *es steht nicht in m-r* ~ no está en mi poder; no depende de mí; **~befugnis** *f* (-; -*se*) poder *m*; autoridad *f*; facultad *f*; *Überschreitung der* ~*se* extralimitación; **~bereich** *m* (-*es*; -*e*) esfera *f* (de influencia); jurisdicción *f*; competencia *f*; **~ergreifung** *f* advenimiento *m* (*od.* subida *f*) al poder; **~fülle** *f* plenitud *f* de poderes; **~gier** *f* (*0*) ambición *f* de poder; **2gierig** *adj.* ávido de poder; **~haber** *m* (*Regierender*) gobernante *m*; (*Herrscher*) soberano *m*; (*Potentat*) potentado *m*; (*Diktator*) dictador *m*; (*Despot*) déspota *m*; **2haberisch** *adj.* (*autoritär*) autoritario; (*diktatorisch*) dictatorial; (*despotisch*) despótico.
'mächtig I. *adj.* poderoso; ⊕ potente; (*groß*) grande; (*enorm*) enorme, tremendo; (*imponierend*) imponente; (*beträchtlich*) considerable; (*nachdrücklich*) intenso; enérgico; ⚒ rico; extenso; *seiner* ~ *sein* ser dueño de sí (mismo); *seiner nicht* ~ *sein* no ser dueño de sí (mismo), no poder dominarse; *e-r Sache* (*gen.*) ~ *sein* ser dueño de a/c.; *e-r Sache* (*gen.*) ~ *werden* adueñarse (*od.* hacerse dueño) de a/c.; *e-r Sprache* (*gen.*) ~ *sein* dominar *od.* poseer un idioma; **II.** *adv.* F muy *bzw.* mucho; demasiado, excesivamente; enormemente; F *er arbeitet* ~ trabaja como una fiera; **2e(r)** *m*: *die* ~*n* los poderosos; **2keit** ⚒ *f* (*0*) riqueza *f*; espesor *m*; extensión *f*.
'Macht...: **~kampf** *m* (-*es*; *ᵉe*) lucha *f* por el poder; **2los** *adj.* impotente; (*schwach*) débil; *dagegen ist man* ~ contra eso no se puede (hacer nada); **~losigkeit** *f* (*0*) impotencia *f*; (*Schwäche*) debilidad *f*; **~mittel**

n/pl. Pol. fuerzas *f/pl.* coercitivas; **~politik** *f (0)* política *f* imperialista (*od.* de expansión); política *f* de mano dura; **~probe** *f* prueba *f* de fuerza; **~spruch** *m (-és; ⁼e)* decisión *f* terminante; fallo *m* inapelable; acto *m* de autoridad; **~stellung** *f e-s Staates*: potencia *f*; **~übernahme** *f* advenimiento *m* al poder; **2voll** *adj.* → *mächtig*; **~vollkommenheit** *f* poder *m* absoluto; *aus eigener ~* en ejercicio de su propia autoridad; por propio impulso; F por sí y ante sí; **~wort** *n (-és; -e)* decisión *f* terminante; palabra *f* enérgica; orden *f* perentoria; *ein ~ sprechen* imponer su autoridad; hablar con autoridad.

'Machwerk *n (-és; -e)* obra *f* mal hecha; F chapucería *f*.

'Mädchen *n* muchacha *f*, F chica *f*; *kleines ~* niña *f*; chiquilla *f*; F nena *f*; *junges ~* joven *f*; (*Bauern2*) moza *f*; (*Dienst2*) criada *f*, *Arg.* mucama *f*; (*Braut*) novia *f*; *~ für alles* chica *od.* muchacha para todo; **~erziehung** *f* educación *f* femenina; **2haft** *adj.* de niña; (*adv.* como una niña); (*jugendlich*) juvenil; (*jungfräulich*) virginal; **~haftigkeit** *f (0)* carácter *m od.* condición *f* de muchacha; (*Jungfräulichkeit*) virginidad *f*, doncellez *f*; (*Schüchternheit*) timidez *f*; **~handel** *m (-s; 0)* trata *f* de blancas; **~heim** *n (-és; -e)*, **~hort** *m (-és; -e)* hogar *m* juvenil de muchachas; **~kammer** *f* cuarto *m* de la criada; **~name** *m (-ns; -n)* nombre *m* de muchacha; *e-r Frau*: apellido *m* de soltera; **~pensionat** *n (-és; -e)* colegio *m* de señoritas; **~schule** *f* escuela *f* de niñas; **~zimmer** *n* cuarto *m* de muchacha.

'Made *Zoo. f* cresa *f*; (*Wurm*) gusano *m*; *fig. wie die ~ im Speck leben* vivir a sus anchas; estar como el pez en el agua.

Ma'deira *Geogr. n* (isla *f* de) Madera *f*; **~wein** *m (-és; -e)* (vino *m* de) Madera *m*.

'Mädel *n* muchacha *f*, F chica *f*; *ein fesches ~* una chica bonita.

'madig *adj.* lleno de cresas; agusanado; *fig.* F *j-n ~ machen* zaherir (*od.* desacreditar) a alg.

Mad'jar *m (-en)*, **~in** *f*, **2isch** *adj.* magiar *m/f*.

Ma'donn|a *f (-; Madonnen)* la Virgen María; **~enbild** *n (-és; -er)* cuadro *m* de la Virgen María; *Mal. it.* madona *f*; **2enhaft** *adj.* hermoso como la Virgen; como una madona.

Ma'drid *n* Madrid *m*; **~er(in** *f*) *m* madrileño (-a *f*) *m*; *aus ~* madrileño, *Liter.* matritense.

Madri'gal *n (-s; -e)* madrigal *m*.

Maga'zin *n (-s; -e)* almacén *m*; (*Lager*) depósito *m*; (*Gewehr2*) cargador *m*; (*Zeitschrift*) revista *f* ilustrada (de información); **~verwalter** *m* almacenero *m*; almacenista *m*; 🚂 jefe *m* de depósito.

Magd [mɑːkt] *f (-; ⁼e)* (*Dienst2*) criada *f*, sirvienta *f*; *Poes.* (*Jungfer*) doncella *f*; *Rel.* la Virgen.

'Magen *m (-s; ⁼)* estómago *m*; (*Vogel2*) buche *m*; *schwer im ~ liegen* producir pesadez de estómago; *fig.* preocupar mucho a/c.; *e-n guten ~ haben* tener buen estómago; *e-n verdorbenen ~ haben* tener una indigestión; (*sich*) *den ~ verderben* arruinar(se) el estómago; *e-n leeren* (*vollen*) *~ haben* estar en ayunas; tener el estómago vacío (lleno); F *fig. j-n im ~ haben* no poder tragar a alg.; tener a alg. atravesado en la garganta, tener a alg. sentado en la boca del estómago; et. *im ~ haben* estar harto de (*od.* no poder tragar) a/c.; **~ausgang** *Anat. m (-és; ⁼e)* píloro *m*; **~beschwerden** *f/pl.* molestias *f/pl.* en el estómago; *~ haben* tener malestar de estómago; **~bitter** *m* licor *m* estomacal; **~bluten** *n*, **~blutung** ⚕ *f* hemorragia *f* gástrica; gastrorragia *f*; **~brennen** ⚕ *n* pirosis *f*, ardor *m* de estómago; **~-Darm-Kanal** *Anat. n (-s; ⁼e)* tubo *m* digestivo; **~-Darm-Katarrh** ⚕ *m (-s; -e)* gastroenteritis *f*; **~drücken** ⚕ *n* pesadez *f* de estómago; **~eingang** *Anat. m (-és; ⁼e)* cardias *m*; **~erweiterung** ⚕ *f* gastrectasia *f*, dilatación *f* de estómago; **~gegend** *Anat. f (0)* región *f* epigástrica (*od.* del estómago); **~geschwür** ⚕ *n (-és; -e)* úlcera *f* gástrica (*od.* del estómago); **~grube** *Anat. f* hueco *m* epigástrico; **~knurren** *n* borborigmos *m/pl.*; **~krampf** ⚕ *m (-és; ⁼e)* gastrospasmo *m*; **2krank** *adj.*: *~ sein* padecer del estómago, estar enfermo del estómago; **~krankheit** ⚕ *f* gastropatía *f*, enfermedad *f* del estómago; **~krebs** ⚕ *m (-es; 0)* cáncer *m* del estómago; **~leiden** ⚕ *n* afección *f* (*od.* enfermedad *f*) del estómago; **~resektion** *Chir. f* resección *f* de estómago; **~saft** *Physiol. m (-és; ⁼e)* jugo *m* gástrico; **~säure** ⚕ *f* hiperclorhidria *f*, acidez *f* gástrica, acedías *f/pl.*; **~schleimhaut-entzündung** ⚕ *f* gastritis *f*; **~schmerz** ⚕ *m (-es; -en)* gastralgia *f*, dolor *m* de estómago; **~schrumpfung** ⚕ *f* retracción *f* del estómago; **~sonde** *f* sonda *f* gástrica; **~spiegelung** ⚕ *f* gastroscopia *f*; **2stärkend** *adj.* estomacal; *~es Mittel* tónico *m* estomacal; **~tropfen** *m/pl.* elixir *m* estomacal; gotas *f/pl.* estomacales; **~ulkus** ⚕ *n (-; -ulzera)* → *Magengeschwür*; **~verstimmung** ⚕ *f* dispepsia *f*; indigestión *f*.

'mager *adj.* flaco; *Fleisch*: magro; (*schlank*) delgado; (*dürr*) seco; enjuto de carnes; ↗ *Boden*: estéril, árido; ⚒ pobre; *~e Kost* comida frugal; **2keit** *f (0)* flaqueza *f*; enflaquecimiento *m*; delgadez *f*; *des Bodens*: esterilidad *f*, aridez *f*; **2kohle** *f* hulla *f* seca; **2milch** *f (0)* leche *f* desnatada.

Ma'gie *f (0)* magia *f*.

'Magier ['mɑːgĭɐ] *m* (*bsd. Hist. u. Bib.*) mago *m*; (*Zauberer*) mágico *m*; encantador *m*; F brujo *m*.

'magisch *adj.* mágico; *~es Auge* ojo mágico.

Ma'gister *m ehm.* maestro *m*.

Magi'strat *m (-és; -e)* ayuntamiento *m*; autoridades *f/pl.* municipales; **~sbeamte(r)** *m* funcionario *m* municipal.

'Magma *Geol. n (-s; Magmen)* magma *m*.

Mag'nat *m (-en)* magnate *m*.

Mag'nesia [-zĭɑː] ⚗ *f (0)* magnesia *f*.

Mag'nesium [-zĭ-] ⚗ *n (-s; 0)* magnesio *m*; **~blitzlicht** *n (-es; -er)* luz *f* (*od.* fogonazo *m*) de magnesio; **~draht** *m (-és; ⁼e)* hilo *m* de magnesio; **2haltig** *adj.* magnésico; **~pulver** *Phot. n* pólvora *f* fulminante de magnesio; magnesio *m* pulverizado (*od.* en polvo).

Mag'net *m (-és od. -en; -e od. -en)* imán *m* (*a. fig.*); *natürlicher*: piedra *f* imán, imán *m* natural; *mit dem ~ bestreichen* imantar; **~anker** *m* armadura *f* de un imán; **~eisen** (**-erz** [*-es; -e*]) *n*, **~eisenstein** *Min. n (-és; -e)* magnetita *f*, imán *m* natural, piedra *f* imán; **2elektrisch** *adj.* magneto-eléctrico; **~feld** *n (-és; -er)* campo *m* magnético; **~induktion** *f* inducción *f* magneto-eléctrica; **2isch** *adj.* magnético; *~er Pol* polo magnético; *~e Abweichung* declinación magnética; *~ machen* imantar; *~ werden* imantarse.

Magneti|'seur *m (-s; -e)* magnetizador *m*; **2'sierbar** *adj.* magnetizable; **2'sieren** (-) *v/t.* imantar; *Personen*: magnetizar; **~'sieren** *n*, **~'sierung** *f* imantación *f*; *v. Personen*: magnetización *f*.

Magne'tismus [-'tɪs-] *m (-; 0)* magnetismo *m*.

Mag'net...: **~kupplung** *f* acoplamiento *m* magnético; **~nadel** *f (-; -n)* aguja *f* magnética (*od.* imantada).

Magneto'meter *n* magnetómetro*m*.

Magneto'phon *n (-s; -e)* magnetófono *m*; *Am.* grabadora *f*; **~band** *n (-és; ⁼er)* cinta *f* magnetofónica.

Mag'net...: **~pol** *m (-és; -e)* polo *m* de un imán; **~schalter** *m* conmutador *m* de magneto; **~spule** *f* carrete *m* del electroimán; **~stab** *m (-és; ⁼e)* barra *f* imantada; **~wicklung** *f* arrollamiento *m* del electroimán; **~zünder** *m* magneto *m*; **~zündung** *Auto. f* encendido *m* magneto-eléctrico.

Mag'nolie [-lĭə] ⚘ *f* magnolia *f*.

Maha'goni *n (-s; 0)*, **~holz** *n (-es; 0)* (madera *f* de) caoba *f*.

'Mähbinder *m Mäh- und Bindemaschine*: segadora-agavilladora *f*.

Mahd ↗ *f* siega *f*.

'Mähder(in *f*) *m* segador(a *f*) *m*.

'Mähdrescher *m Mäh- u. Dreschmaschine*: segadora-trilladora *f*.

'mähen¹ I. *v/i.* (*blöken*) balar; **II. 2** *n* balido *m*.

'mähen² ↗ **I.** *v/t.* segar; **II. 2** *n* siega *f*.

'Mäher(in *f*) *m* → *Mähder(in)*.

Mahl *n (-és; ⁼er)* comida *f*; (*Fest2*) banquete *m*; *Liter.* ágape *m*.

'mahlen I. *v/t.* moler; (*zerquetschen*) triturar; (*pulverisieren*) pulverizar; *gemahlener Kaffee* café molido; **II. 2** *n* molienda *f*, moltura *f*; (*Zerquetschen*) trituración *f*; (*Pulverisieren*) pulverización *f*.

'Mahl...: **~gang** *m (-és; ⁼e)* juego *m* de muelas de molino; (*Vorgang*) molienda *f*; **~gebühr** *f*, **~geld** *n* maquila *f*; **~stein** *m (-és; -e)* muela *f*; **~zeit** *f* comida *f*; (gesegnete) *~!* ¡buen provecho!; (*da haben wir's*) F ¡estamos aviados!; ¡nos hemos lucido!; ¡apaga y vámonos!

'**Mähmaschine** *f* segadora *f*; (*Rasen*2) cortacéspedes *f*.
'**Mahnbrief** ⚖ *m* (-*es*; -*e*) carta *f* de apremio; carta *f* monitoria (*od.* de aviso).
'**Mähne** *f des Pferdes*: crines *f*/*pl.*; *des Löwen*: melena *f* (*a. fig. v. Menschen*).
'**mahn|en** *v*/*t. u. v*/*i.* (*auffordern*) requerir (et. *zu tun* para que se haga a/c.); ⚖, ⚖ apremiar; ⚖ *j-n wegen e-r Schuld* ~ reclamar (*od.* exigir) a alg. el pago de una deuda; *j-n an et.* ~ (*ac.*) recordar (*od.* advertir) a/c. a alg.; 2**er** *m* exhortador *m*; reclamante *m*; *lästiger* ~ (*Gläubiger*) acreedor importuno; 2**ruf** *m* (-*es*; -*e*) exhortación *f*; advertencia *f*; 2**schreiben** *n* carta *f* monitoria; recordatorio *m*; 2**ung** *f* requerimiento *m*; monición *f*; exhortación *f*; advertencia *f*, aviso *m*, apercibimiento *m*, recordatorio *m*; ⚖, ⚖, apremio *m*; 2**verfahren** ⚖ *n* procedimiento *m* monitorio; 2**wort** *n* (-*es*; -*e*) advertencia *f*; 2**zettel** ⚖ *m* boletín *m* de reclamación.
'**Mähre** *f* rocín *m* famélico; F penco *m*, jamelgo *m*.
'**Mähr|en** *n* Moravia *f*; 2**isch** *adj.* moravo.
'**Mai** *m* (-*es*; -*e*) Mayo (*od.* mayo) *m*; *fig.* primavera *f*; (*Blüte*) flor *f*; ~**baum** *m* (árbol *m* de) mayo *m*; ~**blume** ⚘ *f* lirio *m* de los valles, muguete *m*.
Maid *f* muchacha *f*; moza *f*; *Poes.* doncella *f*.
'**Maie** *f* rama *f* verde.
'**Mai...**: ~**feier** *f* (-; -*n*) Fiesta *f* del Trabajo; ~**glöckchen** ⚘ *n* → *Maiblume*; ~**käfer** *Zoo. m* abejorro *m*.
'**Mailand** *n* Milán *m*.
'**Mailänd|er(in** *f*) *m* milanés *m*; milanesa *f*; 2**isch** *adj.* milanés, de Milán.
Main *m*: *der* ~ el (río) Main *od.* Meno.
Mainz *n* Maguncia *f*.
'**Mais** *m* (-*es*; *0*) maíz *m*; ~**brei** *m* papilla *f* de maíz; fariñas *f*/*pl.*; ~**brot** *n* borona *f*; *Arg.* pan *m* criollo.
'**Maisch|bottich** *m* (-*es*; -*e*) cuba *f* de macerar; ~**e** *f* cebada *f* macerada; 2**en** *v*/*t.* macerar.
'**Mais...**: ~**feld** *n* (-*es*; -*er*) maizal *m*; ~**fladen** *m Am.* tortilla *f*; ~**flocken** *f*/*pl.* copos *m*/*pl.* de maíz; ~**kolben** *m* mazorca *f*; ~**mehl** *n* (-*es*; *0*) harina *f* de maíz; ~**stärke** *f* (*0*) fécula *f* de maíz.
Majes'tät *f* majestad *f*; *als Anrede*: Señor *bzw.* Señora; 2**isch** *adj.* majestuoso; ~**sbeleidigung** *f*, ~**sverbrechen** *n* crimen *m* de lesa majestad.
Ma'jolika *f* (-; *Majoliken*) mayólica *f*.
Ma'jor ⚔ *m* (-*s*; -*e*) comandante *m*.
Majo'ran ⚘ *m* (-*s*; -*e*) mejorana *f*.
Majo'rat *n* (-*es*; -*e*) mayorazgo *m*; ~**s-erbe** *m* (-*n*) (heredero *m* de un) mayorazgo *m*.
majo'renn *adj.* mayor de edad.
Majorenni'tät *f* mayoría *f* de edad.
majori|'sieren (-) *v*/*t.* obtener la mayoría; 2'**tät** *f* mayoría *f*; 2'**tätsbeschluß** *m* (-*sses*; *sse*) resolución *f* (adoptada) por mayoría; 2'**tätswahl** *f* elección *f* por mayoría.
Ma'juskel *f* (-; -*n*) (letra *f*) mayúscula *f*.
Maka'dam *m* (-*s*; -*e*) macadán *m*; 2**i'sieren** (-) *v*/*t.* macadamizar.
'**Makel** *m* mácula *f*, mancha *f*, tacha *f*; impureza *f*.
Mäke'lei *f* crítica *f* mezquina.
'**mäkelig** *adj.* difícil (de contentar), descontentadizo.
'**makellos** *adj.* sin tacha, intachable; (*tadellos*) impecable; (*rein*) puro; (*unbefleckt*) inmaculado; (*keusch*) casto; 2**igkeit** *f* (*0*) (*Reinheit*) pureza *f*; (*Keuschheit*) castidad *f*.
'**mäkeln I.** (-*le*) *v*/*i.* criticar mezquinamente; ~ *an* (*dat.*) poner tachas a, censurar (*ac.*); *an allem* ~ encontrar defectos a todo; **II.** 2 *n* crítica *f* mezquina.
Makka'ron|i *m*/*pl.* macarrones *m*/*pl.*; 2**isch** *adj.*: ~*e Sprache* lenguaje macarrónico.
'**Makler** ⚖ *m* corredor *m*; (*Börsen*2) agente *m* de cambio y bolsa.
'**Mäkler** *m* criticastro *m*; ⚖ → *Makler*.
'**Makler|gebühr** *f* corretaje *m*; comisión *f*; ~**geschäft** *n* (-*es*; -*e*) corretaje *m*.
Ma'krele *Ict. f* caballa *f*.
Makro'kosmos *m* (-; *0*) macrocosmo(s) *m*.
Ma'krone *f* (*Mandelgebäck*) almendrado *m*.
Makula'tur *f Typ.* maculatura *f*; ~**bogen** *m* (-*s*; ") pliego *m* de maculatura.
Mal[1] *n* (-*es*; -*e*) (*Merkzeichen*) marca *f*, señal *f*; (*Fleck*) tacha *f*, mancha *f*; *Sport*: meta *f*; (*Denk*2) monumento *m*; (*Grenzstein*) mojón *m*, hito *m*; (*Mutter*2) lunar *m*; *blaues* ~ ⚕ equimosis *f*, F cardenal *m*.
Mal[2] (-*es*; -*e*) **I.** *n zeitlich*: vez *f*; *für dieses* ~ por esta vez; *das nächste* ~ la próxima vez; *voriges* ~, *das vorige* ~ la vez pasada; la otra (*od.* la última) vez; *manches* ~ alguna vez, a veces; *ein anderes* ~ otra vez; *zum ersten* (*letzten*) ~*e* por primera (última) vez; *zu wiederholten* ~*en* repetidas veces; *drei*2 tres veces; *ein für alle*2 de una vez para siempre; *mit e-m*2, *mit einmal* (*plötzlich*) de repente; (*ohne Unterbrechung*) de una vez; F de un tirón; *auf ein*2 (*zugleich*) a la vez, simultáneamente; *zwei*2 *fünf ist zehn* dos por cinco (son) diez; *das ist noch ein*2 *so groß* es el doble de grande; es dos veces mayor (*wie* que); **II.** 2 *adv.* F: *sag'* ~! dime pues; *es ist nun* ~ *nicht anders* las cosas son así; pues así son las cosas; *es ist nicht* ~ *leserlich* ni siquiera puede leerse.
Mala'chit *Min. m* (-*s*; -*e*) malaquita *f*.
Ma'lai|e *m*, ~**in** *f*, 2**isch** *adj.* malayo *m*, malaya *f*.
Ma'laria [-ʀĭɑ:] ⚕ *f* (*0*) malaria *f*, paludismo *m*; ~**bekämpfung** *f* lucha *f* antipalúdica; 2**krank** *adj.* palúdico.
'**malen I. 1.** *v*/*t.* pintar; hacer el retrato de; *fig.* (*beschreiben*) pintar, describir; *in Öl* (*Pastell*) ~ pintar al óleo (al pastel); *nach der Natur* ~ pintar del natural; *fig. den Teufel an die Wand* ~ llamar la desgracia; jugar con el fuego; **2.** *v*/*refl.*: *sich* ~ pintarse; *sich* ~ *lassen* hacerse retratar al óleo; **II.** 2 *n* pintura *f*.
'**Maler** *m* pintor *m* (*a. Anstreicher*); ~**akademie** *f* academia *f* de pintura; ~**atelier** *n* (-*s*; -*s*) estudio *m* (de pintor).
Male'rei *f* (*Malen*) pintura *f*; (*Malerkunst*) arte *m* pictórico; (*Gemälde*) cuadro *m*; tabla *f*; lienzo *m*.
'**Maler...**: ~**geselle** *m* (-*n*) oficial *m* (de) pintor; ~**in** *f* pintora *f*; 2**isch** *adj.* pintoresco; ~**lehrling** *m* (-*s*; -*e*) aprendiz *m* de pintor; ~**meister** *m* maestro *m* pintor; ~**schule** *f* escuela *f* de pintura; ~**stock** *m* (-*es*; "*e*) tiento *m*; ~**werkstatt** *f* (-; "*en*) taller *m* de pintura.
Ma'lheur *n* (-*s*; -*s*) desgracia *f*; accidente *m*; percance *m*.
malizi'ös *adj.* malicioso.
'**Malkasten** *m* (-*s*; ") caja *f* de pinturas.
'**malnehmen** (*L*) *v*/*t.* multiplicar.
'**Malstein** *m* (-*es*; -*e*) (*Grenzstein*) mojón *m*, hito *m*; (*Denkstein*) monumento *m*.
'**Malta** *n* (*die Insel*) ~ (la isla de) Malta.
Mal'te|ser(in *f*) *m* maltés *m*; maltesa *f*; ~**serkreuz** *n* (-*es*; *0*) cruz *f* de Malta; ~**ser-orden** *m* orden *f* de Malta; 2**sisch** *adj.* maltés, de Malta.
Malthusia'nismus *m* (-; *0*) maltusianismo *m*.
Mal'tose ⚗ *f* (*0*) maltosa *f*.
'**Mal-utensilien** *pl.* utensilios *m*/*pl.* de pintor.
Malva'sierwein (-*es*; *0*) *m* malvasía *f*.
'**Malve** ⚘ *f* malva *f*; 2**nfarbig** *adj.* (color de) malva.
'**Mal|verfahren** *n*, ~**weise** *f* modo *m* de pintar.
'**Malz** *n* (-*es*; *0*) malta *f*; ~**bereitung** *f* preparación *f* de la malta; ~**bier** *n* (-*es*; -*e*) cerveza *f* de malta; ~**bonbon** *m* (-*s*; -*s*) caramelo *m* de (extracto de) malta; ~**darre** *f* horno *m* secador de malta.
'**Malzeichen** *Arith. n* signo *m* de multiplicar (*od.* de multiplicación).
'**malzen I.** (*0*) *v*/*i.* maltear; **II.** 2 *n* malteado *m*.
Mälze'rei *f* maltaje *m*; *Fabrik*: maltería *f*.
'**Malz...**: ~**extrakt** *m* (-*es*; *0*) extracto *m* de malta; ~**kaffee** *m* (-*s*; *0*) (café *m* de) malta *f*; ~**schrot** *n* (-*es*; *0*) malta *f* triturada; ~**sirup** *m* (-*s*; *0*) jarabe *m* de malta; ~**tenne** *f Brauerei*: tina *f* de germinación; ~**zucker** *m* (-*s*; *0*) maltosa *f*.
'**Mama** *f* mamá *f*.
Mame'luck *m* (-*en*) mameluco *m*.
'**Mammi** F *f* (-; -*s*) mamaíta *f*, mamita *f*.
'**Mammon** *m* (-*s*; *0*) Mammon *m*; *dem* ~ *dienen* adorar el becerro de oro.
'**Mammut** *Zoo. n* (-*s*; -*s od.* -*e*) mamut *m*; ~**baum** ⚘ *m* secoya *f*.
Mam'sell *f* (-; -*en od.* -*s*) señorita *f*; (*Wirtschafterin*) ama *f* de gobierno; (*Büfett*2) empleada *f* del mostrador; (*Probier*2) oficiala *f* de modista.
man[1] *pron*/*indef.* (*im dat. u. ac. durch einer ersetzt*) se, uno *m bzw.*

una *f*; (*andere Leute*) la gente; ~ *muß es tun* hay que hacerlo, es preciso hacerlo, es necesario hacerlo; ~ *riet ihm* se le aconsejó; ~ *kann nie wissen* nunca se sabe; ~ *spricht Deutsch* se habla alemán; ~ *sagt* dicen, se dice; *wenn* ~ *ihn hört, könnte* ~ *glauben* oyéndole, se creería; *in Vorschriften, z. B.* ~ *nehme* tómese.

man² F (*Füllwort*) = *nur*; ~ *sachte!* ¡despacito!; ¡vamos por partes!; *denn* ~ *los!* ¡vamos, pues!; ~ *schnell!* ¡venga, despacha ya!

Mä'nade *f Myt.* ménade *f*, bacante *f*.

'Manager *m angl.* manager *m*; **~krankheit** *f* agotamiento *m* nervioso de los dirigentes, ⚕ cardiopatía *f* consiguiente al esfuerzo (mental) exhaustivo.

manch *adj. u. pron/indef.*: ~*er m*, ~*e f*, ~*es n* más de un(o); muchos; varios; algún, alguno, algunos; ~*es Mal od.* ~*es liebe Mal* muchas veces; más de una vez; frecuentemente; *wie* ~*es Mal!* ¡cuántas veces;! *so* ~*es Buch* tantos libros; *so* ~*es Jahr* durante tantos años; *in* ~*em hat er recht* en muchas cosas tiene razón; **~er'lei** *adj.* varios; diversos; toda clase de; *substantivisch*: varias cosas; *auf* ~ *Art* de diversas maneras; **'~mal** *adv.* algunas veces, a veces, de vez en cuando.

'Manchester(samt [-*es*; -*e*]) *m* terciopelo *m* de algodón.

Man'dant(in *f*) *m* (-*en*) comitente *m/f*; mandante *m/f*.

Manda'rin (-*s*; -*e*) *m* mandarín *m*.

Manda'rine ⚘ *f* mandarina *f*.

Man'dat *n* (-*es*; -*e*) mandato *m*; (*Befehl*) orden *f*; *Parl.* acta *f*.

Manda'tar *m* (-*es*; -*e*) mandatario *m*.

Man'dats...: **~gebiet** *n* (-*es*; -*e*) protectorado *m*.

'Mandel *f* (-; -*n*) ⚘ almendra *f*; *gebrannte* ~ almendra garapiñada; (*Maß*: *15 Stück*) quince piezas *f/pl. od.* unidades *f/pl.*; *Anat.* amígdala *f*; ⚕ *die* ~*n herausnehmen* extirpar las amígdalas, practicar una amigdalotomía; **~augen** *n/pl.* ojos *m/pl.* en forma de almendra *od.* F rasgados; **~baum** ⚘ *m* (-*es*; ⸗*e*) almendro *m*; **~baumpflanzung** *f* almendral *m*; **~entfernung** *Chir. f* amigdalotomía *f*; **~entzündung** ⚕ *f* amigdalitis *f*, inflamación *f* de las amígdalas; **≈förmig** *adj.* en forma de almendra, almendrado; **~kern** *m* (-*es*; -*e*) almendra *f*; **~kleie** *f* almendra *f* molida; **~milch** *f* (*0*) leche *f* de almendras; (*Erfrischung*) horchata *f* de almendras; **~öl** *n* (-*es*; *0*) aceite *m* de almendras; **~seife** *f* jabón *m* de almendras.

Mando'line *f* mandolina *f*; **~nspieler(in** *f*) *m* mandolinista *m/f*.

Man'drill *Zoo. m* (-*es*; -*e*) mandril *m*.

Mandschu'rei *Geogr. f* Manchuria *f*.

man'dschurisch *adj.* manchú.

'Manen *Myt. pl.* manes *m/pl.*

Ma'nege *f* pista *f* de circo.

mang F → *unter*; *dazwischen*.

Man'gan [maŋ'g-] ⚗ *n* manganeso *m*.

Manga'nat ⚗ *n* (-*es*; -*e*) manganato *m*.

Man'gan...: **~eisen** *n* ferromanganeso *m*; **~erz** *n* (-*es*; -*e*) mineral *m* de manganeso; **≈haltig** *adj.* manganesífero.

Manga'nit ⚗ *n* (-*es*; *0*) manganita *f*.

Man'gan...: **~oxyd** *n* (-*es*; *0*) óxido *m* mangánico; **≈sauer** *adj.*: *mangansaures Salz* manganato *m*; **~säure** *f* ácido *m* mangánico; **~stahl** *m* (-*es*; ⸗*e*) acero *m* al manganeso.

'Mange *f*, **'Mangel¹** *f* (-; -*n*) ⊕ (*Wäscherolle*) calandria *f*.

'Mangel² *m* (-*s*; ⸗) ausencia *f* (*an dat.* de); (*Fehler*) defecto *m* (*an dat.* de); (*Fehlen*) falta *f*, carencia *f* (*an dat.* de); (*Gebrechen*) vicio *m*; (*Unzulänglichkeit*) insuficiencia *f*; (*Entbehrung*) privación *f*; (*Armut*) pobreza *f*; penuria *f*, *stärker*: indigencia *f*; (*Knappheit*) escasez *f*; (*Unvollkommenheit*) imperfección *f*, deficiencia *f*; *gänzlicher* ~ ausencia total de; ~ *an Arbeitskräften* escasez de mano de obra; *aus* ~ *an* (*dat.*) por falta de; *daran ist kein* ~ hay bastante; lo hay en abundancia; ~ *leiden* estar necesitado, pasar privaciones; ~ *haben* (*od. leiden*) *an* (*dat.*) carecer de; faltar (*od.* hacer falta) a/c. a alg.; **~artikel** † *m* artículo *m* raro; **~beruf** *m* (-*es*; -*e*) profesión *f bzw.* oficio *m* en crisis de personal; **~erscheinung** ⚕ *f* síntoma *m* carencial; **≈haft** *adj.* defectuoso, con defectos; vicioso; (*unvollkommen*) imperfecto, deficiente; (*unvollständig*) incompleto; (*ungenügend*) insuficiente; (*mittelmäßig*) mediano; mediocre; ~*e Ernährung* alimentación deficiente; **~haftigkeit** *f* insuficiencia *f*; (*Unvollkommenheit*) imperfección *f*, deficiencia *f*.

'Mangelholz ⊕ *n* (-*es*; ⸗*er*) rodillo *m* de calandria.

'Mangelkrankheit ⚕ *f* enfermedad *f* carencial.

'mangeln¹ (-*le*) *v/i. u. v/unprs.* faltar, hacer falta; *es mangelt an* (*dat.*) hay falta (*od.* escasez) de; *es mangelt ihm an nichts* no le (hace) falta nada; *es mangelt mir an et.* me hace falta (*od.* necesito) a/c.; carecer de.

'mangeln² I. (-*le*) *v/t.* ⊕ calandrar; **II.** ≈ *n* calandrado *m*.

'Mängelrüge † *f* reclamación *f* por defectos de la mercancía.

'mangels *prp.* (*gen.*) por falta de.

'Mangelware † *f* artículo *m* raro.

'Mangold ['maŋg-] ⚘ *m* (-*es*; *0*) acelga *f*; (*roter*) remolacha *f*.

Mani'chäer *m Hist.* maniqueo *m*.

Ma'nie *f* manía *f*.

Ma'nier *f* (*Art*) manera *f*, modo *m*; *in der Kunst*: estilo *m*, *desp.* estilo *m* amanerado, amaneramiento *m*; (*Verfahren*) procedimiento *m*; ~*en f/pl.* modales *m/pl.*, maneras *f/pl.*, modos *m/pl.*; *das ist keine* ~ eso no se hace; eso no es modo de portarse; *keine* ~*en haben* no saber portarse debidamente; carecer de (finos) modales.

mani'riert [-i:'ʀ-] *adj.* amanerado, afectado; **≈heit** *f* (*0*) amaneramiento *m*, afectación *f*.

ma'nierlich *adj.* modoso, de buenos modales; (*höflich*) cortés; **≈keit** *f* (*0*) buenos modales *m/pl.*, buenas maneras *f/pl.*; (*Höflichkeit*) cortesía *f*.

Mani'fest *n* (-*es*; -*e*) manifiesto *m*.

Manifestati'on *f* manifestación *f*.

manifes'tieren (-) *v/t.* manifestar.

Mani'kür|besteck *n* (-*es*; -*e*) estuche *m* de manicura; **~e** *f* cuidado *m* de las manos; (*Handpflegerin*) manicura *f*; **≈en** *v/t.* cortar y pulir las uñas.

Ma'nila|hanf (-*es*; *0*) *m* abacá *m*, cáñamo *m* de Manila; **~zigarre** *f* cigarro *m* (*od.* puro *m*) de Manila.

Ma'nipel *f* (-; -*n*) manípulo *m*.

Manipulati'on *f* manipulación *f*.

manipu'lieren (-) *v/t.* manipular.

'manisch *adj.* maníaco; ~-*depressives Irresein* ⚕ psicosis (*od.* locura) maníacodepresiva.

'Manko [-ŋko:] † *n* (-*s*; -*s*) merma *f*; déficit *m*; F defecto *m*.

Mann *m* (-*es*; ⸗*er*) hombre *m* (*a.* ⚔ *u.* ⚓); *Poes.* varón *m*; (*Ehe≈*) marido *m*, esposo *m*; ~ *und Frau* marido y mujer; *junger* ~ joven *m*; *alter* ~ anciano *m*; viejo *m*; *älterer* ~ hombre de edad; ~ *aus dem Volke* hombre del pueblo; *der* ~ *auf der Straße* el hombre de la calle; *feiner* (*od. vornehmer*) ~ hombre distinguido; ~ *von Welt* hombre de mundo; *hervorragender* ~ hombre (*od.* persona) de calidad; personaje de relieve; ~ *des öffentlichen Lebens* hombre público; ~ *von altem Schrot und Korn* hombre de bien chapado a la antigua; ~ *der Tat* hombre de acción; *ein ganzer* ~ *sein* ser todo un hombre; *wie ein* ~ (*geschlossen*) como un solo hombre; *sich als* ~ *zeigen* obrar como (un) hombre; (de)mostrar ser un hombre; *s-n* ~ *stehen* estar a la altura de las circunstancias; cumplir como bueno; salir airoso de la prueba; *er ist nicht der* ~ *dazu* no es el hombre indicado para eso; no es hombre capaz de hacer eso; *er ist der* ~, *den ich brauche* éste es mi hombre; éste es el hombre que necesitaba; ~*s genug sein, et. zu tun* atreverse a hacer a/c.; ser lo bastante hombre para hacer a/c.; *s-e Ware an den* ~ *bringen* vender (*od.* colocar) la mercancía; *s-e Tochter an den* ~ *bringen* casar la hija; *e-n* ~ *finden od. bekommen* casarse, encontrar marido; *keinen* ~ *finden* quedar soltera; *j-n zum* ~ *nehmen* (*haben*) tomar (tener) por marido; *an den rechten* ~ *kommen*; *s-n* ~ *finden* encontrar su igual; dar con el hombre adecuado; ~ *für* ~ uno por uno; uno tras otro; todos sin excepción; ~ *gegen* ~ ⚔ cuerpo a cuerpo; ⚓ *alle* ~ *an Deck!* ¡todo el mundo a cubierta!; ⚓ *mit* ~ *und Maus untergehen* irse a pique sin salvarse nadie; hundirse con toda la tripulación; ⚓ ~ *über Bord!* ¡hombre al agua!; *10 Mark auf den* ~ diez marcos por persona (F por barba); *ein* ~ *des Todes sein* ser hombre muerto; *ein* ~ *von Wort sein* ser hombre de palabra; *ein* ~, *ein Wort* lo prometido es deuda; *wenn Not am* ~ *ist* en caso necesario (*od.* F de apuro); en caso de urgencia; *bis auf den letzten* ~

hasta el último hombre; *selbst ist der* ~ ayúdate a ti mismo; *Spiel*: *der vierte* ~ el cuarto jugador.

'**Manna** *f* (0) *od.* *n* (-s; 0) maná *m*.

'**mannbar** *adj.* (*v. männlichem Geschlecht*) viril; *Physiol.* púber(o) *m*, púbera *f*; (*heiratsfähig*) casadero *m*, casadera *f*, *mst. v. Mädchen*: núbil; **2keit** *f* (0) virilidad *f*; pubertad *f*; (*Heiratsfähigkeit*) nubilidad *f*.

'**Männchen** *n* hombrecito *m*, hombrecillo *m*; *Tiere*: macho *m*; ~ *machen* alzarse sobre las patas traseras, *Hund*: hacer posturas; ~ *malen* pintar monigotes.

'**Mannequin** ['manəkɛ̃ˑ] *n* (-s; -s) maniquí *m*.

'**Männer** *pl. v. Mann*; (*Abort*) (Für) ~ caballeros; **~chor** *m* (-es; ⸚e) coro *m* de hombres; **~gesangverein** *m* (-es; -e) sociedad *f* coral masculina; **~stimme** *f* voz *f* de hombre; **~treu** ♀ *f* cardo *m* corredor.

'**Mannes|alter** *n* (-s; 0) edad *f* viril *od.* adulta; **~kraft** *f* (-; ⸚e) fuerza *f* viril; *Physiol.* virilidad *f*; **~stamm** *m* (-es; ⸚e) varonía *f*, descendencia *f* masculina; **~stolz** *m* (-es; 0) orgullo *m* varonil; **~wort** *n* (-es; -e) palabra *f* de honor; **~würde** *f* (0) dignidad *f* varonil; **~zucht** *f* (0) disciplina *f*.

'**mannhaft** *adj.* viril; varonil; (*tatkräftig*) enérgico; (*entschlossen*) resuelto; (*tapfer*) valiente; **2igkeit** *f* (0) virilidad *f*; ánimo *m* varonil; (*Tatkraft*) energía *f*.

'**Mannheit** *f* (0) masculinidad *f*; virilidad *f*; F hombría *f*.

'**mannig|fach, ~faltig** *adj.* vario, variado, diverso; **2faltigkeit** *f* variedad *f*, diversidad *f*.

'**männlich** *adj.* masculino (*a. Gr.*); *Zoo.* macho; (*mannhaft*) viril, varonil; *~es Geschlecht Gr.* género *m* masculino, *v. Menschen*: sexo *m* masculino; *Kind ~en Geschlechts* hijo *m* varón; **2keit** *f* (0) masculinidad *f*; (*Mannhaftigkeit*) virilidad *f*.

'**Mannsbild** F *n* (-es; -er) hombre *m*.

'**Mannschaft** *f* hombres *m/pl.*; *v. Arbeitern*: brigada *f*; ✈, ⚓ (*Besatzung, Bedienungs2*) tripulación *f*; ⚓ *e-s Kriegsschiffes*: *a.* dotación *f*; ⚔ tropa *f*; ⚔ (*Kommando*) destacamento *m*; *Sport*: equipo *m*; **~en** *pl.* ⚔ soldados *m/pl.*; ⚓ marinería *f*.

'**Mannschafts...**: **~aufstellung** *f* *Sport*: composición *f* del equipo; **~führer** *m* capitán *m* (del equipo); **~geist** *m* (-es; 0) espíritu *m* de equipo; **~kost** ⚔ *f* (0) rancho *m*; **~lauf** *m* (-es; ⸚e), **~rennen** *n* *Sport*: carrera *f* por equipos.

'**manns...**: **~hoch** *adj.* de la altura de un hombre; **2leute** F *pl.* hombres *m/pl.*; **2person** F hombre *m*; *desp.* individuo *m*, sujeto *m*; **~toll** *adj.* ⚕ ninfómana; *sie ist* ~ F le gustan los pantalones; **2volk** *n* (-es; ⸚er) hombres *m/pl.*; **2zucht** *f* (0) disciplina *f*.

'**Mannweib** *n* (-es; -er) amazona *f*; virago *f*, mujer *f* hombruna; F marimacho *m*, machota *f*.

Mano'meter *n* manómetro *m*.

Ma'növer *n* maniobra *f* (⚔ *mst. pl.* maniobras); **~gelände** *n* campo *m* de maniobras; **~leitung** *f* dirección *f* superior de las maniobras.

manö'vrier|en (-) *v/i.* maniobrar, ⚔ *a.* evolucionar; **2en** *n* maniobras *f/pl.*; **~fähig** ⚓ *adj.* gobernable.

Man'sarde *f* guardilla *f*, buhardilla *f*; sotabanco *m*.

Man'sarden...: **~dach** *n* (-es; ⸚er) techo *m* aguardillado *od.* abuhardillado; **~fenster** *n* ventana *f* aguardillada *od.* abuhardillada; **~stübchen** *n*, **~zimmer** *n* habitación *f* aguardillada.

'**manschen** *v/t.* F mezclar; revolver.

Mansche'rei F *f* mezcolanza *f*; revoltijo *m*.

Man'schette *f* (*Hemd2*) puño *m*; (*Blumentopf2*) cubretiestos *m*; ⊕ (*Muffe, Haltering*) manguito *m*; F *fig.* *~n haben* tener miedo (*vor* a); **~nknopf** *m* (-es; ⸚e) gemelo *m*.

'**Mantel** *m* (-s; ⸚) abrigo *m*; (*nur Herren2*) gabán *m*; (*Umhang*) capa *f*; (*Überzieher*) sobretodo *m*; (*Frisier2*) peinador *m*; (*Bade2*) albornoz *m*; (*Ordens2 usw.*) manto *m*; (*Krönungs2*) manto *m* real; ⚔ capote *m*; ⩚ superficie *f* convexa; ⊕ envoltura *f*; camisa *f*; ⊕ (*Umhüllung*) revestimiento *m*; (*Geschoß2*) camisa *f* (de un proyectil); (*Gußform*) caja *f*; (*Reifen2*) cubierta *f*; (*Hülle*) funda *f*; *fig.* *s-n ~ nach dem Winde hängen* amoldarse a las circunstancias; F *fig.* arrimarse al sol que más calienta.

'**Mäntelchen** *n* manteleta *f*; *fig.* *e-r Sache ein ~ umhängen* paliar (*od.* disimular) a/c.

'**Mantel...**: **~elektrode** *f* electrodo *m* revestido; **~geschoß** ⚔ *n* (-sses; -sse) bala *f* blindada; **~gesetz** *Parl.* *n* (-es; -e) ley *f* básica; **~linie** ⩚ *f* generatriz *f*; **~note** *Dipl.* *f* nota *f* compilatoria; **~tasche** *f* bolsillo *m* del abrigo; **~tarif** *m* (-es; -e) contrato *m* salarial tipo.

Man'tille *f* mantilla *f*.

Man'tisse ⩚ *f* mantisa *f*.

Manu'al *n* (-es; -e) *e-r Orgel*: teclado *m* manual.

manu'ell *adj.* manual.

Manufak'tur *f* manufactura *f*; **~waren** *f/pl.* artículos *m/pl.* manufacturados.

Manu'skript *n* (-es; -e) manuscrito *m*; *Typ.* original *m*.

'**Mappe** *f* (*Akten2*) cartera *f* (para documentos); (*Zeichen2*) carpeta *f* de dibujos; (*Schüler2*) cartapacio *m*, vade *m*; (*Ablege2*) carpeta *f*, archivador *m*.

'**Marabu** *Orn.* *m* (-s; -s) marabú *m*.

Maras'chino(likör) [-ras'k-] *m* marrasquino *m*.

'**Marathon|lauf** *m* (-es; ⸚e) *Sport*: marathón *m*; **~läufer** *m* corredor *m* de marathón.

'**Marbel**[1] *m u. n* (*Marmor*) mármol *m*.

'**Marbel**[2] *f* (-; -n) (*Kugel*) bola *f*.

'**Märchen** *n* cuento *m* (de hadas); *fig.* cuento *m*, patraña *f*; (*Gerücht*) rumor *m*; **~buch** *n* (-es; ⸚er) libro *m* de cuentos; **~erzähler(in** *f*) *m* narrador(a *f*) *m* de cuentos, cuentista *m/f*; **2haft** *adj.* maravilloso; fabuloso; **~land** *n* país *m* de las maravillas; **~welt** *f* mundo *m* maravilloso (*od.* fantástico).

'**Marder** *Zoo.* *m* marta *f*; **~fell** *n* (-es; -e), **~pelz** (-es; -e) *m* piel *f* de marta.

'**Mär(e)** *f* cuento *m* (*a. fig.*); (*Sage*) leyenda *f*; (*Nachricht*) noticia *f*; (*Gerücht*) rumor *m*.

Marga'rete *f* Margarita *f*.

Marga'rine *f* margarina *f*.

'**Marge** ✝ *f* margen *m*.

Margi'nalie *f* nota *f* marginal.

Ma'ria *f* María *f*; *die heilige Jungfrau ~* la Santísima Virgen María.

Ma'rien|bild *n* imagen *f* de la Virgen; **~dienst** *m* (-es; -e) culto *m* mariano; **~fäden** *m/pl.* hilos *m/pl.* de la Virgen; **~glas** *Min.* *n* (-es; ⸚er) mica *f*; **~jahr** *n* (-es; -e) año *m* mariano; **~käfer(chen** *n*) *Zoo.* *m* mariquita *f*; **~kult** *m* (-es; -e), **~verehrung** *f* culto *m* de hiperdulía, culto *m* mariano.

Mari'nade *f* escabeche *m*.

Ma'rine *f* marina *f*; (*Handels2*) marina *f* mercante; (*Kriegs2*) marina *f* de guerra, *Span.* Armada *f*; *bei der ~* en la marina; **~akademie** *f* Escuela *f* Naval; **~arsenal** *n* (-s; -e) arsenal *m* (de marina); **~artillerie** *f* artillería *f* de costa; **~attaché** *m* (-s; -s) agregado *m* naval; **2blau** *adj.* azul marino; **~flieger** *m* aviador *m* de la marina; **~flugzeug** *n* (-es; -e) avión *m* de la marina; **~glas** *n* (-es; ⸚er) gemelos *m/pl.* de marina; **~infanterie** *f* infantería *f* de marina; **~ingenieur** *m* (-s; -e) ingeniero *m* naval; (oficial *m*) maquinista *m* de la Armada; **~minister(ium** *n*) *m* ministro *m* (Ministerio *m*) de Marina; **~museum** *n* (-s; -museen) museo *m* naval; **~offizier** *m* (-s; -e) oficial *m* de marina; **~schule** *f* Escuela *f* Naval; **~soldat** *m* (-en) soldado *m* de infantería de marina; **~station** *f* apostadero *m*; **~stützpunkt** *m* (-es; -e) base *f* naval; **~verwaltung** *f* administración *f* de la marina; **~werft** *f* astillero *m*; arsenal *m*.

mari'nieren (-) *v/t.* marinar; escabechar.

Mario'nette *f* títere *m*, fantoche *m*; marioneta *f*; **~nregierung** *f* gobierno *m* títere *od.* marioneta *od.* fantoche; **~ntheater** *n* teatro *m* de marionetas *od.* de guiñol.

mari'tim *adj.* marítimo.

Mark[1] *n* (-es; 0) (*Knochen2*) médula *f*, tuétano *m* (*beide a. fig.*); meollo *m*; (*Holz2*) corazón *m*; ♀ medula *f* *od.* médula *f*; *fig.* (*Kraft*) enjundia *f*; energía *f*; *verlängertes ~ Anat.* médula oblonga, bulbo *m* raquídeo; *durch ~ und Bein fig.* hasta los tuétanos.

Mark[2] *f* (*Grenze*) límite *m*, frontera *f*; (*Grenzland*) territorio *m* fronterizo; país *m* limítrofe; *Hist.* marca *f*; *die Spanische ~* la Marca Hispánica; *die ~ Brandenburg* la Marca de Brandemburgo.

Mark[3] ✝ *f* (-; -) (*Münze*) marco *m*.

mar'kant *adj.* destacado, relevante.

'**Marke** *f* marca *f* (*a.* ✝); señal *f*; (*Spiel2*) ficha *f*; (*Kontroll2*) contraseña *f*; (*Speise2, Textil2, Lebensmittel2*) cupón *m* de racionamiento; (*Brief2*) sello *m* (de correo), *Am.* estampilla *f*; (*Steuer2*) *Span.* sello *m* móvil; (*Qualität*) calidad *f*; (*Wein2, Jahrgang*) cosecha *f*; (*Er-*

*kennungs*2) ⚔ chapa *f* de identificación; *eingetragene* ~ marca registrada; F *das ist 'ne* ~! ¡vaya tío!
'**Marken...: ~artikel** ✝ *m* artículo *m* de marca; **~butter** *f* (*0*) mantequilla *f* de calidad; **2frei** *adj. u. adv.* no racionado; ~ *sein* no estar racionado, ser de venta libre; **2pflichtig** *adj.*: ~ *sein* estar racionado; **~schutz** ✝ *m* (*-es*; *0*) protección *f* legal de las marcas de fábrica; **~schutzgesetz** *n* (*-es*; *-e*) ley *f* de protección de las marcas; **~ware** *f* géneros *m/pl.* de marca.
'**mark·erschütternd** *adj.* estremecedor; *~er Schrei* grito desgarrador.
Marke'tender(in *f*) *m* vivandero (-a *f*) *m*; cantinero (-a *f*) *m*.
Marketende'rei *f* cantina *f*.
'**Mark...: ~graf** *m* (*-en*) margrave *m*; **~gräfin** *f* margravina *f*; **~grafschaft** *f* margraviato *m*.
'**markhaltig** *adj.* meduloso, con médula.
mar'kier|en (-) *v/t.* marcar (*a.* ✝); señalar, indicar; *mit Schildchen*: rotular; (*abstecken*) jalonar; (*vortäuschen*) simular, aparentar, fingir; (*betonen*) acentuar, subrayar; *Sport*: *den Gegner* ~ marcar al contrario; **2stab** *m* (*-es*; *⸚e*) jalón *m*; **2ung** *f* señales *f/pl.*; (*Abstecken*) jalonamiento *m*; (*Kennzeichen*) marca *f*; (*Betonung*) acentuación *f*; **2ungsfähnchen** *n* (*Absteckfähnchen*) banderín *m* de jalonamiento.
'**markig** *adj.* meduloso; con tuétano; *fig.* su(b)stancioso, enjundioso; (*kräftig*) enérgico; vigoroso.
'**märkisch** *adj.* de la Marca.
Mar'kise *f* (*Sonnendach*) toldo *m*; (*Rollvorhang*) persiana *f*; (*Schutzdach*) marquesina *f*.
'**Mark...: ~knochen** *m* hueso *m* con tuétano; **~scheide** ⚒ *f* término *m* (*od.* límite *m*) de una mina; **~scheider** ⚒ *m* apeador *m* de minas; **~stein** *m* (*-es*; *-e*) mojón *m*, hito *m*; **~stück** *n* (*-es*; *-e*) (*Münze*) moneda *f* de un marco.
Markt *m* (*-es*; *⸚e*) mercado *m*; (*Jahr*2) feria *f*; *auf den* ~ *gehen* ir al mercado; *auf den* ~ *werfen* (*od. bringen*) lanzar al mercado; *auf den* ~ *kommen* ser puesto a la venta; *den* ~ *für et. erschließen* abrir mercado a a/c.; *vom* ~ *verdrängen* eliminar del mercado; *auf dem* ~ *notiert werden* ser cotizado en el mercado; *der schwarze* ~ el mercado negro.
'**Markt...: ~analyse** *f* análisis *m* del mercado; **~bericht** *m* (*-es*; *-e*) boletín *m* de mercados; informe *m* del mercado; **~bude** *f* puesto *m*; *größere*: tienda *f* de mercado; **2en** *v/i.* (*feilschen*) regatear; **2fähig** *adj.* negociable; **~flecken** *m* villa *f*; *kleiner*: villorrio *m*, aldehuela *f*; **~forschung** *f* estudio *m* del mercado; **~frau** *f* vendedora *f* del mercado; (*Gemüsefrau*) verdulera *f*; **2gängig** *adj.* (*marktfähig*) negociable; *Preis*: corriente; **~gebühr** *f* arbitrios *m/pl.* de mercado; **~halle** *f* mercado *m* cubierto; **~händler(in** *f*) *m* vendedor(a *f*) *m* del mercado; **~lage** *f* situación *f* del mercado; **~ordnung** *f* reglamentación *f* de mercados; **~platz** *m* (*-es*; *⸚e*) plaza *f* del mercado; **~preis** *m* (*-es*; *-e*) precio *m* corriente (*od.* de mercado); **~schreier** *m* charlatán *m*; voceador *m* de mercado; **~schreie'rei** *f* charlatanismo *m*; **2schreierisch** *adj.* charlatán; **~schwankungen** *f/pl.* fluctuaciones *f/pl.* del mercado; **~tag** *m* (*-es*; *-e*) día *m* de mercado; **~verkehr** *m* (*-s*; *0*) movimiento *m* del mercado; **~weib** F *n* (*-es*; *-er*) vendedora *f* del mercado; *desp.* rabanera *f*, verdulera *f*; **~wert** *m* (*-es*; *-e*) valor *m* en el mercado; **~wirtschaft** *f* (*0*) economía *f* de mercado.
'**Markung** *f* → *Mark*[2].
'**Markus·platz** *m* (*-es*; *0*) plaza *f* de San Marcos (*en Venecia*).
'**Marmarameer** *n* mar *m* de Mármara.
Marme'lade *f* mermelada *f*.
'**Marmor** [ɔ] *m* (*-s*; *-e*) mármol *m*; **~ader** *f* (*-*; *-n*) veta *f* de mármol; **2artig** *adj.* marmóreo; **~bild** *n* (*-es*; *-er*) estatua *f* de mármol; **~block** *m* (*-es*; *⸚e*) bloque *m* de mármol; **~bruch** *m* (*-es*; *⸚e*) cantera *f* de mármol; **~fliese** *f* losa *f* de mármol.
marmo'rier|en (-) *v/t.* jaspear, vetear; **2er** *m* jaspeador *m*; **~t** *adj.* jaspeado, veteado; **2ung** *f* jaspeado *m*.
'**Marmor...: ~imitation** *f* mármol *m* artificial; **~industrie** *f* industria *f* del mármol; **2n** *adj.* marmóreo, de mármol; **~plastik** *f* figura *f* de mármol; **~platte** *f* placa *f* de mármol; *für Fußboden*: losa *f* de mármol; *für Tische*: tablero *m* de mármol; **~säule** *f* columna *f* de mármol; **~schleifen** *n* pulimento *m* del mármol; **~schleifer** *m* marmolista *m*; **~schleife'rei** *f* marmolería *f*; **~stein** *m* (*-es*; *-e*) (piedra *f* de) mármol *m*; **~tafel** *f* (*-*; *-n*) placa *f* de mármol.
ma'rode *adj.* muy cansado; fatigado; F molido, hecho polvo.
Maro|'deur *m* (*-s*; *-e*) merodeador *m*; **2'dieren** (-) *v/i.* merodear.
Marok'kan|er(in *f*) *m*, **2isch** *adj.* marroquí *m/f*.
Ma'rokko *n* Marruecos *m*.
Ma'rone ⚘ *f* castaña *f*.
Maro'quin [-'kẽ·] *m* (*-s*; *0*) tafilete *m*.
Ma'rotte *f* capricho *m*.
Mar'quis [-'ki:] *m* (*-*; *-*) marqués *m*; **~e** *f* marquesa *f*.
Mars[1] *Myt. u. Astr. m* Marte *m*.
Mars[2] ⚓ *m* (*-*; *-e*) cofa *f*.
'**Marsbewohner** *m* habitante *m* de Marte, marciano *m*.
Marsch[1] *f* tierras *f/pl.* aluviales fértiles; estero *m*.
Marsch[2] *m* (*-es*; *⸚e*) marcha *f* (*a.* ♪); *der* ~ *auf Rom* la marcha sobre Roma; *auf dem* *~e* en marcha; *sich in* ~ *setzen* ponerse en marcha; *fig. j-m den* ~ *blasen* reprender ásperamente (F echarle el toro) a alg.; mandar a paseo a alg.
marsch! *int.* ⚔ ¡marchen!; (*pack dich!*) ¡largo de aquí!; (*mach schnell!*) ¡de prisa!, ¡venga!
'**Marschall** *m* (*-s*; *⸚e*) mariscal *m*; **~stab** *m* (*-es*; *⸚e*) bastón *m* de mariscal.
'**Marsch...: ~befehl** ⚔ *m* (*-es*; *-e*) orden *f* de marcha; **2bereit** *adj.* pronto para marchar; (*in Marschordnung*) en orden de marcha; **~einheit** *f* unidad *f* de marcha; **2fähig** *adj.* apto para la marcha; **~formation** *f* formación *f* de marcha; **~gepäck** *n* (*-es*; *0*) equipo *m* de marcha; **~geschwindigkeit** *f* velocidad *f* de marcha.
mar'schieren (-) *v/i.* marchar; desfilar.
'**Marsch...: ~kolonne** ⚔ *f* columna *f* de marcha; **~land** *n* (*-es*; *⸚er*) → *Marsch*[1]; **~leistung** *f* etapa *f* recorrida; **~lied** *n* (*-es*; *-er*) canción *f* de marcha; **~ordnung** *f* orden *m* de marcha; *in* ~ en orden de marcha; **~pause** *f* alto *m* (en la marcha); **~quartier** *n* etapa *f*; **~richtung** *f* dirección *f* de la marcha; **~route** *f* itinerario *m*; **~tempo** *n* (*-s*; *0*) ⚔ paso *m*; ♪ movimiento *m* de marcha; **~verpflegung** ⚔ *f* ración *f* de marcha; **~ziel** *n* (*-es*; *-e*) objetivo *m* de marcha.
'**Marsfeld** *n* (*-es*; *-er*) campo *m* de Marte.
'**Marshallplan** *m* (*-es*; *0*) Plan *m* Marshall.
'**Mars...: ~laterne** ⚓ *f* farol *m* de cofa; **~rahe** ⚓ *f* verga *f* de gavia; **~segel** ⚓ *n* gavia *f*; **~stenge** ⚓ *f* mastelero *m*.
'**Marstall** *m* (*-es*; *⸚e*) caballerizas *f/pl.* reales.
'**Marter** *f* (*-*; *-n*) martirio *m* (*a. fig.*); (*Folter*) tortura *f*; suplicio *m*; (*Quälerei*) tormento *m*; **~kammer** *f* (*-*; *-n*) cámara *f* de tormento; **2n** (*-re*) *v/t.* martirizar; (*foltern*) torturar; (*quälen*) atormentar; *fig. j-n langsam zu Tode* ~ matar a alg. a fuego lento; **~pfahl** *m* (*-es*; *⸚e*) poste *m* de tormento; **~tod** *m* martirio *m*; muerte *f* de los mártires; **~werkzeug** *n* instrumento *m* de tortura *od.* de suplicio.
marti'alisch *adj.* marcial.
'**Martin** *m* Martín *m*.
Mar'tini *n* fiesta *f* *bzw.* día *m* de San Martín.
'**Martin-ofen** *Met. m* (*-s*; *⸚*) horno *m* Martín.
'**Martins|fest** *n* (*-es*; *-e*), **~tag** *m* (*-es*; *-e*) → *Martini*; **~gans** *f* (*-*; *⸚e*) ganso *m* de San Martín.
'**Märtyrer(in** *f*) *m* mártir *m/f*; **~krone** *f* corona *f* de mártir, aureola *f* del martirio; **~tod** *m* (*-es*; *0*) → *Martertod*; **~tum** *n* (*-s*; *0*), **Mar'tyrium** *n* (*-s*; *-ien*) martirio *m*.
Martyro'logium *n* (*-s*; *-ien*) martirologio *m*.
Mar'xis|mus *m* (*-*; *0*) marxismo *m*; **~t(in** *f*) *m* (*-en*) marxista *m/f*; **2tisch** *adj.* marxista.
März *m* (*- od. -es*; *-e*) marzo *m*.
Marzi'pan *n* (*-s*; *-e*) mazapán *m*.
'**Masche** *f* malla *f*; carrera *f*, punto *m* (de media); *Jgdw.* lazo *m*; F (*Kniff*) truco *m*; *e-e* ~ *fallen lassen* dejar caer una malla; **~ndraht** *m* (*-es*; *0*) tela *f* metálica; **2nfest** *adj.* indesmallable; **~nreihe** *f* vuelta *f*.
'**maschig** *adj.* de malla; de punto.
Ma'schine *f* máquina *f*; ✈ aparato *m*; (*mit der*) ~ *schreiben* escribir a (*od.* con) máquina, mecanografiar.
maschi'nell *adj.* mecánico; ~ *hergestellt* hecho a máquina.
Ma'schinen...: ~anlage *f* instala-

ción *f* mecánica; **~antrieb** *m* (*-es; -e*) accionamiento *m* mecánico, impulsión *f* mecánica; **~arbeit** *f* trabajo *m* mecánico; trabajo *m* de (*od.* a) máquina; **~bau** *m* (*-es; -ten*) construcción *f* de maquinaria; **~bauer** *m* constructor *m* de máquinas; **~bauingenieur** *m* (*-s; -e*), **~baumeister** *m* ingeniero *m* mecánico; **~betrieb** *m* (*-es; -e*) explotación *f* mecánica; **~defekt** *m* (*-es; -e*) avería *f* (de la máquina); **~fabrik** *f* fábrica *f* de maquinaria; **~fett** *n* (*-es; -e*) grasa *f* para máquinas; **~garn** *n* hilo *m* mecánico, hilado *m* a máquina; **~gewehr** ⚔ *n* (*-es; -e*) ametralladora *f*; *leichtes*: fusil *m* ametrallador; **~gewehrfeuer** *n* fuego *m* de ametralladora; *unter ~ nehmen* ametrallar; **~gewehrschütze** *m* (*-n*) ametrallador *m*; **~gewehrstellung** *f* emplazamiento *m* de ametralladoras; **~halle** *f* sala *f* de máquinas; **~haus** *n* (*-es; ⸚er*) casa *f* de máquinas; sala *f* de máquinas; **~industrie** *f* industria *f* de la maquinaria; **~kunde** *f* (*0*), **~lehre** *f* (*0*) mecánica *f*; **~leistung** *f* rendimiento *m bzw.* potencia *f od.* capacidad *f* de una máquina; **2mäßig** *adj.* mecánico; **~meister** *m* maquinista *m*; jefe *m* de máquinas; *Thea.* tramoyista *m*; **~näherin** *f* costurera *f* (que cose a máquina); **~öl** *n* (*-es; -e*) aceite *m* lubri(fi)cante; **~park** *m* (*-es; -s*) parque *m* de maquinaria; **~pistole** *f* pistola *f* ametralladora; **~reparaturwerkstatt** *f* (*-; ⸚en*) taller *m* de reparación de máquinas; **~satz** *Typ. m* (*-es; ⸚e*) composición *f* mecánica; **~schaden** *m* (*-s; ⸚*) → *Maschinendefekt*; **~schlosser** *m* montador *m*; ajustador *m*; *bsd. für Motoren*: mecánico *m*; **~schreiben** *m* mecanografía *f*; **~schreiber(in** *f*) *m* mecanógrafo (-a *f*) *m*; **~schrift** *f* mecanografía *f*; *in ~* mecanografiado (*od.* escrito a máquina); **2schriftlich** *adj.* escrito a máquina, mecanografiado; **~setzer** *Typ. m* compositor *m* a máquina, linotipista *m*; **~sticke'rei** *f* bordado *m* a máquina; **~teil** *f* (*-es; -e*) pieza *f* de máquina; (*Ersatzteil*) pieza *f* de recambio; (*Zubehör*) accesorio *m* (de máquina); **~wärter** *m* maquinista *m*; **~wechsel** 🚂 *m* cambio *m* de locomotora; **~zeit-alter** *n* (*-s; 0*) época *f* del maquinismo.

Maschine'rie *f* maquinaria *f*; (*Triebwerk*) mecanismo *m*; *Thea.* tramoya *f*.

Maschi'nist *m* (*-en*) maquinista *m*; mecánico *m*; *Thea.* tramoyista *m*.

'Maser *f* (*-; -n*) (*Fleck*) mancha *f*; pinta *f*; *der Haut*: peca *f*; *des Holzes*: veta *f*; **~holz** *n* (*-es; ⸚er*) madera *f* veteada; **2ig** *adj. Holz*: veteado, con vetas; **~n** ⚕ *f/pl.* sarampión *m*; **2n** (*-re*) *v/t.* vetear; **2nkrank** ⚕ *adj.* enfermo (*od.* atacado) de sarampión; **~ung** *f im Holz*: vetas *f/pl.*; aguas *f/pl.*, trepa *f*.

'Maske *f* máscara *f* (*a. Person*); (⚔ *Schutz2*, *Fecht2*) careta *f*; *bsd. im Fasching*: *a.* antifaz *m*; (*Verkleidung*) disfraz *m*; (*Toten2*) mascarilla *f*; *fig. j-m die ~ abreißen* desenmascarar (*od.* arrancar la careta) a alg.; *die ~ fallenlassen* quitarse la careta; *~n machen Thea.* caracterizarse.

'Masken...: **~ball** *m* (*-es; ⸚e*) baile *m* de máscaras; **~bildner** *m* maquillador *m*; **~kostüm** *n* (*-es; -e*) disfraz *m*; **~zug** *m* (*-es; ⸚e*) comparsa *f*; mascarada *f*; desfile *m* de máscaras.

Maske'rade *f* mascarada *f*.

mas'kieren (-) *v/t. u. v/refl.* enmascarar(se); (*kostümieren*) disfrazar(se); ⚔ disimular.

Mas'kotte *f* mascota *f*.

masku'lin *adj.* masculino.

Masku'linum (*-s; Maskulina*) *Gr. n* género *m* masculino.

Maso'chis|mus *m* (*-; 0*) masoquismo *m*; **~t** *m* (*-en*) masoquista *m*; **2tisch** *adj.* masoquista.

maß *pret. v.* messen.

Maß[1] *f* (*-; - od. -e*): *e-e ~ Bier* un jarro de cerveza (de un litro).

Maß[2] *n* (*-es; -e*) medida *f*; (*Aus2*) proporciones *f/pl.*; (*Ausdehnung*) dimensiones *f/pl.*; extensión *f*; (*Grad*) grado *m*; (*Grenzen*) límites *m/pl.*; (*Dosis*) dosis *f*; *fig.* (*Mäßigung*) moderación *f*, mesura *f*; comedimiento *m*; *~e und Gewichte* pesas y medidas; *nach ~* a la medida; *in dem ~e wie* en la medida que; a medida que; conforme; *in dem ~e, daß* hasta el punto de; a tal extremo que; *in hohem ~e* en alto grado; *in großem ~e* en gran escala; *in reichem ~e* abundantemente, en abundancia; *in vollem ~e* plenamente; completamente; *in zunehmendem ~e* cada vez más; *in höchstem ~e* en sumo grado, sumamente; *in sehr beschränktem ~e* en escala muy limitada; *mit zweierlei ~ messen* tener dos pesos y dos medidas; *über die* (*od. alle*) *~en* sobremanera (*nachgestellt*); excesivamente, en exceso; extremadamente, en extremo; *mit ~ und Ziel* compasadamente; con moderación; comedidamente; *ohne ~ und Ziel* desmedidamente; *weder ~ noch Ziel halten* (*od. kennen*) excederse; propasarse; *~ halten* guardar la medida; *fig.* moderarse; contenerse; *das ~ überschreiten* (*od. übersteigen*), *über das ~ hinausgehen* pasar de los límites, exceder la medida; *fig.* excederse; descomedirse; *das ~ vollmachen* colmar la medida (*a. fig.*); *~ nehmen* tomar la medida; **'~abteilung** *f e-s Konfektionsgeschäftes*: sección *f* de trajes a medida.

Mas'sage *f* masaje *m*; amasamiento *m*; **~behandlung** *f* masoterapia *f*.

massa'krieren I. (-) *v/t.* matar en masa; pasar a cuchillo; **II. 2** *n* matanza *f*, carnicería *f*; degollina *f*.

'Maß...: **~analyse** ⚗ *f* análisis *m* volumétrico; **~anzug** *m* (*-es; ⸚e*) traje *m* a medida; **~arbeit** *f des Schneiders*: confección *f* a medida, trabajo *m* de sastre; **~bezeichnung** *f bei e-r Zeichnung*: escala *f*.

'Masse *f* masa *f* (*a. Phys.*, ⚓, ⚖ *u. Anat.*); (*Substanz*) su(b)stancia *f*; (*Volks2*) multitud *f*, muchedumbre *f*; *Pol.* masas *f/pl.* populares; *die breiten ~n* la gran masa; (*zuchtloser Haufen*) plebe *f*, populacho *m*; (*Menge*) gran cantidad *f*; F *e-e ~* un montón, una enormidad; *schwere ~* mole *f*.

'Maß-einheit *f* unidad *f* de medida.

'Massen...: **~absatz** *m* (*-es; 0*) venta *f* en gran escala (*od.* en masa); **~angriff** ⚔ *m* (*-es; -e*) ataque *m* concentrado (*od.* en masa); **~anziehung** *Phys. f* gravitación *f*; **~artikel** *m* artículo *m* de gran consumo; **~aufgebot** ⚔ *n* (*-es; -e*) llamamiento *m* en masa; leva *f* general; **~auflage** *f* gran tirada *f*; **~bewegung** *f* movimiento *m* de masas; **~demonstration** *f* manifestación *f* en masa; **~einsatz** ⚔ *m* (*-es; ⸚e*) empleo *m* en masa; **~entlassung** *f* despido *m* en masa; **~erhebung** *f* levantamiento *m* en masa; **~erzeugung** *f*, **~fabrikation** *f* producción *f* (*od.* fabricación *f*) en gran escala *od.* en serie; **~flucht** *f* (*0*) huída (*aus Gewahrsam*: evasión) *f* en masa; **~grab** *n* (*-es; ⸚er*) fosa *f* común; **~güter** *n/pl.* mercancías *f/pl.* a granel *od.* sin embalaje; **2haft** *adj. u. adv.* enorme, inmenso; en masa; en gran cantidad; **~herstellung** *f* fabricación *f* (*od.* producción *f*) en masa (*od.* en serie *od.* en gran escala); **~hinrichtung** *f* ejecución *f* en masa; **~instinkt** *m* (*-es; -e*) instinto *m* gregario; **~kundgebung** *f* manifestación *f* de masas; **~mensch** *m* (*-en*) hombre *m* de la masa; **~mord** *m* (*-es; -e*) matanza *f*; asesinato *m* en masa; **~produktion** *f* → *Massenherstellung*; **~psychologie** *f* (*0*) psicología *f* de las masas; **~streik** *m* (*-es; -s*) huelga *f* general; **~suggestion** *f* sugestión *f* colectiva; **~transport** *m* (*-es; -e*) transporte *m* colectivo; **~verbrauch** *m* (*-es; 0*) consumo *m* en gran escala; **~verhaftungen** *f/pl.* detenciones *f/pl.* en masa; **~vernichtung** *f* destrucción *f* en masa; **~versammlung** *f* mitin *m* de masas; **2weise** *adv.* en masa; en enorme cantidad; **~zeitalter** *n* época *f* de las masas.

'Masse...: **~schuld** ⚓ *f* deuda *f* de la masa; **~schuldner** ⚓ *m* deudor *m* de la masa.

Mas'seur [ma'søːʀ] *m* (*-s; -e*), **Mas'seuse** [-'søːzə] *f* masajista *m/f*.

'Masseverwalter ⚓ *m* administrador *m* de quiebra, liquidador *m*;

'Maß...: **~gabe** *f* medida *f*; *nach ~* (*gen.*) a medida de; conforme a, en conformidad con, según (*ac.*); en consonancia con; a tenor de; **2gebend**, **2geblich** *adj.* (*bestimmend*) determinante; decisivo; (*zuständig*) competente; (*als Regel dienend*) que sirve de regla; normativo; (*anwendbar*) aplicable; (*Ansicht*) autoritativo; (*bedeutend*) importante; *in ~en Kreisen* en los círculos competentes; *beide Texte sind in gleicher Weise ~* ambos textos son por igual fehacientes; ⚓ *~e Beteiligung* participación preponderante; **2gerecht** *adj.* ajustado a las medidas prescritas; **2halten** (*L*) *v/i.* guardar la medida; tener moderación *f*; **~haltigkeit** ⊕ *f* estabilidad *f* dimensional.

mas'sier|en (-) *v/t.* ⚕ amasar, dar masaje *m*; ⚔ concentrar; **2en** ⚕ *n* amasamiento *m*, masaje *m*; **2ung** ⚔ *f* concentración *f* de tropas.

'massig I. *adj.* voluminoso, abultado; macizo, compacto; **II.** *adv.* en masa.

ˈ**mäßig** *adj.* moderado; (*gemildert*) templado; (*einfach im Essen*) frugal; (*genügsam*) sobrio; (*abstinent*) abstemio; (*mittel~*) mediocre; (*die Mitte haltend*) mediano; *Preis*: módico; **~en** *v/t.* moderar; (*mildern*) templar; suavizar, mitigar; (*in Grenzen halten*) contener; (*vermindern*) disminuir, reducir; (*besänftigen*) calmar; apaciguar; (*beschränken*) limitar; *Stimme*: bajar; *sich ~* moderarse; contenerse; **2keit** *f* (*0*) moderación *f*; templanza *f*; (*Einfachheit im Essen*) frugalidad *f*; (*Genügsamkeit*) sobriedad *f*; (*Mittel2*) mediocridad *f*; *e-r Summe*: modicidad *f*; **2ung** *f* moderación *f*; templanza *f*; contención *f*; (*Verminderung*) disminución *f*, reducción *f*.

masˈsiv [maˈsi:f] **I.** *adj.* macizo; sólido; compacto; *~e Wand* pared maestra; *fig.* (*plump*) tosco, grosero, basto; **II.** 2 *n* (*-s; -e*) *Geol.* macizo *m*; **2gold** *n* (*-ẹs; 0*) oro *m* macizo.

ˈ**Maß...:** **~krug** *m* (*-ẹs; ¨e*) jarro *m* (de un litro); **~liebchen** ♀ *n* margarita *f*; maya *f*; **2los I.** *adj.* inmenso; ilimitado; enorme; excesivo; sin tasa; desmesurado, desmedido; inmoderado; **II.** *adv.* desmesuradamente; excesivamente; extremadamente; desmesura; **~losigkeit** *f* inmensidad *f*; desmesura *f*, descomedimiento *m*; exceso *m*; inmoderación *f*; **~nahme** *f*, **~regel** *f* (*-; -n*) medida *f*; *vorläufige ~* medida provisional; *vorbeugende ~* prevención (*od.* medida preventiva); *~n ergreifen* (*od. treffen*) tomar (*od.* adoptar) medidas; *von e-r ~ betroffen sein* ser afectado por una medida; **2regeln** (*-le*) *v/t.*: *j-n ~* llamar al orden a alg.; *e-n Beamten*: castigar disciplinariamente a; **~regelung** *f* llamada *f* al orden; castigo *m* disciplinario; *Pol.* sanción *f*; **~schneider** *m* sastre *m* (que trabaja a medida); **~schuhe** *m/pl.* zapatos *m/pl.* (hechos) a la medida; **~schuhmacher** *m* zapatero *m* que trabaja a medida; **~skizze** *f* croquis *m* acotado; **~stab** *m* (*-ẹs; ¨e*) regla *f* graduada; *v. Karten*: escala *f*; *im ~ 1 : 100* a escala de 1 : 100; *in großem* (*kleinem*) *~* en gran (pequeña) escala; *in verjüngtem ~* a escala reducida; en pequeño; *fig.* escala *f*, medida *f*; proporción *f*; *als ~ dienen* servir de norma; *e-n ~ an et. legen* aplicar una norma (*od.* un criterio) a a/c.; **2stabgerecht** *adj. u. adv.* conforme a la escala; **2voll** *adj.* moderado; comedido, mesurado; circunspecto; **~werk** ⚠ *n* (*-ẹs; 0*) tracería *f*; **~zahl** *f* cota *f*.

Mast¹ ⚓ *m* (*-es; -e od. -en*) mástil *m*, palo *m*; (*Leitungs2*) poste *m*.

Mast² *f* (*Fettmachen*) engorde *m*, cebadura *f*; (*Futter*) cebo *m*.

ˈ**Mastbaum** ⚓ *m* (*-ẹs; ¨e*) palo *m*, mástil *m*; (*Leitungs2*) poste *m*.

ˈ**Mastdarm** *Anat. m* (*-ẹs; ¨e*) recto *m*.

ˈ**mästen I.** (*-e-*) *v/t.* cebar, engordar; **II.** 2 *n* cebadura *f*, engorde *m*.

ˈ**Mast|futter** *n* cebo *m*, ceba *f*; **~huhn** *n* (*-ẹs; ¨er*) capón *m*.

ˈ**Mastix** *m* (*-; 0*) mástique *m*; masilla *f*; (*Harz*) almáciga *f*.

ˈ**Mastkorb** ⚓ *m* (*-ẹs; ¨e*) cofa *f*.

ˈ**Mast...:** **~kur** ⚕ *f* cura *f* de engorde (*od.* de sobrealimentación); **~ochse** *m* (*-n*) buey *m* cebón; **~schwein** *n* (*-ẹs; -e*) cerdo *m* cebado *od.* cebón.

ˈ**Mästung** *f* engorde *m*, cebadura *f*.

ˈ**Mastvieh** *n* (*-ẹs; 0*) ganado *m* cebado *od.* cebón; ganado *m* de engorde.

ˈ**Mastwerk** ⚓ *n* (*-ẹs; 0*) arboladura *f*.

Maˈsuren *Geogr. n* Masuria *f*.

Maˈsurka *f* (*-; -s*) mazurca *f*.

Mataˈdor *m* (*-s; -e*) *Stk.* matador *m*, espada *m*; *fig.* personaje *m* principal.

Match [mɛtʃ] *m od. n* (*-es; -s od. -e*) *Sport*: encuentro *m*, partido *m*; (*Boxen, Ringen*) combate *m*.

ˈ**Mater** ⊕ *f* (*-; -n*) matriz *f*, molde *m*; *Typ.* clisé *m*.

Materiˈal [-ˈʀĭɑ:l] *n* (*-s; Materialien*) (*Stoff*) material *m*, materiales *m/pl.*; materia *f*, materias *f/pl.*; (*Kriegs2*) material *m* de guerra; (*Menschen2*) material *m* humano; (*Werbe2*) material *m* publicitario; (*Beweis2*) material *m* de prueba; (*Ausrüstung*) equipo *m*; 🚂 *rollendes ~* material rodante; **~fehler** *m* defecto *m* de material.

materialiˈsieren (*-*) *v/t.* materializar.

Materiaˈlis|mus [-aˈl-] *m* (*-; 0*) materialismo *m*; **~t** *m* (*-en*) materialista *m*; **2tisch** *adj.* materialista.

Materiˈal...: **~kosten** *pl.* precio *m* de los materiales; gastos *m/pl.* de material; **~lager** *n* depósito *m* de material *bzw.* de materiales; **~prüfung** *f* ensayo *m* de materiales; **~schaden** *m* (*-s; ¨*) daño *m* material; **~schlacht** ⚔ *f* batalla *f* de material; **~schuppen** *m* cobertizo *m* para materiales; **~überprüfung** *f* verificación *f* de materiales; **~verwalter** *m* administrador *m* de almacén de materiales.

Maˈterie [-ʀĭə] *f* materia *f*.

materiˈell *adj.* material; *~e Güter* bienes materiales.

Mathemaˈtik [-ɪ-] *f* (*0*) matemáticas *f/pl.*; *reine* (*angewandte*) *~* matemáticas puras (aplicadas).

Matheˈma|tiker [-ɑ:-] *m* matemático *m*; **2tisch** *adj.* matemático; *die ~en Wissenschaften* las ciencias exactas.

ˈ**Matjeshering** *m* (*-s; -e*) arenque *m* fresco; arenque *m* virgen.

Maˈtratze *f* colchón *m*.

Mäˈtresse *f* querida *f*, concubina *f*; favorita *f*.

Matriarˈchat *n* (*-ẹs; -e*) matriarcado *m*.

Maˈtrikel *f* (*-; -n*) matrícula *f*; *in die ~ eintragen* matricular; registrar.

Maˈtrize *f* matriz *f*; *zur Vervielfältigung*: clisé *m*; (*Stanzerei*) troquel *m*, molde *m*.

Maˈtrone *f* matrona *f*; **2nhaft** *adj. u. adv.* como una matrona.

Maˈtrose *m* (*-n*) marinero *m*.

Maˈtrosen...: **~anzug** *m* (*-ẹs; ¨e*) traje *m* marinero; **~bluse** *f* marinera *f*; **~kragen** *m* cuello *m* marinero; **~mütze** *f* gorra *f* de marinero.

matsch *m Kartenspiel*: capote *m*; *~ machen* dar capote.

ˈ**Matsch** *m* (*-es; 0*) (*Schlamm*) cieno *m*, lodo *m*; fango *m*, barro *m*; **2ig** *adj.* cenagoso; fangoso; (*schmutzig*) embarrado; *~ werden Obst*: pasarse.

ˈ**matt** *adj.* (*-est*) (*glanzlos*) mate; deslustrado; (*trübe*) empañado; (*müde*) cansado, fatigado; (*schwach*) débil; laso, lánguido; (*kraftlos*) sin fuerzas, decaido, abatido; (*erschöpft*) agotado, extenuado; (*undurchsichtig*) opaco; (*gedämpft*) amortiguado; (*absterbend*) mortecino; (*schal*) insípido; (*flau*) flojo (*farblos*) pálido, descolorido; *Farbe*: mate (*a. Phot.*); *Auge, Stimme, Blick*: apagado; † *Börse*: desanimado; *Witz*: soso, sin gracia; *Gold*: mate; *Silber*: oxidado; *Glas*: esmerilado; *~ schleifen* esmerilar; *Schachspiel*: mate; *j-n ~ setzen* (*ac.*) dar mate a alg.; **~blau** *adj.* azul mate; **~blond** *adj.* rubio pálido.

ˈ**Matte¹** *f* (*Grasland*) pradera *f*; (*Wiese*) prado *m*; (*Viehweide*) pasto *m* (*mst. pl.* pastos); pastizal *m*.

ˈ**Matte²** *f* (*Fuß2*) estera *f*; (*Tür2*) esterilla *f*, felpudo *m*; *mit ~n belegen* esterar; (*Ring2*) tapiz *m*; *auf die ~ legen* (*Boxsport*) enviar al tapiz.

ˈ**Matterhorn** *Geogr.*: *das ~* el monte Cervino, el Matterhorn.

ˈ**matt...:** **~geschliffen** *adj.* esmerilado; **2glanz** *m* (*-es; 0*) matidez *f*; ⊕ acabado *m* mate; **2glas** *n* (*-es; ¨er*) vidrio *m* esmerilado; vidrio *m* mate *od.* opaco; **2gold** *n* (*-ẹs; 0*) oro *m* mate.

Matˈthäus *m* Mateo *m*; F *mit ihm ist's Matthäi am letzten* está en las últimas; está dando las boqueadas; **~evangelium** *n* (*-s; 0*) el Evangelio de (*od.* según) San Mateo; **~passion** *f* (*0*): *die ~* la Pasión según San Mateo.

Matˈthias *m* Matías *m*.

ˈ**Mattheit** *f* (*0*) matidez *f*; (*Müdigkeit*) cansancio *m*, fatiga *f*; (*Schwäche*) debilidad *f*; lasitud *f*, languidez *f*; (*Erschöpfung*) agotamiento *m*, extenuación *f*; (*Mutlosigkeit*) abatimiento *m*; (*Undurchsichtigkeit*) opacidad *f*; (*Farblosigkeit*) palidez *f*; *Börse*: pesadez *f*.

matˈtieren ⊕ (*-*) *v/t.* matear; opacar; *Glas*: esmerilar.

ˈ**Mattigkeit** *f* (*0*) → *Mattheit*.

ˈ**Matt...:** **~scheibe** *f Phot.* (placa *f* de) vidrio *m od.* cristal *m* esmerilado; cristal *m* mate *od.* opaco; *TV* pequeña pantalla *f*; **~schleifen** *n* esmerilado *m*; **~vergoldung** *f* dorado *m* mate.

Matz F *m* (*-es; ¨e*) (*Vögelchen*) pajarito *m*; (*Kerlchen*) hombrecito *m*; muñeco *m*.

ˈ**Mätzchen** *n/pl.* (*niedliche Possen*) monerías *f/pl.*; (*Kniffe*) marrullerías *f/pl.*, maturrangas *f/pl.*, trucos *m/pl.*; *~ machen Thea.* tratar de producir efecto.

mau F *adj.* malo; *mir ist ~* me siento mal; *es geht* (*od. steht*) *~* esto va mal; la cosa anda mal.

ˈ**Mauer** *f* (*-; -n*) muro *m*; (*Gemäuer, Stadt2*) muralla *f*; (*hohe ~*) paredón *m*; (*Wand*) pared *f*; (*Lehm2*) tapia *f*; *die Chinesische ~* la Muralla (de la) China, la Gran Muralla (de la

China); **~absatz** ⚠ *m* resalto *m*; **~anschlag** *m* anuncio *m* mural; (*Plakat*) cartel *m*; **~anstrich** *m* pintura *f* al temple de las paredes; **~blümchen** *n*: ~ *sein fig.* F comer pavo; **~einfassung** *f* cerco *m* de mampostería; **~klammer** ⚠ *f* áncora *f*; **~krone** *f* corona *f* mural; **2n** *v/t.* levantar una pared *bzw.* un muro; hacer trabajo *m* de albañilería; (*vermauern*) tapiar; *Kartenspiel*: ocultar el juego; mantenerse a la defensiva; **~öffnung** ⚠ *f* vano *m*; **~pfeffer** ⚘ *m* uva *f* de gato; **~ritze** *f* grieta *f* (*od.* hendedura *f*) de muro; **~schwalbe** *f*, **~segler** *m Orn.* vencejo *m*; **~stein** *m* (piedra *f* de) cantería *f*; (*Ziegel*) ladrillo *m*; **~vertiefung** ⚠ *f* nicho *m*; **~vorsprung** ⚠ *m* resalto *m* (de la pared); saledizo *m*; **~werk** *n* mampostería *f*, (obra *f* de) fábrica *f*; albañilería *f*; **~ziegel** *m* ladrillo *m*; **~zinne** *f* almena *f*.

'Mauke *Vet. f* (*0*) grapa *f*.

'Maul *n* (*-es*; *¨er*) boca *f*; (*Schnauze*) hocico *m*; *der Wiederkäuer*: morro *m* (*beide a.* P *v. Menschen*); P jeta *f*; *der Raubtiere*: fauces *f/pl.* (*a. Rachen*); *der Vögel*: pico *m*; *die bösen Mäuler* las malas lenguas; P *halt' das ~!* ¡cállate la boca!, ¡cierra el pico!; *j-m Honig um das ~ schmieren* adular a alg.; F dar coba a alg.; *ein loses ~ haben* ser una mala lengua; *nicht aufs ~ gefallen sein* no tener pelos en la lengua; tener respuesta pronta para todo; *das ~ aufmachen* abrir el pico; *ein großes ~ haben* ser un bocón; *das ~ vollnehmen* baladronear; fanfarronear; **~affe** *m* (*-n*) *fig.* pazguato *m*, bobalicón *m*, pasmarote *m*, babieca *m*; *~n feilhalten* estar boquiabierto, F papar moscas; **~beerbaum** ⚘ *m* (*-es*; *¨e*) (*schwarzer*) moral *m*; (*weißer*) morera *f*; **~beere** ⚘ *f* mora *f*.

'maulen *v/i.* (*schmollen*) estar de hocico; (*Kind*) F hacer pucheros.

'Maul...: ~esel(in *f*) *Zoo. m* mulo *m*, macho *m*; mula *f*; **~eseltreiber** *m* muletero *m*; acemilero *m*; arriero *m*; **2faul** F *adj.* parco de palabras, callado; que no despega los labios; F que no abre el pico; **~fäule** *Vet. f* afta *f*; **~held** F *m* (*-en*) valiente *m* de boca; bravucón *m*, matasiete *m*; perdonavidas *m*; **~korb** *m* (*-es*; *¨e*) (*Hunde2*) bozal *m*; (*Knebel*) mordaza *f*; *fig. j-m e-n ~ anlegen* amordazar a alg.; **~schelle** *f* bofetón *m*, sopapo *m*, F torta *f*; **~sperre** ⚕ *f* (*0*) trismo *m*; **~tier** *Zoo. n* (*-es*; *-e*) → *Maulesel(in)*; **~tierpfad** *m* camino *m* de herradura; **~trommel** ♪ *f* (*-*; *-n*) birimbao *m*; **~-und-Klauenseuche** *Vet. f* (*0*) glosopeda *f*, fiebre *f* aftosa; **~werk** P *n*: *ein gutes ~ haben* tener buen pico; **~wurf** *Zoo. m* (*-es*; *¨e*) topo *m*; **~wurfsgrille** *Zoo. f* grillo *m* topo, grillo *m* real *od.* cebollero; **~wurfshaufen** *m*, **~wurfshügel** *m* topera *f*.

'Maure *m* (*-n*) moro *m*; sarraceno *m*.

'Maurer *m* albañil *m*; **~arbeit** *f* (trabajo *m* de) albañilería *f*; **~geselle** *m* (*-n*) oficial *m* de albañil; **~handwerk** *n* (*-s*; *0*) albañilería *f*; oficio *m* de albañil; **~kelle** *f* llana *f bzw.* paleta *f* de albañil; **~lehrling** *m* (*-s*; *-e*) aprendiz *m* de albañil; pinche *m*; **~meister** *m* maestro *m* albañil; **~polier** *m* capataz *m* de obras; **~zunft** *f* (*-*; *¨e*) gremio *m* de albañiles.

'Maur|in *f* mora *f*; **2isch** *adj.* moro, moruno; morisco; sarraceno; árabe.

Mau'ritius *m* Mauricio *m*.

Maus *Zoo. f* (*-*; *¨e*) ratón *m*; *Anat.* pulpejo *m*; *die weißen Mäuse fig.* F la policía de tráfico.

'Mäus·chen *n* ratoncito *m*, ratoncillo *m*; (*Liebling*) nenita *f*; **2still** *adj.*: *es ist ~* no se oye (ni) una mosca; *adv. sich ~ (ver)halten* estar quietecito.

'Mäuse *pl. v. Maus.*

'Mäuse (*od.* **'Mause**)**...: ~bussard** *m* (*-es*; *-e*) *Orn.* águila *f* ratonera; **~falke** *m* (*-n*) *Orn.* cernícalo *m*; **~dreck** *m* (*-s*; *0*) cagarrutas *f/pl.* de ratón; **~falle** *f* ratonera *f*; **~fraß** *m* (*-es*; *0*) roedura *f* de los ratones; **~gift** *m* (*-es*; *-e*) veneno *m* contra los ratones, raticida *m*; **~loch** *n* (*-es*; *¨er*) agujero *m* de ratón, ratonera *f*.

'mausen 1. *v/i. Katze*: cazar ratones *m/pl.*; *die Katze läßt das 2 nicht* el que malas mañas ha, tarde o nunca las perderá; **2.** *v/t.* F (*entwenden*) raspar, ratear, P afanar.

'Mauser *f* (*0*) *der Vögel usw.*: muda *f*; *in der ~ sein* estar en la muda; **~'ei** *f* F ratería *f*; **2n** *v/i.* mudar, estar de muda.

'mausetot *adj.* muerto y bien muerto; F tan muerto como su abuelo; *~ schlagen* matar a golpes.

'mausgrau *adj.* ceniciento, gris arratonado.

'mausig F *fig. adj.*: *sich ~ machen* darse pisto, presumir; (*prahlen*) *fig.* alzar el gallo.

Mauso'leum [-'le:um] *n* (*-s*; *Mausoleen*) mausoleo *m*.

Max *m* Máximo *m*; Maximiliano *m*.

maxi'mal *adj.* máximo; **2betrag** *m* (*-es*; *¨e*) importe *m* máximo; máximum *m*; **2geschwindigkeit** *f* velocidad *f* máxima; **2gewicht** *n* (*-es*; *-e*) peso *m* máximo; **2leistung** *f* rendimiento *m* máximo; **2lohn** *m* (*-es*; *¨e*) salario *m* máximo; **2preis** *m* (*-es*; *-e*) precio *m* máximo; **2tarif** *m* (*-es*; *-e*) tarifa *f* máxima.

Ma'xime *f* máxima *f*.

Maxi'milian *m* Maximiliano *m*.

'Maximum *n* (*-s*; *Maxima*) máximum *m*; **~thermometer** *n* termómetro *m* de máxima (y mínima).

Mayon'naise [maĭo·'ne:zə] *Kochkunst f* salsa *f* mahonesa, mayonesa *f*.

Maze'don|ien *n* Macedonia *f*; **~ier(in** *f*) *m* macedonio (-a *f*) *m*; **2isch** *adj.* macedonio, macedónico.

Mä'zen [mɛ'tse:n] *m* (*-s*; *-e*) mecenas *m*; *Hist.* Mecenas *m*.

Mäze'natentum *n* (*-s*; *0*) mecenazgo *m*.

Ma'zurka [-z-] *f* (*-*; *-s*) mazurca *f*.

Me'chan|ik *f* mecánica *f*; **~iker** *m* mecánico *m*; **2isch** *adj.* mecánico; *~e Werkstatt* taller mecánico.

mechani'sier|en (-) *v/t.* mecanizar; **2ung** *f* mecanización *f*.

Mecha'nismus *m* (*-*; *Mechanismen*) mecanismo *m*.

Mechanothera'pie *f* mecanoterapia *f*.

'Mecker|er F *m* criticón *m*, eterno descontento *m*; **2n** *v/i. Ziege*: balar; *fig.* criticar, censurar; poner reparos *m/pl.* a todo; **~n** *n* balido *m*; *fig.* crítica *f*; murmuración *f*.

Me'daille [-'daljə] *f* medalla *f*; *e-e ~ gewinnen* ganar una medalla; *j-n mit e-r ~ auszeichnen* condecorar con una medalla a alg.; *fig. die Kehrseite der ~* el reverso de la medalla.

Medaillon [-dal'jɔŋ] *n* (*-s*; *-s*) medallón *m*.

Me'dea *f* Medea *f*.

mediati'sier|en (-) *v/t.* mediatizar; **2ung** *f* mediatización *f*.

Medika'ment *n* (*-es*; *-e*) medicamento *m*; F medicina *f*.

mediter'ran *adj.* mediterráneo *m*.

'Medium ['-dĭ-] *n* (*-s*; *Medien*) medio *m*; (*Umwelt*) ambiente *m*; (*spiritistisches*) médium *m*.

Medi'zin *f* medicina *f*; (*Arznei*) *a.* remedio *m*, medicamento *m*; *Doktor der ~* doctor en medicina; *~ studieren* estudiar medicina; *innere ~* medicina interna; *gerichtliche ~* medicina legal; **~er(in** *f*) *m* estudiante *m/f* de medicina; (*Arzt*) médico *m*; médica *f*; **~fläschchen** *n*, **~glas** *n* (*-es*; *¨er*) frasquito *m* para medicinas; **2isch** *adj.* (*ärztlich*) médico; (*arzneilich*) medicinal; *~e Fakultät* Facultad *f* de Medicina; **~mann** *m* (*-es*; *¨er*) curandero *m*.

Me'duse *f Myt.* Medusa *f*; *Zoo.* medusa *f*; **~nhaupt** *n* (*-es*; *0*) cabeza *f* de Medusa.

'Meer *n* (*-es*; *-e*) mar *m/f*; (*Welt2*) océano *m*; *am ~* a la orilla del mar, *befindlich*: marítimo; *offenes* (*od. freies*) *~* alta mar; *die Freiheit der ~e* la libertad de los mares; *fig. ein ~ von ...* un mar de ...; *jenseits des ~es* ultramarino, de ultramar; **~aal** *Ict. m* (*-es*; *-e*) congrio *m*; **~äsche** *Ict. f* múgil *m*; **~barbe** *Ict. f* salmonete *m*, barbo *m* de mar; **~brassen** *Ict. m* besugo *m*; **~busen** *m* golfo *m*; bahía *f*, ensenada *f*; **~butt** *Ict. m* (*-es*; *-e*) rodaballo *m*; **~enge** *f* estrecho *m*.

'Meeres...: ~arm *m* (*-es*; *-e*) brazo *m* de mar; **~boden** *m* (*-s*; *0*), **~grund** *m* (*-es*; *0*) fondo *m* del mar; **~brandung** *f* rompiente *f*; **~kunde** *f* (*0*) oceanografía *f*; **~küste** *f* costa *f*, litoral *m*; **~leuchten** *n* fosforescencia *f* del mar; **~spiegel** *m* nivel *m* del mar; *über* (*unter*) *dem ~* sobre (bajo) el nivel del mar; **~stille** ⚓ *f* (*0*) calma *f*; bonanza *f*; **~strand** *m* (*-es*; *¨e*) playa *f*; **~strömung** ⚓ *f* corriente *f* (marina); **~tiefenmessung** *Phys. f* batimetría *f*; **~ufer** *n* orilla *f* del mar; costa *f*.

'Meer...: ~gott *m* (*-es*; *¨er*) *Myt.* Neptuno *m*, dios *m* de los mares; **~göttin** *Myt. f* Anfitrite *f*, diosa *f* del mar; **~gras** ⚘ *n* (*-es*; *¨er*) algas *f/pl.* marinas; sargazo *m*; **2grün** *adj.* glauco; verde mar; **~jungfrau** *f* sirena *f*; **~katze** *Zoo. f* macaco *m*; **~rettich** ⚘ *m* (*-es*; *-e*) rábano *m* picante; **~salz** *n* (*-es*; *-e*) sal *f* marina; **~schaum** *m* (*-es*; *0*) espuma *f* de mar; **~schaumpfeife** *f* pipa *f* de espuma de mar; **~schwein** *Zoo. n*

(-*ẹs*; -*e*) marsop(l)a *f*; **~schweinchen** *Zoo. n* cobayo *m*, conejillo *m* de Indias; **~ungeheuer** *n* monstruo *m* marino; **~wasser** *n* (-*s*; *0*) agua *f* de mar; agua *f* salada.

'**Megahertz** ⚡ *n* (-; -) megaciclo *m*.

Mega'lith *m* (-*s*; -*e*) megalito *m*; **2isch** *adj*. megalítico.

Mega'phon *n* (-*s*; -*e*) megáfono *m*; portavoz *m*.

Me'gäre *Myt. f* Megera *f*; *fig*. furia *f*.

'**Megavolt** ⚡ *n* (-; -) megavoltio *m*.

'**Mehl** *n* (-*ẹs*; *0*) harina *f*; *das feinste* ~ la flor de la harina; *mit* ~ *bestreuen* enharinar; **2artig** *adj*. farináceo; **~beutel** *m* saco *m* de harina; *Müllerei*: cedazo *m* harinero; **~brei** *m* (-*ẹs*; -*e*) papilla *f*; gachas *f/pl*.; **~fabrik** *f* fábrica *f* de harinas; **2haltig** *adj*. farináceo; **2ig** *adj*. harinoso, farináceo; **~käfer** *Zoo. m* tenebrión *m*, escarabajo *m* molinero; **~kleister** *m* engrudo *m*; **~kloß** *m* (-*es*; ⸚*e*) albóndiga *f* de harina; **~sack** *m* (-*ẹs*; ⸚*e*) saco *m* de harina; **~schwitze** *f Kochk*. harina *f* tostada en manteca; **~sieb** *n* (-*ẹs*; -*e*) cedazo *m* harinero; **~speise** *f* fruta *f* de sartén; (*süße Speise*) tortilla *f* de harina, leche, huevo y azúcar; **~staub** *m* (-*ẹs*; *0*) polvo *m* de harina; **~suppe** *f* sopa *f* de harina; **~wurm** *Zoo. m* (-*ẹs*; ⸚*er*) gusano *m* de la harina; **~zucker** *m* (-*s*; *0*) azúcar *m* en polvo.

mehr I. *adv*. (*comp. v. viel*) *im Vergleich ohne folgendes als*: más; *3 Jahre* ~ tres años más; *fünfmal* ~ cinco veces más; *bei e-r Zahl od. Mengenangabe, ohne Vergleich*: más de; ~ *als nötig* más de lo necesario; ~ *als 5 Jahre* más de cinco años; ~ *als er erwartete* más de lo que esperaba; *bei e-r Zahl od. Mengenangabe, mit Vergleich*: ~ *als* más que; ~ *als alle andern* más que todos los otros; más que nadie; ~ *als je* más que nunca; ~ *und* ~, *immer* ~ más y más; cada vez más; ~ *oder weniger* más o menos; *nicht* ~ (*nicht wieder*) no volver a (*inf*.); *zeitlich*: ya no; *es regnet nicht* ~ ya no llueve; *du bist kein Kind* ~ ya no eres un niño; *nicht* ~! ¡basta!; ¡no más!; *nichts* ~ nada más; *ich sage nichts* ~ ya no digo más; *nicht* ~ *und nicht weniger* ni más ni menos; *niemand* ~, *keiner* ~ nadie más, *zeitlich*: ya nadie ...; *je* ~ ..., *desto* ~ ... cuanto más ... tanto más ...; *je* ~, *desto besser* cuanto más, mejor; ~ *denn je* más que nunca; *um so* ~ tanto más; con mayor razón; *um so* ~ *als* tanto más cuanto que (*ind*.); *die e-n* ~, *die anderen weniger* unos más y otros menos; *und dergleichen* ~ y otras cosas por el estilo; *und anderes* ~ y otras cosas más; *und andere* ~ y otros más; *etwas* ~ un poco más; *ich kann nicht* ~ ya no puedo más; *kein Wort* ~ (*davon*)! ¡ni una palabra más!; no hablemos más de eso; *das ist nicht* ~ *als billig* esto es justo y nada más; *ein Grund* ~ razón de más; *was will er* ~? ¿qué más quiere?; *er ist* ~ *reich als arm* es más bien rico que pobre; *ich habe nichts* (*niemand*) ~ no tengo nada (a nadie); **II.** 2 *n* (*Überschuß*) excedente *m*.

'**Mehr...:** **~arbeit** *f* aumento *m* de trabajo; (*zusätzliche Arbeit*) trabajo *m* adicional *od*. complementario; **~aufwand** *m* (-*ẹs*; *0*), **~ausgabe** *f* exceso *m* de gastos; aumento *m* de los gastos; **2bändig** *adj*. en varios tomos; **~bedarf** *m* (-*ẹs*; *0*) exceso *m bzw*. aumento *m* de consumo; necesidades *f/pl*. suplementarias; **~belastung** *f* sobrecarga *f*; carga *f* suplementaria; **~betrag** *m* excedente *m*; **2deutig** *adj*. susceptible de diversas interpretaciones; (*zweideutig*) ambiguo; equívoco; **~deutigkeit** *f* ambigüedad *f*; **~einkommen** *n*, **~einnahme** *f* aumento *m* de ingresos; (*Überschuß*) excedente *m* de ingresos; **2en** *v/t. u. v/refl*. aumentar(se); acrecentar(se); ir en aumento; (*vervielfachen*) multiplicar(se); **~en** *n* aumento *m*; (*Vervielfachen*) multiplicación *f*; **2ere** *pron/indef*. varios; (*verschiedene*) diversos, diferentes; *adj*. muchos; **2eres** *pron/indef*. varias cosas; **2erlei** *adj*. de diversas clases; **~erlös** *m* (-*es*; *0*) excedente *m* de ingresos; **~ertrag** *m* (-*ẹs*; ⸚*e*) ingresos *m/pl*. suplementarios; aumento *m* de ingresos; exceso *m* de producción; **2fach I.** *adj*. múltiple; repetido, reiterado; *in* ~*er Hinsicht* en muchos respectos; **II.** *adv*. reiteradas *od*. repetidas veces, reiteradamente, repetidamente; **~farbendruck** *m* (-*ẹs*; -*e*) impresión *f* policroma *od*. a varias tintas; policromía *f*; **2farbig** *adj*. de *bzw*. en varios colores; policromo; multicolor; **~forderung** *f* petición *f* de aumento; **2gängig** ⊕ *adj*.: *mit* ~*em Gewinde* con filete múltiple; **~gebot** *n* (-*ẹs*; -*e*) oferta *f* de un precio más alto; *Auktion*: puja *f*, mayor postura *f*; **~gepäck** *n* (-*ẹs*; *0*) exceso *m* de equipaje; **~gewicht** *n* (-*ẹs*; *0*) exceso *m* de peso; sobrepeso *m*; **2gleisig** *adj*. de varias vías; **~heit** *f* mayoría *f*; pluralidad *f*; el mayor número; la mayor parte; *absolute* (*relative*; *einfache*) ~ mayoría absoluta (relativa; simple); **~heitsbeschluß** *m* (-*sses*; ⸚*sse*) acuerdo *m* adoptado por (la) mayoría; *durch* ~ por mayoría de votos; **2jährig** *adj*. de varios años; **~kosten** *pl*. gastos *m/pl*. accesorios *od*. suplementarios; exceso *m* de gastos; **~ladegewehr** *n* (-*ẹs*; -*e*), **~lader** *m* fusil *m* de repetición; **~leistung** *f* aumento *m* de rendimiento; rendimiento *m* suplementario; **2malig** *adj*. repetido, reiterado; **2mals** *adv*. varias veces; en varias ocasiones; a menudo, frecuentemente; **2motorig** *adj*. multimotor; **~parteiensystem** *n* (-*s*; *0*) sistema *m* de varios partidos; **~phasenstrom** ⚡ *m* (-*ẹs*; ⸚*e*) corriente *f* polifásica; **2phasig** ⚡ *adj*. polifásico; **2polig** ⚡ *adj*. multipolar; **~porto** *n* (-*s*; -*s*) exceso *m* de franqueo; franqueo *m* adicional; **~preis** *m* (-*es*; -*e*) precio *m* adicional; recargo *m*; sobreprecio *m*; **2reihig** *adj*. de varias filas; **2schichtig** *adj*. de varias capas; **2seitig** *adj*. multilateral; de varias páginas; ⩓ poligonal; poliédrico; **2silbig** *adj*. polisílabo; **2sprachig** *adj*. poliglota; poligloto; **2stellig** *adj. Zahl*: de varias cifras; **2stimmig** *adj. u. adv*. de varias voces; polifónico; a varias voces; **2stöckig** *adj*. de varios pisos; **2stufig** *adj*. escalonado; **2stündig** *adj*. de varias horas; **2tägig** *adj*. de varios días; **2teilig** *adj*. en varias partes; **~umsatz** *m* (-*es*; ⸚*e*) excedente *m* de ventas; **~ung** *f* aumento *m*; **~verbrauch** *m* (-*ẹs*; *0*) aumento *m bzw*. exceso *m* de consumo; consumo *m* adicional; **~wert** *m* (-*ẹs*; *0*) mayor valor *m*; plusvalía *f*; **2wertig** ⚗ *adj*. polivalente; **~wertsteuer** *f* impuesto *m* de plusvalía; **~zahl** *f* (*0*) mayoría *f*; *Gr*. plural *m*; **~zweck...:** *in Zssgn* mixto, de aplicaciones varias.

'**meiden** (*L*) *v/t*. evitar; abstenerse de.

'**Meile** *f* legua *f*; (*See*2) milla *f*; **~nstein** *m* (-*ẹs*; -*e*) piedra *f* miliar; poste *m* kilométrico; **2nweit** *adj. u. adv*. de varias leguas de extensión; a muchas leguas de distancia; *fig*. ~ *davon entfernt sein, zu* (*inf*.) estar muy lejos de (*inf*.).

'**Meiler** *m* horno *m* de carbonero, carbonera *f*; (*Atom*2) pila *f*; reactor *m*; **~kohle** *f* carbón *m* vegetal (*od*. de madera).

mein(*e f*) *m u. n* **I.** *adj. u. pron/pos*. (*unbetont*) mi, *pl*. mis; ~*e Damen und Herren*! ¡Señoras y señores!; ~*es Wissens* que yo sepa; (*betont*) (el) mío; ~ *Gott*! ¡Dios mío!; *es ist* ~ es mío; **II.** 2 *n*: *das* ~ *und Dein* lo mío y lo tuyo.

'**Mein-eid** *m* (-*ẹs*; -*e*) perjurio *m*; *e-n* ~ *schwören* jurar en falso, perjurar; **2ig** *adj*. **~ige**(**r**) *m* perjuro *m*.

'**meinen** *v/t*. opinar; entender; estimar; ser de parecer; (*sagen*) decir; (*glauben*) creer; (*denken*) pensar; (*vermuten*) suponer; sospechar; (*sich denken*) imaginarse, figurarse; (*anspielen auf*) aludir a; (*beabsichtigen*) tener la intención de; *ich meine* opino; estimo; creo; entiendo; me parece que; soy del parecer (*od*. de la opinión) que; *wie* ~ *Sie das*?, *was* ~ *Sie damit*? ¿qué quiere usted decir con eso?; *was* ~ *Sie dazu*? ¿qué opina usted de eso?; ¿qué le parece a usted eso?; *so war es nicht gemeint* no quería decir eso; no lo decía con esa intención; *meinst du nicht auch*? ¿no te parece?; *man sollte* ~ se diría que; se creería que; *das will ich* ~! ¡ya lo creo!, F ¡digo!; *Am*. ¡cómo no!; *damit ist er gemeint* se refiere a él; F eso va por él; *du bist nicht gemeint* no lo digo por ti; no me refiero a ti; *wen* ~ *Sie*? ¿a quién se refiere usted?; *es war nicht böse gemeint* lo decía *bzw*. lo hacía sin mala intención; *es war gut gemeint* era (*od*. lo decía) con buena intención; lo decía *bzw*. lo hacía con la mejor intención; *es gut mit j-m* ~ querer el bien de alg.; obrar con buena intención hacia alg.; *wie* ~ *Sie*? ¿cómo decía usted?; *ganz wie Sie* ~ como usted quiera; como mejor le parezca a usted; *wenn Sie* ~ si le parece a usted bien *bzw*. oportuno; *es ernst* ~ hablar en serio.

'**mein|er, ~e, ~es** *pron/pos*.: *der* (*die, das*) *meine* el mío, la mía, lo mío; **~er** (*gen. v. ich*): *er gedenkt* ~ él se acuerda de mí; **~erseits** *adv*. por mi parte; de mi parte; *ganz ~ als Kompliment*: el gusto ha sido mío; el placer ha sido para mí; **~es'gleichen** *pron.* mis iguales; mis semejantes; gente de mi condición; mi igual; **~ethalben, ~etwegen** *adv.* por mí; por mi causa; por causa mía; (*ich habe nichts dagegen*) ¡sea!; **~ige** *pron/pos.*: *der, die, das ~* el mío, la mía, lo mío; mío, mía; *ich werde das ~ tun* haré todo lo que pueda; *die* 2*n* los míos, mi familia.

'**Meinung** *f* opinión *f*, parecer *m*; (*Absicht*) intención *f*; (*Urteil*) concepto *m*, *kritische*: criterio *m*; *die öffentliche ~* la opinión pública; *vorgefaßte ~* prejuicio *m*, idea *f* preconcebida; *was ist Ihre ~?* ¿cuál es su opinión?, ¿qué opina usted? (*über ac.* de); *meiner ~ nach* en mi opinión; a mi parecer; según mi criterio; a mi modo de ver (*od.* entender); *ich bin der ~, daß ...* opino que ...; mi opinión es que ...; *ich bin nicht Ihrer ~* no soy de (*od.* no comparto) su opinión; no soy de su parecer; *s-e ~ äußern* dar (*od.* decir, *od.* expresar *od.* exponer) su opinión; *für s-e ~ eintreten* tener el valor de sustentar sus opiniones; *s-e ~ ändern* cambiar de opinión (*od.* de parecer); *j-n von s-r ~ abbringen* hacer a alg. cambiar de opinión (*od.* de criterio); *sich e-e ~ bilden* formarse una opinión (*od.* un concepto); *mit j-m e-r ~ sein* ser de la misma opinión que alg.; estar conforme (*od.* de acuerdo) con alg.; *j-s ~ teilen* compartir la opinión de alg.; *anderer ~ sein* ser de otra opinión; pensar de otra manera; *entgegengesetzter ~ sein* ser de opinión contraria *od.* opuesta; *die ~en sind geteilt* hay división de opiniones; *verschiedener ~ sein über* (*ac.*) tener distinta opinión (*od.* no estar de acuerdo) sobre; *darüber kann man verschiedener ~ sein* sobre eso puede haber distintas opiniones; *er steht allein mit s-r ~* sólo él opina así; *es herrscht nur e-e ~ darüber* todo el mundo está de acuerdo sobre eso; *mit s-r ~ zurückhalten* guardar su opinión para sí; *mit s-r ~ hinter dem Berg halten* reservarse su opinión ; *j-m* (*gehörig*) *die ~ sagen* F decirle cuatro verdades a alg.; *e-e gute* (*od. hohe*) *~ haben von* tener buena opinión de; tener un alto concepto de; *e-e schlechte ~ haben von* tener mala opinión de.

'**Meinungs...**: **~äußerung** *f* (manifestación *f* de una) opinión *f*; **~austausch** *m* (*-es*; *0*) cambio *m* de impresiones (*od.* de opiniones); **~befragung** *f*, **~forschung** *f* (*0*) sondeo *m* de opinión; demoscopia *f*; **~verschiedenheit** *f* divergencia *f* de opiniones; disparidad *f* de criterios; discrepancia *f* de pareceres; disentimiento *m*; disconformidad *f*.

'**Meise** *Orn. f* paro *m*.

'**Meißel** *m des Bildhauers*: cincel *m*; *des Tischlers*: escoplo *m*; **2n** (*-le*) *v/t.* cincelar; escoplear.

meist I. *adj.* (*sup. v. viel*): *das ~e Geld* la mayor parte del dinero; *die ~e Zeit* la mayor parte del tiempo; *die ~en* los más, las más, la mayoría *od.* la mayor parte (de los *bzw.* de las); *in den ~en Fällen* (en) los más de los casos, la mayoría (*od.* mayor parte) de los casos; las más de las veces; *die ~en Leute* la mayoría (*od.* mayor parte) de la gente; el común de las gentes; **II.** *adv.* ~, *am ~en* (lo) más; → *meistens*; *was ich am ~en vermisse* lo que más echo de menos; *Am.* lo que más extraño.

'**Meist...**: **2begünstigt** *adj.* más favorecido; **~begünstigungsklausel** *f* (*-*; *-n*) cláusula *f* de nación más favorecida; **2bietend I.** *adj.* mejor postor; **II.** *adv.*: *~ verkaufen* vender a quien más pague; *~ versteigern* subastar al mejor postor; **~bietende(r)** *m* mejor postor *m*.

'**meisten|s, ~teils** *adv.* las más (de las) veces, la mayoría de las veces; en la mayoría de los casos; de ordinario, por lo común; en general, generalmente; ordinariamente.

'**Meister** *m* (*Lehr*2) maestro *m*; *im Handwerk*: maestro *m* (*mst. in Zssg(n)*, *z. B. Bäcker~* maestro panadero; *Maurer~* maestro albañil; *Sport*: campeón *m*; *Chef*: jefe *m*; *~ werden* (*im Handwerk*) pasar el examen de maestría; *an j-m s-n ~ finden* encontrar uno a alg. que le supera; *ein wahrer ~* un maestro consumado; *Übung macht den ~* la práctica hace al maestro; **~brief** *m* (*-es*; *-e*) diploma *m* de maestría; **~fahrer** *m Auto.* as *m* del volante; **~gesang** *m* (*-es*; *0*) *Liter.* poesía *f* de los maestros cantores; **2haft, 2lich I.** *adj.* magistral, de maestro; (*vollkommen*) perfecto; **II.** *adv.* magistralmente, con maestría; a la perfección; **~hand** *fig. f* (*-*; *"e*) mano *f* maestra; **~in** *f* maestra *f*; *Sport*: campeona *f*; **2n** (*-re*) *v/t.* dominar; adueñarse de; (*übertreffen*) superar; **~prüfung** *f* examen *m* de maestría; **~sänger** *m* maestro *m* cantor; **~schaft** *f* maestría *f*; (*Überlegenheit*) superioridad *f*; (*Vollkommenheit*) perfección *f*; *Sport*: campeonato *m*; *e-e ~ erringen* ganar un campeonato; **~schaftskampf** *m* (*-es*; *"e*), **~schaftswettspiel** *n* (*-es*; *-e*) campeonato *m*; (*Fußball*) partido *m* de campeonato; **~schuß** *m* (*-sses*; *"sse*) tiro *m* magistral; *fig.* golpe *m* maestro; **~schütze** *m* (*-n*) campeón *m* de tiro; **~singer** *m* maestro *m* cantor; **~stück** *n* (*-es*; *-e*) *e-s Gesellen*: pieza *f* de maestría; **~werk** *n* (*-es*; *-e*) obra *f* maestra; obra *f* de arte; trabajo *m* (*od.* obra *f*) magistral; **~titel** *m* título *m* de maestro, maestría *f*; *Sport*: título *m* de campeón.

'**Meist|gebot** *n* (*-es*; *-e*) *bei Auktionen*: la mejor postura; ✝ la mejor oferta; **2hin** *adv.* lo más a menudo; en la mayoría de los casos.

'**Mekka** *n* La Meca.

Melancho'lie [-aŋko:-] *f* melancolía *f*.

Melan'cho|liker(in *f*) *m* melancólico (-a *f*) *m*; **2lisch** *adj.* melancólico.

Me'lange [-'lɑ̃ʒə] *f* mezcla *f*; (*Milchkaffee*) café *m* con leche.

Me'lasse *f* melaza *f*.

'**Melde** ⚘ *f* armuelle *m*.

'**Melde|amt** *n* (*-es*; *"er*) oficina *f* del censo; *polizeiliches*: registro *m* de extranjeros; ⚔ oficina *f* de reclutamiento; **~fahrer** ⚔ *m* enlace *m* (motorizado); **~formular** *n* (*-es*; *-e*) impreso *m* declaratorio; *für Einschreibungen*: boletín *m* de inscripción; *polizeiliches*: → *Anmeldeformular*; **~frist** *f* plazo *m* para inscribirse *bzw.* para empadronarse; plazo *m* de presentación; **~gänger** ⚔ *m* enlace *m*; **~hund** ⚔ *m* (*-es*; *-e*) perro *m* mensajero; **~kopf** ⚔ *m* (*-es*; *0*) centro *m* de información avanzado; **~liste** *f* lista *f* de inscripciones.

'**melden** (*-e-*) **1.** *v/t. u. v/i.*: *j-m et. ~* (*mitteilen*) comunicar, participar, hacer saber a/c. a alg.; *förmlich*: notificar; (*ankündigen*) anunciar; avisar, dar aviso de a/c. a alg.; (*berichten*) informar (*j-m et.* a alg. de a/c.); (*erzählen*) referir; (*anzeigen*) denunciar; **2.** *v/refl.*: *sich ~* anunciarse, (*erscheinen, sich vorstellen*) presentarse (*bei* a), *telephonisch*: contestar a la llamada, *Schule*: levantar la mano, (*sich einschreiben*) inscribirse, *polizeilich*: presentarse a la policía; → *anmelden*; *sich auf ein Inserat ~* responder a un anuncio; *sich krank ~* darse de baja por enfermo; *sich zu e-m Examen ~* presentarse a examen; *sich zu e-m Kursus ~* inscribirse para (*od.* matricularse en) un curso; *sich zur Truppe ~* alistarse; *sich zu et. ~* ofrecerse a *od.* para a/c.; *sich zum Wort ~* pedir la palabra; *sich ~ lassen* solicitar ser recibido; hacerse anunciar, pasar tarjeta; *er wird sich schon ~* ya dará noticia de sí.

'**Melde...**: **~pflicht** *f* (*0*) declaración *f* obligatoria; registro *m* obligatorio; **2pflichtig** *adj.* sujeto a declaración; **~schein** *m* (*-es*; *-e*) boletín *m* de declaración; *polizeilicher*: cédula *f* de registro; → *Anmeldeformular*; **~schiff** ⚓ *n* (*-es*; *-e*) aviso *m*; **~schluß** *m* (*-sses*; *0*) cierre *m* de las inscripciones; **~stelle** *f* lugar *m* donde debe hacerse la presentación; (*Einwohner*2) registro *m* (del censo de población); ⚔ oficina *f* de reclutamiento; **~zettel** *m* → *Meldeschein*.

'**Meldung** *f* (*Bericht*) informe *m*; (*Ankündigung*) aviso *m*; (*Mitteilung*) comunicación *f*, *amtlich*: notificación *f*; (*Nachricht*) noticia *f*, información *f*; ⚔ parte *m*; (*Vorstellung*) presentación *f*; (*Bewerbung*) solicitud *f*; (*Einschreibung*) inscripción *f*; *bei e-r Behörde*: registro *m* → *Anmeldung*; *~ erstatten über* (*ac.*) informar sobre *od.* de; dar parte de.

me'lier|en (-) *v/t.* mezclar; **~t** *adj. Haar*: entrecano.

Meli'nit *m* (*-s*; *0*) melinita *f*.

Melio|rati'on ⚒ *f* mejora *f* del suelo, bonificación *f*; **2'rieren** ⚒ (-) *v/t.* mejorar el suelo, bonificar las tierras.

Me'lisse ⚘ *f* melisa *f*, toronjil *m*; **~ngeist** *m* (*-es*; *0*) agua *f* de melisa.

'**Melk|eimer** *m* cubo *m* de ordeñar, ordeñadero *m*; **2en** *v/t.* ordeñar; *frisch gemolkene Milch* leche recién ordeñada; *~de Kuh* vaca lechera (*od.* de leche); *fig.* F (*rupfen*) desplumar; **~en** *n* ordeño *m*; **~er(in** *f*) *m* ordeñador(a *f*) *m*.

Melke'rei *f* lechería *f*; vaquería *f*.

'Melk|maschine *f* (máquina *f*) ordeñadora *f*; **~schemel** *m* escabel *m*.

Melo'die ♪ *f* melodía *f*.

melodi'ös, me'lodisch *adj.* melodioso; (*e-e Melodie enthaltend*) melódico.

Melo|'drama *n* (*-s*; *-dramen*) melodrama *m*; **2dra'matisch** *adj.* melodramático.

Me'lone ⚘ *f* melón *m*; F *Hut* (sombrero *m*) hongo *m*, bombín *m*.

'Meltau ⸙ *m* (*-s*; *0*) mildeu *m*.

Mem'bran(e) *f* membrana *f*.

'Memel *f* (*Fluß*) Niemen *m*; (*Stadt*) Mémel *f*.

'Memme *f* cobarde *m*, F gallina *m*, mandria *m*; **2nhaft** *adj.* cobarde, F agallinado.

Me'moiren [-mo·'ɑ:-] *pl.* memorias *f/pl.*

Memo'randum *n* (*-s*; *Memoranden*) memorándum *m*; libro *m* de anotaciones.

memo'rieren (-) *v/t.* aprender de memoria.

Me'nage [-'nɑ:ʒə] *f* (*Truppenküche*) rancho *m*; (*Feldküche*) cocina *f* de campaña; (*Ölständer*) vinagreras *f/pl.*

Menage'rie *f* casa *f* de fieras; colección *f* de fieras.

Mene'tekel *n* presagio *m* fatídico.

'Menge *f* cantidad *f*; gran número *m*; ⚕, *Phar.* dosis *f*; (*Haufen*) montón *m*; (*Andrang*) afluencia *f*; (*Vielheit*) multitud *f*; (*Masse*) masa *f*; (*Anzahl*) número *m*; (*Fülle*) abundancia *f*; (*Gewühl*) turbamulta *f*; (*Horde*) horda *f*; (*Menschen2*) muchedumbre *f*, multitud *f*; gentío *m*; e-e ~ (*viele*) ... gran número de ...; multitud de ...; F la mar de ...; *in ~n* en gran cantidad, en abundancia; *in kleinen* (*großen*) *~n* en pequeñas (grandes) cantidades; e-e ~ *Leute* (*Fragen*) un montón de gente (preguntas); *in großen ~n* (*in Scharen*) en masa; en grandes masas; F *in rauhen ~n* en masa; en enorme cantidad; **2n** *v/t.* mezclar; *fig. sich ~ in* mezclarse en, inmiscuirse en, entremeterse en; F meterse en; **~n** *n* mezcla *f*; *bsd. Phar.* mixtura *f*.

'Mengen...: **~bestimmung** *f* determinación *f* cuantitativa; **~einheit** *f* unidad *f* cuantitativa; **~leistung** ⊕ *f* rendimiento *m* cuantitativo; **2mäßig** *adj.* cuantitativo; **~rabatt** *m* bonificación *f* por cantidad; **~verhältnis** *n* (*-sses*; *-se*) relación *f* *od.* proporción *f* cuantitativa.

'Meng...: **~futter** ⸙ *n* herrén *m*, forraje *m* mixto; **~korn** ⸙ *n* (*-es*; *0*) comuña *f*, cultivo *m* mixto de trigo y centeno; **~sel** *m* mezcla *f*; F *fig.* mezcolanza *f*.

Menin'gitis ⚕ *f* (*0*) meningitis *f*.

Me'niskus *m* (*-*; *Menisken*) menisco *m*.

'Mennige ['-gə] *f* (*0*) minio *m*; **2en** *v/t.* dar una capa de minio.

'Mensa *f* comedor *m* universitario.

Mensch 1. *m* (*-en*) hombre *m*; (*Wesen*) ser *m* humano; (*Sterblicher*) mortal *m*; (*Person*) persona *f*; (*Einzel2*) individuo *m*; (*Kerl*) sujeto *m*, individuo *m*, F tío *m*; *die ~en* los hombres; *alle ~en* todo el mundo; *jeder ~* todos, todo el mundo; cada cual, cada uno; *kein ~ weiß* es nadie lo sabe; *es ist kein ~ zu sehen* no se ve a nadie; no se ve alma viviente; *des ~en Sohn Rel.* el Hijo del Hombre; Dios Hombre; *~ werden Rel.* hacerse hombre; *ein guter* (*od. anständiger*) *~* un hombre de bien, una persona decente; *ein gutmütiger ~* (*guter Kerl*) un buen hombre, F un infeliz; *ein seltsamer ~* un hombre raro, F un bicho raro; *unter ~en kommen* hacer vida social, alternar con la gente; *so sind die ~en nun einmal* así es la naturaleza humana; *er ist auch nur ein ~* es un hombre como todos (nosotros), también él es un ser humano; F *Anrede*: *~!* ¡hombre!; **2.** P *n* mujerzuela *f*, pécora *f*, P zorra *f*, V puta *f*.

'Menschen...: **~affe** *m* (*-n*) antropoide *m*; **2ähnlich** *adj.* antropomorfo, antropoide; **~alter** *n* generación *f*; edad *f*; **~blut** *n* (*-es*; *0*) sangre *f* humana; **~feind** *m* (*-es*; *-e*) misántropo *m*; **~fleisch** *m* (*-es*; *0*) carne *f* humana; **~fresser** *m* antropófago *m*, caníbal *m*; *im Märchen*: ogro *m*; **~freund** *m* (*-es*; *-e*) filántropo *m*; **2freundlich I.** *adj.* filantrópico; altruista; humanitario; (*leutselig*) afable; (*wohlwollend*) benévolo; (*gütig*) bondadoso; **II.** *adv.* filantrópicamente; **~gedenken** *n*: *seit ~* desde tiempos inmemoriales; **~geschlecht** *n* (*-es*; *-er*) género *m* humano; **~gestalt** *f* figura *f* (*od.* forma *f*) humana; *in ~ Rel.* encarnado; *~ annehmen Rel.* hacerse hombre; **~gewühl** *n* (*-es*; *0*) gentío *m*; turbamulta *f*; **~handel** *m* (*-s*; *0*) trata *f* de negros; tráfico *m* de esclavos; **~herz** *n* (*-ens*; *-en*) corazón *m* humano; **~kenner** *m* conocedor *m* de los hombres (*od.* de la naturaleza humana); **~kenntnis** *f* (*-*; *-se*) conocimiento *m* de la naturaleza humana; experiencia *f* (del mundo), F mundología *f*; **~kind** *n* (*-es*; *-er*) hombre *m*, ser *m* humano; *armes ~!* ¡pobre criatura!; **~kraft** *f* (*0*) fuerza *f* humana; **~kunde** *f* (*0*) antropología *f*; **~leben** *n* vida *f* (humana); *~ pl. kosten* causar víctimas; *es hat keine ~ gekostet* no ha habido víctimas (*od.* muertos); **2leer** *adj.* despoblado; *Straße*: desierto; **~los** *n* (*-es*; *0*) destino *m* humano; **~material** *n* (*-s*; *0*) material *m* humano; ⚔ (*verfügbares*) *~* hombres (disponibles); **~menge** *f* muchedumbre *f*, gentío *m*; (*Pöbel*) turba *f*; **2möglich** *adj.* humanamente posible; **~natur** *f* (*0*) naturaleza *f* humana; **~opfer** *n* víctima *f*; *als Handlung*: sacrificio *m* humano; **~potential** *n* (*-s*; *0*) reservas *f/pl.* de hombres; **~rasse** *f* raza *f* humana; **~raub** *m* (*-es*; *0*) secuestro *m*; **~räuber** *m* secuestrador *m*; **~recht** *n* (*-es*; *-e*) derecho *m* humano; derechos *m/pl.* (naturales) del hombre; *Erklärung der ~e* Declaración de los Derechos del Hombre; *Internationale Liga für ~e* Liga Internacional de los Derechos del Hombre; **2scheu** *adj.* (*schüchtern*) tímido; (*ungesellig*) poco sociable; retraido; huraño, *stärker*: misántropo; **~scheu** *f* timidez *f*; (*Ungeselligkeit*) insociabilidad *f*, *stärker*: misantropía *f*; **~schlag** *m* (*-es*; *0*) raza *f* (*od.* especie *f*) de hombres, casta *f*; **~seele** *f* alma *f* humana; *es war keine ~ zu sehen* no se veía alma viviente; **~skind** *n*: *~!* F ¡hombre!; **~sohn** *Rel.* *m* Hijo *m* del Hombre; **~stimme** *f* voz *f* humana; **~strom** *m* (*-es*; *⸗e*) oleada *f* de gente; **~tum** *m* (*-s*; *0*) humanidad *f*; **2unwürdig** *adj.* indigno de un ser humano; **~verstand** *m*: *der gesunde ~* el sentido común; el buen sentido; **~werk** *n* (*-es*; *-e*) obra *f* humana; **~würde** *f* (*0*) dignidad *f* humana; **2würdig** *adj.* digno del hombre (*od.* de un ser humano).

'Menschheit *f* (*0*) humanidad *f*; género *m* humano.

'menschlich *adj.* humano; humanitario; *die ~e Natur* la naturaleza humana; *nach ~em Ermessen, nach ~er Voraussicht* según las previsiones humanas; dentro de lo humanamente previsible; **2keit** *f* (*0*) humanidad *f*; *Verbrechen gegen die ~* crimen contra la humanidad; *Gebot der ~* deber humanitario (*od.* de humanidad).

Menstru|ati'on *f* menstruación *f*, período *m*, regla *f*; **2'ieren** (-) *v/i.* menstruar.

Men'sur *f* mensura *f*; *Sch.* (*Duell*) duelo *m* reglamentario entre estudiantes de distintas asociaciones; *auf die ~ gehen* batirse en duelo estudiantil.

Mentali'tät *f* mentalidad *f*.

Men'thol *n* (*-s*; *0*) mentol *m*.

'Mentor *fig.* *m* (*-s*; *-en*) mentor *m*, guía *m*; consejero *m*.

Me'nü *n* (*-s*; *-s*) minuta *f*, *gal.* menú *m*.

Menu'ett *n* (*-es*; *-e*) minueto *m*.

Me'nükarte *f* carta *f*; lista *f* de platos.

Me'phisto *m*, **Mephis'topheles** *m* Mefistófeles *m*.

mephisto'phelisch *adj.* mefistofélico.

'Mergel *m* marga *f*; *mit ~ düngen* margar, abonar con marga; **~boden** *m* (*-s*; *⸗*) terreno *m* margoso; **~grube** *f* marguera *f*; **2n** *v/t.* margar.

Meridi'an [-'dĭ-] *m* (*-s*; *-e*), **~kreis** *m* (*-es*; *-e*) meridiano *m*.

meridio'nal *adj.* meridional.

Me'rino *m* (*Zoo. u. Stoff*) merino *m*; **~schaf** *n* (*-es*; *-e*) oveja *f* merina; **~wolle** *f* lana *f* merina, merino *m*.

merkan'til(isch) *adj.* mercantil.

Merkanti'lismus *m* (*-*; *0*) mercantilismo *m*.

'merk|bar *adj.* perceptible; sensible; **2blatt** *n* (*-es*; *⸗er*) hoja *f* informativa (*od.* explicativa *od.* de instrucciones).

'merken 1. *v/t.* fijarse, reparar en, observar; (*aufschreiben*) tomar nota de, apuntar; (*wahrnehmen*) percibir, advertir, notar (*ac.*); (*fühlen*) sentir; (*auf et. kommen*) caer en la cuenta de, darse cuenta de; (*entdecken*) descubrir; (*et. heraus~*) enterarse de a/c.; *~ lassen* hacer comprender *od.* notar; dejar traslucir (*ac.*); *den Zorn nicht ~ lassen* disimular su cólera; *davon ist nichts zu ~* no se nota nada de eso; *j-n et. ~ lassen* dejar entrever a/c. a alg.; dar a comprender a/c. a alg.; *das werde ich mir ~* tomaré buena nota de ello, *als e-e Lehre*: esto me servirá de lección; *~ Sie sich das!* ¡no se le olvide esto que le digo!, (*lassen Sie es sich gesagt sein*) ¡téngase usted por advertido!; *wohl gemerkt* bien entendido; *sich et. ~* tomar nota de a/c.; *sich nichts ~ lassen* disimular a/c.; hacerse el desentendido, F hacerse el sueco; **2.** *v/i.*: *auf et.* (*ac.*) *~* atender a (*od.* poner atención en) a/c.; **~swert** *adj.* notable, digno de recordarse.

'**merklich** *adj.* perceptible; sensible; (*sichtlich*) visible; (*fühlbar*) apreciable; (*beträchtlich*) considerable; notable; (*deutlich*) evidente.

'**Merkmal** *n* (*-es*; *-e*) (*Zeichen*) marca *f*, señal *f*; (*Anzeichen*) indicio *m*; (*Symptom*) síntoma *m*; (*Unterscheidungs2*) distintivo *m*; (señal *f*) característica *f*; rasgo *m* característico; (*Eigenschaft*) atributo *m*, propiedad *f*; (*geistiges ~*) criterio *m*.

Mer'kur *m* Mercurio *m* (*a. Astr.*).

'**Merk...**: **~vers** *m* (*-es*; *-e*) verso *m* (m)nemotécnico; **2würdig** *adj.* notable; (*denkwürdig*) memorable; (*seltsam*) curioso, singular; raro, chocante; **2würdigerweise** *adv.* me extraña (*od.* es curioso) que (*subj.*); **~würdigkeit** *f* cosa *f* notable; (*Sehenswürdigkeit*) curiosidad *f*; cosa *f* digna de verse; monumento *m*; (*Besonderheit*) particularidad *f*; (*Seltsamkeit*) cosa *f* rara *od.* curiosa; **~zeichen** *n* (*Hinweis*) referencia *f*; (*Lesezeichen*) señal *f*; → *Merkmal*.

Mero'wing|er *m*, **2isch** *adj.* merovingio *m*.

merzeri'sieren (-) *v/t.* mercerizar.

me'schugge [me'-] F *adj.* chiflado, tocado (de la cabeza), chalado.

'**Mesner** *m* sacristán *m*.

'**Meson** *Phys.* *n* (*-s*; *-en* [-'so:-]) mesón *m*.

Mesopo'tamien *n* Mesopotamia *f*.

Meso'tron *Phys.* *n* (*-es*; *-e*) mesotrón *m*.

'**Meß|amt** *Lit.* *n* (*-es*; *⸗er*) misa *f*; oficio *m* divino; **~apparat** *m* (*-es*; *-e*) aparato *m* de medición; **~band** *n* (*-es*; *⸗er*) cinta *f* métrica; **2bar** *adj.* (con)mensurable; **~barkeit** *f* (*0*) (con)mensurabilidad *f*; **~becher** *m* vaso-medida *m*; **~bereich** *m* (*-es*; *-e*) alcance *m* de medición; **~bild** *n* (*-es*; *-er*) fotograma *m*; **~bildverfahren** *n* fotogrametría *f*; **~brücke** ⚡ *f* puente *m* de medición (*od.* de Wheatstone); **~buch** *Rel.* *n* (*-es*; *⸗er*) misal *m*; libro *m* de misa; **~diener** *Rel.* *m* acólito *m*, monaguillo *m*.

'**Messe**[1] ⚓, ⚔ *f* (*Offiziers2*) mesa *bzw.* cámara de oficiales.

'**Messe**[2] *Lit.* *f* misa *f*; *die ~ lesen* decir *od.* celebrar la misa; *die ~ hören* oír misa; *stille ~* misa rezada; *die ~ bedienen* ayudar a misa.

'**Messe**[3] ☤ *f* (*Ausstellung, Markt*) feria *f*; **~amt** ☤ *n* (*-es*; *⸗er*) oficina *f* (*od.* secretaría *f*) de una feria de muestras; **~besucher** *m* feriante *m*; **~gelände** *n* terreno *m* de la feria; **~halle** *f* gran pabellón *m* de la feria.

'**messen 1.** (*L*) *v/t.* medir; (*eichen*) contrastar; calibrar; ⚓ (*loten*) sondar; ⚒ apear; (*Hohlgefäße*) cubicar; (*Schiff*) arquear; (*Wassermenge e-s Flusses*) aforar; *mit dem Metermaß* (*od. nach Metern*) *~* medir por metros; *mit der Wasserwaage ~* nivelar; *die Temperatur ~* ⚕ tomar la temperatura; *die Zeit ~* medir el tiempo; cronometrar; *fig.* *j-n mit Blicken* (*od. mit den Augen*) *~* mirar con atención a alg.; *s-e Kräfte mit j-m ~* medir sus fuerzas con alg.; *sich mit j-m ~* medirse con alg.; competir (*od.* rivalizar) con alg.; **2.** *v/i.* medir; *zwei Meter ~* medir dos metros (*od.* tener dos metros de largo); *zwei Meter in die Breite ~* tener dos metros de ancho; *dieser Behälter mißt 10 Hektoliter* este depósito tiene una capacidad de diez hectólitros; → *gemessen*.

'**Messer** *n* cuchillo *m*; (*Maschinen2*) cuchilla *f*; (*Klapp2*) navaja *f*; (*Rasier2*) navaja *f* de afeitar; (*Klinge*) hoja *f*; (*Dolch*) puñal *m*; (*Busch2*) machete *m*; (*Taschen2*) *großes*: navaja *f*, *kleines*: cortaplumas *m*; (*Sezier2*) escalpelo *m*; *Chir.* bisturí *m*; (*Fisch2*) cuchillo *m* para pescado; *feststehendes ~* navaja de muelles; *mit dem ~ stechen* acuchillar; *fig. Krieg bis aufs ~* guerra sin cuartel; *j-m das ~ an die Kehle setzen* poner a alg. el puñal al pecho; *ihm sitzt das ~ an der Kehle* está con el dogal (*od.* con el agua) al cuello; *j-n ans ~ liefern* (*ihn preisgeben*) abandonar a alg.; *es steht auf des ~s Schneide* está en (*od.* pendiente de) un hilo; **~besteck** *n* (*-es*; *-e*) estuche *m* de cuchillos; **~chen** *n* cuchillito *m*; **~fabrik** *f* cuchillería *f*, fábrica *f* de cuchillos; **~griff** *m* (*-es*; *-e*), **~heft** *n* (*-es*; *-e*) mango *m* de cuchillo; **~held** *m* (*-en*) F matón *m*, guapo *m*; *Am.* cuchillero *m*; **~klinge** *f* hoja *f* de cuchillo; **~kontakt** ⚡ *m* (*-es*; *0*) contacto *m* de cuchilla; **~rücken** *m* lomo *m* del cuchillo; **~schalter** ⚡ *m* conmutador *m* de cuchillas; **2scharf** *adj.* tajante (*a. fig.*); **~scheide** *f* vaina *f* de cuchillo; **~schmied** *m* (*-es*; *-e*) cuchillero *m*; **~schmiedewaren** *f/pl.* cuchillería *f*; **~schneide** *f* filo *m* (*od.* corte *m*) del cuchillo; **~spitze** *f* punta *f* del cuchillo; **~spitzevoll** *f*: *e-e ~* pizca con la punta del cuchillo; **~steche'rei** *f* riña *f* a cuchilladas; **~stich** *m* (*-es*; *-e*) cuchillada *f*; navajazo *m*, navajada *f*.

'**Messe|stand** *m* (*-es*; *⸗e*) pabellón *m*; (*Bude*) barracón *m* de feria; stand *m*; **~teilnehmer** *m* expositor *m*; **~zeit** *f* temporada *f* (*od.* tiempo *m*) de feria.

'**Meß...**: **~fähnchen** *n*, **~fahne** *f* jalón *m*; **~fehler** *m* error *m* de medición; **~gefäß** *n* (*-es*; *-e*) ⚗ copa *f* (*od.* probeta *f*) graduada; *Lit.* **~e** *pl.* vasos *m/pl.* sagrados; **~gehilfe** *Rel.* *m* (*-n*) acólito *m*, monaguillo *m*; **~gerät** *n* (*-es*; *-e*) ⊕ instrumento *m* de medición; registrador *m*; *Lit.* vasos *m/pl.* sagrados; **~gewand** *Lit.* *n* (*-es*; *⸗er*) casulla *f*; **~hemd** *Lit.* *n* (*-es*; *-en*) alba *f*.

Mes'sias *m* Mesías *m*.

'**Messing** *n* (*-s*; *0*) latón *m*; **~blech** *n* (*-es*; *-e*) latón *m* en hojas; hoja *f* de latón; **~draht** *m* (*-es*; *⸗e*) alambre *m* de latón; **~geschirr** *n* (*-es*; *0*) vajilla *f* de latón; **~gieße'rei** *f* fundición *f* de latón; **~guß** *m* (*-sses*; *0*) fundición *f* de latón; **~rohr** *n* (*-es*; *-e*) tubo *m* de latón; **~schmied** *m* (*-es*; *-e*) latonero *m*; **~schraube** *f* tornillo *m* de latón; **~ware** *f* artículos *m/pl.* de latón, latonería *f*.

'**Meß...**: **~instrument** *n* (*-es*; *-e*) instrumento *m* de medición; **~kelch** *Lit.* *m* (*-es*; *-e*) cáliz *m*; **~kette** ⚒ *f* cadena *f* de agrimensor; **~kolben** ⚗ *m* matraz *m* graduado; **~leine** ⚒ *f* cuerda *f* (*od.* cinta *f*) de agrimensor; **~opfer** *Lit.* *n* (santo) sacrificio *m* de la misa; **~priester** *Lit.* *m* celebrante *m*; **~rute** *f* vara *f* de medir; **~stab** *m* (*-es*; *⸗e*), **~stange** *f* vara *f* de medir; ⚒ jalón *m*; **~tisch** *m* (*-es*; *-e*) *der Topographen*: plancheta *f*; **~tischblatt** *n* (*-es*; *⸗er*) plano *m* de plancheta (escala 1 : 25.000); **~trupp** ⚒ *m* (*-s*; *-s*) equipo *m* de agrimensores; **~tuch** *Lit.* *n* (*-es*; *⸗er*) corporales *m/pl.*; **~uhr** *f* reloj *m* de medición; contador *m*.

'**Messung** *f* medición *f*; ⚓ arqueo *m*.

'**Meß...**: **~wein** *Lit.* *m* (*-es*; *0*) vino *m* de misa; **~wert** *m* (*-es*; *-e*) valor *m* de medición, valor *m* registrado; **~ziffer** *f* (*-*; *-n*) índice *m* de medición; **~zirkel** *m* compás *m* de medición; **~zylinder** *m* ⚗ probeta *f* graduada.

Mes'tiz|e *n* (*-n*), **~in** *f* mestizo *m*, mestiza *f*.

Met [e:] *m* (*-s*; *0*) hidromel *m*.

Me'tall *n* (*-es*; *-e*) metal *m*; *edles* (*gediegenes*) *~* metal precioso (nativo); *Klang der Stimme*: timbre *m*; **~ader** *f* (*-*; *-n*) filón *m* metalífero; **~arbeiter** *m* (obrero *m*) metalúrgico *m*; **~baukasten** *m* (*-s*; *⸗*) caja *f* de construcción metálica; **~bearbeitung** *f* trabajo *m* de los metales; **~beschläge** *m/pl.* chapado *m* metálico; herraje *m*; **~deckung** *f* *e-r Währung*: reserva *f* en metálico; **2en** *adj.* de metal; metálico; **~fadenlampe** *f* lámpara *f* de filamento metálico; **~färbung** *f*: *galvanische ~* galvanocromía *f*; **~folie** *f* hoja *f* de metal; **~gehalt** *m* (*-es*; *-e*) *e-s Erzes*: riqueza *f* metálica, contenido *m* de metal; **~geld** *n* (*-es*; *0*) metálico *m*, moneda *f* metálica *od.* sonante; **~gewebe** *n* tejido *m* metálico; **~gieße'rei** *f* fundición *f* de metales; **~glanz** *m* (*-es*; *0*) brillo *m* metálico; **2haltig** *adj.* metalífero; **~hütte** *f* fábrica *f* metalúrgica; **~industrie** *f* industria *f* metalúrgica; **2isch** *adj.* metálico; de metal; **2i'sieren** (-) *v/t.* metalizar; **~karbid** ⚗ *n* (*-s*; *0*) carburo *m* metálico; **~kunde** *f* (*0*) metalografía *f*.

Metallo'graph *m* (*-en*) metalógrafo *m*.

Metallo'id ⚗ *n* (*-es*; *-e*) metaloide *m*.

Me'tall...: **~oxyd** ⚗ *n* (*-es*; *-e*) óxi-

do *m* metálico; **~platte** *f* placa *f* de metal; **~putzmittel** *n* limpiametales *m*; **~säge** *f* sierra *f* para metales; **~schild** *n* (-es; -er) placa *f* metálica; **~schlauch** *m* (-es; ⸚e) tubo *m* metálico flexible; **~spritzverfahren** *n* procedimiento *m* de metalización a pistola (*od.* al duco); **~überzug** *m* (-es; ⸚e) revestimiento *m* metálico; recubrición *f* metálica.
Metal'lurg *m* (-en) metalúrgico *m*, metalurgista *m*.
Metallur'gie *f* (0) metalurgia *f*.
metal'lurgisch *adj.* metalúrgico.
Me'tall...: ♀verarbeitend *adj.* metalúrgico; **~vorrat** *m* (-es; ⸚e) *e-r Bank*: reserva *f* metálica; **~währung** *f* patrón *m* metálico; **~walzwerk** ⊕ *n* (-es; -e) laminador *m* de metales; **~waren** *f/pl.* artículos *m/pl.* de metal; **~warenfabrik** *f* fábrica *f* de artículos metálicos.
Metamor'phose *f* metamorfosis *f*.
Me'tapher [-'tafər] *f* (-; -n) metáfora *f*.
meta'phorisch *adj.* metafórico.
Meta|phy'sik *f* (0) metafísica *f*; **~'physiker** *m*, **♀'physisch** *adj.* metafísico *m*.
Metas'tase ⚕ *f* metastasia *f*.
Me'tathesis *Gr. f* (-; *esen* [-'te:sən]) metátesis *f*.
Mete'or [-e·'o:r] *m* (-s; -e) meteorito *m*; *fig.* meteoro *m*; **♀artig** *adj.* meteórico; **~eisen** *n* hierro *m* meteórico.
Meteoro|'loge *m* (-n) meteorologista *m*, meteorólogo *m*; **~lo'gie** *f* (0) meteorología *f*; **♀'logisch** *adj.* meteorológico.
Mete'orstein *m* (-es; -e) meteorito *m*; aerolito *m*, piedra *f* meteórica.
'Meter *n* (*a. m*) metro *m*; *nach ~n messen* medir por metros; **~band** *n* (-es; ⸚er) cinta *f* métrica; **~maß** *n* (-es; -e) metro *m*; *zusammenlegbares ~* (*Zollstock*) metro *m* (plegable); **~stab** *m* (-es; ⸚e) metro *m*; **~system** *m* (-s; 0) sistema *m* métrico; **♀weise** *adv.* por metros.
Me'than ⚗ *n* (-s; 0) metano *m*.
Me'thod|e *f* método *m*; **~ik** *f* metodología *f*; **♀isch** *adj.* metódico; *adv. ~ denken* pensar metódicamente (*od.* con método).
Metho'dis|mus *m* (-; 0) metodismo *m*; **~t(in** *f*) *m* (-en) metodista *m/f.*; **♀tisch** *adj.* metodista.
Methodolo'gie *f* metodología *f*.
Me'thyl ⚗ *n* (-s; 0) metilo *m*; **~alkohol** *m* (-s; 0) alcohol *m* metílico.
Methy'len ⚗ *n* (-es; 0) metileno *m*.
Metony'mie *Rhet. f* metonimia *f*.
meto'nymisch *adj.* metonímico.
'Metrik *f* (0) métrica *f*; (*Abhandlung*) tratado *m* de métrica.
'metrisch *adj.* métrico.
Metro'nom *n* (-s; -e) metrónomo *m*.
Metro'pole *f* metrópoli *f*.
Metropo'li|t *m* (-en) arzobispo *m* metropolitano; (*griechischer Erzbischof*) metropolita *m*; **♀'tan** *adj.* metropolitano; **~'tankirche** *f* iglesia *f* metropolitana.
'Metrum *n* (-s; *Metren*) metro *m*; versificación *f*.
'Mette *Rel. f* maitines *m/pl.*
Met'teur [-ø:-] *Typ. m* (-s; -e) ajustador *m*, compaginador *m*.
'Mettwurst *f* butifarra *f* ahumada.
Metze'lei *f* mantanza *f*; carnicería *f*; degollina *f*.
'metzeln (-le) *v/t.* degollar; matar.
'Metzger(in *f*) *m* carnicero (-a *f*) *m*.
Metzge'rei *f* carnicería *f*.
'Meuchel|mord *m* (-es; -e) asesinato *m* alevoso; **~mörder** *m* asesino *m*; **♀mörderisch** *adj.* asesino.
'meuch|lerisch *adj.* alevoso, traidor; **~lings** *adv.* con alevosía, alevosamente, a traición.
'Meute *Jgdw. f* jauría *f*.
Meute'rei *f* motín *m*, amotinamiento *m*; sedición *f*; ⚔ insurrección *f*; sublevación *f*.
'Meuter|er *m* amotinador *m*; amotinado *m*; sedicioso *m*; insurrecto *m*; sublevado *m*; **♀isch** *adj.* amotinado; sedicioso; sublevado; **♀n** (-re) *v/i.* amotinarse; sublevarse.
Mexi'kan|er(in *f*) *m* mejicano (-a *f*) *m*, mexicano (-a *f*) *m*; **♀isch** *adj.* mejicano, mexicano.
'Mexiko *n* (*Land*) Méjico *m*, México *m*; (*Stadt*) Méjico D.F. (= Distrito Federal) *m*, México D.F.
'Mezzosopran ['mɛtso·-] ♪ *m* (-s; -e) mezzosoprano *m*.
mi'auen I. (-) *v/i.* maullar, mayar; **II. ♀** *n* maullido *m*.
mich *pron/pers.* (*ac. v. ich*); *unbetont*: me; *betont*: a mí; *für ~* para mí; *er fragte ~* me preguntó; *ich blickte hinter ~* miré detrás de mí; *er liebt ~* (él) me ama.
'Michael *m* Miguel *m*.
Micha'elis *n*: *zu* (*od. auf*) *~* el día de San Miguel, por San Miguel; **~fest** *n* (-es; 0) fiesta *f* de San Miguel.
'Michel *m* Miguel *m*; *der deutsche ~*: (tipo simbólico del alemán cándido y dócil, equivalente al Juan Español); (*Spitzname*) babieca *m*.
mied *pret. v. meiden.*
'Mieder *n* (*Leibchen*) corpiño *m*, justillo *m*; (*Korsett*) corsé *m*.
Mief F *m* (-s; 0) aire *m* viciado.
'Miene *f* (*Gesicht*) cara *f*, semblante *m*; (*Gebärde*) gesto *m*; (*Aussehen*) aire *m*, aspecto *m*; *überlegene* (*unschuldvolle*) *~* aire de superioridad (inocencia); *~ machen, et. zu tun* amenazar con hacer a/c.; hacer ademán de (*inf.*); *e-e finstere ~ machen* poner gesto huraño; *mit saurer ~* con gesto avinagrado, con cara de vinagre; *gute ~ zum bösen Spiel machen* poner a mal tiempo buena cara; hacer de tripas corazón; *ohne e-e ~ zu verziehen* sin pestañear; *mit strenger ~* con gesto adusto; **~nspiel** *n* (-es; 0), **~nsprache** *f* (0) mímica *f*.
'mies F *adj.* malo; feo; *mir ist ~* me siento mal; **~machen** *v/i.* pintarlo todo negro; **♀macher** *m* derrotista *m*; alarmista *m*; pesimista *m*; (*Spielverderber*) aguafiestas *m*; **♀mache'rei** *f* derrotismo *m*; **♀muschel** *Zoo. f* (-; -n) mejillón *m*.
'Miet|ausfall *m* (-es; 0) pérdida *f* de alquiler; **~auto** *n* (-s; -s) automóvil *m* de alquiler; (*Taxi*) taxi *m*; **~dauer** *f* (0) duración *f* del alquiler.
'Miete¹ *f* (*Mietpreis*) alquiler *m*, renta *f*; (*Mietbetrag*) precio *m* del alquiler; (*Vermietung*) alquiler *m*; (*Pacht*) arriendo *m*; (*Verpachtung*) arrendamiento *m*; *Thea.* (*Platz♀*) abono *m*; *fällige ~* alquiler vencido; *rückständige ~* alquiler atrasado; *zur ~ geben* alquilar, dar en alquiler; arrendar, dar en arriendo; *zur ~ haben* tener alquilado (*od.* en alquiler); *zur ~ wohnen* ser inquilino; vivir en casa *bzw.* piso de alquiler.
'Miete² ⚘ *f* silo *m*; (*Schober*) almiar *m*.
'Miete³ *Zoo. f* (*Milbe*) ácaro *m*.
'mietefrei *adj.* exento (del pago) de alquiler; *adv.* sin pagar alquiler.
'Miet-einnahme *f* renta *f*.
'mieten¹ I. (-e-) *v/t.* alquilar, tomar en alquiler; arrendar; (*Dienstboten*) contratar, *Am.* conchabar; (*chartern*) fletar; (*pachten*) arrendar, tomar en arriendo; **II. ♀** *n* alquiler *m*; *v. Dienstboten*: ajuste *m*, *Am.* conchabo *m*; (*Chartern*) flete *m*.
'mieten² ⚘ (-e-) *v/t.* ensilar; *Heu, Stroh*: apilar.
'Miet-entschädigung *f* indemnización *f* de alquiler.
'Mieter(in *f*) *m* inquilino (-a *f*) *m*; *einzelnes Zimmer*: huésped *m*; *e-s Schiffes*: fletador *m*; (*Pächter*) arrendatario *m*; *Thea.* (*Platzmieter*) abonado *m*.
'Miet-erhöhung *f* subida *f* de alquileres.
'Mieter...: ~schaft *f* (0) inquilinos *m/pl.*; **~schutz** *m* (-es; 0) protección *f* de inquilinos.
'Miet-ertrag *m* (-es; ⸚e) producto *m* del alquiler.
'Miet...: ~haus *n* (-es; ⸚er) casa *f* de pisos (de alquiler); casa *f* de inquilinos; **~herr** *m* (-en) (*Eigentümer*) propietario *m*, casero *m*; (*Vermieter*) patrón *m*; (*Mieter*) inquilino *m*; (*Zimmerherr*) huésped *m*; **~kaserne** *f* casa *f* de vecindad; *Am.* casa *f* de departamentos; *Arg.* F conventillo *m*; **~kontrakt** *m* (-es; -e) contrato *m* de alquiler *bzw.* de arrendamiento; **~preis** *m* (-es; -e) (precio *m* del) alquiler *m*; **~senkung** *f* baja *f* de alquileres; **~shaus** *n* → *Miethaus*; **~skaserne** *f* → *Mietkaserne*; **~steigerung** *f* subida *f* de alquileres; **~vertrag** *m* (-es; ⸚e) → *Mietkontrakt*; **~wagen** *m* coche *m* de alquiler; **♀weise** *adv.* en alquiler; en arrendamiento; **~wert** *m* (-es; -e) valor *m* de la renta; **~wohnung** *f* (*Etage*) piso *m* (de alquiler); **~zins** *m* (-es; -en) renta *f*, alquiler *m*; **~zinssteuer** *f* (-; -n) impuesto *m* sobre los alquileres.
'Mieze *f* gato *m*; F micha *f*, minina *f*; micho *m*, minino *m*.
Mi'gräne ⚕ *f* jaqueca *f*.
'Mikro-analyse *f* microanálisis *m*.
Mi'krobe *f* microbio *m*.
'Mikrobiologie *f* (0) microbiología *f*.
mi'krobisch *adj.* microbiano.
'Mikro...: ~chemie *f* (0) microquímica *f*; **~film** *m* (-es; -e) microfilm *m*; **~kopie** *f* copia *f* microfotográfica; **~'kosmos** *m* (-; 0) microcosmos *m*; **~'meter** *m* micrómetro *m*; **~'metereinstellung** *f* ajuste *m* micrométrico; **~'meterschraube** ⊕ *f* tornillo *m* micrométrico; **♀'metrisch** *adj.* micrométrico.
'Mikron *n* (-s; -) micra *f*.
'Mikro...: ~organismus *m* (-; -organismen) microorganismo *m*; **~'phon** *n* (-s; -e) micrófono *m*;

~photographie *f* microfotografía *f*; **~physik** *f* (*0*) microfísica *f*; **~'skop** *n* (*-ės*; *-e*) microscopio *m*; **~sko'pie** *f* microscopia *f*; **2'skopisch** *adj.* microscópico; **~waage** *f* microbalanza *f*; **~wellen** *f/pl.* microondas *f/pl.*

'Milbe *Zoo. f* ácaro *m*; (*Krätz2*) *a.* arador *m*.

'Milch *f* (*0*) leche *f*; *dicke* ~ leche cuajada; *kuhwarme* ~ leche recién ordeñada; *kondensierte* ~ leche condensada; *der Fische*: lecha *f*; **~absonderung** *f* secreción *f* de la leche; **2artig** *adj.* lechoso; lácteo; (*Glas*) opalino; **~bart** *m* (*-ės*; *⸚e*) bozo *m*; barba *f* incipiente; *fig.* boquirrubio *m*, sietemesino *m*; **~brei** *m* (*-ės*; *-e*) papilla *f* lacteada; **~brötchen** *n* bollo *m* de leche; **~büchse** *f* bote *m* de leche condensada; **~drüse** *Anat. f* glándula *f* mamaria; **2en** *v/i.* tener *bzw.* dar leche; ~*de Kuh* vaca lechera (*od.* de leche); **~er** *Ict. m* pez *m* de lechas; **~erzeugnisse** *n/pl.* productos *m/pl.* lácteos; **~fieber** *n* (*0*) fiebre *f* láctica; **~flasche** *f* botella *f* de leche; *für den Säugling*: biberón *m*; **2gebend** *adj.* lechero, que da leche; ⚘ lechal; **~gebiß** *n* (*-sses*; *-sse*) dentadura *f* de leche; primera dentición *f*; **~gefäß** *n* (*-es*; *-e*) recipiente *m* de leche; *Anat.* conducto *m* galactóforo; **~geschäft** *n* (*-ės*; *-e*) lechería *f*; **~gesicht** *n*: *ein* ~ *haben* tener cutis lechoso; tener cara pálida; (*Grünschnabel*) boquirrubio *m*; **~glas** *n* (*-es*; *⸚er*) vaso *m* para leche; (*Glasart*) vidrio *m* opalino; **2haltig** *adj.* lactífero; **~händler(in** *f*) *m* lechero (-a *f*) *m*; **2ig** *adj.* lechoso; lácteo; ⚘ lactescente; (*Glas*) opalino; **~kaffee** *m* (*-s*; *-s*) café *m* con leche; **~kalb** *n* (*-ės*; *⸚er*) ternero *m* de leche; **~kännchen** *n* jarrita *f* para leche; **~kanne** *f* jarro *m* para leche; **~kuh** *f* (*-*; *⸚e*) vaca *f* de leche; **~kur** ⚕ *f* régimen *m* lácteo; e-e ~ *machen* seguir un régimen lácteo; **~messer** *m* lactodensímetro *m*; galactómetro *m*; **~ner** *Ict. m* → *Milcher*; **~preis** *m* (*-es*; *-e*) precio *m* de la leche; **~produkte** *n/pl.* productos *m/pl.* lácteos; **~produktion** *f* producción *f* de leche; **~pulver** *n* leche *f* en polvo; **~rahm** *m* (*-s*; *0*) nata *f*; **~reis** *m* (*-es*; *0*) arroz *m* con leche; **~saft** ⚘ *m* (*-ės*; *⸚e*) jugo *m* lácteo; *Physiol.* quilo *m*; **~säure** ⚗ *f* ácido *m* láctico; **~schleuder(maschine)** *f* desnatadora *f* centrífuga; **~schokolade** *f* chocolate *m* con leche; **~schorf** ⚕ *m* (*-ės*; *0*) costra *f* láctea; **~schüssel** *f* (*-*; *-n*) escudilla *f* de leche; **~seihe** *f*, **~sieb** *n* (*-ės*; *-e*) colador *m* para leche; **~speise** *f* lacticinio *m*; **~straße** *Astr. f* Vía *f* Láctea; **~suppe** *f* sopa *f* de leche; **~verwertung** *f* industria *f* lechera; **~waage** *f* galactómetro *m*; pesaleche *m*; **~wagen** *m* coche *m* de reparto (para la leche); **~wirtschaft** *f* (*0*) lechería *f*; industria *f* lechera; **~zahn** *Anat. m* (*-s*; *⸚e*) diente *m* de leche; **~zucker** ⚗ *m* (*-s*; *0*) lactosa *f*, azúcar *m* de leche.

mild, '~e I. (*-est*) *adj.* suave; (*sanft*) dulce; (*angenehm*) agradable; (*gnädig*) clemente; (*gütig*) benigno; (*zart*) tierno; (*freigebig*) liberal; generoso; (*barmherzig*) caritativo; (*wohlwollend*) benévolo; (*wohltätig*) benéfico; (*nachsichtig*) indulgente; (*menschlich*) humano; *Strafe*: leve; *Klima*: templado, benigno; *Wetter*: bonancible; ~*er Winter* invierno suave; *es ist* ~(*es Wetter*) el tiempo es apacible; ~*e Gabe* dádiva; donativo; (*an Bettler*) limosna; ~(*er*) *werden* suavizarse; (*Wetter*) ponerse más templado; **II.** *adv.*: ~ *beurteilen* juzgar con indulgencia; ~ *gesagt* dicho suavizando las cosas.

'Milde *f* (*0*) suavidad *f*; dulzura *f*; ternura *f*; (*Gnade*) clemencia *f*; (*Güte*) benignidad *f*; (*Wohlwollen*) benevolencia *f*; (*Nachsicht*) indulgencia *f*; (*Warmherzigkeit*) caridad *f*; (*Freigebigkeit*) liberalidad *f*; generosidad *f*; *des Wetters*: apacibilidad *f*; ~ *walten lassen* tener clemencia.

'milder|n (*-re*) *v/t.* suavizar; templar; (*ermäßigen*) moderar; (*lindern*) aliviar, mitigar; calmar; (*abschwächen*) atenuar; *Strafe*: atenuar, ⚖ conmutar; (*menschlicher machen*) humanizar; *Phar.* (*versüßen*) edulcorar, dulcificar (*a. fig.*); ~*de Umstände* ⚖ circunstancias atenuantes; **2n** *n*, **2ung** *f* suavización *f*; (*Linderung*) alivio *m*, mitigación *f*; (*Ermäßigung*) moderación *f*; (*Abschwächung*) atenuación *f*; *der Strafe*: atenuación *f*, ⚖ conmutación *f*; (*Vermenschlichung*) humanización *f*; *Phar.* edulcoración *f*, dulcificación *f*; **2ungsgrund** ⚖ *m* (*-ės*; *⸚e*) circunstancia *f* atenuante.

'mild...: ~herzig *adj.* (*gütig*) bondadoso; (*mildtätig*) caritativo; **2herzigkeit** *f* (*0*) bondad *f*; (*Mildtätigkeit*) caridad *f*; **~tätig** *adj.* caritativo; ~*e Zwecke* fines caritativos; **2tätigkeit** *f* caridad *f*.

Mili'eu *n* (*-s*; *-s*) (medio *m*) ambiente *m*; (*Lokalkolorit*) color *m* local; *soziales* ~ ambiente *m* (*od.* medio *m*) social; **2bedingt** *adj.* condicionado por el ambiente; **~theorie** *f* teoría *f* de los ambientes.

mili'tant *adj.* militante.

Mili'tär I. *m* (*-s*; *0*) militar *m*; soldado *m*; **II.** *n* (*-s*; *-s*) militares *m/pl.*; (*Soldaten*) soldados *m/pl.*; tropas *f/pl.*; (*Heer*) ejército *m*; (*~wesen*) milicia *f*; *zum* ~ *gehen* hacerse soldado, ir a servir en el ejército; **2ähnlich** *adj.* paramilitar; **~anwärter** *m* aspirante *m* militar a un empleo civil; **~arzt** *m* (*-es*; *⸚e*) médico *m* militar; **~attaché** *m* (*-s*; *-s*) agregado *m* militar; **~beamte(r)** *m* funcionario *m* militar; **~befehlshaber** *m* gobernador *m* militar; **~behörden** *f/pl.* autoridades *f/pl.* militares; **~bündnis** *n* (*-ses*; *-se*) alianza *f* militar; **~dienst** *m* (*-es*; *-e*) servicio *m* militar; *freiwilliger* ~ voluntariado *m*; **~dienstpflicht** *f* (*0*) servicio *m* militar obligatorio; **2dienstpflichtig** *adj.* sujeto al servicio militar; **~fahrkarte** *f* billete *m* militar; **~flugzeug** *n* (*-ės*; *-e*) avión *m* militar; **~gefängnis** *n* (*-ses*; *-se*) prisiones *f/pl.* militares; **~geistliche(r)** *m* capellán *m* castrense; **~gericht** *n* (*-ės*; *-e*) tribunal *m* militar; consejo *m* de guerra; **~gerichtsbarkeit** *f* (*0*) jurisdicción *f* militar; **~gesetzbuch** *n* (*-ės*; *⸚er*) código *m* penal militar; **~gouverneur** *m* (*-s*; *-e*) gobernador *m* militar; **~hilfe** *f* (*0*) ayuda *f* militar; **2isch I.** *adj.* militar; ~*e Ehren* honores militares; ~*e Ausbildung* instrucción militar; ~*e Sanktionen* sanciones militares; **II.** *adv.* militarmente; ~ *besetzen* ocupar militarmente.

militari'sier|en (-) *v/t.* militarizar; **2en** *n*, **2ung** *f* militarización *f*.

Milita'ris|mus *m* (*-*; *0*) militarismo *m*; **~t** *m* (*-en*) militarista *m*; **2tisch** *adj.* militarista.

Mili'tär...: ~kapelle *f* banda *f* (de música) militar; **~kasino** *n* (*-s*; *-s*) casino *m* militar; **~macht** *f* (*-*; *⸚e*) potencia *f* militar; **~mantel** *m* (*-s*; *⸚*) capote *m* (militar); **~marsch** *m* (*-es*; *⸚e*) marcha *f* militar; **~mission** *f* misión *f* militar; **~musik** *f* música *f* militar; (*Blechinstrumente*) charanga *f*; (*Kapelle*) banda *f* militar; **~paß** *m* (*-sses*; *⸚sse*) pasaporte *m* militar; **~person** *f* militar *m*; **~personal** *n* (*-s*; *0*) personal *m* militar; **~pflicht** *f* (*0*) servicio *m* militar obligatorio; **2pflichtig** *adj.* sujeto al servicio militar; **~polizei** *f* (*0*) policía *f* militar; **~putsch** *m* (*-es*; *-e*) rebelión *f* militar; pronunciamiento *m*; **~regierung** *f* gobierno *m* militar; **~strafgerichtsbarkeit** *f* (*0*) jurisdicción *f* militar; **~strafgesetzbuch** *n* (*-ės*; *⸚er*) código *m* penal militar; **~strafprozeß-ordnung** *f* procedimiento *m* penal militar; **2tauglich** *adj.* apto para el servicio militar; **~transport** *m* (*-ės*; *-e*) transporte *m* militar; **2untauglich** *adj.* no apto (*od.* inútil) para el servicio militar; **~verwaltung** *f* administración *f* militar; **~zeit** *f* (*0*) tiempo *m* de servicio militar; **~zivilgericht** *n* (*-ės*; *-e*) tribunal *m* militar de jurisdicción civil.

Mi'liz *f* milicia *f*; **~soldat** *m* (*-en*) miliciano *m*.

Mil'lennium *n* (*-s*; *Millennien*) milenio *m*.

'Milli-ampere ⚡ *n* (*-s*; *-s*) miliamperio *m*; **~'meter** *n* miliamperímetro *m*.

Milliar'där *m* (*-s*; *-e*) multimillonario *m*.

Milli'arde *f* mil millones *m/pl.*

Milli'bar *n* milibar *m*.

Milli|'gramm *n* (*-s*; *-*) miligramo *m*; **~'meter** *n* (*a. m*) milímetro *m*; **~'meterpapier** *n* (*-s*; *0*) papel *m* milimetrado.

Milli'on *f* millón *m*; *zu* ~*en* por millones.

Millio'När(in *f*) *m* (*-s*; *-e*) millonario (-a *f*) *m*; *vielfacher* ~ multimillonario (-a *f*) *m*.

Milli'onen|erbschaft *f* herencia *f* de millones; **2schwer** *adj.* millonario.

milli'onste *adj.*, **2l** *n* millonésimo *m*; millonésima *f*.

'Milz *Anat. f* bazo *m*; **~anschwellung** *f* inflamación *f* del bazo, ⚕ esplenitis *f*; **~brand** *Vet. m* (*-ės*; *0*) carbunco *m*; **~entzündung** *f* → *Milzanschwellung*; **2krank** *adj.* enfermo del bazo; **~krankheit** *f* en-

fermedad *f* del bazo; **~vergrößerung** ⚕ *f* esplenomegalia *f*.
'Mime *m* (*-n*) mimo *m*; actor *m* teatral; **2n** *v/t*. imitar con gestos *m/pl*.; *den Kranken* ~ hacerse el enfermo.
'Mimik *f* mímica *f*; **~er** *m* mimo *m*.
'Mimikry *f* (*0*) mimetismo *m*.
'mimisch *adj*. mímico.
Mi'mose ⚘ *f* sensitiva *f*; mimosa *f* púdica; **2nhaft** *fig. adj*. hipersensible.
Mina'rett *n* (*-es*; *-e*) minarete *m*.
'minder I. *adj*. menor; (*kleiner*) más pequeño; (*weniger bedeutend*) inferior; **II.** *adv*. menos; **~begabt** *adj*. subdotado; **~bemittelt** *adj*. económicamente débil; *~e Kreise* clases modestas; **2betrag** *m* (*-es*; *⸚e*) déficit *m*; **2bewertung** *f* depreciación *f*; **2einnahme** *f*, **2erlös** *m* (*-es*; *-e*), **2ertrag** † *m* (*-es*; *⸚e*) menor ingreso *m* en caja; déficit *m*; **2e(s)** *n* menos *m*; **2gewicht** *n* (*-es*; *-e*) falta *f* de peso; **2heit** *f* minoría *f*; *in der ~ sein, sich in der ~ befinden* estar en minoría; *völkische* (*nationale*) ~ minoría étnica (nacional); **2heitenfrage** *f* problema *m* de minorías; **2heitenrecht** *n* (*-es*; *-e*) derecho *m* de las minorías; **2heitenschutz** *m* (*-es*; *0*) protección *f* de las minorías; **2heitsregierung** *f* gobierno *m* minoritario; **~jährig** *adj*. menor; **~jährige(r** *m*) *m/f* menor *m/f* de edad; **2jährigkeit** *f* (*0*) minoridad *f*, menoría *f*, menor edad *f*; **~n** (*-re*) *v/t*. disminuir; aminorar; reducir; (*mildern*) moderar; (*herabsetzen*) rebajar; (*abschwächen*) atenuar; **2umsatz** † *m* (*-es*; *⸚e*) disminución *f* del volumen de ventas; **2ung** *f* disminución *f*; aminoración *f*; reducción *f*; (*Milderung*) moderación *f*; (*Herabsetzung*) rebaja *f*; (*Abschwächung*) atenuación *f*; **2wert** *m* menor valor *m*; **~wertig** *adj*. de menor valor; de inferior calidad; de escaso valor; deficiente; **2wertigkeit** *f* (*0*) inferioridad *f*; mediocridad *f*; **2wertigkeitsgefühl** *n* (*-es*; *-e*) sentimiento *m* de inferioridad; **2wertigkeitskomplex** *m* (*-es*; *-e*) complejo *m* de inferioridad; **2zahl** *f* (*0*) número *m* inferior; minoría *f*; *in der ~ sein* estar en minoría.
'mindest (*sup*.) *der, die ~e* el, la menor; *das ~e* lo menos; *nicht das ~e* ni lo más mínimo; *zum ~en* por lo menos; al menos; *nicht im ~en* de ningún modo; ni en lo más mínimo; F ni por soñación; ni remotamente; **2alter** *n* (*-s*; *0*) edad *f* mínima; **2anforderungen** *f/pl*. exigencias *f/pl*. mínimas; **2arbeitszeit** *f* jornada *f* de trabajo mínima; **2auflage** *f* tirada *f* mínima; **2betrag** *m* (*-es*; *⸚e*) cantidad *f* mínima; importe *m* mínimo; **~bietend** *adj*. el menor postor; el que ofrece menos; **2einkommen** *n* ingreso *m* mínimo; **~ens** *adv*. por lo menos; al menos; **2ertrag** *m* (*-es*; *⸚e*) rendimiento *m* mínimo; **2gebot** *n* (*-es*; *-e*) *bei Auktionen*: postura *f* mínima; **2gebühr** *f* (*Tarif*) tasa *f* mínima; **2gehalt** *n* (*-es*; *⸚er*) sueldo *m* mínimo; **2geschwindigkeit** *f* velocidad *f* mínima; **2gewicht** *n* (*-es*; *-e*) peso *m* mínimo; **2kapital** *n* (*-s*; *0*) capital *m* mínimo; **2kurs** *m* (*-es*; *-e*) † cotización *f* mínima; **2lohn** *m* (*-es*; *⸚e*) salario *m* mínimo; **2maß** *n* (*-es*; *-e*) mínimo *m*, mínimum *m*; *auf ein ~ herabsetzen* reducir al mínimum; **2preis** *m* (*-es*; *-e*) precio *m* mínimo; **2satz** *m* (*-es*; *⸚e*) tasa *f* mínima; **2stundenlohn** *m* (*-es*; *⸚e*) salario *m* mínimo por hora; **2tarif** *m* (*-es*; *-e*) tarifa *f* mínima; **2wert** *m* valor *m* mínimo; **2zahl** *f* (*0*) mínimo *m*, mínimum *m*; *zur Beschlußfähigkeit*: *Parl*. quórum *m*.
'Mine ⚒, ⚓, ⚔ *f* mina *f* (*a. für Kugelschreiber2 u. Bleistift2*); *~n legen* ⚓ colocar minas; *auf e-e ~ treten* pisar una mina; ⚓ *auf e-e ~ laufen* chocar con una mina; *~n suchen* (*od. räumen*) localizar minas; ⚓ dragar minas.
'Minen...: **~feld** ⚔ *n* (*-es*; *-er*) campo *m* minado; **~gang** ⚒ *m* (*-es*; *⸚e*) galería *f* de mina; **~krieg** ⚔ *m* (*-es*; *-e*) guerra *f* subterránea; ⚓ guerra *f* de minas; **~leger** ⚓ *m* minador *m*; ⚔ posaminas *m*; **~räumboot** *n* (*-es*; *-e*) dragaminas *m*; **~räumen** ⚓ *n* dragado *m* de minas; **~sperre** *f* barrera *f* de minas; **~suchboot** *n* (*-es*; *-e*) buscaminas *m*; **~suchen** *n* localización *f* de minas; **~suchgerät** *n* (*-es*; *-e*) detector *m* de minas; **~trichter** *m* embudo *m* de mina; **2verseucht** *adj*. minado; sembrado de minas; **~werfer** *m* lanzaminas *m*.
Mine'ral *n* (*-s*; *-ien*) mineral *m*; **~bad** *n* (*-es*; *⸚er*) baño *m* de aguas minerales; **~brunnen** *m* manantial *m* de aguas minerales; **~ien** *pl*. minerales *m/pl*.; **~ienkunde** *f* (*0*) mineralogía *f*; **~iensammlung** *f* colección *f* de minerales; **2isch** *adj*. mineral.
Minera|'loge *m* (*-n*) mineralogista *m*; **~lo'gie** *f* (*0*) mineralogía *f*; **2'logisch** *adj*. mineralógico.
Mine'ral...: **~öl** *n* (*-s*; *-e*) aceite *m* mineral; **~quelle** *f* manantial *m* de aguas minerales; (*warme*) caldas *f/pl*., termas *f/pl*.; **~salz** *n* (*-es*; *-e*) sal *f* mineral; **~wasser** *n* agua *f* mineral.
Mi'nette ⚒ *f* hierro *m* oolítico.
Minia'tur *f* miniatura *f*; *in ~* en miniatura; **~ausgabe** *f* edición *f* en miniatura; **~bild** *n* (*-es*; *-er*) miniatura *f*; **~bildnis** *n* (*-ses*; *-se*) retrato *m* en miniatura; **~gemälde** *n* miniatura *f*; **~maler** *m* miniaturista *m*; **~male'rei** *f* miniatura *f*.
mi'nieren (*-*) *v/t*. minar.
'Minigolf *n* (*-s*; *0*) golf *m* miniatura, minigolf *m*.
mini'mal *adj*. mínimo; **2betrag** *m* (*-es*; *⸚e*) importe *m* mínimo; **2gehalt** *n* (*-es*; *⸚er*) sueldo *m* mínimo; **2gewicht** *n* (*-es*; *-e*) peso *m* mínimo; **2tarif** *m* (*-es*; *-e*) tarifa *f* mínima.
'Minimum *n* (*-s*; *Minima*) mínimum *m*; mínimo *m*; **~thermometer** *n* termómetro *n* de mínima.
'Minirock *m* minifalda *f*, mierofalda *f*.
Mi'nister *m* ministro *m*; *~ für Auswärtige Angelegenheiten* (*od. des Auswärtigen Amtes*) ministro de Asuntos Exteriores; *~ des Innern* ministro del Interior, *Span*. de la Gobernación; *~ für Landwirtschaft und Ernährung* ministro de Agricultura; *~ für Gesamtdeutsche Fragen* ministro de Asuntos Panalemanes.
Ministeri'al|ausschuß *m* (*-sses*; *⸚sse*) comisión *f* ministerial; **~beamte(r)** *m* funcionario *m* de un ministerio; **~direktor** *m* (*-s*; *-en*) jefe *m* de una sección ministerial; director *m* general; **~erlaß** *m* (*-sses*; *⸚sse*) orden *f* ministerial; decreto *m* ministerial; **~rat** *m* (*-es*; *⸚e*) consejero *m* ministerial.
ministeri'ell *adj*. ministerial; *~e Verfügung* decreto ministerial.
Minis'terium *n* (*-s*; *Ministerien*) ministerio *m*.
Mi'nister...: **~konferenz** *f* conferencia *f* de ministros; **~posten** *m* cartera *f*; **~präsident** *m* (*-en*) presidente *m* del consejo (de ministros); primer ministro *m*; **~rat** *m* (*-es*; *⸚e*) consejo *m* de ministros; **~wechsel** *m* cambio *m* de ministros.
Minis'trant *Rel*. *m* (*-en*) acólito *m*, monaguillo *m*.
minis'trieren *Rel*. *v/i*. ayudar a misa.
'Minna *f* (*0*) F *fig*. criada *f*, sirvienta *f*; F *grüne ~* (*Polizeiwagen*) coche celular.
'Minne *f* (*0*) *Poes*. amor *m*; **~lied** *n* (*-es*; *-er*) canción *f* de amor; **~sang** *m* (*-es*; *0*) poesía *f* de los trovadores alemanes; **~sänger** *m*, **~singer** *m* trovador *m* alemán, minnesinger *m*.
mino'renn *adj*. menor (de edad).
Minorenni'tät *f* (*0*) minoría *f* (de edad).
Minori'tät *f* minoría *f*.
Mino'taurus *Myt*. *m* Minotauro *m*.
Minu'end *Arith*. *m* (*-en*) minuendo *m*.
'minus I. *adv*. menos; **II.** 2 † *n* déficit *m*; *Arith*. menos *m*; **2elektrizität** *f* (*0*) electricidad *f* negativa.
Mi'nuskel *f* (*-*; *-n*) (letra *f*) minúscula *f*.
'Minus|pol ⚡ *m* (*-es*; *-e*) polo *m* negativo; **~zeichen** *n* menos *m*, signo *m* negativo.
Mi'nute *f* minuto *m*; *auf die ~* (*genau*) con rigurosa puntualidad; *Umdrehungen in der ~* revoluciones por minuto; **2nlang I.** *adj*. que dura algunos (*od*. varios) minutos; de varios minutos de duración; **II.** *adv*. durante algunos minutos; **2nweise** *adv*. por minutos; **~nzeiger** *m* minutero *m*.
minuzi'ös *adj*. minucioso.
'Minze ⚘ *f* (*0*) menta *f*.
mir *pron/pers*. (*dat. v. ich*) *unbetont*: me; *betont*: a mí; *ein Freund von ~* un amigo mío; uno de mis amigos; *mit ~* conmigo; *von ~* de mí; de mi parte; *von ~ aus* (*ich habe nichts dagegen*) por mí no hay inconveniente; *wie du ~, so ich dir* ojo por ojo y diente por diente; donde las dan las toman; *~ nichts, dir nichts* F sin más ni más; de buenas a primeras.
Mira'belle ⚘ *f* ciruela *f* amarilla.
Mi'rakel *n* milagro *m*; **~spiel** *n* (*-es*; *-e*) *Liter*. misterio *m*.
Misan'throp *m* (*-en*) misántropo *m*.
Misanthro'pie *f* (*0*) misantropía *f*.

misan'thropisch *adj.* misantrópico.

'Misch|apparat *m* (-*es*; -*e*) mezclador *m*; (máquina *f*) mezcladora *f*; **~art** *Zoo. f* especie *f* bastarda; **2bar** *adj.* mezcable, miscible; **~barkeit** *f* (*0*) miscibilidad *f*; **~becher** *m für Getränke*: coctelera *f*; **~ehe** *f* matrimonio *m* mixto; **2en** *v/t.* mezclar; *zu e-r Mixtur*: mixturar; *Wein*: adulterar; *Gift*: preparar; ⚗ combinar; *Kartenspiel*: barajar; *Metalle*: alear; *sich in et.* ~ (*ac.*) mezclarse en a/c.; entremeterse *od.* inmiscuirse en a/c.; F meterse en a/c.; *sich ins Gespräch* ~ entrometerse en la conversación; → *gemischt*; **~en** *n* mezcla *f*; mixtura *f*; F mescolanza *f*; ⚗ combinación *f*; **~farbe** *f* color *m* mixto; *Phys.* color *m* compuesto; **~futter** ⚒ *n* forraje *m* mixto; **~garn** *n* (-*es*; -*e*) hilo *m* de mezcla *od.* hilo *m* mixto; **~gemüse** *n* (-*s*; *0*) macedonia *f* de legumbres; **~getränk** *n* (-*es*; -*e*) coctel *m*; **~gewebe** *n* tela *f* de mezcla; **~korn** ⚒ *n* (-*es*; *0*) grano *m* mixto; **~ling** *m* (-*s*; -*e*) mestizo *m*; (*aus Negern u. Indianern*) zambo *m*; (*aus Negern u. Weißen*) mulato *m*; *Zoo. u.* ⚘ híbrido *m*; **~masch** *m* (-*es*; *0*) F mescolanza *f*; ciempiés *m*, ensalada *f*, pisto *m*; revoltijo *m*; **~maschine** *f* (máquina *f*) mezcladora *f*; (*Beton2*) hormigonera *f*; **~rasse** *f* raza *f* mixta; (*Hund*) bastardo *m*; **~ung** *f* mezcla *f*; *bsd. Phar.* mixtura *f*; ⚗ combinación *f*; (*Kreuzung*) *Zoo. u.* ⚘ hibridación *f*; *Zoo.* cruzamiento *m*; (*Metall2*) aleación *f*; **~ungsverhältnis** *n* (-*ses*; -*se*) proporción *f* de mezcla; **~wald** *m* (-*es*; ⸚*er*) bosque *m* mixto (*od.* de especies variadas); **~wolle** *f* lana *f* mezclada.

mise'rabel *adj.* miserable; (*abscheulich*) detestable; (*schlecht*) pésimo, de mala calidad; (*hingepfuscht*) chapucero.

Mi'sere *f* miseria *f*; calamidad *f*.

Mise'rere *Rel. n* miserere *m*; ⚕ cólico *m* miserere.

'Mispel ⚘ *f* (-; -*n*) níspero *m*.

miß|'achten (-*e*-; -) *v/t.* desestimar; tener en poco; (*geringschätzen*) desdeñar, menospreciar; (*Pflicht*) desatender, incumplir; **'2achtung** *f* (*0*) desestimación *f*; desdén *m*, menosprecio *m*; *unter* ~ *von* con menosprecio de; **'~behagen** (-) *v/i.* molestar; desagradar; disgustar; **'2behagen** *n* molestia *f*; *körperlich*: malestar *m*; desazón *f*; (*Unlust*) desagrado *m*; (*Verdruß*) disgusto *m*; **'2bildung** *f* deformidad *f*; deformación *f*; **~'billigen** (-) *v/t.* desaprobar; (*zurückweisen*) reprobar; (*nicht anerkennen*) denegar; desautorizar; (*tadeln*) censurar, *stärker*: condenar; **'2billigung** *f* (*0*) desaprobación *f*; reprobación *f*; disconformidad *f*; (*Nichtanerkennung*) denegación *f*; desautorización *f*; (*Tadel*) censura *f*; **'2brauch** *m* (-*es*; ⸚*e*) abuso *m*; **~'brauchen** (-) *v/t.* abusar de; (*unrichtig gebrauchen*) hacer mal uso de; *den Namen Gottes* ~ profanar el nombre de Dios; **'~bräuchlich** *adj.* abusivo; **~'deuten** (-*e*-) *v/t.* interpretar mal (*od.* erróneamente); **'2deutung** *f* interpretación *f* errónea, falsa interpretación *f*.

'missen *v/t.*: et. ~ estar privado de a/c.; sentir la ausencia de a/c.; echar de menos a/c.; et. *nicht* ~ *können* no poder prescindir de a/c.

'Miß...: **~erfolg** *m* (-*es*; -*e*) mal resultado *m*; fracaso *m*, descalabro *m* (*haben* sufrir); *völliger* ~ rotundo fracaso; **~ernte** *f* mala cosecha *f*.

'Misse|tat *f* fechoría *f*; (*Verbrechen*) crimen *m*; *Rel.* pecado *m*; **~täter(in** *f*) *m* malhechor(a *f*) *m*; criminal *m/f*; ⚖ delincuente *m/f*; pecador *m*.

'Miß...: **2'fallen** (*L*; -) *v/i.*: *j-m* ~ desagradar a alg., *stärker*: disgustar a alg.; **~fallen** *n* desagrado *m*; (*Widerwillen*) disgusto *m*; **2fällig** I. *adj.* desagradable; II. *adv.*: *sich* ~ *äußern über j-n* criticar a alg.; censurar a alg.; desaprobar el comportamiento de alg.; *sich* ~ *äußern über* et. criticar *bzw.* censurar *bzw.* desaprobar a/c.; **2farbig** *adj.* descolorido; **~geburt** *f* criatura *f* deforme; (*Fehlgeburt*) aborto *m*; *fig.* monstruo *m*, engendro *m*; monstruosidad *f*; **2gelaunt** *adj.* malhumorado, de mal humor; **~geschick** *n* (-*es*; -*e*) mala fortuna *f* (*od.* suerte *f*); adversidad *f*, infortunio *m*; (*Unglück*) desgracia *f*, desdicha *f*; (*widriger Zufall*) contratiempo *m*; **~gestalt** *f* deformidad *f*, *stärker*: monstruosidad *f*; (*Wesen*) monstruo *m*; **2gestalt(et)** *adj.* deforme, contrahecho; (*entstellt*) monstruoso; **2gestimmt** *adj.* → *mißgelaunt*; **2'glücken** (-; *sn*) *v/i.* fracasar, malograrse; *Plan*: *a.* frustrarse; *Geschäft*: salir mal, tener mal resultado; *Versuch*: resultar mal, dar mal resultado; *es ist mir mißglückt* he fracasado; me ha salido mal el negocio; se ha frustrado mi plan; no he tenido éxito; **2'gönnen** (-) *v/t.*: *j-m* et. ~ envidiar a alg. a/c.; **~griff** *m* (-*es*; -*e*) desacierto *m*; (*Irrtum*) error *m*, equivocación *f*; **~gunst** *f* (*0*) envidia *f*; **2günstig** *adj.* envidioso (*auf ac.* de); **2'handeln** (-*le*; -) *v/t.* maltratar, *stärker*: tratar brutalmente; **~'handlung** *f* mal trato *m*, *stärker*: brutalidad *f*; **~heirat** *f* casamiento *m* desigual; F casorio *m*; **2hellig** *adj.* discorde; (*uneins*) en desacuerdo; **~helligkeit** *f* discordancia *f*, discrepancia *f*; disensión *f*, desavenencia *f*, desacuerdo *m*; (*Zwist*) conflicto *m*; diferencia *f*.

Missi'on *f* misión *f* (*a. Rel.*); *besondere* ~ misión especial; *diplomatische* ~ misión diplomática; *ständige* ~ misión permanente; *Äußere* (*Innere*) ~ *Rel.* misiones en el exterior (interior).

Missio'nar *m* (-*s*; -*e*) misionero *m*.

Missi'ons...: **~anstalt** *f* misión *f*; **~chef** *m* (-*s*; -*s*) *Dipl.* jefe *m* de misión; **~gesellschaft** *f* sociedad *f* de misiones; **~haus** *Rel. n* (-*es*; ⸚*er*) misión *f*; **~-schule** *f* escuela *f* de las misiones; **~werk** *Rel. n* (-*es*; -*e*) obra *f* pía de las misiones; **~wesen** *n* (-*s*; *0*) misión *f*, misiones *f/pl.*

'Miß...: **~jahr** *n* (-*es*; -*e*) mal año *m*; mala cosecha *f*; **~klang** *m* (-*es*; ⸚*e*) ♪ disonancia *f* (*a. fig.*); ♪, *Gr.* cacofonía *f*; **~kredit** *m* (-*es*; *0*) descrédito *m*; *in* ~ *geraten* caer en descrédito, desacreditarse; *in* ~ *bringen* desacreditar; **2lich** *adj.* (*schwierig*) difícil; (*bedenklich*) crítico; (*peinlich*) penoso; (*ungewiß*) incierto; (*beschwerlich*) embarazoso; (*unangenehm*) desagradable; (*heikel*) delicado, *stärker*: escabroso; (*ärgerlich*) enojoso; molesto, fastidioso; (*gefährlich*) peligroso; arriesgado; **2liebig** *adj.* mal visto; impopular; *sich bei j-m* ~ *machen* perder las simpatías de alg.; **~liebigkeit** *f* (*Unbeliebtheit*) impopularidad *f*, falta *f* de simpatías; **2'lingen** (*L*; -; *sn*) *v/i.* → *mißglücken*; **~'lingen** *n* → *Mißerfolg*; **~mut** *m* (-*es*; *0*) mal humor *m*; (*Mutlosigkeit*) desaliento *m*; **2mutig** *adj.* malhumorado, de mal humor; (*mutlos*) desalentado; **2'raten** I. (*L*; -; *sn*) *v/i.* salir mal; dar mal resultado; (*Plan, Unternehmen*) fracasar, malograrse, fallar; II. *adj.*: ~*es Kind* niño descastado; **~stand** *m* (-*es*; ⸚*e*) inconveniente *m*; (*Lage*) situación *f* penosa; (*Fehler*) defecto *m*; anomalía *f*; *e-m* ~ *abhelfen* remediar un inconveniente; **'2stimmen** (*nur inf. u. pp.*: *mißgestimmt*) *v/t.* indisponer; **~stimmung** *f* discordancia *f*; *fig.* mal humor *m*; *Pol.* descontento *m*; **~ton** ♪ *m* (-*es*; ⸚*e*) tono *m* disonante; *j-s* F gallo *m*; disonancia *f* (*a. fig.*); **2tönend** *adj.* discordante; **2'trauen** (-) *v/i.* desconfiar de; **~trauen** *n* desconfianza *f*; (*Argwohn*) recelo *m*, sospecha *f*; F escama *f*; ~ *hegen* (*od. haben*) *gegen* desconfiar de; *aus* ~ *gegen* por desconfianza a; **~trauensantrag** *Parl. m* (-*es*; ⸚*e*) moción *f* de desconfianza; *e-n* ~ *einbringen* (*unterstützen*; *annehmen*; *ablehnen*; *zurückziehen*) presentar (apoyar; aceptar; rechazar; retirar) una moción de desconfianza (*od.* de censura); **~trauensvotum** *n* (-*s*; -*voten*) voto *m* de censura (*od.* de desconfianza); **2trauisch** *adj.* desconfiado; (*argwöhnisch*) receloso; suspicaz; F escamado; *j-n* ~ *machen* hacer desconfiar a alg.; despertar la desconfianza de alg.; F escamar a alg.; **~vergnügen** *n* desagrado *m*; (*Unzufriedenheit*) descontento *m*; **2vergnügt** *adj.* descontento (*mit od. über ac.* con); poco satisfecho; (*schlecht gelaunt*) de mal humor; **~verhältnis** *n* (-*ses*; -*se*) desproporción *f*; (*Ungleichheit*) desigualdad *f*; *in e-m* ~ *stehen* estar en desproporción; *in ein* ~ *bringen* desproporcionar; **2verständlich** *adj.* equívoco; que da lugar a interpretaciones erróneas; **~verständnis** *n* (-*ses*; -*se*) (*Irrtum*) error *m*, equivocación *f*; **2verstehen** (*L*; -) *v/t.* entender mal, interpretar mal (*od.* equivocadamente); no entender; **~weisung** *Phys. f* declinación *f*; **~wirtschaft** *f* (*0*) mala administración *f*, desgobierno *m*; corrupción *f*.

Mist *m* (-*es*; *0*) estiércol *m*; (*Kot*) excrementos *m/pl.*; (*Pferde2*) bosta *f*; (*Kuh2*) boñiga *f*; (*Hühner2*) gallinaza *f*; (*Ziegen2, Schaf2*) sirle *m*; (*Kehricht*) basura *f*; ⚓ bruma *f*; F *fig.* (*Unsinn*) tontería *f*, disparate *m*; P *das ist nicht auf s-m* ~ *gewachsen* eso no es de su propia cosecha;

ˈ**~beet** ⚒ *n* (*-es*; *-e*) lecho *m* de mantillo; ˈ**~beet-erde** *f* mantillo *m*.
ˈ**Mistel** ⚘ *f* (*-*; *-n*) muérdago *m*; **~beere** *f* baya *f* del muérdago; **~zweig** *m* (*-es*; *-e*) rama *f* de muérdago.
ˈ**misten** (*-e-*) **1.** *v/i.* estercolar; **2.** *v/t. Acker*: abonar, estercolar; *Stall*: limpiar, sacar el estiércol.
ˈ**Mist...:** **~fink** *fig.* F *m* (*-en*) puerco *m*, cochino *m*, marrano *m*; **~gabel** *f* (*-*; *-n*) horquilla *f* de estercolero; **~grube** *f* estercolero *m*; muladar *m*; **~haufe(n)** *m* montón *m* de estiércol; **~jauche** ⚒ *f* agua *f* de estiércol; **~käfer** *Zoo. m* escarabajo *m* pelotero.
Misˈ**tral** *m* (*-s*; *0*) mistral *m*.
ˈ**Mist...:** **~vieh** P *n* (*-s*; *0*) *fig.* marrano *m*, guarro *m*; **~wagen** *m* carro *m* de estiércol.
mit I. *prp.* (*dat.*) **a)** *Begleitung*: con; ~ *mir* conmigo; ~ *dir* contigo; ~ *ihm, ihr, uns* con él, con ella, con nosotros; ~ *s-r Schwester* con su hermana; ~ *ihrem Vater* con su padre; (*in Begleitung von*) acompañado de, en compañía de; ~ *j-m gehen* ir con alg., acompañar a alg.; **b)** *Verbindung*: con; *Kaffee* ~ *Milch* café con leche; **c)** *Mittel*: con; por; en; a; ~ *e-m Stock* con un bastón; ~ *der Post* por correo; ~ *dem Flugzeug ankommen* llegar en avión; ~ *dem Zug fahren* viajar en tren (*od.* por ferrocarril); ~ *Gold zahlen* pagar en oro; ~ *dem Finger berühren* tocar con el dedo; ~ *dem Bleistift schreiben* escribir con lápiz (*od.* a lápiz); ~ *der Maschine schreiben* escribir a (*od.* con la) máquina; **d)** *Art u. Weise*: con; por; a; en; ~ *Vergnügen* con mucho gusto; ~ *Absicht* con intención; ~ *Recht* con razón; con justo título; ~ *gutem Gewissen* con la conciencia tranquila; ~ *Gewalt* por (la) fuerza, a viva fuerza; ~ *lauter Stimme* en voz alta; ~ *e-m Wort* en una palabra; **e)** *Eigenschaft*: de; *ein Kind* ~ *blauen Augen* un niño de ojos azules; **f)** *Zeit*: con; a; ~ *der Zeit* con el tiempo; a la larga; ~ *zehn Jahren* a los diez años; a la edad de diez años; **g)** *es* ~ *j-m halten* estar del lado (*od.* de la parte) de alg.; *was ist* ~ *ihm?* ¿qué le pasa?; *Böses* ~ *Gutem vergelten* devolver bien por mal; ~ *et. anfangen* empezar por; **II.** *adv.* también; ~ *dabeisein* asistir, estar presente; ser de la partida; ~ *einbegriffen* comprendido (*od.* incluido) en; ~ *einstimmen* repetir en coro, hacer coro; ~ *dazugehören* formar parte de; ~ *anfassen* ayudar a hacer a/c.
ˈ**mit...:** 2**angeklagte(r** *m*) *m/f* coacusada (-o *m*) *f*; 2**arbeit** *f* colaboración *f*; cooperación *f*; *unter* ~ *von* en colaboración con; **~arbeiten** (*-e-*) *v/i.* colaborar; cooperar; ~ *an* (*dat.*) colaborar en; cooperar a; 2**arbeiter(in** *f*) *m* colaborador(a *f*) *m*; cooperador(a *f*) *m*; 2**arbeiterstab** *m* (*-es*; *⁼e*) equipo *m* de colaboradores; 2**begründer(in** *f*) *m* cofundador(a *f*) *m*; **~bekommen** (*L*; *-*) *v/t.* recibir simultáneamente; (*verstehen*) comprender; *als Mitgift* ~ recibir en dote; **~benutzen** (*-t*; *-*) *v/t.* usar en común; 2**benutzung** *f* (*0*) uso *m* común; 2**benutzungsrecht** *n* (*-es*; *-e*) derecho *m* de uso en común; **~berechtigt** ⚖ *adj.* copartícipe, coparticipante; 2**besitz** ⚖ *m* (*-es*; *0*) coposesión *f*, posesión *f* común de bienes; *bsd. Pol.* condominio *m*; **~besitzen** (*L*; *-*) *v/t.* poseer en común; 2**besitzer(in** *f*) *m* ⚖ coposesor(a *f*) *m*; copropietario (-a *f*) *m*, condueño (-a *f*) *m*; **~bestimmen** (*-*) *v/i.* contribuir a una decisión; participar en la adopción de un acuerdo; 2**bestimmung** *f* codeterminación *f*; *der Arbeiter*: cogestión *f* obrera en las empresas; 2**bestimmungsrecht** *n* (*-es*; *-e*) derecho *m* de codeterminación; **~beteiligt** *adj.* interesado; ~ *sein an* (*dat.*) participar en; tomar parte en; estar interesado en; ✝ ser consocio; ⚖ ser cómplice; 2**beteiligte(r** *m*) *m/f* ⚖ litisconsorte *m/f*; **~bewerben** (*L*; *-*) *v/refl.*: *sich mit j-m* ~ *um* competir con alg. en; pretender con otros a/c.; 2**bewerber(in** *f*) *m* competidor(a *f*) *m*; 2**bewohner(in** *f*) *m e-s Hauses*: convecino (-a *f*) *m*, coinquilino (-a *f*) *m*; **~bringen** (*L*) *v/t.* traer; traer *bzw.* llevar consigo; *Heiratsgut*: aportar al matrimonio; *Zeugen, Unterlagen*: presentar; 2**bringsel** *n* regalo *m*; 2**bruder** *m* (*-s*; *⁼*) *in e-r Bruderschaft* :cofrade *m*; (*Kollege*) compañero *m*; colega *m*; (*Nächster*) prójimo *m*; 2**bürge** *m* (*-n*) cofiador *m*; 2**bürger(in** *f*) *m* conciudadano (-a *f*) *m*; 2**direktor** *m* (*-s*; *-en*) codirector *m*; 2**eigentum** *n* (*-s*; *0*) copropiedad *f*; 2**eigentümer(in** *f*) *m* copropietario (-a *f*) *m*; condueño (-a *f*) *m*; **~ei**ˈ**nander** *adv.* juntos; uno con otro; *alle* ~ todos (juntos); **~empfinden** (*L*; *-*) *v/t.* simpatizar (*mit j-m* con alg.); (*Mitleid*) sentir compasión por; 2**empfinden** *n* simpatía *f*; 2**erbe** *m* (*-n*), 2**erbin** *f* ⚖ coheredero *m*, coheredera *f*; **~erleben** (*-*) *v/t.* presenciar, estar presente; participar; **~essen** *v/i.* comer con; 2**esser** ⚕ *m* comedón *m*; **~fahren** (*L*; *sn*) *v/i.*: *mit j-m* ~ acompañar a alg. en un viaje; 2**fahrer(in** *f*) *m* compañero (-a *f*) *m* de viaje; (*Beifahrer*) *bei Lastauto*: conductor *m* adjunto; *Sport*: compañero *m* de equipo; **~freuen** *v/refl.*: *sich mit j-m* ~ compartir la alegría de alg.; **~fühlen** *v/t. u. v/i.*: *mit j-m* ~ simpatizar con alg., compartir los sentimientos de alg.; **~führen** *v/t.* llevar *bzw.* traer consigo; *Flüsse*: arrastrar; **~geben** (*L*) *v/t.* dar; *als Mitgift* ~ dar en dote; *j-m e-n Führer* ~ hacer acompañar por un guía; *j-m e-n Brief* ~ encomendar a alg. la entrega de una carta; 2**gefangener** *m* compañero *m* de prisión; ⚔ compañero *m* de cautiverio; ⚖ codetenido *m*; 2**gefühl** *n* (*-s*; *0*) simpatía *f*; (*Mitleid*) compasión *f*; (*Beileid*) pésame *m*; *j-m sein* ~ (*Beileid*) *ausdrücken* dar a alg. el pésame; expresar a alg. su condolencia; **~gehen** (*L*; *sn*) *v/i.*: *mit j-m* ~ ir con alg., acompañar a alg.; (*folgen*) seguir a alg.; *et.* ~ *lassen* hurtar con sutileza a/c.; *mitgegangen, mitgefangen, mitgehangen* F aquí te cojo, aquí te mato; **~genießen** (*L*; *-*) *v/t.* gozar juntamente; **~genommen** *adj.* → *mitnehmen*; 2**gift** *f* dote *m/f*; 2**giftjäger** *m* cazador *m* de dotes; 2**glied** *n* (*-es*; *-er*) miembro *m*; (*bsd. v. Vereinen*) socio *m*; (*e-r Partei*) afiliado *m*; (*e-r Akademie*) académico *m*; 2**gliedsbeitrag** *m* (*-es*; *⁼e*) cuota *f* (de socio); 2**gliedschaft** *f* (*0*) calidad *f* de socio; 2**gliedskarte** *f* carnet *m* de socio; 2**gliedstaat** *m* (*-es*; *-en*) Estado *m* socio; 2**häftling** *m* (*-s*; *-e*) codetenido *m*; 2**haftung** *f* responsabilidad *f* común; **~halten** (*L*) **1.** *v/i.* ser de la partida; **2.** *v/t. e-e Zeitung mit j-m* ~ estar suscrito con otra persona a un periódico; **~helfen** (*L*) *v/i.* ayudar (*od.* prestar ayuda) a; cooperar a; 2**helfer(in** *f*) *m* auxiliar *m/f*; cooperador(a *f*) *m*; *m. s.* cómplice *m/f*; 2**herausgeber** *m* coeditor *m*; 2**hilfe** *f* (*0*) ayuda *f*, asistencia *f*; cooperación *f*; auxilio *m*; *m. s.* complicidad *f*; **~**ˈ**hin** *adv.* por consiguiente, por tanto; F (así) pues; 2**hördienst** *m* (*-es*; *-e*) servicio *m* de escucha; **~hören** *v/t. Tele.* escuchar; interceptar; 2**inhaber** (**-in** *f*) *m* copropietario (-a *f*) *m*; *e-r Firma*: socio (-a *f*) *m*; **~kämpfen** *v/i.* tomar parte en un combate (*od.* una lucha); 2**kämpfer** *m* compañero *m* de armas (*od.* de lucha); 2**kläger(in** *f*) *m* ⚖ colitigante *m/f*; **~klingen** *v/i.* resonar; **~kommen** (*L*; *sn*) *v/i.*: *mit j-m* ~ acompañar a alg.; venir con (*od.* en compañía de) alg.; (*folgen*) seguir a alg.; *mit dem Zug* ~ alcanzar el tren; *Schule*: poder seguir; **~können** (*L*) *v/i.* poder ir *bzw.* venir con alg.; tener permiso *m* para acompañar a alg.; *fig. da kann ich nicht mit* esto es superior a mis fuerzas; **~kriegen** F *v/t.* → *mitbekommen*; **~lachen** *v/i.* reírse con los otros; *er lachte, und ich lachte mit* él se rió y yo hice lo mismo; **~laufen** (*L*; *sn*) *v/i.*: correr con los demás, (*folgen*) seguir a los otros; 2**läufer** *m Pol.* simpatizante *m*; F ojalatero *m*; compañero *m* de viaje; 2**laut** *Gr. m* (*-es*; *-e*) consonante *f*; 2**leid** *n* (*-es*; *0*) piedad *f*; (*Mitgefühl*) compasión *f*; conmiseración *f*; lástima *f*; (*Nachsicht*) indulgencia *f*; *mit j-m* ~ *haben* tener compasión de alg.; *aus* ~ por compasión; por lástima; ~ *erregen* (*od. erwecken*) dar lástima *od.* pena; mover a compasión; 2**leidenschaft** *f* (*0*): *in* ~ *ziehen* afectar; *in* ~ *gezogen werden* sufrir también las consecuencias de a/c.; **~leid-erregend** *adj.* que mueve a compasión; **~leidig** *adj.* compasivo; piadoso; caritativo; (*nachsichtig*) indulgente; 2**leid(s)bezeigung** *f* (*gegenüber Trauernden*) testimonio *m* de condolencia, pésame *m*; **~leid(s)los** *adj.* despiadado; sin piedad, sin compasión (*beide a. adv.*); 2**leid(s)losigkeit** *f* (*0*) falta *f* de piedad; **~leid(s)voll** *adj.* lleno de compasión, compasivo; **~lernen** *v/t.* aprender con los demás; (*gleichzeitig lernen*) aprender al mismo tiempo; **~lesen** (*L*) *v/t.* leer junto con otro; (*im Buch*) seguir el texto; **~machen 1.** *v/i.* ser de la partida; (*dem Beispiel der anderen folgen*)

hacer como los demás; **2.** *v/t.* tomar parte en, participar en; *Mode usw.*: seguir; **≈mensch** *m* (*-en*) prójimo *m*; **~nehmen** (*L*) *v/t.* llevar consigo; llevarse a/c.; (*mitreißen*) arrastrar (*a.* ⊕); *Reisende*: recoger; *Gelegenheit*: aprovechar; *fig. Ort, Museum usw.*: visitar; (*an et. teilnehmen*) participar en, tomar parte en; *arg od. hart* ~ (*zurichten*) destrozar; *Gesundheit, Geschäft*: arruinar; (*mißhandeln*) maltratar; (*verwüsten*) asolar, devastar; (*erschöpfen*) agotar, *durch Krankheit*: debilitar, extenuar; *j-n arg* ~ tratar con dureza a alg.; *das hat ihn sehr mitgenommen* ha sido un rudo golpe para él; **≈nehmer** ⊕ *m* leva *f*; **≈nehmerbolzen** ⊕ *m* perno *m* de arrastre; **≈nehmerkette** ⊕ *f* cadena *f* de arrastre; **≈nehmerscheibe** ⊕ *f* disco *m* de arrastre; **~'nichten** *adv.* de ningún modo, de ninguna manera; nada de eso.

'Mitra ['mi:tʀa·] *f* (-; *Mitren*) mitra *f*.

'mit...: ~rechnen 1. (*-e-*) *v/t.* (*hinzurechnen*) incluir (en la cuenta); **2.** *v/i.* contar; **~reden** (*-e-*) *v/i.* tomar parte en la conversación *bzw.* en la discusión; F meter baza; *Sie haben hier nichts mitzureden* aquí no tiene usted nada que opinar; *ein Wort* (*od. Wörtchen*) *mitzureden haben* tener también algo qué decir; tener voz (*stärker*: F vara alta) en un asunto; *überall ~ wollen* F querer meterse en todo; **≈regent** *m* (*-en*) corregente *m*; **~reisen** (*sn*) *v/i.* viajar junto con; acompañar en el viaje; **~reisende(r** *m*) *m/f* compañera (-o *m*) *f* de viaje; **~reißen** (*L*) *v/t.* arrastrar en la caída; *fig. Hörer*: entusiasmar; **~'samt** *prp.* (*dat.*) con; en compañía de; junto con; **~schicken** *v/t.* enviar (junto) con; (*zur selben Zeit schicken*) enviar al mismo tiempo; (*beilegen*) incluir, enviar adjunto; *j-n* ~ mandar a alg. que acompañe a otro; **~schleppen** *v/t.* llevar consigo; arrastrar consigo *od.* tras (de) sí; **~schreiben** (*L*) *v/t.* tomar nota de; escribir al dictado; **≈schuld** ⚖ *f* (*0*) complicidad *f*; **~schuldig** ⚖ *adj.* cómplice (*an dat.* de); **≈schuldige(r** *m*) *m/f* cómplice *m/f*; **≈schuldner** *m* codeudor *m*; **≈schüler(in** *f*) *m* condiscípulo (-a *f*) *m*; *engS.* compañero (-a *f*) *m* de clase; **~schwingen** (*L*; *sn*) *v/i.* resonar; vibrar (*a. fig.*); **≈schwingen** *n* resonancia *f*; vibración *f*; **~singen** (*L*) *v/i.* cantar con otro(s); unirse al canto; *begleitend*: acompañar en el canto; **~spielen** *v/i. u. v/t.* participar (*od.* tomar parte) en el juego; *Kinder*: jugar con otros; F *fig. nicht mehr* ~ estar ya cansado (*od.* harto) de a/c.; *j-m arg* (*od. schlimm od. übel*) ~ hacer una mala partida a alg.; **≈spieler(in** *f*) *m* compañero (-a *f*) *m* de juego; *Sport*: compañero (-a *f*) *m* de equipo; **~spracherecht** *n* cogestión *f*; **~sprechen** (*L*) *v/i.* → *mitreden*; **~stimmen** *v/i.* tomar parte en la votación; **~streiten** (*L*) *v/i.* → *mitkämpfen*; **≈streiter** *m* → *Mitkämpfer*.

'Mittag *m* (*-es*; *-e*) mediodía *m*; (*Himmelsgegend*) *a.* sur *m*; *heute* ≈ (hoy) a mediodía; *gegen* ~ hacia mediodía; a última hora de la mañana; a eso del mediodía; ≈*s* a mediodía; *am hellen* ~ en pleno mediodía; *zu* ~ *essen* almorzar, comer; **~essen** *n* almuerzo *m*, comida *f*; *das* ~ *einnehmen* almorzar.

'mittäglich *adj.* del mediodía; (*südlich*) meridional.

'mittags *adv.* al mediodía; a la hora de comer; *es ist 12 Uhr* ~ son las doce de la mañana.

'Mittag(s)...: ~ausgabe *f* edición *f* del mediodía; **~brot** *n* (*-es*; *0*) almuerzo *m*, comida *f* (de mediodía); **~gast** *m* (*-es*; *⸗e*) convidado *m* (a comer *od.* a almorzar); **~glut** *f* (*0*), **~hitze** *f* (*0*) calor *m* de mediodía; **~höhe** *Astr. f* altura *f* meridiana; **~kreis** *Astr. m* (*-es*; *-e*) meridiano *m*; **~linie** *Astr. f* línea *f* meridiana; **~mahl** *n* (*-es*; *⸗er*), **~mahlzeit** *f* almuerzo *m*; **~ruhe** *f* (*0*), **~schlaf** *m* (*-es*; *0*) siesta *f*; ~ *halten* F echar la siesta; **~sonne** *f* (*0*) sol *m* de mediodía; **~stunde** *f* (hora *f* del) mediodía *m*; (*Essenszeit*) hora *f* de comer, hora *f* del almuerzo; *Astr.* hora *f* meridiana; **~tisch** *m* (*-es*; *-e*) casa *f* de comidas para clientes abonados.

'mit...: ~tanzen (*-t*) *v/i.* bailar con los demás, tomar parte en el baile; **≈täter(in** *f*) *m* ⚖ cómplice *m/f*; *direkter*: coautor(a *f*) *m*; **≈täterschaft** ⚖ *f* (*0*) complicidad *f*.

'Mitte *f* medio *m*; (*Mittelpunkt*) centro *m*; punto *m* medio; *in der* ~ en medio; en el centro; *in der* ~ *stehen* estar en medio; *in der* ~ *des XIX. Jahrhunderts* a mediados del siglo diecinueve; ~ *Dreißig* (*od. der Dreißiger*) entre treinta y cuarenta años; F treinta y tantos años; ~ *März usw.* a mediados de marzo; *in unserer* ~ entre nosotros; *aus unserer* ~ de nosotros; ⊕ *von* ~ *zu* ~ de eje a eje; de centro a centro; *die goldene* ~ el justo medio; *die* ~ *einnehmen*; *in der* ~ *liegen* estar en el medio; *in der* ~ *durchschneiden* cortar por la mitad; *in der* ~ *des Weges* en la mitad del camino; a mitad del camino; F *ab durch die* ~*!* ¡fuera!, ¡lárgate!

'mitteil|bar *adj.* comunicable; **~en** *v/t.* comunicar; informar; participar, hacer saber; *amtlich*: notificar; (*mündlich*) manifestar; *j-m et.* ~ comunicar a alg. a/c.; informar a alg. de a/c.; participar *od.* hacer saber a alg. a/c.; *sich j-m vertraulich* ~ confiarse a alg.; hacer a alg. partícipe de un secreto; hacer confidencias a alg.; **~sam** *adj.* comunicativo; expansivo; **≈ung** *f* comunicación *f*; participación *f*; informe *m*; *amtliche*: notificación *f*; (*Kommuniqué*) comunicado *m*; (*Beichte*) confidencia *f*; ~ *machen* → *mitteilen*; *vertrauliche* ~ informe confidencial; **≈ungsbedürfnis** *n* (*-ses*; *0*) deseo *m* de comunicarse *od.* explayarse; necesidad *f* de confiarse a alg.; **~ungsblatt** *n* boletín *m*, circular *f*.

'Mittel *n* medio *m*; (*Ausweg*) recurso *m*, arbitrio *m*, expediente *m*; (*Geld*≈) recursos *m/pl.*, fondos *m/pl.*; (*Heil*≈) remedio *m* (*gegen* contra *od.* para); 𝔄 *arithmetisches* ~ media aritmética; *im* ~ (*durchschnittlich*) por término medio; *öffentliche* ~ fondos públicos; *s-e* ~ *erlauben es ihm nicht* sus recursos no se lo permiten; *er hat die* ~ *dazu* tiene medios para ello; *sich ins* ~ *legen* interponerse; intervenir (en un asunto); interceder; mediar; ~ *und Wege finden zu* hallar medio para (*od.* de); *über reichliche* ~ *verfügen* disponer de medios (*bzw.* recursos) más que suficientes; *aus eigenen* ~*n* con medios propios; por propia cuenta; *ihm ist jedes* ~ *recht* para él todos los medios son buenos; *der Zweck heiligt die* ~ el fin justifica los medios.

'mittel *adj.* medio; (*in der Mitte gelegen*) del medio; situado en el medio; (*im Mittelpunkt gelegen*) central, del (*bzw.* en el) centro; de en medio; (*zwischen zweien*) intermediario; (*durchschnittlich*) mediano; *mittleres Alter* edad mediana; *im mittleren* (*von mittlerem*) *Alter* de mediana edad; de cierta edad; *von mittlerer Größe* de mediano tamaño; de tamaño medio; *mittlere Qualität* mediana calidad; *mittlerer Beamter* funcionario de mediana categoría; *Mittlerer Orient* Oriente Medio; *mittlere Wand* pared medianera.

'Mittel...: ~alter *Hist. n* (*-s*; *0*) Edad *f* Media; **≈alterlich** *adj.* de la Edad Media, medieval; **~amerika** *n* América *f* Central, Centro-América *f*; **≈bar** *adj.* indirecto; mediato; **~betrieb** *m* (*-es*; *-e*) fábrica *f* de medianas proporciones; empresa *f* modesta; **~deutschland** *n* Alemania *f* Central; **~ding** *n* (*-es*; *-e*) cosa *f* intermedia; **~europa** *n* Europa *f* Central; **≈europäisch** *adj.* centroeuropeo; ~*e Zeit* hora de Europa Central; **≈fein** *adj.* ☤ entrefino; **~finger** *m* dedo *m* (del) corazón; **~frequenz** ⚡ *f* frecuencia *f* media; **~fuß** *Anat. m* (*-es*; *⸗e*) metatarso *m*; **~gang** *m* (*-es*; *⸗e*) *e-s Abteils*: pasillo *m* central; **~gebirge** *n* montañas *f/pl.* de mediana altura; **~gewicht** *n* (*-es*; *0*) *Sport*: peso *m* medio; **~glied** *n* (*-es*; *-er*) *Anat.* falangina *f*; 𝔄 *u. Logik*: término *m* medio; **≈groß** *adj.* de tamaño medio; *Person*: de estatura mediana *od.* regular; **~größe** *f* tamaño *m* medio; estatura *f* mediana *od.* regular; **≈gut** *adj.* de calidad media; **~hand** *Anat. f* (-; *⸗e*) metacarpo *m*; **≈hochdeutsch** *adj.*, **~hochdeutsch** *n* alto alemán medio *m*; **~kurs** *m* (*-es*; *-e*) curso *m* medio; ☤ (*Börse*) cambio *m* medio; **~lage** *f* posición *f* central; **≈ländisch** *adj.* mediterráneo; *das* ~*e Meer* el (mar) Mediterráneo; **~landkanal** *m* (*-es*; *0*) Canal *m* del Centro; **~läufer** *m Fußball*: medio *m* centro; **~linie** *f Fußball*: línea *f* media (*od.* de medios); 𝔄 eje *m*; mediana *f*; **≈los** *adj.* sin recursos; *völlig* ~ sin medios de subsistencia; **~losigkeit** *f* (*0*) falta *f* de recursos (*od.* de medios); **~mächte** *Pol. f/pl.* potencias *f/pl.* centrales; **~maß** *n* (*-es*; *0*) medida *f* regular; *v. Personen*: estatura *f* mediana *od.* regular; **⁓mäßig** *adj.* mediano; mediocre; F así así; (*mäßig*) módico; **⁓mäßigkeit** *f (0)* medianía *f*; mediocridad *f*; (*Geringheit*) modicidad *f*; **⁓meer** *n* (*-es; 0*) (mar *m*) Mediterráneo *m*; **⁓meer-länder** *m/pl.* países *m/pl.* mediterráneos; **⁓ohr** *Anat. n* (*-es; -en*) oído *m* medio; **⁓ohrentzündung** ⚕ *f* otitis *f* media; **⁓pfeiler** ⚠ *m* pilar *m* central; **⁓punkt** *m* (*-es; -e*) centro *m* (*a. fig.*); punto *m* central; (*Brennpunkt*) foco *m* (*a. fig.*); *fig., hum.* ombligo *m*; *im ⁓ gelegen* central; céntrico; **⁓s** *prp.* (*gen.*) por medio de; mediante; **⁓schiff** ⚠ *n* (*-es; -e*) nave *f* central; **⁓schule** *f* escuela *f* primaria superior; **⁓smann** *m* (*-es; ⸚er*), **⁓s-person** *f* mediador *m*; (*Vermittler*) intermediario *m*; *sich als Mittelsmann anbieten* ofrecer sus buenos oficios; ofrecer su mediación; **⁓sorte** ✝ *f* calidad *f* media; **⁓st** → *mittels*; **⁓stand** *m* (*-es; 0*) clase *f* media; **⁓stellung** *f* posición *f* central *bzw.* media; **⁓stimme** *f* voz *f* media; **⁓strecke** *Sport f* medio fondo *m*; **⁓streckenlauf** *m* (*-es; ⸚e*) carrera *f* de medio fondo; **⁓streckenläufer(in** *f*) *m* corredor (-a *f*) *m* de medio fondo; **⁓streckenrakete** ⚔ *f* cohete *f* de alcance medio; **⁓stück** ⊕ *n* (*-es; -e*) pieza *f* intermedia; pieza *f* de unión; *Fleischerei*: falda *f*; **⁓stufe** *f* segundo grado *m*; *Schule*: grados *m/pl.* intermedios; **⁓stürmer** *m Fußball*: delantero *m* centro; **⁓ton** ♪ *m* (*-es; ⸚e*) sonido *m* medio; *Mal.* medias tintas *f/pl.*; **⁓wand** ⚠ *f* (*-; ⸚e*) pared *f* medianera; tabique *m*; **⁓weg** *fig. m* (*-es; -e*) término *m* medio; *der goldene ⁓* el justo medio; **⁓welle** *f Radio*: onda *f* media; **⁓wellenbereich** *m* (*-es; -e*) gama *f* de ondas medias; **⁓wellensender** *m* emisora *f* de onda media; **⁓wert** *m* (*-es; -e*) valor *m* medio; ⩚ término *m* medio; promedio *m*; **⁓wort** *Gr. n* (*-es; -e*) participio *m*.

'mitten *adv.*: *⁓ an, ⁓ auf, ⁓ in, ⁓ unter* (*dat.*) en medio de; entre; *⁓ aus* por (*bzw.* de) en medio de; *⁓ ins Herz* en mitad del corazón; *⁓ im Winter* en pleno invierno; *⁓ am Tage* en pleno día; *⁓ auf der Straße* en mitad de la calle; *⁓ in der Menge* en medio de la multitud; *⁓ durch* a través de; por en medio de; por entre; *⁓ in der Nacht* en plena noche; **⁓'drin, ⁓'drunter** *adv.* justamente en el medio; **⁓'durch** *adv.* por en medio de; a través de; de un extremo a otro; *⁓ schneiden* cortar por la mitad.

'Mitter|nacht *f* (*-; ⸚e*) medianoche *f*; (*Himmelsgegend*) norte *m*; *um ⁓* a medianoche; *gegen ⁓* hacia medianoche; **⁓nächtlich** *adj.* de (*od.* a) medianoche; (*nördlich*) septentrional; *fig.* nocturno; **⁓nachtmesse** *Rel. f* misa *f* de medianoche; **⁓nachtsonne** *f (0)* sol *m* de medianoche.

'Mittfasten *pl.* media cuaresma *f*, tercer domingo *m* de cuaresma.

'mittig ⊕ *adj.* central; centrado.

'mittler *adj.* → *mittel*.

'Mittlerer 'Osten *m* Oriente *m* Medio.

'Mittler(in *f*) *m* mediador(a *f*) *m*; medianero (-a *f*) *m*; (*Vermittler*) intermediario *m*; **⁓amt** *n* (*-es; ⸚er*) buenos oficios *m/pl.*; mediación *f*; **⁓rolle** *f* papel *m* de mediador; **⁓'weile** *adv.* mientras tanto, entretanto.

'mit...: ⁓tönen ♪ *v/i.* sonar simultáneamente; resonar; **⁓tragen** (*L*) *v/t.* llevar (con otros); *fig.* compartir; **⁓trinken** (*L*) *v/t.*: *mit j-m ⁓* beber con alg.

'mitt|schiffs ⚓ *adv.* en el centro del barco; **⁓sommer** *m* rigor *m* del estío; **⁓sommernacht** *f* (*-; ⸚e*) noche *f* estival (*od.* de verano).

'mittun (*L*) *v/i. u. v/t.* → *mitmachen*.

'Mittwoch *m* (*-s; -e*) miércoles *m*; **⁓s** *adv.* los miércoles.

'mit...: '⁓unter *adv.* de vez en cuando, a (las) veces, de cuando en cuando; **⁓unterschreiben** (*L*; -), **⁓unterzeichnen** (*-e-, -*) *v/t.* firmar en segundo lugar; (*gegenzeichnen*) refrendar; **⁓unterschrift** *f* segunda firma *f*; (*Gegenzeichnung*) refrendo *m*; **⁓ursache** *f* causa *f* secundaria; concausa *f*; **⁓verantwortlich** *adj.* igualmente responsable; *⁓ sein* compartir la responsabilidad; **⁓verantwortung** *f* responsabilidad *f* común; **⁓verfasser(in** *f*) *m* coautor(a *f*) *m*; **⁓verschworene(r)** *m* conjurado *m*; **⁓welt** *f (0)* el mundo contemporáneo, los contemporáneos; **⁓wirken** *v/i.* cooperar (*bei* en); colaborar; concurrir; asistir; (*in e-m Theater*) actuar; (*teilnehmen*) tomar parte en; participar en; **⁓wirkend** *adj.* cooperador; *⁓e Personen* (*Thea.*) actores *m/pl.*; **⁓wirkung** *f (0)* cooperación *f*; colaboración *f*; concurso *m*; (*Beihilfe*) asistencia *f*; (*Teilnahme*) participación *f*; (*verbrecherische*) complicidad *f*; **⁓wissen** *n*, **⁓wisserschaft** *f (0)* conocimiento *m*; (*verbrecherische*) complicidad *f*; *ohne mein Mitwissen* sin mi conocimiento, sin saberlo yo; *unter Mitwissen von* a sabiendas de; **⁓wisser(in** *f*) *m* consabidor(a *f*) *m*; (*Vertrauter*) confidente *m/f*; ⚖ cómplice *m/f*; **⁓zählen 1.** *v/t.* (*hinzurechnen*) incluir en el número; incluir en la cuenta; *Kinder nicht mitgezählt* sin contar los niños; **2.** *v/i.* contar; *das zählt nicht mit* eso no cuenta; **⁓zechen** *v/i.* beber copiosamente (*mit j-m* con alg.); **⁓ziehen 1.** (*L*) *v/t.* tirar (*mit j-m* con alg.) de; (*mitreißen*) arrastrar; **2.** (*sn*) *v/i.* partir *od.* ir (*mit j-m* con alg.); marcharse con los demás.

'Mix|becher *m für Getränke*: coctelera *f*; **⁓en** (*-t*) *v/t.* mezclar; **⁓er** *m* (*Bar⁓*) coctelero *m*; *angl.* mixer *m*.

Mix'tur *Phar. f* mixtura *f*.

Mob *m* (*-s; -s*) populacho *m*; chusma *f*.

'Möbel *n* mueble *m*; *sich ⁓ anschaffen* adquirir muebles; *eigene ⁓ haben* tener muebles propios; **⁓ausstellung** *f* exposición *f* de la industria del mueble; **⁓bezugsstoff** *m* (*-es; -e*) tela *f* para tapizar muebles; **⁓fabrik** *f* fábrica *f* de muebles; **⁓geschäft** *n* (*-es; -e*) mueblería *f*; almacén *m* de muebles; **⁓händler** *m* comerciante *m* en muebles; **⁓industrie** *f* industria *f* del mueble; **⁓lack** *m* (*-es; -e*) barniz *m* para muebles; **⁓lager** *n* guardamuebles *m*; **⁓politur** *f* pulimento *m* para muebles; **⁓rolle** *f* roldana *f* para muebles; **⁓schreiner** *m* ebanista *m*; **⁓schreine'rei** *f* ebanistería *f*; **⁓stück** *n* (*-es; -e*) mueble *m*; **⁓tischler** *m* ebanista *m*; **⁓tischle'rei** *f* ebanistería *f*; **⁓transport** *m* (*-es; -e*) mudanza *f*; **⁓transportgeschäft** *n* (*-es; -e*) empresa *f* de mudanzas; **⁓überzug** *m* (*-es; ⸚e*) funda *f* de mueble; **⁓wagen** *m* carro *m* de mudanza; camión *m* de mudanza; (*gepolsterter*) acolchado, *gal.* capitoné *m*.

mo'bil *adj.* móvil; (*flink, frisch*) ágil; ⚔ *⁓ machen* movilizar.

Mobili'ar [-i'lĭɑːʀ] *n* (*-s; -e*) mobiliario *m*, muebles *m/pl.*, moblaje *m*, mueblaje *m*; (*Aussteuer*) ajuar *m*; **⁓vermögen** *n* bienes *m/pl.* muebles.

Mo'bilien *pl.* mobiliario *m*, muebles *m/pl.*; efectos *m/pl.* mobiliarios.

mobili'sier|en (-) *v/t.* movilizar; **⁓en** *n*, **⁓ung** *f* movilización *f*.

Mo'bilmachung ⚔ *f* movilización *f*; **⁓sbefehl** *m* (*-es; -e*) orden *f* de movilización; **⁓s-tag** *m* (*-es; -e*) día *m* de movilización.

mö'blier|en (-) *v/t.* amueblar, amoblar; *möbliertes Zimmer* habitación *f* amueblada; *möblierte Wohnung* casa *f* amueblada; piso *m* amueblado; *möbliert wohnen* vivir en una habitación amueblada *bzw.* en un piso amueblado; *möbliert vermieten* subarrendar un piso amueblado *bzw.* una habitación amueblada; **⁓en** *n*, **⁓ung** *f* amueblamiento *m*.

'mochte *pret. v. mögen*.

'Mockturtlesuppe *f* sopa *f* de tortuga (falsa).

mo'dal *adj. Gr.* modal.

Modali'tät *f* modalidad *f*.

'Modder *m* lodo *m*, fango *m*; barro *m*.

'Mode *f* moda *f*; *neueste ⁓* la última moda; el último grito; *⁓ werden* ponerse de moda; *⁓ sein* estar de moda, ser (la) moda; estar en boga; *in ⁓ bringen* poner de (*od.* en) moda; *aus der ⁓ sein* estar pasado de moda; *aus der ⁓ kommen* pasar de moda; *sich nach der ⁓ kleiden* vestir a la moda; *die ⁓ mitmachen* seguir la moda; *es ist ⁓, ... zu tragen* está de moda llevar ...; *augenblickliche* (*od. gegenwärtige*) *⁓* la moda actual (*od.* del día); *das ist* (*nun mal*) *so ⁓* es la moda; **⁓artikel** *m* artículo *m* de moda; novedad *f*; **⁓dame** *f* mujer *f* (vestida) a la moda; señora *f bzw.* señorita *f* elegante; **⁓dichter** *m* poeta *m* de moda; **⁓farbe** *f* color *m* de moda; **⁓geck** *m* (*-en*) (*ehm.*) lechuguino *m*, pisaverde *m*; *angl.* dandi *m*; **⁓geschäft** *n* (*-es; -e*), **⁓haus** *n* (*-es; ⸚er*) tienda *f* (*od.* casa *f*) de modas; **⁓gewerbe** *n* alta costura *f*; **⁓journal** *n* (*-s; -s od. -e*) revista *f* de modas; **⁓krankheit** *f* enfermedad *f* de moda.

Mo'dell *n* (*-s; -e*) modelo *m*; (*Schnittmuster*) patrón *m*; (*Mode⁓*) figurín *m*; (*Urbild*) prototipo *m*; ⊕

(*Typ*) tipo *m*, modelo *m*; (*Muster*) muestra *f*; (*Mannequin*) modelo *f* (*a. Mal.*); △ maqueta *f*; ~ *stehen* servir de modelo; *Mal. a.* posar; *im ~ darstellen* (*od. ausführen*) modelar; **~flugzeug** *n* (*-es*; *-e*) prototipo *m* de avión; avión modelo *m*.

model'lier|en (-) *v/t.* modelar; **2en** *n* modelado *m*; **2er** *m* modelador *m*; **2masse** *f* pasta *f* de modelar; **2ton** *m* (*-es*; *⸗e*) barro *m* para modelar; **2ung** *f* modelado *m*; **2wachs** *n* (*-es*; *-e*) cera *f* para escultores; cera *f* de modelar.

Mo'dell...: **~kleid** *n* (*-es*; *-er*) modelo *m*; **~kollektion** *f*, **~sammlung** *f* colección *f* de modelos; **~schneider(in** *f*) *m* modelista *m/f.*; **~schreiner** *m*, **~tischler** *m* (carpintero *m*) modelista *m*; **~schreine'rei** *f*, **~tischle'rei** *f* carpintería *f* modelista; **~zeichner(in** *f*) *m* modelista *m/f*; dibujante *m/f* de modelos.

'modeln (*-le*) *v/t.* modelar; amoldar.

'Mode|narr *m* (*-en*) (*ehm.*) lechuguino *m*, pisaverde *m*, petimetre *m*, gomoso *m*; *angl.* dandi *m*; **~nschau** *f* (*mit Vorführungen*) desfile *m* de modelos; exhibición *f* de modas.

'Moder *m* (*-s*; *0*) (*Fäulnis*) putrefacción *f*; podredumbre *f*; (*Schlamm*) lodo *m*; fango *m*; (*Schimmel*) moho *m*; *nach ~ riechen* oler a podrido; oler a moho; **~geruch** *m* (*-es*; *0*) olor *m* a podrido; olor a moho; **2ig** *adj.* (*faulig*) podrido; (*schlammig*) lodoso, fangoso; (*schimmelig*) mohoso.

Mode'rator *m* (*-s*; *-'oren*) moderador *m*.

'modern (*-re*) *v/i.* pudrirse; corromperse.

mo'dern *adj.* moderno; (*nach der neuesten Mode*) a la moda; (*in der ~en Art*) a la moderna; (*fortschrittlich*) progresivo; *~er Geschmack*, *~e Zeitrichtung* modernismo *m*; *es ist nicht mehr ~* (*Kleid*) ya ha pasado de moda; *fig.* ya no se estila; **2e** *f* (*0*) modernidad *f*; tendencias *f/pl.* modernas; estilo *m* moderno.

moderni'sier|en (-) *v/t.* modernizar; poner al día; *Kleid usw.*: reformar, adaptar al gusto actual; *Gebäude*: renovar; **2ung** *f* modernización *f*.

'Mode...: **~sache** *f* cuestión *f* de moda; **~salon** *m* (*-s*; *-s*) salón *m* de modas; **~schöpfer** *m* modista *m/f*, modisto *m*; creador *m* de alta costura; **~schöpfung** *f* creación *f* de alta costura; **~stoff** *m* (*-es*; *-e*) novedad *f*; **~waren** *f/pl.* artículos *m/pl.* de moda; novedades *f/pl.*; **~warengeschäft** *n* (*-es*; *-e*) tienda *f* de modas; **~wort** *n* (*-es*; *⸗er*) palabra *f* de moda; **~zeichner** *m* dibujante *m* de figurines; **~zeitung** *f* revista *f* de modas.

modifi'zier|en (-) *v/t.* modificar; **2ung** *f* modificación *f*.

'modisch *adj.* a la moda; *~e Neuheiten* novedades *f/pl.*

Mo'distin *f* modista *f*.

'Modul ⚒ *m* (*-s*; *-n*) módulo *m*.

Modulati'on *f* modulación *f*.

Modu'lator *m* (*-s*; *-en*) modulador *m*.

modu'lieren I. (-) *v/t.* modular; **II. 2** *n* modulación *f*.

'Modus ['mo:dus] *m* (*-*; *Modi*) modo *m*.

Moge'lei [ə] F *f beim Kartenspiel*: trampa *f*, fullería *f*; tahurería *f*.

'mogeln (*-le*) F engañar; *beim Kartenspiel*: hacer trampas *f/pl.*; *Schule*: *fig.* hacer novillos *m/pl.*

'mögen (*L*) *v/t. u. v/aux.*: (*können, dürfen*) poder; (*wollen*) querer; desear; (*sollen*) deber; *gern ~* gustar; *lieber ~* preferir; gustar más; *ich möchte* quisiera; desearía; *ich möchte Herrn X sprechen* quisiera hablar con el Sr. X; deseaba (*od.* desearía) hablar con el Sr. X.; *das hätte ich sehen ~* me hubiera gustado verlo; *was möchten Sie?* ¿qué desea (*od.* deseaba) usted?; *ich möchte ihn so gern wiedersehen* me gustaría tanto volver a verle; *man möchte meinen* se diría que; *so sehr ich auch möchte* por mucho que ello me agradara; *es mag sein* puede ser; es posible; *es mag sein, daß …* es posible (*od.* puede ser) que … (*subj.*); *es mag geschehen!* ¡sea!; *diesmal mag es noch hingehen* pase por esta vez; *du magst sagen, was du willst* puedes decir lo que quieras; digas lo que digas; por más que digas; *mag man wollen oder nicht* quiérase o no; de grado o por fuerza; *er mag 20 Jahre alt sein* tendrá unos veinte años; *er mag krank sein* puede ser (*od.* es posible) que esté enfermo; tal vez esté enfermo; *er mag es tun, wenn er kann* que lo haga si puede; *er mag gehen* (*darf gehen*) puede marcharse; *er mag ruhig warten!* ¡que espere!; *möge er glücklich sein!* ¡que sea feliz!; *Gott möge dir verzeihen!* ¡que Dios te perdone!; *was man auch immer sagen mag* dígase lo que se diga; *mag er auch noch so reich sein* por muy rico que sea; *wer er auch sein mag* sea quien sea; sea quien fuere; quienquiera que sea; *wo er wohl sein mag?* ¿dónde estará?, F ¿dónde se habrá metido?; *wo mag er dies gehört haben?* ¿dónde habrá oido eso?; *was mag dies bedeuten?* ¿qué significará eso?; *ich mag das nicht* no me gusta eso; *er mag mich nicht* no soy de su agrado; F no soy santo de su devoción.

'Mogler F *m* tramposo *m*, fullero *m*; tahur *m*.

'möglich I. *adj.* posible; (*durchführbar*) factible; hacedero; (*ausführbar*) realizable; *es ist ~, daß …* es posible (*od.* puede ser) que … (*subj.*); *nicht ~!* ¡no es posible!; ¡imposible!; F ¿será posible?; *wenn ~* si es posible; **II.** *adv.*: *so gut wie ~* lo mejor posible; *so schnell wie ~* lo más rápido posible; *so oft wie ~* lo más a menudo posible; con la mayor frecuencia que se pueda; *so bald wie ~* tan pronto como se pueda; lo más pronto posible; a la mayor brevedad (posible); *so wenig wie ~* lo menos posible; *so wenig Lärm wie ~* el menor ruido posible; **2e(s)** *n* lo posible; *im Rahmen des ~n* en la medida de lo posible; cuanto sea posible; *alles 2 tun* hacer todo lo posible; hacer todo lo que se pueda; **~er'weise** *adv.* (*vielleicht*) tal vez, acaso, quizá; posiblemente; **2keit** *f* posibilidad *f*; (*möglicher Fall*) eventualidad *f*; contingencia *f*; *nach ~* en lo posible; *es gibt keine ~* no hay (ninguna) posibilidad; no es posible; no hay manera de (*inf.*); **~st** *adj. u. adv.*: *~ viel* lo más posible, el mayor número (*od.* la mayor cantidad) posible; *~ wenig* lo menos posible; *~ wenig Fehler* el menor número de faltas posible; *~ bald* cuanto antes, lo más pronto posible; lo antes que sea posible; *~ gut* le mejor posible; *sein ~es tun* hacer todo lo posible.

'Mohammed *m* Mahoma *m*.

Mohamme|'daner(in *f*) *m* mahometano (-a *f*) *m*; musulmán *m*, musulmana *f*; sarraceno (-a *f*) *m*; **2'danisch** *adj.* mahometano; musulmán; sarraceno.

Mo'här *m* (*-s*; *0*) (*Haar der Angoraziege*) mohair *m*, moer *m*; (*Glanzgewebe*) muaré *m*; **~wolle** *f* pelo *m* de cabra de Angora.

'Mohn ⚘ *m* (*-es*; *-e*) adormidera *f*; (*Feld2*) amapola *f*; **~blume** *f* (flor *f* de) adormidera *f*; amapola *f*; **~kapsel** *f* (*-*; *-n*) cabeza *f* de adormidera; **~öl** *n* (*-es*; *0*) aceite *m* de adormidera; **~samen** *m* semilla *f* (*od.* granos *m/pl.*) de adormidera.

Mohr *m* (*-en*) (*Maure*) moro *m*; (*Neger*) negro *m*.

'Möhre *f*, **'Mohrrübe** *f* ⚘ zanahoria *f*.

'Mohrenwäsche *f fig.* esfuerzo *m* perdido *od.* inútil.

'Mohrin *f* mora *f*.

Moi'ré [moa'ʀe:] *m od. n* (*-s*; *-s*) moaré *m*, muaré *m*.

moi'rieren [moa'ʀi:rən] (-) *v/t.* (*Stoff*) hacer ondas *f/pl. od.* formar aguas *f/pl.*

mo'kant *adj.* burlón.

Mokas'sin *m* (*-s*; *-s od. -e*) mocasín *m*, mocasina *f*.

mo'kieren (-) *v/refl.*: *sich ~ über* (*ac.*) burlarse de; P chotearse de.

'Mokka *m* (*-s*; *-s*) moca *m*, café *m* moca; *fig.* café *m* muy cargado; **~löffel** *m* cucharilla *f*; **~tasse** *f* jícara *f*.

Molch *Zoo. m* (*-es*; *-e*) salamandra *f*.

'Moldau *f* (*Donaustaat*) Moldavia *f*; (*Fluß*) Moldau *m*.

'Mole *f* (*Kai*) muelle *m*; (*Hafen2*) malecón *m*.

Mole'kül *n* (*-s*; *-e*) molécula *f*.

moleku'lar *adj.* molecular; **2gewicht** *n* (*-es*; *-e*) peso *m* molecular.

molk *pret. v. melken.*

'Molke *f* suero *m* (de leche).

Molke'rei *f* lechería *f*; central *f* lechera; **~genossenschaft** *f* cooperativa *f* lechera; **~produkt** *n* (*-es*; *-e*) producto *m* lácteo.

'molkig *adj.* parecido al suero de leche.

Moll[1] ♪ *n* (*0*) modo *m* menor.

Moll[2] *m* (*-es*; *-e od. -s*) (*Stoffart*) muletón *m*.

'mollig *adj.* (*weich*) blando, muelle; suave; (*gut geheizt*) bien calentado; (*angenehm*) agradable; confortable; (*rundlich*) *Person*: regordete, rollizo; F *Frau*: metidita en carnes.

'Mollton-art ♪ *f* modo *m* menor.

Mol'luske [mɔ-] *Zoo. f* molusco *m.*

Molyb'dän ⚗ *n* (*-s; 0*) molibdeno *m.*

Mo'ment[1] *m* (*-s; -e*) momento *m*, instante *m*; *im letzten* ~ en el último momento *od.* instante; *in diesem* ~ en este momento; *im* ~ (*gegenwärtig*) por el momento, de momento; *der richtige* ~ el momento oportuno; ~, *bitte!* ¡un momento, por favor!

Mo'ment[2] *n* (*-s; -e*) factor *m*; ⊕ momento *m*; (*Umstand*) circunstancia *f*; (*Grund*) motivo *m*, razón *f*; *psychologisches* ~ momento psicológico.

momen'tan I. *adj.* momentáneo; actual; **II.** *adv.* por el momento, de momento.

Mo'ment...: **~aufnahme** *Phot. f* instantánea *f*; *eine* ~ *machen* hacer una instantánea; **~schalter** ⚡ *m* interruptor *m* instantáneo; **~verschluß** *Phot. m* (*-sses; ⸚sse*) obturador *m* instantáneo.

Mo'naco *n* Mónaco *m.*

Mo'nade *Phil. f* mónada *f*; **~nlehre** *f* (*0*) monadología *f.*

Mo'narch *m* (*-en*) monarca *m*, soberano *m*; **~in** *f* soberana *f.*

Monar'chie *f* monarquía *f*; *absolute* (*konstitutionelle*) ~ monarquía absoluta (constitucional).

Monar'chist(in *f*) *m* (*-en*) monárquico (-a *f*) *m*; **2isch** *adj.* monárquico.

'Monat *m* (*-s; -e*) mes *m*; *im* ~ *Mai* en el mes de mayo; *der nächste* ~ el próximo mes; *der vorige* ~ el mes pasado; *dieses* ~*s* (*Abk.* d. M.) de este mes; *des laufenden* ~*s* del corriente (mes) (*Abk.* cte.); *im* ~ (*monatlich*) por mes, cada mes, mensualmente; *sie ist im fünften* ~ está en el quinto mes (del embarazo); *alle* ~*e* todos los meses; **2elang** *adv.* (durante) varios meses; **2lich I.** *adj.* mensual; ~*e Zahlung* pago *m* por mensualidades; ~*e Rate* plazo *m* mensual; **II.** *adv.* mensualmente, todos los meses; cada mes; al mes.

'Monats...: **~abschluß** † *m* (*-sses; ⸚sse*) balance *m* mensual; **~aufstellung** *f* estado *m* mensual; **~ausweis** *m* (*-es; -e*) *e-r Bank*: balance *m* mensual; **~bericht** *m* (*-és; -e*) informe *m* mensual; **~betrag** *m* (*-és; ⸚e*) mensualidad *f*; **~binde** *f* venda *f* higiénica; paño *m* higiénico; **~fluß** ⚕ *m* (*-sses; 0*) menstruación *f*; período *m*, reglas *f/pl.*; **~frist** *f*: *in* ~ en el plazo de un mes; **~gehalt** *n* (*-és; ⸚er*) sueldo *m* mensual, mensualidad *f*; **~karte** 🚂 *f* billete *m* (*od.* abono *m*) mensual; **~lohn** *m* (*-és; ⸚e*) salario *m* mensual; **~produktion** *f* producción *f* mensual; **~rate** *f* plazo *m* mensual, mensualidad *f*; **~schrift** *f* revista *f* mensual; **~verdienst** *m* (*-és; 0*) ganancia *f* mensual; **~zahlung** *f* mensualidad *f*; **2weise** *adv.* por meses; mensualmente.

Mönch *m* (*-és; -e*) monje *m*, religioso *m*, fraile *m*; (*Anachoret*) anacoreta *m*; ~ *werden* hacerse monje, ingresar en una orden monacal, F meterse fraile; **'2isch** *adj.* monacal, monástico.

'Mönchs...: **~kappe** *f* capucho *m* (de monje); **~kloster** *n* (*-s;* ⸚) monasterio *m*, convento *m* de frailes; **~kutte** *f* hábito *m* (de monje), cogulla *f*; **~latein** *n* (*-s; 0*) latín *m* de convento; **~leben** *n* (*-s; 0*) vida *f* monacal (*od.* monástica); **~orden** *m* orden *f* monástica; **~wesen** *n* órdenes *f/pl.* (*bzw.* instituciones *f/pl.*) monásticas, monacato *m*; **~zelle** *f* celda *f* de monje; **~zucht** *f* (*0*) disciplina *f* monacal.

Mond *m* (*-és; -e*) luna *f*; *abnehmender* (*zunehmender*) ~ luna menguante (creciente); *der* ~ *nimmt zu* (*ab*) hay luna creciente (menguante); *der* ~ *scheint* hace luna; *auf dem* ~ *landen* posarse en la luna; *neol.* alun(iz)ar; *fig. auf dem* ~ *leben* vivir en la luna; *vom* ~ *kommen* venir de otro mundo; *den* ~ *anbellen* ladrar a la luna; F *in den* ~ *gucken* frustrarse las esperanzas, F quedarse a la luna de Valencia.

mon'dän *adj.* elegante; de mucho (*od.* del gran) mundo.

'Mond...: **~aufgang** *m* (*-és; ⸚e*) salida *f* de la luna; **~bahn** *Astr. f* órbita *f* de la luna; **2beglänzt** *adj.* iluminado (*od.* bañado) por la luna; **~bewohner** *m* selenita *m.*

'Möndchen *Anat. n* lúnula *f.*

'Mond|fähre *f* módulo *m* lunar; **~fahrer** *m* selenauta *m.*

'Mond...: **~finsternis** *f* (*0*) eclipse *m* lunar (*od.* de luna); **~fisch** *Ict. m* (*-és; -e*) pez *m* luna; **~flecken** *m* mancha *f* lunar; **~gebirge** *n* montañas *f/pl.* de la luna; **~gesicht** F *n* (*-és; -er*) individuo *m* carirredondo; **2hell** *adj.* iluminado por la luna; *es ist* ~ hace luna clara; **~kalb** *fig. n* (*-és; ⸚er*) majadero *m*; **~landung** *f* alunizaje *m*; *weiche* ~ alunizaje suave; **~licht** *n* (*-és; 0*) luz *f* de la luna; **~monat** *m* (*-és; -e*) mes *m* lunar; **~nacht** *f* (*-; ⸚e*) noche *f* de luna; **~phasen** *f/pl.* fases *f/pl.* de la luna; **~rakete** *f* cohete *m* lunar; **~scheibe** *f* disco *m* lunar (*od.* de la luna); **~schein** *m* (*-és; 0*) luz *f* de la luna; claro *m* de luna; *beim* ~ a la luz de la luna; **~sichel** *f* (*0*) creciente *m*; media luna *f*; **~sonde** *f* sonda *f* lunar; **2süchtig** *adj.* sonámbulo; **~süchtige(r** *m*) *m/f* sonámbulo (-a *f*) *m*; **~viertel** *n* cuarto *m* (de la luna); **~viole** ✿ *f* lunaria *f*; **~wechsel** *m* cambio *m* de luna.

Mone'gasse *m* monegasco *m*, habitante *m* de Mónaco.

Mo'neten P *pl.* dinero *m*, *Am.* plata *f*; F monís *m*, pasta *f*, tela *f*; P parné *m.*

Mon'gol|e *m* (*-n*) mogol *m*; *gal.* mongol *m*; **~in** *f* mogola *f*; *gal.* mongola *f.*

Mongo'lei *f* Mongolia *f.*

mon'golisch *adj.* mogólico, mogol, *gal.* mongol, mongólico.

mo'nieren I. (-) *v/t.* † (*mahnen*) reclamar; advertir; (*tadeln*) censurar, criticar; **II. 2** † *n* (*Mahnen*) reclamación *f*; advertencia *f*; (*Tadeln*) censura *f*, crítica *f.*

Mo'nismus *Phil. m* (*-; 0*) monismo *m.*

Mono|'chord ♪ *n* (*-s; -e*) monocordio *m*; **2'chrom** *adj.* monocromo; **2'gam** *adj.* monógamo; **~ga'mie** *f* monogamia *f*; **2'gamisch** *adj.* monógamo; **~'gramm** *n* (*-és; -e*) monograma *m*; **~gra'phie** *f* monografía *f.*

Mo'nokel [moˑ'nɔ-] *n* (*-s; -*) monóculo *m.*

'Monokultur ⚘ *f* monocultivo *m.*

Mono|'lith *m* (*-és; -e od. -en*) monolito *m*; **2'litisch** *adj.* monolítico; **~'log** *m* (*-és; -e*) monólogo *m*; *e-n* ~ *halten* monologar; **2'man** *adj.* monomaníaco; **~'mane(r** *m*) *m/f* monomaníaco (-a *f*) *m*; **~'pol** *n* (*-és; -e*) monopolio *m*; **2poli'sieren** (-) *v/t.* monopolizar; **~'polstellung** *f* posición *f* de monopolio; **~the'ismus** *m* (*-; 0*) monoteísmo *m*; **~the'ist** *m* (*-en*) monoteísta *m*; **2the'istisch** *adj.* monoteísta; **2'ton** *adj.* monótono; **~to'nie** *f* monotonía *f.*

'Monotype *Typ. f* (*Maschine*) monotipo *m*; (*Verfahren*) monotipia *f.*

'Monroedoktrin *Pol. f* doctrina *f* de Monroe.

'Monsterfilm [-st-] *m* superproducción *f.*

Mon'stranz [-st-] *Rel. f* custodia *f.*

mon'strös [-st-] *adj.* monstruoso.

Monstrosi'tät [-st-] *f* monstruosidad *f.*

'Monstrum [-st-] *n* (*-s; Monstren*) monstruo *m.*

Mon'sun *m* (*-s; -e*) monzón *m*; **~regen** *m* lluvia *f* monzónica.

'Montag *m* (*-és; -e*) lunes *m*; F *blauen* ~ *machen* hacer fiesta el lunes; *fig.* hacer puente (el lunes).

Mon'tage [-'tɑːʒə] ⊕ *f* montaje *m*; **~bahn** *f* cinta *f* (*od.* cadena *f*) de montaje; **~bock** *m* (*-és; ⸚e*) caballete *m* de montaje; **~gerüst** *n* (*-és; -e*) andamio *m* de montaje; **~halle** *f* sala *f* de montaje; **~kosten** *pl.* gastos *m/pl.* de montaje.

'montags *adv.* los lunes; cada lunes.

Mon'tan|industrie *f* industria *f* minera y metalúrgica; **~union** *f* Comunidad *f* Europea del Carbón y del Acero (C.E.C.A.).

Mon'teur *m* (*-s; -e*) montador *m*; *Auto. u.* ✈ mecánico *m*; **~anzug** *m* (*-és; ⸚e*) traje *m* de mecánico, F mono *m.*

mon'tier|en (-) *v/t.* ⊕ montar; (*zusammensetzen*) armar; ⚔ (*ausrüsten*) equipar; **2hebel** *m* (*Reifenhebel*) palanca *f* para montar neumáticos; **2ung** ⊕ *f* montaje *m*; ⚔ (*Ausrüstung*) equipo *m*; **2ungsstücke** ⚔ *pl.* efectos *m/pl.* de vestuario y equipo.

Mon'tur ⚔ *f* equipo *m.*

Monu'ment *n* (*-és; -e*) monumento *m.*

monumen'tal *adj.* monumental; **2bau** *m* (*-és; -ten*) construcción *f* *bzw.* edificio *m* monumental.

'Moor *n* (*-és; -e*) (*Sumpf*) pantano *m*; pantanal *m*, ciénaga *f*; (*Morast*) lodo *m*, cieno *m*; **~bad** ⚕ *n* (*-és; ⸚er*) baño *m* de lodo; **2ig** *adj.* pantanoso; cenagoso; **~kultur** *f* cultivo *m* de terrenos pantanosos; **~kur** ⚕ *f* cura *f* de lodo; **~land** *n* (*-és; 0*) terreno *m* pantanoso; pantanal *m*; tierra *f* cenagosa.

'Moos ✿ *n* (*-es; -e*) musgo *m*; F *fig.* (*Geld*) dinero *m*; *Am.* plata *f*; F guita *f*, monises *m/pl.*; → *Moneten*; **2bedeckt, 2bewachsen** *adj.* cubierto de musgo; musgoso; **2grün** *adj.* verde musgo; **2ig** *adj.* musgoso.

'**Moped** *n* (*-s*; *-s*) motociclo *m*.
'**Mops** *m* (*-es*; *⸚e*) (perro *m*) doguillo *m*; **2en** (*-t*) F *v/t.* (*stehlen*) ratear; birlar; *sich* ~ (*sich langweilen*) aburrirse como una ostra.
Mo'ral *f* (*0*) moral *f*; (*Sittlichkeit*) moralidad *f*; buenas costumbres *f/pl.*; (*geistige, seelische Verfassung*) moral *f*; (*e-r Fabel*) moraleja *f*; ~ *predigen* moralizar; **~gesetz** *n* (*-es*; *-e*) ley *f* moral; **2isch** *adj.* moral; *adv.* moralmente.
morali'sieren (-) *v/i.* moralizar.
Mora'list *m* (*-en*) moralista *m*.
Morali'tät *f* moralidad *f*.
Mo'ralprediger *m* F sermoneador *m*, moralizador *m* insoportable.
Mo'räne *Geol. f* mor(r)ena *f*.
Mo'rast *m* (*-es*; *-e*) (*Sumpf*) pantano *m*; ciénaga *f*; (*Kot*) fango *m*, cieno *m*, lodo *m*; *in e-n* ~ *hineinfahren* meterse en un atascadero; *in e-m* ~ *steckenbleiben* quedar atascado, empantanarse; **2ig** *adj.* pantanoso; cenagoso, fangoso.
Mora'torium [-rĭ-] ✝ *n* (*-s*; *Moratorien*) moratoria *f*.
mor'bid *adj.* mórbido.
Morbidi'tät *f* (*0*) morbidez *f*.
'**Morchel** ⚘ *f* (*-*; *-n*) colmenilla *f*, morilla *f*.
'**Mord** *m* (*-es*; *-e*) asesinato *m*; (*Totschlag*) homicidio *m*; (*Meuchelmord*) asesinato *m* alevoso; *e-n* ~ *begehen* (*od. verüben*) cometer un asesinato; **~anklage** *f*: *unter* ~ *stehen* estar acusado de asesinato; **~anschlag** *m* (*-es*; *⸚e*) atentado *m* (contra la vida de); **~brenner(in** *f*) *m* incendiario (-a *f*) *m*; **~brenne'rei** *f* asesinato *m* con incendio; **2en 1.** *v/t.* asesinar; (*töten*) matar; **2.** *v/i.* cometer un asesinato; **~en** *n* asesinato *m*.
'**Mörder(in** *f*) *m* asesino (-a *f*) *m*; **~grube** *f* cueva *f* de bandidos; *aus s-m Herzen keine* ~ *machen* hablar con entera sinceridad *od.* con el corazón en la mano; **2isch** *adj.* asesino; (*blutig*) sangriento; (*Klima*) mortífero; (*Hitze*) asfixiante, sofocante; **2lich** *adj.* horrible; espantoso; F *fig.* enorme, tremendo; ~ *schreien* gritar como un condenado.
'**Mord...:** **~geselle** *m* (*-n*) asesino *m*; **~gier** *f* (*0*) instintos *m/pl.* sanguinarios; sed *f* de sangre; **2gierig** *adj.* sanguinario; **~io**: *Zeter und* ~ *schreien* poner el grito en el cielo; **~nacht** *f* (*0*) noche *f* del crimen; **~s-angst** F *f* (*-*; *⸚e*): *eine* ~ *haben* tener un miedo cerval, P tener cerote *od.* canguelo; **~s-arbeit** *f* trabajo *m* de esclavo; **2sdumm** F *adj.* tonto de remate; **~sgeschichte** F *f* historia *f* espeluznante; **~sglück** F *n* (*-es*; *0*) F suerte *f* bárbara; **~skerl** F *m* (*-es*; *-e*) buen mozo *m*; F todo un hombre; **~skrach** *m* (*-es*; *0*) F broncazo *m*; **~slärm** *m* (*-es*; *0*) F ruido *m* de mil demonios; **2smäßig** F *adj.* tremendo, formidable; **~sradau** F *m* (*-s*; *0*): *e-n* ~ *machen* F armar la de Dios es Cristo; **~sspaß** F *m* (*-es*; *0*) gran diversión *f*; **~sspektakel** F *m* F alboroto *m* infernal; **~swut** F *f* (*0*) furor *m* desbordado; **~tat** *f* → *Mord*; **~verdacht** *m*: *unter* ~ *stehen* ser sospechoso de asesinato; **~versuch** *m* (*-es*; *-e*) tentativa *f* de asesinato; **~waffe** *f* arma *f* homicida.
'**Mores** F *pl.*: *j-n* ~ *lehren* enseñar a alg. a tener buenas maneras.
morga'natisch *adj.* morganático.
'**morgen** *adv.* mañana; ~ *früh* mañana temprano; ~ *mittag* mañana a mediodía; ~ *abend* mañana por la noche; ~ *in acht Tagen*, ~ *über acht Tage* de mañana en ocho días; ~ *ist Montag* mañana es lunes; *bis* ~ *warten* esperar hasta mañana; *bis auf* ~ *verschieben* aplazar para (*od.* hasta) mañana; *von heute auf* ~ de hoy para mañana; de un día a otro; *lieber heute als* ~ más vale hoy que mañana; ~ *ist auch noch ein Tag* mañana será otro día.
'**Morgen** *m* mañana *f*; (*früher* ~) madrugada *f*; (*Osten*) oriente *m*; (*Feldmaß*) yugada *f*; *am* ~ por la mañana; *früh am* ~ de madrugada; muy temprano; *guten* ~! ¡buenos días!; *j-m e-n guten* ~ *wünschen* dar los buenos días a alg.; *e-s schönen* ~*s* una hermosa mañana; *am folgenden* (*od. nächsten*) ~, *den anderen* ~ a la mañana siguiente.
'**Morgen...:** **~andacht** *f I.C.* maitines *m/pl.*; oración *f* matinal; **~ausgabe** *f e-r Zeitung*: edición *f* de la mañana; **~blatt** *n* (*-es*; *⸚er*) diario *m* (*od.* periódico *m*) de la mañana; **~dämmerung** *f* crepúsculo *m* matutino, amanecer *m*; alba *f*; **2dlich** *adj.* matutino, matinal; de la mañana; **~frost** *m* (*-es*; *⸚e*) escarcha *f* matinal; **~gabe** *f* (*ehm.*) regalo *m* de tornaboda; (*des Gatten, am Morgen vor der Hochzeit*) arras *f/pl.*; (*des Gatten, am Morgen nach der Hochzeit*) oferta *f* matinal; **~grauen** *n* → *Morgendämmerung*; *im* ~ al amanecer; al despuntar el día; al romper el alba; **~gymnastik** *f* (*0*) gimnasia *f* matutina; **~kleid** *n* (*-es*; *-er*) bata *f*; (*Negligé*) salto *m* de cama; **~land** *n* Oriente *m*; Levante *m*; *Bib. die Weisen aus dem* ~ los Reyes Magos; **2ländisch** *adj.* oriental; levantino; **~luft** *f* (*0*) aire *m* de la mañana; **~post** *f* (*0*) correo *m* de la mañana; **~rock** → *Morgenkleid*; **~rot** *n*, **~röte** *f* (*0*) aurora *f*; alba *f*; amanecer *m*; **2s** *adv.* por la mañana; de mañana; *um sechs Uhr* ~ a las seis de la mañana; *von* ~ *bis abends* desde la mañana hasta la noche; de sol a sol; de estrella a estrella; **~seite** *f* lado *m* este (*od.* de levante); **~sonne** *f* (*0*) sol *m* de la mañana; sol *m* saliente; **~ständchen** *n* alborada *f*; **~stern** *Astr. m* (*-es*; *0*) Venus *f*; estrella *f* matutina; lucero *m* del alba (*od.* de la mañana); **~stunde** *f* hora *f* matinal (*od.* de la mañana); *Morgenstunde hat Gold im Munde* a quien madruga, Dios le ayuda; **~tau** *m* (*-es*; *0*) rocío *m* de la mañana; **~wind** *m* viento *m* de la mañana; (*Ostwind*) viento *m* de levante; **~zeitung** *f* diario *m* de la mañana.
'**morgig** *adj.* de mañana; *der* ~*e Tag* el día de mañana.
'**Moritz** *m* Mauricio *m*.
Mor'mon|e *m* (*-n*) mormón *m*; **~in** *f* mormona *f*; **~entum** *m* (*-s*; *0*) mormonismo *m*; **2isch** *adj.* mormón(ico).
'**Morpheus** *Myt. m* Morfeo *m*; *in* ~ *Armen ruhen* dormirse en los brazos de Morfeo.
Morphi'nist(in *f*) *m* (*-en*) morfinómano (-a *f*) *m*.
'**Morphium** *n* (*-s*; *0*) morfina *f*; **~einspritzung** ⚕ *f* inyección *f* de morfina; **~sucht** ⚕ *f* (*0*) morfinomanía *f*; **~süchtige(r** *m*) *m/f* morfinómano (a- *f*) *m*; **~vergiftung** ⚕ *f* morfinismo *m*.
Morpholo'gie *f* (*0*) morfología *f*.
morpho'logisch *adj.* morfológico.
morsch *adj.* (*zerbrechlich*) quebradizo; frágil; *fig.* caduco; (*verfault*) podrido; (*wurmstichig*) apolillado; *Zahn*: cariado.
'**Morsealphabet** *n* (*-es*; *0*) alfabeto *m* Morse.
'**Mörser** *m* mortero *m* (*a.* ⚔); (*Metall*2) almirez *m*; **~batterie** ⚔ *f* batería *f* de morteros; **~keule** *f* mano *m* de mortero *bzw.* de almirez.
'**Morse|schreiber** *m* aparato *m* Morse, telégrafo *m* Morse; **~schrift** *f* (*0*) escritura *f* Morse; **~taster** *m* manipulador *m* (Morse); **~zeichen** *n/pl.* signos *m/pl.* Morse.
'**Mörtel** *m* mortero *m*; *mit* ~ *bewerfen* revocar; **~kelle** *f* llana *f*; **~trog** *m* (*-es*; *⸚e*) cuezo *m*.
Mosa'ik *n* (*-s*; *-en*) mosaico *m* (*a. fig.*); **~arbeit** *f* mosaico *m*; **~bild** *n* (*-es*; *-er*) mosaico *m*; **~fußboden** *m* (*-s*; *⸚*) pavimento *m* de mosaico; **~künstler** *m* mosaísta *m* artístico; **~platte** *f* plancha *f* de mosaico.
mo'saisch *adj.* mosaico; ~*es Gesetz* ley de Moisés, mosaísmo.
Mo'schee *f* mezquita *f*.
'**Moschus** *m* (*-*; *0*) almizcle *m*; **~ochse** *Zoo. m* (*-n*) buey *m* almizclado; **~ratte** *Zoo. f* rata *f* almizclera; **~tier** *Zoo. n* (*-es*; *-e*) almizclero *m*.
'**Mosel** *f*: *die* ~ el (río) Mosela; **~wein** *m* vino *m* del Mosela.
'**Moses** *m* Moisés *m*; *die fünf Bücher Mosis* (*od. Mose*) el Pentateuco.
'**Moskau** *n* Moscú *m*; **~er(in** *f*) *m* moscovita *m/f*; **2isch** *adj.* de Moscú, moscovita.
Mos'kito *Zoo. m* (*-s*; *-s*) mosquito *m*; **~netz** *n* mosquitero *m*.
'**Mos|lem** *m* (*-s*; *-s*) musulmán *m*; **~'lime** *f* musulmana *f*.
Most *m* (*-es*; *-e*) mosto *m*; (*Apfel*2) zumo *m* de manzana; (*Apfelwein*) sidra *f*.
'**Mostrich** *m* (*-es*; *0*) mostaza *f*; **~soße** *f* salsa *f* de mostaza; **~töpfchen** *m* mostacero *m*.
Mo'tette ♪ *f* motete *m*.
Moti'on *f* (*Antrag*) moción *f*.
Mo'tiv *n* (*-s*; *-e*) motivo *m* (*a. Kunst*); *Liter.* asunto *m*; ♪ tema *m*; (*Beweggrund*) móvil *m*; ⚖ considerando *m*.
moti'vier|en (-) *v/t.* motivar; ⚖ exponer los considerandos; **2ung** *f* exposición *f* de motivos; motivación *f*.
'**Motor** *m* (*-s*; *-en*) motor *m*; *den* ~ *warm werden lassen* calentar el motor; *den* ~ *anlassen* (*od. anwerfen*) poner en marcha el motor; *der* ~ *springt an* el motor arranca; **~anlasser** *m* dispositivo *m* de arranque (del motor); **~antrieb** *m* (*-es*; *-e*) impulsión *f* por motor; **~ausfall** *m* (*-es*; *0*) fallo *m* de motor; **~bar-**

kasse *f* barcaza *f* de motor; **~boot** *n* (*-es*; *-e*) canoa *f* automóvil; gasolinera *f*; motolancha *f*; (lancha *f*) motora *f*; **~defekt** *m* (*-es*; *-e*) avería *f* del motor; **~drescher** *m* trilladora *f* de motor; **~enbau** *m* (*-es*; *0*) construcción *f* de motores; **~(en)bauer** *m* constructor *m* de motores; **~enlärm** *m* (*-s*; *0*) ruido *m* de motores; **~(en)schlosser** *m* mecánico *m*; **~enstärke** *f* potencia *f* del motor; **~fahrzeug** *n* (*-es*; *-e*) vehículo *m* automóvil; **~gehäuse** *n* cárter *m* (del motor); **~geräusch** *n* (*-es*; *-e*) ruido *m* del motor; **~haube** *f* capota *f* del motor.

mo'torisch *adj.* motor *m*, motriz *f*; *~er Nerv* nervio motor.

motori'sier|en (-) *v/t.* motorizar; **~t** *adj.* motorizado; **2ung** *f* motorización *f*.

'Motor...: ~jacht ⚓ *f* yate *m* automóvil; **~leistung** *f* potencia *f bzw.* rendimiento *m* del motor; **~pflug** *m* (*-es*; *⸚e*) arado *m* de motor; arado *m* automóvil; **~pumpe** *f* motobomba *f*; **~rad** *n* (*-es*; *⸚er*) moto (-cicleta) *f*; *~ mit Beiwagen* motocicleta con sidecar; *~ fahren* ir en motocicleta; **~radfahrer(in** *f*) *m* motociclista *m/f*; **~radrennen** *n* carrera *f* de motocicletas; **~radsport** *m* (*-s*; *0*) motorismo *m*, motociclismo *m*; **~roller** *m* escúter *m*; **~säge** *f* motosierra *f*; **~schaden** *m* (*-s*; *⸚*) avería *f* del motor; **~schiff** *n* (*-es*; *-e*) motonave *f*; **~schlitten** *m* trineo *m* automóvil; **~spritze** *f* motobomba *f* de incendios; **~störung** *f* perturbación *f* del motor; **~triebwagen** 🚋 *m* automotor *m*; **~verkleidung** *f* capota *f* del motor; **~wagen** *m* automóvil *m*; **~wechsel** *m* cambio *m* de motor.

'Motte *f* polilla *f*.

'Motten...: ~fraß *m* (*-es*; *0*), **~loch** *n* (*-es*; *⸚er*), **~schaden** *m* (*-s*; *0*) apolilladura *f*; daño *m* causado por la polilla; **~schutzmittel** *n* medio *m* contra la polilla; **2sicher** *adj.* inatacable por la polilla; **2zerfressen** *adj.* apolillado.

'Motto *n* (*-s*; *-s*) lema *m*, divisa *f*; programa *m*; *im Buch*: epígrafe *m*.

mous'sieren (-) *v/i.* espumar; **~d** *adj.* espumoso; (*Brauselimonade*) efervescente; (*kohlensäurehaltig*) gaseoso.

'Möwe *Orn. f* gaviota *f*.

'Mucke *f* (*Laune*, *Grille*) capricho *m*; antojo *m*; *~n haben* tener caprichos; *die Sache hat ihre ~n* F el asunto tiene sus pegas.

'Mücke *f* mosquito *m*; *fig. aus e-r ~ e-n Elefanten machen* hacer de una pulga un camello.

'mucken *v/i.* (*sich rühren*) moverse; (*schmollen*) enfurruñarse, poner hocico; (*murren*) murmurar; refunfuñar, rezongar; *ohne zu ~* sin decir esta boca es mía.

'Mücken...: ~netz *n* (*-es*; *-e*) mosquitero *m*; **~schwarm** *m* (*-es*; *⸚e*) enjambre *m* de mosquitos; **~stich** *m* (*-es*; *-e*) picadura *f* de mosquito.

'Mucker *m* (*Griesgram*) gruñón *m*, regañón *m*; (*Duckmäuser*) socarrón *m*; hipócrita *m*; (*Frömmler*) santurrón *m*, mojigato *m*, tragasantos *m*.

'Mucks *m*: *keinen ~ tun* no moverse; *keinen ~ sagen* no rechistar; no abrir el pico; **2en** *v/i.* → *mucken*; *nicht ~* (*nichts sagen*) no rechistar; no decir esta boca es mía; no decir ni pío; **2mäus-chenstill** *adj.*: *~ sein* estar sin decir palabra; no despegar los labios; no atreverse a rechistar.

'müd|e *adj.* cansado; fatigado; (*sich*) *~ machen* cansar(se); fatigar(se); *~ werden* cansarse; fatigarse; *e-r Sache* (*gen.*) *~ sein* estar cansado (*od.* harto) de a/c.; *zum Umfallen ~ sein* estar rendido (de cansancio); es *~ sein, zu* (*inf.*) estar cansado de (*inf.*); **2igkeit** *f* (*0*) cansancio *m*; fatiga *f*; *vor ~ umfallen* no poder tenerse en pie de fatiga; *vor ~ nicht weiter können* ya no poder más de fatiga.

Muff *m* (*-es*; *-e*) manguito *m*.

'Muffe ⊕ *f* manguito *m*.

'Muffel ⚒, *Met. f* (*-*; *-n*) mufla *f*.

'muffeln (*-le*) *v/i.* (*kauen*) masticar a boca llena; (*undeutlich reden*) farfullar.

'Muffen...: ~kupplung ⊕ *f* acoplamiento *m* de manguito; **~rohr** *n* (*-es*; *-e*) tubo *m* de manguito; **~ventil** *n* (*-s*; *-e*) válvula *f* de manguito.

'muffig *adj.* (*Luft*) viciado, enrarecido, estadizo; *~ riechen* oler a enmohecido; *fig.* gruñón, regañón; malhumorado.

'Mühe *f* (*Arbeit*) trabajo *m*, pena *f*; (*Ermüdung*) fatiga *f*; (*Anstrengung*) esfuerzo *m*; (*Plage*) molestia *f*; (*Sorgfalt*) esmero *m*; (*Schwierigkeit*) dificultad *f*; *mit ~ und Not* a duras penas; *nach vieler ~* a costa de muchos (*od.* de grandes) esfuerzos; después de muchos esfuerzos; *das ist verlorene ~* son esfuerzos baldíos; *~ kosten* costar trabajo; *~ machen* (*od. verursachen*) ocasionar molestias; *s-e ~ haben mit* tener mucho trabajo con; *keine ~ scheuen* no omitir esfuerzo; no escatimar esfuerzos; *sich ~ geben* esforzarse (zu por); *sich alle erdenkliche ~ geben* hacer todo lo (humanamente) posible; *sich die ~ geben, zu* (*inf.*) tomarse la molestia de (*inf.*); *sich bei* (*od. mit*) *et. ~ geben* esforzarse en a/c.; *sich die ~ machen* (*od. nehmen*) *zu* tomarse la molestia (*od.* el trabajo) de; molestarse en; *es macht mir ~* (*od. ich habe ~*), *zu* (*inf.*) me cuesta trabajo (*inf.*); *es ist nicht der ~ wert* no vale la pena; *geben Sie sich keine ~!* no se moleste usted; **2los I.** *adj.* sin esfuerzo; fácil; sin molestia; **II.** *adv.* sin esfuerzo; fácilmente; **~losigkeit** *f* (*0*) facilidad *f*; **2n** *v/refl.*: *sich ~* trabajar (*um zu* para); esforzarse (por *od.* en); molestarse (por); afanarse (por).

'muhen I. *v/i.* mugir; **II.** 2 *n* mugido *m*.

'mühe|voll *adj.* penoso; fatigoso; laborioso; difícil.

'Mühl|bach *m* (*-es*; *⸚e*) caz *m* del molino; **~e** *f* molino *m*; F (*altes Auto*) cacharro *m*; (*Hand2*, *Kaffee2*) molinillo *m* (de café); (*Brettspiel*) tres *m* en raya; (*Säge2*) aserradero *m*; (*Wind2*) molino *m* de viento; (*Spielzeug*) molinete *m*; *fig. das ist Wasser auf s-e ~* eso le viene muy a propósito; **~enbesitzer(in** *f*) *m* propietario (-a *f*) *m* de un molino; **~espiel** *n* (*-es*; *-e*) juego *m* del tres en raya; **~gang** *m* (*-es*; *⸚e*) giro *m* de piedras de molino; **~rad** *n* (*-es*; *⸚er*) rueda *f* de molino; **~stein** *m* (*-es*; *-e*) piedra *f* de molino, muela *f*.

'Mühsal *f* (*-*; *-e*) pena *f*; trabajo *m*; fatigas *f/pl.*; dificultades *f/pl.*; (*Strapaze*) penalidades *f/pl.*; (*Schufterei*) lacería *f*.

'müh|sam I. *adj.* (*Arbeit*) penoso; laborioso; ímprobo; (*ermüdend*) fatigoso; (*schwer*) arduo; (*hart*) duro; (*schwierig*) difícil; dificultoso; (*anstrengend*) trabajoso; (*lästig*) molesto; (*sorgfältig*) esmerado; **II.** *adv.* penosamente; laboriosamente; difícilmente; con dificultad; con mucho trabajo; a duras penas; **2samkeit** *f*, **2seligkeit** *f* → *Mühe*.

Mu'latt|e *m* (*-n*) mulato *m*; **~in** *f* mulata *f*; **2isch** *adj.* mulato.

'Mulde *f* artesa *f*; ⊕ molde *m*; lingotera *f*; (*Backtrog*) artesa *f* de amasar; (*Futternapf*) gamella *f*; duerno *m*; (*Kübel*, *Trog*) artesón *m*; *Geol.* depresión *f* del terreno; (*Tal*) hondonada *f*; cuenca *f*.

Mull *m od. n* (*-es*; *-e*) muselina *f* fina; (*Verband2*) gasa *f*.

'Müll *m* (*-s*; *0*) basura *f*; inmundicias *f/pl.*; (*Kehricht*) barreduras *f/pl.*; (*Schutt*) escombros *m/pl.*; **~abfuhr** *f* (*städtische*) servicio *m* (municipal) de limpieza; acarreo *m* de basuras; **~abfuhrwagen** *m* autocamión *m* del servicio de limpieza; carro *m* de la basura; **~abladeplatz** *m* (*-es*; *⸚e*) basurero *m*.

'Mullbinde *f* venda *f* de gasa.

'Müll-eimer *m* cubo *m* de la basura.

'Müller(in *f*) *m* molinero (-a *f*) *m*; **~bursche** *m* (*-n*) mozo *m* de molino.

'Müll...: ~fahrer *m* conductor *m* del servicio de limpieza; basurero *m*; **~grube** *f* muladar *m*; **~haufen** *m* montón *m* de basura; **~kasten** *m* (*-s*; *⸚*) cajón *m* de la basura.

'Müll...: ~kutscher *m* basurero *m*; **~schaufel** *f* (*-*; *-n*), **~schippe** *f* cogedor *m*; **~schlucker** *m* evacuador *m* de basuras; **~verbrennung** *f* incineración *f* de basuras; **~verwertungs-anlage** *f* instalación *f* para el aprovechamiento de basuras; **~wagen** *m* autocamión *m* del servicio de limpieza; carro *m* de la basura.

'mulmig *adj.* podrido; *fig.* sospechoso; dudoso; equívoco; turbio.

'Multimillionär(in *f*) *m* (*-s*; *-e*) multimillonario (-a *f*) *m*.

Multi|pli'kand *Arith. m* (*-en*) multiplicando *m*; **~plikati'on** *Arith. f* multiplicación *f*; **~plikati'onszeichen** *Arith. n* signo *m* de multiplicar; **~pli'kator** *Arith. m* (*-s*; *-en*) multiplicador *m*; **2pli'zierbar** *adj.* multiplicable; **2pli'zieren** (-) *v/t.* multiplicar; **~pli'ziermaschine** *f* (máquina *f*) multiplicadora *f*.

'Mumie ['mu:mĭə] *f* momia *f*; **2nhaft** *adj.* como una momia, parecido a una momia.

mumifi'zier|en (-) *v/t.* momificar; **2ung** *f* momificación *f*.

Mumm F *m*: *~ haben* tener energía; F tener hígados.

'**Mummelgreis** *m* (-*es*; -*e*) F vejete *m*; vejestorio *m*; viejo *m* chocho.
'**Mummenschanz** *m* (-*es*; *0*) mascarada *f*; mojiganga *f*.
'**Mumpitz** F *m* (-*es*; *0*) (*Unsinn*) majadería *f*, disparate *m*; (*Schwindel*) embuste *m*, patraña *f*, F cuento *m* chino.
Mumps ⚕ *m* (-; *0*) parotiditis *f* epidémica; F paperas *f/pl*.
'**Münch|en** *n* Munich *m*; **~(e)ner(in** *f*) *m* muniqués *m*, muniquesa *f*.
'**Mund** *m* (-*es*; ¨*er*) boca *f*; (*Mündung*) embocadura *f*; (*Öffnung*) abertura *f*; orificio *m*; *von* ~ *zu* ~ de boca en boca; *fig*. *e-n losen* ~ *haben* tener mala lengua; tener una lengua viperina; ~ *und Nase aufsperren* quedar boquiabierto; F quedar patidifuso; *den* ~ *spitzen* hacer remilgos; *den* ~ *verziehen* torcer la boca, hacer una mueca; *den* ~ *halten* callar(se) la boca; tener la lengua; *reinen* ~ *halten* guardar el secreto; ser discreto; *den* ~ *voll nehmen* fanfarronear; alardear; *an j-s* ~ *hängen* estar pendiente de los labios de alg.; *fig*. F *j-m den* ~ *stopfen* taparle la boca a alg.; *j-m den* ~ *verbieten* prohibir a alg. hablar; *nicht auf den* ~ *gefallen sein* saber replicar, F no tener pelos en la lengua; *j-m Worte in den* ~ *legen* atribuir a alg. una frase; *immer im* ~*e führen* tener siempre en la boca; *j-m nach dem* ~*e reden* hablar según los deseos de alg.; regalarle a alg. los oídos; *in aller* ~*e sein* andar de boca en boca; estar en boca de todos; (*Nachricht*) cundir, difundirse; *j-m über den* ~ *fahren* cortar la palabra a alg.; *zum* ~*e führen* llevar(se) a la boca (*od*. a los labios); *fig*. *sich den* ~ *verbrennen* ofender con una indiscreción los sentimientos de alg.; *kein Blatt vor den* ~ *nehmen* hablar con franqueza; hablar sin rodeos; decir lo que se viene a la boca; F no morderse la lengua; *den* ~ *nicht auftun* (*od*. *aufmachen*) no despegar los labios; no decir esta boca es mía; *da läuft e-m das Wasser im* ~*e zusammen* se le hace a uno la boca agua; *aus dem* ~*e riechen* tener mal aliento; *von der Hand in den* ~ *leben* vivir al día; *Sie nehmen mir das Wort aus dem* ~*e* me ha quitado de la lengua la palabra; *halt' den* ~! ¡cállate la boca!; **~art** *f* dialecto *m*; (*Besonderheit der Sprache*) idioma *m*; **2artlich** *adj*. dialectal; idiomático; regional; **~atmung** *f* (*0*) respiración *f* bucal.
'**Mündel** ⚖ *n*, *f*, *m* pupilo *m*; **~gelder** *n/pl*. capital *m* pupilar; **2sicher** *adj*. con garantía pupilar; ~*e Anlage* inversión con garantía pupilar; ~*e Papiere* valores con garantía pupilar; **~sicherheit** *f* garantía *f* de seguridad del pupilo.
'**munden** (-*e*-) *v/i*. (*Speise*) saber bien, agradar al paladar; *sich* et. ~ *lassen* comer con buen apetito a/c.; saborear a/c.
'**münden** (-*e*-) *v/i*.: ~ *in* (*ac*.) *Fluß*, *Straße*: desembocar en; *nur Fluß*: desaguar en.
'**Mund...**: **2faul** *adj*. parco de palabras, callado; **~fäule** ⚕ *f* estomatitis *f* ulcerosa; **2gerecht** *adj*.: *j-m* et. ~ *machen* acomodar a/c. al gusto de alg.; **~harmonika** *f* (-; -*s*) armónica *f*; **~höhle** *Anat*. *f* cavidad *f* bucal.
'**mündig** ⚖ *adj*. mayor de edad; *für* ~ *erklären*, ~ *sprechen* declarar mayor de edad; emancipar; ~ *werden* alcanzar (*od*. llegar a) la mayoría de edad; **2keit** *f* (*0*) mayor edad *f*, mayoridad *f*; **2sprechung** *f* emancipación *f*.
'**mündlich I.** *adj*. verbal; oral; ~*e Vereinbarung* acuerdo verbal; ~*e Prüfung* examen oral; **II.** *adv*. verbalmente, de palabra; de viva voz; oralmente.
'**Mund...**: **~partie** *f* parte *f* bucal; **~pflege** *f* (*0*) higiene *f* de la boca; **~raub** *m* (-*es*; *0*) robo *m* de comestibles; **~schenk** *m* escanciador *m*; (*ehm*. *Hofamt*) copero *m* del rey; **~schutz** *m* (-*es*; *0*) *Boxen*: protector *m* de dentadura; **~sperre** ⚕ *f* trismo *m*; **~spiegel** ⚕ *m* estomatoscopio *m*, espéculo *m* bucal; **~stellung** *f* posición *f* de la boca; **~stück** *n* (-*es*; -*e*) *e-r Tabakspfeife*, *v*. *Zigaretten*: boquilla *f*; *des Zaumes*: bocado *m*, freno *m*; ♪ *e-s Instrumentes*: boquilla *f*, embocadura *f*; *e-s Gasbrenners*: pico *m*, boquilla *f*; **2tot** *adj*.: *j-n* ~ *machen* obligar a callar a alg.; *Presse*: amordazar.
'**Mündung** *f* (*Fluß*2) desembocadura *f*, *haffartige*: ría *f*; (⚔ *Gewehr*2, *Geschütz*2) boca *f*; (*Öffnung*) orificio *m*.
'**Mündungs...**: **~arm** *m* (-*es*; -*e*) brazo *m* de una desembocadura; **~bremse** ⚔ *f* freno *m* de boca; **~feuer** ⚔ *n* fogonazo *m*; **~geschwindigkeit** *f* velocidad *f* inicial (del proyectil); **~kappe** *f*, **~schoner** ⚔ *m* tapobocas *m* (de cañón).
'**Mund...**: **~voll** *m* (*Bissen*) bocado *m*; (*Flüssigkeit*) bocanada *f*; **~vorrat** *m* (-*es*; ¨*e*) provisiones *f/pl*. de boca; víveres *m/pl*.; **~wasser** *n* (-*s*; ¨) agua *f* dentífrica; enjuague *m*; **~werk** F *fig*. *n*: *ein gutes* ~ *haben* tener mucha labia; **~winkel** *m* comisura *f* de los labios.
'**Mund-zu-Mund-Beatmung** *f* respiración *f* de boca a boca.
Muniti'on *f* munición *f*; *s-e* ~ *verschießen* agotar sus municiones.
Muniti'ons...: **~arbeiter(in** *f*) *m* obrero (-a *f*) *m* de una fábrica de municiones; **~bestand** *m* (-*es*; ¨*e*) existencias *f/pl*. de municiones; **~ersatz** *m* (-*es*; *0*) municionamiento *m*; **~fabrik** *f* fábrica *f* de municiones; **~kammer** ⚓ *f* (-; -*n*) pañol *m* de municiones; **~kasten** *m* (-*s*; ¨) caja *f* de municiones; **~kolonne** ⚔ *f* convoy *m* (*od*. columna *f*) de municiones; **~lager** *n* depósito *m* de municiones; **~nachschub** *m* (-*s*; *0*) municionamiento *m*; **~verbrauch** *m* (-*es*; *0*) consumo *m* de municiones; **~versorgung** *f* municionamiento *m*; **~wagen** *m* furgón *m* (*od*. carro *m*) de municiones.
'**munkeln I.** (-*le*) *v/t*. *u*. *v/i*. cuchichear; murmurar; secretear; *man munkelt, daß* ... se dice que ...; corren rumores de que ...; corre la voz de que ...; **II.** 2 *n* cuchicheo *m*; secreteo *m*; chismorreo *m*.
'**Münster** *n/m* catedral *f*; colegiata *f*; (*Stadt*) Munster *m*.
'**munter** *adj*. alegre; (*lebhaft*) vivo; (*aufgeweckt*) despierto; despabilado; despejado; (*rüstig*) lozano; (*gesund*) bien dispuesto; *wieder* ~ ⚕ restablecido; *frisch und* ~ alegre y eufórico; *gesund und* ~ *sein* estar fuerte como un roble; ~ *machen* (*aufwecken*) despertar; ~ *werden* despertarse, despabilarse; *nur* ~! ¡ánimo!, ¡adelante!; **2keit** *f* (*0*) alegría *f*; (*Lebhaftigkeit*) viveza *f*; (*Rüstigkeit*) lozanía *f*; (*Aufgewecktheit*) despabilamiento *m*.
'**Münz|amt** *n* casa *f* de la moneda; **~automat** *m* expendedor *m* automático.
'**Münz|e** *f* moneda *f*; (*Gedenk*2) medalla *f* (conmemorativa); *bare* ~ moneda contante y sonante; *gangbare* ~ moneda corriente (*od*. de curso legal); *in klingender* ~ en metálico; ~*n prägen* acuñar moneda, amonedar; *fig*. et. *für bare* ~ *nehmen* tomar en serio a/c.; *j-m mit gleicher* ~ *heimzahlen* pagar a alg. en la misma moneda; **~einheit** *f* unidad *f* monetaria; **~einwurf** *m* (-*es*; *0*) ranura *f* (para la moneda); **2en** (-*t*) *v/t*. acuñar, amonedar; *fig*. *das ist auf mich gemünzt* eso va por mí; **~(en)sammler(in** *f*) *m* coleccionista *m/f* de monedas, numismático (-a *f*) *m*; **~(en)sammlung** *f* colección *f* numismática (*od*. de monedas); **~er** *m* monedero *m*; **~fälscher** *m* falsificador *m* de moneda; **~fälschung** *f* falsificación *f* de moneda; **~fernsprecher** *m* teléfono *m* público (automático); **~fuß** *m* (-*es*; *0*), **~gehalt** *m* (-*es*; *0*) ley *f* (de la moneda); **~gesetz** *n* (-*es*; -*e*) ley *f* monetaria; **~kabinett** *n* (-*es*; -*e*) monetario *m*; gabinete *m* de numismática; **~kenner** *m* numismático *m*; **~kunde** *f* (*0*) numismática *f*; **~ordnung** *f* reglamento *m* monetario; **~prägung** *f* acuñación *f* de monedas, amonedación *f*; **~recht** *n* derecho *m* de acuñar moneda; **~sorten** *f/pl*. especies *f/pl*. (monetarias); **~stätte** *f* Casa *f* de la Moneda; **~stempel** *m* troquel *m*; **~system** *n* (-*s*; -*e*) sistema *m* monetario; **~umlauf** *m* (-*es*; *0*) circulación *f* monetaria; **~vertrag** *m* (-*es*; ¨*e*) *Pol*. convención *f* monetaria; **~waage** *f* pesillo *m*; **~wert** *m* valor *m* real (de una moneda); **~wesen** *n* régimen *m* monetario; **~zeichen** *n* marca *f*; **~zusatz** *m* (-*es*; ¨*e*) aleación *f*, liga *f*.
Mu'räne *Ict*. *f* morena *f*, murena *f*.
'**mürb|e** *adj*. (*zart*) tierno; (*weich*) blando; (*gut durchgekocht*) bien cocido; (*bröckelig*) friable; ~ *machen* ablandar; *Fleisch*: batir; *fig*. (*ermüden*) cansar; (*demütigen*) humillar; (*weich machen*) ablandar; *fig*. ~ *werden* cansarse; acabar por ceder; **2heit** *f* (*0*) ternura *f*; (*Zerreibbarkeit*) friabilidad *f*.
'**Murks** F *m* (-*es*; -*e*) chapucería *f*; **2en** (-*t*) *v/i*. chapucear, frangollar; hacer a/c. mal y de prisa; **~er** *m* chapucero *m*.
'**Murmel** *f* (-; -*n*) (*Kinderspielzeug*)

bolita *f*, canica *f*; **2n** *v/t. u. v/i.* murmurar; *Poes.* murmullar; susurrar; *fig. in den Bart* ~ hablar entre dientes; *Spiel*: jugar a las canicas; **~n** *n Poes.* murmullo *m*; susurro *m*; **~spiel** *n (-es; -e)* juego *m* de las canicas; **~tier** *Zoo. n (-es; -e)* marmota *f*; F *wie ein ~ schlafen* dormir como una marmota (*od.* como un lirón).

'murren I. *v/i.* murmurar (*über ac.* de); (*brummen*) gruñir; rezongar; (*sich beklagen*) quejarse (*über ac.* de); **II.** 2 *n* murmuración *f*; gruñido *m*; quejas *f/pl.*

'mürrisch *adj.* de mal humor; (*barsch*) áspero; desabrido; (*finster*) hosco; (*unzufrieden*) descontentadizo; (*unfreundlich*) brusco; (*brummig*) gruñón; (*grämlich*) arisco; taciturno; *~es Wesen* mal humor.

Mus [u:] *n (-es; -e)* (*Obst2*) pasta *f* de fruta tamizada; (*Marmelade*) mermelada *f*; (*Püree*) puré *m*; *fig.* F *zu ~ schlagen* hacer papilla.

'Muschel *f (-; -n) Zoo.* concha *f*; concha *f* bivalva; (*jede Schalenhälfte*) valva *f*, concha *f*; *Tier*: molusco *m*; (*eßbare See2, allg.*) mariscos *m/pl.*, (*Mies2*) almeja *f*; mejillón *m*; (*Pilger2*) venera *f*; *Anat.* (*Nasen2*) cornete *m* nasal; (*Ohr2*) pabellón *m* de la oreja; (*Hör2*) *Tele.* auricular *m*; **~bank** *m (-; ⸚e)* banco *m* de conchas; **~fang** *m (-es; ⸚e)* pesca *f* de almejas *bzw.* mejillones; pesca *f* de mariscos; **2förmig** *adj.* en forma de concha; conquiforme; concoideo; **~kalk** *m (-es; 0)* caliza *f* conchífera; **~schale** *f* concha *f*; *halbe*: *a.* valva *f*; **~tier** *Zoo. n (-es; -e)* animal *m* conchífero; molusco *m* acéfalo; **~werk** *n in Grotten usw.*: rocalla *f*.

'Muse *f* musa *f*.

'Musel|man(n) *m (-en)* musulmán *m*; **~manin** *f* musulmana *f*; **2manisch** *adj.* musulmán.

'Musensohn *m (-es; ⸚e)* (*Dichter*) poeta *m*; (*Student*) estudiante *m*.

Mu'seum [-'ze:um] *n (-s; Museen)* museo *m*.

Mu'sik *f (0)* música *f*; *leichte ~* música ligera; *begleitende ~* acompañamiento musical; *elektronische ~* música electrónica; *fig.* orquesta *f*; *~ machen* hacer música; tocar instrumentos musicales; *in ~ setzen* poner en música; componer; **~abend** *m (-s; -e)* velada *f* musical.

Musi'kalien *pl.* piezas *f/pl.* de música; papeles *m/pl.* de música; música *f*; **~händler** *m* comerciante *m* de artículos musicales; **~handlung** *f* comercio *m* de música.

musi'kalisch *adj.* musical; *~ sein* ser aficionado a (*od.* ser amante de) la música; entender de música; tener talento musical; tocar un instrumento musical; F tener buen oído; *sind Sie ~?* ¿le gusta a usted la música?

Musikali'tät *f (0)* musicalidad *f*; sentido *m* de la música.

Musi'kant *m (-en)* músico *m* ambulante.

Mu'sik...: **~aufführung** *f* audición *f* musical; concierto *m*; *e-s Solisten*: recital *m*; **~automat** *m (-en)*, **~box** *f* tocadiscos *m* público automático, sinfonala *f*; **~begleitung** *f* acompañamiento *m* musical; **~direktor** *m (-s; -en)* director *m* de orquesta.

'Musiker(in *f*) *m* músico (-a *f*) *m*.

Mu'sik...: **~fest** *n (-es; -e)* festival *m*; **~freund(in** *f*) *m (-es; -e)* aficionado (-a *f*) *m* a la música, amante *m/f* de la música; **~hochschule** *f* conservatorio *m* de música; **~instrument** *n (-es; -e)* instrumento *m* musical (*od.* de música); **~kapelle** *f* orquesta *f*; banda *f* de música (*a.* ⚔); **~kenner** *m* entendido *m* en música; **~korps** *n (-; -)* ⚔ banda *f* militar; **~kritiker** *m* crítico *m* musical; **~lehrer(in** *f*) *m* profesor(a *f*) *m* de música; **~meister** *m* ⚔ músico *m* mayor; **~narr** *m (-en)* melómano *m*; **~närrin** *f* melómana *f*; **~pavillon** *m (-s; -s)* kiosco *m* (*od.* templete *m*) de la música; **~schrank** *m (-es; ⸚e)* (mueble *m*) radiogramófono *m*; **~schule** *f* conservatorio *m* (de música); **~schwärmer** *m* melómano *m*; **~schwärme'rei** *f* melomanía *f*; **~stück** *n (-es; -e)* pieza *f* de música; composición *f*; **~stunde** *f* lección *f* de música; **~tribüne** *f* tribuna *f* de la orquesta; **~truhe** *f* radiogramófono *m*; **~unterricht** *m (-es; 0)* lecciones *f/pl.* de música; **~ver-anstaltung** *f* festival *m*; → *Musikaufführung*; **~ver-ein** *m (-es; -e)* sociedad *f* filarmónica; **~verlag** *m (-es; -e)* editorial *f* de música; **~verleger** *m* editor *m* de música; **~wissenschaft** *f (0)* musicología *f*; **~wissenschaftler** *m* musicólogo *m*; **~zug** *m (-es; ⸚e)* banda *f* de música.

musi'zieren (-) *v/i.* ejecutar piezas *f/pl.* de música; cultivar la música.

Mus'kat *m (-es; -e)* nuez *f* moscada; **~blüte** *f* flor *f* de mirística.

Muska'teller *m* (vino *m* de) moscatel *m*; **~birne** ⚘ *f* pera *f* moscatel; **~traube** *f* uva *f* moscatel; **~wein** *m (-es; -e)* (vino *m* de) moscatel *m*.

Mus'katnuß *f (-; ⸚sse)* nuez *f* moscada; **~baum** ⚘ *m (-es; ⸚e)* mirística *f*.

'Muskel *m (-s; -n)* músculo *m*; **~band** *Anat. n (-es; ⸚er)* ligamento *m* muscular; **~faser** *Anat. f (-; -n)* fibra *f* muscular; **~gewebe** *Anat. n* tejido *m* muscular; **~haut** *Anat. f (-; ⸚e)* túnica *f* muscular; **~kater** *m (-s; 0)* F agujetas *f/pl.*; **~kraft** *f (-; ⸚e)* fuerza *f* muscular; **~krampf** *m (-es; ⸚e)* calambre *m*; **~riß** *m (-sses; -sse)* desgarro *m* muscular, rotura *f* muscular; **~schwäche** *f (0)* debilidad *f* muscular, ⚕ miastenia *f*; **~schwund** ⚕ *m (-es; 0)* atrofia *f* muscular; **~system** *Anat. n (-s; 0)* sistema *m* muscular; **~zerrung** ⚕ *f* distensión *f* muscular.

Mus'kete ⚔ *f* mosquete *m*.

'Musketier ⚔ *m (-s; -e)* mosquetero *m*; *heute*: soldado *m* de infantería.

Muskula'tur *f* musculatura *f*.

musku'lös *adj.* musculoso.

Muß *n (-; 0)* necesidad *f*.

'Muße [u:] *f (0)* ocio *m*; vagar *m*; *mit ~* con toda comodidad (*od.* tranquilidad).

Musse'lin [ə] *m (-s; -e)* muselina *f*.

'müssen (*L*) *v/i. u. v/aux.* deber; **1)** *äußerer Zwang*: tener que; verse obligado a; verse precisado a, verse en la necesidad de; (*laut Befehl od. Verordnung*) estar obligado a, tener la obligación de; (*nötig sein*) necesitar, tener necesidad de; (*nicht vermeiden können*) no poder menos de; *ich mußte bezahlen* tuve que pagar; *ich mußte um Hilfe bitten* me vi obligado a pedir ayuda; *ich muß* (*brauche*) *nicht hingehen* no necesito ir allá; *ich mußte lachen* no pude menos de reírme; *muß das* (*wirklich*) *sein?* ¿es (realmente) necesario?; *wenn es* (*unbedingt*) *sein muß* si no hay otro remedio; si hay que hacerlo; si es (absolutamente) necesario; *ich muß ihnen sagen ...* permítame que le diga ...; debo (*od.* he de) decirle ...; **2)** *innerer Zwang*: (*moralische Pflicht*) *er muß kommen* debe venir; *ich muß es tun* tengo que hacerlo; *ich muß dorthingehen* debo ir allá; he de ir allá; (*Annahme*) *er muß kommen* debe de venir; *er muß zu Hause sein* debe de estar en casa; *er muß es gewesen sein* debe de haber sido él; *er muß verrückt sein* debe de estar loco; *es muß wohl nichts an der Sache sein* parece que la cosa no es cierta; (*zwingende Notwendigkeit*) *er muß kommen* tiene que venir; es necesario (*od.* imprescindible) que venga; *ich muß es ihm sagen* tengo que decírselo; *das muß wahr sein* es indudablemente cierto; **3)** *er ist zu Hause, er müßte denn ausgegangen sein está en casa* a menos que haya salido; *er kommt noch, er müßte denn krank sein vendrá* a no ser que esté enfermo *od.* a menos que esté enfermo; *kein Mensch muß* el hombre es libre; nadie está obligado a nada; e-e *Frau wie sie sein muß* una mujer como se debe (*od.* como es debido).

'Mußestunde *f* hora *f* de ocio.

'müßig [y:] *adj.* ocioso; desocupado; inactivo; (*unnütz*) ocioso, inútil; (*überflüssig*) superfluo; (*träge*) holgazán, haragán; *~ gehen* vivir en la ociosidad; no hacer nada; holgazanear; *~es Gerede* palabras ociosas; *~e Frage* pregunta superflua; **2gang** *m (-es; 0)* ociosidad *f*; holgazanería *f*, haraganería *f*; desocupación *f*; *~ ist aller Laster Anfang* la ociosidad es madre de todos los vicios; **2gänger(in** *f*) *m* ocioso (-a *f*) *m*; holgazán *m*, holgazana *f*; haragán *m*, haragana *f*; vago *m*; desocupado *m*.

'Mußvorschrift [-u-] *f* prescripción *f* obligatoria.

'Muster *n* modelo *m*; (*Beispiel*) ejemplo *m*; (*Urbild*) prototipo *m*; tipo *m*; (*Ideal*) ideal *m*; (*Stoff2*) dibujo *m*; (*Schablone*) patrón *m*; (*Probe, Warenprobe*) muestra *f*; (*Exemplar*) ejemplar *m*, copia *f*; (*Norm*) norma *f*; ☤ *~ ohne Wert* muestra sin valor; *als ~ dienen* servir de modelo; *als ~ hinstellen* poner como ejemplo; *nach ~* según modelo; conforme a la muestra; **~beispiel** *n (-es; -e)* ejemplo *m*; (*Vorbild*) modelo *m*; **~betrieb** *m (-es; -e)* empresa *f* modelo; **~buch** ☤ *n (-es; ⸚er)* muestrario *m*; **~exemplar** *n (-s; -e)* ejemplar *m* (de) muestra; **~fall** *m (-es; ⸚e)* caso *m* tipo; **~gatte** *m* (*-n*) marido *m* modelo; **2gültig** *adj.* ejemplar; modelo; que puede servir de modelo; digno de ser puesto como ejemplo; **~gut** *n* (*-es*; *⸚er*) granja *f* modelo; **2haft** *adj.* → *mustergültig*; **~haftigkeit** *f* (*0*) perfección *f*; **~karte** ✝ *f* muestrario *m*; tarjeta *f* de muestras; (*Weberei*) cartón *m* de dibujo; **~knabe** *m* (*-n*) niño *m* modelo; **~koffer** ✝ *m* maleta *f* para muestras; **~kollektion** ✝ *f* → *Musterkarte*; **~lager** ✝ *n* depósito *m* de muestras; **~messe** ✝ *f* feria *f* de muestras; **2n** (*-re*) *v/t.* examinar; mirar fijamente; inspeccionar; ⚔ *Truppen*: revistar, pasar revista a; *Rekruten*: tallar; *Weberei*: aplicar los dibujos a; *gemustert* (*Stoff*) con dibujos; **~n** → *Musterung*; **~sammlung** ✝ *f* colección *f* de muestras, muestrario *m*; **~schule** *f* escuela *f* modelo; **~schüler(in** *f*) *m* alumno (-a *f*) *m* modelo; **~schutz** *m* (*-es*; *0*) protección *f* legal de patentes y marcas; **~staat** *m* (*-es*; *-en*) Estado *m* modelo; **~stadt** *f* (*-*; *⸚e*) ciudad *f* modelo; **~stück** *n* (*-es*; *-e*) modelo *m*; (*Probe*) muestra *f*; **~ung** *f* examen *m*; inspección *f*; ⚔ revista *f*; *zum Wehrdienst*: reclutamiento *m*; *Am.* enrolamiento *m*; **~ungskommission** ⚔ *f* comisión *f* de reclutamiento; **~vertrag** *m* (*-es*; *⸚e*) contrato *m* tipo; **~wirtschaft** *f* (*Gut*) granja *f* modelo; **~zeichner(in** *f*) *m* dibujante *m/f* de modelos; **~zeichnung** *f* dibujo *m*.

Mut *m* (*-es*; *0*) valor *m*; ánimo *m*; denuedo *m*, bravura *f*; (*Schneid*) valentía *f*, arrojo *m*; ~ *fassen* (*od. schöpfen*) cobrar ánimo *od.* valor; *wieder* ~ *fassen* recobrar el ánimo; ~ *haben* tener valor; *j-m* ~ *machen* infundir ánimo a alg.; animar *od.* alentar a alg.; *den* ~ *sinken lassen*, *den* ~ *verlieren* perder el ánimo, desalentarse; *keinen* ~ *haben* no tener valor; *nicht den* ~ *haben, zu* (*inf.*) no tener valor para (*inf.*); *er hat nicht den* ~ *dazu* le falta (*od.* no tiene) valor para ello; *es gehört* ~ *dazu* hay que tener valor para eso; *j-m den* ~ *nehmen* desalentar (*od.* desanimar) a alg.; *guten* ~*es sein* estar optimista; estar de buen humor; *nur* ~! ¡valor!; ¡ánimo!

Mutati'on *f* mutación *f*; (*Stimmbruch*) cambio *m* de la voz.

'Mütchen *n*: *sein* ~ *kühlen an* (*dat.*) desahogar su cólera en; *stärker*: ensañarse en; (*sich rächen*) vengarse en.

'muten (*-e-*) ⚒ *v/i.* solicitar la concesión de explotación de una mina.

mu'tieren (*-*) *v/i. Stimme*: cambiar la voz.

'mutig *adj.* valiente; animoso; denodado; bravo; arrojado.

'Mut...: **2los** *adj.* desalentado, desanimado; descorazonado; (*eingeschüchtert*) acobardado; (*verzagt*) pusilánime; ~ *machen* desalentar, desanimar; ~ *werden* desalentarse, desanimarse; descorazonarse; **~losigkeit** *f* (*0*) desaliento *m*, falta *f* de ánimo; **2maßen** (*-ßt*) *v/t.* presumir, suponer; conjeturar; (*ahnen*) sospechar; entrever; **2maßlich** *adj.* presunto; supuesto; (*wahrscheinlich*) probable; **~maßung** *f* presunción *f*; suposición *f*; conjetura *f*; (*Verdacht*) sospecha *f*; ~*en anstellen* hacer conjeturas; *das sind nur* ~*en* no son más que suposiciones.

'Mutter *f* (*-*; *⸚*) madre *f*; (*Schraubenꝰ*) tuerca *f*; *die* ~ *Gottes* la Santísima Virgen, la Madre de Dios; *sich* ~ *fühlen* sentirse madre; *bei* ~ *Grün schlafen* dormir al raso.

'Mütterberatung(sstelle) *f* consultorio *m* de maternología.

'Mutter...: **~boden** *m* (*-s*; *⸚*) tierra *f* vegetal; (*Heimat*) país *m* natal; **~brust** *f* (*0*) seno *m* maternal.

'Mütterchen *n* madrecita *f*; *altes* ~ viejecita *f*.

'Mutter...: **~erde** *f* → *Mutterboden*; **~freuden** *pl.* alegría *f* de ser madre; **~fürsorge** *f* (*0*) protección *f* de la maternidad; **~gesellschaft** ✝ *f* sociedad *f* matriz; **~gestein** *Geol.* *n* (*-es*; *-e*) roca *f* (madre); **~gewinde** ⊕ *n* filete *m* matriz; **~gottesbild** *n* (*-es*; *-er*) imagen *f* de la Virgen; **~haus** ✝ *n* (*-es*; *⸚er*) *e-r Gesellschaft*: casa *f* matriz *od.* central.

'Mütterheim *n* (*-es*; *-e*) hogar *m* de reposo para madres.

'Mutter...: **~herz** *n* (*-ens*; *-en*) corazón *m* maternal (*od.* de madre); **~instinkt** *m* (*-es*; *-e*) instinto *m* maternal; **~kalb** *n* (*-es*; *⸚er*) ternera *f*, novilla *f*; **~kirche** *f* iglesia *f* matriz; **~korn** ⚘ *n* (*-es*; *⸚er*) cornezuelo *m* de centeno; centeno *m* con tizón; *vom* ~ *befallen* atizonado; **~kuchen** *Anat.* *m* placenta *f*; **~lamm** *n* (*-es*; *⸚er*) cordera *f*; **~land** *n* (*-es*; *⸚er*) madre *f* patria; metrópoli *f*; (*Heimat*) país *m* natal, patria *f*; **~lauge** ⚗ *f* lejía *f* madre; **~leib** *m* (*-es*; *0*) seno *m* de la madre, vientre *m* de la madre; *Liter.* seno *m* (*od.* claustro *m*) materno.

'mütterlich *adj.* maternal; materno; *adv.* como una madre; **~erseits** *adv.* por parte (*od.* de parte) de la madre; *Onkel usw.* materno; **2keit** *f* (*0*) maternidad *f*; sentimiento *m* maternal.

'Mutter...: **~liebe** *f* (*0*) amor *m* maternal; **2los** *adj.* huérfano *m* de madre; sin madre; *vater- und* ~*e Waise* huérfano *m* (huérfana *f*) de padre y madre; **~mal** *n* (*-es*; *-e*) lunar *m*, ⚕ nevo *m*; **~milch** *f* (*0*) leche *f* materna (*od.* de la madre); *fig. mit der* ~ *einsaugen* destetarse con a/c.; mamar con la leche a/c.; **~mord** *m* (*-es*; *-e*) matricidio *m*; **~mörder(in** *f*) *m* matricida *m/f*; **~pferd** *n* (*-es*; *-e*) yegua *f* (de vientre); **~pflicht** *f* deber *m* maternal; **~recht** *n* (*-es*; *-e*) matriarcado *m*; **~schaf** *n* (*-es*; *-e*) oveja *f* madre; **~schaft** *f* (*0*) maternidad *f*; **~scheide** *Anat.* *f* vagina *f*; **~schiff** *n* (*-es*; *-e*) buque *m* nodriza; **~schoß** *m* (*-es*; *0*) seno *m* materno; **~schutz** *m* (*-es*; *0*) protección *f* de la maternidad; **~schwein** *n* (*-es*; *-e*) cerda *f*; (*Wildsau*) jabalina *f*; **2seelen-allein** *adj.* solito; F solo como un hongo; **~söhnchen** *n* niño *m* mimado; F ojito *m* derecho; **~spiegel** ⚕ *m* uteroscopio *m*, espéculo *m* uterino; **~sprache** *f* lengua *f* materna; (*Stammsprache*) lengua *f* madre; **~stelle** *f*: ~ *vertreten bei* hacer de madre con; **~tag** *m* (*-es*; *-e*) Día *m* de la Madre; **~teil** *n* (*-es*; *-e*) herencia *f* de la madre; ⚖ legítima *f* materna; **~tier** *n* (*-es*; *-e*) (animal *m*) madre *f*; **~witz** *m* (*-es*; *0*) gracia *f* natural; F sal *f*, salero *m*; **~zelle** *f* célula *f* madre.

'Mutti F *f* (*-*; *-s*) mamá *f*, mamaíta *f*.

'Muttung ⚒ *f* solicitud *f* de concesión.

'Mut...: **~wille** *m* (*-ns*; *0*) petulancia *f*; (*Schelmerei*) travesura *f*, diablura *f*; (*Böswilligkeit*) malicia *f*; malignidad *f*; **2willig** *adj.* petulante; (*schelmisch*) travieso; (*böswillig*) malicioso; maligno; **2willig(erweise)** *adv.* a propósito, con intención, deliberadamente.

'Mütze *f mit Schirm*: gorra *f*; *ohne Schirm*: gorro *m*; (*Baskenꝰ*) boina *f*; **~nschirm** *m* (*-es*; *-e*) visera *f*.

Myri'ade [-rĭ'ɑː-] *f* miríada *f*.

'Myrrhe ['myʀə] ⚘ *f* mirra *f*; **~ntinktur** *Phar.* *f* tintura *f* de mirra.

'Myrte ⚘ *f* mirto *m*, arrayán *m*; **~nkranz** *m* (*-es*; *⸚e*) corona *f* de mirto.

Mys'teri-enspiel [-'teːʀĭ-] *Thea.* *n* (*-es*; *-e*) misterio *m*.

mysteri'ös *adj.* misterioso.

Mys'terium *n* (*-s*; *Mysterien*) misterio *m*.

Mystifikati'on *f* engaño *m*, superchería *f*; burla *f*; *gal.* mistificación *f*.

mystifi'zieren (*-*) *v/t.* engañar, embaucar; *gal.* mistificar.

'Mystik ['mystɪk] *f* (*0*) mística *f*; **~er(in** *f*) *m* místico (-a *f*) *m*.

'mystisch *adj.* místico.

Mysti'zismus *m* (*-*; *0*) misticismo *m*.

'Myth|e *f* mito *m*; **2enhaft**, **2isch** *adj.* mítico.

Mytho|'loge *m* (*-n*) mitólogo *m*, mitologista *m*; **~lo'gie** *f* (*0*) mitología *f*; **2'logisch** *adj.* mitológico.

'Mythos *m*, **'Mythus** *m* (*-*; *Mythen*) mito *m*.

N

N, n *n* N, n *f.*

na! F *int.* (*Staunen*) ¡caramba!, ¡hombre!; (*auffordernd*) ¡vamos!, ¡venga!; (*begütigend*) ¡vaya!; (*Ungläubigkeit*) ¡no me diga!; ~ *also!* ¡pues entonces!; ~!, ~! ¡pero hombre!; (*Vorsicht*) ¡cuidado!; ~ *ja!* ¡bueno!; ¡bien!, ¡está bien!; ~*nu!* ¡caramba!; ¿qué pasa?; ¡atiza!; ~ *so was!* ¡hay que ver!; *Am.* ¡qué cosa!; ~ *und?* ¿y qué?

'**Nabe** ⊕ *f* (*Rad*2) cubo *m.*

'**Nabel** *m Anat.* ombligo *m*; ⚘ hilo *m*; **~binde** *Chir. f* vendaje *m* umbilical; (*für Neugeborene*) ombliguero *m*; **~bruch** ⚕ *m* (-*es*; ¨*e*) hernia *f* umbilical; **~gegend** *Anat. f* (*0*) región *f* umbilical; **~schnur** *f* (-; ¨*e*), **~strang** *m* (-*es*; ¨*e*) cordón *m* umbilical.

'**Naben...**: **~bremse** *f* freno *m* de cubo; **~haube** *f*, **~kappe** *f* tapacubos *m.*

'**Nabob** *m* (-*s*; -*s*) nabab *m.*

nach I. *prp.* (*dat.*) **a)** *Richtung*: a, hacia, para; ~ *Madrid reisen* ir a Madrid; 🚂, ⚓ con destino a, para; *abreisen* ~ partir (*od.* salir) para; marcharse a; *der Weg* ~ *Toledo* el camino de Toledo; ~ *Valencia zu* hacia (*od.* en dirección a) Valencia; ~ *jeder Richtung* en todas (las) direcciones; ~ *dieser Seite* hacia este (*od.* ese) lado; ~ *dem Fluß* (*hin*) hacia el río, en dirección al río; ~ *Norden* hacia el norte; ~ *Norden liegen* estar situado al norte; dar al norte; ~ *der Straße liegen* dar a la calle; ~ *dem Arzt schicken* enviar a buscar al médico; *sich umsehen* ~ mirar hacia atrás; (*suchen*) buscar; ~ *rechts* (*links*) hacia *od.* a la derecha (izquierda); **b)** *Rang, Folge, Zeit*: después de, tras; (~ *Ablauf von*) al cabo de; ~ *getaner Arbeit* después de trabajar; después de hecho (*od.* terminado) el trabajo; una vez hecho (*od.* terminado) el trabajo; ~ *e-r halben Stunde* al cabo de media hora; a la media hora; ~ *Tisch* después de comer; de sobremesa; ~ *einigen Tagen* pasados (*od.* transcurridos) algunos días; ~ *sich ziehen* traer consigo; ~ *vielen Mühen* tras muchos esfuerzos; **c)** (*gemäß*) según (*ac.*), conforme a, con arreglo a; en virtud de; ~ *der Aussage j-s* al decir de alg.; según lo que dice alg.; *s-m Aussehen* ~ a juzgar por su aspecto; *s-r Meinung* ~ según él; en su opinión; ~ *dem Gedächtnis* de memoria; ~ *dem Gewicht* según el peso; ~ *dem Gewicht verkaufen* vender al peso; ~ *spanischer Art* a la española; *dem Gesetz* ~ conforme a (*od.* según) la ley; ~ *Maß* a la medida; ~ *Ihnen!* usted primero; ~ *dem Verfahren von* según el método de; ~ *j-m fragen* preguntar por alg.; *der Reihe* ~ por turno; (*abwechselnd*) alternando; (*e-r* ~ *dem andern*) uno después (*bzw.* detrás) de otro; uno tras otro; sucesivamente; ~ *Rosen riechen* oler a rosas; *dem Scheine* ~ por las apariencias; ~ *dem Takt* a compás; al compás de; *je* ~ *den Umständen* según las circunstancias; ~ *s-r Weise* a su manera; *man hat ihn* ~ *mir benannt* se le ha dado mi nombre; **II.** *adv.*: *mir* ~! ¡seguidme!; ~ *und* ~ poco a poco; paulatinamente; ~ *wie vor* ahora como antes; hoy como ayer (*od.* como antes).

'**nach|äffen** *v/t.* remedar (*ac.*); imitar ridículamente; **2äffe'rei** F *f* remedo *m*; imitación *f* ridícula.

'**nach-ahm|en** *v/t. u. v/i.* imitar; copiar; (*fälschen*) falsificar, contrahacer; **~enswert** *adj.* digno de ser imitado; ejemplar; **2er(in** *f*) *m* imitador(a *f*) *m*; copiador(a *f*) *m*; (*Fälscher*) falsificador(a *f*) *m*; **2ung** *f* imitación *f*; copia *f*; (*unvollkommene*) remedo *m*; (*Fälschung*) falsificación *f*; *vor* ~*en wird gewarnt* desconfíese de las imitaciones; **2ungs-trieb** *m* (-*es*; *0*) instinto *m* de imitación.

'**Nach-arbeit** *f* (*zusätzliche Arbeit*) trabajo *m* suplementario; (*Retusche*) retoque *m*; **2en** (-*e*-) *v/t. nachbildend*: imitar; copiar; *verbessernd*: retocar; *das Versäumte* ~ trabajar para recuperar el tiempo perdido.

'**nach-arten** (-*e*-; *sn*) *v/i.*: *j-m* ~ parecerse mucho a alg.

'**Nachbar** *m* (-*n*) vecino *m*; *mit den* ~*n verkehren* tratarse (*od.* tener trato) con los vecinos; **~dorf** *n* (-*es*; ¨*er*) pueblo *m* vecino (*od.* inmediato); **~haus** *n* (-*es*; ¨*er*) casa *f* contigua; casa *f* vecina; **~in** *f* vecina *f*; **~land** *n* (-*es*; ¨*er*) país *m* vecino; **2lich I.** *adj.* vecino; *gute* ~*e Beziehungen halten* estar en buenas relaciones (*od.* vivir bien) con los vecinos; **II.** *adv.* de (*od.* como) vecino; *mit j-m* ~ *verkehren* tener relaciones de buena vecindad con alg.; **~ort** *m* (-*es*; -*e*) lugar *m* vecino; población *f* vecina; pueblo *m* vecino (*od.* inmediato); **~schaft** *f* (*0*) vecindad *f*; (*die Nachbarn*) vecinos *m/pl.*; vecindario *m*; (*Nähe*) cercanía *f*; inmediaciones *f/pl.*; *in der* ~ cerca de aquí; en la vecindad; *mit j-m gute* ~ *halten* estar en relaciones de buena vecindad con alg.; vivir bien con el vecino; **~sleute** *pl.* vecinos *m/pl.*; **~staat** *m* (-*es*; -*en*) Estado *m* vecino.

'**nach|bauen** *v/t.* copiar; imitar; **~behandeln** ⚕ (-*le*; -) *v/t.* tratar ulteriormente; **2behandlung** ⚕ *f* tratamiento *m* ulterior (*od.* posterior); **~bekommen** (*L*; -) *v/t.* recibir adicionalmente; (*e-e Speise*) repetir; **~bessern** (-*re*) *v/i.* retocar; (*verbessern*) enmendar, corregir; **2besserung** *f* retoque *m*; **~bestellen** *v/t.* volver a encargar, hacer un nuevo encargo; ✝ *a.* hacer un pedido suplementario; (*im Restaurant*) repetir el plato; **2bestellung** *f* nuevo encargo *m*; ✝ nueva orden *f*, pedido *m* suplementario; **~beten** (-*e*-) *v/t.* repetir maquinalmente; hacerse eco de; **2beter(in** *f*) *m* el *bzw.* la que repite maquinalmente *od.* sin reflexionar; **~bewilligen** *v/t.* conceder como suplemento *m*; **2bewilligung** *Parl. f* crédito *m* suplementario; **~bezahlen** *v/t.* pagar como suplemento; (*nachträglich bezahlen*) pagar posteriormente (*od.* más tarde); **2bezahlung** *f* pago *m* suplementario; pago *m* posterior; **2bild** *n* (-*es*; -*er*) copia *f*; *Psych.* imagen *f* persistente; **~bilden** (-*e*-) *v/t.* copiar; imitar; (*fälschen*) falsificar; **2bildung** *f* copia *f*; imitación *f*; (*Fälschung*) falsificación *f*; (*Faksimile*) facsímil(e) *m*; **~blättern** (-*re*) *v/t. u. v/i.* hojear; **~bleiben** (*L*; *sn*) *v/i.* quedarse atrás (*od.* rezagado); *Uhr*: atrasar; *Schule*: quedar retenido en clase; **~blicken** *v/i.*: *j-m* ~ seguir con la vista a alg.; **2blutung** ⚕ *f* hemorragia *f* secundaria *od.* tardía; **2börse** ✝ *f* bolsín *m* de última hora; **~börslich** *adj.*: ~*er Preis* cotización libre; **~brennen** (*L*) *v/i.* continuar ardiendo; volver a arder; **~bringen** (*L*) *v/t.* traer después (*od.* más tarde); **~datieren** (-) *v/t.* posfechar, poner fecha *f* posterior.

nach'dem I. *cj.* después (de) que; después de (*inf.*); habiendo + *part.*; ~ *er gegessen hatte* después de haber comido, una vez (*od.* después) que hubo comido; ~ *sie das gesagt hatte, ging sie* dicho esto se marchó, después de decir esto se fue; ~ *er soviel Geld ausgegeben hat* habiendo gastado tanto dinero; **II.** *adv.*: *je* ~ según (las circunstancias); eso depende; según y conforme; según y cómo; es según.

'**nach|denken** (*L*) *v/i.* reflexionar (*über ac.* sobre); meditar (sobre); pensar en; **2denken** *n* reflexión *f*; meditación *f*; **~denklich** *adj.* pensativo, *stärker*: meditabundo; (*ab-*

wesend) ensimismado; *j-n ~ machen* dar que pensar a alg.; **~dichten** (*-e-*) *v/i.* imitar; adaptar; (*übersetzen*) traducir (una poesía); **2dichtung** *f* imitación *f*; versión *f* libre; traducción *f* literaria, adaptación *f*; **~drängen** *v/i.* empujar desde atrás; ⚔ perseguir de cerca al enemigo; **~dringen** (*L*; *sn*) *v/i.* seguir penetrando; **2druck** *m* **I.** (*-es*; *0*) fuerza *f*; (*Tatkraft*) energía *f*; vigor *m*; (*Festigkeit*) firmeza *f*; (*Gewicht*) peso *m*; *Phys. u. Gr.* intensidad *f*; *Rhet.* énfasis *m*; (*Eindringlichkeit*) insistencia *f*, ahínco *m*; *auf et.* (*ac.*) *~ legen* insistir en a/c.; acentuar a/c.; **II.** (*-es*; *-e*) *Typ.* reimpresión *f*; reproducción *f*; *ungesetzlicher*: edición *f* clandestina; **~drucken** *v/t.* *Typ.* reimprimir; *ungesetzlich*: reimprimir clandestinamente; **~drücklich I.** *adj.* enérgico; *Rhet.* enfático; (*eindringlich*) insistente; **II.** *adv.* enérgicamente, con energía; *et. ~ verlangen* reclamar enérgicamente a/c.; *er riet ~ davon ab* le aconsejó seriamente que no lo hiciera; *et. ~ empfehlen* recomendar encarecidamente a/c.; **2druckrecht** *Typ. n* (*-es*; *-e*) derecho *m* de reproducción; **~dunkeln** (*-le*) *v/i.* *Farben*: ponerse oscuro (con el tiempo); **2eiferer** *m* emulador *m*, émulo *m*; **2eiferin** *f* emuladora *f*; **~eifern** *v/i.*: *j-m ~* emular a alg.; tratar de igualar a alg.; **2eiferung** *f* (*0*) emulación *f*; **~eilen** (*sn*) *v/i.*: *j-m ~* correr tras de alg.; **~einander** *adv.* uno(s) tras otro(s); *Liter.* uno en pos de otro; *zweimal ~* dos veces seguidas; *drei Tage ~* tres días seguidos (*od.* consecutivos); **~empfinden** (*L*; *-*) *v/t.*: *j-m et. ~ können* comprender los sentimientos de otro.

ˈ**Nachen** *m* bote *m*; canoa *f*.

ˈ**Nach|erbe** *m* (*-n*), (**~erbin** *f*) ⚖ heredero (-a *f*) *m* su(b)stituto (-a *f*); *e-n ~n einsetzen* substituir un heredero; *Einsetzung als ~* ⚖ su(b)stitución *f*; **~ernte** ⚘ *f* segunda cosecha *f*.

ˈ**nach|erzählen** (*-*) *v/t.* repetir lo que se ha oído contar; repetir una narración; **2erzählung** *f* narración *f*; **~exerzieren** (*-*) *v/i.* hacer un ejercicio suplementario; ⚔ hacer ejercicio *m* de castigo; **2exerzieren** *n* ejercicio *m* suplementario (*bzw.* ⚔ de castigo); **2fahr** *m* (*-en*) descendiente *m*; **~fahren** (*L*; *sn*) *v/i.*: *j-m ~* seguir a alg. en un vehículo; **~färben** *v/t.* reteñir; **2feier** *f* (*-*; *-n*) día *m* siguiente a una fiesta; **~feilen** *v/t.* retocar (*od.* pulir) con la lima; *fig.* retocar; **2folge** *f in e-m Amt usw.*: sucesión *f*; *~ Christi* Imitación *f* de Cristo; **~folgen** (*sn*) *v/i.*: *j-m ~* seguir a alg., *im Amt, als Erbe usw.*: suceder a alg.; **~folgend** *adj.* siguiente; subsiguiente; (*aufeinanderfolgend*) consecutivo; **2folger(in** *f*) *m* sucesor(a *f*) *m*; **2folgestaat** *m* (*-es*; *-en*) Estado *m* sucesor; **~fordern** (*-re*) *v/t.* pedir además; pedir un pago suplementario; (*Fehlendes*) reclamar; **2forderung** *f* petición *f* adicional; reclamación *f*; **~forschen** *v/i.*: *e-r Sache* (*dat.*) *~* investigar, indagar a/c.; hacer indagaciones sobre a/c.; (*bsd. polizeilich*) *a.* pesquisar, hacer pesquisas; **2forschung** *f* investigación *f*, indagación *f*; (*bsd. polizeilich*) pesquisa *f*; **2frage** *f* información *f*; ☤ demanda *f*; *es ist starke ~ nach diesem Artikel* hay gran demanda de este artículo; *um der ~ zu genügen* para satisfacer la demanda; **~fragen** *v/i.* informarse (de); pedir nuevos informes; **2frist** *f* prolongación *f* de plazo; prórroga *f*; **~fühlen** *v/t.* → *nachempfinden*; **~füllen** *v/t.* rellenar; **2füllung** *f* relleno *m*; **~geben** (*L*) **1.** *v/i.* ceder; ceder de su derecho; transigir; (*biegen*) doblar; plegar; (*erschlaffen*) aflojarse; *Stoff*: dar de sí; *fig.* cejar en un empeño; desistir de un propósito, doblegarse, F dar el brazo a torcer; (*sich erweichen lassen*) dejarse ablandar; (*einwilligen*) condescender; (*klein beigeben*) mostrarse sumiso; arriar bandera; (*sich demütigen*) humillarse, F doblar el espinazo; *j-m an et. nichts ~* no ceder a alg. en a/c.; ☤ *Preise*: bajar; **2.** *v/t. beim Essen*: repetir (el plato); **~geboren** *adj.* (*posthum*) póstumo; (*jünger*) segundogénito; **2gebühr** *f* sobretasa *f*; **2geburt** ⚕ *f* secundinas *f/pl.*; (*Mutterkuchen*) placenta *f*; **~gehen** (*L*; *sn*) *v/i.* *Uhr*: atrasar; *j-m ~* seguir a alg., ir tras de alg.; *e-r Sache* (*dat.*) *~* ocuparse de a/c.; *Geschäften*: dedicarse a, atender a; (*e-m Vorfall*) tratar de aclarar; *Zwecken*: perseguir; *Vergnügen*: entregarse a; **~gelassen** *adj.*: *~e Werke* obras póstumas; **~gemacht** *adj.* imitado; (*künstlich*) artificial; (*gefälscht*) falsificado; **~ge-ordnet** *adj.* subordinado; **~gerade** *adv.* (*bereits*) ya; (*allmählich*) poco a poco; ir + *ger.*; **2geschmack** *m* (*-es*; *0*) (*beim Essen und Trinken*) gustillo *m*, dejo *m*; (*übler*) resabio *m*; mal sabor *m*; **~gewiesenermaßen** *adv.* según consta; como queda comprobado; **~giebig** *adj.* flexible; (*fügsam*) dócil; (*willfährig*) complaciente, condescendiente; deferente; (*nachsichtig*) indulgente; (*versöhnlich*) conciliador; acomodadizo; *Rel.* tolerante; *Pol.* transigente; (*umgänglich*) tratable; **2giebigkeit** *f* (*0*) flexibilidad *f*; docilidad *f*; complacencia *f*, condescendencia *f*; deferencia *f*; indulgencia *f*; carácter *m* acomodadizo; tolerancia *f*; transigencia *f*; **~gießen** (*L*) *v/t.* echar más; llenar de nuevo (*z. B.* un vaso); **~glühen** *v/i.* continuar ardiendo; **~graben** (*L*) *v/i.* excavar; **2grabung** *f* excavación *f*; **~grübeln** (*-le*) *v/i.*: *~ über* (*ac.*) cavilar sobre; pensar mucho en; **2hall** *m* (*-s*; *0*) resonancia *f*; eco *m*; *bsd. fig.* repercusión *f*; **~hallen** *v/i.* resonar; repercutir; vibrar; **~haltig** *adj.* (*beständig*) duradero; (*anhaltend*) persistente; (*hartnäckig*) tenaz; (*wirkungsvoll*) eficaz; **2haltigkeit** *f* (*0*) duración *f*; persistencia *f*; tenacidad *f*; eficacia *f*; **~hängen** (*L*) *v/i.*: *e-r Sache* (*dat.*) *~* entregarse (*od.* abandonarse) a a/c.; **2ˈhausegehen** *n*: *beim ~* al volver a casa; **~helfen** (*L*) *v/i.*: *j-m ~* ayudar a alg.; *e-r Sache ~* ayudar a la consecución de a/c.; activar (*ac.*); **~her** *adv.* después, luego; más tarde; (*gleich darauf*) en seguida; *bis ~!* ¡hasta luego!; **2herbst** *m* (*-es*; *-e*) fin *m* de otoño; **~ˈherig** *adj.* posterior; ulterior; **2hilfe** *f* (*0*) ayuda *f*; **2hilfelehrer(in** *f*) *m* maestro (-a *f*) *m* particular (para repaso de asignaturas); **2hilfestunde** *f* clase *f* (*od.* lección *f*) particular; **2hilfeunterricht** *m* (*-es*; *0*) lecciones *f/pl.* particulares; **~hinken** (*sn*) *v/i.* *fig.* venir detrás; quedar rezagado; (*hinkend folgen*) ir detrás cojeando; **~holen** *v/t.* (*verlorene Zeit*) recuperar; (*Lektion*) repasar; **2hut** ⚔ *f* (*0*) retaguardia *f*; **2hutgefecht** ⚔ *n* (*-es*; *-e*) combate *m* a retaguardia; **~impfen** ⚕ *v/t.* revacunar; **2impfung** ⚕ *f* revacunación *f*; **~jagen 1.** *v/i.*: *j-m ~* perseguir a alg.; *Jgdw.*: dar caza a; *fig.* *e-r Sache ~* perseguir a/c.; tratar de conseguir a/c.; *fig. dem Ruhme ~* buscar la fama, perseguir la gloria; **2.** *v/t.*: *j-m e-e Kugel ~* disparar sobre alg. que huye; **2klang** *m* (*-es*; *ᵘe*) resonancia *f*; eco *m*; *fig.* recuerdo *m*; reminiscencia *f*; **~klingen** (*L*) *v/i.* resonar; *Glocke*: vibrar; **2komme** *m* (*-n*) descendiente *m*; **~kommen** (*L*; *sn*) *v/i.* llegar después (*od.* más tarde); *j-m ~* seguir a alg.; (*einholen*) alcanzar a alg.; *e-r Anordnung, e-m Befehl*: acatar; *e-m Versprechen*: cumplir; *e-r Bitte*: acceder a; *e-r Verpflichtung*: cumplir con; *e-m Gebot*: observar; *e-r Aufforderung*: obedecer; asentir; *s-n Verpflichtungen*: cumplir (*ac.*); hacer frente a; **2kommenschaft** *f* descendencia *f*; **2kömmling** *m* (*-s*; *-e*) descendiente *m*; **2kriegsjahre** *n/pl.* años *m/pl.* de la postguerra; **2kriegsverhältnisse** *n/pl.* circunstancias *f/pl.* (*od.* situación *f*) de la postguerra; **2kriegszeit** *f* época *f* de la postguerra; **2kur** ⚕ *f* tratamiento *m* ulterior; **~laden** (*L*) *v/t.* volver a cargar; **2laß** *m* (*-sses*; *0*) *e-r Strafe, e-r Forderung*: remisión *f*; (*Ermäßigung*) reducción *f*; disminución *f*; (*Rabatt*) rebaja *f*; descuento *m*; (*Erbschaft*) ⚖ bienes *m/pl.* relictos, herencia *f*; sucesión *f* (de bienes); (*Steuer2*) desgravación *f*; *literarischer*: obras *f/pl.* póstumas; **~lassen** (*L*) **1.** *v/t.* *straffes Seil, Schraube*: aflojar; *Strafe, Schuld*: remitir; condonar, perdonar; *Preis*: reducir, rebajar; *100 Peseten ~* hacer una rebaja de cien pesetas; (*vermindern*) disminuir; (*hinterlassen*) dejar, *letztwillig*: legar; (*unterlassen*) dejar de hacer; **2.** *v/i.* *in der Spannkraft*: aflojarse; (*lose werden*) relajarse; (*nachgeben*) ceder; (*sich vermindern*) disminuir, decrecer; (*schwach werden*) desfallecer, desmayar; debilitarse; (*milder werden*) suavizarse; (*aufhören*) cesar (*a.* Regen); acabar, terminar; (*sich erschöpfen*) agotarse; *Eifer*: entibiarse; *Sturm*: calmarse; *Wind*: amainar; *Fieber*: remitir, declinar; *Schmerz*: ceder; *Tempo*: moderar; *in s-n Forderungen ~* reducir sus pretensiones; **2lassen** *n* aflojamiento *m*; (*Verminderung*) disminución *f*;

decrecimiento *m*; (*Verlangsamen*) moderación *f*; (*Aufhören*) cesación *f*; terminación *f*; *des Fiebers*: remisión *f*, descenso *m*; *des Schmerzes*: alivio *m*; (*Unterbrechung*) interrupción *f*; **˷lassend** ⚕ *adj.* remitente; **ᵴlaßgegenstand** ⚖ *m* (-*ẹs*; ⸚*e*) objeto *m* integrante de la sucesión; **ᵴlaßgericht** ⚖ *n* (-*ẹs*; -*e*) tribunal *m* sucesorio; **˷lässig** *adj.* negligente; descuidado; (*gleichgültig*) indolente; (*ungenau*) inexacto; (*lässig*) desaliñado; *adv.* con descuido; con poco esmero; **ᵴlässigkeit** *f* negligencia *f*; descuido *m*; (*Lässigkeit*) desaliño *m*; (*Ungenauigkeit*) inexactitud *f*; (*Schlamperei*) incuria *f*; **ᵴlaßinventar** ⚖ *n* (-*s*; *0*) inventario *m* sucesorio; **ᵴlaßpfleger** ⚖ *m* curador *m* sucesorio; **ᵴlaßschuld** ⚖ *f* deuda *f* hereditaria; **ᵴlaßsteuer** *f* (-; -*n*) impuesto *m* sobre la masa de la herencia; **ᵴlaßverwalter** ⚖ *m* administrador *m* sucesorio; **ᵴlaßverwaltung** ⚖ *f* administración *f* sucesoria; **ᵴlaßverzeichnis** ⚖ *n* (-*ses*; -*se*) inventario *m* sucesorio; **˷laufen** (*L*; *sn*) *v/i.*: *j-m* (*e-r Sache*) ˷ correr tras de alg. (a/c.); perseguir a alg.; *e-m Mädchen* ˷ ir detrás de (*od.* seguir a) una muchacha; *den Weibern* ˷ F correr tras de las faldas; **ᵴläufer** (*Billardspiel*) *m* carambola *f* corrida; **˷leben** *v/i.*: *j-m* ˷ tomar como ejemplo (*od.* modelo) a alg.; seguir el ejemplo de alg.; **˷legen** *v/t.* añadir; *Holz* ˷ echar leña al fuego; **ᵴlese** *f* ⚘ espigueo *m*; (*Traubenᵴ*) rebusca *f* después de la vendimia; ˷ *halten* espigar, *v. Trauben*: racimar; *fig.* (*Nachtrag*) suplemento *m*; **˷lesen** (*L*) *v/t. u. v/i.* ⚘ espigar; *Trauben*: racimar; *e-e Stelle*: volver a leer; *in e-m Buch* ˷ consultar un libro; (*nochmals lesen*) releer; (*mitlesen*) seguir el texto; **˷liefern** (-*re*) *v/t.* *später*: entregar más tarde; *ergänzend*: completar la entrega; **ᵴlieferung** *f* *spätere*: segunda entrega *f*; *ergänzende*: envío *m* suplementario; **˷lösen** *v/t.* *Fahrkarte*: pagar un suplemento; **ᵴlöseschalter** *m* taquilla *f* para pago de suplementos; **˷machen** *v/t.* imitar; copiar; (*fälschen*) contrahacer; falsificar; (*nachäffen*) remedar; *es j-m* ˷ hacer lo mismo que alg.; **ᵴmachen** *n* imitación *f*; copia *f*; (*Fälschung*) falsificación *f*; (*Nachäffen*) remedo *m*; **ᵴmahd** ⚘ *f* segunda siega *f*; **˷malen** *v/t.* copiar; **˷malig** *adj.* posterior; ulterior; **˷mals** *adv.* más tarde, posteriormente; **˷messen** (*L*) *v/t.* comprobar la medida; volver a medir; **ᵴmittag** *m* (-*ẹs*; -*e*) tarde *f*; *heute* ᵴ esta tarde, hoy por la tarde; *im Laufe des* ˷*s* en la tarde; *am späten* ˷ al atardecer; **˷mittags** *adv.* por la tarde; todas las tardes; **ᵴmittagskleid** *n* (-*ẹs*; -*er*) vestido *m* de tarde; **ᵴmittags-unterricht** *m* (-*ẹs*; *0*) clase *f* de la tarde; **ᵴmittagsver-anstaltung** *f*, **ᵴmittagsvorstellung** *f* *Thea.* función *f* de la tarde; **ᵴnahme** *f* re(e)mbolso *m*; *gegen* ˷ contra re(e)mbolso; *den Betrag durch* ˷ *erheben* cobrar el importe por re(e)mbolso; **ᵴnahmesendung** *f* envío *m* contra re(e)mbolso; **ᵴnahmespesen** *pl.* gastos *m/pl.* de re(e)mbolso; **˷nehmen** (*L*) *v/t.* ⚚ re(e)mbolsarse; (*nachfassen*) repetir el plato; **˷plappern** (-*re*) *v/t.* repetir maquinalmente; **ᵴporto** 📯 *n* (-*s*; -*s*) sobretasa *f*; porte *m* adicional; **˷prüfbar** *adj.* comprobable; **˷prüfen** *v/t.* comprobar; revisar; verificar; **ᵴprüfung** *f* comprobación *f*; revisión *f*; verificación *f*; **˷rechnen** (-*e*-) *v/t.* comprobar un cálculo (⚚ una cuenta); **ᵴrechnen** *n*, **ᵴrechnung** *f* comprobación *f* de un cálculo (⚚ una cuenta); **ᵴrede** *f* *e-s Buches*: epílogo *m*; *üble* ˷ maledicencia *f*; difamación *f*; ⚖ calumnia *f*; *j-n in üble* ˷ *bringen* difamar a alg.; **˷reden** (-*e*-) *v/t.* repetir; *j-m Böses* ˷ hablar mal de alg.; difamar a alg.; **˷reichen** *v/t.* *Speisen*: servir(se) otra vez; *Unterlagen*: entregar posteriormente; **˷reifen** ⚘ *v/i.*: madurar después de ser recogido; **˷reisen** (*sn*) *v/i.*: *j-m* ˷ salir de viaje tras otra persona para reunirse con ella; **˷rennen** (*sn*) *v/i.*: *j-m* ˷ correr detrás de alg.; perseguir a alg.

¹**Nachricht** *f* noticia *f*; (*Neuigkeit*) novedad *f*; (*Mitteilung*) información *f*; (*Botschaft*) mensaje *m*; (*Anzeige*) anuncio *m*; (*Bericht*) informe *m*; (*Benachrichtigung*) aviso *m*; (*Auskunft*) informe *m*; ˷*en Radio*: noticiario *m* radiofónico, diario *m* hablado; *letzte* ˷*en* últimas noticias; noticias de última hora; *die* ˷ *von et. erhalten* tener (*od.* recibir) noticia de a/c.; *j-m* ˷ *geben von* (*od.* *über ac.*) informar a alg. de; *ich habe keine* ˷ *von ihm* no tengo (ninguna) noticia de él; estoy sin noticias de él.

¹**Nachrichten...:** **˷abteilung** *f* servicio *m* de información; ⚔ sección *f* de transmisiones; **˷agentur** *f* agencia *f* de noticias; **˷austausch** *m* (-*ẹs*; *0*) intercambio *m* de informaciones; **˷blatt** *n* (-*ẹs*; ⸚*er*) diario *m* de noticias; **˷büro** *n* (-*s*; -*s*) oficina *f* de información; **˷dienst** *m* (-*ẹs*; -*e*) servicio *m* de información; *Zeitung*: servicio *m* cablegráfico; ⚔ servicio *m* de información militar; *Pol. geheimer*: servicio *m* secreto; **˷kompanie** ⚔ *f* compañía *f* de transmisiones; **˷material** *n* (-*s*; *0*) material *m* informativo; **˷netz** *n* (-*es*; -*e*) red *f* de telecomunicación; ⚔ servicio *m* de transmisiones; **˷offizier** ⚔ *m* (-*s*; -*e*) oficial *m* del servicio de información militar; **˷quelle** *f* fuente *f* de información; **˷sammelstelle** ⚔ *f* centro *m* de información militar; **˷satellit** *m* (-*en*) satélite *m* de comunicaciones; **˷stelle** *f* centro *m* de información; **˷truppe** ⚔ *f* sección *f* de transmisiones; **˷übermittlung** *f* transmisión *f* de informaciones; **˷übersicht** *f* resumen *m* informativo; **˷wesen** *n* (-*s*; *0*) servicio *m* de informaciones; **˷zentrale** *f* central *f* de información.

¹**nach|rücken** *v/i.* avanzar; *in e-e höhere Stelle*: ascender; *dem Feinde* ˷ perseguir al enemigo; **ᵴruf** *m* (-*ẹs*; -*e*) necrología *f*; (*Artikel*) artículo *m* necrológico; **˷rufen** (*L*) *v/i. u. v/t.*: *j-m* (*et.*) ˷ gritar (a/c.) detrás de alg.; **ᵴruhm** *m* (-*ẹs*; *0*) gloria *f* póstuma; **˷rühmen** *v/t.*: *j-m et.* ˷ decir a/c. en honor (*od.* en elogio) de alg.; **˷sagen** *v/t.* repetir; *j-m et.* ˷ decir a/c. de alg.; **ᵴsaison** *f* (-; -*s*) fin *m* de temporada; **ᵴsatz** *m* (-*es*; ⸚*e*) *Gr.* segundo miembro *m* de la proposición; *Logik* consecuente *m*; *in Briefen*: postdata *f*; **˷schauen** *v/i.*: *j-m* ˷ seguir a alg. con la vista; ˷ *ob* asegurarse de si; (ir a) ver si; **˷schicken** *v/t.* hacer seguir; (*Brief*) reexpedir; (*später schicken*) enviar más tarde; **˷schießen** (*L*) **1.** *v/i.*: *j-m* ˷ disparar sobre alg. que huye; **2.** *v/t.*: *e-e Summe* ˷ completar un pago; **ᵴschlag** *m* (-*ẹs*; ⸚*e*) golpe *m* subsiguiente; ♪ mordente *m* final; **˷schlagen** (*L*) **1.** *v/t. u. v/i.* dar otro golpe; *ein Buch* (*od. in e-m Buch*) ˷ consultar un libro; *Stelle im Buch*: buscar; **2.** (*sn*) *v/i.*: *j-m* ˷ parecerse mucho a alg.; **ᵴschlagen** *n*: ˷ *in e-m Buch* consulta de un libro; **ᵴschlagewerk** *n* (-*ẹs*; -*e*) obra *f* de consulta; **˷schleichen** (*L*; *sn*) *v/i.*: *j-m* ˷ seguir furtivamente a alg.; *bsd. spähend*: espiar a alg.; **˷schleppen** *v/t.* arrastrar (*od.* llevar) tras de sí; *Schiff, Wagen*: remolcar; **ᵴschlüssel** *m* llave *f* falsa; (*Dietrich*) ganzúa *f*; **˷schreiben** (*L*) *v/t.* (*abschreiben*) copiar; *nach Diktat* ˷ escribir al dictado; (*mitschreiben*) tomar notas; **ᵴschrift** *f* copia *f*; *e-r Rede*: notas *f/pl.*; *in Briefen*: postdata *f*; **ᵴschub** ⚔ *m* (-*ẹs*; ⸚*e*) avituallamiento *m*, reabastecimiento *m*; (*Verstärkung*) refuerzos *m/pl.*; **ᵴschubbasis** *f* (-; -*basen*) base *f* de avituallamiento; **ᵴschubkolonne** ⚔ *f* columna *f* de avituallamiento; **ᵴschublager** ⚔ *n* depósito *m* de avituallamiento *od.* reabastecimiento; **ᵴschublinie** *f*, **ᵴschubweg** ⚔ *m* (-*ẹs*; -*e*) línea *f* de reabastecimiento; **˷schulisch** *adj.* postescolar; **ᵴschuß** *m* (-*sses*; ⸚*sse*) *Fußball*: tiro *m* repetido; ⚚ (*Nachzahlung*) pago *m* adicional *od.* complementario; suplemento *m* de pago; **ᵴschußzahlung** *f* pago *m* adicional; **˷schütten** (-*e*-) *v/t.* añadir; echar más; **˷schwatzen** (-*t*) *v/t.* (*wiederholen*) repetir; *et.* ˷ propalar lo que otro ha dicho *od.* contado; **˷sehen** (*L*) *v/i. u. v/t.* (*nachblicken*) seguir a alg. con la vista; (*prüfen*) examinar; revisar; ˷ *ob* asegurarse de si; ir a ver si; *Hefte*: corregir; *Wort*: buscar; *in e-m Buch* ˷ consultar un libro; *j-m et.* ˷ disculpar, perdonar *od.* dejar pasar a/c. a alg.; F hacer la vista gorda sobre a/c.; **ᵴsehen** *n* (*Prüfen*) examen *m*; revisión *f*; *v. Heften*: corrección *f*; (*Nachschlagen*) *in e-m Buch*: consulta *f*; *j-m das* ˷ *geben Sport*: (*ihn überrunden*) superar a un contrario, (*ihn abhängen*) dejar atrás a un contrario; *du wirst das* ˷ *haben* te quedarás con las ganas *od.* te quedarás a la luna de Valencia; **˷senden** (*L*) *v/t.* hacer seguir; 📯 reexpedir; **˷setzen** (-*t*) **1.** *v/t.* posponer; (*hinzufügen*) añadir, agregar; **2.** (*sn*) *v/i.*: *j-m* ˷ salir en persecución de alg.; *Jgdw.* dar caza a; **ᵴsicht** *f* (*0*) indulgencia *f*; benevolencia *f*; ˷ *üben* (*od. haben*)

mit ser indulgente (para) con; (*Duldung*) tolerancia *f*; (*Geduld*) paciencia *f*; **~sichtig** *adj.* indulgente; (*nachgiebig*) complaciente; (*duldsam*) tolerante; **Ƨsichtwechsel** ✝ *m* letra *f* a tantos días a la vista; **Ƨsilbe** *Gr. f* sufijo *m*; **~sinnen** (*L*) *v/i.* reflexionar (*über ac.* sobre); meditar (sobre); **Ƨsinnen** *n* reflexión *f*; meditación *f*; **~sitzen** (*L*) *v/i. Schüler*: quedar retenido (en clase); **Ƨsitzen** *n Schüler*: retención *f* (en clase); **Ƨsommer** *m* final *m* del verano; (*Altweibersommer*) veranillo *m* de San Martín; **~spähen** *v/i.*: *j-m ~* espiar a alg.; **~spannen** *v/t.* retensar; **Ƨspeise** *f* postre *m*; **Ƨspiel** *n* (*-es*; *-e*) *Thea.* epílogo *m*; *fig.* consecuencias *f/pl.*; *ein ~ haben* tener consecuencias, F traer cola; *die Sache wird ein gerichtliches ~ haben* el asunto acabará resolviéndose ante los tribunales; **~spionieren** (-) *v/i.*: *j-m ~* espiar a alg.; **~sprechen** (*L*) *v/t. u. v/i.* (*wiederholen*) repetir; *j-m ~* repetir lo dicho por alg.; **~spülen** *v/t.* (*Wäsche*) aclarar; ⚕ irrigar; **~spüren** *v/i.*: *j-m ~* seguir las huellas de alg.; *Jgdw.* seguir el rastro de; *e-r Sache* (*dat.*) *~* investigar a/c.; hacer indagaciones sobre a/c.; F seguir la pista de a/c.

nächst I. *adj.* (*sup. v. nahe*) el más próximo (*od.* cercano); *der ~e Weg* el camino más corto; *die ~en Verwandten* los parientes más cercanos; *ins ~e Dorf gehen* ir al pueblo vecino; *im ~en Augenblick* momentos después; *bei ~er Gelegenheit* en la primera ocasión; *~es Jahr* el año próximo, el año que viene; *~en Monat* el próximo mes, el mes que entra (*od.* que viene); *Ultimo ~en Monats* a fines del mes próximo; *~e Woche* la próxima semana; *~en Sonntag* el próximo domingo; *am ~en Tage* al día siguiente; *in ~er Zeit* próximamente; *das ~e Mal* la próxima vez; *die ~e Straße links* la primera calle a la izquierda; **II.** *adv.*: *am ~en* lo más cerca; *er kommt dem am ~en* es el que más se le aproxima; **III.** *prp.* (*dat.*) muy cerca de, junto a; (*unmittelbar nach*) inmediatamente después; (*Reihenfolge*) después de; **~'best** *adj.*: *der, die Ƨe* el primero *bzw.* la primera que llegue (*od.* que se presente); **~'dem** *adv.* después de esto; (*nachher*) luego, después; **'Ƨe 1.** *n* lo primero; *fig.* lo más indicado; lo procedente; *das Ƨ* (*zu tun*) *wäre* ... lo primero (que habría que hacer) sería ...; **2.** *m* (*Mitmensch*) *Rel.* prójimo *m*; *jeder ist sich selbst der ~* la caridad bien entendida empieza por uno mismo; **3.** *m, f in der Reihenfolge*: siguiente *m/f.*

'nach|stehen (*L*) *v/i.* estar colocado detrás; venir después; *j-m ~* ser inferior a alg.; ser menos que alg.; *er steht ihm nicht nach* no le cede en nada; **~stehend I.** *adj.* siguiente; **II.** *adv.* a continuación; *wie ~* como a continuación se expresa; **~steigen** (*L*; *sn*) F *v/i. e-m Mädchen ~* rondar a una muchacha; **~stellbar** *adj.* ajustable; regulable; **~stellen 1.** *v/t.* colocar detrás; posponer; *Uhr*: atrasar; ⊕ reajustar; **2.** *v/i.*: *j-m ~* perseguir a alg.; (*ihm e-e Falle stellen*) tender un lazo a alg.; *e-m Mädchen ~* asediar a una muchacha; **Ƨstellschraube** ⊕ *f* tornillo *m* de ajuste; **Ƨstellung** *f* ⊕ ajuste *m*, reglaje *m*; (*Verfolgung*) persecución *f*.

'Nächstenliebe *f* (*0*) amor *m* al prójimo; altruismo *m*.

'nächstens *adv.* próximamente, en breve, dentro de poco.

'Nachsteuer *f* (-; *-n*) impuesto *m* adicional; recargo *m*.

'nächst|folgend *adj.* (sub)siguiente; próximo; *am ~en Tage* al día siguiente; **~liegend** *adj.* el más próximo (*od.* cercano); situado en la proximidad; *das Ƨe* lo primero; *fig.* lo más indicado.

'Nach|stoß *Fechtk. m* (*-es*; *⸚e*) parada *f* y a fondo; **Ƨstoßen** (*L*) *v/i.* ⚔ contraatacar, perseguir; **Ƨstreben** *v/i.*: *e-r Sache* (*dat.*) *~* aspirar a conseguir a/c.; ambicionar a/c.; esforzarse en alcanzar a/c.; *j-m ~* tomar a alg. por modelo; seguir el ejemplo de alg.; **Ƨströmen** *fig. v/i.* seguir en masa; **Ƨstürzen** (*-t*; *sn*) *v/i.* ⚠ hundirse; desplomarse; *j-m ~* lanzarse tras alg.; **Ƨsuchen** *v/t. u. v/i.* buscar; rebuscar; *um et. ~* solicitar a/c.; **~suchen** *n* busca *f*; rebusca *f*; (*Bitte*) solicitud *f*.

Nacht *f* noche *f*; *heute Ƨ* esta noche, hoy por la noche; *gestern Ƨ* anoche; *vorgestern Ƨ* anteanoche; *des ~s, Ƨs, bei ~, in der ~* por la noche; durante la noche; en la noche; de noche; *mitten in der ~* en plena noche; *tief in der ~, tief in die ~ hinein* muy entrada la noche; a altas horas de la noche; *bei ~ und Nebel* al amparo de la noche; *über ~* durante la noche, (*sehr bald und plötzlich*) de la noche a la mañana; *fig.* de repente; *es wird ~, die ~ bricht herein* anochece, comienza a anochecer, está anocheciendo; *es ist ~* es de noche; *es ist stockfinstere ~* la noche está oscura como boca de lobo; *bei Einbruch der ~* al anochecer; al cerrar la noche; *nach Einbruch der ~* cerrada la noche; ya (*od.* después de) anochecido; *die ganze ~ aufbleiben* (*od. auf den Beinen sein*), *die ~ verbringen* (*durchwachen*) pasar la noche en pie (*od.* sin acostarse); pasar la noche en vela; *die ~ verbringen in dat.* (*hausen, übernachten*) pernoctar, pasar la noche en; *e-e gute* (*schlechte*) *~ verbringen od. haben* pasar una buena (mala) noche; *die ~ mit et. verbringen* pasar la noche ocupado en a/c.; *über ~ bleiben* pasar la noche; *schlaflose* (*od. durchwachte*) *~* noche sin dormir (*od.* en vela); F noche toledana; *e-e schlaflose ~ haben* (*od. verbringen*) pasar la noche sin dormir (F sin pegar ojo); pasar la noche de claro en claro; F pasar una noche vizcaína; *die ganze ~ nicht schlafen können* no poder dormir en toda la noche; *die ganze ~ kein Auge zumachen* F no pegar los ojos en toda la noche; *Tag und ~* día y noche; *die ~ zum Tag machen* hacer de la noche día y del día noche; *zur ~ essen* cenar; *gute ~!* ¡buenas noches!; *j-m e-e angenehme ~ wünschen* desear a alg. (que pase) una buena noche; *in der ~ sind alle Katzen grau* de noche todos los gatos son pardos; *über ~ bleiben* pasar la noche; pernoctar; **'~angriff** ⚔ *m* (*-es*; *-e*) ataque *m* nocturno.

'nachtanken *v/i.* rellenar el depósito de gasolina.

'Nacht...: **~arbeit** *f* trabajo *m* nocturno; **~asyl** *n* (*-s*; *-e*) asilo *m* nocturno; **~ausgabe** *f* edición *f* de la noche; **Ƨblind** *adj.* hemerálope; **~blindheit** *f* (*0*) hemeralopía *f*; **~bomber** ✈ *m* bombardero *m* nocturno; **~creme** *f* (-; *-s*) crema *f* de noche; **~dienst** *m* (*-es*; *-e*) servicio *m* nocturno.

'Nachteil *m* (*-es*; *-e*) desventaja *f*, inconveniente *m*; (*Schaden*) daño *m*; perjuicio *m*; detrimento *m*; *zum ~ von* en perjuicio *od.* detrimento de; *j-m ~ bringen* perjudicar (*od.* ocasionar un perjuicio) a alg.; *~e erleiden* sufrir perjuicios; *sich im ~ befinden* estar en situación desventajosa; **Ƨig** *adj.* desventajoso, desfavorable; (*schädlich*) perjudicial; dañoso; (*entgegenstehend*) contrario; (*das Gegenteil bewirkend*) contraproducente; *~ für j-n ausgehen* resultar en perjuicio (*od.* en detrimento) de alg.

'Nacht-einsatz ✈ *m* (*-es*; *⸚e*) misión *f* nocturno.

'nächtelang *adv.* (durante) noches enteras.

'Nacht...: **~essen** *n* cena *f*; **~eule** *Orn. f* buho *m*, *große*: mochuelo *m*; **~falter** *m* mariposa *f* nocturna, falena *f*; **~flug** *m* (*-es*; *⸚e*) vuelo *m* nocturno; **~frost** *m* (*-es*; *⸚e*) helada *f* nocturna; **~gebühr** *f* tarifa *f* nocturna; **~gefecht** ⚔ *n* (*-es*; *-e*) combate *m* nocturno; **~geschirr** *n* (*-es*; *-e*) orinal *m*; **~gespenst** *n* (*-es*; *-er*) fantasma *m* de la noche; **~gewand** *n* (*-es*; *⸚er*) camisón *m*, camisa *f* de noche; (*od.* de dormir); **~glocke** *f* timbre *m* de noche; **~haube** *f* gorro *m* de dormir; **~hemd** *n* (*-es*; *-en*) → *Nachtgewand.*

'Nachtigall *Orn. f* ruiseñor *m*.

'nächtigen *v/i.* pasar la noche, pernoctar (*in dat.* en).

'Nachtisch *m* (*-es*; *-e*) postre *m*; *beim ~* de sobremesa.

'Nacht...: **~jäger** ✈ *m* (avión *m* de) caza *m* nocturno; **~klub** *m* (*-s*; *-s*) cabaret *m*; **~lager** *n* campamento *m* nocturno; (*Quartier*) albergue *m* nocturno; alojamiento *m* para la noche; (*Bett*) yacija *f*; **~lampe** *f* lamparilla *f*; **~leben** *n* (*-s*; *0*) vida *f* nocturna.

'nächtlich I. *adj.* nocturno; *fig.* oscuro; **II.** *adv.* de noche; durante la noche.

'Nacht...: **~licht** *n* (*-es*; *0*) lamparilla *f*; **~lokal** *n* (*-es*; *-e*) sala *f* de fiestas; cabaret *m*; **~luft** *f* (*0*) (aire *m*) fresco *m* de la noche; **~mahl** *n* (*-es*; *⸚er*) cena *f*; **~marsch** ⚔ *m* (*-es*; *⸚e*) marcha *f* nocturna; **~mütze** *f* gorro *m* de dormir.

'nachtönen *v/i.* resonar; *Glocke*: vibrar.

'Nachtquartier *n* (*-s*; *-e*) albergue

m nocturno; posada *f*; alojamiento *m* (para la noche).

ˈ**Nach|trag** *m* suplemento *m*; *Anhang*: apéndice *m*; *Hinzufügung*: adición *f*, aditamento *m*; *Briefe*: postdata *f*; (*Testaments*2) codicilo *m*; 2**tragen** (*L*) *v/t.* (*hinzufügen*) añadir, agregar; *j-m et.* ~ llevar a/c. detrás de alg.; *fig.* guardar rencor a alg. por a/c.; 2**tragend** *adj.* rencoroso; 2**träglich I.** *adj.* (*später nachfolgend*) posterior, ulterior; (*zusätzlich*) adicional, suplementario; **II.** *adv.* más tarde; posteriormente.

ˈ**Nachtrags|liste** *f* lista *f* adicional; ~**zahlung** *f* pago *m* adicional.

ˈ**Nacht...:** ~**ruhe** *f* (*0*) calma *f* de la noche; sueño *m*, reposo *m* nocturno; 2**s** *adv.* de noche; durante la noche; ~**schatten** ⚘ *m* hierba *f* mora; ~**schattengewächse** ⚘ *n/pl.* solanáceas *f/pl.*; ~**schicht** *f* equipo *m* nocturno; turno *m* de la noche; 2**schlafend** *adj.*: *zu* ~*er Zeit* cuando todo el mundo duerme; ~**schwärmer** F *m* noctámbulo *m*, trasnochador *m*; juerguista *m*; (*Schmetterling*) falena *f*; ~**schweiß** ⚕ *m* (*-es*; *0*) sudores *m/pl.* nocturnos; ~**schwester** *f* enfermera *f* de la noche; enfermera *f* de guardia; ~**sitzung** *f* sesión *f* nocturna; ~**stuhl** *m* (*-es*; *ⁿe*) sillico *m*; ~**tarif** *m* (*-es*; *-e*) tarifa *f* nocturna; ~**tisch** *m* (*-es*; *-e*) mesita *f* de noche; ~**tischlampe** *f* lámpara *f* de mesita de noche; lámpara *f* portátil; velador *m*; ~**topf** *m* (*-es*; *ⁿe*) orinal *m*; F perico *m*.

ˈ**nach|trauern** (*-re*) *v/i.*: *j-m* ~ llevar luto por alg.; *e-r Sache* ~ lamentar la pérdida de a/c.; ~**tun** (*L*) *v/t.* imitar; *es j-m* ~ seguir el ejemplo de alg.

ˈ**Nacht...:** ~**viole** ⚘ *f* dondiego *m* de noche; ~**vogel** *m* (*-s*; *ⁿ*) ave *f* nocturna; *fig.* trasnochador *m*; ~**vorstellung** *f Thea.*, *Kino*: función *f* de la noche; ~**wache** *f* vigilia *f*; guardia *f* de noche; *am Krankenbett*: vela *f*; (*polizeiliche*) ronda *f*; *bei j-m* ~ *halten* velar a alg.; ~**wächter** *m* vigilante *m* nocturno, sereno *m*; 2**wandeln** (*-le*; *sn*) *v/i.* ser sonámbulo; ~**wandeln** *n* sonambulismo *m*; ~**wandler(in** *f*) *m* sonámbulo (-a *f*) *m*; 2**wandlerisch** *adj.* de sonámbulo; ~**zeit** *f*: *zur* ~ de noche, por la noche; durante la noche; ~**zeug** *n* (*-s*; *0*) (*Nachtbekleidung*) ropa *f* de noche; (*Toilettennecessaire*) neceser *m*; ~**zug** 🚂 *m* (*-es*; *ⁿe*) tren *m* de la noche; ~**zuschlag** *m* (*-es*; *ⁿe*) recargo *m* de tarifa nocturna.

ˈ**Nach|untersuchung** ⚕ *f* examen *m* (*od.* reconocimiento *m*) médico ulterior; ~**urlaub** *m* (*-s*; *-e*) prolongación *f* de permiso.

ˈ**nach|verlangen** *v/t.* pedir más; pedir además; ~**versichern** (*-re*) *v/t.* aumentar la cantidad asegurada; completar el seguro; 2**versicherung** *f* seguro *m* adicional (*od.* suplementario); ~**wachsen** (*L*; *sn*) *v/i.* volver a crecer; reproducirse; (*Triebe ansetzen*) retoñar; 2**wahl** *f* segunda elección *f*; elección *f* complementaria; 2**wehen** *f/pl.* ⚕ dolores *m/pl.* de sobreparto; *fig.* consecuencias *f/pl.*; ~**weinen** *v/i. u. v/t.*: *j-m* (*Tränen*) ~ (*trauern*) llorar la muerte de alg.; sentir (*od.* lamentar) la desaparición de alg.; 2**weis** *m* (*-es*; *-e*) prueba *f*; comprobación *f*; *urkundlicher*: documentación *f*; (*Beleg*) comprobante *m*; (*Berechtigung*) justificación *f*; *den* ~ *liefern* (*od. erbringen*) presentar (*od.* dar) la prueba (*für et.* de a/c.); probar, demostrar, acreditar (a/c.); (*rechtfertigen*) justificar (a/c.); *urkundlich*: documentar (a/c.); *zum* ~ *von* en apoyo de; como prueba de; *als* ~ *gelten* hacer fe; ~**weisbar** *adj.* demostrable; comprobable; (*zu rechtfertigen*) justificable; ~**weisen** (*L*) *v/t.* (*beweisen*) probar, demostrar; acreditar; (*rechtfertigen*) justificar; *urkundlich*: documentar; *Arbeit*: procurar, proporcionar; *s-e Eignung* ~ acreditar su aptitud (*für et.* para a/c.); 2**weisen** *n* prueba *f*, demostración *f*; comprobación *f*; (*Rechtfertigen*) justificación *f*; *urkundliches*: documentación *f*; ~**weislich I.** *adj.* → *nachweisbar*; **II.** *adv.* como puede comprobarse; según se puede probar; según consta; 2**welt** *f* (*0*) posteridad *f*; ~**werfen** (*L*) *v/t.* arrojar *od.* tirar detrás; ~**wiegen** *v/t.* repesar; comprobar el peso (de); 2**winter** *m* invierno *m* tardío; ~**wirken** *v/i.* continuar obrando *od.* produciendo efecto (*auf ac.* sobre); (*fühlbar sein*) hacerse sentir; (*rückwirken*) repercutir; 2**wirkung** *f* efecto *m* ulterior; ⚕ *a.* efecto *m* secundario; (*Rückwirkung*) repercusión *f*; reacción *f*; *unter der* ~ *von et. leiden*, (*die*) ~*en von et. spüren* resentirse de a/c.; 2**wort** *n* (*-es*; *-e*) epílogo *m*; 2**wuchs** *m* (*-es*; *ⁿe*) ⚘ retoño *m*, renuevo *m*; *fig.* (*kein pl.*) nueva generación *f*; promesas *f/pl.*; *es fehlt an* ~ *für diesen Beruf* faltan aprendices interesados en este oficio; *den* ~ *heranbilden* formar a los jóvenes; ~**zahlen** *v/t. u. v/i.* completar el pago; pagar más tarde; 🚂 pagar un suplemento; ~**zählen** *v/t.* recontar; contar de nuevo; comprobar una cantidad; 2**zählen** *n* recuento *m*; 2**zahlung** *f* pago *m* suplementario *od.* adicional; suplemento *m* de pago; recargo *m*; ~**zeichnen** (*-e-*) *v/t.* copiar; ~**ziehen** (*L*) **1.** *v/t.* arrastrar; llevar tras de sí; *Schraube*: (volver a) apretar; *Striche*: reforzar, marcar; *fig.* (*anziehen*) atraer; *nach sich* ~ traer consigo, entrañar, implicar; llevar aparejado; (*zur Folge haben*) tener por consecuencia; **2.** (*sn*) *v/i.*: *j-m* ~ seguir a (*od.* ir detrás de) alg.; ~**zotteln** (*-le*; *sn*) F *v/i.*: *j-m* ~ trotar detrás de alg.; 2**zügler(in** *f*) *m* rezagado (-a *f*) *m*; remolón *m*, remolona *f*; 2**zündung** *Auto. f* encendido *m* retardado.

ˈ**Nackedei** F *m* (*-s*; *-s*) nene *m* desnudo.

ˈ**Nacken** *m* nuca *f*, cerviz *f*; cogote *m*; *bsd. v. Tieren*: pescuezo *m*; *fig. j-m den* ~ *steifen* afirmar a alg. en su resolución; *j-m auf dem* ~ *sitzen* perseguir de cerca a alg.; ir a los alcances de alg.; F ir pisando a alg. los talones; *j-n im* ~ *haben* ser perseguido de cerca por alg.; *er hat den Schalk im* ~ es un pícaro redomado.

ˈ**nackend** *adj.* → *nackt.*

ˈ**Nacken...:** ~**hebel** *m Ringen*: presa *f* de nuca; ~**schlag** *m* golpe *m* en la nuca; *fig. Nackenschläge bekommen* sufrir reveses; ~**wirbel** *Anat. m* vértebra *f* cervical.

nackt I. *adj.* (*0*) desnudo; F en cueros, en pelota; (*ohne Haare*) pelado; (*ohne Federn*) desplumado; (*ohne Vegetation*) árido; *mit* ~*en Füßen* descalzo; *fig. die* ~*e Wahrheit* la pura verdad; la verdad desnuda; ~*e Tatsachen* los hechos escuetos; *das* ~*e Leben* sólo la vida; **II.** *adv.* ~ *baden* bañarse desnudo; *sich* ~ *ausziehen* desnudarse; 2**heit** *f* (*0*) desnudez *f*; 2**kultur** *f* (*0*) desnudismo *m*; *Anhänger der* ~ desnudista *m/f*.

ˈ**Nadel** *f* (*-*; *-n*) aguja *f*; (*Steck*2) alfiler *m*; (*Näh*2) aguja *f* de coser; (*Tannen*2) pinocha *f*; *e-e* ~ *einfädeln* enhebrar una aguja; *mit e-r* ~ *befestigen* sujetar con un alfiler; *wie auf* ~*n sitzen fig.* estar en (*od.* sobre) ascuas; ~**abweichung** *f* declinación *f* (*od.* desviación *f*) magnética; ~**arbeit** *f* labor *f* de aguja; ~**baum** *m* (*-es*; *ⁿe*) conífera *f*; ~**brief** *m* (*-es*; *-e*) sobre *m* de alfileres *bzw.* de agujas; ~**büchse** *f* cajita *f* de agujas; (*Steck*2) alfiletero *m*; ~**fabrik** *f* fábrica *f* de agujas *bzw.* de alfileres; 2**förmig** *adj.* en forma de aguja; ⚘, *Min.* acicular; ~**geld** *n* (*-es*; *0*) alfileres *m/pl.*; ~**hölzer** ⚘ *n/pl.* coníferas *f/pl.*; ~**industrie** *f* industria *f* de la agujería; ~**kissen** *n* acerico *m*; ~**kopf** *m* (*-es*; *ⁿe*) cabeza *f* de alfiler; ~**lager** ⊕ *n* cojinete *m* de agujas; 2**n** (*-le*) **1.** *v/i. Baum*: caerse las pinochas; **2.** *v/t. fig.* (*sticheln*) dar alfilerazos *m/pl.*; ~**öhr** *n* (*-es*; *-e*) ojo *m* de la aguja; ~**stechen** *Chir. n* acupuntar; ~**stich** *m* (*-es*; *-e*) pinchazo *m* (de aguja); alfilerazo *m* (*a. fig.*); (*Nähstich*) puntada *f*; ~**wald** *m* bosque *m* de coníferas.

ˈ**Nagel** *m* (*-s*; *ⁿ*) clavo *m*; *hölzerner*: clavija *f*, (*Schuh*2) estaquilla *f*; (*Finger*2) uña *f*; *e-n* ~ *einschlagen* clavar un clavo; *mit Nägeln beschlagen* clavetear; *sich die Nägel schneiden* cortarse las uñas; *an den Nägeln kauen* morderse las uñas; *fig. den* ~ *auf den Kopf treffen* dar en el clavo (*od.* en la yema); *fig. et. an den* ~ *hängen* colgar a/c.; no ocuparse más de a/c.; renunciar a a/c.; *fig. auf den Nägeln brennen* ser urgente; correr mucha prisa; *die Nägel pflegen* hacerse las uñas; ~**bohrer** ⊕ *m* barrena *f*; ~**bürste** *f* cepill(it)o *m* de uñas; ~**fabrik** *f*, ~**fabrikation** *f* clavetería *f*; ~**feile** *f* lima *f* para (pulir) las uñas; 2**fest** *adj.* sólidamente clavado; ~**geschwür** ⚕ *n* (*-es*; *-e*) panadizo *m*; ~**kasten** *m* (*-s*; *ⁿ*) caja *f* para clavos; ~**kopf** *m* (*-es*; *ⁿe*) cabeza *f* del clavo; ~**lack** *m* (*-es*; *-e*) esmalte *m* para las uñas; ~**lackentferner** *m* quitaesmaltes *m*; 2**n** (*-le*) *v/t.* clavar (*an*, *auf ac.* en); (*benageln*) clavetear; 2**neu** *adj.* flamante; ~**pflege** *f* (*0*) cuidado *m* de las uñas, manicura *f*; ~**pflegebesteck** *n*, ~**pflegenecessaire** *n* estuche *m* de manicura; ~**polierer** *m* pulidor *m* para las uñas; ~**politur** *f* esmalte *m* para las uñas; **~probe** *f*: *die ~ machen* apurar el vaso; **~reiniger** *m* limpiauñas *m*; **~schere** *f* tijeras *f/pl.* para las uñas; **~schuhe** *m/pl.* zapatos *m/pl.* claveteados; **~wurzel** *f* (-; -*n*) lúnula *f*; **~zange** *f* tenaza *f* para clavos; (*zur Handpflege*) cortauñas *m*.

ˈ**nag|en** *v/t.* roer (*a. fig.*); (*zerfressen*) corroer; **~end** *adj.* roedor; (*fressend, ätzend*) corrosivo; **2er** *m*, **2etier** *n* (-*es*; -*e*) *Zoo.* roedor *m*.

ˈ**nah(e)** **I.** (*¨er*; *nächst*) *adj.* próximo; cercano; (*anstoßend*) contiguo; inmediato; (*benachbart*) vecino; (*ungefähr*) aproximativo; *Freund*: íntimo; *Gefahr*: inminente; *der 2e Osten* el Oriente Medio; *~er Verwandter* pariente cercano; *ich war ~ daran, zu* (*inf.*) estaba a punto de (*inf.*); *es war ~ daran* faltó poco para; *er ist dem Tode ~* se está muriendo; está en la agonía; **II.** *adv.* cerca; *ganz ~* muy cerca; *~ bei (an)* junto a; cerca de; a corta distancia de; *er ist ~ an fünfzig* frisa en los cincuenta años; *~ verwandt mit* pariente cercano de; *~ gelegen, ~ liegend* próximo, vecino; *von ~ und fern* de cerca y de lejos; de todas partes; *~ bevorstehen* ser inminente; *fig. j-m zu ~ treten* agraviar a alg.; ofender a alg.; propasarse con alg.

ˈ**Näh·arbeit** *f* costura *f*.

ˈ**Nah|aufklärung** ⚔ *f* reconocimiento *m* a corta distancia; **~aufnahme** *f* vista *f* tomada de cerca; *Film*: primer plano *m*; *e-e ~ machen* tomar un primer plano.

ˈ**Nähe** *f* (*0*) proximidad *f*; cercanía *f*, vecindad *f*; (*Umgebung*) alrededores *m/pl.*, inmediaciones *f/pl.*; *hier in der ~* cerca de aquí, aquí cerca; *es ist ganz in der ~* está muy cerca de aquí; *in unmittelbarer ~* en la inmediata proximidad (*von* de); *aus der ~* de muy cerca; *in s-r ~* cerca de él; *in der ~ betrachten* mirar (*od.* contemplar) de cerca; *aus nächster ~ schießen* disparar a quema ropa.

ˈ**nahe** *adj. u. adv.* → *nah*; **~bei** *adv.* muy cerca; **~bringen** (*L*) *v/t.*: *j-m et. ~* hacer comprender bien a/c. a alg.; **~gehen** (*L*; *sn*) *v/i.*: *das geht ihm nahe* (él) lo siente mucho; ello le aflige mucho; **~kommen** (*L*; *sn*) *v/i.* acercarse a, aproximarse a; **~legen** *v/t.*: *j-m et. ~* insinuar a/c. a alg.; sugerir a/c. a alg.; (*zu verstehen geben*) dar a entender a/c. a alg.; (*empfehlend*) recomendar a/c. a alg.; **~liegen** (*L*) *v/i.*: *das liegt nahe* es fácil de comprender; es muy natural; es de suponer; **~liegend** *adj.* cercano; *fig.* (*leicht verständlich*) fácil de comprender; (*leicht erklärlich*) fácil de explicar; (*logisch*) lógico; (*natürlich*) natural; (*offensichtlich*) evidente; plausible.

ˈ**Nah·empfang** *m* (-*es*; *0*) *Radio*: recepción *f* a corta distancia.

ˈ**nahen** *v/i. u. v/refl.* acercarse, aproximarse.

ˈ**nähen** *v/t.* coser; *Hemden, Blusen usw.*: hacer; *Chir.* suturar; *mit der Hand* (*mit der Maschine*) *~* coser a mano (a máquina).

ˈ**näher** **I.** *adj.* (*comp. v. nahe*) más cercano, más próximo; *~e Umstände* mayores detalles; pormenores *m/pl.*; *~es Objekt Gr.* régimen directo; *bei ~er Betrachtung* mirándolo (*od.* considerándolo) bien; estudiando más de cerca la cuestión; *er gewinnt bei ~er Bekanntschaft* gana en estimación a medida que se le trata; *das Hemd ist mir ~ als der Rock* la caridad bien entendida comienza por uno mismo; **II.** *adv.* más cerca; más de cerca; *~ ansehen* mirar de cerca; *~ ausführen* detallar; *~ bringen* acercar, aproximar; *~ rücken, ~ treten* acercarse, aproximarse; *kommen (treten) Sie ~!* ¡pase usted!, ¡entre usted!; *~ kennen* conocer de cerca; *j-n ~ kennenlernen* conocer mejor (*od.* más a fondo) a alg.; *sich mit et. ~ bekannt machen* familiarizarse con a/c.; *~ eingehen auf* entrar en (más) detalles sobre; **~bringen** (*L*) *v/t.*: *j-m et. ~* hacer a alg. comprender mejor a/c.; poner a/c. al alcance de alg.

Näheˈrei *f* (*0*) costura *f*.

ˈ**Nähere(s)** *n* detalles *m/pl.* más amplios, pormenores *m/pl.*; *~ bei ...* para más detalles dirigirse a ...; *~ siehe* para más detalles véase ...

ˈ**Näherin** *f* costurera *f*.

ˈ**näher|kommen** (*L*; *sn*) *v/refl.*: *sich ~* conocerse mutuamente; (*sich verstehen lernen*) comenzar a entenderse; **~n** (-*re*) *v/t.* aproximar, acercar; *sich ~* aproximarse, acercarse; **~treten** (*L*; *sn*) *v/i.*: *j-m ~* familiarizarse con alg.; entrar en relaciones más íntimas con alg.; *e-r Sache ~* (*dat.*) ocuparse con a/c.; familiarizarse con a/c.

ˈ**Näherung** 𝔸 *f* aproximación *f*; **~sverfahren** 𝔸 *n* método *m* de aproximación; **~swert** 𝔸 *m* (-*es*; -*e*) valor *m* aproximado.

ˈ**nahe|stehen** (*L*) *v/i. fig.*: *j-m ~* ser (amigo) íntimo de alg.; **~stehend** *adj. fig.* cercano, próximo; (*verwandt*) allegado; *Freund*: íntimo; **~treten** (*L*; *sn*) *v/i.*: *j-m ~* acercarse a alg.; *fig.* entrar en relaciones con alg.; (*beleidigen*) ofender a alg.; **~zu** *adv.* casi.

ˈ**Nähgarn** *n* (-*es*; -*e*) hilo *m* de coser.

ˈ**Nahkampf** *m* (-*es*; *¨e*) lucha *f* a corta distancia; ⚔ (*Mann gegen Mann*) combate *m* cuerpo a cuerpo; **~artillerie** ⚔ *f* artillería *f* de apoyo directo; **~waffe** *f* arma *f* para lucha a corta distancia.

ˈ**Näh|kasten** *m* (-*s*; *¨*) costurero *m*; **~kissen** *n* acerico *m*; **~korb** *m* (-*es*; *¨e*) canastilla *f* de costura.

nahm *pret. v. nehmen.*

ˈ**Näh|maschine** *f* máquina *f* de coser; **~nadel** *f* (-; -*n*) aguja *f* (de coser).

ˈ**Nähr...:** **~boden** *m* (-*s*; *¨*) terreno *m* fértil; *für Bakterien*: medio *m* de cultivo; caldo *m* de cultivo; **2en** **1.** *v/t.* nutrir; (*beköstigen*) alimentar; *Kind*: amamantar, criar, lactar; *sich ~ von* nutrirse de, alimentarse de; vivir de; *fig.* alimentar, nutrir; *Hoffnung*: nutrir, abrigar; *e-e Schlange an s-m Busen ~* criar la sierpe en el seno; **2.** *v/i.* (*nahrhaft sein*) ser nutritivo.

ˈ**Nährflüssigkeit** *f* líquido *m* nutritivo.

ˈ**nahrhaft** (-*est*) *adj.* nutritivo; (*zur Ernährung dienend*) alimenticio; (*kräftig*) su(b)stancioso; *fig.* (*einträglich*) productivo, lucrativo; **2igkeit** *f* (*0*) valor *m* nutritivo; (*Einträglichkeit*) productividad *f*.

ˈ**Nähr...:** **~krem** *m* (-*s*; -*e*) *u. f* (-; -*s*) crema *f* nutritiva; **~mittel** *n* producto *m* alimenticio; alimento *m*; (*Teigwaren*) pastas *f/pl.* alimenticias; **~präparat** *n* (-*es*; -*e*) preparado *m* alimenticio; **~salz** *n* (-*es*; -*e*) sal *f* alimenticia; **~stoff** *m* (-*es*; -*e*) su(b)stancia *f* nutritiva.

ˈ**Nahrung** *f* nutrición *f*; (*alles zur Ernährung Dienende*) alimento *m*; (*Unterhalt*) subsistencia *f*; medios *m/pl.* de existencia; (*das zum Leben Notwendige*) sustento *m*; *flüssige ~* alimento líquido; *fig. geistige ~* alimento espiritual; *~ geben* nutrir (*a. fig.*); *~ zu sich nehmen* nutrirse; alimentarse.

ˈ**Nahrungs...:** **~mangel** *m* (-*s*; *0*) escasez *f* de víveres; **~mittel** *n* alimento *m*; producto *m* alimenticio; *pl.* víveres *m/pl.*; alimentos *m/pl.*; comestibles *m/pl.*; subsistencias *f/pl.*; **~mittelchemie** *f* (*0*) química *f* alimenticia; **~mittelfälschung** *f* adulteración *f* de productos alimenticios; **~mittel·industrie** *f* industrias *f/pl.* alimenticias (*od.* de la alimentación); **~sorgen** *f/pl.* preocupación *f* por el pan cotidiano; *~ haben* no tener lo necesario para subsistir; **~stoff** *m* (-*es*; -*e*) su(b)stancia *f* alimenticia.

ˈ**Nährwert** *m* (-*es*; -*e*) valor *m* nutritivo.

ˈ**Näh|seide** *f* seda *f* para coser; torzal *m*; **~stube** *f* cuarto *m* de costura.

Naht *f* (-; *¨e*) costura *f*; (*Lötstelle*) soldadura *f*; ⚕, *Chir.* sutura *f*.

ˈ**Näh|täschchen** *n* neceser *m* de costura; **~tisch** *m* (-*es*; -*e*), **~tischchen** *n* costurero *m*.

ˈ**nahtlos** *adj.* sin costura; (*ohne Schweißnaht*) sin soldadura; (*Tunika Jesu*) inconsútil.

ˈ**Nahverkehr** 🚆 *m* (-*s*; *0*) servicio *m* de cercanías.

ˈ**Nähzeug** *n* (-*es*; *0*) útiles *m/pl.* de costura; *im Etui*: neceser *m* de costura.

ˈ**Nahziel** *n* (-*es*; -*e*) objetivo *m* inmediato.

naˈiv [naˈi:f] *adj.* ingenuo; cándido; inocente, candoroso.

Naiviˈtät [v] *f* (*0*) ingenuidad *f*; candidez *f*; inocencia *f*, candor *m*; simplicidad *f*.

Naˈjade *Myt. f* náyade *f*.

ˈ**Name** *m* (-*ns*; -*n*), **~n** *m* nombre *m* (*bsd. Vorname*); (*Familien2*) apellido *m*; (*Benennung*) denominación *f*; (*Ruf*) reputación *f*, fama *f*, renombre *m*; *in j-s ~n* en nombre de alg.; *in m-m ~n* en mi nombre; *im ~n m-r Regierung* en nombre de mi gobierno; *in m-m ~n und im ~n m-s Bruders* en nombre de mi hermano y en el mío propio; en nombre propio y en el de mi hermano; *unter e-m angenommenen ~n* bajo nombre falso (*od.* supuesto); *unter fremdem ~n* de incógnito; bajo seudónimo; *wahrer (falscher) ~* nombre verdadero (falso); *voller ~* nombre completo; nombre y apellidos; *auf den ~n lautend* nominativo; *wie ist Ihr ~?* ¿cómo se llama usted?; *wie* *ist Ihr ~, bitte?* ¿tiene la bondad de decirme su nombre?; ¿cómo es su nombre, por favor?; *mein ~ ist X* me llamo X; *s-n ~n sagen* (*od. angeben*) decir su nombre; *j-m e-n ~n geben* dar (F poner) nombre a alg.; *j-n bei* (*od. mit*) *~n nennen* llamar a alg. por su nombre; *die ~n in alphabetischer Reihenfolge verlesen* leer los nombres por orden alfabético; *j-s ~n tragen* llevar el nombre de alg.; *dem ~n nach kennen* conocer de nombre; *s-n ~n setzen unter* (*ac.*) poner su nombre bajo; *sich e-n ~n machen* hacerse un nombre; adquirir reputación, ganar fama; *ich will keine ~n nennen* no quiero citar nombres; *j-n um s-n guten ~n bringen* hacer a alg. perder su reputación (*od.* su buena fama); *die Dinge* (F *das Kind*) *beim rechten ~n nennen* llamar las cosas por su nombre; F llamar al pan, pan y al vino, vino.

'**Namen...:** **~forschung** *f* (*0*) onomatología *f*; onomástica *f*; ciencia *f* de los nombres; **~gebung** *f* denominación *f*; (*Terminologie*) nomenclatura *f*; **~gedächtnis** *n* (*-ses*; *0*) memoria *f* para los nombres; **~kunde** *f* (*0*) onomatología *f*; onomástica *f*; **~liste** *f* nómina *f*; **2los** *adj.* sin nombre; anónimo; *fig.* indecible, inexpresable; inefable; (*ruhmlos*) oscuro; **~register** *n* nómina *f*, lista *f* nominativa.

'**namens I.** *adv.* llamado; denominado; apellidado; **II.** *prp.* (*gen.*) en el nombre de.

'**Namens...:** **~aktie** † *f* acción *f* nominativa; **~änderung** *f* cambio *m* de nombre; **~aufruf** *m* (*-es*; *0*) llamamiento *m* nominal; *Abstimmung durch ~ Parl.* votación nominal; **~fest** *n* (*-es*; *-e*) fiesta *f* onomástica, día *m* del santo; **~stempel** *m* fascímil(e) *m*, estampilla *f*; **~tag** *m* (*-es*; *-e*) → *Namensfest*; **~unterschrift** *f* firma *f*; **~verwechslung** *f* confusión *f* de nombres *bzw.* de apellidos; **~vetter** *m* tocayo *m*; **~zug** *m* (*-es*; *⸗e*) firma *f*; (*Schnörkel*) rúbrica *f*.

'**namentlich I.** *adj.* nominal; **II.** *adv.* nominalmente; por el nombre; (*besonders*) particularmente; en especial; sobre todo; *Parl.* *~e Abstimmung* votación nominal.

'**Namensverzeichnis** *n* (*-ses*; *-se*) nómina *f*; lista *f* nominativa; índice *m* onomástico.

'**namhaft** *adj.* (*berühmt*) notable, renombrado; eminente; (*beträchtlich*) considerable; importante; *et. ~ machen* nombrar a/c.; *j-n ~ machen* nombrar a alg.

'**nämlich I.** *adj.*: *der ~e* el mismo; *das ~e* la misma cosa, lo mismo; **II.** *adv. bestimmend*: a saber; es decir, esto es, o sea; *begründend*: es que ...; porque ...; *er war ~ nicht in der Stadt* es que no estaba en la ciudad; *er konnte nicht kommen, er war ~ krank* no pudo venir porque estaba enfermo.

'**nannte** *pret. v. nennen.*

na'nu! F *int.* (*Überraschung*) ¡hombre!; ¿qué es eso?; ¡atiza!; ¡caramba!

Napf *m* (*-es*; *⸗e*) (*Eß2*) escudilla *f*; (*Holz2*) hortera *f*, *aus Ton*: cazuela *f*; (*Wasch2*) barreño *m*; (*Freß2*) gamella *f*.

'**Naphtha** *n* (*-s*; *0*) *u. f* (*0*) nafta *f*.

Naphtha'lin *n* (*-s*; *0*) naftalina *f*.

Naph'thol ⚗ *n* (*-s*; *0*) naftol *m*.

Na'poleon *m* Napoleón *m*.

napole'onisch *adj.* napoleónico.

'**Nappaleder** *n* napa *f*.

'**Narb|e** *f* cicatriz *f*; chirlo *m*; costurón *m*; (*Pocken2*) hoyo *m*; (*Leder2*) grano *m*; ⚘ estigma *m*; ⚘ capa *f* vegetal; **2en 1.** *v/t. Leder*: granear; **2.** *v/i. Wunde*: cicatrizarse; **2enbildend** *adj.* cicatrizante; **~enbildung** *f* cicatrización *f*; **2enlos** *adj.* sin cicatriz; **~enseite** *f Leder*: grano *m*, flor *f*; **2ig** *adj.* señalado de cicatrices; ⚘ cicatrizado; *Leder*: granulado.

Nar'kose ⚕ *f* narcosis *f*, anestesia *f* general; **~arzt** *m* médico *m* anestesista; **~schwester** *f* (*-*; *-n*) enfermera *f* anestesista.

Nar'kotikum *n* (*-s*; *Narkotika*) narcótico *m*.

Narko'tin *Phar. n* (*-s*; *0*) narcotina *f*.

nar'kotisch *adj.* narcótico.

narkoti'sieren (-) ⚕ *v/t.* narcotizar, anestesiar.

Narr *m* (*-en*) (*Irrer*) *ehm.* loco *m*, demente *m*; (*Trottel*) F chiflado *m*; (*Spaßmacher*) bufón *m*; *Thea. ehm.* gracioso *m*; (*Dummkopf*) mentecato *m*, tonto *m*; F *e-n ~en gefressen haben an* (*dat.*) estar loco por; estar entusiasmado con; estar encaprichado con; *j-n zum ~en halten* (*od. haben*) → *2en v/t.*: *j-n ~* burlarse de alg.; F chotearse *od.* chunguearse de alg.; tomar el pelo a alg.

'**Narren...:** **~haus** *n* (*-es*; *⸗er*) manicomio *m*; casa *f* de locos; **~kappe** *f* gorro *m* de bufón; **2sicher** *adj.* garantizado contra toda posibilidad de error en el manejo; **~(s)possen** *f/pl.* bufonadas *f/pl.*, arlequinadas *f/pl.*; **~streich** *m* (*-es*; *-e*) bufonada *f*, arlequinada *f*; carnavalada *f*.

Narre'tei *f* bufonada *f*; (*Trottelei*) chifladura *f*; (*Dummheit*) tontería *f*; payasada *f*; (*Überspanntheit*) extravagancia *f*.

'**Närrin** *f* mentecata *f*; tonta *f*; F chiflada *f*.

'**närrisch** *adj.* tontiloco; F chiflado; (*überspannt*) extravagante; (*possierlich*) bufonesco; bufo; (*drollig*) cómico, gracioso.

'**Narwal** *Ict. m* (*-s*; *-e*) narval *m*.

Nar'ziß *Myt. m* Narciso *m*.

Nar'zisse ⚘ *f* narciso *m*; **~nlilie** ⚘ *f* amarilis *f*.

Nar'zißmus *m* (*-*; *0*) narcisismo *m*.

na'sal *Gr. adj.* nasal.

nasa'lier|en *Gr. v/t.* nasalizar; **2en** *n*, **2ung** *f* nasalización *f*.

Na'sallaut *Gr. m* (*-es*; *-e*) (sonido *m*) nasal *f*.

'**naschen** *v/t.* comer golosinas *f/pl.*, golosin(e)ar; *gern ~* ser goloso.

'**Nascher(in** *f*) *m*, '**Näscher(in** *f*) *m* goloso (-a *f*) *m*.

Nasche'rei *f*, **Näsche'rei** *f* golosina *f*, gollería *f*; *~en pl.* golosinas *f/pl.*, gollerías *f/pl.*; (*Süßigkeiten*) dulces *m/pl.*; bombones *m/pl.*

'**naschhaft** *adj.* goloso; **2igkeit** *f* (*0*) afición *f* a comer golosinas.

'**Nasch...:** **~kätzchen** *fig. n*, **~maul** *n* (*-es*; *⸗er*) goloso (-a *f*) *m*; **~werk** *n* (*-es*; *0*) → *Nascherei* (*pl.*).

'**Nase** *f* nariz *f*; narices *f/pl.*; (*Geruchsinn*) olfato *m*; ⊕ nariz *f*; talón *m*; (*Tülle*) pico *m*; *fig.* (*Rüge*) reprimenda *f*; *pro ~* por cabeza, F por barba; *sich die ~ putzen* limpiarse la nariz; sonarse; *er blutet aus der ~*, *s-e ~ blutet* sangra (*od.* está sangrando) por la nariz; *durch die ~ sprechen* ganguear; nasalizar; *auf die ~ fallen* caer de bruces; F dar de narices en el suelo; *die ~ rümpfen* fruncir la nariz; torcer la nariz; *die ~ hochtragen* tener aire altanero; F picar muy alto; *fig. die ~ voll haben* estar harto; estar hasta la coronilla; *die ~ in et.* (*ac.*) *stecken* meter las narices en a/c.; *s-e ~ in alles stecken* meter las narices en todo; *j-n an der ~ herumführen* burlarse de alg.; F traer al retortero; *ich sehe es dir an der ~ an* te lo noto en la cara; *j-m et. auf die ~ binden* revelar a alg. un secreto; (*foppen*) chasquear a alg.; F dar a alg. gato por liebre; *j-m auf der ~ herumtanzen* hacer todo lo que alg. quiere; bailar al son que otro toca; *j-m e-e lange ~ machen*, *j-m e-e ~ drehen* dejar chasqueado (*od.* con un palmo de narices) a alg.; *mit langer ~ abziehen* quedarse con un palmo de narices; quedarse a la luna de Valencia; *j-n mit der ~ auf et. stoßen fig.* meter por las narices a/c. a alg.; *j-m et. unter die ~ reiben* echar a alg. en cara a/c.; refregar a alg. por las narices (P por los hocicos) a/c.; *er sieht nicht weiter, als die ~ reicht* no ve más allá de sus narices; *j-m die Würmer aus der ~ ziehen* sonsacar a alg.; *auf der ~ liegen* (*krank sein*) estar enfermo; *Mund und ~ aufsperren* quedar boquiabierto; *j-m et. vor der ~ wegnehmen* quitarle a alg. a/c. en sus propias narices; *j-m die Tür vor der ~ zuwerfen* dar a alg. con la puerta en las narices (P en los hocicos); *eins auf die ~ bekommen* F llevar un soplamocos; *fig.* sufrir una afrenta; *fassen Sie sich an Ihre eigene ~!* no se meta usted en lo que no le importa; *er hat sich den Wind um die ~ wehen lassen* ha visto (*od.* corrido) mucho mundo; *e-e feine ~ haben* tener olfato fino; tener buen olfato; **2lang** F *adv. alle ~* a cada rato; a cada instante.

'**näseln I.** (*-le*) *v/i.* ganguear; nasalizar; **II.** *2 n* gangueo *m*; nasalización *f*; **~d** *adj.* gangoso; nasal.

'**Nasen...:** **~affe** *Zoo. m* (*-n*) nasica *m*; **~bein** *Anat. n* (*-es*; *-e*) hueso *m* nasal; **~bluten** ⚕ *n* hemorragia *f* nasal, epistaxis *f*; **~flügel** *m* ala *f* nasal; **~höhle** *Anat. f* fosa *f* nasal; **~keil** ⊕ *m* (*-es*; *-e*) chaveta *f* con talón; contraclavija *f*; **~länge** *f bei Rennen*: *um e-e ~ gewinnen* ganar por media cabeza; **~laut** *m* (*-es*; *-e*) sonido *m* nasal; **~loch** *Anat. n* (*-es*; *⸗er*) ventana *f* de la nariz; **~rachenentzündung** ⚕ *f* catarro *m* nasofaríngeo, rinofaringitis *f*; **~ring** *m* (*-es*; *-e*) nariguera *f*; **~rücken** *m* dorso *m* de la nariz; **~rümpfen** *n* hocico *m*, morro *m*; ceño *m*; **~scheidewand** *Anat. f* (-; ⸚e) tabique *m* nasal; **~schleim** *m* (-es; *0*) moco *m*; **~schleimhaut** *Anat. f* (-; ⸚e) mucosa *f* nasal, pituitaria *f*; **~schleimhaut-entzündung** ⚕ *f* rinitis *f*; **~spitze** *f* punta *f* de la nariz; *nicht über s-e ~ hinausgehen* no ver más allá de las narices; **~stüber** F *m* soplamocos *m*, papirotazo *m* en las narices; **~untersuchung** ⚕ *f* rinoscopia *f*; **~wurzel** *Anat. f* (-; -*n*) raíz *f* nasal.

'**naseweis I.** *adj.* (*vorlaut*) indiscreto; impertinente; entrometido; (*anmaßend*) petulante, presumido; (*neugierig*) curioso; **II.** ꝛ *m* (-*es*; -*e*) indiscreto *m*; F métome-en-todo *m*.

'**nasführen** *v/t.*: *j-n ~* burlarse de alg.; *fig.* torear a alg.

'**Nashorn** *Zoo. n* (-es; ⸚er) rinoceronte *m*.

naß (-*sser od.* ⸚*sser*; -*ssest od.* ⸚*ssest*) *adj.* mojado; (*feucht*) húmedo; (*durchnäßt*) empapado; *~ machen* mojar; (*befeuchten*) humedecer; *sich ~ machen, ~ werden* mojarse; humedecerse; *durch und durch* (*od. bis auf die Haut*) *~ sein* estar empapado; estar calado hasta los huesos; **II.** ꝛ *n* líquido *m*.

'**Nassauer** *m fig.* gorrón *m*; (*Schmarotzer*) parásito *m*; (*Regenschauer*) chaparrón *m*, chubasco *m*; ꝛ**n** (-*re*) *v/i.* vivir a costa ajena; F vivir de gorra; ser un chupón.

'**Nässe** *f* (*0*) humedad *f*; *vor ~ zu schützen!* ¡presérvese de la humedad!; ꝛ**n** (-*ßt*) **1.** *v/t.* mojar; (*befeuchten*) humedecer; **2.** *v/i.* (*durchsickern*) filtrar; rezumar; *Wunde*: exudar; **~n** *n e-r Wunde*: exudación *f*; ꝛ**nd** *adj.* humectante; (*eiternd*) supurativo; supurante.

'**Naß...:** **~fäule** *f* (*0*) putrefacción *f* húmeda; ꝛ**kalt** *adj.*: *es ist ~* hace un frío húmedo; **~schnee** *m* (-*s*; *0*) aguanieve *f*; **~wäsche** *f* (*0*) ropa *f* blanca mojada.

Nati'on *f* nación *f*; *die Vereinten ~en* las Naciones Unidas; *Angehörige e-r bestimmten ~* nacional *m*.

natio'nal *adj.* nacional; ꝛ**bank** *f* banco *m* nacional; ꝛ**bewußtsein** *n* (-*s*; *0*) conciencia *f* nacional; ꝛ**bibliothek** *f* biblioteca *f* nacional; ꝛ**charakter** *m* (-*s*; -*e*) carácter *m* nacional; ꝛ**china** *n* la China nacional; ꝛ**chinese** *m* (-*n*) chino *m* nacionalista; **~chinesisch** *adj.* de la China nacional; ꝛ**farben** *f/pl.* colores *m/pl.* nacionales; ꝛ**feiertag** *m* (-es; -*e*), ꝛ**fest** *n* (-es; -*e*) fiesta *f* nacional; ꝛ**flagge** *f* bandera *f* nacional; ꝛ**garde** *f* milicia *f* nacional; guardia *f* nacional; ꝛ**gefühl** *n* (-*s*; *0*) conciencia *f* nacional; nacionalismo *m*; ꝛ**held** *m* (-*en*) héroe *m* nacional; ꝛ**hymne** *f* himno *m* nacional.

nationali'sier|en (-) *v/t.* nacionalizar; ꝛ**ung** *f* nacionalización *f*.

Nationa'lis|mus *m* (-; *0*) nacionalismo *m*; **~t** *m* (-*en*) nacionalista *m*; ꝛ**tisch** *adj.* nacionalista.

Nationali'tät *f* nacionalidad *f*; **~enprinzip** *n* (-*s*; *0*) principio *m* de la nacionalidad; **~skennzeichen** *n Auto.*: placa *f* de nacionalidad.

Natio'nal...: **~konvent** *Hist. m* (-es; *0*) Convención *f* (nacional); **~mannschaft** *f Sport*: equipo *m* nacional; **~ökonom** *m* (-*en*) economista *m*; **~ökonomie** *f* (*0*) economía *f* política; **~schuld** *f* deuda *f* nacional; **~sozialismus** *m* (-; *0*) nacionalsocialismo *m*; nazismo *m*; **~sozialist** *m* (-*en*), ꝛ**sozialistisch** *adj.* nacionalsocialista *m*; nazi *m*; **~stolz** *m* (-*es*; *0*) orgullo *m* nacional; **~synode** *f* sínodo *m* nacional; **~tracht** *f* traje *m* (típico) nacional; **~verband** *m* (-es; ⸚e) asociación *f* nacional; **~vermögen** *n* bienes *m/pl.* nacionales; patrimonio *m* nacional; **~versammlung** *f* asamblea *f* nacional; *Span.* Cortes *f/pl.*; **~währung** *f* moneda *f* nacional.

'**Natrium** ⚗ *n* (-*s*; *0*) sodio *m*; **~superoxyd** *n* (-*s*; *0*) peróxido *m* de sodio.

'**Natron** ⚗ *n* (-*s*; *0*) sosa *f*, hidróxido *m* de sodio; *kohlensaures ~* carbonato sódico (*od.* de sosa); *doppeltkohlensaures ~* bicarbonato sódico (*od.* de sosa); ꝛ**haltig** *adj.* sódico; **~lauge** *f* lejía *f* de sosa; **~seife** *f* jabón *m* de sosa.

'**Natter** *Zoo. f* (-; -*n*) culebra *f*; *giftige*: víbora *f* (*a. fig.*).

Na'tur *f* naturaleza *f*; (*Leibesbeschaffenheit*) constitución *f* física, complexión *f*; (*Gemütsart*) temperamento *m*; (*Charakter*) carácter *m*; natural *m*; condición *f*; índole *f*; *nach der ~ malen* pintar del natural; *von ~* naturalmente, por naturaleza; *s-r ~ nach* por su naturaleza; *die Sache ist sehr ernster ~* el asunto es de índole muy grave; *gegen die ~* contra la naturaleza, antinatural; contra natura; *das liegt in der ~ der Sache* es propio de su naturaleza; es inherente a su condición; *das liegt in s-r ~* es propio de su condición natural; *j-m zur zweiten ~ werden* convertirse para alg. en una segunda naturaleza; *e-e gute ~ haben* tener buena constitución física, ser de robusta complexión; *s-e wahre ~ zeigen* mostrar su verdadero carácter; F *fig.* enseñar la oreja; *in freier ~* en el campo, en plena naturaleza; ꝛ**a:** *in ~* (*leibhaftig*) en persona; (*nackt*) desnudo; (*Leistung*) en especie.

Natu'ralbezüge *m/pl.* pago *m* (*od.* remuneraciones *f/pl.*) en especie.

Natu'ralien *pl.* productos *m/pl.* naturales (*od.* de la naturaleza); (*Bestandteile e-r naturgeschichtlichen Sammlung*) objetos *m/pl.* de historia natural; **~kabinett** *n* (-es; -*e*), **~sammlung** *f* gabinete *m* de historia natural.

naturali'sier|en (-) *v/t. Pol.* naturalizar; *sich ~ lassen* naturalizarse; ꝛ**ung** *f* naturalización *f*.

Natura'lis|mus *m* (-; *0*) naturalismo *m*; **~t** *m* (-*en*) naturalista *m*; ꝛ**tisch** *adj.* naturalista.

Natu'ral...: **~leistung** *f* pago *m* en especie; **~lohn** *m* (-*es*; ⸚e) salario *m* en especie; **~wert** *m* (-es; -*e*) valor *m* en especie.

Na'tur...: **~anlage** *f Bio.* disposición *f* natural; naturaleza *f*; (*Charakter*) índole *f*, natural *m*; **~beschreibung** *f* descripción *f* de la naturaleza; **~bursche** *m* (-*en*) hijo *m* de la naturaleza.

Natu'rell *n* (-*s*; -*e*) natural *m*; disposición *f* natural.

Na'tur...: **~er-eignis** *n* (-*ses*; -*se*), **~erscheinung** *f* fenómeno *m* de la naturaleza; **~erzeugnisse** *n/pl.* productos *m/pl.* naturales; ꝛ**farben** *adj.* de color natural; **~forscher** *m* naturalista *m*; **~forschung** *f* (*0*) estudio *m* de la naturaleza; (*Naturwissenschaften*) ciencias *f/pl.* naturales; **~freund** *m* (-es; -*e*) amante *m* de la naturaleza; **~gabe** *f* don *m* natural; **~gas** *n* (-*es*; -*e*) gas *m* natural; ꝛ**gemäß** *adj.* conforme a la naturaleza (*od.* a las leyes naturales); natural; normal; **~geschichte** *f* historia *f* natural; ꝛ**geschichtlich** *adj.* de (la) historia natural; **~gesetz** *n* (-*es*; -*e*) ley *f* natural (*od.* de la naturaleza); ꝛ**getreu** *adj.* copiado del natural; *adv.* al natural; **~heilkunde** *f* (*0*) medicina *f* naturista; **~heilkundige(r)** *m* médico *m* naturista; **~heilverfahren** *n* método *m* terapéutico naturista; medicación *f* naturista; **~katastrophe** *f* catástrofe *f* natural; cataclismo *m*; **~kind** *n* (-es; -*er*) hijo *m* de la naturaleza; ser *m* primitivo; (*unbefangenes Wesen*) ingenuo *m*; alma *f* cándida; **~kraft** *f* (-; ⸚e) fuerza *f* natural (*od.* de la naturaleza); **~kunde** *f* (*0*), **~lehre** *f* (*0*) ciencia *f* de la naturaleza; (*Naturwissenschaften*) ciencias *f/pl.* naturales.

na'türlich I. *adj.* natural; (*unbefangen*) ingenuo; cándido; (*einfach*) sencillo; *~es* (*uneheliches*) *Kind* hijo natural; ⚖ *~e Person* persona natural; *e-s ~en Todes sterben* morir de muerte natural; *~e Lebensweise* naturismo; *es ist ganz ~, daß* es muy natural que; **II.** *adv.* naturalmente; (*selbstverständlich*) claro está; claro que sí; desde luego, *Am.* ¡cómo no!; *~ nicht!* ¡claro que no!; **~erweise** *adv.* naturalmente; ꝛ**keit** *f* (*0*) naturalidad *f*; (*Unbefangenheit*) ingenuidad *f*; (*Einfachheit*) sencillez *f*.

Na'tur...: **~mensch** *m* (-*en*) (*natürlicher Mensch*) hombre *m* natural; hombre *m* de la naturaleza; (*unzivilisierter*) hombre *m* primitivo; **~notwendigkeit** *f* (*0*) necesidad *f* natural; **~produkt** *n* (-es; -*e*) producto *m* natural; **~recht** *n* (-es; *0*) derecho *m* natural; **~reich** *n* (-es; -*e*) reino *m* de la naturaleza; ꝛ**rein** *adj.* natural; **~religion** *f* religión *f* natural; **~schätze** *m/pl.* riquezas *f/pl.* naturales; **~schutz** *m* (-*es*; *0*) protección *f* de la naturaleza; (*Landschaftsschutz*) protección *f* del paisaje; **~schutzgebiet** *n* (-es; -*e*) región *f* natural protegida; **~schutzpark** *m* (-*s*; -*s*) parque *m* nacional; **~sehenswürdigkeit** *f* curiosidad *f* natural; **~the-ater** *n* teatro *m* al aire libre; **~treue** *f* (*0*) fidelidad *f* (natural); **~trieb** *m* (-es; -*e*) inclinación *f* natural; instinto *m*; **~volk** *n* (-es; ⸚er) pueblo *m* primitivo; ꝛ**wahr** *adj.* verdadero; (*in der Kunst*) realista; ꝛ**widrig** *adj.* contrario a la naturaleza; antinatural; contra natura; **~wissenschaf-**

ten *f/pl.* ciencias *f/pl.* naturales; **⁀wissenschaftlich** *adj.* de (las) ciencias naturales; **⁀wüchsig** *adj.* natural; (*naiv*) ingenuo; **~wunder** *n* maravilla *f* de la naturaleza; **~zustand** *m* (*-es; 0*) estado *m* natural.

'Nau|tik ⚓ *f* (*0*) náutica *f*, arte *m* de navegar; **~tilus** *Zoo. m* (*-; - od. -se*) nautilo *m*, argonauta *m*; **⁀tisch** *adj.* náutico.

Navigati'on [v] *f* navegación *f*; **~sakte** ⚓ *f Hist.* acta *f* de navegación; **~skarte** *f* carta *f* de navegación; **~sschule** *f* escuela *f* náutica.

'Nazi *m* (*-s; -s*) nazi *m*.

Na'zis|mus *m* (*-; 0*) nazismo *m*; **⁀tisch** *adj.* nazi.

Ne'andertaler *m* hombre *m* de Neandertal.

Ne'apel *n* Nápoles.

Neapoli|'taner(in *f*) *m* napolitano (-a *f*) *m*; **⁀'tanisch** *adj.* napolitano.

'Nebel *m* niebla *f*; ⚓ bruma *f*, *leichter*: neblina *f*; *fig.* velo *m*; *Astr.* nebulosa *f*; *dichter* (*dünner*; *feuchter*; *trockener*; *künstlicher*) ~ niebla espesa (ligera; húmeda; seca; artificial); *der* ~ *steigt* (*löst sich auf*) la niebla se levanta (se disipa); *in* ~ *gehüllt* envuelto en (*od.* por) la niebla; *bei Nacht und* ~ al amparo de la oscuridad; a favor de la noche; **~bank** *f* (*-; ⸚e*) capa *f* de bruma (*od.* de niebla; **~bombe** *f* bomba *f* fumígena; **⁀feucht** *adj.* brumoso; húmedo; **~fleck** *m* (*-es; -e*) *Astr.* nebulosa *f*; **⁀haft** *adj.* nebuloso; *fig. a.* vago, impreciso; **~horn** ⚓ *n* (*-es; ⸚er*) sirena *f* de niebla; **⁀ig** *adj.* nebuloso (*a. fig.*); neblinoso; ⚓ brumoso; *es ist* ~ hay niebla; **~krähe** *Orn. f* corneja *f* cenicienta; **⁀n** *v/i.* ⚔ tender una cortina de niebla artificial; *es nebelt* hay niebla *bzw.* bruma; (*es ist dunstig*) hay neblina; **~regen** *m* llovizna *f*; **~scheinwerfer** *m* reflector *m* antiniebla; **~schleier** *m* velo *m* de niebla; **~signal** *n* (*-s; -e*) señal *f* de (aviso en caso de) niebla; **~werfer** ⚔ *m* lanzanieblas *m*; **~wetter** *n* tiempo *m* nebuloso *od.* brumoso *od.* calinoso.

'neben *prp.* (*wo?*: *dat.*; *wohin?*: *ac.*) al lado de, junto a, contiguo a; (*außer*) salvo; prescindiendo de, sin contar; (*nebst*) además de, con, incluso; (*verglichen mit*) en comparación con; *rechts* ~ *der Tür* a la derecha de la puerta; ~ *anderen Dingen* entre otras cosas.

'Neben...: **~abgabe** *f* (*steuerliche*) tasa *f* complementaria; **~abrede** *f* cláusula *f* complementaria; **~abschnitt** ⚔ *m* (*-es; -e*) sector *m* adyacente; **~absicht** *f* objeto *m* secundario; (*Hintergedanke*) segunda intención *f*; **~akzent** *m* (*-es; -e*) acento *m* secundario; **~altar** *m* (*-s; ⸚e*) altar *m* lateral; **~amt** *n* (*-es; ⸚er*) empleo *m* accesorio; cargo *m* accesorio; **⁀amtlich** *adj. u. adv.* al margen del empleo *bzw.* cargo principal; **⁀'an** *adv.* al lado; aquí cerca; *gleich* ~ aquí al lado; **~anschluß** *Tele. m* (*-sses; ⸚sse*) línea *f* suplementaria; **~arbeit** *f* trabajo *m* accesorio; **~ausgabe** *f* gasto *m* accesorio *od.* adicional; edición *f* subsidiaria; **~ausgang** *m* (*-es; ⸚e*) salida *f* lateral; **~bahn** 🚂 *f* línea *f* secundaria; (*Zweigbahn*) ramal *m*; **~bedeutung** *f* significado *m* secundario; **~begriff** *m* (*-es; -e*) idea *f* accesoria; **⁀'bei** *adv.* (*nebenan*) al lado; muy cerca; (*noch dazu*) además; (*gleichzeitig*) al mismo tiempo; (*zufällig*) incidentalmente; (*beiseite*) aparte; (*beiläufig*) entre paréntesis, de paso; ~ *bemerkt* dicho sea entre paréntesis; dicho (sea) de paso; **~beruf** *m* (*-es; -e*) profesión *f* (*bzw.* oficio *m*) adicional; ocupación *f* accesoria; **⁀beruflich** *adj. u. adv.* aparte de la profesión (*bzw.* del oficio) principal; al margen del trabajo profesional; **~beschäftigung** *f* ocupación *f* accesoria; **~buhler(in** *f*) *m* rival *m/f*; competidor(a *f*) *m*; **~buhlerschaft** *f* (*0*) rivalidad *f*; **~bürgschaft** *f* garantía *f* secundaria *od.* adicional.

nebenein'ander *adv.* uno al lado de otro; juntos; (re)unidos; ~ *bestehen* coexistir; **⁀** *n* coexistencia *f*; **~schalten** (*-e-*) ⚡ *v/t.* conectar en paralelo; acoplar en derivación; **⁀schaltung** ⚡ *f* conexión *f* en paralelo; **~setzen** (*-t*), **~stellen** *v/t.* poner uno al lado de otro; yuxtaponer; (*vergleichen*) comparar; **⁀setzung** *f*, **⁀stellung** *f* yuxtaposición *f*; (*Vergleich*) comparación *f*; paralelo *m*.

'Neben...: **~eingang** *m* (*-es; ⸚e*) entrada *f* lateral; **~einkommen** *n*, **~einkünfte** *pl.*, **~einnahme(n)** *f* (*pl.*) ingresos *m/pl.* extraordinarios; ganancias *f/pl.* extraordinarias; ingresos *m/pl.* eventuales *od.* casuales; *bei Angestellten*: sobresueldo *m*; **~erscheinung** ⚕ *f* síntoma *m* accesorio; **~erwerb** *m* (*-es; 0*) ganancia *f* adicional; **~erzeugnis** *n* (*-ses; -se*) subproducto *m*; producto *m* accesorio; ⚗ (producto *m*) derivado *m*; **~fach** *n* (*-es; ⸚er*) *Schule*: disciplina *f* (*od.* materia *f*) secundaria; asignatura *f* facultativa; **~figur** *f* personaje *m* secundario; **~fluß** *m* (*-sses; ⸚sse*) afluente *m*; **~frage** *f* cuestión *f* secundaria (*od.* de menor importancia); **~frau** *f* concubina *f*; **~gasse** *f* calleja *f* vecina *od.* adyacente; (*Seitengasse*) calleja *f* lateral; **~gebäude** *n* edificio *m* anejo; dependencia *f*; anejo *m*; **~gebühren** *f/pl.* gastos *m/pl.* accesorios; derechos *m/pl.* adicionales; **~gedanke** *m* (*-n*) → *Nebenabsicht*; **~gelaß** *n* (*-sses; -sse*) pequeña habitación *f*; gabinete *m*; **~geräusch** *n* (*-es; -e*) *Radio*: ruidos *m/pl.* parásitos; *Tele.* crepitación *f*; **~gericht** *n* (*-es; -e*) entremés *m*; **~geschmack** *m* (*-es; 0*) resabio *m*; gustillo *m*; **~gewinn** *m* (*-es; -e*) ganancia *f* extraordinaria; ✝ *a.* beneficio *m* adicional; **~gleis** 🚂 *n* (*-es; -e*) apartadero *m*; vía *f* secundaria; ramal *m*; **~handlung** *Thea. f* episodio *m*; **~haus** *n* (*-es; ⸚er*) casa *f* contigua *od.* vecina; → *Nebengebäude*; **⁀'her**, **⁀'hin** *adv.* → *nebenbei*; **~interesse** *n* (*-s; -n*) interés *m* secundario; **~klage** ⚖ *f* demanda *f* (*od.* acción *f*) accesoria; **~kläger** *m* acusador *m* privado; **~kosten** *pl.* gastos *m/pl.* adicionales *od.* accesorios; **~leistung** ✝ *f* prestación *f* secundaria; pago *m* suplementario; **~linie** *f Herkunft*: línea *f* colateral; 🚂 línea *f* secundaria; (*Zweigbahn*) ramal *m*; **~mann** *m* (*-es; 0*) vecino *m*; **~nieren** *Anat. f/pl.* cápsulas *f/pl.* suprarrenales; **⁀ordnen** (*-e-*) *v/t.* coordinar; **~person** *f* → *Nebenfigur*; **~post-amt** *n* (*-es; ⸚er*) oficina *f* auxiliar de correos; estafeta *f* de correos; **~produkt** *n* (*-es; -e*) → *Nebenerzeugnis*; **~raum** *m* (*-es; ⸚e*) apartadizo *m*; pieza *f* contigua; **~rolle** *Thea. f* papel *m* secundario; **~sache** *f* (*0*) cosa *f* de poca importancia; bagatela *f*; *das ist* ~ eso no tiene importancia (*od.* no importa); eso es lo de menos; **⁀sächlich** *adj.* secundario, de poca importancia; (*gleichgültig*) indiferente; **~sächlichkeit** *f* cosa *f* de poca importancia; bagatela *f*; trivialidad *f*; **~satz** *Gr. m* (*-es; ⸚e*) oración *f* subordinada; **~schlußmotor** *m* motor *m* en derivación; **~sender** *m Radio*: emisora *f* auxiliar; (*Ortssender*) emisora *f* local; **⁀stehend** *adj. u. adv.* (de) al lado; adyacente, contiguo; (*am Rand*) al margen; anotado (*od.* según se expresa) al margen; adjunto (al texto); **~stelle** *f* (*Filiale*) sucursal *f*; *Tele.* estación *f* telefónica auxiliar; *v. Behörden*: delegación *f*; **~strafe** ⚖ *f* pena *f* accesoria; **~straße** *f* calle *f* vecina *od.* adyacente; (*Seitenstraße*) calle *f* lateral; (*Fahr⁀*) camino *m* vecinal; **~strecke** 🚂 *f* línea *f* secundaria; (*Zweigstrecke*) ramal *m*; **~tätigkeit** *f* ocupación *f* accesoria; **~tisch** *m* (*-es; -e*): *am* ~ en la mesa de al lado; en la mesa vecina; **~ton** *m* (*-es; ⸚e*) *Gr.* acento *m* secundario; ♪ intervalo *m* de segunda; **~treppe** *f* escalera *f* particular; *für Dienstpersonal*: escalera *f* de servicio; (*versteckte*) escalera *f* secreta; **~tür** *f* puerta *f* adyacente *od.* inmediata; (*seitliche*) puerta *f* lateral; (*versteckte*) puerta *f* secreta; **~umstand** *m* (*-es; ⸚e*) circunstancia *f* accesoria; pormenor *m*, detalle *m*; **~ursache** *f* causa *f* secundaria; causa *f* concomitante; **~verdienst** *m* (*-es; -e*) → *Nebeneinkommen*; **~-verpflichtung** *f* obligación *f* accesoria; **~weg** *m* (*-es; -e*) camino *m* contiguo; (*Seitenweg*) camino *m* lateral; *fig.* (*Umweg*) rodeo *m*; (*Richtweg*) atajo *m*; **~winkel** ∡ *m* ángulo *m* adyacente; **~wirkung** *f* efecto *m* accesorio *od.* secundario; efecto *m* concomitante; **~zimmer** *n* habitación *f* contigua (*od.* de al lado); *e-s Ladens*: trastienda *f*; **~zweck** *m* (*-es; -e*) fin *m* secundario *od.* accesorio.

'neblig *adj.* → *nebelig*.

nebst *prp.* (*dat.*) con, junto *od.* juntamente con; acompañado de; (*noch hinzu*) además de; incluso.

Neces'saire *n* neceser *m*.

'necken *v/t.* embromar; (*reizen*) importunar, molestar; irritar; *sich* ~ bromear; F chunguearse, pitorrearse, choteарse, guasearse (de).

Neck|e'rei *f* broma *f*; F chunga *f*, pitorreo *m*, choteo *m*, guasa *f*; **'⁀isch** *adj.* bromista; guasón.

nee F *adv.* (*nein*) no, ni hablar.

'Neffe *m* (*-n*) sobrino *m*.

Negati'on *f* negación *f*; **~spartikel** *Gr. f* partícula *f* (*bzw.* adverbio *m*) de negación.

'negativ I. *adj.* negativo; **II.** ♀ *n* (*-s*; *-e*) 𝔄, *Phys.*, *Phot.* negativo *m*.

Nega'tron (*-s*; *-e*) *n* negatón *m*, negatrón *m*; electrón *m* negativo.

'Neger(in *f*) *m* negro (-a *f*) *m*; **~handel** *m* (*-s*; *0*) trata *f* de negros; **~kind** *n* (*-es*; *-er*) negrito *m*; negrita *f*; **~problem** *n* (*-s*; *0*) problema *m* racial de los negros; **~sklave** *m* (*-n*) (esclavo *m*) negro *m*.

ne'gier|en (-) *v/t.* negar; ♀**ung** *f* negación *f*; (respuesta *f*) negativa *f*.

Negligé [ne·gli·'ʒe:] *n* (*-s*; *-s*) (*Hauskleid*) bata *f*; (*elegantes Morgenkleid*) salto *m* de cama.

negro'id *adj.* negroide.

'nehmen (*L*) *v/t.* tomar; (*packen, ergreifen*) coger, *Arg.* tomar, agarrar; (*in Empfang* ~) recibir; (*an*~) aceptar, admitir; (*ein*~) tomar; (*heraus*~) sacar; (*mit*~) llevar consigo; (*weg*~) quitar; retirar; *Hindernis*: salvar, franquear; et. *an sich* ~ (*behalten*) quedarse con a/c., (*einstecken*) F embolsarse; alzarse con a/c.; *mit sich* ~ llevarse consigo; et. *auf sich* ~ (*ac.*) tomar sobre sí a/c.; tomar a su cargo a/c.; encargarse de a/c.; tomar por su cuenta a/c.; asumir la responsabilidad de a/c.; et. *zu sich* ~ tomar para sí a/c.; (*Essen*) tomar; comer; *j-n zu sich* ~ recoger a alg. en su casa; dar asilo a alg.; *es sich nicht* ~ *lassen, zu* (*inf.*) insistir en (*inf.*); *das lasse ich mir nicht* ~ nadie me privará de hacerlo; no permitiré que se me impida; *sich in acht* ~ tener cuidado (*vor dat.* con); *Gott hat ihn zu sich genommen* Dios le ha llamado a su lado; *sich ein Beispiel an j-m* ~ tomar ejemplo de alg.; *sich die Freiheit* ~ tomarse la libertad de; permitirse (*inf.*); *sich et. zu Herzen* ~ tomar a pecho a/c.; *sich das Leben* ~ quitarse la vida; suicidarse; matarse; poner fin a sus días; *sich die Mühe* ~, *zu* (*inf.*) tomarse la molestia de (*inf.*); *sich nichts von s-n Rechten* ~ *lassen* no dejarse coartar en el uso de sus derechos; *sich Zeit* ~ tomarse tiempo; *bei der Hand* ~ tomar (*od.* coger, *Arg.* agarrar) de la mano; *beim Kragen* ~ agarrar del cuello; et. *aus der Tasche* (*der Kleidung*) ~ sacar a/c. del bolsillo; *wieviel* ~ *Sie für ...?* (*Preis*) ¿cuánto lleva usted por ...?; et. *vom Tisch* ~ quitar de la mesa; retirar de la mesa; *j-n zu* ~ *verstehen* saber (cómo) tratar a alg.; *wie man's nimmt* según se tome; según (y cómo); depende; *hier,* ~ *Sie!* ¡tome usted!; *alles in allem genommen* después de todo; en resumidas cuentas; en resumen; ~ *wir an, daß ...* supongamos que ...; *das Abendmahl* ~ comulgar, recibir la (sagrada) comunión; *Abschied* ~ despedirse (*von j-m* de alg.); *in Pacht* ~ tomar en arriendo, arrendar; *s-n Anfang* ~ comenzar, empezar; *in Angriff* ~ ponerse a hacer a/c.; abordar a/c.; *e-n Anlauf* ~ tomar carrerilla; *diese Arbeit nimmt viel Zeit in Anspruch* este trabajo exige (*od.* requiere *od.* lleva) mucho tiempo; *diese Sache nimmt ihn sehr in Anspruch* este asunto le ocupa mucho (*od.* le absorbe por completo); et. *als sein Eigentum in Anspruch* ~ reivindicar la posesión de a/c.; reclamar la propiedad de a/c.; *j-s Güte in Anspruch* ~ apelar a la benevolencia de alg.; *an* et. (*dat.*) *Anstoß* ~ escandalizarse de a/c.; *in Augenschein* ~ inspeccionar, examinar, ⚖ efectuar una inspección ocular; *in Besitz* ~ tomar posesión (de), *gewaltsam*: apoderarse de; *an Bord* ~ tomar a bordo; *in Dienst* ~ tomar a su servicio; *den Feind zwischen zwei Feuer* ~ coger entre dos fuegos al enemigo; *ein Ende* ~ terminar, acabar, finalizar; *kein Ende* ~ no acabar nunca; *ernst* ~ tomar en serio; *übel*~ tomar a mal; *zur Frau* ~ tomar por esposa; *mit Gewalt* ~ arrebatar; tomar por la fuerza; *e-e Angelegenheit in die Hand* ~ tomar por su cuenta un asunto; et. *zur Kenntnis* ~ quedar enterado de a/c.; et. *aufs Korn* ~ (*beim Schießen*) apuntar sobre a/c.; *j-n aufs Korn* ~ fijar su atención en alg.; no perder de vista a alg.; *leicht*~ tomar a la ligera; *Maß* ~ tomar medida; *den Mund voll*~ fanfarronear; et. *für bare Münze* ~ creer de buena fe a/c.; *Platz* ~ tomar asiento, sentarse; et. *zu Protokoll* ~ hacer constar en acta a/c.; *an j-m Rache* ~ tomar venganza (*od.* vengarse) de alg.; *für* et. *Rache* ~ vengar a/c.; tomar venganza de a/c.; *an j-m für* et. *Rache* ~ vengarse en alg. por a/c.; *Schaden* ~ sufrir daño; *den Schleier* ~ (*Nonne*) tomar el velo, profesar; *in s-n Schutz* ~ tomar bajo su protección; *Stellung* ~ tomar posición (*od.* adoptar actitud) (*in bezug auf* respecto a; *zu* frente a); *im Sturm* ~ tomar por asalto; *tragisch* ~ tomar por lo trágico; *Urlaub* ~ tomarse vacaciones; *in Verwahrung* ~ tomar en depósito; *das Wort* ~ tomar la palabra; *beim Wort* ~ coger por la palabra; *zum Zeugen* ~ tomar (*od.* poner) por testigo.

'Nehrung *Geogr. f* lengua *f* de tierra.

'Neid *m* (*-es*; *0*) envidia *f*; *aus* ~ de *bzw.* por envidia; *vor* ~ *vergehen* morirse de envidia; *von* ~ *zerfressen werden* consumirse (F recomerse) de envidia; *blaß werden vor* ~ palidecer de envidia; *bei j-m* ~ *erregen* dar envidia a alg.; excitar la envidia de alg.; ♀**en** (*-e-*) *v/t.*: *j-m* et. ~ envidiar a/c. a alg.; **~er(in** *f*) *m* envidioso (-a *f*) *m*; **~hammel** F *m* envidioso *m*; ♀**isch I.** *adj.* envidioso; *auf j-n* ~ *sein* envidiar a alg.; tener envidia de alg.; *auf* et. (*ac.*) ~ *sein* envidiar a/c.; **II.** *adv.* con envidia; ♀**los** *adj.* sin envidia.

'Neige *f* (*Abhang*) declive *m*, pendiente *f*; (*Ende*) fin *m*; (*Rest*) resto *m*, ⚗ residuo *m*; (*Bodensatz*) sedimento *m*; *im Faß*: heces *f/pl.*; *im Glas*: poso *m*; *zur* (*od. auf die*) ~ *gehen* estar acabándose; ir disminuyendo; tocar a su fin; (*Tag*) declinar; *fig. bis zur* ~ *auskosten* apurar hasta las heces; *den Kelch bis zur* ~ *leeren* apurar hasta las heces el cáliz de la amargura; ♀**n 1.** *v/t.* (*senken*) bajar; inclinar; (*niederbeugen*) doblar; *sich* ~ inclinarse (*vor* ante; *zu* hacia; a); (*abschüssig sein*) ir en declive; *sich zum Ende* ~ declinar; tocar a su fin; (*Vorrat*) ir agotándose; (*Leben, Tag*) declinar; *sich auf die Seite* ~ inclinarse hacia un lado, ladearse; (*Schiff*) ⚓ escorar; dar de banda; **2.** *v/i.*: *zu* et. ~ tender a a/c.; tener inclinación a a/c.; propender a a/c.; *zu der Auffassung* ~, *daß* tender (*od.* inclinarse) a creer que; *ich bin geneigt, ihn zu unterstützen* me inclino a apoyarle; *er neigt zu Übertreibungen* tiende a exagerar las cosas.

'Neigung *f allg.* inclinación *f*; (*geneigte Fläche*) declive *m*, pendiente *f*; (*schiefe Ebene*) plano *m* inclinado; rampa *f*; 🚂, *Straße*: gradiente *m*; *fig.* inclinación *f* (*zu, für* a); (*Geschmack*) gusto *m* (*zu, für* por) (*Tendenz*) tendencia *f*; (*Veranlagung*) disposición *f*; ⚕ propensión *f*; (*Zuneigung*) afecto *m*; inclinación *f*; (*Liebhaberei*) afición *f*; *aus* ~ por inclinación; ~ *fassen für j-n* tomar afecto a alg.; *s-n* ~*en nachgeben* seguir sus inclinaciones.

'Neigungs...: ~anzeiger 🚂 *m* poste *m* indicador de pendiente (*od.* rasante); **~-ebene** *f* plano *m* de inclinación; **~-ehe** *f* casamiento *m* por (mutua) inclinación; casamiento *m* por amor; **~linie** *f* (*Sattellinie*) línea *f* anticlinal; **~messer** *m* inclinómetro *m*; **~verhältnis** *n* (*-ses*; *-se*) (*Gefälle*) relación *f* de declive; **~winkel** *m* 𝔄 ángulo *m* de inclinación; *Opt.* ángulo *m* de incidencia.

nein I. *adv.* no; ~ *sagen* decir (que) no; negarse; *ach* ~! ¡no me diga(s)!; ~ *und abermals* ~! ¡no y no!; ¡no y mil veces no!; *aber* ~! ¡que no!; ~ *so was!* ¡pero qué cosas!; **II.** ♀ *n* no *m*; *mit* (*e-m*) ~ *antworten* contestar (*od.* decir) que no; responder negativamente.

Nekro'log *m* (*-es*; *-e*) necrología *f*.

'Nektar *m* (*-s*; *0*) néctar *m*.

'Nelke ⚘ *f* clavel *m*; (*Gewürz*♀) clavo *m*; **~nstock** *m* (*-es*; *⸚e*) clavel *m*.

'Nemesis *Myt. f* Némesis *f*.

'nenn|bar *adj.* expresable; indicable; ♀**belastungsdauer** ⊕ *f* duración *f* de la carga nominal; ♀**betrag** *m* (*-es*; *⸚e*) importe *m* nominal; ♀**drehzahl** ⊕ *f* número *m* de revoluciones nominal.

'nennen (*L*) *v/t.* nombrar; (*be*~) llamar, denominar; (*bezeichnen*) designar; (*erwähnen*) mencionar, citar; (*betiteln*) dar tratamiento de; calificar de; *bsd. schimpfend*: tratar de; (*ausdrücken*) expresar; (*anführen*) citar; (*angeben*) indicar; *mit Spitznamen*: apodar; *sich* ~ llamarse; nombrarse; *mit Familiennamen*: apellidarse; *Sport*: *sich* ~ (*sich melden*) inscribirse; *nach s-m Vater* ~ dar el nombre de su padre a; *nach j-m genannt werden* llevar el nombre de alg.; *s-n Namen* ~ decir (*od.* dar) su nombre; *ich will keine Namen* ~ no quiero citar nombres; *j-m bei* (*od. mit*) *Namen* ~ llamar a alg. por su nombre; *die Dinge* (F *das Kind*) *beim rechten Namen* ~ llamar las cosas por su nombre;

F llamar al pan, pan y al vino, vino; *das nenne ich Heldentum!* ¡eso sí que es heroísmo!; a eso llamo yo heroísmo; → *genannt*; **~enswert** *adj.* digno de mención; apreciable; notable; considerable; estimable.

'Nenner *Arith. m* denominador *m*; *auf e-n ~ bringen* reducir a un común denominador.

'Nenn...: **~fall** *Gr. m* (*-es*; *⸚e*) nominativo *m*; **~form** *Gr. f* infinitivo *m*; **~kapital** *n* (*-s*; *0*) capital *m* nominal; **~leistung** ⊕ *f* potencia *f* nominal; rendimiento *m* nominal; **~ung** *f* (*Be*~) denominación *f*; designación *f*; *Sport*: inscripción *f*; *mit ~ des Namens* mencionando (*od.* diciendo *od.* dando) el nombre; **~ungsliste** *f Sport*: lista *f* de competidores; **~wert** ✝ *m* (*-es*; *-e*) valor *m* nominal; **~wort** *Gr. n* (*-es*; *⸚er*) nombre *m*.

Neolo'gismus *m* (*-*; *-men*) neologismo *m*.

'Neon ⚗ *n* (*-s*; *0*) neón *m*; **~beleuchtung** *f* alumbrado *m* con neón; **~buchstabe** *m* (*-n[s]*; *-n*) letra *f* de neón; **~lampe** *f* lámpara *f* de neón; **~röhre** *f* tubo *m* de neón.

Neo'plasma ⚕ *n* (*-s*; *-men*) neoplasma *m*; neoplasia *f*.

'Nepal *n* (*-s*; *0*) Nepal *m*.

Nepo'tismus *m* (*-*; *0*) nepotismo *m*.

'neppen P *v/t.* explotar ignominiosamente, estafar; dar el timo; *fig.* desollar.

Nep'tun *m Myt., Astr.* Neptuno *m*.

'Nero *m* Nerón *m*.

Nerv [nɛʀf] *m* (*-s*; *-en*) *Anat.* nervio *m*; ♀ nervadura *f*; *j-m auf die ~en fallen* (*gehen*) crispar (*od.* atacar) los nervios a alg.; *schwache* (*eiserne*) *~en haben* tener los nervios irritables (de acero); *die ~en verlieren* perder los nervios (*od.* la cabeza); F *Sie haben ~en! iro.* ¡pues sí que tiene usted humor!

'Nerven...: **~anfall** *m* (*-es*; *⸚e*) ataque *m* de nervios; **~arzt** *m* (*-es*; *⸚e*) neurólogo *m*; **~aufreibend** *adj.* enervante; **~bahn** *f* vía *f* nerviosa; **~bündel** *n Anat.* haz *m* de nervios; fascículo *m* nervioso; *fig.* manojo *m* de nervios; **~entzündung** ⚕ *f* neuritis *f*; **~fieber** *n* fiebre *f* nerviosa; **~geschwulst** ⚕ *f* (*-*; *⸚e*) neuroma *m*; **~heil·anstalt** *f* clínica *f* neuropatológica; casa *f* de salud; **~heilkunde** *f* (*0*) neurología *f*; **~knoten** *Anat. m* ganglio *m* nervioso; **~krank** *adj.* neurópata, neurótico; **~kranke(r** *m*) *f* neurópata *m/f*; **~krankheit** *f* afección *f* nerviosa, neuropatía *f*; **~krieg** *m* (*-es*; *-e*) guerra *f* de nervios; **~leiden** *n* → *Nervenkrankheit*; **~schmerz** *m* (*-es*; *-en*) neuralgia *f*; **~schock** *m* (*-s*; *-s*) ataque *m* nervioso; *angl.* shock *m* nervioso; **~schwach** *adj.* neurasténico; **~schwäche** *f* (*0*) debilidad *f* nerviosa; neurastenia *f*; **~stärkend** *adj.* nervino; *~es Mittel* tónico para los nervios, estimulante nervioso; **~störung** *f* trastorno *m* nervioso; **~strang** *Anat. m* (*-es*; *⸚e*) cordón *m* nervioso; **~system** *n* (*-s*; *0*) sistema *m* nervioso; *vegetatives ~* sistema neurovegetativo; **~überreizung** *f* neurosis *f*; sobreexcitación *f* nerviosa; **~zentrum** *n* (*-s*; *0*) centro *m* nervioso; **~zerrüttend** *adj.* enervante; **~zerrüttung** *f* neurosis *f*; hiperexcitabilidad *f* nerviosa; **~zucken** *n* tic *m* nervioso; espasmo *m* nervioso; **~zusammenbruch** *m* (*-s*; *⸚e*) colapso *m* nervioso; depresión *f* nerviosa.

'nervig *adj.* nervudo; *fig.* vigoroso; ♀ nervado.

ner'vös *adj.* nervioso; (*reizbar*) de nervios irritables; *~ machen* poner nervioso; *~ sein* (*werden*) estar (ponerse) nervioso.

Nervosi'tät *f* (*0*) nerviosidad *f*.

'Nerz *Zoo. m* (*-es*; *-e*) visón *m*; **~fell** *n* (*-es*; *-e*), **~pelz** *m* (*-es*; *-e*) (piel *f* de) visón *m*; **~stola** *f* (*-*; *-stolen*) estola *f* de visón.

'Nessel ♀ *f* (*-*; *-n*) ortiga *f*; *fig. wir haben uns schön in die ~n gesetzt!* ¡buena la hemos hecho!; ¡nos hemos lucido!; ¡en buena nos hemos metido!; **~fieber** ⚕ *n* urticaria *f*; **~tuch** *n* (*-es*; *⸚er*) muselina *f*.

Nest *n* (*-es*; *-er*) nido *m*; *~er ausnehmen* quitar los huevos (*bzw.* las crías) del nido; F (*kleiner Ort*) villorrio *m*, poblacho *m*; (*schlechte Wohnung*) cuchitril *m*; (*Bett*) cama *f*; (*Haarknoten*) moño *m*; *sein eigenes ~ beschmutzen* denigrar a los suyos (a la propia familia, patria *usw.*); *fig. sich ins warme ~ setzen* (*gut einheiraten*) hacer buena boda; **'~ei** *n* (*-es*; *-er*) nidal *m*.

'nesteln (*-le*) *v/t.* atar con agujetas *od.* cintas.

'Nest...: **~häkchen** *n*, **~küken** *n fig.* benjamín *m*; **~ling** *m* (*-s*; *-e*) pajarillo *m* de una nidada; **~voll** *n* nidada *f*.

nett (*-est*) *adj.* (*sauber*) aseado; pulcro; (*hübsch, niedlich*) bonito, lindo, F mono; (*liebenswürdig*) amable; afable; (*angenehm*) agradable; *das ist ~ von Ihnen* es usted muy amable; *ein ~er Mensch* una persona amable; *ein ~es Kind* un niño muy guapo, F un niño muy mono; *iro. das kann ja ~ werden* esto se va a poner bueno; ¡vamos a estar divertidos!; **~igkeit** *f* amabilidad *f*, gentileza *f*.

'netto I. *adj.* neto; **II.** *adv.* netamente; (*genau*) exactamente; **~betrag** *m* (*-es*; *⸚e*) importe *m* neto; **~einkommen** *n*, **~einnahme** *f* ingreso *m* neto; **~ertrag** *m* (*-es*; *⸚e*) producto *m* neto; **~gewicht** *n* (*-es*; *-e*) peso *m* neto; **~gewinn** *m* (*-es*; *-e*) ganancia *f* neta, ✝ beneficio *m* neto; **~lohn** *m* (*-es*; *⸚e*) salario *m* neto; **~preis** *m* (*-es*; *-e*) precio *m* neto.

Netz *n* (*-es*; *-e*) red *f* (*a. Fußball, Tennis*); *feines*: redecilla *f*; ⚡ red *f* (del alumbrado); (*Fang*~) red *f* de pescar; (*Eisenbahn*~) red *f* ferroviaria; (*Straßen*~) red *f* de carreteras; (*Telefon*~) red *f* telefónica; (*Gepäck*~) red(ecilla) *f*; *Jgdw.* red *f*, *Schlinge*: lazo *m*; *ein ~ spannen* tender una red; *sich im eigenen ~ fangen* caer en sus propias redes; *ins ~ gehen* caer en la red (*od.* en el lazo); *Fußball, Tennis*: *den Ball ins ~ stoßen* lanzar la pelota a la red; *Fußball*: *den Ball* (*od. das Leder*) *ins ~ jagen* enviar el balón a la red; *Tennis*: *am ~ spielen* jugar junto a la red.

'Netz...: **~anschluß** ⚡ *m* (*-sses*; *⸚sse*) conexión *f* a la red; **~anschlußgerät** ⚡ *n* (*-es*; *-e*) aparato *m* conectable a la red; **~artig** *adj.* reticular; (*rautenförmig gerippt*) reticulado; **~empfänger** *m Radio*: receptor *m* conectable a la red.

'netzen (*-t*) *v/t.* mojar; humedecer; *mit Tränen ~* bañar en lágrimas.

'Netz...: **~flügler** *Zoo. m/pl.* neurópteros *m/pl.*; **~förmig** *adj.* → *netzartig*; **~gewölbe** ⚠ *n* bóveda *f* reticular; **~haut** *Anat. f* (*-*; *⸚e*) *des Auges*: retina *f*; **~haut-ablösung** ⚕ *f* desprendimiento *m* de la retina; **~haut-entzündung** ⚕ *f* retinitis *f*; **~hemd** *n* (*-es*; *-en*) camisa *f* (*Unterhemd*: camiseta *f*) de malla; **~knoten** *m* nudo *m* de red; **~magen** *Zoo. m* (*-s*; *⸚*) redecilla *f*; **~spannung** ⚡ *f* tensión *f* de la red; **~stecker** ⚡ *m* clavija *f* de enchufe a la red; **~stoff** *m* (*-es*; *-e*) tejido *m* de malla; **~strom** ⚡ *m* (*-es*; *⸚e*) corriente *f* de la red; **~werk** *n* (*-es*; *0*) malla *f*; ⚠ celosía *f*; enrejado *m*.

neu I. *adj.* nuevo; (*~zeitlich*) moderno; (*~artig*) original; (*angehend*) novel; (*kürzlich geschehen*) reciente; (*frisch*) fresco; (*ungebraucht, noch nicht dagewesen*) nuevo; (*im Entstehen begriffen*) naciente; *das ist mir ~* eso es nuevo para mí; no lo sabía; *in et.* (*dat.*) *~ sein* ser novicio en a/c.; ser novel en a/c.; *ganz ~* completamente nuevo; *das Auto ist ~* (*ist wie ~*) el auto es (está) nuevo; *das ~e Jahr* (*Neujahr*) el año nuevo; (*künftige Jahr*) el año próximo; *zum ~en Jahr gratulieren* felicitar las Pascuas; *in Zeitungen*: *~este Nachrichten* últimas noticias; noticias de última hora; *~er Ausdruck* neologismo, palabra nueva; *die ~ere Zeit* los tiempos modernos; *die ~ere Geschichte* la historia moderna; *~ere Sprachen* lenguas modernas (*od.* vivas); *die ~e Welt* (*Amerika*) el Nuevo Mundo; *das ~e Testament* el Nuevo Testamento; *~este Mode* última moda; *~eren Datums* de fecha reciente; *~en Mut schöpfen* cobrar nuevos ánimos; *~e Kräfte gewinnen* recuperar fuerzas; **II.** *adv.* nuevamente; de nuevo; otra vez; (*kürzlich*) recientemente; recién; *~ tapeziert* tapizado de nuevo; recién tapizado; *~ machen* hacer de nuevo; rehacer; volver a hacer; (*umarbeiten*) reformar; *~ gestalten* reorganizar; *~ streichen* pintar de nuevo; repintar, volver a pintar; *~ beleben*, *~ entfachen* reanimar; *~ erbauen* reconstruir; *~ füllen* rellenar; *~ verteilen* distribuir de nuevo; *~ bearbeiten Liter.* refundir, revisar; *~ inszenieren Thea.* reponer; *~ einführen* innovar.

'Neu...: **~angekommen** *adj.* recién llegado *od.* venido; **~ankömmling** *m* (*-s*; *-e*) recién llegado *od.* venido *m*; **~anschaffung** *f* nueva adquisición *f*; **~artig** *adj.* nuevo; reciente; moderno; **~artigkeit** *f* (*0*) novedad *f*; modernidad *f*; **~aufgelegt** *adj.* reeditado; (*neugedruckt*) reimpreso; **~auflage** *f* nueva edición *f*; (*Neu-

druck) reimpresión *f*; **~bau** *m* (*-es*; *-ten*) nueva construcción *f*; (*neu erbautes Haus*) casa *f* (*od.* edificio *m*) de reciente construcción; (*Haus*) casa *f* en construcción; (*fertiges*) edificio *m* nuevo; **~bauwohnung** *f* piso *m* en una casa recién construida; **~bearbeitung** *f e-s Buches*: edición *f* refundida *od.* revisada; *Thea.* refundición *f*; **~bekehrte(r)** *m* converso *m*; neófito *m*; **~belebung** *f* reanimación *f*; **~besetzung** *f e-s Amtes*: nueva designación *f*; *Thea.* nuevo reparto *m*; **~bildung** *f* formación *f* reciente; *Gr.* neologismo *m*; ⚕ neoplasma *m*; neoplasia *f*; **~druck** *m* (*-es*; *-e*) reimpresión *f*; **~einschätzung** *f* reevaluación *f*; **~einstellung** *f von Personen*: nueva contrata *f*; *v. Rekruten*: reincorporación *f*; **2entdeckt** *adj.* recién descubierto; redescubierto.

'**Neue(r)** *m* nuevo *m*; recién venido *m*.

'**neu-erbaut** *adj.* recién construido.

neuer|'dings *adv.* (*kürzlich*) últimamente, recientemente, hace poco; (*von neuem*) nuevamente, de nuevo; '**2er** *m* innovador *m*; '**~lich I.** *adj.* reciente; (*wiederholt*) reiterado; **II.** *adv.* → *neuerdings*; recientemente.

'**Neu...:** **~erscheinung** *f* novedad *f*; actualidad *f* literaria; publicación *f* nueva *od.* reciente; **2erschienen** *adj.* (*Buch*) recién publicado *od.* aparecido.

'**Neuerung** *f* innovación *f*; (*Änderung*) cambio *m*; (*Besserung*) reforma *f*; (*Neuheit*) novedad *f*; *sprachliche*: neologismo *m*; e-e ~ *einführen* introducir una innovación; **~s-sucht** *f* (*0*) manía *f* innovadora; **2ssüchtig** *adj.* ávido de innovaciones; innovador.

'**Neu...:** **~erwerbung** *f* nueva adquisición *f*; **~e(s)** *n* lo nuevo; lo moderno; *was gibt's ~s?* ¿qué hay de nuevo?; *es gibt nichts ~s* no hay nada de nuevo; no hay (ninguna) novedad; et. ~s algo nuevo; *das ist mir et. ~s* (eso) es algo nuevo para mí; *das ist mir nichts ~s* (eso) no es cosa nueva para mí; ya lo sabía (hace tiempo); *aufs 2, von 2m* de nuevo; *von 2m lernen* aprender de nuevo; **~este** *n* lo más nuevo, lo más reciente; (*Zeitung*) las últimas noticias; (*Mode*) la última novedad; **2estens** *adv.* últimamente; muy recientemente; **~fassung** *f* nueva versión *f*; **2französisch** *adj.* francés moderno; **~'fundland** *n Geogr.* Terranova *f*; **~'fundländer** *m* (*Hund*) perro *m* de Terranova; terranova *m*; **2gebacken** *adj.* (*Brot*) tierno; *fig.* (*Beamter usw.*) recientemente nombrado; (*jung verheiratet*) recién casado; **2geboren** *adj.* recién nacido; *sich wie ~ fühlen* sentirse rejuvenecido; sentirse otro hombre; **~geborene(r** *m*) *m*/*f* recién nacido (a- *f*) *m*; **~gestaltung** *f* reorganización *f*; (*Abänderung*) modificación *f*; (*Neufassung*) nueva versión *f*; **~gier(de)** *f* (*0*) curiosidad *f*; *aus ~* por curiosidad; *j-s ~ erregen* excitar la curiosidad de alg.; **2gierig** *adj.* curioso; ~ *sein auf* (*ac.*) tener curiosidad (*od.* estar curioso) por saber; *ich bin ~, ob ...* estoy curioso por saber si ...; **~gierige(r** *m*) *m*/*f* curioso (-a *f*) *m*; **~griechisch(e)** *n*, **2griechisch** *adj.* griego *m* moderno; **~gründung** *f* fundación *f* nueva; **~gruppierung** *f* reagrupación *f*; **~gui'nea** *Geogr. n* Nueva Guinea *f*; **~heit** *f* novedad *f*; **2hochdeutsch** *adj.* alto alemán moderno; **~igkeit** *f* novedad *f*; noticia *f* nueva; **~inszenierung** *Thea. f* reposición *f*; nueva escenificación *f*.

'**Neujahr** *n* (*-es*; *0*) (día *m* de) año nuevo *m*; **~s-abend** *m* (*-s*; *-e*) noche *f* de San Silvestre, nochevieja *f*; **~sbotschaft** *f* mensaje *m* de año nuevo; **~sgeschenk** *n* (*-es*; *-e*) regalo *m* de año nuevo; **~s-tag** *m* (*-es*; *-e*) día *m* de año nuevo; **~s-wunsch** *m* (*-es*; *"e*) felicitación *f* de año nuevo.

Neukale'donien *Geogr. n* Nueva Caledonia *f*.

'**Neu...:** **~konstruktion** *f* construcción *f* nueva; **~land** *n* (*-es*; *0*) tierra *f* virgen; ~ *erschließen* ⚒ roturar nuevas tierras; ✝ abrir nuevos mercados; *fig.* abrir nuevos horizontes; **2lich I.** *adj.* nuevo; último; reciente; **II.** *adv.* últimamente; recientemente; hace poco; el otro día; ~ *abends* la otra noche; **~ling** *m* (*-s*; *-e*) novicio *m*; F novato *m*; novel *m*; principiante *m*.

'**Neume** ♪ *f* neuma *m*.

Neu-'Mexico *n* Nuevo México *m*.

'**neumodisch** *adj.* de última moda.

'**Neumond** *m* (*-es*; *0*) luna *f* nueva; *Astr.* interlunio *m*.

'**neun I.** *adj.* nueve; **II.** 2 *f* nueve *m*; **2auge** *Ict. n* lamprea *f*; **2eck** ⊿ *n* (*-es*; *-e*) eneágono *m*; **~eckig** *adj.* eneagonal; **~er'lei** *adj.* de nueve clases; **~fach, ~fältig** *adj.* nueve veces tanto; **~hundert** *adj.* novecientos; novecientas; **~jährig** *adj.* de nueve años; **~mal** *adv.* nueve veces; **~malig** *adj.* nueve veces repetido; **~seitig** *adj.* eneagonal; **~tägig** *adj.* de nueve días; (que dura) nueve días; **~tausend** *adj.* nueve mil; **~te** *adj.* noveno; *der* (*den, am*) *~(n) März* el 9 (nueve) de marzo; *Berlin, den 9. März 1969* Berlín, 9 de Marzo de 1969; *~s Kapitel* capítulo noveno; *Alphons der 2* Alfonso Noveno; **2tel** *n*: *ein ~* un noveno; la novena parte; **~tens** *adv.* en noveno lugar; **~zehn** *adj.* diecinueve; **~zehnte** *adj.* décimonoveno; **2zehntel** *n* diecinueveavo *m*; **~zig I.** *adj.* noventa; *in den ~er Jahren* entre 1890 y 1900; en los años noventa; **II.** 2 *f* noventa *m*; **2ziger(in** *f*) *m* nonagenario (-a *f*) *m*; noventón *m*, noventona *f*; **~zigjährig** *adj.* de noventa años; nonagenario; **~zigste** *adj.* nonagésimo.

'**Neu...:** **~ordnung** *f* reorganización *f*; reajuste *m*; reforma *f*; **~orientierung** *f* nueva orientación *f*; **~philologe** *m* (*-n*), **~philologin** *f* profesor(a *f*) *m bzw.* estudiante *m*/*f* de lenguas modernas.

Neural'gie ⚕ *f* neuralgia *f*.

neu'ralgisch *adj.* neurálgico; *fig. ~er Punkt* punto neurálgico.

Neurasthe'nie ⚕ *f* neurastenia *f*.

'**Neu...:** **~regelung** *f* reorganización *f*; **~reiche(r)** *m* nuevo rico *m*; **~reiche** *f* nueva rica *f*.

Neu'ritis ⚕ *f* (*-*; *-tiden*) neuritis *f*.

Neuro'loge *m* (*-n*) neurólogo *m*.

Neu'ron *Anat. n* (*-s*; *-en*) neurona *f*.

Neu'rose ⚕ *f* neurosis *f*.

Neu'ro|tiker(in *f*) *m* neurótico (-a *f*) *m*; **2tisch** *adj.* neurótico.

'**Neu...:** **~schätzung** *f* reevaluación *f*; **~schnee** *m* (*-s*; *0*) nieve *f* recién caída; **~schöpfung** *f* nueva creación *f*; **~'schottland** *Geogr. n* Nueva Escocia *f*; **~'seeland** *Geogr. n* Nueva Zelanda *f*; **~'seeländer(in** *f*) *m* neozelandés *m*, neozelandesa *f*; **2'seeländisch** *adj.* neozelandés; **~silber** *n* plata *f* meneses; alpaca *f*; **~spanisch(e)** *n* español *m* moderno; **2sprachlich** *adj.* relativo a las lenguas modernas; **~stadt** *f* (*-*; *"e*) barrios *m*/*pl.* nuevos; ensanche *m*; **~südwales** *Geogr. n* Nueva Gales *f* del Sur; **2testamentlich** *adj.* del Nuevo Testamento.

neu'tral *adj. Gr., Zoo. u.* ⚡ neutro; *Pol.* neutral; *für ~ erklären* declarar neutral; *~ bleiben* permanecer neutral; **2e(r)** *m* neutral *m*.

neutrali'sier|en (*-*) *v/t.* neutralizar; **2ung** *f* neutralización *f*.

Neutra'lis|mus *m* (*-*; *0*) neutralismo *m*; **~t** *m* (*-en*) neutralista *m*; **2tisch** *adj.* neutralista.

Neutrali'tät *f* neutralidad *f*; *ständige* (*wohlwollende*; *bewaffnete*) ~ neutralidad permanente (benévola; armada); **~s-erklärung** *f* declaración *f* de neutralidad; **~srecht** *n* (*-es*; *-e*) derecho *m* de neutralidad; **~sverletzung** *f* violación *f* de la neutralidad; **~svertrag** *m* (*-es*; *"e*) tratado *m* de neutralidad.

'**Neutron** *Phys. n* (*-s*; *-en*) neutrón *m*.

'**Neutrum** *n* (*-s*; *Neutra*) *Gr.* su(b)stantivo *m bzw.* adjetivo *m* neutro; género *m* neutro.

'**Neu...:** **2vermählt** *adj.* recién casado; **~vermählte(r** *m*) *m*/*f* recién casado (-a *f*) *m*; *die ~en* los novios; los desposados; **~verteilung** *f* nueva distribución *f*; redistribución *f*; **~wahl** *f* nueva elección *f*; (*Wiederwahl*) reelección *f*; **~wert** *m* (*-es*; *-e*) valor *m* de un objeto (cuyo estado es) nuevo; **2wertig** *adj.* evaluable como nuevo; **~zeit** *f* (*0*) *Hist.* Edad *f* Moderna; tiempos *m*/*pl.* modernos; **2zeitlich** *adj.* moderno.

'**Nibelungen** *m*/*pl.* Nibelungos *m*/*pl.*; **~lied** *n* (*-es*; *0*) Cantar *m* de los Nibelungos.

Nica'ragua *n* Nicaragua *f*.

Nicaragu'an|er(in *f*) *m* nicaragüense *m*/*f*.; **2isch** *adj.* nicaragüense.

nicht *adv.* no; *~ ganz* no del todo; *~ einmal* ni siquiera; *~ ein einziger* ni uno solo; *~ viel* no mucho; *~ zu hoch* no demasiado alto; *~ mehr* ya no; *~ mehr als* nada más que; *~ weniger als* nada menos que; *mehr und ~ weniger* ni más ni menos; *~ lange darauf* poco (tiempo) después; al poco rato; *~ schlecht!* no está mal; *~ nur* (*sondern auch*) no sólo *od.* no solamente (sino también); *~, daß ich wüßte* no que yo sepa; *~ wahr?* ¿verdad?; ¿no es así?; F ¿eh?; *~ doch!* ¡que no!; no hagas eso; no lo hagas; F ¡quita!;

¡déjame! ~ *schuldig* no culpable; ~ *abzugsfähig* no deducible; ~ *bewirtschaftet* (*Waren*) no racionado; ~*oxydierend*, ~*rostend* inoxidable; (*ganz und*) *gar* ~ *billig* nada barato; *durchaus* ~ nada de eso; de ningún modo; *warum* ~? ¿por qué no?; *wieso* ~? ¿cómo que no?; *wirklich* ~? ¿de verdad que no?; *wirklich* ~ ciertamente no; cierto que no; de verdad que no; *komme* ~! ¡no vengas!; *wo* ~ si no; en otro caso; *noch* ~ todavía no; *et. noch* ~ *Dagewesenes* algo nunca visto; un caso sin precedentes; *auch* ~ tampoco; *ich auch* ~ (ni) yo tampoco; *die Qualität ist* ~ *besonders gut* la calidad no es muy buena que digamos; *nur das* ~! ¡todo menos eso!

'**Nicht...:** ~**achtung** *f* (*0*) irreverencia *f*; irrespetuosidad *f*, falta *f* de respeto (*vor* a); desacato *m* (*bsd. vor Behörden*); 2**amtlich** *adj.* no oficial; ~**anerkennung** *f* (*0*) *e-r Forderung*: no reconocimiento *m*; ~**angriffs-pakt** *m* (*-es*; *-e*) pacto *m* de no agresión; ~**annahme** *f* no aceptación *f*; ~**anwendung** *f* (*0*) no aplicación *f*; ~**anwesenheit** *f* ausencia *f*; ~**ausführung** *f* no ejecución *f*; ~**be-achtung** *f* (*0*), ~**befolgung** *f* (*0*) inobservancia *f*; no observación *f*; (*e-s Gesetzes*) transgresión *f*, infracción *f*; 2**beitreibbar** *adj.* (*Steuer*) no reintegrable; 2**bewirtschaftet** *adj.* (*Konsumware*) no racionado; ~**bezahlung** *f* (*0*) falta *f* de pago.

'**Nichte** *f* sobrina *f*.

'**Nicht...:** ~**einhaltung** *f* (*0*) incumplimiento *m*; ~**einlösbarkeit** *f* (*0*) incanjeabilidad *f*; ~**einlösung** *f* (*0*) falta *f* de pago; ~**einmischung** *f* (*0*) no intervención *f*, no ingerencia *f*; ~**eisenmetall** *n* (*-es*; *-e*) metal *m* no férrico; ~**erfüllung** *f* (*0*) incumplimiento *m*; ~**erneuerung** *f* (*0*) no renovación *f*; ~**erscheinen** *n* ausencia *f*; ⚖ no comparecencia *f*, (*aus Widerspenstigkeit*) rebeldía *f*, contumacia *f*; ~**fachmann** *m* (*-es*; *-leute*) (*Laie*) profano *m*; F lego *m*.

'**nichtig** *adj.* (*eitel*) vano; (*wertlos*) sin valor; (*nichtssagend*) fútil; (*wirkungslos*) sin efecto; (*ungültig*) nulo; *null und* ~ nulo; *für null und* ~ *erklären* ⚖ declarar nulo y sin efecto; anular, invalidar; 2**keit** *f* (*Eitelkeit*) vanidad *f*; (*Wertlosigkeit*) nadería *f*, bagatela *f*; (*Ungültigkeit*) nulidad *f*; *materielle* (*formelle*) ~ nulidad de fondo (de forma); 2**keitserklärung** ⚖ *f* declaración *f* de nulidad; 2**keitsklage** ⚖ *f* demanda *f* de nulidad; 2**keitsklausel** ⚖ *f* (*-*; *-n*) cláusula *f* resolutoria.

'**Nicht...:** ~**kämpfende(r)** *m* no combatiente *m*; 2**kriegführend** *adj.* no beligerante; *Status e-r* ~*en Macht* no beligerancia; 2**leitend** ⚡ *adj.* no conductor, dieléctrico; aislante; ~**leiter** ⚡ *m* cuerpo *m* dieléctrico; aislador *m*; ~**mitglied** *n* (*-es*; *-er*) no socio *m*; ~**raucher(in** *f*) *m* no fumador(a *f*) *m*; ~**raucher-abteil** *n* (*-s*; *-e*) departamento *m* para no fumadores; 2**rostend** *adj.* inoxidable.

nichts I. *pron/indef.* nada; ninguna cosa; ~ *mehr*, ~ *weiter* nada más; *ich habe* ~ *mehr* no tengo más; (*ganz und*) *gar* ~ nada en absoluto; absolutamente nada; ~ *als* nada más que; ~ *weniger als* nada menos que; ~ *weiter?* ¿nada más?; ¿es todo?; *weiter* ~! ¡nada más!; ¡eso es todo!; *sonst* (*od. weiter*) ~ y nada más; *wenn es sonst* (*od. weiter*) ~ *ist* si no es más que eso; si eso es todo; ~ *anderes* ninguna otra cosa; *es war* ~ *anderes zu erwarten* no podía esperarse otra cosa; ~ *dergleichen* nada parecido; nada de eso; *mir* ~, *dir* ~ sin más ni más; sin preámbulos; como quien no dice nada; *alles oder* ~ o todo, o nada; ~ *Neues* nada (de) nuevo; *ich weiß* ~ no sé nada; ~ *zu danken!* de nada; no hay de qué; ~ *wert sein* no valer nada; ~ *Gutes* nada (de) bueno; *für* ~ *und wieder* ~ por una insignificancia; por nada; inútilmente; sin ningún provecho; *so gut wie* ~ poco menos que nada; casi nada; *als wenn* ~ *geschehen wäre* como si no hubiera pasado nada; F como si tal cosa; *mit et.* ~ *zu tun* (*od. zu schaffen*) *haben* no tener nada que ver con a/c.; *das ist so gut wie gar* ~ eso y nada todo es lo mismo; *das ist* ~ eso no es nada; *viel Lärm um* ~ mucho ruido para nada; F es más el ruido que las nueces; *das macht* ~ no importa; *als Antwort auf e-e Entschuldigung*: no ha sido nada; ~ *zu machen* no hay nada que hacer; *da ist* ~ *zu machen* nada puede remediarse; no puede hacerse nada; *das hat* ~ *zu sagen* eso no quiere decir nada; *um* ~ *in der Welt* por nada del mundo; ~ *davon!* ¡no hablemos de eso!; *daraus wird* ~ de eso no resultará nada; ~ *davon haben* trabajar en balde; *sich in* ~ *unterscheiden* no distinguirse (*od.* diferenciarse) en nada; *zu* ~ *werden* reducirse a nada; *aus* ~ *wird* ~ de donde nada hay, nada se puede sacar; **II.** 2 *n* (*das Nichtsein*) nada *f*; (*Leere*) vacío *m*; (*Geringes*) insignificancia *f*; (*Kleinigkeit*) pequeñez *f*, bagatela *f*; minucia *f*; nadería *f*; *vor dem* ~ *stehen* estar completamente arruinado.

'**Nichtschwimmer(in** *f*) *m* no nadador(a *f*) *m*.

'**nichtsdesto'weniger** *adv.* sin embargo, no obstante; con todo; a pesar de ello.

'**Nichtsein** *n* no existencia *f*; *Sein oder* ~ ser o no ser.

'**Nichts...:** ~**könner** *m* hombre *m* incapaz; nulidad *f*; ~**nutz** *m* (*-es*; *-e*) haragán *m*; 2**nutzig** *adj.* que no sirve para nada; (*unartig*) travieso; ~**nutzigkeit** *f* (*0*) haraganería *f*; 2**sagend** *adj.* (*unbedeutend*) insignificante; (*inhaltlos*) vacuo; *Gesicht*: inexpresivo; *Antwort*: vago; *Redensart*: trivial; (*fade*) insípido; ~**tuer** (**-in** *f*) *m* holgazán *m*, holgazana *f*; haragán *m*, haragana *f*; ~**tun** *n* (*Faulheit*) holgazanería *f*; haraganería *f*; vagancia *f*; (*Muße*) ociosidad *f*, ocio *m*; ~**wisser** *m* ignorante *m*; 2**würdig** *adj.* indigno; bajo, infame; abyecto; ~**würdigkeit** *f* indignidad *f*; bajeza *f*; infamia *f*.

'**Nicht...:** ~**übereinstimmung** *f* disconformidad *f*, disentimiento *m*; discrepancia *f*; divergencia *f*, disparidad *f*; 2**verantwortlich** *adj.* irresponsable; ~**vollstreckung** *f* no ejecución *f*; ~**vorhandensein** *n* falta *f*, ausencia *f*; no existencia *f*; carencia *f*; *bei* ~ en su defecto; ~**weiterverbreitung** *f* no diseminación *f*, no proliferación *f*; ~**wissen** *n* ignorancia *f*; ~**zahlung** *f* falta *f* de pago; ~**zulassung** *f* no admisión *f*; ~**zuständigkeit** *f* (*0*) incompetencia *f*; ~**zustellung** *f* no entrega *f*; ~**zutreffende**(s) *n*: ~*s ist durchzustreichen* táchese lo que no interese.

'**Nickel I.** ⚗ *n* (*-s*; *0*) níquel *m*; **II.** *m* (*Münze*) moneda *f* de níquel; ~**chromstahl** *m* (*-s*; *0*) acero *m* al cromo-níquel; ~**münze** *f* moneda *f* de níquel; ~**stahl** *m* (*-s*; *0*) acero *m* al níquel.

'**nicken** *v/i. absichtlich*: inclinar la cabeza (en señal de asentimiento); *als Gruß*: saludar (con una inclinación de cabeza); (*schlummern*) dar cabezadas; dormitar.

'**Nickerchen** F *n* siestecita *f*; *ein* ~ *machen* F descabezar un sueñecito.

nie *adv.* nunca, jamás; ~ *und nimmer* nunca jamás; ~ *mehr* nunca más; *jetzt oder* ~ ahora o nunca; *besser spät als* ~ más vale tarde que nunca.

'**nieder I.** *adj.* bajo; *Rang, Wert*: inferior; *fig.* bajo, vil; innoble; *die* ~*en Klassen* (*sozial*) las clases bajas; *Schule*: los grados elementales; *die* ~*en Tiere Zoo.* los animales inferiores; *von* ~*er Geburt* (*od. Herkunft*) de origen humilde; **II.** *adv.* abajo; ~ *mit ...!* ¡abajo ... (*ac.*)!; *stärker*: ¡muera ... (*ac.*)!; ~**beugen 1.** *v/t.* doblar, inclinar (hacia abajo); *fig.* abatir; agobiar; **2.** *v/refl.*: *sich* ~ doblarse, inclinarse al suelo; bajarse (para alzar a/c.); ~**blicken** *v/i.* mirar hacia abajo; bajar los ojos; ~**brechen** *v/t.* (*L*) echar abajo; demoler; ~**brennen** (*L*) **I.** *v/t.* quemar, reducir a cenizas; **II.** (*sn*) *v/i.* quemarse por completo; ~**brüllen** *v/t.* imponerse gritando; ~**bücken** *v/refl.*: *sich* ~ bajarse; inclinarse al suelo; ~**deutsch** *adj.* bajo alemán; 2**deutsche(r)** *m* alemán *m* de la Baja Alemania; 2**deutschland** *n* la Baja Alemania; ~**donnern** (*-re*) *v/i.* derrumbarse con gran estrépito; 2**druck** ⊕ *m* (*-es*; *0*) baja presión *f*; 2**druckdampfmaschine** *f* máquina *f* de vapor de baja presión; ~**drücken** *v/t.* hacer bajar; apretar hacia abajo; oprimir; *fig.* (*unterdrücken*) oprimir; (*zermalmen*) aplastar; (*moralisch*) deprimir; abatir; (*demütigen*) humillar; 2**druckgebiet** *n* (*-es*; *-e*) zona *f* de baja presión; ~**fahren** (*L*; *sn*) *v/i.* bajar, descender; ~**fallen** (*L*; *sn*) *v/i.* caer al suelo; *vor j-m* (*auf die Knie*) ~ echarse a los pies de alg.; caer de rodillas ante alg.; 2**frequenz** ⚡ *f* baja frecuencia *f*; 2**gang** *m* (*-es*; *0*) descenso *m*; *der Sonne*: puesta *f*; *v. Gestirnen*: ocaso *m* (*a. fig.*); *fig.* decadencia *f*; ~**gebeugt**, ~**gedrückt** *fig. adj.* abatido; deprimido; desalentado; ~**gehen** (*L*; *sn*) *v/i.* bajar; ✈ aterrizar, (*wassern*) amarar; *Regen*: caer; *Sonne*: ponerse; ~**geschlagen** *fig. adj.* abatido; deprimido; (*entmutigt*) desalentado;

desanimado; **2geschlagenheit** *f* *(0)* abatimiento *m*; depresión *f* física *bzw.* moral; postración *f*; (*Entmutigung*) desaliento *m*; **~halten** (*L*) *v/t.* (*unterdrücken*; *in Schranken halten*) contener, reprimir, refrenar; **~hauen** (*L*) *v/t.* derribar a golpes; *Menschen*: hacer una matanza; **~hocken** *v/i.* acurrucarse; ponerse en cuclillas; **~holen** *v/t.* ⚓ *Fahne, Segel*: arriar; **2holz** *n* (*-es*; *0*) monte *m* bajo; **2jagd** *Jgdw. f* caza *f* menor; **~kämpfen** *v/t.* abatir; (*besiegen*) vencer; (*zermalmen*) aplastar; (*unterdrücken*) contener, reprimir, refrenar; (*zähmen*) domar; domeñar; (*ersticken*) sofocar; **~kauern** (*-re*; *sn*) *v/i.* → *niederhocken*; **~knallen** *v/t.* matar a tiros; *j-n ~* P tumbar de un tiro a alg.; **~knien** (*sn*) *v/i.* arrodillarse, ponerse de rodillas; **~kommen** (*L*; *sn*) *v/i.* parir; *Frau*: *a.* alumbrar, dar a luz; **2kunft** *f* (-; *⸚e*) parto *m*; alumbramiento *m*; **2lage** *f* ☤ (*Lager*) almacén *m*; (*Depot*) depósito *m*; (*Filiale*) sucursal *f*; casa *f* filial; ⚔ derrota *f*; *j-m e-e ~ beibringen* infligir a alg. una derrota; *e-e ~ erleiden* sufrir una derrota; **2lande** *n/pl.* *die ~* los Países Bajos, Holanda *f*; **2länder(in** *f*) *m* neerlandés *m*, neerlandesa *f*; holandés *m*, holandesa *f*; **~ländisch** *adj.* neerlandés, holandés; **~lassen** (*L*) *v/t.* bajar; *sich ~* establecerse; (*Platz nehmen*) sentarse, tomar asiento; (*Vogel*) posarse; (*s-n Wohnsitz nehmen*) domiciliarse; establecerse (*in dat.* en); *sich als Anwalt* (*Arzt*) *~* abrir bufete (un consultorio); **2lassung** *f* establecimiento *m*; (*Filiale*) sucursal *f*; (*Agentur*) agencia *f*; (*Siedlung*) colonia *f*; **~legen 1.** *v/t.* poner en el suelo; posar; *Baum*: derribar; *Gebäude*: *a.* demoler; *Waffen*: rendir; deponer; (*hinterlegen*) depositar, *gerichtlich*: consignar; *die Arbeit ~* dejar de trabajar; abandonar el trabajo; *die Krone ~* abdicar la corona; *e-n Kranz ~* depositar una corona (*an, auf dat.* en); *sein Amt ~* dimitir (el cargo); resignar sus funciones; presentar la dimisión (del cargo); *urkundlich ~* hacer constar en un documento; *schriftlich ~* formular (*od.* poner) por escrito; **2.** *v/refl.*: *sich ~* acostarse; **2legung** *f* (*Amts2*) dimisión *f*; (*Arbeits2*) cesación *f* (*bzw.* abandono *m*) del trabajo; *~ der Krone* abdicación de la corona; **~machen, ~metzeln** (*-le*) *v/t.* hacer una matanza; pasar a cuchillo; **~mähen** *v/t.* segar, *mit e-r Sense*: *a.* guadañar; ⚔ causar estragos en las filas enemigas; (*dezimieren*) diezmar; **2metzeln** *n* matanza *f*; F degollina *f*; **~reißen** (*L*) *v/t.* derribar; *Gebäude*: *a.* demoler; **~reiten** (*L*) *v/t.* atropellar con el caballo; ⚔ derribar; **2rhein** *m*: *der ~* el Bajo Rhin; **~ringen** (*L*) *v/t.* (*besiegen*) vencer; (*bezwingen*) domeñar; **~säbeln** (*-le*) *v/t.* derribar a sablazos; **2sachsen** *n* la Baja Sajonia; **~schießen** (*L*) **1.** *v/t.* derribar de un tiro; matar a tiros; *standrechtlich*: fusilar, pasar por las armas; **2.** (*sn*) *v/i.* precipitarse (*auf ac.* sobre); lanzarse (desde arriba); **2schlag** *m* (*-ęs*; *⸚e*) ☂ precipitado *m*; (*Bodensatz*) sedimento *m*; depósito *m*; *Boxsport*: *angl.* knock-out *m*; *fig. s-n ~ finden in* (*dat.*) reflejarse en; hallar su expresión en; **2schläge** *m/pl.* precipitaciones *f/pl.*; *Regen*: lluvias *f/pl.*; *Schnee*: nevadas *f/pl.*; **~schlagen** (*L*) **1.** *v/t.*: *j-n ~* derribar a puñetazos a alg.; *Boxen*: *k.o. ~* poner fuera de combate; *angl.* poner knock-out (*od.* k.o.); (*töten*) matar a golpes; (*bedrücken*) deprimir; afligir; (*entmutigen*) desalentar; ☂ precipitar; *Dämpfe*: condensar; *Augen, Kragen*: bajar; *Bäume*: cortar; derribar; *Wald*: talar; *Aufstand*: reprimir; sofocar; *Untersuchung*: suspender; *Angelegenheit*: F echar tierra al asunto; *Verfahren*: ⚖ sobreseer; **2.** *v/i.* ☂ precipitarse; depositarse; *Dämpfe*: condensarse; *zu Boden ~* caer a tierra; **~schlagend** *adj.* ⚕ calmante, sedante; *e-e ~e Nachricht* una noticia descorazonadora; **2schlagsmenge** *f* (*Regen*) cantidad *f* de lluvia; **2schlagung** *f* (*Unterdrückung*) represión *f*; *e-s Prozesses*: ⚖ sobreseimiento *m*; **2schlesien** *n* la Baja Silesia; **~schmettern** (*-re*) *v/t.* derribar; (*zermalmen*) aplastar (*a. fig.*); *fig.* fulminar; anonadar; **~schmetternd** *adj.* deprimente; (*trostlos*) desconsolador, descorazonador; *fig.* aplastante; (*redegewaltig*) fulminante; **~schreiben** (*L*) *v/t.* poner por escrito; **~schreien** (*L*) *v/t.* acallar a gritos; obligar a callar con un abucheo; **2schrift** *f* escrito *m*; (*Abschrift*) copia *f*; *Schule*: composición *f* breve; ⚖ acta *f*; **~schweben** (*sn*) *v/i.* descender planeando; **~setzen** (*-t*) *v/t.* poner en el suelo; poner *od.* colocar sobre; *sich ~* sentarse; *Vogel*: posarse; **~sinken** (*L*; *sn*) *v/i.* caer lentamente; *im Wasser*: hundirse, sumergirse, ir al fondo; *Schiff*: *a.* irse a pique; *vor Schwäche*: caer desfallecido; desplomarse; **~sitzen** *v/i.* sentarse; **2spannung** ⚡ *f* baja tensión *f*; **2spannungsleitung** ⚡ *f* cable *m* (*od.* línea *f*) de baja tensión; **~stechen** (*L*) *v/t.* *mit e-m Dolch*: apuñalar; matar a puñaladas; *mit e-m Messer*: acuchillar; matar a cuchilladas; *Stk.* matar de una estocada; **~steigen** (*L*; *sn*) *v/i.* bajar, descender; **~stimmen** *Parl.* *v/t.* dejar en la minoría; **~stoßen** (*L*) **1.** *v/t.* derribar; **2.** (*sn*) *v/i.* (*Raubvögel*) precipitarse (*auf ac.* sobre); **~strecken** *v/t.*: *j-n ~* derribar a alg.; (*töten*) *j-n mit e-m Schuß ~* derribar (*od.* matar) de un tiro a alg.; *sich ~* tenderse en el suelo; **~stürzen** (*-t*) **1.** *v/t.* caer; derribar; **2.** (*sn*) *v/i.* derrumbarse; **2tracht** *f* *(0)* infamia *f*; bajeza *f*; **~trächtig** *adj.* infame; vil; bajo; (*unwürdig*) indigno; **2trächtigkeit** *f* infamia *f*; bajeza *f*; vileza *f*; **~treten** (*L*) *v/t.* hollar; *durch Stampfen*: pisotear; (*Fußboden*) pisar; (*Schuhe schief laufen*) destalonar; torcer, F distraer los tacones; **2ung** *f* terreno *m* bajo; depresión *f* del terreno; bajo *m* fondo; **2ungen** *f/pl.* tierras *f/pl.* bajas; **~wärts** *adv.* hacia abajo; **~werfen** (*L*) **1.** *v/i.* derribar; (*a. fig.*) derrocar; *Gegner*: vencer; derrotar; *Aufstand*: reprimir, sofocar; **2.** *v/refl.*: *sich vor j-m ~* arrojarse a los pies de alg.; postrarse ante alg.; **2werfung** *f* derrocamiento *m*; *e-s Aufstandes*: represión *f*; ⚔ *des Feindes*: derrota *f*; **2wild** *Jgdw.* *n* (*-ęs*; *0*) caza *f* menor.

'**niedlich** *adj.* (*hübsch*) bonito, lindo, F mono; (*anmutig*) gentil, gracioso; **2keit** *f* *(0)* lindeza *f*; (*Anmut*) gentileza *f*; gracia *f*.

'**Niednagel** ⚕ *m* (*-s*; *⸚*) respigón *m*, padrastro *m* de los dedos.

'**niedrig** *adj.* bajo; *Preis*: *a.* módico, barato; *Rang, Wert*: inferior; (*gemein*) ordinario, vulgar; (*verworfen*) vil, abyecto, envilecido; *zu ~em Preis* a bajo precio; *zum ~sten Preis* a precio ínfimo; *die ~en Klassen Schule*: los grados elementales; *hoch und ~* altos y bajos; todo el mundo; *~ sitzen* estar (sentado) en un asiento bajo; *~ fliegen* volar bajo; *~er hängen* bajar; *~ spielen* jugar en pequeñas cantidades; *zu ~ angeben* (*unterschätzen*) valorar en muy poco; infravalorar; **2keit** *f* bajeza *f*; (*Gemeinheit*) ordinariez *f*, vulgaridad *f*; (*Verworfenheit*) abyección *f*, vileza *f*; *des Preises*: modicidad *f*, baratura *f*; *~ der Geburt* humilde origen (*od.* cuna); baja extracción.

'**niemals** *adv.* nunca, jamás; *~ mehr* nunca más.

'**niemand** *pron/indef.* nadie; (*keiner*) ninguno; persona alguna; *~ anderes* ningún otro; *es ist ~ da* no hay nadie; no está nadie; **2sland** *n* (*-ęs*; *0*) tierra *f* de nadie.

'**Niere** *Anat. f* riñón *m* (*a.* ⚒ *u. Kochkunst*); ⚕ *künstliche ~* riñón artificial; *fig. das geht mir an die ~n* eso me aflige mucho; me llega al alma; *auf Herz und ~n prüfen* examinar muy detenidamente.

'**Nieren...:** **~becken** *Anat. n* pelvis *f* renal; **~beckenentzündung** ⚕ *f* pielitis *f*; **~braten** *Kochkunst m* riñonada *f*; **~entzündung** ⚕ *f* nefritis *f*; **2förmig** *adj.* reniforme; **~gegend** *Anat. f* *(0)* región *f* renal; **~kolik** ⚕ *f* cólico *m* nefrítico; **~kranke(r** *m*) *m/f* nefrítico (-a *f*) *m*; enfermo (-a *f*) *m* del riñón; **~leiden** ⚕ *n* nefropatía *f*; afección *f* renal, enfermedad *f* del riñón; **~schmerz** *m* (*-es*; *-en*) dolor *m* de riñones; **~schwund** ⚕ *m* (*-ęs*; *0*) atrofia *f* renal; **~stein** ⚕ *m* (*-ęs*; *-e*) cálculo *m* renal.

'**niesel|n** *v/unprs.* lloviznar; **2regen** *m* llovizna *f*; F calabobos *m*.

'**niesen I.** (*-t*) *v/i.* estornudar; **II. 2** *n* estornudo *m*.

'**Nieß|brauch** ⚖ *m* (*-ęs*; *0*) usufructo *m*; **~nutzer(in** *f*) *m* usufructuario (-a *f*) *m*.

'**Nieswurz** ⚘ *f* eléboro *m* (negro).

'**Niet** ⊕ *m* (*-ęs*; *-e*) remache *m*, roblón *m*; **~bolzen** *m* perno *m* remachado.

'**Niete** *f* *Lotterie*: billete *m* no premiado; *fig.* (*Versager*) fracasado *m*.

'**Niet...:** **~eisen** *n* hierro *m* para remachar; **2en** (*-e-*) *v/t.* remachar; **~kopf** *m* (*-ęs*; *⸚e*) cabeza *f* de remache (*od.* de roblón); **~maschine**

f remachadora *f*; **~naht** *f* (-; ⸗*e*) costura *f* de remaches; **2- und 'nagelfest** *adj.* sólidamente remachado; *fig.* sólido, bien firme; **~ung** *f* remache *m*.
Nihi'lis|mus *m* (-; *0*) nihilismo *m*; **~t** (-*en*), **2tisch** *adj.* nihilista *m/f*.
Nika'ragua *n* Nicaragua *f*; *aus* ~ nicaragüense.
'Nikolaus *m* Nicolás *m*.
Niko'tin *n* (-*s*; *0*) nicotina *f*; **2arm** *adj.* pobre en nicotina; **2frei** *adj.* sin nicotina, desnicotinizado; ~ *machen* desnicotinizar; **~gehalt** *m* (-*es*; *0*) cantidad *f* de nicotina contenida; **2haltig** *adj.* que contiene nicotina; **~vergiftung** ⚕ *f* nicotinismo *m*, intoxicación *f* por la nicotina.
Nil *m*: *der* ~ el (río) Nilo; **'~delta** *n* delta *m* del Nilo; **'~pferd** *Zoo. n* (-*es*; -*e*) hipopótamo *m*.
'Nimbus *m* (-; -*se*) nimbo *m*; aureola *f* (*beide a. fig.*); *fig.* prestigio *m*; *mit e-m* ~ *umgeben* nimbar; aureolar (*a. fig.*); *fig. s-n* ~ *einbüßen* desprestigiarse, perder el prestigio.
'nimmer *adv.* jamás; *nie und* ~ nunca jamás; **2leins-tag** F *m* el día que nunca llegará; *auf den* ~ *verschieben* aplazar para las calendas griegas; **~mehr** *adv.* nunca más; **~müde** *adj.* incansable, infatigable; **2satt** *m* (-*es*; -*e*) hombre *m* insaciable; (*Vielfraß*) glotón *m*, F comilón *m*, tragón *m*; **2'wiedersehen** *n*: *auf* ~ para siempre; *auf* ~! ¡adiós para siempre!; ¡hasta nunca!; F si te vi, no me acuerdo.
'Nippel ⊕ *m* boquilla *f* roscada.
'nippen *v/i.* beber a pequeños sorbos (*od.* a sorbitos); *an et.* (*dat.*) ~ probar a/c.
'Nippflut *f* pequeña marea *f*.
'Nippsachen *f/pl.* figurillas *f/pl.*; pequeños objetos *m/pl.* de adorno; (*billige Kleinigkeiten*) baratijas *f/pl.*, chucherías *f/pl.*; bibelots *m/pl.*
'nirgend|s, **~wo**, **~wohin** *adv.* en ninguna parte; por ninguna parte.
'Nische [i:] △ *f* nicho *m*; (*Wand2*) hornacina *f*.
'nist|en (-*e*-) *v/i.* anidar; hacer el nido; **2en** *n* construcción *f* del nido; nidificación *f*; **2platz** *m* (-*es*; ⸗*e*) nidal *m*; **2zeit** *f* tiempo *m* de empollar.
Ni'trat ⚗ *n* (-*es*; -*e*) nitrato *m*.
Ni'trier|apparat *m* (-*es*; -*e*) aparato *m* para la nitrificación; **2en** (-) *v/t.* nitrar, nitrificar; **~härtung** *f* temple *m* por nitruración; **~ung** *f* nitrificación *f*; (*Stahl*) nitruración *f*.
'Nitro|benzol *n* (-*s*; *0*) nitrobenceno *m*; **~glyzerin** *n* (-*s*; *0*) nitroglicerina *f*; **~sprengstoff** *m* (-*es*; -*e*) explosivo *m* a base de nitroglicerina; **~zellu'lose** *f* nitrocelulosa *f*.
Ni'veau [-'vo:] *n* (-*s*; -*s*) nivel *m* (*a. fig.*); *unter dem* ~ estar por debajo del nivel; ~ *haben* tener categoría; **~linie** *f* curva *f* de nivel; **~übergang** 🚂 *m* paso *m* a nivel.
nivel'lier|en (-) *v/t.* nivelar; **2latte** *f* mira *f* de nivelación; **2ung** *f* nivelación *f*; **2waage** *f* nivel *m* de burbuja (de aire).
Nix *Myt. m* (-*es*; -*e*) espíritu *m* de las aguas, genio *m* acuático; **'~e** *f* ondina *f*.
'Nizza *n* Niza *f*.
'nobel *adj.* (*vornehm*) noble; (*freigebig*) generoso; F rumboso.
No'belpreis *m* (-*es*; -*e*) premio *m* Nobel; **~träger** *m* (titular *m* del) premio *m* Nobel.
noch I. *adv.* todavía, aún; ~ *nicht* todavía no; aún no; ~ *einmal* otra vez; una vez más; de nuevo; ~ *einmal so viel* el doble; otro tanto; ~ *einmal so breit* de doble ancho; el doble de ancho; ~ *heute* aún hoy; hoy todavía; (*gleich*) hoy mismo; ~ *dazu* además de eso; fuera de eso; *dazu kommt* ~ a ello hay que añadir; ~ *einer!* ¡otro más!; ~ *einiges* algunas (*od.* otras) cosas más; ~ *etwas* (*et. anderes*) otra cosa; (*et. mehr*) un poco más; ~ *immer* todavía; siempre; ~ *bevor* antes de; ~ *vor Tagesanbruch* ya antes de amanecer; *er ist* ~ *nie in Spanien gewesen* no ha estado nunca en España; ~ *lange nicht* aún no hace mucho (tiempo); *das fehlte gerade* ~ esto era lo que faltaba; *nur* ~ *5 Minuten* tan sólo cinco minutos; *jede* ~ *so kleine Gefälligkeit* toda complacencia por pequeña que sea; *er sei* ~ *so reich* por rico que sea; *wenn er auch* ~ *so bittet* por mucho que suplique; **II.** *cj.*: *weder* ... ~ ... ni ... ni ...; *wir sind weder reich* ~ *arm* no somos ni ricos ni pobres; **'~malig** *adj.* reiterado; repetido; **'~mals** *adv.* una vez más; de nuevo.
'Nock ⚓ *n* (-*es*; -*e*) penol *m*; **~en** ⊕ *m* leva *f*; **~enscheibe** *f* disco *m* de levas; **~enwelle** *f* árbol *m* de levas.
'nolens 'volens *Lt. adv.* de grado o por fuerza.
No'made *m* (-*n*) nómada *m*; **2nhaft** *adj.* nómada; **~nleben** *n* (-*s*; *0*) vida *f* nómada; **~ntum** *n* (-*s*; *0*) nomadismo *m*; **~nvolk** *n* (-*es*; ⸗*er*) pueblo *m* nómada.
'Nomen *Gr. n* (-*s*; *Nomina*) nombre *m*.
Nomenkla'tur *f* nomenclatura *f*.
nomi'nal *adj.* nominal; **2betrag** *m* (-*es*; ⸗*e*), **2wert** *m* (-*es*; -*e*) valor *m* nominal.
Nomina'lismus *m* (-; *0*) nominalismo *m*.
'Nominativ *Gr. m* (-*s*; -*e*) nominativo *m*.
nomi'nell *adj.* nominal.
nomi'nieren (-) *v/t.* nombrar.
'None ♪ *f* novena *f*.
'Nonius ⊕ *m* (-; *Nonien*) nonio *m*; **~teilung** *f* escala *f* de nonio.
'Nonne *f* monja *f*, religiosa *f*; ~ *werden* hacerse monja; tomar el velo; **~nhaube** *f* toca *f*; **~nkloster** *n* (-*s*; ⸗) convento *m* de monjas (*od.* de religiosas); **~ntracht** *f* hábito *m* de religiosa(s).
Non'stopflug ✈ *m* (-*es*; ⸗*e*) vuelo *m* sin escala.
'Noppe *f* (*Knoten im Tuch*) mota *f*; **2n** *v/t.* (*Tuch*) desmotar; **~nmuster** *n* dibujo *m* de nudos.
'Nord *m* (-*es*; *0*) Norte *m*, norte *m*; (*Nordwind*) viento *m* del norte; **~afrika** *n* Africa *f* del Norte; **2afrikanisch** *adj.* norteafricano; **~amerika** *n* América *f* del Norte; Norteamérica *f*; **~amerikaner(in** *f*) *m* norteamericano (-a *f*) *m*; yanqui *m/f*; **2amerikanisch** *adj.* norteamericano; yanqui; estadounidense; **~at'lantikpakt** *m* (-*es*; *0*) Tratado *m* del Atlántico Norte; **~at'lantikpakt-Organisation** *f* (*Abk.* NATO) Organización *f* del Tratado del Atlántico Norte (*Abk.* OTAN); **~at'lantikrat** *m* (-*es*; *0*) Consejo *m* del Atlántico Norte; **~bahnhof** *m* (-*es*; ⸗*e*) estación *f* del Norte; **2deutsch** *adj.* del norte de Alemania; de la Alemania del Norte; **~deutsche(r** *m*) *m/f* alemán *m*, alemana *f* del Norte; **~deutschland** *n* Alemania *f* del Norte; **~en** *m* (-*s*; *0*) Norte *m*, norte *m*; *der Wind bläst von* ~ el viento sopla del norte; *nach* ~ hacia el norte; *im* ~ *von* al norte de; *nach* ~ *liegen* estar situado al norte; *nach* ~ *drehen* (*Wind*) nortear; **2isch** *adj.* nórdico, del norte; **~kap** *Geogr. n* cabo *m* (del) Norte; **~küste** *f* costa *f* septentrional (*od.* del norte); *spanische* ~ costa cantábrica; **~länder(in** *f*) *m* habitante *m/f* (de los países) del Norte; **~landreise** *f* viaje *m* a las tierras boreales.
'nördlich *adj.* del norte, septentrional; (*am Pol*) boreal, ártico; ~ *von* al norte de; **2es** *Eismeer* Océano Glacial Artico.
'Nord...: ~licht *n* (-*es*; *0*) aurora *f* boreal; **~'ost(en)** *m* (-*ens*; *0*) nordeste *m*; **2'östlich** *adj.* del nordeste; **~'ostseekanal** *m* canal *m* del mar del Norte al mar Báltico; **~'ostwind** *m* (-*es*; -*e*) viento *m* del nordeste; **~pol** *m* (-*s*; *0*) polo *m* norte; **~polarkreis** *m* (-*es*; *0*) círculo *m* polar ártico; **~pol-expedition** *f* expedición *f* al polo norte; **~see** *f* mar *m* del Norte; **~seite** *f* lado *m* norte; **~staaten** *m/pl.* Estados *m/pl.* del Norte; **~stern** *m* (-*es*; *0*) estrella *f* polar; **~wand** *f* (-; ⸗*e*) *e-s Berges*: pared *f* norte; **2wärts** *adv.* hacia el norte; **~'west(en)** *m* (-*ens*; *0*) noroeste *m*; **2'westlich** *adj.* del noroeste; ~ *von* al noroeste de; **~wind** *m* (-*es*; -*e*) viento *m* (del) norte; *Poes.* aquilón *m*.
Nörg|e'lei *f* manía *f* de criticar; afán *m* de censurar; **'2eln** (-*le*) *v/i.* critiquizar; señalar defectos a todo; F (*brummen*) gruñir, refunfuñar; **'~ler** *m* criticón *m*; reparón *m*; eterno descontento *m*; **'~lerin** *f* criticona *f*; P gruñona *f*.
Norm *f* norma *f*; pauta *f*; (*Regel*) regla *f*; *als* ~ *gelten* servir de norma.
nor'mal *adj.* normal; (*genormt*) normalizado; (*regelmäßig*) regular; F *er ist nicht ganz* ~ está tocado de la cabeza; no está en sus cabales; **2arbeitstag** *m* (-*es*; -*e*) jornada *f* (de trabajo) normal; **2ausrüstung** *f* equipo *m* regular; **2e** *f* normal *f*; **2fall** *m* (-*es*; ⸗*e*) caso *m* normal; **2film** *m* (-*es*; -*e*) película *f* normal; **2format** *n* (-*es*; -*e*) tamaño *m* normal; **2geschwindigkeit** *f* velocidad *f* normal; **2gewicht** *n* (-*es*; -*e*) peso *m* tipo; **2größe** *f* tamaño *m* normal; (*Kleidung*) talla *f* corriente.
normali'sier|en (-) *v/t.* normalizar; *angl.* estandardizar; **2ung** *f* normalización *f*; *angl.* estandardización *f*.
Nor'mal...: ~lehre ⊕ *f* (*0*) calibre *m* normal; **~maß** *n* (-*es*; -*e*) medida *f* normal; ⊕ patrón *m*; **~null** *f* (*0*)

(*Seehöhe*) nivel *m* medio del mar; **~preis** *m* (*-es*; *-e*) precio *m* corriente; **~spur** 🚂 *f* vía *f* (*Arg.* trocha *f*) normal; ancho *m* de vía normal; **2spurig** 🚂 *adj.* de vía (*Arg.* trocha) normal; **~uhr** *f* reloj *m* regulador; **~verbraucher** *m* consumidor *m* normal; **~wert** *m* (*-es*; *-e*) valor *m* normal; **~zeit** *f* hora *f* oficial; hora *f* legal; **~zuteilung** *f* ración *f* corriente; **~zustand** *m* (*-es*; *0*) estado *m* normal.

Nor'mann|e *m* (*-n*) normando *m*; **~in** *f* normanda *f*; **2isch** *adj.* normando.

norma'tiv *adj.* normativo.

'normen *v/t.* normalizar; *angl.* estandardizar; **2erhöhung** *f* elevación *f* de las normas; **~gerecht** *adj.* ajustado a (*od.* de acuerdo con) la norma.

'Norm...: **~teil** ⊕ *n* (*-es*; *-e*) pieza *f* normal; **~ung** *f* normalización *f*; *angl.* estandardización *f*; **~verbrauch** *m* (*-es*; *0*) *Auto. usw.*: consumo *m* de gasolina según la norma.

'Norweg|en *n* Noruega *f*; **~er(in** *f*) *m* noruego (-a *f*) *m*; **2isch** *adj.* noruego.

Not *f* (*-*; *⸚e*) necesidad *f*; (*Hungers2*) hambre *f*; (*Mangel*) escasez *f*; penuria *f*; (*Elend*) miseria *f*; (*Armut*) pobreza *f*; (*Bedürftigkeit*) indigencia *f*; (*Knappheit*) estrechez *f*; (*Hilflosigkeit*) desamparo *m*; (*Verlegenheit*) apuro *m*; (*Schwierigkeit*) dificultad *f*; (*Dringlichkeit*) urgencia *f*; (*Sorge*) cuidados *m/pl.*; (*Kummer*) preocupación *f*; (*Mühe*) pena *f*; (*Leid*) pesar *m*; (*Gefahr*) peligro *m*; *größte ~* necesidad extrema; *drückende ~* necesidad apremiante; *zur ~* en caso de necesidad; en todo caso; F por si acaso; *im Falle der ~, wenn ~ am Mann ist* cuando sea necesario; en caso de necesidad (*od.* de urgencia); *es hat keine ~* no hay nada que temer, (*es eilt nicht*) no hay prisa; no corre prisa; *es tut 2, daß ...* es necesario (*od.* es preciso *od.* hace falta) que ... (*subj.*); *das tut ihm 2* es lo que necesita (*od.* lo que le hace falta); *jeder hat s-e* (*liebe*) *~* a nadie le faltan preocupaciones; cada cual tiene sus problemas; *s-e* (*liebe*) *~ mit j-m haben* tener sus penas con alg.; *er wird s-e liebe ~ haben, um* (*zu*) le costará trabajo (*inf.*); F se verá negro para (*inf.*); *in ~ geraten* caer en la miseria; *in ~ sein, ~ leiden* estar en la miseria; pasar necesidades (*od.* privaciones); *an et.* (*dat.*) *~ leiden* carecer de a/c.; *j-m aus der ~* (*Verlegenheit*) *helfen* sacar a alg. de un apuro; *mit Mühe und ~* con grandes esfuerzos; penosamente; a duras penas; F a trancas y barrancas; *aus der ~ e-e Tugend machen* hacer de la necesidad virtud; *~ macht erfinderisch* hombre pobre todo es trazas; el hambre aguza el ingenio; *~ kennt kein Gebot* la necesidad no conoce leyes; *in der ~ frißt der Teufel Fliegen* a falta de pan, buenas son tortas.

'Nota ☤ *f* (*-*; *-s*) (*Rechnung*) nota *f*, factura *f*; (*Bestell2*) nota *f* de pedido.

'Not...: **~abwurf** ✈ *m* (*-es*; *⸚e*) lanzamiento *m* forzado de la carga; **~anker** *m* ⚓ ancla *f* de socorro; *fig.* áncora *f* de salvación; **~antenne** *f* antena *f* para caso de emergencia.

No'tar *m* notario *m*; *Am. a.* escribano *m* (público).

Notari'at *n* (*-es*; *-e*) (*Kanzlei*) notaría *f*; *Am.* escribanía *f* (pública); (*Laufbahn*) notariado *m*; **~sgebühren** *f/pl.* derechos *m/pl.* notariales; **~s-urkunde** *f* acta *f* notarial.

notari'ell *adj.* notarial; *~es Schriftstück* escritura notarial; *adv. ~ beglaubigt* legalizado notarialmente; *~ beurkundet* escriturado ante notario.

'Not...: **~aufnahme** *f* admisión *f* de urgencia; **~ausgang** *m* (*-es*; *⸚e*) salida *f* de emergencia; **~bau** *m* (*-es*; *-ten*) construcción *f* provisional; **~behelf** *m* (*-s*; *0*) recurso *m*; expediente *m*; (*zur Linderung*) paliativo *m*; **~beleuchtung** *f* alumbrado *m* provisional (*od.* de reserva); **~bremse** *f* freno *m* de alarma (*od.* de seguridad); **~brücke** *f* puente *m* provisional; **~durft** *f* (*-*) necesidad *f*; *s-e ~ verrichten* hacer sus necesidades; **2dürftig** *adj.* (*kaum ausreichend*) apenas suficiente; (*bedürftig*) necesitado; indigente; (*behelfsmäßig*) provisional; **~dürftigkeit** *f* (*Unzulänglichkeit*) insuficiencia *f*; (*Bedürftigkeit*) indigencia *f*.

'Note *f* nota *f*; (*Anmerkung*) anotación *f*; *Schule*: nota *f*; ☤ (*Bank2*) billete *m* de banco; *Dipl.* nota *f* (diplomática); *~n wechseln* efectuar un cambio de notas; ♪ nota *f* (musical); *ganze ~* ♪ semibreve *f*; redonda *f*; *halbe ~* ♪ mínima *f*; blanca *f*; *nach ~n singen* cantar con papel; (*üben*) solfear; *in ~n setzen* ♪ poner en música; *fig. besondere ~* distinción *f*.

'Noten...: **~aufruf** ☤ *m* (*-es*; *-e*) retirada *f* de billetes (de banco); **~ausgabe** ☤ *f* emisión *f* de billetes (de banco); **~austausch** *Dipl. m* (*-es*; *0*) cambio *m* de notas; **~bank** ☤ *f* banco *m* emisor; **~blatt** ♪ *n* (*-es*; *⸚er*) hoja *f* (de papel) de música; **~buch** ♪ *n* (*-es*; *⸚er*) libro *m* de música; **~druck** *m* (*-es*; *-e*) impresión *f* de billetes de banco; ♪ impresión *f* de música; **~einlösung** ☤ *f* re(e)mbolso *m* de billetes (de banco); **~heft** ♪ *n* (*-es*; *-e*) cuaderno *m* de música; **~kopf** ♪ *m* (*-es*; *⸚e*) cabeza *f* (de la nota); **~linie** ♪ *f* línea *f* del pentagrama; *die fünf ~n* el pentagrama; **~mappe** ♪ *f* cartera *f* de música; **~papier** ♪ *n* (*-s*; *0*) papel *m* de música; **~pult** ♪ *n* (*-es*; *-e*) atril *m*; *in der Kirche*: (*Chorpult*) facistol *m*; **~schlüssel** ♪ *m* clave *f*; **~schreiber** *m* copista *m* de música; **~schrift** *f* notación *f* musical; **~ständer** *m* (*Möbel*) musiquero *m*; (*Pult*) atril *m*; (*Chorpult*) facistol *m*; **~system** ♪ *n* (*-s*; *-e*) pentagrama *m*; **~umlauf** ☤ *m* (*-es*; *0*) circulación *f* fiduciaria (*od.* de billetes); **~wechsel** *Dipl. m* cambio *m* de notas.

'Not...: **~fall** *m* (*-es*; *⸚e*) caso *m* de necesidad; *im ~* (en) caso necesario; cuando sea necesario; si llega el caso; en caso de necesidad (*od.* de apuro); si es preciso; si fuera menester; *im äußersten ~* en último extremo; en el último caso; **2falls** *adv.* → *im Notfall*; **~flagge** ⚓ *f* bandera *f* de socorro; **~frist** ⚖ *f* plazo *m* perentorio; **2gedrungen I.** *adj.* forzoso; **II.** *adv.* por necesidad; forzosamente; por fuerza, a la fuerza; **~geld** *n* (*-es*; *-er*) moneda *f* provisional; **~gesetz** *n* (*-es*; *-e*) decreto-ley *m*; **~groschen** *m* reserva *f*, ahorros *m/pl.* para caso de apuro; **~hafen** ⚓ *m* (*-s*; *⸚*) puerto *m* de refugio; **~helfer** *m* salvador *m*; auxiliador *m* en situaciones críticas; **~hilfe** *f* (*0*) primeros auxilios *m/pl.*

no'tier|en (-) *v/t.* (*aufschreiben*) anotar, apuntar (*ac.*); tomar nota de; *an der Börse ~* cotizarse en bolsa; *notierte Aktie* acción cotizada en bolsa; **2ung** *f* apunte *m*; *Börse*: cotización *f*; ♪ apuntación *f*, notación *f* musical; **2ungs-art** ☤ *f* método *m* de cotización.

'nötig *adj.* necesario, preciso; (*unbedingt*) imprescindible; *~ machen* hacer necesario; *~ werden* hacerse necesario; *~ sein* ser necesario (*od.* preciso); hacer falta; *es ist ~, zu* (*inf.*) es necesario (*inf.*); *es ist ~, daß ...* es necesario que (*subj.*); hace falta que (*subj.*); *et. ~ haben* necesitar (*od.* tener necesidad de) a/c.; *es nicht für ~ halten, zu* (*inf.*) no creer (*od.* no considerar) necesario (*inf.*); **2e(s)** *n* lo necesario; **~en** *v/t.*: *j-n ~ zu* obligar (*od.* forzar) a alg. a; (*bitten*) rogar a alg. (que *subj.*); instar a alg. a (que *subj.*); (*auffordern*) invitar a alg. a (que *subj.*); *sich ~ lassen* hacerse (F de) rogar; gastar cumplidos; **~enfalls** *adv.* → *im Notfall*; **2ung** *f* ⚖ coacción *f*.

No'tiz *f* (*Vermerk*) nota *f*, apunte *m*; (*Zeitungs2*) noticia *f*; *sich ~en machen* tomar notas (*od.* apuntes); *von et. ~ nehmen* tomar nota de a/c.; quedar informado (*od.* enterado) de a/c.; adquirir conocimiento de a/c.; prestar atención a a/c.; *keine ~ nehmen von* no hacer caso de; no darse por enterado de; aparentar no ver (*bzw.* no oír) a/c.; hacerse el distraido (*od.* F el loco); **~block** *m* (*-es*; *⸚e*) bloque *m* para notas; **~buch** *n* (*-es*; *⸚er*) librito *m* de notas; *mit Kalender*: agenda *f*; **~heft** *n* (*-es*; *-e*) cuaderno *m* de apuntes.

'Not...: **~jahr** *n* (*-es*; *-e*) año *m* calamitoso; año *m* de escasez; **~lage** *f* situación *f* crítica; situación *f* precaria (*od.* angustiosa); (*öffentliche*) calamidad *f* pública; (*vorübergehende persönliche*) aprieto *m*, apuro *m*; **2landen** (*-e-*; *sn*) *v/i.* ✈ hacer un aterrizaje forzoso; **~landung** *f* ✈ aterrizaje *m* forzoso; ⚓ arribada *f* forzosa; **2leidend** *adj.* necesitado; indigente; ☤ *~er Wechsel* efecto pendiente de cobro; **~leidende(r** *m*) *m/f* necesitado (-a *f*) *m*; indigente *m/f*; **~leine** *f* cuerda *f* (*od.* ⚓ cable *m*) de socorro; **~lüge** *f* mentira *f* oficiosa; mentira *f* inocente; mentira *f* piadosa; **~maßnahme** *f* medida *f* de urgencia; **~nagel** *m* (*-s*; *⸚*) expediente *m*, arbitrio *m*; F suplefaltas *m*; **~opfer** *n* impuesto *m* de beneficencia; (*Kriegs2*) contribución *f* extraordinaria.

no'torisch *adj.* notorio.

ˈ**Not...:** ⁓**ruf** *m* (-*es*; -*e*) grito *m* de alarma (*od.* de socorro); ⁓**quartier** ⚔ *n* (-*s*; -*e*) alojamiento *m* provisional; ⁓**schlachtung** *f* sacrificio *m* forzoso de una res; ⁓**signal** *n* (-*s*; -*e*) señal *f* de alarma; ⚓ señal *f* de socorro, *funktelegraphisch*: S.O.S. *m*; ⁓**sitz** *m* (-*es*; -*e*) asiento *m* suplementario; *Auto.* traspuntín *m*; ⁓**stand** *m* (-*es*; ⁼*e*) estado *m* de necesidad; calamidad *f* pública; emergencia *f*; ⁓**stands-arbeiten** *f*/*pl.* obras *f*/*pl.* de urgencia para combatir el paro; ⁓**standsgebiet** *n* (-*es*; -*e*) región *f* siniestrada; ⁓**standsgesetz** *n* (-*es*; -*e*) ley *f* para casos de emergencia; ⁓**taufe** *f* *I.C.* agua *f* de socorro; *I.P.* bautismo *m* de urgencia; ⁓**unterkunft** *f* (-; ⁼*e*) alojamiento *m* provisional (*od.* de urgencia); ⁓**verband** ⚕ *m* (-*es*; ⁼*e*) vendaje *m* provisional (*od.* de urgencia); ⁓**verordnung** *f* ordenanzas *f*/*pl.* de urgencia; ⁀**wassern** ✈ *v*/*i.* hacer un amaraje forzoso; ⁓**wasserung** ✈ *f* amaraje *m* forzoso; ⁓**wehr** ⚖ *f* (*0*) legítima defensa *f*; *aus* ⁓ en legítima defensa; ⁀**wendig** *adj.* necesario; (*unerläßlich*) indispensable, imprescindible; (*dringlich*) urgente; (*unvermeidlich*) inevitable; (*wesentlich*) esencial; (*vorgeschrieben*) de rigor; ⁓ *machen* hacer necesario; *es ist* ⁓, *daß* ... es necesario que (*subj.*); hace falta que (*subj.*); *unbedingt* ⁓ absolutamente necesario; ⁓ *werden* hacerse necesario; ⁀**wendigerweise** *adv.* necesariamente; forzosamente; ⁓**wendigkeit** *f* necesidad *f*; *unumgängliche* ⁓ necesidad absoluta; *in die* ⁓ *versetzt sein zu* verse en la necesidad de; ⁓**wohnung** *f* vivienda *f* provisional; (*Baracke*) barraca *f*; *armselige Hütte*: chabola *f*; ⁓**zeichen** *n* señal *f* de alarma *bzw.* de socorro; ⁓ *geben* hacer señales pidiendo socorro; dar señal de alarma; ⁓**zucht** ⚖ *f* (*0*) violación *f*; ⁀**züchtigen** ⚖ *v*/*t.* violar.

Noˈvelle [v] *f* *Liter.* novela *f* corta; *Parl.* ley *f* complementaria *bzw.* modificativa; *Parl.* e-e ⁓ *einbringen* presentar una enmienda de ley.

Novelˈlist *m* (-*en*) novelista *m*; cuentista *m*.

Noˈvember [v] *m* noviembre *m*; *im* ⁓ en noviembre.

Noviˈtät [v] *f* *Thea.* novedad *f*; *im Buchhandel*: publicación *f* reciente, *als Reklame*: acaba de publicarse.

Noˈvize [v] *m* (-*en*) novicio *m*.

Nu *m*: *im* ⁓ en un santiamén; en un abrir y cerrar de ojos; en un instante.

Nuˈance [nyˈˈɑ̃:sə] *f* matiz *m*.

nuanˈcieren (-) *v*/*t.* matizar.

ˈ**nüchtern** *adj. u. adv.* en ayunas; (*nicht betrunken*) que no está bebido; ⁓ *machen* desembriagar; *fig.* desengañar; ⁓ *werden* desembriagarse; *fig.* desengañarse; (*mäßig*) moderado, *bsd. im Essen u. Trinken*: sobrio, frugal; *fig.* (*alltäglich, unromantisch*) prosaico; (*fade*) insípido, sin sabor; insulso; (*einfach*) sencillo; (*ruhig*) sereno; (*leidenschaftslos*) desapasionado; (*kalt*) frío; (*besonnen*) sensato; (*vernünftig*) razonable; (*farblos*) incoloro; descolorido; *Urteil*: sano; *auf* ⁓*en* (*mit* ⁓*em*) *Magen* en ayunas; con el estómago vacío; ⁀**heit** *f* (*0*) (*Mäßigkeit*) templanza *f*; sobriedad *f*; *fig.* prosaísmo *m*; (*Einfachheit*) sencillez *f*; (*Ruhe*) calma *f*; serenidad *f*; (*Fadheit*) insipidez *f*; insulsez *f*; desapasionamiento *m*; objetividad *f*.

ˈ**Nudel** *f*: ⁓*n pl.* pastas *f*/*pl.* alimenticias; (*Faden*⁀) fideos *m*/*pl.*; (*viereckige*) tallarines *m*/*pl.*; ⁓**holz** *n* (-*es*; ⁼*er*) rodillo *m* (para pastas); ⁀**n** (-*le*) *v*/*t.* cebar; ⁓**suppe** *f* sopa *f* de fideos.

ˈ**Nukleon** *Phys.* *n* (-*s*; -*en*) nucleón *m.*

null *adj.* nulo; → *nichtig.*

ˈ**Null** *f* cero *m*; *auf* ⁓ *stehen* estar a cero; *unter* (*über*) ⁓ bajo (sobre) cero; ⁀ *Uhr* hora cero; *Sport*: ⁀ *zu* ⁀ empatados a cero; empate a cero; *zwei zu* ⁀ dos (tantos) a cero; *fig.* e-e ⁓ *sein* ser una nulidad; F ser un cero a la izquierda; F *in* ⁓ *Komma nichts* en un santiamén; en un dos por tres; en un abrir y cerrar de ojos; ⁓(**l**)**eiter** ⚡ *m* conductor *m* neutro; ⁓**punkt** *m* (-*es*; -*e*) (punto) cero *m*; *Achsenkreuz*: origen *m*; *Gefrierpunkt*: punto *m* de congelación; ⁓**spannung** ⚡ *f* tensión *f* nula; ⁓**stellung** *f* posición *f* cero; ⁓**strich** *m* (-*es*; -*e*) trazo *m* de cero.

Numeˈrale *Gr.* *n* (-*s*; *Numeralia*) adjetivo *m* numeral.

numeˈrier|en (-) *v*/*t.* numerar; *fortlaufend* ⁓ numerar correlativamente; ⁀**maschine** *f* máquina *f* numeradora; ⁀**ung** *f* numeración *f*; ⁀**ungsstempel** *m* sello *m* numerador.

nuˈmerisch *adj.* numérico.

ˈ**Numerus** *Gr.* *m* (-; *Numeri*) número *m.*

Numisˈmatik *f* (*0*) numismática *f*.

ˈ**Nummer** *f* (-; -*n*) número *m* (*a. v. Schuh, Handschuh, Hut*); (*Größe*) tamaño *m*; (*Ziffer*) cifra *f*; (*Exemplar*) número *m*, ejemplar *m*; (*Auto*⁀) número *m* de matrícula; (*Zirkus*⁀) número *m* (de circo); *laufende* ⁓ número de orden; *die* ⁓ *wählen* (*Telefon*) marcar el número; *mit* ⁓*n versehen* numerar; *fig.* e-e *feine* ⁓! *iro.* ¡vaya elemento!; ¡buen pájaro!; ⁓**nscheibe** *Tele.* *f* disco *m* de llamada; ⁓**nschild** *n* (-*es*; -*er*) *Auto.* placa *f* de matrícula; (*Straßenbahn*) disco *m*; ⁓**nstempel** *m* sello *m* numerador.

nun I. *adv.* (*jetzt*) ahora; actualmente; (*da*) *zeitlich*: entonces; *von* ⁓ *an* desde ahora; en lo sucesivo; de ahora en adelante; a partir de ahora; desde hoy; (*seitdem*) desde entonces; (*überleitend, fortsetzend*) ahora bien; pues bien; (*einleitend; schließend*) pues; ⁓ *gut!* ¡sea!; ¡está bien!; ¡bueno!; ⁓ *ja!* ¡sí, sí, está bien!; ⁓? ¿qué hay?; ¿bien?; ¿eh?; ⁓!, ⁓! ¡hombre!, ¡pero hombre!; (*langsam*) ¡vamos por partes!; *und was* ⁓? ¿y ahora qué?; ⁓ *denn!* ¡ea!; ¡vaya!; ⁓ *aber* ahora bien; *es ist* ⁓ *einmal so* las cosas son así; **II.** *cj.* ahora que; ˈ⁓**mehr** *adv.* ahora; (*alsdann*) luego; (*von jetzt an*) desde ahora; en adelante.

ˈ**Nuntius** *m* (-; *Nuntien*) nuncio *m.*

nur *adv.* sólo, solamente, *Am.* no más; (*einfach*) simplemente; sencillamente; (*kaum*) apenas; ⁓ *noch* (tan) sólo; nada más que; *er hat* ⁓ *noch 100 Mark* no tiene más que cien marcos; ⁓ *er* sólo él; nadie sino él; nadie más que él; ⁓ *er nicht* excepto él; (todos) menos él; *mit* ⁓ *wenigen Ausnahmen* con muy pocas excepciones; *ich weiß es* ⁓ *zu gut* demasiado lo sé; lo sé perfectamente (*od.* muy bien); *wenn er* ⁓ *wüßte!* ¡si él lo supiera!; ⁓ *ein wenig* un poco nada más; *nicht* ⁓ ..., *sondern auch* ... no sólo ... sino también ...; *wenn* ⁓ con tal que (*subj.*); *wer* ⁓ quienquiera que sea; *so viel ich* ⁓ *kann* todo lo que yo pueda; *lassen Sie mich* ⁓ *machen!* ¡usted déjeme a mí!; *wie kommt er* ⁓ *hierher?* ¿cómo habrá podido venir aquí?; *er braucht es* ⁓ *zu sagen* no tiene (*od.* no necesita) más que decirlo; ⁓ *zu!* ¡ea!; ¡ánimo!; F ¡pues duro!; *warte* ⁓! ¡espera un poco!; ¡espera y verás!; *geh* ⁓! ¡pues vete!; ¡vete si quieres!; *tue das* ⁓ *ja nicht!* ¡guárdate de hacer eso!; *er mag* ⁓ *kommen!* ¡puede venir si quiere!; ¡que venga!; *er mag* ⁓ *gehen* que se marche si quiere; ⁓ *nicht lügen!* ¡sobre todo, no mentir!; ¡sobre todo, nada de mentiras!; ⁓ *aus Eitelkeit* por pura vanidad.

ˈ**Nürnberg** *n* Nuremberg *m.*

ˈ**nuscheln** (-*le*) *v*/*i.* barbullar; farfullar.

ˈ**Nuß** ♣ *f* (-; ⁼*sse*) nuez *f*; (*Hasel*⁀) avellana *f*; (*Erd*⁀) cacahuete *m*; (*Kokos*⁀) coco *m*; *fig. harte* ⁓ tarea difícil; problema intrincado; F *fig.* hueso duro de roer; ⁓**baum** *m* (-*es*; ⁼*e*) nogal *m*, noguera *f*; ⁓**baumholz** *n* (-*es*; ⁼*er*) (madera *f* de) nogal *m*; ⁓**baummöbel** *n*/*pl.* muebles *m*/*pl.* de nogal; ⁀**braun** *adj.* de color nogal; ⁓**kern** *m* (-*es*; -*e*) almendra *f* de la nuez; ⁓**knakker** *m* cascanueces *m*; *fig. alter* ⁓ F vejestorio *m*; ⁓**kohle** *f* hulla *f* granulada, galleta *f* menuda; ⁓**öl** *n* (-*s*; -*e*) aceite *m* de nuez; ⁓**schale** *f* cáscara *f* de nuez; *grüne* ⁓ drupa *f* de nuez; ⁓**torte** *f* tarta *f* de nuez.

ˈ**Nüster** [y:] *f* (-; -*n*) (*Pferde*⁀) ollar *m.*

ˈ**Nut** [u:] *f*, ⁓**e** *f* ⊕ (*Fuge*) ranura *f*; (*Falz*) muesca *f*; ⁓ *und Feder* ranura y lengüeta; (*Keil*⁀) ranura *f* para chaveta; ⁀**en** *v*/*t.* encajar; hacer ranuras; ranurar; ⁓**enfräser** *m* fresa *f* para ranurar.

ˈ**Nutte** *f* ramera *f*; P *fig.* zorra *f*; fulana *f*; V puta *f*.

ˈ**nutz** *adj.* útil; *das ist zu nichts* ⁓ no sirve para nada; *zu j-s* ⁀ *und Frommen* en bien y provecho de alg.; ⁀**anwendung** *f* utilización *f*; aplicación *f* práctica; *e-r Fabel*: moraleja *f*; ⁓**bar** *adj.* utilizable; aprovechable; (*einträglich*) productivo; lucrativo; fructífero; ⁓ *machen* utilizar; aprovechar; ⁀**barmachung** *f* utilización *f*; aprovechamiento *m*; ⁓**bringend** *adj.* provechoso; beneficioso; útil; productivo; lucrativo; fructífero; *adv.* ⁓ *anlegen* (*Geld*) hacer producir; invertir productivamente; ~ *anwenden* emplear con provecho.

ˈ**nutze,** ˈ**nütze** *adj.* → *nutz.*

ˈ**Nutz-effekt** ⊕ *m* (-*ës*; -*e*) efecto *m* útil; (*Wirkungsgrad*) rendimiento *m* (efectivo).

ˈ**Nutzen** *m* utilidad *f*; (*Gewinn*) beneficio *m*; ganancia *f*; (*Vorteil*) ventaja *f*; (*Ertrag*) rendimiento *m*; fruto *m*; *von ~ sein* ser productivo; ser de utilidad; rendir ganancia (*od.* beneficio); *aus et. ~ ziehen* sacar provecho de a/c.; *j-m ~ bringen* producir beneficio a alg.

ˈ**nutzen,** ˈ**nützen** (-*t*) **1.** *v/t.* utilizar; aprovechar; **2.** *v/i.* ser útil; servir (*zu* para); *es nutzt nichts* es en balde; es inútil *od.* en vano.

ˈ**Nutz...:** **~fahrzeug** *n* (-*ës*; -*e*) vehículo *m* utilitario; vehículo *m* industrial; **~fläche** *f* superficie *f* utilizable; **~garten** *m* (-*s*; ¨) huerto *m*; **~gewicht** *n* (-*ës*; *0*) peso *m* útil; **~holz** *n* (-*es*; ¨*er*) madera *f* de labrar (*od.* de construcción); **~kraft** *f* (*0*) fuerza *f* útil (*od.* efectiva); **~last** *f* carga *f* útil; **~leistung** *f* rendimiento *m* efectivo.

ˈ**nützlich** *adj.* útil; provechoso; (*einträglich*) productivo; lucrativo; fructífero; (*vorteilhaft*) ventajoso; *sich ~ machen* hacerse útil; **2e(s)** *n* lo útil; *das Angenehme mit dem ~n verbinden* unir lo útil con lo agradable; **2keit** *f* utilidad *f*; ventajas *f/pl.*; **2keits-prinzip** *n* (-*s*; *0*) utilitarismo *m.*

ˈ**Nutz...:** **2los** *adj.* inútil; (*fruchtlos*) infructuoso; (*verschwendet*) perdido; (*Anstrengung*) estéril; **~losigkeit** *f* (*0*) inutilidad *f*; infructuosidad *f*; esterilidad *f*; **~nießer(in** *f*) *m* beneficiario (-a *f*) *m*; ⚖ usufructuario (-a *f*) *m*; **~nießung** *f* ⚖ usufructo *m*; **~pflanze** *f* planta *f* útil; **~strom** ⚡ *m* (-*ës*; *0*) corriente *f* útil.

ˈ**Nutzung** *f* utilización *f*; (*Aus*2) explotación *f*; (*Be*2) aprovechamiento *m*; (*Ertrag*) beneficio *m*; (*Nutznießung*) ⚖ usufructo *m*; **~s-dauer** *f* (*0*) ⊕ duración *f* útil; **~s-recht** *n* (-*ës*; -*e*) derecho *m* de utilización; ⚖ derecho *m* de usufructo; **~swert** *m* (-*ës*; *0*) valor *m* útil *od.* real.

ˈ**Nutz...:** **~vieh** *n* (-*ës*; *0*) animales *m/pl.* útiles; **~wert** *m* (-*ës*; *0*) valor *m* útil.

ˈ**Nylon** *n* (-*s*; *0*) nilón *m*; **~strümpfe** *m/pl.* medias *f/pl.* de nilón; **2verstärkt** *adj.* reforzado con nilón.

ˈ**Nymphe** *f* ninfa *f.*

O

O, o *n* O, o *f*; *fig. das A und das O* el alfa y omega.
o! *int.* ¡oh!; ¡ah!; *~ ja!* sí, ciertamente; *~ nein!* ¡oh, no!; al contrario; *~ weh!* ¡ay!; *~ doch!* ¡oh, ciertamente!; *~ Gott!* ¡oh, Dios mío!; *~ daß doch …!* ¡ojalá … (*subj.*)!
O'ase [o·ˈɑːzə] *f* oasis *m* (*a. fig.*).
ob I. *cj.* si; *als ~* como si (*subj.*); *tun, als ~* hacer como si …; aparentar …; *er tat, als ~ er mich nicht sähe* hizo como que no me veía; aparentó no verme; *es ist mir, als ~* … me parece que …; *es ist, als ~* … se diría que …; *alle, ~ groß, ~ klein* todos, grandes y pequeños; *und ~!* ¡y cómo!, ¡y de qué manera!; ¡ya lo creo!; ¡claro que sí!; *und ~ ich mich daran erinnere!* ¡vaya si me acuerdo!; **II.** *prp.* (*dat.*) *Geogr.* más allá de; del otro lado de; tras; más arriba de; (*gen.*) encima de; sobre; † (*wegen*) por; a causa de, por causa de.
'Obacht *f* (*0*) atención *f*; cuidado *m*; *~ geben* prestar atención; tener cuidado; *~!* ¡cuidado!, F ¡ojo!
'Obdach *n* (*-es*; *0*) albergue *m*; abrigo *m*, refugio *m*; asilo *m*; (*Wohnstätte*) morada *f*; (*Wohnung*) casa *f*, domicilio *m*; **⁀los** *adj.* sin domicilio; sin albergue; sin morada; sin asilo; *~ sein* no tener morada *od.* domicilio; estar sin albergue; **~lose(r)** *m* persona *f* sin hogar; (*Vagabund*) vagabundo *m*; *Asyl für ~* asilo nocturno; **~losigkeit** *f* (*0*) falta *f* de albergue.
Obdukti'on ⚕ *f* autopsia *f*.
obdu'zieren (-) ⚕ *v/t.* hacer la autopsia.
'O-Beine *n/pl.* piernas *f/pl.* estevadas.
'O-beinig *adj.* estevado.
Obe'lisk *m* (*-en*) obelisco *m*.
'oben *adv.* arriba; en la parte superior; (*in der Höhe*) en lo alto; (*Bilderklärung*) arriba; (*auf der Oberfläche*) en la superficie; *da* (*dort*) *~* ahí (allí) arriba; *nach ~* hacia arriba; *von ~* desde arriba; *von ~ herab* de lo alto; *fig.* (*hochnäsig*) con altivez; *von ~ bis unten* de arriba abajo; *Person*: de pies a cabeza; *weiter ~* más arriba; *siehe ~* véase (más) arriba; *wie ~ angegeben* como arriba se indica; *~ am Tisch* en la cabecera de la mesa; *~ auf dem Berge* en lo alto de la montaña; *auf Seite 10 ~* en la página diez, arriba; *fig.* F *ich habe es bis ~ hin* ya estoy hasta la coronilla; **~'an** *adv.* arriba; en lo (más) alto; (*in erster Reihe*) en primera fila; *~ auf der Liste* a la cabeza de la lista; *~ sitzen* (*am Tisch*) ocupar la cabecera de la mesa; **~'auf** *adv.* (por) encima; (*an der Oberfläche*) en la superficie; *fig. ~ sein* estar alegre y confiado; estar eufórico, (*die Oberhand haben*) dominar la situación; **~'drein** *adv.* aparte de ello; además; por añadidura; además de lo convenido; **~erwähnt, ~genannt** *adj.* arriba citado (*od.* mencionado *od.* indicado); susodicho; antes citado; **~hin** *adv.* por encima; *fig.* (*oberflächlich*) superficialmente; (*flüchtig*) someramente; de pasada; a la ligera; *~ abtun* pasar por alto; **~hinaus** *adv.*: *~ wollen* tener grandes aspiraciones; F picar muy alto; **~stehend** *adj.* → *obenerwähnt.*
'ober I. *adj.* superior; alto; más elevado; de arriba; *die ~en Stockwerke* los pisos altos; *die ~en Klassen* las clases acomodadas; las clases directoras; las altas clases; *die ~en Zehntausend* las altas clases de la sociedad; F *fig.* la gente gorda; la crema de la sociedad; **II.** ⁀ *m* (*Kellner*) camarero *m*.
'Ober…: **~arm** *Anat.* *m* (*-es*; *-e*) brazo *m*; **~armknochen** *Anat.* *m* húmero *m*; **~arzt** *m* (*-es*; *⸗e*) médico *m* jefe; subdirector *m* de clínica; **~aufseher** *m* inspector *m* general; superintendente *m*; **~aufsicht** *f* (*0*) inspección *f* general; superintendencia *f*; **~bau** *m* (*-es*; *-ten*) superestructura *f*; *Auto.* carrocería *f*; **~bayern** *Geogr.* *n* la Alta Baviera; **~befehl** ⚔ *m* (*-es*; *-e*) alto mando *m*; mando *m* supremo; **~befehlshaber** ⚔ *m* comandante *m* (*bzw.* general *m*) en jefe; **~begriff** *m* (*-es*; *-e*) término *m* genérico; **~bekleidung** *f* ropa *f* exterior; **~bett** *n* (*-es*; *-en*) sobrecama *f*, colcha *f*; *aus Daunen*: edredón *m*; **~buchhalter** ☤ *m* jefe *m* de contabilidad; **~bürgermeister** *m* alcalde(-presidente) *m*; **~deck** ⚓ *n* (*-s*; *-s*) cubierta *f* superior; **~deckbus** *m* (*-ses*; *-se*) autobús *m* con imperial; **~e(r** *m*) *m/f* *Rel.* superior(a *f*) *m*; (*Vorgesetzter*) superior *m*; jefe *m*; (*Chefin*) jefa *f*; **~e(s)** *n* parte *f* superior; **⁀faul** F *adj.* sumamente perezoso; (*Sache*) de mal cariz; **~feldwebel** ⚔ *m* brigada *m*.
'Oberfläche *f* superficie *f*; *auf der ~ des Wassers* a flor de agua; *an die ~ kommen* (*auftauchen*) salir a la superficie; *an* (*unter*) *der ~* en (bajo) la superficie.
'Oberflächen…: **~bearbeitung** *f* mecanización *f* de superficie; acabado *m* de superficies; **~beschaffenheit** *f* (*0*) estructura *f* (*od.* constitución *f*) de la superficie; **~härtung** *f* (*0*) (*Stahl*) temple *m* de superficie; **~spannung** *f* tensión *f* superficial; **~ver-edelung** *f* afinamiento *m* de superficies.
'oberflächlich *adj.* superficial (*a. fig.*); (*flüchtig*) somero; ligero; **⁀keit** *f* superficialidad *f*; carácter *m* superficial; (*Leichtfertigkeit*) ligereza *f*.
'Ober…: **~förster** *m* inspector *m* de montes; **~forstmeister** *m* inspector *m* general de montes; **~franken** *Geogr.* *n* la Alta Franconia; **~gärung** *f* (*Brauerei*) fermentación *f* alta; **~gefreite(r)** ⚔ *m* sargento *m*; **~geschoß** △ *n* (*-sses*; *-sse*) piso *m* superior; **~gesenk** ⊕ *n* (*-es*; *-e*) estampa *f* superior; **~gewalt** *f* (*0*) poder *m* supremo; autoridad *f* suprema; supremacía *f*; **⁀halb** *prp.* (*gen.*) más arriba de; por encima de; sobre; (*stromaufwärts*) aguas arriba; **~hand** *f* (*0*) *fig.* superioridad *f*; supremacía *f*; *die ~ haben* prevalecer, (pre)dominar; *die ~ gewinnen* imponerse; (*über ac.*) sobreponerse (a); obtener ventajas (sobre); vencer (a); **~haupt** *n* (*-es*; *⸗er*) jefe *m*; **~haus** *n* (*-es*; *0*) *Pol.* Cámara *f* Alta; **~haut** *f* (*-*; *⸗e*) epidermis *f*; **~häutchen** *n* cutícula *f*; **~hemd** *n* (*-es*; *-en*) camisa *f*; **~herrschaft** *f* (*Souveränität*) soberanía *f*; (*Überlegenheit*) supremacía *f*; (*Führerschaft*) hegemonía *f*; **~hoheit** *f* (*0*) (*Souveränität*) soberanía *f*; → *Obergewalt*; **~in** *f* *Rel.* superiora *f*; **~ingenieur** *m* (*-s*; *-e*) ingeniero *m* jefe; **⁀irdisch** *adj.* (*Leitung*) ⚡ aéreo; **~italien** *n* norte *m* de Italia; (la) Lombardía; **~kante** *f* borde *m* superior; **~kellner** *m* camarero *m* (jefe); **~kiefer** *Anat.* *m* maxilar *m* superior; **~'kirchenrat** *I.P.* *m* (*-es*; *⸗e*) (*Behörde*) consistorio *m* supremo; (*Person*) miembro *m* del consistorio supremo; **~klasse** *f* clase *f* superior; *Schule*: grado *m* superior; **~kommandierende(r)** ⚔ *m* comandante *m* en jefe; **~kommando** ⚔ *n* (*-s*; *-s*) alto mando *m*; cuartel *m* general; **~kommissariat** *n* (*-es*; *-e*) alta comisaría *f*; **~körper** *m* parte *f* superior del cuerpo; tronco *m*; busto *m*; **~landesgericht** *n* (*-es*; *0*) alto tribunal *m* regional; *Span.* audiencia *f* territorial; **~landesgerichtsrat** *m* (*-es*; *0*) *Span.* magistrado *m* (de audiencia territorial); **~lauf** *m* (*-es*; *⸗e*) *e-s Flusses*: curso *m* superior; **~leder** *n* pala *f*, empella *f*; **~lehrer** *m* maestro *m* superior de primera enseñanza; **~leitung** *f* dirección *f* general; ☤

gerencia *f*; ⚡ catenaria *f*; línea *f* aérea; **~leitungsbus** *m* (*-ses*; *-se*) trolebús *m*; **~leutnant** ⚔ *m* (*-s*; *-s*) teniente *m*; ⚓ alférez *m* de navío; **~licht** *n* (*-es*; *0*) luz *f* cenital; (*Lichtöffnung*) claraboya *f*; lumbrera *f*; **~lippe** *f* labio *m* superior; **~matrose** ⚓ *m* (*-n*) marinero *m* de primera; **~pfalz** *Geogr. f* el Alto Palatinado; **~'postdirektion** *f* administración *f* central de correos; **~priester** *m* arcipreste *m*; **~rabbiner** *m* gran rabino *m*; **~realschule** *f* instituto *m* de enseñanza media (*no humanístico*); **~'rechnungshof** *m* (*-es*; *0*) *Span.* Tribunal *m* de Cuentas; **~rhein** *Geogr. m* el Alto Rhin; **&rheinisch** *adj.* del Alto Rhin; **~schenkel** *Anat. m* muslo *m*; **~schenkelbein** *Anat. n* (*-es*; *-e*) fémur *m*; **~schicht** *f* capa *f* superior; *der Gesellschaft*: clases *f/pl.* altas; **~schlesien** *Geogr. n* la Alta Silesia; **~schulrat** *m* (*-es*; *⸚e*) inspector-jefe *m* de enseñanza primaria; **~schwester** ⚕ *f* (*-*; *-n*) enfermera *f* jefa; **~schwingung** *Phys. f* (vibración *f*) armónica *f*; **~seite** *f* lado *m* superior.

'oberst I. (*sup. v. ober*) *adj.* el *bzw.* lo más alto, la más alta; el *bzw.* lo primero, la primera; el, la, lo superior; *~e Gewalt* poder supremo; *&er Gerichtshof* Tribunal Supremo; *&er Bundesgerichtshof* Tribunal Supremo Federal; *~es Gesetz* ley suprema; **II.** & ⚔ *m* coronel *m*.

'Ober...: ~'staats-anwalt *m* (*-es*; *⸚e*) procurador *m* general; fiscal *m* superior; **~'stabs-arzt** ⚔ *m* (*-es*; *⸚e*) comandante *m* médico; **~ste(r** *m*) *m/f* superior *m/f*; **~ste(s)** *n* lo más alto; *das ~ zuunterst kehren* volver lo de arriba abajo; trastornarlo todo; F *fig.* dar la vuelta a la tortilla; **~steiger** ⚒ *m* capataz *m* minero; **~stimme** ♪ *f* (voz *f* de) tiple *m*; **~st'leutnant** ⚔ *m* (*-s*; *-s*) teniente *m* coronel; **~stübchen** *n fig.* F: *er ist nicht ganz richtig im ~* está tocado de la cabeza; le falta un tornillo; está un poco chiflado; **~studiendirektor** *m* (*-s*; *-en*) (**~studienrat** *m* [*-es*; *⸚e*]) director *m* (catedrático *m*) de un establecimiento oficial de enseñanza media; **~stufe** *f Schule*: grado *m* superior; **~tasse** *f* taza *f*; **~teil** *m/n* (*-es*; *-e*) parte *f* superior; **~ton** ♪ *m* (*-es*; *⸚e*) tono *m* concomitante; **~ver'waltungsgericht** *n* (*-es*; *-e*) tribunal *m* administrativo superior; **~wachtmeister** ⚔ *m* sargento *m* mayor; **~wasser** *n* aguas *f/pl.* arriba; *fig. ~ haben* tener la preponderancia; **~weite** *f Schneiderei*: medida *f* de pecho, busto *m*; **~welle** *Phys. f* onda *f* armónica; **~welt** *f* (*0*) tierra *f*; **~zahn** *m* (*-es*; *⸚e*) diente *m* de arriba.

ob'gleich *cj.* aunque; aun cuando; por más que; bien que; si bien; a pesar de que (*subj.*).

'Obhut *f* (*0*) (*Verwahrung*) custodia *f*; (*Beschirmung*) protección *f*; tutela *f*; vigilancia *f*, guardia *f*; salvaguardia *f*; (*Sorgfalt*) cuidado *m*; *in s-e ~ nehmen* tomar bajo su protección.

'obig *adj.* → *obenerwähnt.*

Ob'jekt *n* (*-es*; *-e*) objeto *m*; *Gr.* complemento *m* (*näheres* directo; *entfernteres* indirecto) (*Verhandlungsgegenstand*) asunto *m*.

objek'tiv *adj.* objetivo; (*unparteiisch*) imparcial.

Objek'tiv *n* (*-s*; *-e*) *Opt.* objetivo *m*.

objekti'vieren (-) *v/t.* hacer objetivo.

Objektivi'tät *f* (*0*) objetividad *f*.

Objek'tivverschluß *Phot. m* (*-sses*; *⸚sse*) obturador *m* del objetivo.

Ob'jektträger *m* porta-objetos *m*.

Ob'late [o·] *f Rel.* hostia *f*; (*Backwerk, Siegel*) oblea *f*.

'obliegen (*L*) *v/i.*: *e-r Sache* (*dat.*) ~ dedicarse a a/c.; *j-m* (*als Pflicht*) ~ incumbir a alg.; ser de la incumbencia de alg.; corresponder a alg.; ser obligación de alg.; **&heit** *f* obligación *f*; (*Pflicht*) deber *m*; (*Amt*) función *f*; (*Zuständigkeit*) incumbencia *f*.

obli'gat *adj.* obligatorio; (*unerläßlich*) indispensable; de rigor; (*unvermeidlich*) inevitable.

Obligati'on ✝ *f* obligación *f*; **~s-inhaber** *m* obligacionista *m*; **~s-schuld** *f* deuda *f* en obligaciones.

obliga'torisch *adj.* obligatorio.

'Obligo ✝ *n* (*-s*; *-s*) (*Verbindlichkeit*) obligación *f*; compromiso *m*; (*Bürgschaft*) garantía *f*.

'Obmann *m* (*-es*; *⸚er od. -leute*) jefe *m*; ✝ tercero *m*; ⚖ (*der Geschworenen*) presidente *m* del jurado; (*e-r Partei*) prohombre *m*; (*Schiedsmann*) árbitro *m*.

O'boe [o·'bo:ə] *f* oboe *m*.

Obo'ist *m* (*-en*) oboe *m*.

'Obolus *m* (*-*; *- od. -se*) óbolo *m*.

'Obrigkeit [o:] *f* autoridad *f* (pública); autoridades *f/pl.*; (*Regierung*) gobierno *m*; **&lich** *adj.* de la autoridad; *~e Gewalt* poder público; autoridad; **~sstaat** *m* (*-es*; *-en*) Estado *m* autoritario.

ob'schon *cj.* aunque; aún cuando; por más que; si bien; a pesar de que (*subj.*).

Observa'torium [ɔpzɛrva·'to:rĭum] *n* (*-s*; *Observatorien*) observatorio *m*.

'obsiegen (-) *v/t.* triunfar (*über ac.* sobre); vencer (a); *fig.* prevalecer (sobre).

obs'kur *adj.* obscuro, oscuro; (*unbekannt*) desconocido; **&'ant** *m* obscurantista *m*; **&an'tismus** *m* obscurantismo *m*.

'Obst [o:] *n* (*-es*; *0*) fruta *f*; frutas *f/pl.*; **~anbau** *m* (*-es*; *0*) fruticultura *f*; **~baum** *m* (*-es*; *⸚e*) árbol *m* frutal; **~baumzucht** *f* (*0*) fruticultura *f*; cultivo *m* de árboles frutales; **~ernte** *f* cosecha *f* (*od.* recolección *f*) de frutas; **~garten** *m* (*-s*; *⸚*) huerto *m* frutal; **~geschäft** *n* (*-es*; *-e*) frutería *f*; **~handel** *m* comercio *m* de frutas; **~händler(in** *f*) *m* frutero (-a *f*) *m*; **~handlung** *f* frutería *f*.

obsti'nat *adj.* obstinado.

'Obst...: ~kammer *f* (*-*; *-n*), **~keller** *m* aposento *m* para guardar frutas; **~kelter** *f* (*-*; *-n*) prensa *f* para frutas; **~kern** *m* (*-es*; *-e*) pepita *f*; (*Steinobst*) hueso *m*; **~konserven** *f/pl.* conservas *f/pl.* de frutas; **~korb** *m* (*-es*; *⸚e*) cesto *m* para recoger fruta; **~kuchen** *m* tarta *f* de frutas; **~lese** *f* → *Obsternte*; **~markt** *m* (*-es*; *⸚e*) mercado *m* de frutas; **~messer** *n* cuchillo *m* para frutas; **~pflanzung** *f* plantación *f* de árboles frutales; **~presse** *f* prensa *f* para frutas; **&reich** *adj.* rico en frutas.

Obstrukti'on *f* obstrucción *f*; **~s-politik** *f* (*0*) política *f* obstruccionista, obstruccionismo *m*; **~s-taktik** *f* táctica *f* obstruccionista.

'Obst...: ~salat *m* (*-es*; *-e*) ensalada *f* (*od.* macedonia *f*) de frutas; **~schale** *f* mondadura *f* de frutas; (*Schüssel*) frutero *m*; lavafrutas *m*; **~torte** *f* → *Obstkuchen*; **~wein** *m* (*-es*; *-e*) vino *m* de fruta; (*Apfelwein*) sidra *f*; **~zeit** *f* estación *f* (*od.* época *f*) de las frutas; **~zucht** *f* (*0*) fruticultura *f*; pomología *f*; **~züchter** *m* cultivador *m* de frutas, fruticultor *m*.

obs'zön [ɔps'tsø:n] *adj.* obsceno.

Obszöni'tät *f* obscenidad *f*.

'obwalten (*-e-*; -) *v/i.* (*mit persönlichem Subjekt*) reinar, imperar; (*mit sachlichem Subjekt*) ser, existir; *unter den ~den Umständen* en las circunstancias actuales; en estas circunstancias.

ob'wohl *cj.* → *obgleich.*

Ochs *m* (*-en*), **~e** ['ɔksə] *m* (*-n*) buey *m*; (*junger*) novillo *m*; *~en vor den Pflug spannen* uncir los bueyes al arado; *die ~en hinter den Pflug spannen fig.* uncir los bueyes detrás del carro; F *fig.* (*dummer Kerl*) estúpido *m*, zote *m*; (*grober Lümmel*) palurdo *m*; *wie der ~ vorm Berg dastehen* estar perplejo; no saber qué hacer; F quedarse alelado.

'ochsen (*-t*) F *v/i.* trabajar como un azacán; F trabajar como un burro (*od.* como un bestia); *Sch.* (*büffeln*) empollar.

'Ochsen...: ~auge *n* (*-s*; *-n*) *Kochkunst*: huevo *m* frito; **~fleisch** *n* (*-es*; *0*) carne *f* de buey; **~gespann** *n* (*-es*; *-e*) yunta *f* de bueyes; **~haut** *f* (*-*; *⸚e*) cuero *m* de buey; **~maulsalat** *m* (*-es*; *-e*) ensalada *f* de morro de buey; **~schwanz** *m* (*-es*; *⸚e*) rabo *m* (*od.* cola *f*) de buey; **~schwanzsuppe** *f* sopa *f* de rabo de buey; **~stall** *m* (*-es*; *⸚e*) establo *m*; **~treiber** *m* vaquero *m*; boyero *m*; **~ziemer** *m* vergajo *m*; **~zunge** *f* lengua *f* de buey.

'Ocker *Min. m* ocre *m*; **&haltig** *adj.* ocroso.

'Ode [o:] *f* oda *f*.

'öde [ø:] *adj.* desierto; (*unbewohnt*) despoblado; inhabitado; (*unbebaut*) inculto; yermo; (*einsam*) solitario; *fig.* aburrido.

'Öde *f* desierto *m*; (*Einöde*) soledad *f*; yermo *m*; (*Langeweile*) aburrimiento *m*; (*Leere*) vacío *m*; (*Eintönigkeit*) monotonía *f*.

'Odem *Poes. m* (*-s*; *0*) hálito *m*; aliento *m*.

Ö'dem ⚕ *n* (*-s*; *-e*) edema *m*; **&a'tös** *adj.* edematoso.

'oder *cj.* o; *vor* o *u.* ho: u; *zwischen Zahlen*: ó; (*sonst*) o si no; en otro caso; *~ auch* o bien.

'Oder *f*: *die ~* el (río) Oder.

'Ödipus *m* Edipo *m*; **~komplex** *m* (*-es*; *0*) complejo *m* de Edipo.

'Ödland *n* (-*es*; ⸚*ereien*) (*unbebautes Land*) terreno *m* baldío (*od.* inculto); yermo *m*; (*Wüste*) desierto *m*.
Odyssee [o·dy'se:] *f* Odisea *f*; (*Irrfahrt*) odisea *f*.
O'dysseus *m* Ulises *m*.
'Ofen *m* (-*s*; ⸚) (*Stuben*2) estufa *f*; (*Kamin*) chimenea *f*; (*Back*2, *Koch*2, *Schmelz*2) horno *m*; (*Hoch*2) alto horno *m*; (*Kachel*2) estufa *f* de azulejos; (*Gas*2) estufa *f* de gas; (*Kanonen*2) anaf(r)e *m*; **~bank** *f* (-; ⸚*e*) asiento *m* adosado a la chimenea; **~ecke** *f* rincón *m* (junto al fuego) de la chimenea; **~gabel** *f* (-; -*n*) hurgón *m*; **~klappe** *f* válvula *f* de la estufa; **~loch** *n* (-*es*; ⸚*er*) boca *f* de(l) horno; **~rohr** *n* (-*es*; -*e*), **~röhre** *f* cañón *m* del horno; tubo *m* de la estufa; *zum Backen*: horno *m*, *klein*: hornillo *m*; **~rost** *m* (-*es*; -*e*) parrilla *f*; **~ruß** *m* (-*es*; *0*) hollín *m*; **~schaufel** *f* (-; -*n*) badila *f*; paleta *f*; **~schirm** *m* (-*es*; -*e*) pantalla *f* (de estufa); **~setzer** *m* fumista *m*; **~tür** *f* puerta *f* del horno; puertecilla *f* de la estufa; **~zug** *m* (-*es*; *0*) tiro *m* del horno; (*Kanal*) canal *m* de humos.
'offen I. *adj.* abierto; (*freimütig*) franco; (*aufrichtig*) sincero; (*treuherzig*) ingenuo; cándido; (*ohne Dach*) a cielo abierto; *Wagen, Wunde*: abierto; *Stelle*: vacante; *Problem, Frage*: en suspenso; pendiente; *Kredit*: ilimitado; *Stadt*: ⚔ no fortificado, abierto; *halb* ~ (*Tür*) entreabierto; (*angelehnt*) entornado; *weit* ~ (*Tür, Fenster*) de par en par; ~*er Brief* carta abierta; ~*e Feldschlacht* batalla campal; *mit* ~*en Armen* con los brazos abiertos; *bei* ~*en Türen* a puertas abiertas; *Politik der* ~*en Tür* política de puerta abierta; ~*er Wein* vino en garrafa; *auf* ~*er See* en alta mar; *auf* ~*er Straße* en plena calle; *mit* ~*em Mund* boquiabierto, con la boca abierta; ~*er Feind* enemigo declarado; *auf* ~*em Felde* en pleno campo; a campo abierto (*od.* raso); al aire libre; ~*e Rechnung* cuenta abierta; ~*es Giro* endoso en blanco; ~*er Wechsel* letra abierta; ~*e Handelsgesellschaft* sociedad colectiva; **II.** *adv.* (*freiliegend*) al descubierto; ~ *zutage liegen* ser manifiesto *od.* evidente; ~ *gesagt* a decir verdad; hablando (*od.* dicho) con franqueza; F hablando en plata; ~ *heraus* sin rodeos; ~ *reden* hablar francamente; *die Augen* ~ *haben* tener (*od.* estar con) los ojos abiertos; ~ *spielen* jugar a cartas vistas.
'offenbar I. *adj.* manifiesto; (*offenkundig*) patente, palmario; (*augenscheinlich*) evidente; ostensible; (*sichtbar*) visible; (*greifbar*) palpable; (*allgemein bekannt*) notorio; **II.** *adv.* por lo visto; (*augenscheinlich*) evidentemente; (*sichtbar*) visiblemente; (*allgemein bekannt*) notoriamente; ~ *werden* manifestarse; revelarse.
offen'bar|en (-) *v/t.* manifestar; dar a conocer; *Geheimnis*: revelar; descubrir; *sich* ~ manifestarse; revelarse; *sich j-m* ~ confiarse a alg.; abrir su corazón a alg.; **2ung** *f* manifestación *f*; revelación *f* (*a. Rel.*); *die* ~ *Johannis* el Apocalipsis (de San Juan); **2ungs-eid** ⚖ *m* (-*es*; -*e*) juramento *m* declarativo.
'offen...: ~bleiben (*L*; *sn*) *v/i.* quedar pendiente (*od.* en suspenso); **~halten** (*L*) *v/t.* mantener (*bzw.* dejar) abierto; *fig.* reservar; **2heit** *f* (*0*) franqueza *f*; sinceridad *f*; **~herzig** *adj.* franco; abierto; (*aufrichtig*) sincero; (*treuherzig*) ingenuo; cándido; **2herzigkeit** *f* (*0*) franqueza *f*; (*Aufrichtigkeit*) sinceridad *f*; (*Treuherzigkeit*) ingenuidad *f*; candidez *f*; **~kundig** *adj.* público; notorio; patente; ~*e Tatsache* hecho notorio (*od.* sabido de todos); **2kundigkeit** *f* notoriedad *f*; **~lassen** (*L*) *v/t.* dejar abierto; (*beim Schreiben*) dejar en blanco; *e-e Frage* ~ dejar pendiente (*od.* en suspenso) una cuestión; **2marktpolitik** ✝ *f* (*0*) política *f* de mercado libre; **~sichtlich I.** *adj.* manifiesto; evidente; patente; que salta a la vista; **II.** *adv.* manifiestamente; evidentemente.
offen'siv *adj.* ofensivo; **2e** [v] *f* ⚔ ofensiva *f*; *die* ~ *ergreifen* tomar la ofensiva.
'offenstehen (*L*) *v/i.* estar abierto; *Stelle*: estar vacante; *es steht Ihnen offen, zu* (*inf.*) queda a su arbitrio (*inf.*); es usted enteramente libre de (*inf.*); **~d** *adj.* abierto; ~*e Rechnung* cuenta no saldada; (*Warenrechnung*) factura no pagada.
'öffentlich I. *adj.* público; (*allgemein*) general; común; *die* ~*e Hand* el Estado; *das* ~*e Recht* el derecho público; ~*es Amt* función pública; ~*e Gelder* erario público; ~*e Versteigerung* venta en subasta pública; ~*e Bekanntmachung* anuncio público; ~*e Lasten* cargas públicas; ~*e Versammlung* (*Sitzung*) reunión (sesión) pública; ~*es Leben* vida pública; *Mann des* ~*en Lebens* hombre público; ~*e Meinung* opinión pública; ~*es Interesse* interés público; ~*e Ordnung* orden público; *Erregung* ~*en Ärgernisses* escándalo público; ~*er Betrieb* empresa de utilidad pública; **II.** *adv.*: ~ *reden* hablar en público; ~ *bekanntmachen* publicar, hacer público; anunciar; **2keit** *f* (*0*) publicidad *f*; (*Publikum*) público *m*; *in der* ~ en público; *an die* ~ *treten* presentarse al público; *an die* ~ *bringen, der* ~ *übergeben* publicar; dar a la publicidad; *Verhandlung unter Ausschluß der* ~ ⚖ juicio a puertas cerradas; **~-rechtlich** *adj.* de derecho público.
offe'rieren (-) *v/t.* ofrecer.
Of'ferte *f* oferta *f*.
Offizi'alverteidiger ⚖ *m* defensor *m* de oficio.
offizi'ell [-i·'tsĭ-] *adj.* oficial; ~*e Feier*(*lichkeit*) ceremonia oficial.
Offi'zier *m* (-*s*; -*e*) ⚔, ⚓ oficial *m*; *erster* ~ ⚓ segundo comandante *m*; ~ *vom Dienst* oficial de servicio; **~s-anwärter** *m* aspirante *m* a oficial; cadete *m*; **~sbursche** *m* (-*n*) asistente *m*; **~sschule** *f* escuela *f* militar; **~skasino** *n* (-*s*; -*s*) comedor *m* de oficiales; **~skorps** *n* (-; -) cuerpo *m* de oficiales; oficialidad *f*; **~slaufbahn** *f* (*0*) carrera *f* de oficial; **~smesse** ⚓ *f* cámara *f* de oficiales; comedor *m* de oficiales; **~spatent** *n* (-*es*; -*e*) despacho *m* (de oficial); **~srang** *m* (-*es*; *0*) grado *m* de oficial.
Offi'zin *f* (*Apotheke*) farmacia *f*; (*Laboratorium*) laboratorio *m*; (*Buchdruckerei*) imprenta *f*; taller *m* tipográfico.
offizi'nell *Phar. adj.* oficinal.
'öff|nen (-*e*-) *v/t.* abrir; (*Flasche*) descorchar; (*Zugeknöpftes*) desabrochar; *e-e Leiche* ~ hacer la autopsia a un cadáver; *hier* ~! ¡ábrase por este lado!; *j-m über et.* (*ac.*) *die Augen* ~ *fig.* abrir a alg. los ojos sobre a/c.; desengañar a alg.; *sich* ~ abrirse; **2nen** *n* apertura *f*; (*Leichen*2) autopsia *f*; **2nung** *f* apertura *f*; abertura *f*; (*Mündung*) orificio *m*; (*Loch*) agujero *m*, *in Wänden*: boquete *m*; (*Schlitz*) rendija *f*; hendidura *f*; (*Eingang*) entrada *f*; (*Bresche*) brecha *f*; (*Leichen*2) autopsia *f*; **2nungszeiten** *f/pl.* horas *f/pl.* de apertura.
'Offsetdruck *Typ. m* (-*es*; -*e*) *angl.* impresión *f* offset.
oft *adv.* a menudo; muchas veces; con frecuencia, frecuentemente; *so und so* ~ tantas veces; tantas y tantas veces; *wie oft?* ¿cuántas veces?; *wie* ~! ¡cuántas veces!; *sehr* ~ muy a menudo.
'öfter (*comp. v. oft*) con más frecuencia; más a menudo; *je* ~ *ich ihn sehe, desto* ... cuantas más veces le veo, tanto más ...; **~s** *adv.* con frecuencia; muy a menudo; reiteradas (*od.* repetidas) veces.
'oftmal|ig *adj.* repetido, reiterado; frecuente; **~s** *adv.* muchas veces; repetidas (*od.* reiteradas) veces; frecuentemente, con frecuencia.
oh! *int.* ¡oh!
Ohm ⚡ *n* (-; -) ohmio *m*; ~*sches Gesetz* ley de Ohm; ~*scher Widerstand* resistencia óhmica; **'~meter** *m* ohmiómetro *m*.
'ohne I. *prp.* (*ac.*) sin; ~ *allen Zweifel*, ~ *Frage* sin ninguna duda; sin duda alguna; ~ *mein Wissen* sin saberlo yo; ~ *Ausnahme* sin excepción; ~ *weiteres* sin más; sin reparo, sin inconveniente; sin más ni más; *das ist nicht ganz* ~ no está mal; **II.** *cj.*: ~ *daß* ... sin que (*subj.*); ~ *zu* ... (*inf.*) sin ... (*inf.*); ~ *et. zu sagen* sin decir nada; ~ *j-n gesehen zu haben* sin haber visto a nadie; ~ *die Adresse zu hinterlassen* sin dejar dirección; **~'dies, ~'hin** *adv.* sin esto; (*außerdem*) además; (*übrigens*) por lo demás; (*sowieso*) de todos modos; **~'gleichen** *adv.* sin igual, sin par; (*unvergleichlich*) incomparable; (*einzig*) único; (*zeitlich*) sin precedente.
'Ohn|macht *f* impotencia *f*; (*Schwäche*) debilidad *f*; ⚕ (*Bewußtlosigkeit*) desvanecimiento *m*, desmayo *m*; síncope *m*; *in* ~ *fallen* desmayarse; sufrir un síncope; **2mächtig** *adj.* impotente; (*schwach*) débil; (*bewußtlos*) desmayado; sin sentido, sin conocimiento; ~ *werden* desmayarse; perder el sentido (*od.* el conocimiento).
o'ho! *int.* ¡hola!; (*Verwunderung*) ¡vaya!; F ¡menuda!
Ohr *n* (-*es*; -*en*) (*äußeres*) oreja *f*;

(*inneres*) oído *m*; (*Esels*♀ *im Buch*) doblez *m*; *inneres* (*äußeres*) ~ oído interno (externo); *ein feines* ~ *haben* tener el oído fino; *j-m ein williges* ~ *leihen* escuchar con benevolencia a alg.; *ganz* ~ *sein* ser todo oídos; *ihm klingen die* ~*en* le zumban los oídos; *die* ~*en hängen lassen* bajar las orejas; *mit hängenden* ~*en* con las orejas gachas; *j-m die* ~*en voll schreien* aturdir (*od.* atronar) a alg. los oídos; *tauben* ~*en predigen* predicar en desierto; *die* ~*en spitzen* aguzar las orejas; *fig.* prestar mucha atención; aguzar el oído; *die* ~*en steif halten* mantenerse firme; *j-n am* ~ *ziehen* tirar a alg. de la oreja; dar a alg. un tirón de orejas; *ich höre nicht gut auf diesem* ~ no oigo bien de este oído; *sich aufs* ~ *legen* acostarse; *j-m eins hinter die* ~*en geben* dar un bofetón a alg.; *schreibe es dir hinter die* ~*en!* ¡date por advertido!; ¡quedas avisado!; *noch nicht trocken hinter den* ~*en sein* estar recién salido del cascarón; *er hat es faustdick hinter den* ~*en* F *fig.* es un vivales; tiene más conchas que un galápago; tiene mucha trastienda; está de vuelta de todos los viajes; tiene muchas horas de vuelo; *sich* (*verlegen*) *hinter dem* ~ *kratzen* rascarse (perplejo) detrás de la oreja; *fig. j-m in den* ~*en liegen* importunar (F dar la lata) a alg. con incesantes ruegos; *j-m et. ins* ~ *sagen* (*flüstern*) decir (susurrar) a alg. a/c. al oído; *fig. j-m e-n Floh ins* ~ *setzen* echarle a alg. la pulga detrás de la oreja; *nur mit halbem* ~ *zuhören* escuchar a medias; *fig. übers* ~ *hauen* engañar (*od.* embaucar) a alg.; chasquear a alg.; tomar el pelo a alg.; *fig. j-m das Fell über die* ~*en ziehen* desollar vivo a alg.; dejar a alg. desplumado (*od.* a la cuarta pregunta); *bis über die* ~*en* hasta las orejas; *bis über die* ~*en in Schulden stecken* estar entrampado hasta las cejas; *bis über die* ~*en erröten* ponerse colorado como un tomate; *bis über die* ~*en in j-n verliebt sein* estar perdidamente enamorado (*od.* enamorada) de alg.; *j-m et. zu* ~*en bringen* enterar (*od.* informar) a alg. de a/c.; *zu e-m* ~ *hinein- und zum anderen wieder hinausgehen* entrar por un oído y salir por el otro; *zu* ~*en kommen* llegar a oídos de; *es ist mir zu* ~*en gekommen, daß* ... he oído decir que ...; me han dicho que ...; *wer* ~*en hat, der höre!* a buen entendedor, media palabra le basta.

Öhr ⊕ *n* (*-es*; *-e*) (*Öse*) ojete *m*; (*Henkel*) asa *f*, oreja *f*; (*Nadel*♀) ojo *m* de la aguja.

ˈ**Ohrclip** *m* zarcillo *m*.

ˈ**Ohren...**: ~**arzt** *m* (*-es*; *⸗e*) otólogo *m*; ~**beichte** *Rel. f* confesión *f* auricular; ♀**betäubend** *adj.* ensordecedor; atronador; ~**bluten** ⚕ *n* otorragia *f*; ~**brausen** *n* zumbido *m* de oídos; ~**entzündung** *f* inflamación *f* del oído; ⚕ otitis *f*; ~**fluß** *m* (*-sses*; *0*) supuración *f* del oído; ⚕ otorrea *f*; ~**klappe** *f* orejera *f*; ~**klingen** *n* → *Ohrenbrausen*; ~**leiden** ⚕ *n* enfermedad *f* del oído; ~**reißen** *n* dolor *m* de oídos; ⚕ otalgia *f*; ~**sausen** ⚕ *n* → *Ohrenbrausen*; ~**schmalz** *Physiol. n* (*-es*; *0*) cerumen *m*; ~**schmaus** *m* (*-es*; *0*) música *f* deliciosa; deleite *m* para el oído; *es ist ein* ~ da gusto escucharlo; ~**schmerz** *m* (*-es*; *-en*) dolor *m* de oídos; ⚕ otalgia *f*; ~**schützer** *m* → *Ohrenklappe*; ~**sessel** *m* butaca *f* de orejas; ~**spezialist** *m* (*-en*) otólogo *m*; ~**spiegel** ⚕ *m* espéculo *m* auricular, otoscopio *m*; ~**spritze** ⚕ *f* jeringa *f* auricular; ♀**zerreißend** *adj.*: ~*e Musik* música para ensordecer (*od.* desgarrar el tímpano); ~**zeuge** *m* (*-n*) testigo *m* auricular.

ˈ**Ohr...**: ~**eule** *Orn. f* buho *m*; ~**feige** *f* bofetada *f*; bofetón *m*; F torta *f*; *e-e* ~ *bekommen* (*versetzen*) recibir (dar) una bofetada; ♀**feigen** *v/t.* abofetear (*ac.*), dar (*od.* pegar) una bofetada; ~**gehänge** *n* pendientes *m/pl.*; ~**läppchen** *n* lóbulo *m* de la oreja; ~**loch** *n* (*-es*; *⸗er*) *Anat.* orificio *m* externo del conducto auditivo; ~**löffel** *m* escarbaorejas *m*; ~**muschel** *Anat. f* (*-*; *-n*) pabellón *m* de la oreja; ~**ring** *m* (*-es*; *-e*) arete *m*; ~**speicheldrüse** *Anat. f* glándula *f* parótida; ~**speicheldrüsen-entzündung** ⚕ *f* parotiditis *f*; ~**wurm** *Zoo. m* (*-es*; *⸗er*) tijereta *f*; ~**zipfel** *m* punta *f* de la oreja.

okˈkult *adj.* oculto.

Okkulˈtis|mus *m* (*-*; *0*) ocultismo *m*; ~**t** *m* (*-en*) ocultista *m*; ♀**tisch** *adj.* ocultista; oculto.

Ökoloˈgie *f* (*0*) ecología *f*.

Ökoˈnom *m* (*-en*) economista *m*; (*Landwirt*) agricultor *m*; agrónomo *m*; (*Verwalter*) administrador *m*; mayordomo *m*.

Ökonoˈmie *f* (*0*) economía *f*; (*Landwirtschaftskunde*) agronomía *f*.

ökoˈnomisch *adj.* económico; (*landwirtschaftskundlich*) agrónomo.

Oktaˈeder [eː] ⚗ *n* octaedro *m*.

Okˈtant ⚓ *m* (*-en*) octante *m*.

Okˈtav *n*, ~**format** *n* (*-es*; *-e*) (tamaño *m*) en octavo; (*Abk.* 8°); ~**band** *m* (*-es*; *⸗e*) tomo *m* en octavo; ~**e** [v] ♪ *f* octava *f*.

Okˈtett *n* (*-es*; *-e*) ♪ octeto *m*.

Okˈtober *m* octubre *m*; *im* ~ en octubre; ~**fest** *n* (*-es*; *-e*) fiesta *f* de octubre (de Munich).

Oku|ˈlar *n* (*-s*; *-e*) *Opt.* ocular *m*; ♀ˈ**lieren** (*-*) *v/t.* ✂ injertar; ~ˈ**lieren** *n* injerto *m*; ~ˈ**liermesser** *n* navaja *f* de injertar; ~ˈ**lierreis** *n* (*-es*; *-er*) injerto *m*, púa *f*; ~ˈ**lierung** *f* injerto *m*.

ökuˈmenisch *adj.* ecuménico; ~*es Konzil* concilio ecuménico; ~*er Rat* consejo ecuménico.

ˈ**Okzident** *m* (*-es*; *0*) Occidente *m*.

okzidenˈtal *adj.* occidental.

Öl *n* (*-es*; *-e*) aceite *m*; (*Erd*♀) petróleo *m*; (*Schmier*♀) aceite *m* lubrificante; (*Heiz*♀) aceite *m* combustible; (*Oliven*♀) aceite *m* de oliva; (*Rel.*, *Mal.*) óleo *m*; *tierisches* (*pflanzliches*; *ätherisches*) ~ aceite animal (vegetal; volátil); *geweihtes* ~ santos óleos; *in* ~ (*Konserven*) en aceite; *in* ~ *malen* pintar al óleo; *fig.* ~ *ins Feuer gießen* echar leña (*od.* aceite) al fuego.

ˈ**Öl...**: ~**ablaß** ⊕ *m* (*-sses*; *⸗sse*) purga *f* de aceite; ~**abscheider** *m* separador *m* de aceite; ~**anstrich** *m* (*-es*; *-e*) pintura *f* al aceite; ~**bad** *n* (*-es*; *⸗er*) baño *m* de aceite; ~**baum** ♀ *m* (*-es*; *⸗e*) olivo *m*; ~**behälter** *m* depósito *m* de aceite; ~**berg** *Bib. m* Monte *m* de los Olivos; ~**bild** *n* (*-es*; *-er*) cuadro *m* al óleo; ~**blatt** ♀ *n* (*-es*; *⸗er*) hoja *f* de olivo; ~**druck** *m* (*-es*; *0*) ⊕ presión *f* de aceite; (*Ölfarbendruck*) (*-es*; *-e*) cromolitografía *f*, oleografía *f*; ~**druck-anzeiger** *m* indicador *m* de presión de aceite; ~**druckbremse** *f* freno *m* de aceite hidráulico; ~**druckschmierung** *f* engrase *m* por aceite a presión.

Oleˈander [oˑleˑˈa-] ♀ *m* oleandro *m*, laurel *m* rosa.

Oleˈin ⚗ *n* (*-s*; *-e*) oleína *f*; ~**säure** *f* ácido *m* oleico.

ˈ**ölen I.** *v/t.* aceitar; (*schmieren*) engrasar; lubrificar, lubricar; **II.** ♀ *n* engrase *m*; lubrificación *f*, lubricación *f*.

ˈ**Öler** *m* engrasador *m*; (*Kännchen*) aceitera *f*.

ˈ**Öl...**: ~**farbe** *f* pintura *f* al óleo; *des Anstreichers*: pintura *f* al aceite; *mit* ~ *malen* (*Künstler*) pintar al óleo; ~**farbendruck** *m* (*-es*; *-e*) cromolitografía *f*; ~**feld** *n* (*-es*; *-er*) campo *m* petrolífero; ~**feuerung** *f* (*0*) combustión *f* de petróleo; ~**filter** *m* filtro *m* de aceite; ~**fläschchen** *n*, ~**flasche** *f* aceitera *f*; ~**fleck** *m* (*-es*; *-e*) mancha *f* de aceite; ~**frucht** *f* (*-*; *⸗e*) fruto *m* oleaginoso; ~**fund** *m* (*-es*; *-e*) descubrimiento *m* de un yacimiento petrolífero; ~**gas** *n* (*-es*; *-e*) gas *m* de petróleo; ~**gemälde** *n* cuadro *m* al óleo; ~**gemisch** *n* (*-es*; *-e*) mezcla *f* de petróleo y gasolina; ~**gesellschaft** *f* (*Erd*♀) compañía *f* de petróleos; ~**gewinnung** *f* (*0*) producción *f* de petróleo; ~**götze** F *m*: *wie ein* ~ *dastehen* estar como un pasmarote; ♀**haltig** *adj.* aceitoso; oleoso; ♀ oleaginoso; (*erd*~) petrolífero; ~**heizung** *f* calefacción *f* con petróleo *bzw.* con aceite combustible; ♀**ig** *adj.* aceitoso; untuoso; oleoso; ♀ oleaginoso.

Oli|ˈgarch *m* (*-en*) oligarca *m*; ~**garˈchie** *f* oligarquía *f*; ♀ˈ**garchisch** *adj.* oligárquico.

Oˈlive [v] ♀ *f* oliva *f*, aceituna *f*; ~**n-anbau** *m* (*-es*; *0*) olivicultura *f*; ~**nbaum** ♀ *m* (*-es*; *⸗e*) olivo *m*; ~**nernte** *f* cosecha *f* (*od.* recolección *f*) de la aceituna; ~**nfarbe** *f* color *m* (de) aceituna; ♀**nfarben**, ♀**nfarbig**, ♀**ngrün** *adj.* color aceituna; aceitunado; verde oliva; ♀**nförmig** *adj.* en forma de oliva; ~**nhain** *m* (*-es*; *-e*) olivar *m*; ~**n-öl** *n* (*-es*; *0*) aceite *m* de oliva; ~**npflanzung** *f* olivar *m*.

ˈ**Öl...**: ~**kanister** *m* bidón *m*; ~**kännchen** *n*, ~**kanne** *f* aceitera *f*; ~**konzession** *f* concesión *f* petrolífera; ~**kuchen** *m* aceitada *f*, bollo *m* de aceite; ~**lampe** *f* lámpara *f* de aceite; candil *m* (de aceite); ~**leitung** *f* oleoducto *m*; ~**maleˈrei** *f* pintura *f* al óleo; ~**motor** *m* (*-s*; *-en*) motor *m* de aceite; ~**mühle** *f* molino *m* aceitero; almazara *f*; ~**müller** *m* aceitero *m*; ~**palme** ♀ *f* palma *f* oleífera; **~papier** *n* (*-es*; *-e*) papel *m* parafinado; **~pflanzen** ⚘ *f/pl.* plantas *f/pl.* oleaginosas; **~presse** *f* prensa *f* de aceite; **~produktion** *f* (*0*) producción *f* de aceite; **~pumpe** *f* bomba *f* de aceite; **~quelle** *f* pozo *m* de petróleo; **~raffinerie** *f* refinería *f* de aceite *bzw.* de petróleo; **~reinigung** *f* purificación *f* de aceite; **~same** *m* (*-ns*; *-n*) semilla *f* oleaginosa; **~sardinen** *f/pl.* sardinas *f/pl.* en aceite; **~säure** ⚗ *f* ácido *m* oleico; **~schalter** ⚡ *m* interruptor *m* en aceite; **~schiefer** *Geol.* *m* pizarra *f* bituminosa; **~schmierung** *f* engrase *m* con aceite; **~sieb** *n* (*-es*; *-e*) tamiz *m* de aceite; **~stand** *m* (*-es*; *0*) nivel *m* del aceite; **~standanzeiger** *m* indicador *m* del nivel de aceite; **~stoßdämpfer** *m* amortiguador *m* hidráulico; **~tank** *m* (*-s*; *-s*) depósito *m* de aceite; **~tanker** ⚓ *m* buque *m* cisterna; petrolero *m*; **~tuch** *n* (*-es*; *¨er*) tela *f* impregnada de aceite; lona *f* aceitada.

'Ölung *f* ⊕ engrase *m*; lubrificación *f*, lubricación *f*; *Rel.* unción *f*; *die Letzte ~* la Extremaunción.

'Öl...: **~verbrauch** *m* (*-es*; *0*) consumo *m* de aceite; **~versorgung** *f* (*0*) abastecimiento *m* de aceite; **~vorkommen** *n* yacimiento *m* petrolífero; **~wanne** *f* *Auto.* cárter *m*; **~wechsel** *m* *Auto.* cambio *m* de aceite.

O'lymp *m* *Myt.* Olimpo *m*; *Thea.* F *fig.* paraíso *m*; gallinero *m*.

Olympi'ade *f* olimpiada *f*.

O'lympia|mannschaft *f* equipo *m* olímpico; **~sieger(in** *f*) *m* campeón *m* olímpico; campeona *f* olímpica; **~stadion** *n* (*-s*; *-stadien*) estadio *m* olímpico.

o'lympisch *adj.* olímpico; *2e Spiele* juegos olímpicos; *das Internationale 2e Komitee* (*Abk.* IOK) el Comité Olímpico Internacional (*Abk.* C.O.I.); *~es Dorf* villa *f* olímpica.

'Öl...: **~zeug** ⚓ *n* (*-es*; *0*) vestimenta *f* impermeabilizada; **~zuführung** ⊕ *f* alimentación *f* de aceite; **~zweig** *m* (*-es*; *-e*) rama *f* (*od.* ramo *m*) de olivo.

'Oma F *f* (*-*; *-s*) abuelita *f*.

Ome'lett *n* (*-es*; *-e od. -s*) tortilla *f*.

'Omen *n* (*-s*; *- od. Omina*) presagio *m*; augurio *m*.

omi'nös *adj.* ominoso; de mal agüero.

'Omnibus *m* (*-ses*; *-se*) ómnibus *m*; autobús *m*; **~fahrer** *m* conductor *m* de autobús; **~haltestelle** *f* parada *f* de autobuses; **~linie** *f* línea *f* de autobuses; **~schaffner** *m* cobrador *m* de autobús.

Ona'nie *f* (*0*) onanismo *m*; masturbación *f*; **2ren** (-) *v/i.* masturbarse.

Ondu|lati'on *f* ondulación *f*; **2'lieren** (-) *v/t.* ondular; **~'lierhaube** *f* casco *m* ondulador.

'Onkel ['ɔŋk-] *m* tío *m*; **~ehe** F *f* concubinato *m*; *in ~ leben* vivir amancebados, F estar amontonados.

onomato|po'etisch, ~pö'etisch *Gr. adj.* onomatopéyico; **2pö'ie** *f* onomatopeya *f*.

Onto|ge'nese *f* (*0*) ontogenia *f*; **~lo'gie** *f* (*0*) ontología *f*; **2'logisch** *adj.* ontológico.

'Onyx *Min.* *m* (*-es*; *-e*) ónice *m*, ónix *f*.

'Opa F *m* (*-s*; *-s*) abuelito *m*.

o'pak *adj.* opaco.

O'pal *Min.* *m* (*-s*; *-e*) ópalo *m*; **2artig** *adj.* opalino; **~glas** *n* (*-es*; *¨er*) cristal *m* opalino.

opali'sieren I. (-) *v/i.* irisar; tener reflejos *m/pl.* opalinos; **II.** 2 *n* opalescencia *f*; **~d** *adj.* opalescente; opalino; irisado.

'Oper *f* (*-*; *-n*) ópera *f*; drama *m* lírico; (*Gebäude*) teatro *m* de la Opera; Opera *f*; *komische ~* ópera cómica.

Opera'teur *m* (*-s*; *-e*) operador *m* (*a. Film*); *Chir.* operador *m*; (*Chirurg*) cirujano *m*.

Operati'on *f* operación *f*; *Chir. a.* intervención *f* quirúrgica; *nach der ~ stattfindend* postoperatorio; *e-e ~ vornehmen* operar; hacer una operación (*od.* una intervención quirúrgica); **~sbasis** ⚔ *f* (*-*; *-basen*) base *f* de operaciones; **2sfähig** *adj.* operable; *nicht ~* inoperable; **~sgebiet** ⚔ *n* (*-es*; *-e*) campo *m* de operaciones; **~skittel** *m* blusa *f* de operador; **~s-plan** ⚔ *m* (*-es*; *¨e*) plan *m* de operaciones; **~ssaal** *m* (*-es*; *-säle*) quirófano *m*, sala *f* de operaciones; **~sschwester** *f* (*-*; *-n*) enfermera *f* de quirófano; **~sstuhl** *m* (*-es*; *¨e*) sillón *m* de operaciones; **~s-tisch** *m* (*-es*; *-e*) mesa *f* de operaciones; **~sziel** ⚔ *n* (*-es*; *-e*) objetivo *m* de la operación.

opera'tiv *adj.* *Chir.* operatorio; quirúrgico; *~er Eingriff* intervención quirúrgica.

Ope'rette *f* opereta *f*; **2nhaft** *adj.* operetístico.

ope'rieren (-) *v/t. u. v/i.* operar; hacer una operación; *sich ~ lassen* someterse a una operación; *operiert werden* ser operado; sufrir una operación; *er wurde am Magen operiert* fue operado del estómago; *fig. vorsichtig ~* proceder con tacto.

'Opern...: **~arie** *f* aria *f* de ópera; **~ball** *m* (*-es*; *¨e*) baile *m* de la Opera; **~dichter** *m* autor *m* de ópera; libretista *m*; **~glas** *n* (*-es*; *¨er*), **~gucker** *m* gemelos *m/pl.* de teatro; **2haft** *adj.* de ópera; **~haus** *n* (*-es*; *¨er*) (teatro *m* de) la Opera; **~musik** *f* música *f* de ópera; **~sänger(in** *f*) *m* cantante *m/f* de ópera; **~text** *m* (*-es*; *-e*) libreto *m* (de la ópera).

'Opfer *n* sacrificio *m*; *Poes.* holocausto *m*; *Rel.* ofrenda *f*; (*Menschenleben*; *~tier*) víctima *f*; (*Märtyrer*) mártir *m*; *ein ~ bringen* hacer un sacrificio (*für* por); *~ (Menschenleben) fordern* causar víctimas; *das ~ werden, zum ~ fallen* ser víctima de; *ein ~ auferlegen* imponer un sacrificio; **~altar** *m* (*-s*; *¨e*) altar *m* del sacrificio; **2bereit** *adj.* dispuesto al sacrificio; (*uneigennützig*) desinteresado; desprendido; abnegado; (*mildtätig*) caritativo; **~bereitschaft** *f* (*0*) disposición *f* a hacer sacrificios; espíritu *m* de sacrificio; altruismo *m*; (*Hingabe*) abnegación *f*; (*Mildtätigkeit*) espíritu *m* caritativo; caridad *f*; **~büchse** *f* *in der Kirche*: cepillo *m*; **~gabe** *f* ofrenda *f*; **~gefäß** *n* (*-es*; *-e*) vaso *m* sagrado; **~lamm** *n* (*-es*; *¨er*) cordero *m* (ofrecido en holocausto); *Rel.* Cordero *m* de Dios; *fig.* víctima *f* inocente *od.* propiciatoria; F *fig.* cabeza *f* de turco; **~mut** *m* espíritu *m* de sacrificio.

'opfern (*-re*) *v/t. u. v/i.* sacrificar (*a. fig.*); inmolar; *Poes.* ofrecer en holocausto; *sich ~* sacrificarse (*für* por); *sein Leben ~ für* sacrificar (*od.* dar) su vida por.

'Opfer...: **~priester** *m* sacerdote *m* sacrificador; inmolador *m*; **~schale** *f* copa *f* de ofrenda; patena *f*; **~tier** *n* (*-es*; *-e*) víctima *f* (*a. fig.*); **~tod** *m* (*-es*; *0*) sacrificio *m* de la (propia) vida; supremo sacrificio *m*; **~ung** *f* sacrificio *m*; inmolación *f*; *Lit.* (*Meß2*) ofertorio *m*; **~wille** *m* abnegación *f*; **2willig** dispuesto al sacrificio; abnegado.

Ophthal|'mie ⚕ *f* oftalmía *f*; **~mo'loge** *m* oftalmólogo *m*; **~molo'gie** *f* oftalmología *f*; **~mos'kop** *n* (*-s*; *-e*) oftalmoscopio *m*.

Opi'ate ⚕ *n/pl.* compuestos *m/pl.* de opio.

'Opium ['oːpi̯-] *n* (*-s*; *0*) opio *m*; **2haltig** *adj.* opiáceo; opiado; **~handel** *m* tráfico *m* de opio; **~höhle** *f* fumadero *m* de opio; **~raucher** *m* fumador *m* de opio; **~sucht** *f* (*0*) opiomanía *f*; **2süchtig** *adj.* opiómano; **~süchtige(r** *m*) *m/f* opiómano (-a *f*) *m*; **~tinktur** *Phar.* *f* tintura *f* de opio.

O'possum *Zoo.* *n* (*-s*; *-s*) zarigüella *f*.

Oppo|'nent *m* (*-en*) opositor *m*; **2'nieren** (-) *v/i.*: *~ gegen* oponerse a.

oppor'tun *adj.* oportuno.

Opportu'nis|mus *m* (*-*; *0*) oportunismo *m*; **~t** (*-en*) *m* oportunista *m*; **2tisch** *adj.* oportuno.

Oppositi'on *f* oposición *f* (*a. Pol.*).

oppositio'nell *adj.* *Pol.* de la oposición; antigubernamental.

Oppositi'ons|führer *m* *Pol.* jefe *m* de la oposición; **~partei** *f* *Pol.* partido *m* de la oposición.

Op'tant *m* (*-en*) optante *m*.

'Optativ *Gr.* *m* (*-s*; *-e*) (modo *m*) subjuntivo *m*.

op'tieren (-) *v/i.* optar (*für* por).

'Optik *f* (*0*) óptica *f*; **~er** *m* óptico *m*.

Opti'mis|mus *m* (*-*; *0*) optimismo *m*; **~t** *m* (*-en*) optimista *m*; **2tisch** *adj.* optimista.

Opti'on *f* opción *f*; **~sfrist** *f* plazo *m* de opción; **~srecht** *n* (*-es*; *0*) derecho *m* de opción.

'optisch *adj.* óptico; *~es Instrument* instrumento óptico; *~e Täuschung* ilusión óptica.

Opto'meter *n* optómetro *m*.

opu'len|t *adj.* opulento; **2z** *f* (*0*) opulencia *f*.

'Opus *n* (*-*; *Opera*) obra *f*.

O'rakel *n*, **~spruch** *m* (*-es*; *¨e*) oráculo *m*; **2n** (*-le*) *v/i.* vaticinar; hablar como un oráculo.

O'range [-'ʀaŋʒə] *f* naranja *f*.

o'range *adj.* naranja, anaranjado.

Oran'geade [-'ʒɑː-] *f* naranjada *f*.

Oran'geat [-'ʒɑːt] *n* (*-s*; *-e*) naranja *f* escarchada (*od.* confitada).

o'rangefarben *adj.* anaranjado, (de) color naranja.

O'rangen|baum ⚘ *m* (*-es*; *¨e*) naranjo *m*; **~blüte** *f* (flor *f* de) azahar *m*; **~hain** *m* (*-es*; *-e*) naranjal *m*; **~schale** *f* mondadura *f* de naranja.

'Orang-'Utan *Zoo. m* (*-s*; *-s*) orangután *m*.

ora'torisch *adj.* oratorio.

Ora'torium [-rĭ-] *n* (*-s*; *Oratorien*) (*Betsaal*, ♪) oratorio *m*.

Or'chester *n* orquesta *f*; **~begleitung** *f* (*0*) acompañamiento *m* de orquesta; **~dirigent** *m* (*-en*) director *m* de orquesta; **~loge** *f* palco *m* de proscenio; **≈mäßig** *adj.* orquestal; **~musik** *f* (*0*) música *f* orquestal; *für ~ einrichten* orquestar; **~sessel** *m* butaca *f* de primera fila; **~stück** *n* (*-es*; *-e*) pieza *f* (*od.* composición *f*) para orquesta.

orches'trier|en (-) *v/t.* orquestar; **≈ung** *f* orquestación *f*.

Orchi'dee ✿ *f* orquídea *f*.

'Orden *m* orden *f*; (*Ehrenzeichen*) condecoración *f*; medalla *f*; cruz *f*; *j-m e-n ~ verleihen* conceder a alg. una condecoración; condecorar a alg.; *in e-n* (*geistlichen*) *~ eintreten* ingresar en una orden religiosa.

'Ordens...: **~band** *n* (*-es*; *⸗er*) banda *f* (de una condecoración); **~bruder** *Rel. m* (*-s*; *⸗*) fraile *m*, religioso *m*; hermano *m*; **~geistliche(r)** *m* clérigo *m* regular; (*Mönch*) monje *m*; **~geistlichkeit** *f* (*0*) clero *m* regular; **~gelübde** *n* voto *m* monástico; **≈geschmückt** *adj.* condecorado; **~-inhaber(in** *f*) *m* poseedor(a *f*) *m* de una condecoración; **~kapitel** *n* capítulo *m* (de una orden); **~kleid** *Rel. n* (*-es*; *-er*) hábito *m* religioso; **~regel** *Rel. f* (*-*; *-n*) regla *f* (de una orden religiosa); **~ritter** *m* caballero *m* de una orden; **~schleife** *f* cinta *f* (de una condecoración); **~schwester** *f* (*-*; *-n*) religiosa *f*, monja *f*; **~spange** *f* pasador *m*; **~stern** *m* (*-es*; *-e*) cruz *f*; estrella *f*; placa *f*; **~träger(in** *f*) *m* → *Ordensinhaber(in)*; **~verleihung** *f* concesión *f* de una condecoración; **~zeichen** *n* condecoración *f*.

'ordentlich I. *adj.* ordenado; en orden; bien ordenado; (*gewöhnlich*) ordinario; (*gut*) bueno; (*regulär*) regular; (*reichlich*) abundante; copioso; (*sorgfältig*) esmerado; (*amtlich*) oficial; (*methodisch*) metódico, sistemático; (*schicklich*) conveniente; como es debido; (*tüchtig*) capaz; (*achtbar*) respetable; (*anständig*) decente; (*ehrlich*) honrado; (*zuverlässig*) formal, serio; *Richter*: competente; *Mitglied*: de número; *Professor*: numerario; titular; *nichts ≈es* nada que valga; *ein ~er Mensch werden* morigerarse, F sentar la cabeza (*od.* los cascos); **II.** *adv.* ordenadamente; (*regulär*) regularmente; (*reichlich*) con abundancia, abundantemente; copiosamente; (*gut*; *sehr*) mucho *bzw.* muy bien; (*schicklich*) como es debido; en debida forma; convenientemente; (*wirklich*) verdaderamente; (*kräftig*) de firme; *e-e ~e Tracht Prügel* una soberana paliza.

'Order *f* (*-*; *-n*) orden *f*; ☿ *a.* pedido *m*; *an die ~ von* a la orden de; *an eigene ~* a orden propia; *an fremde ~* a la orden de un tercero; *bis auf weitere ~* hasta nueva orden; **~buch** ☿ *n* (*-es*; *⸗er*) libro *m* de pedidos; **~papiere** *n/pl.* documentos *m/pl.* a la orden; **~scheck** ☿ *m* (*-s*; *-s*) cheque *m* a la orden; **~versicherung** *f* seguro *m* a la orden.

Ordi'nalzahl *Gr. f* número *m* ordinal.

ordi'när *adj.* ordinario; vulgar; corriente.

Ordinari'at *n* (*-es*; *-e*) (*Universitäts≈*) cátedra *f* (de profesor numerario); *bischöfliches ~* obispado *m*, sede *f* episcopal, episcopado *m*.

Ordi'narius *m* (*-*; *Ordinarien*) (*Universitätsprofessor*) catedrático *m* numerario; catedrático *m* titular.

Ordi'nate ⩘ *f* ordenada *f*.

Ordinati'on *f Rel.* ordenación *f*; ⚕ prescripción *f*; **~sstunde** ⚕ *f* hora *f* de consulta; **~szimmer** ⚕ *n* consultorio *m*.

ordi'nier|en (-) *v/t. Rel.* ordenar, conferir las órdenes sagradas; ⚕ prescribir, recetar; **~end** *adj.*: *zu ~er Priester* ordenando *m*; *~er Bischof* ordenante *m*.

'ordnen (*-e-*) *v/t.* ordenar, poner en orden; poner orden; (*regeln*) arreglar; regular; (*aufstellen*) colocar; disponer; (*organisieren*) organizar; *in Gruppen*: agrupar; *nach Klassen*: clasificar; *alphabetisch* (*chronologisch*) *~* clasificar por orden alfabético (cronológico).

'Ordner(in *f*) *m* ordenador(a *f*) *m*; organizador(a *f*) *m*; *für Akten usw.*: clasificador *m*.

'Ordnung *f* orden *m* (*a. Zoo. u.* ✿); (*Aufstellung*) disposición *f*, colocación *f*; (*Organisierung*) organización *f*; (*System*) sistema *m*; régimen *m*; (*Vorschrift*) regla *f*; reglamento *m*; (*Reihe*) fila *f*; serie *f*; (*Klasse*, *Stand*) clase *f*; (*Rang≈*) jerarquía *f*; (*Regelmäßigkeit*) regularidad *f*; (*Abteilung*) clase *f*; división *f*; *öffentliche* (*gesellschaftliche*) *~* orden público (social); ⚔ *geschlossene ~* formación cerrada; *in ~* en orden; bien ordenado; *Zimmer*: arreglado; *Paß*, *Papiere*: en regla; ⊕ en buen estado de funcionamiento; *in bester ~* perfectamente; en el mejor orden; *in ~ halten* mantener en orden; mantener en buen estado; *in ~ bringen* ordenar; poner (*od.* colocar) en orden; regularizar; normalizar; arreglar; *Maschine usw.*: componer; *in et.* (*ac.*) *~ bringen* poner orden en a/c.; *nicht in ~ sein* ⊕ no funcionar; estar descompuesto; *er ist nicht in ~* (*gesundheitlich*) no se siente bien; F *er ist in ~* es una buena persona; no hay reparo que ponerle; (*das ist*) *in ~!* ¡está bien!; ¡conforme!; *der ~ halber* ☿ para el buen orden; *die ~ herstellen*, *~ schaffen* establecer el orden; poner orden; *die ~ wiederherstellen* restablecer el orden; *aus der ~ kommen* salir del orden; perturbarse, trastornarse; ⊕ desarreglarse, descomponerse; *die ~ stören* perturbar (*od.* alterar) el orden; *zur ~ rufen* llamar al orden; *es herrscht ~* reina el orden; *Straße erster ~* carretera de primer orden; *soziale ~* ordenación *f* social.

'Ordnungs...: **~dienst** *m* (*-es*; *0*) servicio *m* de orden; **≈gemäß I.** *adj.* → *ordnungsmäßig*; **II.** *adv.* debidamente; en debida forma; *ein ~ bevollmächtigter Vertreter* un representante debidamente autorizado; **≈halber** *adv.* para el debido orden; **~liebe** *f* (*0*) amor *m* al orden; **≈liebend** *adj.* amante del orden; **≈mäßig I.** *adj.* en orden; en regla; en debida forma, como es debido; (*regelmäßig*) regular; (*gesetzlich*) legal; (*entsprechend*) debido; (*vorgeschrieben*) reglamentario; **II.** *adv.* debidamente; **~mäßigkeit** *f* (*Gesetzlichkeit*) legalidad *f*; **~maßnahme** *f* medida *f* de orden; **~ruf** *m* (*-es*; *-e*) llamada *f* al orden; **~sinn** *m* (*-es*; *0*) sentido *m* del orden; **~strafe** *f* (*Geldstrafe*) multa *f*; corrección *f* disciplinaria; **≈widrig** *adj.* contrario al orden; irregular; (*gesetzwidrig*) ilegal; **~widrigkeit** *f* irregularidad *f*; (*Gesetzwidrigkeit*) ilegalidad *f*; **~zahl** *f Gr.* número *m* ordinal; *der Atome*: número *m* atómico.

Ordon'nanz [-ɔ'na-] ⚔ *f* ordenanza *m*; (*Bursche*) asistente *m*; (*Vorschrift*) ordenanza *f* (militar); **~offizier** *m* (*-s*; *-e*) oficial *m* en servicio.

Or'gan *n* (*-s*; *-e*) órgano *m* (*weitS. a. Stimme, Zeitung*); *supranationales ~* institución *bzw.* organismo supranacional.

Or'gandy *m* (*-s*; *0*) *Stoff*: organdí *m*.

Or'gan-erkrankung ⚕ *f* enfermedad *f* orgánica.

Organisati'on *f* organización *f*; **~s-ausschuß** *m* (*-sses*; *⸗sse*), **~s-komitee** *n* (*-s*; *-s*) comisión *f* organizadora; **~sfehler** *m* defecto *m* de organización; **~s-talent** *n* (*-es*; *-e*) talento *m* organizador.

Organi'sator *m* (*-s*; *-en*) organizador *m*.

organisa'torisch *adj.* organizador.

or'ganisch *adj.* orgánico; *~e Chemie* química orgánica.

organi'sieren (-) *v/t.* organizar; (*Soldatensprache*) *iro.* requisar; F (*beschaffen*) procurar *od.* facilitar a/c.; *gewerkschaftlich ~* sindicar; *ein gewerkschaftlich organisierter Arbeiter* trabajador sindicado.

Orga'nismus *m* (*-*; *Organismen*) organismo *m*.

Orga'nist(in *f*) *m* (*-en*) organista *m/f*.

Organ'sin *m/n* (*-s*; *0*) (*Stoff*) organsí *m*.

Or'gasmus *Physiol. m* (*-*; *Orgasmen*) orgasmo *m*.

'Orgel ♪ *f* (*-*; *-n*) órgano *m*; (*Dreh≈*) organillo *m*; *die ~ spielen* tocar (el) órgano; **~balg** *m* (*-es*; *⸗e*) fuelle *m* de órgano; **~bau** *m* (*-es*; *0*) construcción *f* de órganos; **~bauer** *m* constructor *m* de órganos; **~gehäuse** *n* caja *f* del órgano; **~konzert** *n* (*-es*; *-e*) recital *m* de órgano; **≈n** (*-le*) *v/i.* tocar el órgano; (*Hirsch*) bramar; **~pfeife** *f* tubo *m* de órgano; **~punkt** ♪ *m* (*-es*; *-e*) fermata *f*, calderón *m*; **~register** *n* registro *m* de órgano; **~spieler(in** *f*) *m* organista *m/f*; **~stimme** *f*, **~zug** *m* → *Orgelregister*.

orgi'astisch *adj.* orgiástico.

'Orgie ['ɔʀgĭə] *f* orgía *f*.

'**Orient** ['o:rĭɛnt] *m* (*-s*; *0*) Oriente *m*.
Orien'ta|le *m* (*-n*), **~in** *f* oriental *m*/*f*; **2lisch** *adj.* oriental.
Orienta'list *m* (*-en*) orientalista *m*.
'**Orientexpreß** 🚂 *m* (*-sses*; *0*) Oriente-Exprés *m*.
orien'tier|en (-) *v/t.* orientar; *sich* ~ orientarse (*über ac.* sobre *od.* acerca de); (*informieren*) informar(se); **2ung** *f* orientación *f*; (*Information*) información *f*; *zur* ~ para (*od.* a título de) información; *zu Ihrer* ~ para su gobierno; **2ungs-punkt** *m* (*-ės*; *-e*) (*Bezugspunkt*) punto *m* de referencia; **2ungssinn** *m* (*-ės*; *0*) sentido *m* de la orientación.
'**Orient|reise** *f* viaje *m* a(l) Oriente; **~teppich** *m* (*-s*; *-e*) tapiz *m* oriental (*od.* de Oriente).
Origi'nal I. *n* (*-ės*; *-e*) original *m*; (*Urschrift*) autógrafo *m*; (*Konzept*) borrador *m*, minuta *f*; (*Sonderling*) tipo *m* raro; et. *im* ~ *lesen* leer a/c. en el (texto) original; **II.** 2 *adj.* original; (*echt*) legítimo; (*seltsam*) raro; **~ausgabe** *f* edición *f* original; **~fassung** *f* versión *f* original; **~gemälde** *n* cuadro *m* original; **2getreu** *adj.* conforme al original; perfectamente imitado; **~handschrift** *f* autógrafo *m*.
Originali'tät *f* (*0*) originalidad *f*; (*Seltsamkeit*) singularidad *f*.
Origi'nal...: **~packung** *f* embalaje *m* de origen; **~übertragung** *f* *Radio*: transmisión *f* directa; **~vorlage** *f* modelo *m*.
origi'nell *adj.* original; (*einzigartig*) singular; (*selten*) raro; (*wunderlich*) curioso; (*spaßhaft*) divertido, cómico; (*sinnvoll*) ingenioso.
O'rion *Astr.* *m* Orión *m*.
Or'kan *m* (*-ės*; *-e*) huracán *m*; **2artig** *adj.* huracanado; *Sturm*: violento; *~er Beifall* aplausos atronadores; ovación *f* ensordecedora.
'**Orkus** *Myt.* *m* (-; *0*) orco *m*, infierno *m*.
Orna|'ment *n* (*-ės*; *-e*) ornamento *m*; adorno *m*; *mit ~en verzieren* ornamentar; **2men'tal** *adj.* ornamental; **~'mentik** *f* ornamentos *m/pl.*, adornos *m/pl.*
Or'nat *n* (*-ės*; *-e*) (*weltlich*) traje *m* de ceremonia; uniforme *m* de gala; (*Priester2*) ornamentos *m/pl.* sacerdotales; *im* ~ revestido.
Ornitho|'loge *m* (*-n*) ornitólogo *m*; **~lo'gie** *f* (*0*) ornitología *f*; **2'logisch** *adj.* ornitológico.
Ort *m* (*-ės*; *-e*, ⚓ *u.* Δ *¨er*) lugar *m*, sitio *m*; (*Ortschaft*) población *f*, localidad *f*; (*Dorf*) lugar *m*; pueblo *m*, aldea *f*; (*Städtchen*) villa *f*; (*Gegend*) paraje *m*; (*Punkt, Stelle*) punto *m*; ⚒ tajo *m*; fondo *m* de galería ; ⚒ (*Nebenstrecke*) galería *f* de derivación; *des Schusters*: lezna *f*; *Astr.*, Δ lugar *m*; *geometrischer* ~ lugar geométrico; *der Plan ist höheren ~es genehmigt* el plan ha sido aprobado por la superioridad; *gehörigen ~s melden* informar a la autoridad competente; *an* ~ *und Stelle* sobre el terreno; en el mismo lugar; en el lugar del hecho; *sich an* ~ *und Stelle begeben* (*einfinden*) trasladarse al (encontrarse en el) lugar convenido; *an* ~ *und Stelle gelangen* llegar a su destino; *von* ~ *zu* ~ *ziehen* ir de un lugar a otro; *am hiesigen* ~ aquí; en esta localidad; ✝ en esta plaza; en ésta; *am rechten* ~ en su sitio (*od.* lugar); *fig. das ist hier nicht an s-m* ~ no es éste el lugar adecuado para eso; ~ *der Handlung ist* X. (*Thea.*) la acción se desarrolla en X; lugar de la acción: X.
'**Örtchen** F *n* (*Abort*) retrete *m*; (lugar *m*) excusado *m*.
'**ort|en** (*-e-*) **1.** *v/i.* orientarse; ✈ navegar; **2.** *v/t.* orientar; (*Radar*) localizar; ⚓ tomar la estima; ✈ tomar la situación; navegar; **2en** *n* orientación *f*; ⚓ estima *f*; (*Radar*) localización *f*; ✈ navegación *f*; **2er** ✈ *m* navegador *m*.
ortho|chro'matisch [k] *adj.* ortocromático; **~'dox** *adj.* ortodoxo; **2do'xie** *f* (*0*) ortodoxia *f*; **2'drome** ⚓ *f* ortodromía *f*; **2gra'phie** *f* (*0*) ortografía *f*; **~'graphisch I.** *adj.* ortográfico; *~er Fehler* falta de ortografía; **II.** *adv.*: ~ *richtig schreiben* escribir con buena ortografía; **2'päde** *m* (*-n*) ortopédico *m*, ortopedista *m*; **2pä'die** *f* (*0*) ortopedia *f*; **~'pädisch** *adj.* ortopédico.
'**örtlich** *adj.* local; ⚕ (*Medikament*) tópico; (*Krankheit*) endémico; *~e Anästhesie* anestesia local; **2keit** *f* localidad *f*; sitio *m*, lugar *m*; paraje *m*; *Am.* urbicación *f*.
'**Orts...:** **~adverb** [v] *Gr.* *n* (*-s*; *-adverbien*) adverbio *m* de lugar; **~angabe** *f* indicación *f* del lugar; **2ansässig** *adj.* establecido (*od.* residente) en el lugar; vecino de la localidad; indígena; **~ausschuß** *m* (*-sses*; *¨sse*) comisión *f* local; **~befund** ⚖ *m* (*-ės*; *-e*) estado *m* del lugar; **~behörde** *f* autoridad *f* local; **~beschreibung** *f* topografía *f*; **~besichtigung** ⚖ *f* inspección *f* ocular; **~bestimmung** *f* *Gr.* adverbio *m* de lugar; (*Ortung*) orientación *f*; ⚓ estima *f*; *Radar*: localización *f*; **2beweglich** *adj.* móvil; transportable.
'**Ortschaft** *f* población *f*; localidad *f*; (*Dorf*) pueblo *m*, aldea *f*; lugar *m*.
'**Ortscheit** *n* (*-ės*; *-e*) *am Wagen*: volea *f*.
'**Orts...:** **~empfang** *m* (*-ės*; *0*) *Radio*: recepción *f* local; **~fernsprechnetz** *n* (*-es*; *-e*) red *f* telefónica urbana; **2fremd** *adj.* forastero *m*; **~gespräch** *Tele.* *n* (*-ės*; *-e*) conferencia *f* urbana; **~kenntnis** *f* (-; *-se*) conocimiento *m* del lugar; **~kommandant** ⚔ *m* (*-en*) comandante *m* de la plaza; **~kommandantur** ⚔ *f* (-; *-en*) comandancia *f* de la plaza; **~krankenkasse** *f* caja *f* local del seguro de enfermedad; **2kundig** *adj.* conocedor de la localidad; **~name** *m* (*-ns*; *-n*) nombre *m* de población; **~polizei** *f* (*0*) policía *f* local; **~schild** *n* (*-ės*; *-er*) rótulo *m* de población; **~sender** *m* *Radio*: (radio)emisora *f* local; **~sinn** *m* (*-ės*; *0*) sentido *m* de la orientación; **2üblich** *adj.* según la costumbre (*od.* el uso) local; ✝ *Preise*: de la plaza; **~unterkunft** ⚔ *f* (-; *¨e*) acantonamiento *m*; alojamiento *m*; **~verkehr** *m* (*-s*; *0*) tráfico *m* urbano (*od.* local); *Tele.* servicio *m* urbano (*od.* local); **~zeit** *f* hora *f* local; **~zulage** *f* subsidio *m* de residencia.
'**Ortung** *f* orientación *f*; ⚓ (determinación *f* de la) estima *f*; marcación *f*; ✈ navegación *f*; (*Radar*) (radio)localización *f*; **~sgerät** *n* (*-ės*; *-e*) aparato *m* localizador de posición; **~s-punkt** *m* (*-ės*; *-e*) punto *m* de referencia.
'**Öse** *f* corchete *m*; corcheta *f*; (*Ring*) anillo *m*; (*Knopfloch*) ojal *m*; *am Schuh*: ojete *m*; (*Seilschlinge*) eslinga *f*.
'**Oskar** *m* Oscar *m*; F *frech wie* ~ más fresco que una lechuga.
Os'mane *m* (*-n*) otomano *m*, turco *m*.
'**Osmium** ⚗ *n* (*-s*; *0*) osmio *m*.
Os'mose *f* (*0*) ósmosis *f*.
os'motisch *adj.* osmótico; *~er Druck* presión osmótica.
Ost *m* (*-ės*; *0*) Oriente *m*, Levante *m*; (*Astr.*, ⚓ *u. Geogr.*) Este *m*, este *m*; **~'afrika** *n* (el) Africa *f* Oriental; **~'asien** *n* (el) Asia *f* Oriental; Extremo Oriente *m*; '**~block** *m* (*-ės*; *0*) bloque *m* oriental; '**~blockstaat** *m* (*-ės*; *-en*) Estado *m* del bloque oriental; '**2deutsch** *adj.* de la Alemania Oriental; '**~deutsche(r** *m*) *m/f* alemán *m* (alemana *f*) del Este; '**~deutschland** *n* Alemania *f* Oriental; '**~en** *m* (*-s*; *0*) Oriente *m*, Levante *m*; (*Astr.*, ⚓ *u. Geogr.*) Este *m*, este *m*; *Pol.* Este *m*; *nach* ~ hacia el este; *im* ~ al este; *der Nahe* ~ el Oriente Medio *od.* el Próximo Oriente; *der Ferne* ~ el Extremo (*od.* Lejano) Oriente.
ostenta'tiv *adj.* (*prahlerisch*) ostentativo; ostensivo; (*prächtig*) ostentoso; (*sichtlich*) ostensible; *adv.*: *er verließ* ~ *den Saal* abandonó la sala en señal de protesta.
'**Oster|blume** ❀ *f* maya *f*; **~ei** *n* (*-ės*; *-er*) huevo *m* de Pascua; **~ferien** *pl.* vacaciones *f/pl.* de Pascua; **~fest** *n* (*-ės*; *-e*) Pascua *f* (de Resurrección); **~lamm** *n* (*-ės*; *¨er*) cordero *m* pascual.
'**österlich** *adj.* pascual; de Pascua.
'**Ostern** *n od. pl.* Pascua *f* (florida *od.* de Resurrección); *bei den Juden*: Pascua *f*; *zu* ~ para Pascua; *nächste* ~ en la próxima Pascua; *fröhliche* ~! ¡Felices Pascuas!
'**Österreich** *n* Austria *f*; **~er(in** *f*) *m* austríaco (-a *f*) *m*; **2isch** *adj.* austríaco; de Austria.
'**Oster|sonntag** *m* (*-ės*; *-e*) domingo *m* de Pascua; **~woche** *f* Semana *f* Santa; **~zeit** *f* tiempo *m* pascual (*od.* de Pascua).
'**Ost...:** **~europa** *n* Europa *f* oriental; **~gote** *m* (*-n*) ostrogodo *m*; **~gotin** *f* ostrogoda *f*; **2gotisch** *adj.* ostrogodo; **~indien** *n* Indias *f/pl.* Orientales; **~küste** *f* costa *f* oriental *od.* de Levante.
'**östlich** *adj.* oriental; del este; ~ *von* al este de; *~e Länge* longitud este.
'**Ost...:** **~mark** *f*: *die* ~ la Marca Oriental; **~preuße** *m* (*-n*), **~preußin** *f* prusiano (-a *f*) *m* oriental *od.* de la Prusia Oriental; **~preußen** *n* Prusia *f* Oriental; **2römisch** *adj.* *Hist.*: *das ~e Reich* el Imperio Bizantino; **~see** *f* mar *m* Báltico; **~seeprovinzen** *f/pl.* provincias *f/pl.* bálticas; **~sektor** *m* (*-s*; *0*) sector *m* oriental; **~seite** *f* lado *m* este; **2wärts** *adv.* hacia el este; **~wind** *m*

(-ẹs; -e) viento *m* del este; **~zone** *f* (*0*) zona *f* oriental.
Oszillati'on *f* oscilación *f*.
Oszil'lator *m* (-*s*; -*en*) oscilador *m*.
oszil'lieren (-) *v/i.* oscilar.
Oszillo'graph *m* (-*en*) oscilógrafo *m*.
'Otter[1] *Zoo. m* (*Fisch*♀) nutria *f*.
'Otter[2] *Zoo. f* (-; -*n*) (*Schlange*) víbora *f*.
'Ottern...: ~fang *m* (-ẹs; *⸚e*) caza *f* de nutrias; **~fänger** *m* cazador *m* de nutrias; **~gezücht** *n* (-ẹs; *0*) *fig.* nido *m* de víboras; **~zunge** *f fig.* lengua *f* viperina.
'Otto *m* Otón *m*; *~ der Große* Otón el Grande.
Otto'mane *f* otomana *f*; diván *m*.
Ouver'türe [u·vɛʀ-] ♪ *f* obertura *f*.
o'val [v] **I.** *adj.* oval, ovalado; **II.** ♀ *n* (-*s*; -*e*) óvalo *m*.
O'varium *Anat. n* (-*s*; *Ovarien*) ovario *m*.
Ovati'on *f* ovación *f*; *j-m e-e ~ darbringen* ovacionar a alg.; aclamar a alg.
'Overall *m* guardapolvo *m*; mono *m*.
O'xalsäure ⚗ *f* (*0*) ácido *m* oxálico.
O'xyd [ɔ'ksy:t] ⚗ *n* (-*s*; -*e*) óxido *m*.
Oxydati'on *f* oxidación *f*; **~smittel** *n* (agente *m*) oxidante *m*.
oxy'dier|bar ⚗ *adj.* oxidable; *nicht ~* inoxidable; **~en** *v/t.* oxidar; *sich ~* oxidarse; ♀**en** *n*, ♀**ung** *f* oxidación *f*; ♀**ungsmittel** *n* → *Oxydationsmittel.*
Oxy'gen ⚗ *n* (-*s*; *0*) oxígeno *m*.
'Ozean ['o·tse·ɑ:n] *m* (-*s*; -*e*) océano *m*; *Stiller* (*Atlantischer*) *~* Océano Pacífico (Atlántico); **~dampfer** *m* transatlántico *m*.
Oze'an|ien *n* Oceanía *f*; ♀**isch** *adj.* oceánico.
Ozeanogra'phie *f* (*0*) oceanografía *f*.
'Ozeanriese *m* (-*n*) transatlántico *m* gigante.
Oze'lot *Zoo. m* (-*s*; -*e*) ocelote *m*.
O'zon ⚗ *n* (-*s*; *0*) ozono *m*; **~desinfektor** *m* (-*s*; -*en*) ozonizador *m*; **~erzeuger** *m* generador *m* de ozono; ♀**haltig** *adj.* ozonífero; ozonizado; ♀**i'sieren** (-) *v/t.* ozonizar; ♀**reich** *adj.* rico en ozono.

P

P, p *n* P, p *f.*

Paar I. *n (-es; -e) von zwei zusammengehörigen Dingen*: par *m*; *ein ~ Schuhe (Handschuhe)* un par de zapatos (guantes); *v. Personen*: (*Ehe*2, *Braut*2, *Tanz*2) *od. Tieren*: pareja *f*; *das junge ~* los recién casados; *ein ~ werden* casarse; **II.** 2 *adj.* par; *~ oder unpaar?* ¿par o impar?; ¿pares o nones?; *ein ~ (einige)* un par de; algunos; (*wenige*) unos pocos; *ein ~ hundert* algunos centenares; *ein ~ Zeilen schreiben* escribir un par de líneas (*od.* renglones); F escribir cuatro líneas; *vor ein ~ Tagen* hace algunos (*od.* pocos) días.

'paaren *v/t.* (*paarweise anordnen*) parear; aparear; *Tiere*: juntar, aparear; (*gleich zu gleich gesellen*) emparejar; *fig.* (*vereinigen*) juntar; unir; asociar; *sich ~* aparearse; emparejarse; (*sich begatten*) copularse; *fig.* (*sich vereinigen*) asociarse; unirse; *gepaart* ⚘, *Anat.*, ⚘: conjugado(s).

'Paar...: ~laufen *n (-s; 0) Sport*: patinaje *m* por parejas; **2mal** *adv.*: *ein ~* algunas (*od.* varias) veces; **~ung** *f* apareamiento *m*; emparejamiento *m*; (*Begattung*) cópula *f*; **~ungszeit** *f* época *f* del apareamiento; **2weise** *adv.* a pares; dos a dos; de dos en dos; por parejas; *~ anordnen* parear, aparear.

'Pacht *f* arriendo *m*, arrendamiento *m*; *in ~ geben (nehmen)* dar (tomar) en arrendamiento; (*Pachtgeld*) arrendamiento *m*; **~brief** *m (-es; -e)* contrato *m* de arrendamiento; **2en** *v/t.* arrendar, tomar en arrendamiento.

'Pächter(in *f*) *m* arrendatario (-a *f*) *m.*

'Pacht...: ~geld *n (-es; -er)* arrendamiento *m*; **~grundstück** *n (-es; -e)* tierra *f* arrendada; **~gut** *n (-es; ⁻er)*, **~hof** *m (-es; ⁻e)* finca *f* arrendada; (*Meierhof*) granja *f* arrendada; cortijo *m* arrendado; **~herr** *m (-en)* arrendador *m*; **~kontrakt** *m (-es; -e)* contrato *m* de arrendamiento; **~ung** *f* arrendamiento *m*; **2weise** *adv.* en arriendo, en arrendamiento; **~wert** *m (-es; -e)* valor *m* del arrendamiento; **~zeit** *f* duración *f* del arrendamiento; **~zins** *m (-es; -en)* arrendamiento *m*; renta *f.*

Pack[1] *m od. n (-es; -e)* (*Paket*) paquete *m*; (*Akten*) legajo *m*; (*Bündel*) lío *m*; envoltorio *m*; hato *m*; (*Ballen*) fardo *m*; bala *f*; (*Papiergeld*) fajo *m*; (*Gepäckstück*) bulto *m*; *mit Sack und ~* F con todos los bártulos; con toda su familia.

Pack[2] P *fig. n (-s; 0)* gentuza *f*; chusma *f*, canalla *f*, plebe *f.*

'Päckchen *n* paquetito *m*; 📯 paquete *m* postal; (*Zigaretten*2) cajetilla *f.*

'Pack-eis *n (-es; 0)* hielos *m/pl.* movedizos del mar Ártico; *im ~ festsitzen* estar aprisionado (*od.* bloqueado) por los hielos.

'Packen *m* paquete *m* grande; (*Ballen*) fardo *m*, bala *f*; *fig. jeder hat s-n ~ zu tragen* cada cual tiene su cruz.

'packen *v/t.* empaquetar; *in Ballen*: embalar; *in Kisten*: encajonar; *in Tonnen*: entonelar; *in Fässer*: embarrilar; *in Gefäße*: envasar; *in Papier*: envolver; *s-n Koffer ~* hacer la maleta; (*fassen*) agarrar; asir, coger; *fig.* cautivar; *j-n bei der Ehre ~* apelar al honor (*od.* a la conciencia) de alg.; F *sich ~* marcharse, F largarse; *pack' dich!* ¡largo de aquí!; **~d** *fig. adj.* cautivador; impresionante; conmovedor; emocionante.

'Packer(in *f*) *m v. Paketen*: empaquetador(a *f*) *m*; *v. Ballen*: embalador *m*; envasor(a *f*) *m.*

Packe'rei *f* embalaje *m.*

'Packerlohn *m (-es; ⁻e)* gastos *m/pl.* de embalaje; salario *m* del embalador.

'Pack...: ~esel *m* burro *m* de carga (*a. fig.*); **~film** *m (-es; -e)* película *f* rígida; **~hof** *m (-es; ⁻e)* depósito *m* de aduana; **~lage** *f Straßenbau*: firme *m*; **~leinen** *n*, **~leinwand** *f (-; ⁻e)* arpillera *f*; **~maschine** *f* máquina *f* embaladora; **~material** *n (-s; -ien)* material *m* de embalaje; **~papier** *n (-es; -e)* papel *m* de embalar; papel *m* de envolver; **~raum** *m (-es; ⁻e)* sala *f* de embalaje; **~schnur** *f (-; ⁻e)* cordel *m*; *dünne*: bramante *m*; **~ung** *f* (*Paket*) paquete *m*; (*Schachtel, Dose*) caja *f*; (*Aufmachung*) presentación *f*; ⊕ guarnición *f*; (*Dichtung*) empaquetadura *f*; (*Zigaretten*2) cajetilla *f*; ⚕ envoltura *f*; fomento *m*; **~zeug** *n fig.* F gentuza *f.*

Päda'gog|e *m (-n)* pedagogo *m*; **~ik** *f (0)* pedagogía *f*; **2isch** *adj.* pedagógico; *~e Hochschule* escuela *f* normal.

'Paddel *n* canalete *m*; **~boot** *n (-es; -e)* canoa *f*; (*Kanu*) piragua *f*; (*Kajak*) cayuco *m*; **2n** *v/i.* bogar en canoa; **~ruder** *n* canalete *m*; **~sport** *m (-es; 0)* piragüismo *m.*

'Paddler(in *f*) *m* piragüista *m/f.*

Päde|'rast *(-en) m* pederasta *m*; **~ras'tie** *f* pederastia *f.*

paff! *int.* ¡paf!; ¡pum!

'paffen *v/i.* (*Raucher*) fumar a grandes bocanadas.

'Page [-ʒə] *m (-en)* paje *m*; *im Hotel*: botones *m*; **~nfrisur** *f*, **~nkopf** *m (-es; ⁻e)* melena *f* corta.

pagi'nier|en *(-) v/t.* paginar; **2en** *n*, **2ung** *f* paginación *f.*

Pa'gode *f* pagoda *f.*

pah! *int.* ¡bah!

Pair [pɛːʀ] *m (-s; -s)* par *m*; **'~swürde** *f (0)* dignidad *f* de par.

Pak *(-; - od. -s) f* (*Abk. v. Panzerabwehrkanone*) cañón *m* antitanque.

Pa'ket *n (-es; -e)* paquete *m*; 📯 paquete *m* postal; **~adresse** *f* dirección *f* de un paquete; **~annahme** *f* recepción *f* de paquetes; **~ausgabe** *f* entrega *f* de paquetes; **~beförderung** *f* transporte *m* de paquetes; **~begleit-adresse** *f* boletín *m* de expedición; **~bestellung** *f* entrega *f* de paquetes a domicilio; **~karte** *f* → *Paketbegleitadresse*; **~post** *f (0)* servicio *m* postal de paquetes; **~sendung** *f* envío *m* de paquetes.

'Pakistan *n* Pakistán *m.*

Pakis'tan|er *m*, **2isch** *adj.* pakistaní *m.*

'Pak-Kompanie ⚔ *f* batería *f* antitanque (*od.* anticarro).

Pakt *m (-es; -e)* pacto *m*; acuerdo *m*; convenio *m*; *e-n ~ abschließen* concertar un pacto.

pak'tieren *(-) v/i.* pactar.

'Paladin *Hist. m (-s; -e)* paladín *m.*

Paläo|'graph *m (-en)* paleógrafo *m*; **~gra'phie** *f (0)* paleografía *f*; **2'graphisch** *adj.* paleográfico; **~'lithikum** *n* paleolítico *m*; **2'lithisch** *adj.* paleolítico.

Paläonto|'loge *m* paleontólogo *m*; **~lo'gie** *f* paleontología *f*; **2'logisch** *adj.* paleontológico.

Paläo'zo|ikum *n (-s; 0)* paleozoico *m*; **2isch** *adj.* paleozoico.

Pa'last *m (-es; ⁻e)* palacio *m*; **2artig** *adj.* como un palacio.

Paläs'tina *n* Palestina *f.*

pala'tal *adj.* palatal.

Pa'laver [v] *n* discusión *f* entre blancos y negros indígenas; F parloteo *m*; **2n** *(-re) v/i.* parlotear.

'Paletot [-ləto:] *m (-s; -s)* paletó *m.*

Pa'lette *Mal. f* paleta *f.*

Pali'sade *f* empalizada *f*; *mit ~n umgeben* empalizar; **~nzaun** *m (-es; ⁻e)* empalizada *f*; palizada *f.*

Pali'sander *m (-s; 0)*, **~holz** *n (-es; 0)* palisandro *m*, jacarandá *f.*

'Pallasch ⚔ *m (-es; -e)* sable *m* de coracero.

Pallia'tiv *n (-s; -e)*, **~mittel** *n* paliativo *m.*

'Palm|e ⚘ *f* palma *f*; palmera *f*; *fig. Liter. die ~ des Sieges erringen* llevarse la palma; *fig.* F *j-n auf die ~ bringen* encolerizar a alg.; P cabrear a alg.; **~enhain** *m (-es; -e)*

palmar *m*; **~enmark** *n* (*-s*; *0*) palmito *m*; **~enwald** *m* (*-es*; *⸚er*) palmeral *m*; **~fett** *n* (*-es*; *-e*) manteca *f* de palma.
Palmi'tin ⚗ *n* (*-s*; *0*) palmitina *f*; **~säure** *f* ácido *m* palmítico.
'Palm|öl *n* (*-es*; *-e*) aceite *m* de palma; **~sonntag** *m* (*-es*; *-e*) domingo *m* de Ramos; **~wein** *m* (*-es*; *-e*) vino *m* de palma; **~zweig** *m* (*-es*; *-e*) palma *f*.
'Pampa *f* (*-*; *-s*) pampa *f*.
Pampel'muse *f* toronja *f*, pomelo *m*.
Pam'phlet [-'fle:t] *n* (*-es*; *-e*) libelo *m*.
Pamphle'tist *m* (*-en*) libelista *m*.
'pampig F *adj.* descarado, insolente; petulante.
Pan *Myt.* *m* Pan *m*; **'~flöte** *f* flauta *f* de Pan.
'Panama *n* Panamá *m*.
Pana'ma-er *m* panameño *m*.
'Panamahut *m* (*-es*; *⸚e*) (sombrero *m*) jipijapa *m*, panamá *m*.
pana'ma-isch *adj.* panameño.
'Panamakanal *m* (*-s*; *0*) canal *m* de Panamá.
Pan-amerika'nismus *m* (*-*; *0*) panamericanismo *m*.
pan-ameri'kanisch *adj.* panamericano; 2e *Union* Unión Panamericana.
Pana'ritium ⚕ *n* (*-s*; *Panaritien*) panadizo *m*.
Pan'dekten *pl.* ⚖ pandectas *f/pl.*
Pa'neel *n* (*-s*; *-e*) panel *m*; (*Decken*2) artesonado *m*.
Pane'gyri|ker *m* panegirista *m*; **~kus** *m* (*-*; *-ken od. -ki*) panegírico *m*.
Pa'nier *n* (*-s*; *-e*) (*Banner*) bandera *f*; estandarte *m*; *fig.* lema *m*.
pa'nier|en (*-*) *v/t.* empanar; **2mehl** *n* (*-es*; *0*) pan *m* rallado.
'Pa|nik *f* pánico *m*; **2nisch** *adj.* pánico; *~er Schrecken* terror pánico.
'Panne *f* avería *f*; *e-e ~ haben* (*beseitigen*) tener (reparar) una avería.
Pa'noptikum *n* (*-s*; *Panoptiken*) gabinete *m* de figuras de cera.
Pano'rama *n* (*-s*; *Panoramen*) panorama *m*.
'panschen **1.** *v/i. im Wasser*: chapotear; **2.** *v/t. Milch, Wein usw.*: adulterar; *mit Wasser*: aguar, F bautizar.
'Pansen *m* panza *f*.
Pansla'wis|mus *m* (*-*; *0*) paneslavismo *m*; **~t** *m* (*-en*) paneslavista *m*; **2tisch** *adj.* paneslavista.
Panthe'is|mus *m* (*-*; *0*) panteísmo *m*; **~t** *m* (*-en*) panteísta *m*; **2tisch** *adj.* panteísta.
'Pantheon *n* (*-s*; *-s*) panteón *m*.
'Panther *Zoo.* *m* pantera *f*; **~fell** *n* piel *f* de pantera.
Pan'tine *f* zueco *m*; chanclo *m*.
Pan'toffel *m* (*-s*; *-n*) zapatilla *f*; *mit offener Ferse, ohne Hacken*: babucha *f*, *mit Hacken*: chinela *f*; *fig. unter j-s ~ stehen* estar bajo la férula de alg.; *er steht unter dem ~ s-r Frau* está dominado por su mujer; F es ella la que lleva los pantalones; **~held** F *m* (*-en*) Juan *m* Lanas, bragazas *m*.
Panto'mim|e *f*, **~ik** *f* pantomima *f*; **~iker** *m* pantomimo *m*; **2isch** *adj.* pantomímico.

'pantschen *v/i. u. v/t.* → *panschen.*
'Panzer *m* (*Harnisch*) arnés *m*; (*Rüstung*) armadura *f*; (*Brust*2) coraza *f*; (*Schiffs*2) coraza *f*; blindaje *m*; (*Ring*2) cota *f* de malla; (*Schuppen*2) loriga *f*; ⚔ (*Kampfwagen*) carro *m* de combate, *schwerer*: carro *m* de asalto; tanque *m*; **~abwehr** *f* (*0*) defensa *f* antitanque; **~abwehrkanone** *f* cañón *m* antitanque *od.* anticarro; **~armee** *f* ejército *m* acorazado; **~attrappe** *f* tanque *m* simulado; **~auto** *n* (*-s*; *-s*) auto *m* blindado; **2brechend** *adj.* antitanque; **~brigade** *f* brigada *f* acorazada; **~büchse** *f* (*Panzerfaust*) lanza-granadas *m* antitanque; (*Panzerschreck*) lanza-cohetes *m* antitanque; bazuca *f*; **~deckung** *f* protección *f* contra tanques; **~division** *f* división *f* blindada; **~fahrzeug** *n* (*-es*; *-e*) vehículo *m* blindado; **~faust** *f* (*-*; *⸚e*) lanza-granadas *m* antitanque; **~flotte** *f* flota *f* de acorazados; **~geschoß** *n* (*-sses*; *-sse*) proyectil *m* perforante; **~gewölbe** *n* (*Stahlkammer*) cámara *f* acorazada; **~glas** *n* (*-es*; *0*) (*Sicherheitsglas*) vidrio *m* de seguridad; **~graben** *m* (*-s*; *⸚*) foso *m* antitanque; **~granate** *f* granada *f* perforante; **~grenadier** *m* (*-s*; *-e*) soldado *m* de carros de combate; **~hemd** *n* (*-es*; *-en*) cota *f* de mallas; **~hindernis** *n* (*-ses*; *-se*) obstáculo *m* antitanque; **~jäger** *m* cazador *m* de carros de combate; **~kabel** ⚡ *n* cable *m* blindado; **~kampfwagen** *m* carro *m* de combate; **~kette** *f* (*Raupenkette*) oruga *f*; **~korps** *n* (*-*; *-*) cuerpo *m* acorazado; **~kraftwagen** *m* auto *m* blindado; **~kreuzer** ⚓ *m* (crucero *m*) acorazado *m*; **~kuppel** *f* (*-*; *-n*) torrecilla *f* blindada; **~mine** *f* mina *f* antitanque; **2n** *v/t.* acorazar; blindar; **~nahkampftrupp** *m* (*-s*; *-s*) destacamento *m* caza-tanques; **~platte** *f* plancha *f* de blindaje; **~regiment** *n* (*-s*; *-er*) regimiento *m* de carros de combate; **~schiff** ⚓ *n* (*-es*; *-e*) (buque *m*) acorazado *m*; **~schrank** *m* (*-es*; *⸚e*) caja *f* fuerte; **~schreck** *m* (*-s*; *-s*) lanza-cohetes *m* antitanque; bazuca *f*; **~spähwagen** *m* carro *m* blindado de reconocimiento; **~sperre** *f* barrera *f* antitanque; **~truppen** *f/pl.* tropas *f/pl.* acorazadas; **~turm** *m* (*-es*; *⸚e*) torre *f* acorazada *od.* blindada; **~ung** *f* blindaje *m*; coraza *f*; **~verband** *m* (*-es*; *⸚e*) formación *f* de tropas acorazadas; **~waffe** *f* arma *f* acorazada; **~wagen** *m* auto *m* blindado; carro *m* de combate, *schwerer*: carro *m* de asalto; **~weste** *f* chaleco *m* blindado; **~zug** *m* (*-es*; *⸚e*) tren *m* blindado.
Pä'onie ⚘ *f* peonía *f*.
Pa'pa *m* (*-s*; *-s*) papá *m*.
Papa'gei *Orn.* *m* (*-en*) papagayo *m*, loro *m*, *kleiner*: cotorra *f*; **~enkrankheit** *f* psitacosis *f*.
Pa'pier *n* (*-es*; *-e*) papel *m*; (*Wert*2) ✝ valor *m*; título *m*; (*Ausweis*2*e*) documentos *m/pl.* de identidad; documentación *f* (personal); *nur auf dem ~ stehen* existir solamente sobre el papel; *satiniertes* (*getöntes*; *liniiertes*; *lichtempfindliches*; *kariertes*) ~ papel satinado (coloreado; rayado; sensibilizado; cuadriculado); *in ~ einschlagen* (*od. einwickeln*) envolver en papel; *zu ~ bringen* poner por escrito; *s-e ~e in Ordnung bringen* arreglar sus papeles; poner en orden su documentación; *holzfreies ~* papel exento de celulosa; *~ ist geduldig* el papel todo lo aguanta; **~blatt** *n* (*-es*; *⸚er*), **~bogen** *m* (*-s*; *-*) hoja *f* (*od.* pliego *m*) de papel; **~blume** *f* flor *f* de papel; **~brei** *m* (*-es*; *-e*) pasta *f* de papel; **~drachen** *m* cometa *f*; **2en** *adj.* de papel; **~fabrik** *f* fábrica *f* de papel; **~fetzen** *m* pedazo *m* de papel; **~geld** *n* (*-es*; *-er*) papel *m* moneda; **~geld-umlauf** *m* (*-es*; *0*) circulación *f* fiduciaria; **~halter** *m an der Schreibmaschine*: sujetador *m* (del papel); **~korb** *m* (*-es*; *⸚e*) cesto *m* de los papeles; **~kragen** *m* cuello *m* de papel; **~kram** *m* (*-es*; *0*) papelotes *m/pl.*; papelorio *m*; **~krieg** *m* (*-es*; *-e*) papeleo *m* burocrático; **~maché** *n* (*-s*; *-s*) papel *m* maché; pasta *f* de papel; **~manschette** *f für Blumentöpfe*: cubretiestos *m*; **~messer** *n* cortapapeles *m*; **~mühle** *f* ⊕ fábrica *f* de papel; (*Spielzeug*) molinete *m*; **~rolle** *f* rollo *m* de papel; *Typ.* bobina *f* de papel; **~schere** *f* tijeras *f/pl.* para cortar papel; **~schlange** *f* serpentina *f*; **~schnitzel** *n/m* recorte *m* de papel; **~serviette** *f* servilleta *f* de papel; **~streifen** *m* tira *f* de papel; **~taschentuch** *n* (*-es*; *⸚er*) pañuelo *m* de papel; **~währung** *f* moneda *f* fiduciaria.
Pa'pist *m* (*-en*) papista *m*; **2isch** *adj.* papista.
'Papp|arbeit *f* cartonaje *m*, trabajo *m* en cartón; **~band** *m* (*-es*; *⸚e*) encuadernación *f* en cartón; *in ~* encartonado; **~becher** *m* vaso *m* de cartón; **~dach** *n* (*-es*; *⸚er*) tejado *m* de cartón impermeabilizado; **~deckel** *m* cubierta *f* (*od.* tapa *f*) de cartón.
'Pappe *f* (*Mehlbrei*) papilla *f*; (*Kleister*) engrudo *m*; (*Karton*) cartón *m*, *feine*: cartulina *f*; (*Hart*2) cartón-piedra *m*; (*Buchdeckel*2) cubierta *f* (*od.* tapa *f*) de cartón; *fig.* F *das ist nicht von ~* esto es para tomarlo en serio; F no es paja.
'Pappel ⚘ *f* (*-*; *-n*) álamo *m*; **~allee** *f* alameda *f*.
'päppeln (*-le*) *v/t.* dar papilla a; *fig.* mimar.
'pappen *adj.* de cartón; de cartulina.
'Pappen|fabrik *f* fábrica *f* de cartón, cartonería *f*; **~heimer** *m*: *s-e ~ kennen fig.* conocer el paño; **~stiel** F *m* (*-s*; *0*): *das ist kein ~* no es ninguna bagatela; *das ist keinen ~ wert* eso no vale un comino.
papperla'papp! *int.* ¡pamplinas!
'pappig *adj.* (*breiig*) pastoso; (*klebrig*) pegajoso.
'Papp...: **~karton** *m* (*-s*; *-s*) caja *f* de cartón; **~nase** *f* narices *f/pl.* de cartón; **~schachtel** *f* (*-*; *-n*) cajita *f* de cartón; **~scheibe** *f* disco *m* de cartón; **~schnee** *m* (*-s*; *0*) nieve *f* pegadiza; **~teller** *m* plato *m* de cartón; **~waren** *f/pl.* cartonaje *m*; objetos *m/pl.* de cartón.

'Paprika ['papʀi·ka·] *m* (*-s*; *-s*) pimiento *m* picante; *gemahlen*: pimentón *m*; **~schnitzel** *Kochkunst n* filete *m* pimentado; **~schote** *f* pimiento *m* morrón.

Papst *m* (*-es*; *⸚e*) Papa *m*; (Sumo) Pontífice *m*; Santo Padre *m*; **~krone** *f* tiara *f*.

'päpstlich *adj.* papal, del papa; pontificio; *desp.* papista; *~er Nuntius* nuncio apostólico; *2er Stuhl* Santa Sede *f*; *~es Schreiben* breve *m*; *~e Kanzlei* cancillería *f* apostólica; *~er als der Papst sein* ser más papista que el papa.

'Papst...: **~tum** *n* (*-s*; *0*) papado *m*; pontificado *m*; *desp.* papismo *m*; **~wahl** *f* elección *f* del papa; **~würde** *f* (*0*) pontificado *m*; dignidad *f* papal; papado *m*.

'Papua(neger) *m* (*-s*; *-s*) papú *m*.

Papyro|'loge *m* (*-n*) papirólogo *m*; **~lo'gie** *f* (*0*) papirología *f*.

Pa'pyrus *m* (*-*; *Papyri*) papiro *m*; **~rolle** *f* papiro *m*; **~staude** ♀ *f* papiro *m*.

Pa'rabel *f* (*-*; *-n*) 𝔄, *Bib.* parábola *f*; **~kurve** 𝔄 *f* curva *f* parabólica.

para'bolisch *adj.* parabólico; *~er Spiegel* espejo parabólico.

Parabolo'id *n* (*-s*; *-e*) paraboloide *m*.

Pa'rade *f* ⚔ desfile *m*; revista *f*; (*Schau, Gepränge*) parada *f* (*a. Fechtk.*); *die ~ abnehmen* pasar revista a las tropas; *fig. j-m in die ~ fahren* F echar a rodar los planes de alg.; **~anzug** *m* (*-es*; *⸚e*) uniforme *m* de gala; traje *m* de ceremonia; **~aufstellung** ⚔ *f* formación *f* de las tropas para ser revistadas; **~marsch** *m* (*-es*; *⸚e*) desfile *m*.

Pa'rade...: **~pferd** *n* (*-es*; *-e*) caballo *m* de regalo; *fig.* gala *f*; **~platz** *m* (*-es*; *⸚e*) plaza *f* de armas; lugar *m* de la revista; **~schritt** ⚔ *m* (*-es*; *0*) paso *m* de parada; **~uniform** *f* uniforme *m* de gala.

para'dieren (-) *v/i.* ⚔ desfilar; *mit et. ~* hacer gala (*od.* alarde) de a/c.

Para'dies *n* (*-es*; *-e*) paraíso *m*; **~apfel** *m* (*-s*; *⸚*) tomate *m*; **2isch** *adj.* paradisíaco, del paraíso; *fig.* celestial; delicioso; **~vogel** *Orn. m* (*-s*; *⸚*) ave *f* del paraíso.

Para'digma [i] *n* (*-s*; *Paradigmen*) paradigma *m*.

para'dox *adj.* paradójico.

Pa'radoxon [-dɔksɔn] *n* (*-s*; *Paradoxa*) paradoja *f*.

Paraf'fin [-a·'fi:n] ⚗ *n* (*-s*; *-e*) parafina *f*.

paraffi'nieren (-) *v/t.* parafinar.

Paraf'finkerze *f* vela *f* de parafina.

Para'graph *m* (*-en*) párrafo *m*; (*Gesetzes2*) artículo *m*; **~enreiter** *m* leguleyo *m*; burócrata *m* legalista.

Paragu'ay|er *m* paraguayo *m*; **2isch** *adj.* paraguayo.

paral'laktisch *Astr. adj.* paraláctico.

Paral'laxe *Astr. f* paralaje *m*.

paral'lel [-a·'le:l] **I.** *adj.* paralelo (*mit, zu* a); **II.** *adv.* paralelamente; *~ laufen* ser paralelo (zu a); *~geschaltet* ⚡ conectado en paralelo; **2e** *f* 𝔄 paralela *f*; *e-e ~ ziehen* trazar una paralela; *fig.* (*Vergleich*) paralelo *m*; comparación *f*; parangón *m*; *e-e ~* (*Vergleich*) *ziehen* establecer (*od.* hacer) un paralelo *od.* una comparación; hacer un parangón; **2fall** *m* (*-es*; *⸚e*) caso *m* paralelo.

Paralle'lismus *m* (*-*; *-men*) paralelismo *m*.

Paralleli'tät *f* (*0*) paralelismo *m*.

Paral'lel|klasse *Sch. f* clase *f* paralela; **~kreis** *Astr. m* (*-es*; *-e*) paralelo *m*; **2laufend** *adj.* paralelo; **~linie** *f* (línea *f*) paralela *f*.

Parallelo'gramm *n* (*-es*; *-e*) paralelogramo *m*.

paral'lelschalt|en (*-e-*) ⚡ *v/t.* conectar en paralelo; **2ung** ⚡ *f* conexión *f* en paralelo.

Paral'lelstraße *f* calle *f* paralela.

Para|'lyse ⚕ *f* parálisis *f*; **2ly'sieren** (-) *v/t.* paralizar; **2'lytisch** ⚕ *adj.* paralítico.

Para'met|er 𝔄 *n* parámetro *m*; **2risch** *adj.* paramétrico.

'paramilitärisch *adj.* paramilitar.

'Paranuß *f* (*-*; *⸚sse*) nuez *f* del Brasil.

Para'phrase *f* paráfrasis *f*.

paraphra'sieren (-) *v/t.* parafrasear.

'Parapsychologie *f* (*0*) parapsicología *f*.

Para'sit *m* (*-en*) parásito *m*.

para'sitisch *adj.* parásito; parasitario.

pa'rat *adj.* preparado.

'Paratyphus ⚕ *m* (*-*; *0*) paratifus *m*.

'Pärchen *n* parejita *f*; F par *m* de tórtolos.

par'dauz! *int.* ¡cataplum!, ¡zas!

Par'don [-'dɔŋ] *m* (*-s*; *0*) (*Verzeihung*) perdón *m*.

Paren'the|se *f* paréntesis *m*; *in ~* entre paréntesis; **2tisch** *adj. u. adv.* entre paréntesis.

Par'forcejagd [-'fɔʀs-] *f* caza *f* de acoso; montería *f*.

Par'füm *n* (*-s*; *-e od. -s*) perfume *m*; esencia *f*; (*Duft*) aroma *m*.

Parfüme'rie *f* perfumería *f*.

Par'füm...: **~fabrik** *f* fábrica *f* de perfumes; perfumería *f*; **~fläschchen** *n* frasquito *m* (*od.* pomo *m*) de perfume; frasco *m* de perfume.

parfü'mieren (-) *v/t.* perfumar; *sich ~* perfumarse.

Par'fümzerstäuber *m* vaporizador *m*.

'pari ✝ *adv.* a la par; **2** *n* (*-s*; *0*) valor *m* a la par; *über* (*unter*) *~ stehen* estar encima (debajo) de la par.

'Paria *m* (*-s*; *-s*) paria *m*.

pa'rieren I. (-) **1.** *v/t. u. v/i. Fechtk.* parar; *e-n Stoß ~* parar un golpe; **2.** *v/i.* (*gehorchen*) obedecer; **II. 2** *n Fechtk.* parada *f*; (*Gehorchen*) obediencia *f*.

'Parikurs ✝ *m* (*-es*; *-e*) cotización *f* a la par.

Pa'riser(in *f*) *m* parisiense *m/f*; **2isch** *adj.* parisiense, de París.

Pari'tät *f* (*0*) paridad *f*; igualdad *f* de derechos; **2isch** *adj.* paritario; igual(itario).

'Pariwert ✝ *m* (*-es*; *-e*) valor *m* a la par.

Park *m* (*-s*; *-s od. -e*), **'~anlage** *f* parque *m*; jardín *m* público; **'~aufseher** *m* guarda *m* (de parque).

'parken I. *v/t. u. v/i. Auto usw.*: estacionar, aparcar; **II. 2** *n* estacionamiento *m*; *~ verboten!* estacionamiento prohibido; *~ gestattet!* estacionamiento permitido; **~d** *adj.* estacionado, aparcado.

Par'kett *n* (*-es*; *-e*) pavimento *m* de madera, parqué *m*; *Thea.* patio *m* de butacas; platea *f*; *Am.* luneta *f*; *das ~ legen* entarimar; **~(fuß)boden** *m* (*-s*; *⸚*) entarimado *m*, parqué *m*.

parket'tieren (-) *v/t.* entarimar.

Par'kett|legen *n* entarimado *m*; **~leger** *m* entarimador *m*; **~loge** *Thea. f* palco *m* bajo *od.* de platea; **~platz** *Thea. m* (*-es*; *⸚e*) butaca *f* de patio; **~wachs** *n* (*-es*; *-e*) encáustico *m*, cera *f* (de pisos).

'Park...: **~gebühr** *f* derechos *m/pl.* de aparcamiento; **~haus** *n* garaje-aparcamiento *m*; **~licht** *n* (*-es*; *-er*) luz *f* (*od.* faro *m*) de estacionamiento; **~platz** *m* (*-es*; *⸚e*) aparcamiento *m*; *auf der Straße*: estacionamiento *m* autorizado; **~streifen** *m* marcas *f/pl.* de aparcamiento; **~uhr** *f* parcómetro *m*, aparquímetro *m*; **~verbot** *n* (*-es*; *0*) prohibición *f* de estacionamiento; **~wächter** *m* guarda *m* de parque.

Parla'ment *n* (*-es*; *-e*) parlamento *m*; *Span.* Cortes *f/pl.*; *Am.* Congreso *m*.

Parlamen'tär ⚔ *m* (*-s*; *-e*) parlamentario *m*.

Parlamen'ta|rier *m* diputado *m*; parlamentario *m*; **2risch** *adj. Europäische 2e Union* Unión Parlamentaria Europea.

Parlamenta'rismus *m* (*-*; *0*) parlamentarismo *m*.

Parla'ments...: **~beschluß** *m* (*-sses*; *⸚sse*) decisión *f* parlamentaria; **~dauer** *f* (*0*) legislatura *f*; **~debatte** *f* debate *m* parlamentario; **~ferien** *pl.* vacaciones *f/pl.* parlamentarias; **~gebäude** *n* (edificio *m* del) parlamento *m*; **~mitglied** *n* (*-es*; *-er*) diputado *m*; miembro *m* del parlamento; **~sitzung** *f* sesión *f* parlamentaria.

Parme'sankäse *m* queso *m* parmesano (*od.* de Parma).

Par'naß *Myt. m* (*-sses*; *0*) Parnaso *m*.

Paro'die *f* parodia *f* (*auf ac.* de); **2ren** (-) *v/t.* parodiar.

Paro'dist *m* (*-en*) parodista *m*; **2isch** *adj.* paródico.

Pa'role *f* ⚔ consigna *f* (*ausgeben*: dar); santo *m* y seña; *fig.* lema *m*.

Pa'roli *n* (*-s*; *-s*) paroli *m*; *j-m ~ bieten* (*im Spiel*) hacer paroli a alg.; *fig.* (*heimzahlen*) devolver con creces; (*Widerstand bieten*) oponer resistencia a alg.

Part *m* (*-s*; *-s*) parte *f*.

Par'tei *f Pol.* partido *m*; ⚖ parte *f*; (*aufrührerisch*) facción *f*; bando *m*; (*Miets2*) inquilino *m*; *e-r ~ angehören* pertenecer a un partido; *in e-e ~ eintreten* ingresar en (*od.* afiliarse a) un partido; *~ ergreifen* (*od. nehmen*) tomar partido (*für* por; *gegen* contra); *die ~ wechseln* cambiar de partido; *fig.* cambiar de opinión; F cambiar la casaca; *die streitenden* (*vertragschließenden*) *~en* las partes litigantes (contratantes).

Par'tei...: **~abzeichen** *n* insignia *f*

de partido; ~buch n (-es; =er) carnet m de afiliado (a un partido); ~führer m jefe m de partido; ~gänger m afiliado m a un partido; correligionario m; adicto m a un partido; ~geist m (-es; 0) espíritu m de partido; ~genosse m (-n) afiliado m a un partido; correligionario m; amigo m político; ~genossin f afiliada f a un partido; correligionaria f; amiga f política; ≈isch adj. parcial; adv. con parcialidad; ~kongreß m (-sses; -sse) congreso m del partido; ~leitung f jefatura f bzw. dirección f del partido; ≈lich adj. parcial; ~lichkeit f (0) parcialidad f; ~linie f línea f del partido; ≈los adj. sin partido; (apolitisch) apolítico; (neutral) neutral; (unabhängig) independiente; ~lose(r) m hombre m sin partido político; ~mann m (-es; -leute) hombre m de(l) partido; ~mitglied n (-es; -er) miembro m del partido; ~nahme f inclinación f en pro; ~ für adhesión a; ~organisation f organización f del partido; ~politik f (0) política f partidista (od. de partido); política f del partido; ≈politisch adj. político-partidista; de los partidos políticos; de la política del partido; ~programm n (-es; -e) programa m político; programa m del partido; ~tag m congreso m del partido; ~versammlung f asamblea f del partido; ~vorstand m (-es; =e) comité m ejecutivo del partido; ~wesen n (-s; 0) partidos m/pl.; sistema m de partidos; ~wirtschaft f (0) (Cliquenwirtschaft) camarilla f; bandería f política; ~zugehörigkeit f (0) afiliación f a un partido.

Par'terre [-'tɛʀ] n (-s; -s) (Erdgeschoß) piso m bajo; Thea. patio m; platea f; (Blumenbeet) arriate m; ≈ wohnen vivir en un (piso) bajo; ~wohnung f piso m bajo, planta f baja.

'Parther Hist. pl. parto m.

Par'tie f (Teil) parte f; (Ausflug) excursión f; Thea. papel m; ♪ parte f; im Buch: pasaje m; (Spiel) partida f; Sport: partido m; Anat. región f; ♆ (Posten) partida f, lote m; (Heirats≈) partido m; er (sie) ist e-e gute ~ es un buen partido; mit von der ~ sein ser también del grupo; participar con los demás en a/c.

parti'ell [-'tsïel] adj. parcial.

Par'tiewaren f/pl. lote m de mercancías variadas.

Par'tikel f (-; -n) partícula f.

Partikula'ris|mus m (-; 0) particularismo m; ~t m (-en), ≈tisch adj. particularista m.

Parti'san m (-en) guerrillero m; partisano m; ~enkrieg m (-es; -e) guerra f de guerrillas od. de partisanos.

parti'tiv Gr. adj. partitivo.

Parti'tur ♪ f partitura f.

Parti'zip(ium) Gr. n (-s; Partizipien) participio m (der Gegenwart od. des Präsens activo od. de presente; der Vergangenheit pasivo od. de pretérito).

'Partner(in f) m (Gesprächs≈) interlocutor(a f) m; (Tanz≈) pareja f; im Spiel: compañero (-a f) m de juego; (Ehe≈) cónyuge m/f; ♆ socio (-a f) m; Pol. aliado m; ~schaft ♆ f participación f; colaboración f; ~städte f/pl. ciudades f/pl. gemelas.

Parve'nü [ə] m (s; -s) advenedizo m; (Neureicher) nuevo rico m.

'Parze Myt. f Parca f.

Par'zelle f parcela f.

parzel'lier|en (-) v/t. parcelar; ≈ung f parcelación f.

Pasch m (-es; -e od. =e) beim Würfeln: parejas f/pl.; e-n ~ werfen hacer parejas.

'Pascha m (-s; -s) bajá m.

'Paspel f (-; -n) pestaña f, vivo m, ribete m; trencilla f, cordoncillo m; breite: galón m.

paspe'lieren (-) v/t. guarnecer con pestañas; ribetear; trencillar; galonear.

'paspeln (-le) v/t. → paspelieren.

Paß m (-sses; =sse) (Durchgang) paso m; (Berg≈) paso m, enger: desfiladero m, garganta f; puerto m; (Reise≈) pasaporte m; e-n ~ ausstellen expedir un pasaporte; sich e-n ~ ausstellen (verlängern; erneuern) lassen sacar (prorrogar; renovar) un pasaporte.

pas'sabel adj. pasadero; mediano; aceptable.

Pas'sage [-'sɑːʒə] f (Durchgang) pasaje m (a. ♪); (Film) secuencia f.

Passa'gier [-a'ʒiːʀ] m (-es; -e) viajero m; ✈, ⚓ pasajero m; blinder ~ pasajero clandestino, polizón; ~dampfer m vapor m de pasajeros; (Übersee≈) transatlántico m; ~flugzeug n (-es; -e) avión m de pasajeros; ~gepäck n (-es; 0) equipaje m; ~liste f lista f de pasajeros; ~schiff n (-es; -e) barco m de pasaje.

Passah(fest [-es; -e]) n (-s; -s) pascua f.

'Paß-amt n (-es; =er) oficina f de pasaportes.

Pas'sant(in f) [pa'sant] m (-en) transeúnte m/f.

Pas'sat(wind) [pa'sɑːt] m (-es; -e) (viento m) alisio m.

'Paßbild n (-es; -er) fotografía f de pasaporte.

'passen (-ßt) v/i. venir bien (zu con); Kleidung: sentar bien; venir justo; Spiel: pasar; Deckel: ajustar; (zusammen~) armonizar; zu et. ~ venir bien con; cuadrar con; ser apropiado a, (genehm sein) convenir, venir bien; zu j-m ~ congeniar con alg.; zueinander ~ hacer buena pareja; wenn es Ihnen nicht paßt si no le conviene a usted; es paßt mir nicht no me conviene; no me viene bien, (es gefällt mir nicht) no me agrada; no me gusta; das paßt mir großartig me viene muy bien; F me viene a la medida (od. a pedir de boca); das könnte dir so ~! iro. ¡eso es lo que tú quisieras!; ¡mírame este ojo!; er paßt nicht für diese Arbeit no es el hombre apropiado para ese trabajo; wie angegossen ~ venir como anillo al dedo; das paßt nicht hierher eso no viene (od. no hace) aquí al caso; das paßt wie die Faust aufs Auge F eso está tan bien como a un santo Cristo un par de pistolas; auf et. (j-n) ~ estar esperando a/c. (a alg.); fijarse en a/c. (en alg.); estar a la mira de a/c. (de alg.); ~d adj. (angemessen) conveniente; apropiado, adecuado; (zur Sache gehörig) pertinente; (zutreffend) acertado; (entsprechend) correspondiente; Zeit: oportuno; Kleidung: justo; ajustado; in Farbe usw.: dazu ~ haciendo juego; bei ~er Gelegenheit en ocasión oportuna; das ~e Wort la palabra apropiada od. oportuna.

Passepar'tout [paspaʀ'tuː] m (-s; -s) (Schlüssel) llave m maestra; (Karte) pase m.

'Paß...: ~gang m (-es; 0) des Pferdes: paso m de andadura; ~gänger m caballo m de andadura; ~gesetz n (-es; -e) ley f de pasaportes.

pas'sier|bar adj. (Weg) transitable; ~en (-) v/i. u. v/t. pasar; (überfliegen) volar sobre; volar por; Ort: pasar por; (überqueren) cruzar, atravesar; (sn) (geschehen) pasar, suceder, ocurrir; was ist passiert? ¿qué ha pasado?, ¿qué ha ocurrido?; ≈schein m (-es; -e) salvoconducto m; pase m; Zoll: permiso m de libre tránsito; ⚓ pasavante m.

Passi'on [pa'sï-] f pasión f; Rel. Pasión f.

passio'niert adj. apasionado.

Passi'ons...: ~blume ⚘ f pasionaria f; ~spiel n (-es; -e) Thea. Misterio m de la Pasión; representación f de la Pasión; ~woche f Semana f Santa; ~zeit f tiempo m de (la) Pasión, cuaresma f.

'passiv I. adj. pasivo; ~e Handelsbilanz balance m comercial pasivo; ~e Bestechung soborno m pasivo; ~er Widerstand resistencia f pasiva; ~es Wahlrecht elegibilidad f; **II.** ≈ Gr. n pasivo m; voz f pasiva.

Pas'siv|a [v] m/pl., ~en pl. ♆ pasivo m; ~bilanz f balance m pasivo; ~geschäft n (-es; -e) operación f pasiva; ~handel m (-s; 0) comercio m pasivo.

Passivi'tät f (0) pasividad f.

Pas'siv...: ~posten ♆ m partida f (od. asiento m) del pasivo; ~saldo m (-s; -saldi) saldo m pasivo; ~schuld f deuda f pasiva; ~seite f lado m pasivo.

'Paß...: ~kontrolle f revisión f (od. registro m) de pasaportes; ~sitz ⊕ m (-es; -e) asiento m de ajuste; ~stelle f oficina f de pasaportes; ~stück ⊕ n (-es; -e) pieza f de ajuste.

'Passung ⊕ f ajuste m.

'Passus m (-; -) párrafo m; im Buch: pasaje m.

'Paß...: ~wesen n (-s; 0) pasaportes m/pl.; ~zwang m (-es; 0) obligación f de llevar pasaporte; pasaporte m obligatorio.

'Past|a f (-; Pasten), ~e f pasta f.

Pas'tell n (-es; -e) (Bild, Farbe) pastel m; in ~ malen pintar al pastel; ~bild n (-es; -er) (cuadro m al) pastel m; ~farbe f (color m al) pastel m; ~gemälde n (pintura f al) pastel m; cuadro m al pastel; ~maler (-in f) m pastelista m/f; ~malerei f pintura f al pastel; ~stift m (-es; -e) lápiz m de color (para pintar al pastel); pastel m.

Pas'tete f Kochk. empanada f; pastel m (de carne, pescado usw.); ~nbäcker m pastelero m.

Pasteuri'sier|apparat m (-es; -e) (aparato m) pasteurizador m; ≈en

(-) *v/t.* pasteurizar; **~en** *n* pasteurización *f.*
Pas'tille *f Phar.* pastilla *f.*
'Pastor *m* (-*s*; -*en*) pastor *m*; *I.C.* cura *m.*
Pasto'rale *n* (-*s*; -*s*) pastoral *f*; *Mal.* escena *f* pastoral.
Pata'gonien *Geogr. n* Patagonia *f.*
'Pate *m* (-*n*) padrino *m*; ~ *stehen* servir de padrino (a alg.); *fig.* servir de ejemplo (o modelo).
Pa'tene *Lit. f* patena *f.*
'Paten|geschenk *n* (-*es*; -*e*) regalo *m* de bautizo; **~kind** *n* (-*es*; -*er*) ahijado *m*, ahijada *f*; **~schaft** *f* (*0*) padrinazgo *m*; **~stelle** *f*: *bei e-m Kinde ~ vertreten* apadrinar a un niño; servir de padrino *bzw.* madrina; ser padrino *bzw.* madrina de un niño; sacar de pila a un niño.
pa'tent *adj.* F muy elegante; perfecto, excelente; (*praktisch*) con sentido práctico; (*tüchtig*) diligente, activo.
Pa'tent *n* (-*es*; -*e*) patente *f*; (*Erfindungsurkunde*) patente *f* de invención; *e-e Erfindung zum ~ anmelden* solicitar la patente para un invento; (*zum*) *~ angemeldet* patente solicitada; *ein ~ eintragen* (*verwerten*; *erteilen*; *erhalten*) registrar (explotar; conceder; obtener) una patente; **~amt** *n* (-*es*; *⸚er*) registro *m* de patentes; **~anmeldung** *f* solicitud *f* de patente; **~anspruch** *m* (-*es*; *⸚e*) reivindicación *f* de patente; **~anwalt** *m* (-*es*; *⸚e*) agente *m* oficial de propiedad industrial; **~beschreibung** *f* descripción *f* de la patente; **⁓fähig** *adj.* patentable; **~gebühr** *f* derechos *m/pl.* de patente; **~gemeinschaft** *f* comunidad *f* de patentes; **~gesetz** *n* (-*es*; -*e*) ley *f* de patentes de invención.
paten'tier|bar *adj.* patentable; **~en** (-) *v/t.* patentar; **~t** *adj.* patentado.
Pa'tent...: **~inhaber** *m* tenedor *m* de una patente; **~recht** *n* (-*es*; -*e*) derecho *m* de patentes; **~schrift** *f* descripción *f* de la patente; exposición *f* del invento; **~schutz** *m* (-*es*; *0*) protección *f* de patentes; **~träger** *m* → *Patentinhaber*; **~urkunde** *f* certificado *m* de patente; **~verletzung** *f* violación *f* de patente; **~verschluß** *m* (-*sses*; *⸚sse*) cierre *m* patentado; *Brauerei*: cierre *m* mecánico *od.* de presión; **~verwertung** *f* explotación *f* de patente; **~wesen** *n* (-*s*; *0*) patentes *f/pl.*
'Pater *m* (-*s*; - *od. Patres*) Padre *m*; sacerdote *m*, cura *m.*
Pater'noster *Rel. n* Padrenuestro *m*; **~aufzug** ⊕ *m* (-*es*; *⸚e*) ascensor *m* en rosario.
pa'thetisch *adj.* patético.
Patho|ge'nese ⚕ *f* patogenia *f*; **⁓ge'netisch** *adj.* patógeno, patogénico; **~'loge** *m* (-*n*) patólogo *m*; **~lo'gie** *f* (*0*) patología *f*; **⁓'logisch** *adj.* patológico.
'Pathos *n* (-; *0*) patetismo *m*; *Rhet.* énfasis *m*; (*unnatürliches*) afectación *f*; (*hochtrabendes*) rimbombancia *f*, grandilocuencia *f*, pomposidad *f.*
Pati'ence [pa'sĭ'ɑ̃s] *f Kartenspiel*: solitario *m*; *e-e ~ legen* sacar (*od.* hacer) un solitario.
Pati'ent(in *f*) [-'tsĭ-] *m* (-*en*) enfermo (-a *f*) *m*; paciente *m/f*; *ambulanter* (*stationärer*) ~ paciente ambulante (hospitalizado).
'Patin *f* madrina *f.*
'Patina *f* (*0*) pátina *f*; *mit ~ überziehen* dar pátina.
pati'nieren (-) *v/t.* dar pátina.
Patri'arch [-i·'aʀç] *m* (-*en*) patriarca *m.*
patriar|'chalisch *adj.* patriarcal; **⁓'chat** *n* patriarcado *m.*
Patri'monium *n* (-*s*; *Patrimonien*) patrimonio *m.*
Patri'ot(in *f*) [-i·'oːt] *m* (-*en*) patriota *m/f*; **⁓isch** *adj.* patriótico.
Patrio'tismus *m* (-; *0*) patriotismo *m.*
Pa'tristik *f* (*0*) patrística *f*, patrología *f.*
Pa'trize ⊕ *f* punzón *m.*
Pa'triz|ier(in *f*) [-tsĭə] *m* patricio (-a *f*) *m*; **⁓isch** *adj.* patricio.
Pa'tron(in *f*) *m* (-*s*; -*e*) patrono (-a *f*) *m*; ⚓ patrón *m*; F *ein übler ~* un mal sujeto; (*frecher Kerl*) un sinvergüenza; *ein lustiger ~* un tío muy gracioso; *ein sauberer ~* un pájaro de cuenta.
Patro'nat *n* (-*es*; -*e*) patronato *m*; *Rel.* patronado *m*; *e-s Festes*: patrocinio *m.*
Pa'trone *f* (*Gewehr⁓*) cartucho *m*; ⊕ (*Muster*) patrón *m*, modelo *m*; **~n-auswerfer** *m* eyector *m* de cartuchos; **~ngurt** *m* (-*es*; -*e*) portacartuchos *m*; canana *f*; **~nhülse** *f* vaina *f*; casquillo *m*; **~nlager** *n* recámara *f*; **~nrahmen** *m bei Gewehren*: cargador *m*; **~nstreifen** *m* banda *f* de cartuchos; **~ntasche** *f* cartuchera *f*; **~ntrommel** *f* tambor *m* (*de un arma de fuego*); **~nzieher** *m* sacacartucho *m.*
Pa'trouille [-'tʀuljə] *f* patrulla *f*; (*Stadt⁓*) ronda *f*; **~nboot** *n* (-*es*; -*e*), **~nflugzeug** *n* (-*es*; -*e*), **~nschiff** *n* (-*es*; -*e*) patrullero *m.*
patrouil'lieren [-'liː-] (-; *sn*) *v/i.* patrullar; rondar.
patsch *int.* ¡zas!; ¡pam!
'Patsche F *f* (*Hand*) manecita *f*, manita *f*; (*Pfütze*) charco *m*; *fig. in der ~ sitzen* estar en un atolladero; hallarse en un aprieto; *j-n in der ~ stecken lassen* dejar a alg. en las astas del toro (*od.* en la estacada); *j-m aus der ~ helfen* sacar a alg. del atolladero; sacar a alg. de un apuro; *sich aus der ~ ziehen* salir del atolladero.
'patschen *v/t. u. v/i. im Wasser*: chapotear; (*klapsen*) sopapear; dar un sopapo.
'Patsch|hand *f* (-; *⸚e*), **~händchen** *n* F manecita *f*, manita *f.*
patsch'naß *adj.* calado hasta los huesos; hecho una sopa.
'Patschuli ⚘ *n* (-*s*; -*s*) pachulí *m.*
patt *adj. Schach*: *~ bleiben* quedar tablas.
'Patte *f Schneiderei*: pata *f*, cartera *f.*
'patzig F *adj.* arrogante; insolente; impertinente.
Pau'kant *Sch. m* (-*en*) (estudiante *m*) esgrimidor *m.*
'Paukboden *Sch. m* (-*s*; *⸚*) sala *f* de esgrima.
'Pauke *f* ♪ bombo *m*; (*Kessel⁓*) timbal *m*; *Anat.* (caja *f* del) tímpano *m*; F *fig. mit ~n und Trompeten* con bombo y platillos; estrepitosamente; (*tüchtig*) *auf die ~ hauen* divertirse de lo lindo.
'pauken *v/t. Sch.* (*fechten*) esgrimir; (*sich*) *mit j-m ~* ejercitarse en la esgrima con alg.; (*lernen*) *Sch.* empollar; **⁓schlag** ♪ *m* (-*es*; *⸚e*) golpe *m* de bombo *bzw.* de timbal; *fig.* campanada *f*; **⁓schläger** ♪ *m* timbalero *m*; bombo *m.*
'Pauker *m* ♪ → *Paukenschläger*; *Sch.* profesor *m* (machacón); (*Repetitor*) repetidor *m*; (*Student*) empollón *m.*
Pauke'rei *f Sch.* (*Lernen*) empollamiento *m*; (*Fechten*) ejercicio *m* de esgrima.
Paul *m* Pablo *m*; (*Päpstename*) *a.* Paulo *m*; **'~a** *f* Paula *f.*
'Paulus *m* (*Apostel*) San Pablo *m.*
'Paus|backe *f* moflete *m*; **⁓bäckig** *adj.* mofletudo.
pau'schal I. *adj.* global; en (con)junto; **II.** *adv.* globalmente; a tanto alzado; a destajo; *im Hotel usw.*: todo incluido; **⁓betrag** *m* (-*es*; *⸚e*), **⁓e** *f* importe *m* global; suma *f* global; cantidad *f* fija; valor *m* en junto; *auf ~ arbeiten* trabajar a tanto alzado.
pauscha'lier|en (-) *v/t.* globalizar; fijar una cantidad global; **⁓ung** *f* globalización *f.*
Pau'schal...: **~kauf** *m* (-*es*; *⸚e*) compra *f* en conjunto (*od.* en globo); **~police** *f* póliza *f* abierta (*od.* en blanco); **~preis** *m* (-*es*; -*e*) precio *m* global; **~reise** *f* viaje *m* con todo incluído (en el precio); **~summe** *f* suma *f* global; **~tarif** *m* (-*es*; -*e*) tarifa *f* global (*od.* a tanto alzado); **~versicherung** *f* seguro *m* global; **~versteuerung** *f* impuesto *m* global.
'Pause[1] *f* pausa *f* (*a.* ♪); (*Ruhe⁓*) reposo *m*; ⚔ alto *m*; (*Kampf⁓*) tregua *f*; *Schule*: recreo *m*; ♪ intervalo *m*; silencio *m*, espera *f*; *Thea.* entreacto *m*; *Konzert, Film*: descanso *m*; *e-e ~ machen* hacer una pausa; F hacer un alto.
'Pause[2] *f* (*Durchzeichnung*) calco *m.*
'pausen (-*t*) *v/t. Zeichnung*: calcar.
'pausenlos I. *adj.* incesante, ininterrumpido; **II.** *adv.* sin cesar, incesantemente; sin descanso; sin tregua.
'Pausenzeichen *n Radio*: (señal *f*) característica *f* de la emisora.
pau'sieren (-) *v/i.* hacer (una) pausa; pausar.
'Pauspapier *n* (-*es*; -*e*) papel *m* de calcar.
Pa'vane *f* pavana *f.*
'Pavian [-vĭaːn] *Zoo. m* (-*s*; -*e*) cinocéfalo *m*; papión *m*, *gal.* babuino *m.*
'Pavillon [-vɪljɔŋ] *n* (-*s*; -*s*) pabellón *m*; (*Musik⁓*, *Verkaufs⁓*) quiosco *m*, kiosco *m*; ♪ *a.* templete *m.*
Pa'zifik *m* (-*s*; *0*) Pacífico *m.*
pa'zifisch *adj.*: *der ⁓e Ozean* el (océano) Pacífico.
Pazi'fis|mus *m* (-; *0*) pacifismo *m*; **~t(in** *f*) *m* (-*en*) pacifista *m/f*; **⁓tisch** *adj.* pacifista.
'Pech *n* (-*s*; *0*) pez *f*; ⚓ brea *f*; (*Schuster⁓*) cerote *m*; (*Erd⁓*) betún *m*; F *fig.* mala suerte; F mala pata, mala sombra; *wie ~ kleben* pegarse

como la pez; *mit ~ beschmieren* empegar; embrear; untar con brea; *fig. ~ haben* tener mala suerte; F tener mala sombra (*od.* mala pata); fracasar; **~blende** *Min. f (0)* pecblenda *f*; **~draht** *m (-es; ⸚e) des Schusters*: sedal *m* de zapatero; hilo *m* empegado; **~fackel** *f (-; -n)* antorcha *f* (de resina); **~harz** *n (-es; 0)* pez *f* resina; **2ig** *adj.* empegado; **~kohle** *Min. f* azabache *m*; hulla *f* pícea; **~mantel** ⊕ *m* empegadura *f*; **2schwarz** *adj. (0)* negro como el azabache; *es ist ~e Nacht* la noche está oscura como boca de lobo; **~stein** *Min. m (-es; -e)* retinita *f*; **~strähne** *f* racha *f* de mala suerte; **~tag** *m (-es; -e)* día *m* aciago; **~vogel** F *m (-s; ⸚)* desdichado *m*; F cenizo *m*, gafe *m*.

Pe'dal *n (-es; -e)* pedal *m*; *das ~ treten (Radfahrer)* pedalear; *Auto.* pisar el pedal.

Pe'dant *m (-en)* hombre *m* muy meticuloso (*od.* escrupuloso).

Pedante'rie [-tə-] *f (0)* escrupulosidad *f* exagerada; meticulosidad *f*; F cominería *f*.

pe'dantisch *adj.* escrupuloso; meticuloso.

Pe'dell *m (-s; -e)* bedel *m*.

Pedi'küre *f* pedicura *f*.

'Pegasus *Myt. m* Pegaso *m*.

'Pegel *m (Flutmesser)* fluviómetro *m*; *(Wasserstand)* nivel *m* del agua; **~höhe** *f*, **~stand** *m (-es; ⸚e)* nivel *m* del agua.

'Peil|anlage *f* instalación *f* radiogoniométrica; **~antenne** *f Radio*: antena *f* radiogoniométrica; **~empfänger** *m* receptor *m* radiogoniométrico; **2en** *v/t.* ⚓ *(loten)* sondar, sondear; *(orten)* orientarse; arrumbar; *(Besteck machen)* tomar marcaciones; *(messen)* medir; ✈ orientarse por radiogoniómetro; *Radio*: tantear la onda; F *fig. die Lage ~* sondear (*od.* tantear) el terreno; **~funk** *m (-s; 0)* radiogoniometría *f*; **~gerät** *n (-es; -e)* radiogoniómetro *m*; **~kompaß** *m (-sses; -sse)* brújula *f* de marcación; **~lot** *n (-es; -e)* sonda *f*; **~station** *f* faro *m* radiogoniométrico, radiofaro *m*; **~ung** *f* ⚓ *(Loten)* sondeo *m*; *(Messung)* medición *f*; *(Ortung)* ⚓ orientación *f*; arrumbamiento *m*; *durch Winkelmessung*: marcación *f*; ✈ orientación *f* (radio)goniométrica.

Pein *f (0)* pena *f*; *(Qual)* tormento *m*; suplicio *m*; tortura *f*; *(Schmerz)* dolor *m*; sufrimiento *m*.

'peinig|en *v/t.* hacer sufrir; atormentar; torturar; **2er** *m* atormentador *m*; verdugo *m*; **2ung** *f* tormento *m*; tortura *f*; mortificación *f*.

'peinlich I. *adj. (schmerzlich)* doloroso, penoso; *(unangenehm)* desagradable; *(unbequem)* molesto; *(gewissenhaft)* concienzudo; *(sehr genau)* escrupuloso, minucioso, meticuloso; *(verfänglich)* embarazoso; ⚖ *(strafrechtlich)* criminal; penal; *~e Frage* pregunta delicada; *~e Lage* situación precaria; *~e Überraschung* sorpresa desagradable; **II.** *adv.*: *~ genau* escrupulosamente exacto; *~ sauber* pulcro; *~ berühren* causar una penosa impresión; *es ist mir ~* es muy desagradable para mí; lo siento muchísimo; **2keit** *f* lo penoso, lo delicado, lo molesto *usw.* de; *(Genauigkeit)* escrupulosidad *f*, minuciosidad *f*, meticulosidad *f*.

'Peitsche *f* látigo *m*; fusta *f*; *(Reit2)* látigo *m* de montar; *Am.* chicote *m*; *Arg.* rebenque *m*; **2n** *v/t. u. v/i.* dar de latigazos; *als Strafe*: azotar, fustigar; **~nhieb** *m (-es; -e)* latigazo *m*; fustazo *m*; *Am.* chicotazo *m*; *Arg.* rebencazo *m*; **~nknall** *m (-es; 0)* chasquido *m*; **~schnur** *f (-; ⸚e)* tralla *f*; **~nstiel** *m (-es; -e)*, **~stock** *m (-es; ⸚e)* mango *m* del látigo.

Peki'nese *m (-n) (Hund)* (perro *m*) pequinés *m*.

pekuni'är *adj.* pecuniario.

Pele'rine [-lə-] *f* esclavina *f*.

'Pelikan *Orn. m (-s; -e)* pelícano *m*.

'Pellagra ⚕ *n (-; 0)* pelagra *f*.

'Pell|e *f (Schale)* piel *f*; *(abziehbare Haut)* pellejo *m*; **2en** *v/t.* mondar, pelar; *fig. wie aus dem Ei gepellt* muy elegante, F hecho un brazo de mar; **~kartoffeln** *f/pl.* patatas *f/pl.* cocidas sin pelar.

Pelopon'nes *m* Peloponeso *m*.

'Pelz *m (-es; -e)* piel *f*; *am Tier*: pellejo *m*; *mit ~ besetzen (füttern)* guarnecer (forrar) de piel; F *j-m auf den ~ rücken* arremeter contra alg.; F *j-m den ~ waschen* reprender con aspereza a alg.; F dar un jabón a alg.; F *j-m eins auf den ~ brennen* descerrajar un tiro a alg.; F *j-m Läuse in den ~ setzen* echar a alg. la pulga detrás de la oreja; **~art** *f* clase *f* de piel; **~besatz** *m (-es; ⸚e)* guarnición *f* de piel; **2besetzt** *adj.* guarnecido de piel; **~futter** *n* forro *m* de piel(es); **2gefüttert** *adj.* forrado de piel; **~geschäft** *n (-es; -e)* peletería *f*; **~handel** *m (-s; 0)* comercio *m* de pieles; peletería *f*; **~händler** *m* comerciante *m* en pieles; peletero *m*; **~handschuh** *m (-es; -e)* guante *m* forrado de piel; **2ig** *adj. (behaart)* peludo; *(flaumig)* afelpado; **~jacke** *f* chaquetón *m* de piel; **~joppe** *f* zamarra *f*; pelliza *f*; **~jäger** *m* cazador *m* de animales de pieles finas; **~kragen** *m* cuello *m* de piel; **~mantel** *m (-s; ⸚)* abrigo *m* de pieles; *(pelzgefütterter Mantel)* abrigo *m* forrado de piel; **~mütze** *f* gorra *f* de piel; **~stiefel** *m* bota *f* forrada de piel; **~tiere** *Zoo. n/pl.* animales *m/pl.* pelosos; **~tierfarm** *f* granja *f* de peletería; **~tierjäger** *m* → *Pelzjäger*; **~verbrämung** *f* guarnición *f* de piel; **~ware** *f*, **~werk** *n (-es; 0)* pieles *f/pl.*; peletería *f*.

Pe'naten *Myt. pl.* penates *m/pl.*

Pen'dant *n* pareja *f*; juego *m*; réplica *f*.

'Pendel *n* péndulo *m*; *der Uhr*: péndola *f*; **~ausschlag** *m (-es; ⸚e)* amplitud *f* de la oscilación pendular; **~bewegung** *f* movimiento *m* pendular; **2n** *(-le) v/i.* oscilar; *(hin- und herlaufen)* ir y venir de un lado para otro; F andar al retortero; **~säge** *f* sierra *f* de péndulo (*od.* de vaivén); **~schlag** *m (-es; ⸚e)*, **~schwingung** *f* oscilación *f* del péndulo; **~tür** *f* puerta *f* oscilante; **~uhr** *f* reloj *m* de péndola; **~verkehr** *m (-s; 0)* tráfico *m* (*od.* servicio *m*) de vaivén; **~zug** 🚂 *m (-es; ⸚e)* tren *m* de vaivén.

'Pendler *m* trabajador *m* que diariamente va y viene de casa a su trabajo.

pene'trant *adj.* penetrante.

pe'nibel [-bəl] *adj. (schwierig)* difícil; *(mühsam)* penoso; *(sehr genau)* escrupuloso; minucioso; meticuloso.

'Penis *Anat. m (-; Penes)* miembro *m* viril, pene *m*.

Penizil'lin [-tsɪ'li:n] *n (-s; 0)* penicilina *f*.

Pen'n|al *Sch. n (-s; -e)* colegio *m*, cole *m*; **~äler** *Sch. m* colegial *m*.

'Penn|bruder F *m* vagabundo *m*; **~e** *Sch. f* → *Pennal*; **2en** F *v/i.* dormir; P dormir al raso; **~er** F *m* vagabundo *m*, girovago *m*.

Pension [paŋzĭ'o:n] *f (Fremdenheim)* pensión *f*; *(Kostgeld)* hospedaje *m*, pensión *f*; *(Kostschule)* colegio *m* de internos; internado *m*; *(Ruhegehalt)* pensión *f*; ⚔ retiro *m*, *bsd. Beamte*: jubilación *f*; *in voller ~* con pensión completa; *in ~ gehen (Ruhestand)* ⚔ retirarse; *Beamte*: jubilarse; *in ~ sein* estar retirado *bzw.* jubilado *bzw.* pensionado; *mit ~ verabschiedet* ⚔ retirado; *Beamter*: jubilado.

Pensio'när(in *f*) *m (-s; -e)* pensionista *m/f*; *Schüler*: *a.* interno (-a *f*) *m*; *(Ruhegehaltsempfänger)* ⚔ retirado *m*; *(Beamter)* jubilado (-a *f*) *m*.

Pensio'nat *n (-es; -e)* (colegio *m* con) internado *m*.

pensio'nier|en (-) *v/t.* pensionar, *bsd. Beamter*: jubilar; *sich ~ lassen* jubilarse, pedir la jubilación; ⚔ retirarse, pedir el retiro; *(e-n Ehrensold gewähren)* pensionar; conceder una pensión; **~t** *adj.* pensionado; jubilado; ⚔ retirado; *~ werden (Beamter)* jubilarse; ser pensionado *bzw.* jubilado; ⚔ obtener el retiro; *(Stipendiat)* ser pensionado, obtener una pensión (*od.* una beca); **2ung** *f* pensión *f*; jubilación *f*; ⚔ retiro *m*.

Pensi'ons...: **~alter** *n (-s; 0)* edad *f* de jubilación; **~beitrag** *m (-es; ⸚e)* descuento *m* de derechos pasivos; **2berechtigt** *adj.*: *~ sein* tener derecho a jubilación *bzw.* a retiro *bzw.* a pensión; **~berechtigung** *f* derecho *m* a jubilación *bzw.* a retiro *bzw.* a pensión; **~empfänger(in** *f*) *m* jubilado (-a *f*) *m*; ⚔ retirado *m*; pensionista *m/f*; **~fonds** *m (-; -)* fondo *m* de derechos pasivos; **~gast** *m (-es; ⸚e)* huésped *m*; **~gesetz** *n (-es; -e)* ley *f* de derechos pasivos; **~kasse** *f* caja *f* de pensiones *od.* de retiros; **~preis** *m (-es; -e) (Fremdenheim)* precio *m* de la pensión.

'Pensum *n (-s; Pensa od. Pensen) (Aufgabe)* tarea *f* asignada; *(Lehrstoff)* materia *f* (de enseñanza); *Schule*: lección *f*; deber *m*.

Penta'eder *n* pentaedro *m*.

Penta'gon *n (-s; -e)* pentágono *m*.

Penta'gramm *n (-es; -e)* pentagrama *m*.

Pen'tameter *m* pentámetro *m*.

Penta'teuch *m (-s; 0)* Pentateuco *m*.

Pep'sin ⚗ *n (-s; -e)* pepsina *f*.

per [pɛʀ] *prp.*: *~ Adresse* en casa de; *~ Bahn* por ferrocarril; *~ Saldo* por

saldo; ~ *Kassa* al contado; ~ *Monat* al mes, por mes; ~ *pedes* a pie; ~ *Einschreiben* por correo certificado; ~ *Schiff* ✝ por vía marítima; *sie sind* ~ *Du* se tutean, se tratan de tú.
peren'nierend ♀ *adj.* perenne; vivaz.
per'fekt (*-est*) *adj.* perfecto; (*vollendet*) acabado; ~ *machen* ✝ concluir; *er spricht* ~ *Deutsch* habla perfectamente el alemán; habla el alemán a la perfección.
'Perfekt *n* (*-s*; *-e*), **Per'fektum** *n* (*-s*; *Perfekta*) *Gr.* pretérito *m* perfecto.
per'fid *adj.* pérfido.
Perfi'die *f* perfidia *f*.
perfo'rier|en (-) *v/t.* perforar; **2en** *n* perforación *f*; **2maschine** *f* (máquina *f*) perforadora *f*.
Perga'ment *n* (*-es*; *-e*) pergamino *m*; **2artig** *adj.* apergaminado; **~band** *m* (*-es*; *⸚e*) encuadernación *f* en pergamino; (*Buch*) tomo *m* en pergamino; **~blatt** *n* (*-es*; *⸚er*) hoja *f* de pergamino; **~papier** *n* (*-es*; *-e*) papel *m* pergamino; **~rolle** *f* rollo *m* de pergamino.
'Pergola *f* (-; *Pergolen*) pérgola *f*.
Peri'od|e [-ʀĭ'o:də] *f* período *m* (*a. Astr., Gr.,* Ⓐ, *Phys.*); ⚕ *a.* menstruación *f*, regla *f*; ⚡ período *m*; ciclo *m*; **~enzahl** ⚡ *f* número *m* de períodos; frecuencia *f*; **2isch** *adj.* periódico; Ⓐ *~er Bruch* fracción periódica; *Phys. ~es System der Elemente* sistema periódico de los elementos.
Periodizi'tät *f* (*0*) periodicidad *f*.
Peripa'tetiker *m* peripatético *m*.
Peripe'tie *f* peripecia *f*.
Periphe'rie *f* periferia *f*; **~winkel** Ⓐ *m* ángulo *m* inscrito.
peri'pherisch *adj.* periférico.
Peri'phrase *f* perífrasis *f*.
peri'phrastisch *adj.* perifrástico.
Peris'kop *n* (*-s*; *-e*) periscopio *m*.
Perkussi'on *f* percusión *f*.
'Perle *f* perla *f* (*a. fig.*); *echte* ~ perla fina; *in der Muschel*: margarita *f*; (*Zucht2*) perla *f* de cultivo; (*Rosenkranz2*) cuenta *f*; (*Schweiß2*) gota *f* de sudor; F *fig.* (*Dienstmädchen*) perla *f*, joya *f*; *fig. ~n vor die Säue werfen* echar margaritas a puercos.
'perlen I. *v/i. Getränke*: burbujear; (*schäumen*) espumar; **II.** *adj.* perlado; de perlas.
'Perlen...: ~auster *f* (-; *-n*) ostra *f* perlera; **~bank** *f* (-; *⸚e*) banco *m* de perlas; **~fischer** *m* pescador *m* de perlas; **~fische'rei** *f* pesca *f* (*Ort*: pesquería *f*) de perlas; **~kette** *f* collar *m* de perlas; **~schmuck** *m* (*-es*; *0*) aderezo *m* de perlas; **~sticke'rei** *f* bordado *m* de perlas.
'Perl...: 2farben, 2grau *adj.* gris perla; perlino; **~graupen** *f/pl.* cebada *f* perlada; **~huhn** *Orn. n* (*-es*; *⸚er*) gallina *f* de Guinea, pintada *f*; **~muschel** *f* (-; *-n*) ostra *f* perlera; madreperla *f*; **~'mutt** *n* (*-s*; *0*), **~'mutter** *f* (*0*) nácar *m*; **2'mutterartig** *adj.* nacarado; **~'mutterglanz** *m* (*-es*; *0*) brillo *m* nacarino; **2'muttern** *adj* de nácar; nacarado; (*Glanz*) nacarino; **~mutter-schale** *f* concha *f* perlera *bzw.* nacarada; **~reis** *m* (*-es*; *0*) arroz *m* perlado; **~schrift** *Typ. f* (*0*) perla *f*; **~zwiebel** ♀ *f* (-; *-n*) rocambola *f*.
perma'nen|t (*-est*) *adj.* permanente; **2z** *f* (*0*) permanencia *f*.
Permanga'nat ⚗ *n* (*-es*; *-e*) permanganato *m*.
Permu|tati'on *f* permutación *f* (*a.* Ⓐ); **2'tieren** (-) *v/i.* permutar.
per-o'ral ⚕ *adv. u. adj.* por vía bucal; peroral.
Per'oxyd ⚗ *n* (*-es*; *-e*) peróxido *m*.
Perpen'dikel *m u. n* (*Uhr*) péndola *f*; Ⓐ (*Senkrechte*) perpendicular *f*.
Per'petuum 'mobile (- -; - - *od. Perpetua mobilia*) *n* movimiento *m* continuo (*od.* perpetuo).
per'plex (*-est*) *adj.* (*verwirrt*) confuso; perplejo; (*bestürzt, verdutzt*) estupefacto.
pernizi'ös ⚕ *adj.* pernicioso.
Per'senning ⚓ *f* (*Stoff*) tela *f* impermeable; (*Decke*) encerado *m*; cubierta *f* de lona.
'Perser(in *f*) *m* persa *m/f*; (*Neu2*) iranio (-a *f*) *m*; **~kriege** *Hist. pl.* guerras *f/pl.* médicas; **~teppich** *m* (*-s*; *-e*) tapiz *m* persa.
Persi'aner [-zĭ'ɑ:-] *m* astracán *m*; **~mantel** *m* (*-s*; *⸚*) abrigo *m* de astracán.
'Persien *n* Persia *f*; (*seit 1935*) Irán *m*.
Persi|'flage [-'flɑ:ʒə] *f* parodia *f*; **2'flieren** *v/t.* parodiar.
'persisch *adj.* (*alt~*) persa; (*neu~*) iranio; *der 2e Golf* el golfo Pérsico.
Per'son *f* persona *f* (*a. Gr.*); *Thea. u. bedeutende*: personaje *m*; (*Persönlichkeit*) personalidad *f*; (*Rolle*) papel *m*; *desp.* individuo *m*; sujeto *m*; *natürliche* (*juristische*) ~ persona natural (jurídica); *ohne Ansehen der* ~ sin consideraciones personales; sin preferencia; *in e-r* ~ en una sola (*od.* misma) persona; *in eigener* ~ personalmente; en persona; *ich für meine* ~ en cuanto a mí (toca); yo personalmente; por mi parte; *dritte* ~ tercera persona (*a. Gr.*); tercero; *in der ersten* ~ (*Gr.*) en primera persona; *pro* ~ por persona; por cabeza; F por barba; *für zwei ~en* (*z. B. Zimmer*) bipersonal *adj.*
Perso'nal *n* (*-s*; *0*) personal *m*; (*Bedienstete*) servidumbre *f*; personal *m* de servicio; ✈ *fliegendes* ~ personal de vuelo; *unser* ~ *reicht nicht aus* no tenemos suficiente personal; **~abbau** *m* (*-es*; *0*) reducción *f* de personal; **~abteilung** *f* sección *f* de personal; **~akten** *f/pl.* expediente *m* personal; **~angaben** *f/pl.* datos *m/pl.* personales; **~aufwendungen** *f/pl.* gastos *m/pl.* de personal; **~ausweis** *m* (*-es*; *-e*) documento *m* de identidad; **~beschreibung** *f* (*im Paß*) señas *f/pl.* personales; *bsd.* ⚔ filiación *f*; **~bestand** *m* (*-es*; *0*) plantilla *f* de personal; ⚔ (contingente *m*) efectivo *m*; **~büro** *n* (*-s*; *-s*) oficina *f* de personal; **~chef** *m* (*-s*; *-s*) jefe *m* de personal; **~gesellschaft** *f* sociedad *f* colectiva; **~ien** *pl.* datos *m/pl.* personales; **~kosten** *pl.* → *Personalaufwendungen*; **~kredit** *m* (*-es*; *-e*) crédito *m* personal; **~mangel** *m* (*-s*; *0*) escasez *f* de personal; **~pronomen** *Gr. n* (*-s*; *Pronomina*) pronombre *m* personal; **~union** *f* unión *f* personal; **~vertreter** *m* delegado *m* (*od.* representante *m*) del personal; **~vertretung** *f* representación *f* del personal; **~wechsel** *m in Ämtern*: cambio *m* de personal.
Per'sonen...: ~aufzug *m* (*-es*; *⸚e*) ascensor *m*; **~beförderung** *f* (*0*) transporte *m* de viajeros; **~dampfer** *m* vapor *m* de pasajeros; **~kraftwagen** *m* automóvil *m*; **~kreis** *m* (*-es*; *-e*) (*Gesellschaft*) círculo *m* de personas; **~kult** *m* (*-es*; *0*) *Pol.* culto *m* a la personalidad; **~name** *m* (*-ns*; *-n*) nombre *m* de persona; (*Familienname*) apellido *m*; **~schaden** *m* (*-s*; *⸚*) daño *m* personal; **~stand** *m* (*-es*; *0*) estado *m* civil; **~vereinigung** *f* asociación *f*; **~verkehr** *m* (*-s*; *0*) tráfico *m* de viajeros; **~verzeichnis** *n* (*-ses*; *-se*) lista *f* de personal; *Thea.* personajes *m/pl.*; **~waage** *f* báscula *f* (médica); **~wagen** *m* 🚂 vagón *m* de viajeros; (*Auto.*) autobús *m*; *privat*: coche *m* particular; **~wechsel** *m in Ämtern*: cambio *m* de personal; **~zug** 🚂 *m* (*-es*; *⸚e*) (*Ggs. Güterzug*) tren *m* de viajeros; (*Ggs. Schnellzug*) tren *m* ómnibus; tren *m* correo.
Personifi|kati'on *f* (*0*) personificación *f*; **2'zieren** (-) *v/t.* personificar; personalizar (*a. Gr.*); **2'ziert** *adj.* en persona.
per'sönlich I. *adj.* personal; individual; (*privat*) particular; (*leibhaftig*) en persona; *~e Freiheit* libertad individual; *~e Anspielung* alusión personal; (*versteckte*) indirecta; **II.** *adv.* en persona; personalmente; ~ *ernannt werden* ser nombrado a título personal; ~ *werden* entrar en el terreno personal; personalizar; ~ *abgeben* entregar personalmente (*od.* en propia mano); ~ *erscheinen* estar presente; hacer acto de presencia; ~ *haften* responder personalmente (*od.* con su persona); **2keit** *f* personalidad *f*; (*bedeutender Mensch*) *a.* personaje *m*; (*Eigentümlichkeit*) individualidad *f*; **2keitsspaltung** *f* desdoblamiento *m* de la personalidad.
Perspek'tiv [-sp-] *Opt. n* (*-es*; *-e*) anteojo *m* de larga vista; **~e** *f* perspectiva *f* (*a. fig.*); **2isch I.** *adj.* perspectivo; **II.** *adv.* en perspectiva.
Pe'ru *n* el Perú.
Peru'an|er(in *f*) *m* peruano (-a *f*) *m*; **2isch** *adj.* peruano.
Pe'rücke *f* peluca *f*; **~nmacher** *m* peluquero *m*.
per'vers (*-est*) *adj.* perverso; depravado.
Perversi'tät *f* perversidad *f*.
Pessi'mis|mus *m* (-; *0*) pesimismo *m*; **~t** *m* (*-en*) pesimista *m*; **2tisch** *adj.* pesimista.
'Pest *f* (*0*) peste *f*; *wie die* ~ *hassen* odiar como a la peste; odiar a muerte; *j-n wie die* ~ *meiden* huir de alg. como de la peste; *j-m die* ~ *an den Hals wünschen* abominar de alg.; **2artig** *adj.* pestífero; pestilente; apestoso; pestilencial; **~bazillus** *m* (-; *-bazillen*) bacilo *m* de la peste; **~beule** ⚕ *f* bubón *m* pestoso; **~hauch** *m* (*-es*; *0*) emanación *f* pestilencial; **~i'lenz** *f* pestilencia *f*; **2krank** *adj.* atacado de la peste; **~kranke(r** *m*) *m/f* apestado (-a *f*) *m*.

Peter *m* Pedro *m*; *Schwarzer Peter* (*Spiel*) juego del tizne; *fig. j-m den ~ zuspielen* F cargar el mochuelo a alg.
Peter'silie [-liə] ⚘ *f* (*0*) perejil *m*.
'Peters|kirche *f* Basílica *f* de San Pedro; **~pfennig** *m* (-*s*; *0*) óbolo *m* de San Pedro.
Pe'tit *Typ. f* (*0*) letra *f* de ocho puntos.
Petiti'on *f* petición *f*; solicitud *f*.
petitio'nieren (-) *v/i.* pedir; solicitar.
Petiti'onsrecht *n* (-*es*; *0*) derecho *m* de petición.
Petre'fakt *n* (-*es*; -*e*[*n*]) fósil *m*.
Pe'troleum [-le·um] *n* (-*s*; *0*) petróleo *m*; **~flasche** *f* botella *f* de petróleo; **2haltig** *adj.* petrolífero; **~industrie** *f* industria *f* petrolera; **~kanne** *f* lata *f* de petróleo; **~kocher** *m* infernillo *m* de petróleo; **~lampe** *f* lámpara *f* de petróleo; **~quelle** *f* fuente *f* de petróleo.
'Petschaft [ɛ] *n* (-*s*; -*e*) sello *m*; **~sring** *m* anillo *m* de sello.
'petto: *et. in ~ haben* tener en reserva un proyecto.
Pe'tunie ⚘ *f* petunia *f*.
Petz *m* (-*es*; -*e*): *Meister ~* el oso (*en la fábula*).
'Petze *f* (*Angeber*) F soplón *m*; *Sch.* acusica *m*; chivato *m*.
'petz|en (-*t*) F *v/t. u. v/i.* (*angeben*) delatar, denunciar; P chivarse; *Sch.* acusar; **2er** *m* delator *m*, denunciador *m*, F acusón *m*, soplón *m*; F chivato *m*; *Sch.* acusica *m*.
Pfad *m* (-*es*; -*e*) senda *f*; sendero *m*; *ausgetretener ~* camino trillado (*a. fig.*).
'Pfad|finder(in *f*) *m* explorador (-a *f*) *m*; *fig.* precursor *m*; **~findertrupp** *m* (-*s*; -*s*) grupo *m* de exploradores.
'Pfaffe *m* (-*n*) cura *m*; *desp.* clerizonte *m*; **~ntum** *n* (-*s*; *0*) curas *m/pl.*; *desp.* clerigalla *f*.
'Pfahl *m* (-*es*; "*e*) palo *m*; *zum Feldmessen usw.*: piquete *m*; (*Absteck2*) jalón *m*; (*Zaun2*) estaca *f*; (*Wein2*, *Baum2*) rodrigón *m*; △ (*Grund2*) pilote *m*; (*Mast*) poste *m*; (*Schand2*) picota *f*; **~bau** *m* (-*es*; -*ten*) construcción *f* sobre pilotes; **~bauten** *m/pl.* habitaciones *f/pl.* lacustres; **~brücke** *f* puente *m* sobre pilotes.
'pfählen *v/t.* (*einzäunen*) empalizar; *Bäume, Reben*: rodrigar; *als Todesstrafe*: empalar.
'Pfahl...: ~ramme ⊕ *f* martinete *m* para hincar pilotes; **~rostbau** △ *m* (-*es*; -*ten*) emparrillado *m* de pilotes; **~werk** *n* (-*es*; -*e*) △ zampeado *m*; estacada *f*; empalizada *f* (*a.* ⚔); **~wurzel** ⚘ *f* (-; -*n*) raíz *f* leñosa *od.* central; **~zaun** *m* (-*es*; "*e*) estacada *f*; empalizada *f*.
'Pfalz *f Hist.* palacio *m*; (*e-m Pfalzgrafen verliehenes Land*) palatinado *m*; *Geogr.* die ~ el Palatinado; **~graf** *m* (-*en*) conde *m* palatino.
'pfälzisch *adj.* palatino.
Pfand *n* (-*es*; "*er*) prenda *f*; (*Sicherheit*) fianza *f*; garantía *f*, seguridad *f*; *j-m ein ~* (*e-e Sicherheit*) *geben* dar a alg. una garantía; *in ~ geben* (*nehmen*) dar (tomar) en prenda; *als ~ für* en prenda de; *auf ~ leihen* (*borgen*) prestar (tomar) dinero sobre una prenda; *ein ~ einlösen* rescatar una prenda; **'~anleihe** *f* préstamo *m* pignoraticio.
'Pfandbrief ✝ *m* (-*es*; -*e*) cédula *f* hipotecaria, título *m* hipotecario, obligación *f* hipotecaria; hipoteca *f*.
'pfänden (-*e*-) *v/t.* ⚖ embargar.
'Pfänderspiel *n* (-*es*; -*e*) juego *m* de prendas.
'Pfand...: ~gläubiger *m* acreedor *m* prendario; **~haus** *n* (-*es*; "*er*), **~leihe** *f*, **~leihgeschäft** *n* (-*es*; -*e*) monte *m* de piedad; casa *f* de préstamos; **~leiher(in** *f*) *m* prestamista *m/f* (sobre prendas); **~recht** *n* (-*es*; *0*) derecho *m* prendario; **~sache** *f* prenda *f*; objeto *m* pignorado; **~schein** *m* (-*es*; -*e*) papeleta *f* de empeño; **~schuld** *f* deuda *f* hipotecaria; **~schuldner(in** *f*) *m* deudor(a *f*) *m* hipotecario (-a); **~sicherheit** *f* garantía *f* (*od.* seguridad *f*) hipotecaria.
'Pfändung ⚖ *f* embargo *m*; ejecución *f*; **~sbefehl** *m* (-*es*; -*e*) orden *f* de embargo; auto *m* de embargo; **~sbenachrichtigung** *f* notificación *f* de embargo; **~sgebühr** *f* derechos *m/pl.* de embargo.
'Pfand...: ~verschreibung *f* → *Pfandbrief*; **~vertrag** *m* (-*es*; "*e*) contrato *m* pignoraticio.
'Pfanne *f* (*Küchen2*) sartén *f*; (*Brau2*) caldera *f* cervecera; (*Dach2*) teja *f*; (*Kessel*) ⊕ caldera *f*; (*Gieß2*) ⊕ caldero *m*; (*Kugel2*) ⊕ cojinete *m* esférico; (*Zünd2*) cazoleta *f*; *Anat.* (*Knochen2*) cavidad *f* cotiloidea, acetábulo *m*; *fig. den Feind in die ~ hauen* aniquilar al enemigo; **~nstiel** *m* (-*es*; -*e*) mango *m* de la sartén; **~voll** *f* sartenada *f*.
'Pfannkuchen *m* tortilla *f* de huevos, leche y harina; *Berliner ~* buñuelo *m* berlinés.
'Pfarr|amt *n* (-*es*; "*er*) *I.C.* curato *m*; *I.P.* cargo *m* de pastor; **~bezirk** *m*, **~e** *f*, **~'ei** *f* parroquia *f*; feligresía *f*; **~er** *m I.C.* párroco *m*, cura *m* párroco; *I.P.* pastor *m*; **~frau** *f I.P.* esposa *f* del pastor; **~gemeinde** *f* → *Pfarrbezirk*; **~haus** *n* (-*es*; "*er*) casa *f* rectoral (*od.* del párroco); **~kirche** *f* iglesia *f* parroquial; **~sprengel** *m* parroquia *f*.
Pfau *Orn. m* (-*es*; -*en*) pavo *m* real; *sich wie ein ~ brüsten* pavonearse.
'Pfauen...: ~auge *n* (*Schmetterling*) pavón *m*; **~feder** *f* (-; -*n*) pluma *f* de pavo real; **~henne** *f* pava *f* real.
'Pfeffer *m* (-*s*; *0*) pimienta *f*; *spanischer ~* pimiento *m*, *kleiner*: guindilla *f*, *Am.* chile *m*; *gemahlen*: pimentón *m*; *mit ~ würzen* sazonar con pimienta; *mit ~ und Salz bestreuen* salpimentar; *fig. er mag hingehen, wo der ~ wächst* ¡que se vaya al diablo!; *ich wollte, er wäre da, wo der ~ wächst* desería verle a cien leguas de aquí; → *Hase*; **~büchse** *f*, **~dose** *f* (*Tischgerät*) pimentero *m*; (*Küchengerät*) tarro *m* de la pimienta; **~gurke** *f* pepinillo *m* en vinagre; **2ig** *adj.* pimentado; **~korn** *n* (-*es*; "*er*) grano *m* de pimienta; **~kraut** ⚘ *n* (-*es*; "*er*) lepidio *m*; **~kuchen** *m* pan *m* de especias; **~minze** ⚘ *f* (*0*) menta *f*; **~minzpastille** *f*, **~minzplätzchen** *n* pastilla *f* de menta; **~minztee** *m* (-*s*; *0*) té *m* (*od.* infusión *f*) de menta; **~mühle** *f* molino *m* de pimienta; **2n** (-*re*) *v/t.* condimentar con pimienta; *gepfeffert adj. fig.* picante; *Preis*: exorbitante, escandaloso; **~nuß** *f* (-; "*sse*) panecillo *m* de especias; **~plantage** *f* pimental *m*; **~strauch** ⚘ *m* (-*es*; "*er*) pimentero *m*; (*spanischer*) pimiento *m*.
'Pfeife *f* (*Tabaks2*) pipa *f*; (*Wasser2*) narguile *m*; ♪ silbato *m*; (*Quer2*) pífano *m*; (*Orgel2*) tubo *m* (*od.* cañón *m*) de órgano; (*Signal2*) pito *m*; *sich die ~ stopfen* (*anzünden*) cargar (encender) la pipa; *fig. nach j-s ~ tanzen* bailar al son que alg. toca.
'pfeifen I. 1. *v/t.* silbar; **2.** *v/i.* silbar; ⚕ producir estertores sibilantes; *Wind, Geschoß*: silbar; (*im Theater usw.*) *a.* pitar; (*Querpfeife spielen*) tocar el pífano; (*zum Signalgeben*) tocar el silbato *od.* el pito; *fig. ich pfeife darauf* F me importa un pito eso; de eso me río yo; *ich pfeife auf ihn* no hago caso de él; *auf dem letzten Loch ~* F estar en las últimas; *das ~ die Spatzen von den Dächern* todo el mundo lo sabe; es un secreto a voces; **II.** 2 *n* silbido *m*; ⚕ estertor *m* sibilante; **~d** *adj.* silbador; ⚕ sibilante.
'Pfeifen...: ~deckel *m* tapa(dera) *f* de la pipa; **~kopf** *m* (-*es*; "*e*) cazoleta *f*; **~raucher** *m* fumador *m* de pipa; **~reiniger** *m* mondapipas *m*; **~spitze** *f* boquilla *f*; **~ständer** *m* portapipas *m*; **~stopfer** *m* cargapipas *m*; **~tabak** *m* (-*s*; *0*) tabaco *m* de pipa; picadura *f*; **~werk** ♪ *n* (-*es*; -*e*) cañonería *f*, tubería *f* (del órgano).
'Pfeifer *m* silbador *m*; ♪ (*Quer2*) pífano *m*.
'Pfeif|kessel *m* (*Küchengerät*) olla *f* *bzw.* hervidor *m* con silbato; **~konzert** *n* (-*es*; -*e*) (*Gepfeife*) pita *f*.
Pfeil *m* (-*es*; -*e*) flecha *f* (*a. Richtungsweiser*); saeta *f*; (*Wurf2*) dardo *m*; *e-n ~ abschießen* disparar (*od.* lanzar) una flecha; *wie ein ~ losschnellen* partir como una flecha; F salir disparado *od.* de estampía.
'Pfeiler *m* pilar *m*; (*Mauerstütz2*) puntal *m*; (*viereckiger Wand2*) pilastra *f*; (*Fenster2*, *Tür2*) jamba *f*; (*Wand zwischen Fenstern*) entrepaño *m*; **~bogen** △ *m* (-*s*; ") arco *m* toral.
'Pfeil...: ~fiederung *f* plumas *f/pl.* de una flecha; **2förmig** *adj.* en forma de flecha; sagital; **2gerade** *adj. u. adv.* todo derecho; derecho como una flecha; **~gift** *n* (-*es*; -*e*) curare *m*; **~höhe** △ *f* flecha *f*, sagita *f*; **~kraut** ⚘ *n* (-*es*; *0*) sagitaria *f*; **~richtung** *f* dirección *f* de la flecha; **2schnell** *adj. u. adv.* (rápido) como una flecha; **~schuß** *m* (-*sses*; "*sse*) flechazo *m*; **~schütze** *m* (-*n*) arquero *m*; saetero *m*; **~spitze** *f* punta *f* de flecha; **~verzahnung** ⊕ *f* dentado *m* angular; **~wurz(el)** ⚘ *f* (*0*) arrurruz *m*.
'Pfennig *m* (-*s*; -*e*) pfennig *m*; *fig.* ochavo *m*; céntimo *m*; *Am.* centavo *m*; *~ für ~* céntimo a céntimo; *keinen ~ haben* no tener ni un céntimo; estar sin un cuarto; *nicht e-n ~ wert sein* no valer un céntimo; *wer den ~ nicht ehrt, ist des Talers nicht wert*

muchos pocos hacen un mucho; **~absatz** *m* (-*es*; ¨*e*) tacón *m* (de) aguja; **~fuchser** F *m* tacaño *m*; cicatero *m*; F roñoso *m*; **~fuchseˈrei** F *f* tacañería *f*; cicatería *f*; F roñería *f*.

Pferch *m* (-*es*; -*e*) cercado *m*; encerradero *m*; (*Hürde*) aprisco *m*, redil *m*; majada *f*; ˈ**2en** *v/t.* encerrar; apriscar; *fig.* embanastar.

Pferd [e:] *n* (-*es*; -*e*) caballo *m*; (*Turngerät*) potro *m*; *zu ~e* a caballo; montado; *ein ~ reiten* montar un caballo; *zu ~ steigen* montar a caballo; *vom ~ steigen* desmontar del caballo; descabalgar; echar pie a tierra; *wie ein ~ arbeiten* trabajar como un mulo; *fig. sich aufs hohe ~ setzen* mostrarse altanero; *sein ~ beim Schwanz aufzäumen* uncir los bueyes detrás del carro; tomar el rábano por las hojas; embridar el caballo por la cola; *mit ihm kann man ~e stehlen* es hombre fiel que no se arredra ante nada; *keine zehn ~e brächten mich dazu* por nada del mundo lo haría.

ˈ**Pferde...**: **~apfel** *m* (-*s*; ¨) bosta *f* (*od.* cagajón *m*) de caballo; **~aushebung** ⚔ *f* remonta *f*; **~bestand** *m* (-*es*; ¨*e*) ⚔ efectivo *m* de caballos; **~bremse** *f Zoo.* tábano *m*; **~decke** *f* manta *f* para caballos; (*verzierte*) gualdrapa *f*; **~fleisch** *n* (-*es*; *0*) carne *f* de caballo; **~fliege** *Zoo. f* tábano *m*; **~fuhrwerk** *n* (-*es*; -*e*) vehículo *m* hipomóvil; carro *m* (con tiro) de caballos; **~fuß** *m* (-*es*; ¨*e*) pata *f* (*vorderer*: mano *f*) del caballo; (*Klumpfuß*) pie *m* contrahecho; *Anat.* pie *m* equino(varo); **~futter** *n* (-*s*; *0*) forraje *m*; **~geschirr** *n* (-*es*; -*e*) montura *f*; arnés *m*; **~haar** *n* (-*es*; -*e*) pelo *m* de caballo; *v. Mähne u. Schweif*: cerda *f*, crin *f*; **~handel** *m* (-*s*; *0*) comercio *m* en caballos; *m.s.* chalaneo *m*; *~ treiben* comerciar en caballos; *m.s.* chalanear; **~händler** *m* tratante *m* en caballos; chalán *m*; **~huf** *m* casco *m* de caballo; **~knecht** *m* (-*es*; -*e*) mozo *m* de cuadra; palafrenero *m*; **~koppel** *f* (-; -*n*) dehesa *f* caballar; **~länge** *f Sport*: largo *m*; *um zwei ~n siegen* ganar por dos largos; **~markt** *m* (-*es*; ¨*e*) mercado *m* de caballerías; **~rasse** *f* raza *f* caballar; **~rennbahn** *f* hipódromo *m*; **~rennen** *n* carreras *f/pl.* de caballos; **~schwanz** *m* (-*es*; ¨*e*) cola *f* de caballo; **~schwemme** *f* abrevadero *m*; **~sport** *m* (-*es*; *0*) hipismo *m*; **~stall** *m* (-*es*; ¨*e*) cuadra *f*, caballeriza *f*; **~stärke** ⊕ *f* (*Abk. PS*) caballo *m* de vapor; (*Abk. CV*); *Motor von 100 ~n* motor de cien caballos; **~striegel** *m* bruza *f*, almohaza *f*; **~wechsel** *m* cambio *m* de tiro; **~zucht** *f* (*0*) cría *f* caballar; **~züchter** *m* criador *m* de caballos.

pfiff *pret. v. pfeifen.*

Pfiff *m* (-*es*; -*e*) (*das Pfeifen*) silbido *m*; *auf e-r Pfeife*: pitada *f*; pitido *m*; *fig.* truco *m*; artimaña *f*; el último toque; *mit ~* con garbo *od.* salero.

ˈ**Pfifferling** ⚘ *m* (-*s*; -*e*) (*Pilz*) mízcalo *m*; robellón *m*; *fig. das ist keinen ~ wert* F eso no vale un comino *od.* un pimiento.

ˈ**pfiffig** *adj.* astuto; ladino; F cuco; marrullero; **2keit** *f* astucia *f*; F cuquería *f*; marrullería *f*.

ˈ**Pfiffikus** F *m* (-*ses*; -*se*) perillán *m*; F vivo *m*, vivales *m*; punto *m* filipino.

ˈ**Pfingst|en** *n od. f* (Pascua *f* de) Pentecostés *m*; **~fest** *n* (-*es*; -*e*) (fiesta *f* de) Pentecostés *m*; **~ochse** F *m* (-*n*): *wie ein ~ aufgeputzt* vestido de tiros largos; adornado como jaca en feria; **~rose** ⚘ *f* peonía *f*.

ˈ**Pfirsich** ⚘ *m* (-*es*; -*e*) melocotón *m*; *Am.* durazno *m*; **~baum** *m* (-*es*; ¨*e*) melocotonero *m*; *Am.* duraznero *m*; **~blüte** *f* flor *f* del melocotonero *od. Am.* del durazno; **~kern** *m* (-*es*; -*e*) almendra *f* del melocotón *od. Am.* del durazno.

ˈ**Pflänzchen** *n dim. v. Pflanze*: plantita *f*; planta *f* joven; *fig. ein nettes ~* (*Mann*) un tunante; un redomado bribón; (*Frau*) una pécora; *iro.* una alhaja.

ˈ**Pflanze** *f* planta *f*; (*Setzling*) plantón *m*.

ˈ**pflanzen** (-*t*) *v/t.* plantar; *sich ~* plantarse.

ˈ**Pflanzen...**: **~beschreibung** *f* fitografía *f*; **~biologie** *f* (*0*) fitobiología *f*; **~butter** *f* (*0*) manteca *f* vegetal; **~eiweiß** *n* (-*es*; -*e*) proteína *f* vegetal; **~faser** *f* (-; -*n*) fibra *f* vegetal; **~fett** *n* (-*es*; -*e*) grasa *f* vegetal; **2fressend** *adj.* herbívoro, fitófago; **~fresser** *Zoo. m* herbívoro *m*; **~kenner** *m* botánico *m*; **~kost** *f* (*0*) alimentación *f* vegetal; ⚕ dieta *f* vegetariana, régimen *m* vegetariano; **~kunde** *f* (*0*), **~lehre** *f* (*0*) botánica *f*; **~öl** *n* (-*es*; -*e*) aceite *m* vegetal; **~produkt** *n* (-*es*; -*e*) producto *m* vegetal; **~sammler(in** *f*) *m* herbolario (-a *f*) *m*; **~sammlung** *f* herbario *m*; **~schleim** *m* (-*es*; *0*) mucílago *m*; **~schutz** *m* (-*es*; *0*) protección *f* de las plantas; **~schutzmittel** *n* producto *m* para protección de las plantas; **~tiere** *Zoo. n/pl.* zoófitos *m/pl.*; **~wachstum** *n* (-*es*; *0*) vegetación *f*; **~welt** *f* (*0*) reino *m* vegetal; flora *f*; vegetación *f*; **~züchter** *m* plantista *m*.

ˈ**Pflanz|er** *m* plantador *m*; (*Ansiedler*) colono *m*; **2lich** *adj.* vegetal.

ˈ**Pflänzling** *m* (-*s*; -*e*) plantón *m*.

ˈ**Pflanz|schule** *f* plantel *m*; semillero *m* (*beide a. fig.*); *bsd. für Bäume*: vivero *m*; **~stätte** *f* plantación *f*; *fig.* semillero *m*; **~stock** *m* (-*es*; ¨*e*) plantón *m*; **~ung** *f* plantío *m*; (*Plantage*) plantación *f*; (*Siedlung*) colonia *f*.

ˈ**Pflaster** *n* ⚕ emplasto *m*; parche *m*; *englisches ~* tafetán *m*; (*Heft2*) esparadrapo *m*; *ein ~ auflegen* aplicar un emplasto; (*Straßen2*) pavimento *m*; (*Kopfstein2*) empedrado *m*, adoquinado *m*; (*Steinplattenfußboden*) enlosado *m*; (*Ziegelplattenfußboden*) enladrillado *m*; *das ~* (*e-r Straße*) *aufreißen* levantar el pavimento (de una calle); *fig. Madrid ist ein teures ~* la vida de Madrid es cara; **~arbeit** *f* obras *f/pl.* de pavimentación; **~er** *m* empedrador *m*; embaldosador *m*; solador *m*; **2n** (-*re*) *v/t. Wunde*: aplicar un emplasto; *Straße*: pavimentar; empedrar, adoquinar; (*mit Fliesen*) embaldosar; (*mit Ziegelplatten*) enladrillar; (*mit Steinplatten*) enlosar; **~n** *n* empedrado *m*, adoquinado *m*; embaldosado *m*; enladrillado *m*; enlosado *m*; pavimentación *f*; **~stein** *m* (-*es*; -*e*) adoquín *m*; **~ung** *f* → *Pflastern*; **~ziegel** *m* ladrillo *m* de pavimento.

ˈ**Pflaume** ⚘ *f* ciruela *f*; (*gedörrte*) ciruela *f* pasa.

ˈ**Pflaumen...**: **~baum** ⚘ *m* (-*es*; ¨*e*) ciruelo *m*; **~kern** *m* almendra *f* de ciruela; **~kuchen** *m* tarta *f* de ciruelas; **~marmelade** *f* mermelada *f* de ciruela; **~mus** *n* (-*es*; *0*) dulce *m* de ciruela; **~schnaps** *m* (-*es*; ¨*e*) aguardiente *m* de ciruela; **2weich** *adj.* blando como una ciruela; *fig.* F blandengue.

ˈ**Pflege** *f* (*0*) cuidado *m*; cuidados *m/pl.*; (*Kranken2*) asistencia *f*; (*Körper2*) aseo *m*; (*Förderung*) fomento *m*; (*e-s Gartens, der Künste, v. Beziehungen*) cultivo *m*; ⊕ conservación *f*; mantenimiento *m*, entretenimiento *m*; *in ~ nehmen* (*Kind*) *aufziehen*: criar; *erziehen*: educar; *gute ~ haben* estar bien cuidado (*od.* atendido); **2bedürftig** *adj.* necesitado de cuidados; **~befohlene(r** *m*) *m/f* niño *m* confiado (niña *f* confiada) al cuidado de alg.; (*Mündel*) pupilo *m*; pupila *f*; **~eltern** *pl.* padres *m/pl.* adoptivos; **~kind** *n* (-*es*; -*er*) hijo *m* adoptivo; hija *f* adoptiva; (*Mündel*) pupilo *m*; pupila *f*; **~mittel** *n* (*Reinigungsmittel*) detergente *m*; **~mutter** *f* (-; ¨) madre *f* adoptiva; (*Amme*) ama *f* de cría.

ˈ**pflegen 1.** *v/t. u. v/i.* cuidar (*j-n* a alg.; *et.* de a/c.) atender a; *Kranke*: *a.* asistir a; (*instandhalten*) entretener; (*betreiben*) ejercer; (*fördern*) fomentar; (*Kunst, Freundschaft*) cultivar; (*erhalten*) mantener, conservar; *Umgang mit j-m ~* tener trato con alg.; frecuentar el trato de alg.; *gute Beziehungen ~* mantener buenas relaciones (*mit* con); (*e-r Sache obliegen*) entregarse a, consagrarse a; dedicarse a; *der Ruhe ~* descansar, entregarse al descanso; *~ zu* (*inf.*) tener costumbre de, acostumbrar, soler (*inf.*); *solche Streiche ~ schlecht auszugehen* tales bromas suelen acabar mal; **2.** *v/refl.*: *sich ~* cuidarse; asearse.

ˈ**Pflegepersonal** *n* (-*s*; *0*) ⚕ enfermeros *m/pl.*; personal *m* sanitario.

ˈ**Pfleger(in** *f*) *m* ⚕ enfermero (-a *f*) *m*; ⚖ (*Vermögensverwalter*) curador *m*; (*Vormund*) tutor *m*; (*Denkmal2*) conservador *m*; cuidador *m*.

ˈ**pfleg|lich I.** *adj.* (*sorgfältig*) cuidadoso; **II.** *adv.* cuidadosamente, con cuidado; **2ling** *m* → *Pflegekind*; **2schaft** ⚖ *f* (*Vermögensverwaltung*) curaduría *f*; (*Vormundschaft*) tutela *f*.

Pflicht *f* deber *m*; (*Verpflichtung*) obligación *f*; (*Sport*) ejercicio *m* obligatorio; prueba *f* tipo; *s-e ~ tun* (*od. erfüllen*) cumplir con su deber; *s-e ~ versäumen* (*od. verletzen*) faltar a su deber, *im Amt*: prevaricar; *es ist m-e ~, zu ...* (*inf.*) es mi deber ... (*inf.*); *es sich zur ~ machen, es als s-e ~ betrachten* considerar como su deber; *er hat s-e*

~ *und Schuldigkeit getan* no ha hecho más que cumplir con su deber; *mit gleichen ~en und Rechten* con los mismos derechos y obligaciones.

'**Pflicht...:** **~ablieferung** *f* entrega *f* obligatoria; **~beitrag** *m* (-*ęs*; ᵘ*e*) cuota *f* obligatoria; contingente *m*; **2bewußt** *adj.* consciente de su deber; **~bewußtsein** *n* (-*s*; *0*) conciencia *f* del deber; **~eifer** *m* (-*s*; *0*) celo *m*; **2eifrig** *adj.* celoso (de cumplir sus deberes); **~enkreis** *m* (-*es*; *0*) responsabilidad *f*; deberes *m*/*pl.*; **~erfüllung** *f* (*0*) cumplimiento *m* del deber; **~exemplar** *n* (-*s*; -*e*) ejemplar *m* destinado al depósito legal; **~fach** *n* (-*ęs*; ᵘ*er*) *Uni.* materia *f* (*od.* asignatura *f*) obligatoria; **~figur** *f* *Eislauf*: figura *f* obligatoria; **~gefühl** *n* (-*s*; *0*) sentimiento *m* del deber; **2gemäß I.** *adj.* debido; obligatorio; prescrito (por el deber); **II.** *adv.* debidamente; conforme a su deber; según su obligación; **2getreu** *adj.* fiel a su deber; fiel cumplidor de sus obligaciones; **2schuldig I.** *adj.* debido; **II.** *adv.* debidamente; **~teil** ⚖ *n* (-*ęs*; -*e*) legítima *f*; **2treu** *adj.* fiel a su deber; **~treue** *f* (*0*) fiel cumplimiento *m* del deber; **~übung** *f* *Sport*: ejercicio *m* obligatorio; prueba *f* tipo; **~untersuchung** *f*: *ärztliche ~* examen *m* (*od.* reconocimiento *m*) médico obligatorio; **2vergessen** *adj.* olvidado (*od.* descuidado) de sus deberes; (*treulos*) desleal; *im Amt*: prevaricador; *~ handeln* faltar a su deber, *im Amt*: prevaricar; **~vergessenheit** *f* (*0*) olvido *m* del deber; deslealtad *f*; *im Amt*: prevaricación *f*; **~verletzung** *f* incumplimiento *m* del deber; *im Amt*: prevaricación *f*; **~versäumnis** *n* (-*ses*; -*se*) negligencia *f* en el cumplimiento del deber; **~versicherte(r** *m*) *m*/*f* asegurado (-a *f*) *m* obligatoriamente; **~versicherung** *f* seguro *m* obligatorio; **~verteidiger** ⚖ *m* defensor *m* de oficio; **2widrig** *adj.* contrario al deber; *adv.*: *~ handeln* faltar al deber; **~widrigkeit** *f* deslealtad *f*.

Pflock *m* (-*ęs*; ᵘ*e*) clavija *f*; (*Dübel*) taco *m*; tarugo *m*; (*Splint*) pasador *m*; (*Zelt2*) estaca *f*, *kleiner*: estaquilla *f*; (*Achszapfen*) espiga *f*; (*Keil*) cuña *f*.

'**pflöcken** *v*/*t.* asegurar con clavijas *bzw.* estacas *usw.*

'**pflück|en** *v*/*t. Obst, Blumen*: coger; (*Geflügel*) desplumar; **2maschine** *f* cogedora *f* (de frutas) mecánica.

Pflug *m* (-*ęs*; ᵘ*e*) arado *m*.

'**pflügbar** *adj.* arable.

'**Pflug-eisen** *n* hierro *m* del arado; reja *f*.

'**pflüg|en** *v*/*t. u. v*/*i.* arar; **2en** *n* aradura *f*; **2er** *m* arador *m*.

'**Pflug|messer** *n* cuchilla *f* de arado; **~schar** *f* reja *f* (del arado); **~sterz** *m* (-*es*; -*e*) mancera *f*; esteva *f*.

'**Pfort-ader** *Anat.* *f* (-; -*n*) vena *f* porta.

'**Pforte** *f* puerta *f*; ⚓ portañola *f*, cañonera *f*.

'**Pförtner** *m* portero *m*; conserje *m*; *Anat.* píloro *m*; **~in** *f* portera *f*; **~loge** [-lo:ʒə] *f*, **~stelle** *f*, **~wohnung** *f* portería *f*.

'**Pfosten** *m* poste *m*; (*Fenster2*, *Tür2*) jamba *f*.

'**Pfote** *f* pata *f*.

'**Pfriem** *m* (-*ęs*; -*e*), **~e** *f*, **~en** *m* punzón *m*; (*Ahle*) lezna *f*; **~kraut** *n* retama *f* de escobas.

'**Pfropf** *m* (-*ęs*; -*e*), **~en** *m* tapón *m*; (*Kork2*) corcho *m*; ⚕ trombo *m*; (*Spundzapfen*) tapón *m* de tonel; (*Pflock*) espiga *f*.

'**pfropfen**[1] *v*/*t.* taponar (*a.* ⚕); (*vollstopfen*) rellenar; *der Saal war gepfropft voll* la sala estaba atestada (*od.* repleta *od.* hasta los topes).

'**pfropfen**[2] ✂ **I.** *v*/*t.* injertar; **II.** 2 *n* injerto *m*.

'**Pfropfenzieher** *m* sacacorchos *m*.

'**Pfropf|messer** ✂ *n* cuchillo *m* de injertar; **~reis** ✂ *n* (-*es*; -*er*) injerto *m*; púa *f*.

'**Pfründe** *f* *Rel.* prebenda *f* (*a. fig.*); beneficio *m*; *fette ~* sinecura *f*; *fig.* canonjía *f*; (*Stelle in e-m Stift*) plaza *f* gratuita; beca *f*.

'**Pfründner** *m* *Rel.* prebendado *m*; beneficiado *m*; *in e-m Stift*: becario *m*.

Pfuhl *m* (-*ęs*; -*e*) charca *f*; cenagal *m*; *fig.* cloaca *f*.

pfui! *int.* (*Ausdruck des Ekels*) ¡puah!, ¡puf!; ¡qué asco!; **2ruf** *m* (-*ęs*; -*e*) exclamación *f* de desagrado y vergüenza; *~!* ¡fuera!; ¡que vergüenza!

Pfund *n* (-*ęs*; -*e*) libra *f* (*a. Münze*); *~ Sterling* libra esterlina; *fig. mit s-m ~e wuchern* aprovechar (*od.* hacer valer) su talento; **2ig** F *adj.* magnífico, estupendo; F de miedo; fenómeno; '**~skerl** F *m* (-*ęs*; -*e*): *ein ~* un tío muy grande; '**~ssache** F *f* cosa *f* estupenda; '**2weise** *adv.* por libras.

'**Pfusch|arbeit** *f* chapucería *f*; obra *f* mal hecha; F *fig.* churro *m*; **2en** *v*/*i. u. v*/*t.* chapucear; frangollar; **~er(in** *f*) *m* chapucero (-a *f*) *m*; frangollón *m*; frangollona *f*; **~e'rei** *f* chapucería *f*, churrada *f*.

'**Pfütze** *f* charco *m*.

'**Phalanx** ['fa:laŋks] *f* falange *f*.

Phäno'men *n* (-*s*; -*e*) fenómeno *m*.

phänome'nal *adj.* fenomenal.

'**Phänotyp** *Biol.* *m* (-*ęs*; -*en*) fenotipo *m*.

Phanta'sie *f* (*Einbildungskraft*) imaginación *f*; fantasía *f* (*a.* ♪); (*Traumbild*) visión *f* (fantástica); sueño *m*; (*Erzählung*) cuento *m* fantástico; **2begabt** *adj.* imaginativo; **~gebilde** *n* (*Hirngespinst*) visión *f*; quimera *f*; fantasía *f*; **2los** *adj.* sin imaginación; **~losigkeit** *f* (*0*) falta *f* de imaginación; **2reich** *adj.* lleno de imaginación; **2ren** *v*/*i.* fantasear; (*träumen*) soñar; (*faseln*) hablar sin juicio; desvariar; desatinar; ⚕ delirar; ♪ improvisar; **~ren** *n* ensueño *m*; (*Faseln*) desvarío *m*, desatino *m*; ⚕ delirio *m*; ♪ improvisación *f*; **~stück** ♪ *n* (-*ęs*; ᵘ*e*) fantasía *f*; **2voll** *adj.* lleno de imaginación.

Phantasmago'rie *f* fantasmagoría *f*.

Phan'tast(in *f*) *m* (-*en*) soñador (-a *f*) *m*; iluso (-a *f*) *m*; visionario (-a *f*) *m*; **~e'rei** *f* ilusiones *f*/*pl.*; ensueños *m*/*pl.*; fantasías *f*/*pl.*; ideas *f*/*pl.* fantásticas; quimeras *f*/*pl.*; **2isch** fantástico; (*unglaublich*) increíble; (*romanhaft*) novelesco; *Preis, Vermögen*: fabuloso, fantástico; (*grillenhaft*) caprichoso; extravagante; (*großartig*) magnífico, F estupendo, imponente.

Phan'tom *n* (-*s*; -*e*) (*Trugbild*) fantasma *m*, visión *f*; ⚕ (*Nachbildung*) modelo *m* anatómico, fantoma *m*; (*Gliederpuppe*) maniquí *m*.

'**Pharao** *Hist.* *m* (-*s*; -*nen*) Faraón *m*.

Phari'sä|er(in *f*) [-'zɛ:ɐ] *m* fariseo (-a *f*) *m* (*a. fig.*); **~ertum** *n* (-*s*; *0*) fariseísmo *m*; **2isch** [-'zɛ·ɪʃ] *adj.* farisaico (*a. fig.*).

Pharmako'loge *m* (-*n*) farmacólogo *m*; **~lo'gie** *f* (*0*) farmacología *f*; **2'logisch** *adj.* farmacológico.

Pharma'zeut(in *f*) *m* (-*en*) farmacéutico (-a *f*) *m*; F boticario (-a *f*) *m*; (*Student*) estudiante *m*/*f* de farmacia; **~ik** *f* (*0*) farmacia *f*; **2isch** *adj.* farmacéutico.

Pharma'zie *f* (*0*) farmacia *f*; F botica *f*.

'**Phase** *f* fase *f*.

'**Phasen...:** **~anzeiger** *m* indicador *m* de fases; **~gleichheit** *f* (*0*) concordancia *f* de fases; **~messer** *m* fasímetro *m*; **~übereinstimmung** *f* → *Phasengleichheit*; **~unterschied** *m* (-*ęs*; -*e*) diferencia *f* de fase; **~verschiebung** *f* desplazamiento *m* de fases, *neol.* desfasaje *m*; **~zahl** *f* número *m* de fases.

Phe'nol ⚗ *n* (-*s*; *0*) fenol *m*.

Phe'nyl ⚗ *n* (-*s*; *0*) fenilo *m*.

Philan|'throp *m* (-*en*) filántropo *m*; **~thro'pie** *f* (*0*) filantropía *f*; **2'thropisch** *adj.* filantrópico.

Philate|'lie *f* (*0*) filatelia *f*; **~'list** *m* (-*en*) filatelista *m*; **2'listisch** *adj.* filatélico.

Philharmo'nie *f* (*Musikliebe*) filarmonía *f*; (*Musikverein*) sociedad *f* filarmónica; (*Gebäude*) palacio *m* de la música, sala *f* de conciertos.

philhar'monisch *adj.* filarmónico; *~es Orchester* orquesta filarmónica.

'**Philipp** *m* Felipe *m*; *~ von Mazedonien* Filipo de Macedonia.

Philip'pin|en *pl.*: *die ~* (las islas) Filipinas; **2isch** *adj.* filipino.

Phi'lister *m* *Bib.* filisteo *m*; (*Spießbürger*) burgués *m*; *Sch.* (*Alter Herr e-r Verbindung*) veterano *m* de una asociación estudiantil; **2haft** *adj.* aburguesado; estrecho de miras; sanchopancesco; F carca.

Philo|'loge *m* (-*n*) filólogo *m*; (*Student*) estudiante *m* de filología; **~lo'gie** *f* (*0*) filología *f*; **~'login** *f* filóloga *f*; (*Studentin*) estudiante *f* de filología; **2'logisch** *adj.* filológico.

Philo|'soph *m* (-*en*) filósofo *m*; **~so'phie** *f* filosofía *f*; **2so'phieren** (-) *v*/*i.* filosofar (*über ac.* sobre); **~'sophin** *f* filósofa *f*; **2'sophisch** *adj.* filosófico.

Phi'ole [fi·'o:-] *f* redoma *f*; frasquito *m*; ⚗ matraz *m*.

'**Phlegma** *n* (-*s*; *0*) flema *f*; calma *f*; F pachorra *f*, cachaza *f*.

Phleg'ma|tiker *m* flemático *m*; **2tisch** *adj.* flemático; calmoso; F cachazudo, pachorrudo.

Phleg'mone ⚕ *f* flemón *m*.

'**Phöbus** *m* Febo *m*.

Phon [o:] *n* (-*s*; -*s bzw.* -) fono *m*.

Pho'net|ik *f* (*0*) fonética *f*; **~iker** *m* fonetista *m*; **2isch** *adj.* fonético.
'Phönix *Myt. m* (*- od. -es*; *-e*) Fénix *m* (*a. fig.*).
Phö'ni|zien [-tsĭ-] *Hist. n* Fenicia *f*; **~zier** *m*, **2zisch** *adj.* fenicio *m*.
Phono'graph *m* (*-en*) fonógrafo *m*.
'Phonokoffer *m* gramófono *m* portátil.
Phono'meter *n* fonómetro *m*.
Phos'gen ⚗ *n* (*-s*; *0*) fosgeno *m*.
Phos'phat ⚗ *n* (*-es*; *-e*) fosfato *m*; **2haltig, 2ig** *adj.* fosfatado.
'Phosphor ⚗ *m* (*-s*; *0*) fósforo *m*; **~(brand)bombe** *f* bomba *f* (incendiaria) de fósforo; **~eisen** *n* fosfuro *m* de hierro; **~erz** *n* (*-es*; *-e*) fosfuro *m*.
Phosphores'zenz [-ɔrɛs'tsɛnts] *f* fosforescencia *f*.
phosphores'zieren (-) *v/i.* fosforescer; **~d** *adj.* fosforescente.
'Phosphor...: ~gehalt *m* (*-es*; *0*) contenido *m* de fósforo; **2haltig** *adj.* fosforoso; fosforado; **2ig** *adj.* fosforoso; *~e Säure* ácido fosforoso; **2isch** *adj.* fosfórico; **2sauer** ⚗ *adj.* fosfórico; *phosphorsaures Salz* fosfato *m*; *phosphorsaurer Kalk* fosfato *m* de cal, *natürlicher*: fosforita *f*; **~säure** ⚗ *f* (*0*) ácido *m* fosfórico; **~vergiftung** *f* intoxicación *f* por el fósforo.
'Photo F *n* (*-s*; *-s*) foto *f*; **~album** *n* (*-s*; *-alben*) álbum *m* de fotografías; **~apparat** *m* (*-es*; *-e*) aparato *m* fotográfico, cámara *f* (*od.* máquina *f*) fotográfica; **~atelier** *n* (*-s*; *-s*) laboratorio *m* (*od.* taller *m*) fotográfico.
Photoche'mie *f* (*0*) fotoquímica *f*.
'photo|chemisch *adj.* fotoquímico; **~elektrisch** *adj.* fotoeléctrico.
photo'gen *adj.* (*lichterzeugend*) fotógeno; (*gut zu photographieren*) fotogénico.
Photo...: ~'gramm *n* (*-s*; *-e*) fotograma *m*; **~gramme'trie** *f* (*0*) fotogrametría *f*; **~'graph(in** *f*) *m* (*-en*) fotógrafo (-a *f*) *m*; **~gra'phie** *f* fotografía *f*; F foto *f*; (*Landschaftsaufnahme*) vista *f*; **2gra'phieren** (-) *v/t.* fotografiar; (*Personen*) retratar; **2'graphisch** *adj.* fotográfico; **~gra'vüre** *f* fotograbado *m*; **~ko'pie** *f* fotocopia *f*; **2ko'pieren** (-) *v/t.* fotocopiar; **~ko'piergerät** *n* (*-es*; *-e*) aparato *m* para fotocopiar.
'Photolabor *n* (*-s*; *-e*) laboratorio *m* fotográfico.
Photo...: ~lithogra'phie *f* (*0*) fotolitografía *f*; **2me'chanisch** *adj.* fotomecánico; **~'meter** *n* fotómetro *m*; **~me'trie** *f* (*0*) fotometría *f*; **2'metrisch** *adj.* fotométrico; **~mon'tage** *f* fotomontaje *m*.
Pho'ton *Phys. n* (*-s*; *-en*) fotón *m*.
'Photopapier *n* (*-es*; *-e*) papel *m* fotográfico.
'Photozelle *f* célula *f* fotoeléctrica.
'Phrase *f* frase *f*; ♪ frase *f* musical; (*abgedroschene Redensart*) tópico *m*; lugar *m* común; frase *f* hecha (*od.* trillada); *leere ~n* palabras hueras; *tönende ~n* frases (*od.* palabras) rimbombantes; *~n machen* (*od. dreschen*) hacer frases; hablar por hablar; **~ndrescher** *m* hablador *m* enfático; palabrero *m*; charlatán *m*; **2nhaft** *adj.* lleno de frases hueras; (*wortreich, geschwätzig*) verboso; charlatán; (*schwülstig*) enfático.
Phraseo|lo'gie *f* fraseología *f*; (*Sammlung v. idiomatischen Wendungen*) recopilación *f* de modismos; **2'logisch** *adj.* fraseológico.
phra'sieren (-) *v/t.* ♪ frasear.
phre'netisch *adj.* frenético.
'Phry|gien *n* Frigia *f*; **~gier** *m* frigio *m*.
Phy'sik *f* (*0*) física *f*.
physi'kalisch *adj.* físico; **~-chemisch** *adj.* físicoquímico.
'Physiker(in *f*) *m* físico (-a *f*) *m*; (*Student*) estudiante *m/f* de ciencias físicas.
'Physikum *n* (*-s*; *Physika*) *Uni.* ⚕ examen *m* pre-clínico.
Phy'sikunterricht *m* (*-es*; *0*) enseñanza *f* de la física.
Physio|'gnom [-zĭo·-] *m* (*-en*) fisonomista *m*; **~gno'mie** *f* fisonomía *f*; **2'gnomisch** *adj.* fisonómico.
Physio|'krat *m* (*-en*) fisiócrata *m*; **2'kratisch** *adj.* fisiocrático; **~kra'tismus** *m* (-; *0*) fisiocracia *f*.
Physio|'loge *m* (*-en*) fisiólogo *m*; **~lo'gie** *f* (*0*) fisiología *f*; **2'logisch** *adj.* fisiológico.
'physisch *adj.* físico.
Pia'nino [pĭa·-] ♪ *n* (*-s*; *-s*) piano *m* vertical.
Pia'nist(in *f*) *m* (*-en*) pianista *m/f*.
Pi'ano [pĭ'ɑːno·] *n* (*Klavier*) piano *m*; (*Flügel*) piano *m* de cola; **~'forte** *n* (*-s*; *-s*) pianoforte *m*, piano *m*.
'picheln (*-le*) F *v/i. u. v/t.* F empinar el codo; pimplar, copear; *fig.* soplar.
'Picke *f* pico *m*, zapapico *m*.
'Pickel *m* ⚕ pústula *f*; (*Picke*) pico *m*, zapapico *m*; (*Eis2*) pico *m* de alpinista; **~flöte** ♪ *f* flautín *m*; **~haube** ⚔ *f* casco *m* de punta; **2ig** *adj.* ⚕ cubierto de pústulas; (*Gesicht*) granujiento, granujoso.
'picken *v/t. u. v/i.* (*hacken*) picar; *Vogel*: picotear.
'Picknick *n* (*-s*; *-s od. -e*) merienda *f* campestre; **2en** *v/i.* merendar en el campo.
Piedes'tal *n* (*-s*; *-e*) pedestal *m*.
'piek|en *v/t.* picar; **~fein** F *adj.* muy elegante; peripuesto, acicalado; (*geschniegelt und gebügelt*) de tiros largos.
Piep *m*: F *nicht ~ sagen* no decir ni pío.
'piepe F *adj.*: *das ist mir ~* me es igual; F me importa un pito.
'piep(s)en I. *v/i.* (*Küken, kleine Vögel*) piar; piolar; **II.** 2 *n* pío *m*, piada *f*; *fig.* F *bei dir piept's wohl?* tú andas mal de la cabeza; *es ist zum Piepen!* F es para mondarse de risa.
'Piepmatz *m* (*-es*; *⸚e*) pajarillo *m*.
'piepsig *adj.*: *~e Stimme* voz delgada; (*schwächlich*) débil; dolorido.
Pier (*-s*; *-e*) ⚓ *m* (*Landungsbrücke*) muelle *m*; (*Hafendamm*) malecón *m*.
'piesacken F *v/t.* importunar; F fastidiar; cargar; jorobar.
Pie'tät [pĭe·-] *f* (*0*) (*Kinderliebe*) amor *m* filial; (*Achtung*) respeto *m*; (*Ehrfurcht*) veneración *f*; (*Frömmigkeit*) piedad *f*; **2los** *adj.* irrespetuoso; irreverente; **~losigkeit** *f* (*0*) irrespetuosidad *f*; irreverencia *f*; **2voll** *adj.* reverente; (*fromm*) piadoso, devoto.
Pie'tis|mus *m* (-; *0*) pietismo *m*; **~t(in** *f*) *m* pietista *m/f*; **2tisch** *adj.* pietista.
pi'ezo|elektrisch *adj.* piezoeléctrico; **2elektrizität** *f* piezoelectricidad *f*.
Pig'ment *n* (*-es*; *-e*) pigmento *m*; **~bildung** *f* pigmentación *f*.
pigmen'tier|en (-) *v/t.* pigmentar; *sich ~* pigmentarse; **2ung** *f* pigmentación *f*.
Pik[1] [iː] *m* (*-s*; *-e*) (*spitzer Berg*) pico *m*; *fig.* (*Groll*) F *er hat e-n ~ auf mich* está de punta conmigo.
Pik[2] [iː] *n* (*-s*; *-s*) *Kartenspiel*: pique *m*.
pi'kant *adj.* (*-est*) picante; *~e Sauce* salsa picante; *fig. Witz usw.*: picante, verde.
Pikante'rie *f* (*Geschichte, Witz usw.*) cuento *m*, chiste *m etc.* picante *od.* verde *bzw.* atrevido.
'Pik-As *n* (*-ses*; *-se*) *Kartenspiel*: as *m* de pique.
'Pike *f* pica *f*; *von der ~ auf dienen fig.* pasar (*bzw.* haber pasado) por todos los grados *od.* escalones.
Pi'kee *m* (*-s*; *-s*) piqué *m*.
pi'kier|en (-) *v/t.* picar; **~t** picado; ofendido; *sich ~ fühlen* sentirse ofendido; darse por aludido; picarse.
'Pikkolo *m* (*-s*; *-s*) chico *m* auxiliar de camarero; (*Page*) botones *m*; **~flöte** *f* flautín *m*.
Pi'kör *m* (*-s*; *-e*) *Jgdw.* batidor *m* de caza.
Pi'krinsäure ⚗ *f* (*0*) ácido *m* pícrico.
Pi'laster △ *m* pilastra *f*.
Pi'latus *m*: *Pontius ~* Poncio Pilatos; *fig. j-n von Pontius zu ~ schicken* enviar a alg. de Herodes a Pilatos.
'Pilger(in *f*) *m* peregrino (-a *f*) *m*; romero (-a *f*) *m*; **~fahrt** *f* peregrinación *f*; **~muschel** *f* (-; *-n*) venera *f*; vieira *f*; **2n** (*-re*; *sn*) *v/i.* peregrinar, ir en peregrinación (*nach* a); *fig.* viajar; **~schaft** *f* → *Pilgerfahrt*; **~stab** *m* (*-es*; *⸚e*) bordón *m*; **~straße** *f* camino *m* de peregrinación.
'Pille *f* píldora *f*; *fig. e-e bittere ~* un trago amargo; *die ~ schlucken* tragarse la píldora; tragar quina; *j-m die* (*bittere*) *~ versüßen* dorar la píldora a alg.; **~ndreher** F *m* (*Apotheker*) boticario *m*; **~nschachtel** *f* (-; *-n*) caja *f* de píldoras.
Pi'lot *m* (*-en*) piloto *m*; **~ballon** *m* (*-s*; *-s*) globo *m* piloto; **~ensitz** *m* (*-es*; *-e*) puesto *m* del piloto; **~in** *f* (mujer *f*) piloto *f*.
'Pilz ♀ *m* (*-es*; *-e*) hongo *m*; seta *f*; *fig. wie ~e aus der Erde schießen* brotar como hongos; **2ähnlich, 2artig** *adj.* fungoso; **~beet** *n* (*-es*; *-e*): *unterirdisches ~* criadero *m* de hongos; **2förmig** *adj.* fungiforme; **2ig** *adj.* fungoso; **~krankheit** ⚕ *f* micosis *f*; **~kunde** *f* (*0*) micología *f*; **2tötend** *adj.* fungicida; **~vergiftung** *f* intoxicación *f* por hongos *bzw.* setas; **~züchter** *m* cultivador *m* de hongos.
'pimp(e)lig F *adj.* (*schwächlich*) enclenque, desmedrado; enfermizo; (*weichlich*) alfeñicado, blando, delicado; (*kleinlich*) nimio, cominero; (*wehleidig*) quejumbroso, lastimero.

Pinako'thek *f* pinacoteca *f.*

Pi'nasse ⚓ *f* pinaza *f.*

'Pingpong *n* (*-s; -s*) *Sport*: ping--pong *m*, tenis *m* de mesa.

'Pinguin ['pɪŋguˑiːn] *Orn. m* (*-s; -e*) pingüino *m*, pájaro *m* bobo.

'Pinie [-ĭə] ✿ *f* pino *m* piñonero.

'Pinke F *f* (*0*) (*Geld*) dinero *m*; F tela *f*, pasta *f* (mineral), monises *m/pl.*, P parné *m.*

'Pinkel F *m*: *feiner* ~ currutaco *m.*

'pinkeln (*-le*) P *v/i.* orinar, P mear.

'Pinne *f* (*Zwecke*) chinche *f*; (*spitzer Stift*) punta *f*; (*Beschlagstift*) tachuela *f*; ⚓ caña *f* del timón; (*Ruder*2) barra *f.*

'Pinscher *Zoo. m* (*Schoßhund*) perro *m* faldero.

'Pinsel *m* pincel *m*; (*Tüncher*2) brocha *f*; F *fig.* tonto *m*, bobo *m*; babieca *m*, pazguato *m*; inocentón *m*; mentecato *m*; alelado *m.*

Pinse'lei *f desp.* pintarrajo *m*; mamarracho *m.*

'pinseln (*-le*) *v/i. u. v/t.* manejar el pincel *bzw.* la brocha; pincelar; *vom Maler*: pintar; *m.s.* pintarrajear; ⚕ pincelar, extender *od.* untar con pincel.

'Pinselstrich *m Mal.* pincelada *f*; toque *m* de pincel; *des Anstreichers*: brochazo *m.*

Pin'zette *f* pinzas *f/pl.*

Pio'nier [piˑoˑ-] *m* (*-s; -e*) ⚔ soldado *m* de ingenieros; zapador *m*; *fig.* (*Bahnbrecher*) precursor *m*; iniciador *m*; (*Ansiedler*) colono *m*; pionero *m*; **~bataillon** *n* (*-s; -e*) batallón *m* de ingenieros *bzw.* de zapadores; **~korps** *n* (*-; -*) cuerpo *m* de ingenieros militares.

'Pipeline ['paɪplaɪn] *f* oleoducto *m*; (*Gas*) gasoducto *m.*

Pi'pette *f* pipeta *f.*

Pi'pin *Hist. m*: ~ *der Kurze* Pipino el Breve.

Pips *m* (*-es; 0*) *Vet.* (*der Hühner*) pepita *f.*

Pi'rat *m* (*-en*) pirata *m*; **~enschiff** *n* barco *m* pirata.

Pirate'rie *f* piratería *f.*

Pi'roge ⚓ *f* piragua *f.*

Pi'rol *Orn. m* (*-s; -e*) oropéndola *f.*

Pirou'ette [-ʀuˑ'ɛtə] *f* pirueta *f.*

'Pirsch *f* (*0*) caza *f* con escopeta *f*; *auf die* ~ *gehen* ir de caza; ir a cazar; **2en** *v/t. u. v/i.* cazar con escopeta; perseguir la caza; cazar.

'Pisang ✿ *m* (*-s; -e*) banano *m*; (*Frucht*) banana *f.*

'Pisse V *f* (*Harn*) orina *f*; P meada *f*, meadura *f*; **2n** (*-st*) V *v/i.* orinar; P mear.

Pis'soir [pɪ'soˑɑːʀ] *n* (*-s; -e od. -s*) urinario *m.*

Pis'tazie ✿ *f* terebinto *m*; pistacho *m.*

'Piste *f* pista *f*; ruta *f* (de caravanas).

Pis'tole *f* pistola *f*; (*Münze*) doblón *m*; *fig. j-m die* ~ *auf die Brust setzen* poner a alg. el puñal al pecho; *wie aus der* ~ *geschossen* al punto; al instante; como un rayo.

Pis'tolen...: **~duell** *n* (*-s; -e*) duelo *m* a pistola; **~griff** *m* (*-es; -e*) culata *f* (de la pistola); **~halfter** *f* pistolera *f*; **~schießen** *n* tiro *m* a pistola; **~schuß** *m* (*-sses; ⸚sse*) pistoletazo *m*; **~tasche** *f* funda *f* de pistola; pistolera *f.*

Pis'ton [-ŋ] *n* (*-s; -s*) pistón *m*; ♪ trombón *m* (de llaves); cornetín *m* de pistón.

pitsch(e)'naß F *adj.* (*0*) empapado, calado hasta los huesos, hecho una sopa.

pitto'resk *adj.* pintoresco.

Pizzi'kato ♪ *n* (*-s; -s*) pizzicato *m.*

pla'cieren [-'tsiː-] (*-*) *v/t.* colocar; *Sport*: clasificar.

'placken 1. *v/t. Wolle*: cardar; (*feststampfen*) apisonar; prensar; (*plagen*) vejar; **2.** *v/refl.*: *sich* ~ (*plagen*) afanarse; ajetrearse.

Placke'rei *f* ajetreo *m.*

plä'dieren (*-*) *v/i.* ⚖ informar (la defensa); *a. fig.* abogar (*für* por); ⚖ *u. fig.* defender una causa.

Plädoyer [-doˑaˑ'jeː] ⚖ *n* (*-s; -s*) informe *m* de la defensa; informe *m* del fiscal.

'Plage *f* (*Beschwerde*) pena *f*; molestia *f*; (*Qual*) tormento *m*; (*beschwerendes Übel*) mal *m*; (*Land*2) plaga *f*; azote *m*; calamidad *f*; *Bib.* plaga *f*; (*unruhiges Treiben*) ajetreo *m*; **~geist** *m* (*-es; -er*) demonio *m* (atormentador); *fig.* F sinapismo *m*; pegote *m*; plomo *m*; **2n** *v/t.* (*belästigen*) importunar, incomodar, molestar; fastidiar; (*bedrängen*) atosigar; (*verfolgen*) perseguir; (*hetzen*) acosar; (*quälen*) atormentar; *sich* ~ afanarse (*um* por); ajetrearse; *fig.* matarse (trabajando); azacanarse; *von der Gicht usw. geplagt* atormentado por.

Plagi'at [-gĭ'ɑːt] *n* (*-es; -e*) plagio *m*; **~or** *m* (*-s; -en*) plagiario *m.*

plagi'ieren (*-*) *v/t.* plagiar; F *fig.* fusilar.

Pla'kat *n* (*-es; -e*) cartel *m*; anuncio *m*; *ein* ~ *ankleben* fijar un cartel; **~ankleber** *m* cartelero *m*, fijador *m* de carteles; **~druckerei** *f* imprenta *f* de carteles; **~fläche** *f* cartelera *f.*

Pla'kat...: **~maler** *m* pintor *m* de carteles; cartelista *m*; **~säule** *f* columna *f* anunciadora; **~schild** *n* (*-es; -er*) (*Reklametafel*) cartelera *f* publicitaria; **~träger** *m* hombre--anuncio *m*; porta-carteles *m* ambulante; **~werbung** *f* publicidad *f* con carteles; **~zeichner** *m* dibujante *m* de carteles, cartelista *m.*

Pla'kette *f Tafel*: placa *f*; (*Abzeichen*) distintivo *m*; (*Medaille*) medalla *f.*

Plan[1] *m* (*-es; ⸚e*) plan *m*; (*Zeichnung*) dibujo *m*; (⚠, *Stadt*2) plano *m*; (*graphische Darstellung*) diagrama *m*; (*System*) sistema *m*; (*Absicht*) plan *m*; intención *f*, propósito *m*; designio *m*; (*Vorhaben*) proyecto *m*; *e-n* ~ *entwerfen* (*fassen*) trazar (concebir) un plan; *Pläne schmieden* forjar planes, hacer proyectos (*od.* planes); *e-n* ~ *aufgeben* abandonar un proyecto; *e-n* ~ *durchführen* (*durchkreuzen*) ejecutar (desbaratar) un plan.

Plan[2] *m* (*-es; ⸚e*) (*Ebene*) plano *m*; *Geogr.* planicie *f*; (*Kampfplatz*) palestra *f*; arena *f*; liza *f*; *auf dem* ~ *erscheinen* entrar en liza; *weitS.* aparecer.

plan *adj. u. adv.* llano, plano; liso.

'Plan|drehbank ⊕ *f* (*-; ⸚e*) torno *m* para refrentar; **2drehen** ⊕ *v/t.* refrentar.

'Plane *f* (*Wagen*2, *Schaufenster*2) toldo *m*; (*Zelt*2) toldo *m*; lona *f*; *Decke*: cubierta *f.*

'planen *v/i. u. v/t.* (*entwerfen*; *vorhaben*) proyectar; planear; (*sich vornehmen*) proponerse; (*Pläne machen*) forjar *od.* idear planes; hacer planes; concebir proyectos; *Komplott*: tramar.

'Planer(in *f*) *m* proyectista *m/f.*

'Pläneschmied *m* (*-es; -e*) proyectista *m*; forjador *m* de planes (*od.* de proyectos).

Pla'net *m* (*-en*) planeta *m.*

plane'ta|risch *adj.* planetario; **2rium** *n* (*-s; Planetarien*) planetario *m.*

Pla'neten...: **~bahn** *f* órbita *f* planetaria; **~getriebe** ⊕ *n* engranaje *m* planetario; **~system** *n* (*-s; -e*) sistema *m* planetario.

'Plan...: **~film** *m* (*-es; -e*) película *f* rígida (*od.* plana); **~fräsmaschine** ⊕ *f* fresadora *f* para superficies planas.

pla'nier|en (*-*) *v/t.* (*ebnen*) aplanar; nivelar; (*glätten*) alisar; **2gerät** *n* (*-es; -e*) nivelador *m*; **2raupe** *f* planeador-oruga *m*, motoniveladora *f* oruga; **2ung** *f* aplanamiento *m*; nivelación *f*; **2ungs-arbeiten** *f/pl.* obras *f/pl.* de aplanamiento (*od.* de nivelación).

Plani|'meter *n* planímetro *m*; **~me'trie** ⚠ *f* (*0*) planimetría *f*; **2'metrisch** *adj.* planimétrico.

'Planke *f* plancha *f*; tablón *m.*

Plänke'lei ⚔ *f* escaramuza *f* (*a. fig.*); tiroteo *m.*

'plänkeln (*-le*) ⚔ *v/i.* escaramuzar; tirotearse.

'Plankton *Biol. n* (*-s; 0*) plancton *m.*

'Plan...: **2los I.** *adj.* sin plan; sin método *od.* sistema; sin orden; (*unregelmäßig*) irregular; **II.** *adv.* sin plan; sin método; sin orden; (*unregelmäßig*) irregularmente; (*aufs Geratewohl*) al azar, F a la que salga, al tuntún; **~losigkeit** *f* (*0*) falta *f* de método; (*Unregelmäßigkeit*) irregularidad *f*; **2mäßig I.** *adj.* metódico; (*regelmäßig*) regular; (*systematisch*) sistemático; ~*e Abfahrt* (*Ankunft*) salida (llegada) regular; ~*e Stelle* plaza efectiva; ~*er Beamter* funcionario de plantilla; **II.** *adv.* metódicamente, con método; (*regelmäßig*) regularmente; (*systematisch*) sistemáticamente; **~mäßigkeit** *f* (*0*) método *m*; orden *m*; (*Regelmäßigkeit*) regularidad *f.*

'Plansch|becken *n* piscina *f* para niños; **2en** *v/i.* chapotear; **~e'rei** *f* chapoteo *m.*

'Plan...: **~schießen** ⚔ *n* tiro *m* indirecto; **~soll** *n* cuota *f* obligatoria prevista; **~spiegel** *m* espejo *m* plano; **~stärke** ⚔ *f* efectivo *m* previsto; **~stelle** *f* plaza *f* de plantilla.

Plan'tage [-ʒə] *f* plantación *f.*

'Plan...: **~ung** *f* planeo *m*; proyecto *m*; *im Stadium der* ~ *sein* estar en proyecto; **~wagen** *m* carro *m* de toldo; 🚃 vagón *m* de plataforma; **~wirtschaft** *f* (*0*) economía *f* dirigida; **~zeichnen** *n* dibujo *m* de planos topográficos; **~zeichnung** *f* plano *m*; dibujo *m.*

Plapp|e'rei *f* parloteo *m*; cháchara *f*; cotorreo *m*; **'~ermaul** *n* (*-es; ⸚er*) parlanchín *m*, hablador *m*; charlatán *m*; '**2ern** (*-re*) *v/i. u. v/t.* parlotear, charlar; charlatanear; cotorrear.

'**plärren** F **I.** *v/i.* (*bsd. v. Kindern*) chillar; berrear; (*weinen*) lloriquear, gimotear; **II.** 2 *n* chillido *m*; berrido *m*; (*Weinen*) lloriqueo *m*, gimoteo *m*.

'**Plasma** *n* (*-s; Plasmen*) *Biol.* plasma *m*; **~übertragung** *f* transfusión *f* de plasma; **~zelle** *f* plasmocito *m*.

'**Plas|tik** *f* plástica *f*; artes *f/pl.* plásticas; (*Bildwerk*) escultura *f*; ⊕ plástico *m*; **~tikbombe** *f* bomba *f* de plástico; **~tiker** *m* escultor *m*.

Plasti'lin *n* (*-s; 0*) plastilina *f*; pasta *f* de modelar.

'**plastisch** *adj.* plástico; (*anschaulich*) gráfico; *~er Film* película tridimensional (*od.* en relieve); *~e Chirurgie* cirugía plástica.

Plastizi'tät *f* (*0*) plasticidad *f*.

Pla'tane ♀ *f* plátano *m*.

Pla'teau [oː] *n* (*-s; -s*) *Geogr.* meseta *f*, altiplanicie *f*.

'**Platin** ⚗ *n* (*-s; 0*) platino *m*; **~blech** *n* (*-es; -e*) lámina *f* de platino; **2blond** *adj.* rubio platino; **~draht** *m* (*-es; ⸚e*) hilo *m* de platino; **2haltig** *adj.* platinífero.

plati'nieren (-) *v/t.* platinar.

'**Plato** *Hist. m* Platón *m*.

Pla'to|niker *m* platónico *m*; **2nisch** *adj.* platónico.

platsch! *int.* ¡zas!; ¡plaf!

'**plätschern I.** (*-re*) *v/i.* (*Bach*) murmurar; *im Wasser ~* chapotear, chapalear; *fig.* charlar; parlotear; **II.** 2 *n* (*Bach*) murmullo *m*; (*Wasser am Ufer; Regen*) chapaleteo *m*; (*Kinder im Wasser*) chapoteo *m*, chapaleo *m*; *fig.* parloteo *m*.

platt *adj.* (*-est*) llano; plano; (*abgeplattet*) aplanado; (*plattgedrückt*) aplastado; (*niedrig*) poco elevado; *Gegend*: poco acidentado; *~es Land* país llano; *Nase*: chato; *Reifen*: desinflado; *fig.* trivial, insu(b)stancial; (*gemein*) vulgar; (*erstaunt*) asombrado; F turulato, *~ drücken* achatar, *ganz*: aplastar; *~ machen* aplanar; *~ werden* aplanarse; aplastarse; *sich ~ hinwerfen* echarse de bruces.

'**Plätt...: ~brett** *n* (*-es; -er*) tabla *f* de planchar; **~chen** *n* plaquita *f*; chapita *f*; (*Lamelle*) laminilla *f*.

'**Plattdeutsch** *n* bajo alemán *m*.

'**Platte** *f* placa *f* (*a. Phot.*); (*Schall2*) disco *m*; (*Stein2*) losa *f*; (*Fliese*) baldosa *f*; (*Kachel*) azulejo *m*; (*Sperrholz2*) tablero *m*; (*Brett*) tabla *f*; (*Metall2*) plancha *f*, *dünne*: chapa *f*, *sehr dünne*: lámina *f*; (*Grab2*) lápida *f*; (*flache Schale*) fuente *f*; (*Tisch2*) tablero *m*; (*Servier2, Küchen2*) bandeja *f*; (*Glas2*) placa *f* de vidro; *Typ.* clisé *m*; (*Glatze*) calva *f*; (*Plateau*) *Geogr.* planicie *f*; meseta *f*; (*Gebiß*) dentadura *f* postiza; *Kochkunst*: *kalte ~* plato de fiambres variados.

'**Plätt-eisen** *n* plancha *f*.

'**platten**, '**plätten**[1] (*-e-*) *v/t. Met.* laminar; (*ebnen*) aplanar; allanar.

'**plätten**[2] (*-e-*) **I.** *v/t. Wäsche, Kleider*: planchar; **II.** 2 *n* planchado *m*.

'**Platten...: ~belag** *m* (*-es; 0*) embaldosado *m*; **~druck** *Typ. m* (*-es; -e*) estereotipia *f*; **~halter** *m Phot.* porta-placas *m*; **~kassette** *Phot. f* chasis *m*; **~kondensator** *m* (*-s; -en*) condensador *m* de placas; **~leger** *m* embaldosador *m*; solador *m*; **~schrank** *m* discoteca *f*; **~spieler** *m* tocadiscos *m*; **~wechsler** *m* cambia-discos *m* automático.

'**Plätter** *m* planchador *m*; *Met.* laminador *m*.

Plätte'rei *f* (*Plätten*) planchado *m*; (*Plättstube*) taller *m* (*od.* obrador *m*) de planchado.

'**Plätterin** *f* planchadora *f*.

'**Platt...: ~form** *f* plataforma *f* (*a. fig.*); **~fuß** *m* (*-es; ⸚e*) pie *m* plano; F *Auto.* neumático *m* pinchado; *Plattfüße haben* tener los pies planos; *e-n ~ haben Auto.* rodar con un neumático desinflado; **~fuß-einlage** *f* plantilla *f* ortopédica; **2füßig** *adj.* con pies planos; **~heit** *f* forma *f* plana; *fig.* trivialidad *f*; insulsez *f*; lugar *m* común; vulgarismo *m*, chabacanería *f*.

plat'tieren (-) ⊕ **1.** *v/t.* chapear; **2.** 2 *n* chapeado *m*.

'**Platt...: ~nase** *f* nariz *f* chata (*od.* roma); **2nasig** *adj.* chato.

'**Plätt...: ~stube** *f* obrador *m* (*od.* taller *m*) de planchado; **~wäsche** *f* ropa *f* planchada (*od.* para planchar).

Platz *m* (*-es; ⸚e*) plaza *f*; (*Sitz2*) asiento *m*; *Thea.* localidad *f*; (*Posten*) puesto *m*; (*Stellung*) posición *f*; (*Anstellung*) colocación *f*, empleo *m*; (*Stelle, Ort*) lugar *m*, sitio *m*; *v. Gebäuden*: emplazamiento *m*, *Am.* ubicación *f*; (*Terrain, Gelände*) terreno *m*; ⚔ *u.* ✝ plaza *f*; ⚔ *fester ~* plaza fuerte; (*Festung*) fortaleza *f*; (*Bau2*) solar *m*, terreno *m*; (*Sport2*) campo *m* de deportes; estadio *m*, *Arg.* cancha *f*; (*Tennis2*) cancha *f*; (*Raum*) espacio *m*; lugar *m*; cabida *f*; *~ finden* (*im Auto, Saal usw.*) caber; *~ da!, ~ gemacht!* ¡apártense!, ¡dejen paso!; *Arg.* ¡cancha!; *auf die Plätze!* ¡a sentarse!; ¡cada uno a su sitio!; *j-m e-n ~ anweisen* indicar a alg. un asiento; *~ nehmen* sentarse, tomar asiento; *s-n ~ einnehmen* ocupar su asiento *bzw.* su puesto; *~ lassen* dejar sitio (*für* a *od.* para); *~ machen* hacer sitio (*für* a *od.* para); (*beiseite treten*) retirarse, apartarse a un lado; (*Bahn schaffen*) abrir paso, *Arg.* hacer cancha; *j-m s-n ~ abtreten* ceder el asiento a alg.; *j-s ~ einnehmen* ocupar el asiento (*bzw.* el puesto) de alg.; *viel ~ einnehmen* ocupar mucho lugar; *s-n ~ behalten* continuar sentado; *s-n ~ wechseln* cambiar de lugar; *fig. j-n an s-n ~ verweisen* situar a alg. en el lugar que le corresponde; *belegter ~* asiento ocupado; *leerer ~* asiento desocupado; plaza libre; *an s-m ~ sein* estar en su sitio (*od.* lugar); *am ~e sein fig.* ser oportuno; estar indicado; *nicht an s-m ~e sein*; *fehl am ~e sein* estar fuera de lugar; ser impropio; ser inoportuno; *e-n ~ bestellen* encargar reservar una plaza, (*Thea.* una localidad); *auf s-m ~e bleiben* no moverse del sitio; *bis auf den letzten ~ besetzt* atestado, abarrotado; '**~angst** *f* (*0*) agorafobia *f*; '**~anweiser(in** *f*) *m* acomodador(a *f*) *m*.

'**Plätzchen** *n* plazuela *f*; rincón *m* (retirado); (*Gebäck*) galletitas *f/pl.*; pastas *f/pl.*; (*Pastille*) pastilla *f*.

'**platzen I.** (*-t*) *v/i.* (*bersten*) reventar; *mit Getöse*: estallar, pegar un estallido; (*krachen*) restallar; (*explodieren*) hacer explosión; *vor Lachen* (*Wut*) *~* reventar de risa (estallar de ira); *schließlich platzte ihm der Kragen* acabó por estallar; *das Unternehmen ist geplatzt* la empresa ha fracasado; *ins Zimmer ~* entrar de improviso en la habitación; **II.** 2 *n* (*Bersten*) reventón *m*; *mit Getöse*: estallido *m*; (*Explodieren*) explosión *f*.

'**Platz...: ~ersparnis** *f* (*0*) economía *f* de espacio; **~geschäft** ✝ *n* (*-es; -e*) comercio *m* local; **~gewinn** *m* (*-es; 0*) ganancia *f* de espacio; **~karte** *f* 🚂 reserva *f* de plaza (*od.* asiento); **~kommandant** ⚔ *m* (*-en*) gobernador *m* militar; comandante *m* de la plaza; **~mangel** *m* falta *f* de sitio (*od.* de espacio); **~patrone** ⚔ *f* cartucho *m* de fogueo; *mit ~n schießen* tirar sin bala; **2raubend** *adj.* que ocupa demasiado sitio; **~regen** *m* aguacero *m*, chaparrón *m*; chubasco *m*; **~wart** *m* (*-es; -e*) guarda *m*; **~wechsel** ✝ *m* letra *f* sobre la plaza.

Plaude'rei *f* conversación *f*; charla *f*; coloquio *m*; plática *f*.

'**Plauder|er** *m* conversador *m*; charlista *m*; **2n** (*-re*) *v/i.* conversar; F charlar; echar una parrafada; *aus der Schule ~* revelar imprudentemente un secreto; **~n** *n* conversación *f*; charla *f*; **~stündchen** *n* rato *m* de charla; **~tasche** F mujer *f* habladora *od.* parlanchina; *desp.* chismosa *f*, cotilla *f*; **~ton** *m*: *im ~* en tono de conversación.

'**plauschen** *v/i.* charlar; platicar.

plau'sibel *adj.* plausible; (*einleuchtend*) comprensible; *j-m et. ~ machen* hacer a alg. comprender a/c.

plauz *int.* ¡cataplum!

Ple'bej|er(in *f*) *m* plebeyo (-a *f*) *m*; **2isch** *adj.* plebeyo.

Plebis'zit [-'tsiːt] *n* (*-es; -e*) plebiscito *m*.

Plebs [plɛps] *m* (*-es; 0*) plebe *f*; populacho *m*.

'**Pleite I.** *f* quiebra *f*; *~ machen* declararse en quiebra; quebrar; **II.** 2 *adj.* en quiebra; *~ sein* estar en quiebra, (*kein Geld haben*) F estar tronado, F estar sin blanca.

plem'plem F *adj.* tocado de la cabeza; P chalado.

Ple'narsitzung *f* sesión *f* plenaria.

'**Plenum** *n* (*-s; 0*) pleno *m*.

Pleo'nas|mus [-eˑoˑ-] *m* (*-; -men*) pleonasmo *m*; **2tisch** *adj.* pleonástico.

'**Pleuelstange** ⊕ *f* biela *f*.

Pleu'ritis ⚕ *f* (*-; Pleuritiden*) pleuritis *f*.

Plis'see *n* (*-s; -s*) plegado *m*, frunce *m*, plisado *m*; **~rock** *m* (*-es; ⸚e*) falda *f* plisada.

plis'sieren [-ɪ'siː-] (-) *v/t.* plegar, fruncir, plisar.

'**Plombe** *f* (*Zoll2*) precinto *m*; marchamo *m*; (*Zahn2*) empaste *m*;

~nverschluß ✝ *m* (*-sses*; *"sse*) precinto *m*.
plom'bieren (-) **I.** *v/t.* (*Kisten*) precintar; (*Zahn*) empastar; *mit Gold ~* orificar; **II.** 2 *n* precinto *m*; *e-s Zahnes*: empaste *m*; orificación *f*.
'Plötze *Ict. f* breca *f*.
'plötzlich I. *adj.* súbito, repentino; (*unerwartet*) imprevisto, inesperado; **II.** *adv.* de repente, de pronto; súbitamente, repentinamente; de golpe (F y porrazo); de improviso; **2keit** *f* (*0*) lo inesperado.
'Pluderhose *f* pantalón *m* bombacho.
Plu'meau [ply'mo:] *n* (*-s*; *-s*) edredón *m* de pluma.
plump *adj.* grosero; (*grob*) burdo, tosco; (*ungeschickt*) torpe; (*schwerfällig*) pesado; **'2heit** *f* (*0*) grosería *f*; tosquedad *f*; torpeza *f*; pesadez *f*.
plumps! *int.* ¡cataplum!; ¡pun!
'plumpsen (*-t*; *sn*) *v/i.* caer pesadamente; dar un batacazo.
'Plunder *m* trastos *m/pl.* viejos, cachivaches *m/pl.*; chirimbolos *m/pl.*; (*Lumpen*) trapos *m/pl.* viejos; *alter ~* antiguallas *f/pl.*
Plünde'rei *f* saqueo *m*; pillaje *m*; *bsd.* ⚔ merodeo *m*.
'Plünder|er *m* saqueador *m*; *bsd.* ⚔ merodeador *m*; **2n** (*-re*) *v/t. u. v/i.* pillar; saquear; *bsd.* ⚔ merodear; *Menschen*: desvalijar; *Bäume*: despojar; **~n** *n*, **~ung** *f* pillaje *m*; saqueo *m*; *v. Menschen*: desvalijamiento *m*; *v. Bäumen*: despojo *m*; *bsd.* ⚔ merodeo *m*.
'Plural *m* (*-s*; *-e*) plural *m*; **~bildung** *f* formación *f* del plural; **~endung** *f* terminación *f* (*od.* desinencia *f*) del plural; **2'istisch** *adj.*: *~e Gesellschaft* sociedad *f* pluralista.
plus I. *adv.* más; (*Temperatur*) sobre cero; **II.** 2 *n* excedente *m*, ✝ superávit *m*; F ventaja *f*, plus *m*.
Plüsch *m* (*-es*; *-e*) felpa *f*; *gal.* peluche *m*; **'2artig** *adj.* afelpado.
'Plus...: ~elektrizität *f* electricidad *f* positiva; **~pol** ⚡ *m* (*-s*; *-e*) polo *m* positivo; **~quamperfekt** *Gr. n* (*-s*; *-e*) pluscuamperfecto *m*; **~zeichen** *n* signo *m* de adición, más *m*; ⚕ signo *m* positivo.
Pluto|kra'tie *f* plutocracia *f*; **2'kratisch** *adj.* plutocrático.
Plu'tonium ⚗ *n* (*-s*; *0*) plutonio *m*.
Pneu'matik[1] *Auto. m* (*-s*; *-s*) neumático *m*.
Pneu'ma|tik[2] *Phys. f* (*0*) neumática *f*; **2tisch** *adj.* neumático.
Pneumo'nie ⚕ *f* neumonía *f*, pulmonía *f*.
Pneumo'thorax ⚕ *m* (*-es*; *-e*) neumotórax *m*.
Po *Geogr. m*: *der ~* el (río) Po.
'Pöbel *m* (*-s*; *0*) plebe *f*; populacho *m*, chusma *f*; gente *f* baja, gentuza *f*.
Pöbe'lei *f* palabra *f* (*bzw.* acción *f*) soez.
'Pöbel...: 2haft *adj.* plebeyo; grosero, soez; **~haftigkeit** *f* (*0*) plebeyez *f*; grosería *f*; ordinariez *f*; **~herrschaft** *f* (*0*) oclocracia *f*, gobierno *m* de la plebe.
'pochen I. *v/t.* (*Erz*) triturar, machacar; quebrantar; **II.** *v/i.* (*klopfen*) golpear; *an die Tür ~* llamar a la puerta; (*Herz*) palpitar, latir; *fig. auf et.* (*ac.*) *~* (*prahlen*) alardear de a/c.; (*fordern*) insistir en a/c.; reclamar de modo terminante a/c.; exigir a/c.
'Poch...: ~erz ⚒ *n* (*-es*; *-e*) mineral *m* en bruto para quebrantar; **~hammer** *m* (*-s*; *"*) martillo *m* para quebrantar mineral.
po'chiert [ʃ] *adj.*: *~e Eier* huevos escalfados.
'Poch...: ~mühle ⚒ *f* molino *m* para quebrantar mineral; **~spiel** *n* (*-es*; *-e*) poque *m*; **~stempel** *m* mazo *m* de bocarte; **~werk** *n* (*Maschine*) bocarte *m*.
'Pocke ⚕ *f* grano *m*; pápula *f*; pústula *f* variólica; **~n** *f/pl.* viruela *f*; *an ~ Erkrankte(r)* enfermo varioloso; **2n-artig** *adj.* varioloso; **~ngift** *n* (*-es*; *0*) virus *m* variólico; **~nnarbe** *f* hoyo *m* de viruela; **2nnarbig** *adj.* picado (*od.* marcado) de viruelas; **~nschutz-impfung** *f* vacunación *f* antivariólica.
'pockig *adj.* virolento; (*pockenartig*) varioloso.
'Podagra ⚕ *f* (*0*) podagra *f*.
po'dagrisch ⚕ *adj.* gotoso.
Po'dest *n* (*-es*; *-e*) estrado *m*; tarima *f*; (*Treppen2*) descansillo *m*, rellano *m*.
'Podex P *m* (*-es*; *-e*) trasero *m*.
'Podium *n* (*-s*; *Podien*) estrado *m*, entarimado *m*; **~gespräch** *n* discusión *f* pública.
Po'em *n* (*-s*; *-e*) poema *m*.
Poe'sie *f* poesía *f*.
Po'et *m* (*-en*) poeta *m*; **~ik** *f* (*0*) poética *f*, arte *f* poética; **~in** *f* poetisa *f*; **2isch** *adj.* poético.
Po'grom *m* (*-s*; *-e*) pogrom *m*.
Pointe [po'ɛ̃tə] *f* agudeza *f*.
poin'tiert *adj.* (*betont*) acentuado; (*scharf, spitz*) puntiagudo; (*geistreich*) agudo; conceptuoso; sutil.
Po'kal *m* (*-s*; *-e*) copa *f* (*a. Sport*); **~endspiel** *n* (*-es*; *-e*) final *f* de la copa; **~spiel** *n* (*-es*; *-e*) partido *m* de copa.
'Pökel *m* salmuera *f*; **~faß** *n* (*-sses*; *"sser*) saladero *m*; **~fleisch** *n* (*-es*; *0*) carne *f* salada; salazón *m*; **~hering** *m* (*-s*; *-e*) arenque *m* salado; **2n** (*-le*) *v/t.* (*Fleisch*) salar; (*Fisch*) escabechar; **~n** *n* salazón *m*.
Pol *m* (*-s*; *-e*) *Geogr. u.* ⚡ polo *m*; ⚡ *positiver ~* polo positivo, ánodo; ⚡ *negativer ~* polo negativo, cátodo; *magnetischer ~* polo magnético; *Flug über den ~* (*Nord2*) vuelo transpolar.
po'lar *adj.* polar; **2bär** *Zoo. m* (*-en*) oso *m* polar (*od.* blanco); **2expedition** *f* expedición *f* al polo; **2fahrt** *f* viaje *m* (*od.* expedición *f*) al polo; **2forscher** *m* explorador *m* de las regiones polares; **2forschung** *f* (*0*) exploración *f* de las regiones polares; **2front** *f Wetter*: frente *m* polar; **2fuchs** *Zoo. m* (*-es*; *"e*) zorro *m* azul; **2hund** *m* (*-es*; *-e*) perro *m* esquimal.
Polari|'meter *n* polarímetro *m*; **~sati'on** *f* polarización *f*; **2'sieren** (-) *v/t.* polarizar; **~'sierung** *f* polarización *f*.
Polari'tät *f* polaridad *f*.
Po'lar...: ~kreis *m* (*-es*; *-e*) círculo *m* polar; *nördlicher* (*südlicher*) *~* círculo polar ártico (antártico); **~länder** *n/pl.* tierras *f/pl.* polares; regiones *f/pl.* glaciales; **~licht** *n* (*-es*; *0*) aurora *f* boreal; *am Südpol*: aurora *f* austral; **~stern** *Astr. m* (*-es*; *0*) estrella *f* polar; **~zone** *f* zona *f* glacial.
'Pole *m* (*-n*) polaco *m*.
Po'lem|ik *f* polémica *f*; **~iker** *m* polemista *m*; **2isch** *adj.* polémico.
polemi'sieren (-) *v/i.* polemizar.
'Polen *n* Polonia *f*.
Po'lente P *f* (*0*) (*Polizei*) □ bofia *f*, poli *f*.
Po'lice [-'li:sə] *f* póliza *f* (de seguro).
Po'lier *m* (*-s*; *-e*) (*Vorarbeiter*) capataz *m*; **2en** *v/t.* pulir; *Metall*: *a.* bruñir, pulimentar; *Möbel*: lustrar; (*glätten*) alisar; **~en** *n* pulimento *m*; bruñido *m*; **~er** *m* pulidor *m*; bruñidor *m*; → *Polier*; **~mittel** *n* producto *m* para pulir; **~scheibe** *f* disco *m* para pulir; **~stahl** *m* (*-es*; *"e*) bruñidor *m*.
'Poliklinik ⚕ *f* policlínica *f*.
'Polin *f* polaca *f*.
Po'litbüro *n* (*-s*; *-s*) politburó *m*.
Poli'tik *f* (*0*) política *f*; *~ der Stärke* política de fuerza; *über ~ sprechen* hablar de política; *e-e ~ verfolgen* seguir una política; *immer die gleiche ~ verfolgen* no cambiar de política; *sich der ~ widmen* dedicarse a la política.
Po'li|tiker *m* político *m*; *führender*: estadista *m*, prohombre *m* público; *m. s.* politicastro *m*; **~tikerin** *f* (mujer *f*) política *f*; **~tikum** *n* cuestión *f* política; asunto *m* político; **2tisch I.** *adj.* político; **II.** *adv.* políticamente; desde el punto de vista político; *~ unklug* impolítico.
politi'sieren (-) **1.** *v/i.* hablar de política; **2.** *v/t.* politiquear.
Poli'tur *f* pulimento *m*; bruñido *m*; (*Glanz*) brillo *m*, lustre *m*; (*Firnis*) barniz *m*.
Poli'zei *f* (*0*) policía *f*; **~aktion** *f* operación *f* de policía; **~amt** *n* jefatura *f* de policía; comisaría *f* de policía; **~aufsicht** *f* (*0*) vigilancia *f* policíaca; *unter ~* bajo vigilancia de la policía; **~be-amte(r)** *m* agente *m* de policía; funcionario *m* del cuerpo de policía; **~behörde** *f* policía *f*; **~büro** *n* (*-s*; *-s*) oficina *f* de la comisaría de policía; **~dienst** *m* (*-es*; *-e*) servicio *m* de policía; **~gericht** *n* (*-es*; *-e*) tribunal *m* de policía; **~gewahrsam** *n* (*-s*; *0*) calabozo *m* (de comisaría de policía); *in ~ sein* estar detenido por la policía; **~gewalt** *f* (*0*) poder *m* de la policía; **~hund** *m* (*-es*; *-e*) perro *m* policía; **~inspektor** *m* (*-s*; *-en*) inspector *m* de policía; **~knüppel** *m* (*Gummiknüppel*) porra *f*; **~kommissar** *m* (*-s*; *-e*) comisario *m* de policía; **2lich I.** *adj.* policiaco, de (la) policía; *unter ~er Aufsicht* bajo vigilancia; **II.** *adv.* por (orden de) la policía; *sich ~ anmelden* comunicar a la policía su llegada y domicilio; *sich ~ abmelden* comunicar a la policía el cambio de residencia; **~präsident** *m* (*-en*) jefe *m* superior de policía; **~präsidium** *n* (*-s*; *-dien*) jefatura *f* superior de policía; **~revier** *n* (*-s*; *-e*) (*Bereich*) distrito *m* de vigilancia; (*Amt*) comisaría *f* de policía; **~spitzel** *m* confidente *m* de la policía; □ chivato *m*; **~staat** *m* (*-es*; *0*) Estado

m policial; **~strafe** *f* sanción *f* policial; **~streife** *f* patrulla *f* de policía; ronda *f*; **~streifenwagen** *m* (*Funkstreifenwagen*) coche *m* radio-patrulla; **~stunde** *f* (*0*) hora *f* de cierre; **~verordnung** *f* ordenanza *f* de policía; **~verwaltung** *f* (*0*) policía *f*; **~wache** *f* puesto *m* de policía; comisaría *f* de policía; (*Arrestlokal*) cuarto *m* de arresto; **~wagen** *m* coche *m* de la policía; *für Häftlinge*: coche *m* celular; **~wesen** *n* (*-s*; *0*) policía *f*; **2widrig** *adj.* contrario a las ordenanzas de la policía; *fig.* intolerable.

Poli'zist *m* (*-en*) (agente *m* de) policía *m*; guardia *m* (de seguridad); *städtischer*: guardia *m* municipal, F guindilla *m*; *desp.* polizonte *m*.

'Polka *f* (*-*; *-s*) polca *f*.

'Pol·klemme ⚡ *f* borne *m* de polo.

'Pollen ⚘ *m* polen *m*.

'polnisch *adj.* polaco; *fig.* ~*e Wirtschaft* desbarajuste *m*, desgobierno *m*; F *fig.* merienda *f* de negros.

'Polo|feld *n* (*-es*; *-er*) campo *m* de polo; **~hemd** *n* (*-es*; *-en*) camisa *f* de media manga.

Polo'näse *f* polonesa *f*.

'Polo|schläger *m* mazo *m* de polo; **~spiel** *n* (*-es*; *-e*) polo *m*; **~spieler** *m* jugador *m* de polo.

'Pol·schuh ⚡ *m* (*-es*; *-e*) borne *m*, terminal *m*.

'Polster *n* (*Kissen*) cojín *m*; almohadón *m*; (*Kopf*2) almohada *f*; (*Bett*2) colchoneta *f*; (*Matratze*) colchón *m*; (*Füllung*) relleno *m*; (*Wattierung*) acolchado *m*; (*Füllhaar*) crin *f*; crin *f* vegetal; **~er** *m* tapicero *m*; (*Matratzen*2) colchonero *m*; **~material** *n* (*-s*; *0*) material *m* de relleno (para tapicería); **~möbel** *n/pl.* muebles *m/pl.* tapizados; **2n** *v/t.* (*überziehen*) tapizar; (*wattieren*) acolchar; **~n** *n* → *Polsterung*; **~sessel** *m* sillón *m* tapizado; **~stuhl** *m* (*-es*; *⸚e*) silla *f* tapizada; **~tür** *f* mampara *f*; **~ung** *f* acolchado *m*; relleno *m*.

'Polterabend *m* (*-s*; *-e*) víspera *f* de boda; *fig.* jolgorio *m*.

Polte'rei *f* alboroto *m*.

'Polter|er *m* alborotador *m*; (*Zänker*) pendenciero *m*, camorrista *m*; **~geist** *m* (*-es*; *-er*) duende *m*, trasgo *m*; **2n** (*-re*) *v/i. v. Personen*: alborotar; F armar jaleo; (*wettern*) echar pestes; darse a todos los diablos; *v. Sachen*: caer con estrépito; *an der Tür* ~ golpear fuertemente (*fig.* aporrear) la puerta; **~n** *n* alboroto *m*; jaleo *m*; (*Getöse*) estrépito *m*.

Poly'eder *n* poliedro *m*.

poly|'gam *adj.* polígamo; **2ga'mie** *f* poligamia *f*; **2ga'mist** *m* (*-en*) polígamo *m*.

poly'glott *adj.* polígloto *m*, políglota *f*.

Poly'gon *n* (*-s*; *-e*) polígono *m*.

poly|'mer *adj.* polímero; **2merisati'on** *f* polimerización *f*; **~meri'sieren** (*-*) *v/t.* polimerizar.

Poly'nes|ien *n* Polinesia *f*; **~ier(in** *f*) *m* polinesio (-a *f*) *m*; **2isch** *adj.* polinesio.

Po'lyp *m* (*-en*) *Zoo.* pólipo *m* (*a.* ⚕); P *fig.* (*Polizist*) polizonte *m*; **~enstock** *Zoo.* *m* polípero *m*.

Poly|pho'nie *f* (*0*) polifonía *f*; **2'phonisch** *adj.* polifónico.

Poly'tech|niker *m* estudiante *m* de ingeniería; **~nikum** *n* (*-s*; *-ken*) escuela *f* politécnica; **2nisch** *adj.* politécnico.

Polythe'is|mus *m* (*-*; *0*) politeísmo *m*; **~t** *m* (*-en*), **2tisch** *adj.* politeísta *m*.

Po'mad|e *f* pomada *f*; *mit* ~ *einschmieren* aplicar pomada; **2ig** *adj.* *fig.* F flemático; remolón.

Pome'ranze ⚘ *f* naranja *f* amarga; (*Baum*) naranjo *m* amargo; *fig.* ~ *vom Lande* moza aldeana.

'Pommer|(in *f*) *m* (*-n*) pomerano (-a *f*) *m*; **2isch** *adj.* pomerano; **~n** *n* Pomerania *f*.

Pomp *m* (*-es*; *0*) pompa *f*; fausto *m*, suntuosidad *f*; boato *m*; **'2haft** *adj.* pomposo; fastuoso, suntuoso; **'~haftigkeit** *f* (*0*) → *Pomp*.

pom'pös *adj.* ostentoso, aparatoso; espectacular, vistoso; → *pomphaft*.

'Pontifex *m* (*-*; *Pontifizes*) pontífice *m*; ~ *maximus* sumo pontífice.

Pontifi'kal|amt *n* (*-es*; *⸚er*) (*Messe*) misa *f* pontifical; **~ien** *pl.* ornamentos *m/pl.* pontificales.

Pontifi'kat *n* (*-es*; *-e*) pontificado *m*.

'Pontius *m*: ~ *Pilatus* Poncio Pilatos; *fig. von* ~ *zu Pilatus laufen* andar de la Ceca a la Meca; → *Pilatus*.

Pon'ton [-'tɔŋ] *m* pontón *m*; **~brücke** *f* puente *m* de pontones (*od.* de barcas).

'Pony *m od. n* (*-s*; *-s*) (*Pferderasse*) pony *m* (*pl.* poneys); **~frisur** *f* melena *f* con flequillo.

'Pope *m* (*-n*) pope *m*.

Pope'lin *m* (*-s*; *-e*) popelín *m*.

'pop|eln (*-le*) *v/i.* hurgarse la nariz con el dedo; **~lig** F *adj.* (*armselig*) pobre, desvalido; (*geizig*) tacaño, mezquino, F agarrado.

Po'po F *m* (*-s*; *-s*) trasero *m*; P culo *m*, F mapamundi *m*.

popu|'lär *adj.* popular; ~ *machen* popularizar; divulgar, vulgarizar; **~lari'sieren** (*-*) *v/t.* popularizar; divulgar, vulgarizar; **2lari'sierung** *f* popularización *f*; divulgación *f*, vulgarización *f*; **2lari'tät** *f* (*0*) popularidad *f*.

'Por|e *f* poro *m*; **2ig** *adj.* poroso.

Porno|'graph *m* (*-en*) pornógrafo *m*; **~gra'phie** *f* (*0*) pornografía *f*; **2'graphisch** *adj.* pornográfico.

po'rös *adj.* (*-est*) poroso.

Porosi'tät *f* (*0*) porosidad *f*.

'Porphyr ['pɔRfy:R] *m* (*-s*; *-e*) pórfido *m*; **2artig, 2haltig** *adj.* porfídico.

'Porree ['pɔRe:] ⚘ *m* (*-s*; *-s*) puerro *m*.

Por'tal *n* (*-s*; *-e*) (*Säulen*2) portal *m*, pórtico *m*; (*Tor*) puerta *f*; portón *m*.

Porte'feuille [pɔRt'føːĭ] *n* (*-s*; *-s*) cartera *f*; *Minister ohne* ~ ministro sin cartera.

Portemon'naie [-mɔ'ne:] *n* (*-s*; *-s*) portamonedas *m*.

Porte'pee [-e·'pe:] *n* (*-s*; *-s*) fiador *m* de la espada.

Por'tier [-'tĭe:] *m* (*-s*; *-s*) portero *m*; **~frau** *f* portera *f*; **~loge** *f*, **~stelle** *f*, **~wohnung** *f* portería *f*.

Porti'on *f* porción *f*; ⚔ ración *f*; *im Restaurant*: *a.* plato *m*; *Tee, Kaffee*: doble taza *f*; *fig.* F *desp. halbe* ~ poquita cosa.

'Porto *n* (*-s*; *-s od. Porti*) (*Frankierung*) franqueo *m*; *für Pakete*: porte *m*; *zuzüglich* ~ mas franqueo; *einschließlich* ~ porte pagado; incluso porte; ~ *berechnen* † cargar los portes; **~auslagen** *f/pl.* gastos *m/pl.* de franqueo; **2frei** *adj.* franco de porte; libre de franqueo; (*schon bezahlt*) porte pagado; **~gebühr** *f* franqueo *m*; tarifa *f* postal; **~kosten** *pl.* gastos *m/pl.* de franqueo; **~kasse** *f* caja *f* de portes; **2pflichtig** *adj.* sujeto a franqueo; ~*e Dienstsache* (carta con) franquicia oficial; **~satz** *m* (*-es*; *⸚e*) tarifa *f* postal; **~spesen** *pl.* → *Portokosten*; **~tarif** *m* (*-es*; *-e*), **~taxe** *f* → *Portosatz*; **~zuschlag** *m* (*-es*; *⸚e*) franqueo *m* suplementario; **~zwang** *m* (*-es*; *0*) franqueo *m* obligatorio.

Por'trät [-'trɛ:] *n* (*-s*; *-s*) retrato *m*.

porträ'tieren (*-*) *v/t. Phot.* retratar; *Mal.* pintar el retrato de alg.

Por'trätmaler *m* retratista *m*.

'Portugal *n* Portugal *m*.

Portu'gie|se *m* (*-n*) portugués *m*; **~sin** *f* portuguesa *f*; **2sisch** *adj.* portugués.

'Portwein *m* (*-es*; *-e*) (vino *m* de) Oporto *m*.

Porzel'lan [-ə'lɑ:n] *n* (*-s*; *-e*) porcelana *f*; *echtes* (*unechtes*; *chinesisches*; *Meißner*) ~ porcelana legítima (imitada; china; de Sajonia); *feines* ~ china *f*; loza *f* fina; (*Steingut*) loza *f*; **~erde** *f* caolín *m*; **~fabrik** *f* fábrica *f* de porcelana; (*v. Steingutwaren*) fábrica *f* de loza; **~füllung** *f im Zahn*: empaste *m* de porcelana; **~gefäß** *n* (*-es*; *-e*) jarrón *m* de porcelana; **~geschirr** *n* (*-s*; *0*) vajilla *f* de porcelana; **~industrie** *f* industria *f* de la porcelana; **~laden** *m* (*-s*; *⸚*) tienda *f* de porcelana; *für Haushaltsporzellan*: tienda *f* de loza; *fig. sich wie ein Elefant im* ~ *benehmen* hacer más estragos que un elefante en una tienda de porcelana; actuar con gran torpeza (*od.* falta de tacto); **~male'rei** *f* pintura *f* sobre porcelana; **~masse** *f* pasta *f* de porcelana; **~service** *n* vajilla *f* de porcelana; *für Kaffee, Tee*: juego *m* de porcelana; **~vase** *f* jarrón *m* de porcelana; **~waren** *f/pl.* porcelanas *f/pl.*; artículos *m/pl.* de porcelana *bzw.* de loza.

Posa'menten *pl.* pasamanería *f*.

Posamen'tier *m* (*-s*; *-e od. -er*) pasamanero *m*; **~arbeit** *f*, **~fabrik** *f*, **~handel** *m*, **~waren** *f/pl.* pasamanería *f*.

Po'saune *f* trombón *m* (de varas); *weitS.* trompeta *f*; *die* ~ *des Jüngsten Gerichts* la trompeta del juicio (final); **2n 1.** *v/i.* ♪ tocar el trombón; **2.** *v/t.* (*aus*~) anunciar a son de trompeta; *fig.* pregonar (F a los cuatro vientos), divulgar; **~nbläser** *m* trombón *m*.

'Pose *f* (*Haltung*) actitud *f*; *bsd. Mal.* postura *f*.

Positi'on *f* posición *f*; (*Rang*) posición *f* social; (*Haltung*) actitud *f*; postura *f*; † (*Aufstellung*) partida *f*; *sich e-e* ~ *schaffen* crearse una posición; ~ *beziehen* tomar posición; **~s-anzeiger** *m* indicador *m* de situación; **~slampe** *f* ⚓ luz *f* de situación; farol *m* de banda; **~s-**

lichter *n/pl.* ✈, *Auto*: luces *f/pl.* de situación.
'**positiv I.** *adj.* positivo; (*bejahend*) afirmativo; **II. 1.** *Gr. m* (grado *m*) positivo *m*; **2.** *Phot. n* positiva *f*; **~e'lektrisch** *adj.* cargado de electricidad positiva.
Positi'vis|mus *m* (-; *0*) positivismo *m*; **~t** *m* (-*en*) positivista *m*; **2tisch** *adj.* positivista.
'**Positron** *Phys. n* (-*s*; -*en*) positón *m*, positrón *m*.
Posi'tur *f* posición *f*; postura *f*; (*Haltung*) actitud *f*; *sich in ~ setzen* adoptar una actitud afectada; mostrar un aire grave *od.* solemne.
'**Posse** *f* bufonada *f*; *Thea.* farsa *f*; juguete *m* cómico; *~n reißen* decir (*od.* hacer) bufonadas.
'**Possen** *m* (*Spaß*) broma *f*; (*derber Streich*) mala pasada *f*; mala jugada *f*; *j-m e-n ~ spielen* jugar a alg. una mala pasada; dar a alg. una broma pesada; **2haft** *adj.* burlesco; bufonesco; grotesco; picaresco; **~macher** *m*, **~reißer** *m* bufón *m*; (*mittelalterlich*) juglar *m*; *Thea.* gracioso *m*; *im Zirkus*: payaso *m*; **~reiße'rei** *f* bufonada *f*, bufonería *f*; payasada *f*; **~spiel** *Thea. n* (-*ẹs*; -*e*) farsa *f*; juguete *m* cómico; astracanada *f*.
'**possessiv** ['pɔsɛsi:f] *Gr. adj.* posesivo; **2pronomen** *Gr. n* (-*s*; -*mina*) pronombre *m* posesivo.
pos'sierlich *adj.* gracioso, cómico; chusco; bufo; grotesco.
Post *f* (*0*) correo *m*; *Postsachen*: correspondencia *f*; *Postamt*: (oficina *f* de) correos; *mit der ~* por correo; *mit gleicher ~* por (correo) separado; *mit umgehender ~* a vuelta de correo; *mit der ~ schicken* remitir *od.* enviar por correo; *mit der gewöhnlichen ~ abschicken* remitir por correo ordinario; *die ~ durchsehen* examinar la correspondencia; *die ~ aufgeben* (*erledigen*) expedir (despachar) la correspondencia; *die ~ in den Briefkasten werfen* echar la correspondencia en el buzón.
'**Post...:** **~ablage** *f* (*0*) casillero *m* para correspondencia; **~abonnement** *m* (-*s*; -*s*) suscripción *f* postal; **~abschnitt** *m* (-*ẹs*; -*e*) *e-r Postanweisung*: resguardo *m* de giro postal; **~agentur** *f* estafeta *f* de correos.
pos'talisch *adj.* postal.
Posta'ment ⌂ *n* (-*ẹs*; -*e*) pedestal *m*.
'**Post...:** **~amt** *n* (-*ẹs*; ⸚*er*) oficina *f* de correos; (casa *f* de) correos; **2amtlich** *adj.* postal; **~anschrift** *f* dirección *f* postal; **~anweisung** *f* giro *m* postal; *telegraphische ~* giro telegráfico; **~auftrag** *m* (-*ẹs*; ⸚*e*) orden *f* de reembolso postal; **~ausgabestempel** *m* matasellos *m* de la oficina de distribución; **~auto** *n* (-*s*; -*s*) auto(móvil) *m* postal; (*Überlandauto*) autobús *m* postal (*od.* de correos); **~autoverkehr** *m* (-*s*; *0*) servicio *m* de autobuses postales; **~be·amte(r)** *m*, **~be·amtin** *f* funcionario (-a *f*) *m* de correos; **~beförderung** *f* transporte *m* postal; **~behörde** *f* administración *f* de correos; **~bestellung** *f* distribución *f* de la correspondencia; **~beutel** *m* saca *f* de correos; valija *f*; **~bezirk** *m* (-*ẹs*; -*e*) distrito *m* postal; **~bezug** *m* (-*ẹs*; *0*) suscripción *f* postal; **~bote** *m* (-*n*) cartero *m*; **~dampfer** ⚓ *m* vapor *m* correo; **~dienst** *m* (-*ẹs*; *0*) servicio *m* postal (*od.* de correos); **~direktion** *f* administración *f* de correos; **~direktor** *m* (-*s*; -*en*) administrador *m* de correos; **~einlieferungsschein** *m* (-*ẹs*; -*e*) resguardo *m* de entrega; recibo *m*; **~einzahlung** *f* giro *m* postal.
'**Posten** *m* puesto *m*; (*Amt*) cargo *m*; (*Anstellung*) colocación *f*, empleo *m*; destino *m*; ✝ partida *f*; (*Buchhaltung*) asiento *m*; (*Waren2*) lote *m*; ⚔ puesto *m*; (*Schildwache*) centinela *m*; ⚔ *vorgeschobener ~* puesto avanzado; ⚔ (*auf*) *~ stehen* estar de centinela; *auf ~ ziehen* entrar de (*od.* montar la) guardia; ⚔ *e-n ~ ablösen* relevar a un centinela; relevar un puesto; *fig. auf dem ~ sein* (*aufpassen*) poner atención; estar en guardia; estar alerta, (*s-e Pflicht tun*) cumplir con su deber, (*gesundheitlich*) sentirse bien; *nicht auf dem ~ sein* (*gesundheitlich*) no sentirse bien, F no estar muy católico; *wieder auf dem ~ sein* estar restablecido; *auf verlorenem ~ kämpfen* luchar por una causa perdida; *auf verlorenem ~ stehen* no tener salvación; estar perdido; **~aufstellung** ⚔ *f* colocación *f* de centinelas; **~kette** *f*, **~linie** *f* ⚔ cordón *m* de centinelas; **2weise** ✝ *adv.* en partidas.
'**Post...:** **~fach** *n* (-*ẹs*; ⸚*er*) apartado *m* de correos; *Am.* casilla *f* postal; **~flugdienst** *m* (-*ẹs*; *0*) servicio *m* postal aéreo; **~flugzeug** *n* (-*ẹs*; -*e*) avión *m* postal (*od.* correo); **~gebühr** *f* tarifa *f* postal; **~gebührenfreiheit** *f* (*0*) franquicia *f* postal; **~geheimnis** *n* (-*ses*; *0*) secreto *m* de correspondencia; **~horn** *n* (-*ẹs*; ⸚*er*) trompa *f* de postillón.
post'hum *adj.* póstumo.
pos'tieren (-) *v/t.* colocar; *bsd.* ⚔ apostar; *sich ~* colocarse; apostarse.
'**Postillion** [-ılĭ-] *m* (-*s*; -*e*) postillón *m*.
'**Post...:** **~karte** *f* tarjeta *f* postal; postal *f*; *~ mit Rückantwort* tarjeta postal-respuesta; **~kasse** *f* caja *f* postal; **~kraftwagenverkehr** *m* (-*s*; *0*) servicio *m* de autobuses postales; **~kutsche** *f* diligencia *f*; **2lagernd** *adv.* lista *f* de correos; **~leitzahl** *f* cifra *f* postal directriz; **~meister** *m* administrador *m* de correos; **~minister** *m* (**~ministerium** *n* [-*s*; -*rien*]) ministro *m* (Ministerio *m*) de Comunicaciones; **~nachnahme** *f* reembolso *m* postal.
postnume'rando *adv.* posteriormente; *~ bezahlen* pagar posteriormente *bzw.* a plazo vencido *bzw.* después de la entrega.
'**post-operativ** ⚕ *adj.* postoperatorio.
'**Post...:** **~ordnung** *f* ordenanza *f* de correos; **~paket** *n* (-*ẹs*; -*e*) paquete *m* postal; **~paketdienst** *m* (-*ẹs*; *0*) servicio *m* postal de paquetes; **~sachen** *f/pl.* correo *m*, correspondencia *f*; **~sack** *m* (-*es*; ⸚*e*) → *Postbeutel*; **~schalter** *m* ventanilla *f* (de correos); **~scheck** *m* (-*s*; -*s*) cheque *m* postal; **~scheckdienst** *m* (-*ẹs*; *0*) servicio *m* de cheques postales; **~scheckkonto** *n* (-*s*; -*konten*) cuenta *f* corriente postal; **~scheckverkehr** *m* (-*s*; *0*) → *Postscheckdienst*; **~schiff** *n* (-*ẹs*; -*e*) barco *m* correo; **~schließfach** *n* (-*ẹs*; ⸚*er*) → *Postfach*; **~sendung** *f* envío *m* postal; **~skript(um** [-*s*; -*ta*]) *n* (-*ẹs*; -*e*) postdata *f*; **~sparkasse** *f* caja *f* postal de ahorros; **~sparkassenbuch** *n* (-*ẹs*; ⸚*er*) libreta *f* (*od.* cartilla *f*) de la caja postal de ahorros; **~sperre** *f* suspensión *f* de servicios postales; **~station** *f ehm.* posta *f*; **~stempel** *m* matasellos *m*; *Datum des ~s* fecha del matasellos; **~tarif** *m* (-*ẹs*; -*e*) tarifa *f* postal; **~überweisung** *f* giro *m* postal.
Postu'lat *n* (-*ẹs*; -*e*) postulado *m*.
postu'lieren (-) *v/t.* postular.
'**Post...:** **~verbindung** *f* comunicación *f* postal; **~ver-ein** *m*: *Welt2* Unión Postal Universal; **~verkehr** *m* (-*s*; *0*) servicio *m* postal; **~vermerk** *m* (-*ẹs*; -*e*) indicación *f* de servicio; **~verwaltung** *f* administración *f* de correos; **~wagen** *m* automóvil *m* postal (*od.* de correos); 🚃 coche *m* correo; ambulancia *f* de correos; **2wendend** *adv.* a vuelta de correo; **~wertzeichen** *n* sello *m* (de correo), *Am.* estampilla *f*; **~wesen** *n* (-*s*; *0*) comunicaciones *f/pl.* postales; **~wurfsendung** *f* envío *m* colectivo; **~zug** 🚃 *m* (-*ẹs*; ⸚*e*) tren *m* correo; **~zustellung** *f* reparto *m* (de correspondencia); **~zwang** *m* (-*ẹs*; *0*) franqueo *m* obligatorio.
Poten'tat *m* (-*en*) potentado *m*.
Potenti'al [-'tsĭɑ:l] *n* (-*s*; -*e*) potencial *m*; **~abfall** ⚡ *m* (-*ẹs*; *0*) caída *f* de potencial; **~differenz** ⚡ *f* diferencia *f* de potencial.
Potenti'alis *Gr. m* (-; *Potentiales*) (modo *m*) potencial *m*.
potenti'ell [-'tsĭɛl] *adj.* potencial.
Potentio'meter *n* potenciómetro *m*.
Po'tenz ⨁ *f* potencia *f*; *zweite ~* cuadrado *m*; *dritte ~* cubo *m*; *vierte ~* cuarta potencia; *in e-e ~ erheben* elevar a una potencia.
poten'zieren (-) ⨁ *v/t.* elevar a una potencia.
'**Potpourri** ['pɔtpʊʀi·] *n* (-*s*; -*s*) ♪ popurrí *m*.
'**Pott-asche** ⚗ *f* (*0*) potasa *f*; carbonato *m* potásico.
'**Pott|fisch** *m* (-*ẹs*; -*e*), **~wal** *m* (-*ẹs*; -*e*) *Ict.* cachalote *m*.
pous'sieren [pʊ'si:-] *v/i.*: *mit j-m ~* hacer la corte a alg.; flirtear con alg.
Prä'ambel *f* (-; -*n*) preámbulo *m*.
Prä'bende *f* prebenda *f*.
Pracht *f* (*0*) magnificencia *f*; (*Prunk*) pompa *f*; fausto *m*; suntuosidad *f*; (*Luxus*) lujo *m* (*Glanz*) esplendor *m*, brillo *m*; (*Prachtentfaltung*) ostentación *f*; *fig. es war e-e wahre ~* fue (realmente) magnífico.
'**Pracht...:** **~aufwand** *m* (-*ẹs*; *0*) lujo *m*; suntuosidad *f*; **~ausgabe** *f* edición *f* de lujo; **~bau** *m* (-*ẹs*; -*ten*) palacio *m*; edificio *m* suntuoso; **~einband** *m* (-*ẹs*; ⸚*e*) encuadernación *f* de lujo; **~exemplar** *n* (-*s*; -*e*) (*Buch*) ejemplar *m* de lujo; *fig.* ejemplar *m* de marca mayor.
'**prächtig** *adj.* magnífico; (*prunkvoll*) pomposo; fastuoso; (*Aufwand*

liebend) suntuoso; (*luxuriös*) lujoso; (*großartig*) grandioso; (*herrlich*) soberbio; (*köstlich*) delicioso; (*vortrefflich*) excelente; (*glänzend*) espléndido; (*ansehnlich*) ostentoso; vistoso; imponente.

'**Pracht...**: **~kerl** F *m* (-*es*; -*e*) buen mozo *m*; gran muchacho *m*; hombre *m* excelente; **~liebe** *f* (*0*) magnificencia *f*; ostentación *f*; fastuosidad *f*; **2liebend** *adj.* ostentoso; fastuoso; **~mensch** *m* (-*en*) hombre *m* admirable; **~stück** *n* (-*es*; -*e*) pieza *f* selecta; *iro.* alhaja *f*, joya *f*; ejemplar *m* de marca; **2voll** *adj.* → *prächtig*; **~werk** *n* (-*es*; -*e*) (*Luxuswerk*) obra *f* de lujo; (*Buch*) edición *f* de lujo.

Prädesti|nati'on *f* (*0*) predestinación *f*; **~nati'onslehre** *Theo. f* (*0*) doctrina *f* de la predestinación; **2-'nieren** (-) *v/t.* predestinar.

Prädi'kat *n* (-*es*; -*e*) *Gr.* atributo *m*, predicado *m*; (*Zensur*) nota *f*; (*Titel*) título *m*.

prädika'tiv *adj.* atributivo.

Prädi'katsnomen *Gr. n* (-*s*; -*nomina*) complemento *m*.

prädispo'nieren (-) *v/t.* predisponer.

Prä'fekt *m* (-*en*) prefecto *m*.

Präfek'tur *f* prefectura *f*.

Prä'fix *Gr. n* (-*es*; -*e*) prefijo *m*.

Prag *n* Praga *f*.

'**Präge** *f* casa *f* de la moneda; **~druck** *Typ. m* (-*es*; -*e*) impresión *f* en relieve; **~form** *f* matriz *f*; **2n** *v/t.* (*eindrucken*) imprimir; estampar; (*Münzen*) acuñar, troquelar; *fig.* crear; *in das Gedächtnis ~* grabar en la memoria; **~n** *n* (*Stanzen*) estampado *m*, estampación *f*; *v. Münzen*: acuñación *f*; *fig.* creación *f*; **~stempel** *m* cuño *m*, troquel *m*; **~stock** *m* (-*es*; ⸗*e*) volante *m* de prensa; máquina *f* de amonedar; (*Matrize*) matriz *f*.

Prag|'matiker *m* pragmatista *m*; **2'matisch** *adj.* pragmático; **~ma'tismus** *m* (*0*) pragmatismo *m*.

präg'nan|t *adj.* (*kurz*) conciso; lacónico; (*genau*) preciso, exacto; (*ausdrucksvoll*) expresivo, significativo; (*anschaulich*) gráfico; **2z** *f* (*0*) (*Kürze*) concisión *f*; laconismo *m*; (*Genauigkeit*) precisión *f*, exactitud *f*; intensidad *f*.

'**Prägung** *f* (*Stanzen*) estampación *f*, estampado *m*; *v. Münzen*: acuñación *f*; *fig.* creación *f*; (*Gepräge*) cuño *m*, carácter *m*; *fig.* corte *m*.

'**Prähisto|rie** [-ĭə] *f* (*0*) prehistoria *f*; **~riker** *m* investigador *m* de la prehistoria; **2risch** *adj.* prehistórico.

'**prahl|en** *v/i.* jactarse, vanagloriarse, alardear, hacer gala (*mit* de); fanfarronear, baladronear; hacer ostentación de; F presumir (de *bzw.* con); **2er(in** *f*) *m* presuntuoso (-a *f*) *m*; jactancioso (-a *f*) *m*; fanfarrón *m*, fanfarrona *f*; presumido (-a *f*) *m*.

Prahle'rei *f* jactancia *f*; alardeo *m*; fanfarronería *f*; ostentación *f*; presunción *f*; (*prahlende Äußerung*) fanfarronada *f*; baladronada *f*; bravata *f*.

'**prahlerisch I.** *adj.* fanfarrón; jactancioso; (*prunkend*) ostentoso; **II.** *adv.* fanfarronamente; con jactancia, jactanciosamente; con ostentación, ostentosamente.

'**Prahl|hans** *m* (-*es*; ⸗*e*) jactancioso *m*; fanfarrón *m*; (*Maulheld*) valentón *m*, matasiete *m*, perdonavidas *m*; F traganiños *m*; (*Angeber*) farolón *m*; **~sucht** *f* manía *f* de jactarse; afán *m* de ostentación.

Prahm ⚓ *m* (-*es*; -*e*) gabarra *f*.

Präju|'diz *n* (-*es*; -*e*) prejuicio *m*; **2di'zieren** (-) *v/t.* prejuzgar.

'**Praktik** *f* práctica *f*; *m.s.* **~en** *pl.* maquinaciones *f/pl.*; trucos *m/pl.*; manejos *m/pl.* (sucios).

prakti'kabel *adj. Thea.* practicable.

Prakti'kant(in *f*) *m* (-*en*) practicante *m/f* (técnico); (*Rechts2*) pasante *m*.

'**Praktiker** *m* (hombre) práctico *m*, experto *m*.

'**Praktikum** *n* (-*s*; *Praktika*) período *m* de prácticas; (*des Rechtspraktikanten*) pasantía *f*.

'**praktisch I.** *adj.* práctico; *~er Arzt* médico general; *~e Ausbildung* instrucción práctica; *~es Beispiel* ejemplo práctico; *~er Sinn* sentido práctico; **II.** *adv.* prácticamente; *~ durchführbar* practicable; *~ durchführen* practicar, poner en (*od.* llevar a la) práctica.

prakti'zieren I. (-) *v/t.* practicar, hacer; **II.** *v/i.* practicar, ejercer; *~der Arzt* médico en ejercicio; médico general.

Prä'lat *m* (-*en*) prelado *m*.

Prälimi'narien [-rĭ-] *pl.* preliminares *m/pl.*

Pra'line *f*, **Praliné** ['pra·li·ne·] *n* bombón *m* de chocolate; chocolatina *f*.

Pra'linenschachtel *f* (-; -*n*) caja *f* de chocolatinas (*od.* de bombones de chocolate).

prall I. *adj.* (*straff*) tenso, tirante; tieso; (*voll*) repleto; (*gefüllt*) relleno; (*gepreßt*) apretado; *Ballon usw.*: henchido; hinchado; *in der ~en Sonne* a pleno sol; bajo un sol abrasador (*od.* de justicia); **II. 2** *m* choque *m*; rebote *m*; '**~en** (*sn*) *v/i.* (*zurück~*) rebotar; *gegen et. ~* chocar (*od.* dar) contra a/c.

Prä'ludium *n* (-*s*; *Präludien*) preludio *m*.

'**Prämie** [-mĭə] *f* (*Preis, Lotterie2*) premio *m*; (*Belohnung*) *a.* recompensa *f*; † (*Aufgeld, Versicherungs2*) prima *f*; **~n-anleihe** *f* empréstito *m* con prima; **~n-aufschlag** *m* (-*es*; ⸗*e*) sobreprima *f*; **~ngeschäft** *n* (-*es*; -*e*) operación *f* con prima; **~nsatz** (-*es*; ⸗*e*) *m* prima *f*; **~nschein** *m* (-*es*; -*e*) bono *m* de prima.

prämi'ieren (-) *v/t.* premiar.

Prä'misse *f* premisa *f*.

'**prangen** *v/i.* (*glänzen*) brillar, resplandecer; *Personen*: *~ in* (*dat.*) lucir (*ac.*); *~ mit* ostentar (*ac.*); hacer alarde de.

'**Pranger** *m* picota *f*; *an den ~ stellen* poner en la picota (*a. fig.*); *fig.* exponer a la vergüenza.

'**Pranke** *f* (*Pfote*) pata *f*; *mit Krallen*: garra *f*; *des Löwen, des Tigers*: zarpa *f*.

pränume'rando *adv.* por adelantado, con anticipación.

Präpa'rat *n* (-*es*; -*e*) *Phar.* preparado *m*; *chemisches ~* producto químico; *organisches ~* compuesto orgánico.

präpa'rieren 1. (-) *v/t.* preparar; (*Tier*) disecar; **2.** *v/refl.*: *sich ~ auf et.* (*ac.*) prepararse para a/c.

Präpositi'on *Gr. f* preposición *f*.

präpositio'nal *adj.* preposicional.

Prä'rie *f* pradera *f*; llano *m*; **~wolf** *Zoo. m* (-*es*; ⸗*e*) lobo *m* de las praderas, coyote *m*.

'**Präsens** *Gr. n* (-; *Präsentia*) presente *m*.

Prä'sent *n* (-*s*; -*e*) presente *m*, regalo *m*.

präsen'tier|en (-) *v/t.* presentar (*a.* ⚔); *präsentiert das Gewehr!* ¡presenten armas!

Prä'senz *f* presencia *f*; **~bibliothek** *f* biblioteca *f* de consulta; **~liste** *f* lista *f* de asistencia; **~stärke** *f* (*0*) ⚔ efectivo *m*.

Präserva'tiv *n* (-*s*; -*e*), **~mittel** *n* preservativo *m*.

Präsi'dent|(in *f*) *m* (-*en*) presidente (-a *f*) *m*; **~enstuhl** *m* (-*es*; ⸗*e*) sillón *m* presidencial; **~enwahl** *f* elección *f* de presidente; *bsd. Pol.* elecciones *f/pl.* presidenciales; **~schaft** *f* (*0*) presidencia *f*; **~schaftskandidat** *m* (-*en*) candidato *m* a la presidencia.

präsi'dieren (-) *v/i.* presidir.

Prä'sidium *n* (-*s*; *Präsidien*) presidencia *f*; *das ~ übernehmen* asumir la presidencia.

'**prasseln I.** (-*le*) *v/i.* crepitar; (*Feuer*) *a.* chisporrotear; (*Regen*) caer con fuerza, azotar; (*herunter~*) caer con estrépito *m*; **II. 2** *n* (*Knistern*) crepitación *f*; *v. Feuer*: *a.* chisporroteo *m*; (*Getöse*) estrépito *m*.

'**prass|en** (-*ßt*) *v/i.* vivir alegremente; entregarse a la disipación (*od.* a la crápula); llevar una vida licenciosa; F andar de jolgorio; parrandear; juerguear; **2er** *m* libertino *m*; F juerguista *m*.

Prasse'rei *f* vida *f* alegre; crápula *f*; disipación *f*; F francachela *f*; juerga *f*, jolgorio *m*.

Präsum'tiv-erbe *m* (-*n*) heredero *m* presunto.

Präten'dent(in *f*) *m* (-*en*) pretendiente (-a *f*) *m*.

Präten|ti'on *f* pretensión *f*; **2ti'ös** *adj.* exigente; arrogante.

Prä'teritum *Gr. n* (-*s*; *Präterita*) pretérito *m*.

'**Prätor** *m* (-*s*; -*en*) pretor *m*.

Prätori'aner *m* pretoriano *m*.

Prä'tur *f* pretoría *f*, pretura *f*.

'**Pratze** *f* (*Tatze*) pata *f*; (*Pranke*) garra *f*; *des Löwen, des Tigers*: zarpa *f*.

präven'tiv *adj.* preventivo; **2haft** *f* prisión *f* preventiva; **2krieg** *m* (-*es*; -*e*) guerra *f* preventiva; **2maßnahme** *f* medida *f* preventiva.

'**Praxis** *f* (*0*) práctica *f*; ⚕ consultorio *m*; (*Rechtsanwalts2*) bufete *m*; (*Kundschaft*) clientela *f*; praxis *f*; *in die ~ umsetzen* llevar a la (*od.* poner en) práctica.

Präze'denzfall [prɛ·tse·'dɛnts-] *m* (-*es*; ⸗*e*) precedente *m*; *e-n ~ schaffen* crear (*od.* sentar) un precedente.

prä'zis *adj.* (-*est*) preciso; exacto.

präzi'sieren (-) *v/t.* precisar.

Präzisi'on *f* precisión *f*; **~s-arbeit** *f* trabajo *m* de precisión; **~s-instrument** *n* (*-es*; *-e*) instrumento *m* de precisión; **~swaage** *f* balanza *f* de precisión.

'predig|en *v/t. u. v/i.* predicar; *fig. a.* sermonear; **2en** *n* predicación *f*; **2er** *m* predicador *m*; *Bib. der ~ Salomo* el Eclesiastés; **2t** *f* sermón *m*; oración *f* sagrada; (*kurze*) plática *f*; *I.P.* prédica *f*; *e-e ~ halten* pronunciar un sermón.

Preis *m* (*-es*; *-e*) precio *m*; (*Prämie*) premio *m*; (*Belohnung*) recompensa *f*; (*Lob*) alabanza *f*, elogio *m*; (*Ruhm*) gloria *f*; *zum ~e von* al precio de; *um jeden ~* a cualquier precio; *fig.* a toda costa; a todo trance; cueste lo que cueste; *um keinen ~* a ningún precio; *fig.* por nada; de ningún modo; *äußerster ~* último precio; *äußerst geringer ~* mínimo precio posible; *zum halben ~* a mitad de precio; *zu billigem ~* a bajo precio; *abgemachter* (*allgemein gültiger*; *angemessener*; *annehmbarer*; *festgesetzter*; *gegenwärtiger*) *~* precio convenido (generalmente aceptado; proporcionado; aceptable; fijo; actual); *gestaffelter* (*gestützter*; *gleitender*; *herabgesetzter*; *mäßiger*; *mittlerer*) *~* precio escalonado (sostenido; variable; reducido; módico; medio); *nachbörslicher* (*richtiger*; *stabiler*; *steigender*; *unerschwinglicher*; *vereinbarter*; *vorgeschriebener*) *~* precio libre (exacto; estable; creciente; inasequible; convenido; prescrito); *Großer ~* Gran Premio; *hoch im ~ stehen* tener alto precio; *nach dem ~ fragen* preguntar el precio; *e-n ~ fordern* pedir un precio; *e-n ~ ausmachen* (*od. vereinbaren*) convenir un precio; *die ~e fallen* (*steigen*) los precios bajan (suben); *im ~e steigen* aumentar de precio; *die ~e erhöhen* aumentar los precios (*um* en); *die ~e hinauftreiben* hacer subir los precios; *die ~e herabsetzen* (*od. ermäßigen*) reducir (*od.* bajar) los precios; *vom ~e nachlassen* rebajar el precio; *die ~e drücken* envilecer los precios; *e-n ~ festsetzen* fijar un precio; *die ~e angeben* marcar los precios; *e-n ~ erzielen* obtener un premio; *e-n ~ bieten* ofrecer un premio; *den ~ teilen* repartir el premio; *e-n ~ aussetzen* ofrecer un premio; *e-n ~ stiften* fundar un premio; *den ~ erringen* (*od. gewinnen*) obtener (*od.* ganar) el premio; *e-n ~ zuerkennen* conceder (*od.* adjudicar) un premio; *s-n ~ wert sein* valer lo que cuesta; *e-n ~ auf j-s Kopf setzen* poner precio a la cabeza de alg.

'Preis...: **~abbau** *m* (*-es*; *0*) reducción *f* (progresiva) de precios; **~abkommen** *n* acuerdo *m* sobre los precios; **~abschlag** *m* (*-es*; *0*) reducción *f* de precio; *Börse*: prima *f*; **~änderung** *f* alteración *f* de precio; **~angabe** *f* fijación *f* de precio; **~angebot** *n* (*-es*; *-e*) oferta *f* de precio; **~angleichung** *f* reajuste *m* de precios; **~anstieg** *m* (*-es*; *0*) subida *f* de precios; **~aufgabe** *f* tema *m* de concurso; **~aufschlag** *m* (*-es*; *"e*) encarecimiento *m*, aumento *m* de precios; (*Zuschlag*) sobreprecio *m*; **~ausschreiben** *n* concurso *m*; certamen *m*; **~auszeichnung** *f* indicación *f* del precio; **~berechnung** *f* cálculo *m* de precios; **~bewegung** *f* movimiento *m* de los precios; **~bewerber(in** *f*) *m* concursante *m/f*; ✝ competidor(a *f*) *m*; **~bildung** *f* formación *f* de precios; **~bindung** *f* acuerdo *m* sobre precios; **~drücker** *m* bajista *m*; **~drücke'rei** *f* envilecimiento *m* de los precios.

'Preiselbeere ✿ *f* arándano *m* rojo.

'preisen (*L*) *v/t.* alabar, elogiar; ensalzar, encomiar; glorificar; (*sich*) *glücklich ~* considerar(se) dichoso.

'Preis...: **~entwicklung** *f* evolución *f* de los precios; **~erhöhung** *f* → *Preisaufschlag*; **~ermäßigung** *f* reducción *f* (*od.* rebaja *f*) de precio; **~frage** *f* → *Preisaufgabe*; **~gabe** *f* (*0*) abandono *m*; *e-s Geheimnisses*: revelación *f*; (*Auslieferung*) entrega *f*; (*körperliche*) prostitución *f*; **2geben** (*L*) **1.** *v/t.* abandonar; entregar; *Geheimnis*: revelar; (*opfern*) sacrificar; (*aussetzen*) exponer; (*prostituieren*) prostituir; **2.** *v/refl.*: *sich ~* abandonarse; entregarse; (*sich aussetzen*) exponerse; (*sich prostituieren*) prostituirse; *preisgegeben sein* estar a merced de; ser presa de; **~gefüge** *n* estructura *f* de los precios; **2gekrönt** *adj.* premiado; (*Dichter*) laureado; **~gericht** *n* (*-es*; *-e*) jurado *m*; **~gestaltung** *f* → *Preisbildung*; **~grenze** *f* límite *m* de precio; **2günstig** *adj.* → *preiswert*; **~herabsetzung** *f* → *Preisermäßigung*; **~index** *m* (*-es*; *-indizes*) índice *m* de precios; **~kontrolle** *f* intervención *f* (*od.* control *m*) de precios; **~lage** *f*: *in jeder ~* de todos los precios; **~liste** *f* lista *f* de precios; **~minderung** *f*, **~nachlaß** *m* (*-sses*; *0*) → *Preisermäßigung*; **~niveau** *n* (*-s*; *-s*) nivel *m* de precios; **~notierung** *f* (*Börse*) cotización *f*; **~politik** *f* (*0*) política *f* de precios; **~regelung** *f* regulación *f* de precios; **~richter** *m* miembro *m* del jurado; juez *m* (del concurso); **~rückgang** *m* (*-es*; *0*) disminución *f* (*od.* retroceso *m od.* descenso *m*) de los precios; **~schild** *n* (*-es*;*-er*) etiqueta *f* del precio; **~schleude'rei** *f* venta *f* a precios tirados; **~schraube** *f* espiral *f* de los precios; **~schwankung** *f* fluctuación *f* de precios; **~senkung** *f* disminución *f* (*od.* baja *f od.* reducción *f*) de precios; **~skala** *f* (*-*; *-s*) escala *f* de precios; *gleitende ~* escala de precios variable; **~spanne** *f* margen *m* de precios; **~stabilisierung** *f* (*0*) estabilización *f* de los precios; **~stabilität** *f* (*0*) estabilidad *f* de los precios; **~steigerung** *f* aumento *m* (*od.* subida *f*) de precios; *Börse*: alza *f*; **~stopp** *m* (*-s*; *0*) inmovilización *f* (*od.* congelación *f*) de precios; **~sturz** *m* (*-es*; *"e*) baja *f* (*od.* caída *f*) brusca de los precios; **~stützung** *f* (*0*) apoyo *m* de los precios; **~träger(in** *f*) *m* laureado (-a *f*) *m* en un certamen; **~treibe'rei** *f* alza *f* especulativa (*od.* ilícita) de precios; **~überwachung** *f* vigilancia *f* de los precios; **~unterbietung** *f* venta *f* por debajo del precio; *am Auslandsmarkt*: *angl.* dumping *m*; **~unterschied** *m* (*-es*; *-e*) diferencia *f* de precio; **~veränderung** *f* alteración *f* de precios; **~verteilung** *f* distribución *f* de premios; **2wert I.** *adj.* barato; de precio razonable; que vale lo que cuesta; económico, accesible; **II.** *adv.* barato; a precio razonable; **~zuschlag** *m* (*-es*; *"e*) sobreprecio *m*.

pre'kär *adj.* precario.

'Prellbock 🚂 *m* (*-es*; *"e*) tope *m* (fijo); parachoques *m*.

'prellen *v/t.* (*auf gespanntem Tuch in die Höhe schleudern*) mantear; ⚕ excoriar; *fig.* (*betrügen*) estafar; F timar, dar el timo; petardear; *j-n um et. ~* estafar a alg. a/c.

Prelle'rei *f* estafa *f*, F timo *m*.

'Prell...: **~schuß** *m* (*-sses*; *"sse*) tiro *m* de rebote; **~ung** ⚕ *f* contusión *f*; excoriación *f*.

Premi'ere [prə'mĭɛːʀə] *Thea.* *f* estreno *m* (riguroso).

Premi'erminister [-ĭeː-] *m* Presidente *m* del consejo de ministros.

Presby'terium *n* (*-s*; *-rien*) *I.P.* consistorio *m*.

'Presse *f* ⊕ prensa *f*; (*Drucker2*) prensa *f* tipográfica; (*Zeitungswesen*) (*0*) prensa *f*; (*Wein2*) lagar *m*; (*Saft2*) exprimidera *f*; F *fig. Sch.* curso *m* intensivo; *unter der ~ Typ.* en prensa; *Vertreter der ~* periodista *m*; reportero *m*; *fig. e-e gute* (*schlechte*) *~ haben* tener buena (mala) prensa; **~agentur** *f* agencia *f* de prensa; **~amt** *n* (*-es*; *"er*) *Pol.* gabinete *m* de prensa; **~attaché** *m* (*-s*; *-s*) agregado *m* de prensa; **~ausweis** *m* (*-es*; *-e*) carné *m* de periodista; **~chef** *m* (*-s*; *-s*) *Pol.* jefe *m* del gabinete de prensa; **~dienst** *m* (*-es*; *-e*) servicio *m* informativo; **~feldzug** *m* (*-s*; *"e*) campaña *f* de prensa; **~freiheit** *f* (*0*) libertad *f* de prensa; **~gesetz** *n* (*-es*; *-e*) ley *f* de prensa; **~konferenz** *f* conferencia *f* (*od.* F rueda *f*) de prensa; **~meldung** *f* noticia *f* de la prensa.

'pressen I. (*-ßt*) *v/t.* prensar; (*aus~*) exprimir; (*zusammen~*) apretar; comprimir; (*stanzen*) estampar; *Tuch*: prensar; calandrar; *Wurst*: embutir; *der Saal war gepreßt voll* la sala estaba repleta de público; *gepreßtes Lachen* risa forzada; *fig.* (*bedrücken*) oprimir; **II.** **2** *n* presión *f*; (*Aus2*) prensadura *f*; (*Zusammen2*) compresión *f*; (*Stanzen*) estampación *f*; *v. Tuch*: prensado *m*.

'Presse...: **~nachrichten** *f/pl.* noticias *f/pl.* de (la) prensa; **~photograph** *m* (*-en*) fotógrafo *m* de la prensa; **~referent** *m* jefe *m* de prensa; **~schau** *f* resumen *m* de prensa; revista *f* de prensa; **~stelle** *f* → *Presseamt*; servicio *m* (*od.* oficina *f*) de prensa; **~stimmen** *f/pl.* comentarios *m/pl.* de la prensa; **~tribüne** *f* tribuna *f* de la prensa; **~verband** *m* (*-es*; *"e*) asociación *f* de la prensa; **~zensur** *f* (*0*) censura *f* de (la) prensa.

'Preßform ⊕ *f* molde *m*; matriz *f*.

'Preß...: **~kohle** *f* briqueta *f*; carbón *m* aglomerado; **~ling** ⊕ *m* (*-s*; *-e*) pieza *f* prensada; **~luft** *f* (*0*) aire *m* comprimido; **~luft-antrieb**

m (-*es*; *0*) impulsión *f* neumática (*od.* por aire comprimido); **~luftbohrer** *m* perforador *f* neumático; **~lufthammer** *m* (-*s*; ¨) martillo *m* neumático (*od.* de aire comprimido); **~luftstampfer** *m* apisonador *m* neumático; **~stoff** *m* (-*es*; -*e*) materia *f* prensada; (*Kunstharz*2) materia *f* plástica.

ˈ**Pressung** *f* presión *f*; (*Aus*2) prensadura *f*; (*Zusammen*2) compresión *f*.

ˈ**Preßwalze** *f* cilindro *m* (*od.* rodillo *m*) compresor.

Presˈ**tige** [-ˈti:ʒ(ə)] *n* (-*s*; *0*) prestigio *m*; **~verlust** *m* (-*es*; *0*) desprestigio *m*; pérdida *f* de prestigio.

Pretiˈ**osen** *pl.* objetos *m/pl.* preciosos; alhajas *f/pl.*, joyas *f/pl.*

ˈ**Preuß|e** *m* (-*n*) prusiano *m*; **~en** *n* Prusia *f*; **~in** *f* prusiana *f*; **2isch** *adj.* prusiano, de Prusia.

preziˈ**ös** *adj.* precioso, primoroso; *Liter.* afectado, amanerado.

ˈ**prickeln I.** (-*le*) *v/i. u. v/t.* picar; *Wein im Glas*: burbujear; *Glieder*: hormiguear; **II. 2** *n* picor *m*; burbujeo *m*; *in den Gliedern*: hormigueo *m*; **~d** *adj.* picante (*a. fig.*).

Priem *m* (-*es*; -*e*) pedazo *m* de tabaco para mascar; **2en** *v/i.* mascar tabaco; ˈ**~tabak** *m* (-*s*; *0*) tabaco *m* para mascar.

pries *pret. v. preisen.*

ˈ**Priese** *f* tirilla *f*.

ˈ**Priester** *m* sacerdote *m*; presbítero *m*; cura *m*; eclesiástico *m*, clérigo *m*; **~amt** *n* (-*es*; ¨*er*) sacerdocio *m*; estado *m* sacerdotal; funciones *f/pl.* sacerdotales; **~gewand** *n* (-*es*; ¨*er*) sotana *f*; vestiduras *f/pl.* sagradas; **~herrschaft** *f* (*0*) teocracia *f*; *m.s.* clericalismo *m*; **~in** *f* sacerdotisa *f*; **~käppchen** *n* solideo *m*; **2lich** *adj.* sacerdotal; **~seminar** *m* (-*s*; -*e*) seminario *m* (conciliar); **~schaft** *f* (*0*) clero *m*; **~stand** *m* (-*es*; *0*), **~tum** *n* (-*s*; *0*) sacerdocio *m*; estado *m* sacerdotal; clero *m*; **~weihe** *f* ordenación *f* sacerdotal; *die ~ erhalten* recibir las sagradas órdenes; **~würde** *f* (*0*) dignidad *f* sacerdotal; sacerdocio *m*.

Prim *f* ♪ unísono *m*; *Fechtk.* primera *f*.

ˈ**Prima** (-; *Primen*) **I.** *f* (*Schule*) último curso *m* de un colegio de segunda enseñanza; **II.** *adj.* de primera (calidad); ✝ *a.* superfino; excelente; F estupendo; **III.** *adv.* muy bien; F estupendamente; *wir verstehen uns ~* nos entendemos perfectamente, F somos grandes amigotes.

Primaˈ**donna** *f* (-; -*donnen*) primera cantante *f*; diva *f*.

Priˈ**maner(in** *f*) *m* alumno (-a *f*) *m* del último curso de un colegio de segunda enseñanza.

priˈ**mär** *adj.* primario; (*elementar*) elemental; **2spannung** ⚡ *f* tensión *f* primaria; **2strom** ⚡ *m* (-*es*; ¨*e*) corriente *f* primaria.

ˈ**Primas** (-; -*se od. Primaten*) *m I.C.* primado *m*.

Priˈ**mat** *m u. n* (-*s*; -*e*) primacía *f*.

Priˈ**maten** *Zoo. m/pl.* primates *m/pl.*

ˈ**Prima|ware** ✝ *f* género *m* de primera calidad; **~wechsel** ✝ *m* primera *f* de cambio.

ˈ**Primel** ⚘ *f* (-; -*n*) primavera *f*, prímula *f*.

primiˈ**tiv** *adj.* primitivo; *fig. a.* elemental; tosco; rudimentario.

ˈ**Primzahl** *Arith. f* número *m* primo.

Prinz *m* (-*en*) príncipe *m*.

Prinˈ**zessin** *f* princesa *f*.

ˈ**Prinzgemahl** *m* (-*s*; -*e*) príncipe *m* consorte.

Prinˈ**zip** *n* (-*s*; -*ien*) principio *m*; *im* (*aus*) *~* en (por) principio; *als ~ haben* tener por norma.

prinzipiˈ**ell I.** *adj.* de principio; **II.** *adv.* por principio.

Prinˈ**zipien...:** **~frage** *f* cuestión *f* de principios; **~reiter** F *m* doctrinario *m*; dogmatista *m*; **~reite**ˈ**rei** *f* doctrinarismo *m*; dogmatismo *m*; **~streit** *m* (-*es*; *0*) disputa *f* sobre principios.

ˈ**prinz|lich** *adj.* principesco, de príncipe; **2regent** *m* (-*en*) príncipe *m* regente.

ˈ**Prior** *m* (-*s*; -*en*) prior *m*.

Priˈ**orin** *f* priora *f*.

Prioriˈ**tät** *f* prioridad *f*; **~s-aktie** *f* acción *f* preferente; **~sgläubiger** *m* acreedor *m* privilegiado; **~s-obligation** *f* obligación *f* preferente.

ˈ**Prise** *f* ⚓ presa *f*; buque *m* apresado; *e-e ~ Tabak* una toma de rapé; *e-e ~ Salz* una pizca de sal; **~ngelder** ⚓ *n/pl.* parte *f* de (la) presa; **~ngericht** ⚓ *n* (-*es*; -*e*) tribunal *m* de presas; **~nkommando** ⚓ *n* (-*s*; -*s*) destacamento *m* de presa; **~nrecht** ⚓ *n* (-*es*; -*e*) derecho *m* de presas marítimas.

ˈ**Prisma** *n* (-*s*; *Prismen*) prisma *m*.

prisˈ**matisch** *adj.* prismático.

ˈ**Prismenglas** *n* (-*es*; ¨*er*) (gemelos *m/pl.*) prismáticos *m/pl.*

ˈ**Pritsche** *f* (*Feldbett*) cama *f* de campaña; catre *m*.

priˈ**vat** *adj.* privado; particular; *auf ~em Wege* por conducto particular; *~ wohnen* vivir en una casa particular.

Priˈ**vat...:** **~abkommen** *n*, **~abmachung** *f* contrato *m* privado; **~adresse** *f* dirección *f* particular; **~angelegenheit** *f* asunto *m* privado (*od.* particular); **~audienz** *f* audiencia *f* privada; **~auto** *n* (-*s*; -*s*) auto(móvil) *m* particular; **~bank** *f* banco *m* privado; **~besitz** *m* (-*es*; *0*) propiedad *f* particular; **~besuch** *m* (-*es*; -*e*) visita *f* particular; **~diskontsatz** *m* (-*es*; ¨*e*) tipo *m* de descuento privado; **~dozent** *m* (-*en*) profesor *m* habilitado para enseñanza universitaria; **~eigentum** *n* (-*s*; *0*) → *Privatbesitz*; **~einkommen** *n* ingresos *m/pl.* particulares; **~gebrauch** *m* (-*es*; *0*) uso *m* particular; **~gelehrte(r)** *m* científico *m* dedicado a la investigación personal; **~geschäfte** *n/pl.* operaciones *f/pl.* realizadas a título personal; **~gesellschaft** ✝ *f* sociedad *f* privada; **~gespräch** *n* (-*es*; -*e*) conversación *f* particular; *Tele.* conferencia *f* privada.

priˈ**vatim** *adv.* en particular; (*vertraulich*) confidencialmente.

Priˈ**vat...:** **~industrie** *f* industria *f* privada; **~initia**ˈ**tive** *f* iniciativa *f* privada; **~interesse** *n* interés *m* privado.

Priˈ**vat...:** **~klage** ⚖ *f* acción *f* privada; **~kläger** ⚖ *m* acusador *m* privado; **~klinik** *f* clínica *f* privada; **~konto** *n* (-*s*; -*konten*) cuenta *f* particular; **~korrespondenz** *f* correspondencia *f* particular; **~kundschaft** *f* (*0*) clientela *f* particular; **~leben** *n* vida *f* privada; **~lehrer(in** *f*) *m* profesor(a *f*) *m* particular; **~lektüre** *f* lectura *f* privada; **~mann** *m* (-*es*; -*leute*) particular *m*; **~patient(in** *f*) *m* (-*en*) paciente *m/f* particular; **~person** *f* particular *m*; **~recht** ⚖ *n* (-*es*; *0*) derecho *m* privado; **2rechtlich I.** *adj.* de (*od.* del) derecho privado; **II.** *adv.* en (*od.* según el) derecho privado; **~sache** *f* asunto *m* particular; **~schule** *f* colegio *m* particular; **~sekre**ˈ**tär(in** *f*) *m* (-*s*; -*e*) secretario (-a *f*) *m* particular; **~stunde** *f* lección *f* (*od.* clase *f*) particular; **~unternehmen** *n* empresa *f* privada; **~unterricht** *m* (-*es*; *0*) clases *f/pl.* (*od.* lecciones *f/pl.*) particulares; clases *f/pl.* (*od.* enseñanza *f*) a domicilio; **~verbrauch** *m* (-*es*; *0*) consumo *m* particular; **~vermögen** *n* bienes *m/pl.* particulares; fortuna *f* privada; **~versicherung** *f* seguro *m* privado; **~weg** *m* (-*es*; -*e*) camino *m* particular; **~wirtschaft** *f* (*0*) economía *f* privada; **~wohnung** *f* domicilio *m* (particular).

Priviˈ**leg** *n* (-*s*; -*ien*) privilegio *m*; (*Vorrecht*) prerrogativa *f*.

privileˈ**gieren** (-) *v/t.* privilegiar; conceder (*od.* otorgar) un privilegio.

Pro I. *n* (-; *0*) pro *m*; *das ~ und Kontra* el pro y el contra; **II.** *prp.* por; *~ Kopf* por cabeza; *~ Stück* por (*od.* la) pieza; *~ forma* por (pura) fórmula; *~ Jahr* por (*od.* al) año; *~ Quadratkilometer* por kilómetro cuadrado.

Propäˈ**deutik** *f* (*0*) propedéutica *f*.

proˈ**bat** *adj.* probado; eficaz.

ˈ**Probe** *f* prueba *f*; (*Versuch*) ensayo *m* (*a. Thea.*); ✝ muestra *f*; espécimen *m*; (*Beweis, Test*) prueba *f*; (*Überprüfung*) examen *m*; (*Warenzeichen*) marca *f*, sello *m*; *auf* (*od. zur*) *~* a título de ensayo; a prueba; ✝ como muestra; para muestra; *Kauf nach ~* venta según muestra; *auf ~ kaufen* comprar a prueba; *e-e ~ nehmen* tomar una muestra, (*probieren*) probar; *die ~ bestehen* resistir la prueba; *auf die ~ stellen* poner (*od.* someter) a prueba; probar; **~abdruck** *m* (-*es*; -*e*), **~abzug** *m* (-*es*; ¨*e*) *Typ.* prueba *f*; (*Fahne*) galerada *f*; *Phot.* copia *f*; **~alarm** *m* (-*s*; *0*) ejercicio *m* de alarma; **~aufnahme** *f Film*: *e-e ~ drehen* impresionar una prueba; **~auftrag** *m* (-*es*; ¨*e*), **~bestellung** *f* ✝ pedido *m* de muestra; pedido *m* (por vía) de ensayo; **~belastung** ⊕ *f* carga *f* de prueba; **~bild** *n* (-*es*; -*er*) *Phot.* copia *f*; **~entnahme** *f* toma *f* de muestras; **~exemplar** *n* (-*s*; -*e*) (*Buch*) ejemplar *m* de muestra; ✝ muestra *f*; espécimen *m*; **~fahrt** *f Auto usw.*: viaje *m* de prueba; **~flug** *m* (-*es*; ¨*e*) vuelo *m* de prueba; **~jahr** *n* (-*es*; -*e*) año *m* de prueba *bzw.* de prácticas; **~kandidat** *m* (-*en*) aspirante *m* en período de prueba *bzw.* de prácticas; pasante *m*; **~lauf** *m*

(-*es*; ⁼*e*) carrera *f* de ensayo; ⊕ marcha *f* de ensayo; **~lektion** *f* lección *f* de prueba; **~muster** ✝ *n* muestra *f* de calidad.
'proben *v/t.* someter a prueba, probar; ensayar (*a. Thea.*).
'Probe...: ~nummer *f* (-; -*n*) número *m* de muestra; (*Zeitschrift*) ejemplar *m* gratuito; **~seite** *Typ. f* página *f* de muestra; **~sendung** ✝ *f* envío *m* de muestra; **~stück** *n* (-*es*; -*e*) muestra *f*; espécimen *m*; **♀weise** *adv.* por vía de ensayo; como (*od.* a título de) prueba; provisionalmente; **~zeit** *f* (*0*) tiempo *m* (*od.* período *m*) de prueba; período *m* de ensayo; período *m* de prácticas; *als Kandidat*: pasantía *f*; *Rel.* (*Noviziat*) noviciado *m*.
pro'bieren *v/t.* (*erproben*) probar, someter a prueba; ensayar (*a. Thea.*); *Speisen, Getränke*: probar, catar; ♀ *n* prueba *f*; ensayo *m*; ~ *geht über Studieren* la experiencia es madre de la ciencia.
Pro'blem *n* (-*s*; -*e*) problema *m*.
Proble'ma|tik *f* (*0*) carácter *m* problemático; conjunto *m* de problemas; **♀tisch** *adj.* problemático.
Pro'dukt *n* (-*es*; -*e*) producto *m* (*a.* ⅍, ⚗); (*Geistes*♀) producción *f*; (*Ergebnis*) resultado *m*.
Pro'dukten|börse *f* bolsa *f* de contratación; lonja *f*; **~handel** *m* (-*s*; *0*) comercio *m* de productos agrícolas (*od.* de frutos del país).
Produkti'on *f* producción *f*.
Produkti'ons...: ~ausfall *m* (-*es*; *0*) pérdida *f* de producción; **~beschränkung** *f* restricción *f* de la producción; **~betrieb** *m* (-*es*; -*e*) empresa *f* productora; **~einschränkung** *f* → *Produktionsbeschränkung*; **~erhöhung** *f* aumento *m* de producción; **~genossenschaft** *f* cooperativa *f* de producción; **~güter** *n/pl.* bienes *m/pl.* de producción; **~index** *m* (-*es*; -*indizes*) índice *m* de producción; **~kapazität** *f* (*0*) capacidad *f* de producción; **~kosten** *pl.* gastos *m/pl.* de producción; coste *m* de la producción; **~kraft** *f* (*0*) → *Produktionskapazität*; **~land** *n* (-*es*; ⁼*er*) país *m* productor; **~leistung** *f* rendimiento *m* de producción; **~leiter** *m* jefe *m* de producción; *Film*: director *m* de producción; **~mittel** *n* medio *m* de producción; **~norm** *f* norma *f* de producción; **~plan** *m* (-*es*; ⁼*e*) plan *m* de producción; **~planung** *f* planeo *m* de la producción; **~prozeß** *m* (-*sses*; -*sse*) proceso *m* de producción; **~rückgang** *m* (-*es*; *0*) disminución *f* (*od.* retroceso *m*) de la producción; **~soll** *n* (-*s*; -*s*) producción *f* obligada; **~stand** *m* (-*es*; *0*) nivel *m* de la producción; **~stätte** *f* lugar *m* de producción; **~steigerung** *f* aumento *m* de (la) producción; **~steuerung** *f* (*0*) dirección *f* de la producción; **~stillstand** *m* (-*es*; *0*) paralización *f* de la producción; **~tempo** *n* (-*s*; *0*) ritmo *m* de producción; **~überschuß** *m* (-*sses*; ⁼*sse*) excedente *m* de producción; **~umfang** *m* (-*es*; *0*) volumen *m* de la producción; **~verbot** *n* (-*es*; -*e*) prohibición *f* de producir; **~verfahren** *n* procedimiento *m* de producción; **~vorgang** *m* (-*es*; ⁼*e*) proceso *m* de producción.
produk'tiv *adj.* productivo.
Produktivi'tät *f* (*0*) productividad *f*.
Produ|'zent *m* (-*en*) productor *m*; (*Hersteller*) fabricante *m*; **♀'zieren** (-) *v/t.* producir; (*herstellen*) fabricar; (*vorzeigen*) presentar; *sich* ~ presentarse; **~'zieren** *n*, **~'zierung** *f* producción *f*.
pro'fan *adj.* profano; (*weltlich*) secular; seglar.
profa'nier|en (-) *v/t.* profanar; **♀ung** *f* profanación *f*.
Professi'on *f* profesión *f*.
professio'nell *adj.* profesional.
Pro'fessor *m* (-*s*; -*en*) profesor *m*; (*Universitäts*♀) catedrático *m*; *ordentlicher* ~ profesor numerario; catedrático numerario; ~ *der Geschichte* catedrático de historia; ~ Z. el profesor Z.
Profes'sur *f* (*Lehrstuhl*) cátedra *f*; (*Lehramt*) profesorado *m*.
'Profi *m* (-*s*; -*s*) *Sport*: profesional *m*.
Pro'fil *n* (-*s*; -*e*) perfil *m*; *im* ~ *darstellen* perfilar; *im* ~ *zeichnen* dibujar de perfil; *sich im* ~ *abheben* perfilarse; **~draht** *m* alambre *m* perfilado; **~eisen** *n* hierro *m* perfilado.
profi'lier|en (-) *v/t.* perfilar; **~t** *adj.* perfilado; *Reifen*: antideslizante; *Sohle*: acanalado; *fig.* (*markant*) claramente definido; *Persönlichkeit*: relevante, prominente; destacado; de acusada personalidad.
Pro'fil...: ~reifen *m Auto*: neumático *m* antideslizante; **~sohle** *f* suela *f* acanalada; **~stahl** *m* (-*es*; *0*) acero *m* perfilado.
Pro|'fit *m* (-*es*; -*e*) provecho *m*; ganancia *f*, beneficio *m*; **♀fi'tabel** *adj.* provechoso; ventajoso; productivo, lucrativo; **~'fitgier** *f* (*0*) codicia *f*; afán *m* de lucro; **♀'fitgierig** *adj.* codicioso; ávido de lucro; **♀fi'tieren** (-) *v/i.* ganar (*bei, an dat.* en); aprovechar (*von ac.*); obtener ganancia *od.* beneficio; **~'fitjäger** *m*, **~'fitmacher** *m* oportunista *m*; **~'fitmache'rei** *f* oportunismo *m*.
pro 'forma *adv.* por (pura) fórmula.
Pro-'forma-|Rechnung ✝ *f* factura *f* ficticia (*od.* pro forma); **~Verkauf** *m* (-*es*; *0*) venta *f* simulada (*od.* ficticia).
Prog'nose *f* pronóstico *m* (*a.* ⚕).
Pro'gramm *n* (-*s*; -*e*) programa *m*; **~änderung** *f* alteración *f* (*od.* modificación *f*) del programa; **~direktor** *m* director *m* de programación.
program'matisch *adj.*: ~*e Rede* discurso-programa.
Pro'gramm...: ♀gemäß *adv.* según el programa; de conformidad con el programa; **~gestaltung** *f* (*0*) formación *f* del programa; *neol.* programación *f*; **♀(m)äßig** *adv.* → *programmgemäß*; **~vorschau** *f* avance *m* de programa; *Film*: película *f* que se proyectará próximamente; *Radio, Television*: próximas emisiones *f/pl.*; **~wechsel** *m* cambio *m* de programa.
Progressi'on *f* progresión *f*.
Progres'sist *m* (-*en*) progresista *m*.
progres'siv *adj.* progresivo.
Prohibiti'on *f* prohibición *f*.
prohibi'tiv *adj.* prohibitivo; **♀system** *n* (-*s*; -*e*) sistema *m* prohibitivo; **♀zoll** *m* (-*es*; ⁼*e*) arancel *m* prohibitivo.
Pro'jekt *n* (-*es*; -*e*) proyecto *m*; plan *m*.
projek'tieren (-) *v/t.* proyectar; hacer proyectos.
Projek'til *n* (-*s*; -*e*) proyectil *m*.
Projekti'on *f* proyección *f*; **~s-apparat** *m* (-*es*; -*e*) proyector *m*; **~sbild** *n* (-*es*; -*er*) imagen *f* proyectada; (*Diapositiv*) diapositiva *f*; **~sfläche** *f* pantalla *f*; ⅍ plano *m* de proyección; **~slampe** *f* lámpara *f* de proyección; **~sraum** *m* (-*es*; ⁼*e*) sala *f* de proyección; *engS.* cabina *f* de proyección; **~sschirm** *m* (-*es*; -*e*), **~swand** *f* (-; ⁼*e*) pantalla *f*.
proji'zieren (-) *v/t.* proyectar.
Prokla|mati'on *f* proclamación *f*; (*Erlaß*) proclama *f*; **♀'mieren** (-) *v/t.* proclamar.
Pro'kura *f* (-; -*ren*) poder *m*; procuración *f*; *per* ~ por poder (*Abk. p.p.*); *j-m* ~ *erteilen* conceder (*od.* otorgar) poder a alg.
Proku'rist *m* (-*en*) apoderado *m*.
Pro'let *m* (-*en*) plebeyo *m*; hombre *m* vulgar *od.* zafio.
Proletari'at [-aˑ'ʀɪɑːt] *n* (-*es*; *0*) proletariado *m*; clase *f* obrera.
Prole'tar|ier [-'tɑːʀĭə] *m* proletario *m*; **♀isch** *adj.* proletario.
proletari'sier|en (-) *v/t.* proletarizar; **♀ung** *f* proletarización *f*.
pro'letenhaft *fig. adj.* aplebeyado; zafio.
Pro'log *m* (-*es*; -*e*) prólogo *m*.
Prolongati'on [-lɔŋgaˑ-] ✝ *f* prolongación *f*; prórroga *f*; **~sgebühr** *f* (*Börse*) reporte *m*; **~sgeschäft** *n* (-*es*; -*e*) (*Börse*) operación *f* de reporte; **~swechsel** *m* letra *f* de cambio prolongada *bzw.* prolongable.
prolon'gieren (-) ✝ *v/t.* prolongar; prorrogar.
Prome'nade [-mə-] *f* paseo *m*; **~ndeck** ⚓ *n* (-*s*; -*s*) cubierta *f* de paseo; **~nkonzert** *n* (-*es*; -*e*) concierto *m* al aire libre; **~nmischung** F *f* (*Hund*) perro *m* mestizo (*od.* de raza indefinible).
prome'nieren (-) *v/i.* pasearse.
Pro'metheus *Myt. m* Prometeo *m*.
Pro'mille *n* F proporción *f* por mil (*z.B.* de alcohol en la sangre).
promi'nent *adj.* prominente; **♀e(r)** *m* personaje *m* de relieve; (*angesehene, bedeutende Persönlichkeit*) notabilidad *f*; (*Berühmtheit*) celebridad *f*; *Film*: astro *m*, estrella *f* (de la pantalla); *Sport*: as *m*.
Promi'nenz *f* (*0*) prominencia *f*; *der Gesellschaft*: alta sociedad *f*; (*angesehene, bedeutende Persönlichkeiten*) notabilidades *f/pl.*; (*Berühmtheiten*) celebridades *f/pl.*; *Film*: estrellas *f/pl.* de la pantalla; *Sport*: ases *m/pl.* del deporte; F la gente bien.
Promo|ti'on *f Uni.* doctorado *m*; examen *m* del doctorado; **♀'vieren** (-) **1.** *v/t.* conferir el grado de doctor; **2.** *v/i.* doctorarse.
prompt *adj.* (-*est*) (*rasch*) pronto; (*unmittelbar*) inmediato; **'♀heit** *f* (*0*) prontitud *f*.
Pro'nomen *Gr. n* (-*s*; *Pronomina*) pronombre *m*.
pronomi'nal *adj.* pronominal.

Propä'deut|ik *f (0)* propedéutica *f*; **2isch** *adj.* propedéutico.
Propa'ganda *f (0)* propaganda *f*; ✝ publicidad *f*; ~ *machen* hacer propaganda; **~broschüre** *f* folleto *m* de propaganda; **~feldzug** *m (-és; ⸗e)* campaña *f* de propaganda; ✝ campaña *f* publicitaria; **~film** *m (-és; -e)* película *f* de propaganda; **~mittel** *n* medio *m* de propaganda; ✝ medio *m* publicitario.
Propa|gan'dist *m (-en)* propagandista *m*; **2'gieren** (-) *v/t.* propagar; **~'gierung** *f* propagación *f*.
Pro'pan ⚗ *n (-s; 0)* propano *m*.
Pro'peller *m* hélice *f*; propulsor *m*; **~blatt** *n (-és; ⸗er)*, **~flügel** *m* pala *f* de hélice; **~turbine** *f* turbina *f* de hélice; turbopropulsor *m*.
'proper *adj.* aseado; pulcro; cuidado.
Pro'phet|(in *f*) *m (-en)* profeta *m*; profetisa *f*; *der ~ gilt nichts in s-m Vaterlande* nadie es profeta en su tierra; **2isch** *adj.* profético.
prophe'zei|en [-fe·'tsaɪən] (-) *v/t.* profetizar; vaticinar, augurar; *weitS.* predecir; *bsd. Wetter*: pronosticar; **2ung** *f* profecía *f*; vaticinio *m*, augurio *m*; *weitS.* predicción *f*; *bsd. Wetter*: pronóstico *m*.
prophy|'laktisch ⚕ *adj.* profiláctico; preventivo; **2'laxe** *f* profilaxia *f*.
Proporti'on *f* proporción *f*.
proportio'nal *adj.* proporcional; *direkt ~* directamente proporcional; en razón directa (*zu* a); *umgekehrt ~* inversamente proporcional; en razón inversa (*zu* a); **2e** ⩘ *f* término *m* de una proporción; *mittlere ~* media proporcional.
Proportionali'tät *f* proporcionalidad *f*.
proportio'niert *adj.* proporcionado.
Proporti'onsrechnung ⩘ *f* regla *f* de proporción.
Propst [o:] *m (-es; ⸗e) I.C.* prepósito *m*; *I.P.* primer pastor *m*.
Props'tei *f* prepositura *f*.
Pro'rektor *m (-s; -en)* vicerrector *m*.
'Prosa *f (0)* prosa *f*.
Pro'sa|iker [-'za:ɪ-] *m* prosista *m*; **2isch** *adj.* prosaico.
'Prosaschriftsteller *m* prosista *m*.
Prose'lyt *m (-en)* prosélito *m*.
'prosit! [o:] *int.* (*beim Trinken*) ¡a su salud!; (*beim Niesen*) ¡Jesús!; ~ *Neujahr!* ¡feliz año nuevo!
proskri'bieren (-) *v/t.* proscribir.
Proskripti'on *f* proscripción *f*.
Proso'die *f* prosodia *f*.
Pros'pekt [-sp-] *m (-és; -e)* prospecto *m*; (*Ausblick*) vista *f*, perspectiva *f*; *~e verteilen* repartir prospectos.
prospe|'rieren (-) *v/i.* prosperar; **2ri'tät** *f (0)* prosperidad *f*.
prost! [o:] *int.* → *prosit*; F ~ *Mahlzeit!* ¡ni hablar!; *iro.* ¡naranjas!; ¡buena la hemos hecho!
'Prostata *Anat. f (0)* próstata *f*.
prostitu|'ieren (-) *v/t.* prostituir; *sich ~* prostituirse; **2'ierte** *f* prostituta *f*; **2ti'on** *f (0)* prostitución *f*.
Pros'zenium [-'tse:nĭ-] *n (-s; -nien)* proscenio *m*; **~sloge** *f* palco *m* de proscenio.
Protago'nist *m (-en)* protagonista *m*.
Prote'gé [-te·'ʒe:] *m (-s; -s)* protegido *m*.
prote'gieren [-'ʒi:-] (-) *v/t.* proteger.
Prote'id ⚗ *n (-és; -e)* proteído *m*.
Prote'in [-te·'i:n] ⚗ *n (-s; -e)* proteína *f*.
Protekti'on *f* protección *f*; **~'ismus** *m* proteccionismo *m*.
Pro'tektor *m (-s; -en)* protector *m*.
Protekto'rat *n (-és; -e)* protectorado *m*.
Pro'test *m (-és; -e)* protesta *f*; ✝ protesto *m*; ⚖ recurso *m*; ~ *einlegen gegen* protestar (*od.* elevar una protesta) contra; *unter ~* con protesta; ✝ con protesto; ✝ ~ *mangels Annahme* protesto por no aceptación; *unter ~ zurückgehen lassen* ✝ (*Wechsel*) devolver con protesto; ⚖ ~ (*Einspruch*) *erheben* tachar de falsedad; **~aktion** *f* protesta *f*.
Protes'tant(in *f*) *m (-en)* protestante *m/f*; **2isch** *adj.* protestante.
Protestan'tismus *m (-; 0)* protestantismo *m*.
Pro'test|anzeige *f* protesta *f*; ✝ *beim Wechsel*: notificación *f* de protesto; **~frist** ✝ *f* plazo *m* del protesto.
protes'tieren 1. (-) *v/i.* protestar (*gegen* contra); **2.** *v/t.* ✝ protestar; *protestierter Wechsel* letra (de cambio) protestada; efecto protestado; *e-n Wechsel ~* protestar una letra; **II.** **2** *n* protesta *f*; protestas *f/pl.*
Pro'test...: ~kosten ✝ *pl.* gastos *m/pl.* de protesto; **~note** *f* nota *f* de protesta; **~kundgebung** *f Pol.* manifestación *f* de protesta; **~sturm** *m (-és; ⸗e)* tempestad *f* de protestas; **~urkunde** ✝ *f* acta *f* de protesto; **~versammlung** *f Pol.* mitin *m* de protesta; asamblea *f* para protestar contra a/c.; → *Protestkundgebung.*
Pro'these ⚕ *f* prótesis *f*; (*Zahn2*) prótesis *f* dental.
Proto'koll *n (-s; -e)* acta *f*; expediente *m*; (*notarielles*) acta *f* notarial; ⚖ *e-s Prozesses*; sumaria *f*; autos *m/pl.*; ⚔ sumario *m*; *e-r Sitzung*: acta *f* de la sesión; (*Etikette*) protocolo *m* (*a. Dipl.*); ceremonial *m*; *Chef des ~s* (*Dipl.*) jefe *m* del protocolo; introductor *m* de embajadores; *Abfassung* (*Berichtigung*) des *~s* redacción (rectificación) del acta; (*das*) ~ *führen* redactar el acta; *ein ~ aufnehmen* levantar acta; *ins ~ aufnehmen, im ~ vermerken* hacer constar en acta; *zu ~ geben* hacer constar en actas; ⚖ declarar; *et. zu ~ nehmen* levantar acta de a/c.; hacer constar en acta a/c.
protokol'larisch I. *adj.* protocolario; **II.** *adv.*: *j-n ~ vernehmen* interrogar a alg. (por medio de un tercero); *~ feststellen* hacer constar en actas.
Proto'koll...: ~aufnahme *f* redacción *f* del acta; **~buch** *n (-és; ⸗er)* protocolo *m*; **~fälschung** *f* falseamiento *m* del acta; **~führer** *m* redactor *m* del acta; *e-r Sitzung*: secretario *m*; ⚖ actuario *m*.
protokol'lieren I. (-) *v/t. u. v/i.* redactar el acta; levantar acta; hacer constar en acta a/c.; registrar; *im Protokollbuch*: protocolizar; **II.** **2** *n* redacción *f* del acta; registro *m*; protocolización *f*.
'Proton *Phys. n (-s; -en)* protón *m*.
Proto'plasma *n (-s; 0)* protoplasma *m*.
Proto'typ *m (-s; -en)* prototipo *m*.
Proto'zoen *Bio. pl.* protozoos *m/pl.*, protozoarios *m/pl.*
protra'hiert ⚕ *adj.* prolongado; retrasado; *~e Wirkung* efecto prolongado *bzw.* retrasado.
Protube'ranz *f* protuberancia *f*.
Protz (*-es od. -en*; *-e od. -en*) *m* hombre *m* que alardea de su riqueza; hombre *m* ostentoso (*od.* F bambollero); F farolón *m*; fachendoso *m*; (*Reicher*) ricacho *m*, ricachón *m*; (*Neureicher*) nuevo rico *m*; (*Parvenü*) advenedizo *m*; (*Prahler*) fanfarrón *m*.
'Protze ⚔ *f* armón *m*, avantrén *m*.
'protz|en (*-t*) *v/i.* presumir de rico; darse aires de gran señor; F fachendear, farolear; (*prahlen*) fanfarronear, F *fig.* toser fuerte; *~ mit* hacer ostentación de a/c.; hacer gala de a/c.; **~ig** *adj.* jactancioso; presumido; ostentoso, F bambollero, fachendoso; (*arrogant*) arrogante; (*Prahler*) fanfarrón.
Proveni'enz *f* procedencia *f*, origen *m*.
Proven'zal|e *m (-n)*, **~in** *f* provenzal *m/f*; **2isch** *adj.* provenzal, de la Provenza.
Provi'ant [-vĭa-] *m (-s; -e)* provisiones *f/pl.*; víveres *m/pl.*; *mit ~ versehen* proveer de víveres, abastecer; avituallar; **~amt** ⚔ *n (-és; ⸗er)* intendencia *f* (de víveres); **~ausgabe** *f* distribución *f* de víveres; **~kolonne** ⚔ *f* convoy *m* de víveres.
Pro'vinz *f* provincia *f*; **~blatt** *n (-és; ⸗er)* diario *m* (*od.* periódico *m*) de provincia(s).
provinzi'ell *adj.* provincial; F (*kleinstädtisch*) provinciano.
Pro'vinz|ler(in *f*) *m* provinciano (-a *f*) *m*; **2lerisch** *adj.* provinciano, de provincias; **~stadt** *f (-; ⸗e)* ciudad *f* de provincia; ciudad *f* provinciana.
Provisi'on ✝ *f* comisión *f*; *e-e ~ erheben* cargar una comisión; *auf ~ arbeiten* trabajar a comisión; **~sberechnung** *f* cuenta *f* de comisión; **2sfrei** *adj.* sin comisión, libre de comisión; **~sgebühr** *f* derecho *m* de comisión; **~sreisende(r)** *m* comisionista *m*; **~ssatz** *m* tipo *m* de comisión; **2sweise** *adv.* a comisión; **~szahlung** *f* pago *m* de comisión.
Pro'visor *m (-s; -en)* regente *m* de farmacia; (*Angestellter*) dependiente *m* de farmacia.
provi'so|risch I. *adj.* provisional; (*interimistisch*) interino; (*vorübergehend*) transitorio; **II.** *adv.* provisionalmente; (*interimistisch*) interinamente; (*vorübergehend*) transitoriamente; **2rium** *n (-s; -rien)* solución *f bzw.* estado *m* provisional.
Provo|ka'teur *m (-s; -e) Pol.* agente *m* provocador; **~kati'on** *f* provocación *f*; **2'zieren** (-) *v/t.* provocar; *ein (nicht) provozierter Angriff* una agresión (no) provocada; **2'zierend** *adj.* provocador.

Proze'dur *f* procedimiento *m* (*a.* ⚖).

Pro'zent *n* (-*es*; -*e*) tanto *m* por ciento, *gal.* porcentaje *m*; *in* ~*en* en tanto por ciento; *zu vier* ~ al cuatro por ciento; *zu wieviel* ~? ¿a qué tanto por ciento?; *zu hohen* ~*en* a un tanto por ciento elevado; **~rechnung** *f* cálculo *m* de intereses; *Arith.* regla *f* de interés; **~satz** *m* (-*es*; ⸚*e*) tanto *m* por ciento, *gal.* porcentaje *m*.

prozentu'al *adj.* al tanto por ciento; (*proportional*) proporcional.

Pro'zeß *m* (-*sses*; -*sse*) ⚖ (*Straf*2) proceso *m*; causa *f* criminal; (*Zivil*2) pleito *m*; (*Rechtsstreit*) litigio *m*; causa *f*; (*Vorgang*) proceso *m* (*a.* ⚗); (*Verfahren*) procedimiento *m*; operación *f*; *e-n* ~ *führen* seguir una causa (*gegen* contra); *als Anwalt*: defender una causa *bzw.* un pleito; *als Richter*: entender en una causa; *e-n* ~ *einleiten* instruir una causa; incoar un proceso; *e-n* ~ *anstrengen* entablar (*od.* promover) un pleito (*gegen* contra); *e-n* ~ *gewinnen* (*verlieren*) ganar (perder) un pleito; *j-m den* ~ *machen* procesar a alg.; *fig.* erigirse en censor de la conducta de alg.; *fig. kurzen* ~ *machen* no andarse con contemplaciones; cortar por lo sano; no pararse en barras; *ein magerer Vergleich ist besser als ein fetter* ~ más vale mal arreglo que buen pleito; **~akten** *f/pl.* autos *m/pl.*; *Einsicht in die* ~ *haben* tener vista de las actuaciones; **2fähig** *adj.* con personalidad procesal; **~fähigkeit** *f* (*0*) personalidad *f* procesal; **2führend** *adj.*: *die* ~*en* las partes; **~führung** *f* (*Prozedur*) procedimiento *m* judicial; (*seitens des Richters*) enjuiciamiento *m*; **~gegner** *m* parte *f* contraria.

prozes'sieren (-) *v/i.* litigar, pleitear; seguir una causa.

Prozessi'on *f* procesión *f*.

Pro'zeß...: ~kosten *pl. strafrechtlich*: costas *f/pl.* procesales; *zivilrechtlich*: costas *f/pl.* (del procedimiento); **~ordnung** *f* procedimiento *m* judicial; **~partei** *f* parte *f* (litigante); **~recht** *n* (-*es*; *0*) derecho *m* procesal; **2unfähig** *adj.* sin capacidad procesal; **~vollmacht** *f* poder *m* (de representación).

'prüde *adj.* mojigato, gazmoño, ñoño.

Prüde'rie [-də-] *f* (*0*) mojigatería *f*, gazmoñería *f*, ñoñez *f*.

'prüfen 1. *v/t.* examinar (*a. Schule*); (*nach*~) comprobar, verificar; revisar; (*erwägen*) considerar; estudiar; (*inspizieren*) inspeccionar; (*analysieren*) analizar; (*eingehend untersuchen*) examinar minuciosamente; escudriñar; (*sondieren*) sondear; tantear; (*testen*) probar; (*versuchen*) ensayar; (*durchsuchen*) registrar; (*erproben*) probar, poner a prueba; (*probieren*) gustar, catar, probar; **2.** *v/refl.*: *sich* ~ examinarse; hacer examen de conciencia; (*sich erproben*) someterse a prueba; **~d I.** *adj.*: ~*er Blick* mirada interrogadora; mirada escrutadora; **II.** *adv.*: *j-n von oben bis unten* ~ *betrachten* examinar con detención a alg.; examinar a alg. de pies a cabeza.

'Prüfer(in *f*) *m* examinador(a *f*) *m*; ✝ revisor *m* de cuentas; perito *m* contador; interventor *m*; ⊕ verificador *m*; (*Wein*2) catavinos *m*.

'Prüf...: ~feld *n* (-*es*; -*er*) ⊕ campo *m* de pruebas; sala *f* de ensayos; **~gerät** *n* (-*es*; -*e*) (aparato *m*) comprobador *m*; **~lampe** *f* ⚡ lámpara *f* piloto (*od.* de ensayo); **~ling** *m* (-*s*; -*e*) examinando *m*; **~stand** ⊕ *m* (-*es*; ⸚*e*) banco *m* de ensayo; puesto *m* de ensayo; **~stein** *m* (-*es*; -*e*) piedra *f* de toque.

'Prüfung *f* examen *m* (*a. Schule*); (*Nach*2) comprobación *f*, verificación *f*; revisión *f*; (*Erwägung*) consideración *f*; estudio *m*; (*Inspektion*) inspección *f*; (*Analyse*) análisis *m*; (*Sondierung*) sondeo *m*; tanteo *m*; (*Test*) prueba *f*; (*Versuch*) ensayo *m*; (*Durchsuchung*) registro *m*; (*Erprobung*; *Heimsuchung*) dura prueba *f*; tribulación *f*, aflicción *f*; *bei näherer* ~ después de un examen más detenido; *schriftliche* (*mündliche*) ~ examen escrito (oral); et. *e-r* ~ *unterziehen* someter a prueba *bzw.* a examen a/c.; *sich e-r* ~ *unterziehen* someterse a examen; examinarse; *e-e* ~ *machen* (*od. ablegen*) pasar (*od.* sufrir) un examen; examinarse; *sich zu e-r* ~ *melden* presentarse a (un) examen; *e-e* ~ *bestehen*; *bei e-r* ~ *durchkommen* aprobar un examen; *bei e-r* ~ *durchfallen* (F *durchrasseln*) suspender (*od.* ser suspendido) en un examen; F ser cateado (*od.* quedar colgado) en el examen.

'Prüfungs...: ~arbeit *f* trabajo *m* escrito (para un examen); **~aufgabe** *f* tema *m* de examen; **~aufsatz** *m* (-*es*; ⸚*e*) tema *m* de ejercicio escrito; **~ausschuß** *m* (-*sses*; ⸚*sse*) tribunal *m* examinador (*od.* de exámenes); ⊕ comisión *f* de verificación; ✝ comisión *f* calificadora; **~ergebnis** *n* (-*ses*; -*se*) resultado *m* del examen; **~frage** *f* pregunta *f* de examen; *schwierige* ~ *Sch.* papeleta difícil; pega *f*; **~gebühren** *f/pl.* derechos *m/pl.* de examen; **~gegenstand** *m* (-*es*; ⸚*e*) tema *m* de examen; **~kandidat(in** *f*) *m* (-*en*) examinando (-a *f*) *m*; **~kommission** *f* → *Prüfungsausschuß*; **~ordnung** *f* reglamento *m* de exámenes; **~termin** *m* (-*s*; -*e*) fecha *f* del examen; **~zeugnis** *n* (-*ses*; -*se*) diploma *f*; calificación *f*; ⊕ certificado *m* de verificación.

'Prüf...: ~verfahren *n* método *m* de ensayo; **~zeichen** *n* (marca *f* de) contraste *m*.

'Prügel *m* (*Stock*) palo *m*; estaca *f*, garrote *m*; *pl.* (*Tracht* ~) palos *m/pl.*; estacazos *m/pl.*, garrotazos *m/pl.*; paliza *f*, F tunda *f*, zurra *f*; *j-m e-e Tracht* ~ *verabreichen* dar a alg. una paliza (*od.* F una zurra); F propinar a alg. una ensalada de estacazos; *e-e gehörige Tracht* ~ *bekommen* (*od. kriegen*) llevar una soberana paliza.

Prüge'lei *f* riña *f*, pendencia *f*; F camorra *f*, gresca *f*, bronca *f*.

'Prügelknabe F *m* (-*n*) cabeza *f* de turco; (*Sündenbock*) chivo *m* emisario; *der* ~ *sein* F ser el que paga el pato (*od.* el que se lleva las bofetadas).

'prügeln (-*le*) **1.** *v/t.*: *j-n* ~ pegar a alg.; apalear a alg.; F sacudir el polvo (*od.* dar para el pelo) a alg.; **2.** *v/refl.*: *sich* ~ andar a estacazos (*od.* a palos *od.* a garrotazos).

'Prügelstrafe *f* castigo *m* corporal.

'Prunk *m* (-*es*; *0*) pompa *f*; fausto *m*; suntuosidad *f*; (*Pracht*) magnificencia *f*; (*Luxus*) lujo *m*; (*Gepränge*) aparato *m*; **~bett** *n* (-*es*; -*en*) lecho *m* suntuoso; cama *f* imperial; **2en** *v/i.* (*glänzen*) brillar; resplandecer; ~ *mit* ostentar, lucir (*ac.*), hacer alarde de; **~gemach** *n* (-*es*; ⸚*er*) sala *f* suntuosa; **2haft** *adj.* pomposo, fastuoso, suntuoso; ostentoso; (*luxuriös*) lujoso; **2liebend** *adj.* amante de la ostentación *bzw.* del lujo; **~saal** *m* (-*es*; -*säle*) salón *m* de gala; **~sucht** *f* afán *m* de ostentación; **2süchtig** *adj.* → *prunkliebend*; **2voll** *adj.* → *prunkhaft*.

'prusten (-*e*-) *v/i.* *Pferd*: resoplar; (*laut niesen*) estornudar con fuerza.

Psalm *m* (-*s*; -*en*) salmo *m*; **'~endichter** *m*, **~'ist** *m* (-*en*) salmista *m*.

'Psalter *m* salterio *m*.

Pseudo'nym *n* (-*s*; -*e*), **2** *adj.* (p)seudónimo *m*.

pst! *int.* ¡chist!, ¡chitón!

'Psyche *f* alma *f*; espíritu *m*; (p)siquis *f*; *Myt.* Psique *f*.

Psychi|'ater [-çi'ɑ:-] ⚕ *m* alienista *m*; (p)siquíatra *m*; **~a'trie** *f* (*0*) (p)siquiatría *f*; **2'atrisch** *adj.* (p)siquiátrico.

'psychisch *adj.* (p)síquico.

Psycho...: ~ana'lyse *f* (*0*) (p)sicoanálisis *m*; **~ana'lytiker** *m* (p)sicoanalista *m*; **2ana'lytisch** *adj.* (p)sicoanalítico; **2'gen** *adj.* (p)sicógeno; **~'loge** *m* (p)sicólogo *m*; **~'login** *f* (p)sicóloga *f*; **~lo'gie** *f* (*0*) (p)sicología *f*; *angewandte* (*vergleichende*) ~ (p)sicología aplicada (comparada); **2'logisch** *adj.* (p)sicológico; **2mo'torisch** *adj.* (p)sicomotor; **~neu'rose** *f* (p)siconeurosis *f*; **~päda'gogik** *f* (*0*) pedagogía *f* (p)sicológica, (p)sicopedagogía *f*; **~'path(in** *f*) *m* (-*en*) (p)sicópata *m/f*; **2'pathisch** *adj.* (p)sicopático; **~patholo'gie** *f* (p)sicopatología *f*; **~phy'sik** *f* (*0*) (p)sicofísica *f*; **~physiolo'gie** *f* (p)sicofisiología *f*.

Psy'chose *f* (p)sicosis *f*.

Psycho...: ~so'matik *f* (*0*) (p)sicosomatología *f*; **2so'matisch** *adj.* (p)sicosomático; **2thera'peutisch** *adj.* (p)sicoterápico; **~thera'pie** *f* (*0*) (p)sicoterapia *f*.

Puber'tät *f* (*0*) pubertad *f*.

pu'blik *adj.* público; ~ *machen* hacer público, publicar; dar a conocer.

Publikati'on *f* publicación *f*.

'Publikum *n* (-*s*; *0*) público *m*; (*öffentliche Vorlesung*) curso *m* público (*od.* gratuito).

publi|'zieren (-) *v/t.* publicar; **2'zieren** *n*, **2'zierung** *f* publicación *f*; **2'zist** *m* (-*en*) publicista *m*; (*Tagesschriftsteller*) periodista *m*; **2'zistik** *f* (*0*) periodismo *m*; **~'zistisch** *adj.* periodístico; literario.

'Puddel|eisen *Met.* *n* hierro *m* pudelado; **~n** *n* pudelaje *m*; **2n** (-*le*) *v/t.* pudelar; **~ofen** *m* (-*s*; ⸚), **~werk** *n* (-*es*; -*e*) horno *m* de pudelar; **~stahl** *m* (-*es*; *0*) acero *m* pudelado.

ˈ**Pudding** *m* (*-s*; *-e od. -s*) (*Plum*≈) budín *m*, *angl.* pudín *m*; (*Süßspeise*) flan *m*.

ˈ**Pudel** *m* perro *m* de aguas (*od.* de lanas); *fig. das ist des* ~*s Kern* ahí está el busilis (*od.* el quid); *wie ein begossener* ~ *abziehen* irse con las orejas gachas; ~**mütze** *f* gorra *f* (forrada) de pieles; ≈**nackt** *adj.* (*0*) en cueros vivos; ≈**naß** *adj.* (*0*) calado hasta los huesos; ≈**wohl** *adj.*: *sich* ~ *fühlen* estar alegre como unas pascuas; estar como el pez en el agua.

ˈ**Puder** *m* polvos *m/pl.*; ~**dose** *f* polvera *f*; ≈**n** (*-re*) *v/t.* empolvar; (*bestäuben*) polvorear; espolvorear; *sich* ~ darse (*od.* ponerse) polvos; ~**quaste** *f* borla *f*; ~**zucker** *m* (*-s*; *0*) azúcar *m* en polvo.

puff! *int.* ¡paf!; ¡pum!

ˈ**Puff** (*-es*; *¨e*) **1.** *m* (*Stoß*) empujón *m*, empellón *m*; golpe *m*; *beim Fallen*: batacazo *m*, porrazo *m*; (*Knall*) estallido *m*; detonación *f*; (*Bausch*) pliegue *m*; hueco *m*; (*Hocker*) taburete *m* acolchado; *gal.* puf *m*; P (*Bordell*) burdel *m*, V casa *f* de putas; *fig. er kann e-n* ~ *vertragen* tiene piel de elefante; **2.** *n* (*Spiel*) juego *m* del chaquete; ~**ärmel** *m* manga *f* de farol; (*spindelförmig*) manga *f* arrocada; ≈**en** **1.** *v/i. Geräusch*: hacer puf: (*knallen*) estallar; detonar; (*schießen*) disparar tiros; **2.** *v/t.* (*stoßen*) empujar; (*bauschig machen*) ahuecar; ~**er** *m* 🚃 tope *m*; parachoques *m*; ⊕ amortiguador *m*; ~**erstaat** *m* (*-es*; *-en*) Estado *m* tope; ~**erzone** *f* zona *f* tope; ≈**ig** *adj.* ahuecado.

puh! *int.* ¡puf!; ¡uf!

ˈ**Pulle** F *f* botella *f*.

Pulˈ**lover** *m* jersey *m*.

ˈ**Puls** *m* (*-es*; *-e*) pulso *m*; *j-m den* ~ *fühlen* tomar el pulso a alg.; ~**ader** *Anat. f* (*-*; *-n*) arteria *f*; *große* ~ aorta *f*; ~**beschleunigung** ⚕ *f* taquicardia *f*.

pulˈ**sieren I.** (*-*) *v/i.* (*schlagen*) pulsar, latir; palpitar; ~*der Schmerz* ⚕ dolor pulsátil; ~*der Strom* ⚡ corriente pulsatoria; *fig.* ~*des Leben* vida intensa; **II.** ≈ *n* (*Schlagen*) pulsación *f*, latido *m*.

ˈ**Pulsodüsentriebwerk** ✈ *n* (*-es*; *-e*) pulsorreactor *m*.

ˈ**Puls...**: ~**schlag** *f* (*-es*; *¨e*) pulsación *f*, latido *m*; ~**stockung** ⚕ *f* intermisión *f* del pulso; ~**wärmer** *m* mitón *m*; ~**welle** *f* onda *f* pulsátil; ~**zahl** *f* número *m* de pulsaciones.

Pult *n* (*-es*; *-e*) pupitre *m*; (*Noten*≈) atril *m*; (*Chor*≈) facistol *m*.

ˈ**Pulver** *n* polvo *m*; (*Schieß*≈) pólvora *f*; F (*Geld*) dinero *m*; F guita *f*. monís *m*; P parné *m*; *Am.* plata *f*; *in* ~ *verwandeln* pulverizar; *zu* ~ *verfallen* pulverizarse; *fig. er ist keinen Schuß* ~ *wert* no vale un pitoche; *er hat das* ~ *nicht erfunden* no ha inventado la pólvora; no es precisamente una lumbrera; *er hat sein* ~ *verschossen* ha gastado la pólvora en salvas; ≈**artig** *adj.* pulverulento; ~**fabrik** *f* fábrica *f* de pólvora; ~**faß** *n* (*-sses*; *¨sser*) barril *m* de pólvora; *fig. auf e-m* ~ *sitzen* estar sobre un volcán; ≈**förmig** *adj.* pulverulento; ≈**ig** *adj.* pulverulento; (*zu Pulver zerstäubt*) pulverizado; (*voller Pulver*) polvoriento, polvoroso; ~ *werden* pulverizarse, reducirse a polvo.

pulveriˈ**sier|bar** *adj.* pulverizable; ~**en** (*-*) *v/t.* pulverizar, reducir a polvo; ≈**ung** *f* pulverización *f*.

ˈ**Pulver...**: ~**kammer** *f* (*-*; *-n*) ⚔ polvorín *m*; ⚓ santabárbara *f*, pañol *m* de la pólvora; ~**magazin** *n* (*-s*; *-e*) almacén *m* de pólvora; ~**schnee** *m* (*-s*; *0*) nieve *f* polvorosa.

ˈ**Puma** *Zoo. m* (*-s*; *-s*) puma *m*.

ˈ**pummelig** F *adj.* (*dick*) rechoncho, rollizo; (*mollig*) regordete.

Pump F *m*: *auf* ~ *kaufen* comprar fiado; *auf* ~ *leben* vivir del sable; vivir de gorra.

ˈ**Pumpe** *f* bomba *f*; ≈**n** *v/t.* dar a la bomba; *Wasser*: sacar con la bomba; ⚓ achicar; *fig.* F *j-m et.* ~ prestar a/c. a alg.; *von j-m et.* ~ pedir a alg. prestada a/c.; *Geld*: F sablear (*od.* dar un sablazo) a alg.; ~**nhub** *m* (*-es*; *0*) carrera *f* del émbolo; ~**nkolben** *m* émbolo *m* de bomba; ~**nschwengel** *m* brazo *m* de la bomba.

ˈ**Pumpernickel** *m* pan *m* negro de Westfalia.

ˈ**Pump...**: ~**hose** *f* pantalones *m/pl.* bombachos; *ehm.* gregüescos *m/pl.*; ~**station** *f* instalación *f* de bombas; ~**werk** *n* (*-es*; *-e*) juego *m* de bombas; planta *f* hidráulica.

ˈ**Pu|nier** *Hist. m* cartaginés *m*; ≈**nisch** *adj.* púnico, cartaginés; *die* ≈*en Kriege* las Guerras Púnicas.

Punkt *m* (*-es*; *-e*) punto *m*; *e-s Vertrages*: cláusula *f*; artículo *m*; *e-r Frage*: extremo *m*, particular *m*; *der Tagesordnung*: asunto *m*; (*Gesprächsthema, Angelegenheit*) cuestión *f*, asunto *m*; (*Tüpfelchen*) mota *f*; (*Börsennotierung*) entero *m*; *um 3* ~*e fallen* (*steigen*) retroceder (ganar) tres enteros; (*Sport*) tanto *m*; (*Boxen*) punto *m*; *nach* ~*en schlagen* (*siegen*; *verlieren*) derrotar (ganar; perder) por puntos; ⚖ *der Anklage*: cargo *m*; ~ *für* ~ punto por punto; *bis zu e-m gewissen* ~ hasta cierto punto; *in vielen* ~*en* en muchos aspectos; *in diesem* ~ en este punto; en esta cuestión; sobre ese particular; *in e-m* ~ *einig* de acuerdo sobre un punto; ~ *fünf Uhr* a las cinco en punto; *toter* ~ ⊕ punto muerto (*a. fig.*); *strittiger* ~ punto litigioso; *der springende* ~ el punto decisivo; *der empfindliche* ~ el punto sensible; *der wunde* ~ el punto débil *od.* flaco; *der höchste* ~ el punto culminante; F *nun mach aber 'nen* ~*!* ¡basta ya!; ~, *Absatz* (*beim Diktieren*) punto y aparte; ~, *gleiche Zeile* punto y seguido; ~*e* (*Auslassungspunkte*) puntos suspensivos.

Punkˈ**talglas** *Opt. n* (*-es*; *¨er*) menisco *m*.

ˈ**Punkt|feuer** ⚔ *n* fuego *m* convergente; ~**gleichheit** *f Sport*: igualdad *f* de puntos.

punkˈ**tier|en** (*-*) *v/t.* puntear; (♪; *arabische u. hebräische Schrift*) puntar; ⚕ puncionar; *punktierte Linie* línea punteada (*od.* de puntos); ≈**en** *n*, ≈**ung** *f* punteado *m*; ⚕ punción *f*; ≈**nadel** *Chir. f* (*-*; *-n*) aguja *f* de punción.

ˈ**pünktlich I.** *adj.* puntual; (*genau*) exacto; preciso; **II.** *adv.* a la hora (precisa), con puntualidad; con exactitud; ≈**keit** *f* (*0*) puntualidad *f*; (*Genauigkeit*) exactitud *f*; precisión *f*.

ˈ**Punkt...**: ~**linie** *f* línea *f* de puntos; ~**niederlage** (*Sport*) *f* derrota *f* por puntos; ~**richter** *m* árbitro *m*; ~**schweißen** ⊕ *n* soldadura *f* por puntos; ~**sieg** (*Sport*) *m* (*-es*; *-e*) victoria *f* por puntos; ~**sieger** *m* vencedor *m* por puntos.

ˈ**Punktum** *n* punto *m*; *und damit* ~*!* ¡basta ya!; ¡ni una palabra más!; F ¡y sanseacabó!; ¡amén!

Punkˈ**tur** ⚕ *f* punción *f*.

ˈ**Punkt...**: ~**wertung** *Sport f* cálculo *m* de los puntos; ~**zahl** *f Sport*: número *m* de puntos, puntuación *f*; tanteo *m*.

ˈ**Punsch** *m* (*-es*; *-e*) ponche *m*; ~**bowle** *f* ponchera *f*; ~**löffel** *m* cuchara *f* para ponche.

ˈ**Punze** ⊕ *f* punzón *m*; ≈**n** (*-t*) *v/t.* repujar.

Puˈ**pille** *Anat. f* pupila *f*; F niña *f* del ojo; ~**n-abstand** *m* (*-es*; *¨e*) distancia *f* interpupilar; ~**n-erweiterung** *f* dilatación *f* de la pupila, midriasis *f*; ~**nver-engung** *f* contracción *f* de la pupila, miosis *f*.

ˈ**Püppchen** *n dim. v. Puppe* muñequita *f*; *fig.* F monada *f*, preciosidad *f*, bombón *m*.

ˈ**Puppe** *f* muñeca *f*; (*Marionette*) títere *m*, fantoche *m*; marioneta *f*; (*Schneider*≈) maniquí *m*; (*Stroh*≈) pelele *m*; (*Insekten*≈) crisálida *f*; *bis in die* ~*n schlafen* dormir toda la mañana, F pegársele a uno las sábanas; ~**ngesicht** *n* (*-es*; *-er*) cara *f* de muñeca; ~**nhaus** *n* (*-es*; *¨er*) casa *f* de muñecas; ~**nspiel** *n* (*-es*; *-e*) comedia *f* de marionetas; ~**spieler** *m* titiritero *m*; ~**nthe-ater** *n* teatro *m* de marionetas; ~**nwagen** *m* cochecito *m* de muñeca.

ˈ**Pups** P *m* (*-es*; *-e*) pedo *m*, cuesco *m*; ≈**en** (*-t*) P *v/i.* ventosear, P soltar pedos; peer.

pur *adj.* puro; *aus* ~*er Neugierde* por pura curiosidad.

Püˈ**ree** *n* (*-s*; *-s*) puré *m*.

purˈ**gier|en** (*-*) ⚕ *v/t.* purgar; *v/i.* purgarse; ≈**en** *n* purgación *f*; ~**end** *adj.* purgativo; ≈**mittel** *n* purgante *m*.

Puˈ**ris|mus** *m* (*-*; *0*) purismo *m*, casticismo *m*; ~**t** *m* (*-en*) purista *m*. casticista *m*; ≈**tisch** *adj.* purista, casticista.

Puriˈ**tan|er(in** *f*) *m* puritano (-a *f*) *m*; ≈**isch** *adj.* puritano.

Puritaˈ**nismus** *m* (*-*; *0*) puritanismo *m*.

ˈ**Purpur** [ˈpurpur] *m* (*-s*; *0*) púrpura *f*; ~**farbe** *f* color *m* púrpura; ≈**farben**, ≈**farbig** *adj.* purpúreo, (de) color púrpura; ~**firnis** *m* purpurina *f*; ~**mantel** *m* (*-s*; *¨*) manto *m* de púrpura; ≈**n**, ≈**rot** *adj.* purpúreo, purpurino; ~**schnecke** *Zoo. f* conchil *m*; múrice *m*.

ˈ**Purzel|baum** *m* (*-es*; *¨e*) voltereta *f*; *e-n* ~ *schlagen* dar una voltereta; ≈**n** (*-le*; *sn*) *v/i.* dar volteretas.

ˈ**Pußta** *f* (*-*; *Pußten*) puszta *f*.

ˈ**Puste** [uː] F *f* (*0*) aliento *m*; *aus der* ~ *kommen* quedar sin aliento; *keine* ~ *mehr haben* no poder más.
ˈ**Pustel** ⚕ *f* (-; -*n*) pústula *f*.
ˈ**pusten** [uː] (-*e*-) F *v/i*. jadear; (*blasen*) soplar; F *ich werde dir was* ~! puedes esperar sentado.
ˈ**Pust(e)rohr** *n* (-*es*; -*e*) cerbatana *f*.
ˈ**Put|e** [uː] *f* pava *f* (*a. fig.*); ~**enbraten** *m* pavo *m* asado; ~**er** *m*, ~**hahn** *m* (-*es*; ⸚*e*) pavo *m*; 2**errot** *adj*. rojo como la grana, F colorado como un tomate; *vor Ärger* ~ *werden* ponerse rojo de cólera.
ˈ**Putsch** *m* (-*es*; -*e*) intentona *f*; ⚔ pronunciamiento *m*; (*Staatsstreich*) golpe *m* de Estado; *Am*. planteo *m*; 2**en** *v/i*. hacer una intentona; intentar un golpe de Estado; ~ˈ**ist** *m* (-*en*) revoltoso *m*.
ˈ**Putte** *Mal*. *f* angelote *m*.
ˈ**Putz** *m* (-*es*; *0*) atavío *m*; compostura *f*; (*Schmuck*) adorno *m*; (*Verzierung*) ornamento *m*; (*Modewaren*) artículos *m/pl*. de moda; artículos *m/pl*. de tocador; ⚠ (*Ver*2) enlucido *m*; revoque *m*; *auf* (*unter*) ~ *verlegt* ⚡ cable exteriorizado (oculto); 2**en** (-*t*) *v/t. u. v/refl*. (*säubern*) limpiar; ⚠ (*ver*~) enlucir; revocar; *Lampe, Kerze*: despabilar; *Geschirr*: fregar; *Schuhe*: limpiar; (*wichsen*) encerar; (*wischen*) quitar el polvo; (*glänzend machen*) pulir; lustrar; sacar brillo; *Pferde*: almohazar, bruzar; *Bäume*: podar; *Gemüse*: limpiar; (*schmücken*) adornar; *Personen*: *sich* ~ ataviarse; componerse; acicalarse; *sich die Zähne* ~ limpiarse los dientes; *sich die Nase* ~ sonarse; ~**en** *n* limpieza *f*; ⚠ (*Ver*2) enlucido *m*; revoque *m*; (*Wichsen*) encerado *m*; (*Bürsten*) acepilladura *f*; (*Glänzendmachen*) pulimento *m*; *v. Bäumen*: poda *f*; *v. Personen*: atavío *m*; ~**er** ⚔ *m* asistente *m*; ~**frau** *f* asistenta *f*; ~**grund** ⚠ *m* (-*es*; *0*) enfoscado *m*; 2**ig** *adj*. (*drollig*) gracioso; chusco; (*seltsam*) raro, singular; extravagante; ~**lappen** *m* trapo *m* de limpieza; ~**leder** *n* gamuza *f*; ~**macherin** *f* modista *f*; ~**mittel** *n* (*Poliermittel*) producto *m* para pulir; (*Reinigungsmittel*) detergente *m*; ~**mörtel** ⚠ *m* mortero *m* de enlucir; ~**paste** *f* pasta *f* para pulir; ~**pulver** *n* polvos *m/pl*. para bruñir *od*. pulir metales; ~**sucht** *f* (*0*) atildamiento *m*; 2**süchtig** *adj*. atildado; ~**waren** *f/pl*. artículos *m/pl*. de moda; artículos *m/pl*. de tocador; ~**wolle** *f* algodón *m* para pulir; borra *f* de lana para limpiar; ~**zeug** *n* (-*es*; *0*) utensilios *m/pl*. de limpieza.
ˈ**Puzzle** [ˈpuzəl] *n* (-*s*; -*s*), ~**spiel** *n* (-*es*; -*e*) rompecabezas *m*; juego *m* de paciencia.
Pygˈmä|e *m* (-*n*) pigmeo *m*; 2**enhaft** *adj*. (de) pigmeo.
Pyˈjama [pyˈˈdʒaːma] *m* (-*s*; -*s*) pijama *m*.
Pyˈlon ⚠ *m* (-*en*) pilón *m*.
pyra|miˈdal *adj*. piramidal; 2ˈ**mide** *f* pirámide *f*; (*Gewehr*2) pabellón *m*; *die Gewehre in* ~*n setzen* formar pabellones; ~ˈ**midenförmig** *adj*. piramidal; 2ˈ**midenstumpf** *m* (-*es*; ⸚*e*) tronco *m* de pirámide.
Pyreˈnä|en: *die* ~ los Pirineos; 2**isch** *adj*. pirenaico; de los Pirineos; ~*e Halbinsel* Península *f* Ibérica.
Pyˈrit *Min*. *m* (-*s*; -*e*) pirita *f*.
Pyro|maˈnie *f* (*0*) piromanía *f*; ~ˈ**meter** *n* pirómetro *m*.
Pyrophosˈphat ⚗ *n* (-*es*; -*e*) pirofosfato *m*.
Pyroˈtech|nik *f* (*0*) pirotecnia *f*; ~**niker** *m* pirotécnico *m*; 2**nisch** *adj*. pirotécnico.
ˈ**Pyrrhus** *Hist*. *m* Pirro *m*; ~**sieg** *m* (-*es*; -*e*) victoria *f* pírrica.
pytagoˈre-isch *adj*. pitagórico; ~*er Lehrsatz* ⚹ teorema *m* de Pitágoras.
ˈ**Pythia** *Myt*. *f* pitonisa *f*.
ˈ**Pythonschlange** *Zoo*. *f* pitón *m*.

Q

Q, q *n* Q, q *f*.
'quabb(e)lig *adj.* fofo; (*glitschig*) gelatinoso; viscoso.
Quack|e'lei *f* F nimiedad *f*, futilidad *f*, pequeñez *f*; (*Quengelei*) gimoteo *m*; (*Faselei*) chochez *f*; desatino *m*; (*Unentschlossenheit*) vacilación *f*, irresolución *f*; **'ᴤeln** (*-le*) F *v/i.* (*quengeln*) gimotear; (*faseln*) chochear; decir vaciedades *f/pl.*, hablar sin ton ni son; (*zögern*) vacilar, titubear; (*watscheln*) anadear.
'Quack|salber *m* (*Wunderdoktor*) charlatán *m*, medicastro *m*; (*Kurpfuscher*) curandero *m*; ensalmador *m*; **~salbe'rei** *f* curanderismo *m*; charlatanería *f*; **ᴤsalbern** (*-re*) *v/i.* hacer de curandero.
'Quader *m*, **~stein** *m* (*-es*; *-e*) △ sillar *m*; **~bau** *m* (*-es*; *-ten*) obra *f* de sillería.
Qua'drant *m* (*-en*) cuadrante *m*.
Qua'drat *n* (*-es*; *-e*) cuadrado *m*; ♪ becuadro *m*; *Typ.* cuadratín *m*; *ins ~ erheben* Ѧ elevar al cuadrado; **~dezimeter** *n* (*a. m*) decímetro *m* cuadrado; **ᴤisch** *adj.* cuadrado; Ѧ, *Min. a.* cuadrático; *~e Gleichung* ecuación de segundo grado; **~kilometer** *m* kilómetro *m* cuadrado; **~meile** *f* milla *f* cuadrada; **~meter** *n* (*a. m*) metro *m* cuadrado.
Quadra'tur *f* cuadratura *f*.
Qua'drat...: **~wurzel** Ѧ *f* (*-*; *-n*) raíz *f* cuadrada; *die ~ ziehen* extraer la raíz cuadrada; **~zahl** Ѧ *f* número *m* cuadrado; **~zentimeter** *n* (*a. m*) centímetro *m* cuadrado.
qua'drieren (-) Ѧ *v/t.* elevar al cuadrado.
Qua'driga *f* (*-*; *-gen*) cuadriga *f*.
Qua'drille [-iljə] *f* cuadrilla *f*; (*Tanz*) rigodón *m*.
'quaken I. *v/i.* (*Frosch*) croar, cantar; (*Rabe, Gans*) graznar; **II. ᴤ** *n* canto *m* de las ranas; graznido *m*.
'quäken *v/i.* lloriquear; (*Kind*) berrear.
'Quäker *m* cuáquero *m*; **~in** *f* cuáquera *f*; **~tum** *n* (*-s*; *0*) cuaquerismo *m*.
Qual [ɑː] *f* pena *f*; tormento *m*; suplicio *m*; martirio *m*; (*Folterung*) tortura *f*; (*Sorge*) tribulación *f*.
'quälen *v/t.* atormentar; martirizar; *Tier*: maltratar; (*foltern*) torturar; (*betrüben*) atribular; (*beunruhigen*) inquietar; (*belästigen*) importunar, molestar; (*schikanieren*) vejar; *zu Tode ~* hacer morir a fuego lento; *sich ~* afligirse; afanarse mucho para conseguir a/c.; *sich sehr ~* (*abarbeiten*) matarse a trabajar; *sich umsonst ~* afanarse en vano; **~d** *adj.* atormentador; torturador; (*lästig*) molesto, importuno.
Quäle'rei *f* tormento *m*; tortura *f*; martirio *m*; (*Belästigung*) molestia *f*, importunidad *f*; *fig.* vejación *f*.
'Quälgeist *m* (*-es*; *-er*) hombre *m* importuno; F pegote *m*, chinche *m*.
Qualifikati'on *f* calificación *f*; (*Eignung*) capacidad *f*, aptitud *f*.
qualifi'zier|bar *adj.* calificable; **~en** (-) *v/t.* calificar; (*befähigen*) habilitar (*für* para); (*einordnen*) clasificar; *sich ~ als* acreditarse de; mostrar su aptitud de; **~t** *adj.* (*geeignet*) apto (*als, zum* para).
Quali'tät *f* (*Eigenschaft*) cualidad *f*; (*Beschaffenheit*) calidad *f*; *gute ~* buena calidad; *bessere ~* calidad superior; *mittlere* (*geringere*) *~* calidad media (inferior).
qualita'tiv I. *adj.* cualitativo; **II.** *adv.* en cuanto a la calidad; *~ überlegen* superior en calidad.
Quali'täts...: **~arbeit** *f* trabajo *m* de alta calidad; **~erzeugnis** *n* (*-ses*; *-se*) producto *m* de (alta) calidad; **~marke** *f* marca *f* de calidad; **~muster** *n*, **~probe** *f* muestra *f*; **~unterschied** *m* (*-es*; *-e*) diferencia *f* de calidad; **~ware** *f* género *m* de primera calidad; artículo *m* de alta calidad; **~zeichen** *n* signo *m* de calidad.
'Qualle *Zoo. f* medusa *f*, ortiga *f* de mar; *pl.* acalefos *m/pl.*
'Qualm *m* (*-es*; *0*) humo *m* espeso; humareda *f*; **ᴤen** *v/i.* humear, echar humo; exhalar vapores *m/pl.* densos; *Fackel, Licht*: humear; *Raucher*: fumar a bocanadas *f/pl.*; F fumar como una chimenea; **ᴤig** *adj.* lleno de humo; (*rauchend*) humeante; (*dunstig*) vaporoso.
'qualvoll *adj.* angustioso; penoso; (*schmerzlich*) doloroso; (*quälend*) atormentador, torturador; atroz; cruel.
Quant *Phys. n* (*-s*; *-en*) cuanto *m*.
'Quanten *Phys. pl.* cuantos *m/pl.*, quanta *m/pl.*; **~mechanik** *f* (*0*) mecánica *f* cuántica *od.* de los quanta; **~theorie** *f* (*0*) teoría *f* de los cuantos.
Quanti'tät *f* cantidad *f*.
quantita'tiv I. *adj.* cuantitativo; **II.** *adv.* en cuanto a la cantidad; desde el punto de vista cuantitativo; cuantitativamente.
Quanti'tätsbestimmung *f* determinación *f* cuantitativa.
'Quantum *n* (*-s*; *Quanten*) cantidad *f*; porción *f*; tanto *m*.
'Quappe *f Ict.* lota *f*; (*Kaulᴤ*) renacuajo *m*.
Quaran'täne [k] *f* cuarentena *f*; *in ~ legen* poner en cuarentena; **~flagge** *f* bandera *f* de cuarentena; **~maßregel** *f* (*-*; *-n*) medida *f* sanitaria de cuarentena; **~station** ⚕ *f* lazareto *m*.
Quark *m* (*-es*; *0*) requesón *m*; cuajada *f*.
Quart¹ *n* (*-s*; *-e bzw. -*) *Flüssigkeitsmaß*: pinta *f*; *Typ. in ~* en cuarto *m*.
Quart² *Fechtk.*, ♪ *f* cuarta *f*.
'Quarta *f* (*-*; *Quarten*) *Sch.* tercer curso *m* (en un establecimiento de enseñanza media).
Quar'tal *n* (*-s*; *-e*) trimestre *m*; **~sdividende** *f* dividendo *m* trimestral; **~srechnung** *f* cuenta *f* trimestral; **~s-säufer** *m* bebedor *m* periódico; **~s-tag** *m* (*-es*; *-e*) día *m* inicial del trimestre; **ᴤ(s)weise** *adv.* por trimestres, trimestralmente; **~szahlung** *f* pago *m* trimestral.
Quar'taner(in *f*) *m* alumno (-a *f*) *m* de tercer curso (en un establecimiento de enseñanza media).
Quar'tanfieber ⚕ *n* (*-s*; *0*) (fiebre *f*) cuartana *f*.
'Quart...: **~band** *m* (*-es*; *¨e*) tomo *m* en cuarto; **~blatt** *n* (*-es*; *¨er*) cuartilla *f*.
'Quarte ♪ *f* cuarta *f* (*a. Fechtk.*); (*vierter Ton vom Grundton aus*) subdominante *f*.
Quar'tett ♪ *n* (*-es*; *-e*) cuarteto *m*.
'Quartformat *Typ. n* (*-es*; *0*) formato *m* en cuarto.
Quar'tier *n* (*-s*; *-e*) ⚔ cuartel *m*; (*Marschᴤ*) acantonamiento *m*; (*Unterkunft*) alojamiento *m*; (*Wohnung*) habitación *f*; *bei j-m ~ nehmen* alojarse (*od.* hospedarse) en casa de alg.; ⚔ *im ~ liegen* estar acuartelado *bzw.* acantonado (*in dat.* en); *in ~ legen* acantonar; *~ beziehen* acantonar las tropas; acantonarse; **~macher** ⚔ *m* aposentador *m*.
'Quarz *m* (*-es*; *-e*) *Min.* cuarzo *m*; **~glas** *n* (*-es*; *¨er*) vidrio *m* de cuarzo; **ᴤhaltig** *adj.* cuarcífero; **ᴤig** *adj.* cuarzoso; **~lampe** *f* lámpara *f* de cuarzo.
'quasi *adv.* casi; cuasi; por decirlo así.
Quasse'lei F *f* tontería *f*, bobada *f*, simpleza *f*; vaciedad *f*.
'quasseln (*-ßle*) F *v/i.* decir bobadas *f/pl.*; hablar sin ton ni son; hablar por hablar; desbarrar; chochear.
'Quasselstrippe F *f hum.* (hilo *m* del) teléfono *m*.
'Quassie ⚘ *f* cuasia *f*.
'Quast *m* (*-es*; *-e*) (*Malerᴤ*) brocha *f*; **~e** *f* borla *f*.
'Quästor *m* (*-s*; *-en*) (*römischer*)

cuestor *m*; (*in der Universitätsverwaltung*) tesorero *m*.

Quäs'tur *f* (*im alten Rom*) cuestura *f*; (*in der Universitätsverwaltung*) tesorería *f*; (*Kasse*) caja *f*.

'Quatsch F *m* (-*es*; *0*) (*Unsinn*) tontería *f*, bobada *f*; necedad *f*; *so ein ~!* ¡qué tontería!; *~!* ¡quita allá!; ¡tonterías!; ¡pamplinas!; *Am.* ¡macanas!; **2en** F *v/i. u. v/t.* hablar sin ton ni son; hablar a tontas y a locas; desbarrar; decir bobadas *od.* necedades; (*plaudern*) parlotear; paliquear; **~kopf** F *m* (-*es*; *⸚e*) mentecato *m*; charlatán *m* tontiloco.

'Quecke ⚘ *f* grama *f*.

'Quecksilber *n* (-*s*; *0*) mercurio *m*, azogue *m*; *fig.* F bullebulle *m*, zarandillo *m*; **~barometer** *n* barómetro *m* de mercurio; **~dampf** *m* (-*es*; *⸚e*) vapor *m* de mercurio; **2haltig** *adj.* mercurial; **~kur** *f* tratamiento *m* mercurial; **~legierung** *f* amalgama *f*; **~oxyd** ⚗ *n* óxido *m* mercúrico; **~oxydul** ⚗ *n* óxido *m* mercurioso; **~präparate** *Phar. n/pl.* mercuriales *m/pl.*; **~salbe** *Phar. f* ungüento *m* (*od.* pomada *f*) mercurial; **~säule** *Phys. f* columna *f* de mercurio; **~vergiftung** ⚕ *f* hidrargirismo *m*.

'quecksilbrig *adj.* mercurial; *fig.* vivaracho; inquieto; *~ sein* F ser un azogue.

'Quell *m* (-*es*; -*e*), **~e** *f* fuente *f* (*a. fig.*); (*Brunnen*) manantial *m*; *heiße ~* terma *f*, fuente *f* termal; *fig. aus guter ~ haben od. wissen* saber de fuente segura *od.* autorizada; saber de buena tinta; *an der ~ sitzen fig.* beber en la fuente; **~bach** *m* (-*es*; *⸚e*) fuente *f* (de un río).

'quellen[1] (*L*; *sn*) *v/i.* (*hervor~*) brotar, manar; (*fließen*) fluir; *fig.* (*hervorgehen*) emanar, proceder (*aus* de); surgir (*aus* de); rezumar.

'quellen[2] **1.** (*sn*) *v/i.* (*Reis, Linsen usw.*) hincharse; *~ lassen* = **2.** *v/t.* hinchar; (*Reis, Linsen usw.*) remojar, poner en remojo.

'Quellen...: **~angabe** *f* indicación *f* de las fuentes; **~forschung** *f* (*0*) investigación *f* de las fuentes; **2mäßig** *adj.* según (*od.* de acuerdo con) las fuentes; *weitS.* auténtico; **~material** *n* (-*s*; *0*) documentos *m/pl.*, documentación *f*; fuentes *f/pl.*; **~nachweis** *m* (-*es*; -*e*) indicación *f* de las fuentes; índice *m* de las fuentes; **~studium** *n* (-*s*; -*studien*) estudio *m* de las fuentes.

'Quell...: **~fluß** *m* (-*sses*; *⸚sse*) fuente *f* (de un río); **~gebiet** *n* (-*es*; -*e*) fuentes *f/pl.*; **~nymphe** *f* náyade *f*; **~ung** *f* hinchazón *f*; **~wasser** *n* agua *f* de manantial (*od.* de fuente); *Geol.* agua *f* viva.

'Quendel ⚘ *m* serpol *m*; samarilla *f*.

Quenge'lei F *f* (*lästiges Bitten*) importunación *f* quejumbrosa; (*Unzufriedenheit*) descontento *m*; quejas *f/pl.* infundadas; (*Nörgelei*) afán *m* criticón.

'quengeln (-*le*) F *v/i.* importunar en tono quejumbroso; quejarse por vicio; (*in weinerlichem Ton*) lloriquear; (*nörgeln*) critiquizar.

'Quengler *m* (*Nörgler*) criticón *m*; eterno descontento *m*; (*wehklagender Mensch*) *fig* Jeremías *m*; (*Besserwisser*) pedante *m*.

quer I. *adj.* transversal; ⚒ diagonal; (*gekreuzt*) cruzado; (*schräg*) oblicuo; **II.** *adv.* a través (über *ac.* de); de través; *~ durch*, *~ über* a través de; *kreuz und ~* en todas las direcciones; *fig.* F a trochemoche; *~ übers Feld* a campo traviesa, a través del campo; *~ über die Straße gehen* atravesar (*od.* cruzar) la calle; *~ übereinanderlegen* cruzar; *fig. sich ~ stellen* atravesarse; *es geht im alles ~ fig.* todo le sale al revés.

'Quer...: **~achse** *f* eje *m* transversal; **~balken** *m* △ travesaño *m*; ▨ barra *f*; **~baum** *m* (-*es*; *⸚e*) (*Turnen*) barra *f* fija; **~binder** *m* (*Schlips*) corbata *f* de lazo; **2'durch** *adv.* transversalmente, de un extremo a otro.

'Quere *f* (*0*) dirección *f* transversal; *in die ~*, *der ~ nach* de través; *fig. j-m in die ~ kommen* contrariar los proyectos de alg.; atravesarse en el camino de alg.; *mir ist et. in die ~ gekommen* he tenido un contratiempo; **2n** *v/t. u. v/i.* atravesar.

'Quer...: **~faser** *f* (-; -*n*) fibra *f* cruzada; **2feld'ein** *adv.* a través del campo, a campo traviesa; **~feld'einlauf** *m* (-*es*; *⸚e*) *Sport*: carreras *f/pl.* (de obstáculos) a campo través; *angl.* cross-country *m*; **~flöte** *f* flauta *f* travesera; **~format** *Typ. n* (-*es*; *0*) formato *m* oblongo; forma *f* apaisada; **~holz** *n* (-*es*; *⸚er*) traviesa *f*; **~kopf** *m* (-*es*; *⸚e*) espíritu *m* de contradicción; (*Dickschädel*) F cabezudo *m*, testarudo *m*; **2köpfig** *adj.* terco, testarudo, obstinado; **~lage** *f* ⚕ presentación *f* transversal (del feto); **~lager** ⊕ *n* cojinete *m* transversal; **~latte** *f* *Fußball*: larguero *m*; **2laufend** *adj.* transversal; **~leiste** *f* traviesa *f*; **~linie** *f* línea *f* transversal; **~pfeife** *f*, **~pfeifer** *m* pífano *m*; **~riegel** *m* pasador *m*; **~rinne** *f* *auf Straßen*: conducto *m* (*od.* canaleta *f*) transversal; ✎ contrarreguera *f*; **~ruder** ✈ *n* alerón *m* (de alabeo); **~sattel** *m* (*Damensattel*) silla *f* de señora; **~schiff** △ *n* (-*es*; -*e*) nave *f* transversal; **2schiffs** ⚓ *adv.* de babor a estribor; **~schläger** ⚔ *m* impacto *m* de través; tiro *m* de rebote; **~schnitt** *m* (-*es*; -*e*) sección *f* transversal; resumen *m*, esquena *f*; **~schnitt·ansicht** *f* vista *f* de perfil; **~schnittzeichnung** *f* dibujo *m* en sección transversal; **~schott** ⚓ *n* (-*es*; -*e*) mamparo *m* transversal; **~schwelle** 🚂 *f* traviesa *f*; **~stange** *f* traviesa *f*; barra *f*; **~straße** *f* travesía *f*; calle *f* transversal; **~streifen** *m* banda *f* (*im Stoff*: raya *f*) transversal; **~strich** *m* (-*es*; -*e*) línea *f* (*od.* raya *f* *od.* trazo *m*) transversal; *Typ.* barra *f* (transversal); *fig.* contratiempo *m*; **~summe** *f* suma *f* de las cifras de un número; **~träger** △ *m* traviesa *f*; viga *f*; **~treiber(in** *f*) *m* intrigante *m/f*; **~treibe'rei** *f* intrigas *f/pl.*; manejos *m/pl.*; **2'über** *adv.* al otro lado.

Queru|'lant(in *f*) *m* (-*en*) pleitista *m/f*, querulante *m/f*, litigante *m*.

'Quer...: **~verbindung** *f* conexión *f* *bzw.* comunicación *f* transversal; *Tele.* enlace *m* directo; **~wand** *f* (-; *⸚e*) pared *f* transversal.

'Quetsche *f* (*Presse*) prensa *f*; ⚒ (*Erz2*) quebrantadora *f*, machacadora *f*; ⚘ ciruela *f* (silvestre); F *fig.* (*Wirtshaus*) tasca *f*, tabernucho *m*, *Arg.* boliche *m*; (*kleiner Betrieb*) pequeño taller *m*.

'quetschen *v/t. u. v/refl.* (*zerdrücken*) aplastar; (*aus~*) exprimir; ⚕ contundir, magullar; ⚒ (*brechen*) triturar, machacar; ⚕ *sich ~* magullarse, producirse una contusión.

'Quetsch...: **~falte** *f* arruga *f*; **~kartoffeln** *f/pl.* puré *m* de patatas; **~kommode** F *f* acordeón *m*; **~ung** ⚕ *f* magulladura *f*, contusión *f*; **~wunde** *f* herida *f* contusa.

'quick *adj.* vivo, rápido; alerta; ágil; **~lebendig** *adj.* vivo como una ardilla.

'quieken I. *v/i.* chillar, dar gritos *m/pl.* estridentes; (*Schwein*) gruñir; (*Tür*) rechinar; **II.** **2** *n der Tür*: rechinamiento *m*.

Quie'tis|mus [-i'e'-] *m* (-; *0*) quietismo *m*; **~t(in** *f*) *m* (-*en*) quietista *m/f*.

'quietsch|en *v/i.* → *quieken*; **~vergnügt** *adj.* F alegre como unas pascuas (*od.* como unas castañuelas).

'Quint *f*, **~e** ♪ *f* quinta *f*.

'Quinta *f* (-; -*ten*) segundo curso *m* (en un establecimiento de enseñanza media).

Quin'taner(in *f*) *m* alumno (-a *f*) *m* de segundo curso (en un establecimiento de enseñanza media).

'Quint·essenz *f* quintaesencia *f*.

Quin'tett ♪ *n* (-*es*; -*e*) quinteto *m*.

'Quirl *m* (-*s*; -*e*) (*Küchengerät*) molinillo *m*; (*Schaum2*) batidor *m*; ⚘ verticilo *m*; *fig.* torbellino *m*; **2en** *v/t.* batir; *fig.* remolinar.

quitt *adj.* libre; igual; desquitado; *nun sind wir ~* estamos en paz; estamos pagados; quedamos iguales; estamos empatados *od.* en tablas.

'Quitte ⚘ *f* (*Frucht*) membrillo *m*; (*Baum*) membrillero *m*; **2ngelb** *adj.* amarillo como un membrillo; **~ngelee** *n* carne *f* de membrillo; **~nmarmelade** *f* dulce *m* de membrillo.

quit'tieren (-) *v/t.* dar recibo de a/c.; *den Dienst ~* renunciar el cargo; dejar el empleo; ⚔ retirarse; *quittierte Rechnung* cuenta (*od.* factura) saldada *od.* pagada.

'Quittung *f* recibo *m*; *gegen ~* contra recibo; *e-e ~ ausstellen* (*od. schreiben*) extender (un) recibo; **~sblock** *m* (-*es*; -*s*), **~sbuch** *n* (-*es*; *⸚er*) talonario *m* de recibos; **~sformular** *n* (-*s*; -*e*) formulario *m* de recibo; **~s-stempel** *m* sello *m* de recibo.

Quiz *n* concurso *m* radiofónico *od.* televisivo; **~master** *m* presentador *m* de concursos.

'Quote [o:] *f* (*Beitrag*) cuota *f*; (*Anteil*) contingente *m*; cupo *m*; **~n-aktie** *f* acción *f* sin valor nominal.

Quoti'ent [kvo'tsi-] *m* (-*en*) cociente *m*.

quoti'sier|en (-) *v/t.* prorratear, repartir (a prorrata); **2ung** *f* prorrateo *m*.

R

R, r *n* R, r *f*.
Ra'batt *m* (-*es*; -*e*) ✝ rebaja *f*; descuento *m*; *e-n* ~ *geben* (*gewähren*) hacer (conceder) una rebaja; *e-n* ~ *bekommen* obtener una rebaja; **~berechnung** *f* cálculo *m* de la rebaja.
Ra'batte ✓ *f* arriate *m*, tabla *f*.
Ra'battmarke *f* sello *m* de descuento.
Rab|'biner *m* rabino *m*; **2'binisch** *adj*. rabínico.
'Rabe *Orn. m* (-*n*) cuervo *m*; *fig. weißer* ~ mirlo *m* blanco; *wie ein* ~ *stehlen fig.* ser largo de uñas; **~n-aas** *fig. n* (-*es*; *0*) bellaco *m*; **~n-eltern** *pl*. padres *m/pl*. desnaturalizados; **2nschwarz** *adj*. (*0*) negro como el azabache.
rabi'at *adj*. (-*est*) rabioso, furioso.
'Rache *f* (*0*) venganza *f*; *aus* ~ por (espíritu de) venganza; *aus* ~ *für* para vengarse de; *nach* ~ *schreien* clamar venganza; ~ *brüten* urdir una venganza; *nach* ~ *dürsten* estar sediento de venganza; ~ *üben* vengarse, tomar venganza de a/c.; *an j-m* ~ *nehmen* vengarse de alg.; **~akt** *m* (-*es*; -*e*) acto *m* de venganza; **~durst** *m* (-*es*; *0*) sed *f* de venganza; **~gedanke** *m* (-*ns*; -*n*) idea *f* de venganza; **~gefühl** *n* (-*es*; -*e*) sentimiento *m* de venganza; **~göttin** *f Myt.* divinidad *f* vengadora; Furia *f*; Erinnia *f*.
'Rachen *m Anat.* faringe *f*; (*Kehle*) garganta *f*; (*Maul*) boca *f*; *Poes. u. fig.* fauces *f/pl.*; ~ *der Hölle* las fauces del infierno; *fig.* F *j-m den* ~ *stopfen* tapar la boca a alg.
'rächen *v/t. u. v/refl.* vengar; *sich* ~ vengarse; *sich an j-m* ~ vengarse de alg.; *sich an j-m für et.* ~ vengarse de a/c. en alg.; *sich* ~ (*gestraft werden*) tener malas consecuencias; *es wird sich* ~ habrá de pagarse caro.
'Rachen...: **~abstrich** ⚕ *m* (-*es*; -*e*) frotis *m* faríngeo; **~bräune** ⚕ *f* difteria *f* faríngea.
'rächend *adj.* (*rachsüchtig*) vengativo; (*gerecht*) justiciero.
'Rachen...: **~entzündung** ⚕ *f* inflamación *f* de la faringe, faringitis *f*; **~höhle** *Anat. f* cavidad *f* faríngea; **~putzer** F *m* (*Schnaps*) aguardiente *m* matarratas; (*saurer Wein*) vino *m* agrio; (*schlechter Wein*) vino *m* peleón; vinazo *m*; mostagán *m*; **~spiegel** ⚕ *m* faringoscopio *m*.
'Rächer(in *f*) *m* vengador(a *f*) *m*.
'Rach...: **~gier** *f* (*0*), **~sucht** *f* (*0*) sed *f* de venganza; **2gierig**, **2süchtig** *adj.* sediento de venganza; vengativo.

Ra'chi|tis [x] *f* (*0*) raquitis *f*, raquitismo *m*; **2tisch** *adj.* raquítico.
'Racker F *m* pícaro *m*; *kleiner* ~ granuja *m*, pilluelo *m*; **2n** F *v/refl.*: *sich* ~ matarse a trabajar, tronzarse.
'Rad *n* (-*es*; ¨*er*) rueda *f*; (*Fahr2*) bicicleta *f*; *ein* ~ *schlagen* (*Pfau*) abrir el abanico; (*Turnen*) hacer la rueda; *auf das* ~ (*Fahr2*) *steigen* montar en bicicleta; *fig. das fünfte* ~ *am Wagen sein* estar de más (*od.* de sobra); *unter die Räder kommen* (*sittlich*) caminar hacia su perdición; **~abstand** *m* (-*es*; ¨*e*) distancia *f* interior de las ruedas; **~achse** *f am Wagen*: eje *m* de rueda; *an Maschinen*: árbol *m* de la rueda.
Ra'dar *n* (-*s*; *0*) radar *m*; **~anlage** *f* instalación *f* de radar; **~ausstattung** *f* dotación *f* con radar; **2gesteuert** *adj.* (tele)dirigido por radar; **~schirm** *m* (-*es*; -*e*) pantalla *f* de radar; **~station** *f* estación *f* de radar; **~strahl** *m* rayo *m* de radar.
Ra'dau F *m* (-*s*; *0*) (*Lärm*) alboroto *m*, escándalo *m*; bulla *f*, jollín *m*; batahola *f*, F follón *m*; (*Streit*) bronca *f*, gresca *f*; (*lustiger*) jaleo *m*, jolgorio *m*, jarana *f*, algazara *f*; ~ *machen* (*od. schlagen*) armar escándalo *bzw.* bronca *bzw.* jaleo; **~bruder** *m* (-*s*; ¨), **~macher** *m* alborotador *m*; (*Raufbold*) camorrista *m*; **2lustig** *adj.* bullanguero, jaranero.
'Rad...: **~aufhängung** *f* suspensión *f* de la rueda; **~ausflug** *m* (-*es*; ¨*e*) excursión *f* en bicicleta; **~bremse** *f* freno *m* sobre la rueda.
'Rädchen *n* ruedecita *f*; (*Sporn2*) estrella *f*.
'Raddampfer *m* vapor *m* de ruedas.
'Rade ⚘ *f* (*Korn2*) neguilla *f*.
'radebrechen *v/t. Sprache*: chapurrear; *deutsch* ~ chapurrear el alemán; 2 *n* chapurreo *m*.
'radeln (-*le*; *sn*) *v/i.* ir en bicicleta; F pedalear.
'Rädelsführer *m* cabecilla *m*.
'Räder...: **~getriebe** *n* engranaje *m*; **~(getriebe)kasten** *m* (-*s*; ¨) caja *f* de engranajes.
'rädern I. (-*re*) *v/t. Verbrecher*: enrodar; *fig. wie gerädert sein* estar molido de cansancio, estar rendido de fatiga; **II.** 2 *n* suplicio *m* de la rueda.
'Räderwerk ⊕ *n* (-*es*; -*e*) rodaje *m*; engranaje *m* (*a. fig.*).
'Radfahr|bahn *f* velódromo *m*; **2en** (*L*; *sn*) *v/i.* ir en bicicleta; F pedalear; **~en** *n* ciclismo *m*; **~er(in** *f*) *m* ciclista *m/f*; **~sport** *m* (-*es*; *0*) ciclismo *m*; **~weg** *m* (-*es*; -*e*) pista *f* para ciclistas; camino *m* (acotado) para ciclistas.

'Rad...: **~felge** *f* llanta *f* de rueda; **2förmig** *adj.* en forma de rueda.
radi'al *adj.* radial; **2bohrmaschine** *f* taladradora *f* radial; **2schnitt** ⊕ *m* (-*es*; -*e*) corte *m* radial.
Radi'ator *m* (-*s*; -*en*) radiador *m*.
ra'dier|en (-) *v/t. mit Messer*: raspar; *mit Gummi*: borrar; ⊕ grabar al agua fuerte; **2er** *m* grabador *m* al agua fuerte, aguafuertista *m*; **2gummi** *m* (-*s*; -*s*) goma *f* de borrar; **2kunst** *f* (*0*) grabado *m* al agua fuerte; **2messer** *n* raspador *m*; **2nadel** *f* (-; -*n*) buril *m*, punta *f* para grabar al agua fuerte; **2ung** *f* (*Bild*) grabado *m* al agua fuerte; aguafuerte *m*.
Ra'dies·chen ⚘ *n* rábano *m* (colorado), rabanito *m*, rabanillo *m*.
radi'kal 1. *adj.* radical; **2.** *adv.* de un modo radical; por completo; radicalmente; **3.** 2 *n* ⚗ radical *m*; **2e(r)** *m Pol.* radical *m*; extremista *m*.
radikali'sieren (-) *v/t.* radicalizar.
Radika'lismus *m* (-; *0*) radicalismo *m*.
Radi'kalkur ⚕ *f* cura *f* radical.
Radi'kand ⚹ *m* (-*en*) radicando *m*.
'Radio *n* (-*s*; -*s*) (*Rundfunk*) radio *f*; radiodifusión *f*; radiotelefonía *f*; (*drahtlose Telegraphie*) radiotelegrafía *f*; ~ *hören* escuchar la radio; *durch* ~ *übertragen* (*od. verbreiten*) radiar, transmitir (*od.* difundir) por la radio; **2aktiv** *adj.* radiactivo; **~es** *Element* elemento radiactivo, radioelemento; **~e** *Niederschläge* precipitaciones radiactivas; **~aktivität** *f* (*0*) radiactividad *f*; **~apparat** *m* (-*es*; -*e*) aparato *m* de radio, radiorreceptor *m*; ~ *mit Plattenspieler* radiorreceptor con tocadiscos, radiófono *m*; **~astronomie** *f* (*0*) radio-astronomía *f*; **~bastler** *m* radio-aficionado *m*; **~durchsage** *f* mensaje *m* radiodifundido; **~elektriker** *m* radioelectricista *m*; **2elektrisch** *adj.* radioeléctrico; **~elektrizität** *f* (*0*) radioelectricidad *f*; **~empfang** *m* (-*es*; *0*) recepción *f* radiofónica; **~empfänger** *m*, **~empfangsgerät** *n* (-*es*; -*e*) radiorreceptor *m*; **~gerät** *n* (-*es*; -*e*) → *Radioapparat*; **~geschäft** *n* (-*es*; -*e*) tienda *f* de aparatos de radio; **~gramm** *n* (-*s*; -*e*) radiograma *m*; **~grammophon** *n* (-*s*; -*e*) radiófono *m*, aparato *m* de radio con tocadiscos; **~händler** *m* comerciante *m* en artículos de radiotelefonía; vendedor *m* de radios; **~hörer(in** *f*) *m* radioescucha *m/f*; radioyente *m/f*; **~industrie** *f* industria *f* radiofónica; **~koffer-apparat** *m* (-*es*; -*e*)

radiorreceptor *m* portátil; **~konzert** *n* (-es; -e) concierto *m* radiado; **~'loge** *m* (-n) radiólogo *m*; **~lo'gie** *f* (0) radiología *f*; **~mechaniker** *m* radiotécnico *m*; **~meldung** *f* noticia *f* radiada (*od.* radiodifundida); **~nautik** *f* radionavegación *f*; **~peilgerät** *n* (-es; -e) radiogoniómetro *m*; **~peilung** *f* radiogoniometría *f*; **~programm** *n* (-s; -e) programa *m* de emisiones radiofónicas; **~röhre** *f* válvula *f* (*od.* lámpara *f*) de radio; **~sender** *m* radioemisora *f*; (*Station*) estación *f* emisora de radiotelegrafía; **~sendung** *f* emisión *f* (radiofónica *bzw.* radiotelegráfica); radioemisión *f*; **~skopie** ⚕ *f* (0) radioscopia *f*; **~technik** *f* (0) radiotecnia *f*; **~techniker** *m* radiotécnico *m*; **2technisch** *adj.* radiotécnico; **~telegramm** *n* (-s; -e) radiotelegrama *m*; radiograma *m*; **~telegraphie** *f* (0) radiotelegrafía *f*; **~telephonie** *f* (0) radiotelefonía *f*; **~übertragung** *f* retransmisión *f* radiofónica; **~wesen** *n* (-s; 0) radiodifusión *f*; **~zubehör** *n* (-s; 0) accesorios *m/pl.* de radio(telefonía).

'Radium ⚗ *n* (-s; 0) radio *m*, rádium *m*; **~behandlung** *f*, **~heilverfahren** *n* radiumterapia *f*; **2haltig** *adj.* que contiene rádium; radiactivo; **~strahlen** *m/pl.* radiación *f* de rádium.

'Radius *m* (-; *Radien*) radio *m*.

'Rad...: **~kappe** *f* tapacubos *m*; **~körper** *m* cuerpo *m* (*od.* centro *m*) de la rueda; **~kranz** *m* (-es; ⸚e) llanta *f* de la rueda; **~ler(in** *f*) *m* ciclista *m/f*; **~nabe** *f* cubo *m* de la rueda; **~reifen** *m* (*Luftreifen*) neumático *m*; 🚗 aro *m* de la rueda; **~rennbahn** *f* velódromo *m*; **~rennen** *n* carrera *f* ciclista; **~schaufel** *f* (-; -n) paleta *f* (*od.* álabe *m*) de rueda hidráulica; **2schlagen** (*L*) *v/i.* (*Pfau*) abrir el abanico; *beim Turnen*: hacer la rueda; **~speiche** *f* rayo *m* (de rueda); **~sport** *m* (-es; 0) ciclismo *m*; **~spur** *f* rodada *f*; **~sturz** *m* (-es; ⸚e) *Auto.* inclinación *f* (*od.* convergencia *f*) de las ruedas; **~tour** *f* excursión *f* en bicicleta; **~wechsel** *m* cambio *m* de rueda; **~welle** *f* árbol *m* de la rueda.

'raffen *v/t.* arrebatar; F arramblar con; (*zusammen~*) recoger; (*hamstern*) acaparar; *Kleid*: arremangar; arregazar; *Zeit*: acortar, abreviar.

'Raffgier *f* (0) rapacidad *f*; codicia *f*; **2ig** *adj.* rapaz; codicioso, ávido.

Raffi'nade *f*, **~zucker** *m* azúcar *m* refinado.

Raffine'rie [-nə-] *f* refinería *f*.

Raffi'nesse *f* refinamiento *m*; (*Schlauheit*) astucia *f*; (*Scharfsinn*) perspicacia *f*; sutilidad *f*; *des Geschmacks*: exquisitez *f*.

raffi'nier|en *v/t. Zucker, Öl, Metall*: refinar; **2en** *n* refinación *f*; **~t** *adj.* refinado; *fig.* (*geschickt*) hábil, ingenioso; (*schlau*) astuto, redomado; (*scharfsinnig*) perspicaz, sutil; (*elegant*) elegante; suntuoso; *Geschmack, Aufmachung*: exquisito; **2theit** *f* → *Raffinesse*.

'ragen *v/i.* elevarse; alzarse; erguirse; *fig.* surgir.

Ra'gout [-'gu:] *Kochk. n* (-s; -s) guisado *m*, *gal.* ragú *m*.

'Rahe ⚓ *f* verga *f*.

Rahm *m* (-es; 0) nata *f*, crema *f*; *~ ansetzen* formar nata; *den ~ abschöpfen* desnatar la leche; *fig.* tomar para sí la mejor parte de a/c.; F alzarse con lo mejorcito.

'Rahmen I. *m* (*Fenster2, Bilder2*) marco *m*; (*Fahrrad2*) cuadro *m*; (*Schuh2*) vira *f*; (*Stick2*) bastidor *m*; *Typ.* rama *f*; *Fahrgestell*: chasis *m*; ⊕ armazón *m*, bastidor *m*; (*Rand*) margen *m*; *fig.* (*Grenze*) límite *m*; (*Bereich*) ámbito *m*; *im ~ von* dentro del marco de; *im ~ des Festes* en el transcurso de la fiesta; *mit e-m ~ umgeben* encuadrar; *fig. aus dem ~ fallen* salir de lo corriente, (*unpassend sein*) estar fuera de lugar; **II.** 2 *v/t.* encuadrar; *Bild*: *a.* poner en un marco; *Milch*: desnatar; **~abkommen** *n* acuerdo *m* básico; **~antenne** *f* antena *f* de cuadro; **~gesetz** *n* (-es; -e) ley *f* de bases; **~gestell** *n* (-es; -e) *für Maschinen*: armazón *m*, bastidor *m*; **~kampf** *m* (-es; ⸚e) *Boxen*: combate *m* telonero; **~sticke'rei** *f* bordado *m* de bastidor; **~sucher** *Phot. m* visor *m* iconométrico; **~tarif** *m* (-es; -e) tarifa *f* básica; **~vertrag** *m* (-es; ⸚e) contrato *m* básico; *Pol.* tratado *m* básico.

'rahmig *adj.* cremoso.

'Rahmkäse *m* queso *m* de nata.

'Rahsegel ⚓ *n* vela *f* cuadrada.

Rain *m* (-es; -e) *Grenze*: límites *m/pl.* de un campo; *Waldsaum*: linde *m/f* del bosque.

Ra'kete *f* cohete *m*; *ferngelenkte* (*panzerbrechende*) *~* cohete teledirigido (anticarro); *mehrstufige ~* cohete de escalones múltiples; *e-e ~ abfeuern* disparar un cohete.

Ra'keten...: **~abschußbasis** *f* (-; -*basen*), **~abschußrampe** *f* rampa *f* de lanzamiento de cohetes; **~antrieb** *m* (-es; -e) propulsión *f* por cohete; **~basis** *f* (-; -*basen*) base *f* de lanzamiento de cohetes; **~flugzeug** *n* (-es; -e) avión *m* cohete; **~geschoß** *n* (-sses; -sse) proyectil *m* cohete; ⚔ *neol.* misil *m*; **~triebwerk** *n* (-es; -e) mecanismo *m* de propulsión del cohete; **~werfer** *m* lanzacohetes *m*.

Ra'kett [ra'kɛt] *n* (-es; -e *od.* -s) (*Tennisschläger*) raqueta *f*.

'Ramm|block *m* (-es; ⸚e), **~bock** *m* (-es; ⸚e) ⊕ (*Pfahl2*) martinete *m* (para clavar pilotes); (*Handramme*) pisón *m*; **2dösig** F *adj.* (*überreizt*) sobreexcitado; (*benommen*) aturdido; pasmado, absorto; **~e** ⊕ *f* → *Rammblock*; (*Stampfe*) batán *m*; **~e'lei** *f der Hasen usw.*: apareamiento *m*; **2eln** (-le) *v/i. der Hasen usw.*: estar en celo; aparearse; **2en** *v/t.* ⊕ (*ein~*) hincar pilotes *m/pl.*; (*stampfen*) apisonar; *Auto.* chocar, entrar en colisión *f* con; ⚓ abordar; **~klotz** *m* (-es; ⸚e) mazo *m*; **~ler** *m* macho *m* de liebre; **~sporn** ⚓ *m* (-es; -*sporen*) espolón *m*.

'Rampe *f* rampa *f*; *schiefe Ebene*: plano *m* inclinado; (*Verlade2*) muelle *m* de carga; (*Böschung*) talud *m*; *Thea.* proscenio *m*; **~nlicht** *n* (-es; -er) candilejas *f/pl.*

rampo'nieren (-) *v/t.* deteriorar, estropear; dañar; gastar; romper.

'Ramsch *m* (-es; 0) (*Plunder*) géneros *m/pl.* de pacotilla; baratillo *m*; *im ~ kaufen* = **2en** *v/t.* comprar en montón (*od.* en globo); **~laden** *m* (-s; ⸚) baratillo *m*; **~ware** *f* (artículos *m/pl.* de) pacotilla *f*; **~warenhändler** *m* baratillero *m*.

'ran F = *heran*.

Rand *m* (-es; ⸚er) borde *m*; *erhöhter*: reborde *m*; (*Saum, Borte*) orla *f*; (*Wald2*) linde *m/f*, lindero *m*; (*Buch2, Tisch2*) canto *m*; (*Stadt2*) periferia *f*; (*Ufer2*) orilla *f*, *am Fluß*: *a.* margen *f*; *um Sonne od. Mond*: halo *m*; *e-r Wunde*: labio *m*; *v. Seiten*: margen *m*; *Ränder pl. um die Augen*: ojeras *f/pl.*; *bis an den ~* hasta el borde; *am ~e bemerken* anotar al margen; *am ~e bemerkt fig.* dicho sea de paso; *das versteht sich am ~e* es fácil de comprender, F eso cae de su peso; *mit et. zu ~e kommen* llegar a realizar a/c.; llevar a cabo a/c.; *fig. am ~e des Grabes stehen* estar con un pie en la sepultura; *am ~e des Abgrundes* (*des Verderbens*; *der Verzweiflung*) al borde del abismo (de la perdición; de la desesperación); *außer ~ und Band* fuera de quicio; P *halt den ~!* ¡cállate la boca!, ¡cierra el pico!

randa'lieren (-) *v/i.* escandalizar, alborotar; F armar un escándalo (*od.* un alboroto).

'Rand...: **~auslöser** *m Schreibmaschine*: saltador *m* marginal; **~bemerkung** *f* nota *f* marginal; acotación *f*; **~einsteller** *m Schreibmaschine*: marginador *m*, tope *m* marginal.

'rändern (-re) *v/t.* orlar, orillar, ribetear; *Münze*: acordonar.

'Randerscheinung *f* fenómeno *m* secundario.

'Rand...: **~gebiet** *n* (-es; -e) *e-r Stadt*: alrededores *m/pl.*, afueras *f/pl.*; periferia *f*; **2genäht** *adj.* cosido alrededor; **~glosse** *f* nota *f* marginal, acotación *f*, apostilla *f*; **~leiste** *f* reborde *m*; **~schärfe** *Phot. f* (0) nitidez *f* marginal; **~staat** *m* (-es; -en) Estado *m* marginal; **~streifen** *m* cenefa *f*; **~vermerk** *m* → *Randbemerkung*; **~verzierung** *f Typ.* viñeta *f*; **~zeichen** *n* signo *m* marginal; (*Verweisungszeichen*) llamada *f*; **~zeichnung** *f* dibujo *m* marginal; *Typ.* viñeta *f*.

rang *pret. v. ringen*.

'Rang *m* (-es; ⸚e) rango *m*; categoría *f*; jerarquía *f*; (*Stand*) clase *f*; condición *f*; (*Stellung*) posición *f*; ⚔ graduación *f*; (*Güte*) calidad *f*; (*Stufe*) grado *m*; (*Würde*) dignidad *f*; *Thea. erster ~* palco *m* entresuelo; anfiteatro *m* principal; *zweiter ~* anfiteatro *m* segundo; *dritter ~* paraíso *m*; *Fußballtoto*: clase *f* de premio; *ersten ~es fig.* de primer orden; *j-m den ~ ablaufen* aventajarse a alg.; sobrepujar a alg.; eclipsar a alg.; *j-m den ~ streitig machen* disputar la precedencia a alg.; **~abzeichen** *n* distintivo *m*; **2ältest** *adj.* ⚔: *der ~e Offizier* el oficial *bzw.* jefe de mayor antigüedad; el oficial *bzw.* jefe de más alta graduación.

'Range *m* (-n) *od. f* granuja *m*, pilluelo *m*; chiquilla *f* traviesa.

''rangehen (*L*; *sn*) F *v/i.* (*keß sein*)

tener atrevimiento *od.* descaro; descararse; (*zügig arbeiten*) trabajar con ahínco; dar el callo.

'**Rang-erhöhung** *f* ⚔ ascenso *m.*

'**Rangfolge** *f* jerarquía *f.*

Ran'gier|bahnhof 🚂 *m* (*-es*; *⸚e*) estación *f* de maniobras; **2en 1.** *v/t.* ordenar, disponer, colocar en orden; 🚂 maniobrar; formar trenes; **2.** *v/i.* ser colocado (*vor* antes de; *hinter* después de); *an erster Stelle* ~ ocupar el primer puesto; figurar en primer lugar; **~en** 🚂 *n* maniobra *f*; formación *f* de trenes; **~er** 🚂 *m* enganchador *m* de vagones; **~gleis** *n* (*-es*; *-e*) vía *f* de maniobras; **~lokomotive** *f* locomotora *f* de maniobras.

'**Rang...:** **~klasse** *f* categoría *f*; **~liste** *f* escalafón *m*; ⚔ *a.* escala *f*; *Sport*: clasificación *f*; **~ordnung** *f* orden *m* de precedencia; **~streit(igkeit** *f*) *m* (*-es*; *0*) disputa *f* sobre la precedencia; **~stufe** *f* grado *m*; escalón *m*; categoría *f.*

'**'ranhalten** (*L*) F *v/refl.*: *sich* ~ apresurarse, darse prisa; F *fig.* menearse.

rank *adj.* esbelto; grácil.

'**Ranke** ⚘ *f* (*Kletter2*) zarcillo *m*; (*Erdbeer2*) estolón *m*; (*Wein2*) cirro *m*, tijereta *f*; sarmiento *m*; pámpano *m.*

'**Ränke** *m/pl.* intrigas *f/pl.*, maquinaciones *f/pl.*; mañas *f/pl.*; F zancadilla *f*; ~ *schmieden* intrigar.

'**ranken 1.** *v/i.* echar zarcillos *m/pl.*; *Weinstock*: echar pámpanos *m/pl.*; **2.** *v/refl.*: *sich* ~ trepar; **2gewächs** ⚘ *n* (*-es*; *-e*) planta *f* trepadora; **2werk** Δ *n* (*-es*; *0*) ornamentos *m/pl.*; *engS.* pámpanos *m/pl.*; arabescos *m/pl.*; florituras *f/pl.*

'**Ränke...:** **~schmied** *m* (*-es*; *-e*) intrigante *m*; maquinador *m*; **~spiel** *n* (*-es*; *-e*) intrigas *f/pl.*; **2süchtig** *adj.* intrigante; **2voll** *adj.* lleno de intrigas.

'**rankig** ⚘ *adj.* cirroso.

rann *pret. v. rinnen.*

Ra'nunkel ⚘ *f* (*-*; *-n*) ranúnculo *m.*

'**Ranzen** *m* morral *m*; (*Tornister*) mochila *f*; (*Schul2*) vade *m*; F (*Wanst*) panza *f*, barriga *f.*

'**ranzig** *adj.* rancio; ~ *werden* enranciar, ponerse rancio; ~ *riechen* (*schmecken*) oler (saber) a rancio; **2werden** *n* enranciamiento *m.*

ra'pid(e) *adj.* rápido.

Ra'pier *n* (*-s*; *-e*) (*Fecht2*) espada *f* de esgrima; (*Stoß2*) florete *m.*

'**Rappe** *m* (*-n*) caballo *m* negro; *rötlichschwarzer*: caballo *m* morcillo; *fig. auf Schusters* **~n** a pie; F a patita y andando, en el coche de San Francisco.

'**Rappel** F *m* (*Sucht*) manía *f*; F chifladura *f*; (*unsinniger Einfall*) locura *f*; vena *f* de loco; (*Laune*) capricho *m*; e-n ~ *haben* estar loco *od.* trastornado; tener vena de loco; F estar chiflado (*od.* tocado de la cabeza); **2n** *v/i.* hacer ruido; *fig.* F *es rappelt bei ihm* está chiflado; está más loco que una cabra, está majareta.

Rap'port *m* (*-es*; *-e*) (*Bericht*) informe *m*; (*Meldung*) ⚔ parte *m.*

Raps ⚘ *m* (*-es*; *-e*) colza *f*; **~öl** *n* aceite *m* de colza.

Ra'punzel ⚘ *f* (*-*; *-n*) rapónchigo *m.*

rar *adj.* raro; (*knapp*) escaso; *er macht sich* ~ se deja ver muy raras veces; F no se le ve el pelo; **2i'tät** *f* raridad *f*; objeto *m* raro, curiosidad *f*; **2i'tätenhändler** *m* negociante *m* de curiosidades.

ra'sant *adj.* (*-est*) ⚔ (*Geschoßbahn, Flugbahn*) rasante; *fig.* impetuoso.

rasch I. *adj.* (*-est*) (*schnell*) rápido; veloz; (*prompt*) pronto; (*flink*) ágil; (*beschleunigt*) acelerado; **II.** *adv.* rápidamente, con rapidez; pronto, al instante; de prisa; ~ *handeln* obrar (*od.* actuar) con rapidez; *int.* ~! ¡de prisa!, ¡vivo!; ¡venga!

'**rascheln I.** (*-le*) *v/i.* deslizarse rápidamente con un ligero ruido; (*knistern*) crepitar; *Seide*: crujir; *Laub*: susurrar; **II.** 2 *n* crepitación *f*; crujido *m*; susurro *m.*

'**Raschheit** *f* (*0*) prontitud *f*; rapidez *f*; ligereza *f*; agilidad *f.*

'**rasen** (*-t*; *sn*) *v/i.* (*toben*) F echar pestes; darse a todos los diablos; (*wütend werden*) enfurecerse, ponerse furioso; rabiar, ponerse rabioso; F ponerse hecho un demonio (*od.* una furia); (*außer sich sein*) estar fuera de sí; (*jagen*) correr vertiginosamente; ir a toda velocidad; F ir disparado; ~ *gegen* estrellarse contra; *Wind, See*: bramar; *Sturm*: desencadenarse.

'**Rasen** *m* césped *m*; *mit* ~ *belegen* cubrir con césped, encespedar.

'**rasend** *adj.* furioso, enfurecido; furibundo; rabioso; (*heftig*) violento; (*toll*) loco, frenético; ~ *werden* enfurecerse; *j-n* ~ *machen* exasperar, enfurecer (*od.* poner furioso) a alg.; *er macht mich* ~ me exaspera; me saca de quicio; me vuelve loco; *mit* **~er** *Geschwindigkeit* a una velocidad vertiginosa; **~e** *Zahnschmerzen* dolor de muelas atroz; **~er** *Beifall* aplausos frenéticos *od.* delirantes.

'**Rasen...:** **~fläche** *f* superficie *f* cubierta de césped; (*Wiese*) pradera *f*; (*Spielplatz*) *Sport*: campo *m* de césped; **~mäher** *m* cortacésped *m*; **~mähmaschine** *f* (máquina *f*) cortacéspedes *f*; **~platz** *m* (*-es*; *⸚e*) → *Rasenfläche*; **~schere** *f* tijeras *f/pl.* para cortar césped; **~sprenger** *m* rociador *m* automático para céspedes; **~walze** *f* rodillo *m* para césped.

Rase'rei *f* furia *f*; rabia *f*; furor *m*; (*Wahnsinn*) locura *f*; frenesí *m*; paroxismo *m*; (*schnelles Fahren*) velocidad *f* vertiginosa; velocidad *f* suicida; *in* ~ *geraten* enfurecer (*vor dat.* de); *zur* ~ *bringen* poner furioso.

Ra'sier|apparat *m* (*-es*; *-e*) máquina *f* de afeitar; *elektrischer* ~ máquina *f* de afeitar (*od.* rasuradora *f*) eléctrica; **~becken** *n* bacía *f*; **2en** (*-*) **1.** *v/t.* afeitar, rasurar; hacer la barba; ⚔ *dem Erdboden gleichmachen*: arrasar; **2.** *v/refl.*: *sich* ~ afeitarse; hacerse la barba; **~en** *n* afeitado *m*; **~klinge** *f* hoja *f* de afeitar; **~krem** *f* (*-*; *-s*) crema *f* para afeitar; **~messer** *n* navaja *f* de afeitar; **~napf** *m* (*-es*; *⸚e*), **~schale** *f* bacía *f*; **~pinsel** *m* brocha *f* de afeitar; **~seife** *f* jabón *m* de afeitar; **~spiegel** *m* espejo *m* de afeitar; **~zeug** *n* (*-es*; *0*) utensilios *m/pl.* para afeitar.

Rä'son [-'zɔŋ] *f* (*0*) razón *f*; *j-n zur* ~ *bringen* hacer a alg. entrar en razón.

räson'nieren I. (*-*) *v/i.* razonar; argüir; (*streiten*) discutir; (*schimpfen*) renegar de; (*nörgeln*) critiquizar; **II.** 2 *n* razonamiento *m*; (*Streit*) discusión *f.*

'**Raspel** *f* (*-*; *-n*) ⊕ lima *f* gruesa, escofina *f*; (*Brot2*) rallador *m*; **2n** (*-le*) *v/t.* ⊕ escofinar; limar; (*schaben*) raspar; *Brot, Käse*: rallar; *fig.* *Süßholz* ~ piropear, echar flores.

'**Rasse** *f* raza *f*; **~hund** *m* (*-es*; *-e*) perro *m* de casta.

'**Rassel** *f* (*-*; *-n*) carraca *f*, matraca *f*; **~bande** *f* pandilla *f* de alborotadores; **~geräusch** ⚕ *n* (*-es*; *-e*) estertor *m* crepitante; crepitación *f.*

'**rasseln I.** (*-ßle*) *v/i.* *mit der Rassel*: F matraquear; (*lärmen*) producir un ruido discordante; *mit dem Säbel* ~ hacer sonar el sable; *fig.* adoptar una actitud belicosa; ⚕ (*röcheln*) crepitar; *Fahrzeug*: rodar ruidosamente; *Räder*: rechinar; *klappernder Huf*: chacolotear; F *durchs Examen* ~ suspender en un examen, *Sch.* llevarse un cate; **II.** 2 *n der Rassel*: matraqueo *m*; *Ketten, Eisenteile*: ruido *m* de cadenas (*od.* de hierros); *klappernder Huf*: chacoleteo *m*; *Räder*: rechinamiento *m*; ⚕ (*Röcheln*) crepitación *f.*

'**Rassen...:** **~diskriminierung** *f* discriminación *f* racial; **~frage** *f* (*0*) problema *m* racial; **~haß** *m* (*-sses*; *0*) odio *m* de razas; **~hygiene** *f* (*0*) eugenesia *f*; **2hygienisch** *adj.* eugenésico; **~kampf** *m* (*-es*; *⸚e*) lucha *f* de razas; antagonismo *m* racial; **~kreuzung** *f*, **~mischung** *f* mezcla *m* de razas; *v. Tieren*: cruzamiento *m* de razas; **~kunde** *f* (*0*) etnografía *f*; **~schande** *f* (*0*) *Pol.* envilecimiento *m* de raza; **~stolz** *m* (*-es*; *0*) racismo *m*; **~trennung** *f* segregación *f* racial, segregacionismo *m*; *Gegner der* ~ integracionista *m*; **~unruhen** *f/pl.* disturbios *m/pl.* raciales.

'**Rasse...:** **~pferd** *n* (*-es*; *-e*) caballo *m* de casta; **2rein** *adj.* de raza pura; **~vieh** *n* (*-es*; *0*) animales *m/pl.* de plantel.

'**rass|ig** *adj.* de buena casta, castizo; *fig.* elegante, de buen ver; **~isch** *adj.* racial.

'**Rast** *f* descanso *m*; reposo *m*; (*Pause*) pausa *f*; (*Halt*) parada *f*; ⚔ alto *m*; ⊕ (*Hochofen*) etalaje *m*; ~ *machen* descansar; ⚔ hacer alto; *ohne* ~ *und Ruh*(e) sin tregua ni reposo; incesantemente; **~e** *f* ⊕ entalladura *f*, muesca *f*; (*Fuß2*) *Motorrad*: estribo *m* de descanso, apoyapiés *m*; **2en** *v/i.* descansar; reposar; ⚔ hacer alto.

'**Raster** *m Phot.* retículo *m*; **~druck** *Typ. m* (*-es*; *-e*) fotograbado *m* a media tinta; **~papier** *Phot. n* (*-es*; *0*) papel *m* reticulado.

'**Rast...:** **~haus** *n* (*-es*; *⸚er*) parador *m*; **2los** *adj.* sin reposo; (*unablässig*) incesante; (*unermüdlich*) infatigable, incansable; **~losigkeit** *f* (*0*) desasosiego *m*; actividad *f* incansable, trabajo *m* infatigable; **~ort** *m* (*-es*; *-e*) lugar *m* de parada; ⚔ etapa *f*; **~-**

platz *m* (*-es*; *⸗e*) lugar *m* de descanso; **~stätte** *f* → *Rasthaus*; **~tag** *m* (*-es*; *-e*) día *m* de descanso.

Ra'sur *f* afeitado *m*.

Rat *m* (*-es*; *0*) consejo *m*; (*Wink*) advertencia *f*; (*Beratung*) deliberación *f*; (*Überlegung*) reflexión *f*; (*Entschluß*) resolución *f*; (*-es*; *⸗e*) (*Person*) consejero *m*; (*Kollegium*) consejo *m*; (*Mittel*) medio *m*; remedio *m*; arbitrio *m*; (*Ausweg*) expediente *m*; recurso *m*; (*Empfehlung*) recomendación *f*; (*Stadt*2) *Person*: concejal *m*, *kollektiv*: ayuntamiento *m*, concejo *m*; *~ halten* deliberar; celebrar consejo; *j-n um ~ fragen*, *bei j-m ~ suchen*, *sich bei j-m ~ holen* pedir consejo a alg.; consultar a alg.; aconsejarse con alg.; asesorarse con alg.; *j-n zu ~e ziehen* consultar a alg.; *j-m e-n ~ geben* dar a alg. un consejo; aconsejar a alg.; asesorar a alg.; *j-s ~ befolgen* seguir el consejo de alg.; *auf keinen ~ hören* no atender a consejos de nadie; *~ schaffen* encontrar medio (*od.* remedio); *j-m mit ~ und Tat zur Seite stehen* ayudar con su consejo y apoyo a alg.; ayudar a alg. por todos los medios; *er weiß immer ~* siempre sabe encontrar remedio para todo; *mit sich selbst zu ~e gehen* hacer examen de conciencia; *auf j-s ~* por consejo de alg.; *er weiß sich keinen ~ mehr* ya no sabe qué hacer; *da ist guter ~ teuer* en esto es difícil aconsejar; *kommt Zeit, kommt ~* el tiempo todo lo soluciona; F *fig.* con el tiempo maduran las uvas.

'Rate *f* pago *m* a cuenta; pago *m* parcial; plazo *m*; (*Anteil*) cuota *f*; *monatliche ~* mensualidad *f*; plazo *m* mensual; *in ~n*, *auf ~n* a plazos; *auf ~n kaufen* comprar a plazos; *in ~n zahlen* pagar a (*od.* en) plazos.

'raten (*L*) *v/i. u. v/t.*: *j-m et.* (*od. zu et.*) *~* aconsejar a alg. a/c.; *sich ~ lassen* tomar consejo de; dejarse aconsejar por; *lassen Sie sich ~!* ¡escuche mi consejo!; ¡créame usted!; (es) *für geraten halten* juzgar procedente (*od.* oportuno); (*mutmaßen*) conjeturar; (*er~*) adivinar; *hin und her ~* hacer mil conjeturas; *das raten Sie nicht!* ¿a que no lo adivina usted?; F *~ Sie mal!* ¡a ver si acierta (*od.* adivina) usted!; *hör auf, das rate ich dir!* te lo digo por tu bien.

'Raten...: ~kauf *m* (*-es*; *⸗e*) compra *f* a plazos; **2weise** *adv.* a plazos; **~zahlung** *f* pago *m* a plazos; *~ gestattet* facilidades de pago.

'Räte|regierung *Pol. f* gobierno *m* soviético (*od.* de los soviets); **~republik** *f* república *f* soviética; **~system** *n* (*-s*; *0*) régimen *m* soviético.

'Rat...: ~geber *m* consejero *m*; asesor *m* (*a.* ⚖); consultor *m*; **~haus** *n* (*-es*; *⸗er*) ayuntamiento *m*, casa *f* consistorial; *Am.* municipalidad *f*, palacio *m* municipal; *in kleineren Orten*: alcaldía *f*.

Ratifi|kati'on *f* ratificación *f*; **2'zieren** (-) *v/t.* ratificar; **~'zieren** *n*, **~'zierung** *f* ratificación *f*; **~'zierungs-urkunde** *Pol. f* instrumento *m* de ratificación.

'Rätin *f* consejera *f*; esposa *f* del consejero.

Rati'on *f* ración *f*; porción *f*; *eiserne ~* ⚔ ración de reserva (*od.* de hierro); *auf ~ setzen* racionar; *j-n auf ~ setzen* poner a alg. a ración.

ratio'nal *adj.* racional.

rationali'sier|en (-) *v/t.* racionalizar; **2ung** *f* racionalización *f*.

Rationa'lis|mus *m* (-; *0*) racionalismo *m*; **~t** *m* (*-en*) racionalista *m*; **2tisch** *adj.* racionalista.

ratio'nell *adj.* racional; (*verständig*) razonable; (*sparsam*) económico.

ratio'nier|en (-) *v/t.* racionar; **~t** *adj.* racionado; sujeto a racionamiento; **2ung** *f* racionamiento *m*.

'rätisch *adj.* rético, de Retia.

'Rat...: 2los *adj.* (*bestürzt*) perplejo, desconcertado; (*verwirrt*) confuso, desorientado; **~losigkeit** *f* (*0*) perplejidad *f*, desconcierto *m*; confusión *f*, desorientación *f*.

'Räto·romanisch(e) *n* retorromano *m*, rético *m*, lengua *f* rética.

'ratsam *adj.* aconsejable; oportuno; conveniente; adecuado; (*richtig*) acertado; (*klug*) prudente; (*angezeigt*) indicado; procedente; (*zu empfehlen*) recomendable; *für ~ halten* zu creer oportuno *od.* conveniente *usw.* (*inf.*); **2keit** *f* (*0*) oportunidad *f*; conveniencia *f*; procedencia *f*.

'Rat...: ~schlag *m* (*-es*; *⸗e*) consejo *m*; **2schlagen** *v/i.* deliberar; *mit j-m ~* deliberar con alg. (*über ac.* sobre); **~sdiener** *m* alguacil *m*.

'Rätsel *n* **1.** *spielerische Denkaufgabe*: (*zum Raten*) adivinanza *f*, acertijo *m*; (*Bilder*2) jeroglífico *m*; (*Silben*2) charada *f*; (*Buchstaben*2) logogrifo *m*; (*Kreuzwort*2) crucigrama *m*; **2.** *unerklärlicher Vorgang*: enigma *m*; (*Geheimnis*) secreto *m*; misterio *m*; (*unergründliches*) arcano *m*; *des ~s Lösung* la solución del enigma; F *fig.* la madre del cordero; *ein ~ aufgeben* proponer una adivinanza; *ein ~ lösen* descifrar un enigma; **2haft** *adj.* (*geheimnisvoll*) enigmático; misterioso; (*unverständlich*) incomprensible; inexplicable; **~raten** *n fig.* cábalas *f/pl.*; conjeturas *f/pl.*; misterios *m/pl.*

'Rats...: ~herr *m* (*-en*) concejal *m*; edil *m*; **~keller** *m* restaurante *m* (*en el sótano*) del ayuntamiento; **~schreiber** *m* secretario *m* del ayuntamiento; **~sitzung** *f* sesión *f* del ayuntamiento; **~versammlung** *f* reunión *f* del ayuntamiento; → *Ratssitzung*.

'Ratte *f* rata *f*; *von ~n befreien* desratizar; *fig. wie e-e ~ schlafen* dormir como un lirón (*od.* como una marmota); **~nbekämpfung** *f* (*0*) desratización *f*; **~nfalle** *f* ratonera *f*; **~nfänger** *m* cazador *m* de ratas; (*Hund*) perro *m* ratonero; **~ngift** *n* (*-es*; *-e*) veneno *m* para matar ratas; raticida *m*; **~nnest** *n* (*-es*; *-er*) nido *m* de ratas.

'rattern I. (*-re*) *v/i.* trepidar; traquetear; **II.** 2 *n* trepidación *f*; traqueteo *m*.

Raub *m* (*-es*; *0*) robo *m* (con violencia); rapiña *f*; (*Straßen*2) atraco *m*; asalto *m*; (*Plündern*) pillaje *m*, saqueo *m*; depredación *f*; (*Entführung*) rapto *m*; secuestro *m*; (*Beraubung*) despojo *m*, expoliación *f*; (*Beute*) presa *f*, *des Siegers*: botín *m*; *auf ~ ausgehen* ir a pillar, *v. Tieren*: buscar su presa; *ein ~ der Flammen werden* ser pasto de las llamas; *gewaltsamer ~* robo a mano armada; **'~bau** *m* (*-es*; *0*) ✓ cultivo *m* exhaustivo; ⚒ explotación *f* exhaustiva; *~ treiben* ⚒ agotar una mina; ✓ agotar la productividad de las tierras; *fig. mit s-r Gesundheit ~ treiben* arruinar su salud.

'rauben *v/t.* robar, cometer robos *m/pl.*; (*gewaltsam*) robar con violencia; expoliar; robar a mano armada; *v. Tieren u.* F rapiñar; (*entführen*) raptar; secuestrar; (*plündern*) pillar, saquear; depredar; (*marodieren*) merodear; *fig.* (*wegnehmen*) arrebatar, quitar; F birlar.

'Räuber *m* ladrón *m*; (*Straßen*2) salteador *m* de caminos; bandido *m*, bandolero *m*; (*See*2) pirata *m*; **~bande** *f* cuadrilla *f* de ladrones.

Räube'rei *f* robo *m* (con violencia); *fig.* rapiña *f*.

'Räuber...: ~geschichte *f* cuento *m* de ladrones; *fig.* patraña *f*; **~'hauptmann** *m* (*-es*; *⸗er*) capitán *m* de bandoleros; **~höhle** *f* cueva *f* de ladrones, ladronera *f*; **2isch** *adj.* de ladrón, F ladronesco; (*raubgierig*) rapaz; *durch Gewalt*: expoliador; **2n** (*-re*) *v/i.* cometer robos *m/pl.*; F rapiñar; **~unwesen** *n* (*-s*; *0*) bandidaje *m*, bandolerismo *m*.

'Raub...: ~fisch *m* (*-es*; *-e*) pez *m* carnicero; **~gier** *f* (*0*) rapacidad *f*; **2gierig** *adj.* rapaz; *Zoo.* carnicero; **~mord** *m* (*-es*; *-e*) asesinato *m* con robo; **~mörder** *m* ladrón *m* asesino; **~ritter** *m im Mittelalter*: noble *m* bandolero; **~tier** *n* (*-es*; *-e*) *Zoo.* animal *m* carnicero; *allg.* fiera *f*, animal *m* feroz; **~tierfütterung** *f* comida *f* de las fieras; **~tierhaus** *n* (*-es*; *⸗er*) casa *f* de fieras; **~überfall** *m* (*-es*; *⸗e*) atraco *m*; ataque *m* a mano armada; *auf Banken*: asalto *m*; **~vogel** *m* (*-s*; *⸗*) ave *f* de rapiña; **~zug** *m* (*-es*; *⸗e*) ⚔ incursión *f* hostil; saqueo *m*; *ehm.* algara *f*, correría *f*.

'Rauch *m* (*-es*; *0*) humo *m*; *in ~ aufgehen* ser pasto de las llamas; quedar reducido a cenizas; *fig.* irse en humo, devanecerse, quedar en nada; **~abzug** *m* (*-es*; *⸗e*) conducto *m* de humo; pozo *m* de ventilación; **~bekämpfung** *f* (*0*) lucha contra el humo; **~bildung** *f* desprendimiento *m* de humo; **~bombe** *f* bomba *f* fumígena.

'rauchen 1. *v/t. Tabak*: fumar; *Pfeife ~* fumar en pipa; *e-e Zigarette ~* fumar un cigarrillo; *durch die Lunge ~* tragar el humo; F *wie ein Schornstein* (*od. Schlot*) *~* fumar como una chimenea; **2.** *v/i.* (*dampfen*) humear; echar humo; *Ofen*: hacer humo; **3.** *v/unprs.*: *hier raucht es* aquí hay humo; 2 *n* hábito *m* de fumar; el fumar; *~ verboten!* se prohibe fumar; **~d** *adj.* humeante; ⚗ fumante.

'Rauch...: 2entwickelnd *adj.* fumígeno; que desprende humo; **~entwicklung** *f* desprendimiento *m* de humo; **~er(in** *f*) *m* fumador(a *f*) *m*.

'**Räucher·aal** *m* (-*ẹs*; -*e*) anguila *f* ahumada.
'**Raucher·abteil** 🚂 *n* (-*ẹs*; -*e*) departamento *m* de fumadores.
'**Räucher...:** **~hering** *m* (-*s*; -*e*) arenque *m* ahumado; **~kammer** *f* (-; -*n*) ahumadero *m*; **~kerze** *f* pebete *m*; sahumerio *m*; pastilla *f* aromática (para quemar); **~lachs** *m* (-*es*; -*e*) salmón *m* ahumado; **2n** (-*re*) **1.** *v/t.* (*Schinken, Fisch, Bienenstöcke*) ahumar; (*Fleisch*) *a.* acecinar; curar al humo; ⚕ (*desinfizierend*) fumigar; **2.** *v/i.* sahumar; (*Weihrauch*) incensar (*a. fig.*); **~n** *n*, **~ung** *f* ahumado *m*; fumigación *f*; **~pulver** *n* polvos *m/pl.* fumigatorios; **~waren** *f/pl.* carnes *f/pl.* ahumadas; pescados *m/pl.* ahumados.
'**Rauch...:** **2erzeugend** *adj.* fumígeno; **~erzeuger** *m* fumígeno *m*; **~fahne** *f* penacho *m* de humo; **~fang** *m* (-*ẹs*; ⁼*e*) (campana *f* de la) chimenea *f*; **~fleisch** *n* (-*ẹs*; *0*) carne *f* ahumada; **2frei** *adj.* sin humo; **~glas** *n* (-*es*; ⁼*er*) vidrio *m* ahumado; **~granate** *f* granada *f* fumígena; **2ig** *adj.* (*voll Rauch*) lleno de humo, humoso; (*rauchend*) humeante; **~kammer** *f* (-; -*n*) *des Dampfkessels*: caja *f* (*od.* cámara *f*) de humo; **~klappe** *f* registro *m* (giratorio) de humo; **~opal** *m* (-*s*; -*e*) ópalo *m* ahumado; **~salon** *m* (-*s*; -*s*) salón *m* de fumar; **~säule** *f* columna *f* de humo; **~schleier** ⚔ *m* cortina *f* de humo; **2schwach** *adj.*: ~*es Pulver* pólvora sin humo; **~schwaden** *m/pl.* nubes *f/pl.* de humo; **~service** *n* servicio *m* de fumador; **~tabak** *m* (-*s*; *0*) picadura *f*; tabaco *m* para pipa; **~tisch** *m* (-*ẹs*; -*e*) mesita *f* de fumador; **~verbot** *n* (-*ẹs*; *0*) prohibición *f* de fumar; **~vergiftung** *f* intoxicación *f* por el humo; **~verzehrer** *m* fumívoro *m*; **~vorhang** ⚔ *m* (-*ẹs*; ⁼*e*) cortina *f* de humo; **~waren** *f/pl.* **1.** tabacos *m/pl.*; artículos *m/pl.* para fumador; **2.** (*Pelze*), *a.* **~werk** *n* (-*ẹs*; *0*) peletería *f*; pieles *f/pl.* y curtidos *m/pl.*; **~wolke** *f* nube *f* de humo; **~zimmer** *n* salón *m* de fumar; fumadero *m*.
'**Räud|e** *f* (*0*) *Vet. Hunde, Pferde*: usagre *m*; *Schaf*: roña *f*; *bsd. Hunde*: sarna *f*; **2ig** *adj. Vet.* roñoso; sarnoso.
'**Raufbold** *m* (-*ẹs*; -*e*) camorrista *m*, pendenciero *m*; jaque *m*, matón *m*; espadachín *m*, matasiete *m*; valentón *m*, guapo *m*; traganiños *m*.
'**Raufe** *f* percha *f* de pesebre.
'**raufen 1.** *v/t.* arrancar; *j-n* ~ zarandear a alg.; **2.** *v/i. u. v/refl.* reñir, pelearse; andar a la greña; *sich die Haare* ~ mesarse los cabellos.
Raufe'rei *f* riña *f*, pelea *f*; pendencia *f*, F camorra *f*; pelamesa *f*; follón *m*.
'**Rauf...:** **~lust** *f* (*0*) acometividad *f*; carácter *m* pendenciero; **2lustig** *adj.* pendenciero; peleador.
'**rauh** *adj.* rudo; *Klima, Haut, Gemütsart*: áspero; (*faltig*) rugoso; (*streng*) riguroso; (*hart*) duro; (*barsch*) brusco; (*grob*) grosero; (*behaart*) velludo; (*heiser*) ronco; (*aus dem Groben bearbeitet*) tosco, basto, grosero; *Wetter*: inclemente; *Boden*: escabroso; *Gegend*: salvaje; (*öde*) árido, desierto; ~*e Stimme* voz bronca, *heisere*: voz ronca; ~*es Leben* vida ruda; ~*e Wirklichkeit* dura realidad; ~*er Ton* tono áspero *od.* duro; *in* ~*en Mengen* F en masa; en enormes cantidades; **2bein** *n* (-*ẹs*; -*e*) F cascarrabias *m*, *fig.* erizo *m*, vinagre *m*; **~beinig** *adj.* de genio áspero; F *fig.* avinagrado.
'**Rauheit** *f* (*0*) rudeza *f*; aspereza *f*; rugosidad *f*; basteza *f*, tosquedad *f*; (*Grobheit*) grosería *f*; (*Härte*) dureza *f*; *des Winters, des Sommers*: rigor *m*; *der Stimme*: bronquedad *f* *bzw.* ronquera *f*; *des Bodens*: escabrosidad *f*; (*Öde*) aridez *f*.
'**rauhen I. 1.** *v/t. Tuch*: cardar, perchar; **2.** *v/refl.*: *sich* ~ (*Vögel*) mudar; **II.** 2 *n v. Tuch*: carda *f*; (*Mauserung*) muda *f*.
'**rauhhaarig** *adj.* (*struppig*) hirsuto.
'**Rauhmaschine** ⊕ *f* máquina *f* de perchar.
'**Rauhreif** *m* (-*ẹs*; *0*) escarcha *f*.
'**Raum** *m* (-*ẹs*; ⁼*e*) espacio *m*; *abgegrenzter*: recinto *m*; (*Ausdehnung*) extensión *f*; (*Abteil, Koffer*2) compartimiento *m*; (*Platz*) lugar *m*, sitio *m*; (*Rauminhalt*) volumen *m*, capacidad *f*, cabida *f*; (*Gebiet*) región *f*; ⚔ zona *f*; sector *m*; (*Aufenthalts*2) sala *f*; (*Zimmer*) pieza *f*, habitación *f*, cuarto *m*; (*Schauplatz*) escenario *m*; (*Spiel*2) margen *m*, espacio *m*; ⊕ juego *m*; (*Zeit*2) época *f*; período *m*; espacio *m* de tiempo; (*Lebens*2) *Pol.* espacio *m* vital; ⚓ (*Schiffslade*2) bodega *f*; cala *f*; *Phys. luftleerer* ~ vacío *m*; *fig.* ~ *geben e-r Bitte*: acceder a; *nachgeben*: ceder a; *fig.* ~ *geben für* dar lugar a; ~ *bieten für* dar cabida a, admitir; ~ *haben für* tener cabida para; **~akustik** *f* (*0*) condiciones *f/pl.* acústicas (de una sala); **~analyse** *f* análisis *m* volumétrico; **~aufteilung** *f* distribución *f* del espacio; **~begriff** *m* (-*ẹs*; -*e*) concepto *m* del espacio; **~bild** *n* (-*ẹs*; -*er*) imagen *f* estereoscópica; **~bildmessung** *f* estereofotogrametría *f*.
'**Räumboot** *n* (-*ẹs*; -*e*) (*Minen*2) dragaminas *m*.
'**Raum...:** **~deck** ⚓ *n* (-*s*; -*s*) sollado *m*; **~dichte** *f* (*0*) densidad *f* en volumen; **~einheit** *f* unidad *f* de volumen.
'**räumen I.** *v/t. u. v/i.* (*fortschaffen*) quitar; *Hindernisse*: desembarazar; desobstruir; *Schutt*: desescombrar, escombrar; *Hafen, Fluß*: dragar; *Wohnung*: desalojar, desocupar; *Saal, Straße*: despejar; *Minen*: ⚓ dragar; ☤ *Lager*: desocupar, vaciar; liquidar las existencias; *Ort, Gebiet* (*v. Bevölkerung*) evacuar; (*verlassen*) abandonar; (*säubern*) limpiar; (*in Ordnung bringen*) arreglar; ⚔ *Gebiet, Stellung*: evacuar, *aufgeben*: abandonar; *fig. das Feld* ~ abandonar el campo; *aus dem Wege* ~ quitar de en medio, quitar del paso; *j-n aus dem Wege* ~ (*ermorden*) F *fig.* despachar (*od.* quitar de en medio) a alg.; **II.** 2 *n v. Schutt*: descombro *m*; *e-s Hafens, Flusses*: dragado *m*; (*Saal, Straße*) despejo *m*; (*das Verlassen*) abandono *m*; *v. Minen*: ⚓ dragado *m*; *e-s Ortes, Gebietes*: evacuación *f* (*a.* ⚔); ☤ *e-s Lagers*: desalojo *m*; liquidación *f* de existencias; *e-r Wohnung*: desalojamiento *m*.
'**Raum...:** **~ersparnis** *f* (*0*) economía *f* de espacio; **~fahrer(in** *f*) *m* astronauta *m/f*; **~fahrt** *f* (*0*) astronáutica *f*; navegación *f* interplanetaria; (*Reise*) viaje *m* espacial; **~fernsehen** *n* televisión *f* estereoscópica (*od.* en relieve); **~flug** *m* (-*ẹs*; ⁼*e*) vuelo *m* espacial; **~forschung** *f* (*0*) investigación *f* espacial; **~gestalter** *m* decorador *m* de interiores; **~gestaltung** *f* (*0*) decoración *f* de interiores; **~inhalt** *m* (-*ẹs*; -*e*) volumen *m*, capacidad *f*; *e-s Schiffes*: arqueo *m*; tonelaje *m*; **~kapsel** *f* (-; -*n*) cápsula *f* espacial; **~ladung** ⚡ *f* carga *f* espacial; **~lehre** *f* (*0*) (*Geometrie*) geometría *f*; (*Stereometrie*) estereometría *f*.
'**räumlich** *adj.* del (*od.* en el) espacio; espacial; tridimensional; 𝔄 volumétrico; (*stereoskopisch*) estereoscópico; (*stereometrisch*) estereométrico; (*geometrisch*) geométrico; **2keit** *f* (*Raum*) espacio *m*; (*Örtlichkeit*) localidad *f*; ~*en pl.* piezas *f/pl.*
'**Raum...:** **2los** *adj.* sin espacio; (*leer*) vacío; **~mangel** *m* (-*s*; *0*) falta *f* de espacio; estrechez *f*; falta *f* de sitio; **~maß** *n* (-*es*; -*e*) medida *f* de capacidad; **~messung** *f* estereometría *f*; **~meter** *n* (*a. m*) metro *m* cúbico; *als Holzmaß*: estéreo *m*; **~ordnung** *f Pol.* ordenación *f* territorial; **~schiff** *n* (-*ẹs*; -*e*) aeronave *f* interplanetaria; astronave *f*; **~schiffahrt** *f* (*0*) astronáutica *f*; navegación *f* interplanetaria; **2sparend** *adj.* que requiere poco espacio; que ocupa poco sitio; **~technologie** *f* (*0*) tecnología *f* espacial; **~ton** *m* (-*ẹs*; ⁼*e*) estereofonía *f*; **~tonne** *f* tonelada *f* cúbica; **~transporter** *m* astronave *f* de transporte.
'**Räumung** *f v. Schutt*: descombro *m*; *e-s Hafens, Flusses*: dragado *m*; (*Saal, Straße*) despejo *m*; *das Verlassen*: abandono *m*; *e-s Ortes, Gebietes*: evacuación *f* (*a.* ⚔); *v. Minen*: ⚓ dragado *m*; ☤ *e-s Lagers*: desalojo *m*; liquidación *f* de existencias; *e-r Wohnung*: desalojamiento *m*; ⚖ desahucio *m*; **~s-ausverkauf** *m* (-*ẹs*; ⁼*e*) liquidación *f* total; **~sbefehl** ⚖ *m* (-*ẹs*; -*e*) orden *f* de desahucio; **~sklage** ⚖ *f* demanda *f* de desahucio.
'**raunen I.** *v/t. u. v/i.* murmurar; (*flüstern*) cuchichear; susurrar; (*heimlich zuflüstern*) secretear; **II.** 2 *n* murmullo *m*; cuchicheo *m*; susurro *m*; secreteo *m*.
'**Raupe** *Zoo. f* oruga *f* (*a.* ⊕); ~*n ablesen* ↗ limpiar de orugas; descocar.
'**Raupen...:** **~antrieb** ⊕ *m* (-*ẹs*; -*e*) tracción *f* de oruga; **~fahrzeug** *n* (-*ẹs*; -*e*) vehículo *m* oruga; **~fraß** ↗ *m* (-*es*; *0*) daño *m* causado por las orugas; **~kette** ⊕ *f* cadena *f* de oruga; **~nest** ↗ *n* (-*es*; -*er*) nido *m* de orugas; **~schlepper** *m* tractor *m* oruga; (*Auto*) auto-oruga *m*.
'raus! *int.* F ¡fuera de aquí!, ¡largo!
Rausch *m* (-*es*; ⁼*e*) embriaguez *f*, borrachera *f*; F curda *f*, cogorza *f*;

merluza *f*, mona *f*; tablón *m*, trompa *f*; *sich e-n ~ antrinken* embriagarse, emborracharse; F *fig.* pescar una merluza, coger un tablón (*od.* una mona *od.* una trompa); *e-n ~ haben* estar embriagado *od.* borracho; *s-n ~ ausschlafen* F dormir la mona.

ˈ**rauschen I.** *v/i. Wind, Laub*: susurrar; *Bach*: *a.* murmurar; *Stoff*: crujir; *Brandung, Sturm*: bramar; **II.** ² *n* rumor *m*; susurro *m*; murmullo *m*; crujido *m*; bramido *m*; **~d** *adj.* rumoroso; susurrador, susurrante; murmurante; crujiente; *Beifall*: ruidoso; atronador; delirante.

ˈ**Rausch...: ~gelb** *Min. n* (*-s; 0*) oropimente *m*; **~gift** *n* (*-es; -e*) estupefaciente *m*; **~gifthandel** *m* (*-s; 0*) tráfico *m* de estupefacientes; **~gifthändler** *m* traficante *m* de estupefacientes; **~giftschmuggler** *m* contrabandista *m* de estupefacientes; **~giftsucht** ⚕ *f* (*0*) toxicomanía *f*; **~giftsüchtige(r** *m*) *m/f* toxicómano (-a *f*) *m*; **~gold** *n* (*-es; 0*) oropel *m*; **~silber** *n* (*-s; 0*) bricho *m* de plata.

ˈˈ**rausschmeiß|en** (*L*) V *v/t.*: *j-n ~* expulsar (*od.* echar) violentamente a alg.; P echar a alg. a patadas; (*entlassen*) echar a (*od.* poner en) la calle a alg.; ²**er** *m in Spielhöllen usw.*: espantaguapos *m*; (*Tanz*) último baile *m*.

ˈ**räuspern** (*-re*) *v/refl.*: *sich ~* toser ligeramente; *bei Heiserkeit*: carraspear; *um die Stimme klar zu machen*: destoserse.

ˈ**Raute** *f* ♀ ruda *f*; ⚹ rombo *m*; ▨ losange *m*; huso *m*; *Juwelierkunst*: faceta *f*; **~nfläche** ⊕ *f v. Glas u. Steinen*: faceta *f*; ²**nförmig** *adj.* rombal; **~nglas** *n* (*-es; ⸚er*) vidrio *m* con facetas rombales.

ˈ**Razzia** *f* (*-; Razzien*) ⚔ incursión *f* de castigo; *der Polizei*: batida *f*; redada *f*.

Reaˈgenz ⚗ *n* (*-es; -ien*) reactivo *m*; **~glas** ⚗ *n* (*-es; ⸚er*) probeta *f*; tubo *m* de ensayo; **~papier** *n* (*-es; -e*) papel *m* reactivo.

reaˈgieren I. (-) *v/i.* reaccionar (*auf ac.* a); **II.** ² *n* reacción *f*.

Reakˈtanz ⚡ *f* reactancia *f*.

Reaktiˈon *f* reacción *f*; (*Ketten*²) reacción *f* en cadena.

reaktioˈnär *adj.* reaccionario; ²(**in** *f*) *m* (*-s; -e*) reaccionario (-a *f*) *m*.

Reaktiˈons...: ~fähigkeit *f* (*0*) capacidad *f* de reacción; ⚗ reactividad *f*; **~geschwindigkeit** *f* (*0*) velocidad *f* de reacción; **~kette** *f* cadena *f* de reacciones; **~stufe** *f* grado *m* de reacción; **~turbine** *f* turbina *f* de reacción; **~verlauf** *m* (*-es; 0*) curso *m* de la reacción; **~vermögen** *n* (*-s; 0*) → *Reaktionsfähigkeit*; **~zeit** *f* tiempo *m* de reacción.

reaktiˈvieren (-) *v/t.* reactivar; ⚔ reincorporar al servicio activo.

Reˈaktor *m* (*-s; -en*) (*Atombrenner*) reactor *m*.

reˈal *adj.* (*wirklich*) real; efectivo; (*konkret*) concreto; (*gegenständlich*) material; ²**gymnasium** *n* (*-s; -sien*) instituto *m* de enseñanza media (para bachillerato de ciencias); ²**ien** *pl.* realidades *f/pl.*, hechos *m/pl.*; ciencias *f/pl.* naturales.

realiˈsier|bar *adj.* realizable; **~en** (-) *v/t.* realizar (*a.* ✝); ²**en** *n*, ²**ung** *f* realización *f*.

Reaˈlis|mus *m* (*-; 0*) realismo *m*; **~t** *m* (*-en*) realista *m*; ²**tisch** *adj.* realista.

Realiˈtät *f* realidad *f*.

Reˈal...: ~konkurrenz ⚖ *f* concurso *m* delictual, acumulación *f* de delitos; **~kredit** *m* (*-es; -e*) crédito *m* real (*od.* sobre bienes raíces); **~lasten** *f/pl.* cargas *f/pl.* reales; **~lexikon** *n* (*-s; -lexika*) enciclopedia *f*; **~lohn** *m* (*-es; ⸚e*) salario *m bzw.* sueldo *m* efectivo; **~politik** *f* (*0*) política *f* realista; **~union** *f Pol.* unión *f* real; **~wert** *m* (*-es; -e*) valor *m* real.

ˈ**Rebe** *f* (*Weinstock*) cepa *f*, vid *f*; (*Ranke*) sarmiento *m*; pámpano *m*.

Reˈbell *m* (*-en*) rebelde *m*; *bsd.* ⚔ sublevado *m*.

rebelˈlieren (-) *v/i.* rebelarse; sublevarse.

Rebelliˈon *f* rebelión *f*; sublevación *f*; → *Aufstand*.

reˈbellisch *adj.* rebelde (*a. fig.*).

ˈ**Reben...: ~blatt** *n* (*-es; ⸚er*) hoja *f* de vid; **~messer** *n* podadera *f*; **~pfahl** *m* (*-es; ⸚e*) rodrigón *m*; **~saft** *m* (*-es; ⸚e*) zumo *m* de la vid.

ˈ**Reb...: ~huhn** *n* (*-es; ⸚er*) perdiz *f*; *junges ~* perdigón *m*; **~hühnerjagd** *f* caza *f* de la perdiz; **~laus** *f* (*-; ⸚e*) filoxera *f*; **~stock** *m* (*-es; ⸚e*) cepa *f*, vid *f*; *am Geländer*: parra *f*.

ˈ**Rechen I.** *m* ⚒ rastrillo *m*; (*Roulettspiel*) raqueta *f*; **II.** ² *v/t.* rastrillar.

ˈ**Rechen...: ~aufgabe** *f*, **~exempel** *n* problema *m* de aritmética; **~buch** *n* (*-es; ⸚er*) libro *m* de aritmética; **~fehler** *m* error *m* de cálculo; **~kunst** *f* (*0*) aritmética *f*; **~künstler** *m* aritmético *m*; calculador-prodigio *m*; **~lehrer(in** *f*) *m* profesor (-a *f*) *m* de aritmética; **~maschine** *f* máquina *f* de calcular, calculadora *f*; *elektronische ~* calculadora electrónica; **~operation** *f* operación *f* aritmética *od.* de cálculo.

ˈ**Rechenschaft** *f* (*0*) cuenta *f*; *~ ablegen* (*od. geben*) rendir (*od.* dar) cuenta (*über ac.* de); *sich ~ ablegen* hacer examen de conciencia; *von j-m ~ verlangen, j-n zur ~ ziehen* pedir cuenta (*od.* razón) a alg.; pedir cuentas a alg. (*über ac.* de); *j-m ~ schuldig sein* estar obligado a dar cuenta a alg. (*über ac.* de); **~sbericht** *m* (*-es; -e*) informe *m*; **~slegung** *f* rendición *f* de cuentas; **~s-pflicht** *f* (*0*) obligación *f* de rendir cuenta; ²**s-pflichtig** *adj.* obligado a dar (*od.* rendir) cuenta.

ˈ**Rechen...: ~schieber** *m* regla *f* de cálculo; **~stunde** *f* lección *f* de aritmética; **~tabelle** *f* baremo *m*; **~tafel** *f* (*-; -n*) escala *f* aritmética; tabla *f* de cálculos; (*Schiefertafel*) pizarra *f*; *pythagoreische ~* tabla de multiplicar; **~unterricht** *m* (*-es; 0*) enseñanza *f* de la aritmética; clase *f* de aritmética; **~zentrum** *n* (*-s; -zentren*) centro *m* de cálculo electrónico; central *f* registradora.

Reˈcherch|en [ʃ] *pl.* pesquisas *f/pl.*; indagaciones *f/pl.*; *~ anstellen* hacer (*od.* practicar) investigaciones; ²ˈ**ieren** (-) *v/t. u. v/i.* pesquisar, indagar; hacer pesquisas.

ˈ**rechnen I.** (*-e-*) *v/t. u. v/i.* calcular; *im Kopf ~* calcular mentalmente, hacer un cálculo mental; *~ lernen* aprender a calcular; aprender aritmética; (*zählen*) contar; *~ zu* contar entre; pertenecer a; (*belasten*) cargar; (*schätzen*) estimar; *~ auf* (*ac.*) contar con, (*erwarten*) confiar en, esperar (*inf.*); *mit j-m ~* contar con alg.; *mit et. ~* contar con a/c.; *sich* (*dat.*) *zur Ehre ~* considerar un honor; *falsch ~* calcular mal; *er kann nicht ~* (*sparen*) no sabe economizar; no sabe administrar bien su dinero; *alles in allem gerechnet* contado en total; contado uno con otro; *hoch gerechnet* a lo sumo; *von heute an gerechnet* a contar de hoy; contado a partir de hoy; **II.** ² *n* cálculo *m*; aritmética *f*.

ˈ**Rechner|(in** *f*) *m* calculador(a *f*) *m*; (*Arithmetiker*) aritmético *m*; *kühler ~* calculador frío; ²**isch** *adj.* obtenido por medio de cálculos; calculado; de (*od.* del) cálculo.

ˈ**Rechnung** *f* cálculo *m*; operación *f* aritmética; ✝ cuenta *f*; (*Waren*²) factura *f*; (*Honorar*²) honorarios *m/pl.*; (*Hotel*², *Restaurant*²) cuenta *f*; (*Herr*) *Ober, die ~ bitte!* ¡camarero!, la cuenta, por favor; *für j-s ~* por cuenta de alg.; *für fremde ~* por cuenta ajena; *auf eigene ~* por cuenta propia; *auf ~ kaufen* comprar a crédito; *auf j-s ~ stellen* poner (*od.* cargar) en la cuenta de alg.; *das geht auf m-e ~* eso corre de (*od.* por) mi cuenta; *auf Ihre ~ und Gefahr* por su cuenta y riesgo; *laufende ~* cuenta corriente; *offene ~* cuenta abierta; *gemeinschaftliche ~* cuenta común; *unbezahlte ~* cuenta pendiente; *glatte* (*od. runde*) *~* cuenta redonda; *halbe ~* cuenta a medias; *laut eingeschickter ~* según factura remitida *bzw.* recibida; *übertrieben hohe ~* cuenta abusiva, F *fig.* cuentas del Gran Capitán; *e-e ~ ausstellen* hacer una cuenta, *Faktura*: extender una factura; *e-e ~ bezahlen* (*od. begleichen*) pagar (*od.* saldar) una cuenta; *e-e ~ quittieren* firmar el recibí; *e-e ~ abnehmen* (*prüfen*) examinar (revisar) una cuenta; *~ ablegen* rendir cuentas; *in ~ stellen* poner (*od.* cargar) en cuenta; *die ~ stimmt* (*nicht*) la cuenta está bien (está equivocada); *fig. auf s-e ~* (*Verantwortung*) nehmen tomar por su cuenta; tomar bajo su responsabilidad; *auf s-e ~ kommen* ver satisfechos sus deseos; *e-r Sache* (*dat.*) *~ tragen* tener en cuenta a/c.; *j-m e-n Strich durch die ~ machen* desbaratar (F echar a rodar) los planes de alg.; *die ~ ohne den Wirt machen* no contar con la huéspeda; *s-e ~ ging nicht auf* se equivocó en sus cálculos; le salió mal la cuenta.

ˈ**Rechnungs...: ~ablegung** *f* ✝ rendición *f* de cuentas; **~abschluß** *m* (*-sses; ⸚sse*) cierre *m bzw.* balance *m od.* saldo *m* de una cuenta; finiquito *m*; **~art** *f* ⚹ método *m* de cálculo; *die vier ~en* las cuatro reglas (aritméticas) fundamentales; **~auszug** *m* (*-es; ⸚e*) extracto *m* de cuenta; **~beleg** *m* (*-es; -e*) comprobante *m*; **~betrag** *m* (*-es; ⸚e*) importe *m* de la factura; **~buch** *n* (-*es*; ⸗*er*) libro *m* de cuentas; **~fehler** *m* error *m* de cálculo; ~ *vorbehalten* salvo error de cálculo; **~führer** *m* contador *m*; **~führung** *f* contabilidad *f*; **~hof** *m* (-*es*; ⸗*e*) Tribunal *m* de Cuentas; **~jahr** ✝ *n* (-*es*; -*e*) ejercicio *m*; **~kammer** *f* (-; -*n*) (*Rechnungskanzlei*) contaduría *f*; **~legung** *f* rendición *f* de cuentas; **~posten** *m* ✝ asiento *m*; *im Etat*: partida *f*; **~prüfer** *m* revisor *m* de cuentas; contador *m*; **~prüfung** *f* revisión *f* de cuentas; **~rat** *m* (-*es*; ⸗*e*) consejero *m* del Tribunal de Cuentas; **~übersicht** *f* estado *m* de cuentas; **~vorlage** *f* presentación *f* de una factura; **~wesen** *n* (-*s*; *0*) contabilidad *f*.

recht I. *adj.* (*Gegensatz zu link*) derecho, *Liter.* diestro; (*richtig; gerecht*) justo, recto; (*~mäßig*) legítimo; (*geeignet*) propio; apropiado, adecuado; (*schicklich*) conveniente; oportuno; (*echt*) verdadero; auténtico; (*angenehm*) agradable; (*gut*) bueno; (*zutreffend*) exacto, preciso; (*schuldig*) debido; *~e Hand* mano derecha; *j-s ~e Hand sein* ser el brazo derecho de alg.; *der ~e Mann* el hombre apropiado; *die ~e Mitte* el justo medio; *ein ~er Narr* un verdadero tonto; *am ~en Ort* en el lugar debido; *~e Seite* lado derecho, *Stoff*: cara, lado derecho, *Münze*: anverso, F cara; *der ~e Weg* el buen camino; ⩓ *~er Winkel* ángulo recto; *das ~e Wort* la palabra apropiada; *zur ~en Zeit* a tiempo; en el momento oportuno; *gelegen*: a propósito; *das ist ~* eso está bien; *wenn es Ihnen ~ ist* si le parece bien a usted; si usted no tiene inconveniente; *mir ist's ~* me parece bien; *ihm ist alles ~* (*er ist mit allem zufrieden*) se conforma con todo; *es geht nicht mit ~en Dingen zu* no es cosa natural; aquí hay (*od.* pasa) algo raro; *et. ins ~e Licht setzen* presentar a/c. en su verdadero aspecto; mostrar a/c. como realmente es; *ihm ist jedes Mittel ~* se vale de todos los medios; *das ist nur ~ und billig* no es sino lo justo; *was dem e-n ~ ist, das ist dem andern billig* no hay que aplicar dos pesos y dos medidas; lo que es justo para uno debe serlo también para el otro; **II.** *adv.* (*sehr*) muy; (*ziemlich*) bastante; (*wirklich*) realmente, verdaderamente; (*richtig*) correctamente; (*gehörig*) como es debido; *~ haben* tener razón; *~ behalten* acabar teniendo razón; *er hat ~ bekommen* le han dado la razón; le han hecho justicia; *im Prozeß*: ha ganado el pleito; *j-m ~ geben* dar la razón a alg.; *das geschieht dir ~* te está bien empleado; tú lo has querido; lo tienes bien merecido; *er hat vollkommen ~* tiene muchísima razón; *Sie kommen gerade ~* llega usted muy oportunamente; *das ist mir gerade ~* me viene muy a propósito; me conviene; *ich kann es ihr nie ~ machen* no consigo hacer nada a su gusto; *man kann es nicht allen ~ machen* no se puede contentar (*od.* dar satisfacción) a todos; *ich weiß nicht ~* no sé a punto fijo (*od.* a ciencia cierta); *habe ich ~ gehört?* ¿he oído bien?; *wenn ich es ~ bedenke* si lo pienso bien; considerándolo bien; *er ist nicht ~ gescheit* no está en sus cabales; *schlecht und ~* mal que bien; *~ gern* con mucho gusto; F de mil amores; *das ist ~!*, *~ so!* ¡eso está bien!; ¡muy bien!; ¡bien hecho!; ¡así me gusta!; *schon ~!* ¡ya está bien!; *erst ~* con mayor razón (*od.* motivo); *nun erst ~!* precisamente por eso; ahora con mayor motivo; ahora más que nunca; razón de más para ello; *nun erst ~ nicht!* ahora menos que nunca; *ganz ~* perfectamente; muy bien; eso es; exactamente; *mir ist alles ~* estoy conforme con todo; por mí no hay inconveniente.

Recht *n* (-*es*; -*e*) derecho *m*; (*vernünftige Begründung*) razón *f*; (*Gerechtigkeit*) justicia *f*; (*Billigkeit*) equidad *f*; (*Gesetz*) ley *f*; (*Vor*⁀) privilegio *m*; (*Hoheits*⁀) prerrogativa *f*; (*Vollmacht; Befugnis*) poder *m*; (*Rechtsanspruch*) derecho *m*, título *m*; *bürgerliches* (*öffentliches; gemeines; römisches; kanonisches*) *~* derecho civil (público; común; romano; canónico); *ererbte* (*wohlerworbene*) *~e* derechos sucesorios (adquiridos); *Student der ~e* estudiante de derecho; *Doktor der ~e* doctor en derecho; *die ~e studieren* estudiar derecho; *mit gleichen ~en und Pflichten* con los mismos derechos y obligaciones; *das ~ des Stärkeren* el derecho del más fuerte; *alle ~e vorbehalten allg.* reservados todos los derechos; (*Copyright*) es propiedad; *nach geltendem ~* según las leyes vigentes; *mit welchem ~?* ¿con qué derecho?; *mit ~* con razón; con justo título; *mit ~ oder Unrecht* con razón o sin ella; *mit vollem ~* con pleno derecho; *mit um so größerem ~* con mayor razón; *~ sprechen* administrar justicia; *j-m zu s-m ~ verhelfen* hacer justicia a alg.; *ein ~ geltend machen* hacer valer un derecho; *ein ~ herleiten* derivar un derecho (*aus, von* de); *ein ~ aufgeben, auf ein ~ verzichten* renunciar a un derecho; *von e-m ~ Gebrauch machen* usar de un derecho; *ein ~ ausüben* ejercer un derecho; *das ~ haben, zu* (*inf.*) tener el derecho de (*inf.*); *ein ~ haben* tener derecho (*auf ac.* a; *über ac.* sobre); *im ~ sein* estar en su derecho; tener razón; *das ~ verletzen* violar el derecho; infringir las leyes; *ein ~ erwerben* adquirir un derecho; *sein ~ fordern* reclamar su derecho; pedir justicia; *zu ~ bestehen* ser legal; estar sancionado por las leyes; *von ~s wegen* ⚖ judicialmente; conforme a derecho; *das ~ auf seiner Seite haben* tener la razón de su parte; *sich selbst ~ verschaffen* tomarse la justicia por su mano; *Gnade für ~ ergehen lassen* tener clemencia, ser clemente; *wo nichts ist, hat der Kaiser sein ~ verloren* de donde nada hay, nada se puede sacar.

'**Rechte**[1] *f* (*0*) (mano *f*) derecha *f*; *Poes.* diestra *f*; *die ~ Pol.* las derechas; *zur ~n* a la derecha.

'**Rechte**[2] *n* lo justo; *et. ~s* algo bueno; algo que vale; *nichts ~s wissen* no saber gran cosa; no saber nada de nada; *das ~ treffen* acertar; *nach dem ~n sehen* cuidar de sus intereses; vigilar a/c.; F ver cómo andan las cosas.

'**Recht-eck** *n* (-*es*; -*e*) rectángulo *m*; **⁀ig** *adj.* rectangular.

'**rechten** (-*e*-) *v/i.* litigar, pleitear; *fig.* disputar.

'**Rechte(r)** *m Pol.* derechista *m*, hombre *m* de derechas; *iro. du bist mir der ~!* ¡valiente amigo eres tú!; ¡sí que puedo confiar en ti!; *an den ~n kommen* encontrar su igual; dar, al fin, con alg. a quien se buscaba.

'**recht...:** **~fertigen** *v/t.* justificar; (*entschuldigen*) disculpar; *sich ~* justificar su conducta; exculparse; (*sich entschuldigen*) disculparse, excusarse; *sich j-m gegenüber ~* justificarse ante alg. (wegen et. por a/c.); *zu ~* justificable; **~fertigend** *adj.* justificativo; **⁀fertigung** *f* justificación *f*; **⁀fertigungsgrund** *m* (-*es*; ⸗*e*) argumento *m* justificativo; ⚖ causa *f* de justificación; **⁀fertigungsschrift** *f* escrito *m* justificativo; **~gläubig** *adj.* ortodoxo; **⁀gläubige(r)** *m* ortodoxo *m*; **⁀gläubigkeit** *f* (*0*) ortodoxia *f*; **⁀haber** (-**in** *f*) *m* ergotista *m/f*; disputador (-a *f*) *m*; **⁀habe'rei** *f* ergotismo *m*; afán *m* de contradecir; **~haberisch** *adj.* ergotista; disputador; *~ sein* querer tener siempre razón (*od.* la última palabra); **~lich I.** *adj.* (*rechtmäßig*) legítimo; (*gesetzlich*) legal; (*billig*) equitativo; ⚖ jurídico; **II.** *adv.* desde el punto de vista jurídico (*od.* legal); *~ anerkennen* legitimar; (*legalisieren*) legalizar; **⁀lichkeit** *f* (*0*) (*Rechtmäßigkeit*) legitimidad *f*; (*Gesetzlichkeit*) legalidad *f*; (*Billigkeit*) equidad *f*; **~linig** *adj.* rectilíneo; **~los** *adj.* sin derechos; privado de derechos; (*vogelfrei*) fuera de la ley; (*rechtswidrig*) ilegal; (*unrechtmäßig*) ilegítimo; (*Zustand*) anárquico; **⁀losigkeit** *f* (*0*) ausencia *f* (total) de derechos; (*Rechtswidrigkeit*) ilegalidad *f*; (*Unrechtmäßigkeit*) ilegitimidad *f*; **~mäßig** *adj.* (*gesetzlich*) legal; (*dem Rechte gemäß*) legítimo; (*billig*) justo, equitativo; (*zuständig*) competente; (*gültig*) válido; *für ~ erklären* legalizar; (*legitimieren*) legitimar; **⁀mäßigkeit** *f* (*0*) legalidad *f*; legitimidad *f*; competencia *f*; validez *f*.

rechts *adv.* a la derecha; a mano derecha; *~ stehen Pol.* ser de derechas, ser derechista; *~ fahren* conducir por la derecha; *~ gehen* ir por la derecha; *sich ~ halten* mantenerse en (*od.* llevar) la derecha; *~ abbiegen* doblar a la derecha; *~ überholen* adelantar (*od.* pasar) por la derecha; *weder ~ noch links sehen* no mirar a derecha ni izquierda; seguir (derecho) su camino.

'**Rechts...:** **~abteilung** *f* sección *f* jurídica; asesoría *f* jurídica; **~anspruch** ⚖ *m* (-*es*; ⸗*e*) pretensión *f* legal; *~ auf* (*ac.*) derecho a; **~anwalt** *m* (-*es*; ⸗*e*) abogado *m*; (*Vertreter vor Gericht*) procurador *m*; **~anwältin** *f* abogada *f*; **~anwaltspraxis** *f* (-; -*praxen*) bufete *m*; ~-

anwaltschaft *f* (*0*) abogacía *f*; **~anwaltskammer** *f* (-; -*n*) colegio *m* de abogados; **~ausdruck** *m* (-*es*; ⸗*e*) término *m* jurídico; **~auskunft** *f* (-; ⸗*e*) información *f* jurídica; **~ausschuß** *m* (-*sses*; ⸗*sse*) comisión *f* jurídica; **~außen(stürmer)** *m Fußball*: extremo *m* derecha; **~begehren** ⚖ *n* conclusiones *f/pl.*; **~begriff** *m* (-*es*; -*e*) concepto *m* jurídico; noción *f* de derecho; **~behelf** *m* (-*es*; *0*) asistencia *f* jurídica; (*Rechtsmittel*) recurso *m*; **~beirat** *m* (-*es*; ⸗*e*) síndico *m*; **~beistand** *m* (-*es*; *0*) asistencia *f* judicial; consultor *m* jurídico; (*Anwalt*) abogado *m*, *nicht plädierender*: procurador *m*; **~belehrung** *f der Geschworenen*: instrucción *f*; **~berater** *m* asesor *m* jurídico; **~beugung** *f* prevaricación *f*; **~bruch** *m* (-*es*; ⸗*e*) violación *f* del derecho.

ˈ**rechtschaffen I.** *adj.* honrado; honesto; probo, íntegro; leal; justo, recto; **II.** *adv.* (*gehörig*) como es debido; F bastante; ~ *handeln* obrar rectamente; ~ *leben* vivir honradamente; ~ *müde sein* estar bastante cansado; **2heit** *f* (*0*) honradez *f*; honestidad *f*; probidad *f*, integridad *f*; lealtad *f*; rectitud *f*.

ˈ**Rechtschreibung** *f* ortografía *f*.

ˈ**Rechts...: ~drall** *m* (-*es*; *0*) torsión *f* a la derecha; **2drehend** *adj.* ⚗ dextrógiro; **~drehung** *f* rotación *f* (*od.* giro *m*) a la derecha; dextrorrotación *f*.

ˈ**rechtsseitig** *adj.* del lado derecho.

ˈ**Rechts...: ~empfinden** *n* (-*s*; *0*) sentido *m* de la justicia; **2fähig** *adj.* con capacidad jurídica; **~fähigkeit** *f* (*0*) capacidad *f* jurídica; **~fall** *m* (-*es*; ⸗*e*) caso *m* litigioso; litigio *m*, pleito *m*; causa *f*; **~form** *f* forma *f* jurídica; **~frage** *f* cuestión *f* jurídica; cuestión *f* de derecho; **~gang** *m* (-*es*; *0*) ⚖ procedimiento *m* (judicial); ⊕ marcha *f* a la derecha; **2gängig** *adj. Gewinde*: de paso derecho; **~gefühl** *n* (-*es*; *0*) sentido *m* de la justicia; rectitud *f*; **~gelehrsamkeit** *f* (*0*) jurisprudencia *f*; **~gelehrte(r)** *m* jurisconsulto *m*; jurista *m*; **~geschäft** *n* (-*es*; -*e*) negocio *m* jurídico; **~gewinde** ⊕ *n* filete *m* a la derecha; **~gleichheit** *f* (*0*) igualdad *f* ante la ley; **~grund** *m* (-*es*; ⸗*e*) fundamento *m* legal (*od.* jurídico); *Anspruch*: título *m* (legal); **~grundlage** *f* base *f* jurídica (*od.* legal); **~grundsatz** *m* (-*es*; ⸗*e*) principio *m* jurídico; **2gültig** *adj.* (*0*) válido; legal; *Schriftstück*: auténtico; **~gültigkeit** *f* (*0*) validez *f* jurídica; *e-s Schriftstückes*: autenticidad *f*; **~gutachten** *n* dictamen *m* pericial judicial; **~handel** *m* (-*s*; ⸗) litigio *m*; pleito *m*; proceso *m*; causa *f*; **2händig** *adj.* que usa preferentemente la mano derecha; **2hängig** ⚖ *adj.* pendiente; sub judice; **2herum** *adv.* a la derecha; **~hilfe** *f* (*0*) asistencia *f* judicial; **~innen(stürmer)** *m Fußball*: interior *m* derecha; **~kraft** *f* (*0*) fuerza *f* de ley; *e-s Urteils*: firmeza *f*; (*Gültigkeit*) validez *f*; **2kräftig** *adj.* que tiene fuerza de ley; (*Urteil*) firme; (*gültig*) válido; (*Vertrag*) ratificado; *~es Urteil* sentencia firme; ~ *werden* adquirir fuerza de ley; *allg.* entrar en vigor; **~kunde** *f* (*0*) jurisprudencia *f*; **2kundig** *adj.* versado en leyes; **~kundige(r)** *m* jurisperito *m*; **~kurve** *f* curva *f* a la derecha; (*Fahrzeug*) viraje *m* a la derecha; **~lage** *f* situación *f* jurídica; **~lehrer** *m* profesor *m* de derecho; jurisconsulto *m*; **~mißbrauch** *m* (-*es*; ⸗*e*) abuso *m* de derecho; **~mittel** *n* recurso *m*; medio *m* legal; *ein ~ einlegen* interponer recurso; **~nachfolge** *f* (derecho *m* de) sucesión *f*; **~nachfolger** *m* causahabiente *m*; sucesor *m*; (*Erbe*) heredero *m*; **~partei** *Pol. f* partido *m* de derechas; **~person** *f* persona *f* jurídica; **~pflege** *f* (*0*) administración *f* de justicia; jurisdicción *f*; **~philosophie** *f* (*0*) filosofía *f* del derecho.

ˈ**Rechtsprechung** *f* administración *f* de justicia; jurisdicción *f*; jurisprudencia *f*.

ˈ**rechtsradikal** *adj.*: *~e Partei* partido político de la extrema derecha; **2e(r)** *m* partidario *m* de la extrema derecha; extremista *m/f* de derechas.

ˈ**Rechts...: ~sache** *f* litigio *m*; pleito *m*; causa *f*; proceso *m*; **~schutz** *m* (-*es*; *0*) garantía *f* legal; **~sprache** *f* (*0*) terminología *f* jurídica; **~spruch** *m* (-*es*; ⸗*e*) sentencia *f*, fallo *m*; *von Geschworenen*: veredicto *m*; **~staat** *m* (-*es*; -*en*) Estado *m* constitucional; **~stellung** *f* condición *f* jurídica; **~steuerung** *f Auto usw.*: conducción *f* a la derecha; **~streit** *m* (-*es*; -*e*) → *Rechtssache*; **~titel** *m* título *m* legal; **2ˈum** *adv.* ⚔ *~!* ¡(vuelta a la) derecha!; *~ kehrt!* ¡media vuelta a la derecha!; **~unfähigkeit** *f* (*0*) incapacidad *f* jurídica; **2ungültig** *adj.* ilegal; inválido; **~ungültigkeit** *f* (*0*) invalidez *f* jurídica; **2verbindlich** *adj.* obligatorio; legal (y válido); **~verbindlichkeit** *f* obligación *f* legal; validez *f*; **~verdreher** *m* abogado *m* sofisticador; rábula *m*; **~verfahren** *n* procedimiento *m* judicial; **~verfolgung** *f* prosecución *f* legal; **~verhältnis** *n* (-*ses*; -*se*) relación *f* jurídica; **~verkehr** *m* (-*s*; *0*) circulación *f* por la derecha; **~verletzung** *f* violación *f* de un derecho; **~vertreter** *m* mandatario *m*; **~weg** *m* (-*es*; *0*) vía *f* judicial; *den ~ beschreiten* proceder judicialmente; recurrir a los tribunales; *auf dem ~ geltend machen* hacer valer en justicia; *unter Ausschluß des ~es* con exclusión de recurso por vía judicial; **2widrig** *adj.* ilegal; **~widrigkeit** *f* ilegalidad *f*; **2wirksam** *adj.* → *rechtskräftig*; **~wissenschaft** *f* (*0*) jurisprudencia *f*; **~zustand** *m* (-*es*; *0*) situación *f* jurídica; estatuto *m* legal.

ˈ**recht...: ~wink(e)lig** *adj.* rectangular; **~zeitig I.** *adj.* oportuno; **II.** *adv.* oportunamente; a tiempo; en el momento oportuno; **2zeitigkeit** *f* (*0*) oportunidad *f*.

Reck *n* (-*es*; -*e*) (*Turnen*) barra *f* fija.

ˈ**recken 1.** *v/t.* extender, alargar; *Met.* estirar; **2.** *v/refl.*: *sich ~* estirarse; (*sich aufrichten*) enderezarse; *beim Aufwachen*: desperezarse.

ˈ**reckenhaft** *adj.* heroico; gallardo; gigantesco; (*Gestalt*) varonil.

ˈ**Reckstange** *f* barra *f* fija.

Redak|ˈteur *m* (-*s*; -*e*) redactor *m*; (*Haupt2*) redactor-jefe *m*; **~tiˈon** *f* redacción *f*; **~tiˈonsschluß** *m* (-*sses*; *0*) cierre *m* de la edición; *nach ~* al cerrar la edición; *nach ~ eingegangene Nachricht* noticia de última hora.

ˈ**Rede** *f* (*Worte*) palabras *f/pl.*; (*Redeweise*) lenguaje *m*; dicción *f*; modo *m* de hablar, manera *f* de expresarse; *gehobene ~* estilo *m* elevado; *gebundene ~* poesía *f*; *ungebundene ~* prosa *f*; (*Vortrag*) discurso *m*; (*wissenschaftliche*) disertación *f*; *vor Gericht*: informe *m*; (*Ansprache*) alocución *f*; arenga *f*; (*feierliche*) oración *f*; (*Unterhaltung*) conversación *f*, plática *f*, F charla *f*; (*Gerücht*) rumor *m*; *Gr.* (*in*)*direkte ~* estilo *m* (in)directo; *programmatische ~* discurso-programa *m*; *e-e ~ halten* pronunciar un discurso; *an j-n e-e ~ halten* F sermonear (*od.* echar un sermón) a alg.; *große ~n halten* F fanfarronear; *in ~ stehen* ser objeto de discusión; *die in ~ stehende Person* la persona en cuestión; *wovon ist die ~?* ¿de qué se habla?; ¿de qué se trata?; *davon ist nicht die ~* no se habla (*od.* trata) de eso; *davon kann keine ~ sein* eso no hay que pensarlo; F *keine ~!* ¡ni soñarlo!, ¡ni hablar!; *das ist nicht der ~ wert* no tiene importancia; no vale la pena hablar de ello; *Ihren ~n nach* a juzgar por lo que usted dice; *j-m in die ~ fallen* interrumpir a alg.; cortar la conversación a alg.; *j-m ~ (und Antwort) stehen* dar cuenta (*od.* razón) a alg. (*wegen* de); *j-n wegen et.* (*gen.*) *zur ~ stellen* pedir explicaciones a alg. de a/c.; pedir a alg. cuenta de a/c.; *seltsame ~n führen* decir cosas raras; *wenn die ~ darauf kommt* si se llega a hablar de eso; F si eso sale a colación; **~du·ell** *n* (-*s*; -*e*) duelo *m* oratorio; **~figur** *f* figura *f* de dicción; metáfora *f*; **~fluß** *m* (-*sses*; *0*) verbosidad *f*, locuacidad *f*; **~freiheit** *f* (*0*) libertad *f* de (la) palabra; **~gabe** *f* (*0*) don *m* de la oratoria; talento *m* oratorio; (*Beredsamkeit*) elocuencia *f*; **2gewandt** *adj.* de palabra fácil; (*beredt*) elocuente; **~gewandtheit** *f* (*0*) facilidad *f* de palabra; (*Beredsamkeit*) elocuencia *f*; **~kunst** *f* (*0*) arte *m* de hablar; retórica *f*; (*Beredsamkeit*) elocuencia *f*; *parlamentarische ~* oratoria *f*; *s-e ganze ~ aufbieten* usar de toda su elocuencia.

ˈ**reden I.** (-*e*-) *v/i. u. v/t.* hablar (*über ac.* sobre); (*sagen*) decir; (*erörtern*) discutir; (*sich unterhalten*) conversar, platicar; (*plaudern*) charlar; (*sich vernehmen lassen*) hacerse oír; (*e-e Rede halten*) pronunciar un discurso; *vor Gericht*: informar; *e-e wissenschaftliche Abhandlung*: disertar (*über ac.* sobre); *öffentlich ~* hablar en público; *über Politik ~* hablar de política; *Unsinn ~* disparatar, decir tonterías; *in den Wind ~* hablar en balde; *Gutes* (*Schlechtes*) *über j-n ~* hablar bien (mal) de alg.; *ausführlich ~* discurrir; extenderse en consideraciones *od.* detalles (*über ac.* sobre); ~ *Sie weiter!* ¡continúe usted!; *mit sich ~ lassen* avenirse (*od.* atender) a razones; ser tratable; *von sich ~ machen* dar lugar a comentarios; F *fig.* levantar una polvareda; *e-r Sache* (*dat.*) *das Wort ~* defender a/c.; *j-m das Wort ~* hablar (*od.* interceder) en favor de alg.; *j-m ins Gewissen ~* apelar a la conciencia de alg.; *j-m nach dem Mund ~* hablar al paladar de alg.; *ich habe mit dir zu ~* tengo que hablar contigo; *sich heiser ~* enronquecer (*od.* ponerse afónico) de tanto hablar; *darüber läßt sich ~* sobre eso podemos llegar a entendernos; *Sie haben gut ~* para usted es muy cómodo hablar así; **II.** 2 *n* modo *m* de hablar; habla *f*; (*Unterhaltung*) conversación *f*, plática *f*; *viel ~s von et. machen* dar excesiva importancia a a/c.; *~ ist Silber, Schweigen ist Gold* en boca cerrada no entran moscas; por la boca muere el pez; **~d** *adj.* (*ausdrucksvoll*) expresivo; (*beredt*) elocuente; **2s-art** *f* locución *f*; (*Ausdruck*) expresión *f*; (*Redewendung*) giro *m*, modismo *m*; (*Spracheigentümlichkeit*) idiotismo *m*; (*Phrase*) frase *f*; *sprichwörtliche ~* dicho *m*; refrán *m*; proverbio *m*; *allgemeine* (*od. stehende*) *~* locución *f* corriente; frase *f* hecha; *bloße ~en!* ¡palabras y nada más!

Rede'rei *f* (*Gerede*) habladurías *f/pl.*

'Rede...: ~schwall *m* (*-ės; 0*), **~strom** *m* (*-ės; 0*) verbosidad *f*, F verborrea *f*; **~übung** *f* ejercicio *m* retórico; **~weise** *f* modo *m* (*od.* manera *f*) de hablar; lenguaje *m*; dicción *f*; manera *f* de expresarse; **~wendung** *f* → *Redensart*; **~zeit** *f bei Kongressen, Tagungen usw.*: tiempo *m* asignado a cada orador.

redi'gieren I. (-) *v/t.* redactar; *Zeitung*: dirigir; **II.** 2 *n* redacción *f*; dirección *f*.

Redis'kont † *m* (*-s; -e*) redescuento *m*; **2fähig** *adj.* redescontable.

rediskon'tier|en (-) † *v/t. u. v/i.* redescontar; **2ung** *f* redescuento *m*.

'redlich I. *adj.* honrado; probo; leal; recto; (*aufrichtig*) sincero; de buena fe; **II.** *adv.*: *sich ~ bemühen* esforzarse de buena fe; **2keit** *f* (*0*) honradez *f*; probidad *f*; lealtad *f*; rectitud *f*; (*Aufrichtigkeit*) sinceridad *f*; buena fe *f*.

'Redner *m* orador *m*; (*Vortragender*) conferenciante *m*; **~bühne** *f* tribuna *f*; **~gabe** *f* (*0*) talento *m* oratorio; (*Beredsamkeit*) elocuencia *f*; **~in** *f* oradora *f*; (*Vortragende*) conferenciante *f*; **2isch** *adj.* oratorio; retórico; *~e Begabung* don de la oratoria; **~liste** *f* lista *f* de oradores; **~tribüne** *f* tribuna *f*.

'redselig *adj.* hablador, conversador; facundo; *stärker*: locuaz, F parlanchín, parlero; (*weitschweifig*) verboso; **2keit** *f* (*0*) facundia *f*; locuacidad *f*; (*Weitschweifigkeit*) verbosidad *f*, verborrea *f*.

Redukti'on *f* reducción *f*; **~sgetriebe** ⊕ *n* engranaje *m* reductor; **~smittel** ⚗ *n* reductor *m*.

redu'zier|bar *adj.* reducible, reductible; **2barkeit** *f* (*0*) reducibilidad *f*, reductibilidad *f*; **~en** (-) *v/t.* reducir (*auf ac.* a); *sich ~* reducirse; **2en** *n*, **2ung** *f* reducción *f*.

'Reede ⚓ *f* rada *f*; **~r** ⚓ *m* armador *m*, naviero *m*.

Reede'rei ⚓ *f* compañía *f* naviera.

re'ell *adj.* (*wirklich*) real, efectivo; (*redlich*) honrado; leal; (*zuverlässig*) serio, formal; de confianza; (*solid*) sólido; bien fundado; (*angesehen*) respetable; *Preis*: razonable; *Ware*: bueno; *Bedienung*: esmerado; *Zahl* Å real; *Angebot*: aceptable; *~e Firma* casa acreditada; firma solvente.

Reep ⚓ *n* (*-ės; -e*) cable *m*; cuerda *f*, cabo *m*.

Refek'torium *n* (*-s; -rien*) refectorio *m*.

Refe'rat *n* (*-ės; -e*) (*Bericht*) informe *m*; (*Darlegung*) relación *f*; (*Vortrag*) disertación *f*; *über ein Buch*: reseña *f*, juicio *m* crítico; *Parl.* ponencia *f*; (*Dienststelle*) sección *f*; *ein ~ halten* informar (*über ac.* sobre); *Uni.* disertar sobre un tema.

Referen'dar *m* (*-s; -e*) ⚖ pasante *m*; *Schule*: maestro *m* en período de prueba *bzw.* de habilitación práctica.

Refe'rendum *n* (*-s; -da od. -den*) referéndum *m*.

Refe'rent *m* (*-en*) informador *m*; ⚖, *Parl.* ponente *m*; (*Sachverständiger*) experto *m*, perito *m*; (*Ressortchef*) jefe *m* de sección.

Refe'renz *f* (*Auskunft*) referencia *f*; (*Empfehlung*) recomendación *f*.

refe'rieren (-) *v/i.* relatar, referir; *in Form e-s Berichtes*: informar, presentar un informe (*über ac.* sobre); *in Form e-r Darlegung*: hacer una relación (*über ac.* de); *in Form e-s Rechenschaftsberichtes*: dar cuenta de; *Uni.* disertar sobre un tema.

Reff ⚓ *n* (*-ės; -e*) rizo *m*; **'2en** *v/t.* arrizar.

reflek'tieren I. (-) **1.** *v/t. Phys.* reflejar; **2.** *v/i.* (*nachdenken*) reflexionar (*über ac.* sobre); **II.** 2 *n* reflejo *m*; reflexión *f*.

Re'flektor *m* (*-s; -en*) reflector *m*.

reflek'torisch *adj.* reflexivo.

Re'flex *m* (*-es; -e*) reflejo *m*; **~bewegung** *f Physiol.* movimiento *m* reflejo.

Reflexi'on *f* reflexión *f*; **~swinkel** *m* ángulo *m* de reflexión.

refle'xiv *Gr. adj.* reflexivo; **2pronomen** *Gr. n* (*-s; - od. -mina*) pronombre *m* reflexivo.

Re'form *f* reforma *f*.

Reformati'on *f* reforma *f*; reformación *f*; *Hist.* Reforma *f*; **~szeit** *f* (*0*) época *f* de la Reforma.

Refor'mator *m* (*-s; -en*) reformador *m*; *bsd. Pol.* reformista *m*.

reforma'torisch *adj.* reformador; *bsd. Pol.* reformista; *Hist.* de la Reforma.

Re'form|bestrebung *f* tendencia *f* reformista; **~er** *m* reformador *m*; reformista *m*; **~haus** *n* (*-es; ⸚er*) tienda *f* de productos dietéticos naturales.

refor'mier|en (-) *v/t.* reformar; *die reformierte Kirche* la Iglesia reformada; **2te(r** *m*) *m/f* calvinista *m/f*.

Re'formkost *f* (*0*) alimentación *f* dietética (*od.* de régimen).

Re'frain [rə'frɛŋ] *m* (*-s; -s*) estribillo *m*.

Refrak|ti'on *Phys. f* refracción *f*; **~ti'onsmesser** *m* refractómetro *m*; **~tor** [-'frak-] *Astr. m* (*-s; -en*) refractor *m*, telescopio *m* dióptrico.

Re'gal *n* (*-s; -e*) (*Bücher2*) estante *m*, *großes*: estantería *f*; (*Orgel*) órgano *m* portátil; (*Orgelregister*) registro *m* del órgano; (*Hoheitsrecht*; *pl. -ien*) regalía *f*.

Re'gatta *f* (*-; Regatten*) regata *f*.

'rege *adj.* (*tätig*) activo; (*lebhaft*) vivo; animado; (*wach*) despierto; (*fleißig*) industrioso; *Verkehr*: intenso; *~ werden* despertar; hacerse sentir.

'Regel *f* (*-; -n*) regla *f*; (*Norm*) norma *f*; ⚕ regla *f*, período *m*; menstruación *f*; *in der ~* (*normalerweise*) normalmente, (*gewöhnlich*) por regla general, de ordinario, por lo general, en general; *e-e ~ befolgen* seguir (*od.* observar) una regla; *von der ~ abweichen* apartarse de la regla; *keine ~ ohne Ausnahme* no hay regla sin excepción; *Ausnahmen bestätigen die ~* la excepción confirma la regla; **2bar** *adj.* regulable; ajustable; **~de'tri** *Arith. f* (*0*) regla *f* de tres; **2los** *adj.* sin regla; (*unregelmäßig*) irregular; (*unordentlich*) desordenado; desarreglado; confuso; **~losigkeit** *f* (*0*) (*Unregelmäßigkeit*) irregularidad *f*; (*Unordnung*) desorden *m*; desarreglo *m*; **2mäßig I.** *adj.* regular; (*geregelt*) regulado; (*geordnet*) ordenado; (*normal*) normal; *zeitlich*: periódico; *in ~en Zeitabständen* a intervalos regulares; periódicamente; **II.** *adv.* regularmente; con regularidad; **~mäßigkeit** *f* (*0*) regularidad *f*; **2n I.** (*-le*) *v/t.* (*regulieren*) regular; ⊕ *a.* ajustar; *in Regeln fassen*: regularizar; reglar, ajustar a regla; *durch Verordnungen*: reglamentar; (*bestimmen*) fijar; (*ordnen*) arreglar; poner en orden; *sich ~ nach* regirse por; **II. ~n** *n* → *Regelung*; **2recht** *adj.* conforme a la regla (*od.* a las reglas); según la regla; (*regelmäßig*) regular; (*korrekt*) en regla; correcto; (*normal*) ordinario; normal; **~ung** *f* arreglo *m*; regularización *f*; regulación *f* (*a.* ⊕); *gesetzliche ~* reglamentación *f*; *selbsttätige ~* ⊕ regulación automática; **2widrig** *adj.* contrario a la regla (*od.* a las reglas); irregular; (*anomal*) anómalo; **~widrigkeit** *f* irregularidad *f*; (*Anomalie*) anomalía *f*.

'regen 1. *v/t.* mover; (*heftig*) agitar; **2.** *v/refl.*: *sich ~* moverse; hacer un movimiento; *körperlich u. geistig*: agitarse; *v. Gefühlen*: despertar; nacer; (*tätig sein*) ser activo; (*sich bemerkbar machen*) hacerse sentir; *es regt sich kein Lüftchen* no se mueve una hoja.

'Regen *m* lluvia *f*; *starker ~* chaparrón *m*; *feiner ~* llovizna *f*; F calabobos *m*; *plötzlicher ~* aguacero *m*; *im ~* bajo la lluvia; *es sieht nach ~ aus* amenaza lluvia; parece que va a llover; *auf ~ folgt Sonnenschein* después de la tempestad viene la calma; *vom ~ in die Traufe kommen* ir de mal en peor; F salir de Málaga y entrar en Malagón; **~bö** *f* turbión *m*; **~bogen** *m* (-*s*; ¨) arco *m* iris; **~bogenfarben** *f*/*pl.* colores *m*/*pl.* del arco iris; *in den ~ schillern* irisar; *in den ~ schillernd* iridescente; irisado; *Schillern in den ~* irisación *f*; **2bogenfarben** *adj.* iridescente; irisado; **~bogenfarbenspiel** *n* (-*es*; *0*) irisación *f*; **~bogenhaut** *Anat. f* (-; ¨*e*) iris *m*; **~bogenhaut-entzündung** ⚕ *f* inflamación *f* del iris; iritis *f*; **~dach** *n* (-*es*; ¨*er*) (*Vordach*) alero *m*; alpende *m*; *Wagen*: toldo *m*; **2dicht** *adj.* (*0*) impermeable.

Regenerati'on *f* regeneración *f*.

Regene'rator *m* (-*s*; -*en*) regenerador *m*.

regene'rier|en (-) *v/t.* regenerar; **2ung** *f* regeneración *f*.

'Regen...: ~fälle *m*/*pl.* lluvias *f*/*pl.*; **~fang** *m* (-*es*; ¨*e*) (*Behälter*) cisterna *f*, aljibe *m*; **2frei** *adj.* sin lluvias; **~guß** *m* (-*sses*; ¨*sse*) chubasco *m*, chaparrón *m*; **~haut** *f* (-; ¨*e*) impermeable *m* transparente; **~jahr** *n* (-*es*; -*e*) año *m* lluvioso (*od.* de lluvias); **~kappe** *f* capucha *f* impermeable; **~mantel** *m* (-*s*; ¨) impermeable *m*; **~menge** *f* cantidad *f* de lluvia caída; **~messer** *m* pluviómetro *m*; **~pfeifer** *Orn. m* alcaraván *m*; chorlito *m*; **~rinne** *f* gotera *f*; **~schauer** *m* chubasco *m*; **~schirm** *m* (-*es*; -*e*) paraguas *m*; **~schirmständer** *m* paragüero *m*.

'Regensburg *n* Ratisbona *f*.

Re'gent *m* (-*en*) (*Herrscher*) soberano *m*, monarca *m*; (*Stellvertreter*) regente *m*.

'Regentag *m* (-*es*; -*e*) día *m* lluvioso (*od.* de lluvia).

Re'gentin *f* (*Herrscherin*) soberana *f*, reina *f*.

'Regentropfen *m* gota *f* de lluvia.

Re'gentschaft *f* regencia *f*.

'Regen...: ~versicherung *f* seguro *m* contra la lluvia; **~wasser** *n* agua *f* pluvial (*od.* de lluvia); **~wetter** *n* tiempo *m* lluvioso; *bei ~* cuando el tiempo es lluvioso; cuando hay lluvia; *fig. ein Gesicht wie sieben Tage ~ machen* poner cara de vinagre (*od.* de viernes santo); **~wolke** *f* nimbo *m*; **~wurm** *Zoo. m* (-*es*; ¨*er*) lombriz *f* de tierra; **~zeit** *f* estación *f* de las lluvias.

Re'gie [-'ʒi:] *f* (*Verwaltung*) administración *f*; (*Staatsmonopol*) monopolio *m* del Estado; *Thea.* dirección *f* artística (*od.* de escena); **~assistent** *m* (-*en*) ayudante *m* del director artístico; **~kosten** *pl.* ✝ gastos *m*/*pl.* de administración (*od.* de la empresa).

re'gieren (-) **1.** *v/t.* gobernar; (*lenken*; *leiten*) dirigir; (*handhaben*) manejar; *bsd. Gr.* regir; **2.** *v/i.* (*herrschen*) reinar (*über ac.* sobre).

Re'gierung *f* gobierno *m*; (*Regierungszeit e-s Fürsten*) reinado *m*; (*Amtszeit e-s Präsidenten*) presidencia *f*; (*Regentschaft*) regencia *f*; *unter der ~ von* bajo el reinado de; *zur ~ gelangen* subir al poder; *Fürst*: subir al trono; *e-e ~ stürzen* (*bilden*) derribar un gobierno (formar gobierno).

Re'gierungs...: ~antritt *m* (-*es*; *0*) advenimiento *m* al poder; *e-s Fürsten*: advenimiento *m* (*od.* subida *f*) al trono; **~be-amte(r)** *m* funcionario *m* del Estado; **~bezirk** *m* (-*es*; -*e*) distrito *m* (administrativo); **~blatt** *n* (-*es*; ¨*er*) boletín *m* oficial; **~-chef** *m* (-*s*; -*s*) jefe *m* del gobierno; **2feindlich** *adj.* antigubernamental; **~form** *f* forma *f* de gobierno; régimen *m*; **2freundlich** *adj.* gubernamental; adicto al gobierno; **~geschäfte** *n*/*pl.* asuntos *m*/*pl.* de gobierno; **~gewalt** *f* (*0*) poder *m* ejecutivo; **~koalition** *f* coalición *f* gubernamental; **~kreise** *m*/*pl.* círculos *m*/*pl.* gubernamentales; **~krise** *f* crisis *f* ministerial; **~mehrheit** *f* (*0*) mayoría *f* gubernamental; **~organ** *n* (-*es*; -*e*) órgano *m* gubernamental; **~partei** *f* partido *m* gubernamental; **~präsident** *m* (-*en*) presidente *m* (de un organismo administrativo) regional; **~rat** *m* (-*es*; ¨*e*) alto funcionario *m* técnico-administrativo; **~sitz** *m* (-*es*; -*e*) sede *f* del gobierno; **~umbildung** *f* reorganización *f* del gobierno; **~wechsel** *m* cambio *m* de gobierno; **~zeit** *f e-s Fürsten*: reinado *m*; *e-s Präsidenten*: presidencia *f*.

Re'gime [-'ʒi:m] *n* (- *od.* -*s*; - [-'ʒi:mə] *od.* -*s*) régimen *m*.

Regi'ment[1] *n* (-*es*; -*e*) (*Herrschaft*) mando *m*; *das ~ führen* mandar, ejercer el mando; F llevar la batuta; cortar el bacalao; ser el amo del cotarro; *sie führt das ~* F es ella la que lleva los pantalones.

Regi'ment[2] ⚔ *n* (-*es*; -*er*) regimiento *m*.

Regi'ments...: ~kommandeur *m* (-*s*; -*e*) jefe *m* de(l) regimiento; (*Oberst*) coronel *m*; **~stab** *m* (-*es*; ¨*e*) plana *f* mayor del regimiento.

Regi'on *f* región *f*; *fig. in höheren ~en schweben* estar en las nubes.

regio'nal *adj.* regional.

Regiona'lismus *m* (-; *0*) regionalismo *m*.

Regis'seur [-ʒi'sø:ʀ] *m* (-*s*; -*e*) *Thea.* director *m* de escena; *Film*: director *m* (artístico).

Re'gister *n* registro *m* (*a.* ♪); *e-s Buches*: índice *m*; (*Inhaltsverzeichnis*) tabla *f* de materias; (*Katalog*) catálogo *m*; (*Liste*) lista *f*; (*Namens2*) nómina *f*; (*Steuer2*) hoja *f* de recaudación; (*Grundbuch2*) catastro *m*; *im ~ eintragen* registrar; *fig. alle ~ ziehen* tocar todos los registros; **~tonne** ⚓ *f* tonelada *f* de arqueo.

Regis'trator *m* (-*s*; -*en*) registrador *m*; archivero *m* de actas.

Registra'tur *f* registro *m*; (*Archiv*) archivo *m*.

Regis'trier|apparat *m* (-*es*; -*e*) aparato *m* registrador; **~ballon** *m* globo *m* sonda; **2en** (-) *v/t.* registrar; (*Akten*) archivar; **~en** *n* registro *m*; **~kasse** *f* caja *f* registradora; **~maschine** *f* máquina *f* registradora; **~ung** *f* registro *m*.

Regle'ment [-ə'mã:] *n* (-*s*; -*s*) reglamento *m*.

reglemen'tier|en (-) *v/t.* reglamentar; **2ung** *f* reglamentación *f*.

'Regler *m* ⊕ regulador *m*; ⚡ reóstato *m*.

'reglos *adj.* inmóvil; inerte.

'Reglung *f* → *Regelung*.

'regnen I. (-*e*-) *v/i.* llover; *fein*: lloviznar; *es regnet* está lloviendo; llueve; *es regnet in Strömen* está lloviendo a cántaros (*od.* a mares); está diluviando; **II. 2** *n* lluvia *f*.

'regnerisch *adj.* lluvioso.

Re'greß ⚖ *m* (-*sses*; -*sse*) recurso *m*; *~ nehmen gegen* recurrir contra.

Regressi'on *f* regresión *f*.

regres'siv *adj.* regresivo.

Re'greß...: ~klage ⚖ *f* acción *f* recursoria; **~pflicht** *f* responsabilidad *f*; **2pflichtig** *adj.* responsable civilmente; *j-n ~ machen* promover recurso contra alg.

'regsam *adj.* activo; (*lebhaft*) vivo; (*aufgeweckt*) despierto; **2keit** *f* (*0*) actividad *f*; (*Lebhaftigkeit*) vivacidad *f*.

regu'lär *adj.* regular.

Regu'lator *m* (-*s*; -*en*) regulador *m*.

regu'lier|bar *adj.* regulable; **~en** (-) *v/t.* regular; regularizar; *durch Verordnungen*: reglamentar; ⊕ (*einstellen*) ajustar; ✝ (*abrechnen*) liquidar; arreglar (las cuentas); **2schraube** *f* tornillo *m* de regulación; **2ung** *f* regulación *f*; regularización *f*; (*Regelung*) arreglo *m*; *durch Verordnungen*: reglamentación *f*; ✝ (*Abrechnung*) liquidación *f*; ⊕ *selbsttätige ~* regulación automática; **2ventil** *n* (-*s*; -*e*) válvula *f* reguladora; **2widerstand** ⚡ *m* (-*es*; ¨*e*) reóstato *m*.

'Regung *f* movimiento *m*; (*entstehendes Gefühl*) sentimiento *m* naciente; (*Gemüts2*) emoción *f*; (*Erregung*) agitación *f*; (*Anwandlung*) impulso *m*; arranque *m*; (*Aufwallung*) arrebato *m*; **2slos** *adj.* sin movimiento; inmóvil; inerte; **~slosigkeit** *f* (*0*) inmovilidad *f*; inacción *f*, inercia *f*.

Reh *n* (-*es*; -*e*) corzo *m*; (*weibliches*) corza *f*.

rehabili'tier|en (-) *v/t.* rehabilitar; *sich ~* rehabilitarse; **2ung** *f* rehabilitación *f*.

'Reh...: ~bock *m* (-*es*; ¨*e*) corzo *m*; **~braten** *m* asado *m* de corzo; **~kitz(e** *f*) *n* (-*es*; -*e*) corcito *m*, corcino *m*, corcita *f*; **~keule** *Kochk. f* pierna *f* de corzo; **~posten** *m*, **~schrot** *m*/*n* (-*es*; *0*) postas *f*/*pl.*; **~rücken** *m*, **~ziemer** *m* lomo *bzw.* solomillo *m* de corzo; **~wild** *n* (-*es*; *0*) *Jgdw.* venado *m*; *Kochk.* carne *f* de corzo.

'Reib|ahle *f* escariador *m*; broca *f*; **~ebrett** *n* (-*es*; -*er*) *der Maurer*: llana *f*; **~eisen** *n* rallador *m*; **~elaut** *Gr. m* (-*es*; -*e*) sonido *m* fricativo.

'reiben (*L*) *v/t. u. v/i.* frotar; *stärker*: estregar, restregar; *bsd.* ⚕ friccionar; (*streifen*) rozar; (*schaben*) raspar; *klein~* triturar; moler; *im Mörser*: machacar; *Kartoffeln, Käse, Brot*: rallar; *zu Pulver ~* pulverizar; *sich vergnügt die Hände ~* frotarse las manos de gusto; *fig. sich an j-m ~* buscar pendencia con alg.; *j-m et. unter die Nase ~* echar en cara a alg. a/c.; F refregarle a alg. por las narices (P por los hocicos) a/c.

Reibe'rei *fig. f* rozamiento *m*.

'Reibfläche *f* superficie *f* de fricción *bzw.* de rozamiento; *fig.* punto *m* de fricción.

'Reibung *f* frote *m*, frotamiento *m*; estregadura *f*; fricción *f bsd.* ⚕ *a.* friega *f*; trituración *f*; pulverización *f*; *fig.* rozamiento *m*.

'**Reibungs...:** **~elektrizität** *f* (*0*) electricidad *f* por frotamiento; **~fläche** *f* superficie *f* de fricción; **~ko-effizient** *m* coeficiente *m* de fricción; **~kupplung** *f* acoplamiento *m* de fricción; **2los** *adj. u. adv.* sin dificultades; sin obstáculos; **~punkt** *fig. m* (*-ęs*; *-e*) motivo *m* de rozamiento; punto *m* de fricción; **~wärme** *f* (*0*) calor *m* de fricción; **~widerstand** *Phys. m* (*-ęs*; *ᵘe*) resistencia *f* de fricción (⚡ de rozamiento).

reich *adj.* rico (*an dat.* en); (*stein~*) opulento, acaudalado; (*wohlhabend*) acomodado; (*reichlich*) abundante; (*der Menge nach*) copioso; *Mahl*: opíparo, suculento; *in ~em Maße* en abundancia; *~ und arm* ricos y pobres; *~ machen* enriquecer; *~ werden* enriquecerse.

Reich *n* (*-ęs*; *-e*) imperio *m*; (*König2*) reino *m*; *das Deutsche Reich* (*vor 1918*) el Imperio Alemán; (*bsd. nach 1918*) el Reich; *das Dritte ~* el Tercer Reich; *das ~ Gottes* el Reino de Dios; *dein ~ komme! Rel.* venga a nos el tu reino; *das ~ der Mode* el reino de la moda.

'**reich...:** **~bebildert** *adj.* profusamente ilustrado; con muchos grabados; **~begütert** *adj.* rico; acaudalado; opulento.

'**Reiche**(**r**) *m* rico *m*, hombre *m* rico; F ricacho *m*; *die ~n* los ricos, la gente rica.

'**reichen** **1.** *v/t.* dar; entregar; alargar; *bsd. bei Tisch*: pasar; (*darbieten*) ofrecer, presentar; *Hand*: tender; dar; **2.** *v/i.* (*sich erstrecken*) llegar, alcanzar (*bis* hasta); *in der Fläche*: extenderse (hasta); *in die Höhe*: elevarse (hasta); *in die Tiefe*: bajar (hasta); *Stimme, Geschoß, Blick*: alcanzar (hasta); (*genügen*) bastar, ser suficiente, alcanzar; *an et. ~* (*es berühren*) tocar a; *mit der Hand nach et. ~* extender la mano hacia a/c.; *mit et.* (*aus*)*~* alcanzar con a/c. (*bis* hasta); *das reicht!* ¡basta!; *soweit das Auge reicht* todo lo que la vista abarca; en cuanto alcanza la vista; al alcance de la vista; *solange der Vorrat reicht* hasta que se agoten las existencias; *fig. j-m nicht das Wasser ~ können* ser muy inferior a alg.; F no llegarle a alg. ni a la suela del zapato.

'**reich...:** **~haltig** *adj.* abundante, copioso; rico (*an dat.* en); (*ausführlich*) amplio; (*mannigfaltig*) variado; **2haltigkeit** *f* (*0*) abundancia *f*, copiosidad *f*; riqueza *f*; (*Vielfalt*) gran variedad *f*; **~illustriert** *adj.* con profusión de grabados; profusamente ilustrado; **~lich** **1.** *adj.* abundante, copioso; pingüe; cuantioso; (*umfangreich*) amplio; *Mahlzeit*: opíparo; *sein ~es Auskommen haben* tener para vivir holgadamente; *~es Einkommen haben* tener pingües ingresos; **2.** *adv.* en abundancia; (*genügend*) bastante; *mehr als ~* más que suficiente; *~ vorhanden sein* abundar; haber de sobra; *für et. ~ bezahlen* pagar con creces a/c.; *~ versehen sein mit* estar bien provisto de.

'**Reichs...** *Hist.*: **~adler** *m* (*-s*; *0*) águila *f* imperial; **~angehörige**(**r** *m*) *m/f* súbdito *m* alemán; súbdita *f* alemana; **~angehörigkeit** *f* (*0*) nacionalidad *f* alemana; **~apfel** *m* (*-s*; *0*) globo *m* imperial; **~bank** *f* (*0*) Banco *m* Nacional; **~deutsche**(**r** *m*) *m/f* → *Reichsangehörige*(*r*); **~gebiet** *n* (*-ęs*; *0*) territorio *m* del Reich; **~gericht** *n* (*-ęs*; *0*) Tribunal *m* Supremo de Justicia (del Reich); **~kanzlei** *f* (*0*) Cancillería *f* del Reich; **~kanzler** *m* Canciller *m* del Reich; **~präsident** *m* (*-en*) Presidente *m* del Reich; **~stadt** *f* ciudad *f* imperial; *freie ~* ciudad libre; **~stände** *m/pl.* Estados *m/pl.* del Imperio; **~tag** *m* (*-ęs*; *0*) Reichstag *m*; parlamento *m* alemán; (*pl. -e*) Dieta *f* Imperial; *~ zu Worms* Dieta de Worms; **2unmittelbar** *adj.* dependiente directamente del emperador; inmediato; **~verfassung** *f* constitución *f* del Reich; **~verweser** *m* vicario *m* del Imperio; (*Regent*) regente *m*; **~wehr** *f* (*0*) ejército *m* alemán; Reichswehr *f*.

'**Reichtum** *m* (*-s*; *ᵘer*) riqueza *f* (*an dat.* en); (*Vermögen*) fortuna *f*; (*Überfluß*) opulencia *f*; (*Fülle*) abundancia *f* (*an dat.* de); (*Menge*) copiosidad *f*; (*Vielfalt*) gran variedad *f*.

'**Reichweite** *f* (*0*) alcance *m*; (*Aktionsradius*) radio *m* de acción; *in ~* al alcance (*von* de); *außer ~* fuera de alcance.

reif *adj.* maduro (*a. fig. Alter, Plan, Urteil usw.*); *Obst*: *a.* en sazón; *~ werden* madurar; *~ sein für* estar maduro para; *die ~eren Jahre* la edad madura.

Reif[1] *m* (*-ęs*; *-e*) (*Faß2*, *Spielzeug*) aro *m*; (*Ring*) anillo *m*; (*Diadem*) diadema *f*; ▨ arco *m*; diadema *f*.

Reif[2] *m* (*-ęs*; *0*) (*Rauh2*) escarcha *f*; (*Frost*) helada *f*.

'**Reife** *f* (*0*) madurez *f* (*a. fig.*); *Obst*: *a.* sazón *f*; *zur ~ bringen* madurar; hacer madurar; *zur ~ kommen* llegar a la madurez; *höhere* (*mittlere*) *~* (*Abitur*) *Span.* bachillerato superior (elemental).

'**reifen**[1] **I. 1.** *v/i.* (*reif werden*) madurar (*a. fig.*); *Obst*: *a.* sazonar; (*mannbar werden*) llegar a la pubertad; *zum Manne ~* llegar a la edad madura; **2.** *v/t.* (*zur Reife bringen*) madurar; hacer madurar; **II.** *2 n* maduración *f*.

'**reifen**[2] *v/unprs.*: *es hat gereift* ha escarchado; ha caido una helada; *es reift* está escarchando (*od.* helando).

'**Reifen** *m* (*Ring*) anillo *m*; (*Spielzeug*) aro *m*; (*Faß2*) aro *m* de cuba; (*Gummi2 am Rad*) llanta *f* de goma; *Auto, Motorrad, Fahrrad*: neumático *m*; **~decke** *f* cubierta *f* de neumático; **~druck** *m* (*-ęs*; *0*) presión *f* (del aire) del neumático; **~druckmesser** *m* comprobador *m* de presión (en los neumáticos); **~heber** *m* levantaneumáticos *m*; **~mantel** *m* (*-s*; *ᵘ*) → *Reifendecke*; **~panne** *f*, **~schaden** *m* (*-s*; *ᵘ*) avería *f* de neumático; pinchazo *m*; reventón *m*; **~schlauch** *m* cámara *f* (del neumático); **~verschleiß** *m* (*-es*; *0*) desgaste *m* de los neumáticos; **~wechsel** *m* cambio *m* de neumático(s).

'**Reife...:** **~prüfung** *f* examen *m* final de estudios secundarios; *Span.* examen *m* de reválida de bachillerato; **~zeugnis** *n* (*-ses*; *-se*) certificado *m* de estudios secundarios; *Span.* título *m* de bachiller.

'**reiflich** **I.** *adj.* maduro; *nach ~er Überlegung* después de maduras reflexiones; **II.** *adv. sich et. ~ überlegen* considerar detenidamente a/c.; *das würde ich mir ~ überlegen* lo pensaría antes muy bien.

'**Reifrock** *m* (*-ęs*; *ᵘe*) miriñaque *m*, *gal.* crinolina *f*.

'**Reigen** *m* (*Rundtanz*) danza *f* (*od.* baile *m*) en rueda; corro *m*; *im ~* en corro; *~ spielen* (*Kinder*) jugar al corro; *den ~ eröffnen* comenzar la danza (*a. fig.*); abrir el baile; guiar la danza; *fig.* alborotar el gallinero (*od.* el cotarro).

'**Reihe** *f* fila *f* (*a.* ⚔ *Glied, Sitz2*); *Häuser, Bäume, Knöpfe*: hilera *f*; (*Kolonne*) columna *f*; (*Linie*) línea *f*; (*Aufeinanderfolge*) sucesión *f*; (*Reihenfolge*) serie *f* (*a.* 𝔄); *v. Gegenständen*: ringlera *f*; (*Zeile*) línea *f*, renglón *m*; (*Aufgereihtes*) sarta *f*; (*Menschenschlange*) fila *f*, F cola *f*; (*Anzahl*) serie *f*; F porción *f*; 𝔄 progresión *f*; *arithmetische* (*geometrische*) *~* progresión aritmética (geométrica); *e-e ~ von Jahren* unos cuantos años, F una porción de años; *der ~ nach* por orden; por turno; sucesivamente; uno después de otro; *beim Erzählen*: por partes; *jeder der ~ nach* cada uno a su vez; cada uno cuando le corresponda (*od.* le toque); *außer der ~* antes de llegarle el turno; *ich bin an der ~* me toca a mí; es mi turno; *wer ist an der ~?* ¿a quién le toca?; ¿a quién le corresponde ahora?; F *e-e ganze ~ von* una retahila (*od.* una porción) de; *in der vordersten ~* en primera fila; en primer término; *in Reih' und Glied* en fila(s); *in geschlossenen ~n* ⚔ en columna cerrada; *in e-e ~ stellen* disponer en fila; *fig.* (*mit j-m*) parangonar con alg.; *in e-r ~ marschieren* ir en fila india; *bunte ~ machen* (*bei Tisch*) alternar (los asientos de) señoras y caballeros; ⚡ *in ~ schalten* conectar (*od.* montar) en serie; *fig. aus der ~ tanzen* hacer rancho aparte.

'**Reihen** *m* → *Reigen*.

'**reihen** *v/t.* disponer (*od.* colocar *od.* poner) en fila; *Perlen*: ensartar; *Näherei*: hilvanar; *sich ~* colocarse en fila; *sich ~ an* seguir inmediatamente a.

'**Reihen...:** **~bau** *m* (*-ęs*; *-ten*) construcción *f* en serie; **~fabrikation** *f*, **~fertigung** *f* fabricación *f* en serie; **~folge** *f* serie *f*, sucesión *f*; (*abwechselnde*) turno *m*; (*Ordnung*) orden *m*; *in alphabetischer* (*chronologischer*) *~* por orden alfabético (cronológico); **~haus** *n* (*-es*; *ᵘer*) casa *f* de edificación en serie; **~schalter** ⚡ *m* conmutador *m* (*od.* interruptor *m*) en serie; **~schaltung** ⚡ *f* conexión *f* en serie; **~untersuchung** *f* ⚕: *röntgenologische ~* examen radiográfico en serie; **2weise** *adv.* en filas; por filas; en serie; en series.

'**Reiher** *Orn. m* garza *f* real; **~busch** *m* (*-ęs*; *ᵘe*) airón *m*; **~feder** *f* pluma *f* de garza; **~horst** *m* (*-es*; *-e*) nido *m* de garzas.

ˈ**Reim** *m* (*-es*; *-e*) rima *f*; *~e schmieden* rimar; versificar; hacer versos; *m.s.* hacer versos malos; **2en** *v/t. u. v/refl.* rimar; (*übereinstimmen*) concordar; cuadrar; (*miteinander harmonisieren*) armonizar; **~en** *n* versificación *f*; **2los** *adj.* sin rima; (*Gedicht*) no rimado; *~er Vers* verso suelto, verso blanco.

rein¹ I. *adj.* puro; (*bloß*) mero; (*sauber*) limpio; (*keusch*) casto; (*jungfräulich*) virgen; virginal, *Rel.* (*Jungfrau*) inmaculado; (*wahr*) verdadero; (*vollkommen*) perfecto; (*klar*) claro; (*hell, v. scharfen Konturen*) nítido; (*echt*) legítimo; (*unverfälscht*) puro; no adulterado; (*unvermischt*) sin mezcla; (*korrekt*) correcto; *~e Freude* verdadera alegría; *~e Mathematik* matemática pura; *~es Gold* oro fino (*od.* de ley); *~er Verlust* (*Gewinn*) ‡ pérdida (ganancia) neta; *~er Ertrag* producto neto; *~es Deutsch* alemán puro *od.* correcto; *~e Seide* seda pura; *aus ~em Mitleid* por pura compasión (*od.* lástima); *~e Lüge* pura mentira; *die ~e Wahrheit* la pura verdad; *~er Zufall* pura casualidad; *~es Wasser* agua pura; *fig. e-e ~e Weste haben* tener las manos limpias; *ein ~es Gewissen haben* tener la conciencia limpia; *~en Mund halten* guardar el secreto; ser discreto; *die Luft ist ~ fig.* no hay peligro; **II.** *adv.* puramente; meramente; (*gänzlich*) absolutamente; *~ gar nichts* absolutamente nada; *~ unmöglich* imposible de todo punto; absolutamente imposible; *~halten* conservar limpio; *~ pflanzlich* puramente vegetal; *fig. sich ~waschen* disculparse; **III.** *substantivisch*: *et. ins ~e bringen* dilucidar a/c.; arreglar (*od.* liquidar) un asunto; *mit et. ins ~e kommen* resolver a/c.; poner en claro a/c.; *mit j-m ins ~e kommen* arreglarse (*od.* llegar a un arreglo) con alg.; *mit sich ins ~e kommen* saber a qué atenerse; *ins ~e schreiben* poner en limpio.

ˈ**rein²** F → *herein.*

ˈ**Reinbetrag** *m* (*-es*; *⸗e*) importe *m* líquido.

Reineclaude [rɛːnəˈkloːdə] ⚘ *f* ciruela *f* claudia.

ˈ**Reinemachen** *n* limpieza *f*.

ˈ**Rein...: ~ertrag** *m* (*-es*; *⸗e*) beneficio *m* neto, producto *m* líquido; **~fall** F *m* (*-es*; *⸗e*) (*Enttäuschung*) desilusión *f*, desengaño *m*; F chasco *m*, plancha *f*; (*Mißerfolg*) fracaso *m*; *e-n ~ erleben* sufrir un desengaño, llevarse una desilusión; F llevarse un chasco; **2fallen** (*L*; *sn*) F *v/i.* dejarse engañar; caer en el lazo; **~gewicht** *n* (*-es*; *0*) peso *m* neto; **~gewinn** *m* (*-es*; *-e*) beneficio *m* neto, ganancia *f* neta.

ˈ**Reinhard** *m* Reinaldo *m*.

ˈ**Reinheit** *f* (*0*) pureza *f* (*a. fig.*); (*Sauberkeit*) limpieza *f*; aseo *m*; (*Klarheit*) claridad *f*; nitidez *f*; (*Keuschheit*) castidad *f*.

ˈ**reinig|en** *v/t.* limpiar; purificar; ⚕ *Wunde*: absterger; deterger; (*desinfizieren*) desinfectar; *Blut*: depurar (*a. fig. Sprache, Geschmack, Pol.*); *Buch*: expurgar; *Metalle*: acrisolar (*a. fig.*); ⚗ rectificar; *Flüssigkeit*: clarificar, depurar; (*waschen*) lavar; *Darm u. fig. Sünde, Schuld*: purgar; *chemisch ~* limpiar en seco; *sich ~* limpiarse; asearse; *sich von s-n Sünden ~* purgar sus pecados; **~end** *adj.* purificador; ⚕ abstergente; detersivo, detergente; depurativo (*a.* ⚕); depurador (*a. Pol.*); *fig.* expurgatorio; (*abführend*) purgativo, purgante; **2ung** *f* purificación *f*; limpieza *f*; ⚕ abstersión *f*; detersión *f*; depuración *f* (*a. fig. Pol.*); expurgación *f*; ⚗ rectificación *f*; clarificación *f*; *durch Abführen*: purgación *f*; (*Menstruation*) menstruación *f*; *chemische ~* limpieza en seco; (*Geschäft*) tintorería *f*, F tinte *m*.

ˈ**Reinigungs...: ~anstalt** *f* establecimiento *m* para limpieza en seco; tinte *m*; **~lappen** *m* trapo *m* para limpieza; **~mittel** *n* ⚕ depurativo *m*, abstergente *m*; detergente *m*, detersivo *m*; (*Abführmittel*) purgante *m*.

ˈ**Reinkultur** *f* cultivo *m* puro; *v. Bazillen*: caldo *m* de cultivo; *fig. in ~* puro.

ˈ**'reinlegen** F *v/t.* → *hereinlegen.*

ˈ**reinlich** *adj.* limpio, aseado; curioso; (*schmuck*) pulcro, atildado; (*klar*) nítido, claro; **2keit** *f* (*0*) limpieza *f*, aseo *m*; pulcritud *f*.

ˈ**Rein...: ~machefrau** *f* mujer *f* para la limpieza; asistenta *f*; **2machen** *v/t.* limpiar; *im Hause*: hacer la limpieza, limpiar la casa; **2rassig** *adj.* de pura raza; de pura casta; de sangre pura (*od.* limpia); **~rassigkeit** *f* (*0*) pureza *f* de casta; limpieza *f* de sangre; **~schiff** ⚓ *n* (*-es*; *0*) baldeo *m*; *~ machen* baldear (la cubierta); **~schrift** *f* copia *f* en limpio; **2seiden** ‡ *adj.* de seda pura; **2ˈweg** *adv.* absolutamente, completamente, por completo; **2wollen** ‡ *adj.* de lana pura.

Reis¹ *n* (*-es*; *-er*) (*Zweiglein*) ramita *f*, rama *f* pequeña; (*Schößling*) vástago *m*; brote *m*, yema *f*.

Reis² ⚘ *m* (*-es*; [*-e*]) arroz *m*; *Huhn auf* (*od. in*) *~* pollo con arroz.

ˈ**Reis...: ~anbau** *m* (*-es*; *0*) cultivo *m* del arroz; **~bauer** *m* arrocero *m*; **~branntwein** *m* (*-es*; *-e*) aguardiente *m* de arroz; **~brei** *m* (*-es*; *-e*) papilla *f* de arroz; (*Milchreis*) arroz *m* con leche; **~bündel** *n* haz *m* de leña menuda.

ˈ**Reise** *f* viaje *m*; (*Rund2*) circuito *m*; (*Überfahrt*) travesía *f*; *~ um die Welt* viaje alrededor del mundo; *e-e ~ machen* hacer un viaje; *auf ~n gehen* ir de viaje; *auf ~n sein* estar de viaje; *glückliche ~!* ¡feliz viaje!; *gute ~!* ¡buen viaje!; *e-e ~ antreten* emprender un viaje; *sich auf die ~ machen* (*od. begeben*) salir de viaje; *e-e ~ nach* (*durch*) *Spanien machen* hacer un viaje a (por) España; *wohin geht die ~?* ¿a dónde va usted?

ˈ**Reise...: ~abenteuer** *n* aventura *f* de viaje; **~abkommen** *n* convenio *m* turístico; **~andenken** *n* recuerdo *m* de viaje; **~apotheke** *f* botiquín *m* de viaje; **~artikel** *m/pl.*, **~bedarf** *m* (*-es*; *0*) artículos *m/pl.* para viaje; **~autobus** *m* (*-ses*; *-se*) → *Reisebus*; **~begleiter(in** *f*) *m* compañero (-a *f*) *m* de viaje; **~bericht** *m* (*-es*; *-e*), **~beschreibung** *f* relación *f* (*od.* descripción *f*) de un viaje; **~büro** *n* (*-s*; *-s*) agencia *f* de viajes; oficina *f* de turismo; **~bus** *m* (*-ses*; *-se*) autobús *m*, autopullman *m*; **~dauer** *f* (*0*) duración *f* del viaje; **~decke** *f* manta *f* de viaje; **~eindrücke** *m/pl.* impresiones *f/pl.* de viaje; **~erinnerungen** *f/pl.* recuerdos *m/pl.* de(l) viaje; **2fertig** *adj.* (*0*) preparado (*od.* listo) para el viaje; *sich ~ machen* prepararse para partir; hacer las maletas; **~fieber** *n* (*-s*; *0*) fiebre *f* de partida; **~führer** *m* guía *m*; **~geld** *n* (*-es*; *0*) dinero *m* para el viaje; **~genehmigung** *f* autorización *f* para viajar; **~gepäck** *n* (*-es*; *0*) equipaje *m*; **~gepäckversicherung** *f* seguro *m* de equipajes; **~gesellschaft** *f* viaje *m* colectivo; grupo *m* turístico; *meine ~* mis compañeros de viaje; **~koffer** *m* baúl *m*; (*Handkoffer*) maleta *f*, *kleiner*: maletín *m*; **~kosten** *pl.* gastos *m/pl.* de viaje; **~kostenvergütung** *f* reembolso *m* de gastos de viaje; **~kreditbrief** *m* (*-es*; *-e*) carta *f* de crédito circular; **~leiter** *m* acompañante *m*; **~lektüre** *f* lectura *f* de (*od.* para) viaje; **~lust** *f* (*0*) afición *f* a viajar; afición *f* al turismo; **2lustig** *adj.* aficionado a viajar; aficionado al turismo.

ˈ**reisen** (*sn*) *v/i.* viajar; *mit der Bahn ~* viajar por ferrocarril; viajar en tren; *ins Ausland ~* viajar al extranjero; *~ nach* ir a; trasladarse a; marcharse a; *~ durch* pasar por; *in Geschäften ~* ir en viaje de negocios; hacer un viaje de negocios; *ins Bad ~* ir a tomar las aguas (de un balneario); *in die Sommerfrische ~* irse de veraneo; *er ist viel gereist* ha viajado mucho; **2de(r)** *m* viajero *m*; ✈, ⚓ pasajero *m*; ‡ (*Geschäfts2*) viajante *m* de comercio; (*Vergnügungs2*) turista *m*.

ˈ**Reise...: ~necessaire** *n* neceser *m* (de viaje); **~paß** *m* (*-sses*; *⸗sse*) pasaporte *m*; **~pläne** *m/pl.* proyectos *m/pl.* de viaje; **~route** *f* itinerario *m*; **~scheck** *m* (*-s*; *-s*) cheque *m* de viaje; **~schreibmaschine** *f* máquina *f* de escribir portátil; **~spesen** *pl.* gastos *m/pl.* de viaje; **~tasche** *f* saco *m* de viaje; **~unfallversicherung** *f* seguro *m* contra accidentes de viaje; **~unterbrechung** *f* interrupción *f* del viaje; **~verkehr** *m* (*-s*; *0*) tráfico *m* de viajeros; turismo *m*; **~zeit** *f* temporada *f* de turismo; **~ziel** *n* (*-es*; *-e*) punto *m* de destino; término *m* del viaje; **~zuschuß** *m* (*-sses*; *⸗sse*) subvención *f* para gastos de viaje.

ˈ**Reisfeld** *n* (*-es*; *-er*) arrozal *m*.

ˈ**Reisig** *n* (*-s*; *0*) leña *f* menuda; chamarasca *f*; ramas *f/pl.* secas; **~besen** *m* escoba *f* de tamujo; **~bündel** *n* haz *m* de leña; **~feuer** *n* chamarasca *f*.

ˈ**Reis...: ~mehl** *n* (*-es*; *0*) harina *f* de arroz; **~papier** *n* (*-es*; *0*) papel *m* de arroz; **~pudding** *m* (*-s*; *-s*): *überbackener ~* pastel *m* de arroz; **~puder** *m* polvos *m/pl.* de arroz.

Reiß|ˈaus F *m*: *~ nehmen* huir; F tomar las de Villadiego; poner pies en polvorosa; esfumarse; ˈ**~brett** *n* (*-ęs*; *-er*) tablero *m* de dibujo; ˈ**~brettstift** *m* (*-ęs*; *-e*) chinche *f*.

ˈ**reißen I.** (*-ßt*) **1.** *v/t.* (*ziehen*) tirar de; (*aus~*) sacar; (*ab~*) arrancar; (*ent~*) quitar, *stärker*: arrebatar; (*fort~*) arrastrar; (*auseinander~*) separar; (*zer~*) romper; rasgar; desgarrar; (*spalten*) hender; *ein Loch ~* hacer un desgarrón; *Witze ~* hacer (*od.* decir) chistes, bromear; *Zoten ~* decir obscenidades; *zu Boden ~* derribar; *an et. ~* tirar de a/c.; et. *an sich* (*ac.*) *~* tirar hacia sí de a/c.; apoderarse de a/c.; *fig. Macht*: usurpar; *Kundschaft*: atraer; *Unterhaltung*, ☤: monopolizar; *in Stücke ~* despedazar, hacer pedazos; **2.** *v/refl.*: *sich an et.* (*dat.*) *~* lastimarse con (*od.* en) a/c.; *sich um et. ~* disputarse con ahínco a/c.; *sich um j-n ~* F *fig.* rifarse a alg.; **3.** *v/i. Stoff*: (*ein~*) desgarrarse; rasgarse; *durch Abnutzung*: gastarse; (*brechen*) romper(se); quebrar(se), resquebrajarse; (*sich spalten*) henderse; *Saite*: saltarse; *Fäden*: romperse; *mir reißt die Geduld* se me acaba (*od.* agota) la paciencia; *an et.* (*dat.*) *~* tirar violentamente de a/c.; **II.** ♀ *n* ⚕ dilaceración *f*; dolores *m/pl.* dilacerantes; **~d** *adj.* rápido; raudo; (*heftig*) violento; *Strom*: impetuoso; *Tiere*: feroz; *Schmerz*: ⚕ dilacerante; lancinante; agudo, punzante; ☤ *das geht ~ weg* se vende como pan bendito (*od.* como si se regalara).

ˈ**Reißer** *m* ☤ artículo *m* de fácil venta; *Thea.* pieza *f* de éxito extraordinario; F exitazo *m*.

ˈ**Reiß...: ~feder** *f* (*-*; *-n*) *zum Zeichnen*: pluma *f* de dibujo; (*Linienzieher*) tiralíneas *m*; ♀**fest** *adj.* resistente a la rotura; **~festigkeit** *f* (*0*) resistencia *f* a la rotura; **~kohle** *f* carboncillo *m*; **~leine** ✈ *f* cuerda *f* de desgarre; **~nadel** *f* (*-*; *-n*) punta *f* trazadora; **~nagel** *m* (*-s*; *¨*) chinche *f*; **~schiene** *f* regla *f* de dibujo; escuadra *f* en T; **~stift** *m* (*-ęs*; *-e*) lápiz *m* de dibujo.

ˈ**Reiß...: ~verschluß** *m* (*-sses*; *¨sse*) cierre *m* de cremallera; **~zahn** *m* (*-ęs*; *¨e*) (diente *m*) canino *m*; colmillo *m*; **~zeug** *n* (*-ęs*; *0*) estuche *m* de compases; caja *f* de dibujo; **~zwecke** *f* chinche *f*; *mit ~n festmachen* sujetar con chinches.

ˈ**Reit|anzug** *m* (*-ęs*; *¨e*) traje *m* de montar; *für Damen*: vestido *m* de amazona; **~bahn** *f* picadero *m*.

ˈ**reiten I.** (*L*; *sn*) **1.** *v/i.* montar a caballo; cabalgar; *irgendwohin*: ir a caballo; *als Sport*: practicar la equitación; *gut* (*schlecht*) *~* montar bien (mal); ser buen (mal) jinete; (*im*) *Schritt ~* ir al paso; *Trab ~* ir al trote; *Galopp ~* ir al galope; *auf e-m Pferd ~* montar a caballo; *auf j-s Rücken ~* ir a horcajadas sobre alg.; *fig. ~ auf* (*dat.*) tener como caballo de batalla; **2.** *v/t. Pferd*: montar; *zur Schwemme ~* llevar (un caballo) al abrevadero; *ein Pferd zuschanden ~* derrengar un caballo; *sich wund ~* desollarse montando; *der Teufel reitet ihn* tiene el demonio en el cuerpo; *zu Boden* (*od. über den Haufen*) *~* atropellar (*od.* derribar) con el caballo; **II.** ♀ *n* equitación *f*; **~d** *adj.* montado a caballo; *~e Polizei* (*Artillerie*) policía (artillería) montada.

ˈ**Reiter** *m* jinete *m*; ⚔ soldado *m* de caballería; (*Kunst*♀) artista *m* ecuestre; ⊕ (*Gestell*) caballete *m*; *Kartothek*: lengüeta *f* guía; ⚔ *spanischer ~* caballo de frisa; **~aufzug** *m* (*-ęs*; *¨e*) cabalgata *f*.

Reiteˈrei *f* (*0*) caballería *f*.

ˈ**Reiterin** *f* amazona *f*.

ˈ**Reiter|regiment** *n* (*-ęs*; *-er*) regimiento *m* de caballería; **~smann** *m* (*-ęs*; *¨er*) jinete *m*; **~standbild** *n* (*-ęs*; *-er*), **~statue** *f* estatua *f* ecuestre.

ˈ**Reit|gerte** *f* fusta *f*; **~halle** *f* picadero *m*; **~hose** *f* pantalón *m* de montar; **~institut** *n* (*-ęs*; *-e*) escuela *f* de equitación; **~knecht** *m* (*-ęs*; *-e*) palafrenero *m*; **~kostüm** *n* (*-ęs*; *-e*) (vestido *m* de) amazona *f*; **~kunst** *f* (*0*) equitación *f*; **~lehrer** *m* profesor *m* de equitación; **~peitsche** *f* látigo *m* de jinete; **~pferd** *n* (*-ęs*; *-e*) caballo *m* de silla; caballería *f*; **~schule** *f* escuela *f* de equitación; **~sport** *m* (*-ęs*; *0*) deporte *m* hípico; **~stiefel** *m* bota *f* de montar; **~stock** ⊕ *m* (*-ęs*; *¨e*) contrapunta *f*; **~tier** *n* (*-ęs*; *-e*) caballería *f*, cabalgadura *f*; **~turnier** *n* (*-s*; *-e*) concurso *m* hípico; **~unterricht** *m* (*-ęs*; *0*) lecciones *f/pl.* de equitación; **~verein** *m* (*-ęs*; *-e*) sociedad *f* hípica; **~wechsel** ☤ *m* letra *f* cruzada; **~weg** *m* (*-ęs*; *-e*) camino *m* de herradura; **~zeug** *n* (*-ęs*; *0*) montura *f*; avíos *m/pl.* de montar.

ˈ**Reiz** *m* (*-es*; *-e*) (*Erregung*) excitación *f*, *stärker*: irritación *f* (*a.* ⚕ *Entzündung*); (*Empfindung*) sensación *f*; (*Anregung*) estímulo *m*; (*Lockung*) aliciente *m*, incentivo *m*; (*Lieb*♀) atractivo *m*; (*Zauber*) encanto *m*; (*Antrieb*) impulso *m*; (*Kitzel*) prurito *m*; (*Versuchung*) tentación *f*; *verführerisch*: seducción *f*; *den ~ verlieren* perder todo atractivo (*od.* interés); ♀**bar** *adj.* (*erregbar*) excitable; irritable (*a.* ⚕ *entzündbar*); sensible; (*jähzornig*) irascible; (*überempfindlich*) susceptible; **~barkeit** *f* (*0*) excitabilidad *f*; irritabilidad *f*; sensibilidad *f*; irascibilidad *f*; susceptibilidad *f*; ♀**en** (*-t*) *v/t. u. v/i.* excitar (*a.* ⚕); irritar (*a.* ⚕ *entzünden*); (*anregen*) estimular (*a.* ⚕); (*wecken*) despertar; (*hervorrufen*) provocar; (*aufhetzen*) incitar; azuzar; (*ärgern*) enojar, irritar; (*anziehen*) atraer; seducir; (*bezaubern*) encantar; (*in Versuchung führen*) tentar; *Neugierde*: picar; **~en** *n* → *Reizung*; ♀**end** *adj.* ⚕ excitante, irritante; irritativo; (*anregend*) ⚕ estimulante; (*bezaubernd*) encantador; seductor; (*hübsch*) precioso, bonito, F mono; primoroso; (*Wohlgefallen erweckend*) agradable; delicioso; ameno; placentero; *es ist sehr ~ von Ihnen* es usted muy amable; **~erscheinung** ⚕ *f* síntoma *m* irritativo; **~husten** ⚕ *m* tos *f* irritativa; **~körpertherapie** ⚕ *f* excitoterapia *f*, estimuloterapia *f*; ♀**los** *adj.* sin atractivo; sin gracia, sin garbo; (*fade*) soso, insípido; ⚕ no irritante; no excitante; **~mittel** ⚕ *n* excitante *m*; estimulante *m*; **~schwelle** *Physiol.* *f* umbral *m* de excitación; **~stoff** *m* (*-ęs*; *-e*) ⚕ su(b)stancia *f* excitante (*bzw.* irritante *bzw.* estimulante); ⚔ droga *f* (*od.* tóxico *m*) irritante; **~ung** *f* excitación *f* (*a.* ⚕); (*Anregung*) estímulo *m*, incentivo *m*; ⚕ estimulación *f*; (*Anstiftung*) provocación *f*; (*Versuchung*) tentación *f*; ♀**voll** *adj.* lleno de atractivos; encantador; delicioso; (*anmutig*) gentil; (*verführerisch*) seductor; (*verlockend*) tentador; incitante; sugestivo.

rekapituˈlier|en I. (*-*) *v/t.* recapitular; **II.** ♀ *n* recapitulación *f*.

ˈ**rekeln** (*-le*) *v/refl.*: *sich ~* repantigarse, repanchigarse; estirarse; desperezarse.

Reklamatiˈon *f* reclamación *f*.

Reˈklame *f* reclamo *m*; propaganda *f*; (*Zeitungswerbung*) publicidad *f*; (*Anzeige*) anuncio *m*; *prahlerische*: bombo *m*; *~ machen* hacer propaganda; **~artikel** *m* artículo *m* de propaganda; **~bild** *n* cartel *m* publicitario; **~büro** *n* agencia *f* de publicidad; **~chef** *m* jefe *m* de publicidad; **~druck**(**sache** *f*) *m* impreso *m* de propaganda; **~fachmann** *m* técnico *m* publicitario; **~feldzug** *m* campaña *f* publicitaria (*od.* de propaganda); **~film** *m* película *f* de propaganda; **~fläche** *f* cartelera *f* publicitaria; **~kosten** *pl.* gastos *m/pl.* de publicidad; **~plakat** *n* cartel *m* de propaganda; anuncio-reclamo *m*; **~schild** *n* cartel *m*; **~schrift** *f* prospecto *m* de propaganda; **~sendung** *f Radio*: guía *f* comercial; **~tafel** *f* → *Reklamefläche*; **~verkauf** *m* venta *f* reclamo; **~wagen** *m* coche *m* publicitario *od.* reclamo; **~wesen** *n* publicidad *f*; **~zeichner**(**in** *f*) *m* dibujante *m/f* de carteles publicitarios; **~zettel** *m* prospecto *m* de propaganda.

reklaˈmieren (*-*) **I.** *v/t.* reclamar; **II.** *v/i.* (*Einspruch erheben*) protestar (*gegen* contra).

rekognosˈzier|en (*-*) *v/t.* reconocer; ♀**en** *n*, ♀**ung** *f* reconocimiento *m*.

rekonstruˈieren (*-*) *v/t.* reconstruir.

Rekonstruktiˈon *f* reconstrucción *f*.

Rekonvalesˈzen|t(**in** *f*) *m* (*-en*) convaleciente *m/f*; **~z** *f* convalecencia *f*.

Reˈkord *m* (*-ęs*; *-e*) marca *f*, *angl.* record *m*; *e-n ~ aufstellen* (*halten*; *verbessern*; *brechen od. überbieten*) establecer (conservar; mejorar; superar *od.* batir) una marca; **~versuch** *m* (*-ęs*; *-e*) tentativa *f* de superar una marca; **~zeit** *f angl.* tiempo *m* record.

Reˈkrut ⚔ *m* (*-en*) recluta *m*, quinto *m*; **~en-ausbildung** *f* instrucción *f* de reclutas; **~en-aushebung** *f* reclutamiento *m*; **~en-jahrgang** *m* (*-ęs*; *¨e*) quinta *f*.

rekruˈtier|en (*-*) **1.** *v/t. u. v/i.* reclutar; *Am.* enrolar; **2.** *v/refl.*: *sich ~* reclutarse (*aus* de); ♀**en** *n*, ♀**ung** *f* reclutamiento *m*; *Am.* enrolamiento *m*; ♀**ungsstelle** *f* centro *m* de reclutamiento.

ˈ**Rekta|papiere** ☤ *n/pl.* títulos *m/pl.* nominativos; valores *m/pl.* intransferibles; **~scheck** *m* (*-s*; *-s*) cheque

m intransferible; **~wechsel** *m* letra *f* intransferible.
Rektifikati'on *f* rectificación *f*.
rektifi'zier|en (-) *v/t*. rectificar; **2en** *n*, **2ung** *f* rectificación *f*.
Rekti'on *Gr*. *f* régimen *m*.
'Rektor *m* (*-s*; *-en*) rector *m*; *Volksschule*: director *m*.
Rekto'rat *n* (*-es*; *-e*) (*Amtszeit*) rectorado *m*; (*Schule*) dirección *f*.
'Rektum *Anat*. *n* (*-s*; *Rekta*) recto *m*.
Re'kurs *m* (*-es*; *-e*) recurso *m*.
Re'lais [rə'lɛ:] ⚡ *n* relevador *m*, relé *m*.
Relati'on *f* relación *f*.
rela'tiv *adj*. relativo.
Relati'vis|mus *Phil*. *m* (-; *0*) relativismo *m*; **2tisch** *adj*. relativista.
Relativi'tät *f* (*0*) relatividad *f*; **~stheorie** *f* (*0*) teoría *f* de la relatividad.
Rela'tiv|pronomen *Gr*. *n* (*-s*; *- od. -mina*) pronombre *m* relativo; **~satz** *Gr*. *m* (*-es*; *⸗e*) proposición *f* relativa.
rele'gier|en (-) *v/t*. expulsar; **2ung** *f* expulsión *f*.
Reli'ef *n* (*-s*; *-s od. -e*) relieve *m*; **~druck** *m* (*-es*; *-e*) impresión *f* en relieve; **~karte** *f* mapa *m* en relieve; **~prägung** *f* estampación *f* en relieve.
Religi'on *f* religión *f*; (*Glaubensbekenntnis*) confesión *f* religiosa; credo *m*; *Schule*: enseñanza *f* de la Religión; clase *f* de Religión.
Religi'ons...: ~bekenntnis *n* (*-ses*; *-se*) credo *m*; profesión *f* de fe; confesión *f* religiosa; **~eifer** *m* (*-s*; *0*) celo *m* religioso; **~freiheit** *f* (*0*) libertad *f* de cultos; **~gemeinschaft** *f* comunidad *f* religiosa; **~geschichte** *f* (*0*) historia *f* de las religiones; **~krieg** *m* (*-es*; *-e*) guerra *f* de religión; **~lehre** *f* doctrina *f* religiosa; (*Lehrsatz*) dogma *m*; *Schule*: enseñanza *f* religiosa; **2los** *adj*. irreligioso; **~losigkeit** *f* (*0*) irreligiosidad *f*; **~philosophie** *f* filosofía *f* de la religión; **~stifter** *m* fundador *m* de una religión; **~streit** *m* (*-es*; *-e*) controversia *f* religiosa; **~unterricht** *m* (*-es*; *0*) enseñanza *f* de la Religión; clase *f* de Religión; **~wechsel** *m* conversión *f*; **~zwang** *m* (*-es*; *0*) intolerancia *f* (religiosa); imposición *f* de un culto.
religi'ös *adj*. religioso; (*fromm*) piadoso; devoto; *~er Eiferer* fanático *m*; *~e Kunst* arte *m* sacro.
Religiosi'tät *f* (*0*) religiosidad *f*; sentimiento *m* religioso; (*Frömmigkeit*) piedad *f*; devoción *f*.
Re'likt *n* residuo *m*, resto *m*.
'Reling ⚓ *f* (-; *-s od. -e*) borda *f*.
Reliqui'ar *Rel*. *n* (*-s*; *-e*) relicario *m*.
Re'liquie [-kvĭə] *f* reliquia *f*; **~nkästchen** *n*, **~nschrein** *m* (*-es*; *-e*) relicario *m*; urna *f*; **~nkult** *m* (*-es*; *-e*) culto *m* de las reliquias.
remilitari'sier|en (-) *v/t*. remilitarizar; **2ung** *f* remilitarización *f*.
Reminis'zenz *f* reminiscencia *f*.
Re'mis [-'mi:] *n* (-; -) *Schach*: tablas *f/pl*.; *~ machen* hacer tablas.
Remit'tenden *pl*. *Buchhandel*: libros *m/pl*. devueltos; devoluciones *f/pl*.
Remit'tent ✝ *m* (*-en*) (*Wechselnehmer*) tomador *m* de una letra.
remit'tieren I. ✝ (-) *v/t*. (*zurücksenden*) devolver; (*Geld, Waren einsenden*) remesar, remitir, enviar; **II. 2** *n* remisión *f*, envío *m*; (*Einsenden v. Geld, Waren*) remesa *f*.
Remou'ladensoße *f* salsa *f* tártara.
Rempe'lei F *f* empujón *m*; *Fußball*: carga *f*.
'rempeln (*-le*) F *v/t*. empujar; (*Streit suchen*) buscar camorra *f*; *Fußball*: cargar.
Ren *Zoo*. *n* (*-s*; *-s*) reno *m*.
Renais'sance [-ne'sɑ̃s, -'sɑ̃:s] *f Hist*. Renacimiento *m*; **~stil** *m* (*-es*; *0*) estilo *m* Renacimiento (*od*. renacentista).
re'nal *Anat*. *adj*. renal.
Re'nate *f* Renata *f*.
Rendez'vous [rɑ̃də'vu:] *n* (-; -) cita *f*; *ein ~ haben mit* (*dat*.) tener una cita con; *ein ~ vereinbaren* acordar una cita; *zu e-m ~ gehen* acudir a una cita; **~manöver** *n* maniobra *f* de cita en el espacio.
Ren'dite ✝ *f* rédito *m*.
Rene'gat(in *f*) *m* (*-en*) renegado (-a *f*) *m*.
Re'nette ⚘ *f* (manzana *f*) reineta *f*.
'Renn|bahn *f* campo *m* de carreras; *Sport*: pista *f*; (*Pferde2*) hipódromo *m*; *Arg*. cancha *f*; *Auto*.: autódromo *m*; (*Rad2*) pista *f*; velódromo *m*; **~boot** *n* (*-es*; *-e*) bote *m* de regatas.
'rennen I. 1. (*L*; *sn*) *v/i*. correr; (*vorwärts stürzen*) precipitarse (sobre); *~ gegen* chocar, dar contra; estrellarse contra; arrollar; *fig*. *mit dem Kopf gegen* (*od*. *durch*) *die Wand ~* estrellarse (F romperse los cuernos) contra la pared; *in sein Verderben ~* correr hacia su perdición; **2.** *v/t*.: *j-n zu Boden ~* arrollar (*od*. atropellar) a alg.; **II. 2** *n* carrera *f*; *totes ~* carrera que acaba en empate; *das ~ machen* ganar (*od*. salir ganador de) la carrera; *das ~ aufgeben* abandonar la carrera (*fig*. la lucha).
'Renn...: ~fahrer *m Auto*: corredor *m* (automovilista); *Motorrad*: corredor *m* (motorista); *Fahrrad*: corredor *m* (ciclista); **~jacht** *f* yate *m* de regatas; **~mannschaft** *f* equipo *m* de corredores; **~pferd** *n* (*-es*; *-e*) caballo *m* de carreras; **~platz** *m* (*-es*; *⸗e*) hipódromo *m*; **~reiter** *m* jockey *m*; **~sport** *m* (*-es*; *0*) deporte *m* hípico; **~stall** *m* (*-es*; *⸗e*) cuadra *f* (de carreras); **~strecke** *f* recorrido *m*; **~tier** *Zoo*. *n* (*-es*; *-e*) reno *m*; **~wagen** *m* auto *m* de carreras; F bólido *m*; **~wette** *f* apuesta *f* mutua.
Renom'mee *n* (*-s*; *-s*) fama *f*; reputación *f*; renombre *m*.
renom'mier|en (-) *v/i*. fanfarronear; vanagloriarse; darse importancia; F darse pisto (*od*. postín); *~ mit* hacer gala de; F presumir de; **2en** *n* vanagloria *f*; presunción *f*; **~t** *adj*. afamado, renombrado; famoso, célebre.
reno'vier|en (-) *v/t*. renovar; restaurar; **2ung** *f* renovación *f*; restauración *f*.
ren'tabel *adj*. lucrativo; productivo; que rinde beneficio; rentable.
Rentabili'tät *f* (*0*) utilidad *f*, rendimiento *m*, beneficio *m*; ✝ *a*. rentabilidad *f*; **~sberechnung** ✝ *f* cálculo *m* de la rentabilidad; **~sgrenze** ✝ *f* límite *m* de rentabilidad.
'Rente *f* (*Einkünfte, Zins2*) renta *f*; (*Pension*) pensión *f*; (*Alters2*) pensión *f* de vejez; (*Leib2*) pensión *f* vitalicia; *mit e-r ~ versehen* pensionar.
'Renten...: ~anspruch *m* (*-es*; *⸗e*) derecho *m* a pensión; **~anstalt** *f* caja *f* de pensiones; **~bank** *f* banco *m* agrícola de crédito (emisor de títulos de renta); **~brief** *m* (*-es*; *-e*) título *m* de renta fija; **~empfänger(in** *f*) *m* titular *m/f od*. beneficiario (-a *f*) *m* de una renta; (*Sozial2*) pensionista *m/f*; **~papiere** *n/pl*. títulos *m/pl*. de renta fija; **~reform** *f* reforma *f* de las pensiones de seguridad social; **~versicherung** *f* seguro *m* de renta.
ren'tieren (-) *v/refl*.: *sich ~* ✝ producir utilidad, rendir beneficio; rentar bien; ser rentable; *fig*. valer la pena.
'Rentner(in *f*) *m* rentista *m/f*; (*Sozial2*) pensionista *m/f*.
Re·organisati'on *f* reorganización *f*; **~splan** *m* (*-es*; *⸗e*) plan *m* de reorganización.
re·organi'sier|en (-) *v/t*. reorganizar; **2en** *n*, **2ung** *f* reorganización *f*.
Reparati'on|en *f/pl*. reparaciones *f/pl*.; **~skommission** *f* comisión *f* de reparaciones; **~sleistung** *f* prestación *f* a título de reparación; **~szahlung** *f* pago *m* a título de reparación.
Repara'tur *f* reparación *f*; compostura *f*, arreglo *m*; *in ~* en reparación; *in ~ geben* dar a componer (*od*. a arreglar); *laufende ~en* reparaciones corrientes; *zu Lasten des Mieters gehende ~* reparación a cargo del inquilino; **2bedürftig** *adj*. necesitado de (*od*. que necesita) arreglo *od*. compostura *od*. reparación; **2fähig** *adj*. reparable; **~kasten** *m* (*-s*; *⸗*) caja *f* de herramientas (para reparaciones); **~kosten** *pl*. gastos *m/pl*. de reparación; **~werkstatt** *f* (-; *⸗en*) taller *m* de reparaciones.
repa'rieren (-) *v/t*. reparar; arreglar.
repatri'ier|en (-) *v/t*. repatriar; **2ung** *f* repatriación *f*.
Reper'toir [-'to·ɑ:r] *n* (*-s*; *-s*) repertorio *m*.
repe'tier|en (-) *v/t*. repetir; **2en** *n* repetición *f*; **2gewehr** *n* (*-es*; *-e*) fusil *m* de repetición; **2uhr** *f* reloj *m* de repetición.
Repe'titor *m* (*-s*; *-en*) repetidor *m*.
Repeti'torium *n* (*-s*; *-rien*) clase *f* (*od*. curso *m*) de repetición.
Re'plik *f* réplica *f*.
Re'port ✝ *m* (*-es*; *-e*) (*Börse*) reporte *m*, doble *m*.
Repor'tage [-ɑ:ʒə] *f* reportaje *m*; *Bild2* reportaje *m* gráfico.
Re'porter *m* reportero *m*, repórter *m*, informador *m*.
Repräsen'tant(in *f*) *m* (*-en*) representante *m/f*.
Repräsentati'on *f* representación *f*; **~skosten** *pl*. gastos *m/pl*. de representación.
repräsenta'tiv *adj*. representativo.
repräsen'tieren (-) *v/t*. representar.
Repres'salien *f/pl*. represalias *f/pl*.; *~ anwenden* tomar represalias.
Re'prise *f Thea*. reposición *f*.

reprivati'sier|en (-) *v/t.* desnacionalizar; **Sung** *f* desnacionalización *f.*
Reprodukti'on *f* reproducción *f*; **~sverfahren** *n* procedimiento *m* de reproducción.
reprodu'zier|en (-) *v/t.* reproducir; **Sen** *n*, **Sung** *f* reproducción *f.*
Rep'til *Zoo. n (-s; -ien)* reptil *m.*
Repu'blik *f* república *f.*
Republi'kan|er(in *f*) *m* republicano (-a *f*) *m*; **Sisch** *adj.* republicano.
Repulsi'onsmotor *m (-s; -en)* motor *m* de repulsión.
'Requiem ['-kvi·ɛm] *n (-s; -s)* (misa *f* de) réquiem *m.*
requi'rier|en (-) ⚔ *v/t.* requisar; **Sen** *n*, **Sung** *f* requisición *f*, requisa *f.*
Requi'sit *n (-s; -en)* requisito *m*; *Thea.*: **~en** *pl.* accesorios *m/pl.* de escena.
Requisiti'on ⚔ *f* requisición *f*, requisa *f*; **~sschein** *m (-es; -e)* vale *m* de requisa.
Re'seda ⚘ *f (0)* reseda *f.*
Reser'vat *n (-es; -e)* reserva *f*; **~rechte** *n/pl.* derechos *m/pl.* reservados.
Re'serve *f* reserva *f* (*a.* ⚔, ⚖, ☤ *u. fig.*); *stille* ~ ☤ reservas ocultas; **~n** *schaffen* acumular reservas; et. *als* ~ *zurücklegen* guardar en reserva; *in* ~ *stehen* estar en reserva; *in* ~ *haben* tener en reserva, reservar; *die* **~n** *angreifen* ☤ recurrir a las reservas; ⚔ llamar las reservas; *zur* ~ *gehören* ⚔ ser de la reserva; **~division** ⚔ *f* división *f* de reserva; **~fonds** ☤ *m* (-; -) fondo *m* de reserva; *dem* ~ *zuführen* pasar al fondo de reserva; **~kapital** *n (-s; -ien)* capital *m* de reserva; **~konto** *n (-s; -ten)* cuenta *f* de reserva; **~mast** ⚓ *m (-es; -e[n])* palo *m* de repuesto; **~nbildung** ☤ *f* constitución *f* de reservas; **~offizier** *m (-s; -e)* oficial *m* de la reserva; **~rad** *n (-es; ¨er)* rueda *f* de repuesto (*od.* de recambio); **~stück** *n (-es; -e)*, **~teil** *n (-es; -e)* pieza *f* de repuesto (*od.* de recambio); **~tank** *m (-es; -s)* depósito *m* de reserva; **~truppen** *f/pl.* tropas *f/pl.* de reserva.
reser'vier|en (-) *v/t.* reservar; **~t** *adj.* reservado; **Sung** *f* reservación *f*, reserva *f.*
Reser'vist ⚔ *m (-en)* reservista *m.*
Reser'voir [-vo'ɑ:ʀ] *n (-s; -e)* depósito *m*; tanque *m*; *fig.* recursos *m/pl.*
Resi'denz *f* residencia *f*; *a.* → **~stadt** *f* (-; ¨e) Corte *f*; capital *f.*
resi'dieren (-) *v/i.* residir.
Re'sidu-um ⚗ *n (-s; -duen)* residuo *m.*
Resignati'on *f* resignación *f.*
resig'nieren (-) *v/i.* resignar; renunciar (a); *sich* ~ resignarse.
reso'lut *adj.* resuelto, resoluto; enérgico.
Resoluti'on *f* resolución *f.*
Reso'nanz *f* resonancia *f*; *fig. a.* eco *m*, repercusión *f*; **~boden** *m (-s; ¨)* caja *f* de resonancia.
resor'bieren (-) *v/t.* resorber.
Resorpti'on *f* resorción *f.*
Re'spekt *m (-es; 0)* respeto *m* (*vor dat.* a); ~ *haben vor* tener respeto a; respetar (*ac.*); *j-m* ~ *einflößen* inspirar respeto a alg.; ~ *verschaffen* hacer respetar (*j-m* a alg.; *e-r Sache dat.* a/c.); *sich* ~ *verschaffen* hacerse respetar; *mit* ~ *zu sagen* con todo respeto sea dicho; con perdón de usted.
respek'tabel *adj.* respetable.
respek'tier|en (-) *v/t.* respetar; **~lich** *adj.* respetable.
respek'tiv *adj.* respectivo; **~e** *adv.* respectivamente (*nachgestellt*).
re'spekt|los *adj.* irrespetuoso; *adv.* sin respeto; **Slosigkeit** *f* falta *f* de respeto; **Ssperson** *f* persona *f* de respeto; *weitS.* personalidad *f*; **~voll** *adj.* respetuoso; **~widrig** *adj.* irrespetuoso; irreverente; **Swidrigkeit** *f* irreverencia *f.*
Ressenti'ment [ʀɛsɑ̃tɪ'mɑ̃] *n (-s; -s)* resentimiento *m.*
Res'sort [ʀɛ'so:ʀ] *n (-s; -s)* (*Verwaltungsbereich*) departamento *m*; negociado *m*; sección *f*; (*Zuständigkeit*) incumbencia *f*; atribuciones *f/pl.*; ⚖ jurisdicción *f*; *das fällt nicht in mein* ~ no es asunto de mi incumbencia.
Rest *m (-es; -e)* resto *m* (*a. Arith.*); ⚗ residuo *m*; (*SpeiseS*) sobras *f/pl.*; ☤ (*~betrag*) remanente *m*; saldo *m*; (*TuchS*) retal *m*; *der* ~ el resto; lo demás, lo restante; *die sterblichen* **~e** los restos mortales; *fig. das gab ihm den* ~ eso acabó con él; (*Gnadenstoß*) eso le dio el golpe de gracia; P eso le dio la puntilla.
Res'tant ☤ *m (-en)* deudor *m* moroso.
'Rest-auflage *f* resto *m* de (la) edición.
Restau'rant [-to·'ʀaŋ] *n (-s; -s)* restaurante *m.*
Restaura'teur [-to·ʀa·-] *m (-s; -e)* dueño *m* de un restaurante.
Restaurati'on [-taʊ-] *f* (*Pol., Mal.*) restauración *f.*
Restau'rator [-taʊ-] *m (-s; -en)* restaurador *m* (de obras de arte).
restau'rier|en [-taʊ-] (-) *v/t.* restaurar; **Sung** *f* restauración *f.*
'Rest...: **~bestand** ☤ *m (-es; ¨e)* resto *m*; saldo *m*; (*v. Waren*) existencias *f/pl.* restantes; **~betrag** *m (-es; ¨e)* remanente *m*, saldo *m*, suma *f* restante; **~guthaben** ☤ *n* resto *m* a favor.
restitu'ieren (-) *v/t.* restituir.
Restituti'on *f* restitución *f.*
'Rest...: **~kaufsumme** *f* remanente *m* del precio de compra; **~lager** *n* existencias *f/pl.* restantes; resto *m* de las existencias; **Slich** *adj.* restante; que sobra; **Slos I.** *adj.* entero, total; ilimitado; **II.** *adv.* enteramente, totalmente; por completo, completamente; ilimitadamente; **~summe** *f* suma *f* restante; resto *m*; **~zahlung** *f* pago *m* restante; resto *m* de(l) pago.
Resul|'tat *n (-es; -e)* resultado *m*; (*Wirkung*) efecto *m*; **S'tatlos** *adj.* sin resultado; (*nutzlos*) inútil; *Versuch*: estéril; **S'tieren** (-) *v/i.* resultar.
Resü|'mee *n (-s; -s)* resumen *m*; **S'mieren** (-) *v/t.* resumir.
Re'torte ⚗ *f* retorta *f*; alambique *m.*
retrospek'tiv *adj.* retrospectivo.
'rett|en (-e-) *v/t. u. v/refl.* salvar (*vor dat.* de; *auf ac.* en); poner en salvo; (*befreien*) librar (*vor dat.* de); libertar, liberar; *sich* ~ salvarse; (*sich befreien*) librarse; libertarse; *rette sich, wer kann!* ¡sálvese quien pueda!; **Ser** *m* salvador *m*; *Rel.* Salvador *m*; (*Befreier*) libertador *m*, liberador *m*; ayudador *m.*
'Rettich ⚘ *m (-s; -e)* rábano *m* blanco.
'Rettung *f* salvación *f* (*a. Rel.*); ⚓ (*Bergung*) salvamento *m*; (*Befreiung*) liberación *f*; (*Hilfe*) socorro *m*, auxilio *m*; *das war seine* ~ eso le salvó; *er ist meine einzige* ~ él es mi única esperanza.
'Rettungs...: **~anker** *m* áncora *f* (*fig.* tabla *f*) de salvación; **~arbeiten** *f/pl.* trabajos *m/pl.* de salvamento; **~boje** *f* boya *f* salvavidas (*od.* de salvamento); **~boot** *n (-es; -e)* bote *m* salvavidas; lancha *f bzw.* canoa *f* de salvamento; **~dienst** *m (-es; -e)* servicio *m* de salvamento; **~gerät** *n (-es; -e)* aparato *m* de salvamento; **~gürtel** *m* cinturón *m* salvavidas; **~leine** *f* cuerda *f* de salvamento; **~leiter** *f (-; -n)* escala *f* de salvamento; **Slos** *adj. u. adv.* sin remedio; *er ist* ~ *verloren* no hay remedio (*od.* salvación) para él; está irremediablemente perdido; **~mannschaft** *f* equipo *m* de salvamento; **~medaille** *f* medalla *f* de salvamento; **~mittel** *n* medio *m* de salvación *bzw.* de salvamento; *fig.* remedio *m*, recurso *m*; tabla *f* de salvación; **~ring** *m (-es; -e)* salvavidas *m*; guíndola *f*; **~station** *f*, **~stelle** *f* puesto *m* de socorro; **~trupp** *m (-s; -s)* → *Rettungsmannschaft*; **~versuch** *m (-es; -e)* tentativa *f* de salvamento; **~wache** *f* → *Rettungsstation*; **~werk** *n* operación *f* de rescate; **~wesen** *n* servicio *m* de salvamento y socorrismo; **~zug** 🚂 *m* tren *m* de socorro.
retu'schier|en (-) *v/t.* retocar; **Sen** *n* retoque *m*; **Ser(in** *f*) *m* retocador *m*, retocadora *f.*
'Reue *f (0)* arrepentimiento *m*; (*Buße*) penitencia *f*; (*Zerknirschung*) contrición *f*; (*Bedauern*) pesar *m*; (*Gewissensbisse*) remordimiento *m*; ~ *empfinden* arrepentirse (*über ac.* de); **~gefühl** *n (-es; -e)* sentimiento *m* de pesar; remordimiento *m*; **~n** *v/t. u. v/unprs.* sentir arrepentimiento; sentir remordimiento; sentir pesar; *mich reut* et. me arrepiento de a/c.; siento a/c.; me pesa a/c.; *es reut mich zu* (*inf.*) me arrepiento de (*inf.*); siento (*inf.*); me pesa (*inf.*); **Svoll** *adj.* arrepentido; pesaroso; *Rel.* penitente; (*zerknirscht*) contrito.
'Reu...: **~geld** *n (-es; -er)* prima *f* de devolución (*od.* de rescate); **Sig** *adj.* → *reuevoll*; **~kauf** *m (-es; ¨e)* retroventa *f*; **Smütig** *adj.* → *reuevoll.*
'Reuse *f* nasa *f*; **~n-antenne** *f* antena *f* en forma de nasa.
Re'vanche [-'vaŋʃə, -vɑ̃:ʃə] *f* desquite *m*; *gal.* revancha *f*; ~ *nehmen* desquitarse, tomar el desquite; **~kampf** *m (-es; ¨e) Sport*: partido *m* de desquite; **Slüstern** *adj.* ávido de desquite; *gal.* revanchista.
revan'chieren (-) *v/refl.*: *sich* ~ *für* desquitarse de; *für e-n Dienst usw.*: corresponder a.

Revan'chis|mus *m* revanchismo *m*; **~t** *m* revanchista *m*.
Reve'renz *f* reverencia *f*.
Re'vers *n* (-; -) ⚖ (*Gegenverpflichtung*) contraescritura *f*; (*Reversschein*) resguardo *m*; carta *f* de garantía; (*Quittung*) recibo *m*; (*Erklärung*) declaración *f*; (*Rockaufschlag*) solapa *f*; *e-r Münze*: reverso *m*.
revi'dieren (-) *v/t.* revisar; inspeccionar.
Re'vier *n* (-es; -e) (*Bezirk*) distrito *m*; (*Stadtviertel*) barrio *m*; (*Kohlen*2) cuenca *f*; (*Polizei*2) distrito *m*; *Am.* comisaría *f*; (*Jagd*2) cazadero *m*; coto *m*; ⚔ enfermería *f*; **~förster** *m* guarda *m* forestal del distrito; **~stube** ⚔ *f* enfermería *f*.
Revisi'on *f* revisión *f*; inspección *f*; *Typ.* contraprueba *f*; (*Zoll*2) registro *m* (de equipajes); ⚖ ~ *einlegen* interponer recurso de revisión.
Revisio'nist *Pol. m* (-en) revisionista *m*.
Revisi'ons...: **~antrag** ⚖ *m* (-es; ⸗e) demanda *f* de revisión; **~bogen** *Typ. m* contraprueba *f*; **~frist** ⚖ *f* plazo *m* de interposición del recurso de revisión; **~gericht** *n* (-es; -e) tribunal *m* de revisión; **~verfahren** *n* procedimiento *m* de revisión.
Re'visor *m* (-s; -en) revisor *m*; inspector *m*; (*Bücher*2) interventor *m*; ⚖ censor *m* de cuentas.
Re'volte *f* revuelta *f*; motín *m*.
revol'tieren (-) *v/i.* amotinarse; rebelarse (*a. fig.*).
Revoluti'on *f* revolución *f*.
revolutio'när I. *adj.* revolucionario; **II.** 2 *m* (-s; -e) revolucionario *m*; 2**in** *f* revolucionaria *f*.
revolutio'nieren (-) *v/t.* revolucionar.
Re'volver *m* revólver *m*; **~blatt** *n* (-es; ⸗er) periódico *m* difamatorio; **~drehbank** ⊕ *f* (-; ⸗e) torno *m* revólver; **~held** *m* (-en) matón *m*; pistolero *m*; **~kopfschlitten** ⊕ *m* carro *m* portatorre; **~presse** *f* prensa *f* difamatoria.
revo'zieren (-) *v/t.* revocar; desdecirse.
Re'vue [y:] *f* revista *f*; ~ *passieren lassen* revistar, pasar revista a; **~theater** *n* teatro *m* de revistas.
Rezen|'sent *m* (-en) crítico *m*; 2**'sieren** (-) *v/t.* criticar; *v. Büchern*: reseñar, hacer la reseña de; **~si'on** *f* crítica *f*; reseña *f* (crítica); **~si'onsexemplar** *n* (-es; -e) ejemplar *m* para crítica *od.* dictamen.
Re'zept *n* (-es; -e) receta *f*.
Rezipi'ent *m* (-en) recipiente *m*.
rezi'prok *adj.* recíproco.
Reziprozi'tät *f* (0) reciprocidad *f*.
Rezita'tiv ♪ *n* (-s; -e) recitado *m*; **~stil** ♪ *m* estilo *m* recitativo.
rezi'tieren (-) **I.** *v/t.* recitar; **II.** 2 *n* recitación *f*.
Rha'barber ♀ *m* (-s; 0) ruibarbo *m*.
Rhap'sode *m* (-n) rapsoda *m*.
Rhapso'die *f* rapsodia *f*.
rhap'sodisch *adj.* de rapsoda.
'Rhein *m* Rin *m*; **~bund** (-es; 0) *Hist. m* Liga *f* del Rin, Confederación *f* Renana; **~fahrt** *f* viaje *m* por el Rin; **~fall** *m* (-es; 0) salto *m* del Rin; **~gold** *n* (*Oper*) El Oro del Rin; 2**isch** *adj.* renano; del Rin; **~land** *n* Renania *f*; **~länder(in** *f*) *m* renano (-a *f*) *m*; 2**ländisch** *adj.* renano; de Renania; **~land-'Pfalz** *n* Renania-Palatinado *m*; **~pfalz** *f*: *die* ~ el Palatinado; **~schiffahrt** *f* (0) navegación *f* del Rin; **~wein** *m* (-es; -e) vino *m* del Rin.
Rheos'tat ⚡ *m* (-es; -e) reóstato *m*.
'Rhetor *m* (-s; -en) retórico *m*; maestro *m* de retórica.
Rhe'tor|ik *f* (0) retórica *f*; **~iker** *m* retórico *m*; 2**isch** *adj.* retórico.
'Rheuma ⚕ *n* (-s; 0) reuma *m*, reumatismo *m*; *an* ~ *leidend* reumático.
Rheu'ma|tiker(in *f*) *m* reumático (-a *f*) *m*; 2**tisch** *adj.* reumático.
Rheuma'tismus *m* (-; 0) reumatismo *m*; *an* ~ *leidend* reumático.
Rhi'nozeros *Zoo. n* (- *od.* -ses; -se) rinoceronte *m*.
Rhi'zom ♀ *n* (-s; -e) rizoma *m*.
Rho'dan ⚗ *n* (-s; 0) sulfocianógeno *m*, tiocianógeno *m* (de).
Rhodo'dendron ♀ *n* (-s; -dren) rododendro *m*.
'Rhodos *n* (*Insel*) Rodas *f*.
'rhombisch *adj.* ⩘ rombal; *Min.* rómbico.
Rhombo'eder ⩘ *n* romboedro *m*.
Rhombo'id ⩘ *n* (-s; -e) romboide *m*.
rhomboi'dal ⩘ *adj.* romboidal.
'Rhombus *m* (-; *Rhomben*) ⩘ rombo *m*; ▨ losange *m*; huso *m*.
'Rhone *f* (*Fluß*) Ródano *m*.
'Rhönrad *n* (-es; ⸗er) *Turnen*: rueda *f* viviente *od.* girante.
'Rhyth|mik *f* (0) rítmica *f*; ejercicios *m/pl.* rítmicos; 2**misch** *adj.* rítmico; **~mus** *m* (-; -men) ritmo *m*.
'Richt|antenne *f* antena *f* dirigida; **~beil** *n* (-es; -e) hacha *f* del verdugo; **~blei** *n* (-es; -e) plomada *f*; **~block** *m* (-es; ⸗e) cadalso *m*.
'richten (-e-) *v/t. u. v/i.* (*zurechtsetzen*) ordenar, arreglar; (*instandsetzen*) poner en condiciones, arreglar; (*richtig einstellen*) ajustar; (*gerade*~) enderezar, poner derecho; (*schnurgerade stellen, aus*~) disponer en fila; alinear (*a.* ⚔); (*vorbereiten, zubereiten*) preparar; (*lenken, wenden*) dirigir (*auf ac.* hacia); *Bett*: hacer; *Zimmer*: arreglar; *Bauwerk*: poner la bandera; *in die Höhe* ~ enderezar, levantar, erguir; *sich in die Höhe* ~ enderezarse; ponerse derecho; *j-n*: ponerse en pie; erguirse; ⚔ *richt't euch!* ¡alinearse!; *Richter*: juzgar, (*verurteilen*) sentenciar, condenar; *Henker*: ejecutar, ajusticiar; ~ *auf* (*ac.*) *Blick*: volver hacia; fijar en; *Waffe, Fernrohr*: apuntar sobre; *Aufmerksamkeit*: fijar en *od.* sobre; parar en; *Bemühungen*: concentrar en; *Geschütz*: apuntar; ~ *an* (*ac.*) *Bitte*: dirigir *od.* hacer *un ruego* a; *Frage*: dirigir *od.* hacer *una pregunta* a, preguntar a; *Brief*: dirigir *una carta* a; ~ *gegen* (*ac.*) dirigir contra; *sich nach et.* ~ ajustarse a; atenerse a; amoldarse, acomodarse, atemperarse a; sujetarse a; guiarse por; tener por norma; (*abhängen von*) depender de; estar subordinado a; (*sich bestimmen nach*) estar determinado por; estar condicionado por; (*sich orientieren*) orientarse por; *Preis*: regirse por; *Gr.* concordar con; ser regido por; *ich werde mich danach* ~ lo tendré presente (*od.* en cuenta); me atendré a ello; obraré en consecuencia; *sich nach j-m* ~ tomar (*od.* seguir el) ejemplo de alg.; *die Segel nach dem Wind* ~ orientar las velas.
'Richter *m* juez *m*; (*Schieds*2) árbitro *m*; (*Friedens*2) juez *m* de paz; ⊕ enderezador *m*; *sich zum* ~ *aufwerfen* erigirse en juez; ~ *in eigener Sache sein* ser juez y parte; *vor den* ~ *bringen* llevar a los tribunales; **~amt** *n* (-es; 0) judicatura *f*; magistratura *f*; **~kollegium** *n* (-s; -ien) asociación *f* judicial; 2**lich** *adj.* de juez; (*gerichtlich*) judicial; ~*e Gewalt* poder *m* judicial; ~*es Urteil* sentencia *f* del juez *bzw.* del tribunal; (*schieds*~) sentencia *f* arbitral; **~spruch** *m* (-es; ⸗e) sentencia *f*; fallo *m*; pronunciamiento *m* judicial; **~stand** *m* (-es; 0) judicatura *f*; magistratura *f*; **~stuhl** *m* (-es; ⸗e) tribunal *m*.
'Richt...: **~fehler** ⚔ *m* error *m* de puntería; **~fest** ⚠ *n* (-es; -e) fiesta *f* de cubrir aguas; **~funkanlage** *f* sistema *m* de radioenlace; **~funkbake** *f* radiofaro *m*; **~gerät** *n* (-es; -e) (*Zielgerät*) aparato *m* de puntería.
'richtig I. *adj.* (*genau*) exacto; preciso; (*gut*) bueno; (*gerecht*) justo; (*wahr*) verdadero; (*geregelt*) arreglado; en regla; (*geordnet*) ordenado; (*regelrecht*) correcto; (*echt*) auténtico; legítimo; (*gehörig*) debido; (*geeignet*) apropiado; (*angemessen*) adecuado; (*angepaßt*) ajustado; (*getreu*) fiel; (*zutreffend*) acertado; (*typisch*) típico; (*günstig*) oportuno; (*vollendet*) perfecto; (*treffsicher*) certero; *das* ~*e Mittel* el justo medio; e-e ~*e Übersetzung* una traducción fiel; *ein* ~*er Madrider* un madrileño castizo; *sein* ~*er Name* su nombre verdadero; *das ist nicht* ~ no es cierto (*od.* exacto); eso no está bien; eso no es acertado; F *nicht ganz* ~ *im Kopf sein* no estar en sus cabales; F estar tocado de la cabeza; tener un tornillo flojo; *auf dem* ~*en Wege sein* estar en el buen camino; *er ist der* ~*e Mann* es el hombre que hace falta; *mit der Sache ist et. nicht* ~ aquí hay algo raro (*od.* sospechoso); **II.** *adv.* (*gehörig*) debidamente; como es debido; ~*gehen Uhr* andar (*od.* marchar) bien; ~ *rechnen* (*singen*; *hören*) calcular (cantar; oir) bien; ~*er gesagt* mejor dicho; *für* ~ *halten* aprobar; *es für* ~ *halten, zu* (*inf.*) estimar (*od.* considerar) oportuno (*inf.*); creer procedente (*inf.*); *er war* ~ *verlegen* estaba lo que se dice en un verdadero aprieto; **III.** *int.* ~! ¡exacto!; ¡justo!; ¡eso es!; *ganz* ~! ¡muy bien!; ¡perfectamente!; *so ist's* ~! ¡así está bien!; ¡así me gusta!; ¡bien hecho!; ~, *da kommt er!* ¡aquí le tenemos ya!; **IV.** *substantivisch*: *das* 2*e treffen* acertar, F dar en el clavo; *das ist das* 2*e für ihn* eso es lo que le hace falta; *du bist mir der* 2*e! iro.* contigo íbamos a estar lucidos; **~gehend** *adj. Uhr* que anda (*od.* marcha) bien; 2**keit** *f* rectitud *f*; corrección *f*; (*Genauigkeit*) exactitud *f*; precisión *f*;

(*Wahrheit*) verdad *f*; veracidad *f*; (*Echtheit*) autenticidad *f*; *e-r Übersetzung*: fidelidad *f*; *s-e ~ haben* estar en orden (*od.* en regla); estar conforme; *damit hat es s-e ~* es absolutamente cierto; es verdad; tiene su fundamento; **~stellen** *v/t.* rectificar; (*klarstellen*) poner en su punto; ⊕ ajustar; **≈stellung** *f* rectificación *f*; ⊕ ajuste *m.*

'Richt...: ~kanonier ⚔ *m* (*-s; -e*) apuntador *m*; **~keil** *m* (*-es; -e*) cuña *f* de puntería; **~kreis** ⚔ *m* (*-es; -e*) *am Geschütz*: goniómetro *m*; **~linien** *f/pl.* normas *f/pl.*; instrucciones *f/pl.*; principios *m/pl.*; reglas *f/pl.* de conducta; **~maß** *n* (*-es; -e*) patrón *m*; norma *f*; **~platz** *m* (*-es; ¨e*) patíbulo *m*; lugar *m* de la ejecución; lugar *m* del suplicio; **~preis** *m* (*-es; -e*) precio *m* de orientación; **~punkt** *m* (*-es; -e*) (*Festpunkt, Ausgangspunkt*) punto *m* de referencia; ⚔ hito *m*; **~scheit** *n* (*-es; -e*) regla *f*; cartabón *m*; escuadra *f*; ⚠ *der Maurer*: maestra *f*; **~schnur** *f* (*-; ¨e*) ⚠ *der Maurer*: tendel *m*; *fig.* norma *f*; principio *m*; pauta *f*; regla *f* de conducta; *zu Ihrer ~* para su gobierno; *zur ~ dienen* servir como norma; **~strahlantenne** *f* antena *f* dirigida; **~strahler** *m* antena *f* dirigida; emisora *f* de ondas dirigidas; **~strahlung** *f* radiación *f* dirigida.

'Richtung *f* dirección *f*; sentido *m*; (*Kurs*) ⚓ rumbo *m*, derrota *f*, *vorgezeichnete*: derrotero *m*; (*Weg*) camino *m*; ⚔ alineación *f*; *beim Zielen*: puntería *f*; *fig.* (*Tendenz*) tendencia *f*; (*Einstellung*) orientación *f*; *Pol.* (*Partei≈*) grupo *m*, sector *m*; (*Kunst≈*) escuela *f*; *aus ~ von* procedente de; *in ~ nach* en dirección hacia; *in der ~ auf* (*ac.*) con dirección a; *nach allen ~en* en todas las direcciones; en todos los sentidos (*a. fig.*); *in umgekehrter ~* en sentido inverso; *in gerader ~* en línea derecha, (*geradeaus*) todo derecho; *die ~ einschlagen nach* tomar la dirección de; 🚂 *Zug aus der ~ von ... nach ...* tren procedente de ... con destino a ...; *e-e andere ~ nehmen* tomar otra dirección; tomar otro rumbo (*a. fig.*); *die ~ ändern* cambiar de dirección; cambiar de rumbo (*a. fig.*).

'Richtungs...: ~änderung *f* cambio *m* de dirección; **~antenne** *f* antena *f* dirigida; **~anzeiger** *m Auto.* indicador *m* de dirección; flecha *f* (de dirección); **~bestimmung** *f* (*Radiogoniometrie*) radiogoniometría *f*; **~empfang** *m* (*-es; 0*) *Radio*: recepción *f* de emisión dirigida; **~pfeil** *m* (*-es; -e*) flecha *f* (indicadora) de dirección; **~tafel** *f* (*-; -n*) (*Streckenschild*) letrero *m* de dirección; *auf Aussichtsturm*: cuadro *m* orientador.

'richtungweisend *adj.* orientador; directivo; normativo; determinante.

'Richt...: ~waage *f* nivel *m* (de agua); **~weg** *m* (*-es; -e*) atajo *m*; **~zahl** *f* coeficiente *m*; (*Index*) índice *m.*

'Ricke *Jgdw. f* corza *f.*

rieb *pret. v. reiben.*

'riechen (*L*) **1.** *v/i.* oler; *gut ~* oler bien, tener olor agradable, (*wohl ~*) exhalar fragancia, despedir aroma; *schlecht ~* oler mal (*a. fig.*), tener mal olor; heder; *nach et. ~* oler a a/c.; *hier riecht es nach ...* aquí huele (*od.* hay olor) a ...; **2.** *v/t. u. v/i.* oler, percibir un olor; (*wittern*) olfatear; husmear; *an e-r Blume ~* oler una flor; *aus dem Mund ~* oler mal la boca; ⚕ padecer halitosis; *fig. den Braten* (*Lunte*) *~* oler el poste; descubrir el pastel; oler(se) la tostada; F *j-n nicht ~ können* no poder ver a alg. ni en pintura; tener ojeriza (F hincha) a alg.; *das konnte ich doch nicht ~!* ¿cómo iba yo a adivinar eso?; ≈ *n* (*Geruchssinn*) olfato *m*; olfacción *f*; **~d** *adj.* oliente; (*wohl~*) oloroso; fragante, aromático; (*übel~*) maloliente; fétido.

'Riecher F *m fig.* nariz *f*; *e-n guten ~ haben* tener buen olfato; *fig.* tener narices de perro perdiguero.

'Riech...: ~fläschchen *n* pomo *m* de olor; frasquito *m* de perfume; **~kissen** *n* sachet *m*, almohadillita *f* perfumadora; **~nerv** *Anat. m* (*-s; -en*) nervio *m* olfativo; **~organ** *n* (*-s; -e*) órgano *m* del olfato; **~salz** *n* (*-es; -e*) sal *f* volátil; **~werkzeug** *Anat. n* (*-es; -e*) órgano *m* del olfato; (*Nase*) nariz *f.*

Ried *n* (*-es; -e*) (*Schilfrohr*) caña *f*; (*Röhricht*) cañaveral *m*; (*Schilf*) juncal *m*; junquera *f*; **'~gras** ♀ *n* (*-es; ¨er*) carrizo *m.*

rief *pret. v. rufen.*

'Rief|e *f* estría *f* (*a. an Säulen*); acanaladura *f*; (*Furche*) surco *m*; *des Geschütz-, Gewehrrohres*: rayado *m*; **≈e(l)n** *v/t.* estriar; acanalar; *Geschütz-, Gewehrrohr*: rayar; **≈elig** *adj.* estriado; acanalado; rayado; **~elung** *f* → Riefe.

'Riege *f* sección *f.*

'Riegel *m* cerrojo *m* (*a. Fußball*); (*Fenster≈, Tür≈*) pasador *m*; (*Querstange*) barra *f*; *am Schloß*: pestillo *m*; (*Fenster≈, vertikal*) falleba *f*; *den ~ vorschieben* correr (*od.* echar) el cerrojo; *~ Schokolade* barra *f* de chocolate; *~ Seife* pastilla *f* de jabón; *hinter Schloß und ~ setzen* poner a buen recaudo; (*Verbrecher*) encarcelar, F meter en chirona; **≈n** (*-le*) *v/t.* echar el cerrojo; **~stellung** ⚔ *f* posición *f* de barrera.

'Riemen[1] ⚓ *m* remo *m*; *sich in die ~ legen* remar vigorosamente; ir a todo remo; *fig.* dar fuerte impulso a una actividad.

'Riemen[2] *m* correa *f*; *langer, schmaler*: tira *f* de cuero; ⊕ (*Treib≈*) correa *f* de transmisión; (*Schnür≈*) cordón *m* de cuero; (*Leib≈*) cinturón *m* de cuero; *sich den ~ enger schnallen* apretarse el cinturón; *fig. a.* imponerse (duras) restricciones; **~antrieb** *m* (*-es; -e*) impulsión *f* por correa; **~leitung** *f* transmisión *f* por correa; **~scheibe** *f* polea *f*; **~schuh** *m* (*-es; -e*) abarca *f.*

Ries (*-es; -e bzw. -*) *n*: *~ Papier* resma *f* de papel.

'Riese *m* (*-n*) gigante *m*; *in Märchen*: *menschenfressender ~* ogro *m*; *weitS.* coloso *m*; jayán *m.*

'Riesel|feld ✓ *n* (*-es; -er*) campo *m* regado con aguas residuales; **≈n** **1.** *v/i. Quelle*: manar; *Bach*: murmurar; *Sand*: pasar (lentamente); *Schweiß, Tränen*: correr; *Steine*: rodar; **2.** *v/unprs.* (*fein regnen*) lloviznar; *es rieselt* llovizna, está lloviznando; **~n** *n* llovizna *f.*

'Riesen...: ~arbeit *f* (*0*) trabajo *m* ímprobo (*od.* gigantesco); **~erfolg** *m* (*-es; -e*) éxito *m* enorme; **~fehler** *m* error *m* garrafal; **~flugzeug** *n* (*-es; -e*) avión *m* gigante; **~gebirge** *Geogr. n* Montes *m/pl.* de Silesia; **~gestalt** *f* coloso *m*; **≈groß, ≈haft** *adj.* gigantesco; enorme; colosal; **~größe, ~haftigkeit** *f* tamaño *m* colosal (*od.* gigantesco); grandeza *f* enorme; **~kraft** *f* (*-; ¨e*) fuerza *f* hercúlea; **~rad** *n* (*-es; ¨er*) (*Luftschaukel*) rueda *f* gigante; **~schildkröte** *Zoo. f* carey *m*; **~schlange** *Zoo. f* boa *f*; (*Pythonschlange*) pitón *m*; (*Wasser≈*) *Am.* anaconda *f*; **~schritt** *m* (*-es; -e*): *mit ~en* a paso de gigante; a pasos agigantados; **≈stark** *adj.* (*0*) de fuerzas hercúleas; de una fuerza extraordinaria; **~stärke** *f* (*0*) fuerza *f* hercúlea; **~welle** *Turnen f* molinete *m* grande; **~wuchs** ⚕ *m* (*-es; 0*) gigantismo *m.*

'riesig *adj.* gigantesco; enorme, ingente; colosal; formidable; *fig.* prodigioso; fabuloso; espantoso; *es hat mich ~* (*adv.*) *gefreut* me ha causado inmenso placer; *ich habe mich ~ gelangweilt* me he aburrido soberanamente (*od.* F como una ostra).

'Riesin *f* giganta *f.*

'Riester *m* (*Lederflicken*) remiendo *m* de cuero; (*Pflug≈*) vertedera *f.*

riet *pret. v. raten.*

Rif *Geogr. n* el Rif; **'~bewohner** *m* rifeño *m.*

Riff ⚓ *n* (*-es; -e*) arrecife *m*; (*Felsklippe*) escollo *m*; (*Sandbank*) banco *m* de arena, bajío *m*; bajo *m* (arenoso).

'Riffel *f* (*-; -n*) *für Flachs*: peine *m* (para desgargolar); **≈n** ⊕ *v/t.* estriar; acanalar; *Flachs*: desgargolar; **~ung** *f* estriado *m*; acanalado *m*; **~walz** *f* cilindro *m* estriado *od.* acanalado.

Rigo'rismus *m* (*-; 0*) rigorismo *m.*

rigo'ros *adj.* (*-est*) riguroso; severo; rígido; austero.

Rigo'rosum *n* (*-s; -sa*) *Uni.* examen *m* (oral) de doctorado.

'Rille *f* ranura *f*; estría *f*; acanaladura *f*; *des Geschütz-, Gewehrrohres*: rayado *m*; *der Schallplatte*: surco *m*; *Kerbe*: muesca *f*; **≈n** *v/t.* hacer ranuras *f/pl.*; estriar; acanalar; *Geschütz-, Gewehrrohr*: rayar.

Ri'messe ✝ *f* remesa *f.*

Rind *n* (*-es; -er*) (*Ochse*) buey *m*; (*Kuh*) vaca *f*; (*junges ~*) novillo *m*; novilla *f*; **~er** *pl. als Gattung*: raza *f* bovina; ✓ ganado *m* vacuno; *nach Zahlen*: cabezas *f/pl.* de ganado.

'Rinde *f* (*Baum≈, Brot≈, Käse≈*) corteza *f*; (*Gehirn≈*) *Anat.* corteza *f* cerebral.

'Rinder...: ~braten *m* asado *m* de vaca *bzw.* de buey; **~herde** *f* rebaño *m* de ganado vacuno; *Am.* tropa *f* de ganado; **~hirt** *m* (*-en*) vaquero *m*; boyero *m*; **~pest** *Vet. f* (*0*) peste *f* bovina; **~talg** *m* (*-es; 0*) sebo *m* de vaca *bzw.* de buey; **~tuberkulose** *Vet. f* (*0*) tuberculosis *f* bovina; **~zucht** *f* (*0*) cría *f* de ganado vacuno; **~zunge** *f* lengua *f* de vaca *bzw.* de buey.

'**Rind...: ~fleisch** *n* (-*es*; *0*) carne *f* de vaca *bzw.* de buey; **2ig** *adj.* cubierto de corteza; cortezudo; **~s-keule** *f* pierna *f* de vaca *bzw.* de buey; **~(s)leder** *n* cuero *m* (de vaca *bzw.* de buey); *weiches*: vaqueta *f*; **2(s)ledern** *adj.* de cuero (de vaca *bzw.* de buey); de vaqueta; **~vieh** *n* (-*es*; *0*) ganado *m* vacuno; (*Stück* ~) res *f* vacuna; P (*Schimpfwort*) animal *m*, pedazo *m* de bruto; bestia *m/f*; acémila *f*.

Ring *m* (-*es*; -*e*) (*Reif*) anillo *m* (*a. Saturn*2 *u.* ⚗); (*Schmuck*2) sortija *f*; (*Ohr*2) arete *m*; (*Ehe*2) anillo *m* nupcial (*od.* de boda); alianza *f*; (*Eisen*2) argolla *f*; aro *m* de hierro; (*Turn*2, *Vorhang*2) anilla *f*; (*Servietten*2) servilletero *m*; *Zoo.* (*Hals*2) collar *m*; (*Kreis*) círculo *m*; *um Gestirne*: halo *m*; aureola *m*; *um die Augen*: ojeras *f/pl.*; (*Zyklus*) ciclo *m*; (*Kettenglied*) eslabón *m*; (*Masche*) malla *f*; ⊕ (*Dichtungs*2) arandela *f* de empaquetadura; (*Zwinge*) abrazadera *f*; virola *f*; ✝ trust *m*; polo *m*; (*Stadium*) estadio *m*; *Boxsport*: *angl.* ring *m*; *fig.* (*Gruppe*) círculo *m*; agrupación *f*; *m.s.* banda *f*; (*Grünanlage*) cinturón *m* verde; '**~bahn** 🚂 *f* ferrocarril *m* de circunvalación.

'**Ringel...: ~blume** ♀ *f* caléndula *f*, maravilla *f*; **~locke** *f* bucle *m*; caracol *m*; sortija *f*; rizo *m*, tirabuzón *m*; **2n 1.** (-*le*) *v/t.* anillar; (*Haare*) ensortijar; (*e-n Ring anlegen*) poner un anillo (a); **2.** *v/i. u. v/refl.*: *sich* ~ (*Haar*) ensortijarse; (*sich schlingen*) arrollarse, *Schlange usw.*: enroscarse; (*Bach*) serpentear; **~natter** *Zoo. f* (-; -*n*) (*harmlose*) culebrilla *f* de agua; (*giftige*) víbora *f*; *Am.* coralillo *m*; **~reihen** *m*, **~tanz** *m* (-*es*; ⸚*e*) danza *f* en corro; **~taube** *Orn. f* paloma *f* torcaz.

'**ringen I.** (*L*) **1.** *v/t.* (*windend drehen*) torcer; *Wäsche*: *a.* escurrir; *j-m et. aus der Hand* ~ arrancarle (*od.* quitarle) a alg. a/c. de las manos; *die Hände* ~ retorcer(se) las manos; cruzar las manos; **2.** *v/i.* (*kämpfen*) luchar (*a. fig.*); ~ *mit* luchar contra; ~ *um* luchar por; *mit j-m um et.* ~ disputar a/c. a alg.; *mit dem Tode* ~ agonizar; estar en la agonía; *nach Atem* ~ respirar con dificultad, tener ahogos; **II.** 2 *n* (*Kampf*) lucha *f* (*a. fig. u. Sport*); duelo *m*; porfía *f*; ~ *mit dem Tode* agonía *f*.

'**Ringer** *m* luchador *m* (*a. fig. u. Sport*).

'**Ring...: ~feder** *f* (-; -*n*) muelle *m* (*od.* resorte *m*) anular; **~finger** *m* (dedo *m*) anular *m*; **2förmig** *adj.* anular; (*kreisförmig*) circular, redondo; (*zyklisch*) ⚗ cíclico; **~heft** *n* (-*es*; -*e*) cuaderno *m* de hojas separables; **~kampf** *m* (-*es*; ⸚*e*) lucha *f*; *Sport*: lucha *f* grecorromana; **~kämpfer** *m* luchador *m*; **~matte** *f Sport*: tapiz *m*; **~mauer** *f* (-; -*n*) muralla *f*; muro *m* circular; **~richter** *m Sport*: árbitro *m*.

rings *adv.* → *ringsherum.*

'**Ringscheibe** *f* disco *m* anular.

rings|her'um, ~'um, ~um'her *adv.* en torno, en derredor, alrededor (*um* de); en contorno; en redondo; (*überall*) en todas partes; por todas partes; *Poes.* por doquier; (*v. allen Seiten*) de todas partes.

'**Ringstraße** *f* avenida *f* de circunvalación; ronda *f*.

'**Rinne** *f* (*Bewässerungs*2) reguera *f*; (*Abzugs*2) canal *m*; (*Leitungs*2) conducto *m*; (*Dach*2) canal *m*, gotera *f*; (*Straßen*2) cuneta *f*; arroyo *m*; ⚠ (*Kehle*) estría *f*; acanaladura *f*; (*Säulen*2) canaladura *f*; *der Schallplatte*: surco *m*.

'**rinnen I.** (*L*) *v/i.* correr; (*rieseln*) fluir, manar; (*tröpfeln*) gotear; (*in dichtem Strahl*) chorrear; (*sich ergießen*) derramarse; (*lecken*) tener fugas *f/pl.*; *Topf*: salirse; *Zeit*: pasar, transcurrir; **II.** 2 *n* derrame *m*; goteo *m*; (*Lecken*) fuga *f*, escape *m*.

'**Rinn|sal** *n* (-*es*; -*e*) (*Bächlein*) arroyuelo *m*; (*Flußbett*) cauce *m*; (*rinnendes Blut, Wasser usw.*) reguero *m*; **~stein** *m* (-*es*; -*e*) *Straße*: cuneta *f*; arroyo *m*; bordillo *m* de la acera; *Küche*: sumidero *m*.

'**Rippchen** *Kochk. n* chuleta *f*.

'**Rippe** *f Anat.* costilla *f*; *falsche* ~ costilla falsa; ⚠ nervadura *f*; ♀ nervio *m*; *v. Schokolade*: barra *f*, pastilla *f*; (*Kühl*2, *Heiz*2) aleta *f*; ~*n pl.* ⚓ cuaderna *f*; *j-m die* ~*n brechen* romperle a alg. las costillas; *man kann ihm die* ~*n zählen* está en los huesos; parece un esqueleto *od.* una espátula.

'**Rippen...: ~bogen** *Anat. m* (-*s*; ⸚) arco *m* costal; **~bruch** *Chir. m* (-*es*; ⸚*e*) fractura *f* de costilla(s); **~fell** *Anat. n* (-*es*; -*e*) pleura *f* (costal); **~fell-entzündung** ⚕ *f* pleuresía *f* (parietal); **~fellgegend** *Anat. f* (*0*) región *f* pleural; **~heizkörper** *m*, **~kühler** *m* radiador *m* de aletas; **~speer** *m* (-*es*; *0*) costilla *f* de cerdo; **~stoß** *m* (-*es*; ⸚*e*) empujón *m*, empellón *m*; codazo *m*; **~stück** *n* (-*es*; -*e*) *Kochk.* lomo *m*; solomillo *m*; entrecote *m*; chuleta *f*; **~zwischenraum** *Anat. m* (-*es*; ⸚*e*) espacio *m* intercostal.

Rips *m* (-*es*; -*e*) *Stoff*: reps *m*.

'**Risiko** *n* (-*s*; -*ken*) riesgo *m*; (*Verantwortung*) responsabilidad *f*; *auf mein* ~ por mi cuenta y riesgo; *auf eigenes* ~ por riesgo propio; *ein* ~ *eingehen* correr un riesgo; *das* ~ *übernehmen* hacerse cargo del riesgo; asumir la responsabilidad; **~ausgleich** *m* (-*es*; *0*) compensación *f* de riesgos; **~gebühr** *f* derechos *m/pl.* de riesgo; **~prämie** *f in der Lebensversicherung*: prima *f* de riesgo; **~verteilung** *f* distribución *f* de los riesgos.

ris'kant *adj.* (-*est*) arriesgado; (*gefährlich*) peligroso; aventurado.

ris'kieren (-) *v/t.* arriesgar.

'**Rispe** ♀ *f* panícula *f*; **2nförmig** *adj.* paniculado; **~ngras** ♀ *n* (-*es*; ⸚*er*) poa *f*.

riß *pret. v. reißen.*

Riß *m* (-*sses*; -*sse*) (*das Entzweireißen*) desgarramiento *m*; (*gerissenes Loch*) desgarradura *f*; *durch Hängenbleiben*: desgarrón *m*; (*Bruch*) rotura *f*; (*Sprung*) raja *f*; (*Spalt*) hendidura *f*; *bsd. Chir.* fisura *f*; (*Schlitz*) rendija *f*; (*Schramme*) rasguño *m*; *im Porzellan, im Glas*: resquebrajadura *f*; *in e-r Mauer, in der Haut*: grieta *f*; *im Holz*: hendedura *f*; (*Zeichnung*) plano *m*, trazado *m*; (*Skizze*) esbozo *m*; esquema *m*; (*Grund*2) planta *f*; (*Um*2) contorno *m*; *fig.* (*Bruch*) ruptura *f*, rompimiento *m*; (*Spaltung*) escisión *f*; *Rel.* cisma *m*; *Risse bekommen* rasgarse; desgarrarse; *Haut, Mauer*: agrietarse; *Porzellan, Glas*: resquebrajarse; *Eis*: quebrarse; (*sich spalten*) henderse.

'**Rissebildung** *f* formación *f* de grietas.

'**rissig** *adj.* hendido; rajado; *Mauer, Haut*: agrietado; *Glas, Porzellan*: resquebrajado; ~ *werden* (*einreißen*) desgarrarse; (*sich spalten*) henderse; *Mauer, Haut*: agrietarse; *Glas, Porzellan*: resquebrajarse.

'**Rißwunde** *Chir. f* herida *f* con desgarro.

Rist *m* (-*es*; -*e*) *des Fußes*: garganta *f* del pie; empeine *m*; *der Hand*: dorso *m* de la mano; (*Handwurzel*) muñeca *f*.

ritt *pret. v. reiten.*

Ritt *m* (-*es*; -*e*) carrera *f* a caballo; (*Spazier*2) paseo *m* a caballo.

'**Ritter** *m* caballero *m*; *fahrender* (*od. irrender*) ~ caballero andante; *zum* ~ *schlagen* armar caballero; *Kochkunst*: *arme* ~ *pl.* torrijas *f/pl.*; **~burg** *f* castillo *m* feudal; **~gut** *n* (-*es*; ⸚*er*) señorío *m*; tierra *f* señorial; latifundio *m*; **~gutsbesitzer** *m* gran propietario *m* (de tierras), latifundista *m*; **~kreuz** *n* (-*es*; -*e*) cruz *f* de caballero; **~lehen** *n* feudo *m* noble; **2lich I.** *adj.* de caballero; caballeresco; (*Gesinnung*) *a.* caballeroso; **II.** *adv.* caballerosamente; **~lichkeit** *f* (*0*) caballerosidad *f*; nobleza *f* de sentimientos, hidalguía *f*; **~orden** *m* orden *f* de caballería; orden *f* militar; *Deutscher* ~ *Hist.* Orden Teutónica; **~pflicht** *f* deber *m* de caballero; caballerosidad *f*; **~roman** *m* (-*es*; -*e*) *Liter.* libro *m* de caballerías; **~saal** *m* (-*es*; ⸚*e*) sala *f* de los caballeros; sala *f* de ceremonias; **~schaft** *f* (*0*) caballería *f*; (*Adel*) nobleza *f*; *coll.* los caballeros, la caballería; **~schlag** *m* (-*es*; *0*) acolada *f*; *j-m den* ~ *erteilen* armar caballero a alg.; *den* ~ *erhalten* ser armado caballero; **~sporn** ♀ *m* (-*s*; *0*) espuela *f* de caballero; consuelda *f*; **~stand** *m* (-*es*; *0*) *bei den Römern*: orden *f* ecuestre; *im Mittelalter*: orden *f* de caballería; *coll.* los caballeros; **~tum** *n* (-*s*; *0*), **~wesen** *n* (-*s*; *0*) caballería *f*; **~zeit** *f* época *f* caballeresca; época *f* feudal.

'**rittlings** *adv.* a horcajadas.

'**Rittmeister** ⚔ *m* capitán *m* de caballería.

Ritu'al *n* (-*s*; -*e od.* -*ien*) ritual *m*; (*Ritus*) rito *m*; **~mord** *m* (-*es*; -*e*) asesinato *m* ritual.

ritu'ell *adj.* ritual.

'**Ritus** *m* (-; *Riten*) rito *m*.

'**Ritz** *m* (-*es*; -*e*), **~e** *f* (*Spalt*) hendidura *f*; grieta *f*; fisura *f*; (*Sprung*) resquebrajadura *f*; (*Kratzer*) rasguño *m*; (*Abschürfung*) ⚕ excoriación *f*; **~el** ⊕ *m* piñón *m*; **2en** (-*t*) *v/t.* agrietar; resquebrajar; (*krat-*

zen) arañar, rasguñar; *Mineral:* rayar; *(schneiden)* cortar; ⚕ excoriar; *sich* ~ *(durch Kratzen)* rasguñarse; ⚕ excoriarse; ⊕ agrietarse; **~er** *m* ⚕ *(Aufschürfung)* excoriación *f.*

Ri'val|e *m (-n),* **~in** *f* rival *m/f;* competidor(a *f) m.*

rivali'sieren (-) *v/i.* rivalizar; competir.

Rivali'tät *f* rivalidad *f;* competencia *f.*

Rivi'era *f: die* ~ la Costa Azul.

'Rizinus·öl *n (-es; 0)* aceite *m* de ricino.

'Roastbeef ['ro:stbi:f] *n (-s; -s)* [rosbif *m.*]

'Robbe *Zoo. f* foca *f;* **2n** ⚔ *v/i.* avanzar cuerpo a tierra; **~nfang** *m (-es; ¨e)* pesca *f* de focas; **~njagd** *f* caza *f* de focas.

'Robe [o:] *f* vestido *m;* traje *m* (de noche); *des Richters, der Anwälte, der Professoren:* toga *f.*

'Robert *m* Roberto *m.*

'Roboter *m* autómata *m,* robot *m.*

ro'bust *adj.* robusto; **2heit** *f* robustez *f.*

roch *pret. v. riechen.*

'röcheln I. *(-le) v/i.* resollar; respirar broncamente; *im Tode:* agonizar (con estertores *m/pl.*); **II. 2** *n* resuello *m;* respiración *f* bronca; *(Todes2)* estertor *m* de la agonía.

'Rochen *Ict. m* raya *f.*

ro'chieren [ʃ] (-) *v/i. Schach:* enrocar.

'Rock *m (-es; ¨e) (Jacke)* chaqueta *f,* americana *f, Am.* saco *m; (Geh2)* levita *f* (cruzada); *(Cutaway)* chaqué *m;* ⚔ guerrera *f; (geistlicher)* hábito *m; (Frauen2)* falda *f,* saya *f, Arg.* pollera *f; (Unter2)* enagua *f;* **~aufschlag** *m (-es; ¨e)* solapa *f.*

'Röckchen *n* falda *f* corta; faldita *f.*

'Rocken *m* rueca *f.*

'Rock...: ~falte *f* pliegue *m; (Damen2)* pliegue *m* de la falda; **~schoß** *m (-es; ¨e)* faldón *m; fig. an j-s Rockschößen hängen* estar agarrado a los faldones de alg.; **~tasche** *f* bolsillo *m* de la chaqueta; **~weite** *f* vuelo *m* (de la falda); **~zipfel** *m* caída *f* de la falda.

'Rodel *f (-; -n)* trineo *m* pequeño; *Sport:* trineo *m* de deporte; **~bahn** *f* pista *f* de trineos; **2n** *(-le) v/i.* deslizarse en trineo; **~schlitten** *m (Kinder2)* trineo *m* pequeño; *Sport:* trineo *m* de pista (*od.* de deporte).

'Rode|land *n (-es; 0)* tierra *f* de primer cultivo; tierra *f* recién roturada; roza *f;* **~maschine** *f* (máquina *f*) arrancadora *f bzw.* roturadora *f;* **2n** *(-e-) v/t.* desmontar; rozar; *(urbar machen)* roturar; **~n** *n* desmonte *m;* roza *f; (Urbarmachung)* roturación *f.*

'Rodung *f* → *Rodeland; Roden.*

'Rogen *m* huevas *f/pl.* de pescado; freza *f;* **~fisch** *m (-es; -e)* pez *m* con huevas.

'Roggen *m* centeno *m;* **~brot** *n (-es; -e)* pan *m* de centeno; **~mehl** *n (-es; 0)* harina *f* de centeno.

'roh *adj. (-est)* crudo; *(unbearbeitet)* bruto; *(grob bearbeitet)* toscamente labrado; *Seide:* crudo; *Tuch:* basto, burdo; *Wolle:* en rama, burdo; *Stein:* tosco, sin labrar; *fig. (ungesittet)* inculto, *stärker:* bárbaro; *(ungeschliffen)* grosero, zafio, tosco, *stärker:* brutal; *(rauh)* rudo; *(plump)* torpe; **~es** *Ei* huevo crudo; F *man muß ihn wie ein ~es Ei behandeln* es un hombre muy susceptible; *er ist ein ~er Kerl* es un bruto (*od.* un bestia); *~e Gewalt* fuerza bruta; **2bau** △ *m (-es; -ten)* obra *f* de fábrica; **2baumwolle** *f* algodón *m* en rama; **2bilanz** ☿ *f* balance *m* provisional (*od.* aproximativo); **2einnahme** ☿ *f* ingreso *m* bruto; **2eisen** *n* hierro *m* (en) bruto; fundición *f.*

'Roheit *f* crudeza *f;* estado *m* bruto; *fig.* incultura *f, stärker:* barbarie *f; im Benehmen:* grosería *f;* zafiedad *f,* rusticidad *f; (rohe Handlung)* brutalidad *f; (Rauheit)* rudeza *f.*

'Roh...: ~ertrag ☿ *m (-es; ¨e)* producto *m* bruto; **~erz** *n (-es; -e)* mineral *m* bruto; **~erzeugnis** *n (-ses; -se)* producto *m* bruto; **~fabrikat** *n (-es; -e)* producto *m* natural (*od.* no manufacturado); **~gewicht** *n (-es; 0)* peso *m* bruto; **~gewinn** ☿ *m (-es; -e)* beneficio *m* bruto; **~gummi** *n (-s; 0)* caucho *m* bruto (*od.* virgen); **~guß** *m (-sses; ¨sse)* fundición *f* en bruto; **~häute** *f/pl.* pieles *f/pl.* verdes; cueros *m/pl.* crudos; **~kost** *f (0)* régimen *m* vegetariano; ⚕ dieta *f* cruda; **~köstler** *m* partidario *m* del régimen crudo *bzw.* vegetariano; **~kostplatte** *f* ensalada *f* vegetariana; **~kupfer** *n (-s; 0)* cobre *m* bruto; **~leder** *n* cuero *m* bruto (*od.* sin curtir); **~ling** *m (-s; -e)* bruto *m;* individuo *m* grosero; **~material** *n (-s; -ien)* materias *f/pl.* primas; materia *f* prima; **~öl** *n (-es; -e)* aceite *m* crudo (*od.* bruto); aceite *m* pesado; **~ölmotor** *m (-s; -en)* motor *m* de aceite pesado; **~petroleum** *n (-s; 0)* petróleo *m* bruto; **~produkt** *n (-es; -e)* producto *m* bruto (*od.* no manufacturado).

'Rohr *n (-es; -e)* ♀ *(Schilf)* caña *f; Spanisches ~* caña *f* de Indias, bengala *f, zum Flechten:* junco *m,* junquillo *m;* ⊕ *(Röhre)* tubo *m; (Leitungs2)* cañería *f; (Hochdruck2)* tubería *f;* ⚔ *(Geschütz2, Gewehr2)* cañón *m; (Blas2, Glasmacherpfeife)* caña *f; gußeisernes ~* tubo de fundición; *nahtloses ~* tubo sin costura; *gezogenes ~* tubo estirado; *fig. wie ein schwankendes ~ sein* ser una veleta; **~abzweigstück** *n (-es; -e)* bifurcación *f* tubular; **~anschluß** *m (-sses; ¨sse)* unión *f* de tubo; racor *m* de conexión; **~bogen** *m (-s; ¨)* tubo *m* acodado; **~bruch** *m (-es; ¨e)* rotura *f* de tubo.

'Röhrchen *n* tubito *m; (Kanüle)* cánula *f; (Haar2)* tubo *m* capilar.

'Rohr...: ~dach *n (-es; ¨er)* tejado *m* encañizado; **~dommel** *Orn. f (-; -n)* avetoro *m;* alcaraván *m.*

'Röhre *f* tubo *m; (Leitungs2)* conducto *m;* tubería *f;* cañería *f; Chir.* cánula *f; Radio:* válvula *f,* lámpara *f; Phys. Braunsche ~* tubo de rayos catódicos; *kommunizierende ~* vasos comunicantes; *fig.* F *in die ~ gucken (nichts abkriegen)* quedarse a dos velas.

'röhren *v/i. Hirsch:* bramar; *fig.* F berrear, vocear.

'Röhren...: ~detektor *m (-s; -en)* detector *m* de válvulas (*od.* de lámparas); **~empfänger** *m* receptor *m* de válvulas (*od.* de lámparas); **~fassung** *f* portaválvula *m;* **2förmig** *adj.* tubular; **~gerät** *n (-es; -e) Radio:* receptor *m* de válvulas; **~gleichrichter** *m* rectificador *m* de válvulas; **~heizkörper** *m* radiador *m* (multi)tubular; **~kessel** *m* caldera *f* tubular; **~kühler** *m* refrigerador *m* (multi)tubular; **~legung** *f zur Kanalisation:* canalización *f;* **~leitung** *f* tubería *f;* cañería *f;* canalización *f;* **~sender** *m* emisora *f* de válvulas (termoiónicas); **~sockel** *m* zócalo *m* de válvula; **~verstärker** *m* amplificador *m* de válvulas; **~walzwerk** *n (-es; -e)* laminador *m* de tubos.

'Rohr...: ~flechten *n* cañizo *m; für Stühle:* rejilla *f;* **~flöte** *f* caramillo *m;* zampoña *f;* **2förmig** *adj.* tubular; **~geflecht** *n (-es; -e)* → *Rohrflechten.*

'Röhricht *n (-es; -e)* cañaveral *m,* cañizal *m;* juncal *m,* junquera *f.*

'Rohr...: ~krümmer *m* codo *m* de tubo; tubo *m* acodado; **~leger** *m* ⊕ montador *m* de tubos; fontanero *m;* **~leitung** *f* tubería *f;* cañería *f;* canalización *f;* conducción *f;* **~mast** *m (-es; -e[n])* poste *m* tubular; **~möbel** *n/pl.* muebles *m/pl.* de junco; → *Stahlrohrmöbel;* **~muffe** *f* manguito *m* de tubo; **~netz** *n (-es; -e)* red *f* (*od.* sistema *m*) de tubos; tubería *f;* cañería *f;* **~post** *f (0)* correo *m* neumático; **~postbrief** *m (-es; -e)* carta *f* neumática; **~postbüchse** *f* cartucho *m* de correo neumático; **~rücklauf** ⚔ *m (-es; ¨e) des Geschützes:* reculada *f* (*od.* retroceso *m*) del cañón; **~schilf** ♀ *n (-es; 0)* caña *f* de pantano; junco *m;* **~spatz** *Orn. m (-en)* hortelano *m; fig. wie ein ~ schimpfen* renegar como un carretero; **~stock** *m (-es; ¨e)* junco *m,* bastón *m* de caña de Indias; **~stuhl** *m (-es; ¨e)* silla *f* de junco (*od.* de rejilla); **~stutzen** *m* empalme *m* de tubo; tubuladura *f;* **~verbindungsstück** *n (-es; -e)* pieza *f* de unión tubular; **~verschraubung** *f* unión *f* roscada de tubos; **~weite** *f (0)* calibre *m;* **~zange** *f* tenazas *f/pl.* para tubos; **~zucker** *m (-s; 0)* azúcar *m* de caña.

'Roh...: ~seide *f* seda *f* cruda; **~stahl** *m (-es; 0)* acero *m* bruto; **~stoffbedarf** *m (-es; 0)* necesidad *f* de materias primas; **~stoffe** *m/pl.* materias *f/pl.* primas; **~stoffknappheit** *f (0),* **~stoffmangel** *m (-s; 0)* escasez *f* de materias primas; **~stoffmarkt** *m (-es; ¨e)* mercado *m* de materias primas; **~tabak** *m (-s; -e)* tabaco *m* bruto (*od.* en rama); **~wolle** *f* lana *f* cruda; **~zucker** *m (-s; 0)* azúcar *m* en bruto; **~zustand** *m: im ~* en bruto; sin elaborar.

'Rokoko *n (-s; 0)* época *f* rococó; **~stil** *m (-es; 0)* estilo *m* rococó.

'Roland *m* Roldán *m; Der Rasende ~ Liter.* Orlando Furioso; **~slied** *n Liter.* Canción *f* de Rolando.

'Rolladen *m (bei Trennung Roll-laden) (Jalousie)* persiana *f; (eiserner ~)* cierre *m* metálico; *bei Möbeln:* cierre *m* corredizo.

'Roll|bahn ✈ *f* pista *f* de rodadura; *zum Starten*: pista *f* de despegue; *zum Landen*: pista *f* de aterrizaje; **~bandmaß** *n* (*-es; -e*) cinta *f* métrica arrollable.

'Rolle *f* rollo *m* (*a. Papier*2, *Draht*2, *Tabak*2); (*Spule*) bobina *f*; (*Garn*2, *Dreh*2) carrete *m*; (*Münz*2) cartucho *m*; (*Walze*) rodillo *m*; (*Zylinder*) cilindro *m*; (*Wäsche*2) calandria *f*; (*Tuch*2) pieza *f* (de tela); *Typ.* rodillo *m*; *unter Möbeln*: rueda *f*; roldana *f*; *am Flaschenzug*: polea *f*; *fig. Personenverzeichnis*: nómina *f*; lista *f*; ⚓ rol *m*; *Thea.* papel *m*; ♪ parte *f*; *fig. aus der ~ fallen* salirse del papel; salirse de tono; F hacer una plancha; *e-e ~ spielen* desempeñar (*od.* hacer) un papel; *Sache*: ser de importancia; *e-e lächerliche ~ spielen* hacer un papel ridículo; F hacer un papelón; *e-e jämmerliche ~ spielen* hacer un papel lamentable; *e-e glänzende ~ spielen* hacer un brillante papel; *Thea. die ~n besetzen* (*od. verteilen*) distribuir los papeles; hacer el reparto de papeles; *Thea. e-e ~ zum erstenmal spielen* crear un papel; *Geld spielt keine ~* el dinero es lo de menos.

'rollen 1. (*sn*) *v/i.* rodar; *Donner*: retumbar; *Geld* (*fig.*) correr; *Schiff*: cabecear; balancear(se); *die See rollt* la mar está agitada (*od.* brava); **2.** *v/t.* hacer rodar *bzw.* girar; (*ein~*) enrollar; (*auf~*) arrollar; *Wäsche*: ⊕ calandrar; *die Augen ~* revolver los ojos; **3.** *v/refl.*: *sich ~* (*Papier*) abarquillarse; ⚔ *~der Angriff* ataque ininterrumpido (*od.* en oleadas); 🚃 *~des Material* material rodante; 2 *n* movimiento *m* giratorio; rotación *f*; *des Donners*: el retumbar; *des Schiffes*: cabeceo *m*; balanceo *m*; (*Wäsche*2) ⊕ calandrado *m*; *ins ~ kommen* empezar a rodar; *fig. den Stein ins ~ bringen* plantear la cuestión; poner sobre el tapete un asunto; F sacar la liebre a correr; 2**besetzung** *Thea. f* reparto *m* de papeles; 2**fach** *Thea. n* (*-es; ⸚er*) especialidad *f*; empleo *m*; **~förmig** *adj.* en (forma de) rollo; (*zylindrisch*) cilíndrico; 2**lager** ⊕ *n* cojinete *m* de rodillos; 2**verteilung** *f* → *Rollenbesetzung*; 2**zug** ⊕ *m* (*-es; ⸚e*) aparejo *m* poli(s)pasto.

'Roller *m Kinderspielzeug*: patinete *f*; (*Motor*2) motopatín *m*; (*Kanarien*2) canario *m* flauta; (*Lauf*2) roldana *f*; (*Wickler*) ⊕ arrollador *m* de tejido.

'Roll...: **~feld** *n* (*-es; -er*) → *Rollbahn*; **~film** *m* rollo *m* de película; película *f* en carrete; **~fuhrmann** *m* (*-es; -leute*) camionero *m*; carretero *m*; **~fuhrunternehmen** *n* empresa *f* de transportes por carretera; **~fuhrwerk** *n* (*-es; -e*) camión *m* (pesado); **~gebühr** *f*, **~geld** *n* (*-es; -er*) ✝ (gastos *m/pl.* de) camionaje *m* (*od.* acarreo); *für Wäsche*: precio *m* del calandrado; **~gut** *n* (*-es; ⸚er*) mercancía *f* transportada por carretera; **~handtuch** *n* (*-es; ⸚er*) toalla *f* de manos (*en rollo giratorio*); **~kragen** *m* cuello *m* alto cerrado; **~kutscher** *m* carretero *m*; (*v. Lastwagen*) camionero *m*; **~laden** *m* (*-s; ⸚*) → *Rolladen*; **~mops** *m* (*-es; ⸚e*) rollo *m* de arenque en escabeche; **~schinken** *m* jamón *m* en rollo; **~schrank** *m* (*-es; ⸚e*) armario *m* de cierre flexible corredizo; **~schuh** *m* (*-es; -e*) patín *m* de ruedas; *~ laufen* patinar sobre ruedas; **~schuhbahn** *f* pista *f* para patinaje sobre ruedas; **~schuhlaufen** *n* patinaje *m* sobre ruedas; **~schuhläufer(in** *f*) *m* patinador(a *f*) *m*; **~sitz** *m* (*-es; -e*) *im Ruderboot*: sillín *m* de corredera; asiento *m* corredizo; **~stein** *m* (*-es; -e*) canto *m* rodado; **~stuhl** *m* (*-es; ⸚e*) sillón *m* de ruedas; **~treppe** *f* escalera *f* rodante; **~tür** *f* puerta *f* corrediza; **~vorhang** *m* (*-es; ⸚e*) cortina *f* corrediza; **~wagen** *m* (*Lastwagen*) camión *m*; **~walze** *f* rodillo *m*.

Rom *n* Roma *f*.

Ro'man *m* (*-s; -e*) novela *f*; 2**artig** *adj.* novelesco; **~cier** *m*, **~dichter** *m* novelista *m*.

Ro'man|e *m* (*-n*) latino *m*; *die ~n* los latinos; los pueblos latinos; **~entum** *n* (*-s; 0*) latinidad *f*; **~figur** *f* personaje *m* novelesco; **~form** *f* forma *f* novelesca; **~gestalt** *f* → *Romanfigur*; 2**haft** *adj.* novelesco; **~held** *m* (*-en*) héroe *m* de novela; **~ik** *f* (*0*) estilo *m* románico; **~in** *f* latina *f*; 2**isch** *adj.* (*Kunst*) románico; (*Sprache*) *a.* neolatino, romance.

romani'sier|en (*-*) *v/t.* romanizar; 2**en** *n*, 2**ung** *f* romanización *f*.

Roma'nist *m* (*-en*) (*Philologe*) romanista *m*; profesor *m* de lenguas romances *od.* neolatinas; (*Jurist*) romanista *m*; profesor *m* de derecho romano; **~ik** *f* (*0*) estudio *m* de las lenguas romances *od.* neolatinas; filología *f* románica.

Ro'man...: **~kunst** *f* (*0*) arte *f* de la novela; **~leser(in** *f*) *m* lector(a *f*) *m* de novelas; **~literatur** *f* literatura *f* novelesca; **~schreiber(in** *f*) *m* novelista *m/f*; **~technik** *f* novelística *f*.

Ro'man|tik *Liter. f* (*0*) romanticismo *m*; *fig.* carácter *m* romántico; ambiente *m* romántico; **~tiker** *m* romántico *m*; 2**tisch** *adj.* romántico; (*romanhaft*) novelesco; *Landschaft*: pintoresco.

Ro'manwerk *n* (*-es; -e*) obra *f* novelesca.

Ro'manze *f* romance *m*; ♪ romanza *f*.

'Römer¹ *m Weinglas*: copa *f* de cristal para vino.

'Römer² *m* romano *m*; **~in** *f* romana *f*.

'Romfahrt *f* peregrinación *f* a Roma; *Hist.* romería *f*.

'römisch *adj.* romano; de Roma; *~e Ziffern* números romanos.

'römisch-katholisch *adj.* católico (apostólico) romano.

'Ronde *f* ronda *f*; ⊕ (*Scheibe*) disco *m*.

Ron'dell *n* (*-s; -e*) plaza *f* circular; (*Rundbau*) rotonda *f*; ⚘ arriate *m* circular.

'Rondo *n* (*-s; -s*) (*Gedicht*) rondel *m*; ♪ rondó *m*.

'röntgen I. *v/t.* ⚕ (*bestrahlen*) tratar con rayos X; (*durchleuchten*) hacer un examen radioscópico; (*photographieren*) hacer una radiografía, radiografiar; **II.** 2 *n* (*Einheit*) röntgen *m*; 2**apparat** *m* (*-es; -e*) aparato *m* de rayos X; 2**aufnahme** *f* radiografía *f*; 2**behandlung** ⚕ *f* radioterapia *f*; tratamiento *m* con rayos X; 2**bild** *n* (*-es; -er*) radiografía *f*; *bei Durchleuchtung*: imagen *f* radioscópica; 2**dermatitis** ⚕ *f* (*0*) radiodermitis *f*; 2**diagnose** *f* radiodiagnóstico *m*; 2**durchleuchtung** *f* radioscopia *f*; examen *m* radioscópico; 2**film** *m* (*-es; -e*) película *f* radiográfica.

Röntgeno|'loge *m* (*-n*) radiólogo *m*; **~lo'gie** *f* (*0*) radiología *f*; 2**'logisch** *adj.* radiológico; *~e Reihenuntersuchung* examen radiológico en serie.

'Röntgen|photographie *f* (*Verfahren*) (*0*) radiofotografía *f*; (*Bild*) radiografía *f*; **~schädigung** ⚕ *f* radiopatía *f*; **~schirm** *m* (*-es; -e*) pantalla *f* radioscópica (*od.* fluoroscópica); **~strahlen** *m/pl.* rayos *m/pl.* X (*od.* Roentgen); **~therapie** *f* (*0*) radioterapia *f*; **~tiefentherapie** *f* (*0*) radioterapia *f* profunda; **~untersuchung** *f* exploración *f* radiológica; examen *m* radiológico.

'rören *v/i. Hirsch*: roncar.

'Rosa¹ *f* (*Vorname*) Rosa *f*.

'Rosa² I. *n* color *m* (de) rosa; **II.** 2 *adj.* rosa; 2**farben** *adj.* rosa, de color (de) rosa, rosado; *hell*: rosáceo; *fig. alles durch e-e ~e Brille sehen* verlo todo de color (de) rosa.

'Rose *f* ⚘ rosa *f*; (*Strauch*) rosal *m*; *wilde ~* rosa silvestre; △ (*Fenster*2, *Decken*2) rosetón *m*; (*Kompaß*2) rosa *f* de los vientos; ⚕ erisipela *f*; *fig. nicht auf ~n gebettet sein* no estar sobre un lecho de rosas; *keine ~ ohne Dornen* no hay rosa sin espinas.

'rosen-artig *adj.* ⚘ rosáceo.

'Rosen...: **~duft** *m* (*-es; ⸚e*) aroma *m* de las rosas; **~essenz** *f* esencia *f* de rosas; **~farbe** *f* color *m* (de) rosa; 2**farben**, 2**farbig** *adj.* → *rosafarben*; **~garten** *m* (*-s; ⸚*) rosaleda *f*; **~gewächse** ⚘ *n/pl.* rosáceas *f/pl.*; **~holz** *n* (*-es; ⸚er*) palo *m* de rosa; **~käfer** *m* cetoína *f*; **~kavalier** *m* (*Oper*): *Der ~* El caballero de la rosa; **~kohl** ⚘ *m* (*-s; 0*) col *f* de Bruselas; **~kranz** *m* (*-es; ⸚e*) guirnalda *f* de rosas; *Rel.* rosario *m*; *den ~ beten* rezar el rosario; **~kranzperle** *f* cuenta *f* del rosario; **~kreuzer** *m/pl. Hist.* rosarios *m/pl.*, rosicrucianos *m/pl.*; **~kriege** *m/pl. Hist.* guerras *f/pl.* de las Dos Rosas; **~lorbeer** ⚘ *m* (*-s; 0*) laurel *m* rosa; adelfa *f*; **~monat** *m* (*-s; -e*) mes *m* de las rosas, junio *m*; **~montag** *m* (*-s; -e*) lunes *m* de Carnaval; **~öl** *n* aceite *m* rosado; esencia *f* de rosas; 2**rot** *adj.* rosa, color (de) rosa, rosado; (*hochrot*) bermejo; **~stock** *m* (*-es; ⸚e*), **~strauch** *m* (*-es; ⸚er*) rosal *m*; *wilder ~* rosal silvestre; **~strauß** *m* (*-es; ⸚e*) ramo *m* (*klein*: ramillete *m*) de rosas; **~wasser** *n* agua *f* de rosas; **~zucht** *f* (*0*) cultivo *m* de rosas; **~züchter** *m* cultivador *m* de rosas.

Ro'sette *f* escarapela *f*; △ rosetón *m*.

'rosig *adj.* rosa, de color (de) rosa, rosado; (*zartrosa*) rosa pálido; *fig.*

alles in ~em Licht sehen verlo todo de color (de) rosa.

Ro'sine *f* (uva *f*) pasa *f*; (*kleine* ~) pasa *f* de Corinto; (*große* ~) pasa *f* de Málaga; *fig. große ~n im Kopf haben* tener muchos humos; picar alto.

'Röslein *n* rosita *f*.

'Rosmarin ⚘ *m* (-*s*; *0*) romero *m*; **~blüte** *f* flor *f* de romero.

Roß *n* (-*sses*; -*sse*) caballo *m*; *Poes.* corcel *m*; *hoch zu* ~ (montado) a caballo; *fig. sich aufs hohe ~ setzen* ensoberbecerse, endiosarse; F *so ein ~!* ¡valiente imbécil!

'Rösselsprung *m* (-*es*; *~e*) *Schach*: salto *m* del caballo.

'Roß...: ~haar *n* (-*es*; -*e*) crin *f* (de caballo); **~haar-einlage** *f* (*Schneiderei*) entretela *f* de crin; **~haarmatratze** *f* colchón *m* de crin; **~händler** *m* tratante *m* de caballos; **~kamm** *m* (-*es*; *~e*) (*Striegel*) almohaza *f*; **~kastanie** ⚘ *f* castaña *f* de Indias; (*Baum*) castaño *m* de Indias; **~kur** *f* ⚕ tratamiento *m* heroico; F cura *f* de caballo; **~schlächte'rei** *f* despacho *m* de carne de caballo; **~schweif** *m* (-*es*; -*e*) cola *f* de caballo.

'Rost *m* (-*es*; *0*) *auf feuchtem Eisen*: herrumbre *f*, orín *m*, moho *m*; ~ *ansetzen* cubrirse de herrumbre, aherrumbrarse; enmohecerse; oxidarse; *von ~ zerfressen* herrumbroso, corroido por la herrumbre; ⚘ *Pflanzenkrankheit*: roya *f*; (-*es*; -*e*) ⊕ (*Feuer*2) emparrillado *m*; △ (*Gitterwerk*) enrejado *m*; (*Brat*2) parrilla *f*; *auf dem ~ braten* asar a la parrilla; **2beständig** *adj.* inoxidable; **~bildung** *f* formación *f* de herrumbre; oxidación *f*; **~braten** *m* asado *m* a la parrilla; **~bratwurst** *f* salchicha *f* blanca; **2braun** *adj.* (de) color castaño rojizo.

'Röstbrot *n* (-*es*; -*e*) pan *m* tostado.

'Röste *f* (*Flachs*2) enriado *m*; (*Ort*) alberca *f*.

'rosten I. (-*e*-) *v/i.* aherrumbrarse, enmohecerse; oxidarse; *nicht ~d* inoxidable; *fig. alte Liebe rostet nicht* los primeros amores retoñan a veces; **II.** 2 *n* enmohecimiento *m*; oxidación *f*.

'rösten I. (-*e*-) *v/t.* tostar (*a. Kaffee, Brot, Mehl*); *auf dem Rost*: asar (a la parrilla); *in der Pfanne*: freír; (*Kastanien*) asar; (*Flachs, Hanf*) enriar; *Met.* calcinar; *geröstete Brotschnitte* pan *m* tostado; tostada *f*; picatoste *m*; **II.** 2 *n* tostado *m*, tueste *m*; *v. Kaffee*: torrefacción *f*; *v. Flachs, Hanf*: enriado *m*; *Met.* calcinación *f*.

'Röster *m* tostador *m*; (*Brot*2) tostador *m* de pan; *Met.* horno *m* de calcinación; **~'ei** *f* tostadero *m*.

'Rost...: 2farben, 2farbig *adj.* aherrumbrado; **~fleck** *m* (-*es*; -*e*) mancha *f* de herrumbre; **2fleckig** *adj.* con manchas de herrumbre; **2frei** *adj.* inoxidable; **2ig** *adj.* herrumbroso, aherrumbrado, cubierto de herrumbre; ~ *werden* aherrumbrarse; enmohecerse; oxidarse.

'Röst...: ~kartoffeln *f/pl.* patatas *f/pl.* rehogadas; (*Pommes frites*) patatas *f/pl.* fritas; **~maschine** *f* (*Kaffee*2) tostador *m* de café; **~ofen** *m* (-*s*; *~*) *Met.* (*Brennofen*) horno *m* de calcinación; **~pfanne** *f* sartén *f*.

'Rostschutz *m* (-*es*; *0*) protección *f* contra la herrumbre; **~anstrich** *m* (-*es*; -*e*), **~farbe** *f* pintura *f* anticorrosiva; **~mittel** *n* anticorrosivo *m*.

'rostsicher *adj.* inoxidable; resistente a la herrumbre.

rot (*~er, ~est*) **I.** *adj.* rojo (*a. Pol.*); colorado; (*fleisch~*) encarnado; (*hoch~*) bermejo; (*purpur~*) escarlata; (*hell~*) rojizo; (*kupferig*) cobrizo; (*fuchs~*) rojo; *Jgdw.* (*fahl~*) leonado; *Wein*: tinto; *Gesichtsfarbe, Haar*: rubicundo; *~e Haare haben* ser pelirrojo; *das 2e Kreuz* la Cruz Roja; *die 2e Armee* el Ejército Rojo; *das 2e Meer* el mar Rojo; ~ *vor Zorn* rojo de cólera; ~ *werden* enrojecer; *im Gesicht*: ponerse rojo *od.* colorado, enrojecer (*vor* de); ruborizarse; *vor Scham*: sonrojarse; *bis über die Ohren ~ werden* ponerse colorado (hasta las orejas *od.* como un tomate); ~ *sehen* enfurecerse; *das wirkt auf ihn wie ein ~es Tuch* le hace el efecto de la muleta al toro; *e-n Tag (im Kalender) ~ anstreichen* marcar en rojo una fecha; **II.** 2 *n* rojo *m*; (*Wolken*2) arrebol *m*; ▨ gules *m/pl.*; *Schminke*: colorete *m*; *Lippenstift*: rojo *m* (para los labios); ~ *auflegen* darse (*od.* ponerse) colorete *bzw.* rojo.

Rotati'on *f* rotación *f*; **~s-achse** *f* eje *m* de rotación; **~sdruck** *m* (-*es*; -*e*) impresión *f* rotativa; **~smaschine** *f* (máquina *f*) rotativa *f*; **~s-schnellpresse** *f* rotativa *f* rápida.

'Rot...: ~auge *Ict. n* escarcho *m*; **2bäckig** *adj.* de mejillas coloradas; **~bart** *m Hist. Kaiser* ~ (Federico) Barbarroja; **2bärtig** *adj.* barbirrojo; **2blau** *adj.* morado; **2blond** *adj.* (*Haar*) rubicundo; **2braun** *adj.* pardo rojizo; color caoba; **2brüchig** *Met. adj.* quebradizo en caliente; **~buch** *Dipl. n* (-*es*; *~er*) libro *m* rojo; **~buche** ⚘ *f* haya *f* común; **~dorn** ⚘ *m* (-*es*; *0*) espino *m* de flores rojas; **~drossel** *Orn. f* (-; -*n*) malvís *m*, malviz *m*.

'Röte *f* (*0*) rojez *f*; *der Wolken*: arrebol *m*; *der Scham*: sonrojo *m*; rubor *m*; *die ~ stieg ihr ins Gesicht* se sonrojó; se ruborizó, F se le subió el pavo, se puso como una guindilla.

'Rot-eisen|erz *n* (-*es*; -*e*), **~stein** *m* (-*es*; -*e*) *Min.* hematites *f* roja.

'Rötel *m* (*Rötelerde*) almagre *m*.

'Röteln ⚕ *pl.* (*Masern*) roséola *f*; rubeola *f*.

'Rötel|stift *m* (-*es*; -*e*) sanguina *f*, lápiz *m* rojo; **~zeichnung** *f* sanguina *f*.

'röten (-*e*-) **1.** *v/t.* enrojecer; colorear (*od.* teñir) de rojo; **2.** *v/refl.* enrojecerse, ponerse rojo; *vor Scham*: *a.* sonrojarse; ruborizarse.

'Rote(r) *Pol. m* rojo *m*.

'Rot...: ~feder *Ict. f* (-; -*n*) gobio *m*; **~fink** *Orn. m* (-*en*) pinzón *m* real; **~fuchs** *m* (-*es*; *~e*) *Pferd*: alazán *m* (claro); **2gelb** *adj.* amarillo rojizo; (*fuchsrot*) rojo amarillento; (*hell*2) anaranjado; **~gerber** *m* curtidor *m*; **~gerbe'rei** *f* curtiduría *f*, tenería *f*; **2gestreift** *adj.* de (*od.* con) rayas rojas; **2glühend** *adj.* al rojo vivo; **~glut** *f* rojo *m*; incandescencia *f*; *zur ~ bringen* poner al rojo; **2grau** *adj. Pferd*: roano; **2haarig** *adj.* pelirrojo; rubicundo; **~haut** *f* (-; *~e*) piel roja *m/f*; **~hirsch** *m* ciervo *m* real.

ro'tieren (-) *v/i.* girar; *~de Bewegung* movimiento rotatorio *od.* giratorio.

'Rot...: ~käppchen *n* (*Märchen*) Caperucita *f* Roja; **~kehlchen** *Orn. n* petirrojo *m*; **~kohl** ⚘ *m* (-*s*; *0*) lombarda *f*; **~kopf** *m* (-*es*; *~e*) pelirrojo *m*; **~'kreuzhelfer** *m* socorrista *m* de la Cruz Roja; **~'kreuzliga** *f* (*0*) Liga *f* de Sociedades de la Cruz Roja; **~lauf** *m* (-*es*; *0*) ⚕ erisipela *f*; *Vet. der Schweine*: erisipela *f* porcuna; mal *m* rojo.

'rötlich *adj.* rojizo; *Gesicht*: rubicundo; *Pferd*: alazán; F (*Pol.*) rojete.

'rotnasig *adj.* de nariz roja.

'Rotor *m* (-*s*; -*en*) rotor *m*; ⚡ *a.* inducido *m*.

'Rot...: ~schimmel *m* caballo *m* roano; **~schwänzchen** *Orn. n* colirrojo *m*; **~stift** *m* (-*es*; -*e*) lápiz *m* rojo; *Mal.* sanguina *f*; (*Lippen*2) barra *f* de carmín (para los labios); **~tanne** ⚘ *f* abeto *m* rojo (*od.* de Noruega).

'Rotte *f* grupo *m*; *v. Arbeitern*: brigada *f*; cuadrilla *f*; ⚔ fila *f*; (*Korporalschaft*) escuadra *f*; (*Pöbel*) turba *f*; (*bewaffnete*) banda *f*; *m.s.* pandilla *f*, hatajo *m*; chusma *f*.

'rotten (-*e*-) *v/refl.*: *sich ~* agruparse, formar grupos; formar bandas; **2arbeiter** *m* peón *m* (de una brigada); **2führer** *m* ⚔ cabo *m* de escuadra; cabo *m* de fila; *v. Arbeitern*: capataz *m*; cabo *m*; **~weise** *adv.* por grupos; por brigadas *od.* cuadrillas; ⚔ por filas.

Ro'tunde △ *f* (*Rundbau*) rotonda *f*.

'Rötung *f* enrojecimiento *m*; ⚕ rubefacción *f*; rubicundez *f*.

'rot...: ~wangig *adj.* de mejillas coloradas; *v. frischer Gesichtsfarbe*: rubicundo; **2wein** *m* (-*es*; -*e*) vino *m* tinto; **2welsch** *n* (*Gaunersprache*) jerga *f* del hampa, germanía *f*; *Arg.* lunfardo *m*; (*Zigeunersprache*) caló *m*; **2wild** *Jgdw. n* (-*es*; *0*) venados *m/pl.*; caza *f* mayor (*od.* de montería).

Rotz (-*es*; -*e*) *Vet. m* muermo *m*; P (*Nasenschleim*) moco *m*; **'2ig** *Vet.* (*Pferd*) atacado de muermo; P mocoso.

'Rotzink-erz *Min. n* (-*es*; -*e*) mineral *m* rojo de zinc.

'Rotz...: ~junge P *m* (-*n*) mocoso *m*, mocosuelo *m*; **2krank** *Vet. adj.* atacado de muermo; **~nase** P *f* → *Rotzjunge*.

Rou'lade [u·] *f Kochk.*: estofado *m* de carne de vaca en rollo; *Arg.* niños *m/pl.* envueltos; ♪ trino *m*.

Rou'leau [ru·'lo:] *n* (-*s*; -*s*) cortina *f* enrollable; *außen*: persiana *f*.

Rou'lett [u·] *n* (-*es*; -*e*) ruleta *f*; ~ *spielen* jugar a la ruleta.

'Route [u:] *f* (*Schiffs*2) ruta *f*, derrotero *m*; (*Reise*2) itinerario *m*.

Rou'tine [u·] *f* (*0*) *mst. desp.* rutina *f*; (*Praxis*) práctica *f*; (*Erfahrung*) experiencia *f*; (*Gewohnheit*) hábito

m, costumbre *f*; **2mäßig** *adj.* rutinario (*mst. desp.*); usual.
Routinier [-nĭ'e:] *m* (*-s*; *-s*) rutinero *m*; *fig.* experto *m*, entendido *m*.
routi'niert *adj.* (*-est*) (*erfahren*) experimentado, experto; (*geschickt*) hábil, diestro; (*versiert*) versado; *desp.* rutinario, rutinero.
'Rowdy ['ʀaudi·] *m* (*-s*; *-s*) hombre *m* brutal; (*Raufbold*) camorrista *m*; (*Halbstarker*) gamberro *m*.
Roya'list(in *f*) [ʀo·aja·'-] *m* (*-en*) realista *m/f*; **2isch** *adj.* realista.
'rubbeln (*-le*) F *v/t.* frotar.
'Rübe ⚘ *f* (*weiße od. gelbe*) nabo *m*; (*Kohl2*) naba *f*; (*gelbe, Mohr2*) zanahoria *f*; (*rote, Zucker2*) remolacha *f*; *fig.* F (*Kopf*) cabezota *f*, coco *m*; *fig.* F *e-e freche* ~ un sinvergüenza, un caradura.
'Rubel *m* rublo *m*.
'Rüben...: **~acker** *m* nabar *m*; campo *m* de nabos *bzw.* de zanahorias *bzw.* de remolacha; **~kohl** *m* (*-ęs*; *0*) nabicol *m*; **~zucker** *m* (*-s*; *0*) azúcar *m* de remolacha.
Ru'bin *m* (*-s*; *-e*) rubí *m*.
'Rüb-öl *n* (*-ęs*; *0*) aceite *m* de colza.
Ru'brik [i:] *f* (*Titel*) título *m*, rúbrica *f*; epígrafe *m*, rótulo *m*, *Am.* rubro *m*; (*Spalte*) columna *f*; *im Etat*: partida *f*; *unter der* ~ bajo el título de.
'Rüb|samen *m*, **~sen** *m* ⚘ nabina *f*; (*Raps*) colza *f*.
'ruch|bar *adj.* público, notorio; sabido de todos; del dominio público; ~ *machen* publicar; difundir, divulgar; ~ *werden* publicarse; hacerse público; ir cundiendo; trascender; **~los** *adj.* (*gottlos*) impío; perverso; sacrílego; (*gewissenlos*) desalmado; malvado; (*niederträchtig*) vil; infame; (*perfid*) pérfido; *Verbrechen*: atroz; abominable; **2losigkeit** *f* (*0*) impiedad *f*; perversidad *f*; maldad *f*; vileza *f*; infamia *f*; perfidia *f*; atrocidad *f*.
Ruck *m* (*-ęs*; *-e*) (*Zug*) tirón *m* (*an dat.* de); *am Zügel*: sofrenada *f*; (*Wagen, Zug, Schiff*) arrancada *f*; (*Schlag*) golpe *m*; (*Stoß*) empujón *m*; (*Schütteln*) sacudida *f*; *auf einen* ~; *mit einem* ~ de un golpe; de un tirón; 2, *zuck* en el acto; al instante; **'2artig I.** *adj.* entrecortado; brusco; **II.** *adv.* a empujones; a sacudidas; de súbito; repentinamente.
'Rück...: **~ansicht** *f* vista *f* de atrás; **~antwort** *f* respuesta *f*; ~ *bezahlt* respuesta pagada; *Postkarte* (*Telegramm*) *mit* ~ tarjeta postal (telegrama) con respuesta pagada; **~berufung** *f v. e-m Amt*: deposición *f*, destitución *f*; **~bewegung** *f* movimiento *m* retrógrado; **2bezüglich** *Gr. adj.* reflexivo; **~bildung** *f* ⚕, *Bio.* involución *f*; regresión *f*; evolución *f* regresiva; **~blick** *m* (*-ęs*; *-e*) *fig.* ojeada *f* retrospectiva; (*zusammenfassender*) resumen *m*; **2blikkend** *adv.* retrospectivamente; (*zusammenfassend*) resumidamente; **~blickspiegel** *Auto. m* (espejo *m*) retrovisor *m*; **~bürge** *m* (*-n*) fiador *m* subsidiario; **~bürgschaft** *f* retrogarantía *f*; **2datieren** (-) *v/t.* antedatar.
'Rücken *m* espalda *f*; (*Tier2*, *Buch2 u. Kochk.*) lomo *m*; (*Hand2*, *Rückseite*) dorso *m*; ⚔ (*Heeres2*) retaguardia *f*; (*Berg2*) cresta *f*; (*Stuhl2*) respaldo *m*; *Anat. zum* ~ *gehörig* dorsal; ~ *an* ~ espalda con (-tra) espalda; *den* ~ *beugen*; *e-n krummen* ~ *machen* doblar el espinazo (*a. fig.*); *e-n breiten* ~ *haben* tener anchas las espaldas (*a. fig.*); *den Wind im* ~ *haben* ⚓ tener viento de popa; *fig.* ir viento en popa; *die Hände auf dem* ~ con las manos atrás; *auf dem* ~ *tragen* llevar a cuestas; *auf den* ~ *fallen* caerse de espaldas; dar de espaldas; *fig.* quedar perplejo (F patidifuso); *auf dem* ~ *schwimmen* nadar de espaldas; hacer la plancha; *auf dem* ~ *liegend* echado de espaldas; boca arriba; *Chir.* en decúbito supino; *hinter j-s* ~ a espaldas de alg.; *j-m den* ~ *zukehren* volver la espalda a alg.; *j-m in den* ~ *fallen* atacar a alg. por la espalda; *j-m den* ~ *stärken fig.* apoyar a alg.; *j-m den* ~ *decken fig.* guardar a alg. las espaldas; *sich den* ~ *frei halten fig.* asegurarse la retirada; *es lief ihm kalt über den* ~ sintió un escalofrío en la espalda.
'rücken 1. *v/t.* (*bewegen*) mover; (*schieben*) empujar; (*weg*~) apartar, remover, quitar (*von* de); (*herauf*~) subir; (*vor*~) avanzar; hacer avanzar; *näher*~ acercar, aproximar; arrimar (*an ac.* a); *rückwärts* ~ hacer retroceder; *et. auf die Seite* ~ apartar a un lado a/c.; **2.** *v/i.* mover; (*weg*~) apartarse; (*Platz machen*) hacer sitio; correrse; *an od. mit et.* ~ mover a/c.; remover a/c.; *näher*~ aproximarse, acercarse; arrimarse; *höher*~ subir; *fig.* ascender, ser promovido (a una categoría superior); *vorwärts*~ avanzar; *rückwärts*~ retroceder; *an j-s Stelle* ~ ocupar el sitio *bzw.* el lugar de alg.; *j-m auf den Leib* ~ arremeter contra alg.; ⚔ *ins Feld* ~ entrar en campaña; *nicht von der Stelle* ~ no moverse del sitio.
'Rücken...: **~breite** *f* (*0*) anchura *f* de (la) espalda; **~deckung** *f* ⚔ protección *f* de la retaguardia; *fig.* apoyo *m*, sostén *m*; **~fallschirm** *m* (*-ęs*; *-e*) paracaídas *m* dorsal; **~flosse** *Ict. f* aleta *f* dorsal; **~flug** ✈ *m* (*-ęs*; *ᵘe*) vuelo *m* invertido; **~gurt** *m* (*-ęs*; *-e*) *Schneiderei*: trabilla *f*; **~höhe** *f* (*0*) altura *f* de la espalda; **~lage** *f* (*0*) posición *f* acostado de espaldas; *beim Schwimmen*: plancha *f*; *Chir.* decúbito *m* supino; **~lehne** *f* respaldo *m*; *verstellbare* ~ respaldo ajustable; **~mark** *Anat. n* (*-s*; *0*) médula *f* espinal; **~marks-anästhesie** *Chir. f* raquianestesia *f*; **~marks-entzündung** ⚕ *f* mielitis *f*; **~marksnerv** *Anat. m* (*-s*; *-en*) nervio *m* raquídeo; **~marksschwindsucht** ⚕ *f* (*0*) tabes *f* dorsal; **~muskel** *Anat. m* (*-s*; *-n*) músculo *m* dorsal; **~nummer** *f Sport*: dorsal *m*; **~schild** *m* (*-ęs*; *-e*) *der Insekten*: caparazón *m*; *der Schildkröte*: concha *f*; **~schmerz** ⚕ *m* (*-es*; *-en*) dolor *m* dorsal; **~schwimmen** *n* natación *f* de espalda; **~seite** *f* dorso *m*; lado *m* posterior; **~wind** *m* (*-ęs*; *-e*) ⚓ viento *m* de popa; *Auto.* viento *m* por atrás; **~wirbel** *Anat. m* vértebra *f* dorsal.
'Rück...: **~er-innerung** *f* reminiscencia *f*; **2erstatten** (*-e-*; -) *v/t.* restituir, devolver; reintegrar; *Geld*: rembolsar; **~erstattung** *f* restitución *f*, devolución *f*; reintegro *m*; *Geld*: rembolso *m*; **~fahrkarte** *f*, **~fahrschein** *m* (*-ęs*; *-e*) billete *m* de ida y vuelta; **~fahrt** *f* viaje *m* de vuelta; **~fall** *m* (*-ęs*; *ᵘe*) ⚕ recaída *f*; recidiva *f*; ⚖ *e-s Verbrechers*: reincidencia *f*; (*Heimfall*) reversión *f*; **2fällig** *adj.* ⚕ recidivante; ⚖ reincidente; ~ *werden* ⚕ recidivar; tener una recaída; ⚖ reincidir (en un delito); **~fenster** *n Auto.* ventanilla *f* posterior; **~flug** *m* (*-ęs*; *ᵘe*) vuelo *m* de regreso; **~fluß** *m* (*-sses*; *ᵘsse*) reflujo *m*; **~forderung** *f* reclamación *f*; **~fracht** *f* carga *f* de retorno; ⚓ flete *m* de retorno; **~frage** *f* demanda *f* de información ampliatoria *bzw.* aclaratoria; ~ *halten* = **2fragen** *v/i.* pedir nuevos informes; pedir aclaraciones (*bei* a); **~führung** *f* retorno *m*; repatriación *f*; **~gabe** *f* devolución *f*; (*Rückerstattung*) restitución *f*; *mit der Bitte um* ~ a título devolutivo; se ruega la devolución; *gegen* ~ contra devolución; **~gang** *m* (*-ęs*; *0*) (*Rückweg*) regreso *m*; camino *m* de regreso; (*Verminderung*) disminución *f*; (*Zurückweichen*) retroceso *m* (*zeigen* mostrar; *erfahren* experimentar *od.* sufrir); (*Nachlassen, Niedergang*) decadencia *f*; (*Regression*) regresión *f*; (*Preis2, Produktion, Geburten2*) descenso *m*; ✝ (*Wertpapiere*) baja *f*; depreciación *f*; **2gängig** *adj.* retrógrado; (*regressiv*) regresivo; ✝ (*Wertpapiere*) en baja; con tendencia a la baja; ~ *machen* deshacer; *Auftrag*: anular; *Vertrag*: rescindir, anular; *Eintragung, Schuld*: cancelar; (*abbrechen*) romper; **~gängigmachung** *f* (*0*) anulación *f*; rescisión *f*; cancelación *f*; **~gewinnung** *f* (*0*) recuperación *f*; **2gliedern** (*-re*) *v/t.* reincorporar; reintegrar; **~gliederung** *f* reincorporación *f*; reintegración *f*; **~grat** *Anat. n* (*-ęs*; *-e*) columna *f* vertebral; espina *f* dorsal, espinazo *m*; *fig.* ~ *haben* tener entereza (F agallas); no doblegarse; *kein* ~ *haben* doblegarse servilmente; no tener dignidad; **~gratverkrümmung** ⚕ *f* escoliosis *f*; desviación *f* de la columna vertebral; **~griff** ⚖ *m* (*-ęs*; *-e*) recurso *m*; **~griffs-anspruch** ⚖ *m* (*-ęs*; *ᵘe*) acción *f* recursoria; **~halt** *m* (*-ęs*; *0*) (*Stütze*) apoyo *m*, sostén *m*; (*Zurückhaltung*) reserva *f*; **2haltlos** *adv.* sin reserva; incondicionalmente; **~hand(schlag** *m*) *f* (*0*) *Tennis*: revés *m*; **~kampf** *m* (*-ęs*; *ᵘe*) *Sport*: partido *m* de vuelta; **~kauf** *m* (*-ęs*; *ᵘe*) readquisición *f*; ⚖ retroventa *f*; (*Einlösung*) redención *f*; **2kaufen** ⚖ *v/t.* retrovender; **~kaufrecht** ⚖ *n* (*-ęs*; *-e*) derecho *m* de retroventa; **~kaufvertrag** ⚖ *m* (*-ęs*; *ᵘe*) contrato *m* de retroventa; **~kehr** *f* (*0*) regreso *m*, vuelta *f*; *bei m-r* ~ a mi regreso; **2koppeln** (*-le*) *v/t. Radio*: acoplar retroactivamente (*od.* en reacción); **~kopp(e)lung** *f Elektronik*: re-

troacoplamiento *m*; **~ladung** *f* → *Rückfracht*; **~lage** *f* reserva *f*; *gesetzliche (satzungsgemäße)* ~ reserva legal (estatutaria); **~lauf** *m* (*-es*; *⸚e*) reflujo *m*; (*Gegenströmung*) contracorriente *f*; ⊕ marcha *f* retrógrada; marcha *f* atrás; *e-s Geschützes*: retroceso *m*, reculada *f*; **~laufbremse** *f* freno *m* de retroceso; **2läufig** *adj.* retrógrado; (*regressiv*) regresivo; *~e Bewegung* movimiento retrógrado, (*Regression*) regresión *f*, *der Planeten*: retrogradación *f*; **~lauftaste** *f an der Schreibmaschine*: tecla *f* de retroceso; **~lehne** *f* respaldo *m*; **~leitung** *f* ⊕ tubería *f* de retorno; ⚡ circuito *m* de retorno; **~licht** *n* (*-es*; *-er*) *Auto.* luz *f* trasera; 🚂 farol *m* de cola; **~lieferung** *f* devolución *f*; (*Rückerstattung*) restitución *f*; **2lings** *adv.* hacia atrás; (*von hinten*) por detrás, por la espalda; (*Lage*) de espaldas; boca arriba; ~ *fallen* caerse de espaldas; **~marsch** *m* (*-es*; *⸚e*) regreso *m*, vuelta *f*; ⚔ retirada *f*; **~nahme** *f* reasunción *f*; aceptación *f* de lo devuelto; ⚖ desistimiento *m*; **~porto** *n* (*-s*; *-s*) porte *m* de vuelta; **~prall** *m* (*-es*; *0*) rebote *m*; rechazo *m*; (*Effekt*) efecto *m* de retroceso; **2prallen** (*-sn*) *v/i.* rebotar; **~rechnung** † *f* cuenta *f* de resaca; **~reise** *f* (viaje *m* de) regreso *m*; **~ruf** *Tele.* *m* (*-es*; *-e*) repetición *f* de llamada.

ˈ**Rucksack** *m* (*-es*; *⸚e*) morral *m*; saco *m* de alpinista *bzw.* de excursionista *bzw.* de turista; mochila *f*.

ˈ**Rück...**: **~schau** *f* (*0*) retrospección *f*; ojeada *f* retrospectiva; **2schauend** *adv.* retrospectivamente; **~schlag** *m* (*-es*; *⸚e*) contragolpe *m*; *beim Aufprallen*: rebote *m*; *des Geschützes*: retroceso *m*, reculada *f*; *des Gewehres*: culatazo *m*; ⚡ choque *m* de retroceso; *Bio.* (*Rückentwicklung*) atavismo *m*; *fig.* revés *m*; (*Rückwirkung*) reacción *f*; repercusión *f*; **~schlagventil** ⊕ *n* (*-s*; *-e*) válvula *f* de retención; **~schluß** *m* (*-sses*; *⸚sse*) conclusión *f*; **~schreiben** *n* contestación *f*, respuesta *f*; **~schritt** *m* (*-es*; *-e*) paso *m* atrás; *fig.* retroceso *m*; *Pol.* reacción *f*; **2schrittlich** *Pol. adj.* reaccionario; retrógrado; **~seite** *f* parte *f* posterior (*od.* de atrás); lado *m* posterior; *e-s Blattes*: vuelta *f*; *e-r Seite, e-s Wechsels, e-s Umschlages*: dorso *m*; *v. Münzen*: reverso *m*; *des Stoffes*: revés *m*; *siehe* ~! véase al dorso; **2senden** (*L*) *v/t.* devolver, reexpedir; **~sendung** *f* devolución *f*, reexpedición *f*; **~sicht** *f* consideración *f*; miramiento *m*; (*Respekt*) respeto *m*; (*Aufmerksamkeit*) deferencia *f*; (*Achtsamkeit*) atención *f*; *mit* ~ *auf* (*ac.*) en atención a; teniendo presente, atendiendo (*ac.*); (*in Anbetracht*) considerando que; en vista de; (*hinsichtlich*) con respecto a; con relación a; *auf et.* ~ *nehmen* respetar a/c.; considerar (*od.* tomar en consideración) a/c.; tener presente (*od.* en cuenta) a/c.; *auf j-n* ~ *nehmen* tener consideración con alg.; atender los deseos de alg.; *ohne* ~ *auf* (*ac.*) *Personen*: sin guardar consideraciones a; sin tener ninguna consideración con; sin respetar a; *Sachen*: sin mirar (*ac.*); sin atender a; sin tener en cuenta que; sin reparar en; *ohne jede* ~ sin miramiento alguno, sin mirar nada; sin ninguna consideración; sin ningún respeto; sin contemplaciones; ~ *üben gegenüber j-m* guardar consideraciones a alg.; tratar con deferencia a alg.; *aus* ~ *auf j-n* por consideración (*od.* respeto) a alg.; **~sichtnahme** *f* (*0*) (*Höflichkeit*) cortesía *f*; deferencia *f*; consideración *f*; (*Vorsicht*) prudencia *f*; **2sichtslos I.** *adj.* desconsiderado; (*roh*) brutal; (*schonungslos*) sin miramientos; (*unbekümmert*) despreocupado; (*fahrlässig*) imprudente; (*gefühllos*) insensible; (*unbarmherzig*) despiadado; (*hart*) duro; (*respektlos*) irrespetuoso; (*unehrerbietig*) irreverente; (*willkürlich*) arbitrario; **II.** *adv.* desconsideradamente, sin consideración; (*schonungslos*) sin miramientos; (*fahrlässig*) imprudentemente; (*unbarmherzig*) despiadadamente; (*roh*) brutalmente; ~ *handeln* actuar sin contemplaciones; ~ *fahren Auto. F* conducir a lo loco; **~sichtslosigkeit** *f* falta *f* de consideración; falta *f* de respeto, irrespetuosidad *f*; falta *f* de atención, desatención *f*; (*Fahrlässigkeit*) imprudencia *f*; (*Roheit*) brutalidad *f*; (*Unehrerbietigkeit*) irreverencia *f*; (*Härte*) dureza *f*; **2sichtsvoll I.** *adj.* atento; deferente; (*taktvoll*) discreto; delicado; (*vorsichtig*) prudente; (*freundlich*) amable; **II.** *adv.*: *j-n* ~ *behandeln* tratar con mucho respeto a alg.; tener toda clase de atenciones con alg.; **~sitz** *m* (*-es*; *-e*) asiento *m* trasero; **~spiegel** *Auto.* *m* (espejo *m*) retrovisor *m*; **~spiel** *Sport n* (*-es*; *-e*) partido *m* de vuelta; **~sprache** *f* (*0*) conferencia *f*; conversación *f*; entrevista *f*; *mit j-m* ~ *nehmen* conferenciar con alg.; entrevistarse (*od.* tener una entrevista) con alg.; **~stand** *m* (*-es*; *⸚e*) retraso *m*; † *im Zahlen*: atraso *m*; *e-r Rechnung*: remanente *m*; (*Saldo*) saldo *m*; (*Rest*) resto *m*; ⚗ residuo *m*, (*Bodensatz*) sedimento *m*; *im* ~ *sein* estar atrasado; † estar retrasado en el pago; estar en descubierto; *Rückstände pl.* † atrasos *m/pl.*; pagos *m/pl.* atrasados *od.* pendientes; **2ständig** *adj.* atrasado; (*übrigbleibend*) restante; *Ware*: pendiente de entrega; *Geld*: debido, adeudado; *Person*: *mit der Zahlung*: moroso; *~e Miete* alquiler vencido *od.* atrasado; *fig.* (*veraltet*) anticuado; *v. Ansichten*: rancio; a la vieja usanza; (*altmodisch*) pasado de moda; *Land*: atrasado; (*unterentwickelt*) subdesarrollado; **~ständigkeit** *f* (*0*) atraso *m*; **~stau** *m* (*-es*; *0*) *v. Gewässern*: embalse *m* por reflujo; **~stelltaste** *f an der Schreibmaschine*: tecla *f* de retroceso; **~stellung** † *f* fondo *m* de provisión; **~stoß** *m* (*-es*; *⸚e*) golpe *m* de retroceso; *Phys.* repulsión *f*; ⚔ retroceso *m*; *v. Gewehren*: *a.* culatazo *m*; **~stoß-antrieb** *m* (*-es*; *-e*) propulsión *f* por reacción; **~strahler** *m an Fahrzeugen*: reflector *m* catadióptrico; *Schlußlicht*: faro *m* (*kleiner*: farolito *m*) piloto; *am Fahrrad*: ojo *m* de gato; **~strahlung** *f* reflexión *f*; reverberación *f*; **~strom** ⚡ *m* (*-es*; *⸚e*) corriente *f* de retorno; **~taste** *f* → *Rückstelltaste*; **~tritt** *m* (*-es*; *-e*) *v. Amt*: renuncia *f*; dimisión *f* (*a. Pol.*); *vom Vertrag*: desistimiento *m* (de un contrato); rescisión *f*; *s-n* ~ *erklären* presentar la dimisión; dimitir; **~trittbremse** *f am Fahrrad*: freno *m* de contrapedal; **~trittsfrist** *f* plazo *m* de rescisión *od.* retracto; **~trittsgesuch** *n* (*-es*; *-e*) dimisión *f*; renuncia *f*; **~trittsrecht** *n* (*-es*; *-e*) derecho *m* de retracto; **~trittsschreiben** *n* escrito *m* de dimisión; **2übersetzen** *v/t.* retraducir; **~übersetzung** *f* retraducción *f*; **2vergüten** (*-e-*; *-*) *v/t.* reembolsar; **~vergütung** *f* reembolso *m*; **~verkauf** *m* (*-es*; *⸚e*) retroventa *f*; **2versichern** (*-re*; *-*) *v/t.* reasegurar; **~versicherung** *f* reaseguro *m*; **~wand** *f* (*-*; *⸚e*) pared *f* del fondo; *e-s Gebäudes*: fachada *f* posterior; **~wanderer** *m* repatriado *m*; **2wärtig** *adj.* retrógrado; ⚔ *~es Gebiet* zona de retaguardia; *~e Verbindungen* comunicaciones de retaguardia; **2wärts** *adv.* hacia atrás; para atrás; ~ *gehen* ir hacia atrás, retroceder; recular; ~ *fahren Auto.* dar marcha atrás; *weder vorwärts noch* ~ *können* no poder avanzar ni retroceder; **~wärtsbewegung** *f* movimiento *m* retrógrado (*od.* de retroceso); **~wärtsgang** *Auto.* *m* (*-es*; *⸚e*) marcha *f* atrás; **~wärtslagerung** ⚕ *f* retroversión *f*; **~wechsel** † *m* letra *f* de resaca; **~weg** *m* (*-es*; *-e*) (camino *m* de) vuelta *f*; regreso *m*; *auf dem* ~ a la vuelta; al regreso; *den* ~ *antreten* emprender el regreso.

ˈ**ruckweise** *adv.* a empujones; por empujones; a golpes; por intervalos; a sacudidas.

ˈ**Rück...**: **2wirken** *v/i.* reaccionar; repercutir (*auf ac.* en); **2wirkend** *adj.* retroactivo; *~e Kraft* retroactividad *f*; *mit ~er Kraft* (*Gesetz usw.*) con efecto retroactivo; **~wirkung** *f* reacción *f*; efecto *m* retroactivo; *e-s Gesetzes*: retroactividad *f*; (*Nachwirkung*) repercusión *f*; *mit* ~ con efecto retroactivo; **2zahlbar** *adj.* rembolsable, reintegrable; **~zahlung** *f* rembolso *m*, reintegro *m*; **~zieher** *m Fußball*: bolea *f* hacia atrás; *fig.* (*Entschuldigung*) excusa *f*, disculpa *f*; (*Widerruf*) retractación *f*; *e-n* ~ *machen* (*sich entschuldigen*) excusarse, disculparse; (*sich widerrufen*) retractarse; desdecirse; **~zoll** *m* (*-es*; *⸚e*) reembolso *m* (*od.* devolución *f*) de derechos aduaneros; prima *f* de reexportación; **~zollgüter** *n/pl.* mercancías *f/pl.* de reexportación; **~zollschein** *m* (*-es*; *-e*) tornaguía *f*; **~zug** *m* (*-es*; *⸚e*) ⚔ retirada *f*; *den* ~ *antreten* emprender la retirada; retirarse; *zum* ~ *blasen* tocar a retirada; **~zugsgefecht** *n* (*-es*; *-e*) combate *m* en retirada; **~zugslinie** ⚔ *f* línea *f* de retirada.

ˈ**Rüde** *m* (*-n*) mastín *m*; *Jgdw.* macho *m*.

ˈ**rüde** *adj.* rudo; brutal; grosero.

ˈ**Rudel** *n* (*Meute*) traílla *f*; jauría *f* (*a. fig.*); (*Hirsche, Wölfe*) manada *f*; *fig.* tropel *m*; enjambre *m*; pelotón *m*; cuadrilla *f*; 𝟐**weise** *adv.* en manadas; en tropel.

ˈ**Ruder** *n* remo *m*; (*Steuer*𝟐) timón *m*; *am ~ sein*; *das ~ führen* llevar el timón (*a. fig.*); *fig. ans ~ kommen* llegar (*od.* subir) al poder; tomar el mando; **~bank** *f* (-; ⸗*e*) banco *m* de remeros, bancada *f*; **~blatt** *n* (-*es*; ⸗*er*) pala *f* del remo; **~boot** *n* (-*es*; -*e*) barco *m* de remos; lancha *f* de remos; bote *m*; **~dolle** *f* chumacera *f*; **~er** *m* remero *m*; **~gabel** *f* (-; -*n*) chumacera *f*; **~gänger** *m*, **~gast** ⚓ *m* (-*es*; -*en*) timonel *m*; **~klub** *m* (-*s*; -*s*) club *m* de regatas; 𝟐**n** *v/i.* remar; bogar; **~n** *n* → *Rudersport*; **~pinne** *f* barra *f* (del timón); **~regatta** *f* (-; -*regatten*) regata *f* de remo; **~schlag** *m* (-*es*; ⸗*e*) golpe *m* de remo; **~sport** *m* (-*es*; *0*) (deporte *m* del) remo *m*; **~stange** *f* remo *m*; **~verein** *m* (-*es*; -*e*) club *m* náutico (*od.* de regatas).

Rudiˈment *n* (-*s*; -*e*) rudimento *m*. **rudimenˈtär** *adj.* rudimentario.

Ruf *m* (-*es*; -*e*) (*Schrei*) grito *m*; (*Stimme*) voz *f*; (*Aus*𝟐) exclamación *f*; (*An*𝟐) llamada *f*; (*Berufung, innere Stimme*) vocación *f*; (*Leumund*) fama *f*, reputación *f*; † crédito *m*; (*Ansehen*) prestigio *m*; (*guter Name*) buen nombre *m*; (*Renommé*) nombradía *f*, renombre *m*; (*Berühmtheit*) celebridad *f*; (*Ruhm*) fama *f*; *e-e Firma von ~* una casa (comercial) acreditada; *ein Künstler von ~* un artista afamado (*od.* de fama); *in gutem ~ stehen* tener (*od.* gozar de) buena fama; *von schlechtem ~* de mala fama; de pésima reputación; *in dem ~ stehen* (*gen. od. zu*) tener fama de; *j-n um s-n guten ~ bringen* quitar (*od.* hacer perder) a alg. su buena reputación; *j-n in üblen* (*od. schlechten*) *~ bringen* difamar a alg.; desacreditar a alg.; *er hat e-n ~ als Professor nach X erhalten* le ha sido ofrecida una cátedra en X; *er ist besser als sein ~* es mejor de lo que parece; *sich e-n ~ erwerben* adquirir fama *od.* reputación.

ˈ**rufen I.** (*L*) **1.** *v/i.* (*schreien*) gritar; dar gritos *od.* voces; *Liter.* clamar; (*aus~*) exclamar; *nach j-m ~* llamar a alg.; *um Hilfe ~* pedir socorro (*od.* auxilio); *hoch ~* dar vivas; **2.** *v/t.* gritar; (*herbei~, an~*) llamar; *j-n ~* llamar a alg.; *j-n ~ lassen* llamar (*od.* hacer venir) a alg.; *ins Gedächtnis ~* traer a la memoria; recordar; *ins Leben ~* crear, fundar; organizar; *wieder ins Leben ~* hacer revivir; *fig. wie gerufen kommen* venir a propósito; F de perlas; como anillo al dedo; como llovido del cielo; **II.** 𝟐 *n* gritos *m/pl.*; voces *f/pl.*

ˈ**Rufer** *Tele. m* llamador *m.*

ˈ**Rüffel** F *m* reprimenda *f*; reprensión *f*; F rapapolvo *m*; 𝟐**n** (*le*) F *v/t.*: *j-n ~* reprender a alg.; F dar un jabón (*od.* echar un rapapolvo) a alg.

ˈ**Ruf...**: **~name** *m* (-*ns*; -*n*) nombre *m* (de pila); **~nummer** *Tele. f* (-; -*n*) número *m* de teléfono; **~taste** *Tele. f* clavija *f* de llamada; **~weite** *f* (*0*) alcance *m* de la voz; **~zeichen** *Tele. n* señal *f* de llamada.

ˈ**Rugby** [ˈrагbı] *n* (-*s*; *0*) *Sport*: rugby *m*; **~mannschaft** *f* equipo *m* de rugby; **~spieler** *m* jugador *m* de rugby.

ˈ**Rüge** *f* reprimenda *f*; reprensión *f*; (*Tadel*) censura *f*; (*Warnung*) amonestación *f*; *e-e ~ bekommen* sufrir una reprimenda; *j-m e-e ~ erteilen* reprender a alg. (*wegen et.* a/c.); F echar una filípica a alg. (*wegen et.* por a/c.); 𝟐**n** *v/t.* reprender; (*tadeln*) censurar; reprobar; *an j-m et. ~* reprender *bzw.* censurar a alg. a/c; F cantarle las cuarenta a alg.

ˈ**Ruhe** *f* (*0*) (*Ausruhen*) descanso *m*, *bsd.* ⚕ reposo *m*; (*Erholung*) recreo *m*; descanso *m*; (*Friede*) paz *f*; (*Seelenfriede*) paz *f* espiritual; tranquilidad *f* de ánimo; *des Gemüts*: sosiego *m*; (*Stille*) calma *f*; quietud *f*; silencio *m*; (*Ordnung*) orden *m*; (*Schlaf*) sueño *m*; (*Geduld*) paciencia *f*; (*Gelassenheit*) calma *f*; imperturbabilidad *f*; (*Schweigen*) silencio *m*; (*Kaltblütigkeit*) sangre *f* fría; serenidad *f*; (*Waffen*𝟐, *Burgfriede*) tregua *f*; *die öffentliche ~* el orden público; *die ~ stören* (*wiederherstellen*) alterar *od.* perturbar (restablecer) el orden; *~ vor dem Sturm* la calma que precede a la tormenta; *~ stiften* sosegar los ánimos; pacificar; *zur ~ bringen* calmar; sosegar; aquietar; apaciguar; *~!* ¡silencio!; *~ gebieten* ordenar silencio; imponer silencio, hacer callar; *immer mit der ~!* ¡calma!; ¡sin alterarse!; F vamos por partes; *in aller ~* con toda tranquilidad; *überlege es dir in aller ~* piénsalo con calma; *ewige ~* eterno descanso; *jetzt hat die liebe Seele ~* ya tiene lo que quería; ya está satisfecho; *~ halten* mantenerse tranquilo; *s-e ~ bewahren* conservar la calma; *keine ~ haben* no tener tranquilidad; no tener punto de reposo; no tener ni un momento de descanso; *in ~ und Frieden leben* vivir en santa paz; *lassen Sie mich in ~!* ¡déjeme en paz!; *lassen Sie mich damit in ~!* no me moleste más con eso; no me hable más de eso; *j-n nicht in ~ lassen*; *j-m keine ~ lassen* molestar (*od.* importunar) continuamente a alg.; no dejar en paz a alg.; *man hat keine ~ vor ihm* no le deja a uno tranquilo; *die ~ verlieren* inquietarse; perder la serenidad; *er ist nicht aus s-r ~ zu bringen* no se altera por nada; no hay quien le haga perder la calma; *j-n aus s-r ~ bringen* inquietar (*od.* intranquilizar) a alg.; F sacar a alg. de sus casillas; *sich keine ~ gönnen* no darse tregua; no dar paz a la mano; no tener punto de descanso; *sich zur ~ setzen* (*Kaufmann*) retirarse de los negocios; (*Beamter*) jubilarse; *sich zur ~ begeben* retirarse a descansar; (ir a) acostarse; *eine angenehme ~ wünschen* desear (muy) buenas noches; *angenehme ~!* ¡buenas noches!; ¡que usted descanse!; **~bank** *f* (-; ⸗*e*) banco *m* de descanso; 𝟐**bedürftig** *adj.* necesitado de reposo; **~bett** *n* (-*es*; -*en*) meridiana *f*; **~gehalt** *n* (-*es*; ⸗*er*) jubilación *f*; pensión *f*; ⚔ retiro *m*; **~gehalts-empfänger(in** *f*) *m* jubilado (-a *f*) *m*; pensionista *m/f*; ⚔ retirado *m*; **~kissen** *n* almohada *f*; **~kur** *f* cura *f* de reposo; **~lage** *f* (*0*) posición *f* de reposo; (*Gleichgewicht*) equilibrio *m*; 𝟐**los** *adj.* (*aufgeregt*) agitado; (*unruhig*) inquieto; (*beunruhigt*) intranquilo; *als Gemütszustand*: desasosegado; **~losigkeit** *f* (*0*) agitación *f*; inquietud *f*; intranquilidad *f*; desasosiego *m.*

ˈ**ruhen** *v/i.* (*aus~*) descansar (*auf dat.* sobre); reposar; (*liegen*) estar acostado; (*schlafen*) dormir; (*stillstehen*) no moverse; estar inmóvil; (*nichts tun*) no hacer nada; (*aufhören*) cesar; *Prozeß*: estar en suspenso; *Arbeit, Verkehr*: estar paralizado; *hier ruht* aquí yace; *er ruhe in Frieden!* ¡descanse en paz!; *~ auf* (*dat.*) apoyarse en; △ estribar en (*a. fig.*); ⊕ descansar sobre; *sein Blick ruht auf ihm* tiene la mirada fija en él; *~ lassen Schlafenden*: dejar dormir; *Erholungsbedürftigen*: dejar descansar *od.* reposar; *Arbeit*: suspender; *den Blick ~ lassen auf* (*dat.*) fijar (*unverwandt*: clavar) la mirada en; *laßt die Toten ~!* dejemos en paz a los muertos; *lassen wir das ~* (*Unangenehmes*) hablemos de otra cosa; no toquemos ese asunto; F peor es meneallo; *ich wünsche wohl zu ~* le(s) deseo muy buenas noches; *er wird nicht eher ~, bis ...* no descansará hasta que (*subj.*); no estará en paz hasta que (*subj.*).

ˈ**Ruhe...**: **~pause** *f* momento *m* de descanso *bzw.* reposo; *fig.* tregua *f*; **~platz** *m* (-*es*; ⸗*e*), F **~plätzchen** *n* lugar *m* de descanso *bzw.* de reposo; **~posten** *m* sinecura *f*, prebenda *f*; F *fig.* canonjía *f*, enchufe *m*; **~punkt** *m* (-*es*; *0*) punto *m* de apoyo; ♪ pausa *f*; ⊕ centro *m* de gravedad; (*toter Punkt*) punto *m* muerto; **~sessel** *m* sillón *m*; **~stand** *m* (-*es*; *0*) estado *m* de inactividad; (*Pensionierung*) jubilación *f*; *bsd.* ⚔ retiro *m*; *j-n in den ~ versetzen* jubilar a alg.; *in den ~ treten* jubilarse; ⚔ retirarse; *im ~* (*Abk.* i.R.) jubilado; ⚔ retirado; **~stätte** *f* sitio *m* de reposo; lugar *m* de descanso; (*Zufluchtsort*) retiro *m*, lugar *m* de retiro (*od.* para vivir retirado); *letzte ~* tumba *f*, última morada *f*; **~stellung** *f* (*0*) posición *f* de reposo; (*Gleichgewicht*) equilibrio *m*; ⚔ acantonamiento *m*; **~stifter** *m* pacificador *m*; 𝟐**störend** *adj.* perturbador; **~störer** *m Pol.* perturbador *m* del orden público; (*Lärmer*) alborotador *m*; **~störung** *f Pol.* perturbación *f* del orden público; disturbio *m*; *nächtliche ~* alboroto *m* nocturno; **~strom** ⚡ *m* (-*es*; ⸗*e*) corriente *f* de reposo; **~tag** *m* (-*es*; -*e*) día *m* de descanso; 𝟐**voll** *adj.* tranquilo; (*friedlich*) apacible; **~zeit** *f* tiempo *m* de descanso; **~zustand** *m* (-*es*; *0*): *im ~* en reposo.

ˈ**ruhig I.** *adj.* tranquilo; (*still*) silencioso; (*friedliebend*) pacífico; (*friedlich*) apacible; (*friedvoll*) sosegado; (*schweigsam*) silencioso, callado; (*gemächlich*) reposado; (*heiter*) sereno; (*sanft*) suave; (*bewegungslos*) quieto; (*kaltblütig*) de sangre fría; (*nervenstark*) imperturbable, impasible; (*unerschütterlich*) sereno; *Meer*: en calma; *Farbe*: discreto;

Tier: manso; *Wetter, Wind,* ⚓ *Markt*: encalmado; *Irrer (harmlos)* pacífico; ⊕ ~*er Gang* marcha suave; ~*(er) werden* tranquilizarse; calmarse; sosegarse; ~! ¡silencio!; *sei* ~! ¡estáte quieto!; ¡cállate la boca!; F *nur immer* ~ *Blut!* ¡calma!; ¡serenidad!; *bei* ~*er Überlegung* considerándolo con calma; *keine* ~*e Minute haben* no tener minuto de descanso; no tener paz ni sosiego; **II.** *adv.*: ~ *bleiben* permanecer tranquilo; conservar la calma; ~ *schlafen* dormir tranquilo; ~ *verlaufen* transcurrir sin incidentes; *sich* ~ *verhalten* mantenerse tranquilo; *sagen Sie es* ~ dígalo con franqueza; *seien Sie* ~ *(unbesorgt)* no se inquiete usted; pierda usted cuidado; *er kann* ~ *warten* puede esperar tranquilamente; F *iro.* puede esperar sentado; *man kann* ~ *behaupten, daß* ... bien puede afirmarse que ...; *das können Sie* ~ *tun (es steht Ihnen frei)* puede usted hacerlo tranquilamente; *du könntest* ~ *mehr arbeiten* bien podías trabajar un poco más; *du könntest dir* ~ *mal die Haare schneiden lassen* no estaría mal que te cortases el pelo.

'**Ruhm** *m* (-*es*; *0*) gloria *f*; *(Ehre)* honra *f*; *(Ruf)* fama *f*; *sich mit* ~ *bedecken* cubrirse de gloria; 2**bedeckt** *adj.* cubierto de gloria; ~**begier(de)** *f* (*0*) afán *m* de gloria; 2**begierig** *adj.* ávido de gloria.

'**rühmen I. 1.** *v/t.* *(loben)* elogiar, alabar; encarecer, ponderar; *(preisen)* celebrar, enaltecer; ~*d erwähnen* mencionar con elogio; *ohne mich zu* ~ sin querer alabarme; dicho sea sin vanidad; **2.** *v/refl.*: *sich (wegen) e-r Sache (gen.)* ~ preciarse *od.* gloriarse de a/c.; *(prahlerisch)* vanagloriarse de a/c.; **II.** 2 *n* elogios *m/pl.*; *viel* ~*s machen von* hacer gran alarde de; ~**swert** *adj.* laudable; digno de elogio *od.* de loa.

'**Ruhmes...**: ~**blatt** *n* (-*es*; *0*) página *f* de gloria; ~**halle** *f* panteón *m* (de glorias nacionales).

'**rühmlich** *adj.* glorioso; *(ehrenvoll)* honroso; *(löblich)* laudable, loable, digno de elogio *od.* de loa.

'**ruhm...**: ~**los** *adj.* sin gloria; *(unbekannt)* oscuro; 2**losigkeit** *f* (*0*) ausencia *f* de gloria; *(Unbekanntheit)* oscuridad *f*; ~**redig** *adj.* vanaglorioso; ufano; jactancioso; 2**redigkeit** *f* (*0*) vanagloria *f*; ufanía *f*; jactancia *f*; ~**reich** *adj.* glorioso; 2**sucht** *f* (*0*) afán *m* (*od.* sed *f*) de gloria; ~**süchtig** *adj.* ávido (*od.* sediento) de gloria; ~**voll** *adj.* glorioso.

Ruhr[1] ⚕ *f* (*0*) disentería *f*.

Ruhr[2] *Geogr. f* *(Fluß)* el Ruhr.

'**Rühr|apparat** *m* (-*es*; -*e*) (mecanismo *m*) agitador *m*; batidor *m*; *(Mischer)* mezclador *m*; *(Knetmaschine)* amasadora *f*; ~**ei** *n* (-*es*; -*er*) huevos *m/pl.* revueltos.

'**rühren 1.** *v/i.* tocar (*an dat* en); *in et.* ~ remover a/c.; *(her~ von)* proceder de; provenir de; dimanar de; obedecer a; ser debido a; *fig. nicht daran* ~! no toquemos ese asunto; hablemos de otra cosa; **2.** *v/t.* *(bewegen)* mover; *(um~)* batir; revolver; *(ein~)* desleír; *(schütteln)* agitar; *(mischen)* mezclar; *(hin und her* ~*)* remover; menear; *Eier*: batir; *fig. keinen Finger* ~ no hacer nada; no mover ni un dedo; quedarse cruzado de brazos; *die Trommel* ~ tocar el tambor; ⚕ *der Schlag hat ihn gerührt* ha sufrido un ataque de apoplejía; *fig.* *(in Rührung versetzen)* enternecer; impresionar; emocionar; *das rührte ihn wenig* no le impresionó lo más mínimo; F se quedó tan fresco; *fig. wie vom Donner gerührt* atónito, pasmado, F patidifuso; *zu Tränen* ~ hacer llorar, mover a lágrimas; **3.** *v/refl.*: *sich* ~ moverse; agitarse; desplegar gran actividad; *sich nicht vom Fleck* ~ no moverse del sitio; *sich nicht* ~ *(unbeweglich bleiben)* no moverse; permanecer inmóvil; *sich nicht* ~ *können* no poder mover pie ni brazo; ⚔ *rührt euch!* ¡en su lugar ... descansen!; ~**d** *adj.* conmovedor; emocionante; *(Anblick, Schilderung)* impresionante; enternecedor; *(pathetisch)* patético; *(gefühlsselig, überschwenglich)* sentimental; *(klagend)* lastimero; *es ist* ~ *von dir* eres muy amable; ~*es Schauspiel hum.* comedia lacrimógena.

'**Ruhrgebiet** *Geogr. n* Cuenca *f* del Ruhr.

'**rührig** *adj.* *(tätig)* activo; *(lebhaft)* vivo; *(unternehmend)* emprendedor; *(flink)* ágil; 2**keit** *f* (*0*) actividad *f*; viveza *f*; espíritu *m* emprendedor; agilidad *f*.

'**Ruhrkranker** ⚕ *m* disentérico *m*.

'**Rühr...**: ~**löffel** *m* cucharón *m*; 2**selig** *adj.* sentimental; ~**seligkeit** *f* (*0*) sentimentalismo *m*; ~**stück** *Thea. n* (-*es*; -*e*) drama *m* sentimental; melodrama *m*; ~**ung** *f* (*0*) emoción *f*; enternecimiento *m*.

Ru'in *m* (-*s*; *0*) ruina *f*; *fig.* perdición *f*.

Ru'ine *f* ruina *f*; ruinas *f/pl.*

rui'nieren (-) *v/t.* arruinar; causar la ruina de; *(verderben)* echar a perder, estropear; *(vernichten)* destruir; destrozar; *sich* ~ arruinarse.

'**Rülps|(er)** P *m* eructo *m*, regüeldo *m*; 2**en** (-*t*) P *v/i.* eructar, regoldar.

rum F → *herum(...)*.

Rum *m* (-*s*; -*s*) ron *m*.

Ru'män|e *m* (-*n*) rumano *m*; ~**in** *f* rumana *f*; ~**ien** *n* Rumania *f*; 2**isch** *adj.* rumano.

'**Rumba** *f* (-; -*s*) rumba *f*.

'**Rummel** F *m* (-*s*; *0*) *(Betrieb)* animación *f*; tráfago *m*; *(Lärm, Tumult)* jaleo *m*; barullo *m*; batahola *f*; tumulto *m*; *(Jahrmarkt)* feria *f*; *(Plunder)* trastos *m/pl.*; morralla *f*; *den ganzen* ~ *kaufen* comprar en globo; *den* ~ *kennen* F conocer el truco; sabérselas todas; estar al cabo de la calle; conocer el paño; ~**platz** *m* (-*es*; ⁻*e*) campo *m* de la feria; parque *m* de atracciones.

ru'moren (-) *v/i.* meter ruido *m*; F armar barullo (*od.* jaleo).

'**Rumpel|kammer** *f* (-; -*n*) (cuarto *m*) trastero *m*; ~**kasten** *m* carricoche *m*; 2**n** (-*le*) *v/i.* *(poltern)* hacer ruido *m*; traquetear; *(reiben)* restregar.

'**Rumpf** *m* (-*es*; ⁻*e*) *Anat.* tronco *m*; *(Leib)* cuerpo *m*; *(Torso)* torso *m*; *v. Geflügel*: caparazón *m*; *(Schiffs*2*)* casco *m*; ✈ cuerpo *m* del avión, *gal.* fuselaje *m*; ~**beugen** *(Turnen) n* flexión *f* del tronco.

'**rümpfen** *v/t.*: *die Nase* ~ torcer *od.* arrugar las narices.

'**Rumpsteak** [-ste:k] *n* (-*s*; -*s*) *Kochk.* asado *m* de lomo.

'**rund** (-*est*) **I.** *adj.* redondo (*a. fig. Summe, Zahl*); *(abgerundet)* redondeado; *(kreisförmig)* circular; *(zylindrisch)* cilíndrico; *(kugelförmig)* esférico; *Gesicht*: carirredondo; *Absage usw.*: rotundo; **II.** *adv.*: ~ *machen* redondear; ~ *werden* redondearse; ~*heraus absagen (verneinen)* rechazar (negar) rotundamente; ~ *gerechnet* en números redondos; ~ *um die Welt* alrededor del mundo; *(ungefähr)* aproximadamente, alrededor de; ~**bäckig** *adj.* mofletudo; 2**bau** ⚠ *m* (-*es*; -*ten*) rotonda *f*; construcción *f* de planta circular; 2**blick** *m* (-*es*; -*e*) panorama *m*; vista *f* panorámica; 2**bogen** ⚠ *m* arco *m* de medio punto.

'**Runde** *f* ronda *f* (*a.* ⚔, *Polizei*); *(Gesellschaft)* tertulia *f*; peña *f*; corro *m*; *Lauf-, Rennsport*: vuelta *f*; *Boxen*: asalto *m*; *Wein, Bier, Schnaps*: ronda *f*; *die* ~ *machen* ⚔ patrullar, rondar; *Polizei*: rondar, hacer la ronda; *Becher*: circular (*od.* pasar de uno a otro) en corro; *Nachricht*: circular; *in der* ~ *(im Umkreis)* a la redonda; *(im Kreise)* en redondo; *in der* ~ *sitzen* estar sentados en corro; e-e ~ *spendieren* pagar una ronda; F convidar (a una copa).

'**Rund-eisen** ⊕ *n* hierro *m* redondo.

'**runden** (-*e*-) *v/t.* redondear.

'**Rund...**: ~**erlaß** *m* (-*sses*; -*sse*) circular *f*; ~**fahrt** *f* vuelta *f* en coche *(por una ciudad)*; → *Rundreise*; ~**flug** *m* (-*es*; ⁻*e*) vuelo *m* circular; vuelta *f* aérea; ~**frage** *f* encuesta *f*.

'**Rundfunk** *m* (-*s*; *0*) radio *f*; radiodifusión *f*; radiotelefonía *f*; *im* ~ en la radio; ~ *hören* escuchar la radio; *durch* ~ *übertragen (od. verbreiten)* radiar, transmitir por la radio; ~**ansager(in** *f*) *m* locutor (-a *f*) *m*; ~**ansprache** *f* alocución *f* radiada; ~**bastler** *m* radioaficionado *m*; ~**bericht-erstatter** *m* reportero *m* de la radio; ~**berichterstattung** *f* crónica *f* radiada; reportaje *m* radiado; ~**darbietung** *f* emisión *f* radiofónica; ~**empfang** *m* (-*es*; *0*) recepción *f* radiofónica; ~**empfänger** *m*, ~**empfangsgerät** *n* (-*es*; -*e*) radiorreceptor *m*, aparato *m* de radio; ~**gebühr** *f* impuesto *m* de radiodifusión; ~**gerät** *n* → *Rundfunkempfänger*; ~**gesellschaft** *f* sociedad *f* de radiodifusión; ~**hörer(in** *f*) *m* radioyente *m/f*, radioescucha *m/f*; ~**meldung** *f* mensaje *m* radiado; ~**netz** *n* (-*es*; -*e*) red *f* de radiodifusión; ~**programm** *n* (-*s*; -*e*) programa *m* de emisiones radiofónicas; ~**reklame** *f* publicidad *f* radiada; ~**reportage** *f* reportaje *m* radiado; ~**reporter** *m* reportero *m* de la radio; ~**sender** *m* emisora *f* de radio, radioemisora *f*; ~**sendung** *f* emisión *f* radiofónica; ~**sprecher(in** *f*) *m* locutor(a *f*) *m*; ~**station** *f* estación *f* radiotelegráfica; → *Rundfunksender*; ~**übertragung** *f* emisión *f* radiofónica;

retransmisión *f* radiofónica; **~werbung** *f* → *Rundfunkreklame*; **~zeitung** *f* revista *f* de radiodifusión.

'Rund...: **~gang** *m* (-*ės*; *"e*) *allg.* vuelta *f*; *Aufsicht*: (vuelta *f* de) inspección *f*; ⚔ ronda *f*; (*Stadt*2) vuelta *f* por la ciudad; **~gesang** *m* (-*ės*; *"e*) ronda *f*; **~heit** *f* (*0*) redondez *f*; **2he'raus** *adv.* rotundamente; francamente, con franqueza; sin rodeos; **2he'rum** *adv.* alrededor, en torno; en redondo; a la redonda; por todos lados; **~holz** *n* (-*es*; *"er*) rollizo *m*; rollo *m* de madera; *kollektiv*: madera *f* en rollo; **~kopf** *m* cabeza *f* redonda; **~kopfschraube** ⊕ *f* tornillo *m* de cabeza redonda; **~lauf** *m* (-*ės*; *"e*) *Turnen*: pasos *m/pl.* de gigante; **2lich** *adj.* redondeado; (*dicklich*) rollizo, gordo, grueso; (*untersetzt*) rechoncho; (*mollig*) regordete; *alternde Frau*: ajamonada; *Backen*: mofletudo; **~lichkeit** *f* (*0*) forma *f* redondeada; **~reise** *f* circuito *m*; gira *f*; ⚓ crucero *m*; 🚂 viaje *m* circular; **~reisebillet** *n* (-*s*; -*s*), **~reisefahrkarte** *f* 🚂 billete *m* circular; **~schau** *f* panorama *m*; (*Zeitschrift*) revista *f*; **~schreiben** *n* circular *f*; *päpstliches* ~ encíclica *f*; **~schrift** *f* (*0*) letra *f* redondilla; **~schriftfeder** *f* (-; -*n*) pluma *f* para letra redonda *od.* redondilla; **~spitzfeder** *f* (-; -*n*) pluma *f* de punto esférico; **~tanz** *m* (-*es*; *"e*) danza *f* en corro; **2'um** *adv.* en torno, alrededor; por todos lados; a la redonda; **~ung** *f* (*das Runden*) redondeamiento *m*; (*Rundheit*) redondez *f*; (*Kurve*) curva *f*; △ (*Wölbung*) cimbra *f*; **~verfügung** *f* → *Runderlaß*; **2'weg** *adv.* rotundamente; en redondo; redondamente; **~zange** *f* alicates *m/pl.* (de picos) redondos.

'Rune *f* runa *f*; **~nschrift** *f* (*0*) caracteres *m/pl.* rúnicos, runas *f/pl.*

'Runge *f* telero *m*; **~nwagen** 🚂 *m* vagón *m* de plataforma.

'Runkelrübe ♀ *f* remolacha *f* forrajera.

'runter F → *herunter(...)*.

'Runzel *f* (-; -*n*) arruga *f*; rugosidad *f*; *in den Augenwinkeln*: pata *f* de gallo; *~n bekommen* arrugarse.

'runz(e)lig *adj.* arrugado; rugoso; ~ *werden* arrugarse.

'runzeln (-*le*) **1.** *v/t.* arrugar; fruncir; *die Stirn* ~ arrugar la frente; fruncir (*od.* enarcar) las cejas; **2.** *v/refl.*: *sich* ~ arrugarse.

'Rüpel *m* hombre *m* mal educado; descortés *m*; (*Grobian*) grosero *m*; **~'ei** *f* falta *f* de educación; descortesía *f*; (*Grobheit*) grosería *f*; **2haft** *adj.* ineducado; descortés; (*grob*) grosero; ordinario.

'rupfen *v/t.* (*ausreißen*) arrancar; *Geflügel*: desplumar (*a. fig.*), pelar; *fig. j-n* ~ desplumar a alg.; dejar a alg. sin un céntimo; *mit j-m ein Hühnchen zu* ~ *haben* tener que ajustar (las) cuentas con alg.

'Rupie [-iə] *f* rupia *f*.

'ruppig *adj.* (*flegelhaft*) ineducado, descortés; F gamberro; (*grob*) grosero; (*lumpig*) harapiento, andrajoso, desarrapado; (*knauserig*) mezquino, sórdido; (*ärmlich*) pobre, miserable; (*gemein*) bajo, ruin; (*durchtrieben*) pícaro; (*struppig*) hirsuto; desgreñado.

'Ruprecht *m* Ruperto *m*; Roberto *m*; *Knecht* ~ acompañante de San Nicolás.

'Rüsche *f am Kleid*: ruche *f*.

Ruß [u:] *m* (-*es*; *0*) hollín *m*; (*Kien*2) negro *m* de humo; (*Pflanzenkrankheit*) tizón *m*; **'2artig** *adj.* fuliginoso, denegrido, tiznado.

'Russe *m* (-*n*) ruso *m*.

'Rüssel *m des Elefanten, des Tapirs, der Insekten*: trompa *f*; *des Schweins*: hocico *m*; **~käfer** *Zoo. m* gorgojo *m*; **~tiere** *Zoo. n/pl.* proboscidios *m/pl.*

'rußen [u:] (-*ßt*) *v/i.* producir (*od.* dejar) hollín *m*; ahumarse, ennegrecerse con el humo.

'Ruß...: **~fleck** *m* (-*ės*; -*e*) mancha *f* de hollín, tiznón *m*; **~flocke** *f* copo *m* de hollín.

'rußig *adj.* cubierto de hollín; tiznado; ♀ atacado del tizón.

'Russin *f* rusa *f*.

'russisch *adj.* ruso, de Rusia; *das* 2 el ruso, el idioma ruso, la lengua rusa; *~e Eier* huevos a la rusa; **~-deutsch** *adj.* ruso-germano.

'Rußland *n* Rusia *f*; *das europäische* (*asiatische*) ~ la Rusia europea (asiática).

'rüsten I. (-*e*-) **1.** *v/t.* (*herrichten*) preparar, disponer; (*aus*~) equipar; (*bewaffnen*) armar; **2.** *v/refl.*: *sich* ~ (*auf ac.*; *für, zu*) prepararse para; disponerse a; **3.** *v/i. auf od. zu et.* ~ hacer preparativos para a/c.; *zum Kriege* ~ hacer preparativos de guerra; preparar la guerra; (*mobil machen*) movilizar; (*Gerüst aufschlagen*) levantar un andamio; **II.** 2 *n* → *Rüstung*.

'Rüster ♀ *f* (-; -*n*) olmo *m*.

'rüstig *adj.* vigoroso; fuerte; lozano; (*robust*) robusto; sólido; (*hurtig*) ágil; (*tätig*) activo; enérgico; *noch* ~ *für sein Alter sein* llevar bien los años; estar bien conservado para su edad; **2keit** *f* (*0*) vigor *m*; lozanía *f*; robustez *f*; agilidad *f*; energía *f*.

'Rüst...: **~kammer** *f* (-; -*n*) armería *f*; colección *f* de armas; arsenal *m*; **~material** △ *n* (-*s*; -*ien*) material *m* de andamiaje; **~stange** △ *f* palo *m* de andamiaje.

'Rüstung *f* (*Vorbereitung*) preparativos *m/pl.* (*zu de od.* para); (*Ausrüstung*) equipo *m*; *mit Waffen*: armamento *m*; (*Harnisch*) armadura *f*; △ andamiaje *m*.

'Rüstungs...: **~beschränkung** *f* limitación *f* de armamentos; **~betrieb** *m* (-*ės*; -*e*), **~fabrik** *f* fábrica *f* de armamento; **~industrie** *f* industria *f* de armamentos; **~wettlauf** *m* (-*ės*; *0*) carrera *f* de armamentos; **~zentrum** *n* (-*s*; -*zentren*) centro *m* de la industria de armamentos.

'Rüstzeug *n* (-*ės*; *0*) (*Handwerkszeug*) herramientas *f/pl.*; (*Ausrüstung*) equipo *m*; (*Material*) material *m*; (*Waffen*) armas *f/pl.*; (*Kenntnisse*) conocimientos *m/pl.*; bagaje *m* mental.

'Rute *f* vara *f*; varilla *f*; *zum Züchtigen*: férula *f*; *Zoo.* (*männliches Glied*) verga *f*; *Jgdw.* (*Schwanz*) cola *f*; *e-m Kinde die* ~ *geben* dar azotes a un niño; **~nbündel** *n* haz *m* de varillas; *der römischen Liktoren*: fasces *f/pl.*; **~ngänger** *m* buscador *m* de manantiales; zahorí *m*; **~nhieb** *m* (-*ės*; -*e*) vergajazo *m*.

Ru'thenium ⚗ *n* (-*s*; *0*) rutenio *m*.

'Rutsch *m* (-*es*; -*e*) deslizamiento *m*; (*Erd*2) desprendimiento *m* de tierras; (*kurze Reise*) pequeño viaje *m*; excursión *f*; **~bahn** *f* deslizadero *m*; *Vergnügungspark*: tobogán *m*; **~e** ⊕ *f* plano *m* inclinado (*od.* de deslizamiento); **2en** (*sn*) *v/i.* deslizar(se); resbalar(se); *Auto.* patinar; *Erdreich*: desprenderse; **~en** *n* deslizamiento *m*; resbalón *m*; resbalamiento *m*; *v. Erdreich*: desprendimiento *m*; *Auto.* patinazo *m*; **~gefahr** *f* (*0*) *als Verkehrszeichen*: trayecto *m* resbaladizo; **2ig** *adj.* resbaladizo; **~partie** F *f* pequeña excursión *f*; **2sicher** *adj.* antideslizante.

'rütteln I. (-*le*) *v/t. u. v/i.* sacudir; F zarandear; ⊕ vibrar; trepidar; *Wagen*: traquetear, dar sacudidas; *j-n aus dem Schlafe* ~ despertar a alg. sacudiéndole; *an der Tür* ~ sacudir la puerta; *fig. gerüttelt volles Maß* medida colmada; *daran ist nichts zu* ~ es un hecho incontrovertible; eso no hay quien lo mueva; **II.** 2 *n* sacudidas *f/pl.*; ⊕ vibración *f*; trepidación *f*; *des Wagens*: traqueteo *m*; sacudidas *f/pl.*

'Rüttler ⊕ *m* vibrador *m*.

S

S, s *n* S, s *f*.
Saal *m* (-*es*; *Säle*) sala *f*; *größer*: salón *m*; (*Operations*≈) ⚕ sala *f* de operaciones; quirófano *m*; '**~bau** *m* (-*es*; -*ten*) gran salón *m*; '**~diener** *m* ujier *m*; '**~tür** *f* puerta *f* de la sala.
Saar *Geogr. f*: die ~ *Fluß*: el (río) Sarre; '**~becken** *n* cuenca *f* del Sarre; ~'**brücken** *n* Sarrebruck *m*; '**~gebiet** *n*, '**~land** *n* territorio *m* del Sarre.
'**Saat** ⚘ *f* (*Säen*) siembra *f*; (*Same*) simiente *f*, semilla *f*; simientes *f/pl.*, semillas *f/pl.*; (*sprossende Pflanzen*) granos *m/pl.*; die ~ *bestellen* sembrar; **~bestellung** *f* siembra *f*; **~enstand** *m* (-*es*; *0*) estado *m* de los sembrados; **~feld** *n* (-*es*; -*er*) (campo *m*) sembrado *m*; **~gut** *n* (-*es*; *0*), **~korn** *n* (-*es*; ¨*er*) simiente *f*, semilla *f*; simientes *f/pl.*, semillas *f/pl.*; granos *m/pl.*; **~kartoffeln** *f/pl.* patatas *f/pl.* de siembra; **~krähe** *Orn. f* corneja *f* negra; **~zeit** *f* sementera *f*, (tiempo *m* de la) siembra *f*; **~zucht** *f* selección *f* de semillas.
'**Sabbat** *m* (-*s*; -*e*) sábado *m* (de los hebreos); **~ruhe** *f* descanso *m* sabático.
'**Sabber|latz** F *m* (-*es*; ¨*e*) babero *m*, babador *m*; ≈**n** (-*re*) F *v/i.* babear; (*schwatzen*) F parlotear, cotorrear.
'**Säbel** *m* sable *m*; (*Türken*≈) cimitarra *f*; *fig. Pol.* mit dem ~ *rasseln* hacer sonar el sable; adoptar una actitud belicosa; **~beine** *n/pl.* piernas *f/pl.* estevadas; ≈**beinig** *adj.* estevado, patiestevado; **~duell** *n* (-*s*; -*e*) duelo *m* a sable; **~fechten** *n* esgrima *f* de sable; **~griff** *m* (-*es*; -*e*) puño *m* (*od.* empuñadura *f*) del sable; **~hieb** *m* (-*es*; -*e*) sablazo *m*; **~koppel** *n* (-*s*; -) cinturón *m*; **~korb** *m* (-*es*; ¨*e*) cazoleta *f*; ≈**n** *v/t.* (-*le*) sablear; **~quaste** *f* fiador *m* del sable; **~scheide** *f* vaina *f*.
Sa'biner *m*: der *Raub der* ~*innen* el rapto de las Sabinas.
Sabo|'tage [-'tɑːʒə] *f* (*0*) sabotaje *m*; ~'**tageakt** *m* (-*es*; -*e*) acto *m* de sabotaje; ~'**teur** [-'tøːʀ] *m* (-*s*; -*e*) saboteador *m*; ≈'**tieren** (-) *v/t.* sabotear.
Sacha'rin [zaxa-] *n* (-*s*; *0*) sacarina *f*.
'**Sach|ausgaben** *f/pl.* gastos *m/pl.* materiales; **~be·arbeiter(in** *f*) *m* encargado (-a *f*) *m* de despacho; **~berater** *m* asesor *m* técnico; **~beschädigung** *f* daños *m/pl.* materiales; **~bezüge** *m/pl.* remuneraciones *f/pl.* en especie; **~buch** *n* libro *m* (*od.* obra *f*) de divulgación científica; ≈**dienlich** *adj.* pertinente; oportuno; (*nützlich*) útil; aprovechable; (*entsprechend*) conveniente; apropiado; **~dienlichkeit** *f* (*0*) pertinencia *f*; (*Nützlichkeit*) utilidad *f*.
'**Sache** *f* cosa *f*; (*Gegenstand*) objeto *m*; materia *f*; (*Angelegenheit*) asunto *m*; (*Tat*≈) hecho *m*; (*Fall*) caso *m*; (*Umstand*) circunstancia *f*; *Pol.* causa *f*; (*Ereignis*) suceso *m*; ⚖ causa *f*; pleito *m*; (*Punkt*) punto *m*; ~*n* (*Habseligkeiten*) cosas *f/pl.*; efectos *m/pl.* personales; (*Kleider*) ropa *f*; (*Möbel*) muebles *m/pl.*; (*Gepäck*) equipaje *m*; *die ~ ist entschieden* es cosa decidida; *die ~ ist erledigt* el asunto está resuelto (*od.* arreglado); *es ist ~ der Regierung, zu* (*inf.*) al gobierno corresponde *od.* incumbe (*inf.*); *das ist e-e abgekartete ~* F eso es un pastel; *das ist e-e ~ für sich* eso es cosa aparte; *das ist e-e andere ~* es otra cosa; es (muy) diferente; F eso es otro cantar; *das ist nicht deine ~* eso no es asunto tuyo; *das tut nichts zur ~* eso no hace al caso; *zur ~ kommen* ir al caso; entrar en materia; F ir al grano; *sofort zur ~ kommen* ir derecho al asunto; *zur ~!* ¡vamos al caso!; F ¡al grano!; *das gehört nicht zur ~* eso no hace al caso; *zur ~ beitragen Pol.* contribuir a la causa; *bei der ~ bleiben* atenerse a los hechos; no divagar; *nicht bei der ~ bleiben* divagar; salirse de la cuestión; apartarse del asunto, alejarse de la materia; *ich will wissen, was an der ~ ist* quiero saber lo que haya de cierto en el asunto; *ganz bei der ~ sein* estar muy atento a a/c.; *weitS.* estar dedicado de lleno a a/c.; *nicht bei der ~ sein* no prestar atención; estar distraído, F estar en las batuecas; *für e-e gute ~ kämpfen* luchar por una buena causa; *die ~ liegt so* la cosa es así; esto es lo que pasa; *so wie die ~ steht* tal como están las cosas; en estas circunstancias; *es ist keine große ~* no tiene importancia; no es gran cosa; *s-e ~ verstehen* saber lo que se tiene entre manos; conocer su oficio; et. *von der ~ verstehen* ser del oficio; *s-r ~ sicher sein* estar seguro de a/c.; *gemeinsame ~ machen mit* hacer causa común con; *das ist eine ~!* F ¡eso sí que es bueno!; *in ~n* (*gen.*) en materia de; en punto a; ⚖ *in ~n A gegen B* en la causa A contra B; *mach doch keine ~n!* F ¡déjate de tonterías!; *s-e ~n packen* F hacer la maleta; F liar los bártulos; *Auto. mit 100 ~n* a cien kilómetros por hora.
'**Sach...:** **~einlage** † *f* aportación *f* en especie; **~enrecht** ⚖ *n* (-*es*; *0*) derecho *m* de cosas; **~entschädigung** *f* indemnización *f* en especie; **~entscheidung** ⚖ *f* decisión *f* sobre el fondo real; **~erklärung** *f* explicación *f* de los hechos; ⚖ definición *f* real; **~gebiet** *n* (-*es*; -*e*) materia *f*; campo *m*; ≈**gemäß** *adj.* conforme a los hechos; (*angemessen*) apropiado; (*zur Sache gehörig*) pertinente; **~katalog** *m* (-*es*; -*e*) catálogo *m* de materias; **~kenner** *m* conocedor *m*; experto *m*, perito *m*, técnico *m* (en la materia); **~kenntnis** *f* (-; -*se*), **~kunde** *f* (*0*) conocimiento *m* de las cosas; (*technische*) pericia *f*; conocimientos *m/pl.* especiales *bzw.* técnicos *bzw.* profesionales; competencia *f*; *mit ~* con conocimiento de causa; ≈**kundig** *adj.* experto, técnico, perito; versado; competente; **~kundige(r)** *m* → *Sachkenner*; **~lage** *f* estado *m* de cosas; circunstancias *f/pl.*; situación *f*; *bei dieser ~* en estas circunstancias; **~leistung** *f* prestación *f* en especie; pago *m* en especie.
'**sachlich** *adj.* (*objektiv*) objetivo; (*die Ausführung betreffend*) material; (*auf Tatsachen beruhend*; *nüchtern*) positivo; (*praktisch*) práctico; (*realistisch*) realista; (*technisch*) técnico; (*unparteiisch*) imparcial.
'**sächlich** *Gr. adj.* neutro.
'**Sachlichkeit** *f* (*0*) (*Objektivität*) objetividad *f*; *auf Tatsachen beruhend*: carácter *m* positivo; *Phil.* positivismo *m*; (*Realismus*) realismo *m*; *auf die Anwendung zielend*: sentido *m* práctico; *sachliches Zutreffen*: pertinencia *f*; (*Unparteilichkeit*) imparcialidad *f*; die neue ~ el Neorrealismo.
'**Sach...:** **~register** *n* índice *m* (*od.* tabla *f*) de materias; **~schaden** *m* (-*s*; ¨) daño(s) *m*(*pl.*) material(es).
'**Sachse** ['zaksə] *m* (-*n*) sajón *m*.
'**Sachsen** *Geogr. n* Sajonia *f*.
'**Sächs|in** *f* sajona *f*; ≈**isch** *adj.* sajón, de Sajonia.
'**Sachspende** *f* donativo *m* en especie.
'**sacht(e)** *adv.* (*allmählich*) poco a poco; (*vorsichtig*) con cuidado; con tiento; F pasito a paso; (*langsam*) despacio; (*immer*) ~! (*nicht so stürmisch!*) ¡alto ahí!; ¡poco a poco!; ¡vamos por partes!; (*Vorsicht!*) ¡cuidado!; (*Ruhe!*) ¡silencio!
'**Sach...:** **~verhalt** *m* (-*es*; -*e*) hechos *m/pl.*; estado *m* de cosas; circunstancias *f/pl.*; den ~ *klarlegen* exponer los hechos; ≈**verständig** *adj.* → *sachkundig*; **~verständigen·ausschuß** *m* (-*sses*; ¨*sse*) co-

misión *f* de expertos; **~verständigenbericht** *m* (*-es*; *-e*), **~verständigengutachten** *n* informe *m* pericial; **~verständigenschätzung** *f* tasación *f* pericial; **~verständige(r)** *m* experto *m*, perito *m*, técnico *m*; especialista *m* (en la materia); *vereidigter* ~ perito jurado; **~verzeichnis** *n* (*-ses*; *-se*) índice *m* (*od.* tabla *f*) de materias; ✝ inventario *m*; **~walter** ⚖ *m* (*plädierender Anwalt*; *Verteidiger*) abogado *m*; (*nicht plädierender Anwalt*) procurador *m*; (*Verwalter*) administrador *m* de bienes; (*Treuhänder*) agente *m* fiduciario; **~wert** *m* (*-es*; *-e*) valor *m* real; ~e *pl.* bienes *m/pl.* reales; **~wörterbuch** *n* (*-es*; *⸚er*) enciclopedia *f*; diccionario *m* enciclopédico.

Sack *m* (*-es*; *⸚e*) saco *m* (*a. Anat.*); *großer*: costal *m*; talego *m*; (*Leinwand*2) talega *f*, *großer*: saca *f*; (*Tasche*) bolsillo *m*; (*Geldbeutel*) bolsa *f*; *mit ~ und Pack* con toda la impedimenta; con armas y bagajes; con toda su familia; *mit ~ und Pack abziehen* F liar los bártulos; P *voll wie ein ~ sein* estar borracho perdido; F *wie ein ~ schlafen* dormir como un tronco; *fig.* → *Katze*; *fig. j-n in den ~ stecken* meterse a alg. en el bolsillo; **~bahnhof** *m* estación *f* terminal.

'**Säckel** *m* (*Geldbörse*) bolsa *f*.

'**sacken 1.** *v/t. Korn, Mehl usw.*: ensacar, meter en sacos *m/pl.*; **2.** *v/i.* (*sinken*) hundirse; *Kleider*: hacer bolsas, bolsear.

'**Sack...**: **2förmig** *adj.* en forma de saco (*od.* de bolsa); abolsado; **~füllmaschine** *f* ensacadora *f*; **~gasse** *f* callejón *m* sin salida (*a. fig.*); *sich in e-r ~ befinden fig.* estar en un callejón sin salida; estar en un atolladero; **~hüpfen** *n* carreras *f/pl.* en sacos; **~kleid** *n* (*-es*; *-er*) vestido *m* en forma de saco; **~leinen** *n* (*-s*; *0*), **~leinwand** *f* (*0*) (h)arpillera *f*; **2leinen** *adj.* de (h)arpillera; **~voll** *m*: *ein ~* un saco de; una bolsa de; una talegada de.

Sa'dis|mus *m* (*-*; *0*) sadismo *m*; **~t** *m* (*-en*) sadista *m*; **2tisch** *adj.* sádico.

'**säen** ['zɛːən] **I.** *v/t. u. v/i.* sembrar; **II.** 2 *n* siembra *f*.

'**Säer** *m* sembrador *m*; **~in** *f* sembradora *f*.

Sa'fari *f* safari *m*; *Foto*2 safari *m* fotográfico.

'**Safe** [seːf] *m/n* (*-s*; *-s*) caja *f* fuerte; caja *f* de caudales.

'**Saffian** [-ĭɑː-] *m* (*-s*; *0*) tafilete *m*; **~einband** *m* (*-es*; *⸚e*) encuadernación *f* en tafilete.

'**Safran** *m* (*-s*; *-e*) azafrán *m*; *mit ~ färben* azafranar; **2gelb** *adj.* azafranado, color (de) azafrán.

'**Saft** *m* (*-es*; *⸚e*) jugo *m*; *der Pflanzen*: savia *f*; (*Frucht*2) zumo *m*, *eingedickter*: jarabe *m*; (*Braten*2) jugo *m*; *Physiol. Säfte pl. im Körper*: humores *m/pl.*; (*Magen*2) jugo *m* gástrico; *fig.* (*Kraft*) fuerza *f*; energía *f*; *weder ~ noch Kraft haben Kochk.*: no tener sabor, ser insípido; *Person*: no tener fuerzas; **~grün** *n* (*-s*; *0*) verde *m* vegetal; **2ig** *adj.* jugoso; lleno de jugo *bzw.* de savia; (*nahrhaft*) suculento, su(b)stancioso; *fig.* (*schlüpfrig*) picante; verde; sicalíptico; (*unanständig*) indecente; (*kraftvoll*) fuerte; ~e *Niederlage* derrota aplastante; ~e *Ohrfeige* sonora bofetada; **~igkeit** *f* (*0*) jugosidad *f*; abundancia *f* de jugo; *fig.* verdura *f*; obscenidad *f*; (*Unanständigkeit*) indecencia *f*; **2leer** *adj.*, **2los** *adj.* sin jugo; sin savia; (*ausgedorrt*) seco; *fig.* insípido, sin sabor; **~losigkeit** *f* (*0*) falta *f* de jugo *bzw.* de savia; insipidez *f*.

'**Sage** *f* leyenda *f*; mito *m*; fábula *f*; (*Überlieferung*) tradición *f*; *fig. es geht die ~* (*Gerüchte*) corren rumores de que; se dice que.

'**Säge** *f* (*Tischler*2) sierra *f*; (*Hand*2) serrucho *m*; (*Kreis*2) sierra *f* circular; **~blatt** *n* (*-es*; *⸚er*) hoja *f* de sierra; **~bock** *m* (*-es*; *⸚e*) tijera *f*; ⊕ caballete *m* de aserrador; **~fisch** *Ict. m* (*-es*; *-e*) pez *m* sierra; **~maschine** *f* sierra *f* mecánica; **~mehl** *n* (*-es*; *0*) serrín *m*; **~mühle** *f* aserradero *m*.

'**sagen** *v/t. u. v/i.* decir (*über ac.* de); (*bedeuten*) significar; *kein Wort ~* no decir nada; no decir (ni) una palabra; *ohne ein Wort zu ~* sin decir nada; sin decir una palabra; *j-m die Meinung ~* F decir a alg. cuatro verdades; *j-m für et. Dank ~* dar a alg. las gracias por a/c.; *ja* (*nein*) *~* decir que sí (no); *das kann man wohl ~* bien puede decirse eso; F ¡y tanto que es así!; *darf ich auch einmal et. ~?* ¿se me permite decir algo también?; *~ wir 100 Peseten* digamos cien pesetas; *was ich ~ wollte* a propósito; *was wollte ich ~?* ¿qué iba a decir yo?; ¿qué quería decir yo?; *man möchte ~* se diría; *was man auch ~ möge* por más que se diga; dígase lo que se diga; *es ist nicht zu ~* (*es ist unglaublich*) es increíble, (*es ist unerhört*) es inaudito; *er hat hier nichts zu ~* (él) no tiene aquí que dar órdenes a nadie; P (él) no toca aquí ningún pito; *er hat mir nichts zu ~* (él) no es quién para darme órdenes a mí; *das hat nichts zu ~* eso no significa (*od.* no quiere decir) nada; eso no es nada; eso no importa nada; *dagegen ist nichts zu ~* no hay reparo que poner a eso; no hay inconveniente en ello; *haben Sie et. dagegen zu ~?* ¿tiene usted algo que objetar?; ¿tiene usted algo que decir en contra?; *was ~ Sie dazu?* ¿qué le parece a usted?; *~ Sie mal!* ¡diga usted!; *~ Sie ihm, er soll kommen* dígale que venga; *was Sie ~!* ¡no me diga!; ¡qué raro es eso!; *was Sie nicht alles ~!* ¡qué cosas (más raras) dice usted!; *das brauchen Sie mir nicht zu ~, wem ~ Sie das?* ¡a mí me lo va a decir usted!; *Sie können ~, was Sie wollen* puede usted decir lo que quiera; *was wollen Sie damit ~?* ¿qué quiere usted decir con eso?; ¡explíquese usted!; *das will schon et. ~* eso ya es algo; *das will viel ~* eso ya dice mucho; *was noch mehr ~ will* tanto más cuanto que ...; *ich will nichts gesagt haben* no he dicho nada; *damit ist alles gesagt* con eso está dicho todo; *wie gesagt* como ya he dicho; como queda dicho; *gesagt ist gesagt* lo dicho, dicho está; *leicht gesagt!* eso es fácil de decir; *leichter gesagt als getan* es más fácil decirlo que hacerlo; *gesagt, getan* dicho y hecho; *offen gesagt* dicho con franqueza; *beiläufig gesagt* dicho sea de paso; *besser gesagt* mejor dicho; *damit ist nicht gesagt, daß* eso no quiere decir que; *unter uns gesagt* dicho sea entre nosotros; *lassen Sie sich das gesagt sein* téngalo usted por dicho; dése usted por advertido; *sich nichts ~ lassen* no atender a razones; no hacer caso de nadie; *ich habe mir ~ lassen, daß* me han dicho (*od.* contado) que; *es sich nicht zweimal ~ lassen* no dejar que se le diga una cosa dos veces; *was sagten Sie?* ¿cómo decía usted?; *das sagt man nicht* (*Unrichtiges*) eso no se dice así; (*Ungehöriges*) eso no se dice; *wie sagt man auf spanisch?* ¿cómo se dice en español?; *sagt dir das etwas?* ¿no te dice nada eso?; *man sagt, er sei tot* se dice que ha muerto; *wie man sagt* como suele decirse; F como dijo el otro; *nun sage noch e-r* ... y aun hay quien dice ...; *sage und schreibe* (*nicht weniger als*) nada menos que.

'**sägen** *v/t.* (a)serrar.

'**Sagen...**: **2haft** *adj.* legendario; fabuloso; mítico; **~kreis** *m* (*-es*; *-e*) ciclo *m* de leyendas; **~kunde** *f* (*0*) mitología *f*; **~schatz** *m* (*-es*; *0*) tesoro *m* de leyendas.

'**Säge...**: **~späne** *m/pl.* serrín *m*; **~werk** ⊕ *n* (*-es*; *-e*) aserradero *m*; **~zahn** *m* (*-es*; *⸚e*) diente *m* de sierra.

'**Sago** *m* (*-s*; *0*) sagú *m*; **~palme** *f* sagú *m*.

sah *pret. v.* sehen.

Sa'hara *f*: *die* (*Wüste*) ~ el (desierto del) Sahara.

'**Sahn|e** *f* (*0*) crema *f*; nata *f*; **~ebonbon** *m* (*-s*; *-s*) bombón *m* de crema; **~e-eis** *n* (*-es*; *0*) mantecado *m*; **~ekännchen** *n* jarrita *f* para crema; **~ekäse** *m* queso *m* de nata; **2en** *v/t.* desnatar; **2ig** *adj.* mantecoso; cremoso.

Sai'son [zɛ'zɔŋ] *f* (*-*; *-s*) temporada *f*; (*Jahreszeit*) estación *f*; **~arbeit** *f* trabajo *m* de temporada; **~arbeiter** *m* (trabajador *m*) temporero *m*; **~artikel** *m* artículo *m* de temporada; **~ausverkauf** *m* (*-es*; *⸚e*) liquidación *f* de fin de temporada; **~betrieb** *m* (*-es*; *-e*) empresa *f* de temporada; **2mäßig** *adj.* de (la) temporada; **~schlußverkauf** *m* (*-es*; *⸚e*) → *Saisonausverkauf*; **~schwankungen** *f/pl.* fluctuaciones *f/pl.* de la temporada.

'**Saite** *f* ♪ cuerda *f*; ♪ *e-e ~ aufziehen* poner una cuerda; *fig. andere ~n aufziehen* cambiar de tono; **~n-instrument** *n* (*-es*; *-e*) instrumento *m* de cuerda; **~nspiel** *n* (*-es*; *0*) música *f* (de cuerda); son *m* del harpa *bzw.* de la lira; (*Leier*) lira *f*; (*Laute*) laúd *m*; (*Harfe*) harpa *f*.

'**Sakko** *m* (*-s*; *-s*) chaqueta *f*, americana *f*, *Am.* saco *m*; **~anzug** *m* (*-es*; *⸚e*) terno *m*.

sa'kral *adj.* sagrado; sacro.

Sakra'ment *n* (*-es*; *-e*) sacramento *m*.

sakramen'tal *adj.* sacramental.
Sakris'tan *m* (*-s*; *-e*) sacristán *m*.
Sakris'tei *f* sacristía *f*.
Säku'larfeier *f* (*-*; *-n*) (fiesta *f* del) centenario *m*.
säkulari'sier|en (-) *v/t.* secularizar; **2ung** *f* secularización *f*.
'Säkulum *n* (*-s*; *Säkula*) siglo *m*.
Sala'mander *Zoo. m* salamandra *f*.
Sa'lami(wurst) *f* (*-*; *-s* [*-*; *⸗e*]) salchichón *m*.
Sa'lat *m* (*-es*; *-e*) ensalada *f*; (*Kopf2*) lechuga *f*; (*Tomaten2*) ensalada *f* de tomate; (*Gurken2*) ensalada *f* de pepino; *russischer* ∼ ensaladilla rusa; *fig.* F *da haben wir den* ∼! ¡buena la hemos hecho!; ¡nos hemos lucido!; ¡estamos frescos!; ∼**besteck** *n* (*-es*; *-e*) cucharón *m* y tenedor para ensalada; ∼**kopf** *m* (*-es*; *⸗e*) cogollo *m* de lechuga; ∼**schüssel** *f* (*-*; *-n*) ensaladera *f*.
sal'badern (*-re*) *v/i.* charlar; hablar sin substancia; F discursear, perorar; sermonear.
'Salband *n* (*-es*; *⸗er*) *Weberei*: orillo *m*; ⚒ salbanda *f*.
'Salbe *f* ungüento *m*.
Sal'bei ⚘ *m/f* (*-s*; *0*) salvia *f*.
'salben *v/t.* untar (*mit* con; de); (*weihen*) consagrar; ungir; ⚕ friccionar con un ungüento; *e-n Toten*: embalsamar; *zum König* ∼ ungir por rey; *der Gesalbte des Herrn* el Ungido del Señor; 2 *n* → *Salbung*.
'Salb-öl *Rel. n* (*-es*; *0*) los santos óleos; crisma *m/f*.
'Salbung *f* untura *f*; unción *f* (*a. Rel. u. fig.*); ungimiento *m*; (*Weihe*) consagración *f*; **2svoll** *adj.* lleno de unción; con unción (*a. adv.*).
sal'dier|en (-) ✝ *v/t.* saldar (una cuenta); **2en** *n*, **2ung** *f* saldo *m*; liquidación *f*.
'Saldo ✝ *m* (*-s*; *-s*, *Salden*, *Saldi*) saldo *m*; *per* ∼ por saldo; *den* ∼ *auf neue Rechnung vortragen* pasar el saldo a cuenta nueva; ∼ *zu unseren* (*Ihren*) *Gunsten* saldo a nuestro (su) favor; ∼**betrag** *m* (*-es*; *⸗e*) importe *m* del saldo; ∼**guthaben** *n* saldo *m* activo; ∼**rest** *m* (*-es*; *-e*) sobrante *m*; ∼**übertrag** *m* (*-es*; *⸗e*) transporte *m* del saldo a cuenta nueva; ∼**vortrag** *m* (*-es*; *⸗e*) saldo *m* a cuenta nueva; saldo *m* anterior; ∼**wechsel** *m* letra *f* por saldo a cuenta.
'Salier *Hist. m* salio *m*.
Sa'line *f* salina *f*; mina *f* de sal.
'salisch *adj.* sálico; *die* ∼*en Franken* los francos salios; **2es** *Gesetz* la ley sálica.
Sali'zyl ⚗ *n* (*-s*; *0*) salicilo *m*; ∼**präparat** *n* (*-es*; *-e*) salicilato *m*; ∼**säure** *f* (*0*) ácido *m* salicílico; **2saures Salz** *n* salicilato *m*; **2saures Natrium** *n* salicilato *m* sódico.
Salm *m* (*-es*; *-e*) *Ict.* salmón *m*; *fig.* (*Geschwätz*) charla *f* insubstancial; palabrería *f*.
'Salmiak [-mĭak] ⚗ *m* (*-s*; *0*) sal *f* amoníaco; cloruro *m* amónico; ∼**geist** *m* (*-es*; *0*) (solución *f* acuosa de) amoníaco *m*.
'Salomo *m* Salomón *m*; *Bib. die Sprüche* ∼*nis* (el Libro de) los Proverbios; *der Prediger* ∼ el Eclesiastés; *die Weisheit* ∼*nis* (el Libro de) la Sabiduría; *das Hohelied* ∼*nis* el Cantar de los Cantares.
salo'monisch *adj.* salomónico; de Salomón; ∼*es Urteil* juicio de Salomón *od.* salomónico.
Sa'lon [-'lɔŋ] *m* (*-s*; *-s*) salón *m*; ∼ *für Schönheitspflege* salón *m* (*od.* instituto *m*) de belleza; ∼**dame** *f* dama *f* distinguida; **2fähig** *adj.* presentable; admisible en buena sociedad; *Witz usw.*: *nicht* ∼ subido de color; verde; ∼**wagen** 🚃 *m* coche-salón *m*.
sa'lopp *adj.* (*nachlässig*) desaliñado, descuidado (en el vestir); (*schmutzig*) sucio; desastrado.
Sal'peter *m* (*-s*; *0*) salitre *m*, nitro *m*; ⚗ (*Natriumnitrat*) nitrato *m* sódico; ∼**bildung** *f* nitrificación *f*; ∼**erde** *f* (*0*) tierra *f* nitrosa; *in Chile*: caliche *m*; ∼**grube** *f*, ∼**hütte** *f* salitral *m*; *in Chile u. Perú*: salitrera *f*; **2haltig** *adj.*, **2ig** *adj.* salitroso; nitroso; *in Chile*: salitrero; **2sauer** *adj.* nitrado; *salpetersaures Salz* nitrato *m*; ∼**säure** ⚗ *f* (*0*) ácido *m* nítrico; ∼**werk** *n* → *Salpetergrube*.
'Salto mor'tale *m* (*-*; *- u. Salti Mortali*) salto *m* mortal.
Sa'lut ⚔ *m* (*-es*; *-e*) salva *f* (de artillería); ∼ *schießen* hacer salvas de saludo; *gegenseitig*: cambiar salvas.
salu'tieren (-) ⚔ *v/t.* saludar.
Sa'lutschüsse ⚔ *m/pl.* salvas *f/pl.* de saludo.
Salva|'dor *n* El Salvador; ∼**dori'aner** *m* salvadoreño *m*; **2dori'anisch** *adj.* salvadoreño.
'Salve [v] *f* (*Ehren2*) salva *f*; descarga *f* cerrada; ⚓ andanada *f*; e-e ∼ (*ab*)*geben* disparar una salva.
'Salweide ⚘ *f* salguera *f*.
'Salz *n* (*-es*; *-e*) sal *f*; *in* ∼ *legen* salar, poner en sal; (*Koch2*) sal *f* común; ∼**ader** *f* (*-*; *-n*) vena *f* de sal; **2artig** *adj.* salino; ∼**bad** *n* (*-es*; *⸗er*) baño *m* salino; ∼**bergwerk** *n* (*-es*; *-e*) mina *f* de sal; ∼**bildung** ⚗ *f* salificación *f*; ∼**brezel** *f* (*-*; *-n*) rosquilla *f* salada; ∼**brunnen** ⚕ *f/pl.* aguas *f/pl. bzw.* fuentes *f/pl.* salinas; ∼**büchse** *f* salero *m*; **2en** (*-t*) *v/t.* salar; *gesalzen* salado; *fig. gesalzene Preise* precios exorbitantes *od.* escandalosos; ∼**en** *n* (*Ein2*) salazón *m*; ∼**fabrikant** *m* (*-en*) salinero *m*; ∼**faß** *n* (*-sses*; *⸗sser*) recipiente *m* de madera para salazón; *auf dem Tisch*: salero *m*; ∼**fäßchen** *n* salerito *m*; ∼**fisch** *m* (*-es*; *-e*) pescado *m* salado; salazón *f* de pescado; ∼**fleisch** *n* (*-es*; *0*) carne *f* salada; salazón *f* de carne; ∼**gehalt** *m* (*-es*; *-e*) salinidad *f*; contenido *m* de sal; ∼**geschmack** *m* (*-es*; *0*) sabor *m* a sal; ∼**gewinnung** *f* extracción *f* de sal; industria *f* salinera; ∼**grube** *f* mina *f* de sal; salina *f*; ∼**gurke** *f* pepinillo *m* en salmuera; **2haltig** *adj.* salino; salífero; salobre, salobreño; ∼**haltigkeit** *f* (*0*) salinidad *f*; ∼**hering** *m* (*-s*; *-e*) arenque *m* salado; **2ig** *adj.* salado; salino; salobre; ∼**industrie** *f* industria *f* salinera; ∼**kartoffeln** *f/pl.* patatas *f/pl.* cocidas (al vapor); ∼**korn** *n* (*-es*; *⸗er*) grano *m* de sal; ∼**lake** *f* salmuera *f*; **2los** *adj. u. adv.* sin sal; ⚕ ∼*e Diät* régimen desclorurado (*od.* sin sal); ∼**lösung** *f* solución *f* salina; ∼**napf** *m* (*-es*; *⸗e*) (platillo *m* del) salero *m*; ∼**niederschlag** *m* (*-es*; *⸗e*) sedimento *m* salino; ∼**säule** *f Bib.* estatua *f* de sal; ∼**säure** ⚗ *f* (*0*) ácido *m* clorhídrico; ∼**see** *m* (*-s*; *-n*) lago *m* salado; ∼**sieder** *m* salinero *m*; ∼**siede'rei** *f* salina *f*; ∼**sole** *f* agua *f* salina; salmuera *f*; ∼**stange** *f* barrita *f* salada; ∼**steuer** *f* (*-*; *-n*) impuesto *m* sobre la sal; *ehm.* gabela *f*; ∼**wasser** *n* (*-s*; *⸗*) agua *f* salada; agua *f* salobre; ∼**werk** *n* (*-es*; *-e*) salina *f*; mina *f* de sal.
'Sämann *m* (*-es*; *⸗er*) sembrador *m*.
Sama'riter(in *f*) *m* samaritano (-a *f*) *m*; *weitS.* enfermero *m* voluntario (de la Cruz Roja); *der Barmherzige* ∼ *Bib.* el buen samaritano; ∼**dienst** *m* (*-es*; *-e*) servicio *m* (voluntario) de la Cruz Roja.
'Sämaschine *f* (máquina *f*) sembradora *f*.
'Same, ∼**n** *m* (*-ns*; *-n*) ⚘ semilla *f*; (*Saat*) simiente *f*; (*Korn*) grano *m*; (*Blütenstaub*) polen *m*; *v. Menschen u. Tieren*: semen *m*, esperma *m*; *fig.* (*Keim*) germen *m*; *Bib.* (*Nachkommen*) descendientes *m/pl.*; *in* ∼*n schießen* granar.
'Samen...: ∼**behälter** ⚘ *m* pericarpio *m*; ∼**bildung** *Physiol. f* espermatogénesis *f*; ∼**bläs·chen** *Anat. n* vesícula *f* seminal; ∼**drüse** *Anat. f* glándula *f* seminífera, testículo *m*; ∼**erguß** *m* (*-sses*; *⸗sse*) eyaculación *f*; ∼**faden** *Bio. m* (*-s*; *⸗*) espermatozoo *m*; ∼**fluß** ⚕ *m* (*-sses*; *0*) espermatorrea *f*; ∼**gang** *Anat. m* (*-es*; *⸗e*) conducto *m* (*od.* canal *m*) deferente; ∼**gehäuse** ⚘ *n* → *Samenbehälter*; ∼**handel** *m*, ∼**handlung** *f* comercio *m* de granos y semillas; ∼**händler** *m* comerciante *m* en granos y semillas; ∼**kapsel** ⚘ *f* (*-*; *-n*) cápsula *f*, envoltura *f* de la semilla; pericarpio *m*; ∼**korn** ⚘ *n* (*-es*; *⸗er*) grano *m*; ∼**leiter** *Anat. m* → *Samengang*; ∼**staub** ⚘ *m* (*-es*; *0*) polen *m*; ∼**tierchen** *Bio. n* espermatozoide *m*; espermatozoo *m*; **2tragend** *adj.* seminífero; ∼**zelle** *Bio. f* célula *f* espermática; ∼**zwiebel** ⚘ *f* (*-*; *-n*) bulbo *m*.
Säme'rei *f* semillas *f/pl.*; granos *m/pl.*
'sämig *adj.* espeso.
'sämisch *adj.* agamuzado; ∼ *gerben* agamuzar; **2gerber** *m* agamuzador *m*; **2gerbe'rei** *f* curtimiento *m*; (*Geschäft*) curtiduría *f* de pieles; **2leder** *n* (piel *f* de) gamuza *f*; ante *m*.
'Sämling ⚘ *m* (*-s*; *-e*) arbolillo *m* (nacido de semilla).
'Sammel|aktion *f* colecta *f* de fondos; *für Material*: campaña *f* de recuperación de materiales; ∼**band** *m* (*-es*; *⸗e*) colección *f* en un volumen; volumen *m* mixto; ∼**becken** *n* depósito *m* (colector); (*Stauanlage*) embalse *m*, pantano *m*; (*Behälter*) receptáculo *m* (*a. fig.*); ∼**begriff** *m* (*-es*; *-e*) concepto *m* colectivo; ∼**behälter** *m* depósito *m* (colector); receptáculo *m*; tanque *m*; ∼**bestellung** ✝ *f* pedido *m* colectivo; ∼**bezeichnung** *f* nombre *m* colectivo; ∼**büchse** *f* caja *f* para colectas; (*Sparbüchse*) hucha *f*, alcancía *f*; *in der Kirche*: cepillo *m*; ∼**depot** ✝ *n* (*-s*; *-s*) depósito *m* colectivo; ∼**fahrschein** *m* (*-es*; *-e*) billete *m* colectivo; ∼**güter** *n/pl.* envío *m* colectivo;

consignación *f* global; **~kasse** *f in e-m Warenhaus*: caja *f* central; **~konto** *n* (*-s*; *-konten*) cuenta *f* colectiva; **~ladung** *f* cargamento *m* colectivo; carga *f* general *od.* colectiva; consignación *f* global; ⚓ embarques *m/pl.* combinados; **~lager** *n* lugar *m* de concentración; **~linse** *f* lente *f* convergente; **~liste** *f* lista *f* de suscripción; **~mappe** *f* carpeta *f*.

'sammeln (*-le*) **I. 1.** *v/t.* reunir; (*ein~*) recoger; *Ernte*: recolectar, cosechar; *Ähren*: espigar; *Opt.* (*Strahlen*) concentrar; (*vereinigen*) reunir, juntar; (*anhäufen*) acumular; apilar; amontonar; *in Gruppen*: agrupar; *aus Werken*: compilar; *Gesetze*: recopilar; *Briefmarken, Münzen usw.*: coleccionar; *Reichtümer*: acumular, atesorar; *Erfahrungen*: adquirir; *Pflanzen ~* herborizar; ⚔ *zerstreute Truppen*: reunir; **2.** *v/refl.*: *sich ~* reunirse, juntarse; congregarse; *in Gruppen*: agruparse; *Strahlen*: converger; (*sich anhäufen*) acumularse; apilarse; amontonarse; ⚔ (*sich anstellen*) formar; *fig.* (*geistig*) recogerse; concentrarse, reconcentrarse, *nach e-m Schrecken*: reponerse; **3.** *v/i.* postular, hacer una colecta (*od.* cuestación); colectar, recaudar; **II.** ℒ *n* reunión *f*; acopio *m*; (*Einernten*) recolección *f*; (*Anhäufen*) acumulación *f*; apilamiento *m*; amontonamiento *m*; *aus Werken*: compilación *f*; *zu wohltätigen Zwecken*: cuestación *f*; colecta *f*, postulación *f*; ⚔ *~!* ¡formar!

'Sammel...: **~name** *m* (*-ns*; *-n*) nombre *m* colectivo; **~nummer** *Tele. f* (*-*; *-n*) número *m* colectivo; centralilla *f*; **~paß** *m* (*-sses*; *⸚sse*) pasaporte *m* colectivo; **~platz** *m* (*-es*; *⸚e*), **~punkt** *m* (*-ęs*; *-e*) lugar *m* (*od.* punto *m*) de reunión; (*verabredeter*) lugar *m* de la cita; ⚔ lugar *m* de concentración; *für Güter*: depósito *m* central; **~sendung** † *f* envío *m* colectivo; cargamento *m* colectivo; **~stelle** *f* † depósito *m* central (*od.* general); *für Flüchtlinge usw.*: lugar *m* de concentración; **~'surium** *n* (*-s*; *-surien*) mezcolanza *f*; (*Durcheinander*) revoltijo *m*, F *fig.* cajón *m* de sastre; **~transport** *m* (*-ęs*; *-e*) transporte *m* colectivo; **~visum** *n* (*-s*; *-visa*) visado *m* colectivo.

'Sammet *m* (*-s*; *0*) → *Samt*.

'Sammler *m v. Briefmarken, Münzen usw.*: coleccionista *m*; (*Geld*ℒ) postulante *m*; *v. Beträgen*: recaudador *m*; ⊕ colector *m*; ⚡ acumulador *m*; **~in** *f* coleccionista *f*.

'Sammlung *f* (*das Sammeln*) recolección *f*; acopio *m*; *v. Geldern*: recaudación *f*; *v. Briefmarken, Münzen usw.*: colección *f*; *v. Bildern*: galería *f*; (*Museum*) museo *m*; *v. Gedichten*: antología *f*; *v. Lesestücken*: crestomatía *f*; (*Blütenlese*) selección *f*; (*Schallplatten*) discoteca *f*; *fig.* (*innere*) recogimiento *m*; (*Aufmerksamkeit*) concentración *f*; → *Sammeln*; *e-e ~ durchführen* hacer una cuestación (*od.* una colecta); *e-e ~ von et. anlegen* coleccionar a/c.

Samo'je|de *m* (*-n*) samoyedo *m*; **~din** *f* samoyeda *f*.

Samo'war *m* (*-s*; *-e*) samovar *m*, tetera *f* rusa.

'Sams·tag *m* (*-ęs*; *-e*) sábado *m*; ℒ*s* (todos) los sábados.

samt I. *adv.* juntamente; todos juntos; *~ und sonders* (todos) sin excepción; absolutamente todos; **II.** *prp.* (*dat.*) con; acompañado de, en compañía de; incluso; junto con.

'Samt *m* (*-ęs*; *-e*) terciopelo *m*; (*Woll*ℒ) felpa *f*; ℒ**artig** *adj.* aterciopelado; afelpado; **~band** *n* (*-ęs*; *⸚er*) cinta *f* de terciopelo; ℒ**en** *adj.* de terciopelo (*a. fig.*); **~glanz** *m* (*-es*; *0*) brillo *m* aterciopelado; ℒ**glänzend** *adj.* de terciopelo; aterciopelado; **~handschuh** *m* (*-ęs*; *-e*) guante *m* de terciopelo; *fig. j-n mit ~en anfassen* tratar con sumo tacto a alg.; **~kleid** *n* (*-ęs*; *-er*) vestido *m* de terciopelo.

'sämtlich I. *adj.* todo; entero; (*vollständig*) completo; *~e Werke* obras completas; **II.** *adv.* todos; todos juntos; en conjunto.

'Samt...: **~maske** *f* antifaz *m* de terciopelo; **~pfötchen** *fig. n* patita *f* de terciopelo; *~ machen* retraer (*od.* esconder) las uñas; ℒ**weich** *adj.* aterciopelado; suave como el terciopelo.

'Samum *m* (*-s*; *-s*, *-e*) simún *m*.

Sana'torium *n* (*-s*; *Sanatorien*) sanatorio *m*.

Sand *m* (*-ęs*; *-e*) arena *f*; (*Gallen*ℒ) ⚕ arenilla *f* biliar; (*Nierengries*) ⚕ arenilla *f* renal; *mit ~ bedecken* (*od. zuschütten*) cubrir de arena; *mit ~ bestreuen* enarenar; ⚓ *auf ~ geraten* encallar; ⚓ *auf den ~ setzen* varar (en la playa); *fig. j-m ~ in die Augen streuen* deslumbrar a alg.; engañar a alg. con falsas apariencias; embaucar a alg.; *fig. auf ~ bauen* edificar sobre arena; *fig. sich im ~e verlaufen* fracasar; resultar estéril; quedar en nada; *zahllos wie ~ am Meer* a montones; a porrillo.

San'dale *f* sandalia *f*.

'Sand...: **~bahn** *f* pista *f* de arena; **~bank** ⚓ *f* (*-*; *⸚e*) banco *m* de arena; **~blatt** *n* (*-ęs*; *⸚er*) *Zigarre*: hoja *f* envolvente; **~boden** *m* (*-s*; *⸚*) terreno *m* arenoso *od.* arenisco; **~büchse** *f* salvadera *f*; **~burg** *f* castillo *m* de arena.

'Sandelholz *n* (*-es*; *0*) madera *f* de sándalo.

'Sand...: ℒ**farben** *adj.* color de arena; **~filter** *m* filtro *m* de arena; **~fläche** *f* planicie *f* arenosa; **~floh** *Zoo. m* (*-ęs*; *⸚e*) nigua *f*; **~form** *f* (*Spielzeug*) molde *m* de arena; **~grieß** *m* arena *f* gruesa; **~grube** *f* mina *f* de arena; **~grund** *m* fondo *m* de arena; **~guß** ⊕ *m* (*-sses*; *⸚sse*) fundición *f* en (molde de) arena; **~hase** *m* (*-n*) *beim Kegeln*: pifia *f*; **~haufen** *m* montón *m* de arena; **~hügel** *m* colina *f* de arena; (*Düne*) duna *f*; ℒ**ig** *adj.* arenoso; (*Gestein*) arenisco; (*sandhaltig*) arenífero; **~kasten** *m* (*-s*; *⸚*) 🚂 arenero *m*; (*für Kinder*) cuadro *m* de arena; **~korn** *n* (*-ęs*; *⸚er*) grano *m* de arena; **~kuchen** *m* polvorón *m*; **~mann** *Poes. m* (*-ęs*; *0*) espíritu *m* del sueño; **~meer** *n* mar *m* de arena; **~papier** *n* (*-ęs*; *-e*) papel *m* de lija (*od.* de esmeril); **~sack** *m* (*-ęs*; *⸚e*) saco *m* de arena; **~schicht** *f* capa *f* de arena; **~stein** *m* (*-ęs*; *-e*) piedra *f* arenisca; (*Töpfererde*) gres *m*; (*für Schleifsteine*) asperón *m*; **~steinbruch** *m* (*-ęs*; *⸚e*) cantera *f* de piedra arenisca; **~strahl** ⊕ *m* (*-ęs*; *-en*) chorro *m* de arena; **~strahlgebläse** ⊕ *n* soplador *m* de chorro de arena; **~streugerät** *n* (*-ęs*; *⸚e*) esparcidor *m* de arena; **~sturm** *m* (*-ęs*; *⸚e*) vendaval *m* de arena.

'sandte *pret. v. senden*.

'Sand...: **~torte** *f* tarta *f* seca muy disgregable; bizcocho *m* de Saboya; **~uhr** *f* reloj *m* de arena; **~weg** *m* camino *m* arenoso; **~wüste** *f* desierto *m* de arena.

sanft (*-est*) *adj.* suave; (*gutmütig*) bondadoso; bueno; (*mild*) dulce; (*zart*) delicado; tierno; (*freundlich*) amable; afable; (*friedlich*) apacible; (*zahm*) manso; (*ruhig*) tranquilo; (*leicht*) ligero; (*weich*) blando; *ruhe ~* descanse en paz.

'Sänfte *f* (*Tragstuhl*) silla *f* de manos; *Hist.* litera *f*; (*Tragbahre*) angarillas *f/pl.*; (*Traggestell*) andas *f/pl.*; **~nträger** *m* portador *m* de silla de manos.

'Sanft...: **~heit** *f* (*0*) suavidad *f*; blandura *f*; **~mut** *f* (*0*) bondad *f*; dulzura *f*; afabilidad *f*; mansedumbre *f*; ℒ**mütig** *adj.* dulce; (*gutmütig*) bondadoso; bueno; manso.

sang *pret. v. singen*.

Sang *m*: *mit ~ und Klang* cantando y tocando; *fig.* a toda orquesta; con bombo y platillos; con mucho aparato; ⚔ a tambor batiente (*a. fig.*); *ohne ~ und Klang fig.* sin ceremonia; sin ostentación (*od.* aparato); ℒ*- und klanglos fig.* cabizbajo; F con las orejas gachas; sin pena ni gloria; (*heimlich*) a cencerros tapados.

'Sänger *m* cantor *m*; (*Opern*ℒ; *Konzert*ℒ) cantante *m* de ópera *bzw.* de concierto; *volkstümlich*: cantador *m*; (*Kantor*) chantre *m*; (*Dichter*) poeta *m*, vate *m*; *Liter.* bardo *m*; cantor *m*; (*Minne*ℒ) trovador *m*; *im Kabarett usw.*: vocalista *m*; **~in** *f* cantora *f*; *Thea.* cantante *f*; cantatriz *f*; *volkstümlich*: cantadora *f*; (*Dichterin*) poetisa *f*; *im Kabarett usw.*: vocalista *f*; **~bund** *m* (*-ęs*; *⸚e*) asociación *f* de grupos corales; **~chor** *m* (*-ęs*; *-chöre*) orfeón *m*; masa *f* coral; coro *m*; **~fest** *n* (*-es*; *-e*) festival *m* lírico; concurso *m* de orfeones; **~krieg** *m* (*-ęs*; *-e*) certamen *m* lírico.

'sangeslustig *adj.* cantarín.

Sangu'in|iker [zaŋgu·'i:nɪ-] *m* hombre *m* de temperamento sanguíneo; ℒ**isch** *adj.* sanguíneo.

sa'nier|en (*-*) *v/t.* sanear; † *a.* reorganizar; (*stabilisieren*) estabilizar; (*wiederherstellen*) reajustar; ℒ**en** *n*, ℒ**ung** *f* saneamiento *m*; † *a.* reorganización *f*; estabilización *f*; reajuste *m*; ℒ**ungsmaßnahme** *f* medida *f* de saneamiento; ℒ**ungs-plan** *m* (*-ęs*; *⸚e*) plan *m* de saneamiento; ℒ**ungs-programm** *n* (*-s*; *-e*) programa *m* de saneamiento.

sani'tär *adj.* sanitario.

Sani'täter *m* enfermero *m* (de la Cruz Roja); ⚔ sanitario *m*.

Sani'täts|artikel *m/pl.* artículos *m/pl.* sanitarios; **~auto** *n (-s; -s)* ambulancia *f*; **~behörde** *f Span.* Inspección *f* de Sanidad; **~dienst** *m (-es; -e)* servicio *m* sanitario; **~einheit** *f* unidad *f* sanitaria; **~flugzeug** *n (-es; -e)* avión *m* ambulancia; **~kasten** *m (-s; ⸗)* botiquín *m*; *(Verbandskasten)* botiquín *m* de urgencia; **~kolonne** *f* columna *f* de sanidad; **~kompanie** *f* compañía *f* de sanidad; **~korps** ⚔ *n (-; -)* cuerpo *m* de sanidad militar; **~offizier** ⚔ *m (-s; -e)* oficial *m* médico; oficial *m* de sanidad militar; **~unterstand** *m (-es; ⸗e)* puesto *m* sanitario de socorro; **~wache** *f* casa *f* de socorro; clínica *f* de urgencia; *bsd. Am.* asistencia *f* pública; **~wagen** *m* (coche *m*) ambulancia *f*; **~wesen** *n (-s; 0)* sanidad *f*; higiene *f* pública; servicios *m/pl.* de sanidad; ⚔ sanidad *f* militar; **~zug** *m (-es; ⸗e)* tren *m* ambulancia.

sank *pret. v. sinken.*

Sankt *adj. vor Eigennamen*: San *m*, Santa *f*; *vor Tomás, Toribio u. Domingo*: Santo.

Sankti'on *f* sanción *f*; **~s-politik** *f (0)* política *f* de sanciones.

sanktio'nier|en (-) *v/t.* sancionar; **2en** *n*, **2ung** *f* sanción *f*.

'San Ma'rino *n*: *Republik* ~ República *f* de San Marino.

sann *pret. v. sinnen.*

'Sansibar *n* Zanzíbar *m*.

'Sanskrit *n (-s; 0)* sánscrito *m*.

'Saphir ['zaːfiːʀ] *m (-s; -e)* zafiro *m*.

sapper|'lot!, **~'ment!** *int.* ¡caramba!; ¡caracoles!; *(wütend)* V ¡rediós!, ¡recristo!

'Sapph|o *f* Safo *m*; **2isch** *adj.* sáfico.

Sara'bande *f* zarabanda *f*.

Sara'ze|ne *m (-n)* sarraceno *m*; **2nisch** *adj.* sarraceno.

Sar'delle *f (Anchovis)* anchoa *f*; **~npaste** *f* pasta *f* de anchoas.

Sar'dine *f* sardina *f (in Öl* en aceite; *gebackene* frita; *marinierte* en escabeche); **~nfischer** *m* sardinero *m*, pescador *m* de sardinas.

Sar'din|ien *n* Cerdeña *f*; **~ier** *m* sardo *m*; **~ierin** *f* sarda *f*; **2isch** *adj.* sardo, de Cerdeña.

sar'donisch *adj.* sardónico.

'Sarg *m (-es; ⸗e)* ataúd *m*, féretro *m*, caja *f*; *in den ~ legen* poner en el ataúd; **~deckel** *m* tapa *f* del ataúd; **~geschäft** *n (-es; -e)* establecimiento *m* de artículos fúnebres; *(Beerdigungsinstitut)* funeraria *f*; pompas *f/pl.* fúnebres; **~tuch** *n (-es; ⸗er)* paño *m* mortuorio.

Sar'kas|mus *m (-; [Sarkasmen])* sarcasmo *m*; **2tisch** *adj.* sarcástico.

Sarko'phag [-'faːk] *m (-s; -e)* sarcófago *m*.

saß *pret. v. sitzen.*

'Satan ['zaːta·n] *m (-s; -e)* Satán *m*, Satanás *m*; Lucifer *m*, Luzbel *m*; el Demonio.

sa'tanisch *adj.* satánico, de Satanás; *(teuflisch)* diabólico.

Satel'lit [-ɛ'liːt] *m (-en)* satélite *m*; *künstlicher ~* satélite artificial; **~enstaat** *Pol. m (-es; -en)* Estado *m* satélite; **~enstadt** *f* ciudad *f* satélite; polígono *m* residencial; urbanización *f*; **~enträgerrakete** *f* cohete *m* porta-satélite.

Sa'tin [-'tɛŋ, -'tɛ̃ː] *m (-s; -s) Stoff*: satén *m*.

sati'nieren (-) **I.** *v/t.* satinar; **II. 2** *n* satinado *m*.

Sa'ti|re *f* sátira *f*; **~riker** *m* poeta *m* satírico; escritor *m* satírico; **2risch** *adj.* satírico.

Satisfakti'on *f* satisfacción *f*.

satt *(-est) adj.* satisfecho; *(a. fig. zufrieden)*; *(völlig ~)* harto *(a. fig. überdrüssig)*; *(gesättigt)* ⚗ saturado, *Farbe*: subido, intenso, *(dunkel)* o(b)scuro; *~ sein* haber comido bastante; estar harto; *~ machen* hartar; saciar; *j-n ~ machen* dar de comer a alg. hasta que se harte; *sich ~ essen* comer hasta la saciedad, saciarse; *(völlig)* hartarse, F atracarse, atiborrarse; darse un atracón; *sich ~ trinken* beber hasta saciar la sed; *fig. (überdrüssig)* et. *~ bekommen* cansarse *(od.* hastiarse) de a/c.; et. *~ haben* estar harto de a/c.; estar cansado *(od.* hastiado) de a/c.; F estar hasta la coronilla *(od.* hasta los topes) de a/c.; *er kann sich daran nicht ~ sehen* no se cansa de contemplar a/c.; no puede apartar la vista de a/c.; **'2dampf** ⊕ *m (-es; ⸗e)* vapor *m* saturado.

'Satte *f* cuenco *m*; tarro *m*.

'Sattel *m (-s; ⸗)* silla *f* (de montar); *(Fahrrad2)* sillín *m*; *(Pack2)* albarda *f*; *Anat.* silla *f* turca; *e-s Berges*: collado *m*; *(Paß)* puerto *m*; desfiladero *m*; ♪ *(Saitenhalter)* puente *m*; ⚠ *(Querholz)* travesaño *m*; *den ~ auflegen (abnehmen)* ensillar (desensillar) el caballo; *sich in den ~ schwingen* subir a caballo; *fig. sich in den ~ setzen* tomar el mando; *fest im ~ sitzen* estar firme sobre los estribos; *fig.* estar en posición bien asegurada; ser dueño de la situación; *fig. nicht fest im ~ sitzen* estar con un pie en el aire; *ohne ~ reiten* montar en pelo; *j-n aus dem ~ heben* desarzonar a alg.; desmontar *od.* descabalgar a alg.; *fig.* suplantar a alg.; *in allen Sätteln gerecht sein* ser hábil para todo; **~baum** *m (-es; ⸗e)*, **~bogen** *m (-s; ⸗)* arzón *m*; **~dach** *n (-es; ⸗er)* tejado *m* de dos vertientes; **~decke** *f* manta *f* de silla de montar; **2fest** *adj.* firme en la silla; *fig. in* et. *(dat.) ~ sein* ser versado en a/c.; **~gurt** *m (-es; -e)* cincha *f*; **~kissen** *n* almohadilla *f* (para silla de montar); **~knopf** *m (-es; ⸗e)* perilla *f* del arzón; **2n** *(-le) v/t.* ensillar; *Packtier*: enalbardar; **~nase** *Anat. f* nariz *f* en (forma de) silla de montar; **~pferd** *n (-es; -e)* caballo *m* de silla; **~pistole** *f* pistola *f* de arzón; **~schlepper** *m* semi-remolque *m*; **~tasche** *f* alforjas *f/pl.*; **~zeug** *n (-es; 0)* arreos *m/pl.*; montura *f*.

'Sattheit *f (0)* saciedad *f*; *von Farben*: riqueza *f*; intensidad *f*.

'sättig|en *v/t. den Hunger*: saciar; satisfacer; *(völlig)* hartar; ⚗ saturar; *(durchtränken)* impregnar *(mit* de); *fig.* satisfacer, contentar; *sich ~ (Hungriger)* hartarse; ⚗ *(Flüssigkeit)* saturarse; **~end** *adj.* que sacia; nutritivo; **2ung** *f* saciedad *f*; hartura *f*; ⚗ saturación *f*; **2ungspunkt** ⚗ *m (-es; -e)* punto *m* de saturación.

'Sattler *m* talabartero *m*; sillero *m*; *(Geschirrmacher)* guarnicionero *m*; **~arbeit** *f* trabajo *m* de talabartería *bzw.* de guarnicionería *f*; **~ei** *f* [-'ʀaɪ] talabartería *f*; guarnicionería *f*; **~meister** *m* maestro *m* talabartero; maestro *m* guarnicionero.

'sattsam *adv.* harto, bastante; suficientemente.

satu'rieren (-) *v/t.* saturar.

Sa'turn *Astr. m* Saturno *m*.

'Satyr [y] *Myt. m (-s, -n; -n, -e)* sátiro *m*.

'Satz *m (-es; ⸗e)* frase *f*; *Gr.* oración *f*; proposición *f (a. Logik u.* ⅍); *(Periode)* periodo *m*; *(Stelle, Zitat)* pasaje *m*; *Phil.* tesis *f*; ⅍ teorema *m*; *Typ.* composición *f*; ajuste *m*; *(Sammlung)* colección *f*; *(v. Werkzeugen, Geschirr, Knöpfen)* juego *m*; *v. Töpfen*: batería *f*; *(Sprung)* salto *m*, brinco *m*; *mit einem ~* de un salto, *trinken*: de un trago; *(Anlauf)* ímpetu *m*; *(Tennis)* serie *f* de jugadas; *(Boden2)* sedimento *m*; poso *m*; ⚗ precipitado *m*; *(Kaffee2)* posos *m/pl.*; *(Ein2) Spiel*: puesta *f*; *(Reihe)* serie *f*; ♪ composición *f*; *(Phrase)* frase *f*; *(Teil e-s Musikstückes)* tiempo *m*; parte *f*; ⚕ tipo *m*; tasa *f*; *(Diskont2)* tipo *m* de descuento; **~analyse** *Gr. f* análisis *m* sintáctico; **~aussage** *Gr. f* predicado *m*, atributo *m* de la oración; **~bau** *Gr. m (-es; 0)*, **~bildung** *f* construcción *f*; **~breite** *Typ. f* justificación *f*; **~fehler** *Typ. m* error *m* de composición; **~gefüge** *Gr. n* periodo *m*; cláusula *f* compuesta; **~gegenstand** *Gr. m (-es; ⸗e)* sujeto *m*; **~lehre** *Gr. f (0)* sintaxis *f*; **~spiegel** *Typ. m* → *Satzbreite*; **~teil** *Gr. m (-es; -e)* parte *f* de la oración.

'Satzung *f (Ordens2, Vereins2)* estatuto *m*; *(Ordnung)* reglamento *m*; *(Gesetz)* ley *f*; *(Vorschrift)* precepto *m*; *(Orden a.)* regla *f*; *(Glaubens2)* dogma *m*; *die ~ ändern* modificar el estatuto *bzw.* el reglamento.

'Satzungs...: ~änderung *f* modificación *f* de los estatutos *bzw.* del reglamento; **2gemäß** *adv.* conforme a los estatutos *bzw.* al reglamento; **2mäßig** *adj.* estatutario; reglamentario; conforme a los estatutos *bzw.* al reglamento; legal; **2widrig** *adj.* contrario a los estatutos; antirreglamentario; ilegal.

'satz|weise *adv. Gr.* frase por frase; *(sprunghaft)* a saltos; **2zeichen** *Gr. n* (signo *m* de) puntuación *f*.

Sau *f (-; ⸗e)* cerda *f*, puerca *f*, marrana *f (alle a. fig.* P); *fig.* P *(schmutziger Mensch)* cerdo *m*, guarro *m*; puerco *m*, marrano *m*; *(Wild2)* jabalina *f*; *fig.* F *das ist unter aller ~* es pésimo *od.* malísimo; peor no puede ser; **'~arbeit** F *f (schwere Arbeit)* trabajo *m* ímprobo; *(Pfuscharbeit)* chapucería *f*.

'sauber I. *adj.* limpio; *bsd. Personen*: *a.* aseado; pulcro; *(hübsch)* bonito; *(sorgfältig)* esmerado; *(anständig)* decente; *iro. ein ~es Früchtchen* una buena alhaja; *Wäsche*: limpio; **II.** *adv.* con mucho aseo; con esmero, esmeradamente; *~ machen* limpiar; *~ abschreiben* copiar en limpio; **2keit** *f (0)* limpieza *f*; aseo *m*; pulcritud *f*; esmero *m*.

'**säuberlich** *adj.* (*reinlich*) limpio; aseado; (*gewissenhaft*) esmerado; (*behutsam*) cuidadoso; → *sauber adv.*
'**säubern** (*-re*) *v/t.* limpiar (von de); *bsd. körperlich*: asear; (*waschen*) lavar; (*freimachen*) librar (von de); *Wunde*: desinfectar; (*klären*) purificar; ⚔ *von Feindresten*: limpiar; *Straße von Demonstranten*: despejar; *Sprache*: depurar; *Pol. fig.* purgar, depurar.
'**Säuberung** *f* limpieza *f*; aseo *m*; **~saktion** *f Pol.* depuración *f*, purga *f*; ⚔ operación *f* de limpieza.
'**Saubohne** ⚘ *f* haba *f* panosa.
'**Saudiarabien** *n* Arabia *f* Saudita.
'**Sauce** ['zo:sə] *f* salsa *f*; **~nlöffel** *m* cuchara *f* para salsa.
Sauci'ere *f* salsera *f*.
'**saudumm** (*0*) P *adj.* tonto de capirote; F zopenco; P gilí.
'**sauer** (*saurer, sauerst*) **I.** *adj.* agrio (*a. Früchte, Wein, Milch*); (*herb*) acre; ⚗ ácido, *leicht*: acidulado; saure Gurken (*kleine*) pepinillos, *große*: pepinos en vinagre; saure Milch leche agria, *dick*: leche cuajada; *fig.* penoso, duro; (*ärgerlich*) fastidioso, molesto; (*mürrisch*) malhumorado; hosco; ~ werden agriarse, ponerse agrio (*a. Wein*); *Milch*: agriarse *bzw.* cuajarse; es sich ~ werden lassen esforzarse duramente; tomarse mucho trabajo para a/c.; ein saures Gesicht machen poner gesto avinagrado; *fig.* in den sauren Apfel beißen F tragar mecha; hacer de tripas corazón; **II.** *adv.* ~ verdienen ganar a costa de mucho bregar; ganar con muchos sudores; ~ machen agriar; ⚗ acidificar, *leicht*: acidular; j-m das Leben ~ machen amargarle la vida a alg.; *fig.* auf et. ~ reagieren tomar a mal a/c.; reaccionar con frialdad (*od.* con indiferencia) a a/c.
'**Sauer...:** **~ampfer** ⚘ *m* acedera *f*; **~braten** *m* estofado *m* con vinagre; **~brunnen** *m* aguas *f/pl.* minerales acídulas.
Saue'rei P *f* cochinada *f*, marranada *f*; porquería *f*.
'**Sauer...:** **~kirsche** *f* guinda *f*; **~klee** ⚘ *m* (*-s*; *0*) acederilla *f*; **~kleesäure** ⚗ *f* (*0*) ácido *m* oxálico; **~kohl** *m* (*-es*; *0*), **~kraut** *n* (*-es*; *0*) col *f* fermentada.
'**säuer|lich** *adj.* agrete; ligeramente ácido; ⚗ acídulo; sub-ácido; **2ling** *m* (*-s*; *-e*) aguas *f/pl.* minerales acídulas; *Wein*: F vino *m* agrete *od.* agrillo.
'**Sauermilch** *f* (*0*) leche *f* agria *bzw.* cuajada.
'**säuern** (*-re*) **I.** *v/t.* agriar, acedar, *schwach*: acidular; *Teig*: leudar, hacer fermentar; ⚗ acidificar; (*oxydieren*) oxidar; **II.** 2 *n* ⚗ acidificación *f*; (*Oxydieren*) oxidación *f*.
'**Sauerstoff** ⚗ *m* (*-es*; *0*) oxígeno *m*; mit ~ verbinden (*od.* anreichern) oxigenar; **~apparat** *m* (*-es*; *-e*) aparato *m* de oxígeno; **~atmungsgerät** *n* (*-es*; *-e*) inhalador *m* de oxígeno; **~aufnahme** *f* absorción *f* de oxígeno; **~behälter** *m*, **~flasche** *f* recipiente *m* de oxígeno; botella *f* de oxígeno; **~gehalt** *m* (*-es*; *0*) contenido *m* de oxígeno; **2haltig** *adj.* oxigenado; oxidado; **~mangel** *m* (*-s*; *0*) falta *f* (*od.* carencia *f*) de oxígeno; ⚕ anoxemia *f*; **~maske** *f* careta *f* respiratoria de oxígeno; **~verbindung** ⚗ *f* óxido *m*; **~zelt** ⚕ *n* cámara *f* de oxígeno.
'**sauer...:** **~süß** *adj.* agridulce; **2teig** *m* (*-es*; *0*) levadura *f*.
'**Säuerung** *f* ⚗ acidificación *f*; (*Oxydierung*) oxidación *f*; **~sgrad** *m* grado *m* de acidez.
'**Sauf|bruder** F *m* (*-s*; *=*) borracho *m*, beodo *m*; F borrachín *m*, borrachuzo *m*, tumbacuartillos *m*; **2en** (*L*) *v/t. u. v/i. Tiere*: beber; P *Menschen*: beber con exceso *m*, abusar del alcohol; F empinar el codo, *fig.* soplar; pimplar; sich voll~ emborracharse; wie ein Loch ~ F beber como un tudesco (*od.* como un cosaco); dem Pferd zu ~ geben dar de beber al caballo; **~en** *n* vicio *m* de la bebida; abuso *m* del alcohol; hábito *m* de emborracharse.
'**Säufer(in** *f*) *m* bebedor(a *f*) *m*; *stärker*: borracho (-a *f*) *m*; → Saufbruder.
Saufe'rei P *f* francachela *f* de bebedores; bacanal *f*.
'**Säufer...:** **~nase** *f* nariz *f* de bebedor; **~stimme** *f* voz *f* aguardentosa; **~wahnsinn** ⚕ *m* (*-es*; *0*) delirium *m* tremens.
'**Saufgelage** P *n* → Sauferei.
'**Saug|apparat** *m* (*-es*; *-e*) aspirador *m*; **~bagger** *m* draga *f* de succión; **2en** *v/t.*, *v/i. u. v/refl.* chupar; F chupetear; *Kinder u. Säugetiere*: mamar; an sich ~ aspirar; in sich ~ absorber; embeber; *fig.* sich et. aus den Fingern ~ inventar a/c.; **~en** *n* succión *f*; (*An2*) aspiración *f*; (*Ein2*) absorción *f*.
'**säugen I.** *v/t. Kind*: amamantar (*ac.*), dar de mamar, dar el pecho a, lactar; criar (*bsd. v. Tieren*); **II.** 2 *n* amamantamiento *m*; lactancia *f*; cría *f*.
'**Sauger** *m* chupador *m*; *für Säuglinge*: chupete *m*; (*Maschine*) aspirador *m*.
'**Säuge...:** **~tier** *Zoo. n* (*-es*; *-e*) mamífero *m*; **~zeit** *f* período *m* de la lactancia.
'**Saug...:** **2fähig** *adj.* absorbente; **~fähigkeit** *f* (*0*) capacidad *f* de absorción; **~ferkel** *n* lechón *m*; **~flasche** *f* biberón *m*; **~heber** *Phys. m* sifón *m*; **~kasten** ⊕ *m* (*-s*; *=*) caja *f* de aspiración; **~kraft** *f* (*0*) fuerza *f* de aspiración; **~leistung** *f* capacidad *f* de aspiración; **~leitung** *f* tubería *f* de aspiración.
'**Säugling** *m* (*-s*; *-e*) lactante *m*, niño *m* de pecho; F mamoncito *m*; bebé *m*.
'**Säuglings...:** **~ausstattung** *f* canastilla *f* (para recién nacido); **~bewahranstalt** *f*, **~heim** *n* (*-es*; *-e*), **~krippe** *f* casa *f* cuna; guardería *f* infantil; *mit Entbindungsanstalt*: casa *f* de maternidad; **~fürsorge** *f* (*0*) protección *f* de los lactantes; **~pflege** *f* (*0*) puericultura *f*; **~pflegerin** *f* puericultora *f*; **~schwester** *f* puericultora *f*; niñera *f*; **~sterblichkeit** *f* (*0*) mortalidad *f* infantil; **~waage** *f* báscula *f* para lactantes; pesaniños *m*.
'**Saug...:** **~napf** *m* (*-es*; *=e*) ventosa *f*; **~pfropfen** *m für Säuglinge*: chupete *m*; **~pumpe** *f* bomba *f* aspirante.
'**saugrob** *adj.* muy grosero.
'**Saug...:** **~rohr** *n* (*-es*; *-e*), **~röhre** *f* tubo *m* de aspiración; **~rüssel** *Zoo. m* trompa *f* (de los insectos); **~ventil** *n* (*-s*; *-e*) válvula *f* de aspiración; **~ventilator** *m* (*-s*; *-en*) ventilador *m* aspirante; **~vorrichtung** *f* dispositivo *m* aspirador; **~windkessel** *m* cámara *f* de aspiración; **~wirkung** *f* efecto *m* de aspiración; **~zug** *m* (*-es*; *=e*) tiro *m* por aspiración.
'**Sau|hatz** *f*, **~hetze** *f*, **~jagd** *f* caza *f* del jabalí; **~hirt(in** *f*) *m* porquerizo (-a *f*) *m*; **2igeln** (*-le*) P *v/i.* decir porquerías *f/pl.*
'**säuisch** *adj. fig.* P puerco, cochino, guarro; sucio; (*ekelhaft*) asqueroso; (*unanständig*) indecente; (*unzüchtig*) obsceno; lascivo.
'**Saukerl** P *m* (*-es*; *-e*) cochino *m*, puerco *m*, guarro *m*, cerdo *m*.
Saul *m* Saúl *m*.
'**Saulache** *f der Wildschweine*: bañadero *m*, revolcadero *m*.
'**Säule** *f* columna *f* (*a. Quecksilber2, Rauch2, Wirbel2, Heeres2*); kleine ~ balaustre *m*; (*Pfeiler*) pilar *m*; soporte *m* (*beide a. fig.*); (*Pfosten*) poste *m*; *Phys.* galvanische (voltaische) ~ pila galvánica (voltaica *od.* de Volta); Atom2 pila *f* atómica.
'**Säulen...:** **~balken** *m* arquitrabe *m*; **2förmig** *adj.* en forma de columna; **~fuß** *m* (*-es*; *=e*) basa *f*; zócalo *m*; **~gang** *m* (*-es*; *=e*) columnata *f*; (*Bogen*) arcada *f*; (*Peristyl*) peristilo *m*; *e-s Klosters*: claustro *m*; **~halle** *f* salón *m* columnario; (*Vorbau*) pórtico *m*; **~heilige(r)** *m* estilita *m*; **~knauf** *m* (*-es*; *=e*), **~k(n)opf** *m* (*-es*; *=e*) capitel *m*; **~ordnung** *f* orden *m* arquitectónico; **~platte** *f* plinto *m*; **~reihe** *f* columnata *f*; peristilo *m*; **~schaft** *m* (*-es*; *=e*) fuste *m*; **~vorhalle** *f* atrio *m*; **~weite** *f* intercolumnio *m*.
Saum *m* (*-es*; *=e*) (*Naht*) costura *f*; (*Umschlag*) pliegue *m*; (*umgelegter Kleider2*) dobladillo *m*; (*Besatz*) ribete *m*; orla *f*; (*Rand*) borde *m*; (*Über2*) reborde *m*; (*Waldes2*) linde *m/f*; (*Ufer2*) orilla *f*, margen *f*; *Astr.* limbo *m*.
'**saumäßig** P **I.** *adj.* muy malo, pésimo; P cochino, de cerdo, puerco; **II.** *adv.* mal; pésimamente; P como un cochino (*od.* cerdo); cochinamente; et. ~ machen chapucear, frangollar, hacer suciamente (*od.* a lo loco) a/c.
'**säumen**[1] *v/t.* (*mit e-m Saum versehen*) orlar, ribetear; hacer un dobladillo; (*mit Spitzen, Girlanden usw.*) festonear; enmarcar.
'**säumen**[2] **I.** *v/i.* (*zögern*) tardar (et. zu tun en hacer a/c.); (*vernachlässigen*) descuidar; (*zaudern*) vacilar; (*sich aufhalten*) detenerse, demorarse; (*spät kommen*) retrasarse; **II.** 2 *n* (*Zögern*) tardanza *f*; vacilación *f*, indecisión *f*; (*Verzug*) retraso *m*; retardo *m*; demora *f*; (*Vernachlässigung*) descuido *m*; (*Langsamkeit*) lentitud *f*; F pachorra *f*.
'**Saum·esel** *m* burro *m* de carga.
'**säumig** *adj.* (*langsam*) lento; tardío; (*schwerfällig*) tardo; (*nachläs-*

sig) descuidado; (*zurückgeblieben*) retrasado, rezagado; (*verspätet*) atrasado; *Schuldner*: moroso; trasnochador; ~ *sein* demorarse; llegar tarde; *ein* ~*er Zahler* un mal pagador.

'Saumnaht *f* (-; ⸚*e*) dobladillo *m*.

'Säumnis *f* (-; -*se*) (*Verzug*) demora *f*, retraso *m*; tardanza *f*; **~zuschlag** *m* (-*es*; ⸚*e*) recargo *m* por demora.

'Saum...: ~pfad *m* (-*es*; -*e*) camino *m* de herradura; **~pferd** *n* (-*es*; -*e*) caballo *m* de carga; **~sattel** *m* (-*s*; ⸚) albarda *f*.

'saumselig *adj*. (*langsam*) lento; (*trödelnd*) remolón; (*nachlässig*) descuidado, negligente; (*gleichgültig*) despreocupado; (*lässig*) indolente; (*zurückgeblieben*) retrasado; *Schuldner*: moroso; **2keit** *f* (*0*) (*Langsamkeit*) lentitud *f*; (*Nachlässigkeit*) descuido *m*, negligencia *f*; (*Gleichgültigkeit*) despreocupación *f*; (*Lässigkeit*) indolencia *f*; (*Verspätung*) retraso *m*, demora *f*; *bei Zahlungen*: morosidad *f*.

'Saum...: ~stich *m* (-*es*; -*e*) punto *m* de festón; **~tier** *n* (-*es*; -*e*) bestia *f* de carga; acémila *f*.

'Sauna *f* sauna *f*.

'Säure *f* acidez *f*; *des Weines, der unreifen Früchte*: agrura *f*, sabor *m* agrio; ⚗ ácido *m*; ⚕ *im Magen*: acidosis *f*; *fig*. acritud *f*; **~bad** *n* (-*es*; ⸚*er*) baño *m* de ácido; **2beständig** *adj*. resistente a los ácidos; **~bestimmung** *f* determinación *f* de la acidez; **2bildend** *adj*. acidificante; **~bildung** *f* acidificación *f*; **2empfindlich** *adj*. sensible a los ácidos; **2fest** *adj*. resistente a los ácidos; **2frei** *adj*. exento (*od*. libre) de ácido.

'Säuregehalt *m* (-*es*; -*e*) acidez *f*.

Saure'gurkenzeit F *fig*. *f* época *f* veraniega de calma comercial.

'Säure...: 2haltig *adj*. acidífero; (*leicht* ~) acídulo; **2löslich** *adj*. soluble en los ácidos; **~messer** *m* acidímetro *m*.

'Saure(s) *n*: F *j-m* ~*s geben* (*e-e Tracht Prügel*) propinar a alg. una paliza; (*j-m s-e Meinung sagen*) cantarle a alg. las cuarenta.

'Säure...: ~schutzfett *n* (-*es*; -*e*) grasa *f* protectora contra ácidos; **2widrig** *adj*. antiácido.

'Saurier [-ĭɐ] *Zoo*. *m* saurio *m*.

Saus *m* (-*es*; *0*): *in* ~ *und Braus leben* vivir a todo tren; vivir a lo loco.

'säuseln (-*le*) **I.** *v/i*. murmurar, susurrar; **II.** 2 *n* murmullo *m*, susurro *m*.

'sausen I. (-*t*; *sn*) *v/i*. zumbar; (*Geschoß, Wind*) silbar; *Auto*: pasar como un bólido; *Pferd*: pasar a galope tendido; **II.** 2 *n* zumbido *m*; *zischendes*: silbido *m*.

'Sausewind *m* (-*es*; -*e*) viento *m* impetuoso; *fig*. F tarambana *m*, saltabardales *m*; cabeza *f* de chorlito.

'Sau...: ~stall *m* (-*es*; ⸚*e*) pocilga *f* (*a*. *fig*.), cochiquera *f*, porqueriza *f*; **~wetter** F *n* tiempo *m* de perros; **~wirtschaft** F *f* (*0*) desbarajuste *m*, caos *m*, *fig*. merienda *f* de negros; **2wohl** F *adv*.: *sich* ~ *fühlen* sentirse muy bien, F sentirse como las diosas; **~wut** *f* (*0*) rabia *f* de mil demonios.

Sa'vanne *f* sabana *f*.

Sa'voy|en *n* Saboya *f*; **2isch** *adj*. saboyano, de Saboya.

Saxo'phon [zakso'fo:n] *n* (-*s*; -*e*) saxófono *m*, saxofón *m*.

'Schabe *Zoo*. *f* (*Küchen*2) cucaracha *f*; (*Motte*) polilla *f*; **~fleisch** *n* (-*es*; *0*) carne *f* cruda muy picada.

'Schab·eisen *n* raspador *m*; rascador *m*.

'Schabemesser *n* ⊕ raspador *m*; ⊕ *u*. *für Wolle*: rascador *m*; raedera *f*; *der Gerber*: chifla *f*.

'schaben *v/t*. raspar; rascar; raer; (*Fleisch*) picar; (*Felle*) chiflar.

'Schaber *m* → *Schabemesser*.

'Schabernack *m* (-*es*; -*e*) (*Streich*) travesura *f*; jugarreta *f*; (*böswillig*) mala pasada; (*lustig*) broma *f*; *j-m e-n* ~ *spielen* darle a alg. una broma; (*böswillig*) jugar una mala pasada a alg.; *aus* ~ por pura broma.

'schäbig *adj*. (*abgetragen*) raído; gastado, muy usado; (*zerlumpt*) andrajoso, desastrado; (*ärmlich*) pobre; (*unansehnlich*) impresentable; (*armselig*) miserable; (*schmutzig*) sórdido; (*geizig*) mezquino, F roñoso; **2keit** *f* (*0*) sordidez *f*; (*Armseligkeit*) pobreza *f*; (*Geiz*) mezquindad *f*.

Scha'blone *f* patrón *m*; (*Zeichen*2) plantilla *f*; (*Mal*2) chapa *f* de estarcir; (*Modell*) modelo *m*; (*Lehre*) calibre *m*; *des Zimmerers*: escantillón *m*; (*Lade*2) 🚂 gálibo *m*; *fig*. patrón *m*; pauta *f*; (*Routine*) rutina *f*; *nach der* ~ *arbeiten* seguir la rutina.

Scha'blonen...: ~drehbank ⊕ *f* (-; ⸚*e*) torno *m* de copiar; **2haft** *adj*. maquinal, automático; rutinario; estereotipado; **~zeichnung** *f* estarcido *m*.

schablo'nieren (-) *v/t*. copiar de un patrón; *Mal*. estarcir; (*Kisten*) rotular.

'Schabmesser *n* → *Schabemesser*.

'Schabsel *n* raspadura *f*.

'Schach *n* (-*s*; *0*) ajedrez *m*; ~ *spielen* jugar al ajedrez; ~ *dem König!* ¡jaque al rey!; *dem König* ~ *bieten* dar jaque al rey; *in* (*od*. *im*) ~ *halten* tener en jaque (*a*. *fig*.); **~aufgabe** *f* problema *m* de ajedrez; **~brett** *n* (-*es*; -*er*) tablero *m* de ajedrez; **2brettartig, 2brettförmig** *adj*. ajedrezado.

'Schacher *m* negocio *m* de bajo vuelo; F cambalache *m*, trapicheo *m*, chalaneo *m*; negocio *m* sucio; (*Feilschen*) regateo *m*; *bsd*. *Pol*. chanchullo *m*.

'Schach|erer *m* chamarilero *m*; (*Wucherer*) usurero *m*; **2ern** (-*re*) *v/i*. chamarilear; cambalachear; chalanear; hacer negocios *m/pl*. sucios; (*feilschen*) regatear; **~ern** *n* → *Schacher*.

'Schach...: ~feld *n* (-*es*; -*er*) casilla *f* (del tablero de ajedrez); escaque *m*; **~figur** *f* pieza *f* (de ajedrez); *die* ~*en aufstellen* disponer las piezas sobre el tablero; **2matt** *adj*. jaque (y) mate; *fig*. (*erschöpft*) molido, rendido; **~meister** *m* campeón *m* de ajedrez; **~meisterschaft** *f* campeonato *m* de ajedrez; **~partie** *f* partida *f* de ajedrez; **~spiel** *n* (-*es*; -*e*) juego *m* de ajedrez; **~spieler(in** *f*) *m* jugador(a *f*) *m* de ajedrez, ajedrista *m/f*, ajedrecista *m/f*.

'Schacht *m* (-*es*; ⸚*e*) (*Brunnen*) pozo *m*; ⊕ (*Hochofen*) cuba *f*; ⚠ (*Licht*2) pozo *m* de luz; ⚒ pozo *m* (de mina); ⚒ (*Quer*2) socavón *m*; **~abteufen** ⚒ *n* excavación *f* de pozos; **~eingang** ⚒ *m* (-*es*; ⸚*e*) boca *f* de pozo.

'Schachtel *f* (-; -*n*) caja *f*; *kleine*: cajita *f*; *fig*. *alte* ~ vejestorio *m*, carcamal *m*; (*komische*) estantigua *f*; (*unverheiratete*) vieja *f* solterona; **~halm** ♀ *m* (-*es*; -*e*) cola *f* de caballo; **~satz** *Gr*. *m* (-*es*; ⸚*e*) frase *f* intrincada (*od*. complicada); **2n** (-*le*) *v/t*. (*Sätze*) encadenar (los períodos).

'schachten (-*e*-) ⚒ *v/i*. abrir un pozo.

'schächten (-*e*-) *v/t*. degollar una res conforme al rito judío.

'Schächter *m* matarife *m* judío.

'Schacht...: ~förderung ⚒ *f* extracción *f* por los pozos; **~ofen** ⊕ *m* (-*s*; ⸚) horno *m* de cuba; **~stoß** ⚒ *m* (-*es*; ⸚*e*) pared *f* del pozo; **~sumpf** ⚒ *m* (-*es*; ⸚*e*) sumidero *m* de un pozo.

'Schachturnier *n* (-*s*; -*e*) torneo *m* de ajedrez.

'Schacht...: ~verkleidung *f*, **~zimmerung** ⚒ *f* entibación *f* (*od*. revestimiento *m*) del pozo.

'Schachzug *m* (-*es*; ⸚*e*) jugada *f*; movimiento *m* de una pieza; *fig*. *ein guter* ~ una buena táctica.

'schade *adj*.: *es ist* ~ es una lástima *od*. es una pena (*daß* ... que ... *subj*.); *es ist* ~ *um ihn* es digno de lástima; es lástima que haya (marchado *bzw*. muerto *bzw*. cambiado de opinión *usw*.); *es ist sehr* ~ es una verdadera lástima (*od*. pena); *wie* ~*!* ¡qué lástima!; *wie* ~*, daß* ...! ¡qué lástima que ... (*subj*.)!; *dafür ist es zu* ~ para eso es demasiado bueno.

'Schädel *Anat*. *m* cráneo *m*; (*Toten*2) calavera *f*; *fig*. cabeza *f*, F chola *f*; *j-m den* ~ *einschlagen* romperle a alg. el cráneo; F romperle a alg. la crisma; **~basis** *Anat*. *f* (-; -*basen*) base *f* del cráneo; **~bohrer** *Chir*. *m* trépano *m*; **~bruch** ⚕ *m* (-*es*; ⸚*e*) fractura *f* del cráneo; **~dach** *Anat*. *n* (-*es*; ⸚*er*) bóveda *f* del cráneo; **~grube** *Anat*. *f* fosa *f* craneal; **~haut** *Anat*. *f* (-; ⸚*e*) pericráneo *m*; **~höhle** *Anat*. *f* cavidad *f* craneal; **~innendruck** ⚕ *m* (-*es*; *0*) presión *f* intracraneal; **~lehre** *f* frenología *f*; craneología *f*; **~messer** *m* craniómetro *m*; **~messung** *f* craniometría *f*; **~stätte** *Bib*. *f* Calvario *m*; Gólgota *m*; **~verletzung** *f* herida *f* (*od*. lesión *f*) del cráneo.

'schaden (-*e*-) *v/i*. dañar; (*nachteilig sein*) perjudicar; *j-m* (*e-r Sache dat*.) ~ causar (*od*. ocasionar) daño a alg. (a a/c.); *das schadet nichts* no importa; es igual; *das schadet ihm gar nichts* le está bien empleado; *das könnte nichts* ~ no estaría mal; *was schadet es?* ¿qué importa que ... (*subj*.)?

'Schaden *m* (-*s*; ⸚) daño *m*; (*Nachteil*) perjuicio *m*; detrimento *m*; (*Verheerung*) estragos *m/pl*.; (*Zerstörung*) destrozo *m*; *durch Feuersbrunst*: siniestro *m*; (*Havarie*) avería *f*; (*Bruch*2) rotura *f*; (*Beschädigung*) deterioro *m*, desperfecto *m*; (*Verlust*) pérdida *f*; *der Gesundheit*:

dolencia *f*; (*Übel*) mal *m*; (*Gebrechen*) achaque *m*; (*Verletzung*) lesión *f*; (*Wunde*) herida *f*; ~ *anrichten* (*od. verursachen*) ocasionar (*od.* causar) daño(s); causar perjuicio; *Verheerung*: causar estragos; *für den* ~ *haften* (*od. aufkommen*) responder (*od.* ser responsable) de los daños; F pagar los vidrios rotos (*od.* pagar el pato); *gegen* ~ *versichern* asegurar contra daños; *e-n* ~ *erleiden* sufrir un daño; *zu* ~ *kommen*, ~ *nehmen* hacerse daño, lastimarse; lesionarse; herirse; ~ *nehmen an s-r Seele Bib.* poner en peligro la salvación de su alma; *j-m* ~ *zufügen* causar (*od.* ocasionar) daño *bzw.* perjuicio a alg.; perjudicar a alg.; *mit* ~ *verkaufen* vender con pérdida; *es soll dein* ~ *nicht sein* no te pesará; será en provecho tuyo; *zum* ~ *von j-m* con daño *bzw.* perjuicio de alg.; en perjuicio (*od.* detrimento) de alg.; *zu m-m* ~ en mi perjuicio; a costa mía; *durch* ~ *klug werden* escarmentar; *durch* ~ *wird man klug* de los escarmentados nacen los avisados; **~abschätzung** *f*, **~bewertung** *f* estimación *f* de los daños; tasación *f* de la avería.

ˈ**Schaden-ersatz** *m* (*-es*; *0*) indemnización *f* por daños y perjuicios; (*Ausgleich*) compensación *f*; ~ *beanspruchen* reclamar indemnización por daños y perjuicios; *auf* ~ *klagen* ⚖ entablar una acción por daños (y perjuicios); ~ *leisten* indemnizar (*j-m für et.* a alg. por a/c.); **~anspruch** *m* (*-es*; *⸚e*), **~forderung** *f* reclamación *f* por daños y perjuicios; **~klage** ⚖ *f* acción *f* por daños; **~pflicht** *f* obligación *f* de indemnización; responsabilidad *f*; **⁓pflichtig** *adj.* responsable del daño causado.

ˈ**Schaden...:** **~freude** *f* (*0*) alegría *f* del mal ajeno; **⁓froh** *adj.* alegre del mal ajeno; malicioso.

ˈ**Schadens...:** **~anzeige** *f* aviso *m* de siniestro; **~berechnung** *f* cálculo *m* de los daños; **~fall** *m* (*-es*; *⸚e*) caso *m* de siniestro; **~versicherung** *f* seguro *m* contra daños.

ˈ**schadhaft** (*-est*) *adj.* (*mangelhaft*) defectuoso; (*beschädigt*) deteriorado; (*übel zugerichtet*) estropeado; (*abgenutzt*) gastado; *Waren*: en mal estado, en malas condiciones; averiado (*a. Motor*); *Gebäude*: ruinoso; *Zähne*: cariado; ⚕ *Gewebe*: enfermo; ~ *werden* deteriorarse; gastarse; ⊕ averiarse; *Zähne*: cariarse; **⁓igkeit** *f* (*0*) estado *m* defectuoso; mal estado *m*; malas condiciones *f/pl.*

ˈ**schädig|en** *v/t.* dañar; perjudicar; (*Ruf, Rechte, Kredit*) menoscabar; *j-n* ~ perjudicar (*od.* causar un perjuicio) a alg.; causar daño a alg.; **⁓ung** *f* daño *m*; perjuicio *m*; detrimento *m*; menoscabo *m*; lesión *f*.

ˈ**schädlich** *adj.* nocivo; (*nachteilig*) perjudicial; (*gesundheits~*) malsano; (*verderblich*) pernicioso; (*giftig*) venenoso; mortífero, deletéreo; (*schlecht*) malo; (*bösartig*) maligno; (*gefährlich*) peligroso; *Tier*: dañino; **⁓keit** *f* (*0*) nocividad *f*; carácter *m* nocivo.

ˈ**Schädling** *m* (*-s*; *-e*) *Zoo.* animal *m* dañino; parásito *m*; *fig.* elemento *m* antisocial; parásito *m*; **~sbekämpfung** *f* (*Ungeziefervernichtung*) destrucción *f* de los parásitos; lucha *f* antiparasitaria; **~sbekämpfungsmittel** *n* (producto *m*) antiparasitario *m od.* parasiticida *m*.

ˈ**schadlos** *adj.* sin daño; indemne; *j-n* ~ *halten* indemnizar a alg.; *sich* ~ *halten* indemnizarse (*für* de); reintegrarse (*für* de); resarcirse de las pérdidas; **⁓haltung** *f* (*0*) indemnización *f*; compensación *f*; resarcimiento *m*; indemnidad *f*.

ˈ**Schaf** *n* (*-es*; *-e*) oveja *f*; *fig.* F papanatas *m*, lila *m*; *räudiges* ~ oveja sarnosa; **~bock** *m* (*-es*; *⸚e*) carnero *m*.

ˈ**Schäfchen** *n* cordera *f*; corderita *f*; corderito *m*; *fig. sein* ~ *ins Trockene bringen* hacer su agosto; **~wolken** *f/pl.* cirros *m/pl.*

ˈ**Schäfer** *m* pastor *m* (de ovejas).

Schäfeˈrei *f* aprisco *m*; redil *m*; (*für die Nacht*) majada *f*.

ˈ**Schäfer...:** **~gedicht** *n* (*-es*; *-e*) bucólica *f*; égloga *f*; **~hund** *m* (*-es*; *-e*) perro *m* de pastor (*od.* de ganado); *deutscher* ~ perro *m* pastor alemán; **~hütte** *f* cabaña *f* de pastor; **~in** *f* pastora *f*; **~roman** *m* (*-s*; *-e*) novela *f* pastoril; **~spiel** *n* (*-es*; *-e*) (*Theaterstück*) pastoral *f*; **~stündchen** *fig. n* horita *f* de expansión amorosa; cita *f* amorosa.

ˈ**Schaf-fell** *n* (*-es*; *-e*) piel *f* de oveja; vellón *m*; (*mit der Wolle gegerbtes*) corderillo *m*.

ˈ**schaffen I.** *v/t. u. v/i.* (*er~*) crear; hacer; (*hervorbringen*) producir; (*ins Leben rufen*) dar existencia a; organizar; (*arbeiten*) trabajar; (*wirken*) obrar; (*tun*) hacer; (*konstituieren*) constituir; (*errichten*) instituir, establecer; fundar; (*erreichen*) conseguir; lograr, alcanzar; (*ver~*) procurar; proveer; proporcionar; (*weg~*) quitar, apartar; suprimir, eliminar; (*her~*) traer; (*kämpfen*) luchar; *wir werden es* ~ lo conseguiremos; saldremos adelante; *er hat es geschafft* ha conseguido lo que quería; *im Leben*: se ha abierto camino en la vida; ha hecho carrera; *er hat hier nichts zu* ~ nada tiene que hacer (*od.* buscar) aquí; F no tiene ningún pito que tocar aquí; *ich will damit nichts zu* ~ *haben* no quiero mezclarme en eso; me lavo las manos en ese asunto; *damit habe ich nichts zu* ~ no tengo nada que ver con eso; eso no es asunto mío (*od.* no me incumbe); *j-m viel zu* ~ *machen* dar mucho que hacer a alg.; *j-m Arbeit* ~ proporcionar trabajo a alg.; *sich zu* ~ *machen* ocuparse en hacer a/c.; afanarse en; *Abhilfe* ~ remediar, poner remedio; *j-m Linderung* ~ procurar alivio a alg.; *Ordnung* ~ poner orden; *Rat* ~ hallar medio; *auf die Seite* ~ apartar a un lado; *heimlich*: hacer desaparecer; *aus dem Hause* ~ arrojar (F echar) de casa; *aus dem Wege* ~ quitar de en medio; apartar del camino; *j-n aus dem Wege* ~ (*umbringen*) quitar de en medio a alg.; F despachar a alg.; *aus der Welt* ~ acabar con a/c.; orillar a/c.; *sich vom Halse* ~ desembarazarse de; quitarse de encima; zafarse de alg.; *zu Ende* ~ acabar, rematar; llevar a término; *wie geschaffen sein für* ser muy a propósito para; venir a propósito (*od.* a la medida) para; estar (*od.* ser) como hecho para; **II.** ⁓ *n* creación *f*; producción *f*; (*Arbeit*) trabajo *m*; (*Beschäftigung*) ocupación *f*; **~d** *adj.* (*schöpferisch*) creador; (*produktiv*) productivo; (*arbeitend*) trabajador; **⁓sdrang** *m* (*-es*; *0*) afán *m* creador; voluntad *f* (*od.* afán *m*) de trabajar; **⁓skraft** *f* (*-*; *⸚e*) fuerza *f* creadora.

ˈ**Schaf-fleisch** *n* (*-es*; *0*) (carne *f* de) cordero *m*.

ˈ**Schaffner** *m* 🚂 revisor *m*; (*Zugführer*) conductor *m*; *Straßenbahn, Autobus*: cobrador *m*; **~in** *f* cobradora *f*.

ˈ**Schaffung** *f* creación *f*; producción *f*; establecimiento *m*; fundación *f*; institución *f*; organización *f*.

ˈ**Schaf...:** **~garbe** ♀ *f* aquilea *f*, milenrama *f*; **~herde** *f* rebaño *m* de ovejas; **~hirt(in** *f*) *m* (*-en*) pastor(a *f*) *m*; **~hürde** *f* aprisco *m*; redil *m*; *für die Nacht*: majada *f*; **~käse** *m* queso *m* de (leche de) oveja; **~leder** *n* badana *f*; **⁓ledern** *adj.* de badana.

ˈ**Schäflein** *n* → *Schäfchen*.

ˈ**Schafmilch** *f* (*0*) leche *f* de oveja.

Schaˈfott *n* (*-es*; *-e*) patíbulo *m*, cadalso *m*.

ˈ**Schaf...:** **~pelz** *m* (*-es*; *-e*) piel *f* de oveja *bzw.* de cordero; (*Kleidungsstück*) zamarra *f*; *fig. Wolf im* ~ lobo con piel de cordero; hipócrita *m* malintencionado; **~pocken** *Vet. pl.* comalia *f*, morriña *f*; **~schere** *f* tijeras *f/pl.* de esquilar; **~scherer** *m* esquilador *m*; **~schur** *f* esquileo *m*; **~skopf** *fig. m* (*-es*; *⸚e*) majadero *m*; estúpido *m*; zote *m*, F melón *m*, calabaza *f*; **~stall** *m* (*-es*; *⸚e*) corral *m* de ovejas.

Schaft *m* (*-es*; *⸚e*) (*Lanzen⁓, Fahnen⁓*) asta *f*; (*Baum⁓*) tronco *m*; (*Stiefel⁓, Ruder⁓*; *Anker⁓*) caña *f*; (*Säulen⁓*) fuste *m*; (*Gewehr⁓*) caja *f*; *e-s Werkzeugs*: mango *m*; *e-r Blume*: tallo *m*; *e-s Schlüssels*: tija *f*, astil *m*; (*Griff*) puño *m*; manija *f*.

ˈ**schäften** (*-e-*) *v/t.* (*Werkzeug*) enmangar, poner mango a; (*Stiefel*) remontar; (*Gewehr*) montar.

ˈ**Schaftstiefel** *m* bota *f* alta.

ˈ**Schaf...:** **~weide** *f* pasto *m* de ovejas; **~wolle** *f* (*0*) lana *f* (de oveja); **~zucht** *f* (*0*) cría *f* de ganado lanar (*od.* ovejuno); **~züchter** *m* criador *m* de ganado lanar.

Schah *m* (*-s*; *-s*) sha *m*.

Schaˈkal *m* (*-s*; *-e*) *Zoo.* chacal *m*.

ˈ**Schäker** *m* (*lustiger*) bromista *m*, chancero *m*; burlón *m*, guasón *m*; (*Hofmacher*) galanteador *m*; **~ei** *f* [-ˈRAI] (*Spaß*) broma *f*, chanza *f*; guasa *f*, chacota *f*; (*Hofmacherei*) galanteo *m*, flirteo *m*, cortejeo *m*; **~in** *f* (*Kokette*) coqueta *f*.

ˈ**schäkern** (*-re*) *v/i.* bromear, chancear; chacotear; (*liebeln*) galantear, flirtear, cortejar, piropear; (*kokettieren*) coquetear.

schal *adj.* soso; (*ohne Geschmack*) insípido, sin sabor; *Getränke*: flojo; *fig.* sin gracia, soso; ~ *werden Getränke*: desbravarse; aflojarse.

Schal *m* (*-s*; *-e*, *-s*) *für Damen*: pañuelo *m* (para el cuello); (*Schulter2*) chal *m*; pañoleta *f*; *für Herren*: (*Halstuch*) bufanda *f*; (*Seiden2*) pañuelo *m* grande (*bzw.* bufanda *f*) de seda; (*Kinder*) F colegial *m*.

ˈ**Schalbrett** ⚠ *n* (*-ęs*; *-er*) tabla *f* de encofrado.

ˈ**Schale** *f* **1.** (*Hülle*) envoltura *f*, cubierta *f*; *v. Eiern, Nüssen usw.*: cáscara *f*; *e-s Atoms*: corona *f*, envoltura *f*; (*Rinde*) corteza *f*; *v. Früchten*: piel *f*, pellejo *m*; (*Apfelsinen2, Kartoffel2 usw.*) *a.* mondaduras *f/pl.*, mondas *f/pl.*; (*Muschel2, Schildkröten2*) concha *f*; (*Krebs2*) caparazón *m*; *der Molusken*: valva *f*; (*Hülse*) vaina *f*; (*Messer2*) cachas *f/pl.*; **2.** (*Trink2*) copa *f*; (*Brunnen2, Tasse*) taza *f*; (*Schokoladentasse*) jícara *f*; (*Eichel2*) cascabillo *m*; (*Napf*) escudilla *f*, *aus Tonerde*: cazuela *f*; (*Frucht2*) frutero *m*; (*Untertasse, Waag2*) platillo *m*; (*Tablett*) bandeja *f*; *Phot.* (*Entwickler2*) cubeta *f*; *Met.* (*Guß2*) lingotera *f*, coquilla *f*; ⊕ (*Lager2*) cojinete *m*, casquillo *m*; *fig.* (*Oberfläche*) la superficie; (*das Äußere*) las apariencias; F *gut in ~ sein* estar muy elegantón, estar bien fardado; F *sich in ~ schmeißen* ponerse de veinticinco alfileres, acicalarse, emperejilarse.

ˈ**schälen** **1.** *v/t. Obst, Kartoffeln*: pelar, mondar; *Ei*: quitar la cáscara; *Nüsse*: descascarar; *Gerste*: mondar; *Bäume*: descortezar; *Kakao*: descascarillar; **2.** *v/refl.*: *sich ~ Bäume*: descortezarse; *v. der Haut*: descamarse; F pelarse.

ˈ**Schalen...**: **~guß** ⊕ *m* (*-sses*; *⸗sse*) colada *f* (*od.* fundición *f*) en coquilla; **~gußform** ⊕ *f* coquilla *f*; **~kreuz** *n* (*-es*; *-e*) *Windmesser*: anemómetro *m* de casquetes en cruz; **~kupplung** ⊕ *f* acoplamiento *m* de cojinetes; **~tiere** *Zoo. pl.* crustáceos *m/pl.*

ˈ**Schalheit** *f* (*0*) insipidez *f* (*a. fig.*).

ˈ**Schälhengst** *m* (*-es*; *-e*) caballo *m* semental.

ˈ**Schalk** *m* (*-ęs*; *-e*, *⸗e*) pícaro *m*; (*Spaßvogel*) bromista *m* socarrón; *fig. er hat den ~ im Nacken* siempre está de broma; **2haft** *adj.* pícaro; (*mutwillig*) travieso; **~haftigkeit** *f* (*0*) picardía *f*; **~s-knecht** *Bib. m* (*-ęs*; *-e*) siervo *m* infiel; **~snarr** *m* (*-en*) bufón *m*.

ˈ**Schall** *m* (*-ęs*; [*⸗e*]) sonido *m*; (*Lärm*) ruido *m*; (*Widerhall*) eco *m*; resonancia *f*; **~boden** *m* (*-s*; *⸗*) caja *f* de resonancia; **~brechung** *f* refracción *f* del sonido; **~brechungslehre** *f* (*0*) diacústica *f*; **~brett** *n* (*-ęs*; *-er*) *der Kanzel*: tornavoz *m*; **~dämpfer** *m* amortiguador *m* de ruidos; ♪ sordina *f*; *Auto.* silenciador *m*; *Klavier*: apagador *m*; **~dämpfung** *f* amortiguamiento *m* del ruido; **~deckel** *m* → *Schallbrett*; **2dicht** *adj.* aislado contra el ruido; **~dose** *f* (caja *f* del) diafragma *m*; (*pick-up*) fonocaptor *m*.

ˈ**schallen** *v/i.* sonar; (*widerhallen*) resonar; (*dröhnen*) retumbar; **~d** *adj.* sonoro; resonante; retumbante; *~es Gelächter* carcajada *f*; *~e Ohrfeige* sonora bofetada *f*.

ˈ**Schall...**: **~fänger** *m* trompetilla *f* acústica; **~fortpflanzung** *f* propagación *f* del sonido; **~geschwindigkeit** *f* (*0*) velocidad *f* del sonido; **~gewölbe** *n* bóveda *f* acústica; **~(l)ehre** *f* (*0*) acústica *f*; **~(l)eiter** *m* conductor *m* del sonido; **~(l)och** *n* (*-ęs*; *⸗er*) abertura *f* acústica; *an der Geige*: ese *f*; **~mauer** *f* (*0*) barrera *f* del sonido; **~messer** *m* fonómetro *m*; **~meß-ortung** *f* localización *f* por el sonido; **~messung** *f* fonometría *f*; **~platte** *f* disco *m* (de gramófono); *auf ~ aufnehmen* grabar en disco; **~plattenarchiv** *n* (*-s*; *-e*) discoteca *f*; **~platten-aufnahme** *f* impresión *f* (*od.* grabación *f*) de discos; **~plattenkonzert** *n* (*-ęs*; *-e*) concierto *m* gramofónico; **~plattenliebhaber(in** *f*) *m* F discófilo (-a *f*) *m*; **~plattenmappe** *f* álbum *m* para discos; **~plattenmusik** *f* (*0*) música *f* de discos; *desp.* música *f* en conserva; **~plattensammlung** *f* colección *f* de discos de gramófono; discoteca *f*; **~plattenschrank** *m* (*-ęs*; *⸗e*) armario *m* para discos; discoteca *f*; **~quelle** *f* fuente *f* de sonido; **~stärke** *f* intensidad *f* del sonido; **~stärkenmesser** *m* fonómetro *m*; **~stärkenmessung** *f* fonometría *f*; **~technik** *f* (*0*) técnica *f* acústica (*od.* del sonido); **~trichter** *m* cono *m* acústico; bocina *f*; *an Blasinstrumenten*: pabellón *m*; **~wand** *f* → *Schallbrett*: **~welle** *f* onda *f* sonora; **~wort** *Gr. n* (*-ęs*; *⸗er*) palabra *f* onomatopéyica; **~zeichen** *n* señal *f* acústica.

ˈ**Schälmaschine** *f* descortezadora *f*; *für Gemüse*: mondadora *f*.

Schalˈmei ♪ *f* chirimía *f*.

ˈ**Schälmesser** *n* cuchillo *m* para mondar; cuchilla *f* descortezadora.

Schaˈlotte ⚘ *f* chalote *m*.

schalt *pret. v. schelten.*

ˈ**Schalt|anlage** *f* instalación *f* de distribución; **~bild** *n* (*-ęs*; *-er*) esquema *m* de conexiones; **~brett** ⚡ *n* (*-ęs*; *⸗er*) cuadro *m* de distribución; ⊕ cuadro *m* de mando; *Auto.* tablero *m*; ✈ panel *m* de instrumentos; **~dose** *f* caja *f* de bornes.

ˈ**schalten** (*-e-*) **I. 1.** *v/i.* mandar (a su arbitrio); *~ und walten* mandar a capricho; hacer su voluntad; *j-n ~ und walten lassen* dejar a alg. obrar a su antojo (*od.* a su capricho); dejar a alg. campar por sus respetos; F dejar a alg. hacer lo que le dé la gana; *mit et. ~ und walten* disponer a su antojo (*od.* a su capricho) de a/c.; **2.** *v/t.* ⚡ poner en circuito *m*; (*um~*) conmutar; (*Verbindung herstellen*) conectar; ⊕ acoplar; (*zwischen~*) intercalar; *Auto.* (*ein~*) embragar; (*aus~*) desembragar; (*e-n anderen Gang nehmen*) cambiar de velocidad *f*; **II.** 2 *n* libre disposición *f*; ⚡ (*Um2*) conmutación *f*; conexión *f*; ⊕ acoplamiento *m*; *Auto.* (*Ein2*) embrague *m*; (*Aus2*) desembrague *m*; (*Gang2*) cambio *m* de velocidad (*od.* de marcha).

ˈ**Schalter** *m* ventanilla *f*; 🚂 taquilla *f*, despacho *m* de billetes, *Am.* boletería *f*; *Thea.* taquilla *f*; ⚡ (*Um2*) conmutador *m*; (*Aus2*) interruptor *m*; **~beamte(r)** *m* 🚂 taquillero *m*; *Am.* boletero *m*; **~dienst** *m* (*-es*; *-e*) servicio *m* de ventanilla; servicio *m* de taquilla; **~stunden** *f/pl.* horas *f/pl.* de despacho.

ˈ**Schalt...**: **~getriebe** *n* (*Gangschaltung*) cambio *m* de velocidades; **~hebel** *m* ⚡ palanca *f* del interruptor; ⊕ palanca *f* de embrague; *Auto.* palanca *f* del cambio de velocidades.

ˈ**Schaltier** *Zoo. n* (*-ęs*; *-e*) crustáceo *m*.

ˈ**Schalt...**: **~jahr** *n* (*-ęs*; *-e*) año *m* bisiesto; **~kasten** *m* (*-s*; *⸗*) ⚡ caja *f* de distribución; *Auto.* caja *f* (del cambio) de velocidades; **~klinke** ⊕ *f* gatillo *m* de trinquete; **~knopf** *m* (*-ęs*; *⸗e*) pulsador *m*; **~nocken** ⊕ *m* leva *f* de distribución; **~plan** *m* (*-ęs*; *⸗e*) plano *m* de montaje *bzw.* de conexiones; **~pult** *n* (*-ęs*; *-e*) pupitre *m* de mando; **~rad** *n* (*-ęs*; *⸗er*) volante *m* de maniobra; (*Sperrad*) ⊕ rueda *f* de trinquete; **~raum** *m* (*-ęs*; *⸗e*) sala *f* de distribución; **~schema** *n* (*-s*; *-s*, *-schemata*) esquema *m* de montaje *bzw.* de conexiones; **~schrank** *m* (*-ęs*; *⸗e*) armario *m* de distribución; **~tafel** ⚡ *f* (*-*; *-n*) cuadro *m* de distribución; **~tag** *m* (*-ęs*; *-e*) día *m* intercalar; **~ung** *f* ⚡ conexión *f*; (*Umschalten*) conmutación *f*; ⊕ (*Kupplung*) acoplamiento *m*; *Auto. usw.*: (*Ein2*) embrague *m*; (*Aus2*) desembrague *m*; (*Gang2*) cambio *m* de marcha (*od.* de velocidad); **~vorrichtung** *f* ⚡ dispositivo *m* de conexión *bzw.* de interrupción; **~zentrum** *n* centro *m* de conexiones *od.* de mandos.

ˈ**Schalung** ⚠ *f* encofrado *m*; revestimiento *m*.

Schaˈluppe ⚓ *f* chalupa *f*.

ˈ**Scham** *f* (*0*) vergüenza *f*; (*Schamhaftigkeit*) pudor *m*; (*Schamteile*) partes *f/pl.* pudendas; *Anat.* órganos *m/pl.* genitales; *Bib.* desnudez *f*; *s-e ~ bedecken Bib.* cubrir sus vergüenzas; *falsche ~* falsa vergüenza; pudibundez *f*; *vor ~ erröten* (*vergehen*) enrojecer (morir) de vergüenza; **~bein** *Anat. n* (*-ęs*; *-e*) (hueso *m*) pubis *m*; **~berg** *Anat. m* (*-ęs*; *-e*) monte *m* de Venus; **~bogen** *Anat. m* (*-s*; *⸗*) arco *m* del pubis.

ˈ**schämen** *v/refl.*: *sich ~* tener vergüenza; sentir vergüenza; avergonzarse (*über ac., vor dat* de); *du sollst dich ~* debieras avergonzarte; debiera darte vergüenza; *ich würde mich zu Tode ~* me moriría de vergüenza; *schäme dich!* ¡avergüénzate!; *ich schäme mich, zu* (*inf.*) me da vergüenza (*inf.*).

ˈ**Scham...**: **~gefühl** *n* (*-ęs*; *-e*) vergüenza *f*; pudor *m*; *das ~ verletzen* ofender el pudor; **~gegend** *Anat. f* (*0*) región *f* pubiana; **2haft** *adj.* púdico; pudoroso; (*keusch*) casto; (*verschämt*) vergonzoso; (*scheu*) recatado; *übertrieben ~* pudibundo; **~haftigkeit** *f* (*0*) pudor *m*; (*Keuschheit*) castidad *f*; (*Scheu*) recato *m*; *übertriebene ~* pudibundez *f*; **~lippen** *Anat. f/pl.* labios *m/pl.* de la vulva; **2los** *adj.* sin vergüenza; sin pudor; (*unzüchtig*) impúdico; inmoral; indecente; obsceno; (*schändlich*) vergonzoso; (*frech*) desvergonzado, descarado; *ein* ~*er Kerl* un sinvergüenza; **~losigkeit** *f* (*0*) falta *f* de vergüenza *bzw.* de pudor; impudor *m*; impudi(ci)cia *f*; indecencia *f*; (*Unverschämtheit*) impudencia *f*, descaro *m*, desvergüenza *f*; F cara *f* dura.

Schaˈmotte *f* arcilla *f* refractaria; **~stein** *m* (*-es*; *-e*) ladrillo *m* refractario.

schampuˈnieren (-) *v/t.* lavar con champú.

ˈScham...: **2rot** *adj.* ruboroso; *stärker*: sonrojado; abochornado; ~ *werden* ruborizarse; enrojecer de vergüenza, sonrojarse; abochornarse; ~ *machen* ruborizar; sonrojar, hacer salir los colores al rostro (*od.* a la cara); **~röte** *f* (*0*) rubor *m*; sonrojo *m*; **~teile** *m/pl.* partes *f/pl.* pudendas; órganos *m/pl.* genitales.

ˈschandbar *adj.* vergonzoso; (*niederträchtig*) infame; (*schmachvoll*) ignominioso; afrentoso.

ˈSchande *f* (*0*) (*Beschämendes*) vergüenza *f*; (*Unehre*) deshonra *f*; deshonor *m*; (*Schmach*) oprobio *m*; ultraje *m*; afrenta *f*; (*Entehrung*) ignominia *f*; (*Niederträchtigkeit*) infamia *f*; *zu j-s* ~ para vergüenza de alg.; *ich muß zu m-r* ~ *gestehen* para vergüenza mía debo confesar (*od.* reconocer); con vergüenza debo confesar; *j-m* ~ *machen* (*od. bereiten*) ser la vergüenza de alg.; *j-n in* ~ *bringen* cubrir de vergüenza a alg.; *es ist e-e* ~! ¡es una vergüenza!; *et. für e-e* ~ *halten* tener a deshonra a/c.

ˈschänden I. (*-e-*) *v/t.* deshonrar; difamar; (*beschimpfen*) injuriar; ultrajar; afrentar; (*besudeln*) manchar; (*entweihen*) profanar; (*vergewaltigen*) violar, *Mädchen*: *a.* estuprar; (*entstellen*) desfigurar; (*verstümmeln*) mutilar; maltratar; *Armut schändet nicht* ser pobre no es deshonra; pobreza no es vileza; **II.** 2 *n* → *Schändung*.

ˈSchänder *m* difamador *m*; profanador *m*; *e-r Frau*: violador *m*; estuprador *m*.

ˈSchandfleck *m* (*-es*; *-e*) mancha *f*; mancilla *f*; *fig.* deshonra *f*.

ˈschändlich *adj.* vergonzoso; (*schmachvoll*) ignominioso; (*entehrend*) deshonroso; (*niederträchtig*) infame; (*anstößig*) escandaloso; (*abscheulich*) abominable, horrible; **2keit** *f* ignominia *f*; infamia *f*.

ˈSchand...: **~mal** *n* (*-es*; *-e*) estigma *m*; marca *f* infamante; **~maul** *n* (*-es*; *⸚er*) mala lengua *f*; blasfemo *m*; **~pfahl** *m* (*-es*; *⸚e*) picota *f*; **~preis** *m* (*-es*; *-e*) precio *m* escandaloso; **~schrift** *f* escrito *m* infamatorio; libelo *m*; **~tat** *f* acción *f* infame; vileza *f*; infamia *f*; (*Verbrechen*) crimen *m* abominable; F *er ist zu jeder* ~ *bereit* F es hombre dispuesto a cualquier broma; no se arredra ante vileza alguna.

ˈSchändung *f* deshonra *f*; (*Beschimpfung*) injuria *f*; afrenta *f*; *v. Heiligen*: profanación *f*; *e-r Frau*: violación *f*; estupro *m*; (*Verstümmelung*) mutilación *f*; (*Verunstaltung*) desfiguración *f*.

Schank *m* (*-es*; *⸚e*) despacho *m* de bebidas; **ˈ~berechtigung** *f* licencia *f* para expender bebidas alcohólicas.

ˈSchanker ⚕ *m* chancro *m*.

ˈSchank...: **~steuer** *f* (*-*; *-n*) impuesto *m* sobre la venta de bebidas; **~stube** *f* → *Schankwirtschaft*; **~tisch** *m* (*-es*; *-e*) mostrador *m*; **~wirt** *m* (*-es*; *-e*) tabernero *m*; (*e-r Bierstube*) cervecero *m*; **~wirtschaft** *f* despacho *m* de bebidas; taberna *f*; P tasca *f*; (*Bierstube*) cervecería *f*; taberna *f*.

ˈSchanz|arbeiten ⚔ *f/pl.* trabajos *m/pl.* de zapa; trabajos *m/pl.* de atrincheramiento; **~arbeiter** ⚔ *m* zapador *m*; **~e** *f* ⚔ obra *f* de fortificación; (*im Felde*) trinchera *f*; *geschlossene* ~ reducto *m*; *kleine* ~ fortín *m*; ⚓ castillo *m* de proa; *Schisport*: (*Sprunghügel*) trampolín *m* (para salto con esquí); *fig.* et. *in die* ~ *schlagen* arriesgar a/c.; **2en** (*-t*) *v/i.* ⚔ hacer obras *f/pl.* de fortificación; zapar; *fig.* F (*schuften*) bregar, azacanarse, *fig.* trabajar como un negro; **~kleid** ⚓ *n* (*-es*; *-er*) empavesada *f*; **~korb** ⚔ *m* (*-es*; *⸚e*) gavión *m*; **~pfahl** ⚔ *m* (*-es*; *⸚e*) estaca *f*; empalizada *f*; **~werk** ⚔ *n* (*-es*; *-e*) atrincheramiento *m*; **~zeug** *n* (*-es*; *0*) útiles *m/pl.* de zapador.

Schar[1] *f* (*Menge*) multitud *f*, muchedumbre *f*; (*Gruppe*) grupo *m*; *v. Arbeitern*: cuadrilla *f*, brigada *f*; (*Haufen*) tropa *f*; tropel *m*; (*Diebes*2) cuadrilla *f*, banda *f*; (*Herde*) rebaño *m* (*a. fig.*); *v. Vögeln*: bandada *f*; *in* ~*en* en grupos; en tropel.

Schar[2] ⚒ *f* (*Pflug*2) reja *f* del arado.

Schaˈrade *f* charada *f*.

ˈscharen *v/t. u. v/refl.* reunir(se); juntar(se); agrupar(se); formar grupos *m/pl.*; asociar(se); *sich* ~ *um* reunirse en torno de; **~weise** *adv.* en grupos; en tropel; en masa; *Vögel*: en bandadas; *Wölfe, Rinder*: en manadas.

scharf (*⸚er*; *⸚st*) **I.** *adj.* agudo; (*schneidend*) cortante; afilado; (*ätzend*) cáustico, corrosivo; (*genau*) exacto, preciso; (*streng*) severo, riguroso; (*fein*) fino; (*spitz*) agudo, puntiagudo; (*herb*) agrio; acre; (*rauh*) rudo, áspero; (*abrupt, schroff*) brusco; (*betont, ausgesprochen*) pronunciado, acentuado; (*gepfeffert*) muy picante; muy condimentado; *Geschmack, Geruch*: acre; *Speise*: picante; *Blick*: agudo, penetrante; *Laut*: estridente; agudo; *Wind*: recio; cortante; *Ball*: duro; *Hund*: mordedor; *Kurve*: cerrado; *Verstand*: agudo; *Umriß*: claro, bien definido; *Luft*: frío; *Kälte*: penetrante; *Brille, Essig*: fuerte; *Kampf*: reñido; *Schritt, Protest, Tempo, Licht*: vivo; *Antwort*: áspero; *Phot.* (*Bild*) nítido; *Kritiker, Ironie*: mordaz, cáustico; *Bleistift, Messer*: afilado; *Kante*: vivo; ~*er Gegensatz*: fuerte contraste; ~*er Gegner* enemigo declarado (*od.* acérrimo); ~*e Zunge* lengua mordaz; ~*es Gehör* oído fino; ~*es Gedächtnis* memoria fiel (*od.* tenaz); ~*e Zucht* disciplina severa; ~*e Züge* contornos claros; rasgos muy acentuados; ~*e Aufsicht* vigilancia estrecha; ~*e Patrone* cartucho con bala; ~ (*versessen*) *sein auf* (*ac.*) desear ardientemente, codiciar (*ac.*); **II.** *adv.*: ~ *machen* (*Messer*) afilar, ⚔ (*Zünder*) armar, *fig. j-n*: azuzar a alg.; ~ *laden* (*schießen*) cargar (tirar) con bala; ~ *bremsen* dar un frenazo; ~ *aufpassen* poner mucha atención; aguzar el oído (*od.* la vista); *vorsichtig*: estar alerta; *j-n* ~ *ansehen* mirar fijamente (*od.* de hito en hito) a alg.; ~ *einstellen Phot.* enfocar con precisión; *j-m* ~ *zusetzen* arremeter contra alg.; *j-n* ~ *anfassen* ser muy severo con alg.; *sich* ~ *äußern* gegen expresarse en términos muy duros contra; ~ *bewachen* vigilar estrechamente (*od.* de cerca); ~ *denken* pensar sutilmente; ~ *gehen* ir a paso vivo; ~ *rasieren* apurar el afeitado; **ˈ2abstimmung** *f Radio*: sintonización *f* selectiva; sintonía *f* de precisión; **ˈ2blick** *m* (*-es*; *0*) perspicacia *f*; penetración *f*; clarividencia *f*; **ˈ~blickend** *adj.* perspicaz; penetrante; clarividente.

ˈSchärfe *f* (*Schneide*) corte *m*, filo *m*; (*Spitze*) punta *f*; (*Deutlichkeit*) claridad *f*; *Phot. des Bildes*: nitidez *f*; (*Genauigkeit*) precisión *f*; exactitud *f*; (*Feinheit*) fineza *f*; (*Strenge*) severidad *f*, rigor *m*; (*Rauheit*) rudeza *f*, aspereza *f*; *ätzende*: causticidad *f*; *der Kritik*: mordacidad *f*; *e-r Speise*: gusto *m* (*od.* sabor *m*) picante; ⚗ acidez *f*; (*Bitterkeit*) acrimonia *f*; acritud *f*; (*Scharfsinn*) agudeza *f*; perspicacia *f*; sutileza *f*; sagacidad *f*; (*Härte*) dureza *f*; *Mikroskop*: poder *m* resolutivo.

ˈscharf...: **~eckig** *adj.* de ángulos agudos; anguloso; **2einstellung** *f* enfoque *m* de precisión.

ˈschärfen *v/t. Messer*: afilar; *Rasiermesser*: suavizar; *Säge*: limar; *Bleistift*: sacar punta a; (*wetzen*) aguzar; *Sprengkörper*: armar; *fig. Verstand*: aguzar; *das Gehör* ~ aguzar el oído; (*erhöhen, vermehren*) aumentar; (*Werkzeuge*) amolar; *fig.* (*ver*~) agravar; agudizar.

ˈscharf...: **~kantig** *adj.* anguloso; de arista(s) viva(s); **~machen** *v/t. Sprengkörper*: armar; *fig.* instigar, excitar; azuzar; **2macher** *m Pol.* instigador *m*; agitador *m*; azuzador *m*; **2macheˈrei** *f* instigación *f*; manejos *m/pl.* agitadores; **2richter** *m* verdugo *m*; ⚖ ejecutor *m* de la justicia; **2schießen** *n* tiro *m* con bala; **2schütze** *m* (*-n*) tirador *m* selecto; **~sichtig** *adj.* de vista muy aguda; perspicaz (*a. fig.*); **2sichtigkeit** *f* (*0*) vista *f* muy aguda; perspicacia *f* (*a. fig.*); *fig.* penetración *f*; **2sinn** *m* (*-es*; *0*) perspicacia *f*; sagacidad *f*; penetración *f*; ingeniosidad *f*; **~sinnig** *adj.* sagaz; de agudo ingenio; ingenioso; **~wink(e)lig** *adj.* de ángulos agudos.

ˈScharlach *m* (*-s*; *-e*) (*Farbe*) escarlata *f*; ⚕ (*-s*; *0*) escarlatina *f*; **~epidemie** ⚕ *f* epidemia *f* de escarlatina; **~fieber** ⚕ *n* (fiebre *f*) escarlatina *f*; **2rot** *adj.* (*0*) rojo escarlata; **~rot** *n*, **~röte** *f* color *m* de escarlata.

ˈScharlatan *m* (*-s*; *-e*) charlatán *m*.

Scharlataneˈrie *f* charlatanería *f*.

Scharm *m* (*-s*; *0*) → *Charme*.

Schar'mützel ⚔ *n* escaramuza *f*; refriega *f*; 2**n** (*-le*) ⚔ *v/i.* escaramuzar.
Schar'nier *n* (*-s*; *-e*) bisagra *f*, *bsd.* ⊕ charnela *f*; ~**stift** *m* (*-es*; *-e*) espiga *f* de la bisagra; ~**ventil** *n* (*-s*; *-e*) válvula *f* de charnela.
'**Schärpe** *f* banda *f*; faja *f*; (*Offiziersleibgurt*) fajín *m*.
Schar'pie *f* (*0*) *Chir.* hilas *f/pl.*; ~ *zupfen* deshilachar; hacer hilacha; ~**bausch** *m* (*-es*; *⸚e*) tapón *m* de hilas.
'**Scharre** *f* (*Kratzeisen*) raspador *m*; rascador *m*.
'**scharren I.** *v/t.* (*kratzen*) raspar; rascar; raer; (*Erde*) escarbar; (*Grab, Loch*) cavar; abrir; (*graben*) enterrar *bzw.* esconder (*in ac.* en); *in die Erde* ~ soterrar; **II.** *v/i.*: *mit den Füßen* ~ frotar (*od.* restregar) el suelo con los pies; *Pferd*: piafar.
'**Scharte** *f* (*in e-r Klinge*) mella *f*; diente *m*; ⚔ (*Schieß*2) tronera *f*; *e-e* ~ *machen* mellar (*ac.*); ~*n bekommen* mellarse; *fig. e-e* ~ *auswetzen* sacarse la espina.
Schar'teke *f* (*Buch*) libro *m* viejo; *groß*: mamotreto *m*; (*Plunder*) trastos *m/pl.* viejos; (*altes Frauenzimmer*) carcamal *m*, vejestorio *m*; estantigua *f*; F pendón *m*.
'**schartig** *adj.* mellado; ~ *machen* mellar; ~ *werden* mellarse.
schar'wenzeln (*-le*) *v/i.* (*katzbukkeln*) lisonjear, F dar coba; bailarle el agua a alg.; (*diensteifrig sein*) mostrarse solícito; *um j-n* ~ rondar a alg.; F hacer la rosca a alg.
'**Schatten** *m* sombra *f* (*a. fig.*); (*Phantom*) sombra *f*, espectro *m*; (*Spur*) asomo *m*; *im* ~ a la sombra; *fig. im* ~ *leben* vivir ignorado; *die* ~ *der Nacht* las sombras de la noche; *der* ~ *des Todes* la(s) sombra(s) de la muerte; ~ *werfen* hacer sombra; proyectar la sombra (*auf ac.* sobre); *fig.* empañar; o(b)scurecer; *fig. im* ~ (*Hintergrund*) *stehen* (*bleiben*) estar (quedar) oculto; *j-n in den* ~ *stellen* hacer sombra a alg.; eclipsar a alg.; et. *in den* ~ *stellen* (*übertreffen*) superar a/c.; dejar (muy) atrás a/c.; *j-m wie sein* ~ *folgen* seguir a alg. como la sombra al cuerpo; *er ist nur noch ein* ~ (*seiner selbst*) es sólo una sombra de lo que fue; ~**bild** *n* (*-es*; *-er*) silueta *f*; *fig.* espectro *m*, fantasma *m*, sombra *f*; ~**dach** *n* (*-es*; *⸚er*) (*aus Segeltuch*) toldo *m*; ~**dasein** *n* vida *f* de apariencia; 2**haft** *adj.* umbrátil; *fig.* (*vage*) vago; ~**kabinett** *Pol. n* (*-s*; *-e*) gabinete *m* fantasma; ~**licht** *n* (*-es*; *0*) *Mal.* claroscuro *m*; 2**los** *adj.* sin sombra; (*Lampe im Operationsraum*) asómbrico; ~**pflanze** ♀ *f* planta *f* que sólo crece en la sombra; 2**reich** *adj.* lleno de sombra; muy umbroso; ~**reich** *Myt. n* (*-es*; *0*) reino *m* de las sombras; ~**riß** *m* (*-sses*; *-sse*) silueta *f*; ~**seite** *f* lado *m* de la sombra; *fig.* reverso *m* de la medalla; (*schwache Seite*) punto *m* flaco; 2**spendend** *adj.* umbroso; ~**spiel** *n* (*-es*; *-e*) sombras *f/pl.* chinescas.
schat'tier|en (*-*) *v/t. Mal.* sombrear; (*nuancieren*) matizar; 2**ung** *f Mal.* sombras *f/pl.*; distribución *f* de las sombras; (*Nuance*) matiz *m* (*a. fig. u. Musik*).
'**schattig** *adj.* sombrío; (*schattenspendend*) sombroso, umbroso, umbrátil; (*Ort*) umbrío; sombreado; ~*es Laubwerk* umbría *f*.
Scha'tulle *f* cofrecillo *m*; *des Königs*: fortuna *f* particular.
'**Schatz** *m* (*-es*; *⸚e*) tesoro *m* (*a. fig.*); (*Kosewort*) querido *m*, querida *f*; prenda *f*; ~**amt** *n* (*-es*; *⸚er*) Tesorería *f*; ~**anweisung** ☤ *f* bono *m* del Tesoro.
'**schätzbar** *adj.* estimable; apreciable; calculable; 2**keit** *f* (*0*) estimabilidad *f*.
'**Schätzchen** *n* (*Kosewort*) cariño *m*; (*Frau*) bombón *m*.
'**schätzen** (*-t*) *v/t.* apreciar; (*berechnen*) calcular (*auf ac.* en) ;(*ab*~) evaluar, valorar, estimar (*auf ac.* en); (*taxieren*) tasar; (*beurteilen*) juzgar; opinar, creer; *zu* ~ *wissen* apreciar; *hoch* ~ estimar mucho, tener en gran estima, apreciar mucho; *wie hoch* ~ *Sie es* (*ein*)? ¿en cuanto lo valora usted?; *wie alt* ~ *Sie ihn?* ¿cuántos años le echa usted?; *sich glücklich* ~ considerarse feliz; ~**swert** *adj.* estimable, apreciable; digno de aprecio *od.* de estimación.
'**Schätzer** *m* tasador *m*.
'**Schatz...**: ~**gräber** *m* buscador *m* de tesoros (ocultos); ~**insel** *f* (*-*; *-n*) isla *f* del tesoro; ~**kammer** *f* (*-*; *-n*) Tesoro *m* público; Tesorería *f*; ~**kästchen** *n*, ~**kästlein** *n* joyero *m*, cofrecillo *m* de joyas; ~**meister** *m* tesorero *m*; ~**wechsel** ☤ *m* obligación *f* del Tesoro.
'**Schätzung** *f* apreciación *f*; (*Ab*2) evaluación *f*, valoración *f*, estimación *f*; (*Taxierung*) tasa *f*, tasación *f*; (*Berechnung*) cálculo *m*; *Bib.* censo *m*; (*Hoch*2) estima *f*, aprecio *m*; ~**sfehler** *m* error *m* de apreciación; 2**sweise** *adv.* aproximadamente; ~**swert** *m* (*-es*; *-e*) valor *m* estimativo.
'**Schau** *f* (*Aussicht*) vista *f*; aspecto *m*; *äußerlich*: apariencia *f*; *innerliche*: visión *f* (intuitiva); (*Ausstellung*) exposición *f*; (*Besichtigung*) inspección *f*; (*Zurschaustellung*) exhibición *f*; (*Schauspiel*) espectáculo *m*; (*Revue*) *Thea.* revista *f*; (*Heeres*2) revista *f*; *prunkende*: parada *f*; *nur zur* ~ (*da*) *sein* sólo para exhibición; *zur* ~ *stellen* mostrar; exhibir; *fig.* ostentar; *zur* ~ *tragen* (*zeigen*) mostrar; lucir; (*heucheln*) afectar, aparentar; ~**bild** ⊕ *n* (*-es*; *-er*) (*Diagramm*) diagrama *m*; (*Kurve*) curva *f*; ~**bude** *f* barraca *f* de feria; tenderete *m*; ~**bühne** *f* teatro *m*; escena *f*, tablas *f/pl.*
'**Schauder** *m* escalofrío *m*, escalofríos *m/pl.*; (*Erzittern*) estremecimiento *m*; (*Entsetzen*) horror *m*; *j-m* ~ *einflößen* causar horror a alg.; 2**erregend** *adj.* horrible; terrible; 2**haft** *adj.* horrible; espantoso; horroroso, horrendo; (*abscheulich*) abominable; atroz; (*ungeheuerlich*) monstruoso; horripilante; tremebundo.
'**schaudern** (*-re*) **I.** *v/i. u. v/unprs.* estremecerse (*vor dat.* de); temblar (de); *es schaudert mich* (*vor Fieber*) tengo escalofríos; *mich schaudert bei diesem Gedanken* me estremece pensarlo; *vor Kälte* ~ tiritar de frío; **II.** 2 *n* → *Schauder*.
'**schauen I.** *v/t. u. v/i.* ver (*auf j-n* a alg.; *auf et.* a/c.); (*das Auge auf et. bzw. auf j-n richten*) mirar (a/c. *bzw.* a alg.); fijar la mirada en; (*aufmerksam betrachten*) contemplar; mirar con atención; (*prüfen*) examinar; (*achtgeben*) cuidar (*daß* de *inf.*; que *subj.*); *auf j-n* ~ (*nachahmend*) imitar a alg.; tomar a alg. como modelo; *um sich* ~ mirar en torno (suyo); mirar alrededor *od.* en derredor; *aus dem Fenster* ~ asomarse a la ventana; *j-m ins Herz* ~ leer en el corazón de alg.; *dem Tod ins Auge* ~ mirar cara a cara a la muerte; ver la muerte de cerca; *schau, schau!* ¡vaya, vaya!; **II.** 2 *n* vista *f*; contemplación *f*.
'**Schauer** *m* (*Regen*2) chubasco *m*; aguacero *m*, chaparrón *m*; (*Hagel*2) granizada *f*; (*Schauder*) escalofrío *m*; ~**drama** *n* dramón *m*; drama *m* espeluznante; ~**geschichte** *f* cuento *m* horripilante; historia *f* truculenta; 2**lich** *adj.* horrible; espantoso; terrorífico; (*haarsträubend*) horripilante, espeluznante.
'**Schauermann** ⚓ *m* (*-es*; *-leute*) obrero *m* portuario; cargador *m* *bzw.* descargador *m* (de muelle); estibador *m*.
'**schauern** (*-re*) **I.** *v/i.* → *schaudern*; **II.** *v/unprs.*: *es schauert* está cayendo un aguacero (*od.* un chaparrón); *mit Hagel*: está granizando.
'**Schauerroman** *m* (*-s*; *-e*) novela *f* espeluznante; novelón *m* truculento.
'**Schaufel** *f* (*-*; *-n*) pala *f*; *kleine*: paleta *f*; (*Kamin*2) badila *f*, badil *m*; (*Rad*2) álabe *m*, paleta *f*; *zwei* ~*n Kohlen* dos paletadas de carbón; ~**bagger** *m* draga *f* de cangilones; ~**geweih** *Jgdw. n* (*-es*; *-e*) pala *f* del asta de anta.
'**schaufeln** (*-le*) *v/t. u. v/i.* trabajar con la pala; *Grab*: abrir; *Schnee*: quitar; *Korn*: aventar; apalear; (*um*~) revolver con la pala.
'**Schaufel|rad** *n* (*-es*; *⸚er*) rueda *f* de paletas (*od.* de álabes); ~**voll** *f* palada *f*; paletada *f*.
'**Schaufenster** *n* escaparate *m*; *Am.* vidriera *f*; ~ *ansehen* mirar los escaparates; *im* ~ *ausstellen* exponer en el escaparate; ~**attrappe** *f* envase *m* sin contenido; ~**beleuchtung** *f* iluminación *f* del escaparate; ~**dekorateur** *m* (*-s*; *-e*) decorador *m*, decoratista *m*; ~**dekoration** *f* decoración *f* de escaparates; ~**dieb** *m* (*-es*; *-e*) ladrón *m* de escaparates; ~**diebstahl** *m* (*-es*; *⸚e*) robo *m* con fractura del escaparate; ~**figur** *f* maniquí *m*; ~**wettbewerb** *m* (*-es*; *-e*) concurso *m* de escaparates.
'**Schaufler** *m* (*Damhirsch*) gamo *m*, paleto *m*; (*Löffelreiher*) espátula *f*.
'**Schau...**: ~**flieger** *m* aviador *m* de vuelos acrobáticos; ~**flug** *m* (*-es*; *⸚e*) vuelo *m* acrobático; ~**gerüst** *n* (*-es*; *⸚e*) (*Brettergerüst*) tablado *m*; (*Tribüne*) tribuna *f*; ~**haus** *n* (*-es*; *⸚er*) *für Leichen*: depósito *m* de cadáveres; ~**kampf** *m* (*-es*; *⸚e*) *Boxen*: (combate *m* de) exhibición *f*; ~**kasten** *m* (*-s*; *⸚*) vitrina *f*.
'**Schaukel** *f* (*-*; *-n*) (*Strick*2) colum-

pio *m*; *Am.* hamaca *f*; (*Wippe*) báscula *f*; 2n (*-le*) **1.** *v/t.* balancear; (*auf e-r Schaukel*) columpiar, *Am.* hamaquear; (*wiegen*) mecer; *sich* ~ balancearse; columpiarse; *Am.* hamaquearse; mecerse; F *wir werden das Kind schon* ~ ya se arreglará la cosa; ya habrá solución; **2.** *v/i.* (*wanken*) vacilar, titubear; (*sich wiegen*) mecerse; (*wippen*) bascular; (*hin und her* ~) tambalearse; (*schlingen*) ⚓ balancear; (*im Gehen*) contonearse; F columpiarse al andar; **~n** *n* balanceo *m* (*a.* ⚓); tambaleo *m*; mecedura *f*; **~pferd** *n* (*-es*; *-e*) caballito *m* mecedor; **~politik** *f* (*0*) política *f* oportunista; política *f* de zigzag; **~reck** *Turnen n* (*-es*; *-e*) trapecio *m*; **~ringe** *Turnen m/pl.* anillas *f/pl.*; **~stuhl** *m* (*-es*; *⸚e*) mecedora *f*.

'**Schau...:** **~loch** *n* (*-es*; *⸚er*) (*Guckloch*) mirilla *f*; **~lust** *f* (*0*) curiosidad *f*; **2lustig** *adj.* curioso; **~lustige(r** *m*) *f* curioso *m*, curiosa *f*.

'**Schaum** *m* (*-es*; *⸚e*) espuma *f*; (*Geifer*) espumarajo *m*; *Kochk.*: *zu* ~ *schlagen Eiweiß*: batir a punto de nieve; *fig. zu* ~ *werden* frustrarse; desvanecerse, esfumarse; quedar en nada; **~blase** *f* burbuja *f*; **2bedeckt** *adj.* cubierto de espuma.

'**schäumen** *v/i.* espumar; hacer (*od.* levantar) espuma; (*Wellen*) cabrillear; *fig. vor Wut* ~ espumajear de rabia; 2 *n* espumosidad *f*; **~d** *adj.* espumoso; espumante.

'**Schaum...:** **~feuerlöscher** *m* extintor *m* de espuma; **~gebäck** *n* (*-es*; *-e*) merengue *m*; **~gold** *n* (*-es*; *0*) oropel *m*; **~gummi** *m* (*-s*; *-s*) goma-espuma *f*; **2ig** *adj.* espumoso; **~kelle** *f*, **~löffel** *m* espumadera *f*; **~schläger** *m* batidor *m*; *fig.* figurón *m*; fantoche *m*; bambollero *m*; **~schläge'rei** *f* bambolla *f*; **2schlägerisch** *adj.* bambollero; **~teppich** *m* capa *f* espumosa.

'**Schaumünze** *f* medalla *f*.

'**Schaumwein** *m* (*-es*; *-e*) vino *m* espumoso.

'**Schau...:** **~packung** *f im Schaufenster*: envase *m* sin contenido; **~platz** *m* (*-es*; *⸚e*) *Thea.* escena *f*; (*Bühne*) escenario *m*; teatro *m* (*a. fig.*); **~prozeß** *m* (*-sses*; *-sse*) simulacro *m* de proceso.

'**schaurig** *adj.* horrible; espantoso; estremecedor; (*haarsträubend*) horripilante, espeluznante; (*düster stimmend*) lúgubre; siniestro.

'**Schauspiel** *n* (*-es*; *-e*) espectáculo *m*; *Thea.* pieza *f* de teatro; drama *m*; **~dichter** *m* autor *m* dramático; dramaturgo *m*; **~dichtung** *f* poesía *f* dramática; **~er(in** *f*) *m* actor *m*; actriz *f*; comediante *m*; comedianta *f*; (actor *m*) cómico *m*; (actriz *f*) cómica *f*; *fig.* (*Heuchler*) comediante *m*, farsante *m*; *herumziehender* ~ cómico de la legua; **~e'rei** *f* comedia *f*; **2erisch** *adj.* de actor; de actriz; (*bühnenmäßig*) teatral; **2ern** (*-re*) *v/i. fig.* afectar; hacer la comedia; **~haus** *n* (*-es*; *⸚er*) sala *f* de espectáculos; teatro *m*; **~kunst** *f* (*0*) arte *m* dramático.

'**Schau...:** **~steller** *m* expositor *m*; *auf Jahrmärkten*: feriante *m*; **~stellung** *f* exposición *f*; exhibición *f*; **~stück** *n* (*-es*; *-e*) objeto *m* curioso *od.* interesante; (*Medaille*) medalla *f*; (*Muster*) muestra *f*; *Thea.* obra *f* de gran espectáculo; **~turnen** *n* concurso *m* gimnástico; exhibición *f* gimnástica.

Scheck ✝ *m* (*-s*; *-s*) cheque *m* (*über ac.* de); *gekreuzter* (*gesperrter*; *offener*; *uneingelöster*; *ungedeckter*; *verjährter*) cheque cruzado (bloqueado; abierto; no pagado; no cubierto; caducado); *auf den Namen laufender* ~ cheque nominativo; *e-n* ~ *ausstellen* extender un cheque; *e-n* ~ *einlösen* cobrar un cheque; '**~buch** *n* (*-es*; *⸚er*) talonario *m* de cheques.

'**Schecke** *f* (*Pferd*) caballo *m* pío.

'**Scheck...:** **~fälscher** *m* falsificador *m* de cheques; **~fälschung** *f* falsificación *f* de cheques; **~formular** *n* talón *m*; **~heft** *n* (*-es*; *-e*) → *Scheckbuch*.

'**scheckig** *adj.* manchado; (*Pferd*) pío.

'**Scheck...:** **~inhaber** *m* tenedor *m* (*od.* portador *m*) de un cheque; **~konto** *n* (*-s*; *-konten*) cuenta *f* (corriente) de cheques; **~verkehr** *m* (*-s*; *0*) operaciones *f/pl.* de cheques; **~zahlung** *f* pago *m* con cheque.

'**scheel** *adj.* bizco; bisojo; *fig.* envidioso; *j-n mit* ~*en Augen ansehen* mirar de reojo a alg.; mirar con ojos envidiosos a alg.; **2sucht** *f* (*0*) envidia *f*; **~süchtig** *adj.* envidioso.

'**Scheffel** *m* fanega *f*; *fig. sein Licht unter den* ~ *stellen* poner la luz bajo el celemín; **2n** (*-le*) *v/i.*: *Geld* ~ ganar dinero a montones; *fig.* apalear el oro; **2weise** *adv.* a fanegadas; a granel; F a porrillo.

'**Scheibe** *f* disco *m*; *Brot, Käse*: rebanada *f*; *Fleisch*: tajada *f*; *Wurst, Zitrone*: rodaja *f*; *Melone*: raja *f*; *Schinken, Speck*: lonja *f*; *Honig*: panal *m*; (*Fenster2*) cristal *m*; (*Spiegel2*, *Schaufenster2*) luna *f*; *Auto.* (*Windschutz2*) parabrisas *m*; (*Schieß2*) blanco *m*; ⊕ disco *m*; *tellerförmig*: plato *m*; platillo *m*; (*Unterleg2*) arandela *f*; (*Dreh2*) torno *m*; disco *m* giratorio; (*Riemen2*) polea *f*; (*Rolle*) roldana *f*; (*Ränder2*) moleta *f*; (*Töpfer2*) torno *m* de alfarero; *in* ~*n schneiden* cortar en rebanadas *bzw.* rodajas *usw.*; *fig.* F *von ihm kannst du dir noch e-e* ~ *abschneiden* podías aprender todavía mucho de él; puede servirte de modelo en muchas cosas; P *ja,* ~! ¡ni hablar!

'**Scheibenbremse** *f* frenos *m/pl.* de discos.

'**Scheiben...:** **2förmig** *adj.* en forma de disco; **~gardine** *f* visillo *m*; **~honig** *m* (*-s*; *0*) miel *m* en panales; **~kupplung** *f Auto.* acoplamiento *m* de discos; **~rad** *n* (*-es*; *⸚er*) 🚗, *Auto.* rueda *f* de plato (*od.* de disco); **~schießen** *n* ejercicio *m* de tiro al blanco; **~stand** *m* (*-es*; *⸚e*) tiro *m*; **2weise** *adv. Brot*: en rebanadas; *Fleisch*: en tajadas; *Wurst, Zitrone*: en rodajas; *Schinken*: en lonjas; *Honig*: en panales; por capas *od.* estratos; **~wischer** *m Auto.* limpia-parabrisas *m*.

Scheich *m* (*-s*; *-e od. -s*) jeque *m*; emir *m*; **~tum** *n* emirato *m*.

'**Scheide** *f* (*Trennungslinie*) línea *f* divisoria; *Pol.* línea *f* de demarcación; (*Grenze*) límite *m*; frontera *f*; (*Futteral*) estuche *m*; (*Degen2*) vaina *f* (*a.* ⚘); *Anat.* vagina *f*; *Schwert*: *aus der* ~ *ziehen* desenvainar; *Schwert*: *wieder in die* ~ *stecken* envainar; **~erz** ⚒ *n* mineral *m* apartado *od.* deslodado; **~linie** *f* línea *f* divisoria; *Pol.* línea *f* de demarcación; (*Grenze*) límite *m*, frontera *f*; **~mauer** △ *f* (*-*; *-n*) pared *f* divisoria; (*Brandmauer*) pared *f* medianera; **~münze** *f* moneda *f* fraccionaria; calderilla *f*.

'**scheiden** (*L*) **I. 1.** *v/t.* (*trennen*) separar (*a.* ⚗ *u. Erze*); (*auslesen*) segregar; (*lösen*) disolver; (*unter*~) distinguir, diferenciar; (*teilend*) dividir; (*raffinieren*) refinar; ⚖ (*Eheleute*) divorciar; *sich* ~ *lassen* divorciarse; **2.** *v/i.* separarse (*von* de); (*weggehen*) irse, marcharse; (*Abschied nehmen*) despedirse; *aus dem Dienst* ~ (*mit Pension*) jubilarse; *aus dem Leben* ~ morir, fallecer; *wir sind geschiedene Leute* todo ha terminado entre nosotros; *das* ~*de Jahr* el año que (ahora) acaba; **II.** 2 *n* (*Trennung*) separación *f*; (*Abschied*) despedida *f*; (*Teilung*) división *f*; (*Auslesen*) segregación *f*; (*Abreise*) partida *f*; (*der Ehe*) divorcio *m*; (*Tod*) muerte *f*, fallecimiento *m*.

'**Scheide...:** **~wand** *f* (*-*; *⸚e*) pared *f* divisoria; tabique *m* (*a. Anat.*); ⊕, *Anat. u.* ⚘: diafragma *m*; **~wasser** ⚗ *n* (*-s*; *0*) agua *f* fuerte; **~weg** *m* (*-es*; *-e*) (*Kreuzweg*) encrucijada *f*; (*Weggabelung*) bifurcación *f*; *fig.* dilema *m*; *fig. am* ~ *stehen* hallarse ante un dilema; estar en la encrucijada.

'**Scheidung** *f* separación *f* (*a.* ⚗); división *f*; ⚗ análisis *m*; (*Ehe*) divorcio *m*; *auf* ~ *klagen* ⚖ entablar demanda de divorcio; pedir el divorcio.

'**Scheidungs...:** **~grund** *m* (*-es*; *⸚e*) causa *f* de divorcio; **~klage** *f* demanda *f* de divorcio; *die* ~ *einreichen* presentar demanda de divorcio; **~s-prozeß** *m* (*-sses*; *-sse*) pleito *m* de divorcio.

Schein *m* (*-es*; *-e*) (*Bescheinigung*) certificación *f*, certificado *m*; (*Quittung*) recibo *m*; (*Fahr2*) billete *m*; (*Geld2*) billete *m* de banco; (*Gepäck2*) talón *m* de facturación; (*Gut2*) vale *m*; (*Zettel*) papeleta *f*; (*Formular*) impreso *m*; (*Licht*) luz *f*; (*Helle*) claridad *f*; (*Schimmer*) vislumbre *m*; (*Glanz*) brillo *m*; resplandor *m*; *fig.* (*-es*; *0*) (*An2*) apariencia *f*; apariencias *f/pl.*; aspecto *m*; (*Außenseite*) exterioridad *f*, *mst. pl.* exterioridades; (*Sinnestäuschung*) ilusión *f*; (*Förmlichkeit*) forma *f*; ~ *des Mondes* luz *f* de la luna; *dem* ~*e nach* por (*od.* según) las apariencias; según parece; *zum* ~ por (pura) fórmula; para salvar las apariencias; *unter dem* ~ (*gen.*) bajo el manto de; so pretexto de; *das ist nur* ~ sólo es apariencia; *sich den* ~ *geben, zu* (*inf.*) aparentar (*inf.*); fingir (*inf.*); *sich den* ~ *geben, als ob* hacer como si; *den* ~ *wahren* guardar las apariencias; *nach dem* ~ *urteilen* juzgar por las apariencias; *nach dem ~ zu urteilen* a juzgar por las apariencias; *der ~ trügt* las apariencias engañan.

'**Schein...**: *in Zssg(n) oft* seudo ...; simulacro de ...; aparente; fingido; ficticio; engañoso; ilusorio; **~angriff** ⚔ *m (-es; -e)* simulacro *m* de ataque; ataque *m* simulado; **~anlage** ⚔ *f* instalación *f* simulada; **~argument** *n (-es; -e)* argumento *m* especioso (*od.* engañoso); **2bar I.** *adj.* aparente; (*vorgeblich*) ficticio; falso; (*vorgetäuscht*) simulado; (*vermeintlich*) imaginario; (*illusorisch*) ilusorio; (*trügerisch*) engañoso; **II.** *adv.* aparentemente; según parece; en apariencia; **~beweis** *m (-es; -e)* prueba *f* especiosa; **~bild** *n (-es; -er)* imagen *f* engañosa; ilusión *f*; (*inhaltloser Gegenstand*) simulacro *m*; (*Gespenst*) espectro *m*, fantasma *m*; **~blüte** *f* prosperidad *f* aparente; **~ehe** *f* matrimonio *m* ficticio.

'**scheinen** (*L*) *v/i.* lucir; (*glänzen*) brillar, resplandecer; *der Mond scheint* hace una noche de luna; hay luna clara; *die Sonne scheint* hace sol; *fig.* (*den Anschein haben*) parecer; (*wie et. aussehen*) tener aspecto de; tener la apariencia de; tener aire de; *j-m gut ~* parecer bien a alg.; *wie es scheint* a lo que parece; según parece; *es scheint so* así parece; *es scheint mir* me parece; *er scheint müde zu sein* parece estar cansado.

'**Schein...**: **~friede** *m (-ns; -n)* paz *f* ficticia; **~gefecht** ⚔ *n (-es; -e)* combate *m* simulado; simulacro *m* de combate; **~geschäft** *n (-es; ‥e)* negocio *m* ficticio; **~gewinn** *m (-es; -e)* ganancia *f* aparente; **~grund** *m (-es; ‥e)* razón *f* aparente; argumento *m* especioso; (*Vorwand*) pretexto *m*; **2heilig** *adj.* hipócrita; farisaico; (*frömmelnd*) santurrón, gazmoño, mojigato; **~heilige(r** *m)f* hipócrita *m/f*; fariseo *m*; (*Frömmler*) santurrón *m*, gazmoño *m*, mojigato *m*; *Frau*: santurrona *f*, gazmoña *f*, mojigata *f*; **~heiligkeit** *f (0)* hipocresía *f*; fariseísmo *m*; (*Frömmelei*) falsa devoción *f*; santurronería *f*, gazmoñería *f*, mojigatería *f*; **~herrschaft** *f* dominio *m* imaginario; **~kauf** *m (-es; ‥e)* compra *f* ficticia (*od.* simulada); **~tod** *m (-es; 0)* muerte *f* aparente; **~verkauf** *m (-es; ‥e)* venta *f* ficticia (*od.* simulada); **~vertrag** *m (-es; ‥e)* contrato *m* ficticio (*od.* simulado); **~welt** *f* mundo *m* aparente *od.* quimérico; **~werfer** *m* proyector *m*; (*Reflektor*) reflector *m*; *Auto.* faro *m*; **~widerstand** ⚡ *m (-es; ‥e)* impedancia *f*.

'**Scheiß|e** V *f* mierda *f*; **2en** V *v/i.* (*L*) cagar; **~kerl** V *m (-s; -e)* mierda *m*, cagado *m*.

Scheit *n (-es; -e)* leño *m*.

'**Scheitel** *m* coronilla *f*; *des Gebirges*: cumbre *f*, cima *f*; (*Haar2*) raya *f*; △ *~ der Koordinaten* origen de las coordenadas; *vom ~ bis zur Sohle* de pies a cabeza; **~faktor** ⚡ *m (-s; -en)* factor *m* de amplitud; **~kreis** *m (-es; -e)* círculo *m* vertical; **~linie** *f* línea *f* del vértice; **2n** (*-le*) *v/t.*: *die Haare ~* hacerse la raya; **~punkt** *m (-es; -e)* punto *m* culminante; △ *e-s Winkels*: vértice *m*; *Astr.* cenit *m*; **2recht** *adj.* vertical; perpendicular; **~wert** *m (-es; -e)* máximum *m*; **~winkel** △ *m/pl.* ángulos *m/pl.* opuestos por el vértice.

'**Scheiterhaufen** *m* hoguera *f*; (*bei frühgeschichtlichen Opfern*) pira *f*.

'**scheitern** (*-re*) **I.** *v/i.* ⚓ naufragar; (*untergehen*) *a.* irse a pique, hundirse, perderse; (*auflaufen*) varar, encallar; *fig.* fracasar; (*Hoffnungen*) frustrarse; desvanecerse; **II.** 2 *n* ⚓ naufragio *m*; *fig.* fracaso *m*; *zum ~ bringen* hacer fracasar; *zum ~ verurteilt* condenado al fracaso.

'**Schelde** *f Fluß*: el (río) Escalda.

'**Schellack** *m (-s; 0)* goma *f* laca.

'**Schelle** *f* cascabel *m*; (*Glöckchen, Klingel*) campanilla *f*; (*Rohr2*) ⊕ collar *m*; abrazadera *f*; (*Hand2*) esposas *f/pl.*; (*Maul2*) bofetada *f*, F tortazo *m*; galleta *f*; sopapo *m*.

'**schellen I.** *v/i.* tocar la campanilla; **II.** 2 *n* toque *m* de campanilla; llamada *f*.

'**Schellen...**: **~baum** ⚔ *m (-es; ‥e)* chinesco *m*, *mst. pl.* chinescos; **~geläut(e)** *n (-es; 0)* cascabeleo *m*; *des Glöckchens*: campanilleo *m*; tintineo *m*; **~halsband** *n (-es; ‥er)* collar *m* de cascabeles; **~kappe** *f* gorro *m* con cascabeles; gorro *m* de bufón.

'**Schellfisch** *m (-es; -e)* (*Kabeljau*) bacalao *m* fresco.

'**Schelm** *m (-es; -e)* (*Schalk*) pícaro *m*; (*Schurke*) bribón *m*; *armer ~* pobre diablo; pobre hombre; **~engesicht** *n (-es; -er)* cara *f* de pícaro; **~enroman** *m (-s; -e)* novela *f* picaresca; **~enstreich** *m (-es; -e)*, **~enstück** *n (-es; -e)* picardía *f*; (*Gemeinheit*) bribonada *f*; canallada *f*; *bsd. v. Kindern*: travesura *f*, diablura *f*; **2isch** *adj.* pícaro.

'**Schelt|e** *f* reprimenda *f*; F rapapolvo *m*, bronca *f*; *~ bekommen* sufrir (*od.* llevarse) una reprimenda; **2en** (*L*) *v/t. u. v/i.* reprender; regañar; increpar; reñir; F echar una bronca (*j-n* a alg.; *wegen* por); *auf j-n ~* echar pestes contra alg.; *j-n e-n Esel ~* (*nennen*) calificar de asno a alg.; llamar asno (*od.* burro) a alg.; **~en** *n* reprimenda *f*; reprensión *f*; **~wort** *n (-es; ‥er, -e)* (*Schimpfwort*) injuria *f*; invectiva *f*; denuesto *m*; improperio *m*; insulto *m*.

'**Schema** (*-s; -s, Schemata*) *n* esquema *m*; (*Muster*) modelo *m*; (*Plan*) plano *m*.

sche'matisch *adj.* esquemático; *~e Darstellung* representación esquemática.

schemati'sieren (-) *v/t.* esquematizar, representar en forma *f* esquemática.

Schema'tismus *m (-; 0)* esquematismo *m*.

'**Schemel** *m* taburete *m*; escabel *m*; (*Bänkchen*) banquito *m*.

'**Schemen** *m* sombra *f*; fantasma *m*, espectro *m*; **2haft** *adj.* (*gespenstisch*) espectral, fantasmal; (*vage*) vago.

'**Schenke** *f* (*Ausschank*) despacho *m* de bebidas; (*Wein2*) taberna *f*, F tasca *f*; (*Bierlokal*) cervecería *f*; (*Wirtshaus am Wege*) venta *f*.

'**Schenkel** *m Anat.* (*Ober2*) muslo *m*; (*Unter2*) pierna *f*; △ lado *m*; *e-s Zirkels*: pierna *f*; **~bein** *Anat. n (-es; -e)* fémur *m*; **~bruch** *m (-es; ‥e) Chir.* fractura *f* de fémur; ⚕ hernia *f* femoral; **~druck** *m (-es; 0) Reitsport*: presión *f* de las piernas; **~hals** *Anat. m* cuello *m* del fémur; **~knochen** *Anat. m* fémur *m*; **~rohr** ⊕ *n (-es; -e)* tubo *m* acodado.

'**schenken** *v/t.* dar; (*gewähren*) conceder; otorgar; ⚖ donar, hacer donación *f* de a/c.; (*ein~*) servir una copa de; *ins Glas*: echar; (*kredenzen*) escanciar; *Schuld, Strafe*: perdonar, condonar; *j-m et. ~* dar a alg. a/c.; regalar a alg. a/c.; hacer a alg. un regalo (*od.* un obsequio); obsequiar a alg.; (*darbieten*) ofrecer a alg. a/c.; *j-m (e-r Sache dat.) Aufmerksamkeit ~* prestar atención a alg. (a a/c.); poner atención en a/c.; escuchar atentamente a alg.; *j-m die Freiheit ~* dar (*od.* conceder) la libertad a alg.; *j-m sein Herz ~* entregar su corazón a alg.; *e-r Sache (dat.) Glauben ~* dar crédito a a/c.; *j-m Glauben ~* creer a alg.; *e-m Kind das Leben ~* dar a luz un niño; *j-m Vertrauen ~* tener confianza en alg.; *das kannst du dir ~* puedes ahorrarte eso; *ich möchte es nicht (einmal) geschenkt haben* no lo quiero ni regalado; † *das ist geschenkt* es regalado; es una verdadera ganga.

'**Schenkung** *f* (*Geschenk*) regalo *m*, obsequio *m*; (*Spende*) donativo *m*; ⚖ donación *f*; *~ unter Lebenden* ⚖ donación inter vivos; **~ssteuer** *f (-; -n)* impuesto *m* sobre donación inter vivos; **~s-urkunde** ⚖ *f* acta *f* de donación; **~sversprechen** ⚖ *n* promesa *f* de donación; **~svertrag** ⚖ *m (-es; ‥e)* contrato *m* de donación; **2sweise** *adv.* a título de donación.

'**scheppern** (*-re*) F *v/i.* (*klappern*) traquetear; (*Holzplättchen*) tabletear; (*Glas, Metall*) tintinear.

'**Scherbe** *f* fragmento *m*; pedazo *m*; (*Splitter*) casco *m*; (*Topf2*) cacharro *m*; (*Blumentopf*) tiesto *m*; (*Einglas*) monóculo *m*; *~n pl.* pedazos *m/pl.*; *bsd. v. Glas, Porzellan*: añicos *m/pl.*; (*Überreste*) restos *m/pl.*; *in ~n gehen* romperse en pedazos; hacerse añicos.

'**Scher-beanspruchung** ⊕ *f* esfuerzo *m* de cizallamiento.

'**Scherbengericht** *Hist. n (-es; -e)* ostracismo *m*.

'**Schere** *f* tijeras *f/pl.*; (*Blech2*) cizalla *f*; (*Draht2*) alicates *m/pl.* corta-alambres *m*; *Zoo.* (*Krebs2*) pinza *f*; (*Preis2*) † desproporción *f* entre coste de producción y precio de venta.

'**scheren 1.** (*L*) *v/t. Tuch*: tundir; *Haare, Bart*: cortar; (*stutzen*) recortar; *Schafe*: esquilar; *Samt, Hecke*: recortar; *fig.* (*belästigen*) molestar; (*angehen*) importar; *alles über e-n Kamm ~* medirlo todo por el mismo rasero; **2.** *v/refl.*: *sich um et. ~* ocuparse de a/c.; tomarse interés por a/c.; *was schert das dich?* ¿qué te importa a ti eso?; *sich ~* (*davonmachen*) irse; F largarse, tomar las de Villadiego; *scher dich zum Henker (od. Teufel)!* ¡vete al diablo!; ¡vete al cuerno!; ²**fernrohr** ⚔ *n* (*-es*; *-e*) anteojo *m* de tijera; ²**schleifer** *m* afilador *m*, amolador *m*; ²**schnitt** *m* (*-es*; *-e*) silueta *f*.

Schere'rei *f* molestia *f*; fastidio *m*; engorro *m*, pejiguera *f*; trastorno *m*; *j-m viel* ~*en machen* causar muchas molestias a alg.

'Scherfestigkeit ⊕ *f* (*0*) resistencia *f* al cizallamiento.

'Scherflein *n* óbolo *m*; *sein* ~ *beitragen* contribuir con su óbolo.

'Scherge *m* (*-n*) (*Häscher*) esbirro *m*; alguacil *m*, corchete *m*; (*Henker*) verdugo *m*.

Sche'rif *m* (*-s*, *-en*; *-s*; *-e[n]*) (*arabischer Titel*) jerife *m*.

'Scher...: ~**maschine** *f* tundidora *f*; ~**messer** *n* (*Tuch*²) cuchilla *f* de tundir; (*Rasiermesser*) navaja *f* de afeitar; ~**rahmen** *m* urdidor *m* de tambor.

'Scherwolle *f* (*0*) vellón *m*, lana *f* esquilada; *des Tuches*: flojel *m*.

Scherz *m* (*-es*; *-e*) broma *f*; chanza *f*; (*Witz*) chiste *m*; *derber* (*od. übler*) ~ broma de mal gusto; broma pesada; (*Neckerei*) burla *f*, F choteo *m*, guasa *f*, chunga *f*; *aus* ~ por broma; *im* ~, *zum* ~ en broma; ~ *beiseite* (dejando) bromas aparte; ¡hablemos en serio!, ¡dejémonos de bromas!; *es war nur ein* ~ sólo era en broma; *der* ~ *geht zu weit* esto ya pasa de broma; ~ *verstehen* no tomar a mal una broma; ~ *treiben mit j-m* bromear (*od.* chancear) con alg.; '~**artikel** *m* objeto *m* de pega (*od.* de engañifa); '~**bonbon** *m* (*-s*; *-s*) bombón *m* de pega.

'Scherzeit *f* esquileo *m*.

'scherz|en (*-t*) *v/i.* bromear; chancear; (*spötteln*) burlarse, F guasearse, chotearse (*über ac.* de); (*tändeln*) juguetear; *nicht mit sich* ~ *lassen* no entender de burlas; *Sie* ~ *wohl?* ¡eso lo dirá usted en broma!; ¡usted se chancea!; ²**en** *n* → *Scherz*; *er ist nicht zum* ~ *aufgelegt* no está para bromas (*od.* fiestas); ²**frage** *f* adivinanza *f* (jocosa); ²**gedicht** *n* (*-es*; *-e*) poesía *f* festiva; poema *m* burlesco; ~**haft** *adj.* (*witzig*) chistoso, festivo, gracioso; (*komisch*) cómico; (*kurzweilig*) divertido; (*spöttisch*) burlesco; burlón; (*heiter*) placentero; (*humorvoll*) humorístico; jocoso; (*tändelnd*) juguetón; ²**haftigkeit** *f* (*0*) jocosidad *f*; ²**name** *m* (*-ns*; *-n*) nombre *m* burlesco; (*Spitzname*) apodo *m*, mote *m*, alias *m*.

'Scherzo ♪ *n* (*-s*; *-s*, *Scherzi*) scherzo *m*.

'scherz|weise *adv.* en broma; por broma; en tono de burla; ²**wort** *n* (*-es*; *⸚er*) chiste *m*; palabra *f* chistosa.

scheu *adj.* (*furchtsam*) medroso; (*schüchtern*) tímido; (*zurückhaltend*) reservado; retraido; (*ungesellig*) insociable, huraño; *Pferd*: espantadizo; ~ *machen* (*werden*) espantar (espantarse).

Scheu *f* (*0*) (*Furcht*) temor *m*; (*Schüchternheit*) timidez *f*; (*Menschen*²) insociabilidad *f*; (*Abneigung*) aversión *f*, repugnancia *f*; (*Ehrfurcht*) respeto *m*; *ohne* ~ sin temor (*vor* a), (*ohne Achtung*) sin respeto, (*schonungslos*) sin consideración (*od.* miramiento).

'Scheuche *f* espantajo *m* (*a. fig.*); (*Vogel*²) espantapájaros *m*; ²**n** *v/t.* espantar; (*wegjagen*) ahuyentar.

'scheuen 1. *v/i. Pferd*: espantarse, *durchgehen*: desbocarse; **2.** *v/refl.*: *sich* ~ *vor* (*dat.*) *fürchten*: *j-m* temer a alg.; tener miedo a alg.; et. temer a/c.; tener miedo a a/c.; ~ *et. zu tun* tener miedo de hacer a/c.; **3.** *v/t.* temer; *keine Mühe* (*Opfer*) ~ no omitir esfuerzos (sacrificios); no retroceder ante ningún esfuerzo (sacrificio); no regatear esfuerzos (sacrificios); *keine Kosten* ~ no reparar en gastos; *das Licht* ~ rehuir la luz.

'Scheuer *f* (*-*; *-n*) granero *m*, troje *f*; *in die* ~ *bringen* entrojar; *fig.* poner en seguro.

'Scheuer...: ~**bürste** *f* cepillo *m* de fregar; (*Schrubber*) escobilla *f*; ~**frau** *f* mujer *f* para la limpieza; *desp.* fregona *f*; fregatriz *f*; ~**lappen** *m* rodilla *f* de fregar, bayeta *f*; ~**leiste** *f* (*Sockelleiste*) listón *m* de zócalo; ~**mittel** *n* producto *m* para fregar suelos; ²**n** (*-re*) *v/t. u. v/i.* (*Geschirr*, *Fußboden*) fregar; ⚓ (*Deck*) baldear; (*reiben*) frotar, estregar; *sich* ~ (*die Haut*) excoriarse, desollarse; ~**n** *n* frotamiento *m*; *des Geschirrs, des Fußbodens*: fregado *m*; ⚓ baldeo *m*; ~**pulver** *n* polvos *m/pl.* (detergentes) para fregar; ~**sand** *m* (*-es*; *-e*) arena *f* para fregar; ~**tuch** *n* (*-es*; *⸚er*) → *Scheuerlappen*; ~**wisch** *m* (*-es*; *-e*) estropajo *m*.

'Scheu|klappe *f*, ~**leder** *n* anteojera *f*.

'Scheune *f* (*Korn*²) granero *m*, troje *f*; *für Heu*: henil *m*, henal *m*.

'Scheunen...: ~**drescher** F *fig. m*: *wie ein* ~ *essen* comer como un cavador; tener buen saque; ~**tor** *fig. n* (*-es*; *-e*): *den Mund wie ein* ~ *aufreißen* abrir una boca como un buzón.

'Scheusal *n* (*-s*; *-e*) monstruo *m*.

'scheußlich I. *adj.* horrible; odioso; (*furchtbar*) terrible; (*widernatürlich*) monstruoso; *Tat*: atroz; (*abscheulich*) abominable; execrable; (*abstoßend*) repugnante; repulsivo; (*ekelhaft*) asqueroso; *ein* ~*es Wetter* un tiempo muy desapacible; F un tiempo de perros; **II.** *adv.*: *es ist* ~ *kalt* hace un frío espantoso; ²**keit** *f* horror *m*; (*Tat*) atrocidad *f*; (*Widernatürlichkeit*) monstruosidad *f*.

Schi *m* (*-s*; *Schier*) esquí *m*; *pl.* esquís; ~ *fahren* esquiar; '~**anzug** *m* (*-es*; *⸚e*) traje *m* de esquiador; '~**ausrüstung** *f* equipo *m* de esquiador.

'Schicht *f* capa *f*; *Farbe*: *a.* mano *f* (de pintura); *Luft*: región *f*; *Mauersteine*: ⚠ hilada *f*; *Holz*: pila *f*; *Reihe*: fila *f*; *Geol.* estrato *m*; (*dünne* ~, *Häutchen*) película *f*, *Phot.* emulsión *f*; *Bodensatz*: sedimento *m*; ⊕ *Hochofen*: carga *f*; (*Arbeits*²) jornada *f*; (*Arbeitsgang*) turno *m*; (*Belegschaft*) equipo *m*, cuadrilla *f*, brigada *f* (de obreros); *in* ~*en arbeiten* trabajar por equipos *bzw.* por turnos; (*Pause*) pausa *f*; *fig.* (*Volks*²) capa *f* social, clase *f* social; *breite* ~*en der Bevölkerung* vastos sectores de la población; ~**arbeit** *f* trabajo *m* por equipos; ~**arbeiter** *m* obrero *m* de un equipo; ²**en** (*-e-*) *v/t.* (*in Schichten legen*) disponer por capas; *Holz*: apilar; *Geol.* estratificar; (*klassifizieren*) clasificar; ⊕ *Hochofen*: cargar; ⚓ estibar; ~**gestein** *Geol. n* (*-es*; *-e*) roca *f* estratificada; ~**holz** *n* (*-es*; *⸚er*) leña *f* apilada; ~**leistung** *f* rendimiento *m* de un equipo; ~**linie** *Landkarte f* curva *f* de nivel; ~**meister** *m* capataz *m* de un equipo; ~**seite** *Phot. f* lado *m* de la emulsión; ~**ung** *f* disposición *f* por capas; *v. Holz*: apilamiento *m*; *Geol.* estratificación *f*; ⚓ estibación *f*; (*Klassifizierung*) clasificación *f*; ~**unterricht** *m* (*-es*; *0*) enseñanza *f* por turnos; ~**wechsel** *m* relevo *m* de equipos; ²**weise** *adv.* en capas; por capas; por equipos; por turnos; ~**wolke** *f* estrato *m*.

Schick I. *m* (*-s*; *0*) (*Eleganz*) elegancia *f*; (*Geschicklichkeit*) habilidad *f*; (*Feingefühl*) tacto *m*; **II.** ² *adj.* elegante, chic; a la moda.

'schicken I. 1. *v/t.* enviar; remitir; (*versenden*) expedir, despachar; (*übermitteln*) transmitir; *j-n in den April* ~ dar una inocentada a alg.; **2.** *v/i.*: *nach j-m* ~ mandar buscar a alg.; enviar a buscar a alg.; **3.** *v/refl.*: *sich in et.* (*ac.*) ~ (*sich hineinfinden*) conformarse con, resignarse a a/c.; *sich ins Unvermeidliche* ~ resignarse a lo inevitable; *sich* ~ (*geziemen*) convenir; ser conveniente; ser propio *od.* correcto; ser decente; *das schickt sich nicht* no es conveniente eso; eso no está bien *od.* no está bien hacer eso; eso no es decente; eso no se hace; *es schickt sich nicht für ihn, zu* (*inf.*) no está bien en él (*inf.*); no es propio de él (*inf.*); *sich* ~ (*ereignen*) suceder, ocurrir; sobrevenir; **II.** ² *n* envío *m*; remisión *f*; expedición *f*.

'schicklich *adj.* (*passend*) conveniente; (*geeignet*) propio, apropiado; pertinente; (*anständig*) decente, decoroso; de buen tono, bien parecido; ²**keit** *f* (*0*) conveniencia *f*; pertinencia *f*; decencia *f*, decoro *m*; buen tono *m*; ²**keitsgefühl** *n* (*-es*; *0*) tacto *m*.

'Schicksal *n* (*-s*; *-e*) (*Los*) suerte *f*; (*Verhängnis*) destino *m*; (*Fatum*) fatalidad *f*, sino *m*, hado *m*; *launenhaftes*: fortuna *f*; (*Glücksstern*) estrella *f*; *j-n s-m* ~ *überlassen* abandonar a alg. a su suerte; *es war sein* ~ era su destino; *das gleiche* ~ *erfahren* correr la misma suerte; ²**haft** *adj.* fatal.

'Schicksals...: ~**frage** *f* cuestión *f* fatal; ~**fügung** *f* designio *m* de la Providencia; ~**gefährte** *m* (*-n*), ~**genosse** *m* (*-n*) compañero *m* de infortunio; ~**gemeinschaft** *f* comunidad *f* de destino; ~**glaube** *m* (*-ns*; *0*) fatalismo *m*; ~**göttinnen** *Myt. f/pl.* Parcas *f/pl.*; ~**prüfung** *f* prueba *f* (del destino); ~**schlag** *m* (*-es*; *⸚e*) revés *m* de (la) fortuna; ~**stunde** *f* hora *f* fatal; ~**wende** *f* peripecia *f*.

'Schickung *f* designio *m* providencial; *göttliche* ~ la Divina Providencia.

ˈ**Schiebe|bühne** 🚂 *f* plataforma *f* móvil, transbordador *m*; **~dach** *n* (-*es*; ¨*er*) *Auto.* techo *m* corredizo; **~fenster** *n* ventana *f* (*Auto.* ventanilla *f*) corrediza.

ˈ**schieben** (*L*) *v/t. u. v/i.* empujar; mover hacia adelante *bzw.* hacia atrás; (*gleiten lassen*) hacer resbalar; deslizar; (*Zuggardinen usw.*) correr *bzw.* descorrer; *sich* ~ (*vorwärtsstoßen*) avanzar, introducirse empujando; *e-n Karren*: empujar; *Fahrrad*: llevar a la mano; et. *in den Mund* (*in die Tasche*) ~ meter *od.* introducir en la boca (en el bolsillo); *zur Seite* ~ apartar a un lado; correr a un lado; *in den Ofen* ~ enhornar, meter en el horno; *fig.* (*unredlich verfahren*) F hacer chanchullos; *mit Lebensmitteln usw.*: traficar ilícitamente, F hacer estraperlo, estraperlar; (*schmuggeln*) contrabandear; *die Schuld auf j-n* ~ echar (*od.* cargar) la culpa a alg.; *j-m* et. *in die Schuhe* ~ culpar a alg. de a/c.; imputar a alg. a/c.; et. *auf die lange Bank* ~ dar largas a a/c.; *j-n über die Grenze* ~ hacer a alg. repasar la frontera; *Kegel* ~ jugar a los bolos; *alle neune* ~ tirar los nueve bolos.

ˈ**Schieber** *m* ⊕ corredera *f*; distribuidor *m*; cursor *m*; *am Regenschirm*: anillo *m*; *am Reißverschluß*: cierre *m* (de cremallera); ⊕ *der Dampfmaschine*: tirador *m*, corredera *f*; (*Riegel*) pasador *m*, cerrojo *m*; *Person*: chanchullero *m*; (*Schwarzmarkthändler*) F estraperlista *m*; (*Hamsterer*) acaparador *m*; **~geschäft** *n* (-*es*; -*e*) (*Schwarzhandel*) negocio *m* de estraperlo; ~*e machen* F hacer estraperlo.

ˈ**Schiebering** ⊕ *m* (-*s*; -*e*) corredera *f*.

ˈ**Schieberventil** ⊕ *n* (-*s*; -*e*) válvula *f* de corredera.

ˈ**Schiebe...:** **~sitz** *m* (-*es*; -*e*) asiento *m* corredizo; **~tür** *f* puerta *f* corrediza; **~wand** *Thea. f* (-; ¨*e*) bastidor *m*.

ˈ**Schiebung** *f* maniobra *f* fraudulenta; (*Betrug, bsd. im Spiel*) trampa *f*; (*Einverständnis*) arreglo *m* bajo cuerda, *im Sport*: tongo *m*; *mit Waren*: tráfico *m* ilícito, F estraperlo *m*; (*ungerechte Bevorzugung od. Zurücksetzung*) chanchullo *m*.

schied *pret. v. scheiden*.

ˈ**Schieds|gericht** *n* (-*es*; -*e*) tribunal *m* arbitral (*od.* de arbitraje); *gewerbliches*: consejo *m* de patronos y obreros; *Span.* Jurado *m* de Empresa; *Sport*: comité *m* de arbitraje; *e-m* ~ *unterwerfen* someter a arbitraje; 2**gerichtlich** *adj.* arbitral; ~*es Urteil* sentencia *f* arbitral; **~gerichtsbarkeit** *f* (*0*) jurisdicción *f* arbitral; **~gerichtshof** *m* (-*es*; *0*): (*Haager*) *Ständiger Internationaler* ~ Tribunal Permanente de Justicia Internacional (de La Haya); **~gerichtsklausel** *f* (-; -*n*) cláusula *f* de arbitraje; **~gerichtsverfahren** *n* procedimiento *m* arbitral (*od.* de arbitraje); **~gerichtswesen** *n* (-*s*; *0*) arbitraje *m*; **~gutachten** *n* laudo *m* arbitral; **~mann** *m* (-*es*; ¨*er*) árbitro *m*; (*Friedensrichter*) juez *m* de paz; (*Vermittler*) hombre *m* bueno; **~richter** *m* juez *m* arbitral; árbitro *m* (*a. Sport*); *bei Wettbewerben*: juez *m*; **~richteramt** *n* (-*es*; *0*) arbitraje *m*; 2**richterlich** *adj.* arbitral; **~spruch** *m* (-*es*; ¨*e*) fallo *m* arbitral; *sich e-m* ~ *unterwerfen* someterse a un fallo arbitral; **~vertrag** *m* (-*es*; ¨*e*) convenio *m* de arbitraje.

schief I. *adj.* oblicuo (*a.* ⩕); (*geneigt*) inclinado; en declive; (*Hang, Gefälle*) pendiente; (*schräg*) ladeado; (*quer*) atravesado; (*krumm, verdreht*) torcido; *fig.* (*falsch*) falso; equivocado, erróneo (*a. Urteil*); (*verdächtig*) sospechoso; (*zweideutig*) equívoco; ambiguo; ~*e Ebene* plano inclinado, (*Rampe*) rampa *f*; *fig. auf die* ~*e Ebene geraten* sacar los pies de las alforjas; *ein* ~*es Gesicht machen* torcer el gesto (F el morro); *in e-r* ~*en Lage sein* estar en una posición equívoca; *j-n in ein* ~*es Licht setzen* dar de alg. una impresión equívoca (*od.* desfigurada); **II.** *adv.* oblicuamente; de través; ~ *hängen* (*Bild*) colgar torcido; ~ *blicken* (*schielen*) bizcar; *j-n* ~ *ansehen* mirar de soslayo (*od.* de reojo) a alg.; ~ *stehen* estar inclinado; estar ladeado; estar torcido; ~ *stellen* inclinar; ladear; poner inclinado *bzw.* ladeado; poner torcido; *den Hut* ~ *aufsetzen* ladear (*od.* poner ladeado) el sombrero; ~ *gehen fig.* fracasar, salir mal; ~ *gewachsen* deforme; F ~ *gewickelt sein* estar muy equivocado; *sich krumm und* ~ *lachen* retorcerse (F troncharse) de risa.

ˈ**Schiefe** *f* oblicuidad *f*; inclinación *f*; sesgo *m*; ladeo *m*; (*Abhang*) declive *m*; pendiente *f*; *fig.* concepto *m* equivocado.

ˈ**Schiefer** *m* pizarra *f*; *Geol.* esquisto *m*; (*Splitter*) astilla *f*; *mit* ~ (*be*)*decken* empizarrar; 2**artig** *adj.* pizarroso; esquistoso; 2**blau** *adj.* azul apizarrado, de color de pizarra; **~brecher** *m* pizarrero *m*; **~bruch** *m* (-*es*; ¨*e*) pizarral *m*, pizarrería *f*; **~dach** *n* (-*es*; ¨*er*) tejado *m* de pizarra, empizarrado *m*; **~decker** *m* pizarrero *m*; 2**farben**, 2**farbig** *adj.* (de) color de pizarra; **~gebirge** *n* montaña *f* esquistosa; **~gestein** *n* (-*es*; -*e*) roca *f* esquistosa; 2**grau** *adj.* gris apizarrado, de color de pizarra; 2**haltig**, 2**ig** *adj.* esquistoso; pizarroso; 2**n** (-*re*) *v/i.* (*sich abblättern*) exfoliarse; **~öl** *n* (-*es*; *0*) aceite *m* de esquisto; **~platte** *f* plancha *f* de pizarra; **~stein** *m* (-*es*; -*e*) roca *f* pizarrosa; **~stift** *m* (-*es*; -*e*) pizarrín *m*; **~tafel** *f* (-; -*n*) pizarra *f*; **~ung** *f* (*Abblätterung*) exfoliación *f*.

ˈ**schief...:** **~gehen** (*L*; *sn*) F *fig. v/i.* fracasar; salir mal; *iro. nur Mut, es wird schon* ~! ¡ánimo, que todo se arreglará!; 2**heit** *f* → *Schiefe*; **~laufen** (*L*) *v/t. Schuhe*: descarcalañar; **~liegen** (*L*) *v/i.* estar en mala posición; **~liegend** *adj.* inclinado; torcido; **~mäulig** *adj.* de boca torcida; *fig.* (*neidisch*) envidioso; **~treten** (*L*) *v/t. Schuhe*: torcer los tacones; **~wink(e)lig** ⩕ *adj.* oblicuángulo.

ˈ**Schiel|auge** *n* ojo *m* bizco; *fig.* (*Neider*) envidioso *m*; 2**en** *v/i.* bizcar; ser bizco; *fig. nach* et. ~ mirar de soslayo (*od.* de reojo) a/c.; **~en** *n* estrabismo *m*; vista *f* torcida; 2**end** *adj.* bizco, bisojo; estrábico; **~er(in** *f*) *m* bizco *m*, bizca *f*.

schien *pret. v. scheinen*.

ˈ**Schienbein** *Anat. n* (-*es*; -*e*) tibia *f*; espinilla *f*; *des Rindes*: caña *f*; **~schützer** *Sport m* espinillera *f*.

ˈ**Schiene** *f* ⊕ barra *f*; *am Rad*: llanta *f*; (*Schieber*) corredera *f*; (*Zahnrad*2) cremallera *f*; (*Führungs*2) riel *m* de guía; ⚡ (*Sammel*2) barra *f* colectora; *Chir.* tablilla *f*; *in* ~*n legen* entablillar; 🚂 raíl *m*, riel *m*, carril *m*.

ˈ**schienen** *v/t. Chir.* entablillar; 2**bus** *m* (-*ses*; -*se*) autocarril *m*; 2**fahrzeug** *n* (-*es*; -*e*) vehículo *m* sobre carriles; **~gebunden** *adj.* rodante sobre carriles; 2**geleise** *n*, 2**gleis** *n* (-*es*; -*e*) vía *f* férrea; **~gleich** 🚂 *adj.* (*0*): ~*er Übergang* paso a nivel; 2**netz** *n* (-*es*; -*e*) red *f* ferroviaria (*od.* de ferrocarriles); 2**räumer** 🚂 *m* limpiavías *m*; 2**stoß** *m* (-*es*; ¨*e*) junta *f* (*od.* unión *f*) de carriles; 2**strang** *m* (-*es*; ¨*e*) vía *f* férrea; 2**weg** *m* (-*es*; -*e*) vía *f* férrea; ferrocarril *m*; *auf dem* ~*e* por ferrocarril; 2**walzwerk** *n* (-*es*; -*e*) tren *m* laminador de raíles.

schier I. *adj.* puro; ~*es Fleisch* carne sin hueso; **II.** *adv.* (*fast*) casi; poco más o menos; por poco.

ˈ**Schierling** ♀ *m* (-*s*; -*e*) cicuta *f*; **~sbecher** *m* copa *f* de cicuta *bzw.* de veneno; **~sgift** ⚕ *n* (-*es*; *0*) cicutina *f*.

ˈ**Schieß|ausbildung** ⚔ *f* instrucción *f* de tiro; **~bahn** *f* campo *m* de tiro; **~baumwolle** *f* (*0*) algodón *m* pólvora; nitrocelulosa *f*; **~bedarf** *m* (-*es*; *0*) munición *f*; **~brille** *f* anteojos *m/pl.* de tiro; **~bude** *f* barraca *f* de tiro al blanco; **~eisen** F *n* pistola *f*, revólver *m*.

ˈ**schießen** (*L*) **1.** *v/t.* tirar; (*töten*) matar; *über den Haufen* ~ matar a tiros; *sich e-e Kugel durch den Kopf* ~ pegarse un tiro; F levantarse la tapa de los sesos; *Fußball*: tirar, *angl.* chutar; *ein Tor* ~ marcar un tanto; *fig. e-n Bock* ~ cometer un error; hacer el ridículo; F tirarse una plancha; colarse, meter la pata; ~ *lassen* soltar; largar; *fig.* renunciar a a/c.; abandonar un propósito; *j-m die Zügel* ~ *lassen* dejar a alg. las riendas sueltas; **2.** *v/i.* tirar; disparar, hacer disparos; (*Feuer geben*) hacer fuego; *auf j-n* (*od. nach j-m*) ~ tirar *od.* disparar sobre alg.; *nach der Scheibe* ~ tirar al blanco; *in die Luft* ~ tirar *od.* disparar al aire; *ziellos* ~ tirar al azar; tirotear; *scharf* ~ tirar con bala; *gut* ~ (*Person*) ser buen tirador; (*Gewehr*) tener el tiro justo; *vorbei*~ errar el tiro; (*sich stürzen*) precipitarse, lanzarse (sobre); *ins Kraut* ~ entallecer, echar tallos; *in Samen* ~ granar; *in die Höhe* ~ remontarse, lanzarse a los aires, (*wachsen*) crecer, *Kind*: *a.* espigarse, (*heraus*~, *empor*~) brotar, surtir; *fig. durch den Kopf* ~ venirse a las mientes; pasar por la mente (una idea); *wie Pilze aus dem Boden* ~ surgir (crecer) como hongos; *das Blut schießt ihm ins Gesicht* le afluyó la sangre a la cara; se le puso la cara encendida (*vor Wut*; *vor Scham* de ira; de vergüenza); *sich mit j-m ~* batirse a pistola con alg.; F *schieß los!* ¡ea, comienza ya!; (*sage es!*) ¡venga, habla, dí lo que sea!, P ¡desembucha!

ˈ**Schießen** *n* tiro *m*; (*Schüsse*) tiros *m/pl.*, disparos *m/pl.*; (*Feuer*) ⚔ fuego *m*; *freihändiges ~* tiro sin apoyo; F *es ist zum ~* es para morirse (*od.* mondarse) de risa.

Schieße'rei *f* tiroteo *m*.

ˈ**Schieß...**: **~gewehr** *n* (-*es*; -*e*) fusil *m*; **~hund** *m* (-*es*; -*e*) perro *m* de caza; *fig. wie ein ~ aufpassen* estar muy atento; **~lehre** *f* balística *f*; **~platz** ⚔ *m* (-*es*; *ᵘe*) campo *m* de tiro; (*Artillerie*) polígono *m*; **~pulver** *n* pólvora *f*; **~scharte** ⚔ *f* aspillera *f*; *für Geschütz*: tronera *f*; **~scheibe** *f* blanco *m*; **~sport** *m* (-*es*; *0*) tiro *m* (deportivo); **~stand** *m* (-*es*; *ᵘe*) tiro *m*; **~übung** *f* ejercicios *m/pl.* (*od.* prácticas *f/pl.*) de tiro; **~vorschrift** ⚔ *f* instrucción *f* sobre tiro; *~en pl.* reglas *f/pl.* de tiro.

ˈ**Schi|fahren** *Sport n* (deporte *m* de) esquí *m*; **~fahrer(in** *f*) *m* esquiador(a *f*) *m*; **~feld** *n* (-*es*; -*er*) campo *m* de esquí.

Schiff *n* (-*es*; -*e*) barco *m*; buque *m*; *Poes.* nave *f*; (*bsd. Kriegs*2) navío *m*; (*Kriegs*2) buque *m* (*od.* barco *m*) de guerra; (*Handels*2) barco *m* mercante; (*Dampf*2) vapor *m*; (*Segler*) velero *m*, barco *m* de vela; (*Fahrzeug*) embarcación *f*; (*Motor*2) motonave *f*; (*Frachter*) carguero *m*; (*Kirchen*2) nave *f*; (*Weber*2) lanzadera *f*; *Typ.* galera *f*; *auf dem ~* ⚓ a bordo; *zu ~ gehen* ir a bordo; embarcarse.

ˈ**Schiffahrt** *f* (*0*) navegación *f*; (*Seereise*) viaje *m* por mar; **~s-akte** *f* acta *f* de navegación; **~sgesellschaft** *f* compañía *f* naviera (*od.* de navegación); **~skanal** *m* (-*s*; *ᵘe*) canal *m* navegable (*od.* de navegación); **~skunde** *f* (*0*) náutica *f*; navegación *f*; **~slinie** *f* línea *f* de navegación; **~sstraße** *f* ruta *f* navegable; **~sweg** *m* (-*es*; -*e*) vía *f* marítima; ruta *f* de navegación; **2treibend** *adj.*: *~es Volk* pueblo de navegantes.

ˈ**schiffbar** *adj.* navegable; **2keit** *f* navegabilidad *f*; **2machung** *f* canalización *f*.

ˈ**Schiff...**: **~bau** *m* (-*es*; -*bauten*) construcción *f* naval; **~bauer** *m* constructor *m* de buques; **~baumeister** *m* ingeniero *m* naval; **~bein** *Anat. n* (-*es*; -*e*) escafoides *m*; **~bruch** *m* (-*es*; *ᵘe*) naufragio *m*; *~ erleiden* naufragar (*a. fig.*); **2brüchig** *adj.* náufrago; naufragado; **~brüchige(r)** *m* náufrago *m*; **~brücke** *f* puente *m* de barcas.

ˈ**Schiffchen** *n* barquichuelo *m*; ⚘ navícula *f*; (*Web*2, *Nähmaschinen*2) lanzadera *f*; ⚔ (*Mütze*) gorro *m*; *Typ.* galera *f*.

ˈ**Schiffer** *m* (*Seefahrer*) navegante *m*; (*Schiffsherr*) patrón *m*; (*Handelsschiffskapitän*) capitán *m* (de la marina mercante); (*Matrose*) marinero *m*; (*Fluß*2) barquero *m*; **~ausdruck** *m* (-*es*; *ᵘe*) término *m* náutico; **~klavier** *n* (-*s*; -*e*) acordeón *m*; **~patent** *n* (-*es*; -*e*) patente *m* de capitán; **~sprache** *f* lenguaje *m* náutico *od.* de marineros.

ˈ**Schiffs...**: **~anlegeplatz** *m* (-*es*; *ᵘe*) embarcadero *m*; **~arzt** *m* (-*es*; *ᵘe*) médico *m* de a bordo; **~bau** *m* construcción *f* naval; **~bauch** *m* (-*es*; *ᵘe*) cala *f*; **~bauer** *m* constructor *m* naval; **~befrachter** *m* fletador *m*; **~befrachtung** *f* fletamento *m*; **~besatzung** *f* tripulación *f*; **~boden** *m* (-*s*; *ᵘ*) fondo *m* de la cala; **~breite** *f* manga *f*; **~eigentümer** *m*, **~eigner** *m* (*Reeder*) armador *m*; **~flagge** *f* pabellón *m*; **~fracht** *f* flete *m*; (*Ladung*) carga *f*; **~frachtbrief** *m* (-*es*; -*e*) conocimiento *m* (de embarque); **~frachtversicherung** *f* seguro *m* de flete; **~friedhof** *m* (-*es*; *ᵘe*) cementerio *m* de buques; **~geschütz** *n* (-*es*; -*e*) cañón *m* de a bordo; **~haken** *m* bichero *m*; **~hebewerk** *n* (-*es*; -*e*) montabarcos *m*; **~journal** *n* (-*s*; -*e*) → *Schiffstagebuch*; **~junge** *m* (-*n*) grumete *m*; **~karte** *f* pasaje *m*; **~katastrophe** *f* siniestro *m* marítimo; **~koch** *m* (-*es*; *ᵘe*) cocinero *m* de barco; **~kompaß** *m* (-*sses*; -*sse*) brújula *f*; aguja *f* de marear; **~körper** *m* casco *m* (del barco); **~kran** *m* (-*es*; *ᵘe*) grúa *f* de barco; **~kreisel** *m* molinete *m*; estabilizador *m* giroscópico; **~küche** *f* cocina *f* de a bordo; cocina *f* del barco; **~kunde** *f* (*0*) navegación *f*; **~ladung** *f* cargamento *m*; **~länge** *f* eslora *f*; **~laterne** *f* farol *m*; **~luke** *f* escotilla *f*; **~makler** *m* corredor *m* de buques; agente *m* marítimo; **~mannschaft** *f* tripulación *f*; **~modell** *n* (-*s*; -*e*) modelo *m* de barco; **~papiere** *n/pl.* documentación *f* del barco; † documentos *m/pl.* de embarque; **~planke** *f* tablón *m*; **~raum** *m* (-*es*; *ᵘe*) (*Laderaum*) bodega *f*; (*Kielraum*) cala *f*; (*Tonnengehalt*) tonelaje *m*; **~reeder** *m* armador *m*; naviero *m*; **~reise** *f* crucero *m* (de placer); viaje *m* marítimo; **~rumpf** *m* (-*es*; *ᵘe*) casco *m*; **~schaukel** *f* (-; -*n*) (lancha *f*) columpio *m*; **~schnabel** *m* (-*s*; *ᵘ*) espolón *m*; **~schraube** *f* hélice *f*; **~tagebuch** *n* (-*es*; *ᵘer*) cuaderno *m* de bitácora; **~verkehr** *m* (-*s*; *0*) tráfico *m* marítimo; **~verkleidung** *f* tablazón *f*; **~vermieter** *m* fletante *m*; **~wache** *f* vigía *m*; (*Wachzeit*) cuarto *m*; **~wand** *f* costado *m*; **~werft** *f* astillero *m*; **~zimmermann** *m* (-*es*; -*leute*) carpintero *m* de ribera; (*an Bord*) carpintero *m* de cubierta; **~zwieback** *m* (-*es*; -*e*) galleta *f*.

ˈ**Schi|gelände** *n* campo *m* de esquiar; **~haserl** *n* esquiadora *f* principiante; **~hölzer** *n/pl.* par *m* de esquís; **~hose** *f* pantalón *m* de esquiador(a); **~hütte** *f* refugio *m* (de esquiadores); **~jacke** *f* chaqueta *f* de esquiador(a).

Schiˈkane *f* vejación *f*; molestia *f* intencionada; embrollo *m* malévolo; F triquiñuela *f*; *das sind reine ~n* F sólo son ganas de fastidiar; F *fig. mit allen ~n* con todo lo deseable; con todo lujo; F con todos los requilorios; F como Dios manda.

schikaˈnier|en (-) *v/t.* vejar; poner trabas *f/pl.* mezquinas; **2en** *n* → *Schikane*.

schikaˈnös *adj.* vejatorio.

ˈ**Schi|kurs** *m* (-*es*; -*e*) curso *m* de esquiar; **~laufen** *n* arte *m* de esquiar; **~läufer(in** *f*) *m* esquiador(a *f*) *m*.

Schild[1] *m* (-*es*; -*e*) escudo *m*; (*kleiner*) broquel *m*; (*kleiner, runder*) rodela *f*; (*ovaler od. herzförmiger*) adarga *f*; ⛉ (*Wappen*2) (escudo *m* de) armas *f/pl.*; *fig.* et. *im ~e führen* tramar *od.* maquinar a/c.; abrigar malas intenciones; ocultar un propósito; *auf den ~ erheben* alzar sobre el pavés (*a. fig.*).

Schild[2] *n* (-*es*; -*er*) (*Geschäfts*2) letrero *m*; rótulo *m*, *symbolisches*: muestra *f*; (*Tür*2) placa *f*; (*Plakat*) cartel *m*; (*Etikett*) etiqueta *f*; *Auto.* (*Nummern*2) placa *f* de matrícula; (*Straßen*2) letrero *m* de calle; (*Mützen*2, *Ausweis*2, *Brust*2) placa *f*; chapa *f*.

ˈ**Schild...**: **~bürger** *fig. m* papanatas *m*; **~bürgerstreich** *m* (-*es*; -*e*) tontada *f*; **~drüse** *Anat. f* glándula *f* tiroides; **~drüsenhormon** *n* (-*s*; -*e*) tiroxina *f*.

ˈ**Schilder|haus** ⚔ *n* (-*es*; *ᵘer*) garita *f*; **~maler** *m* pintor *m* de rótulos *od.* letreros.

ˈ**schilder|n** (-*re*) *v/t.* (*beschreiben*) describir, *anschaulich*: pintar; (*darstellen*) exponer; caracterizar; (*erzählen*) contar, narrar; (*berichten*) relatar, referir; **2n** *n*, **2ung** *f* descripción *f*; pintura *f*; exposición *f*; narración *f*; relación *f*, relato *m*.

ˈ**Schild...**: **2förmig** *adj.* en forma de escudo; **~knappe** *m* (-*n*) escudero *m*; **~kröte** *Zoo. f* tortuga *f*; (*Süßwasser*2) *a.* galápago *m*; **~krötensuppe** *f* sopa *f* de tortuga; **~laus** *Zoo. f* (-; *ᵘe*) cochinilla *f*; **~patt** *n* (-*s*; *0*) carey *m*; (*Panzer*) concha *f*; **~wache** ⚔ *f* centinela *m*; *~ stehen* estar de centinela.

ˈ**Schilf** ⚘ *n* (-*es*; -*e*) (*Rohr*) caña *f*; (*Binse*) junco *m*; **~dach** *n* tejado *m* encañizado; **2ig** *adj.* cubierto de cañas; juncoso; **~matte** *f* estera *f* (*kleine*: esterilla *f*) de junco; **~rohr** ⚘ *n* (-*es*; -*e*) caña *f*; (*Binse*) junco *m*.

ˈ**Schilift** *m* (-*s*; -*e*) telesquí *m*.

ˈ**Schillerkragen** *m* cuello *m* vuelto ancho.

ˈ**schillern** (-*re*) **I.** *v/i.* tornasolar; (*opalartig*) hacer reflejos *m/pl.* opalescentes; (*spiegeln*) espejear; (*in Regenbogenfarben*) irisar; (*glänzen*) relucir; **II.** 2 *n* tornasol *m*; opalescencia *f*; irisación *f*; **~d** *adj.* tornasolado; opalino, opalescente; irisado; *Farbe*: cambiante; *in tausend Farben ~* matizado de mil colores.

ˈ**Schilling** *m* (-*s*; -*e*) chelín *m*.

Schiˈmär|e *f* quimera *f*; **2isch** *adj.* quimérico.

ˈ**Schimmel** *m* (*Pferd*) caballo *m* blanco; ⚘ moho *m*; **2ig** *adj.* mohoso, enmohecido; *~ werden* = **2n** (-*le*) *v/i.* enmohecer, criar (*od.* cubrirse de) moho; **~pilz** *m* (-*es*; -*e*) hongo *m* con micelio.

ˈ**Schimmer** *m* (-*s*; *0*) luz *f* tenue; (*Glanz*) resplandor *m*, brillo *m*; (*Funkeln*) destello *m*; (*Schimmern*) centelleo *m*; (*Flimmern*) titileo *m*, titilación *f*; (*Widerschein*) reflejo *m*;

fig. keinen ~ von et. haben (*nichts argwöhnen*) no sospechar nada; (*nichts wissen*) no tener noción (*od.* idea) de a/c.; no tener ni remota (*od.* la menor) idea de a/c. F no saber ni jota de a/c.; *e-n ~ Hoffnung haben* tener un rayo (*od.* una chispa) de esperanza; **2n** (*-re*) *v/i.* despedir una luz tenue; (*glänzen*) resplandecer, brillar; (*leuchten*) relucir; (*funkeln*) destellar; (*schillern*) centellear; (*flimmern*) titilar; **~n** *n* → *Schimmer.*

Schim'panse *Zoo. m* (*-n*) chimpancé *m.*

'Schimpf *m* (*-es; -e*) (*Beleidigung*) injuria *f, vor Zeugen*: afrenta *f*; (*Beschimpfung*) insulto *m*; *stärker*: ultraje *m*; (*Schande*) desdoro *m*; vergüenza *f*; *stärker*: oprobio *m*, ignominia *f*; *j-m e-n ~ antun* insultar *bzw.* injuriar a alg.; *mit ~ und Schande* ignominiosamente; **2en 1.** *v/i.*: *~ auf* (*ac.*) desatarse en improperios contra; echar pestes (*od.* venablos) contra; *als Redner*: lanzar invectivas contra; (*fluchen*) blasfemar; renegar; **2.** *v/t.* insultar, *stärker*: denostar; ultrajar; (*ausschelten*) regañar, *stärker*: reprender duramente, increpar; *j-n e-n Lügner ~* llamar (*od.* calificar de) embustero a alg.; **~en** *n*, **~e'rei** *f* insultos *m/pl.*; denuestos *m/pl.*; improperios *m/pl.*; invectivas *f/pl.*; dicterios *m/pl.*; **~kanonade** F *f* sarta *f* de improperios; **2lich** *adj.* (*ehrverletzend*) deshonroso, desdoroso; (*Schande bringend*) vergonzoso, *stärker*: oprobioso, ignominioso; (*höchst beleidigend*) injurioso; afrentoso; **~name** *m* (*-ns; -n*) mote *m* (*od.* apodo *m*) injurioso; **~reden** *f/pl.* → *Schimpfen*; **~wort** *n* (*-es; ⸚er*) injuria *f*, palabra *f* injuriosa; denuesto *m*; dicterio *m*; improperio *m*; (*Fluchwort*) blasfemia *f*; reniego *m*; (*Kraftwort*) palabra *f* gruesa, F taco *m*; insulto *m.*

'Schimütze *f* gorro *m* de esquiador.

'Schind|aas *n* (*-es; 0*) carroña *f*; **~anger** *m* desolladero *m*; (*Abdeckerei*) matadero *m.*

'Schindel *f* (*-; -n*) ripia *f*; **~dach** *n* (*-es; ⸚er*) tejado *m* de ripia(s); **2n** *v/t.* (*Dach*) cubrir con ripias.

'schind|en (*L*) **1.** *v/t.* desollar (*a. fig.*); (*mißhandeln*) maltratar, vejar; (*ausbeuten*) explotar; *Zeilen ~* (*Journalist*) trabajar a tanto la línea; **2.** *v/refl.*: *sich ~* F *fig.* matarse trabajando; dar el callo; trabajar como un negro (*od.* como un buey); **2en** *n* desuello *m* (*a. fig.*); (*Mißhandlung*) maltrato *m*, vejación *f*; (*Ausbeuten*) explotación *f*; **2er** *m* (*Abdecker*) desollador *m*; *v. Menschen*: *fig.* desollador *m*; atormentador *m* inhumano; *bsd. v. Arbeitern*: *fig.* negrero *m*; (*Ausbeuter*) explotador *m*; **2e'rei** *f* (*Abdeckerei*) desolladero *m*; *fig.* (*Plage*) vejación *f*, maltrato *m*; (*Menschen2*) trato *m* inhumano; (*schwere Arbeit*) *fig.* trabajo *m* de negros; (*Ausbeutung*) explotación *f*; **2erkarren** *m* carreta *f* del desollador; carro *m* de la carne; **2luder** *m* carroña *f*; *fig. mit j-m ~ treiben* (*schlecht behandeln*) vejar; tratar inhumanamente a alg., (*verhöhnen*) escarnecer a alg.; **2mähre** *f* rocín *m*; F penco *m*, jamelgo *m.*

'Schinken *m* jamón *m*; F (*schlechtes Bild*) pintarrajo *m*, mamarracho *m*; (*altes, dickes Buch*) mamotreto *m*; (*Hinterbacken*) nalgas *f/pl.*; **~brötchen** *n* bocadillo *m* de jamón; **~scheibe** *f* lonja *f* de jamón; **~wurst** *f* (*-; ⸚e*) embuchado *m* de jamón.

Schinto'ismus *m* (*-; 0*) sintoísmo *m.*

'Schippe *f* pala *f*; **2n 1.** *v/t.* palear; **2.** *v/i.* trabajar con la pala.

'Schirm *m* (*-es; -e*) (*Lampen2*) pantalla *f*, *aus Glas*: tulipa *f*; (*Regen2*) paraguas *m*; (*Sonnen2*) sombrilla *f*, *großer*: parasol *m*, quitasol *m*; (*spanische Wand*) biombo *m*; (*Schutz2, Fernseh2, Projektions2*) pantalla *f*; (*Mützen2*) visera *f*; ⚘ (*Dolde*) umbela *f*; *fig.* (*Schutz*) protección *f*; abrigo *m*; (*Zuflucht*) refugio *m*; (*Stütze*) amparo *m*, apoyo *m*; **~antenne** *f* antena *f* cónica; **~bezug** *m* (*-es; ⸚e*) tela *f* de paraguas; **~bildaufnahme** *f* fotorradiografía *f*; **~dach** *n* (*-es; ⸚er*) tejadillo *m*; alpende *m*; *aus Segeltuch*: toldo *m*; **2en** *v/t.* proteger; abrigar; resguardar; **2förmig** *adj.* ⚘ umbelado; **~futteral** *n* (*-s; -e*) funda *f* de paraguas; **~gestell** *n* (*-es; -e*) varillaje *m* del paraguas; **~gitterröhre** *f Radio*: válvula *f* de rejilla blindada; **~herr(in** *f*) *m* patrono (-a *f*) *m*; protector(a *f*) *m*; patrocinador (-a *f*) *m*; **~herrschaft** *f* patronato *m*; patrocinio *m*; **~hülle** *f* → *Schirmfutteral*; **~mütze** *f* gorra *f* de visera; **~ständer** *m* paragüero *m*; **~wand** *f* (*-; ⸚e*) pantalla *f*; (*spanische Wand*) biombo *m.*

Schi'rokko *m* (*-s; -s*) siroco *m.*

'schirren *v/t.* aparejar; enjaezar.

'Schirting *m* (*-s; -e, -s*) (*Hemdenkattun*) indiana *f*; tela *f* de algodón.

'Schi|schuhe *m/pl.* botas *f/pl.* de esquiar; **~schule** *f* escuela *f* de esquí.

'Schisma *n* (*-s; Schismen*) cisma *m.*

Schis'ma|tiker *m* cismático *m*; **2tisch** *adj.* cismático.

'Schi|sport *m* (*-es; 0*) (deporte *m* de) esquí *m*; **~springen** *n* salto *m* con esquí; **~springer** *m* saltador *m* de esquí; **~sprungschanze** *f* trampolín *m* (de esquí); **~spur** *f* huella *f* de esquí.

schiß *pret. v. scheißen.*

Schiß V *m* (*-sses; 0*) (*Kot*) mierda *f*; (*Dünn2*) V cagalera *f*; *fig.* (*Angst*) miedo *m*; *~ haben* V tener cagalera, cagarse de miedo.

'Schi|stiefel *m/pl.* botas *f/pl.* de esquiar; **~stock** *m* (*-es; ⸚e*) bastón *m* de esquiador; **~wachs** *n* (*-es; -e*) cera *f* para esquís; **~wettlauf** *m* (*-es; ⸚e*) carreras *f/pl.* de esquís.

schizo'phren ⚕ *adj.* esquizofrénico.

Schizophre'nie ⚕ *f* (*0*) esquizofrenia *f.*

'schlabber|ig *adj.* (*weichlich*) blanduzco, fofo; **~n** (*-re*) *v/i. u. v/t.* (*sabbern*) babear; (*schlürfen*) sorber ruidosamente; *Hund*: beber a lengüetadas; (*schwätzen*) parlotear, chacharear; badajear.

'Schlacht *f* batalla *f* (*bei* de); (*Gefecht*) combate *m*; *e-e ~ anbieten* (*liefern*) presentar (librar) batalla; *die ~ gewinnen* (*verlieren*) ganar (perder) la batalla; **~bank** *f* (*-; ⸚e*) tajo *m* de carnicero; *im Schlachthaus*: matadero *m*; *fig. zur ~ führen* llevar al matadero; **~beil** *n* (*-es; -e*) hacha *f* de carnicero; *Hist.* ⚓ hacha *f* de abordaje; **~bericht** ⚔ *m* (*-es; -e*) relato *m* de una batalla.

'schlachten (*-e-*) **I.** *v/t.* matar; degollar; (*Vieh*) matar *od.* sacrificar reses; *als Opfer*: inmolar; (*hinmorden*) degollar; (*hinopfern*) sacrificar; **II.** 2 *n* (*Metzelei*) matanza *f*, carnicería *f*; (*Opfern*) inmolación *f.*

'Schlachten...: **~bummler** *Sport m* aficionado *m* (F hincha *m*) forastero; **~glück** *n* (*-es; 0*) fortuna *f* de la guerra; **~gott** *m* (*-es; 0*) dios *m* de las batallas; **~lenker** *m* estratega *m*, general *m*; **~maler** *m* pintor *m* de batallas.

'Schlächt|er *m* carnicero *m*; *im Schlachthof*: matarife *m*; *fig.* verdugo *m*; **~e'rei** *f* (*Laden*) carnicería *f*; *fig.* matanza *f*, carnicería *f*; **~erladen** *m* (*-s*; ⸚) carnicería *f*, despacho *m* de carnes; **~ersfrau** *f* carnicera *f.*

'Schlacht...: **~feld** *n* (*-es; -er*) campo *m* de batalla; *das ~ behaupten* quedar dueño del campo (de batalla); **~fest** *n* (*-es; -e*) fiesta *f* de la matanza (del cerdo); **~fleisch** *n* (*-es; 0*) carne *f* de consumo; **~flotte** *f* escuadra *f* (de combate); armada *f*; **~flugzeug** *n* (*-es; -e*) avión *m* de combate; **~geschrei** *n* (*-es; 0*) gritos *m/pl.* del combate; **~getümmel** *n*, **~gewühl** *n* (*-es; 0*) fragor *m* del combate; *mitten im ~* en lo más recio del combate; **~gewicht** *n* (*-es; -e*) peso *m* muerto; **~haus** *n* (*-es; ⸚er*), **~hof** *m* (*-es; ⸚e*) matadero *m*, macelo *m*; **~kreuzer** *m* crucero *m* de batalla; **~linie** ⚔ *f* línea *f* de batalla; **~messer** *n* jifero *m*, cuchillo *m* de matarife; **~opfer** *n* víctima *f*; **~ordnung** *f* orden *m* de batalla; *in ~ aufstellen* (dis)poner en orden de batalla; *sich in ~ aufstellen* formar en orden de batalla; **~plan** *m* (*-es; ⸚e*) plan *m* de batalla; **~roß** *n* (*-sses; ⸚sser*) caballo *m* de batalla; **~ruf** *m* (*-es; -e*) grito *m* de guerra; **~schiff** *n* (*-es; -e*) acorazado *m*; **~ung** *f* matanza *f* (*a. fig.*); **~vieh** *n* (*-es; 0*) reses *f/pl.* de matanza (*od.* de consumo).

'Schlacke *f Met.* escoria *f*; ⚒ ganga *f*; *fig.* impureza *f*; **~n-abstich** *Met. m* (*-es; -e*) descarga *f* (*od.* sangría *f*) de escoria; **2nartig** *adj.* escoriáceo; **~nbildung** *f* escorificación *f*; **2nfrei** *adj.* exento de escorias; **~nhalde** *f* escorial *m*; **~nstein** *m* (*-es; -e*) ladrillo *m* de escoria.

'schlackig *adj.* escoriáceo.

'Schlackwurst *f* (*-; ⸚e*) embuchado *m* de tocino.

Schlaf *m* (*-es; 0*) sueño *m*; (*Ruhe*) reposo *m*, descanso *m*; *leiser od. leichter ~* sueño ligero; *tiefer* (*bleierner*) *~* sueño profundo (pesado *od.* de plomo); *im ~e liegen* estar durmiendo; *e-n gesunden ~ schlafen* dormir con sueño reparador; *den ~ des Gerechten schlafen* dormir el sueño de los justos; *in tiefem ~ liegen* estar profundamente dormido; F estar en siete sueños; *halb im*

~e sein estar medio dormido; *vom ~ übermannt werden* caer vencido por el sueño; *der ~ befällt mich* el sueño se apodera de mí; *sich des ~es nicht erwehren können* no poder resistir el sueño; caerse de sueño; *in ~ sinken* dormirse; *in den ~ singen* arrullar; cantar la nana; brezar; *~ finden* conciliar el sueño, dormirse; *aus dem ~ auffahren* despertarse sobresaltado; '**~abteil** 🚃 *n* (-*es*; -*e*) departamento *m* de coche-cama(s); '**~anzug** *m* (-*es*; ¨*e*) pijama *m*.

'**Schläfchen** *n* sueñecito *m*; (*Mittags*2) siesta *f*; *ein ~ halten* (*od. machen*) echar un sueñecito; *nach Tisch*: dormir la siesta; echar una siestecita; descabezar el sueño.

'**Schlafcouch** *f* (-; -*es*) sofá-cama *m*.

'**Schläfe** *f* sien *f*.

'**schlafen** (*L*) *v/i.* dormir; (*schlummern*) dormitar; (*ruhen*) reposar, descansar; (*zu Bett liegen*) estar acostado; *fig.* (*unaufmerksam sein*) estar durmiendo; *gut* (*schlecht*) *~* dormir bien (mal); *~ gehen* ir a acostarse (*od.* a dormir); retirarse a descansar; *~ legen* (*Kind*) acostar; *sich ~ legen* acostarse; *mit j-m ~* dormir con alg.; *bei j-m ~* dormir en casa de alg.; *auswärts ~* dormir fuera (de casa); *fest ~* dormir profundamente; *leicht ~* tener el sueño ligero; *nicht ~ können* no poder dormir; no poder pegar ojo (*od.* los ojos); *vor Besorgnis* (*Schmerzen*) *nicht ~ können* no poder dormir de preocupación (dolores); *wie ein Murmeltier ~* dormir como una marmota (*od.* como un lirón); *in s-n Kleidern ~* dormir vestido; *in den Tag hinein* (*od. bis in den hellen Tag*, F *bis in die Puppen*) *~* dormir hasta muy entrada la mañana; *unter freiem Himmel ~* dormir al raso *od.* F a la manta de Dios; *~ Sie wohl!* ¡que usted descanse!; ¡que pase usted buena noche!; *~ Sie darüber* F consúltelo usted con la almohada.

'**Schläfen...:** **~bein** *Anat. n* (-*es*; -*e*) (hueso *m*) temporal *m*; **~gegend** *Anat. f* (*0*) región *f* temporal.

'**Schlafen|gehen** *n*: *vor dem ~* antes de acostarse; **~szeit** *f*: *es ist ~* es hora de (ir a) dormir.

'**Schläfer(in** *f*) *m* durmiente *m/f*; (*Lang*2) dormilón *m*; dormilona *f*.

schlaff (-*est*) *adj.* (*losgelassen*) suelto; (*entspannt*) relajado; (*weich*) blando; fláccido; (*schwach*) débil; (*kraftlos*) sin energía; decaído; (*schlapp*) flojo; desmadejado; (*welk*) marchito; (*matt*) lánguido; *fig. Grundsätze, Moral*: laxo; (*lässig*) indolente; (*träge*) perezoso; *~ machen* aflojar; relajar (*a. fig.*); ablandar; debilitar; languidecer; *~ werden* aflojarse; relajarse (*a. fig.*); ablandarse; '**2heit** *f* (*0*) flojedad *f*; relajamiento *m*, relajación *f* (*a. fig.*); blandura *f*; flaccidez *f*; debilidad *f*; falta *f* de energía; flojera *f*; marchitez *f*; languidez *f*; laxitud *f*; indolencia *f*; pereza *f*; (*Schläfrigkeit*) somnolencia *f*.

'**Schlaf...:** **~gast** *m* (-*es*; ¨*e*) huésped *m* para la noche; **~gefährte** *m* (-*n*), **~genosse** *m* (-*n*) compañero *m* de habitación; **~gemach** *n* (-*es*; ¨*er*) dormitorio *m*, alcoba *f*.

Schla'fittchen F *n*: *j-n beim ~ kriegen* F llevar a alg. de los cabezones; agarrar a alg. por el cogote; llevar a alg. a la fuerza.

'**Schlaf...:** **~kabine** *f* ⚓ camarote *m*; 🚃 departamento *m* de coche-cama; **~kammer** *f* (-; -*n*) → *Schlafgemach*; **~koje** ⚓ *f* litera *f*; **~krankheit** ⚕ *f* (*0*) enfermedad *f* del sueño; **~lied** *n* (-*es*; -*er*) canción *f* de cuna; **2los** *adj.* insomne; *~e Nacht* noche de insomnio; noche en vela; noche en blanco; *e-e ~e Nacht verbringen* pasar la noche sin dormir (*od.* en vela); pasar la noche en claro; F pasar una noche toledana; **~losigkeit** *f* (*0*) insomnio *m*; **~mittel** ⚕ *n* hipnótico *m*, somnífero *m*, dormitivo *m*; **~mütze** *f* gorro *m* de dormir; F *fig.* pasmarote *m*; **2mützig** F *adj.* adormilado; pasmado; **~raum** *m* (-*es*; ¨*e*) dormitorio *m*.

'**schläfrig** *adj.* soñoliento; medio dormido, adormitado; (*benommen*) amodorrado; *fig.* (*träge*) perezoso; *~ sein* tener sueño; *~ machen* adormecer; *~ werden* adormitarse, adormilarse; **2keit** *f* (*0*) somnolencia *f*; ganas *f/pl.* de dormir; (*Benommenheit*) modorra *f*; *fig.* indolencia *f*.

'**Schlaf...:** **~rock** *m* (-*es*; ¨*e*) bata *f*; **~sack** *m* (-*es*; ¨*e*) saco *m* de dormir; **~stätte** *f*, **~stelle** *f* (*Unterkunft*) alojamiento *m* para la noche; albergue *m*; (*Stelle zum Hinlegen*) yacija *f*; (*Asyl*) asilo *m* nocturno; (*Bett*) cama *f*, lecho *m*; **~stube** *f* → *Schlafgemach*; **~sucht** ⚕ *f* (*0*) somnolencia *f*, *stärker*: letargo *m*; sopor *m*; **2süchtig** ⚕ *adj.* soñoliento; *stärker*: letárgico; **~tablette** *f* tableta *f* dormitiva (*od.* para dormir); **~trunk** *m* (-*es*; ¨*e*) poción *f* hipnótica (*od.* soporífica); **2trunken** *adj.* soñoliento; medio dormido; F rendido de sueño; **~trunkenheit** *f* (*0*) somnolencia; *f* **~wagen** 🚃 *m* coche-cama *m*, *Am.* coche *m* dormitorio; **~wagenabteil** 🚃 *n* (-*es*; -*e*) departamento *m* de coche-cama; **2wandeln** *v/i.* (-*le*) ser sonámbulo; **~wandeln** *n* sonambulismo *m*; **~wandler(in** *f*) *m* sonámbulo (-a *f*) *m*; **~zimmer** *n* dormitorio *m*; alcoba *f*.

'**Schlag** *m* (-*es*; ¨*e*) golpe *m* (*a. fig.*); ⚕ ataque *m* de apoplejía; *des Herzens*: latido *m*; palpitación *f*; (*Puls*2) pulsación *f*; (*Pendel*2) oscilación *f*; (*Donner*2) trueno *m*; (*Blitz*2) rayo *m*; (*Flügel*2) aletazo *m*; (*Wagen*2) portezuela *f*; (*Wegschranke*) barrera *f*; ⚡ descarga *f* eléctrica; *im Körper*: sacudida *f*; (*Hitz*2) insolación *f*; (*Tauben*2) palomar *m*; *Forst*: tala *f*; 🌾 hoja *f*; haza *f*; *in Schläge (ein)teilen* alternar los cultivos; (*Ruder*2) golpe *m* de remo; (*Vogelsang*) canto *m*; trino *m*, gorjeo *m*; ⚔ (*Essen*) ración *f*; (*Treffer*) impacto *m*; *mit dem Stock*: palo *m*; *mit dem Knüppel*: porrazo *m*; estacazo *m*; *mit der Hand*: manotazo *m*, manotada *f*; *mit der flachen Hand*: palmada *f*, *Ohrfeige*: bofetada *f*; (*Faust*2) puñetazo *m*; *mit dem Pferdehuf*: coz *f*; *fig.* (*Art*) especie *f*, clase *f*; *v. Menschen*: raza *f*, casta *f*; *desp.* jaez *m*; calaña *f*, ralea *f*; *vom alten ~* chapado a la antigua; *e-n ~ erhalten* recibir (*od.* llevar) un golpe; *j-m e-n ~ versetzen* dar un golpe a alg.; *j-m Schläge verabreichen* dar (F propinar) a alg. una paliza; *~ auf ~* golpe tras golpe; sin cesar; uno tras otro; *mit e-m ~e* de un golpe, (*plötzlich*) de pronto, de repente; de improviso; *vom ~ gerührt* ⚕ apoplético; *vom ~ getroffen werden* ⚕ sufrir un ataque de apoplejía; (*durch Blitz*) ser herido por el rayo; *mich soll der ~ treffen, wenn* ... P que me parta un rayo si ...; *~ vier Uhr* las cuatro en punto; *fig. ein ~ ins Wasser* un golpe fallido; *fig. ein harter ~* un rudo golpe; *ein schwerer ~* (*Trauerfall*) una pérdida irreparable; **~ader** *Anat. f* (-; -*n*) arteria *f*; **~anfall** ⚕ *m* (-*es*; ¨*e*) (ataque *m* de) apoplejía *f*; *e-n ~ bekommen* (*od. erleiden*) sufrir un ataque de apoplejía; **2artig I.** *adj.* brusco; súbito, repentino; ⚕ apoplético; **II.** *adv.* de repente, súbitamente; de improviso; de golpe; **~baum** *m* (-*es*; ¨*e*) barrera *f*; *im Pferdestall*: tranca *f*; **~bohrer** ⊕ *m* sonda *f* de percusión; **~bolzen** *Gewehr m* percutor *m*.

'**schlagen I.** (*L*) **1.** *v/t.* golpear (*auf ac.*; *gegen* contra); dar golpes (*auf ac.* sobre); (*verprügeln*) pegar; (*besiegen*) vencer, derrotar; *Brücken*: tender, construir; *Eier, Sahne, Gold*: batir; *Wald, Baum*: talar; *Takt*: llevar el compás; *Kreis*: ✗ describir, trazar; *Falten*: hacer pliegues *m/pl.*; *Münzen*: acuñar; (*durch ein Sieb*) pasar por el tamiz; *Alarm ~* dar la voz de alarma; ⚔ tocar alarma; *mit der Faust* (*mit dem Fuß*) *~* dar un puñetazo (dar una patada); *mit der Faust auf den Tisch ~* dar un puñetazo sobre la mesa; *den Arm um j-n ~* rodear con el brazo el talle *bzw.* el cuello de alg.; *mit Blindheit ~* cegar (*fig. a.* obcecar) a alg.; *j-n zu Boden ~* derribar de un golpe a alg.; *die Augen zu Boden ~* bajar los ojos (*od.* la mirada); *ein Ei in die Suppe ~* batir un huevo en la sopa; *j-n ins Gesicht ~* abofetear (*od.* pegar en la cara) a alg.; *aus dem Felde ~* ⚔ derrotar (*od.* vencer) al enemigo; quedar dueño del campo; *in die Flucht ~* poner en fuga; hacer huir; *Feuer ~* sacar chispas; sacar fuego; *j-m et. aus der Hand ~* quitar a alg. de un golpe a/c. de la mano; *sich et. aus dem Kopf* (*od. Sinn*) *~* renunciar a a/c.; no pensar más en a/c.; F quitarse a/c. de la cabeza; *j-n ans Kreuz ~* crucificar a alg.; clavar a alg. en la cruz; *ein Kreuz ~* santiguarse; persignarse; hacer la señal de la cruz; *et. kurz und klein ~* hacer pedazos a/c.; *alles kreuz und klein ~* F hacer un estropicio; no dejar títere con cabeza; ♪ *die Laute ~* tocar el laúd; *e-n Nagel ~ in* (*ac.*) clavar un clavo en; *platt ~* aplastar; aplanar; *nach Punkten ~ Sport*: ganar por puntos; *ein Rad ~* dar una voltereta; *Pfau*: hacer la rueda, abrir el abanico; *j-n zum Ritter ~* dar la acolada (*od.* el espaldarazo) a alg.; armar caballero a alg.; *e-e Schlacht ~* librar una batalla; *et. in Stücke ~* romper en (mil) pedazos a/c.; *zwei Fliegen mit e-r Klappe ~ fig.* matar dos pájaros de un tiro;

die vollen und die halben Stunden ~ dar las horas y las medias; *die Trommel* ~ tocar el tambor; *j-n mit s-n eigenen Waffen* ~ redargüir; rebatir a alg. con sus propios argumentos; et. *in den Wind* ~ no hacer caso de a/c.; no tomar en serio a/c.; *Wunden* ~ hacer llagas; *Wurzel* ~ echar raíces, agarrar (*a. fig.*); *die Zinsen zum Kapital* ~ capitalizar los intereses; *Fußball*: *A schlug B 3 zu 2* A ganó a B por tres (tantos) a dos; **2.** *v/i.* golpear; chocar; *Herz*: latir; palpitar; *Uhr*: dar la hora; *es schlägt 4 Uhr* dan las cuatro; *Pferd*: cocear, dar coces; *Glocke*: sonar; *Vogel*: cantar, trinar; gorjear, ⊕ *Riemen*: saltar; *Motor*: funcionar irregularmente; ⚓ *Segel*: gualdrapear; *gegen* (*an ac.*) et. ~ dar (*od.* chocar) contra a/c.; *Regen*: azotar (*ac.*); *nach j-m* ~ dar un golpe a alg.; *fig.* (*arten*) parecerse a, salir a; *aus der Art* ~ degenerar; *zu Boden* ~ caer al suelo; *das schlägt nicht in mein Fach* no es cosa de mi incumbencia; *geistig*: no soy competente en esa materia; *das Gewissen schlägt ihm* le remuerde la conciencia; *mit Händen und Füßen um sich* ~ defenderse a puñetazos y patadas; *mit den Flügeln* ~ aletear, batir las alas; *in die Höhe* ~ *Flammen*: alzarse; **3.** *v/refl.*: *sich mit j-m* ~ (*prügeln*) pelearse *od.* reñir con alg.; *sich an die Brust* ~ golpearse el pecho; *sich an die Stirn* ~ darse una palmada en la frente; *sich mit j-m (im Duell)* ~ batirse (en duelo) con alg.; *sich durch den Feind* ~ atravesar (*od.* abrirse paso a través de) las filas enemigas; *sich kümmerlich durchs Leben* ~ ir viviendo (F tirando); *sich zu j-m (auf j-s Seite)* ~ ponerse del lado de alg.; tomar partido por alg.; *zu e-r Partei* ~ afiliarse a un partido; *sich durch die Welt* ~ abrirse camino en la vida; *s-e Stunde hat geschlagen* ha llegado su hora; *e-e geschlagene Stunde* una hora entera; *wie mit Blindheit geschlagen sein* estar ofuscado (*od.* obcecado); *ein geschlagener Mann* un hombre vencido en la lucha por la vida; *ich war völlig geschlagen* (*erschöpft*) estaba agotado; (*überrascht*) estaba asombrado (*od.* estupefacto); (*entmutigt*) estaba descorazonado; **II.** ♀ *n* golpeo *m*; *des Herzens*: latido *m*; palpitación *f*; (*Puls*♀) pulsación *f*; *der Uhr, der Glocke*: campanada *f*; *der Vögel*: canto *m*; gorjeo *m*, trino *m*; *e-r Brücke*: tendido *m*, construcción *f*; *e-s Waldes*: tala *f*; *des Pferdes*: coz *f*; coceamiento *m*; ~**d** *adj.* (*treffend*) contundente; (*beweiskräftig*) probatorio, demostrativo; (*überzeugend*) convincente; (*entscheidend*) decisivo; (*unwiderlegbar*) irrefutable; (*eindrucksvoll*) impresionante; ⚒ ~*e Wetter n/pl.* grisú *m*; *Sch.* ~*e Verbindung* asociación estudiantil que practica la esgrima con (ligera) efusión de sangre.

ˈ**Schlager** *m* ✝ (*Verkaufs*♀) artículo *m* de gran venta; ♪ canción *f* de moda, éxito *m* del momento; *Thea.* exitazo *m*; éxito *m* de taquilla.

ˈ**Schläger** *m* (*Raufbold*) matón *m*; pendenciero *m*, camorrista *m*, matachín *m*; (*Rapier*) florete *m*; (*Studenten*♀) espada *f* de esgrima (*con filo y despuntada*); (*Tennis*♀) raqueta *f*; (*Hockey*♀) maza *f*, cachava *f*; (*Golf*♀) pala *f*; *guter* ~ (*Fechter*) buena espada; (*Küchengerät*) batidor *m*; (*Pferd*) caballo *m* coceador; (*Vogel*) pájaro *m* cantor.

Schlägeˈrei *f* reyerta *f*, riña *f*; pelea *f*, pendencia *f*; *in e-e* ~ *geraten* llegar a las manos.

ˈ**Schlager|festival** *n* festival *m* de la canción; ~**melodie** *f* melodía *f* en boga; aire *m* de moda; ~**sänger** *m* intérprete *m* de la música moderna.

ˈ**Schlag...**: ♀**fertig** *adj. u. adv.* ⚔ preparado para la lucha (*od.* para entrar en acción *od.* en campaña); *fig.* ~ *sein* tener la respuesta pronta; saber replicar; ~*e Antwort* respuesta rápida; réplica aguda; ~ *antworten* replicar con viveza; ~**fertigkeit** *f* (*0*) ⚔ preparación *f* para la lucha; *fig.* prontitud *f* en la réplica; ~**festigkeit** *f* (*0*) resistencia *f* a los choques (*od.* a los golpes); ~**flügelflugzeug** ✈ *n* (*-és*; *-e*) ornitóptero *m*; ~**fluß** ⚕ *m* (*-sses*; *⸚sse*) apoplejía *f*; ~**holz** *n* (*-es*; *⸚er*) (*im Walde*) madera *f* de corta; *Sport*: pala *f*; ~**instrument** ♪ *n* (*-és*; *-e*) instrumento *m* de percusión *f*; ~**kraft** *f* (*-*; *⸚e*) ⊕ fuerza *f* de percusión; *fig.* energía *f*, vigor *m*; ⚔ potencia *f* combativa; fuerzas *f/pl.* de combate; ♀**kräftig** *adj.* fuerte, potente; (*beweiskräftig*) contundente; (*überzeugend*) convincente; ~**licht** *n* (*-és*; *-er*) *Mal.* claro *m*; (*Strahl*) rayo *m* de luz (*a. fig.*); ~**loch** *n* (*-és*; *⸚er*) *in der Straße*: bache *m*; ~**maschine** *f* batidora *f*; ~**ring** *m* (*-s*; *-e*) llave *f* inglesa; ~**sahne** *f* (*0*) nata *f* batida; ~**schatten** *m Mal.* sombra *f* (proyectada); partes *f/pl.* sombreadas; ~**seite** ⚓ *f* escora *f*; ~ *haben* ⚓ escorar; dar bandazos; *fig.* F estar borracho, tambalearse; hacer eses; ~**serie** *f* *Boxen*: serie *f* de golpes; ~**stift** *m* (*-és*; *-e*) *am Gewehr*: percutor *m*; ~**uhr** *f* reloj *m* de campana; ~**wechsel** *m* *Boxen*: cambio *m* de golpes; ~**werk** *n* (*-és*; *-e*) ⊕ (*Ramme*) martinete *m*; *e-r Uhr*: juego *m* de campanas; sonería *f*; ~**wetter** ⚒ *n* grisú *m*; ~**wetter-explosion** *f* explosión *f* de grisú; ~**wettermeßgerät** *n* (*-és*; *⸚e*) instrumento *m* de medición del grisú; ~**wetterschutz** *m* (*-es*; *0*) protección *f* antigrisú; ~**wort** *n* (*-és*; *⸚er, -e*) frase *f* hecha; (*Gemeinplatz*) lugar *m* común, tópico *m*; (*Motto*) lema *m*; ~**zeile** *f der Zeitung*: titular *m* a toda plana; ~**zeug** ♪ *n* (*-és*; *-e*) batería *f*; ~**zünder** *m* espoleta *f* de percusión.

Schlaks F *m* (*-es*; *-e*) (*Mann*) tagarote *m*; (*Frau*) pendón *m*.

Schlaˈmassel F *m* (*Widerwärtigkeit*) contrariedad *f*; (*Unglück*) F mala pata *f*; (*Durcheinander*) embrollo *m*; caos *m*; (*Radau*) alboroto *m*, F bronca *f*, follón *m*; marimorena *f*.

Schlamm *m* (*-és*; *-e*) lodo *m*, fango *m* (*a. fig.*), *zäher*: barro *m*; (*Morast*) cieno *m* (*a. fig.*); ˈ~**bad** ⚕ *n* (*-és*; *⸚er*) baño *m* de fango (*od.* de lodo); ˈ~**boden** *m* (*-s*; *⸚*) terreno *m* cenagoso.

ˈ**schlämmen** *v/t.* *See, Teich, Hafen*: deslamar; ⊕ *Erze*: lavar.

ˈ**schlammig** *adj.* lodoso, fangoso; (*morastig*) cenagoso; limoso.

ˈ**Schlammkohle** *f* carbón *m* fangoso.

ˈ**Schlämmkreide** *f* (*0*) creta *f* lavada; blanco *m* de España.

ˈ**Schlammloch** *n* (*-és*; *⸚er*) lodazal *m* profundo; atascadero *m*; ⊕ orificio *m* de descarga de limo.

schlamˈpampen F *v/i.* darse (P pegarse) buena vida.

ˈ**Schlamp|e** *f* mujer *f* desaseada; pazpuerca *f*; ♀**en** *v/i.* (*schlampig sein*) ser desaliñado.

Schlampeˈrei *f* negligencia *f*; (*Unordentlichkeit*) desorden *m*, desbarajuste *m*; (*Nachlässigkeit*) desidia *f*, abandono *m*; (*Unsauberkeit*) desaseo *m*; suciedad *f*.

ˈ**schlampig** *adj.* (*nachlässig*) descuidado, abandonado, desidioso; (*unordentlich*) desordenado; (*liederlich*) desaliñado; (*schmutzig*) sucio, desaseado; *Arbeit*: chapucero.

schlang *pret. v. schlingen.*

ˈ**Schlange** *Zoo.* *f* culebra *f*; (*bsd. Gift*♀, *Riesen*♀) serpiente *f*; ⊕ serpentín *m*; *Liter.* sierpe *f*; *Astr.* Serpiente *f*; *fig.* víbora *f*; serpiente *f*; (*Menschen*♀) cola *f*; ~ *stehen* hacer (*od.* formar) cola.

ˈ**schlängeln** (*-le*) *v/refl.*: *sich* ~ (*Bach, Weg*) serpentear; *sich* ~ *um* enroscarse en; (*kriechen*) arrastrarse, reptar; *fig. sich an j-n heran*~ acercarse a alg. con un propósito oculto; (*heraus*~) escurrirse disimuladamente; ~**d** *adj.* serpenteado; sinuoso; tortuoso.

ˈ**Schlangen...**: ♀**artig** *adj.* serpentino; (*gewunden*) sinuoso, serpenteado; ~**beschwörer** *m* encantador *m* de serpientes; ~**biß** *m* (*-sses*; *-sse*) picadura *f* (*od.* mordedura *f*) de serpiente; ~**brut** *f* nidada *f* de serpientes; *fig.* ralea *f* de víboras (*od.* de sierpes); ~**farm** *f* serpentario *m*; ♀**förmig** *adj.* → *schlangenartig*; ~**gift** *n* (*-és*; *0*) veneno *m* de serpiente; ~**haut** *f* (*-*; *⸚e*) piel *f* de serpiente; ~**horn** ♪ *n* (*-és*; *⸚er*) serpentón *m*; ~**kühler** ⊕ *m* refrigerador *m* en serpentín; ~**kraut** ⚘ *n* (*-és*; *⸚er*) serpentaria *f*, dragontea *f*; ~**leder** *n* → *Schlangenhaut*; ~**linie** *f* línea *f* sinuosa; ~**mensch** *m* (*-en*) (*Artist*) contorsionista *m*; F hombre *m* de goma; ~**rohr** *n* (*-és*; *-e*), ~**röhre** ⚗ *f* serpentín *m*; ~**stab** *m* (*-és*; *⸚e*) *Myt. Merkurs*: caduceo *m*; ~**stein** *Min. m* (*-és*; *0*) serpentina *f*; ~**windung** *f* sinuosidad *f*, tortuosidad *f*; *e-s Weges*: serpentina *f*; ~**wurzel** ⚘ *f* (*-*; *-n*) serpentaria *f*.

ˈ**schlank** (*-est*) *adj.* (*dünn*) delgado; cenceño; (*von Wuchs*) esbelto; (*fein*) fino; (*zart*) grácil; delicado; ~ *machen od. werden* adelgazar; *von* ~*er Figur* de esbelta figura; de esbelto talle; ♀**heit** *f* (*0*) delgadez *f*; esbeltez *f*; ♀**heitskur** *f* cura *f* de adelgazamiento; ~**weg** *adv.* rotundamente; sin ceremonias.

ˈ**schlapp** (*-est*) *adj.* flojo; laxo; (*weich*) blando; blanduzco; fofo; *fig.* desmadejado; enervado, sin energía; apagado; marchito; ~ *machen* desmadejar; enervar, (*schwächen*) debilitar; ~ *werden* desmadejarse; enervarse, (*schwach werden*) debilitarse, (*zusammenbrechen*) desmayarse; **2e** *f* revés *m*; (*Niederlage*) derrota *f*, descalabro *m*; (*Mißerfolg*) fracaso *m*; e-e ~ *erleiden* sufrir un fracaso *bzw.* una derrota *od.* un descalabro; **2en** *m* (*Pantoffel*) chancleta *f*; **2heit** *f* (*0*) desmadejamiento *m*; enervación *f*; **2hut** *m* (*-es*; *"e*) sombrero *m* flexible (de ala ancha); *großer*: chambergo *m*; **~ig** *adj.* → *schlaff*; **2ohr** *n* (*Hase*) liebre *f*; **2schuh** *m* (*-es*; *-e*) (*Pantoffel*) chancleta *f*; **2schwanz** *m* (*-es*; *"e*) *fig.* F hombre *m* apocado; F mandria *m*; bragazas *m*.

Schla'raffen|land *n* (*-es*; *0*) (país *m* de) Jauja *f*; **~leben** *n* vida *f* ociosa y placentera.

schlau (*-est*) *adj.* (*verschlagen*) astuto; taimado; ladino; (*geschickt*) listo; (*klug*) prudente; *~er Fuchs* zorro viejo, zorrastrón; F *ich werde nicht daraus* ~ no comprendo nada; *er wird nie* ~ no aprenderá nunca; **'2berger** F *m* vivo *m*, cuco *m*, pillo *m*; marrullero *m*; *fig.* gitano *m*.

'Schlauch *m* (*-es*; *"e*) tubo *m*; *biegsamer*: tubo *m* flexible; *zum Spritzen*: manga *f*, manguera *f*; (*Wein2*, *Öl2*) odre *m*; (*Luft2*) cámara *f* de aire; **~anschluß** *m* (*-sses*; *"sse*) empalme *m* de manguera; (*Hydrant*) boca *f* de incendio; **~boot** *n* (*-es*; *-e*) bote *m* neumático; **2en** F *v/t.* (*Schüler*) copiar furtivamente; ⚔ (*drillen*) hacer sudar la gota gorda; **2los** *adj.*: *~er Reifen* neumático sin cámara; **~reifen** *m* neumático *m*, *innen*: cámara *f* (de aire); **~ventil** *n* (*-s*; *-e*) *Auto. usw.*: válvula *f* de cámara de aire.

'Schläue *f* (*0*) → *Schlauheit*.

'schlauerweise *adv.* astutamente; (*klüglich*) prudentemente.

'Schlaufe *f* lazo *m*; (*Knoten*) nudo *m* corredizo.

'Schlau|heit *f* (*0*) inteligencia *f*; (*Listigkeit*) astucia *f*; (*Klugheit*) prudencia *f*; *natürliche*: F gramática *f* parda; (*Verschlagenheit*) F zorrería *f*, cuquería *f*; **~kopf** *m* (*-es*; *"e*), **~meier** *m* → *Schlauberger*.

'schlecht (*-est*) **I.** *adj.* malo; (*Kurzform*) mal; (*erbärmlich*) miserable; (*boshaft, verworfen*) malvado; (*gemein*) vil, ruin; *Trost*: triste; *Zeit*: duro; difícil; *Luft*: viciado; *~e Augen* mala vista; *~er Ruf* mala fama (*od.* reputación); *~es Geschäft* mal negocio; *in ~er Gesellschaft* en mala compañía; *im ~en Sinne* en mal sentido; *~er Gesundheitszustand* mal estado de salud; mala salud; *~er Mensch* mala persona; mal hombre; miserable *m*; *~er Scherz* broma de mal gusto; *es ist ~es Wetter* hace mal tiempo; *in ~em Zustand* en mal estado; *j-m e-n ~en Dienst erweisen* hacer a alg. un flaco servicio; ~ *werden Sache*: echarse a perder; (*sich abnutzen*) gastarse; estropearse; *moralisch*: pervertirse; *mir ist* (*wird*) ~ me siento mal; *dabei kann e-m* ~ *werden* (es algo que) da náuseas; *das ist* ~ *von Ihnen* hace usted mal; *nicht* ~*!* no está mal; **II.** *adv.* mal; *an j-m* ~ *handeln* portarse mal con alg.; *auf j-n* ~ *zu sprechen sein* no estar bien dispuesto hacia alg.; F estar de punta con alg.; ~ *zu übersetzen* difícil de traducir; ~ *angeschrieben sein* ser mal visto; estar mal conceptuado; ~ *ausführen Arbeit*: hacer mal (*od.* F chapuceramente) a/c.; ~ *aussehen* producir mal efecto, *gesundheitlich*: tener mala cara; ~ *behandeln* tratar mal, *mißhandeln*: maltratar; *es wird ihm* ~ *bekommen!* lo pagará caro; ~ *beraten sein* estar mal aconsejado; ~ *gelaunt sein* estar de mal humor; *es bekam ihm* ~ le sentó mal (*a. fig.*); *es steht* ~ *mit ihm* (*wirtschaftlich*) sus negocios van mal; (*Kranker*) va mal; *j-n* ~ *machen* calumniar a alg.; ~ *und recht* sencilla y lealmente; **2e** *n*: lo peor; **~er** (*comp. v. schlecht*) peor; ~ *werden* empeorar; *immer* ~ cada vez peor; de mal en peor; **~erdings** *adv.* absolutamente; simplemente; **2er-stellung** *f* distinción *f* vejatoria; **~est** (*sup. v. schlecht*) pésimo; el, la, lo peor; **~ge'launt** *adj.* malhumorado, de mal humor; **~hin** *adv.* sencillamente; simplemente; pura y simplemente; *Liter.* por antonomasia; (*unumwunden*) lisa y llanamente; (*ohne weiteres*) sin más (ni más).

'Schlechtigkeit *f* mal estado *m*; (*e-r Ware*) inferioridad *f*, calidad *f* inferior; (*Bosheit*) maldad *f*; (*Verderbtheit*) perversidad *f*; depravación *f*; (*Gemeinheit*) vileza *f*; ruindad *f*; bajeza *f*.

'schlecht|machen *v/t.*: *j-n* ~ hablar mal de alg.; (*verleumden*) calumniar a alg.; **~weg** *adv.* → *schlechthin*; **2'wettergebiet** *n* (*-es*; *-e*) zona *f* de mal tiempo; **2'wetterperiode** *f* período *m* de mal tiempo.

'schlecken *v/t. u. v/i.* lamer, relamer; (*naschen*) comer golosinas.

Schlecke'rei *f* golosina *f*.

'Schlecker|maul *n* (*-es*; *"er*) goloso *m*, amigo *m* de golosinas; **2n** (*-re*) *v/i.* ser goloso.

'Schlegel *m* (*Holzhammer*) mazo *m*; (*Trommel2*) palillo *m*; ⚒ martillo *m* de minero; (*Wild2*) pernil *m*; (*Kalbs2*) pierna *f*.

'Schleh|dorn ♀ *m* (*-es*; *-e*) ciruelo *m* silvestre, endrino *m*; **~e** ♀ *f* endrina *f*, ciruela *f* silvestre.

Schlei *Ict. m* (*-es*; *-e*) tenca *f*.

'schleichen (*L*; *sn*) *v/i.* (*langsam gehen*) ir a paso lento, (*geräuschlos*) caminar despacio y sin hacer ruido, (*auf Zehenspitzen*) andar (*od.* ir) de puntillas; (*kriechen*) arrastrarse; *sich* ~ deslizarse; *sich* (*heimlich*) *in das Haus* ~ introducirse furtivamente (*od.* a hurtadillas) en la casa; *sich* (*heimlich*) *davon*~ salir furtivamente (*od.* a hurtadillas) de; *geschlichen kommen* acercarse a hurtadillas (*od.* a paso de lobo); **~d** *adj.* (*kriechend*) rastrero; (*verstohlen*) furtivo; *Gift*: lento; *Krankheit*: pernicioso, (*tückisch*) insidioso, (*chronisch*) crónico; *Übel*: latente.

'Schleicher *m* (*Heuchler*) hipócrita *m*; socarrón *m*; (*gemeiner Mensch*) rastrero *m*; (*Streber*) ambicioso *m* que se vale de medios subrepticios; (*Leisetreter*) F mosca *f* muerta, mátalas callando *m*.

Schleiche'rei *f* manejos *m/pl.* subrepticios; disimulo *m*; fraudulencia *f*; rodeos *m/pl.*; socarronería *f*.

'Schleich...: **~handel** *m* (*-s*; *0*) comercio *m* clandestino (*od.* ilícito); *in den Kolonien*: comercio *m* intérlope; (*Schwarzhandel*) mercado *m* negro, F estraperlo *m*; (*Schmuggel*) contrabando *m*; **~händler** *m* traficante *m* clandestino; F estraperlista *m*; (*Schmuggler*) contrabandista *m*; (*Schwarzmarkthändler*) F estraperlista *m*; **~ware** *f* artículo *m* (*od.* mercancía *f*) de contrabando; **~weg** *m* (*-es*; *-e*) camino *m* tortuoso (*a. fig.*); sendero *m* oculto; *fig.* medios *m/pl.* ocultos; *auf ~en* subrepticiamente; clandestinamente.

'Schleie *Ict. f* tenca *f*.

'Schleier *m* velo *m*; (*Hut2*) velete *m*; ⚔ cortina *f*; *Phot.* velo *m*; *den* ~ *lüften* quitar (*od.* descorrer) el velo (*a. fig.*); *fig.* descubrir el secreto; *den* ~ *nehmen* (*Nonne*) tomar el velo; *fig. den* ~ *des Vergessens* el velo del olvido; *unter dem* ~ *der Freundschaft* bajo el manto de la amistad; *e-n* ~ *über et.* (*ac.*) (*aus-*) *breiten* tender un velo sobre a/c.; **~eule** *Orn. f* lechuza *f*; **~flor** *m* (*-s*; *-e*) velo *m*; gasa *f*, crespón *m*; **2haft** *adj.* (*rätselhaft*) misterioso, enigmático; (*unbegreiflich*) incomprensible; *das ist mir einfach* ~ no me lo explico; no lo comprendo; es un enigma para mí; **~leinwand** *f* (*-*; *"e*) linón *m*; **~tanz** *m* (*-es*; *"e*) danza *f* de los velos.

'Schleif|bahn *f* pista *f* de deslizamiento; **~e** *f* (*Knoten*) nudo *m*; (*Laufschlinge*) nudo *m* corredizo; (*Hals2*, *Fahnen2*) corbata *f*; (*Band*) cinta *f*; (*Kokarde*) escarapela *f*; (*Schlinge*) lazo *m*; ✈ vuelta *f* de campana; rizo *m*; *e-e* ~ *fliegen* hacer (*od.* rizar) el rizo; (*Schleifbahn*) pista *f* de deslizamiento; (*Schlitten*) trineo *m*; (*Weg2*) recodo *m*; (*Kurve*) curva *f* (cerrada).

'schleifen¹ **I.** *v/t.* (*schärfen*) afilar, amolar, *spitz*: aguzar; *Rasiermesser*: suavizar; (*polieren*) pulir, pulimentar; (*schmirgeln*) esmerilar; *Glas*: tallar; biselar; *Edelsteine*: tallar; abrillantar; *fig. j-n* ~ (*gute Manieren beibringen*) enseñar a alg. a portarse correctamente; (*drillen*) F hacer sudar tinta a alg.; ⚔ ejercitar rudamente; **II.** 2 *n* (*Schärfen*) afiladura *f*; aguzamiento *m*; (*Polieren*) pulimento *m*; *v. Edelsteinen*: tallado *m*; (*Schmirgeln*) esmerilado *m*; *fig.* (*Drill*) ⚔ adiestramiento *m* (corporal) inhumano.

'schleifen² **I.** *v/t. u. v/i.* (*schleppen*) arrastrar; (*niederreißen*) demoler; arrasar; ⚔ *Festung, Anlagen*: desmantelar; ♪ ligar; (*gleiten*) resbalar; **II.** 2 *n* (*Niederreißen*) demolición *f*; ⚔ *Festung, Anlagen*: desmantelamiento *m*; ♪ ligadura *f*.

'Schleifen...: **~flug** ✈ *m* (*-es*; *"e*) vuelo *m* de rizos; **~kurve** *f* ✈ rizo *m*; ⚕ lemniscata *f*; **~wicklung** ⚡ *f* enrollamiento *m* de lazo.

'Schleifer *m* afilador *m*, amolador *m*; vaciador *m*; (*Polierer*) pulidor *m*; (*Edelstein2*) pulidor-tallador *m* de piedras preciosas; ♪ apoyatura *f*, mordente *m*; *fig.* ⚔ instructor *m* inhumano, F negrero *m*.

Schleife'rei *f* taller *m* de afilador.

'Schleif...: **~kontakt** ⚡ *m* (*-es*; *-e*)

contacto *m* por rozamiento (*od.* fricción); **~lack** *m* (-*es*; -*e*) laca *f* para pulir; **~maschine** *f für Metall*: afiladora *f*; rectificadora *f*; *für Holz*: alisadora *f*; **~mittel** *n* abrasivo *m*; **~papier** *n* (-*s*; -*e*) papel *m* abrasivo (*od.* de esmerilar); **~pulver** *n* polvo *m* abrasivo; polvos *m/pl.* para pulir; **~rad** *n* (-*es*; ⸚*er*) rueda *f* de afilar; muela *f*; **~ring** ⚡ *m* (-*es*; -*e*) anillo *m* colector; **~sand** *m* (-*es*; *0*) arena *f* para pulir; **~scheibe** *f* muela *f*; **~stein** *m* (-*es*; -*e*) piedra *f* de afilar; *drehbarer*: muela *f*; (*zum Polieren*) muela *f* de pulir; **~ung** *f* (*Schärfen*) afiladura *f*; aguzamiento *m*; *v. Edelsteinen*: tallado *m*; (*Polieren*) pulimento *m*; (*Ein*2) rectificación *f*; (*Niederreißen*) demolición *f*; *e-r Festung*: desmantelamiento *m*.

ˈ**Schleim** *m* (-*es*; -*e*) *Physiol.* mucosidad *f*; moco *m*; pituita *f*; (*bsd. Bronchien*2) flema *f*; ⚘ mucílago *m*; *der Schnecke*: baba *f*; *Kochk.* crema *f* (*bsd.* de cereales); ~ *aushusten* expectorar; **~absonderung** *f* secreción *f* mucosa; 2**artig** *adj.* mucoso; pituitario; (*zähflüssig*) viscoso; ⚘ mucilaginoso; (*gallertartig*) gelatinoso; (*klebrig*) pegajoso; **~auswurf** *m* (-*es*; ⸚*e*) expectoración *f*; **~beutel** *Anat. m* bolsa *f* sinovial; **~beutelentzündung** ⚕ *f* sinovitis *f*; **~drüse** *Anat. f* glándula *f* mucosa; 2**en** **1.** *v/i.* producir mucosidades; *Pharm.* preparar un mucílago; **2.** *v/t. Zucker*: espumar; **~fieber** ⚕ *n* fiebre *f* mucosa; **~fluß** ⚕ *m* (-*sses*; ⸚*sse*) flujo *m* mucoso; blenorrea *f*; **~haut** *Anat. f* (-; ⸚*e*) (membrana *f*) mucosa *f*; (*Nasen*2) membrana *f* pituitaria; 2**ig** *adj.* → *schleimartig*; 2**lösend** *adj.* expectorante; **~tiere** *Zoo. pl.* moluscos *m/pl.*

ˈ**schleißen** (-*t*) **1.** *v/t.* hender; (*abnutzen*) gastar; *Federn*: desbarbar; **2.** *v/i. u. v/refl.* henderse; gastarse.

ˈ**Schlemm|boden** *Geol. m* (-*s*; ⸚) terreno *m* diluvial; 2**en** *v/i.* (*schmausen*) comer opíparamente; banquetear; F andar de francachela; (*üppig leben*) F darse la gran vida; **~er** *m* (*Genußmensch*) sibarita *m*; (*Fresser*) glotón *m*; F comilón *m*, tragón *m*; (*Verschwender*) disipador *m*; **~eˈrei** *f* sibaritismo *m*; (*Gefräßigkeit*) glotonería *f*; (*Zechgelage*) francachela *f*; (*Mahl*) comilona *f*, banquete *m*; **~kreide** *f* creta *f* lavada.

ˈ**schlendern** (-*re*; *sn*) *v/i.* pasear lentamente; (*bummeln*) ir *od.* andar paseando (*durch* por); (*ziellos umher*) vagar, andar sin rumbo fijo; *durch die Straßen* ~ callejear.

ˈ**Schlendrian** *m* (-*es*; *0*) rutina *f*; (*alltäglicher*) camino *m* trillado; (*Unachtsamkeit*) inadvertencia *f*, descuido *m*; (*Schlamperei*) desidia *f*, incuria *f*; *s-n* ~ *gehen* seguir el camino trillado; no salirse del carril.

ˈ**schlenkern** (-*re*) *v/t. u. v/i.* dejar pender; bambolear; (*schleudern*) lanzar, arrojar; *die Arme* (*mit den Armen*) ~ bambolear los brazos.

ˈ**Schlepp|antenne** *f* antena *f* colgante; **~dampfer** *m* (vapor *m*) remolcador *m*.

ˈ**Schleppe** *f e-s Kleides*: cola *f*.

ˈ**schleppen** **I.** *v/t.* arrastrar; ⚓, ✈, *Auto.* remolcar; (*hinter sich herziehen*) llevar arrastrando; llevar a rastras; ⚓ (*Netz*) rastrear; *fig.* ✝ (*Kunden werben*) atraer; **2.** *v/refl.*: *sich* ~ (*kriechen*) arrastrarse; *sich mit et.* ~ cargar con a/c.; *fig.* luchar con a/c.; *Krankheit*: arrastrar, padecer desde hace tiempo; **3.** *v/i.* arrastrar; **II.** 2 *n* arrastre *m*; ⚓ remolque *m* (*a.* ✈ *u. Auto.*); **~d** *adj.* arrastrado; (*langsam*) lento; (*träge*) tardo; (*schwerfällig*) pesado; *Börse*: desanimado; *Stil, Stimme*: lánguido; 2**kleid** *n* (-*es*; -*er*) vestido *m* de cola; 2**träger** *m* (*e-s Kirchenfürsten*) caudatario *m*.

ˈ**Schlepper** *m* ⚓ remolcador *m*; (*Auto.*) tractor *m*; (*Raupen*2) tractor *m* oruga.

ˈ**Schlepp...:** **~flug** *m* (-*es*; ⸚*e*) vuelo *m* a remolque; **~flugzeug** *n* (-*es*; -*e*) avión *m* remolcador; **~kahn** ⚓ *m* (-*es*; ⸚*e*) lancha *f* de remolque; **~leine** *f* cuerda *f* (*od.* cable *m*) de remolque; **~lohn** *m* (-*es*; ⸚*e*) derechos *m/pl.* de remolque; **~netz** *n* (-*es*; -*e*) red *f* barredera; aparejo *m* de arrastre; traína *f*; **~netzfischerboot** *n* (-*es*; -*e*) trainera *f*; **~säbel** ⚔ *m* sable *m* de caballería; **~schiff** *n* (-*es*; -*e*) remolcador *m*; **~schifffahrt** *f* (*0*) remolque *m*; **~seil** *n* (-*es*; -*e*) ⚓ cable *m* de remolque; *zum Treideln*: sirga *f*; *für Ballon, Luftschiff*: cuerda *f* guía; **~tau** *n* (-*es*; -*e*) → *Schleppseil*; *ins* ~ *nehmen* remolcar, llevar a remolque; *fig.* llevar consigo; *sich von j-m ins* ~ *nehmen lassen fig.* dejarse arrastrar por alg.; *fig. in j-s* ~ *sein* ir a remolque de alg.; **~zug** *m* (-*es*; ⸚*e*) ⚓ flotilla *f* de remolque; 🚂 tren *m* de vagones vacíos; *Auto.* tren *m* de remolques.

ˈ**Schles|ien** *n* Silesia *f*; **~ier(in** *f*) *m* silesiano (-a *f*) *m*; 2**isch** *adj.* silesiano, de Silesia.

ˈ**Schleuder** *f* (-; -*n*) honda *f*; ✈ catapulta *f*; ⊕ (*Zentrifuge*) centrifugadora *f*; hidroextractor *m*; (*Honig*2) centrifugadora *f* de miel; *durch* ~ *starten* ✈ ser lanzado con catapulta; **~artikel** ✝ *m* artículo *m* de precio ruinoso; **~gebläse** ⊕ *n* máquina *f* soplante centrífuga; **~honig** *m* (-*s*; *0*) miel *f* extraida (*od.* centrífuga); **~kraft** *f* (-; ⸚*e*) fuerza *f* centrífuga; **~kreisel** *m* diábolo *m*; **~maschine** *f* centrifugadora *f*; *für Milch*: separador *m*; ✈ catapulta *f*.

ˈ**schleudern** (-*re*) **I.** **1.** *v/t.* (*werfen*) lanzar, arrojar; *mit der Zentrifuge*: centrifugar; ✈ lanzar con catapulta, *neol.* catapultar; *Honig*: extraer (con la centrifugadora); *Wäsche*: secar (en la centrifugadora para ropa); **2.** *v/i. Auto.* patinar, *gal.* derrapar; ✝ vender a precio ruinoso, malbaratar, malvender; **II.** 2 *n* (*Werfen*) lanzamiento *m*; *des Autos*: patinazo *m*; ✈ lanzamiento *m* por catapulta; *mit der Zentrifuge*: centrifugación *f*.

ˈ**Schleuder...:** **~preis** ✝ *m* (-*es*; -*e*) precio *m* ruinoso; **~pumpe** *f* bomba *f* centrífuga; 2**sicher** *adj.* antideslizante; **~sitz** ✈ *m* (-*es*; -*e*) sillín *m* catapulta; **~start** *m* (-*es*; -*s*) ✈ lanzamiento *m* (*od.* despegue *m*) por catapulta; **~waffe** *f* arma *f* arrojadiza; **~ware** ✝ *f* género *m* de baratillo (*od.* F a precio tirado).

ˈ**schleunig** *adj.* pronto; rápido; apresurado; (*überstürzt*) precipitado; **~st** *adv.* de prisa, F corriendo, a escape, volando; (*unverzüglich*) sin tardanza, sin demora; lo antes posible, cuanto antes; (*sofort*) inmediatamente, al punto.

ˈ**Schleuse** *f* esclusa *f*; **~nbetrieb** *m* (-*es*; -*e*) servicio *m* de esclusas; **~ngeld** *n* (-*es*; -*er*) derecho *m* de esclusa; **~nkammer** *f* (-; -*n*) cámara *f* de esclusa; **~nkanal** *m* (-*s*; ⸚*e*) canal *m* de derivación; **~nmeister** *m* guarda-esclusa *m*; **~ntor** *n* (-*es*; -*e*) puerta *f* de esclusa; compuerta *f*; **~nwärter** *m* → *Schleusenmeister*; **~nwerk** *n* (-*es*; -*e*) esclusas *f/pl.*

schlich *pret. v. schleichen.*

ˈ**Schliche** *pl.* intrigas *f/pl.*, manejos *m/pl.*; maquinaciones *f/pl.*; (*List*) trucos *m/pl.*, mañas *f/pl.*; *hinter j-s* ~ *kommen, j-m auf die* ~ *kommen* descubrir las intrigas (*od.* los manejos) de alg.; *j-s* ~ *kennen* conocer las mañas de alg.; *alle* ~ *kennen* F *fig.* estar al cabo de la calle; sabérselas todas.

schlicht (-*est*) *adj.* llano; (*einfach*) simple, sencillo; escueto; (*glatt*) liso; (*anspruchslos*) modesto; *Mahl*: frugal; (*einfarbig, v. Stoff*) liso; *die* ~*e Wahrheit* la verdad escueta.

ˈ**Schlichte** *f Textil*: encolante *m*.

ˈ**schlichten** (-*e*-) **I.** *v/t.* (*ordnen*) arreglar; ajustar; (*versöhnen*) conciliar; *Streit*: arreglar, componer; zanjar; (*entwirren*) desenredar; desenmarañar; *Tuch*: carmenar; *Frage*: solucionar; dirimir; solventar; (*glätten*) alisar; (*ebnen*) allanar, aplanar; **II.** 2 *n* (*Ordnen*) arreglo *m*; (*Versöhnung*) conciliación *f*; *durch Schiedsspruch*: arbitraje *m*; (*Glätten*) alisadura *f*; (*Ebnen*) aplanamiento *m*, allanamiento *m*; *des Tuches*: carmenadura *f*.

ˈ**Schlichter** *m bei Lohnstreitigkeiten*: árbitro *m*; (*Vermittler*) mediador *m*; amigable componedor *m*; hombre *m* bueno.

ˈ**Schlicht...:** **~feile** *f* lima *f* dulce; **~hammer** *m* (-*s*; ⸚) martillo *m* de alisar; **~heit** *f* (*0*) sencillez *f*; llaneza *f*; **~hobel** *m* garlopa *f*.

ˈ**Schlichtung** *f e-s Streites*: arreglo *m*; ajuste *m*; (*Vermittlung*) mediación *f*; *durch Schiedsspruch*: arbitraje *m*; **~s-ausschuß** *m* (-*sses*; ⸚*sse*) comisión *f* de arbitraje; **~sstelle** *f* tribunal *m* de arbitraje.

Schlick *m* (-*es*; -*e*) légamo *m*, cieno *m*, lodo *m*; barro *m*.

schlief *pret. v. schlafen.*

ˈ**schließbar** *adj.* cerradizo, que se puede cerrar.

ˈ**Schließe** *f* (*Verschluß*) cierre *m*; (*Schnalle*) hebilla *f*.

ˈ**schließen** (*L*) **I.** **1.** *v/t.* cerrar; (*ein*~) encerrar; (*beenden*) terminar, acabar, concluir; (*folgern*) deducir, inferir, concluir (*aus* de); *Kongreß, Versammlung*: clausurar; *Bündnis*: concertar; *Ehe*: contraer; *Sitzung*: levantar; *Debatte* (*Parl.*) cerrar; *Freundschaft*: trabar, contraer; *in sich* ~ encerrar, incluir, entrañar, llevar en sí, (*sinngemäß*) implicar; *die Reihen* ~ ⚔ cerrar las filas; **e-n**

Vertrag ~ hacer un contrato; *ein Abkommen* ~ (*Pol.*) celebrar un convenio, concertar un tratado; *auf et.* (*ac.*) ~ *lassen* denotar a/c.; sugerir a/c.; *Frieden* ~ (*Pol.*) concertar la paz; (*sich versöhnen*) hacer las paces; *an die Kette* ~ (*Hund*) atar a la cadena; *in Ketten* ~ encadenar; *in die Arme* ~ abrazar, estrechar en sus brazos; *in den Schrank* ~ encerrar en el armario; **2.** *v/refl.*: *sich* ~ cerrarse; encerrarse; *Wunde*: cerrarse; (*vernarben*) cicatrizarse; **3.** *v/i.* cerrar; (*zu Ende gehen*) terminarse, acabarse; *aus et.* ~ deducir (*od.* inferir) de a/c.; *von sich selbst auf andere* ~ juzgar de otro por sí mismo; *der Schlüssel schließt nicht* la llave no cierra; *die Sitzung ist geschlossen* se levanta la sesión; la sesión ha terminado; *die Schule ist geschlossen* no hay clase; *das Theater ist geschlossen* no hay función; *geschlossene Gesellschaft* reunión privada; círculo privado; *ein geschlossenes Ganzes* un todo; un conjunto armonioso; *geschlossenes* „e" *Gr.* una e cerrada; **II.** ♀ *n* cierre *m*; *e-r Versammlung*: clausura *f*; *e-r Ehe, e-s Abkommens*: celebración *f*; (*Beenden*) terminación *f*; *Logik*: deducción *f*, inferencia *f*, conclusión *f*.

'**Schließer** *m* (*Be*♀) llavero *m*; (*Pförtner*) portero *m*; *in Gefängnissen*: carcelero *m*.

'**Schließfach** *n* (-*es*; ⸗*er*) (*Post*♀) apartado *m* de correos, *Am.* casilla *f* de correo; (*Bahnhof*) consigna *f* automática; (*Tresorfach*) compartimento *m* de caja fuerte.

'**schließlich** *adv.* finalmente; por fin; por último; en fin de cuentas, al fin y al cabo; (*endgültig*) en definitiva; ~ *et. tun* acabar haciendo a/c.

'**Schließmuskel** *Anat. m* (-*s*; -*n*) esfinter *m*.

'**Schließung** *f* cierre *m*; *e-r Ehe*: celebración *f*; (*Vollendung, Schlußfolgerung*) conclusión *f*; *e-r Versammlung, e-s Kongresses*: clausura *f*.

schliff *pret. v. schleifen.*

Schliff *m* (-*es*; -*e*) (*Glätte, das Schleifen*) pulimento *m*; (*das Schmirgeln*) esmerilado *m*; (*das Schärfen*) afiladura *f*; *der Edelsteine*: tallado *m*; (*geschliffene Fläche*) superficie *f* pulimentada; *e-s Edelsteines*: faceta *f*; (*Schärfe*) filo *m*; *fig.* (*Lebensart*) urbanidad *f*, buenas maneras *f/pl.*; *Taktgefühl*: tacto *m*, delicadeza *f*; ⚔ (*Drill*) adiestramiento *m* rudo; *e-r Sache* (*dat.*) *den letzten* ~ *geben* dar los últimos toques a a/c.

'**schlimm** *adj.* malo; (*Kurzform u. adv.*) mal; (*ernst*) grave, serio; (*besorgniserregend*) inquietante; (*krank*) enfermo, malo; (*ärgerlich*) molesto, fastidioso; (*unangenehm*) desagradable; (*böswillig*) maligno; (*boshaft*) malicioso; *Zeit*: difícil; duro; *e-e* ~*e Sache* mala cosa; mal asunto; *e-e* ~*e Wendung nehmen* tomar mal rumbo; *ein* ~*es Ende nehmen* acabar mal; ~ *dran sein* estar mal; estar en una situación difícil (*od.* delicada); *es steht* ~ *mit ihm* las cosas van mal para él; va por mal camino; *e-n* ~*en Fuß haben* tener un pie enfermo; *das ist nicht* ~! no está (del todo) mal; *das ist halb* (*od. nicht so*) ~ no es para tanto; no es tan difícil (*od.* importante) la cosa; *er ist nicht so* ~, *wie er aussieht* no es tan malo como parece; ♀**e** *n*: *das* ~ lo malo; ~**er** (*comp. v. schlimm*) *adj.* peor (*a. adv.*); *immer* ~ cada vez peor; *was* ~ *ist* lo que es peor; *um so* ~ tanto peor; ~ *machen* empeorar; ir cada vez peor; ir de mal en peor; ~**st** (*sup. v. schlimm*) *adj.* pésimo; malísimo; ♀**ste** *n*: *das* ~ lo peor; *auf das* ~ *gefaßt sein* estar preparado para lo peor; esperar lo peor; ~**stenfalls** *adv.* en el peor caso; poniéndonos en lo peor; F a mal tirar.

'**Schlinge** *f* lazo *m*; (*Lauf*♀) nudo *m* corredizo; (*Masche*) red *f*; (*Binde*) cabestrillo *m*; *Jgdw.* lazo *m*; (*Schleife*) nudo *m*; *e-e* ~ *legen* tender un lazo (*a. fig.*); *in der* ~ *fangen* cazar con lazo; *fig. in die* ~ *geraten* caer en el lazo (*od.* en la trampa); *sich aus der* ~ *ziehen* librarse de un peligro; F *fig.* escurrir el bulto.

'**Schlingel** *m* (*Knabe*) pilluelo *m*, granuja *m*, bribón *m*.

'**schlingen**[1] (*L*) *v/t.* (*ineinander*~) enlazar, entrelazar; entretejer; *sich um et.* ~ enroscarse en a/c.; *Pflanzen*: trepar por a/c.; *die Arme um j-n* ~ abrazar a alg.

'**schlingen**[2] (*L*) **I.** *v/t. u. v/i.* deglutir; tragar, engullir, F zampar; **II.** ♀ *n* deglución *f*.

'**Schlinger|bewegung** *f* balance *m*, balanceo *m*; ♀**n** ⚓ *v/i.* balancear (-se); ~**n** ⚓ *n* → *Schlingerbewegung.*

'**Schlingpflanzen** *f/pl.* plantas *f/pl.* trepadoras.

Schlips *m* (-*es*; -*e*) corbata *f*; (*Querbinder*) corbata *f* de lazo; *fig.* F *j-m auf den* ~ *treten* dar un pisotón a alg.; *sich auf den* ~ *getreten fühlen* sentirse ofendido; '~**halter** *m* sujetador *m* de corbata; '~**nadel** *f* (-; -*n*) alfiler *m* de corbata.

schliß *pret. v. schleißen.*

'**Schlitten** *m* trineo *m*; (*Rodel*♀) trineo *m* de deporte; ⊕ carro *m*; (*Gleitstück*) corredera *f*; *der Schreibmaschine*: carro *m*; ⚓ *zum Stapellauf*: basada *f*; 🚂 (*Brems*♀) patín *m* de freno; ~ *fahren* ir en trineo; *fig. mit j-m* ~ *fahren* tratar con aspereza a alg.; *fig. unter den* ~ *kommen* caer muy bajo; ~**bahn** *Sport f* pista *f* de trineos; ~**fahrt** *f* paseo *m* en trineo; ~**kufe** *f* patín *m* de trineo; ~**kufengestell** ✈ *n* (-*es*; -*e*) patines *m/pl.* de aterrizaje; ~**lift** *m* teletrineo *m*; ~**partie** *f* → *Schlittenfahrt*; ~**wagen** *m* coche *m* trineo.

'**Schlitter|bahn** *f* resbaladero *m*; ♀**n** (-*re*) *v/i.* resbalar sobre el hielo; *Auto.* patinar; ~**n** *n* resbalón *m*; *Auto.* patinazo *m*.

'**Schlittschuh** *m* (-*es*; -*e*) patín *m*; ~ *laufen* patinar; ~**bahn** *f* patinadero *m*; ~**laufen** *n* patinaje *m* (sobre hielo); ~**läufer(in** *f*) *m* patinador (-a *f*) *m*.

'**Schlitz** *m* (-*es*; -*e*) (*Öffnung*) abertura *f* muy estrecha; (*Spalte*) hendidura *f*, hendedura *f*; raja *f*; rendija *f*; *im Kleid*: cuchillada *f*; (*Hosen*♀) bragueta *f*; (*Einschnitt*) corte *m*; tajo *m*; *Chir.* incisión *f*; (*Kerbe*) entalladura *f*; (*Nute*) ranura *f*; ~**ärmel** *m* manga *f* acuchillada; ~**augen** *pl.* ojos *m/pl.* oblicuos; ojos *m/pl.* rasgados; ♀**äugig** *adj.* de ojos oblicuos *bzw.* rasgados; ~**blende** *Phot. f* diafragma *m* de hendidura; ♀**en** (-*t*) *v/i.* (*spalten*) hender, hendir; rajar; *Chir.* incidir, hacer una incisión; *Bauch*: abrir; *Kleider*: acuchillar; (*einkerben*) entallar; (*nuten*) ranurar; ~**flügel** ✈ *m* ala *f* hendida; ~**fräser** ⊕ *m* fresa *f* para ranurar; ~**messer** *Chir. n* lanceta *f*; ~**verschluß** *Phot. m* (-*sses*; ⸗*sse*) obturador *m* de cortina.

'**schlohweiß** (*0*) *adj.* blanco como la nieve.

schloß *pret. v. schließen.*

Schloß *n* (-*sses*; ⸗*sser*) (*Palast, Residenz*♀) palacio *m*; (*Burg*) castillo *m*; (*königliches Stadt*♀) *Span.* alcázar *m*; (*Tür*♀) cerradura *f*; (*Vorhänge*♀) candado *m*; (*Gewehr*♀) cerrojo *m*; (*Verschluß*) broche *m*; *hinter* ~ *und Riegel setzen* poner a buen recaudo; acerrojar; *Gefangene*: encarcelar; meter en la cárcel; F enchironar, *fig.* enchiquerar; *Schlösser im Mond* castillos en el aire.

'**Schlößchen** *n dim. v. Schloß*; (*Bau*) palacete *m*.

'**Schloße** *f* pedrisco *m*; ♀**n** (-*t*) *v/i.* granizar.

'**Schlosser** *m* cerrajero *m*; (*Mechaniker*) mecánico *m*; ~**arbeit** *f* trabajo *m* de cerrajería.

Schlosse'rei *f* (taller *m* de) cerrajería *f*.

'**Schlosser...**: ~**geselle** *m* (-*n*) oficial *m* (de) cerrajero; ~**handwerk** *n* (-*es*; -*e*) oficio *m* de cerrajero; cerrajería *f*; ~**lehrling** *m* (-*s*; -*e*) aprendiz *m* de cerrajero; ~**meister** *m* maestro *m* cerrajero; ~**werkstatt** *f* (-; ⸗*en*), ~**werkstätte** *f* → *Schlosserei.*

'**Schloß...**: ~**herr** *m* (-*en*) castellano *m*; ~**herrin** *f* castellana *f*; ~**hof** *m* (-*es*; ⸗*e*) patio *m* del castillo; (*Ehrenhof*) patio *m* de honor; ~**hund** *fig. m*: *wie ein* ~ *heulen* llorar a moco tendido; ~**kapelle** *f* capilla *f* de palacio; ~**platz** *m* (-*es*; ⸗*e*) plaza *f* del palacio *bzw.* del castillo; ~**wache** *f* guardia *f* de palacio.

'**Schlot** *m* (-*es*; -*e*) chimenea *f*; *fig.* (*Flegel*) grosero *m*; F *wie ein* ~ *rauchen* fumar como una chimenea; ~**feger** *m* deshollinador *m*.

'**schlott|(e)rig** *adj.* (*wankend*) vacilante; (*zitternd*) tembloroso; trémulo; (*lose*) flotante; suelto; (*schlaff*) flojo; (*nachlässig*) descuidado, negligente, *in der Kleidung*: desaliñado; abandonado; ~ *gehen* ir con paso vacilante *od.* inseguro; ~**ern** (-*re*) *v/i.* (*wackeln*) vacilar; (*zittern*) temblar, *vor Kälte*: *a.* tiritar; (*hin- u. herschwankend*) bambolear(se); *Beine*: flaquear; *die Beine* ~ *ihm* le flaquean las piernas; *Anzug*: venir ancho; estar muy holgado; *vor Angst* ~ temblar de miedo; *mit* ~*den Knien* con las rodillas temblantes; lleno (*od.* muerto) de miedo.

Schlucht *f* garganta *f*; cañada *f*; (*Engpaß*) desfiladero *m*; quebrada *f*; (*Wasser*♀) barranco *m*; (*Abgrund*) abismo *m*; sima *f*.

'**schluchzen** (-*t*) **I.** *v/i.* sollozar; **II.** ♀ *n* sollozos *m/pl.*

'**Schluck** *m* (*-es*; *-e*) trago *m*; sorbo *m*; *v. Wein, Schnaps*: F latigazo *m*, trinquis *m*; (*Mundvoll*) buche *m*, buchada *f*, bocanada *f*; *ein tüchtiger* ~ un buen trago; *e-n* ~ *tun* echar un trago; F dar un tiento al jarro; pegarse un latigazo; *in e-m* ~ de un trago; **~auf** *m* (*-s*; *-s*) hipo *m*; *den* ~ *haben* tener hipo; hipar; **~beschwerden** *pl.* dificultad *f* de tragar; ⚕ disfagia *f*.

'**Schlückchen** *n* traguillo *m*; sorbito *m*; *fig.* gota *f*; F pinta *f*.

'**schlucken I. 1.** *v/t.* tragar (*a. fig.*); *Physiol.* deglutir; (*schlürfen*) sorber; **2.** *v/i.* hipar; **II.** ♀ *n* deglución *f*.

'**Schlucken** *m* hipo *m*; *den* ~ *haben* tener hipo.

'**Schlucker** *m*: *armer* ~ pobre hombre *m*; pobre diablo *m*, pelagatos *m*, pobretón *m*.

'**Schluck|impfung** *f* vacunación *f* por vía bucal (*od.* oral); ♀**weise** *adv.* a tragos.

'**Schlud|er-arbeit** *f*, **~e'rei** *f* chapucería *f*; ♀**ern** (*-re*) *v/t.* chapucear, frangollar, F chafallar; ♀**rig** *adj.* chapucero; *fig.* abandonado.

schlug *pret. v. schlagen.*

'**Schlummer** *m* sueño *m* ligero; **~lied** *n* (*-es*; *-er*) canción *f* de cuna; nana *f*; ♀**n** (*-re*) *v/i.* dormitar; dormir; ♀**nd** *adj. fig.* dormido; latente; potencial; **~rolle** *f* travesaño *m*, almohada *f*.

'**Schlumpe** *f* → *Schlampe.*

'**Schlund** *m* (*-es*; *"e*) garganta *f*, gaznate *m*; fauces *f/pl.*; *Anat.* faringe *f*; (*Speiseröhre*) esófago *m*; (*Abgrund*) sima *f*; abismo *m*; *e-s Vulkans*: cráter *m*; *fig.* (*Feuer*♀) boca *f* de cañón; (*Höllen*♀) abismos *m/pl.* infernales, fauces *f/pl.* del averno; **~höhle** *Anat. f* cavidad *f* faríngea; **~kopf** *Anat. m* (*-es*; *"e*) faringe *f*.

Schlupf *m* (*-es*; *"e*) ⊕, ⚡ resbalamiento *m*; (*Unter*♀) abrigo *m*; refugio *m*.

'**schlüpfen I.** (*sn*) *v/i.* (*gleiten*) deslizarse (*über ac.*, *auf dat.* por *od.* sobre); escurrirse; *in das Kleid* ~ ponerse el vestido; *in die Hosen* ~ ponerse los pantalones; *aus dem Ei* ~ salir del huevo; (*ent*~) escaparse (*aus* de); **II.** ♀ *n* deslizamiento *m*.

'**Schlüpfer** *m* (*Damen*♀) bragas *f/pl.*

'**schlüpferig** *adj.* → *schlüpfrig.*

'**Schlupf|loch** *n* (*-es*; *"er*) (*Versteck*) escondrijo *m*; (*Zuflucht*) refugio *m*; abrigo *m*; *wilder Tiere*: guarida *f*; madriguera *f*.

'**schlüpfrig** *adj.* (*glatt*) resbaladizo; escurridizo; (*klebrig*) viscoso; *fig.* (*heikel*) escabroso; delicado; (*zweideutig*) equívoco; (*unzüchtig*) lascivo; obsceno; lúbrico; (*unanständig*) indecente; (*anstößig*) sicalíptico; verde; picante, ♀**keit** *f* lubricidad *f*; viscosidad *f*; *fig.* lascivia *f*, obscenidad *f*; lubricidad *f*; verdura *f*.

'**Schlupf|wespe** *Zoo. f* icneumón *m*; **~winkel** *m* → *Schlupfloch.*

'**schlürfen 1.** *v/t.* sorber, beber a sorbos; **2.** *v/i.* hacer ruido al beber *bzw.* al comer.

'**Schluß** *m* (*-sses*; *"sse*) (*Schließung*) cierre *m* (*a. Börsen*♀); *e-r Versammlung*: clausura *f*; (*Ende*) fin *m*, término *m*; *Typ.* colofón *m* (*a. fig.*); ♪ final *m*; (*Folgerung*) conclusión *f*, consecuencia *f*; (*Deduktion*) deducción *f*; inferencia *f*; (*Vernunfts*♀) raciocinio *m*, *Logik*: silogismo *m*; (*Ergebnis*) resultado *m*; ⚡ (*Kurz*♀) corto circuito *m*; *am Ende e-r Artikelserie*: conclusión *f*; ~ *folgt* concluirá (en el próximo número); *den* ~ *e-r Marschkolonne usw. bilden* cerrar la marcha; *zum* ~ para terminar; por fin, por último, finalmente; terminar + *ger.*; ~! ¡se acabó!, ¡basta!; ~ *damit!* ¡no se hable más de eso!; *und damit* ~! ¡y asunto concluído!, ¡y hemos terminado!; F ¡y sanseacabó!, ¡y en paz!; ~ *mit* ...! ¡basta de ...!; ~ *machen* acabar, (*die Arbeit beenden*) dar de mano, (*Selbstmord verüben*) suicidarse; *mit et.* ~ *machen* poner fin (*od.* término) a a/c.; acabar (de una vez) con a/c.; poner punto final a a/c.; *mit j-m* ~ *machen* romper (las relaciones) con alg.; F acabar con alg.; *e-n* ~ *ziehen* deducir, inferir, sacar en consecuencia (*aus* de); *zu e-m* ~ *kommen* llegar a un acuerdo; *zu dem* ~ *kommen* (*od.* gelangen), *daß* llegar a la conclusión de que; *zum* ~ *bringen* acabar, terminar, concluir a/c.; **~abrechnung** ✝ *f* liquidación *f* final; **~abstimmung** *f* votación *f* final; **~akkord** ♪ *m* (*-es*; *-e*) acorde *m* final; **~akt** *m* (*-es*; *-e*) *Thea.* último acto *m*; *e-r Versammlung*: acto *m* de clausura; **~ansprache** *f* discurso *m* de clausura; **~antrag** *m* (*-es*; *"e*) *Parl.* moción *f* de clausura; ⚖ conclusión *f* (definitiva); **~bemerkung** *f* observación *f* final; *engS.* epílogo *m*; **~bericht** *m* (*-es*; *-e*) informe *m* final; **~bestimmung** *f* disposición *f* final; **~bilanz** *f* balance *m* final; **~effekt** *m* (*-es*; *-e*) efecto *m* final.

'**Schlüssel** *m* llave *f* (*a. Schrauben*♀); *den* ~ *stecken lassen* dejar la llave en la puerta; *falscher* ~ llave falsa; (*Chiffrier*♀ *u.* ♪) clave *f*; **~bart** *m* (*-es*; *"e*) paletón *m*; **~bein** *Anat. n* (*-es*; *-e*) clavícula *f*; **~blume** ⚘ *f* primavera *f*; **~brett** *n* (*-es*; *-er*) tablero *m* de llaves; **~bund** *n* (*-es*; *-e*) manojo *m* de llaves; llavero *m*; ♀**fertig** *adj. Gebäude, Wohnung*: llave en mano; **~frage** *f* cuestión *f* clave; **~gewalt** ⚖ *f* (*0*) potestad *f* de llaves; **~industrie** *f* industria *f* clave; **~loch** *n* (*-es*; *"er*) ojo *m* de la cerradura; **~posten** *m* puesto *m* clave; **~ring** *m* (*-es*; *-e*) llavero *m*; **~stellung** *f* posición *f* clave; *e-e* ~ *einnehmen* ocupar una posición clave; **~tasche** *f* funda *f* de llavero; estuche *m* llavero; **~wort** *n* (*-es*; *-e*) palabra *f* clave.

'**Schluß...:** **~ergebnis** *n* (*-ses*; *-se*) resultado *m* final; ✝ balance *m*; **~feier** *f* (*-*; *-n*) ceremonia *f* de clausura; **~folge(rung)** *f* conclusión *f*; consecuencia *f*; **~formel** *f* (*-*; *-n*) fórmula *f* final; **~gesang** *m* (*-es*; *"e*) canto *m bzw.* coro *m* final.

'**schlüssig** *adj.* concluyente; ~ *sein* estar resuelto *od.* decidido; (*sich*) ~ *werden* resolverse *od.* decidirse (et. *zu tun* a hacer a/c.); tomar una resolución; *~er Beweis* prueba contundente.

'**Schluß...:** **~kommuniqué** *n* (*-s*; *-s*) comunicado *m* final; **~kurs** *m* (*-es*; *-e*) *Börse*: cotización *m* de cierre (*od.* de última hora); **~licht** *n* (*-es*; *-er*) 🚗 farol *m* de cola; *Auto.* faro *m* piloto; **~notierung** ✝ *f* → *Schlußkurs*; **~pfiff** *m* (*-es*; *-e*) *Fußball*: pitada *f* final; **~protokoll** *n* (*-s*; *-e*) protocolo *m* final; **~punkt** *m* (*-es*; *-e*) punto *m* final; **~quittung** ✝ *f* recibo *m* final, finiquito *m*; **~rechnung** *f* ✝ cuenta *f* final; balance *m* final; *Arith.* regla *f* de tres; **~rede** *f* discurso *m* de clausura; **~reim** *m* (*-es*; *-e*) rima *f* final; (*Refrain*) estribillo *m*; **~runde** *f* *Sport*: vuelta *f* final; (*Finale*) final *f*; *Boxen*: último asalto *m*; **~satz** *m* (*-es*; *"e*) proposición *f* final; última frase *f*; *e-r Rede*: conclusión *f*; ♪ final *m*; **~sitzung** *f* sesión *f* de clausura; **~stein** △ *m* (*-es*; *-e*) clave *f* (del arco); **~strich** *fig. m* (*-es*; *-e*) punto *m* final; *e-n* ~ *ziehen* poner punto final; **~szene** *Thea. f* escena *f* final; **~urteil** ⚖ *n* (*-s*; *-e*) sentencia *f* final; **~verkauf** *m* (*-es*; *"e*) venta *f* de fin de temporada; **~wort** *n* (*-es*; *-e*) última palabra *f*; (*Nachwort*) epílogo *m*; **~zeichen** *n* señal *f* del fin; *Gr.* punto *m* final.

Schmach *f* (*0*) ignominia *f*; oprobio *m*; vergüenza *f*; (*Unehre*) deshonra *f*; (*Entwürdigung*) envilecimiento *m*; (*Beleidigung*) insulto *m*; afrenta *f*; (*Demütigung*) humillación *f*.

'**schmachten** (*-e-*) *v/i.* languidecer; *langsam hinsiechen*: consumirse; ~ *nach* suspirar por; languidecer por; *vor Durst* ~ morir de sed; *im Kerker* ~ gemir (*od.* consumirse) en la prisión; (*sich heiß sehnen*) anhelar ardientemente; desmorecerse; **~d** *adj.* lánguido; suspirante; *~e Blicke* mirada lánguida; mirada amorosa.

'**Schmachtfetzen** F *m* canción *f* sentimental empalagosa.

'**schmächtig** *adj.* (*dünn*) delgado; (*mager*) flaco, enjuto, F delgaducho; desgarbado; (*schwächlich*) débil, delicado; (*schlank*) esbelto.

'**Schmacht|locke** *f* rizo *m*; caracol *m*; **~riemen** F *m* cinturón *m*; F *fig. den* ~ *anziehen* apretarse el cinturón, aguantar el hambre.

'**schmachvoll** *adj.* ignominioso; vergonzoso; denigrante.

'**schmackhaft** (*-est*) *adj.* sabroso; de buen gusto; (*appetitanregend*) apetitoso; *fig. j-m et.* ~ *machen* hacer apetecible a alg. a/c.; ♀**igkeit** *f* (*0*) buen gusto *m*, buen sabor *m*.

'**Schmäh|artikel** *m* artículo *m* difamatorio; **~brief** *m* (*-es*; *-e*) carta *f* injuriosa.

'**schmäh|en** *v/t.* insultar, injuriar; vituperar; denostar; (*verächtlich machen*) menospreciar; (*verleumden*) calumniar; difamar; (*lästern*) blasfemar; **~lich** *adj.* ignominioso; afrentoso; (*beschämend*) vergonzoso; denigrante; (*schändlich*) indigno; deshonroso; ♀**lied** *n* (*-es*; *-er*) cantar *m* injurioso; ♀**rede** *f* invectiva *f*; ♀**schrift** *f* libelo *m* (infamatorio); *Verfasser e-r* ~ libelista *m*; ♀**sucht** *f* (*0*) maledicencia *f*; **~süchtig** *adj.* maldiciente; (*verleumderisch*) calumniador; ♀**ung** *f* (*Beschimpfung*) insulto *m*, injuria *f*; vituperio *m*; denuesto *m*; (*Verächtlichmachung*) menosprecio *m*; (*Verleumdung*) calumnia *f*, difamación *f*; (*Lästerung*) blasfemia *f*; *sich in ~en ergehen* desatarse en improperios (*gegen* contra); proferir insultos (contra); lanzar invectivas (contra); **2wort** *n* (-*ẹs*; -*e*) palabra *f* injuriosa.

schmal *adj.* estrecho, angosto; (*dünn*) delgado; (*mager*) flaco; *Gesicht*: afilado; (*schlank*) esbelto; *fig.* (*gering*) escaso; (*armselig*) pobre, mezquino; *~er (od. schmäler) machen* estrechar; *~er (od. schmäler) werden* estrecharse; *am Körper*: adelgazar; *~e Kost* comida mezquina; *j-n auf ~e Kost setzen* poner a alg. a media ración; '**~brüstig** *adj.* estrecho de pecho.

'**schmälen** **I. 1.** *v/t.* (*ausschelten*) reñir, reprender; (*herabsetzen*) denigrar; (*beschimpfen*) insultar, injuriar; **2.** *v/i. Jgdw. Reh*: gamitar; **II.** 2 *n* (*Ausschelten*) reprimenda *f*.

'**schmäler|n** (-*re*) *v/t.* estrechar; (*verringern*) reducir, disminuir; mermar; (*beschränken*) limitar, restringir; *Ruf*: menoscabar; **2ung** *f* estrechamiento *m*; (*Verringerung*) reducción *f*, disminución *f*; merma *f*; (*Beschränkung*) restricción *f*, limitación *f*; *des Rufes*: menoscabo *m*.

'**Schmal...:** **~film** *m* (-*ẹs*; -*e*) película *f* estrecha; **~filmkamera** *f* (-; -*s*) cámara *f* para película estrecha; **~hans** *m*: *bei ihm ist ~ Küchenmeister* no tiene qué llevarse a la boca; **~seite** *f* parte *f* estrecha *od.* angosta; **~spur** *f* vía *f* estrecha; **~spurbahn** 🚂 *f* ferrocarril *m* de vía estrecha (*Am.* de trocha angosta); **2spurig** *adj.* de vía estrecha; **~tier** *Jgdw. n* (-*ẹs*; -*e*) cierva *f* de uno a dos años; **~vieh** *n* (-*ẹs*; *0*) ganado *m* menudo.

'**Schmalz** *n* (-*es*; -*e*) grasa *f* derretida; (*Schweine2*) manteca *f* de cerdo; (*Talg*) sebo *m*; **2en** (-*t*), **schmälzen** (-*t*) *v/t.* engrasar, untar; poner manteca a; **2ig** *adj.* mantecoso; (*fettig*) grasiento, grasoso; (*schmierig*) untuoso (*a. fig.*); *fig.* sentimental, empalagoso.

schma'rotzen (-*t*) *v/i.* vivir a costa ajena; F vivir de gorra.

Schma'rotzer *m Zoo. u.* ⚘ parásito *m*; *Person*: zángano *m*; F gorrón *m*; *fig.* parásito *m*; **2haft, 2isch** *adj.* parasitario, parasítico, parásito, de parásito; **~leben** *n* vida *f* de parásito; **~pflanze** *f* planta *f* parásita; **~tum** *n* (-*s*; *0*) parasitismo *m*.

'**Schmarre** *f* cuchillada *f*, tajo *m*, chirlo *m*, F jabeque *m*; (*Narbe*) cicatriz *f*; chirlo *m*.

'**Schmarren** *m Kochk.*: tortilla *f* a la vienesa; *fig.* objeto *m* sin valor, fruslería *f*; (*Kunsterzeugnis*) mamarracho *m*, F churro *m*; nonada *f*.

'**Schmatz** *m* (-*es*; -*e*) beso *m* sonoro; **2en** (-*t*) *v/t. u. v/i.* (*küssen*) besuquear; besar ruidosamente; (*laut essen*) chasquear con la lengua comiendo.

'**schmauchen** *v/t. u. v/i.* fumar con deleite.

'**Schmaus** *m* (-*es*; ⸚*e*) comida *f* opípara; (*Gastmahl*) festín *m*; banquete *m*; F comilona *f*; **2en** (-*t*) *v/i.* comer bien; (*üppig essen*) comer opíparamente; **~en** *n*, **~e'rei** *f* comida *f* abundante; F comilona *f*; francachela *f*, cuchipanda *f*.

'**schmecken** **I. 1.** *v/t.* (*kosten*) gustar, probar, catar; saborear, paladear; **2.** *v/i. nach et. ~* saber a a/c.; tener gusto de a/c.; tener sabor a; *nach nichts ~* ser insípido, no saber a nada; *sich et. ~ lassen* saborear con deleite a/c.; comer con buen apetito; *lassen Sie es sich gut ~!* ¡buen provecho!; *fein od. gut (schlecht) ~* saber bien (mal); tener buen (mal) sabor *od.* gusto; *scheußlich ~* F saber a demonios; *bitter ~* tener sabor amargo; *angebrannt ~* saber a quemado; et. *sauer (od. säuerlich) ~* tener un sabor agrio; *j-m ~* ser del gusto de alg.; gustar a/c. a alg.; *wie schmeckt Ihnen der Wein?* ¿qué tal le parece el vino?; *wie schmeckt's?* ¿qué tal sabe?; *das schmeckt mir gut* me gusta; *es schmeckt ihm nicht* no le gusta; *es schmeckt ihm nichts* no tiene apetito; **II.** 2 *n* gustación *f*; cata *f*.

Schmeiche'lei *f* lisonja *f*; (*vorgespielte*) F coba *f*; (*Liebkosung*) caricia *f*; zalamería *f*; (*niedrige*) adulación *f*; (*Kompliment*) cumplido *m*; *~en sagen* decir cosas lisonjeras; F dar coba *od.* jabón a alg.

'**schmeichel|haft** (-*est*) *adj.* lisonjero; **2katze** *f*, **2kätzchen** *n fig.* zalamero (-a *f*) *m*; lagotero (-a *f*) *m*; **~n** (-*le*) *v/i.* lisonjear; (*liebkosend*) acariciar; (*niedrig*) adular; (*um ihn für sich zu gewinnen*) lagotear; *sich geschmeichelt fühlen* sentirse lisonjeado; *das Bild schmeichelt ihr sehr* el retrato la favorece mucho; *sich mit Hoffnungen ~* alentar esperanzas; vivir de esperanzas; **~nd** *adj.* lisonjero; adulador; zalamero; acariciador.

'**Schmeichler** *m* lisonjeador *m*, lisonjero *m*; F cobista *m*; (*liebkosender*) zalamero *m*; (*Kriecher*) adulador *m*; **~in** *f* lisonjeadora *f*, lisonjera *f*; F cobista *f*; zalamera *f*; aduladora *f*; **2isch** *adj.* lisonjero; (*liebkosend*) zalamero; (*kriecherisch*) adulador; pelotillero; V lameculos.

'**schmeißen** (*L*) *v/t.* lanzar, arrojar; (*weg~*) tirar; echar; *mit dem Geld um sich ~* derrochar (*od.* tirar) el dinero a manos llenas; gastar con rumbo el dinero; F *e-e Runde Wein ~* pagar una ronda de vino; F *e-e Sache ~* lograr su propósito; salirse con la suya.

'**Schmeißfliege** *Zoo. f* moscarda *f*.

'**Schmelz** *m* (-*es*; -*e*) esmalte *m* (*a. Zahn2*); (*Glanz*) brillo *m*; *der Stimme*: encanto *m* melodioso; dulzura *f*; *mit ~ überziehen* esmaltar; **~arbeit** *f* esmalte *m*; **2bar** *adj.* fusible, fundible; **~barkeit** *f* (*0*) fusibilidad *f*; **~butter** *f* (*0*) manteca *f* derretida; **~draht** *m* (-*ẹs*; ⸚*e*) alambre *m* fusible.

'**Schmelze** *f der Erze*: fundición *f*; fusión *f*; (*Schmelzhütte*) fundición *f*; (*Schnee2*) derretimiento *m* de la nieve; *bei Tauwetter*: deshielo *m*.

'**schmelzen** **I.** (*L*) **1.** (*sn*) *v/i.* fundirse (*a. v. Metallen*) (*flüssig werden*) liquidarse; derretirse; *bsd. Phys.* licuarse; *fig.* ablandarse; (*schwinden*) desaparecer, desvanecerse; **2.** *v/t.* fundir (*a. v. Metallen*); liquidar, *bsd. Phys.* licuar; (*Butter, Wachs usw.*) derretir; **II.** 2 *n Met.* fundición *f*; fusión *f*; (*Verflüssigen*) liquidación *f*, derretimiento *m*; *bsd. Phys.* licuación *f*, licuefacción *f*; **~d** *adj. Met., Phys.* fundente; *fig.* dulce, encantador; ♪ melodioso, armonioso; (*schmachtend*) lánguido.

'**Schmelzer** ⊕ *m* fundidor *m*.

Schmelze'rei *f* fundición *f*.

'**Schmelz...:** **~farbe** *f* color *m* vitrificable (*od.* de esmalte); **2flüssig** *adj.* en fusión; fundido; derretido; **~hütte** *f* fundición *f*; **~mittel** ⊕ *n* fundente *m*; **~ofen** *m* (-*s*; ⸚) horno *m* de fusión; **~punkt** *Phys. m* (-*ẹs*; -*e*) punto *m* de fusión; **~schweißung** *f* soldadura *f* por fusión; **~sicherung** ⚡ *f* fusible *m*; **~temperatur** *f* temperatura *f* de fusión; **~tiegel** *m* crisol *m*; **~wärme** *f* (*0*) calor *m* de fusión; **~wasser** *n* agua *f* de deshielo; **~werk** *n* (-*ẹs* ⸚*e*) fundición *f*; taller *m* de fundición.

'**Schmer** *m/n* (-*s*; *0*) grasa *f*; (*Talg*) sebo *m*; **~bauch** *m* (-*ẹs*; ⸚*e*) panza *f*, barriga *f*; *Person*: panzudo *m*, barrigón *m*, barrigudo *m*.

'**Schmerle** *Ict. f* locha *f*.

'**Schmerz** *m* (-*es*; -*en*) dolor *m*; (*Leiden*) sufrimiento *m*, padecimiento *m*; (*Kummer*) pena *f*; pesar *m*; aflicción *f*; *stechender (brennender) ~* dolor punzante *od.* lancinante (ardiente *od.* urente); *große ~en erleiden* sufrir grandes dolores; soportar grandes padecimientos; *tiefen ~ empfinden* sentir profundo dolor; *j-m ~ verursachen* causar dolor a alg.; hacer sufrir a alg., (*Kummer*) apenar *od.* causar pena a alg.; *fig. mit ~en erwarten* esperar con ansia (*od.* con gran impaciencia); *iro. sonst noch ~en?* ¿algo más?; **~ausstrahlung** ⚕ *f* irradiación *f* del dolor; **2betäubend** *adj.* analgésico; **2empfindlich** *adj.* sensible al dolor; **2en** (-*t*) *v/t. u. v/i.* doler; causar dolor (a); hacer sufrir; *fig.* (*bekümmern*) apenar *od.* causar pena (a); afligir; *mir schmerzt der Fuß* me duele el pie; *fig. es schmerzt mich* me da pena; me es doloroso; me causa verdadero dolor; me aflige mucho; siento sincero pesar; **2end** *adj.* doloroso; doliente; *v. Körperteilen*: dolorido.

'**Schmerzens...:** **~geld** *n* (-*ẹs*; -*er*) indemnización *f* por daño personal; **~lager** *n* lecho *m* del dolor; **~ruf** *m* (-*ẹs*; -*e*), **~schrei** *m* (-*ẹs*; -*e*) grito *m* de dolor.

'**schmerz...:** **~erfüllt** (-*est*) *adj.* lleno de dolor; **~erregend** *adj.* doloroso; que causa dolor; **~frei** *adj.* libre de dolor; sin dolores; **2gefühl** *n* (-*ẹs*; -*e*) sensación *f* dolorosa; **~haft** (-*est*) *adj.* doloroso; *v. Körperteilen*: dolorido; **2haftigkeit** *f* (*0*) dolor *m*; **~lich** **1.** *adj.* doloroso; doliente; dolorido; *fig.* penoso; (*klagend*) lastimero; (*bekümmert*) apenado, afligido; (*betrübt*) triste; *ein ~es Verlangen* un deseo vehemente (*od.* ardiente); *ein ~er Verlust* una sensible pérdida; **2.** *adv.* dolorosamente; *~ berühren* impresionar dolorosamente; **~lindernd** *adj.* ⚕ analgésico, calmante, sedativo; (*seelisch*) lenitivo; ~*es Mittel* calmante *m*, analgésico *m*; 2**linderung** *f* atenuación *f* (*od.* alivio *m*) del dolor; ~**los** *adj.* sin dolor(es); exento de dolor; ⚕ (*Eingriff*) indoloro; 2**losigkeit** *f* (*0*) ausencia *f* de dolor; ~**stillend** *adj.* analgésico, calmante, sedativo; ~**unempfindlich** *adj.* insensible al dolor; 2**unempfindlichkeit** *f* (*0*) insensibilidad *f* al dolor; ⚕ analgesia *f*; ~**voll** *adj.* (muy) doloroso; doliente.

'**Schmetterling** *m* (*-s*; *-e*) mariposa *f*; ~**sblütler** ⚘ *m/pl.* papilionáceas *f/pl.*; ~**snetz** *n* (*-es*; *-e*) red(ecilla) *f* para cazar mariposas; ~**s-puppe** *f* crisálida *f*; ~**ssammlung** *f* colección *f* de mariposas.

'**schmettern** (*-re*) **1.** *v/t.* lanzar *od.* arrojar con violencia; *Lied*: cantar con brío; *zu Boden* ~ derribar; arrojar al suelo; *in Stücke* ~ hacer (mil) pedazos; F *e-n* ~ (*trinken*) empinar el codo; echarse (una copa) al coleto; **2.** *v/i.* (*krachen*) retumbar; *Trompete*: resonar; *Nachtigall*: gorjear, trinar; ~**d** *adj.* (*hochtönend*) retumbante; (*hallend*) resonante.

'**Schmied** *m* (*-es*; *-e*) herrero *m*; (*Huf*2) herrador *m*; *fig.* forjador *m*, artífice *m*; *jeder ist s-s Glückes* ~ cada uno es artífice de su fortuna; 2**bar** *adj.* maleable; ~**barkeit** *f* (*0*) maleabilidad *f*.

'**Schmiede** *f* herrería *f*; (*Eisenhammer*) fragua *f*, forja *f*; ~**amboß** *m* (*-sses*; *-sse*) yunque *m* (de forja); ~**arbeit** *f* forja *f*; (*Werk*) obra *f* de forja; ~**eisen** *n* hierro *m* maleable; hierro *m* forjado; 2**eisern** *adj.* de hierro forjado; ~**esse** *f* (*Ofen*) hornaza *f*; (*Schmiede*) fragua *f*; ~**hammer** *m* (*-s*; ⸚) martillo *m* de forja; *großer*: macho *m*; ~**handwerk** *n* (*-es*; *0*) oficio *m* de herrero; ~**kohle** *f* carbón *m* de forja; ~**meister** *m* maestro *m* herrero.

'**schmieden** (*-e-*) *v/t.* forjar; (*hämmern*) martillar; *kalt* (*warm*) ~ forjar en frío (en caliente); *in Ketten* ~ (*Gefangene*) poner grillos a; *fig.* (*ersinnen*) forjar; (*anzetteln*) fraguar, urdir, tramar; *Pläne* ~ hacer planes; *Ränke* ~ intrigar; *Verse* ~ versificar, hacer versos.

'**Schmiede...:** ~**presse** *f* prensa *f* de forjar; ~**stahl** *m* (*-es*; *-e*) acero *m* forjado; ~**stück** *n* (*-es*; ⸚*e*) pieza *f* forjada; ~**werkstatt** *f* (*-*; ⸚*en*) (taller *m* de) forja *f*; ~**zange** *f* tenazas *f/pl.* de forja; tenazas *f/pl.* de herrador.

'**schmiegen** **1.** *v/t.* doblar, plegar; **2.** *v/refl.*: *sich* ~ doblarse, plegarse; *fig.* doblegarse; *sich* ~ *an* (*ac.*) arrimarse estrechamente a; *an j-n*: estrecharse contra alg.

'**schmiegsam** *adj.* flexible, plegable; *fig.* dócil, dúctil; acomodadizo; 2**keit** *f* (*0*) flexibilidad *f*; ductilidad *f* (*beide a. fig.*); docilidad *f*.

'**Schmier|apparat** ⊕ *m* (*-es*; *-e*) engrasador *m*; ~**büchse** ⊕ *f* caja *f* de grasa.

'**Schmiere** *f* ⊕ grasa *f*; (*Schmiermittel*) lubrificante *m*, lubricante *m*; (*Salbe*) untura *f*; (*Öl*) aceite *m*; (*Talg*) sebo *m*; (*Schmutz*) suciedad *f*, porquería *f*; unto *m* negro; *Thea.* farándula *f*; compañía *f* de cómicos de la legua; (*schlechtes Theater*) teatrucho *m*; F *fig.* (*Prügel*) paliza *f*; ~ *bekommen* llevar una paliza; P ~ *stehen* vigilar mientras otro roba.

'**schmieren** **I.** *v/t.* (*bestreichen*) untar (*mit* de); (*aufstreichen*) extender (*auf ac.* sobre); ⊕ lubrificar, lubricar; *mit Fett* ~ engrasar; *mit Öl* ~ aceitar; *mit Salbe* ~ untar; (*sudeln*) embadurnar; *Maler*: pintarrajear; (*kritzeln*) garabatear; (*schlecht schreiben*) borronear, borrajear; (*unsauber schreiben*) emborronar; *fig.* F *j-n* ~ (*bestechen*) untar la mano a alg. F *j-m e-e* ~ dar un tortazo a alg.; F *sich die Kehle* ~ remojar el gaznate, echar un trago; F *j-m Honig um den Mund* ~ lisonjear *od.* adular a alg.; F hacer la pelotilla a alg.; *wie geschmiert gehen* ir como una seda; **II.** 2 *n* ⊕ lubrificación *f*, lubricación *f*; (*mit Fett*) engrase *m*; (*mit Salbe*) untura *f*; (*Sudeln*) embadurnamiento *m*; (*Kritzeln*) garabateo *m*; 2**schauspieler** *m* cómico *m* de la legua; (*schlechter Schauspieler*) comicastro *m*.

'**Schmierer** *m* ⊕ engrasador *m*; (*Sudler*) embadurnador *m*; (*schlechter Maler*) pintamonas *m*.

Schmiere'rei *f* (*Sudelei*) embadurnamiento *m*; (*Kritzelei*) garabateo *m*; (*schlechte Malerei*) pintarrajo *m*, mamarracho *m*, mamarrachada *f*.

'**Schmier...:** ~**fähigkeit** ⊕ *f* (*0*) poder *m* lubrificante; ~**fett** *n* (*-es*; *-e*) grasa *f* lubrificante; ~**fink** *m* (*-en*) (*Schmutzkerl*) F puerco *m*, marrano *m*, cochino *m*, guarro *m*; ~**geld**(**er** *pl.*) *n fig.* unto *m* de rana.

'**schmierig** *adj.* (*schmutzig*) sucio; cochambroso; sórdido; (*fettig*) grasiento, grasoso; pringoso; untuoso; (*ölig*) aceitoso; ~*e Geschäfte* negocios sucios.

'**Schmier...:** ~**kanne** *f* (*Ölkanne*) aceitera *f*; ~**käse** *m* queso *m* blando; ~**loch** ⊕ *n* (*-es*; ⸚*er*) agujero *m* de lubrificación, orificio *m* de engrase; ~**mittel** *n* lubrificante *m*, lubricante *m*; ~**öl** *n* (*-es*; *-e*) aceite *m* lubrificante; ~**presse** *f* prensa *f* de engrase; ~**pumpe** *f* bomba *f* de engrase; ~**salbe** *f* ungüento *m*; ~**seife** *f* jabón *m* verde (*od.* blando); ~**stelle** ⊕ *f* punto *m* de engrase; ~**ung** *f* lubrificación *f*, lubricación *f*; engrase *m*; ~**vorrichtung** ⊕ *f* engrasador *m*.

'**Schmink|e** *f* afeite *m*; *rote* ~ colorete *m*, arrebol *m*; *weiße* ~ blanquete *m*; *Thea. gal.* maquillaje *m*; ~ *auflegen* = 2**en** *v/t.* pintar el rostro; *sich* ~ darse (*od.* ponerse) colorete *bzw.* blanquete; pintarse (la cara); *Thea.* caracterizarse, (*gal.*) maquillarse; ~**stift** *m* (*-es*; *-e*) barrita *f* (*od.* lápiz *m*) de colorete; (*Lippenstift*) barra *f* de carmín (para los labios).

'**Schmirgel** *m* esmeril *m*; ~**leinwand** *f* (*-*; ⸚*e*) tela *f* de esmeril; 2**n** (*-le*) *v/t.* esmerilar; ~**papier** *n* (*-s*; *-e*) papel *m* de esmeril (*od.* de lija); ~**scheibe** *f* muela *f* de esmeril.

schmiß *pret. v. schmeißen.*

Schmiß *m* (*-sses*; *-sse*) *Sch.* (*Hiebwunde*) tajo *m*, F chirlo *m*; (*Narbe*) cicatriz *f* en la cara; F chirlo *m*; *fig.* (*Schneid*) brío *m*; (*Schick*) chic *m*, gracia *f*, elegancia *f*; garbo *m*.

'**schmissig** *adj.* brioso; F (*schick*) chic, elegante; garboso.

'**Schmöker** *m* libro *m* viejo; librote *m*; (*Schundroman*) novelón *m*; novela *f* rosa; 2**n** (*-re*) *v/i.* leer *bzw.* hojear detenidamente un libro; leer mucho.

'**schmoll|en** *v/i.* mostrar enojo; estar enfurruñado; F estar de hocico; estar enfadado *od.* F estar de morros (*mit j-m* con alg.) F poner hocico; 2**en** *n* enfado *m*; enfurruñamiento *m*; 2**mund** F *m* morro *m*, hocico *m*; 2**winkel** *m e-r Dame*: tocador *m*; *im* ~ *sitzen* F estar de morros *od.* de hocico.

schmolz *pret. v. schmelzen.*

'**Schmor|braten** *m* carne *f* estofada; 2**en** **1.** *v/t.* estofar; **2.** *v/i.* asar a fuego lento; *in der Sonne* ~ tostarse al sol; *vor Hitze* ~ asarse de calor; ~**fleisch** *n* (*-es*; *0*) → *Schmorbraten*; ~**pfanne** *f* sartén *f* para estofar; ~**tiegel** *m*, ~**topf** *m* (*-es*; ⸚*e*) estufador *m*; cacerola *f*.

Schmu F *m* (*-s*; *0*) ganancia *f* ilícita; ~ *machen* (*betrügen*) engañar; *im Spiel*: hacer trampas; *beim Einkaufen für fremde Rechnung*: sisar.

schmuck (*-est*) *adj.* (*hübsch aussehend*) bonito, lindo; guapo; F majo; (*elegant*) elegante; bien vestido.

Schmuck *m* (*-es*; [*-e*]) △ ornamentos *m/pl.*; (*Putz*) atavío *m*; (*Verzierung*) adorno *m*; (*Juwelen*) joyas *f/pl.*, alhajas *f/pl.*; *unechter* ~ bisutería *f* fina; (joyas *f/pl.* de) imitación *f*; ~ *anlegen* (*tragen*) ponerse (llevar) joyas.

'**schmücken** **I.** *v/t.* adornar (*mit* con, de); ornar, ornamentar; (*putzen*) ataviar; aderezar; (*verschönern*) embellecer, engalanar; (*dekorieren*) decorar; (*besetzen*) guarnecer (*mit* de); *sich* ~ ataviarse; engalanarse; *fig. sich mit fremden Federn* ~ adornarse con plumas ajenas; **II.** 2 *n* adorno *m*; ornamentación *f*; (*Verschönern*) embellecimiento *m*; (*Dekorieren*) decoración *f*.

'**Schmuck...:** ~**feder** *f* (*-*; *-n*) pluma *f* de adorno; ~**kästchen** *n* joyero *m*; 2**los** *adj.* sin adorno; (*einfach*) sencillo; (*von strenger Sachlichkeit*) austero; ~**losigkeit** *f* (*0*) ausencia *f* (*od.* falta *f*) de adorno; sencillez *f*; austeridad *f*; ~**nadel** *f* (*-*; *-n*) alfiler *m* de adorno; (*Brosche*) broche *m*; ~**sachen** *f/pl.* joyas *f/pl.*, alhajas *f/pl.*; ~**stück** *n* (*-es*; ⸚*e*) pieza *f* de orfebrería; (*Juwel*) joya *f*, alhaja *f*; ~**waren** *f/pl.* (objetos *m/pl.* de) bisutería *f* (fina); joyería *f*.

'**schmudd**(**e**)**lig** *adj.* sucio; *Person*: *a.* desaseado; (*ungepflegt*) descuidado; desaliñado; (*Wetter*) lluvioso.

'**Schmuggel** *m*, (**Schmugge'lei** *f*) contrabando *m*; 2**n** (*-le*) **1.** *v/i.* contrabandear, hacer contrabando; **2.** *v/t.* introducir de contrabando; ~**n** *n* contrabando *m*; ~**ware** *f* mercancía *f* de contrabando.

'**Schmuggler**|(**in** *f*) *m* contrabandista *m/f.*; ~**bande** *f* banda *f* de contrabandistas; ~**schiff** *n* (*-es*; *-e*) barco *m* contrabandista.

'**schmunzeln** (*-le*) **I.** *v/i.* sonreír(se) satisfecho; **II.** 2 *n* sonrisa *f* (disimulada) de satisfacción.

'**Schmus** F *m* (*-es*; *0*) zalamería *f*,

lisonja *f*; lagotería *f*; coba *f*; (*Geschwätz*) palabrería *f*, cháchara *f*; **2en** (-*t*) F *v/i.* (*umschmeicheln*) lisonjear; lagotear; dar coba; (*liebkosen*) hacer caricias; (*schwatzen*) chacharear, parlotear; charlar; **~er** F *m* (*Schmeichler*) zalamero *m*; F pelota *m*; cobista *m*; (*Schwätzer*) chacharero *m*, palabrero *m*, parlanchín *m*.

'**Schmutz** *m* (-*es*; *0*) suciedad *f*; (*Unrat*) inmundicia *f*; (*Kehricht*) basura *f*; (*Fleck*) mancha *f*; (*Dreck*) porquería *f*; (*Straßen2*) barro *m*; lodo *m*, fango *m*; (*Unreinheit*) impureza *f*; von ~ reinigen limpiar; (*waschen*) lavar; (*v. Straßen2*) desembarrar, quitar el barro; mit ~ bespritzen salpicar de lodo (*a. fig.*); et. durch (in) den ~ ziehen arrastrar por el fango a/c.; **~bogen** *Typ. m* maculatura *f*; **~bürste** *f* cepillo *m* para quitar el barro; **2en** (-*t*) *v/i.* ensuciar(se); (*Flecken machen*) manchar(se); **~fink** F *m* (-*en*) puerco *m*, marrano *m*, cochino *m*; **~fleck** *m* (-*ės*; -*e*) mancha *f*; mancha *f* de barro; **2ig** *adj.* sucio; (*unreinlich*) desaseado, desaliñado; (*schmierig*) pringoso, mugriento; (*schäbig*) sórdido; (*voll Kot*) embarrado; *fig.* sucio; (*obszön*) obsceno; (*gemein*) grosero, soez; (*schweinisch*) puerco, cochino; (*ekelhaft*) asqueroso, inmundo; (*unanständig*) sucio, indecente; (*geizig*) roñoso, mezquino, sórdido; avaro; ~e Reden führen decir obscenidades; ~ machen manchar, ensuciar, *durch Straßenschmutz*: embarrar; salpicar de lodo; ~ werden ensuciarse, *durch Straßenschmutz*: embarrarse, enlodarse; **~igkeit** *f* suciedad *f*; desaseo *m*; (*Schäbigkeit*) sordidez *f*; *fig.* suciedad *f*; porquería *f*; (*Gemeinheit*) grosería *f*; (*Obszönität*) obscenidad *f*; (*Geiz*) avaricia *f*, mezquindad *f*, sordidez *f*; **~kittel** *m* blusa *f* larga; (*Schürze*) delantal *m*; (*Staubmantel*) guardapolvo *m*; **~konkurrenz** ♆ *f* competencia *f* desleal; **~lappen** *m* trapo *m*; rodilla *f*; **~liese** *f* pazpuerca *f*; **~literatur** *f* literatura *f* pornográfica; **~papier** *Typ. n* (-*s*; -*e*) maculatura *f*; **~presse** *fig. f* prensa *f* inmunda; **~schrift** *f* publicación *f* obscena (*od.* pornográfica); **~titel** *Typ. m* anteportada *f*.

'**Schnabel** *m* (-*s*; ⸚) pico *m*; ⚓ (*Schiffs2*) espolón *m*; mit dem ~ picken picotear; *fig.* F den ~ halten cerrar el pico, callarse la boca; den ~ aufmachen (*od.* auftun) abrir el pico; decir esta boca es mía; er spricht, wie ihm der ~ gewachsen ist dice las cosas como le vienen a la boca; F no tiene pelos en la lengua; **2förmig** *adj.* en forma de pico; rostrado.

'**schnäbeln** (-*le*) *v/i.* picotear; sich ~ picotearse; *fig.* besuquearse.

'**Schnabel...:** **~schuh** *m* (-*ės*; -*e*) zapato *m* puntiagudo (*od.* de punta); **~tasse** *f Krankenpflege*: pistero *m*; **~tier** *Zoo. n* (-*ės*; -*e*) ornitorrinco *m*.

schnabu'lieren (-) F *v/i.* comer con buen apetito.

'**Schnack** *m* (-*ės*; *0*) (*Gerede*) palabrería *f*, parloteo *m*, cháchara *f*; (*Witz*) chiste *m*; (*Unsinn*) disparate *m*; **2en** *v/i. u. v/t.* (*sich unterhalten*) charlar, platicar, F chacharear; (*Unsinn reden*) disparatar, decir disparates.

'**Schnake** *Zoo. f* mosquito *m*.

'**Schnalle** *f* hebilla *f*; **2n** *v/t.* sujetar con hebillas; enger (weiter) ~ apretar (aflojar); sich den Leibriemen enger ~ apretarse el cinturón; **~ndorn** *m* (-*ės*; -*e*) hebijón *m*, púa *f* de la hebilla; **~nschuh** *m* (-*ės*; -*e*) zapato *m* de hebillas.

'**schnalzen** (-*t*) **I.** *v/i.*: mit der Zunge ~ chasquear la lengua; mit den Fingern ~ castañetear los dedos; **II.** 2 *n* chasquido *m*; castañeteo *m*.

'**schnappen** **1.** *v/t.* (*erwischen*) atrapar, coger; Luft ~ aspirar; tomar el aire; **2.** *v/i.* (*federn*) hacer resorte; (*einklinken*) enganchar a resorte; (*Federschloß*) cerrarse; nach et. ~ intentar atrapar a/c. (*a. fig.*); nach Luft ~ jadear, respirar trabajosamente; resollar.

'**Schnäpper** *m* (*Tür2*) pestillo *m* de golpe (*od.* de resorte); *Vet.* fleme *m*; *Chir.* flebotomo *m*, lanceta *f*; (*Sprungfeder*) resorte *m*.

'**Schnapp...:** **~feder** *f* (-; -*n*) resorte *m*; **~hahn** *m* (-*ės*; ⸚*e*) salteador *m*, bandido *m*; **~messer** *n* navaja *f* de muelles; **~schalter** ⚡ *m* interruptor *m* instantáneo; **~schloß** *n* (-*sses*; ⸚*sser*) cerradura *f* de golpe (*od.* de resorte); **~schuß** *Phot. m* (-*sses*; ⸚*sse*) instantánea *f*.

'**Schnaps** *m* (-*es*; ⸚*e*) (*Branntwein*) aguardiente *m*; F balarrasa *m*; (*Likör*) licor *m*; (*Wacholder2*) ginebra *f*; F (ein Glas ~) una copita (F un latigazo) de aguardiente; **~brenner** *m* destilador *m* de licores; **~brenne'rei** *f* destilería *f* de licores; **~bruder** *m* (-*s*; ⸚) bebedor *m* de aguardiente; F borrachín *m*; **2en** (-*t*) *v/i.* tomar una copita; F empinar el codo; **~flasche** *f* botella *f* de (*bzw.* para) aguardiente; **~glas** *n* (-*es*; ⸚*er*) copita *f* para licor; **~idee** *f* idea *f* descabellada; **~nase** *f* nariz *f* de bebedor; **~trinker(in** *f*) *m* bebedor(a *f*) *m* de aguardiente.

'**schnarch|en** *v/i.* roncar; **2en** *n* ronquido *m*; **2er(in** *f*) *m* roncador (-a *f*) *m*.

'**Schnarr|e** *f* (*Knarre*) carraca *f*; matraca *f*; **2en** *v/i.* (*knarren*) rechinar, crujir; (*brummen*) zumbar; *Blasinstrument*, *Baßgeige*: roncar; *Vogel*: chirriar; (*näseln*) ganguear; (*heiser sprechen*) ronquear; das „R" ~ vibrar la lengua para pronunciar la "R"; **~en** *n* sonido *m* sordo; sonido *m* estridente; chirrido *m*; (*Knarren*) rechinamiento *m*; (*Brummen*) zumbido *m*; e-r *Saite*: bordoneo *m*.

'**Schnatter|gans** *f* (-; ⸚*e*), **~liese** *f* *fig.* cotorra *f*.

'**schnattern** (-*re*) *v/i.* (*Gans*, *Ente*) graznar; F (*schwätzen*) cotorrear; 2 *n der Gans, der Ente*: graznido *m*; F (*Schwatzen*) cotorreo *m*.

'**schnauben** **I.** **1.** *v/i.* resollar; (*blasen*) soplar, *wütend*: bufar; (*keuchen*) jadear; *Pferd*: resoplar; *fig.* vor Wut ~ espumajear de ira; estar furibundo; nach Rache ~ clamar venganza; **2.** *v/refl.*: sich (die Nase) ~ sonarse; **II.** 2 *n* resuello *m*; (*Keuchen*) jadeo *m*; des *Pferdes*: resoplido *m*; **~d** *adj.* (*keuchend*) jadeante.

'**schnauf|en** *v/i.* resollar; respirar con dificultad; *Tier*: resoplar; (*keuchen*) jadear; **2en** *n* resuello *m*; respiración *f* dificultosa.

'**Schnauz|bart** F *m* (-*ės*; ⸚*e*) bigote *m* (grande); bigotes *m/pl.*; mostacho *m*; F bigotazo *m*; **2bärtig** *adj.* bigotudo.

'**Schnauze** *f* hocico *m*; (*Traufe*) gárgola *f*; P *v. Personen*: (*Mund*) boca *f*, P morro *m*, jeta *f*; P e-e große ~ haben P ser un bocazas; P j-m in die ~ schlagen P darle a alg. (un golpe) en los hocicos; hincharle a alg. los morros; P die ~ halten cerrar el pico; P halt die ~! ¡cállate la boca!; P die ~ voll haben F *fig.* estar harto; estar hasta las narices; **2n** P (-*t*) *v/i.* increpar groseramente; tratar con aspereza; **~r** *m* (*Hund*) grifón *m*.

'**Schnecke** *Zoo. f* caracol *m*; ohne *Haus*: limaza *f*, babosa *f*; *Anat.* im *Ohr*: caracol *m*; (*Violin2*) cabeza *f*; ⊕ tornillo *m* sin fin; △ espira *f*; (*Volute*) voluta *f*; (*Förder2*) transportador *m* de tornillo sin fin; (*Frisur*) caracol *m*.

'**Schnecken...:** **~bohrer** *m* barrena *f* helicoidal; **2förmig** *adj.* acaracolado, en forma de caracol; (*spiralförmig*) espiral; (*schraubenförmig*) helicoidal; ~e Verzierung △ voluta *f*; **~fräser** ⊕ *m* fresa *f* helicoidal; **~gang** *m* (-*ės*; *0*) *fig.* paso *m* de tortuga; *Anat.* conducto *m* coclear; **~gehäuse** *n* concha *f* de caracol; **~getriebe** ⊕ *n* engranaje *m* helicoidal (*od.* de tornillo sin fin); **~gewinde** ⊕ *n* filete *m* helicoidal; **~haus** *n* (-*es*; ⸚*er*) → Schneckengehäuse; **~linie** *f* espiral *f*; (*Schraubenlinie*) hélice *f*; **~post** *f* (*0*): mit der ~ a paso de tortuga; **~rad** ⊕ *n* (-*ės*; ⸚*er*) rueda *f* helicoidal; **~tempo** *n* (-*s*; *0*) → Schneckengang; im ~ gehen ir a paso de tortuga; **~welle** ⊕ *f* árbol *m* de tornillo sin fin.

'**Schnee** *m* (-*s*; *0*) nieve *f*; ewiger ~ nieves eternas; vom ~ eingeschlossen bloqueado por la nieve; *Kochk.* zu ~ schlagen batir a punto de nieve; **~ball** *m* (-*ės*; ⸚*e*) bola *f* de nieve; ⚘ mundillo *m*; **2ballen** *v/refl.*: sich ~ tirarse bolas de nieve; **2bedeckt** *adj.* cubierto de nieve; nevado; **~besen** *Kochk. m* batidor *m*; **2blind** *adj.* cegado por la nieve; **~blindheit** *f* (*0*) oftalmía *f* de las nieves; **~brille** *f* gafas *f/pl.* de esquiador *bzw.* de alpinista; **~decke** *f* capa *f* de nieve; **~fall** *m* (-*ės*; ⸚*e*) nevada *f*; **~feld** *n* (-*ės*; -*er*), **~fläche** *f* campo *m* nevado (*od.* cubierto de nieve); **~flocke** *f* copo *m* de nieve; **2frei** *adj.* sin nieve; **~gestöber** *n* ventisca *f*; torbellino *m* de nieve; **~glätte** *f* nieve *f* resbaladiza; **~glöckchen** ⚘ *n* campanilla *f* de las nieves; **~grenze** *f* límite *m* de las nieves eternas; **~haufen** *m* montón *m* de nieve; **~höhe** *f* espesor *m* de la nieve; **~huhn** *Orn. n* (-*ės*; ⸚*er*) perdiz *f* blanca; **2ig** *adj.* cubierto de nieve; nevado; (*Wetter*) nevoso; **~kette** *Auto. f* cadena *f* antideslizante; **~könig** *Orn. m* reyezuelo *m*; *fig.* sich wie ein ~ freuen estar más alegre que unas pascuas; **~kuppe** *f* cima *f* nevada; pico *m* nevado; **~lawine** *f* alud *m*; **~mann** *m* (-*ės*; ⸚*er*) muñeco *m* (*od.* monigote *m*) de nieve; estatua *f* de nieve; **~massen** *f/pl.* masas *f/pl.* de nieve; **~matsch** *m* (*-es*; *0*) nieve *f* fundida; **~mensch** *m* (*-en*) *Himalaja*: hombre *m* de las nieves; **~pflug** *m* (*-es*; *"e*) quitanieves *m*; **~region** *f* región *f* de las nieves perpetuas; **~schaufel** *f* (*-*; *-n*), **~schippe** *f* pala *f* para quitar la nieve; **~schläger** *Kochk.* *m* batidor *m*; **~schmelze** *f* fusión *f* de la nieve; deshielo *m*; **~schuh** *m* (*-es*; *-e*) (*Gummischuh*) chanclo *m*; (*Schi*) esquí *m*; **~schuhläufer(in** *f*) *m* esquiador(a *f*) *m*; **~sturm** *m* (*-es*; *"e*) temporal *m* de nieve; **~treiben** *n* ventisca *f*; **~verhältnisse** *n/pl.* condiciones *f/pl.* de la nieve; **~verwehung** *f* remolino *m* de nieve; acumulación *f* de nieve; **~wächte** *f* cornisa *f* de nieve; **~wasser** *n* (*-s*; *"*) aguanieve *f*; **~wehe** *f* duna *f* de nieve; **2weiß** *adj.* blanco como la nieve; **~wetter** *n* tiempo *m* de nieves; **~'wittchen** *n* (*im Märchen*) Blancanieves *f*; **~wolke** *f* nube *f* de nieve.

Schneid *n* (*-es*; *0*) brío *m*; energía *f*; gallardía *f*, bizarría *f*; (*forsches Draufgehen*) arrojo *m*; (*Mut*) valor *m*, valentía *f*; F aguante *m*, correa *f*; ~ *haben* tener arrestos.

'Schneidbrenner ⊕ *m* soplete *m* [cortante.]

'Schneide *f* corte *m*, filo *m*; *e-s Bohrers*: punta *f*; *fig.* *es steht auf des Messers* ~ está en un hilo; **~brett** *n* (*-es*; *-er*) (*Küchengerät*) tajo *m*; **~-eisen** ⊕ *n* terraja *f*; **~maschine** *f* (máquina *f*) cortadora *f*; (*Brot2*) cortadora *f* de pan; (*Häcksel2*) cortapajas *m*; **~mühle** *f* aserradero *m*.

'schneiden (*L*) **I.** *v/t.*, *v/i. u. v/refl.* cortar; (*spalten*) hendir; (*beschneiden*) ✂ podar; (*zuschneiden*) recortar; (*zerteilen*) dividir, partir; seccionar; (*einschneiden*) entallar; (*sägen*) serrar; *Gewinde*: tornear; roscar; *Fleisch*: tajar; *Braten*: trinchar; *Korn*: segar; *Karten*: cortar; *Chir.* sajar; cortar; (*amputieren*) amputar; *Geschwür*: abrir con el bisturí; (*entfernen*) extirpar; *in Holz* (*Stein*) ~ grabar en madera (piedra); *e-e Kurve* ~ (*Auto*) cortar una curva; *fig.* *j-n* ~ fingir no conocer a alg.; *Grimassen* ~ hacer muecas; *ins Gesicht* ~ (*Wind*) cortar la cara; *das schneidet mir ins Herz* me parte el corazón (*od.* el alma); *sich in den Finger* ~ cortarse el dedo; *die Linien* ~ *sich* las líneas se cruzan (𝔄 se cortan); *sich die Haare* ~ *lassen* cortarse el pelo; *sich die Nägel* ~ cortarse las uñas; *fig.* *sich* (*gewaltig*) ~ estar muy equivocado; equivocarse de medio a medio; **II.** 2 *n* corte *m*; *das Sich2 zweier Linien* el cruce (𝔄 la intersección) de dos líneas; *im Leib*: dolor *m* agudo del vientre; F retortijón *m* de tripas; **~d** *adj.* cortante; *Stimme, Kälte*: penetrante; *Wind*: cortante; *es ist* ~ *kalt* hace un frío penetrante; F hace un frío que pela; *fig.* tajante; incisivo; (*schrill*) estridente, agudo; (*bissig*) mordaz; sarcástico; cáustico; ~*er Hohn* burla sangrienta; escarnio; afrenta *f*.

'Schneider *m* sastre *m*; *für Damen*: modista *m*; *fig.* *wie ein* ~ *frieren* tiritar de frío; **~büste** *f* maniquí *m*.

Schneide'rei *f* (*Handwerk*) oficio *m* de sastre; (*Werkstatt*) sastrería *f*.

'Schneider...: ~geselle *m* (*-n*) oficial *m* de sastre; **~handwerk** *n* (*-es*; *0*) oficio *m* de sastre; **~in** *f* sastra *f*; modista *f*; costurera *f*; *junge* ~ modistilla *f*; **~kostüm** *n* (*-s*; *-e*) vestido *m* (de) sastre; **~kreide** *f* jaboncillo *m* de sastre; **~lohn** *m* (*-es*; *"e*) hechura *f*; **~meister** *m* maestro *m* sastre; **2n** (*-re*) **1.** *v/i.* hacer vestidos; coser; ejercer el oficio de sastre *bzw.* de modista; **2.** *v/t.* *Kleidung*: hacer; *e-n Anzug* (*ein Kleid*) ~ hacer un traje (vestido); **~n** *n* costura *f*; **~puppe** *f* maniquí *m*; **~werkstatt** *f* (*-*; *"en*) sastrería *f*; taller *m* de sastrería (*od.* de costura); **~werktisch** *m* (*-es*; *-e*) mesa *f* de sastre.

'Schneide...: ~tisch *m* (*-es*; *-e*) *Film*: mesa *f* de montaje; **~werkzeug** *n* (*-es*; *-e*) herramienta *f* cortante; **~zahn** *Anat.* (*-es*; *"e*) *m* (diente *m*) incisivo *m*.

'schneidig *adj.* cortante; *fig.* (*entschlossen*) decidido, resuelto; enérgico; (*mutig, ritterlich*) gallardo; bizarro; (*feurig*) brioso; (*draufgängerisch*) arrojado; (*fesch*) elegante; **2keit** *f* (*0*) energía *f*; gallardía *f*; bizarría *f*; brío *m*; arrojo *m*; elegancia *f*; brillantez *f*.

'Schneidwaren *f/pl.* instrumentos *m/pl.* cortantes.

'schneien *v/i. u. v/unpers.* nevar; *es schneit* nieva, está nevando.

'Schneise *f* (*Wald2*) vereda *f* del bosque; (*Feuer2*) cortafuego *m*; (*Flug2*) pasillo *m* aéreo; (*Straße*) arteria *f*; *Jgdw.* (*Schlinge*) lazo *m*.

schnell I. *adj.* (*rasch*) rápido; pronto; ligero; vivo; (*plötzlich*) repentino, súbito; (*beschleunigt*) acelerado; (*hastig*) presuroso; (*geschwind*) veloz; (*flink*) ágil; ~*e Erwiderung* pronta respuesta; ~*e Bedienung* servicio rápido; *von* ~*em Entschluß* pronto en las decisiones; *mit* ~*en Schritten* a grandes pasos; ~*e Fortschritte* rápidos progresos; *in* ~*er Folge* en sucesión rápida; ⚔ ~*e Abteilung* grupo móvil; ~*er als der Schall* más veloz que el sonido; **II.** *adv.* pronto, prontamente, con prontitud; rápido, rápidamente; (*eilig*) de prisa; (*hastig*) apresuradamente; (*plötzlich*) de repente, repentinamente, súbitamente; *so* ~ *wie möglich* tan pronto como sea posible; cuanto antes; lo antes posible; ~! ¡venga!; ¡de prisa!; *nicht so* ~! ¡no tan de prisa!; ¡más despacio!; *machen Sie* ~! ¡dése prisa!; ~ *handeln* actuar rápidamente (*od.* sin demora); ~ *bereit* pronto a; ~ *begreifen* comprender rápidamente; ~ *fahren Auto.* ir a gran velocidad; ~*er gehen* avivar (*od.* aligerar) el paso.

'Schnell...: ~ausbildung *f* formación *f* acelerada; **~bahn** *f* tren *m* rápido; **~boot** *n* (*-es*; *-e*) canoa *f* automóvil; ⚔ lancha *f* rápida; **~dampfer** *m* vapor *m* rápido; **~dienst** *m* (*-es*; *-e*) servicio *m* rápido; **~drehstahl** ⊕ *m* (*-es*; *-e*) acero *m* (para corte) rápido; **2en 1.** *v/t.* (*wegschleudern*) lanzar, arrojar; (*begaunern*) estafar, F timar; **2.** *v/i.*: *et. mit den Fingern* ~ lanzar de un papirotazo a/c.; *in die Höhe* ~ saltar, dar un salto, pegar un bote; *Preise*: subir vertiginosamente; **~feuer** ⚔ *n* tiro *m* rápido; **~feuergeschütz** *n* (*-es*; *-e*), **~feuerkanone** *f* ⚔ cañón *m* de tiro rápido; **~feuerwaffe** *f* arma *f* de tiro rápido; **2füßig** *adj.* ligero de pies; veloz; **~füßigkeit** *f* (*0*) ligereza *f* de pies; **~gang** *m* (*-es*; *"e*) *Auto.* velocidad *f* multiplicada; **~gaststätte** *f* restaurante *m* automático (*od.* de autoservicio); **~gericht** ⚖ *n* (*-es*; *-e*) tribunal *m* de urgencia; **~hefter** *m* clasificador *m* rápido.

'Schnelligkeit *f* (*0*) rapidez *f*; prontitud *f*; ligereza *f*; *Liter.* celeridad *f*; ⊕, *Phys.* velocidad *f*; **~srekord** *m* (*-es*; *-e*) marca *f* de velocidad.

'Schnell...: ~imbißstube *f* bar *m* automático (*od.* de autoservicio); **~kocher** *m*, **~kochtopf** *m* (*-es*; *"e*) olla *f* (*od.* marmita *f*) exprés; **~kraft** *f* (*0*) elasticidad *f*; **~(l)auf** *m* (*-es*; *"e*) carrera *f* de velocidad; **~(l)äufer(in** *f*) *m* corredor(a *f*) *m*; **~presse** *Typ.* *f* prensa *f* rápida; **~richter** ⚖ *m* juez *m* de (un tribunal de) urgencia; **~schrift** *f* taquigrafía *f*, estenografía *f*; **~schritt** *m* (*-es*; *-e*) paso *m* acelerado; ⚔ paso *m* ligero; **~segler** ⚓ *m* velero *m* rápido; **~stahl** ⊕ *m* acero *m* rápido; **~straße** *f* vía *f* de circulación rápida; autopista *f* urbana; **~triebwagen** 🚂 *m* automotor *m* rápido; **~trockenfarbe** *f* tinta *f* de secado rápido; **~verfahren** *n* ⚖ procedimiento *m* sumarísimo; juicio *m* sumarísimo; ⊕ método *m* rápido; **~verkehr** *m* (*-s*; *0*) tráfico *m* rápido; **~waage** *f* romana *f*; **~zug** 🚂 *m* (*-es*; *"e*) tren *m* expreso; tren *m* rápido; **~zugverbindung** *f* servicio *m* rápido; **2züngig** *adj.* voluble, versátil; F veleta.

'Schnepfe *f* *Orn.* becada *f*, chocha *f*; *fig.* golfa *f*, F zorra *f*, V puta *f*; **~njagd** *f* caza *f* de becadas *od.* chochas; **~nstrich** *m* (*-es*; *-e*) paso *m* de las chochas; (*Schwarm*) bandada *f* de chochas *od.* becadas.

'schneuzen (*-t*) *v/t.*: *sich* ~ sonarse.

'Schnickschnack *m* (*-es*; *0*) necedades *f/pl.*, sandeces *f/pl.*

'schniegeln (*-le*) *v/t. u. v/refl.* ataviar(se); acicalar(se), componer(se); *geschniegelt und gebügelt* de veinticinco alfileres; hecho un brazo de mar; de tiros largos; emperejilado.

'Schnippchen *n*: *fig.* *j-m ein* ~ *schlagen* burlarse de alg.; dar un chasco a alg.; hacer una jugarreta a alg; F torear a alg.

'Schnippel *m/n* recorte *m*, recortadura *f*; **2n** (*-le*) *v/i.* recortar.

'schnippisch *adj.* impertinente; (*anmaßend*) arrogante; (*höhnisch stolz*) desdeñoso; displicente; (*herausfordernd*) provocativo (*widerspruchslustig*) respondón.

'Schnipsel *n/m*, **2n** *v/i.* → *Schnippel*, *schnippeln*.

schnitt *pret. v. schneiden.*

'Schnitt *m* (*-es*; *-e*) corte *m*; ✂ *des Getreides*: siega *f*; *der Bäume*: poda *f*; (*Ernte*) recolección *f*, cosecha *f*; (*Wunde*) cortadura *f*; tajo *m*; *Chir.* operación *f*, (*Ein2*) incisión *f*,

(*Durchschneidung*) sección *f*, (*Trennung*) resección *f*, (*Amputierung*) amputación *f*; (*Kerbe*) muesca *f*; ✗ intersección *f*; (*Zeichnung*) ⊕ sección *f*; (*Quer*2) sección *f* transversal; (*Längs*2) sección *f* longitudinal; (*Durch*2, *Mittelmaß*) promedio *m*, término *m* medio; *Kunst*: grabado *m*; *Film*: montaje *m*; *an e-m Buch*: corte *m*, *vorderer*: canto *m*; *v. Kleidungsstücken*: corte *m*, *Machart*: hechura *f*; (*~muster*) muestra *f*; *nach dem neuesten ~* a la última moda; **~blumen** *f/pl.* flores *f/pl.* cortadas; **~bohnen** *f/pl.* judías *f/pl.* verdes; *Arg.* chauchas *f/pl.* cortadas.

ˈ**Schnitte** *f* (*Brot*) rebanada *f*.

ˈ**Schnitter** *m* segador *m*; **~in** *f* segadora *f*.

ˈ**Schnitt...**: **~fläche** *f* superficie *f* del corte; **~holz** *n* (*-es*; *"er*) madera *f* serradiza; 2**ig** *adj.* de elegante línea; de elegante forma; *Auto. a.* aerodinámico; **~lauch** ♀ *m* (*-es*; *0*) cebollino *m*; cebolleta *f*; **~linie** ✗ *f* línea *f* de intersección; *am Kreise*: secante *f*; **~messer** *Chir. n* bisturí *m*; **~muster** *n für Kleidungsstücke*: modelo *m*; patrón *m*; (*Modebild*) figurín *m*; **~punkt** ✗ *m* (*-es*; *-e*) punto *m* de intersección; **~waren** *f/pl.*, **~warenhandlung** *f* mercería *f*; **~warenhändler** *m* mercero *m*; **~wunde** *f* cortadura *f*, ⚕ herida *f* inciso-cortante; **~zeichnung** ⊕ *f* sección *f*.

ˈ**Schnitz-arbeit** *f* talla *f* en madera; obra *f* de talla.

ˈ**Schnitzel** *n v. Fleisch*: tajada *f* de carne; (*Filet*) filete *m*; *Kochk.* escalope *m*; (*Kalbs*2) filete *m* de ternera; *Wiener ~* escalope a la vienesa, filete empanado; (*Abfälle*) *v. Papier, Holz usw.*: recortadura *f*, recortes *m/pl.*; 2**n** (*-le*) *v/t.* (*Papier*) recortar; (*Holz*) tajar, cortar; (*rund~*) retajar; **~n** *n* recortadura *f*.

ˈ**schnitzen** (*-t*) **I.** *v/t. u. v/i.* tallar *od.* esculpir en madera; entallar; **II.** 2 *n* talla *f* en madera; obra *f* de talla; entalladura *f*.

ˈ**Schnitzer** *m* (*Holz*2) tallista *m*, escultor *m* en madera; entallador *m*; *fig.* (*Fehler*) desliz *m*; falta *f* leve; yerro *m*, equivocación *f*, F coladura *f*, metedura *f* de pata.

Schnitzeˈ**rei** *f* talla *f* en madera, entalladura *f*; (*Werk*) obra *f* de talla.

ˈ**Schnitz...**: **~kunst** *f* (*0*) escultura *f* en madera; talla *f* en madera; **~messer** *n* cuchillo *m* de tallar (*od.* de tallista); **~werk** *n* (*-es*; *-e*) obra *f* de talla; escultura *f* de madera.

ˈ**schnodd(e)rig** *adj.* F (*unverschämt*) petulante, impertinente; insolente; 2**keit** *f* petulancia *f*, impertinencia *f*; insolencia *f*.

ˈ**schnöde** *adj.* (*unwürdig*) indigno; (*gemein*) bajo, vil; (*geringschätzig*) desdeñoso; despectivo; (*beleidigend*) insultante, ofensivo; (*ärmlich*) mísero; (*ungehörig*) impertinente; *~ behandeln* tratar con desprecio; *~r Undank* negra ingratitud; *~r Gewinn* vil ganancia.

ˈ**Schnorchel** ⚓ *m* respiradero *m* emergente.

ˈ**Schnörkel** *m* △ voluta *f*; (*Arabeske*) arabesco *m*; *beim Schreiben*: rasgo *m* caligráfico, F ringorrango *m*; *beim Namenszug*: rúbrica *f*; *fig.* (*Verzierung*) fiorituras *f/pl.*, floreos *m/pl.*, F ringorrango *m*; 2**haft** *adj.* recargado de adornos; (*krumm*) torcido; (*geschlängelt*) tortuoso; 2**n** (*-le*) *v/i. beim Schreiben*: hacer ringorrangos.

ˈ**schnorr|en** F *v/i.* (*betteln*) mendigar; (*schmarotzen*) vivir a costa ajena, F vivir de gorra; 2**er** F *m* (*Bettler*) pedigüeño *m*; (*Schmarotzer*) F gorrón *m*; parásito *m*.

ˈ**Schnösel** F *m* impertinente *m*; chulo *m*; gilipollas *m*, gilí *m*.

ˈ**schnüff|eln** (*-le*) *v/i.* (*schnuppern*) oliscar, olisquear; (*wittern*) olfatear; husmear; *Jagdhund*: ventear; *fig.* (*herumspionieren*) husmear; fisgar, curiosear; espiar; (*gewohnheitsmäßig*) fisgonear; 2**eln** *n* olisqueo *m*; husmeo *m*; (*Spionieren*) fisgoneo *m*; 2**ler** *m* husmeador *m*; *fig.* fisgón *m*; (*Spion*) espía *m*.

ˈ**schnull|en** *v/i.* chupar; 2**er** *m* chupete *m*; chupador *m*.

ˈ**Schnulze** F *f* canción *f* sentimental; *Film* (*Thea.*) película *f* (obra *f*) empalagosa.

ˈ**schnupfen** *v/i. u. v/t.* tomar rapé.

ˈ**Schnupfen** *m* resfriado *m*, constipado *m*; catarro *m*; *den ~ haben* estar resfriado *od.* constipado; *den ~ bekommen, sich e-n ~ holen* resfriarse, constiparse; acatarrarse; F pescar *od.* pillar un resfriado (*od.* un constipado *od.* un catarro).

ˈ**Schnupfer** *m* tomador *m* de rapé.

ˈ**Schnupf...**: **~tabak** *m* (*-s*; *-e*) rapé *m*; **~tabakdose** *f* tabaquera *f*; **~tuch** *n* (*-es*; *"er*) pañuelo *m* de bolsillo.

ˈ**Schnuppe** *f am Licht*: pábilo *m*; (*Stern*2) estrella *f* fugaz.

ˈ**schnuppe** F *adj.*: *das ist mir ~* me es igual, lo mismo me da; F me importa un comino *od.* un pito.

ˈ**schnuppern** (*-re*) *v/i.* → *schnüffeln*.

Schnur *f* (*-*; *"e*) cordón *m*; (*Bindfaden*) cuerda *f*, cordel *m*, *dünn*: bramante *m*; (*Tresse*) galón *m*; trencilla *f*; (*Band*) cinta *f*; (*Paspel*) presilla *f*; (*Meß*2) cuerda *f* métrica; ⚡ (cordón *m*) flexible *m*; *für Perlen*: sarta *f*; (*Angel*) sedal *m*.

ˈ**Schnür...**: **~band** *n* (*-es*; *"er*) (*für Korsett, Mieder usw.*) agujeta *f*; (*am Stiefel, Schuh*) cordón *m*; **~boden** *Thea. m* (*-s*; *"*) telar *m*; **~chen** *n* cordoncillo *m*; *wie am ~ gehen* ir como una seda; 2**en 1.** *v/t.* (*binden*) atar; liar; (*verknüpfen*) enlazar; *fig. sein Bündel ~* liar el hato; F liar el petate; **2.** *v/refl.*: *sich ~* ceñirse el cuerpo.

ˈ**schnurg(e)rade** *adj. u. adv.* derecho, F derechito; todo derecho; en línea recta; (tirado *od.* trazado) a cordel.

ˈ**Schnurr|bart** *m* (*-es*; *"e*) bigote *m*, bigotes *m/pl.*; **~bartbinde** *f* bigotera *f*; 2**bärtig** *adj.* de bigote; bigotudo.

ˈ**Schnurre** *f* (*Schnarre*) carraca *f*; matraca *f*; *fig.* (*lustige Geschichte*) cuento *m* divertido; anécdota *f* chistosa; (*Posse*) farsa *f*; bufonada *f*; (*Witz*) chiste *m*; 2**n** *v/i.* (*summen*) zumbar; *Katze*: ronronear; **~n** *n* (*Summen*) zumbido *m*; *der Katze*: ronroneo *m*.

ˈ**Schnürriemen** *m* lazo *m* de cuero; agujeta *f*.

ˈ**schnurrig** *adj.* burlesco; (*lustig*) gracioso, divertido; (*witzig*) chistoso, festivo, jocoso, chusco; (*seltsam*) curioso; raro; (*wunderlich*) estrafalario; extravagante.

ˈ**Schnür...**: **~schuh** *m* (*-es*; *-e*) zapato *m* de lazo *bzw.* con cordones; **~senkel** *m* cordón *m*; lazo *m*; **~stiefel** *m* borceguí *m*.

ˈ**schnurstracks** *adv.* derecho, derechamente; directamente; *~ entgegen* (*od. zuwider*) diametralmente opuesto; (*sofort*) en el acto; inmediatamente.

schnurz F *adj.* → *schnuppe*.

ˈ**Schnute** F *f* (*Mund*) boca *f*; P hocico *m*, jeta *f*; *e-e ~ ziehen* P torcer el hocico, poner morros.

schob *pret. v. schieben*.

ˈ**Schober** *m* ⚒ montón *m*; (*Stroh*2, *Heu*2) almiar *m*.

Schock[1] *n* (*-es*; *-e*): *ein ~* sesenta (*unidades od. piezas*); una sesentena; *fig.* un sinnúmero de; un montón de, una retahila de.

ˈ**Schock**[2] *m* (*-es*; *-s*) (*Erschütterung*) conmoción *f*; ⚕ choque *m*, *angl.* shock *m*; **~therapie** ⚕ *f* terapia *f* de choque; tratamiento *m* por shock; 2**weise** *adv.* por grupos de sesenta unidades; *fig.* en abundancia; **~wirkung** *f* efecto *m* de choque; *fig.* impacto *m*.

schoˈ**ckieren** (*-*) *v/t.* escandalizar; (*erschrecken*) asustar; sorprender; *schockiert werden* quedarse atónito *od.* F de una pieza.

ˈ**schofel(ig)** (*-fl-*) F *adj.* (*gemein*) ruin; vil; (*schäbig*) raído; gastado; (*geizig*) mezquino, miserable; F roñoso, agarrado; (*ärmlich*) pobre.

ˈ**Schöffe** ⚖ *m* (*-n*) escabino *m*; **~ngericht** *n* (*-es*; *-e*) tribunal *m* de escabinos.

Schokoˈ**lade** *f* chocolate *m*.

Schokoˈ**laden...**: **~eis** *n* (*-es*; *0*) helado *m* de chocolate; **~fabrik** *f* fábrica *f* de chocolates, chocolatería *f*; 2**farben** *adj.* (de) color chocolate; **~kuchen** *m* tarta *f* de chocolate; **~plätzchen** *n* galleta *f* de chocolate; **~pulver** *n* chocolate *m* en polvo; **~riegel** *m* barra *f* de chocolate; **~tafel** *f* (*-*; *-n*) tableta *f* de chocolate.

Schoˈ**lar** *m* (*-en*) escolar *m*; estudiante *m*.

Schoˈ**last|ik** *f* (*0*) escolástica *f*, escolasticismo *m*; **~iker** *m* escolástico *m*; 2**isch** *adj.* escolástico.

scholl *pret. v. schallen*.

ˈ**Scholle**[1] *f* gleba *f*; (*Erd*2) terrón *m*; (*Eis*2) témpano *m*; *fig.* terruño *m*, país *m* natal; *an der ~ hängen* tener apego al terruño; *an die ~ gefesselt* siervo de la gleba.

ˈ**Scholle**[2] *Ict. f* platija *f*.

schon *adv.* ya; (*zeitlich*) *~ jetzt* ahora mismo; *heute* (*morgen*) *~* hoy (mañana) mismo; *~ immer* siempre; *~ am frühen Morgen* desde muy temprano; desde la madrugada; *er ist ~ 2 Monate krank* lleva ya dos meses enfermo; *das ist ~ das dritte Mal* ya van tres veces; *es ist ~ 12 Uhr* ya son las doce; *es ist ~ lange* *her* hace (ya) mucho tiempo; es *ist* ~ *zu spät* ya es demasiado tarde; ~ *von Anfang an* desde el primer momento; ya desde el comienzo; *hast du* ~ *mit ihm gesprochen?* ¿has hablado ya con él?; *er wollte* ~ *gehen* (ya) iba a marcharse; *ich komme* ~*!* ¡ya voy!; ~ *wieder* otra vez; *was gibt's* ~ *wieder?* ¿qué pasa?; ¿qué es lo que pasa ahora?; *ich verstehe* ~*!* ¡está bien!; ¡entendido!; ¡ya!; *das* ~, *aber* ... eso desde luego, pero ...; *Zeit hätte ich* ~ *dafür, aber* ... tiempo sí que tendría para ello, pero ...; (*sicherlich*) *er wird* ~ *kommen* (de) seguro que vendrá; él vendrá, no hay que preocuparse; *es wird* ~ *gehen* todo se arreglará; ~ *gut!* ¡está bien!; ¡perfectamente!; *mir* ~ *recht!* de acuerdo; conforme; por mí no hay inconveniente; (*einräumend*) *ich gebe* ~ *zu, daß* ... no puedo menos de reconocer que ...; *das ist* ~ *wahr, aber* ... eso es verdad (*od.* cierto), pero ...; (*einschränkend*) ~ *der Name* sólo con mentarlo; el simple nombre basta; ~ *der Gedanke* sólo el pensarlo; la sola idea de; ~ *der Höflichkeit wegen* aunque no sea más que por mera cortesía; ~ *dadurch allein* (tan) sólo por eso; *na, wenn* ~*!* ¿y qué?; ¿qué importa eso?; *wenn* ~, *denn* ~*!* ¡si ha de ser, sea!; F ¡de mojados, al río!; ¡a lo hecho, pecho!; *das kennen wir* ~*!* F eso ya lo sabemos de memoria.

schön I. *adj.* hermoso; *ästhetisch*: bello; (*hübsch*) bonito, lindo, F (*Person*) guapo; (*zierlich*) primoroso; (*entzückend*) encantador; (*gut aussehend*) bien parecido; (*elegant*) elegante; (*prächtig*) magnífico; (*ausgezeichnet*) excelente; (*erlesen*) exquisito; (*köstlich*) delicioso; (*angenehm*) agradable; ~*e Literatur* literatura amena; bellas letras; ~*e Künste* bellas artes; *das* ~*e Geschlecht* el bello sexo; *e-s* ~*en Tages* algún día; el día menos pensado, el mejor día; *es ist* ~*es Wetter* hace buen tiempo; ~*es Wetter haben* tener buen tiempo; *wieder* ~ *werden* (*Wetter*) volver a hacer buen tiempo; *e-e* ~*e Gelegenheit* una magnífica ocasión; *e-e* ~*e Summe* una cantidad considerable; F una bonita suma; ~*e* (*leere*) *Worte* palabras hueras; F música celestial; *um s-r* ~*en Augen willen* por su cara bonita; ~*e Augen machen* coquetear; *das ist* ~ *von dir* eres muy amable; *das ist nicht* ~ *von dir* no está bien que hagas eso; *alles gut und* ~, *aber* ... todo eso está muy bien, pero ...; *iro. das wäre noch* ~*er* eso ya sería el colmo; no faltaría más que eso; *da sind wir* ~ *dran!* estamos aviados (*od.* frescos); nos hemos lucido; ~*en Dank!* ¡muchas gracias!; ~*!* (*zustimmend*) bien; perfectamente; está bien, *Am.* ¿cómo no?; *iro. du bist mir ein* ~*er Freund!* ¡valiente amigo eres tú!, ¡vaya un amigo que tengo en ti!; **II.** *adv.* bien; (*hübsch*) bonitamente; (*prächtig*) magníficamente; *sich* ~ *machen* arreglarse; componerse, engalanarse, *Dame*: F ponerse bonita; *das klingt* ~ suena agradablemente; *fig.* parece muy prometedor; *er läßt Sie* ~ *grüßen* le manda muchos recuerdos; *sich* ~ *erschrecken* llevarse un buen susto; *ich danke* ~ muchas gracias; (*ich*) *bitte* ~ por favor; haga el favor; *sei* ~ *brav* (*Kind*) sé formalito, sé bueno; *es ist* ~, *daß* bien está que..., es de celebrar que...; *er hat sich* ~ *in die Nesseln gesetzt* F en buen berenjenal se ha metido.

ˈ**Schonbezug** *m* (-*es*; ⸗*e*) funda *f*.

ˈ**Schöne** *f* beldad *f*; F guapa *f*.

ˈ**schonen** *v/t.* (*sorgfältig behandeln*) tratar con cuidado; cuidar bien; (*rücksichtsvoll behandeln*) tratar bien; dar buen trato a; (*erhalten*) conservar bien; (*schützen*) proteger, preservar; *Bräuche, Rechte, Eigentum*: respetar; (*ver*~) economizar, ahorrar; (*j-s Leben*) respetar; *j-n* ~ (*nachsichtig behandeln*) tener consideración con alg.; guardar consideración a alg.; ser indulgente con alg.; *j-s Gefühle* ~ respetar (*od.* procurar no herir) los sentimientos de alg.; *sich* ~ no exponerse a ningún riesgo; (*sich pflegen*) cuidarse.

ˈ**schönen** *v/t. Wein*: clarificar.

ˈ**schonend I.** *adj.* (*rücksichtsvoll*) considerado; (*nachsichtig*) indulgente; (*maßvoll*) moderado; **II.** *adv.*: ~ *behandeln* tratar cuidadosamente (*od.* con cuidado); *j-n* ~ *behandeln* (*rücksichtsvoll*) tratar con toda consideración a alg.; *j-m et.* (*Unangenehmes*) ~ *mitteilen* comunicar con precaución a/c. (*desagradable*) a alg.

ˈ**Schoner**[1] *m* (*Schonbezug*) funda *f*; (*Überzug*) cubierta *f*.

ˈ**Schoner**[2] ⚓ *m* goleta *f*.

ˈ**Schöne(s)** *n*: *das* ~ lo hermoso; lo bello; *Sie werden et.* ~*s von mir denken! iro.* ¡bonita opinión tendrá usted de mí!; *da hast du* (*et*)*was* ~*s angerichtet* ¡buena la has hecho!; P ¡menudo follón has armado!; *jetzt kommt das Schönste iro.* lo más bonito viene ahora; *das ist was* ~*s!* ¡esto sí que es hermoso!

ˈ**schön|färben** *v/t.* (*beschönigen*) cohonestar; (*optimistisch*) verlo todo de color de rosa; ♀**färber** *fig. m* optimista *m*; ♀**färbeˈrei** *fig. f* optimismo *m*; ~**gebaut** *adj.* bien construído; ♀**geist** *m* (-*es*; -*er*) estético *m*; ~**geistig** *adj.* estético; amante de las (bellas) letras *bzw.* de lo bello; ~*e Literatur* bellas letras.

ˈ**Schonfrist** *f* plazo *m* de protección; *fig.* F veda *f*.

ˈ**Schönheit** *f* belleza *f*; hermosura *f*; (*Frau*) beldad *f*, belleza *f*; mujer *f* hermosa *od.* bella.

ˈ**Schönheits...:** ~**chirurgie** *f* (*0*) cirurgía *f* estética (*od.* plástica); ~**fehler** *m* defecto *m* exterior; imperfección *f*; *fig.* lunar *m*; ~**gefühl** *n* (-*es*; *0*) sentimiento *m* estético (*od.* de lo bello); ~**ideal** *n* (-*s*; -*e*) belleza *f* ideal; ~**institut** *n* (-*es*; -*e*) instituto *m* de belleza; ~**königin** *f* reina *f* de la belleza; ~**konkurrenz** *f* concurso *m* de belleza; ~**mittel** *n* cosmético *m*; ~**pflästerchen** *n* lunar *m*; ~**pflege** *f* (*0*) cosmética *f*; *Salon für* ~ instituto de belleza; ~**salon** *m* (-*s*; -*s*) salón *m* (*od.* instituto *m*) de belleza; ~**sinn** *m* (-*es*; *0*) sentido *m* estético; sentimiento *m* estético (*od.* de lo bello); gusto *m* estético; ~**wettbewerb** *m* (-*es*; -*e*) concurso *m* de belleza.

ˈ**Schonkost** ⚕ *f* (*0*) dieta *f* (suave).

ˈ**schön|machen** *v/i. Hund*: hacer posturas; ♀**redner** *m* hablista *m*; *desp.* discursista *m*; (*Schmeichler*) adulador *m*; ♀**redneˈrei** *f* retórica *f*; (*Schmeichelei*) adulación *f*; ♀**schreiben** *n*, ♀**schrift** *f* caligrafía *f*; *in Schönschrift schreiben* caligrafiar; ♀**tuer** *m* (*Schmeichler*) lisonjero *m*, adulador *m*; F pelotilla *m*; (*Schäker*) galanteador *m*; (*der sich ziert*) melindroso *m*; ♀**tueˈrei** *f* (*Schmeichelei*) lisonja *f*, adulación *f*; (*Schäkerei*) galanteo *m*; coqueteo *m*, flirteo *m*; (*Ziererei*) afectación *f*; melindre *m*; ~**tun** (*L*) *v/i.* (*schmeicheln*) lisonjear, halagar, adular; (*schäkern*) galantear, F camelar; coquetear, flirtear; (*sich zieren*) melindrear.

ˈ**Schonung** *f* (*Rücksichtnahme*) consideración *f*, miramiento *m*; deferencia *f*; (*Sorgfalt*) cuidado *m*; (*Erhalt*) conservación *f*; (*Schutz*) protección *f*; (*Mäßigung*) moderación *f*; (*Nachsicht*) indulgencia *f*; *Forst*: coto *m* forestal; (*Baumschule*) vivero *m*; criadero *m*, plantel *m*; (*Jagdgehege*) vedado *m* de caza; *mit* ~ *behandeln* tratar con cuidado, *rücksichtsvoll*: tratar con miramiento *od.* consideración; *sich* ~ *auferlegen* cuidarse bien; ♀**sbedürftig** *adj.* necesitado de cuidados *bzw.* de reposo; ♀**slos** *adj.* (*rücksichtslos*) desconsiderado; (*hart*) duro; (*grausam*) cruel; (*erbarmungslos*) despiadado; *adv.* sin consideración; sin miramiento; sin piedad, despiadadamente; ~**slosigkeit** *f* (*0*) falta *f* de consideración; (*Härte*) dureza *f*; (*Grausamkeit*) crueldad *f*.

ˈ**Schönungsmittel** *n* su(b)stancia *f* clarificativa.

ˈ**Schonzeit** *f Jgdw.* veda *f*; *fig.* plazo *m* de protección; *es ist* ~ ha terminado la temporada de caza; hay veda.

Schopf *m* (-*es*; ⸗*e*) copete *m*, tupé *m*; *der Vögel*: copete *m*; moño *m*; penacho *m* (de plumas); *fig. die Gelegenheit beim* ~ *fassen* coger la ocasión por los cabellos (*od.* pelos).

ˈ**Schöpf|brunnen** *m* pozo *m*; (*Göpelwerk*) noria *f*; ~**eimer** *m* cubo *m*; caldero *m*; *e-s Schöpfrades*: cangilón *m*.

ˈ**schöpfen** *v/t. u. v/i.* (*Flüssigkeit, Wasser am Brunnen usw.*) sacar; ⚓ *aus dem Boot*: achicar; *Atem* ~ respirar, tomar aliento; *fig. wieder Atem* ~ cobrar aliento; *Luft* ~ tomar el aire; *fig. Verdacht* ~ concebir sospechas; *Mut* ~ cobrar ánimo.

ˈ**Schöpfer** *m* creador *m*; autor *m*; (*Gott*) el Creador; (*Aus*♀) cubo *m*, *am Schöpfbrunnen*: cangilón *m*; ~**geist** *m* (-*es*; *0*) genio *m* (*od.* espíritu *m*) creador; ~**hand** *f* (-; ⸗*e*) mano *f* creadora; ~**in** *f* creadora *f*; autora *f*; ♀**isch** *adj.* creador; (*fruchtbar*) fecundo; ~**kraft** *f* (-; ⸗*e*) fuerza *f* creadora.

ˈ**Schöpf...:** ~**gefäß** *n* (-*es*; -*e*), ~**kelle** *f* cazo *m*; (*Eimer*) cubo *m*; ⊕ vasija *f*, perol *m*; (*Löffel*) cucharón *m*; ⚓ achicador *m*; ~**löffel** *m in der Küche*: espumadera *f*; ~**papier** *n* (-*s*; *0*) papel *m* de tina; ~**rad** *n zum Was-*

serheben: rueda *f* elevadora; rueda *f* de cangilones; noria *f*; ⊕ (*Zellenrad*) rueda *f* de celdas; (*Wasser*2) rueda *f* de agua.
'**Schöpfung** *f* creación *f*; (*Weltall*) universo *m*, mundo *m*; (*Werk*) obra *f*; **~sgeschichte** *Bib. f* (*0*) Génesis *m*.
'**Schöpfwerk** *n* (*-es*; *-e*) ⊕ elevador *m* de agua; rosario *m* (de cangilones); ⚓ achicador *m*; (*Göpelwerk*) noria *f*.
'**Schoppen** *m als Maß*: cuartillo *m*; *ein ~ Wein* una copa de vino.
Schöps *m* (*-es*; *-e*) carnero *m*; *fig.* tonto *m*, babieca *m*.
schor *pret. v. scheren*.
'**Schorf** ⚕ *m* (*-es*; *-e*) escara *f*, costra *f*; **~bildung** *f* escarificación *f*; **2ig** *adj.* costroso, cubierto de costras.
'**Schorle** *f* vino *m* con sifón.
'**Schornstein** *m* (*-es*; *-e*) chimenea *f*; *fig. et. in den ~ schreiben* dar por pérdida una cosa; *wie ein ~ rauchen* fumar como una chimenea; **~aufsatz** *m* (*-es*; *⸚e*) caperuza *f* (*od.* sombrerete *m*) de chimenea; **~brand** *m* (*-es*; *⸚e*) incendio *m* de chimenea; **~fegen** *n* limpieza *f* de la chimenea; **~feger** *m* deshollinador *m*, limpiachimeneas *m*; **~haube** *f*, **~kappe** *f* → *Schornsteinaufsatz*; **~rohr** *n* (*-es*; *-e*) tubo *m* de chimenea.
schoß[1] *pret. v. schießen*.
Schoß[2] ⚘ *m* (*-sses*; *⸚sse*) (*junger Trieb*) retoño *m*; (*Knospe*) brote *m*.
Schoß[3] *m* (*-es*; *⸚e*) regazo *m*; (*Mutter*2) seno *m* (*a. fig.*); (*Rock*2) faldón *m*; (*Kleider*2) falda *f*; *auf den ~ nehmen* (*Kind*) poner en el regazo; *fig. in den ~ fallen* caer llovido del cielo; *die Hände in den ~ legen* cruzarse de brazos; *in den ~ der Kirche zurückkehren* volver al seno de la Iglesia; *im ~e der Familie* en el seno de la familia; *im ~e der Erde* en las entrañas de la tierra; **~hündchen** *n* perrillo *m* faldero; **~kind** *n* (*-es*; *-er*) niño *m* mimado.
'**Schößling** ⚘ *m* (*-s*; *-e*) retoño *m*, renuevo *m*, vástago *m*; (*Knospe*) brote *m*; yema *f*; pimpollo *m*.
'**Schote**[1] ⚓ *f* escota *f*.
'**Schote**[2] ⚘ *f* vaina *f*; *Kochk.* *~n pl.* guisantes *m/pl.* verdes.
'**Schoten...**: **~gewächs** ⚘ *n* (*-es*; *-e*) planta *f* leguminosa; **~pfeffer** *m* (*-s*; *0*) pimentón *m*.
Schott ⚓ *n* (*-es*; *-e*) mamparo *m*.
'**Schott|e** *m* (*-n*) escocés *m*; **~entür** ⚓ *f* compuerta *f*.
'**Schotter** *m* guijos *m/pl.*; grava *f*; (*Straßen*2) recebo *m*; macadán *m*; 🚂 balasto *m*; **2n** (*-re*) *v/t.* recebar; 🚂 balastar; **~ung** *f* (*Schotterschicht*) capa *f* de grava; 🚂 balastado *m*, balasto *m*.
'**Schott|in** *f* escocesa *f*; **2isch** *adj.* escocés, de Escocia; **~land** *n* Escocia *f*.
schraf'fier|en (-) *v/t.* sombrear (*con rayas cruzadas*); plumear; **2ung** *f* sombreado *m*; plumeado *m*.
'**schräg I.** *adj.* oblicuo; sesgo; soslayado; (*geneigt*) inclinado; (*diagonal*) diagonal; (*quer hindurchgehend*) transversal; *~e Linie* línea oblicua *bzw.* diagonal *bzw.* transversal; **II.** *adv.* oblicuamente; al sesgo; *von der Seite*: de soslayo; (*abgeschrägt*) en declive; (*diagonal*) diagonalmente; en diagonal; (*quer*) de través; *~ gegenüber* casi en frente; *~ stellen* ladear, sesgar, (*neigen*) inclinar; *et. ~ schneiden* cortar oblicuamente; cortar en bisel; biselar; **2ansicht** *f* vista *f* oblicua; vista *f* de soslayo; **~balken** ▨ *m* banda *f*; **2e** *f* oblicuidad *f*; sesgo *m*; inclinación *f*; ⊕ (*Fläche*) bisel *m*; **~en** *v/t.* sesgar, cortar al sesgo; ⊕ cortar en bisel; biselar; (*abböschen*) ataludar; **2fläche** *f* superficie *f* oblicua; **2heit** *f* (*0*) → *Schräge*; **2kante** *f* chaflán *m*; **~kantig** *adj.* achaflanado; (*geschliffen*) biselado; **2lage** *f* inclinación *f*; posición *f* oblicua (*od.* inclinada); **~laufend** *adj.* diagonal; transversal; **2paß** *m* (*-sses*; *⸚sse*) *Fußball*: pase *m* cruzado; **2schliff** *m* (*-es*; *-e*) biselado *m*; **2schnitt** *m* (*-es*; *-e*) ⊕ corte *m* en bisel; ✂ corte *m* transversal *bzw.* diagonal; **2schrift** *f* letra *f* cursiva; *Typ. a.* letra *f* bastardilla *od.* itálica; *in der Handschrift*: letra *f* bastarda; letra *f* inglesa; **2schuß** *m* (*-sses*; *⸚sse*) ⚔ tiro *m* oblicuo; tiro *m* de flanco; *Fußball*: tiro *m* cruzado; **2streifen** *m* diagonal *f*; **2strich** *m* (*-es*; *-e*) trazo *m* oblicuo.
schrak *pret. v. schrecken*.
'**Schramme** *f* (*Schürfung*) rozadura *f*; (*Kratzwunde*) arañazo *m*, rasguño *m*; *auf Politur, Schallplatten*: raya *f*; *Auto.* rozadura *f*; rasponazo *m*; **2n** *v/t. u. v/i.* rozar; (*kratzen*) arañar, rasguñar; *auf Politur usw.*: rayar; *Auto.* (*streifen*) rozar.
Schrank *m* (*-es*; *⸚e*) armario *m*; (*Geschirr*2) aparador *m*; (*Kleider*2) guardaropa *m*, (armario *m*) ropero *m*.
'**Schranke** *f* (*Schlagbaum*) barrera *f*; (*Einfriedung*) cerca *f*; (*Gerichts*2) barra *f*; (*Kampfplatz*) palenque *m*, liza *f*; *zum Zweikampf*: estacada *f*; *in die ~n fordern* desafiar, retar; *in die ~n treten* entrar en liza; ⚖ *vor die ~n fordern* demandar ante los tribunales; *fig.* límite *m*; barrera *f*; (*Zügel*) freno *m*; *~n setzen* poner límites (a); poner coto (a); *in ~n halten* contener en los límites; *fig.* tener a raya; *j-n in s-e ~n weisen* poner a alg. en el lugar que le corresponde.
'**schränken** *v/t.* cruzar; (*Sägeblatt*) triscar.
'**schranken|los** (*-est*) *adj.* sin límites, ilimitado; (*maßlos*) desmesurado, desmedido; (*zügellos*) desenfrenado; **2losigkeit** *f* (*0*) (*Maßlosigkeit*) descomedimiento *m*; (*Zügellosigkeit*) desenfreno *m*; **2wärter** 🚂 *m* guardabarrera *m*.
'**Schrank|fach** *n* (*-es*; *⸚er*) casilla *f*; anaquel *m*; **~koffer** *m* maleta-armario *f*; baúl-armario *m*.
'**Schranze** *m* (*-n*) (*Höfling*) cortesano *m* adulador, palaciego *m* servil; (*Speichellecker*) F adulón *m*; pelota *m*; P lameculos *m*.
Schrap'nell ⚔ *n* (*-s*; *-s*) granada *f* (*od.* proyectil *m*) de metralla; *angl.* shrapnel *m*.
'**Schrapper** ⊕ *m* rascador *m*.
'**Schraubdeckel** *m* tapa *f* roscada.
'**Schraube** *f* tornillo *m*; ⚓ *u.* ✈ hélice *f*; (*Versenk*2) tornillo *m* embutido; *eingängige* (*zweigängige*) *~* tornillo simple (de dos filetes); *mehrgängige ~* tornillo de filete múltiple; *~ ohne Ende* tornillo sin fin; *fig.* círculo vicioso; F cuento de nunca acabar; *e-e ~* (*fest*) *anziehen* atornillar (fuertemente); apretar un tornillo; *fig.* F *bei ihm ist e-e ~ los* (*locker*) le falta un tornillo; no está bien de la cabeza (F de la azotea); *alte ~* (*alte Jungfer*) vieja solterona; *alte verdrehte ~* vieja excéntrica (*od.* chiflada).
'**schrauben** *v/t.* atornillar; sujetar con tornillos; *fester* (*loser*) *~* apretar (aflojar) un tornillo; *fig. Preis*: *in die Höhe ~* hacer subir, F poner por las nubes; → *geschraubt*.
'**Schrauben...**: **~bolzen** *m* perno *m* roscado; **~dampfer** *m* vapor *m* de hélice; **~feder** *f* (-; *-n*) resorte *m* helicoidal; **~flügel** *m* pala *f* (*od.* ala *f*) de hélice; **2förmig** *adj.* helicoidal; **~gang** *m* (*-es*; *⸚e*) paso *m* de filete (*od.* de rosca); **~gewinde** *n* filete *m* (*od.* rosca *f*) de tornillo; **~kopf** *m* (*-es*; *⸚e*) cabeza *f* de tornillo; **~lehre** *f* calibre *m* para tornillos; **~linie** *f* hélice *f*; espiral *f*; **~mutter** *f* (-; *-n*) tuerca *f*; **~schlüssel** *m* llave *f* de tuercas; **~spindel** *f* (-; *-n*) husillo *m* (*od.* árbol *m*) roscado; **~welle** ⚓ *u.* ✈ *f* árbol *m* portahélice; **~winde** *f* gato *m* de tornillo; **~windung** *f* espira *f*; filete *m* de tornillo; **~zieher** *m* destornillador *m*; **~zirkel** *m* compás *m* de tornillo.
'**Schraubstock** *m* (*-es*; *⸚e*) torno *m*.
'**Schrebergarten** *m* (*-s*; *⸚*) huertecillo *m*; pequeño jardín *m* con caseta (en las afueras de la ciudad).
Schreck *m* (*-es*; *-e*) → *Schrecken*; '**~bild** *n* (*-es*; *-er*) (*Gespenst*) fantasma *m*, espectro *m*; (*Popanz*) espantajo *m*.
'**Schrecken** *m* susto *m*; (*Furcht*) temor *m*; (*Angst*) miedo *m*; (*Entsetzen*) espanto *m*; terror *m*; pavor *m*; (*Grausen*) horror *m*; (*Panik*) pánico *m*; *der ~ s-r Feinde* el terror de sus enemigos; *die ~ des Krieges* los horrores de la guerra; *ein Ende mit ~* un fin espantoso; *von ~ ergriffen* atemorizado; espantado; aterrorizado, aterrado; presa del terror *bzw.* del pánico; *~ erregen* horrorizar, causar horror; *j-m* (*e-n*) *~ einflößen* (*od. einjagen*), *j-n in ~ versetzen* asustar (*od.* dar un susto) a alg.; espantar *od.* aterrorizar a alg.; causar horror a alg.; infundir temor *od.* miedo a alg.; *j-m e-n schönen ~ einjagen* dar un susto tremendo a alg.; dar un buen susto a alg.; *~ verbreiten* hacer cundir (*od.* reinar) el terror; *in ~ halten* (*terrorisieren*) aterrorizar; *e-n ~ bekommen* asustarse, llevarse un susto; *mit dem ~ davonkommen* no sufrir más que el susto consiguiente.
'**schrecken** *v/t.* asustar, dar un susto; *stärker*: atemorizar; espantar; aterrar; horrorizar; (*zurück~ lassen*) hacer retroceder; ⊕ (*abkühlen*) templar.
'**Schreckens...**: **2bleich** *adj.* lívido de espanto; **~botschaft** *f* noticia *f* alarmante; noticia *f* terrible; **~herr-**

schaft *f* régimen *m* de terror; terrorismo *m*; *Hist.* el Terror; **~jahr** *n* (*-es*; *-e*) año *m* terrible; **~nachricht** *f* → *Schreckensbotschaft*; **~nacht** *f* (*-*; *¨*) noche *f* de terror; **~schreie** *m/pl.* gritos *m/pl* de espanto; **~tat** *f* atrocidad *f*; **~zeit** *Hist. f* época *f* del Terror.

'Schreck...: 2erregend *adj.* terrorífico; espantable, espantoso; **~gespenst** *n* (*-es*; *-er*) fantasma *m*, espectro *m*; (*Popanz*) espantajo *m*; *für Kinder*: F coco *m*; **2haft** *adj.* (*ängstlich*) asustadizo; miedoso; tímido; **~haftigkeit** *f* (*0*) timidez *f*; **2lich I.** *adj.* (*furchtbar*) terrible; espantoso; (*grausig*) horrible, horroroso; atroz; F (*riesig*) tremendo; enorme; formidable; colosal; *wie ~!* ¡qué horror!, ¡qué espanto!; **II.** *adv.* F *fig.* (*ungemein*) terriblemente; espantosamente; **~lichkeit** *f* espanto *m*; horror *m*; atrocidad *f*; **~nis** *n* (*-ses*; *-se*) horror *m*; **~schuß** *m* (*-sses*; *¨sse*) tiro *m* al aire; *fig.* falsa alarma *f*; *e-n ~ abgeben* disparar un tiro al aire; **~sekunde** *Auto. f* tiempo *m* de reacción.

Schrei *m* (*-es*; *-e*) grito *m*; (*Hahnen2*) canto *m* del gallo; *der letzte ~* (*Mode*) el último grito; *e-n ~ ausstoßen* dar (*od.* lanzar) un grito.

'Schreib...: ~art *f* modo *m* de escribir; (*Stil*) estilo *m*; (*Rechtschreibung*) ortografía *f*; **~bedarf** *m* (*-es*; *0*) utensilios *m/pl.* para escribir; recado *m* de escribir; (*Bürobedarf*) artículos *m/pl.* de escritorio; **~block** *m* (*-es*; *¨e*) taco *m* para notas (*od.* apuntes); bloc *m*.

'schreiben (*L*) **I.** *v/t., v/i. u. v/refl.* escribir; *j-m* (*od. an j-n*) *~* escribir a alg.; *richtig* (*falsch*) *~* escribir con (sin) ortografía; *gut ~* escribir bien, *Handschrift*: tener buena letra, *Stil*: ser un buen escritor; *schlecht ~* escribir mal, *Handschrift*: tener mala letra; *viel und schlecht ~* escribir mucho y mal, F emborronar papel; *er schreibt klein* escribe con letra menuda; *dieses Wort wird klein* (*groß*) *geschrieben* esta palabra se escribe con minúscula (mayúscula); *unleserlich ~* escribir con letra ilegible; *ins reine ~* poner en limpio; *auf ein Blatt* (*in ein Heft*) *~* escribir en una hoja de papel (en un cuaderno); *an die Tafel ~* escribir en la pizarra; *mit Bleistift ~* escribir a (*od.* con) lápiz; *mit Füllfederhalter* (*Kreide, Tinte*) *~* escribir con estilográfica (tiza, tinta); *mit der Maschine ~* escribir a máquina; *noch einmal ~* escribir de nuevo; volver a escribir; *wir ~ das Jahr 1969* estamos en 1969; *nach Diktat ~* escribir al dictado; *mit der Hand ~* escribir a mano; F *sich ~* (*korrespondieren*) mantener correspondencia con; F cartearse con; *wie ~ Sie Ihren Namen?, wie ~ Sie sich?* ¿cómo se escribe su nombre?; *die Feder schreibt gut* la pluma escribe bien; F *fig. schreibe es dir hinter die Ohren!* ¡date por advertido!; ¡tenlo por dicho!; **II. 2** *n* (*Brief*) carta *f*; (*Schriftstück*) escrito *m*; *amtliches*: oficio *m*; *kurzes, a. diplomatisches*: nota *f*; *päpstliches*: breve *m* (apostólico).

'Schreiber *m* (*Verfasser*) autor *m*; (*Schriftsteller*) escritor *m*; *im Büro*: escribiente *m*; (*Sekretär*) secretario *m*; ⚖ escribano *m*; actuario *m*; (*Ab2*) copista *m*; *~ dieses* el que suscribe; el abajo firmado (*od.* firmante).

'Schreibe'rei *f* (*Papierkrieg*) papeleo *m*.

'Schreiber...: ~in *f* (*Verfasserin*) autora *f*; (*Schriftstellerin*) escritora *f*; **~ling** *m* (*-s*; *-e*) escritorzuelo *m*; F escribidor *m*; **~seele** *f* F chupatintas *m*.

'Schreib...: 2faul *adj.* perezoso para escribir; **~faulheit** *f* (*0*) pereza *f* epistolar; **~feder** *f* (*-*; *-n*) pluma *f*; **~fehler** *m* falta *f* de escritura; **~gebühr** *f* derechos *m/pl.* de copia; **~heft** *n* (*-es*; *-e*) cuaderno *m*; **~kraft** *f* (*-*; *¨e*) mecanógrafo (-a *f*) *m*; escribiente *m/f*; **~krampf** ⚕ *m* (*-es*; *¨e*) calambre *m* de los escribientes; **~kunst** *f* (*0*) arte *m* de escribir; (*Schön2*) caligrafía *f*; **2lustig** *adj.* amigo de escribir; grafómano; **~mappe** *f* carpeta *f*; **~maschine** *f* máquina *f* de escribir; (*mit der*) *~ schreiben* escribir a máquina; mecanografiar; **~maschinenpapier** *n* (*-s*; *-e*) papel *m* de (*od.* para escribir a) máquina; **~materialien** *pl.* objetos *m/pl.* de escritorio; **~papier** *n* (*-s*; *-e*) papel *m* de escribir; **~pult** *n* (*-es*; *-e*) pupitre *m*; **~schrank** *m* (*-es*; *¨e*) secreter *m*; **~schrift** *f* letra *f* cursiva; **~stube** *f* (*Büro*) oficina *f*, despacho *m*; escritorio *m*; **~tisch** *m* (*-es*; *-e*) mesa *f* de despacho; **~tischgarnitur** *f* juego *m* de escritorio; **~tischlampe** *f* lámpara *f* de mesa; **~tischsessel** *m* sillón *m* de escritorio; **~übung** *f* ejercicio *m* de escritura (*od.* de caligrafía); **~ung** *f* grafía *f*; (*Rechtschreibung*) ortografía *f*; **2unkundig** *adj.* que no sabe escribir; **~unterlage** *f* carpeta *f*; **~utensilien** *pl.* → *Schreibmaterialien*; **~vorlage** *f* modelo *m* de escritura; **~waren** *f/pl.* artículos *m/pl.* de escritorio; **~warenhandlung** *f* papelería *f*; **~weise** *f* → *Schreibart*; **~zeug** *n* (*-es*; *0*) recado *m* de escribir; escribanía *f*; juego *m* de escritorio; **~zimmer** *n* → *Schreibstube*; *im Hotel*: salón *m* escritorio.

'schrei|en (*L*) *v/t. u. v/i.* gritar, dar (*od.* lanzar) gritos; vocear, dar voces; (*kreischen*) chillar, dar chillidos; *kleines Kind*: berrear; (*kläglich*) gemir; *heftig ~* vociferar; *aus vollem Hals ~* gritar a voz en cuello; (*um*) *Hilfe ~* pedir socorro, dar voces de socorro; *nach j-m ~* llamar a voces a alg.; *nach et. ~* pedir a gritos a/c.; *fig.* estar pidiendo a voces a/c.; *nach Rache ~* clamar venganza; *zum Himmel ~* clamar al cielo; *Eule*: ulular; *Esel*: rebuznar; *Hahn*: cantar; *Hirsch*: bramar; *er schreit wie am Spieß* grita como un condenado; **2en** *n* gritos *m/pl.*; gritería *f*; vocerío *m*; (*Kreischen*) chillido *m*; chillería *f*, chillidos *m/pl.*; *des kleinen Kindes*: berrido *m*; *heftiges ~* vociferación *f*; *des Esels*: rebuzno *m*; *des Hahnes*: canto *m*; *des Hirsches*: bramido *m*; *es ist zum ~* (*sehr lustig*) F es para morirse de risa; **~end** *adj.* penetrante, agudo, estridente; (*kreischend*) chillón (*a. v. Farben*); *~es Unrecht* injusticia manifiesta; **2er(in** *f*) *m*, **2hals** *m* (*-es*; *¨e*) chillón *m*, chillona *f*; vocinglero (-a *f*) *m*; vociferador(a *f*) *m*.

Schrein *m* (*-es*; *-e*) armario *m*; (*Kasten*) cofre *m*, *kleiner*: cofrecillo *m*, cofrecito *m*; *für Schmuck*: escriño *m*, joyero *m*; (*Reliquien2*) relicario *m*; (*Sarg*) ataúd *m*; arqueta *f*.

'Schreiner *m* carpintero *m*; (*Kunst2, Möbel2*) ebanista *m*; **~arbeit** *f* obra *f* de carpintería; (*Kunst2*) (obra *f* de) ebanistería *f*.

Schreine'rei *f* carpintería *f*; (*Kunst2*) ebanistería *f*.

'Schreiner...: ~geselle *m* (*-n*) oficial *m* de carpintero; **~handwerk** *n* (*-es*; *0*) carpintería *f*; (*Kunst2*) ebanistería *f*; **~lehrling** *m* (*-s*; *-e*) aprendiz *m* de carpintero; **~meister** *m* maestro *m* carpintero; **2n** (*-re*) *v/i.* carpintear; **~werkstatt** *f* (*-*; *¨en*) carpintería *f*; (*Kunst2*) ebanistería *f*.

'schreiten (*L*) *v/i.* andar; dar pasos; caminar; *gemessenen Schrittes ~* marchar con solemnidad; *fig. zu et. ~* proceder a hacer a/c.; *zur Abstimmung ~* proceder a la votación; *zum Kriege ~* recurrir a la guerra; *zu e-m Mittel ~* recurrir a un medio; *zur Tagesordnung ~* pasar a la orden del día; *zur Wahl ~* proceder a la elección; *zu Werke ~* poner manos a la obra; F arremeter con a/c.

schrie *pret. v. schreien.*

schrieb *pret. v. schreiben.*

'Schrift *f* escritura *f*; (*Hand2*) letra *f*; *Typ.* caracteres *m/pl.*; tipos *m/pl.* de imprenta; *in lateinischer ~* en caracteres romanos; (*Schriftstück*) escrito *m*; documento *m*; (*Abhandlung*) tratado *m*; (*Veröffentlichung*) publicación *f*; (*Werk*) obra *f*, *kleine*: opúsculo *m*; (*Umschrift auf Münzen*) leyenda *f*; *sämtliche ~en* obras completas; *die Heilige ~* la Sagrada Escritura; *Kopf oder ~* cara o cruz; **~art** *Typ. f* tipo *m*, letra *f*, carácter *m* de imprenta; **~auslegung** *Theo. f* exégesis *f*; **~bild** *Typ. n* (*-es*; *-er*) ojo *m*; **~deuter** *m* grafólogo *m*; **~deutsch** *n* alemán *m* literario; **~deutung** *f* grafología *f*; **~führer** *m* secretario *m*; **~gelehrte(r)** *Bib. m* doctor *m* de la ley; escriba *m*; **~gießer** *m* fundidor *m* de tipos de imprenta; **~gießerei** *f* fundición *f* de tipos; **~kasten** *Typ. m* (*-s*; *¨*) caja *f* (tipográfica); **~leiter(in** *f*) *m* redactor(a *f*) *m*; **~leitung** *f* redacción *f*; **2lich I.** *adj.* escrito; *~e Prüfung* examen escrito; **II.** *adv.* por escrito; *~ abfassen* poner por escrito; *~ mitteilen* comunicar por escrito; escribir; **~metall** *n* (*-s*; *-e*) metal *m* para tipos de imprenta; **~probe** *f* prueba *f* de escritura; *Typ.* espécimen *m* de fundidor; (*ausgedruckte*) prueba *f* de tipos; **~sachverständige(r)** *m* grafólogo *m*; **~satz** *m* (*-es*; *¨e*) ⚖ alegato *m*; *Typ.* composición *f*; (*Schriftstück*) escrito *m*; (*Darlegung*) exposición *f*; **~setzer** *Typ. m* cajista *m*; tipógrafo *m*; **~sprache** *f* lenguaje *m* literario (*od.* culto); **~steller** *m* escritor *m*; (*Verfasser*) autor *m*; literato *m*;

~stelle'rei *f* profesión *f* de literato; **~stellerin** *f* escritora *f*; (*Verfasserin*) autora *f*; literata *f*; **2stellerisch** *adj.* literario *m*; de escritor; de literato; **2stellern** (*-le*) *v/i.* escribir obras literarias; **~stück** *n* (*-es*; *-e*) escrito *m*; (*Urkunde*) documento *m*; **~tum** *n* (*-s*; *0*) literatura *f*; letras *f/pl.*; **~verkehr** *m* (*-s*; *0*) correspondencia *f*; **~wechsel** *m* correspondencia *f*; *Dipl.* canje *m* de notas; *den ~ führen* llevar la correspondencia; **~zeichen** *Typ. n* tipo *m*, letra *f*, carácter *m*; **~zug** *m* (*-es*; *⸚e*) trazo *m*, rasgo *m* de pluma; (*Schnörkel*) rúbrica *f*.

'schrill *adj.* agudo, penetrante, estridente; **~en** *v/i.* producir un sonido agudo.

'Schrippe *f* panecillo *m*.

schritt *pret. v. schreiten.*

'Schritt *m* (*-es*; *-e*) paso *m*; *~ für ~* paso a paso; *mit schnellen ~en* con paso acelerado; *große ~e machen* dar grandes zancadas; *den ~ beschleunigen* alargar *od.* acelerar el paso; *im ~ gehen* ir al paso; *mit j-m ~ halten* ir al mismo paso que alg.; *fig. mit der Zeit ~ halten* estar al día; ir con el tiempo; adaptarse a las exigencias de la época; *aus dem ~ kommen* perder el paso; *den ~ wechseln* cambiar el paso; *s-e ~e verdoppeln* redoblar el paso; *in gleichem ~ und Tritt* al mismo paso; *auf ~ und Tritt* a cada paso; continuamente; *j-m auf ~ und Tritt folgen* seguir los pasos de alg.; *s-e ~e lenken auf* (*ac.*) encaminar *od.* dirigir sus pasos a *od.* hacia; *nicht e-n ~ gehen können* no poder dar paso; (*im*) *~!* ¡al paso!; *fig.* paso *m*; gestión *f*; (*amtlicher, behördlicher*) trámite *m*; tramitación *f*; (*Maßnahme*) medida *f*; *diplomatischer ~* gestión diplomática; *den ersten ~ tun* dar el primer paso; tomar la iniciativa; *den entscheidenden ~ tun* dar el paso decisivo; *~e tun od. unternehmen* hacer gestiones (para); *amtlich*: hacer *bzw.* iniciar las gestiones procedentes; (*Maßnahmen treffen*) adoptar las medidas oportunas (para); **~länge** *f* longitud *f* del paso; *der Hose*: largo *m* de la entrepierna; **~macher** *m* guía *m*; *Sport*: preparador *m*, entrenador *m*; *fig.* (*Wegbereiter*) precursor *m*; (*Herz2*) ⚕ marcapaso *m*; **~wechsel** *m* cambio *m* de paso; **2weise** *adv.* paso a paso; progresivamente; **~zähler** *m* podómetro *m*, cuentapasos *m*.

'schroff *adj. Felsen, Berg*: escarpado, abrupto; *fig.* (*barsch*) brusco; (*jäh*) abrupto; (*rauh*) rudo, áspero; (*schneidend*) tajante; (*kurz angebunden*) seco; *~e Ablehnung* negativa rotunda; *adv. j-n ~ behandeln* tratar con aspereza a alg.; **2heit** *f* (*0*) (*Steilheit*) escarpadura *f*; *fig.* brusquedad *f*; rudeza *f*, aspereza *f*; sequedad *f*; dureza *f*.

'Schröpf|eisen ⚕ *n* escarificador *m*; **2en** *v/t.* ⚕ escarificar; aplicar ventosas *f/pl.*; *fig.* F *j-n ~* desollar vivo a alg.; pelar *od.* desplumar a alg.; **~en** *n* ⚕ escarificación *f*; **~kopf** ⚕ *m* (*-es*; *⸚e*) ventosa *f*.

'Schrot *m/n* (*-es*; *-e*) *Jgdw.* perdigones *m/pl.*, *feiner*: mostacilla *f*, *grober*: perdigón *m* zorrero; (*Rehposten*) postas *f/pl.*; (*Klotz*) bloque *m* de madera redondo; (*grob gemahlenes Getreide*) trigo *m* triturado; (*Feingehalt*) ley *f*; (*Metall2*) recortaduras *f/pl.*, cizallas *f/pl.*; (*Säge2*) serrín *m*; *von echtem ~ und Korn* de buena cepa; *von altem ~ und Korn* chapado a la antigua; **~brot** *n* (*-es*; *-e*) pan *m* integral basto; **~büchse** *Jgdw. f* escopeta *f* de caza; **2en** (*-e-*) *v/t.* (*zerkleinern*) triturar, desmenuzar; machacar; *Getreide*: triturar; *ein Faß in den Keller*: hacer bajar rodando; *Metall*: cizallar; **~feile** *f* lima *f* de desbastar; **~flinte** *Jgdw. f* → *Schrotbüchse*; **~korn** *n* (*-es*; *⸚er*) trigo *m* triturado; *Jgdw.* perdigón *m*; **~leiter** *f* plano *m* inclinado para embodegar; **~mehl** *n* (*-es*; *0*) harina *f* gruesa; **~meißel** ⊕ *m* martillo *m* cincel; tajadera *f*; **~mühle** *f* molino *m* triturador; triturador *m* de granos; **~säge** *f* sierra *f* de tronzar; sierra *f* de leñador; **~schuß** *m* (*-sses*; *⸚sse*) perdigonada *f*.

'Schrott *m* (*-es*; *-e*) hierro *m* viejo; chatarra *f*; **~handel** *m* (*-s*; *0*) comercio *m* de chatarra; **~händler** *m* chatarrero *m*; **~platz** *m* (*-es*; *⸚e*) depósito *m* de chatarra.

'schrubb|en *v/t.* fregar con escobilla *bzw.* con escobillón; ⚓ limpiar con el lampazo; **2en** *n* fregado *m*, fregadura *f*; **2er** *m* (*Besen*) escobilla *f*; (*Bürste*) escobillón *m*; ⚓ lampazo *m*; **2tuch** *n* (*-es*; *⸚er*) aljofifa *f*, bayeta *f* de fregar; estropajo *m*.

'Schrull|e *f* extravagancia *f*, rareza *f*; manía *f*; (*Laune*) capricho *m*; F *alte ~* (*Frau*) vieja *f* chiflada; **2enhaft**, **2ig** *adj.* extravagante; (*launenhaft*) caprichoso; raro.

'schrumpel|ig F *adj.* (*Haut*) apergaminado, avellanado; (*runzelig*) rugoso, arrugado; **~n** (*-le*) F *v/i.* (*Haut*) apergaminarse, avellanarse; arrugarse.

'schrumpf|en *v/i.* (*sich zusammenziehen*) encogerse; estrecharse; *bsd.* ⊕ contraerse; ⚕ retraerse; (*schrumpeln*) arrugarse; **2niere** ⚕ *f* riñón *m* cirrótico; cirrosis *f* renal; **2ung** *f* encogimiento *m*; estrechamiento *m*; *bsd.* ⊕ contracción *f*; arrugamiento *m*; ⚕ retracción *f*; (*Leber2*) cirrosis *f* hepática; *fig.* disminución *f*, reducción *f*.

Schrund *m* (*-es*; *⸚e*) (*Spalte*) raja *f*, hendedura *f*; resquebrajadura *f*.

'Schrund|e *f* grieta *f* (*a. in Haut, Lippen*); fisura *f*; (*Schramme*) erosión *f*; rasguño *m*; **2ig** *adj.* agrietado; rajado, hendido; resquebrajado.

'schruppen ⊕ *v/t.* desbastar.

'Schub *m* (*-es*; *⸚e*) (*Stoß*) empujón *m*, empellón *m*; *Brote*: hornada *f* (*a. fig.*); ⚕ brote *m*; ⊕ (*~kraft*) empuje *m*; (*Transport*) transporte *m*; *v. Verbrechern*: *a.* conducción *f* (policial); *per ~ an die Grenze führen* conducir a la frontera a un expulsado del país; (*Kegelwurf*) bolada *f*; **~fach** *n* (*-es*; *⸚er*) cajón *m* (de mesa); gaveta *f*; **~fenster** *n* ventana *f* (*Auto.* ventanilla *f*) corrediza; **~karre(n** *m*) *f* carretilla *f*; carro *m* de mano; **~kasten** *m* (*-s*; *⸚*), **~lade** *f* → *Schubfach*; **~kraft** ⊕ *f* (*-*; *⸚e*) fuerza *f* de empuje; fuerza *f* cortante; **~lehre** ⊕ *f* calibre *m* para medir gruesos; pie *m* de rey; **~leistung** ⊕ *f* potencia *f* de empuje; **~riegel** *m* cerrojo *m*.

Schubs F *m* (*-es*; *-e*) empujón *m*, empellón *m*; **'2en** (*-t*) F *v/t.*: *j-n ~* empujar (*od.* dar un empujón) a alg.

'Schub|stange ⊕ *f* biela *f*; **2weise** *adv.* (*stoßweise*) a empujones, a empellones; (*beim Backen*) a hornadas; (*allmählich*) poco a poco, paulatinamente, paso a paso.

'schüchtern *adj.* tímido; corto; (*ängstlich*) apocado, pusilánime; encogido; (*verschämt*) pudoroso; **2heit** *f* (*0*) timidez *f*; cortedad *f*; apocamiento *m*, pusilanimidad *f*; poquedad *f* de ánimo; encogimiento *m*; retraimiento *m*.

schuf *pret. v. schaffen.*

Schuft *m* (*-es*; *-e*) canalla *m*; bribón *m*; villano *m*, bellaco *m*.

'schuft|en (*-e-*) F *v/i.* bregar, trabajar afanosamente; F *fig.* estar siempre al pie del cañón; trabajar como un negro; dar el callo; apencar; matarse trabajando; **2en** *n*, **2e'rei** *f* F trabajo *m* ímprobo; matadero *m*.

'schuftig *adj.* canallesco, de canalla; **2keit** *f* canallada *f*; vileza *f*; villanía *f*; bellaquería *f*.

'Schuh *m* (*-es*; *-e*) zapato *m*; (*Stiefel*) bota *f*; (*hoher Schnür2*) borceguí *m*; bota *f*, *für Damen*: botina *f*; (*Holz2*) zueco *m*; (al)madreña *f*; ⊕ *für Schienen*: patín *m*; ⚓ (*Anker2*) zapata *f*; *j-m die ~e anziehen* (*ausziehen*) calzar (descalzar) a alg.; *sich die ~e anziehen* (*ausziehen*) calzarse (descalzarse); ponerse (quitarse) los zapatos; *die ~e abbürsten* (*wichsen*; *glänzend putzen*) cepillar (embetunar; lustrar) los zapatos; *gute* (*schlechte*) *~e tragen* ir bien (mal) calzado; *fig. j-m et. in die ~e schieben* imputar a alg. a/c.; *er weiß, wo ihn der ~ drückt* sabe dónde le aprieta el zapato; **~absatz** *m* (*-es*; *⸚e*) tacón *m*; **~anzieher** *m* calzador *m*; **~band** *n* (*-es*; *⸚er*) cordón *m* (de zapato); *breites*: cinta *f*; *ledernes*: correa *f*; **~bürste** *f* cepillo *m* para el calzado; **~creme** *f* crema *f* para el calzado, betún *m*; **~fabrik** *f* fábrica *f* de calzado; **~flicker** *m* zapatero *m* remendón; **~geschäft** *n* (*-es*; *-e*) tienda *f* de calzado; zapatería *f*; **~größe** *f* tamaño *m* (de zapato); *~ 40 tragen* calzar (d)el cuarenta; **~handel** *m* (*-s*; *0*) comercio *m* de calzado; **~industrie** *f* industria *f* del calzado; **~krem** *m/f* → *Schuhcreme*; **~leder** *n* cuero *m* para calzado; **~leisten** *m* horma *f*; **~löffel** *m* calzador *m*; **~macher** *m* zapatero *m*; **~mache'rei** *f* zapatería *f*; **~nagel** *m* (*-s*; *⸚*) broca *f*; (*Sohlen2*) tachuela *f*; (*ohne Kopf*) saetín *m*; *hölzerner*: estaquilla *f*; **~pflock** *m* (*-es*; *⸚e*) estaquilla *f*; **~plattler** *m* (*Tanz*) zapateado *m* bávaro *bzw.* tirolés; **~putzer** *m* limpiabotas *m*; **~putzmittel** *n* → *Schuhcreme*; **~riemen** *m* correa *f* de zapato; **~schnalle** *f* hebilla *f* (de zapato); **~schrank** *m* (*-es*; *⸚e*) armario *m* para zapatos; **~sohle** *f* suela *f*; **~spanner** *m* horma *f*;

~**waren** *f/pl.* calzado *m*; ~**warenhändler** *m* comerciante *m* de calzados; ~**werk** *n* (-*ės*; *0*) calzado *m*; ~**wichse** *f* → *Schuhcreme*; ~**zeug** *n* (-*ės*; *0*) calzado *m*; ~**zwecke** *f* estaquilla *f*, clavo *m* de madera.

ˈ**Schuko-ˈSteckdose** ⚡ *f* enchufe *m* con derivación a tierra.

ˈ**Schul|amt** *n* (-*ės*; ⸗*er*) (*Lehramt*) magisterio *m* primario; profesorado *m* de enseñanza media; ~**anfang** *m* (-*ės*; ⸗*e*) comienzo *m* del curso escolar; ~**arbeit** *f* (*schriftliche*) tema *m*, ejercicio *m* escrito; composición *f*; (*Hausarbeit*) deber *m*; ~**arrest** *m* (-*es*; -*e*) retención *f* punitiva en la clase; ~**arzt** *m* (-*es*; ⸗*e*) médico *m* escolar; ~**atlas** *m* (-, -*ses*; -*se*, *atlanten*) atlas *m* escolar; ~**aufsicht** *f* inspección *f* de enseñanza; ~**ausflug** *m* (-*ės*; ⸗*e*) excursión *f* escolar; ~**ausgabe** *f* edición *f* escolar; ~**bank** *f* (-; ⸗*e*) banco *m* de escuela; *die* ~ *drücken* ir a la escuela; ~**bauten** *m/pl.* edificios *m/pl.* escolares; construcciones *f/pl.* docentes; ~**behörde** *f* autoridades *f/pl.* escolares; ~**beispiel** *n* (-*ės*; -*e*) ejemplo *m* clásico (*od.* típico); ~**besuch** *m* (-*ės*; *0*) asistencia *f* escolar; (*Schulzeit*) escolaridad *f*; ~**bildung** *f* instrucción *f* primaria; estudios *m/pl.* primarios; ~**buch** *n* (-*ės*; ⸗*er*) texto *m* escolar; libro *m* de texto; ~**bücherei** *f* biblioteca *f* escolar; ~**buchhandlung** *f* librería *f* escolar.

ˈ**Schuld** *f* culpa *f*; (*Fehler*) falta *f*; (*Sünde*) pecado *m*; (*Vergehen*) delito *m*; (*Verbrechen*) crimen *m*; (*Straffälligkeit*) culpabilidad *f*; † (*Geld*2) deuda *f*; (*Haftung*) responsabilidad *f*; (*Verpflichtung*) obligación *f*; (*Ursache*) causa *f*; ⚖ ~ *haben* ser culpable; *an et.* (*dat.*) 2 *sein* tener la culpa de a/c.; *wer hat* 2 (*daran*)?, *wessen* ~ *ist es?* ¿quién tiene la culpa?; ¿quién es culpable?; *das ist m-e* ~, *ich bin* 2 *daran* la culpa es mía; yo tengo la culpa; yo soy el culpable de ello; *die* ~ *liegt nicht an ihm* no es culpa suya; él no tiene la culpa; *durch m-e* ~ por mi culpa; por culpa mía; *ohne m-e* ~ sin culpa mía; *j-m die* ~ *geben* atribuir a alg. la culpa (*an et. dat.* de a/c.); inculpar a alg.; imputar a alg. a/c.; *die* ~ *auf j-n schieben* (*od. wälzen*) achacar la culpa a alg.; F echar la culpa a alg.; *die* ~ *auf sich nehmen* atribuirse la culpa, (*sich schuldig bekennen*) declararse culpable; † *e-e* ~ *bezahlen* (*od. begleichen*) pagar (*od.* satisfacer) una deuda; *e-e* ~ *abtragen* (*od. tilgen*) amortizar una deuda; *e-e* ~ *eintreiben* cobrar una deuda; *in* ~*en stecken* estar lleno de deudas; F *bis an den Hals in* ~*en stecken* estar entrampado hasta las cejas; *bei j-m* ~*en haben*, *in j-s* ~ *sein* tener deudas con alg.; estar en deuda con alg.; *in* ~*en geraten*, ~*en machen*, *sich in* ~*en stürzen* contraer deudas; endeudarse; empeñarse; F entramparse; *Rel. und vergib uns unsere* ~ y perdónanos nuestras deudas; ~**an·erkennung** *f* reconocimiento *m* de deuda; ~**bekenntnis** *n* (-*ses*; -*se*) confesión *f* (de una culpa); 2**beladen** *adj.* cargado de culpas *bzw.* de crímenes; ~**betrag** *m* (-*ės*; ⸗*e*) importe *m* de la deuda; ~**beweis** *m* (-*es*; -*e*) prueba *f* de culpabilidad; 2**bewußt** *adj.* consciente de su culpabilidad; ~**bewußtsein** *n* (-*s*; *0*) conciencia *f* de la culpabilidad; ~**brief** † *m* (-*ės*; -*e*) obligación *f*; ~**buch** † *n* (-*ės*; ⸗*er*) libro *m* de deudas; (*Staats*2) registro *m* de deudas; ~**buchforderung** *f* crédito *m* quirografario.

ˈ**schulden** (-*e*-) *v/t.*: *j-m et.* ~ deber (*od.* adeudar) a alg. a/c.; *bsd. fig.* (*Dank* ~) estar en deuda con alg. por a/c.

ˈ**Schulden...**: ~**dienst** *m* (-*es*; *0*) servicio *m* de deudas; 2**frei** *adj.* libre (*od.* exento) de deudas; sin deudas; *Grundbesitz*: sin gravámenes hipotecarios; ~**last** *f* (carga *f* de) deudas *f/pl.*; deudas *f/pl.* apremiantes; ~**masse** † *f* masa *f* pasiva; ~**senkung** *f* reducción *f* de las deudas; ~**tilgung** *f* amortización *f*; ~**tilgungskasse** *f* caja *f* de amortización.

ˈ**Schuld...**: ~**erlaß** *m* (-*sses*; -*sse*) remisión *f* de una deuda; ~**forderung** *f* crédito *m*; obligación *f*; deuda *f* activa; ~**frage** *f* cuestión *f* de la responsabilidad; ~**gefühl** *n* (-*ės*; -*e*) sentimiento *m* de culpabilidad; ~**haft** *f* prisión *f* por deudas; 2**haft** *adj.* culpable.

ˈ**Schuldiener** *m* bedel *m*; conserje *m*.

ˈ**Schuldienst** *m*: *im* ~ *tätig sein* ejercer la profesión de maestro.

ˈ**schuldig** *adj.* culpable; (*gebührend*) debido; † deudor; *Geld*: debido; *e-s Verbrechens* ~ *werden* hacerse culpable de un crimen; ~ *sprechen* ⚖ pronunciar veredicto de culpabilidad (contra); dictar fallo condenatorio (contra); pronunciar sentencia condenatoria (contra); condenar; *sich* ~ *bekennen* declararse culpable; reconocer su culpa *bzw.* su falta; ~*er Teil* ⚖ parte culpable; ~ *geschieden* ⚖ divorciado como parte culpable; *er ist des Todes* ~ merece la muerte; *j-m et.* ~ *sein* deber a alg. a/c.; *fig.* estar en deuda con alg. por a/c.; *j-m e-e Erklärung* ~ *sein* deber a alg. una explicación; *was bin ich Ihnen* ~? ¿qué le debo?; ¿cuánto le debo?; *j-m et.* ~ *bleiben* quedar debiendo a alg. a/c.; † adeudar; *fig. j-m nichts* ~ *bleiben* pagar a alg. en la misma moneda; devolver a alg. la pelota; *die Antwort* ~ *bleiben* no contestar; *keine Antwort* ~ *bleiben* tener respuesta para todo; saber replicar; F no tener pelos en la lengua; *j-m die* ~*e Achtung versagen* faltar a alg. al debido respeto; 2**e**(**r** *m*) *m/f* culpable *m/f*; *Rel. wie wir vergeben unseren Schuldigern* así como nosotros perdonamos a nuestros deudores; 2**keit** *f* (*0*) (*Pflicht*) deber *m*; (*Verpflichtung*) obligación *f*; *er hat nur s-e Pflicht und* ~ *getan* no ha hecho más que cumplir con su deber; 2**sprechung** ⚖ *f* veredicto *m* de culpabilidad; fallo *m* condenatorio.

ˈ**Schuldisziplin** *f* (*0*) disciplina *f* escolar.

ˈ**Schuld...**: ~**klage** ⚖ *f* demanda por deudas; ~**konto** † *n* (-*s*; -*konten*) débito *m*; 2**los** *adj.* inocente; sin culpa; ~**losigkeit** *f* (*0*) inocencia *f*.

ˈ**Schuldner** *m* deudor *m*; ~**in** *f* deudora *f*; ~**land** *n* país *m* deudor.

ˈ**Schuld...**: ~**posten** † *m* adeudo *m*; asiento *m* deudor; ~**schein** *m* (-*ės*; -*e*) obligación *f*; (*Wechsel*2) pagaré *m*; abonaré *m*; ~**spruch** ⚖ *m* (-*ės*; ⸗*e*) veredicto *m* de culpabilidad; ~**übernahme** *f* asunción *f* de deuda; ~**verschreibung** † *f* obligación *f*; título *m* hipotecario; ~**versprechen** ⚖ *n* promesa *f* contractual.

ˈ**Schule** *f* escuela *f* (*a. fig.*); (*Unterricht*) clase *f*; (*Lehrgang*) método *m*; *weltliche* ~ escuela laica; *konfessionelle* ~ escuela confesional; *höhere* ~ escuela de enseñanza secundaria; *Span.* Instituto *m* de Enseñanza Media; *hohe* ~ (*Reitsport*) alta escuela; *in die* ~ *gehen* ir a la escuela; ir a clase; *in e-e* ~ *eintreten* ingresar en una escuela; *die* ~ *versäumen* no ir (*od.* no asistir) a clase; *die* ~ *schwänzen Sch.* F hacer novillos; (*keine*) ~ *haben* (no) haber clase; *morgen ist keine* ~ mañana no hay clase; *fig.* ~ *machen* hacer escuela; ser imitado; *aus der* ~ *plaudern* cometer una indiscreción hablando; no poder callar la boca; *durch e-e harte* ~ *gehen* pasar por un rudo aprendizaje; *ein Diplomat der alten* ~ un diplomático de la vieja escuela.

ˈ**schulen** *v/t.* (*unterrichten*) enseñar; instruir; (*heranbilden*) formar; (*einüben*) ejercitar; adiestrar; aleccionar.

ˈ**Schul·entlassungszeugnis** *n* (-*ses*; -*sse*) certificado *m* de estudios primarios.

ˈ**Schüler** *m* alumno *m*; (*Schulkind*) escolar *m*; (*bei Privatschulen*) colegial *m*; (*Jünger*) discípulo *m*; ~**austausch** *m* (-*es*; *0*) intercambio *m* de alumnos; ~**bibliothek** *f* biblioteca *f* escolar; ~**briefwechsel** *m* correspondencia *f* interescolar; 2**haft** *adj.* escolar; de colegial; infantil; *fig.* imperfecto; sin madurez; ~**haftigkeit** *f* (*0*) *fig.* imperfección *f*; ingenuidad *f*; ~**in** *f* alumna *f*; colegiala *f*; ~**schaft** *f*: *die* ~ el alumnado; ~**streich** *m* (-*ės*; -*e*) travesura *f* infantil; ~**zeitung** *f* periódico *m* escolar.

ˈ**Schul...**: ~**erziehung** *f* (*0*) educación *f* escolar; ~**fach** *n* (-*ės*; ⸗*er*) (*Lehrfach*) asignatura *f*; materia *f* de enseñanza; ~**feier** *f* (-; -*n*), ~**fest** *n* (-*es*; -*e*) fiesta *f* escolar; ~**ferien** *pl.* vacaciones *f/pl.* escolares; ~**fernsehen** *n* (-*s*; *0*) televisión *f* escolar; ~**film** *m* (-*ės*; -*e*) película *f* educativa; ~**flug** ✈ *m* (-*ės*; ⸗*e*) vuelo *m* de ejercitación (*od.* de prácticas); ~**flugzeug** *n* (-*ės*; -*e*) avión-escuela *m*; avión *m* para ejercicios de vuelo; 2**frei** *adj.*: *heute ist* ~ hoy no hay clase (*od.* escuela); ~*er Tag* día de asueto; ~**freund**(**in** *f*) *m* condiscípulo (-a *f*) *m*; compañero (-a *f*) *m* de clase; ~**fuchs** *m* (-*es*; ⸗*e*) pedante *m*; ~**fuchseˈrei** *f* pedantería *f*; ~**funk** *m* (-*s*; *0*) radio *m* escolar; (radio)emisiones *f/pl.* para las escuelas; ~**garten** *m* (-*s*; ⸗) jardín *m* escolar; ~**gebäude** *n* edificio *m* escolar; escuela *f*; grupo *m* escolar; **~gebrauch** *m* (*-es*; *0*): *für den* (*od.* zum) *~* para el uso en las escuelas; **~geld** *n* (*-es*; *-er*) retribución *f* escolar; **~gemeinde** *f* comunidad *f* escolar; padres *m/pl.* de los alumnos; **~gesetz** *n* (*-es*; *-e*) ley *f* de instrucción primaria; **~grammatik** *f* gramática *f* elemental; **~haus** *n* (*-es*; *⸚er*) escuela *f*; casa *f* escuela; **~heft** *n* (*-es*; *-e*) cuaderno *m* de clase; **~hof** *m* (*-es*; *⸚e*) patio *m* de la escuela; **~inspektor** *m* (*-s*; *-en*) inspector *m* de enseñanza primaria; **⁀isch** *adj.* escolar; de la enseñanza; **~jahr** *n* (*-es*; *-e*) año *m* escolar; curso *m*; **~jugend** *f* (*0*) juventud *f* escolar; alumnos *m/pl.*; **~junge** *m* (*-n*) escolar *m*; chico *m* de la escuela; **~kamerad** *m* (*-en*) condiscípulo *m*; compañero *m* de clase; **~kenntnisse** *f/pl.* instrucción *f* elemental; conocimientos *m/pl.* adquiridos en la escuela; **~kind** *n* (*-es*; *-er*) escolar *m*; colegial *m*, colegiala *f*; **~klasse** *f* clase *f*; sala *f* de clase; **~landheim** *n* (*-es*; *-e*) granja *f* escolar; **~lehrer(in** *f*) *m* maestro *m*, maestra *f* (de primera enseñanza); **~mädchen** *n* alumna *f*; colegiala *f*; **~mann** *m* (*-es*; *⸚er*) pedagogo *m*; **~mappe** *f* cartapacio *m*, vade *m*; **~meister(in** *f*) *m* maestro *m* de escuela, *desp.* pedante *m*; maestra *f* (de escuela); **⁀meisterlich** *m.s.* **I.** *adj.* pedante, pedantesco; **II.** *adv.* pedantescamente; **⁀meistern** (*-re*) *v/t.* regentar; aleccionar en forma pedantesca; (*kritisieren*) censurar; (*tadeln*) reprender como a un niño; **~ordnung** *f* reglamento *m* escolar; **~pferd** *n* (*-es*; *-e*) caballo *m* amaestrado; caballo *m* de picadero; **~pflicht** *f* (*0*) enseñanza *f* obligatoria; **⁀pflichtig** *adj.* sujeto a enseñanza obligatoria; obligado a asistir a la escuela; *im ~en Alter* en edad escolar; **~ranzen** *m* → *Schulmappe*; **~rat** *m* (*-es*; *⸚e*) inspector *m* de enseñanza primaria; **~rätin** *f* inspectora *f* de enseñanza primaria; **~raum** *m* (*-es*; *⸚e*) local *m* escolar; **~raumnot** *f* (*0*) carencia *f* de locales escolares; **~reform** *f* reforma *f* de la enseñanza primaria; reforma *f* escolar; **~reiten** *n* equitación *f* a la alta escuela; **~reiter(in** *f*) *m* (*Artist*) artista *m/f* ecuestre; **~schießen** ⚔ *n* prácticas *f/pl.* de tiro; **~schiff** *n* (*-es*; *-e*) buque *m* escuela; **~schluß** *m* (*-sses*; *0*) salida *f* de la escuela; *zu Beginn der Ferien*: clausura *f* de las clases; **~sendung** *f* *Radio*: emisión *f* escolar (*od.* para las escuelas); **~speisung** *f* servicio *m* de alimentación escolar; **~sport** *m* (*-es*; *0*) deporte *m* escolar; **~stube** *f* sala *f* de clase; **~stunde** *f* lección *f*; (hora *f* de) clase *f*; **~system** *n* (*-s*; *-e*) sistema *m* de enseñanza; sistema *m* escolar; **~tafel** *f* (*-*; *-n*) encerado *m*; *des Schülers*: pizarra *f*; **~tasche** *f* → *Schulmappe*.

ˈ**Schulter** *f* (*-*; *-n*) hombro *m*; (*Rücken*) espalda *f*; *~ an ~* uno al lado de otro; lado a lado; hombro a hombro; *über die ~n gehängt* en bandolera; *breite ~n haben* tener anchas las espaldas; ser ancho de espaldas; *die ~n zucken* encogerse de hombros; *auf den ~n tragen* llevar a cuestas; *auf die ~ nehmen* cargar (*od.* echarse al hombro); cargar con; *j-m auf die ~ klopfen* dar a alg. golpecitos en la espalda; *auf die ~ legen* (*od. zwingen*) *Sport*: poner sobre las espaldas; *fig. j-n über die ~ ansehen* mirar a alg. por encima del hombro; *j-m die kalte ~ zeigen* dar de lado a alg.; et. *auf die leichte ~ nehmen* tomar a la ligera a/c.; *die Verantwortung ruht auf s-n ~n* la responsabilidad pesa sobre él (*od.* sobre sus espaldas); **~band** *n* (*Orden*) banda *f*; **~blatt** *Anat.* *n* (*-es*; *⸚er*) omóplato *m*, escápula *f*; **~breite** *f* anchura *f* entre los hombros; ancho *m* de la espalda; **⁀frei** *adj.* (*0*) *Kleid*: que deja la espalda descubierta; **~gegend** *Anat.* *f* (*0*) región *f* escapular; **~höhe** *f* altura *f* de la espalda; **~klappe** ⚔ *f* hombrera *f*; **⁀lahm** *adj.* *Tier*: despaldillado; **⁀n** (*-re*) *v/t.* poner (*od.* echar) al hombro; **~riemen** *m* bandolera *f*; **~stand** *m* (*-es*; *⸚e*) (*Turnübung*) farol *m* sobre hombros; **~stück** *n* (*-es*; *⸚e*) *der Rüstung*: espaldar *m*; *der Uniform*: hombrera *f*; *an Kleidern*: espalda *f*; *Kochk.* espaldilla *f*; **~tuch** *n* (*-es*; *⸚er*) chal *m*; **~wehr** ⚔ *f* espaldón *m*; través *m*.

ˈ**Schulung** *f* (*Ausbildung*) formación *f*; (*Unterricht*) instrucción *f*; enseñanza *f*; (*Übung*) ejercitación *f*; adiestramiento *m*; práctica *f*; *Sport*: entrenamiento *m*; **~skurs(us)** *m* (*-es*; *-e*), **~lehrgang** *m* (*-es*; *⸚e*) curso *m* de formación; **~slager** *n* campo *m* de instrucción práctica.

ˈ**Schul...**: **~unterricht** *m* (*-es*; *0*) enseñanza *f* escolar; clases *f/pl.*; **~verfassung** *f* reglamentación *f* escolar; **~versäumnis** *n* (*-ses*; *-se*) falta *f* de asistencia; **~verwaltung** *f* administración *f* escolar; **~wanderung** *f* excursión *f* escolar; **~weg** *m* (*-es*; *-e*) camino *m* de la escuela; **~weisheit** *f* sabiduría *f* escolar; **~wesen** *n* (*-s*; *0*) instrucción *f* pública; **~wörterbuch** *n* (*-es*; *⸚er*) diccionario *m* para uso escolar.

ˈ**Schul...**: **~zeit** *f* horas *f/pl.* de clase; (*Periode*) escolaridad *f*; *weitS.* años *m/pl.* escolares; **~zeitung** *f* periódico *m* escolar; **~zeugnis** *n* (*-ses*; *-se*) certificado *m* de estudios primarios; **~zimmer** *n* (sala *f* de) clase *f*; **~zwang** *m* (*-es*; *0*) enseñanza *f* obligatoria; asistencia *f* escolar obligatoria; **~zweck** *m* (*-es*; *-e*): *für ~e* para fines escolares; para las escuelas.

Schummeˈlei F *f* engaño *m*; trampa *f*; estafa *f*, F timo *m*.

ˈ**schummeln** (*-le*) F *v/i.* engañar, embaucar; estafar, F timar.

ˈ**schumm(e)rig** *adj.* crepuscular.

ˈ**Schund** *m* (*-es*; *0*) baratija *f*; **~literatur** *f* literatura *f* de ínfima calidad; literatura *f* pornográfica; **~roman** *m* (*-s*; *-e*) novelón *m*; (*anstößiger*) novela *f* pornográfica; **~ware** *f* género *m* de pacotilla.

ˈ**schunkeln** (*-le*) *v/i.* balancearse; *zur Musik*: balancearse sentados y cogidos del brazo.

ˈ**Schupo** (*-s*; *-s*) **I.** *m* (*Abk. für Schutzpolizist*) guardia *m* municipal *bzw.* de seguridad; agente *m* de policía; F urbano *m*, guardia *m*; **II.** *f* (*Abk. für Schutzpolizei*) policía *f* urbana *bzw.* de seguridad.

ˈ**Schuppe** *f* (*Fisch⁀*, *Schlangen⁀*) escama *f*; (*Kopf⁀*) caspa *f*; *der Haut*: escama *f*; *fig. ihm fiel es wie ~n von den Augen* se le cayó la venda de los ojos.

ˈ**schuppen 1.** *v/t.* *Fisch*: escamar; **2.** *v/refl.*: *sich ~ Haut*: producirse descamación *f* en la piel.

ˈ**Schuppen** *m* cobertizo *m*; *bsd. im Hafen*: tinglado *m*, depósito *m*; *für Flugzeuge*: hangar *m*; (*Wagen⁀*) cochera *f*; (*Garten⁀*) cobertizo *m*.

ˈ**Schuppen...**: **~eidechse** *Zoo.* *f* estinco *m*; **~fisch** *m* (*-es*; *-e*) pez *m* escamoso; **~flechte** ⚕ *f* psoriasis *f*; **⁀förmig** *adj.* en forma de escama; **~kamm** *m* (*-es*; *⸚e*) lendrera *f*; **~panzer** *m* loriga *f*; **~tier** *Zoo.* *n* (*-es*; *-e*) animal *m* escamoso.

ˈ**schuppig** *adj.* escamoso.

Schur *f* esquileo *m*; ⊕ tundidura *f*.

ˈ**Schür|eisen** *n* hurgón *m*; (*Haken*) atizador *m*; **⁀en** *v/t.* hurgonear; atizar (*a. fig.*).

ˈ**schürf|en 1.** *v/t.* (*schaben*) raspar; (*aufkratzen*) arañar; ⚕ *Haut*: excoriar; **2.** *v/i.* ⚒ excavar, hacer excavaciones; sond(e)ar; hacer prospecciones; **⁀en** ⚒ *n* excavación *f*; sondeo *m*; prospección *f*; **⁀ung** *f* ⚕ excoriación *f*; ⚒ excavación *f*; sondeo *m*; prospección *f*; exploración *f*.

ˈ**Schürhaken** *m* hurgón *m*; atizador *m*; gancho *m* de chimenea.

ˈ**schurigeln** (*-le*) F *v/t.* vejar.

ˈ**Schurk|e** *m* (*-n*) canalla *m*; bribón *m*; rufián *m*; **~enstreich** *m* (*-es*; *-e*), **~eˈrei** *f* canallada *f*; bribonada *f*; **⁀isch** *adj.* canallesco; vil, indigno.

ˈ**Schür|loch** *n* (*-es*; *⸚er*) boca *f* del hogar; **~stange** *f* espetón *m*; atizador *m*.

ˈ**Schurwolle** *f* lana *f* esquilada; lana *f* de vellón.

Schurz *m* (*-es*; *-e*) delantal *m*; *der Handwerker*: *a.* mandil *m*; (*Lenden⁀*) taparrabo *m*; *des Gekreuzigten*: enagüillas *f/pl.*

ˈ**Schürze** *f* delantal *m*; *e-e ~ vorbinden* ponerse un delantal; *hinter jeder ~ her sein* ser mujeriego (*od.* aficionado a las faldas); irse tras las faldas.

ˈ**Schurzeit** *f* esquileo *m*.

ˈ**schürzen** (*-t*) *v/t.* arremangar las faldas; (*schlingen*) anudar; *e-n Knoten ~* hacer un nudo; *fig. den Knoten ~* (*im Drama usw.*) disponer la intriga; **⁀band** *n* (*-es*; *⸚er*) cinta *f* de delantal; **⁀jäger** *m* aficionado *m* a las faldas; mariposón *m*; tenorio *m*; mocero *m*.

ˈ**Schurzfell** *n* (*-es*; *-e*) mandil *m* (*od.* delantal *m*) de cuero.

ˈ**Schuß** *m* (*-sses*; *⸚sse*) tiro *m*, disparo *m*; (*Knall*) detonación *f*; (*Flinten⁀*) escopetazo *m*; (*Kanonen⁀*) cañonazo *m*; (*Pfeil⁀*) flechazo *m*; (*Ladung*) ⚒ carga *f* (explosiva); *Fußball*: tiro *m* (*aufs Tor* a puerta), *angl.* chut *m*; (*Schwung*) ímpetu *m*; (*rasende Bewegung*) movimiento *m* impetuoso *od.* brusco; (*Wachsen*) crecimiento *m* rápido, estirón *m*; (*Trieb*) brote *m*, vástago *m*; *Weberei*: trama *f*;

e-n ~ *Cognac* unas gotas de coñac; e-n ~ *abgeben* disparar un tiro, hacer un disparo, *Fußball*: tirar, *angl.* chutar; *weit vom* ~ (*außer Gefahr*) *sein* estar fuera de peligro; *gut in* ~ *sein* estar en perfectas condiciones; estar arreglado (*od.* a punto); *in* ~ *bringen* arreglar, componer; *in* ~ *kommen* tomar ímpetu; lanzarse, arrancar de pronto; *er ist keinen* ~ *Pulver wert* (*taugt nichts*) no sirve para nada; F no vale un pitoche; **~bahn** *f* (*Schußlinie*) línea *f* de mira; (*Flugbahn*) trayectoria *f*; **~bereich** *m* (-*es*; -*e*) alcance *m*; (*Feuerzone*) zona *f* de fuego; **2bereit** *adj.* preparado para tirar, dispuesto para hacer fuego.

'Schussel F *m* tarambana *m*, tolondro *m*, atolondrado *m*; sandio *m*.

'Schüssel *f* (-; -*n*) fuente *f*; *flache, runde*: plato *m* hondo; (*Napf*) escudilla *f*; (*Gericht*) plato *m*; (*Soßen2*) salsera *f*; (*Suppen2*) sopera *f*; (*Wasch2*) jofaina *f*, palangana *f*.

'schuss(e)lig *adj.* atolondrado; irreflexivo, alocado; F locatis.

'Schuß...: ~faden *m* (-*s*; ⸗) *Weberei*: hilo *m* de trama; **~fahrt** *f Schi*: bajada *f* a plomo; **~feld** *n* (-*es*; -*er*) campo *m* de tiro; *freies* ~ *haben* tener el tiro libre; **~garbe** *f* ráfaga *f* (de tiros); **2gerecht** *adj.* al alcance de la bala; **~kanal** ⚕ *m* (-*s*; ⸗*e*) trayecto *m* del proyectil; **~linie** *f* línea *f* de mira; (*Flugbahn*) trayectoria *f*; **2sicher** *adj.* a prueba de bala; **~stellung** *Sport f* posición *f* de tiro; **~verletzung** *f* herida *f* (causada) por arma de fuego, balazo *m*; **~waffe** *f* arma *f* de fuego; **~weite** *f* alcance *m* de tiro; *außer* ~ fuera de alcance (*od.* de tiro); **~werte** *m/pl.* datos *m/pl.* de tiro; **~winkel** *m* ángulo *m* de tiro; **~wirkung** *f* efecto *m* (útil) del disparo.

'Schuster [u:] *m* zapatero *m*; (*Schuhflicker*) zapatero *m* remendón (*od.* de viejo); *fig. auf ~s Rappen* a pie, F a patita; ~ *bleib bei deinen Leisten!* ¡zapatero, a tus zapatos!; **~ahle** *f* lezna *f*; **~brust** ⚕ *f* (-; ⸗*e*) tórax *m* fusiforme (*od.* de zapatero); **~draht** *m* (-*es*; ⸗*e*) hilo *m* empegado.

'Schuster...: ~junge *m* (-*n*) aprendiz *m* de zapatero; **~kneif** *m* (-*s*; -*e*) cuchilla *f* de zapatero; **2n** *v/t. u. v/i.* (*Schuhe machen*) hacer zapatos; (*Schuhe flicken*) remendar zapatos; arreglar zapatos; *fig.* (*pfuschen*) chapucear, frangollar; **~pech** *n* (-*es*; *0*) cerote *m*, pez *f* de zapatero; **~werkstatt** *f* (-; ⸗*en*) zapatería *f*.

'Schute ⚓ *f* gabarra *f*; chalana *f*.

Schutt *m* (-*es*; *0*) escombros *m/pl.*; (*Trümmer*) *a.* ruinas *f/pl.*; (*Bau2*) cascotes *m/pl.*, escombros *m/pl.*; (*Abfall*) basura *f*; *in* ~ *und Asche legen* reducir a cenizas; **'~abladeplatz** *m* (-*es*; ⸗*e*) escombrera *f*; depósito *m* de basuras, basurero *m*.

'Schütt|beton *m* (-*s*; -*s*) hormigón *m* colado; **~boden** 🌾 *m* (-*s*; ⸗) granero *m*; **~damm** *m* (-*es*; ⸗*e*) terraplén *m*; **~e** 🌾 *f* montón *m*; pila *f*; ~ *Stroh* (*Viehfutter*) paja larga; (*Viehlager*) cama *f*.

'Schüttelfrost ⚕ *m* (-*es*; ⸗*e*) escalofríos *m/pl.*

'schütteln (-*le*) *v/t.* sacudir; *Gefäß*: agitar; *Kopf*: mover, menear (de un lado a otro); (*um~*) remover; *j-m die Hand* ~ estrechar a alg. la mano; *vor Gebrauch* ~*!* agítese antes de usarlo; *fig.* et. *aus dem Ärmel* ~ improvisar a/c.; hacer *bzw.* resolver como por encanto a/c.; F sacarse de la manga a/c.; *sich vor Lachen* ~ desternillarse de risa.

'Schüttelreim *m* (-*es*; -*e*) rima *f* doble con metátesis.

'schütten (-*e*-) *v/t.* (*hinwerfen*) echar; (*umgießen*) verter; (*ver~*) derramar; *auf e-n Haufen* ~ amontonar; *aus e-m Gefäß in ein anderes* ~ tra(n)svasar; trasegar; *es schüttet* está lloviendo a cántaros.

'schütter *adj.* ralo.

'Schüttgut *n* (-*es*; ⸗*er*) (*Massengüter*) mercancías *f/pl.* a granel; ⚓, 🚂 carga *f* a granel.

'Schutt...: ~halde *f* cantizal *m*; ⚒ escorial *m*; *allg.* escombrera *f*; **~haufen** *m* montón *m* de escombros; *in e-n* ~ *verwandeln* reducir a escombros *bzw.* a cenizas; **~kegel** *Geol. m* cono *m* de erupción (de un volcán).

Schutz *m* (-*es*; *0*) protección *f* (*vor dat.*; *gegen* contra); (*Verteidigung*) defensa *f*; (*Bewahren*) preservación *f*; (*Beschützen*) amparo *m*; (*Unterstützung*) apoyo *m*; (*Obhut*) custodia *f*; (*Geleit*) salvaguardia *f*; (*Zuflucht*) refugio *m*; asilo *m*; (*vor Unwetter*) abrigo *m*; *sich in j-s* ~ *begeben* ponerse bajo la protección de alg.; *in seinen* ~ *nehmen* tomar bajo su protección; proteger; *in* ~ *nehmen* defender; salir en defensa de; ~ *suchen* buscar refugio; *im* ~ *der Nacht* al amparo de la noche (*od.* de la o[b]scuridad).

Schütz *n* (-*es*; -*e*) ⚡ (*Schalt2*) contactor *m* electromagnético; (*e-r Schleuse*) compuerta *f*.

'Schutz...: ~anstrich *m* (-*es*; -*e*) capa *f* (de pintura) protectora; ⚔ *zur Tarnung*: pintura *f* encubridora (*od. gal.* de camuflaje); **~ärmel** *m* mangote *m*, manguito *m*; **~befohlene(r** *m*) *m/f* protegido (-a *f*) *m*; (*Mündel*) pupilo (-a *f*) *m*; **~belag** *m* (-*es*; ⸗*e*) capa *f* protectora; **~blech** *n* (-*es*; -*e*) *vor dem Herd*: pantalla *f*; *Auto.* guardabarros *m*; **~brief** *m* (-*es*; -*e*) (*Geleitbrief*) salvoconducto *m*; **~brille** *f* gafas *f/pl.* protectoras; **~bündnis** *Pol. n* (-*ses*; -*se*) alianza *f* defensiva; **~dach** *n* (-*es*; ⸗*er*) (*Obdach*) abrigo *m*; (*Schuppen*) cobertizo *m*; (*überhängendes, am Haus*) alero *m*; **~damm** *m* (-*es*; ⸗*e*) dique *m* de protección *od.* protector.

'Schütze *m* (-*n*) (*Scharf2*) tirador *m*; (*Jäger*, ⚔) cazador *m*; ⚔ soldado *m*; *Fußball*: (*Tor2*) goleador *m*; (*Unterwasserjagd*) arponero *m*; *Astr.* Sagitario *m*.

'schützen (-*t*) *v/t.* proteger (*vor dat.*; *gegen* contra, de); (*verteidigen*) defender (de *od.* contra); *gegen Wetter*: guarecer; abrigar; poner al abrigo de; resguardar de; (*bewahren*) guardar; *durch Vorsicht*: precaver; preservar de; prevenir contra; *sich* ~ protegerse; defenderse; guarecerse; resguardarse; precaverse; preservarse; prevenirse; *vor Nässe zu* ~ presérvese de la humedad; *~des Dach* techo protector; *geschützt vor* al abrigo de; a cubierto de; *gesetzlich geschützt* protegido por la ley; *patentrechtlich geschützt* patentado; *Gott schütze dich!* ¡Dios te guarde!

'Schützen *m Weberei*: lanzadera *f*.

'schützend *adj.* protector.

'Schützenfest *n* (-*es*; -*e*) campeonato *m* de tiro (con fiesta popular); fiesta *f* de tiradores.

'Schutz-engel *m* ángel *m* custodio (*od.* de la guarda).

'Schützen...: ~gesellschaft *f* sociedad *f* de tiro; **~gilde** *f* cuerpo *m* de tiradores; **~graben** ⚔ *m* (-*s*; ⸗) trinchera *f*; **~grabenkrieg** *m* (-*es*; -*e*) guerra *f* de trincheras; **~kette** ⚔ *f* línea *f* de tiradores; *ausgeschwärmt*: formación *f* desplegada; **~könig** *m* (-*es*; -*e*) rey *m* de los tiradores; campeón *m* de tiro; **~stand** *m* (-*es*; ⸗*e*) puesto *m* de tiro; **~steuerung** ⚡ *f* maniobra *f* de contactores.

'Schützer *m* protector *m*.

'Schutz...: ~erdung ⚡ *f* protección *f* por derivación a tierra; **~farbe** *f* pintura *f* protectora; → *Schutzanstrich*; **~färbung** *Zoo. f* mimetismo *m*; **~frist** *f für literarische Werke*: plazo *m* de protección; **~gebiet** *n* (-*es*; -*e*) *Pol.* protectorado *m*; (*Mandat*) mandato *m*; → *Naturschutzgebiet*; **~geist** *m* (-*es*; -*er*) genio *m* tutelar; **~geländer** *n* barandilla *f*; **~geleit** *n* (-*es*; -*e*) escolta *f*; **~gitter** *n* reja *f* (protectora); *Radio*: rejilla *f* protectora; **~glocke** *f* fanal *m*; campana *f* (de vidrio); *bei elektrischen Lampen*: tulipa *f*; **~gott** *m* (-*es*; ⸗*er*) dios *m* tutelar; **~göttin** *f* diosa *f* tutelar; **~hafen** *m* (-*s*; ⸗) puerto *m* de refugio; **~haft** *f* prisión *f* preventiva; **~handschuh** *m* (-*es*; -*e*) guante *m* protector; **~haube** ⊕ *f* cubierta *f* protectora; **~heilige(r** *m*) *m/f* patrono *m*, patrón *m*, patrona *f*; **~herr** *m* (-*en*) protector *m*; patrocinador *m*; **~herrschaft** *f* protectorado *m*; **~hülle** *f* envoltura *f* protectora; funda *f*; *Buch*: cubierta *f*; **~hütte** *f* refugio *m*; **~impfung** *f* vacunación *f* preventiva; **~insel** *f* (-; -*n*) *auf der Straße*: refugio *m*; **~kappe** *f* capuchón *m* protector; **~leder** *n am Wagen*: guardabarros *m*; *Fechtk.* peto *m*; **~leiste** *f* listón *m* protector.

'Schützling *m* (-*es*; -*e*) protegido *m*.

'Schutz...: 2los (-*est*) *adj.* sin defensa; (*wehrlos*) indefenso; (*hilflos*) sin amparo, desamparado; **~macht** *Pol. f* (-; ⸗*e*) potencia *f* protectora; **~mann** *m* (-*es*; ⸗*er*, -*leute*) guardia *m* de seguridad; agente *m* de policía; (*städtischer*) guardia *m* municipal, F guindilla *m*; **~marke** *f* marca *f* de fábrica; *eingetragene* ~ marca *f* registrada; **~maske** *f* careta *f* protectora; **~maßnahme** *f* medida *f* preventiva; **~mauer** *f* (-; -*n*) muro *m* de defensa; *bei Wasserbauten*: muro *m* de contención; (*Wall*) muralla *f*; **~mittel** *n* preservativo *m*; *vorbeugendes*: medio *m* preventivo; ⚕ profiláctico *m*; **~patron(in** *f*) *m* patrón *m*, patrono *m*, patrona *f*; **~polizei** *f* (*0*) policía *f* de seguridad; **~polizist** *m* (-*en*) → *Schutz-*

mann; **~raum** *m* (-*ẹs*; *⸚e*) refugio *m*; (*Luft*2) refugio *m* antiaéreo; **~schalter** ⚡ *m* interruptor *m* de protección; **~scheibe** *f* vidrio *m* protector; *Auto.* parabrisas *m*; **~schicht** *f* capa *f* protectora; **~schild** *m* (-*ẹs*; -*e*) broquel *m*; **~schirm** *m* (-*ẹs*; -*e*) pantalla *f* protectora; **~truppe** *f* tropa *f* colonial; **~überzug** *m* (-*ẹs*; *⸚e*) funda *f*; **~umschlag** *m* (-*ẹs*; *⸚e*) *Buch*: cubierta *f*; **~-und Trutzbündnis** *n* (-*ses*; -*se*) alianza *f* ofensiva y defensiva; **~verband** *m* (-*ẹs*; *⸚e*) asociación *f* protectora; ⚕ vendaje *m* protector; **~vorrichtung** *f* dispositivo *m* de protección; **~wache** *f* guardia *f*; escolta *f*; **~waffe** *f* arma *f* defensiva; *fig.* medio *m* de defensa; **~wand** *f* (-; *⸚e*) (*Schutzschirm*) pantalla *f* protectora; (*spanische Wand*) biombo *m*; **~wehr** *f* ⚔ defensa *f*, obra *f* de fortificación; (*Bollwerk*) baluarte *m*; (*Wall*) muralla *f*; (*Damm*) dique *m*; presa *f*; *fig.* medio *m* de defensa; **~zoll** *m* (-*ẹs*; *⸚e*) arancel *m* proteccionista; **~zollpolitik** *f* (*0*) política *f* proteccionista; proteccionismo *m*; *Anhänger der* ~ proteccionista *m*; **~zollsystem** *n* (-*s*; -*e*) proteccionismo *m*; sistema *m* proteccionista.

Schwabbe'lei F *f* parloteo *m*, chachareo *m*, charloteo *m*, cháchara *f*.

'schwabbel|n (-*le*) **1.** *v/i.* (*schwatzen*) parlotear, chacharear, charlotear; (*überlaufen*) derramarse; (*hin und her wackeln*) bambolearse; **2.** *v/t.* ⊕ (*auf Hochglanz polieren*) pulir con disco de paño; **2scheibe** ⊕ *f* disco *m* de paño para pulir.

'Schwabe[1] *f* (*Küchenschabe*) cucaracha *f*.

'Schwabe[2] *m* (-*n*) suabio *m*.

'Schwaben *Geogr.* *n* Suabia *f*; **~spiegel** *Hist.* *m* Código *m* de Suabia; **~streich** *m* (-*ẹs*; -*e*) hazaña *f* cómica, proeza *f* grotesca; payasada *f*; bobada *f*; portuguesada *f*.

'Schwäb|in *f* suabia *f*; **2isch** *adj.* suabio, de Suabia.

schwach (*⸚er*; *⸚st*) *adj.* débil (*a. Charakter, Konstitution, Puls, Stimme, Hoffnung*); (*kraftlos*) endeble; (*zart*) tenue; delicado; (*zurückgeblieben*) deficiente; ⚕ (*asthenisch*) asténico; (*gebrechlich*) achacoso; (*zerbrechlich*) frágil; (*geschwächt*) debilitado; (*kränklich*) enfermizo; (*hinfällig*) caduco; (*ohnmächtig*) desmayado; (*machtlos*) impotente; (*mager*) flaco; (*gering*) escaso; (*dünn*) delgado; fino; (*schlecht*) malo; (*schlaff, flau*) flojo (*a. fig.* ☿ *Markt*); *~er Magen* estómago delicado; *~e Seite* (*od. Stelle*) flaco, lado débil, punto flaco; *j-n bei s-r ~en Seite nehmen* atacar a alg. por su lado débil; *das ist s-e ~e Seite* ése es su flaco (*od.* su punto vulnerable); *~e Stunde* momento de flaqueza; *das ~e Geschlecht* el sexo débil; *~e Augen haben* tener la vista cansada; *~es Gehör* oído duro; *~es Gedächtnis* memoria flaca; *ein ~es Gedächtnis haben* ser flaco de memoria; *~ machen* debilitar; *~ werden* debilitarse; *schwächer werden* ir debilitándose; ir perdiendo fuerzas *od.* energía; flaquear; flojear; *Licht*: atenuarse; *Stimme*: apagarse; *es wurde mir ~* sentí un desfallecimiento; *sich ~ zeigen* mostrarse débil; *fig. auf ~en Füßen stehen* no tener base sólida; (*Behauptung*) carecer de fundamento; (*Beweis*) no convencer; *die wirtschaftlich 2en* los económicamente débiles.

'Schwäche *f* debilidad *f*; (*Kraftlosigkeit*) falta *f* de vigor (*od.* de energía); endeblez *f*; (*Mangel*) deficiencia *f*; insuficiencia *f*; ⚕ (*Asthenie*) astenia *f*; (*Zartheit*) tenuidad *f*; delicadeza *f*; (*Zerbrechlichkeit*) fragilidad *f*; (*Hinfälligkeit*) caducidad *f*; (*Ohnmacht*) desfallecimiento *m*, desmayo *m*; (*Machtlosigkeit*) impotencia *f* (*a.* ⚕ *männliche ~*); (*Schlaffheit*) flojedad *f* (*a. fig.* ☿ *Kurs, Markt*); *fig.* flaqueza *f*; fragilidad *f*; (*schwache Seite*) flaco *m*, punto *m* flaco; *menschliche ~* flaqueza humana, fragilidad (de la naturaleza) humana; *für et. e-e ~ haben* sentir inclinación hacia a/c.; F tener debilidad por a/c.; **~anfall** *m* (-*ẹs*; *⸚e*) desvanecimiento *m*, desmayo *m*; **~gefühl** *n* (-*ẹs*; -*e*) sensación *f* de debilidad.

'schwächen *v/t.* debilitar; (*entkräften*) *a.* extenuar; *Ausdruck*: atenuar, suavizar; (*vermindern*) disminuir; reducir; *Phot., Mal.* rebajar.

'Schwächezustand *m* (-*ẹs*; *⸚e*) estado *m* de debilidad; ⚕ (*Asthenie*) astenia *f*.

'Schwachheit *f* debilidad *f*; *moralische*: *a.* flaqueza *f*; F *fig. bilde dir nur keine ~en ein!* no te hagas ilusiones.

'schwach...: ~herzig *adj.* pusilánime; débil de carácter; de carácter débil; **2kopf** *m* (-*ẹs*; *⸚e*) mentecato *m*; imbécil *m*; idiota *m*; **~köpfig** *adj.* pobre de espíritu; imbécil; corto mental; *Greis*: chocho.

'schwächlich *adj.* débil; (*kraftlos*) sin energía; endeble; (*zart*) tenue; delicado; (*kränklich*) enfermizo; enclenque, canijo; (*zerbrechlich*) frágil, quebradizo; (*gebrechlich*) achacoso; (*zurückgeblieben*) deficiente; **2keit** *f* (*0*) endeblez *f*; ⚕ debilidad *f* (constitucional).

'Schwächling *m* (-*s*; -*e*) hombre *m* débil (*od.* sin energía); hombre *m* débil de carácter; F enclenque *m*.

Schwach'matikus F *m* (-*ses*; *Schwachmatiker*) enclenque *m*; mandria *m*.

'schwach...: ~sichtig *adj.* de vista cansada; **2sichtigkeit** *f* (*0*) debilidad *f* de la vista; **2sinn** *m* (-*ẹs*; *0*) deficiencia *f* mental; imbecilidad *f*; **~sinnig** *adj.* deficiente mental; imbécil; ⚕ enfermo *m* mental; **2sinnige(r** *m*) *m/f* imbécil *m/f*; **2strom** ⚡ *m* (-*ẹs*; *⸚e*) corriente *f* de baja tensión; **2stromkabel** ⚡ *n* cable *m* de baja tensión.

'Schwächung *f* debilitación *f*.

'Schwaden[1] ⚘ *m* gavilla *f*; *in ~ legen* agavillar.

'Schwaden[2] *m* (*Dampf*2, *qualmiger Dunst*) vapores *m/pl.* densos; (*Nebel*2) velos *m/pl.* de niebla; ⚒ mofeta *f*.

Schwa'dron *ehm.* ⚔ *f* escuadrón *m*.

Schwadro'neur *m* (-*s*; -*e*) (*Schwätzer*) charlatán *m*; (*Prahler*) fanfarrón *m*; F perdonavidas *m*.

schwadro'nieren (-) *v/i.* F hablar por los codos; (*prahlen*) fanfarronear; presumir; F dárselas de machote.

Schwafe|'lei F *f* charla *f* disparatada; **'2ln** (-*le*) *v/i.* disparatar, desbarrar, hablar sin juicio.

'Schwager *m* (-*s*; *⸚*) cuñado *m*, hermano *m* político.

'Schwäger|in *f* cuñada *f*, hermana *f* política; **~schaft** *f* cuñadía *f*, afinidad *f*.

'Schwalbe *Orn.* *f* golondrina *f*; *fig. e-e ~ macht noch keinen Sommer* una golondrina no hace verano; **~nnest** *n* (-*es*; -*er*) nido *m* de golondrina; ⚔ charretera *f* de músico militar; **~nschwanz** *m* (-*es*; *⸚e*) (*Schmetterling*) macaón *m*; *Zimmerei*: cola *f* de milano; F (*Frack*) frac *m*; **2nschwanzförmig** *adj.* en (forma de) cola de milano.

Schwall *m* (-*ẹs*; -*e*) (*Wasser*2) aluvión *m*; crecida *f*, avenida *f*, riada *f*; cascada *f*; *fig. von Menschen*: aluvión *m*, enorme afluencia *f*; *von Worten*: torrente *m*, flujo *m*, diluvio *m*, chaparrón *m*.

schwamm *pret. v. schwimmen.*

Schwamm *m* (-*ẹs*; *⸚e*) esponja *f*; ⚘ (*Pilz*) hongo *m*; seta *f*; *im Holz*: hupe *f*; (*Feuer*2) yesca *f*; *mit dem ~ abwischen* pasar la esponja por; limpiar con esponja; *fig. ~ d(a)rüber!* ¡lo pasado, pasado!; ¡borrón y cuenta nueva!

'Schwamm...: ~fischer *m* pescador *m* de esponjas; **~fische'rei** *f* pesca *f* de esponjas; **~gummi** *m* (-*s*; *0*) esponja *f* de goma; **2ig** *adj.* esponjoso; (*porös*) poroso; ⚕ fungoso; (*quabbelig*) fofo.

Schwan *Orn.* *m* (-*ẹs*; *⸚e*) cisne *m*.

schwand *pret. v. schwinden.*

'schwanen *v/i.* presentir; barruntar; *mir schwant et.* tengo un vago presentimiento de a/c.; me da el corazón a/c.; *mir schwant nichts Gutes* tengo un mal presentimiento; no auguro nada bueno.

'Schwanen...: ~gesang *m* (-*ẹs*; *⸚e*) *fig.* canto *m* del cisne; **~hals** *m* (-*es*; *⸚e*) cuello *m* de cisne (*a. fig.*); **~teich** *m* (-*ẹs*; -*e*) estanque *m* con cisnes.

schwang *pret. v. schwingen.*

Schwang *m* (-*ẹs*; *0*): *im ~(e) sein* estar en boga; ser moda, estar de moda; *in ~ kommen* ponerse de moda; (*allgemein gebräuchlich werden*) generalizarse, hacerse común.

'schwanger *adj.* (*Frau*) preñada (*a. fig.*); embarazada, encinta, en estado (interesante); *~ werden* concebir, quedar embarazada *od.* encinta; **2e** *f* (mujer *f*) embarazada *f*; **2enfürsorge** *f* (*0*) asistencia *f* social a las embarazadas.

'schwängern (-*re*) *v/t.* embarazar, dejar embarazada *od.* encinta; *fig.* (*befruchten*) fecundar; *Phys.* impregnar (*mit* de); ⚗ saturar (*mit* de).

'Schwangerschaft *f* embarazo *m*, preñez *f*, *bsd.* ⚕ gestación *f*; **~s-unterbrechung** *f* interrupción *f* del embarazo; **2sverhütend** *adj.* anticoncepcional, anticonceptivo; **~s-verhütung** *f* evitación *f* del embarazo.

'**Schwängerung** *f* (*Befruchtung*) fecundación *f*; (*Empfängnis*) concepción *f*; *Phys.* impregnación *f*; ⚗ saturación *f*.

schwank *adj.* (*biegsam*) flexible; *Gerte*: *a.* cimbreño; (*elastisch*) elástico; (*schlank, dünn*) delgado; cenceño; *Seil*: flojo; suelto; *fig.* (*unentschlossen*) irresoluto.

Schwank *m* (-*es*; ⸚*e*) bufonada *f*; *Thea.* farsa *f*; juguete *m* cómico, *volkstümlicher*: sainete *m*; *als Erzählung*: historia *f* divertida.

'**schwank|en** *v/i.* vacilar; *hin und her*: balancear; mimbrear; bambolear(se); ⚓ *Schiff*: balancearse; cabecear; (*taumeln*) tambalear(se), *Betrunkener*: *a.* F hacer eses *f/pl.*; (*zittern*) temblar; (*wechseln*) cambiar; variar; *Phys.* oscilar; *fig.* (*zögern*) vacilar, titubear; (*unentschlossen sein*) estar indeciso; ✝ *Preise, Kurse*: fluctuar; 2**en** *n* vacilación *f*; balanceo *m*, ⚓ *a.* cabeceo *m*; bamboleo *m*; (*Taumel*) tambaleo *m*; (*Wechsel*) variación *f*; variabilidad *f*; *Phys.* oscilación *f*; (*Hinundherbewegung*) vaivén *m*; *fig.* (*Zögern*) vacilación *f*, titubeo *m*; (*Unentschlossenheit*) indecisión *f*, irresolución *f*; ✝ *der Preise, der Kurse*: fluctuación *f*; ~**end** *adj.* vacilante; tambaleante; *Phys.* oscilante; *fig.* (*zögernd*) vacilante, titubeante; (*unentschlossen*) indeciso, irresoluto; (*ungewiß*) incierto; (*unbeständig*) inconstante; inestable; (*unbestimmt*) vago; (*wechselnd*) variable; ✝ *Preis, Kurs*: fluctuante; *Gesundheit*: precario; 2**ung** *f* → *Schwanken*; (*Unbeständigkeit*) inconstancia *f*; inestabilidad *f*; (*Abweichung*) desviación *f*; *der Erdachse*: nutación *f*; *des Mondes*: libración *f*.

'**Schwanz** *m* (-*es*; ⸚*e*) cola *f* (*a.* ✈, *Astr.*), rabo *m*; (*Schnörkel*) ringorrango *m*; *mit dem ~ wedeln* mover la cola; colear; *fig. das Pferd beim ~ aufzäumen* tomar el rábano por las hojas; F *den ~ einziehen* bajar las orejas; F *den ~ zwischen die Beine nehmen* irse con el rabo entre piernas; F *j-m auf den ~ treten* dar un pisotón a alg.; pisarle un callo a alg.; F *kein ~* (*niemand*) no había alma viviente; ~**bein** *Anat.* *n* (-*es*; -*e*) cóccix *m*.

'**schwänze|ln** (-*le*) *v/i.* colear, mover la cola, menear el rabo; *fig.* adular; ~**n** (-*t*) *v/t.* *u.* *v/i.*: *die Schule ~*; *die Schulstunde ~* no asistir a clase; *Sch.* hacer novillos; *e-e Vorlesung ~* *Sch.* fumarse una clase; *geschwänzt* de cola.

'**Schwanz...**: ~**ende** *n* (-*s*; -*n*) punta *f* de rabo (*od.* de la cola); ~**feder** *f* (-; -*n*) pluma *f* de la cola; ~**fläche** ✈ *f* plano *m* estabilizador de cola; ~**flosse** *Ict.* *f* aleta *f* caudal; ~**haar** *n* (-*es*; -*e*) cerda *f*; 2**lastig** ✈ *adj.* pesado de cola; ~**riemen** *m* baticola *f*; ~**steuer** ✈ *n* (-*s*; -) timón *m* de cola; ~**stück** *n* (-*es*; -*e*) *des Rindes*: cuarto *m* trasero; ~**wurzel** *Zoo.* *f* (-; -*n*) rabadilla *f*.

schwapp *int.*: *~!* ¡zas!; '~(**e**)**lig** *adj.* (*quabbelig*) fofo; '~**eln** (-*le*), '~**en** *v/i.* (*überfließen*) derramarse.

'**Schwär|e** ⚕ *f* úlcera *f*; ulceración *f*; absceso *m* (supurante); 2**en** ⚕ *v/i.* ulcerarse; supurar; *~ machen* ulcerar; ~**en** *n* ulceración *f*; 2**end** *adj.* ulceroso; ulcerado.

Schwarm *m* (-*es*; ⸚*e*) *Bienen*: enjambre *m*; *Insekten*: nube *f*; *Vögel*: bandada *f*; *Fische*: banco *m*; (*Rudel*) manada *f*; (*Herde*) rebaño *m*; (*Trupp*) turba *f*, tropel *m*; *Personen*: gentío *m*; multitud *f*, muchedumbre *f*; *v. Frauen*: mujerío *m*; *v. Kindern*: chiquillería *f*; *fig.* pasión *f*; ideal *m*; sueño *m*; *Person*: ídolo *m*.

'**schwärm|en** *v/i.* *Bienen*: enjambrar; *Menschen*: vagar (*in dat.* por); *Vögel*: revolotear; ⚔ desplegarse (en guerrillas); extenderse; (*schwelgen*) F andar de juerga; *die Studenten haben die Nacht durchgeschwärmt* los estudiantes han estado de jolgorio (*od.* de juerga) toda la noche; *fig.* *~ von* fantasear (*ac.*); *für j-n* (*et.*) *~* (*begeistert sein*) entusiasmarse por alg. (a/c.); ser entusiasta de *od.* sentir entusiasmo por alg. (a/c.); F pirrarse por a/c. (alg.); ser un gran admirador de alg. (a/c.); F despepitarse por a/c.; (*verliebt sein*) estar (perdidamente) enamorado de alg.; *fig.* adorar a alg.; morirse por alg.; estar loco (F chalado) por alg.; 2**en** *n der Bienen*: salida *f* del enjambre; *der Vögel*: revoloteo *m*; ⚔ despliegue *m* (en guerrillas); *fig.* (*Begeisterung*) entusiasmo *m*; (*Leidenschaft*) pasión *f*; (*Exaltation*) exaltación *f*; (*Träumen*) fantasía *f*, fantasías *f/pl.*; ilusión *f*; (*Schwelgen*) F jolgorio *m*; 2**er** *m* (*Enthusiast*) entusiasta *m*; (*Träumer*) iluso *m*; visionario *m*; (*Fanatiker*) fanático *m*; *bsd. Pol.* exaltado *m*; *Zoo.* (*Abendfalter*) esfinge *f*; *Feuerwerk*: buscapiés *m*; 2**e'rei** *f* entusiasmo *m* (*für* por); pasión *f* (*für* por); *in Worten*: lirismo *m*; sentimentalismo *m*; (*Exaltiertheit*) exaltación *f*; (*Ekstase*) éxtasis *m*; (*Träumerei*) ilusión *f*; (*Fanatismus*) fanatismo *m*; 2**erin** *f* entusiasta *f*; ilusa *f*; visionaria *f*; fanática *f*; ~**erisch** *adj.* exaltado; romántico; (*enthusiastisch*) *auf Sachen bezogen*: entusiástico; *auf Personen bezogen*: entusiasta; (*leidenschaftlich*) apasionado; (*träumerisch*) lleno de ilusiones; (*verzückt*) extático; (*fanatisch*) fanático; (*überspannt*) extravagante.

'**Schwart|e** *f* (*Speck*2) corteza *f* de tocino, *gebratene*: chicharrón *m*; ⊕ (*Schalbrett*) costero *m*; (*altes Buch*) librote *m* viejo; mamotreto *m*; ~**enmagen** *m* (-*s*; *0*) embuchado *m* de carne de (cabeza de) cerdo y corteza de tocino; 2**ig** *adj.* (*Speck*) cortezudo.

schwarz (⸚*er*; ⸚*est*) **I.** *adj.* negro; (*dunkelbraun*: *Haut, Brot*) moreno; (*geschwärzt*) ennegrecido; (*sonnverbrannt*) tostado; *fig.* (*finster*) sombrío; (*ungesetzlich*) ilícito, clandestino; *das 2e Brett* el tablón de anuncios; *der 2e Erdteil* el continente negro; *~e Gedanken* ideas sombrías; pensamientos lúgubres; *~er Kaffe* café solo (*od.* puro *od.* sin leche); *~es Brot* pan moreno; *die 2e Kunst* el arte de imprimir; (*Zauberei*) nigromancia *f*, la magia negra; *~e Liste Pol.* lista *f* negra; *der 2e Mann* (*Kinderschreck*) el coco; *~er Markt* mercado *m* negro; F estraperlo *m*; *das 2e Meer* el mar Negro; *~e Seele* alma *f* negra; *~er Tag* día nefasto *od.* fatal; *~e(s) Schaf fig.* oveja *f* negra; *~e Ware* mercancía de contrabando; *~ auf Weiß* por escrito; *~ machen* ennegrecer, *mit Kohle*: tiznar; *~ werden* ennegrecer(se), ponerse negro; *Kartenspiel*: quedar zapatero; *~ sehen* ser pesimista; *alles ~ sehen* verlo todo muy negro (*od.* muy difícil); verlo todo con pesimismo; *ich sehe ~* (*für dich*) la cosa presenta muy mal aspecto (para ti); *es wurde mir ~ vor Augen* perdí el conocimiento; *du kannst warten, bis du ~ bist iro.* puedes esperar sentado; **II.** 2 *n* negro *m*; color *m* negro; *in ~* (*in Trauer*) de luto; *ins ~e treffen* dar en el blanco.

'**Schwarz...**: ~**arbeit** *f* trabajo *m* ilícito (*od.* clandestino); ~**arbeiter** *m* operario *m* que trabaja clandestinamente; 2**äugig** *adj.* de ojos negros; 2**blau** *adj.* negro azulado; azul negruzco; ~**blech** *n* (-*es*; -*e*) chapa *f* negra; palastro *m*; 2**braun** *adj.* castaño oscuro; moreno; *Pferd*: bayo oscuro; *~es Mädchen* morena *f*, F morenita *f*, muchacha *f* morena; ~**brot** *n* (-*es*; -*e*) pan *m* moreno; ~**drossel** *Orn.* *f* (-; -*n*) mirlo *m*; ~**druck** *Typ.* *m* (-*es*; -*e*) impresión *f* en negro.

'**Schwärze** *f* negro *m*; negrura *f*; (*Drucker*2) tinta *f* de imprenta; 2**n** (-*t*) *v/t.* *u.* *v/i.* ennegrecer; *Typ.* entintar; (*schmuggeln*) *v/t.* introducir de contrabando, *v/i.* contrabandear, hacer contrabando; ~**n** *n* ennegrecimiento *m*; *Typ.* entintado *m*.

'**Schwarze(r** *m*) *m/f* negro *m*, negra *f*; *der ~* el Diablo.

'**schwarz...**: ~**fahren** (*L*) *v/i.* viajar sin billete; *Auto.* conducir sin permiso (de conducción *bzw.* del dueño del coche); 2**fahrer** *m* viajero *m* sin billete; (*blinder Passagier*) polizón *m*; *Auto.* conductor *m* sin permiso (de conducción *bzw.* del dueño del coche); 2**fahrt** *f* viaje *m* sin billete; *Auto.* utilización *f* de un auto sin autorización del dueño; ~**gelb** *adj.* amarillo negruzco; *in der Flagge*: amarillo y negro; ~**gerändert** *adj.* de borde negro; ~**gestreift** *adj.* con listas negras; ~**haarig** *adj.* pelinegro, de pelo negro, de cabellos negros; 2**handel** *m* (-*s*; *0*) comercio *m* clandestino; mercado *m* negro; F estraperlo *m*; *~ treiben* F estraperl(e)ar, hacer estraperlo; 2**händler** *m* traficante *m* clandestino; F estraperlista *m*; ~**hören** *v/t.* *Radio*: utilizar un receptor clandestinamente; 2**hörer(in** *f*) *m* radioescucha *m/f* clandestino (-a); 2**kauf** *m* (-*es*; ⸚*e*) compra *f* clandestina; F compra *f* de estraperlo.

'**schwärzlich** *adj.* negruzco; tirando a negro.

'**Schwarz...**: ~**markt** *m* (-*es*; ⸚*e*) mercado *m* negro, F estraperlo *m*; *auf dem ~ kaufen* (*verkaufen*) comprar (vender) de estraperlo; 2**markthändler** *m* → *Schwarzhändler*; ~**pulver** *n* pólvora *f* (de cañón); *Jgdw.* pólvora *f* de caza; 2**rot** *adj.* negro rojizo; *als Fahne*: rojo y negro; ~**-Rot-Gold**: *die*

Fahne ~ la bandera negra, roja y oro; **~sauer** *n Kochk.* menudillos *m/pl.* de ganso guisados; **2schlachten** (*-e-*) *v/t.* sacrificar (*od.* matar) reses *f/pl.* clandestinamente; **~schlachten** *n*, **~schlachtung** *f* sacrificio *m* (de reses) clandestino; **2sehen** (*L*) *v/t.* ser pesimista; *TV* utilizar clandestinamente un televisor; **~seher** (**-in** *f*) *m* pesimista *m/f*; *TV* telespectador(a *f*) *m* clandestino (-a *f*) *m*; **~sehe'rei** *f* pesimismo *m*; **~sender** *m Radio*: emisora *f* clandestina; **~wald** *m*: *der* ~ la Selva Negra; **2weiß** *adj.* blanco y negro; **~weißfilm** *m* (*-es*; *-e*) película *f* ordinaria (*od.* en blanco y negro); **~weißkunst** *f* (*0*) artes *f/pl.* gráficas; **~weißphoto** *n* (*-s*; *-s*) foto(grafía) *f* en blanco y negro; **~wild** *n* (*-es*; *0*) jabalíes *m/pl.*; **~wurz(el** [-; *-n*]) ⚘ *f* salsifí *m* negro.

'Schwatz *m* (*-es*; *-e*) charla *f*; parloteo *m*; **~base** F *f fig.* cotorra *f*; cotilla *f*; **2en** (*-t*), **'schwätzen** (*-t*) *v/t. u. v/i.* charlar; chacharear, parlotear; cotorrear; (*indiskret sein*) ser indiscreto; no saber callar; *ins Blaue hinein* ~ charlar por los codos; hablar por hablar; **~en** *n* charla *f*; cháchara *f*, parloteo *m*; cotorreo *m*.

'Schwätzer(in *f*) *m* hablador(a *f*) *m*; charlatán *m*, charlatana *f*; chacharero (-a *f*) *m*, parlanchín *m*, parlanchina *f*; (*Klatschtante*) *fig.* cotorra *f*, cotilla *f*.

Schwätze'rei *f* → *Schwatzen*.

'schwatzhaft (*-est*) *adj.* hablador; locuaz, F parlanchín, parlero; (*indiskret*) indiscreto; **2igkeit** *f* locuacidad *f*; (*Indiskretion*) indiscreción *f*.

'Schwebe *f*: *in der* ~ *sein* estar suspendido *od.* colgado; *fig.* en suspenso; pendiente; *in der* ~ *lassen* dejar pendiente (*od.* en suspenso); **~bahn** *f* ferrocarril *m* aéreo *od.* colgante; (*Berg2*) teleférico *m*; funicular *m* aéreo; **~baum** *m* (*-es*; *⸗e*) *Turnen*: barra *f* horizontal; **~flug** ✈ *m* (*-es*; *⸗e*) *Hubschrauber*: vuelo *m* cernido; *Segelflug*: planeo *m*; **2n** *v/i.* (*hängen*) colgar, estar suspendido (*an dat.* de); *über e-e Stelle*: cernerse (sobre); *in der Luft, auf dem Wasser, in e-r Flüssigkeit*: flotar (en); ✈ *im Gleitflug fliegen*: planear; *fig.* (*in der Schwebe sein*) estar en suspenso; estar pendiente; *vor Augen* ~ tener ante sí; tener presente; *zwischen Leben und Tod* ~ estar entre la vida y la muerte; *in Gefahr* ~ estar en peligro; *in höheren Regionen* ~ andar por las nubes; *das Wort schwebt mir auf der Zunge* tengo la palabra en la punta de la lengua; **~n** *n* ✈ planeo *m*; **2nd** *adj.* suspendido; ⚗ en suspensión; (*unentschieden*) pendiente; en trámite, en tramitación; *Motor*: flotante; *Flug*: cernido; *Gleitflug*: planeado; *Schritt*: elástico; ⚖ *Verfahren*: pendiente; *fig.* vaporoso; *~e Schuld* deuda flotante.

'Schwebe...: **~reck** *Turnen n* (*-es*; *-e*) trapecio *m*; **~teilchen** *n* partícula *f* en suspensión.

'Schwed|e *m* (*-n*) sueco *m*; **~en** *n* Suecia *f*; **~in** *f* sueca *f*; **2isch** *adj.* sueco, de Suecia; *das 2e* el (idioma) sueco, la lengua sueca; *hinter ~en Gardinen sitzen* estar en la cárcel (F en chirona); *fig.* estar a la sombra.

'Schwefel *m* (*-s*; *0*) azufre *m*; *mit* ~ *behandeln* azufrar; *mit* ~ *verbinden* sulfurar; *fig. wie Pech und* ~ *zusammenhalten* ser uña y carne; **~äther** ⚗ *m* (*-s*; *0*) éter *m* sulfúrico; **~bad** *n* (*-es*; *⸗er*) baño *m* sulfuroso; *Ort*: aguas *f/pl.* sulfurosas; **~blumen** *f/pl.*, **~blüte** ⚗ *f* flor *f* de azufre; azufre *m* sublimado; **~dampf** *m* (*-es*; *⸗e*) vapor *m* de azufre; vapor *m* sulfuroso; *Ausdünstung*: exhalación *f* sulfurosa; **~eisen** ⚗ *n* sulfuro *m* de hierro, sulfuro *m* ferroso; **~faden** *m* (*-s*; *⸗*) mecha *f* azufrada; **2gelb** *adj.* amarillo de azufre; **~grube** *f* mina *f* de azufre; azufrera *f*; **2haltig** *adj.* sulfuroso; **~hölzchen** *n* fósforo *m*; **2ig** *adj.* sulfuroso; **~kammer** *f* (-; *-n*) azufrador *m*; **~kies** *Min. m* (*-es*; *0*) pirita *f* de hierro; **~kohlenstoff** ⚗ *m* (*-es*; *0*) sulfuro *m* de carbono; **2n** (*-le*) *v/t.* azufrar; ⚗ sulfurar; *Kautschuk*: vulcanizar; *Weinfässer*: sulfatar; **~n** *n* azufrado *m*; sulfuración *f*; vulcanización *f*; **~quelle** *f* (manantial *m* de) aguas *f/pl.* sulfurosas; **2sauer** ⚗ *adj.* sulfatado; *schwefelsaures Salz* sulfato *m*; **~säure** ⚗ *f* (*0*) ácido *m* sulfúrico; **~tonerde** *f* (*0*) sulfuro *m* de aluminio; **~ung** *f* azufrado *m*; sulfuración *f*; **~wasser** *n* (*-s*; *0*) agua *f* sulfurada; **~wasserstoff** ⚗ *m* (*-es*; *0*) sulfuro *m* de hidrógeno; ácido *m* sulfhídrico; **~wasserstoffsäure** ⚗ *f* (*0*) ácido *m* sulfhídrico; **~wasserstoffverbindung** ⚗ *f* hidrosulfuro *m*; sulfhidrato *m*; **~zink** *n* (*-es*; *0*) zinc *m* sulfurado; sulfuro *m* de cinc.

'schweflig *adj.* sulfuroso.

Schweif *m* (*-es*; *-e*) cola *f*; *Komet*: *a.* cabellera *f*; *mit dem* ~ *wedeln* mover (*od.* menear) la cola.

'schweifen I. 1. (*sn*) *v/i.* (*umherirren*) errar; vagar, andar vagando; (*umherwandern*) vagabundear; *in die Ferne* ~ correr mundo; *fig.* divagar; *den Blick* ~ *lassen über* (*ac.*) pasear la mirada por; *die Phantasie* ~ *lassen* dar rienda suelta a la fantasía; **2.** *v/t.* (*bogenförmig ausschneiden*) cortar en arco *od.* en curva; ⊕ contornear; (*wölben*) abombar; (*spülen*) enjuagar; *geschweift* (*Tier*) con cola; (*Augenbrauen*) arqueado; **II.** 2 *n* vagabundeo *m*; ⊕ contorneo *m*; (*Wölben*) abombado *m*.

'Schweif...: **~haar** *n* (*-es*; *-e*) cerda *f* de la cola del caballo; **~riemen** *m* baticola *f*; **~säge** *f* sierra *f* de contornear; **~stern** *Astr. m* (*-es*; *-e*) cometa *m*; **2wedeln** (*-le*) *fig. v/i.* adular servilmente; F hacer la pelotilla; **~wedler** *fig. m* adulador *m* servil.

'Schweige|geld *n* (*-es*; *-er*) precio *m* del silencio; soborno *m* para que alg. silencie a/c.; **~marsch** *m* (*-es*; *⸗e*) manifestación *f* silenciosa de protesta; **~minute** *f* minuto *m* de silencio.

'schweigen (*L*) **I.** *v/i.* callar(se); guardar silencio, permanecer callado; no decir palabra; ~ *über* (*ac.*) *od. von* callar (*ac.*); *Lärm usw.* (*aufhören*) cesar; *zu et.* ~ pasar en silencio a/c.; no decir nada (*od.* no replicar) a a/c.; *j-n* ~ *heißen* hacer callar a alg.; imponer silencio a alg.; *ganz zu* ~ *von* ... por no hablar de ...; y no hablemos de ...; ~ *wir darüber* no hablemos de eso; *wer schweigt, bejaht* quien calla, otorga; *schweig!* ¡cállate la boca! ¡silencio!; **II.** 2 *n* silencio *m*; mutismo *m*; *das* ~ *brechen* romper el silencio; *zum* ~ *bringen* acallar; hacer callar; reducir al silencio; F *j-n*: tapar la boca a alg.; ⚔ (*Artilleriefeuer usw.*) hacer cesar; *in* ~ *verharren* obstinarse en callar; ~ *bewahren* (*gebieten*) guardar (imponer) silencio; *sich in* ~ *hüllen* escudarse en un mutismo impenetrable; ~ *ist Gold* el silencio es oro; F en boca cerrada no entran moscas; **~d I.** *adj.* silencioso; callado; silente; **II.** *adv.* silenciosamente; en silencio; ~ *zuhören* escuchar en silencio.

'Schweigepflicht *f* (*0*) deber *m* de guardar secreto; *berufliche* ~ secreto *m* profesional; (*Priester*) *IC* sigilo *m* sacramental.

'Schweiger *m* hombre *m* taciturno.

'Schweigezone *f Verkehr*: zona *f* de silencio.

'schweigsam *adj.* taciturno; (*wortkarg*) silencioso, callado; de pocas palabras; (*verschwiegen*) discreto; **2keit** *f* taciturnidad *f*; silencio *m*; mutismo *m*; (*Verschwiegenheit*) discreción *f*.

Schwein *n* (*-es*; *-e*) cerdo *m*; puerco *m*, cochino *m*; *Am.* chancho *m*; *wildes* ~ jabalí *m*; F (*Glück*) suerte *f*; F (*bei Billardspiel usw.*) chiripa *f*, chamba *f*; F ~ *haben* tener suerte, tener una suerte loca, F tener potra *f*; P (*Person*) cerdo *m*, cochino *m*, marrano *m*, gorrino *m*; P *kein* ~ nadie; *wo haben wir zusammen ~e gehütet?* ¿cuándo hemos comido del mismo plato?

'Schweine...: **~braten** *m* asado *m* de cerdo; **~fett** *n* (*-es*; *-e*) grasa *f* de cerdo; **~fleisch** *n* (*-es*; *0*) carne *f* de cerdo; **~futter** *n* (*-s*; *0*) pasto *m* para cerdos; comida *f* para cerdos (*a. fig.*); **~hirt** *m* (*-en*) porquero *m*, porquerizo *m*; **~hund** P *m* (*-es*; *-e*) cerdo *m* asqueroso; canalla *m*; *den inneren* ~ *kleinkriegen* domeñar los bajos instintos; vencer la propia cobardía; **~koben** *m*, **~kofen** *m* pocilga *f*; **~metzger** *m* salchichero *m*; **~metzgerei** *f* salchichería *f*; **~pest** *f* (*0*) peste *f* porcina; **~pökelfleisch** *n* (*-es*; *0*) carne *f* de cerdo salada; **~'rei** *f* porquería *f*; (*Schmutz*) suciedad *f*; (*Gemeinheit*) cochinada *f*; (*Unanständigkeit*) indecencia *f*; (*Zote*) obscenidad *f*; **~rippchen** *n* costilla *f* de cerdo; **~rüssel** *m* hocico *m* de cerdo; **~schlächter** *m* → *Schweinemetzger*; **~schlächte'rei** *f* → *Schweinemetzgerei*; **~schmalz** *n* (*-es*; *0*) grasa *f* de cerdo; **~schnauze** *f* → *Schweinerüssel*; **~stall** *m* (*-es*; *⸗e*) pocilga *f* (*a. fig.*), cochiquera *f*; *fig.* cuchitril *m*, zahurda *f*; **~trog** *m* (*-es*; *⸗e*) duerna *f od.* artesa *f* para cerdos; **~zucht** *f* (*0*) cría *f* de cerdos *od.* porcina; **~züchter** *m* criador *m* de cerdos.

'Schwein|igel F *m* puerco *m*, cochino *m*; **~ige'lei** *f* acción *f bzw.*

palabra *f* obscena; (*Zote*) obscenidad *f*; 2**igeln** (*-le*) *v/i.* decir *bzw.* contar obscenidades.

'**schweinisch** *adj.* (*säuisch*) puerco, cochino; inmundo; (*unanständig*) indecente; (*obszön*) obsceno.

'**Schweins...:** ~**blase** *f* vejiga *f* de cerdo; ~**borste** *f* cerda *f*; ~**füße** *m/pl.* manos *f/pl.* de cerdo; ~**haxe** *f* pata *f* de cerdo; ~**hatz** *f*, ~**jagd** *f* caza *f* del jabalí; ~**keule** *f* pernil *m*; (*Schinken*) jamón *m*; ~**kopf** *m* (*-es*; *⁓e*) cabeza *f* de cerdo; (*Wild*2) cabeza *f* de jabalí; ~**kotelett** *n* (*-es*; *-s*) chuleta *f* de cerdo; ~**leder** *n* piel *f* (*od.* cuero *m*) de cerdo; 2**ledern** *adj.* de piel (*od.* de cuero) de cerdo; ~**rippchen** *n* costilla *f* de cerdo.

'**Schweiß** *m* (*-es*; *0*) sudor *m* (*a. fig.*); (*Hautausdünstung*) transpiración *f*, *leichte*: trasudor *m*; (*Feuchtigkeitsniederschlag*) rezumo *m*; (*Woll*2) secreción *f* sebácea del ganado lanar; *Jgdw.* sangre *f*; *in ~ gebadet* bañado en sudor; *von ~ triefen* F sudar a mares; *in ~ geraten* empezar a sudar; *das hat viel ~ gekostet* ha costado muchos sudores (*od.* esfuerzos); *im ~e deines Angesichtes* con el sudor de tu rostro; 2**absondernd** *Anat. adj.* sudoríparo; ~**absonderung** *Physiol. f* secreción *f* del sudor; ⚕ diaforesis; ~**apparat** ⊕ *m* (*-es*; *-e*) aparato *m* de soldadura; ~**band** *n* (*-es*; *⁓er*) *im Hut*: badana *f*; 2**bar** *adj.* soldable; 2**bedeckt** *adj.* sudoroso; cubierto de (*od.* bañado en) sudor; ~**brenner** ⊕ *m* soplete *m* para soldar; soplete *m* oxhídrico; ~**drüse** *Anat. f* glándula *f* sudorípara; 2**echt** *adj.* resistente a la transpiración; 2**en** (*-t*) **1.** *v/t.* ⊕ soldar; **2.** *v/i.* *Jgdw.* sangrar; *Metalle*: comenzar a fundirse; ~**en** ⊕ *n* soldadura *f*; ~**er** ⊕ *m* soldador *m*; ~**e'rei** *f* taller *m* de soldadura; ~**friesel** ⚕ *m* fiebre *f* miliar; ~**fuchs** *m* (*-es*; *⁓e*) (*Pferd*) alazán *m* tostado; ~**fuß** *m* (*-es*; *⁓e*) pie *m* sudoroso; *er hat ~füße* le sudan los pies; ~**geruch** *m* (*-es*; *⁓e*) olor *m* de sudor; ~**hitze** ⊕ *f* calor *m* soldante; ~**hund** *m* (*-es*; *-e*) sabueso *m*; 2**ig** *adj.* sudado; sudoriento; *Jgdw.* sangriento; ensangrentado; ~**leder** *n* → *Schweißband*; ~**mittel** ⚕ *n* sudorífico, diaforético; ~**naht** ⊕ *f* (*-*; *⁓e*) (unión *f* de) soldadura *f*; ~**perle** *f* perla *f* de sudor *bzw.* ⊕ de soldadura; ~**stahl** ⊕ *m* (*-es*; *0*) acero *m* batido; ~**stelle** ⊕ *f* soldadura *f*; ~**technik** *f* (*0*) técnica *f* de la soldadura; 2**treibend** ⚕ *adj.* sudorífico, diaforético; 2**triefend** *adj.* F sudando a mares (*od.* a chorros); ~**tropfen** *m* gota *f* de sudor; ~**tuch** *Rel. n* (*-es*; *0*) Santo Sudario *m*; ~**ung** ⊕ *f* soldadura *f*; ~**verfahren** *n* procedimiento *m* de soldadura; ~**wolle** *f* lana *f* sucia.

Schweiz *f*: *die ~* Suiza *f*.

'**Schweizer** *m* suizo *m*; (*Türhüter*) ujier *m*; (*Melker*) ordeñador *m*; ~**deutsch** *n* dialecto *m* suizo-alemánico.

Schweize'rei *f* vaquería *f*.

'**Schweizer...:** ~ **Eidgenossenschaft** *f* Confederación *f* Helvética; ~**garde** *f* (*päpstliche*) Guardia *f* Suiza; ~**haus** *n* (*-es*; *⁓er*), ~**häuschen** *n* chalet *m*; ~**in** *f* suiza *f*; 2**isch** *adj.* suizo, de Suiza; helvético; ~ **Käse** *m* queso *m* de Gruyère.

'**Schwel|anlage** ⊕ *f* instalación *f* de destilación (*od.* de carbonización) a baja temperatura; 2**en** **1.** *v/i.* arder sin llama; quemarse lentamente; **2.** *v/t.* quemar lentamente; *Kokerei*: carbonizar a baja temperatura.

'**schwelg|en** *v/i.* vivir disipadamente, F parrandear, andar de parranda; (*genießen*) gozar; regalarse, F darse la gran vida; (*üppig essen*) comer opíparamente; *in et. ~* (*dat.*) regodearse (en); entregarse al goce de a/c.; *im Überfluß ~* nadar en la opulencia (*od.* en la abundancia); 2**er** *m* F parrandero *m*; (*Genießer*) sibarita *m*; (*Fresser*) glotón *m*; 2**e'rei** *f* disipación *f*; jolgorio *m*, F parranda *f*; (*Mahl*) francachela *f*, F comilona *f*; (*Trinkerei*) crápula *f*; (*Fresserei*) glotonería *f*; (*Sinnengenuß*) sibaritismo *m*; ~**erisch** *adj.* disipado; de francachela; crapuloso, de crápula; (*Mahl*) opíparo; (*sinnlich, genießerisch*) sibarita; epicúreo; voluptuoso.

'**Schwell|e** *f* umbral *m* (*a. fig.*); 🚂 traviesa *f*; (*obere Tür*2) dintel *m*; (*Balken*) travesaño *m*; *fig. ~ des Bewußtseins* el umbral de la conciencia; *an der ~ e-r neuen Zeit* en los umbrales de una nueva época; *j-s ~ überschreiten* (tras)pasar el umbral de la puerta de casa de alg.; entrar en casa de alg.; 2**en** **1.** *v/t.* inflar; hinchar; *Brust*: henchir; **2.** (*L*; *sn*) *v/i.* hincharse; ⚕ *a.* ponerse tumefacto; *Wasser*: crecer; ~**enwert** *m* valor *m* umbral; ~**gewebe** *Anat. n* tejido *m* cavernoso *od.* eréctil; ~**ung** *f* hinchazón *f*; ⚕ *a.* tumefacción *f*; *des Wassers*: crecida *f*, subida *f*.

'**Schwelung** *f* combustión *f* incompleta; *Kokerei*: carbonización *f* a baja temperatura.

'**Schwemm|e** *f* bañadero *m* de caballos; (*Viehtränke*) abrevadero *m*; (*Furt*) vado *m*; (*Bierkneipe*) cervecería *f* popular; F tasca *f*; *die Pferde zur ~ führen* llevar los caballos al agua (para bañarlos); 2**en** *v/t.* acarrear; (*fort~*) arrastrar; *Holz*: conducir flotando río abajo; *Pferde*: bañar; llevar al agua; ~**land** *n* (*-es*; *0*) terreno *m* de aluvión.

'**Schwengel** *m* palanca *f* (oscilante); (*Glocken*2) badajo *m*; (*Handkurbel*) manivela *f*; manubrio *m*; (*Brunnen*2) cigoñal *m*; (*Ortscheit*) volea *f*.

'**Schwenk|achse** ⊕ *f* eje *m* oscilante; ~**arm** ⊕ *m* (*-es*; *-e*) brazo *m* movible; brazo *m* giratorio *bzw.* oscilante; 2**bar** *adj.* movible; giratorio; oscilante; 2**en** **1.** *v/t.* (*schütteln*) agitar (*a. Fahne, Tuch, Hut usw.*); *Stock usw.* (*drohend*) blandir; (*hin und her bewegen*) mover; menear; (*drehen*) girar; (*herumdrehen, wenden*) *a.* virar; (*spülen*) enjuagar; *Kochk.* saltear; **2.** *v/i.* cambiar de dirección; ✈, ⚓ virar; ⚔ hacer una conversión; ~**kartoffeln** *f/pl.* patatas *f/pl.* salteadas; ~**kran** *m* (*-es*; *⁓e*) grúa *f* giratoria; ~**pflug** *m* (*-es*; *⁓e*) arado *m* reversible; ~**rad** *n* (*-es*; *⁓er*) rueda *f* oscilante; ~**ung** *f* cambio *m* de dirección; (*Drehung*) vuelta *f*; ⚓ virada *f*; ⚔ conversión *f*; evolución *f*; *fig.* cambio *m* (súbito) de opinión (*od.* F de chaqueta).

schwer **I.** *adj. im Gewicht*: pesado; (*schwierig*) difícil; dificultoso; (*ernsthaft*) grave; serio; (*mühevoll*) penoso; arduo; (*hart*) duro; rudo; (*ermüdend*) fatigoso; (*mühselig*) laborioso; (*bedeutend*) considerable; importante; (*streng*) severo; riguroso; (*lästig*; *drückend*) oneroso; (*groß*) grande; (*enorm*) enorme; (*massiv*) macizo; compacto; (*schwerfällig*) tardo; lerdo; *Tabak, Getränke*: fuerte; *Stoff*: sólido; *Essen*: pesado; *Krankheit, Wunde*: grave; *Strafe*: severo; *~e Artillerie* artillería pesada *od.* gruesa; *~e* (*anstrengende*) *Aufgabe* ardua tarea; *~er Boden* terreno muy barroso; *~er Diebstahl* robo grave; *~e Erkältung* fuerte resfriado; *~er Fehler* falta grave; *~e Geburt* parto laborioso; *~es Gepäck* equipaje pesado; *~es Geschütz* cañón de grueso calibre; *fig. ~es Geschütz auffahren* emplear toda la artillería; *~e Havarie* ⚓ avería gruesa; *~er Irrtum* grave (*od.* craso) error; *~er Junge* criminal peligroso; *~er Kampf* combate encarnizado; *~e Krankheit* enfermedad grave; *~e Menge* gran cantidad; *~e Pflicht* deber oneroso; *~es Schicksal* cruel destino; *~er Schlag* golpe duro; *fig. a.* rudo golpe; *~e See* mar gruesa; *~e Stunde* hora difícil; *~e Sünde* pecado mortal; pecado capital; *~er Sünder* pecador impenitente; *~es Verbrechen* delito grave; ⚗ *~es Wasser* agua pesada; *~e Zeiten* tiempos difíciles *od.* duros; *zwei Pfund ~ sein* pesar dos libras; *~ zu behandeln* (*Charakter*) difícil; muy susceptible; *~ zu befriedigen* difícil de contentar; *~ zu ertragen* difícil de aguantar; *~ zu sagen* difícil de decir; *~ von Begriff sein* ser tardo de entendimiento; F ser duro de mollera; *ein ~es Geld kosten* F costar un riñón; *~en Herzens* con el corazón oprimido; con profunda pena; con gran pesar; *e-n ~en Kopf haben* tener pesadez de cabeza; *e-e ~e Zunge haben* F *fig.* tener la lengua gorda; **II.** *adv.* pesadamente; (*schwierig*) difícilmente; (*ernsthaft*) gravemente; seriamente; (*gefährlich*) peligrosamente; (*mühevoll*) penosamente; (*streng*) severamente; rigurosamente; (*viel*) mucho; muy; *~ arbeiten* trabajar duramente (*od.* de firme); *~ atmen* respirar con dificultad; *~ beleidigen* ofender gravemente; *~ krank sein* estar gravemente enfermo; *sich ~ entschließen* ser tardo de resolución; *es ~ haben* estar en una situación difícil; tener grandes dificultades; *ich habe es ~ mit ihm* me da mucho que hacer; *~ zu erlangen* difícil de conseguir; *~ zu tragen haben* soportar una pesada carga; *fig. ~ tragen an* (*dat.*) estar abrumado (*od.* agobiado) de; *~ hören* ser duro de oído; *~ machen* dificultar; poner dificultades; *j-m das Leben ~ machen* amargar la vida a alg.; *sich ~ vom Geld trennen* F ser muy agarrado; *sich ~ versündigen* pecar gravemente; *~ wiegen* pesar mucho; *fig.* ser muy grave; ser de gran importancia *od.* tra(n)scendencia; *das macht ihm das Herz* ~ eso le aflige mucho (*od.* le causa profunda pena); ~ *im Magen liegen* pesar en el estómago; indigestarse; ~ *betrunken* completamente borracho; F como una cuba; ~ *enttäuscht* cruelmente desilusionado; ~ *reich* muy rico; ~ *verdaulich* difícil de digerir; indigesto (*a. fig.*); ~ *verkäuflich* de difícil venta; ~ *verständlich* difícil de comprender; ~ *verwundet* gravemente herido; '**2arbeit** *f* trabajo *m* rudo; '**2arbeiter** *m* obrero *m* que realiza trabajos rudos; '**2athletik** *f* (*0*) atletismo *m* pesado; '**~atmig** *adj.* que respira con dificultad; '**2atmigkeit** ⚕ *f* (*0*) disnea *f*; **~be'laden**, **~be'lastet** *adj.* muy cargado; *fig.* abrumado, agobiado; '**2benzin** *n* (*-s*; *-e*) gasolina *f* pesada; '**2beschädigte(r)** *m* mutilado *m* (total); '**~bewaffnet** *adj.* muy bien armado; F armado hasta los dientes; '**~blütig** *adj.* (*ernsthaft*) serio, grave; (*langsam*) lento, tardo; premioso; F pachorrudo, cachazudo.

'**Schwere** *f* (*Gewicht*) peso *m*; (*Gewichtigkeit*) pesantez *f*; pesadez *f*; *Phys.* gravedad *f*; *des Weines*: cuerpo *m*; *fig.* (*Ernst*) seriedad *f*, gravedad *f*; (*Wichtigkeit*) importancia *f*; (*Gewicht*) peso *m*; *e-s Vergehens, e-r Krankheit*: gravedad *f*; (*Schwierigkeit*) dificultad *f*; *e-r Strafe*: severidad *f*; **~losigkeit** *f* (*0*) ausencia *f* de gravitación; ingravidez *f*; **~messer** *m* gravímetro *m*; **~messung** *f* gravimetría *f*; **~'not** *int.*: ~! ¡caramba!; **~nöter** *m* (*Schürzenjäger*) galanteador *m*; F tenorio *m*, castigador *m*.

'**Schwere(s)** *n*: ~*s durchmachen* sufrir rudas pruebas; F pasarlas negras *bzw.* moradas.

'**schwer...**: **~fallen** (*L*) *v/i.*: *es fällt ihm schwer, zu* (*inf.*) le cuesta mucho trabajo (*inf.*); **~fällig** *adj.* pesado; (*ungeschickt*) torpe; (*langsam, träge*) lento, tardo; *geistig*: lerdo, tardo de entendimiento; **2fälligkeit** *f* pesadez *f*; torpeza *f*; lentitud *f*; **~flüssig** *adj.* viscoso; **2gewicht** *n* (*-es*; *0*) *Sport*: peso *m* pesado; *Weltmeister im* ~ campeón mundial de peso pesado; **2gewichtler** *Sport m* peso *m* pesado; **2gewichtsmeister** *m* campeón *m* de peso pesado; **~halten** (*L*) *v/i.* ser muy difícil; ser poco probable; **~hörig** *adj.* duro de oído; **2hörigkeit** *f* (*0*) dureza *f* de oído; **2industrie** *f* industria *f* pesada; **2industrielle(r)** *m* gran industrial *m*; **2kraft** *Phys. f* (*0*) gravitación *f*; **~krank** *adj.* (*0*) gravemente enfermo; **2kriegsbeschädigte(r)** *m* mutilado *m* (total) de guerra; **2lastwagen** *m* camión *m* pesado; **~lich** *adv.* difícilmente; *es ist* ~ *möglich, daß* ... no es probable que (*subj.*); **~löslich** *adj.* difícilmente soluble; **2metall** *n* (*-es*; *-e*) metal *m* pesado; **2mut** *f* (*0*), **2mütigkeit** *f* (*0*) melancolía *f*; ⚕ hipocondría *f*; **~mütig** *adj.* melancólico; ⚕ hipocondríaco; **2öl** *n* (*-es*; *-e*) aceite *m* pesado; **2ölmotor** *m* (*-s*; *-en*) motor *m* de aceite pesado; **2punkt** *m* (*-es*; *-e*) *Phys.* centro *m* de gravedad; ⚔ punto *m* de concentración del esfuerzo; *fig.* punto *m* esencial; **2punktverlagerung** *f* desplazamiento *m* del centro de gravedad; **2spat** *Min. m* (*-es*; *-e*) espato *m* pesado, baritina *f*.

'**Schwert** *n* (*-es*; *-er*) espada *f*; ⚓ orza *f*; *zum* ~ *greifen* poner (*od.* echar) mano a la espada; desenvainar la espada; *mit Feuer und* ~ a sangre y fuego; *zweischneidiges* ~ espada de dos filos; *fig.* arma de dos filos; **~adel** *m* (*-s*; *0*) nobleza *f* militar; **~ertanz** *m* (*-es*; *⸚e*) danza *f* de (las) espadas; **~feger** *m* (*Waffenschmied*) armero *m*; **~fisch** *Ict. m* (*-es*; *-e*) pez *m* espada; **2förmig** *adj.* ensiforme; en forma de espada; **~lilie** ⚘ *f* lirio *m* (cárdeno); gladiolo *m*; **~streich** *m* (*-es*; *-e*) golpe *m* de espada; cuchillada *f*; *ohne* ~ sin sacar la espada; *fig.* por medios pacíficos.

'**Schwer...**: **~verbrecher** *m* criminal *m* (peligroso); **2verdaulich** *adj.* difícil de digerir; indigesto (*a. fig.*); **~verletzte(r** *m*) *m/f* herido *m* (herida *f*) grave; **2verständlich** *adj.* difícil de comprender; **2verwundet** *adj.* gravemente herido; **~verwundete(r)** *m* herido *m* grave; **~wasser-re-aktor** *m* (*-s*; *-en*) reactor *m* de agua pesada; **2wiegend** *adj. fig.* grave; de gravedad; muy serio; de mucho peso; decisivo.

'**Schwester** *f* (*-*; *-n*) hermana *f*; (*Ordens2*) monja *f*, religiosa *f*; hermana *f*; (*Kranken2*) enfermera *f*; *Barmherzige* ~ hermana de la Caridad; **~chen** *n* hermanita *f*; **~firma** ✝ *f* (*-*; *-firmen*) casa *f* asociada; **~kind** *n* (*-es*; *-er*) sobrino *m*, sobrina *f*; **2lich I.** *adj.* de hermana, fraternal; **II.** *adv.* como hermana; **~npaar** *n* (*-es*; *-e*) dos hermanas *f/pl.*; **~(n)schaft** *f* (*Kongregation*) comunidad *f* de religiosas; ⚕ cuerpo *m* de enfermeras; **~ntracht** *f* uniforme *m* de enfermera; *der Nonne*: hábito *m*; **~schiff** *n* (*-es*; *-e*) buque *m* gemelo; **~unternehmen** ✝ *n* empresa *f* asociada.

'**Schwibbogen** △ *m* (*-s*; *⸚*) arbotante *m*.

schwieg *pret. v. schweigen.*

'**Schwieger|eltern** *pl.* suegros *m/pl.*, padres *m/pl.* políticos; **~mutter** *f* (*-*; *⸚*) suegra *f*, F mamá *f* política; **~sohn** *m* (*-es*; *⸚e*) yerno *m*, hijo *m* político; **~tochter** *f* (*-*; *⸚*) nuera *f*, hija *f* política; **~vater** *m* (*-s*; *⸚*) suegro *m*, padre *m* político.

'**Schwiel|e** *f* callo *m*; callosidad *f*; **2ig** *adj.* calloso.

'**schwierig** *adj.* difícil; (*mühevoll*) penoso, arduo, dificultoso; (*mühselig*) laborioso; (*heikel*) delicado, espinoso; escabroso; (*verwickelt*) complicado, intrincado; (*kritisch*) crítico; (*mißlich*) precario; *der* ~*e Punkt* el punto delicado *od.* difícil; la dificultad; *das 2ste haben wir hinter uns* ya hemos pasado lo más difícil; **2keit** *f* dificultad *f*; (*Hindernis*) obstáculo *m*; *ohne* ~ sin dificultad; *voller* ~*en* lleno de dificultades; *e-e* ~ *beheben* allanar una dificultad; ~*en bieten* ofrecer dificultades; *mit* ~*en gespickt sein* estar erizado de dificultades; *auf* ~*en stoßen* encontrar (*od.* chocar con) dificultades; ~*en mit sich bringen* entrañar dificultades; *sich in* ~*en befinden* hallarse en una situación difícil; ~*en machen* dificultar, poner dificultades, (*hemmen*) impedir, (*Hindernisse schaffen*) poner obstáculos; *unnötige* ~*en machen* complicar innecesariamente las cosas; **2keitsgrad** *m* (*-es*; *-e*) grado *m* de dificultad.

'**Schwimm|anstalt** *f* establecimiento *m* de natación; **~bad** *n* (*-es*; *⸚er*) piscina *f*; *Mex.* alberca *f*; **~bagger** *m* draga *f* flotante; **~bassin** *n* (*-s*; *-s*), **~becken** *n* piscina *f*; **~blase** *Ict. f* vejiga *f* natatoria; **~brücke** *f* puente *m* flotante; **~dock** ⚓ *n* (*-s*; *-e*, *-s*) dique *m* flotante; **2en** (*L*; *sn*) *v/i.* nadar; (*Gegenstand*) flotar; *an Land* ~ ganar a nado la orilla; *über e-n Fluß* ~ atravesar (*od.* cruzar) a nado un río; *mit dem Strom* ~ nadar a favor de la corriente; *gegen den Strom* ~ nadar contra la corriente (*a. fig.*); *auf dem Rücken* ~ nadar de espalda; hacer la plancha; *unter Wasser* ~ nadar entre dos aguas; *obenauf* ~ sobrenadar; *wie e-e bleierne Ente* ~ nadar como un plomo; *fig. in Tränen* ~ deshacerse en lágrimas; llorar a lágrima viva; *in s-m Blut* ~ bañarse (*od.* estar bañado) en su propia sangre; *im Geld* ~ *fig.* nadar en la opulencia; ser un Creso; *mir schwimmt es vor Augen* se me va la vista; **~en** *n* natación *f*; *durch* (*od. mit*) ~ a nado; nadando; *sich durch* ~ *retten* salvarse a nado; *zum* ~ *gehen* ir a bañarse; **2end I.** *adj.* flotante; **II.** *adv.* a nado; **~er** *m* nadador *m*; ⊕ flotador *m*; *Angel*: veleta *f*; **~erbassin** *n* (*-s*; *-s*) piscina *f* de natación; **~erin** *f* nadadora *f*; **~ernadel** *f* (*-*; *-n*) aguja *f* de flotador; **~erschalter** ⚡ *m* interruptor *m* flotador; **2fähig** *adj.* flotable; (*Schiff*) en condiciones de navegar; **~fähigkeit** *f* flotabilidad *f*; **~flosse** *Zoo. f* aleta *f*; **~fuß** *Zoo. m* (*-es*; *⸚e*) dedos *m/pl.* palmeados; **~füßer** *Orn. m/pl.* palmípedas *f/pl.*; **~gürtel** *m* cinturón *m* de nadar; (*Rettungsgürtel*) cinturón *m* salvavidas; **~haut** *Orn. f* (*-*; *⸚*) membrana *f* natatoria; **~hose** *f* bañador *m*; **~kampfwagen** ⚔ *m* carro *m* anfibio; **~klub** *m* (*-s*; *-s*) club *m* de natación; **~körper** *m* flotador *m*; **~kran** ⊕ *m* (*-es*; *⸚e*) grúa *f* flotante; **2kundig** *adj.* que sabe nadar; **~lehrer(in** *f*) *m* profesor(a *f*) *m* de natación; **~(m)eister** *m* maestro *m* de natación; **~(m)eisterschaft** *f* campeonato *m* de natación; **~panzer** ⚔ *m* carro *m* anfibio; **~sport** *m* (*-es*; *0*) natación *f*; **~stadion** *n* (*-s*; *-stadien*) piscina *f* estadio; **~stoß** *m* (*-es*; *⸚e*) brazada *f*; **~tank** ⚔ *m* (*-es*; *-s*) tanque *m* anfibio; **~verein** *m* (*-es*; *-e*) → *Schwimmklub*; **~vögel** *Orn. m/pl.* palmípedas *f/pl.*; **~weste** *f* chaleco *m* salvavidas.

'**Schwindel** *m* ⚕ vértigo *m*, vahído *m*; mareo *m*; (*Lüge*) mentira *f*; embuste *m*; (*lügenhafte Propaganda*) charlatanería *f*; (*Märchen*) patraña *f*, F bola *f*; (*Vortäuschung*) engaño *m*; superchería *f*, impostura *f*; (*Betrug*) fraude *m*; estafa *f*, F timo *m*; *es überfiel mich ein* ~ me dio un vahído (*od.* un mareo); F *den* ~ *kenne ich* ya conozco ese truco; *das ist doch alles* ~! F todo eso son cuentos tártaros; **~anfall** ⚕ *m* (-*ės*; *¨e*) vahído *m*; vértigo *m*; (*Schwindelgefühl*) mareo *m*; *e-n* ~ *haben* tener (*od.* sufrir) un vahído; írsele la cabeza (a alg.).

Schwinde'lei *f* (*Lüge*) mentira *f*; embuste *m*; (*Betrug*) fraude *m*; estafa *f*; engaño *m*; trapacería *f*; † transacción *f* fraudulenta.

'Schwindel...: 2erregend *adj.* vertiginoso; **~firma** *f* (-; -*firmen*) casa *f* comercial que opera fraudulentamente; **2frei** *adj.* libre de vértigo; que no se marea; **~gefühl** ⚕ *n* (-*ės*; -*e*) sensación *f* de vértigo; mareo *m*; **2haft** *adj.* vertiginoso; que da (*od.* causa) vértigo; (*betrügerisch*) fraudulento; **2ig** *adj.* (*schwindelerregend*) vertiginoso; que da vértigo; (*vom Schwindel befallen*) mareado; *mir ist* ~ me siento (*od.* estoy) mareado; me da un vahído; se me va la cabeza; *leicht* ~ *werden* marearse fácilmente; **2n** (-*le*) *v/i.* sentir mareos; tener (*od.* sufrir) vahídos; *mich schwindelt* me siento mareado; la cabeza me da vueltas; ~*de Höhe* altura vertiginosa (*od.* que causa vértigo); ~*de Preise* precios escandalosos (*od.* F astronómicos); *fig.* (*lügen*) mentir; decir embustes; contar patrañas; (*betrügen*) cometer fraude; estafar; engañar, trapacear; F timar; **~unternehmen** *n* empresa *f* de negocios fraudulentos; sociedad *f* de estafadores.

'schwinden (*L*; *sn*) **I.** *v/i.* (*abnehmen*) disminuir(se), decrecer, menguar; (*schrumpfen*) contraerse; (*welken*) marchitarse; (*sich verzehren*) consumirse; (*ver*~) desaparecer; desvanecerse; (*verfallen*) decaer; *ihm schwand der Mut* perdió el ánimo; *die Sinne schwanden ihr* perdió el conocimiento; se demayó; *ihm* ~ *die Kräfte* le abandonan las fuerzas; *jede Hoffnung* ~ *lassen* perder todas las esperanzas; abandonar toda esperanza; **II.** 2 *n* disminución *f*, decrecimiento *m*, mengua *f*; contracción *f*; marchitamiento *m*; consunción *f*; desaparición *f*; desvanecimiento *m*; decaimiento *m*.

'Schwindler *m* (*Lügner*) mentiroso *m*, embustero *m*; (*Betrüger*) estafador *m*, F timador *m*; embaucador *m*, trapacero *m*; (*Hochstapler*) caballero *m* de industria; sablista *m*; (*Gauner*) truhán *m*; *im Spiel*: tramposo *m*, fullero *m*; **~in** *f* (*Lügnerin*) mentirosa *f*, embustera *f*; (*Betrügerin*) estafadora *f*; embaucadora *f*; trapacera *f*; (*Hochstaplerin*) impostora *f*; **2isch** *adj.* (*verlogen*) embustero; (*betrügerisch*) engañador, falaz; trapacero; fraudulento.

'schwindlig *adj.* → *schwindelig.*

'Schwind...: ~sucht ⚕ *f* (*0*) consunción *f*, tisis *f*; tuberculosis *f* (pulmonar); *galoppierende* ~ tisis galopante; **2süchtig** ⚕ *adj.* tísico; tuberculoso; **~süchtige(r** *m*) *m*/*f* tísico (-a *f*) *m*; tuberculoso (-a *f*) *m*.

'Schwing-achse *Auto. f* eje *m* oscilante.

'Schwinge *f* (*Flügel*) ala *f*; (*Getreide*2) bieldo *m*, aventadora *f*; (*Flachs*2) espadilla *f*; ⊕ corredera *f*; biela *f* oscilante.

'schwingen (*L*) **1.** *v/t.* agitar; (*schaukeln*) balancear; *Lanze, Schwert usw.*: blandir; *Gerte*: cimbrar; *Fahne*: tremolar, agitar; *Flügel*: batir; *Getreide*: aventar; *Flachs, Hanf*: espadar; F *e-e Rede* ~ pronunciar (F soltar) un discurso; *das Tanzbein* ~ bailar; **2.** *v/refl.* lanzarse; saltar; elevarse; *sich in den Sattel* ~ montarse a caballo; *sich in die Luft* ~ elevarse en el aire; **3.** *v/i.* *Saite*: vibrar; *Pendel*: oscilar; *geschwungen* (*gebogen*) arqueado; curvo; **~d** *adj.* vibrante.

'Schwinger *m Boxen*: golpe *m* con el brazo extendido, *angl.* swing *m*.

'Schwingung *f* vibración *f*; *des Pendels*: oscilación *f*; movimiento *m* oscilatorio; movimiento *m* de vaivén; *in* ~*en versetzen* hacer vibrar.

'Schwingungs...: ~achse *f e-s Pendels*: eje *m* de oscilación; **~dämpfer** *m* amortiguador *m* de vibraciones; **~dauer** *f* (*0*) período *m* (de oscilación); **~erzeuger** *m* oscilador *m*; **2frei** *adj.* exento de vibraciones; **~knoten** *m* nodo *m* de la vibración; **~kreis** *m* (-*es*; -*e*) circuito *m* oscilante; **~weite** *f* amplitud *f* (de la oscilación); **~zahl** *f* número *m* de oscilaciones.

'Schwippschwager *m* (-*s*; *¨*) hermano *m* del cuñado.

Schwips F *m* (-*es*; -*e*) chispa *f*; *e-n* ~ *haben* estar achispado (*od.* alegre *od.* calamocano).

'schwirren I. *v/i.* (*zischen*) silbar; *Insekt*: zumbar; *fig. Gerüchte*: circular, correr; **II.** 2 *n* silbido *m*; zumbido *m*; aleteo *m*.

'Schwitz|bad *n* (-*ės*; *¨er*) estufa *f*; (*Dampfbad*) baño *m* de vapor; **2en** (-*t*) **1.** *v/i.* sudar; transpirar; *leicht*: trasudar; *Wände*: rezumar; *am ganzen Körper* ~ estar empapado en sudor; **2.** *v/t. fig. Blut und Wasser* ~ sudar sangre; F sudar la gota gorda; **~en** *n* sudor *m*; transpiración *f*; trasudor *m*; ⚕ diaforesis *f*; **2end** *adj.* sudoroso; sudoriento, sudado; cubierto de sudor; **2ig** *adj.* sudoroso; **~kasten** *m* (-*s*; *¨*) estufa *f*; **~kur** ⚕ *f* cura *f* sudorífica *od.* diaforética; **~mittel** ⚕ *n* sudorífico *m*, diaforético *m*.

Schwof F *m* (-*ės*; -*e*) (*Tanz*) baile *m* popular; F bailongo *m*; **'2en** F *v/i.* bailar; bailotear.

schwoll *pret. v. schwellen.*

schwor *pret. v. schwören.*

'schwören I. (*L*) *v/t. u. v/i.* jurar; afirmar bajo juramento; prestar juramento; *j-m Freundschaft* (*Treue*) ~ jurar amistad (fidelidad) a alg.; *j-m ewige Liebe* ~ jurar amor eterno a alg.; *j-m Rache* ~ jurar vengarse de alg.; *falsch* ~ jurar en falso; perjurar; *bei Gott* ~ jurar por Dios; ~ *auf* (*blind vertrauen*) tener ciega confianza en; *sein geschworener Feind sein* ser su enemigo jurado; *ich möchte darauf* ~, *daß* ... juraría que ...; **II.** 2 *n* juramento *m*, prestación *f* de juramento.

'schwul V *adj.* homosexual; **2e(r)** V *m* homosexual *m*; sodomita *m*, invertido *m*; V maricón *m*; F de la acera de enfrente.

'schwül *adj.* (*drückend heiß*) sofocante; bochornoso; cargado; (*sinnlich*) sensual; voluptuoso; **2e** *f* (*0*) calor *m* sofocante; bochorno *m*; atmósfera *f* cargada *od.* pesada; (*Sinnlichkeit*) sensualidad *f*; voluptuosidad *f*.

Schwuli'tät F *f* apuro *m*, aprieto *m*, conflicto *m*; *in* ~*en sein* estar en un apuro (*od.* en un aprieto).

Schwulst *m* (-*es*; *¨e*) hinchazón *f*; tumor *m*; *fig.* pomposidad *f*; hinchazón *f*; ampulosidad *f*; ~ *im Stil* estilo hinchado *od.* ampuloso.

'schwülstig *adj. Stil*: hinchado, ampuloso; *Liter.* culterano; *adv.* ~ *schreiben*, ~ *sprechen* tener un estilo ampuloso; **2keit** *f* ampulosidad *f* (de estilo); *Liter.* culteranismo *m*.

Schwund *m* (-*ės*; *0*) desaparición *f* lenta; (*Verminderung*) disminución *f*, merma *f*; (*Verlust*) pérdida *f*; (*Schrumpfung*) contracción *f*; ⚕ atrofia *f*; *des Haares*: caída *f*; *Radio*: *angl.* fading *m*.

'Schwung *m* (-*ės*; *¨e*) (*Schwingung*) vibración *f*; (*Pendel*2) oscilación *f*; (*Antrieb*) impulso *m* (*a. fig.*); (*Stoßkraft*) pujanza *f*; *fig.* empuje *m*; arranque *m*; (*Elan*) brío *m*; ímpetu *m*; (*Energie, Wucht*) energía *f*; vitalidad *f*; *des Geistes*: elevación *f*; *des Dichters, des Künstlers*: inspiración *f*; estro *m*; ~ *der Phantasie* vuelo de la imaginación; *fig. et. in* ~ *bringen* dar impulso a a/c.; activar a/c.; hacer prosperar a/c.; *in* ~ *sein* sentirse pleno de energía; desplegar gran actividad; *in* ~ *kommen* tomar incremento; progresar; cobrar impulso; **~feder** *f* (-; -*n*) remera *f*; (*Schwanzfeder*) pena *f*; **2haft** *adj.* pleno de vitalidad (*od.* energía); (*lebhaft*) vivo, activo; (*blühend*) floreciente; próspero; **~kraft** *Phys. f* (*0*) fuerza *f* motriz; (*Fliehkraft*) fuerza *f* centrífuga; **2los** *adj.* sin brío; sin entusiasmo; monótono, prosaico; aburrido, insípido; **~rad** ⊕ *n* (-*ės*; *¨er*) volante *m*; **2voll** *adj.* lleno de vitalidad (*od.* energía); brioso; (*Dichtung*) ditirámbico; (*Ansprache*) vibrante; enfático; grandilocuente; F campanudo.

schwur *pret. v. schwören.*

Schwur *m* (-*ės*; *¨e*) juramento *m*; (*Gelübde*) voto *m*; *e-n* ~ *leisten* prestar juramento; **'~gericht** *n* (-*ės*; -*e*) jurado *m*; tribunal *m* de jurados.

Se'bastian *m* Sebastián *m*.

'sechs I. *adj.* seis; **II.** 2 *f* seis *m*; **2achteltakt** ♪ *m* (-*ės*; -*e*) compás *m* de seis por ocho; **2eck** & *n* (-*ės*; -*e*) hexágono *m*; **~eckig** & *adj.* hexagonal; **2ender** *Jgdw. m* venado *m* de seis puntas; **2er** *m* (*Fünfpfennigstück*) moneda *f* de cinco pfennigs; **~er'lei** *adj.* de seis especies distintas; de seis clases de; **~fach, ~fältig** *adj.* séxtuplo; **~flächig** *adj.* hexaédrico; **2flächner** & *m* hexaedro *m*; **~füßig** *adj.* de seis pies; *Vers*: hexámetro *m*; *Zoo.* hexápodo; **~hundert** *adj.* seiscientos; **~jährig** *adj.* de seis años (de edad); **~köpfig**

adj. de seis cabezas; **~mal** *adv.* seis veces; **~monatig** *adj.* semestral; de seis meses; **~monatlich I.** *adj.* semestral; **II.** *adv.* cada seis meses; por semestres; **~motorig** *adj.* de seis motores; **~phasig** *adj.* ⚡ hexafásico; **~prozentig** *adj.* del seis por ciento; **~schüssig** *adj. Revolver*: de seis tiros; **~seitig** *adj.* de seis lados; Δ hexagonal; **~silbig** *adj.* de seis sílabas; **2silbner** *m Vers*: hexasílabo *m*; **~sitzig** *adj.* se seis plazas; **~stimmig** *adj.* de (*od.* a) seis voces; **~stöckig** *adj.* de seis pisos; **2tagerennen** *n* carrera *f* ciclista de (los) seis días; **~tägig** *adj.* de seis días; **~tausend** *adj.* seis mil; **~te(r)** *adj.* (el) sexto; (la) sexta; *der (den, am)* ~*(n) (6.) Mai* el seis (6) de mayo; *Berlin, den 6. Mai* Berlín, 6 de mayo; *Karl der* 2 *(VI.)* Carlos sexto (VI); **2tel** *n*: *ein* ~ la sexta parte; un sexto; **~tens** *adv.* en sexto lugar; (*bei Aufzählungen*) sexto; **~undzwanzig** *adj.* veintiséis; **~wöchentlich I.** *adj.* de seis semanas; **II.** *adv.* cada seis semanas; **2zylindermotor** *m* (*-s; -en*) motor *m* de seis cilindros.

'sechzehn *adj.* dieciséis; **2ender** *Jgdw. m* venado *m* de dieciséis puntas; **~te** *adj.* décimosexto; *Ludwig der* 2 *(XVI.)* Luis dieciséis (XVI); **2tel** *n*: *ein* ~ un dieciseisavo; **2telnote** ♪ *f* semicorchea *f*; **2telpause** ♪ *f* pausa *f* de semicorchea; **~tens** *adv.* en décimosexto lugar; (*bei Aufzählungen*) décimosexto.

'sechzig I. *adj.* sesenta; *etwa (od. gegen od. rund)* ~ unos (*od.* alrededor de) sesenta; *in den ~er Jahren* en (*od.* allá por) los años sesenta; **II.** 2 *f* sesenta *m*; **2er(in** *f*) *m* sexagenario (-a *f*) *m*, F sesentón *m*, sesentona *f*; *in den ~n sein* haber pasado los sesenta (años); **~jährig** *adj.* de sesenta años; → *Sechziger (-in)*; **~ste** *adj.* sexagésimo; **2stel** *n*: *ein* ~ un sesentavo.

Se'dezformat *n* (*-es; -e*) formato *m* dieciseisavo (*Abk.* 16°).

Sedi'ment *n* (*-es; -e*) sedimento *m*.

sedimen'tär *adj.* sedimentario.

Sedi'mentgestein *Geol. n* (*-es; -e*) rocas *f/pl.* sedimentarias.

'See I. *m* (*-s; -n*) (*Binnen*2) lago *m*; *kleinerer*: laguna *f*; (*Teich*) estanque *m*; **II.** *f* (*0*) mar *m/f*; océano *m*; (*Woge*) ola *f*; *an der* ~ a la orilla del mar; *an die* ~ *gehen* ir a la playa; *auf* ~ en el mar; *auf hoher* ~ en alta mar; *in* ~ *gehen (od. stechen)* salir a la mar; zarpar; hacerse a la mar; *Segler*: *a.* hacerse a la vela; *zur* ~ *gehen* hacerse marino; *Leutnant (Kapitän) zur* ~ teniente (capitán) de navío; *bewegte* ~ mar agitada *od.* picada; *glatte (od. ruhige)* ~ mar en calma; *hohe (od. offene)* ~ alta mar; *schwere* ~ mar gruesa; *stürmische* ~ marejada, *stärker*: mar procelosa; *die* ~ *wird unruhig* la mar se pica; *die* ~ *kräuselt sich* la mar se riza.

'See...: **~aal** *Ict. m* (*-es; -e*) anguila *f* de mar; **~adler** *Orn. m* águila *f* marina; **~alpen** *pl.* Alpes *m/pl.* marítimos; **~amt** *n* (*-es; ⸚er*) tribunal *m* marítimo; **~anemone** ⚘ *f* anémona *f* de mar; actinia *f*; **~aufklärer** *m* hidroavión *m* de reconocimiento; **~bad** *n* (*-es; ⸚er*) baño *m* de mar; (*Ort*) playa *f*; ⚕ balneario *m* marítimo; **~badekur** ⚕ *f* talasoterapia *f*, tratamiento *m* con baños de mar; **~bär** *fig. m* (*-en*) lobo *m* de mar; **~beben** *n* seísmo *m* oceánico; **~brassen** *Ict. m* dorada *f*; besugo *m*; **~dienst** *m* (*-es; -e*) servicio *m* naval *od.* marítimo; **~elephant** *Zoo. m* (*-en*) elefante *m* marino; **2fahrend** *adj.* navegante; marítimo; **~fahrer** *m* marino *m*; (*Entdeckungsreisender*) navegante *m*; **~fahrt** *f* (*Seereise*) viaje *m* por mar; crucero *m*; (*Überfahrt*) travesía *f*; (*das Fahren zur See*) navegación *f*; ~ *treibendes Volk* nación marítima; pueblo de navegantes; **2fest** *adj.* (*Schiff*) marinero; en (perfecto) estado de navegar; (*Person*) que no se marea; resistente al mareo; **~fisch** *m* (*-es; -e*) *Zoo.* pez *m* marino; ♱ pescado *m* de mar; **~fische'rei** *f* (*0*) pesca *f* marítima; **~flieger** ⚓ *m* aviador *m* naval; **~fliege'rei** *f* (*0*) aviación *f* naval; **~flughafen** *m* (*-s; ⸚*) base *f* de hidroaviones; **~flugzeug** *n* (*-es; -e*) hidroavión *m*; **~fracht** *f* flete *m* marítimo; **~frachtbrief** ♱ *m* (*-es; -e*) conocimiento *m*; **~gang** *m* (*-es; ⸚e*) marejada *f*; *hoher* ~ mar gruesa; **~gefecht** *n* (*-es; -e*) combate *m* naval; **~geltung** *f Pol.* prestigio *m* naval; **~gemälde** *Mal. n* marina *f*; **~gericht** *n* (*-es; -e*) tribunal *m* marítimo; **~gesetz** *n* (*-es; -e*) ley *f* marítima; **~gesetzbuch** *n* (*-es; ⸚er*) código *m* marítimo; **~gesetzgebung** *f* legislación *f* marítima; **~gras** *n* (*-es; ⸚er*) hierba *f* de mar; algas *f/pl.* (marinas); sargazo *m*; (*Polstermaterial*) crin *f* vegetal; **2grün** *adj.* verdemar; **~hafen** *m* (*-s; ⸚*) puerto *m* marítimo (*od.* de mar); **~handel** *m* (*-s; 0*) comercio *m* marítimo; **~held** *m* (*-en*) gran marino; *m* **~herrschaft** *f* (*0*) dominio *m* del mar; supremacía *f* marítima; **~hoheitsgebiet** *n* (*-es; -e*) aguas *f/pl.* jurisdiccionales; **~hund** *Zoo. m* (*-es; -e*) foca *f*; **~hundsfell** *n* (*-es; -e*) piel *f* de foca; **~igel** *Zoo. m* erizo *m* de mar; **~jungfer** *f* (*-; -n*) *Myt.* nereida *f*; *Zoo.* libélula *f*; **~kabel** *n* cable *m* submarino; **~kadett** *m* (*-en*) guardia *m* marina; alumno *m* de la Escuela Naval; **~kalb** *Zoo. n* (*-es; ⸚er*) vítulo *m* (*od.* becerro *m*) marino; **~karte** *f* carta *f* marina; **2klar** *adj.* en franquía; listo para zarpar; **~klima** *n* (*-s; 0*) clima *m* marítimo; **2krank** *adj.* (*0*) mareado; *leicht* ~ *werden* marearse fácilmente; **~krankheit** *f* (*0*) mareo *m*; **~krieg** *m* (*-es; -e*) guerra *f* naval (*od.* marítima); **~kriegsführung** *f* estrategia *f* naval; **~kriegsrecht** *n* (*-es; 0*) leyes *f/pl.* de la guerra naval (*od.* marítima); **~kuh** *Zoo. f* (*-; ⸚e*) manatí *m*, vaca *f* marina; **~küste** *f* costa *f*; litoral *m*; **~land** *n* (*niederländische Provinz*) Zelandia *f*.

'Seele *f* alma *f*; (*Geist*) espíritu *m*; (*Gemüt*) ánimo *m*; *fig.* (*Herz*) corazón *m*; *des Geschützes, des Kabels*: ánima *f*; ⊕ *e-s Hochofens*: chimenea *f* interior; *bei m-r* ~ por mi alma; *e-e* ~ *von Mensch (empfindungsvoller Mensch)* un alma sensible, *sein Gegenteil*: un alma de cántaro; *e-e gute* ~ un alma de Dios; una buena (*od.* excelente) persona; *e-e schöne (große; schwarze)* ~ un alma hermosa (grande; negra); *es war nicht e-e (od. keine)* ~ *da* no había alma viviente; *mit Leib und* ~ con cuerpo y alma; *mit od. von ganzer* ~ con toda el alma; *e-e Stadt von 20.000* ~*n* una ciudad de veinte mil almas; *fig. die* ~ *des Widerstandes* el alma de la resistencia; *zwei* ~*n und ein Gedanke* los dos piensan igual (*od.* tienen la misma idea); *sie sind ein Herz und e-e* ~ están muy compenetrados, F son uña y carne; *das tut mir in der* ~ *weh* lo siento (*od.* me duele) en el alma; *das ist ihm in der* ~ *zuwider* siente profunda aversión hacia eso; *er spricht mir aus der* ~ habla como si leyera mi pensamiento; *j-m et. auf die* ~ *binden* recomendar encarecidamente a/c. a alg.

'Seelen...: **~adel** *m* (*-s; 0*) nobleza *f* de alma; **~amt** *Lit. n* (*-es; ⸚er*) misa *f* de réquiem (*od.* de difuntos); **~angst** *f* (*-; ⸚e*) angustias *f/pl.* mortales; **~freund(in** *f*) *m* (*-es; -e*) amigo *m* íntimo (*od.* del alma); amiga *f* íntima; **~friede(n)** *m* (*-ns; 0*) paz *f* espiritual (*od.* del alma); **~größe** *f* (*0*) grandeza *f* de alma; magnanimidad *f*; **2gut** *adj.* (*0*) muy bueno; bueno a carta cabal; F buenazo; **~güte** *f* (*0*) bondad *f* de alma; **~heil** *n* (*-es; 0*) salvación *f* (del alma); **~heilkunde** *f* (*0*) (p)siquiatría *f*; **~hirt** *m* (*-en*) pastor *m* de almas; F cura *m*; **~kunde** *f* (*0*) (p)sicología *f*; **~leben** *n* (*-s; 0*) vida *f* espiritual; **~leiden** ⚕ *n* enfermedad *f* mental; (p)sicopatía *f*; **2los** *adj.* (*-est*) sin alma; sin vida, inanimado; **~messe** *Lit. f* → *Seelenamt*; **~not** *f* (*-; ⸚e*), **~pein** *f* (*0*), **~qual** *f* angustia *f*; **~regung** *f* reacción *f* afectiva; emoción *f*; **~ruhe** *f* (*0*) paz *f* (*od.* tranquilidad *f*) del alma; serenidad *f*; sosiego *m*; *weitS.* calma *f*; placidez *f*; imperturbabilidad *f*; **~stärke** *f* (*0*) entereza *f*; **2vergnügt** *adj.* loco de alegría, F contento como unas pascuas; **~verkäufer** ⚓ *m* (*schlechtes Schiff*) *desp.* carraca *f*; **2verwandt** *adj.* de afinidad espiritual (con); **~verwandtschaft** *f* afinidad *f* espiritual; **2voll** *adj.* con mucha alma; lleno de vida; (*ausdrucksvoll*) expresivo; (*warmherzig*) caluroso; efusivo; **~wanderung** *f* transmigración *f* de las almas, metempsicosis *f*; **~zustand** *m* (*-es; ⸚e*) estado *m* del alma.

'Seeleute *pl.* marineros *m/pl.*; gente *f* de mar.

'seelisch *adj.* espiritual; (p)síquico; anímico, del alma; mental; afectivo; ⚕ ~*es Leiden* enfermedad mental, (p)sicopatía; ~*e Störung* perturbación mental; ~*es Gleichgewicht* equilibrio mental; ~ *bedingt* (p)sicógeno.

'Seelöwe *Zoo. m* (*-n*) león *m* marino.

'Seel|sorge *f* (*0*) cura *f* de almas; servicio *m* de una parroquia; **~sorger** *m* padre *m* espiritual; director *m* espiritual; (cura *m*) párroco *m*; (*protestantischer*) pastor *m*; **2sorge-**

risch *adj.* pastoral; ~e *Betreuung* dirección espiritual; obra caritativa.

'See...: ~luft *f (0)* aire *m* de mar; **~macht** *f* (-; ¨e) (*Staat*) potencia *f* naval *od.* marítima; (*Flotte*) flota *f*, fuerzas *f/pl.* navales, marina *f* de guerra, armada *f*; **~mann** *m* (-es; *-leute*) marino *m*; marinero *m*; *e-n* ~ *heuern* contratar un marinero; **≗männisch** *adj.* náutico; de marin(er)o; marítimo; **~manns-ausdruck** *m* (-es; ¨e) término *m* náutico; expresión *f* marinera; **~mannsgang** *m* (-es; 0): *den* ~ *haben* no perder el equilibrio a pesar del balanceo; **~mannsgarn** *n* (-es; -e) *fig.* historias *f/pl.* fantásticas de la gente de mar; **~mannssprache** *f* (0) lenguaje *m* marinero; **≗mäßig** *adj.*: ~e *Verpackung* embalaje (para transporte) marítimo; **~meile** *f* milla *f* marina; **~mine** *f* mina *f* submarina; **~möwe** *Orn. f* gaviota *f*; **~muschel** *Zoo. f* (-; -n) concha *f*; *eßbare* ~ almeja *f*; **~not** *f* (0) peligro *m* marítimo; *in* ~ en peligro de naufragar; **~notdienst** *m* (-es; -e) servicio *m* de salvamento de náufragos; **~offizier** *m* (-s; -e) oficial *m* de marina; **~otter** *Zoo. f* (-; -n) nutria *f* de mar; **~pferdchen** *Zoo. n* caballo *m* marino, hipocampo *m*; **~pflanze** ♀ *f* planta *f* marina; **~raub** *m* (-es; 0) piratería *f*; **~räuber** *m* pirata *m*; corsario *m*; **~räube'rei** *f* piratería *f*; ~ *treiben* piratear; cometer actos de piratería; **≗räuberisch** *adj.* pirata; de *bzw.* como pirata *od.* corsario; **~räuberschiff** *n* (-es; -e) barco *m* pirata; corsario *m*; **~räuberwesen** *n* (-s; 0) piratería *f*; **~recht** *n* (-es; 0) derecho *m* marítimo; **~reise** *f* viaje *m* por mar; crucero *m*; **~rose** ♀ *f* nenúfar *m*; *Zoo.* actinia *f*; **~route** *f* ruta *f* marítima; **~salz** *n* sal *f* marina; **~schaden** *m* (-s; ¨) avería *f*; **~schadensregelung** *f* liquidación *f* de la avería; **~schiff** *n* (-es; -e) buque *m* de altura; navío *m*; **~schifffahrt** *f* (0) navegación *f* marítima; **~schlacht** *f* batalla *f* naval; **~schlange** *f* serpiente *f* de mar; **~schule** *f* escuela *f* náutica; escuela *f* naval; **~sieg** *m* (-es; -e) victoria *f* naval; **~skorpion** *Zoo. m* (-s; -e) escorpión *m* de mar; **~stadt** *f* (-; ¨e) ciudad *f* marítima; **~stern** *Zoo. m* (-es; -e) estrellamar *f*; asteria *f*; **~strand** *m* (-es; ¨e) playa *f*; orilla *f* del mar; **~streitkräfte** *f/pl.* fuerzas *f/pl.* navales; **~sturm** *m* (-es; ¨e) tormenta *f*; borrasca *f*, temporal *m* (en el mar); **~stützpunkt** *m* (-es; -e) base *f* naval; **~tang** ♀ *m* (-s; 0) → *Seegras*; **~tier** *n* (-es; -e) animal *m* marino; **~transport** *m* (-es; -e) transporte *m* marítimo (*od.* por mar); **≗tüchtig** *adj.* (*Schiff*) marinero; en perfectas condiciones para navegar; **~tüchtigkeit** *f* (0) cualidades *f/pl.* marineras; navegabilidad *f*; **~ungetüm** *n* (-es; -e) monstruo *m* marino; **~verbindung** *f* comunicación *f* marítima; **~verkehr** *m* (-s; 0) tráfico *m* marítimo; **~versicherung** *f* seguro *m* marítimo; **~vogel** *m* (-s; ¨) ave *f* marina; **~volk** *n* (-es; ¨er) pueblo *m* navegante; nación *f* marítima; **~warte** *f* observatorio *m* marítimo; **≗wärts** *adv.* mar adentro; **~wasser** *n* agua *f* de mar; **~weg** *m* (-es; -e) vía *f* marítima; ruta *f* marítima; ~ *nach Ostindien* ruta de las Indias (orientales); *auf dem* ~ por mar; por vía marítima; **~wesen** *n* (-s; 0) náutica *f*; **~wind** *m* (-es; -e) viento *m* del mar; *leichter*: brisa *f* marina (*od.* del mar); **~wissenschaft** *f* (0) (ciencia *f*) náutica *f*; arte *m* de navegar; navegación *f*; **~zeichen** *n* señal *f* marítima (*festes* fija; *schwimmendes* flotante); baliza *f*; (*Boje*) boya *f*; **~zunge** *Ict. f* lenguado *m*.

'Segel *n* vela *f*; *Anat.* velo *m*; *unter* ~ *gehen* hacerse a la vela; largar las velas; *die* ~ *streichen* amainar; recoger velas (*a. fig.*); *fig.* darse por vencido; *alle* ~ *aufspannen* desplegar todas las velas; *die* ~ *hissen* izar velas; *mit vollen* ~n a toda vela; viento en popa (*a. fig.*); *fig. j-m den Wind aus den* ~n *nehmen* desbaratar los planes de alg.; anular los esfuerzos de alg.; **~boot** *n* (-es; -e) barco *m* de vela; velero *m*; (*Segeljacht*) yate *m* de vela; *Sport*: balandro *m*; **≗fertig** *adj.* listo para hacerse a la vela; *sich* ~ *machen* alzar velas; ponerse en franquía; **~fläche** *f* superficie *f* del velamen; **≗fliegen** (*nur inf.*) *v/i.* volar en planeador; hacer vuelo a vela; **~fliegen** *n*, **~flug** *m* (-es; ¨e) vuelo *m* a vela; vuelo *m* sin motor; **~flieger** *m* aviador *m* a vela; *neol.* volovelista *m*; planeador *m*; **~fliege'rei** *f* (0) vuelo *m* a vela; **~fliegerschule** *f* escuela *f* de vuelo a vela (*od.* de vuelo sin motor); **~flugplatz** *m* (-es; ¨e) terreno *m* para (prácticas de) vuelo a vela; **~flugzeug** *n* (-es; -e) planeador *m*; **~jacht** *f* yate *m* de vela; **≗klar** *adj.* → *segelfertig*; **~klub** *m* (-s; -s) club *m* náutico; **~macher** *m* velero *m*; **≗n** (-le) *v/i.* navegar a vela; (*ab*~) hacerse a la vela (*nach* para); ✈ volar a vela; *Sport*: practicar los deportes náuticos; *gegen den Wind* ~ navegar contra el viento; *mit dem Wind* ~ navegar a favor del viento; *um ein Kap* ~ doblar un cabo; **~n** *n* navegación *f* a vela; *Sport*: deporte *m* náutico; balandrismo *m*; **~regatta** *f* (-; *-regatten*) regata *f* de veleros *bzw.* de balandros; **~schiff** *n* (-es; -e) barco *m* de vela; velero *m*; **~schifffahrt** *f* (0) navegación *f* a vela; **~schlitten** *m* patines *m/pl.* a vela; **~schulschiff** *n* (-es; -e) buque *m* escuela; **~sport** *m* (-es; 0) deporte *m* náutico; balandrismo *m*; **~stange** *f* verga *f*; **~stellung** *f* velamen *m*; **~tau** *n* (-es; -e) cabo *m*; cable *m*; **~tuch** *n* (-es -e) lona *f*; **~verein** *m* (-es; -e) → *Segelklub*; **~werk** *n* (-es; 0) velamen *m*, velaje *m*; **~wind** *m* (-es; 0) viento *m* de popa.

'Segen *m* bendición *f*; (*Gnade*) gracia *f*; (*Tischgebet*) benedícite *m*; bendición *f* de la mesa; (*Zauberformel*) conjuro *m*; fórmula *f* mágica; (*Gedeihen*) prosperidad *f*; (*Glück*) felicidad *f*; suerte *f*; (*Geschenk*) don *m*; (*Fülle*) abundancia *f*; (*Reichtum*) riqueza *f*; *j-m den* ~ *geben* (*od. erteilen*), *über j-n den* ~ *sprechen* dar la bendición a alg.; bendecir a alg.; *Gottes* ~ *mit dir!* ¡Dios te bendiga!; ~ *bringen* traer suerte; *zum* ~ *der Menschheit* para bien de la humanidad; *es ist ein* ~ *Gottes* es una bendición de Dios; *es ist ein wahrer* ~ es una verdadera suerte; es una bendición; *dabei ist kein* ~ eso no traerá nada bueno; **~erteilung** *f*, **~spendung** *f* bendición *f*; **≗sreich** *adj.* bienhechor; benéfico; **~sspruch** *m* (-es; ¨e) bendición *f*; **~swunsch** *m* (-es; ¨e) bendición *f*; *m-e Segenswünsche* (*Glückwünsche*) mi felicitación; mi enhorabuena.

'Segler *m* (*Segelflieger*) aviador *m* a vela; *Sport*: aficionado *m* al deporte náutico; balandrista *m*; (*Schiff*) velero *m*; barco *m* de vela; (*Segelflugzeug*) planeador *m*; *Orn.* vencejo *m*.

Seg'ment *n* (-es; -e) segmento *m*.

'segn|en (-e-) *v/t.* bendecir; dar la bendición; *sich* ~ santiguarse, hacer la señal de la cruz; *Rel.* (*weihen*) consagrar; *Gott segne dich!* ¡Dios te bendiga!; *fig. das Zeitliche* ~ morir, fallecer; *gesegnet* bendito; *gesegnete Mahlzeit!* ¡buen provecho!; *ein gesegnetes neues Jahr* un feliz y próspero año nuevo; *mit Gütern gesegnet* colmado de bienes; *sie ist gesegneten Leibes* (*od. in gesegneten Umständen*) está encinta *od.* en estado (interesante); **≗ung** *f* bendición *f*; (*wohltätige Wirkung*) beneficio *m*.

'Seh-achse *f* eje *m* visual (*od.* óptico).

'sehen (*L*) **1.** *v/i.* ver; (*blicken*) mirar; *gut* (*schlecht*) ~ ver bien (mal); tener buena (mala) vista; *weit* ~ ver lejos; ~ *auf* mirar (*ac.*); fijar la mirada en; *nicht auf den Preis* ~ no mirar el precio; no reparar en el precio; *auf die Uhr* ~ mirar la hora; *das Zimmer sieht auf den Park* la habitación da al parque; *er sieht nur auf s-n Vorteil* no mira más que a su provecho; *darauf* ~, *daß* ... cuidar de que ... (*subj.*); *aus dem Fenster* ~ asomarse a la ventana; *daraus ist zu* ~, *daß* ... por ello se ve que ...; de ello resulta que ...; ello muestra que ...; *in die Sonne* ~ mirar el sol; *in den Spiegel* ~ mirarse en el espejo; *j-m ins Gesicht* ~ mirar a alg. cara a cara; *den Dingen ins Gesicht* ~ afrontar las cosas como son; ~ *nach* mirar por; vigilar (*ac.*); cuidar de; (*sorgend*) velar por; *nach dem Rechten* ~ asegurarse de que todo está en orden; vigilar; *nach der Uhr* ~ mirar la hora; *j-m ähnlich* ~ parecerse a alg.; *siehe oben* (*unten*) véase más arriba (abajo) *siehe Seite 20* véase la página veinte; *sieh mal!* ¡mira!; ¡fíjate!; *sieh doch!* ¡pero fíjate!; F *na, siehst du!* ¡ya lo ves!; ¡ya te lo decía yo!; F *sieh mal e-r an!* ¡vaya, vaya!; ¡no me diga!; *wie ich sehe* por lo que veo; *wie man sieht* por lo visto; según se ve; *ich will* ~, *daß* ... veré si ...; trataré de (*inf.*); **2.** *v/t. u. v/refl.* ver; (*anblicken*) mirar; (*wahrnehmen*) percibir; (*unterscheiden*) distinguir; (*erkennen*) reconocer; (*beobachten*) observar; (*bemerken*) notar; *flüchtig* ~ entrever; *von weitem* ~ ver de lejos; *et. nicht* ~ *wollen* aparentar no ver a/c., (*ein*

Auge zudrücken) F hacer la vista gorda; *zu ~ sein* poder verse, (*sichtbar sein*) ser visible, (*hervorlugen*) asomar, (*ausgestellt sein*) estar expuesto; *es ist nichts zu ~* no se ve nada; *niemand war zu ~* no se veía a nadie; *gern* (*ungern*) *~* ver con buenos (malos) ojos; *ich sehe es* (*nicht*) *gern, wenn* ... (no) me gusta que (*subj.*); *gern gesehen sein* ser bien visto; *ich habe es kommen ~* lo he visto venir; ya sabía yo que ocurriría eso; *wir werden* (*schon*) *~* ya veremos; *hat man so et. schon gesehen?* ¿habráse visto semejante cosa?; *ich sehe die Sache anders* yo veo las cosas de otro modo; *ich sah ihn fallen* le vi caer; *sie kann ihn nicht ~* (*leiden*) no puede verle; *alles in rosigstem Lichte ~* verlo todo de color de rosa; *das sieht man* ya se ve; eso se ve claramente; *sich ~* verse; mirarse; *sich im Spiegel ~* mirarse al espejo; *sich e-m Problem gegenüber ~* verse ante un problema; *sich gezwungen ~, zu* (*inf.*) verse obligado a (*inf.*); *~ lassen* dejar ver, (*zeigen*) mostrar, enseñar, (*ausstellen*) exhibir; *sich ~ lassen* mostrarse; aparecer; (*mit e-m schönen Kleid, Schmuck usw.*) lucir; *er hat sich nicht mehr ~ lassen* no se le ha vuelto a ver; *laß dich nie mehr hier ~!* ¡no vuelvas a aparecer por aquí!; *damit kannst du dich ~ lassen* así ya estás presentable; *sie kann sich ~ lassen* es una muchacha bastante bonita; puede codearse con las demás.

'**Sehen** *n* vista *f*; visión *f*; *ihm verging Hören und ~* se quedó atónito; F se quedó de una pieza; *vom ~ kennen* conocer de vista.

'**sehens|wert** (*-est*), **~würdig** *adj.* digno de verse; (*merkwürdig*) curioso; notable; **2würdigkeit** *f* cosa *f* digna de verse *bzw.* de visitarse; *~en pl.* monumentos *m/pl.* artísticos *bzw.* históricos de un lugar; curiosidades *f/pl.*

'**Seher** *m* profeta *m*; (*Hell2*) vidente *m*; **~blick** *m* (*-es*; *-e*) vista *f* profética; **~gabe** *f* don *m* profético; **~in** *f* profetisa *f*; (*Antike*) pitonisa *f*; sibila *f*; **2isch** *adj.* profético.

'**Seh...:** **~fehler** *m* defecto *m* visual; **~feld** *n* (*-es*; *-er*) *Opt.* campo *m* visual; **~kraft** *f* (*-*; *0*) potencia *f* visual; (*Sinn*) vista *f*; **~kreis** *m* (*-es*; *-e*) horizonte *m*; **~linie** *f Opt.* visual *f*; (*Blickrichtung*) dirección *f* visual.

'**Sehne** *f Anat.* tendón *m*; 🏹 (*a. Bogen2*) cuerda *f*.

'**sehnen** *v/refl.*: *sich nach et. ~* anhelar a/c.; desear ardientemente a/c.; ansiar a/c.; *nach Vergangenem, Verlorenem*: añorar a/c.; sentir nostalgia de a/c.; *sich nach j-m ~* ansiar volver a ver a alg; F sentir morriña por.

'**Sehnen** *n* deseo *m* ardiente; ansias *f/pl.*; anhelos *m/pl.*; *nach Vergangenem, Verlorenem*: añoranza *f*; *Heimweh*: nostalgia *f*; F morriña *f*.

'**Sehnen...:** **~band** *Anat. n* (*-es*; *¨er*) ligamento *m* tendinoso; **~entzündung** ⚕ *f* tendinitis *f*; inflamación *f* de los tendones; **~faser** *f* (*-*; *-n*) fibra *f* tendinosa; **~scheide** *Anat.* *f* vaina *f* tendinosa; vaina *f* sinovial; **~scheiden-entzündung** ⚕ *f* tendovaginitis *f*; **~verkürzung** ⚕ *f* retracción *f* tendinosa.

'**Sehnerv** *Anat. m* (*-s*; *-en*) nervio *m* óptico.

'**sehnig** *adj.* tendinoso; *Person*: nervudo; correoso.

'**sehnlich I.** *adj.* (*Wunsch*) ardiente; vehemente; (*leidenschaftlich*) apasionado; (*Erwartung*) ansioso; **II.** *adv.* con ardor; fervorosamente; *et. sehnlichst herbeiwünschen* desear ardientemente a/c.; *et. sehnlichst erwarten* esperar con impaciencia a/c.

'**Sehn|sucht** *f* (*-*; *¨e*) deseo *m* ardiente *od.* vehemente (*nach* de); anhelo *m*, ansia *f*; *nach Vergangenem, Verlorenem*: añoranza *f*; *nach der Heimat*: nostalgia *f*; F morriña *f*; *mit ~ erwarten* esperar con impaciencia; **2süchtig, 2suchtsvoll** *adj.* anheloso, ansioso; con añoranza; nostálgico; F morriñoso; (*ungeduldig*) impaciente; (*schmachtend*) lánguido.

'**Seh...:** **~organ** *n* (*-s*; *-e*) órgano *m* de la vista; **~probe** *f*, **~prüfung** *f* prueba *f* de la agudeza visual; **~purpur** *Anat. m* (*-s*; *0*) púrpura *f* visual.

sehr *adv.* muy; mucho; bien; *vor adj. u. adv.*: muy; *~ gut* muy bueno; muy bien; *~ viel* mucho; muchísimo; *~ viel Geld* mucho dinero; *~ viele Leute* mucha gente; *~ viele andere* otros muchos; *zu ~* demasiado, (*übermäßig*) en extremo; *~ oft* muy a menudo; con mucha frecuencia; *so ~* tanto; *so ~ er auch schreit* por mucho que grite; *so ~, daß* ... hasta el extremo *od.* punto de (*inf.*); *er weiß nicht, wie ~* ... no sabe cuánto ...; *ich würde es ~ gern tun* lo haría con mucho gusto; *~ vermissen* echar mucho de menos.

'**Seh...:** **~rohr** *n* (*-es*; *-e*) *des U-Boots*: periscopio *m*; **~schärfe** *f* (*0*) agudeza *f* visual; **~schlitz** *m* (*-es*; *-e*) rendija *f* de mirilla; **~schwäche** *f* (*0*) debilidad *f* de la vista; ⚕ ambliopía *f*; **~störung** ⚕ *f* trastorno *m* visual; **~vermögen** *n* (*-s*; *0*) facultad *f* visual; (*Sinn*) vista *f*; **~weite** *f* alcance *m* de la vista; *Opt.* distancia *f* visual; *e-r Brille*: campo *m* visual; **~werkzeug** *n* (*-es*; *-e*) órgano *m* visual (*od.* de la vista); **~winkel** *m* ángulo *m* visual; **~zentrum** *n* (*-s*; *-zentren*) centro *m* visual.

'**seicht** (*-est*) *adj.* bajo; de poco fondo; *Wasser*: poco profundo; (*durchwatbar*) vadeable; *fig.* superficial; trivial; (*fade*) soso, insípido, insulso; (*unerheblich*) de poca entidad; ligero, frívolo; fútil; *~e Redensarten* vulgaridades *f/pl.*; insulseces *f/pl.*; **2heit** *f* (*0*), **2igkeit** *f* (*0*) superficialidad *f*; poca profundidad *f*; *fig.* insulsez *f*; frivolidad *f*; futilidad *f*.

'**Seide** *f* seda *f*; *reine ~* seda pura; *rohe ~* seda cruda; *künstliche ~* seda artificial; rayón *m*.

'**Seidel** *n* (*Maß*) cuartillo *m*; (*Bier2*) jarro *m* para cerveza; doble *m* (de cerveza); **~bast** ⚘ *m* (*-es*; *0*) torvisco *m*.

'**seiden** *adj.* de seda; (*wie Seide*) sedoso.

'**Seiden...:** **~abfall** *m* (*-es*; *¨e*) desperdicios *m/pl.* de seda; **~affe** *Zoo. m* (*-n*) tití *m*; **~arbeit** *f* trabajo *m* en seda; **2artig** *adj.* sedoso; sedeño; **~asbest** *m* (*-es*; *-e*) amianto *m* sedoso; **~atlas** *m* (*-ses*; *-se*) satén *m*; raso *m* de seda; **~band** *n* (*-es*; *¨er*) cinta *f* de seda; **~bau** *m* (*-es*; *0*) sericultura *f*; **~fabrik** *f* fábrica *f* de tejidos de seda; **~faden** *m* (*-s*; *¨*) hilo *m* de seda; **~flor** *m* (*-s*; *-e*) gasa *f* de seda; **~garn** *n* (*-es*; *-e*) hilo *m* de seda; **~gespinst** *n* (*-es*; *-e*) capullo *m* de (gusano de) seda; **~gewebe** *n* tejido *m* de seda; **~glanz** *m* (*-es*; *0*) brillo *m* de seda; lustre *m* sedoso; **~haar** *n* (*-es*; *e*) cabello *m* sedoso; **~handel** *m* (*-s*; *0*) comercio *m* de la seda; sedería *f*; **~händler** *m* comerciante *m* en sedas; sedero *m*; **~industrie** *f* industria *f* sedera (*od.* de la seda); **~papier** *n* (*-s*; *-e*) papel *m* de seda; **~raupe** *f* gusano *m* de seda; **~raupenzucht** *f* (*0*) sericultura *f*; **~raupenzüchter** *m* sericultor *m*; **~spinner** *m* hilador *m* de seda; (*Schmetterling*) bómbice *m*; **~spinne'rei** *f* hilandería *f* de seda; (*Verfahren*) hilatura *f* de la seda; **~sticke'rei** *f* bordado *m* sobre seda; **~stoff** *m* (*-es*; *-e*) (tejido *m* de) seda *f*; **~strumpf** *m* (*-es*; *¨e*) media *f* de seda; **~tuch** *n* (*-es*; *¨er*) paño *m* de seda; **~waren** *f/pl.* sedería *f*; sedas *f/pl.*; tejidos *m/pl.* de seda; **~weber** *m* tejedor *m* de sedas; **~webe'rei** *f* fabricación *f* de la seda; **2weich** *adj.* suave como seda; sedoso; **~wurm** *m* (*-es*; *¨er*) gusano *m* de seda; **~zeug** *n* (*-es*; *0*) sedería *f*; **~zucht** *f* (*0*) seri(ci)cultura *f*; **~züchter** *m* seri(ci)cultor *m*; **~zwirn** *m* (*-es*; *-e*) hilo *m* de seda; sirgo *m*; torcido *m* de seda.

'**seidig** *adj.* sedoso; sedeño.

'**Seife** *f* jabón *m*; *ein Stück* (*od. Riegel*) *~* una pastilla de jabón; *grüne ~* jabón verde; *~ kochen* (*od. sieden*) hacer jabón; *mit ~ waschen* lavar con jabón; enjabonar; **2n** *v/t.* (en)jabonar.

'**Seifen...:** **~behälter** *m* jabonera *f*; *zum Rasieren* bacía *f*; **~bildung** *f* saponificación *f*; **~blase** *f* burbuja *f* de jabón; pompa *f* de jabón; **~büchse** *f*, **~dose** *f* jabonera *f*; **~fabrik** *f* jabonería *f*, fábrica *f* de jabones; **~flocken** *f/pl.* copos *m/pl.* de jabón; **~kiste** *f* caja *f* de jabón; **~kraut** ⚘ *n* (*-es*; *¨er*) jabonera *f*, saponaria *f*; **~lappen** *m* guante *m* de tocador; **~lauge** *f* lejía *f* de jabón; **~pulver** *n* jabón *m* en polvo; **~schaum** *m* (*-es*; *¨e*) espuma *f* de jabón; **~sieder** *m* jabonero *m*; **~siede'rei** *f* → *Seifenfabrik*; **~spender** *m* distribuidor *m* de jabón; **~stein** *m* (*-es*; *-e*) piedra *f* de jabón, saponita *f*; **~wasser** *n* agua *f* jabonosa (*od.* de jabón); **~zäpfchen** ⚕ *n* supositorio *m* jabonoso.

'**seifig** *adj.* jabonoso; saponáceo.

'**seigern** (*-re*) **I.** *v/t. Met.* licuar; ⚒ (*Schacht*) cavar a plomo; **II. 2** *n Met.* licuación *f*.

'**Seigerschacht** ⚒ *m* (*-es*; *¨e*) pozo *m* vertical.

'**Seih|e** ['zaiə] *f* (*Filter*) filtro *m*; (*Sieb*) colador *m*; (*Rückstand*) residuo *m*; 2**en** *v/t.* filtrar; colar; ~**en** *n* filtración *f*; coladura *f*; ~**papier** *n* (-*s*; -*e*) papel *m* de filtro; ~**sack** *m* (-*es*; ~*e*), ~**tuch** *n* (-*es*; ~*er*) filtro *m* de estameña.

'**Seil** *n* (-*es*; -*e*) cuerda *f*; ⚓ jarcia *f*, *mst. pl.* jarcias; cordaje *m*; (*Tau*) cable *m*, cabo *m*; (*Hanf*2) maroma *f*; (*Bast*2) soga *f*; *auf dem* ~ *tanzen* maromear, bailar en la maroma; ~*springen* (*Kinderspiel*) saltar a la comba; ~**bahn** *f* ferrocarril *m* funicular; teleférico *m*; ~**bremse** *f* freno *m* por cable; ~**brücke** *f* puente *m* funicular; puente *m* suspendido; ~**er** *m* cordelero *m*; ~**e'rei** *f* cordelería *f*; ~**erwaren** *f/pl.* cordajes *m/pl.*; ~**fähre** *f* transbordador *m* de tracción por cable; ~**hüpfen** *n* salto *m* a la comba; ~**macher** *m* cordelero *m*; ~**scheibe** *f* polea *f* de cable; ~**schwebebahn** *f* teleférico *m*; ~**springen** *n* → Seilhüpfen; ~**start** ✈ *m* (-*es*; -*s*) lanzamiento *m* por cable; ~**steuerung** *f* mando *m* por cable; ~**tanzen** *n* baile *m* en la maroma; ~**tänzer(in** *f*) *m* funámbulo (-a *f*) *m*; ~**tänzerstange** *f* balancín *m*; ~**trommel** *f* (-; -*n*) tambor *m* para cable; ~**werk** *n* (-*es*; -*e*) cordaje *m*, cordería *f*; ~**winde** *f* torno *m* de cable; ~**ziehen** *n Sport*: prueba *f* de la cuerda.

Seim *m* (-*es*; -*e*) *aus Pflanzen*: mucílago *m*; (*Honig*2) miel *f* virgen; '2**ig** *adj.* mucilaginoso; viscoso.

Sein *n* (-*s*; *0*) ser *m*; (*Wesenheit*) esencia *f*; (*Dasein*) existencia *f*.

sein[1] (*L*) *v/i.* ser; estar; haber; **I.** *Hilfsverb in Verbindung mit p/p.*: **1.** *zur Bildung des Passivs*: *a*) *zur Bezeichnung dauernder Zustände, bsd. adjektivisch*: ser; *diese Methode ist bekannt* ese método es conocido; *deine Schwester ist sehr beliebt* tu hermana es muy apreciada; *das Buch ist noch nicht erschienen* el libro todavía no ha sido publicado; *b*) *zur Bezeichnung des Abschlusses bzw. Ergebnisses e-s Vorganges*: estar; *das Fenster ist geöffnet* la ventana está abierta; *der Brief ist mit der Maschine geschrieben* la carta está escrita a máquina; **2.** *zur Bildung der zusammengesetzten Formen des Aktivs der intransitiven Verben* (*abgeschlossene Handlung*) haber: *ich bin gewesen* yo he sido; *ich bin angekommen* he llegado; *wenn er nicht gewesen wäre* si no hubiera sido él; **II.** *Selbständiges Verb*: *a*) *zur Bezeichnung e-r Wesenseigenschaft des Subjektes bzw. dauernder Zustände od. Tätigkeiten*: *mst.* ser; *was ist das?* ¿qué es esto?; ¿qué es eso?; *ich bin es* soy yo; *sind Sie es?* ¿es usted?; *es wird nicht immer so* ~ no siempre será así; *wenn dem so ist* si es así; en ese caso; *das kann nicht* ~ eso no puede ser; eso no es posible; *was soll das* ~? ¿qué significa eso?; *was ist?* ¿qué es?; ¿qué pasa (*od.* ocurre)?; *ist es nicht so?* ¿no es así?; *wie wäre es wenn ...?* ¿qué le parece si ... (*subj.*)?; *wie ist Ihnen?* ¿cómo se siente usted?; *was ist Ihnen?* ¿qué le pasa a usted?; *mir ist nicht wohl* no me siento bien; *mir ist besser* me siento mejor; *mir ist, ich weiß nicht wie* no sé qué me pasa; *mir ist so, als ob ...* me parece como si ... (*subj.*); estoy como si ... (*subj.*); *mir ist, als höre ich ihn* me parece estar oyéndole; *laß das* ~! ¡deja eso (en paz)!; F ¡no te metas en eso!; *es sei!*; *es mag* ~! ¡sea!; *es mag* ~ (*es ist möglich*) puede ser; es posible; *so sei es!* ¡así sea!; *sei dem, wie ihm wolle* sea como fuere; *es sei denn, daß ...* a menos que ... (*subj.*); a no ser que ... (*subj.*); *sei es, daß ...* sea que ...; *sei es im Guten, sei es im Bösen* sea por las buenas o (sea) por las malas; *sei er auch noch so groß* por grande que sea; *es ist zu hoffen, daß ...* es de esperar que ...; *was ist zu tun?* ¿qué hay que hacer?; *das ist nicht m-e Sache* eso no es asunto mío; **1.** *wesenhafte, dauernde od. bleibende Eigenschaften*: *der Schnee ist weiß* la nieve es blanca; *die Erde ist rund* la tierra es redonda; *der Stahl ist hart* el acero es duro; **2.** *Ortsangaben*: *hier ist es* aquí es; es aquí; **3.** *Zeitangaben*: *es ist früh* (*spät*) es temprano (tarde); *es ist drei Uhr* son las tres; *es ist ein Jahr her, daß ...* hace (ya) un año que ...; *heute ist Sonntag* hoy es domingo; **4.** *Dasein, Vorhandensein*: haber; existir; *es sind noch einige Bücher da* hay (*od.* quedan) todavía algunos libros; *in Berlin ist ein Museum, wo ...* hay (*od.* existe) en Berlín un museo donde ...; *in dieser Straße sind viele Läden* en esta calle hay muchas tiendas; **5.** *Nationalität, Beruf, Religionsbekenntnis, Familienstand*: *er ist Deutscher* (*Rechtsanwalt*; *Katholik*) es alemán (abogado; católico); *verheiratet* (*ledig*) ~ ser *od.* estar casado (soltero); *er ist mit m-r Schwester verheiratet* está casado con mi hermana; **6.** *Herkunft, Materie des Objektes*: *mein Freund ist aus Madrid* mi amigo es de Madrid; *die Kette ist aus Gold* la cadena es de oro; **7.** *Altersangaben*: *wie alt sind Sie?* ¿qué edad tiene usted?; ¿cuántos años tiene usted?; *sie ist 20 Jahre alt* (ella) tiene veinte años; *er ist alt* (*jung*) es viejo (joven); **8.** *Charaktereigenschaft, äußere Lebenslage*: *er ist ein ehrlicher Mann* es un hombre honrado; *er ist zu allem fähig* es capaz de todo; *er ist ein reicher Mann* es un hombre rico (*od.* acaudalado); **9.** *Umstände*: *es ist bedauerlich* (*fraglich*; *unerhört*; *leicht*; *schwierig*) es lamentable (dudoso; inaudito; fácil; difícil); **10.** *Zugehörigkeit*: *wessen Buch ist das?* ¿de quién es (*od.* a quién pertenece) este libro?; *das Paket ist für mich* el paquete es para mí; *dieses Haus gehört m-m Bruder* esta casa es de (*od.* pertenece a) mi hermano; **11.** *Zahlen- oder Wertangaben*: *2 mal 3 ist 6* dos por tres son seis; *2 und 2 sind 4* dos y dos son cuatro; *das Buch ist billig* (*teuer*) el libro es barato (caro); *b*) *zur Bezeichnung vorübergehender Zustände od. Tätigkeiten und erworbener bzw. vorübergehender Eigenschaften*: *mst.* estar; **1.** *örtliches Befinden*: *wir sind in Sevilla* estamos en Sevilla; *er ist zu Hause* (él) está en casa; *gestern abend war ich im Kino* anoche estuve en el cine; *das Dorf ist nicht weit von hier* el pueblo no está lejos de aquí; *hier bin ich* aquí estoy; *das Schiff ist im Hafen* el barco está en el puerto; **2.** *körperliches Befinden*: *er ist krank* (*gesund*) está enfermo (sano); *wir sind müde* estamos cansados; **3.** *Datumsangabe*: *heute ist der 20. Mai* hoy estamos a veinte de mayo; **4.** *vorübergehende Zustände bzw. Eigenschaften*: *das Eisen ist glühend* el hierro está candente; *der Kaffee ist kalt* el café está frío; *er ist zufrieden* (*traurig*; *ruhig*; *wütend*) está contento (triste; tranquilo; furioso); *die Kirschen sind nicht reif* las cerezas no están maduras; *es ist kalt* (*warm*; *windig*; *sonnig*) hace frío (calor; viento; sol); *mir ist kalt* (*warm*) tengo frío (calor); *es ist gutes* (*schlechtes*) *Wetter* hace buen (mal) tiempo; **5.** *vorübergehende bzw. abgeschlossene Handlung*: *auf der Reise* (*Jagd*) ~ estar de viaje (caza); *er war als Dolmetscher in einem Hotel* estaba de intérprete en un hotel; *er ist als Lehrling in einer Werkstatt* está de aprendiz en un taller; *das Paket ist fertig* el paquete está hecho; *ich bin reisefertig* estoy listo para (emprender) el viaje; **6.** *stattfinden*: *die Sitzung war gestern* la reunión se celebró (*od.* tuvo lugar) ayer.

sein[2] *pron/pos.* (*unbetont*) su; (*betont*) suyo; ~ *Buch* su libro; *einer* ~*er Freunde* uno de sus amigos; ~*e vielen Freunde* sus numerosos amigos; *mein und* ~ *Vater* mi padre y el suyo; 2*e Majestät* Su Majestad; 2**e(r)** *m*, 2**e** *f*, 2**e(s)** *n*: *der* ~*e* el suyo; *die* ~*e* la suya; *das* ~*e* lo suyo; *jedem das* ~*e* a cada uno (*od.* a cada cual) lo suyo.

'**seiner** *pron.* (*gen. v.* er) de él; *ich gedenke* ~ me acuerdo de él; pienso en él; ~**seits** *adv.* por su parte; de su parte; *er* ~ él por su parte; (*er ebenfalls*) él a su vez; ~**zeit** *adv.* en su día; oportunamente; a su (debido) tiempo.

'**seinesgleichen** *pron.* su igual; sus semejantes; *j-n wie* ~ *behandeln* tratar a alg. de igual a igual; *nicht* ~ *haben* no tener rival; ser único (en su género); ~ *suchen* carecer de precedentes.

'**seinet|halben,** ~**wegen,** ~**willen** *adv.* por él; por causa suya; por culpa suya; por consideración a él.

'**seinige** *pron/pos.*: *der* ~ el suyo; *die* ~ la suya; *das* 2 lo suyo; *die* 2*n* los suyos; su familia; sus parientes; *das* 2 *tun* cumplir su deber (*od.* su obligación); hacer todo lo posible.

'**seismisch** *adj.* sísmico.

Seismo'graph *m* (-*en*) sismógrafo *m*.

seit I. *prp.* (*dat.*) desde; a partir de; ~ *dem Tage, da ...* desde el día que ...; ~ *damals* desde entonces; ~ *langem* desde hace (mucho) tiempo; ~ *kurzem* desde hace poco; de poco tiempo a esta parte; **II.** *cj.* desde que.

seit'dem I. *adv.* desde entonces, desde aquel tiempo; **II.** *cj.* desde que.

'**Seite** *f* lado *m*; *Teil*: parte *f*; *Richtung*: sentido *m*, dirección *f*; ⚓ costado *m*; banda *f*; ♔ *Partie*: parte *f*; *Flanke*: flanco *m*; (*Körper*∾) costado *m*; ∢ *e-r Gleichung*: miembro *m*; *e-s Buches*: página *f*; *e-r Zeitung*: plana *f*; (*Blatt*∾) hoja *f*; *fig. e-r Angelegenheit*: aspecto *m*; faceta *f*; *vordere* ~ lado anterior, *e-s Gebäudes*: frente *m*, fachada *f* principal, *e-r Münze*: anverso *m*, cara *f*; *rückwärtige* ~ lado posterior, parte de atrás, *e-r Münze*: reverso *m*, cruz *f*, *e-s Blattes*: dorso *m*; *rechte* (*linke*) ~ derecha, lado derecho, (izquierda, lado izquierdo), *e-s Stoffes*: cara *f*; revés *m*; *fig. schwache* (*starke*) ~ flaco (fuerte); *Mathematik ist s-e schwache* (*starke*) ~ las matemáticas son su flaco (fuerte); *fig. s-e guten* ~*n haben Person*: tener sus buenas cualidades, *Sache*: tener sus ventajas; *jedes Ding hat s-e zwei* ~*n* todas las cosas tienen su lado bueno y su lado malo; *alle* ~*n e-r Frage erwägen* considerar todos los aspectos de una cuestión; *man sollte beide* ~*n hören* debería oírse a las dos partes; ~ *an* ~ lado a lado; *e-r Sache* (*dat.*) *et.* (*vergleichend*) *an die* ~ *stellen* comparar una cosa con otra; *sich j-m an die* ~ *stellen* compararse con alg.; *an j-s* ~ *sitzen* estar sentado al lado de alg.; *an j-s* ~ *gehen* ir al lado de alg.; *auf* ~ *10* en la página diez; *auf dieser* (*jener*) ~ de este (aquel) lado; *auf der anderen* ~ al (*od.* del) otro lado, *hingegen*: por otro lado, por otra parte; *auf* (*od. von*) *beiden* ~*n* de ambos lados, de uno y otro lado; *auf j-s* ~ *stehen* (*treten*) estar (ponerse) de parte de alg.; *j-n auf s-r* ~ *haben* tener a alg. de su parte; *j-n auf die* ~ *nehmen* llamar aparte a alg.; *auf die* ~ *schaffen* (*beiseite legen*) apartar, poner aparte (*od.* a un lado); reservar; (*wegschaffen*) deshacerse de; hacer desaparecer; *j-n*: (*töten*) quitar de en medio a; *j-n auf s-e* ~ *bringen* atraer a alg. a su partido; ⚓ *sich auf die* ~ *neigen* inclinarse de banda; *auf die* ~ *treten* apartarse, hacerse a un lado; *j-n bei s-r schwachen* ~ *nehmen* atacar a alg. por su flaco (*od.* punto débil); *die Arme* (*od. die Hände*) *in die* ~*n stemmen* ponerse en jarras; *nach allen* ~*n hin* hacia todos los lados; en todos los sentidos (*a. fig.*); en todas las direcciones; *fig.* en todos los aspectos; *von allen* ~*n* de todas partes; *von m-r* ~ de mi parte; *von der* ~ de lado; de costado; *von der* ~ *ansehen Person*: mirar de soslayo (*od.* de lado); *fig.* mirar de reojo; *von der* ~ *gesehen* visto de lado; △, *Mal.* visto de perfil; *et. von der guten* ~ *nehmen* ver sólo el lado bueno de a/c.; *von der* ~ *angreifen* ⚔ atacar de (*od.* por el) flanco; *von gut unterrichteter* ~ de fuente bien informada; *von dieser* ~ *betrachtet* visto desde este punto; considerado en ese aspecto; *j-m nicht von der* ~ *gehen* no apartarse de alg.; seguir a alg. como la sombra al cuerpo; *sich vor Lachen die* ~*n halten* desternillarse de risa; *fig. j-m zur* ~ *stehen* asistir a alg.; secundar *od.* apoyar a alg.; *zur* ~ (*gen.*); *j-m bzw. e-r Sache* (*dat.*) *zur* ~ al lado de; junto a; *zur* ~ *legen* poner aparte, apartar, (*sparen*) ahorrar; guardar en reserva; *zur* ~ *gehen* (*od. treten*) apartarse, hacerse a un lado; hacer sitio; F correrse a un lado.

ˈ**Seiten...**: ~**abweichung** *f e-s Geschosses*: derivación *f*; ~**angriff** ⚔ *m* (-*ẹs*; -*e*) ataque *m* de flanco; ~**ansicht** *f* vista *f* lateral; (*Profil*) perfil *m*; ~**blick** *m* (-*ẹs*; -*e*) mirada *f* de soslayo (*od.* de reojo); (*flüchtiger*) ojeada *f*; ~**deckung** ⚔ *f* guardia *f* de flanco; protección *f* de flanco; ~**druck** *m* (-*ẹs*; *0*) presión *f* lateral; ~**eingang** *m* (-*ẹs*; ¨*e*) entrada *f* lateral; ~**erbe** *m*, ~**erbin** *f* heredero (-a *f*) *m* colateral; ~**fenster** *n* ventana *f* lateral; ~**fläche** *f* superficie *f* lateral; ~**flosse** *f* ✈ plano *m* fijo vertical; *Ict.* aleta *f* pectoral; ~**flügel** *m e-s Gebäudes*: ala *f* lateral; ~**front** *f* fachada *f* lateral; ~**gang** *m* (-*ẹs*; ¨*e*) *im Gebäude*: galería *f* lateral; 🚂 pasillo *m* (lateral); ~**gasse** *f* calleja *f* lateral; ~**gebäude** *n* (edificio *m*) anexo *m*; ~**gewehr** ⚔ *n* (-*s*; -*e*) bayoneta *f*; *mit aufgepflanztem* ~ con bayoneta calada; ~**hieb** *m* (-*ẹs*; -*e*) *Fechtk.* golpe *m* de flanco; *fig.* indirecta *f*; ~**kante** *f* arista *f* lateral; ~**kipper** *m* camión *m bzw.* 🚂 vagón *m* basculante lateralmente; ~**lähmung** ⚕ *f* hemiplejía *f*; ∾**lang** *adj.* de muchas páginas; ~**lehne** *f e-s Sessels*: brazo *m*; ~**leitwerk** ✈ *n* (-*ẹs*; -*e*) timón *m* de dirección; ~**linie** *f* línea *f* lateral; 🚂 línea *f* secundaria; ramal *m*; *Stammbaum*: línea *f* colateral; *Sport*: línea *f* de toque; ~**loge** *Thea. f* palco *m* lateral; ~**luke** ⚓ *f* portalón *m*; ~**moräne** *f e-s Gletschers*: morena *f* lateral; ~**rand** *m* (-*ẹs*; ¨*er*) margen *m*; ~**riß** *m* (-*sses*; -*sse*) proyección *f* longitudinal; (*Profil*) perfil *m*; ~**ruder** ✈ *n* timón *m* de dirección; ∾**s** *prp.* (*gen.*) por parte de; de parte de; ~**schiff** △ *n* (-*ẹs*; -*e*) *e-r Kirche*: nave *f* lateral; ~**schmerz** ⚕ *m* (-*es*; -*en*) dolor *m* de costado; ~**schritt** *m* (-*ẹs*; -*e*) paso *m* al lado; ~**sicherung** ⚔ *f* protección *f* del flanco; ~**sprung** *m* (-*ẹs*; ¨*e*) salto *m* hacia un lado; *fig.* escapada *f* amatoria de un cónyuge; ~**stechen** *n*, ~**stiche** *pl.* ⚕ punzada *f* de costado; ~**steuer** *n* → *Seitenruder*; ~**stoß** *m* (-*es*; ¨*e*) golpe *m* de flanco; ~**straße** *f* calle *f* lateral; (*Querstraße*) travesía *f*; ~**stück** *n* (-*ẹs*; -*e*) (*Pendant*) pareja *f*; *zu et. als* ~ *dienen* hacer juego (*od.* emparejar) con a/c.; ~**tal** *n* (-*ẹs*; ¨*er*) valle *m* transversal; ~**tasche** *f* bolsillo *m* lateral; ~**teil** *n* (-*ẹs*; -*e*) parte *f* lateral; ~**tür** *f* puerta *f* lateral; ~**verwandte**(**r** *m*) *m/f* pariente *m/f* colateral; ~**wagen** *m* (*Beiwagen*) sidecar *m*; ~**wahl** *Sport f* sorteo *m* de campos; ~**wand** *f* (-; ¨*e*) pared *f* lateral; △ *e-s Gebäudes*: fachada *f* lateral; ~**wechsel** *m Sport*: cambio *m* de campos; ~**weg** *m* (-*ẹs*; -*e*) camino *m* lateral; atajo *m*; ~**wind** *m* (-*ẹs*; -*e*) viento *m* de costado; ~**zahl** *f* número *m* de páginas; *einzelne*: número *m* de la página; *mit* ~*en versehen* paginar.

seitˈher *adv.* desde entonces.

ˈ**seitlich** *adj.* lateral; de lado; ~ *von et. gelegen* situado al lado de a/c.

ˈ**seitwärts** *adv.* de lado; al lado (*von* de); hacia un lado; lateralmente.

Seˈkante ∢ *f* secante *f*.

Seˈkret *Physiol. n* (-*ẹs*; -*e*) secreción *f*.

Sekreˈtär *m* (-*s*; -*e*) (*Person*) secretario *m*; (*Schreibschrank*) secreter *m*.

Sekretariˈat *n* (-*ẹs*; -*e*) secretaría *f*.

Sekreˈtärin *f* secretaria *f*; *Chef*∾ secretaria *f* de dirección.

Sekretiˈon *Physiol. f* secreción *f*; *innere* (*äußere*) ~ secreción interna (externa).

Sekt *m* (-*ẹs*; -*e*) champaña *m*, F champán *m*.

ˈ**Sekte** *f* secta *f*; ~**nwesen** *n* (-*s*; *0*) sectarismo *m*.

ˈ**Sekt|flasche** *f* botella *f* para champaña; ~**glas** *n* (-*es*; ¨*er*) copa *f* para champaña.

Sekˈtierer *m* sectario *m*; ~**in** *f* sectaria *f*; ∾**isch** *adj.* sectario.

Sektiˈon *f* (*Abteilung*) sección *f*; ⚕ disección *f*; (*Obduktion*) autopsia *f*; ~**sbefund** *m* (-*ẹs*; -*e*) resultado *m* de la autopsia; ~**s-chef** *m* (-*s*; -*s*) jefe *m* de sección; jefe *m* de negociado.

ˈ**Sektkübel** *m* cubo *m* para enfriar champaña.

ˈ**Sektor** *m* (-*s*; -*en*) sector *m* (*a.* ∢, ⚔ *u. fig.*).

Seˈkunda *Sch. f* (-; *Sekunden*) sexto *bzw.* séptimo curso *m* de un establecimiento de segunda enseñanza.

Sekunˈdant *m* (-*en*) *im Duell*: padrino *m*.

sekunˈdär *adj.* secundario; ∾**bahn** *f* vía *f* secundaria; ∾**element** ⚡ *n* (-*ẹs*; -*e*) pila *f* secundaria; ∾**infektion** ⚕ *f* infección *f* secundaria; ∾**kreis** ⚡ *m* (-*es*; -*e*) circuito *m* secundario; ∾**spannung** ⚡ *f* tensión *f* secundaria *od.* inducida; ∾**spule** ⚡ *f* bobina *f* secundaria; ∾**strom** ⚡ *m* (-*ẹs*; ¨*e*) corriente *f* inducida.

Seˈkundawechsel ✝ *m* segunda *f* de cambio.

Seˈkunde *f* segundo *m*; ~**nzeiger** *m* segundero *m*.

sekunˈdieren (-) *v/t. u. v/i.*: *im Duell*: apadrinar; ♪ acompañar.

ˈ**selb** *adj.* mismo; *zur* ~*en Zeit* al mismo tiempo; *im* ~*en Augenblick* en el mismo instante; ~ˈ**dritt** *pron.*: *die hl. Anna* ~ Santa Ana, la Virgen y el Niño Jesús; ~**er** *pron.* mismo; *tu es* ~ hazlo tú mismo; *von* ~ de por sí; por sí solo; ~**ig** *pron.* † der (*die*; *das*) ~*e* el mismo (la misma; lo mismo).

ˈ**selbst I.** *pron.* (*in eigener Person*) mismo; (*persönlich*) personalmente; *ich* ~ yo mismo; *sie* ~ ella misma; *wir* ~ nosotros mismos; nosotras mismas; *mir* ~ a mí mismo; *die Sache* ~ la cosa en sí; (*ohne Hilfe anderer*) por sí mismo; *er möchte es* ~ *tun* desea hacerlo él personalmente (*od.* él mismo); *mit sich* ~ *reden* hablar consigo (*od.* entre sí); *aus sich* ~; *von* ~ de por sí, de suyo; por sí solo, por sí mismo, *Sache*: automáticamente; (*aus eigenem Antrieb*) espontáneamente; por propia iniciativa; *das versteht sich von* ~ eso se entiende por sí solo; F eso cae de su peso; *wie von* ~ de un modo espontáneo; *sie ist die Güte* ~ es la bondad personificada (*od.* en persona); ~ *ist der Mann!* ¡ayúdate a ti mismo!; **II.** *adv.* (*sogar*) hasta; aun; incluso; ~ *s-e Freunde* hasta sus mismos (*od.* propios) amigos; ~ *beim besten Willen geht es nicht* aun con la mejor voluntad no es posible; ~ *er* él mismo; ~ *wenn* aun cuando (*subj.*); aun *od.* incluso (*ger.*); **2achtung** *f* (*0*) propia estimación *f*; (*Würde*) dignidad *f* (personal); decoro *m*; **2analyse** *f* autoanálisis *m*.

'selbständig I. *adj.* (*unabhängig*) independiente; (*autonom*) autónomo; **II.** *adv.* por sí solo; por sí mismo; (*unabhängig*) independientemente; (*aus eigenem Antrieb*) por iniciativa propia; *sich* ~ *machen* emanciparse, *neol.* independizarse, *geschäftlich*: establecerse (por su cuenta); ~ *handeln* actuar con independencia; **2keit** *f* (*0*) independencia *f*; (*Autonomie*) autonomía *f*.

'Selbst...: **~anklage** *f* autoacusación *f*; **~anlasser** *Auto. m* dispositivo *m* de arranque automático; **~anschluß** *Tele. m* (*-sses; ¨sse*) teléfono *m* automático; **~anschluß-amt** *Tele. n* (*-es; ¨er*) central *f* (telefónica) automática; **~anschluß-apparat** *Tele. m* (*-es; -e*) teléfono *m* automático; **~ansteckung** ⚕ *f* autoinfección *f*; **~antrieb** *m* (*-es; -e*) autopropulsion *f*; **~anzeige** ⚖ *f* autodenuncia *f*; **2anzeigend** ⊕ *adj.* autorregistrador; **~aufgabe** *f* (*0*) suicidio *m* moral; **~aufopferung** *f* (*0*) sacrificio *m* de sí mismo; **~auslöser** *Phot. m* disparador *m* automático; autodisparador *m*; **~ausschalter** ⚡ *m* interruptor *m* automático; **~bedarf** *m* (*-es; 0*) necesidades *f/pl.* personales; consumo *m* propio; **~bedienung** *f* autoservicio *m*; *im Automatenrestaurant*: servicio *m* automático; **~bedienungsladen** *m* (*-s; ¨*) tienda *f* de autoservicio; *neol.* supermercado; **~befriedigung** *f* (*Onanie*) masturbación *f*; onanismo *m*; **~befruchtung** ♀ *u. Zoo. f* autofecundación *f*; **~beherrschung** *f* (*0*) dominio *m* de sí mismo; ~ *besitzen* saber dominarse; **~beköstigung** *f* manutención *f* a costa propia; **~beobachtung** *f* auto-observación *f*; **~bespiegelung** *fig. f* narcisismo *m*; **~bestäubung** ♀ *f* autopolinización *f*; **~bestimmung** *f* (*0*) autodeterminación *f*; **~bestimmungsrecht** *Pol. n* (*-es; 0*) derecho *m* de autodeterminación; *das* ~ *der Völker* derecho de los pueblos a disponer de su propio destino; **~betrug** *m* (*-es; 0*) ilusión *f*, autoengaño *m*; **~bewirtschaftung** *f* autoadministración *f*; **2bewußt** *adj.* consciente de sí mismo *bzw.* de su propia valía; (*anmaßend*) presuntuoso; **~bewußtsein** *n* (*-s; 0*) conciencia *f* de sí mismo *bzw.* de su propio valer; *desp.* autosuficiencia *f*; **~bezichtigung** *f* autoinculpación *f*; **~bildnis** *n* (*-ses; -se*) autorretrato *m*; **~binder** *m* corbata *f* (para anudar); **~biographie** *f* autobiografía *f*; **~disziplin** *f* (*0*) autodisciplina *f*; dominio *m* de sí mismo; **~einschätzung** *f* (*0*) declaración *f* tributaria; **~entzünder** ⚡ *m* autoencendedor *m*, encendedor *m* automático; **~entzündung** *f* inflamación *f* espontánea; *e-s Motors*: encendido *m* automático; **~erhaltung** *f* (*0*) conservación *f* de sí mismo, autoconservación *f*; **~erhaltungstrieb** *m* (*-es; 0*) instinto *m* de conservación; **~erkenntnis** *f* (*0*) conocimiento *m* de sí mismo; **~erniedrigung** *f* humillación *f* voluntaria; **~erregung** ⚡ *f* autoexcitación *f*; **~erziehung** *f* (*0*) autoeducación *f*; **~fahrer** *m Auto.* conductor *m* de su propio auto; (*Rollstuhl*) sillón *m* rodante; **~fahrlafette** ⚔ *f* afuste *m* automotor; **~fertigung** *f* automatización *f*; **~finanzierung** *f* autofinanciación *f*; **2gebacken** *adj.* hecho en casa; **2gefällig I.** *adj.* satisfecho de sí mismo; pagado de sí mismo; (*dünkelhaft*) vanidoso, ufano, presuntuoso; fatuo; **II.** *adv.* con aire de suficiencia; **~gefälligkeit** *f* (*0*) ufanía *f*, presuntuosidad *f*, vanidad *f*; **~gefühl** *n* (*-es; 0*) dignidad *f* personal; (*Eigenliebe*) amor *m* propio; **2gemacht** *adj.* hecho personalmente; hecho (*od.* confeccionado) en casa; **2genügsam** *adj.* que se basta a sí mismo; **2gerecht** *adj.* infatuado; fariseo; **~gespräch** *n* (*-es; -e*) monólogo *m*; soliloquio *m*; *Selbstgespräche führen* monologar; **2gezogen** ♀ *adj.* cultivado en su propio huerto *bzw.* jardín; **2herrlich** *adj.* soberano; autocrático; autoritario; (*willkürlich*) arbitrario; **~herrschaft** *f* (*0*) autocracia *f*; **~herrscher** *m* autócrata *m*; **~hilfe** *f* (*0*) autoayuda *f*; (*Notwehr*) defensa *f* propia; **~induktion** ⚡ *f* autoinducción *f*; **2isch** *adj.* egoísta; **~kosten** *pl.* coste *m*, costo *m* (propio); **~kostenpreis** *m* (*-es; -e*) precio *m* de coste (*od.* de adquisición); **~kritik** *f* (*0*) autocrítica *f*; **~ladegewehr** *n* (*-es; -e*) fusil *m* automático; **~ladepistole** *f* pistola *f* automática; **~lader** *m* ⚔ arma *f* automática; ⊕ *a.* **~ladevorrichtung** ⊕ *f* cargador *m* automático; **~laut** *Gr. m* (*-es; -e*) vocal *f*; **~liebe** *f* (*0*) amor *m* propio; **~lob** *n* (*-es; 0*) alabanza *f* propia; autobombo *m*; **2los** (*-est*) **I.** *adj.* desinteresado; desprendido; **II.** *adv.* desinteresadamente; **~losigkeit** *f* (*0*) desinterés *m*; desprendimiento *m*; **~mord** *m* (*-es; -e*) suicidio *m*; ~ *begehen* (*verüben*) suicidarse; **~mörder(in** *f*) *m* suicida *m/f*; **2mörderisch** *adj.* suicida; **~e** *Absichten haben* tener intención de suicidarse; **~mordversuch** *m* (*-es; -e*) tentativa *f* de suicidio; **~rechtfertigung** *f* autojustificación *f*; **2redend** *adj.* → *selbstverständlich*; **~regler** ⊕ *m* regulador *m* automático; **~regelung** ⊕ *f* regulación *f* automática; **~schließer** *m* cierre *m* automático; cerradura *f* automática; **~schlußventil** ⊕ *n* (*-s; -e*) válvula *f* de cierre automático; **2schmierend** *adj.* de engrase automático; **~schmierung** *f* engrase *m* automático; **2schreibend** *adj.* de registro automático, autorregistrador; **~schutz** *m* (*-es; 0*) defensa *f* propia, autodefensa *f*; **2sicher** *adj.* seguro de sí mismo; **~sicherheit** *f* (*0*) confianza *f* en sí mismo; aplomo *m*; **~steuerung** ⊕ *f* mando *m* automático; *mit* ~ *versehen* autodirigido; **~studium** *n* (*-s; -dien*) estudios *m/pl.* autodidácticos; **~sucht** *f* (*0*) egoísmo *m*; egolatría *f*; *aus* ~ por egoísmo; **2süchtig** *adj.* egoísta; **2tätig** *adj.* espontáneo; (*automatisch*) automático; **~tätigkeit** *f* (*0*) espontaneidad *f*; *automatische*: automatismo *m*; **~täuschung** *f* ilusión *f*; engaño *m* de sí mismo; **~tor** *n* (*-es; -e*) *Fußball*: gol *m* marcado en la propia puerta; **~überschätzung** *f* (*0*) alto concepto *m* de sí mismo; presunción *f*; **~überwindung** *f* (*0*) dominio *m* sobre sí mismo; (*Selbstverleugnung*) abnegación *f*; **~unterricht** *m* (*-es; 0*) instrucción *f* autodidáctica; **~verachtung** *f* (*0*) desprecio *m* de sí mismo; **~verbrauch** *m* (*-es; 0*) consumo *m* personal *bzw.* privado; **2vergessen** *adj.* olvidado de sí mismo; **~vergessenheit** *f* (*0*) olvido *m* de sí mismo; **~vergiftung** *f* autointoxicación *f*; **~vergötterung** *f* (*0*) endiosamiento *m*; **~verlag** *m* (*-es; -e*): *im* ~ editado por el autor; **~verleger** *m* editor *m* de sus propias obras; **~verleugnung** *f* abnegación *f*; **~vernichtung** *f* autodestrucción *f*; **~verschluß** *m* (*-sses; ¨sse*) cierre *m* automático; **2verschuldet** *adj.*: **~er** *Verlust* pérdida sufrida por culpa propia; **~versorger** *m* abastecedor *m* de sí mismo; (*Land*) país *m* autárquico; **~versorgung** *f* autoabastecimiento *m*; (*Autarkie*) autarquía *f*; **2verständlich I.** *adj.* natural; evidente; lógico; *das ist* ~ eso se sobreentiende; eso se entiende por sí mismo; F eso cae de su peso; eso está claro; eso ni que decir tiene; *es ist* ~, *daß* ... queda entendido que ...; huelga decir (*od.* excusado es decir) que ...; **II.** *adv.*: ~! naturalmente; por supuesto, por de contado; desde luego; claro está; claro (que sí); *Am.* ¿cómo no?; ~ *nicht!* ¡claro que no!; **~verständlichkeit** *f* evidencia *f*; (*Binsenwahrheit*) perogrullada *f*; trivialidad *f*; *das ist e-e* ~ eso es cosa muy natural; *mit der größten* ~ como la cosa más natural (del mundo); como si tal cosa; **~verstümm(e)lung** *f* mutilación *f* voluntaria; **~verteidigung** *f* autodefensa *f*; (*Notwehr*) legítima defensa *f*; **~verteidigungsrecht** *n* (*-es; 0*) derecho *m* de legítima defensa; **~vertrauen** *m* (*-s; 0*) confianza *f* en sí mismo; **~verwaltung** *f* autonomía *f* administrativa; **~wähler** *Tele. m* teléfono *m* automático; **~wählfernverkehr** *Tele. m* (*-s; 0*) servicio *m* telefónico automático interurbano; **2zerstörerisch** *adj.* autodestructivo; **~zerstörung** *f* (*0*) autodestrucción *f*; **~zucht** *f* (*0*) autodisciplina *f*; **2zufrieden** *adj.* → *selbstgefällig*; **~zufriedenheit** *f* (*0*) → *Selbstgefälligkeit*; **~zündung** *f* autoinflamación *f* espontánea; *am Motor*: encendido *m* automático; **~zweck** *m* (*-es; 0*) fin *m* absoluto; finalidad *f* en sí.

'Selchfleisch *n* (*-es; 0*) carne *f* ahumada; cecina *f*.

Selekti'on *f* selección *f*.

selek'tiv *adj.* selectivo.

Selektivi'tät *f* (*0*) selectividad *f*.

Se'len [ze·'le:n] ⚗ *n* (*-s; 0*) selenio *m*; **2haltig** *adj.* selenífero; **~säure** *f* (*0*) ácido *m* selénico; **~zelle** *f* pila *f* de selenio.

'selig *adj. Rel.* bienaventurado; (*verstorben*) difunto; *fig.* (*glücklich*) feliz, dichoso; (*vergnügt*) alegre, gozoso, lleno de alegría; (*entzückt*) encantado; embelesado; F (*beschwipst*) achispado; *er ist ganz ~* está radiante de alegría; *mein ~er Vater* mi difunto padre; *schriftliche Anwendung*: mi padre, que en paz descanse *od.* que santa gloria haya (*stets Abk.* q.e.p.d. *bzw.* q. s. g. h.); *die 2en* los difuntos; *Rel.* los bienaventurados; *~en Andenkens* de feliz memoria; *~ entschlafen* entregar su alma a Dios; morir en la paz del Señor; *Gott habe ihn ~!* Dios le tenga en su gloria; *~ sind die geistig Armen Bib.* bienaventurados los pobres de espíritu; *~ werden Rel.* salvar el alma; ganar el cielo; **2keit** *f* (*0*) *Rel.* bienaventuranza *f*; *fig.* felicidad *f*, dicha *f*; gozo *m*; alegría *f*; *die ewige ~ erlangen Rel.* alcanzar la salvación eterna; **~preisen** (*L*) *v/t.* loar, alabar; *sich ~ fig.* considerarse dichoso; **2preisung** *f* glorificación *f*; *Bib. ~en pl.* (*der Bergpredigt*) las bienaventuranzas; **~sprechen** (*L*) *v/t.* beatificar; **2sprechung** *f* beatificación *f*.

'Sellerie ⚘ *m* (*a. f*) (*-s; -s*) apio *m*; **~salat** *m* (*-es; -e*) ensalada *f* de apio.

'selten I. *adj.* raro; (*außerordentlich*) extraordinario; singular; (*knapp, spärlich*) escaso, poco abundante; (*merkwürdig*) curioso, extraño; *~er werden* enrarecerse; *das ist nichts 2es* no tiene nada de extraordinario; **II.** *adv.* raras veces; raramente; con poca frecuencia; *sich ~ machen* hacerse raro; *~ sein* ser raro; ser poco frecuente; escasear; *nicht ~* bastante a menudo, con relativa frecuencia; no pocas veces; **2heit** *f* (*0*) rareza *f*; escasez *f*, poca abundancia *f*; extrañeza *f*; *e-e ~* una cosa rara; algo raro; (*et. Merkwürdiges*) curiosidad *f*.

'Selter(s)wasser *n* (*-s; 0*) agua *f* de Seltz; agua *f* carbónica; *Flasche ~* (*mit Heber*) sifón *m*.

'seltsam *adj.* (*sonderbar*) singular, particular; (*außerordentlich*) extraordinario; (*befremdlich*) raro, curioso, extraño; (*wunderlich*) caprichoso, fantástico; extravagante, estrambótico; **2keit** *f* singularidad *f*; rareza *f*, extrañeza *f*; curiosidad *f*; extravagancia *f*.

Se'mant|ik *f* (*0*) semántica *f*; **2isch** *adj.* semántico.

Sema'phor *n/m* (*-es; -e*) semáforo *m*.

Se'mester *n* semestre *m*, seis meses *m/pl.*; *auf Universitäten*: curso *m* académico; **~schluß** *m* (*-sses; 0*) fin *m* del semestre; *auf Universitäten*: terminación *f* del curso, clausura *f* de las clases.

Semi'kolon *Gr. n* (*-; Semikola*) punto *m* y coma.

Semi'nar *n* (*-es; -e*) (*Universitäts2*) seminario *m*; instituto *m*; curso *m* práctico; (*Priester2*) seminario *m* (conciliar); (*Lehrer2*) Escuela *f* Normal (del Magisterio).

Semina'rist(in *f*) *m* (*-en*) (*Lehrer2*) alumno (-a *f*) *m* de una Escuela Normal, normalista *m/f*; *e-s Priesterseminars*: seminarista *m*.

Se'mit(in *f*) *m* (*-en*) semita *m/f*; **2isch** *adj.* semita; semítico.

'Semmel *f* (*-; -n*) panecillo *m* (blanco); *fig. wie warme ~n weggehen* venderse fácilmente; *fig.* venderse a/c. como pan bendito; **2blond** *adj.* rubio pálido.

Se'nat *m* (*-es; -e*) senado *m*; (*Universitäts2*) claustro *m* (de profesores); (*Gerichts2*) sala *f*; **~or** *m* (*-s; -en*) senador *m*.

sena'torisch *adj.* senatorial.

Se'nats|ausschuß *m* (*-sses; ·sse*) comisión *f* senatorial; **~beschluß** *m* (*-sses; ·sse*) decreto *m* del senado; *im alten Rom*: senadoconsulto *m*; **~wahlen** *pl.* elecciones *f/pl.* senatoriales.

'Send|bote *m* (*-n*) emisario *m*; enviado *m*; *Rel.* apóstol *m*; **~brief** *m* (*-es; -e*) misiva *f*; mensaje *m*.

'Sende|anlage *f Radio*: estación *f* emisora; **~antenne** *f* antena *f* emisora (*od.* de emisión); **~bereich** *m* (*-es; -e*) alcance *m* de emisión; **2bereit** *adj.* preparado para la emisión; **~bühne** *f* estudio *m* (de la radioemisión); **~energie** *f* potencia *f* de emisión; **2fertig** *adj.* listo para la emisión; **~folge** *f* orden *m* de las emisiones; (*Programm*) programa *m* de emisiones; **~leiter** *m* director *m* de la emisión.

'senden I. (*L*) *v/t.* enviar; remitir; mandar; *nach j-m ~* enviar (*od.* mandar) a buscar a alg.; (*übertragen*) transmitir; *Radio, Fernsehen*: emitir; *bsd. Radio*: radiar; *auf Kurzwellen ~* emitir en onda corta; **II.** 2 *n* envío *m*, remisión *f*; (*übertragen*) transmisión *f*; *Radio, Fernsehen*: emisión *f*.

'Sende|pause *f* pausa *f*; **~plan** *m* (*-es; ·e*) horario *m* de las emisiones; → **~programm** *n* (*-s; -e*) programa *m* de emisiones.

'Sender *m* (*Rundfunk2*) estación *f* emisora, radioemisora *f*; aparato *m* emisor; (*Fernseh2*) emisora *f* de televisión.

'Sende|raum *m* (*-es; ·e*) sala *f* de emisiones; estudio *m*; **~reihe** *f* serie *f* de emisiones, serial *m*.

'Sender-Empfänger *m* aparato *m* emisor-receptor.

'Sende|röhre *f* válvula *f* emisora (*od.* de emisión); **~saal** *m* (*-es; -säle*) → *Senderaum*; **~schluß** (*-sses; 0*) *m* cierre *m* de las emisiones; **~stärke** *f* → *Sendeenergie*; **~station** *f* (estación *f*) emisora *f*; **~turm** *m* (*-es; ·e*) torre *f* de estación emisora; **~zeichen** *n* indicativo *m* de la emisora; **~zeit** *f* tiempo *m* de emisión.

'Send|schreiben *n* misiva *f*; mensaje *m*; **~ung** *f* envío *m*, ✝ *a.* remesa *f*; (*Mission*) misión *f*; (*Übertragung*) transmisión *f*; (*Radio2*) emisión *f* radiofónica; (*Fernseh2*) emisión *f* de televisión (*od.* televisiva).

'Senf *m* (*-es; -e*) mostaza *f*; *fig.* F *s-n ~ dazu geben* meter baza en a/c.; echar su cuarto a espadas; **~gas** ⚔ *n* (*-es; 0*) gas *m* mostaza (*od.* vesicante); iperita *f*; **~gurke** *f* pepinillo *m* en vinagre (con mostaza); **~korn** *n* (*-es; ·er*) grano *m* de mostaza; **~mehl** *n* (*-es; 0*) harina *f* de mostaza; **~pflaster** ⚕ *n* sinapismo *m*; **~topf** *m* (*-es; ·e*) mostacero *m*; tarro *m* de mostaza; **~umschlag** ⚕ *m* (*-es; ·e*) cataplasma *f* sinapizada.

'Senge F *pl.*: *~ bekommen* recibir (*od.* llevar) una paliza.

'sengen I. 1. *v/t.* quemar; (*leicht anbrennen*) chamuscar; (*in Brand setzen*) incendiar; *Kochk.* sollamar, socarrar; *~ und brennen* entrar a sangre y fuego; **2.** *v/i.* quemar; abrasar; **II.** 2 *n* chamusquina *f*; *~ und Brennen* ⚔ saqueo *m*; **~d** *adj.* (*Hitze, Sonne*) abrasador.

se'nil *adj.* senil.

Senili'tät *f* (*0*) senilidad *f*.

'Senior ['-niɔʀ] *m* (*-s; -en*) decano *m*; (*Vorsitzender*) presidente *m*.

'senior *adj.*: *Herr X ~* (*Abk.* = sen.) el señor X padre.

'Seniorchef *m* (*-s; -s*) jefe *m*; ✝ socio *m* decano.

'Senkblei *n* (*-es; -e*) ⚓ sonda *f*; ⊕ plomada *f*.

'Senkbrunnen *m* pozo *m* de hinca.

'Senke *f* depresión *f* de terreno.

'Senkel *m* cordón *m*.

'senken *v/t.* bajar; (*neigen*) inclinar; *Kopf*: bajar; inclinar, (*ducken*) agachar; *Stimme, Augen*: bajar; *Preise*: reducir, (re)bajar; *Fahne*: inclinar; *Brunnen*: profundizar, ahondar; ✓ acodar; *Reben*: amugronar; *ins Wasser*: sumergir, hundir; *in die Erde*: (*Pfahl*) hincar; *sich ~* bajarse; inclinarse; *Gebäude, Boden*: hundirse; *Fundament*: asentarse; *Abend*: caer.

'Senker ✓ *m* acodo *m*; *der Reben*: mugrón *m*.

'Senk...: **~fuß** *m* (*-es; ·e*) pie *m* plano; **~fußeinlage** *f* plantilla *f* ortopédica; **~grube** *f* ⚠ sumidero *m*; (*Abortgrube*) pozo *m* negro, letrina *f*; **~kasten** ⊕ *m* (*-s; ·*) cajón *m* sumergible; **~niet** ⊕ *m* (*-es; -e*) remache *m* embutido; **~rebe** *f* mugrón *m*; **2recht** *adj.* vertical; a plomo; *bsd.* ⩓ perpendicular (*zu* a); **~rechte** *f* (línea *f*) perpendicular *f*; vertical *f*; *e-e ~ errichten* (*fällen; ziehen*) levantar (bajar; trazar) una perpendicular; **~rechtfräsmaschine** ⊕ *f* fresadora *f* vertical; **~rechtstart** *m* despegue *m* vertical; **~rechtstarter** ✈ *m* avión *m* de despegue vertical; **~reis** ✓ *n* (*-es; -er*) acodo *m*; **~schraube** *f* tornillo *m* embutido.

'Senkung *f* inclinación *f*; *im Gelände*: depresión *f*; (*Abschrägung*) declive *m*, pendiente *f*; (*Tal2*) hondonada *f*; ⚠ hundimiento *m*; *der Preise*: baja *f*, reducción *f*, rebaja *f*, disminución *f*; *in der Metrik*: sílaba no marcada; ⚕ descenso *m*, ptosis *f*; ⚕ *Blutkörperchen*: sedimentación *f*; **~sgeschwindigkeit** ⚕ *f* (*0*) velocidad *f* de sedimentación.

'Senkwaage *Phys. f* areómetro *m*.

'Senn *m* (*-es; -e*), **~e** *m* (*-en*) vaquero *m* alpino; **~erin** *f* vaquera *f* alpina.

'Sennes|blätter *n/pl.* hojas *f/pl.* de sen; **~strauch** ⚘ *m* (*-es; ·er*) sen *m*.

'Sennhütte *f* cabaña *f od.* vaquería *f* alpina.

Sensati'on *f* sensación *f*; hecho *m* sensacional; ~ *machen* causar sensación; F dar la campanada.
sensatio'nell *adj.* sensacional.
Sensati'ons...: **~bedürfnis** *n* (*-ses*; *-se*) afán *m* de experimentar sensaciones; **~blatt** *n* (*-es*; *"er*) periódico *m* sensacionalista; **~lust** *f* (*0*) afición *f* a lo sensacional; **~meldung** *f* noticia *f* sensacional; **~presse** *f* prensa *f* sensacionalista; **~prozeß** *m* (*-sses*; *-sse*) proceso *m* sensacional; causa *f* célebre; **~sucht** *f* (*0*) afán *m* de producir sensación.
'Sense *f* guadaña *f*; *mit der ~ abmähen* guadañar; **~nmann** *fig. m* (*-es*; *0*) la Muerte.
sen'sibel (*-bl-*) *adj.* sensible; (*zart*) delicado; (*leicht beleidigt*) susceptible; F mimosa *m/f*.
sensi'tiv *adj.* sensitivo.
sen'sorisch *adj.* sensorial.
Sensua'lis|mus *m* (*-*; *0*) sensualismo *m*; **~t** *m* (*-en*) sensualista *m*; **2tisch** *adj.* sensualista.
sensu'ell *adj.* sensual.
Sen'tenz *f* sentencia *f*; máxima *f*.
sentenzi'ös *adj.* sentencioso.
sentimen|'tal *adj.* sentimental; **2tali'tät** *f* sentimentalismo *m*.
sepa'rat (*-est*) *adj.* separado; (*abgesondert*) apartado; (*privat*) particular; (*Eingang, Zimmer im Haus*) independiente; (*Einzelzimmer im Hotel*) individual; *adv.* por separado; aparte; **2abdruck** *Typ. m* (*-es*; *-e*) separata *f*, tirada *f* aparte; **2eingang** *m* (*-es*; *"e*) entrada *f* independiente; **2friede** *m* (*-ns*; *-n*) paz *f* por separado.
Separa'tis|mus *m* (*-*; *0*) separatismo *m*; **~t** *m* (*-en*) separatista *m*; **2tisch** *adj.* separatista.
Sepa'rat|konto *n* (*-s*; *-en*) cuenta *f* especial; **~zimmer** *n* gabinete *m* particular.
Sépa'rée *n* (*-s*; *-s*) reservado *m*.
'Sepia ['-pĭa·] *f* (*-*; *Sepien*) *Ict.* jibia *f*, sepia *f*; *Mal.* sepia *f*; **~zeichnung** *f* dibujo *m* en sepia.
Sep'tember *m* se(p)tiembre *m*.
Sep'tett ♪ *n* (*-es*; *-e*) septeto *m*.
Sep'time ♪ *f* séptima *f*.
'septisch ⚕ *adj.* séptico.
Septua'ginta *f* (*0*) (*Bibelübersetzung*) Versión *f* de los Setenta.
Se'quenz *f Lit.* secuencia *f*; (*Reihe*) serie *f*, sucesión *f*.
Se'quester *n* ⚖, ⚕ secuestro *m*.
seques'trier|en (*-*) ⚖ *v/t.* secuestrar; **2en** *n*, **2ung** *f* secuestro *m*; ⚕ formación *f* de un secuestro.
Se'rail [-'ʀɑːj] *n* (*-s*; *-s*) serrallo *m*.
Se'raph *m* (*-s*; *-e u. -im*) serafín *m*; **2isch** *adj.* seráfico.
'Serb|e *m* (*-en*) servio *m*; **~in** *f* servia *f*; **~ien** *n* Servia *f*; **2isch** *adj.* servio.
Sere'nade *f* serenata *f*.
'Serge ['sɛʀʒ(ə)] *f* (*Stoff*) sarga *f*.
Ser'geant [sɛʀ'ʒant] *m* (*-en*) sargento *m*.
'Serie ['zeːʀĭə] *f* serie *f*; (*Folge*) sucesión *f*; ⊕ *in ~ herstellen* fabricar en serie.
'Serien...: **~artikel** *m* artículo *m* elaborado en serie; **~bau** *m* (*-es*; *-ten*) construcción *f* en serie; **~fabrikation** *f*, **~fertigung** *f*, **~herstellung** *f* fabricación *f* en serie; **~haus** *n* (*-es*; *"er*) casa *f* prefabricada; **2mäßig** *adj. u. adv.* en serie; *~ herstellen* fabricar en serie; **~nummer** *f* (*-*; *-n*) número *m* de serie; **~preis** *m* (*-es*; *-e*) precio *m* de fabricación en serie; **~schalter** ⚡ *m* conmutador *m* múltiple (*od.* en serie); **~schaltung** ⚡ *f* conexión *f* en serie; **~verkauf** *m* (*-es*; *"e*) venta *f* en serie; (*Partieverkauf*) venta *f* en saldos; **~wagen** *m* coche *m* de serie; **2weise** *adv.* en serie; **~ziehung** *f* sorteo *m* en series.
seri'ös *adj.* serio; formal.
Ser'mon *m* (*-es*; *-e*) sermón *m*.
Serolo'gie *f* (*0*) serología *f*.
Serpen'tin *Min. m* (*-s*; *0*) serpentina *f*.
Serpen'tine *f* (*Straßenkehre*) serpentina *f*; (*Schlangenlinie*) línea *f* serpenteada; **~nweg** *m* (*-es*; *-e*) camino *m* en serpentina.
'Serum *n* (*-s*; *Sera od. Seren*) suero *m*; **~behandlung** ⚕ *f* seroterapia *f*; **~diagnose** *f* serodiagnóstico *m*; **~reaktion** *f* serorreacción *f*.
Ser'vice [sɛʀ'viːs] *n* (*Tafelgerät*) juego *m*, servicio *m* de mesa; (*Bedienung*) servicio *m*; (*Trinkgeld*) propina *f*; (*Kundendienst*) asistencia *f* técnica.
Ser'vier|brett *n* (*-es*; *-er*) bandeja *f*; **2en** (*-*) **1.** *v/t.* servir; *es ist serviert!* la comida está servida; los señores están servidos; **2.** *v/i.* servir; (*den Tisch decken*) poner la mesa; (*aufwarten*) servir a la mesa; **~tisch** *m* (*-es*; *-e*) trinchero *m*; **~wagen** *m* mesita *f* rodante.
Servi'ette *f* servilleta *f*; **~nring** *m* (*-es*; *-e*) servilletero *m*; **~ntasche** *f* servilletera *f*.
ser'vil *adj.* servil.
Servili'tät *f* servilismo *m*.
Servi'tut ⚖ *n* (*-es*; *-e*) servidumbre *f*.
'Servo|bremse *f* servofreno *m*; **~motor** *m* (*-s*; *-en*) servomotor *m*.
'Servus! F *int.* ¡hola!; *beim Abschied*: ¡adiós!; *Arg.* F ¡chao!
'Sesam ♀ *m* (*-s*; *-s*) sésamo *m*; *fig. ~, öffne dich!* ¡ábrete, sésamo!; **~bein** *Anat. n* (*-es*; *-e*) hueso *m* sesamoideo.
'Sessel *m* sillón *m*; (*Klub2*) butaca *f*; (*Hocker*) taburete *m*; *Thea.* (*Parkett2*) butaca *f* de patio; **~bahn** *f*, **~lift** *m* (*-es*; *-e*) telesilla *m*.
'seßhaft *adj.* sedentario; (*wohnhaft*) domiciliado, avecindado; *~ werden* domiciliarse; avecindarse, fijar su residencia, establecerse, F afincarse (*in dat.* en); **2igkeit** *f* (*0*) vida *f* sedentaria.
Sessi'on *Parl. f* sesión *f*; legislatura *f*.
'Setz·ei *Kochk. n* (*-es*; *-er*) huevo *m* al plato.
'setzen (*-t*) **1.** *v/t.* poner (*auf ac.* en, sobre); (*an e-e Stelle*) colocar; (*ordnen*) disponer, ordenar; (*pflanzen*) plantar; 𝒜 plantear; ♪ *u. Typ.* componer; (*wetten*) apostar; *Punkt*: poner; *Frist*: fijar, señalar; *Segel*: tender; *Blutegel*: aplicar; *Denkmal*: erigir, levantar; *Ofen*: instalar; *den Fall ~* suponer el caso; *gesetzt den Fall, es wäre so* supongamos que el caso fuera ése; *Junge ~* parir; *e-r Sache (dat.) Grenzen ~* poner límites a a/c.; *an et. (ac.) ~* poner (*od.* colocar) cerca de a/c.; *sein Leben an et. (ac.) ~* arriesgar su vida por a/c.; *alles daran ~* (*sein möglichstes tun*) hacer todo lo posible para; (*alles riskieren*) arriesgarlo todo; *an Land ~* desembarcar; *an den Mund* (*an die Lippen*) *~* llevarse a la boca (a los labios); *s-e Hoffnung (ac.) ~ auf* poner sus esperanzas en; *j-n an die Luft ~* despedir a alg.; poner (*od.* F plantar) a alg. en la calle; *auf Diät ~* poner a dieta; *auf freien Fuß ~* poner en libertad; *alles auf e-e Karte ~* jugarlo todo a una carta; jugarse el todo por el todo; *auf j-s Kopf e-n Preis ~* poner precio a la cabeza de alg.; *auf j-s Rechnung ~* poner (*od.* cargar) en la cuenta de alg.; *aufs Spiel ~* arriesgar; *auf die Tagesordnung ~* incluir en el orden del día; *außer Gebrauch ~* no usar más; *außer Gefecht ~* poner fuera de combate; *außer Kraft ~* anular; (*Gesetz*) derogar; *in Musik ~* componer, poner en música; *in Szene ~* poner en escena; *Kinder in die Welt ~* dar a luz; *in die Zeitung ~* (*Artikel*) publicar en el periódico, (*Anzeige*) *a.* insertar; *in Kraft ~* poner en vigor; *in Freiheit ~* poner en libertad; *in Bewegung* (*od. Gang*) *~* poner en movimiento (*od.* en marcha); ⊕ *a.* hacer funcionar; *sich in Bewegung ~* ponerse en marcha; *fig. Himmel und Erde in Bewegung ~* mover cielo y tierra; remover a Roma con Santiago; *j-n in Verlegenheit ~* desconcertar a alg.; poner a alg. en una situación embarazosa; *et. neben et. (ac.) ~* poner una cosa junto a (*od.* al lado de) otra; *j-n über j-n ~* subordinar a alg. a otro; *j-n über e-n Fluß ~* pasar a alg. a la otra orilla; *den Fuß über die Schwelle ~* traspasar el umbral (de); *den Punkt über das i ~* poner el punto sobre la i; *j-n unter Druck ~ fig.* hacer presión sobre alg.; *s-e Unterschrift unter et. (ac.) ~* poner su firma al pie de a/c.; firmar a/c.; *unter Wasser ~* inundar; sumergir; *j-n zum Richter ~* nombrar juez a alg.; **2.** *v/i. über e-n Fluß ~* cruzar (*od.* atravesar *od.* pasar) un río; *über e-n Graben ~* saltar (*od.* salvar) una zanja; *hoch ~* (*im Spiel*) jugar fuerte; **3.** *v/refl.*: *sich ~* (*Platz nehmen*) sentarse, tomar asiento; *~ Sie sich!* ¡siéntese usted!; *höflicher*: tenga la bondad de tomar asiento; siéntese, por favor; (*sich niederlassen*) establecerse; *Vogel*: posarse; *Erdreich*: afirmarse; *Gebäude*: asentarse; ⚗ depositarse, precipitarse; *sich auf die Hinterfüße ~* (*Pferde*) encabritarse; *fig.* obstinarse en a/c.; *sich aufs Pferd ~* montar (*od.* subir) a caballo; *fig. sich aufs hohe Pferd ~* mostrarse altanero; tratar con altanería; *sich et. in den Kopf ~* meterse a/c. en la cabeza; *sich zu j-m ~* sentarse junto a (*od.* al lado de) alg.; *sich zur Ruhe ~* retirarse de los negocios; *Beamter*: jubilarse; retirarse; *sich zu Tisch ~* sentarse a la mesa; *sich zur Wehr ~* defenderse; *sich ein Ziel ~* proponerse un fin; **4.** *v/unprs.*: *es wird Schläge ~* habrá palos (*od.* estacazos); → *gesetzt*.

ˈ**Setzer** *m* cajista *m*; *weitS.* tipógrafo *m*.
Setzeˈrei *Typ. f* taller *m* de composición; sala *f* de cajas.
ˈ**Setz...:** **~fehler** *Typ. m* error *m* tipográfico; **~kasten** *Typ. m* (*-s*; *=*) caja *f* (de imprenta); **~ling** *m* (*-s*; *-e*) plantón *m*; (*Fischbrut*) alevín *m*; **~linie** *Typ. f* regleta *f*; **~maschine** *Typ. f* componedora *f*; monotipia *f*; **~reis** *n* (*-es*; *-er*) esqueje *m*; plantón *m*; **~schiff** *Typ. n* (*-es*; *-e*) galera *f*; **~tisch** *Typ. m* (*-es*; *-e*) mesa *f* de composición; **~waage** *f* nivel *m* de albañil.
ˈ**Seuche** *f* epidemia *f*; enfermedad *f* infecciosa (*od.* contagiosa); (*Vieh*) epizootia *f*; e-e ~ *einschleppen* introducir una epidemia.
ˈ**Seuchen...:** **2artig** *adj.* epidémico; infeccioso; **~bekämpfung** *f* lucha *f* contra las epidemias; **~gebiet** *n* (*-es*; *-e*) región *f* contaminada; **~gefahr** *f* peligro *m* de epidemia; **~herd** *m* (*-es*; *-e*) foco *m* de la epidemia.
ˈ**seufz|en** (*-t*) *v/i.* suspirar (*nach* por); (*stöhnen*) gemir; (*jammern*) quejarse (*über ac.* de); **~end** *adj.* quejumbroso; *adv.* suspirando, entre suspiros; **2er** *m* suspiro *m*; (*Stöhnen*) gemido *m*; e-n ~ (*der Erleichterung*) *ausstoßen* dar un suspiro (de satisfacción); **2erbrücke** *f* (*in Venedig*) Puente *m* de los Suspiros.
Sex *m* sexo *m*; *fig.* erotismo *m*; *Gruppen2* erotismo *m* de grupo.
ˈ**Sexta** *Sch. f* (-; *Sexten*) primer curso *m* de un establecimiento de segunda enseñanza.
Sexˈtaner(in *f*) *m Sch.* alumno (-a *f*) *m* de "Sexta".
Sexˈtant *m* (*-en*) sextante *m*.
ˈ**Sexte** ♪ *f* sexta *f*.
Sexˈtett ♪ *n* (*-es*; *-e*) sexteto *m*.
Sexˈtole ♪ *f* seisillo *m*.
Sexualiˈtät *f* (*0*) sexualidad *f*.
Sexuˈal...: **~leben** *n* (*-s*; *0*) vida *f* sexual; **~erziehung** *f* (*0*), **~pädagogik** *f* (*0*) educación *f* sexual; **~reife** *f* (*0*) pubertad *f*; madurez *f* sexual; **~trieb** *m* (*-es*; *-e*) instinto *m* sexual; **~verbrechen** *n* delito *m* (de motivación) sexual; **~verbrecher** *m* delincuente *m* por motivos sexuales; **~wissenschaft** *f* (*0*) sexología *f*.
sexuˈell *adj.* sexual; ~*e Aufklärung* iniciación *f* en la vida sexual.
ˈ**Sexus** *m* (-; -) sexo *m*.
Sezessiˈon *f* secesión *f*.
Sezessioˈnist *m* (*-en*) secesionista *m*.
Sezessiˈonskrieg *m* (*-es*; *-e*) guerra *f* de secesión.
Seˈzier|besteck ⚕ *n* (*-es*; *-e*) estuche *m* de disección; **2en** (-) *v/t.* disecar; **~en** *n*, **~ung** *f* disección *f*; **~messer** *Chir. n* escalpelo *m*; **~saal** *m* (*-es*; *-säle*) sala *f* de disección.
ˈ**Sherry** *m* (*-s*; *-s*) jerez *m*, vino *m* de Jerez.
ˈ**Siam** *n* Siam *m*.
Siaˈme|se *m* (*-n*) siamés *m*; **~sin** *f* siamesa *f*; **2sisch** *adj.* siamés; ~*e Zwillinge* hermanos siameses.
Siˈbir|ien *n* Siberia *f*; **~ier(in** *f*) *m* siberiano (-a *f*) *m*; **2isch** *adj.* siberiano; de Siberia.
Siˈbylle *Myt. f* sibila *f*.
sibylˈlinisch *adj.* sibilino.

sich *pron.* (*betont*) sí; (*tonlos*) se; *an (und für)* ~ en sí; de (por) sí; de suyo; *das Ding an* ~ la cosa en sí; *et. bei* ~ *haben* tener a/c. consigo; *bei* ~ *denken* pensar entre (*od.* para) sí; *es hat nichts auf* ~ no tiene (ninguna) importancia; *für* ~ *allein* por sí (solo); *für* ~ *behalten* guardar para sí; *hinter* ~ *haben* tener tras de sí; *vor* ~ *haben* tener ante sí; *er bat ihn zu* ~ le hizo venir; le pidió que fuera a verle; (*wieder*) *zu* ~ *kommen* volver en sí; *er lud sie zu* ~ *ein* los invitó a ir a su casa; *er kämpfte* ~ *durch die Menge* se abrió paso a través de la multitud; *das schickt* ~ *nicht* eso no se hace; *sie kennen* ~ *gut genug* se conocen bastante bien; ~ *die Hände waschen* lavarse las manos.
ˈ**Sichel** *f* (-; *-n*) hoz *f*; (*Mond2*) creciente *m*; media luna *f*; *Pol. Hammer und* ~ la hoz y el martillo; **2förmig** *adj.* en forma de hoz, falciforme; **2n** (*-le*) *v/t.* cortar con la hoz.
ˈ**sicher I.** *adj.* seguro; (*gewiß*) cierto; (*zweifellos*) indudable; (*gesichert*) asegurado; (*fest*) firme; (*treff~*) certero; (*gewährleistet*) garantizado; (*unfehlbar*) infalible; (*zuverlässig*) fidedigno; positivo; *Gedächtnis*: fiel; † *Wertpapiere*: seguro; ~*e Hand* mano segura; ~*e Grundlage* base sólida; ~*e Existenz* existencia asegurada; ~*er Ort* lugar seguro; ~*er Schritt* paso firme; ~*er Tod* muerte cierta; ~*es Geleit* salvoconducto; *ganz* ~ con toda seguridad; *er hat ein* ~*es Auftreten* muestra seguridad de sí mismo; tiene aplomo; *aus* ~*er Quelle* de fuente fidedigna; ~ *vor* (*dat.*) al abrigo de; a cubierto de; asegurado contra; *vor ihm sind Sie* ~ nada tiene usted que temer de él; *e-r Sache* (*gen.*) ~ *sein* estar seguro de a/c.; *s-r Sache* ~ *sein* estar seguro de sí; *man ist dort s-s Lebens nicht* ~ allí se arriesga (*od.* corre peligro) la vida; ~ *ist* ~ F hombre precavido vale por dos; lo seguro es lo seguro; *soviel ist* ~ al menos eso es cierto; ~ *ist, daß er ...* lo cierto es que él ...; *sind Sie* ~? ¿está usted seguro?; F *er wurde auf Nummer* ~ *gebracht* le metieron en la cárcel; **II.** *adv.* seguramente; (*gewiß*) ciertamente, con certeza; (*ohne Zweifel*) sin duda, indudablemente; *um* ~ *zu gehen* para estar seguro; para ir sobre seguro; ~ *wissen* saber con seguridad (*od.* con certeza); saber a ciencia cierta; ~ *auftreten* proceder con firmeza y seguridad de sí mismo; **~gehen** (*L*) *v/i.* (*sich vergewissern*) asegurarse *od.* cerciorarse (de).
ˈ**Sicherheit** *f* seguridad *f*; (*Gewißheit*) certeza *f*, certidumbre *f*; (*Unbesorgtheit*) confianza *f*; (*Treff2*) acierto *m*, precisión *f*; (*Festigkeit*) firmeza *f*; † garantía *f*; (*Bürgschaft*) fianza *f*; ⚖ caución *f*; *im Auftreten*: aplomo *m*; circunspección *f*; *soziale* ~ seguridad social; ~ *im Verkehr* seguridad del tráfico; *der* ~ *halber*; *zur größeren* ~ para mayor seguridad; *in* ~ en seguridad; en salvo; fuera de peligro; (*sich*) *in* ~ *bringen* poner(se) a salvo; *mit* ~ con seguridad (*od.* certeza); *mit* ~ *behaupten* afirmar de modo terminante (*od.* rotundo); sostener con firmeza; afirmar con aplomo; † *als* ~ *für* como garantía de; e-e ~ *leisten* † dar una seguridad (*od.* garantía); ⚖ e-e ~ *stellen* dar una caución; *als* ~ *dienen* servir de garantía; *sich in* ~ *wiegen* creerse seguro; *gegenseitige* ~ seguridad mutua.
ˈ**Sicherheits...:** **~beamte(r)** *m* agente *m* de seguridad; **~behörde** *f Span.* Dirección *f* General de Seguridad; policía *f*; **~dienst** *m* (*-es*; *0*) servicio *m* de seguridad; **~faktor** *m* (*-s*; *-en*) coeficiente *m* de seguridad; **~fonds** † *m* (-; -) fondo *m* de garantía; **~geleit** *n* (*-es*; *-e*) salvoconducto *m*; **~glas** *n* (*-es*; *=er*) vidrio *m* de seguridad; **~gründe** *m/pl.*: *aus* ~*n* por razones de seguridad; **~gurt** (*-es*; *-e*) ✈ *m* cinturón *m* de seguridad; **2halber** *adv.* para mayor seguridad; **~kette** *f* cadena *f* de seguridad; fiador *m*; **~klausel** ⚖ *f* (-; *-n*) cláusula *f* de seguridad; **~koeffizient** *m* (*-en*) coeficiente *m* de seguridad; **~lampe** *f* lámpara *f* de seguridad; **~leistung** *f* † garantía *f*; (*Geldanweisung*) consignación *f*; (*Bürgschaft*) fianza *f*; ⚖ *a.* caución *f*; **~maßnahme** *f* medida *f* de seguridad; **~nadel** *f* (-; *-n*) imperdible *m*; **~pakt** *Pol. m* (*-es*; *-e*) pacto *m* de seguridad; **~pfand** *n* (*-es*; *=er*) prenda *f* de garantía; **~polizei** *f* (*0*) Cuerpo *m* de Seguridad; **~rat** *Pol. m* (*-es*; *=e*) consejo *m* de seguridad; **~schloß** *n* (*-sses*; *=sser*) cerradura *f* de seguridad; **~system** *Pol. n* (*-s*; *-e*): *kollektives* ~ sistema *m* de seguridad colectiva; **~ventil** *n* (*-s*; *-e*) válvula *f* de seguridad; **~verschluß** *m* (*-sses*; *=sse*) cierre *m* de seguridad; **~vorhang** *Thea. m* (*-es*; *=e*) telón *m* metálico **~vorrichtung** *f* dispositivo *m* de seguridad; **~vorschrift** *f* reglamento *m bzw.* normas *f/pl.* de seguridad; **~wechsel** † *m* efecto *m* depositado como garantía; **~zone** *f* zona *f* de seguridad; **~zündholz** *n* (*-es*; *=er*) cerilla *f* (de seguridad).
ˈ**sicherlich** *adv.* seguramente; de seguro, de cierto; por cierto; (*zweifellos*) sin duda; ~ *nicht* seguro que no; no, por cierto; ~ *hat er recht* estoy seguro de que tiene razón; *er wird* ~ *kommen* tengo la seguridad de que vendrá.
ˈ**sichern** (*-re*) **1.** *v/t.* asegurar (*gegen, vor* contra); (*gewährleisten*) garantizar; (*verbürgen*) *a.* afianzar; (*schützen*) proteger, preservar (*vor* de); (*in Sicherheit bringen*) poner a salvo *od.* en seguridad; poner a cubierto (*vor* de); poner en salvo; (*befestigen*) consolidar, afianzar; *Schußwaffe*: asegurar; **2.** *v/refl.*: *sich* ~ asegurarse (*gegen, vor* contra); preservarse (*vor* de); ponerse a cubierto de; (*sich vergewissern*) cerciorarse (de); (*sich in Sicherheit bringen*) ponerse a salvo de; *sich et.* ~ asegurarse a/c.; *gesichert sein* estar a cubierto; **3.** *v/i. Jgdw.* (*Wild*) tomar el viento.
ˈ**sicherstell|en** *v/t.* poner en seguridad; poner a cubierto; (*in Gewahr-*

sam nehmen) tomar bajo custodia; ⚕ garantizar; (*besorgen*) asegurar; 2**ung** *f* aseguramiento *m*; (*Gewährleistung*) garantía *f*; fianza *f*.

'**Sicherung** *f* aseguramiento *m*; (*Garantie*) garantía *f*; (*Befestigung*) consolidación *f*; afianzamiento *m*; ⚡ cortacircuito *m*; fusible *m*; *an der Schußwaffe*: seguro *m*; ⚔ destacamento *m* de protección; ⊕ dispositivo *m* de seguridad.

'**Sicherungs...**: **~fonds** ⚕ *m* (-; -) fondo *m* de garantía; **~hypothek** *f* hipoteca *f* cautelar (*od.* de garantía); **~übereignung** ⚖ *f* transmisión *f* fiduciaria; **~verwahrung** ⚖ *f* internamiento *m* de seguridad.

'**Sicht** *f* (*0*) vista *f*; (*~barkeit*) visibilidad *f*; *die ~ nehmen* impedir la vista de a/c.; *in ~* (*sein*) (estar) a la vista; *außer ~* fuera del alcance de la vista; *in ~ kommen* aparecer; *fig. auf lange ~* a largo plazo, (*auf die Dauer*) a la larga; *auf ~* ⚕ a la vista; *auf kurze* (*lange*) *~* a corto (largo) plazo; *zahlbar bei ~* pagadero a la vista; *30 Tage nach ~* a treinta días vista; **~anweisung** ⚕ *f* libranza *f* a la vista.

'**sichtbar** *adj.* visible; (*wahrnehmbar*) perceptible a la vista; (*augenscheinlich*) evidente; (*offenbar*) manifiesto; patente; (*scheinbar*) aparente; (*auffällig*) ostensible; *ohne ~en Erfolg* sin éxito apreciable; *~ werden* aparecer; (*sich offenbaren*) manifestarse; hacerse patente; *~ machen* mostrar; poner de manifiesto; 2**keit** *f* (*0*) visibilidad *f*; (*Evidenz*) evidencia *f*; (*Anschein*) apariencia *f*.

'**Sicht...**: **~bereich** *m* (-*es*; -*e*) campo *m* visual; **~einlage** ⚕ *f* depósito *m* a la vista.

'**sichten** (-*e*-) *v/t.* ⚓ avistar; divisar, distinguir; descubrir; ⊕ (*sieben*) cribar; *Getreide*: aventar; *Mehl*: cerner, tamizar; *fig.* (*prüfen*) examinar; (*sortieren*) escoger; (*ordnen*) ordenar; (*einteilen*) clasificar; 2 *n* (*Prüfen*) examen *m*; ⊕ (*Sieben*) cribado *m*; cernido *m*; (*Einteilung*) clasificación *f*.

'**Sicht...**: **~feld** *n* (-*es*; -*er*) campo *m* visual; zona *f* de visibilidad; **~flug** ✈ *m* (-*es*; ¨*e*) vuelo *m* con visibilidad; **~geschäft** ⚕ *n* (-*es*; -*e*) operación *f* a la vista; 2**ig** *adj. Wetter*: claro, despejado; **~igkeit** *f* (*0*) visibilidad *f*; **~kartei** *f* fichero *m* de fichas visibles; 2**lich** *adj.* visible; → *sichtbar*; **~tage** ⚕ *m/pl.* días *m/pl.* de gracia; **~tratte** ⚕ *f* giro *m* a la vista; **~ung** *f* (*Prüfung*) examen *m*; (*Einteilung*) clasificación *f*; (*Sortierung*) selección *f*; **~verhältnisse** *n/pl.* (condiciones *f/pl.* de) visibilidad *f*; **~vermerk** *m* (-*es*; -*e*) visado *m*; *mit ~ versehen* visar; **~wechsel** ⚕ *m* letra *f* a la vista; **~weite** *f* alcance *m* visual (*od.* de la vista).

'**sicker|n** (-*re*; *sn*) *v/i. Feuchtigkeit, Flüssigkeit*: rezumar; filtrarse gota a gota; *Gefäß*: tener fuga; 2**wasser** *n* agua *f* de infiltración.

side'ral, si'derisch *Astr. adj.* sideral, sidéreo.

sie *pron.* **I.** *3. Person, f/sg.*: *nom.* ella, *ac.* la, *betont*: a ella; **II.** *3. Person, pl.*: *a*) *m*, *nom.* ellos, *ac.* los *od.* les, *betont*: a ellos; *b*) *f*, *nom.* ellas, *ac.* las, *betont*: a ellas.

Sie I. *Anrede*: *sg.* usted (*abk.* Vd.); *pl.* ustedes (*Abk.* Vds.); *j-n mit ~ anreden* tratar de usted a alg.; **II.** F *f* (*Frau*) mujer *f*; *ein Er und e-e ~* un hombre y una mujer; (*Weibchen*) hembra *f*.

'**Sieb** *n* (-*es*; -*e*) (*Sand*2) criba *f*; (*Küchen*2) pasador *m*; *für Flüssiges*: colador *m*; *für Mehl usw.*: cedazo *m*, *sehr feines*: tamiz *m*; ⚡ filtro *m*; 2**artig** *adj.* en forma de criba, cribiforme; **~bein** *Anat. n* (-*es*; -*e*) etmoides *m*; **~druckverfahren** *Typ. n* serigrafía *f*.

'**sieben**[1] **I.** *v/t. Flüssigkeiten*: colar; pasar por el colador; *Sand, Kies*: cribar; *Mehl*: cerner; tamizar; *Funk*: filtrar; *fig.* (*auswählen*) escoger, seleccionar; **II.** 2 *n* cribado *m*; *fig.* selección *f*.

'**sieben**[2] **I.** *adj.* siete; **II.** 2 *f* siete *m*; *böse ~* arpía *f*; 2'**bürgen** *Geogr. n* Transilvania *f*; 2'**bürger(in** *f*) *m* transilvano (-a *f*) *m*; **~'bürgisch** *adj.* transilvano; de Transilvania; 2**eck** ⩓ *n* (-*es*; -*e*) heptágono *m*; **~eckig** ⩓ *adj.* heptagonal; **~er'lei** *adj.* de siete clases (*od.* especies) diferentes; **~fach**, **~fältig** *adj.* séptuplo; 2**flächner** ⩓ *m* heptaedro *m*; 2**gestirn** *Astr. n* (-*es*; *0*) Pléyades *f/pl.*; **~hundert** *adj.* setecientos; **~hundertste** *adj.* septingentésimo; 2**jahres-plan** *m* (-*es*; ¨*e*) plan *m* septenal; **~jährig** *adj.* (*Alter*) de siete años (de edad); (*Zeitdauer*) de siete años; *der* 2*e Krieg* la Guerra de los Siete Años; **~mal** *adv.* siete veces; **~malig** *adj.* repetido siete veces; 2'**meilenstiefel** *m/pl.* botas *f/pl.* de siete leguas; *mit ~n gehen* ir a paso de gigante; 2**monatskind** *n* (-*es*; -*er*) sietemesino *m*; **~prozentig** *adj.* al siete por ciento; 2'**sachen** *f/pl.* trastos *m/pl.*, chismes *m/pl.*, cachivaches *m/pl.*; *s-e ~ zusammenpacken* liar los bártulos (*od.* el petate); 2**schläfer** *m Zoo.* lirón *m*; *fig.* dormilón *m*; *pl.* (*Sagengestalten*) los Siete Durmientes; *Datum*: 27 junio; **~seitig** *adj.* (*Figur*) heptagonal; (*Körper*) heptaédrico; **~silbig** *adj.* heptasílabo; 2**silbner** *m* heptasílabo *m*; **~stöckig** *adj.* de siete pisos; **~stündig** *adj.* de siete horas; **~tägig** *adj.* de siete días; **~tausend** *adj.* siete mil; **~te** *adj.* séptimo; *der* (*od. den od. am*) *~(n) Juni* el siete de Junio; *Berlin, den 7. Juni 1969* Berlín, 7 de Junio de 1969; *Alphons der* 2 (*VII.*) Alfonso séptimo (VII); 2**tel** *n* séptimo *m*, séptima parte *f*; **~tens** *adv.* séptimo; en séptimo lugar; **~undzwanzig** *adj.* veintisiete.

'**Sieb...**: 2**förmig** *adj.* en forma de criba, cribiforme; **~maschine** *f* cribadora *f*; **~mehl** *n* (-*es*; *0*) moyuelo *m*; **~trichter** *m* embudo *m* de tamiz; **~tuch** *n* (-*es*; ¨*er*) estameña *f*.

'**siebzehn** *adj.* diecisiete; **~te(r)** *adj.* décimoséptimo; 2**tel** *n* diecisieteavo *m*; diecisieteava parte *f*; **~tens** *adv.* décimoséptimo; en décimoséptimo lugar.

'**siebzig I.** *adj.* setenta; *in den ~er Jahren* en los años setenta; **II.** 2 *f* setenta *m*; 2**er(in** *f*) *m* septuagenario (-a *f*) *m*; F setentón *m*, setentona *f*; **~jährig** *adj.* (*Alter*) de setenta años, septuagenario; (*Zeitdauer*) de setenta años (de duración); **~ste(r)** *adj.* septuagésimo; **~stel** *n* setentavo *m*, setentava parte *f*.

siech *adj.* (*kränklich*) enfermizo; doliente; valetudinario; achacoso; (*gebrechlich*) enclenque; (*unheilbar*) incurable; **~en** *v/i.* (*dahin~*) consumirse, extenuarse; (*verschmachten*) languidecer; (*kränklich sein*) padecer achaques, ser enfermizo; '2**enhaus** *n* (-*es*; ¨*er*) hospital *m* de incurables; '2**tum** *n* (-*es*; *0*) padecimiento *m* crónico; miseria *f* fisiológica; achaques *m/pl.* de la vejez.

'**Siede|grad** *m* (-*es*; -*e*) grado *m* de ebullición; **~hitze** *f* (*0*) temperatura *f* de ebullición; *fig.* calor *m* tropical; **~kessel** *m* caldera *f*.

'**siedeln** (-*le*) *v/i.* establecerse.

'**sieden** (-*e*-) **I. 1.** *v/i.* hervir, estar en ebullición; (*brodelnd aufwallen*) borbotar; *~d heiß* hirviendo, en ebullición; **2.** *v/t.* (hacer) hervir; *Zucker*: refinar; *Seife, Salz*: hacer; **II.** 2 *n* ebullición *f*; hervor *m*; *v. Zucker*: refinación *f*; **~d** *adj.* en ebullición, hirviendo.

'**Siedepunkt** *m* (-*es*; -*e*) punto *m* de ebullición.

Siede'rei *f* (*Zucker*2) refinería *f* de azúcar; (*Seifen*2) jabonería *f*; (*Salz*2) salina *f*.

'**Siedewasser** *n* agua *f* hirviendo (*od.* en ebullición).

'**Siedler** *m* colono *m*; colonizador *m*.

'**Siedlung** *f* colonización *f*; (*Kolonie*) colonia *f*; población *f*; (*Arbeiter*2) poblado *m* obrero; *am Stadtrand*: poblado *m* suburbano; colonia *f* de casas baratas; *bsd. v. einzelnen Kleinhäusern*: colonia *f* de hotelitos; **~sgebiet** *n* (-*es*; -*e*) zona *f* de colonización; **~sgesellschaft** *f* sociedad *f* colonizadora; *in Städten*: sociedad *f* urbanizadora.

Sieg *m* (-*es*; -*e*) victoria *f*; triunfo *m*; *den ~ davontragen* obtener (*od.* alcanzar) la victoria; vencer, triunfar; llevarse la palma.

'**Siegel** *n* sello *m*; (*Plombe*) precinto *m*; *unter dem ~ der Verschwiegenheit* bajo condición de guardar secreto; *Brief und ~ geben* prometer solemnemente; *das ist für mich ein Buch mit sieben ~n* esto es para mi un misterio; **~bewahrer** *m* guardasellos *m*; **~lack** *m* (-*es*; *0*) lacre *m*; **~lackstange** *f* barra *f* de lacre; 2**n** (-*le*) *v/t.* sellar; *mit Plombe*: precintar; *mit Lacksiegel*: lacrar; **~n** *n* sigilación *f*; precinto *m*; **~ring** *m* (-*es*; -*e*) anillo *m* de sello.

'**siegen** *v/i.* vencer; *über j-n ~* vencer a alg.; triunfar (*über ac.* de, sobre); obtener la victoria, lograr el triunfo; salir vencedor *od.* triunfante; *bsd. Sport*: ganar; *mit 4 zu 2 ~ Sport*: ganar por cuatro (tantos) a dos (*über ac.* a); **~d** *adj.* victorioso; triunfante.

'**Sieger** *m* vencedor *m* (*a. Sport*); triunfador *m*; ganador *m*; **~ehrung** *f Sport*: distribución *f* de los premios; ~**in** *f* vencedora *f*; triunfadora *f*; ganadora *f*; ~**mächte** *f/pl.* potencias *f/pl.* vencedoras; ~**mannschaft** *Sport f* equipo *m* vencedor (*od.* ganador).

'**Sieges...:** ~**aufzug** *m* (-*es*; ⸚*e*) ⚔ desfile *m* triunfal; 2**bewußt** *adj.* seguro del triunfo (*od.* de triunfar); ~**bogen** *m* (-*s*; -) arco *m* triunfal; ~**denkmal** *n* (-*es*; -*e od.* ⸚*ler*) monumento *m* conmemorativo de una victoria; ~**feier** *f* (-; -*n*), ~**fest** *n* (-*es*; -*e*) celebración *f* de una victoria; ~**geschrei** *n* (-*es*; *0*) gritos *m/pl.* de triunfo; 2**gewiß** *adj.* seguro de la victoria (*od.* del triunfo), seguro de vencer (*od.* de triunfar); ~**göttin** *Myt. f* Victoria *f*; ~**hymne** *f* himno *m* triunfal; ~**lauf** *m* (-*es*; ⸚*e*) avance *m* triunfal; ~**palme** *f* palma *f* de la victoria; ~**preis** *m* (-*es*; -*e*) premio *m*; *fig.* palma *f*; (*Zeichen*) trofeo *m*; ~**rausch** *m* (-*es*; *0*) embriaguez *f* del triunfo; ~**säule** *f* columna *f* triunfal; 2**trunken** *adj.* ebrio del triunfo (*od.* de la victoria); ~**wagen** *m* carro *m* triunfal; ~**wille(n)** *m* (-*ns*; *0*) voluntad *f* de vencer; ~**zeichen** *n* trofeo *m*; ~**zug** *m* (-*es*; ⸚*e*) marcha *f bzw.* cortejo *m* triunfal.

'**sieg...:** ~**gekrönt** *adj.* triunfador, victorioso; coronado de laureles; ~**gewohnt** *adj.* acostumbrado a vencer; ~**haft** *adj.* triunfante; ~**reich** *adj.* victorioso; triunfante; triunfador.

Siel *n* (-*es*; -*e*) (*Deich*2) esclusa *f* de dique; compuerta *f*; (*Kanal*) canal *m*.

'**Siele** *f* (*Zugriemen*) tirante *m*; *fig.* *in den ~n sterben* morir trabajando; *fig.* morir al pie del cañón; ~**ngeschirr** *n* (-*es*; -*e*) arneses *m/pl.*, arreos *m/pl.*

Siemens-'Martin|-Ofen ⊕ *m* (-*s*; ⸚) horno *m* (Siemens-) Martin; ~**stahl** *m* (-*es*; *0*) acero *m* Siemens-Martin.

Si'esta *f* (-; -*ten od.* -*s*) siesta *f*; ~ *halten* dormir la siesta.

'**siezen** (-*t*) *v/t.* tratar (*od.* hablar) de usted.

'**Sigel** *n* sigla *f*.

Sig'nal *n* (-*s*; -*e*) señal *f*; (*Hupe*) bocina *f*; claxon *m*; (*Glocken*2) campanilla *f*; *akustisches* ~ señal acústica; *ein* ~ *geben* dar una señal; (*hupen*) tocar la bocina; *das* ~ *geben* dar la señal (zu de); 🚂 *das* ~ *auf Fahrt* (*Halt*) *stellen* poner la señal de vía libre (de parada); ~**anlage** *f* sistema *m* de señalización; ~**buch** ⚓ *n* (-*es*; ⸚*er*) código *m* de señales.

Signale'ment [-'mɛnt, -'mɑ̃:] *m* (-*s*; -*s*) señas *f/pl.* personales; filiación *f*.

Sig'nal...: ~**feuer** *n* almenara *f*; fogaril *m*; ~**flagge** *f* bandera *f* de señales; ~**horn** *n* (-*es*; ⸚*er*) corneta *f*.

signali'sieren (-) *v/t.* señalar, hacer señales; señalizar.

Sig'nal...: ~**lampe** *f* lámpara *f bzw.* farol *m* de señales; ~**mast** *m* (-*es*; -*en*) semáforo *m*; ~**ordnung** *f* reglamento *m* de señales; ~**pfeife** *f* silbato *m* de señales; ~**rakete** *f* cohete *m* de señales; ~**scheibe** 🚂 *f* disco *m* de señales; ~**stange** 🚂 *f* semáforo *m*; ~**system** *n* (-*s*; -*e*) señalización *f*; ~**wärter** 🚂 *m* guardaseñales *m*.

Signa'tarstaaten *m/pl.* Estados *m/pl.* signatarios.

Signa'tur *f* (*Zeichen*) signo *m*; seña *f*; (*Bücherei*, *Typ*) signatura *f*; ✝ marcas *f/pl.*; *auf Landkarten*: signos *m/pl.* convencionales; (*Etikett*) etiqueta *f*; (*Unterschrift*) firma *f*.

Si'gnet [sin'je: *od.* sig'ne:t] *n* (-*s*, -*s u.* -*e*) *Typ.* marca *f* de imprenta *od.* del impresor.

sig'nieren (-) *v/t.* (*unterzeichnen*) firmar; ✝ *Kisten*: marcar; *mit Etiketten*: poner etiquetas, rotular; *Bücher*: poner la signatura.

'**Silbe** *Gr. f* sílaba *f*; *betonte* (*unbetonte*; *kurze*; *lange*) ~ sílaba acentuada *od.* aguda (átona; breve; larga); *keine* ~ *sagen* no decir (ni) una palabra; F no rechistar; *er versteht keine* ~ *davon* no entiende ni jota de eso.

'**Silben...:** ~**maß** *n* (-*es*; -*e*) cantidad *f* silábica; metro *m*; ~**messung** *f* prosodia *f*; ~**rätsel** *n* charada *f*; ~**trennung** *f* separación *f* de las sílabas; división *f* en sílabas; 2**weise** *adv.* sílaba por sílaba.

'**Silber** *n* (-*s*; *0*) plata *f*; *aus* ~ de plata; ~**ader** ⚒ *f* (-; -*n*) filón *m* de plata; ~**amalgam** *n* (-*s*; -*e*) amalgama *f* de plata; ~**arbeit** *f* plata *f* labrada; argentería *f*; 2**artig** *adj.* (*silberhell*) argentino; argénteo, argentado; ~**barren** *m* barra *f* de plata; ~**bergwerk** *n* (-*es*; -*e*) mina *f* de plata; ~**beschlag** *m* (-*es*; ⸚*e*) guarnición *f* de plata; ~**besteck** *n* (-*es*; -*e*) (*Tischbesteck*) cubierto *m* de plata; ~**blech** *n* (-*es*; -*e*) chapa *f* (*od.* lámina *f*) de plata; ~**draht** *m* (-*es*; ⸚*e*) hilo *m* de plata; ~**erz** *n* (-*es*; -*e*) mineral *m* argentífero (*od.* de plata); 2**farben**, 2**farbig** *adj.* plateado; ~**fisch** *Ict.* *m* (-*es*; -*e*) pez *m* luna; ~**folie** *f* hoja *f* de plata; ~**fuchs** *Zoo.* *m* (-*es* ⸚*e*) zorro *m* argentado; ~**gehalt** *m* (-*es*; -*e*) *der Münzen usw.*: ley *f*; ~**geld** *n* (-*es*; *0*) moneda *f* de plata; ~**gerät** *n* (-*es*; -*e*), ~**geschirr** *n* (-*es*; -*e*) (vajilla *f* de) plata *f*; ~**glanz** *m* (-*es*; *0*) brillo *m* de plata; *des Mondes*: reflejos *m/pl.* argénteos *od.* argentados; *den Haaren e-n* ~ *verleihen* argentar el cabello; 2**grau** *adj.* gris argentado; 2**haltig** *adj.* argentífero; 2**hell** *adj.* argentino, argénteo; ~**hochzeit** *f* bodas *f/pl.* de plata; 2**ig** *adj.* → *silbern*; ~**klang** *m* (-*es*; ⸚*e*) sonido *m* argentino; ~**ling** *m* (-*s*; -*e*) *im alten Rom*: denario *m* de plata; ~**löwe** *Zoo.* *m* (-*n*) puma *m*; ~**medaille** *f* medalla *f* de plata; ~**münze** *f* moneda *f* de plata; 2**n** *adj.* de plata; (*silberhell*) argentino, argénteo; (*versilbert*) plateado, argentado; ~*e Hochzeit* bodas de plata; ~**papier** *n* (-*s*; -*e*) papel *m* de plata; ~**pappel** ⚘ *f* (-; -*n*) álamo *m* blanco; 2**plattiert** *adj.* chapado en plata; 2**reich** *adj.* rico en plata; argentífero; ~**sachen** *f/pl.* (objetos *m/pl.* de) plata *f*; ~**schimmer** *m* (-*s*; *0*) reflejo *m* (*od.* brillo *m*) argentino; ~**schmied** *m* (-*es*; -*e*) orfebre *m*; platero *m*; ~**sticke'rei** *f* bordado *m* en plata; ~**stück** *n* (-*es*; -*e*) moneda *f* de plata; ~**tanne** ⚘ *f* abeto *m* blanco *od.* argentado; ~**tresse** *f* galón *m* de plata; ~**währung** *f* patrón-plata *m*; ~**waren** *f/pl.* ✝ artículos *m/pl.* de plata; ~**weide** ⚘ *f* sauce *m* blanco; 2**weiß** *adj.* blanco plateado; ~**zeug** *n* (-*es*; *0*) objetos *m/pl.* de plata.

'**silbrig** *adj.* → *silbern*.

Silhou'ette *f* silueta *f*; perfil *m*.

Sili'kat ⚗ *n* (-*es*; -*e*) silicato *m*.

Si'lizium ⚗ *n* (-*s*; *0*) silicio *m*.

'**Silo** *m* (-*s*; -*s*) silo *m*; *in e-m* ~ *einlagern* ensilar; *Einlagerung in e-m* ~ ensilaje *m*.

Si'lur *Geol.* *n* (-*s*; *0*) silúrico *m*; 2**isch** *Geol. adj.* silúrico, siluriano.

Sil'vester *n* Silvestre *m*; → ~**abend** *m* (-*s*; -*e*) víspera *f* de Año Nuevo; ~**nacht** *f* (-; ⸚*e*) noche *f* de San Silvestre; F noche *f* vieja.

'**Simili|diamant** *m* (-*en*) diamante *m* artificial (*od.* imitado *od.* falso); ~**stein** *m* (-*es*; -*e*) piedra *f* preciosa artificial.

'**Simon** *m* Simón *m*.

Simo'nie *f* simonía *f*.

si'monisch *adj.* simoníaco.

'**simpel** *adj.* (*einfach*) simple; sencillo; (*einfältig*) tonto, bobo; simple.

'**Simplontunnel** *m* (-*s*; *0*) tunel *m* del Simplón.

Sims *m/n* (-*es*; -*e*) moldura *f*; cornisa *f*; (*Wandbrett*) estante *m*; anaquel *m*; (*Kamin*2) repisa *f* de la chimenea; '~**hobel** *m* cepillo *m* de molduras.

Simu|'lant(in *f*) *m* (-*en*) simulador (-a *f*) *m*; 2'**lieren** (-) *v/t. u. v/i.* simular; fingir; ~'**lieren** *n* simulación *f*; fingimiento *m*.

simul'tan *adj.* simultáneo; 2**dolmetschen** *n* interpretación *f* simultánea; 2**schule** *f* escuela *f* interconfesional; 2**spiel** *n* (-*es*; -*e*) *Schach*: partida *f* simultánea.

Sinfo'nie ♪ *f* sinfonía *f*.

'**Sing|akademie** *f* conservatorio *m*; academia *f* de canto; 2**bar** *adj.* cantable; 2**en** (*L*) *v/t. u. v/i.* cantar; *falsch* ~ desentonar, desafinar; F berrear; *richtig* ~ entonar; cantar bien; *hoch* ~ cantar con voz aguda; *tief* ~ cantar con voz grave; cantar con voz de bajo; *ein Duett* ~ cantar a dúo; *laut* ~ cantar en voz alta; *leise* ~ cantar a media voz; *vom Blatt* ~ repentizar una canción; *zum Klavier* ~ cantar con acompañamiento de piano; *aus vollem Halse* ~ cantar a plena voz; *von et. Lob* ~ cantar las excelencias de a/c.; *davon kann ich ein Lied* ~ de eso también tengo yo mis experiencias; ~**en** *n* canto *m*; ~**sang** *m* (-*es*; *0*) salmodia *f*; canto *m* monótono; ~**spiel** *n* (-*es*; -*e*) opereta *f*; *Span.* zarzuela *f*; ~**stimme** *f* (*Hauptstimme*) voz *f* cantante; (*Gesangspartie*) parte *f* de canto; ~**stunde** *f* lección *f* de canto.

'**Singular** *Gr. m* (-*s*; -*e*) singular *m*.

singu'lär *adj.* singular; raro.

singu'larisch *Gr. adj.* en singular.

'**Sing|vogel** *m* (-*s*; ⸚) pájaro *m* cantor; ~**vögel** *m/pl.* aves *f/pl.* canoras; ~**weise** *f* manera *f* de cantar; (*Melodie*) melodía *f*; aire *m*.

'**sinken** (*L*; *sn*) **I.** *v/i.* caer; (*sich senken*) hundirse; (*abnehmen*) disminuir; (*sich zum Ende neigen*) declinar; (*verfallen*) decaer; (*zerfallen*) desmoronarse; (*einstürzen*) derrumbarse; (*unter*~) sumergirse; *Nebel*:

ir bajando; *Sonne*: ponerse; *Preise, Kurse*: bajar; *Temperatur*: *a.* descender; *Schiff*: hundirse, irse a pique; *Hoffnung*: desvanecerse; ∼ *lassen Stimme, Kopf*: bajar; *den Mut* ∼ *lassen* perder el ánimo, descorazonarse; *auf die Knie* ∼ caer de rodillas; *j-m in die Arme* ∼ (dejarse) caer en los brazos de alg.; *in Ohnmacht* ∼ desmayarse; *in tiefen Schlaf* ∼ caer en profundo sueño; *im Preise* ∼ bajar de precio; *ins Grab* ∼ bajar al sepulcro; *zu Boden* ∼ caer al suelo; desplomarse; *j-m zu Füßen* ∼ caer *bzw.* arrojarse a los pies de alg.; *er ist tief gesunken* ha caido muy bajo; *er ist in m-r Achtung gesunken* ha perdido mucho en mi estimación; *bis in die* ∼*de Nacht* hasta el anochecer; *bei* ∼*der Nacht* al anochecer; *als der Tag sank* al declinar el día; **II.** 2 *n* descenso *m*; (*Fallen*) caída *f*; (*Verminderung*) disminución *f*; *der Preise*: baja *f*; reducción *f*; (*Sichsenken*) hundimiento *m* (*a. v. Schiffen*); (*Verfall*) decadencia *f*.

Sinn *m* (*-es*; *-e*) sentido *m*; (*Bedeutung*) (*0*) significación *f*, significado *m*; sentido *m*; *e-s Wortes*: *a.* acepción *f*; (*Auslegung*) interpretación *f*; (*Gefühl*) sentimiento *m*; (*Neigung*) inclinación *f*; tendencia *f*; gusto *m*, afición *f*; (*Anlage*) disposición *f*; (*Gedanke*) pensamiento *m*; (*Geist*) espíritu *m*; (*Verstand*) mente *f*; (*Einsicht*) inteligencia *f*; (*Seele*) alma *f*; (*Herz*) corazón *m*; (*Meinung*) opinión *f*, parecer *m*; (*Ansicht*) manera *f* (*od.* modo *m*) de ver; (*Absicht*) intención *f*; (*Wunsch*) deseo *m*; (*Wille*) voluntad *f*; (*Charakter*) carácter *m*; (*Gesinnung*) manera *f* (*od.* modo *m*) de pensar; mentalidad *f*; (*Gemütsart*) natural *m*; (*Richtung*) sentido *m*; *die fünf* ∼*e* los cinco sentidos; *s-e fünf* ∼*e beisammen haben* obrar sensatamente (*od.* con tino), obrar con buen juicio; *das hat keinen* ∼ eso no tiene sentido, (*das ist zwecklos*) es inútil; no tiene objeto; *weder* ∼ *noch Verstand haben* no tener pies ni cabeza; *e-s* ∼*es mit j-m sein* estar de acuerdo con alg.; compartir la opinión de alg.; *anderen* ∼*es werden* cambiar de opinión, mudar de parecer; *das geht mir nicht aus dem* ∼ no se me quita de la cabeza; *sich et. aus dem* ∼ *schlagen* quitarse a/c. de la cabeza; renunciar a a/c.; desistir de a/c.; *aus den Augen, aus dem* ∼ ojos que no ven, corazón que no siente; *nicht recht bei* ∼*en* (*od. von* ∼*en*) *sein* no estar en su (sano) juicio; F andar mal de la cabeza; *für et.* ∼ *haben* interesarse (*od.* mostrar interés) por a/c.; tener gusto por a/c.; *er hat* ∼ *für Humor* tiene sentido del humor; *er hat* ∼ *für das Schöne* sabe apreciar lo bello; *dafür habe ich keinen* ∼ yo no entiendo de esas cosas; *im eigentlichen* (*bildlichen*) ∼*e* en sentido propio (figurado); *im engeren* ∼*e* en sentido estricto; *im weiteren* ∼*e* por extensión; en un sentido más amplio; *im rechtlichen* ∼*e* en sentido jurídico; *im vollsten* ∼*e des Wortes* en toda la extensión de la palabra; *et. im* ∼ *haben* tener (*od.* abrigar) un propósito; tener (la) intención de hacer a/c.; proyectar a/c.; intentar a/c.; *in j-s* ∼*e handeln* obrar como alg. lo hubiera hecho; *im* ∼*e des Gesetzes* conforme al espíritu de la ley; *das liegt mir im* ∼ no dejo de pensar en ello; F no se me quita de la cabeza; *das will mir nicht in den* ∼ no acierto a comprenderlo; F no me cabe (*od.* entra) eso en la cabeza; *in den* ∼ *kommen* ocurrirse a/c.; venirse a las mientes a/c.; *es ist mir nie in den* ∼ *gekommen* nunca se me ha ocurrido tal cosa; *er äußerte sich im gleichen* ∼*e* se expresó en el mismo sentido; manifestó la misma opinión; *das ist nicht in m-m* ∼*e* eso no es de mi agrado (*od.* de mi gusto); *nach s-m* ∼ a su gusto; *dem* ∼*e nach* conforme al sentido; *sein* ∼ *steht nach Ruhm* aspira a la gloria.

'**Sinnbild** *n* (*-es*; *-er*) símbolo *m*; (*Emblem*) emblema *m*; (*Gleichnis*) alegoría *f*; 2**lich** *adj.* simbólico; (*gleichnishaft*) alegórico; *Gr.* figurado; ∼ *darstellen* simbolizar.

'**sinnen** (*L*) **I.** *v/i.* reflexionar, meditar (*über ac.* sobre); pensar (*auf ac.* en); *Böses* ∼ tramar una mala acción; (*auf*) *Rache* ∼ meditar una venganza; *hin und her* ∼ pensar y repensar; F devanarse los sesos; → *gesinnt*; *gesonnen*; **II.** 2 *n* reflexiones *f/pl.*, meditaciones *f/pl.*; pensamientos *m/pl.*; (*Träumen*) ensueños *m/pl.*; *all sein* ∼ *und Trachten* todos sus esfuerzos y afanes; ∼**d** *adj.* pensativo; meditabundo.

'**Sinnen...**: ∼**freude** *f* voluptuosidad *f*; placeres *m/pl.* sensuales, sensualidad *f*; deleites *m/pl.* de los sentidos; 2**freudig** *adj.* voluptuoso; sensual; ∼**genuß** *m* (*-sses*; *⸗sse*), ∼**lust** *f* (*0*) → *Sinnenfreude*; ∼**rausch** *m* (*-es*; *0*) embriaguez *f* de los sentidos; ∼**reiz** *m* (*-es*; *-e*) sensualidad *f*; ∼**taumel** *m* → *Sinnenrausch*.

'**sinn-entstellend** *adj.* que desfigura el sentido.

'**Sinnen...**: ∼**welt** *f* (*0*) mundo *m* material *od.* físico; mundo *m* sensible.

'**Sinnes...**: ∼**änderung** *f* cambio *m* de opinión; ∼**art** *f* mentalidad *f*; ∼**eindruck** *m* (*-es*; *⸗e*) impresión *f* sensorial; ∼**empfindung** *f* sensación *f*; ∼**nerv** *m* (*-s*; *-en*) nervio *m* sensorial; ∼**organ** *n* (*-*) órgano *m* sensorial; ∼**täuschung** *f* ilusión *f* de los sentidos; alucinación *f*; ∼**wahrnehmung** *f* percepción *f* sensorial.

'**Sinn...**: 2**fällig** *adj.* manifiesto, evidente; patente; ∼**fälligkeit** *f* (*0*) evidencia *f*; ∼**gebung** *f* interpretación *f*; ∼**gedicht** *n* (*-es*; *-e*) epigrama *m*; 2**gemäß** *adj.* conforme al sentido; en el sentido de; análogo; respectivo; ∼*e Anwendung finden* ser aplicado por analogía; 2**getreu** *adj.* fiel.

sin'nieren (*-*) *v/i.* cavilar.

'**sinnig** *adj.* (*gescheit*) sensato; juicioso; (*sinnreich*) ingenioso; (*zart*) delicado; (*passend*) apropiado; oportuno; 2**keit** *f* (*0*) sensatez *f*; ingeniosidad *f*; delicadeza *f*.

'**sinnlich** *adj.* (*wahrnehmbar*) sensible; (*körperlich*) físico; material; (*Sinnesgenuß betreffend*) sensual; (*wollüstig*) voluptuoso; (*fleischlich*) carnal; *die* ∼*e Welt* el mundo material; 2**keit** *f* (*0*) (*sinnliche Begierde*) sensualidad *f*; apetito *m* sensual; (*Wollust*) voluptuosidad *f*.

'**Sinn...**: 2**los** *adj.* (*widersinnig, absurd*) absurdo; sin sentido; (*unvernünftig*) insensato; (*verrückt*) desatinado, disparatado; (*zwecklos*) inconducente; ∼ *betrunken* F borracho perdido; ∼**losigkeit** *f* (*Widersinn, Absurdität*) falta *f* de sentido; absurdo *m*; (*Unvernunft*) insensatez *f*; (*Verrücktheit*) desatino *m*, disparate *m*; 2**reich** *adj.* ingenioso; ∼**spruch** *m* (*-es*; *⸗e*) sentencia *f*; 2**verwandt** *adj.* sinónimo; ∼*es Wort* sinónimo *m*; ∼**verwandtschaft** *f* sinonimia *f*; 2**voll** *adj.* lleno de sentido; (*klug*) inteligente; (*sinnreich*) ingenioso; (*vernünftig*) razonable; (*zweckmäßig*) oportuno; conveniente; (*zweckdienlich*) eficiente; significativo; 2**widrig** *adj.* absurdo; (*unzweckmäßig*) improcedente; contraproducente.

Sino|'loge *m* (*-n*) sinólogo *m*; ∼**lo'gie** *f* (*0*) sinología *f*.

'**Sinter** *m Min.* estalactita *f*; concreción *f* calcárea; *Met.* escoria *f* de hierro; 2**n** (*-re*) *v/i. Min.* concrecionarse; *Met.* sinterizar; aglomerarse.

'**Sintflut** *f* diluvio *m*; 2**artig** *adj.* diluvial; diluviano.

'**Sinus** 𝔄 *m* (*-*; *-*) seno *m* (*a. Anat.*); ∼**kurve** 𝔄 *f* curva *f* senoidal, sinusoide *f*.

'**Siphon** *m* (*-s*; *-s*) sifón *m*.

'**Sipp|e** *f*, ∼**schaft** *f* (*Familie*) familia *f*; (*Verwandtschaft*) parentela *f*; (*Blutsverwandtschaft*) consanguinidad *f*; *fig.* ralea *f*; (*Clique*) pandilla *f*; ∼**enforschung** *f* investigación *f* genealógica; genealogía *f*; ∼**enhaftung** *f* ⚖ *ehm.* responsabilidad *f* colectiva de la familia.

Si'rene *Myt. f* sirena *f* (*a. Dampfpfeife*); ∼**ngesang** *m* (*-es*; *⸗e*) canto *m* de las sirenas; 2**nhaft** *adj.* de sirena; seductor; ∼**nstimme** *f* voz *f* de sirena (*a. fig.*).

'**Sirius** *Astr. m* Sirio *m*.

'**Sirup** *m* (*-s*; *-e*) jarabe *m*; (*Melasse*) melaza *f*.

'**Sisal** ⚘ *m* (*-s*; *0*) pita *f*; sisal *m*; ∼**faser** *f* (*-*; *-n*) fibra *f* de pita *bzw.* sisal; ∼**hanf** *m* (*-es*; *0*) cáñamo *m* de sisal.

sis'tier|en (*-*) *v/t.* ⚖ *Verfahren*: suspender; (*verhaften*) detener; 2**ung** *f e-s Verfahrens*: suspensión *f*; (*Verhaftung*) detención *f*.

'**Sisyphus** *Myt. m* Sísifo *m*.

Sit-'in *n* (*Studenten*) sentada *f*.

'**Sitte** *f* costumbre *f*; (*Gewohnheit*) *a.* hábito *m*; (*Brauch*) uso *m*; usanza *f*; (*Anstand, Sittlichkeit*) moral *f*; ∼*n pl.* costumbres *f/pl.*; *die* ∼*n und Gebräuche* los usos y costumbres; ∼ *sein* ser costumbre; *das ist bei uns* (*nicht*) ∼ (no) es costumbre entre nosotros; *von feinen* (*groben*) ∼*n* bien (mal) educado; *schlechte* ∼*n* malas costumbres; *gegen die guten* ∼*n verstoßen* atentar a las buenas costumbres; *andere Länder* (*Zeiten*), *andere* ∼*n* otros países (tiempos), otras costumbres; *das ist gegen die* *guten ~n* eso es contrario a las buenas costumbres; *es ist ~, zu ...* se acostumbra ... *od.* es costumbre ... (*inf.*).

'Sitten...: **~bild** *n* (*-es; -er*), **~gemälde** *n* cuadro *m* de costumbres; **~geschichte** *f* historia *f* de las costumbres; **~gesetz** *n* (*-es; -e*) ley *f* moral; **~lehre** *f* moral *f*; ética *f*; (*Abhandlung*) tratado *m* de moral; **2los** (*-er; -est*) *adj.* inmoral; **~losigkeit** *f* (*0*) inmoralidad *f*; **~polizei** *f* (*0*) brigada *f* de higiene social; **~prediger** *m* moralizador *m*; **2rein** *adj.* de costumbres puras; **~reinheit** *f* (*0*) pureza *f* de las costumbres; **~richter** *m* censor *m*; moralista *m*; **~roman** *m* (*-s; -e*) novela *f* de costumbres; **2streng** *adj.* austero; **~strenge** *f* (*0*) austeridad *f*; **~verderbnis** *f* (*0*), **~verfall** *m* (*-es; 0*) corrupción *f* moral; depravación *f* de las costumbres; **~verfeinerung** *f* refinamiento *m* de las costumbres; **2widrig** *adj.* inmoral; contrario a las buenas costumbres; *~e Handlungen verüben* atentar contra las buenas costumbres; **~zwang** *m* (*-es; 0*) etiqueta *f*.

'Sittich *Orn.* *m* (*-; -e*) papagayo *m*.

'sittlich *adj.* moral; ético; (*anständig*) decente; *~es Bewußtsein* conciencia moral.

'Sittlichkeit *f* (*0*) moralidad *f*; moral *f*; (*Anständigkeit*) decencia *f*; (*Keuschheit*) castidad *f*; *Gefährdung der ~* peligro para la moral; *gegen die ~ verstoßen* faltar a la moral; atentar al pudor; **~sgefühl** *n* (*-es; 0*) sentido *m* moral; **~sverbrechen** *n* crimen *m* (de motivación) sexual; **~svergehen** *n* falta *f* contra la moral; delito *m* contra la honestidad.

'sittsam *adj.* (*züchtig*) honesto; recatado; (*keusch*) casto; (*anständig*) decente; (*tugendsam*) virtuoso; (*bescheiden*) modesto; **2keit** *f* (*0*) honestidad *f*; recato *m*; castidad *f*; decencia *f*; virtud *f*; modestia *f*.

Situati'on *f* situación *f*; → *Lage*; *die ~ retten* salvar la situación; *sich der ~ gewachsen zeigen* mostrarse a la altura de la situación (*od.* de las circunstancias); **~s-plan** *m* (*-es; ⸚e*) plano *m* de orientación; **~sverbrecher** ⚖ *m* delincuente *m* ocasional.

situ'iert *adj.* situado; (*vermögend*) acomodado; *gut ~ sein* tener una posición acomodada *od.* desahogada; estar bien situado.

'Sitz *m* (*-es; -e*) asiento *m*; (*Platz, Ort*) *a.* sitio *m*, lugar *m*; (*Stuhl*) silla *f*; (*Regierungs2, Bischofs2*) sede *f*; (*Wohn2*) domicilio *m*; residencia *f*; ⊕ (*Passung*) ajuste *m*; *e-r Gesellschaft*: domicilio *m* social; *des Reiters*: postura *f* a caballo; ⚕ *e-s Krankheitsherdes*: localización *f*; *s-n ~ aufschlagen* establecerse (*in dat.* en); *~ und Stimme im Rat haben* tener voz y voto en el consejo; *e-n ~ neu besetzen* cubrir una vacante; *e-n guten ~ haben* (*Kleidung*) sentar bien; **~bad** *n* (*-es; ⸚er*) baño *m* de asiento; **~bank** *f* (*-; ⸚e*) banco *m*; **~bein** *Anat.* *n* (*-es; -e*) isquión *m*.

'sitzen I. *v/i.* (*L*) estar sentado (*auf dat.* en); *Vogel*: estar posado; (*sich befinden*) estar; F *im Gefängnis*: estar encarcelado; F estar a la sombra; *Kleidungsstücke*: sentar bien; *Hieb, Schlag*: estar bien asestado; dar de lleno, *fig.* *Bemerkung*: hacer efecto; ⚕ *Krankheitsprozeß*: estar localizado (en); (*e-e Sitzung abhalten*) celebrar una sesión; *sehr viel ~* llevar una vida sedentaria; *e-m Maler ~* servir de modelo; posar (*zu* para); *hier sitzt es sich gut* aquí se está cómodamente; *hier sitzt das Übel* ahí radica (*od.* estriba) el mal; *müßig ~* estar ocioso; *~bleiben quedar* (*od.* permanecer) sentado; *an e-r Arbeit ~* estar trabajando; *e-e Beleidigung auf sich ~ lassen* aguantar una ofensa; (*wie*) *auf glühenden Kohlen ~* estar (como) en ascuas; *fig. auf dem Trocknen ~* estar sin un céntimo; *bei Tisch ~* estar a la mesa; estar comiendo; *bei j-m ~* estar sentado junto (*od.* al lado de) alg.; *in e-m Ausschuß ~* ser miembro de una comisión; F *in der Patsche* (*od. Tinte*) *~* estar en un atolladero; estar en un apuro (*od.* en un aprieto); *fest im Sattel ~* (*Reiter*) tenerse firme en la silla; *fig.* mantenerse firme; *im Parlament ~* ser diputado; *fig. im Trocknen ~* pasarlo muy bien; vivir holgadamente; *immer über den Büchern ~* estar siempre sobre los libros, F quemarse las cejas estudiando; *zu Gericht ~* juzgar (*über j-m* a alg.); **II.** 2 *n*: *j-n zum ~ nötigen* hacer a alg. a sentarse; ofrecer un asiento a alg.; *das viele ~ schadet der Gesundheit* la vida sedentaria perjudica (*od.* es perjudicial para) la salud; **~bleiben** (*L; sn*) *v/i.* *Mädchen*: quedarse soltera, F quedar para vestir imágenes; (*keinen Tanzpartner haben*) F *fig.* comer pavo; *Schüler*: tener que repetir el curso; *auf e-r Ware ~* no encontrar comprador para una mercancía; **~d** *adj.* sentado; **~lassen** (*L*) *v/t.* (*verlassen*) abandonar; (*im Stich lassen*) F dejar plantado; dar un plantón.

'Sitz...: **~fläche** *f am Stuhl*: superficie *f* del asiento; ⊕ (*Auflagefläche*) superficie *f* de apoyo; *bei Menschen*: *hum.* asentaderas *f/pl.*; **~fleisch** *n* (*-es; 0*) (*Ausdauer*) perseverancia *f*; (*Geduld*) paciencia *f*; *~ haben* (*beharrlich sein*) ser perseverante; *kein ~ haben* ser inconstante; F ser un azogue; *weitS.* mudar de ocupación continuamente; **~gelegenheit** *f* asiento *m*; **~kissen** *n* cojín *m* (de asiento); **~ordnung** *f* distribución *f* de los asientos; **~platz** *m* (*-es; ⸚e*) asiento *m*; *Thea.* localidad *f*; **~raum** ✈ *m* (*-es; ⸚e*) carlinga *f*; **~reihe** *f* *Thea.* fila *f* (de butacas); (*Stadion*) grada *f*; **~streik** *m* (*-es; -s*) huelga *f* de brazos caídos.

'Sitzung *f* sesión *f*; *e-e ~ abhalten* (*eröffnen; schließen; vertagen*) celebrar (abrir; levantar; aplazar) una sesión; *öffentliche ~* sesión pública; *die ~ ist geschlossen!* se levanta la sesión; (*außer*)*ordentliche ~* sesión (extra)ordinaria.

'Sitzungs...: **~bericht** *m* (*-es; -e*) acta *f* de la sesión; *den ~ abfassen* redactar el acta de la sesión; **~geld** *n* (*-es; -er*) dietas *f/pl.* de asistencia; **~periode** *Parl.* *f* legislatura *f*; **~saal** *m* (*-es; -säle*), **~zimmer** *n* salón *m* (*od.* sala *f*) de sesiones.

'Sitzverstellung *f* ajuste *m* automático del asiento.

Sizili'an|er(in *f*) *m* siciliano (-a *f*) *m*; **2isch** *adj.* siciliano; de Sicilia.

Si'zilien *n* Sicilia *f*.

'Skala *f* (*-; -len*) (*Maßstab*) escala *f*; *gleitende ~* escala variable; ♪ escala *f*, gama *f* (*a. fig.*); *Radio*: cuadrante *m*.

'Skalde *m* (*-n*) escaldo *m*.

'Skalen|ablesung *f* lectura *f* de la escala; **~scheibe** *f* cuadrante *m*.

Skalp *m* (*-s; -e*) cabellera *f* arrancada con la piel, escalpo *m*.

Skal'pell ⚕ *n* (*-s; -e*) escalpelo *m*.

skal'pieren [skal'p-] (-) *v/t.* arrancar la piel del cráneo.

Skan'dal [sk-] *m* (*-es; -e*) escándalo *m*; (*Schande*) vergüenza *f*; (*Lärm*) ruido *m*; estrépito *m*; (*Radau*) alboroto *m*; F bronca *f*; *~ machen* armar un escándalo; producir un alboroto; **~blatt** *n* (*-es; ⸚er*) periódico *m* sensacionalista; **~chronik** *f* crónica *f* escandalosa.

skanda'lös *adj.* escandaloso; (*beschämend*) vergonzoso; (*empörend*) indignante.

Skan'dal|presse *f* (*0*) prensa *f* sensacionalista; **~prozeß** *m* (*-sses; -sse*) proceso *m* ruidoso (*od.* escandaloso); **~zeitung** *f* periódico *m* sensacionalista.

skan'dieren [sk-] (-) *v/t.* *Vers*: escandir, medir el verso.

Skandi'nav|ien *n* Escandinavia *f*; **~ier(in** *f*) *m* escandinavo (-a *f*) *m*; **2isch** *adj.* escandinavo.

Skara'bäus *m* (*-; -äen*) (*Käfer*) escarabajo *m*.

Skat *m* juego *m* de cartas parecido al tresillo.

Ske'lett [sk-] *n* (*-es; -e*) esqueleto *m*.

'Skep|sis *f* (*0*) escepticismo *m*; **~tiker** *m* escéptico *m*; **2tisch** *adj.* escéptico.

Skepti'zismus *m* (*-; 0*) escepticismo *m*.

'Ski [ʃi:] *m* (*-s; -er*) esquí *m*; *auf ~ern* con esquís; *~ fahren, ~ laufen* esquiar; **~anzug** *m* (*-es; ⸚e*) traje *m* de esquiador; **~ausrüstung** *f* equipo *m* de esquiar; **~bindung** *f* sujeción *f* de los esquís; **~fahren** *n* (deporte *m* del) esquí *m*; *zum ~ ausrüsten* equiparse para esquiar; **~fahrer(in** *f*) *m* esquiador(a *f*) *m*; **~feld** *n* (*-es; -er*), **~gelände** *n* campo *m* de esquí; **~haserl** *n* (*-s; -n*) esquiadora *f* principiante; **~hölzer** *n/pl.* esquís *m/pl.*; **~hose** *f* pantalón *m* de esquiar; **~hütte** *f* refugio *m* (de esquiadores); **~jacke** *f* chaqueta *f* de esquiador; **~kostüm** *n* (*-es; -e*) vestido *m* de esquiadora; **~kurs** *m* (*-es; -e*) curso *m* de esquí; **~laufen** *n* → *Skifahren*; **~läufer(in** *f*) *m* → *Skifahrer(in)*; **~lehrer** *m* profesor *m* de esquí; **~lehrgang** *m* (*-es; ⸚e*) → *Skikurs*; **~lift** *m* (*-es; -e*) telesilla *m*, telesquí *m*; **~mütze** *f* gorro *m* de esquiador; **~schuhe** *m/pl.* zapatos *m/pl.* para esquiar; **~schule** *f* escuela *f* de esquí; **~sport** *m* (*-es; 0*) (deporte *m* del) esquí *m*; **~springen** *n* salto *m* con esquís; **~springer** *m* saltador *m* esquiador; **~sprungschanze** *f*

trampolín *m* (para saltos con esquís); **~spur** *f* huella *f* de esquí; **~stiefel** *m/pl.* → *Skischuhe*; **~stock** *m* (-*es*; ⸗*e*) bastón *m* de esquiador; **~wachs** *n* (-*es*; -*e*) cera *f* para esquís.
ˈ**Skizze** *f* bosquejo *m* (*a. fig.*); esbozo *m*; *Mal.* boceto *m*; (*Zeichnung*) dibujo *m*; *bsd.* ⚔ croquis *m*; **~nbuch** *n* (-*es*; ⸗*er*) álbum *m* de dibujos; **⁀nhaft** *adj.* esbozado rápidamente; en bosquejo.
skizˈzieren (-) *v/t.* bosquejar; esbozar.
ˈ**Sklave** *m* (-*n*) esclavo *m* (*a. fig.*); *j-n zum ~n machen* esclavizar a alg.; reducir a la esclavitud a alg.; *~ s-r Arbeit sein* ser esclavo de su trabajo.
ˈ**Sklaven...**: **~arbeit** *fig. f* trabajo *m* ímprobo; F trabajo *m* de negros; **~dienst** *m* (-*es*; -*e*) esclavitud *f*; **~handel** *m* (-*s*; *0*) tráfico *m* de esclavos; trata *f* de negros; **~händler** *m* traficante *m* de esclavos; negrero *m*; **~markt** *m* (-*es*; ⸗*e*) mercado *m* de esclavos; **~schiff** *n* (-*es*; -*e*) barco *m* negrero; **~seele** *f* alma *f* servil.
Sklav|eˈrei *f* esclavitud *f*; *in ~ geraten* caer en la esclavitud; **~in** *f* esclava *f*; **⁀isch** *adj.* de esclavo; servil.
Skleˈrose [sk-] ⚕ *f* esclerosis *f*; *multiple ~* esclerosis *f* múltiple.
skleˈrotisch ⚕ *adj.* esclerótico; esclerosado.
skonˈtieren ⚚ (-) *v/t.* descontar.
ˈ**Skonto** ⚚ *m/n* (-*s*; -*s*) descuento *m*.
skonˈtrieren ⚚ (-) *v/t.* rescontrar, compensar.
ˈ**Skontro** ⚚ *n* (-*s*; -*s*) rescuentro *m*, compensación *f* (de partidas).
Skorˈbut [skɔʀˈbuːt] ⚕ *m* (-*es*; *0*) escorbuto *m*; **⁀isch** *adj.* escorbútico; **~kranke(r)** *m* escorbútico *m*.
Skorpiˈon [skɔʀˈpĭ-] *m* (-*s*; -*e*) *Zoo.* escorpión *m*, alacrán *m*; *Astr.* Escorpión *m*.
Skriˈbent [sk-] *m* (-*en*) escritorzuelo *m*, F escribidor *m*.
ˈ**Skrofel** ⚕ *f* (-; -*n*) escrófula *f*; **~kranke(r)** *m* escrofuloso *m*.
skrofu|ˈlös ⚕ *adj.* escrofuloso; **⁀ˈlose** ⚕ *f* escrofulosis *f*.
ˈ**Skrupel** [sk-] *m* escrúpulo *m*; **⁀los** *adj.* sin escrúpulos.
ˈ**Skull|boot** *n* (-*es*; -*e*), **~er** ⚓ *m* bote *m* de remos apareados.
Skulpˈtur *f* escultura *f*; (*Statue*) estatua *f*; (*Heiligen⁀*) imagen *f*.
Skunk *Zoo. m* (-*s*; -*s*) mofeta *f*.
skurˈril *adj.* (*närrisch*) bufonesco, bufo; chocarrero; burlesco; grotesco; extravagante.
ˈ**S-Kurve** *f* curva *f* en S.
ˈ**Slalom** *Sport m* (-*s*; -*s*) slalom *m*.
ˈ**Slaw|e** [sl-] *m* (-*n*) eslavo *m*; **~in** *f* eslava *f*; **⁀isch** *adj.* eslavo.
Slaˈwist *m* (-*en*) eslavista *m*; **~ik** *f* (*0*) eslavística *f*, estudio *m* de las lenguas eslavas.
ˈ**Slipper** *m* pantufla *f*.
Sloˈwake *m* (-*n*) eslovaco *m*.
Slowaˈkei *f*: *die ~* Eslovaquia *f*.
Sloˈwak|in *f* eslovaca *f*; **⁀isch** *adj.* eslovaco.
Sloˈwen|e *m* (-*n*) esloveno *m*; **~ien** *n* Eslovenia *f*; **~in** *f* eslovena *f*; **⁀isch** *adj.* esloveno.
Smaˈragd *m* (-*es*; -*e*) esmeralda *f*; **⁀en** *adj.* de esmeralda; (*Farbe*) de color esmeralda; **⁀grün** *adj.* verde esmeralda.
ˈ**Smoking** *m* (-*s*; -*s*) esmoquin *m*.
ˈ**Smyrnateppich** *m* (-*s*; -*e*) tapiz *m* de Esmirna.
Snob *m* (-*s*; -*s*) snob *m*, snobista *m*.
Snoˈbismus *m* (-; -*men*) snobismo *m*.
so I. *adv.* así; de este modo, de esta manera; de tal suerte; *~ ist er* (él) es así; *~ ist* es así es; *~ ist das Leben* así es la vida; *und ~ weiter* y así sucesivamente; etcétera (*Abk.* etc.); *~ oder ~* de una manera o de otra; de todos modos; así como así; *es geht mir soso* así así; regular; F *soso lala* F vamos tirando; *~ geht das nicht* así no puede ser; eso no puede ser; *~ geht es, wenn ...* así sucede cuando ...; es lo que ocurre cuando; *~ geht es in der Welt* así es el mundo; *wenn dem ~ ist* en ese caso; siendo así; (*derartig*) así; tal; parecido, semejante; *~ ein Mensch* un hombre así; (*solch einer*) tal hombre; *in ~ e-m Falle* en un caso así; en tal caso; *mit ~ e-m Hut!* ¡con un sombrero así!; ¡con semejante sombrero!; *~ ein Dummkopf!* ¡qué tonto!, ¡qué majadero!; ¡qué imbécil!; *~ wie er ist* tal como es; tal cual es; *~ lauteten s-e Worte* tales fueron sus palabras; *er spricht bald ~, bald ~* tan pronto dice una cosa como otra; *~ etwas* una cosa sí; algo así (por el estilo); F *nein, ~ (et)was!* (*Erstaunen*) ¡parece mentira!; ¡hay que ver!; *hat man je ~ etwas gesehen?* ¿habráse visto jamás cosa semejante?; (*nachdrücklich*) tan, tanto; *es ist ~ schön!* ¡es tan hermoso!; *er hat sie ~ lieb* la quiere tanto; *~ schwer ist* es tan difícil es; (*im Vergleich*) tan, tanto; como; *er ist (nicht) ~ reich wie du* (no) es tan rico como tú; *~ wie* (*nach Art von*) a semejanza de; *~ et. wie* algo así como; una especie de; *wie du mir, ~ ich dir* si haces mal, espera otro tal; *~ wie ... ~ auch ...* así como ... así ...; *im Nachsatz unübersetzt*: *wenn er kommt, ~ bleibe ich* si (él) viene, me quedaré; *kaum war ich angekommen, ~ kam er auch* apenas había llegado yo, llegó él también; *wenn du Zeit hast, ~ schreibe mir* si tienes tiempo escríbeme; *~?* (*wirklich*) ¿de veras?; ¿ah, sí?; (*zweifelnd*) ¿es posible?; ¿usted cree?; *~!* ¡ya!; ¡bien!; (*abschließend*) ¡eso es!; (*endlich*) ¡por fin!; *er braucht Geld! ~!* ¿ah, sí?; *soso!* ¡vaya, vaya!; *iro.* ¡no me diga!; *ach ~!* ¡ah, sí!; ¡ah, bueno!; (*ich verstehe*) ¡ya comprendo!; ¡ah, ya!; *recht ~!* ¡perfectamente!; ¡así está bien!; *~ seid ihr!* ¡así sois!; F ¡hay que ver cómo sois!; *seien Sie ~ gut* tenga la bondad de; *ich bin nicht ~ dumm, es zu glauben* no soy tan tonto que me crea eso; *~ gut wie sicher* casi seguro; poco menos que seguro; *die Sache ist ~ gut wie abgemacht* la cosa puede darse por hecha; *die anderen machen es auch ~* los demás hacen lo mismo (*od.* hacen otro tanto); *~ meinte ich es nicht* no quería decir eso; lo dije por decir algo; *das sagen Sie ~* eso se dice fácilmente; *er wird nicht ~ bald zurückkommen* no regresará tan pronto; *~ gut er kann* lo mejor que pueda; *~ gut wie nichts* casi nada; *das ist ~ gut wie nichts* eso y nada viene a ser lo mismo; *ich habe ~ e-e Ahnung* tengo así como un presentimiento; *~ manches Buch* tantos libros; *~ manches Jahr* durante tantos años; *~ höre doch!* ¡pero escucha!, ¡óyeme!; *~ reich er auch sei* por muy rico que sea; *~ daß ...* de modo que, de manera que; de tal suerte (*od.* manera) que; *~ sehr* tanto; *~ sehr, daß ...* tanto que; hasta el extremo de (*inf.*); a tal punto que; *um ~ besser (schlimmer)* tanto mejor (peor); *um ~ mehr (weniger) als* tanto más (menos) que; *~viel, ~viel wie* tanto como; *~ viele Freunde* tantos amigos; *~viel ist gewiß, daß ...* lo (que se sabe de) cierto es que ...; *~ wahr ich lebe* tan cierto como ahora estoy aquí; a fe mía; *~ weit sind wir noch nicht* todavía no hemos llegado ahí; *es nicht ~ weit kommen lassen* no dejar que las cosas lleguen a tal punto; *man ging ~ weit, zu* (*inf.*) se llegó al extremo de (*inf.*); *es kam ~ weit, daß ...* se llegó a tal extremo que ...; *~ ziemlich* (sobre) poco más o menos; *ich mache mir nicht ~ viel daraus* no me interesa ni tanto así; no me preocupa lo más mínimo; F me importa un pito; **II.** *cj.* (*wenn*): *~ Gott will* si Dios quiere.
soˈbald *cj.* tan pronto como; inmediatamente que; así que; en cuanto.
ˈ**Socke** *f* calcetín *m*; *fig.* F *sich auf die ~n machen* marcharse a buen paso; F poner pies en polvorosa.
ˈ**Sockel** *m* △ zócalo *m*; pedestal *m*; *e-r Lampe*: portalámparas *m*; *Radio*: soporte *m*; *Geol.* plataforma *f* continental.
ˈ**Sockenhalter** *m* liga *f* (para calcetines).
ˈ**Soda** *f/n* (- *od.* -*s*; *0*) soda *f*, sosa *f*; ⚗ carbonato *m* sódico (*od.* de sosa); **~lauge** *f* lejía *f* de sosa.
soˈdann *adv.* luego, después; acto seguido.
ˈ**Sodawasser** *n* (-*s*; *0*) agua *f* de Seltz; agua *f* carbonatada; (*mit Zuckergehalt*) gaseosa *f*; soda *f*.
ˈ**Sodbrennen** ⚕ *n* (-*s*; *0*) pirosis *f*, ardor *m* de estómago; acedía *f*.
ˈ**Sodom** *n* Sodoma *f*.
Sodoˈmie [-oˑˈmiː] *f* bestialidad *f*.
Sodoˈmit *m* (-*en*) nefandario *m*.
soˈeben *adv.* ahora mismo; en este instante; *~ et. getan haben* acabar de hacer a/c.; *er ist ~ angekommen* acaba de llegar; *Buch*: *~ erschienen* acaba de publicarse.
ˈ**Sofa** *n* (-*s*; -*s*) sofá *m*, canapé *m*; (*Diwan*) diván *m*; **~kissen** *n* cojín *m*, almohadón *m* (de sofá); **~schoner** *m*, **~überzug** *m* (-*es*; ⸗*e*) funda *f* (de sofá).
soˈfern *cj.* con tal que, siempre que (*subj.*); en tanto que (*subj.*); si es que (*ind.*); *~ nicht* a menos que, a no ser que (*subj.*).
soff *pret. v. saufen.*
Sofˈfitte *Thea. f* bambalina *f*.
soˈfort *adv.* en seguida, al instante, inmediatamente; en el acto; *~ wirkend* de efecto instantáneo (*od.* inmediato); *er war ~ tot* murió en el

acto; **≈hilfe** *f (0)* ayuda *f* inmediata; socorro *m* urgente; **~ig** *adj.* inmediato; instantáneo; *mit ~er Wirkung* con efecto inmediato; *~e Zahlung* pago inmediato; **≈maßnahme** *f* medida *f* inmediata; medida *f* de urgencia.

sog *pret. v. saugen.*

Sog *m (-ės; -e)* ⚓, ✈ remolino *m*; *der Brandung*: resaca *f*; *Kielwasser*: estela *f*; *fig.* atractivo *m*, magnetismo *m*.

so'gar *adv.* (*selbst*) hasta, y aun; (*einschließlich*) incluso; *~ wenn* aun cuando; *~ der König* el mismo (*od.* el propio) rey; *ja, ~* ... es más ...; *man behauptet ~* incluso se afirma, hasta se llega a decir (que).

'sogenannt *adj.* llamado; (*angeblich*) pretendido.

so'gleich *adv.* → *sofort.*

'Sohle *f* (*Fuß≈*) planta *f* del pie; (*Schuh≈*) suela *f*; (*Einlege≈*) plantilla *f*; *e-s Kanals*: fondo *m* (*a.* ⚒); *e-s Tales*: fondo *m* del valle; (*Fluß≈*) lecho *m*; **≈n** *v/t.* (*besohlen*) poner suelas (a); (*lügen*) mentir; **~ngänger** *Zoo. m* plantígrado *m*; **~nleder** *n* suela *f*, cuero *m* para suelas.

Sohn *m (-ės; ¨e)* hijo *m*; *Bib. der verlorene ~* el hijo pródigo.

'Söhnchen *n* hijito *m*.

'Sohnesliebe *f (-; 0)* amor *m* filial.

'Soja|bohne ⚘ *f* (semilla *f* de) soja *f*; **~mehl** *n (-ės; 0)* harina *f* de soja.

'Sokrates *m* Sócrates *m*.

So'krat|iker *m* socrático *m*, discípulo *m* de Sócrates; **≈isch** *adj.* socrático.

so'lange I. *cj.* mientras, en tanto; *~ bis* hasta que; **II.** *adv.* tanto tiempo; *ich werde ~ warten* esperaré entretanto.

so'lar *adj.* solar, del sol; **≈zellen** *f/pl.* células *f/pl.* solares.

'Solawechsel ✝ *m* letra *f* al propio cargo.

'Solbad *n (-ės; ¨er)* baño *m* de agua salina; (*Ort*) balneario *m* de aguas salinas.

'solch *pron.* tal; (*ähnlich*) semejante; *ein ~er Mensch*; *~ ein Mensch* un hombre tal; un hombre así; *als ~er* como tal; *ein ~* (*od. ~ ein*) *verrückter Mensch* semejante loco; un loco así; *~e Leute* tal gente; semejante gente; gente así; *auf ~e Art* de tal manera (*od.* modo), así; **~er-art** *adv.* de tal manera; de tal suerte; **~ergestalt** *adv.* de tal modo; de tal suerte; **~erlei** *adj.* tales; semejantes; **~ermaßen, ~erweise** *adv.* de tal manera; de tal modo.

Sold *m (-ės; -e)* ⚔ paga *f*, soldada *f*; (*Lohn*) sueldo *m*; salario *m*; *in j-s ~ stehen* estar al servicio de alg.; estar a sueldo de alg.

Sol'dat *m (-en)* soldado *m*; (*Militär*) militar *m*; *gemeiner ~* soldado raso; *alter ~* veterano *m*; *~en spielen* jugar a los soldados; *~ werden* entrar en el servicio (militar), sentar plaza (de soldado), (*aus eigenem Antrieb*) hacerse soldado.

Sol'daten...: **~bund** *m (-es; ¨e)* asociación *f* de antiguos combatientes; **~friedhof** *m (-ės; ¨e)* cementerio *m* de guerra; **~heim** *n (-ės; -e)* hogar *m* del soldado; **~könig** *Hist. m (-s; -e)*: *der ~* el Rey-Sargento; **~leben** *n* vida *f* militar; **~lied** *n (-ės; -er)* canción *f* militar; **~mantel** *m (-s; ¨)* capote *m*; **~sprache** *f (0) gal.* argot *m* militar; **~tum** *n (-s; 0)* virtudes *f/pl.* castrenses; tradición *f* militar.

Solda'teska *f (-; -ken)* soldadesca *f*.

sol'datisch *adj.* de soldado; militar; castrense.

'Soldbuch *n (-ės; ¨er)* libreta *f* (de pagas).

'Söldling *m (-s; -e)* mercenario *m*.

'Söldner *m* mercenario *m*; **~heer** *n (-ės; -e)* ejército *m* de mercenarios; **~truppen** *f/pl.* tropas *f/pl.* mercenarias.

'Sole *f* agua *f* salina (*od.* salobre); (*Salzlake*) salmuera *f*.

'Sol-ei *n (-ės; -er)* huevo *m* cocido y conservado en salmuera.

so'lid *adj.* sólido; (*haltbar*) duradero, durable; ✝ *Firma*: solvente; acreditado; de confianza; *Ware*: de buena calidad; *Preis*: razonable; *fig.* (*achtbar*) respetable; (*anständig*) decente; (*seriös*) serio, formal; *Verhältnisse*: ordenado; *~e werden Person*: F sentar la cabeza.

Soli'dar|bürgschaft ⚖ *f* garantía *f* solidaria; **≈isch I.** *adj.* solidario; *~e Verpflichtung* obligación solidaria; **II.** *adv.* solidariamente; *sich mit j-m ~ erklären* solidarizarse (*od.* declararse solidario) con alg.; *~ haften für* responder solidariamente de.

Solidari'tät *f (0)* solidaridad *f*.

Soli'darschuldner *m* deudor *m* solidario.

so'lide → *solid.*

Solidi'tät *f (0)* solidez *f*; *e-r Person*: seriedad *f*, formalidad *f*; (*Achtbarkeit*) respetabilidad *f*; ✝ solvencia *f*.

So'list(in *f*) *m (-en)* solista *m/f*.

Soli'tär *m (-s, -e)* solitario *m*.

'Soll *n* ✝ (*- od. -s; - od. -s*) debe *m*; pasivo *m*; *das ~ und Haben* el debe y el haber; (*Quote*) cuota *f*; (*Liefer≈*) cuota *f* de entrega fija; (*Produktions≈*) cuota *f* de producción asignada; **~ausgaben** *f/pl.* gastos *m/pl.* estimativos (*od.* previstos); **~bestand** ✝ *m (-ės; ¨e)* efectivo *m* teórico (*od.* previsto); **~einnahme** *f* ingreso *m* estimativo.

'sollen *v/i.* (*Pflicht, innere, moralische Verpflichtung*) deber; *du sollst arbeiten* debes trabajar; *du solltest ihm das Rauchen verbieten* deberías prohibirle fumar; *du hättest es mir sagen ~* debieras habérmelo dicho; *er hätte hingehen ~* (él) debiera haber ido allá; *Gebot*: (*durch fut.*) *Bib. du sollst nicht töten* no matarás; *Befehl*: (*durch subj.*) *sage ihm, er soll kommen* dile que venga; *du sollst es nicht wieder tun* no vuelvas a hacerlo; *er soll sich beeilen!* ¡que se dé prisa!; *es soll nicht wieder vorkommen* que no vuelva a ocurrir esto, *versprechend*: no volverá a pasar; *Vermutung, Wahrscheinlichkeit*: *er soll reich sein* dicen (*od.* se dice) que es rico; *er soll in Berlin sein* dicen (*od.* parece ser) que está en Berlín; *er soll morgen eintreffen* se espera que llegue mañana; *sie soll krank sein* dicen que está enferma; *es soll viele Opfer gegeben haben* dicen (*od.* parece ser, *od.* informan) que ha habido muchas víctimas; *Notwendigkeit*: haber de; ser necesario (*od.* preciso); *wenn es sein soll* si ha de ser; *er soll hingehen* es preciso (*od.* necesario) que vaya; *Wunsch*: *soll ich dir et. mitbringen?* ¿quieres que te traiga algo?; *er soll (hoch) leben!* ¡que viva!; *Zweifel*: *ich weiß nicht, wie ich es ihm sagen ~* no sé cómo decírselo; *soll das wahr sein?* ¿puede ser cierto eso?; *was soll ich dir sagen?* ¿qué te diré?; ¿qué quieres que te diga?; *sollte ich mich doch geirrt haben?* ¿si me habré equivocado?; *was soll ich tun?* ¿qué he de hacer?, ¿qué voy a hacer?; ¿qué hago?; ¿qué quieres (*bzw.* qué quiere usted) que haga?; *sollte er vielleicht krank sein?* ¿acaso estará enfermo?; *sollte er das getan haben?* ¿es posible que haya hecho eso?; *Zumutung*: *ich sollte das tun?* ¿yo hacer eso?; (*auf Anweisung dritter*) *er hat bestellt, du sollst sofort nach Hause kommen* ha dicho que debes volver a casa inmediatamente; *ich soll dich abholen* (*ich habe den Auftrag erhalten*) me han encargado que viniera buscarte; (*schicksalhaft*) *es hat nicht sein ~* Dios no lo ha querido; *sollte ich auch dabei zugrunde gehen!* aunque en ello me fuese la vida; aunque fuese mi perdición; *als Zweck haben*: *es soll* ... tiene por objeto ...; (*müssen*) deber; *das hätte er wissen ~* eso debiera saberlo él; *was soll das?* (*bedeuten*) ¿qué significa eso?, (*nützen*) ¿de qué sirve eso?; *das sollst du haben* lo tendrás; *es sollte ein Scherz sein* era en broma; sólo era una broma; *ein Jahr sollte verstreichen, bis* ... habría de pasar un año hasta que ...; *er wußte nicht, ob er lachen oder weinen sollte* no sabía si reír o llorar; *Sie hätten nur sehen ~!* ¡si usted hubiera visto!; *du sollst es sehen!* ¡ya lo verás!; *das soll er mir büßen!* ¡me las pagará!; *er soll mir nur kommen!* ¡déjele que venga!; *nun soll mir einer sagen, daß* ... que me vengan ahora diciendo que ...; *was soll ich dort?* ¿qué tengo yo que hacer (*od.* buscar) allí?; F ¿qué he perdido yo allí?; *sollten Sie ihn sehen, so grüßen Sie ihn von mir* si por casualidad le ve salúdele de mi parte; *sollte er kommen* caso que venga; si viniera; *wenn es (zufällig) regnen sollte* si llegase a llover; si (acaso) lloviera; *man sollte meinen, daß* ... se diría que ...; *er sollte lieber heimgehen* mejor sería que se fuera a casa.

'Söller *m (-s; -)* (*Terrasse*) terraza *f*; (*Gang od. Terrasse nach der Sonnenseite hin*) solana *f*; (*Speicher*) granero *m*; (*Flachdach*) azotea *f*.

'Soll...: **~frequenz** ⚡ *f* frecuencia *f* nominal; **~(l)eistung** *f* rendimiento *m* previsto; **~posten** ✝ *m* partida *f* deudora (*od.* del debe); **~seite** ✝ *f* debe *m*; **~stärke** *f (0)* efectivo *m* previsto; **~wert** *m (-ės; -e)* valor *m* nominal.

'solo I. *adv.* sólo; **II. ≈** *n (-s; -s od. Soli)* ♪ solo *m*; **≈partie** *f* solo *m*; **≈sänger(in** *f*) *m*, **≈spieler(in** *f*) *m* solista *m/f*; **2stimme** *f* solo *m*; **2tanz** *m* (-*es*; ⸚*e*) solo *m* (de baile); **2tänzer** *m* bailarín *m* solista; **2tänzerin** *f* bailarina *f* solista.

ˈ**Solquelle** *f* manantial *m* de aguas salinas.

solˈven|t ⚚ *adj.* solvente; **2z** ⚚ *f* solvencia *f*.

soˈmatisch *adj.* somático.

soˈmit *adv.* por consiguiente, por (lo) tanto; así pues; de manera que.

ˈ**Sommer** *m* verano *m*; *Liter.* estío *m*; *im* ~ en verano; *mitten im* ~ en pleno verano; **~abend** *m* (-*s*; -*e*) tarde *f* de verano; **~anzug** *m* (-*es*; ⸚*e*) traje *m* de verano; **~aufenthalt** *m* (-*es*; -*e*) veraneo *m*; **~fäden** *m/pl.* hilos *m/pl.* de la Virgen; **~fahrplan** 🚂 *m* (-*es*; ⸚*e*) horario *m* de verano; **~ferien** *pl.* vacaciones *f/pl.* de verano; **~frische** *f* veraneo *m*; *in die* ~ *gehen* ir a veranear, ir de veraneo; *in der* ~ *sein* estar veraneando (*od.* de veraneo); **~frischler(in** *f*) *m*, **~gast** *m* (-*es*; ⸚*e*) veraneante *m/f*; **~getreide** *n* trigo *m* tremesino; **~haus** *n* (-*es*; ⸚*er*) casa *f* de campo; **~kleid** *n* (-*es*; -*er*) vestido *m* de verano; **~kleidung** *f* ropa *f* de verano; **2lich** *adj.* veraniego, estival; de verano; *sich* ~ *kleiden* vestir ropa de verano; **~monat** *m* (-*es*; -*e*) mes *m* de verano.

ˈ**Sommer...**: **~nacht** *f* (-; ⸚*e*) noche *f* de verano; **~nachts-traum** *m* (-*es*; ⸚*e*) sueño *m* de una noche de verano; **~pflanze** *f* planta *f* estival; **~reise** *f* viaje *m* de verano; **~sachen** *f/pl.* ropas *f/pl.* de verano; **~schlaf** *Zoo.* *m* (-*es*; *0*) sueño *m* estival; **~schuhe** *pl.* zapatos *m/pl.* de verano; **~seite** *f* lado *m* del sur; **~semester** *Uni.* *n* semestre *m* de verano; **~sitz** *m* (-*es*; -*e*) residencia *f* veraniega (*od.* estival); **~sonnenwende** *f* solsticio *m* de verano; **~sprosse** *f* peca *f*, ⚕ efélide *f*; **2sprossig** *adj.* pecoso; **~(s)zeit** *f* → *Sommerzeit*; **~tag** *m* (-*es*; -*e*) día *m* de verano; **~weide** *f* veranero *m*; **~weizen** *m* trigo *m* tremesino (*od.* marzal); **~wohnung** *f* vivienda *f* de verano; chalet *m* de veraneo; **~zeit** *f* (*Saison*) temporada *f* estival (*od.* de verano); verano *m*; *Uhr*: hora *f* (*od.* horario *m*) de verano.

somnam|ˈbul *adj.* sonámbulo; **2ˈbule(r** *m*) *m/f* sonámbulo (-a *f*) *m*; **2buˈlismus** *m* (-; *0*) sonambulismo *m*.

soˈnach *adv.* → *somit.*

Soˈnate ♪ *f* sonata *f*.

Sonaˈtine ♪ *f* sonatina *f*.

ˈ**Sonde** *f* sonda *f*.

ˈ**sonder** *prp.* (*ac.*) *Liter.* sin.

ˈ**Sonder...**: *in Zssg(n)*: *getrennt v. anderen*: aparte, por separado; (*Extra...*) extraordinario; (*für* ~*fälle*) especial; (*privat*) particular; **~abdruck** *Typ.* *m* (-*es*; -*e*) tirada *f* aparte; **~abteilung** *f* sección *f* especial; **~angebot** ⚚ *n* (-*es*; -*e*) oferta *f* especial (*od.* extraordinaria); **~auftrag** *m* (-*es*; ⸚*e*) misión *f* especial; **~ausbildung** *f* formación *f* especial; ⚔ instrucción *f* especial; **~ausführung** *f* construcción *f* especial; **~ausgabe** *f* edición *f* especializada; *Zeitung*: *a.* número *m* extraordinario; **~ausstellung** *f* exposición *f* especializada.

ˈ**sonderbar** *adj.* (*ungewöhnlich*) extraordinario; (*seltsam*) raro; (*befremdend*) extraño; (*eigentümlich*) singular; particular; (*wunderlich*) extravagante; estrafalario; (*originell*) original; (*einzig*) único; **~erweise** *adv.* por extraña coincidencia; por rara casualidad; **2keit** *f* rareza *f*; cosa *f* rara *od.* extraña; singularidad *f*; particularidad *f*; extravagancia *f*; originalidad *f*.

ˈ**Sonder...**: **~be-auftragte(r)** *m* representante *m* especial; **~beilage** *f* *e-r Zeitung usw.*: suplemento *m* especial; **~bericht** *m* (-*es*; -*e*) informe *m* especial; **~bericht-erstatter** *m* enviado *m* especial, corresponsal *m* especial; **~bestimmung** *f* disposición *f* especial; **~bestrebung** *f* tendencia *f* particularista; **~botschafter** *m* embajador *m* extraordinario; **~druck** *m* (-*es*; -*e*) → *Sonderabdruck*; **~einnahmen** *f/pl.* ingresos *m/pl.* extraordinarios; **~ermäßigung** ⚚ *f* rebaja *f* especial; **~fahrzeug** *n* (-*es*; -*e*) vehículo *m* especial; **~fall** *m* (-*es*; ⸚*e*) caso *m* especial; caso *m* excepcional; **~friede** *m* (-*ns*; *0*) paz *f* por separado; **~gebiet** *n* (-*es*; -*e*) especialidad *f*; **~genehmigung** *f* autorización *f* especial; **~gericht** ⚖ *n* (-*es*; -*e*) tribunal *m* especial; **~gesetz** *n* (-*es*; -*e*) ley *f* especial; **2ˈgleichen** *adv.* sin igual; sin par; sin precedente; *e-e Frechheit* ~ el colmo de la desvergüenza; **~güter** ⚖ *n/pl.* bienes *m/pl.* parafernales; **~interesse** *n* (-*s*; -*n*) interés *m* particular; **~klasse** *f* clase *f* especial; **~kommando** ⚔ *n* (-*s*; -*s*) comando *m* especial; **~kredit** *m* (-*es*; -*e*) crédito *m* especial; **2lich** **I.** *adj.* (*ungewöhnlich*) extraordinario; singular; (*besonders*) particular; (*beachtlich*) notable; *ich habe kein* ~*es Interesse dafür* no me interesa gran cosa; **II.** *adv.* en particular, particularmente; *nicht* ~ (*nicht viel*) no mucho; **~lichkeit** *f* singularidad *f*; particularidad *f*; **~ling** *m* (-*s*; -*e*) hombre *m* estrafalario, F tipo *m* raro; original *m*; **~marke** *f* sello *m* conmemorativo; emisión *f* especial; valor *m* especial; **~meldung** *f* comunicado *m* especial; **~mission** *f* misión *f* especial.

ˈ**sondern**[1] *cj.* sino; *nicht nur* ..., ~ *auch* ... no sólo ... sino también ...

ˈ**sondern**[2] (-*re*) *v/t.* (*trennen*) separar; (*beiseitelegen*) poner aparte, apartar; (*auslesen*) seleccionar; (*unterscheiden*) distinguir; *gesondert adv.* aparte; ⚚ por separado; → *aussondern.*

ˈ**Sonder...**: **~nummer** *f* (-; -*n*) *e-r Zeitung*: edición *f* especial; número *m* extraordinario; **~preis** *m* (-*es*; -*e*) precio *m* especial; **~rabatt** *m* (-*es*; -*e*) rebaja *f* extraordinaria (*od.* especial); **~recht** *n* (-*es*; -*e*) privilegio *m*; prerrogativa *f*; **~regelung** *f* reglamentación *f* especial.

ˈ**sonders** *adv.*: *samt und* ~ todos sin excepción.

ˈ**Sonder...**: **~sitzung** *f* sesión *f* extraordinaria; **~stahl** *m* (-*es*; -*stähle*) acero *m* especial; **~stellung** *f* posición *f* privilegiada; **~steuer** *f* (-; -*n*) impuesto *m* extraordinario; **~tarif** *m* (-*s*; -*e*) tarifa *f* especial; **~ung** *f* separación *f*; segregación *f*; (*Auslese*) selección *f*; (*Unterscheidung*) distinción *f*; **~urlaub** *m* (-*es*; -*e*) permiso *m* extraordinario (*a.* ⚔); **~verband** ⚔ *m* (-*es*; ⸚*e*) unidad *f* especial; **~vereinbarung** *f* acuerdo *m* especial; **~vergütung** *f* gratificación *f* especial; **~vollmachten** *f/pl.* poderes *m/pl.* especiales; **~zug** 🚂 *m* (-*es*; ⸚*e*) tren *m* especial; **~zulage** *f* suplemento *m* especial; **~zuteilung** *f* reparto *m* extraordinario.

Sonˈdier|ballon *m* (-*s*; -*s*, -*e*) *Wetterkunde*: globo *m* sonda; **2en** (-) *v/t.* sondar, sondear (*a.* ⚓, ⚕ *u. fig.*); explorar; *fig.* tantear el terreno; **~en** *n*, **~ung** *f* sondeo *m* (*a. fig.*); exploración *f*; *fig.* tanteo *m*.

Soˈnett *n* (-*es*; -*e*) soneto *m*.

ˈ**Sonnabend** *m* (-*s*; -*e*) sábado *m*; **2s** los sábados.

ˈ**Sonne** *f* sol *m*; *die* ~ *scheint* hace sol; *in der* ~ al sol; *die aufgehende* (*untergehende*) ~ el sol naciente (poniente); *von der* ~ *beschienen* soleado; *fig. Platz an der* ~ un lugar al sol.

ˈ**sonnen** *v/t.* exponer al sol; (a)solear; poner al sol; *sich* ~ exponerse al sol; tomar un baño de sol; tomar el sol; *fig. sich in j-s Gunst* ~ gozar del favor de alg.

ˈ**Sonnen...**: **~anbeter** *m* adorador *m* del sol; **~aufgang** *m* (-*es*; ⸚*e*) salida *f* del sol; **~bad** *n* (-*es*; ⸚*er*) baño *m* de sol; (*Stätte*) solárium *m*; *ein* ~ *nehmen* tomar un baño de sol; **~bahn** *f* *Astr.* órbita *f* del sol; *scheinbare*: eclíptica *f*; **~ball** *m* (-*es*; ⸚*e*) *Astr.* esfera *f* solar; **2beschienen** *adj.* soleado; bañado por el sol; **~bestrahlung** *f* irradiación *f* solar; insolación *f*; ⚕ helioterapia *f*; **~blende** *Phot.* *f* parasol *m*; **~blendscheibe** *Auto.* *f* parasol *m*; **~blume** ✿ *f* girasol *m*; **~brand** *m* (-*es*; ⸚*e*) quemadura *f* por el sol; ⚕ eritema *m* solar; **2braun** *adj.* tostado por el sol; **~brille** *f* gafas *f/pl.* para el sol; **~dach** *n* (-*es*; ⸚*er*) marquesina *f*; toldo *m*; **~einstrahlung** *f* insolación *f*; **~energie** *f* energía *f* solar; **~ferne** *Astr.* *f* (*0*) afelio *m*; **~finsternis** *f* (-; -*se*) eclipse *m* de sol; **~fleck** *m* (-*es*; -*en*) mancha *f* solar; **2gebräunt** *adj.* tostado por el sol; **~glut** *f* ardor *m* del sol; **~hitze** *f* (*0*) calor *m* del sol; F solazo *m*; drükkende ~ bochorno *m*; **~höhe** *f* (*0*) altura *f* del sol; **~jahr** *n* (-*es*; -*e*) año *m* solar; **2klar** *fig. adj.* claro como el sol (*od.* como la luz del día); manifiesto, evidente; **~könig** *Hist.* *m* el Rey Sol; **~krem** *f* (-; -*s*) crema *f* cutánea para el sol; **~licht** *n* (-*es*; *0*) luz *f* solar; **~monat** *m* (-*es*; -*e*) mes *m* solar; **~nähe** *Astr.* *f* (*0*) perihelio *m*; **~ring** *m* (-*es*; -*e*) parhelio *m*; **~scheibe** *f* disco *m* solar; **~schein** *m* (-*es*; *0*) sol *m*, luz *f* del sol; *im* ~ al sol; *es ist* ~ luce el sol, hace sol; *auf Regen folgt* ~ despúes de la tempestad viene la calma; **~schirm** *m* (-*es*; -*e*) sombrilla *f*, *großer*: parasol *m*; **~segel** *n* toldo *m*; **~seite** *f* lado *m* expuesto al sol; (*Südseite*) lado *m* del mediodía; **~spektrum** *n* (-*s*; -*spektren*) espectro *m* solar; **~stand** *Astr.* *m* (-*es*; ⸚*e*) → *Sonnenhöhe*; **~stich** ⚕ *m* (-*es*; -*e*) insolación *f*; **~strahl** *m* (*-es*; *-en*) rayo *m* solar (*od.* de sol); **~strahlung** *f* radiación *f* solar; **~system** *n* (*-s*; *-e*) sistema *m* solar; **~tag** *m* (*-es*; *-e*) día *m* de sol; *Astr.* día *m* solar; **~uhr** *f* reloj *m* de sol; *vertikale*: cuadrante *m* solar, *horizontale*: gnomon *m*; **~untergang** *m* (*-es*; *⸚e*) puesta *f* del sol, ocaso *m*; **2verbrannt** *adj.* tostado (*stärker*: quemado) por el sol; atezado; **~wende** *Astr.* *f* solsticio *m*; **~zeit** *f* (*0*) hora *f* solar; **~zellen** *f/pl.* células *f/pl.* solares.

'**sonnig** *adj.* soleado; expuesto al sol; bañado de sol; *fig.* alegre, risueño; (*strahlend*) radiante.

'**Sonn|tag** *m* (*-s*; *-e*) domingo *m*; *am* ~; *des* 2*s* los domingos; *an Sonn- und Feiertagen* los domingos y días festivos; **2täglich I.** *adj.* dominical, de (todos) los domingos; **II.** *adv.* (todos) los domingos; *sich* ~ *anziehen* endomingarse; **2tags** *adv.* los domingos.

'**Sonntags...**: **~anzug** *m* (*-es*; *⸚e*) traje *m* de domingo (*od.* de fiesta); F traje *m* dominguero; **~arbeit** *f* trabajo *m* dominical; **~ausflug** *m* (*-es*; *⸚e*) excursión *f* de domingo; **~ausflügler(in** *f*) *m* excursionista *m/f* de los domingos; **~ausgabe** *f* edición *f* dominical; **~dienst** *m* (*-es*; *0*) servicio *m* dominical; **~fahrer** *m desp.* dominguero *m*; **~fahrkarte** 🚂 *f* billete *m* de ida y vuelta válido de sábado a lunes; **~heiligung** *f* santificación *f* del domingo; **~jäger** *m* cazador *m* dominguero, *desp.* mal cazador *m*; **~kind** *n* (*-es*; *-er*) niño *m* nacido en domingo; *fig.* *ein* ~ *sein* (*Glückskind*) haber nacido con buena estrella, F haber nacido de pie(s); **~kleid** *n* (*-es*; *-er*) vestido *m* de fiesta, F vestido *m* dominguero; **~kleidung** *f* ropas *f/pl.* de fiesta (*od.* de domingo); ~ *anlegen* vestirse de fiesta, F endomingarse; **~maler** *m* pintor *m* dominguero; *desp.* mal pintor *m*; **~rückfahrkarte** 🚂 *f* → *Sonntagsfahrkarte*; **~ruhe** *f* (*0*) descanso *m* dominical; **~schule** *f* escuela *f* dominical; **~spaziergang** *m* (*-es*; *⸚e*) paseo *m* dominical; **~staat** *m* (*-es*; *0*) → *Sonntagskleidung*.

'**sonn|verbrannt** *adj.* → *sonnenverbrannt*; **2wendfeuer** *n* hogueras *f/pl.* de San Juan.

so'nor *adj.* sonoro.

'**sonst** *adv.* (*einst*) antes; (*zu anderen Zeiten*) en otro tiempo; antiguamente; (*gewöhnlich*) de ordinario; en general, generalmente; (*andernfalls, a. drohend*) de lo contrario; si no; de no ser así; en caso contrario; (*bei anderen Gelegenheiten*) otras veces, en otras ocasiones; (*außerdem*) además; (*übrigens*) por lo demás; ~ *überall* en cualquier otro sitio; ~ *nirgends* en ninguna otra parte; ~ *etwas* alguna otra cosa; otra cosa (más); ⚚ ~ *noch was?* ¿desea usted alguna otra cosa?; *was* ~ *noch?* ¿qué más?, ¿algo más?; ¿otra cosa?; *mehr als* ~ más de lo (*od.* más que de) ordinario; ~ *nichts* nada más; *wenn es* ~ *nichts ist* si no es más que eso; si no es otra cosa; ~ *jemand* otro; otra persona; ~ *jemand?* ¿alguien más?; ~ *niemand* ningún otro, nadie más; *wer* ~? ¿qué otro?; *wer* ~ *als er?* ¿quién sino él?; *wie* ~ como de costumbre, como otras veces; **~ig** *adj.* otro; demás; (*gewöhnlich*) habitual, acostumbrado; (*ehemalig*) de antes; de otras veces; **~wie** *adv.* de otra manera; de (cualquier) otro modo; **~wo** *adv.* en otra parte; en algún otro sitio.

so'oft *cj.* cuando; siempre que; cada vez que; todas las veces que, tantas veces como.

So'phie *f* Sofía *f*.

So'phist *m* (*-en*) sofista *m*.

Sophiste'rei *f* sofistería *f*.

So'phis|tik *f* (*0*) doctrina *f* sofística; **2tisch** *adj.* sofista; sofístico.

'**Sophokles** *m* Sófocles *m*.

So'pran ♪ *m* (*-s*; *-e*) soprano *m*, tiple *m*.

Sopra'nist(in *f*) *m* (*-en*) soprano *m/f*.

'**Sorge** *f* preocupación *f*; (*Kummer*) pena *f*; pesadumbre *f*; (*Unruhe*) inquietud *f*; (*Angst*) temor *m*; alarma *f*; (*Sorgfalt, Für*2) cuidado *m*, *liebevolle*: solicitud *f*; ~*n haben* estar preocupado, tener preocupaciones; *ohne* (*jede*) ~ sin preocupaciones; libre de cuidados; *j-m* ~*n machen* tener preocupado (*od.* causar preocupación) a alg.; *in* ~ *sein, sich* ~*n machen* inquietarse; estar preocupado (*um, wegen* por); *sich keine* ~*n machen* no inquietarse por nada; no preocuparse por nada; *j-m e-e* ~ *abnehmen* quitar (*od.* librar de) una preocupación a alg.; *das ist m-e geringste* ~ eso es lo que menos me preocupa; ~ *tragen für* → *sorgen*; *andere* ~*n haben* tener cosas más serias en qué pensar; *keine* ~!, *seien Sie ohne* ~! no se preocupe usted; descuide usted; F pierda usted cuidado; *lassen Sie das m-e* ~ *sein* eso corre por mi cuenta; yo me encargo de eso; déjelo de mi cuenta; *ich überlasse es Ihrer* ~ lo dejo a su cuidado.

'**sorgen** *v/i.*: ~ *für* (*Sorge tragen*) cuidar de, tener cuidado de; (*sich kümmern*) atender a; (*wachen über*) velar por; (*sich angelegen sein lassen*) ocuparse de; (*vor*~) proveer a; (*beschaffen*) proporcionar; *für j-n* ~ (*pflegen, betreuen*) cuidar a; *für sich selbst* ~ cuidar de sí; proveer a sus necesidades; *dafür* ~, *daß* ... cuidar de que (*subj.*); procurar que ... (*subj.*); *dafür werde ich* ~ ya cuidaré yo de eso; *dafür ist gesorgt* eso ya está arreglado; ya se ha proveido lo necesario; *für ihn ist gesorgt* se ha cuidado de que nada le falte; está proveido (*od.* provisto) de todo; *sich* ~ *um* preocuparse por; apenarse por; inquietarse por; alarmarse por; **2brecher** *m* quitapesares *m*; *fig.* F vino *m*; **~frei, ~los** *adj.* sin (*od.* libre de) preocupaciones *od.* cuidados; *adv.* con desahogo; **2kind** *n* (*-es*; *-er*) niño *m* que causa (continuas) preocupaciones; *mein* ~ el hijo de mis desvelos; *fig. du bist mein* ~ tú eres mi constante preocupación; **~voll** *adj.* lleno de preocupaciones (*od.* cuidados); muy preocupado; (*beunruhigt*) inquieto; alarmado; pesaroso.

'**Sorg|falt** *f* (*0*) cuidado *m*; *liebevolle*: solicitud *f*; *peinliche*: esmero *m*; (*Aufmerksamkeit*) atención *f*; (*Genauigkeit*) exactitud *f*; (*Gewissenhaftigkeit*) escrupulosidad *f*; ~ *verwenden auf* (*ac.*) poner cuidado en; esmerarse en; **2fältig** *adj.* cuidadoso; esmerado; hecho con (todo) esmero; (*aufmerksam*) atento; (*liebevoll*) solícito; (*genau*) exacto; (*gewissenhaft*) concienzudo; escrupuloso; *adv.* con esmero, esmeradamente; **~fältigkeit** *f* (*0*) → *Sorgfalt*; **2lich** *adj.* cuidadoso; **2los** *adj.* (*sorgenfrei*) sin preocupaciones, libre de cuidados; (*ruhig*) tranquilo; sosegado; (*unachtsam*) descuidado; (*nachlässig*) negligente; (*leichtfertig*) despreocupado; (*gleichgültig*) indolente; (*vertrauensselig*) alegre y confiado; ~*e Arbeit* trabajo poco esmerado; **~losigkeit** *f* (*0*) (*Ruhe*) tranquilidad *f*; sosiego *m*; (*Nachlässigkeit*) negligencia *f*; incuria *f*; (*Leichtfertigkeit*) despreocupación *f*; (*Gleichgültigkeit*) indolencia *f*; **2sam** *adj.* → *sorgfältig*; **~samkeit** *f* (*0*) → *Sorgfalt*.

'**Sorte** *f* clase *f*; especie *f*; género *m*; (*Typ*) tipo *m*; (*Qualität*) calidad *f*; ⚚ ~*n pl.* monedas *f/pl.* extranjeras; **~nzettel** ⚚ *m* relación *f* de clases de moneda.

sor'tier|en (-) *v/t.* (*aus*~) separar; entresacar; *gal.* triar; (*einordnen*) clasificar; (*ordnen*) ordenar; (*auslesen*) escoger, seleccionar; **2en** *n* → *Sortierung*; **2maschine** *f* máquina *f* clasificadora *bzw.* triadora; **2ung** *f* separación *f*; clasificación *f*; selección *f*.

Sorti'ment ⚚ *n* (*-s*; *-e*) surtido *m*; **~sbuchhandlung** *f* librería *f* general.

so'sehr *cj.* tanto; ~, *daß* ... tanto que ...; hasta el extremo de (*inf.*); a (*od.* hasta) tal punto que ...; ~ *er sich* (*auch*) *bemüht hat, es ist ihm nicht gelungen* por mucho que se ha esforzado, no lo ha conseguido; *er hat sich doch* ~ *bemüht* se ha esforzado tanto.

so'so *adv.*: ~! ¡vaya, vaya!; *mir geht es* ~ así así; regular; F vamos tirando; *Am.* así nomás.

SOS-Ruf *m* ⚓ (*-es*; *-e*) señal *f* de socorro; llamada *f* de socorro.

'**Soße** [o:] *f* salsa *f*; **~nlöffel** *m* cuchara *f* para salsa; **~nschüssel** *f* (*-*; *-n*) salsera *f*.

Sou'brette *Thea.* *f* tiple *f* ligera; [graciosa *f*.]

Souff|'leur [zu'fl-] *m* (*-s*; *-e*) apuntador *m*; **~'leuse** *f* apuntadora *f*; **~'leurkasten** *m* (*-s*; *⸚*) concha *f* del apuntador; **2'lieren** (-) *v/t. u. v/i. Thea.* apuntar.

'**so-undso I.** *adv.* de tal y tal manera; ~ *oft* tantas y tantas veces; ~ *viel Mark* tantos marcos; *am* ~*vielten* en tal y tal fecha; **II.** 2 *su.*: *Herr* ~ (el señor) fulano de tal; *Frau* ~ (la señora) fulana de tal; **~vielt** *adj.*: *den* ~*en Mai* a tantos de mayo.

Sou'tane *f* sotana *f*.

Souter'rain [-ɛ'rɛ̃:-] *n* (*-s*; *-s*) sótano *m*.

souve'rän [zuvə-] **I.** *adj.* soberano; *fig.* (*überlegen*) superior; *adv.* con superioridad; con superior estilo; **II.** 2 *m* (*-s*; *-e*) soberano *m*.

Souveräni'tät *f (0)* soberanía *f*; **~s-rechte** *n/pl.* derechos *m/pl.* de soberanía.

so...: **~'viel I.** *adv.* tanto; *doppelt ~* dos veces (otro) tanto; *noch einmal ~* otro tanto; el doble; **II.** *cj.*: *~ wie* tanto como; *~ ich weiß* que yo sepa; **~'weit I.** *adv.*: *~ sind wir noch nicht* todavía no hemos llegado ahí *bzw.* a eso; *bist du ~?* (*bist du fertig?*) ¿has terminado ya?; ¿estás listo?; *du hast ~ recht* hasta cierto punto tienes razón; **II.** *cj.* hasta donde; (*insofern*) en cuanto; *~ ich es beurteilen kann* por lo que yo puedo juzgar; **~'wenig** *adv.* tan poco; **~'wie** *cj.* así como; (*sobald*) tan pronto como; así que; **~wie'so** *adv.* en cualquier caso; de todos modos.

'Sowjet [sɔv-] *m (-s; -s)* soviet *m*; *Oberster ~* el Soviet Supremo.

sow'jetisch *adj.* soviético.

'Sowjet|regierung *f* gobierno *m* soviético; **~rußland** *n* la Rusia soviética; **~union** *f* Unión *f* Soviética; *amtlich*: Unión *f* de Repúblicas Socialistas Soviéticas (*Abk.* U.R.S.S. *f*); **~zone** *f* zona *f* (de ocupación) soviética.

so'wohl *cj.*: *~ ... als auch ...* no sólo ... sino también ...; tanto ... como; (*eben*) *~ wie* así como.

'Sozi *m (-s; -s)* F miembro *m* del partido socialista alemán.

sozi'al *adj.* social; *~er Wohnungsbau* construcción *f* de viviendas baratas; *~e Wohlfahrt* beneficencia *f* social; **2abgaben** *f/pl.* cargas *f/pl.* sociales; **2ausschuß** *m (-sses; ¨sse)* comisión *f* de asuntos sociales; **2beamte(r)** *m (-n)* funcionario *m* del servicio de asistencia social; **2demokrat(in** *f*) *m (-en)* socialdemócrata *m/f*; *Span.* socialista *m/f*; **2demokratie** *f (0)* socialdemocracia *f*; *Span.* socialismo *m*; **~demokratisch** *adj.* socialdemócrata; *Span.* socialista; **2einrichtungen** *f/pl.* servicios *m/pl.* sociales; **2erziehung** *f (0)* educación *f* social; **2ethik** *f (0)* ética *f* social; **2fürsorge** *f (0)* asistencia *f* social.

soziali'sier|en *(-) v/t.* socializar; **2en** *n*, **2ung** *f* socialización *f*.

Sozia'lis|mus [-a·'l-] *m (-; 0)* socialismo *m*; **~t(in** *f*) *m (-en)* socialista *m/f*; **2tisch** *adj.* socialista; *die ~e Internationale* la Internacional Socialista.

Sozi'al...: **~lasten** *f/pl.* cargas *f/pl.* sociales; **~leistung** *f* prestación *f* social; **~ordnung** *f (0)* orden *m* social; **~pädagogik** *f (0)* pedagogía *f* social; **~partner** *pl.*: *die ~* los trabajadores y los empresarios; **~politik** *f (0)* política *f* social; **2politisch** *adj.* político-social; **~reform** *f* reforma *f* social; **~produkt** *n (-es; -e)* producto *m* social; producción *f* nacional; **~psychologie** *f (0)* (p)sicología *f* social; **~rente** *f* pensión *f* del seguro social; **~rentner(in** *f*) *m* pensionista *m/f* del seguro social; **~staat** *m (-es; -en)* Estado *m* social; **~versicherung** *f* seguro *m* social; seguridad *f* social; **~versicherungsnehmer** *m* asegurado *m*; afiliado *m* al seguro social; **~wissenschaft** *f (0)* sociología *f*; **~wissenschaftler** *m* sociólogo *m*; **2wissenschaftlich** *adj.* sociológico.

Sozio|'gramm *(-s; -e) n* sociograma *m*; **~'loge** *m (-n)* sociólogo *m*; **~lo'gie** *f (0)* sociología *f*; **2'logisch** *adj.* sociológico.

'Sozius [-tsĭ-] *m (-; -se)* ✝ socio *m*, asociado *m*; (*Mitgenosse*) compañero *m*; *Motorrad a.* **~fahrer(in** *f*) *m* acompañante *m/f* en el asiento trasero de la motocicleta; **~sitz** *m (-es; -e) Motorrad*: asiento *m* trasero.

sozu'sagen *adv.* por decirlo así, por así decir; como quien dice.

'Spachtel *m* espátula *f*; **~kitt** *m (-es; 0)* pasta *f* para emplastecer; **2n** *(-le) v/i.* emplastecer.

'späh|en ['ʃpɛ:ən] *v/i.*: *~ nach* atisbar (*ac.*); (*auf der Lauer sein*) acechar (*ac.*), estar al acecho de; (*spionieren*) espiar (*ac.*); (*beobachten*) observar; **2er** *m* (*Turmwächter*) vigía *m*; ⚔ explorador *m*; (*Spion*) espía *m*; **2erblick** *m (-es; -e)* mirada *f* escrutadora; **2trupp** ⚔ *m (-s; -s)* patrulla *f*; sección *f* de reconocimiento; **2trupptätigkeit** ⚔ *f* actividad *f* de patrullas; **2wagen** ⚔ *m* carro *m* de reconocimiento.

Spa'lier *n (-s; -e)* ✓ (*Garten2*) espaldar *m*; espaldera *f*; (*Wein2*) emparrado *m*; *fig. ~ bilden* formar calle; ⚔ (*längs der Auffahrtstraße*) cubrir la carrera.

'Spalt *m (-es; -e)*, **~e** *f* hendedura *f*, hendidura *f*; raja *f*; (*Öffnung*) abertura *f*; (*Schlitz*) rendija *f*; (*Mauer2*) grieta *f*; (*Fels2*) quebradura *f*; (*Sprung*) resquebrajadura *f*; *Anat.*, *Chir.*, *Min.* fisura *f*; *Atomphysik*: fisión *f*; **2bar** *adj.* hendible; ⚗ disociable; *Atomphysik*: fisionable; **~e** *f Typ.* columna *f*; → *Spalt.*

'spalten *(-e-)* **1.** *v/i.* henderse; **2.** *v/t.* hender; rajar; escindir; agrietar; (*teilen*) dividir; separar; (*in zwei Hälften teilen*) partir en dos; partir por la mitad; (*Sprünge in et. machen*) resquebrajar; (*zerbrechen*) quebrar; ⚗ disociar; *Licht*: descomponer; *Atomphysik*: fisionar; *Holz ~* hacer (*od.* partir) leña; *fig.* dividir, desunir, escindir; **3.** *v/refl.*: *sich ~* henderse; rajarse; dividirse; (*Sprünge bekommen*) resquebrajarse; (*rissig werden*) agrietarse; *in zwei Hälften*: partirse en dos; (*sich entzweien*) desunirse; separarse; ⚗ disociarse; *Licht*: descomponerse; *fig.* dividirse; separarse, desunirse; *die Partei hat sich gespalten* ha habido una escisión en el partido; **2** *n* → *Spaltung*; **~lang** *adj. Typ.* de varias columnas; **2steller** *m Schreibmaschine*: tabulador *m*; **~weise** *adv.* por columnas.

'Spalt...: **~füß(l)er** *Zoo. m/pl.* (animales *m/pl.*) fisípedos *m/pl.*; **~holz** *n (-es; 0)* madera *f* de raja; **~keil** *m (-es; -e)* cuña *f* de partir; **~material** *n (-s; -ien)* materias *f/pl.* fisionables; **~pilz** ♀ *m (-es; -e)* hongo *m* fisíparo, esquizomiceto *m*; **~produkt** *n* ⚗ *(-es; -e)* producto *m* de disociación; *Atomphysik*: producto *m* de fisión; **~ung** *f* hendedura *f*, hendidura *f*; rajadura *f*; (*Teilung*) división *f*; separación *f*; (*Entzweiung*) desunión *f*; (*Bruch*) ruptura *f*; *des Lichtes*: descomposición *f*; *Atomphysik*: fisión *f*; ⚗ disociación *f*; (*Bewußtseins2*) desdoblamiento *m* de la personalidad; *fig.* división *f*; escisión *f*; (*Kirchen2*) cisma *m*; **~ungs-produkt** *n (-es; -e) Atomphysik*: producto *m* de fisión; **~zunge** *Zoo. f* lengua *f* bífida.

Span *m (-es; ¨e)* (*Holz2*) astilla *f*; (*Splitter*) raja *f*; (*Hobel2*) viruta *f*, acepilladura *f*; (*Kien2*) tea *f*; (*Feil2*) limadura *f*; *fig. arbeiten, daß die Späne fliegen* F trabajar como una fiera; **'~ferkel** *n* lechón *m*, lechoncillo *m*, cochinillo *m*.

'Spange *f* ⊕ abrazadera *f*; (*Schnalle*) hebilla *f*; (*Brosche*) broche *m*; (*Arm2*) brazalete *m*; (*Ordens2*) pasador *m*; (*Haar2*) prendedor *m*; (*Schuh2*, *Gürtel2*) hebilla *f*.

'Span|ien *n* España *f*; **~ier** *m* español *m*; **~ierin** *f* española *f*; **~iertum** *n (-s; 0)* (*Wesen*) hispanismo *m*; hispanidad *f*.

'spanisch *adj.* español; de España; hispano, hispánico; *das 2e* el español, la lengua española, el idioma español; *~e Spracheigentümlichkeit* hispanismo *m*; *~e Fliege Phar.* cantárida *f*; *~er Kragen* ⚕ parafimosis *f*; *~er Pfeffer* ♀ pimiento *m*; *~er Reiter* ⚔ caballo *m* de Frisa *od.* Frisia; *~es Rohr* ♀ caña *f* de Indias, junquillo *m*; *~e Wand* biombo *m*; *fig. das kommt mir ~ vor* (*das verstehe ich nicht*) eso es como si me hablaran en chino, (*das erscheint mir seltsam*) me parece una cosa muy rara, (*da steckt et. dahinter*) aquí hay gato encerrado; **~-amerikanisch** *adj.* hispano-americano, de Hispanoamérica; **~sprechend** *adj.* de habla española.

spann *pret. v. spinnen.*

'Spann *m (-es; -e) des Fußes*: empeine *m*; **~backe** ⊕ *f* mordaza *f* de sujeción; **~beton** *m (-s; 0)* hormigón *m* pretensado; **~draht** ⊕ *m (-es; ¨e)* alambre *m* tensor.

'Spanne *f* (*Hand2*) palmo *m*; *e-e kurze ~ Zeit* un corto espacio de tiempo, un breve lapso.

'spannen 1. *v/t.* tender; (*straffen*) estirar; (*strecken*) extender; (*steifen*) entesar, poner tenso *od.* tirante; *Bogen, Feder, Armbrust*: armar; *Feuerwaffe*: *a.* amartillar; *Schraube, Riemen, Saite*: apretar; *Muskeln*: contraer; *fig. Nerven*: poner en tensión; *Neugier*: excitar; *s-e Forderungen zu hoch ~* tener pretensiones muy exageradas; F picar muy alto; *s-e Erwartungen* (*Hoffnungen*) *hoch ~* alentar esperanzas demasiado halagüeñas; *auf die Folter ~* dar tormento, atormentar (*a. fig.*); *in den Schraubstock ~* poner en el torno; *vor* (*od. an*) *den Wagen ~ Pferde*: enganchar al coche; *Ochsen*: uncir al carro; *die Oktave ~ können* ♪ poder alcanzar la octava; **2.** *v/i.* (*Kleider*) venir demasiado justo; (*Schuhe*) *a.* apretar; → *gespannt*; **~d** *fig. adj.* de palpitante interés; (*fesselnd*) cautivador; emocionante; muy interesante.

'Spanner *m* ⊕ tensor *m*; *Anat.* (músculo *m*) tensor *m*; (*Schuh2*) extendedor *m*; (*Zeitungs2*) portaperiódicos *m*, sujetador *m* de periódicos; *für Tennisschläger*: prensa-

-raqueta *m*; (*Nachtschmetterling*) falena *f*.

ˈ**Spann...:** **~feder** *f* (-; -*n*) resorte *m* tensor; **~futter** ⊕ *n* mandril *m* de sujeción; **~kloben** ⊕ *m* garra *f* de sujeción; **~kraft** *f* (-; ⸚*e*) elasticidad *f* (*a. fig.*); fuerza *f* elástica; *des Dampfes*: tensión *f*; (*Dehnbarkeit, bsd. v. Gasen*) expansibilidad *f*; *e-s Muskels*: tonicidad *f*; (*Federkraft*) resorte *m*; **2kräftig** *adj.* elástico; **~muskel** *Anat. m* (-*s*; -*n*) (músculo *m*) tensor *m*; **~rahmen** *m* ⊕ bastidor *m* tensor; *für Stickereien*: bastidor *m*; **~riemen** *m des Schusters*: tirapié *m*; **~säge** *f* sierra *f* de bastidor; **~schraube** *f* tornillo *m* tensor; **~seil** *n* (-*es*; -*e*) cable *m* tensor; **~strick** *m* (-*es*; -*e*) trabas *f/pl.*; **~tau** ⚓ *n* (-*es*; -*e*) amarra *f*.

ˈ**Spannung** *f* tensión *f*; ⚡ *a.* voltaje *m*; (*Potential*) ⚡ potencial *m*; (*Druck, Gas2*) presión *f*; ▲ *des Gewölbebogens*: abertura *f*; luz *f*; (*Hoch2*) ⚡ alta tensión *f*; (*Netz2*) voltaje *m* (*od.* tensión *f*) de la red; *fig.* tensión *f*; (*Interesse*) vivo interés *m*; (*Ungeduld*) impaciencia *f*, ansia *f*; (*gespannte Aufmerksamkeit*) viva atención *f*; atención *f* sostenida; (*Neugier*) curiosidad *f*; (*Erwartung*) expectación *f*; (*gespanntes Verhältnis*) relaciones *f/pl.* tirantes, tirantez *f* de relaciones; (*Gegensatz*) discrepancia *f*; *j-n in ~ versetzen* excitar la curiosidad de alg.; *j-n in ~ halten* tener en vilo a alg.; *Pol. die ~ beseitigen* (*vermindern*; *verschärfen*) liquidar (disminuir; agravar) la tirantez de relaciones.

ˈ**Spannungs...:** **~abfall** ⚡ *m* (-*es*; ⸚*e*) caída *f* de tensión; **~ausgleich** ⚡ *m* (-*s*; *0*) compensación *f* de potencial (*od.* de tensión); **2geladen** *fig. Film, Erzählung*: emocionante; **2los** ⚡ *adj.* sin tensión; **~messer** ⚡ *m* voltímetro *m*; **~regler** ⚡ *m* regulador *m* de tensión (*od.* de voltaje); **~unterschied** ⚡ *m* (-*es*; -*e*) diferencia *f* de potencial (*od.* de tensión); **~verlust** ⚡ *m* (-*es*; -*e*) pérdida *f* de tensión; **~wandler** ⚡ *m* transformador *m* de tensión.

ˈ**Spann...:** **~vorrichtung** ⊕ *f* dispositivo *m* de fijación; **~weite** *f* ✈ envergadura *f*; *fig.* importancia *f*, *gal.* envergadura *f*; (*lichte Weite*) luz *f*; abertura *f*; **~werkzeug** ⊕ *n* (-*es*; -*e*) útil *m* de sujeción.

Spant ⚓ *n* (-*es*; -*en*) cuaderna *f*.

ˈ**Spar|brenner** *m* (*Gasbrenner*) mechero *m* economizador (*od.* de mínimo consumo); **~buch** *n* (-*es*; ⸚*er*) libreta *f* de caja de ahorros; **~büchse** *f* hucha *f*, alcancía *f*; **~einlage** *f* imposición *f* de ahorro; **2en 1.** *v/t.* ahorrar; economizar; hacer ahorros; (*Geld zurücklegen*) reservar; (*vermeiden*) evitar; *~ Sie sich die Mühe* ahórrese usted esa molestia; **2.** *v/i.* hacer ahorros *od.* economías; vivir económicamente; **~en** *n* ahorro *m*; **~er(in** *f*) *m* ahorrador (-a *f*) *m*; *die kleinen ~* el pequeño ahorro; **~flamme** *f* llama *f* pequeña.

ˈ**Spargel** ⚘ *m* espárrago *m*; **~anbau** *m* (-*es*; *0*) cultivo *m* de espárragos; **~beet** *n* (-*es*; -*e*) esparraguera *f*.

ˈ**Spar|geist** *m* (-*es*; *0*) espíritu *m* ahorrativo; **~gelder** *pl.* ahorros *m/pl.*; economías *f/pl.*

ˈ**Spargel|kopf** *m* (-*es*; ⸚*e*), **~spitze** *f* punta *f* de espárrago; **~messer** *n*, **~stecher** *m* cuchillo *m* de esparragar; **~suppe** *f* sopa *f* de espárragos; **~zeit** *f* (*0*) tiempo *m* (*od.* época *f*) de los espárragos.

ˈ**Spar|groschen** *m* pequeños ahorros *m/pl.*, F ahorrillos *m/pl.*; **~guthaben** *n* ahorro *m*; **~herd** *m* (-*es*; -*e*) cocina *f* económica; **~kapital** *n* (-*s*; -*e od.* -*ien*) ahorro *m*; capital *m* ahorrado; **~kasse** *f* caja *f* de ahorros; **~kassenbuch** *n* (-*es*; ⸚*er*) libreta *f* (*od.* cartilla *f*) de caja de ahorros; **~konto** *n* (-*s*; -*konten*) cuenta *f* de ahorro; **~kraft** *f* capacidad *f* ahorrativa *od.* de ahorro.

ˈ**spärlich I.** *adj.* (*knapp*) poco abundante; escaso, exiguo; (*kaum ausreichend*) apenas suficiente; insuficiente; (*ärmlich, schäbig*) pobre; (*knauserig*) mezquino, cicatero; (*selten*) raro, poco frecuente; *Mahl*: frugal; *Haar*: claro; *Bart*: ralo; **II.** *adv.*: *~ bekleidet* poco (*ungenügend*: insuficientemente; *kaum*: apenas; *ärmlich*: pobremente) vestido; *~ bevölkert* escasamente poblado; **2keit** *f* (*0*) escasez *f*; (*Armseligkeit*) pobreza *f*; (*Seltenheit*) rareza *f*; *e-s Mahles*: frugalidad *f*.

ˈ**Spar|maßnahme** *f* medida *f* de economía; **~pfennig** *m* (-*s*; -*e*) pequeños ahorros *m/pl.*, F ahorrillos *m/pl.*

ˈ**Sparren** *m* (*Dach2*) cabrio *m* (*a.* ▨); F *fig. e-n ~* (*zuviel*) *haben* tener vena de loco; estar mal de la cabeza; **~werk** ▲ *n* (-*es*; -*e*) armazón *f* del tejado.

ˈ**sparsam I.** *adj.* económico; moderado en los gastos; de poco gasto; (*karg*) parco; (*knauserig*) parsimonioso; ahorrativo; **II.** *adv.* económicamente; con economía; *mit et. ~ umgehen* hacer uso moderado de a/c.; *~ leben* ajustar los gastos a las necesidades; **2keit** *f* (*0*) economía *f*; *kleinliche*: espíritu *m* ahorrativo; parsimonia *f*; *aus ~* por (razones de) economía; *unangebrachte ~* F *fig.* economía del chocolate del loro.

ˈ**Sparsinn** *m* (-*es*; *0*) sentido *m* del ahorro; afición *f* al ahorro.

ˈ**Sparta** *n* Esparta *f*.

Sparˈta|ner *m* espartano *m*; **2nisch** *adj.* espartano; *mit ~er Strenge* (*od. Einfachheit*) con sobriedad espartana.

ˈ**Sparte** *f* (*Abteilung*) sección *f*; (*Sektor*) sector *m*; (*Fachgebiet*) rama *f*.

ˈ**Spar|trieb** *m* (-*es*; *0*) instinto *m* de ahorro; *~- und Darlehenskasse f* caja *f* de ahorros y de préstamos; **~vertrag** *m* (-*es*; ⸚*e*) contrato *m* de ahorro.

spasˈmodisch ⚕ *adj.* espasmódico.

Spaß [aː] *m* (-*es*; ⸚*e*) broma *f*; chanza *f*, F chunga *f*; (*Witz*) chiste *m*; F chirigota *f*; (*Neckerei*) burla *f*; (*Zeitvertreib*) pasatiempo *m*; (*Vergnügen*) diversión *f*; placer *m*; *schlechter ~* broma pesada (*od.* de mal gusto); *~ beiseite!* ¡bromas aparte!, (*im Ernst!*) hablando con formalidad; *viel ~!* F ¡que te diviertas!; *aus ~*, *zum ~* en broma; por broma; F en chunga; para divertirse; por pasatiempo; *~ machen* (*Freude machen*) causar placer; dar gusto, (*scherzen*) divertir; hacer gracia; *es macht keinen ~* no tiene ninguna gracia; no hace gracia; *s-n ~ mit j-m treiben* gastar una broma a alg.; burlarse de alg.; F chunguearse de alg.; *~ verstehen* (*nicht übelnehmen*) no tomar a mal las bromas; aguantar las burlas; *keinen ~ verstehen* no entender de bromas; no ser amigo de bromas; no consentir burlas; *darin versteht er keinen ~* eso lo toma muy en serio; *er hat s-n ~ daran, das macht ihm ~* se divierte con ello; le hace gracia; *das war nur ~* era sólo en broma; *das geht über den ~* eso ya pasa de broma; *das ist ein teurer ~ für mich* eso me cuesta un ojo de la cara (*od.* P un riñón); *Sie machen mir ~!* ¡me hace usted gracia!

ˈ**spaßen** (-*t*) *v/i.* bromear, chancear (-se); embromar; hablar en broma; F chunguearse; *damit ist nicht zu ~* con eso no hay bromas; con eso no se juega; *er läßt nicht mit sich ~* con él no se puede andar en bromas.

ˈ**spaß|eshalber** *adv.* en broma; **~haft, ~ig** *adj.* (*belustigend*) divertido; (*drollig*) gracioso; chusco; (*witzig*) chistoso; jocoso; (*komisch*) cómico.

ˈ**Spaß...:** **~macher** *m*, **~vogel** *m* (-*s*; ⸚) bromista *m*; chancero *m*, burlón *m*; F guasón *m*, zumbón *m*; payaso *m*; → *Hanswurst*; **~verderber** *m* aguafiestas *m*.

ˈ**Spast|iker** ⚕ *m* espástico *m*; **2isch** *adj.* espástico; espasmódico.

Spat[1] *Min. m* (-*es*; -*e*) espato *m*.

Spat[2] *Vet. m* (-*es*; *0*) esparaván *m*.

spät I. *adv.* (-*est*) tarde; *wie ~ ist es?* ¿qué hora es?; *es ist ~* es tarde; *es wird ~* se hace (*od.* se está haciendo) tarde; *bis ~ in die Nacht* hasta muy entrada la noche; *~ in der Nacht* a altas horas de la noche; *von früh bis ~* de la mañana a la noche; *~ aufstehen* levantarse tarde; *zu ~ kommen* venir *bzw.* llegar demasiado tarde; *m-e Uhr geht* (*um*) *eine Stunde zu ~* mi reloj está retrasado una hora; *besser ~ als nie* más vale tarde que nunca; **II.** *adj.* (*~ eintretend*) tardío; (*vorgerückt*) avanzado; (*e-r fernen Zeit angehörend*) remoto; *im ~en Sommer* a fines del verano; *~e Reue* arrepentimiento tardío; F *~es Mädchen* solterona.

ˈ**Spat-eisenstein** *m* (-*es*; *0*) siderita *f*.

ˈ**Spatel** *m* espátula *f*.

ˈ**Spaten** *m* pala *f* (cuadrada); *mit dem ~ umgehen* cavar con la pala.

ˈ**später I.** *adj.* posterior; (*weiter*) ulterior; *~e Geschlechter* las generaciones futuras (*od.* venideras); *im ~en Mittelalter* a fines de la Edad Media; en la baja Edad Media; **II.** *adv.* más tarde, posteriormente; *früher oder ~* más tarde o más temprano; **~hin** *adv.* más tarde, posteriormente; ulteriormente.

ˈ**spätestens** *adv.* a más tardar (*mst. nachgestellt*); lo más tarde.

ˈ**Spät...:** **~geburt** *f* parto *m* tardío (*od.* retrasado); **~gotik** ▲ *f* (*0*) (estilo *m*) gótico *m* tardío; gótico *m* florido; **~herbst** *m* (*-es*; *-e*) fines *m/pl.* del otoño, fin *m* de otoño; **~ling** *m* (*-s*; *-e*) (*Lamm*) cordero *m* tardío; (*Frucht*) fruto *m* tardío; **~nachmittag** *m* (*-es*; *-e*): *am ~* al atardecer; a la caída de la tarde; **~obst** *n* (*-es*; *0*) fruta *f* tardía; **2reif** *adj.* (*0*) tardío; **~sommer** *m* fines *m/pl.* del verano; (*Altweibersommer*) veranillo *m* de San Martín; **~wirkung** *f* efecto *m* tardío.

Spatz *Orn. m* (*-en*) gorrión *m*; *fig. das pfeifen die ~en von den Dächern* eso es un secreto a voces; *ein ~ in der Hand ist besser als e-e Taube auf dem Dach* más vale pájaro en mano que ciento volando; *mit Kanonen nach ~en schießen* matar mosquitos a cañonazos.

'Spätzündung *Auto. f* encendido *m* retardado.

spa'zieren (*-*; *sn*) *v/i.* pasear(se), dar un paseo; **~fahren** (*L*; *sn*) *v/i.* pasear(se) en coche (*bzw.* en vaporcito *bzw.* en bicicleta); **~führen** *v/t.*: *j-n ~* llevar a alg. a pasear; **~gehen** (*L*; *sn*) *v/i.* pasear(se), dar un paseo; ir a pasear; **2gehen** *n* paseo *m*; **~reiten** (*L*; *sn*) *v/i.* pasear a caballo.

Spa'zier...: **~fahrt** *f* paseo *m* en coche (*bzw.* en vaporcito *bzw.* en bicicleta); **~gang** *m* (*-es*; *¨e*) paseo *m*; **~gänger(in** *f*) *m* paseante *m/f*; **~ritt** *m* (*-es*; *-e*) paseo *m* a caballo; **~stock** *m* (*-es*; *¨e*) bastón *m*.

Specht *Orn. m* (*-es*; *-e*) pico *m*, pájaro *m* carpintero.

'Speck *m* (*-es*; *-e*) tocino *m*; (*das Fette am Speck*) lardo *m*; *zum Spikken*: mecha *f*; *Kochk.*: *mit ~ spicken* mechar; *~ ansetzen* F engordar, echar carnes; *Frau*: ajamonarse; **~grieben** *pl.* chicharrones *m/pl.*; **~hals** *m* (*-es*; *¨e*) F pescuezo *m* muy gordo; **2ig** *adj.* gordo como tocino; (*fett*) lardoso, grasiento, pringoso; **~scheibe** *f* lonja *f* de tocino; **~schwarte** *f* corteza *f* de tocino; **~seite** *f* hoja *f* de tocino; *fig. mit der Wurst nach der ~ werfen* meter aguja y sacar reja; **~stein** *Min. m* (*-es*; *-e*) esteatita *f*.

spe'dieren (*-*) *v/t.* expedir, despachar.

Spedi'teur *m* (*-s*; *-e*) agente *m* de transportes.

Spediti'on *f* expedición *f*; (agencia *f* de) transportes *m/pl.*; (*Abfertigung*) expedición *f*, despacho *m*.

Spediti'ons...: **~auftrag** *m* (*-es*; *¨e*) orden *f* de expedición; **~büro** *n* (*-s*; *-s*) agencia *f* de transportes; **~gebühren** *f/pl.*, **~kosten** *pl.* gastos *m/pl.* de expedición; **~geschäft** *n* (*-es*; *-e*) comisión *f* de transportes; (*Firma*) empresa *f* (*od.* agencia *f*) de transportes.

'Speer *m* (*-es*; *-e*) lanza *f*; (*Spieß*) pica *f*; (*Jagd2*) venablo *m*, dardo *m*; (*Wurf2*) jabalina *f*; **~werfen** *n Sport*: lanzamiento *m* de jabalina; **~werfer(in** *f*) *m* lanzador(a *f*) *m* de jabalina.

'Speibecken *n* escupidera *f*.

'Speiche *f* (*Rad2*) rayo *m*; *Anat.* radio *m*; *fig. in die ~n greifen* echar una mano; ayudar.

'Speichel *m* (*-s*; *0*) saliva *f*; (*Auswurf*) ⚕ esputo *m*; P gargajo *m*; (*Geifer*) baba *f*; **~drüse** *Anat. f* glándula *f* salival; **~fluß** *m* (*-sses*; *¨sse*) salivación *f*, ⚕ ptialismo *m*; **~lecker** *m* adulador *m* servil, F pelotillero *m*, V lameculos *m*; **~lecke'rei** *f* (*0*) adulación *f* servil.

'Speichen|kopf *m* (*-es*; *¨e*) cabeza *f* de rayo; **~rad** *n* (*-es*; *¨er*) rueda *f* de rayos; **~spanner** *m* tensor *m* de rayos.

'Speicher *m* (*Korn2*, *Dachboden*) granero *m*; (*Lager*) almacén *m*, depósito *m*; (*Silo*) silo *m*; *für Druckwasser*: depósito *m* de agua a presión; **~becken** *n* depósito *m* acumulador; **~kraftwerk** *n* (*-es*; *-e*) central *f* de acumulación; **2n** (*-re*) *v/t.* almacenar; (*ansammeln*) acumular; **~ung** *f* almacenamiento *m*; acumulación *f*.

'speien ['ʃpaɪən] (*L*) *v/t. u. v/i.* escupir; *Auswurf*: ⚕ expectorar, F gargajear; (*sich erbrechen*) vomitar; *fig. Feuer* (*und Verderben*) *~* vomitar fuego (y desolación); *fig. Gift und Galle ~* echar venablos (*gegen* contra).

'Spei|napf *m* (*-es*; *¨e*) escupidera *f*; **~röhre** Δ *f* gárgola *f*.

Speis Δ *m* (*-es*; *0*) (*Mörtel*) mortero *m*.

'Speise *f* (*Kost*) alimento *m*; (*Gericht*) plato *m*; manjar *m*; (*Eßwaren*) comestibles *m/pl.*; (*Süß2*) dulce *m*; (*Nachtisch*) postre *m*; *~ und Trank* comida y bebida; *kalte ~n* fiambres *m/pl.*; **~aufzug** *m* (*-es*; *¨e*) montaplatos *m*; **~brei** (*-es*; *-e*) *Physiol. m* quimo *m*; **~eis** *n* (*-es*; *0*) helado *m*; **~eisverkäufer** *m* vendedor *m* de helados, heladero *m*; **~fett** *n* (*-es*; *-e*) grasa *f* alimenticia; **~kammer** *f* (*-*; *-n*) despensa *f*; **~karte** *f* lista *f* de platos, minuta *f*, *gal.* menú *m*; **~kessel** ⊕ *m* caldera *f* de alimentación; **~leitung** ⚡ *f* línea *f* de alimentación.

'speisen (*-t*) **1.** *v/t.* (*ernähren*) alimentar; dar de comer a; ⚡, ⊕ alimentar; *Hochofen*: cebar; (*laden*) ⚡ cargar; **2.** *v/i.* comer; *zu Mittag ~* almorzar, comer; *zu Abend ~* cenar; *wünsche wohl zu ~!* ¡buen provecho!; **2aufzug** *m* (*-es*; *¨e*) montaplatos *m*; **2folge** *f*, **2karte** *f* → *Speisekarte*; **2träger** *m* fiambrera *f*.

'Speise...: **~öl** *n* (*-es*; *-e*) aceite *m* de mesa; **~pumpe** ⊕ *f* bomba *f* de alimentación; **~reste** *pl.* restos *m/pl.* de la comida; **~rohr** ⊕ *n* (*-es*; *-e*) tubo *m* de alimentación; **~röhre** *Anat. f* esófago *m*; **~röhren-entzündung** ⚕ *f* inflamación *f* del esófago; esofagitis *f*; **~saal** *m* (*-es*; *-säle*) comedor *m*; (*in Klöstern*) refectorio *m*; **~saft** *Physiol. m* (*-es*; *¨e*) quilo *m*; **~schrank** *m* (*-es*; *¨e*) *im Eßzimmer*: aparador *m*; *in der Küche*: armario *m* de cocina; **~tisch** *m* (*-es*; *-e*) mesa *f* de comedor; **~wagen** 🚃 *m* coche *m* restaurante; **~wärmer** *m* calientaplatos *m*; **~wasser** ⊕ *n* agua *f* de alimentación; **~zettel** *m* → *Speisekarte*; **~zimmer** *n* comedor *m*.

'Speisung *f* alimentación *f* (*a.* ⚡, ⊕); *Bib.* multiplicación *f* de los panes.

'Speitüte ✈ *f* bolsa *f* de papel para caso de mareo.

Spek'takel *m* (*Lärm*) ruido *m*, *stärker*: estrépito *m*; F jaleo *m*, jarana *f*; (*Radau*) alboroto *m*, F follón *m*; **2n** (*-le*; *-*) *v/i.* hacer (mucho) ruido; producir alboroto; F armar un follón.

Spek'tral|analyse *f* análisis *m* espectral; **~farben** *pl.* colores *m/pl.* del espectro.

Spektro'skop *n* (*-s*; *-e*) espectroscopio *m*.

'Spektrum *n* (*-s*; *Spektra od. Spektren*) espectro *m*.

Speku'lant(in *f*) *m* (*-en*) especulador(a *f*) *m*; ⚚ (*Agiotist*) agiotista *m*.

Spekulati'on *f Phil. u.* ⚚ especulación *f*; *~ auf Baisse* especulación a la baja; *~ auf Hausse* especulación sobre el alza; *gewagte ~* especulación arriesgada; *~en anstellen*, *sich in ~en ergehen* especular, hacer especulaciones (*über ac.* sobre).

Spekulati'ons...: **~geschäft** *n* (*-es*; *-e*) operación *f* de especulación; **~gewinn** *m* (*-es*; *-e*) ganancia *f* obtenida con especulaciones; **~kauf** *m* (*-es*; *¨e*) compra *f* especulativa; **~papiere** *pl.* valores *m/pl.* de especulación; **~verkauf** *m* (*-es*; *¨e*) venta *f* especulativa.

spekula'tiv *adj.* especulativo.

speku'lieren (*-*) *v/i.* especular (*über ac.* sobre); ⚚ *an der Börse ~* especular en la Bolsa; jugar a la Bolsa; *auf Baisse ~* especular a la baja; *auf Hausse ~* especular sobre el alza.

Spelt ♀ *m* (*-es*; *-e*) espelta *f*.

Spe'lunke *f* (*verrufene Kneipe*) tabernucho *m*; tasca *f*; (*Wirtshaus*) figón *m*; (*Spielhölle*) garito *m*, timba *f*.

'Spelz ♀ *m* (*-es*; *-e*) → *Spelt*.

spen'dabel F *adj.* liberal, generoso; dadivoso; rumboso.

'Spende *f* (*das Spenden*) distribución *f*; (*Geschenk*) regalo *m*, obsequio *m*; (*Gabe*) donativo *m*; (*Schenkung*) donación *f*; (*Almosen*) limosna *f*; (*Beitrag*) contribución *f*; (*milde Stiftung*) obra *f* pía; *Rel.* ofrenda *f*.

'spenden (*-e-*) *v/t.* dar; donar (*a. Blut*); hacer donación de; *großzügig ~* dar con largueza; (*austeilen*) distribuir; (*schenken*) regalar; (*beitragen*) contribuir (zu a); *Lob*: dispensar; *Rel. Sakramente*: administrar.

'Spender *m* donador *m*; donante *m* (*a. Blut2*); (*Verteiler*) distribuidor *m* (*a. Automat*); (*Beitragender*) contribuidor *m*; (*Wohltäter*) bienhechor *m*; **~in** *f* donadora *f*; donante *f*; (*Wohltäterin*) bienhechora *f*.

spen'dier|en (*-*) *v/t.* (*bezahlen*) pagar; (*schenken*) regalar; dar; distribuir; **2hosen** F *f/pl.*: *die ~ anhaben* ser rumboso.

'Spendung *f* → *Spende*; *Rel. des Sakramentes*: administración *f*.

'Spenzer *m* chaquetilla *f*.

'Sperber *Orn. m* gavilán *m*, esparaván *m*.

Spe'renzchen F *pl.*: *~ machen* (*zimperlich tun*) hacer melindres; (*Umstände machen*) gastar cumplidos.

'Sperling *Orn. m* (*-s*; *-e*) gorrión *m*.

'Sperma *Bio. n* (*-s*; *-ta od. Spermen*) esperma *m*.

Spermato'zoon *Bio. n* (*-s*; *Spermatozoen*) espermatozoo *m*.

'**sperr·angelweit** *adv.*: *die Tür steht ~ offen* la puerta está (abierta) de par en par.

'**Sperr|ballon** ⚔ *m* (*-s*; *-s*) globo *m* de barrera; **~balken** *m* tranca *f*; **~baum** *m* (*-es*; *⸗e*) barrera *f*; **~depot** ⚕ *n* (*-s*; *-s*) depósito *m* bloqueado; **~druck** *Typ. m* (*-es*; *0*) composición *f* espaciada; *in ~* con letras espaciadas.

'**Sperre** *f* (*das Sperren*) clausura *f*; cierre *m*; (*Schranke, Schlagbaum*) barrera *f*; (*Stau*2) presa *f*; (*Grenz*2) cierre *m* de frontera; 🚂 (*Bahnsteig*2) barrera *f*; *an der ~* a la salida del andén; (*Unterbrechung, Abschaltung*) interrupción *f*; corte *m*; ⚡ (*Strom*2) corte *m* de corriente; (*Straßen*2) barrera *f*; (*Barrikade*) barricada *f*; (*Verbot*) prohibición *f*, *bsd.* ⚖ interdicción *f*; *Sport*: (*Spielverbot, Startverbot*) suspensión *f*; (*Embargo*) prohibición *f* de exportar determinadas mercancías; (*Boykott*) boicot *m*; boicoteo *m*; (*Quarantäne*) cuarentena *f*; (*Blokkade*) bloqueo *m*; (*Hindernis*) obstáculo *m*; ⚔ *Artillerie, Ballon*: barrera *f*; (*Stillegung*) paro *m*; (*Riegel*) cerrojo *m*; ⚕ *über e-e Firma e-e ~ verhängen* boicotear una casa comercial.

'**sperren 1.** *v/t.* (*auseinandertun*) abrir; (*spreizen*) separar; *Typ.* espaciar; (*hindern*) impedir, obstaculizar, poner obstáculos; estorbar; (*verstopfen*) obturar; (*schließen*) cerrar; (*ein~*) encerrar; (*verriegeln*) *durch Sperrbalken*: atrancar, *durch Riegel*: acerrojar; (*ver~*) obstruir, interceptar; (*unterbrechen, abschalten*) interrumpir; cortar; (*blockieren*) bloquear (*a.* ⊕, *Konto, Kredit, Zahlungen*); (*verbieten*) prohibir; interdecir; *Sport*: (*durch Spiel- und Startverbot*) suspender; (*boykottieren*) boicotear; (*stillegen*) paralizar, ⊕ parar, inmovilizar; *Wagenrad*: engalgar; *Hafen*: cerrar, *durch Blockade*: bloquear; *Verbindung*: interceptar; *Gas, Licht, Wasserleitung*: cortar; *Straße*: barrear; cerrar a la circulación, *durch Absperrmannschaften*: acordonar; *Grenze*: cerrar; ⚕ *e-n Scheck ~* invalidar un cheque; interceptar el pago de un cheque; *ins Gefängnis ~* encarcelar, meter en la cárcel; *j-n aus dem Hause ~* cerrar a alg. la puerta de casa; **2.** *v/refl.*: *sich ~* oponerse, resistir(se) (*gegen* a); **3.** *v/i.*: *die Tür sperrt* (*klemmt*) la puerta encaja muy apretada; la puerta está agarrotada; → *gesperrt*; 2 *n* → *Sperrung*.

'**Sperr...**: **~feder** ⊕ *f* (*-*; *-n*) muelle *m* de trinquete; **~feuer** ⚔ *n* fuego *m* de barrera; **~fort** ⚔ *n* (*-s*; *-s*) fuerte *m* de barrera; **~gebiet** *n* (*-es*; *-e*) zona *f* prohibida; **~gürtel** *m* ⚕ cordón *m* sanitario; *Artillerie*: barrera *f* de artillería; **~gut** 🚂 *n* (*-es*; *⸗er*) mercancías *f/pl.* voluminosas (*od.* de gran bulto); **~guthaben** ⚕ *n* haber *m* bloqueado, cuenta *f* bloqueada; **~haken** *m* ⊕ gatillo *m* de trinquete; *e-r Uhr*: escape *m*; (*Dietrich*) ganzúa *f*; **~hebel** ⊕ *m* palanca *f* de trinquete; **~holz** *n* (*-es*; *⸗er*) madera *f* contrachapeada (*od.* terciada); **~holzplatte** *f* tablero *m* contrachapeado; 2**ig** *adj. Güter*: voluminoso, de mucho bulto; **~kette** *f* (*Hafen*2) cadena *f* de barrera; *an der Wohnungstür*: cadena *f* de seguridad; (*Postenkette*) cordón *m*; **~klinke** *f* ⊕ trinquete *m* de parada; *an Türen*: fiador *m*; **~konto** ⚕ *n* (*-s*; *-konten*) cuenta *f* bloqueada; **~kreis** *m* (*-es*; *-e*) *Radio*: circuito *m* filtro; circuito *m* eliminador; **~mauer** *f* (*-*; *-n*) *bei Talsperren*: muro *m* de contención; presa *f*; **~riegel** *m* cerrojo *m* (de seguridad); **~satz** *Typ. m* (*-es*; *⸗e*) composición *f* espaciada; **~sitz** *Thea. m* (*-es*; *-e*) butaca *f* de preferencia; asiento *m* reservado; (*Parkett*2) butaca *f* de primera fila; **~stange** *f* barra *f* de contención; *vor Türen*: tranca *f*; **~stunde** *f* hora *f* de cierre (de las puertas); ⚔ hora *f* de queda.

'**Sperrung** *f* (*Trennung*) separación *f*; *Typ.* espaciado *m*; (*Ver*2) obstrucción *f*; interceptación *f*; (*Verstopfung*) obturación *f*; (*Schließung*) cierre *m*; (*Unterbrechung, Abschaltung*) interrupción *f*; corte *m*; (*Blockierung*) bloqueo *m* (*a.* ⊕, *v. Konto, Kredit, Zahlungen*); (*Verbot*) prohibición *f*; interdicción *f*; *Sport*: suspensión *f*; (*Blockade*) bloqueo *m*; (*Stillegung*) paralización *f*; ⊕ parada *f*; inmovilización *f*; → *Sperre*.

'**Sperr...**: **~vermerk** ⚕ *m* (*-es*; *-e*) indicación *f* de bloqueo; **~vorrichtung** ⊕ *f* dispositivo *m* de parada (*od.* de detención); **~zoll** *m* (*-es*; *⸗e*) derecho *m* prohibitivo; **~zone** *f* zona *f* prohibida.

'**Spesen** *pl.* gastos *m/pl.*; 2**frei** *adj.* (*0*) libre de gastos; **~konto** *n* (*-s*; *-konten*), **~rechnung** *f* cuenta *f* de gastos; **~vergütung** *f* reembolso *m* de los gastos.

'**Speyer** *n* (*Stadt*) Spira *f*, Espira *f*.

Speze'rei *f* especia *f*; **~händler(in** *f*) *m* especiero (-a *f*) *m*; **~waren** *pl.* especias *f/pl.*; **~warengeschäft** *n* (*-es*; *-e*) especiería *f*.

'**Spezi** F *m* (*-s*; *-s*) amigo *m* íntimo; amigo *m* del alma.

spezi'al *adj.* especial; particular.

Spezi'al...: **~arzt** *m* (*-es*; *⸗e*) (médico *m*) especialista *m*; **~ausführung** *f* construcción *f* especial; **~bericht** *m* (*-es*; *-e*) informe *m* especial; **~fach** *n* (*-es*; *⸗er*) especialidad *f*; **~fahrzeug** *n* (*-es*; *-e*) vehículo *m* para usos especiales; **~fall** *m* (*-es*; *⸗e*) caso *m* especial; **~gebiet** *n* (*-es*; *-e*) especialidad *f*; **~geschäft** ⚕ *n* (*-es*; *-e*) comercio *m* del ramo; *~ für ...* comercio especializado en ...

speziali'sier|en (*-*) **1.** *v/t.* especializar; **2.** *v/refl.*: *sich ~* especializarse (*für, auf ac.* en); 2**en** *n*, 2**ung** *f* especialización *f*.

Spezia'list(in *f*) *m* (*-en*) especialista *m/f*.

Speziali'tät *f* especialidad *f*; **~enrestaurant** *n* restaurante *m* típico.

Spezi'al...: **~kräfte** *pl.* personal *m* especializado; **~mischung** *f* mezcla *f* especial; **~stahl** *m* (*-es*; *-stähle*) acero *m* especial.

spezi'ell I. *adj.* especial; particular; *~e Angabe* especificación *f*; *auf Ihr ~es Wohl!* ¡a su salud!; **II.** *adv.* especialmente, en especial; en particular; *et. ~ angeben* especificar a/c., pormenorizar a/c.

'**Spezies** [-tsĭɛs] *f* (*-*; *-*) especie *f*; *Arith.*: *die vier ~* las cuatro reglas.

Spezifikati'on *f* especificación *f*.

spe'zifisch *adj.* específico; *~es Mittel Phar.* específico *m*; *Phys. ~es Gewicht* peso específico; *~e Wärme* calor específico.

spezifi'zier|en (*-*) *v/t.* especificar; detallar; 2**en** *n*, 2**ung** *f* especificación *f*; relación *f* detallada.

'**Sphär|e** *f* esfera *f*; (*Milieu*) ambiente *m*; **~enmusik** *f* (*0*) armonía *f* de las esferas; 2**isch** *adj.* esférico.

Sphäro'id *n* (*-es*; *-e*) esferoide *m*.

Sphinx [sfiŋks] *f* (*-*; *-e*) esfinge *f*.

'**Spick|aal** *m* (*-es*; *-e*) anguila *f* ahumada; 2**en** *v/t. Kochk.* mechar; *fig.* llenar (*mit* de); *Sch.* copiar disimuladamente; (*bestechen*) sobornar, F untar la mano (*j-n* a alg.); *gut gespickte Börse* bolsa bien repleta; *von Pfeilen gespickt* (*Köcher*) lleno (*od.* repleto) de flechas; **~gans** *f* (*-*; *⸗e*) ganso *m* ahumado; **~nadel** *f* (*-*; *-n*) aguja *f* de mechar; **~zettel** *Sch. fig.* chuleta *f*.

'**Spiegel** *m* espejo *m*; (*Schrank*2) luna *f*; (*Pfeiler*) espejo *m* de entrepaño; ⚕ espéculo *m*; (*Reflektor*) reflector *m*; (*Fenster*2) espejo *m* móvil de ventana; (*Ankleide*2) espejo *m* de tocador; (*Türfüllung*) panel *m*; *e-r Flüssigkeit*: nivel *m*; (*Meeres*2) nivel *m* del mar; (*Rockaufschlag*) solapa *f*; ⚔ (*Kragen*2) distintivo *m* del cuello; *fig.* ⚓ *e-s Schiffes*: popa *f*; *Typ.* (*Satz*2) justificación *f*; *der Schießscheibe*: centro *m* del blanco; *Jgdw.* (*des Rotwildes*) mancha *f* clara trasera; *fig. das wird er sich nicht hinter den ~ stecken* no olvidará la lección recibida; **~belag** *m* (*-es*; *0*) capa *f* de azogue; **~bild** *n* (*-es*; *-er*) imagen *f* reflejada en un espejo; (*Täuschung*) espejismo *m*; 2**blank** *adj.* (*0*) terso como un espejo; (*glänzend*) brillante; pulido; **~ei** *n* (*-es*; *-er*) huevo *m* al plato; **~fernrohr** *n* (*-es*; *-e*) telescopio *m* catóptrico; **~fläche** *f* superficie *f* absolutamente lisa; espejo *m*; **~folie** *f* azogue *m*; **~glas** *n* (*-es*; *⸗er*) cristal *m* de espejo *bzw.* para espejos; luna *f*; **~glasschleifer** *m* pulidor *m* de lunas para espejos; 2**glatt** *adj.* (*0*) como un espejo; 2**gleich** ✗ *adj.* (*0*) simétrico; **~gleichheit** ✗ *f* (*0*) simetría *f*; **~karpfen** *Ict. m* carpa *f* lisa; **~lehre** *f* (*0*) *Opt.* catóptrica *f*; **~mikroskop** *n* (*-s*; *-e*) microscopio *m* con reflector.

'**spiegeln** (*-le*) **1.** *v/i.* (*schillern*) espejear; (*glänzen*) relucir, resplandecer; **2.** *v/t.* (*zurückstrahlen*) reflejar; **3.** *v/refl.*: *sich ~* reflejarse (*in dat.* en); (*sich im Spiegel betrachten*) mirarse en el espejo.

'**Spiegel...**: **~pfeiler** *m* espejo *m* de entrepaño; **~reflexkamera** *Phot. f* (*-*; *-s*) cámara *f* de espejo (reflector); **~revers** *m* (*-*; *-*) solapa *f* de seda; **~saal** *m* (*-es*; *0*) *in Versailles*: Sala *f* de los Espejos; **~scheibe** *f* luna *f* de espejo; cristal *m*; **~schleifer** *m* pulidor *m* de espejos; **~schrank** *m* (-*es*; *¨e*) armario *m* de luna; **~schrift** *f* (*0*) escritura *f* invertida; escritura *f* en espejo; **~sextant** *Astr. m* (-*en*) sextante *m* con espejo; **~teleskop** *n* (-*s*; -*e*) telescopio *m* catóptrico; **~ung** *f* reflejo *m*; *im Wasser usw.*: espejeo *m*; (*Luft*2) espejismo *m*.

Spiel *n* (-*es*; -*e*) juego *m*; *Thea.* (*Stück*) pieza *f* teatral, (*Vorführung*) representación *f*, *des Darstellers*: interpretación *f*, *e-r Truppe*: actuación *f*; ♪ (*Anschlag des Spielers*) pulsación *f*, (*Vortrag*) ejecución *f*; *Sport*: partido *m*; (*Partie*) partida *f*; ⊕ (*Gang der Maschine*) juego *m*; (*Arbeits*2) fase *f*; ciclo *m*; (*Börsen*2) especulación *f* de Bolsa; *fig.* (*~ball*) juguete *m*; (*Leichtfertigkeit*) juego *m* de niños; *~karten* baraja *f*; *ein ~* (*e-e Partie*) *machen* jugar una partida; *falsches ~* juego con trampas, *fig.* doble juego; *fig. doppeltes ~ treiben* jugar con dos barajas; *Fußball*: *gefährliches* (*unfaires*; *faires*; *hartes*) *~* juego peligroso (sucio; limpio; duro); *sein ~ mit j-m treiben fig.* jugar con alg.; burlarse de alg.; *hohes ~* (*Fußball*) juego alto, *beim Glücksspiel*: juego fuerte; *fig. leichtes ~ haben* no encontrar dificultades; ganar con facilidad; F ser como coser y cantar; *gewonnenes ~ haben* tener ganada la partida; *j-m freies ~ lassen* dejar manos libres a alg.; *das ~ aufgeben* abandonar la partida; *das ~ verloren geben* dar por perdida la partida; resignarse; *ein ~ der Winde sein* ser juguete (*od.* estar a merced) del viento; *aufs ~ setzen* poner en juego; *fig.* (*riskieren*) arriesgar; *sein Leben aufs ~ setzen* arriesgar (*od.* jugarse) la vida; *alles aufs ~ setzen* jugarse el todo por el todo; *im ~ sein*; *auf dem ~ stehen* estar en juego; *aus dem ~ lassen* no poner en juego, (*beiseite lassen*) dejar aparte, no mezclar en el asunto, F no meter en líos; et. *ins ~ bringen* poner en juego a/c.; *ins ~ kommen* entrar en juego; *s-e Hand im ~ haben* intervenir (*od.* F estar metido) en un asunto; F andar en el ajo; *das ~ ist aus* se ha terminado el juego; *Sport*: *wie steht das ~?* ¿cómo va el tanteo?; *das ~ steht 3 zu 2* va ganando ... por tres a dos; *das ~ steht 1 zu 1* hay empate a uno; *gute Miene zum bösen ~ machen* poner a mal tiempo buena cara; hacer de tripas corazón.

ˈ**Spiel...**: **~art** *f* manera *f* (*od.* modo *m*) de jugar; *Sport*: *a.* técnica *f* del juego; ⚘ *Zoo.* variedad *f*; **~automat** *m* F (-*en*) tragaperras *m*; **~ball** *m* (-*es*; *¨e*) pelota *f*; *fig.* juguete *m*; **~bank** *f* casa *f* de juego; **~bein** *Escul. n* (-*es*; -*e*) pierna *f* desapoyada; **~brett** *n* (-*es*; -*er*) (*Damebrett*) damero *m*; (*Schachbrett*) tablero *m* de ajedrez; **~dauer** *f* (*0*) *Sport*: duración *f* del partido; **~dose** ♪ *f* caja *f* de música.

ˈ**spielen I.** *v/t. u. v/i.* jugar; (*tändeln*) juguetear; *Handlung*: desarrollarse; *Theaterstück*: representar; *Billard, (Karten, Schach, Tennis usw.) ~* jugar al billar (a las cartas *od.* a los naipes, al ajedrez, al tenis *etc.*); ♪ *ein Instrument ~* tocar un instrumento musical; *Flöte* (*Geige, Klavier usw.*) *~* tocar la flauta (el violín, el piano *etc.*); *e-n Walzer ~* tocar un vals; *e-n Film ~* proyectar una película; *e-e Rolle ~* desempeñar un papel, *Thea. a.* interpretar (*od.* representar) un papel; *Theater ~ Thea.* representar una obra teatral; *fig.* hacer (la) comedia; *Trumpf ~* (*Kartenspiel*) jugar un triunfo; *den großen Mann ~* darse aires de gran señor; *den Kranken ~* (*vortäuschen*) simular estar enfermo; hacerse el enfermo; *den Dummen ~* F hacerse el tonto; *j-m e-n Streich ~* jugar a alg. una mala pasada; *hoch* (*niedrig*) *~ beim Glücksspiel*: jugar fuerte (bajo); *falsch ~* jugar mal; ♪ desafinar; tocar mal; *fig. ~ lassen* poner en juego; *s-e Beziehungen ~ lassen* tocar todos los resortes; *an der Börse ~* jugar a la Bolsa; *diese Farbe spielt ins Blau* este color tira a azul; *in allen Farben ~* irisar, *Diamanten*: brillar con mil destellos; *j-m et. in die Hände ~* secundar el juego de alg.; entregar a/c. a alg.; *mit j-m ~* jugar con alg. (*a. fig.*); *nicht mit sich ~ lassen* no entender de bromas; no tolerar que se juegue con uno; *fig. mit dem Feuer ~* jugar con fuego; *mit dem Gedanken ~, zu ...* (*inf.*) acariciar la idea de ... (*inf.*); *mit s-r Gesundheit ~* jugar con la salud; *mit der Puppe ~* jugar a las muñecas; *mit den Worten ~* hacer juegos de palabras; *um et. ~* jugarse a/c.; (*wetten*) *a.* apostar a/c.; ♪ *vom Blatt ~* repentizar; *die Szene spielt sich in X. ab Thea.* la acción se desarrolla en X.; *Thea. heute wird nicht gespielt* hoy no hay función; *ich möchte wissen, was da gespielt wird* quisiera saber lo que se oculta detrás de todo eso; *mit gespielter Gleichgültigkeit* con fingida indiferencia; **II.** 2 *n* → *Spiel*; **~d** *fig. adv.*: *~ lernen* aprender jugando; *es ist ~ leicht* es sencillísimo (*od.* muy fácil); no cuesta ningún trabajo; F es coser y cantar *od.* pan comido.

ˈ**Spieler** *m* jugador *m*; *Thea.* actor *m*; **~in** *f* jugadora *f*; *Thea.* actriz *f*.

Spieleˈrei *f* juego *m*; (*Zeitvertreib*) pasatiempo *m*; divertimiento *m*; (*Leichtigkeit*) juego *m* de niños; (*Kinderei*) niñería *f*.

ˈ**Spiel...**: **~ergebnis** *n* (-*ses*; -*se*) *Sport*: resultado *m* (del partido); 2**erisch** *adj.* juguetón; (*tändelnd*) frívolo; ligero; **~feld** *n* (-*es*; -*er*) *Sport*: campo *m* de juego (*od.* de deportes); *Am.* cancha *f*; *Tennis*: pista *f*, cancha *f*; **~film** *m* (-*es*; -*e*) película *f* de largo metraje; **~folge** *f* programa *m*; **~führer** *m Sport*: capitán *m* (del equipo); **~gefährte** *m* (-*n*) compañero *m* de juegos; **~gefährtin** *f* compañera *f* de juegos; **~geld** *n* (-*es*; -*er*) (*Einsatz*) puesta *f*; **~gewinn** *m* (-*es*; -*e*) ganancia *f* en el juego; **~hälfte** *f Fußball*: campo *m*; (*Zeit*) primer *bzw.* segundo tiempo; **~hölle** *f* garito *m*, F timba *f*; **~kamerad** *m* (-*en*) → *Spielgefährte*; **~kameradin** *f* → *Spielgefährtin*; **~karte** *f* naipe *m*, carta *f*; **~kasino** *n* (-*s*; -*s*) casa *f* de juego; **~klub** *m* (-*s*; -*s*) club *m* de jugadores; **~leidenschaft** *f* pasión *f* del juego; **~leiter** *m Film, Thea.* director *m* artístico (*od.* de escena); *Sport*: árbitro *m*; **~leitung** *f Film, Thea.* dirección *f* artística; **~leute** *pl.* músicos *m/pl.*; **~mann** *m* (-*es*; -*leute*) *im Mittelalter*: juglar *m*; **~mannszug** ⚔ *m* (-*es*; *¨e*) banda *f* de música; **~marke** *f* ficha *f*; **~plan** *Thea. m* (-*es*; *¨e*) programa *m* (de la temporada); (*Repertoire*) repertorio *m*; **~platz** *m* (-*es*; *¨e*) (*Kinder*2) lugar *m* de recreo infantil; (*Schulhof*) patio *m* de recreo; *Sport*: → *Spielfeld*; **~ratte** F *f* jugador *m* empedernido; **~raum** *m* (-*es*; *0*) espacio *m* (libre); amplitud *f*; *fig.* (*Spanne*) margen *m*; (*Freiheit*) libertad *f*; (*Bewegungsfreiheit*) libertad *f* de movimiento; ⊕ juego *m*; *fig. freien ~ haben* tener campo libre; *~ lassen* dejar margen para; dar (amplio) vuelo a; **~regel** *f* (-; -*n*) regla *f* de juego; **~sachen** *pl.* juguetes *m/f*; **~schuld** *f* deuda *f* de juego; **~schule** *f* jardín *m* de la infancia; escuela *f* de párvulos; **~sucht** *f* (*0*) pasión *f* del juego; **~teufel** *m* demonio *m* del juego; **~tisch** *m* (-*es*; -*e*) mesa *f* de juego; *in Spielhäusern*: tapete *m* verde; **~trieb** *m* (-*es*; *0*) instinto *m* del juego; **~uhr** *f* (*Spieldose*) caja *f* de música; (*Uhr*) reloj *m* de música; **~verbot** *Sport n* (-*es*; -*e*) suspensión *f*; **~verderber(in** *f*) *m* aguafiestas *m/f*; **~vereinigung** *Sport f* club *m* deportivo; **~verlängerung** *Sport f* prórroga *f* (del partido); **~verlust** *m* (-*es*; -*e*) pérdida *f* en el juego; **~waren** *pl.* juguetes *m/pl.*; **~warengeschäft** *n* (-*es*; -*e*), **~warenhandlung** *f* juguetería *f*; **~warenhändler** *m* comerciante *m* en juguetes; **~warenindustrie** *f* industria *f* del juguete; **~werk** *n* (-*es*; -*e*) mecanismo *m* de una caja de música; **~wut** *f* (*0*) → *Spielsucht*; **~zeit** *f* hora *f* del juego; *Sport*: hora *f* del partido; (*Spieldauer*) duración *f* del partido; *Thea.* temporada *f* (teatral); **~zeug** *n* (-*es*; -*e*) juguete *m*; **~zeug-eisenbahn** *f* tren *m* de juguete; **~zeugfabrikation** *f* fabricación *f* de juguetes; **~zeughandel** *m* (*0*) comercio *m* de juguetes; **~zimmer** *n* cuarto *m* de juego; *für Kinder*: cuarto *m* de los niños.

ˈ**Spiere** ⚓ *f* percha *f*; botalón *m*.

ˈ**Spieß** *m* (-*es*; -*e*) pica *f*; (*Lanze*) lanza *f*; (*Wurf*2) dardo *m*; venablo *m*; (*Jagd*2) jabalina *f*; (*Brat*2) asador *m*; ⚔ (*Hauptfeldwebel*) F mandamás *m*; *an den ~ stecken* espetar; *fig. den ~ umkehren* redargüir, volver contra otro sus propios argumentos; *er schreit wie am ~* grita como un condenado; **~bürger** *fig. m*, 2**bürgerlich** *adj.* burgués *m* mezquino; **~bürgertum** *n* (-*s*; *0*) espíritu *m* burgués; burguesismo *m* mezquino; 2**en** (-*t*) *v/t.* atravesar (*od.* traspasar) con la pica *bzw.* lanza; *an den Bratspieß*: espetar; **~er** *m Jgdw.* venado *m* de dos años; F → *Spießbürger*; **~geselle** *m* (-*n*) cómplice *m*, F compinche *m*; **~glanz** *Min. m* (-*es*; -*e*) antimonio *m*; antimonita *f*; 2**ig** *adj.* burgués; (*be-

schränkt) de cortos alcances; (*engherzig*) estrecho de miras; mezquino; ~**rute** *f* baqueta *f*; ~*n laufen fig.* pasar por entre dos filas de curiosos.

Spill ⚓ *n* (-*es*; -*e*) cabrestante *m*.

spi'nal *adj.*: ~*e Kinderlähmung* ⚕ parálisis *f* infantil, poliomielitis *f*.

Spi'nat ♀ *m* (-*es*; -*e*) espinaca *f*, espinacas *f*/*pl*.

Spind *m*/*n* (-*es*; -*e*) armario *m* [(estrecho).]

'Spindel *f* (-; -*n*) huso *m*; ⊕ (*Zapfen*) pivote *m*; (*Wellbaum*) árbol *m*; (*Achse*) eje *m*; *Spinnerei*: (*Spule*) bobina *f*; *an Uhren*: escape *m*; (*Treppen*2) árbol *m* de escalera; ⚗ (*Hydrometer*) hidrómetro *m*; ~**baum** ♀ *m* (-*es*; ⸚*e*) evónimo *m*, bonetero *m*; ~**beine** F *pl.* piernas *f*/*pl.* largas y flacas; 2**dürr** *adj.* (*0*) enjuto de carnes; F delgado como un fideo; 2**förmig** *adj.* fusiforme, en forma de huso; ~**presse** *f* prensa *f* de tornillo; ~**stock** ⊕ *m* (-*es*; ⸚*e*) cabezal *m* de husillo.

Spi'nett ♪ *n* (-*es*; -*e*) espineta *f*.

'Spinne *Zoo. f* araña *f*.

'spinnefeind *adj.*: *j-m* ~ *sein* ser enemigo mortal de alg.

'spinnen I. (*L*) **1.** *v*/*t.* hilar; *fig. Intrigen*: tramar, urdir; **2.** *v*/*i. Katze*: ronronear; (*phantasieren*) fantasear; F *du spinnst wohl*? ¡tú no estás bien de la cabeza!; *der spinnt ja* está majareta; **II.** 2 *n* hilado *m*; *der Katze*: ronroneo *m*; 2**gewebe** *n* tela *f* de araña, telaraña *f*.

'Spinner *m* hilandero *m*; (*Schmetterling*) esfinge *f*, bómbice *m*; F (*Narr*) majareta *m*; chalado *m*.

Spinne'rei *f* hilandería *f*, fábrica *f* de hilados.

'Spinnerin *f* hilandera *f*.

'Spinn...: ~**gewebe** *n* telaraña *f*, tela *f* de araña; ~**maschine** *f* máquina *f* de hilar, hiladora *f*; ~**rad** *n* (-*es*; ⸚*er*) torno *m* de hilar; ~**rocken** *m* rueca *f*; ~**stoff** *m* (-*es*; -*e*) materia *f* hilable; ~**stube** *f* cuarto *m* de las hilanderas; ~**stuhl** *m* (-*es*; ⸚*e*) telar *m* de hilar; ~**webe** *f* → *Spinngewebe*.

spinti'sieren (-) *v*/*i.* (*grübeln*) cavilar (*über ac.* sobre); fantasear; (*klügeln*) sutilizar; cavilar.

Spion(in *f*) [-i'o:n] *m* (-*es*; -*e*) espía *m*/*f*; (*Spiegel*) espejo *m* móvil de ventana.

Spio'nage [-o'na:ʒə] *f* espionaje *m*; ~**abwehr** *f* (*0*) contraespionaje *m*; ~**abwehrdienst** *m* (-*es*; -*e*) servicio *m* de contraespionaje; ~**dienst** *m* (-*es*; -*e*) servicio *m* de espionaje; ~**netz** *n*, ~**ring** *m* (-*es*; -*e*) red *f* de espionaje; *e-n* ~ *zerschlagen* desarticular una red de espionaje; 2**verdächtig** *adj.* sospechoso de espionaje.

spio'nieren (-) *v*/*i.* espiar; → *ausspionieren*; *schnüffeln*.

Spioniere'rei *f* espionaje *m*.

Spi'räe ♀ *f* espirea *f*.

spi'ral *adj.* espiral.

Spi'ral...: ~**bohrer** *m* broca *f* espiral; ~**e** *f* espiral *f*; ⩓ voluta *f*; *e-r Uhr*: espiral *f*; ~**feder** *f* (-; -*n*) resorte *m* espiral; *der Uhr*: espiral *f*; 2**förmig** *adj.* espiral; (*schraubenförmig*) helicoidal; ~**linie** *f* espiral *f*; ~**nebel** *Astr. m* nebulosa *f* espiral.

Spiri'tis|mus [ʃp-; sp-] *m* (-; *0*) espiritismo *m*; ~**t(in** *f*) *m* (-*en*) espiritista *m*/*f*; 2**tisch** *adj.* espiritista.

Spiritua'lis|mus *m* (-; *0*) espiritualismo *m*; ~**t** *m* (-*en*) espiritualista *m*; 2**tisch** *adj.* espiritualista.

Spiritu'osen *pl.* licores *m*/*pl.*; bebidas *f*/*pl.* espirituosas *bzw.* alcohólicas.

'Spiritus *m* (-; -*se*) alcohol *m*; (*Weingeist*) espíritu *m* de vino; *denaturierter* ~ alcohol desnaturalizado; ~**brenne'rei** *f* destilería *f*; ~**kocher** *m* infernillo *m* de alcohol; ~**lack** *m* (-*es*; -*e*) barniz *m* a base de alcohol; ~**lampe** *f* lámpara *f* de alcohol.

Spiro'chäte *Bio. f* espiroqueta *f*.

Spi'tal *n* (-*s*; ⸚*er*) hospital *m*; (*Armenhaus*) asilo *m*; ~**schiff** *n* (-*es*; -*e*) buque-hospital *m*.

Spitz *m* (-*es*; -*e*) *Zoo.* lulú *m*; F (*leichter Rausch*) → *Schwips*.

spitz *adj.* agudo (*a.* ∢ *Winkel*); puntiagudo; (*geschärft*) afilado; ♀ acuminado; (*dünn*) delgado; ~ *auslaufen* terminar en punta; *fig.* (*bissig, boshaft*) mordaz, cáustico; acerbo; picante; F *et.* ~*kriegen* entender *od.* comprender a/c.; notar a/c.

'Spitz...: ~**axt** ⚒ *f* (-; ⸚*e*) pico *m*; ~**bart** *m* (-*es*; ⸚*e*) barba *f* en punta; *nur am Kinn*: pera *f*, perilla *f*; ~**bergen** *Geogr. n* Spitzberg *m*; ~**bogen** ⩓ *m* (-*s*; ⸚) ojiva *f*, arco *m* ojival; ~**bogenfenster** *n* ventana *f* ojival; ~**bogenstil** *m* (-*es*; *0*) estilo *m* ojival; 2**bogig** *adj.* ojival; ~**bube** *m* (-*n*) (*Dieb*) ladrón *m*; (*Taschendieb*) ratero *m*, F randa *m*; (*Schelm*) pícaro *m*; pillo *m*; tunante *m*; *bsd. Kinder*: F granuja *m*, pilluelo *m*, pillete *m*; ~**bubengesicht** *n* (-*es*; -*er*) cara *f* de pícaro (*od.* de pillo); ~**bubenstreich** *m* (-*es*; -*e*) picardía *f*; bellaquería *f*; F granujada *f*; trastada *f*; ~**bübin** *f* pícara *f*; 2**bübisch** *adj.* de pícaro; de pillo.

'Spitze *f* punta *f*; (*äußerstes Ende*) extremo *m*; extremidad *f*, *bsd. v. Tau usw.*: cabo *m*; *e-r Feder*: punto *m*, puntos *m*/*pl.*; (*Turm*2) aguja *f*; (*Finger*2) punta *f* del dedo; (*Giebel*2, *Dach*2) remate *m*; (*Berg*2) cima *f*, cumbre *f*; pico *m*; (*Baum*2) cima *f*, copa *f*; (*Zinken*) dientes *m*/*pl.*; (*Kinn*2) barbilla *f*; (*Schuh*2) puntera *f*; *e-r Lanze, e-r Nadel*: punta *f*; ∢ (*Dreiecks*2) vértice *m*; (*Lungen*2) vértice *m* del pulmón; (*Herz*2) punta *f* del corazón; (*Zigaretten*2) boquilla *f*; ⚔ (*Vorhut*) vanguardia *f*, *e-r Kolonne, Front*: frente *m*; *e-r Pyramide*: vértice *m*; (*Geweih*2) punta *f*; *e-s Unternehmens*: dirección *f*; (*Gewebe*) encaje *m*, puntas *f*/*pl.*; (*Seiden*2) blonda *f*; (*Überschuß*) excedente *m*; *die* ~*n im Verkehr*: las horas punta; *die* ~*n* (*hervorragende Persönlichkeiten*) las notabilidades; *die* ~*n der Gesellschaft* la crema de la sociedad; *die* ~ *abbrechen* despuntar; *an der* ~ *sein* estar a la cabeza (*a. Sport*); *an der* ~ *liegen Sport*: ir en cabeza; llevar la delantera; *an der* ~ *stehen* estar al frente (*von* de); *an die* ~ *treten* ponerse a la cabeza (*gen.* de); ponerse al frente (*gen.* de); *fig.*

(*Pointe*) agudeza *f*; (*Anspielung*) alusión *f*; (*Stichelei*) indirecta *f*; *das ist e-e* ~ *gegen Sie* eso va por usted; *die* ~ *bieten* enfrentarse con; hacer frente a; arrostrar (*ac.*); desafiar (*ac.*); *die Dinge auf die* ~ *treiben* extremar (*od.* llevar hasta el extremo) las cosas; exagerar.

'Spitzel *m* (*Polizei*2) agente *m* de la policía secreta; (*Zwischenträger*) confidente *m*; F soplón *m*; (*Lock*2) agente *m* provocador; (*Spion*) espía *m*; 2**n** (-*le*) *v*/*i.* espiar.

'spitzen (-*t*) *v*/*t.* aguzar; (*schärfen*) afilar; *Bleistift*: sacar punta a; *den Mund* ~ hacer remilgos; *die Ohren* ~ aguzar el oído; *fig. sich auf et.* ~ (*ac.*) codiciar a/c.; desear con ansia a/c.; contar con a/c.

'Spitzen...: *in Zssg(n)* (*Höchst...*) máximo; (*Haupt...*) principal; *Handarbeit*: de encaje(s); ~**besatz** *m* (-*es*; ⸚*e*) guarnición *f* de encajes; ~**einsatz** *m* (-*es*; ⸚*e*) entredós *m* de encaje; ~**fabrikation** *f* fabricación *f* de encajes; ~**geschwindigkeit** *f* velocidad *f* máxima; ~**gruppe** *f* *Sport*: pelotón *m* de cabeza; ~**kandidat** *m* (-*en*) candidato *m* principal; ~**kleid** *n* (-*es*; -*er*) vestido *m* guarnecido de encajes; ~**klöppel** *m* bolillo *m*; ~**klöppler(in** *f*) *m* encajero (-a *f*) *m*; ~**kragen** *m* cuello *m* de encaje; ~**leistung** *f* *Sport*: marca *f*; (*Rekord*) *angl.* record *m*; ⊕ rendimiento *m* máximo; *e-r Maschine*: potencia *f* máxima; ~**lohn** *m* (-*es*; ⸚*e*) salario *m* máximo; ~**mannschaft** *Sport f* equipo *m* de gran clase; pelotón *m* de cabeza; ~**organisation** *f* organización *f* central; ~**reiter** *Sport m* jinete *m* delantero; ~**strom** ⚡ *m* (-*es*; ⸚*e*) corriente *f* de punta; ~**tänzerin** *f* danzarina *f* (*od.* bailarina *f*) de puntillas; ~**tuch** *n* (-*es*; ⸚*er*) pañuelo *m* de encaje; ~**verband** *m* (-*es*; ⸚*e*) asociación *f* central; ~**zacke** *f* pico *m* (*od.* punta *f*) de encaje; ~**wert** *m* (-*es*; -*e*) valor *m* máximo.

'spitz...: ~**findig** *adj.* sutil; 2**findigkeit** *f* sutileza *f*; sutilidad *f*; 2**geschoß** *n* (-*sses*; -*sse*) proyectil *m* puntiagudo *od.* cilindro-cónico; 2**glas** *n* (-*es*; ⸚*er*) copa *f* (alta) para champaña; 2**hacke** *f*, 2**haue** *f* pico *m*; 2**hammer** *m* martillo *m* de puntas; ~**ig** *adj.* → *spitz*; 2**kopf** *m* (-*es*; ⸚*e*) cabeza *f* puntiaguda; ⊕ cabeza *f* de remache cónica; 2**kühler** *Auto. m* radiador *m* corta-viento; 2**maus** *Zoo. f* (-; ⸚*e*) musaraña *f*, musgaño *m*; 2**meißel** *m* cincel *m* puntiagudo; *Escul.* cincel *m*; 2**name** *m* (-*ns*; -*n*) apodo *m*, mote *m*; 2**nase** *f* nariz *f* puntiaguda; 2**säule** *f* obelisco *m*; ~**wink(e)lig** ∢ *adj.* acutángulo; 2**zange** *f* tenazas *f*/*pl.* de puntas.

'Spleen *m* (-*s*; -*s*) esplín *m*; (*Verschrobenheit*) extravagancia *f*, excentricidad *f*; 2**ig** *adj.* (*verschroben*) extravagante; F chiflado.

'Spleiß|e *f* ⚓ ayuste *m*; (*Splitter*) astilla *f*; 2**en** (*L*) **1.** *v*/*t.* hender, rajar; (*Tauende*) ⚓ ayustar; (*Kabel*) empalmar; *Met.* refinar; **2.** *v*/*i.* henderse, rajarse; ~**ung** *f* (*v. Tauenden*) ayuste *m*; (*v. Kabeln*) empalme *m*.

splen'did *adj.* (*0*) (*prächtig*) espléndido, magnífico; (*freigebig*) liberal.
'Splint *m* (*-es; -e*) ⊕ clavija *f*; **2en** (*-e-*) ⊕ *v/t.* fijar con clavijas.
'spliss|en (*-ßt*) *v/t.* ⚓ (*v. Tauenden*) ayustar; **2en** *n*, **2ung** *f* ⚓ juntura *f* de cabos, ayuste *m*.
Splitt *m* (*-es; -e*) gravilla *f* triturada.
'Splitter *m* (*Holz2*) astilla *f*; *spitzer*: espina *f*; (*Glas2, Granat2, Stein2*) casco *m*; ⚕ (*Knochen2*) esquirla *f*; (*Bruchstück*) fragmento *m*; *Bib.* der ~ *im Auge des Nächsten* la paja en el ojo ajeno; **~bruch** ⚕ *m* (*-es; ⸚e*) fractura *f* conminuta; **2frei** *adj.* *Glas*: inastillable; **2ig** *adj.* lleno de astillas, astillado; rajadizo; **2n** (*-re*) **1.** *v/t.* hacer saltar en pedazos; astillar; (*spalten*) hender, rajar; **2.** (*sn*) *v/i.* (*in tausend Stücke*) estrellarse; (*sich spalten*) henderse, rajarse; **2nackt** *adj.* (*0*) en cueros (vivos), F en pelota; **~partei** *Pol. f* grupo *m* disidente de un partido; minoría *f* insignificante; **2sicher** *adj.* (*0*) ⚔ a prueba de cascos (de metralla); *Glas*: inastillable; **~wirkung** *f v. Geschossen*: efecto *m* del estallido.
Spon'deus *m* (*-; Spondeen*) espondeo *m*; (*Vers*) verso *m* espondaico.
spon'tan *adj.* espontáneo.
spo'radisch *adj.* esporádico.
'Spore ♀ *f* espora *f*, esporo *m*.
'Sporn *m* (*-es; Sporen*) espuela *f* (*a.* ♀); (*Schiffs2, Hahnen2, Brücken2*) espolón *m*; *fig.* acicate *m*, estímulo *m*; *die Sporen geben* espolear, dar de espuelas a; *fig. sich die Sporen verdienen* ganarse las espuelas; **2en** *v/t.* espolear; picar espuelas, dar de espuelas a; **~rad** ✈ *n* (*-es; ⸚er*) rueda *f* de cola; **~rädchen** *n* rodaja *f*, estrella *f* (de la espuela); **2streichs** *adv.* a rienda suelta; (*in großer Eile*) a toda prisa; a todo correr; a escape; ~ *entfliehen* huir a uña de caballo.
'Sport *m* (*-es; 0*) deporte *m*; *angl.* sport *m*; ~ *treiben* practicar el deporte; *der* ~ *am Sonntag* (*Zeitung, Radio*) el domingo deportivo; **~abzeichen** *n* insignia *f* deportiva; **~anlage** *f* campo *m* de deportes; **~anzug** *m* (*-es; ⸚e*) traje *m* de deporte (*angl.* de sport); **~arten** *f/pl.* deportes *m/pl.*; **~artikel** *m* artículo *m* para deporte; **~ausrüstung** *f* equipo *m* de deporte; **2begeistert** *adj.* entusiasta del deporte; **~bericht** *m* (*-es; -e*) reportaje *m* deportivo; crónica *f* deportiva; **~bericht-erstatter** *m* cronista *m* de deportes.
'Sport...: **~er-eignis** *n* (*-ses; -se*) acontecimiento *m* deportivo; **~ergebnisse** *n/pl.* resultados *m/pl.* deportivos; **~feld** *n* (*-es; -er*) campo *m* de deportes; (*Stadion*) estadio *m*; *Am.* cancha *f*; **~fest** *n* (*-es; -e*) fiesta *f* deportiva; **~flieger** *m* aviador *m* deportista; **~fliege'rei** *f* (*0*) aviación *f* deportiva; **~flugzeug** *n* (*-es; -e*) avioneta *f* (de deporte); **~freund(in** *f*) *m* (*-es; -e*) deportista *m/f*; **~geist** *m* (*-es; 0*) espíritu *m* deportivo; **~gelände** *n* campo *m* de deportes; **~geschäft** *n* (*-es; -e*) almacén *m* (*od.* tienda *f*) de artículos para deporte; **~halle** *f* sala *f* de deportes; **~hemd** *n* (*-es; -en*) camisa *f* de media manga; camisa *f* de sport; **~hose** *f* calzón *m* corto (para deporte); **~jacke** *f* chaqueta *f* ligera (*od.* de sport); (*Sweater*) suéter *m*; **~kleid** *n* (*-es; -er*) vestido *m* sencillo y ligero; vestido *m* de sport; **~kleidung** *f* ropas *f/pl.* para deporte; ropas *f/pl.* de sport; **~klub** *m* (*-s; -s*) club *m* deportivo; **~laufbahn** *f* carrera *f* deportiva; **~lehrer(in** *f*) *m* profesor(a *f*) *m* de educación física; **2lich** *adj.* deportivo; deportista; **~lichkeit** *f* (*0*) deportividad *f*; **~mantel** *m* (*-s; ⸚*) abrigo *m* ligero y sencillo; abrigo *m* de sport; **~mütze** *f* gorra *f* de deporte; gorra *f* inglesa; **~nachrichten** *pl.* noticias *f/pl.* deportivas; **~palast** *m* (*-es; ⸚e*) palacio *m* de los deportes; **~platz** *m* (*-es; ⸚e*) → *Sportfeld*; **~redakteur** *m* (*-s; -e*) redactor *m* deportivo; **~reportage** *f* reportaje *m* deportivo; **~resultate** *pl.* → *Sportergebnisse*; **~schuhe** *pl.* zapatos *m/pl.* cómodos y sencillos; zapatos *m/pl.* (de) sport; **~schule** *f* escuela *f* de deportes; **~smann** *m* (*-es; -leute*) deportista *m*; **~taucher** *m* buceador *m*, submarinista *m*; **~teil** *m* (*-es; -e*) *e-r Zeitung*: sección *f* deportiva; **~trikot** *n* (*-s; -s*) jersey *m*; suéter *m*; traje *m* de malla; **~verband** *m* (*-es; ⸚e*) asociación *f* deportiva; **~verein** *m* (*-es; -e*) sociedad *f* deportiva; **~wagen** *Auto. m* automóvil *m* de deporte; auto *m* modelo sport; deportivo *m*; **~welt** *f* (*0*) mundo *m* deportivo (*od.* de los deportes); **2widrig** *adj.* antideportivo; **~zeitung** *f* diario *m* deportivo.
'Spott *m* (*-es; 0*) burla *f*; (*Verhöhnung*) mofa *f*; (*beißender*) sarcasmo *m*; (*verächtlicher*) befa *f*, escarnio *m*, ludibrio *m*; (*verhüllter*) ironía *f*; (*witziger*) sátira *f*; *Rel.* blasfemia *f*; *s-n* ~ *mit j-m treiben* burlarse de alg.; ridiculizar a alg.; (*höhnisch*) mofarse (*od.* hacer mofa) de alg.; *der* ~ *der Leute sein* ser la irrisión de la gente; **~bild** *n* (*-es; -er*) caricatura *f*; **2billig** (*0*) **I.** *adj.* baratísimo; F *fig.* regalado, una ganga; **II.** *adv.* a precio irrisorio; F a precio tirado *od.* regalado; **~drossel** *Orn. f* (*-; -n*) (mirlo *m*) burlón *m*.
Spötte'lei *f* burla *f*; mofa *f*; F chunga *f*; chacota *f*.
'spötteln (*-le*) *v/i.* burlarse (*über ac.* de); reírse de.
'spotten (*-e-*) *v/i.*: ~ *über* (*ac.*) burlarse de; reírse de; (*lächerlich machen*) ridiculizar; (*höhnen*) hacer mofa de, mofarse de; *jeder Beschreibung* ~ ser indescriptible.
'Spötter *m* burlón *m*, F guasón *m*; *über Heiliges*: blasfemador *m*, blasfemo *m*; **~in** *f* burlona *f*; *über Heiliges*: blasfemadora *f*, blasfema *f*.
Spötte'rei *f* → *Spott*.
'Spott...: **~angebot** ✝ *n* (*-es; -e*) oferta *f* irrisoria, F ganga *f*; **~gedicht** *n* (*-es; -e*) sátira *f*, poema *m* satírico; *kleineres*: epigrama *m*; **~gelächter** *n* risa *f* burlona; **~geld** *n*: *für ein* ~ por un precio irrisorio.
'spöttisch *adj.* burlón; (*höhnisch*) mofador; (*verächtlich*) despreciativo, despectivo; (*beißend*) sarcástico; (*ironisch*) irónico; (*satirisch*) satírico; ~ *lächeln* sonreír burlonamente; sotorreírse.
'Spott...: **~lied** *n* (*-es; -er*) canción *f* satírica; **~lust** *f* (*0*) espíritu *m* sarcástico; carácter *m* burlón; **2lustig** *adj.* sarcástico; (de carácter) burlón; **~name** *m* (*-ns; -n*) mote *m*, apodo *m*; **~preis** *m* (*-es; -e*) precio *m* baratísimo; F precio *m* tirado; **~schrift** *f* sátira *f*; **~sucht** *f* (*0*) espíritu *m* burlón; **2süchtig** *adj.* sarcástico; burlón; **~vogel** *m* (*-s; ⸚*) *Orn.* → *Spottdrossel*; *fig.* burlón *m*, F guasón *m*.
sprach *pret. v. sprechen.*
'Sprach...: **~atlas** *m* (*-ses; -atlanten*) atlas *m* lingüístico; **~bau** *m* (*-es; 0*) construcción *f* *bzw.* estructura *f* de una lengua; **~begabung** *f* (*0*) intuición *f* lingüística; don *m* de lenguas; facilidad *f* para aprender idiomas; **~denkmal** *n* (*-s; ⸚er*) monumento *m* lingüístico *bzw.* literario.
'Sprache *f* (*Sprechvermögen*) palabra *f*, facultad *f* de hablar; (*e-s Volkes, Landes2*) lengua *f*; (*Idiom*) idioma *m*; (*Ausdrucksweise*) lenguaje *m*, *e-r Person*: manera *f* de hablar *od.* de expresarse; (*als Naturgabe*) habla *f*; (*Stimme*) voz *f*; (*Intonation*) entonación *f*; (*Aus2*) pronunciación *f*, *v. einzelnen Lauten*: articulación *f*; (*Mundart*) dialecto *m*; (*Jargon, Berufs2*) jerga *f*; (*Rotwelsch, Gauner2*) germanía *f*, argot *m*; (*Zigeuner2*) caló *m*; (*Stil*) *schriftlich*: estilo *m*, *mündlich*: dicción *f*; *alte* (*neuere; lebende; tote; fremde*) ~ lengua antigua (moderna; viva; muerta; extranjera); *e-e* ~ *beherrschen* poseer (*od.* dominar) un idioma; *die* ~ *verlieren* (*wiedergewinnen*) perder (recobrar) el habla; *der* ~ *beraubt* ⚕ afásico; *Verlust der* ~ ⚕ afasia *f*; *e-e offene* ~ *reden* hablar con franqueza; *das redet e-e deutliche* ~ eso habla por sí solo; *er spricht jetzt e-e ganz andere* ~ ha cambiado de tono; *mit der* ~ *nicht recht herauswollen* vacilar en (*od.* no atreverse a) hablar; *heraus mit der* ~! ¡explícate! *bzw.* ¡explíquese usted!; ¡vamos, habla *bzw.* hable!; F ¡desembucha!; *zur* ~ *kommen* llegar a discutirse (*od.* tratarse); *et. zur* ~ *bringen* someter a discusión a/c.; poner sobre el tapete a/c.
'Sprach...: **~eigenheit** *f*, **~eigentümlichkeit** *f* idiotismo *m*; *Sprachwendung*: modismo *m*; *amerikanische* (*deutsche; englische; französische; griechische; lateinische; portugiesische; spanische*) ~ americanismo (germanismo; anglicismo; galicismo; helenismo; latinismo; lusitanismo; hispanismo); **~enkampf** *m* (*-es; ⸚e*) antagonismo *m* lingüístico; **~enverwirrung** *f* confusión *f* de las lenguas; **~fehler** *m* defecto *m* de articulación; ⚕ disartria *f*; defecto *m* de fonación; *Gr.* falta *f* gramatical; solecismo *m*; **~forscher** *m* lingüista *m*; filólogo *m*; **~forschung** *f* (*0*) lingüística *f*; filología *f*; **~führer** *m* manual *m* de conversación; **~gebiet** *n* (*-es; -e*): *das spanische* ~ los países de habla española; **~gebrauch** *m* (*-es; 0*) uso *m* del idioma; **~gefühl** *n* (*-es; 0*)

intuición *f* lingüística; sentido *m* del idioma; comprensión *f* del genio de un idioma; **~gelehrte(r)** *m* lingüista *m*; filólogo *m*; **~genie** *n* (*-s*; *-s*) (persona *f* dotada de singular) talento *m* lingüístico; **~gewalt** *f* (*0*) grandilocuencia *f*; **2gewaltig** *adj.* grandilocuente; **2gewandt** *adj.* de palabra fácil; (*Redner*) diserto; elocuente; **~gewandtheit** *f* facilidad *f* de expresarse en un idioma; dominio *m* de idiomas; elocuencia *f*; **~grenze** *f* frontera *f* lingüística; **~insel** *f* (-; *-n*) islote *m* lingüístico; **~kenntnisse** *pl.* conocimientos *m/pl.* lingüísticos; conocimiento *m* de idiomas (extranjeros); **~kunde** *f* (*0*) filología *f*; **2kundig** *adj.* versado en lingüística; conocedor de un idioma *bzw.* de varios idiomas; (*vielsprachig*) polígloto, políglota; **~labor** *n* laboratorio *m* de idiomas; **~lähmung** ⚕ *f* afasia *f*; **~lehre** *f* gramática *f*; **~lehrer(in** *f*) *m* profesor(a *f*) *m* de idiomas; **2lich** *adj.* lingüístico; relativo al idioma *bzw.* al lenguaje; (*grammatisch*) gramatical; **2los** *adj.* privado del habla; (*stumm*) mudo; (*verblüfft*) atónito, estupefacto; ~ *dastehen* quedar atónito, F quedarse de una pieza; **~losigkeit** *f* (*0*) (*Stummheit*) mutismo *m*; ⚕ afasia *f*; (*Verblüfftheit*) estupefacción *f*; **~neuerung** *f* neologismo *m*; **~regel** *f* (-; *-n*) regla *f* gramatical; **~reinheit** *f* (*0*) pureza *f* del idioma; **2richtig** *adj.* correcto; **~rohr** *n* ⚓ (*-es*; *-e*) bocina *f*; megáfono *m*; (*Hörrohr*) tubo *m* acústico; (*Sprecher*) portavoz *m*; **~schatz** *m* (*-es*; *0*) vocabulario *m*; **~schnitzer** *m* desliz *m* gramatical; **~schule** *f* escuela *f* de idiomas; **~störung** ⚕ *f* disfasia *f*; **~studium** *n* (*-s*; *-studien*) estudio *m* de idiomas; lingüística *f*; filología *f*; **~unterricht** *m* (*-es*; *0*) enseñanza *f* de idiomas; ~ *erteilen* enseñar idiomas; dar clases de idioma; *deutscher* ~ lecciones de alemán; **~vergleichung** *f* filología *f* comparada; **~verstoß** *m* (*-es*; *¨e*) falta *f* gramatical, solecismo; **~werkzeug** *n* (*-es*; *-e*) órgano *m* de la fonación; **2widrig** *adj.* incorrecto; contrario a las reglas gramaticales; contrario al genio de la lengua; **~widrigkeit** *f* barbarismo *m*; **~wissenschaft** *f* (*0*) lingüística *f*; filología *f*; **~wissenschaftler** *m* lingüista *m*; filólogo *m*; **2wissenschaftlich** *adj.* lingüístico; filológico.

sprang *pret. v. springen.*

'Sprech|anlage *f* instalación *f* telemicrofónica, interfono *m*; **~art** *f* manera *f* (*od.* modo *m*) de hablar *od.* de expresarse; **~chor** *m* (*-es*; *¨e*) coro *m* hablado.

'sprechen I. (*L*) *v/t. u. v/i.* hablar; (*sich unterhalten*) conversar; (*sagen*) decir; (*aus~*) pronunciar; *mit j-m* ~ hablar con alg.; *j-n* ~ hablar a alg.; *über et.* (*ac.*) ~ hablar sobre (*od.* de) a/c., *Vortragender*: disertar sobre; ~ *von* hablar de; *Gebet*: rezar; *Gedicht*: recitar; *Wahrheit*: decir; *Rede, Urteil*: pronunciar; *e-e Sprache* ~ hablar un idioma; *spanisch* (*deutsch, englisch usw.*) ~ hablar español (alemán, inglés *etc.*); *Recht* ~ administrar justicia; *schuldig* ~ ⚖ condenar; *über j-n den Segen* ~ bendecir a alg.; dar (*od.* echar) la bendición a alg.; *laut* (*leise*) ~ hablar alto (bajo); hablar en voz alta (baja); *deutlich* ~ pronunciar bien, (*klar verständlich*) hablar claro *od.* claramente, F hablar en cristiano, (*offen*) hablar con franqueza; *undeutlich* ~ hablar confusamente, (*schnell, undeutlich*) farfullar; *zu* ~ *sein* recibir; admitir visita; estar visible (*für j-n* para alg.); estar (en casa); *für j-n* ~ *stellvertretend* hablar en lugar de alg., *zu s-n Gunsten*: hablar en favor de alg., interceder por alg.; *das spricht für sich selbst* eso habla por sí solo; *alle Anzeichen* ~ *dafür, daß ...* todo induce a creer que ...; *dagegen* ~ hablar en contra; *das spricht gegen ihn* eso va en contra de él; eso le desfavorece; *j-n zu* ~ *wünschen* desear hablar con alg.; *kann ich Sie kurz* ~? ¿podría hablar con usted un momento?; *ich muß erst mit m-m Anwalt* ~ tengo que consultar (*od.* hablar) antes con mi abogado; *er ist nicht zu* ~ no recibe (visita); está ocupado; *zu* ~ *sein auf* estar bien dispuesto hacia; *nicht gut zu* ~ *sein* estar de mal humor; *auf j-n nicht gut zu* ~ *sein* no querer oír hablar de alg.; no tener bien conceptuado a alg.; *mit sich selbst* ~ hablar entre sí; *mit sich* ~ *lassen* atender a razones; *von j-m gut* (*schlecht*) ~ hablar bien (mal) de alg.; *ich spreche von ihm* me refiero a él; *von et. anderem* ~ hablar de otra cosa; cambiar de conversación; ~ *wir nicht davon* no hablemos de eso; dejemos eso; *sie* ~ *nicht mehr miteinander* no se hablan (hace ya tiempo); *zu* ~ *kommen auf* (*ac.*) llegar a tratarse de; *wir* ~ *uns noch!* ¡ya nos veremos!; *die Verzweiflung spricht aus ihm* la desesperación le hace hablar así; *allgemein gesprochen* hablando en general; *unter uns gesprochen* entre nosotros sea dicho; hablando entre nosotros; **II.** 2 *n* (*Sprechvermögen*) don *m* de la palabra; habla *f*; (*Ausdrucksweise*) lenguaje *m*; **~d** *adj.* expresivo; (*vielsagend*) elocuente; (*überzeugend*) convincente; *~e Augen* ojos parleros; ~ *ähnlich sein* ser de un parecido sorprendente (*od.* asombroso); *Porträt*: estar hablando.

'Sprecher(in *f*) *m* (*Wortführer*) portavoz *m*; *im Dialog*: interlocutor(a *f*) *m*; (*Redner*) orador *m*; oradora *f*; *Radio*: locutor(a *f*) *m*; *Schule*: delegado *m*.

'Sprechfunk *m*, **~anlage** *f* radioteléfono *m*.

'Sprech...: ~gebühr *Tele. f* tarifa *f* telefónica; **~gesang** ♪ *m* (*-es*; *¨e*) recitado *m*; **~kapsel** *Tele. f* (-; *-n*) cápsula *f* del micrófono; **~rolle** *Thea., Film f*: papel *m* hablado; **~stunde** *f der Ärzte, Anwälte*: horas *f/pl.* de consulta; **~stundenhilfe** *f* ⚕ auxiliar *f* de consultorio; **~taste** *Tele. f* botón *m* de conversación; **~technik** *f* (*0*) (*Artikulation*) articulación *f*; (*Aussprache*) pronunciación *f*; **~trichter** *m* bocina *f* acústica; **~übungen** *pl.* ejercicios *m/pl.* de conversación; **~unterricht** *m* (*-es*; *0*) clases *f/pl.* de dicción; **~weise** *f* → *Sprechart*; **~zelle** *Tele. f* locutorio *m*, cabina *f* telefónica; **~zimmer** *n* despacho *m*; *e-s Arztes*: sala *f* de consulta; *des Klosters, im Gefängnis*: locutorio *m*.

'spreiten (*-e-*) *v/t.* extender.

'Spreiz|e *f* Δ puntal *m*; riostra *f*; codal *m*; *Gymnastik*: separación *f* lateral de las piernas; **2en** (*-t*) *v/t.* (*ausbreiten*) extender; *die Beine* ~ abrirse de piernas; F esparrancarse; *sich* ~ *fig.* pavonearse; **~ring** ⊕ *m* (*-es*; *-e*) anillo *m* extensible.

'Sprengbombe *f* bomba *f* rompedora.

'Sprengel *m* (*Amtsbezirk*) distrito *m*; *e-s Bistums*: diócesis *f*; (*Kirchspiel*) parroquia *f*.

'sprengen I. *v/t.* (*in die Luft* ~) volar, hacer saltar; *mit Dynamit*: dinamitar; (*explodieren lassen*) hacer estallar, explosionar, explotar; *Widerstand*: romper; *Schloß, Tür*: forzar; *Versammlung usw.*: disolver; *Menschenmenge*: dispersar; *Bank*: hacer saltar la banca; desbancar; (*be~*) rociar; *mit Wasser* ~ regar; *Wäsche*: rociar; *mit Weihwasser* ~ asperjar con agua bendita; **2.** (-; *sn*) *v/i.* galopar; lanzarse al galope; **II.** 2 *n* voladura *f*; destrucción *f* (por explosión); (*Be2*) riego *m*; aspersión *f*.

'Spreng...: ~er *m* (*Rasen2*) regador *m* de aspersión; **~flüssigkeit** *f* líquido *m* explosivo; **~geschoß** *n* (*-sses*; *-sse*) proyectil *m* explosivo; **~granate** *f* granada *f* rompedora; **~kammer** *f* (-; *-n*) cámara *f* de mina (para voladura); **~kapsel** *f* (-; *-n*) detonador *m*, fulminante *m*; cápsula *f* fulminante; **~kommando** ⚔ *n* (*-s*; *-s*) comando *m* de destrucción (por voladura); **~kopf** *m* (*-es*; *¨e*) *e-s Geschosses*: espoleta *f*; **~körper** *m* petardo *m*; cuerpo *m* explosivo; **~kraft** *f* (-; *¨e*) fuerza *f* explosiva; **~ladung** *f* carga *f* explosiva; **~loch** ⚒ *n* (*-es*; *¨er*) agujero *m* de mina; (*Bohrloch*) barreno *m*; **~mittel** *n* explosivo *m*; **~öl** *n* (*-es*; *0*) nitroglicerina *f*; **~patrone** *f* cartucho *m* explosivo; **~pulver** *n* pólvora *f* de mina; **~stoff** *m* (*-es*; *-e*) explosivo *m*; materia *f* explosiva; **~stoffattentat** *n* (*-es*; *-e*) atentado *m* con explosivos; **~stück** *n* (*-es*; *-e*) casco *m* de granada; **~trichter** *m* cráter *m*; **~trupp** *m* (*-s*; *-s*) → *Sprengkommando*; **~- und 'Kehrmaschine** *f* regadora-barredora *f*; **~ung** *f* voladura *f*; destrucción *f* (por explosión); *e-r Versammlung*: disolución *f*; *e-r Menschenmenge*: dispersión *f*; **~wagen** *m* camión *m* de riego; **~wedel** *m* hisopo *m*; **~wirkung** *f* efecto *m* explosivo; efecto *m* de la explosión; **~zünder** *m* detonador *m*.

'Sprenkel *m* (*Tüpfel*) mota *f*; (*Fleck*) mancha *f*; salpicadura *f*; *Vogelfang*: percha *f*; lazo *m*; **2ig** *adj.* moteado; salpicado; **2n** (*-le*) *v/t.* manchar; salpicar; (*marmorieren*) jaspear.

Spreu *f* (*0*) tamo *m*; *v. Getreide*: granzas *f/pl.*; (*Stroh*) paja *f* menuda; *die* ~ *vom Weizen sondern* separar el grano de la paja (*a. fig.*).

ˈ**Sprich|wort** *n* (*-es*; *⸚er*) proverbio *m*, adagio *m*; refrán *m*; **2wörtlich** *adj.* proverbial.

ˈ**sprießen I.** (*L*; *sn*) *v/i.* (*keimen*) germinar; (*hervor~*) nacer; crecer; *Knospen*: brotar; echar brotes; **II.** 2 *n* crecimiento *m*; germinación *f*; brote *m*.

Spriet ⚓ *n* (*-es*; *-e*) verga *f* de vela de abanico; (*Bug2*) bauprés *m*.

ˈ**Springbrunnen** *m* surtidor *m*; fuente *f* (monumental).

ˈ**springen** (*L*; *sn*) *v/i.* saltar; dar un salto; (*hüpfen*) brincar; (*bersten*) estallar; (*platzen*) reventar; (*sich spalten*) henderse; partirse; *Glas*: resquebrajarse, rajarse; saltar; *Haut, Mauer*: agrietarse; *Knospen*: abrirse; *Quelle*: brotar, manar; surtir; *Ball*: botar; rebotar; (*laufen*) correr; *ins Wasser*: zambullirse; *beim Lesen*: saltar(se) un renglón; *v. Tieren*: (*sich begatten*) cubrir; *aus dem Bett* ~ saltar de la cama; *das springt in die Augen* eso salta a la vista; eso es evidente; *ins Wasser* ~ tirarse al agua; *über e-n Graben* ~ saltar una zanja; ~ *lassen* (*Geld*) gastar a manos llenas; **~d** *adj.*: *fig.* der ~e *Punkt* el punto capital (*od.* esencial); F el busilis, el meollo de la cuestión.

ˈ**Springer**¹ *m Schach*: caballo *m*.

ˈ**Springer**² *m* saltador *m*; **~in** *f* saltadora *f*.

ˈ**Spring...**: **~flut** *f* marea *f* viva; **~hengst** *m* (*-es*; *-e*) caballo *m* padre (*od.* semental); **~insfeld** *fig. m* (*-es*; *0*) saltabardales *m*; **~kraft** *f* (*-*; *⸚e*) elasticidad *f*; **~kraut** ⚘ *n* (*-es*; *-kräuter*) balsamina *f*; **2lebendig** *adj.* vivaracho; **~maus** *Zoo. f* (*-*; *⸚e*) jerbo *m*; **~pferd** *n* (*-es*; *-e*) caballo *m* saltador; *Turngerät*: potro *m*; **~quelle** *f* surtidor *m*, fuente *f*, *Poes.* fontana *f*; **~reiter** *m* jinete *m*; **~seil** *n* (*-es*; *-e*) *der Kinder*: comba *f*.

ˈ**Sprinter** *m* (*Sport*) velocista *m/f*.

Sprit *m* (*-es*; *-e*) alcohol *m*; F (*Kraftstoff*) gasolina *f*.

ˈ**Spritz|beton** *m* (*-s*; *-s*) hormigón *m* proyectado; **~blech** *n* (*-es*; *-e*), **~brett** *n* (*-es*; *-er*) *Auto.* guardabarros *m*; **~düse** *f* inyector *m* (de chorro).

ˈ**Spritze** *f* (*Hand2*, *Klistier2*) jeringa *f*; ⚕ *a.* jeringuilla *f*; (*Feuer2*) bomba *f* de incendios; (*Garten2*) manga *f*; ⚕ (*Einspritzung*) inyección *f* (*geben* dar, poner).

ˈ**spritzen I.** (*-t*) **1.** *v/t.* (*mit der Spritze*) jeringar; (*ausstoßen*) lanzar, arrojar; proyectar; (*be~*) regar; (*besprengen*) regar; rociar, asperjar; (*herum~*) salpicar; (*zerstäuben*) pulverizar, vaporizar; (*lackieren mit Spritze*) barnizar a pistola; ⚕ inyectar; (*mit der Feuerspritze*) hacer funcionar la bomba; *Getränk*: mezclar con agua de Seltz; **2.** *v/i.* (*auf~*) brotar, surtir; (*heraus~*) salir a chorro; salir con ímpetu; ⚕ dar (*od.* poner) una inyección; (*herum~*) salpicar; *Feuerspritze*: manejar (la bomba de incendios); F (*sn*) (*eilen*) salir disparado; **II.** 2 *n* jeringazo *m*; (*Be2*) *mit Wasser*: riego *m*, *mit Schlamm usw.*: salpicadura *f*; (*Besprengung*) riego *m*; rociadura *f*, aspersión *f*; (*Zerstäuben*) pulverización *f*, vaporización *f*; ⚕ (*Ein2*) inyección *f*; **2haus** *n* (*-es*; *⸚er*) depósito *m* de bombas de incendios; **2meister** *m* jefe *m* de bomberos; **2rohr** *n* (*-es*; *-e*) tubo *m* de bomba; (*Hydrant*) boca *f* de riego; **2schlauch** *m* (*-es*; *⸚e*) manga *f*; ⚓ manguera *f*.

ˈ**Spritzer** *m* (*Fleck*, *Kot2*) salpicadura *f*; (*Tinten2*) borrón *m*.

ˈ**Spritz...**: **~fahrt** F *f* (pequeña) excursión *f*; jira *f*; **~flakon** *m/n* (*-s*; *-s*) vaporizador *m*; **~flasche** ⚗ *f* matraz *m* de lavado; **~guß** ⊕ *m* (*-sses*; *⸚sse*) fundición *f* inyectada; **~gußform** ⊕ *f* molde *m* para fundición inyectada; **2ig** *adj.* (*behend*) ágil; (*munter*) alegre; (*geistreich*) ingenioso; *Wein*: raspante; **2lackieren** (*-*) *v/t.* pintar al duco; **~lackierung** *f* barnizado *m* a pistola; pintura *f* al duco; **~leder** *Auto. n* guardabarros *m*; **~pistole** *f* pistola *f* para barnizado *bzw.* F para pintar; **~tour** F *f* → *Spritzfahrt*; **~verfahren** *n* procedimiento *m* al duco; **~vergaser** *m* carburador *m* de pulverización.

ˈ**spröd|e** *adj.* (*brüchig*) quebradizo; (*zerbrechlich*) frágil; *v. Metallen*: bronco; (*hart*) duro; (*starr*) tieso; (*aufgesprungen*) resquebrajado; agrietado; ~ *Haut* piel áspera; ~ *Stimme* voz bronca; *fig.* (*abweisend*) esquivo; reservado; *bsd. Mädchen*: melindroso, dengoso; ~ *tun* hacer dengues *od.* melindres; **2igkeit** *f* (*0*) fragilidad *f*; bronquedad *f*; dureza *f*; tiesura *f*; aspereza *f*; *fig.* esquivez *f*; reserva *f*; *bsd. bei Mädchen*: melindrería *f*.

sproß *pret. v. sprießen*.

Sproß (*-sses*; *-sse*) *m* ⚘ retoño *m* (*a. fig.*); renuevo *m*; vástago *m* (*a. Nachkomme*); (*Keim*) germen *m*.

ˈ**Sprosse** *f* (*Leiter2*) escalón *m*; (*Geweih*) mogote *m*.

ˈ**sprossen** (*-ßt*; *sn*) *v/i.* brotar; retoñar; echar renuevos; (*keimen*) germinar.

ˈ**Sprossenkohl** ⚘ *m* (*-es*; *-e*) col *f* de Bruselas.

ˈ**Sprößling** *m* (*-s*; *-e*) (*Sohn*) hijo *m*; (*Nachkomme*) descendiente *m*; *fig.* vástago *m*, retoño *m*.

ˈ**Sprotte** *f* sardinilla *f*; *Kieler* **~n** sardinas ahumadas.

ˈ**Spruch** *m* (*-es*; *⸚e*) (*Aus2*) dicho *m*; (*Sentenz*) sentencia *f*; (*Maxime*) máxima *f*; (*Sinn2*) aforismo *m*, adagio *m*; (*Bibel2*) versículo *m*, *Stelle*: pasaje *m* (bíblico); ⚖ sentencia *f*; fallo *m*; (*Entscheidung*) decisión *f*; *der Geschworenen*: veredicto *m*; (*Schieds2*) fallo *m* (*od.* laudo *m*) arbitral; (*Funk2*) mensaje *m* radiado; (*Trink2*) brindis *m*; *die Sprüche Salomonis* los Proverbios de Salomón; **~band** *n* (*-es*; *⸚er*) lema *m*; *bei Demonstrationen usw.*: pancarta *f*; **~kammer** *Pol. f* (*-*; *-n*) tribunal *m* depurador (*od.* de depuración); **2reif** *adj.* (*0*) ⚖ concluso para sentencia; visto para sentencia; ~ *werden lassen* dejar madurar (un asunto).

ˈ**Sprudel** *m* (*Getränk*) gaseosa *f*; (*Mineralwasser*) agua *f* mineral; (*Quelle*) hervidero *m*; (*Heilquelle*) manantial *m* de aguas medicinales, *heißer*: fuente *f* termal, aguas *f/pl.* termales; **~kopf** *m* (*-es*; *⸚e*) hombre *m* de vivo genio, F fuguillas *m*; **2n** (*-le*) *v/i.* (*hervor~*) surtir, brotar a borbotones; (*sieden*) hervir; borbotar; (*perlen*) burbujear; *fig.* (*hastig sprechen*) hablar a borbotones; farfullar; **~n** *n* borbor *m*; (*Perlen*) burbujeo *m*.

ˈ**sprüh|en 1.** *v/t.* (*ausstoßen*) lanzar; *Funken*: chisporrotear, echar chispas; *Flammen*: flamear, lanzar llamas; (*besprengen*) rociar; **2.** *v/i.* *Funken*: echar chispas, chispear (*a. fig.*); (*glitzern*) centellear (*a. fig.*); *Regen*: *es sprüht* está lloviznando; **2en** *n* chisporroteo *m*, chispeo *m* (*a. fig.*); centelleo *m* (*a. fig.*); **~end** *adj.* chispeante (*a. fig.*); centelleante (*a. fig.*); **2entladung** ⚡ *f* efluvio *m* en corona; **2nebel** *m* F niebla *f* meona; **2regen** *m* llovizna *f*; lluvia *f* fina; F calabobos *m*.

Sprung *m* (*-es*; *⸚e*) salto *m* (*a. Sport*, *Fallschirm2 u. fig.*); (*Satz*) brinco *m*; (*Luft2*) cabriola *f*; (*Kopf2*) *ins Wasser*: zambullida *f*; (*Abprall*) rebote *m*; (*Spalte*) resquebrajadura *f*; *in der Haut*: grieta *f*; *im Glas*: raja *f*; *in e-r Mauer*: hendidura *f*; *Vet. Begattung*: cubrición *f*; *Sprünge bekommen* resquebrajarse, *Glas*: rajarse, *Mauer*: henderse; *Sprünge machen* dar saltos (*od.* brincos); *mit e-m* ~ de un salto; *in Sprüngen* a saltos; *den* ~ *ins Ungewisse wagen* dar un salto en las tinieblas; *stets auf dem* ~*e sein* estar siempre listo (*od.* preparado) para; *auf dem* ~ *sein, zu* ... (*inf.*) estar a punto de ... (*inf.*); *fig. nur auf e-n* ~ *bei j-m vorbeikommen* pasar sólo un momento por casa de alg.; *es ist nur ein* ~ *bis dorthin* está a dos pasos de aquí; *j-m auf die Sprünge helfen* ayudar a alg.; *j-m auf die Sprünge kommen* descubrir las intenciones (*od.* los manejos) de alg.; *er kann keine großen Sprünge machen* no puede permitirse grandes gastos; no anda muy sobrado de dinero.

ˈ**Sprung...**: **~bein** *Anat. n* (*-es*; *-e*) astrágalo *m*; **2bereit** *adj.* (*0*) preparado para saltar; **~brett** *n* (*-es*; *-er*) trampolín *m*; **~deckel-uhr** *f* saboneta *f*; **~feder** *f* (*-*; *-n*) muelle *m*, resorte *m*; **~federmatratze** *f* colchón *m* de muelles; **~gelenk** *n Vet.* (*-es*; *-e*) jarrete *m*; **~grube** *f* zanja *f* de salto; **2haft I.** *adj.* inconstante; veleidoso; versátil; **II.** *adv.* (*sprungweise*) a saltos; sin continuidad; **~haftigkeit** *f* (*0*) inconstancia *f*; versatilidad *f*; **~riemen** *m des Pferdegeschirrs*: gamarra *f*; **~schanze** *f* (*Skisport*) trampolín *m* de saltos; **~seil** *n* (*-es*; *-e*) comba *f*; **~stab** *Sport m* (*-es*; *⸚e*) pértiga *f* (de salto); **~tuch** *n* (*-es*; *⸚er*) *Feuerwehr*: tela *f* salvavidas, paño *m* de salvamento; **~turm** *Schwimmsport m* (*-es*; *⸚e*) torre *f* de trampolines; **2weise** *adv.* a saltos; **~welle** ⚡ *f* onda *f* de sobretensión.

ˈ**Spuck|e** *f* (*0*) saliva *f*; (*Sputum*) esputo *m*; F *ihm blieb die* ~ *weg* se quedó atónito; F se quedó turulato (*od.* patidifuso); **2en** *v/t. u. v/i.* escupir; **~napf** *m* (*-es*; *⸚e*) escupidera *f*.

ˈ**Spuk** [u:] *m* (*-es*; *-e*) (*Geistererscheinung*) aparición *f* de fantasmas;

(*Gespenst*) fantasma *m*, espectro *m*; aparición *f*, *e-s Toten*: aparecido *m*; (*Lärm*) ruido *m*; (*Durcheinander*) barullo *m*; **2en** *v/unprs.*: *es spukt in diesem Haus* en esta casa hay duendes; F *es spukt bei ihm* (*od. in s-m Kopf*) le falta un tornillo; está tocado (*od.* majareta *od.* chiflado); **~geist** *m* (*-es*; *-er*) duende *m*; trasgo *m*; **~geschichte** *f* cuento *m* de aparecidos; **2haft** *adj.* (*0*) espectral; **~haus** *n* (*-es*; *"er*) casa *f* de duendes.

'**Spülbecken** *n* pila *f* de enjuagar; *des Klosetts*: taza *f*.

'**Spule** *f* ⚡, *Radio*: bobina *f*; *zum Abhaspeln*: carrete *m* (*a.* ⚡ *Induktions2*); (*Weber2*) canilla *f*; (*Feder2*) cañón *m*; **2n** *v/t.* devanar; (*ab~*) encanillar; **~n** *n* (*Weberei*) encanillado *m*.

'**spülen I. 1.** *v/i. Wellen*: bañar (la costa, la playa); **2.** *v/t.* (*abwaschen*) lavar; *durch Reiben*: fregar; *Gläser, Mund*: enjuagar; *Wäsche*: *a.* aclarar; *ans Ufer ~* arrojar a la orilla; ⊕ expulsar las gases quemados; *Klosett*: vaciar el depósito del agua; **II.** 2 *n* → *Spülung*.

'**Spulen...**: **~gestell** *n* (*-es*; *-e*) portabobinas *m*; **~körper** *m* armadura *f* de la bobina.

'**Spuler** *m der Nähmaschine*: portabobinas *m*; (*Arbeiter*) bobinador *m*; **~in** *f* bobinadora *f*.

'**Spül...**: **~frau** *f im Gasthaus*: lavaplatos *f*; **~gefäß** *n* (*-es*; *-e*) vasija *f* para enjuagar; **~icht** *n* lavazas *f/pl.*; agua *f* de fregar; **~klosett** *n* (*-s*; *-e od. -s*) inodoro *m* con depósito de agua; **~lappen** *m* estropajo *m*.

'**Spulmaschine** *f* bobinadora *f*.

'**Spül...**: **~maschine** *f* (máquina *f*) enjuagadora *f*; lavadora *f* de vajilla; **~mittel** *n* detergente *m*; **~ung** *f* lavado *m*; enjuagadura *f*, enjuague *m*; ⚕ *des Magens, der Blase*: lavado *m*; *des Darmes*: irrigación *f*; ⊕ expulsión *f* de gases quemados; *Klosett*: = **~vorrichtung** *f* depósito *m* de agua corriente del inodoro; **~wasser** *n* agua *f* de fregar *od.* de lavar; enjuagadura *f*; (*Abwässer*) aguas *f/pl.* sucias.

'**Spulwurm** *Zoo. m* (*-es*; *"er*) ascáride *f*, lombriz *f* intestinal.

'**Spund** *m* (*-es*; *-e*) (*Faßpfropfen*) tapón *m* de cuba, bitoque *m*; **2en** *v/t.* (*Faß*) taponar; ⊕ (*falzen*) ensamblar; **~loch** *n* (*-es*; *"er*) piquera *f*; canillero *m*; **~zapfen** *m* tapón *m* de cuba; (*Holzpflock*) tarugo *m*; espiche *m*.

Spur *f* (*Eindruck*) impresión *f*; marca *f*; señal *f*; (*Fährte*) pista *f*; *Jgdw.* rastro *m*; (*Fuß2*) huella *f*; pisada *f*; (*Wagen2*) carril *m*; (*Rad2*) rodada *f*; 🚂 vía *f*; *Am.* trocha *f*; ⚓ *e-s Schiffes*: estela *f*; (*Rille*) ranura *f*; (*Furche*) surco *m*; ⚗ vestigio *m*; (*Tonband*) canal *m*; *fig.* (*Anzeichen*) indicio *m*; *fig. j-m auf die ~ kommen* descubrir las intenciones de alg.; *j-n auf e-e falsche ~ leiten* engañar a alg.; *j-m auf die ~ helfen* ayudar a alg. (a encontrar a/c.); *j-n von der ~ abbringen* despistar a alg.; *j-m auf der ~ sein* seguir (*od.* estar sobre) la pista de alg.; *fig. keine ~ davon* ni sombra de ello; F *keine ~!* ¡ni por asomo!; ¡ni pensarlo!; ¡ni hablar (de ello)!

'**spürbar** *adj.* sensible; perceptible; palpable.

'**Spur|breite** 🚂 *f* ancho *m* de (la) vía; *Auto.* anchura *f* entre ruedas; **2en** *v/i. Skisport*: marcar la carrera.

'**spüren I. 1.** *v/t.* (*empfinden*) sentir, experimentar; (*wahrnehmen*) percibir, notar; (*wittern*) *Hund*: ventear; *die Nachwirkungen von et. ~* resentirse de a/c.; **2.** *v/i.* (*e-e Spur verfolgen*) seguir una pista; *Jgdw.* rastrear, seguir el rastro (de); *fig. ~ nach* husmear; hacer indagaciones; buscar; **II.** 2 *n Jgdw.* husmeo *m*, rastreo *m*; *fig.* husmeo *m*.

'**Spuren-element** ⚗ *n* (*-es*; *-e*) elemento *m* de vestigio; *pl.* oligoelementos *m/pl.*

'**Spürhund** *m* (*-es*; *-e*) sabueso *m* (*a. fig.*); *fig.* (*Schnüffler*) espía *m*; confidente *m* de la policía.

'**spurlos** *adv.* sin dejar huella *od.* rastro; *~ verschwinden* desaparecer sin dejar huella; F esfumarse.

'**Spür|nase** *f* buena nariz *f*, buen olfato *m* (*a. fig.*); **~sinn** (*-es*; *0*) *m fig.* sagacidad *f*; buen olfato *m*.

Spurt *m* (*-es*; *-e*) *Sport*: *angl.* sprint *m*; *plötzlicher ~* escapada *f*.

'**Spurweite** *f* → *Spurbreite*.

'**sputen** (*-e-*) *v/refl.*: *sich ~* apresurarse, darse prisa; *Am.* apurarse.

'**Sputum** *n* (*-s*; *Sputa*) esputo *m*; expectoración *f*.

st! *int.* ¡chist!, ¡chitón!

Staat *m* (*-es*; *-en*) Estado *m*; *weitS.* nación *f*, país *m*; (*Regierung*) Gobierno *m*; (*Aufwand*) aparato *m*, ostentación *f*; (*Pracht*) gala *f*, pompa *f*; (*Luxus*) lujo *m*; *in vollem ~* con todas sus galas; F de tiros largos; *großen ~ machen* vivir a lo grande; llevar un gran tren de vida; *mit et. ~ machen* hacer ostentación (*od.* gala) de a/c.; lucir a/c.

'**Staaten|bildung** *f* formación *f* de Estados; **~bund** *m* (*-es*; *"e*) confederación *f* (de Estados); **2los** *adj.* (*0*) apátrida; sin nacionalidad; **~lose(r** *m*) *m/f* apátrida *m/f*.

'**staatlich** *adj.* del Estado, estatal; (*öffentlich*) público; (*politisch*) político; (*national*) nacional; (*offiziell*) oficial; *~e Einrichtung* institución del Estado; *~ anerkannt* reconocido por el Estado; *~ geprüft* con diploma oficial; *~ überwacht* bajo la inspección del Estado; controlado por el Estado.

'**Staats...**: **~abgabe** *f* impuesto *m*; **~akt** *m* (*-es*; *-e*) ceremonia *f* oficial; **~amt** *n* (*-es*; *"er*) cargo *m* público; **~angehörige(r** *m*) *m/f* súbdito (-a *f*) *m*; ciudadano (-a *f*) *m*; *die ~n* los nacionales; *spanischer (französischer; deutscher) ~* súbdito español (francés; alemán); **~angehörigkeit** *f* nacionalidad *f*; **~angelegenheit** *f* cuestión *f* de Estado; problema *m* nacional; asunto *m* público; **~anleihe** *f* empréstito *m* del Estado; **~anwalt** *m* (*-es*; *"e*) fiscal *m*; **~anwaltschaft** *f* (*0*) fiscalía *f*; ministerio *m* público; **~anzeiger** *m* Diario *m* Oficial; Gaceta *f*; **~archiv** *n* (*-s*; *-e*) archivo *m* nacional (*od.* del Estado); **~aufsicht** *f* (*0*) inspección *f* del Estado; **~ausgaben** *pl.* gastos *m/pl.* públicos; **~bahn** *f* ferrocarril *m* del Estado; **~bank** *f* banco *m* del Estado; banco *m* estatal; **~bankrott** *m* (*-es*; *-e*) bancarrota *f* nacional; **~beamte(r)** *m* funcionario *m* público (*od.* del Estado); **~begräbnis** *n* (*-ses*; *-se*) exequias *f/pl.* nacionales; **~behörde** *f* autoridad *f* estatal; **~besuch** *m* (*-es*; *-e*) visita *f* oficial; **~bürger(in** *f*) *m* ciudadano (-a *f*) *m*; **~bürgerkunde** *f* (*0*) instrucción *f* cívica; **2bürgerlich** *adj.* cívico; de ciudadano; *~e Tugend* virtud cívica; **~bürgerrecht** *n* (*-es*; *-e*) derecho *m* de ciudadanía; *~e pl.* derechos *m/pl.* de ciudadano; **~chef** *m* (*-s*; *-s*) jefe *m* del Estado; **~dienst** *m* (*-es*; *-e*) servicio *m* público; **~drucke'rei** *f* imprenta *f* nacional (*od.* del Estado); **2eigen** *adj.* (*0*) perteneciente al Estado; **~eigentum** *n* (*-s*; *0*) bienes *m/pl.* nacionales; patrimonio *m* nacional; **~einkünfte** *pl.* ingresos *m/pl.* del Estado; rentas *f/pl.* públicas (*od.* del Estado); **~examen** *n* (*-s*; *-examina*) examen *m* de Estado; **~feind** *m* (*-es*; *-e*) enemigo *m* del Estado; **2feindlich** *adj.* hostil al Estado; **~form** *f* forma *f* de gobierno; **~gebäude** *n* edificio *m* público; **~gebiet** *n* (*-es*; *-e*) territorio *m* nacional; **2gefährlich** *adj.* peligroso para el Estado; subversivo; **~gefangene(r)** *m* prisionero *m* de Estado; **~gefängnis** *n* (*-ses*; *-se*) prisión *f* para reos de Estado; **~geheimnis** *n* (*-ses*; *-se*) secreto *m* de Estado; **~gelder** *pl.* fondos *m/pl.* públicos; **~geschäft** *n* (*-es*; *-e*) → *Staatsangelegenheit*; **~gewalt** *f* (*0*) poder *m* supremo del Estado; autoridad *f* pública; fuerza *f* pública; *Widerstand gegen die ~* resistencia a la fuerza pública; **~grundgesetz** *n* (*-es*; *-e*) ley *f* orgánica (*od.* fundamental) del Estado; (*Verfassung*) constitución *f*; **~haushalt** *m* (*-es*; *-e*) presupuesto *m* (nacional); **~hoheit** *f* (*0*) soberanía *f* (nacional); **~interesse** *n* (*-s*; *-n*) interés *m* nacional; **~kasse** *f* Tesoro *m* público, fisco *m*, erario *m*; **~kirche** *f* (*0*) Iglesia *f* nacional; **2klug** *adj.* (*0*) político; **~klugheit** *f* (*0*) política *f*; **~kommissar** *m* (*-s*; *-e*) comisario *m* del Estado; **~körper** *m* cuerpo *m* político; **~kosten** *pl.*: *auf ~* a expensas del Estado; **~kunst** *f* (*0*) política *f*; arte *f* de gobernar; diplomacia *f* (hábil); **~lehre** *f* (ciencia *f*) política *f*; doctrina *f* del Estado; **~mann** *m* (*-es*; *"er*) hombre *m* de Estado, estadista *m*; político *m*; **2männisch** *adj.* político; **~minister** *m* ministro *m*; **~ministerium** *n* (*-s*; *-ministerien*) ministerio *m*; **~mittel** *pl.* fondos *m/pl.* públicos; **~monopol** *n* (*-s*; *-e*) monopolio *m* del Estado; **~oberhaupt** *n* (*-es*; *"er*) jefe *m* del Estado; *gekröntes*: soberano *m*; rey *m*; príncipe *m* reinante; (*Präsident*) presidente *m*; **~organ** *n* (*-s*; *-e*) órgano *m* del Estado; **~papiere** ✝ *pl.* efectos *m/pl.* (*od.* fondos *m/pl.*) públicos; valores *m/pl.* del Estado; **~polizei** *f* (*0*) policía *f* del Estado; *geheime ~* policía secreta del Estado; **2politisch** *adj.* nacional; **~prä-**

sident *m* (*-en*) presidente *m* de la República; **~prüfung** *f* → *Staatsexamen*; **~räson** *f* (*0*) razón *f* de Estado; **~rat** *m* (*-es*; *⸗e*) (*Behörde*) Consejo *m* de Estado; (*Person*) consejero *m* de Estado; **~recht** *n* (*-es*; *0*) derecho *m* público; derecho *m* político; **~rechtler** *m* profesor *m bzw.* tratadista *m* de derecho público; **⁀rechtlich** *adj.* (*0*) fundado en el derecho público; de derecho público; **~regierung** *f* gobierno *m* (del Estado); **~religion** *f* religión *f* del Estado; **~rente** *f* renta *f* pública (*od.* del Estado); **~ruder** *n fig.* timón *m* (de la nave) del Estado; *das ~ in Händen haben* tener las riendas del poder; **~schatz** *m* (*-es*; *⸗e*) Tesoro *m* público; **~schiff** *fig. n* (*-es*; *0*) nave *f* del Estado; **~schuld** ⚕ *f* deuda *f* pública (*od.* del Estado); **~schuldverschreibung** ⚕ *f* obligación *f* del Estado; **~sekretär** *m* (*-s*; *-e*) secretario *m* de Estado; *in Deutschland*: subsecretario *m*; **~sicherheitsdienst** *m* (*-es*; *-e*) servicio *m* (secreto) de seguridad del Estado; **~siegel** *n* sello *m* oficial (*od.* del Estado); **~sozialismus** *m* (*-*; *0*) estatismo *m*; **~streich** *m* (*-es*; *-e*) golpe *m* de Estado; **~umwälzung** *f* revolución *f* (política); **~unterstützung** *f* subvención *f* del Estado; **~verbrechen** *n* crimen *m* político; **~verbrecher** *m* criminal *m* político; reo *m* de Estado; **~verfassung** *f* constitución *f*; **~vertrag** *m* (*-es*; *⸗e*) tratado *m* (político); contrato *m* administrativo; **~verwaltung** *f* administración *f* pública; **~wirtschaft** *f* (*0*) economía *f* política; **~wissenschaften** *pl.* ciencias *f/pl.* políticas; **~wohl** *n* (*-es*; *0*) bien *m* público; **~zimmer** *n* salón *m* de gala; **~zuschuß** *m* (*-sses*; *⸗sse*) subvención *f* del Estado.

ˈ**Stab** *m* (*-es*; *⸗e*) (*Stock*) bastón *m*; (*Stange*) vara *f*; *dünner*: varilla *f* (*a. Schirm⁀, Fächer⁀*); *Sport*: pértiga *f*; *v. Eisen*: barra *f*; (*Barren*) lingote *m*; *e-s Gitters*: barrote *m*; ✓ (*Stütze*) rodrigón *m*; (*Amts⁀*) vara *f*; *des Feldherrn*: bastón *m* de mando; (*Bischofs⁀*) báculo *m*; (*Pilger⁀*) bordón *m*; ♪ (*Dirigenten⁀*) batuta *f*; (*Zauber⁀*) varita *f* mágica; ⚔ Estado *m* Mayor; *sich auf e-n ~ stützen* apoyarse en un bastón; *fig. den ~ über j-n brechen* criticar severamente a alg.; condenar la conducta de alg.; **~antenne** *f* antena *f* vertical; **~batterie** ⚡ *f* pila *f* cilíndrica.

ˈ**Stäbchen** *n* bastoncillo *m*; varilla *f*; F (*Zigarette*) pitillo *m*; **~bakterie** *f* bacilo *m*; **~einlage** *f* ballena *f*; **⁀förmig** *adj.* (*0*) en forma de varilla; **~sehzellen** *Anat. pl.* bastoncillos *m/pl.* de la retina; **~zelle** *Anat. f* célula *f* olfatoria.

ˈ**Stab...:** **~eisen** *n* hierro *m* en barras; barra *f* de hierro; **~führung** ♪ *f* (*0*) dirección *f* (de una orquesta); *unter der ~ von* bajo la dirección de; **~hochspringer** *Sport m* saltador *m* con pértiga; **~hochsprung** *m* (*-es*; *⸗e*) salto *m* con pértiga.

staˈ**bil** *adj.* estable; *fig.* (*fest*) firme; seguro.

Stabili|ˈ**sator** ⊕ *m* (*-s*; *-en*) estabilizador *m*; **⁀**ˈ**sieren** *v/t.* (*-*) estabilizar; **~**ˈ**sierung** *f* (*0*) estabilización *f*; **~**ˈ**sierungsfläche** ✈ *f* plano *m* fijo de estabilización; **~**ˈ**sierungsflosse** *f* aleta *f*; **~**ˈ**tät** *f* (*0*) estabilidad *f*.

ˈ**Stab**|**magnet** *m* (*-es od. -en*; *-e od. -en*) barra *f* imantada; barra *f* magnética; **~reim** *m* (*-es*; *-e*) aliteración *f*.

ˈ**Stabs...:** **~arzt** ⚔ *m* (*-es*; *⸗e*) capitán *m* médico; **~chef** *m* (*-s*; *-s*) jefe *m* de Estado Mayor; **~kompanie** *f* compañía *f* del cuartel general; **~offizier** *m* (*-s*; *-e*) oficial *m* del Estado Mayor; oficial *m* superior.

ˈ**Stabspringen** *Sport n* salto *m* con pértiga.

ˈ**Stabs...:** **~quartier** *n* (*-s*; *-e*) cuartel *m* general; **~unteroffizier** *m* (*-s*; *-e*) suboficial *m* de Estado Mayor.

ˈ**Stabwechsel** *Sport m* relevo *m*.

stach *pret. v. stechen.*

ˈ**Stachanowarbeiter** *m neol.* estajanovista *m*.

ˈ**Stachel** *m* pincho *m*; *des Igels*: púa *f*; *der Insekten*: aguijón *m* (*a. fig.*); ⚘ espina *f*; *zum Viehtreiben*: aguijada *f*; *am Sporn*: acicate *m*; *fig.* (*Anreiz*) estímulo *m*, incentivo *m*, acicate *m*; **~beere** *f* uva *f* espina *od.* crespa; **~beerstrauch** ⚘ *m* (*-es*; *⸗er*) uva *f* espina; **~draht** *m* (*-es*; *⸗e*) alambre *m* de espino; espino *m* artifical; **~drahthindernis** ⚔ *n* (*-ses*; *-se*) alambrada *f*; **~drahtverhau** *m* (*-es*; *-e*) alambrado *m* (de púas); **~flosse** *Ict. f* aleta *f* dorsal espinosa; **~flosser** *Ict. m/pl.* acantopterigios *m/pl.*; **~halsband** *n* (*-es*; *⸗er*) *für Hunde*: carlanca *f*; **~häuter** *Zoo. pl.* equinodermos *m/pl.*

ˈ**stach**(**e**)**lig** *adj.* erizado; ⚘ espinoso; *mit e-m Stachel versehen*: aguijonado; *fig.* mordaz, cáustico.

ˈ**stacheln** (*-le*) *v/t.* aguijar, aguijonear (*a. fig.*); *fig.* estimular, incitar.

ˈ**Stachel...:** **~reden** *pl.* palabras *f/pl.* mordaces *od.* hirientes; **~rochen** *Ict. m* raya *f* espinosa; **~schnecke** *Zoo. f* múrice *m*; **~schwein** *Zoo. n* (*-es*; *-e*) puerco *m* espín.

ˈ**Stadel** *m* (*Scheune*) troje *m*; *für Heu*: henil *m*; (*Schuppen*) cobertizo *m*.

ˈ**Stadion** *n* (*-s*; *Stadien*) estadio *m*.

ˈ**Stadium** *n* (*-s*; *Stadien*) estadio *m*; (*Phase*) fase *f*; (*Periode*) período *m*; (*Grad*) grado *m*; (*antikes Maß*) estadio *m*.

ˈ**Stadt** *f* (*-*; *⸗e*) ciudad *f*; **~abgaben** *pl.* impuestos *m/pl.* municipales; **~anleihe** *f* empréstito *m* municipal; **~bahn** *f* ferrocarril *m* metropolitano, F metro *m*; ferrocarril *m* urbano; **~bank** *f* banco *m* municipal; **~baumeister** *m* arquitecto *m* municipal; **~behörde** *f* autoridades *f/pl.* municipales; **⁀bekannt** *adj.* notorio; conocido en toda la ciudad; **~bevölkerung** *f* (*0*) población *f* urbana; **~bewohner**(**in** *f*) *m* habitante *m/f* de la ciudad; vecino (-a *f*) *m* de la ciudad; **~bezirk** *m* (*-es*; *-e*) distrito *m* municipal; **~bibliothek** *f* biblioteca *f* municipal; **~bild** *n* (*-es*; *-er*) aspecto *m* urbano; aspecto *m* general de la ciudad.

ˈ**Städtchen** *n* pequeña ciudad *f*; población *f*; villa *f*.

ˈ**Städte**|**bau** *m* (*-es*; *0*) urbanismo *m*; **~bauer** *m* urbanista *m*; **⁀baulich** *adj.* urbanista; **~ordnung** *f* régimen *m* municipal; **~patenschaft** *f* gemelación *f* de ciudades; **~planung** *f* ordenación *f* urbana; urbanística *f*; **~r**(**in** *f*) *m* → *Stadtbewohner*(*in*); **~tag** *m* (*-es*; *-e*) congreso *m* de delegados municipales.

ˈ**Stadt...:** **~garten** *m* (*-s*; *⸗en*) jardín *m* municipal; **~gebiet** *n* (*-es*; *-e*) término *m* municipal; radio *m* de la ciudad; *außerhalb des ~es* extrarradio *m*; **~gemeinde** *f* municipio *m*; *Leitung*: ayuntamiento *m*; **~gespräch** *n* (*-es*; *-e*) *Tele.* conferencia *f* urbana; *fig. ~ sein* ser objeto de todas las conversaciones; F ser la comidilla de la ciudad; andar de boca en boca; *das ist schon ~ geworden* no se habla de otra cosa en la ciudad; **~graben** *m* (*-s*; *⸗*) foso *m* de la ciudad; **~haus** *n* (*-es*; *⸗er*) ayuntamiento *m*; casa *f* consistorial; *Am.* municipalidad *f*.

ˈ**städtisch** *adj.* urbano; (*groß~*) metropolitano; *die Verwaltung betreffend*: municipal; *~er Beamter* funcionario municipal; *~e Polizei* policía *f* urbana; *die ~en Behörden* las autoridades municipales; *~e Bevölkerung* población *f* urbana.

ˈ**Stadt...:** **~kasse** *f* caja *f* municipal; (*Rechnungsamt*) contaduría *f* municipal; **~kern** *m* (*-es*; *-e*) centro *m* (de la ciudad); casco *m* urbano; **~kind** *n* (*-es*; *-er*) niño *m* de ciudad; **~klatsch** *m* (*-es*; *0*) chismes *m/pl.* (*od.* chismorreo *m*) de la ciudad; comidilla *f* de la ciudad; **~kommandant** ⚔ *m* (*-en*) comandante *m* de la plaza; **⁀kundig** *adj.* que conoce bien la ciudad; → *stadtbekannt*; **~leben** *n* (*-s*; *0*) vida *f* de la ciudad; **~leute** *pl.* gente *f* de la ciudad; **~licht** *n* (*-es*; *-er*) *Auto.* luces *f/pl.* de población; **~mauer** *f* (*-*; *-n*) muralla *f* (de la ciudad); **~mission** *Rel. f* misión *f* urbana; **~mitte** *f* centro *m* de la ciudad; **~musikant** *m* (*-en*) músico *m* de la banda municipal; **~obrigkeit** *f* ayuntamiento *m*; municipalidad *f*; **~park** *m* (*-s*; *-s*) parque *m* municipal; **~plan** *m* (*-es*; *⸗e*) plano *m* de la ciudad; **~planung** *f* urbanismo *m*; **~rat** *m* (*-es*; *⸗e*) (*Behörde*) ayuntamiento *m*, concejo *m*; (*Person*) concejal *m*; **~recht** *n* (*-es*; *-e*) *Hist.* privilegio *m* de ciudad libre; derecho *m* municipal; **~rundfahrt** *f* vuelta *f* (en coche) por la ciudad; visita *f* de la ciudad; **~schule** *f* escuela *f* municipal; **~teil** *m* (*-es*; *-e*) barrio *m*; **~theater** *n* teatro *m* municipal; **~tor** *n* (*-es*; *-e*) puerta *f* de la ciudad; **~verordnete**(**r** *m*) *m/f* concejal *m*, concejala *f*; **~verordnetenversammlung** *f* concejo *m*; **~verwaltung** *f* ayuntamiento *m*; municipalidad *f*; **~viertel** *n* barrio *m*; **~wappen** *n* armas *f/pl.* de la ciudad; escudo *m* de la ciudad; **~zentrale** *Tele. f* central *f* (telefónica) urbana.

Staˈ**fette** *f* estafeta *f*; *Sport*: relevo *m*; **~nlauf** *Sport m* (*-es*; *⸗e*) carrera *f* de relevos.

Staf'fage [-'fɑːʒə] *f* (*Beiwerk*) accesorios *m/pl.*; *in Landschaftsbildern*: figuras *f/pl.*; *in Figurenbildern*: accesorios *m/pl.* escénicos; (*Schmuck*) adorno *m*; *fig.* (*hohler Schein*) trampantojo *m*.
'Staffel *f* (-; -*n*) (*Stufe*) escalón *m* (*a.* ⚔); grada *f*; *Sport*: relevo *m*; ✈ escuadrilla *f*; *fig.* escalón *m*; grado *m*; **~aufstellung** *f* ⚔ formación *f* escalonada; **~auszug** † *m* (-*es*; *⸚e*) baremo *m* de intereses; **~betrieb** *m* (-*es*; -*e*) servicio *m* escalonado.
Staffe'lei *Mal.* *f* caballete *m*.
'Staffel...: **~feuer** ⚔ *n* fuego *m* escalonado; **⁀förmig** *adj.* (*0*) escalonado; gradual, graduado; ~ *aufstellen* escalonar; **~kapitän** ✈ *m* (-*s*; -*e*) jefe *m* de escuadrilla; **~lauf** *Sport m* (-*es*; *⸚e*) carrera *f* de relevos; **~läufer(in** *f*) *m* corredor(a *f*) *m* de relevos; **⁀n** *v/t.* (-*le*) escalonar; graduar; **~n** *n* escalonamiento *m*; **~skonto** † *n* (-*s*; -*s*) descuento *m* escalonado; **~tarif** *m* (-*es*; -*e*) tarifa *f* escalonada; **~ung** *f* escalonamiento *m*; graduación *f*; **~zinsen** † *m/pl.* interés *m* compuesto.
staf'fieren (-) *v/t.* guarnecer (*mit* de); (*schmücken*) adornar.
Stag ⚓ *n* (-*es*; -*e*[*n*]) estay *m*.
Stag|nati'on [st-] *f* estancamiento *m*; estacionamiento *m*; *bsd.* † paralización *f*; **⁀'nieren** (-) *v/i.* estancarse; estacionarse; *bsd.* † paralizarse; ~*des Wasser* agua estancada; **~'nieren** *n*, **~'nierung** *f* estagnación *f*.
stahl *pret. v. stehlen.*
'Stahl *m* (-*es*; *⸚e*) acero *m*; (*Feuer⁀*) eslabón *m*; (*Wetz⁀*) *der Metzger*: chaira *f*; *Poes.* (*Schwert*) espada *f*; acero *m*; hierro *m*; **⁀artig** *adj.* acerado; **~bad** *n* (-*es*; *⸚er*) baño *m* ferruginoso; *Ort*: balneario *m* de aguas ferruginosas; **~band** *n* (-*es*; *⸚er*) cinta *f* de acero; **~bau** (-*es*; -*ten*) *m* construcción *f* metálica; **~beton** *m* (-*s*; *0*) hormigón *m* armado; **~betonbau** *m* (-*es*; *0*) construcción *f* de hormigón armado; **⁀blau** *adj.* azul de acero; **~blech** *n* (-*es*; -*e*) chapa *f* de acero; **~brunnen** *m* manantial *m* (*od.* fuente *f*) de aguas ferruginosas; **~bürste** *f* escobilla *f* metálica; **~draht** *m* (-*es*; *⸚e*) alambre *m* (*od.* hilo *m*) de acero.
'stählen I. *v/t. Met.* acerar; (*härten*) templar; *fig.* fortalecer; robustecer; (*abhärten*) endurecer; templar; **II.** ⁀ *n Met.* aceración *f*; (*Härten*) temple *m*.
'stählern *adj.* de acero, acerado; *fig.* de hierro.
'Stahl...: **~fach** *n* (-*es*; *⸚er*) caja *f* fuerte; **~feder** *f* (-; -*n*) resorte *m* de acero; (*Schreibfeder*) pluma *f* de acero; **~federmatratze** *f* colchón *m* de tela metálica, sommier *m*; **~gerüst** *n* (-*es*; -*e*) armazón *m* de acero; (*Baugerüst*) estructura *f* metálica; **~gieße'rei** *f* fundición *f* de acero; **⁀grau** *adj.* gris de acero; **~guß** *m* (-*sses*; *⸚sse*) acero *m* colado, fundición *f* de acero; **⁀haltig** *adj. Min.* ferruginoso; **⁀hart** *adj.* (*0*) acerado, duro como acero; **~helm** *m* (-*es*; -*e*) casco *m* de acero; **~industrie** *f* industria *f* del acero; **~kammer** *f* (-; -*n*) *e-r Bank*: cámara *f* acorazada; **~kette** *f* cadena *f* de acero; **~möbel** *pl.* muebles *m/pl.* de acero; muebles *m/pl.* metálicos; **~platte** *f* plancha *f* de acero; **~quelle** *f* → *Stahlbrunnen*; **~rohr** *n* (-*es*; -*e*) tubo *m* de acero; **~rohrmöbel** *pl.* muebles *m/pl.* tubulares (*od.* de tubo de acero); **~roß** F *n* (-*sses*; *⸚sser*) bicicleta *f*, F bici *f*; **~seil** *n* (-*es*; -*e*) cable *m* de acero; **~-skelett** *n* (-*es*; -*e*) armazón *m* metálico (*od.* de acero); **~-skelettbau** *m* (-*es*; -*ten*) construcción *f* en armazón de acero; **~späne** *m/pl.* virutas *f/pl.* de acero; **~stich** *m* (-*es*; -*e*) grabado *m* en acero; **~trust** *m* (-*s*; -*s*) trust *m* del acero; **~werk** *n* (-*es*; -*e*) fundición *f* de acero, acer(er)ía *f*.
'Staken *m* (*Stange*) pértiga *f*; ⚓ bichero *m*.
'staken ⚓ *v/t.* atracar con el bichero.
Sta'ket *n* (-*es*; -*e*) empalizada *f*; estacada *f*.
Stalag'mit *Min.* *m* (-*en*) estalagmita *f*.
Stalak'tit *Min.* *m* (-*en*) estalactita *f*.
Stali'nis|mus *m* (-; *0*) estalinismo *m*; **~t(in** *f*) *m* (-*en*) estalinista *m/f*; **⁀tisch** *adj.* estalinista.
'Stalin-orgel ⚔ *f* (-; -*n*) lanzacohetes *m* múltiple.
'Stall *m* (-*es*; *⸚e*) (*Vieh⁀*) establo *m*; corral *m*; (*Pferde⁀*) caballeriza *f*, cuadra *f* (*a. Renn⁀*); (*Schweine⁀*) pocilga *f*; (*Hühner⁀*) gallinero *m*; **~baum** *m* (-*es*; *⸚e*) tranca *f*; **~dienst** *m* (-*es*; -*e*) servicio *m* en las caballerizas; **~dünger** *m* estiércol *m*; **~fütterung** *f* estabulación *f*; **~knecht** *m* (-*es*; -*e*) mozo *m* de cuadra; (*Reitknecht*) palafrenero *m*; **~(l)aterne** *f* farol *m* de establo; **~meister** *m* caballerizo *m*; **~mist** *m* (-*es*; -*e*) estiércol *m*; **~ung** *f* establos *m/pl.*; corrales *m/pl.*; cuadras *f/pl.*; caballerizas *f/pl.*; **~wache** *f* guardia *f* de caballeriza.
'Stamm *m* (-*es*; *⸚e*) (*Baum⁀*) tronco *m*; (*Stengel*) tallo *m*; (*Geschlecht*) estirpe *f*, linaje *m*; (*Rasse*) raza *f*; (*Sippe*) familia *f*; (*Volks⁀*) tribu *f*; ⚕ (*Bakterien⁀*) cepa *f* de cultivo; (*~gäste*) clientes *m/pl.* habituales; *Gr.* radical *m*; ⚔ cuadros *m/pl.*, (*Depot*) depósito *m*; *männlicher* ~ línea masculina; *e-n* ~ *gründen* crear una familia; *fig. der Apfel fällt nicht weit vom* ~ de tal palo tal astilla; **~aktie** † *f* acción *f* ordinaria; **~baum** *m* (-*es*; *⸚e*) árbol *m* genealógico; **~buch** *n* (-*es*; *⸚er*) libro *m* genealógico; (*Album*) álbum *m* de recuerdos; **~einlage** † *f* aportación *f* al capital inicial.
'stammeln I. (-*le*) *v/t. u. v/i.* balbucir, balbucear; (*stottern*) tartamudear; **II.** ⁀ *n* balbuceo *m*; (*Stottern*) tartamudeo *m*.
'stammen *v/i.*: ~ *von* (*Mensch*) descender de; (*s-n Ursprung haben in*) proceder de; traer su origen de; provenir de; (*sich ableiten*) dimanar de; *Gr.* derivarse de; ~ *aus e-r Stadt usw.*: ser oriundo (*od.* natural) de; *aus kleinen* (*od. bescheidenen*) *Verhältnissen* ~ ser de humilde (*od.* modesto) origen.
'Stammeshäuptling *m* (-*s*; -*e*) jefe *m* de tribu; cacique *m*.
'Stamm...: **~form** *Gr.* *f* forma *f* radical *od.* primitiva; **~gast** *m* (-*es*; *⸚e*) cliente *m* habitual, parroquiano *m*; **~gericht** *n* (-*es*; -*e*) *im Gasthaus*: plato *m* del día; **~gut** *n* (-*es*; *⸚er*) patrimonio *m* familiar; **~halter** *m* (hijo) primogénito *m*; **~haus** *n* (-*es*; *⸚er*) casa *f* solariega; † casa *f* central (*od.* matriz); **~holz** *n* (-*es*; *⸚er*) madera *f* de tronco.
'stämmig *adj.* robusto, fornido; (*dick u. gedrungen*) rehecho; rechondo; **⁀keit** *f* (*0*) robustez *f*.
'Stamm...: **~kapital** † *n* (-*s*; -*ien*) capital *m* social; (*Anfangskapital*) capital *m* inicial *od.* primitivo; **~kneipe** *f* taberna *f bzw.* cervecería *f* a la que se va con asiduidad; **~kunde** *m* (-*n*) cliente *m* habitual; parroquiano *m*; **~kundschaft** *f* clientela *f* habitual; **~land** *n* (-*es*; *⸚er*) patria *f*; país *m* de origen; **~linie** *f* línea *f* principal; **~lokal** *n* (-*s*; -*e*) → *Stammkneipe*; café *m* de tertulia; **~liste** ⚔ *f* lista *f*; **~mutter** *f* (-; *⸚*) esposa *f* del fundador de una familia; **~personal** *n* (-*s*; *0*) personal *m* estable; **~rolle** *f* ⚔ lista *f*; ⚓ rol *m*; **~silbe** *Gr.* *f* sílaba *f* radical; **~sitz** *m* (-*es*; -*e*) *e-s Adelshauses*: solar *m*, casa *f* solariega; *e-s Volkes*: patria *f* primitiva (*od.* de origen); *Thea.* asiento *m* de abono; **~tafel** *f* (-; -*n*) tabla *f* genealógica; **~tisch** *m* (-*es*; -*e*) mesa *f* de tertulia; tertulia *f* de café, peña *f*; **~vater** *m* (-*s*; *⸚*) tronco *m* de una raza; fundador *m* de una familia; **⁀verwandt** *adj.* de la misma raza; del mismo origen (*a. Gr.*); **~wort** *Gr.* *n* (-*es*; *⸚er*) voz *f* primitiva, radical *m*; **~wurzel** *f* (-; -*n*) *des Baumes*: raíz *f* principal.
'Stampf|asphalt *m* (-*es*; -*e*) asfalto *m* comprimido; **~bau** △ *m* (-*es*; -*ten*) construcción *f* apisonada; **~beton** *m* (-*s*; *0*) hormigón *m* apisonado; **~e** *f* (*Schlegel*) mazo *m*; (*Stößel*) mano *f* de almirez (*od.* mortero); (*Ramme*) pisón *m*; martinete *m*; **⁀en 1.** *v/i.* (*mit den Füßen* ~) patear; patalear; *Pferd*: piafar; (*schwer auftreten*) andar pesadamente; ⚓ cabecear, arfar; **2.** *v/t.* (*klein*~) machacar; pulverizar; *Erze*: triturar, quebrantar; (*fest*~) apisonar; *Korn*: moler; *Trauben*: pisar; (*rammen*) apisonar, pisar; *mit dem Stößel*: machacar; *fig. aus dem Boden* ~ sacar de debajo de la tierra; **~en** *n* (*Trampeln*) pataleo *m*; (*Mahlen*) molienda *f*, molturación *f*; *der Trauben*: pisadura *f*; (*Klein⁀*) machaqueo *m*; *der Erze*: trituración *f*; (*Fest⁀*) apisonamiento *m*; ⚓ cabeceo *m*; **~er** *m* (*Keltertreter*) pisador *m*; ⊕ → *Stampfe*.
Stand *m* (-*es*; *⸚e*) (*Zu⁀*) estado *m*; (*Lage*) situación *f*; (*Stellung*) posición *f*; (*Beruf*) profesión *f*; oficio *m*; (*Platz*) sitio *m*, lugar *m*; (*Rang*) rango *m*; categoría *f*; (*Klasse*) clase *f* (social); (*Kaste*) casta *f*; *die Stände Volksvertretung*: *Hist.* (*Reichs⁀*) los Estados del Reino; *Span.* las Cortes; los Estamentos; *die höheren Stände* las clases altas (*od.* elevadas); la alta sociedad; *die niederen Stände*

las clases bajas; (*gesellschaftliche Stellung*) posición *f* social; *Mann von* ~ hombre de calidad; (*Niveau*) nivel *m*; *des Barometers*: altura *f*; *des Wassers*: nivel *m*; ⚓, *Astr.* situación *f*; (*Standort*) puesto *m*; *Jgdw.*: *des Wildes*: querencia *f*; *Sport*: *des Torverhältnisses*: tanteo *m*; (*Schieß*2) puesto *m*; (*Beschaffenheit*) condición *f*; ☤ *der Preise*: cotización *f*; *Kurs*: *a.* cambio *m*; (*Marktlage*) estado *m* del mercado; coyuntura *f*; *auf e-r Ausstellung*: puesto *m*, *angl.* stand *m*; (*Verkaufs*2) puesto *m*; *gut im* ~*e sein* estar en buenas condiciones, (*gesundheitlich*) estar bien de salud; *j-n in den* ~ *setzen, zu* ... (*inf.*) poner a alg. en condiciones de ... (*inf.*); *auf den neuesten* ~ *bringen* poner al día; actualizar; *den höchsten* ~ *erreichen* alcanzar el máximo nivel; *e-n schweren* ~ *haben* estar en una situación difícil; *er hat e-n harten* ~ *mit ihm* le da mucho que hacer; le hace muy difícil la vida; *in den* ~ *der Ehe treten* casarse, contraer matrimonio; *der Ledigen* ~ soltería *f*; *der dritte* ~ el tercer estado; la burguesía; *der vierte* ~ el cuarto estado; la clase obrera, el proletariado; *der weltliche* ~ el estado seglar; *s-m* ~ *gemäß leben* vivir como corresponde a su posición social; *sich zum* ~ *aufrichten* ponerse en pie; → *außerstande*; *imstande*; *zustande*.

'Standard *m* (*-s*; *-s*) norma *f*; modelo *m*; patrón *m*; *angl.* standard *m*.

standardi'sier|en (-) *v/t.* normalizar; **2ung** *f* normalización *f*.

'Standard|typ *m* (*-s*; *-en*) tipo *m* normal; **~werk** *n* (*-es*; *-e*) obra *f* modelo.

Stan'darte *f* estandarte *m*; **~nträger** *m* portaestandarte *m*.

'Stand...: **~bein** *Escul.* *n* (*-es*; *-e*) pierna *f* de apoyo; **~bild** *n* (*-es*; *-er*) estatua *f*; *j-m ein* ~ *errichten* levantar una estatua a alg.

'Ständchen *n* (*Abend*2) serenata *f*; (*Morgen*2) alborada *f*.

'Stander *m* ⚓ gallardete *m*; (*Signal*2) banderín *m*.

'Ständer *m* ⚠ (*Strebe*) puntal *m*; (*Pfeiler*) pilar *m*, poste *m*; ⊕ soporte *m*; *e-s Krans*: árbol *m*; (*Gestell*) caballete *m*; (*Büchergestell*) estante *m*; (*Gewehr*2) estante *m* de armas; (*Pfeifen*2) portapipas *m*; (*Schirm*2) paragüero *m*; (*Kleider*2) percha *f*; (*Handtuch*2) toallero *m*; (*Blumen*2) macetero *m*; (*Fahrrad*2) soporte *m* para bicicletas; *Phot.* (*Stativ*) trípode *m*; ↯ (*Stator*) estator *m*; **~lampe** *f* lámpara *f* de pie.

'Standes...: **~amt** *n* (*-es*; *¨er*) registro *m* civil; **2amtlich** (*0*) **I.** *adj.*: ~*e Trauung* matrimonio civil; **II.** *adv.* civilmente; ~ *eintragen* inscribir en el registro civil; **~beamte(r)** *m* funcionario *m* del registro civil; oficial *m* del registro civil; **~bewußtsein** *n* (*-s*; *0*) conciencia *f* de clase; **~dünkel** *m* orgullo *m* de casta; **~ehe** *f* casamiento *m* de conveniencia; **~ehre** *f* (*0*) honor *m* profesional; dignidad *f* (*od.* decoro *m*) profesional; **2gemäß** *adj. u. adv.* conforme a su rango *od.* posición social; ~ *leben* vivir como corresponde a su posición social (*od.* a su categoría); **~genosse** *m* (*-n*): *unsere* ~*n* nuestros iguales; **~interessen** *n/pl.* intereses *m/pl.* de clase; **2mäßig** *adj. u. adv.* → *standesgemäß*; **~person** *f* persona *f* de calidad; **~register** *n* registro *m* del estado civil; **~rücksichten** *pl.* consideraciones *f/pl.* de clase; **~unterschied** *m* (*-es*; *-e*) diferencia *f* de clases; **~vorurteil** *n* (*-es*; *-e*) prejuicio *m* de clase (*od.* de casta); **2widrig** *adj.* impropio de su estado; contrario al decoro.

'Stand...: **2fest** *adj.* estable; fijo; (*widerstandsfähig*) resistente; **~festigkeit** *f* (*0*) estabilidad *f*; (*Widerstandsfähigkeit*) resistencia *f*; **~geld** *n* (*-es*; *-er*) *bei Ausstellungen*: derechos *m/pl.* de puesto; *Auto.* (tasa *f* de) estacionamiento *m*; **~gericht** ⚔ *n* (*-es*; *-e*) consejo *m* de guerra; **~glas** ⊕ *n* (*-es*; *¨er*) indicador *m* de nivel.

'standhaft I. *adj.* (*-est*) constante; (*nicht nachgebend*) firme; (*beharrlich*) perseverante; (*unerschütterlich*) imperturbable; **II.** *adv.* con firmeza; ~ *bleiben* mantenerse firme; **2igkeit** *f* (*0*) constancia *f*; firmeza *f*; perseverancia *f*.

'standhalten (*L*) *v/i.* mantenerse firme; resistir (a); perseverar; *der Kritik* ~ resistir la crítica.

'ständig I. *adj.* permanente; (*fortdauernd*) continuo; incesante; perpetuo; *Einkommen, Wohnsitz*: fijo; ~*er Ausschuß* comisión permanente; ~*e Mission* misión permanente; *s-n* ~*en Wohnsitz nehmen* fijar su residencia (en); **II.** *adv.* permanentemente; (*fortwährend*) continuamente; (*unaufhörlich*) sin cesar, incesantemente; (*immer*) siempre.

'ständisch *adj.* corporativo.

'Stand...: **~licht** *n* (*-es*; *-er*) *Auto.* luz *f* de estacionamiento; **~motor** *m* (*-s*; *-en*) motor *m* fijo; **~ort** *m* (*-es*; *-e*) sitio *m*, lugar *m*; *Auto. usw.*: puesto *m* de estacionamiento; parada *f*; ⚔ (*Garnison*) guarnición *f*; ⚓ *e-s Schiffes*: situación *f*; punto *m*; ⚓ *den* ~ *bestimmen* determinar la situación; *den* ~ *angeben* indicar la situación; **~ortbestimmung** ⚓ *f* determinación *f* de la situación (*od.* del punto); **~ortkommandant** *m* (*-en*) comandante *m* de la guarnición; **~ortlazarett** ⚔ *n* (*-es*; *-e*) hospital *m* de la guarnición; **~pauke** F *f* rapapolvo *m*; *fig.* sermón *m*; *j-m e-e* ~ *halten* echar un rapapolvo *bzw.* un sermón a alg.; **~platz** *m* (*-es*; *¨e*) puesto *m*; sitio *m*; *für Taxis, Autos*: parada *f*; (lugar *m* de) estacionamiento *m*; *für Droschken*: punto *m*; **~punkt** *m* (*-es*; *-e*) *fig.* punto *m* de vista; opinión *f*; criterio *m*; *den* ~ *vertreten* (*od. auf dem* ~ *stehen*), *daß* ... opinar que ...; sostener el criterio (*od.* la opinión) de que ...; *ich vertrete nicht Ihren* (*od. stehe nicht auf Ihrem*) ~ no soy de su opinión; *e-n anderen* ~ *vertreten, auf e-m anderen* ~ *stehen* ser de otra opinión; pensar de otro modo; tener otro punto de vista; *j-m den* ~ *klarmachen* F decir a alg. cuatro verdades; *überwundener* ~ ideas anticuadas; criterio que ya no se estila; **~quartier** ⚔ *n* (*-s*; *-e*) *e-s Regiments*: guarnición *f*; *für Feldtruppen*: acantonamiento *m*; **~recht** *n* (*-es*; *0*) ley *f* marcial; *das* ~ *verhängen* proclamar la ley marcial; **2rechtlich** *adj.* (*0*) según (*od.* conforme a) la ley marcial; ~ *erschossen werden* ser fusilado (*od.* pasado por las armas); **2sicher** *adj.* estable; **~sicherheit** *f* (*0*) estabilidad *f*; **~spur** *f* (*Autobahn*) arcén *m* de servicio; **~uhr** *f* reloj *m* vertical; reloj *m* de sobremesa; **~visier** *n* (*-s*; *-e*) *am Gewehr*: alza *f*; **~wild** *n* (*-es*; *0*) caza *f* sedentaria.

'Stange *f* (*Holz*2) palo *m* grueso; (*Stab*) vara *f*; (*Metall*2) barra *f*; (*Sprungstab*) *Sport*: pértiga *f*; (*Kleider*2) percha *f*; (*Fahnen*2) asta *f*; (*Hühner*2) palo *m* del aseladero; (*Gardinen*2) varilla *f*; (*Pfahl, Pfosten*) poste *m*; (*Zeltpflock*) estaca *f*; tarugo *m*; (*Absteckpfahl*) jalón *m*; (*Mast*) mástil *m*; *für Weinreben, Bohnen usw.*: rodrigón *m*; *für Korsett*: ballena *f*; (*Hopfen*2) varal *m*; (*Geweih*2) pitón *m*; *des Wildes*: mogote *m*; (*Wagen*2) lanza *f*; (*Zug*2) tirante *m*; ⊕ (*Pleuel*2, *Kolben*2) biela *f*; *v. Rasierseife, Siegellack usw.*: barra *f*; *am Pferdegebiß*: cama *f* del freno; (*Zigaretten*) cartón *m*; *Anzug von der* ~ traje hecho (*od.* de confección); F *e-e* ~ *Geld* un dineral; *fig. bei der* ~ *bleiben* no apartarse del tema, *standhalten*: mantenerse firme; *j-m die* ~ *halten* (*beistehen*) apoyar *od.* favorecer a alg.; ponerse de parte de alg.

'Stangen...: **~bohne** *f* fréjol *m* trepador; **~bonbon** *m* (*-s*; *-s*) pirulí *m*; **~eisen** *n* hierro *m* en barras; **~erbsen** *pl.* guisantes *m/pl.* trepadores; **~gold** *n* (*-es*; *0*) oro *m* en barras; **~pferd** *n* (*-es*; *-e*) caballo *m* de varas; **~silber** *n* (*-s*; *0*) plata *f* en barras; **~spargel** *m* espárrago *m* largo; perico *m*; **~zirkel** *m* compás *m* de varas.

stank *pret. v. stinken.*

'Stänker *m* F (*Zänker*) quimerista *m*; camorrista *m*; buscarruidos *m*; (*Schnüffler*) fisgón *m*.

'Stänke'rei *f* (*übler Geruch*) hediondez *f*; *fig.* (*Zank*) camorra *f*; pendencia *f*; marimorena *f*.

'stänkern (*-re*) F *v/i.* despedir mal olor; apestar; *fig.* (*Streit anfangen*) armar camorra.

Stanni'ol [-anī-] *n* (*-s*; *-e*) papel *m* de estaño; (*Zinnfolie*) hoja *f* de estaño.

'Stanz|e *f* (*Strophe*) estancia *f*; (*Prägestempel*) ⊕ estampa *f*; (*Loch*2) punzonadora *f*; **2en** (*-t*) *v/t.* estampar; (*lochen*) punzonar; **~en** *n* estampación *f*, estampado *m*; (*Lochen*) punzonado *m*; **~maschine** *f* punzonadora *f*; **~presse** *f* prensa *f* para estampar.

'Stapel *m* ☤ depósito *m*; (*Haufen*) montón *m*; pila *f*; ⚓ grada *f*; *auf* ~ *legen* ⚓ poner la quilla; *vom* ~ (*laufen*) *lassen* ⚓ botar; lanzar al agua; *vom* ~ *lassen* (*Rede*) F soltar (*od.* echar) un discurso; (*Werbungsaktion*) lanzar; **~holz** *n* (*-es*; *0*) madera *f* de carpintería; **~lauf** ⚓ *m*

(-*es*; ⸚*e*) botadura *f*; **2n** *v/t.* apilar; amontonar; (*lagern*) almacenar; **~platz** *m* (-*es*; ⸚*e*) (*Handelsplatz*) emporio *m*; (*Lager*) depósito *m*.

'**Stapfe** *f* huella *f*, pisada *f*; **2n** *v/i.* (*sn*) andar pesadamente.

Star¹ *Orn. m* (-*es*; -*e*) estornino *m*.

Star² *m* (-*s*; -*s*) (*Opern*2) divo *m*, diva *f*; *Film*: astro *m* (estrella *f*) de la pantalla; *Sport*: as *m*.

Star³ ⚕ *m*: *grauer* ~ catarata *f*; *schwarzer* ~ amaurosis *f*; *grüner* ~ glaucoma *m*; *j-m den* ~ *stechen* operar de cataratas a alg.; *fig.* abrir los ojos a alg.; quitar a alg. la venda de los ojos.

'**Star-allüren** *f/pl.* caprichos *m/pl.* de diva *bzw.* divo.

starb *pret. v.* sterben.

stark (⸚*er*; ⸚*st*) **I.** *adj.* fuerte; (*groß*) grande; (*kräftig*) robusto; (*kraftvoll*) vigoroso; (*tätig*) activo; enérgico; (*fest, solide*) sólido; resistente; (*dick*) grueso; (*dicht*) espeso; (*beleibt*) gordo, grueso, obeso; (*zahlreich*) numeroso; (*umfangreich*) voluminoso; (*beträchtlich*) considerable; (*reichlich*) abundante; copioso; (*intensiv*) intenso; (*massiv*) compacto; macizo; (*mächtig*) poderoso; (*heftig*) violento; (*ungestüm*) impetuoso; *~e Auflage Zeitung usw.*: gran tirada; *~er Ausdruck* expresión fuerte; palabra gruesa; *~er Band* libro voluminoso; *~e Erkältung* fuerte resfriado; *~er Esser* gran comedor, F comilón; *~e Familie* familia numerosa; *~es Fieber* fiebre alta; *~er Frost* helada fuerte *od.* intensa; *~er Geruch* olor fuerte; *~es Geschlecht* sexo fuerte; *~er Kaffee* café cargado; *~er Mann* hombre de energía; *~es Mittel* ⚕ remedio enérgico; *~er Motor* motor potente; *~e Nachfrage* ⚚ gran demanda; *~e Nerven fig.* nervios de acero; *~er Regen* lluvia torrencial; *~e Seite* fuerte, punto fuerte; *~e Stimme* voz potente; *~er Stoff* tela fuerte; *das ist ein ~es Stück!* eso es un poco fuerte; *~er Tabak* tabaco fuerte; *~er Trinker* gran bebedor; *~er Verkehr* tráfico intenso; *~er Wind* viento fuerte *od.* recio; *in et.* (*dat.*) ~ *sein* estar fuerte en a/c.; *das Buch ist 300 Seiten* ~ el libro tiene (*od.* es de) trescientas páginas; *e-e 200 Mann ~e Kompanie* una compañía de doscientos hombres; *e-e 30 Zentimeter ~e Mauer* un muro de treinta centímetros de espesor; *das ist* (*doch*) *zu ~!* ¡eso ya es demasiado!; ~ *werden* cobrar fuerzas, fortalecerse, (*beleibt werden*) engordar, F echar carnes; **II.** *adv.* (*sehr*) muy; mucho; altamente, en alto grado; intensamente; fuertemente; con energía; ~ *besucht* muy frecuentado *od.* concurrido; ~ *übertrieben* muy exagerado; ~ *essen* comer mucho; ~ *machen* fortalecer; ~ *regnen* llover torrencialmente.

'**Starkasten** *m* (-*s*; ⸚) nido *m* de estornino.

'**Starkbier** *n* (-*es*; -*e*) cerveza *f* doble.

'**Stärke¹** *f* (*Kraft*) fuerza *f*; vigor *m*; (*Tatkraft*) energía *f*; (*Festigkeit*) solidez *f*; (*Robustheit*) robustez *f*; (*Beleibtheit*) gordura *f*; ⚕ obesidad *f*; (*Körper*2) corpulencia *f*; (*Dicke*) grosor *m*, grueso *m*, espesor *m*; ⊕ *Leistung*: potencia *f*, *Dicke*: espesor *m*, *Durchmesser*: diámetro *m*, *Kaliber*: calibre *m*; ⚗ *e-r Lösung*: concentración *f*; (*Intensität*) intensidad *f*; (*Macht*) poder *m*; potencia *f*; (*Heftigkeit*) violencia *f*; (*Anzahl*) cantidad *f*; ⚔ *e-s Heeres*: efectivo *m*; *fig.* (*starke Seite*) fuerte *m*, punto *m* fuerte.

'**Stärke²** *f* (*Kraftmehl*) almidón *m*; fécula *f*; *für Wäsche*: almidón *m*; **~erzeugnisse** *pl.* productos *m/pl.* amiláceos; **~fabrik** *f* fábrica *f* de almidón; **~grad** *m* (-*es*; -*e*) grado *m* de intensidad; **2haltig** *adj.* feculento, amiláceo; **~kleister** *m* engrudo *m* de almidón; **~mehl** *n* (-*es*; *0*) almidón *m*; fécula *f*.

'**stärken I.** *v/t.* fortalecer; fortificar; ⚕ *a.* tonificar; robustecer; (*beleben*) vigorizar; (*befestigen*) consolidar; (*bekräftigen*) corrobrar; (*ver~*) reforzar; (*trösten*) confortar; *Wäsche*: almidonar; *sich* ~ fortalecerse; (re-) cobrar fuerzas; *durch Essen*: confortarse; repararse; **II.** 2 *n der Wäsche*: almidonado *m*; **~d** *adj.* fortalecedor; fortificante; ⚕ tonificante; *~es Mittel* tónico *m*; (*Schlaf, Speise*) reparador; confortante, confortador.

'**Stärkezucker** ⚗ *m* (-*s*; *0*) glucosa *f*.

'**stark|gliedrig** *adj.* membrudo, fornido; **~knochig** *adj.* huesudo.

'**Stark...:** **~strom** ⚡ *m* (-*es*; ⸚*e*) corriente *f* de alta tensión; **~stromkabel** *n* cable *m* de alta tensión; **~stromleitung** *f* línea *f* de alta tensión.

'**Stärkung** *f* fortalecimiento *m*; corroboración *f*; robustecimiento *m*; consolidación *f*; (*Trost*) confortación *f*; (*Imbiß*) refacción *f*; refrigerio *m*; F (*Schnaps usw.*) latigazo *m*; **~smittel** *n* confortativo *m*; tónico *m*.

'**stark|wandig** *adj.* de pared gruesa; **~wirkend** *adj.* ⚕ de acción enérgica; *~es Abführmittel* drástico *m*.

'**Starlet** *n* (*Film*) estrella *f* en cierne(s).

'**Star-operation** *Chir. f* operación *f* de cataratas.

'**Starparade** *f* lluvia *f* de estrellas.

starr I. *adj.* rígido; (*steif*) *a.* tieso; (*erstarrt*) *v. Gliedern*: entumecido; (*unbeweglich*) fijo; inmóvil; (*unbeugsam*) inflexible; ⊕ rígido (*a. Luftschiff*); (*~sinnig*) obstinado, terco, testarudo; *Blick*: fijo, *im Tode*: vidrioso; ~ *vor Kälte* transido (*od.* aterido) de frío; ~ *vor Schrecken* pasmado; ~ *vor Erstaunen* estupefacto, atónito; ~ *vor Entsetzen* petrificado de espanto; **II.** *adv.* (*hartnäckig*) con tesón; ~ *werden* entesarse, ponerse tieso; ~ *ansehen* mirar fijamente; mirar de hito en hito; **2e** *f* → *Starrheit*.

'**starren¹ I.** *v/i.*: *auf* et. (*j-n*) ~ mirar fijamente a/c. (a alg.); **II.** 2 *n* mirada *f* fija.

'**starren²** *v/i.*: *von et.* ~ estar erizado de a/c.; *vor Kälte* ~ estar transido (*od.* aterido) de frío; *vor Schmutz* ~ estar lleno de inmundicia *od.* suciedad; *von Waffen* ~ estar armado hasta los dientes.

'**Starr...:** **~heit** *f* (*0*) rigidez *f*; tiesura *f*; *der Glieder*: entumecimiento *m*; (*Unbeweglichkeit*) inmovilidad *f*; fijeza *f*; (*Unbeugsamkeit*) inflexibilidad *f*; (*Starrsinnigkeit*) obstinación *f*, terquedad *f*, testarudez *f*; **~kopf** *m* (-*es*; ⸚*e*) testarudo *m*, F cabezota *m*; **2köpfig** *adj.* obstinado, terco, testarudo, F cabezudo, cabezota; **~köpfigkeit** *f* (*0*) obstinación *f*, terquedad *f*, testarudez *f*; **~krampf** ⚕ *m* (-*es*; ⸚*e*) tétanos *m*; **~sinn** *m* (-*es*; *0*), **2sinnig** *adj.* → *Starrköpfigkeit, starrköpfig*; **~sucht** ⚕ *f* (*0*) catalepsia *f*.

'**Starstechen** *Chir. n* operación *f* de (las) cataratas.

Start *m* (-*es*; -*e od.* -*s*) partida *f*; *Sport*: salida *f*; *e-s Fahrzeuges*: arranque *m*; ✈ despegue *m*; (*Katapult*2) lanzamiento *m*; ~ *mit Rückwind* (*mit Seitenwind*; *gegen den Wind*) despegue con viento de cola (con viento lateral; contra el viento); *gut vom ~ wegkommen* hacer una buena salida; ✈ hacer un buen despegue; *fliegender* (*stehender*) ~ *Sport*: salida lanzada (fija); ✈ *den ~ freigeben* autorizar el despegue.

'**Start-anlage** *f* base *f* de lanzamientos.

'**Start...:** **~bahn** ✈ *f* pista *f* de despegue; *des Flugzeugträgers*: cubierta *f* de despegue; **2bereit** *adj.* (*0*) listo para partir; ✈ listo para despegar; **2en** (-*e*-) **1.** *v/i.* partir; *Sport*: tomar la salida; ✈ despegar; *Fahrzeug*: arrancar; **2.** *v/t.* *Sport*: dar la (señal de) salida; *Rakete, Satellit*: lanzar; (*katapultieren*) lanzar con catapulta; (*in Gang setzen*) poner en marcha; **~en** *n* → *Start*; **~er** *m Sport*: juez *m* de salida; *angl.* starter *m*; *Auto.* (*Anlasser*) arrancador *m*, dispositivo *m* de arranque; **~erknopf** *m* (-*es*; ⸚*e*) botón *m* de arranque; **~erlaubnis** *f* (*0*) autorización *f* para despegar; **~flughafen** *m* (-*s*; ⸚) aeródromo *m* de salida; **2klar** ✈ *adj.* (*0*) listo para emprender el vuelo (*od.* para despegar); **~linie** *f* línea *f* de salida; **~nummer** *Sport f* (-; -*n*) número *m* de salida; **~ordnung** *f* orden *m* de salida; **~platz** *m* (-*es*; ⸚*e*) punto *m* de partida; ✈ aeródromo *m* de salida; lugar *m* de despegue; **~rille** *f der Schallplatte*: surco *m* inicial; **~schleuder** *f* (-; -*n*) catapulta *f*; **~schlüssel** *Auto. m* llave *f* del arrancador; **~schub** ✈ *m* (-*es*; ⸚*e*) impulso *m* de despegue; **~schuß** *Sport m* (-*sses*; ⸚*sse*) señal *f* de salida; **~strecke** ✈ *f* carrera *f* de despegue; **~tisch** *m* (-*es*; -*e*) *für Raketen*: plataforma *f* de lanzamiento; **~verbot** *n* (-*es*; -*e*) ✈ prohibición *f* de despegue; *Sport*: suspensión *f*; **~zeichen** *n Sport*: señal *f* de salida; **~zeit** *f Sport*: hora *f* de salida.

'**Statik** *f* (*0*) estática *f*; **~er** *m* △ especialista *m* en cálculos estáticos.

Stati'on *f* estación *f* (*a.* 🚂); (*Halt*) parada *f*; (*Krankenhausabteilung*) departamento *m* clínico; sección *f* clínica; (*Marine*2) base *f* (naval); ~ *machen* detenerse; *freie* ~ *haben* tener comida y alojamiento gratis.

statio'när *adj.* estacionario; **2be-**

handlung ⚕ *f* tratamiento *m* en régimen de hospitalización.
statio'nier|en (-) *v/t.* estacionar; **2ung** *f* estacionamiento *m*; **2ungskosten** *pl.* gastos *m/pl.* de estacionamiento.
'Stati'ons...: **~arzt** *m* (*-es*; *⸚e*) médico *m* de departamento clínico; **~schwester** *f* (*-*; *-n*) enfermera *f* de departamento clínico; **~vorsteher** 🚂 *m* jefe *m* de estación.
'statisch *adj.* estático.
Sta'tist(in *f*) *m* (*-en*) *Thea.* comparsa *m/f*, figurante *m*, figuranta *f*.
Sta'tist|ik *f* estadística *f*; e-e ~ *aufstellen* hacer una estadística; *das Internationale Institut für* ~ el Instituto Internacional de Estadística; **~iker** *m*, **2isch** *adj.* estadístico.
Sta'tiv *n* (*-s*; *-e*) (*Fuß*) soporte *m*; *Phot.* trípode *m*.
'Stator ⚡ *m* (*-s*; *-en*) estator *m*.
Statt *f* (*-*; *⸚en*) lugar *m*, sitio *m*; *an Kindes* ~ *annehmen* adoptar, prohijar; *an Zahlungs* ~ en lugar (*od.* concepto) de pago; *Erklärung an Eides* ~ declaración jurada.
statt *prp.* (*gen.*; *zu inf.*) en lugar de, en vez de; ~ *dessen* en su lugar; en lugar de ...; en vez de ...; ~ *meiner* en mi lugar; ~ *zu arbeiten* en vez de trabajar.
'Stätte *f* lugar *m*, sitio *m*; paraje *m*; (*Wohnung*) morada *f*; *geweihte* ~ lugar sagrado; *die Heiligen* ~*n* los Santos Lugares; *keine bleibende* ~ *haben* no tener residencia fija; llevar una vida errante.
'statt...: **~finden** (*L*), **~haben** (*L*) *v/i.* tener lugar; celebrarse, verificarse; realizarse; **~geben** (*L*) *v/i.* dar curso a; (*annehmen*) admitir; (*zulassen*) permitir; (*gewähren*) acceder a; **~haft** *adj.* (*zulässig*) admisible; lícito; (*erlaubt*) permitido; ⚖ procedente; **2halter** *m e-r Provinz*: gobernador *m*; (*Vizekönig*) virrey *m*; *Christi*: vicario *m*; (*Stellvertreter*) lugarteniente *m*; **2halterschaft** *f e-r Provinz*: gobierno *m*.
'stattlich *adj.* (*elegant*) elegante; vistoso; (*prächtig*) magnífico, espléndido; (*luxuriös*) lujoso, suntuoso; (*würdevoll*) grave; (*eindrucksvoll*) imponente; (*majestätisch*) majestuoso; (*bedeutend*) importante; (*beträchtlich*) considerable; *Figur*: arrogante; *v. Aussehen*: *Mann*: apuesto; gallardo; bien parecido; *Frau*: de arrogante figura; gentil, garbosa; ~*e Erscheinung Mann*: de gallarda presencia; de apuesta figura; *Frau*: de espléndida belleza; **2keit** *f* (*0*) elegancia *f*; magnificencia *f*; lujo *m*, suntuosidad *f*.
'Statue *f* estatua *f*; **2nhaft** *adj.* estatuario.
Statu'ette *f* figurilla *f*; estatuilla *f*.
statu'ieren (-) *v/t.* (*festsetzen*) estatuir, establecer; *ein Exempel* ~ sentar un ejemplo aleccionador; *ein Exempel an j-m* ~ hacer un escarmiento con alg.
Sta'tur *f* estatura *f*; talla *f*.
'Status *m* (*-*; *-*) estado *m* (jurídico); ~ *quo* statu quo *m*.
Sta'tut *n* (*-es*; *-en*) estatuto *m*; (*Vereins2*, *Gesellschafts2*) reglamento *m*; estatutos *m/pl.*; *die* ~*en aufsetzen* redactar los estatutos; *durch die* ~*en bestimmt* estatutario; **2enmäßig** *adj.* (*0*) estatutario; conforme a los estatutos; **2enwidrig** *adj.* (*0*) contrario a los estatutos.
Stau-anlage *f* presa *f*; embalse *m*, pantano *m*.
'Staub *m* (*-es*; *0*) polvo *m*; (*Kohlen2*) polvo *m* de carbón; (*Blüten2*) polen *m*; *kosmischer* ~ polvo cósmico; *in* ~ *verwandeln* pulverizar, reducir a polvo; ~ *aufwirbeln* levantar polvo; ~ *wischen* limpiar (*od.* quitar) el polvo de; *fig. viel* ~ *aufwirbeln* levantar una polvareda; causar sensación; *j-n in den* ~ *treten* (*od. ziehen*) humillar a alg.; *in den* ~ *zerren* arrastrar por el fango; difamar; F *sich aus dem* ~ *machen* poner pies en polvorosa; tomar las de Villadiego; eclipsarse; salir por pies; **2artig** *adj.* pulverulento; **~aufwirbelung** *f* polvareda *f*; **~bad** *n* (*-es*; *⸚er*) baño *m* de polvo; **2bedeckt** *adj.* cubierto de polvo; polvoriento; **~besen** *m* (*Federbesen*) plumero *m*; **~beutel** ⚘ *m* antera *f*; **~blüte** ⚘ *f* flor *f* estaminífera; **~brille** *f* gafas *f/pl.* protectoras contra el polvo; **~bürste** *f* brocha *f* para quitar el polvo.
'Stäubchen *n* partícula *f* de polvo; *fig.* átomo *m*.
'staubdicht *adj.* (*0*) a prueba de polvo; hermético.
'Staubecken *n* presa *f*; embalse *m*.
'stauben *v/i.* levantar polvo.
'stäuben 1. *v/t.* (*ab*~) sacudir el polvo; desempolvar, quitar el polvo; (*be*~) polvorear, espolvorear; empolvar; (*zer*~) pulverizar; **2.** *v/i.* (*stauben*) levantar polvo; **3.** *v/refl.*: *sich* ~ *Vogel*: tomar un baño (de arena *od.* polvo).
'Staub...: **~faden** ⚘ *m* (*-s*; *⸚*) estambre *m*; **~fänger** *m Auto.* guardapolvo *m*; *iro.* trasto *m* inútil; **~feuerung** *f* calefacción *f* con carbón pulverizado; **~filter** *m* filtro *m* de polvo; **2frei** *adj.* sin polvo; **~gefäß** ⚘ *n* (*-sses*; *-sse*) → *Staubfaden*; **2ig** *adj.* cubierto de polvo, polvoriento; (*staubartig*) pulverulento; **~kamm** *m* (*-es*; *⸚e*) peine *m* fino; **~kittel** *m* guardapolvo *m*; **~korn** *n* (*-es*; *⸚er*) partícula *f* de polvo; **~lappen** *m* trapo *m* para limpiar el polvo; (*aus Sämischleder*) gamuza *f*; **~lunge** ⚕ *f* neumoconiosis *f*; silicosis *f*; **~mantel** *m* → *Staubkittel*; **~pinsel** *m* pincel *m* para quitar polvo; **~regen** *m* llovizna *f*; **~sand** *m* (*-es*; *0*) arena *f* pulverulenta; **~sauger** *m* aspirador *m* de polvo; **~schicht** *f* capa *f* de polvo; **~tuch** *n* (*-es*; *⸚er*) paño *m* para limpiar el polvo; **~wedel** *m* (*Federbesen*) plumero *m*; *aus Filz od. Leder*: zorros *m/pl.*; **~wirbel** *m* remolino *m* de polvo, polvareda *f*; **~wolke** *f* nube *f* de polvo; **~zucker** *m* azúcar *m* en polvo.
'stauchen *v/t.* recalcar; (*stoßen*) empujar; golpear; (*zusammenpressen*) comprimir; ⊕ *Niete*: aplastar; (*Schmiedstück*): acortar martillando; ✓ *Flachs*: meter en haces; *fig. j-n zusammen*~ reprender con dureza a alg.
'Staudamm *m* (*-es*; *⸚e*) dique *m* de contención; (muro *m* de) presa *f*.
'Staude ⚘ *f* (*Strauch*) arbusto *m*; (*mehrjährige, krautige Pflanze*) planta *f* perenne *od.* vivaz; mata *f*.
'Staudruck ⊕ *m* (*-es*; *0*) presión *f* dinámica; **~messer** *m* registrador *m* de presión dinámica.
'stauen 1. *v/t. Wasser*: estancar; represar, embalsar; (*anhäufen*) amontonar; ⚓ *im Schiffsraum*: estibar, arrumar; *Waren*: almacenar; *weitS.* acumular; **2.** *v/refl.*: *sich* ~ *Wasser*: estancarse; remansarse; represarse; (*sich anhäufen*) amontonarse; acumularse; *Verkehr*: congestionarse.
'Stauer ⚓ *m* estibador *m*.
'Stauffer|büchse ⊕ *f* engrasador *m* Stauffer; **~fett** *n* (*-es*; *0*) grasa *f* consistente.
'Staumauer *f* (*-*; *-n*) muro *m* de embalse.
'staunen I. *v/i.* asombrarse, admirarse (*über ac.* de); maravillarse (de); quedar asombrado *od.* admirado; estar asombrado *od.* admirado; (*verblüfft sein*) quedar pasmado *od.* atónito; F quedar boquiabierto *od.* turulato; **II.** 2 *n* asombro *m*, admiración *f*; *in* ~ *versetzen* asombrar, llenar de asombro; *aus dem* ~ *nicht herauskommen* no salir de su asombro; **~swert** *adj.* asombroso, maravilloso; estupendo.
'Staupe *f* (*Hundekrankheit*) moquillo *m*.
'Stau...: **~see** *m* (*-s*; *-n*) (lago *m* de) embalse *m*; *e-r Talsperre*: pantano *m*; **~ung** *f* (*Ansammlung*) acumulación *f*; (*Auf2*) *v. Wasser*: estancamiento *m*, remanso *m*; embalse *m*; contención *f* del agua; *Verkehr*, ⚕: congestión *f*; ⚓ (*Ver2*) estibación *f*; **~wasser** *n* agua *f* muerta; remanso *m*; *in e-r Schleuse*: esclusada *f*; **~wehr** *n* (*-es*; *-e*) presa *f*; **~werk** *n* (*-es*; *-e*) presa *f*; pantano *m*; embalse *m*.
Steak *n* (*-s*; *-s*) bistec *m*; *Am.* bife *m*.
Stea'rin *n* (*-s*; *-e*) estearina *f*; **~kerze** *f*, **~licht** *n* (*-es*; *-er*) vela *f* (*od.* bujía *f*) de estearina; **~säure** ⚗ *f* ácido *m* esteárico.
'Stech|apfel ⚘ *m* (*-s*; *⸚*) estramonio *m*; **~bahn** *f* liza *f*, palenque *m*; **~becken** *n* orinal *m* de cama; **~beitel** *m*, **~eisen** *n* formón *m*; (*Locheisen*) escoplo *m* punzón; **~eiche** ⚘ *f* carrasca *f*; encina *f* verde.
'stechen I. (*L*) *v/t.*, *v/i. u. v/refl.* pinchar, punzar; *Sonne, Insekten*: picar; *Spargel, Rasen*: cortar; *Torf*: extraer; ⚕ (*Schmerz*) punzar, dar punzadas; *Chir.*: puncionar; *Sport*: (*Entscheidung herbeiführen*) desempatar; *im Kartenspiel*: matar, fallar; *mit der Stechgabel*: fisgar, pescar con la fisga; (*ab*~) *Schlachtvieh*: matar; degollar; *durch und durch* ~ traspasar, atravesar de parte a parte; *sich in den Finger* ~ pincharse un dedo; *ins Grüne* ~ tirar a verde; ⊕ *in Kupfer* ~ grabar en cobre; ⚓ *in See* ~ hacerse a la mar, zarpar; *nach j-m* ~ acuchillar a alg.; *es sticht mich in der Seite* siento punzadas en el costado; *fig. in ein Wespennest* ~ hurgar en un avispero; *das sticht mir in die Augen*

atrae poderosamente mi atención; *ihn sticht der Hafer* tiene muchos humos; *wie gestochen schreiben* escribir caligráficamente; **II.** 2 *n* (*Gravieren*) grabado *m*; (*Schmerz*) punzada *f*, dolor *m* lancinante; **~d** *adj.* punzante; *Sonne*: ardiente, abrasador; *Blick, Geruch*: penetrante; *~er Schmerz* dolor punzante (*od.* lancinante).

ˈ**Stecher** *m* (*Person*) grabador *m*; *an der Schußwaffe*: gatillo *m*, disparador *m*; *für Proben*: sonda *f*; pincho *m*.

ˈ**Stech...: ~fliege** *f* tábano *m*; **~ginster** ♀ *m* tojo *m*, aulaga *f*; **~heber** *m* sifón *m*; pipeta *f*; *zur Weinprobe*: catavino *m*; **~mücke** *f* mosquito *m*, cínife *m*; **~palme** ♀ *f* acebo *m*; **~schritt** ⚔ *m* (*-es*; *-e*) paso *m* de parada; **~uhr** *f* reloj *m* de control; *für Wächter*: reloj *m* contrastante; **~zirkel** *m* compás *m* de puntas.

ˈ**Steck|brief** *m* (*-es*; *-e*) requisitoria *f*; orden *f* de busca y captura; (*Signalement*) señas *f/pl.* personales, filiación *f*; 2**brieflich** *adv.* por vía requisitoria; **~dose** ⚡ *f* enchufe *m*, *Am.* tomacorriente *m*.

ˈ**Stecken** *m* bastón *m*; varilla *f*; *fig.* *Dreck am ~ haben* estar comprometido en algún asunto sucio; no tener las manos limpias.

ˈ**stecken 1.** *v/t.* meter, introducir (*in ac.* en); (*versenken*) hundir; (*gleiten lassen*) deslizar en; *Schlüssel*: meter, introducir; *Pfähle*: hincar; *Pflanzen*: plantar; (*fest~*) fijar, *mit e-m Nagel*: clavar, *mit e-r Nadel*: prender; *Ziel*: proponer; fijar, señalar; *an den Finger ~* poner en el dedo; *Grenzen ~* delimitar; *j-m et. ~* (*heimlich mitteilen*) decir a alg. confidencialmente a/c.; insinuar (*od.* dar a entender) a alg. a/c.; *die Köpfe zusammen~* cuchichear, secretear; *Geld in ein Unternehmen ~* invertir dinero en una empresa; *in die Scheide ~ Degen*: envainar; *in die Tasche ~* meter en el bolsillo; **2.** *v/i.* (*sich wo befinden*) estar, hallarse (metido) en; (*befestigt sein*) estar fijado (*an dat.* en); (*eingerammt sein*) estar hincado (*in dat.* en); (*versenkt sein*) estar hundido en; (*verborgen sein*) estar escondido (*od.* oculto); *wo steckt er denn?* ¿dónde está metido?; *da steckt er!* ¡aquí está!; *da steckt et. dahinter* aquí hay más de lo que parece; aquí hay trampa; (*ist et. verborgen*) F aquí hay gato encerrado; *wer steckt dahinter?* ¿quién está (oculto) detrás de todo eso?; *in ihm steckt et.* es hombre que promete; F *fig.* en él hay madera; *in Arbeit ~* estar metido de lleno en el trabajo; *ich möchte nicht in s-r Haut ~* no quisiera estar en su pellejo; *fig. tief in Schulden ~* tener (*od.* estar metido en) deudas, F estar entrampado hasta las orejas; *der Schlüssel steckt in der Tür* la llave está en la cerradura; *immer zu Hause ~* estar siempre metido en casa; *voll ~ von* estar lleno de; estar cuajado de; **3.** *v/refl.*: *sich hinter j-n ~* valerse de alg.; *sich ein Ziel ~* proponerse un fin; → *Brand, Decke, Spiegel*; **~bleiben** (*L*; *sn*) *v/i.* (*stehenbleiben*) quedar detenido; no poder seguir; (*e-e Panne haben*) quedar detenido por avería; (*einsinken*) hundirse en; *Nagel usw.*: quedar clavado; quedar empotrado; *im Schlamm ~* quedar atascado en el barro; *in der Kehle ~* quedar atravesado en la garganta; *in der Rede ~* cortarse; perder el hilo del discurso; **~lassen** (*L*) *v/t.* dejar (metido); *den Schlüssel ~* dejar la llave en la cerradura; 2**pferd** *n* (*-es*; *-e*) *für Kinder*: caballito *m* de madera; *fig.* caballo *m* de batalla; ocupación *f* favorita; afición *f*; *desp.* manía *f*.

ˈ**Stecker** ⚡ *m* clavija *f* de enchufe; (*Doppel*2) enchufe *m* doble; **~fassung** ⚡ *f* portalámpara *m* de enchufe.

ˈ**Steck...: ~kartoffeln** *pl.* patatas *f/pl.* de siembra; **~kissen** *n für Säuglinge*: almohada *f* para portar lactantes; **~kontakt** ⚡ *m* (*-es*; *-e*) enchufe *m*; **~ling** ↗ *m* (*-s*; *-e*) plantón *m*; **~nadel** *f* (*-*; *-n*) alfiler *m*; **~nadelkissen** *n* acerico *m*; **~reis** ↗ *n* (*-es*; *-er*) → *Steckling*; **~rübe** ♀ *f* nabo *m*; **~schlüssel** *m* llave *f* tubular; **~schuß** *m* (*-sses*; *ᵘsse*) herida *f* de bala sin orificio de salida.

Steg *m* (*-es*; *-e*) (*Pfad*) sendero *m*, senda *f*; vereda *f*; (*Lauf*2, *Fußgängerbrücke*) pasarela *f*; ⚓ (*Lande*2) pasarela *f* (de embarque); (*Geigen*2) puente *m*; (*Brillen*2) arco *m*; (*Hosen*2) trabilla *f*; ⊕ (*Verbindungsstück*) pieza *f* de unión; (*Strebe*) travesaño *m*; △ (*Leiste*) filete *m*; (*Gerüst*2) nervio *m*; *des Profileisens*: alma *f*; *e-r Kette*: mallete *m*; *Typ.* regleta *f*.

ˈ**Stegreif** *m* (*-es*; *0*): *aus dem ~* sin previa preparación, improvisando; *aus dem ~ sprechen* (*dichten*) improvisar; ♪ *aus dem ~ spielen* repentizar; **~dichter** *m* improvisador *m*; **~dichtung** *f* improvisación *f*; **~gedicht** *n* (*-es*; *-e*) poesía *f* improvisada; improvisación *f*; **~rede** *f* discurso *m* improvisado; **~spieler** ♪ *m* repentista *m*; **~stück** *n* (*-es*; *-e*) pieza *f* improvisada.

ˈ**Steh|aufmännchen** *n* dominguillo *m*, tentetieso *m*; **~bar** *f* (*-*; *-s*) bar *m*; **~bierhalle** *f* bar *m* cervecería; bar *m*; **~bild** *Phot.* *n* (*-es*; *-er*) escena *f*.

ˈ**stehen** (*L*) **I.** *v/t. u. v/refl.*: estar en pie; mantenerse en pie; *gerade~* mantenerse derecho; *Gr.* usarse, emplearse; (*sich befinden*) estar; (*bestehen*) existir; (*nicht weitergehen*) detenerse, quedarse parado; estar parado; (*nicht weichen*) mantenerse firme; *Uhr*: estar parado; *Kleidung*: sentar; *Hut*: estar; *wie steht es?* ¿cómo va?, ¿qué tal está?; *es steht gut* (*schlecht*) va bien (mal); *wie steht das Spiel? Sport*: ¿cómo va el tanteo?; *wie steht die Sache?* ¿cómo va la cosa?; ¿qué tal anda el asunto?; *so steht es* así están las cosas; ésta es la situación; *so wie die Dinge ~* en estas circunstancias; dada la situación; tal como están las cosas; *so wie er ging und stand* tal como estaba; *die Saat steht gut* la sementera presenta buen aspecto; *das wird ihn teuer zu ~ kommen* le costará caro; *solange die Welt steht* desde que existe el mundo; desde que el mundo es mundo; *s-n Mann ~* estar a la altura de las circunstancias; salir airoso de todas las pruebas; cumplir como se debe; *Modell ~* servir de modelo, *Mal. a.* posar; *allein ~* estar solo; *Posten ~* estar de centinela; *j-m Rede* (*und Antwort*) *~* dar cuenta a alg. de a/c.; *es steht zu befürchten* es de temer; *es steht zu erwarten, daß ...* es de esperar que ... (*subj.*); *es steht geschrieben* está escrito; *~ bleiben* pararse, detenerse, (*sich nicht setzen*) permanecer de pie; *er stand am Fenster* estaba asomado a la ventana; *die Aktien ~ auf* las acciones están (*od.* se cotizan) a; *auf der Liste ~* estar (*od.* figurar) en la lista; *auf dem Scheck steht kein Datum* (*keine Unterschrift*) no tiene fecha (firma), no está fechado (firmado); *das Barometer steht auf Regen* el barómetro anuncia (*od.* señala) lluvia; *das Thermometer steht auf 5 Grad unter Null* el termómetro marca (*od.* señala) cinco grados bajo cero; *auf j-s Seite ~* estar de parte de alg.; *auf eigenen Füßen ~* ser independiente; vivir por cuenta propia; *auf Mord steht Todesstrafe* el asesinato se castiga con pena de muerte; *es steht schwere Strafe darauf* es severamente castigado; *bei j-m in Arbeit ~* trabajar en casa de alg.; *bei e-r Bank Geld ~ haben* tener dinero (depositado) en un banco; *es steht bei dir* depende de ti; *es steht bei Ihnen, zu* (*inf.*) es usted muy dueño de ... (*inf.*); *das steht nicht bei mir* eso no depende de mí; *für et.* (*j-n*) *~* responder de a/c. (de alg.); *davon steht nichts im Brief* de eso no se dice nada en la carta; *was steht in den Zeitungen?* ¿qué dicen los periódicos?; *in Gefahr ~ zu* estar en peligro de; *in Flammen ~* estar en llamas; *in Verdacht ~, zu ...* (*inf.*) ser sospechoso de ... (*inf.*); *j-m im Wege ~* (*störend*) estorbar a alg.; atravesarse en el camino de alg. (*a. fig.*); (*sich widersetzen*) oponerse a alg.; contrariar los planes de alg.; *das steht nicht in m-n Kräften* no está en mi poder; *wie steht's mit ihm?* ¿qué pasa con él?; ¿cómo van sus asuntos?; *es steht gut* (*schlecht*) *mit ihm* le va bien (mal); las cosas se presentan bien (mal) para él; sus asuntos van bien (mal); *wie steht's mit Ihrer Angelegenheit?* ¿qué hay de su asunto?; *du stehst allein mit deiner Meinung* eres el único que opina así; *mit j-m gut* (*schlecht*) *~* estar bien (mal) con alg.; *Gr. der Konjunktiv steht ...* el subjuntivo se emplea ...; *sein Sinn steht nach Ruhm* aspira a la gloria; *über* (*unter*) *j-m ~* ser superior (inferior) a alg.; *im Rang*: ser el superior (estar a las órdenes) de alg.; ser de mayor (menor) categoría que alg.; *unter Wasser ~* estar inundado; *zu et. ~* (*an et. festhalten*) mantenerse firme en a/c.; *gut zu et. ~* (*passen*) venir bien (*od.* hacer juego) con a/c.; *zu e-m Versprechen ~* cumplir lo prometido; *zur Debatte ~* ser discutido (*od.* objeto de discusión); *zu ~*

kommen auf (ac.) venir a costar; venir a salir por; *alles steht zu Ihren Diensten* todo está a su disposición; *j-m zu Diensten* ~ estar a la disposición (*od.* a las órdenes) de alg.; *j-m zur Seite* ~ asistir a alg.; ayudar a alg.; secundar a alg.; *sich gut* ~ vivir desahogadamente (*od.* con holgura); *sich bei et. gut* ~ tener (*od.* sacar) provecho de a/c.; *sich mit j-m gut* ~ estar bien (*od.* en buenas relaciones) con alg.; **II.** 2 *n* (*Halten*) estacionamiento *m*; *zum* ~ *bringen* parar, detener; *Blut*: restañar; *zum* ~ *kommen* pararse, detenerse; **~bleiben** (*L*; *sn*) *v/i.* mantenerse en pie; (*anhalten*) pararse (*a. Uhr*), detenerse; quedarse parado; estacionarse; (*plötzlich*) pararse en seco; (*es dabei bewenden lassen*) dejar las cosas como están; dejarlo (estar); *auf welcher Seite sind wir stehengeblieben?* ¿en qué página hemos quedado?; *nicht* ~! ¡circulen!; **~d** *adj.* en pie; de pie; derecho; (*aufgerichtet*) erguido; *Wasser*: estancado, muerto; (*unbeweglich*) inmóvil; fijo; estable; *Heer*: permanente; (*Ausdruck*) corriente; consagrado por el uso; *~en Fußes* en el acto; **~lassen** (*L*) *v/t.* dejar (en su sitio); (*im Stich lassen*) abandonar, F dejar plantado; *Fehler*: dejar sin corregir; (*vergessen*) olvidar; (*nicht anrühren*) no tocar; *sich den Bart* ~ dejarse la barba; *alles stehen- und liegenlassen* dejarlo (*od.* abandonarlo) todo.

'**Steh...:** **~kragen** *m* cuello *m* alto; *mit Ecken*: cuello *m* de pajarita; **~lampe** *f* lámpara *f* de pie; **~leiter** *f* (-; -*n*) escalera *f* doble.

'**stehl|en** (*L*) *v/t. u. v/refl.* robar; hurtar; (*wegnehmen*) quitar; *j-m die Zeit* ~ hacer a alg. perder el tiempo; *er stiehlt dem lieben Herrgott den Tag* es un haragán; F se pasa el día sin dar golpe; F *er kann mir gestohlen bleiben* ¡que se vaya al cuerno!; *Bib. du sollst nicht* ~! no hurtarás; *sich* ~ *in (ac.)* introducirse furtivamente en; *sich* ~ *aus* salir a hurtadillas de; **2en** *n* robo *m*; hurto *m*; **2er** *m* ladrón *m*; **2sucht** *f* (*0*) cleptomanía *f*; **2süchtige(r)** *m* cleptómano *m*.

'**Steh...:** **~platz** *m* (-*es*; ⸗*e*) localidad *f* sin asiento (*od.* de pie); **~pult** *n* (-*es*; -*e*) pupitre *m* para escribir de pie; **~umlegekragen** *m* cuello *m* vuelto.

'**Steier|mark** *Geogr. f*: *die* ~ Estiria *f*; **~märker(in** *f*) *m* estirio *m*, estiria *f*.

'**steif** *adj.* rígido; (*straff*) tieso; (*unbiegsam*) inflexible; (*dickflüssig*) espeso; consistente; *Gelenke*: ⚕ anquilosado; (*fest*) firme; fijo; *Wäsche*: almidonado; *Glieder*: envarado, entumecido; *Grog*: fuerte; *~er Hut* sombrero hongo; *fig.* (*linkisch*) torpe, desmañado; (*gezwungen*) tieso, espetado; (*förmlich*) ceremonioso, formal; *Benehmen*: circunspecto; (*hartnäckig*) tesonero, obstinado; ~ *machen* (*Seil usw.*) entesar, poner tirante; (*Teig usw.*) espesar; ~ *werden* (*straff werden*) ponerse tieso; *Glieder*: envararse, entumecerse; *Gelenke*: ⚕ anquilosarse; ~ *vor Kälte* aterido (*od.* transido) de frío; *~e Finger haben* tener los dedos agarrotados; *~er Hals* ⚕ tortícolis *f*; ⚓ *~er Wind* viento muy fresco; *die Ohren ~halten* aguzar el oído; ~ *und fest behaupten* afirmar categóricamente; sostener con tesón; **2e** *f* (*0*) → *Steifheit*; (*Stärkemittel*) almidón *m*; ⊕ (*Strebe*) puntal *m*; **~en** *v/t.* entesar; poner tieso; (*dickflüssiger machen*) hacer más espeso; dar más consistencia; *Wäsche*: almidonar; **2heit** *f* (*0*) rigidez *f*; tiesura *f*; inflexibilidad *f*; ⚕ anquilosis *f*; *fig. im Benehmen*: circunspección *f*, formalidad *f*; tiesura *f*, exagerada gravedad *f*; (*Ungewandtheit*) torpeza *f*; **~leinen** *adj.* (*0*) *fig.* (*ungewandt*) torpe; **2leinen** *n* (-*s*; *0*), **2leinwand** *f* (*0*) entretela *f*.

'**Steig** *m* (-*es*; -*e*) sendero *m*, vereda *f*; **~bügel** *m* estribo *m*; **~bügelriemen** *m* ación *f*; **~e** *f* (*steiler Pfad*) sendero *m* empinado; (*Treppe*) escalera *f*; **~eisen** *n* garfios *m/pl.*; *des Bergsteigers*: trepadores *m/pl.*

'**steigen I.** (*L*, *sn*) *v/i.* (*sich erheben*) alzarse; elevarse; (*hinauf~*) subir; ascender; (*ab~*) bajar; descender; (*klimmen*) trepar; (*zunehmen*) aumentar; *im Rang*: ascender; *Pferd*: (*sich bäumen*) encabritarse; *Wasser*: subir, crecer; *Lied*: entonar; *Preise, Barometer, Fieber*: subir; *Nebel*: alzarse, ir subiendo; ~ *lassen Drachen*: echar (*od.* hacer subir) una cometa; *auf e-n Berg* ~ subir a una montaña; escalar una montaña; ⚓ *an Land* ~ desembarcar, ir (*od.* saltar) a tierra; *auf e-n Baum* ~ subirse (*od.* trepar) a un árbol; *fig. j-m aufs Dach* ~ bajar los humos a alg.; *auf e-e Leiter* ~ subirse a una escalera; escalar; *aufs Pferd* ~ montar a (*od.* subir al) caballo; *auf den Thron* ~ subir al trono; *aus dem Bett* ~ levantarse de la cama; *aus dem Fenster* ~ salir por la ventana; *durch das Fenster* ~ entrar *bzw.* salir por la ventana; *ins Bad* ~ meterse en el baño; *ins Bett* ~ acostarse, meterse en la cama; *ins Examen* ~ examinarse, sufrir examen; *das Blut steigt in den Kopf* la sangre se sube a la cabeza; *im Preise* ~ subir (*od.* aumentar) de precio; *in den Wagen* ~ subir al coche; *über et. (ac.)* ~ saltar *bzw.* pasar por encima de a/c.; *vom Pferd* ~ bajar del caballo, echar pie a tierra; **II.** 2 *n* subida *f*; (*Be2*) ascensión *f*; (*Zunahme*) aumento *m*; crecimiento *m*; *des Wassers*: crecida *f*; *der Preise*: alza *f*, subida *f*; **~d** *adj.* (*wachsend*) creciente; ascendente; *~e Tendenz* (*Börse*) tendencia al alza.

'**Steiger** ⚒ *m* capataz *m* de minas.

'**steiger|n** (-*re*) *v/t. u. v/refl.* elevar; alzar; (*vermehren*) aumentar, acrecentar; *Miete, Preise*: subir; (*verschlimmern*) agravar; (*verstärken*) reforzar; (*intensivieren*) intensificar; (*verteuern*) encarecer; (*allmählich* ~) graduar; ir subiendo paulatinamente; *Gr.* formar el comparativo *bzw.* el superlativo; *auf e-r Auktion*: pujar; *die Geschwindigkeit* ~ forzar, acelerar *od.* aumentar la velocidad; *sich* ~ aumentar, ir en aumento; acrecentarse; intensificarse, superarse a sí mismo; **2ung** *f* aumento *m*; elevación *f*; subida *f*, ✝ *a.* alza *f*; (*Verschlimmerung*) agravación *f*; *allmähliche* ~ (*Rhet. u.* ♪) gradación *f*; *Gr.* comparación *f*; ~ *des Lebensniveaus* elevación del nivel de vida; **2ungsstufe** *Gr. f* grado *m* de comparación.

'**Steig...:** **~fähigkeit** ✈ *f* (*0*) capacidad *f* ascensional; **~geschwindigkeit** ✈ *f* velocidad *f* ascensional; **~höhe** *f* ✈ techo *m*; *e-s Geschosses*: altura *f* alcanzada; **~leitung** *f* (*Rohrleitung*) tubería *f* ascensional; ⚡ columna *f* ascendente; **~rohr** *n* (-*es*; -*e*) tubo *m* ascensional *od.* elevador; **~ung** *f* elevación *f*; (*Böschung*) cuesta *f*, pendiente *f*; (*Gefälle*) declive *m*; (*Rampe*) rampa *f*; *der Preise*: subida *f*; ✝ *der Wertpapiere*: alza *f*; ⊕ *e-r Schraube*: paso *m*; **~ungswinkel** ✈ *m* ángulo *m* de elevación; **~zeit** ✈ *f* tiempo *m* de elevación.

'**steil** *adj.* (*abschüssig*) escarpado; *Abhang*: *a.* empinado; *Küste*: acantilado, cortado a pique; *Fels*: abrupto; *Ufer*: escarpado; (*geneigt*) inclinado, en declive; (*senkrecht*) vertical; perpendicular; *~er Pfad* sendero escarpado; ~ *in die Höhe fliegen* elevarse verticalmente; **2abfall** *m* (-*es*; ⸗*e*) declive *m* escarpado; despeñadero *m*; precipicio *m*; **2e** *f* → *Steilheit*; **2feuer** ⚔ *n* tiro *m* curvo; **2feuergeschütz** ⚔ *n* (-*es*; -*e*) cañón *m* de tiro curvo; **2flug** ✈ *m* (-*es*; ⸗*e*) vuelo *m* vertical; **2hang** *m* → *Steilabfall*; **2heit** *f* (*0*) escarpa *f*, escarpadura *f*; declive *m*; cuesta *f*; **2kurve** ✈ *f* viraje *m* vertical; **2küste** *f* acantilado *m*; **2paß** *Fußball m* (-*sses*; ⸗*sse*) pase *m* bombeado; **2schrift** *f* letra *f* vertical; **2ufer** *n* orilla *f* escarpada; (*Meer*) acantilado *m*.

Stein *m* (-*es*; -*e*) piedra *f*; (*Kiesel2*) guijarro *m*, canto *m* rodado; (*Fels*) roca *f*; peña *f*; (*Grab2, Gedenk2*) lápida *f*; (*Edel2*) piedra *f* preciosa; (*Feuer2*) pedernal *m*; (*Quader2*) sillar *m*; (*Domino2*) ficha *f*; (*Damespiel*) pieza *f*, peón *m*; ⚕ cálculo *m*; (*Bierkrug*) jarro *m*; *bei Obst*: hueso *m*; *in der Uhr*: rubí *m*; *zum Feuerzeug*: piedra *f* (de encendedor); *von ~en säubern* (*Feld*) despedregar, limpiar de piedras; *zu* ~ *werden* petrificarse; ~ *des Anstoßes* piedra de escándalo; ~ *der Weisen* piedra filosofal; ~ *auf* ~ piedra sobre piedra; *aus* ~ de piedra; ~ *für* ~ piedra por piedra; *über Stock und* ~ a campo traviesa; *fig. hart wie* ~ duro como una piedra; *es friert* ~ *und Bein* está cayendo una fuerte helada; ~ *und Bein schwören* jurar por lo más sagrado; *den ~en predigen* predicar en desierto; *keinen* ~ *auf dem anderen lassen* no dejar piedra sobre piedra; *fig. den* ~ *ins Rollen bringen* tomar la iniciativa de a/c.; poner sobre el tapete una cuestión; *j-m ~e in den Weg legen* poner obstáculos *od.* dificultades a alg.; F poner a alg. chinitas en el camino; *fig. bei j-m e-n* ~ *im Brett haben* gozar del favor (*od.* de la estimación) de alg.; *den ersten* ~ *werfen* arrojar la primera piedra (*nach* a); *mir fällt ein ~ vom Herzen* se me quita un gran peso de encima; *das ist ein Tropfen auf den heißen ~* es como echar una gota en el mar; *steter Tropfen höhlt den ~* gota a gota se horada la roca; muchos amenes llegan al cielo; *da würde ich lieber ~e klopfen* antes prefiero sacar piedras del río.

'**Stein...:** **~acker** *m* (-*s*; ⸚) campo *m* (*od.* terreno *m*) pedregoso; **~adler** *Orn. m* águila *f* real; **2alt** *adj.* (*0*) muy viejo; antiquísimo; vetusto; F más viejo que Matusalén; **2artig** *adj.* pétreo; **~axt** *Hist. f* (-; -*äxte*) hacha *f* de sílex; **~bank** *f* (-; ⸚*e*) banco *m* de piedra; *Geol.* capa *f* de piedras; **~bau** *m* (-*es*; -*ten*) construcción *f* de piedra; **~beil** *Hist. n* (-*es*; -*e*) → *Steinaxt*; **~bild** *n* (-*es*; -*er*) estatua *f* de piedra; **~bildung** *f Geol.* petrificación *f*; ⚕ litiasis *f*; **~block** *m* (-*es*; ⸚*e*) bloque *m* de piedra; **~bock** *m* (-*es*; ⸚*e*) *Zoo.* cabra *f* montés; *Astr.* Capricornio *m*; **~boden** *m* (-*s*; ⸚) (*Gelände*) suelo *m* pedregoso; △ enlosado *m*; **~bohrer** *m* barrena *f* para piedras; **~brech** ⚘ *m* (-*es*; -*e*) saxífraga *f*; **~brecher** *m* cantero *m*; (*Maschine*) quebrantadora *f*; **~bruch** *m* (-*es*; ⸚*e*) cantera *f*; **~bruch-arbeiter** *m* cantero *m*; **~butt** *Ict. m* (-*es*; -*e*) rodaballo *m*; **~damm** *m* (-*es*; ⸚*e*) dique *m* de piedra; (*Straße*) calzada *f*; ⚓ (*Uferdamm*) malecón *m*; **~druck** *Typ. m* (-*es*; -*e*) litografía *f*; **~drucker** *m* litógrafo *m*; **~drucke'rei** *f* (taller *m* de) litografía *f*; **~eiche** ⚘ *f* encina *f*; **2ern** *adj.* de piedra; pétreo; *~es Herz* corazón de piedra; **~fliese** *f* (*Kachel*) azulejo *m*; *für Fußboden*: baldosa *f*; **~frucht** ⚘ *f* (-; ⸚*e*) fruta *f* de hueso; **~fußboden** *m* (-*s*; ⸚) embaldosado *m*; **~garten** *m* (-*s*; ⸚) jardín *m* alpino (*od.* adornado con piedras); **~geröll** *n* (-*es*; -*e*) masa *f* de piedras; rocalla *f*; **~gut** *n* (-*es*; *0*) gres *m*; loza *f*; **~gutwaren** *f*/*pl.* artículos *m*/*pl.* de loza; vajilla *f* de loza; **~hagel** *m* pedrisco *m*; **2hart** *adj.* (*0*) duro como una piedra; **~haue** *f* pico *m*; **~hauer** *m* cantero *m*; **~haufen** *m* montón *m* de piedras; **~huhn** *Orn. n* (-*es*; ⸚*er*) ortega *f*; bartavela *f*; **2ig** *adj.* pedregoso; pedrizo; (*wie Stein*) pétreo; (*felsig*) rocoso; **2igen** *v*/*t.* lapidar; apedrear; **~igung** *f* lapidación *f*; **~kitt** *m* (-*es*; -*e*) litocola *f*; **~klee** ⚘ *m* (-*s*; *0*) meliloto *m*; **~klopfer** *m* machacador *m* de piedras; picapedrero *m*; **~kohle** *f* hulla *f*, carbón *m* de piedra; **~kohlenbecken** *n* cuenca *f* hullera; **~kohlenbergwerk** ⚒ *n* (-*es*; -*e*) mina *f* de hulla (*od.* de carbón); **~kohlenflöz** ⚒ *n* (-*es*; -*e*) capa *f* de hulla; veta *f* de hulla; **~kohlengas** *n* (-*es*; -*e*) gas *m* de hulla; **2kohlenhaltig** *adj.* carbonífero; **~kohlenrevier** *n* (-*es*; -*e*) cuenca *f* hullera; **~kohlenteer** *m* (-*es*; *0*) alquitrán *m* de hulla; **~krug** *m* (-*es*; ⸚*e*) cántaro *m*; **~kunde** *f* (*0*) mineralogía *f*; litología *f*; **~marder** *Zoo. m* garduña *f*; **~meißel** *m* escoplo *m* de cantería; **~metz** *m* (-*en*) picapedrero *m*; **~obst** *n* (-*es*; *0*) → *Steinfrucht*; **~öl** *n* (-*es*; *0*) petróleo *m*, aceite *m* mineral; **~pflaster** *n* empedrado *m*, adoquinado *m*; *aus Steinplatten*: enlosado *m*; **~pilz** ⚘ *m* (-*es*; -*e*) robellón *m*; **~platte** *f* (*Deckfliese*) losa *f*; (*Fliese*) baldosa *f*; *mit ~n auslegen* enlosar; embaldosar; **~reich** *n* (-*es*; -*e*) reino *m* mineral; **2reich** *fig. adj.* (*0*) riquísimo; *er ist ~* F apalea el oro; es un Creso; **~salz** *Min. n* (-*es*; *0*) sal *f* gema; **~sammlung** *f* colección *f* de minerales; gabinete *m* mineralógico; **~schicht** *f* capa *f* de piedra(s); *Geol.* estrato *m* de piedra; **~schlag** *m* (-*es*; ⸚*e*) *im Gebirge*: caída *f* (*od.* desprendimiento *m*) de piedras; (*Schotter*) grava *f*; 🚂 balasto *m*; **~schlaghammer** *m* pico *m*; **~schleifer** *m* pulidor *m* de piedras; **~schleuder** *f* (-; -*n*) honda *f*; (*Spielzeug*) tiragomas *m*; **~schneider** *m* lapidario *m*; grabador *m* en piedra; **~schnitt** *m* (-*es*; -*e*) grabado *m* en piedra; *von Edelsteinen*: litoglifia *f*; *Behauen der Steine*: corte *m* de piedras; *Chir.* litotomía *f*; **~schotter** *m* grava *f*; 🚂 balasto *m*; **~schrift** *Typ. f* letra *f* uncial; caracteres *m*/*pl.* lapidarios; **~setzer** *m* (*Pflasterer*) adoquinador *m*, empedrador *m*; (*Fliesenleger*) solador *m*; **~tafel** *f* (-; -*n*) lápida *f*; **~topf** *m* (-*es*; ⸚*e*) puchero *m*; **~wurf** *m* (-*es*; ⸚*e*) pedrada *f*; *als Maß*: tiro *m* de piedra; **~zeichnung** *f* litografía *f*; **~zeit** *f* (*0*) edad *f* de piedra; *ältere* (*jüngere*) *~* período paleolítico (neolítico); **2zeitlich** *adj.* de la edad de piedra.

'**Steiß** *m* (-*es*; -*e*) (*Hinterer*) trasero *m*; nalgas *f*/*pl.*; *Anat.* región *f* glútea; *der Vögel*: rabadilla *f*; **~bein** *Anat. n* (-*es*; -*e*) coxis *m*; **~(bein)wirbel** *Anat. m* vértebra *f* coxígea; **~lage** *f des Fötus*: presentación *f* de nalgas.

Stel'lage [-'lɑːʒə] *f* (*Gestell*) caballete *m*; armazón *m*.

'**stellbar** *adj.* ajustable.

'**Stellbock** *m* (-*es*; ⸚*e*) caballete *m*.

'**Stelldich-ein** *n* (-*s*; -*s*) cita *f*; *sich ein ~ geben* darse cita; *j-m ein ~ geben* concertar una cita con alg.

'**Stelle** *f* (*Ort, Stätte*) lugar *m*; (*Platz, Sitz*) plaza *f*; (*Punkt*) punto *m*; (*Bau2*) emplazamiento *m*, *bsd. Am.* ubicación *f*; (*Behörde*) autoridad *f*, autoridades *f*/*pl.*; (*Amt*) cargo *m*; (*Amts2*) oficina *f*; departamento *m*; centro *m* oficial; (*Arbeits2*) empleo *m*, puesto *m*; destino *m*; (*Posten*) puesto *m*; plaza *f*; *in e-m Buch*: pasaje *m*; 𝔄 *e-r Zahl*: cifra *f*; (*Dezimal2*) decimal *m*; *fig. schwache ~* punto flaco; *schadhafte ~* defecto *m*; *freie* (*od. unbesetzte*) *~* vacante *f*; puesto *m* (*od.* plaza *f*) vacante *od.* libre; *j-s ~ einnehmen* re(e)mplazar (*od.* su[b]stituir) a alg.; *an ~ von* en lugar de; en su(b)stitución de; *an der richtigen ~* al lugar correspondiente, (*bei der zuständigen Behörde*) a la autoridad competente; *wenn ich an Ihrer ~ wäre* si yo estuviera en su lugar; *an erster* (*letzter*) *~ stehen* estar *od.* figurar en primer (último) lugar; *an Ort und ~* sobre el terreno; en el propio lugar; in situ; *sich an Ort und ~ begeben* trasladarse al lugar previsto; *sich an Ort und ~ einfinden* encontrarse en el lugar convenido; *an Ort und ~ gelangen* llegar a su destino; et. (*j-n*) *an die ~ von* et. (*von j-m*) *setzen* su(b)stituir a/c. (a. alg.) por a/c. (por alg.); *sich an j-s ~ setzen* su(b)stituir a alg.; ocupar el puesto de alg.; *an j-s ~ treten* re(e)mplazar a alg.; suplir a alg., hacer las veces de alg.; *fig. auf der ~* sobre el terreno; (*sofort*) en el acto; inmediatamente; ahora mismo; *auf der ~ treten* ⚔ marcar el paso; *nicht von der ~ kommen* no salir del sitio; *fig.* no avanzar, no progresar; (*Verhandlungen*) estancarse, estar en un punto muerto; *sich nicht von der ~ rühren* no moverse del sitio; *sich zur ~ melden* presentarse (*bei j-m* a alg.); *zur ~ schaffen* traer; *zur ~ sein* estar presente; F estar al pie del cañón; *zur ~!* ¡presente!

'**stellen** *v*/*t.*, *v*/*i. u. v*/*refl. allg.* poner; (*aufstellen*) colocar; situar; (*ordnend*) disponer, ordenar; (*liefern*) suministrar, proveer; (*beisteuern*) contribuir; (*zuweisen*) asignar; (*abfangen*) interceptar; (*in die Enge treiben*) acorralar, acosar; (*sich einfinden*) presentarse; *Bürgen, Zeugen*: presentar; *Problem*: plantear; *Bedingung*: poner; *Aufgabe*: proponer; *Frist*: fijar; *Falle*: tender (un lazo), armar (una trampa); *Uhr*: poner en hora; ⊕ ajustar; regular, graduar; *Geschütz*: (*richten*) apuntar; *e-e Frage ~* plantear una cuestión; (*et. fragen*) preguntar, hacer una pregunta; *den Wecker ~* poner el despertador; *kalt ~* (*Getränk*) enfriar, poner a refrescar; *fig. kalt ~* privar de toda influencia; *warm ~* poner a calentar, poner al fuego; *e-n Antrag ~* formular (*od.* hacer) una proposición, proponer a/c., *an e-e Behörde*: presentar una solicitud, *Parl.* presentar una moción; *j-m ein Bein ~* zancadillear (*od.* echar la zancadilla) a alg. (*a. fig.*); *e-e Leiter an die Wand ~* apoyar una escalera contra la pared; *j-n an die Wand ~* fusilar (*od.* poner en el paredón) a alg.; *in Abrede ~* negar; desmentir; *ich stelle es in Ihr Belieben* (*Ermessen*) lo dejo a su buen criterio; lo dejo a su discreción (*od.* juicio); *in Dienst ~* poner en servicio; *in Frage* (*Zweifel*) *~* poner en duda; † *in Rechnung ~* (*belasten*) cargar en cuenta, adeudar; (*als Gutschrift*) abonar en cuenta; *beiseite ~* apartar *od.* poner a un lado; *vor Augen ~* poner ante los ojos; *j-n vor Gericht ~* llevar a alg. a los tribunales; llevar a alg. al juzgado; *zur Abstimmung* (*Diskussion*) *~* poner *od.* someter a votación (discusión); *den Feind zum Kampf ~* obligar al enemigo a combatir; *j-n über et.* (*ac.*) *zur Rede ~* pedir explicaciones a alg. por a/c.; pedir cuenta(s) a alg. de a/c.; *zur Schau ~* exponer; exhibir; *j-m et. zur Verfügung ~* poner a/c. a disposición de alg.; *gut gestellt sein* vivir desahogadamente (*od.* con holgura); *ganz auf sich gestellt* sin ayuda de nadie; sin depender de nadie; *sich wohin ~* ponerse; colocarse; situarse, (*erscheinen*) presentarse; *~ Sie sich hierher!* ¡póngase usted aquí!; *sich der Polizei ~* presentarse a la policía; *sich gegen (ac.)* ~ oponerse a; *sich gegen j-n* ~ adoptar una actitud hostil hacia alg.; *sich* ~, *als ob* ... aparentar; fingir, simular; hacer como si ...; *sich krank* ~ fingirse enfermo, simular estar enfermo; *sich taub* ~ hacerse el sordo; *sich dumm* ~ hacerse el tonto; *sich dem Gericht* ~ entregarse a la justicia; ✝ *sich* ~ *auf (ac.) Preis*: ascender a; *sich auf eigene Füße* ~ hacerse independiente; *sich auf die Hinterbeine* ~ *(Pferd)* encabritarse; *sich auf die Zehenspitzen* ~ ponerse de puntillas; *sich mit j-m gut* ~ ponerse a bien con alg.; *sich unwissend* ~ F hacerse el sueco; *sich vor Augen* ~ imaginar(se); *sich zum Kampf* ~ aceptar (el) combate; hacer frente al adversario; *wie* ~ *Sie sich dazu?* ¿qué opina usted de ello?; ¿qué dice usted a eso?

ˈ**Stellen...:** ~**angebot** *n (-es; -e)* oferta *f* de colocación *od.* empleo; ~**gesuch** *n (-es; -e)* demanda *f (od.* solicitud *f)* de empleo; ~**jäger** F *m* cazador *m* de empleos; ♀**los** *adj.* sin colocación, sin empleo; ~**markt** *m (-es; ⸗e)* bolsa *f* de(l) trabajo; ~**nachweis** *m (-es; -e)* agencia *f* de colocaciones; ~**vermittler** *m* agente *m* de colocaciones; ~**vermittlung** *f*, ~**vermittlungsbüro** *n (-s; -s)* → *Stellennachweis*; ♀**weise** *adv.* aquí y allá; en algunos puntos, en algunas partes; esporádicamente; *(teilweise)* en parte.

ˈ**...stellig** *adj.*: *vierstellige Zahl* número de cuatro cifras.

ˈ**Stell...:** ~**geschäft** ✝ *n (-es; -e)* operación *f* de doble opción; ~**macher** *m* carretero *m*; ~**macherei** *f* carretería *f (a. Werkstatt u. Arbeit)*; ~**mutter** ⊕ *f (-; -n)* tuerca *f* de ajuste; ~**ring** ⊕ *m (-es; -e)* anillo *m* de ajuste; ~**schraube** *f* tornillo *m* regulador; ~**spiegel** *m* espejo *m* móvil.

ˈ**Stellung** *f* posición *f*; *(Anordnung)* colocación *f*, disposición *f*, arreglo *m*; *(Lieferung)* suministro *m*, provisión *f*; *v. Zeugen*: presentación *f*; *(Körperhaltung)* postura *f*, *ständige*: actitud *f*; ⚔ *e-s Geschützes*: emplazamiento *m*; *(Stand)* estado *m*; condición *f*; *gesellschaftliche* ~ posición social; *(Lage)* situación *f*; *(Rechts♀)* situación *f* jurídica; *(Beruf)* profesión *f*; *(An♀)* colocación *f*, empleo *m*; *(Amt)* cargo *m*; *(Posten)* puesto *m*; *(Rang)* categoría *f*, rango *m*; ⚔ *allg. u. taktisch*: posición *f*; *(Front)* líneas *f/pl.*; *(Schützengraben)* trincheras *f/pl.*; *zum Waffendienst*: reclutamiento *m*, alistamiento *m*; llamamiento *m* a filas; *e-e* ~ *beziehen* ocupar una posición; *die* ~ *halten* mantener la posición; *e-e* ~ *einnehmen* tomar una posición; *fig. führende (od. leitende)* ~ cargo *(od.* puesto) dirigente; *zu et.* ~ *nehmen* opinar sobre a/c.; dar su opinión *(od.* su parecer) sobre a/c.; comentar a/c.; *(beurteilen)* enjuiciar a/c.; ~**nahme** *f (Haltung)* actitud *f*; *(Meinung)* opinión *f*, parecer *m*; *(Beurteilung* juicio *m*; criterio *m*; *(Bericht)* informe *m*; *(Beantwortung)* respuesta *f*; *(Entscheid)* resolución *f*; *an ... mit der Bitte um* ~ pase a informe de ...; ~**sbefehl** ⚔ *m (-es; -e)* orden *f* de incorporación a filas; ~**skrieg** *m (-es; -e)* guerra *f* de posiciones; *(Grabenkrieg)* guerra *f* de trincheras; ♀**slos** *adj. (0)* sin colocación, sin empleo; ♀**spflichtig** ⚔ *adj. (0)* sujeto a reclutamiento; ~**swechsel** ⚔ *m* cambio *m* de posición.

ˈ**Stell...:** ♀**vertretend** *adj.* suplente; *(interimistisch)* interino; ~*er Direktor* subdirector; ~*er Vorsitzender* vicepresidente; ~*er Generalsekretär* secretario general adjunto; ~**vertreter** *m (Ersatzmann)* suplente *m*; su(b)stituto *m*; *(Vertreter)* representante *m*; *amtlich*: delegado *m*; *(Statthalter)* lugarteniente *m*; *Rel.* vicario *m*; ~**vertreterin** *f* suplente *f*; su(b)stituta *f*; representante *f*; delegada *f*; ~**vertretung** *f* suplencia *f*; su(b)stitución *f*; representación *f*; delegación *f*; ✝ *in* ~ por poder *(Abk.* p.p.); ~**vorrichtung** ⊕ *f* dispositivo *m* de regulación; ~**wand** *f* pantalla *f* protectora; ~**werk** 🚂 *n (-es; -e)* garita *f* de señales.

ˈ**Stelz|bein** *n (-es; -e)* pierna *f* de palo; ♀**beinig** *fig. adj.* espetado; ~**e** *f* zanco *m*; *(langes Bein v. Vögeln u.* F *v. Menschen)* zanca *f*; *auf* ~*n gehen* = ♀**en** *(-t; sn) v/i.* andar en zancos; *fig.* dar zancadas; ~**fuß** *m (-es; ⸗e)* → *Stelzbein*; ~**vögel** *Zoo. m/pl.* zancudas *f/pl.*

ˈ**Stemm|bogen** *m (-s; ⸗) Ski*: viraje *m* en cuña; ~**eisen** *n (Beitel)* escoplo *m*; formón *m*; *(Hebel)* palanqueta *f*; *(Meißel)* cincel *m*; ♀**en** *v/t. (heben)* levantar; apalancar; *Löcher* ~ agujerear (con el formón); *die Hände in die Seiten* ~ ponerse en jarras; *sich* ~ apoyarse *(gegen* contra); *fig.* oponerse *(gegen* a), resistir(se) a.

ˈ**Stempel** *m* sello *m (a. Siegel, Petschaft, Stempelmarke)*; *gedruckter*: timbre *m*; *(Locheisen)* punzón *m*; *(Kolben)* émbolo *m*; *(Münz♀)* cuño *m*; ⚒ puntal *m*; *(Kontroll♀)* sello *m* de control; *(Namens♀)* estampilla *f*; *(Post♀)* matasellos *m*; *(Vieh♀)* hierro *m*; ⚘ pistilo *m*; ✝ *auf Waren*: marca *f*; *fig.* sello *m*; carácter *m*; *et. mit e-m* ~ *versehen* sellar *bzw.* estampillar *bzw.* timbrar a/c.; *fig. e-r Sache s-n* ~ *aufdrücken* imprimir su carácter a a/c.; *den* ~ *der Wahrheit tragen* llevar impreso el sello de la verdad; ~**abgabe** *f* impuesto *m* del timbre; ~**amt** *n (-es; ⸗er)* oficina *f* del timbre; ~**bogen** *m* pliego *m* de papel timbrado *od.* sellado; ~**farbe** *f* tinta *f* de sellar; ♀**frei** *adj. (0)* exento de derechos de timbre; ~**gebühr** *f* derechos *m/pl.* de timbre; ~**kissen** *n* tampón *m*, almohadilla *f* para entintar sellos; ~**marke** *f* timbre *m* móvil; póliza *f*; ~**maschine** *f* máquina *f* de timbrar; matasellos *m* automático; ♀**n** *v/t. (-le)* sellar, poner un sello en; *mit Wertmarke*: timbrar; *mit dem Namens♀*: estampillar; *mit e-m Zeichen versehen*: marcar; *(Briefmarke)* matar, inutilizar; *(Wertpapiere)* estampillar; *(Waren, Edelmetalle)* marcar; ~ *gehen* F *Arbeitsloser*: cobrar el subsidio de paro; *j-n* ~ *zu* tildar a alg. de; ~**papier** *n (-s; -e)* papel *m* sellado; ♀**pflichtig** *adj. (0)* sujeto a timbre; ~**steuer** *f (-; -n)* impuesto *m* del timbre; ~**taxe** *f* derechos *m/pl.* de timbre; ~**uhr** *f* reloj *m* sellador de fichas; *(Kontrolluhr)* marcadora *f*; ~**ung** *f* selladura *f*, sellado *m*; estampillado *m*; ~**zeichen** *n* sello *m*; marca *f*.

ˈ**Stengel** ⚘ *m* tallo *m*; *(Blatt♀)* pecíolo *m*; *(Blumen♀)* pedúnculo *m*.

Steno|ˈgramm *n (-s; -e)* apunte *m* taquigráfico; texto *m* taquigráfico; *ein* ~ *aufnehmen* taquigrafiar al dictado; ~ˈ**gramm-aufnahme** *f* escritura *f* taquigráfica de un texto dictado; ~ˈ**grammblock** *m (-es; ⸗e)* cuadernillo *m* para taquigrafía; ~ˈ**graph(in** *f) m (-en)* taquígrafo (-a *f*) *m*, estenógrafo (-a *f*) *m*; *(Maschinen♀)* estenotipista *m/f*; ~**graˈphie** *f* taquigrafía *f*, estenografía *f*; ♀**graˈphieren** *v/t. u. v/i.* (-) taquigrafiar, estenografiar; ~**graˈphiermaschine** *f* estenotipia *f*; ♀ˈ**graphisch I.** *adj.* taquigráfico, estenográfico; **II.** *adv.* taquigráficamente, estenográficamente; ~**tyˈpie** *f (0)* estenotipia *f*; ♀**tyˈpieren** *v/t.* (-) escribir con la estenotipia; ~**tyˈpist** *m (-en)* taquimecanógrafo *m*; ~**tyˈpistin** *f* taquimecanógrafa *f*, F taquimeca *f*.

ˈ**Stentorstimme** *f* voz *f* estentórea.

ˈ**Stephan** *m* Esteban *m*.

Steˈphanie *f* Estefanía *f*.

ˈ**Steppdecke** *f* colcha *f* guateada; edredón *m*.

ˈ**Steppe** *f* estepa *f*; *(baumlose Heide)* landa *f*.

ˈ**steppen I.** *v/t.* pespunt(e)ar; **II.** ♀ *n* pespunte *m*.

ˈ**Steppen|bewohner** *m* habitante *m* de las estepas; ~**huhn** *Orn. n (-es; ⸗er)* ganga *f*; perdiz *f* de las estepas; ~**wolf** *Zoo. m (-es; ⸗e)* lobo *m* de las praderas, coyote *m*.

ˈ**Stepper(in** *f) m* pespunteador (-a *f*) *m*.

ˈ**Stepp|faden** *m (-s; ⸗)* hilo *m* de pespuntar; ~**maschine** *f* máquina *f* pespuntadora; ~**nadel** *f (-; -n)* aguja *f* de pespunte; ~**naht** *f (-; ⸗e)*, ~**stich** *m (-es; -e)* pespunte *m*, punto *m* atrás.

ˈ**Sterbe|alter** *n (-s; 0)* edad *f* de defunción; ~**bett** *n (-es; -en)* lecho *m* de muerte; ~**fall** *m (-es; ⸗e)* caso *m* de fallecimiento; *in der Statistik*: defunción *f*; ~**fallversicherung** *f* seguro *m* (para caso) de fallecimiento; ~**gebet** *n (-es; -e)* oración *f* de los agonizantes; ~**geld** *n (-es; -er)* prima *f* abonable por fallecimiento; ~**gesang** *m (-es; ⸗e)* canto *m* fúnebre; ~**glocke** *f* posa *f*; toque *m* a muerto; ~**hemd** *n (-es; -en)* mortaja *f*; sudario *m*; ~**kasse** *f* seguro *m* de entierro; ~**lager** *n* → *Sterbebett*.

ˈ**sterben** *(L; sn)* **I.** *v/i.* morir *(an, vor dat.; aus* de; *für* por); fallecer; expirar; entregar el alma a Dios; F pasar a mejor vida; *(umkommen)* perecer; perder la vida; *e-s natürlichen Todes* ~ morir de muerte natural; *e-s gewaltsamen Todes* ~ morir de muerte violenta; *durch j-s Hand* ~ morir a manos de alg.; *er ist über s-n Arbeiten gestorben* la muerte le sorprendió entregado a sus trabajos; *alle Menschen müssen* ~ todos somos mortales; **II.** 2 *n* muerte *f*; fallecimiento *m*; *im* ~ *liegen* estar moribundo; agonizar, estar agonizando (*od.* en la agonía); *wenn es zum* ~ *kommt* a la hora de la muerte; *sich zum* ~ *langweilen* morirse de aburrimiento; aburrirse soberanamente; **2de(r** *m***)** *m/f* moribundo (-a *f*) *m*, agonizante *m/f*.

'Sterbens...: ~angst *f* (-; ¨*e*) angustia *f* mortal, ansias *f/pl.* mortales; **2krank** *adj.* (*0*) enfermo de muerte; moribundo; **2müde** *adj.* (*0*) muerto de cansancio; **~wörtchen** *n*: *kein* ~ *sagen* no decir ni una palabra; F no decir ni pío; no rechistar; no abrir el pico.

'Sterbe...: ~register *n* registro *m* de defunciones; **~sakramente** *pl.* extremaunción *f*; últimos sacramentos *m/pl.*; viático *m*; **~stunde** *f* hora *f* de la muerte; hora *f* suprema; **~tag** *m* (-*es*; -*e*) día *m* de la muerte; (*Datum*) fecha *f* del fallecimiento; **~urkunde** *f* partida *f* de defunción; **~zimmer** *n* cámara *f* mortuoria.

'sterblich *adj.* mortal; sujeto a la muerte; ~ *verliebt* perdidamente enamorado *bzw.* enamorada; **2keit** *f* (*0*) mortalidad *f*; **2keitsziffer** *f* (-; -*n*) (índice *m* de) mortalidad *f*.

'Stereo|aufnahme *f Phot.* estereofotografía *f*; **~che'mie** *f* (*0*) estereoquímica *f*; **~gra'phie** *f* (*0*) estereografía *f*; **~me'trie** *f* (*0*) estereometría *f*; **2'metrisch** *adj.* estereométrico; **~pho'nie** *f* (*0*) estereofonía *f*; **~platte** *f* disco *m* estereofónico; **~plattenspieler** *m* tocadiscos *m* estereofónico; **~s'kop** *n* (-*s*; -*e*) estereoscopio *m*; **2s'kopisch** *adj.* estereoscópico; **2'typ** *adj.* estereotípico; estereotipado; *ein* ~*es Lächeln* una sonrisa estereotipada; **~'typdruck** *m* (-*es*; -*e*) estereotipo *m*; impresión *f* estereotípica; **~ty'pie** *f* (*0*) estereotipia *f*; **2ty'pieren** *Typ. v/t.* estereotipar.

ste'ril *adj.* estéril.

sterili|'sieren (-) *v/t.* esterilizar; **2'sator** *m* (-*s*; -*en*), **2'siergerät** *n* (-*es*; -*e*) esterilizador *m*; **2'sierung** *f* (*0*) esterilización *f*; **2'tät** *f* (*0*) esterilidad *f*.

'Sterlet *Ict. m* (-*s*; -*e*) esturión *m*.

'Sterling *m* (-*s*; -*e*): *Pfund* ~ libra *f* esterlina.

Stern *m* (-*es*; -*e*) estrella *f*; *Astr. a.* astro *m*; (*Augen*2) pupila *f*, F niña *f* del ojo; *Typ.* asterisco *m*; (*Bühnen*2, *Film*2) estrella *f*, astro *m*; (*Blesse*) estrella *f*; (*Ordens*2) placa *f*; ⚓ popa *f*; *fig.* estrella *f*; astro *m*; *unter e-m günstigen* (*ungünstigen*) ~ *geboren sein* haber nacido con buena (mala) estrella; *an s-n* ~ *glauben* tener fe en su buena estrella; *nach den* ~*n greifen* tener grandes pretensiones; querer alcanzar lo imposible; *Einfluß der* ~*e* influjo astral; ~*e sehen* F *fig.* ver las estrellas.

'Stern...: ~anbeter(in *f***)** *m* astrólatra *m/f*; **~anbete'rei** *f* (*0*) astrolatría *f*; **2artig** *adj.* estrellado, en forma de estrella; **2besät** *adj.* (*0*) estrellado; **~bild** *Astr. n* (-*es*; -*er*) constelación *f*; **~blume** ❀ *f* aster *m*; **~chen** *n* estrellita *f*; *Typ.* asterisco *m*; **~deuter** *m* astrólogo *m*; **~deute'rei** *f* (*0*), **~deutung** *f* astrología *f*; **~dreieck-anlasser** ⊕ *m* arranque *m* estrella-triángulo.

'Sternen...: ~banner *n* bandera *f* estrellada; **2hell** *adj.* (*0*) estrellado; **~himmel** *m* bóveda *f* celeste, firmamento *m*; **2klar** *adj.* (*0*) estrellado; **~licht** *n* (-*es*; *0*) luz *f* de las estrellas; *Astr.* luz *f* sideral; **~system** *n* (-*s*; *0*) sistema *m* estelar; **~zelt** *n* (-*es*; *0*) → *Sternenhimmel*.

'Stern...: ~fahrt *f Sport*: carrera *f* radial; *angl.* rallye *m*; **2förmig** *adj.* en forma de estrella, estrellado; **~gucker** *m* astrónomo *m*; **2hagelvoll** F *adj.* (*0*) borracho perdido (*od.* como una cuba); **2hell** *adj.* (*0*) estrellado; **~jahr** *n* (-*es*; -*e*) año *m* sideral; **~karte** *f* planisferio *m* celeste; **~kunde** *f* (*0*) astronomía *f*; **~kundige(r)** *m* astrónomo *m*; **~motor** ⊕ *m* (-*s*; -*en*) motor *m* radial (*od.* en estrella); **~physik** *f* (*0*) astrofísica *f*; **~schaltung** ⚡ *f* conexión *f* en estrella; **~schnuppe** *f* estrella *f* fugaz; **~schnuppenregen** *m* lluvia *f* de estrellas; **~warte** *f* observatorio *m* (astronómico); **~zeit** *f* tiempo *m* sideral.

Sterz *m* (-*es*; -*e*) (*Pflug*2) mancera *f*, esteva *f*; *der Vögel*: rabadilla *f*, obispillo *m*.

stet *adj.* → *stetig*.

Stethos'kop ⚕ *n* (-*s*; -*e*) estetoscopio *m*.

'stetig *adj.* (*fortdauernd*) continuo; permanente; constante; perpetuo; (*fest*) fijo; (*beharrlich*) asiduo; (*gleichmäßig*) igual; **2keit** *f* (*0*) continuidad *f*; constancia *f*; firmeza *f*.

stets *adv.* siempre; (*fortwährend*) continuamente; constantemente; sin interrupción, ininterrumpidamente; sin cesar.

'Steuer[1] *n* ⚓, ✈ timón *m* (*a. fig.*); *Auto.* volante *m*; *sich ans* ~ *setzen Auto.* ponerse al volante; *fig. das* ~ *übernehmen* (*führen*) tomar (llevar) el timón.

'Steuer[2] *f* (-; -*n*) (*Abgabe*) impuesto *m*; *bsd. direkte*: contribución *f*; derechos *m/pl.*; *städtische*: impuesto *m* municipal; *mit* ~*n belasten* gravar con impuestos; *e-e* ~ *erheben* recaudar un impuesto *bzw.* una contribución; ~*n hinterziehen* su(b)straerse al pago de impuestos; cometer defraudación fiscal; *e-e* ~ *veranlagen* evaluar un impuesto.

'Steuer...: ~abzug *m* (-*es*; ¨*e*) deducción *f* de impuestos; **~amnestie** *f* amnistía *f* fiscal; **~amt** *n* (-*es*; ¨*er*) oficina *f* de recaudación de impuestos; administración *f* de impuestos; *Span.* Delegación *f* de Hacienda; **~anschlag** *m* (-*es*; ¨*e*) evaluación *f* de los impuestos; **~aufkommen** *n* total *m* de impuestos; **~aufschlag** *m* (-*es*; ¨*e*) sobretasa *f* fiscal; **~ausfall** *m* (-*es*; ¨*e*) déficit *m* en la recaudación fiscal; **~ausgleich(ung** *f***)** *m* (-*es*; *0*) reajuste *m* impositivo; **2bar** *adj.* (*0*) (*lenkbar*) gobernable; *Luftschiff*: dirigible; † imponible; **~be-amte(r)** *m* funcionario *m* de Hacienda; empleado *m bzw.* funcionario *m* de la oficina de recaudación de impuestos; **~befreiung** *f* exención *f* tributaria *od.* fiscal; **2begünstigt** *adj.* tributariamente privilegiado; **~begünstigung** *f* privilegio *m* fiscal *od.* tributario; **~behörde** *f* fisco *m*; **~beitreibung** *f* recaudación *f* de impuestos; **~belastung** *f* cargas *f/pl.* fiscales; **~berater** *m* asesor *m* fiscal; perito *m* en leyes fiscales; **~berechnung** *f* cálculo *m* de impuestos; **~bescheid** *m* (-*es*; -*e*) notificación *f* de impuestos abonables; **~betrag** *m* (-*es*; ¨*e*) total *m* del impuesto; **~bilanz** *f* balance *m* fiscal; **~bord** ⚓ *n* (-*es*; -*e*) estribor *m*; **~druck** *m* (-*es*; *0*) gravamen *m* (*od.* carga *f*) fiscal; **~eingang** *m* (-*es*; ¨*e*) ingresos *m/pl.* fiscales; **~einnahme** *f* recaudación *f* tributaria (*od.* de impuestos); **~einnehmer** *m* recaudador *m* (de contribuciones); **~einschätzung** *f* → *Steueranschlag*; **~erhebung** *f* recaudación *f* de impuestos; **~erhöhung** *f* recargo *m* tributario; aumento *m* de los impuestos; **~erklärung** *f* declaración *f* (de ingresos) a efectos tributarios; **~erlaß** *m* (-*sses*; -*sse*) desgravación *f*, rebaja *f* de impuestos; exención *f* de impuestos; **~erleichterung** *f*, **~ermäßigung** *f* rebaja *f* (*od.* reducción *f*) de impuestos; **~ertrag** *m* (-*es*; ¨*e*) producto *m* total de los impuestos; **~fahndung** *f* pesquisa *f* fiscal; **~festsetzung** *f* asignación *f* de los impuestos abonables; **~fläche** ✈ *f* superficie *f* de control; **~flosse** ✈ *f* aleta *f*; **~flucht** *f* (*0*) evasión *f* fiscal; **2frei** *adj.* (*0*) libre (*od.* exento) de impuestos; no imponible; **~freibetrag** *m* (-*es*; ¨*e*) cantidad *f* exenta de impuestos; **~freigrenze** *f* límite *m* de exención tributaria; **~freiheit** *f* (*0*) exención *f* fiscal; franquicia *f* tributaria; exención *f* de impuestos; **~gesetz** *n* (-*es*; -*e*) ley *f* tributaria; **~gesetzgebung** *f* leyes *f/pl.* tributarias; legislación *f* fiscal; **~grundlage** *f* base *f* impositiva; **~gruppe** *f* categoría *f* impositiva; **~hebel** ⊕ *m* palanca *f* de mando; **~hinterziehung** *f* defraudación *f* fiscal; **~inspektor** *m* (-*s*; -*en*) inspector *m* de Hacienda; **~jahr** *n* (-*es*; -*e*) año *m* fiscal; **~karte** *f* tarjeta *f* de impuestos fiscales; **~kasse** *f* caja *f* de recaudación; **~klasse** *f* grupo *m* impositivo; **~knüppel** ✈ *m* palanca *f* de mando *od.* dirección; **~kraft** *f* (*0*) capacidad *f* contributiva; **~last** *f* gravamen *m*; cargas *f/pl.* fiscales *od.* tributarias; **~leistung** *f* prestación *f* tributaria; **2lich** (*0*) **I.** *adj.* fiscal; tributario; ~*e Belastung* carga fiscal; tributación; gravamen; **II.** *adv.*: ~ *begünstigt sein* gozar de privilegios fiscales; ~ *veranlagen* establecer la suma (de ingresos) imponible; **2los** *adj.* (*0*) ⚓ sin timón; a merced de las olas; sin gobierno (⚓ *u. fig.*); **~mahnung** *f* apercibimiento *m*; apremio *m*; **~mann** *m* (-*es*; ¨*er*) piloto *m*; ⚓ timonel *m*; **~mannsmaat** ⚓ *m* (-*es*; -*e*) segundo timonel *m*; **~mannsstand** ⚓ *m* (-*es*; ¨*e*) caseta *f* del timón; **~marke** *f* timbre *m* (fiscal); póliza *f*.

'steuern (-*re*) **1.** *v/t.* ⚓ gobernar; timonear; *als Lotse*: pilotar; *Auto.* conducir, guiar; ✈ pilotar; ⊕ maniobrar; (*kontrollieren*) controlar; (*orientieren*) orientar; (*leiten*) dirigir; **2.** *v/i.* (*fahren*) ⚓ navegar rumbo (*nach* a); *fig.* e-r *Sache* ~ (*dat.*) reprimir, contener a/c., *vorbeugend*: prevenir a/c., *abhelfend*: remediar a/c.

'Steuer...: ~nachlaß *m* (-*sses*; ⸚*sse*) → *Steuerermäßigung*; **~niederschlagung** *f* condonación *f* de impuestos; **~nocken** ⊕ *m* leva *f* radial; **~ordnung** *f* reglamentación *f* fiscal; **~pflichtig** *adj.* (*0*) sujeto a tributación (*od.* a contribución); imponible; **~pflichtige(r)** *m* contribuyente *m*; **~politik** *f* (*0*) política *f* fiscal; **~quelle** *f* fuente *m* de impuestos; **~rad** *n* (-*es*; ⸚*er*) *Auto.* volante *m*; ⚓ rueda *f* del timón; **~recht** *n* (-*es*; *0*) derecho *m* fiscal; **~reform** *f* reforma *f* tributaria; **~register** *n* registro *m* tributario; lista *f* de contribuyentes; (*für Grundsteuer*) registro *m* catastral; **~röhre** *f Radio*: válvula *f* de modulación; **~richtlinien** *f/pl.* normas *f/pl.* de tributación; **~rückerstattung** *f* devolución *f* (*od.* reembolso *m*) de impuestos; **~rücklage** *f* reserva *f* para impuestos; **~rückstände** *pl.* impuestos *m/pl.* adeudados; **~ruder** ⚓ *n* rueda *f* del timón, gobernalle *m*; **~sache** *f*: *in* ~*n* en materia de impuestos; en asuntos fiscales; **~satz** *m* (-*es*; ⸚*e*) tasa *f* del impuesto; tipo *m* contributivo; **~säule** *f Auto.* columna *f* de dirección; ⊕ columna *f* de mando; **~schraube** *fig. f*: *die* ~ *anziehen* aumentar los impuestos; **~schuld** *f* deuda *f* fiscal; **~schuldner** *m* deudor *m* de impuestos; **~senkung** *f* reducción *f* de impuestos; **~staffelung** *f* escala *f* de impuestos; **~stundung** *f* moratoria *f* fiscal; **~system** *n* (-*s*; -*e*) sistema *m* tributario; **~tabelle** *f* tabla *f* de impuestos.

'Steuerung *f* (*Tätigkeit*) ⚓ gobierno *m*; navegación *f*; ✈ pilotaje *m*; *Auto.* conducción *f*; ⊕ mando *m*; maniobra *f*; (*Vorrichtung*) ⚓ timón *m*; ✈ timón *m* de dirección; *Auto.* (mecanismo *m* de) dirección *f*; *an Dampfmaschinen*: distribución *f*; regulador *m*; *des Fahrrades*: guía *f*; (*Kontrolle*) control *m*; (*Orientierung*) orientación *f*; (*Leitung*) dirección *f*.

'Steuer...: ~ventil ⊕ *n* (-*s*; -*e*) válvula *f* de maniobra; **~veranlagung** *f* evaluación *f* de los impuestos; **~vergehen** *n* fraude *m* fiscal; **~vergünstigung** *f* privilegio *m* fiscal *od.* tributario; **~verteilung** *f* repartición *f* de los impuestos; **~verwaltung** *f* administración *f* de los impuestos; (*Behörde*) fisco *m*; **~verweigerung** *f* denegación *f* de pago de contribuciones; **~vorteil** *m* (-*es*; -*e*) ventaja *f* fiscal; **~welle** ⊕ *f* (*Nockenwelle*) árbol *m* de levas; eje *m* de mando; eje *m* de distribución; **~wert** *m* (-*es*; -*e*) valor *m* imponible; **~wesen** *n* (-*s*; *0*) régimen *m* tributario; **~zahler** *m* contribuyente *m*; **~zuschlag** *m* (-*es*; ⸚*e*) impuesto *m* adicional; recargo *m*.

'Steven ⚓ *m* roda *f*, estrave *m*.

'Steward *m* (-*s*; -*s*) camarero *m* (de barco).

'Stewardeß *f* (-; -*ssen*) camarera *f*; ✈ azafata *f*.

sti'bitzen (-*t*) F *v/t.* escamotear; birlar.

Stich *m* (-*es*; -*e*) pinchazo *m*; (*Insekten*⁓) picadura *f*; *Näherei*: puntada *f*; punto *m* de aguja; (*Stepp*⁓) pespunte *m*; (*Kupfer*⁓) grabado *m* en cobre; (*Dolch*⁓) puñalada *f*; (*Messer*⁓) cuchillada *f*; (*Degen*⁓) estocada *f*; (*Lanzen*⁓) lanzada *f*; (*Nadel*⁓) pinchazo *m*; *mit e-r Stecknadel*: alfilerazo *m*; *mit der Pike*: (*Stk.*) puyazo *m*; *Chir.* punción *f*; ⚓ (*Knoten*) nudo *m* marinero; *Kartenspiel*: baza *f*; *alle* ~*e machen* dar capote; hacer todas las bazas; *keinen* ~ *machen* no hacer baza; (*Kunstwerk*) grabado *m*; ⚕ (*Schmerz*) punzada *f*, dolor *m* punzante; ~*e in der Seite* dolores (punzantes) de costado; *fig.* pinchazo *m*, alfilerazo *m*; indirecta *f*; e-n ~ *bekommen Fleisch*: picarse; *Wein, Milch*: agriarse; e-n ~ *haben* (*Person*) F estar tocado de la cabeza; e-n ~ *ins Grüne haben* tirar a verde; *im* ~ *lassen* abandonar, desamparar, *Gefährten*: *a.* F dejar en la estacada (*od.* en las astas del toro); *mein Gedächtnis läßt mich im* ~ me falla la memoria; **'~blatt** *n* (-*es*; ⸚*er*) *am Degen*: guarda *f*, guardamano *m*.

'Stichel *m* buril *m*; cincel *m*; (*Grab*⁓) punzón *m*.

Stiche'lei *f fig.* (*Nadelstiche*) pinchazo *m*, pulla *f*; indirecta *f*; (*Nekkerei*) zumba *f*.

'stichel|n (-*le*) *v/t. u. v/i.* (*nähen*) dar puntadas; (*sticken*) bordar; *fig.* zaherir; pinchar; decir indirectas; decir pullas; **⁓n** *n*, **⁓rede** *f* → *Stichelei*.

'Stich...: ~entscheid *m* (-*es*; -*e*) voto *m* decisivo; **⁓fest** *adj.* (*0*) a prueba de espada; *weitS.* a toda prueba; (*Reifen usw.*) imperforable, a prueba de pinchazos; **~flamme** *f* llama *f* viva; (*Lötflamme*) dardo *m* de soplete; **⁓haltig** *adj.* (*begründet*) sólido, fundado; (*glaubwürdig*) plausible; (*gültig*) válido; (*treffend*) concluyente; (*überzeugend*) convincente; **~haltigkeit** *f* (*0*) solidez *f*, fundamento *m*; plausibilidad *f*; validez *f*; **~ling** *Ict. m* (-*s*; -*e*) gasterósteo *m*; **~maß** ⊕ *n* (-*es*; -*e*) calibre *m* de puntas; **~probe** *f* prueba *f* hecha al azar; muestra *f* tomada al azar; **~säge** *f* serrucho *m* de calar; **~tag** *m* (-*es*; -*e*) fecha *f* base; día *m* fijado; (*Fälligkeitsdatum*) fecha *f* de vencimiento; (*äußerster Termin*) fecha *f* tope; plazo *m* límite; **~torf** *m* (-*es*; *0*) turba *f* cortada; **~waffe** *f* arma *f* punzante; **~wahl** *f* empate *m* electoral; (*2. Wahlgang*) votación *f* de desempate; **~wort** *n* (-*es*; ⸚*er od.* -*e*) *Thea.* pie *m*; ⚔ (*Losungswort*) santo y seña; *im Wörterbuch*: voz *f* guía; (*Schlüsselwort*) palabra *f* clave; artículo *m*; **~wunde** *f* herida *f* punzante; **~zahl** *f* número *m* índice.

'Stick|arbeit *f* bordado *m*; (*Lochstickerei*) labor *f* de calado; **⁓en** *v/t.* bordar; *Löcher* ~ calar, hacer (labor de) calado; **~en** *n* bordado *m*; **⁓end** *adj.* → *stickig*; **~er(in** *f*) *m* bordador(a *f*) *m*; **~e'rei** *f* → *Stickarbeit*; **~garn** *n* (-*es*; -*e*) hilo *m* de bordar; **~gas** *n* (-*es*; *0*) ⚗ gas *m* sofocante; dióxido *m* de carbono; ⚒ ~*e pl.* emanaciones *f/pl.* mefíticas; **~gaze** ['-zə] *f* cañamazo *m* (para bordar); **~husten** ⚕ *m* tos *f* ferina; **⁓ig** *adj.* sofocante; asfixiante; **~luft** *f* (*0*) aire *m* sofocante; **~maschine** *f* máquina *f* de bordar; **~muster** *n* modelo *m* de bordado; **~nadel** *f* (-; -*n*) aguja *f* de bordar; **~rahmen** *m* bastidor *m* (de bordar); **~seide** *f* seda *f* de bordar.

'Stickstoff ⚗ *m* (-*es*; *0*) nitrógeno *m*, ázoe *m*; **⁓arm** *adj.* pobre en nitrógeno; **~dünger** *m* abono *m* nitrogenado; **⁓frei** *adj.* (*0*) exento (*od.* libre) de nitrógeno; **⁓haltig** *adj.* nitrogenado, azoado; **~oxydul** *n* (-*es*; *0*) óxido *m* nitroso; **⁓reich** *adj.* rico en nitrógeno; **~wasserstoff** *m* (-*es*; *0*) nitruro *m* de hidrógeno; **~wasserstoffsäure** *f* (*0*) ácido *m* hidronítrico *bzw.* nitrohídrico.

'stieben (*L*) *v/i.* disiparse; *Funken*: saltar, desprenderse; *Menge*: dispersarse.

'Stiefbruder *m* (-*s*; ⸚) hermanastro *m*; (*v. gleichen Vater*) hermanos *m/pl.* consanguíneos; (*v. derselben Mutter*) hermanos *m/pl.* uterinos.

'Stiefel *m* (*Schaft*⁓) bota *f*; bota *f* alta; (*hoher Schnür*⁓) borceguí *m*; (*Knopf*⁓) botina *f*; s-e ~ *anziehen* (*ausziehen*) ponerse (quitarse) las botas; F e-n ~ *vertragen können* tener buen saque; **~absatz** *m* (-*es*; ⸚*e*) tacón *m*; **~bürste** *f* cepillo *m* para el calzado; **~knecht** *m* (-*es*; -*e*) sacabotas *m*; **~leisten** *m* horma *f*; **~macher** *m* zapatero *m*; **⁓n 1.** *v/t.* → *gestiefelt*; **2.** *v/i.* andar a zancadas; **~putzer** *m* limpiabotas *m*; **~schaft** *m* (-*es*; ⸚*e*) caña *f* (de la bota); **~spanner** *m* horma *f* de bota; **~stulpe** *f* reborde *m* de la bota.

'Stief-eltern *pl.* padrastros *m/pl.*

'Stiefelwichse *f* betún *m* (*od.* crema *f*) para el calzado.

'Stief...: ~geschwister *pl.* hermanastros *m/pl.*; **~kind** *n* (-*es*; -*er*) → *Stiefsohn, Stieftochter*; *fig.* desgraciado *m*; rigor *m* de las desdichas; **~mutter** *f* (-; ⸚) madrastra *f*; **~mütterchen** 🌱 *n* pensamiento *m*; **⁓mütterlich I.** *adj.* de madrastra; **II.** *adv.* como una madrastra; ~ *behandeln* tratar desamoradamente; tratar con negligencia; *von der Natur* ~ *behandelt* poco favorecido por la naturaleza; **~schwester** *f* (-; -*n*) hermanastra *f*; **~sohn** *m* (-*es*; ⸚*e*) hijastro *m*; **~tochter** *f* (-; ⸚) hijastra *f*; **~vater** *m* (-*s*; ⸚) padrastro *m*.

stieg *pret. v. steigen*.

'Stiege *f* escalera *f*; (*20 Stück*) veintena *f*.

'Stieglitz *Orn. m* (-*es*; -*e*) jilguero *m*.

'Stiel *m* (-*es*; -*e*) (*Handgriff*) mango *m* (*a. Pinsel*⁓); *mit* ~ enmangado, con mango; 🌱 (*Stengel*) tallo *m*;

e-r Frucht: pezón *m*, F rabo *m*; (*Blatt*2) pecíolo *m*; (*Blüten*2) pedúnculo *m*; (*Axt*2) astil *m*; *fig. mit Stumpf und ~ ausrotten* extirpar radicalmente; cortar de raíz; exterminar; P no dejar ni los rabos; **~augen** *pl.* ojos *m/pl.* saltones; *fig. ~ machen* abrir desmesuradamente los ojos; F abrir unos ojos como platos; **~handgranate** *f* granada *f* de mano con mango.

stier *adj.*: *~er Blick* mirada fija, *wütend*: mirada hosca.

Stier *m* (*-es*; *-e*) toro *m*; *Astr.* Tauro *m*; *junger ~* (*unter 1 Jahr*) becerro *m*; (*1 bis 2 Jahre*) eral *m*; (*2 bis 3 Jahre*) novillo *m*; *den ~ bei den Hörnern packen* agarrar al toro por los cuernos *od.* las astas.

'stieren *v/i.* mirar fijamente; *wütend*: mirar hoscamente (*od.* con ceño); (*glotzen*) mirar boquiabierto.

'Stier...: ~kampf *m* (*-es*; *⸚e*) lidia *f* (taurina); corrida *f* de toros; corrida *f* de novillos, novillada *f*; becerrada *f*; **~kämpfer** *m* torero *m*; lidiador *m* (de reses bravas); diestro *m*; (*Matador*) matador *m*, espada *m*; **~kämpfertracht** *f* traje *m* de luces; **~kampfplatz** *m* (*-es*; *⸚e*) plaza *f* de toros; (*Arena*) ruedo *m*; redondel *m*; **~nacken** *m* pescuezo *m* de toro; **~stall** *m* (*-es*; *⸚e*) *im Stierkampfplatz*: toril *m*.

stieß *pret. v. stoßen*.

Stift[1] *m* (*-es*; *-e*) (*Pflock*) tarugo *m*; clavija *f*; (*Draht*2) tachuela *f*; (*Nagel*) clavito *m*; punta *f*; (*Bolzen*) perno *m*; (*Splint*) pasador *m* de aletas; (*Schnür*2) herrete *m*; (*Zapfen*) pivote *m*; espiga *f*; (*Blei*2) lápiz *m*, lapicero *m*; (*Zahnstumpf*) raigón *m*; (*Zahn*2) espiga *f*; (*Grammophon*2) aguja *f*; (*Lippen*2) barrita *f* de carmín; F (*Lehrling*) aprendiz *m*.

Stift[2] *n* (*-es*; *-e*) fundación *f* caritativa; (*Kloster*) convento *m*; (*Bistum*) obispado *m*; (*Domkapitel*) capítulo *m*, cabildo *m*; *geistliches* (*weltliches*; *adliges*) *~* cabildo regular (seglar; noble); (*Altersheim*) residencia *f* de ancianos; (*Seminar*) seminario *m*.

'stiften (*-e-*) *v/t.* (*gründen*) fundar; (*schaffen*) crear; (*hervorbringen*) producir; (*einrichten*) establecer, instituir; erigir; (*schenken*) donar; (*verursachen*) causar, ocasionar; *Frieden*: restablecer; hacer reinar; *Gutes*: hacer; *Streit*: suscitar; *Unruhe*: provocar; *Unglück ~* causar desgracia; *Ordnung ~* hacer reinar el orden; *Zwietracht ~* sembrar discordia; *Nutzen ~* ser útil *od.* provechoso; *j-m et. ~* donar a/c. a alg.; F *~ gehen* salir por pies *od.* de estampía, largarse, eclipsarse, esfumarse.

'Stifter(in *f*) *m* fundador(a *f*) *m*; (*Spender*) donador(a *f*) *m*, donante *m/f*; (*Urheber*) autor(a *f*) *m*.

'Stifts...: ~dame *f*, **~fräulein** *n* canonesa *f*; **~herr** *m* (*-en*) capitular *m*, canónigo *m*; **~kirche** *f* colegiata *f*; (*Hauptkirche*) catedral *f*; **~schule** *f* escuela *f* episcopal; escuela *f* de la colegiata.

'Stiftung *f* fundación *f*; (*Schaffung*) creación *f*; (*Einrichtung*) institución *f*; *durch Schenkung*: donación *f*; *milde ~* obra pía; **~sfeier** *f* (*-*; *-n*), **~sfest** *n* (*-es*; *-e*) aniversario *m* de la fundación; **~surkunde** *f* acta *f* de fundación *od.* fundacional.

'Stiftzahn *m* (*-es*; *⸚e*) diente *m* de espiga.

'Stigma *n* (*-s*; *-ta*) estigma *m*.

stigmati'sieren (*-*) *v/t.* estigmatizar.

Stil *m* (*-es*; *-e*) estilo *m*; *in großem ~* en gran escala; **'~art** *f* estilo *m*; **'~aufsatz** *m* (*-es*; *⸚e*) ejercicio *m* de composición (*od.* de redacción).

Sti'lett [st-] *n* (*-es*; *-e*) estilete *m*.

'Stil|fehler *m* falta *f* de estilo; **~gefühl** *n* (*-es*; *0*) sentido *m* del estilo; **2gerecht** *adj.* en estilo correcto; conforme a las reglas del buen estilo.

stili'sieren (*-*) *v/t.* (*abfassen*) redactar; estilar; *Kunst*: estilizar.

Sti'list *m* (*-en*) estilista *m*; **~ik** *f* (*0*) estilística *f*; **2isch** *adj.* estilístico; *in ~er Hinsicht* en cuanto al estilo; desde el punto de vista estilístico.

'Stilkunde *Gr. f* (*0*) estilística *f*.

'still *adj.* (*ruhig*) tranquilo; (*unbeweglich*) inmóvil; (*stillstehend*) quieto; parado; (*leblos*) inanimado; (*lautlos*) silencioso; sin ruido; (*friedlich*) pacífico; (*gemütvoll*) apacible; plácido; (*schweigsam*) silencioso, callado; taciturno; (*stumm*) mudo; (*heimlich*) secreto; ✝ (*flau*) desanimado; flojo; *Schmerz*: sordo; *Luft*: quieto; *See*: en calma; sereno; *Wetter*: tranquilo; apacible; *2er Freitag* Viernes *m* Santo; *~es Gebet* oración *f* mental; *~er Gesellschafter* (*od. Teilhaber*) ✝ socio *m* comanditario; *~e Hoffnung* secreta esperanza *f*; *~es Leben* vida *f* sosegada; vida *f* tranquila y retirada; *~e Liebe* amor *m* secreto; amor *m* platónico; *~e Messe* misa rezada; *~e Nacht* noche *f* tranquila (*od.* de paz); noche *f* serena; *2er Ozean* (océano *m*) Pacífico *m*; *~e Reserve* ✝ reservas *f/pl.* ocultas; *~e Übereinkunft* acuerdo *m* tácito; *~er Vorbehalt* reserva *f* mental; *~es Wasser* agua *f* mansa; agua *f* estancada; *~e Wasser sind tief* Dios nos libre del agua mansa; *~e Woche* Semana *f* Santa; *~e Wut* ira *f* reconcentrada; *~!* ¡silencio!; ¡chitón!; ¡pst!; *sei ~!* F ¡cállate la boca!; *Kind*: ¡estáte quieto!; *~ davon!* no hablemos de ello; tendamos un velo; *im ~en* en silencio, calladamente, *heimlich*: en secreto, *m.s.* F a cencerros tapados; por bajo cuerda; *sich ~ verhalten* mantenerse tranquilo, conservar la calma; estar sosegado; callar(se); *sich dem ~en Trunk ergeben* beber ocultamente *od.* en secreto, F beber de ocultis; *~ werden* sosegarse; calmarse, serenarse, *schweigen*: callar(se); ⚓ abonanzar; *es wurde ~* se hizo (*od.* produjo) un silencio; **~bleiben** (*L*; *sn*) *v/i.* quedarse tranquilo; quedarse quieto; callar(se).

'Stille *f* (*0*) tranquilidad *f*; sosiego *m*; calma *f*; quietud *f*; (*Ruhe*) reposo *m*, descanso *m*; (*Friede*) paz *f*; (*Stillschweigen*) silencio *m*; (*Meeres*2) calma *f*; bonanza *f*; ✝ estancamiento *m*; *in der ~* → *im stillen*; *in der ~ der Nacht* en el silencio de la noche; *in aller ~* en el mayor silencio; *in aller ~ Hochzeit feiern* celebrar la boda en la (más estricta) intimidad; *die Beisetzung fand in aller ~ statt* el entierro tuvo lugar en la intimidad (*od.* en el círculo de la familia); *~ trat ein* se hizo el silencio.

'Stilleben (*bei Trennung*: *Still-leben*) *n Mal.* naturaleza *f* muerta; bodegón *m*.

'stilleg|en (*bei Trennung*: *still-legen*) *v/t.* inmovilizar; (*Betrieb*) cerrar; suspender el trabajo; (*stoppen*) parar, detener; (*Verkehr*) paralizar; (*Schiffe*) ⚓ amarrar; (*Fahrzeug*) retirar del servicio; (*Fabrik-*, *Bergarbeiten*) parar; *durch Krieg*, *Streik*: paralizar; **2ung** *f* inmovilización *f*; cierre *m*; paro *m*; detención *f*; paralización *f*; ⚓ amarre *m*.

'Stillehre *f* (*0*) estilística *f*.

'stillen *v/t.* (*anhalten*) parar, detener; (*beruhigen*) calmar, tranquilizar; sosegar; apaciguar; (*befriedigen*) satisfacer; *Durst*: apagar (F matar) la sed; *Hunger*: saciar (F matar) el hambre; satisfacer el apetito; *Blut*: restañar; *Blutung*: cortar (la hemorragia); *Schmerz*: calmar, mitigar; *Kind*: lactar, amamantar; criar; dar de mamar, dar el pecho a; *2 n e-s Kindes*: amamantamiento *m*; *v. Schmerzen*: mitigación *f*; **~d** ⚕ *adj.* calmante, sedante; (*blut~*) hemostático.

'Still...: ~geld *n* (*-es*; *-er*) subsidio *m* de maternidad; **2gestanden!** ⚔ ¡firmes!; **~halte-abkommen** *n* (convenio *m* de) moratoria *f*; **2halten** (*L*) **1.** *v/t.* no mover; tener quieto; **2.** *v/i.* no moverse, quedar quieto; (*anhalten*) pararse, detenerse; **2(l)iegen** (*bei Trennung*: *still-liegen*) (*L*) *v/i.* no moverse, estar quieto; estar parado *bzw.* detenido *bzw.* interrumpido *bzw.* inmovilizado; (*lahmgelegt sein*) estar paralizado; (*ausruhen*) reposar, descansar.

'stillos *adj.* (*-est*) sin estilo; *fig.* de mal gusto; cursi.

'Still...: ~periode *f der Säuglinge*: (período *m* de) lactancia *f*; **2schweigen** (*L*) *v/i.* callarse, guardar silencio; no decir nada; estar (*od.* quedar) callado; **~schweigen** *n* silencio *m*; *~ bewahren* guardar silencio; *mit ~ übergehen* silenciar; pasar en silencio; **2schweigend I.** *adj.* callado; *fig.* tácito; *aus den Umständen erhellend*: implícito; *~e Zustimmung* aprobación tácita; *~e Übereinkunft* consentimiento tácito; **II.** *adv.* sin indicación expresa; tácitamente; (*aus den Umständen erhellend*) implícitamente; (*im stillen*) en silencio; (*ohne ein Wort zu sagen*) sin decir palabra; *~ erneuern* renovar tácitamente; **2sitzen** (*L*) *v/i.* estar (*od.* quedar) quieto; quedarse quieto en su asiento; estar sentado tranquilamente; no moverse; **~stand** *m* (*-es*; *0*) parada *f*; detención *f*; (*Lahmlegung*) paralización *f*; (*Untätigkeit*) inacción *f*; (*Unterbrechung*) interrupción *f*, *vorübergehender*: ⚕ intermitencia *f*; (*Stagnation*) estancamiento *m*; (*Ein-*

stellung) suspensión *f*; *v. Betrieben*: paro *m*; ⚕ *v. Geschäften*: estancamiento *m*, *völliger*: paralización *f*; *zum ~ bringen* parar; detener la marcha, *lahmlegen*: paralizar; *zum ~ kommen* detenerse, pararse; paralizarse; *fig. Verhandlungen usw.*: estancarse, llegar a un punto muerto; **2stehen** (*L*) *v/i.* detenerse; pararse; estar inmóvil; quedarse quieto; (*nicht vom Platze gehen*) no moverse del sitio; (*lahmgelegt sein*) estar paralizado; *Betriebe*: no trabajar; *Maschinen usw.*: estar parado; ⚔ cuadrarse; *der Verstand stand ihm still* quedó anonadado; **2stehend** *adj.* estacionario; (*unbeweglich*) inmóvil; inmovilizado; (*fest*) fijo; (*stagnierend*) estancado (*a. Wasser*); **~ung** *f* (*Beruhigung*) tranquilización *f*; apaciguamiento *m*; (*Befriedigung*) satisfacción *f*; (*Stagnation*) estancamiento *m*; **2vergnügt** *adj.* (*0*) contento sin exteriorizarlo; *adv.* con íntima satisfacción; **~zeit** *f* → *Stillperiode*.

'**Stil...**: **~möbel** *pl.* muebles *m/pl.* de estilo; *echte*: muebles *m/pl.* de época; **~probe** *f* muestra *f* de estilo; **~übung** *f* ejercicio *m* de estilística; **2voll** *adj.* de estilo depurado; elegante; artístico; de buen gusto; **~wörterbuch** *n* (*-es*; *⸚er*) diccionario *m* de estilística.

'**Stimm|abgabe** *f* votación *f*; **~band** *Anat. n* (*-es*; *⸚er*) cuerda *f* vocal; **2berechtigt** *adj.* con derecho a votar (*od.* a voto); **~berechtigung** *f* derecho *m* de voto; **~bildung** *f* fonación *f*; **~bruch** *m* (*-es*; *0*) cambio *m* de la voz; muda *f*; *im ~ sein* estar de muda.

'**Stimme** *f* voz *f*; (*Wahl2*) voto *m*, sufragio *m*; ♪ voz *f*; (*Part*) parte *f*; (*Presse2*) comentarios *m/pl.* de (la) prensa; *die ~ des Gewissens* la voz de la conciencia; *die ~ der Vernunft* la voz de la razón; *bei ~ sein* ♪ estar bien de voz, estar en voz; *beratende ~* voto consultivo; *entscheidende ~* voto decisivo; *abgegebene ~n* número de votos depositados; número de votantes; *die Mehrheit der abgegebenen ~n erhalten* obtener mayoría de votos; *ungültige ~* voto nulo (*od.* en blanco); *s-e ~ abgeben* votar (*für* por; *gegen* contra); *j-m s-e ~ geben* votar por alg.; dar su voto a alg.; *sich der ~ enthalten* abstenerse de votar; *die ~n sammeln* recoger los votos; *die ~n zählen* contar los votos; hacer el escrutinio; *5 ~n erhalten* obtener cinco votos; *mit 3 gegen 2 ~n* por tres votos contra dos; *mit 5 ~n Mehrheit* con una mayoría de cinco votos; por cinco votos de mayoría; *Sitz und ~ im Rat haben* tener voz y voto en el consejo; *Volkes ~, Gottes ~* voz del pueblo, voz de Dios.

'**stimmen I. 1.** *v/t.* ♪ afinar; *bsd. v. Gitarre, Laute*: templar; *höher* (*tiefer*) *~* ♪ alzar (bajar) de tono; *hoch* (*tief*) *gestimmt* ♪ alto (bajo) de tono; *j-n wohl* (*übel*) *~* poner a alg. de buen (mal) humor; *j-n traurig ~* entristecer a alg.; *gut* (*schlecht*) *gestimmt sein* estar de buen (mal) humor; ♪ estar bien (mal) afinado; *j-n für et. ~* predisponer a alg. para a/c.; *j-n gegen et.* (*gegen j-n*) *~* prevenir a alg. contra a/c. (contra alg.); **2.** *v/i.* ♪ (*Instrument*) estar afinado; *Farben*: armonizar; *Summe, Abrechnung*: estar bien; ⚕ estar de conformidad; (*zutreffen*) ser cierto *od.* exacto; (*überein~*) estar de acuerdo, coincidir con; *Pol.* votar (*für* por; *gegen* contra); *~ zu* concordar; cuadrar con; *das stimmt!* (eso) es cierto; es verdad; así es; *das stimmt nicht* no es así; aquí hay un error; (*es ist nicht wahr*) eso no es cierto; no es exacto; *da stimmt et. nicht* aquí hay algo que no está claro; aquí hay algún error (*od.* alguna equivocación); F aquí hay gato encerrado; **II.** 2 *n* ♪ afinación *f*.

'**Stimmen...**: **~einheit** *f* (*0*): *mit ~* por unanimidad; **~gewirr** *n* (*-es*; *-e*) rumor *m* confuso de voces; *stärker*: vocerío *m*, gritería *f*; **~gleichheit** *f* (*0*) igualdad *f* de votos; *die ~ aufheben* dirimir (*od.* deshacer) el empate de la votación; **~kauf** *m* (*-es*; *⸚e*) compra *f* de votos; **~mehrheit** *f* (*0*) mayoría *f* de (los) votos; *mit ~* por mayoría de votos; *absolute* (*einfache*; *relative*) *~* mayoría absoluta (simple; relativa); **~minderheit** *f* (*0*) minoría *f* de (los) votos; **~prüfung** *f* escrutinio *m*.

'**Stimm-enthaltung** *f* abstención *f* (del voto).

'**Stimmen...**: **~unterschied** *m* (*-es*; *-e*) diferencia *f* de votos; **~werber** *m* muñidor *m* electoral; **~zähler** *m* escrutador *m*; **~zählung** *f* escrutinio *m*; *die ~ vornehmen* hacer el escrutinio; contar los votos.

'**Stimm...**: **~er** ♪ *m* (*Person u. Werkzeug*) afinador *m*; **2fähig** *adj.* → *stimmberechtigt*; **~gabel** ♪ *f* (*-*; *-n*) diapasón *m*; **2gewaltig** *adj.* de voz potente; **2haft** *adj.* sonoro; **~hammer** ♪ *m* (*-s*; *⸚*) afinador *m*; **~lage** ♪ *f* registro *m*; **2los** *adj.* (*0*) sin voz; áfono, afónico; *Laut*: sordo; **~losigkeit** *f* (*0*) afonía *f*; **~recht** *n* (*-es*; *0*) derecho *m* de voto; *allgemeines ~* sufragio universal; *das ~ ausüben* votar, ejercitar el derecho de voto; **~rechtlerin** *f* sufragista *f*; **~ritze** *Anat. f* glotis *f*; **~ritzendeckel** *Anat. m* epiglotis *f*; **~schein** *m* (*-es*; *-e*) papeleta *f* (*Am.* boleto *m*) electoral; **~schlüssel** ♪ *m* afinador *m*; **~übung** ♪ *f* vocalización *f*; solfeo *m*; *~en machen* vocalizar; solfear.

'**Stimmung** *f* ♪ afinación *f*; *fig.* estado *m* de ánimo; humor *m*; disposición *f* (de ánimo); (*Atmosphäre*) ambiente *m*; ⚔ *der Truppe*: moral *f*; espíritu *m*; *Mal.* efecto *m* (íntimo); ⚕ *Börse*: tendencia *f*; *allgemeine ~* opinión *f* pública; *günstige ~* ambiente *m* favorable; *feindselige ~* animosidad *f*; ojeriza *f*; *~ machen* crear ambiente; *~ machen für* hacer propaganda de; *guter* (*schlechter*) *~ sein* estar de buen (mal) humor; estar bien (mal) dispuesto; (*nicht*) *in der ~ sein, zu* (no) estar de humor para; *in gedrückter ~ sein* estar deprimido *od.* abatido; *in* (*gehobener*) *~ sein* estar alegre, F *fig.* estar eufórico; *in ~ bringen* animar; dar alegría (*od.* animación) a; *in ~ kommen* animarse; alegrarse; *in ~ sein, zu* estar en buena disposición para; *die ~ war glänzend* (*Volksfest, Party usw.*) hubo gran animación; se desbordó la alegría.

'**Stimmungs...**: **~barometer** *n fig.* barómetro *m* de la opinión (pública); **~bild** *n* (*-es*; *-er*) cuadro *m* de ambiente; impresiones *f/pl.*; **~kanone** F *f*, **~macher** *m* animador *m*; jacarero *m*, regocijador *m*; **~mensch** *m* (*-en*) hombre *m* veleidoso; mujer *f* veleidosa; F *fig.* veleta *m/f*; **~umschwung** *f* (*-es*; *0*) cambio *m* de humor *bzw.* de estado de ánimo; **2voll** *adj.* de gran efecto; *Bild*: lleno de ambiente; (*sentimental*) sentimental; (*eindrucksvoll*) impresionante; (*ausdrucksvoll*) muy expresivo; *Fest*: muy animado.

'**Stimm...**: **~vieh** *fig.* F *n* (*-es*; *0*) rebaño *m* electoral; **~wechsel** *m* → *Stimmbruch*; **~werkzeug** *n* (*-es*; *-e*) órgano *m* de la fonación; **~zettel** *m* papeleta *f* (*Am.* boleto *m*) de votación.

'**Stimulans** ⚕ *n* (*-*; *Stimulanzien*) estimulante *m*.

stimu'lieren (*-*) *v/t.* estimular.

'**Stink|bombe** *f* bomba *f* fétida; **2en** (*L*) *v/i.* oler mal; despedir mal olor, heder; apestar; *hier ~t es* aquí huele mal, aquí hay mal olor; aquí (hay un olor que) apesta; *nach et. ~* heder a; *wie die Pest ~* apestar, F oler a demonios; F *das stinkt zum Himmel* esto es indignante; esto clama al cielo; **2end**, **2ig** *adj.* fétido, maloliente; pestífero; apestoso; hediondo; **2faul** *adj.* (*0*) muy perezoso *od.* holgazán; **2langweilig** *adj.* (*0*) aburridísimo; **~tier** *Zoo. n* (*-es*; *-e*) mofeta *f*; **~wut** F *f* (*0*) rabia *f* furibunda; *er hat e-e ~* F está que echa chispas *od.* que bufa.

Stint *Ict. m* (*-es*; *-e*) eperlano *m*.

Stipendi'at(in *f*) *m* (*-en*) becario (-a *f*) *m*.

Sti'pendium *n* (*-s*; *Stipendien*) beca *f*; bolsa *f* de estudios; *ein ~ ausschreiben* convocar una beca.

'**stippen** *v/t.* mojar.

'**Stippvisite** *f* visita *f* corta; *fig.* F visita *f* de médico.

'**Stirn** *f* frente *f*; *gewölbte* (*hohe*; *fliehende*) *~* frente abombada (alta; huidiza); *die ~ runzeln* fruncir el entrecejo; *die ~ haben, zu* (*inf.*) tener el atrevimiento (*od.* la desfachatez) de *inf.*; F tener la frescura (*od.* la cara dura) de *inf.*; *j-m die ~ bieten* hacer frente a alg.; enfrentarse a (*od.* con) alg.; F dar la cara a alg.; *es steht ihm auf der ~ geschrieben* lo lleva escrito en la frente; se le ve en la cara; **~ader** *Anat. f* (*-*; *-n*) vena *f* frontal; **~band** *n* (*-es*; *⸚er*) cinta *f* (para ceñir la frente); frontal *m*; **~bein** *Anat. n* (*-es*; *-e*) (hueso *m*) frontal *m*; **~binde** *f* → *Stirnband*; **~falte** *f* arruga *f* de la frente; **~haar** *n* (*-es*; *-e*) tupé *m*, copete *m*; *bei Frauen*: flequillo *m*; **~höhle** *Anat. f* seno *m* frontal; **~höhlenentzündung** ⚕ *f* sinusitis *f*; **~kipper** *m* vagón *m* basculante frontal; **~lage** ⚕ *f des Fötus*: presentación *f* de frente; **~locke** *f* → *Stirnhaar*; **~mauer** *f* (*-*; *-n*) muro *m* frontal; **~muskel** *Anat. m* (*-s*; *-n*) músculo *m* frontal; **~rad** ⊕ *n* (*-es*; *¨er*) rueda *f* dentada recta; **~reif** *m* (*-es*; *-en*) (*Diadem*) diadema *f*; **~riemen** *m am Pferdegeschirr*: frontalera *f*; **~runzeln** *n* ceño *m*; **~schlagader** *Anat. f* (*-*; *-n*) arteria *f* frontal; **~seite** ⚠ *f* frente *m/f*; fachada *f* anterior; (*Frontispiz*) frontispicio *m*; **~wand** *f* (*-*; *¨e*) pared *f* frontal; **~wunde** *f* herida *f* en la frente.

ˈ**stob** *pret. v. stieben.*

ˈ**stöbern** (*-re*) *v/i.*: ~ *in* (*dat.*) revolver (*ac.*); *Schnee*: ventiscar; *Jgdw. Hund im Gebüsch*: zarcear.

ˈ**stochern** (*-re*) *v/t. u. v/i.* (*herum~*) revolver con un pincho; pinchar; *im Feuer* ~ hurgar, atizar el fuego; *sich in den Zähnen* ~ escarbarse los dientes.

Stock[1] ⚚ *m* (*-s*; *-s*) capital *m*; fondos *m/pl.*; (*Warenlager*) existencias *f/pl.*

Stock[2] *m* (*-es*; *-*) (*Stockwerk*) piso *m*; *im ersten* ~ en el primer piso; en el piso principal; *das Haus ist 5* ~ *hoch* la casa tiene cinco pisos, es una casa de cinco plantas.

ˈ**Stock**[3] *m* (*-es*; *¨e*) (*Knüppel*) palo *m*; (*Gerte*) pértiga *f*; vara *f*; *der Feldmesser*: jalón *m*; (*Schi*) bastón *m* de esquí; (*Berg2*) bastón *m* de montañero; alpenstock *m*; (*Hut2*) horma *f*; (*Billard2*) taco *m*; (*Takt2*) batuta *f*; (*Zeige2*) puntero *m*; (*Gewehr2*) baqueta *f*; (*Spazier2*) bastón *m*; (*Rohr2*) caña *f*, junco *m*; (*Gebirgs2*) macizo *m* montañoso; (*Blumen2*) planta *f* de flores; (*Reb2*) cepa *f*; *v. Gewächsen*: pie *m*; (*Baumstumpf*) tocón *m*; (*Bienen2*) colmena *f*; (*Almosen2*) cepillo *m*; *am* ~ *gehen* andar apoyado en un bastón; andar con bastón; *fig. über* ~ *und Stein* a campo traviesa; **2blind** *adj.* (*0*) completamente ciego; **~degen** *m* bastón *m* de estoque; **2dumm** *adj.* (*0*) tonto de capirote; **2dunkel** *adj.* (*0*) completamente o(b)scuro; *es ist* ~ no se ve ni gota.

ˈ**Stöckelschuhe** *m/pl.* zapatos *m/pl.* de tacón alto.

ˈ**stocken I.** *v/i.* (*haltmachen*) pararse, detenerse; (*unterbrochen werden*) interrumpirse, estar (*od.* quedar) interrumpido; (*aufhören*) cesar; *beim Sprechen*: cortarse, atascarse; perder el hilo; *~d sprechen* hablar a tropezones; (*stagnieren*) estancarse (*a.* ⚚ *u. Gewässer*); *fig. a.* no adelantar, *Verhandlungen*: llegar a un punto muerto; *Flüssigkeiten*: dejar de fluir (*od.* de correr); *Blut*: no circular, *sich stauen*: congestionarse, *gerinnen*: coagularse; (*langsamer werden*) retardarse; *Verkehr*: paralizarse, *infolge Verstopfung*: atascarse; *Gespräch*: languidecer (*a.* ⚚); *Zahn*: cariarse; (*schimmeln*) enmohecerse; **II.** 2 *n* (*Aufhaltung*) detención *f*; (*Unterbrechung*) interrupción *f*; (*Aufhören*) cesación *f*; *beim Sprechen*: atasco *m*; (*Stagnieren*) estancamiento *m* (*a.* ⚚ *u. v. Gewässern*); ~ *des Blutes durch Behinderung des Abflusses*: retención *f*; obstrucción *f*, *durch vermehrten Zufluß*: congestión *f*; (*Langsamwerden*) retardo *m*; *des Verkehrs*: paralización *f*, *durch Verstopfung*: atasco *m*; embotellamiento *m*; *ins* ~ *geraten* → *stocken*.

ˈ**Stock...:** **~engländer** *m* inglés *m* de pura cepa; **2finster** *adj.* (*0*) o(b)scurísimo; *~e Nacht* noche tenebrosa; noche o(b)scura como boca de lobo; *es ist* ~ está muy o(b)scuro; no se ve gota; **~fisch** *m* (*-es*; *-e*) bacalao *m*; **~fleck** *m* (*-es*; *-e*) mancha *f* de moho; **~hieb** *m* (*-es*; *-e*) bastonazo *m*; **2ig** *adj.* mohoso; con manchas de humedad; (*holzig*) leñoso; *Zahn*: cariado.

...stöckig *adj. in Zssgn.*: de ... pisos; *ein vierstöckiges Haus* una casa de cuatro pisos *od.* plantas.

ˈ**Stock...:** **~laterne** *f* farol *m*; **~punkt** *m* (*-es*; *-e*) *Öl*: punto *m* de solidificación; **~rose** ⚘ *f* malva *f* real, malvarrosa *f*; **~schirm** *m* (*-es*; *-e*) bastón *m* paraguas; **~schläge** *pl.* palos *m/pl.*; bastonazos *m/pl.*; **~schnupfen** ⚕ *m* romadizo *m*; catarro *m* crónico (a la cabeza); **~spanier** *m* (*-s*; *-*) español *m* castizo (*od.* de pura cepa); **~ständer** *m* bastonera *f*; **2steif** *adj.* (*0*) rígido, tieso; **2taub** *adj.* (*0*) completamente sordo; F más sordo que una tapia; **~ung** *f* → *Stocken*; **~werk** *n* (*-es*; *-e*) piso *m*; *das unterste* ~ la planta baja; el piso bajo; *im ersten* ~ en el piso principal; en el primer piso; **~werkgarage** *f* garaje *m* de pisos; **~werkeigentum** *n* (*-s*; *¨er*) propiedad *f* horizontal; **~zahn** *m* (*-es*; *¨e*) molar *m*, muela *f*; **~zwinge** *f* contera *f*; regatón *m*.

ˈ**Stoff** *m* (*-es*; *-e*) materia *f*; (*Textil2*) tejido *m*; tela *f*; (*Tuch*) paño *m*; (*Material*) material *m*; (*Substanz*) ⚗ substancia *f*; (*Grund2, Ur2*) elemento *m*; (*Wirk2*) agente *m*; su(b)stancia *f* activa; (*Brenn2*) combustible *m*, *Auto. usw.*: carburante *m*; (*Roh2*) materia *f* prima; *fig.* (*Gegenstand*) objeto *m*; (*Thema*) tema *m*; asunto *m*; ~ *zum Lachen* (*Gerede*) *geben* dar que reír (decir *od.* hablar); **~bahn** *f* ancho *m* (de una pieza de tela); **~ballen** *m* bala *f* de tela *od.* paño; **2bespannt** *adj.* (*0*) revestido *m* de tela; **~bespannung** *f* revestimiento *m* de tela; **~el** *m* zopenco *m*; **~handschuh** *m* (*-es*; *-e*) guante *m* de hilo; **2lich** *adj.* material; **2los** *adj.* inmaterial; **~muster** *n* muestra *f* de tela; dibujo *m*; **~puppe** *f* muñeca *f* de trapo; **~verwandtschaft** ⚗ *f* afinidad *f* química; **~wechsel** *Physiol. m* metabolismo *m*; **~wechselstörungen** *f/pl.* trastornos *m/pl.* del metabolismo.

ˈ**stöhnen I.** *v/i.* gemir; quejarse (*über ac.* de); suspirar; **II.** 2 *n* gemidos *m/pl.*; suspiros *m/pl.*; ayes *m/pl.*

ˈ**Sto|iker** [ˈsto:ɪ-] *m* estoico *m*; **2isch** *adj.* estoico.

Stoiˈzismus *m* (*-*; *0*) estoicismo *m*.

ˈ**Stola** [ˈst-] *f* (*-*; *-en*) estola *f*.

ˈ**Stolle** *f* (*Kuchen*) bollo *m* trenzado; (*Weihnachtskuchen*) bollo *m* con pasas.

ˈ**Stollen** *m* (*Pfosten*) poste *m*; ⚒ galería *f*; (*Weihnachtsgebäck*) → *Stolle*; (*Hufeisen2*) callo *m*; ⚔ abrigo *m*; **~holz** ⚒ *n* (*-es*; *¨er*) madera *f* de mina; **~schacht** ⚒ *m* (*-es*; *¨e*) pozo *m* de galería; **~zimmerung** ⚒ *f* entibación *f* de una galería.

ˈ**stolper|ig** *adj.* (*uneben*) desigual; (*Gelände*) accidentado, escabroso; **~n** (*-re*; *sn*) *v/i.* tropezar (*über ac.* con, en); dar un tropezón; dar un traspié; trompicar; **2n** *n* tropezón *m*; traspié *m*.

stolz *adj.* (*-est*) orgulloso; altivo; (*hochmütig*) soberbio; altanero; (*anmaßend*) arrogante; (*eingebildet*) presuntuoso; (*eitel*) vanidoso; *fig.* (*prächtig*) soberbio, magnífico; (*imponierend*) imponente; (*majestätisch*) majestuoso; (*ruhmreich*) glorioso; ~ *machen* enorgullecer; ~ *werden* enorgullecerse; ~ *sein auf* (*ac.*) estar orgulloso de.

Stolz *m* (*-es*; *0*) orgullo *m*; altivez *f*; (*Hochmut*) soberbia *f*; altanería *f*; (*Anmaßung*) arrogancia *f*; (*Einbildung*) presunción *f*; (*Eitelkeit*) vanidad *f*; *falscher* ~ falso orgullo; *er ist der* ~ *s-r Mutter* (él) es el orgullo de su madre; *s-n* ~ *setzen in* (*ac.*) hacer gala de; gloriarse de.

stolˈzieren (*-*) *v/i.* pavonearse; F darse postín.

stop! *int.* ¡alto!; *in Telegrammen*: [punto.]

ˈ**Stopf-ei** *n* (*-es*; *-er*) bola *f* de repasar (*od.* de zurcir).

ˈ**stopfen I. 1.** *v/t.* (*hinein~*) meter (*in ac.* en *od.* dentro de); (*füllen*) llenar; rellenar (*mit* de); *Pfeife*: cargar; *Wurst*: embutir; embuchar; *Loch*: tapar; *Gans usw.* (*Kochk.*) rellenar; *Geflügel*: (*mästen*) engordar, cebar; *Strümpfe, Wäsche*: repasar; *Stoff*: zurcir; ⚕ astringir; ⚓ *ein Leck* ~ cortar (*od.* atajar) una vía de agua; ⚔ *das Feuer* ~ cesar el fuego; F *fig. j-m den Mund* ~ tapar la boca a alg.; **2.** *v/i.* (*sättigen*) saciar, hartar; (*ver~*) ⚕ estreñir; **3.** *v/refl.*: *sich* ~ llenarse (*mit* de); (*sich stauen*) congestionarse; **II.** 2 *n v. Strümpfen, Wäsche*: repaso *m*; *v. Stoffen*: zurcido *m*; *v. Geflügel*: engorde *m*; *Kochk.* relleno *m*.

ˈ**Stopf...:** **~garn** *n* (*-s*; *-e*) hilo *m* de zurcir; **~mittel** ⚕ *n* astringente *m*; **~nadel** *f* (*-*; *-n*) aguja *f* de zurcir; **~naht** *f* (*-*; *¨e*) zurcido *m*; **~nudel** *f* (*-*; *-n*) masón *m*; **~pilz** *m* (*-es*; *-e*) hongo *m* de repasar.

stopp! *int.* (*halt!*) ¡alto!; ⊕ ¡para!

ˈ**Stoppel** *f* (*-*; *-n*) ✓ rastrojo *m*; (*Bart2*) cañones *m/pl.*; **~bart** *m* (*-es*; *¨e*) barba *f* de varios días; **~feld** *n* (*-es*; *-er*) rastrojo *m*; rastrojera *f*; **2ig** *adj.* cubierto de rastrojos; (*schlecht rasiert*) mal afeitado; **2n** (*-le*) *v/t.* ✓ espigar; rebuscar; *fig.* hacer labor de retazos; **~n** ✓ espigueo *m*; rebusca *f*; *fig.* labor *f* de retazos; **~werk** *n* (*-es*; *-e*) compilación *f* deshilvanada; batiburrillo *m* (literario), F ensalada *f*.

ˈ**stopp|en** *v/t. u. v/i.* parar; *Uhrzeit*: cronometrar; **2er** *m Fußball*: defensa *m* central; **2licht** *Auto. n* (*-es*; *-er*) luz *f* de parada; **2signal** *n* (*-es*; *-e*) señal *f* de parada; **2uhr** *f* cronómetro *m*.

ˈ**Stöpsel** *m* tapón *m*; ↯ clavija *f*; F (*Person*) hombrecillo *m*, *kleiner Knirps*: chiquito *m*, *Arg.* pibe *m*; **~kontakt** ↯ *m* (*-es*; *-e*) contacto *m* de clavija; **2n** (*-le*) *v/t.* taponar; (*Flaschen*) encorchar; ↯ enchufar la clavija.

Stör *Ict. m* (*-es*; *-e*) esturión *m*.

ˈ**Stör|angriff** ⚔ *m* (*-es*; *-e*) ataque *m* de hostigamiento.

ˈ**Storch** *m* (*-es*; *ᵘe*) cigüeña *f*; *junger* ~ cigoñino *m*; **~ennest** *n* (*-es*; *-er*) nido *m* de cigüeña; **Störchin** *f* cigüeña *f*; **~schnabel** *m* (*-s*; *ᵘ*) pico *m* de cigüeña; ⚘ geranio *m*; ⊕ pantógrafo *m*.

Store [sto:ʀ] *m* (*-s*; *-s*) (*Fenstervorhang*) estor *m*; visillo *m*.

ˈ**stören** *v/t.* (*hindern*) estorbar; (*trüben*) turbar; perturbar; (*belästigen*) molestar; importunar; F incordiar; (*ärgern*) enojar; incomodar; (*beunruhigen*) inquietar; (*ablenken*) distraer; (*durcheinanderbringen*) trastornar; revolver; (*unterbrechen*) interrumpir; ⚔ hostigar; hostilizar; *Radio*: interferir, perturbar la audición; *Frieden*: perturbar; *Ordnung*: *a.* alterar; *Pläne*: contrariar; *lassen Sie sich nicht* ~! no se moleste usted; *stört es Sie, wenn ich rauche?* ¿le molesta que fume?; *geistig gestört* perturbado mental; **~d** *adj.* (*unangenehm*) desagradable; (*lästig*) molesto; fastidioso; (*peinlich*) penoso; (*beunruhigend*) perturbador; **2fried** *m* (*-es*; *-e*) perturbador *m* de la paz *bzw.* del orden; revoltoso *m*; F aguafiestas *m*.

ˈ**Stör...**: **~feuer** ⚔ *n* tiro *m* distanciado; fuego *m* de hostigamiento *od.* perturbación; **~gebiet** *n* (*-es*; *-e*) zona *f* de perturbación; **~geräusch** *n* (*-es*; *-e*) *Radio*: (ruido *m*) parásito *m*; **~manöver** *n* maniobra *f* perturbadora.

storˈnier|en (-) ✝ *v/t.* rescontrar; (*Auftrag*) anular; **2ung** *f* rescuentro *m*; contrapartida *f*.

ˈ**Storno** ✝ *n* (*-s*; *Storni*) → *Stornierung*.

ˈ**störr|ig, ~isch** *adj.* (*widerspenstig*) recalcitrante; (*halsstarrig*) obstinado, terco, testarudo, F cabezudo; (*unlenksam*) intratable; inobediente, indócil; **2igkeit** *f* (*Halsstarrigkeit*) obstinación *f*, terquedad *f*, testarudez *f*.

ˈ**Stör...**: **~schutz** *m* (*-es*; *0*) *Radio*: protección *f* antiparasitaria; **~sender** *m* emisora *f* interferente; **~sendung** *f* emisión *f* perturbadora.

ˈ**Störung** *f* molestia *f*; perturbación *f*; alteración *f*; trastorno *m*; (*Unregelmäßigkeit*) irregularidad *f*; *Radio*: perturbación *f*, *durch Sender*: interferencia *f*, *Geräusch*: (ruido *m*) parásito *m*; ⚕ trastorno *m*; (*Unterbrechung*) interrupción *f*; (*Hindernis*) estorbo *m*; (*Behinderung*) obstrucción *f*; (*Unordnung*) desorden *m*; desarreglo *m*; (*Wirrwar*) confusión *f*; (*Fehler, Mängel*) defecto *m*; (*Panne*) avería *f*; (*Versager*) fallo *m*; *Phys. der Magnetnadel*: perturbación *f* magnética; (*Verkehrs2*) perturbación *f bzw.* interrupción *f* del tráfico *od.* de la circulación; (*Betriebs2*) perturbación *f bzw.* avería *f* del servicio; interrupción *f bzw.* paralización *f* del servicio *bzw.* del funcionamiento; *atmosphärische* ~ perturbación atmosférica; *geistige* ~ ⚕ perturbación mental; *verzeihen Sie die* ~ perdone usted la molestia.

ˈ**Störungs...**: **~dienst** *m* (*-es*; *-e*) servicio *m* de reparación de averías; **2frei** *adj.* (*0*) sin perturbaciones; *Radio*: exento de (ruidos) parásitos; **~schutz** *m* (*-es*; *0*) *Radio*; dispositivo *m* antiparásito; **~stelle** *f* → *Störungsdienst*; **~sucher** *m Tele.* verificador *m* de interrupciones; **~trupp** *m* (*-s*; *-s*) ⚡ equipo *m* de reparación de averías.

ˈ**Stoß** *m* (*-es*; *ᵘe*) (*Schlag*) golpe *m*; *nach vorn*: empujón *m*, empellón *m*; (*An2, Antrieb*) impulso *m*; propulsión *f*; (*Erschütterung*) sacudida *f* (*a. v. Wagen, Motor*); (*Schwimm2*) brazada *f*; ⊕ (*Verbindungsstelle*) juntura *f*, 🚂 junta *f* (*od.* unión *f*) de carriles; ⚒ frente *m* de galería; (*Haufen*) montón *m*; pila *f*; *v. Papieren, Akten*: legajo *m*; *v. Banknoten*: fajo *m*; (*Anprall*) choque *m*; colisión *f*; *Billard*: tacada *f*, tacazo *m*; (*Wind2*) ráfaga *f*; *mit dem Ellenbogen*: codazo *m*; *mit e-r Faust*: puñetazo *m*; *mit dem Fuß*: puntapié *m*, patada *f*; *mit dem Kopf*: cabezazo *m*; *mit den Hörnern*: (*Stier*) varetazo *m*, *bohrend*: cornada *f*; *mit dem Gewehrkolben*: culatazo *m* (*a. beim Abfeuern*); (*Dolch2*) puñalada *f*; (*Degen2*) estocada *f*; *Schneiderei*: refuerzo *m*; dobladillo *m*; *fig. s-m Herzen e-n* ~ *geben* hacer de tripas corazón; **2artig I.** *adj.* (*intermittierend*) intermitente; (*sporadisch*) esporádico; (*periodisch*) periódico; **II.** *adv.* con intermitencia; esporádicamente; periódicamente; (*ruckartig*) por (*od.* a) sacudidas; **~borte** *Schneiderei f* ribete *m* de refuerzo; **~brigade** *f* brigada *f* de choque; **~dämpfer** *m* amortiguador *m* (de choques); **~degen** *m* florete *m*; estoque *m*.

ˈ**Stößel** *m im Mörser*: mano *f* de almirez; (*Rammer*) pisón *m*.

ˈ**stoß-empfindlich** *adj.* sensible a los choques.

ˈ**stoßen** (*L*) **1.** *v/t.* empujar; (*anrempeln*) dar empujones *od.* empellones; (*rammen*) apisonar; *mit dem Fuß*: dar un puntapié a; (*schlagen*) golpear; *Pfahl*: clavar, hincar; *die Stoßkugel*: lanzar; ⊕ (*auskerben*) entallar, mortajar; (*klein* ~) triturar, machacar; (*mahlen*) moler; *zu Pulver* ~ pulverizar, reducir a polvo; *j-n aus dem Hause* ~ arrojar (*od.* echar) de casa a alg.; *j-n aus e-m Verein* ~ expulsar de una sociedad a alg.; *j-m das Messer in die Brust* ~ clavar (*od.* hundir) el cuchillo a alg. en el pecho; *j-n in die Rippen* ~ dar a alg. un empujón (*od.* un empellón); *mit den Hörnern* ~ topar, topetar, *bsd. Stier*: cornear, dar cornadas a; *fig. j-n mit der Nase auf et.* ~ (*ac.*) llamar la atención enérgicamente a alg.; *j-n von sich* ~ rechazar a alg., *die Gattin*: repudiar; *vom Throne* ~ destronar; *fig. j-n vor den Kopf* ~ ofender a alg. en sus sentimientos; desairar a alg.; *fig. wie vor den Kopf gestoßen sein* estar atónito; **2.** *v/i.* dar un golpe; *Bock*: topar; topetar, dar topetadas; *Gewehr*: dar culatazo; *Geschützlauf*: recular; *Wagen, Motor*: dar sacudidas; *Fechtk.* dar una estocada; *an* (*od.* *gegen*) *et.* ~ (*ac.*) dar con *od.* contra a/c.; chocar con a/c., *stolpernd*: tropezar con a/c.; *fig. an et.* ~ (*angrenzen*) lindar con a/c.; estar contiguo a a/c.; ~ *auf* (*ac.*) dar con *od.* en; tropezar con, *auf Ablehnung, Schwierigkeiten, Widerstand*: *a.* chocar con *od.* encontrar, *zufällig begegnen*: encontrar casualmente, *Raubvögel*: caer sobre; ⚓ *auf den Grund* ~ tocar fondo; *ins Horn* ~ ♪ tocar el cuerno; *in die Trompete* ~ tocar la trompeta; *vom Lande* ~ ⚓ desatracar; hacerse a la mar; *zu j-m* ~ reunirse con alg.; **3.** *v/refl.*: *sich* ~ golpearse; (*sich verwunden*) lastimarse; herirse (levemente), hacerse daño; (*Hornvieh*) darse topetadas; *sich an et.* ~ (*dat. u. ac.*) dar con *od.* contra a/c.; chocar contra a/c.; *fig.* escandalizarse de a/c.; ofenderse por a/c.; *sich am Kopf* ~ recibir un golpe en la cabeza, *sich verwunden*: lastimarse (*od.* herirse) en la cabeza.

ˈ**Stoß...**: **~fänger** *m* parachoques *m*; amortiguador *m* de choques; **2fest** *adj.* (*0*) resistente a los choques; **~festigkeit** *f* (*0*) resistencia *f* a los choques; **2frei** *adj.* (*0*) ⊕ sin choques; exento de sacudidas; **~gebet** *n* (*-es*; *-e*) jaculatoria *f*.

ˈ**stößig** *adj.* topador, topetudo; acorneador.

ˈ**Stoß...**: **~kante** *f* reborde *m*; **~keil** ⚔ *m* (*-es*; *-e*) punta *f*; **~kraft** ⊕ *f* (*-*; *ᵘe*) fuerza *f* de propulsión; (*Durch2*) fuerza *f* percusiva; *fig.* empuje *m*; **~kugel** *f* (*-*; *-n*) *Sport*: peso *m*; **~maschine** ⊕ *f* mortajadora *f*; **~seufzer** *m* hondo suspiro *m*; **2sicher** *adj.* (*0*) a prueba de choques; **~stange** *Auto. f* parachoques *m*; **~trupp** ⚔ *m* (*-s*; *-s*) grupo *m* de choque; grupo *m* de asalto; **~verkehr** *m* (*-s*; *0*) horas *f/pl.* de tráfico intenso; horas *f/pl.* punta (*Am.* horas pico); **~waffe** *f* arma *f* punzante; **2weise** *adv.* con intermitencia; (*periodisch*) periódicamente; (*sporadisch*) esporádicamente; (*ruckweise*) por sacudidas; **~zahn** *m* (*-es*; *ᵘe*) *des Elefanten*: colmillo *m*.

ˈ**Stotter|er** *m* tartamudo *m*; **~in** *f* tartamuda *f*.

ˈ**stottern** (*-re*) *v/i.* tartamudear; (*stammeln*) balbucir, balbucear.

ˈ**Stottern** *n* tartamudeo *m*; ⚕ tartamudez *f*; (*Stammeln*) balbuceo *m*; F *auf* ~ *kaufen* comprar a plazos.

stracks *adv.* *räumlich*: derecho; directamente; F derechito; *zeitlich*: inmediatamente; en el acto.

ˈ**Straf|abteilung** ⚔ *f* cuerpo *m* disciplinario; **~änderung** ⚖ *f* conmutación *f* de pena; **~androhung** *f* amenaza *f* penal; **~anstalt** *f* establecimiento *m* penitenciario; correccional *m*, penitenciaría *f*; (*Zuchthaus*) presidio *m*; penal *m*; (*Gefängnis*) cárcel *f*; prisión *f*; ⚔ prisiones *f/pl.* militares; **~antrag** *m* (*-es*; *ᵘe*) *des Staatsanwaltes*: petición *f* del fiscal; (*Strafanzeige*) denuncia *f*; *e-n* ~ *stellen* presentar una denuncia; **~antritt** *m* (*-es*; *-e*) comienzo *m* del encarcelamiento; **~anzeige** *f* denuncia *f*; querella *f* penal; ~ *erstatten* presentar una denuncia *bzw.* una querella; **~arbeit** *f e-s Schülers*: ejercicio *m* suplementario (*od.* de castigo); ⚖ trabajos *m/pl.* forzados; **~aufschub** ⚖ *m* (*-s*; *ᵘe*) aplazamiento *m* de la ejecución penal; **~ausschließungsgrund** *m* (*-es*; *ᵘe*) causa *f* eximente de la penalidad; **~aussetzung** *f* suspensión *f* de la pena; **2bar** *adj.* culpable; *Handlung*: punible; *stärker*: criminal, criminoso; ⚖ delictivo, delictuoso; *~e Handlung* acción punible; ⚖ hecho delictivo; delito; *sich ~ machen* incurrir en una pena; cometer un hecho delictivo, delinquir; **~barkeit** *f (0) v. Personen*: culpabilidad *f*; *v. Handlungen*: penalidad *f*; criminalidad *f*; **~bataillon** ⚔ *n (-s; -e)* batallón *m* disciplinario; **~befehl** *m (-es; -e)* aviso *m* de contravención; notificación *f* de multa; orden *f* penal; **~befugnis** *f (-; -se)* derecho *m* de castigar; poder *m* correccional; **~bestimmung** *f* prescripción *f* (del código) penal; penalidad *f*.

ˈ**Strafe** *f* castigo *m*; punición *f*; ⚖ pena *f*; (*Strafurteil*) condena *f*; (*Züchtigung*) corrección *f*; *Rel.* penitencia *f*; (*Geld2*) multa *f*; (*Ahndung*) sanción *f*; *zur ~ für* en castigo de; *bei ~ von* bajo pena de; so pena de; *e-e ~ verbüßen* ⚖ cumplir condena; *e-e ~ verwirken* (*verhängen*) incurrir en (imponer) una pena; *mit e-r ~ belegen* infligir un castigo *bzw.* una pena; *~ zahlen* pagar una multa; *j-m die ~ erlassen* remitir la pena, (*Geld2*) condonar la multa, *bei Verbrechen*: indultar a alg.; *bei ~ verboten* prohibido bajo pena de multa; **2n** *v/t.* castigar; ⚖ penar, imponer una pena; (*verurteilen*) condenar; (*züchtigen*) castigar; corregir; (*tadeln*) reprender; (*ahnden*) sancionar; *um Geld ~* multar, imponer una multa; *Lügen ~* desmentir; *mit Verachtung ~* despreciar; **~n** *n* → *Strafe*; **2nd** *adj.* punitivo; (*rächend*) vengador, vindicativo; *~e Gerechtigkeit* justicia punitiva; *die ~e Gottheit* la justicia divina; *~er Blick* mirada de reproche.

ˈ**Straf...: ~engel** *Rel. m* ángel *m* exterminador; **~entlassene(r)** *m* ex penado *m*; **~entlassung** *f*: *bedingte ~* libertad condicional; **~erkenntnis** *f (-; -se)* sentencia *f*; **~erlaß** *m (-sses; -sse)* remisión *f* de la pena; *allgemeiner*: amnistía *f*; **~expedition** *f* expedición *f* de castigo.

straff *adj.* (*steif*) rígido, tieso; (*gespannt*) tenso; tirante; *Haltung*: erguido; *fig.* (*streng*) riguroso, severo; rígido; (*energisch*) enérgico; *Stil*: conciso; *~ anziehen Schraube*: apretar fuertemente; *Seil*: entesar; estirar; *~ anliegend Kleidung*: ceñido, ajustado.

ˈ**Straf|fall** *m (-es; ¨e)* caso *m* punible; ⚖ delito *m* previsto y penado; **2fällig** *adj.* → *strafbar*; *~ werden* incurrir en una pena; cometer un acto punible *od.* delictivo.

ˈ**straffen** *v/t.* entesar; estirar; poner tirante; *sich ~* ponerse tirante; *sich aufrichten*: erguirse.

ˈ**Straffheit** *f (0)* rigidez *f*, tiesura *f*; tensión *f*; tirantez *f*; *fig.* (*Strenge*) rigor *m*; severidad *f*; rigidez *f*; *des Stils*: concisión *f*.

ˈ**straffrei** *adj.* impune; exento de castigo; *~ ausgehen* quedar impune; **2heit** *f (0)* impunidad *f*.

ˈ**Straf...: ~gebühr** *f* recargo *m*; (*Geldstrafe*) multa *f*; **~gefangene(r)** *m* preso *m*; detenido *m*; (*Zuchthäusler*) penado *m*, recluso *m*; presidiario *m*; **~geld** *n (-es; -er)* multa *f*; **~gericht** *n (-es; -e)* tribunal *m* de lo criminal; (*Bestrafung*) castigo *m*; *göttliches*: juicio *m* de Dios; **~gerichtsbarkeit** *f (0)* jurisdicción *f* criminal; **~gesetz** *n (-es; -e)* ley *f* penal; **~gesetzbuch** *n (-es; ¨er)* código *m* penal; **~gesetzgebung** *f* legislación *f* penal; **~gewalt** *f (0)* → *Strafbefugnis*; **~haft** *f (0)* detención *f*; **~kammer** ⚖ *f (-; -n)* sala *f* de lo criminal; tribunal *m* de lo criminal; **~kolonie** *f* colonia *f* penitenciaria; **~kompanie** ⚔ *f* compañía *f* disciplinaria; **~lager** *n* campamento *m* disciplinario; campo *m* de concentración.

ˈ**sträflich** *adj.* punible, castigable, penable; criminal, criminoso; (*schuldhaft*) culpable; (*tadelnswert*) reprensible; vituperable; (*unverzeihlich*) imperdonable; (*unerhört*) increíble; inaudito.

ˈ**Sträfling** *m (-s; -e)* (*Häftling*) detenido *m*; preso *m*; (*Zuchthäusler*) penado *m*, recluso *m*; presidiario *m*; **~skleidung** *f* ropas *f/pl.* de presidiario.

ˈ**Straf...: 2los I.** *adj.* impune; **II.** *adv.* impunemente; *~ ausgehen* quedar impune (*od.* sin castigo); **~losigkeit** *f (0)* impunidad *f*; **~mandat** *n (-es; -e)* → *Strafbefehl*; **~maß** *n (-es; -e)* grado *m* de la pena; **~maßnahme** *f* medida *f* punitiva *od.* represiva; sanción *f*; **2mildernd** *adj.* atenuante; *~e Umstände* circunstancias atenuantes; **~milderung** ⚖ *f* atenuación *f* de la pena; (*Umwandlung*) conmutación *f* de la pena; **2mündig** *adj. (0)* en edad de responsabilidad penal; **~mündigkeit** *f (0)* mayoría *f* de edad penal; **~porto** ✉ *n (-s; -s)* recargo *m* de franqueo; **~predigt** *f* reprensión *f*; F sermón *m*; *j-m e-e ~ halten* F echar un sermón a alg.; **~prozeß** *m (-sses; -sse)* proceso *m* penal; causa *f* (*od.* proceso *m*) criminal; **~prozeßordnung** ⚖ *f* ley *f* de enjuiciamiento criminal; **~prozeßrecht** ⚖ *n (-es; 0)* derecho *m* procesal penal; **~punkt** *m (-es; -e) Sport*: sanción *f* (deportiva); *mit e-m ~ belegen* sancionar, castigar; **~raum** *m (-es; ¨e) Fußball*: área *f* de castigo; **~recht** ⚖ *n (-es; 0)* derecho *m* penal; **~rechtler** *m* tratadista *m* de derecho penal; penalista *m*; **2rechtlich** *adj. (0)* penal; de(l) derecho penal; criminal; *~ verfolgen* perseguir por la ley; **~rechtslehrer** *m* profesor *m* de derecho penal; → *Strafrechtler*; **~rede** *f* → *Strafpredigt*; **~register** *n* registro *m* de antecedentes penales; **~richter** *m* juez *m* de lo criminal; **~sache** *f* asunto *m* criminal; *Zuständigkeit in ~n* jurisdicción penal; **~stoß** *m (-es; ¨e) Fußball*: golpe *m* franco; (*Elfmeter*) *angl.* penalty *m*; **~tat** *f* hecho *m* delictivo; acto *m* criminal; delito *m*; (*Übertretung*) contravención *f*; transgresión *f*, infracción *f*; (*Verbrechen*) crimen *m*; **~umwandlung** *f* conmutación *f* de la pena; **~urteil** *n (-s; -e)* sentencia *f* penal; sentencia *f* condenatoria; **~verfahren** *n* procedimiento *m* penal; **~verfolgung** *f* prosecución *f* por vía penal; **2verschärfend** *adj.*: *~e Umstände* circunstancias agravantes; **~verschärfung** *f* agravación *f* de la pena; **2versetzen** *(-t) v/t.* trasladar disciplinariamente; **~versetzung** *f* traslado *m* disciplinario; **~verteidiger** *m* abogado *m* defensor en causas criminales; criminalista *m*; **~vollstreckung** *f* ejecución *f* (*od.* cumplimiento *m*) de las penas; **~vollstreckungsverjährung** *f* prescripción *f* de la pena; **~vollziehung** *f*, **~vollzug** *m (-es; ¨e)* → *Strafvollstreckung*; **2würdig** *adj.* merecedor de castigo; → *strafbar*; **~zumessung** *f* aplicación *f* de la pena; **~zuschlag** *m (-es; ¨e)* recargo *m*.

ˈ**Strahl** *m (-es; -en)* rayo *m*; *v. Wasser, Luft, Gas*: chorro *m*; (*Licht2*) rayo *m* de luz; (*Blitz2*) destello *m*; ✎ radio *m* vector; (*Sand2*) chorro *m* de arena; (*Laser2*) haz *m*; *kosmische ~en* rayos cósmicos; *einfallender ~* rayo incidente; **~antrieb** ✈ *m (-es; -e)* propulsión *f* a chorro; **~düse** *f* eyector *m*.

ˈ**strahlen I. 1.** *v/i.* radiar, emitir rayos; (*glänzen*) brillar, resplandecer; relucir; destellar; (*zurück~*) reflejar(se); *fig.* estar radiante (*vor* de); **2.** *v/t.* irradiar; **II. 2** *n* → *Strahlung*.

ˈ**strählen** *v/t.* peinar; (*striegeln*) almohazar.

ˈ**Strahlen...: ~behandlung** ⚕ *f* radioterapia *f*; actinoterapia *f*; **2brechend** *Phys. adj.* refractivo, refringente; **~brechung** *Phys. f* refracción *f* (de los rayos); **~bündel** *n*, **~büschel** *n* haz *m* de rayos; **2d** *adj.* radiante (*a. fig.*); **~dermatitis** ⚕ *f (0)* radiodermitis *f*; **~einfall** *m (-es; 0)* incidencia *f* de rayos; **2förmig** *adj.* estrellado; radiado (*a. Zoo. u.* ♀); **~forscher** *m* radiólogo *m*; **~forschung** *f (0)* radiología *f*; **~heilkunde** *f (0)* radioterapia *f*; actinoterapia *f*; **~kegel** *m* cono *m* de rayos; **~krankheit** *f* enfermedad *f* causada por las radiaciones; **~kranz** *m (-es; ¨e)*, **~krone** *f* aureola *f* (*a. fig.*); *der Heiligenbilder*: nimbo *m*; **~messer** *m* actinómetro *m*; **~pilz** ♀ *m (-es; -e)* actinomiceto *m*; **~pilzerkrankung** ⚕ *f* actinomicosis *f*; **~schutz** *m (-es; 0)* protección *f* antirrayos (*od.* contra las radiaciones); **2sicher** *adj.* a prueba de radiaciones; **~therapie** *f (0)* radioterapia *f*; actinoterapia *f*; **~tierchen** *n/pl. Zoo.* radiolarios *m/pl.*

ˈ**Strahl|er** *m für Flüssigkeiten*: eyector *m*; (*Lampe, Leuchte*) proyector *m*; (*Wärme2*) radiador *m*; **2ig** *adj.* → *strahlenförmig*; **~ofen** *m (-s; ¨)* radiador *m*; **~pumpe** *f* bomba *f* inyectora; **~rohr** *n (-es; -e)* (*Feuerwehr*) lanza *f* de incendio; **~triebwerk** *n (-es; -e)* reactor *m*; **~turbine** *f* turbo-reactor *m*.

ˈ**Strahlung** *f* radiación *f*.

ˈ**Strahlungs...: ~energie** *f* energía *f* radiante (*od.* de radiación); **~menge** *f* cantidad *f* de radiaciones; **~messer** *m* actinómetro *m*; **~ofen** *m (-s; ¨)* radiador *m*; **~quant** *Phys.*

n (*-s*; *-en*) fotón *m*; quanto *m* de luz; **~schäden** ⚕ *pl.* efectos *m/pl.* nocivos de la radiación; **~wärme** *f* (*0*) calor *m* radiante (*od.* de radiación); **~zone** *f* zona *f* de radiación.

'Strähn|e *f* (*Haar*2) mechón *m*, *unordentlich*: greña *f*; (*Garn*2) madeja *f*; *fig.* racha *f*; **2ig** *adj.* en mechones; desgreñado.

Stra'min *m* (*-es*; *-e*) cañamazo *m*.

'stramm *adj.* (*straff*) tenso, tirante; tieso; (*kräftig*) robusto; fuerte, vigoroso; (*streng*) severo; rígido; *~er Bursche* buen mozo; mozo garrido; *~es Mädchen* real moza; muchacha bonita; *~e Haltung* porte (*od.* aire) marcial; *~e Haltung annehmen* ⚔ cuadrarse; *~e Disziplin* disciplina severa; *~ arbeiten* trabajar duramente; F partirse el pecho trabajando; **~stehen** (*L*) ⚔ *v/i.* estar cuadrado; **~ziehen** (*L*) *v/t.* (*straffziehen*) entesar; estirar; F *j-m die Hosen ~* dar una tunda a alg.; ajustarle la camisa a alg.

'Strampel|hös-chen *n* pelele *m*; **2n** (*-le*) *v/i.* patalear; pernear; F (*radfahren*) pedalear.

'Strand *m* (*-es*; *-e od.* *⸚e*) playa *f*; (*Ufer*2) ribera *f*, orilla *f*; (*Küste*) costa *f*, litoral *m*; ⚓ *auf ~ laufen* (*od. geraten*) encallar, varar; **~anzug** *m* (*-es*; *⸚e*) traje *m* de playa; **~bad** *n* (*-es*; *⸚er*) playa *f*; **~batterie** ⚔ *f* batería *f* de costa; **~bewohner** (**-in** *f*) *m* habitante *m/f* de la costa; **~bluse** *f*, **~hemd** *n*, **~jacke** *f* playera *f*; **~burg** *f* castillo *m* de arena; **2en** (*-e-*; *sn*) *v/i.* encallar, varar; **~en** *n* encalladura *f*, varad(ur)a *f*; **~fischer** *m* pescador *m* costanero; **~fische'rei** *f* (*0*) pesca *f* costanera *od.* costera; **~gerechtigkeit** *f* (*0*) derecho *m* de naufragio (*od.* de averías); **~gut** *n* (*-es*; *⸚er*) despojos *m/pl.* del mar, objetos *m/pl.* arrojados por el mar a la costa; restos *m/pl.* de naufragio; **~hafer** ⚘ *m* elimo *m* arenario; **~hotel** *n* (*-s*; *-s*) hotel *m* de playa; **~kleid** *n* (*-es*; *-er*) vestido *m* de playa; **~korb** *m* (*-es*; *⸚e*) sillón *m* de mimbre para playa; **~läufer** *Orn.* *m* sisón *m*; **~ordnung** *f* reglamento *m* de costa; **~promenade** *f* paseo *m* marítimo; **~raub** *m* (*-es*; *0*) raque *m*; **~räuber** *m* raquero *m*; **~recht** ⚓ *n* (*-es*; *0*) → *Strandgerechtigkeit*; **~schuhe** *pl.* zapatos *m/pl.* de playa; **~ung** ⚓ *f* encalladura *f*, varad(ur)a *f*; **~vögel** *pl.* pájaros *m/pl.* de ribera; **~wache** *f* guardia *f* de la costa; **~wächter** *m* guardacostas *m*; **~wärter** *m* vigilante *m* de playa; **~weg** *m* (*-es*; *-e*) camino *m* costero.

Strang *m* (*-es*; *⸚e*) (*Seil*) cuerda *f*, soga *f*; *Anat.* cordón *m*; *zum Anschirren*: tirante *m*; (*Garn*2) madeja *f*; 🚂 (*Schienen*2) vía *f*; (*Neben*2) ramal *m*; *toter ~* vía muerta; *zum Tode durch den ~ verurteilen* condenar a la horca; *am gleichen ~ ziehen* *fig.* tirar de la misma cuerda; perseguir el mismo fin; *wenn alle Stränge reißen* poniéndose en lo peor; como último recurso; *über die Stränge schlagen* excederse; propasarse; F pasar de la raya.

strangu'lier|en (-) *v/t.* estrangular; **2en** *n*, **2ung** *f* estrangulación *f*.

Stra'paze *f* fatiga *f*; (*Schufterei*) trabajo *m* penoso, labor *f* ímproba.

strapa'zier|en (-) *v/t.* fatigar; cansar mucho; (*Kleidung*) gastar; *sich ~* tronzarse, F *fig.* echar los bofes; **~fähig** *adj.* *Stoff*: resistente (al uso); *fig.* sufrido.

strapazi'ös *adj.* (*-est*) fatigoso.

Straß (*- od. -sses*; *-sse*) *m* (*Schmuck*) piedra *f* preciosa imitada.

'Straßburg *n* Estrasburgo *m*.

'Straße *f* calle *f*; (*Weg*) camino *m*; (*Fahr*2, *Land*2) carretera *f*; (*Pracht*2) avenida *f*; paseo *m*; gran vía *f*; *mit Bäumen bepflanzte*: alameda *f*; (*Seeweg*, *Schiffahrts*2) ruta *f*; (*Durchgangs*2) travesía *f*; (*Fahrdamm*) calzada *f*; (*Einbahn*2) calle *f* de dirección única; ⊕ *Walzwerk*: tren *m*; (*Meerenge*) estrecho *m*; *zollpflichtige ~* camino de peaje; *belebte* (*ruhige*; *abgelegene*) *~* calle animada (tranquila; apartada); *der Mann der ~* el hombre de la calle; *auf der ~* en la calle; *auf offener ~* en plena calle; en la vía pública; *weitS.* a la luz del día; *j-n auf die ~ setzen* poner a alg. en la calle; echar a alg. a la calle; *auf die ~ werfen* arrojar (*od.* tirar) a la calle; *sein Geld auf die ~ werfen* tirar (*od.* malgastar) el dinero; *in e-r ~ wohnen* vivir (*od.* habitar) en una calle; *Zimmer* (*Wohnung*) *nach der ~* habitación (piso) exterior; *das Fenster geht nach der ~* la ventana da a la calle.

'Straßen...: **~anlage** *f* trazado *m* de una calle; **~anzug** *m* (*-es*; *⸚e*) traje *m* de calle; **~arbeiter** *m* peón *m* caminero; **~aufsicht** *f* inspección *f* de carreteras; **~bahn** *f* tranvía *m*; **~bahner** *m* tranviario *m*; **~bahnführer** *m* conductor *m* de tranvía; **~bahnhaltestelle** *f* parada *f* del tranvía; **~bahnlinie** *f* línea *f* de tranvías; **~bahnnetz** *n* (*-es*; *-e*) red *f* de tranvías; **~bahnschaffner** *m* cobrador *m* de tranvía; **~bahnschiene** *f* carril *m* de tranvía; **~bahnverkehr** *m* (*-s*; *0*) circulación *f* *bzw.* servicio *m* de tranvías; **~bahnwagen** *m* tranvía *m*; **~bau** *m* (*-es*; *0*) construcción *f* de carreteras; **~belag** *m* (*-es*; *⸚e*) firme *m*; pavimento *m*; **~beleuchtung** *f* alumbrado *m* público; **~benutzer** *m* usuario *m* de las carreteras; **~benutzungsgebühr** *f* peaje *m*; **~biegung** *f* *in Städten*: esquina *f* (de una calle); (*Kurve*) curva *f*; **~brücke** *f* viaducto *m*; **~damm** *m* (*-es*; *⸚e*) calzada *f*; **~decke** *f* pavimento *m*; firme *m*; **~dirne** *f* mujer *f* de mala vida, prostituta *f*, golfa *f*; F *fig.* zorra *f*, V puta *f*; **~ecke** *f* esquina *f*; **~eingang** *m* (*-es*; *⸚e*) bocacalle *f*; **~einmündung** *f* desembocadura *f* (de una calle); **~enge** *f* estrechamiento *m* (de una calle); **~feger** *m* barrendero *m*; **~front** *f* fachada *f* a la calle; **~gabelung** *f* bifurcación *f*; **~graben** *m* (*-s*; *⸚*) cuneta *f*; **~handel** *m* (*-s*; *0*) venta *f* ambulante; **~händler(in** *f*) *m* vendedor(a *f*) *m* ambulante; **~instandsetzung** *f* reparación *f* de carreteras; **~junge** *m* (*-n*) golfillo *m*; **~kampf** *m* (*-es*; *⸚e*) lucha *f* callejera; **~karte** *f* itinerario *m* de carreteras; **~kehrer** *m* → *Straßenfeger*; **~kehricht** *m* (*-s*; *0*) basura *f*; **~kehrmaschine** *f* barredera *f*; **~kleid** *n* (*-es*; *-er*) vestido *m* de calle; **~kot** *m* (*-es*; *0*) barro *m*; lodo *m*; **~kreuzer** F *m* automóvil *m* grande y lujoso; F *hum.* haiga *m*; **~kreuzung** *f* cruce *m* de calles *bzw.* de carreteras; **~krümmung** *f* recodo *m*; (*Kurve*) curva *f*; (*Straßenkehre*) serpentina *f*; **~lage** *Auto.* *f* adaptación *f* a la carretera; comportamiento *m* en carretera; **~laterne** *f* farol *m*; **~mädchen** *n* → *Straßendirne*; **~musikant** *m* (*-en*) músico *m* ambulante *od.* callejero; **~netz** *n* (*-es*; *-e*) red *f* de carreteras; **~ordnung** *f* reglamento *m* del tráfico (por carretera); **~pflaster** *n* pavimento *m*; empedrado *m*; **~rand** *m* (*-es*; *⸚er*) borde *m* de la carretera; **~raub** *m* (*-es*; *0*) robo *m* en despoblado; *in der Stadt*: atraco *m*; **~räuber** *m* salteador *m* de caminos, bandolero *m*; *in der Stadt*: atracador *m*; **~reiniger** *m* → *Straßenfeger*; **~reinigung** *f* limpieza *f* de las calles; (*Amt*) servicio *m* (municipal) de limpieza; **~reinigungsmaschine** *f* barredera *f* mecánica; **~rennen** *Sport* *n* carrera *f* sobre carretera; **~sammlung** *f* cuestación *f* pública; **~schild** *n* (*-es*; *-er*) letrero *m* de calle; **~schmutz** *m* (*-es*; *0*) → *Straßenkot*; **~schuh** *m* (*-es*; *-e*) zapato *m* de calle; **~seite** *f* *e-s Gebäudes*: frente *m*, fachada *f* (a la calle); **~sperre** *f* barrera *f*; (*Barrikade*) barricada *f*; **~sperrung** *f* cierre *m* a la circulación (*od.* al tránsito); cierre *f* de carretera; **~sprengwagen** *m* camión *m* de riego; **~steuer** *f* (*-*; *-n*) peaje *m*; **~transport** *m* (*-es*; *-e*) transporte *m* por carretera; **~tunnel** *m* túnel *m* de carretera; **~überführung** *f* paso *m* superior; **~übergang** *m* (*-es*; *⸚e*) cruce *m* para peatones; (*Niveauübergang*) paso *m* a nivel; **~umleitung** *f* desviación *f* del tráfico; **~unfall** *m* (*-es*; *⸚e*) accidente *m* en la calle *bzw.* en la carretera; **~unterführung** *f* paso *m* subterráneo; túnel *m*; **~verhältnisse** *n/pl.* condiciones *f/pl.* de las carreteras; **~verkauf** *m* (*-es*; *⸚e*) venta *f* ambulante; venta *f* en la calle; **~verkäufer(in** *f*) *m* vendedor(a *f*) *m* ambulante; **~verkehr** *m* (*-s*; *0*) tráfico *m* rodado; circulación *f* por carretera; **~verkehrs-ordnung** *f* reglamento *m* de tráfico; **~verkehrsschild** *n* (*-es*; *-er*) placa *f* de señalización de tráfico; **~verstopfung** *f* congestión *f* del tráfico; atasco *m* de la circulación, embotellamiento *m*; **~verzeichnis** *n* (*-ses*; *-se*) guía *f* de las calles; **~walze** *f* apisonadora *f*; **~zoll** *m* (*-es*; *⸚e*) peaje *m*; **~zustand** *m* (*-es*; *0*) estado *m* de las carreteras.

Stra'tege *m* (*-n*) estratega *m*.

Strate'gie *f* estrategia *f*.

stra'tegisch *adj.* estratégico.

Stratos'phär|e *f* (*0*) estratosfera *f*; **~enballon** *m* (*-s*; *-e od.* *-s*) globo *m* estratosférico; **~enflug** *m* (*-es*; *⸚e*) vuelo *m* estratosférico; **~enflugzeug** *n* (*-es*; *-e*) avión *m* estratosférico; **2isch** *adj.* estratosférico.

ˈ**sträuben I.** *v/t. Haare*: erizar; espeluznar; *sich ~ jd.* forcejear; *Haare*: erizarse; encresparse; *fig. sich gegen et. ~* resistirse a; oponerse a; obstinarse contra; **II.** 2 *n* erizamiento *m*; encrespamiento *m*; *fig.* resistencia *f*; oposición *f*.

ˈ**Strauch** *m* (*-es*; *⸗er*) arbusto *m*; (*Gebüsch*) mata *f*; 2**artig** *adj.* arbustivo; **~dieb** *m* (*-es*; *-e*) salteador *m* (de caminos), bandolero *m*.

ˈ**straucheln** (*-le*; *sn*) *v/i.* tropezar, dar un tropezón; dar un traspié; *fig.* tropezar; deslizarse; tener un desliz.

ˈ**Strauchwerk** *n* (*-es*; *0*) matorral *m*; maleza *f*.

Strauß *m* (*-es*; *⸗e*) **1.** (*Blumen*2) ramo *m*, *kleiner*: ramillete *m* (de flores); **2.** *Orn.* avestruz *f*; **3.** (*Kampf*) lucha *f*; pelea *f*; (*Zweikampf*) duelo *m*; (*Herausforderung*) desafío *m*; *e-n ~ ausfechten* sostener una lucha.

ˈ**Sträußchen** *n* ramillete *m*.

ˈ**Straußen|ei** *n* (*-es*; *-er*) huevo *m* de avestruz; **~feder** *f* (*-*; *-n*) pluma *f* de avestruz.

ˈ**Strazze** *f* (*Kladde*) borrador *m*.

ˈ**Strebe** *f* (*Brücken*2, ⚒) puntal *m*; (*Quer*2) traviesa *f*; **~balken** *m* tornapunta *f*; puntal *m*; **~bogen** △ *m* arbotante *m*; **~mauer** △ *f* (*-*; *-n*) contrafuerte *m*.

ˈ**streben I.** *v/i.*: *nach* et. *~* ambicionar a/c.; (*trachten nach*) perseguir a/c.; aspirar (*od.* tender) a lograr a/c.; tratar de lograr (*od.* de conseguir) a/c.; (*sich anstrengen*) esforzarse en (*od.* hacer esfuerzos para) conseguir a/c.; **II.** 2 *n* aspiración *f* (*nach* a); tendencia *f* (hacia; a); afán *m* (de); intento *m* (de); (*Anstrengung*) esfuerzos *m/pl.* (para; por); (*Ehrgeiz*) ambición *f* (de).

ˈ**Strebepfeiler** △ *m* contrafuerte *m*.

ˈ**Streber** *m* ambicioso *m* (sin escrúpulos); arribista *m*; (*Stellenjäger*) cazador *m* de empleos; trepador *m* de puestos; *in der Schule*: F empollón *m*; 2**haft** *adj.* ambicioso; **~tum** *n* (*-s*; *0*) ambición *f*; arribismo *m*; caza *f* de empleos; empleomanía *f*.

ˈ**strebsam** *adj.* (*fleißig*) aplicado; asiduo; afanoso; (*eifrig*) celoso; (*ehrgeizig*) ambicioso; 2**keit** *f* (*0*) (*Fleiß*) aplicación *f*; asiduidad *f*; afán *m*; (*Eifer*) celo *m*; (*Ehrgeiz*) ambición *f*.

ˈ**Streck|apparat** ⚕ *m* (*-es*; *-e*) aparato *m* de extensión continua; 2**bar** *adj.* extensible; **~barkeit** *f* (*0*) extensibilidad *f*; **~bett** ⚕ *n* (*-es*; *-en*) cama *f* ortopédica.

ˈ**Strecke** *f* extensión *f* (de terreno); (*Entfernung*) distancia *f*; *zurückzulegende*: trayecto *m*; recorrido *m*; (*Verkehrslinie*) línea *f*; (*Teil*2) trecho *m*; parte *f*; (*Raum*) espacio *m*; (*Reise*2) trayecto *m*; ⚓ travesía *f*; *Rennsport*: (*Rund*2) circuito *m*; ⩘ recta *f*; segmento *m* rectilíneo; ⚒ galería *f*; (*Jagdbeute*) piezas *f/pl.* cobradas; 🚂 sección *f*, tramo *m*; (*Linie*) línea *f*; (*Gleis*) vía *f*; *auf freier ~* en plena vía; *e-e ~ zurücklegen* recorrer un trayecto; recorrer (*Sport*: cubrir) una distancia; *e-e ~ durchfahren* hacer un recorrido; *e-e gute ~ Wegs* un buen trecho de camino; *auf der ~ bleiben* quedarse en el camino; *fig.* fracasar, (*sterben*) perecer; *zur ~ bringen Jgdw.* matar; rematar; *fig. Verbrecher*: capturar, *weitS. Gegner*: derrotar.

ˈ**strecken I. 1.** *v/t.* (*dehnen*) extender; alargar; (*ausweiten*) dilatar; (*ausziehen*) estirar; *Met.* estirar, *walzen*: laminar; *Farbe*: extender; *Speise, Vorräte*: alargar; *Geld*: estirar; *s-e Beine* (*Arme*) *~* estirar las piernas (los brazos); *die Arme zum Himmel ~* alzar los brazos al cielo; *die Waffen ~* rendir (*od.* deponer) las armas; rendirse; *j-n zu Boden ~* derribar a alg., (*töten*) matar a alg., (*besiegen*) vencer a alg.; F *alle Vier(e) von sich ~* caer rendido de cansancio; *fig.* morir, P estirar la pata; **2.** *v/refl.*: *sich ~* extenderse; alargarse; estirarse, *beim Aufwachen*: desperezarse; *sich ins Gras ~* tenderse sobre el césped; *fig. sich nach der Decke ~* vivir con arreglo a sus posibilidades (económicas); *im gestreckten Galopp* a galope tendido; ⩘ *gestreckter Winkel* ángulo plano (*od.* de 180 grados); **II.** 2 *n* estiramiento *m*; alargamiento *m*; *Met.* estiraje *m*; laminado *m*.

ˈ**Strecken...:** **~arbeiter** 🚂 *m* peón *m* de vía; **~bau** 🚂 *m* (*-es*; *0*) construcción *f* de la vía; **~dienst** 🚂 *m* (*-es*; *0*) servicio *m* de vía; **~tauchen** *Sport n* natación *f* bajo el agua; **~wärter** 🚂 *m* guardavía *m*; 2**weise** *adv.* a trechos.

ˈ**Streck...:** **~mittel** ⚗ *n* diluente *m*; **~muskel** *Anat. m* (*-s*; *-n*) (músculo *m*) extensor *m*; **~ung** *f* extensión *f*; alargamiento *m*; *Met.* laminado *m*; **~verband** ⚕ *m* (*-es*; *⸗e*) vendaje *m* extensor; **~walze** *Met. f* cilindro *m* laminador; **~werk** *Met. n* (*-es*; *-e*) laminador *m*.

ˈ**Strehler** ⊕ *m* peine *m*.

Streich *m* (*-es*; *-e*) (*Schlag*) golpe *m*; *mit der Hand*: manotada *f*, guantada *f*; (*Ruten*2) varazo *m*; (*Schwert*2) cintarazo *m*; *mit der Peitsche*: latigazo *m*, *Arg.* rebencazo *m*; *j-m e-n ~ versetzen* dar un golpe a alg.; *mit e-m ~* de un golpe; *fig.* acción *f*; (*Abenteuer*) calaverada *f*; *dummer ~* tontería *f*, tontada *f*; majadería *f*, necedad *f*; *unüberlegter ~* botaratada *f*, cadetada *f*; ligereza *f*; *kindlicher ~* chiquillada *f*, travesura *f*; diablura *f*; *verrückter ~* quijotada *f*; locura *f*; *roher ~* animalada *f*; burrada *f*; *lustiger ~* chasco *m*; bromazo *m*; *listiger ~* travesura *f*; picardía *f*; *schlechter ~* mala pasada *f*; jugarreta *f*; trastada *f*; broma *f* pesada (*od.* de mal gusto); partida *f* serrana; *j-m e-n ~ spielen* hacer a alg. una jugarreta; chasquear (*od.* dar un chasco) a alg.; *j-m e-n bösen* (*od. üblen*) *~ spielen* jugar a alg. una mala pasada; dar a alg. una broma de mal gusto; jugar a alg. una partida serrana; F hacer a alg. una faena.

ˈ**streicheln** (*-le*) **I.** *v/t.*: et. *~* pasar la mano por a/c.; (*liebkosen*) acariciar; **II.** 2 *n* caricias *f/pl.*

ˈ**streichen** (*L*) **I. 1.** *v/t.* pasar (*über ac.* por); (*an~*) pintar; (*be~*) untar; (*aus~*) tachar; rayar; borrar; (*weg~*) suprimir; (*glätten*) alisar; *Butter, Pflaster*: extender; *Messer*: afilar; *Rasiermesser*: suavizar; *Zündholz*: estregar; *Bart*: acariciar; ⊕ *Wolle*: cardar; *Ziegelsteine*: moldear; ⚓ *Segel*: arriar, *Flagge*: *a.* abatir; ✝ *Auftrag, Schuld*: cancelar, anular; ♪ *den Baß* (*die Geige*) *~* tocar el contrabajo (el violín); *von e-r Liste ~* borrar (*od.* tachar) de una lista; *mit dem Magnet ~* imantar; *mit Ruten ~* azotar; *Nichtgewünschtes ist zu ~* táchese lo que no interese; **2.** *v/i.*: *an* et. *~* (*ac.*) rozar a/c.; tocar ligeramente a/c.; (*herum~*) vagabundear; *Vögel*: pasar; volar (*nach* hacia); *j-m über die Wange ~* acariciar la mejilla de alg.; *mit der Hand ~ über* (*ac.*) pasar la mano sobre; pasar la mano por; *durch Feld und Wald ~* correr (por) montes y valles; *gestrichen voll* rasado, lleno hasta el borde; *frisch gestrichen!* ¡cuidado con la pintura!, F ¡ojo, mancha!; **II.** 2 *n* (*An*2) pintura *f*; (*Aus*2) tachadura *f*; (*Weg*2) supresión *f*; *der Wolle*: ⊕ cardadura *f*; *der Ziegelsteine*: moldeado *m*; *der Zugvögel*: migración *f*, paso *m*.

ˈ**Streicher**[1] *m* cardador *m* (de lana).

ˈ**Streicher**[2] ♪ *m/pl.* instrumentos *m/pl.* de cuerda; *engS.* instrumentos *m/pl.* de arco.

ˈ**Streich...:** **~feuer** ⚔ *n* fuego *m* rasante; **~garn** *n* (*-es*; *-e*) hilo *m* de lana cardada; **~holz** *n* (*-es*; *⸗er*) cerilla *f*; **~holzschachtel** *f* (*-*; *-n*) caja *f* de cerillas; **~instrument** ♪ *n* (*-es*; *-e*) instrumento *m* de cuerda; **~käse** *m* queso *m* pastoso *od.* blando; **~konzert** *n* (*-es*; *-e*) concierto *m* de instrumentos de cuerda; **~lack** *m* (*-es*; *-e*) barniz *m* para pincel; **~musik** *f* (*0*) música *f* (de instrumentos) de cuerda; **~orchester** *n* orquesta *f* de instrumentos de cuerda; **~quartett** *n* (*-es*; *-e*) cuarteto *m* de cuerda; **~riemen** *m* suavizador *m*; **~ung** *f im Manuskript*: tachadura *f*; (*Weg*2) supresión *f*; (*Kürzung*) corte *m*; **~wolle** *f* lana *f* cardada.

ˈ**Streif|band** ✉ *n* (*-es*; *⸗er*) faja *f*; *unter ~* bajo faja; **~e** *f* patrulla *f*; *polizeiliche*: *a.* ronda *f*.

ˈ**Streifen** *m* banda *f*; *im Stoff*: raya *f*; lista *f*; (*Rille*) estría *f*; acanaladura *f*; (*Linie*) línea *f*; (*Tresse*) galón *m*; (*Papier*2) tira *f* de papel; (*Film*2) cinta *f*, película *f*; (*Saum*) faja *f*; (*Gelände*2) faja *f* de tierra; *Geol., Anat.*, ♀: estría *f*; *~ Heftpflaster* tira de esparadrapo; (*Zebra*2) paso *m* cebrado (para peatones).

ˈ**streifen**[1] *v/t.* (*mit Streifen versehen*) rayar; (*rillen*) estriar; (*auskehlen*) △ acanalar.

ˈ**streifen**[2] **1.** *v/t. u. v/i.*: et. *~* (*leicht berühren*) rozar, tocar ligeramente a/c.; *fig. Thema*: rozar; tratar someramente (*od.* de pasada); *an* et. (*ac.*) *~* rozar, tocar ligeramente a/c.; *fig.* rayar en; frisar en; *fig. ans Wunderbare ~* rayar en lo maravilloso; *über* et. *~* pasar rozando (*od.* ligeramente) por; *den Boden ~* rasar el suelo; pasar a ras del suelo; *in die Höhe ~ Ärmel*: remangar, arremangar, *Kleid, Frauenrock*: *a.* arregazar; *von et.* ~ (*ab*~) quitar de; *sich die Haut* ~ rozarse la piel; *die Kugel hat ihn gestreift* la bala le ha rozado; **2.** (*sn*) *v/i.* (*wandern*) vagar, andar vagando (*od.* errante) por; (*umher*~, *durch*~) vagabundear; **~d** *adj.* rasante; **⁹dienst** *m* (*-es*; *-e*) servicio *m* de patrulla; **⁹wagen** *m der Polizei*: coche-patrulla *m*.

ˈ**streifig** *adj.* rayado; a rayas; listado, a listas; (*ausgekehlt*) acanalado; estriado; *Tier*: (a)cebrado.

ˈ**Streif...**: **~jagd** *f* batida *f*; **~korps** ⚔ *n* (-; -) columna *f* volante; **~licht** *n* (*-es*; *-er*) *Mal.* reflejo *m* de luz; luz *f* escapada; *fig.* ~*er werfen auf* (*ac.*) explicar, ilustrar; **~schuß** *m* (*-sses*; *-sse*), **~wunde** *f* rozadura *f* (causada por una bala); **~ung** *f* rayado *m*; **~zug** *m* (*-es*; *¨e*) correría *f*; ⚔ incursión *f*; escaramuza *f*.

ˈ**Streik** *m* (*-es*; *-s*) huelga *f*; *wilder* ~ huelga no organizada; *den* ~ *ausrufen* dar la orden de huelga; *in den* ~ *treten* declararse en huelga; *sich im* ~ *befinden* estar en huelga; **~aufruf** *m* orden *f* de huelga; llamamiento *m* a la huelga; **~aufwiegler** *m* incitador *m* a la huelga; **~ausschuß** *m* (*-sses*; *¨sse*) comité *m* de huelga; **~bewegung** *f* movimiento *m* huelguista; **~brecher** *m* esquirol *m*; **⁹en** *v/i.* declararse en huelga; estar en huelga; **~en** *n* huelga *f*; **~ende(r** *m*) *f* huelguista *m/f*; **~kasse** *f* caja *f* de subsidio a los huelguistas; fondo *m* de huelga; **~lohn** *m* (*-es*; *¨e*) subsidio *m* de huelga; **~parole** *f* consigna *f* de huelga; **~posten** *m neol.* piquete *m* de huelga; **~recht** *n* (*-es*; *0*) derecho *m* de huelga; **~welle** *f* ola *f* de huelgas.

ˈ**Streit** *m* (*-es*; *-e*) querella *f*; (*Zank*) altercado *m*; (*Kampf*) lucha *f*, combate *m*; contienda *f*; (*Schlacht*) batalla *f*; (*Konflikt*) conflicto *m*; (*Meinungs*⁹) desavenencia *f*; disensión *f*, diferencia *f*; (*Wort*⁹) disputa *f*; *mit Tätlichkeiten*: riña *f*; pendencia *f*, reyerta *f*; F camorra *f*; bronca *f*; (*Erörterung*) discusión *f*; debate *m*; *politischer*, *gelehrter*: controversia *f*; (*Polemik*) polémica *f*; (*Rechts*⁹) ⚖ litigio *m*; (*Reibung*) rozamiento *m*; *mit j-m* ~ *anfangen* buscar pendencia (F camorra) con alg.; *mit j-m in* ~ *liegen* estar enemistado (*od.* reñido) con alg.; *mit j-m in* ~ *geraten* reñir con alg.; F armar camorra (*od.* gresca) con alg.; **~axt** *f* (-; *¨e*) hacha *f* de armas; *fig. die* ~ *begraben* hacer las paces; **⁹bar** *adj.* (*kriegerisch*) belicoso; guerrero; (*tapfer*) esforzado, valiente, bizarro; (*kämpferisch*) combativo; ⚖ litigante; (*streitlustig*) camorrista.

ˈ**streiten** (*L*) **1.** *v/i. mit Worten*: disputar, debatir, *heftig*: altercar (con); sostener una controversia *bzw.* una polémica; *fig.* contender; (*handgreiflich*) reñir, pelear; (*kämpfen*) luchar, combatir, lidiar, *bsd. fig.* batallar; ⚖ *vor Gericht* ~ litigar (*mit j-m* contra alg.); **2.** *v/refl.*: *sich über et.* ~ disputar sobre a/c.; discutir (*od.* sostener una discusión) sobre a/c.; *sich um et.* ~ disputarse a/c.; *fig. sich um des Kaisers Bart* ~ disputar por cualquier nadería; *darüber läßt sich* ~ sobre eso puede discutirse; es un caso discutible; **~d** *adj.*: ⚖ *die* ~*en Parteien* las partes litigantes; *die* ~*e Kirche* la Iglesia militante; *die* ~*en Mächte* las potencias beligerantes.

ˈ**Streiter(in** *f*) *m mit Worten*: disputador(a *f*) *m*; (*Kämpfer*) combatiente *m*; (*Vorkämpfer*) campeón *m*; paladín *m*.

Streiteˈrei *f* disputas *f/pl.*; discusiones *f/pl.*; *endlose* ~ eterna porfía.

ˈ**Streit...**: **~fall** *m* (*-es*; *¨e*) diferencia *f*; ⚖ caso *m* de litigio; *e-n* ~ *schlichten* (*od. beilegen*) solucionar una diferencia; **~frage** *f* objeto *m* de disputa *bzw.* de controversia; cuestión *f* (*od.* punto *m*) discutible; ⚖ cuestión *f* litigiosa; **~gegenstand** ⚖ *m* (*-es*; *¨e*) objeto *m* de litigio; **~hammel** F *m* disputador *m*, amigo *m* de disputas; **~handel** ⚖ *m* (*-s*; *¨*) querella *f*; litigio *m*, pleito *m*; **⁹ig** *adj.* (*bestreitbar*) disputable; discutible; controvertible; (*bestritten*) discutido; ⚖ litigioso; en litigio; (*in der Schwebe*) pendiente; sub júdice; *j-m et.* ~ *machen* disputar a/c. a alg.; **~igkeit** *f* → *Streit*; **~kräfte** ⚔ *f/pl.* fuerzas *f/pl.* (armadas); **~lust** *f* (*0*) agresividad *f*; manía *f* de disputas; carácter *m* pendenciero; **⁹lustig** *adj.* agresivo; disputador; pendenciero, F camorrista; (*kriegerisch*) belicoso; **~macht** ⚔ *f* (-; *¨e*) → *Streitkräfte*; **~objekt** ⚖ *n* (*-es*; *-e*) objeto *m* de litigio; objeto *m* en litigio; **~punkt** *m* (*-es*; *-e*) punto *m* de controversia; ⚖ punto *m* litigioso; **~roß** *n* (*-sses*; *¨sser*) corcel *m*; **~sache** ⚖ *f* pleito *m*; asunto *m* en litigio; **~schrift** *f* escrito *m* polémico; **~sucht** *f* (*0*) manía *f* de disputar; **⁹süchtig** *adj.* disputador; pendenciero, F camorrista; (*prozeßwütig*) pleiteador; **~wagen** *m* (*antiker*) carro *m* de guerra; **~wert** ⚖ *m* (*-es*; *-e*) cuantía *f* del litigio.

streng I. *adj.* severo; riguroso; (*unnachgiebig*) rígido; (*hart*) duro; (*rauh*) rudo; (*bestimmt*, *scharf*, *genau*) estricto; exacto; (*herb*) acerbo; (*barsch*) adusto; *Sitte*, *Lebensführung*: austero; *Disziplin*: severo; *Geschmack*: agrio; áspero; *Wetter*: inclemente; crudo; ~*e Kälte* frío riguroso *od.* intenso; ~*er Befehl* orden terminante; ~*e Kritik* crítica severa; crítica dura; ~*e Prüfung* examen riguroso; ~*es Klima* clima áspero; ~*es Gesetz* ley severa, *drakonisch*: ley draconiana; *ein* ~*es Regiment führen* gobernar con mano dura; *auf* ~*er Diät* ⚕ a dieta rigurosa; ~*er Winter* invierno riguroso; *im* ~*sten Winter* en lo más crudo del invierno; *im* ~*sten Sinne des Wortes* en el sentido estricto de la palabra; a la letra; **II.** *adv.*: ~ *befolgen* observar (*od.* cumplir) estrictamente; *j-n* ~ *behandeln* tratar severamente (*od.* con severidad) a alg.; tratar con dureza a alg.; ~ *erziehen* educar severamente (*od.* con mano dura); ~ *vorgehen* proceder con rigor; ~ *überwachen* vigilar estrechamente; ~ *nach Vorschrift handeln* actuar ateniéndose estrictamente a lo prescrito; ~ *vertraulich* estrictamente (*od.* absolutamente) confidencial; ~ *verboten* rigurosamente prohibido; ~*stens verboten* terminantemente prohibido.

ˈ**Strenge** *f* (*0*) severidad *f*; rigor *m*, rigurosidad *f*; (*Unnachgiebigkeit*) rigidez *f*; (*Härte*) dureza *f*; (*Rauheit*) rudeza *f*; (*Herbheit*) aspereza *f*; (*Genauigkeit*) exactitud *f*; (*Sitten*⁹) austeridad *f*; *der Kälte*: rigor *m*; *des Wetters*: inclemencia *f*; crudeza *f*.

ˈ**streng...**: **~genommen** *adv.* en rigor; en el sentido estricto de la palabra; hablando propiamente; **~gläubig** *adj.* ortodoxo; **⁹gläubigkeit** *f* (*0*) ortodoxia *f*.

Strepto|ˈkokkus *m* (-; *-kokken*) estreptococo *m*; **~myˈzin** *n* (*-s*; *0*) estreptomicina *f*.

ˈ**Streu** *f* cama *f* de paja; **~büchse** *f für Salz*: salero *m*; *für Zucker*: azucarero *m*; *für Pfeffer*: pimentero *m*; **⁹en** *v/t. u. v/i.* extender; (*aus*~) esparcir; diseminar; (*säen*) sembrar; *Salz*, *Sand*, *Zucker*: echar (*auf ac.* a); *Stroh*, *Heu*: extender, esparcir (*auf ac.* sobre); *Pulver* ~ *auf* (*ac.*) espolvorear (*ac.*); ⚔, *Opt.* dispersar; *fig. j-m Sand in die Augen* ~ engañar con falsas apariencias; *Blumen auf den Weg* ~ cubrir (*od.* sembrar) de flores el camino; 🌾 *dem Vieh* ~ extender y mullir la cama del ganado; **~feld** ⚡ *n* (*-es*; *-er*) campo *m* de dispersión; **~feuer** ⚔ *n* tiro *m* disperso; **~gold** *n* (*-es*; *0*) oro *m* en polvo.

ˈ**streunen** *v/i.* vagabundear; errar; ~*der Hund* perro vagabundo.

ˈ**Streu...**: **~pulver** ⚕ *n* polvo *m* vulnerario; **~sand** *m* (*-es*; *0*) arena *f*; *für Tintenschrift*: arenilla *f* de escritorio; **~sandbüchse** *f* salvadera *f*; **~strahlung** *f Kernphys.*: radiación *f* difusa; **~ung** *f* dispersión *f*; **~zucker** *m* (*-s*; -) azúcar *m/f* molida (*od.* molido).

Strich *m* (*-es*; *-e*) trazo *m*; (*Linie*) línea *f*; (*Quer*⁹) barra *f*; (*Streifen*) raya *f*; *im Glas*: estría *f*; (*Land*⁹) región *f*; (*Gegend*) comarca *f*; (*Küsten*⁹) litoral *m*; franja *f* (del) litoral; (*Binde*⁹) guión *m*; (*Gedanken*⁹) guión *m* mayor; (*Pinsel*⁹) *grober*: brochazo *m*, *feiner*: pincelada *f*; (*Feder*⁹) rasgo *m*; plumada *f*; (*Kompaß*⁹) ⚓ línea *f* de fe; cuarta *f*; *des Tuches*: pelo *m*; *der Vögel*: paso *m*; vuelo *m*; (*die junge Brut*) *der Fische*: desove *m*; ♪ (*Takt*⁹) barra *f*; ♪ (*Bogen*⁹) arqueada *f*; *beim Rasieren*: pasada *f*; *mit dem* ~ en el sentido del pelo; *gegen den* ~ a contrapelo; *unter dem* ~ *Zeitung*: en la sección recreativa; *e-n* ~ *durch et. machen* (*streichen*) rayar, tachar a/c.; *e-n* ~ *unter et. machen* subrayar a/c.; *fig.* acabar con a/c.; liquidar a/c.; F hacer borrón y cuenta nueva; *fig. j-n auf dem* ~ *haben* F tener a alg. atravesado; no poder tragar a alg.; no poder ver a alg. ni pintado; *j-m e-n* ~ *durch die Rechnung machen* desbaratar (*od.* echar a rodar) los proyectos de alg.; *das geht mir wider den* ~ no me conviene eso en absoluto; F eso me viene muy a contrapelo; P *auf den* ~ *gehen* (*Straßendirne*) hacer la carrera; *e-n* ~ *mit der Bürste geben* pasar el cepillo (por); ~ *für* ~ línea por línea;

palmo a palmo; *in großen ~en* a grandes rasgos; *nach ~ und Faden* → *gründlich*; *~ darunter!* ¡olvidémoslo!; ¡punto y raya!
ˈ**Strich...:** **~ätzung** *f* cincografía *f*; **~einteilung** *f* graduación *f*; **2eln** (*-le*) *v/t.* plumear; *gestrichelte Linie* línea de trazos; **~elung** *f* plumeado *m*; **~feuer** ⚔ *n* fuego *m* rasante; **~mädchen** P *n* prostituta *f*, golfa *f*; P zorra *f*, V puta *f*; **~punkt** *Gr. m* (*-es*; *-e*) punto *m* y coma; **~regen** *m* lluvia *f* local; **~skala** *f* (*-*; *-skalen*) escala *f* graduada; **~vogel** *m* (*-s*; *¨*) ave *f* de paso; **2weise** *adv.* a rayas, a trazos; (*in einigen Gegenden*) por zonas; por regiones; (*da und dort*) aquí y allá; *Jgdw. ~ ziehen* (*Vögel*) pasar en bandadas; **~zeit** *f der Vögel*: (tiempo *m* de) paso *m*.
Strick *m* (*-es*; *-e*) cuerda *f*; soga *f*; F *fig.* (*Schelm*) pícaro *m*; granuja *m*; *wenn alle ~e reißen* en el peor de los casos; si todo falla; como último recurso; *fig. j-m e-n ~ drehen* tender un lazo a alg.; *j-m aus et. e-n ~ drehen* atribuir a alg. la culpa de a/c.; F echarle (*od.* cargarle) a alg. el muerto *od.* el paquete.
ˈ**Strick...:** **~arbeit** *f* labor *f* de punto; **~beutel** *m* bolsa *f* de labores (de punto); **2en** *v/t.* hacer labor de punto; (*Strümpfe*) hacer media *od.* calceta; **~en** *n* punto *m* de aguja (*od.* de media); **~er(in** *f*) *m* calcetero (-a *f*) *m*; **~eˈrei** *f* → *Stricken*; **~garn** *n* (*-es*; *-e*) hilo *m* para labores de punto; estambre *m*; **~handschuhe** *pl.* guantes *m/pl.* de punto; **~jacke** *f* cardigán *m* de punto; jersey *m*; **~kleid** *n* (*-es*; *-er*) vestido *m* de punto; **~leiter** *f* (*-*; *-n*) escala *f* de cuerda; **~maschine** *f* máquina *f* para tejidos de punto; *für Strümpfe*: calcetadora *f*; **~nadel** *f* (*-*; *-n*) aguja *f* para labores de punto; *für Strümpfe*: aguja *f* de hacer media; **~strumpf** *m* (*-es*; *¨e*) media *f* de punto; **~waren** *pl.* géneros *m/pl.* de punto; **~weste** *f* chaleco *m* de punto; **~wolle** *f* estambre *m*; **~zeug** *n* (*-es*; *0*) avíos *m/pl.* de labores de punto.
ˈ**Striegel** *m* almohaza *f*; **2n** (*-le*) *v/t.* [almohazar.]
ˈ**Striem|e** *f*, **~en** *m* raya *f*; banda *f*, lista *f*; *auf der Haut*: cardenal *m*; roncha *f*, verdugón *m*; **2ig** *adj.* rayado; *Haut*: acardenalado.
ˈ**striezen** F (*-t*) *v/t.* (*stehlen*) timar, birlar; (*triezen*) vejar.
strikt *adj.* (*-est*) estricto; *~ durchführen* cumplir estrictamente.
ˈ**Strippe** *f* (*Schnur*) cordón *m*; (*Bindfaden*) cordel *m*; bramante *m*; (*Stiefel2*) tirante *m*; F *dauernd an der ~ hängen* telefonear continuamente; estar todo el (santo) día colgado del teléfono.
stritt *pret. v. streiten.*
ˈ**strittig** *adj.* → *streitig*; *~er Punkt* punto litigioso.
Stroh *n* (*-es*; *0*) paja *f*; *mit ~ ausstopfen* rellenar de paja; *mit ~ decken* (*Haus*) cubrir con paja; *mit ~ umwickeln* (*od. umhüllen*) envolver en paja; empajar; *fig. leeres ~ dreschen* hablar sin ton ni son; *~ im Kopf haben* tener la cabeza vacía (*od.* llena de aire).
ˈ**Stroh...:** **~ballen** *m* paca *f* de paja; **2blond** *adj.* (*0*) rubio pajizo; **~blume** ✿ *f* siempreviva *f*; **~bund** *n* (*-es*; *-e*) haz *m* de paja; **~dach** *n* (*-es*; *¨er*) tejado *m* de paja; **2ern** *adj.* de paja; pajizo; *fig.* soso, insípido; **2farben** *adj.* (*0*) (de color) pajizo; **~feuer** *n* fuego *m* de paja; *fig.* humo *m* de paja; **~flechter** *m* (*Mattenflechter*) esterero *m*; (*Stuhlflechter*) sillero *m*; **~geflecht** *n* (*-s*; *-e*) trenzado *m* de paja; **2gelb** *adj.* (*0*) amarillo pajizo; **~halm** *m* (*-es*; *-e*) brizna *f* de paja; paja *f*; *fig. nach e-m ~ greifen* agarrarse a un clavo ardiendo; **~haufen** *m* montón *m* de paja; **~hut** *m* (*-es*; *¨e*) sombrero *m* de paja; **~hütte** *f* choza *f*; **~kopf** F *fig. m* (*-es*; *¨e*) cabeza *f* hueca; → *Dummkopf*; **~lager** *n* cama *f* de paja; **~mann** *m* (*-es*; *¨er*) *fig.* testaferro *m*; *Kartenspiel*: muerto *m*; **~matte** *f* estera *f* de paja; **~puppe** *f* (*Vogelscheuche*) espantajo *m*; ⚔ pelele *m*; **~sack** *m* (*-es*; *¨e*) jergón *m* de paja; F *heiliger ~!* ¡caramba!, ¡caracoles!; ¡Dios mío!; **~schneider** *m* corta-pajas *m*; **~schober** *m*, **~schuppen** *m* pajar *m*; **~wisch** *m* (*-es*; *-e*) manojo *m* de paja; *zum Zustopfen*: tapón *m* de paja; **~witwe(r** *m*) *f* señora *f* cuyo marido (marido *m* cuya esposa) está de viaje; F Rodríguez; *ich bin ~* estoy de Rodríguez.
Strolch *m* (*-es*; *-e*) vagabundo *m*; *Arg.* atorrante *m*; **2en** (*sn*) *v/i.* vagabundear.
Strom *m* (*-es*; *¨e*) río *m*; (*Strömung*) corriente *f* (*a. fig.*); (*reißender, Berg2*) torrente *m*; ⚡ corriente *f* (eléctrica); fluido *m* (eléctrico); ⚡ (*Gleich2*) corriente *f* continua; (*Wechsel2*) corriente *f* alterna; (*All2*) corriente *f* universal; *fig.* torrente *m*; raudal *m*; (*Menschen2*) oleada *f* de gente; *~ von Tränen* raudal de lágrimas; *~ von Worten* torrente de palabras; *gegen den ~ schwimmen* nadar contra la corriente; *fig. a.* ir contra la corriente; *mit dem ~ schwimmen* nadar a favor de la corriente; *fig.* seguir la corriente; *in Strömen* a raudales; *es regnet in Strömen* está lloviendo a cántaros (*od.* a mares); ⚡ *unter ~* (*Kabel*) vivo; *den ~ abschalten* interrumpir (*od.* cortar) la corriente; cortar el circuito; *den ~ einschalten* cerrar el circuito; conectar la corriente.
ˈ**Strom...:** **~abnehmer** *m* ⚡ trole *m*; toma *f* de corriente; colector *m*; (*Bürste*) escobilla *f*; (*Verbraucher*) abonado *m*; **~abnehmerstange** *f* pértiga *f* de trole; **~abschaltung** *f* corte *m* de corriente; **2ab(wärts)** *adv.* aguas abajo; con la corriente; **~aggregat** *n* (*-es*; *-e*) grupo *m* electrógeno; **~art** ⚡ *f* clase *f* de corriente; **2auf(wärts)** *adv.* aguas arriba; contra la corriente; **~ausfall** ⚡ *m* (*-es*; *¨e*) falta *f* de corriente; (*plötzlicher*) apagón *m*; **~bett** *n* (*-es*; *-en*) cauce *m* (*od.* lecho *m*) de río; **~dichte** ⚡ *f* (*0*) densidad *f* de corriente; **~durchgang** ⚡ *m* (*-es*; *¨e*) continuidad *f* de corriente; **~einschränkung** *f* restricciones *f/pl.* eléctricas (*od.* del consumo eléctrico).
ˈ**strömen** (*sn*) *v/i.* correr (torrencialmente); (*fließen*) fluir; *Blut*: afluir (*nach* a); *Menschen*: acudir en masa (*zu* a, *nach* hacia); afluir (*zu* a); *~ aus* (*in ac.*) salir (entrar) en masa; **~d** *adj.* torrencial, impetuoso; *~er Regen* lluvia torrencial.
ˈ**Strom...:** **~enge** *f* pasaje *m* estrecho de un río; **~entnahme** ⚡ *f* consumo *m* de corriente; **~er** F *m* vagabundo *m*; gallofero *m*; **2ern** *v/i.* vagabundear; **~erzeuger** ⚡ *m* generador *m*; **~erzeugung** ⚡ *f* generación *f* (*od.* producción *f*) de corriente; **2führend** ⚡ *adj.* vivo; conduciendo corriente; **~gebiet** *n* (*-es*; *-e*) cuenca *f* de un río; **~kreis** ⚡ *m* circuito *m*; **~leiter** ⚡ *m* conductor *m*; **~leitung** *f* conducción *f* de corriente; **~lieferung** ⚡ *f* suministro *m* de corriente; **~linie** *f* línea *f* aerodinámica; **~linienform** *Auto f* forma *f* aerodinámica; **2linienförmig** *adj.* aerodinámico; **2los** ⚡ *adj.* (*0*) sin corriente; **~messer** ⚡ *m* amperímetro *m*; **~netz** *n* (*-es*; *-e*) red *f* (de corriente) eléctrica; red *f* de distribución; **~quelle** ⚡ *f* fuente *f* de corriente (eléctrica); **~rechnung** *f* recibo *m* del consumo de electricidad; **~richter** ⚡ *m* rectificador *m* de corriente; **~sammler** ⚡ *m* acumulador *m*; colector *m*; **~schiene** ⚡ *f* barra *f* conductora de corriente; raíl *m* conductor; **~schiffer** *m* batelero *m*; **~schnelle** *f* recial *m*; **~schwankung** ⚡ *f* fluctuación *f* de la corriente; **~spannung** ⚡ *f* tensión *f* (de la corriente); **~sperre** ⚡ *f* corte *m* de corriente; **~stange** *f der Straßenbahn*: trole *m*; **~stärke** ⚡ *f* intensidad *f* de corriente; amperaje *m*; **~stärkenmesser** ⚡ *m* galvanómetro *m*; **~stoß** ⚡ *m* (*-es*; *¨e*) impulso *m* de corriente; *nachteiliger*: salto *m* de corriente.
ˈ**Strömung** *f* corriente *f* (*a. fig.*); **~slehre** *f* (*0*) aerodinámica *f*.
ˈ**Strom...:** **~unterbrecher** ⚡ *m* interruptor *m*; cortacorriente *m*; **~unterbrechung** *f* interrupción *f* (*od.* corte *m*) de la corriente; interrupción *f* del circuito; **~verbrauch** *m* (*-es*; *0*) consumo *m* de electricidad (*od.* de corriente); **~verbraucher** *m* consumidor *m* de electricidad, abonado *m*; **~verlust** ⚡ *m* (*-es*; *-e*) pérdida *f* de corriente; **~versorgung** *f* suministro *m* de corriente; **~verteilung** *f* distribución *f* de corriente; **~wandler** ⚡ *m* transformador *m* de intensidad de corriente; **~wender** ⚡ *m* inversor *m* de corriente; conmutador *m*; **~zähler** ⚡ *m* contador *m* de corriente; **~zufuhr** *f*, **~zuführung** *f* ⚡ alimentación *f* de corriente; **~zuführungsschiene** *f* carril *m* de toma de corriente.
ˈ**Strontium** ⚗ *n* (*-s*; *0*) estroncio *m*.
ˈ**Strophe** *f* estrofa *f*.
ˈ**strotzen** (*-t*) *v/i.*: *~ von* rebosar (*ac.*), rebosar de; estar lleno de; estar cubierto de; estar henchido de; estar plagado de; (*platzen*) reventar de; *von Gesundheit ~* rebosar (*od.* estar rebosante de) salud; *von Fehlern ~* (*Schrift*) estar plagado de faltas; *vor Stolz ~* reventar de or-

gullo; *vor Schmutz* ~ estar lleno de suciedad; **~d** *adj.*: ~ *von* rebosante de; pletórico de; henchido de; exuberante; *von Gesundheit* ~ rebosante de salud; *von Energien* ~ pletórico de energías; *von Hochmut* ~ henchido de soberbia.

'**strubbel|ig** *adj. Haar*: enmarañado, revuelto; desgreñado; **2kopf** *m* (-*ẹs*; ⸚*e*) cabeza *f* desgreñada.

'**Strudel** *m* torbellino *m* (*a. fig.*); *v. Wasser, Staub*: remolino *m*; (*Kuchen*) pastel *m* de hojaldre relleno de manzana; **2n** (-*le*; *a. sn*) *v/i.* remolinar; (*aufwallen*) bullir, hervir a borbotones; **~n** *n* (*Wirbeln*) torbellino *m*; remolino *m*; (*Aufwallen*) hervor *m*.

Struk'tur *f* estructura *f*; *v. Stoffen*: textura *f*.

struktu'rell *adj.* estructural.

struktu'rieren (-) *v/t.* estructurar.

Struk'turwandel *m* cambio *m* de estructura(s).

Strumpf *m* (-*ẹs*; ⸚*e*) media *f*; (*Socke*) calcetín *m*; (*Glüh2*) manguito *m* incandescente; *nahtloser* ~ media sin costura; *s-e Strümpfe anziehen* (*ausziehen*) ponerse (quitarse) las medias; *fig.* F *sich auf die Strümpfe machen* F largarse; salir por pies; salir pitando *od.* de estampía.

'**Strumpf...**: **~band** *n* (-*ẹs*; ⸚*er*) liga *f*; *des Hosenbandordens*: jarretera *f*; **~fabrik** *f* fábrica *f* de medias; **~halter** *m* liga *f*; tirante *m* de medias; **~haltergürtel** *m* faja *f*; **~hose** *f* medias *f/pl.* pantalón; leotardos *m/pl.*; **~waren** *f/pl.* medias *f/pl.*; **~wirkerei** *f* fábrica *f* de medias (y calcetines); **~wirkmaschine** *f* máquina *f* calcetadora (*od.* para hacer medias).

Strunk *m* (-*ẹs*; ⸚*e*) troncho *m*; (*Baumstumpf*) tocón *m*.

'**struppig** *adj. Haar*: erizado; hirsuto; (*zerzaust*) desgreñado.

'**struwwel|ig** *adj.* → *struppig*; **2kopf** *m* (-*ẹs*; ⸚*e*) pelo *m* desgreñado; **2peter** *m* (*Märchen*) Pedrito *m* el Desgreñado.

Strych'nin ⚗ *n* (-*s*; *0*) estricnina *f*; **~säure** *f* (*0*) ácido *m* estrícnico.

'**Stubben** *m* tocón *m*.

'**Stübchen** *n dim. v. Stube*; pequeño aposento *m*.

'**Stube** *f* habitación *f*, cuarto *m*; (*Gemach*) aposento *m*; (*Schlaf2*) dormitorio *m*, alcoba *f*; (*Amts2*) oficina *f*; *gute* ~ sala *f*; salón *m*.

'**Stuben...**: **~älteste(r)** *m* vigilante *m* de dormitorio; **~arrest** *m* (-*es*; -*e*) arresto *m* domiciliario; ⚔ arresto *m* en cuartel; prohibición *f* de salir; **~fliege** *f* mosca *f* (doméstica); **~gelehrte(r)** *m* sabio *m* de gabinete; **~genosse** *m* compañero *m* de cuarto; **~hocker** *m* hombre *m* casero; **~luft** *f* (*0*) aire *m* viciado; **2rein** *adj. Hund*: limpio.

Stuck △ *m* (-*ẹs*; *0*) estuco *m*.

Stück *n* (-*ẹs*; -*e*) *als Maß nach Zahlen*: pieza *f*; *abgetrenntes*: trozo *m*; pedazo *m*; *abgesprungenes*: casco *m*; *im Buch*: pasaje *m*; (*Lese2*) trozo *m* (de lectura); (*Teil2*) parte *f*; (*Bruch2*) fragmento *m*; (*Probe2*) muestra *f*; *Exemplar*: ejemplar *m*; *Geschütz*: pieza *f* (de artillería); *Handlung*: acción *f*; hecho *m*; *Thea.* pieza *f*, obra *f* (teatral); *Münze*: moneda *f*; (*Musik2*) pieza *f* (de música); *Bissen*: bocado *m*; *Vieh*: cabeza *f* (de ganado); res *f*; *Land*: lote *m* (de terreno); *Weg*: trecho *m* (de camino); *Wild*: pieza *f*; ✝ *Wertpapier*: título *m*; *ein* ~ *Zucker* un terrón de azúcar; *ein* ~ *Brot* un pedazo (*Schnitte*: una rebanada) de pan; *ein* ~ *Seife* una pastilla de jabón; *ein hübsches* ~ *Geld* una bonita suma; *ein schweres* ~ *Arbeit* una ruda tarea; *2 Mark das* ~ a dos marcos la pieza; *das ist ein starkes* ~ (eso) es demasiado fuerte; eso ya es demasiado; F *fig.* eso ya pasa de la raya; ~ *für* ~ pieza por pieza; *in allen* **~en** en todos los aspectos; desde todo punto de vista; en todo; *in vielen* **~en** en muchos aspectos; desde muchos puntos de vista; *aus e-m* ~ de una (sola) pieza; *aus freien* **~en** voluntariamente; de buen grado; espontáneamente; *in* **~e** *schlagen* hacer pedazos; romper a golpes; *in* **~e** *schneiden* cortar en pedazos (*od.* en trozos); *in* **~e** *gehen* despedazarse, hacerse pedazos; *sich große* **~e** *einbilden* tener alto concepto de sí mismo; presumir mucho; *große* **~e** *auf j-n halten* apreciar mucho (*od.* tener en mucho aprecio) a alg.

'**Stuck-arbeit** *f* estucado *m*; obra *f* de estuco.

'**Stück-arbeit** *f* trabajo *m* a destajo.

'**Stuck-arbeiter** *m* estuquista *m*.

'**Stück...**: **~arbeiter(in** *f*) *m* destajista *m/f*; **~chen** *n* pedacito *m*, trocito *m*; **~ekonto** ✝ *n* (-*s*; -*konten*) cuenta *f* de valores en depósito; **2eln** (-*le*) *v/t.* partir en trozos (*od.* en pedazos); (*zusammenflicken*) remendar; ✝ *Börse*: dividir en títulos; *Terrain*: parcelar; **~eln** *n*, **~elung** *f* despedazamiento *m*; ✝ fraccionamiento *m*; *v. Terrain*: parcelación *f*; **2en** *v/t.* → *stückeln*; **~en** *n* → *Stückeln*; **~enzucker** *m* azúcar *m* en terrones; **~faß** *n* (-*sses*; ⸚*sser*) tonel *m*; pipa *f*; barril *m*; **~gut** ✝ *n* (-*ẹs*; ⸚*er*) mercancía *f* en fardos; bultos *m/pl.* sueltos; **~kohle** *f* carbón *m* cribado; galleta *f*; **~leistung** ⊕ *f* rendimiento *m* en piezas-hora; **~liste** *f* lista *f* detallada; especificación *f*; **~lohn** *m* (-*ẹs*; ⸚*e*) salario *m* a destajo; pago *m* por pieza; **~pforte** ⚓ *f* porta *f*; portañola *f*; **~preis** *m* (-*es*; -*e*) precio *m* por unidad; **~verkauf** *m* (-*ẹs*; *0*) venta *f* al por menor; **2weise** *adv.* pedazo por pedazo; a trozos; (*im Akkord*) a destajo; ✝ al por menor; (*Stück für Stück*) pieza por pieza; **~werk** *n* (-*ẹs*; -*e*) obra *f* imperfecta (*od.* incompleta); F chapucería *f*, frangollo *m*; **~zahl** *f* número *m* de piezas; ✝ *a.* número *m* de bultos; **~zeit** ⊕ *f* tiempo *m* de elaboración por pieza; **~zinsen** ✝ *pl. bei Wertpapieren*: intereses *m/pl.* por efecto; **~zoll** *m* (-*ẹs*; ⸚*e*) derecho *m* (aduanero) por unidad.

Stu'dent(in *f*) *m* (-*en*) estudiante *m/f*; ~ *der Medizin* (*der Naturwissenschaften*; *der Philosophie*; *der Rechte*) estudiante de medicina (de ciencias; de filosofía; de derecho); (*Akademiker*) universitario *m*.

Stu'denten...: **~austausch** *m* (-*es*; *0*) intercambio *m* de estudiantes; **~ausweis** *m* (-*es*; -*e*) tarjeta *f* de identidad (de estudiante universitario); **~futter** *n* (-*s*; *0*) mezcla *f* de avellanas, almendras y pasas; **~haus** *n* (-*es*; ⸚*er*) casa *f* del estudiante; **~heim** *n* (-*ẹs*; -*e*) residencia *f* de estudiantes; *Span. a.* Colegio *m* Mayor; **~jahre** *pl.* años *m/pl.* de estudios; tiempos *m/pl.* de estudiante; **~leben** *n* (*0*) vida *f* estudiantil (*od.* de estudiante); **~lied** *n* (-*ẹs*; -*er*) canción *f* estudiantil; **~mütze** *f* gorra *f* de estudiante; **~schaft** *f* los estudiantes; (*Körperschaft*) federación *f bzw.* confederación *f* de estudiantes; **~sprache** *f* jerga *f* estudiantil; **~streich** *m* (-*ẹs*; -*e*) travesura *f* (*od.* trastada *f*) estudiantil; **~verbindung** *f* asociación *f* de estudiantes; **~wohnheim** *n* (-*ẹs*; -*e*) → *Studentenheim*; residencia *f* universitaria.

stu'dentisch *adj.* estudiantil; de estudiante.

'**Studie** *f* estudio *m*; **~n** *pl.* → *Studium*.

'**Studien...**: **~assessor(in** *f*) *m* (-*s*; -*en*) profesor *m* adjunto (profesora *f* adjunta) en un gimnasio; **~beihilfe** *f* subvención *f* para estudios; **~direktor(in** *f*) *m* (-*s*; -*en*) director(a *f*) *m* de un establecimiento de enseñanza media; **~fach** *n* (-*ẹs*; ⸚*er*) ramo *m* especial de estudios; materia *f* de especialización; **~fahrt** *f* viaje *m* de estudios; **~freund(in** *f*) *m* (-*ẹs*; -*e*), compañero (-a *f*) *m* de estudios; **~gang** *m* (-*ẹs*; ⸚*e*) curso *m* de los estudios; (*Laufbahn*) carrera *f*; **~gebühren** *pl.* derechos *m/pl.* de matrícula; **2halber** *adv.* por razón de estudios; **~jahre** *pl.* años *m/pl.* de estudio; **~kommission** *f* comisión *f* de estudios; **~kopf** *Mal. m* (-*ẹs*; ⸚*e*) cabeza *f* de estudio; **~plan** *m* (-*ẹs*; ⸚*e*) plan *m bzw.* programa *m* de estudios; distribución *f* de las asignaturas; **~rat** *m* (-*ẹs*; ⸚*e*) **~rätin** *f* profesor(a *f*) *m* titular de un gimnasio; *Span.* catedrático (-a *f*) *m* de Instituto de enseñanza media; **~referendar(in** *f*) *m* (-*s*; -*e*) aspirante *m/f* al profesorado de enseñanza media (*en período de prueba bzw. de habilitación práctica*); **~reise** *f* → *Studienfahrt*; **~zeichnung** *Mal. f* estudio *m*; **~zeit** *f* años *m/pl.* de estudio.

stu'dieren (-) *v/t. u. v/i.* estudiar; cursar (en un centro de enseñanza superior); estudiar una carrera universitaria; *weitS.* examinar detenidamente; reflexionar; *Medizin* (*Jura*; *Naturwissenschaften*) ~ estudiar medicina (derecho; ciencias); seguir la carrera de medicina (derecho; ciencias); ~ *lassen* dar carrera; enviar a la universidad; *er hat studiert* ha estudiado en una universidad (*od.* escuela superior).

Stu'dieren *n* estudio *m*; *Probieren geht über* ~ la experiencia es madre de la ciencia; **~de(r** *m*) *m/f* estudiante *m/f*; alumno (-a *f*) *m* de una universidad (*od.* escuela superior).

stu'diert *adj.*: **~er** *Mann* (**~e** *Frau*) hombre letrado (mujer letrada); (*gekünstelt*) estudiado; afectado, aparente, fingido.

Stu'dierzimmer *n* estudio *m*; gabinete *m* de trabajo.

Studio ['-dĭo·] *n* (*-s*; *-s*) *Film, Radio*: estudio *m*.

Stu'diosus *m* (*-*; *Studiosen od. Studiosi*) F estudiante *m*.

'Studium ['-dĭum] *n* (*-s*; *Studien*) estudio *m*; (*Universitäts*2) estudios *m/pl.*; (*Berufs*2) carrera *f*; (*Forschung*) investigación *f*; *sich dem ~ widmen* dedicarse (*od.* consagrarse) al estudio.

'Stufe *f* escalón *m*; (*Treppen*2) *a.* peldaño *m*; *im Amphitheater*: grada *f*; *fig.* ♪ (*Ton*2) intervalo *m*; (*Grad*) grado *m*; (*Phase*) fase *f*; (*Niveau*) nivel *m*; (*Rang*) rango *m*; jerarquía *f*; (*Staffel*) categoría *f*; grado *m*; (*Raketen, Satelliten*) fase *f*; etapa *f*; *fig. die höchste ~* el máximo, el súmmum, F el colmo; *von ~ zu ~* por grados, gradualmente; de grado en grado; *mit j-m auf gleicher ~ stehen* estar al mismo nivel de alg.

'Stufen...: **~fallschirm** *m* (*-es*; *-e*) paracaídas *m* escalonado; **~folge** *fig. f* gradación *f*; escalonamiento *m*; (*Fortschreiten*) progresión *f*; (*Entwicklung*) evolución *f*; desarrollo *m* gradual *bzw.* progresivo; **2förmig I.** *adj.* escalonado; *fig.* gradual; **II.** *adv.* → *stufenweise*; *~ anordnen* (*od. aufstellen*) disponer (*od.* colocar) escalonadamente; **~gang** *fig. m* (*-es*; *⸚e*) desarrollo *m* gradual *bzw.* progresivo; **~getriebe** ⊕ *n* engranaje *m* reductor escalonado; contramarcha *f* de velocidades escalonadas; **~härtung** ⊕ *f* temple *m* escalonado; **~leiter** *f* (*-*; *-n*) escala *f* graduada; *fig.* ♪ escala *f*; gama *f*; (*Rangordnung*) jerarquía *f*; **2los** ⊕ *adj.* sin escalones; continuo, sin solución de continuidad, con progresión continua; **~presse** ⊕ *f* prensa *f* escalonada; **~pyramide** *f* pirámide *f* escalonada; **~rakete** *f* cohete *m* de escalones múltiples; **~schalter** ⚡ *m* interruptor *m* por grados; **~scheibe** *f* polea *f* escalonada; **2weise** *adv.* por grados, gradualmente; en escalones; de grado en grado; progresivamente; paulatinamente.

Stuhl *m* (*-es*; *⸚e*) silla *f*; (*Sitz*) asiento *m*; (*Lehr*2) cátedra *f*; (*Kirchen*2) banco *m*; (*Chor*2) silla *f* de coro; (*Thron*2) trono *m*; (*Web*2) telar *m*; ⚕ → *Stuhlgang*; ⚖ *elektrischer ~* silla eléctrica; *auf dem elektrischen ~ hinrichten* electrocutar; *der Apostolische* (*od. Heilige od. Päpstliche*) *~* la Santa Sede; *fig. j-m den ~ vor die Tür setzen* despedir (*od.* separar de su empleo) a alg.; F echar a (*od.* poner en) la calle a alg.; *fig. zwischen zwei Stühlen sitzen* desaprovechar por indecisión dos oportunidades simultáneas; F nadar entre dos aguas, morir de hambre entre dos quesos.

'Stuhl...: **~bein** *n* (*-es*; *-e*) pata *f* de silla; **~drang** *m* (*-es*; *0*) necesidad *f* de defecar; ⚕ tenesmo *m* rectal; **~flechter(in** *f*) *m* sillero (-a *f*) *m*; **2fördernd** ⚕ *adj.* laxante; *~es Mittel* laxante *m*; **~gang** ⚕ *m* (*-es*; *0*) defecación *f*; exoneración *f* (*od.* evacuación *f*) del vientre; deposición *f*, (*Kot*) heces *f/pl.*; *~ haben* defecar; exonerar (*od.* evacuar) el vientre; obrar; *keinen ~ haben* estar estreñido; **~lehne** *f* respaldo *m*; **~verhaltung** *f*, **~verstopfung** ⚕ *f* estreñimiento *m*; **~zäpfchen** *Phar. n* supositorio *m* laxante; **~zwang** ⚕ *m* (*-es*; *0*) → *Stuhldrang*.

'Stuka ✈ *m* avión *m* de bombardeo en picado.

Stukka|'teur *m* (*-s*; *-e*) estuquista *m*; **~'tur** *f* estucado *m*.

'Stulle *f* rebanada *f* de pan con manteca; *belegte*: bocadillo *m*, emparedado *m*.

'Stulpe *f* (*Stiefel*2) vuelta *f*; (*Hut*2) ala *f* vuelta; *Manschette*: puño *m*.

'stülpen *v/t.* (*um~*) volver; *Ärmel*: remangar; (*auf~, über~*) poner; *Hut*: calar.

'Stulp(en)|ärmel *m* manga *f* con puño; **~stiefel** *pl.* botas *f/pl.* altas con caña vuelta; **~handschuh** *m* (*-es*; *-e*) guante *m* de manopla; *Fechtk.* guante *m* de esgrima.

'Stülpnase *f* nariz *f* respingona (*od.* remangada).

stumm *adj.* mudo; (*schweigsam*) silencioso; taciturno; *sich ~ stellen* hacerse el mudo; *~ werden* enmudecer, perder el habla; *Gr.* ensordecer; *~es Spiel Thea.* pantomima *f*.

'Stummel *m e-s Zahnes*: raigón *m*; *e-r Kerze*: cabo *m*; *der Zigarre, Zigarette*: colilla *f*; **~pfeife** *f* pipa *f* corta; **~sammler** F *m* colillero *m*.

'Stumme(r *m*) *m/f* mudo *m*, muda *f*.

'Stumm|film *m* (*-es*; *-e*) película *f* muda; cine *m* mudo; **~heit** *f* (*0*) mudez *f*; (*Schweigen*) silencio *m*; mutismo *m*.

'Stumpen *m* (*Hut*2) horma *f* de sombrero; (*Zigarre*) cigarro *m* suizo.

'Stümper *m* (*Pfuscher*) chapucero *m*; (*Dummkopf*) zoquete *m*, zote *m*; (*schwacher Spieler*) chambón *m*.

Stümpe'rei *f* chapucería *f*.

'stümper|haft *adj.* chapucero; hecho de mala manera; **~n** (*-re*) *v/t. u. v/i.* chapucear; frangollar; *auf dem Klavier ~* aporrear el piano; *auf der Geige ~* rascar el violín; **2n** *n* chapucería *f*.

Stumpf *m* (*-es*; *⸚e*) (*Baum*2) tocón *m*; *e-r Kerze*: cabo *m*; *e-s Zahnes*: raigón *m*; *v. Gliedmaßen*: muñón *m*; *mit ~ und Stiel ausreißen* ⚘ descuajar, arrancar de cuajo; erradicar, arrancar de raíz (*a. fig.*); *fig. mit ~ und Stiel ausrotten* extirpar radicalmente; exterminar por completo; *Dorf usw. a.* borrar del mapa.

stumpf *adj.* (*nicht scharf*) sin filo; *~ machen* hacer perder el filo, embotar; *~ werden* perder el filo; (*nicht spitz*) sin punta, romo; (*abgenutzt*) gastado; (*schartig*) mellado; *~ machen* mellar; *~ werden* mellarse; (*Reim*) agudo; ∡ *Kegel, Pyramide*: truncado; ∡ *Winkel*: obtuso; *Nase*: romo, chato; *fig.* romo; obtuso; estúpido; (*geistesträge*) tardo de entendimiento; torpe; lerdo; *~ machen* entorpecer, embrutecer; *~ werden* entorpecerse, embrutecerse; (*teilnahmslos*) indiferente; apático; (*unempfindlich*) insensible; (*willensschwach*) abúlico.

'Stumpf...: **~heit** *f* (*0*) embotamiento *m*; *fig.* (*Geistesträgheit*) embotamiento *m* (de la inteligencia); torpeza *f*; embrutecimiento *m*; (*Teilnahmslosigkeit*) indiferencia *f*; apatía *f*; (*Empfindungslosigkeit*) insensibilidad *f*; (*Willensschwäche*) abulia *f*; **~schweißung** ⊕ *f* soldadura *f* a tope; **~nase** *f* nariz *f* roma (*od.* chata); **2nasig** *adj.* chato; **~sinn** *m* (*-es*; *0*) (*Verblödung*) embobecimiento *m*, alelamiento *m*; (*Geistesträgheit*) estupidez *f*; embrutecimiento *m*; falta *f* de entendimiento; (*Teilnahmslosigkeit*) indiferencia *f*; apatía *f*; (*Willensschwäche*) abulia *f*; F (*Langeweile*) tedio *m*, aburrimiento *m*; monotonía *f*; **2sinnig** *adj.* (*blöde*) lelo, alelado; (*geistesträge*) estúpido; embrutecido; falto de entendimiento; lerdo; torpe; (*teilnahmslos*) indiferente; apático; (*willensschwach*) abúlico; F (*langweilig*) tedioso, aburrido; monótono; **2wink(e)lig** ∡ *adj.* obtusángulo.

'Stunde *f* hora *f*; (*Weg*2) hora *f* de camino; *Meile*: legua *f*; (*Unterrichts*2) lección *f*, clase *f*; *anderthalb ~n* hora y media; *e-e halbe ~* media hora; *~n geben* (*nehmen*) dar (tomar) lecciones; *zwei ~n hintereinander* dos horas seguidas; *freie ~* hora libre; *die ~ schlagen* (*Uhr*) dar la hora; *in einer ~* en una hora; dentro de una hora; *Auto. 60 Kilometer in der ~* 60 kilómetros por hora; *in einer schwachen ~ fig.* en un momento de flaqueza; *in vorgerückter ~* a hora avanzada; *nach einer ~* al cabo de una hora; *von ~ zu ~* de hora en hora; cada hora; *von Stund an* desde aquel momento; desde entonces, de entonces acá; *vor einer ~* hace una hora; *zu jeder ~* a cualquier hora; a todas horas; *zur ~* por el momento, por ahora; *zur gelegenen ~* oportunamente; a buena hora; en el momento oportuno; *zur ungelegenen ~* en mala hora; en momento poco oportuno; *s-e ~ ist gekommen* (*od. hat geschlagen*) ha llegado su hora, (*zu sterben*) su última hora ha llegado.

'stunden (*-e-*) ☿ *v/t.* aplazar el pago *bzw.* el cobro de; *j-m die Zahlung ~* conceder a alg. una prórroga para el pago.

'Stunden...: **~buch** *I.C. n* (*-es*; *⸚er*) libro *m* de horas; **~durchschnitt** *m* (*-es*; *0*) media *f* horaria; **~geld** *n* (*-es*; *-er*) honorario *m* (por hora); **~geschwindigkeit** *f* velocidad *f* (media) por hora; **~glas** *n* (*-es*; *⸚er*) reloj *f* de arena; ampolleta *f*; **~kilometer** *n* kilómetro *m* por hora; *fünfzig ~* cincuenta kilómetros por hora; **2lang** (*0*) **I.** *adj.* interminable; de largas horas, de horas enteras; **II.** *adv.* (durante) horas enteras; horas y horas; **~leistung** *f* rendimiento *m* por hora; **~lohn** *m* (*-es*; *⸚e*) salario *m* por hora; **~plan** *m* (*-es*; *⸚e*) horario *m*; empleo *m* del tiempo; horario *m* de clases; **~schlag** *m* (*-es*; *⸚e*) toque *m* de la hora; *mit dem ~* al dar la hora; **2weise** *adv.* por horas; **~zeiger** *m der Uhr*: horario *m*; **~winkel** *Astr. m* ángulo *m* horario.

'Stünd|lein *n dim. v. Stunde*; *letztes ~ fig.* hora suprema; hora de la muerte; *sein letztes ~ ist gekommen* ha llegado su última hora; **2lich** *adv.* (a) cada hora; de una hora a otra; *zweimal ~* dos veces por hora.

ˈ**Stundung** ✝ *f* aplazamiento *m* de pago; prórroga *f*; moratoria *f*; **~sfrist** *f* prórroga *f* de plazo para pago; **~sgesuch** *n* (-es; -e) solicitud *f* de aplazamiento (*od.* de moratoria).

ˈ**Stunk** F *m* (-es; 0) (*Zank*) camorra *f*; gresca *f*; *~ machen* (*Streit anfangen*) buscar camorra; armar gresca, (*querulieren*) quejarse injustificadamente; F incordiar.

stuˈpide *adj.* estúpido.

Stupidiˈtät *f* (0) estupidez *f*.

ˈ**Stups** F *m* (-es; -e) empujón *m*; **2en** (-t) F *v/t.* empujar; dar un empujón; **~nase** *f* nariz *f* respingona.

ˈ**stur** *adj. Blick*: fijo, clavado; (*starrsinnig*) testarudo, terco, F cabezón, cabezudo; (*stumpf*) obtuso; estúpido; embrutecido; (*schwerfällig*) torpe; (*geisttötend*) embrutecedor; (*unnachgiebig*) intransigente; **2heit** *f* (0) (*Starrsinnigkeit*) testarudez *f*, terquedad *f*; (*Stumpfheit*) embrutecimiento *m*; estupidez *f*; (*Unnachgiebigkeit*) intransigencia *f*.

Sturm *m* (-es; ⸗e) tempestad *f* (*a. fig.*); (*Gewitter*) tormenta *f* (*a. fig.*); *bsd.* ⚓ borrasca *f*, temporal *m*; (*Orkan*) huracán *m*; (*Wirbel2*) ciclón *m*, tornado *m*; (*Windstoß*) ráfaga *f*; *fig.* ímpetu *m*, impetuosidad *f*; fogosidad *f*; (*Angriff*) ataque *m* (*a.* ⚔ *u. Sport*); ⚔ asalto *m*; carga *f*; *Fußball*: línea *f* delantera, delanteros *m/pl.*; (*Entrüstung*) indignación *f*; (*Tumult*) tumulto *m*; *~ des Beifalls* tempestad de aplausos; *~ im Wasserglas* tempestad en un vaso de agua; *~ und Drang Hist.* movimiento de reacción contra la Ilustración (1767—1785); *~ läuten* tocar a rebato; *~ laufen gegen* asaltar (*ac.*); *im ~ nehmen* tomar al asalto.

ˈ**Sturm...**: **~abteilung** ⚔ *f* sección *f* de asalto; **~angriff** ⚔ *m* (-es; -e) asalto *m*; carga *f*; **~artillerie** ⚔ *f* artillería *f* de asalto; **~bataillon** ⚔ *n* (-s; -e) batallón *m* de asalto; **~bö** *f* ráfaga *f* huracanada; **~bock** *Hist. m* (-es; ⸗e) ariete *m*; **~boot** ⚔ *n* (-es; -e) lancha *f* de asalto.

ˈ**stürmen I. 1.** *v/t.* asaltar; (*angreifen*) atacar; (*im Sturm nehmen*) tomar al asalto; *Tür*: forzar; **2.** (*sn*) *v/i.* asaltar; dar el asalto; (*angreifen*) atacar (*a. Sport*); (*sich stürzen*) lanzarse (*auf ac.* sobre); precipitarse (sobre); *es stürmt* hay tempestad *bzw.* temporal; **II.** 2 *n* → *Sturm*.

ˈ**Stürmer** *Fußball m* delantero *m*; **~reihe** *f* línea *f* delantera.

ˈ**Sturm...**: **~flut** *f* marea *f* viva; **2frei** *adj.* (0) F *~e Bude* cuarto con puerta a la escalera; **~geschütz** ⚔ *n* (-es; -e) cañón *m* de asalto; **~glocke** *f* campana *f* de rebato; **~haube** *f Hist.* celada *f*; morrión *m*; casco *m*.

ˈ**stürmisch** *adj.* tempestuoso (*a. fig.*); tormentoso; borrascoso (*a. fig.*); (*ungestüm*) impetuoso; fogoso, ardiente; brioso; (*wild auffahrend*) furioso; (*heftig*) violento; (*tobend*) turbulento; tumultuoso; (*leidenschaftlich*) apasionado; *See*: agitado, *Poes.* proceloso; *~er Beifall* aplausos delirantes (*od.* atronadores *od.* frenéticos); tempestad de aplausos; *~es Wetter* tiempo tempestuoso; temporal; *~e See* mar agitada *od.* brava; *~ umarmen* abrazar efusivamente; *nicht so ~!* ¡vamos despacio!; ¡vamos por partes!; F ¡para la jaca!

ˈ**Sturm...**: **~kolonne** ⚔ *f* columna *f* de asalto; **~lauf** *m* (-es; ⸗e), **~laufen** *n* ⚔ asalto *m*; **~leiter** *f* (-; -n) escala *f* de asalto; **2reif** ⚔ *adj.* maduro para el asalto; **~riemen** *m* barboquejo *m*; *am Helm*: carrillera *f*; **~schaden** *m* (-s; ⸗) daños *m/pl.* causados por la tempestad; **~schritt** ⚔ *m* (-es; -e) paso *m* de carga; **~segel** *n* vela *f* de fortuna; **~signal** *n* (-s; -e) ⚔ señal *f* de ataque; ⚓ señal *f* de tempestad; **~trupp** ⚔ *m* (-s; -s) destacamento *m* de asalto; **~vogel** *Orn. m* (-s; ⸗) procelaria *f*, petrel *m*; **~warnung** ⚓ *f* aviso *m* de tempestad; **~welle** ⚔ *f* oleada *f* de asalto; **~wetter** *n* (-s; 0) temporal *m*; tiempo *m* tempestuoso; **~wind** *m* (-es; -e) viento *m* huracanado; huracán *m*.

Sturz *m* (-es; ⸗e) caída *f* (*a.* ✈); (*Ein2*) derrumbamiento *m*; (*Ablösung*) desprendimiento *m*; (*Abfall*) descenso *m*; (*Umstoßen*) vuelco *m*; △ (*Fenster2*, *Tür2*) dintel *m*; *fig. der Temperatur*: descenso *m* brusco; ✝ *der Kurse, Preise*: baja *f* repentina; *e-s Günstlings*: caída *f* en desgracia; *e-r Regierung*: caída *f* del gobierno; (*Untergang, Verderben*) ruina *f*.

ˈ**Sturz...**: **~acker** *m* (-s; ⸗) campo *m* roturado; **~bach** *m* (-es; ⸗e) torrente *m*; **~bomber** *m* avión *m* de bombardeo en picado.

ˈ**stürzen I.** (-t) **1.** *v/i.* caer, caerse; (*ein~, zusammen~*) derrumbarse; desplomarse; (*eilen*) precipitarse; *Gelände*: ir en declive; *Pferd*: abatirse; *vom Pferd ~* caer(se) del caballo; *zu Boden ~* caer al suelo; dar en el suelo; tumbar(se) en el suelo; *zum Angriff ~* ✈ picar; *~ auf (ac.)* ✈ estrellarse contra; *er stürzte ins Zimmer* entró precipitadamente (F como una tromba) en el cuarto; *er stürzte davon* salió precipitadamente de; F salió disparado (*od.* como un rayo); echó a correr; **2.** *v/i. u. v/refl.* (*ab~*) arrojarse; precipitarse (*von* desde; *in ac.* a); *sich ~ auf (ac.)* arrojarse, abalanzarse sobre; arremeter contra; lanzarse contra; *sich ~ auf (e-e Tätigkeit)* engolfarse en; *sich aus dem Fenster ~* arrojarse (*od.* tirarse) por la ventana; *sich in j-s Arme ~* arrojarse en los brazos de alg.; *sich blindlings in die Gefahr ~* exponerse ciegamente al peligro; *j-m zu Füßen ~* arrojarse a los pies de alg.; *sich in Schulden ~* contraer deudas; endeudarse, F entramparse; *sich in sein Schwert ~* traspasarse con la espada; *sich in Unkosten ~* meterse en gastos; *sich ins Wasser ~* arrojarse (*od.* tirarse) al agua; **3.** *v/t.* (*um~*) derribar, echar abajo; hacer caer; tumbar; (*hinab~*) arrojar, precipitar, *v. Felsen*: despeñar; (*kippen*) volcar; ⚒ *Boden*: roturar; *fig. die Regierung ~* derribar el gobierno; *j-n ins Elend ~* arruinar a alg.; hundir a alg. en la miseria; *j-n ins Verderben ~* perder a alg.; causar la perdición de alg.; *die Kasse ~* ✝ hacer arqueo (*od.* balance); *Kistenaufschrift*: *nicht ~!* ¡no voltear!; **II.** 2 *n* caída *f*; (*Umkippen*) vuelco *m*; (*Zusammen2*) derrumbamiento *m*; desplome *m*.

ˈ**Sturz...**: **~flug** ✈ *m* (-es; ⸗e) vuelo *m* en picado; **~güter** ✝ *n/pl.* géneros *m/pl.* a granel; **~helm** *m* (-es; -e) *allg.* casco *m* protector; casco *m* de aviador *bzw.* de motorista *bzw.* de corredor automovilista *usw.*; **~kampfbomber** ✈ *m* avión *m* de bombardeo en picado; **~karren** *m* volquete *m*; **~see** *f* (-; -n), **~welle** *f* marejada *f*; golpe *m* de mar.

Stuß F *m* (-sses; 0) disparates *m/pl.*, desatinos *m/pl.*

ˈ**Stute** *f* yegua *f*; (*Kamel2*) camella *f*; **~nfohlen** *n*, **~nfüllen** *n* potranca *f*; potra *f*; **~nherde** *f* yeguada *f*.

Stuteˈrei *f* acaballadero *m*.

Stütz *m* (-es; -e) (*Turnen*) posición *f* de apoyo sobre manos.

ˈ**Stutz-ärmel** *m* manga *f* corta.

ˈ**Stützbalken** *m* puntal *m*.

ˈ**Stutzbart** *m* (-es; ⸗e) barba *f* recortada; barba *f* en punta.

ˈ**Stütze** *f* apoyo *m*; ⊕, △ soporte *m*; ⊕ (*Bügel*) estribo *m*; (*Seilbahn*) pilón *m*; ⚒ entibo *m*; △ (*Strebe*) puntal *m*; virotillo *m*; *Gärtnerei*: rodrigón *m*; *fig.* sostén *m*, apoyo *m*; amparo *m*, protección *f*; *der Hausfrau*: criada *f* de confianza; ayuda *f* (de casa); (*Wirtschafterin*) ama *f* de gobierno; *du bist die ~ seines Alters* eres el báculo de su vejez.

ˈ**stutzen** (-t) **1.** *v/t.* cortar; recortar; (*kürzer machen*) acortar; *Schwanz*: derrabar, descolar; *Ohren*: desorejar; *Flügel, Hecke, Bart, Haare*: recortar; *Baum*: descabezar, desmochar; **2.** *v/i.* (*erstaunt*) sorprenderse; quedar perplejo; quedar suspenso; (*verwirrt*) desconcertarse; quedar confundido; (*argwöhnisch*) concebir sospechas; (*zögern*) titubear, vacilar; *Pferde*: aguzar las orejas.

ˈ**Stutzen** *m* ⚔ carabina *f*; ⊕ (*Rohr2*) tubuladura *f*; (*Muffe*) manguito *m*, (*Wadenstrumpf*) polaina *f*.

ˈ**stützen** (-t) *v/t. u. v/refl.* apoyar (*a. fig.*), sostener; (*sichern*) afianzar, asegurar; △ apuntalar; *Bäume*: rodrigar, arrodrigonar; *Äste*: ahorquillar; *sich ~ auf (ac.)* apoyarse en, descansar sobre; *fig.* basarse *od.* fundarse en; estribar en; *sich mit dem Ellbogen ~* acodarse; *sich auf die Ellbogen ~* apoyarse en los codos; *gestützt auf sein Recht* valido de (*od.* confiado en) su derecho.

ˈ**Stutzer** *m* pisaverde *m*, currutaco *m*; *angl.* dandy *m*; *Arg.* compadrito *m*; F ninfo *m*; pinturero *m*; **2haft** *adj.* pinturero; de pisaverde, de currutaco *usw.*; cursilón.

ˈ**Stutzflügel** ♪ *m* piano *m* de media cola.

ˈ**stutzig** *adj.* (*erstaunt*) sorprendido; suspenso; (*verwirrt*) desconcertado; perplejo; confuso; (*sprachlos*) atónito; (*argwöhnisch*) suspicaz, F escamado; ~ *machen* sorprender; desconcertar; dejar perplejo; dejar atónito; (*Argwohn wecken*) despertar sospechas, F escamar; ~ *werden* sorprenderse, quedar sorprendido; desconcertarse, quedar desconcertado; quedar perplejo; quedar atónito; (*argwöhnisch werden*) concebir sospechas, F escamarse.

'**Stütz...**: ~**isolator** *m* (-*s*; -*en*) *Radio*: aislador *m* de apoyo; ~**lager** ⊕ *n* soporte *m* de apoyo; ~**mauer** *f* (-; -*n*) muro *m* de apoyo; ~**pfeiler** *m* pilar *m* de sostén; (*Strebe*) puntal *m*; *an der äußeren Mauer*: contrafuerte *m*; ~**punkt** *m* (-*es*; -*e*) punto *m* de apoyo; ⚓, ⚔ base *f*; *fig*. baluarte *m*.

'**Stutz|schwanz** *m* (-*es*; ¨*e*) cola *f* cortada; (*Pferd*) caballo *m* descolado; ~**uhr** *f* reloj *m* de sobremesa.

'**Stütz...**: ~**ung** ✝ *f* apoyo *m*; ~**verband** ⚕ *m* (-*es*; ¨*e*) vendaje *m* contentivo *od*. inmovilizador; ~**waage** *f* (*Turnen*) apoyo *m* horizontal; plancha *f*.

Su'ada *f* (-; *Suaden*) facundia *f*, locuacidad *f*; verbosidad *f*, F verborrea *f*; labia *f*; pico *m* de oro.

subal'tern *adj*. subalterno; ♀**beamte**(**r**) *m* funcionario *m* subalterno.

Sub'jekt *n* (-*es*; -*e*) sujeto *m*; *Person*: *desp*. sujeto *m*, individuo *m*, F tío *m*; *übles* ~ mala persona, sujeto de cuidado, tipo peligroso.

subjek'tiv *adj*. subjetivo.

Subjektivi'tät *f* (*0*) subjetividad *f*.

subku'tan ⚕ *adj*. subcutáneo, hipodérmico; ~*e Einspritzung* inyección hipodérmica.

sub'lim *adj*. sublime.

Subli|'mat ⚗ *n* (-*es*; -*e*) sublimado *m*; bicloruro *m* de mercurio; ♀'**mieren** (-) *v/t*. sublimar; ~'**mieren** *n*, ~'**mierung** *f* sublimación *f*.

Submissi'on *f* sumisión *f*; ✝ subasta *f*, licitación *f*; concurso *m* público; ~**sbedingung** *f* condiciones *f/pl*. de subasta; ~**sweg** *m* (-*es*; -*e*): *auf dem* ~ por concurso; en subasta; *bsd*. *Arg*. por (vías de) licitación.

Submit'tent *m* (-*en*) licitador *m*.

Sub-ordi|nati'on *f* subordinación *f*; ♀'**nieren** (-) *v/t*. subordinar.

Subrogati'onsrecht ⚖ *n* (-*es*; -*e*) derecho *m* de subrogación.

subsidi'är *adj*. subsidiario.

Sub'sidien *n/pl*. subsidios *m/pl*.

Subskri|'bent *m* (-*en*) su(b)scriptor *m*; ♀'**bieren** (-) *v/i*. su(b)scribir.

Subskripti'on *f* su(b)scripción *f*; ~**sliste** *f* lista *f* de su(b)scripción; ~**preis** *m* (-*es*; -*e*) precio *m* de su(b)scripción.

substanti'ell *adj*. su(b)stancial.

'**Substantiv** *Gr*. *n* (-*es*; -*e*) su(b)stantivo *m*; ♀'**ieren** (-) *v/t*. su(b)stantivar.

'**substan'tivisch** *Gr*. **I**. *adj*. su(b)stantivo; **II**. *adv*. su(b)stantivamente; como su(b)stantivo.

Subs'tanz *f* su(b)stancia *f*; ✝ capital *m* efectivo; ~**schwund** *m* (-*es*; -*e*), ~**verlust** *m* (-*es*; -*e*) pérdida *f* de su(b)stancia.

substitu'ier|en (-) *v/t*. su(b)stituir; ♀**en** *n*, ♀**ung** *f* su(b)stitución *f*.

Sub'strat *n* (-*es*; -*e*) substrato *m*.

subsu'mieren (-) *v/t*. (*einschließen*) comprender, incluir; (*unterordnen*) subordinar; (*folgern*) deducir (*aus* de).

sub'til *adj*. sutil.

Subtra|'hend *Arith*. *m* (-*en*) su(b)straendo *m*; ♀'**hieren** (-) *v/t*. su(b)straer, restar; ~**kti'on** *f* su(b)stracción *f*, resta *f*; ~**kti'onszeichen** *n* signo *m* menos.

sub'tropisch *adj*. subtropical.

Subven|ti'on *f* subvención *f*; ♀**tio'nieren** (-) *v/t*. subvencionar; ~**tio'nieren** *n*, ~**tio'nierung** *f* subvención *f*.

'**Such|aktion** *f* busca *f*; búsqueda *f*; (*Erforschung*) investigación *f*; (*Recherche*) pesquisas *f/pl*.; ~**anzeige** *f* anuncio *m* interesando noticia del paradero (de una persona desaparecida); ~**apparat** ⊕ *m* (-*es*; -*e*) detector *m*; ~**dienst** *m* (-*es*; -*e*) *für Flüchtlinge*, *Vermißte usw*.: servicio *m* de localización de desaparecidos.

'**Suche** [u:] *f* (*0*) busca *f*; búsqueda *f*; *auf der* ~ *nach* en busca de; a la busca de; *auf die* ~ *gehen*, *sich auf die* ~ *machen* ir en busca (*nach* de).

'**suchen I**. *v/t*. *u*. *v/i*. buscar; (*erforschen*) investigar; (*eifrig* ~; *nachforschen*) inquirir, indagar; *bsd*. *polizeilich*: pesquisar, hacer pesquisas *f/pl*.; (*ver*~) tratar de; procurar; *Vermißte usw*.: buscar; tratar de localizar; (*haben wollen*, *wünschen*) solicitar; (*nachschlagen*) buscar; (*sich bemühen*) tratar de; intentar; *Jgdw*. rastrear; *Minen*: detectar; ⚓ dragar; *Abenteuer* ~ buscar aventuras; *bei j-m Rat* ~ pedir consejo a alg.; consultar a alg.; *Händel* ~ F buscar camorra; *das Weite* ~ escaparse, F salir por pies; poner pies en polvorosa; *nach et*. ~ buscar a/c.; *nach j-m* ~ buscar a alg.; *Bib*. *suchet*, *so werdet ihr finden* buscad y hallaréis; *Sie haben hier nichts zu* ~ nada tiene usted que buscar aquí; aquí está usted de más; → *gesucht*; **II**. ♀ *n* → *Suche*.

'**Sucher** *m* buscador *m*; *Chir*. sonda *f*; *Phot*. visor *m*; *am Fernrohr*: enfocador *m*; *Auto*. faro *m* movible.

'**Such...**: ~**gerät** *n* (-*es*; -*e*) detector *m*; ~**hund** *m* (-*es*; -*e*) sabueso *m*; ~**kartei** *f* fichero *m* de personas desaparecidas (*od*. buscadas); ~**scheinwerfer** *m* faro *m* movible; proyector *m* orientable; ~**stelle** *f* oficina *f* del servicio de localización de desaparecidos.

Sucht *f* (-; ¨*e*) (*Krankheit*) enfermedad *f*; (*krankhafte Begier*) manía *f*; (*Leidenschaft*) pasión *f*; (*krankhaftes Verlangen nach Rauschgiften*) toxicomanía *f*.

'**süchtig** *adj*. (*krank*) enfermizo; morboso; (*gierend*) ávido; (*besessen*) maníaco; (*e-m Rauschgift verfallen*) toxicómano; ♀**e**(**r** *m*) *m/f* toxicómano (-a *f*) *m*; ♀**keit** *f* (*0*) toxicomanía *f*.

Sud *m* (-*es*; -*e*) (*Abkochung*) decocción *f*; (*das Kochen*) ebullición *f*; *Brauerei*: ~*bier* calderada de cerveza.

Süd *m* (-*es*; *0*) Sur *m*, Sud *m*; Mediodía *m*; *im* ~*en von* al sur de.

'**Süd...**: ~**afrika** *n* Africa *f* del Sur; ~**afri'kaner**(**in** *f*) *m* sudafricano (-a *f*) *m*; ♀**afri'kanisch** *adj*. sudafricano; ♀*e Union* la Unión Sudafricana; ~**a'merika** *n* América *f* del Sur, Sudamérica *f*; ~**ameri'kaner** (-**in** *f*) *m* sudamericano (-a *f*) *m*; ♀**ameri'kanisch** *adj*. sudamericano; de la América del Sur, de Sudamérica.

Su'dan *m*: *der* ~ el Sudán.

Suda'ne|se *m* (-*n*) sudanés *m*; ~**sin** *f* sudanesa *f*; ♀**sisch** *adj*. sudanés.

'**süddeutsch** *adj*. de la Alemania del Sur; del Sur de Alemania; ♀**e**(**r** *m*) *m/f* alemán *m* (alemana *f*) del Sur; ♀**land** *n* Alemania *f* del Sur.

'**Sudel-arbeit** *f*, **Sude'lei** *f* trabajo *m* sucio; F mamarrachada *f*, P porquería *f*; (*Kleckserei*) chafarrinada *f*; chafarrinón *m*; (*Pfuscherei*) chapucería *f*; (*Kritzelei*) garabatos *m/pl*., garabateo *m*; *Mal*. pintarrajo *m*; mamarracho *m*.

'**sud**(**e**)**lig** *adj*. (*schmutzig*) sucio; desaseado; puerco; (*hingepfuscht*) chapucero.

'**sudeln** (-*le*) *v/t*. *u*. *v/i*. (*beschmieren*) embadurnar; ensuciar; (*klecksen*) chafarrinar; (*pfuschen*) chapucear, frangollar; (*kritzeln*) garabatear; *Mal*. pintorrear, pintarrajear; (*manschen*) hacer una mamarrachada.

'**Süden** *m* (-*s*; *0*) Sur *m*, Mediodía *m*; *im* ~ *von* al sur de; *nach* ~ hacia el sur; *Lage*: *a*. al sur.

Su'deten *pl*.: *die* ~ *Geogr*. los (Montes) Sudetes; ~**deutsche**(**r** *m*) *m/f* alemán *m* (alemana *f*) de los Sudetes.

'**Süd...**: ~**frankreich** *n* (la) Francia meridional; ~**franzose** *m* (-*n*), ~**französin** *f* francés *m*, francesa *f* del Mediodía; ♀**französisch** *adj*. del sur de Francia; ~*e Sprache* lengua *f* del sur de Francia; (*Provenzalisch*) provenzal *m*; ~**früchte** *pl*. frutas *f/pl*. del sur; frutas *f/pl*. tropicales; ~**halbkugel** *f* (*0*) hemisferio *m* austral; ~**küste** *f* costa *f* meridional; ~**lage** *f* orientación *f* al sur (*od*. al mediodía); ~**länder**(**in** *f*) *m* meridional *m/f*, habitante *m/f* (de los países) del sur; *fig*. latino *m*; ♀**ländisch** *adj*. meridional.

'**Sudler** *m* (*Schmierer*) embadurnador *m*; (*Pfuscher*) chapucero *m*; (*Maler*) F pintamonas *m*.

'**südlich** *adj*. del sur, meridional; *in* ~*er Richtung* hacia el sur; ~ *von* al sur de; ~*e Halbkugel* hemisferio *m* austral; ~*er Pol* polo *m* Sur (*od*. austral); ~*er Polarkreis* círculo *m* (polar) antártico; ~*e Breite* latitud *f* sur.

'**Süd...**: ~**licht** *n* (-*es*; *0*) aurora *f* austral; ~**ost**(**en**) *m* (-*s*; *0*) Sudeste *m*; ♀**östlich** *adj*. (situado) al sudeste; ~ *von* al sudeste de; ~**pol** *m* (-*es*; *0*) polo *m* sur (*od*. antártico *od*. austral); ~**polarländer** *pl*. tierras *f/pl*. australes; ~**polarmeer** *n* (-*es*; *0*) Océano *m* Glacial Antártico; ~**see** *f* (*0*) Pacífico *m* meridional; (*Inselwelt*) Oceanía *f*; ~**seite** *f* lado *m* (del) sur; ~**slawien** *n* Yugoslavia *f*; ~**staaten** *pl*. Estados *m/pl*. del sur; ~**südost** *m* (-*es*; *0*) Sudsudeste *m*; ~**südwest** *m* (-*s*; *0*) Sudsudoeste *m*; ♀**wärts** *adv*. hacia el sur; al sur; al mediodía; ~**west**(**en**) *m* (-*s*; *0*) Sudoeste *m*; ~**wester** ⚓ *m* sueste *m*; ♀**westlich** *adj.* (situado) al sudoeste; ~ *von* al sudoeste de; **~west(wind)** *m* (-*s*; *0*) viento *m* sudoeste; **~wind** *m* (-*es*; -*e*) viento *m* sur.

'Sueskanal *m*, **'Suezkanal** *m* canal *m* de Suez.

Suff F *m* (-*es*; *0*) bebida *f*; alcoholismo *m*; *sich dem* ~ *ergeben* darse a la bebida; *im* ~ borracho, ebrio.

'süffig F *adj.* de agradable paladar; F bebestible.

süffi'sant *adj.* presuntuoso; petulante; *mit e-m ~en Lächeln* con aire de suficiencia.

Suf'fix *Gr. n* (-*es*; -*e*) sufijo *m*.

sugge'rieren (-) *v/t.* sugerir; insinuar.

Suggesti'on *f* sugestión *f*; sugerencia *f*, insinuación *f*.

sugges'tiv *adj.* sugestivo; sugerente; **⁓frage** *f* pregunta *f* capciosa.

'Suhle *Jgdw. f* bañadero *m*; **⁓n** *v/refl.*: *sich* ~ revolcarse en el fango.

'Sühn|altar *m* (-*s*; ¨*e*) altar *m* expiatorio; **⁓bar** *adj.* expiable; **~e** *f* (*Buße*) expiación *f*; *Rel.* penitencia *f*; (*Wiedergutmachung*) reparación *f*; ⚖ conciliación *f*; **~emaßnahme** *f* sanción *f*; **~everfahren** ⚖ *n* procedimiento *m* de conciliación; **~eversuch** ⚖ *m* (-*es*; -*e*) tentativa *f* de conciliación; **~opfer** *n* holocausto *m*; sacrificio *m* expiatorio.

'Sühnung *f* → *Sühne*.

Sukzessi'on *f* sucesión *f*.

sukzes'siv *adj.* sucesivo; consecutivo; **~e** *adv.* sucesivamente; consecutivamente.

Sulfa'mid *Pharm. n* (-*es*; -*e*) sulfamida *f*.

Sul'fat ⚗ *n* (-*es*; -*e*) sulfato *m*.

Sul'fid [-'fi:t] ⚗ *n* (-*es*; -*e*) sulfuro *m*.

Sul'fit ⚗ *n* (-*s*; -*e*) sulfito *m*.

Sulfona'mid [-'mi:t] *Pharm. n* (-*es*; -*e*) sulfonamida *f*; sulfamida *f*.

'Sultan [ɑ:] *m* (-*s*; -*e*) sultán *m*.

Sulta'nat *n* (-*es*; -*e*) sultanato *m*.

Sulta'ninen *f/pl.* uvas *f/pl.* pasas sin pepita.

'Sülze *f* (*Speise*) fiambre *m* en gelatina; (*Fruchtgelee*) gelatina *f* de frutas; (*Lake*) salmuera *f*.

'Summa *f* (-; *Summen*) suma *f*; ~ *Summarum* en suma, en total; todo junto; *fig.* en una palabra.

Sum'mand *Arith. m* (-*en*) sumando *m*.

sum'marisch *adj.* sumario; compendiado; (*kurz*) sucinto; **~es** *Verfahren* ⚖ procedimiento *m* sumario.

'Sümmchen *n*: *ein hübsches* ~ una buena suma.

'Summe *f* suma *f*; cantidad *f*; importe *m*; *e-e* ~ *abrunden* (*od. aufrunden*) redondear una suma.

'summen I. *v/t. u. v/i.* (*Insekten*) zumbar; (*Lied*) tararear; **II.** ⁓ *n* zumbido *m*; *e-s Liedes*: tarareo *m*.

'Summer ⚡ *m* vibrador *m*; zumbador *m*.

sum'mier|en (-) *v/t.* sumar, adicionar; *fig.* acumular; *sich* ~ sumarse; *fig.* acumularse; **⁓en** *n*, **⁓ung** *f* ⅍ suma *f*, adición *f*; *fig.* acumulación *f*.

'Summton *Tele. m* (-*es*; ¨*e*) sonido *m* musical.

'Sumpf *m* (-*es*; ¨*e*) pantano *m*; ciénaga *f*; (*~land*) terreno *m* pantanoso; *fig.* ciénaga *f*; **~boden** *m* (-*s*; ¨) suelo *m* pantanoso; **⁓en** F *v/i.* juerguear; **~fieber** ⚕ *n* paludismo *m*, fiebre *f* palúdica; **~gas** ⚗ *n* (-*es*; -*e*) gas *m* de los pantanos; metano *m*; **~gegend** *f* región *f* pantanosa; **~huhn** *n Orn.* (-*es*; ¨*er*) polla *f* de agua, rascón *m*; *fig.* juerguista *m*, parrandero *m*; **⁓ig** *adj.* pantanoso; cenagoso; **~land** *n* (-*es*; ¨*er*) terreno *m* pantanoso; **~loch** *n* (-*es*; ¨*er*) cenagal *m*; **~otter** *Zoo. f* (-; -*n*) visón *m*; **~pflanze** ⚘ *f* planta *f* palustre; **~schnepfe** *Orn. f* becada *f*; **~vogel** *m* (-*s*; ¨) ave *f* palustre; **~wasser** *n* agua *f* pantanosa; **~wiese** *f* prado *m* pantanoso.

Sums F *m* (-*es*; *0*): *großen* ~ *von et. machen* hacer mucho ruido a propósito de a/c.; F dar bombo exagerado a a/c.; cacarear a/c.

Sund *m* (-*es*; -*e*) estrecho *m*.

'Sunda-inseln *f/pl.* archipiélago *m* de la Sonda.

'Sünde *f* pecado *m*; *fig.* (*Übertretung*) transgresión *f*; falta *f*; (*Vergehen*) delito *m*; *kleine* ~ pecadillo *m*; *e-e* ~ *begehen* pecar, cometer un pecado; *fig. es ist e-e* ~ *und Schande* es una verdadera vergüenza; *fig.* ~ *wider den Geschmack* atentado al buen gusto; *der* ~ *anheimfallen* caer en pecado.

'Sünden...: **~bekenntnis** *n* (-*ses*; -*se*) confesión *f* de los pecados; **~bock** *m* (-*es*; ¨*e*) *Bib.* chivo *m* emisario; *fig.* cabeza *f* de turco; **~erlaß** *m* (-*sses*; -*sse*) perdón *m* (*od.* remisión *f*) de los pecados; absolución *f*; **~fall** *m* (-*es*; *0*) *Theo.* pecado *m* original; caída *f* del primer hombre; **~geld** *n* (-*es*; -*er*) dinero *m* mal adquirido; (*Riesensumme*) F dineral *m*; *es kostet ein* ~ cuesta un riñón; **~last** *f* peso *m* de los pecados; **~leben** *n* vida *f* de pecador; *ein* ~ *führen* vivir en pecado; **~lohn** *m* (-*es*; ¨*e*) premio *m* del pecado; **⁓los** *adj.* sin pecado; **~pfuhl** *m* (-*s*; -*e*) cenagal *m* del vicio; **~register** *n* lista *f* de los pecados cometidos; *fig. j-m sein* ~ *vorhalten* reprobar (*od.* vituperar) la conducta de alg.; **~schuld** *Rel. f* culpa *f*; **~vergebung** *f* → *Sündenerlaß*.

'Sünd|er *m* pecador *m*; (*Büßer*) penitente *m*; *armer* ~ pobre pecador; (*Verbrecher*) delincuente *m*; reo *m*, condenado *m* a muerte; *fig.* pobre diablo; **~erin** *f* pecadora *f*; (*Büßerin*) penitente *f*; (*Verbrecherin*) delincuente *f*; **~flut** *f* diluvio *m* (universal); **⁓haft** *adj.* pecador; (*schuldig*) culpable; (*fähig zur Sünde*) inclinado al pecado; (*Absicht, Tat*) pecaminoso; *fig.* ~ *teuer* carísimo; **~haftigkeit** *f* (*0*) inclinación *f* al mal; **⁓ig** *adj.* pecador; (*schuldig*) culpable; pecaminoso; **⁓igen** *v/i.* pecar; cometer un pecado (*gegen* contra); *an j-m* ~ obrar mal con alg.; faltar a alg.; **⁓los** *Rel. adj.* sin (mancha de) pecado; impecable; **~losigkeit** *f* (*0*) impecabilidad *f*.

'Super|dividende ☿ *f* dividendo *m* extraordinario; **⁓fein** *adj.* (*0*) superfino; **~festung** ⚔ *f* superfortaleza *f*; **~het(erodynempfänger)** *Radio m* receptor *m* superheterodino; **~intendent** *m* (-*en*) superintendente *m*; **~kargo** ⚓ *m* (-*s*; -*s*) sobrecargo *m*; **⁓klug** *adj.* (*0*) demasiado listo; (*dünkelhaft*) presuntuoso, presumido; petulante; **~lativ** *Gr. m* (-*es*; -*e*) superlativo *m*; **⁓lativisch** *adj.* (*0*) superlativo; **~numerar** *m* (-*es*; -*e*) supernumerario *m*; **~oxyd** ⚗ *n* (-*es*; -*e*) peróxido *m*; **~phosphat** ⚗ *n* (-*es*; -*e*) superfosfato *m*; **~porte** *f* sobrepuerta *f*.

Su'pinum *Gr. n* (-*s*; -*na*) supino *m*.

'Suppe *f* sopa *f*; (*Brühe*) caldo *m*; consomé *m*; *fig. j-m die* ~ *versalzen* aguar la fiesta a alg.; *die* ~ *auslöffeln* pagar los vidrios rotos; *sich e-e schöne* ~ *einbrocken* meterse en un atolladero; meterse en un lío.

'Suppen...: **~fleisch** *n* (-*es*; *0*) carne *f* para cocido; (*Gericht*) cocido *m*, puchero *m*, olla *f*; **~grün** *n* (-*s*; *0*) (*Petersilie*) perejil *m*; (*Lauch*) puerro *m*; cebollino *m*; (*Sellerie*) apio *m*; **~kelle** *f* cucharón *m*; **~kraut** *n* (-*es*; ¨*er*) → *Suppengrün*; **~löffel** *m* (*Eßlöffel*) cuchara *f* sopera; (*Suppenkelle*) cucharón *m*; **~schüssel** *f* (-; -*n*), **~terrine** *f* sopera *f*; **~teller** *m* plato *m* sopero; **~topf** *m* (-*es*; ¨*e*) olla *f*; **~würfel** *m* cubito *m* de sopa (*od.* de caldo), extracto *m* de caldo.

Supple'ment *n* (-*es*; -*e*) suplemento *m*; **~band** *m* (-*es*; ¨*e*) apéndice *m* (de una obra); **~winkel** ⅍ *m* ángulo *m* suplementario.

suppo'nieren (-) *v/t.* suponer.

Sup'port *m* (-*es*; -*e*) soporte *m*.

supranatio'nal *adj.* supranacional.

Supra'porte *f* sobrepuerta *f*.

Supre'mat *n* (-*es*; -*e*) supremacía *f*.

Surrea'lis|mus *m* (-; *0*) surrealismo *m*; **~t** *m* (-*en*) surrealista *m*; **⁓tisch** *adj.* surrealista.

'surren I. *v/i.* zumbar; **II.** ⁓ *n* zumbido *m*.

Surro'gat *n* (-*es*; -*e*) sucedáneo *m*.

Su'sanne *f* Susana *f*.

suspen|'dieren (-) *v/t.* suspender (*vom Amt* de sus funciones); **⁓'dieren** *n*, **⁓si'on** *f* suspensión *f*.

Suspen'sorium [-rĭ-] ⚕ *n* (-*s*; *Suspensorien*) suspensorio *m*.

süß [y:] (-*est*) *adj.* dulce; (*gesüßt*) dulcificado, endulzado; (*zucker~*) azucarado; (*~lich*) dulzón; *Phar.* edulcorado; *fig.* dulce; meloso, melifluo; F almibarado; (*lieblich*) suave; meloso; (*reizend*) encantador; (*niedlich*) precioso, bonito, lindo; *bsd. v. Kindern*: F mono; (*zärtlich*) cariñoso; (*geliebt*) querido; *~e Worte* palabras melosas; *~e Stimme* voz meliflua; ~ *schmecken* tener sabor dulce; ~ *klingen* halagar el oído; ~ *träumen* tener dulces sueños; ~ *werden* dulcificarse; ~ *machen* → *süßen*.

'Süße *f* dulzura *f*; dulzor *m*; **⁓n** (-*t*) *v/t.* endulzar; dulcificar; *mit Zukker*: azucarar; *Kaffee, Tee*: echar azúcar en; (*Obst*) almibarar; *Phar.* edulcorar.

'Süß...: **~holz** ⚘ *n* (-*es*; *0*) regaliz *m*, palo *m* dulce; F *fig.* ~ *raspeln* piropear, chicolear, echar piropos; **~holzraspler** F *m* mariposón *m*; **~igkeit** *f* (*Süße*) dulzura *f*; **~en** *pl.* dulces *m/pl.*; **~kirsche** *f* cereza *f*;

(*Baum*) cerezo *m*; **≈lich** *adj.* dulzón; *fig. a.* dulzarrón, empalagoso; almibarado; **~lichkeit** *f* (*0*) carácter *m* dulzón; *fig.* empalago *m*; **~ling** *m* (*-s*; *-e*) (*süßlicher Mensch*) hombre *m* empalagoso; **~maul** F *n* (*-es*; *"er*) goloso *m*; **≈sauer** *adj.* agridulce; **~speise** *f* (*Nachtisch*) postre *m* de dulce; tarta *f*; **~stoff** *m* (*-es*; *-e*) sacarina *f*; *Phar.* (su[b]stancia *f*) edulcorante *m*; **~waren** *f/pl.* dulces *m/pl.*; caramelos *m/pl.*, bombones *m/pl.*; **~wasser** *n* agua *f* dulce; **~wein** *m* (*-es*; *-e*) vino *m* dulce.

'Sweater *m* suéter *m*.

Syba'rit *m* (*-en*) sibarita *m*; **≈isch** *adj.* sibarítico.

Syllo'gis|mus *m* (*-*; *Syllogismen*) silogismo *m*; **≈tisch** *adj.* silogístico.

Syl'vester *n* Silvestre *m*; **~abend** *m* (*-s*; *-e*) víspera *f* de Año Nuevo; **~nacht** *f* (*-*; *"e*) noche *f* de San Silvestre; F noche *f* vieja.

Symbi'ose *Bio. f* simbiosis *f*.

Sym'bol *n* (*-s*; *-e*) símbolo *m*; (*Zeichen*) *a.* signo *m*; *auf Landkarten*: signo *m* convencional; (*Emblem*) emblema *m*; **~ik** *f* (*0*) carácter *m* simbólico; simbolismo *m*; **≈isch** *adj.* simbólico.

symboli'sier|en (-) *v/t.* simbolizar; **≈en** *n*, **≈ung** *f* simbolización *f*.

Symbo'lis|mus *m* (*-*; *0*) simbolismo *m*; **~t** *m* (*-en*) simbolista *m*.

Symme'trie *f* simetría *f*.

sym'metrisch *adj.* simétrico.

sympa'thetisch *adj.* sensible a las fuerzas secretas de la Naturaleza; **~e** *Tinte* tinta simpática.

Sympa'thie *f* simpatía *f*; (*Gemeinschaftsgefühl*) solidaridad *f*; (*Wahlverwandtschaft*) afinidad *f* selectiva; ~ *empfinden* sentir simpatía (*für* por); simpatizar (con); **~kundgebung** *f* manifestación *f* de simpatía; testimonio *m* de adhesión; **~streik** *m* (*-es*; *-s*) huelga *f* de solidaridad.

sym'pathisch *adj.* simpático; **~es** *Nervensystem Anat.* sistema *m* nervioso simpático.

sympathi'sieren (-) *v/i.* simpatizar (*mit* con).

Sympho'nie *f* sinfonía *f*; **~konzert** *n* (*-es*; *-e*) concierto *m* sinfónico; **~orchester** *n* orquesta *f* sinfónica.

Sym'phoniker *m* sinfonista *m*.

sym'phonisch *adj.* sinfónico.

Sym'posion *n* (*-s*; *Symposien*) (*Tagung*) simposio *m*.

Symp'tom *n* (*-s*; *-e*) síntoma *m*.

Sympto|'matik *f* sintomatología *f*; **≈'matisch** *adj.* sintomático.

Syna'goge *f* sinagoga *f*.

Synä'rese *f* sinéresis *f*.

Synästhe'sie *f* sinestesia *f*.

syn'chron *adj.* sincrónico; **≈getriebe** *Auto. n* sincronizador *m*.

synchroni'sier|en (-) *v/t.* sincronizar; (*den Originaltext e-s Filmes in e-e andere Sprache übertragen*) doblar; **≈en** *n*, **≈ung** *f* sincronización *f*; (*Film aus anderen Sprachen*) doblaje *m*.

Synchro'nis|mus *m* (*-*; *Synchronismen*) sincronismo *m*; **≈tisch** *adj.* sincrónico.

Syn'chronmotor *m* (*-s*; *-en*) motor *m* sincrónico.

Synchro'tron *n* (*-s*; *-e*) (*Kernphysik*) sincrotrón *m*.

Syndika'lis|mus *m* (*-*; *0*) sindicalismo *m*; **~t** *m* (*-en*) sindicalista *m*; **≈tisch** *adj.* sindical; sindicalista.

Syndi'kat *n* (*-es*; *-e*) sindicato *m*.

'Syndikus *m* (*-*; *Syndiken od. Syndizi*) síndico *m*; procurador *m* síndico.

Syn'drom ⚕ *n* (*-s*; *-e*) síndrome *m*.

Sy'nekdoche *Rhet. f* sinécdoque *f*.

Syner'gie *Physiol. f* (*0*) sinergia *f*.

Syn'kope ♪, *Gr. f* síncopa *f*.

synko'pieren (-) *v/t.* sincopar.

syn'kopisch ⚕ *adj.* sincopal.

Syno'dalverfassung *f* constitución *f* del sínodo.

Sy'node *f* sínodo *m*.

sy'nodisch *adj.* sinodal.

Syno'nym *n* (*-s*; *-e*) **I.** sinónimo *m*; **II.** ≈, **≈isch** *adj.* sinónimo; **~ik** *f* (*0*) sinonimia *f*.

Sy'nop|se *f* sinopsis *f*; **≈tisch** *adj.* sinóptico.

syn'taktisch *Gr. adj.* sintáctico.

'Syntax *f* (*0*) sintaxis *f*.

Syn'the|se *f* síntesis *f*; **≈tisch** *adj.* sintético; artificial; ~ *herstellen* sintetizar.

'Syphilis ['zy:fi·lis] ⚕ *f* (*0*) sífilis *f*.

Syphi'li|tiker *m* sifilítico *m*; **≈tisch** *adj.* sifilítico.

'Syr|ien *n* Siria *f*; **~ier** *m* sirio *m*; **~ierin** *f* siria *f*; **≈isch** *adj.* sirio.

'Syrte *f* banco *m* de arena; *die Große* (*Kleine*) ~ *Geogr.* la Sirte Mayor (Menor).

Sys'tem *n* (*-s*; *-e*) sistema *m*; *in ein* ~ *bringen* sistematizar.

Syste'mat|ik *f* sistema *m*; **~iker** *m* hombre *m* metódico; espíritu *m* sistematizador; **≈isch I.** *adj.* sistemático; metódico; **II.** *adv.* sistemáticamente; con método; de un modo sistemático; ~ *ordnen* sistematizar; **≈i'sieren** (-) *v/t.* sistematizar.

sy'stemlos *adj. u. adv.* sin sistema; sin método.

'Systole *Physiol. f* sístole *m*.

Sze'narium [stse·'nɑ:rĭum] *n* (*-s*; *Szenarien*) escenario *m*.

'Szene ['stse:nə] *f Thea. u. fig.* escena *f*; (*Bühne*) escenario *m*; tablas *f/pl.*; (*Bildfolge*) *Film*: secuencia *f*; *hinter der* ~ *Thea.* entre bastidores (*a. fig.*); *in* ~ *setzen Thea.* llevar a la escena; poner en escena (*a. fig.*); *fig. j-m* e-e ~ *machen* hacer recriminaciones a alg.; F armarle a alg. un escándalo; *sich in* ~ *setzen* darse importancia; **~nbeleuchtung** *f* alumbrado *m* escénico; **~nwechsel** *m* cambio *m* de escena; mutación *f*.

Szene'rie *f* escenario *m*; decorado *m*; decoraciones *f/pl.*

'szenisch *adj.* escénico; **~er** *Effekt* efecto escénico.

T

T, t *n* T, t *f.*

'Tabak *m* (*-s; -e*) tabaco *m*; ~ *kauen* mascar tabaco; ~ *schnupfen* tomar rapé; *fig. das ist aber starker* ~ eso es un poco fuerte; F eso ya pasa de la raya; **~anbau** *m* (*-ęs; 0*) cultivo *m* de(l) tabaco; **~beize** *f* (*0*) salsa *f* de tabaco; **~beutel** *m* petaca *f*; bolsa *f* para tabaco; **~dose** *f* tabaquera *f*; **~fa'brik** *f* fábrica *f* de tabacos; **~handel** *m* comercio *m* de tabacos; **~händler(in** *f*) *m* tabaquero (-a *f*) *m*; estanquero (-a *f*) *m*; **~laden** *m* (*-s; ¨*) estanco *m*; expendeduría *f* de tabaco; **~mono'pol** *n* (*-s; -e*) monopolio *m* de tabacos; **~pfeife** *f* pipa *f*; **~pflanze** *f* (planta *f* de) tabaco *m*; **~pflanzung** *f* plantación *f* de tabaco; **~qualm** *m* (*-ęs; 0*) humo *m* espeso de tabaco; **~rauch** *m* (*-ęs; 0*) humo *m* de tabaco; **~regie** *f Span.* Tabacalera *f*; **~(s)beutel** *m* → *Tabakbeutel*; **~schnupfer** *m* tomador *m* de rapé; **~(s)dose** *f* tabaquera *f*; **~(s)pfeife** *f* pipa *f*; **~steuer** *f* (*-; -n*) impuesto *m* de tabacos; **~vergiftung** ⚕ *f* nicotinismo *m*; tabaquismo *m*; **~waren** *f/pl.* tabacos *m/pl.*

Tabati'ere *f* tabaquera *f.*

tabel'larisch [-bɛ'lɑ:-] *adj.* en forma de tabla (*od.* de cuadro); sinóptico.

Ta'belle *f* (*Zahlentafel*) tabla *f*; cuadro *m*; cuadro *m* sinóptico.

Taber'nakel *n* tabernáculo *m.*

Ta'blett *n* (*-ęs; -e*) bandeja *f.*

Ta'blette *Phar. f* tableta *f*; comprimido *m*; (*Dragée*) gragea *f.*

ta'bu *adj. u.* 2 *n* (*-s; -s*) tabú *m.*

'tabula 'rasa: ~ *mit et. machen* hacer tabla rasa de a/c.

Tabu'lator *m* (*-s; -en*) tabulador *m.*

Tabula'tur *f Hist.*, ♪ (*der Meistersinger*) ordenación *f* y reglas de arte preceptivas de los gremios.

Tacho'meter *Auto. m* velocímetro *m*; tacómetro *m.*

Tachy'meter *n* taquímetro *m.*

'Tadel *m* (*Rüge*) reprimenda *f*; reprensión *f*; (*Mißbilligung*) desaprobación *f*, *stärker*: reprobación *f*; (*Vorwurf*) reproche *m*; (*Kritik*) crítica *f*; censura *f*; (*Ermahnung*) amonestación *f*; (*Unvollkommenheit*) imperfección *f*; (*Mangel*) defecto *m*; (*Makel*) tacha *f*; *Schule*: mala nota *f*; **2frei** *adj.* irreprochable; impecable; *bsd. moralisch*: intachable, sin tacha; (*ohne Fehl*) sin defecto; (*sorgfältig*) esmerado; (*sauber*) pulcro; (*vollkommen*) perfecto; inmejorable; ejemplar; (*ausgezeichnet*) excelente, magnífico; F estupendo; **2haft** *adj.* criticable; censurable; reprensible; reprochable; (*mangelhaft*) defectuoso; **2los** *adj.* (*-est*) → *tadelfrei*; **~losigkeit** *f* (*0*) irreprochabilidad *f*; impecabilidad *f*; perfección *f*; esmero *m*; pulcritud *f*; excelencia *f.*

'tadeln (*-le*) *v/t.* (*rügen*) reprender; (*mißbilligen*) desaprobar, *stärker*: reprobar; (*Vorwürfe machen*) reprochar; (*kritisieren*) criticar; censurar; (*bsd. Benehmen*) vituperar; (*ermahnen*) amonestar; *an j-m et.* ~, *j-n wegen et.* ~ reprochar a/c. a alg.; *an allem et. zu* ~ *finden* poner tachas a todo; encontrar defectos a todo; **~d** *adj.* reprobatorio; **~swert** *adj.* criticable; censurable; reprobable; vituperable; reprensible; reprochable.

'Tadels-antrag *Parl. m* (*-ęs; ¨e*) moción *f* de censura.

'Tadel|sucht *f* (*0*) manía *f* de criticar *bzw.* de censurar; **2süchtig** *adj.* criticador, F criticón.

'Tadler *m* crítico *m*; censurador *m*; censurista *m*, F criticón *m.*

'Tafel *f* (*-; -n*) (*Holz*2) tabla *f*; tablero *m*; (*Eßtisch*) mesa *f*; (*Wand*2) encerado *m*, pizarra *f*; tablero *m*; (*Metall*2) placa *f*; (*Schild*2) letrero *m*; (*Anzeige*2) tablón *m* de anuncios; (*Tabelle*) tabla *f*; cuadro *m*; (*Schiefer*2) pizarra *f*; (*Bankett*2, *Fest*2) banquete *m*; ⚠ (*Säulenplatte*) plinto *m*; *Schokolade*: tableta *f*; pastilla *f*; *zur Illustration in Büchern*: lámina *f*; *die* ~ *decken* (*abdecken*) poner (quitar) la mesa; *von der* ~ *aufstehen* levantarse de la mesa; *offene* ~ *halten* tener mesa franca; **~apfel** *m* (*-s; ¨*) manzana *f* de mesa (*od.* de postre); **~aufsatz** *m* (*-es; ¨e*) centro *m* de mesa; **~besteck** *n* (*-ęs; -e*) cubierto *m*; **~birne** *f* pera *f* de postre; **~butter** *f* (*0*) mantequilla *f* fina; **2fertig** *adj.* (*0*) listo para ser servido; **2förmig** *adj.* tabular, en forma de tabla; **~freuden** *pl.* placeres *m/pl.* de la mesa; **~geschirr** *n* (*-ęs; -e*) servicio *m* de mesa; vajilla *f*; **~glas** *n* (*-es; ¨er*) vidrio *m* (*od.* cristal *m*) plano; (*Spiegelglas*) luna *f*; **~land** *n* (*-ęs; ¨er*) meseta *f*, altiplanicie *f*; **~musik** *f* (*0*) música *f* que ameniza un banquete (*od.* de mesa).

'tafeln (*-le*) *v/i.* estar a la mesa; (*schmausen*) banquetear.

'täfeln (*-le*) **I.** *v/t. Wand*: revestir de madera, enmaderar; *Decke*: artesonar; *Fußboden*: entarimar; **II.** 2 *n* → *Täfelung.*

'Tafel...: **~obst** *n* (*-es; 0*) frutas *f/pl.* de mesa (*od.* de postre); **~öl** *n* (*-s; 0*) aceite *m* de mesa; **~runde** *f* mesa *f* redonda; (*Tischgesellschaft*) tertulia *f*; *Liter.* Mesa *f* Redonda; **~schiefer** *m* pizarra *f* en tablas; **~silber** *n* (*-s; 0*) (cubiertos *m/pl.* de) plata *f*; **~tuch** *n* (*-ęs; ¨er*) mantel *m*; **~überreste** *pl.* sobras *f/pl.* de la comida.

'Täfelung *f* (*Wand*2) revestimiento *m* de madera; (*Decken*2) artesonado *m*; (*Boden*2) entarimado *m.*

'Tafel...: **~waage** *f* balanza *f*; **~wein** *m* (*-ęs; -e*) vino *m* de mesa; **~zeug** *n* (*-ęs; 0*) mantelería *f.*

Taft *m* (*-ęs; -e*) tafetán *m*; **'~kleid** *n* (*-ęs; -er*) vestido *m* de tafetán.

Tag *m* (*-ęs; -e*) día *m*; (*Tagewerk*) jornada *f*; (*Datum*) fecha *f*; ~ *für* ~ día por día; cada día, todos los días, (*immer mehr*) de día en día; *alle* ~*e* todos los días; *jeden* ~ cada día; todos los días; a diario, diariamente; *dieser* ~*e* estos días, (*demnächst*) uno de estos días, un día de estos, (*kürzlich*) últimamente; el otro día; *e-n* ~ *um den anderen* un día sí y otro no; cada dos días; *einige* ~*e später* a los pocos días; *den ganzen* ~ todo el día; *den ganzen* ~ *über* de la mañana a la noche; *den lieben langen* ~ todo el santo día; *zwei* ~*e lang* durante dos días; dos días enteros; *ganze* ~*e lang* (durante) días enteros; *e-s* (*schönen*) ~*es* (*Vergangenheit*) un día, cierto día, (*künftig*) algún día; el día menos pensado; el mejor día; *es ist heute ein schöner* ~ hoy hace buen día; *am* ~*e* de día; *am* ~*e* (*gen.*) el día de; *noch an diesem* ~*e* ese mismo día; *an e-m dieser* ~*e* un día de estos; *am folgenden* ~*e*, *am* ~*e darauf* al día siguiente (de); *am* ~*e nach* al otro día; *am* ~*e zuvor* el día antes, la víspera; *am* ~*e vor* la víspera de, el día antes de; *am hellen* ~*e* en pleno día; *auf den* ~ *genau* el día justo; en la fecha exacta; *bis auf den heutigen* ~ hasta (el día de) hoy; hasta la fecha; *auf m-e alten* ~*e* en mi vejez; *bei* ~*e* de día; *in unseren* ~*en* en nuestros días; *in 14* ~*en* dentro de quince días; *seit dem* ~*e*, *an dem ...* desde el día que ...; *seit Jahr und* ~ *fig.* desde hace mucho tiempo; ⚒ *über* ~*e* a cielo abierto; al descubierto; ⚒ *unter* ~*e* en el interior de la mina; bajo tierra, subterráneo; *von* ~ *zu* ~ de día en día; de un día a otro; *von e-m* ~ *zum anderen* de un día para otro; *vom ersten* ~*e an* desde el primer día; *vor einigen* ~*en* hace algunos días; *was ist heute für ein* ~? ¿a cuántos estamos?; ¿qué día es hoy?; *es vergeht kein* ~, *ohne daß* no pasa día sin que (*subj.*); *freier* ~ día libre;

~ *und Nacht* día y noche; *das ist wie ~ und Nacht* (*et. ganz anderes*) es (tan diferente) como el día y la noche; *e-n ~ bestimmen* (*od. festlegen*) fijar un día (*od.* una fecha); *s-n guten ~ haben* estar de buen humor; *an den ~ bringen* dar a conocer; (*Geheimnis*) sacar a luz, revelar; (*Buch*) publicar; *an den ~ kommen* manifestarse; hacerse patente; hacerse público; (*Geheimnis*) salir a luz, revelarse, descubrirse; *an den ~ legen* manifestar; mostrar; hacer patente; *in den ~ hinein leben* vivir al día; *es wird ~* amanece; comienza a clarear (el día); alborea; *es ist* (*heller*) *~* ya es de día; *guten ~!* ¡buenos días!, *nachmittags*: ¡buenas tardes!, *bei Verabschiedung*: ¡adiós!; *j-m guten ~ sagen*; *j-m e-n guten ~ wünschen* dar a alg. los buenos días; *der Jüngste ~* el Día del Juicio; *sich e-n vergnügten ~ machen* F divertirse por todo lo alto; echar una cana al aire; *Arg.* farrear; → *Abend.*

'Tag...: ~arbeit *f* trabajo *m* diurno; **2aus** *adv.*: ~, *tagein* día por día; **2blind** *adj.* (*0*) nictálope; **~blindheit** *f* (*0*) nictalopia *f*; **~bomber** ⚔ *m* bombardero *m* diurno.

'Tage...: ~bau ⚒ *m* (*-s*; *0*) explotación *f* (minera) a cielo abierto; **~blatt** *n* (*-es*; *⸚er*) (*Zeitung*) diario *m*; periódico *m*; **~buch** *n* (*-es*; *⸚er*) diario *m*; **~dieb(in** *f*) *m* (*-es*; *-e*) haragán *m*; haragana *f*; gandul(a *f*) *m*; **~gelder** *pl.* dietas *f/pl.*

tag'ein *adv.*: *tagaus, ~* día por día.

'Tage...: 2lang *adv.* días enteros; días y días; **~lohn** *m* (*-es*; *⸚e*) jornal *m*; *im ~ arbeiten* trabajar a jornal; **~löhner** *m* jornalero *m*; **~marsch** *m* (*-es*; *⸚e*) jornada *f*, ⚔ *a.* etapa *f*.

'tagen *v/i.*: *es tagt* está amaneciendo; *Versammlung*: celebrar sesión; reunirse; (*beraten*) deliberar.

'Tagereise *f* jornada *f*; ⚓ singladura *f*.

'Tages...: ~anbruch *m* (*-es*; *0*) madrugada *f*, amanecer *m*; alba *f*; *vor ~* antes de amanecer; *bei ~* al amanecer; al despuntar el día; al rayar el alba; **~angabe** *f* (indicación *f* de la) fecha *f*; **~angriff** ⚔ *m* (*-es*; *-e*) ataque *m* diurno (*od.* de día); **~anzug** *m* (*-es*; *⸚e*) traje *m* de diario; **~arbeit** *f* jornada *f*; **~ausflug** *m* (*-es*; *⸚e*) excursión *f* de un día; **~befehl** ⚔ *m* (*-es*; *-e*) orden *f* del día; **~bericht** *m* (*-es*; *-e*) boletín *m* del día; **~creme** *f* (*-*; *-s*) crema *f* de día; **~dienst** *m* (*-es*; *-e*) servicio *m* diurno; servicio *m* del día; **~einnahme** *f* † ingreso *m* diario; recaudación *f* del día; **~ereignis** *n* (*-ses*; *-se*) suceso *m* del día; acontecimiento *m* del día; **~förderung** ⚒ *f* extracción *f* diaria; **~frage** *f* cuestión *f* del día; problema *m* de actualidad; **~gericht** *n* (*-es*; *-e*) plato *m* del día; **~gespräch** *n* (*-es*; *-e*) novedad *f* del día; *es ist das ~* es la comidilla del día; **~grauen** *n* (*-s*; *0*) → *Tagesanbruch*; **~helle** *f* (*0*) claridad *f* (*od.* luz *f*) del día; **~karte** *f* 🚂 billete *m* de ida y vuelta (válido un solo día); **~kasse** *Thea.* *f* contaduría *f*; **~kino** *n* (*-s*; *-s*) cine *m* de sesión continua; **~krem** *f* (*-*; *-s*) → *Tagescreme*; **~kurs** *m* (*-es*; *-e*) (*Börse*) cotización *f* del día; *v. Devisen*: cambio *m* del día; *e-r Schule*: clases *f/pl.* diurnas; **~leistung** *f e-r Maschine*: rendimiento *m* por día; (*Tagesproduktion*) producción *f* diaria; ⚒ extracción *f* diaria; **~licht** *n* (*-es*; *0*) luz *f* natural (*od.* del día); *das ~ erblicken fig.* nacer, venir al mundo; *das ~ scheuen* rehuir la luz; *ans ~ bringen* sacar a (la) luz; revelar, descubrir; *ans ~ kommen* salir a (la) luz; descubrirse; llegar a saberse; **~lohn** *m* (*-es*; *⸚e*) jornal *m*; **~marsch** *m* (*-es*; *⸚e*) → *Tagemarsch*; **~meldung** *f* noticia *f* del día; **~nachrichten** *pl.* noticias *f/pl.* del día; *Radio*: diario *m* hablado; **~neuigkeit** *f* novedad *f* del día; **~ordnung** *f* orden *m* del día (*a. fig.*); *Annahme der ~* aprobación del orden del día; *Antrag auf Aufnahme e-r Frage in die ~* petición de inclusión en el orden del día; *auf die ~ setzen* incluir en el orden del día; *auf der ~ stehen* figurar en el orden del día; *von der ~ streichen* (*od. zurückziehen*) retirar del orden del día; *zur ~ schreiten* (*od. übergehen*) pasar al orden del día; *an der ~ sein fig.* estar al orden del día; ser cosa corriente; **~preis** † *m* (*-es*; *-e*) precio *m* corriente (*od.* del día); **~presse** *f* (*0*) prensa *f* diaria; **~produktion** *f* producción *f* diaria; **~ration** *f* ración *f* diaria; **~schau** *TV f* (*0*) telediario *m*; **~schicht** *f* turno *m* de día; **~stempel** *m* sello *m* fechador; **~umsatz** † *m* (*-es*; *⸚e*) venta *f* diaria; **~verdienst** *m* (*-es*; *-e*) ganancia *f* diaria; **~verpflegung** *f* (*Tagesration*) ración *f* diaria; **~zeit** *f* hora *f* del día; *zu jeder ~* a cualquier hora del día; a toda hora; **~zeitung** *f* diario *m*, periódico *m*; **~zinsen** † *pl.* intereses *m/pl.* por día.

'Tage...: 2weise *adv.* por días; por día, al día; **~werk** *n* (*-es*; *0*) tarea *f* diaria; trabajo *m* diario; jornada *f*.

'Tag...: ~falter *m* mariposa *f* (diurna); **2hell** *adj.* (*0*) claro como el día; *es ist ~* ya es de día, ya ha amanecido.

...tägig *adj. in Zssgn.* de ... días; *vier~* de cuatro días; que dura cuatro días.

'täglich I. *adj.* diario, cotidiano; de todos los días; de cada día; diurno (*a. Astr.*); *unser ~(es) Brot* el pan nuestro de cada día; **II.** *adv.* todos los días, a diario, diariamente; cada día; por día; *zweimal ~* dos veces al día (*od.* por día).

tags *adv.*: *~ darauf* el día siguiente; al día siguiente, al otro día; *~ zuvor* el día antes (*od.* anterior); la víspera.

'Tag...: ~schicht *f* turno *m* de día; **2s-über** *adv.* de día; durante el día; cada día; **2'täglich I.** *adj.* diario, cotidiano; **II.** *adv.* todos los días, a diario, diariamente; cada día; **~und 'Nachtgleiche** *f* equinoccio *m*; **~ung** *f* reunión *f*; congreso *m*; asamblea *f*; (*Sitzung*) sesión *f*; jornada *f*; *e-e ~ abhalten* celebrar una reunión *bzw.* un congreso; **~ungsteilnehmer(in** *f*) *m* congresista *m/f*; jornadista *m/f*; asambleísta *m/f*; **2weise** *adv.* → *tageweise*; **~vogel** *m* (*-s*; *⸚*) ave *f* diurna.

Tai'fun *m* (*-s*; *-e*) tifón *m*.

'Taille ['taljə] *f* talle *m*; (*Leibchen, Mieder*) corpiño *m*; *auf ~ gearbeitet* entallado, ajustado, ceñido; *enge ~* talle de avispa; **~n-umfang** *m* (*-es*; *0*), **~nweite** *f* medida *f* del talle.

'Takel ⚓ *n* aparejo *m*; (*Hebezeug*) guindaste *m*.

Take'lage [-ə'lɑ:ʒə] ⚓ *f* → *Takelwerk.*

'takeln (*-le*) ⚓ *v/t. Schiff*: aparejar.

'Takel|ung *f*, **~werk** *n* ⚓ (*-es*; *-e*) (*Tauwerk*) jarcias *f/pl.*, cordajes *m/pl.*; *mit Segeln*: aparejo *m*.

Takt *m* ♪ (*-es*; *-e*) compás *m*; (*Rhythmus*) cadencia *f*; *des Motors*: tiempo *m*; *fig.* tacto *m*; delicadeza *f*; discreción *f*; *im ~* acompasado, a compás; *den ~ schlagen* llevar (*od.* marcar) el compás; *den ~ halten, im ~ bleiben* guardar (*od.* observar) el compás; *aus dem ~ kommen* perder el compás; *fig.* desconcertarse; *j-n aus dem ~ bringen* hacer a alg. perder el compás; *fig.* desconcertar a alg.; *fig. ~ haben* tener tacto; **'2fest** *adj.* firme en el compás; *fig.* ducho; **'~gefühl** *n* (*-es*; *0*) sentido *m* del ritmo; *fig.* tacto *m*; delicadeza *f*; discreción *f*; acierto *m*.

tak'tieren (*-*) ♪ *v/i.* llevar (*od.* marcar) el compás.

'Takt|ik *f* táctica *f* (*a. fig.*); **~iker** *m* táctico *m*; **2isch** *adj.* táctico; *~e Einheit* unidad táctica; *~er Fehler* error táctico.

'Takt...: 2los *adj.* (*-est*) sin tacto; indiscreto; poco delicado; sin delicadeza; (*unhöflich*) descortés, mal educado, *stärker*: grosero; **~losigkeit** *f* falta *f* de tacto; indiscreción *f*; indelicadeza *f*; (*Unhöflichkeit*) falta *f* de cortesía; falta *f* de educación, *stärker*: grosería *f*; *e-e ~ begehen* cometer una falta de tacto *bzw.* una indiscreción; **~maß** *n* (*-es*; *0*) compás *m*, medida *f*; **2mäßig I.** *adj.* acompasado; cadencioso, rítmico; **II.** *adv.* a compás; **~messer** ♪ *m* metrónomo *m*; **~stock** *m* (*-es*; *⸚e*) batuta *f*; **~strich** ♪ *m* (*-es*; *-e*) raya *f* de compás; **2voll** *adj.* delicado; discreto; *~ sein* tener tacto; proceder con (sumo) tacto.

Tal *n* (*-es*; *⸚er*) valle *m*; *über Berg und ~* por montes y valles; *zu ~ fahren* bajar un río; **2'ab(wärts)** *adv.* valle abajo; *bei Flüssen*: río abajo.

Ta'lar *m* (*-s*; *-e*) hábito *m* talar; ⚖ toga *f*; (*Priesterrock*) sotana *f*.

tal|'auf(wärts) *adv.* valle arriba; *~ fahren* (*e-n Fluß*) remontar un río; **'2enge** *f* estrechez *f* (*od.* angostura *f*) de un valle.

Ta'lent *n* (*-es*; *-e*) talento *m*; dotes *f/pl.* naturales; disposición *f* natural; (*Fähigkeit*) aptitud *f*.

talen'tiert *adj.* talentoso; (dotado) de talento; aventajado.

ta'lent|los *adj.* (*-est*) sin talento; sin dotes naturales; **2losigkeit** *f* (*0*) falta *f* de talento; **~voll** *adj.* de gran talento; (dotado) de talento; muy dotado.

'Taler *m ehm.* tálero *m*.

'Talfahrt *f* navegación *f* aguas abajo (*od.* río abajo); 🚂 bajada *f*; *Sport*: (carrera *f* de) descenso *m*.

ˈ**Talg** *m* (-*es*; -*e*) sebo *m*; *mit* ~ *einschmieren* ensebar, untar con sebo; **2artig** *adj.* seboso; sebáceo; **~drüse** *Anat. f* glándula *f* sebácea; **~fett** *n* (-*es*; *0*) estearina *f*; **2ig** *adj.* seboso; ensebado, untado de sebo; **~licht** *n* (-*es*; -*er*) vela *f* (*od.* bujía *f*) de sebo.
ˈ**Talisman** *m* (-*s*; -*e*) talismán *m*.
ˈ**Talje** ⚓ *f* polea *f* (combinada).
ˈ**Talk** *Min. m* (-*es*; *0*) talco *m*; **2artig** *adj.* talcoso; **~erde** *f* (*0*) tierra *f* talcosa; magnesia *f*.
ˈ**Talkessel** *m* circo *m* (de montañas).
ˈ**talk|haltig** *adj.*, **~ig** *adj.* talcoso; **2puder** *m* (-*s*; *0*) polvos *m/pl.* de talco; talco *m* en polvo; **2spat** *Min. m* (-*es*; *0*) magnesita *f*; **2um** *n* (-*s*; *0*) → *Talkpuder*.
ˈ**Talmi(gold)** *n* (-*s*; *0* [-*es*; *0*]) similor *m*; *fig.* baratija *f*.
ˈ**Tal|mud** *m* (-*es*; -*e*) Talmud *m*; **~muˈdist** *m* (-*en*) talmudista *m*; **2ˈmudisch** *adj.* talmúdico.
ˈ**Talmulde** *f* valle *m* hondo; cañada *f*.
Taˈlon [-ˈlɔ̃:] † *m* (-*s*; -*s*) talón *m*.
ˈ**Tal...:** **~schlucht** *f* hoz *f*; garganta *f*; **~senke** *f*, **~sohle** *f* vaguada *f*; fondo *m* del valle; **~sperre** *f* pantano *m*, presa *f*; **~überführung** *f* viaducto *m*; **2wärts** *adv.* hacia abajo; *bei Flüssen*: agua abajo; **~weg** *m* (-*es*; -*e*) camino *m* del valle; (*Stromrinne*) vaguada *f*.
Tamaˈrinde ♀ *f* tamarindo *m*; **~nbaum** *m* (-*es*; ⸚*e*) tamarindo *m*.
Tamaˈriske ♀ *f* tamarisco *m*, taray *m*.
ˈ**Tambour** [-u:-] (-*s*; -*e*) *m* tambor *m*; **~major** *m* (-*s*; -*e*) tambor *m* mayor; **~stock** *m* (-*es*; ⸚*e*) bastón *m* del tambor mayor.
Tambuˈrin *n* (-*s*; -*e*) tamboril *m*; (*Schellentrommel*) pandereta *f*; pandero *m*; (*Strickrahmen*) bastidor *m* de tambor.
Tamˈpon [-ˈpɔ̃:] ⚕ *m* (-*s*; -*s*) tapón *m*.
tamponieren [-oˑˈni:-] (-) ⚕ **I.** *v/t.* taponar; **II.** 2 *n* taponamiento *m*.
Tamˈtam *n* (-*s*; -*s*) batintín *m*, gong *m*, tantán *m*; *fig.* ~ *machen* dar mucho bombo a a/c.; hacer con mucho aparato a/c.; *mit großem* ~ con bombo y platillos.
Tand *m* (-*es*; *0*) (*Nichtigkeit*) bagatela *f*, fruslería *f*, friolera *f*; (*billiges Zeug*) baratijas *f/pl.*; (*Flitterkram*) chucherías *f/pl.*
Tändeˈlei *f* (*Spielerei*) jugueteo *m*; (*Liebelei*) galanteo *m*, coqueteo *m*, amorío *m*; (*Flirt*) flirteo *m*.
ˈ**tändeln** (-*le*) *v/i.* juguetear; galantear, coquetear; flirtear.
ˈ**Tandem** *n* (-*s*; -*s*) tándem *m*; **~anordnung** *f* ⊕ disposición *f* en tándem; ⚡ disposición *f* en derivación.
Tang ♀ *m* (-*es*; -*e*) alga *f* marina; hierba *f* de mar.
Tanˈgente ⅍ *f* tangente *f*.
tanˈgieren (-) *v/t.* tocar.
ˈ**Tango** [-ŋgoˑ] *m* (-*s*; -*s*) tango *m*.
ˈ**Tank** *m* (-*es*; -*s*) (*Behälter*) depósito *m*; tanque *m*; (*Zisterne*) cisterna *f*, aljibe *m*; (*Benzinbehälter*) *Auto.* depósito *m* de gasolina; ⚔ (*Panzer*) tanque *m*, carro *m* de asalto; **~abwehrgeschütz** ⚔ *n* (-*es*; -*e*) cañón *m* antitanque; **2en** *v/t. Auto.* cargar gasolina; llenar el depósito (de gasolina); **~er** ⚓ *m* petrolero *m*; barco *m* cisterna; **~flugzeug** *n* (-*es*; -*e*) avión-cisterna *m*; **~säule** *f* surtidor *m* de gasolina; **~schiff** *n* (-*es*; -*e*) → *Tanker*; **~station** *f*, **~stelle** *f* puesto *m* distribuidor de gasolina; surtidor *m* de gasolina; **~wagen** *m* camión-cisterna *m*; 🚃 vagón-cisterna *m*; **~wart** *m* (-*es*; -*e*) encargado *m* del surtidor de gasolina.
ˈ**Tanne** ♀ *f* abeto *m*.
ˈ**tannen** *adj.* de abeto.
ˈ**Tannen...:** **~baum** *m* (-*es*; ⸚*e*) abeto *m*; **~gehölz** *n* (-*es*; -*e*) bosquecillo *m* de abetos; **~harz** *n* (-*es*; *0*) resina *f* de abeto, abetinote *m*; **~holz** *n* (-*es*; ⸚*er*) (madera *f* de) abeto *m*; **~nadel** *f* (-; -*n*) pinocha *f*; **~wald** *m* (-*es*; ⸚*er*) bosque *m* de abetos, abetal *m*; **~zapfen** *m* piña *f*.
Tanˈnin ⚗ *n* (-*s*; *0*) tanino *m*.
ˈ**Tantal** ⚗ *n* (-*s*; *0*) tantalio *m*.
ˈ**Tantalus** *Myt. m* Tántalo *m*; **~qualen** *pl.* suplicio *m* de Tántalo.
ˈ**Tante** *f* tía *f*; *Nichtverwandte*: señora *f*; ~ *Kraus* la señora Kraus; *alte* ~ *desp.* vieja *f* ñoña.
Tantiˈeme [-ˈtǐe:-] *f* † tanto *m* por ciento; participación *f* del tanto por ciento (en los beneficios); *v. Autoren usw.*: derechos *m/pl.* de autor; **~nsteuer** *f* (-; -*n*) impuesto *m* sobre participación de beneficios.
ˈ**Tanz** *m* (-*es*; ⸚*e*) baile *m*; danza *f* (*a. Musik*); *Thea.* bailable *m*; F (*Schwof*) baile *m* populachero; *fig.* (*Streit*) altercado *m*; *fig. jetzt geht der* ~ *los!* ahora empieza el jaleo (*od.* la danza); **~abend** *m* (-*s*; -*e*) velada *f* de baile; **~bar** *f* (-; -*s*) *angl.* dancing *m*; salón *m* de baile; **~bär** *m* (-*en*) oso *m* bailador; **~bein** *n* (-*es*; *0*): *das* ~ *schwingen* F bailar; **~belustigung** *f* baile *m*; **~boden** *m* (-*s*; ⸚) (*Fußboden*) pista *f* de baile; (*Lokal*) salón *m* de baile; **~diele** *f* → *Tanzbar*; **~einlage** *f* pieza *f* de baile; *Thea.* bailable *m*.
ˈ**tänzeln** (-*le*; *sn*) *v/i.* bailotear; contonearse; (*beschwingt dahinschreiten*) ir a paso de baile; *Pferd*: escarcear.
ˈ**tanzen** (-*t*) **I.** *v/t. u. v/i.* bailar; danzar; (*hüpfen*) bailotear; *Schiff*: balancearse; *e-n Walzer* ~ bailar un vals; *sich müde* ~ bailar hasta rendirse; *fig. nach j-s Pfeife* ~ bailar al son que otro toca; *aus der Reihe* ~ seguir su propio camino; obrar por cuenta propia; **II.** 2 *n* → *Tanz*.
ˈ**Tänzer(in** *f*) *m* bailador(a *f*) *m*; (*Berufs*2) bailarín *m*, bailarina *f*; (*Flamenco*) bailaor(a *f*) *m*; (*Mit*2) pareja *f*.
ˈ**Tanz...:** **~fest** *n* (-*es*; -*e*) baile *m*; **~fläche** *f* pista *f* de baile; **~gesellschaft** *f* (reunión *f* de) baile *m*; **~gruppe** *f* grupo *m* de danza; **~herr** *m* (-*en*) pareja *f*; **~kapelle** *f* orquesta *f* de baile; **~karte** *f* carné *m* de baile; **~kränzchen** *n* tertulia *f* con baile; **~kunst** *f* (*0*) arte *m* de bailar; arte *m* de la danza; coreografía *f*; **~lehrer(in** *f*) *m* profesor(a *f*) *m* de baile; **~lied** *n* (-*es*; -*er*) (aire *m* de) danza *f*; **~lokal** *n* (-*s*; -*e*) salón *m* de baile; **2lustig** *adj.* aficionado al baile; **~meister** *m* maestro *m* de baile; *Thea.* coreógrafo *m*; **~musik** *f* (*0*) música *f* de baile; **~orchester** *n* → *Tanzkapelle*; **~paar** *n* (-*es*; -*e*) pareja *f* de baile; **~partner(in** *f*) *m* pareja *f*; **~saal** *m* (-*es*; -*säle*) salón *m* de baile; **~schritt** *m* paso *m* de baile (*od.* de danza); **~schuh** *m* (-*es*; -*e*) zapato *m* de baile; **~stunde** *f* lección *f* de baile; **~schule** *f* academia *f* de baile; **~tee** *m* (-*s*; -*s*) té *m* baile, *gal.* té *m* dansant; **~unterricht** *m* (-*es*; *0*) lecciones *f/pl.* de baile; **~vergnügen** *n* baile *m*; reunión *f* de baile; *privates* ~ baile *m* privado, F guateque *m*; **~weise** *f* aire *m* de danza.
Taˈpet *n*: *et. aufs* ~ *bringen* poner sobre el tapete a/c.; F sacar a colación; traer a cuento.
Taˈpete *f* papel *m* pintado; *gewirkt*: tapiz *m*; **~nbahn** *f* tira *f* de papel pintado; **~nborte** *f* borde *m* de papel pintado; **~nhändler** *m* vendedor *m* de papeles pintados; **~nmuster** *n* dibujo *m* (de papel pintado); **~nnagel** *m* (-*s*; ⸚) clavo *m* de tapicería; **~ntür** *f* puerta *f* secreta; **~nwand** *f* (-; ⸚*e*) pared *f* empapelada; (*Stoff*2) pared *f* tapizada; **~nwirker** *m* tapicero *m*.
Tapeˈzier *m* (-*s*; -*e*), **~er** *m* (*Möbelpolsterer*) tapicero *m*; (*Tapetenkleber*) empapelador *m*; **2en** (-) *v/t. v. Möbeln*: tapizar; *mit Papiertapeten*: empapelar; **~nagel** *m* (-*s*; ⸚) clavo *m* de tapicería.
ˈ**tapfer** *adj.* valiente, valeroso; bravo; (*heldenhaft*) heroico; (*kühn*) audaz, osado; (*furchtlos*) intrépido; (*mutig*) gallardo; bizarro; *sich* ~ *halten* mostrar valentía; resistir valerosamente; **2keit** *f* (*0*) valentía *f*; bravura *f*; audacia *f*, osadía *f*; intrepidez *f*; gallardía *f*; bizarría *f*; **2keitsmedaille** *f* Medalla *f* Militar.
Tapiˈoka (-; *0*) *f* tapioca *f*.
ˈ**Tapir** *Zoo. m* (-*s*; -*e*) tapir *m*.
Tapisseˈrie *f* tapicería *f*.
ˈ**tappen I.** *v/i.* (*plump gehen*) caminar pesadamente; (*tasten*) tantear; *im dunkeln* ~ andar a tientas (*a. fig.*); **II.** 2 *n* (*Tasten*) tiento *m*.
ˈ**täppisch** *adj.* (*schwerfällig*) pesado; (*tölpelhaft*) torpe.
Taps *m* (-*es*; -*e*) (*Schlag*) palmada *f*; (*Tolpatsch*) persona *f* torpe; palurdo *m*; alma *f* de cántaro; **2en** (-*t*; *sn*) *v/i.* caminar pesadamente.
ˈ**Tara** † *f* (-; *Taren*) tara *f*.
Taˈrantel *Zoo. f* (-; -*n*) tarántula *f*; *fig. wie von der* ~ *gestochen* como atarantado; impetuoso, inquieto.
Taranˈtella (-; -*s u.* -*llen*) ♪ *f* tarantela *f*.
taˈrieren (-) † *v/t.* fijar la tara.
Taˈrif *m* (-*s*; -*e*) tarifa *f*; (*Zoll*2) arancel *m*; (*Post*2) tarifa *f* postal; (*Lohn*2) escala *f* de salarios; tarifa *f* laboral; **~abkommen** *n* acuerdo *m* sobre salario mínimo; **~bruch** *m* (-*es*; ⸚*e*) violación *f* de la tarifa; **~erhöhung** *f* aumento *m* de tarifas; **~ermäßigung** *f* reducción *f* de tarifas; **~gemeinschaft** *f* comunidad *f* tarifaria; **2ˈieren** (-) *v/t.* tarifar; **2lich** *adj.* de acuerdo con (*od.* conforme a) la tarifa; arancelario; *neol.* tarifario; *Löhne*: conforme a la escala de salarios; **~lohn** *m* (-*es*; ⸚*e*) salario

m mínimo; **Ձmäßig** *adj.* → *tariflich*; **~ordnung** *f* escala *f* de salarios; **~partner** *m* parte *f* contratante de un pacto colectivo de trabajo; **~politik** *f (0)* política *f* tarifaria; (*Zoll*Ձ) política *f* arancelaria; **~satz** *m (-es; ⸚e)* tarifa *f*; (*Zoll*Ձ) tipo *m* de arancel; **~system** *n (-s; -e)* sistema *m* de tarifas; **~tabelle** *f* baremo *m*; **~verhandlungen** *pl.* negociaciones *f/pl.* tarifarias; **~vertrag** *m (-es; ⸚e)* acuerdo *m* colectivo sobre las condiciones de trabajo; convenio *m* colectivo.

'Tarn|anstrich *m (-es; -e)* pintura *f* disimuladora; **~bezeichnung** ⚔ *f* denominación *f* convenida; **Ձen** *v/t.* disimular; enmascarar; encubrir; *gal.* camuflar; **~en** *n* disimulación *f*; enmascaramiento *m*; *gal.* camuflaje *m*; **~kappe** *f* manto *m* que hace invisible; **~netz** ⚔ *n (-es; -e)* red *f* disimuladora *od.* de camuflaje; **~plane** ⚔ *f* envoltura *f bzw.* cubierta *f* de lona disimuladora; **~ung** *f* → *Tarnen.*

Täschchen *n dim. v. Tasche*; bolsillito *m*; bolsita *f*.

'Tasche *f* bolsillo *m*; (*Beutel*) bolsa *f*; (*Akten*Ձ) cartera *f* (de documentos); (*Geldschein*Ձ) billetero *m*; (*Brief*Ձ) cartera *f*; (*Damen*Ձ) bolso *m*, bolsillo *m* (de señora); (*Reise*Ձ) saco *m* de viaje; maletín *m*; (*Jagd*Ձ) morral *m*; (*Etui*) estuche *m*; (*Schul*Ձ) cartapacio *m*, vade *m*; (*Hand*Ձ) saco *m* de mano; *in die ~ stecken* meter (-se) en el bolsillo (*a. fig.*); *aus der ~ holen* sacar del bolsillo; et. *aus s-r eigenen ~ bezahlen* pagar de su bolsillo a/c.; *in der ~ (sicher) haben* tener en el bolsillo; *in die eigene ~ arbeiten* trabajar para su bolsillo; F *ich habe es in der ~* lo tengo en el bolsillo; *fig. j-n in der ~ haben* tener a alg. en el bolsillo, poder contar incondicionalmente con alg.; *fig. j-m auf der ~ liegen* vivir a expensas (*od.* a costa) de alg.

'Täschelkraut ⚘ *n (-es; 0)* bolsa *f* de pastor.

'Taschen...: ~ausgabe *f* edición *f* de bolsillo; **~buch** *n (-es; ⸚er)* (*Notizbuch*) agenda *f*; libro *m* de bolsillo; **~dieb** *m (-es; -e)* ratero *m*; carterista *m*; *vor Taschendieben wird gewarnt!* ¡cuidado con los rateros!; **~diebstahl** *m (-s; ⸚e)* ratería *f*; **~feuerzeug** *n (-es; -e)* encendedor *m* de bolsillo; **~format** *n (-es; -e)* tamaño *m* de bolsillo; **~geld** *n (-es; -er)* dinero *m* para gastos menudos; **~kalender** *m* agenda *f* (de bolsillo); **~kamm** *m (-es; ⸚e)* peine *m* de bolsillo; **~krebs** *Zoo. m (-es; -e)* ermitaño *m*; **~lampe** *f* linterna *f* (eléctrica) de bolsillo; **~messer** *n* navaja *f*; cortaplumas *m*; **~schirm** *m (-es; -e)* paraguas *m* plegable (*od.* de bolsillo); **~spiegel** *m* espejo *m* de bolsillo; **~spieler** *m* prestidigitador *m*; **~spiele'rei** *f* prestidigitación *f*; juego *m* de manos; escamoteo *m*; **~tuch** *n (-es; ⸚er)* pañuelo *m* (de bolsillo); **~uhr** *f* reloj *m* de bolsillo; **~wörterbuch** *n (-es; ⸚er)* diccionario *m* de bolsillo.

'Tasse *f* taza *f*; (*Mokka*Ձ, *für Schokolade*) jícara *f*; *große*: tazón *m*; *fig.* F *nicht alle ~n im Schrank haben* estar mal de la cabeza; estar majareta.

Tasta'tur *f* teclado *m*; *Tele.* llave *f*.

'tastbar *adj.* palpable.

'Taste *f* tecla *f*.

'tasten *(-e-) v/i.* tentar; *unsicher*: tantear; (*be~*) palpar; (*berühren*) tocar; *Tele.* manipular; *nach* et. *~ (tastend suchen)* tentar a/c.; Ձ *n* tanteo *m*; (*Be*Ձ) palpación *f*; (*Berühren*) tacto *m*; **Ձbrett** *n (-es; -er)*, **Ձfeld** *n (-es; -er)* teclado *m*.

'Tast|er *m Tele.* manipulador *m*; ⊕ (*Tastbolzen*) pulsador *m*; *Tastzirkel*: (*Innen*Ձ) compás *m* de interiores; (*Außen*Ձ) compás *m* de exteriores; *Zoo.* palpo *m*; **~erlehre** ⊕ *f* calibre *m* de compás; **~organ** *n (-s; -e)*, **~werkzeug** *n (-es; -e) Anat.* órgano *m* del tacto; *Zoo. der Insekten*: palpo *m*; tentáculo *m*; **~sinn** *m (-es; 0)* (sentido *m* del) tacto *m*.

tat *pret. v. tun.*

Tat *f* hecho *m*; *einzelne*: acto *m*; (*Handlung*) acción *f*; (*Helden*Ձ) hazaña *f*, proeza *f*; (*Straf*Ձ) crimen *m*; *zur ~ schreiten* proceder a la ejecución; pasar a los hechos; poner manos a la obra; *in die ~ umsetzen* realizar; llevar a efecto; *auf frischer ~ ertappen* sorprender en flagrante delito; F sorprender con las manos en la masa; *in der ~* en efecto, efectivamente; (*de facto*) de hecho; *Männer der ~* hombres de acción; *in Wort und ~* de palabra y de hecho; → *Rat.*

Ta'tar *m (-en)* tártaro *m*; **~beefsteak** *n (-s; -s)* bistec *m* tártaro; pasta *f* de carne cruda con pimentón.

'Tat...: ~bericht *m (-es; -e)* exposición *f* de los hechos; *objektiver ~* hecho *m* material; **~bestand** *m (-es; ⸚e)* (*Sachlage*) estado *m* de cosas; ⚖ *allg.* hechos *m/pl.*; (*bsd. Strafrecht*) figura *f* delictiva, tipo *m* delictivo; **~bestands-aufnahme** ⚖ *f* instrucción *f* de sumario; **~beweis** *m (-es; -e)* prueba *f* suministrada por los hechos; prueba *f* material.

'Taten...: ~drang *m (-es; 0)*, **~durst** *m (-es; 0)* espíritu *m* de acción; dinamismo *m*; afán *m* de distinguirse; **Ձdurstig** *adj.* ávido de distinguirse; (*unternehmungslustig*) emprendedor; **Ձlos** *(-est)* **I.** *adj.* inactivo; indolente; **II.** *adv.* con los brazos cruzados; **Ձreich** *adj.*: *ein ~es Leben* una vida activa (*od.* plena de actividad).

'Täter(in *f*) *m* ⚖ autor(a *f*) *m*; (*Schuldiger*) culpable *m/f*; **~schaft** *f (0)* (*Schuld*) culpabilidad *f*, culpa *f*.

'tätig *adj.* activo (*a. Gr.*); (*wirksam*) eficaz; (*in aktivem Dienst*) en activo; *~ sein als* actuar de; *als Arzt (Rechtsanwalt) ~ sein* ejercer la medicina (la abogacía), ser médico (abogado); *bei e-r Firma usw. ~ sein* estar empleado en; trabajar en; *~ sein für* (*ac.*) trabajar para (*ac.*); *e-n ~en Anteil nehmen an* (*dat.*) tomar parte activa en; **~en** *v/t.* efectuar; (*Vertrag*; *Geschäft*) hacer; (*Kauf, Verkauf*) efectuar, realizar; **Ձkeit** *f* actividad *f*; acción *f*; (*Beschäftigung*) ocupación *f*; (*Beruf*) profesión *f*; (*Funktion*) función *f*; (*Funktionieren*) funcionamiento *m*; *in e-m Amt*: actuación *f*; funciones *f/pl.*; *außer ~ setzen* ⊕ *Maschine*: parar, *Beamte*: suspender del cargo; (*mit Pension entlassen*) jubilar; *in ~ setzen* poner en acción (*od.* en actividad), ⊕ *Maschine*: hacer funcionar; poner en marcha (*od.* en movimiento); *in ~ treten* entrar en acción; entrar en actividad; **Ձkeitsbereich** *m (-es; -e)* campo *m* de acción; esfera *f* de actividades; **Ձkeitsbericht** *m (-es; -e)* informe *m*; **Ձkeitsfeld** *n (-es; -er)* campo *m* de acción (*od.* de actividades); **Ձkeitsform** *Gr. f* voz *f* activa; **Ձkeitswort** *Gr. n (-es; ⸚er)* verbo *m*.

'Tat...: ~kraft *f (0)* energía *f*; **Ձkräftig** *adj.* enérgico; activo; *~er Mensch* hombre de acción.

'tätlich *adj.* de hecho; de obra; ⚖ *~e Beleidigung* injuria de hecho; *~ mißhandeln* maltratar de obra; *~ werden* recurrir a la violencia; pasar a las vías de hecho, *miteinander*: venir (*od.* llegar) a las manos; **Ձkeit** *f* (acto *m* de) violencia *f*; *es kam zu ~en* se entabló una riña; se llegó a las manos; F hubo gresca.

'Tat-ort *m (-es; -e)* lugar *m* del suceso (*od.* del crimen); ⚖ lugar *m* de autos.

täto'wier|en *(-) v/t. u. v/refl.* tatuar(se); **Ձen** *n*, **Ձung** *f* tatuaje *m*.

'Tatsache *f* hecho *m*; *es ist e-e ~!* es un hecho; *~ ist, daß ...* el hecho es que ...; lo cierto es que ...; *angesichts der ~* ante el hecho; en vista de los hechos; *es ist anerkannte ~* es un hecho reconocido; *vollendete ~* hecho consumado; *j-n vor vollendete ~n stellen* poner a alg. ante un hecho consumado; *e-e ~ geltend machen* hacer valer un hecho; *sich auf den Boden der ~n stellen* atenerse a los hechos; ser realista; *das ändert nichts an der ~, daß ...* eso no altera en nada el hecho de que ...; *die ~n sprechen deutlich genug* los hechos hablan (*od.* lo dicen) con elocuencia; *nackte ~n* hechos escuetos; cruda realidad; *die bloße ~* el mero hecho; **~nbericht** *m (-es; -e)* relato *m* verídico; **~n-irrtum** ⚖ *m (-s; ⸚er)* error *m* de hecho; **~nmensch** *m (-en)* hombre *m* positivo; **~nroman** *m* novela-reportaje *f*.

tat'sächlich I. *adj.* real, positivo, efectivo; verdadero; fundado en hechos; auténtico; *~er Wert* valor real; *in ~er und rechtlicher Beziehung* de hecho y de derecho; **II.** *adv.* en efecto; de hecho; realmente, en realidad.

'tätscheln *(-le) v/t.* acariciar; dar golpecitos suaves.

'Tatterich *(-es; 0)* F *m* temblor *m* (F tembleque *m*) de las manos.

'Tat|umstände *pl.* circunstancias *f/pl.* del hecho; **~verdacht** *m (-es; 0)* sospecha *f*.

'Tatze *f* zarpa *f*, garra *f*; (*Pfote*) pata *f*; **~nhieb** *m (-es; -e)* zarpazo *m*.

Tau[1] ⚓ *n (-es; -e)* cuerda *f*; cable *m*; cabo *m*; (*Segel*Ձ) jarcia *f*; (*Halte*Ձ) amarra *f*.

Tau[2] *m (-es; 0)* rocío *m*.

taub *adj.* sordo; (*schwerhörig*) duro de oído; *auf e-m Ohr* (*auf beiden Ohren*) ~ sordo de un oído (de los dos oídos); *fig.* ~ *gegen* sordo a; *Gliedmaßen*: entumecido; *Nuß*: vacío; *Ei*: huero; *Ähre*: hueco; *Blüte, Gesteinschicht*: estéril; ~ *machen* ensordecer; *fig. sich* ~ *stellen* hacerse el sordo; F hacerse el sueco; ~*en Ohren predigen* predicar en desierto.
'Täubchen *n dim. v. Taube*; palomita *f*; *fig. mein* ~! ¡pichoncito!
'Taube *f* paloma *f*; *junge* ~ pichón *m*; **~n-ei** *n* (-*es*; -*er*) huevo *m* de paloma; **~nhaus** *n* (-*es*; ⸚*er*) palomar *m*; **~nmist** *m* (-*es*; *0*) palomina *f*; **~npost** *f* (*0*) servicio *m* de palomas mensajeras; **~nschießen** *n* tiro *m* de pichón; **~nschlag** *m* (-*es*; ⸚*e*) palomar *m*; **~nzucht** *f* (*0*) cría *f* de palomas; **~nzüchter** *m* criador *m* de palomas.
'Taube(r *m*) *m/f* sordo *m*, sorda *f*.
'Tauber *m*, **'Täuber(ich** [-*es*; -*e*]) *m* palomo *m*.
'Taub|heit *f* (*0*) sordera *f*; *der Gliedmaßen*: entumecimiento *m*; *der Blüten, des Gesteins*: esterilidad *f*; **~nessel** ⚘ *f* (-; -*n*) ortiga *f* muerta; **2stumm** *adj.* (*0*) sordomudo; **~stummen-anstalt** *f* colegio *m* de sordomudos; asilo *m* de sordomudos; **~stumme(r** *m*) *m/f* sordomudo (-a *f*) *m*; **~stummheit** *f* (*0*) sordomudez *f*.
'Tauch|batterie ⚡ *f* pila *f* de inmersión; **~boot** ⚓ *n* (-*es*; -*e*) sumergible *m*; submarino *m*; *zur Erforschung der Meerestiefen*: *neol.* batiscafo *m*; **2en 1.** *v/t.* sumergir (*in ac.* en); (*ein*~) mojar en; (*beim Baden*) zambullir; **2.** (*sn*) *v/i.* sumergirse; zambullirse; (*Taucher*) bucear; **~en** *n* sumersión *f*; zambullida *f*; buceo *m*.
'Taucher *m* buceador *m*; escafandrista *m/f*; buzo *m*; *Orn.* somormujo *m*, somorgujo *m*; **~-anzug** *m* (-*es*; ⸚*e*) escafandra *f*; **~glocke** *f* campana *f* de buzo; **~helm** *m* (-*es*; -*e*) (casco *m* de la) escafandra *f*; **~kugel** *f* (-; -*n*) *zur Erforschung der Meerestiefen*: *neol.* batisfera *f*; **~maske** *f* máscara *f* de buzo.
'tauch...: **~fähig** *adj.* sumergible; **2fähigkeit** *f* (*0*) sumergibilidad *f*; **2gerät** *n* equipo *m* de inmersión; *unabhängiges* ~ escafandra *f* autónoma; **~klar** *adj.* (*0*) *U-Boot*: listo para sumergirse; **2kolben** ⊕ *m* émbolo *m* sumergido *od.* aspirante; **2sieder** *m* calentador *m* sumergible (*od.* de inmersión); **2sport** *m* submarinismo *m*; **2verfahren** ⊕ *n* procedimiento *m* de inmersión.
'tauen¹ I. (*sn*) *v/i.* (*Seen, Flüsse*) deshelarse; (*Schnee*) derretirse; *es taut* hay deshielo; la nieve se derrite; **II.** 2 *n* deshielo *m*.
'tauen² I. *v/i.*: es *taut* (*fällt Tau*) está rociando, cae rocío; **II.** 2 *n* caída *f* del rocío, rociada *f*.
'Tau·ende ⚓ *n* (-*s*; -*n*) chicote *m*.
'Tauf|akt *m* (-*es*; -*e*) (ceremonia *f* del) bautizo *m*; **~becken** *n* pila *f* bautismal; **~buch** *n* (-*es*; ⸚*er*) registro *m* de bautizos; **~e** *f als Sakrament*: bautismo *m*; (*Akt*) bautizo *m*; *j-m die* ~ *erteilen* bautizar (F cristianar) a alg.; *die* ~ *empfangen* recibir el bautismo (*od.* las aguas bautismales); ser bautizado; *ein Kind aus der* ~ *heben* (*od. über die* ~ *halten*) sacar de pila a una criatura; ser padrino *bzw.* madrina de una criatura; **2en** *v/t.* bautizar, administrar el (sacramento del) bautismo; F cristianar; F *fig.* bautizar (*mit e-m Bei- od. Spottnamen*); *Wein*: F *fig.* bautizar, cristianar; *er ist auf den Namen X getauft* su nombre de pila es X; (*Schiff beim Stapellauf*) botar; **~en** *n* bautismo *m*.
'Täufer *m*: *Johannes der* ~ San Juan Bautista.
'taufeucht *adj.* húmedo de rocío, rociado.
'Tauf...: **~formel** *f* (-; -*n*) fórmula *f* bautismal; **~handlung** *f* → *Taufakt*; **~hemd** *n* (-*es*; -*en*) capillo *m* bautismal; **~kapelle** *f* baptisterio *m*; **~kissen** *n* almohada *f* bautismal; **~kleid** *n* (-*es*; -*er*) vestido *m* bautismal (*od.* de bautizar).
'Täufling *m* (-*s*; -*e*) (*Kind*) recién bautizado *m*; *den Paten gegenüber*: ahijado *m*; (*Erwachsener*) catecúmeno *m*; neófito *m*.
'Tauf...: **~name** *m* (-*ns*; -*n*) nombre *m* de pila; **~pate** *m* (-*n*) padrino *m*; **~patin** *f* madrina *f*; **~register** *n* → *Taufbuch*; **~schein** *m* (-*es*; -*e*) partida *f* de bautismo; **~stein** *m* (-*es*; -*e*) pila *f* bautismal; **~wasser** *n* (-*s*; *0*) agua *f* bautismal; **~zeuge** *m* (-*n*) padrino *m*; **~zeugin** *f* madrina *f*.
'taugen *v/i.* valer; servir (*zu* para); ser útil *od.* bueno (*zu* para); *bsd. Personen*: ser apto (*zu* para); (*zu*) *nichts* ~ no servir para nada; no valer nada; no ser útil para nada.
'Taugenichts *m* (- *u.* -*es*; -*e*) tunante *m*, pillo *m*; bribón *m*; (*Faulpelz*) haragán *m*, holgazán *m*.
'tauglich *adj.* útil, bueno (*zu* para); (*geeignet*) apropiado, a propósito; (*befähigt*) apto, idóneo; capacitado; ⚔ apto *od.* útil (para el servicio); **2keit** *f* (*0*) aptitud *f*; idoneidad *f*; ⚔ aptitud *f* para el servicio; **2keitsgrad** *m* (-*es*; -*e*) grado *m* de aptitud; **2keitszeugnis** *n* (-*ses*; -*se*) certificado *m* de aptitud.
'tauig *adj.* cubierto de rocío.
'Taumel *m* (-*s*; *0*) tambaleo *m*; (*Schwindel*) vértigo *m*; vahído *m*; *fig.* torbellino *m*; (*Rausch*) embriaguez *f*; delirio *m*, paroxismo *m*, frenesí *m*; (*Verzückung*) éxtasis *m*; **2ig** *adj.* vacilante; tambaleante; *mir ist* ~ (*schwindelig*) siento vértigo; **2n** *v/i.* (-*le*; *sn*) vacilar; tambalearse; dar traspiés; (*torkeln*) F ir haciendo eses; (*schwindelig sein*) tener vértigo; **~n** *n* tambaleo *m*; (*Schwindel*) vértigo *m*; **2nd** *adj.* tambaleante; que causa vértigo.
'Taupunkt *Phys. m* (-*es*; *0*) punto *m* de deshielo.
Tausch *m* (-*es*; -*e*) cambio *m*; trueque *m*; (*Aus*2) canje *m*; intercambio *m*; *e-s Amtes*: permuta *f*; ⚖ permutación *f*; *im* ~ *gegen* a cambio de; a trueque de; *in* ~ *nehmen* (*geben*) recibir *bzw.* aceptar (dar) en cambio; **'2en** *v/t. u. v/i.* cambiar (*gegen, für* por); trocar; canjear; *Amt*, ⚖: permutar; *ich möchte nicht mit ihm* ~ no quisiera estar en su lugar.
'täuschen 1. *v/t.* (*betrügen*) engañar; *Erwartungen usw* : defraudar; frustrar; (*Sand in die Augen streuen*) embaucar, encandilar; (*irreführen*) desorientar, despistar; (*foppen*) embromar; (*überlisten*) burlar; (*hintergehen*) engañar; (*ent*~) desilusionar; decepcionar; desengañar; **2.** *v/refl.*: *sich* ~ engañarse (*in dat.* en); estar equivocado; (*sich Illusionen machen*) ilusionarse, hacerse ilusiones; *sich durch et.* ~ *lassen* dejarse engañar por a/c.; *darin* ~ *Sie sich* en eso se engaña usted; en eso está usted muy equivocado; **~d** *adj.* engañador, engañoso; falaz; mentido; (*trügerisch*) ilusorio; ~*e Ähnlichkeit* parecido notable (*od.* muy grande); *das ist* ~ *ähnlich* es tan parecido que casi se confunde; ~ *nachahmen* imitar a la perfección.
'Tausch...: **~geschäft** *n* (-*es*; -*e*) trueque *m*; **~handel** *m* (-*s*; *0*) (comercio *m* de) trueque *m*; (*Tausch*) cambio *m*; trueque *m*; canje *m*; (*Austausch*) intercambio *m*; ~ *treiben* cambiar; trocar; hacer cambios *od.* trueques *od.* canjes; **~mittel** *n* medio *m* de canje; **~objekt** *n* (-*es*; -*e*) objeto *m* de canje.
'Täuschung *f* engaño *m*; (*Betrug*) *a.* fraude *m*; falacia *f*; ⚖ dolo *m*; (*Vorspiegelung falscher Tatsachen*) embaucamiento *m*; impostura *f*; *der Erwartung*: decepción *f*; desilusión *f*, desengaño *m*; (*Illusion*) ilusión *f*; (*Irreführung*) desorientación *f*, despiste *m*; (*Trick*) truco *m*, trampa *f*; (*Irrtum*) error *m*; equivocación *f*; *des Gegners*: finta *f*; (*Sinnes*2) alucinación *f*; *optische* ~ ilusión óptica; *sich* ~*en hingeben* ilusionarse, hacerse ilusiones; **~s-absicht** ⚖ *f*: *mit* ~ con ánimo de dolo; **~s-angriff** ⚔ *m* (-*es*; -*e*) ataque *m* simulado; **~smanöver** ⚔ *n* maniobra *f* de diversión; **~sversuch** *m* (-*es*; -*e*) tentativa *f* de fraude.
'Tausch...: **~verkehr** *m* (-*s*; *0*) operaciones *f/pl.* de trueque; **~vertrag** *m* (-*es*; ⸚*e*) contrato *m* de cambio *bzw.* de canje; **2weise** *adv.* en cambio, en trueque; por canje; por permuta; **~wert** *m* (-*es*; -*e*) valor *m* de trueque.
'tausend I. *adj.* mil; ~ *Dank!* ¡mil gracias!, ¡un millón de gracias!; **II.** 2 *f* (*die Zahl*) mil *m*; el número mil; 2 *n* (*tausend Stück*) millar *m*; *ein* ~ mil; ~*e von Menschen* miles de personas; millares de personas; *zu* ~*en a* (*od.* por) millares; ~*e und aber* ~*e* miles y miles de; millares de; *in die* ~*e gehen* ascender a (*od.* cifrarse en) varios miles; ☤ *im* ~ por mil.
'Tausender *m* (*Geldschein*) billete *m* de mil (marcos); *pl. Arith.* las milésimas; **2lei** *adj.* de mil especies; ~ *Dinge* miles de cosas.
'Tausend...: **2fach, 2fältig I.** *adj.* mil veces tanto; **II.** *adv.* de mil modos distintos, de mil maneras diferentes; **~fuß** *m* (-*es*; ⸚*e*), **~füßler** *Zoo. m* ciempiés *m*; miriápodo *m*; **~'güldenkraut** ⚘ *n* (-*es*; *0*) centaura *f*; **~'jahrfeier** *f* (-; -*n*) (fiesta *f* del) milenario *m*; **2jährig** *adj.* milenario; *das* 2*e Reich Rel.* el Reino milenario; *das* ~*e Reich Pol.*

iro. el período nacionalsocialista; **~künstler** *m* hombre *m* hábil para todo; F *fig. ein ~ sein* ser un estuche; **2mal** *adv.* mil veces; **2malig** *adj.* mil veces repetido; **~markschein** *m* (-es; -e) billete *m* de mil marcos; **~sassa** *m* (-s; -s) F demonio *m* de hombre; (*Schwerenöter*) castigador *m*; **~schön(chen)** ⚘ *n* (-s; -e) margarita *f*; amaranto *m*; **2ste** *adj.* milésimo; **~stel** *n* milésima parte *f*, milésima *f*; **~undeine Nacht** *f*: *die Märchen aus Tausendundeiner Nacht* las Mil y una Noches.

Tautolo'gie *f* tautología *f*.

tauto'logisch *adj.* tautológico.

'Tau...: ~tropfen *m* gota *f* de rocío; **~werk** *n* (-es; 0) cordaje *m*; ⚓ jarcias *f/pl.*; **~wetter** *n* (-s; 0) deshielo *m*; *wir haben ~* hay deshielo; **~wind** *m* (-es; 0) viento *m* tibio (que derrite la nieve); **~ziehen** *n Sport*: prueba *f* de la cuerda; *fig.* pugna *f*; tira y afloja *m*.

Taxa'meter *m* taxímetro *m*.

Ta'xator *m* (-s; -en) tasador *m*; *vereidigter ~* perito *m* tasador jurado.

'Taxe *f* tasa *f*; (*Gebühren*) impuesto *m*; derechos *m/pl.*; (*Tarif*) tarifa *f*; (*Quote*) cuota *f*; (*Schätzung*) tasación *f*; (*Auto*) taxi *m*; **~nstand** *m* (-es; ⸚e) parada *f* de taxis; estacionamiento *m* para taxis.

'tax|frei *adj.* (0) exento de (pago de) derechos; libre de impuestos; **2gebühren** *f/pl.* tasa *f*.

'Taxi *n* (-s; -s) taxi *m*; **~chauffeur** *m* (-s; -e) taxista *m*.

ta'xier|en (-) *v/t.* tasar; evaluar; estimar; **2en** *n*, **2ung** *f* tasa *f*; tasación *f*; evaluación *f*; estimación *f*; **2er** *m* → *Taxator*.

'Taxistand *m* (-es; ⸚e) → *Taxenstand*.

'Tax-uhr *f* taxímetro *m*.

'Taxus ⚘ *m* (-; -) tejo *m*.

Taxwert *m* (-es; -e) valor *m* estimativo.

'Teak|baum *m*, **~holz** *n* teca *f*.

Team *angl. n* equipo *m*; **~arbeit** *f* (*angl.* **~work** *n*) trabajo *m* en equipo.

'Technik *f* técnica *f*; (0) (*Wissenschaft*) tecnología *f*; ciencias *f/pl.* técnicas; (*Verfahren*) técnica *f*; método *m*, procedimiento *m*; (*Ausführung*) ejecución *f*; **~er** *m* técnico *m*; perito *m* industrial; (*Werkmeister*) jefe *m* de taller; (*Ingenieur*) ingeniero *m*; (*technischer Leiter*) ingeniero-jefe *m*; (*Sachverständiger*) perito *m*; **~um** *n* (-s; -nika *od.* -niken) escuela *f* técnica.

'technisch *adj.* técnico; (*mechanisch*) mecánico; (*industriell*) industrial; *~e Abteilung* servicio técnico; *~er Direktor* director técnico; *2e Hochschule* Escuela Superior Técnica; *2e Universität* Universidad Técnica; *~er Ausdruck* tecnicismo *m*, término *m* técnico; *~er Leiter* ingeniero-jefe *m*; *~es Personal* personal *m* técnico; *~e Chemie* química *f* industrial; *~e Nachhilfe* servicio de asistencia técnica; *infolge ~er Störungen* por irregularidades de índole mecánica; *~er Zeichner* delineante *m* industrial.

Techni'sierung *f* mecanización *f*.

Techno|'krat *m* tecnócrata *m*; **~kra'tie** *f* tecnocracia *f*.

Techno|lo'gie *f* (0) tecnología *f*; **2'logisch** *adj.* tecnológico.

'Techtel'mechtel *n* (*Liebschaft*) amorío *m*; (*geheimes Einverständnis*) inteligencia *f* secreta.

'Teckel *m* (perro *m*) pachón *m*; *angl.* basset *m*.

'Teddybär ['tɛdi:-] *m* (-en) oso *m* de felpa (*gal.* de peluche).

Tee *m* (-s; -s) té *m*; ⚕ tisana *f*, infusión *f*; *~ trinken* tomar té; F *fig. abwarten und ~ trinken!* ¡paciencia y barajar!

'Tee...: ~blatt *n* (-es; ⸚er) hoja *f* de té; **~brett** *n* (-es; -er) bandeja *f*; **~büchse** *f*, **~dose** *f* bote *m* (*od.* lata *f*) de té; **~-Ei** *n* (-es; -er) bola-colador *f* para té; **~gebäck** *n* (-es; 0) pastas *f/pl.* (para té); **~geschirr** *n* (-es; -e) juego *m* (*od.* servicio *m*) de té; **~gesellschaft** *f* té *m*; **~kanne** *f* tetera *f*; **~kessel** *m* hervidor *m* para té; tetera *f*; **~löffel** *m* cucharilla *f* (para té); *ein ~voll* una cucharadita; **~maschine** *f* tetera *f* automática; (*russische*) samovar *m*; **~mischung** *f* mezcla *f* de té.

Teer *m* (-es; -e) (*Holz2*) brea *f*; alquitrán *m* (vegetal); (*Kohlen2*) alquitrán *m* (de hulla); **'2artig** *adj.* bituminoso.

'Teer...: ~brennerei *f* alquitranería *f*; **2en** *v/t.* embrear; alquitranar; ⚓ (*Fugen des Schiffes*) calafatear; **~fabrik** *f* fábrica *f* de alquitrán; **~farbstoffe** *pl.* colorantes *m/pl.* derivados de alquitrán; colorantes *m/pl.* de anilina; **2ig** *adj.* embreado; alquitranado; **~jacke** *f* chaqueta *f* embreada; F *fig.* (*Matrose*) marinero *m*; (*Seebär*) lobo *m* de mar; **~leinwand** *f* (0) tela *f* embreada *od.* alquitranada; **~maschine** *f* alquitranadora *f*.

'Teerose ⚘ *f* rosa *f* de té.

'Teer...: ~pappe *f* cartón *m* embreado *od.* alquitranado; **~seife** *f* jabón *m* de brea; **~ung** *f* alquitranado *m*.

'Tee...: ~salon *m* (-s; -s) salón *m* de té; **~service** ['-sɛʀ'vi:s] *n* → *Teegeschirr*; **~sieb** *n* (-es; -e) colador *m* de té; **~strauch** ⚘ *m* (-es; ⸚er) (planta *f* del) té *m*; **~tasse** *f* taza *f* para té; **~tisch** *m* (-es; -e) mesa *f* de té; **~wagen** *m* mesita *f* rodante para (servir el) té; **~wärmer** *m* calentador *m* para té; (*Teemütze*) cubre-tetera *m*; **~wasser** *n* (-s; 0) agua *f* para (preparar) el té.

Teich *m* (-es; -e) estanque *m*; (*Fisch2*) vivero *m*; (*kleiner See*) laguna *f*; F *fig. über den großen ~ fahren* pasar el charco.

Teig *m* (-es; -e) masa *f*; (*Kuchen2*) pasta *f*; **2ig** *adj.* pastoso; **~knetmaschine** *f* amasadera *f* mecánica; **~mulde** *f* artesa *f*; **~rädchen** *n* rodaja *f* (para cortar pasta); **~rolle** *f* rodillo *m* para pasta; **~waren** *pl.* pastas *f/pl.* alimenticias.

Teil *m/n* (-es; -e) parte *f*; (*An2*) porción *f*; cuota *f*; participación *f*; (*Bruchstück*) fragmento *m*; (*Band*) tomo *m*, volumen *m*; (*Bestand2*) elemento *m*; componente *m*; (*Einzel2*) pieza *f*; (*Zubehör*) accesorio *m*; (*Glied*) miembro *m*; ⚖ (*Partei*) parte *f*; *ein großer ~* gran parte; *das beste ~* la mejor parte; *ein gut ~ von* una buena parte de; gran parte de; no pocos; *ein gut ~ größer* mucho más grande; *beide ~e anhören* escuchar a las dos partes; *zu gleichen ~en* a (*od.* en) partes iguales; *zum ~* en parte; parcialmente; *zum großen ~* en gran parte; *zum größten ~* en la mayor parte; en la mayoría; *der größte ~* (*gen.*) la mayoría (*od.* la mayor parte) de; *aus allen ~en der Welt* de todas las partes del mundo; de todo el mundo; *ich für mein(en) ~* yo por mi parte; en cuanto a mí; por mí; *fig. er wird schon sein ~ bekommen* ya llevará su merecido; (*nichts sagen, aber*) *sich sein ~ denken* (*no decir nada, pero*) pensarse lo suyo; *sein ~ beitragen* contribuir con su parte; ⚖ *der klagende ~* la parte demandante, el demandante; *der beklagte ~* la parte demandada, el demandado.

'Teil...: ~abkommen *n* acuerdo *m* parcial; **~ansicht** *f* vista *f* parcial; **~ausführung** *f* ejecución *f* parcial; **2bar** *adj.* divisible; *durch 2 ~* divisible por dos; **~barkeit** *f* (0) divisibilidad *f*; **~begriff** *m* (-es; -e) noción *f* parcial; **~betrag** *m* (-es; ⸚e) suma *f* parcial; parte *f* (de la suma); **~chen** *n* partícula *f*.

'teilen I. *v/t. u. v/refl.* dividir (*a.* ℞); fraccionar; *bsd. mit Werkzeugen*: partir; (*ver~*) repartir, distribuir (*in ac.* en; *unter ac.* entre); (*trennen*) separar; (*zerstückeln*) partir en trozos; *Ansicht, Meinung, Auffassung, Schicksal, Freude, Leid*: compartir; *~ mit* compartir con; *den Gewinn ~* repartir la ganancia; *in zwei Teile ~* dividir en dos partes; partir en mitades; partir por la mitad; *geteilter Meinung sein* ser de diferente opinión; *die Meinungen sind geteilt, man ist geteilter Meinung* hay división de opiniones; *teile und herrsche!* divide y vencerás; *sich ~* dividirse; fraccionarse; partirse; separarse; *Partei*: escindirse; *Straße*: bifurcarse; *sich in et.* (*ac.*) *~* repartir a/c. (*mit j-m* con alg.); repartir, distribuir a/c. (entre); *in zwei Hälften ~* repartir a medias a/c.; *Zahl*: *sich ~ lassen durch* ser divisible por; *zu ~de Zahl Arith.* dividendo *m*; **II.** 2 *n* → *Teilung*.

'Teiler *Arith. m* divisor *m*.

'Teil...: ~erfolg *m* (-es; -e) éxito *m* parcial; **~ergebnis** *n* (-ses; -se) resultado *m* parcial; **~gebiet** *n* (-es; -e) sector *m*; **2haben** (*L*) *v/i.* participar (*an dat.* en); tener parte en; *bsd.* ✝ estar interesado en; **~haber(in** *f*) *m* participante *m/f*; ✝ socio *m*, asociado *m*; *stiller ~* socio comanditario; **~haberschaft** *f* (0) participación *f*; ✝ calidad *f* de socio; **2haft(ig)** *adj.*: *e-r Sache* (*gen.*) *~* partícipe en a/c.; *e-r Sache* (*gen.*) *~ werden* participar en a/c.

...teilig *adj. in Zssgn.*: compuesto de ... partes; dividido en ... partes; de ... partes *bzw.* piezas.

'Teil...: ~lieferung ✝ *f* entrega *f* parcial; **2möbliert** *adj.* (0) parcialmente amueblado; **~montage** ⊕ *f* montaje *m* parcial; **2motorisiert** *adj.* parcialmente motorizado; **~nahme** *f* (0) participación *f* (*an dat.*

en); (*Mitarbeit*) colaboración *f*, cooperación *f*; (*Mitleid*) compasión *f*; ⚖ (*Mittäterschaft*) complicidad *f*; (*Interesse*) interés *m*; (*Mitgefühl*) simpatía *f*; (*Beileid*) condolencia *f*, pésame *m*; *j-m s-e* ~ (*Beileid*) *ausdrücken* expresar a alg. su condolencia, dar el pésame a alg.; **2nahmslos** *adj.* (*gleichgültig*) indiferente; indolente; sin interés; (*apathisch*) apático; (*gefühllos*) insensible; impasible; (*kalt*) frío; (*passiv*) pasivo; **~nahmslosigkeit** *f* (*0*) indiferencia *f*; indolencia *f*; falta *f* de interés; apatía *f*; insensibilidad *f*; impasibilidad *f*; frialdad *f*; pasividad *f*; **2nehmen** (*L*) *v/i.* participar (*an dat.* en); tomar parte en; (*eingreifen*) intervenir; (*mitwirken*) colaborar, cooperar; (*anwesend sein*) asistir a; estar presente en; (*beitragen*) contribuir a; *fig.* mostrar simpatía por; (*sich interessieren*) interesarse por; estar interesado en; *an e-m Verbrechen* ~ ser cómplice de un delito; **2nehmend** *adj.* participante, partícipe; (*interessiert*) interesado; (*mitfühlend*) simpático; (*anwesend*) presente; (*mitleidig*) compasivo; *adv.* con interés; **~nehmer(in** *f*) *m* participante *m/f* (*an dat.* en); (*an e-r Veranstaltung*) asistente *m/f*, concurrente *m/f*; † (*Teilhaber-in*) socio (-a *f*) *m*; (*Kongreß2*) congresista *m/f*; (*Wettkampf2*) contendiente *m/f*; *Tele.* abonado (-a *f*) *m*; (*Mitbewerber*) contrincante *m*; *Sport*: ~ *an der Schlußrunde* finalista *m/f*; **~nehmerliste** *f*, **~nehmerverzeichnis** *n* (*-ses*; *-se*) lista *f* de participantes; *Tele.* guía *f* de teléfonos; lista *f* de abonados; **~nehmerstaat** *m* (*-es*; *-en*) Estado *m* participante; **~pacht** *f* aparcería *f*; **~rente** *f* renta *f* parcial.

teils *adv.* en parte; ~ ..., ~ ... medio ..., medio ...; por un lado ... (y) por otro ...; ya ..., ya ...

'Teil...: ~schaden *m* (*-s*; *ᵘ*) daño *m* parcial; **~schuldverschreibung** † *f* obligación *f* parcial; **~sendung** † *f* remesa *f* (*od.* envío *m*) parcial; **~strecke** *f der Straßenbahn usw.*: sección *f*; **~streik** *m* (*-es*; *-s*) huelga *f* parcial; **~strich** *m* (*-es*; *-e*) marca *f*, división *f*; **~stück** *n* (*-es*; *-e*) sección *f*; (*Bruchstück*) fragmento *m*.

'Teilung *f* división *f* (*a.* 𝔄); fraccionamiento *m*; (*Ver2*) reparto *m*, distribución *f*; ⚖ (*Erbschafts2*) partición *f*; (*Absonderung*) separación *f*; (*Spaltung*) escisión *f*; *von Land*: parcelación *f*; *e-r Straße*, *e-s Weges*: bifurcación *f*; *e-s Gebietes*: desmembración *f*; (*Gradein2*) graduación *f*; *Bio. bsd. des Eies*: segmentación *f*; *Fortpflanzung durch* ~ escisiparidad *f*; **~s-artikel** *Gr. m* artículo *m* partitivo; **~smasse** † *f bei Bankrotten*: masa *f* activa; créditos *m/pl.* pendientes; **~szahl** *Arith. f* dividendo *m*; **~szeichen** 𝔄 *n* signo *m* de (la) división.

'Teil...: ~verlust *m* (*-es*; *-e*) pérdida *f* parcial; **2weise I.** *adj.* parcial; **II.** *adv.* en parte; parcialmente; (*in einzelnen Teilen*) por partes; **~wert** *m* (*-es*; *-e*) valor *m* parcial; **~zahl** *Arith. f* cociente *m*; (*Dividend*) dividendo *m*; (*Bruchzahl*) número *m* fraccionario; **~zahlung** *f* pago *m* parcial; (*Rate*) plazo *m*; *auf* ~ *kaufen* (*verkaufen*) comprar (vender) a plazos; **~zahlungssystem** *n* (*-s*; *-e*) sistema *m* de pagos parciales (*od.* de pagos a plazos); **~zahlungsverkauf** *m* (*-es*; *ᵘe*) venta *f* a plazos.

Te'in ⚗ *n* (*-s*; *0*) teína *f*.

Teint *m* color *m* del rostro.

'T-Eisen ⊕ *n* hierro *m* en T.

Tek'ton|ik *Geol. f* (*0*) tectónica *f*; **2isch** *adj.* tectónico.

Tele'fon *n* (*-s*; *-e*) teléfono *m*; ~ *haben* tener teléfono; *Sie werden am* ~ *verlangt* le llaman (a usted) al teléfono; *ans* ~ *gehen* (*wenn es klingelt*) acudir al teléfono; **~anruf** *m* (*-es*; *-e*) llamada *f* telefónica; F telefonazo *m*; **~anschluß** *m* (*-sses*; *ᵘsse*) comunicación *f* telefónica; *haben Sie* ~? ¿tiene usted teléfono (en su casa)?; **~apparat** *m* (*-es*; *-e*) teléfono *m*; aparato *m* telefónico.

Telefo'nat *n* (*-es*; *-e*) llamada *f* telefónica; F telefonazo *m*.

Tele'fon...: ~automat *m* (*-en*) teléfono *m* público automático; **~buch** *n* (*-es*; *ᵘer*) guía *f* de teléfonos; **~draht** *m* (*-es*; *ᵘe*) hilo *m* del teléfono; **~gebühr** *f* tarifa *f* telefónica; **~geheimnis** *n* (*-ses*; *0*) secreto *m* telefónico; **~gespräch** *n* (*-es*; *-e*) conversación *f* telefónica; (*Ferngespräch*) conferencia *f* telefónica; **~hörer** *m* (auricular *m* del) teléfono *m*.

Telefo'nie *f* (*0*) telefonía *f*; *drahtlose* ~ telefonía sin hilos, radiotelefonía *f*.

telefo'nieren (-) *v/t. u. v/i.* telefonear; hablar por teléfono.

tele'fonisch I. *adj.* telefónico; ~*e Mitteilung* comunicación telefónica; **II.** *adv.* por teléfono; *j-n* ~ *anrufen* llamar a alg. por teléfono; F dar a alg. un telefonazo; *j-n* ~ *erreichen* (lograr) comunicar por teléfono con alg.; ~ *durchsagen* transmitir por teléfono.

Telefo'nist(in *f*) *m* (*-en*) telefonista *m/f*.

Tele'fon...: ~kabel *n* cable *m* telefónico; **~leitung** *f* línea *f* telefónica; **~netz** *n* (*-es*; *-e*) red *f* telefónica (*od.* de comunicaciones telefónicas); **~nummer** *f* (*-*; *-n*) número *m* de teléfono; **~stecker** *m* clavija *f* de teléfono; **~verbindung** *f* comunicación *f* telefónica; enlace *m* telefónico; **~zelle** *f* locutorio *m* telefónico, cabina *f* telefónica; **~zentrale** *f* central *f* telefónica.

Tele'graf *m* (*-en*) telégrafo *m*.

Tele'grafen...: ~amt *n* (*-es*; *ᵘer*) oficina *f* de telégrafos; **~be-amte(r)** *m*, **~be-amtin** *f* telegrafista *m/f*; **~bote** *m* (*-n*) repartidor *m* de telégrafos; **~draht** *m* (*-es*; *ᵘe*) hilo *m* del telégrafo; **~kabel** *n* cable *m* telegráfico; **~leitung** *f* línea *f* telegráfica; **~mast** *m* (*-es*; *-e u. -en*) poste *m* telegráfico (*od.* del telégrafo); **~netz** *n* (*-es*; *-e*) red *f* telegráfica; **~stange** *f* → *Telegrafenmast*; **~wesen** *n* (*-s*; *0*) telegrafía *f*; telégrafos *m/pl.*

Telegra'fie *f* (*0*) telegrafía *f*; **2ren** (-) *v/t.* telegrafiar.

tele'grafisch I. *adj.* telegráfico; *auf* ~*em Wege* por telégrafo; ~*e Postanweisung* giro telegráfico; **II.** *adv.* por telégrafo, telegráficamente; ~ *überweisen* girar por telégrafo.

Telegra'fist(in *f*) *m* (*-en*) telegrafista *m/f*.

Tele'gramm *n* (*-s*; *-e*) telegrama *m*; *von Übersee*: cable(grama) *m*; *dringendes* ~ telegrama urgente; *ein* ~ *aufgeben* (*schicken*) expedir (enviar) un telegrama; **~adresse** *f*, **~anschrift** *f* dirección *f* telegráfica; **~annahme** *f* ventanilla *f* para (entrega de) telegramas; **~formular** *n* (*-s*; *-e*) impreso *m* (*od.* formulario *m*) para telegramas; **~gebühr** *f* tarifa *f* telegráfica; **~schalter** *m* → *Telegrammannahme*; **~schlüssel** *m* clave *f* telegráfica; **~stil** *m* (*-es*; *-e*) estilo *m* telegráfico (*od.* telegrama).

Tele'graph *m* (*-en*) → *Telegraf.*

'Tele-objektiv *n* (*-s*; *-e*) teleobjetivo *m*.

Teleo|lo'gie *Phil. f* (*0*) teleología *f*; **2'logisch** *adj.* teleológico.

Telepa'thie *f* (*0*) telepatía *f*.

tele'pathisch *adj.* telepático.

Tele'phon *n* (*-s*; *-e*) → *Telefon.*

'Telephotographie *f* (*0*) telefotografía *f*.

Teles'kop *n* (*-s*; *-e*) telescopio *m*; **~gabel** *f* (*-*; *-n*) *Motorrad*: horquilla *f* telescópica; **2isch** *adj.* telescópico.

'Teller *m* plato *m*; *flacher* (*tiefer*) ~ plato llano (hondo *od.* sopero); ⊕ platillo *m*; (*Scheibe*) disco *m*; *am Schistock*: arandela *f*; *Anat.* (*Hand2*) palma *f* (de la mano); **2förmig** *adj.* en forma de plato; ⊕ en forma de platillo *bzw.* de disco; **~lecker** *m* F *fig.* lameplatos *m*; gorrón *m*; **~schrank** *m* (*-es*- *ᵘe*) aparador *m*; **~tuch** *n* (*-es*; *ᵘer*) albero *m*, paño *m* para secar vajilla; **~ventil** ⊕ *n* (*-s*; *-e*) válvula *f* de disco; **~wärmer** *m* calientaplatos *m*; **~wäscher** *m* lavaplatos *m*.

Tel'lur ⚗ *n* (*-s*; *0*) teluro *m*; **2isch** *adj.* telúrico; **~säure** *f* (*0*) ácido *m* telúrico; **~silber** *n* (*-s*; *0*) telururo *m* de plata.

'Tempel *m* templo *m*; **~herr** *Hist. m* (*-n od. -en*) templario *m*, caballero *m* del Temple; **~orden** *m* orden *f* del Temple; **~raub** *m* (*-es*; *0*) robo *m* sacrílego; sacrilegio *m*; **~räuber** *m* ladrón *m* sacrílego; profanador *m* del templo; sacrílego *m*; **~ritter** *m* → *Tempelherr*; **~schänder** *m* sacrílego *m*; **~schändung** *f* sacrilegio *m*; profanación *f* del templo.

'Tempera|farbe *f* color *m* al temple; **~malerei** *f* pintura *f* al temple.

Tempera'ment *n* (*-es*; *-e*) temperamento *m*; (*Lebhaftigkeit*) vivacidad *f*; genio *m* vivo; (*Feuer*) fogosidad *f*; ~ *haben* tener temperamento; **2los** *adj.* sin temperamento; frío; **~losigkeit** *f* (*0*) falta *f* de temperamento; **2voll** *adj.* (*lebhaft*) vivo; vivaz; de genio vivo; (*energisch*) enérgico; (*ungestüm*) impetuoso; vehemente; (*glühend*) ardiente; fogoso; (*leidenschaftlich*) apasionado.

Tempera'tur *f* temperatura *f*; ⚕ ~ *haben* estar calenturiento; **~anstieg** *m* (*-es*; *-e*), (*od.* **~erhöhung** *f* elevación *f* (*od.* aumento *m*) de temperatura; **~einfluß** *m* (*-sses; ¨sse*) influjo *m* de la temperatura; **~kurve** *f* curva *f* de temperatura; **~messung** *f* medición *f* de la temperatura; **~regler** *m* regulador *m* de temperatura; **~rückgang** *m* (*-ẹs; ¨e*) descenso *m* de temperatura; **~sturz** *m* (*-es; ¨e*) descenso *m* brusco de temperatura; **~unterschied** *m* (*-ẹs; -e*) diferencia *f* de temperatura; **~wechsel** *m* cambio *m* de temperatura.

'Temperguß *Met. m* (*-sses; ¨sse*) fundición *f* maleable.

tempe'rieren (-) *v/t.* atemperar, temperar.

'Templer *Hist. m* templario *m*, caballero *m* (de la orden) del Temple.

'Tempo *n* (*-s; -s u. -pi*) (*Rhythmus*) ritmo *m*; cadencia *f*; (*Takt*) compás *m*; (*Gangart*) marcha *f*; (*Geschwindigkeit*) velocidad *f*; rapidez *f*; ♪ tiempo *m*, movimiento *m*; *in rasendem* ~ a una velocidad vertiginosa; *das* ~ *steigern* acelerar la marcha; *beim Gehen*: avivar el paso; *Sport*: *ein tolles* ~ *vorlegen* ir lanzado a toda velocidad; *in langsamem* ~ lentamente; ~! F ¡venga, de prisa!; ~ *machen* F darse prisa.

tempo'ral *adj.* (*zeitlich*) temporal; *Anat.* temporal.

tempo'rär *adj.* temporal; provisional; interino.

'Tempus *Gr. n* (-; *-pora*) tiempo *m*.

Ten'denz *f* tendencia *f*; *Börse*: *rückläufige* (*steigende*) ~ tendencia a la baja (al alza).

tendenzi'ös *adj.* tendencioso.

Ten'denz|roman *m* (*-s; -e*) novela *f* de tesis; **~stück** *Thea. n* (*-ẹs; -e*) drama *m bzw.* comedia *f* de tesis.

'Tender *m* 🚂 ténder *m*; ⚓ aviso *m*; **~maschine** 🚂 *f* locomotora *f* ténder.

ten'dieren (-) *v/i.* tender, tener tendencia (*nach* a); inclinarse (*nach* a).

Tene'riffa *n* Tenerife *m*; *aus* ~ tinerfeño.

'Tenne *f* era *f*.

'Tennis *n* (-; *0*) tenis *m*; ~ *spielen* jugar al tenis; **~ball** *m* (*-ẹs; ¨e*) pelota *f* de tenis; **~halle** *f* pista *f* (*od. bsd. Am.* cancha *f*) cubierta; **~lehrer** *m* profesor *m* de tenis; **~meister** *m* campeón *m* de tenis; **~meisterschaft** *f* campeonato *m* de tenis; **~platz** *m* (*-es; ¨e*) pista *f* (*bsd. Am.* cancha *f*) de tenis; **~schläger** *m* raqueta *f*; **~schuhe** *pl.* zapatos *m/pl.* de tenis; **~spiel** *n* (*-ẹs; -e*) *das einzelne Spiel*: partida *f* de tenis; *als Sport*: tenis *m*; **~spieler(in** *f*) *m* jugador(a *f*) *m* de tenis, tenista *m/f*; **~turnier** *n* (*-s; -e*) torneo *m* de tenis; (*Meisterschaftsturnier*) campeonato *m* de tenis.

'Tenor[1] ['te:noˑr] *m* (*-s; 0*) (*Wortlaut*) tenor *m*; (*Inhalt*) contenido *m*.

Te'nor[2] [teˑ'no:ʀ] ♪ *m* (*-s; ¨e*) tenor *m*; **~stimme** *f* (voz *f* de) tenor *m*.

'Teppich *m* (*-s; -e*) alfombra *f*; (*Wand*2) tapiz *m*; **~bürste** *f* cepillo *m* para alfombras; **~kehrmaschine** *f* escoba *f* mecánica *od.* rotativa; **~klopfer** *m* sacudidor *m* (de alfombras); **~stange** *f* barra *f* horizontal para sacudir alfombras; **~weber** *m*, **~wirker** *m* alfombrero *m*; tapicero *m*; fabricante *m* de tapices; **~wirkerei** *f* fábrica *f* de tapices; tapicería *f*.

Ter'min *m* (*-s; -e*) término *m*; (*Frist*) plazo *m*; (*Erfüllungstag*) vencimiento *m* (del plazo); (*Datum*) fecha *f*; ⚖ señalamiento *m*; (*Verhandlung*) ⚖ vista *f*; (*Vorladung*) citación *f*; ~ *haben* (*Vorgeladener*) estar citado (para comparecer); *zum* ~ *laden* ⚖ citar; emplazar; *zum bestimmten* ~ ☩ a plazo fijo; *äußerster* ~ fecha límite; *e-n* ~ (*Zeitpunkt*) *festsetzen* fijar un término (*od.* una fecha); *e-n* ~ *einhalten* cumplir un término (*od.* un plazo); **~einlage** ☩ *f* depósito *m* a plazo; **2gemäß, 2gerecht** *adv.* conforme al término fijado; conforme a la fecha fijada; **~geschäft** ☩ *n* (*-ẹs; -e*) operación *f* a plazo; **~handel** *m* (*-s; 0*) operaciones *f/pl.* a plazo; **~kalender** *m* agenda *f*; **~kauf** *m* (*-ẹs; ¨e*) compra *f* a plazo; **~ladung** ⚖ *f* citación *f* para señalamiento; **~lieferung** *f* entrega *f* a plazo; **~markt** *m* (*-ẹs; ¨e*) mercado *m* a término.

Termino|lo'gie *f* terminología *f*; **2'logisch** *adj.* terminológico.

'Terminus *m* (-; *Termini*): ~ *technicus* término técnico.

Ter'min...: ~verkauf *m* (*-ẹs; ¨e*) venta *f* a plazo; **~verlängerung** *f* prórroga *f* de término (*od.* de plazo); **2weise** *adv.* a plazos; **~zahlung** *f* pago *m* a plazo.

Ter'mite *Zoo. f* termes *m*; *gal.* termita; **~nhügel** *m* termitera *f*.

Terpen'tin ⚗ *n* (*-s; -e*) trementina *f*; **~öl** *n* (*-ẹs; -e*) esencia *f* de trementina; aguarrás *m*.

Ter'rain [tɛ'rɛ̃:] *n* (*-s; -s*) terreno *m* (*a. fig.*); *fig.* ~ *gewinnen* (*verlieren*) ganar (perder) terreno; *das* ~ *vorbereiten* (*sondieren*) preparar (sondear) el terreno; **~darstellung** *f* croquis *m* del terreno; plano *m* figurado del terreno; **~schwierigkeiten** *pl.* dificultades *f/pl.* del terreno; **~spekulation** *f* especulación *f* sobre terrenos; **~verhältnisse** *pl.* condiciones *f/pl.* topográficas (*od.* del terreno).

Terra'kotta *f* (-; *-tten*) terracota *f*.

Ter'rasse *f* terraza *f*; (*Dach*2) azotea *f*; **2nförmig** *adj.* en forma de terraza.

'Terrier [-ʀĭə] *m* (*Hunderasse*) *angl.* fox-terrier *m*.

Ter'rine [tɛ'ʀi:-] *f* sopera *f*.

territori'al *adj.* territorial; *~e Integrität* integridad territorial; **2armee** *f* ejército *m* territorial; **2gewässer** *pl.* aguas *f/pl.* jurisdiccionales.

Terri'torium *n* (*-s; -torien*) territorio *m*.

'Terror *m* (*-s; 0*) terror *m*; *Pol.* terrorismo *m*.

terro|ri'sieren (-) *v/t.* aterrorizar; **2'rismus** *m* (-; *0*) terrorismo *m*; **2'rist** *m* (*-en*) terrorista *m*; **~'ristisch** *adj.* terrorista.

'Tertia ['-tsĭa:] *f* (-; *Tertien*) cuarto y quinto curso *m* de un gimnasio (*od.* establecimiento de enseñanza media).

Terti'aner(in *f*) *m* alumno (-a *f*) *m* de "Tertia".

terti'är I. *adj.* terciario; **II.** 2 *n Geol.* período *m* terciario; **2formation** *Geol. f* formación *f* terciaria.

Terz *f Fechtk.* tercera *f*, revés *m*; ♪ *große* (*kleine*) ~ tercera mayor (menor).

Terze'rol *n* (*-s; -e*) pistola *f* de bolsillo.

Ter'zett *n* (*-ẹs; -e*) terceto *m*, trío *m*.

Ter'zine *f* (*Vers*) terceto *m*.

'Tesching *n* (*-s; -s*) escopeta *f* de pequeño calibre.

Tes'sin *m*: *der* ~ el Tesino.

Test *m* (*-es; -e od. -s*) prueba *f*, examen *m*, ensayo *m*, *angl.* test *m*.

Testa'ment *n* (*-ẹs; -e*) testamento *m*; última voluntad *f*; *sein* ~ *machen* hacer testamento, testar; *vor dem Notar*: otorgar testamento (ante notario); *ohne* ~ *sterben* morir intestado (*od.* sin hacer testamento); *ohne* ~ *erben* heredar ab intestato; *Altes* (*Neues*) ~ *Bib.* Antiguo (Nuevo) Testamento.

testamen'tarisch I. *adj.* testamentario; **II.** *adv.* por testamento; ~ *hinterlassen* legar.

Testa'ments...: ~bestimmung *f* disposición *f* testamentaria; **~erbe** *m* (*-n*) heredero *m* testamentario; **~erbin** *f* heredera *f* testamentaria; **~er-öffnung** *f* apertura *f* del testamento; **~nachtrag** *m* (*-ẹs; ¨e*) codicilo *m*; **~vollstrecker** *m* albacea *m*, testamentario *m*; **~vollstreckung** *f* testamentaría *f*; **~zusatz** *m* (*-es; ¨e*) codicilo *m*.

Tes'tat *n* (*-ẹs; -e*) (*Bescheinigung*) certificación *f*.

Tes'tator ⚖ *m* (*-s; -en*) testador *m*.

'testen (*-e-*) *v/t.* probar; ensayar; someter a test.

tes'tier|en (-) *v/t. u. v/i.* (*bescheinigen*) certificar; (*letztwillig verfügen*) testar, hacer un testamento; **~fähig** ⚖ *adj.* con capacidad de testar; **2fähigkeit** ⚖ *f* (*0*) capacidad *f* de testar.

'Testpilot ✈ *m* (*-en*) piloto *m* de pruebas.

'Tetanus ⚕ *m* (-; *0*) tétanos *m*.

Tetrachlor'kohlenstoff ⚗ *m* (*-ẹs; 0*) tetracloruro *m* de carbono.

Tetra'eder ⟁ *n* tetraedro *m*.

Tetralo'gie *f* tetralogía *f*.

'teuer (*-rer; -ste*) *adj.* (*kostspielig*) caro, costoso; (*Preis*) elevado; (*wertvoll*) valioso; (*kostbar*) precioso; *fig.* (*lieb*) querido; *es ist* ~ es caro; cuesta caro; *wie* ~ *ist das?* ¿cuánto cuesta?, ¿cuánto vale?; ¿qué precio tiene?; *das Leben ist hier* ~, *man lebt hier* ~ aquí la vida es cara; aquí está la vida cara; ~ *kaufen* (*verkaufen*; *bezahlen*) comprar (vender; pagar) caro; *sein Leben* ~ *verkaufen fig.* vender cara su vida; ~ *werden* encarecerse; subir de precio; ~ *zu stehen kommen* costar (*od.* salir) caro; *das wird ihn* ~ *zu stehen kommen* lo pagará caro.

'Teu(e)rung *f* carestía *f*; precios *m/pl.* elevados; **~swelle** *f* ola *f* de carestía; **~szulage** *f* suplemento *m* por carestía de vida.

'Teufe ⚒ *f* profundidad *f*.

'Teufel *m* diablo *m*; (*Dämon*) demonio *m*; *der* ~ el Diablo, el Demonio, Satanás; el Angel Malo; *armer* ~ pobre diablo; infeliz, desgraciado; *der* ~ *der Habgier* el demonio de la codicia; *ein ~ von e-m Weib* un demonio de mujer; *wie der ~* como un demonio; *bist du des ~s?* ¿estás en tu juicio?; ¿estás loco?; *der ~ ist los* el diablo anda suelto; F se ha armado un cisco de mil demonios; *er fragt den ~ danach* F eso le importa un rábano (*od.* un pito); *er hat den ~ im Leib, ihn reitet der ~* tiene el diablo metido en el cuerpo; es el mismísimo demonio; *in des ~s Küche sein* estar en un gran apuro; *j-n in des ~s Küche treiben* poner a alg. en las astas del toro; *man soll den ~ nicht an die Wand malen* no hay que tentar al diablo; no llamemos la desgracia; *das hieße, den ~ mit dem Beelzebub austreiben* el remedio sería peor que la enfermedad; *das müßte mit dem ~ zugehen* a menos que el diablo lo enrede; *hol dich der ~!, der ~ soll dich holen!* ¡vete a paseo! ¡vete al diablo!; ¡vete al cuerno!; *pfui ~!* (*angeekelt*) ¡qué asco!; (*entrüstet*) ¡que vergüenza!; *zum ~!* ¡al diablo!; ¡demonio!, ¡diablo(s)!; *wer* (*wo; was*) *zum ~?* ¿quién (dónde; qué) demonio(s)?; *zum ~ wünschen* mandar al diablo; mandar a paseo (*od.* a hacer gárgaras); *scher dich zum ~!* ¡vete al diablo!; ¡vete al cuerno!, ¡vete a la porra!; *sein Vermögen ist zum ~* su fortuna se la ha llevado la trampa; *in der Not frißt der ~ Fliegen* a falta de pan buenas son tortas.

'**Teufelchen** *n* diablillo *m*.

Teufe'lei *f* acción *f* diabólica; maldad *f* inhumana.

'**Teufelin** *f* diabla *f*, F diablesa *f*.

'**Teufels...**: **~arbeit** *f* trabajo *m* ímprobo; *fig.* obra *f* de romanos; **~banner** *m*, **~beschwörer** *m* exorcista *m*; **~beschwörung** *f* exorcismo *m*; **~brut** *f* (*0*) engendro *m* del diablo; ralea *f* infernal; **~dreck** ⚕ *m* (*-s; 0*) asa *f* fétida; **~kerl** *m* (*-és; -e*) tipo *m* de rompe y rasga; **~kreis** *fig. m* (*-es; -e*) círculo *m* vicioso; **~lärm** *m* (*-s; 0*) ruido *m* infernal; **~weib** *n* (*-és; -er*) diabla *f*; demonio *m* de mujer; mujer *f* endemoniada; **~werk** *n* (*-és; -e*) obra *f* diabólica.

'**teuflisch** *adj.* diabólico; infernal; satánico.

Teu'ton|e *m* (*-n*) teutón *m*; **~in** *f* teutona *f*; **2isch** *adj.* teutón, teutónico.

'**Text** *m* (*-es; -e*) texto *m* (*a. Bibel2*); *zu e-r Abbildung*: leyenda *f*; (*Lied2*) letra *f*; (*Opern2, Operetten2*) libreto *m*; (*Zusammenhang*) contexto *m*; *fig. aus dem ~ kommen* perder el hilo; desconcertarse; *j-n aus dem ~ bringen* confundir a alg.; desconcertar a alg.; *weiter im ~!* ¡continúe leyendo!, ¡siga!; **~analyse** *f* análisis *m* de un texto; **~ausgabe** *f* texto *m* sin anotaciones; **~buch** *n* (*-és; ⁼er*) (libro *m* de) texto *m*; *Thea.* libreto *m*; **~dichter** *m* argumentista *m*; libretista *m*; **~er** *m* redactor *m* de textos (publicitarios); *Thea.* libretista *m*.

Tex'til|arbeiter(in *f*) *m* obrero (-a *f*) *m* de la industria textil; **~faser** *f* (*-; -n*) fibra *f* textil; **~ien** *pl.* tejidos *m/pl.*; productos *m/pl.* textiles; **~industrie** *f* industria *f* textil; **~messe** *f* feria *f* de productos textiles; **~waren** *pl.* → *Textilien*.

'**Text-interpretation** *f* interpretación *f* (*od.* explicación *f*) de un texto.

'**text|lich** *adj.* textual; **2kritik** *f* crítica *f* de los textos; **2schreiber** *m Thea.* libretista *m*; **2schrift** *Typ. f* letra *f* de veinte puntos.

'**Thai|land** *n* Tailandia *f*; **~länder** *m* tailandés *m*; **~länderin** *f* tailandesa *f*; **2ländisch** *adj.* tailandés.

Tha'lia *Myt. f* Talía *f*.

The'ater [te·'ɑ:-] *n* teatro *m*; (*Bühne*) escena *f*; (*Vorstellung*) representación *f* teatral; *fig.* (*Schauspiel*) espectáculo *m*; farsa *f*; (*Getue*) afectación *f*; *zum ~ gehen* dedicarse al teatro; hacerse actor *bzw.* actriz; *ins ~ gehen* ir al teatro; *~ spielen* representar una pieza teatral; *fig.* afectar a/c.; hacer la comedia; *fig. ~ machen* (*sich aufspielen*) darse importancia; (*sich zieren*) hacer dengues; *mach kein ~!* ¡déjate de comedias!; *es ist immer dasselbe ~* es el cuento de siempre; es la eterna canción; *das ist doch alles ~* (*Schwindel*) todo ello es un camelo; **~abend** *m* (*-s; -e*) velada *f* teatral; **~abonnement** *n* (*-s; -s*) abono *m* al teatro; **~agentur** *f* agencia *f* de teatro; **~bericht** *m* (*-és; -e*) crónica *f* teatral; **~besucher(in** *f*) *m* espectador (-a *f*) *m*; **~dichter** *m* autor *m* dramático, dramaturgo *m*; **~direktor** *m* (*-s; -en*) director *m* de teatro; **~effekt** *m* (*-és; -e*) efecto *m* escénico; **~karte** *f* billete *m* de teatro, entrada *f*, localidad *f*; **~kasse** *f* contaduría *f*; despacho *m* de localidades; **~kritik** *f* crítica *f* teatral; crítica *f* de estrenos; **~kritiker** *m* crítico *m* teatral (*od.* de teatros); **~leben** *n* (*-s; 0*) vida *f* teatral; **~platz** *m* (*-es; ⁼e*) localidad *f*; **~probe** *f* ensayo *m*; **~saal** *m* (*-és; -säle*) sala *f* de espectáculos; **~saison** *f* (*-; -s*) temporada *f* teatral; **~stück** *n* (*-és; -e*) pieza *f* teatral (*od.* de teatro); **~vorstellung** *f* espectáculo *m*; función *f* teatral; representación *f*; **~wesen** *n* (*-s; 0*) teatro *m*; **~woche** *f* semana *f* teatral; **~zettel** *m* programa *m*; (*Anschlag*) cartel *m* (de teatro).

'**Thea'tiner** *m I.C.* teatino *m*.

thea'tralisch *adj.* teatral (*a. fig.*).

The'baner(in *f*) *m* tebano (-a *f*) *m*.

'**Theben** *n* Tebas *f*.

The'is|mus [te:'ɪ-] *m* (*-; 0*) teísmo *m*; **~t** *m* (*-en*) teísta *m*; **2tisch** *adj.* teísta.

'**Theke** *f* mostrador *m*; (*Bar*) F barra *f*.

'**Thema** *n* (*-s; -men od. -ta*) tema *m*; ♪ *a.* motivo *m*; (*Frage*) cuestión *f*; asunto *m*; (*Gesprächs2*) tema *m* de conversación; *vom ~ abschweifen* desviarse (*od.* apartarse) del tema; F irse por las ramas; (*wirres Zeug reden*) divagar; *beim ~ bleiben* no apartarse del tema.

the'matisch *adj.* temático.

'**Themse** *f*: *die ~* el Támesis.

'**Theobald** *m* Teobaldo *m*.

The'oderich *m* Teodorico *m*.

Theodi'zee *f* teodicea *f*.

Theodo'lit *m* (*-és; -e*) teodolito *m*.

'**Theodor** *m* Teodoro *m*.

Theo'krat *m* (*-en*) teócrata *m*.

Theokra'tie *f* teocracia *f*.

theo'kratisch *adj.* teocrático.

Theo'log|e *m* (*-n*) teólogo *m*; **~in** *f* teóloga *f*; (*Student*) estudiante *m/f* de teología.

Theolo'gie *f* teología *f*.

theo'logisch *adj.* teológico.

Theo'rem *n* (*-s; -e*) teorema *m*.

Theo'ret|iker *m* teórico *m*; **2isch I.** *adj.* teórico; **II.** *adv.* teóricamente; en teoría; **2i'sieren** (-) *v/i.* teorizar.

Theo'rie *f* teoría *f*.

Theo'soph *m* (*-en*) teósofo *m*.

Theoso'phie *f* teosofía *f*.

theo'sophisch *adj.* teosófico.

Thera|'peut *m* (*-en*) terapeuta *m*; **~'peutik** *f* (*0*) terapéutica *f*; **2'peutisch** *adj.* terapéutico; **~'pie** *f* terapia *f*, terapéutica *f*.

The'rese *f* Teresa *f*.

Ther'mal|quelle *f* fuente *f* termal; aguas *f/pl.* termales; **~schwimmbad** *n* piscina *f* termal.

'**Thermen** *f/pl.* termas *f/pl.*; aguas *f/pl.* termales, caldas *f/pl.*; balneario *m* hidrotermal.

'**thermisch** *adj.* térmico.

Ther'mit ⚗ *m* (*-s; -e*) termita *f*.

Thermo|che'mie *f* (*0*) termoquímica *f*; **2'chemisch** *adj.* termoquímico; **~dy'namik** *f* (*0*) termodinámica *f*; **2e'lektrisch** *adj.* termoeléctrico; **~elektrizi'tät** *f* (*0*) termoelectricidad *f*; **~ele'ment** *n* (*-és; -e*) pila *f* termoeléctrica, elemento *m* termoeléctrico.

Thermo'meter *n* termómetro *m*; **~kugel** *f* (*-; -n*) bola *f* del termómetro; **~röhre** *f* tubo *m* del termómetro; **~säule** *f* columna *f* termométrica; **~stand** *m* (*-és; 0*) altura *f* de la columna termométrica; **~teilung** *f* escala *f* termométrica.

thermo'metrisch *adj.* termométrico.

thermonukle'ar *adj.* termonuclear.

thermo'plastisch *adj.* termoplástico.

'**Thermosflasche** *f* termo *m*.

Thermos'tat *m* (*-és; -e u. -en*) termóstato *m*.

thesau'rier|en (-) *v/t.* atesorar; **2en** *n*, **2ung** *f* atesoramiento *m*.

'**These** *f* tesis *f*.

Thes'salien *n* Tesalia *f*.

'**Thomas** *m* Tomás *m*; *fig. ungläubiger ~* incrédulo; **~schlacke** ⊕ *f* escoria *f* Thomas, escoria *f* fosfórica; **~stahl** ⊕ *m* (*-s; 0*) acero *m* Thomas.

'**Thrazien** *n* Tracia *f*.

Throm'bose ⚕ *f* trombosis *f*.

'**Thron** *m* (*-és; -e*) trono *m*; *den ~ besteigen* subir al trono; *vom ~ stoßen* destronar; **~besteigung** *f* advenimiento *m* al trono; **~bewerber(in** *f*) *m* pretendiente *m/f* al trono; **2en** *v/i.* ocupar el trono; (*herrschen*) reinar; **~entsagung** *f* abdicación *f*; **~erbe** *m* (*-n*), (**~erbin** *f*) heredero *m*, (heredera *f*) del trono; **~folge** *f* sucesión *f* al trono; **~folger(in** *f*) *m* → *Thronerbe, Thronerbin*; **~himmel** *m* dosel *m*; baldaquín *m*; **~rede** *f* discurso *m* de la Corona; **~wechsel** *m* advenimiento *m* de un nuevo rey.

'**Thuner See** *m* lago *m* de Thune.

'**Thunfisch** *m* (*-es*; *-e*) atún *m*, bonito *m*.
'**Thürin|gen** *n* Turingia *f*; **~ger(in** *f*) *m* turingense *m/f*; **2gisch** *adj.* turingense, de Turingia; *Thüringer Wald* la Selva de Turingia.
'**Thymian** ⚘ *m* (*-s*; *-e*) tomillo *m*.
Ti'ara *f* (*-*; *-ren*) tiara *f*.
'**Tiber** *m*: *der* ~ el Tíber.
'**Tibet** *n* el Tibet.
Tibe'tan|er *m* tibetano *m*; **2isch** *adj.* tibetano.
Tick *m* (*-es*; *-s*) ⚕ tic *m*; (*Schrulle*) capricho *m*; *fig. e-n ~ haben* estar tocado; tener vena de loco; F estar mal de la azotea; tener humos de a/c.
'**ticken** *v/i.* (*Uhr*) hacer tic tac.
'**Ticktack** *n* (*-s*; *0*) tic tac *m*.
tief I. *adj.* hondo, profundo (*beide a. fig.*); (*niedrig*) bajo; ♪ (*Ton*) bajo; (*Stimme*) grave; *Farbe*: subido, intenso; *Geheimnis*: absoluto; *wie ~ ist es?* ¿qué profundidad tiene?, *nach hinten*: ¿qué fondo tiene?; es *ist 3 Meter ~* tiene tres metros de profundidad *bzw.* de fondo; *~e Wunde* herida profunda; *~er Schnee* nieve alta; *~er Teller* plato hondo *od.* sopero; *~es Schweigen* silencio absoluto; religioso silencio; *~ erschüttert* hondamente conmovido; *~ im Lande* en el interior del país; *~ in der Nacht* a altas horas de la noche; *bis ~ in die Nacht* hasta muy avanzada la noche; *~ im Schlamm* hundido en el fango; *~ im Walde* (*Wasser*) en el fondo del bosque (del agua); *in ~er Trauer* (*Kleidung*) de luto riguroso; (*Gefühl*) con profundo pesar; *aus ~stem Herzen* de todo corazón; *im ~sten Elend* en la extrema miseria; *im ~sten Winter* en pleno invierno; **II.** *adv.* profundamente, hondamente; *~ atmen* respirar profundamente; *~ seufzen* dar un hondo suspiro; *sich ~ verbeugen* hacer una profunda reverencia; *den Hut ~ in die Augen drükken* calarse (*od.* F encasquetarse) el sombrero hasta los ojos; *fig. ~ in Schulden stecken* estar muy metido en deudas, F estar entrampado hasta las cejas; *er hat zu ~ ins Glas geguckt* ha bebido con exceso, F ha soplado más de la cuenta; *~er legen* rebajar; *~er stimmen* ♪ bajar el tono; *e-n Ton ~er singen* bajar un tono; *fig. das läßt ~ blicken* eso revela cosas (penosas) insospechadas; **III.** 2 *n* (*-es*; *-s*) depresión *f* barométrica; (*~druckgebiet*) zona *f* de baja presión; ⚓ agua *f* profunda; profundidad *f*.
'**Tief...:** **~angriff** ⚔ *m* (*-es*; *-e*) (*Tieffliegerangriff*) ataque *m* en vuelo rasante; **~aufschlag** *m* (*-es*; *⸚e*) *Tennis*: pelota *f* baja; **~bau** *m* (*-es*; *0*) (*Tiefbauarbeit*) trabajos *m/pl.* subterráneos; (*Tiefbauten*) construcciones *f/pl.* (*od.* estructuras *f/pl.*) subterráneas; **2betrübt** *adj.* (*0*) profundamente afligido; **2bewegt** *adj.* hondamente conmovido; **2blau** *adj.* (*0*) azul obscuro; **~blick** *m* (*-es*; *0*) mirada *f* penetrante; penetración *f*; perspicacia *f*; **2blickend** *adj.* penetrante; perspicaz; **~druck** *m* (*-es*; *-e*) *Typ.* impresión *f* en huecograbado; huecograbado *m*; (*Wetterkunde*) baja presión *f*; **~druckgebiet** *n* (*-es*; *-e*) zona *f* de baja presión.
'**Tiefe** *f* profundidad *f* (*a. fig.*); ♪ gravedad *f*; (*Abgrund*) abismo *m*; (*Grund*; *Hintergrund*) fondo *m*; ⚓ *e-s Schiffes*: puntal *f*.
'**Tief-ebene** *f* llanura *f*.
'**tiefempfunden** *adj.* hondamente sentido.
'**Tiefen...:** **~ausdehnung** *f* extensión *f* en profundidad; **~feuer** ⚔ *n* tiro *m* progresivo (*od.* escalonado); **~messung** *f* batimetría *f*; sondeo *m*; **~psychologie** *f* (*0*) (p)sicología *f* profunda; (p)sicología *f* de la subconsciencia; **~schärfe** *Phot. f* (*0*) profundidad *f* de campo; **~steuer** ✈ *n* timón *m* de profundidad; **~therapie** ⚕ *f* radioterapia *f* profunda; **~wirkung** *f* (⚕ *e-r Bestrahlung*, ⚔ *e-s Geschosses*) efecto *m* en profundidad; *Mal.* efecto *m* plástico.
'**tief...:** **~ernst** *adj.* (*0*) muy grave; **2flieger-angriff** *m* (*-es*; *-e*) → *Tiefangriff*; **2flug** *m* (*-es*; *⸚e*) vuelo *m* a baja altura; vuelo *m* rasante; **2gang** ⚓ *m* (*-es*; *⸚e*) calado *m*; **2garage** *f* garaje *m* subterráneo; **~gebeugt** *adj.* agobiado de pena; **~gefühlt** *adj.* hondamente sentido; **~gehend** *adj.* ⚓ de gran calado; *fig.* hondo, profundo; **~gekühlt** *adj.* congelado (a muy baja temperatura); **~greifend** *adj.* profundo; **~gründig** *adj.* profundo; *fig.* abismal; **2konjunktur** *f* período *m* de depresión económica; **2kühlanlage** *f* instalación *f* frigorífica a baja temperatura; **~kühlen** *v/t.* congelar; refrigerar a baja temperatura; **2land** *n* (*-es*; *⸚er u. -e*) llanura *f*; tierras *f/pl.* bajas; **~liegend** *adj.* bajo; de bajo nivel; *er hat ~e Augen* tiene ojos hundidos; **2lot** ⚓ *n* (*-es*; *-e*) sonda *f* de alta mar; **2punkt** *m* (*-es*; *-e*) el punto más bajo; **2schlag** *m* (*-es*; *⸚e*) *Boxen*: golpe *m* bajo; **~schürfend** *adj.* profundo; exhaustivo; (*gehaltvoll*) substancial; **~schwarz** *adj.* (*0*) negro intenso; azabachado, negro como el azabache; **2see** *f* (*0*) mar *m* profundo; **2seefauna** *f* (*0*) fauna *f* abisal; **2seeflora** *f* (*0*) flora *f* abisal; **2seeforschung** *f* (*0*) investigación *f* oceanográfica abisal; **2seekabel** *n* cable *m* de alta mar; **2seemessung** *f* batimetría *f*; **2seetauchboot** *n* (*-es*; *-e*) *neol.* batiscafo *m*; **2seetauchkugel** *f* (*-*; *-n*) *neol.* batisfera *f*; **2sinn** *m* (*-es*; *0*) profundidad *f* de pensamiento; (*Schwermut*) melancolía *f*; **~sinnig** *adj.* profundo, hondo; (*nachdenklich*) pensativo, meditabundo; ensimismado; (*schwermütig*) melancólico; **2stand** *m* (*-es*; *0*) bajo nivel *m*; ♆ depresión *f* (*a. des Barometers*); **~stehend** *adj.* bajo; *fig. a.* inferior; **2stwert** *m* (*-es*; *-e*) valor *m* mínimo; **~wurzelnd** *adj.* profundamente arraigado; **~ziehen** ⊕ *v/t.* (*L*) (*Blech*) embutir (a profundidad).
'**Tiegel** *m* (*Topf*) cacerola *f*; ⊕ (*Schmelz2*) crisol *m*; *Typ.* platina *f*; **~druckpresse** *Typ. f* minerva *f*; **~ofen** *m* (*-s*; *⸚*) horno *m* de crisol.
'**Tiekholz** *n* (*-es*; *0*) madera *f* de teca.
Tier *n* (*-es*; *-e*) animal *m*; (*Reit2*) cabalgadura *f*; (*Last2*) *a.* bestia *f* de carga; *mit Hervorhebung des Viehischen*: bestia *f*; bruto *m*; *wildes ~* animal salvaje; (*Raub2*) fiera *f*; *fig. m.s.* animal *m*; bruto *m*; bestia *m/f*; F *fig. ein hohes* (*od. großes*) *~* alto personaje; personaje influyente (*od.* F de muchas campanillas); F pez *m* gordo; *zum ~ machen* bestializar; animalizar.
'**Tier...:** **~art** *f* especie *f* zoológica *od.* animal; **~arzt** *m* (*-es*; *⸚e*) veterinario *m*; **2ärztlich** *adj.* veterinario; *2e Hochschule* Escuela de Veterinaria; **~bändiger(in** *f*) *m* domador(a *f*) *m* de fieras; **~beschreibung** *f* zoografía *f*; **~chen** *n* animalito *m*; bestezuela *f*; F bicho *m*; **~fabel** *f* (*-*; *-n*) fábula *f*; **~fett** *n* (*-es*; *-e*) grasa *f* animal; **~freund(in** *f*) *m* (*-es*; *-e*) amigo (-a *f*) *m* de los animales; **~garten** *m* (*-s*; *⸚*) parque *m* (*od.* jardín *m*) zoológico; **~gattung** *f* género *m* de animales; **~halter(in** *f*) *m* dueño (-a *f*) *m* de un animal; **~heilkunde** *f* (*0*) veterinaria *f*; **2isch** *adj.* animal; (*viehisch*) bestial; (*roh*) brutal; (*vertiert*) animalizado; bestializado; **~kadaver** *m* animal *m* muerto; **~kohle** *f* carbón *m* animal; **~kreis** *Astr. m* (*-es*; *-e*) Zodíaco *m*; **~kreiszeichen** *n* signo *m* del Zodíaco; **~kunde** *f* (*0*) zoología *f*; **~leben** *n* vida *f* animal; **~maler** *m* pintor *m* de animales; **~park** *m* (*-es*; *-s*) (*Menagerie*) colección *f* de fieras; (*Tiergarten*) jardín *m* (*od.* parque *m*) zoológico; **~psychologie** *f* (*0*) (p)sicología *f* animal; **~quäler** *m* atormentador *m* de animales; el que maltrata a los animales; **~quäle'rei** *f* maltrato *m* de los animales; **~reich** *n* (*-es*; *0*) reino *m* animal; **2reich** *adj.* rico en animales; **~schau** *f* (*Menagerie*) exposición *f* de fieras; (*landwirtschaftliche*) exposición *f* de ganado; feria *f* de ganado; **~schutzgebiet** *n* (*-es*; *-e*) reservado *m* de especies zoológicas; **~schutzverein** *m* (*-es*; *-e*) sociedad *f* protectora de animales; **~sprache** *f* lenguaje *m* de los animales; **~versuch** *m* (*-es*; *-e*) experimento *m* en el animal (*od.* en animales); **~wärter** *m* guarda *m* de parque zoológico; encargado *m* del cuidado de animales; **~welt** *f* (*0*) mundo *m* animal; (*Tierreich*) reino *m* animal; *e-s bestimmten Gebietes*: fauna *f*; **~zucht** *f* zootecnia *f*; cría *f* de animales; **~züchter** *m* zootécnico *m*; criador *m* de animales.
'**Tiger** *m* tigre *m*; *wie ein ~ gestreift* atigrado; **~in** *f* tigresa *f*; **~fell** *n* (*-es*; *-e*) piel *f* de tigre; **~katze** *f* *Zoo.* ocelote *m*; **2n** (*-re*) *v/t.* atigrar; **~weibchen** *n* tigresa *f*.
'**Tilde** *f* tilde *m/f*; *im Wörterbuch*: (*Wiederholungszeichen*) signo *m* de repetición.
'**tilgbar** *adj.* redimible; ♆ *Anleihe, Staatsschuld usw.* amortizable; *nicht ~* irredimible.
'**tilgen** *v/t.* (*auslöschen*) borrar; extinguir; (*beseitigen*) suprimir; quitar; (*streichen*) tachar; (*aufheben*) anular; cancelar; (*vernichten*) destruir, aniquilar; (*ausrotten*) exter-

minar; extirpar; ✝ (*Schuld*) pagar; liquidar, saldar; redimir; (*Anleihe, Staatsschuld usw.*) amortizar; *fig.* (*sühnen*) expiar.

ˈ**Tilgung** *f* (*Auslöschen*) extinción *f*; (*Beseitigen*) supresión *f*; (*Streichen*) tachadura *f*; (*Aufheben*) anulación *f*; cancelación *f*; (*Vernichten*) destrucción *f*, aniquilamiento *m*; (*Ausrotten*) exterminio *m*; extirpación *f*; ✝ (*Schuld*) pago *m*; liquidación *f*; (*Amortisation*) amortización *f*; *fig.* (*Sühne*) expiación *f*; **~s-anleihe** ✝ *f* empréstito *m* amortizable; **~s-fonds** *m* (-; -) fondo *m* de amortización; **~skasse** *f* caja *f* de amortización; **~splan** *m* (-ės; ¨e) plan *m* de amortización; **~squote** *f* prima *f* de amortización; **~srücklage** *f* reserva *f* de amortización; **~stermin** *m* (-s; -e) fecha *f* de amortización; **~szeichen** *Typ. n* dele *m*, signo *m* de supresión.

Timo|kraˈtie *f* timocracia *f*; **2ˈkratisch** *adj.* timocrático.

Tiˈmotheus *m* Timoteo *m*.

ˈ**Tingeltangel** *m/n* café *m* cantante; (*Musik*) música *f* barata, musiquilla *f*, F música *f* ratonera.

Tinkˈtur *f* tintura *f*.

ˈ**Tinnef** P *m* (-s; 0) (género *m* de) pacotilla *f*.

ˈ**Tinte** *f* tinta *f*; F *fig. in der ~ sitzen* estar en un gran apuro (*od.* en un atolladero); *das ist klar wie dicke ~* está más claro que el sol; F *du hast wohl ~ gesoffen* tu estás mal de la cabeza; estás chiflado.

ˈ**Tinten...: ~faß** *n* (-sses; ¨sser) tintero *m*; **~fisch** *Ict. m* (-es; -e) calamar *m*; (*kleiner*) chipirón *m*; **~flasche** *f* frasco *m* de tinta; **~fleck** *m* (-ės; -e) mancha *f* de tinta; **~gummi** *m* (-s; -s) goma *f* de borrar tinta; **~klecks** *m* (-es; -e) (*im Heft usw.*) borrón *m*; **~kleckser** F *m* (*Federfuchser*) plumífero *m*; escritorzuelo *m*, F escribidor *m*; chupatintas *m*; **~löscher** *m* secatintas *m*; **~stift** *m* (-ės; -e) lápiz *m* de tinta; **~wischer** *m* limpiaplumas *m*.

Tip *m* (-s; -s) sugerencia *f*; indicación *f* (confidencial); *Sport*: pronóstico *m*; (*Ratschlag*) buen consejo *m*; (*Wink*) aviso *m*, F soplo *m*.

ˈ**Tippel|bruder** F *m* (-s; ¨) vagabundo *m*; **2n** (-le; sn) *v/i.* caminar (despacio); (*kleine Schritte machen*) F ir pasito a paso.

ˈ**tippen** *v/t. u. v/i.* (*leicht berühren*) tocar con las puntas de los dedos; (*maschineschreiben*) escribir a máquina, mecanografiar; F teclear; F (*wetten*) apostar (*auf ac.* por), hacer apuestas *f/pl.*; *Fußball*: pronosticar resultados; (*s-n Totoschein ausfüllen*) hacer una quiniela; *richtig ~* acertar.

ˈ**Tipp|fehler** *m* error *m* de máquina; **~se** F *f* taquimeca *f*.

ˈ**tippˈtopp** F *adj.* muy elegante; F majo; (*tadellos*) impecable, perfecto.

Tiˈrol *n* el Tirol; **~er(in** *f*) *m* tirolés *m*, tirolesa *f*; **2(er)isch** *adj.* tirolés, del Tirol.

Tisch *m* (-es; -e) mesa *f*; *bei ~, zu ~* a la mesa; *vor* (*nach*) *~* antes de la comida (después de la comida; de sobremesa); ⚖ *Trennung von ~ und Bett* separación de mesa y lecho; *fig.* *grüner ~* (*Spiel2*) tapete *m* verde; *fig. am grünen ~ ausgeheckt* (*bürokratisch*) burocrático; de gabinete; (*unüberlegt*) hecho sin reflexión, F hecho alegremente; *reinen ~ machen* hacer tabla rasa (*mit et.* de a/c.); acabar con a/c.; *den ~ decken* (*od. bereiten*) poner (*od.* preparar) la mesa; *den ~ abdecken* (*od. abnehmen*) quitar la mesa; *fig. das fiel unter den ~* pasó inadvertido; nadie se ocupó de ello; *unter den ~ fallen lassen* F escamotear; pasar por alto; *vom ~ aufstehen* levantarse de la mesa; *zu ~ bleiben* quedarse a comer *od.* almorzar *bzw.* a cenar; *zu ~ gehen* ir a comer *od.* almorzar; *zu ~ laden* (*od. bitten*) invitar a comer *od.* almorzar *bzw.* a cenar; *sich zu ~ setzen* sentarse a la mesa; *bitte zu ~!* la mesa está servida; *Rel. zum ~e des Herrn gehen* ir a comulgar.

ˈ**Tisch...: ~apparat** *Tele. m* (-ės; -e) teléfono *m* de mesa; **~aufsatz** *m* (-es; ¨e) centro *m* de mesa; **~bein** *n* (-ės; -e) pata *f* de la mesa; **~besen** *m* recogemigas *m*; **~besteck** *n* (-es; -e) cubierto *m*; **~chen** *n* mesita *f*; **~dame** *f* compañera *f* de mesa (de un caballero); **~decke** *f* tapete *m*; **~ende** *n* (-s; -n): *das obere* (*untere*) *~* la cabecera (el extremo) de la mesa; **2fertig** *adj.* listo para ser servido; **~gast** *m* (-ės; ¨e) convidado *m*; comensal *m*; **~gebet** *n* (-ės; -e) benedícete *m*; **~genosse** *m* (-n), **~genossin** *f* comensal *m/f*; **~gerät** *n* (-ės; -e) servicio *m* de mesa; **~geschirr** *n* (-ės; -e) vajilla *f*; **~gesellschaft** *f* convidados *m/pl.*, comensales *m/pl.*; **~gespräch** *n* (-ės; -e) conversación *f* de mesa; **~getränk** *n* (-ės; -e) bebida *f* de mesa; **~glocke** *f* campanilla *f* de mesa; **~herr** *m* (-en) compañero *m* de mesa (de una señora); **~kante** *f* borde *m* (*od.* canto *m*) de la mesa; **~karte** *f* lista *f* de platos; *für den Platz des Gastes*: tarjeta *f* de mesa; **~kasten** *m* (-s; ¨) cajón *m* de la mesa; **~klappe** *f* tablero *m* plegable (*od.* articulado); **~klopfen** *n* (*spiritistisch*) mesa *f* parlante; **~lampe** *f* lámpara *f* de mesa; **~läufer** *m* camino *m* de mesa.

ˈ**Tischler** *m* carpintero *m*; (*Kunst2, Möbel2*) ebanista *m*; **~arbeit** *f* obra *f* de carpintería; (*Kunst2*) obra *f* de ebanistería.

Tischleˈrei *f* carpintería *f*; (*Kunst2*) ebanistería *f*.

ˈ**Tischler...: ~geselle** *m* (-n) oficial *m* (de) carpintero; (*Kunst2*) oficial *m* (de) ebanista; **~lehrling** *m* (-s; -e) aprendiz *m* de carpintero; (*Kunst2*) aprendiz *m* de ebanista; **~leim** *m* (-ės; 0) cola *f* fuerte; **~meister** *m* maestro *m* carpintero; (*Kunst2*) maestro *m* ebanista; **2n** *v/i.* carpintear; **~werkstatt** *f* (-; ¨en) (taller *m* de) carpintería *f*; (*Kunst2, Möbel2*) (taller *m* de) ebanistería *f*.

ˈ**Tisch...: ~lied** *n* (-ės; -er) canción *f* de mesa; **~messer** *n* cuchillo *m* de mesa; **~nachbar(in** *f*) *m* (-n) compañero (-a *f*) *m* de mesa; **~platte** *f* tablero *m* (de la mesa); *zur Verlängerung des Tisches*: ala *f*; **~rede** *f* discurso *m* de banquete; (*Toast*) brindis *m*; **~rücken** *n* (*Spiritismus*) mesa *f* girante *bzw.* bamboleante; **~schublade** *f* → *Tischkasten*; **~telefon** *n* (-s; -e) teléfono *m* de mesa; **~tennis** *n* (-; 0) tenis *m* de mesa, ping-pong *m*; **~tuch** *n* (-ės; ¨er) mantel *m*; **~tuchklammer** *f* (-; -n) (pinza *f*) sujeta-manteles *m*; **~wein** *m* (-ės; -e) vino *m* de mesa; **~zeit** *f* hora *f* de comer (*od.* de almorzar); **~zeug** *n* (-ės; 0) mantelería *f*.

Tiˈtan 1. *m* (-en) *Myt.* titán *m*; **2.** ⚗ *n* (-s; 0) titanio *m*; **2enhaft, 2isch** *adj.* titánico; **~säure** ⚗ *f* (0) ácido *m* titánico.

ˈ**Titel** *m* título *m* (*a. Standesbezeichnung, Überschrift, Rechtsanspruch u.* ✝ *Wertpapier*); (*Anrede, Titulatur*) tratamiento *m*; *akademischer ~* título académico; *j-m e-n ~ verleihen* conceder a alg. un título; *e-r Sache e-n ~ geben* (in)titular a/c.; *sich den ~ Graf X geben* (*od. beilegen*) adjudicarse (*od.* arrogarse) el título de conde de X; *den ~ ... führen* tener el título de ...; usar el título de ...; *e-n ~ innehaben Sport*: ser el poseedor (*od.* tenedor) de un título; ser el campeón de ...; *das Buch trägt den ~ ...* el libro se titula ... (*od.* el título del libro es ...); **~bewerber** *m Sport*: aspirante *m* al título; **~bild** *n* (-ės; -er) (grabado *m* de la) portada *f*; **~blatt** *n* (-ės; ¨er) portada *f*; hoja *f* (*od.* página *f*) del título; **~halter** *m*, **~inhaber** *m Sport*: poseedor *m* (*od.* tenedor *m*) del título; **~kopf** *m* (-ės; ¨e) título *m*; *im Wörterbuch*: voz-guía *f*; *auf Briefbogen*: membrete *m*; **~rolle** *Thea. f* papel *m* principal (*od.* de protagonista); **~seite** *f* página *f* del título; (*Zeitung*) primera plana *f*; **~sucht** *f* (0) manía *f* de los títulos; **~verteidiger** *m Sport*: defensor *m* (*od.* mantenedor *m*) del título; **~zeile** *f* línea *f* del título.

Tiˈtrier|analyse ⚗ *f* análisis *m* volumétrico; **2en** (-) *v/t.* titular; **~en** *n*, **~ung** *f* titulación *f*, volumetría *f*, análisis *m* volumétrico.

Tituˈlar *m* (-s; -e) titular *m*.

Titulaˈtur *f* títulos *m/pl.*; (*Anrede*) tratamiento *m*.

tituˈlieren (-) *v/t.* (*betiteln*) titular; intitular; (*anreden*) tratar de; (*bezeichnen*) calificar (*als* de).

ˈ**Toast** [to:st] *m* (-es; -e *u.* -s) brindis *m*; *e-n ~ auf j-n ausbringen* brindar por alg.; **~brot** *n* pan *m* tostado; pan *m* para tostar; **2en** (-e-) *v/i.* brindar (*auf ac.* por); **~röster** *m* tostador *m* de pan.

ˈ**Tobak** F *m* (-ės; -e) tabaco *m*; → *Tabak*; *anno ~* el año de la nana.

ˈ**toben** *v/i.* (*wütend werden*) enfurecerse, ponerse furioso (*od.* hecho una furia); encolerizarse; F darse a todos los diablos; (*außer sich geraten*) arrebatarse; *Elemente, Sturm*: desencadenarse; *Wind*: bramar, rugir; *See*: embravecerse; *Kinder*: (*umhertollen*) retozar; (*zornig schreien*) vociferar; echar venablos; (*lärmen*) alborotar; (*Zerstörungen anrichten*) hacer estragos; **~d** *adj.* furioso, enfurecido; frenético; *Ele-*

mente, *Sturm*: desencadenado; *~e See* mar embravecida; *~er Beifall* ovación atronadora; aplausos delirantes.

ˈ**Tob...**: **~sucht** *f* *(0)* frenesí *m*; ⚕ locura *f* furiosa; rabia *f*; delirio *m* furioso; **2süchtig** *adj.* frenético; furioso; rabioso; **~suchts-anfall** *m* (*-es*; *⸚e*) acceso *m* de rabia; ⚕ ataque *m* agudo de locura; acceso *m* furioso.

ˈ**Tochter** *f* (*-*; *⸚*) hija *f*; *~ des Hauses* la señorita; *heiratsfähige ~* hija casadera; *Ihr Fräulein ~* su hija (de usted).

ˈ**Töchterchen** *n* hijita *f*.

ˈ**Tochter|gesellschaft** ✝ *f* sociedad *f* filial; **~kind** *n* (*-es*; *-er*) nieto *m*, nieta *f*; **~kirche** *f* iglesia *f* filial.

ˈ**töchterlich** *adj.* de hija; filial.

ˈ**Töchterschule** *f*: *Höhere ~* colegio *m* de señoritas.

ˈ**Tochtersprache** *f* lengua *f* derivada.

Tod *m* (*-es*; *-e*) muerte *f*; (*Ableben*) fallecimiento *m*; (*Sterbefall*) defunción *f* (*bsd.* ⚖ *u. statistisch*); *plötzlicher* (*früher*) *~* muerte repentina (prematura); *e-s natürlichen ~es sterben* morir de muerte natural; *e-s gewaltsamen ~es sterben* morir a mano airada; morir de muerte violenta; *ein Kind des ~es sein fig.* ser presa de la muerte; estar condenado a morir; estar perdido; *den ~ finden* hallar la muerte, perecer; *auf Leben und ~* a vida o muerte; *Kampf auf Leben und ~* lucha a muerte; *auf den ~ nicht leiden können* odiar a (*od.* de) muerte; tener odio mortal a; *dem ~ mutig ins Auge schauen* afrontar serenamente la muerte; *bis in den ~* hasta la muerte; *kurz vor s-m ~e* poco antes de morir; *das ist mir in den ~ zuwider* odio eso como a la peste; *mit dem ~ ringen* agonizar, estar en la agonía; *nach j-s ~ erscheinend, geboren usw.*: póstumo; *es geht um Leben und ~* va en ello la vida; *j-n vom ~ erretten* salvar la vida a alg.; librar de una muerte cierta a alg.; *sich zu ~e arbeiten* matarse a trabajar; *sich zu ~e schämen* morirse de vergüenza; *sich zu ~e langweilen* morirse de aburrimiento; F aburrirse como una ostra; *zu ~e betrübt* muy afligido; *fig.* con el corazón roto; *zu ~e erschrecken* llevarse un susto mortal (*od.* de muerte); *zu ~e hetzen* (*Wild*) perseguir a muerte, acosar (*a. fig.*); *zu ~e quälen* atormentar hasta la muerte; *ein Pferd zu ~e reiten* reventar un caballo; *zum ~e verurteilen* condenar (*od.* sentenciar) a muerte; *zwischen ~ und Leben schweben* estar entre la vida y la muerte; ˈ**2bringend** *adj.* mortal; fatal; deletéreo, mortífero; ˈ**2ernst I.** *adj.* *(0)* muy serio; **II.** *adv.* muy en serio.

ˈ**Todes...**: **~ahnung** *f* presentimiento *m* de la muerte (próxima); **~angst** *f* (*-*; *⸚e*) angustias *f/pl.* mortales; *fig. Todesängste ausstehen* pasar angustias mortales; estar con el alma en un hilo; **~anzeige** *f* (*in der Zeitung*) esquela *f* de defunción; (*briefliche*) esquela *f* mortuoria; **~art** *f* género *m* de muerte; **~blässe** *f* *(0)* palidez *f* cadavérica; **~engel** *m* ángel *m* de la muerte; **~erklärung** *f* declaración *f* de muerte; declaración *f* de fallecimiento; **~fall** *m* (*-es*; *⸚e*) muerte *f*; *im ~* en caso de muerte; (⚖ de fallecimiento); *Todesfälle pl.* defunciones *f/pl.*; fallecimientos *m/pl.*; ⚔ muertos *m/pl.*; **~flieger** *m* aviador *m* suicida; **~furcht** *f* *(0)* temor *m* a la muerte; **~gefahr** *f* peligro *m* de muerte; *j-n aus ~ retten* salvar la vida a alg.; **~kampf** *m* (*-es*; *⸚e*) agonía *f*; último trance *m*; **~kandidat** F *m* (*-en*) moribundo *m*; **2mütig** *adj.* desafiador de la muerte; **~nachricht** *f* noticia *f* de la muerte; (*Trauerbrief*) esquela *f* mortuoria; **~opfer** *n* víctima *f*; **~pein** *f* *(0)*, **~qualen** *pl.* → *Todesangst*; **~röcheln** *n* estertor *m* de la agonía; **~stoß** *m* (*-es*; *⸚e*) golpe *m* mortal; (*Gnadenstoß*) golpe *m* de gracia; **~strafe** *f* pena *f* capital (*od.* de muerte); *bei ~* bajo pena de muerte; **~strahlen** *pl.* rayos *m/pl.* mortíferos: **~streich** *m* (*-es*; *-e*) → *Todesstoß*; **~stunde** *f* hora *f* de la muerte; hora *f* suprema; última hora *f*; **~sturz** *m* (*-es*; *⸚e*) caída *f* mortal; **~tag** *m* (*-es*; *-e*) día *m* de la muerte; (*Jahrestag*) aniversario *m* de la muerte; **~ursache** *f* causa *f* de la muerte; **~urteil** *n* (*-s*; *-e*) sentencia *f* de muerte; **~verachtung** *f* *(0)* desprecio *m* de la muerte; *mit ~* con supremo valor, desdeñando la muerte; **~wunde** *f* herida *f* mortal; **~zelle** *f* cámara *f* de ejecución.

ˈ**Tod...**: **~feind(in** *f*) *m* (*-es*; *-e*) enemigo (-a *f*) mortal; **~feindschaft** *f* odio *m* mortal; **2geweiht** *adj.* señalado por la muerte; **2krank** *adj.* *(0)* enfermo de muerte.

ˈ**tödlich I.** *adj.* mortal; (*todbringend*) mortífero; *Gas*: deletéreo; *~e Dosis* ⚕ dosis letal; *~er Ausgang* desenlace fatal; ⚕ éxito letal; *mit ~er Sicherheit behaupten* afirmar con absoluta seguridad; **II.** *adv.* mortalmente; *~ verunglücken* perecer en un accidente; *~ verwunden* herir mortalmente (*od.* de muerte); *~ hassen* odiar a (*od.* de) muerte, odiar mortalmente; *sich ~ langweilen* morirse de aburrimiento; aburrirse soberanamente (*od.* F como una ostra).

ˈ**tod...**: **~müde** *adj.* *(0)* rendido de cansancio, muerto de fatiga; desfallecido; F hecho polvo; **~sicher I.** *adj.* *(0)* segurísimo, absolutamente seguro; infalible; *das ist ~* eso es absolutamente seguro; F eso es viejo; **II.** *adv.* (*zweifellos*) sin duda alguna; *er kommt ~* es absolutamente seguro que vendrá; **2sünde** *Rel. f* pecado *m* mortal; **~wund** *adj.* mortalmente herido.

ˈ**Toga** *f* (*-*; *-gen*) toga *f*.

ˈ**Tohuwaˈbohu** ([-s]; *-s*) *n* (*Durcheinander*) caos *m*; confusión *f*; F merienda *f* de negros; (*Lärm*) batahola *f*; F jaleo *m*, follón *m*; marimorena *f*, *fig.* zarabanda *f*.

Toiˈlette [toˈa·-] *f* (*Frisiertisch*) tocador *m*; (*Kleidung*) atuendo *m*, atavío *m*; (*Kleid*) vestido *m*; (*Frisieren*) peinado *m*, tocado *m*; (*Aufputz*) aseo *m* personal; compostura *f*; (*Abort*) retrete *m*; servicios *m/pl.*

Toiˈletten...: **~artikel** *pl.* artículos *m/pl.* de tocador; **~frau** *f* encargada *f* del lavabo; **~garnitur** *f* juego *m* de tocador; **~necessaire** *n* (*-s*; *-s*) estuche *m* de aseo; neceser *m*; **~papier** *n* (*-s*; *0*) papel *m* higiénico; **~seife** *f* jabón *m* de tocador; **~spiegel** *m* espejo *m* de tocador; **~tisch** *m* (*-es*; *-e*) tocador *m*.

toi, toi, toi! F (*Ausruf*) ¡suerte!

Tokˈkata ♪ *f* (*-*; *-ten*) tocata *f*.

tole|ˈrant (*-est*) *adj.* tolerante; **2ˈranz** *f* *(0)* tolerancia *f*; **~ˈrieren** (*-*) *v/t.* tolerar.

toll I. *adj.* (*verrückt*) loco, demente, alienado; (*rasend*) frenético; (*wütend*) furioso; *Hund*: rabioso, hidrófobo; *fig.* loco; extravagante; (*verteufelt*) endiablado, endemoniado; infernal; (*ausgefallen*) extraordinario; F fuera de serie; (*ungereimt*) absurdo; (*unglaublich*) increíble; (*schrecklich*) terrible, F de espanto; (*großartig*) formidable, F estupendo; (*unbeschreiblich*) indescriptible; (*unvernünftig*) insensato, descabellado; (*wunderlich*) estrafalario; (*unerhört*) inaudito; (*zügellos*) desenfrenado; (*spaßhaft*) hilarante, jocoso, chistoso; (*grotesk*) grotesco; *~er Streich* locura *f*; quijotada *f*; barrabasada *f*, travesura *f*; calaverada *f*; *~er Einfall* idea extravagante (*od.* descabellada); *ein ~er Lärm* un ruido infernal (*od.* de mil demonios); *ein ~es Tempo vorlegen* ir a una velocidad endiablada; *das ist e-e ~e Sache* F es una cosa estupenda (*od.* despampanante); *es ist e-e ~e Wirtschaft hier* F esto es una merienda de negros; aquí todo anda manga por hombro; *ein ~es Leben führen* vivir desenfrenadamente; F vivir a lo loco; *das ist zu ~* eso ya es demasiado; eso ya pasa de la raya (*od.* de castaño oscuro); *ein ~er Bursche* F un tio castizo; **II.** *adv.*: *wie ~* locamente, F a lo loco; *es ~ treiben* ir demasiado lejos; extremar las cosas; *~ werden* enloquecer, volverse loco (*a. fig.*); *es ging ~ her* F aquello fue el acabóse; (*es war amüsant*) hubo diversión de lo lindo; (*bei Streit*) se armó allí la de Dios es Cristo; *es kommt noch ~er iro.* lo más bonito viene después.

ˈ**Tolle** *f* (*Haarschopf*) tupé *m*.

ˈ**tollen** *v/i.* *Kinder*: retozar; (*wild lärmen*) alborotar.

ˈ**Toll...**: **~haus** *n* (*-es*; *⸚er*) manicomio *m*; casa *f* de orates; **~häusler** *m* loco *m*, demente *m*; **~heit** *f* locura *f*, demencia *f*, enajenación *f* mental; (*Tobsucht*) frenesí *m*; (*Tollwut*) rabia *f*; (*Handlung*) locura *f*; extravagancia *f*; insensatez *f*; **~kirsche** ⚘ *f* belladona *f*; **~kopf** *m* (*-es*; *⸚e*) loco *m*; **2kühn** *adj.* *(0)* temerario; **~kühnheit** *f* *(0)* temeridad *f*; **~wut** ⚕ *f* *(0)* rabia *f*, hidrofobia *f*; **2wütig** ⚕ *adj.* rabioso, hidrófobo; **~wutserum** ⚕ *n* (*-s*; *-seren*) suero *m* antirrábico.

ˈ**Tolpatsch** *m* (*-es*; *-e*) → *Tölpel*; **2ig** *adj.* → *tölpelhaft*.

ˈ**Tölpel** *m* (*Dummkopf*) zopenco *m*; mentecato *m*, majadero *m*; (*ungebildeter Dörfler*) palurdo *m*, patán *m*, rústico *m*; (*plumper, ungeschickter Mensch*) torpe *m*, F manzanas *m*; (*Grobian*) grosero *m*.

Tölpe'lei *f* mentecatez *f*, majadería *f*; rusticidad *f*; torpeza *f*; grosería *f*.

'tölpel|haft *adj*. (*dumm*) zopenco; mentecato, majadero; (*bäurisch*) palurdo, rústico; (*ungeschickt*) torpe; (*grob*) grosero; **2haftigkeit** *f* (*0*) → Tölpelei.

To'mate ⚘ *f* tomate *m*; **~nmark** *n* (*-es*; *0*) pulpa *f* de tomate; pasta *f* (concentrada) de tomate; **~nsaft** *m* (*-es*; *⸚e*) jugo *m* de tomate; **~nsa'lat** *m* (*-es*; *-e*) ensalada *f* de tomate; **~nsuppe** *f* sopa *f* de tomate.

'Tombak *n* (*-s*; *0*) tumbaga *f*.

'Tombola *f* (*-*; *-len*) tómbola *f*; rifa *f*.

Ton¹ *m* (*-es*; *-e*) *Min*. arcilla *f*; feuerfester ~ arcilla refractaria.

Ton² *m* ♪ (*-es*; *⸚e*) tono *m* (*a. fig.*); (*Note*) nota *f*; (*~art*) tonalidad *f*; modo *m*; (*Schall*) sonido *m*; (*Klangfarbe*) timbre *m*; (*Nuance, Schattierung*) matiz *m*; (*Farb2*) tono *m*; (*Betonung*) acento *m*; ⚕ Herztöne tonos cardíacos; guter ~ buen tono; zum guten ~ gehören ser de buen tono; ser exigido por el buen tono; den ~ angeben dar el tono, entonar; *fig*. dar tono a; den ~ nicht halten desentonar, salirse de tono; e-n anderen ~ anschlagen cambiar de tono; den ~ legen auf (*ac.*) acentuar (*ac.*), cargar el acento sobre; *fig*. hacer resaltar; wenn Sie in diesem ~ reden si habla usted en ese tono; ich verbitte mir diesen ~ le prohíbo hablarme en ese tono; in höchsten Tönen reden von hacer grandes elogios de; hacer el panegírico de alg.; F poner por las nuebes a; F große Töne reden fanfarronear; keinen ~ von sich geben callar, no decir palabra; F no rechistar, no decir ni pío; keinen ~ mehr! ¡ni una palabra más!; F hat man Töne? ¿habráse visto cosa igual?; *fig*. den richtigen ~ treffen tocar el resorte adecuado.

'Ton...: **~abnehmer** *m* (*Grammophon, Radio*) fonocaptor *m*; **~angabe** ♪ *f* entonación *f*; **2angebend** *adj*. que da el tono; *fig*. determinante; *Person*: influyente; **~arm** *m* (*-es*; *-e*) (*Grammophon, Radio*) brazo *m* del fonocaptor; **~art** ♪ *f* tono *m*; tonalidad *f*; modo *m*; in e-e andere ~ übergehen modular; *fig*. in allen ~en en todos los tonos; e-e andere ~ anschlagen cambiar de tono; **2artig** *adj*. arcilloso; **~aufnahme** *f* registro *m* del sonido; *auf Grammophonplatten, Tonband*: grabación *f*; **~band** *n* (*-es*; *⸚er*) cinta *f* magnetofónica; *Am*. cinta *f* magnética; (*Film*) banda *f* de sonido; auf ~ aufnehmen grabar en cinta magnetofónica; **~band-aufnahme** *f* grabación *f* en cinta magnetofónica; **~bandgerät** *n* (*-es*; *-e*) magnetófono *m*; F magnetofón *m*; *Am*. grabadora *f*; **~bereich** *m* (*-es*; *-e*) alcance *m* del sonido; **~blende** *f* regulador *m* de sonido; **~boden** *m* (*-s*; *⸚*) terreno *m* (*od.* suelo *m*) arcilloso; **~dichter** *m* compositor *m*; **~dichtung** *f* composición *f* musical.

'tönen I. 1. *v/i*. (*schallen*) sonar; (*widerhallen*) resonar; (*dumpf ~*) retumbar; **2.** *v/t*. (*farbig ab~*) matizar; *Phot*. virar; **II. 2** *n* sonidos *m/pl.*; *farbliches*: matices *m/pl.*; tonalidad *f*; *Phot*. viraje *m*.

'Ton-erde *f* (*0*) tierra *f* arcillosa; arcilla *f*; ⚗ alúmina *f*; essigsaure ~ acetato *m* de alúmina.

'tönern *adj*. de arcilla; de barro; der Koloß mit ~en Füßen el coloso de los pies de barro.

'Ton...: **~fall** *m* (*-es*; *0*) ♪ cadencia *f*, ritmo *m*; (*Intonation*) entonación *f*; (*Akzent*) acento *m*; dejo *m*; *Arg*. tonada *f*; **~farbe** *f* timbre *m*; **~film** *m* (*-es*; *-e*) película *f* sonora; película *f* hablada; **~fixierbad** *Phot*. *n* (*-es*; *⸚er*) baño *m* virofijador; **~folge** ♪ *f* serie *f* (*od.* sucesión *f*) de sonidos; **~frequenz** *f* frecuencia *f* acústica; **~fülle** *f* (*0*) sonoridad *f*; **~gefäß** *n* (*-es*; *-e*) vasija *f* de barro; **~geschirr** *n* (*-es*; *-e*) vajilla *f* de barro; **~grube** *f* gredal *m*; yacimiento *m* de tierra arcillosa; **2haltig** *adj*. arcilloso; **~höhe** ♪ *f* altura *f* del tono.

'Tonika ♪ *f* (*-*; *Toniken*) tónica *f*.

'Ton-ingenieur *m* (*-s*; *-e*) técnico *m* del sonido.

'tonisch *adj*. ♪, ⚕ tónico.

'Ton...: **~kalk** *m* (*-es*; *-e*) cal *f* arcillosa; **~kamera** *f* (*-*; *-s*) *Film*: cámara *f* sonora; **~kunst** *f* música *f*; arte *m* musical; **~künstler** *m* músico *m*; (*Komponist*) compositor *m*; **~lage** ♪ *f* altura *f* del tono; tonalidad *f*; **~lager** *n* capa *f* arcillosa; **~leiter** *f* (*-*; *-n*) escala *f* (musical); **2los** *adj*. sin sonido; (*unbetont*) átono; sin acentuación; (*stumm*) mudo; (*ohne Stimme*) áfono; afónico; **~malerei** *f* música *f* descriptiva; **~meister** *m* ingeniero *m* del sonido; **~messer** *Phys*. *m* sonómetro *m*; **~messung** *Phys*. *f* sonometría *f*; **~mischer** *m* mezclador *m* de sonidos; **~mischpult** *n* (*-es*; *-e*) mesa *f* para mezcla de sonidos; mesa *f* de mezcla; **~mischung** *f* mezcla *f* (de sonidos).

Ton'nage [-'na:ʒə] ⚓ *f* tonelaje *m*.

'Tönnchen *n* barrilito *m*.

'Tonne *f* (*Faß*) barril *m*; (*großes Gefäß*) tonel *m*; pipa *f*; (*Maß*) tonelada *f* (métrica); ⚓ (*Boje*) boya *f*; baliza *f*.

'Tonnen...: **~dach** △ *n* (*-es*; *⸚er*) tejado *m* en forma de tonel; **~gehalt** ⚓ *m* (*-es*; *0*) tonelaje *m*; arqueo *m*; **~gewölbe** △ *n* bóveda *f* en cañón; **2weise** *adj*. por toneladas.

'Ton...: **~papier** *Phot*. *n* (*-s*; *-e*) papel *m* virofijador; **~pfeife** *f* pipa *f* de barro; **~projektor** *m* (*-s*; *-en*) *Film*: proyector *m* de películas sonoras; **~rille** *f der Schallplatte*: surco *m*; **~röhre** *f* tubo *m* de arcilla; **~schiefer** *Min*. *m* esquisto *m* arcilloso; **~schwund** *m* (*-es*; *0*) *Radio*: extinción *f* del sonido; *angl*. fading *m*; **~setzer** ♪ *m* compositor *m*; **~silbe** *f* sílaba *f* tónica; **~stärke** *f* intensidad *f* del sonido; *Radio*: volumen *m*; **~streifen** *m Film*: banda *f* del sonido; **~stück** *n* (*-es*; *-e*) pieza *f* de música; **~stufe** ♪ *f* diapasón *m*.

Ton'sur *f* tonsura *f*; corona *f*.

'Ton...: **~taube** *f Sport*: plato *m* (de tiro); **~taubenschießen** *n Sport*: tiro *m* al plato; **~techniker** *m* técnico *m* del sonido; **~umfang** *m* (*-es*; *0*) amplitud *f* tonal.

'Tönung *f* (*Farbe*) colorido *m*; (*Schattierung*) matiz *m*; *Phot*. viraje *m*.

'Ton...: **~ver-änderung** *f* cambio *m* de tono; (*Modulation*) modulación *f*; **~verstärker** *m* amplificador *m* del sonido; amplificador *m* acústico; **~waren** *pl*. objetos *m/pl.* de alfarería; (*Steingut*) loza *f*; **~wiedergabe** *f* reproducción *f* del sonido; **~zeichen** *n* ♪ nota *f* (musical); *Gr*. acento *m*.

To'pas *m* (*-es*; *-e*) topacio *m*.

Topf *m* (*-es*; *⸚e*) (*Koch2*) olla *f*, pote *m*; *aus Metall, mit Henkeln*: marmita *f*, *mit Henkel od. Stiel*: cacerola *f*; *aus Ton, flach, ohne Henkel*: cazuela *f*, *hoch, mit Henkel*: puchero *m*; (*Einmach2*) tarro *m*; (*Blumen2*) tiesto *m*; *fig*. in e-n ~ werfen confundirlo todo, F meterlo todo en el mismo saco.

'Töpfchen *n dim. v.* Topf; (*Nacht2*) orinal *m*; F perico *m*.

'Topfdeckel *m* tapa *f*, tapadera *f* (de olla, pote, marmita, cacerola *od.* puchero).

'Töpfer *m* alfarero *m*; (*Ofensetzer*) fumista *m*; **~arbeit** *f* (obra *f* de) alfarería *f*.

Töpfe'rei *f* alfarería *f*; *als Kunst*: cerámica *f*.

'Töpfer...: **~erde** *f* (*0*) barro *m* (blanco); **~handwerk** *n* (*-es*; *-e*) alfarería *f*; oficio *m* de alfarero; **~scheibe** *f* torno *m* de alfarero; **~ton** *m* → Töpfererde; **~ware** *f* vajilla *f* de barro; (*Steingut*) loza *f*; (*kunstgewerbliche*) cerámica *f*; **~n** *pl*. objetos *m/pl.* de alfarería; cacharrería *f*; **~werkstatt** *f* (*-*; *⸚en*) alfarería *f*.

Topf...: **~gewächs** *n* (*-es*; *-e*) planta *f* de (*od.* en) maceta; **~gucker** *m* entrometido *m*; **~lappen** *m* trapo *m* para limpiar ollas; **~manschette** *f* cubretiesto (de papel) *m*; **~pflanze** *f* → Topfgewächs; **~ständer** *m* jardinera *f*; **~voll** *m* cazolada *f*.

Topo|'graph *m* (*-en*) topógrafo *m*; **~gra'phie** *f* (*0*) topografía *f*; **2'graphisch** *adj*. topográfico.

topp! *int*. ¡está bien!; ¡conforme!

Topp ⚓ *m* (*-s*; *-e u. -s*) tope *m*; über die ~en flaggen empavesar; **~mast** *m* (*-es*; *-e od. -en*) mastelero *m* de mayor; **~segel** *n* gavia *f*.

Tor¹ *m* (*-en*) (*dummer Mensch*) tonto *m*; necio *m*, mentecato *m*; (*Irrsinniger*) loco *m*, F chiflado *m*.

'Tor² *n* (*-es*; *-e*) puerta *f*; *Sport*: puerta *f*; *Fußball*: *a.* portería *f*, meta *f*, marco *m*; ein ~ schießen *Sport*: marcar un tanto; *Fußball*: *a.* marcar (*od.* meter) un gol; **~bogen** *m* (*-s*; *⸚*) arco *m*; **~chance** *f Sport*: ocasión *f* de marcar; **~durchschnitt** *m* (*-es*; *0*) *Fußball*: *angl*. gol *m* average; **~einfahrt** *f* puerta *f* cochera; **~esschluß** *m* (*-sses*; *0*): *fig*. kurz vor ~ en el último momento.

'Torf *m* (*-es*; *0*) turba *f*; ~ stechen extraer (*od.* cortar) la turba; **2artig** *adj*. turboso; **~boden** *m* (*-s*; *⸚*) te-

rreno *m* turboso; **~feuerung** *f* combustión *f* de turba; **~gewinnung** *f* extracción *f* de la turba; **~grube** *f* turbera *f*; **~kohle** *f* carbón *m* de turba; **~lager** *n* yacimiento *m* de turba.
'Torflügel *m* hoja *f* de puerta.
'Torf...: ~moor *n* (-ės; -e) turbera *f*; **~mull** *m* (-s; 0) serrín *m* de turba; **~stechen** *n*, **~stich** *m* (-ės; -e) extracción *f* de turba; **~stecher** *m* cortador *m* de turba; **~streu** *f* cama *f* de turba (desmenuzada) para el ganado.
'Tor...: ~halle ⚠ *f* porche *m*; pórtico *m*; **~heit** *f* (*Dummheit*) tontería *f*; necedad *f*, mentecatez *f*; (*Unvernunft*) disparate *m*; insensatez *f*; **~hüter** *m* portero *m*; *Fußball*: *a.* guardameta *m*.
'töricht *adj.* (-est) (*einfältig*) tonto; necio; (*unklug*) imprudente; (*unvernünftig*) insensato, disparatado; **~erweise** *adv.* tontamente.
'Törin *f* tonta *f*; necia *f*, mentecata *f*.
'torkeln (-le) *v/i.* (*schwanken*) tambalearse; *Betrunkener*: zigzaguear, F ir haciendo eses.
'Tor...: ~latte *f* *Sport*: (*Torpfosten*) poste *m*; (*Querlatte*) larguero *m*; **~lauf** *m* (-ės; ⸗e) *Ski*: slalom *m*; **~linie** *f* *Sport*: línea *f* de meta; *Fußball*: *a.* línea *f* de gol.
Tor'nado *m* (-s; -s) tornado *m*.
Tor'nister *m* ⚔ mochila *f*; (*Schul*2) vade *m*, cartapacio *m*.
Tor'peder ⚔ *m* oficial *m* torpedista.
torpe'dier|en (-) *v/t.* torpedear (*a. fig.*); **2en** *n*, **2ung** *f* torpedeo *m*.
Tor'pedo *m* (-s; -s) torpedo *m*; **~bahn** *f* estela *f* del torpedo; trayectoria *f* del torpedo; **~boot** *n* (-ės; -e) torpedero *m*; **~bootjäger** *m* cazatorpedero *m*; **~bootzerstörer** *m* contratorpedero *m*; **~flugzeug** *n* (-ės; -e) avión *m* torpedero; **~kanone** *f* lanzatorpedos *m*; **~rohr** *n* (-ės; -e) tubo *m* lanzatorpedos; **~zerstörer** *m* contratorpedero *m*.
'Tor...: ~pfosten *m* jamba *f*; **~raum** *m* (-ės; ⸗e) *Fußball*: área *m* de gol; **~schlußpanik** F *f* pánico *m* del último minuto; F angustia *f* de quedarse a la luna de Valencia; **~schuß** (-sses; ⸗sse) *m* *Fußball*: tiro *m* a puerta (*od.* a gol); **~schütze** *m* (-n) *Fußball*: goleador *m*.
Torsi'on ⊕ *f* torsión *f*; **~sbeanspruchung** *f* esfuerzo *m* de torsión; **~sfeder** *f* (-; -n) resorte *m* de torsión; **~sfestigkeit** *f* (0) resistencia *f* a la torsión; **~sstab** *m* (-ės; ⸗e) barra *f* de torsión.
'Torso *m* (-s; -s) torso *m* (*a. fig.*)
'Tor...: ~stand *m* (-ės; 0) *Sport*: tanteo *m*; **~steher** *m* *Sport*: portero *m*, guardameta *m*.
Tort *m* (-ės; 0) :*j-m e-n ~ antun* jugar a alg. una mala pasada.
'Törtchen *n* tartita *f*.
'Torte *f* tarta *f*; **~nform** *f* molde *m* para tartas; **~nheber** *m* paleta *f* para pasteles; **~nplatte** *f* plato *m* para tartas.
Tor'tur *f* tortura *f*.
'Tor...: ~wächter *m*, **~wart** *m* (-ės; -e) portero *m*; *Sport*: *a.* guardameta *m*; **~weg** *m* (-ės; -e) puerta *f* cochera.

'tosen (-t) **I.** *v/i.* (*sich entfesseln*) desencadenarse; (*heulen*) bramar, rugir; (*lärmen*) producir estrépito; *~der Beifall* atronadores aplausos; ovación estruendosa; **II.** 2 *n* desencadenamiento *m*; *des Meeres, des Windes*: bramido *m*, rugido *m*; (*Lärm*) estrépito *m*; estruendo *m*.
Tos'kana *f* Toscana *f*.
tot *adj.* (0) muerto (*a. fig.*); (*verstorben*) difunto; fallecido, finado; (*leblos*) inanimado; (*ohne Lebensäußerung*) inerte; (*glanzlos*) apagado; (*erloschen*) extinguido; (*öde*) desolado; desierto; abandonado; (*unnütz*) inútil; improductivo; (*untätig*) inactivo; ✝ *Börse, Markt*: desanimado; ⚒ estéril; *~es Gebirge* ⚒ rocas estériles; ⚒ *~es Wetter* sin aire; ⊕ *~er Gang* juego inútil; espacio hueco; *~es Gleis* vía muerta; *~es Wissen* conocimientos inútiles; *~es Gewicht* peso muerto; ⚖ *~e Hand* manos *f/pl.* muertas; *~es Kapital* capital inactivo; *das 2e Meer* el mar Muerto; *~er Punkt* ⊕ punto muerto; *fig. a.* estancamiento, ✝ período de calma (en los negocios); *fig. an* (*od. auf*) *e-m ~en Punkt ankommen* llegar a un punto muerto; estancarse; *den ~en Punkt überwinden* salir del punto muerto; *~er Raum* ⊕ espacio muerto; *~es Rennen* *Sport*: carrera nula *od.* empatada; *~e Sprache* lengua muerta; *~es Wasser* aguas muertas *od.* estancadas; *~er Winkel Phys.* ángulo muerto; *~e Zone Radio*: zona de silencio; *ein ~er Hund beißt nicht mehr* muerto el perro se acabó la rabia.
to'tal *adj.* total; absoluto; (*vollständig*) entero, completo; *adv.* totalmente; completamente, por completo; *~er Staat* Estado totalitario; *~er Krieg* guerra total; **2ansicht** *f* vista *f* total; vista *f* panorámica; panorama *m*; **2ausfall** *m* (-ės; ⸗e) pérdida *f* total; **2ausverkauf** *m* (-ės; ⸗e) liquidación *f* total (*od.* general); **2betrag** *m* (-ės; ⸗e) importe *m* total; **2eindruck** *m* (-ės; ⸗e) impresión *f* general (*od.* de conjunto); impresión *f* total; **2finsternis** *f* (0) eclipse *m* total.
Totali'sator *m* (-s; -en) totalizador *m*; *Sport*: marcador *m* simultáneo.
totali'tär *adj.* totalitario.
Totalita'rismus *m* (-; 0) totalitarismo *m*.
Totali'tät *f* (0) totalidad *f*; **~sprinzip** *n* (-s; 0) principio *m* totalitario.
To'talverlust *m* (-es; -e) pérdida *f* total.
'tot-arbeiten (-e-) *v/refl.*: *sich ~* matarse trabajando (*od.* a fuerza de trabajar).
'Totem *n* (-s; -s) tótem *m*.
Tote'mismus *m* (-; 0) totemismo *m*.
'töten (-e-) **I.** *v/t.* matar; (*vernichten*) destruir; (*morden*) asesinar; (*hinrichten*) ejecutar; ⚕ (*Nerv im Zahn*) matar; cauterizar; *Bib. du sollst nicht ~* no matarás; *sich ~* matarse; quitarse la vida, suicidarse; **II.** 2 *n* → *Tötung*.
'Toten...: ~acker *m* (-s; ⸗) cementerio *m*; camposanto *m*; **~amt** *n* (-ės; ⸗er) misa *f* de réquiem; oficio *m* de difuntos; **~bahre** *f* féretro *m*;

~beschwörung *f* nigromancia *f*; **~bett** *n* (-ės; -en) lecho *m* mortuorio; **2'blaß**, **2'bleich** *adj.* (0) pálido como un muerto; de una palidez mortal; (*fahl*) lívido; **~blässe** *f* (0) palidez *f* mortal (*od.* cadavérica); **~feier** *f* (-; -n) funerales *m/pl.*; honras *f/pl.* fúnebres; **~fest** *n* (-es; -e) Conmemoración *f* de los Fieles Difuntos; día *m* de difuntos; **~geläut** *n* (-ės; 0) doble *m* (de las campanas), toque *m* a muerto; **~geleit** *n* (-ės; -e) cortejo *m* fúnebre; **~gerippe** *n* esqueleto *m*; **~geruch** *m* (-ės; 0) olor *m* cadavérico; **~gesang** *m* (-ės; ⸗e) canto *m* fúnebre; **~glocke** *f* → *Totengeläut*; *die ~n läuten* doblar, tocar a muerto; **~gräber** *m* enterrador *m*, sepulturero *m*; (*Käfer*) necróforo *m*; **~gruft** *f* (-; ⸗e) sepulcro *m*; tumba *f*; *in Kirchen*: cripta *f*; **~hemd** *n* (-ės; -en) mortaja *f*; **~klage** *f* llanto *m* fúnebre; plañido *m*; **~kopf** *m* (-ės; ⸗e) calavera *f*; **~kranz** *m* (-es; ⸗e) corona *f* funeraria; **~liste** *f* lista *f* de defunciones; necrología *f*; ⚔ lista *f* de bajas; **~maske** *f* mascarilla *f*; **~messe** *f* misa *f* de réquiem; **~register** *n* obituario *m*; **~reich** *n* (-ės; 0) reino *m* de los muertos; **~schädel** *m* calavera *f*; **~schau** *f* necropsia *f*; **~schein** *m* (-ės; -e) *des Arztes*: certificado *m* de defunción; *standesamtlicher*: partida *f* de defunción; **~sonntag** *m* (-ės; -e) → *Totenfest*; **~stadt** *f* (-; ⸗e) necrópolis *f*; **~starre** *f* (0) rigidez *f* cadavérica; **2still** *adj.* (0) de un silencio de muerte; **~stille** *f* (0) silencio *m* sepulcral; silencio *m* de muerte; **~tanz** *m* (-es; ⸗e) danza *f* macabra; **~uhr** *f* (*Käfer*) anobio *m*; **~urne** *f* urna *f* sepulcral; **~vogel** *Orn.* *m* (-s; ⸗) lechuza *f*; **~wache** *f* vela *f* de un difunto; velatorio *m*; *die ~ halten* velar a un difunto.
'Tote(r *m*) *m/f* muerto (-a *f*) *m*; difunto (-a *f*) *m*; finado (-a *f*) *m*.
'tot...: ~fahren (*L*) *v/t.* atropellar mortalmente (*od.* causando la muerte); **~geboren** *adj.* nacido muerto; muerto al nacer; *fig.* estéril, muerto antes de nacer; **2geburt** *f* niño *m* nacido muerto (*od.* muerto al nacer); *Zahl der ~en* mortinatalidad *f*; **~lachen** *v/refl.*: *sich ~* morirse de risa; *es ist zum 2* es para morirse de risa; **2last** *f* peso *m* muerto; **~machen** *v/t.* matar (*ac.*), dar muerte a.
'Toto *m* (-s; -s) *Rennsport*: totalizador *m*; (*Fußball*2) quinielas *f/pl.* de fútbol; apuestas *f/pl.* mutuas deportivas; **~schein** *m* (-ės; -e) quiniela *f*; boleto *m*.
'Tot...: ~punkt ⊕ *m* (-ės; -e) punto *m* muerto (*a. fig.*); **2schießen** (*L*) *v/t.* matar de un tiro; matar a tiros; *sich ~* pegarse un tiro, F levantarse la tapa de los sesos; **~schlag** ⚖ *m* (-ės; 0) homicidio *m*; (*Ermordung*) asesinato *m*; **2schlagen** (*L*) *v/t.* matar; (*ermorden*) asesinar; *fig. die Zeit ~* matar el tiempo; **~schläger** *m* ⚖ homicida *m*; (*Mörder*) asesino *m*; (*Werkzeug*) rompecabezas *m*; **2schweigen** (*L*) *v/t.* callar; F callarse como un muerto; *fig.* (*Angelegenheit*) pasar en silencio *a/c.*;

fingir ignorar a/c.; echar tierra a un asunto; 2**stellen** *v/refl.*: *sich* ~ hacerse el muerto; 2**treten** (*L*) *v/t.* aplastar con los pies.

'**Tötung** *f* ocasionamiento *m* de muerte; ⚖ homicidio *m*; (*Ermordung*) asesinato *m*; *fahrlässige* ~ homicidio por imprudencia; *vorsätzliche* ~ asesinato con premeditación.

tou'pieren *v/t.* (*Haar*) cardar.

Tour [-u:-] *f* (*Fahrt, Reise*) viaje *m*; (*Ausflug*) excursión *f*; (*Tournee*) gira *f*; (*Route*) itinerario *m*; (*Spaziergang*) paseo *m*; vuelta *f*; *beim Tanz*: figura *f* (de baile); vuelta *f*; (*Wendung*) giro *m*; ⊕ (*Umdrehung*) vuelta *f*, *des Motors*: revolución *f*; F *krumme* ~*en fig.* caminos tortuosos; *auf* ~*en kommen* alcanzar gran velocidad; *Auto.* (*starten*) arrancar; *fig.* tomar vuelo; *auf vollen* ~*en laufen fig.* estar en todo su apogeo; *in e-r* ~ F de un tirón, (*fortwährend*) sin interrupción.

'**Touren...**: ~**karte** *f* mapa *m* turístico; ~**wagen** *m* coche *m* de turismo; ~**zahl** *f* ⊕ (*Drehzahl*) número *m* de revoluciones *bzw.* de vueltas; ~**zähler** *m* (*Drehzahlmesser*) contador *m* de revoluciones *bzw.* de vueltas.

Tou'rist(in *f*) *m* (-*en*) turista *m/f*; ~**enklasse** *f* clase *f* turista; ~**enverkehr** *m* (-*s*; *0*), ~**ik** *f* (*0*) turismo *m*; 2**isch** *adj.* turístico.

Tour'nee [-'ne:] *f* (-; -*s u.* -*n*) gira *f*; *auf* ~ *gehen* hacer una gira.

Toxikolo'gie *f* (*0*) toxicología *f*.

To'xin *n* (-*s*; -*e*) toxina *f*.

Trab *m* (-*es*; *0*) trote *m*; ~ reiten trotar, ir al trote; *in* ~ *setzen* (*Pferd*) hacer ir al trote; *im* ~ a trote; *in vollem* ~ al trote; *fig. j-n auf* ~ *bringen* F hacer trotar a alg.; obligar a alg. a avivar el paso. [(*a. fig.*).]

Tra'bant *Astr. m* (-*en*) satélite *m*

'**trab|en** (*sn*) *v/i.* trotar, ir al trote; 2**en** *n* trote *m*; 2**er** *m* (*Pferd*) caballo *m* trotador *od.* trotón; 2**erwagen** *m angl.* sulky *m*; 2**rennbahn** *f* pista *f* para carreras al trote; 2**rennen** *n* carreras *f/pl.* al trote (*od.* de caballos enganchados).

Tracht *f* (*Kleidung*) vestidos *m/pl.*; traje *m*; (*Uniform*) uniforme *m*; (*Mode*) moda *f*; (*Volks*2) traje *m* regional (*od.* típico del país); (*Last*) carga *f*; ~ *Prügel* paliza *f*, F tunda *f*, somanta *f*, tollina *f*.

'**trachten** (-*e*-) **I.** *v/i.*: *nach et.* ~ aspirar a a/c.; pretender a/c.; anhelar a/c.; ~ *zu* tratar de (*inf.*), procurar (*inf.*); esforzarse por conseguir a/c.; *j-m nach dem Leben* ~ atentar contra la vida de alg.; **II.** 2 *n* aspiraciones *f/pl.*; esfuerzos *m/pl.*; *all sein Leben und* ~ todos sus esfuerzos y aspiraciones.

'**Trachtenball** *m* (-*es*; ⸚*e*) baile *m* de disfraces.

'**trächtig** *adj.* preñada; *fig. a.* en gestación; ~**keit** *f* (*0*) preñez *f*.

Tradition [-'tsio:n] *f* tradición *f*.

traditio'nell *adj.* tradicional.

traditi'ons|bewußt *adj.* (-*est*) tradicionalista; 2**bewußtsein** *n* (-*s*; *0*) tradicionalismo *m*; ~**gebunden** *adj.* tradicional; tradicionalista; ~*er Mensch* tradicionalista.

traf *pret. v. treffen.*

'**Trag|bahre** *f* angarillas *f/pl.*; *Plattform*: andas *f/pl.*; (*Kranken*2) camilla *f*; ~**balken** △ *m* viga *f* maestra; ~**band** *n* (-*es*; ⸚*er*) tirante *m*; △ (*Gewölbeträger*) cimbra *f*; ⊕ cinta *f* de transporte; ⚕ (*Tragbinde*) cabestrillo *m*; 2**bar** *adj.* portátil; (*handlich*) manual; transportable; *fig.* (*annehmbar*) aceptable; (*zumutbar*) razonable; (*erträglich*) soportable, llevadero; (*zulässig*) admisible; ~**e** *f* → *Tragbahre*.

'**träge** *adj.* (*faul*) perezoso; (*langsam*) lento; cachazudo; (*lässig*) indolente; (*nachlässig*) negligente; desidioso; (*schwerfällig*) pesado; (*schläfrig*) adormilado; soñoliento; ⚕, *Phys.* inerte.

'**tragen I.** (*L*) **1.** *v/t.* llevar; (*stützen*) soportar, apoyar; (*ertragen*) sufrir, soportar, aguantar; (*befördern*) portar, transportar; conducir; *Kosten*: pagar, sufragar, costear, correr con (los gastos); *Zinsen*: producir; *Brille*: usar, llevar; *Bart, Kleidung*: gastar; *Titel*: ostentar; *Name*: llevar; *er trägt den Namen X* se llama X; (*hin*)~ *zu* llevar a; (*her*)~ *zu* traer a; *am Körper* ~ llevar puesto; *Uniform* (*Zivil*) ~ vestir de uniforme (de paisano); *Früchte* ~ dar fruto; *fig.* producir beneficio; *geduldig* ~ llevar con paciencia; conllevar; *Trauer* ~ llevar luto; *die Verantwortung* ~ *für* tener la responsabilidad (*od.* ser responsable) de; *die Folgen* ~ sufrir las consecuencias; *Bedenken* ~, *et. zu tun* vacilar en hacer a/c.; *das Haar kurz* ~ llevar el pelo corto; *e-r Sache* (*dat.*) *Rechnung* ~ tener presente (*od.* en cuenta) a/c.; *wer trägt die Schuld* (*daran*)? ¿quién tiene la culpa (de ello)?, ¿de quién es la culpa?; *Sorge* ~ *für* tener cuidado de, cuidar de; preocuparse de; *dafür Sorge* ~, *daß* cuidar de que (*subj.*); procurar que (*subj.*); *Verlangen* ~ *nach et.* anhelar a/c.; desear vivamente a/c.; *auf den Armen* ~ llevar en (los) brazos; *fig. j-n auf Händen* ~ mimar a alg.; tratar con cariño a alg.; *auf dem Rücken* ~ llevar a cuestas; *auf der Schulter* ~ llevar al hombro; *bei sich* ~ llevar consigo; *in der Hand* ~ llevar en la mano; *ein Kind unter dem Herzen* ~ estar encinta (*od.* embarazada); *zur Schau* ~ exhibir, mostrar; lucir, ostentar, (*heucheln*) afectar, fingir; *fig. s-e Haut zu Markte* ~ exponerse a un riesgo; arriesgar la vida, F jugarse el pellejo; **2.** *v/i. Schußwaffe, Stimme*: (*reichen*) alcanzar; *Eis*: tener solidez; *Baum*: dar fruto; *Tier*: (*trächtig sein*) estar preñada; *schwer zu* ~ *haben* soportar una pesada carga; **3.** *v/refl.*: *sich gut* ~ (*Stoff*) ser sólido; ser durable; *das trägt sich unbequem* se lleva incómodamente; *sich mit der Absicht* ~, *zu* tener la intención de (*inf.*); proponerse (*od.* pensar hacer) a/c.; *sich mit dem Gedanken* ~, *zu* acariciar (*od.* abrigar) la idea de; pensar en (hacer) a/c.; *getragen*: (*Kleider*) usado, gastado; de segunda mano; *fig.* (*feierlich*) solemne; *Melodie*: lento; **II.** 2 *n* conducción *f*; porte *m*, transporte *m*; *Kleidung*: uso *m*; ~**d** *adj.* → *trächtig*; *fig.* sustentador; fundamental; principal.

'**Träger** *m* portador *m*; (*Gepäck*2) mozo *m* de equipajes; ⊕ (*Stütze*) soporte *m*; △ (*Tragebalken*) viga *f*; (*Schwelle*) travesaño *m*; (*Pfeiler*) pilar *m*; columna *f*; (*Längs*2) larguero *m*; (*Trägerarm*) brazo *m* elevador; soporte *m*; ⚕ portador *m*; *v. Hosen, Rock, Damenhemd*: tirante *m*; *fig.* exponente *m*; (*Vertreter*) representante *m*; ~**frequenz** ⚡ *f* frecuencia *f* portadora; ~**hose** *f* pantalón *m* de tirantes; ~**in** *f* portadora *f*; ~**lohn** *m* (-*es*; ⸚*e*) porte *m*; 2**los** *adj. Kleid*: sin tirantes; ~**rakete** *f* portacohete *m*; ~**schürze** *f* delantal *m* con tirantes; ~**welle** *f* onda *f* portadora.

'**Trag...**: 2**fähig** *adj.* capaz de sostener; (*solide*) sólido, resistente; (*ertragfähig*) ↗ productivo; fértil; ~**fähigkeit** *f* (*0*) (*Belastbarkeit*) capacidad *f* de carga; (*Belastungsgrenze*) límite *m* de carga; ✈ capacidad *f* de transporte; ↗ productividad *f*; fertilidad *f*; (*Nutzlast*) carga *f* útil; (*Fassungsvermögen*) capacidad *f*; (*Tonnage*) tonelaje *m*; (*Baugrund*) resistencia *f* del suelo; (*Hebekraft*) fuerza *f* de elevación; ~**fläche** ✈ *f* ala *f*; ~**flügelboot** *n* hidroala *m*, barco-avión *m*; ~**griff** *m* (-*es*; -*e*) asa *f*; ~**gurt** *m* (-*es*; -*e*) tirante *m*.

'**Trägheit** *f* (*0*) (*Faulheit*) pereza *f*; (*Langsamkeit*) lentitud *f*; (*Lässigkeit*) indolencia *f*; (*Nachlässigkeit*) negligencia *f*; desidia *f*; (*Schwerfälligkeit*) pesadez *f*; *Phys.* inercia *f*; ~**sgesetz** *n* (-*es*; *0*) ley *f* de la inercia; ~**smoment** *n* (-*es*; *0*) momento *m* de inercia.

'**Tragik** *f* (*0*): *die* ~ lo trágico; ~**er** *m* trágico *m*.

tragi'komisch *adj.* tragicómico.

Tragiko'mödie *f* tragicomedia *f*.

'**tragisch I.** *adj.* trágico; *e-e* ~*e Wendung nehmen* tomar un rumbo trágico; ~*es Ende* final trágico; *es ist nicht so* ~ F no es para tanto; **II.** *adv.* trágicamente; *et.* ~ *nehmen* tomar por lo trágico; dramatizar; 2**e(s)** *n* lo trágico.

'**Trag...**: ~**korb** *m* (-*es*; ⸚*e*) cuévano *m*; ~**kraft** *f* (*0*) → *Tragfähigkeit*; ~**last** *f* carga *f*.

Tra'göd|e *m* (-*n*) (actor *m*) trágico *m*; ~**in** *f* (actriz *f*) trágica *f*; ~**ie** *f* tragedia *f*; ~**iendichter** *m* autor *m* de tragedias, trágico *m*.

'**Trag...**: ~**pfeiler** △ *m* pilar *m*; columna *f*; (*Stütze*) soporte *m*; ~**riemen** *m* correa *f* hombrera; *am Gewehr*: portafusil *m*; ~**sattel** *m* (-*s*; ⸚) albarda *f*; ~**schrauber** ✈ *m* autogiro *m*; ~**seil** *n* (-*es*; -*e*) cable *m* portador; cable *m* sustentador; ⚡ *für Luftkabel*: cable *m* de suspensión; ~**sessel** *m*, ~**stuhl** *m* (-*es*; ⸚*e*) silla *f* de manos; (*Sänfte*) litera *f*; ~**stein** △ *m* (-*es*; -*e*) ménsula *f*; ~**weite** *f* (*0*) (*Reichweite*) alcance *m*; *fig. a.* transcendencia *f*; gravedad *f*; ~**werk** ✈ *n* (-*es*; -*e*) alas *f/pl.*

Train [trɛ̃:] ⚔ *m* (-*s*; -*s*) tren *m* de campaña; (*Troß*) bagaje *m*, impedimenta *f*.

'**Trainer** [ɛ:, e:] *m Sport*: entrenador *m*.

trai'nieren (-) **I. 1.** *v/t.* entrenar; **2.** *v/i.* entrenarse; **II.** 2 *n* entrenamiento *m*.
'Training *n* (*-s*; *-s*) entrenamiento *m*; **~slager** *n* campo *m* de entrenamiento; **~sspiel** *n* (*-es*; *-e*) partido *m* de entrenamiento.
'Trainkolonne ⚔ *f* columna *f* de aprovisionamiento.
Tra'jekt *m/n* (*-es*; *-e*) (*Überfahrt*) travesía *f*; (*Eisenbahnfähre*) = **~schiff** *n* (*-es*; *-e*) buque *m* porta-trenes; transbordador *m* de ferrocarriles.
Trakt *m* (*Gebäude*) ala *f*, sección *f*; (*Straße*) tramo *m*, trecho *m*.
Trak'tat *m/n* (*-es*; *-e*) (*Abhandlung*) tratado *m*; (*Flugschrift*) folleto *m*.
Trak'tätchen *n* folleto *m* (*mst.* religioso).
trak'tieren (-) *v/t.* tratar; (*bewirten*) obsequiar, agasajar.
'Traktor *m* (*-s*; *-en*) tractor *m*.
Trakto'rist *m* (*-en*) tractorista *m*.
'trällern I. *v/i.* tararear; canturrear; **II.** 2 *n* tarareo *m*; canturreo *m*.
'Trambahn *f* tranvía *m*.
'Trampel *m/n* (*-s*; -) F atropellaplatos *f*; **~loge** *Thea. f* F paraíso *m*, gallinero *m*; **2n** (*-le*) *v/i.* caminar pesadamente; (*mit den Füßen stampfen*) patear; patalear; **~n** *n* pateo *m*; pataleo *m*; **~tier** *Zoo. n* (*-es*; *-e*) camello *m*.
'tram|pen [a *od.* ɛ] *v/i. neol.* viajar por auto-stop; **2per** *m neol.* autoestopista *m/f*.
Tran *m* (*-es*; *-e*) aceite *m* de ballena; *allg.* aceite *m* de pescado; *fig.* F *im ~ sein* estar medio dormido; (*betrunken sein*) estar borracho, F tener una tajada.
'Trance [-ɑ̃:s(ə)] *f* trance *m*; sueño *m* hipnótico; *in ~ fallen* entrar en trance.
'Tranche ['tʀɑ̃:ʃ(ə)] *f* (*Schnitte*) tajada *f*; ✝ emisión *f* parcial.
Tran'chier|besteck [tʀɑ̃'ʃi:ʀ-] *n* (*-es*; *-e*) cubierto *m* de trinchar; **2en** (-) *v/t.* trinchar; **~gabel** *f* (*-*; *-n*) trinchante *m*; **~messer** *n* cuchillo *m* de trinchar.
'Träne *f* lágrima *f*; llanto *m*; *den ~n nahe sein* estar a punto de llorar; contener las lágrimas; *~n vergießen* derramar lágrimas; llorar; *~n lachen* llorar de risa; *j-m die ~n trocknen* secar (*od.* enjugar) las lágrimas a alg.; *fig. a.* mitigar la pena de alg.; *ganz in ~n aufgelöst sein, in ~n zerfließen* llorar a lágrima viva; F llorar a moco tendido; *mit ~n in den Augen, unter ~n* con los ojos arrasados en lágrimas; *j-n (bis) zu ~n rühren* arrancar lágrimas a alg.; *in ~n ausbrechen* romper a llorar.
'tränen I. *v/i.* lagrimear; *~de Augen* ojos lagrimosos; (*verweinte*) ojos lacrimosos *od.* llorosos; **II.** 2 *n* ⚕ lagrimeo *m*, epifora *f*; **2bein** *Anat. n* (*-es*; *-e*) hueso *m* lagrimal; **2drüse** *Anat. f* glándula *f* lagrimal; F *auf die ~ drücken* ser sentimental; **~erstickt** *adj.*: *mit ~er Stimme* con voz ahogada por las lágrimas; **2gas** *n* (*-es*; *0*) gas *m* lacrimógeno; **2gasbombe** *f* bomba *f* lacrimógena; **2kanal** *Anat. m* (*-es*; *ᵘe*) conducto *m* lagrimal; **~los** *adj.* (*0*) sin lágrimas; (*Auge*) enjuto; **2sack** *Anat. m* (*-es*; *ᵘe*) saco *m* lagrimal; **2strom** *m* (*-es*; *ᵘe*) raudal *m* de lágrimas; **2tal** *n* (*-es*; *0*) *fig.* valle *m* de lágrimas; **~überströmt** *adj.* (*0*) anegado en llanto.
'tranig *adj.* aceitoso; *Geschmack*: con gusto a aceite de pescado; *fig.* (*schwerfällig*) torpe; (*dösig*) soñoliento; (*langweilig*) aburrido, soso.
Trank *m* (*-es*; *ᵘe*) bebida *f*; ⚕ poción *f*; *widerlicher*: brebaje *m*; (*Aufguß*) tisana *f*, infusión *f*; *Speise und ~* comida y bebida.
trank *pret. v. trinken.*
'Tränke *f* abrevadero *m*; **2n** *v/t.* dar de beber a; *Vieh*: abrevar; *Schwamm*: embeber; *Stoff*: impregnar; *Watte*: empapar; ⚗ (*sättigen*) saturar; *Hölzer*: inyectar; **~n** *n e-s Schwammes*: imbibición *f*; *v. Stoffen*: impregnación *f*; *v. Watte*: empapamiento *m*; ⚗ (*Sättigen*) saturación *f*; *v. Hölzern*: inyección *f*.
'Trank·opfer *n* libación *f*.
Trans·akti'on *f* transacción *f*.
trans|al'pin(isch) *adj.* tra(n)salpino; **~at'lantisch** *adj.* tra(n)satlántico.
Trans'fer ✝ *m* (*-s*; *0*) transferencia *f*; **~abkommen** *n* acuerdo *m* sobre transferencias; **~dienst** *m* (*-es*; *0*) servicio *m* de transferencias; **~gebühr** *f* derechos *m/pl.* de transferencia.
transfe'rier|bar ✝ *adj.* transferible; **~en** (-) *v/t.* transferir; **2en** *n*, **2ung** *f* transferencia *f*.
Transfor|mati'on *f* transformación *f*; **~'mator** *m* (*-s*; *-en*) transformador *m*; **~ma'toren·öl** *n* (*-s*; *-e*) aceite *m* para transformadores; **~ma'torenstation** *f* estación *f* transformadora; **2'mieren** (-) *v/t.* transformar.
Transfusi'on ⚕ *f* transfusión *f*.
Tran'sistor ⚡ *m* (*-s*; *-en*) transistor *m*.
Tran'sit *m* (*-s*; *-e*) tránsito *m*; *in ~* en tránsito; **~gut** ✝ *n* (*-es*; *ᵘer*) mercancías *f/pl.* de tránsito; **~hafen** *m* (*-s*; *ᵘ*) puerto *m* de tránsito; **~handel** *m* (*-s*; *0*) comercio *m* de tránsito.
'transitiv *Gr. adj.* transitivo.
transi'torisch *adj.* transitorio.
Tran'sit|verkehr *m* (*-s*; *0*) tráfico *m* de tránsito; comercio *m* de tránsito; **~visum** *n* (*-s*; *-visa*) visado *m* de tránsito; **~zoll** *m* (*-es*; *ᵘe*) derechos *m/pl.* de tránsito.
Transjor'danien *n* Transjordania *f*.
Transmissi'on [-mɪsĭ-] *f* transmisión *f*; **~sriemen** ⊕ *m* correa *f* de transmisión; **~swelle** ⊕ *f* árbol *m* de transmisión.
trans·oze'anisch *adj.* transoceánico.
transpa'rent I. *adj.* transparente; **II.** 2 *n* (*-es*; *-e*) transparente *m*; (*Spruchband*) pancarta *f*.
Transpi|rati'on *f* transpiración *f*; **2'rieren** (-) *v/i.* transpirar; **~'rieren** *n* transpiración *f*.
Transplan|tati'on *Chir. f* trasplantación *f*, transplante *m*; injerto *m*; **2'tieren** (-) *v/t.* trasplantar; injertar.
transpo'nier|en (-) *v/t.* tra(n)sponer; **2en** *n*, **2ung** *f* tra(n)sposición *f*.
Trans'port *m* (*-es*; *-e*) transporte *m*; conducción *f*; *mit Fuhrwerk*: acarreo *m*; ⚔ convoy *m*.
transpor'tabel (*-le*) *adj.* transportable; (*tragbar*) portátil.
Trans'port...: ~arbeiter *m* obrero *m* del ramo de transportes; **~band** ⊕ *n* (*-es*; *ᵘer*) cinta *f* transportadora; **~er** *m* → *Transportschiff, Transportflugzeug.*
Transpor'teur *m* (*-s*; *-e*) transportista *m*; ⩓ transportador *m*.
Trans'port...: 2fähig *adj.* transportable; *Kranker*: trasladable; **~firma** *f* (*-*; *-firmen*) → *Transportunternehmen*; **~flugzeug** *n* (*-es*; *-e*) avión *m* de transporte; **~führer** ⚔ *m* jefe *m* del convoy; **~gesellschaft** *f* compañía *f* de transportes.
transpor'tier|bar *adj.* transportable; **~en** (-) *v/t.* transportar; conducir; *mit Fuhrwerk*: acarrear; ✝ (*übertragen*) llevar una suma a la página siguiente; **2en** *n* transporte *m*.
Trans'port...: ~kosten *pl.* gastos *m/pl.* de transporte; **~mittel** *n* medio *m* de transporte; **~schiff** ⚓ *n* (*-es*; *-e*) (buque *m*) transporte *m*; **~schnecke** ⊕ *f* hélice *f* transportadora; **~unternehmen** *n* empresa *f* de transportes; **~unternehmer** *m* transportista *m*; **~versicherung** *f* seguro *m* de transporte; **~wesen** *n* (*-s*; *0*) transportes *m/pl.*
transsi'birisch *adj.* transiberiano; *die 2e Bahn* el Ferrocarril Transiberiano.
Transsubstantiati'on *Rel. f* (*0*) transubstanciación *f*.
transzen|'dent *adj.* tra(n)scendente; **~den'tal** *adj.* tra(n)scendental; **2den'talphilosophie** *f* (*0*) metafísica *f*.
Tra'pez *n* ⩓ (*-es*; *-e*) trapecio *m* (*a. Turngerät*); **2förmig** *adj.* trapecial; **~gewinde** ⊕ *n* rosca *f* trapezoidal; **~künstler(in** *f*) *m* trapecista *m/f*.
Trapezo'eder ⩓ *n* trapezoedro *m*.
Trapezo'id ⩓ *n* (*-es*; *-e*) trapezoide *m*.
'Trappe *Orn. f* avutarda *f*.
'trappeln (*-le*) **I.** *v/i.* (*Pferd*) trotar corto; **II.** 2 *n* trote *m* corto.
'Trapper *m* cazador *m* de nutrias.
Trap'pist *m* (*-en*) trapense *m*; **~enorden** *m* Trapa *f*.
Tra'ra *n* (*-s*; *0*) (*Trompetenklang*) ¡tararí!; F *fig. ~ machen* alborotar el cotarro; hacer con mucho aparato a/c.; dar mucho bombo a.
Traß *Min. m* (*-sses*; *-sse*) trasoíta *f*, tras *m*.
Tras'sant ✝ *m* (*-en*) *e-s Wechsels*: girador *m*, librador *m*.
Tras'sat ✝ *m* (*-en*) girado *m*, librado *m*.
'Trasse ⊕ *f* trazado *m*.
tras'sier|en (-) *v/t.* ✝ girar, librar (*auf ac.* contra); ⊕ trazar; **2ung** *f* ✝ giro *m*, libranza *f*; ⊕ trazado *m*.
trat *pret. v. treten.*
Tratsch *m* (*-es*; *0*), **~e'rei** *f* F chismes *m/pl.*; habladurías *f/pl.*; cotilleo *m*; **'2en** F *v/i.* chismorrear; cotillear.
'Tratte ✝ *f* giro *m*, libranza *f*; **~navis** *m* (*-*; -) aviso *m* de giro.
'Trau·altar *m* (*-s*; *ᵘe*) altar *m* nupcial; *zum ~ führen* llevar al altar.
'Traube *f* racimo *m* de uvas; (*Wein2*) uva *f*.

ˈ**Trauben...**: ~**beere** *f* uva *f*, grano *m* de uva; ~**ernte** *f* vendimia *f*; 2-**förmig** *adj.* en forma de uva, uviforme; ~**geländer** *n* parral *m*, emparrado *m*; ~**kern** *m* (-*es*; -*e*) grano *m* de uva; ~**kur** ⚕ *f* cura *f* uval (*od.* de uvas); ~**lese** *f* vendimia *f*; ~**most** *m* (-*es*; -*e*) mosto *m* (de uva); ~**presse** *f* exprimidera *f* de uvas; ~**saft** *m* (-*es*; ¨*e*) zumo *m* de uvas; ~**säure** *f* (*0*) ácido *m* racémico; ~**stock** *m* (-*es*; ¨*e*) vid *f*; ~**zucker** *m* glucosa *f*.

ˈ**trauen**[1] *v/i.*: ~ *auf* (*ac.*), *j-m* (*e-r Sache dat.*) ~ fiarse de alg. (de a/c.); confiar *od.* tener confianza en alg. (en a/c.); *s-n Augen nicht* ~ no dar crédito a sus ojos; *sich* ~ *zu* atreverse a.

ˈ**trauen**[2] *v/t.* (*Brautleute*) casar (*ac.*); *Rel.* bendecir la unión de, F echar la bendición a; casar; *sich* ~ *lassen* casarse, contraer matrimonio.

ˈ**Trauer** *f* (*0*) tristeza *f*; (*Betrübnis*) aflicción *f*; *um Tote*: luto *m*; duelo *m*; *tiefe* ~ luto riguroso; *in* ~ *sein* estar de luto; ~ *tragen* llevar luto (*um* por); *die* ~ *ablegen* desenlutarse, quitarse el luto; ~ *anlegen* enlutarse, ponerse luto; vestirse de luto (*um* por); *in* ~ *versetzen* (*od.* *hüllen*) enlutar; ~**anzeige** *f* → *Todesanzeige*; ~**binde** *f* brazal *m* de luto; ~**birke** ⚘ *f* abedul *m* llorón; ~**botschaft** *f* noticia *f* del fallecimiento de alg.; *fig.* triste nueva *f*; noticia *f* funesta; ~**brief** *m* (-*es*; -*e*) carta *f* de pésame; carta *f* de luto; ~**esche** ⚘ *f* fresno *m* llorón; ~**fahne** *f* (*mit Flor*) bandera *f* enlutada; (*auf Halbmast*) bandera *f* a media asta; ~**fall** *m* (-*es*; ¨*e*) (caso *m* de) muerte *f* *od.* defunción *f*; ~**feier** *f* (-; -*n*) funerales *m/pl.*; honras *f/pl.* fúnebres; ~**flor** *m* (-*s*; -*e*) crespón *m* de luto; ~**gefolge** *n*, ~**geleit** *n* (-*es*; -*e*) comitiva *f* fúnebre; duelo *m*; ~**geläute** *n* doble *m* de las campanas; ~**gerüst** *n* (-*es*; -*e*) catafalco *m*; ~**gesang** *m* (-*es*; ¨*e*) canto *m* fúnebre; ~**gottesdienst** *m* *I.C.* misa *f* de réquiem; *I.P.* servicio *m* fúnebre; réquiem *m*; ~**haus** *n* (-*es*; ¨*er*) (*Sterbehaus*) casa *f* mortuoria; ~**jahr** *n* (-*es*; -*e*) año *m* de luto; ~**kleid** *n* (-*es*; -*er*) vestido *m* de luto; ~**kleidung** *f* luto *m*; ~**kloß** *m* (-*es*; ¨*e*) F *fig.* ciprés *m*; ~**mantel** *m* (-*s*; ¨) (*Schmetterling*) antíope *f*; ~**marsch** *m* (-*es*; ¨*e*) marcha *f* fúnebre; ~**musik** *f* (*0*) música *f* fúnebre; 2**n** (-*re*) *v/i.* afligirse (*um* por); *um j-n* ~ llorar la muerte de alg.; *äußerlich*: llevar luto por alg.; ~**n** *n* → *Trauer*; ~**nachricht** *f* → *Trauerbotschaft*; ~**papier** *n* (-*s*; *0*) papel *m* de luto; ~**rand** *m* (-*es*; ¨*er*) orla *f* negra; *Briefpapier mit* ~ papel de luto; F *Trauerränder an den Fingernägeln haben* tener las uñas de luto; ~**rede** *f* oración *f* fúnebre; ~**schleier** *m* velo *m* de luto; ~**spiel** *n* (-*es*; -*e*) tragedia *f*; ~**tag** *m* (-*es*; -*e*) día *m* de luto; 2**voll** *adj.* luctuoso; ~**wagen** *m* coche *m* fúnebre; ~**weide** ⚘ *f* sauce *m* llorón; ~**zeit** *f* (duración *f* del) luto *m*; ~**zug** *m* (-*es*; ¨*e*) cortejo *m* (*od.* comitiva *f*) fúnebre; duelo *m*.

ˈ**Traufe** *f* (*Dachrinne*) gotera *f*; (*Dach*2) alero *m*; (*Wasserspeier*) gárgola *f*; *vom Regen in die* ~ *kommen* F salir de Málaga y entrar en Malagón, salir de Guatemala y meterse en Guatepeor.

ˈ**träufeln** (-*le*) **I. 1.** *v/i.* gotear, caer gota a gota; (*rieseln*) manar; **2.** *v/t.* echar (*od.* verter) gota a gota; ⚕, *Phar.* instilar; **II.** 2 *n* goteo *m*, caída *f* gota a gota; ⚕, *Phar.* instilación *f*.

ˈ**Trauformel** *f* (-; -*n*) fórmula *f* de bendición nupcial.

ˈ**Trauf|rinne** *f* canal *m*; gotera *f*; ~**röhre** *f* (*Wasserspeier*) gárgola *f*; (*Fallrohr*) canalón *m*; bajada *f* de aguas.

ˈ**Trauhandlung** *f* *standesamtlich*: celebración *f* del matrimonio; *kirchlich*: bendición *f* nupcial.

ˈ**traulich** *adj.* (*vertraut*) íntimo; (*ungezwungen*) familiar; (*herzlich*) cordial; (*gemütlich*) confortable; 2**keit** *f* intimidad *f*; familiaridad *f*; cordialidad *f*.

Traum *m* (-*es*; ¨*e*) sueño *m*; (*Träumerei*) ensueño *m*; *quälender* ~ pesadilla *f*; *e-n* ~ *haben* soñar; *e-n* ~ *erfüllen* realizar un sueño; *wie im* ~ como en sueños; *nicht im* ~! *fig.* ¡ni soñarlo!; ¡ni en sueños!; ¡ni pensarlo!; ¡ni por soñación!; *Träume sind Schäume* los sueños, sueños son.

ˈ**Trauma** ⚕ *n* (-*s*; -*men u.* -*ta*) traumatismo *m*.

trauˈmatisch *adj.* traumático.

ˈ**Traum...**: ~**bild** *n* (-*es*; -*er*) visión *f* de ensueño; (*Phantom*) fantasma *m*; (*Hirngespinst*) quimera *f*; ~**buch** *n* (-*es*; ¨*er*) libro *m* (*od.* clave *f*) de los sueños; ~**deuter**(**in** *f*) *m* intérprete *m/f* de (los) sueños; ~**deuteˈrei** *f*, ~**deutung** *f* interpretación *f* de los sueños, oniromancia *f*.

ˈ**träum|en** *v/t. u. v/i.* soñar (*von* con); *im Wachen* ~ soñar despierto; *e-n Traum* ~ tener un sueño; soñar; *es träumte mir, daß* ... soñé que ...; *fig. das hätte ich mir nie* ~ *lassen* nunca lo hubiera imaginado; 2**en** *n* sueños *m/pl.*; ensueños *m/pl.*; 2**er** (-**in** *f*) *m* soñador(a *f*) *m*; (*Geisterseher*) visionario (-a *f*) *m*; (*Phantast*) iluso (-a *f*) *m*.

Träumeˈrei *f* sueños *m/pl.*; ensueño *m*, ensueños *m/pl.*; fantasía *f*; (*Hirngespinst*) quimera *f*.

ˈ**träumerisch** *adj.* (*träumend*) soñador; (*versonnen*) meditabundo; ensimismado; (*zerstreut*) distraido; (*weltfremd*) iluso.

ˈ**Traum...**: ~**gesicht** *n* (-*es*; -*e*), ~**gestalt** *f* visión *f*; (*Phantom*) fantasma *m*; 2**haft** *adj.* como un sueño; onírico; ~**land** *n* (-*es*; ¨*er*) país *m* imaginario; 2**verloren**, 2**versunken** *adj.* sumido en sus sueños; ~**welt** *f* (*0*) mundo *m* de los ensueños; mundo *m* imaginario *od.* soñado; mundo *m* fantástico; ~**zustand** *m* (-*es*- ¨*e*) somnolencia *f*; (*Trance*) trance *m*.

ˈ**Trau|rede** *f* plática *f* (del sacerdote a los contrayentes); ~**register** *n* registro *m* de casamientos *od.* matrimonios.

ˈ**traurig** *adj.* triste; (*betrübt*) afligido; (*betrübend*) entristecedor; (*schwermütig*) melancólico; (*düster*) lúgubre; (*unheilvoll*) funesto; trágico; (*elend*) miserable; (*beklagenswert*) lamentable; deplorable; *adv.* tristemente; con tristeza; *er ist* ~ está triste; *ein* ~*es Ende nehmen* acabar mal; ~ *machen* (*od.* *stimmen*) apenar, entristecer; ~ *werden* entristecerse; 2**keit** *f* (*0*) tristeza *f*; aflicción *f*; (*Schwermut*) melancolía *f*.

ˈ**Trau|ring** *m* (-*es*; -*e*) anillo *m* de esponsales, alianza *f*; ~**schein** *m* (-*es*; -*e*) partida *f* de matrimonio.

traut *adj.* querido; (*innig vertraut*) íntimo; de confianza.

ˈ**Trau|ung** *f* (*kirchliche*) bendición *f* nupcial; (*standesamtliche*) celebración *f* del matrimonio; (*Hochzeit*) boda *f*; ~**zeuge** *m* (-*n*) padrino *m* de boda.

ˈ**Travellerscheck** [ˈtrɛ-] *m* (-*s*; -*s*) cheque *m* de viaje.

Travesˈtie *f* parodia *f*; 2**ren** (-) *v/t.* parodiar; imitar ridiculizando; ~**rung** *f* imitación *f* ridiculizadora.

ˈ**Trawler** ⚓ *m* pesquero *m* de arrastre.

ˈ**Treatment** [ˈtri:tmənt] *n* (-*s*; -*s*) tratamiento *m*.

ˈ**Treber** *pl.* (*Trauben*2) orujo *m*; *der Gerste*: hez *f* de la cebada.

ˈ**Treck** *m* (-*s*; -*s*) caravana *f*; (*Auszug*) éxodo *m*; (*Wagenkolonne*) convoy *m*; 2**en** *v/i.* ir en caravana; ⚓ halar; ~**er** *m* tractor *m*; ~**seil** ⚓ *n* (-*es*; -*e*) cuerda *f* de halar.

Treff *n* (-*s*; -*s*) *Kartenspiel*: trébol *m*.

ˈ**treffen I.** (*L*) **1.** *v/t. u. v/i.* (*erreichen*) alcanzar (*ac.*); llegar a; (*finden*; *vorfinden*; *begegnen*) encontrar, hallar; *auf et.* ~ hallar *od.* encontrar a/c.; *zufällig*: encontrarse con a/c.; *auf j-n* ~ hallar *od.* encontrar a alg.; *zufällig*: encontrarse (casualmente) con alg.; F *fig.* chocar con alg.; *ich habe ihn nicht zu Hause getroffen* no le he encontrado en (su) casa; (*be*~) concernir; atañer; afectar; (*berühren*) tocar; *fig. empfindlich* ~ tocar en lo (más) vivo; (*beleidigen*) ofender; (*erraten*) adivinar; *das Richtige* ~ acertar; *Ziel*: dar en el blanco, hacer blanco (en); F *fig.* dar en el clavo; *Kugel*: dar en; *nicht* ~ (*beim Schießen*) errar el tiro, no hacer blanco; *fig.* no acertar; *Boxen*: pegar; castigar; *Fechtk.* tocar; *getroffen!* (*stimmt!*) ¡justo!, ¡eso es!; *Fechtk.* ¡tocado!; *Entscheidung, Maßnahmen*: tomar, adoptar; *Wahl*: elegir; *Vorbereitungen*: hacer; *e-e Vereinbarung* ~ llegar a un acuerdo; *Pol.* celebrar un convenio; *e-e Verabredung* ~ concertar (*od.* acordar) una entrevista; *Anstalten* ~ *zu* hacer preparativos para; disponerse a; *das trifft dich* eso se refiere a ti, F eso va por ti; *dieser Vorwurf trifft mich nicht* ese reproche no me atañe; *Mal.* acertar el parecido; *Sie sind gut getroffen* su retrato está muy parecido; *es gut* ~ (*Glück haben*) tener suerte; ~ *auf* (*ac.*) dar con; *Licht*: caer en; *das Los traf ihn* le tocó a él; *wen trifft die Schuld* (*daran*)? ¿quién tiene la culpa (de ello)?; ¿de quién es la culpa?; *wie's trifft* F a trochemoche; *vom Blitz getroffen* herido (*od.* alcanzado) por el rayo; (*zerstört*) destruido por el rayo; *sich getroffen fühlen* darse por aludido; sentirse ofendido; **2.** *v/refl.*: *sich* ~ encontrarse, (*sich versammeln*) reunirse, (*geschehen*) suceder, ocurrir; *sich mit j-m* ~ citarse (*od.* darse cita) con alg.; *das trifft sich gut!* ¡esto es tener buena suerte!; *es traf sich, daß ...* sucedió que ..., (*zufällig*) dio la casualidad que ...; **II.** 2 *n* (*Begegnung*) encuentro *m* (*a.* ⚔ *u. Sport*); ⚔ combate *m*; acción *f*; (*Schlacht*) batalla *f*; (*Zusammenkunft*) reunión *f*; congreso *m*; (*Verabredung*) cita *f*; (*Unterredung*) entrevista *f*; *ins* ~ *führen* ⚔ llevar al combate (*od.* a la lucha); *fig.* (*Gründe*) aducir; alegar; **~d** *adj.* (*zutreffend*) acertado; (*treffsicher*) certero; (*genau*) exacto; preciso; (*richtig*) justo; (*zur Sache gehörig*) pertinente; (*schlagend*) contundente; (*angemessen*) apropiado; adecuado; (*passend*) conveniente; oportuno.

'Treff|er *m* golpe *m* certero; (*beim Schießen*) tiro *m* certero; blanco *m*; (*Voll*2) impacto *m* (en el blanco); *Fußball*: tanto *m*, gol *m*; *Boxen*: golpe *m* certero; impacto *m*; (*Gewinnlos*) billete *m* (*Toto*: boleto *m*) premiado; *fig.* (*Erfolg*) gran éxito *m*; (*Glücks*2) golpe *m* afortunado; *e-n* ~ *erzielen Fußball*: marcar un tanto, marcar (*od.* meter) un gol; *Boxen*: colocar un golpe; **~genauigkeit** *f* (*0*) precisión *f*.

'trefflich *adj.* excelente; perfecto; (*erlesen*) selecto; exquisito; muy bueno, *adv.* muy bien; **2keit** *f* (*0*) excelencia *f*; perfección *f*.

'Treff...: **~punkt** *m* (*-es*; *-e*) lugar *m* (*od.* punto *m*) de reunión; lugar *m* de la cita; *Artillerie*: punto *m* de impacto; ∡ (*Schnittpunkt*) punto *m* de intersección; **2sicher** *adj.* certero; seguro; (*zutreffend*) justo, exacto; **~sicherheit** *f* ⚔ (*0*) precisión *f* del tiro.

'Treib|anker ⚓ *m* ancla *f* flotante; **~eis** *n* (*-es*; *0*) hielos *m/pl.* flotantes (*od.* a la deriva).

'treiben (*L*) **I. 1.** *v/t.* (*vorwärts~*) propulsar; hacer avanzar; (*schieben*) empujar; impeler; (*bewegen*) mover; hacer mover; poner en movimiento; (*an~*) ⊕ impulsar; accionar; *fig.* dar impulso a; estimular; (*beschleunigen*) acelerar (*ac.*); apresurar; (*drängen*) apremiar; *zur Eile* ~ atosigar; (*ver~*) expulsar, arrojar, F echar (*aus* de); *Jagdw.* batir; ojear; (*be~*) ejercitar, practicar; hacer a/c.; dedicarse a; ocuparse en a/c.; *Beruf*: ejercer; *Künste, Wissenschaften*: cultivar; (*einschlagen*) hincar; clavar en; *e-n Nagel in die Wand* ~ clavar un clavo en la pared; *Maschinen*: hacer funcionar; poner en movimiento; *Motor*: poner en marcha; *Metalle*: repujar; *getriebene Arbeit* (labor *f* de) repujado *m*; *Erze*: extraer; *Herde*: conducir; llevar (al pasto); *Handwerk*: aprender; ⚘ *Knospen* (*Blüten*; *Wurzeln*) ~ echar flor (botones; raíces); *e-e Politik* ~ seguir una política; *großen Aufwand* ~ vivir con gran lujo; *Handel* ~ traficar, comerciar (*mit j-m* con alg.; *mit et.* en a/c.); *den Harn* ~ ⚕ producir un efecto diurético; *den Schweiß* ~ ⚕ provocar la transpiración; *Sport* ~ practicar el deporte; *s-n Spott mit j-m* ~ ridiculizar a alg.; burlarse de alg.; ⚒ *Strecken* ~ abrir galerías; *sein Unwesen* ~ (*dumme Streiche machen*) hacer travesuras, F hacer de las suyas; (*Banditen usw.*) infestar *bzw.* hacer inseguro un lugar; *die Dinge auf die Spitze* (*od. zum Äußersten*) ~ extremar las cosas, llevar las cosas al extremo; *fig. j-n in die Enge* ~ poner a alg. entre la espada y la pared; acorralar a alg.; *in die Flucht* ~ hacer huir, ⚔ poner en fuga; derrotar; (*verscheuchen*) ahuyentar; *das Blut ins Gesicht* ~ hacer salir los colores a la cara; *in die Höhe* ~ hacer subir, *bei Auktionen*: pujar; *zur Verzweiflung* ~ llevar a la desesperación; *was treibst du?* ¿qué haces?; ¿qué tal te va?; *es toll* (*od. zu weit*) ~ ir demasiado lejos; *es treibt mich dazu* me siento impulsado a ello; *die Dinge* ~ *lassen* dejar correr las cosas, F dejar rodar la bola; *sich* ~ *lassen* ⚓ ir a la deriva (*a. fig.*); (*auf dem Rücken schwimmen*) hacer la plancha; **2.** (*sn*) *v/i.* ⚓ ir a la deriva; flotar a merced de las olas; (*in der Strömung*) ser arrastrado por la corriente; (*auf dem Wasser*) flotar; ⚘ *Saft*: subir; (*gären*) fermentar; (*keimen*) germinar; ⚘ *Knospen*: brotar; *Jgdw.*: batir; ojear; (*Urin* ~) ⚕ ser diurético, producir diuresis; *ans Ufer* ~ ser arrojado a la costa; ⚓ *vor Anker* ~ garr(e)ar, *steuerlos*: irse al garete; *das Eis treibt auf dem Fluß* el río lleva témpanos de hielo; **II.** 2 *n* (*Bewegung*) movimiento *m*; tráfico *m*; (*Belebtheit*) animación *f*; (*Leben*) vida *f*; (*Unruhe*) agitación *f*; (*Beschäftigung*) ocupación *f*; (*Ausübung*) ejercicio *m*; práctica *f*; (*Studium*) estudio *m*; (*Tun*) actividad *f*; (*geschäftiges Gewühl*) trajín *m*, tráfago *m*; *Jgdw.* batida *f*; ojeo *m*; ⚘ *der Blätter, Blüten*: brote *m*; *v. Metallen*: repujado *m*; *v. Erzen*: extracción *f*; (*Kniffe*) manejos *m/pl.*; *das Tun und* ~ las ocupaciones; (*Benehmen*) vida *f*; conducta *f*; F la vida y milagros; **~d** *adj.*: *~e Kraft* fuerza motriz *od.* impelente; *fig.* impulsor *m*; propulsor *m*; iniciador *m*; gestor *m*.

'Treiber *m* (*Führer*) conductor *m*; (*Vieh*2) boyero *m*; *Jgdw.*: batidor *m*; ojeador *m*.

Treibe'rei *f v. Zugtieren*: hostigamiento *m*; (*Hetze*) excitaciones *f/pl.*; instigaciones *f/pl.*; (*Machenschaften*) manejos *m/pl.*

'Treib...: **~fäustel** ⚒ *m* mazo *m*; *kleiner*: maceta *f*; **~gas** *n* (*-es*; *-e*) carburante *m* gaseoso; **~gut** *n* (*-es*; *⸚er*) → *Strandgut*; **~hammer** *m* (*-s*; *⸚*) martillo *m* de embutir; **~haus** *n* (*-es*; *⸚er*) estufa *f*, invernadero *m*, invernáculo *m*; **~holz** *n* (*-es*; *⸚er*) madera *f* flotante; (*angetriebenes Holz*) madera *f* arrojada a la costa; **~jagd** *f* batida *f*; **~kraft** *f* (*-*; *⸚e*) fuerza *f* motriz; **~ladung** *f* *e-r Rakete*: carga *f* propulsora; **~mine** *f* mina *f* a la deriva; mina *f* flotante; **~mittel** *n* (*Treibstoff*) carburante *m*; ⚕ (*Abführmittel*) laxante *m*; purgante *m*; *zum Backen*: levadura *f*; **~öl** *n* (*-es*; *-e*) aceite *m* pesado; aceite *m* para motores; **~rad** *n* (*-es*; *⸚er*) rueda *f* motriz; **~riemen** *m* correa *f* de transmisión; **~sand** *m* (*-es*; *0*) arena *f* movediza; **~stoff** *m* (*-es*; *-e*) carburante *m*; combustible *m*; propulsor *m*; **~stofflager** *n* depósito *m* de carburantes.

'treidel|n (*-le*) ⚓ **1.** *v/t.* sirgar; **2.** *v/i.* navegar a la sirga; **2pfad** *m* (*-es*; *-e*), **2weg** *m* (*-es*; *-e*) camino *m* de sirga.

'Trema *Gr. n* (*-s*; *-s u. -ta*) diéresis *f*, crema *f*.

'Tremolo ♪ *n* (*-s*; *-s u. -li*) trémolo *m*.

tremu'lieren (*-*) ♪ *v/i.* cantar con trémolo.

Trend *m* (*-s*; *-s*) tendencia *f* (*zu* a).

'trennbar *adj.* separable.

'trennen *v/t.* (*ab~*) separar; (*entzweien*) desunir; (*zerlegen*) desmembrar; ⊕ (*demontieren*) desmontar; (*auflösen*) disolver (*a. Ehe*); ⚗ disociar; disgregar; (*loslösen*) desprender; (*isolieren*) aislar; (*absondern*) apartar; (*entwirren*) desenredar; (*teilen*) dividir; *Eheleute*: separar, *scheiden*: divorciar; *Zusammengenähtes*: descoser; *Naht*: deshacer; *Streitende*: separar; *Tele.* cortar; ⚡ desconectar; *sich* ~ separarse; *Wege*: bifurcarse; *Eheleute*: separarse, *bei Scheidung*: divorciarse; *getrennt leben* vivir separados; *bei getrennter Kasse* pagando cada uno sus gastos; ✉ *mit getrennter Post* por correo aparte; 2 *n* → *Trennung*.

'trenn...: **~scharf** *adj. Radio*: selectivo; **2schärfe** *f* selectividad *f*.

'Trennung *f* (*Ab*2) separación *f*; (*Entzweiung*) desunión *f*; (*Zerlegung*) desmembramiento *m*; (*Auflösung*) disolución *f*; ⚗ disociación *f*; disgregación *f*; segregación *f*; *Pol.* escisión *f*; (*Loslösung*) desprendimiento *m*; (*Isolierung*) aislamiento *m*; (*Absonderung*) apartamiento *m*; (*Teilung*) división *f*; *Tele.* corte *m*; (*Silben*2) separación *f* en sílabas; (*Rassen*2) discriminación *f* racial; (*Güter*2) separación *f* de bienes; ⚖ *eheliche* ~ separación matrimonial, *Scheidung*: divorcio, disolución del vínculo matrimonial; ⚖ ~ *von Tisch und Bett* separación de mesa y lecho; **~slinie** *f* línea *f* divisoria; **~sschmerz** *m* (*-es*; *0*) dolor *m* de la separación; **~sstrich** *m* (*-es*; *-e*) (*Silben*2) guión *m*; *Typ.* división *f*; **~swand** *f* (*-*; *⸚e*) tabique *m* (de separación); **~szeichen** *n* → *Trennungsstrich*; (*Trema*) diéresis *f*; **~szulage** *f* subsidio *m* de separación (de residencias).

'Trense *f* bridón *m*.

trepa'nier|en (*-*) *Chir. v/t.* trepanar; **2ung** *f* trepanación *f*.

trepp|'ab *adv.* escaleras abajo; **~'auf** *adv.* escaleras arriba; ~ *und treppab* escaleras arriba y abajo.

'Treppe *f* escalera *f*; ⚓ escala *f*; (*Stockwerk*) piso *m*; *e-e* ~ *hoch* en el primer piso; *auf der* ~ en la escalera; *e-e* ~ *hinaufsteigen* (*hinuntergehen*) subir (bajar) una escalera; *die* ~ *führt auf* (*ac.*) la escalera conduce a; *j-m* ~*n ins Haar schneiden* hacer a alg. escaleras en el pelo.

'**Treppen...:** ~**absatz** *m* (*-es*; *"e*) descansillo *m* de la escalera; ~**beleuchtung** *f* alumbrado *m* de la escalera; ~**flur** *m* (*-es*; *-e*) descansillo *m*; 2**förmig** *adj.* escalonado; en gradas; ~**gang** *m* (*-es*; *"e*) escalinata *f*; ~**geländer** *n* barandilla *f*; baranda *f*; pasamano *m*; ~**haus** *n* (*-es*; *"er*) caja *f* de la escalera; ~**läufer** *m* alfombra *f* de la escalera; ~**pfosten** *m* pilar *m* de escalera; ~**spindel** *f* (*-*; *-n*) *der Wendeltreppe*: árbol *m*; ~**stufe** *f* escalón *m*, peldaño *m*; ~**witz** *m* (*-es*; *-e*) majadería *f*; chiste *m* trasnochado.

'**Tresen** *m* mostrador *m*; (*Bar*) barra *f*.

Tre'sor *m* (*-s*; *-e*) caja *f* de caudales; caja *f* fuerte; (*Stahlkammer*) cámara *f* acorazada; ~**fach** *n* (*-es*; *"er*) compartimiento *m* de cámara acorazada; ~**schein** *m* (*-es*; *-e*) bono *m* del Tesoro.

'**Tresse** *f* galón *m*; *mit* ~*n besetzen* galonear.

'**Trester** *pl.* orujo *m*; ~**branntwein** *m* (*-es*; *-e*) aguardiente *m* de orujo; ~**wein** *m* (*-es*; *-e*) aguapié *m*, aguachirle *m*.

'**Tret|auto** *n* (*-s*; *-s*) (*Spielzeug*) auto *m* de pedales.

'**treten 1.** (*L*; *sn*) *v/i.* (*gehen*) ir; andar, caminar; marchar; (*sich stellen*) ponerse, colocarse (*vor* delante de; *hinter* detrás de; *neben* junto a, al lado de); (*radeln*) pedalear; *Pferd*: cocear; *an et.* (*ac.*) (*heran*)~ aproximarse (*od.* acercarse) a a/c.; *an die Spitze* ~ ponerse al frente de; ponerse a la cabeza de; *an j-s Stelle* ~ substituir (*od.* reemplazar) a alg.; *auf et.* ~ pisar en (*od.* sobre) a/c.; ponerse sobre a/c.; *fig. auf j-s Seite* ~ ponerse de parte de alg.; tomar partido por alg.; *auf der Stelle* ~ ⚔ marcar el paso; *aus et.* ~ *Raum*: salir de; *fig.* separarse de; *Partei*: abandonar; *Amt*: retirarse de; *in et.* ~ entrar en a/c.; *in Vereine*: asociarse a; *in et.* (*hinein*)~ pisar en; *fig. in ein Amt* ~ asumir un cargo; *in die Augen* ~ *Tränen*: llenarse de lágrimas los ojos; *in Beziehungen* ~ *zu*, *in Verbindung* ~ *mit* entrar en relaciones con; ⚔ *ins Gewehr* ~ tomar las armas; *in Kraft* ~ entrar en vigor; *ins Leben* ~ nacer; *fig.* ser fundado *od.* creado; *j-m in den Weg* ~ cerrar el paso a alg.; *über et.* ~ pasar por encima de a/c.; *über die Ufer* ~ (*Fluß*) desbordarse, salirse de madre; *j-m unter die Augen* ~ presentarse ante alg.; *unter ein Dach* ~ ponerse bajo techo; *vor j-n* ~ comparecer (*od.* presentarse) ante alg.; *vor den Spiegel* ~ ponerse ante el espejo, mirarse al espejo; *zu j-m* ~ acercarse a alg.; abordar a alg.; *j-m zu nahe* ~ ofender (*od.* agraviar) a alg.; ~ *Sie näher!* ¡pase usted!; **2.** *v/t.* pisar; (*in Gang setzen*) poner en movimiento con los pies *bzw.* con el pedal; *Pflaster*: F callejear; *Hahn*: gallar, pisar; *Orgel*: entonar; *Trauben*: pisar; *j-n* ~ (*ihm e-n Fußtritt versetzen*) dar un puntapié a alg.; *den Takt* ~ dar el compás con el pie; *sich e-n Dorn in den Fuß* ~ clavarse una espina en el pie; *in die Pedale* ~ pedalear; *in den Staub* ~ hollar; et. *mit Füßen* ~ pisotear a/c.; *fig.* hollar.

'**Tret...:** ~**hebel** *m* pedal *m*; ~**kurbel** *f* (*-*; *-n*) manivela *f* de pedal; ~**lager** *n* cojinete *m* de pedal; ~**mine** ⚔ *f* mina *f* superficial; ~**mühle** *f* molino *m* con tambor; *fig.* tráfago *m*, trajín *m* cotidiano; ~**schalter** *m* interruptor *m* de pedal.

treu *adj.* (*-est*) fiel (*a. fig.*); leal; (*ergeben*) adicto; devoto; afecto; (*aufrichtig*) sincero; (*zuverlässig*) de confianza; seguro; (*beständig*) constante; (*genau*) exacto; *sich selber* ~ fiel a sí mismo; *s-n Grundsätzen* ~ fiel a sus principios; *zu* ~*en Händen übergeben* poner en manos seguras; *m-r* 2*!* ¡a fe mía!; *auf* 2 *und Glauben* de buena fe; *e-e* ~*e Seele* una excelente persona; *ein* ~*es Gedächtnis* una memoria fiel.

'**Treu...:** ~**bruch** *m* (*-es*; *"e*) violación *f* de la fe jurada; ⚖ abuso *m* de confianza; (*Meineid*) perjurio *m*; (*Verrat*) traición *f*; (*im Lehnswesen*) felonía *f*; 2**brüchig** *adj.* (*meineidig*) perjuro; (*verräterisch*) traidor; ~**e** *f* (*0*) fidelidad *f*; lealtad *f*; (*Ergebenheit*) afecto *m*; (*Aufrichtigkeit*) sinceridad *f*; (*Beständigkeit*) constancia *f*; (*Genauigkeit*) exactitud *f*; *eheliche* ~ fidelidad conyugal; *j-m die* ~ *halten* seguir fiel a alg.; *die* ~ *brechen* ser infiel; ~**eid** *m* (*-es*; *-e*) juramento *m* de fidelidad; *der Beamten*: jura *f* del cargo; *der Soldaten*: jura *f* de la bandera; 2**ergeben** *adj.* fiel; adicto; 2**gesinnt** *adj.* leal; ~**händer** *m* ✝ agente *m* fiduciario; (*Testamentsvollstrecker*) albacea *m*; fiduciario *m*; 2**händerisch I.** *adj.* fiduciario; **II.** *adv.*: ~ *verwalten* administrar a título fiduciario; ~**handgesellschaft** ✝ *f* sociedad *f* fiduciaria; ~**handvertrag** ✝ *m* (*-es*; *"e*) contrato *m* fiduciario; ~**handverwaltung** *f* administración *f* fiduciaria; 2**herzig** *adj.* de buena fe; leal; (*aufrichtig*) sincero; (*offen*) franco; (*unbefangen*) ingenuo; (*arglos*) cándido; candoroso; (*vertrauensvoll*) confiado; ~**herzigkeit** *f* (*0*) buena fe *f*; lealtad *f*; (*Aufrichtigkeit*) sinceridad *f*; (*Offenheit*) franqueza *f*; (*Unbefangenheit*) ingenuidad *f*; (*Arglosigkeit*) candor *m*; 2**los** *adj.* infiel; desleal; (*heimtückisch*) pérfido; (*verräterisch*) traidor; traicionero; ~**losigkeit** *f* (*0*) infidelidad *f*; deslealtad *f*; perfidia *f*; traición *f*.

'**Triangel** ['tRi:aŋ-] 𝄞 *u.* ♪ *m* triángulo *m*.

'**Trias** *Geol. f* (*0*) triásico *m*.

Tri'bun *m* (*-s u. -en*; *-e*[*n*]) tribuno *m*.

Tribu'nal *n* (*-s*; *-e*) tribunal *m*.

Tri'büne *f* tribuna *f*.

Tri'but *m* (*-es*; *-e*) tributo *m* (*a. fig.*); *fig.* ~ *zollen* (*dat.*) rendir tributo; 2**pflichtig** *adj.* tributario; ~**zahlung** *f* (pago *m* del) tributo *m*.

Tri'chine *Zoo. f* triquina *f*; ~**nkrankheit** ⚕ *f* (*0*) triquinosis *f*.

trichi'nös *adj.* triquinoso; 2'**nose** *f* triquinosis *f*.

'**Trichter** *m* embudo *m*; (*Schall*2) bocina *f*; (*Füll*2) tolva *f*; (*Sprach*2) megáfono *m*; (*Vulkan*2, *Granat*2) cráter *m*; *Anat.* infundíbulo *m*; ~**feld** ⚔ *n* (*-es*; *-er*) terreno *m* lleno de cráteres; 2**förmig** *adj.* en forma de embudo; crateriforme; ♀, *Anat.* infundibuliforme; ~**lautsprecher** *m* altavoz *m* de bocina; 2**n** *v/t.* transvasar con un embudo; ~**wagen** 🚃 *m* vagón *m* tolva.

'**Trick** *m* (*-s*; *-s u. -e*) (*Kniff*) truco *m*; artimaña *f*; (*Film*) trucaje *m*; ~**film** *m* (*-es*; *-e*) película *f* de dibujos animados; ~**track** *n* (*-s*; *-s*) (*Spiel*) chaquete *m*.

trieb *pret. v. treiben.*

'**Trieb** *m* (*-es*; *-e*) ♀ (*Keimkraft*) fuerza *f* germinativa; (*Schößling*) brote *m*, retoño *m*; *aus dem Stamme*: renuevo *m*; (*Antriebskraft*) fuerza *f* de impulsión; (*Antrieb*) impulso *m*; (*natürlicher* ~) instinto *m*; (*sinnlicher* ~) apetito *m* sensual; (*Neigung*) inclinación *f*; tendencia *f*; propensión *f* (*zu* a; hacia); (*Verlangen*) deseo *m*; ~**feder** *f* (*-*; *-n*) resorte *m*, muelle *m*; *fig.* móvil *m*; 2**haft** *adj.* instintivo; (*sinnlich*) sensual; ~**kraft** *f* (*-*; *"e*) fuerza *f* motriz; ~**rad** *n* (*-es*; *"er*) rueda *f* motriz; ~**sand** *m* (*-es*; *0*) arena *f* movediza; ~**stange** *f* biela *f*; ~**wagen** *m* automotor *m*; ~**wagenzug** *m* (*-es*; *"e*) tren *m* automotor; ~**welle** ⊕ *f* árbol *m* de mando; ~**werk** *n* (*-es*; *-e*) mecanismo *m* de accionamiento; mecanismo *m* de mando (*od.* de propulsión); (*Motor*) motor *m*; (*Getriebe*) engranaje *m*; ~**werksraum** *m* (*-es*; *"e*) *e-r Rakete*: compartimento *m* motor.

'**Trief|auge** *n* (*-s*; *-n*) ojo *m* lagrimoso; ojo *m* legañoso; 2**äugig** *adj.* de ojos lagrimosos; con ojos legañosos; 2**en** *v/i.* pingar; (*träufeln*) gotear; destilar; (*Wasser*) chorrear; (*Auge*) lagrimear; (*Nase*) moquear; *von Schweiß* ~ estar bañado en sudor; F sudar la gota gorda; *ihm* ~ *die Augen* le lagrimean los ojos; *ihm trieft die Nase* le cae la moquita; *vor Weisheit* ~ F *fig.* ser un pozo de ciencia; 2**end** *adj.* empapado; *vom Regen* ~ calado por la lluvia; chorreando agua; ~**nase** *f* nariz *f* mocosa; 2**nasig** *adj.* mocoso.

Trier *n* Tréveris.

'**triezen** (*-t*) F *v/t.* hostigar; molestar, F incordiar, fastidiar.

'**Trift** *f* (*Weide*) pasto *m*; pasturaje *m*; dehesa *f*; (*Weiderecht*) derecho *m* de pastoreo; (*Viehweg*) camino *m* del ganado; (*Herde*) rebaño *m*; manada *f*; ⚓ corriente *f* superficial; (*Holz*2) madera *f* flotante; 2**ig** *adj.* (*wohlbegründet*) bien fundado; (*überzeugend*) convincente; (*bündig*) terminante; concluyente; (*einleuchtend*) plausible; admisible; (*zur Sache gehörig*) pertinente; (*Argument*) sólido; *Bemerkung*: acertado; atinado; ~*er Grund* razón fundada; ~**igkeit** *f* (*0*) importancia *f*; plausibilidad *f*; acierto *m*; pertinencia *f*.

Trigono|me'trie *f* (*0*) trigonometría *f*; 2'**metrisch** *adj.* trigonométrico.

Triko'lore *f* bandera *f* tricolor.

Tri'kot [-'ko:] *m/n* (*-s*; *-s*) tejido *m* de punto; labor *f* de punto.

Triko'tagen [-'tɑːʒən] *pl.* → *Trikotwaren.*
Tri'kotwaren *pl.* géneros *m/pl.* de punto.
'Triller *m* trino *m*; gorjeo *m*; **2n** *(-re) v/i. u. v/t.* trinar; gorjear; F gorgoritear, hacer gorgoritos *m/pl.*; **~n** *n* → *Triller*; **~pfeife** *f* pito *m.*
Trilli'on *f* trillón *m.*
Trilo'gie *f* trilogía *f.*
Tri'mester *f* trimestre *m.*
'Trimeter *m* (verso *m*) trímetro *m.*
'trimm|en *v/t.* ⚓ arrumar; (*stutzen*) acortar; recortar; (*zurechtmachen*) arreglar; *Hund*: asear; ✈ equilibrar; *Kohlen* ~ ⚓ disponer el carbón cerca del hogar; **2er** ⚓ *m* (estibador *m*) carbonero *m*; **2ervorrichtung** ✈ *f* estabilizador *m.*
Trini'tät *Rel. f (0)* Trinidad *f.*
Trini'tatis: *Sonntag m* ~ (fiesta *f* de) la Trinidad.
Trinitrotolu'ol ⚗ *n (-s; 0)* trinitrotolueno *m* (*Abk. TNT*).
'trink|bar *adj.* bebedizo, bebedero, F bebestible; *Wasser*: potable; **2barkeit** *f (0) des Wassers*: potabilidad *f*; **2becher** *m* vaso *m*; **~en** (*L*) *v/t. u. v/i.* beber; *Kaffee, Tee, Milch*: tomar; *auf j-s Gesundheit* ~ beber a la salud de alg.; *aus der Flasche* (*aus e-m Glas*) ~ beber en (*od.* de) la botella (en *od.* de un vaso); *in kleinen Schlucken* (*in langen Zügen*) ~ beber a sorbos (a grandes tragos); *sich* ~ *lassen* beberse bien; *leer*~ apurar el vaso; beberlo todo; *gern e-n* ~ F empinar el codo; ser aficionado al trago (*od.* al trinquis); *tüchtig* ~ beber de firme; *mit j-m Brüderschaft* ~ fraternizar vaso en mano con alg.; **2en** *n* bebida *f*; (*Trunksucht*) ⚕ alcoholismo *m*; dipsomanía *f*; *sich das* ~ *angewöhnen* contraer el vicio de la bebida; darse a la bebida; *durch vieles* ~ a fuerza de beber; **2er(in** *f*) *m* bebedor(a *f*) *m*; *stärker*: borracho (-a *f*) *m*; beodo (-a *f*) *m*; ⚕ alcohólico (-a *f*) *m*; dipsómano (-a *f*) *m*; **2ernase** *f* nariz *f* de bebedor (F de borrachín); **~fest** *adj.* capaz de beber mucho; *er ist sehr* ~ resiste muy bien la bebida; F bebe como un tudesco; **2gefäß** *n (-es; -e)* vaso *m*; *mit Fuß*: copa *f*; **2gelage** *n* convidada *f*; F reunión *f* de bebedores; **2geld** *n (-es; -er)* propina *f*; servicio *m*; ~ *inbegriffen* incluido el servicio; **2glas** *n (-es; ⸚er)* → *Trinkgefäß*; **2halle** *f im Kurort*: galería *f*; *auf der Straße*: kiosco *m* de bebidas; **2kur** ⚕ *f* cura *f* de aguas; *e-e* ~ *machen* tomar las aguas (de un balneario); **2lied** *n (-es; -er)* canción *f* báquica; **2milch** *f (0)* leche *f* pura; **2schale** *f* copa *f*; **2spruch** *m (-es; ⸚e)* brindis *m*; *auf j-n e-n* ~ *anbringen* brindar por alg.; **2strohhalm** *m (-es; -e)* paja *f*; **2sucht** ⚕ *f (0)* alcoholismo *m*; dipsomanía *f*; **2wasser** *n (-s; 0)* agua *f* potable; **2wasserversorgung** *f* abastecimiento *m* de aguas; **2zwang** *m (-es; 0)* consumo *m* de bebidas obligatorio.
'Trio *n (-s; -s)* trío *m.*
Tri'ode ⚡ *f* triodo *m.*
Tri'ole ♪ *f* tresillo *m.*
'trippeln *(-le; sn) v/i.* andar a pasitos cortos y rápidos.
'Tripper ⚕ *m* gonorrea *f*; blenorragia *f*; F purgaciones *f/pl.*
'Triptychon *Mal. n (-s; -chen u. -cha)* tríptico *m.*
'Triptyk *n (-s; -s)* tríptico *m.*
'Tritt *m (-es; -e)* (*Schritt*) paso *m*; (*Spur*) huella *f*, pisada *f*; (*Fuß2*) puntapié *m*; ⊕ pedal *m*; (*Stufe*) escalón *m*; (*Estrade, Podium*) estrado *m*; (*Fußbank*) escabel *m*; → *Trittbrett*; *Trittleiter*; *im* ~! ⚔ ¡al paso!; ~ *fassen* ponerse al paso; ~ *halten* llevar el paso; *aus dem* ~ *geraten* perder el paso; *den* ~ *wechseln* cambiar el paso; *j-n an s-m* ~ *erkennen* conocer a alg. por el paso; *e-n sicheren* ~ *haben* andar con paso firme; *j-m e-n* ~ *versetzen* dar un puntapié a alg.; *im gleichen Schritt und* ~ al mismo paso; *auf Schritt und* ~ a cada paso; *j-m auf Schritt und* ~ *folgen* seguir a alg. a todas partes; seguir los pasos de alg.; **~brett** *n (-es; -er)* estribo *m*; **~leiter** *f (-; -n)* escalera *f* de mano doble, escalera *f* de tijera.
Tri'umph *m (-es; -e)* triunfo *m.*
trium'phal *adj.* triunfal.
Trium'phator *m (-s; -en)* triunfador *m.*
Tri'umph|bogen *m (-s; ⸚)* arco *m* triunfal (*od.* de triunfo); **~gesang** *m (-es; ⸚e)* canto *m* triunfal.
trium'phieren [-'fiːr] (-) *v/i.* triunfar (*über ac.* de).
Tri'umph|marsch *m (-es; ⸚e)* marcha *f* triunfal; **~wagen** *m* carro *m* triunfal; **~zug** *m (-es; ⸚e)* marcha *f* triunfal; (*Einzug*) entrada *f* triunfal.
Triumvi'rat *n (-es; -e)* triunvirato *m.*
tro'chä|isch *adj.* trocaico; **2us** *m (-; -chäen)* verso *m* trocaico.
'trocken *adj.* seco (*a. fig.*); (*dürr*) árido (*a. fig.*); *~en Fußes* a pie enjuto; *~es Wetter* (*Klima*) tiempo (clima) seco; *~es Brot* pan duro; ~ *werden* secarse; ~ *aufbewahren* conservar en lugar seco; *fig. auf dem ~en sitzen* estar sin dinero, F estar a dos velas; *im ~en sitzen* estar a cubierto de la lluvia; *e-e ~e Kehle haben* tener seco el gaznate; *fig. noch nicht* ~ *hinter den Ohren sein* tener aún la leche en los labios; *fig. sein Schäfchen ins ~e bringen* hacer su agosto; ponerse las botas.
'Trocken...: **~anlage** *f* secadero *m*; **~apparat** *m (-es; -e)* secador *m*; **~bagger** *m* excavadora *f* seca; **~batterie** ⚡ *f* pila *f* seca; **~boden** *m (-s; ⸚)* secadero *m*; *für Wäsche*: tendedero *m* de ropa; **~dampf** *m (-es; ⸚e)* vapor *m* seco; **~dock** ⚓ *n (-es; -e u. -s)* dique *m* seco; **~ei** *n (-es; 0)* huevo *m* en polvo; **~eis** *n (-es; 0)* hielo *m* seco; ácido *m* carbónico sólido; **~element** ⚡ *n (-es; -e)* pila *f* seca; **~farbe** *f* (*Sikkativ*) secante *m*; **~fäule** *f (0)* putrefacción *f* seca; **~futter** *n* forraje *m* seco; pienso *m*; **~gehalt** *m (-es; -e)* contenido *m* de materia seca; **~gerät** *n (-es; -e)* secador *m*; **~gemüse** *n* verduras *f/pl.* deshidratadas; hortalizas *f/pl.* secas; menestras *f/pl.*; **~gestell** *n (-es; -e)* secadero *m*; **~haube** *f* casco *m* secador; **~hefe** *f (0)* levadura *f* seca; **~heit** *f (0)* sequedad *f (a. fig.)*; (*anhaltende*) sequía *f*; (*gänzliche Dürre*) aridez *f* (*a. fig.*); **~kammer** *f (-; -n)* cámara *f* secadora; **~kost** ⚕ *f (0)* dieta *f* seca; **2legen** *v/t.* poner a secar; poner en seco; (*austrocknen*) desecar; *Gelände*: desaguar; avenar; (*dränieren*) ⚒, ⚕ hacer un drenaje; *Säugling*: cambiar los pañales; **~legen** *n*, **~legung** *f* desecación *f*; *v. Gelände*: desagüe *m*; avenamiento *m*; (*Dränieren*) ⚒, ⚕ drenaje *m*; **~maß** *n (-es; -e)* medida *f* para áridos; **~milch** *f (0)* leche *f* en polvo; **~mittel** *n Mal.* secante *m*; **~obst** *n (-es; 0)* frutas *f/pl.* secas; **~ofen** *m (-s; ⸚)* estufa *f* (de secar); **~öl** *Mal. n (-es; -e)* (aceite *m*) secante *m*; **~platz** *m (-es; ⸚e)* → *Trockenboden*; **~rasierer** *m* máquina *f* de afeitar eléctrica; **~reinigung** *f* lavado *m* en seco; **~rückstand** *m (-es; ⸚e)* residuo *m* seco; **~schleuder** *f (-; -n)* secadora *f* centrífuga; hidroextractor *m*; **~schliff** ⊕ *m (-es; -e)* rectificado *m* en seco; **~ständer** *m* secadero *m*; **~trommel** *f (-; -n)* tambor *m* secadero; **~verfahren** *n* procedimiento *m* de secado *bzw.* de desecación; **~zeit** *f* duración *f* del secado; *Wetter*: temporada *f* seca; (*Dürre*) sequía *f.*
'trockn|en *(-e-)* **1.** *v/i.* secar; secarse; (*aus~*) desecarse; **2.** *v/t.* secar; (*aus~*) desecar; (*abwischen*) enjugar; *Obst, Gemüse usw. durch Wasserentzug*: deshidratar; *zum 2 aufhängen* poner a secar; *bsd. Wäsche*: tender (*od.* colgar) a secar; *sich* ~ secarse; enjugarse; **2en** *n* secado *m*; desecación *f*; deshidratación *f*; **~end** *adj.* secante; desecante; desecativo; **2er** *m* secador *m.*
'Troddel *f (-; -n)* (*Quaste*) borla *f*; (*Degen2*) guarnición *f.*
'Trödel *m (-s; 0)* (*Kram*) objetos *m/pl.* usados; trastos *m/pl.*; cachivaches *m/pl.*; ropas *f/pl.* viejas; **~bude** *f* baratillo *m*; prendería *f*; ropavejería *f*; *Arg.* cambalache *m.*
Tröde'lei F *f fig.* morosidad *f*; remoloneo *m.*
'Trödel...: **~fritze** F *m (-n)* remolón *m*; **~kram** *m (-es; 0)* → *Trödel*; **~laden** *m (-s; ⸚)* → *Trödelbude*; **~markt** *m (-es; ⸚e)* mercado *m* de objetos viejos; *in Madrid*: Rastro *m*; **2n** *(-le) v/i.* (*Zeit vertun*) remolonear; gastar el tiempo inútilmente; obrar con lentitud (*od.* cachaza); **~ware** *f* cachivache *m*; trasto *m* viejo.
'Trödler(in *f*) *m* chamarilero (-a *f*) *m*; baratillero (-a *f*) *m*; prendero (-a *f*) *m*; ropavejero (-a *f*) *m*; *Arg.* cambalachero (-a *f*) *m*; (*langsamer Arbeiter*) remolón *m*; remolona *f.*
trog *pret. v. trügen.*
Trog *m (-es; ⸚e)* (*Back2*) artesa *f*, amasadera *f*; (*Tränke*) pilón *m*; bebedero *m*; (*Freß2*) comedero *m.*
'T-Rohr ⊕ *n (-es; -e)* tubo *m* en T.
'Troja *n* Troya *f.*
Tro'jan|er(in *f*) *m* troyano (-a *f*) *m*; **2isch** *adj.* troyano, de Troya; *der 2e Krieg* la guerra de Troya; *das 2e Pferd* el caballo de Troya.
'trollen *v/i.*: *sich* ~ marcharse, irse; F largarse; eclipsarse; escabullirse.
'Trolley *m (-s; -s)* trole *m*; **~bus** *m (-ses; -se)* trolebús *m.*

'**Trommel** *f* (-; *-n*) ♪ tambor *m* (*a.* ⊕); caja *f*; *die große* ~ ♪ bombo *m*; *des Revolvers*: barrilete *m*; *die* ~ *schlagen* (*rühren*) tocar el tambor; *fig.* hacer propaganda; *die* ~ *wirbeln* redoblar; **~fell** *n* (-*es*; -*e*) parche *m* (de tambor); *Anat.* tímpano *m*; **2fell-erschütternd** *adj.* ensordecedor, atronador; **~feuer** ⚔ *n* fuego *m* graneado; cañoneo *m* ininterrumpido; **2n** (-*le*) **1.** *v/i.* tocar el tambor; *mit den Fingern* ~ tabalear, tamborear (con los dedos); **2.** *v/t. Marsch*: batir marcha; *j-n aus dem Schlaf* ~ despertar con estrépito a alg.; **~n** *n* redoble *m* de(l) tambor *bzw.* de (los) tambores; *mit den Fingern*: tamboreo *m*, tabaleo *m*; **~revolver** *m* revolver *m* (de barrilete); **~schlag** *m* (-*es*; *"e*) toque *m* de tambor; redoble *m* de tambor(es); **~schläger** *m* tambor *m*; **~stock** *m* (-*es*; *"e*) palillo *m* de tambor; **~waschmaschine** *f* lavadora *f* de tambor; **~wirbel** *m* redoble *m* (de tambor); *unter* ~ a tambor batiente.

'**Trommler** *m* tambor *m*; tamborilero *m*.

'**Trompe** *f* ⚠ trompa *f*.

Trom'pete *f* trompeta *f*; *helle*: ⚔ clarín *m*; corneta *f*; *Anat.* trompa *f*; *auf der* ~ *blasen* tocar la trompeta *bzw.* el clarín *od.* la corneta; **2n** (-*e*-) *v/i. u. v/t.* tocar la trompeta; tocar el clarín *od.* la corneta; **~nbläser** *m allg.* trompeta *m*; ⚔ *bei der Infanterie*: corneta *m*; **~ngeschmetter** *n* (-*s*; *0*) toque *m* de trompetas *bzw.* de clarines; **~nschall** *m* (-*es*; *0*) sonido *m* de la trompeta *bzw.* del clarín; **~nstoß** *m* (-*es*; *"e*) toque *m* de clarín; *einmaliger*: trompetazo *m*; **~r** *m* → *Trompetenbläser*.

'**Trope** *Rhet. f* tropo *m*.

'**Tropen** *pl.* trópicos *m/pl.*; países *m/pl.* tropicales; **~anzug** *m* (-*es*; *"e*) traje *m* colonial; **2beständig**, **2fest** *adj.* resistente al clima tropical; **~fieber** ⚕ *n* (-*s*; *0*) fiebre *f* tropical; (*Malaria*) paludismo *m* tropical; **~gegend** *f* región *f* tropical; **~helm** *m* (-*es*; -*e*) casco *m* colonial; salacot *m*; **~klima** *n* (-*s*; *0*) clima *m* tropical; **~koller** ⚕ *m* (-*s*; *0*) delirio *m* de los trópicos; **~krankheit** *f* enfermedad *f* tropical; **~pflanze** *f* planta *f* tropical; **~welt** *f* (*0*) regiones *f/pl.* (*od.* países *m/pl.*) tropicales.

Tropf *m* (-*es*; *"e*) (*Dummkopf*) bobo *m*, tonto *m*; majadero *m*; F babieca *m*, gilí *m*; *armer* ~ pobre diablo.

'**Tropfbrett** *n* (-*es*; -*er*) *in der Küche*: escurreplatos *m*.

'**Tröpfchen** *n* gotita *f*.

'**tröpfeln** (-*le*) **I. 1.** *v/i.* gotear; caer gota a gota; *es tröpfelt Regen*: está goteando; **2.** *v/t.* echar (*od.* verter) gota a gota; (*einträufeln*) instilar; **II.** 2 *n* goteo *m*; (*Einträufeln*) instilación *f*.

'**tropfen** *v/i. u. v/t.* → *tröpfeln*.

'**Tropfen** *m* gota *f*; *fig. ein guter* ~ un vino exquisito (*od.* de excelente calidad); *er liebt e-n guten* ~ F le gusta echar un trago; *fig. keinen* ~ *Blut in den Adern haben* no tener sangre en las venas; → *Stein*; **~fänger** *m* recogegotas *m*; **2förmig** *adj.* en forma de gota; **2weise** *adv.* gota a gota; a gotas; **~zähler** *m* cuentagotas *m*; instilador *m*.

'**Tropf...**: **~flasche** *f* (frasco *m*) cuentagotas *m*; **~hahn** *m* (-*es*; *"e*) grifo *m* cuentagotas; **2naß** *adj.* (*0*) empapado; chorreando, pingando; **~öler** *m* engrasador *m* cuentagotas; **~stein** *m* (-*es*; -*e*) *an der Decke*: estalactita *f*; *vom Boden aufsteigend*: estalagmita *f*; **~steinhöhle** *f* cueva *f* de estalactitas.

Trophäe [tro'ˈfɛːə] *f* trofeo *m*.

'**tropisch** *adj.* tropical; *~e Hitze* calor tropical; *Rhet.* figurado.

Tropo'sphäre *f* (*0*) troposfera *f*.

Troß *m* ⚔ (-*sses*; -*sse*) impedimenta *f*; bagajes *m/pl.*; (*Train*) tren *m* de campaña; *fig.* (*Gefolge*) séquito *m*; *bsd. Pol.* seguidores *m/pl.*, partidarios *m/pl.*; secuaces *m/pl.*

'**Trosse** ⚓ *f* cable *m*; amarra *f*.

'**Troß...**: **~knecht** *m* (-*es*; -*e*) bagajero *m*; **~pferd** *n* (-*es*; -*e*) caballo *m* de bagaje; **~wagen** *m* carro *m* de bagajes; furgón *m*.

'**Trost** [oː] *m* (-*es*; *0*) consuelo *m*; consolación *f*; confortación *f*; *ein schwacher* ~ un menguado consuelo; *j-m* ~ *zusprechen* consolar a alg.; *das ist mir ein* ~, *ich finde* ~ *darin* eso me consuela (*od.* es un consuelo para mí); F *nicht recht bei ~e sein* no estar en su juicio (*od.* en sus cabales); F estar chiflado; **2bedürftig** *adj.* necesitado de consuelo; **2bringend** *adj.* consolador.

'**trösten** [øː] (-*e*-) *v/t.* consolar; confortar; *sich* ~ consolarse; **~d** *adj.* consolador; confortante.

'**Tröster(in** *f*) *m* consolador(a *f*) *m*; confortador(a *f*) *m*; *Bib.* (*der Heilige Geist*) Paráclito *m*.

'**tröstlich** *adj.* consolador; confortador; (*erfreulich*) alentador; (*beruhigend*) tranquilizador.

'**Trost...**: **2los** *adj. Person*: desconsolado, sin consuelo; (*untröstlich*) inconsolable; (*verzweifelt*) desesperado; *v. Sachen*: desconsolador; (*verzweifelnd*) desesperante; (*öde*) desolado; (*pessimistisch*) muy pesimista; (*jämmerlich*) lamentable; **~losigkeit** *f* (*0*) *v. Personen*: desconsuelo *m*; (*Verzweiflung*) desesperación *f*; *v. Sachen*: estado *m* desconsolador *bzw.* desesperante; **~preis** *m* (-*es*; -*e*) premio *m* de consolación; **2reich** *adj.* consolador; confortador; **~rennen** *n Sport*: carrera *f* de consolación; **~spruch** *m* (-*es*; *"e*) palabras *f/pl.* consoladoras (*od.* de consuelo); sentencia *f* consolatoria.

'**Tröstung** *f* consuelo *m*; consolación *f*; confortación *f*.

'**Trost...**: **2voll** *adj.* → *trostreich*; **~wort** *n* (-*es*; -*e*) palabras *f/pl.* consoladoras (*od.* de consuelo); consolación *f*.

Trott *m* (-*es*; -*e*) trote *m*; *fig. der alte* ~ la rutina cotidiana.

'**Trottel** F *m* (*Dummkopf*) tonto *m*, mentecato *m*, majadero *m*, alma *m* de cántaro; (*Schwachsinniger*) imbécil *m*; (*Depp*) papanatas *m*, lelo *m*, bobalicón *m*, tontaina *m*; (*Pantoffelheld*) bragazas *m*; *alter* ~ viejo chocho.

'**trotten** (-*e*-; *sn*) *v/i.* trotar.

Trot'toir *n* (-*s*; -*s*, -*e*) acera *f*.

Trotz *m* (-*es*; *0*) (*Eigensinn*) obstinación *f*, terquedad *f*; (*Halsstarrigkeit*) testarudez *f*; (*Widersetzlichkeit*) resistencia *f*, oposición *f*; (*Widerspruchsgeist*) espíritu *m* de contradicción; *j-m* ~ *bieten* desafiar a alg.; hacer frente a alg., oponerse a alg.; *e-r Sache* (*dat.*) ~ *bieten* oponerse (*od.* hacer frente) a a/c.; resistirse a a/c.; *e-r Gefahr* ~ *bieten* arrostrar un peligro; *dem Tode* ~ *bieten* afrontar (*od.* desafiar) la muerte; *j-m zum* ~ a despecho (*od.* a pesar) de alg.

trotz *prp.* (*gen. u. dat.*) a pesar de; a despecho de; no obstante; **~'alledem** *adv.* a pesar de todo; aun así; así y todo; con todo eso; **~'dem I.** *adv.* no obstante; a pesar de ello; a pesar de todo; con todo; **II.** *cj.* aunque, a pesar de que ...

'**trotzen** (-*t*) *v/i.* → *Trotz bieten*; (*Widerstand leisten*) oponer resistencia, resistirse a; (*sich gegen et. sperren*) F cerrarse a la banda; mantenerse (*od.* seguir) en sus trece; (*hartnäckig fordern*) porfiar; (*schmollen*) F estar de morros.

'**trotz|ig** *adj.* (*eigensinnig*) obstinado, terco; (*halsstarrig*) testarudo, F cabezudo; (*unbeugsam*) inflexible; (*widersetzlich*) rebelde; (*unfolgsam*) desobediente; (*hochmütig*) altanero; arrogante; (*herausfordernd*) provocador; retador; (*hartnäckig fordernd*) porfiado; (*frech*) insolente; *Burg*: (*uneinnehmbar*) inexpugnable; *Blick*: altanero; retador; insolente; **2kopf** *m* (-*es*; *"e*) (*Starrkopf*) testarudo *m*, F cabezota *m*; **~köpfig** *adj.* obstinado, terco, testarudo.

Trouba'dour *m* (-*s*; -*e u.* -*s*) trovador *m*.

'**trüb(e)** *adj. Flüssigkeit*: turbio; (*undurchsichtig*) opaco; (*flockig*) borroso; (*glanzlos*) deslucido; (*finster*) sombrío; lúgubre, tétrico; (*traurig*) triste; melancólico; *Wetter*: nuboso; *Himmel*: nublado, cubierto; *Glas*: (*beschlagen*) empañado; *Tag*: gris; ~ *machen* → *trüben*; ~ *werden* → *sich trüben*; *der Himmel wird* ~ el cielo se nubla; *fig. es sieht* ~ *aus* las perspectivas no son nada halagüeñas; *im ~en fischen* pescar en río revuelto.

'**Trubel** *m* (-*s*; *0*) (*Aufregung, Unruhe*) agitación *f*; (*lebhaftes Treiben*) bulla *f*, batahola *f*; ajetreo *m*; F barullo *m*, jaleo *m*.

'**trüben** *v/t. Flüssigkeit*: enturbiar; *Glas*: (*beschlagen*) empañar; (*glanzlos machen*) deslustrar; (*verdunkeln*) o(b)scurecer; *Gemüt, Verstand*: turbar; *fig. Beziehungen*: enturbiar; *Freude*: anublar; *er sieht aus, als könne er kein Wässerchen* ~ F parece incapaz de matar una mosca; *sich* ~ *Himmel*: nublarse; encapotarse; *Flüssigkeit*: enturbiarse; *Glas*: empañarse; (*glanzlos werden*) deslustrarse; (*dunkel werden*) o(b)scurecerse; *fig. Beziehungen*: enturbiarse; *Sicht, Sinn*: nublarse.

'**Trüb...**: **~heit** *f* (*0*) turbiedad *f*; (*Undurchsichtigkeit*) opacidad *f*; **~sal** *f* (-; -*e*) aflicción *f*; (*Not*) miseria *f*; calamidad *f*; (*Drangsal*) tribulación *f*; (*Schwermut*) melancolía *f*; ~ *blasen* estar triste; entregarse a la melancolía; abismarse en tristes pensamientos; F estar alicaído; **⁲selig** *adj.* (*traurig*) triste; (*schwermütig*) melancólico; (*betrübend*) aflictivo; (*jämmerlich*) digno de compasión; lamentable; (*trostlos*) desconsolado; (*armselig*) pobre; mísero; **~seligkeit** *f* (*0*) tristeza *f*; melancolía *f*; aflicción *f*; **~sinn** *m* (*-és; 0*) melancolía *f*; tristeza *f*; **⁲sinnig** *adj.* melancólico; triste; sombrío; **~ung** *f* enturbiamiento *m*; (*Getrübtheit*) turbiedad *f*; (*Undurchsichtigkeit*) opacidad *f*; *fig.* ofuscación *f*, ofuscamiento *m*; perturbación *f*.

'**Truchseß** *m* (*-sses; -sse[n]*) escudero *m* trinchante.

'**trudeln** (*-le*) ✈ **I.** *v/i.* barrenar; **II.** ⁲ *n*: *ins ~ geraten* entrar en barrena.

'**Trüffel** ⚘ *f* (*-; -n*) trufa *f*; **~leberpastete** *f* pasta *f* de hígado trufada; **⁲n** *v/t.* trufar; **~zucht** *f* truficultura *f*.

trug *pret. v. tragen.*

'**Trug** (*-és; 0*) *m* engaño *m*; (*Lüge*) embuste *m*; (*Betrug*) fraude *m*; *der Sinne*: ilusión *f*; **~bild** *n* (*-és; -er*) imagen *f* engañosa; (*Erscheinung*) visión *f*; fantasma *m*; (*Fata morgana*) espejismo *m*; (*Halluzination*) alucinación *f*; **~dolde** ⚘ *f* cima *f*; corimbo *m*.

'**trügen** (*L*) *v/t. u. v/i.* engañar; ser engañoso; *der Schein trügt* las apariencias engañan.

'**trügerisch** *adj.* engañoso; engañador; falaz; (*imaginär*) ilusorio; *Schluß*: sofístico; *Grund*: capcioso; *Wetter, Eis*: inseguro; *Gedächtnis*: infiel.

'**Trug|gebilde** *n*, **~gestalt** *f* → *Trugbild*; **~schluß** *m* (*-sses; ⁼sse*) conclusión *f* errónea; razonamiento *m* falso, paralogismo *m*; *spitzfindiger*: sofisma *m*.

'**Truhe** *f* arca *f*, *große*: arcón *m*; (*Koffer*) cofre *m*.

'**Trümmer** *pl.* ruinas *f/pl.*; (*Schutt*) escombros *m/pl.*; *in ~ gehen* caer en ruina; quedar convertido en un montón de escombros; *in ~ schlagen* destruir; hacer pedazos; **~beseitigung** *f* descombro *m*; **~feld** *n* (*-és; -er*) campo *m* de ruinas; **~gestein** *Geol. n* (*-és; -e*) (*Menggestein*) conglomerado *m*; **~haufen** *m* montón *m* de escombros; escombrera *f*; **~stätte** *f* ruinas *f/pl.*; **~verwertung** *f* recuperación *f* (*od.* aprovechamiento *m*) de escombros.

'**Trumpf** *m* (*-és; ⁼e*) *Kartenspiel*: triunfo *m*; *was ist ~?* ¿qué palo es triunfo?; *Pik ist ~* espadas son triunfo; pintan espadas; *~ ausspielen* echar triunfo; triunfar; arrastrar; *fig. alle Trümpfe in der Hand haben* tener todos los triunfos (en la mano); *s-n letzten ~ ausspielen* jugar el último triunfo; hacer el último esfuerzo para lograr a/c.; F echar el resto; **⁲en** *v/t.* fallar con un triunfo; **~farbe** *f* palo *m* del triunfo; **~karte** *f* triunfo *m*.

Trunk *m* (*-és; ⁼e*) (*Trank*) bebida *f*; ⚕ poción *f*; (*Schluck*) trago *m*; (*Zug*) sorbo *m*; → *Trunksucht*; *e-n ~ tun* echar un trago; *dem ~ ergeben* dado a la bebida; F aficionado al trago; *im ~* estando borracho.

'**trunken** *adj.* borracho; embriagado, ebrio (*beide a. fig.*); *~ machen* emborrachar, embriagar; **⁲bold** *m* (*-és; -e*) borracho *m*; F borrachín *m*, tumbavasos *m*; tumbacuartillos *m*; **⁲heit** *f* (*0*) embriaguez *f*, F borrachera *f*; ⚖ *wegen ~ am Steuer* por conducir en estado de embriaguez.

'**Trunksucht** ⚕ *f* (*0*) alcoholismo *m*; dipsomanía *f*.

'**trunksüchtig** *adj.* dado a la bebida; ⚕ alcohólico, alcoholizado; dipsómano, dipsomaníaco; **⁲e(r** *m*) *m/f* ⚕ alcohólico (-a *f*) *m*, dipsómano (-a *f*) *m*.

Trupp *m* (*-s; -s*) *v. Menschen*: grupo *m*; (*Herde*) manada *f*; *v. Rebhühnern*: bandada *f*; (*Arbeits⁲*) brigada *f*; ⚔ pelotón *m*; destacamento *m*.

'**Truppe** *f* ⚔ tropa *f*; (*einzelne Abteilung*) sección *f*; destacamento *m*; *Thea.* compañía *f* (teatral); *die ~n* ⚔ (las) tropas; el ejército, las fuerzas armadas.

'**Truppen...**: **~ansammlung** *f* concentración *f* de tropas; **~arzt** *m* (*-es; ⁼e*) médico *m* militar; **~aushebung** *f* reclutamiento *m*; **~bewegung** *f* movimiento *m* de tropas; maniobras *f/pl.* (militares); **~gattung** *f* arma *f*; **~schau** *f* revista *f*; desfile *m*; **~teil** *m* (*-és; -e*) unidad *f*; **~transport** *m* (*-és; -e*) transporte *m* de tropas; **~transporter** ⚓ *m* (buque *m* de) transporte *m*; **~übungsplatz** *m* (*-es; ⁼e*) campo *m* de maniobras; **~unterkunft** *f* (*-; ⁼e*) acuartelamiento *m*; **~verschiebung** *f* movimiento *m* de tropas.

'**truppweise** *adv.* por grupos, en grupos; (*Herden*) por (*od.* a) manadas; (*Rebhühner usw.*) en bandadas; (*Arbeiter*) en brigadas *od.* cuadrillas; ⚔ en pelotones *bzw.* destacamentos.

Trust [u; a] † *m* (*-és; -e*) trust *m*.

'**Trut|hahn** *m* (*-és; ⁼e*) pavo *m*; **~henne** *f* pava *f*.

'**Tschako** ['tʃako:] ⚔ (*-s; -s*) *m* chacó *m*.

'**Tschech|e** *m* (*-n*) checo *m*; **~in** *f* checa *f*; **⁲isch** *adj.* checo.

Tschecho|slo'wake *m* (*-n*) checoslovaco *m*; **~slo'wakin** *f* checoslovaca *f*; **~slowa'kei** *f* Checoslovaquia *f*; **⁲slo'wakisch** *adj.* checoslovaco.

Tscher'kesse *m* (*-n*) circasiano *m*.

'**Tsetsefliege** *f* mosca *f* tse-tsé.

'**Tuba** ♪ *f* (*-; -ben*) tuba *f*.

'**Tube** *f* tubo *m*; *Anat.* trompa *f*.

Tu'berkel ⚕ *m* tubérculo *m*; **~bazillus** *m* (*-; -bazillen*) bacilo *m* de la tuberculosis.

tuberku|'lös ⚕ *adj.* tuberculoso; **⁲'lose** ⚕ *f* tuberculosis *f*; tisis *f*; **⁲'losebekämpfung** *f* lucha *f* antituberculosa; **⁲'losefürsorge** *f* (*0*) asistencia *f* a los tubuerculosos; **~'loseverdächtig** *adj.* sospechoso de (padecer) tuberculosis.

Tube'rose ⚘ *f* tuberosa *f*, nardo *m*.

Tuch *n* (*-és; ⁼er*) tela *f*; (*Stoff*) paño *m*; (*Gewebe*) tejido *m*; (*Linnen*) lienzo *m*; (*Stück ~*) pieza *f* de paño; (*Hand⁲*) toalla *f*; (*Taschen⁲*) pañuelo *m*; (*Kopf⁲*) pañuelo *m* (de cabeza); (*Hals⁲*) *für Damen*: pañuelo *m* (de cuello); pañoleta *f*; *für Herren*: bufanda *f*; (*großes Umschlag⁲*) chal *m*; (*Wisch⁲*) trapo *m*, paño *m* de limpieza, *ledernes*: gamuza *f*; (*Wischlappen*) rodilla *f*; bayeta *f*; (*Staub⁲*) paño *m* para el polvo; *das wirkt wie ein rotes ~ auf ihn* eso le subleva (*od.* le pone fuera de quicio); *mit ~ ausschlagen* (*od. überziehen*) guarnecer de paño; **~ballen** *m* pieza *f* de paño; **⁲en** *adj.* de paño; **~fabrik** *f* fábrica *f* de paños; **~fabrikant** *m* (*-en*) fabricante *m* de paños; **~fühlung** *f* (*0*) ⚔ (con)tacto *m* de codos; *in ~* codo a codo; *fig.* estrecho contacto *m*; *in ~ bleiben* quedar en contacto; **~geschäft** *n* (*-és; -e*) almacén *m* de paños, pañería *f*; **~handel** *m* comercio *m* de paños; **~händler** *m* comerciante *m* en paños; **~macher** *m* → *Tuchfabrikant*; **~mache'rei** *f* fabricación *f* de paños; manufactura *f* de paños; **~rest** *m* (*-es; -e*) retal *m*; **~schere** *f* tijeras *f/pl.* de tundidor; **~schermaschine** *f* tundidora *f* de paños.

'**tüchtig** **I.** *adj.* (*geschickt*) hábil; diestro; (*fähig*) capaz; competente; apto; (*vortrefflich*) bueno; (*klug*) inteligente; de altas prendas; (*aktiv*) activo; (*v. Wert*) de mérito; (*ausgezeichnet*) excelente; (*bedeutend*) eminente; (*gediegen*) sólido; (*leistungsfähig*) eficiente; (*geübt, erfahren*) experimentado; (*stark*) fuerte, recio; (*intensiv*) intenso; (*genügend*) suficiente; (*beträchtlich*) considerable; *in et.* (*dat.*) *~* versado en a/c.; experto en a/c.; *~er Arbeiter* buen trabajador; trabajador incansable; *~er Esser* F hombre de buen diente; **II.** *adv.* (*sehr*) muy; mucho; (*genügend*) bastante, suficientemente; (*mit Macht*) vigorosamente; (*wirkungsvoll*) eficazmente; (*wie es sich gehört*) como es debido; como corresponde; *~ arbeiten* F trabajar de firme; *~ essen* comer abundantemente; *~ schwitzen* F sudar la gota gorda; *sich ~ amüsieren* F divertirse de lo lindo; *sich ~ blamieren* F hacer un ridículo espantoso; meter la pata, tirarse una plancha; *j-n ~ verprügeln* F propinar a alg. una soberana paliza; **⁲keit** *f* (*0*) (*Geschicklichkeit*) habilidad *f*; destreza *f*; (*Fähigkeit*) capacidad *f*; aptitud *f*; (*Klugheit*) inteligencia *f*.

'**Tuch...**: **~waren** *f/pl.* paños *m/pl.*; **~weber** *m* fabricante *m* de paños; → *Tuchwirker*; **~webe'rei** *f* fabricación *f* de paños; tejedura *f* de paños; **~wirker** *m* tejedor *m* de paños.

'**Tück|e** *f* (*Bosheit*) malicia *f*; (*Hinterlist*) perfidia *f*; (*Verrat*) traición *f*; (*Heim⁲*) alevosía *f*; (*Verschlagenheit*) astucia *f*; *bsd.* ⚕ malignidad *f*; **⁲isch** *adj.* malicioso; malintencionado; pérfido; traidor (*a. Tier*); *bsd. Stier*: marrajo; astuto; ⚕ maligno; *Krankheit*: insidioso.

Tuff *m* (*-s; -e*), **~stein** *m* (*-és; -e*) *Min.* toba *f*.

Tüfte'lei *f* sutileza *f*.

'**Tüft|(e)ler** *m* sutilizador *m*; **⁲elig** *adj.* sutil; **⁲eln** (*-le*) *v/i.* sutilizar.

'**Tugend** *f* virtud *f*; *aus der Not e-e ~ machen* hacer de la necesidad virtud; **~bold** *m* (*-es; -e*) *iro.* dechado *m* de virtudes; **2haft** *adj.* virtuoso; **~haftigkeit** *f* (*0*) virtuosidad *f*; **~held** *m* (*-en*) → *Tugendbold*; **~lehre** *f* (*0*) moral *f*; **2sam** *adj.* virtuoso.

Tüll *m* (*-s*; [*-e*]) tul *m*.

'Tülle *f an Gefäßen*: pico *m*; ⊕ (*Hülse*) boquilla *f*; *am Leuchter*: arandela *f*.

'Tulpe ♀ *f* tulipán *m*; **~nbeet** *n* (*-es; -e*) cuadro *m* de tulipanes; **~nzwiebel** *f* (*-; -n*) bulbo *m* de tulipán.

'tummel|n (*-le*) *v/t.* mover; *Pferd*: hacer caracolear; *sich* ~ moverse; *Kinder*: jugar; retozar; (*sich beeilen*) apresurarse, darse prisa; **2platz** *m* (*-es; ⸚e*) (*Kinderspielplatz*) lugar *m* de recreo; (*Kampfplatz*) liza *f*; arena *f*; palestra *f*; *fig.* campo *m* de acción; palestra *f*.

'Tümmler *m Ict.* delfín *m*; *Orn.* paloma *f* volteadora.

'Tumor ⚕ *m* (*-s; -en*) tumor *m*.

'Tümpel *m* pantano *m*; (*Pfütze*) charco *m*.

Tu'mult *m* (*-es; -e*) tumulto *m*; (*Aufruhr*) revuelta *f*, sedición *f*; motín *m*; (*Lärm*) alboroto *m*.

Tumultu|'ant *m* (*-en*) (*Aufrührer*) revoltoso *m*, sedicioso *m*; amotinado *m*; (*Lärmmacher*) alborotador *m*; **2'arisch** *adj.* tumultuoso; tumultuario.

tun I. (*L*) *v/t. u. v/i.* (*machen*) hacer; (*handeln*) obrar; (*ausführen*) ejecutar; *Schritt, Sprung*: dar; *beiseite* ~ poner aparte; *in et.* (*hinein*)~ introducir (*od.* meter) en; poner en; *in ein Paket* ~ empaquetar; *zu et.* (*hinzu*)~ agregar (*od.* añadir) a; *so* ~ *als ob* hacer como si; *er tut so, als sei er krank* se hace el enfermo; finge (*od.* aparenta *od.* simula) estar enfermo; *er tut nur so* lo aparenta nada más; sólo es apariencia; *er tut gelehrt* alardea de sabio; ~ *Sie, als ob Sie zu Hause wären!* está usted en su casa; *so* ~, *als hätte man nichts gesehen* hacer como si no se hubiera visto nada; F hacer la vista gorda; *so* ~, *als ob man nichts wüßte* hacerse de nuevas; *das will getan sein* eso tendrá que hacerse; eso habrá que hacerlo bueno; *damit ist es noch nicht getan* con eso no basta; *was hat er dir getan?* ¿qué te ha hecho?; *nichts* ~ no hacer nada; *das tut nichts* no es nada; no importa; no tiene importancia, *als Antwort auf eine Entschuldigung*: no hay de qué; no ha sido nada; *das tut ihm nichts* eso no le importa nada; le es indiferente; *es tut sich et.* algo se está tramando; *das tut nichts zur Sache* eso no hace al caso; eso no tiene nada que ver; *das tut man nicht* eso no se hace; eso no está bien; *Sie* ~ *gut daran, zu ...* (*inf.*) hace usted bien en ... (*inf.*); *Sie haben gut daran getan* ha hecho usted bien; *tu doch nicht so!* ¡déjate de cumplidos (*od.* de pamplinas)!; ¡no exageres tanto!; ¡no te des tanta importancia!; *was tut das?* ¿qué importa eso?; *was ist zu* ~? ¿qué hay que hacer?; *was soll ich* ~? ¿qué voy a hacer?; ¡qué le vamos a hacer!; *ich kann nichts dazu* ~ no puedo hacer nada; no puedo remediar (*od.* ayudar en) nada; (*viel*) *zu* ~ *haben* tener (mucho) que hacer; estar (muy) ocupado; *nichts zu* ~ *haben* no tener nada que hacer; estar desocupado; *Sie haben hier nichts zu* ~ aquí no tiene usted nada que hacer; *schroff abweisend*: aquí está usted de más; *es ist mir nur darum zu* ~, *zu ...* (*inf.*) sólo aspiro a ... (*inf.*); para mí sólo se trata de ... (*inf.*); lo que me importa es ... (*inf.*); *es ist mir darum zu* ~, *daß ...* me importa que ... (*subj.*); me interesa que ... (*subj.*); *es ist mir sehr darum zu* ~ me importa mucho; me interesa mucho; *es ist ihm nur um das Geld zu* ~ lo único que le interesa es el dinero; *mit j-m zu* ~ *haben* tener que tratar (*od.* arreglar) con alg. un asunto; tratar con alg.; *mit Ihnen habe ich nichts zu* ~ con usted no tengo nada que tratar; *ich will damit nichts zu* ~ *haben* no quiero mezclarme en ese asunto; en eso yo me lavo las manos; *damit habe ich nichts zu* ~ no tengo nada que ver con eso; ése es asunto que no me atañe; *das hat damit nichts zu* ~ no tiene nada que ver con eso; *du wirst es mit ihm zu* ~ *haben* tendrás disgustos con él; *das tut mir gut* esto me sienta bien; (*j-m*) *Gutes* ~ hacer bien (a. alg.); *zuviel des Guten fig.* exagerar; ir demasiado lejos; propasarse; *er tut nichts als arbeiten* no hace más que trabajar; se pasa la vida trabajando; *sein Bestes* ~ hacer todo lo posible; *e-n flüchtigen Blick* ~ *in* (*ac.*) echar una mirada a; ~ *Sie mir diesen Gefallen* hágame ese favor; *es tut mir leid, daß ...* siento que ... (*subj.*); *das tut mir leid* lo siento; lo lamento; *du tust ihm leid* le das lástima; *das Seinige* ~ hacer (por su parte) todo lo posible; *j-m Unrecht* ~ ser injusto con alg.; *j-m weh* ~ herir los sentimientos de alg.; *j-m s-n Willen* ~ hacer la voluntad de alg.; *j-m et. zuleide* ~ causar daño a alg.; *das läßt sich* ~ puede hacerse; es factible; **II.** 2 *n* (*Handlungsweise*) modo *m* de obrar; (*Beschäftigung*) ocupaciones *f/pl.*; (*Verhalten*) conducta *f*; (*Handlung*) acción *f*; *sein* ~ *und Treiben* su conducta; sus acciones; F su vida y milagros.

'Tünche *f* blanqueo *m*, enlucido *m*, enjalbegado *m*; *fig.* barniz *m*; **2n** *v/t.* blanquear, enlucir, enjalbegar; **~r** *m* blanqueador *m*.

'Tundra *f* (*-; Tundren*) tundra *f*.

Tu'nes|ien *n* Túnez *m*; **~ier(in** *f*) *m* tunecino (-a *f*) *m*; **2isch** *adj.* tunecino.

'Tunichtgut *m* (*- u. -es; -e*) bribón *m*, tunante *m*; pillo *m*.

'Tunika *f* (*-; -ken*) túnica *f*.

'Tunis *n Stadt u. Land*: Túnez *m*.

'Tunke *f* salsa *f*; F moje *m*; **2n** *v/t.* mojar (en la salsa).

'tunlich *adj.* (*ausführbar*) factible, hacedero; viable; (*möglich*) posible; (*ratsam*) aconsejable; oportuno; **2keit** *f* (*0*) viabilidad *f*; oportunidad *f*; **~st** *adv.* a ser posible; si las circunstancias lo permiten; ~ *bald* lo antes posible; cuanto antes, a la mayor brevedad.

'Tunnel *m* túnel *m*; **~bau** *m* (*-es; -ten*) construcción *f* de un túnel.

Tupf *m* (*-es; -e u. -en*) (*Flecken*) mancha *f*; (*Punkt*) punto *m*.

'Tüpfel *m/n* (*kleiner Flecken*) manchita *f*; (*Punkt*) punto *m*; (*Tuchmuster*) pinta *f*, lunar *m*; **~chen** *n*: *das* ~ *auf dem i* el punto sobre la i; **2n** *v/t.* (*-le*) puntear; (*sprenkeln*) salpicar; motear.

'tupfen I. *v/t.* (*leicht berühren*) tocar ligeramente; dar toques; ⚕ (*Wunde*) secar; (*sprenkeln*) motear; salpicar; **II.** 2 *m* (*Flecken*) mancha *f*; (*Punkt*) punto *m*.

'Tupfer *m* ⚕ torunda *f*; (*Flecken*) mancha *f*; (*Punkt*) punto *m*.

Tür *f* puerta *f*; (*Wagen*2) portezuela *f*; (*Dreh*2) puerta *f* giratoria; *die* ~ *aufmachen* (*od. öffnen*) abrir la puerta; *die* ~ *schließen* (*od. zumachen*) cerrar la puerta; *die* ~ *hinter sich* (*dat.*) *zumachen* cerrar la puerta tras de sí; *fig.* ~ *und Tor öffnen* abrir de par en par las puertas a; *fig. offene* ~*en einrennen* pretender demostrar lo evidente; *Politik der offenen* ~ política de puerta abierta; *j-m die* ~ *weisen, j-n vor die* ~ *setzen, j-m den Stuhl vor die* ~ *setzen* enseñarle a alg. la puerta de la calle; echar a la calle a alg.; F poner a alg. de patitas en la calle; *j-m die* ~ *vor der Nase zuschlagen* dar a alg. con la puerta en las narices; *bei verschlossenen* ~*en* a puerta cerrada; *von* ~ *zu* ~ *gehen* (*betteln*) mendigar de puerta en puerta; *fig. mit der* ~ *ins Haus fallen* entrar (F colarse) de rondón; plantear intempestivamente una cuestión; *vor der* ~ *stehen* estar a (*od.* ante) la puerta; *fig.* estar cercano *od.* próximo; *fig. vor verschlossenen* ~*en stehen* encontrar todas las puertas cerradas; *kehren Sie vor Ihrer* ~*!* ¡no se meta usted donde no le llaman!; *zwischen* ~ *und Angel* a punto de salir; al salir de casa; *fig.* en el último instante; **'~angel** *f* (*-; -n*) gozne *m*; **'~anschlag** *m* (*-es; ⸚e*) batiente *m*.

'Turban *m* (*-s; -e*) turbante *m*.

Tur'bine *f* turbina *f*.

Tur'binen...: **~dampfer** *m* vapor *m* de turbina(s); **~halle** *f* sala *f* de turbinas; **~lokomotive** *f* turbolocomotora *f*; **~rad** *n* (*-es; ⸚er*) rueda *f* de turbina; **~schaufel** *f* (*-; -n*) álabe *m* de turbina; **~strahltriebwerk** *n* (*-es; -e*) turborreactor *m*.

'Turbo|gebläse *n* turbosoplante *m*; **~generator** *m* (*-s; -en*) turbogenerador *m*; **~kompressor** *m* (*-s; -en*) turbocompresor *m*; **~maschine** *f* turbomáquina *f*; **~reaktor** *m* (*-s; -en*) turborreactor *m*; **~verdichter** *m* turbocompresor *m*.

turbu'len|t *adj.* turbulento; **2z** *f* turbulencia *f*.

'Tür...: **~drücker** *m* picaporte *m*; **~einfassung** *f* marco *m* de (la) puerta; **~flügel** *m* hoja *f* de puerta; **~füllung** *f* entrepaño *m* (de puerta); **~griff** *m* (*-es; -e*) → *Türdrücker*; **~hüter** *m* portero *m*.

'Türke *m* (*-n*) turco *m*.

Tür'kei *f* Turquía *f*.

'Türkensäbel *m* cimitarra *f*.

'Türkette *f* cadena *f* de seguridad.

ˈ**Türkin** *f* turca *f*.
Türˈkis *m* (-*es*; -*e*) turquesa *f*; ⁲ *adj*. (*Farbe*) azul turquí.
ˈ**türkisch** *adj*. turco; *das* ⁲*e* la lengua turca, el turco; ⁓**blau** *adj*. (*0*) azul turquí; ⁓**rot** *adj*. (*0*) rojo turco.
ˈ**Turkistan** *n* Turquestán *m*.
ˈ**Tür...:** ⁓**klinke** *f* picaporte *m*; pestillo *m*; ⁓**klopfer** *m* aldaba *f*, llamador *m*, picaporte *m*; ⁓**knopf** *m* (-*ẹs*; ⁼*e*) botón *m* (del timbre) de la puerta.
ˈ**Turm** *m* (-*ẹs*; ⁼*e*) torre *f*; (*Kirch*⁲) torre *f* de la iglesia; (*Glocken*⁲) campanario *m*; (*Geschütz*⁲) ⚓ cúpula *f*; (*Festungs*⁲) torreón *m*; (*Verlies*) mazmorra *f*, calabozo *m*; (*Wacht*⁲) atalaya *f*.
ˈ**Türmatte** *f* limpiabarros *m*; felpudo *m*.
ˈ**Türmchen** *n* torrecilla *f*.
ˈ**Turmbau** *m* (-*ẹs*; -*ten*) construcción *f* de una torre; *der* ⁓ *zu Babel* la torre de Babel.
ˈ**türmen 1.** *v/t*. elevar; levantar a gran altura; (*anhäufen*) apilar; *sich* ⁓ elevarse; alzarse; *Wolken*: agruparse, acumularse; **2.** (*sn*) *v/i*. F (*abhauen*) largarse, P pirarse; salir por pies; poner pies en polvorosa; P najarse, salir de naja.
ˈ**Türmer** *m* guarda *m* de una torre; *auf Wachttürmen*: torrero *m*; (*Späher*) vigía *m*.
ˈ**Turm...:** ⁓**fahne** *f* veleta *f*; ⁓**falke** *Orn*. *m* (-*n*) cernícalo *m*; ⁲**hoch** *adj*. (*0*) alto como una torre; *fig*. gigantesco; altísimo; *j-m* ⁓ *überlegen sein* ser muy superior a alg.; estar a cien codos de altura sobre alg.; ⁓ *über et*. (*dat*.) *stehen* estar muy por encima de a/c.; ⁓**schwalbe** *Orn*. *f* vencejo *m*; ⁓**spitze** *f des Kirchturms*: aguja *f*; ⁓**springen** *n Schwimmsport*: zambullida *f* de altura; ⁓**uhr** *f* reloj *m* de torre; ⁓**verlies** *n* (-*es*; -*e*) mazmorra *f*; calabozo *m*; ⁓**wächter** *m* → *Türmer*; ⁓**zinne** *f* almena *f*.
ˈ**Turn|anstalt** *f* gimnasio *m*; ⁓**anzug** *m* (-*ẹs*; ⁼*e*) traje *m* de gimnasta; ⁲**en** *v/i*. hacer gimnasia; hacer ejercicios gimnásticos; ⁓**en** *n* gimnasia *f*; ejercicios *m/pl*. gimnásticos; ⁓**er(in** *f*) *m* gimnasta *m/f*; ⁲**erisch** *adj*. gimnástico; ⁓**erschaft** *f* (*Turnverein*) sociedad *f* gimnástica; ⁓**fest** *n* (-*es*; -*e*) festival *m* gimnástico; ⁓**gerät** *n* (-*ẹs*; -*e*) aparato *m* gimnástico; ⁓**halle** *f* sala *f* de gimnasia; gimnasio *m*; ⁓**hemd** *n* (-*ẹs*; -*en*) camiseta *f* de gimnasta; ⁓**hose** *f* calzón *m* de gimnasta.
Turˈnier *n* (-*s*; -*e*) torneo *m*; (*Reit*⁲) concurso *m* hípico; ⁓**bahn** *f*, ⁓**platz** *m* (-*es*; ⁼*e*) liza *f*; campo *m* de torneo; ⁓**schranken** *f/pl*. barrera *f*; (*Turnierplatz*) liza *f*.
ˈ**Turn...:** ⁓**lehrer(in** *f*) *m* profesor (-a *f*) *m* de gimnasia; ⁓**platz** *m* (-*es*; ⁼*e*) gimnasio *m*; ⁓**riege** *f* sección *f* (de gimnastas); ⁓**schuhe** *pl*. calzado *m* de gimnasta; ⁓**spiele** *pl*. juegos *m/pl*. gímnicos; ⁓**stunde** *f* lección *f* de gimnasia; ⁓**übung** *f* ejercicio *m* gimnástico; ⁓**unterricht** *m* (-*ẹs*; *0*) lecciones *f/pl*. de gimnasia; enseñanza *f* de la gimnasia.
ˈ**Turnus** *m* (-; -*se*) turno *m*; ⁲**mäßig** *adj. u. adv*. por turno; ⁓ *wechselnder Vorsitz* presidencia por turno.
ˈ**Turnverein** *m* (-*ẹs*; -*e*) sociedad *f* gimnástica; club *m* gimnástico.
ˈ**Tür...:** ⁓**öffnung** △ *f* vano *m* de la puerta; ⁓**pfosten** *m* jamba *f*; ⁓**rahmen** *m* jambaje *m*, marco *m* de la puerta; ⁓**riegel** *m* pasador *m*; (*Längsriegel*) falleba *f*; ⁓**schild** *n* (-*ẹs*; -*er*) placa *f* (de puerta); ⁓**schließer** *m* (*Portier*) portero *m*; (*Apparat*) cierre *m* de puertas automático; ⁓**schloß** *n* (-*sses*; ⁼*sser*) cerradura *f*; ⁓**schlüssel** *m* llave *f* de la puerta; ⁓**schwelle** *f* umbral *m*; ⁓**steher** *m* portero *m*; *im Gericht*: ujier *m*; ⁓**sturz** △ *m* (-*es*; ⁼*e*) dintel *m* (de la puerta).
ˈ**Turteltaube** *Orn*. *f* tórtola *f*.
ˈ**Tür...:** ⁓**verkleidung** *f* chambrana *f*; jambaje *m*; ⁓**vorhang** *m* (-*ẹs*; ⁼*e*) cortinón *m*, cortina *f* de la puerta; ⁓**vorleger** *m* limpiabarros *m*, felpudo *m*.
Tusch *m* (-*es*; -*e*) *bei Festlichkeiten*: toque *m* de honor; ⚔ toque *m* de clarines.
ˈ**Tusche** *f* tinta *f* china.
ˈ**tuscheln** (-*le*) **I.** *v/i*. cuchichear; **II.** ⁲ *n* cuchicheo *m*.
ˈ**tuschen** *v/t*. *Mal*. lavar; (*aquarellieren*) pintar en colores; pintar a la acuarela; *mit Tusche*: lavar (*od*. sombrear) con tinta china; ⁲ *n* aguada *f*; lavado *m* de un dibujo.
ˈ**Tusch...:** ⁓**farben** *pl*. colores *m/pl*. para aguada; ⁓**kasten** *m* (-*s*; ⁼) caja *f* de pinturas; ⁓**napf** *m* (-*ẹs*; ⁼*e*) tacita *f* (para colores); ⁓**pinsel** *m* pincel *m*; ⁓**zeichnung** *f* dibujo *m* en colores; dibujo *m* a la aguada; (*Druck*) aguatinta *f*.
ˈ**Tüte** *f* cucurucho *m*; bolsa *f* de papel *bzw*. de cartulina; F *das kommt nicht in die* ⁓! *fig*. ¡de eso, ni hablar!
ˈ**tuten** (-*e*-) *v/t. u. v/i*. *Schiff*, *Fabrik*: tocar la sirena; (*hupen*) tocar la bocina *od*. el claxón; ♪ tocar la corneta; *von* ⁲ *und Blasen keine Ahnung haben* no saber ni jota de a/c.; no tener ni remota idea de a/c.; no saber de la misa la media.
ˈ**Tüttel** *m/n*, ⁓**chen** *n* puntito *m*; punto *m* de i; *kein* ⁓ ni jota.
ˈ**Twinset** *m/n* (*Kleidung*) conjunto *m*.
Twist *m* (-*es*; -*e*) hilo *m* de algodón.
ˈ**Tympanon** *n* (-*s*; -*na*) △, ♪ tímpano *m*.
ˈ**Tympanum** *Anat*. *n* (-*s*; -*na*) tímpano *m*.
Typ *m* (-*s*; -*en*) tipo *m*; (*Beispiel*, *Muster*) ejemplo *m*; (*Urbild*) prototipo *m*; (*Vorbild*) modelo *m*.
ˈ**Type** *f* tipo *m*; *Typ*. tipo *m* (de imprenta), letra *f* de molde; ⁓**n** *pl*. caracteres *m/pl*. de imprenta; *fig*. e-e *komische* ⁓ un tipo (*od*. tío) raro; ⁓**ndruck** *Typ*. *m* (-*ẹs*; -*e*) impresión *f* tipográfica.
tyˈphös ⚕ *adj*. tifoideo, tífico.
ˈ**Typhus** ⚕ *m* (-; *0*) tifus *m*, fiebre *f* tifoidea; (*Fleck*⁲) tifus *m* exantemático; ⁲**artig** *adj*. tifoideo, tífico; ⁓**bazillus** *m* (-; -*llen*), ⁓**erreger** *m* bacilo *m* tífico; ⁓**impfung** *f* vacunación *f* antitífica; ⁲**krank** *adj*. (*0*) tífico, enfermo de tifus; ⁓**kranke(r** *m*) *m/f* tífico (-a *f*) *m* enfermo (-a *f*) *m* de tifus; ⁓**träger** *m* portador *m* de bacilos tíficos.
ˈ**typisch** *adj*. típico; característico.
typiˈsier|en (-) *v/t*. unificar en tipos; *neol*. tipificar; ⁲**ung** *f* unificación *f* en tipos; *neol*. tipificación *f*.
Typo|ˈgraph *m* (-*en*) tipógrafo *m*; ⁓**graˈphie** *f* tipografía *f*; ⁲ˈ**graphisch** *adj*. tipográfico; ⁓**loˈgie** *f* tipología *f*; ⁲ˈ**logisch** *adj*. tipológico; ⁓ˈ**meter** *n* tipómetro *m*.
Tyˈrann *m* (-*en*) tirano *m* (*a. fig*.); *kleiner* ⁓ tiranuelo *m*.
Tyranˈnei *f* tiranía *f*.
Tyˈrannen|herrschaft *f* tiranía *f*; despotismo *m*; ⁓**mord** *m* (-*ẹs*; -*e*) tiranicidio *m*; ⁓**mörder(in** *f*) *m* tiranicida *m/f*.
tyˈrannisch I. *adj*. tiránico; despótico; **II.** *adv*. tiránicamente.
tyranniˈsieren (-) *v/t*. tiranizar.
tyrˈrhenisch *adj*.: *das* ⁲*e Meer* el mar Tirreno.
Tz *n*: *bis ins* ⁓ F con todos los pelos y señales.

U

U, u *n* U, u *f*.

'U-Bahn *f* F metro *m*, ferrocarril *m* metropolitano; *Arg.* F subte *m*.

'übel I. (*übler, übelst*) *adj.* malo; mal; *comp.* peor; ~ *dran sein* estar mal; estar en una situación difícil (*od.* delicada); *in e-e üble Geschichte geraten* F meterse en un berenjenal; *üble Laune haben* estar de mal humor; *ein übler Kerl* un mal sujeto; un individuo de cuidado; *nicht ~ Lust haben, zu ...* (*inf.*) desear ... (*inf.*); F tener unas ganas locas de ... (*inf.*); *üble Nachrede* maledicencia *f*; difamación *f*; *Verleumdung*: calumnia *f*; *j-n in üble Nachrede bringen* hablar mal de alg.; difamar a alg.; calumniar a alg.; *j-m e-n üblen Streich spielen* jugar a alg. una mala pasada; F hacer a alg. una faena; *mir ist* (*wird*) ~ me siento mal; tengo náuseas, F es algo que remueve el estómago (*od.* que da ganas de vomitar); (*das ist*) *nicht ~!* no está mal; está bastante bien; *kein übler Gedanke* no es mala idea; **II.** *adv.* mal; *comp.* peor; ~ *angebracht sein* ser poco oportuno; estar fuera de lugar; ~ *angeschrieben sein* estar mal conceptuado; ~ *aufnehmen* tomar a mal; ~ *aussehen* tener mala cara; tener mal aspecto; *es sieht ~ mit ihm aus* está en una situación difícil; las cosas se presentan mal para él; ~ *beraten sein* estar mal aconsejado; ~ *beleumdet sein* tener mala fama (*od.* reputación); ~ *behandeln* tratar mal; (*mißhandeln*) maltratar; ~ *gelaunt sein* estar de mal humor; *j-m ~ gesinnt sein* estar mal dispuesto hacia alg.; querer mal a alg.; *es ist ihm ~ bekommen* le ha sentado mal; le ha hecho daño; *j-m ~ mitspielen* jugar a alg. una mala partida; ~ *riechen* (*schmecken*) oler (saber) mal; ~ *zurichten* maltratar; ~ *zugerichtet* malparado, maltrecho; *wohl oder ~* de grado o por fuerza; por las buenas o por las malas.

'Übel *n* mal *m*; (*Unglück*) desgracia *f*; calamidad *f*; (*Schädliches*) daño *m*, perjuicio *m*; (*Krankheit*) mal *m*; dolencia *f*, enfermedad *f*; (*Mißgeschick*) infortunio *m*; *notwendiges ~* mal necesario; *Wurzel des ~s* raíz del mal; *das ~ mit der Wurzel ausrotten* cortar de raíz el mal; *von zwei ~n das kleinere wählen* del mal, el menos; *vom ~ sein* ser dañoso *od.* perjudicial; ser nocivo.

'Übel...: **~befinden** *n* malestar *m*; indisposición *f*; (*Brechreiz*) náuseas *f/pl.*; **≈beraten** *adj.* malaconsejado; **≈gelaunt** *adj.* malhumorado, de mal humor; desabrido; **≈gesinnt** *adj.* malintencionado; **~keit** *f* (*0*) malestar *m*; malestar *m* de estómago; (*Brechreiz*) náuseas *f/pl.*; ~ *erregen* producir náuseas; ~ *erregend* nauseabundo; **≈launig** *adj.* → *übelgelaunt*; **≈nehmen** (*L*) *v/t.* tomar a mal (*od.* a mala parte); *j-m et.* ~ sentirse ofendido por alg.; *nehmen Sie es mir nicht ~!* ¡no me lo tome a mal!; con perdón de usted; *nehmen Sie es nicht ~, wenn ich Ihnen sage* permítame decirle; perdone usted que le diga; **≈nehmerisch** *adj.* susceptible; **≈riechend** *adj.* maloliente; fétido; hediondo, apestoso; **~stand** *m* (*-es; ¨e*) inconveniente *m*; (*Mangel*) defecto *m*; **≈ste(r)** *adj.* el peor; **~tat** *f* mala acción *f*; fechoría *f*; (*Delikt*) delito *m*; crimen *m*; **~täter(in** *f*) *m* malhechor(a *f*) *m*; **≈tun** (*L*) *v/i.* hacer mal; causar mal; **≈wollen** *v/i.*: *j-m ~* querer mal a alg.; tener mala voluntad a alg.; **~wollen** *n* mala voluntad *f*; malevolencia *f*; malquerencia *f*; **≈wollend** *adj.* malintencionado; malévolo.

'üben I. *v/t. u. v/i.* ejercitar; hacer ejercicios; (*aus~*) practicar; ejercer; ♪ estudiar; *Sport*: entrenar; *Thea.* ensayar; *Gewalt*: emplear; *Barmherzigkeit ~* ser misericordioso; practicar las obras de misericordia; *Geduld ~* ser paciente; tener paciencia; *Gerechtigkeit ~* administrar justicia; *Nachsicht ~* ser indulgente; tener consideración (*gegen* para, con); *Rache ~* vengarse, tomar venganza (*an j-m* de alg.); *Vergeltung ~* tomar represalias; *Verrat ~* hacer traición (*an dat.* a); *sich ~* ejercitarse (*in dat.* en); *Sport*: entrenarse; **II.** ≈ *n* ejercicio *m*; práctica *f*; *Sport*: entrenamiento *m*.

'über I. *prp.* (*wo? dat.*; *wohin? ac.*); **a)** *örtlich*: (*oben darauf*) sobre, encima de; (*jenseits*) al (*od.* del) otro lado de; más allá de; (*durch*) por; ~ ... (*hinweg*) por encima de; *immer ~ den Büchern sitzen* estar siempre sobre los libros; pasarse el tiempo estudiando *bzw.* leyendo; ~ *j-m stehen fig.* ser superior a alg.; ser de categoría superior a la de alg.; ~ *die Straße gehen* atravesar (*od.* cruzar) la calle; ~ *den Bergen* al otro lado de la montaña; tras la montaña; ~ *München reisen* pasar por Munich; ~ *Hamburg* (*Postvermerk*) vía Hamburgo; **b)** *zeitlich*: (*während*) durante; *den ganzen Tag ~* (durante) todo el día; *~s Jahr* en un año; dentro de un año; *heute ~ acht Tage* de hoy en ocho días; ~ *Ostern* durante los días de Pascua; *es ist schon ~ e-e Woche her* hace ya más de una semana; **c)** *Maß und Zahl*: (*mehr als*) más de; *das geht mir ~ alles* es lo que más me importa de todo; esto me importa más que todo; *die Kosten betragen ~ 1000 Mark* los gastos pasan (*od.* exceden) de mil marcos; *das geht ~ m-e Kräfte* esto es superior a mis fuerzas; ~ *alles Erwarten* más de lo que podía esperarse; *ein Scheck ~ 100 Mark* un cheque de (*od.* por valor de) cien marcos; *es kostet ~ 20 Mark* cuesta más de veinte marcos; ~ *Gebühr* más de lo debido; ~ *40* (*Jahre alt*) *sein* haber pasado (*od.* cumplido) los cuarenta años; *es geht mir nichts ~* (*ac.*) ... nada hay para mí como ...; nada iguala para mí a ...; nada mejor para mí que ...; **d)** *Anhäufung, Wiederholung*: sobre; tras; *einmal ~ das andere* repetidas (*od.* reiteradas) veces; más de una vez; una y otra vez; *Fehler ~ Fehler* error tras error; falta sobre falta; **e)** *fig.* sobre; referente a; acerca de; a propósito de; *e-e Rechnung ~* una factura (por valor) de; *schreiben, sprechen, streiten, sich freuen usw.* ~ → *die betr. Verben*; **f)** *bei Verwünschungen*: *Fluch ~ dich!* ¡maldito seas!; **II.** *adv.*: ~ *und ~* completamente, por completo, enteramente; del todo; ~ *kurz oder lang* tarde o temprano; algún día; a la corta o a la larga; *j-m ~(legen) sein* ser superior a alg.; aventajar a alg.; *es ist mir ~* (*zuviel*) estoy harto de; F estoy hasta la coronilla de; ⚔ (*das*) *Gewehr ~!* ¡al hombro ... armas!

über'all *adv.* en todas partes, por todas partes; en cualquier parte; *Poes.* por doquier(a); **~'her** *adv.* de todas partes; **~'hin** *adv.* en todas las direcciones.

über'alter|t *adj.* (*zu alt*) muy viejo; demasiado viejo; (*veraltet*) envejecido; (*altmodisch*) rancio; anticuado; **≈ung** *f* envejecimiento *m*.

'Über-angebot ♰ *n* (*-es; -e*) oferta *f* excesiva; (*Überschuß*) excedente *m*.

über'anstreng|en (-) **1.** *v/t.* fatigar *od.* cansar excesivamente; someter a un esfuerzo excesivo; *Maschine*: forzar; **2.** *v/refl.*: *sich ~* abusar de sus fuerzas; **≈ung** *f* esfuerzo *m* excesivo; fatiga *f* excesiva.

über'antwort|en (*-e-; -*) *v/t.* entregar a; poner en manos de; *ausländischen Verbrecher*: hacer la extradición de; **≈en** *n*, **≈ung** *f* entrega *f*;

v. ausländischen Verbrechern: extradición *f*.

ˈ**Über-anzug** *m* (*-es*; *-̈e*) sobretodo *m*.

ˈ**Über-arbeit** *f* exceso *m* de trabajo; (*freiwillige*) horas *f/pl.* extraordinarias; **2en** (*-e-*) *v/i.* hacer (*od.* trabajar) horas extraordinarias.

überˈarbeit|en (*-e-*; *-*) **1.** *v/t. Bild*: retocar; (*vervollkommnen*) perfeccionar; dar los últimos toques a; *Liter.* refundir (una obra); **2.** *v/refl.*: *sich* ~ (*überanstrengen*) abrumarse de trabajo; excederse trabajando; F matarse trabajando; **2en** *n*, **2ung** *f Bild*: retoque *m*; *Liter. bsd. Thea.*: refundición *f*; (*Überanstrengung*) esfuerzo *m* excesivo; trabajo *m* excesivo; ⚕ agotamiento *m*.

ˈ**Über-ärmel** *m* manguito *m*, mangote *m*.

ˈ**überaus** *adv.* sumamente; sobremanera; (*äußerst*) extrema(da)mente, en extremo; (*übermäßig*) excesivamente; demasiado.

überˈbacken I. (*-*) *v/t.* preparar al gratín, gratinar; **II.** *adj.* al gratín.

ˈ**Über|bau** *m* (*-es*; *-ten*) (*Hochbau*) superestructura *f*; (*Vorsprung*) saledizo *m*; **2be-anspruchen** (*-*) *v/t.* ⊕ someter a un esfuerzo excesivo; (*überbelasten*) sobrecargar; **2behalten** (*L*; *-*) *v/t. Kleidungsstück*: guardar; (*übrigbehalten*) tener de sobra; **~bein** ⚕ *n* (*-es*; *-e*) *am Knochen*: sobrehueso *m*, exóstosis *f*; *an Sehnen*: ganglión *m*, quiste *m* articular; *Vet.* sobrecaña *f*; **2belasten** (*-e-*; *-*) *v/t.* sobrecargar; cargar excesivamente; **~belastung** *f* sobrecarga *f*; exceso *m* de carga; **2belegt** *adj.* superpoblado; **2belichten** (*-e-*; *-*) *Phot.* exceder el tiempo de exposición; **~belichtung** *Phot. f* exposición *f* excesiva; **2beugen** *v/refl.*: *sich* ~ inclinarse (*über ac.* sobre); **2bewerten** (*-*) *v/t.* exagerar el valor de; **~bewertung** *f* valoración *f* excesiva.

über|ˈbieten (*L*; *-*) *v/t. bei Auktionen*: pujar; ofrecer más que otro; *Kartenspiel*: reenvidar; *fig.* superar, sobrepujar (*an dat.* en); exceder, sobreexceder; *j-n bei et.* (*dat.*) *zu* ~ *suchen* tratar de superar (*od.* de sobrepujar) a alg. en a/c.; **2ˈbieter** *m bei Auktionen*: pujador *m*; **2ˈbietung** *f bei Auktionen*: puja *f*; sobrepujamiento *m*; *Kartenspiel*: reenvite *m*.

ˈ**Über|bleibsel** *n* resto *m*; (*Ruinen*) ruinas *f/pl.*; (*Rückstand*) residuo *m*; *e-r Mahlzeit*: sobras *f/pl.*; **2ˈblenden** (*-e-*; *-*) *v/t. Film*: superponer gradualmente una imagen a la siguiente; **~ˈblendung** *f Film*: transición *f* gradual de una imagen a otra.

ˈ**Überblick** *m* (*-es*; *-e*) (*flüchtiger*) ojeada *f*; (*zusammenfassender*) vista *f* general (*od.* de conjunto); (*wissenschaftlicher*) sinopsis *f*; *Darstellung*: exposición *f*; *Zusammenfassung*: resumen *m*; sumario *m*; *e-n* ~ *gewinnen* adquirir (*od.* hacerse) una idea general (*über ac.* de).

über...: ~ˈblicken (*-*) *v/t.* (*flüchtig*) echar una ojeada a; (*mit e-m Blick*) abarcar de una ojeada; *Landschaft*: abarcar con la vista; *fig.* darse cuenta de; (*einschätzen*) estimar, apreciar; **~ˈbringen** (*L*; *-*) *v/t.* (*hin*) llevar; (*her*) traer; *Grüße, Glückwünsche*: transmitir; (*zustellen*) entregar; **2ˈbringen** *n* → *Überbringung*; **2ˈbringer(in** *f*) *m* portador(a *f*) *m*; **2ˈbringerscheck** *m* (*-s*; *-s*) cheque *m* al portador; **2ˈbringung** *f* entrega *f*; transmisión *f*; **~ˈbrückbar** *adj.* superable; franqueable; **~ˈbrücken** (*-*) *v/t. Fluß*: tender un puente (sobre); *fig. Schwierigkeiten*: allanar; *Entfernung*: salvar; *Abgrund*: franquear; **2ˈbrückung** *f* construcción *f* de un puente (sobre); (*Viadukt*) viaducto *m*; **2ˈbrückungshilfe** *f* ayuda *f* transitoria; **2ˈbrükkungskredit** *m* (*-es*; *-e*) crédito *m* para superar necesidades transitorias; **~ˈbürden** (*-e-*; *-*) *v/t.* recargar de trabajo; (*überlasten*) sobrecargar; **2ˈbürdung** *f* exceso *m* de trabajo; (*Überlastung*) sobrecarga *f*; ˈ**2dach** *n* △ alero *m*; (*über Balkons*) sobrecielo *m*; sobradillo *m*; **~ˈdachen** (*-*) *v/t.* techar; cubrir con un techo; (*schützen*) proteger, abrigar; **~ˈdauern** (*-re*; *-*) *v/t.* durar más tiempo que; sobrevivir a; ˈ**2decke** *f* sobrecubierta *f*; (*auf Tischen*) sobremesa *f*; **~ˈdecken** (*-*) *v/t.* cubrir, recubrir (*mit* de); (*verkleiden*) revestir; (*verbergen*) ocultar; ˈ**~dekken** *v/t.* extender (sobre); **2ˈdekkung** *f Phot.* superposición *f*; ⊕ recubrimiento *m*; revestimiento *m*; **~ˈdenken** (*L*; *-*) *v/t.* reflexionar (sobre); meditar; **2ˈdenken** *n* reflexión *f*; meditación *f*; **~ˈdies** *adv.* además; aparte de eso; fuera de eso; ˈ**2dosis** ⚕ *f* (*0*) dosis *f* excesiva; ˈ**2dosierung** ⚕ *f* dosificación *f* excesiva, exceso *m* de dosis; **~ˈdrehen** (*-*) *v/t. Gewinde usw.*: forzar; *Uhr*: dar demasiada cuerda; *sich* ~ *Schraube*: pasarse de rosca; torcerse.

ˈ**Überdruck** *m* (*-es*; *0*) sobrecarga *f*; ⊕, ⚕ sobrepresión *f*; *Typ.* hoja *f* supernumeraria; **2en** *v/t.* sobrecargar; **~kabine** *f* cabina *f* de sobrepresión; **~ventil** *n* (*-es*; *-e*) válvula *f* de seguridad (*od.* de sobrepresión).

ˈ**Über|druß** *m* (*-sses*; *0*) fastidio *m*; (*Ekel*) hastío *m*; tedio *m*; (*Übersättigung*) saciedad *f*; *bis zum* ~ hasta la saciedad; **2drüssig** *adj.* harto; *e-r Sache* (*gen.*) ~ *werden* hartarse de a/c.; cansarse de (hacer) a/c.

ˈ**überdurchschnittlich** *adj.* superior al promedio (*od.* al término medio); (*außergewöhnlich*) extraordinario; fuera de lo normal.

überˈeck *adv.* diagonalmente, en diagonal; de través, transversalmente.

ˈ**Über-eif|er** *m* (*-s*; *0*) exceso *m* de celo; **2rig** *adj.* muy celoso; *Rel., Pol.*: fanático.

überˈeign|en (*-e-*; *-*) *v/t.* transferir, ceder (la propiedad); *Laden, Geschäft*: traspasar; **2ung** *f* transferencia *f*; traspaso *m*.

überˈeil|en (*-*) *v/t.*: *et.* ~ precipitar a/c.; *sich* ~ precipitarse; obrar precipitadamente (*od.* con precipitación); apresurarse demasiado; **~t** *adj.* (*überstürzt*) precipitado; (*unbedacht*) irreflexivo, inconsiderado; (*hastig*) atropellado; **2ung** *f* (*0*) precipitación *f*; prisa *f* excesiva; *nur keine* ~*!* ¡sin precipitaciones!; ¡vamos por partes!; ¡despacito!

über-einˈander *adv.* uno sobre otro; uno encima de otro; superpuestos; **~greifen** (*L*) *v/i.* cruzarse; **~legen** *v/t.* poner uno sobre otro; sobreponer, superponer; *zu e-m Haufen*: amontonar; **~schlagen** (*L*) *v/t. Beine*: cruzar; **~setzen** (*-t*), **~stellen** *v/t.* → *übereinanderlegen*.

überˈein|kommen (*L*; *sn*) *v/i.* ponerse de acuerdo (*über ac.* acerca de; sobre); llegar a un acuerdo (sobre *od.* acerca de); *mit j-m* ~*, daß* convenir con alg. en; *man kam überein, daß* se acordó que; **2kommen** *n*, **2kunft** *f* (*-*; *-̈e*) acuerdo *m*; convenio *m*; (*Vergleich*) arreglo *m*; ajuste *m*; (*Kompromiß*) compromiso *m*; *laut* ~ *mit* según convenio hecho con; según acuerdo concluido con; *ein* ~ *treffen* hacer un convenio; concluir un acuerdo; hacer un arreglo; **~stimmen** *v/i.* coincidir; *Person*: *mit j-m* ~ estar de acuerdo con alg. (*in dat.* en); ser de la misma opinión que alg.; *Sache*: *mit et.* ~ estar conforme con; corresponder con; armonizar (*od.* estar en armonía) con; cuadrar con; concordar con (*a. Gr.*); ⚹ ser congruente; *alle stimmen darin überein* todos están de acuerdo en eso; **~stimmend I.** *adj.* correspondiente; concordante; igual; (*identisch*) idéntico; (*analog*) análogo; (*einstimmig*) unánime; **II.** *adv.*: ~ *mit* de acuerdo con; conforme con; en armonía con; en manera *bzw.* forma análoga; **2stimmung** *f* coincidencia *f*; correspondencia *f*; concordancia *f* (*a. Gr.*); conformidad *f*; armonía *f*; analogía *f*; identidad *f*; *in* ~ *mit* de acuerdo con; de conformidad con; en armonía con; *in* ~ *bringen mit* poner de acuerdo con; armonizar (*od.* poner en armonía) con *Tonfilm*: sincronizar.

ˈ**über-empfindlich** *adj.* excesivamente sensible; hipersensible, ⚕ hiperestésico; (*allergisch*) alérgico; **2keit** *f* (*0*) sensibilidad *f* excesiva; hipersensibilidad *f*, ⚕ hiperestesia *f*; (*Allergie*) alergia *f*.

ˈ**über-entwickelt** *adj.* superdesarrollado; ⚕ hipertrófico.

ˈ**Über-ernährung** *f* (*0*) sobrealimentación *f*.

ˈ**über-erregbar** ⚕ *adj.* hiperexcitable; **2keit** ⚕ *f* (*0*) hiperexcitabilidad *f*.

überˈessen (*L*) **1.** *v/refl.*: *sich* ~ comer demasiado; ahitarse, F atracarse, atiborrarse (*mit* de); **2.** ˈ*überessen* (*-*) *v/t. sich e-e Speise* ~ hartarse de un manjar hasta indigestarse; *sich übergegessen haben* tener una indigestión.

ˈ**überfahren I. 1.** *v/i.* (*L*; *sn*) *Fluß usw.*: atravesar, cruzar; pasar al otro lado; **2.** *v/t.* conducir *od.* transportar al otro lado; **II.** *überˈfahren v/t.* (*L*; *-*) *Person, Hund usw.*: atropellar, arrollar; *Signal*: pasar; *Fluß usw.*: atravesar, cruzar.

ˈ**Überfahrt** *f* travesía *f*; (*Passage*) pasaje *m*; *zu Lande*: trayecto *m*; (*über e-n Fluß*) paso *m*.

¹**Überfall** *m* (*-es*; *⸗e*) ⚔ ataque *m* por sorpresa; asalto *m* imprevisto; (*e-s einzelnen*) agresión *f*; (*Raub*ᴝ) atraco *m*; ⚔ (*Handstreich*) golpe *m* de mano; *auf ein Land*: invasión *f*; (*Einfall*) incursión *f*; (*Überraschung*) sorpresa *f*; ᴝ**artig** *adj. u. adv.* (*überraschend*) por sorpresa.

über'fallen (*L*; -) *v/t.* ⚔ atacar por sorpresa; asaltar de improviso; (*herfallen*) caer sobre; *räuberisch*: atracar; *gewalttätig*: agredir, atacar; acometer; *Land*: invadir; (*überkommen*) apoderarse de; (*überraschen*) sorprender; coger desprevenido (*od.* de sorpresa); *fig. Krankheit*: atacar; *Nacht*: sorprender; *der Schlaf überfiel mich* el sueño se apoderó de mí; *er überfiel mich mit der Frage* me espetó la pregunta.

¹**überfällig** *adj.* ⚓ *u.* ✈ retrasado; ☤ (*Wechsel*) vencido y no pagado.

¹**Überfallkommando** *n* (*-s*; *-s*) *der Polizei*: brigada *f* volante.

¹**überfein** *adj.* (*0*) superfino; *fig.* (*zu raffiniert*) demasiado refinado; *Geschmack*: muy exigente.

über'fliegen (*L*; -) *v/t.* volar sobre; volar por encima de; sobrevolar; *fig. mit den Augen*: recorrer con la vista; echar un vistazo rápido a.

¹**überfließen** (*L*; *sn*) *v/i. Fluß*: desbordarse; *Flüssigkeit*: derramarse, rebosar; *fig. von et.* ~ rebosar de, sobreabundar en; *vor Freude* ~ rebosar (*od.* no caber en sí) de alegría; ᴝ *n* desbordamiento *m*.

über|'flügeln (*-le*; -) *v/t.* ⚔ flanquear (al enemigo); desbordar las alas de; *fig.* aventajar, sobrepujar; dejar atrás; ᴝ'**flügeln** *n*, ᴝ'**flügelung** *f* ⚔ flanqueo *m*; desbordamiento *m*.

¹**Überfluß** *m* (*-sses*; *0*) abundancia *f* (*an dat.* de); superabundancia *f*; (*Fülle*) exuberancia *f*; profusión *f*; plétora *f*; (*Reichtum*) riqueza *f*; opulencia *f*; (*unnötiger* ~) superfluidad *f*; (*Überschuß*) excedente *m*; (*verschwenderisch*) derroche *m*; *an et.* (*dat.*) ~ *haben*, *et. im* ~ *haben* (super)abundar en a/c.; *im* ~ en abundancia; de sobra; *im* ~ *vorhanden sein* abundar; disponer en abundancia de; *im* ~ *leben* vivir en la opulencia; *im* ~ *schwelgen* (*schwimmen*) nadar en la abundancia; *zum* ~ de sobra; (*überdies*) además; a mayor abundamiento; *zu allem* ~ para colmo de.

¹**überflüssig** *adj.* superfluo; (*unnötig*) innecesario; inútil; (*überschüssig*) excesivo; ~ *machen* hacer superfluo; *er ist hier* ~ puede prescindirse de él; aquí está de más (*od.* de sobra); ᴝ**e(s)** *n* superfluidad *f*; ~**er'weise** *adv.* sin motivo alguno; sin razón para ello; innecesariamente; ᴝ**keit** *f* (*0*) superfluidad *f*.

über|'fluten (*-e-*; -) *v/t.* inundar (*a. fig.*); ᴝ'**flutung** *f* inundación *f*.

über'forder|n (*-re*; -) *v/t.*: *j-n* ~ (*zuviel bezahlen lassen*) pedir un precio excesivo a alg.; *fig.* pedir demasiado de alg.; (*überanstrengen*) hacer a alg. trabajar excesivamente; ᴝ**ung** *f* precio *m* excesivo; (*Überanstrengung*) esfuerzo *m* excesivo.

¹**Überfracht** *f* sobrecarga *f*; *v. Gepäck*: exceso *m* de equipaje.

über'fragen (-) *v/t.*: *da bin ich überfragt* eso es pedir demasiado de mí; a tanto no alcanzan mis conocimientos.

Über'fremdung *f* extranjerización *f*; infiltración *f* extranjera; invasión *f* (*od.* intrusión *f*) de capitales extranjeros; control *m* ajeno.

über'fressen (*L*; -) P *v/refl.*: *sich* ~ F atracarse, atiborrarse, P hincharse (de comer); F ponerse las botas.

¹**überführen** *v/t.* trasladar (*od.* conducir *od.* pasar) al otro lado.

über'führen (-) *v/t.* (*befördern*) trasladar, conducir, (hacer) pasar; transportar (*nach* a); *Tote*: conducir (al cementerio); *Geldmittel*: transferir; (*überzeugen, beweisen*) convencer; ⚖ *als schuldig erweisen*: probar la culpabilidad de; declarar culpable a.

Über'führung *f* traslado *m*; transporte *m*; *e-s Toten*: conducción *f* (del cadáver); ⚖ convicción *f*; prueba *f* convincente; 🚂 paso *m* superior; (*Viadukt*) viaducto *m*; ~**sbeweis** ⚖ *m* (*-es*; *-e*) prueba *f* (por objetos) de convicción; ~**sstück** ⚖ *n* (*-es*; *-e*) cuerpo *m* del delito.

¹**Überfülle** *f* (*0*) abundancia *f* excesiva, superabundancia *f*; exuberancia *f*, plétora *f*; profusión *f*; plenitud *f*.

über'füll|en (-) *v/t.* llenar demasiado, sobrellenar; (*über den Rand*) colmar; (*überladen*) cargar demasiado, sobrecargar; (*vollstopfen*) abarrotar, atestar; ~**t** *adj.* demasiado lleno; colmado; abarrotado, atestado, repleto; *der Saal ist* ~ la sala está repleta de gente (*od.* F de bote en bote); ᴝ**ung** *f* repleción *f*; (*Verkehrsverstopfung*) congestión *f*, F embotellamiento *m*.

¹**Überfunktion** *f* hiperfunción *f*.

über|'füttern (*-re*; -) *v/t.* alimentar excesivamente; sobrealimentar; (*Tiere*) cebar demasiado; ᴝ'**füttern** *n*, ᴝ'**fütterung** *f* (*0*) exceso *m* de alimentación; sobrealimentación *f*.

¹**Übergabe** *f* transmisión *f*; transferencia *f*; (*Auslieferung*) entrega *f*; ⚔ rendición *f*; *bedingungslose* ~ rendición incondicional (*od.* sin condiciones); *zur* ~ *auffordern* intimar la rendición; ~**vertrag** ⚔ *m* (*-es*; *⸗e*) capitulación *f*.

¹**Übergang** *m* (*-es*; *⸗e*) paso *m*; cruce *m*; ~ *über die Alpen* paso de los Alpes; *schienengleicher* ~ 🚂 paso a nivel; *in anderen Besitz*: traspaso *m*; *zum Gegner*: ⚔ deserción *f*; *fig.* transición *f*.

¹**Übergangs...**: ~**bestimmung** *f* disposición *f* transitoria; ~**hilfe** *f* ayuda *f* transitoria; ~**kleid** *n* (*-es*; *-er*) vestido *m* de entretiempo; ~**kleidung** *f* ropas *f/pl.* de entretiempo; ~**mantel** *m* abrigo *m* de entretiempo; ~**periode** *f* período *m* de transición; ~**stadium** *n* (*-s*; *-dien*) estado *m* transitorio; ~**stelle** *f* paso *m*; pasaje *m*; (*Furt*) vado *m*; ~**szene** *f* escena *f* de transición; ~**zeit** *f* período *m* transitorio (*od.* de transición); época *f* de transición.

über'geben (*L*; -) **I.** *v/t.* entregar; (*zukommen lassen*) transmitir; remitir; (*anvertrauen*) confiar *ac.*; encomendar (*od.* dejar) al cuidado de; ☤ (*Ladengeschäft*) traspasar; ⚖ *e-e Sache dem Gericht* ~ entregar un asunto a los tribunales; ⚔ rendir; *dem Verkehr* ~ abrir a la circulación; *sich* ~ ⚔ rendirse, (*erbrechen*) vomitar; **II.** ᴝ *n* → *Übergabe*; (*Erbrechen*) vómito *m*.

¹**Übergebot** *n* (*-es*; *-e*) *bei Auktionen*: puja *f*.

¹**übergehen** (*L*; *sn*) *v/i.* pasar a otro lado; (*sich übertragen*) transmitirse (*auf ac.* a); (*sich verwandeln*) cambiarse, convertirse, transformarse (*in ac.* en); ⚓ *Ladung*: correrse, deshacer la estiba; *in j-s Besitz* ~ pasar a (ser) propiedad de alg.; pasar a poder de alg.; *Erbschaft*: recaer en alg.; *in Fäulnis* ~ pudrirse; *in andere Hände* ~ pasar a otras manos; *ins andere Lager* ~, *zur Gegenpartei* ~ cambiar de partido; pasarse al otro bando, F chaquetear, volver la casaca; ~ *zu* pasar a; proceder a; *zum Angriff* ~ pasar al ataque; tomar la ofensiva; *zum Feinde* ~ pasarse al enemigo; desertar; *die Augen gingen ihm über* sus ojos se llenaron de lágrimas.

über'gehen (*L*; -) *v/t.* (*hinweggehen*) pasar por alto (*ac.*); (*auslassen*) omitir (*ac.*); hacer caso omiso de; preterir (*a.* ⚖ *Erben*); (*vergessen*) olvidar; (*beiseite lassen*) dejar a un lado; relegar; (*vernachlässigen*) descuidar; *mit Stillschweigen* ~ pasar en silencio; callar, silenciar; *j-n* ~ (*nicht befördern*) postergar a alg.

Über'gehung *f* (*0*) (*Auslassung*) omisión *f*; preterición *f*; *infolge Vergessens*: olvido *m*; *bei Beförderung*: postergación *f*.

¹**übergenug** *adv.* (*0*) de sobra, sobradamente; más que suficiente.

¹**überge-ordnet** *adj.* superior.

¹**übergeschnappt** F *adj.* chiflado; locatis; chalado; majareta.

¹**Übergewicht** *n* (*-es*; *0*) exceso *m* de peso; *fig.* superioridad (*über ac.* sobre); preponderancia *f*; supremacía *f*; (*Vorteil*) ventaja *f*; *das* ~ *bekommen* perder el equilibrio; *fig.* prevalecer, preponderar; *fig. das* ~ *haben* llevar la ventaja; predominar.

¹**übergießen** (*L*) *v/t.* verter, echar (*über ac.* sobre).

über'gießen (*L*; -) *v/t. Flüssigkeit*: verter, derramar (sobre); *mit der Gießkanne*: regar; (*benetzen*) rociar; *mit Zuckerguß*: escarchar; ⚕ transfundir; *fig.* inundar; bañar; ᴝ *n* riego *m*; ⚕ transfusión *f*.

über'glasen (*-t*; -) *v/t.* vitrificar; vidriar.

¹**überglücklich** *adj.* (*0*) muy feliz *od.* dichoso, felicísimo.

¹**übergreifen** (*L*) *v/i.* (*sich überschneiden*) traslapar; ⊕ engranar (*in ac.* con); ~ *auf* (*ac.*) invadir (*ac.*); (*sich verbreiten*) propagarse en *bzw.* entre; *Epidemie, Feuer, Panik*: extenderse en *bzw.* a; *Krankheit*: afectar a; *Übel*: trascender a; ~ *in* (*ac.*) intervenir en, F mezclarse en; *auf fremde Rechte*: usurpar (*ac.*).

¹**Übergriff** *m* (*-es*; *-e*) (*Einmischung*) intrusión *f*; (*Mißbrauch*) abuso *m*; extralimitación *f*; *auf fremde Rechte*: usurpación *f*.

¹**übergroß** *adj.* (*0*) demasiado

grande; ⚕ hipertrófico; (*gewaltig*) enorme, descomunal.

'**Überguß** *m* (*-sses*; *=sse*) baño *m* (de); *Zuckerguß*: baño *m* de azúcar.

'**überhaben** (*L*) *v/t*. *Mantel*: llevar puesto; (*übrig haben*) tener de sobra; F et. ~ (*satt haben*) estar harto de a/c.; estar hasta la coronilla de a/c.

über'handnehmen (*L*) *v/i*. aumentar demasiado; ir en aumento; llegar a ser excesivo; (*vorherrschen*) predominar; prevalecer; ♀ *n* aumento *m* excesivo; (*Vorherrschen*) preponderancia *f*, predominio *m*.

'**Über|hang** *m* (*-ęs*; *=e*) △ (*Vorsprung*) saledizo *m*, voladizo *m*; (*Abweichung vom Lot*) desplome *m*; (*Vorhang*) cortina *f*; colgadura *f*; (*überhängendes Felsstück*) peña *f* colgante *od*. salediza; *fig*. (*Geld*♀) excedente *m*; (*Rest*) resto *m*; ♀**hängen 1.** (*L*) *v/i*. pender sobre *bzw*. de; estar colgado sobre *bzw*. de; (*vorspringen*) sobresalir (*über ac*. de); *aus dem Lot sein*: no estar a plomo, estar desplomado; estar fuera de la vertical; **2.** *v/t*. colgar sobre ...; colgar encima; (*zudecken*) cubrir (*od*. tapar) con; *Mantel*: ponerse (sobre los hombros); *Gewehr*: colgar (del hombro); ~**hängen** *n* inclinación *f*; △ (*e-s Gebäudes*) desplomo *m*.

'**überhängend** *adj*. (*vorspringend*) sobresaliente; (*herabhängend*) colgante, pendiente (*über ac*. de); △ (*nicht lotgerecht*) desplomado.

über'hast|en (*-e-*; *-*) *v/t*. precipitar; *sich* ~ precipitarse; apresurarse demasiado; atropellarse; ~**et 1.** *adj*. precipitado; apresurado; **2.** *adv*. precipitadamente; apresuradamente; ♀**ung** *f* precipitación *f*.

über'häuf|en (*-*) *v/t*. colmar (*mit* de); (*überladen*) sobrecargar, recargar; (*gleichsam erdrücken*) abrumar, agobiar (*mit* de); *mit Arbeit überhäuft* agobiado (*od*. abrumado) de trabajo; *j-n mit Ehren* (*Vorwürfen*; *Beleidigungen*) ~ colmar a alg. de honores (reproches; improperios); ♀**ung** *f* exceso *m*.

über'haupt *adv*. (*im allgemeinen*) generalmente, en general; (*im ganzen*) en suma; resumiendo, en resumidas cuentas; (*schließlich*) después de todo; en fin; (*vor allem*) sobre todo; ~ *nicht* de ningún modo, de ninguna manera; en ningún caso; ~ *nichts* absolutamente nada; *wenn* ~ si es que ...; *gibt es* ~ *e-e Möglichkeit?* ¿existe alguna posibilidad siquiera?; *was willst du* ~*?* en resumidas cuentas ¿qué es lo que quieres?

über'heb|en (*L*; *-*) *v/t*. *j-n e-r Sache* (*gen*.) ~ dispensar (*od*. librar *od*. eximir) a alg. de (hacer) a/c.; *j-n e-r Mühe* ~ ahorrar a alg. un trabajo; *sich* ~ derrengarse al levantar una carga; (*stolz tun*) envanecerse; ensoberbecerse; ~**lich** *adj*. (*anmaßend*) presentuoso; arrogante; altanero; ♀**lichkeit** *f* (*Anmaßung*) presunción *f*; arrogancia *f*; altanería *f*.

über'heiz|en (*-t*; *-*) *v/t*. calentar demasiado; ♀**en** *n*, ♀**ung** *f* calentamiento *m* excesivo; exceso *m* de calefacción.

über'hitz|en (*-t*; *-*) ⊕ *v/t*. recalentar; ♀**er** ⊕ *m* recalentador *m*; ♀**ung** ⊕ *f* recalentamiento *m*.

über'höh|en (*-*) *v/t*. △ peraltar (*a. Schiene u. Straßenkurve*); *Preise*: elevar excesivamente; ~**t** *adj*. △, *Kurve*: peraltado; *Preise*: excesivo; prohibitivo; ♀**ung** *f* △ peralte *m*; *der Preise*: aumento *m* excesivo.

'**überholen 1.** *v/t*. llevar *bzw*. transportar de un lado al otro; *j-n auf die andere Seite* ~ pasar a alg. al otro lado; **2.** *v/i*. ⚓ *Schiff*: escorar, recalcar.

über'hol|en (*-*) *v/t*. *j-n* ~ adelantarse a alg.; dejar atrás a alg.; *im Straßenverkehr*: pasar, adelantar; ~ *wollen* pedir paso; *nicht* ~*!* ¡prohibido adelantar!; ⊕ (*nachsehen*) revisar; repasar; (*erneuern*) renovar; *fig*. (*übertreffen*) superar, aventajar; ♀**en** *n* ⊕ revisión *f*; repaso *m*; (*Erneuerung*) renovación *f*; *im Straßenverkehr*: adelantamiento *m*; ~**t** *adj*. (*veraltet*) anticuado; pasado de moda; ⊕ revisado; (*erneuert*) renovado; ♀**ung** ⊕ *f* revisión *f*; (*Erneuerung*) renovación *f*; (*Überprüfung*) examen *m*; ♀**verbot** *n* prohibición *f* de adelantar.

über'hören (*-*) *v/t*. no oír; *absichtlich*: desoír, hacerse el desentendido; *j-n* ~ tomar la lección a alg.

'**über-irdisch** *adj*. (*himmlisch*) celestial; (*göttlich*) divino; (*übernatürlich*) sobrenatural; ⊕, ⚡ aéreo.

'**Überkapitalisierung** *f* sobrecapitalización *f*.

'**überkippen** *v/t*. *u*. *v/i*. (*Wagen*) volcar; *Person*: perder el equilibrio.

'**überkleben** *v/t*. pegar sobre *bzw*. encima; cubrir (*mit* con).

über'kleben (*-*) *v/t*. et. ~ pegar a/c. sobre otra; tapar a/c.

'**Überkleid** *n* (*-ęs*; *-er*) sobretodo *m*; *halblanges*: (*ehm*.) sobrevesta *f*, sobreveste *f*; (*Schutzanzug*) F mono *m*.

über'kleiden (*-e-*; *-*) *v/t*. recubrir; revestir (*mit* con).

'**Überkleidung** *f* ropa *f* exterior.

'**überklug** *adj*. (*0*) sabihondo; (*dünkelhaft*) petulante.

'**überkochen** (*sn*) *v/i*. rebosar al hervir; *Milch*: salirse; *fig*. *vor Wut* ~ F salirse de sus casillas.

über'kommen (*L*; *-*) **I.** *v/t*. (*plötzlich*) sobrevenir; (*bekommen*) recibir; (*erben*) heredar; (*vererben*) legar; transmitir; *die Furcht überkam ihn* se sobrecogió de miedo; **II.** *adj*. tradicional; convencional, consagrado por el uso; *fig*. clásico.

'**überkompensieren** (*-*) *v/t*. compensar con creces.

'**Überkultur** *f* (*0*) exceso *m* de refinamiento.

'**überladen** (*L*) *v/t*. transbordar; ♀ *n* transbordo *m*.

über'lad|en (*L*; *-*) **I.** *v/t*. sobrecargar; *fig*. *Bild*, *Beschreibung*: recargar; *sich* ~ (*den Magen*) comer excesivamente; darse un hartazgo (*a. fig*.); **II.** *adj*. sobrecargado; *fig*. recargado; ♀**ung** *f* (*0*) sobrecarga *f*; *des Magens*: repleción *f* del estómago; hartazgo *m* (*a. fig*.); F empacho *m*.

über'lager|n (*-re*; *-*) *v/t*. superponer; ♀**ung** *f* superposición *f*; *Radio*: interferencia *f* heterodina; ♀**ungs-empfänger** *m Radio*: receptor *m* superheterodino.

Über'land|flug ✈ *m* (*-ęs*; *=e*) vuelo *m* a través de un país; ~**leitung** ⚡ *f* línea *f* de transmisión de larga distancia; ~**omnibus** *m* (*-ses*; *-se*) autobús *m* interurbano; ~**verkehr** *m* (*-s*; *0*) tráfico *m* interurbano; ~**zentrale** ⚡ *f* central *f* (eléctrica) interurbana.

'**Überlänge** *f* exceso *m* de longitud.

über'lapp|en (*-*) ⊕ *v/t*. solapar; ♀**ung** ⊕ *f* recubrimiento *m*; solapadura *f*.

über'lass|en (*L*; *-*) *v/t*. dejar; *j-m et*. ~ dejar a cargo de alg. a/c.; (*abtreten*) ceder; (*preisgeben*) abandonar; (*ausliefern*) entregar; (*anvertrauen*) confiar a; (*anheimstellen*) dejar a/c. a la discreción de alg.; (*übertragen*) transmitir; *käuflich*: vender a; *j-n s-m Schicksal* ~ abandonar a alg. a su suerte; *sich* ~ abandonarse a, entregarse a; *sich e-r Sache* (*dat*.) ~ dedicarse a a/c.; *sich selbst* ~ *sein* estar abandonado a sus propios recursos; ~ *Sie das mir* déjelo de mi cuenta; *es bleibt ihm* ~, *was er tun will* queda en libertad de hacer lo que le plazca; ♀**ung** *f* ⚖ cesión *f*; abandono *m*; entrega *f*; venta *f*; (*Übertragung*) transmisión *f*; ~ *zur Nutznießung* ⚖ cesión en usufructo.

'**Überlast** *f* sobrecarga *f*.

über'last|en (*-e-*; *-*) *v/t*. sobrecargar; *fig*. abrumar, agobiar (*mit* de); ♀**ung** *f* sobrecarga *f*, exceso *m* de carga; *fig*. agobio *m*; exceso *m* (de trabajo).

'**überlaufen** (*L*; *sn*) *v/i*. *Flüssigkeit*: derramarse, rebosar; *Kochendes*: rebosar al hervir; salirse; ⚔ *zum Feinde* ~ pasarse al enemigo, desertar al campo contrario; ♀ *n* desbordamiento *m*; rebosamiento *m*; ⚔ deserción *f*.

über'laufen (*L*; *-*) **I.** *v/t*. (*mit den Augen*) recorrer con la vista; (*belästigen*) molestar, importunar con visitas; (*belagern*) asediar; (*in Mengen zu j-m laufen*) acudir en gran cantidad a casa de alg.; *es überlief mich kalt* sentí un escalofrío; **II.** *adj*. (*Gegend*, *Ort*) muy frecuentado *od*. concurrido; (*Person*) muy solicitado; (*Beruf*) muy preferido.

'**Überläufer** *m Pol*. tránsfuga *m*; ⚔ desertor *m*.

'**Überlaufven'til** ⊕ *n* (*-s*; *-e*) válvula *f* de paso.

'**überlaut** *adj*. (*0*) muy alto; ruidoso; ensordecedor; chillón.

über'leb|en (*-*) *v/t*. sobrevivir a; *das überlebe ich nicht* (eso) será un golpe mortal para mí; *sich* ~ (*Brauch*) caer en desuso; ♀**ende(r** *m*) *m/f* superviviente *m/f*; '~**ensgroß** *adj*. (*0*) de tamaño más que natural; ♀**enszeit** *f* (*0*) tiempo *m* de supervivencia; ~**t** *adj*. anticuado; pasado de moda.

'**überlegen** *v/t*. poner sobre *bzw*. encima; sobreponer; *Kind*: dar una azotaina.

über'leg|en (*-*) **I.** *v/t*. reflexionar (sobre a/c.); (*überdenken*) meditar a/c.; pensar a/c.; (*erwägen*) considerar; (*abwägen*) *fig*. pesar; (*erör-*

tern) deliberar sobre a/c.; *es sich genau (od. zweimal)* ~ pensar bien a/c.; *das würde ich mir zweimal* ~ lo pensaría bien antes de hacerlo; *das wäre zu* ~ habría que (*od.* valdría la pena) pensarlo; *sich et. reiflich* ~ pensar con madurez a/c.; *fig.* rumiar a/c.; *ich will (od. werde) es mir* ~ lo pensaré; *es sich wieder (od. anders)* ~ cambiar de idea (*od.* de opinión); *wenn ich es mir recht überlege* pensándolo bien; ~ *Sie sich das gut* mire bien lo que hace; *vorher* ~ premeditar; *ohne zu* ~ sin reflexionar; F a ojos cerrados; **II.** *adj.* superior (*j-m* a alg.; *an, in dat.* en); *zahlenmäßig* ~ superior en número; *mit* ~*er Miene* con aire de superioridad; **2enheit** *f (0)* superioridad *f* (*über ac.* sobre; *an, in dat.* en); (*Übergewicht*) preponderancia *f*, supremacía *f*; *zahlenmäßige* ~ superioridad numérica; **~t** *adj.* (*wohl*~) bien meditado; (*vorsätzlich*) premeditado; deliberado; (*klug, vorsichtig*) prudente, sensato; (*weitschauend*) circunspecto; **2theit** *f (0)* deliberación *f*; circunspección *f*; **2ung** *f* reflexión *f*; meditación *f*; (*Erwägung*) consideración *f*; (*Beratung*) deliberación *f*; (*Vorbedacht*) premeditación *f*; *mit* ~ *handeln* obrar con premeditación (*od.* con deliberado propósito); *nach reiflicher* ~ después de madura reflexión; *ohne* ~ sin reflexión.

'überleit|en (*-e-*) **1.** *v/t.* conducir (*bzw.* hacer pasar) de una parte a otra; ⚕ *Blut*: transfundir; (*übertragen*) transmitir; **2.** *v/i.* (*bei Reden*) formar la transición; **2ung** *f* transición *f*; ⚕ transfusión *f*; (*Übertragung*) transmisión *f*.

über'lesen (*L*; -) *v/t.* leer apresuradamente; leer por encima; (*übersehen*) omitir, *absichtlich, beim Lesen*: saltar.

über'liefer|n (*-re*; -) *v/t.* transmitir; (*ausliefern*) entregar; *der Nachwelt* ~ legar a la posteridad; **~t** *adj.* transmitido; (*herkömmlich, traditionell*) tradicional; **2ung** *f* transmisión *f*; entrega *f*; (*Tradition*) tradición *f*.

Über'liege|geld ✝ *n* (*-ės*; *-er*) (costo *m* de) sobrestadía *f*; **'2n** ⚓ *v/i.* escorar, inclinarse de banda; **~tage** *m/pl.*, **~zeit** *f* sobrestadías *f/pl.*

über'listen (*-e-*; -) *v/t.* superar (*od.* vencer) en astucia; (*belisten*) engañar; (*überraschen*) sorprender.

über|'machen (-) ✝ *v/t.* enviar, remitir; (*übertragen*) transferir; **2'machen** *n*, **2'machung** *f* envío *m*, remesa *f*; transferencia *f*.

'Über|macht *f* ⚔ *(0)* superioridad *f* numérica (*od.* de fuerzas); (*Vormachtstellung*) prepotencia *f*; predominio *m*; preponderancia *f*; *Pol.* hegemonía *f*; *der* ~ *weichen* ceder a la fuerza (*od.* a la superioridad numérica); **2mächtig** *adj. (0)* superior (en fuerzas); prepotente; demasiado poderoso.

'übermal|en *v/t.* (*mit et.* ~) pintar encima a/c.; (*mit e-m anderen Anstrich od. Gemälde*) repintar; (*neu streichen*) dar otra mano de pintura; repintar; (*nachbessern*) retocar; repintar; **2ung** *f* repinte *m*; (*Retusche*) retoque *m*.

überman'gan|sauer ⚗ *adj. (0)* permangánico; *übermangansaures Kali* permanganato potásico; **2säure** ⚗ *f (0)* ácido *m* permangánico.

über'mannen (-) *v/t.* vencer; rendir; *vom Schlaf übermannt* rendido por el sueño.

'Über|maß *n* (*-es*; *-e*) exceso *m* (*an dat.* de); (*Übertreibung*) exageración *f*; *im* ~ demasiado; con exceso, excesivamente; en demasía; *bis zum* ~ hasta el exceso; **2mäßig I.** *adj.* excesivo; (*übertrieben*) exagerado, *bsd. v. Preisen*: exorbitante, fabuloso; (*unmäßig*) inmoderado, sin moderación; (*ohne Maß*) desmedido, sin medida; desmesurado; ~*e Absonderung* ⚕ hipersecreción *f*; ~*es Wachstum* ⚕ hipertrofia *f*; **II.** *adv.* demasiado; excesivamente, con exceso; sobremanera; ~ *trinken* beber con exceso; ~ *rauchen* fumar demasiado.

'Übermensch *n* (*-en*) superhombre *m*; **2lich** *adj. (0)* sobrehumano; (*übernatürlich*) sobrenatural.

über'mitt|eln (*-le*; -) *v/t.* transmitir; enviar; (*ausrichten*) hacer presente; (*Grüße*) enviar; (*Dank*) expresar; **2(e)lung** *f* transmisión *f*; envío *m*.

'übermodern *adj. (0)* ultramoderno.

'übermorgen *adv.* pasado mañana.

über'müd|en (*-e-*; -) *v/t.* cansar excesivamente; **~et** *adj.* rendido de cansancio; **2ung** *f* exceso *m* de fatiga; cansancio *m* excesivo.

'Über|mut *m* (*-es*; *0*) (*Mutwille*) travesura *f*; (*Ausgelassenheit*) alegría *f* desbordante; (*Überhebung*) presunción *f*; (*Anmaßung*) arrogancia *f*; (*Frechheit*) petulancia *f*; insolencia *f*; **2mütig** *adj.* (*mutwillig*) travieso; (*ausgelassen*) loco de alegría; (*eingebildet*) presumido; (*anmaßend*) arrogante; (*frech*) petulante; insolente; (*leichtsinnig*) alocado.

'übernächst *adj.* siguiente al próximo; *am* ~*en Tage* dos días más tarde; *die* ~*e Ecke* la segunda esquina.

über'nachten (*-e-*; -) *v/i.* pasar la noche en; trasnochar; (*nächtigen*) pernoctar, hacer noche (*in dat.* en); dormir (*bei* en casa de).

über'nächtigt *adj.* trasnochado; fatigado por pasar la noche en vela; ~ *aussehen* tener cara de no haber dormido; estar ojeroso *od.* trasojado.

Über'nachtung *f* pernoctación *f*; dormida *f*; **~smöglichkeit** *f* alojamiento *m* para hacer noche.

'Übernahme *f* (*Abnahme*) recepción *f*; *e-s Amtes*: toma *f* de posesión; entrada *f* en funciones; *e-s Systems*: adopción *f*; *e-r Erbschaft* ⚖ aceptación *f*; ⚔ *des Kommandos*: toma *f* (*od.* asunción *f*) del mando; *e-s Besitzes*: toma *f* de posesión; *e-s Ladengeschäftes*: toma *f* en traspaso; ⚓ tra(n)sbordo *m*.

'übernational *adj. (0)* supranacional.

'übernatürlich *adj. (0)* sobrenatural; (*wunderbar*) milagroso.

'übernehmen *v/t. Mantel*: poner sobre los hombros; *Gewehr*: terciar; ⚓ *Kohlen* ~ carbonear; *an Bord* ~ recibir a bordo; cargar.

über'nehm|en (*L*; -) *v/t.* (*annehmen, hinnehmen*) tomar, aceptar; (*in Empfang nehmen*) recibir; (*auf sich nehmen*) tomar sobre sí; encargarse de, tomar a su cargo a/c.; (*in Besitz nehmen*) tomar posesión de; *Arbeit, Bauten*: emprender; *Stelle, Firma*: hacerse cargo de; *Führung*: asumir, tomar; *Erbschaft, Ware*: aceptar; *Anvertrautes*: tomar a su cargo; *Auftrag*: encargarse de; *Verfahrensweise, System*: adoptar; *Geschäftsladen*: tomar en traspaso; (*erwerben*) adquirir; *durch Beschlagnahme*: incautarse de; *Radiosendung*: retransmitir; *ein Amt* ~ posesionarse (*od.* tomar posesión) de un cargo; *die Kosten* ~ correr con los gastos; *e-e Bürgschaft* ~ constituirse en fiador; *den Vorsitz* ~ hacerse cargo de la presidencia; ⚔ *den Oberbefehl* ~ asumir el mando; *e-e Verantwortung* ~ asumir una responsabilidad; *sich* ~ abusar de sus fuerzas; hacer un esfuerzo excesivo; (*sich zuviel zumuten*) confiar demasiado en sus fuerzas; abordar una tarea superior a sus fuerzas; *sich* ~ *in (dat.)* excederse en.

'über-ordnen (*-e-*) *v/t.* colocar sobre; colocar antes de; anteponer; *übergeordnete Stelle* autoridad superior.

'überparteilich *adj.* por encima de los partidos.

über'pflanzen (*-t*) *v/t.* trasplantar.

über'pinseln (*-le-*; -) *v/t.* dar pinceladas; → *übermalen*.

'Überpreis *m* (*-es*; *-e*) precio *m* excesivo; sobreprecio *m*.

'Überproduktion *f* exceso *m* de producción, sobreproducción *f*.

über'prüf|en (-) *v/t.* examinar; revisar; (*nachprüfen*) comprobar; *Arbeit*: supervisar; (*kontrollieren*) controlar; (*besichtigen*) inspeccionar; *Geschriebenes*: repasar; *Pol.* depurar; **2ung** *f* examen *m*; revisión *f*; comprobación *f*; control *m*; inspección *f*; repaso *m*; *Pol.* depuración *f*.

'überquellen (*L*; *sn*) *v/i.* rebosar.

über'quer *adv.* de través; en diagonal, diagonalmente; **~en** (-) *v/t.* cruzar, atravesar; **2ung** *f* travesía *f*, cruce *m*.

über'ragen (-) *v/t.* sobresalir entre; descollar; (*beherrschen*) dominar; alzarse sobre; (*vorherrschen*) predominar; *fig.* sobrepasar, sobrepujar a; ser superior a; exceder en méritos a; **~d** *adj.* sobresaliente (*a. fig.*); dominante; predominante; *fig.* eminente; (*hervorragend*) extraordinario.

über'rasch|en (-) *v/t.* sorprender; coger de sorpresa (*od.* de improviso); (*erstaunen*) asombrar; *ich bin angenehm überrascht* es para mí una agradable sorpresa; *vom Regen überrascht sein* ser sorprendido por la lluvia; *es überrascht mich* me asombra; **~end I.** *adj.* sorprendente; (*erstaunlich*) asombroso; maravilloso; (*unerwartet*) inesperado; (*plötzlich*) repentino, súbito; **II.** *adv.* de improviso; inesperadamente; **2ung** *f* sorpresa *f*; **2ungs-angriff** ⚔ *m* (*-ės*; *-e*) ataque *m* por sorpresa; **2ungsmoment** *n* (*-ės*; *-e*) factor *m* sorpresa.

über'rechnen (-*e*-; -) *v/t.* calcular; (*nachzählen*) recontar.
über'red|en (-*e*-; -) *v/t.* persuadir; *j-n zu et.* ~ persuadir a alg. a que haga a/c.; (*überzeugen*) convencer; ~**end** *adj.* persuasivo; 2**ung** *f* persuasión *f*; 2**ungsgabe** *f* (*0*) don *m* de persuasión; 2**ungskraft** *f* (*0*) fuerza *f* persuasiva; 2**ungskunst** *f* (-; ᵘ*e*) arte *m* de la persuasión.
'**überreich** *adj.* (*0*) riquísimo, inmensamente rico; opulento; ~ *sein an* (*dat.*) tener superabundancia de.
über'reichen (-) *v/t.* dar, entregar (*ac.*); hacer entrega de; ofrecer; presentar; *anliegend*: remitir adjunto; *vom Verfasser überreicht* obsequio del autor; *überreicht von* ... ✝ cortesía de ...
'**überreichlich I.** *adj.* (*0*) sobreabundante, abundantísimo; **II.** *adv.* sobreabundantemente, con sobreabundancia; con profusión, profusamente.
Über'reichung *f* entrega *f*; presentación *f*.
'**überreif** *adj.* (*0*) demasiado maduro; 2**e** *f* (*0*) madurez *f* excesiva.
über'reiz|en (-*t*; -) *v/t.* sobreexcitar; ~**t** *adj.* sobreexcitado; 2**theit** *f* (*0*), 2**ung** *f* sobreexcitación *f*.
über'rennen (*L*; -) *v/t.* atropellar corriendo; arrollar (*a.* ⚔).
'**Überrest** *m* (-*es*; -*e*) resto *m*; *v. Tuch*: retal *m*; ⚗ residuo *m*; ~*e pl.* (*Trümmer*) ruinas *f/pl.*; *sterbliche* ~*e* restos mortales.
'**Überrock** *m* (-*es*; ᵘ*e*) (*Gehrock*) levita *f* (cruzada); *zum Überziehen*: sobretodo *m*; ⚔ capote *m*; *für Damen*: sobrefalda *f*.
über'rollen (-) *v/t.* *Panzer*: arrollar.
über'rumpel|n (-*le*; -) *v/t.* sorprender; coger desprevenido; hacer a/c. de improviso; ⚔ atacar por sorpresa; *Festung*: tomar por sorpresa (*od.* en un golpe de mano); 2**ung** *f* sorpresa *f*; ⚔ ataque *m* por sorpresa; (*Handstreich*) golpe *m* de mano.
über'runden (-*e*-; -) *v/t.* *Sport*: adelantar(se) a, aventajar.
'**übers** F = *über das* → *über*.
über'sät *adj.* sembrado (*mit* de); salpicado de; cubierto de; *fig.* constelado; *mit Sternen*: estrellado, tachonado de estrellas.
über'sättig|en (-) *v/t.* hartar (*a. fig.*); ⚗ sobresaturar; *sich* ~ hartarse; ~**t** *adj.* harto, ahíto; ⚗ sobresaturado; *fig.* ~ *sein von* (*dat.*) estar más que harto de; 2**ung** *f des Magens*: hartazgo *m*, ⚕ repleción *f*; ⚗ sobresaturación *f*.
über'säuer|n (-*re*; -) *v/t.* ⚗ hiperacidificar; ~**t** *adj.* ⚗ hiperacidificado; 2**ung** *f* ⚗ hiperacidificación *f*; ⚕ hiperacidez *f*.
'**Überschall|flugzeug** *n* avión *m* supersónico; ~**geschwindigkeit** *f* (*0*) velocidad *f* supersónica.
über'schatten (-*e*-; -) *v/t.* sombrear; cubrir de sombra; hacer sombra (*a. fig.*); *Astr.* eclipsar (*a. fig.*).
über'schätz|en (-*t*; -) *v/t.* valorar demasiado; estimar demasiado alto; atribuir un valor excesivo a; *fig.* dar demasiada importancia a; tener opinión demasiado buena de alg.; *s-e Kräfte* ~ confiar demasiado en sus fuerzas; *sich* ~ (*anmaßend sein*) tener muy alto concepto de sí mismo; 2**ung** *f* estimación *f* exagerada; valoración *f* excesiva; ~ *s-r selbst* presunción *f*.
über'schauen (-) *v/t.* → *überblicken*.
'**überschäumen** *v/i.* rebosar (espumando); *fig.* rebosar (*vor* de); *vor Wut* ~ espumajear de ira; ~**d** *adj. fig.* exuberante.
'**Überschicht** *f* turno *m* extraordinario; ~*en machen* trabajar (*od.* hacer) horas extraordinarias.
'**überschießen** (*L*; *sn*) *v/i.* caer hacia adelante; (*verstaute Ladung*) correrse; (*überschüssig sein*) ser excedente; (*übrigbleiben*) quedar, sobrar, restar.
über'schießen (*L*; -) *v/t.* *Ziel*: tirar demasiado alto.
über'schlafen (*L*; -) *v/t.*: es ~ F *fig.* consultar con la almohada.
'**Überschlag** (-*es*; ᵘ*e*) *m beim Rechnen*: cálculo *m* aproximativo; (*Kosten*2) presupuesto *m* (de gastos); *Turnen*: vuelta *f* de campana; (*Purzelbaum*) voltereta *f*; ✈ rizo *m*; (*Nähsaum*) dobladillo *m*; ⚡ salto *m* de chispas.
'**überschlagen** (*L*) **1.** *v/t.* *Mantel usw.*: echar sobre los hombros; *Ärmel*: doblar; (ar)remangar; *Arme, Beine*: cruzar; (*falten*) replegar; **2.** *v/i.* (*sn*) *Funken*: saltar; (*auf den Rücken fallen*) caer de espaldas; (*purzeln*) dar volteretas; (*überkippen*) → *sich überschlagen*; *in et.* (*ac.*) ~ (*verwandeln*) convertirse en; (*plötzlich*) cambiar bruscamente.
über'schlagen (*L*; -) **I.** *v/t.* (*bedekken*) cubrir; (*auslassen*) pasar por alto, omitir, *beim Lesen*: saltar; (*berechnen*) calcular (*ac.*); hacer un cálculo aproximado, calcular a bulto; **2.** *v/refl.*: *sich* ~ caer al suelo; rodar por el suelo; *Auto.* volcar, capotar; dar una vuelta de campana; ⚓ volcar; zozobrar; *Geschoß*: voltear; ✈ hacer el rizo, *beim Landen*: volcar, capotar; *stimmlich*: forzar la voz; *s-e Stimme überschlug sich* F soltó un gallo; *fig. Ereignisse*: precipitarse; **II.** *adj.* (*lauwarm*) tibio; templado.
'**überschnappen** (*sn*) *v/i.* *Feder*: saltar; aflojarse; *Schloß*: cerrar de golpe; *mit der Stimme* ~ F soltar un gallo; (*verrückt werden*) perder el juicio; F chiflarse, chalarse, guillarse; *fig.* F *übergeschnappt sein* estar tocado; estar chiflado (*od.* chalado *od.* guillado *od.* majareta).
über'schneid|en (*L*; -) *v/refl.*: *sich* ~ cruzarse (con); ⩚ cortarse (*mit* con); *fig.* (*zeitlich*) coincidir; 2**ung** *f* ⩚ intersección *f*; (*zeitliche*) coincidencia *f*.
'**überschreiben** (*L*) *v/t.* sobrescribir; escribir sobre; escribir encima; (*schreibend übertragen*) transcribir.
über'schreib|en (*L*; -) *v/t.* (*betiteln*) titular, intitular; *Besitz*: transferir; ✝ *Auftrag*: pasar; *Übertrag*: trasladar, pasar (a cuenta nueva); (*bezetteln*) rotular; 2**ung** *f* transferencia *f*; ✝ traslado *m*.
über'schreien (*L*; -) *v/t.*: *j-n* ~ gritar más fuerte que alg.; acallar a gritos a alg.; et. ~ dominar con la voz a/c.; *sich* ~ forzar la voz; desgañitarse.
über'schreit|bar *adj.* franqueable; ~**en** (*L*; -) *v/t.* *Straße*: atravesar, cruzar; *Anzahl*: exceder, sobrepasar, pasar de; *Grenzen, Maß*: exceder, rebasar; *Gesetz, Gebot*: violar, infringir, transgredir; *Rel.* pecar (*od.* faltar) contra; *Kredit, Grenzlinie*: traspasar; *Machtbefugnisse*: extralimitarse (en); abusar (de); *Hindernisse, Kräfte*: superar (*ac.*); *Preise, zulässige Geschwindigkeit*: exceder; 2**ung** *f* paso *m*; *des Gesetzes*: violación *f*, infracción *f*, transgresión *f*; *fig.* exceso *m*; ~ *der Amtsgewalt* extralimitación *f* en el poder, abuso *m* del poder.
'**Überschrift** *f* título *m*; (*Anschrift*) dirección *f*; *Typ.* (*Kopfzeile*) titular *m*.
'**Überschuh** *m* (-*es*; -*e*) chanclo *m*.
über'schuld|et *adj.* cargado (*od.* lleno) de deudas; *Person*: F entrampado (hasta las cejas); 2**ung** *f* exceso *m* de deudas.
'**Über|schuß** *m* (-*sses*; ᵘ*sse*) excedente *m*; sobrante *m*; (*Restbetrag*) remanente *m*; (*Rest*) resto *m*, residuo *m*; (*Kassen*2) saldo *m* activo, superávit *m*; (*Gewinn*) ganancia *f*, beneficio *m*; (*Differenz*) diferencia *f*; ~**schußbildung** *f* formación *f* de excedentes; 2**schüssig** *adj.* excedente; sobrante; (*verbleibend*) remanente; restante; ~*e Kaufkraft* exceso *m* de poder adquisitivo; ~*e Kräfte* excedente *m* de energías.
'**überschütten** (-*e*-) *v/t.* derramar.
über'schütten (-*e*-; -) *v/t.* cubrir (*mit* de); llenar de; *fig.* colmar (*mit* de).
'**Überschwang** *m* (-*es*; *0*) superabundancia *f*; exuberancia *f*.
über'schwemm|en (-) *v/t.* inundar (*a. fig.*); 2**ung** *f* inundación *f* (*a. fig.*); 2**ungsgebiet** *n* (-*es*; -*e*) región *f* inundada.
'**überschwenglich** *adj.* (*übermäßig*) excesivo; (*überreichlich*) superabundante; (*überspannt*) exaltado; (*übertrieben*) exagerado; (*herzlich*) efusivo; *Rhet.* hiperbólico; 2**keit** *f* superabundancia *f*; exaltación *f*; exageración *f*.
'**überschwer** *adj.* (*0*) ultrapesado.
'**Übersee** *f* (*0*) ultramar *m*; *in* ~ en ultramar; *nach* ~ *gehen* emigrar a ultramar; ~**bank** *f* banco *m* transatlántico; ~**dampfer** *m* transatlántico *m*; ~**handel** *m* (-*s*; *0*) comercio *m* ultramarino (*od.* de ultramar); 2**isch** *adj.* transatlántico; ultramarino, de ultramar; ~**kabel** *n* cable *m* submarino; cable *m* intercontinental; ~**streitkräfte** ⚔ *pl.* fuerzas *f/pl.* de ultramar; ~**verkehr** *m* (-*s*; *0*) tráfico *m* de ultramar.
über'segeln (-*le*; -) ⚓ *v/t.* zozobrar, irse a pique; (*überholen*) adelantar.
über'seh|bar *adj.* al alcance de la vista; (*berechenbar*) calculable; previsible; ~**en** (*L*; -) *v/t.* abarcar de una ojeada; dominar (con la vista); (*nicht sehen*) no ver, *absichtlich*: pasar por alto a/c., F hacer la vista gorda a (*od.* sobre) a/c.; (*nicht be-*

merken) no advertir, no notar; (*auslassen*) omitir; (*überlesen*) saltar(se); (*nicht beachten*) no hacer caso de; desatender, hacer caso omiso de; (*erkennen*) *Lage usw.*: darse cuenta de; (*abschätzen*) apreciar; *Fehler*: dejar pasar; (*höflich* ~) disimular; *er hat es* ~ se le ha escapado.

ˈ**überselig** *adj.* (*0*) contentísimo, lleno de alborozo; loco de alegría.

überˈsend|en (*-e-*; *-*) *v/t.* enviar, remitir; ✝ *Ware*: expedir, despachar; ♀**er(in** *f*) *m* remitente *m/f*; ✝ expedidor *m*; consignador *m*; ♀**ung** *f* envío *m*; ✝ remesa *f*; expedición *f*, despacho *m*.

überˈsetzbar *adj.* traducible.

ˈ**übersetzen** (*-t*) **I. 1.** *v/i. über Graben usw.*: saltar por encima de; *über ein Wasser*: pasar a la otra orilla; cruzar, atravesar; **2.** *v/t.* llevar (*od.* conducir) a la otra orilla; **II.** ♀ *n* salto *m*; pasaje *m*; travesía *f*.

überˈsetz|en (*-t*; *-*) *v/t.* traducir (*ins Spanische* al español); (*verdolmetschen*) interpretar; ⊕ engranar; ♀**er(in** *f*) *m* traductor(a *f*) *m*; (*Dolmetscher*) intérprete *m/f*; *am Fahrrad*: multiplicador *m*; ♀**ung** *f* traducción *f*; *in die Muttersprache*: versión *f*; (*Verdolmetschung*) interpretación *f*; ⊕ engranaje *m*; transmisión *f*; *am Fahrrad*: multiplicación *f*; ♀**ungsbüro** *m* (*-s*; *-s*) oficina *f* políglota; ♀**ungsfehler** *m* error *m* de traducción; ♀**ungsübung** *f* ejercicio *m* de traducción; ♀**ungsverhältnis** ⊕ *n* (*-ses*; *-se*) relación *f* de transmisión (*od.* de engranaje).

ˈ**Übersicht** *f* ojeada *f* (*über ac.* sobre); (*Überblick*) vista *f* general; aspecto *m* general; cuadro *m* de conjunto; (*Panorama*) vista *f*; panorama *m*; (*Darstellung*) exposición *f* sucinta; (*Bericht*) informe *m*; (*Abriß*) compendio *m*; (*Zusammenfassung*) resumen *m*; extracto *m*; síntesis *f*; *des Inhalts*: sumario *m*; (*Tabelle*) sinopsis *f*; cuadro *m* sinóptico; (*Verzeichnis*) lista *f*; (*Orientierung*) orientación *f*; *e-e* ~ *bekommen* obtener una impresión general (*über ac.* de); enterarse someramente de a/c.; *die* ~ *verlieren* perder la orientación (*über ac.* sobre); ♀**lich** *adj.* fácil de abarcar; (*deutlich*) claro; (*klar dargestellt*) claramente dispuesto; (*leicht verständlich*) fácil de comprender; (*zusammengefaßt*) compendiado; (*tabellarisch dargestellt*) sinóptico; *Gelände*: abierto; ~**lichkeit** *f* (*0*) claridad *f*; ~**skarte** *f* mapa *m* sinóptico; ~**s-plan** *m* (*-es*; *¨e*) (*geistiger*) plan *m* de conjunto; (*e-r Stadt*) plano *m* general; ~**s-tabelle** *f*, ~**s-tafel** *f* (*-*; *-n*) cuadro *m* sinóptico.

ˈ**übersiedel|n** (*-le*; *sn*) *v/i.* trasladarse (*nach* a); (*umziehen*) cambiar de domicilio; mudarse; (*auswandern*) emigrar a; ♀**ung** *f* traslado *m*; (*Umzug*) cambio *m* de domicilio; mudanza *f*; (*Auswanderung*) emigración *f*.

ˈ**übersinnlich** *adj.* (*0*) *Phil.* metafísico; transcendental; (*übernatürlich*) sobrenatural; inmaterial.

überˈspann|en (*-*) *v/t.* (*bedecken*) cubrir, revestir (*mit* de); (*zu stark spannen*) estirar demasiado; (*übertreiben*) exagerar; *fig. Nerven, Phantasie*: sobrexcitar; *den Bogen* ~ pasar de lo razonable; ir demasiado lejos; exagerar; ~**t** *adj.* demasiado tenso *od.* tirante; *fig.* exaltado; (*übertrieben*) exagerado; (*überreizt*) sobrexcitado; (*ungereimt*) extravagante; (*verschroben*) excéntrico; ♀**theit** *f fig.* exaltación *f*; exageración *f*; sobrexcitación *f*; extravagancia *f*; excentricidad *f*; ♀**ung** *f* ⚡ sobretensión *f*.

überˈspielen (*-*) *v/t. Fußball*: regatear, *angl.* driblar; burlar a un contrario; (*Tonbandaufnahme*) tomar, grabar. [(*mit* de).]

überˈspinnen (*L*; *-*) *v/t.* recubrir

überˈspitz|en (*-t*; *-*) *v/t. fig.* extremar, llevar al extremo; (*übertreiben*) exagerar; (*Stil*) amanerar; ~**t** *adj. fig.* exagerado; amanerado.

ˈ**überspringen** (*L*; *sn*) *v/i.* saltar por encima; *Funke*: saltar; ⚕ ~ *auf* (*ac.*) contagiar; extenderse a; *Epidemie*: propagarse entre.

überˈspringen (*L*; *-*) *v/t.* saltar (*ac.*); saltar por encima; (*weglassen*) omitir, *beim Lesen*: saltar; *j-n im Amt* ~ postergar a alg.

ˈ**übersprudeln** (*-le*; *sn*) *v/i.* rebosar; *fig.* ~*der Witz* viveza (*od.* agudeza) de ingenio; *von Witz* ~ rebosar ingenio.

ˈ**überstaatlich** *adj.* (*0*) superestatal; supranacional.

ˈ**überstechen** (*L*) *v/t. Kartenspiel*: fallar con triunfo superior.

ˈ**überstehen** (*L*) *v/i.* sobresalir (*über ac.* de); resaltar.

überˈstehen (*L*; *-*) *v/t.* (*überwinden*) vencer; (*ertragen*) soportar, resistir, aguantar; (*überleben*) sobrevivir; *Gefahr*: escapar de, librarse de; *Krankheit*: pasar (*ac.*); *Schwierigkeit*: vencer; *er hat es überstanden* (*er ist tot*) ha pasado a mejor vida; *er hat es gut überstanden* ha salido con bien de; lo ha resistido bien; *et. glücklich* ~ (*Unternehmung, Prüfung usw.*) salir airoso de.

ˈ**übersteigen** (*L*; *sn*) *v/i.* pasar por encima.

überˈsteigen (*L*; *-*) *v/t.* pasar por encima de; *Mauer*: escalar; *Berg*: subir a; *Hindernis*: salvar; *fig.* exceder, sobrepasar; aventajar; *das übersteigt m-e Kräfte* esto es superior a mis fuerzas.

überˈsteiger|n (*-re*; *-*) *v/t. Preise*: encarecer, subir, aumentar (demasiado); (*überbieten*) sobrepujar, exceder (*a. fig.*); ~**t** *adj.* excesivo; ~*er Nationalismus* ultranacionalismo; ♀**ung** *f der Preise*: encarecimiento *m* excesivo; *bei Auktionen*: puja *f*.

überˈsteuern (*-re*; *-*) *v/t.* recargar; *Radio*: sobremodular.

überˈstimmen (*-*) *v/t.* vencer por mayoría *f* de votos; *überstimmt werden* quedar en (la) minoría.

überˈstrahlen (*-*) *v/t.* (*bestrahlen*) irradiar sobre; resplandecer sobre; *fig.* (*verdunkeln*) eclipsar.

überˈstreichen (*L*; *-*) *v/t.* extender sobre; cubrir (*mit* de); *mit Farbe*: pintar (con); *mit Kalk*: encalar; *mit Firnis*: barnizar; *mit Fett*: untar (de).

ˈ**überstreifen** *v/t.* pasar una cosa sobre otra.

ˈ**überströmen** *v/i.* (*sn*) desbordarse (*a. fig.*); *fig.* rebosar (*von* de); *vor Freude* ~ no caber en sí de gozo; ~**d** *adj.* rebosante; (*üppig*) exuberante; (*herzlich*) efusivo.

überˈströmen (*-*) *v/t.* inundar.

ˈ**überstülpen** *v/t.* poner encima; tapar con a/c.; poner sobre a/c.; (*aufschürzen*) remangar, arremangar; *sich den Hut* ~ encasquetarse (*od.* calarse) el sombrero.

ˈ**Überstunde** *f* hora *f* extraordinaria (de trabajo); ~*n machen* trabajar horas extraordinarias; ~**nzuschlag** *m* (*-es*; *¨e*) plus *m* por horas extraordinarias.

überˈstürz|en (*-t*; *-*) *v/t.* precipitar; hacer muy de prisa a/c.; *sich* ~ precipitarse; obrar con precipitación; *Sport*: lanzarse (a la carrera); *Ereignisse*: precipitarse; ~**t** *adj.* precipitado; ♀**ung** *f* precipitación *f*; (*Eile*) prisa *f*; *nur keine* ~! ¡sin precipitarse!; ¡vamos por partes!

ˈ**überstürzen** (*-t*; *sn*) *v/i. Auto*: volcar; *nach hinten* ~ caer(se) hacia atrás, *Person*: caer(se) de espaldas; *nach vorn* ~ *Person*: caer(se) de bruces.

überˈtäuben (*-*) *v/t.* ensordecer; (*unterdrücken*) acallar.

überˈteuern (*-re*; *-*) *v/t. Preise*: encarecer (con exceso); *j-n* ~ pedir a alg. un precio abusivo; F *fig.* desollar a alg.

überˈtölpeln (*-le*; *-*) *v/t.* engañar burdamente; F dar el timo a alg.

überˈtönen (*-*) *v/t. Stimme*: dominar con la voz; ♪ cubrir; (*Lärm*) acallar.

ˈ**Übertrag** ✝ *m* (*-es*; *¨e*) *v. der vorhergehenden Seite*: suma *f* anterior; *auf die nächste Seite*: suma *f* y sigue; *Vortrag auf neue Rechnung*: saldo *m* (*od.* traslado *m*) a cuenta nueva.

überˈtrag|bar *adj.* transferible; *nicht* ~ intransferible; ⚖ cesible; ✝ (*umsetzbar*) negociable; (*indossierbar*) endosable; ⚕ contagioso; transmisible; (*übersetzbar*) traducible; ♀**barkeit** *f* (*0*) transmisibilidad *f*; ⚕ *a.* contagiosidad *f*; ⚖ cesibilidad *f*; ~**en** (*L*; *-*) *v/t.* trasladar; transmitir (*auf ac.* a); ⚖ transferir, (*abtreten*) ceder; ✝ (*umbuchen*) pasar a otra cuenta; *Konto*: trasladar; *Wechsel*: endosar; *Summe*: transferir (*ac.*); *Geschäftsladen*: traspasar (*auf ac.* a); ℞ transportar; (*übersetzen*) traducir; (*abschreiben*) transcribir (*a. Stenogramm*); *Würde, Vollmachten, Recht*: conferir; *Befugnis*: delegar; ⊕, *Phys.* transmitir; *Amt, Aufgabe*: confiar, encomendar, encargar; ⚕ *Blut*: transfundir; (*ansteckende Krankheit*) contagiar; *Erbkrankheit*: transmitir; *Chir.* (*Gewebe, Organe*) trasplantar; injertar; (*durch Fernsehen*) televisar; (*durch Rundfunk*) transmitir, radiar, (*weiter* ~) retransmitir; *in* ~*er Bedeutung* en sentido figurado (*od.* traslaticio); *sich* ~ *Krankheit*: contagiarse *bzw.* transmitirse; ♀**ung** *f* traslado *m*; transmisión *f* (*a.* ⊕, *Phys.*); ⚖ transferencia *f*, (*Abtretung*) cesión *f*; ✝ (*Umbuchung*) traslado *m* (a cuenta nueva); *v. Wechseln*: endoso *m*; transferencia *f*; *e-s Geschäftsladens*: traspaso *m*; (*Übersetzung*) traducción *f*; (*Umschrift*) transcripción *f* (*a. Kurzschrift*2); *v. Würden, Vollmachten*: otorgamiento *m*; *e-s Titels, Grades*: colación *f*; *v. Befugnissen*: delegación *f*; ⚕ (*Blut*2) transfusión *f*; *e-r Krankheit*: contagio *m*; *e-r Erbkrankheit*: transmisión *f*; (*Chir.*) *v. Geweben, Organen*: transplantación *f*, transplante *m*; injerto *m*; *e-r Sendung* (*Radio*) transmisión *f*, (*Weiter*2) retransmisión *f*; (*Fernseh*2) emisión *f* de televisión; (*Radio*2) radiodifusión *f*; 2**ungs-urkunde** *f* documento *m* de cesión.

über'treffen (*L*; -) *v/t.* exceder, superar, aventajar (*an dat.* en); sobrepasar, sobrepujar; ser superior a; *alle Erwartungen* ~ superar todas las previsiones; *sich selbst* ~ superarse a sí mismo.

über'treib|en (*L*; -) *v/t.* exagerar; (*überspitzen*) extremar, llevar al extremo; *Bericht*: F hinchar; 2**ung** *f* exageración *f*; *Rhet.* hipérbole *f*.

'übertreten (*L*; *sn*) *v/i.* (*auf die andere Seite gehen*) pasar al otro lado; (*über et. treten*) pasar por encima de; *Fluß*: desbordarse; *fig. zu j-m* ~ tomar partido por alg.; ponerse del lado de alg.; *zum Feinde* ~ pasarse al enemigo; desertar; *zum Christentum* ~ abrazar el cristianismo (*od.* la fe cristiana), convertirse al cristianismo; 2 *n* paso *m*; *des Wassers*: desbordamiento *m*.

über'treten (*L*; -) *v/t.* (*zuwiderhandeln*) contravenir; *Gesetz*: infringir, transgredir; conculcar, violar; *sich den Fuß* ~ dislocarse el pie.

Über'tret|er(in *f*) *m* contraventor (-a *f*) *m*; infractor(a *f*) *m*, transgresor(a *f*) *m*; ~**ung** *f* contravención *f*; infracción *f*, transgresión *f*; conculcación *f*, violación *f*; ~**ungsfall** *m* (-*es*; ⸚*e*): *im* ~ en caso de contravención.

über'trieben *adj.* exagerado; *Preis*: excesivo; exorbitante; *Rhet.* hiperbólico.

'Übertritt *m* (-*es*; -*e*) paso *m*; *Rel.* conversión *f* (zu a); *Pol.* adhesión *f*, incorporación *f* (a un partido).

über'trumpfen (-) *v/t. Kartenspiel*: fallar con triunfo superior; *fig.* superar, sobrepujar, exceder a; ganar.

über'tünchen (-) *v/t.* blanquear, enlucir; *fig.* (*verdecken*) encubrir; disimular; tapar, ocultar.

'überversichern (-*re*; -) *v/t.* sobreasegurar.

über'völker|n (-*re*; -) *v/t.* poblar con exceso; ~**t** *adj.* con exceso de población, superpoblado; 2**ung** *f* exceso *m* de población.

'übervoll *adj.* (*0*) demasiado lleno; colmado; repleto; (*Gefäß*) desbordante.

über'vorteil|en (-) *v/t.* (*betrügen*) engañar; F dar gato por liebre; *beim Kauf*: vender a precio abusivo; cobrar demasiado por a/c.

über'wach|en (-) *v/t.* vigilar; (*beobachten*) observar atentamente; (*im Auge behalten*) no perder de vista; (*beaufsichtigen*) inspeccionar; supervisar; (*kontrollieren*) controlar; 2**ung** *f* vigilancia *f*; observación *f* atenta; inspección *f*; supervisión *f*; control *m*; 2**ungs-ausschuß** *m* (-*sses*; ⸚*sse*) comisión *f* de control; 2**ungsdienst** *m* (-*es*; -*e*) servicio *m* de vigilancia; 2**ungsstelle** *f* oficina *f* de control.

über'wachsen (*L*; -) *v/t.* cubrir (de vegetación).

über'wältigen (-) *v/t.* (*besiegen*) vencer; (*niederschlagen*) derrotar; (*zähmen*) domar; (*unterjochen*) subyugar, someter, sojuzgar; (*beherrschen*) dominar; *Pol.* avasallar; *vom Schlaf überwältigt* vencido por el sueño; ~**d** *adj.* avasallador (*a. fig.*); *fig.* (*großartig*) grandioso; imponente; ~*e Mehrheit* mayoría aplastante; ~*er Sieg* triunfo arrollador; victoria aplastante; ~*e Schönheit* belleza fascinadora.

Über'wasserfahrt ⚓ *f U-Boot*: navegación *f* en superficie.

über'weis|en (*L*; -) *v/t.* transferir; transmitir; (*senden*) remitir, enviar; (*zuteilen*) asignar; (*anvertrauen*) confiar; ✝ *Geld*: girar; (*transferieren*) transferir; *auf j-s Konto* ~ girar a la cuenta de alg.; *j-n in ein Krankenhaus* ~ ordenar el traslado de alg. a un hospital; 2**ung** *f* transferencia *f*; (*Sendung*) ✝ envío *m*, remesa *f*; (*Geld*2) giro *m*; *durch* ~ *zahlen* pagar por giro; 2**ungs-auftrag** *m* (-*es*; ⸚*e*) orden *f* de giro; 2**ungsformular** *n* (-*s*; -*e*) impreso *m* para giro; 2**ungsscheck** *m* (-*s*; -*s*) cheque *m* cruzado; 2**ungsverkehr** *m* (-*s*; *0*) operaciones *f/pl.* de giro.

'überweltlich *adj.* (*0*) ultramundano.

über'wendlich *adj.*: ~*e Naht* dobladillo *m*; ~ *nähen* hacer dobladillos

'überwerfen (*L*) *v/t.* echar (*od.* arrojar) por encima; *Mantel usw.*: echarse encima, ponerse sobre los hombros.

über'werfen (*L*; -) *v/refl.*: *sich mit j-m* ~ enemistarse (*od.* malquistarse) con alg.

über'wiegen (*L*; -) *v/i.* (*mehr wiegen als*) pesar más que; *fig.* preponderar; prevalecer (über *ac.* sobre); (*vorherrschen*) predominar; '~**d I.** *adj.* preponderante; predominante; **II.** *adv.* preponderantemente; por la mayor parte, en su mayoría.

über'wind|en (*L*; -) *v/t.* sobreponerse a; (*besiegen*) vencer; *Hindernisse*: allanar; salvar; *Gefühle*: dominar; *Leidenschaft*: dominar, refrenar; domeñar, domar; *Schwierigkeiten, Hemmungen*: vencer; *sich* ~ vencerse a sí mismo; *sich* ~, et. *zu tun* violentarse para (*inf.*); *ein überwundener Standpunkt* una idea anticuada; 2**er** *m* vencedor *m*; 2**ung** *f* vencimiento *m*; *fig.* esfuerzo *m*; ~ *kosten* costar mucho; *es kostete ihn* ~, *zu* (*inf.*) le costó un gran esfuerzo (*inf.*).

über'winter|n (-*re*; -) **1.** *v/i.* invernar, pasar el invierno; **2.** *v/t.* conservar durante el invierno; 2**ung** *f* invernada *f*.

über'wölben (-) *v/t.* abovedar.

über'wuchern (-*re*; -) *v/t.* cubrir enteramente; (*ersticken*) sofocar.

über'wunden *adj.* (*überholt*) anticuado.

'Überwurf *m* (-*es*; ⸚*e*) capa *f*; (*Gewand*) túnica *f*; *bestickter*: mantón *m*; *zum Abendkleid*: salida *f* de teatro; ~**mutter** ⊕ *f* (-; -*n*) tuerca *f* de manguito.

'Überzahl *f* número *m* superior; (*zahlenmäßige Übermacht*) superioridad *f* numérica; *in der* ~ *sein* estar en mayoría; *der* ~ *weichen* ceder a la mayoría (*od.* a la superioridad numérica).

über'zählen (-) *v/t.* recontar.

'überzählig *adj.* excedente; *Beamter*: supernumerario.

über'zeichnen (-*e*-; -) ✝ *v/t.* cubrir con exceso una suscripción.

über'zeug|en (-) *v/t.* convencer (*von* de); (*überreden*) persuadir (*von* de); *sich* ~ convencerse; *sich persönlich* ~ *von* cerciorarse de, asegurarse de; *Sie dürfen überzeugt sein, daß* puede usted estar seguro de que; ~**end** *adj.* convincente; convencedor; persuasivo; (*beweisend*) concluyente; contundente; 2**ung** *f* convencimiento *m*, convicción *f*; (*Überredung*) persuasión *f*; (*Gewißheit*) certeza *f*; seguridad *f*; *bsd. Pol. pl.* convicciones *f/pl.*; *der festen* ~ *sein* estar absolutamente (*od.* firmemente) convencido (de); *zu der* ~ *gelangen, daß* (llegar a) convencerse de que; *gegen s-e* ~ *Pol.* contra sus convicciones; 2**ungskraft** *f* (*0*) fuerza *f* persuasiva; 2**ungstreue** *f* (*0*) firmeza *f* de convicción.

'überziehen (*L*) *v/t. Mantel usw.*: ponerse; *Hiebe*: asestar; *in ein anderes Haus* ~ mudarse (de casa); cambiar de domicilio.

über'ziehen (*L*; -) *v/t.* (*verkleiden*) revestir, recubrir; guarnecer; forrar (*mit* de); (*bestreichen*) cubrir con una capa de; *Konto*: dejar en descubierto; *Kredit*: rebasar; *Möbel*: tapizar; *Kissen, Möbel*: enfundar, poner una funda a; *das Bett* (*frisch*) ~ mudar la ropa de la cama; *ein Land mit Krieg* ~ invadir un país; llevar la guerra a un país; *mit Zucker* ~ escarchar.

'Überzieh|er *m* sobretodo *m*; gabán *m*; ~**schuh** *m* (-*es*; -*e*) chanclo *m*.

Über'ziehung ✝ *f*: ~ *e-s Kontos* descubierto *m* de una cuenta.

über'zuckern (-*re*; -) *v/t.* espolvorear con azúcar; *mit Zuckerguß*: confitar; bañar con azúcar; (*kandieren*) escarchar; *Mandeln*: garapiñar.

'Überzug *m* (-*es*; ⸚*e*) (*Decke*) cubierta *f*, cobertura *f*; (*Verkleidung*) revestimiento *m*; guarnición *f*; forro *m*; (*Hülle*) envoltura *f*; (*Kissen*2, *Möbel*2) funda *f*; (*Bett*2) colcha *f*; cobertor *m*; (*Schicht*) capa *f*, *hauchdünner*: película *f*.

'übler → *übel*.

'üblich *adj.* usual; consagrado por el uso; en uso; (*zur Gewohnheit geworden*) acostumbrado, habitual; (*gewöhnlich*) común, ordinario; (*normal*) normal; (*herkömmlich*) tradicional; clásico; *das ist so* ~ es costumbre; *wie* ~ como de costumbre; *nicht mehr* ~ caido en desuso; *mit den* ~*en Formalitäten* con las formalidades de rigor.

'U-Boot ⚓ *n* (-*es*; -*e*) submarino *m*;

sumergible *m*; **~-Abwehr** *f* (*0*) defensa *f* antisubmarina; **~-Bunker** *m* refugio *m* de submarinos; **~-Jäger** *m* cazasubmarinos *m*; **~-Kommandant** *m* (*-en*) comandante *m* de submarino; **~krieg** *m* (*-es*; *-e*) guerra *f* submarina.

'**übrig** *adj.* (*0*) sobrante, restante; (*überflüssig*) superfluo, de sobra; *das ~e* el resto, lo que queda; lo demás; *das ~e können Sie sich denken* el resto puede usted imaginárselo; *im ~en Deutschland* en el resto de Alemania; *die ~en* los demás; *im ~en* por lo demás; → *übrigens*; *ein ~es tun* hacer más de lo necesario; *~ haben* tener de sobra; *fig. für j-n et. ~ haben* sentir simpatía por (*od.* hacia) alg.; *~ sein* → *übrigbleiben*; **~behalten** (*L*; -) *v/t.* tener de sobra; guardar (de sobra); **~bleiben** (*L*; *sn*) *v/i.* sobrar, quedar (de sobra); *fig.* restar, quedar; (*zuviel sein*) estar de más; *es blieb mir nichts* (*weiter*) *übrig, als* no me quedó (*od.* no tuve) otro remedio que; **~ens** *adv.* por lo demás; (*jedoch, indessen*) por otra parte; (*außerdem*) además; (*beiläufig*) dicho sea de paso; **~lassen** (*L*) *v/t.* dejar de sobra; *zu wünschen ~* dejar que desear.

'**Übung** *f* ejercicio *m* (*a. Turnen*); (*Training*) entrenamiento *m*; ⚔ (*Scheingefecht*) simulacro *m*; (*Schulung*) instrucción *f*; (*Ausüben*) práctica *f*; (*Schulaufgabe*) ejercicio *m*; ♪ estudio *m*; (*Brauch, Gepflogenheit*) costumbre *f*; *pl.* **~en** (*Seminar*℘) prácticas *f/pl.*; ejercicios *m/pl.*; *aus der ~ kommen* perder la práctica *bzw.* la costumbre; *in der ~ bleiben* no perder la práctica; *~ haben* tener práctica (en); *fig. ~ macht den Meister* la práctica hace maestro.

'**Übungs...:** **~arbeit** *f*, **~aufgabe** *f* ejercicio *m*; **~buch** *n* (*-es*; *⸗er*) manual *m* de ejercicios; **~flug** *m* (*-es*; *⸗e*) vuelo *m* de prácticas (*od.* de entrenamiento); **~flugzeug** *n* (*-es*; *⸗e*) avión *m* de prácticas (*od.* de entrenamiento); **~gelände** ⚔ *n* campo *m* de maniobras; **~granate** *f* granada *f* de ejercicio; **~heft** *n* (*-es*; *-e*) cuaderno *m* de ejercicios; **~lager** ⚔ *n* campo *m* de maniobras; campo *m* de instrucción; **~marsch** ⚔ *m* (*-es*; *⸗e*) ejercicio *m* de marcha; **~platz** *m* (*-es*; *⸗e*) → *Übungslager*; *Sport*: campo *m* de entrenamiento; estadio *m*; **~schießen** ⚔ *n* prácticas *f/pl.* de tiro; **~spiel** *n* (*-es*; *-e*) *Sport*: partido *m* de entrenamiento; **~stück** ♪ *n* (*-es*; *-e*) estudio *m*.

'**Ufer** *n* orilla *f*; (*mst. Fluß*℘) ribera *f*; margen *f*; (*Meeresküste*) costa *f*; (*Strand*) playa *f*; *am ~ des Meeres* (*des Rheins*) a orillas del mar (del Rin); *ans ~ spülen* arrojar a la orilla; *über die ~ treten* (*Fluß*) desbordarse; **~bewohner**(**in** *f*) *m* ribereño (-a *f*) *m*; **~damm** *m* (*-es*; *⸗e*) dique *m*; ℘**los** *adj.* (*0*) *fig.* (*maßlos*) desmesurado; (*grenzenlos*) ilimitado, sin límites; **~mauer** *f* (-; *-n*) dique *m*; (*Kaiwand*) pared *f* del muelle; **~promenade** *f* paseo *m* marítimo; **~schutzbauten** *pl.* diques *m/pl.*; **~straße** *f* (-; *-n*) carretera *f* ribereña; **~streifen** *m* litoral *m*.

'**Uhr** *f* reloj *m*; (*Taschen*℘) reloj *m* de bolsillo; (*Armband*℘) reloj *m* de pulsera; (*Wand*℘) reloj *m* de pared; (*Stutz*℘) reloj *m* de sobremesa; (*Pendel*℘) reloj *m* de péndola; (*Turm*℘) reloj *m* de torre; (*Stunde, Zeit*) hora *f*; *nach der ~ sehen* mirar la hora; *j-n nach der ~ fragen* preguntar a alg. la hora; *um wieviel ~?* ¿a qué hora?; *wieviel ~ ist es?* ¿qué hora es?; *es ist ein ~* es la una; *es ist halb zwei ~* es la una y media; *es ist punkt zwei ~* son las dos en punto; *nach meiner ~ ist es vier* por mi reloj son las cuatro; *es ist Viertel nach* (*vor*) *fünf ~* son las cinco y (menos) cuarto; *um 12 Uhr mittags* (*nachts*) a mediodía (medianoche); **~armband** *n* (*-es*; *⸗er*) pulsera *f* de reloj; **~deckel** *m* tapa *f* de reloj; **~enfabrik** *f* fábrica *f* de relojes; **~engeschäft** *n* (*-es*; *-e*) relojería *f*; **~enhandel** *m* (*-s*; *0*) comercio *m* de relojería; **~en-industrie** *f* industria *f* relojera; **~feder** *f* (-; *-n*) muelle *m* de reloj; **~gehänge** *n* dije *m* de reloj; **~gehäuse** *n* caja *f* de reloj; **~gewicht** *n* (*-es*; *-e*) pesa *f*; **~glas** *n* (*-es*; *⸗er*) cristal *m* de(l) reloj; **~kapsel** *f* (-; *-n*) funda *f* de reloj; **~kette** *f* cadena *f* de reloj; **~macher** *m* relojero *m*; **~mache'rei** *f* relojería *f*; **~pendel** *n* péndola *f*; **~schlüssel** *m* llave *f* de(l) reloj; **~tasche** *f* bolsillo *m* de reloj; **~werk** *n* (*-es*; *-e*) mecanismo *m* de reloj; **~zeiger** *m* manecilla *f* (*od.* aguja *f*) de reloj; **~zeigersinn** *m* (*-es*; *0*): *im ~* en el sentido de las agujas del reloj; **~zeit** *f* hora *f*; *gesetzliche ~* hora oficial.

'**Uhu** *Orn. m* (*-s*; *-s*) buho *m*.

U'krain|e *f* Ucrania *f*; **~er**(**in** *f*) *m* ucraniano (-a *f*) *m*; ℘**isch** *adj.* ucraniano.

U'K-Stellung ⚔ *f* exención *f* del servicio militar.

U'lan ⚔ *m* (*-en*) ulano *m*.

'**Ulk** *m* (*-es*; *-e*) broma *f*, chanza *f*; (*derber*) bromazo *m*; trastada *f*; broma *f* pesada; (*Studenten*℘) broma *f* de estudiantes; jugarreta *f* estudiantil; *~ treiben* bromear, chancear; dar un bromazo a; **~bild** *n* (*-es*; *-er*) caricatura *f*; ℘**en** *v/i.* → *Ulk treiben*; ℘**ig** *adj.* cómico, gracioso; chusco; (*vergnügt*) divertido.

'**Ulme** ♀ *f* olmo *m*.

Ulti'matum *n* (*-s*; *-ten*) ultimátum *m*; *ein ~ stellen* enviar un ultimátum.

'**Ultimo** ✝ *m* (*-s*; *-s*) fin *m* de mes; *per ~* a fines de (este) mes; **~abrechnung** *f*, **~regulierung** *f* liquidación *f* de fin de mes; **~wechsel** *m* letra *f* con vencimiento a fin de mes.

'**Ultra|kurzwelle** *f* onda *f* ultracorta; **~kurzwellensender** *m* emisora *f* de onda ultracorta; **~ma'rin** *n* (*-s*; *0*) azul *m* de ultramar; **~mon'tan** *adj.* (*0*) ultramontano; ℘**rot** *adj.* (*0*) ultrarrojo; **~schall** *Phys. m* (*-es*; *0*) ultrasonido *m*; **~schallflugzeug** *n* (*-es*; *-e*) avión *m* supersónico; **~schallthera'pie** ⚕ *f* (*0*) terapia *f* con ondas ultrasónicas; ultrasonoterapia *f*; **~schallwelle** *f* onda *f* ultrasónica; ℘**violett** *adj.* (*0*) ultravioleta, ultraviolado.

um I. *prp.* (*ac.*) **a**) *örtlich*: (*... herum*) alrededor de; en torno a (*od.* de); **b**) *zeitlich*: (*ungefähr*) hacia; *Uhrzeit*: *a.* alrededor de, a eso de; (*genau*) a; *~ fünf Uhr* a las cinco; *~ die fünfte Stunde* hacia las cinco, a eso de las cinco; *e-r ~ den andern* uno tras otro; *Tag ~ Tag* día por día; *e-n Tag ~ den andern* cada dos días; un día sí y otro no; *eins ~s andere* una cosa después de otra, (*abwechselnd*) alternando; **c**) *Maß*: *~ ein Jahr älter als* un año mayor que; *~ die Hälfte größer* (*weniger*) la mitad mayor (menos); *~ Geld spielen* jugar dinero; *~ ein Haar* F *fig.* por un pelo; estuvo en un tris; *~ so ärmer* tanto más pobre; *~ so besser* (*schlimmer*) tanto mejor (peor); *~ so mehr* razón de más; con mayor razón; *~ so mehr als* tanto más cuanto que; *~ so weniger* tanto menos; **d**) *Grund*: (*wegen*) por; a causa de; (*in betreff*) en cuanto a; *~ et. wissen* tener conocimiento de a/c.; estar enterado de a/c.; *schade ~ das Geld!* ¡lástima de dinero!; *wie steht es ~ die Sache?* F ¿cómo anda el asunto?; ¿cómo está el asunto?; *es ist etwas Schönes ~ das Leben* la vida es un placer; **e**) *Verlust*: *~ et. kommen* perder a/c.; *~ et. betrügen* engañar en a/c.; **f**) *Preis, Lohn*: por; al precio de; *es ist ~ 50 Mark zu haben* cuesta (*od.* puede adquirirse por) cincuenta marcos; *er kaufte es ~ wenig Geld* lo compró (*od.* adquirió) por poco dinero; *~ 15 Mark Lohn arbeiten* trabajar por un salario de quince marcos; *fig. ~ keinen Preis* de ningún modo; *~ alles in der Welt nicht* por nada del mundo; **g**) *~* (*gen.*) *... willen* por; *~ s-r Kinder willen* por (amor a) sus hijos; *~ Gottes willen!* ¡por Dios!; *~ seinetwillen* por él; por consideración a él; **II.** *cj. ~ zu* (*inf.*) para (*inf.*); *~ zu arbeiten* para trabajar; *~ Fehler zu vermeiden* para evitar errores; **III.** *adv. ~ und ~* por todos lados; de todas partes; (*ganz und gar*) absolutamente; totalmente; (*ringsum*) alrededor; *~* (*vorüber*) *sein* haber pasado; haber transcurrido; haber terminado; *Frist*: haber expirado *od.* vencido.

'**um|ackern** (*-re*) *v/t.* labrar; arar; **~adressieren** (-) *v/t.* cambiar la dirección; ℘**adressieren** *n*, ℘**adressierung** *f* cambio *m* de dirección; **~ändern** (*-re*) *v/t.* cambiar; modificar; transformar; *Kleid*: arreglar; reformar; ℘**änderung** *f* cambio *m*; modificación *f*; transformación *f*; *e-s Kleides*: arreglo *m*; reforma *f*; **~arbeiten** (*-e-*) *v/t.* (*verbessern*) corregir; *Werke*: rehacer; *für die Bühne, für den Film*: adaptar; (*völlig*) *bsd. Buch, Theaterstück*: refundir; *Kleid*: → *umändern*; ℘**arbeitung** *f* adaptación *f*; refundición *f*; *e-s Kleides*: → *Umänderung*.

um'arm|en (-) *v/t. u. v/refl.* abrazar; dar un abrazo a; *sich ~* abrazarse; darse un abrazo; ℘**ung** *f* abrazo *m*.

'**Umbau** *m* (-*es*; -*ten*) reconstrucción *f*; reedificación *f*; (*Änderung*) modificación *f*; transformación *f*; *im Theater, Film*: cambio *m* de escena; *fig.* reorganización *f*; reforma *f*; **2en** *v/t.* reconstruir; reedificar; (*ändern*) modificar; transformar; *Thea., Film*: cambiar la escena; *fig.* reorganizar; reformar.
um'bauen (-) *v/t.* rodear, cercar (*mit* de); edificar alrededor.
'**um|behalten** (*L*; -) *v/t.* (*Kleidungsstück*) quedarse con ... puesto; no quitarse; **~benennen** (*L*; -) *v/t.* cambiar el nombre (de); **~besetzen** (-*t*; -) *Thea. v/t.*: *die Rollen ~* cambiar el reparto de papeles; **2besetzung** *Thea. f* cambio *m* del reparto; **~betten** (-*e*-) *v/t.* trasladar a otra cama; **~biegen** (*L*) *v/t.* doblar; (*krümmen*) encorvar; **~bilden** (-*e*-) *v/t.* transformar; reformar; *fig.* reorganizar; **2bildung** *f* transformación *f*; reforma *f*; *fig.* reorganización *f*; **~binden** (*L*) *v/t.* atar (alrededor); envolver (*mit* con); *Schwert*: ceñir; *Schürze*: ponerse; **~blasen** (*L*) *v/t.* derribar (*od.* hacer caer) de un soplo; **~blättern** (-*re*) *v/t. u. v/i.* hojear; volver la hoja de; pasar la hoja *bzw.* las hojas; **2blick** *m* mirada *f* en derredor; **~blicken** *v/refl.*: *sich ~* mirar alrededor (*od.* en torno suyo); (*zurückblicken*) mirar hacia atrás; volver la cabeza; **~brechen** (*L*) **1.** *v/t.* romper, quebrar; ⚒ roturar; arar; **2.** (*sn*) *v/i.* romperse bajo el peso de; **2brechen** *n* rotura *f*; ⚒ roturación *f*; aradura *f*.
um'brechen (*L*; -) *Typ. v/t.* compaginar, ajustar las páginas; **2** *Typ. n* compaginación *f*.
'**um|bringen** (*L*) *v/t.* matar, quitar la vida a; (*morden*) asesinar; *sich ~* suicidarse, quitarse la vida; matarse (*a. fig.*); **2bruch** *m* (-*es*; ⁼*e*) ⚒ roturación *f*; tierra *f* roturada; *Typ.* compaginación *f*; *fig.* cambio *m* radical; (*Revolution*) revolución *f*; **~buchen** ✝ *v/t.* pasar (una suma) de una cuenta a otra; **2buchung** ✝ *f* cambio *m* de asiento; **~denken** (*L*) *v/i.* orientar su pensamiento en otro sentido; **~deuten** (-*e*-) *v/t.* dar otra interpretación (*od.* otro sentido) a; **~disponieren** (-) *v/t.* adoptar otras disposiciones; disponer (las cosas) de otro modo.
um'drängen (-) *v/t.* apiñarse alrededor de; *j-n ~ fig.* asediar a alg.
'**umdrehen** *v/t.* volver; dar vuelta a; *um s-e Achse*: hacer girar; *j-m den Hals ~* retorcer a alg. el pescuezo; *sich ~* volverse, volver la cabeza; *fig. den Spieß ~* redargüir, volver contra alg. sus propios argumentos.
Um'drehung *f* vuelta *f*; *im Kreis*: giro *m*; *um e-e Achse*: rotación *f*; *um e-n Mittelpunkt*: revolución *f* (*a. v. Motor*); **~s-achse** *f* eje *m* de rotación; **~sgeschwindigkeit** *f* velocidad *f* de rotación; **~szahl** *f* número *m* de revoluciones *bzw.* de vueltas; **~szähler** *m* contador *m* de revoluciones.
'**Umdruck** *Typ. m* (-*es*; -*e*) reimpresión *f*; **2en** *Typ. v/t.* reimprimir; **~en** *n* reimpresión *f*.
um-ein'ander *adv.* uno en torno de otro.
'**um|erziehen** (*L*; -) *v/t.* reeducar; **2erziehung** *f* reeducación *f*; **~fahren** (*L*) *v/t.* derribar; *j-n*: atropellar.
um|'fahren (*L*; -) *v/t.* dar una vuelta alrededor de; *Kap*: doblar; (*umschiffen*) circunnavegar; **2'fahren** *n*, **2'fahrung** *f* circunnavegación *f*; '**2fahrt** *f* (*Spazierfahrt*) paseo *m* (en un vehículo); '**~fallen** (*L*; *sn*) *v/i.* (*zusammenbrechen*) caerse; desplomarse; *Wagen*: volcar; *Mauer*: derrumbarse; *fig.* cambiar bruscamente de opinión; (*nachgeben*) doblegarse; capitular; *Pol.* desertar de un partido, F chaquetear; '**2fallen** *n* caída *f*; *zum ~ müde sein* estar rendido de fatiga; '**2fang** *m* (-*es*; *0*) (*Kreis2*) circunferencia *f*; (*Umkreis*) circuito *m*; periferia *f* (*a.* ⚕); ⚕ perímetro *m*; (*Abgrenzung*) contorno *m*; (*Ausdehnung*) extensión *f*; (*Reichweite*) alcance *m* (*a. fig.*); (*Volumen*) volumen *m* (*a.* ♪); (*Größe*) tamaño *m*; (*Geräumigkeit*) amplitud *f* (*a. fig.*); (*Dicke*) espesor *m*, grueso *m*; *fig.* proporciones *f/pl.*; *in großem ~e* en gran escala; en grandes proporciones; **~'fangen** (*L*; -) *v/t.* (*umkreisen*) rodear, cercar; (*umarmen*) abrazar; '**~fangreich** *adj.* voluminoso; (*ausgedehnt*) extenso; amplio; (*geräumig*) espacioso; (*weitreichend*) vasto; (*groß*) grande; de consideración; (*Ggs. knapp*) cuantioso; copioso; *fig.* extenso; amplio; '**~färben** *v/t.* reteñir.
um'fass|en (-*ßt*; -) *v/t.* (*umkreisen*) rodear, cercar (*mit* de); *mit der Faust*: empuñar; (*umarmen*) abrazar (*a. fig.*); ⚔ envolver; *fig.* (*in sich schließen*) comprender, abarcar; contener; entrañar; implicar; **~end** *adj.* amplio, extenso; vasto; (*vollständig*) completo; (*ausführlich*) detallado; (*vielseitig*) polifacético; **2ung** *f* (*Einfriedung*) cercado *m*; vallado *m*; **2ungsbewegung** ⚔ *f* movimiento *m* envolvente; **2ungsmauer** *f* (-; -*n*) cerca *f*; muro *m* de cerramiento; muro *m* exterior; *e-r Stadt*: muralla *f*.
um|'flattern (-*re*; -) *v/t.* revolotear alrededor de; **~'flechten** (*L*; -) *v/t.* trenzar; revestir (*od.* forrar) de material trenzado; **~'fliegen** (*L*; -) *v/t.* volar alrededor; **~'fließen** (*L*; -) *v/t.* rodear; correr alrededor de; (*bespülen*) bañar; **~'floren** (-) *v/t.* velar, cubrir con un velo; **~'fluten** (-*e*-; -) *v/t.* → *umfließen*; '**~formen** *v/t.* transformar; ⚡ convertir; '**2former** ⚡ *m* convertidor *m*; '**2frage** *f* encuesta *f*; *e-e ~ halten* hacer una encuesta; **~'fried(ig)en** (-) *v/t.* cercar; **2'fried(ig)ung** *f* cercado *m*; '**~füllen** *v/t.* transvasar, trasegar; '**2füllung** *f* trasiego *m*.
'**Umgang** *m* (-*es*; ⁼*e*) (*Rundgang*) ronda *f*, vuelta *f*; *kirchlicher*: procesión *f*; ⊕ (*Drehung*) vuelta *f*, giro *m*; (*Verkehr*) trato *m* (social); (*Beziehungen*) (*0*) relaciones *f/pl.*; △ galería *f*; *mit j-m ~ haben* tratar a alg.; tener trato (*od.* relaciones) con alg.; frecuentar el trato de alg.; *mit j-m ~ pflegen* mantener relaciones con alg.; *der ~ mit Gebildeten* el trato con personas cultas; *wenig ~ haben* tener poco trato social; *schlechter ~* malas compañías.
'**umgänglich** *adj.* tratable; de agradable trato, afable; (*gesellig*) sociable; **2keit** *f* (*0*) sociabilidad *f*; amabilidad *f* (en el trato).
'**Umgangs|formen** *pl.* modales *m/pl.*; *~ haben* tener buenas maneras; saber (com)portarse; **~sprache** *f* lenguaje *m* usual (*od.* corriente); lenguaje *m* familiar (*od.* coloquial).
um|'garnen (-) *v/t.* enredar (*ac.*); tender las redes a; *fig.* (*betrügen*) embaucar; seducir; *allg. fig.* coger (*od.* cazar *od.* atrapar) en sus redes; **~'gaukeln** (-*le*; -) *v/t.* revolotear alrededor de; **~'geben** (*L*; -) *v/t.* rodear, cercar, circundar (*mit* de); (*einschließen*) encerrar en; **2'gebung** *f* (*Umwelt*) ambiente *m*; (*Milieu*) medio *m*; (*Umgegend*) inmediaciones *f/pl.*, cercanías *f/pl.*; *e-r Stadt*: alrededores *m/pl.*; (*Nachbarschaft*) vecindad *f*; (*Bekanntenkreis*) relaciones *f/pl.*; amistades *f/pl.*; **2'gebungstemperatur** ⊕ *f* temperatura *f* ambiente; '**2gegend** *f* inmediaciones *f/pl*, cercanías *f/pl.*; *e-r Stadt*: alrededores *m/pl.*; afueras *f/pl.*; periferia *f* (urbana).
'**umgehen** (*L*; *sn*) *v/i.* circular; (*die Runde machen*) rondar; dar una vuelta alrededor de; (*e-n Umweg machen*) dar (*od.* hacer) un rodeo; *Geister*: andar; haber; *mit et. ~* (*handhaben*) manejar a/c. (*a. Geld*); manipular con a/c.; (*vorhaben*) tener (*od.* abrigar) la intención de hacer a/c.; pensar hacer a/c.; (*beschäftigt sein*) ocuparse en a/c.; dedicarse a a/c.; *mit dem Gedanken ~* acariciar la idea de; *mit et. sparsam ~* economizar a/c.; escatimar a/c.; *großzügig mit et. ~* prodigar a/c.; no escatimar a/c.; *mit j-m ~* (*verkehren*) tratar a alg.; frecuentar el trato de alg.; *mit j-m hart ~* tratar con dureza a alg.; *mit Kindern umzugehen wissen* saber cómo tratar a los niños; F manejarse bien con los niños.
um'gehen (*L*; -) *v/t.* dejar aparte (*od.* a un lado); ⚔ envolver; *fig.* (*vermeiden*) evitar; esquivar; *Hindernis*: sortear; *Gesetz*: eludir; *Verpflichtung*: sustraerse; rehuir.
'**umgehend I.** *adj.* (*sofort*) inmediato; *mit ~er Post antworten* contestar a vuelta de correo; **II.** *adv.* (*sogleich*) inmediatamente; (*unverzüglich*) sin demora; cuanto antes.
Um'gehung *f* contorneo *m*; ⚔ envolvimiento *m*; *im Verkehr*: desviación *f*; *unter ~* (*gen.*) *fig.* dejando aparte (*ac.*); evitando (*ac.*); eludiendo (*ac.*); **~sbewegung** ⚔ *f* movimiento *m* envolvente; **~sstraße** *f* (*Umleitung*) carretera *f* de desviación.
'**umgekehrt I.** *adj.* (*verkehrt*) invertido; vuelto; puesto al revés; (*entgegengesetzt*) opuesto; contrario; *in ~er Richtung* en sentido inverso (*od.* contrario); *im ~en Verhältnis zu* (*dat.*) en proporción inversa a; *mit ~em Vorzeichen* de signo contrario; *~!* ¡al contrario!; **II.** *adv.* inversamente; a la inversa; al revés; por el

(*od.* al) contrario; ... *und* ~ y viceversa; ~ *proportional Arith.* inversamente proporcional.

ˈ**umgestalt|en** (*-e-*; -) *v/t.* transformar; reformar; *fig.* reorganizar; **2ung** *f* transformación *f*; reforma *f*; *fig.* reorganización *f*.

ˈ**um|gießen** (*L*) *v/t. Flüssigkeit*: transvasar; trasegar; *Met.* refundir; **2gießen** *n* trasiego *m*; *Met.* refundición *f*; **~graben** (*L*) *v/t.* cavar; remover (la tierra); **~ˈgrenzen** (*-t*; -) *v/t.* limitar; (*einfrieden*) cercar; vallar; *fig.* (*abgrenzen*) delimitar; circunscribir; (*einschränken*) limitar, reducir; **2ˈgrenzung** *f* limitación *f*; (*Einfriedung*) cercado *m*; *fig.* (*Abgrenzung*) delimitación *f*; circunscripción *f*; **~gruppieren** (-) *v/t.* cambiar la disposición de; *Sport, Pol.* reorganizar; **~gürten** (*-e-*), **~ˈgürten** (*-e-*; -) *v/t.* ceñir; **2guß** *Met. m* (*-sses*; *-sse*) refundición *f*; **~haben** (*L*) *v/t. Mantel usw.*: tener puesto; **~hacken** *v/t. Boden*: cavar; (*fällen*) cortar con hacha; **~ˈhalsen** (*-t*; -) *v/t.* abrazar; **2ˈhalsung** *f* abrazo *m*; **2hang** *m* (*-es*; *¨e*) capa *f*; *für Damen*: mantón *m*; salida *f* de teatro; capita *f*; **~hängen** *v/t. Mantel usw.*: ponerse (*od.* echarse) sobre los hombros; *Gewehr*: colgar, *quer über die Schulter*: poner en bandolera; *Bild*: (*anders hängen*) colgar (*od.* colocar) de otro modo; *fig.* e-r *Sache* (*dat.*) *ein Mäntelchen* ~ tender un velo sobre a/c.; **~ˈhängen** (-) *v/t.*: et. *mit* et. ~ colgar a/c. alrededor de; **2hängeriemen** *m* bandolera *f*; **2hängetasche** *f* morral *m*; ⚔ macuto *m*; *des Schaffners*: cartera *f* de cobrador; **2hängetuch** *n* (*-es*; *¨er*) pañoleta *f*; **~hauen** (*L*) *v/t.* derribar a hachazos; F *fig.* derribar, tumbar.

umˈher *adv.* (*ringsumher*) alrededor; en derredor; (*in e-m Kreise*) en torno; (*nach allen Seiten*) por todas partes; (*hier u. da*) acá y allá; (*hin u. her*) de un lado para otro; **~blicken** *v/i.* mirar en torno suyo; **~bummeln** (*-le*) *v/i.* callejear; **~fahren** (*L*; *sn*) *v/i.* pasearse en coche; **~flattern** (*-re*; *sn*) *v/i.* revolotear; **~fliegen** (*L*; *sn*) *v/i.* volar de acá para allá; **~führen** *v/t.*: ~ *in* (*dat.*) llevar por; conducir por; **~gehen** (*L*; *sn*) *v/i.* ir de acá para allá; deambular, vagar; **~irren** (*sn*) *v/i.* andar errante; vagabundear; **2irren** *n* vagabundeo *m*; **~reisen** (*sn*) *v/i.*: ~ *in* (*dat.*) recorrer (*ac.*); **~schleichen** (*L*; *sn*) *v/i.* vagabundear; F andorrear; **~schlendern** (*-re*; *sn*) *v/i.* pasear, callejear; **~schweifen** *v/i.* vagar; vagabundear; **~spazieren** (-; *sn*) *v/i.* andar paseando; callejear; **~streichen** (*L*; *sn*) *v/i.*, **~streifen** (*sn*) *v/i.* andar vagando (*in dat.* por); **~wandern** (*-re*; *sn*) *v/i.*, **~ziehen** (*L*; *sn*) *v/i.* vagar; vagabundear; andar errante; **~ziehend** *adj.* ambulante; (*nomadisch*) nómada; F volante.

umˈhin *adv.*: *ich kann nicht* ~, *zu* no puedo menos de ... (*inf.*).

umˈhüll|en (-) *v/t.* envolver (*mit* con, en); (*bedecken*) cubrir, tapar; (*verkleiden*) ⊕ revestir; (*verpacken*) embalar; (*verschleiern*) velar, cubrir con un velo; (*verbergen*) encubrir, disimular; **2ung** *f* envoltura *f*; (*Verkleidung*) ⊕ revestimiento *m*; *e-s Kabels*: armadura *f*; (*Verpackung*) embalaje *m*.

ˈ**Umkehr** *f* (*0*) vuelta *f*; ⊕ inversión *f* (de la marcha); (*Rückkehr*) regreso *m*, vuelta *f*; *fig. Bekehrung*: conversión *f*; **2bar** *adj.* reversible; ⚗ convertible; **2en 1.** (*sn*) *v/i.* (*zurückkommen*) volver, regresar; (*wenden*) ⚓ virar; (*denselben Weg zurückgehen*) volver (sobre sus pasos); volver por el mismo camino; (*sich umdrehen*) volverse, dar la vuelta; *fig.* comenzar una nueva vida; volver al buen camino; **2.** *v/t.* (*umdrehen*) dar vuelta a; ⊕, ⚡, *Gr. Wortfolge*: invertir; (*umstürzen*) volcar; (*das Unterste zuoberst kehren*) volver al revés; (*vollständig abändern*) mudar (*od.* cambiar) por completo; *alles* ~ revolverlo (*od.* desordenarlo) todo; **3.** *v/refl.*: *sich* ~ volverse; **~film** *m* (*-es*; *-e*) película *f* reversible; **~motor** ⊕ *m* (*-s*; *-ˈoren*) motor *m* reversible; **~ung** *f* inversión *f* (*a.* ⊕, ⚡ *u. Gr.*); (*Umsturz*) subversión *f*.

ˈ**umkippen 1.** (*sn*) *v/i.* perder el equilibrio; *Wagen*: volcar; *Auto*: *a.* capotar; ⚓ zozobrar; **2.** *v/t.* voltear; derribar; (*ausschütten*) volcar.

um|ˈklammern (*-re*; -) *v/t.* (*umarmen*) abrazar; estrechar (entre los brazos); ⚔ envolver; *sich* ~ (*Boxsport*) tenerse agarrados; **2ˈklammerung** *f* abrazo *m*; ⚔ envolvimiento *m*; *Boxen*: *angl.* clinch *m*.

ˈ**um|klappbar** *adj.* plegable; **~klappen** *v/t.* plegar; doblar; **~kleiden** (*-e-*) *v/t.* mudar la ropa a; *sich* ~ mudarse de ropa; cambiar de traje *bzw.* de vestido; **~ˈkleiden** (*-e-*; -) *v/t.* ⊕ (*umhüllen*) revestir, forrar (*mit* de); **2kleideraum** *m* (*-es*; *¨e*) cuarto *m* de vestir; *e-r Dame*: tocador *m*; *Thea.* camarín *m*; *Sport*: cabina *f*; vestuario *m*; **2ˈkleidung** ⊕ *f* revestimiento *m*; **~knicken 1.** *v/t.* doblar; *Papier*: plegar; (*brechen*) quebrar; **2.** (*sn*) *v/i.* quebrarse; *mit dem Fuß* ~ torcerse el pie; **~kniffen** *v/t.* plegar; **~kommen** (*L*; *sn*) *v/i.* (*sterben*) morir; perecer; (*unterliegen*) sucumbir; *v. Sachen*: perderse; desperdiciarse; (*verderben*) echarse a perder; *vor Hitze* ~ asfixiarse de calor; **~ˈkränzen** (*-t*; -) *v/t.* coronar (*mit* de); **2kreis** *m* (*-es*; *-e*) círculo *m*; *Raum*: recinto *m*; circuito *m*; ⚗ periferia *f*, circunferencia *f*; *im* ~ (*in der Runde*) a la redonda; *in e-m* ~ *von* en un radio de; **~ˈkreisen** (*-t*; -) *v/t.* girar alrededor de; ✈ volar alrededor de; (*umringen*) rodear; ⚔ *den Feind*: envolver; copar; **~krempeln** (*-le*) *v/t.* (*umkehren*) invertir; volver al revés; (*Ärmel*) arremangar; (*Hut*) levantar el ala (del sombrero); *fig.* F *völlig* ~ cambiar radicalmente; (*umarbeiten*) refundir; (*in Unordnung bringen*) trastornar; **2ladegebühr** *f* gastos *m/pl.* de tra(n)sbordo; **~laden** (*L*) *v/t.* tra(n)sbordar; **2laden** *n* tra(n)sbordo *m*; **2lader** *m* tra(n)sbordador *m*; **2ladung** *f* tra(n)sbordo *m*; **2lage** *f* (*Sonderbeitrag*) contribución *f*; cuota *f* extraordinaria; (*Steuer2*) reparto *m* de los impuestos; derrama *f*; **~ˈlagern** (*-re*; -) ⚔ *v/t.* sitiar; **~lagern** (*-re*) † *v/t. Waren*: trasladar a otro almacén *od.* depósito.

ˈ**Umlauf** *m* (*-es*; *¨e*) circulación *f*; ⊕, *Astr.* revolución *f*; ⊕ vuelta *f*; rotación *f*; (*Rundschreiben*) circular *f*; ⚕ (*Nagelgeschwür*) panadizo *m*, F uñero *m*; *im* ~ (*befindlich*) en circulación; *in* ~ *sein* circular, estar en circulación; *in* ~ *bringen* (*od.* *setzen*) poner en circulación; hacer circular; *Papiergeld*: emitir; *außer* ~ *setzen* retirar de la circulación; **2en 1.** (*L*; *sn*) *v/i. Blut, Geld, Gerücht*: circular; **2.** *v/t.* atropellar (al correr).

umˈlaufen (*L*; -) *v/t.* dar la vuelta a; contornear.

ˈ**Umlauf|geschwindigkeit** ⊕ *f* velocidad *f* de rotación; **~getriebe** ⊕ *n* engranaje *m* planetario; **~kapital** † *n* (*-s*; *-ien*) capital *m* circulante; **~schmierung** ⊕ *f* engrase *m* por circulación; **~schreiben** *n* circular *f*; **~zeit** *f* período *m* de revolución.

ˈ**Umlaut** *Gr. m* (*-es*; *-e*) metafonía *f* (vocálica); (*Laut*) vocal *f* modificada.

ˈ**Umleg|ekragen** *m* cuello *m* vuelto; **2en** *v/t.* disponer (*od.* colocar) alrededor de; (*anders legen*) colocar de otro modo; (*falten*) doblar; ⚠ (*niederreißen*) derribar; (*hinlegen*) acostar; (*verteilen*) repartir, distribuir (*auf ac.* entre); (*verlegen*) variar de sitio, *zeitlich*: aplazar; (*kippen*) ladearse, *völlig*: volcarse; *Jgdw.* matar, cobrar; *fig.* P (*töten*) apiolar; *Weiche*: 🚂 cambiar; *Mantel, Kragen*: ponerse; *Verband*: aplicar; *Getreide usw.*: (*durch Hagel usw.*) encamarse; *Verkehr*: desviar; *Schiff*: virar de bordo; *Wind*: encalmarse; *das Ruder* ~ cambiar la caña; **~ung** *f* (*Verteilung*) reparto *m*, distribución *f*; *des Verkehrs*: desviación *f*; *e-s Termins*: aplazamiento *m*.

ˈ**um|leiten** (*-e-*) *v/t.* (*Verkehr*) desviar; **2leitung** *f* desviación *f*; **~lenken** *v/t. Wagen*: volver; *Verkehr*: desviar; **~lernen 1.** *v/i.* (*umdenken*) cambiar de método; reorientarse; **2.** *v/t.* aprender de nuevo; **~liegend** *adj.* (circun)vecino; inmediato; *die* ~*e Gegend* los alrededores; *die* ~*en Dörfer* los pueblos vecinos.

um|ˈmanteln (*-le*; -) ⊕ *v/t.* revestir; **2ˈmantelung** ⊕ *f* revestimiento *m*; **~ˈmauern** (*-re*; -) *v/t.* murar, cercar con muro; ˈ**~modeln** (*-le*) *v/t.* transformar, cambiar, reformar; ˈ**~münzen** (*-t*) *v/t.* reacuñar; **~ˈnachtet** *adj. fig.* demente; perturbado, trastornado; **2ˈnachtung** *f*: *geistige* ~ enajenación *f* mental, demencia *f*; **~ˈnähen** *v/t.* orlar, ribetear; **~ˈnebeln** (*-le*; -) *v/t.* envolver en nieblas; *Geist*: ofuscar; ˈ**~nehmen** (*L*) *v/t.* cubrirse de; *Mantel usw.*: ponerse; ˈ**~organisieren** (-) *v/t.* reorganizar; ˈ**~packen** *v/t.* empaquetar de nuevo; *Koffer*: rehacer, volver a hacer; † cambiar el embalaje (de); ˈ**~pflanzen** (*-t*) *v/t.* trasplantar; replantar;

'⌒pflanzen *n* trasplante *m*; '~pflügen *v/t.* labrar, arar; (*umbrechen*) roturar; '~polen ⚡ *v/t.* invertir la polaridad; '~prägen *v/t.* (*Münzen*) reacuñar; '⌒prägung *f* reacuñación *f*; '~quartieren (-) *v/t.* cambiar (*od.* mudar) de alojamiento; (*evakuieren*) evacuar; ~'rahmen (-) *v/t.* encuadrar; ⌒'rahmung *f e-s Bildes*: marco *m*; ~'randen (-*e*-; -) *v/t.* perfilar, contornear; (*einfassen, einsäumen*) orlar; ribetear; ⌒'randung *f* (*Rand*) borde *m*; (*Saum, Borte*) orla *f*; ~'ranken (-) *v/t.* emparrar; *mit Laubwerk*: enramar; cubrir de ramas; *Efeu*: trepar por; '~räumen *v/t.* (*Möbel usw.*) disponer de otro modo; cambiar de lugar; '~rechnen *v/t.* (*umwechseln*) cambiar; ✝ convertir; calcular en otra moneda; ⅌ *Brüche*: convertir; '⌒rechnung *f* cambio *m*; conversión *f*; '⌒rechnungskurs ✝ *m* (-*es*; -*e*) cambio *m* de conversión; cotización *f* de cambio; '⌒rechnungstabelle *f* tabla *f* de conversión; '~reißen (*L*) *v/t.* *Bäume*: derribar; *Haus*: *a.* demoler; *Person*: atropellar; '⌒reißen *n e-s Hauses*: derribo *m*, demolición *f*; ~'reißen (*L*; -) *v/t.* perfilar; (*skizzieren*) esbozar; '~reiten (*L*) *v/t.* atropellar con el caballo; ~'reiten (*L*; -) *v/t.* dar a caballo la vuelta a; '~rennen (*L*) *v/t.* atropellar, derribar al correr; ~'ringen (-) *v/t.* rodear; (*umzingeln*) cercar; '⌒riß *m* (-*sses*; -*sse*) contorno *m*; silueta *f*; (*Skizze*) esbozo *m*, bosquejo *m*; croquis *m*; *fig.* in großen Umrissen a grandes rasgos; '~rühren *v/t.* remover; revolver; *bsd. Kochk.* batir; '~rüsten (-*e*-) ⚔ *v/i.* reorganizar el armamento; **ums** F = um das → um; '~sägen *v/t.* serrar; '~satteln (-*le*) **1.** *v/t.* (*Pferd*) mudar la silla (al caballo); **2.** (*sn*) *v/i.* cambiar de silla; *fig.* (*Beruf*) cambiar de profesión; (*Studien*) cambiar de carrera; (*Meinung*) cambiar de opinión; *Pol.* cambiar de partido, F chaquetear, volver la casaca; '⌒satz ✝ *m* (-*es*; ⸚*e*) operaciones *f/pl.* (comerciales); volumen *m* de negocios; (cifra *f* de) transacciones *f/pl.*; (*Absatz*) (volumen *m* de) ventas *f/pl.*; (*Einnahme*) ingresos *m/pl.*; (*Verkauf*) venta *f*; '⌒satzkapital ✝ *n* (-*s*; -*ien*) capital *m* circulante; '⌒satzsteuer *f* (-; -*n*) impuesto *m* sobre el volumen de negocios *bzw.* sobre la venta; ~'säumen (-) *v/t.* (*umgeben*) rodear; (*garnieren*) orlar; ribetear.

'**umschalt|bar** *adj.* conmutable; ~**en** (-*e*-) *v/t.* ⚡ conmutar; *Auto*: cambiar de velocidad; ⌒**en** *n* → Umschaltung; ⌒**er** ⚡ *m* conmutador *m*; ⌒**hebel** *m* ⚡ palanca *f* de conmutación; *Auto.* palanca *f* de cambio (de velocidades); ⌒**taste** *f an der Schreibmaschine*: tecla *f* de mayúsculas; ⌒**ung** *f* ⚡ conmutación *f*; *Auto.* cambio *m* de velocidades; cambio *m* de marcha.

um'schatten (-*e*-; -) *v/t.* sombrear.

'**Umschau** *f* (*0*) panorama *m*; vista *f*; *fig.* revista *f* (*a. Zeitschrift*); ~ halten mirar alrededor (*od.* en torno suyo); ~ nach et. halten buscar a/c.; ⌒**en** *v/refl.*: sich ~ mirar alrededor (*od.* en torno suyo); (*zurückschauen*) mirar (hacia) atrás; volver la cabeza; sich in der Welt ~ ver mundo.

'**umschaufeln** (-*le*) *v/t.* (*Erde*) cavar con la pala; (*Getreide*) apalear; aventar.

'**umschicht|en** (-*e*-) *v/t.* apilar de nuevo; *fig.* alternar (*od.* modificar) la disposición de; efectuar un cambio; ~**ig** *adv.* alternadamente, alternativamente; ⌒**ung** *f*: soziale ~ subversión *f* social.

'**umschiffen I.** ⚓ *v/t.* tra(n)sbordar; **II.** ⌒ *n* tra(n)sbordo *m*.

um'schiff|en (-) ⚓ *v/t.* circunnavegar, navegar alrededor de; *Kap*: doblar; ⌒**ung** *f* circunnavegación *f*.

'**Umschlag** *m* (-*es*; ⸚*e*) (*Umschwung*) cambio *m* brusco *od.* repentino; (*Schicksalswende*) peripecia *f*, vicisitud *f*; (*Gegenwirkung*) reacción *f*; (*umgeschlagene Falte*) pliegue *m*; repliegue *m*; (*umgeklappter Rand*) reborde *m*; (*Kragenaufschlag*) solapa *f*; *an der Uniform, an der Hose*: vuelta *f*; (*Hülle*) envoltura *f*; (*Brief*⌒) sobre *m*; in verschlossenem ~ en (*od.* bajo) sobre cerrado; (*Buch*⌒) cubierta *f*, tapa *f*; (*Heft*⌒) forro *m*; ⚕ compresa *f*; (*Brei*⌒) cataplasma *f*; ⌒**en** (*L*) **1.** (*sn*) *v/i.* (*umfallen*) caer, *auf den Rücken*: caer de espaldas; (*sich ändern*) cambiar bruscamente; *Wetter, Krankheit*: cambiar súbitamente; *Wagen*: volcar; ✈ capotar; *Auto. a.* volcar; dar una vuelta de campana; *Schiff*: zozobrar; volcar; *Wind, Glück*: cambiar; *Bier, Wein*: agriarse; ins Gegenteil ~ *Person*: caer en el otro extremo; *Sache*: producir el efecto contrario; resultar contraproducente; ~ in convertirse en; **2.** *v/t.* (*umwenden*) dar vuelta a; volver; (*umwerfen*) derribar; *Saum*: doblar; *Ärmel*: remangar; *Seite, Karte*: volver; ⚓ (*umladen*) tra(n)sbordar; ~**en** *n* (*Wechseln*) cambio *m* brusco (*od.* súbito *od.* repentino); *e-s Wagens*: vuelco *m*; vuelta *f* de campana; ⚓ (*Umladen*) tra(n)sbordo *m*; ~(**e**)**tuch** *n* (-*es*; ⸚*er*) chal *m*; ~**hafen** *m* (-*s*; ⸚) puerto *m* de tra(n)sbordo; ~**platz** *m* (-*es*; ⸚*e*), ~**stelle** *f* lugar *m* de tra(n)sbordo; (*Handelsplatz*) emporio *m*.

um|'schleichen (*L*; -) *v/t.* rondar; ~'**schließen** (*L*; -) *v/t.* rodear; circundar; (*einschließen*) encerrar; ⚔ cercar; poner cerco a; ⌒'**schließen** *n*, ⌒'**schließung** ⚔ *f* cerco *m*; ~'**schlingen** (*L*; -) *v/t.* (*verflechten*) entrelazar; (*spiralförmig umwinden*) enroscar; (*umarmen*) abrazar; estrechar entre los brazos; ⌒'**schlingen** *n*, ⌒'**schlingung** *f* enlazamiento *m*; abrazo *m*; '~**schmeißen** (*L*) P *v/t.* derribar; tumbar; '~**schmelzen** (*L*) *Met. v/t.* refundir (*a. fig.*); '⌒**schmelzen** *n*, '⌒**schmelzung** *Met.* *f* refundición *f*; '~**schmieden** (-*e*-) *v/t.* forjar de nuevo; '~**schnallen** *v/t.* ceñir; → anschnallen; ~'**schnüren** (-) *v/t.* (*Paket*) atar; ~'**schreiben** (*L*; -) *v/t.* *Rhet.* perifrasear; circunscribir (*a.* ⅌); (*verständlicher ausdrücken*) parafrasear; '~**schreiben** (*L*) *v/t.* (*nochmals schreiben*) escribir de nuevo; (*abschreiben*) transcribir; (*kopieren*) copiar; ✝, ⚖ transferir; ~'**schreibend** *adj.* perifrástico; '⌒**schreibung** ✝, ⚖ *f* transferencia *f*; ⌒'**schreibung** *f Rhet.* perífrasis *f*, circunlocución *f*; ⅌ circunscripción *f*; '⌒**schrift** *f e-r Münze*: leyenda *f*; (*Abschrift*) transcripción *f*; (*Kopie*) copia *f*; phonetische ~ transcripción fonética; '~**schulen** *v/t.* enviar a otra escuela; *Pol.* reeducar; *auf e-n Beruf*: readaptar (profesionalmente); '⌒**schulung** *f* cambio *m* de escuela; *Pol.* reeducación *f*; (*berufliche*) readaptación *f* profesional; '~**schütteln** (-*le*) *v/t.* sacudir; '~**schütten** (-*e*-) *v/t.* derramar; volcar; *in ein anderes Gefäß*: tra(n)svasar; trasegar; ~'**schwärmen** (-) *v/t.* rondar; (*Schmetterlinge usw.*) revolotear alrededor de; *fig.* → schwärmen (für j-n); ~'**schweben** (-) *v/t.* volar lentamente alrededor de; cernerse sobre; '⌒**schweif** *m* (-*es*; -*e*) rodeo *m*; (*Abschweifung*) digresión *f*; divagación *f*; ~e machen andar con rodeos; *in der Rede*: hacer digresiones *od.* divagaciones; ohne ~e sin (andarse con) rodeos; sin ambages (ni rodeos); rotundamente; '~**schwenken** (*sn*) *v/i.* girar; ⚓ virar; ⚔ hacer una conversión; cambiar de dirección; *fig.* cambiar de opinión; cambiar de orientación; ~'**schwirren** (-) *v/t.* revolotear alrededor de; '⌒**schwung** *m* (-*es*; ⸚*e*) (*Änderung*) cambio *m* repentino (*od.* súbito); (*Drehung*) rotación *f*, giro *m*; (*Umwälzung*) revolución *f*; (*Schicksalswende*) peripecia *f*; ~'**segeln** (-*le*; -) *v/t.* circunnavegar, navegar alrededor de; *Kap*: doblar; ⌒'**seg(e)lung** *f* circunnavegación *f*; '~**sehen** (*L*) *v/refl.*: sich ~ mirar alrededor, (*zurücksehen*) mirar (hacia) atrás, volver la cabeza; sich nach j-m ~ mirar en torno buscando a alg.; nach et. ~ buscar a/c.; sich in der Stadt ~ dar una vuelta por la ciudad; sich in der Welt ~ ver mundo; '~**seitig** *adj. u. adv.* al dorso, a la vuelta.

'**umsetz|bar** ✝ *adj.* vendible; (*zu Geld machen*) de fácil realización; de venta fácil; (*konvertierbar*) convertible; ~**en** (-*t*) *v/t.* (*anders setzen*) cambiar de sitio; trasladar; colocar en otro sitio; (*anders stellen*) disponer (*od.* colocar) de otro modo; ⚘ trasplantar; (*umwandeln*) transformar, convertir (*in ac.* en); ♪ transportar; ⅌ permutar; *Typ.* recomponer; ✝ (*verkaufen*) vender; colocar; (*zu Geld machen*) realizar; convertir en dinero; sich in … ~ convertirse, transformarse en …; in die Tat ~ realizar, llevar a efecto; in die Praxis ~ llevar a la práctica; ⌒**en** *n*, ⌒**ung** *f* cambio *m* (de sitio); traslado *m*; ⚘ trasplante *m*; (*Umwandlung*) transformación *f*, conversión *f* (*in ac.* en); ♪ transportación *f*; ⅌ permutación *f*; *Typ.* recomposición *f*; ✝ (*Verkauf*) venta *f*; (*Flüssigmachung*) realización *f*; (*Konvertierung*) conversión *f*.

'**Umsichgreifen** *n* propagación *f*; (*Nachricht, Gerücht*) difusión *f*; divulgación *f*.

'**Umsicht** *f* (*0*) circunspección *f*;

(*Klugheit*) prudencia *f*; (*Vorsicht*) precaución *f*, cuidado *m*; cautela *f*; (*Takt*) tacto *m*; **2ig** *adj.* circunspecto; prudente; cauteloso; (*taktvoll*) discreto.

'um|siedeln (*-le*) *v/t. Bevölkerung*: trasladar a otro lugar; **2sied(e)lung** *f* traslado *m* de población; **~sinken** (*L*; *sn*) *v/i.* caer (al suelo); dejarse caer; dar en tierra; (*ohnmächtig werden*) desvanecerse; *vor Müdigkeit ~* caer rendido de fatiga.

um'sonst *adv.* (*vergebens*) en vano, en balde; inútilmente; (*unentgeltlich*) gratis, gratuitamente; de balde; F de bóbilis, de guagua; *alles war ~* todo fue inútil; *sich ~ bemühen* esforzarse en vano; perder el tiempo; *~ arbeiten* trabajar inútilmente; (*unentgeltlich*) trabajar de balde, F *fig.* trabajar para el obispo.

'um|spannen *v/t.* (*die Pferde wechseln*) mudar de tiro; ⚡ transformar; **~'spannen** (-) *v/t.* abarcar, comprender; *fig.* abrazar; **'2spanner** ⚡ *m* transformador *m*; **'2spannwerk** ⚡ *n* (*-es*; *-e*) central *f* transformadora; **~'spielen** (-) *v/t. Fußball*: regatear llevándose la pelota; **~'spinnen** (*L*; -) *v/t.* cubrir, revestir (*mit* de); (*Draht*) recubrir de; **~springen** (*L*; *sn*) *v/i.* (*überspringen*) saltar; *Wind*: cambiar (bruscamente) de dirección; *fig. mit j-m* (*et.*) *übel ~* maltratar a alg. (tratar mal a/c.); **2springen** *n des Windes*: cambio *m* (brusco) de dirección; **~spulen** *v/t.* rebobinar; **~'spülen** (-) *v/t.* bañar *bzw.* regar por todos los lados.

'Umstand *m* (*-es*; *⸗e*) circunstancia *f*; (*Einzelheit*) detalle *m*, *besonderer*: particularidad *f*; (*Tatsache*) hecho *m*; (*Fall*) caso *m*; *der ~, daß ...* el hecho de que ... (*subj.*).

'Umstände *pl.* circunstancias *f/pl.*; (*Förmlichkeiten*) ceremonias *f/pl.*; cumplidos *m/pl.*; *unter ~n* (en) caso dado; en determinadas circunstancias; si las circunstancias lo permiten; si es posible; (*notfalls*) si las circunstancias lo requieren; si es necesario; (*vielleicht*) posiblemente; tal vez; *unter allen ~n* en todo caso; sea como fuere; (*um jeden Preis*) a toda costa; a todo trance; *unter keinen ~n* en ningún caso; de ningún modo; bajo ningún concepto; *unter diesen* (*od. solchen*) *~n* en esas (*od.* tales) circunstancias; en esas condiciones; *unter den gleichen ~n* en igualdad de condiciones; *infolge unvorhergesehener ~* debido a circunstancias imprevistas; *ohne ~* sin ceremonias; *~ machen Person*: hacer ceremonias; hacer (*od.* gastar) cumplidos; *Sache*: molestar, causar molestia; *sich ~ machen* molestarse; *nicht viel ~ machen* F no andarse con cumplidos; *machen Sie keine ~* ¡no se moleste usted!; F ¡déjese usted de ceremonias (*od.* de cumplidos)!; *sich die ~ zunutze machen* aprovechar las circunstancias; (*un-*)*günstige ~* circunstancias (des)favorables; ⚖ *mildernde* (*erschwerende*) *~* circunstancias atenuantes (agravantes); *in anderen ~n* (*schwanger*) *sein* estar encinta (*od.* embarazada).

'umständehalber *adv.* debido a (*od.* a causa de) las circunstancias.

'umständlich I. *adj.* (*ausführlich*) circunstanciado; detallado; (*weitschweifig*) prolijo; (*sehr genau*) minucioso; (*verwickelt*) complicado; (*förmlich*) ceremonioso; formalista; F cumplimentero; (*ermüdend*) fatigoso; (*langwierig*) largo; pesado; F latoso; (*beschwerlich*) molesto, incómodo; (*verdrießlich*) fastidioso, enojoso; **II.** *adv.* (*ausführlich*) circunstanciadamente; con todo detalle; **2keit** *f* (*0*) detalle *m*; prolijidad *f*; formalismo *m*.

'Umstands...: ~kleid *n* conjunto *m* maternal; **~krämer** *m* formalista *m*; hombre *m* minucioso en extremo; **~wort** *Gr. n* (*-es*; *⸗er*) adverbio *m*.

'um|stecken *v/t. Frisur*: rehacer; **~'stehen** (*L*; -) *v/t.* rodear; **~stehend I.** *adj.*: *die ~e Seite* la página siguiente (*vorausgehende*: anterior); *die 2en* los circunstantes, los presentes; **II.** *adv.* al dorso, a la vuelta; **2steigefahrschein** *m* (*-es*; *-e*), **2steigekarte** *f* billete *m* de correspondencia; **~steigen** (*L*; *sn*) *v/i.* cambiar de coche *bzw.* de autobús *bzw.* de tranvía; 🚂 cambiar de tren; **~stellen** *v/t.* colocar en otro sitio; ordenar de otro modo; colocar (*od.* disponer) de otro modo; invertir el orden (*a. Gr.*); transponer; 𝔄 permutar; ⊕ invertir la marcha; (*Betrieb*) transformar; (*umbilden*) reorganizar; (*konvertieren*) convertir; *auf Goldwährung ~* adoptar el patrón-oro; *auf Kraftfahrbetrieb ~* motorizar; *auf Maschinenbetrieb ~* mecanizar; *sich ~ fig.* cambiar de opinión; reorientarse; *sich ~ auf* (*ac.*) adaptarse a; acomodarse a; **~'stellen** (-) *v/t.* rodear (*mit* de); (*umzingeln*) cercar; ⚔ *a.* envolver; *Jgdw.* batir; ojear; **2stellhebel** ⊕ *m* palanca *f* de cambio; **2stellung** *f* cambio *m* (de lugar); modificación *f*; inversión *f* del orden; transposición *f*; 𝔄 permutación *f*; *geistige*: cambio *m* de opinión; reorientación *f*; (*Umbildung*) reorganización *f*; (*Umwandlung*) conversión *f* (*auf ac.* en) (*Anpassung*) adaptación *f*; *~ auf Goldwährung* adopción *f* del patrón-oro; *~ auf Kraftfahrbetrieb* motorización *f*; *~ auf Maschinenbetrieb* mecanización *f*; **~steuern** (*-re*) ⊕ *v/t.* invertir la marcha; **2steuerung** ⊕ *f* inversión *f* de (la) marcha; **~stimmen** *v/t.* ♪ cambiar la afinación de; volver a afinar; *fig. j-n ~* hacer a alg. cambiar de opinión; persuadir a alg. para que obre de otro modo; **~stoßen** (*L*) *v/t.* volcar; derribar; (*für ungültig erklären*) anular; invalidar; **2stoßen** *n*, **2stoßung** *f* (*Annulierung*) anulación *f*; invalidación *f*; **~'strahlen** (-) *v/t.* brillar (*od.* resplandecer) alrededor de; irradiar luz; bañar en luz; *Rel.* nimbar; **~'stricken** (-) *fig. v/t.* enredar; embaucar; **~'stritten** *adj.* discutido; (*strittig*) disputado, reñido (*a. Sport*); **~stülpen** *v/t.* volver boca abajo; volver al revés; *Hose, Ärmel*: remangar; *Hut*: subir el ala; **2sturz** *m* (*-es*; *⸗e*) *e-r Mauer*: derrumbamiento *m*; *e-s Wagens*: vuelco *m*; *fig.* subversión *f*; revolución *f*; derrocamiento *m*; **2sturzbestrebungen** *pl.* tendencias *f/pl.* subversivas; **2sturzbewegung** *f* movimiento *m* subversivo (*od.* revolucionario); **~stürzen** (*-t*) **1.** *v/t. Wagen, Gefäß*: volcar; (*niederreißen*) derribar, echar abajo; *fig.* subvertir; revolucionar; derribar; **2.** *v/i. Person*: caer de espaldas; *Sachen*: venirse abajo; (*zusammenstürzen*) derrumbarse; *Wagen*: volcar; *Auto*: *a.* capotar; **2stürzler(in** *f*) *m* elemento *m* subversivo; revolucionario (-a *f*) *m*; **~stürzlerisch** *adj.* subversivo; revolucionario; **2sturzpartei** *f* partido *m* revolucionario; **~'tanzen** (*-t*; -) *v/t.* bailar alrededor de; **~taufen** *v/t.* cambiar el nombre de; *Rel.* rebautizar; **2tausch** *m* (*-es*; *-e*) cambio *m*; trueque *m*; canje *m*; (*Konvertierung*) ☤ conversión *f*; **~tauschbar** *adj.* cambiable; (*konvertierbar*) ☤ convertible; **~tauschen** *v/t.* cambiar (*für, gegen* por); trocar; canjear; (*konvertieren*) ☤ convertir; **~'toben** (-) *v/t.* hacer estragos en torno de; **~topfen** *v/t. Blumen, Pflanzen*: cambiar de tiesto *bzw.* de maceta; **~triebe** *pl.* manejos *m/pl.*; intrigas *f/pl.*; maquinaciones *f/pl.*; **~tun** (*L*) *v/t. Tuch, Mantel usw.*: ponerse; (*gürten*) ceñirse; *sich nach et. ~* buscar a/c.; ir en busca de a/c.; **2'wallung** *f* (obras *f/pl.* de) circunvalación *f*; **~wälzen** (*-t*) *v/t.* revolver; (*umstürzen*) derribar, echar abajo; (*revolutionieren*) revolucionar; subvertir; **~wälzend** *adj. Erfindung usw.*: revolucionario; (*Epoche machend*) que hace época; **2wälzung** *f* revolución *f*; subversión *f*, movimiento *m* subversivo; **~wandelbar** *adj.* transformable; convertible (*a.* ☤); *Strafe*: conmutable; **2wandelbarkeit** *f* (*0*) ☤ convertibilidad *f*; *e-r Strafe*: conmutabilidad *f*; **~wandeln** (*-le*) *v/t.* transformar; (*auswechseln*) cambiar, mudar; ☤ convertir; *Strafe*: conmutar; *Rel.* transubstanciar; *sich ~* transformarse (*in ac.* en); convertirse; **2wandler** ⚡ *m* transformador *m*; **2wandlung** *f* transformación *f*; cambio *m*; ☤ conversión *f*; *e-r Strafe*: conmutación *f*; *Rel.* transubstanciación *f*; **~wechseln** (*-le*) *v/t.* cambiar; **2wechseln** *n* cambio *m*; **2weg** *m* (*-es*; *-e*) rodeo *m* (*a. fig.*); *e-n ~ machen* dar (*od.* hacer) un rodeo; *auf ~en* indirectamente; con rodeos, dando rodeos; *ohne ~e* directamente; sin rodeos; **~wehen** *v/t.* derribar (de un soplo); **~'wehen** (-) *v/t.* soplar por *od.* alrededor de; *sanft*: orear; **2welt** *fig. f* (*0*) ambiente *m*; (*Milieu*) medio *m*; **2welt-einflüsse** *pl.* influjo *m* del ambiente; **~wenden** (*L*) *v/t.* volver; dar vuelta a; *sich ~* volverse; volver la cabeza; **~'werben** (*L*; -) *v/t.* (*den Hof machen*) cortejar, galantear, hacer la corte a; (*j-m schmeicheln*) lisonjear; *et. ~* solicitar a/c.; **~werfen** (*L*) *v/t.* derribar; hacer caer; *Wagen*: volcar; *Mantel usw.*: ponerse (sobre los hombros); **~werten** (*-e-*) *v/t.* revalidar, revalorar; dar un nuevo valor a; **2wertung** *f* revalidación *f*, revaloración *f*; *Phil.* transmutación *f* de los valores; **~'wickeln** (*-le*; -) *v/t.* envolver (*mit* en); ⚡ recubrir de; *mit Stroh ~* empajar; **∿'wickeln** *n*, **∿'wick(e)lung** *f* envolvimiento *m*; **~'winden** (*L*; -) *v/t.* → *umwickeln*; (*umkränzen*) coronar (*mit* de); **~'wogen** (-) *v/t.* bañar con sus ondas; **~wohnend** *adj.* vecino, circunvecino; **∿wohner** *pl.* vecindario *m*; **~'wölken** (-) *v/t.*: *sich ~* nublarse, cubrirse de nubes; *Himmel*: *a.* encapotarse; entoldarse; *fig.* poner semblante adusto; **~wühlen** *v/t.* revolver; **~'zäunen** (-) *v/t.* cercar; **∿'zäunung** *f* cerca *f*; cercado *m*; vallado *m*; **~ziehen** (*L*) **1.** (*sn*) *v/i.* cambiar de domicilio; mudarse (de casa); **2.** *v/t.*: *j-n ~* mudar la ropa a alg.; **3.** *v/refl.*: *sich ~* mudarse de ropa; cambiar de traje *bzw.* de vestido; **~'ziehen** (*L*; -) *v/t.* rodear; circundar; **~'zingeln** (*-le*; -) *v/t.* rodear; envolver; cercar (*a.* ⚔); **∿'zing(e)lung** ⚔ *f* cerco *m*; **∿zug** *m* (*-es*; *⸚e*) cambio *m* de domicilio; mudanza *f* (de casa); (*Festzug*) desfile *m*; *Rel.* procesión *f*; **∿zugskosten** *pl.* gastos *m/pl.* de mudanza; **∿zugsvergütung** *f* bonificación *f* por traslado de domicilio.

un·ab'änderlich *adj.* invariable, inalterable, inmutable; (*unwiderruflich*) irrevocable; definitivo; (*unvermeidlich*) inevitable; **∿keit** *f* (*0*) invariabilidad *f*, inalterabilidad *f*, inmutabilidad *f*; irrevocabilidad *f*.

un·ab'dingbar *adj. Recht*: inalienable; **∿keit** *f* (*0*) *e-s Rechtes*: inalienabilidad *f*.

'un·abgefertigt *adj.* no expedido.

'un·abhängig *adj.* independiente; *Gr.* absoluto; **∿keit** *f* (*0*) independencia *f*; **∿keitskrieg** *m* (*-es*; *-e*) guerra *f* de (la) independencia.

'un·abkömmlich *adj.* insustituible; indispensable; **∿keit** *f* (*0*) indispensabilidad *f*.

un·ab|'lässig I. *adj.* incesante, continuo, constante; **II.** *adv.* sin cesar; incesantemente; sin interrupción, ininterrumpidamente; constantemente; **~'lösbar, ~'löslich** *adj.* inseparable; ☤ (*Schuld*) no amortizable; *unablösliche Anleihe* empréstito consolidado; **~'sehbar** *adj.* (*ungeheuer*) inmenso; (*unvorhersehbar*) imprevisible, imposible de prever; (*unberechenbar*) incalculable; *in ~er Ferne* en un futuro lejano; **∿'sehbarkeit** *f* (*0*) (*ungeheure Größe od. Weite*) inmensidad *f*; **~'setzbar** *fig. adj.* inamovible; **∿'setzbarkeit** *fig. f* (*0*) inamovilidad *f*; **'~sichtlich I.** *adj.* impremeditado; involuntario; (*zufällig*) casual, fortuito; **II.** *adv.* impremeditadamente; sin querer; sin intención; (*zufällig*) por casualidad; **'∿sichtlichkeit** *f* (*0*) impremeditación *f*; falta *f* de intención; **~'weisbar, ~'weislich** *adj.* ineludible; (*nicht ablehnbar*) indeclinable; (*dringend*) urgente; perentorio, apremiante; (*gebieterisch*) imperioso; *Grund*: irrefutable; **~'wendbar** *adj.* inevitable; (*nicht ablehnbar*) indeclinable; (*dem nicht auszuweichen ist*) ineludible; (*vom Verhängnis bestimmt*) fatal; **∿'wendbarkeit** *f* (*0*) necesidad *f* inevitable; (*Schicksalhaftigkeit*) fatalidad *f*.

'un·achtsam *adj.* desatento; (*zerstreut*) distraido; (*nachlässig*) descuidado; (*unbesonnen*) inadvertido; **∿keit** *f* (*0*) falta *f* de atención; distracción *f*; descuido *m*; (*Versehen*) inadvertencia *f*; *aus ~* por falta de atención; por inadvertencia.

'un·ähnlich *adj.* desemejante; poco parecido; diferente; **∿keit** *f* (*0*) desemejanza *f*.

'un·an|fechtbar *adj.* inatacable; incontestable; incontrovertible; indiscutible; *Urteil*: inapelable; **~gebracht** *adj.* inoportuno; inconveniente; improcedente; poco a propósito; **~gefochten** *adj.* (*Recht*) incontestado; (*unbestritten*) indiscutido; *~ lassen* dejar en paz; **~gekleidet** *adj.* sin vestir; apenas vestido; medio desnudo; **~gemeldet I.** *adj.* no anunciado; *Vermögen*: no declarado; **II.** *adv.* sin anunciarse; sin ser anunciado; sin avisar previamente; **~gemessen** *adj.* inadecuado; inoportuno; (*ungeeignet*) impropio; (*unschicklich*) inconveniente; **∿gemessenheit** *f* (*0*) inoportunidad *f*; inconveniencia *f*; **~genehm** *adj.* desagradable; (*zuwider*) repugnante; (*lästig*) molesto; (*verdrießlich*) fastidioso; enojoso; **~getastet** *adj.* intacto.

un·an|'greifbar *adj.* inatacable; ⚔ *Festung*: inexpugnable; **~'nehmbar** *adj.* inaceptable; inadmisible; **∿'nehmbarkeit** *f* (*0*) inadmisibilidad *f*.

'Un·annehmlichkeit *f* (*Verdruß*) disgusto *m*; (*Widerwärtigkeit*) contrariedad *f*; (*Nachteil*) inconveniente *m*; (*Beschwerde*) molestia *f*.

'un·ansehnlich *adj.* (*unscheinbar*) poco vistoso; de poca apariencia; (*unbedeutend*) insignificante; poco considerable; de poco valor; (*häßlich*) de mal aspecto; **∿keit** *f* (*0*) poca vistosidad *f*, insignificancia *f*; escaso valor *m*; mal aspecto *m*.

'un·anständig *adj.* indecente; indecoroso; (*unpassend*) inconveniente; (*zotig*) indecente, obsceno, deshonesto; (*ungezogen*) grosero, soez; chabacano; **∿keit** *f* indecencia *f*; falta *f* de decoro; obscenidad *f*; grosería *f*.

un·an'tastbar *adj.* intangible; *a.* ⚖ inviolable; (*geheiligt*) sagrado; **∿keit** *f* (*0*) intangibilidad *f*; inviolabilidad *f*.

'un·anwendbar *adj.* inaplicable.

'un·appetitlich *adj.* poco apetitoso; (*widerlich*) repugnante; (*unsauber*) sucio.

'Un·art *f* malas maneras *f/pl.*; (*üble Angewohnheit*) mala costumbre *f*; *v. Kindern*: travesura *f*; (*Unhöflichkeit*) descortesía *f*, falta *f* de cortesía; (*Rücksichtslosigkeit*) falta *f* de consideración; (*Grobheit*) grosería *f*; **∿ig** *adj. Kind*: travieso; (*unerzogen*) malcriado; mal educado; (*unhöflich*) descortés; (*grob*) grosero; **~igkeit** *f* → *Unart*.

'un·artikuliert *adj.* inarticulado.

'un·ästhetisch *adj.* poco estético; antiestético; de mal gusto.

'un·auf|fällig I. *adj.* discreto; **II.** *adv.* discretamente; **~'findbar** *adj.* imposible de hallar; **~gefordert I.** *adj.* espontáneo; **II.** *adv.* espontáneamente; sin ser requerido; sin ser invitado a ello; **~geklärt** *adj.* no aclarado, no puesto en claro; misterioso; **~'haltsam** *adj.* imposible de detener; incontenible; (*unwiderstehlich*) irresistible; **∿'haltsamkeit** *f* (*0*) fuerza *f* irresistible; **~'hörlich I.** *adj.* incesante, continuo; constante, permanente; perpetuo; (*endlos*) sin fin; **II.** *adv.* sin cesar; sin interrupción; continuamente; **~'lösbar, ~'löslich** *adj.* indisoluble (*a.* ⚗ *u.* ⚖); ⚗ *u.* ⚕: insoluble; **∿'lösbarkeit** *f* (*0*) indisolubilidad *f*; insolubilidad *f*; **~merksam** *adj.* sin atención, desatento; (*zerstreut*) distraido; **∿merksamkeit** *f* (*0*) falta *f* de atención, desatención *f*; (*Zerstreutheit*) distracción *f*; **~richtig** *adj.* insincero; poco noble; **∿richtigkeit** *f* insinceridad *f*; falta *f* de sinceridad; **~'schiebbar** *adj.* inplazable; (*dringend*) urgente; **∿'schiebbarkeit** *f* (*0*) imposibilidad *f* de aplazar a/c.; (*Dringlichkeit*) urgencia *f*.

un·aus|'bleiblich *adj.* (*sicher*) seguro, cierto; indefectible; (*unfehlbar*) infalible; (*unvermeidlich*) inevitable; (*schicksalhaft*) fatal; **~'denkbar** *adj.* inimaginable; **~'führbar** *adj.* irrealizable; impracticable; (*unmöglich*) imposible (de realizar); **∿'führbarkeit** *f* (*0*) imposibilidad *f* de realizar; **'~gebildet** *adj.* poco desarrollado; ❀ *u. Zoo.* rudimentario; *geistig*: sin formación intelectual; no instruido; ⚔ (*Rekrut*) sin instrucción; **'~geführt** *adj.* no ejecutado; no realizado; **'~gefüllt** *adj.* sin llenar; *Quittung, Formular usw.*: en blanco; **'~geglichen** *adj.* desequilibrado; **'~gesetzt** *adj. u. adv.* → *unaufhörlich*; **~'löschbar, ~'löschlich** *adj.* imborrable (*a. fig.*); *Feuer*: inextinguible (*a. fig.*); *Tinte*: indeleble (*a. fig.*); **~'rottbar** *adj.* inextirpable; **~'sprechbar** *adj.* impronunciable; **~'sprechlich** *adj.* inexpresable; (*unsagbar*) indecible; *bsd. im mystischen Sinne*: inefable; (*unbeschreiblich*) indescriptible; **~'stehlich** *adj.* insoportable; (*unduldbar*) intolerable; insufrible, inaguantable; (*widerwärtig*) detestable; repugnante; *er ist mir ~* me es sumamente antipático; **~'weichlich** *adj.* inevitable, ineluctable; fatal.

'unbändig *adj.* indomable; indómito; (*zügellos*) desenfrenado; (*unlenksam*) intratable; indócil; *Haß*: implacable; *Zorn, Freude*: incontenible; **∿keit** *f* (*0*) indomabilidad *f*.

'unbarmherzig *adj.* despiadado; sin compasión; (*hart*) duro; (*grausam*) cruel; (*unmenschlich*) inhumano; desalmado; (*unversöhnlich*) implacable; **∿keit** *f* (*0*) (*Härte*) dureza *f*; (*Grausamkeit*) crueldad *f*; (*Unmenschlichkeit*) inhumanidad *f*.

'unbe|absichtigt I. *adj.* involuntario; impremeditado; **II.** *adv.* sin querer; sin (mala) intención; **~achtet** *adj.* inadvertido; *~ lassen* no hacer caso de; desatender; *Bitte* *usw.*: *a.* desoír; ~ *bleiben* pasar inadvertido; **~anstandet I.** *adj.*: et. ~ *lassen* no poner reparo a a/c.; **II.** *adv.* sin objeción; sin reparo; sin oposición; sin reclamación; **~antwortet** *adj.* incontestado; ~ *bleiben* quedar sin contestación (*od.* sin contestar); quedar sin respuesta; ~ *lassen* dejar sin contestación; **~arbeitet** ⊕ *adj.* bruto; crudo; no trabajado; sin manufacturar; **~aufsichtigt** *adj.* no vigilado, sin vigilancia; **~baubar** *adj.* incultivable; **~baut** *adj.* ✓ no cultivado, inculto, yermo; *Stadtteil*: sin edificaciones; **~dacht(sam)** *adj.* inconsiderado; irreflexivo; (*leichtsinnig*) atolondrado; aturdido; (*unklug*) imprudente; (*kopflos*) desatinado; falto de juicio; **ℒdachtsamkeit** *f* (*0*) irreflexión *f*; falta *f* de juicio; imprudencia *f*; **~deckt** *adj.* descubierto (*a. v. Kopf*); (*bloß*) desnudo; **~denklich I.** *adj.* inofensivo; **II.** *adv.* sin reparo; sin inconveniente; sin objeción; sin vacilar; sin ningún escrúpulo; **~deutend** *adj.* insignificante; (*ohne Wichtigkeit*) sin importancia; (*gering*) de poca importancia, de poca monta; fútil; **~dingt I.** *adj.* (*bedingungslos*) incondicional; (*absolut*) absoluto; **II.** *adv.* (*bedingungslos*) sin condición; sin restricción (alguna); (*absolut*) absolutamente; en absoluto; (*auf jeden Fall*) en todo caso; a todo trance; ~ *nötig*, ~ *notwendig* absolutamente necesario; imprescindible; indispensable; *ich muß es* ~ *tun* tengo que hacerlo a toda costa; **~einflußt** *adj.* no influido (por); insensible a; ajeno a toda influencia (*od.* a todo influjo); ⚖ imparcial; **~einträchtigt I.** *adj.* sin perjuicio (*od.* lesión) de sus intereses; no afectado en sus intereses; **II.** *adv.* sin ser molestado; **~'fahrbar** *adj.* impracticable; intransitable; ⚓ innavegable; **~fangen** *adj.* (*unparteiisch*) imparcial; sin prejuicios; (*leichtfertig*) despreocupado; (*arglos*) ingenuo; (*treuherzig*) cándido; (*natürlich*) natural; (*offen*) franco; (*nicht verlegen*) sereno; **ℒfangenheit** *f* (*0*) imparcialidad *f*; ausencia *f* de prejuicios; despreocupación *f*; ingenuidad *f*; candidez *f*; naturalidad *f*; **~festigt** ⚔ *adj.* sin fortificar; ~*er Ort* plaza abierta; **~fleckt** *adj.* sin mancha; *fig.* puro; sin mácula; (*jungfräulich*) virgen; *Rel.* inmaculado; *Rel. die* ℒ*e Empfängnis* la Inmaculada Concepción; **ℒflecktheit** *f* (*0*) pureza *f*; (*Jungfräulichkeit*) virginidad *f*; **~friedigend** *adj.* poco satisfactorio; (*nicht ausreichend*) insuficiente; **~friedigt** *adj.* poco satisfecho; descontento; (*enttäuscht*) desengañado; desilusionado; (*ungestillt*) no satisfecho; insatisfecho; **~fristet** *adj.* sin plazo señalado; ilimitado; **~fugt** *adj.* no autorizado; ⚖ incompetente; ℒ*en ist der Eintritt verboten* prohibida la entrada a personas ajenas al servicio; **~fugter'weise** *adv.* sin autorización; sin permiso; **ℒfugtheit** ⚖ *f* (*0*) incompetencia *f*; **~gabt** (*-est*) *adj.* poco inteligente; sin dotes intelectuales; poco apto (*für* para); (*ungeschickt*) poco hábil; **ℒgabtheit** *f* (*0*) falta *f* de inteligencia (*od.* de dotes intelectuales); falta *f* de aptitud; **~glichen** *adj. Rechnung*: no saldado; por liquidar; sin (*od.* por) pagar; (*Betrag*) en descubierto; **~'greiflich** *adj.* inconcebible; (*unerklärlich*) inexplicable; misterioso; (*unverständlich*) incomprensible; (*unglaublich*) increíble; *das ist mir* ~ no me lo explico; **ℒ'greiflichkeit** *f* (*0*) incomprensibilidad *f*; **~grenzt** *adj.* ilimitado, sin límites; (*unbestimmt*) indefinido; **ℒgrenztheit** *f* (*0*) inmensidad *f*; **~gründet** *adj.* sin fundamento, infundado; sin motivo, inmotivado; injustificado; ⚖ improcedente; **~gütert** *adj.* sin (bienes de) fortuna; sin recursos; **~haart** *adj.* sin pelo; *Kopf*: calvo; **ℒhagen** *n* (*-s*; *0*) malestar *m*; **~haglich** *adj.* (*unangenehm*) desagradable; (*unbequem*) incómodo; (*lästig*) molesto; *Zimmer*: poco confortable; ~*es Gefühl* sensación de malestar; *sich* ~ *fühlen* sentirse mal (*od.* indispuesto); **ℒhaglichkeit** *f* (*0*) malestar *m*; (*Unbequemlichkeit*) falta *f* de comodidad; incomodidad *f*; **~hauen** *adj.* tosco; bruto, sin labrar; **~helligt** *adj.* sin ser molestado; ~ *lassen* dejar tranquilo, no molestar a; ~ *bleiben* no ser molestado; **~herrscht** *fig. adj.* (*-est*) falto de dominio de sí mismo; que no sabe dominarse; **ℒherrschtheit** *f* (*0*) falta *f* de dominio de sí mismo; **~hindert I.** *adj.* sin trabas; libre; **II.** *adv.* sin ser impedido; sin encontrar obstáculo; **~holfen** *adj.* torpe; desmañado, poco hábil; (*schwerfällig*) pesado; lerdo; **ℒholfenheit** *f* (*0*) torpeza *f*; **~'irrbar** *adj.* imperturbable; (*fest*) firme en su propósito; **~'irrt I.** *adj.* impertérrito; firme; **II.** *adv.* sin turbarse, sin desconcertarse; sin intimidarse; **~kannt** *adj.* (*nicht bekannt*) desconocido; (*ruhmlos*) o(b)scuro; (*fremd*) extraño; (*unerforscht*) ignoto; incógnito; (*seinen Namen verschweigend*) anónimo; ~*e Größe* 𝔄 incógnita *f*; *ich bin hier* ~ soy forastero (aquí); *mit et.* ~ *sein* desconocer, ignorar a/c.; *er ist mir* ~ no le conozco; *das ist mir* ~ no sé nada de eso; *es wird Ihnen nicht* ~ *sein, daß* ... no ignorará usted que ...; **ℒkannte(r** *m*) *m/f* desconocido (-a *f*) *m*; 𝔄 incógnita *f*; **~kannter'weise** *adv.* sin ser conocido; *grüßen Sie Ihren Bruder* ~ salude usted a su hermano aunque no tengo el gusto de conocerle; **~kleidet** *adj.* sin vestir; (*nackt*) desnudo; **~'kümmert** *adj.* descuidado; (*sorglos*) despreocupado; (*gleichgültig*) indiferente; (*ruhig*) tranquilo; *seien Sie deswegen* ~ no se preocupe usted; pierda usted cuidado; **ℒ'kümmertheit** *f* (*0*) descuido *m*; despreocupación *f*; indiferencia *f*; **~laden** *adj.* no cargado; descargado; **~lastet** *adj.* sin gravamen; (*Grundstück*) sin cargas hipotecarias; *fig.* (*Person*) libre de cuidados (*od.* de toda preocupación); *Pol.* libre de taras; **~laubt** ✿ *adj.* sin hojas; **~lebt** *adj.* inanimado; sin vida; *Straße*: poco frecuentado; *Börse*: desanimado; **~leckt** *adj. fig. von der Kultur* ~ sin vestigio de cultura; sin civilizar; **~'lehrbar** *adj.* incorregible; **~lesen** *adj.* no leído; ignorante; **~lichtet** *Phot. adj.* sin impresionar; virgen; **~liebt** *adj.* malquisto; con pocas simpatías; *beim Volk* ~ impopular; **ℒliebtheit** *f* falta *f* de simpatías; ~ *beim Volk* impopularidad *f*; **~lohnt** *adj.* sin recompensa; **~mannt** ⚓ *adj.* no tripulado; **~merkbar** *adj.* imperceptible; **~merkt** *adj.* inadvertido; sin ser visto; ~ *bleiben* pasar inadvertido; **~mittelt** *adj.* sin (*od.* falto de) recursos; sin (medios de) fortuna; (*bedürftig*) indigente; **ℒmitteltheit** *f* (*0*) falta *f* de recursos; (*Bedürftigkeit*) indigencia *f*; **~nannt** *adj.* sin nombre; innominado; anónimo; 𝔄 abstracto; **~nennbar** *adj.* innominable; **~'nommen** *adv.*: *es bleibt Ihnen* ~, *zu* ... (*inf.*) es usted muy dueño de ... (*inf.*); **~nutzt** *adj.* no utilizado; desaprovechado; (*neu*) nuevo; *Kapital*: improductivo; paralizado; *et.* ~ *lassen* (*versäumen*) desaprovechar; **~obachtet** *adj.* inobservado; inadvertido; **~quem** *adj.* incómodo; (*lästig*) molesto; (*unangenehm*) desagradable; **ℒquemlichkeit** *f* incomodidad *f*; molestia *f*; **~'rechenbar** *adj.* incalculable; *Person*: desconcertante; veleidoso; (*launenhaft*) caprichoso; (*gefährlich*) peligroso; ~*e Umstände* imponderables *m/pl.*; **~rechtigt** *adj.* no autorizado; sin autorización; *Forderung*: injustificado; (*unbegründet*) infundado; inmotivado; (*ungerecht*) injusto; **~rechtigter'weise** *adv.* sin autorización; sin justificación; sin fundamento; **~rücksichtigt** *adj.* desatendido; no tomado en consideración; no tenido en cuenta; ~ *lassen* desatender; no tomar en consideración; no tener en cuenta; **~rufen** *adj.* sin autorización; (*nicht zuständig*) incompetente; **~'rufen!** *int.* ¡en buena hora lo diga!; **~'rührbar** *adj.* intangible; **ℒ'rührbarkeit** *f* (*0*) intangibilidad *f*; **~rührt** *adj.* intacto; (*jungfräulich*) virgen; *von e-m Gesetz usw.* ~ *bleiben* no ser afectado por; ~ *lassen* no tocar; *fig.* (*es nicht erwähnen*) *a.* no mencionar; pasar por alto; **~'schadet** *prp.* (*gen.*) sin perjuicio de; sin menoscabo (*od.* detrimento) de; (*vorbehaltlich*) salvo (*ac.*); **~schädigt** *adj.* sin daño; indemne; intacto; ✝ en buenas condiciones; no averiado; (*wohlbehalten*) ileso; sano y salvo; incólume; **~schäftigt** *adj.* desocupado; sin ocupación; **~scheiden** *adj.* inmodesto; (*anmaßend*) arrogante; (*zudringlich*) indiscreto; (*übertrieben*) exagerado; (*frech*) impertinente; (*anspruchsvoll*) exigente; **ℒscheidenheit** *f* (*0*) inmodestia *f*; arrogancia *f*; indiscreción *f*; exageración *f*; impertinencia *f*; exigencia *f*; **~scholten** *adj.* de buena reputación; (*rechtschaffen*) íntegro; (*vorwurfslos*) irreprochable; (*makellos*) puro, sin tacha; ⚖ sin antecedentes penales; **ℒscholtenheit** *f* (*0*) buena reputación *f*; integridad *f*; pureza *f*; **~schrankt** *adj. Übergang*: sin barrera; **~schränkt** *adj.* ilimitado, sin límite(s); (*unbedingt*) absoluto; sin restricción (*a. adv.*); 2**schränktheit** *f (0)* autoridad *f* ilimitada *bzw* absoluta; carácter *m* ilimitado; ~ˈ**schreiblich** *adj.* indescriptible; (*unaussprechlich*) indecible; inexpresable; inefable; ~**schrieben** *adj.*: ~*e Seite* hoja en blanco; ~ *lassen* dejar en blanco; *fig. er ist ein* ~*es Blatt* nada se sabe de él; ~**schützt** *adj.* indefenso; sin protección; ~**schwert** *adj.* sin carga; sin el peso de; *Gewissen*: limpio, puro; *v. Sorgen usw.*: libre de; (*unbekümmert*) libre de toda preocupación; ~**seelt** *adv.* inanimado; sin alma; ~ˈ**sehen** *adv.* sin haberlo visto *bzw.* examinado; *fig.* sin reparo; ~**setzt** *adj. Platz*: desocupado; *Stelle*: vacante; (*frei*) libre; ~ˈ**siegbar** *adj.* invencible; 2ˈ**siegbarkeit** *f (0)* invencibilidad *f*; ~**siegt** *adj.* invicto; ~ˈ**soldet** *adj.* no retribuido; sin sueldo; ~**sonnen** *adj.* → *unbedacht*; 2**sonnenheit** *f (0)* → *Unbedachtsamkeit*; ~**sorgt** *adj.* (*sorglos*) despreocupado, tranquilo; (*nachlässig*) descuidado; (*nicht ausgeführt*) sin ejecutar; no ejecutado; (*nicht gekauft*) no comprado; *seien Sie deswegen* ~*!* no se preocupe usted; pierda usted cuidado; ~**ständig** *adj.* inconstante; inestable; (*veränderlich*) variable, *Wetter*: *a.* inseguro; (*wankelmütig*) versátil; veleidoso; *Phys.* inconsistente; (*schwankend*) vacilante; (*ungleich*) desigual; 2**ständigkeit** *f (0)* inconstancia *f*; inestabilidad *f*; variabilidad *f*; versatilidad *f*; inconsistencia *f*; ~**stätigt** *adj.* no confirmado; ~ˈ**stechlich** *adj.* incorruptible; 2ˈ**stechlichkeit** *f (0)* incorruptibilidad *f*; ~**steigbar** *adj.* inaccesible; 2**steigbarkeit** *f (0)* inaccesibilidad *f*; ~ˈ**stellbar** ✉ *adj. Brief*: de destinatario desconocido; *falls* ~, *zurück an Absender* (en) caso de no hallar al destinatario, devuélvase al remitente; ⚒ *Acker*: incultivable; ~**stellt** *adj. Brief*: devuelto; *Ware*: no pedido *od.* encargado; (*nicht geliefert*) no entregado; ⚒ inculto; baldío; ~**steuert** *adj.* no gravado con impuestos; ~ˈ**stimmbar** *adj.* indeterminable; indefinible; (*verschwommen*) vago; ~**stimmt** *adj.* indeterminado (*a. Gr. u.* ♪); indefinido (*a. Gr.*); (*unentschieden*) indeciso; (*unklar*) vago; indistinto; (*verworren*) confuso; (*unsicher*) incierto; inseguro; (*zweifelhaft*) dudoso; (*zweideutig*) ambiguo; *auf* ~*e Zeit* por tiempo indefinido; 2**stimmtheit** *f (0)* indeterminación *f*; indecisión *f*; vaguedad *f*; inseguridad *f*; ambigüedad *f*; ~**straft** *adj.* impune; ⚖ sin antecedentes penales; ~ˈ**streitbar** *adj.* incontestable; indiscutible, incontrovertible; 2ˈ**streitbarkeit** *f (0)* incontestabilidad *f*; ~ˈ**stritten I.** *adj.* indiscutido; **II.** *adv.* indiscutiblemente; sin disputa; ~ˈ**teiligt** *adj.* ajeno (*bei* a); (*uninteressiert*) desinteresado (*bei* en); (*gleichgültig*) indiferente; *an et.* ~ *sein* no tener participación en a/c.; no estar interesado en a/c.; ~**tont** *adj.* no acentuado; átono; ~ˈ**trächtlich** *adj.* poco considerable; de poca importancia; insignificante; ~**treten** *adj.* jamás hollado *od.* pisado; (*unerforscht*) inexplorado; virgen.

unˈbeugsam *adj.* inflexible; (*unerbittlich*) inexorable; (*unerschütterlich*) firme; *Wille*: inquebrantable; 2**keit** *f (0)* inflexibilidad *f*; inexorabilidad *f*; firmeza *f*.

ˈ**unbe|wacht** *adj.* no vigilado; ~**waffnet** *adj.* sin armas, desarmado; inerme; ~**waldet** *adj.* sin bosques; ~**wandert** *adj.* poco versado (*in dat.* en); poco ducho (en); ~ˈ**weglich** *adj.* inmóvil; (*fest*) inmovible; fijo; ⚖ ~*e Güter* bienes inmuebles; *fig.* (*gefühllos*) impasible; (*unbeugsam*) inflexible; (*starr*) rígido; 2ˈ**weglichkeit** *f (0)* inmovilidad *f*; *fig.* impasibilidad *f*; inflexibilidad *f*; rigidez *f*; ~**wegt** *adj.* → *unbeweglich*; ~**weibt** *adj.* soltero; célibe; ~**weint** *adj.* no llorado (a su muerte); ~**weisbar** *adj.* indemostrable; ~**wiesen** *adj.* no probado; no demostrado; ~**bewirtschaftet** *adj. Waren usw.*: no racionado; de venta libre; ~**wohnbar** *adj.* inhabitable; ~**wohnt** *adj.* inhabitado; *Gebäude*: deshabitado; desocupado; (*verödet*) despoblado; desierto; ~**wölkt** *adj.* sin nubes; (*heiter*) despejado, sereno; ~**wußt I.** *adj.* inconsciente; (*unwillkürlich*) involuntario; (*instinktiv*) instintivo; *mir* ~ sin saberlo yo; sin darme cuenta; *das ist mir* ~ lo ignoro; no lo sé; **II.** *adv.* inconscientemente; sin darse cuenta (de ello); ~ˈ**zahlbar** *adj.* impagable; ~**zahlt** *adj.* no pagado; sin (*od.* por) pagar; ~ˈ**zähmbar** *adj.* indomable; ~ˈ**zähmt** *adj.* indómito; ~**zeugt** *adj.* no atestiguado; no comprobado; ~ˈ**zwingbar**, ~ˈ**zwinglich** *adj.* invencible; *Festung*: inexpugnable; *Berg*: inaccesible; ~**zwungen** *adj.* invicto; inexpugnado.

ˈ**unbiegsam** *adj.* inflexible; (*steif*) rígido.

ˈ**Unbilden** *f/pl.*: *die* ~ *der Witterung* la inclemencia del tiempo; la intemperie.

ˈ**Unbildung** *f* incultura *f*; falta *f* de instrucción.

ˈ**Unbill** *f* (-; *-bilden*) (*Ungerechtigkeit*) injusticia *f*, iniquidad *f*; (*Schimpf*) injuria *f*; insulto *m*; 2**ig** *adj.* poco equitativo; injusto, inicuo; ~**igkeit** *f (0)* injusticia *f*, iniquidad *f*.

ˈ**unblutig I.** *adj.* que no sangra; *Opfer*, *Chir.* incruento; **II.** *adv.* sin verter sangre; sin derramiento de sangre.

ˈ**unbotmäßig** *adj.* insubordinado; 2**keit** *f* insubordinación *f*.

ˈ**unbrauchbar** *adj.* inservible; no utilizable; no aprovechable; (*unnütz*) inútil; (*untauglich*) inepto, incapaz; ~ *machen* inutilizar; ~ *werden* inutilizarse; 2**keit** *f (0)* inutilidad *f*; ineptitud *f*, incapacidad *f*.

ˈ**unbußfertig** *adj.* impenitente; 2**keit** *f (0)* impenitencia *f*.

ˈ**unchristlich** *adj.* poco cristiano; indigno de un cristiano.

und *cj.* y; (*vor i und nicht diphthongiertem hi...*) e; *Spanien* ~ *England* España e Inglaterra; *Kupfer* ~ *Eisen* cobre y hierro; *Vater* ~ *Sohn* padre e hijo; (*in Fragesätzen*) ~ *Italien?* ¿y Italia?; (*bei negativer Verbindung*) ni; *kein Brot* ~ *kein Geld haben* no tener pan ni dinero; ~? ¿y qué (más)?; ~ *dann?* ¿y después?; F *na* ~? ¿y qué?; bueno, ¿y qué?; ~ *zwar* (*vor Aufzählungen*) a saber; ~ *so fort* (*Abk.* usf.); ~ *so weiter* (*Abk.* usw.), etcétera (*Abk.* etc.); y así sucesivamente.

ˈ**Undank** *m* (-*es*; *0*) ingratitud *f*; desagradecimiento *m*; *j-m mit* ~ *lohnen* pagar con ingratitud a alg.; ~ *ist der Welt Lohn* de desagradecidos está el mundo lleno; F si te he visto, no me acuerdo; 2**bar** *adj.* desagradecido; ingrato (*gegen* con, para con); *fig.* ~*e Aufgabe* tarea ingrata; ~**bare(r** *m*) *m/f* desagradecido (-a *f*) *m*; ~**barkeit** *f (0)* ingratitud *f*; desagradecimiento *m*.

ˈ**un|datiert** *adj.* sin fecha; ~**defiˈnierbar** *adj.* indefinible; ~**dehnbar** *Phys. adj.* inextensible; ~**dekliˈnierbar** *Gr. adj.* indeclinable; ~ˈ**denkbar** *adj.* (*unvorstellbar*) inimaginable; (*unbegreiflich*) incomprensible; inconcebible; (*unglaublich*) increíble; ~ˈ**denklich** *adj.*: *seit* ~*en Zeiten* desde tiempo inmemorial; ~**deutlich** *adj.* poco claro; indistinto; (*verschwommen*) vago; (*verworren*) confuso; (*unbestimmt*) indefinido; impreciso; (*schwer zu verstehen*) ininteligible; (*dunkel*) o(b)scuro; *Bild*: borroso; *Laut*: inarticulado; *Schrift*: ilegible; ~ *und schnell sprechen* farfullar; 2**deutlichkeit** *f (0)* poca claridad *f*; vaguedad *f*; confusión *f*; imprecisión *f*; o(b)scuridad *f*; ~**deutsch** *adj.* que no es alemán *bzw.* (*sprachlich*) que no es alemán correcto; poco digno de un alemán; ~**dicht** *adj. Fuge*: que junta mal; que no cierra; *Ventil*: mal ajustado; (*durchlässig*) permeable; (*porös*) poroso; ~ *sein Gefäß*: salirse; (*durchlässig sein*) ser permeable; ~*e Stelle* escape *m*; ~**dienlich** *adj.* inoportuno; 2**ding** *n* (-*es*; -*e*) (*Widersinniges*) absurdo *m*; ~**diszipliniert** *adj.* indisciplinado; 2**diszipliniertheit** *f* falta *f* de disciplina; ~**dramatisch** *adj.* poco dramático; ~**duldsam I.** *adj.* intolerante; **II.** *adv.* con intolerancia; 2**duldsamkeit** *f (0)* intolerancia *f*.

undurch|ˈdringlich *adj.* impenetrable (*a. fig.*); *für Flüssigkeiten u. Gas*: impermeable; 2ˈ**dringlichkeit** *f (0)* impenetrabilidad *f*; impermeabilidad *f*; ~ˈ**führbar** *adj.* irrealizable; ˈ~**lässig** *adj.* impermeable; ˈ~**sichtig** *adj.* opaco; *fig.* poco claro; turbio; impenetrable; ˈ2**sichtigkeit** *f (0)* opacidad *f*; *fig.* falta *f* de claridad.

ˈ**un-eben** *adj.* desigual; poco llano; *Weg*: áspero; *Gelände*: accidentado, quebrado; escabroso; *fig.* F (*das ist*) *nicht* ~ no está mal; ~**bürtig** *adj.* inferior de nacimiento; de condición inferior; 2**heit** *f* desigualdad *f*; aspereza *f*; (*des Geländes*) escabrosidad *f*; accidentes *m/pl.* del terreno; ~**mäßig** *adj.* desigual; asimétrico.

ˈ**un|echt** *adj.* (*falsch*) falso; (*verfälscht*) falsificado; (*nachgemacht*) imitado; *Schmuck*: falso; *Haar*: postizo; *Text*, *Urkunde*: no autén-

tico; Å *Bruch*: impropio; **2echtheit** *f (0)* falsedad *f*; falta *f* de autenticidad; **~edel** *adj.* innoble; (*unwürdig*) indigno; (*gemein*) vulgar; *Metall*: común; **~ehelich** *adj. Kind*: ilegítimo; natural; **2ehelichkeit** *f (0) e-s Kindes*: ilegitimidad *f*.
'Un·ehr|e *f (0)* deshonor *m*; deshonra *f*; **2enhaft** *adj.* deshonroso; ignominioso; indigno; **2erbietig** *adj.* irrespetuoso; irreverente; *sich ~ gegen j-n benehmen* faltar al respeto a alg.; **~erbietigkeit** *f (0)* falta *f* de respeto; irreverencia *f*; **2lich** *adj.* (*unaufrichtig*) insincero; (*falsch*) falso; (*treulos*) desleal; infiel; **~lichkeit** *f* insinceridad *f*, falta *f* de sinceridad; falsedad *f*; deslealtad *f*; infidelidad *f*.
'un·eigennützig I. *adj.* desinteresado; (*selbstlos*) altruista; **II.** *adv.* con desinterés; **2keit** *f (0)* desinterés *m*; altruismo *m*.
'un·eigentlich *adj.* impropio; *im ~en Sinn* en sentido figurado.
un·ein|'bringlich † *adj.* incobrable; **'~gebunden** *adj.* sin encuadernar; (*geheftet*) en rústica; **'~gedenk** *prp.*: *e-r Sache* (*gen.*) *~* sin acordarse de a/c.; sin pensar en a/c.; **'~geladen I.** *adj.* no invitado; no llamado; (*Eindringling*) intruso; **II.** *adv.* sin ser invitado; sin ser llamado; **'~gelöst** † *adj.* sin cobro; no re(e)mbolsado; sin pagar; **'~geschränkt** *adj.* ilimitado; absoluto; **'~gestanden** *adj.* no confesado; **'~geweiht** *adj. Person*: no iniciado; **'~heitlich** *adj.* carente de unidad; **'~ig** *adj.* desunido; desavenido (*mit* con); *mit sich ~* irresoluto; *mit j-m über et. ~ sein* no estar conforme con alg. sobre a/c.; no estar de acuerdo con alg. sobre a/c.; *miteinander ~ sein* estar desavenidos; *~ werden* enemistarse; desavenirse; **'2igkeit** *f* desunión *f*; desacuerdo *m*; (*Mißhelligkeit*) disensión *f*; desavenencia *f*; (*Spaltung*) división *f*; (*Meinungsverschiedenheit*) discrepancia *f*; disentimiento *m*; divergencia *f* de opiniones; (*Zwietracht*) discordia *f*; **'~nehmbar** *adj.* inconquistable; (*Festung*) inexpugnable; **'~s** *adj.* → *uneinig*.
'un|elastisch *adj.* no elástico; **~elegant** *adj.* poco elegante; **~empfänglich** *adj.*: *~ für* insensible a; poco susceptible de; ⚕ no predispuesto a; (*immun*) inmune a; **2empfänglichkeit** *f (0)* insensibilidad *f*; **~empfindlich** *adj.* insensible (gegen a); (*gefühllos*) impasible; (*apathisch*) apático; (*kalt*) frío; (*gleichgültig*) indiferente (*gegen* hacia; a); (*anästhesiert*) anestesiado; ⚕ *~ machen* insensibilizar, (*anästhesieren*) anestesiar; **2empfindlichkeit** *f (0)* insensibilidad *f*; impasibilidad *f*; apatía *f*; frialdad *f*; indiferencia *f*; ⚕ insensibilidad *f*, (*Anästhesie*) anestesia *f*.
un'endlich I. *adj.* infinito; (*unermeßlich*) inmenso; (*grenzenlos*) ilimitado, sin límites; *das 2e* el infinito; *auf „~" einstellen Phot.* ajustar (el enfoque) al infinito; **II.** *adv.* infinitamente; *~ klein* infinitamente pequeño, (*infinitesimal*) infinitesimal; **2e(s)** *n* infinito *m*; **2keit** *f* infinidad *f*; *Phil.* lo infinito; (*Unermeßlichkeit*) inmensidad *f*.
un·ent|'behrlich *adj.* indispensable; absolutamente necesario; **2'behrlichkeit** *f (0)* necesidad *f* absoluta; indispensabilidad *f*; **~'geltlich I.** *adj.* gratuito; **II.** *adv.* gratis, gratuitamente; **2'geltlichkeit** *f (0)* gratuidad *f*; **'~haltsam** *adj.* incontinente; **'2haltsamkeit** *f (0)* incontinencia *f*; **~'rinnbar** *adj.* inevitable; **2'rinnbarkeit** *f (0)* carácter *m* inevitable; **'~schieden** *adj.* indeciso; (*zweifelhaft*) dudoso; incierto; inseguro; (*noch schwebend*) pendiente; en suspenso; *Sport*: empatado; *~ spielen* empatar; *~ stehen* (*enden*) estar (quedar) empatados; **'2schieden** *Sport n* empate *m*; **'2schiedenheit** *f (0)* indecisión *f*; **'~schlossen** *adj.* irresoluto; indeciso; **'2schlossenheit** *f (0)* irresolución *f*; indecisión *f*; **~'schuldbar** *adj.* inexcusable; indisculpable; imperdonable; **~'wegt** *adj.* firme; imperturbable; inmutable, invariable; (*unerschrocken*) impertérrito; **'~wickelt** *adj.* aún no desarrollado; poco desarrollado; **~'wirrbar** *adj.* inextricable; **~'zifferbar** *adj.* indescifrable; **~'zündbar** *adj.* no inflamable.
un·er|'bittlich *adj.* inexorable; (*unversöhnlich*) implacable; (*unbeugsam*) inflexible; (*erbarmungslos*) sin compasión; sin piedad; **'2bittlichkeit** *f (0)* inexorabilidad *f*; inflexibilidad *f*; falta *f* de compasión; **'~fahren** *adj.* inexperto, sin experiencia; F novato, novicio; **'2fahrenheit** *f (0)* inexperiencia *f*, falta *f* de experiencia; **~'findlich** *adj.* (*unbegreiflich*) incomprensible, inconcebible; (*unerklärlich*) inexplicable; **'~forschlich** *adj.* inexplorable; *fig.* impenetrable; inescrutable; insondable; **2'forschlichkeit** *fig. f (0)* impenetrabilidad *f*; **'~forscht** *adj.* inexplorado; **'~freulich** *adj.* poco satisfactorio; (*unangenehm*) desagradable; poco agradable; (*betrübend*) triste; (*verdrießlich*) fastidioso; *Szene*: penoso; **~'füllbar** *adj.* irrealizable; imposible de cumplir; **2'füllbarkeit** *f (0)* carácter *m* irrealizable; imposibilidad *f* de realizar *bzw.* de cumplir a/c.; **'~füllt** *adj.* no realizado; no cumplido; **'~giebig** *adj.* improductivo; **'2giebigkeit** *f (0)* improductividad *f*; **~'gründlich** *adj.* insondable; *fig. a.* impenetrable; inexcrutable; misterioso; **'~heblich** *adj.* insignificante; de poca importancia; sin importancia; **'2heblichkeit** *f (0)* insignificancia *f*; **~'hört** *adj.* inaudito; (*fabelhaft*) fabuloso; (*unglaublich*) increíble; (*empörend*) indignante; (*beispiellos*) sin ejemplo; *Preis*: exorbitante; *das ist ~!* ¡habráse visto!; ¡esto es indignante!; **'~hört** *adj.* (*nicht erhört*) desatendido; **'~kannt I.** *adj.* desconocido; **II.** *adv.* sin ser (re)conocido; de incógnito; **~'kennbar** *adj.* difícil de reconocer; **'~kenntlich** *adj.* ingrato, desagradecido; **~'klärbar, ~'klärlich** *adj.* inexplicable; (*rätselhaft*) enigmático; misterioso; **~'läßlich** *adj.* indispensable; imprescindible; **'~laubt** *adj.* ilícito; (*verboten*) prohibido; **'~ledigt** *adj.* sin despachar; *Frage*: en suspenso; (*noch schwebend*) pendiente; **~'meßlich** *adj.* inmenso; (*unendlich*) infinito; (*nicht meßbar*) inconmensurable; (*unbegrenzt*) ilimitado; (*ungeheuer*) enorme; **2'meßlichkeit** *f (0)* inmensidad *f*; infinidad *f*; inconmensurabilidad *f*; enormidad *f*; **~'müdlich** *adj.* incansable, infatigable; **2'müdlichkeit** *f (0)* esfuerzo *m* infatigable; laboriosidad *f* incansable; **'~örtert** *adj.*: *~ bleiben* no ser discutido; quedar sin discutir; *~ lassen* no discutir; **'~probt** *adj.* no probado; no sometido a prueba; **'~quicklich** *adj.* (*unangenehm*) poco agradable; desagradable; (*lästig*) fastidioso; molesto; (*peinlich*) penoso; (*unerträglich*) insoportable; **~'reichbar** *adj.* inaccesible; inalcanzable; *fig.* inasequible; **2'reichbarkeit** *f (0)* inaccesibilidad *f*; **~'reicht** *adj.* nunca alcanzado; (*ohnegleichen*) sin igual; sin par; **~'sättlich** *adj.* insaciable (*a. fig.*); **2'sättlichkeit** *f (0)* insaciabilidad *f*; **~'schöpflich** *adj.* inagotable; **'~schöpft** *adj.* sin agotar; aún no agotado; **'~schrocken** *adj.* intrépido; denodado; **'2schrockenheit** *f (0)* intrepidez *f*; denuedo *m*; **~'schütterlich** *adj. Person*: impávido; imperturbable; inconmovible; *Wille*: inquebrantable; firme; **2'schütterlichkeit** *f (0)* imperturbabilidad *f*; firmeza *f* inquebrantable; *Phil.* estoicismo *m*; **~'schwinglich** *adj. Preis*: excesivo; exorbitante; prohibitivo; enorme; *das ist mir ~* no está al alcance de mis medios; **~'setzbar, ~'setzlich** *adj.* insu(b)stituible; irremplazable; *Verlust, Schaden*: irreparable; **~'sprießlich** *adj.* poco provechoso, de poco provecho; infructuoso; (*unangenehm*) desagradable; **~'träglich** *adj.* insoportable, inaguantable; insufrible; *Lage*: insostenible; intolerable; **2'träglichkeit** *f (0)* carácter *m* insoportable *bzw.* intolerable; **'~wähnt** *adj.* no mencionado; *et. ~ lassen* no mencionar a/c.; pasar por alto a/c.; **~'wartet I.** *adj.* inesperado; (*unvorhergesehen*) imprevisto; (*unvermutet*) inopinado, impensado; (*plötzlich*) repentino, súbito; **II.** *adv.* de improviso; de repente; cuando menos se esperaba; *~ eintreten* (*Ereignis*) sobrevenir; *das kommt mir sehr ~* no lo esperaba; esto me coge de sorpresa; **'~widert** *adj.* sin contestación *od.* respuesta; *Besuch*: no devuelto; *Brief*: no contestado; *Liebe*: no correspondido; **'~wünscht I.** *adj.* no deseado; indeseable; mal visto; (*ungelegen*) inoportuno; (*ungünstig*) desfavorable; (*lästig*) molesto; no grato; **II.** *adv.* inoportunamente; poco a propósito; **'~zogen** *adj.* (*schlecht erzogen*) mal educado; malcriado; (*unhöflich*) descortés, ineducado; sin educación.
'unfähig *adj.* incapaz (*a.* ⚖); *~ zu* incapaz de; (*untauglich*) inepto (*zu* para); *~ zu zahlen* insolvente; **2keit** *f (0)* incapacidad *f* (*a.* ⚖); insolvencia *f*; ineptitud *f*.

un'fahrbar *adj.* impracticable; intransitable; ⚓ innavegable.

'unfair *adj.* poco correcto; injusto; *Sport*: sucio (*a. adv.*).

'Unfall *m* (-*es*; ⸗*e*) accidente *m*; (*Unglücksfall*) desgracia *f*; (*Mißgeschick*) contratiempo *m*; (*Panne*) avería *f*; e-*n* ~ *haben* sufrir un accidente; **~anzeige** *f* aviso *m* de accidente; **~krankenhaus** *n* clínica *f* de urgencia; **~station** *f* puesto *m* de socorro; **~tod** *m* (-*es*; *0*) muerte *f* a consecuencia de un accidente; **~verhütung** *f* prevención *f* de accidentes; **~verhütungsvorschrift** *f* prescripción *f* de prevención de accidentes; **~versicherung** *f* seguro *m* de accidentes; **~versicherungsgesellschaft** *f* compañía *f* de seguros contra accidentes; **~wagen** *m* ambulancia *f*; **~ziffer** *f* (-; -*n*) número *m* de accidentes.

un'faßbar, un'faßlich *adj.* incomprensible; inconcebible; **⁀keit** *f* (*0*) incomprensibilidad *f*.

un'fehlbar I. *adj.* infalible; (*sicher*) seguro; certero; que no puede errar; (*unausbleiblich*) indefectible; **II.** *adv.* infaliblemente; con toda seguridad; con absoluta certeza; (*unweigerlich*) irremisiblemente; sin falta; (*unvermeidlich*) inevitablemente; **⁀keit** *f* (*0*) infalibilidad *f*.

'un|fein *adj.* indelicado; poco delicado; (*taktlos*) sin tacto; (*grob*) grosero; **~fern** *adv.*: ~ *von* no lejos de; a poca distancia de; **~fertig** *adj.* no acabado; incompleto; *fig.* (*unreif*) no maduro; (*zu jung*) demasiado joven; **⁀flat** *m* (-*es*; *0*) (*Schmutz*) suciedad *f*; porquería *f*; (*ekelhafter*) asquerosidad *f*; (*Kehrricht*) inmundicias *f*/*pl.*; (*Unanständigkeit*) indecencia *f*; (*Unzüchtigkeit*) obscenidad *f*; (*Schamlosigkeit*) desvergüenza *f*; procacidad *f*; **~flätig** *adj.* (*schmutzig*) sucio; puerco; (*ekelhaft*) asqueroso; (*unanständig*) indecente; (*zotig*) obsceno; (*schamlos*) desvergonzado; procaz; **⁀flätigkeit** *f* → *Unflat*; **~folgsam** *adj.* desobediente; indócil; **⁀folgsamkeit** *f* (*0*) desobediencia *f*; indocilidad *f*; **~förmig** *adj.* informe; (*mißgestaltet*) deforme; (*unproportioniert*) desproporcionado; **⁀förmigkeit** *f* (*0*) informidad *f*; deformidad *f*; **~förmlich** *adj. u. adv.* sin formalidades; **~frankiert I.** *adj. Brief*: no franqueado; **II.** *adv.* sin franquear; **~frei** *adj.* que no es libre; (*behindert*) estorbado; (*leibeigen*) esclavo; **⁀freie(r** *m*) *m*/*f* esclavo (-a *f*) *m*, siervo (-a *f*) *m*; **~freiwillig I.** *adj.* involuntario; (*gezwungen*) forzado; ✈ *Landung*: forzoso; **II.** *adv.* involuntariamente; contra su voluntad; a pesar suyo; **~freundlich** *adj.* poco amable *od.* afable; (*ungefällig*) poco complaciente; (*unhöflich*) desatento; (*barsch*) áspero; desabrido; (*übelgelaunt*) malhumorado, de mal humor; (*grob*) grosero; (*unangenehm*) poco agradable; *Akt*: inamistoso; hostil; *Wetter*: desapacible; inclemente; *Zimmer*: poco acogedor; ~*es Gesicht* F cara de vinagre (*od.* de pocos amigos); ~ *antworten* contestar desabridamente; *j-n* ~ *empfangen* acoger mal a alg.; **⁀freundlichkeit** *f* falta *f* de amabilidad; (*Unhöflichkeit*) desatención *f*; (*Herbheit*) aspereza *f*; desabrimiento *m*; (*Grobheit*) grosería *f*; (*Handlung*) desaire *m*; *des Wetters*: inclemencia *f*; *im Benehmen*: modales *m*/*pl.* bruscos; **~freundschaftlich** *adj. Person*: poco amigable; *v. Sachen*: poco amistoso; **⁀friede(n)** *m* (-*ns*; *0*) discordia *f*; disensión *f*; **~fruchtbar** *adj.* estéril (*a. fig.*); infecundo; (*Boden*) árido; ~ *machen* esterilizar; **⁀fruchtbarkeit** *f* (*0*) esterilidad *f*; infecundidad *f*; aridez *f*; **⁀fug** *m* (-*es*; *0*) (*Streich*) travesura *f*; (*dummes Zeug*) tontería *f*; (*Mißbrauch*) abuso *m*; (*Übergriff*) exceso *m*; (*Überspanntheit*) extravagancia *f*; ⚖ *grober* ~ desorden grave; ~ *treiben* cometer abusos; hacer travesuras; **~fügsam** *adj.* indócil; indisciplinado; (*widerspenstig*) rebelde; recalcitrante.

un'fühlbar *adj.* impalpable; (*unmerklich*) imperceptible.

'un|fundiert ✝ *adj.* no consolidado; flotante; **~galant** *adj.* poco galante; descortés; **~gangbar** *adj. Weg*: impracticable, intransitable; *Münze*: sin curso, *Ware*: invendible, sin salida.

'Ungar *m* (-*n*) húngaro *m*; **~in** *f* húngara *f*; **⁀isch** *adj.* húngaro; **~n** *n* Hungría *f*.

'ungastlich *adj.* inhospitalario; **⁀keit** *f* (*0*) inhospitalidad *f*.

'unge|achtet I. *adj.* poco apreciado *od.* respetado; **II.** *prp.* (*gen.*) a pesar de; no obstante; **~ahndet** *adj.* impune; **~ahnt** *adj.* inopinado, inesperado; (*unvermutet*) insospechado; (*unvorhergesehen*) imprevisto; **~bärdig** *adj.* rebelde; recalcitrante; **~beten I.** *adj.* no invitado; (*lästig*) molesto; **II.** *adv.* sin ser invitado; sin ser llamado; ~*er Gast* intruso *m*; **~beugt** *adj.* derecho; *fig.* (*unbeugsam*) inflexible; que no se doblega; **~bildet** *adj.* (*ohne Bildung*) inculto, sin cultura, iletrado; (*ohne Erziehung*) sin educación; (*ohne Schulbildung*) falto de instrucción; (*mit schlechten Manieren*) ineducado; (*unzivilisiert*) no civilizado; **~bleicht** *adj.* sin blanquear; ~*e Leinwand* tela cruda; **~boren** *adj.* aún no nacido; *fig.* por nacer; **~brannt** *adj. Backsteine*: sin cocer; *Kaffee*: crudo; **~bräuchlich** *adj.* desusado; (*ungewöhnlich*) inusitado; **~braucht** *adj.* no usado; (*ganz neu*) completamente nuevo; **~brochen** *fig. adj.* inquebrantable; firme.

'Ungebühr *f* (*0*) improcedencia *f*; inconveniencia *f*; impertinencia *f*; falta *f* de respeto; (*Unrecht*) injusticia *f*; (*Überschreitung*) exceso *m*, abuso *m*; **⁀lich** *adj.* improcedente; inconveniente; impertinente; irrespetuoso; indebido; injusto; abusivo; (*sittenwidrig*) indecente, indecoroso; **~lichkeit** *f* → *Ungebühr*.

'ungebunden *adj.* no atado, desatado; *Buch*: en rústica; no encuadernado; *fig.* (*frei*) libre; (*zügellos*) libertino; disoluto, licencioso; *in* ~*er Rede* en prosa; **⁀heit** *f* (*0*) libertad *f*; (*Zügellosigkeit*) libertinaje *m*; licencia *f*; desenfreno *m*.

'unge|dämpft *adj.* no amortiguado; **~deckt** *adj.* (*offen*) descubierto; (*ohne Deckel*) destapado; (*ohne Schutz*) no protegido, sin protección; ✝ en descubierto; *Scheck*: *a.* sin provisión; *Tisch*: sin mantel; *der Tisch ist noch* ~ la mesa todavía no está puesta; **~dient** ⚔ *adj.* sin instrucción; **~druckt** *adj.* sin imprimir; (*noch unveröffentlicht*) inédito; **⁀duld** *f* (*0*) impaciencia *f*; **~duldig I.** *adj.* impaciente; **II.** *adv.* impacientemente, con impaciencia; ~ *machen* impacientar; ~ *werden* impacientarse; perder la paciencia; **~eignet** *adj.* impropio (*für* de); poco apropiado (*zu* para); inadecuado; *Person*: inepto; (*nicht kompetent*) incompetente; *Zeit*: inoportuno; **~'fähr I.** *adj.* aproximado; aproximativo; **II.** *adv.* aproximadamente; (poco) más o menos; alrededor de; *von* ~ por casualidad; al azar; **⁀'fähr** *n* acaso *m*; (*Zufall*) casualidad *f*; **~fährdet** *adj.* sin peligro; **~fährlich** *adj.* sin peligro; no peligroso; (*harmlos*) inofensivo; **~fällig** *adj.* poco complaciente; poco atento; (*mißfällig*) poco agradable; desagradable; **⁀fälligkeit** *f* (*0*) falta *f* de complacencia; desatención *f*, falta *f* de atención; **~fälscht** *adj.* (*rein*) puro; (*natürlich*) natural; (*verbürgt*) auténtico; **~färbt** *adj.* no coloreado; sin teñir, no teñido; de color natural; **~fragt I.** *adj.* no interrogado; **II.** *adv.* sin ser preguntado; **~füge** *adj.* (*grobschlächtig*) tosco, grosero; **~fügig** *adj. Person*: poco acomodadizo; (*unfolgsam*) indócil; (*störrisch*) terco, obstinado; recalcitrante; **~gerbt** *adj.* sin curtir; **~goren** *adj.* no fermentado; **~halten** *adj.* (*verärgert*) disgustado, enfadado (*über ac.* con *bzw.* por); (*aufgebracht*) enojado; indignado (*über ac.* con *bzw.* por); ~ *werden* enfadarse; enojarse; indignarse; **~heißen I.** *adj.* no autorizado; no llamado; (*freiwillig*) espontáneo; **II.** *adv.* (*eigenmächtig*) por su propia cuenta; **~heizt** *adj.* no calentado; *Zimmer*: sin calefacción; **~hemmt I.** *adj.* (*frei*) libre; (*zügellos*) desenfrenado; **II.** *adv.* sin trabas; sin ser estorbado; libremente; **~heuchelt** *adj.* sin hipocresía; (*aufrichtig*) sincero, franco.

'ungeheuer I. *adj.* monstruoso; (*riesengroß*) enorme, descomunal; colosal; (*unermeßlich*) inmenso; (*zu groß*) excesivo; (*wunderbar*) prodigioso; (*furchtbar*) terrible; atroz; (*schrecklich*) espantoso; (*toll*) tremendo, formidable; (*unerhört*) inaudito; **II.** *adv.* enormemente; sobremanera; **III.** ⁀ *n* monstruo *m*; **~lich** *adj.* monstruoso; (*riesig*) enorme, gigantesco; (*empörend*) indignante; *Preis*: exorbitante; **⁀lichkeit** *f* monstruosidad *f*; enormidad *f*; atrocidad *f*; barbaridad *f*.

'unge|hindert I. *adj.* libre; **II.** *adv.* libremente; sin ser molestado; sin estorbo; sin trabas; sin impedimento; **~hobelt** *adj.* sin cepillar; en bruto; tosco; *fig.* (*grob*) grosero, basto; rústico; inculto, mal educado; F con el pelo de la dehesa; **~hörig** *adj.* indebido; (*unschicklich*) impropio, inconveniente; inoportuno; (*frech*) impertinente, insolente; (*grob*) grosero; ⚖ improcedente; **≈hörigkeit** *f* inconveniencia *f*; impertinencia *f*, insolencia *f*; grosería *f*; ⚖ improcedencia *f*; **~horsam** *adj.* desobediente; ⚔ insubordinado; **≈horsam** *m* (*-s*; *0*) desobediencia *f*; ⚔ insubordinación *f*; **~hört** *adj. u. adv.* sin ser oído *bzw.* comprendido *bzw.* entendido; **~kämmt** *adj.* sin peinar; (*zerzaust*) desgreñado; ⊕ *Wolle*: sin cardar; **~klärt** *adj.* poco claro; no aclarado, sin aclarar; *fig.* discutido; (*in der Schwebe*) en suspenso; (*zweifelhaft*) dudoso; *~ sein* estar *bzw.* quedar por aclarar; estar en tela de juicio; **~kocht** *adj.* no cocido, sin cocer; (*roh*) crudo; **~künstelt** *adj.* sin afectación (*a. adv.*); (*einfach*) sencillo, simple; (*natürlich*) natural; (*aufrichtig*) sincero; (*naiv*) ingenuo; **~kürzt** *adj. Text, Ausgabe*: completo; **~laden** *adj. Gast*: no invitado; ⚡, *Waffe*: no cargado; (*entladen*) descargado; **~läufig** *adj.* poco usual; poco familiar; inusitado; **~legen I.** *adj.* (*lästig*) importuno, molesto; (*unzeitig*) inoportuno; intempestivo; extemporáneo; **II.** *adv.* extemporáneamente; *zu ~er Zeit* a destiempo, a deshora; en mala ocasión; *j-m ~ kommen* molestar a alg.; no venir a propósito a alg.; **≈legenheit** *f* importunidad *f*; (*Verlegenheit, Störung*) contrariedad *f*; (*Unannehmlichkeit*) molestia *f*; (*ungünstiger Zeitpunkt*) inoportunidad *f*; *j-m ~en machen* molestar (*od.* causar molestias) a alg.; importunar a alg.; **~lehrig** *adj.* indócil; díscolo; tardo de inteligencia; **~lenk(ig)** *adj.* difícilmente movible; tieso, rígido; (*ungeschickt*) torpe, desmañado; **≈lenkigkeit** *f* (*0*) falta *f* de movilidad; rigidez *f*; (*Ungeschicklichkeit*) torpeza *f*; **~lernt** *adj. Arbeiter*: no c(u)alificado; sin oficio aprendido; **~löscht** *adj.* no apagado, no extinguido; *~er Kalk* cal *f* viva; **≈mach** *n* (*-es*; *-e*) (*Unbequemlichkeit*) molestia *f*; (*Übel*) males *m/pl.*; (*Mühseligkeiten*) trabajos *m/pl.*, fatigas *f/pl.*; penas *f/pl.*; (*Unglück*) infortunio *m*, desgracia *f*; adversidad *f*; **~'mein I.** *adj.* poco común; nada común; (*außergewöhnlich*) extraordinario; (*erstaunlich*) asombroso, prodigioso; **II.** *adv.* muy; extremadamente; altamente; profundamente, hondamente; enormemente; **~mischt** *adj.* sin mezcla; (*rein*) puro; **~münzt** *adj.* no acuñado; *~es Gold* oro en barras; **~mütlich** *adj.* (*unangenehm*) desagradable; (*unbequem*) incómodo; poco confortable; *Person*: poco simpático; poco tratable; antipático; F (*gefährlich*) peligroso; *Wetter*: desapacible; **≈mütlichkeit** *f* (*0*) *e-s Ortes*: falta *f* de comodidad (*od.* de confort); *e-r Person*: carácter *m* desagradable; **~nannt** *adj.* innominado; (*anonym*) anónimo; **~nau** *adj.* inexacto; impreciso; **≈nauigkeit** *f* inexactitud *f*; imprecisión *f*; **~neigt** *adj.* poco inclinado; no bien dispuesto; poco benévolo; **~'niert** [-ʒə-] *adj. u. adv. Person*: (*keck*) desenfadado, desenvuelto; (*ungestört*) tranquilo; (*formlos*) sin cumplidos, sin ceremonias; **≈'niertheit** *f* (*0*) desenfado *m*, desenvoltura *f*; falta *f* de cumplidos; **~'nießbar** *adj. Speisen*: incomible; *Getränke*: que no se puede beber; *fig.* insípido; fastidioso; *Person*: insoportable; de mal genio; intratable; **≈'nießbarkeit** *f* imposibilidad *f* de comer *bzw.* de beber; *fig.* insipidez *f*; *v. Personen*: carácter *m* desabrido *bzw.* insoportable; **~nügend** *adj.* insuficiente; (*nicht zufriedenstellend*) poco satisfactorio; *Prüfungsnote*: suspenso; **~nügsam** *adj.* difícil de contentar; (*unersättlich*) insaciable; (*anspruchsvoll*) exigente; **≈nügsamkeit** *f* (*0*) (*Unersättlichkeit*) insaciabilidad *f*; **~nützt** *adj.* no utilizado; no aprovechado; *et. ~ lassen* no sacar provecho de a/c.; *Gelegenheit*: desaprovechar (*od.* dejar pasar) la ocasión; **~ordnet** *adj.* desordenado, en desorden, sin orden; **~pflastert** *adj.* sin pavimento; sin empedrado; **~pflegt** *adj.* descuidado; poco cuidado; *Person*: *a.* desaseado, *in der Kleidung*: desaliñado; **~pflügt** ⚒ *adj.* no arado, sin arar; (*brach*) baldío; **~rächt** *adj.* impune, sin castigo; sin venganza; *das soll nicht ~ bleiben* no quedará impune *bzw.* sin venganza; **~rade** *adj. Zahl*: impar; **~raten** *adj.* avieso; descastado; *Kind*: travieso; díscolo; malcriado; **~rechnet** *adj.* sin contar; (*nicht einbegriffen*) no incluido.

'ungerecht *adj.* injusto; (*unbillig*) inicuo; *~es Verfahren* injusticia *f*; **~fertigt** *adj.* injustificado; **≈igkeit** *f* injusticia *f*; (*Unbilligkeit*) iniquidad *f*.

'ungeregelt *adj.* no arreglado; (*regellos*) no regulado.

'ungereimt *adj.* no rimado; *~e Verse* versos libres; *fig.* absurdo; disparatado, desatinado; **≈heit** *f fig.* absurdo *m*; disparate *m*, desatino *m*, despropósito *m*.

'ungern *adv.* de mala gana; a disgusto; F a regañadientes; *gern oder ~* de buen o mal grado; *er sieht es ~* no lo ve con buenos ojos; *ich tue es ~* me contraría hacerlo; no me gusta hacerlo.

'unge|rufen I. *adj.* no llamado; **II.** *adv.* sin ser llamado; **~rügt** *adj.*: *das kann man nicht ~ lassen* no debe dejarse eso sin la merecida censura; **~rührt** *adj. fig.* insensible; impasible; frío; **~sagt** *adj.* no dicho; *~ lassen* silenciar, pasar en silencio; no decir (expresamente); **~salzen** *adj.* sin sal, no salado; **~sattelt I.** *adj.* sin silla; desensillado; **II.** *adv.*: *~ reiten* montar en pelo; **~sättigt** *adj.* no satisfecho; no saciado; ⚗ no saturado; **~säuert** *adj. Brot*: sin levadura; ázimo; **~säumt** *adj.* (*Stoff usw.*) sin orla; *adv.* (*sofort*) inmediatamente; **~schehen** *adj.*: *als ~ betrachten* considerar como no hecho; *~ machen* deshacer lo hecho; *das läßt sich nicht ~ machen* lo hecho, hecho está; F a lo hecho, pecho.

'Ungeschick *n* (*-es*; *0*), **~lichkeit** *f* falta *f* de habilidad; torpeza *f*; **≈t I.** *adj.* torpe, desmañado; poco hábil; **II.** *adv.* torpemente, con torpeza; con poca habilidad.

'unge|schlacht *adj.* enorme, descomunal; (*grob*) tosco, grosero; rudo; zafio; **~schlagen** *adj.* imbatido; **~schlechtlich** *adj.* asexual; **~schliffen** *adj. Messer usw.*: sin afilar, no afilado; *Edelstein*: sin tallar; en bruto; *fig.* (*unhöflich*) descortés, mal educado; (*grob*) tosco, grosero, bruto; zafio; rústico; **≈schliffenheit** *f* (*0*) *fig.* descortesía *f*, falta *f* de educación; tosquedad *f*, grosería *f*; zafiedad *f*; rusticidad *f*; **~schmälert** *adj.* (*ganz*) entero, íntegro; **~schminkt** *adj.* sin afeite; *fig.* (*aufrichtig*) sincero; (*Wahrheit*) puro; crudo; (*Bericht*) verídico; auténtico; **~schoren** *adj.* (*Schaf*) sin esquilar; (*Haar*) sin cortar; *fig. ~ lassen* dejar en paz; no molestar; **~schrieben** *adj.* no escrito; *~es Gesetz fig.* convenio tácito; **~schult** *adj.* no instruido; no adiestrado; **~schützt** *adj.* no protegido; (*schutzlos*) indefenso; (*gegen Wind u. Wetter*) expuesto a la intemperie; **~schwächt** *adj.* no debilitado; **~sehen** *adj.* inadvertido; **~sellig** *adj.* insociable; (*menschenscheu*) huraño, apartadizo; (*v. Wilden*) salvaje; **≈selligkeit** *f* (*0*) insociabilidad *f*; carácter *m* huraño; **~setzlich** *adj.* ilegal; (*unrechtmäßig*) ilegítimo; **≈setzlichkeit** *f* ilegalidad *f*; ilegitimidad *f*; **~sichert** ✝ *adj.* no garantizado; **~sittet** *adj.* (*Volk*) no civilizado, *stärker*: bárbaro; (*Person*) inculto, incivil; (*unhöflich*) descortés; grosero; (*ungezogen*) mal educado; **≈sittetheit** *f* (*0*) falta *f* de civilización; incivilidad *f*; descortesía *f*; falta *f* de educación; **~stalt(et)** *adj.* informe; deforme; (*scheußlich*) monstruoso; **~stärkt** *adj. Wäsche usw.*: no almidonado; **~stempelt** *adj.* sin sello, no sellado; **~stillt** *adj.* no satisfecho; *Schmerz*: no calmado; *Hunger*: no satisfecho; *Durst*: sin apagar; *Wunsch*: no cumplido; **~stört I.** *adj.* tranquilo; sin ser molestado *od.* estorbado; (*in Frieden*) en paz; (*dauernd*) continuo, ininterrumpido; **II.** *adv.* sin ningún estorbo; con toda tranquilidad; **~straft I.** *adj.* impune; **II.** *adv.* impunemente; sin ser castigado; **~stüm** *adj.* (*unbändig*) impetuoso; fogoso, vehemente; (*heftig*) violento, arrebatado; (*lärmend*) turbulento; (*stürmisch*) *Wetter*: tempestuoso; borrascoso; (*tapfer*) denodado; **≈stüm** *n* (*-es*; *0*) ímpetu *m*, impetuosidad *f*; fogosidad *f*, vehemencia *f*; violencia *f*; arrebato *m*; turbulencia *f*; carácter *m* tempestuoso; denuedo *m*; **~sund** *adj.* (*der Gesundheit schädlich*) malsano, dañoso a la salud; *Ort, Klima, Wohnung*: insalubre; (*kränklich*) enfermizo; *allzuviel ist ~* todos los excesos son malos; **~süßt** *adj.* no endulzado, no azucarado; **~tan** *adj.*: *~ lassen* no hacer; dejar sin hacer; **~teilt I.** *adj.* no dividido, indiviso; (*ganz*) entero; *fig.* (*einstimmig*) unánime; **II.** *adv.* ⚖ (*gemeinschaftlich*) solidariamente; pro indiviso; **~treu** *adj.* infiel; (*treulos*) desleal; (*heimtückisch*) pérfido; **~trübt** *adj.* no turbado; *Wasser*: no enturbiado; (*heiter*) sereno; (*hell*) claro, límpido; *fig.* inalterable; *Glück*: puro; **2tüm** *n* (-es; -e) monstruo *m*; (*Koloß*) coloso *m*; **~übt** *adj.* no ejercitado; no adiestrado; (*unerfahren*) inexperto, sin experiencia; *Neuling*: novicio; **2übtheit** *f* (0) falta *f* de ejercicio; (*Unerfahrenheit*) inexperiencia *f*; **~waschen** *adj.* no lavado, sin lavar; (*schmutzig*) sucio; ~e *Wolle* lana en sucio; **~wiß** *adj.* incierto; (*zweifelhaft*) dudoso; (*unentschlossen*) indeciso; (*prekär*) precario; (*unsicher*) poco seguro, inseguro; (*noch fraglich*) problemático; (*vom Zufall abhängig*) aleatorio; *j-n im ~ssen lassen* dejar a alg. en la incertidumbre; *aufs 2sse* al azar, al acaso; **2wißheit** *f* incertidumbre *f*; duda *f*; indecisión *f*; inseguridad *f*; **~wöhnlich** *adj.* (*außergewöhnlich*) extraordinario; (*nicht der Gewohnheit entsprechend*) desacostumbrado, no acostumbrado; inusitado, insólito; (*seltsam*) raro, singular, extraño; **~wohnt** *adj.* desacostumbrado, no acostumbrado; es *ist mir ~* no estoy acostumbrado (a eso); **2wohntheit** *f* (0) falta *f* de costumbre; **~wollt I.** *adj.* sin quererlo; **II.** *adv.* sin intención; **~zählt** *adj.* innumerable; ~e *Dinge* un sinnúmero de cosas; **~zähmt** *adj.* indomado; indómito; (*wild*) bravío; *Pferde*, *Vieh*: cerril; (*zügellos*) desenfrenado; **2ziefer** *n* bichos *m/pl.*; sabandijas *f/pl.*; insectos *m/pl.* perjudiciales; **2zieferbekämpfung** *f* (0) desinsectación *f*; **~ziemend** *adj.* poco indicado; inconveniente, poco conveniente; poco correcto; **~ziert** *adj.* sin afectación; (*einfach*) sencillo; (*natürlich*) natural; **~zogen** *adj.* ineducado; mal educado; (*unartig*) *Kind*: malo; travieso; (*unhöflich*) descortés; (*grob*) grosero; (*frech*) impertinente; insolente; **2zogenheit** *f* ineducación *f*; (*Unartigkeit*) travesura *f*; (*Unhöflichkeit*) descortesía *f*; (*Frechheit*) impertinencia *f*; insolencia *f*; **~zügelt** *adj.* sin freno; *fig.* desenfrenado; **~zwungen** *adj.* (*ohne Gewalt*) sin violencia; (*freiwillig*) voluntario; espontáneo; *fig.* (*natürlich*) natural; sin afectación; (*freimütig*) libre; desenvuelto; franco; **2zwungenheit** *f* (0) espontaneidad *f*; naturalidad *f*; libertad *f*; desenvoltura *f*, desenfado *m*, F desparpajo *m*; franqueza *f*.

'Unglaub|e *Rel. m* (-ns; 0) incredulidad *f*; falta *f* de fe; **2haft** *adj.* → *unglaubwürdig*.

'ungläubig *adj.* incrédulo, descreído; falto de fe; (*skeptisch*) escéptico; (*heidnisch*) infiel, pagano; **2e(r** *m*) *m/f Rel.* incrédulo (-a *f*) *m*; infiel *m/f*; **2keit** *f* (0) incredulidad *f*; escepticismo *m*.

un'glaublich *adj.* increíble; (*unerhört*) inaudito; *das ist ~!* ¡es increíble!, ¡parece mentira!, (*unerhört*) ¡esto es inaudito!

'unglaubwürdig *adj.* inverosímil; increíble; poco digno de fe; *Person*: de poco crédito; no digno de crédito.

'ungleich I. *adj.* desigual; (*verschieden*) diferente; (*unähnlich*) desemejante; (*nicht zusammenpassend*) dispar; (*unproportioniert*) desproporcionado; (*unregelmäßig*) irregular; (*veränderlich*) variable; *Zahl*: impar; **II.** *adv. vor Komparativ*: infinitamente; incomparablemente; muy superior (*als* a); *~ besser* mucho mejor; **~artig** *adj.* de naturaleza diferente; heterogéneo; **2artigkeit** *f* (0) heterogeneidad *f*; **~förmig** *adj.* de forma diferente; desemejante; (*ungleich*) desigual; (*unregelmäßig*) irregular; (*ohne Symmetrie*) asimétrico; **2förmigkeit** *f* (0) desemejanza *f*; disimilitud *f*; (*Ungleichheit*) desigualdad *f*; (*Unregelmäßigkeit*) irregularidad *f*; (*Asymmetrie*) asimetría *f*; falta *f* de simetría; **2heit** *f* desigualdad *f*; (*Verschiedenartigkeit*) disparidad *f*; (*Mißverhältnis*) desproporción *f*; (*Verschiedenheit*) diferencia *f*; (*Unähnlichkeit*) desemejanza *f*; (*Unregelmäßigkeit*) irregularidad *f*; (*Veränderlichkeit*) variabilidad *f*; **~mäßig** *adj.* desigual; (*unproportioniert*) desproporcionado; **2mäßigkeit** *f* desigualdad *f*; (*Mißverhältnis*) desproporción *f*; **~seitig** *adj.* ⩓ de lados desiguales; *Dreieck*: escaleno.

'Unglimpf *m* (-es; 0) (*Ungerechtigkeit*) injusticia *f*; iniquidad *f*; (*Beleidigung*) injuria *f*; insulto *m*; ofensa *f*; (*Grobheit*) grosería *f*; (*Schmach*) oprobio *m*; (*Verachtung*) vilipendio *m*; (*Respektlosigkeit*) falta *f* de respeto; **2lich** *adj.* injurioso; insultante; grosero; oprobioso; vilipendioso; irrespetuoso; (*hart*) duro, áspero.

'Unglück *n* (-es; -e) desgracia *f*; (*Unfall*) accidente *m*; (*Mißgeschick*) infortunio *m*; desventura *f*; (*widriges Schicksal*) adversidad *f*; (*Pech*) mala suerte *f*, F mala pata *f*; (*Schicksalsschlag*) revés *m* de la fortuna; (*schweres, allgemeines Mißgeschick*) calamidad *f*; desastre *m*; (*Katastrophe*) catástrofe *f*; (*durch Naturgewalten*) cataclismo *m*; (*durch Feuersbrunst usw.*) siniestro *m*; *viel ~ erfahren* sufrir muchos reveses; *~ bringen* traer mala suerte; ser de mal agüero; *j-n ins ~ bringen* hacer desgraciado a alg.; *j-n ins ~ stürzen* causar la ruina de alg.; arruinar (*od.* perder) a alg.; *zum ~* por desgracia; *zu m-m ~* para mi desdicha; *zu allem ~* para colmo de desgracias; *ein ~ kommt selten allein* una desgracia nunca viene sola; bien vengas mal, si vienes solo; **2lich** *adj.* desgraciado; desdichado, desventurado; desafortunado; infortunado; *Liter.* malhadado; (*widrig*) adverso; (*traurig*) triste; (*verhängnisvoll*) fatal, funesto; aciago; (*verheerend*) desastroso; ~e *Liebe* amor desgraciado; amor no correspondido; *~ enden* acabar mal, tener mal fin; salir mal, fracasar; malograrse; acabar desastrosamente; *~er Mensch* desgraciado *m*; (*bemitleidenswerter*) infeliz *m*; **2licherweise** *adv.* desgraciadamente, por desgracia; desafortunadamente; **~sbote** *m* (-n) portador *m* de malas nuevas; **~sbringer** *m* F *fig.* pájaro *m* de mal agüero; F cenizo *m*; **2selig** *adj.* → *unglücklich*; **~sfall** *m* (-es; ⁼e) desgracia *f*; (*Unfall*) accidente *m*; **~sgefährte** *m* (-n) compañero *m* de infortunio; **~srabe** *m* (-n) F infeliz *m*; (*Unheilverkünder*) ave *f* de mal agüero; **~sstern** *m* (-es; 0) mala estrella *f*; **~s-tag** *m* (-es; -e) día *m* funesto *od.* fatal; día *m* aciago *od.* nefasto; **~svogel** *m* (-s; ⁼) → *Unglücksrabe*; **~swurm** *m* (-es; ⁼er) F infeliz *m*; F *fig. ein ~ sein* ser el rigor de las desdichas.

'Ungnade *f* (0) (*Ungunst*) malevolencia *f*; *in ~ fallen* caer en desgracia; *sich j-s ~ zuziehen* perder el favor de alg.; *sich j-m auf Gnade und ~ ergeben* entregarse a la merced de alg.

'ungnädig I. *adj.* inclemente; poco complaciente *od.* condescendiente; poco benévolo; (*ungünstig*) desfavorable; (*übellaunig*) malhumorado, de mal humor; **II.** *adv.* con mal humor; et. *~ aufnehmen* tomar a mal a/c.; acoger mal a/c.

'ungültig *adj.* sin valor; no válido, sin validez; ⚖ *a.* inválido; (*unstatthaft*) ilícito; *Geld*: sin curso legal; (*null und nichtig*) nulo; anulado; ⚖ *a.* invalidado; inválido; ~e *Stimme* voto nulo; *für ~ erklären* ⚖ declarar nulo; invalidar; casar; *~ machen* anular; cancelar; *~ werden* perder la validez; caducar; *durch Verjährung ~ werden* prescribir; **2keit** *f* (0) invalidez *f*; nulidad *f*; caducidad *f*; **2keits-erklärung** *f* ⚖ declaración *f* de nulidad; invalidación *f*; **2machung** *f* anulación *f*; invalidación *f*.

'Ungunst *f* (0) disfavor *m*; (*Ungnade*) desgracia *f*; *der Witterung*: inclemencia *f*; *zu j-s ~en* en perjuicio de alg.; *zu j-s ~en ausfallen* redundar en perjuicio de alg.

'ungünstig *adj.* desfavorable; (*unvorteilhaft*) desventajoso; (*Geschick*) adverso; (*Aussicht*) poco prometedor; ~e *Wetterbedingungen* condiciones atmosféricas desfavorables.

'ungut *adj.*: *nichts für ~!* no lo tomes (*bzw.* no lo tome usted) a mal.

un'haltbar *adj. Behauptung*, *Lage*, ⚔ *Stellung*: insostenible; ⚔ *Festung*: indefendible, imposible de defender; *Versprechen*: imposible de cumplir; *Fußball*: (*tiro*) imparable; **2keit** *f* (0) *e-r Behauptung*: imposibilidad *f* de sostener.

'unhandlich *adj.* inmanejable; poco manejable.

'unharmonisch *adj.* falto de armonía, inarmónico; *bsd. fig.* discordante; ~e *Ehe* matrimonio mal avenido.

'Unheil *n* (-es; 0) mal *m*; desgracia *f*; *allgemeines*: calamidad *f*; desastre *m*; grave daño *m*; *~ anrichten* (*od.* *stiften*) causar una desgracia; causar graves daños (*od.* mucho daño); **2bar** *adj.* incurable; *fig.* irremediable; irreparable; **~barkeit** *f* (0) incurabilidad *f*; **2bringend** *adj.* (*Vorzeichen*) de mal agüero (*od.* augurio), ominoso; funesto; fatal;

(*Tag*) aciago; infausto; **2ig** *adj.* profano; (*gottlos*) impío; **2schwanger** *adj.* preñado de desdichas; **~stifter(in** *f*) *m* causante *m/f* de muchas desgracias; **2verkündend** *adj.* de mal augurio; siniestro; **2voll** *adj.* funesto; fatal; aciago; siniestro.
'un|heimlich I. *adj.* intranquilizador; inquietante; (*im Aussehen*) de aspecto sospechoso; (*düster*) lúgubre; (*unheilvoll*) siniestro; **II.** *adv.* F muchísimo; enormemente; *fig.* espantosamente; ~ *viel* F una barbaridad de; **~höflich** *adj.* descortés; desatento; incorrecto; (*ungezogen*) mal educado; **2höflichkeit** *f* descortesía *f*; desatención *f*; incorrección *f*; falta *f* de educación; **~hold** *adj.* desafecto; malévolo; (*feindlich*) hostil; **2hold** *m* (-*es*; -*e*) (*Ungeheuer*) monstruo *m*; (*Rohling*) bárbaro *m*; (*Dämon*) demonio *m*; espíritu *m* maligno; (*Menschenfresser im Märchen*) ogro *m*; (*Kobold*) trasgo *m*; **~'hörbar** *adj.* imperceptible (al oído); **~hygienisch** *adj.* antihigiénico; no higiénico.
u'ni [y'ni:, P 'y:ni·] ✝ *adj.* (*0*) (*Stoff*) liso, unicolor.
Uni'form *f* uniforme *m*; *in großer* ~ en uniforme de gala; ~ *anziehen* vestirse de uniforme.
uni'form *adj.* uniforme.
unifor'mieren (-) *v/t.* uniformar.
Uniformi'tät *f* (*0*) uniformidad *f*.
'Unikum *n* (-*s*; -*s od.* -*ka*) (*Werk*) ejemplar *m* único; *fig.* cosa *f* rara *od.* sin igual; (*Person*) tipo *m* raro *od.* extravagante.
'un·interess|ant *adj.* poco interesante; sin interés; **~iert** *adj.* que no tiene interés (*an dat.* en); *ich bin daran* ~ no me interesa eso; eso no tiene (*od.* carece de) interés para mí; **2iertheit** *f* (*0*) ausencia *f* de interés.
Uni'on *f* unión *f*.
uni'sono ♪ *adv.* al unísono.
Uni'tarier *m* unitario *m*.
univer'sal *adj.* universal; **2erbe** *m* (-*n*) heredero *m* universal; **2genie** *n* (-*s*; -*s*) genio *m* universal.
Universali'tät *f* (*0*) universalidad *f*.
Univer'sal|lexikon *n* (-*s*; -*ka*) enciclopedia *f* (universal); **~mittel** *n* remedio *m* universal; panacea *f* (*a. fig.*); **~(schrauben)schlüssel** *m* llave *f* universal.
univer'sell *adj.* universal.
Universi'tät *f* universidad *f*; *auf der* ~ *sein* estudiar en la universidad; **~sgebäude** *n* (edificio *m* de la) universidad *f*; **~sprofessor(in** *f*) *m* (-*s*; -*en*) catedrático (-a *f*) *m* de universidad; profesor *m* universitario, profesora *f* universitaria; **~sstadt** *f* (-; ⸗*e*) ciudad *f* universitaria; **~sstudien** *pl.* estudios *m/pl.* universitarios; carrera *f* universitaria.
Uni'versum *n* (-*s*; *0*) universo *m*.
'Unk|e *f Zoo.* sapo *m*, escuerzo *m*; *fig.* agorero *m*; **2en** *v/i.* agorar; presagiar (*od.* profetizar) calamidades.
'unkennt|lich *adj.* (*entstellt*) desfigurado; (*verkleidet*) disfrazado; ~ *machen* desfigurar; disfrazar; **2lichkeit** *f* (*0*) desfiguración *f*; disfraz *m*; **2nis** *f* (-; -*se*) ignorancia *f*; desconocimiento *m*; ~ (*des Gesetzes*) *schützt vor Strafe nicht* la ignorancia de la ley no exime del castigo.
'un|keusch *adj.* impúdico; deshonesto; impuro; **2keuschheit** *f* (*0*) impudicia *f*; deshonestidad *f*; impureza *f*; **~kindlich** *adj.* poco infantil; *gegen die Eltern*: poco filial; (*altklug*) precoz; **~klar** *adj.* poco claro; (*vage*) vago; (*dunkel*) obscuro; (*undeutlich*) indistinto; (*verworren*) confuso; (*trübe*) turbio; (*nicht verständlich*) ininteligible; *im* ~*en sein über* (*ac.*) no ver claro en; *j-n im* ~*en lassen über* no dejar a alg. ver claro en; **2klarheit** *f* falta *f* de claridad; vaguedad *f*; o(b)scuridad *f*; confusión *f*; turbiedad *f*; **~kleidsam** *adj.* que no sienta bien; **~klug** *adj.* poco inteligente; (*unvorsichtig*) imprudente; indiscreto; (*unbesonnen*) aturdido; *politisch* ~ impolítico; **2klugheit** *f* imprudencia *f*; **~kollegial** *adj.*: ~*es Verhalten* falta de compañerismo; **~kompliziert** *adj.* poco complicado. [lable.]
unkontrol'lierbar *adj.* incontro-
'un|konvertierbar *adj.* no convertible, inconvertible; **~körperlich** *adj.* incorpóreo; inmaterial; **2körperlichkeit** *f* (*0*) incorporeidad *f*; inmaterialidad *f*; **2kosten** *pl.* gastos *m/pl.*; *auf meine* ~ a costa mía; ✝ *nach Abzug aller* ~ deducidos todos los gastos; *sich in* ~ *stürzen* hacer gastos, F meterse en gastos; ~ *verursachen* originar (*od.* ocasionar) gastos; **2kosten·aufstellung** *f* relación *f* de gastos; **2kostenberechnung** *f* cálculo *m* de los gastos; **2kostenkonto** *n* (-*s*; -*ten*) cuenta *f* de gastos; **2kostenvergütung** *f* reintegro *m* (*od.* re[e]mbolso *m*) de los gastos; **2kraut** *n* (-*es*; ⸗*er*) mala hierba *f*; *fig.* ~ *vergeht nicht* mala hierba nunca muere; **~kriegerisch** *adj.* antibelicista; pacífico; **~kultiviert** *adj.* inculto; *fig. a.* bárbaro; **2kultur** *f* (*0*) falta *f* de cultura; barbarie *f*; **~'kündbar** *adj.* ✝ no re(e)mbolsable; consolidado; ~*e Rente* renta perpetua; *Vertrag*: irrevocable, no rescindible; *Stellung*: permanente; inamovible; *Mieter*: que no puede ser desahuciado; **~kundig** *adj.* ignorante; *e-r Sache* (*gen.*) ~ *sein* ignorar *od.* no saber a/c.; *des Spanischen* ~ *sein* no saber (el) español; **~künstlerisch** *adj.* poco artístico; **~längst** *adv.* hace poco, recientemente; últimamente; *Am.* recién; **~lauter** *adj.* impuro; *Geschäft*: turbio; sucio; *Mittel*: ilícito; ~*er Wettbewerb* competencia desleal; **~legiert** *adj.* no aleado; **~leidlich** *adj.* insoportable, inaguantable; **~lenksam** *adj.* indócil; intratable; **2lenksamkeit** *f* (*0*) indocilidad *f*; **~lesbar, ~leserlich** *adj.* ilegible, *stärker*: indescifrable; **2lesbarkeit** *f* (*0*), **2leserlichkeit** *f* (*0*) ilegibilidad *f*; **~'leugbar** *adj.* innegable; (*unbestreitbar*) incontestable; (*evident*) evidente; **2'leugbarkeit** *f* (*0*) incontestabilidad *f*; evidencia *f*; **~lieb** *adj.* desagradable; (*ungelegen*) inoportuno; *es ist mir* ~, *zu* (*inf.*) me disgusta (*inf.*); *es ist mir nicht* ~ no me viene mal; **~liebenswürdig** *adj.* poco amable; desabrido; (*ungefällig*) poco complaciente; **~liebsam** *adj.* desagradable; (*lästig*) molesto; **~liniert** *adj.* sin rayar; **~löblich** *adj.* poco loable; poco digno de elogio; **~logisch** *adj.* ilógico; *es ist* ~ no es lógico; **~'lösbar, ~'löslich** *adj.* insoluble; (*unentwirrbar*) inextricable; (*untrennbar*) inseparable; *Ehe*: indisoluble; **2'lösbarkeit** *f* (*0*) insolubilidad *f*; *der Ehe*: indisolubilidad *f*; **2lust** *f* (*0*) desagrado *m*; (*Unbehagen*) malestar *m*; indisposición *f*; (*Überdruß*) fastidio *m*; (*Abneigung*) repugnancia *f*; aversión *f*; *mit* ~ a disgusto; **~lustig I.** *adj.* (*ohne Lust, et. zu tun*) desganado; sin ganas de; (*grämlich*) melancólico; triste; taciturno; (*mürrisch*) malhumorado; **II.** *adv.* (*widerwillig*) de mala gana; a disgusto; **~manierlich** *adj.* mal educado; de modales groseros; **~männlich** *adj.* poco varonil; (*weibisch*) afeminado; (*feig*) cobarde; **2maß** [ɑ:] *n* (-*es*; *0*) exceso *m*; **2masse** *f* cantidad *f* enorme; **~maßgeblich** *adj.* que no puede servir de norma; (*unzuständig*) incompetente; *nach m-r* ~*en Meinung* en (*od.* según) mi humilde opinión; a mi modesto entender; **~mäßig** *adj.* inmoderado; *im Genuß*: intemperante; (*übermäßig*) desmesurado; (*übertrieben*) excesivo; (*ungeheuer*) enorme; **2mäßigkeit** *f* inmoderación *f*; intemperancia *f*; exceso *m*; enormidad *f*; **2menge** *f* cantidad *f* enorme; **2mensch** *m* (-*en*) monstruo *m*; bárbaro *m*; hombre *m* desnaturalizado; **~menschlich** *adj.* inhumano; bárbaro; (*grausam*) cruel; despiadado; (*übermenschlich*) sobrehumano; *fig.* (*sehr groß*) enorme, F tremendo; **2menschlichkeit** *f* inhumanidad *f*; barbarie *f*; (*Grausamkeit*) crueldad *f*; *fig.* enormidad *f*; **~'merkbar, ~'merklich** *adj.* imperceptible; insensible; **~meßbar** *adj.* inmensurable; **~methodisch** *adj. u. adv.* sin método; **~militärisch** *adj.* poco militar; poco marcial; **~mißverständlich I.** *adj.* categórico; inequívoco; **II.** *adv.* categóricamente; de modo categórico; rotundamente; **~mittelbar I.** *adj.* inmediato; directo; ~ *bevorstehend* inminente; ~*e Kenntnis*(*se*) conocimiento directo; **II.** *adv.*: ~ *nach* inmediatamente después de; **2mittelbarkeit** *f* (*0*) carácter *m* inmediato; camino *m* directo; inminencia *f*; **~möbliert** *adj.* desamueblado; sin amueblar; **~modern, ~modisch** *adj.* pasado de moda; (*veraltet*) anticuado; (*Anschauung*) rancio; ~ *werden* pasar de moda; anticuarse; **~'möglich** *adj.* imposible; *absolut* ~ absolutamente imposible; de todo punto imposible; *es ist* ~ es imposible; no puede ser; *es ist mir* ~, *zu* (*inf.*) me es imposible (*inf.*); *zu e-r* ~*en Stunde* a una hora intempestiva; a una hora imposible; *ich kann es* ~ *tun* no puedo hacerlo; me es imposible hacerlo; ~ *machen* hacer imposible, imposibilitar; *fig. sich* ~ *machen* hacerse (socialmente) inaceptable; hacerse imposible *od.* inadmisible; **2'mögliche(s)** *n* imposible *m*; *Unmögliches leisten* hacer lo imposible; *Unmögliches verlangen* pedir un imposible (*od.* lo imposible); F pe-

dir la luna; **2'möglichkeit** *f (0)* imposibilidad *f*; *ein Ding der ~* una cosa imposible *od.* irrealizable; **~moralisch** *adj.* inmoral; **~motiviert** *adj.* inmotivado; sin fundamento, infundado, gratuito; **~mündig** *adj.* menor de edad; **2mündige(r** *m*) *m/f* menor *m/f* (de edad); **2mündigkeit** *f (0)* minoría *f* (de edad); **~musikalisch** *adj.* sin musicalidad; poco musical; *Person*: *~ sein* no entender (nada) de música; carecer de oído musical; no tener talento musical; **2mut** *m* (*-es*; *0*) (*Verdruß*) disgusto *m*; (*üble Laune*) mal humor *m*; **~mutig** *adj.* malhumorado, de mal humor; (*verärgert*) disgustado; **~nach-ahmlich** *adj.* inimitable; **~nachgiebig** *adj.* inflexible; intransigente; (*fest*) firme; (*zähe*) tenaz; **2nachgiebigkeit** *f (0)* inflexibilidad *f*; intransigencia *f*; firmeza *f*; tenacidad *f*; **~nachsichtig I.** *adj.* severo; **II.** *adv.* severamente; con toda severidad; sin perdón; **~'nahbar** *adj.* inaccesible; inabordable; (*verschlossen*) hermético; **2'nahbarkeit** *f (0)* inaccesibilidad *f*; **~natürlich** *adj.* poco natural; nada natural; (*entartet*) desnaturalizado; (*geziert*) afectado; *Stil*: amanerado; (*gezwungen*) forzado; (*widernatürlich*) contranatural, antinatural; **2natürlichkeit** *f (0)* falta *f* de naturalidad; (*Geziertheit*) afectación *f*; *im Stil*: amaneramiento *m*; **~'nennbar** *adj.* innominable; indecible; inefable; inexpresable; **~notiert** *adj. Börse*: no cotizado; **~nötig** *adj.* innecesario; (*nutzlos*) inútil; (*überflüssig*) superfluo; *das ist ~* no es necesario; no hace falta; **~nötigerweise** *adv.* sin necesidad, innecesariamente; inútilmente; **~nütz** *adj.* inútil, que no sirve para nada; (*überflüssig*) superfluo; (*unartig*) travieso; (*fruchtlos*) estéril, infructuoso; (*trügerisch*) ilusorio; vano; (*unnötiges Zeug*) cosas *f/pl.* inútiles; **~nützerweise** *adv.* inútilmente; (*umsonst*) en vano; en balde; **~operierbar** ⚕ *adj.* inoperable; **~ordentlich** *adj. Person*: desordenado; (*schlampig*) desaliñado; descuidado (en el vestir); *Dinge*: sin orden, desordenado; (*durcheinandergewühlt*) revuelto; (*Lebenswandel*) desordenado; **2ordentlichkeit** *f (0)* falta *f* de orden; desorden *m*; **2ordnung** *f (0)* desorden *m*; (*Durcheinander*) desarreglo *m*; desconcierto *m*; desorganización *f*; (*Verwirrung*) confusión *f*; desbarajuste *m*; embrollo *m*; *in ~ bringen* desordenar; alterar el orden de; poner en desorden; desarreglar; desorganizar, (*verwirren*) revolver; embrollar; enredar, enmarañar; (*Haare*) desgreñar; *in ~ geraten* (*od. kommen*) desordenarse; desarreglarse, descomponerse; desorganizarse, (*in Verwirrung geraten*) embrollarse; enredarse, enmarañarse; **~organisch** *adj.* inorgánico; **~orthographisch** *adj.* contra las reglas de la ortografía; **~paar** *adj.* impar; **~paarig** *adj.* (*nicht gepaart*) impar; *Schuh, Handschuh usw.*: de diferente par; **~pädagogisch** *adj.* poco pedagógico; contrario a las normas pedagógicas; **~parlamentarisch** *adj.* contrario a los usos parlamentarios; antiparlamentario; **~partei-isch I.** *adj.* imparcial; **II.** *adv.* imparcialmente, con imparcialidad; **2partei-ische(r)** *m* árbitro *m*; **2parteilichkeit** *f (0)* imparcialidad *f*; **~passend** *adj.* mal elegido; (*ungeeignet*) impropio (für de); (*unangebracht*) inconveniente, poco conveniente; improcedente; (*unschicklich*) incorrecto; (*ungelegen*) inoportuno; poco a propósito; ⊕ que no ajusta bien; **~pas'sierbar** *adj.* infranqueable; impracticable; *Fluß*: invadeable; ⚓ innavegable; **~päßlich** *adj.* indispuesto; **2päßlichkeit** *f (0)* indisposición *f*; **~patriotisch** *adj.* antipatriótico; **~persönlich** *adj.* impersonal (*a. Gr.*); **~pfändbar** *adj.* inembargable; **~philosophisch** *adj.* no filosófico; antifilosófico; **~po-etisch** *adj.* poco poético; **~politisch** *adj.* no político; apolítico; (*politisch unklug*) impolítico; **~populär** *adj.* impopular; **2popularität** *f (0)* impopularidad *f*; **~praktisch** *adj.* poco práctico; **~produktiv** *adj.* improductivo; **2produktivität** *f (0)* improductividad *f*; **~proportioniert** *adj.* desproporcionado; **~provoziert** *adj.* no provocado; **~pünktlich** *adj.* poco puntual; **2pünktlichkeit** *f (0)* falta *f* de puntualidad; **~qualifizierbar** *adj.* incalificable; **~quittiert** *adj.* sin firmar el recibo; **~rasiert** *adj.* no afeitado; sin afeitar; **2rast** *f (0)* agitación *f*; *innere*: inquietud *f*; **2rat** *m* (*-es*; *0*) inmundicias *f/pl.*; (*Kehricht*) basura *f*; (*Abfälle*) desperdicios *m/pl.*; (*Menschenkot*) excrementos *m/pl.*; *fig. ~ wittern* sospechar un engaño, F oler la tostada; **~rationell** *adj.* poco racional; irracional; **~ratsam** *adj.* no aconsejable; poco recomendable; poco indicado; (*unvorteilhaft*) poco ventajoso; (*unzeitig*) inoportuno; **~realistisch** *adj.* poco realista; sin sentido de la realidad.

'Unrecht *n* (*-es*; *0*) injusticia *f*; *angetanes*: agravio *m*; *mit ~*; *zu ~* sin razón; injustamente; sin tener motivo; *zu Recht oder ~* con razón o sin ella; *nicht mit ~* no sin razón; *im ~ sein* no tener razón; estar equivocado; *j-m ~ tun* ser injusto con alg.; *~ leiden* ser víctima de una injusticia; sufrir agravios; *es geschieht ihm ~* no lo merece; no se le hace justicia; *ein ~ begehen* cometer una injusticia.

'unrecht I. *adj.* (*ungerechtfertigt*) injustificado; (*ungerecht*) injusto; (*unrichtig*) equivocado; falso; (*übel*) malo; mal hecho; (*ungeeignet*) impropio; (*ungelegen*) inoportuno; *zur ~en Zeit* fuera de tiempo; a deshora; en un momento inoportuno; *~ haben* no tener razón; estar equivocado; *j-m ~ geben* disentir de alg.; (*ihn Lügen strafen*) desmentir a alg.; *in ~e Hände fallen* caer en manos ajenas; *~ Gut gedeihet nicht* bienes mal adquiridos a nadie han enriquecido; **II.** *adv.* (*übel*) mal; (*ungerecht*) injustamente; sin razón; (*ungelegen*) inoportunamente; **2e(r)** *m*: *an den ~n kommen* (*od. geraten*) *fig.* F encontrar la horma de su zapato; dar con su igual; **~mäßig I.** *adj.* ilegal; ilegítimo; **II.** *adv.*: *~ erworben* mal adquirido; *sich et. ~ aneignen* usurpar a/c.; **2mäßigkeit** *f* ilegalidad *f*; ilegitimidad *f*.

'un|redlich *adj.* desleal; ímprobo, falto de probidad; de poca confianza; de mala fe; ✝ infiel, *Gewinn*: fraudulento; **2redlichkeit** *f (0)* deslealtad *f*; falta *f* de probidad; mala fe *f*; ✝ infidelidad *f*; fraudulencia *f*; **~re-ell** *adj.* (*unlauter*) desleal; (*unzuverlässig*) de poca confianza; informal; (*falsch*) falso; (*betrügerisch*) fraudulento; **~regelmäßig** *adj.* irregular; **2regelmäßigkeit** *f* irregularidad *f*; **~reif** *adj.* no maduro; *Früchte*: *a.* verde; *fig.* (*vorzeitig*) prematuro; (*zu jung*) demasiado joven; (*frühreif*) precoz; **2reife** *f (0)* falta *f* de madurez; *fig.* inexperiencia *f*; **~rein** *adj.* impuro (*a. fig.*); (*schmutzig*) poco limpio; sucio; (*trübe*) turbio; ♪ disonante; *das 2e* (*Kladde*) el borrador; *ins ~e schreiben* escribir en borrador; **2reinheit** *f* impureza *f* (*a. fig.*); suciedad *f*; falta *f* de aseo; turbiedad *f*; **~reinlich** *adj.* desaseado, *stärker*: sucio; **2reinlichkeit** *f* desaseo *m*; suciedad *f*; **~rentabel** *adj.* no rentable; poco lucrativo; **~'rettbar** *adj.* que no puede salvarse; sin salvación; *~ verloren* perdido sin remedio; irremediablemente perdido; **~rhythmisch** *adj.* arrítmico; **~richtig** *adj.* (*falsch*) falso; (*irrig*) erróneo; equivocado; (*fehlerhaft*) incorrecto; (*schlecht angewandt*) mal empleado; (*ungenau*) inexacto; **2richtigkeit** *f* falsedad *f*; incorrección *f*; inexactitud *f*; **~ritterlich** *adj.* poco caballeroso; indigno de un caballero; **2ruh** *f der Uhr*: volante *m*; **2ruhe** *f (0)* (*äußere*) intranquilidad *f*, agitación *f*; (*innere*) inquietud *f*, desasosiego *m*; (*Bestürzung*) alarma *f*; (*Nervosität*) nerviosidad *f*; (*Aufregung*) excitación *f*; (*Bewegung*) movimiento *m*; (*Besorgnis*) preocupación *f*; (*Aufruhr*) alboroto *m*; disturbio *m*; tumulto *m*; (*Störung*) perturbación *f*; *j-n in ~ versetzen* inquietar *bzw.* alarmar a alg.; *in ~ geraten* inquietarse *bzw.* alarmarse (wegen por); **2ruheherd** *m* (*-es*; *-e*) foco *m* de agitación; **~ruhig** *adj.* intranquilo; inquieto, desasosegado; *Kind*: inquieto; revoltoso; (*bestürzt*) alarmado; (*nervös*) nervioso; (*aufgeregt*) agitado; (*bewegt*) animado, movido; (*besorgt*) preocupado; (*aufgestört*) alborotado; (*gestört*) perturbado; (*lärmend*) bullicioso; ruidoso; turbulento; *~e See* mar agitada *od.* picada; *~er Schlaf* sueño intranquilo; **2ruh(e)stifter** *m* alborotador *m*, perturbador *m* del orden público; agitador *m*; **~ruhevoll** *adj.* lleno de inquietud; **~rühmlich I.** *adj.* poco honroso; deslucido; **II.** *adv.* sin gloria.

uns *pron/pers.* (*unbetont*) nos; (*betont*) a nosotros, a nosotras; *ein Freund von ~* un amigo nuestro, uno de nuestros amigos; *unter ~* entre nosotros; *zu ~ komme dein Reich* (*im Vaterunser*) venga a nosotros tu reino; es *gehört* ~ es nuestro; *von* ~ *aus* por nuestra parte; en cuanto a nosotros.

ˈ**un|sachgemäß** *adj.* poco concorde con los hechos; poco objetivo; (*schlecht angemessen*) inadecuado; ~*e Behandlung* trato no apropiado; **~sachlich** *adj.* subjetivo; parcial; (*nicht zur Sache gehörig*) que no viene al caso; impertinente; **⁓sachlichkeit** *f* (*0*) subjetividad *f*; parcialidad *f*; impertinencia *f*; **~ˈsagbar** *adj.* indecible; inefable; (*unbeschreiblich*) indescriptible; (*unermeßlich*) inmenso; **~sanft** *adj.* poco suave; áspero, rudo; **~sauber** *adj.* poco limpio, *stärker*: sucio (*a. Spiel, im Sport*); (*schlampig*) desaseado; **⁓sauberkeit** *f* (*0*) falta *f* de limpieza; suciedad *f*; desaseo *m*, falta *f* de aseo; **~schädlich** *adj.* que no es nocivo; (*harmlos*) inofensivo, ⚕ *a.* innocuo; ~ *machen* hacer inofensivo, *Gift*: neutralizar, *Verbrecher*: capturar; **⁓schädlichkeit** *f* (*0*) carácter *m* inofensivo; (*Harmlosigkeit*) inocuidad *f*; **⁓schädlichmachung** *f* (*0*) *e-s Giftes*: neutralización *f*; **~scharf** *Phot. adj.* poco nítido; borroso; **⁓schärfe** *Phot. f* falta *f* de nitidez; borrosidad *f*; **~ˈschätzbar** *adj.* inapreciable, inestimable; **⁓ˈschätzbarkeit** *f* valor *m* inestimable; **~scheinbar** *adj.* (*unbedeutend*) insignificante; (*unauffällig*) poco vistoso; de poca apariencia; (*zurückhaltend*) discreto; (*schlicht*) sencillo; (*bescheiden*) modesto; **⁓scheinbarkeit** *f* (*0*) (*Unbedeutendheit*) insignificancia *f*; (*Unauffälligkeit*) falta *f* de apariencia *bzw.* de vistosidad; (*Schlichtheit*) sencillez *f*; (*Bescheidenheit*) modestia *f*; **~schicklich** *adj.* indecoroso, indecente; deshonesto; (*unpassend*) impropio; **⁓schicklichkeit** *f* indecencia *f*; deshonestidad *f*; impropiedad *f*; **~ˈschlagbar** *adj.* imbatible; **⁓schlitt** *n* (*-és*; *-e*) sebo *m*; **~schlüssig** *adj.* irresoluto; indeciso; (*zaudernd*) vacilante; (*ratlos*) perplejo; **⁓schlüssigkeit** *f* (*0*) irresolución *f*; indecisión *f*; (*Zaudern*) vacilación *f*, titubeo *m*; (*Ratlosigkeit*) perplejidad *f*; **~schmackhaft** *adj.* sin sabor; (*schal*) soso, insípido; **⁓schmackhaftigkeit** *f* (*0*) falta *f* de sabor; insipidez *f*; **~schön** *adj.* poco bonito; (*häßlich*) feo; (*mißfällig*) desagradable.

ˈ**Unschuld** *f* (*0*) inocencia *f*; (*Arglosigkeit*) candor *m*; ingenuidad *f*; (*Reinheit*) pureza *f*; (*Keuschheit*) castidad *f*; (*Jungfernschaft*) virginidad *f*; *s-e* ~ *beteuern* ⚖ hacer protestas de inocencia; *s-e Hände in* ~ *waschen fig.* declinar toda responsabilidad; F lavarse las manos; F ~ *vom Lande* moza aldeana ingenua; **⁓ig** *adj.* inocente (*an dat.* de); (*arglos*) cándido; ingenuo; (*rein*) puro; (*keusch*) casto; *j-n für* ~ *erklären* proclamar la inocencia de alg.; ⚖ absolver; *sich für* ~ *erklären* ⚖ afirmar su inocencia; *den* ⁓*en spielen* hacerse el inocente; **~ige(r** *m*) *m/f* inocente *m/f*; **~smiene** *f* aire *m* de inocencia; **⁓svoll** *adj.* muy inocente.

ˈ**un|schwer I.** *adj.* fácil; **II.** *adv.* fácilmente; sin (la menor) dificultad; **⁓segen** *m* (*-s*; *0*) (*Unglück*) desgracia *f*; (*Fluch*) maldición *f*; (*Verhängnis*) fatalidad *f*; **~selbständig** *adj.* dependiente (de otro); ~*e Arbeit* trabajo hecho con ayuda de otros; *fig.* (*unbeholfen*) falto de iniciativa; **⁓selbständigkeit** *f* (*0*) dependencia *f* de otros; falta *f* de independencia; (*Unbeholfenheit*) falta *f* de iniciativa; **~selig** *adj.* funesto; (*verhängnisvoll*) fatal.

ˈ**unser I.** *pron./pers.* (*gen.*) de nosotros; *wir waren* ~ *vier* éramos cuatro; *Herr, erbarme dich* ~! ¡Señor, apiádate de nosotros!; *Vater*~, *der du* ... Padre nuestro que estás ...; *er gedenkt* ~ se acuerda de nosotros; piensa en nosotros; **II.** *adj. u. pron/pos.* (*unbetont*) nuestro(s); nuestra(s); (*betont*) de nosotros; de nosotras; *das Haus ist* ~ la casa es nuestra; *dies ist* ~ esto es nuestro; **III.** *pron/pos. der uns*(*e*)*r*(*ig*)*e* el nuestro; *das* ⁓(*ig*)*e* lo nuestro; *wir haben das* ⁓(*ig*)*e getan* hemos hecho cuanto pudimos; *die* ⁓(*ig*)*en* los nuestros; nuestra gente; **~einer, ~eins** *pron/indef.* (*man*) uno; la gente; (*Leute wie wir*) nosotros; gente de nuestra condición; **~(er)seits** *adv.* de nuestra parte; **~(e)sgleichen** *pron/indef.* nuestros semejantes; gente de nuestra condición, gente como nosotros; **~thalben, ~twegen,** (*um*) **~twillen** *adv.* por nosotros; por causa nuestra; por amor nuestro.

ˈ**unsicher** *adj.* poco seguro; incierto; (*zweifelhaft*) dudoso; inseguro; problemático; (*wackelig*) vacilante; (*nicht fest*) poco firme; mal asegurado; (*unstet*) poco estable; inestable; (*vom Zufall abhängig*) aleatorio; (*gefahrvoll*) peligroso; arriesgado; *Lage, Existenz*: precario; *Gedächtnis*: infiel; ~*e Hand* mano insegura; ~ *machen* (*Gegend*) infestar; **⁓heit** *f* (*0*) poca seguridad *f*; incertidumbre *f*; dudas *f/pl.*; inseguridad *f*; peligro *m*; riesgo *m*.

ˈ**unsichtbar** *adj.* invisible; ~ *werden*; *sich* ~ *machen* desaparecer; desvanecerse; F *fig.* eclipsarse; **⁓keit** *f* (*0*) invisibilidad *f*.

ˈ**Unsinn** *m* (*-és*; *0*) (*Ungereimtheit*) absurdo *m*; (*Unverstand*) insensatez *f*; desatino *m*; locura *f*; (*Narrheit*) tontería *f*, sandez *f*; (*dummes Zeug*) disparates *m/pl.*; tonterías *f/pl.*; ~ *reden* disparatar; decir desatinos, desbarrar; *ach was!* ~! F (*abwehrend*) ¡quita allá!; ¡bah, pamemas!; ¡qué tontería!; **⁓ig** *adj.* absurdo; insensato, desatinado; disparatado; *Preis*: exorbitante; **~igkeit** *f* (*0*) absurdidad *f*; insensatez *f*.

ˈ**Unsitt|e** *f* mala costumbre *f*; **⁓lich** *adj.* inmoral; **~lichkeit** *f* (*0*) inmoralidad *f*.

ˈ**un|solid(e)** *adj.* poco sólido; poco consistente; poco seguro; *Charakter*: informal; † *Firma*: de poca confianza; *Lebensweise*: desarreglado; disipado; *Arbeit*: mal hecho; chapucero; **⁓solidität** *f* (*0*) falta *f* de solidez (*od.* de consistencia); **~sozial** *adj.* poco social; **~sportlich** *adj.* poco deportivo; antideportivo.

ˈ**unsrige** → *unser.*

ˈ**un|starr** *adj.* ✈ no rígido; fláccido; **~statthaft** *adj.* inadmisible; (*unerlaubt*) ilícito; (*verboten*) prohibido.

ˈ**unsterblich** *adj.* inmortal; (*sich*) ~ *machen* inmortalizar(se); **⁓keit** *f* (*0*) inmortalidad *f*.

ˈ**Un|stern** *m* (*-és*; *0*) mala estrella *f*; (*Unglück*) desgracia *f*; (*Verhängnis*) fatalidad *f*; **⁓stet** *adj.* inestable; (*wankelmütig*) inconstante; versátil, voluble; (*unruhig*) inquieto; (*umherziehend*) errante; vagabundo; nómada; **~stetigkeit** *f* (*0*) inestabilidad *f*; inconstancia *f*; versatilidad *f*, volubilidad *f*; inquietud *f*; vida *f* errante.

ˈ**un|stillbar** *adj.* incalmable; (*unersättlich*) insaciable; **~stimmig** *adj.* discorde; **⁓stimmigkeit** *f* desacuerdo *m*; (*Meinungsverschiedenheit*) divergencia *f*; discrepancia *f*; **~sträflich** *adj.* (*untadelig*) irreprensible; irreprochable; **~ˈsühnbar** *adj.* inexpiable; **⁓summe** *f* suma *f* (*od.* cantidad *f*) enorme; **~symmetrisch** *adj.* asimétrico; sin simetría; **~sympathisch** *adj.* poco simpático, *stärker*: antipático; **~tadelhaft, ~tadelig** *adj.* irreprochable, impecable; irreprensible; **⁓tat** *f* crimen *m* atroz *od.* monstruoso; (*Missetat*) fechoría *f*; **~tätig** *adj.* inactivo; (*müßig*) ocioso; (*unbeschäftigt*) desocupado, sin ocupación; ⚕ inerte; **⁓tätigkeit** *f* (*0*) *augenblickliche*: inacción *f*; *dauernde*: inactividad *f*; (*Müßigkeit*) ociosidad *f*; ⚕ inercia *f*; **~tauglich** *adj. Person*: inepto, no apto, inhábil (*für* para); (*unfähig*) incapaz (de); (*unzulänglich*) insuficiente; (*nutzlos*) inservible; ⚔ (*dienst*~) inútil para el servicio; **⁓tauglichkeit** *f* (*0*) ineptitud *f*, inhabilidad *f*; incapacidad *f*; insuficiencia *f*; inutilidad *f*; **~teilbar** *adj.* indivisible; **⁓teilbarkeit** *f* (*0*) indivisibilidad *f*.

ˈ**unten** *adv.* abajo; (*darunter*) debajo; por debajo; en la parte baja *od.* inferior; *dort* ~ allá abajo; *hier* ~ aquí abajo; *siehe* ~! véase más abajo (*od.* más adelante); *weiter* ~ más abajo; *nach* ~ hacia abajo; *von* ~ de abajo; (*von*) ~ *herum* por debajo; *von* ~ *nach oben* hacia arriba; de pies a cabeza; *von oben bis* ~ de arriba abajo; *wie* ~ (*angegeben*) como al pie se indica; ~ *durch* (pasando) por debajo; ~ *in* (*dat.*) en el fondo de; ~ *an* (*dat.*) en el último extremo de; al pie de; *von* ~ *auf* desde abajo; ⚔ *von* ~ *auf dienen* pasar *bzw.* haber pasado por todos los grados; **~an** *adv.* en el último extremo; ~ *sitzen* ocupar el último asiento; **~erwähnt; ~genannt** *adj.* abajo mencionado; **~her** *adv.*: (*von*) ~ desde abajo; **~hin** *adv.*: (*nach*) ~ hacia abajo; **~stehend** *adj.* abajo mencionado *od.* expresado.

ˈ**unter I.** *prp.* (*wo? dat.*; *wohin? ac.*); **a)** *örtlich*: debajo de; bajo; (*zwischen*; *inmitten*; *von*) entre; en; (*während*) durante; ~ *Wasser* bajo el agua; ~ *dem Tisch* debajo de la mesa; ~ *Freunden* entre amigos; ~ *die Feinde geraten* caer en manos del enemigo; ~ *uns gesagt* dicho sea entre nosotros; e-r ~ *euch* uno de vosotros; ~ *die Soldaten gehen* hacerse soldado; ~ *vier Augen* a solas; en confianza; privadamente; ~ *anderem* entre otras cosas; ~ ... *hervor* de debajo de ...; ~ *dem dreißigsten Grad nördlicher Breite* a treinta grados de latitud norte; ~ *freiem Himmel* a cielo abierto, al aire libre, *nachts*: al sereno, *allem ausgesetzt*: a la intemperie; *fig.* ~ *e-n Hut bringen* poner de acuerdo; **b)** *zeitlich*: ~ *dem heutigen Datum* con esta fecha; con fecha de hoy; ~ *der Regierung Karls III.* bajo el reinado de Carlos III (tercero); **c)** *ein geringeres Maß an Wert od. Zeit*: menos de; por debajo de; ~ *dem Preis kaufen* comprar por menos del precio (*od.* del valor); *nicht* ~ *100 Mark* no inferior a cien marcos; de cien marcos arriba; ~ *21 Jahren* menor de veintiún años (de edad); menos de veintiún años; ~ *aller Kritik* (*wertlos*) de ínfima calidad; (*lächerlich*) francamente ridículo; **d)** *Abhängigkeit*: ~ *s-r Leitung* bajo su dirección; et. ~ *sich haben* (*als Leiter*) tener a su cargo la dirección de a/c.; ~ *j-m stehen fig.* ser inferior a alg.; ⚔ estar bajo el mando de; *Pol.* ser gobernado por; **e)** *Begleitumstände*: ~ *dieser Bedingung* con (*od.* bajo) esta condición; ~ *Glockengeläut* al son de las campanas; ~ *dem Vorwand* con el pretexto de; so pretexto de; ~ *diesen Umständen* en estas circunstancias; ~ *großem Gelächter* entre grandes carcajadas; ~ *großer Mühe* con gran esfuerzo; a duras penas; ~ *Verzicht auf* (*ac.*) renunciando a; ~ *Berücksichtigung von* teniendo en cuenta; **II.** *adj.* inferior; (*nieder*) bajo; (*unter et. anderem liegend*) de abajo; de debajo; *der* ~*e Teil* la parte inferior; la parte baja; *die* ~*en Klassen* las clases bajas; *Schule*: los primeros grados, las clases elementales; **III.** 2 *m Kartenspiel*: sota *f*.

'**Unter|abteilung** *f* subdivisión *f*; *e-r Wissenschaft*: ramo *m*; ~**arm** *Anat. m* (-*es*; -*e*) antebrazo *m*; ~**art** *f* ✿, *Zoo.* variedad *f*; *allg.* subclase *f*; subgrupo *m*; ~**arzt** *m* (-*es*; ⸚*e*) médico *m* auxiliar *bzw.* ⚔ adjunto; ~**ausschuß** *m* (-*sses*; ⸚*sse*) subcomisión *f*; ~**bau** *m* (-*es*; -*ten*) △ (*Fundament*) cimiento *m*, cimientos *m/pl.*; fundación *f*, fundamento *m*; 🚂 infraestructura *f*; ~**bauch** *Anat. m* (-*es*; ⸚*e*) hipogastrio *m*; 2'**bauen** (-) *v/t.* △ (*abstützen*) recalzar; (*Fundamente legen*) cimentar (*a. fig.*); ~**beamte(r)** *m* funcionario *m* (*bzw.* empleado *m*) subalterno; ~**beinkleid** *n* (-*es*; -*er*) calzoncillos *m/pl.*; 2**belichten** *Phot.* (-*e*-; -) *v/t.* exponer insuficientemente; ~**belichtung** *Phot. f* exposición *f* insuficiente; ~**bett** *n* (-*es*; -*en*) colchoneta *f*; *in Kabinen*: litera *f* baja; 2**bevölkert** *adj.* insuficientemente poblado; 2**bewerten** (-*e*-; -) *v/t.* desvalor(iz)ar; *fig.* rebajar el valor de; apreciar en menos; *neol.* subestimar; ~**bewertung** *f* desvalorización *f*; *fig.* desprecio *m*; *neol.* subestimación *f*; 2**bewußt** *adj.* subconsciente; ~**bewußtsein** *n* (-*s*; *0*) subconsciencia *f*; 2'**bieten** (*L*; -) *v/t. Preis*: ofrecer mejor precio que; *Konkurrenz*: vender a precio más bajo; *Rekord*: mejorar, batir; ~**bilanz** † *f* balance *m* pasivo; déficit *m*; 2'**binden** (*L*; -) *v/t.* atar; *Chir.* ligar; *fig.* (*aufhalten*) detener, contener; atajar; contrarrestar; (*verhindern*) impedir; estorbar; (*unterbrechen*) interrumpir; (*verbieten*) prohibir; 2**binden** (*L*) *v/t.* atar (por debajo); ~'**bindung** *Chir. f* ligadura *f*; 2'**bleiben** (*L*; -; *sn*) *v/i.* no tener lugar; no realizarse; dejar de hacerse; (*nicht wieder eintreten*) no repetirse; (*aufhören*) cesar, acabar; *das hätte* ~ *können* hubiera podido prescindirse de eso; *es hat zu* ~ esto tiene que acabar; 2'**brechen** (*L*; -) *v/t.* interrumpir; *sich* ~ interrumpirse; *zeitweilig*: suspender; ⚡ cortar; ~'**brecher** ⚡ *m* interruptor *m*; ~'**brechung** *f* interrupción *f*; *zeitweilige*: suspensión *f*; ⚡ corte *m*; 2'**breiten** (-*e*-; -) *v/t.*: *j-m* et. ~ someter a la consideración (*od.* al criterio) de alg. a/c.; *Gesuch*: presentar, *Amtsstil*: elevar; 2**breiten** (-*e*-) *v/t.* extender (por) debajo; 2**bringen** (*L*) *v/t.* colocar; (*unter Dach und Fach bringen*) poner a cubierto; *j-n* ~ (*in e-r Stellung*) procurar un empleo a alg.; *Gast*: alojar, hospedar; (*in e-r Wohnung*) instalar; (*in e-m Krankenhaus*) hospitalizar; (*hinlegen*) depositar; † *Kapital*: colocar; invertir; (*verkaufen*) vender, colocar; (*lagern*) almacenar; *Wagen*: encerrar; ⚔ *Truppen*: acantonar; ~**bringung** *f* colocación *f*; acomodo *m*; (*Beherbergung*) alojamiento *m*; instalación *f*; (*in e-m Krankenhaus*) hospitalización *f*; † (*Geld*) colocación *f*; inversión *f*; (*Verkauf*) venta *f*; (*Lagerung*) almacenamiento *m*; ⚔ acantonamiento *m*; ~**deck** ⚓ *n* (-*s*; -*s*) cubierta *f* baja; 2**der'hand** *adv.* (*heimlich*) bajo mano; en secreto; (por) bajo cuerda; clandestinamente; † privadamente; 2'**des(sen)** *adv.* (*inzwischen*) entretanto, mientras tanto; en esto; (*seitdem*) desde entonces; ~**druck** *m* (-*es*; *0*) depresión *f*; ⚕ *des Blutes*: hipotensión *f*; 2'**drücken** (-) *v/t.* (*aufheben*) suprimir; (*ersticken*) sofocar; (*vertuschen*) disimular; (*unterjochen*) someter, subyugar; *Volk*: oprimir; *Aufstand*: reprimir; *Atem, Lachen, Tränen*: contener; ~'**drükker** *m* opresor *m*; ~**druckmesser** *m* vacuómetro *m*; ~'**drückung** *f* supresión *f*; opresión *f*; represión *f*; contención *f*; 2**durchschnittlich** *adj.* inferior al promedio.

'**unter-ein-ander** *adv.* uno debajo de otro.

unter-ein-'ander *adv.* entre sí; entre ellos *bzw.* ellas; entre nosotros *usw.*; (*gegenseitig*) mutuamente, recíprocamente; ~**legen** *v/t.* poner uno encima de otro; ~**mengen**, ~**mischen** *v/t.* entremezclar; *fig.* confundir.

'**Unter-einteilung** *f* subdivisión *f*.

'**unter-entwick|elt** *adj.* poco desarrollado; subdesarrollado; 2**lung** *f* (*0*) desarrollo *m* insuficiente.

'**unter-ernähr|t** *adj.* mal alimentado; insuficientemente alimentado; desnutrido; 2**ung** *f* (*0*) alimentación *f* deficiente; subalimentación *f*; ⚕ hipoalimentación *f*, desnutrición *f*.

unter|'fangen (*L*; -) *v/refl.*: *sich* ~ *zu* atreverse a, osar (*inf.*); tener la audacia de (*inf.*); 2'**fangen** *n* empresa *f* (audaz); '~**fassen** (-*ßt*) *v/t.* dar el brazo a; *untergefaßt gehen* ir (cogidos) del brazo, ir de bracete; ~'**fertigen** (-) *v/t.* firmar; 2'**fertigte** *m/f* firmante *m/f*; '2**führer** ⚔ *m* subjefe *m*; 2'**führung** *f* paso *m* inferior *od.* bajo nivel; *im Bahnhof*: paso *m* subterráneo; '2**futter** *n* forro *m*; ~'**füttern** (-*re*; -) *v/t.* forrar; '2**gang** *m* (-*es*; ⸚*e*) *Astr.* puesta *f*; ocaso *m* (*a. fig.*); (*Zugrundegehen*) ruina *f*; (*Verlust*) pérdida *f*; ⚓ (*Schiffbruch*) naufragio *m*, hundimiento *m*; (*Sturz*) caída *f*; (*Verfall*) decadencia *f*; ~ *der Welt* el fin del mundo; '2**gattung** *f* subclase *f*; ✿, *Zoo.* subgénero *m*; ~'**geben** *adj.*: *j-m* ~ *sein* estar subordinado a alg.; *bsd.* ⚔ estar a las órdenes de alg.; 2'**gebene(r)** *m* subordinado *m*; subalterno *m*; '~**gehakt** *adv.*: ~ *gehen* ir (cogidos) del brazo, ir de bracero; '~**gehen** (*L*; *sn*) *v/i. Astr.* (*Sonne, Mond*) ponerse; *im Wasser*: sumergirse; ⚓ *Schiff*: hundirse, irse a pique; *fig.* (*zugrunde gehen*) perderse; ir a la ruina; (*umkommen*) perecer; (*verschwinden*) desaparecer; (*zerstört werden*) quedar destruido; ~**ge-ordnet** *adj.* subordinado; subalterno; *an Bedeutung*: secundario; inferior; *in* ~*er Stellung* en posición subalterna; '2**ge-ordnete(r)** *m* subordinado *m*; subalterno *m*; '2**geschoß** △ *n* (-*sses*; -*sse*) piso *m* bajo; '2**gesenk** ⊕ *n* (-*es*; -*e*) estampa *f* inferior; '2**gestell** *n* (-*es*; -*e*) armazón *f* de apoyo; (*Stütze*) soporte *m*, sostén *m*, apoyo *m*; *Auto.* chasis *m*; '2**gewand** *n* (-*es*; ⸚*er*) vestido *m* interior; (*antikes*) túnica *f*; '2**gewicht** *n* (-*es*; *0*) insuficiencia *f* de peso; † falta *f* de peso; ~'**graben** (*L*; -) *v/t.* socavar; minar (*a. fig.*); *fig.* (*moralisch*) corromper; (*ruinieren*) arruinar; (*zerstören*) destruir; 2'**grabung** *f* socavación *f*; ⚔ zapa *f*; '2**grund** *m* (-*es*; ⸚*e*) ⚒ subsuelo *m*; *Mal.*, *Typ.* fondo *m*; '2**grundbahn** *f* ferrocarril *m* subterráneo; ferrocarril *m* metropolitano, F metro *m*; '2**grundbewegung** *Pol. f* movimiento *m* clandestino; '2**gruppe** *f* subgrupo *m*; '~**haken** *v/t.* → *unterfassen*; '~**halb** *prp.* (*gen.*) debajo de; *v. Flüssen*: más abajo de.

'**Unterhalt** *m* (-*es*; *0*) sustento *m*; mantenimiento *m*, manutención *f*; sostenimiento *m*; (*Lebens*2) subsistencia *f*; *s-n* ~ *bestreiten* subvenir a sus necesidades; *s-n* ~ (*selbst*) *verdienen* ganarse el sustento (*od.* la vida); 2**en** (*L*) *v/t.* poner *bzw.* sostener debajo.

unter'halt|en (*L*; -) **1.** *v/t.* sostener, sustentar; (*ernähren*) alimentar, mantener; (*instand halten*) conservar *od.* mantener (en buen estado); (*vergnügen*) divertir; distraer; *im Gespräch*: entretener; (*besitzen*) tener, poseer; ser propietario de; *Beziehungen, Briefwechsel*: mantener; **II.** *v/refl.*: *sich* ~ (*gesprächsweise*) conversar (*mit j-m über et. ac.* con alg. sobre a/c.); (*plaudern*) platicar, F charlar; (*sich vergnügen*) distraerse; divertirse; **~end, ~sam** *adj.* interesante; recreativo; (*lustig*) divertido; *Lektüre*: ameno; **2er** *m*: *guter* ~ conversador *m* ameno.

'Unterhalts...: **~anspruch** ⚖ *m* (-*es*; ⸚*e*) derecho *m* a alimentos; **~klage** ⚖ *f* demanda *f* de alimentos; **~kosten** *pl.* gastos *m/pl.* de mantenimiento *od.* de entretenimiento; gastos *m/pl.* de conservación; gastos *m/pl.* de manutención; **~pflicht** ⚖ *f* deber *m* de alimentos.

Unter'haltung *f* (*Gespräch*) conversación *f*; (*Instandhaltung*) entretenimiento *m*, conservación *f* (en buen estado); (*Aufrechterhaltung*) sostenimiento *m*; (*Vergnügen*) diversión *f*; distracción *f*, entretenimiento *m*; **~sbeilage** *f* suplemento *m* literario; **~slektüre** *f* (*0*) lectura *f* amena *od.* recreativa; **~smusik** *f* (*0*) música *f* ligera; **~sroman** *m* (-*s*; -*e*) novela *f* amena (*od.* recreativa); **~sstoff** *m* (-*es*; *0*) materia *f* de conversación; tema *m* de conversación; **~s-teil** *m* (-*es*; -*e*) → *Unterhaltungsbeilage*; **~s-ton** *m* (-*es*; *0*) tono *m* de conversación.

unter|'handeln (-*le*; -) *v/i.* negociar (*über et. ac.* a/c.); ⚔ parlamentar; **'2händler** *m* negociador *m*; agente *m*; (*Vermittler*) mediador *m*, tercero *m*; ⚔ parlamentario *m*; **2'handlung** *f* negociación *f*; *in* **~en** *treten* entrar en negociaciones; entablar negociaciones.

'Unter|haus *n* (-*es*; *0*) *in England*: Cámara *f* de los Comunes; **~hemd** *n* (-*es*; -*en*) camiseta *f*; **2'höhlen** (-) *v/t.* socavar; minar; **~holz** *n* (-*es*; *0*) monte *m* bajo; **~hose(n** *pl.*) *f* calzoncillos *m/pl.*; **2irdisch** *adj.* subterráneo; **~italien** *n* Italia *f* meridional; **~jacke** *f* chaleco *m* de punto; **2'jochen** (-) *v/t.* subyugar, sojuzgar; someter; esclavizar; **~'jochung** *f* sojuzgamiento *m*, subyugación *f*; sometimiento *m*; **~kiefer** *Anat. m* maxilar *m* inferior; mandíbula *f* inferior; **~kieferknochen** *Anat. m* hueso *m* submaxilar; **~kleid** *n* (-*es*; -*er*) combinación *f*; (*Frauenunterrock*) enaguas *f/pl.*; **~kleider** *pl.* ropa *f* interior; **2kommen** (*L*; *sn*) *v/i.* hallar alojamiento; alojarse; hospedarse; (*Anstellung*) hallar colocación; colocarse; **~kommen** *n* (*Obdach*) abrigo *m*; albergue *m*; *im Gebirge*: refugio *m*; (*Logis*) alojamiento *m*; hospedaje *m*; (*Anstellung*) colocación *f*, empleo *m*; **~körper** *m* parte *f* inferior del cuerpo; **2kriegen** F *v/t.* rendir; avasallar; *sich nicht* ~ *lassen* mantenerse firme; no doblegarse; F no dar el brazo a torcer **2'kühlen** (-) ⊕ subenfriar; subfundir; **~'kühlung** ⊕ *f* subfusión *f*; **~kunft** *f* → *Unterkommen*; ⚔ acantonamiento *m*; **~kunftshütte** *f im Gebirge*: refugio *m*; **~kunftsraum** ⚔ *m* (-*es*; ⸚*e*) abrigo *m*; refugio *m*; **~lage** *f* (*Grundlage*) base *f* (*a. fig.*); *für Kinderbett*: tela *f* impermeable; (*unterste Schicht*) capa *f* inferior; *Phil.* substrato *m*; *Geol.* estrato *m* inferior; (*Schreib2*) carpeta *f*; ⊕ apoyo *m*; (*Unterlegplatte*) placa *f* de asiento; (*Urkunde*) documento *m*; (*Beleg*) comprobante *m*; (*Beweis*) prueba *f*; (*Angabe*) dato *m*; *die* ~*n pl.* (*Urkunden*) documentos *m/pl.*; documentación *f*; (*Belege*) comprobantes *m/pl.*; (*Beweise*) pruebas *f/pl.*; (*Angaben*) datos *m/pl.*; (*aktenmäßiger Vorgang*) antecedentes *m/pl.*; (*Referenzen*) referencias *f/pl.*; informes *m/pl.*; **~land** *n* (-*es*; *0*) país *m* bajo; (*Niederung*) tierra *f* baja; **~laß** *m*: *ohne* ~ sin interrupción, sin cesar; permanentemente; **2'lassen** (*L*; -) *v/t.* omitir; (*außer acht lassen*) descuidar; (*aufhören mit*) interrumpir; (*sich enthalten*) abstenerse de; (*nicht tun*) dejar de hacer; *ich werde nicht* ~, *zu* (*inf.*) no dejaré de (*inf.*); **~'lassung** *f* omisión *f*; (*Enthaltung*) abstención *f*; **~'lassungsdelikte** *pl.* ⚖ delitos *m/pl.* de omisión; **~'lassungssünde** *Rel. f* pecado *m* de omisión; **~lauf** *m* (-*es*; ⸚*e*) *des Flusses*: curso *m* inferior; **2'laufen I.** (*L*; -; *sn*) *v/i.*: *mit* ~ pasar inadvertido; *es ist ein Fehler* ~ se ha deslizado una falta; *mir ist ein Fehler* ~ se me ha escapado una falta; **II.** *adj. mit Blut* **~e** *Stelle* cardenal *m*, ⚕ equimosis *f*; *mit Blut* ~ inyectado de sangre; amoratado; acardenalado; **2legen** *v/t.* poner (*od.* colocar) debajo; *e-r Henne Eier* ~ poner huevos a empollar; echar una gallina; *fig. Sinn*: atribuir; *e-r Melodie e-n Text* ~ poner letra a una melodía; **2'legen I.** (-) *v/t.*: ~ *mit* guarnecer de; **II.** *adj.* inferior (*an dat.* en; *j-m* a alg.); **~'legene(r** *m*) *m/f* vencido (-a *f*) *m*; **~'legenheit** *f* (*0*) inferioridad *f* (*an Zahl* numérica); **~legscheibe** ⊕ *f* arandela *f*; **~leib** *Anat. m* (-*es*; -*er*) bajo vientre *m*, hipogastrio *m*; abdomen *m*; **~leibskrankheit** ⚕ *f* ginecopatía *f*; **~lid** *n* (-*es*; -*er*) párpado *m* inferior; **~lieferant** *m* (-*en*) subproveedor *m*; **2'liegen** (*L*; -; *sn*) *v/i.* sucumbir; ser vencido *od.* derrotado; (*e-r Bestimmung usw.*) estar sujeto a; *keinem Zweifel* ~ estar fuera de (toda) duda; no admitir (ninguna) duda; *es unterliegt keinem Zweifel* no cabe duda que; **~lippe** *f* labio *m* inferior; **2'malen** (-) *v/t.* dar una capa de fondo; *Mal.* poner fondo al lienzo; *mit Musik* ~ dar fondo musical a; *mit Ton* ~ *Film*: sonorizar; *fig.* matizar, dar colorido a; **~'malung** *f* (*Grundierung*) capa *f* de fondo; *Mal.* color *m* de fondo; *musikalische* ~ fondo *m* musical; (*Ton2*) *Film*: sonorización *f*; *fig.* matiz *m*, colorido *m*; **2'mauern** (-*re*; -) *v/t.* cimentar; (*schadhafte Mauer*) recalzar; *fig.* corroborar; **2mengen, 2'mengen** (-) *v/t.* entremezclar (*mit* con); **~miete** *f* subarriendo *m*; **~mieter(in** *f*) *m* subarrendatario (-a *f*) *m*, subinquilino (-a *f*) *m*; **2mi'nieren** (-) *v/t.* socavar; minar (*a. fig.*); **2mischen, 2'mischen** (-) *v/t.* → *untermengen.*

unter'nehm|en (*L*; -) *v/t.* emprender; (*versuchen*) intentar, tratar de hacer a/c.; *er unternahm nichts* no hizo nada; **2en** *n* empresa *f*; ⚔ *a.* operación *f*; (*Versuch*) intento *m*; **~end** *adj.* emprendedor; (*wagemutig*) atrevido, osado; **2er** *m* empresario *m*; (*Arbeitgeber*) *a.* patrono *m*; *vertraglicher*: contratista *m*; **2erorganisation** *f* organización *f* patronal; **2ertum** *n* (-*s*; *0*) los empresarios, los patronos; **2erverband** *m* (-*es*; ⸚*e*) asociación *f* patronal; **2ung** *f* empresa *f*; (*Wagnis*) aventura *f*, empresa *f* aventurada; (*Spekulation*) especulación *f*; (*Transaktion*) transacción *f*; ⚔ operación *f*; **2ungsgeist** *m* (-*es*; *0*) espíritu *m* emprendedor; espíritu *m* de iniciativa; *Person*: hombre *m* emprendedor (*od.* de iniciativa); (*verwegen*) atrevido.

'Unter|offizier *m* (-*s*; -*e*) suboficial *m*; **2ordnen** (-*e*-) *v/t.* subordinar; *sich* ~ subordinarse; **~ordnung** *f* (*0*) subordinación *f*; **~pacht** *f* subarriendo *m*; **~pächter(in** *f*) *m* subarrendatario (-a *f*) *m*; **~pfand** *n* (-*es*; ⸚*er*) prenda *f*; fianza *f*, garantía *f*; **2pflügen** 🌾 *v/t.* soterrar con el arado; **~präfekt** *m* (-*en*) subprefecto *m*; **~präfektur** *f* subprefectura *f*.

unter'red|en (-*e*-; -) *v/refl.*: *sich mit j-m* ~ conversar (*od.* hablar) con alg.; conferenciar con alg.; entrevistarse con alg.; **2ung** *f* conversación *f*; conferencia *f*; entrevista *f*.

'Unterricht *m* (-*es*; *0*) (*Lehrtätigkeit*) enseñanza *f*; (*Belehrung*) instrucción *f*; (*Schul2*) clase *f*; (*Stunden*) clases *f/pl.*, lecciones *f/pl.*; *programmierter* ~ enseñanza *f* programada; ~ *nehmen* tomar lecciones (*bei* con); ~ *erteilen* dar clase, enseñar; *spanischen* ~ *geben* dar lecciones (*od.* clases) de español, enseñar el español; *morgen ist kein* ~ mañana no hay clase.

unter'richten (-*e*-; -) **1.** *v/t.* enseñar; (*Unterricht erteilen*) dar clases *od.* lecciones; (*belehren*) instruir; (*informieren*) informar, enterar de; *j-n in et.* (*dat.*) ~ enseñar a alg. a/c.; *j-n über et.* (*ac.*) ~, *j-n von et.* ~ informar a alg. de (*od.* sobre) a/c.; poner a alg. (*laufend*: tener a alg.) al corriente de a/c., *warnend*: avisar, advertir a alg. a/c., *im voraus*: prevenir a alg. de a/c.; *unterrichtet sein* estar informado (*über ac.* de); *in unterrichteten Kreisen* en los círculos (bien) informados; **2.** *v/refl.*: *sich* ~ *über et.* (*ac.*) informarse de (*od.* sobre) a/c.; ponerse al corriente de a/c.

'Unterrichts...: **~anstalt** *f* establecimiento *m* de enseñanza; **~briefe** *m/pl.* lecciones *f/pl.* por correspondencia; **~fach** *n* (-*es*; ⸚*er*) asignatura *f*; disciplina *f*; **~film** *m* (-*es*; -*e*) película *f* educativa; **~gegenstand** *m* (-*es*; ⸚*e*) materia *f* de enseñanza; **~methode** *f* método *m* didáctico (*od.* de enseñanza); **~minister** *m* (**~minis'terium** *n*) *Span.* ministro *m* (Ministerio *m*) de Educación y Ciencia; *Am.* ministro *m* (Ministerio *m*) de Educación Nacional *bzw.* de Instrucción Pública; **~raum**

m (-*es*; *"e*) sala *f* de clase; aula *f*; **∼stoff** *m* (-*es*; -*e*) materia *f* de enseñanza; **∼stunde** *f* lección *f*, clase *f*; **∼werk** *n* (-*es*; -*e*) obra *f* didáctica; (*Schulbuch*) texto *m* escolar; **∼wesen** *n* (-*s*; *0*) enseñanza *f*; instrucción *f* pública.

Unter'richtung *f* (*0*) información *f*; (*Belehrung*) instrucción *f*; *zu Ihrer ∼* a título informativo; para su conocimiento.

'Unterrock *m* (-*es*; *"e*) enagua *f*.

unter'sag|en (-) *v/t*. vedar, prohibir; interdecir; **2en** *n*, **2ung** *f* prohibicion *f*; interdicción *f*.

'Untersatz *m* (-*es*; *"e*) (*Grundlage*) base *f*; (*Stütze*) soporte *m*, apoyo *m*, sostén *m*; ⚠ (*Säulen2*) zócalo *m*, pedestal *m*; (*Teller*) platillo *m*; *Logik*: menor *f*, segunda proposición *f* del silogismo.

'Unterschallgeschwindigkeit *f* (*0*) *Phys*. velocidad *f* subsónica.

unter'schätz|en (-*t*; -) *v/t*. apreciar a/c. en menos de lo que vale; no estimar bien; conceder poco valor a a/c.; *fig*. no dar la debida importancia a; tener en poco a/c. *od*. a alg.; menospreciar; **2ung** *f* estimación *f* demasiado baja; *fig*. menosprecio *m*.

unter'scheid|bar *adj*. distinguible; (*erkennbar*) discernible; **∼en** (*L*; -) *v/t*. distinguir; (*auseinanderhalten*) discernir; (*den Unterschied hervorheben*) diferenciar; (*e-n Unterschied machen*) hacer una distinción (*zwischen dat*. entre); *sich ∼* distinguirse, diferenciarse (*von* de; *durch* en, por); **∼end** *adj*. distintivo; (*charakteristisch*) característico; **2ung** *f* distinción *f*; discernimiento *m*; diferenciación *f*; (*Unterschied*) diferencia *f*; **2ungsfähigkeit** *f* (*0*), **2ungskraft** *f* (*0*) discernimiento *m*; **2ungsmerkmal** *n* (-*es*; -*e*) señal *f* distintiva; signo *m* distintivo; *e-s Senders*: indicativa *f*; **2ungsvermögen** *n* (-*s*; *0*) discernimiento *m*.

'Unterschenkel *Anat*. *m* pierna *f*; **∼knochen** *m* (*Schienbein*) tibia *f*; (*Wadenbein*) peroné *m*.

'Unterschicht *f* *Geol*. capa *f* inferior; (*sozial*) clase *f* baja.

'unterschieb|en (*L*) *v/t*. meter *od*. introducir debajo; *Kind*: substituir; *j-m et. ∼* imputar a/c. a alg.; *den Worten e-n falschen Sinn ∼* atribuir a las palabras un sentido equivocado; **2en** *n*, **2ung** *f* substitución *f*.

'Unterschied *m* (-*es*; -*e*) diferencia *f*; (*Unterscheidung*) distinción *f*; (*Ungleichheit*) desigualdad *f*; *feiner ∼* matiz *m*; (*Gegensatz*) contraste *m*; *zum ∼ von*, *im ∼ zu* a diferencia de; *ohne ∼* sin distinción, indistintamente, indiferentemente; *e-n ∼ machen* hacer una diferencia (*zwischen dat*. entre); *ohne ∼ der Rasse, des Geschlechts usw*. sin distinción de raza, de sexo *etc*.; **2en** *adj*. diferente; distinto; **2lich I.** *adj*. diferente; distinto; **II.** *adv*. diferentemente; distintamente, de modo distinto; *∼ behandeln* tratar diferentemente (*od*. de modo distinto); (*diskriminieren*) discriminar; **2slos** *adv*. sin distinción, indistintamente; sin excepción.

'unterschlagen (*L*) *v/t*. *Arme, Beine*: cruzar.

unter'schlag|en (*L*; -) *v/t*. *Geld*: substraer; desfalcar; *öffentliche Gelder*: malversar; *v. Steuern*: defraudar; *Stelle im Text*: suprimir; *Testament, Beweisstück*: substraer; hacer desaparecer; *Brief*: interceptar; (*verheimlichen*) ocultar; **2ung** *f* substracción *f*; desfalco *m*; malversación *f* (de fondos); defraudación *f*; supresión *f*; interceptación *f*; ocultación *f*.

'Unterschlupf *m* (-*es*; *"e*) (*Obdach*) abrigo *m*; (*Zuflucht*) refugio *m*; (*Schlupfwinkel*) escondrijo *m*; guarida *f*.

unter|'schreiben (*L*; -) *v/t*. firmar; *billigend*: subscribir; *fig*. subscribir; aprobar; dar su conformidad a; *eigenhändig unterschrieben* firmado de su puño y letra; **2'schreiben** *n*, **2'schreibung** *f* firma *f*; **∼'schreiten** (*L*; -) *v/t*. *Preis*: ofrecer un precio más bajo (*od*. más barato).

'Unterschrift *f* firma *f*; *e-s Bildes*: leyenda *f*; *beglaubigte ∼* firma legalizada; *zur ∼ vorlegen* poner a la firma; *mit s-r ∼ versehen* firmar (de su puño y letra); *s-e ∼ setzen unter* (*ac*.) poner su firma al pie de; *j-s ∼ tragen* llevar la firma de alg.; *e-e ∼ beglaubigen* (*nachprüfen*; *fälschen*) legalizar (comprobar; falsificar) una firma; **∼enmappe** *f* carpeta *f* de documentos *bzw*. de correspondencia para firmar; **∼probe** *f* muestra *f* de la firma; **∼sbeglaubigung** *f* legalización *f* de la firma; **2sberechtigt** *adj*. autorizado a firmar.

'Unterseeboot *n* (-*es*; -*e*) submarino *m*; sumergible *m*; **∼abwehr** *f* (*0*) defensa *f* contra los submarinos; **∼bunker** *m* refugio *m* de submarinos; **∼jäger** *m* cazasubmarinos *m*; **∼kommandant** *m* (-*en*) comandante *m* de submarino; **∼krieg** *m* (-*es*; -*e*) guerra *f* submarina.

'unter|see-isch *adj*. (*0*) submarino; **2seekabel** *n* cable *m* submarino; **2seite** *f* parte *f* *bzw*. lado *m* inferior; **∼setzen** (-*t*) *v/t*. poner debajo; **2setzer** *m* platillo *m*; **∼'setzt** *adj*. rechoncho; **2'setzung** ⊕ *f* reducción *f*, demultiplicación *f*; **2'setzungsgetriebe** ⊕ *n* engranaje *m* reductor; **∼sinken** (*L*; *sn*) *v/i*. hundirse, sumergirse; **2spannung** ⚡ *f* subtensión *f*, falta *f* de tensión; **∼'spülen** (-) *v/t*. derrubiar; **2'spülen** *n* derrubio *m*.

'unterst *adj*. (*sup. v. unter*) el más bajo; la más baja; (*letzte*) último; *das ∼e Stockwerk* el piso bajo; *zu∼* abajo; en el fondo; debajo de todo; en el último lugar; *das ∼e zuoberst kehren* volver lo de arriba abajo; enrevesarlo todo.

'Unter|staatssekretär *m* (-*s*; -*e*) subsecretario *m* adjunto; **∼stadt** *f* (-; *"e*) barrios *m/pl*. bajos de la ciudad; **∼stand** ⚔ *m* (-*es*; *"e*) abrigo *m*; refugio *m*; **2stecken** *v/t*. meter *od*. poner *od*. introducir debajo.

'unter|stehen (*L*) *v/i*. (*geschützt*) estar al abrigo de; **∼'stehen** (*L*; -) *v/i*. estar sujeto a; *j-m ∼* estar subordinado a alg.; depender de alg.; *bsd*. ⚔ estar a las órdenes de; *sich ∼*, *et. zu tun* atreverse a hacer a/c.; tener el atrevimiento (*od*. la audacia *od*. la osadía) de hacer a/c.; **∼'stellen** (-) *v/t*. (*unterordnen*) subordinar; (*vorläufig annehmen*) suponer; admitir; (*zuschreiben*) atribuir; (*beschuldigen*) imputar (*j-m et*. a/c. a alg.); *unterstellt sein* estar subordinado a; estar a las órdenes de; depender de; estar bajo la vigilancia (*od*. el control) de; ⚔ estar bajo el mando de; estar a las órdenes de; (*unterworfen sein*) estar sujeto a; *der örtlichen Gerichtsbarkeit unterstellt sein* ser de la jurisdicción (*od*. de la competencia) local; **∼stellen** *v/t*. poner (*od*. colocar) debajo de; *zum Schutz*: poner al abrigo de; poner a cubierto; *Wagen*: encerrar (en el garaje); *sich ∼* ponerse debajo (*od*. al abrigo) de; refugiarse en; **2stellraum** *m* (-*es*; *"e*) *e-s Autos*: garaje *m*; **2'stellung** *f* (*Beschuldigung*) imputación *f*; **∼'streichen** (*L*; -) *v/t*. subrayar; *fig. a*. poner de relieve; acentuar; hacer resaltar; **2'streichen** *n*, **2streichung** *f* subrayado *m*; **∼streuen** *v/t*.: *Stroh ∼* esparcir la paja (para cama del ganado); **2strömung** *f* corriente *f* de fondo; **2stufe** *f* grado *m* inferior; *Schule*: clase *f* elemental.

unter'stütz|en (-*t*; -) *v/t*. apoyar (*a. fig*.); sostener; (*abstützen*) apuntalar; (*helfen*) ayudar, socorrer, auxiliar; asistir; (*beschützen*) proteger; amparar; (*fördern*) favorecer; fomentar; patrocinar; (*subventionieren*) subvencionar; (*Beistand leisten*) secundar; **2ung** *f* apoyo *m*; sostén *m*; apuntalamiento *m*; ayuda *f*, socorro *m*, auxilio *m*; asistencia *f*; protección *f*; amparo *m*; favorecimiento *m*; fomento *m*; patrocinio *m*; subvención *f*; subsidio *m*; **∼ungsbedürftig** *adj*. menesteroso, necesitado de socorro; **2ungs-empfänger** *m* menesteroso *m* socorrido por la beneficencia pública; beneficiario *m* de un subsidio; **2ungsfonds** *m* (- ;-) fondo *m* de socorro; **2ungsgelder** *pl*. subsidios *m/pl*.; **2ungskasse** *f* caja *f* de socorros; **2ungsverein** *m* (-*es*; -*e*) sociedad *f* de socorros mutuos.

unter'such|en (-) *v/t*. examinar; (*erforschen*) investigar; explorar; (*prüfen*) estudiar; (*nachprüfen*) comprobar, verificar; (*sondieren*) sondar; (*kontrollieren*) controlar; (*inspizieren*) inspeccionar; ⚗ analizar; *am Zoll*: registrar; ⚕ reconocer, examinar; explorar; ⚖ indagar, pesquisar; hacer investigaciones; *genau ∼* inquirir minuciosamente; estudiar a fondo; **2ung** *f* examen *m*; (*Erforschung*) investigación *f*; exploración *f*; (*Prüfung*) estudio *m*; (*Nachprüfung*) comprobación *f*, verificación *f*; (*Sondierung*) sondeo *m*; (*Kontrolle*) control *m*; (*Inspizierung*) inspección *f*; ⚗ análisis *m*; *am Zoll*: registro *m*; ⚕ reconocimiento *m* (médico), examen *m* (clínico); exploración *f*; ⚖ indagación *f*, pesquisa *f*; *Prozeßrecht*: instrucción *f* de la causa; (*Verhör*) indagatoria *f*; (*durch Rundfrage*) encuesta *f*; *e-e ∼ einleiten* (*disziplinarisch*) instruir (*od*. formar) expediente a; *ärztliche* ~ reconocimiento médico.

Unter'suchungs...: **~ausschuß** *m* (*-sses; ¨sse*) comisión *f* investigadora; **~gefangene(r** *m*) *m/f* detenido (-a *f*) *m* en prisión preventiva; **~gericht** *n* (*-ės; -e*) juzgado *m* de instrucción; **~haft** *f* (*0*) prisión *f* preventiva; **~kommission** *f* → *Untersuchungsausschuß*; **~richter** *m* juez *m* de instrucción.

Unter'tage|arbeiter ⚒ *m* minero *m* de interior; **~bau** *m* (*-ės; 0*), **~betrieb** ⚒ *m* (*-ės; -e*) explotación *f* minera subterránea.

'untertan *adj.* sumiso; (*unterworfen*) sometido (*j-m* a alg.); *sich ein Volk* ~ *machen* someter un pueblo.

'Untertan *m* (*-en*) *Pol.* súbdito *m*; **~in** *f* súbdita *f*.

'untertänig *adj.* sumiso; (*demütig*) humilde; (*gehorsam*) obediente; (*unterworfen*) sometido.

'Unter|tasse *f* platillo *m*; *fliegende* ~ platillo volante; **²tauchen 1.** (*sn*) *v/i.* sumergirse; *beim Baden*: zambullirse, dar una zambullida; (*Taucher*) bucear; *fig.* desaparecer; **2.** *v/t.* sumergir; zambullir; **~tauchen** *n* sumersión *f*; zambullida *f*; buceo *m*; **~teil** *m/n* (*-ės; -e*) parte *f* inferior *od.* baja; **²'teilen** (-) *v/t.* subdividir; **~'teilung** *f* subdivisión *f*; **~temperatur** ⚕ *f* hipotermia *f*, temperatura *f* subnormal; **~titel** *m* subtítulo *m*; **~ton** ♪ *m* (*-ės; ¨e*) tono *m* concomitante; *fig. mit e-m* ~ *von Bitterkeit* con cierto deje de amargura; **²treten** (*L; sn*) *v/i.* ponerse al abrigo de, resguardarse de; ponerse a cubierto de; **²'tunneln** (*-le; -*) *v/t.* construir un túnel debajo de; **²vermieten** (*-e-; -*) *v/t.* subarrendar; **~vermieter(in** *f*) *m* subarrendador(a *f*) *m*; **~vermietung** *f* subarriendo *m*; **²versichern** (*-re; -*) *v/t.* asegurar insuficientemente; **~versicherung** *f* seguro *m* insuficiente; **~vertreter** ☤ *m* subagente *m*; **²'wandern** (*-re; -*) *v/t.* infiltrarse (en); **~'wanderung** *f* infiltración *f*; **²wärts** *adv.* hacia abajo; **~wäsche** *f* (*0*) ropa *f* interior; **~'wasserbombe** ⚓ *f* bomba *f* submarina; carga *f* de profundidad; **~'wasserfahrt** *f* (*Tauchfahrt*) marcha *f* en inmersión; viaje *m* submarino; **~'wassergeschwindigkeit** *f* velocidad *f* en inmersión (*od.* bajo el agua); **~'wasserhorchgerät** *n* (*-ės; -e*) hidrófono *m*; **~'wasserkamera** *f* (*-; -s*) *Film*: tomavistas *m* submarino; **~'wassermassage** ⚕ *f* masaje *m* subacuático; **~'wassersport** *m* submarinismo *m*; **²'wegs** *adv.* en (el) camino; *v. Reisenden*: durante el viaje; **²'weisen** (*L; -*) *v/t.* instruir; aleccionar; enseñar; **~'weisen** *n*, **~'weisung** *f* instrucción *f*; aleccionamiento *m*; enseñanza *f*; **~welt** *f* (*0*) *Myt.* averno *m*; infiernos *m/pl.*; (*Schattenreich*) reino *m* de las sombras; *fig.* (*Verbrecherwelt*) bajos fondos *m/pl.*; hampa *f*; **²'werfen** (*L; -*) *v/t.* someter; (*unterjochen*) subyugar; avasallar; *sich* ~ someterse; *fig.* sujetarse a a/c.; (*sich fügen, mit sich geschehen lassen*) someterse a; conformarse con; resignarse a; **~'werfung** *f* sumisión *f*; sometimiento *m*; (*Unterjochung*) subyugación *f*; avasallamiento *m*; *fig.* sumisión *f*; sujeción *f* (*unter ac.* a); conformidad *f* (con); resignación *f* (a); **²wertig** *adj.* de valor inferior; **~wertigkeit** *f* (*0*) inferioridad *f*; minusvalía *f*; **²'worfen** *adj.* sometido (a); *Krankheiten* ~ sujeto a enfermedades; *Wechselfällen* ~ expuesto a vicisitudes; *der Mode* ~ *sein* depender de la moda; **²'wühlen** (-) *v/t.* → *untergraben*; **²'würfig** *adj.* sumiso; (*respektvoll*) obsequioso; (*kriecherisch*) servil; **~'würfigkeit** *f* (*0*) sumisión *f*; obsequiosidad *f*; servilismo *m*; **~zahn** *m* (*-ės; ¨e*) diente *m* (de la mandíbula) inferior.

unter'zeichn|en (*-e-; -*) *v/t.* firmar; **²er(in** *f*) *m* firmante *m/f*; **²erstaat** *m* (*-ės; -en*) Estado *m* signatario; **²ete(r** *m*) *f*: *ich* ~ el *bzw.* la que subscribe; el abajo firmado, la abajo firmada; el infrascrito, la infrascrita; **²ung** *f* firma *f*; *zur* ~ *vorlegen* poner a la firma.

'Unterzeug *n* (*-ės; 0*) ropa *f* interior.

'unterziehen (*L*) *v/t.*: *et.* ~ poner(se) debajo a/c.

unter'ziehen (*L; -*) *v/t.* someter; *sich e-r Sache* (*dat.*) ~ someterse a a/c.; (*auf sich nehmen*) encargarse (*od.* hacerse cargo) de a/c.; *sich e-r Operation* ~ sufrir una operación; *et. e-r Prüfung* ~ someter a examen a/c.; poner a prueba a/c.; *sich e-r Prüfung* ~ sufrir un examen; someterse a examen; pasar un examen; *sich der Mühe* ~ *zu* (*inf.*) tomarse la molestia de (*inf.*).

'untief *adj.* poco profundo.

'Untiefe *f* ⚓ bajo fondo *m*; (*Abgrund*) abismo *m*; (*Sandbank*) banco *m* de arena.

'Untier *n* (*-ės; -e*) monstruo *m* (*a. fig.*).

un|'tilgbar *adj.* (*unauslöschbar*) inextinguible; imborrable (*a. fig.*); *Tinte*: indeleble; (*unzerstörbar*) indestructible; *Schuld*: no amortizable; *Hypothek*: irredimible; **~'tragbar** *adj.* insoportable; intolerable; inaguantable, insufrible; **'~trainiert** *adj.* no entrenado; desentrenado; **~'trennbar** *adj.* inseparable; *Ehe*: indisoluble; **²'trennbarkeit** *f* (*0*) inseparabilidad *f*; *e-r Ehe*: indisolubilidad *f*.

'untreu *adj.* infiel; desleal; ~ *sein* (*in der Ehe*) ser infiel, faltar a la fidelidad conyugal; *s-m Versprechen* ~ *werden* faltar a su promesa; *sich selbst* ~ *werden* apartarse de sus principios; desmentir su carácter; renegar de sí mismo; *e-r Sache* ~ *werden Pol.* desertar de una causa; **²e** *f* (*0*) infidelidad *f*; deslealtad *f*; ~ *in der Ehe* infidelidad conyugal; ~ *im Amt* prevaricación *f*.

un|'tröstlich *adj.* inconsolable; desconsolado; **²'tröstlichkeit** *f* (*0*) desconsuelo *m*; **~'trüglich** *adj.* (*unfehlbar*) infalible; (*sicher*) seguro, certero; **²'trüglichkeit** *f* (*0*) (*Unfehlbarkeit*) infalibilidad *f*; (*Sicherheit*) seguridad *f*, certeza *f*; **'~tüchtig** *adj.* → *unfähig*; **'²tüchtigkeit** *f* (*0*) → *Unfähigkeit*; **'²tugend** *f* (*Fehler*) defecto *m*; (*Laster*) vicio *m*; (*üble Gewohnheit*) mala costumbre *f*; **'~tunlich** *adj.* imposible de realizar, irrealizable.

'un-über|brückbar *adj.* *fig.* (*Schwierigkeiten*) insuperable; (*Gegensatz*) inconciliable; **~legt** *adj.* inconsiderado; irreflexivo; (*leichtfertig*) atolondrado, aturdido; **²legtheit** *f* inconsideración *f*; irreflexión *f*, falta *f* de reflexión; (*Leichtsinn*) ligereza *f*; **~'prüfbar** *adj.* no comprobable; **~'schreitbar** *adj.* infranqueable; **~'sehbar** *adj.* (*unermeßlich*) inmenso; (*noch nicht übersehbar*) incalculable; **²'sehbarkeit** *f* (*0*) inmensidad *f*; **~setzbar** *adj.* intraducible; **²setzbarkeit** *f* (*0*) imposibilidad *f* de traducir; **~sichtlich** *adj.* poco claro; (*verwickelt*) complicado, complejo; intrincado; ~*e Kurve* curva sin visibilidad; ~*es Gelände* terreno de difícil orientación; **~'steigbar** *adj.* insuperable (*a. fig.*); infranqueable; **~'tragbar** *adj.* intransferible; intransmisible; **~'trefflich** *adj.* insuperable; (*unvergleichlich*) incomparable; **~'troffen** *adj.* jamás igualado; sin par; sin rival; **~'windlich** *adj.* (*unbesiegbar*) invencible; *Schwierigkeit*: insuperable; *Festung*: inexpugnable; *Gegensatz*: inconciliable; **²'windlichkeit** *f* (*0*) (*Unbesiegbarkeit*) invencibilidad *f*.

'un-um|gänglich *adj.* (*notwendig*) indispensable; absolutamente necesario; (*unvermeidbar*) inevitable, ineludible; *Person*: intratable; insociable; **~schränkt** *adj.* ilimitado; *Pol.* absoluto; despótico; (*alles umfassend*) omnímodo; **~stößlich** *adj.* (*unwiderlegbar*) irrefutable; (*unbestreitbar*) indiscutible, incontestable; (*unwiderruflich*) irrevocable; **~stritten** *adj.* indiscutido; **~wunden I.** *adj.* franco; (*klar und deutlich*) explícito; (*aufrichtig*) sincero; **II.** *adv.* francamente, con (toda) franqueza; sin reserva; sin rodeos.

'un-unterbrochen I. *adj.* ininterrumpido, continuo; (*unaufhörlich*) incesante; **II.** *adv.* sin interrupción; continuamente; sin descanso; sin tregua.

'unver|änderlich *adj.* invariable (*a. Gr.*); inalterable; (*unwandelbar*) inmutable; (*beständig*) estable; constante; *Lage*: estacionario; **²änderlichkeit** *f* (*0*) invariabilidad *f*; inalterabilidad *f*; inmutabilidad *f*; estabilidad *f*; **~ändert I.** *adj.* inalterado; → *unveränderlich*; **II.** *adv.* sin cambiar; como siempre; igual que antes; siempre lo mismo; *et.* ~ *lassen* no cambiar nada; dejarlo todo como estaba; **~antwortlich** *adj.* irresponsable; (*unverzeihlich*) imperdonable; inexcusable; injustificable; **²antwortlichkeit** *f* (*0*) irresponsabilidad *f*; **~arbeitet** *adj.* sin labrar; tosco; (*roh*) bruto; *Seide*: crudo; *Baumwolle*: en rama; *fig.* (*unverdaut*) indigesto; sin digerir; **~äußerlich** *adj.* inalienable; inajenable; **²äußerlichkeit** *f* (*0*) inalienabilidad *f*; **~besserlich** *adj.* incorregible; **²besserlichkeit** *f* (*0*) incorregibilidad *f*; **~bindlich I.** *adj.* no obligatorio; (*wahlfrei*) facultativo; (*unfreundlich*) poco amable; (*unhöflich*) poco cortés; † *Preise*: sujeto a variación; **II.** *adv.* sin compromiso; sin obligación; **~blümt I.** *adj.* seco; crudo; **II.** *adv.* secamente, con sequedad; crudamente; sin rodeos; **~brennbar** *adj.* incombustible; **~brüchlich** *adj.* (*unverletzlich*) inviolable; *Schweigen*: absoluto; *Gehorsam, Glaube*: ciego; **2brüchlichkeit** *f* (*0*) inviolabilidad *f*; **~bürgt** *adj.* no garantizado; no auténtico; *Gerücht, Nachricht*: no confirmado; **~dächtig** *adj.* nada sospechoso; *Person, Quelle*: fidedigno; **~daulich** *adj.* indigesto (*a. fig.*); indigestible; **2daulichkeit** *f* (*0*) carácter *m* indigesto; **~daut** *adj.* mal digerido, sin digerir; *fig.* indigesto; **~dient I.** *adj.* inmerecido; (*ungerecht*) injusto; (*unbegründet*) inmotivado; **II.** *adv.* = **~dienterweise** *adv.* sin merecerlo; injustamente; inmotivadamente, sin motivo alguno; **~dorben** *adj.* (*Ware*) en buen estado; sin defecto; (*Obst*) no dañado; fresco; *fig.* no corrompido, incorrupto; (*gesund*) sano; (*rein*) puro; (*unschuldig*) inocente; **2dorbenheit** *f* (*0*) incorrupción *f* (*a. fig.*); (*Reinheit*) pureza *f*; (*Unschuld*) inocencia *f*; **~drossen** *adj.* infatigable, incansable; (*geduldig*) paciente; **2drossenheit** *f* (*0*) paciencia *f* a toda prueba; **~dünnt** *adj. Flüssigkeit*: no diluido, sin diluir; (*konzentriert*) concentrado; **~ehelicht** *adj.* soltero; célibe; **~eidigt** *adj.* no jurado; **~einbar** *adj.* incompatible (*mit* con); inconciliable; **2einbarkeit** *f* (*0*) incompatibilidad *f*; **~fälscht** *adj.* no falsificado; (*echt*) verdadero; legítimo, auténtico; (*lauter*) puro; *Getränke*: no adulterado; **2fälschtheit** *f* (*0*) (*Lauterkeit*) pureza *f*; **~fänglich I.** *adj.* no capcioso; (*harmlos*) inofensivo; (*unschuldig*) inocente; (*natürlich*) natural, sencillo; **II.** *adv.* sin capciosidad; (*ohne Hintergedanken*) sin segunda intención; **~froren** *adj.* impertinente; insolente; (*frech*) descarado, desvergonzado, F desfachatado, fresco; **2frorenheit** *f* (*0*) insolencia *f*; descoco *m*, descaro *m*, desvergüenza *f*; F desfachatez *f*, frescura *f*; **~gänglich** *adj.* imperecedero; (*unsterblich*) inmortal; **2gänglichkeit** *f* (*0*) (*Unsterblichkeit*) inmortalidad *f*; **~gessen** *adj.* inolvidado; **~geßlich** *adj.* inolvidable; **~gleichbar, ~gleichlich** *adj.* incomparable; sin par, sin igual; sin rival; (*einzig*) único (en su género); **~hältnismäßig** *adj.* desproporcionado; (*übermäßig*) excesivo; **~heiratet** *adj.* soltero; **~hofft I.** *adj.* (*unerwartet*) inesperado; impensado, inopinado; (*unvorhergesehen*) imprevisto; (*plötzlich*) repentino; **II.** *adv.* inesperadamente; de improviso; cuando menos se esperaba; **~hohlen, ~hüllt I.** *adj.* (*offen*) abierto; (*frei*) franco; (*aufrichtig*) sincero; sin fingimiento, sin disimulo; (*bloß*) desnudo; seco; **II.** *adv.* (*offen*) abiertamente; (*frei*) con toda franqueza; francamente; (*aufrichtig*) sinceramente; sin reserva; sin disfraz; **~jährbar** ⚖ *adj.* imprescriptible; **2jährbarkeit** ⚖ *f* (*0*) imprescriptibilidad *f*; **~jährt** ⚖ *adj.* no prescrito; **~käuflich** *adj.* invendible; (*nicht feil*) no destinado a la venta; fuera de venta; **~kauft** *adj.* no vendido; **~kennbar** *adj.* que no se puede desconocer; (*unmißverständlich*) inequívoco; (*offensichtlich*) evidente, manifiesto, patente; **~kürzt** *adj.* entero; completo; *Text*: íntegro; *Summe*: *a.* sin deducción; **~letzbar, ~letzlich** *adj.* (*fig.*) inviolable; (*heilig*) sacrosanto; (*unverwundbar*) invulnerable; **2letzbarkeit** *f* (*0*) inviolabilidad *f*; invulnerabilidad *f*; (*Immunität*) inmunidad *f*; **~letzt** *adj. Person*: sin herida; sin ser herido; ileso; (*wohlbehalten*) sano y salvo; *weitS.* intacto; indemne; **~lierbar** *adj.* imperdible; **~mählt** *adj.* soltero; **~meidlich** *adj.* inevitable; **~merkt** *adj.* sin ser notado; sin ser visto; inadvertido; **~mietet** *adj.* desalquilado; sin alquilar; **~mindert** *adj.* no disminuido, sin disminución; sin merma; (*unverkürzt*) íntegro; **~mischt** *adj.* puro, sin mezcla; **~mittelt I.** *adj.* (*unmittelbar*) directo; (*plötzlich*) súbito, repentino; brusco; (*unerwartet*) inesperado; **II.** *adv.* (*plötzlich*) de repente; cuando menos se esperaba; **2mögen** *n* (*-s*; *0*) (*Unfähigkeit*) incapacidad *f*; (*Kraftlosigkeit*) impotencia *f*; † (*Zahlungsunfähigkeit*) insolvencia *f*; **~mögend** *adj.* (*unfähig*) incapaz (zu de); (*kraftlos*) impotente (*zu* para); (*mittellos*) sin recursos, pobre; sin fortuna; **~mutet** *adj. u. adv.* → *unverhofft*; **~nehmlich** *adj.* imperceptible; (*undeutlich*) indistinto; **2nunft** *f* (*0*) falta *f* de juicio; insensatez *f*; (*Unklugheit*) imprudencia *f*; **~nünftig** *adj.* irrazonable; (*nicht verständig*) insensato; (*sinnlos*) absurdo; (*unklug*) imprudente; ~ *reden* hablar sin sentido, disparatar, F desbarrar; **~öffentlicht** *adj.* (*Werk*) inédito; **~packt** *adj.* sin embalaje; **~richtet** *adj.* no ejecutado; *~er Dinge zurückkommen* volverse sin haber logrado su propósito; volver con las manos vacías; **~rückbar** *adj.* inmóvil; (*fest*) fijo, inmovible; *fig.* firme; **~schämt** *adj.* (*schamlos*) desvergonzado; (*frech*) impertinente; insolente; descarado, F desfachatado, fresco; F *Preis*: exorbitante, F escandaloso; ~ *lügen* mentir descaradamente; *~er Kerl* sinvergüenza *m*; **2schämtheit** *f* desvergüenza *f*; impertinencia *f*; insolencia *f*; descaro *m*, F desfachatez *f*, frescura *f*; **~schließbar** *adj.* que no se puede cerrar con llave; **~schlossen** *adj.* sin cerrar, no cerrado; **~schuldet I.** *adj.* (*ohne Schuld*) inocente; (*ohne Schulden*) libre de deudas; *Grundstück*: libre de hipotecas; **II.** *adv.* sin culpa mía *bzw.* tuya *bzw.* suya *usw.*; sin ser culpable; (*unverdient*) sin merecerlo; **~versehens** *adv.* (*plötzlich*) de improviso; de repente; (*aus Versehen*) por descuido; **~sehrt** *adj.* (*unverwundet*) ileso; (*heil*) incólume, indemne; (*wohlbehalten*) sano y salvo; *Sache*: intacto; sin deterioro; **~sichert** *adj.* no asegurado; **~siegbar** *adj.* inagotable; **~siegelt** *adj.* sin sello; sin sellar; **~söhnlich** *adj.* irreconciliable; (*unerbittlich*) implacable; (*unnachgiebig*) intransigente; **2söhnlichkeit** *f* (*0*) (*Unerbittlichkeit*) implacabilidad *f*; (*Unnachgiebigkeit*) intransigencia *f*; **~sorgt** *adj.* sin medios de subsistencia; desamparado; *Kind*: sin medio de vida asegurado; **2stand** *m* (*-es*; *0*) falta *f* de juicio; falta *f* de comprensión; (*Unüberlegtheit*) irreflexión *f*; (*Dummheit*) estupidez *f*; **~standen** *adj.* incomprendido; (*verkannt*) no apreciado en todo su valor; **~ständig** *adj.* poco razonable; insensato; imprudente; atolondrado, irreflexivo; **~ständlich** *adj.* incomprensible; ininteligible; (*rätselhaft*) enigmático; (*undeutlich*) indistinto; (*dunkel*) obscuro; **2ständlichkeit** *f* (*0*) incomprensibilidad *f*; **2ständnis** *n* (*-ses*; -) falta *f* de inteligencia; falta *f* de comprensión; **~steuert** *adj.* libre de impuestos *bzw.* derechos; **~sucht** [u:] *adj.*: *nichts ~ lassen, um zu* (*inf.*) no perdonar medio para (*inf.*); no omitir esfuerzo para (*inf.*); intentar por todos los medios (*inf.*); **~teidigt** *adj.* sin defensa; no defendido; **~träglich** *adj.* insociable; intratable; (*streitsüchtig*) pendenciero, F camorrista; (*unvereinbar*) incompatible; *Gemütsart*: arisco; **2träglichkeit** *f* (*0*) insociabilidad *f*; (*Streitsucht*) carácter *m* pendenciero; (*Unvereinbarkeit*) incompatibilidad *f*; *Gemütsart*: genio *m* arisco; **~wandt** *adj.* fijo; inmóvil; ~ *ansehen* mirar fijamente; tener la mirada fija en; **~wechselbar** *adj.* inconfundible; ⊕ no intercambiable; **~wehrt** *adj.*: *es ist Ihnen ~, zu* (*inf.*) es usted muy dueño de (*inf.*); **~wendbar** *adj.* inservible; no utilizable; **~weslich** *adj.* incorruptible; **~wischbar** *adj.* imborrable; indeble; **~wundbar** *adj.* invulnerable; **2wundbarkeit** *f* (*0*) invulnerabilidad *f*; **~'wüstlich** *adj.* (*unzerstörbar*) indestructible; *Stoff*: resistente al desgaste; *~e Gesundheit* salud inquebrantable *od.* F a prueba de bomba; *~er Humor* humor inagotable; **~zagt** *adj.* (*unerschrocken*) intrépido, impávido; (*tapfer*) valiente; denodado; **2zagtheit** *f* (*0*) intrepidez *f*, impavidez *f*; denuedo *m*; **~zeihlich** *adj.* imperdonable; **~zinslich** † *adj.* que no produce interés; *~es Darlehen* préstamo sin interés; **~zollt** *adj.* sin pagar derechos; (*noch im Zollverschluß*) en depósito de aduana; **~züglich I.** *adj.* inmediato; **II.** *adv.* sin demora *od.* tardanza; (*sofort*) inmediatamente; en el acto.

'unvoll|endet *adj.* inacabado; incompleto; **~kommen** *adj.* imperfecto; (*mangelhaft*) defectuoso; **2kommenheit** *f* imperfección *f*; **~ständig** *adj.* incompleto; (*unvollendet*) inacabado, sin acabar; (*mangelhaft*) defectuoso; *Verb*: defectivo; **2ständigkeit** *f* (*0*) estado *m* incompleto.

'unvor|bereitet I. *adj.* no preparado; (*aus dem Stegreif*) improvisado;

(*unversehens*) desprevenido; **II.** *adv.* sin estar preparado, sin preparación; ~*sprechen* improvisar; **~eingenommen** *adj.* imparcial; no prevenido; libre de todo prejuicio; **~hergesehen** *adj.* imprevisto; fortuito; inesperado; ~*e Ausgaben* (gastos) imprevistos; **~hersehbar** *adj.* imprevisible; **~sätzlich I.** *adj.* no premeditado; impremeditado; **II.** *adv.* sin premeditación; **~schriftsmäßig** *adj.* contrario a las prescripciones *bzw.* a las reglas; contrario a las instrucciones (*a.* ⊕); **~sichtig** *adj.* (*sorglos*) descuidado; (*unklug*) imprudente; (*unüberlegt*) inconsiderado; **2sichtigkeit** *f* descuido *m*; falta *f* de cuidado; imprudencia *f*; inconsideración *f*; *aus* ~ por descuido; por falta de cuidado; por imprudencia; **~stellbar** *adj.* inimaginable; inconcebible; (*unglaublich*) increíble; *das ist* ~ esto es superior a todo lo imaginable; **~teilhaft** *adj.* desventajoso; (*ungünstig*) desfavorable; *Kleid*: nada favorecedor; ~ *wirken* producir (*od.* hacer) mal efecto.

'unwägbar *adj.* imponderable; ~*e Dinge* imponderables *m/pl.*; **2keit** *f* (*0*) imponderabilidad *f*.

'unwahr *adj.* falso; contrario a la verdad; (*lügenhaft*) mentiroso; mendaz; (*erdichtet*) inventado; **2haftigkeit** *f* (*0*) falta *f* de veracidad; **2heit** *f* falsedad *f*; (*Lüge*) mentira *f*; *die* ~ *sagen* mentir, faltar a la verdad; **~nehmbar** *adj.* imperceptible; **~scheinlich** *adj.* poco probable; improbable; inverosímil; **2scheinlichkeit** *f* poca probabilidad *f*; improbabilidad *f*; inverosimilitud *f*.

un'wandelbar *adj.* inmutable; invariable, constante; (*unverbrüchlich*) inalterable; **2keit** *f* (*0*) inmutabilidad *f*; invariabilidad *f*, constancia *f*; (*Unverbrüchlichkeit*) inalterabilidad *f*.

'unwegsam *adj.* impracticable; intransitable; sin caminos; *Wald*: intrincado.

'unweiblich *adj.* poco femenino; impropio de la mujer.

un'weigerlich I. *adj.* (*zwangsläufig*) irrecusable; irremisible; (*unbedingt*) absoluto; (*schicksalhaft*) fatal; **II.** *adv.* sin falta; (*sicher*) infaliblemente.

'unweise *adj.* poco inteligente; (*unklug*) imprudente.

'unweit *prp.* (*gen.*) cerca de; a poca (*od.* corta) distancia de; no lejos de; próximo a.

'Unwert *m* (*-es*; *0*) escaso valor *m*; (*Nichtigkeit*) futilidad *f*.

'Unwesen *n* (*-s*; *0*) (*Mißbrauch*) abuso *m*, abusos *m/pl.*; (*Ausschreitungen*) excesos *m/pl.*; *an e-m Ort sein* ~ *treiben Räuber, Ratten*: infestar un lugar.

'unwesentlich *adj.* no esencial; de poca importancia, poco importante; insignificante; secundario, accesorio; **2keit** *f* insignificancia *f*; carácter *m* accesorio.

'Unwetter *n* temporal *m*; ⚓ borrasca *f*; (*Sturm*) tempestad *f*; (*Gewitter*) tormenta *f*.

'unwichtig *adj.* poco importante, de poca importancia; (*unbedeutend*) insignificante; *das ist* ~ eso no tiene importancia; **2keit** *f* poca importancia *f*; insignificancia *f*; ~*en pl.* futilidades *f/pl.*; bagatelas *f/pl.*

unwider|'legbar, ~'leglich *adj.* irrefutable; (*Beweis*) concluyente; **2'legbarkeit** *f* (*0*), **2'leglichkeit** *f* carácter *m* irrefutable; **~'ruflich** *adj.* irrevocable; (*endgültig*) definitivo; **2'ruflichkeit** *f* (*0*) irrevocabilidad *f*; carácter *m* irrevocable; **~'sprochen** *adj.* no contradicho; **~'stehlich** *adj.* irresistible.

unwieder'bringlich *adj.* irrecuperable; (*Verlust*) irreparable; ~ *verloren* perdido para siempre.

'Unwill|e *m* (*-ns*; *0*) indignación *f*; (*Ärger*) enojo *m*; (*Zorn*) cólera *f*; **2ig I.** *adj.* indignado (*über ac.* de, por); (*ärgerlich*) enojado; **II.** *adv.* (*widerwillig*) de mala gana; ~ *werden* indignarse; enojarse (*über j-n* con alg.); **2kommen** *adj.* no bien acogido; poco deseable; (*lästig*) importuno; (*unzeitig*) inoportuno; intempestivo; (*unangenehm*) desagradable.

unwill'kürlich I. *adj.* involuntario; (*mechanisch*) maquinal; (*automatisch*) automático; (*triebhaft*) instintivo; **II.** *adv.* involuntariamente; sin querer; maquinalmente; instintivamente.

'unwirk|lich *adj.* irreal; **2lichkeit** *f* (*0*) irrealidad *f*; **~sam** *adj.* ineficaz; ⚕ inactivo; **2samkeit** *f* (*0*) ineficacia *f*; ⚕ inactividad *f*.

'unwirsch *adj.* malhumorado; de mal humor; (*schroff*) áspero, desabrido; (*brüsk*) brusco; hosco.

'unwirt|lich *adj.* inhospitalario; **2lichkeit** *f* (*0*) inhospitalidad *f*; **~schaftlich** *adj.* poco económico; (*unrationell*) poco racional; (*teuer*) costoso; (*unrentabel*) no rentable.

'unwissen|d *adj.* ignorante; **2heit** *f* (*0*) ignorancia *f*; **~schaftlich** *adj.* poco científico; **~tlich** *adv.* sin saberlo; sin querer(lo); inconscientemente; por ignorancia.

'unwohl *adj.* indispuesto; *mir ist* ~; *ich fühle mich* ~ no me siento bien; estoy indispuesto; *Frau*: ~ *sein* tener las reglas; **2sein** *n* indisposición *f*; malestar *m*; *der Frau*: menstruación *f*, reglas *f/pl.*

'unwohnlich *adj.* poco confortable.

'unwürdig *adj.* indigno (*e-r Sache gen.* de a/c.); **2keit** *f* (*0*) indignidad *f*.

'Unzahl *f* (*0*) sinnúmero *m*; infinidad *f*.

un'zähl|bar, ~ig *adj.* innumerable, incontable; **~ige'mal** *adv.* mil veces; infinidad de veces.

un'zähmbar *adj.* (*wildes Tier*) indomable; (*als Haustier*) indomesticable; *fig.* indómito.

'unzart *adj.* poco delicado; poco fino; (*rauh*) rudo; (*grob*) grosero; **2heit** *f* (*0*) falta *f* de delicadeza; (*Rauheit*) rudeza *f*; (*Grobheit*) grosería *f*.

'Unze *f*: *Zoo. u. Gewicht*: onza *f*.

'Unzeit *f*: *zur* ~ a destiempo, inoportunamente; en momento poco propicio; a deshora; intempestivamente; **2gemäß** *adj.* (*unpassend*) inoportuno; (*altmodisch*) pasado de moda; (*anachronistisch*) anacrónico; **2ig I.** *adj.* (*unpassend*) inoportuno; (*bei schlecht gewähltem Zeitpunkt*) intempestivo; (*vorzeitig*) prematuro; **II.** *adv.* → *zur Unzeit*; ~ *geboren* nacido prematuramente.

'unzer|brechlich *adj.* irrompible; inquebrantable, infrangible; (*dauerhaft*) sólido; **~legbar** *adj.* ⚗ que no puede descomponerse *bzw.* ⊕ desmontarse; **~reißbar, ~reißlich** *adj.* que no se desgarra; irrompible; **~störbar** *adj.* indestructible; **2störbarkeit** *f* (*0*) indestructibilidad *f*; **~trennlich** *adj.* inseparable; **2trennlichkeit** *f* (*0*) inseparabilidad *f*.

Unzi'al|buchstabe *m* (*-ns*; *-n*), **~e** *f Typ.* letra *f* uncial.

'unziem|end, ~lich *adj.* (*ungehörig*) inconveniente; impertinente; (*unanständig*) indecoroso; indecente; **2lichkeit** *f* (*0*) (*Ungehörigkeit*) inconveniencia *f*; impertinencia *f*; (*Unanständigkeit*) falta *f* de decoro; indecencia *f*.

'Unzier(de) *f* fealdad *f*; falta *f* de gracia; (*Unehre, Schande*) desdoro *m*.

'unzivilisiert *adj.* apartado de la civilización; no civilizado; bárbaro.

'Unzucht *f* (*0*) impudicia *f*, deshonestidad *f*; lascivia *f*; ⚖ abusos *m/pl.* deshonestos; *gewerbsmäßige*: prostitución *f*; *widernatürliche*: sodomía *f*; *außereheliche*: fornicación *f*; *der* ~ *preisgeben* prostituir; ~ *treiben* prostituirse.

'unzüchtig *adj.* impúdico, deshonesto; lascivo; (*obszön*) obsceno; *Schrift*: pornográfico; **2keit** *f* impudicia *f*; lascivia *f*; obscenidad *f*.

'unzu|frieden *adj.* poco satisfecho; descontento (*mit* de, con); ~*e Elemente Pol.* (elementos) descontentos *m/pl.*; **2friedenheit** *f* (*0*) descontento *m*; (*Mißvergnügen*) disgusto *m*; *j-m Anlaß zur* ~ *geben* descontentar (*od.* disgustar) a alg.; **~gänglich** *adj.* inaccesible; *fig.* (*schwer umgänglich*) intratable; **2gänglichkeit** *f* (*0*) inaccesibilidad *f*; **~länglich** *adj.* insuficiente; (*mangelhaft*) deficiente; **2länglichkeit** *f* insuficiencia *f*; (*Mangel*) deficiencia *f*; **~lässig** *adj.* inadmisible; ilícito; ⚖ improcedente; **2lässigkeit** *f* (*0*) ilicitud *f*; ⚖ improcedencia *f*; **~mutbar** *adj.* que no puede ser exigido *bzw.* esperado de alg.; (*unvernünftig*) irrazonable; (*unverschämt*) descarado; atrevido; **~rechnungsfähig** *adj.* irresponsable, no responsable de sus acciones; inconsciente; **2rechnungsfähigkeit** *f* (*0*) irresponsabilidad *f*; inconsciencia *f*; **~reichend** *adj.* insuficiente; **~sammenhängend** *adj.* incoherente; **~ständig** *adj.* incompetente; **2ständigkeit** *f* (*0*) incompetencia *f*; **~träglich** *adj.* inadmisible; (*ungesund*) malsano; nocivo, perjudicial (para la salud); **2träglichkeit** *f* inconveniente *m*; **~treffend** *adj.* inexacto; erróneo; **~verlässig** *adj.* (*unsicher*) poco seguro, inseguro; *Person*: de poca confianza; (*wenig pflichtbewußt*) poco formal; (*unpünktlich*) poco puntual; (*zweifelhaft*) dudoso; (*ungenau*) poco exacto; inexacto; *Gedächtnis*: infiel;

Wetter: inseguro; **2verlässigkeit** *f* (*0*) inseguridad *f*; falta *f* de formalidad; falta *f* de puntualidad; inexactitud *f*.
'unzweckmäßig *adj.* (*ungeeignet*) inadecuado; no apropiado; (*schlecht angemessen*) poco conveniente; poco indicado; (*ungelegen*) inoportuno; (*schädlich*) contraproducente; **2keit** *f* (*0*) inconveniencia *f*; inoportunidad *f*; efecto *m* contraproducente.
'unzweideutig *adj.* inequívoco; (*klar*) claro; preciso.
'unzweifelhaft I. *adj.* indudable; **II.** *adv.* sin duda; indudablemente; en (una) forma que no admite duda.
'üppig *adj.* ⚘ exuberante (*a. fig.*); lozano; (*wuchernd*) lujuriante; (*reichlich*) abundante; copioso; (*sehr reich*) opulento; (*luxuriös*) lujoso; (*Aufwand liebend*) suntuoso; fastuoso; (*wollüstig*) voluptuoso; lujurioso; (*sinnlich*) sensual; F (*füllig*) rollizo; (*übermütig*) petulante; *Mahl*: opíparo; *Laub*: frondoso; *Frau*: de opulentas formas; **2keit** *f* exuberancia *f*; lozanía *f*; abundancia *f*; copiosidad *f*; opulencia *f*; suntuosidad *f*; voluptuosidad *f*; sensualidad *f*; petulancia *f*.
Ur *Zoo. m* (*-es*; *-e*) uro *m*; **'~abstimmung** *f* referéndum *m*; **'~ahn(e** *f*) *m* (*-en*) bisabuelo (-a *f*) *m*; *die ~en* los antepasados.
U'ral *m Fluß*: el (río) Ural; *Gebirge*: los (montes) Urales.
'ur-alt *adj.* muy viejo, viejísimo; vetusto; antiquísimo; *seit ~en Zeiten* desde tiempo inmemorial; *aus ~en Zeiten* de tiempos remotos.
U'ran ⚗ *n* (*-es*; *0*) uranio *m*; **~blende** *Min. f* (*0*) pec(h)blenda *f*; **~brenner** *m* pila *f* de uranio.
'Ur|anfang *m* (*-es*; *⸚e*) principio *m*; (primer) origen *m*; **2anfänglich** *adj.* (*0*) primitivo; primordial.
U'ran|glimmer *Min. m* (*-s*; *0*) uranita *f*; **2haltig** *adj.* uranífero.
U'rania *Myt. f* Urania *f*.
Ura'nit *Min. m* (*-es*; *0*) uranita *f*.
'Ur-anlage *f* disposición *f* primitiva.
U'ran|oxyd ⚗ *n* (*-es*; *0*) óxido *m* de uranio; **~pech-erz** *Min. n* (*-es*; *0*) uranina *f*; **~salz** *n* (*-es*; *-e*) uranato *m*; **~säure** *f* ácido *m* uránico.
'Uranus *Astr. m* Urano *m*.
U'ranvorkommen *n* yacimiento *m* uranífero.
'ur-aufführ|en *v/t. Thea.* estrenar (*a. Film*); **2ung** *f* estreno *m*.
'Urban *m* Urbano *m*.
ur'ban *adj.* urbano.
Urbani'tät *f* (*0*) urbanidad *f*.
'urbar *adj.* ⚒ cultivable; laborable; *~ machen* (*brachen*) roturar; (*ausroden*) rozar; desbrozar; **2machung** *f* roza *f*; roturación *f*.
'Ur...: ~bedeutung *f* significación *f* (*Gr.* acepción *f*) primitiva; **~beginn** *m* (*-es*; *0*) origen *m*; principio *m*; **~begriff** *m* (*-es*; *-e*) idea *f* primitiva; **~bestandteil** *m* (*-es*; *-e*) elemento *m*; **~bevölkerung** *f*, **~bewohner** *m/pl.* habitantes *m/pl.* primitivos, primeros habitantes *m/pl.*; aborígenes *m/pl.*; población *f* autóctona; **~bild** *n* (*-es*; *-er*) original *m*; prototipo *m*; arquetipo *m*; (*Ideal*) ideal *m*; **~christentum** *n* (*-s*; *0*) cristianismo *m* primitivo; **2deutsch** *adj.* (*0*) muy alemán; **2eigen** *adj.* (*angeboren*) innato; (*innewohnend*) inherente; **~einwohner** *m* → *Urbewohner*; **~enkel(in** *f*) *m* bisnieto (-a *f*) *m*; **~fehde** *f* renuncia *f* jurada a tomar venganza; **2fi'del** *adj.* muy alegre; **~form** *f* forma *f* primitiva; **~gebirge** *Geol. n* terreno *m* primario; **2ge'mütlich** *adj.* (*0*) *Ort*: muy agradable; *Person*: de agradable trato, simpático; **~geschichte** *f* (*0*) prehistoria *f*; **2geschichtlich** *adj.* prehistórico; **~gestein** *Geol. n* (*-es*; *-e*) roca *f* primitiva; **~groß-eltern** *pl.* bisabuelos *m/pl.*; **~großmutter** *f* (*-*; *⸚*) bisabuela *f*; **~großvater** *m* (*-s*; *⸚*) bisabuelo *m*; **~grund** *m* (*-es*; *⸚e*) causa *f* primitiva.
'Urheber *m* autor *m*; (*Schöpfer*) creador *m*; **~in** *f* autora *f*; creadora *f*; **~recht** *n* (*-es*; *-e*) derechos *m/pl.* de autor; propiedad *f* literaria; **~schaft** *f* (*0*) calidad *f* de autor; **~schutz** *m* (*-es*; *0*) protección *f* de la propiedad intelectual.
U'rin *m* (*-s*; *-e*) orina *f*; *~ lassen* orinar; **~glas** *n* (*-es*; *⸚er*) orinal *m*.
uri'nieren (*-*) *v/i.* orinar.
u'rin|treibend *adj.* diurético; *~es Mittel* diurético *m*; **2untersuchung** ⚕ *f* uroscopia *f*; **2verhaltung** ⚕ *f* retención *f* de orina.
'Ur...: ~kirche *f* (*0*) Iglesia *f* primitiva; **2'komisch** *adj.* (*0*) muy cómico; muy divertido *od.* gracioso; **~kraft** *f* (*-*; *⸚e*) fuerza *f* primitiva.
Ur|kunde *f* documento *m*; (*Beleg*) comprobante *m*; (*Titel*) título *m*; (*Diplom*) diploma *m*; (*Zeugnis*) certificado *m*; (*Akte*) acta *f*; (*Beglaubigung*) testimonio *m*; (*Charta*) carta *f*; *notarielle ~* escritura *f*; **~kundenbeweis** *m* (*-es*; *-e*) prueba *f* documental; **~kundenfälscher** *m* falsificador *m* de documentos; **~kundenfälschung** ⚖ *f* falsedad *f* en documentos; falsificación *f* de documentos; **~kundenmaterial** *n* (*-s*; *0*) documentación *f*; **~kundensammlung** *f* colección *f* *bzw.* recopilación *f* de documentos; (*Archiv*) archivo *m*; **2kundlich** *adj.* documental; documentado; *~ belegen* documentar; **~laub** *m* (*-es*; *-e*) permiso *m*; licencia *f*; (*Ferien*) vacaciones *f/pl.*; *~ beantragen* (*geben*) pedir *od.* solicitar (dar *od.* conceder) permiso *bzw.* licencia; *auf ~ sein, ~ haben* ⚔ estar con permiso *bzw.* licencia; *auf Ferien*: estar de vacaciones; *in ~ gehen* ⚔ ir de permiso; *Ferien*: ir de vacaciones; *~ auf 2 Tage* ⚔ permiso de dos días; *bezahlter ~* vacaciones pagadas; **~lauber** *m* ⚔ soldado *m* con licencia; (*Ferienreisender*) turista *m*; (*Sommerfrischler*) veraneante *m*; **~lauberzug** ⚔ *m* (*-es*; *⸚e*) tren *m* de soldados con licencia; **~laubsgesuch** *n* (*-es*; *-e*) petición *f* de licencia; **~laubsreisende(r)** *m* *Tourist*: turista *m*; *Sommerfrischler*: veraneante *m*; **~laubs-überschreitung** *f* ausencia *f* sin permiso; **~laubsschein** ⚔ *m* (*-es*; *-e*) (papeleta *f* de) permiso *m* *bzw.* licencia *f*; **~laubsverlängerung** *f* prórroga *f* de licencia; **~laubszeit** *f* tiempo *m* de vacaciones; ⚔ permiso *m*; licencia *f*; **~maß** *n* (*-es*; *-e*) patrón *m*; **~mensch** *m* (*-en*) hombre *m* primitivo; *Adam*: primer hombre *m*.
'Urne *f* urna *f*; **~nhalle** *f* columbario *m*.
Uro|'loge *m* (*-n*) urólogo *m*; **~lo'gie** *f* (*0*) urología *f*; **~'meter** ⚕ *n* urómetro *m*; **~sko'pie** ⚕ *f* (*0*) uroscopia *f*.
'Ur...: ~ochs *m* (*-en*) uro *m*; **2'plötzlich I.** *adj.* repentino, súbito; **II.** *adv.* de repente; de improviso; repentinamente, súbitamente; **~produkt** *n* (*-es*; *-e*) producto *m* primitivo; **~quell** *m* (*-es*; *-e*) fuente *f* primitiva; *fig.* origen *m*; **~sache** *f* causa *f*; (*Grund*) razón *f*; (*Beweggrund*) motivo *m*; *er hat keine ~ zu* (*inf.*) no tiene ningún motivo para (*inf.*); *alle ~ haben zu* (*inf.*) tener sobrada razón para (*inf.*); *keine ~!* *beim Danken*: de nada; no hay de qué; *bei e-r Entschuldigung*: de nada; no hay por qué; no ha sido nada; *kleine ~, große Wirkung* F con pequeña brasa se enciende una casa; **2sächlich** *adj.* causal; *~er Zusammenhang* nexo *m*; **~sächlichkeit** *f* (*0*) causalidad *f*; **~schrift** *f* original *m*; texto *m* original; (*Handschrift*) autógrafo *m*; (*Konzept*) borrador *m*; minuta *f*; **2schriftlich** *adj.* en original; autógrafo; **~sprache** *f* lengua *f* primitiva; lengua *f* original; **~sprung** *m* (*-es*; *⸚e*) origen *m*; (*Herkunft*) *a.* procedencia *f*; (*Quelle*) fuente *f*; (*Entstehung*) nacimiento *m*; *s-n ~ nehmen von* tener su origen en; proceder de; derivarse de; provenir de; **2sprünglich I.** *adj.* original; originario; (*uranfänglich*) primitivo; primordial; (*anfänglich*) inicial; **II.** *adv.* originalmente; originariamente; primitivamente; *~ aus Deutschland herstammen Person*: ser de origen alemán; ser oriundo *od.* originario de Alemania; *Ware*: ser de procedencia alemana; **~sprünglichkeit** *f* (*0*) originalidad *f*; oriundez *f*; carácter *m* primitivo; **~sprungs-angabe** *f* indicación *f* de origen; **~sprungsbescheinigung** *f* certificado *m* de origen; **~sprungsbezeichnung** *f* denominación *f* *od.* marca *f* de origen; **~sprungsland** *n* (*-es*; *⸚er*) país *m* de origen; **~sprungsnachweis** *m* (*-es*; *-e*) justificación *f* de origen; **~sprungsvermerk** *m* (*-es*; *-e*) indicación *f* de origen; **~sprungszeugnis** *n* (*-ses*; *-se*) certificado *m* de origen; **~stoff** *m* materia *f* prima; ⚗ elemento *m*.
Ursu'linerin *f* ursulina *f*.
'Urteil *n* (*-es*; *-e*) juicio *m*; ⚖ sentencia *f*, fallo *m*; (*Straf2*) condena *f*; *der Geschworenen*: veredicto *m*; *e-s Schiedsrichters*: laudo *m* (arbitral); (*Gutachten*) dictamen *m* (pericial); (*Entscheidung*) decisión *f*; (*Meinung*) opinión *f*, juicio *m*, parecer *m*; *ein ~ fällen od. verkünden* (*bestätigen*; *aufheben*; *vollstrecken*) ⚖ pronunciar *od.* dictar (confirmar; anular *od.* casar; ejecutar) una sentencia; *gegen ein ~ Berufung einlegen* ⚖ apelar contra una sentencia; *ein ~ fällen über* (*ac.*) emitir un juicio sobre; *sich selbst sein ~ spre-*

chen condenarse a sí mismo; *sich ein ~ bilden über (ac.)* formarse (*od.* hacerse) una idea de; *kein ~ haben* no tener opinión propia; *m-m ~ nach* a mi juicio, en mi opinión, a mi parecer; *nach dem ~ von Sachverständigen* según el dictamen de los peritos; *sein ~ abgeben od. äußern* dar (*od.* manifestar) su opinión (*über ac.* sobre); *Sachverständiger*: dictaminar; **2en** *v/i.* juzgar; ⚖ sentenciar, fallar; *~ über (ac.)* juzgar de; formarse (*od.* hacerse) una idea de; formarse un juicio acerca de; *nach s-n Worten zu ~* a juzgar por lo que dice; *dem Äußeren nach zu ~* a juzgar por las apariencias; *~ Sie selbst* juzgue usted por sí mismo.

'**Urteils...**: **~aufhebung** ⚖ *f* revocación *f* de sentencia; casación *f od.* anulación *f* de sentencia; **~begründung** ⚖ *f* considerandos *m/pl.*; **~eröffnung** ⚖ *f* publicación *f* de la sentencia; **2fähig** *adj.* competente (para juzgar); *Kind*: con uso de la razón; **~fähigkeit** *f (0)* juicio *m*; (*Unterscheidungsvermögen*) discernimiento *m*; **~fällung** ⚖ *f* pronunciamiento *m* de sentencia; **~kraft** *f (0)* → *Urteilsfähigkeit*; **~spruch** *m (-es; ¨e)* juicio *m*; sentencia *f*; veredicto *m*; **~verkündigung** ⚖ *f* notificación *f* de la sentencia; **~verkündung** ⚖ *f* pronunciamiento *m* de la sentencia; **~vermögen** *n (-s; 0)* → *Urteilsfähigkeit*; **~veröffentlichung** ⚖ *f* publicación *f* de la sentencia en la prensa; **~vollstreckung** ⚖ *f* ejecución *f* de la sentencia.

'**Ur...**: **~text** *m (-es; -e)* texto *m* original; **~tierchen** *Zoo. n/pl.* protozoarios *m/pl.*; **2tümlich** *adj.* primitivo.

'**Uruguay** *n* Uruguay *m.*

Urugu'ay|er *m* uruguayo *m*; **2isch** *adj.* uruguayo.

'**Ur...**: **~urahn** *m (-en)* tatarabuelo *m*; **~urgroßmutter** *f (-; ¨)* tatarabuela *f*; **~urgroßvater** *m (-s; ¨)* tatarabuelo *m*; **~vater** *m*: *~ Adam* nuestro primer padre; **2verwandt** *adj. Sprachen*: de común origen; **~verwandtschaft** *f der Sprachen*: afinidad *f* primitiva; **~volk** *n (-es; ¨er)* pueblo *m* primitivo; (*Ureinwohner*) primeros pobladores *m/pl.*; aborígenes *m/pl.*; **~wahl** *f* elección *f* primaria; **~wald** *m (-es; ¨er)* selva *f* virgen; **~welt** *f (0)* mundo *m* primitivo; **2weltlich** *adj.* primitivo; antediluviano; **2wüchsig** *adj.* primitivo; original; (*eingeboren*) nativo; (*bodenständig*) autóctono; (*kräftig*) robusto; *fig.* natural; *Person*: F de pura cepa; (*naiv*) ingenuo; (*derb*) tosco; **~wüchsigkeit** *f (0)* (*Kräftigkeit*) robustez *f*; *fig.* ingenuidad *f*; **~zeit** *f* tiempos *m/pl.* primitivos; *seit ~en* desde tiempo inmemorial; desde que el mundo existe; **~zelle** *f* célula *f* primitiva; **~zeugung** *f* generación *f* espontánea; **~zustand** *m (-es; 0)* estado *m* primitivo; **~zweck** *m (-es; 0)* fin *m* primordial.

U'sance [y'zã:s] † *f* uso *m*, costumbre *f*.

'**Usowechsel** † *m* letra *f* para uno o varios usos; giro *m* corriente.

Usur|pati'on *f* usurpación *f*; **~'pator** *m (-s; -'oren)* usurpador *m*; **2pa'torisch** *adj.* usurpatorio; **~'pieren** *n* usurpación *f*; **2'pieren** (-) *v/t.* usurpar.

'**Usus** *m (-; 0)* uso *m*; costumbre *f*.

Uten'silien *pl.* utensilios *m/pl.*; útiles *m/pl.*; enseres *m/pl.*; (*Werkzeuge*) herramientas *f/pl.*

'**Uterus** *Anat. m (-; -ri)* útero *m.*

Utili|'tarier *m* utilitario *m*; **~ta'rismus** *m (-; 0)* utilitarismo *m*; **2ta'ristisch** *adj.* utilitario.

Uto'pie *f* utopía *f.*

u'topisch *adj.* utópico.

Uto'pist *m (-en)* utopista *m.*

Uz [u:] F *m (-es; -e)* (*Hänselei*) broma *f*; '**2en** (-t) F *v/t.* (*hänseln*) embromar; F tomar el pelo.

V

V, v *n* V, v *f*.
vag [vaːk] *adj*. vago; indeterminado.
Vaga'bund [v] *m* (*-en*) vagabundo *m*; *Arg*. atorrante *m*; **~in** *f* vagabunda *f*; **~enleben** *n* (*-s*; *0*) vida *f* vagabunda.
vagabun'dieren [v] **I.** *v/i*. vagabundear; **II.** ♀ *n* vagabundeo *m*; **~d** *adj*.: *~er Strom* ⚡ corriente *f* vagabunda.
Va'gant [v] *m* (*-en*) *im Mittelalter*: goliardo *m*; giróvago *m*; **~endichtung** *f* poesía *f* juglaresca de clérigos y estudiantes errantes.
va'kan|t [v] *adj*. vacante; ♀**z** *f* (plaza *f*) vacante *f*.
'Vakuum ['vaːkuːʊm] *Phys*. *n* (*-s*; *Vakua*) vacío *m*; **~bremse** ⊕ *f* freno *m* de vacío; **~pumpe** ⊕ *f* bomba *f* para hacer el vacío; **~röhre** *f* tubo *m* de vacío.
Vak'zin [v] ⚕ *n* (*-ẹs*; *0*) vacuna *f*.
vakzi'nieren [v] (-) *v/t*. vacunar.
Va'lenz [v] ⚗ *f* valencia *f*.
valori'sier|en [v] (-) *v/t*. valorizar; ♀**en** *n*, ♀**ung** *f* valorización *f*.
Va'luta [v] *f* (-; *-ten*) (*Währung*) moneda *f* extranjera; (*Wert*) valor *m*; **~geschäft** *n* (*-ẹs*; *-e*) operaciones *f/pl*. de divisas; **~klausel** *f* (-; *-n*) cláusula *f* de protección contra devaluación de moneda; **~kurs** *m* (*-es*; *-e*) (tipo *m* del) cambio *m*; **~notierung** *f* cotización *f* (de moneda extranjera); ♀**schwach** *adj*. de cambio depreciado; ♀**stark** *adj*. de cambio alto.
valu'tier|en [v] (-) *v/t*. evaluar; ♀**ung** *f* evaluación *f*.
Vamp [vɛmp] *m* (*-s*; *-s*) mujer *f* fatal; *Film*: vampiresa *f*.
'Vampir [v] *m* (*-s*; *-e*) vampiro *m*.
Van'dal|e [v] *m* (*-n*) vándalo *m* (*a. fig.*); ♀**isch** *adj*. vandálico; *adv*. como vándalos.
Vanda'lismus [v] *m* (-; *0*) vandalismo *m*.
Va'nille [va'ˈnɪljə] *f* vainilla *f*; **~eis** *n* (*-es*; *0*) helado *m* de vainilla; **~schokolade** *f* chocolate *m* con vainilla.
vari'abel [vaˈrĭ-] *adj*. variable.
Vari'ante [v] *f* variante *f*.
Variati'on [v] *f* variación *f*; ♀**sfähig** *adj*. variable.
Varie'tät [vaˈrĭe'-] *f* variedad *f*.
Varie'té [vaˈrĭe'ˈteː] *n* (*-s*; *-s*) teatro *m* de variedades; **~künstler(in** *f*) *m* artista *m/f* de variedades; **~sänger(in** *f*) *m* cantante *m/f* de variedades; **~vorstellung** *f* función *f* de variedades.
vari'ieren [vaˈriˈiː-] (-) *v/t. u. v/i*. variar, cambiar.
Vario'meter [v] ⚡ *n* variómetro *m*.
Va'sall [v] *m* (*-en*) vasallo *m*; **~endienst** *m* (*-ẹs*; *-e*) vasallaje *m*; **~eneid** *m* (*-ẹs*; *-e*), **~enhuldigung** *f* homenaje *m*; **~enstaat** *m* (*-ẹs*; *-en*) Estado *m* tributario; (*Satellitenstaat*) Estado *m* satélite.
'Vase [v] *f* vaso *m*; △ jarrón *m*; (*Blumen*♀) florero *m*.
Vase'lin [v] *n* (*-s*; *0*), **~e** *f* vaselina *f*.
'Vater *m* (*-s*; *¨*) padre *m*; *sein leiblicher ~* su propio padre; *sein vermeintlicher ~* su padre putativo; *Ihr Herr ~* su señor padre; *der Heilige ~* el Santo Padre; **~freuden** *pl*. alegría *f* de ser padre; **~haus** *n* (*-es*; *¨er*) casa *f* paterna; **~land** *n* (*-ẹs*; *¨er*) patria *f*; país *m* natal; ♀**ländisch** *adj*. nacional; *Boden*: *a*. patrio, de la patria.
'Vaterlands...: **~liebe** *f* (*0*) amor *m* a la patria; patriotismo *m*; ♀**liebend** *adj*. (*0*) patriótico; *Person*: patriota; ♀**los** *adj*. (*0*) sin patria; **~ver'räter** *m* traidor *m* a la patria; **~ver'teidiger** *m* defensor *m* de la patria.
'väterlich *adj*. paternal; paterno; *~e Gewalt* ⚖ patria potestad *f*; **~erseits** *adv*. por parte de padre; *Großvater ~* abuelo paterno.
'Vater...: **~liebe** *f* (*0*) amor *m* paternal; ♀**los** *adj*. (*0*) sin padre; huérfano de padre; **~mord** *m* (*-ẹs*; *-e*) parricidio *m*; **~mörder** *m* parricida *m*; F (*hoher Kragen*) marquesota *f*; **~schaft** *f* (*0*) paternidad *f*; **~schafts-ermittlung** ⚖ *f* investigación *f* de la paternidad; **~stadt** *f* (-; *¨e*) ciudad *f* natal; **~stelle** *f*: *bei j-m ~ vertreten* hacer las veces de padre con alg.; **~tag** *m* (*-ẹs*; *-e*) día *m* del padre.
Vater-'unser *n* Padrenuestro *m*; *ein ~ beten* rezar un Padrenuestro.
'Vati F *m* (*-s*; *-s*) papá *m*; F papi *m*.
Vati'kan [v] *m* (*-s*; *0*) Vaticano *m*; **~stadt** *f* (*0*) Ciudad *f* del Vaticano.
Vaude'ville [voˈdəˈviːl] *n* (*-s*; *-s*) *gal*. vodevil *m*.
Vegeta'bi|lien [v] *pl*. vegetales *m/pl*.; ♀**lisch** *adj*. vegetal.
Vege'tar|ier [v] *m* vegetariano *m*; **~ierin** *f* vegetariana *f*; ♀**isch** *adj*. vegetariano.
Vegetati'on [v] *f* vegetación *f*.
vegeta'tiv [v] *adj*. vegetativo; *~es Nervensystem Physiol*. sistema *m* neurovegetativo.
vege'tieren [v] (-) ⚘ *v/i*. vegetar (*a. fig.*).
vehe'men|t [v] *adj*. (*-est*) vehemente; ♀**z** *f* (*0*) vehemencia *f*.
Ve'hikel [v] *n* vehículo *m*.
'Veilchen ⚘ *n* violeta *f*; ♀**blau** *adj*. (*0*) de color violeta, violado, violáceo; **~blau** *n* violeta *m*; **~duft** *m* (*-e*; *¨e*) olor *m* de violeta; **~gewächse** ⚘ *n/pl*. violáceas *f/pl*.; **~strauß** *m* (*-es*; *¨e*) ramillete *m* de violetas.
Veit *m* Vito *m*; *der heilige ~* San Vito; **~s-tanz** ⚕ *m* (*-es*; *0*) baile *m* de San Vito; corea *f*.
Ve'linpapier [v] *n* (*-s*; *0*) papel *m* (de) vitela.
Ve'lours [vəˈluːʀ] *m* (-; -) terciopelo *m*.
'Vene [v] *Anat*. *f* vena *f*.
Ve'nedig [v] *n* Venecia *f*.
'Venen|blut [v] *Anat*. *n* (*-ẹs*; *0*) sangre *f* venosa; **~entzündung** ⚕ *f* inflamación *f* de las venas; flebitis *f*.
ve'nerisch [v] ⚕ *adj*. venéreo.
Venezi'an|er(in *f*) [v] *m* veneciano (-a *f*) *m*; ♀**isch** *adj*. veneciano.
Venezu'el|a [v] *n* Venezuela *f*; **~er** (**-in** *f*) *m* venezolano (-a *f*) *m*; ♀**isch** *adj*. venezolano.
Ven'til [v] ⊕ *n* (*-s*; *-e*) válvula *f*.
Ventilati'on [v] *f* ventilación *f*; (*Lüftung*) aireación *f*; **~s-anlage** *f* dispositivo *m* de ventilación; **~s-apparat** *m* (*-ẹs*; *-e*) ventilador *m*.
Venti'lator [v] *m* (*-s*; *-en*) ventilador *m*.
venti'lieren [v] (-) *v/t*. ventilar (*a. fig.*); (*lüften*) airear.
Ven'til... [v]: **~klappe** *f* chapaleta *f* de válvula; **~kolben** *m* émbolo *m* de válvula; **~sitz** *m* (*-es*; *-e*) asiento *m* de válvula; **~steuerung** *f* distribución *f* por válvulas; **~stößel** *m* varilla *f* levantaválvulas; **~steller** *m* platillo *m* de la válvula.
'Venus [v] *f* (*0*) Venus *f*; **~berg** *m* (*-ẹs*; *-e*) *Anat*. monte *m* de Venus, pubis *m* (de la mujer); *Myt*. monte *m* de Venus.
ver'ab|folgen (-) *v/t*. dar; entregar, *Ware*: *a*. despachar; suministrar; *Medizin*: administrar; *Schläge, Hiebe*: dar, asestar, pegar, *hum*. propinar; ♀**folgung** *f* entrega *f*; *v. Waren*: *a*. despacho *m*; *v. Medizin*: administración *f*; **~reden** (*-e-*; -) *v/t*.: et. *~* convenir a/c.; concertar a/c.; (*festlegen*) fijar a/c., *vertraglich*: estipular a/c.; *wir haben verabredet, daß* hemos quedado en que (*subj*.); *sich mit j-m ~* apalabrarse con alg.; *als Stelldichein*: darse cita con alg.; **~redet** *adj*. convenido; concertado; estipulado; *zur ~en Zeit* a la hora convenida; *mit j-m ~ sein* estar citado (*od*. tener una cita) con alg.; *wie ~* → **~redeter'maßen** *adv*. como estaba convenido; según queda convenido; ♀**redung** *f* convenio *m*, acuerdo *m*; arreglo *m*; estipulación

f; *zum Treffen*: cita *f*; (*Verpflichtung*) compromiso *m*; e-e ~ *mit j-m treffen* convenir a/c. con alg.; *zum Treffen*: quedar citado con alg.: **~reichen** (-) *v/t.* → *verabfolgen*; **~scheuen** (-) *v/t.* detestar, aborrecer; execrar; abominar (*ac. od.* de); **~scheuenswert** *adj.* detestable, aborrecible; execrable; abominable; **2scheuung** *f* (*0*) detestación *f*, aborrecimiento *m*; execración *f*; abominación *f*; **~schieden** (-*e*-; -) *v/t.* despedir; ⚔ *Offiziere*: retirar; *Truppen*: licenciar; *Gesetz, Haushalt*: *Parl.* aprobar; *Beamte*: cesar; *sich* ~ despedirse; **2schiedung** *f* despedida *f*; ⚔ *v. Truppen*: licenciamiento *m*; *e-s Gesetzes, des Haushaltes*: *Parl.* aprobación *f*; *e-s Beamten*: cese *m*.

ver'achten (-*e*-; -) *v/t.* despreciar, menospreciar; (*geringschätzen*) desdeñar; *Tod*: arrostrar.

Ver'ächt|er(in *f*) *m* despreciador (-a *f*) *m*; **2lich** *adj.* despreciable, digno de desprecio; (*geringschätzig*) despectivo; desdeñoso; (*verworfen*) abyecto, vil; ~ *machen* desprestigiar, desacreditar; envilecer; *sich* ~ *machen* envilecerse; ~ *behandeln* tratar con desprecio; vilipendiar; tratar con desdén.

Ver'achtung *f* (*0*) desprecio *m*; menosprecio *m*; desdén *m*; *mit* ~ *strafen* despreciar.

ver'albern (-*re*; -) *v/t.* ridiculizar; poner en ridículo.

ver-allge'meiner|n (-*re*; -) *v/t.* generalizar; **2ung** *f* generalización *f*.

ver'alte|n (-*e*-; -; *sn*) *v/i.* envejecer; anticuarse; pasar de moda; caer en desuso; *Mode*: pasar; **~t** *adj.* anticuado; pasado de moda; caído en desuso; **~er** *Ausdruck Gr.* arcaísmo *m*.

Ve'randa [v] *f* (-; -*den*) veranda *f*; terraza *f* (cubierta); (*Glas2*) mirador *m*.

ver'änder|lich *adj.* variable (*a.* ⚖, *Gr. u. Wetter*); mudable; alterable; (*unbeständig*) inconstante; *Charakter*: voluble, versátil; **2lichkeit** *f* (*0*) variabilidad *f*; alterabilidad *f*; (*Unbeständigkeit*) inconstancia *f*; *des Charakters*: volubilidad *f*, versatilidad *f*; **~n** (-*re*; -) *v/t.* cambiar; mudar; (*verwandeln*) transformar; modificar; (*abwechseln*) variar; *nachteilig*: alterar; *sich* ~ cambiar; experimentar un cambio; (*die Arbeitsstelle wechseln*) cambiar de colocación; aceptar empleo en otra empresa; **2ung** *f* cambio *m*; (*Verwandlung*) transformación *f*; modificación *f*; (*Abwechslung*) variación *f*; *nachteilige*: alteración *f*.

ver'ängstig|en (-) *v/t.* intimidar; amedrentar; azorar; **~t** *adj.* intimidado; amedrentado; azorado.

ver'anker|n (-*re*; -) *v/t.* ⚓ anclar, fondear; amarrar; △ cimentar (*a. fig.*); empotrar; sujetar con tirantes; (*Luftschiff*) amarrar; **~t** *adj.* ⚓ anclado, fondeado; amarrado; *fig.* (*verwurzelt*) arraigado (*in dat.* en); **2ung** ⚓ *f* anclaje *m*, fondeo *m*; amarre *m*.

ver'anlag|en (-) *v/t. Steuer*: tasar, fijar la tributación; **~t** *adj.*: *gut* ~ (*begabt*) bien dotado, con buenas dotes; de (*od.* con) talento; *für et.* ~ *sein* tener grandes dotes para a/c.; (*befähigt sein*) tener aptitudes para a/c.; *er ist für Sprachen* ~ tiene el don de las lenguas; ⚕ predispuesto (zu a); propenso (zu a); **2ung** *f* (*Steuer2*) fijación *f*, tasación *f* de la tributación; *fig.* carácter *m*, índole *f*; *geistige*: disposición *f* intelectual; (*Begabung*) don *m*; dotes *f/pl.*; (*Talent*) talento *m*; ⚕ predisposición *f*; (*Neigung*) inclinación *f*; propensión *f* (zu a); (*Fähigkeit*) aptitud *f*, aptitudes *f/pl*.

ver'anlass|en (-*ßt*; -) *v/t.* causar, originar; motivar; ocasionar; dar lugar a; ser motivo de; (*hervorrufen*) provocar; (*anordnen*) disponer, ordenar; *j-n zu et.* ~ inducir a alg. a hacer a/c.; sugerir a alg. que haga a/c.; hacer a alg. (*inf.*); *das Nötige* ~ proveer lo necesario; tomar las medidas oportunas *od.* necesarias; *sich veranlaßt fühlen zu* (*inf.*) verse precisado a (*inf.*); verse en la necesidad de (*inf.*); ~, *daß* hacer que (*subj.*); disponer que (*subj.*); **2ung** *f* (*Ursache*) causa *f*; (*Ursprung*) origen *m*; (*Gelegenheit*) ocasión *f*; (*Beweggrund*) motivo *m*; (*Antrieb*) impulso *m*; instigación *f*; (*Befehl*) orden *f*; (*Vorwand*) pretexto *m*; (*Anregung*) iniciativa *f*; sugerencia *f*; *auf* ~ *von als Bitte*: a instancias de, *als Vorschlag*: a propuesta de; por indicación de, *als Ersuchen*: a requerimiento de, *als Befehl*: por orden de, *als treibende Kraft*: por iniciativa de; *zu et.* ~ *geben* dar ocasión a; dar lugar a; dar margen a que (*subj.*); *bei dieser* ~ con (*od.* en) tal ocasión; con este motivo; ~ *nehmen zu* tomar como pretexto; ~ *haben zu* tener ocasión de; *ohne jede* ~ sin ningún motivo; *er hat keine* ~ *zu* (*inf.*) no tiene ninguna razón para (*inf.*).

ver'anschaulich|en (-) *v/t.* ilustrar; demostrar con ejemplos; explicar; demostrar gráficamente; **2ung** *f* ilustración *f*.

ver'anschlag|en (-) *v/t.* valuar, evaluar, estimar (*auf ac.* en); *Kosten*: presupuestar; **2ung** *f* valuación *f*, evaluación *f*, estimación *f*; *v. Kosten*: presupuesto *m*.

ver'anstalt|en (-*e*-; -) *v/t.* organizar; (*anordnen*) disponer, arreglar; (*Fest, Feier*) celebrar; (*Ball, Konzert, Vortrag*) dar; **2er(in** *f*) *m* organizador(a *f*) *m*; **2ung** *f* organización *f*; disposición *f*, arreglo *m*; (*Versammlung*) reunión *f*; (*Kundgebung*) manifestación *f*; (*Feier*) ceremonia *f*; acto *m*; festejo *m*; *Sport*: concurso *m*.

ver'antwort|en (-*e*-; -) *v/t.*: *et.* ~ responder de a/c.; (*rechtfertigen*) justificar; *sich* ~ justificarse (*bei j-m* ante alg.; *wegen* de); **~lich** *adj.* responsable; ~ *machen* (*sein*) *für* hacer (ser) responsable de; *j-m für et.* ~ *sein* ser responsable (*od.* tener que responder) ante alg. de a/c.; ~*e Stellung* puesto de responsabilidad; **2liche(r)** *m* responsable *m*; **2lichkeit** *f* (*0*) responsabilidad *f*; **2ung** *f* responsabilidad *f*; (*Rechtfertigung*) justificación *f*; *auf m-e* ~ bajo mi responsabilidad; *die* ~ *übernehmen* (*ablehnen*) asumir (declinar) la responsabilidad (*für* de); *der* ~ *entheben* eximir de la responsabilidad; *die* ~ *auf j-n abwälzen* cargar sobre alg. la responsabilidad (*für et.* de a/c.); *die* ~ *tragen* tener la responsabilidad, ser responsable (*für* de); *j-n für et. zur* ~ *ziehen* pedir cuentas a alg. de a/c.; **~ungsbewußt** *adj.* consciente de su responsabilidad; **2ungsbewußtsein** *n* (-*s*; *0*) sentido *m* de la responsabilidad; **~ungslos** *adj.* sin responsabilidad; irresponsable; **~ungsvoll** *adj.* de gran responsabilidad.

ver'äppeln (-*le*; -) F *v/t.*: *j-n* ~ embromar a alg.; F tomar el pelo a alg.

ver'arbeit|en (-*e*-; -) *v/t.* (*verwenden*) emplear, utilizar; (*bearbeiten*) trabajar, labrar; ⊕ manufacturar; confeccionar; elaborar; fabricar; (*behandeln*) tratar; *Rohstoffe*: transformar; (*verbrauchen*) gastar, consumir; *Speise u. fig.*: digerir; asimilar; **~end** *adj.*: ~*e Industrie* industria transformadora; **2ung** *f* (*Verwendung*) empleo *m*, uso *m*, utilización *f*; (*Bearbeitung*) trabajo *m*; labra *f*, labrado *m*; ⊕ manufactura *f*; elaboración *f*; (*Behandlung*) tratamiento *m*; *v. Rohstoffen*: transformación *f*; (*Verbrauch*) gasto *m*, consumo *m*; *v. Speisen u. fig.*: digestión *f*; asimilación *f*.

ver'argen (-) *v/t.* tomar en (*od.* echar a) mala parte; *j-m et.* ~ tomarle a mal a alg. a/c.

ver'ärger|n (-*re*; -) *v/t.* disgustar, enfadar; enojar; **2n** *n*, **2ung** *f* disgusto *m*, enfado *m*; enojo *m*.

ver'arm|en (-; *sn*) *v/i.* empobrecer(se); caer en la miseria; **~t** *adj.* empobrecido; **2ung** *f* empobrecimiento *m*; *e-s Volkes*: depauperación *f*.

ver'arzten (-*e*-; -) F *v/t.* tratar, medicinar; F curar a; *fig.* cuidar; (*abfertigen*) despachar; (*zurechtweisen*) echar una reprimenda a.

ver'ästel|n (-*le*; -) *v/t.* ramificar; *sich* ~ ramificarse; **2ung** *f* ramificación *f*.

ver-auktio'nier|en (-) *v/t.* subastar; **2ung** *f* subasta *f*.

ver'aus|gaben (-) *v/t.* gastar; expender; *sich* ~ gastar todo su dinero; apurar sus recursos; *fig.* agotar sus fuerzas; **2gabung** *f* gasto *m*; **~lagen** (-) *v/t.* desembolsar; (*vorstrecken*) adelantar (dinero), hacer un anticipo.

ver'äußer|lich *adj.* enajenable, alienable; **~n** (-) *v/t.* enajenar; (*übermachen*) transferir; (*verkaufen*) vender; **2ung** *f* enajenación *f*, enajenamiento *m*, alienación *f*; (*Verkauf*) venta *f*; **2ungsrecht** *n* (-*es*; *0*) derecho *m* de alienación; **2ungsverbot** *n* (-*es*; *0*) prohibición *f* de enajenamiento *od.* alienación.

Verb [verp] *n* (-*s*; -*en*) verbo *m*.

Ver'bal-adjektiv [v] *Gr. n* (-*s*; -*e*) adjetivo *m* verbal.

Ver'bal-injurie [v] *f* invectiva *f*; injuria *f*.

ver'ballhornen (-) *v/t.* hacerlo peor queriendo mejorarlo; acabar de estropearlo.

Ver'bal|note [v] *f Dipl.* nota *f* verbal; **~substantiv** *Gr. n* (-*s*; -*e*) su(b)stantivo *m* verbal.

Ver'band *m* (*-es*; *⸗e*) (*Vereinigung*) asociación *f*; federación *f*; unión *f*; ⚕ consorcio *m*; (*Syndikat*) sindicato *m*; ⚔ unidad *f*; ✈ formación *f*; ⚕ vendaje *m*; apósito *m* (*anlegen* aplicar, *abnehmen* quitar); (*Binde*) venda *f*; **~gaze** *f* gasa *f* hidrófila; **~kasten** *m* (*-s*; *⸗*) caja *f* de vendajes; botiquín *m*; **~mull** *m* (*-es*; *0*) → *Verbandgaze*; **~päckchen** *n* paquete *m* de vendaje (de urgencia); **~platz** ⚔ *m* (*-es*; *⸗e*) hospital *m* de sangre; **~schere** ⚕ *f* tijeras *f/pl.* para gasa; **~sflug** ⚔ *m* (*-es*; *⸗e*) vuelo *m* en formación; **~smitglied** *n* (*-es*; *-er*) miembro *m* de una asociación; **~s-preis** *m* (*-es*; *-e*) precio *m* fijado por una asociación; **~s-tag** *m* (*-es*; *-e*) congreso *m* de los miembros de una asociación; **~stelle** *f* (*Unfallstation*) puesto *m* de socorro; ⚔ hospital *m* de sangre; **~stoff** ⚕ *m* (*-es*; *-e*) material *m* para vendajes; **~watte** *f* (*0*) algodón *m* hidrófilo; **~zeug** ⚕ *n* (*-es*; *0*) vendajes *m/pl.*

ver'bann|en (-) *v/t.* desterrar; proscribir; extrañar; exiliar; (*ausweisen*) expulsar; **ℒte(r** *m*) *m/f* desterrado (-a *f*) *m*; proscrito (-a *f*) *m*; exiliado (-a *f*) *m*; **ℒung** *f* destierro *m*; proscripción *f*; extrañamiento *m*; exilio *m*; *in der ~ leben* (*in die ~ schicken*) vivir en el (mandar al) destierro.

verbarrika'dieren (-) *v/t.* levantar barricadas *f/pl.*; *Zugang usw.*: obstruir; *sich ~* atrincherarse, hacerse fuerte.

ver'bauen (-) *v/t.* (*bauend versperren*) obstruir el paso con edificaciones; *e-m Hause die Aussicht ~* quitar la vista a una casa; *Geld*: gastar en edificar; *Material*: emplear en construcciones; (*falsch bauen*) construir *od.* edificar mal; (*zubauen*) cubrir *od.* tapar *od.* obstruir con edificaciones; *fig. sich den Weg ~* cerrarse el camino.

ver'beißen (*L*; -) *v/t.* (*verbergen*) ocultar; disimular; (*unterdrücken*) contener, reprimir; *Zorn*: reconcentrar; *s-n Schmerz ~* apretar los dientes disimulando el dolor; *sich das Lachen ~* morderse los labios para no reír; *sich das Lachen nicht ~ können* no poder reprimir la risa; *sich in et.* (*ac.*) *~* encarnizarse en a/c. (*a. fig.*); *fig.* aferrarse a; encastillarse en; obstinarse ciegamente en.

ver'bergen (*L*; -) *v/t.* esconder; *fig.* ocultar; (*verhehlen*) disimular; ⚖ encubrir; (*verschweigen*) silenciar; callar; (*verschleiern*) velar; *sich ~* esconderse; ocultarse.

Ver'besser|er *m* (*Umgestalter*) reformador *m*; *v. Fehlern*: corrector *m*; **ℒn** (*-ßre*; -) *v/t.* mejorar; (*vervollkommnen*) perfeccionar; (*bessernd umgestalten*) reformar; (*berichtigen*; *richtigstellen*) rectificar; *Fehler*: corregir; enmendar; *die Beziehungen zu e-m Lande ~* mejorar las relaciones con un país; *verbesserte Auflage* edición corregida; *sich ~* mejorarse; *bsd. sittlich*: enmendarse; *beim Sprechen*: corregirse; *in der Lage*: mejorar su situación; (*sich vervollkommnen*) perfeccionarse; **~ung** *f* mejora *f*; mejoramiento *m*; perfeccionamiento *m*; reforma *f*; rectificación *f*; corrección *f*; enmienda *f*; *~ der Beziehungen zu e-m Lande* mejoramiento de las relaciones con un país; **ℒungsfähig** *adj.* mejorable; reformable; corregible; susceptible de mejora *bzw.* de enmienda *bzw.* de reformas.

ver'beug|en (-) *v/refl.*: *sich ~* inclinarse (*vor j-m* ante alg.); hacer reverencia (*vor* ante); **ℒung** *f* inclinación *f*, reverencia *f*.

ver'beul|en (-) *v/t.* abollar; **ℒung** *f* abolladura *f*.

ver'biegen (*L*; -) *v/t.* torcer; doblar; (*krümmen*) encorvar; (*aus der Form bringen*) deformar; desfigurar; *sich ~* torcerse; doblarse; encorvarse; deformarse; desfigurarse.

ver'bieten (*L*; -) *v/t.* prohibir; vedar; *Zeitung*: suprimir; *es ist verboten ...* se prohíbe ...

ver'bild|en (*-e-*; -) *v/t.* formar defectuosamente; (*geistig*) educar mal; (*entstellen*) deformar; desfigurar; afear; **~et** *adj.* deformado; desfigurado; (*geistig*) mal educado; (*affektiert*) afectado; **ℒung** *f* deformación *f*; (*geistige*) falsa educación *f*.

ver'billig|en (-) *v/t.* abaratar; *Preis*: reducir, rebajar (el precio); **ℒung** *f* abaratamiento *m*; reducción *f* (*od.* rebaja *f*) de precio.

ver'bind|en (*L*; -) **1.** *v/t.* unir; (*vereinigen*) *a.* reunir, juntar (*mit* con); ligar; asociar a; *zu e-m Zweck*: aunar; (*hinzufügen*) agregar a; (*einfügen*) incorporar a; (*vermischen*) mezclar, *fig.* amalgamar; *zu Dank verpflichten*: obligar; *mit Bindfaden, Seil*: atar (*mit* a); *Tauenden*: empalmar; *Holzteile*: ensamblar; ⊕ (*koppeln*) acoplar; *Verkehrswege, Züge*: enlazar; ⚗ combinar (*mit* con); ⚡ conectar; enlazar; *Augen*, ⚕ *Wunde*: vendar; *Tele.* comunicar, poner en comunicación; *~ Sie mich mit ...* póngame en comunicación con ...; déme el número ...; *falsch verbunden!* se ha equivocado usted (de teléfono *od.* de número); *mit Kosten verbunden sein* suponer gastos; *j-m sehr verbunden sein* estar muy agradecido (*od.* reconocido *od.* obligado) a alg.; *die damit verbundenen Bedingungen* las condiciones inherentes a ello; **2.** *v/refl.*: *sich ~* unirse; reunirse, juntarse; aunarse; asociarse; (*sich verbünden*) *Pol.* aliarse; coligarse; confederarse; ⚗ combinarse; *sich ehelich ~* casarse, contraer matrimonio; *sich geschäftlich mit j-m ~* asociarse con alg.; **ℒen** *n e-r Wunde*: vendaje *m*; → *Verbindung*; **~end** *adj. Gr.* copulativo, conjuntivo; *~er Text* texto *m*; *~e Musik* letra *f*; **~lich** *adj.* (*verpflichtend*) obligatorio; (*verpflichtet*) obligado; (*gefällig*) complaciente; amable; servicial; obsequioso; (*höflich*) cortés; *~st danken* dar las más expresivas gracias; *~sten Dank!* ¡muchísimas gracias!; F ¡un millón de gracias!; *sich ~ machen* obligarse a; *sich j-m ~ machen* hacer un favor a alg., servir a alg.; **ℒlichkeit** *f* carácter *m* obligatorio; (*Verpflichtung*) obligación *f*; compromiso *m*; (*Gefälligkeit*) cortesía *f*; amabilidad *f*; obsequiosidad *f*; ⚕ *~en pl.* (*Passiva*) pasivo *m*; pagos *m/pl.* pendientes; deudas *f/pl.*; ⚕ *ohne ~* sin obligación; sin compromiso; sin garantía; *e-e ~ eingehen* contraer una obligación; *s-n ~en nachkommen*, *s-e ~en erfüllen* cumplir sus obligaciones; *s-e ~en nicht erfüllen* faltar a (*od.* no cumplir) sus obligaciones; *j-m e-e ~ auferlegen* imponer a alg. una obligación; **ℒung** *f* unión *f*; (*Vereinigung*) reunión *f*; (*Gesellschaft*) sociedad *f*; (*Verein*) asociación *f*; *studentische*: → *Studentenverbindung*; (*Berufsℒ*) corporación *f*; gremio *m*; (*Verband*) *Pol.* liga *f*; federación *f*; confederación *f*; (*Bündnis*) alianza *f*; (*Koalition*) coalición *f*; (*Beziehung*) relación *f*; *fig.* contacto *m*; (*Geschäftsℒ*) relaciones *f/pl.* comerciales; (*Zusammenhang*) conexión *f*; (*Gedankenℒ*) asociación *f* de ideas; ⚗ combinación *f*; (*Verkehrsℒ*) comunicación *f*; *v. Bahnlinien*: 🚂 empalme *m*; enlace *m*; *Met.* (*Legierung*) aleación *f*; (*Mischung*) mezcla *f*; ⊕ (*Koppelung*) acoplamiento *m*; (*Gelenkℒ*) articulación *f*; (*Fuge*) juntura *f*; *v. Holzteilen*: ensambladura *f*; (*Einfügung*) incorporación *f* (*mit* a); *durch Verknüpfung*: atadura *f*; ligadura *f*; ⚗ combinación *f*; (*Zusammensetzung*) composición *f*, (*Produkt*) compuesto *m*; ⚡ conexión *f*; enlace *m*, *durch Stecker*: enchufe *m*; ♪ ligadura *f*; *Tele.* comunicación *f*; *die ~ herstellen* (*unterbrechen*) establecer (cortar) la comunicación; (*persönlicher Umgang*) trato *m*; (*Schriftverkehr*) correspondencia *f*; ⚔ enlace *m*; *~ herstellen mit* ⚔ establecer contacto con; *rückwärtige ~* ⚔ comunicaciones de retaguardia; *eheliche ~* matrimonio *m*; lazo *m* matrimonial; (*Heirat*) enlace (matrimonial); *in ~ mit* en cooperación con; junto con; *in ~ treten mit* entrar en relaciones con; *in ~ bleiben* quedar (*od.* seguir) en contacto; *in ~ bringen* (*od.* *setzen*) poner en relación; poner en contacto; *sich mit j-m in ~ setzen* ponerse en comunicación (*od.* en contacto) con alg.; *mündlich*: ponerse al habla con alg.; *mit j-m in ~ stehen* (man)tener relaciones con alg.; estar relacionado con alg.; *brieflich*: corresponder (*od.* mantener correspondencia) con alg.; *~en haben fig.* tener (buenas) relaciones, estar (bien) relacionado; *~ haben mit* 🚂 empalmar con, *Züge*: enlazar con.

Ver'bindungs...: **~bahn** 🚂 *f* ferrocarril *m* de empalme; **~draht** ⚡ *m* (*-es*; *⸗e*) hilo *m* de unión; **~gang** *m* (*-es*; *⸗e*) corredor *m*, pasillo *m*; **~gleis** *n* (*-es*; *-e*) vía *f* de juntura; **~glied** *n* (*-es*; *-er*) pieza *f* de unión; **~graben** ⚔ *m* (*-s*; *⸗*) trinchera *f* de comunicación; **~kabel** *n* cable *m* de unión; **~kanal** *m* (*-s*; *⸗e*) canal *m* de comunicación; **~klemme** ⚡ *f* borne *m* de unión; **~linie** *f* línea *f* de comunicación (*od.* de unión); **~mann** *m* (*-es*; *⸗er*) (persona *f* *od.* agente *m* de) enlace *m*; (*Mittelsmann*) mediador *m*; intermediario *m*; **~offizier** ⚔ *m* (*-s*; *-e*) oficial *m* de enlace; **~rohr** *n* (*-es*; *-e*) tubo *m* de comunicación (*od.* de enlace);

~schnur ⚡ *f* (-; ¨*e*) cuerda *f* de enlace; **~stange** *f* tirante *m* de unión; ⚡ barra *f* de conexión; **~stecker** ⚡ *m* clavija *f* de unión; **~stelle** *f* punto *m* de unión; (*Fuge*) juntura *f*; organismo *m* de enlace; **~straße** *f* carretera *f* de enlace; **~stück** *n* (-*es*; -*e*) → *Verbindungsglied*; **~tür** *f* puerta *f* de comunicación; **~wärme** ⚗ *f* (*0*) calor *m* de combinación; **~weg** *m* (-*es*; -*e*) vía *f* de comunicación; **~wesen** *n* (-*s*; *0*) (*studentisches*) las asociaciones (tradicionales) de estudiantes.

ver'bissen *adj. fig.* encarnizado; enconado; ensañado; aferrado a; obstinado, empeñado en; *~er Zorn* cólera reconcentrada; *auf et.* (*ac.*) *~ sein* obstinarse en a/c.; insistir con tenacidad en a/c.; P emperrarse en a/c.; **2heit** *f* (*0*) encarnizamiento *m*; encono *m*; ensañamiento *m*; aferramiento *m*; obstinación *f*.

ver'bitten (*L*; -) *v/t.*: *sich et. ~* (*nicht dulden*) no tolerar, no permitir, no consentir a alg. a/c.; *das verbitte ich mir* ¡no le tolero *od.* no le consiento (a usted) eso!; *sich jede Entschuldigung ~* no admitir excusas (de ningún género).

ver'bitter|n (-*re*; -) *v/t. fig.* amargar, acibarar; *das Leben ~* amargar la vida; **~t** *adj.* amargado; **2ung** *f* (*0*) amargura *f*.

ver'blassen (-*ßt*; -; *sn*) *v/i.* palidecer; *Stoffe*: perder el color, desteñirse; *Erinnerung*: desvanecerse.

ver'blaßt *adj.* descolorido.

Ver'bleib *m* (-*es*; *0*) paradero *m*; **2en** (*L*; -; *sn*) *v/i.* quedar; permanecer; (*verharren*) insistir en; persistir en; *weiter~* seguir (*ger.*); *wir sind so verblieben* hemos quedado en ...; (*Briefschluß*) ... *verbleibe ich hochachtungsvoll* quedo de usted atento y seguro servidor (*Abk.* quedo de Vd. atto. y s.s.).

ver'bleichen (*L*; -; *sn*) *v/i.* → *verblassen*.

ver'bleien (-) ⊕ *v/t.* emplomar.

ver'blend|en (-*e*-; -) *v/t. durch Glanz*: deslumbrar; *fig.* (*betören*) *a.* cegar; obcecar, ofuscar; (*verdecken*) ocultar; 🏛 revestir; ⚔ disimular, enmascarar, *gal.* camuflar; **~et** *adj. fig.* deslumbrado; ciego; obcecado, ofuscado; **2klinker** *m*, **2stein** 🏛 *m* (-*es*; -*e*) ladrillo *m* de paramento; **2ung** *f* (*0*) *durch Glanz*: deslumbramiento *m*; *fig. a.* ceguedad *f*, obcecación *f*, ofuscamiento *m*; 🏛 revestimiento *m*; ⚔ disimulación *f*, enmascaramiento *m*, *gal.* camuflaje *m*.

ver'bleuen (-) F *v/t.* moler a golpes a alg.

Ver'blichene(r *m*) *f* difunta (-o *m*) *f*.

ver'blöd|en (-*e*-; -) *v/i.* ensandecer; alelarse; embrutecer; **~et** *adj.* sandio; lelo, alelado; imbécil; **2ung** *f* (*0*) alelamiento *m*; embrutecimiento *m*; imbecilidad *f*.

ver'blüff|en (-) *v/t.* (*verwirren*) aturdir, desconcertar; dejar perplejo; (*sprachlos machen*) pasmar, dejar pasmado; dejar estupefacto *od.* atónito; F dejar turulato; **~end** *adj.* desconcertante; asombroso; chocante; **~t** *adj.* (*verworren*) aturdido, desconcertado; perplejo; (*sprachlos*) pasmado; suspenso; estupefacto, atónito; F turulato, patitieso, patidifuso; **2theit** *f* (*0*), **2ung** *f* (*0*) aturdimiento *m*; estupefacción *f*, estupor *m*; perplejidad *f*.

ver'blüh|en I. (-; *sn*) *v/i.* desflorecer(se); (*welken*) marchitarse (*a. fig.*); **II. 2** *n* desflorecimiento *m*; **~t** *adj.* (*welk*) marchito.

ver'blut|en (-*e*-; -) *v/i.* desangrarse; ⚕ morir de una hemorragia; **~et** *adj.* desangrado; **2ung** *f* desangramiento *m*; ⚕ hemorragia *f* mortal.

ver'bohr|en (-) *v/refl.*: *sich in et.* (*ac.*) *~* obstinarse *od.* empeñarse en (hacer) a/c.; aferrarse a a/c.; **~t** *adj.* (*stur*) obstinado; testarudo; (*schrullig*) F chiflado; **2theit** *f* (*0*) obstinación *f*; testarudez *f*.

ver'bolzen (-*t*; -) ⊕ *v/t.* empernar.

ver'borgen[1] (-) *v/t.* prestar.

ver'borgen[2] *adj.* (*versteckt*) escondido, oculto; oscuro; (*geheim*) secreto; (*unerlaubt*) clandestino; (*zurückgezogen*) retirado; *Krankheit*: latente; *~ halten* esconder, ocultar (et. *vor j-m* a/c. a alg.); *sich ~ halten* esconderse, ocultarse (*vor* a); *im ~en* secretamente, en secreto; a escondidas; **2heit** *f* (*0*) oscuridad *f*; (*Zurückgezogenheit*) retiro *m*; soledad *f*; *in der ~ leben* vivir en el retiro (*od.* en la soledad).

Ver'bot *n* (-*es*; -*e*) prohibición *f*; interdicción *f*; *e-r Zeitung*: supresión *f*; **2en** *adj.* prohibido; *Rauchen ~* se prohibe fumar.

ver'bräm|en (-) *v/t.* orlar, guarnecer (*mit* de); *fig.* embellecer, adornar; **2ung** *f* orla *f*, guarnición *f*; adorno *m*.

Ver'brauch *m* (-*es*; *0*) consumo *m* (*an dat.* de); (*Ausgabe*) gasto *m*; (*Abnutzung*) desgaste *m*; **2en** (-) *v/t.* consumir; (*ausgeben*) gastar; (*erschöpfen*) apurar, agotar; (*abnutzen*) desgastar; **~er(in** *f*) *m* consumidor(a *f*) *m*; **~ergenossenschaft** *f* cooperativa *f* de consumo; **~ergruppe** *f* grupo *m* de consumidores; **~erleitung** ⚡ *f* línea *f* de consumo; **~erpreis** *m* (-*es*; -*e*) precio *m* para el consumidor; **~s-artikel** *m* artículo *m* de consumo; **~sgenossenschaft** *f* → *Verbrauchergenossenschaft*; **~sgüter** *pl.* artículos *m/pl.* de consumo; **~sland** *n* (-*es*; ¨*er*) país *m* consumidor; **~slenkung** *f* dirigismo *m* en artículos de consumo; **~sregelung** *f* régimen *m* de abastecimiento; **~ssatz** *m* (-*es*; ¨*e*) tasa *f* de consumo; **~ssteuer** *f* (-; -*n*) impuesto *m* de usos y consumos; **~swirtschaft** *f* (*0*) economía *f* del consumo; **2t** *adj.* gastado; *Luft*: viciado.

ver'brechen (*L*; -) *v/t.* cometer un delito; cometer (*od.* perpetrar) un crimen; *was hat er verbrochen?* ¿qué mal ha hecho?; *fig.* ¿qué delito ha cometido?; *ich habe nichts verbrochen* no he hecho nada malo.

Ver'brechen *n* delito *m* (grave); crimen *m*.

Ver'brecher *m* criminal *m*; ⚖ delincuente *m*; (*Übeltäter*) malhechor *m*; **~album** *n* (-*s*; -*alben*) archivo *m* fotográfico de identificación de delincuentes; fichero *m* (policial) de delincuentes; **~bande** *f* banda *f* de criminales; cuadrilla *f* de malhechores; **~gesicht** *n* (-*es*; -*er*) cara *f* patibularia; **~in** *f* (mujer *f*) criminal *f*; malhechora *f*; ⚖ delincuente *f*; **2isch** *adj.* criminal; criminoso; delictivo; **~kneipe** *f* taberna *f* de maleantes; **~kolonie** *f* colonia *f* penitenciaria; **~physiognomie** *f* rostro *m* patibulario; cara *f* de facineroso; **~sprache** *f* (*0*) argot *m* carcelario; germanía *f*; jerga *f* del hampa; caló *m*; **~tum** *n* (-*s*; *0*) criminalidad *f*; delincuencia *f*; **~viertel** *n* barrio *m* de maleantes; **~welt** *f* (*0*) hampa *f*.

ver'breit|en (-*e*-; -) *v/t.* (*ausdehnen*) extender; (*aussäen*) diseminar; (*ausstreuen*) esparcir; (*verteilen*) distribuir; *in breiten Volksschichten*: divulgar, *Kenntnisse*: vulgarizar; *Geheimnis*: propalar; *Geruch*: despedir; *Gerücht*: propagar, hacer circular; *Nachrichten*: difundir, divulgar; *Lehre*: propagar; *Radio*: difundir; *sich ~* extenderse (*über ac.* sobre); divulgarse; propalarse; propagarse; difundirse; *in e-r Rede*: explayarse; **2er(in** *f*) *m* propagador (-a *f*) *m*; divulgador(a *f*) *m*; **~ern** (-*re*; -) *v/t.* ensanchar; (*ausweiten*) dilatar; ampliar; **2erung** *f* ensanche *m*; dilatación *f*; ampliación *f*; **~et** *adj.* extendido; *Ansicht*: *a.* general(izado); corriente; muy frecuente; (*volkstümlich*) popularizado; popular; **2ung** *f* extensión *f*; diseminación *f*; divulgación *f*; vulgarización *f*; propagación *f*; difusión *f*; *durch Radio*: radiodifusión *f*.

ver'brenn|bar *adj.* combustible; **2barkeit** *f* (*0*) combustibilidad *f*; **~en** (*L*; -) **1.** *v/t.* quemar; *Leichen*: incinerar; (*verbrühen*) escaldar; *sich ~* quemarse; *zu Asche ~* reducir a cenizas; *bei lebendigem Leibe verbrannt werden* ser quemado vivo; *von der Sonne verbrannt* tostado por el sol; *sich die Finger ~* quemarse los dedos; ⚔ *Strategie der verbrannten Erde* estrategia de tierra quemada; **2.** (*sn*) *v/i.* arder; quemarse; consumirse (por el fuego); *Haut in der Sonne*: tostarse; **2ung** *f* combustión *f*; (*Leichen2*) cremación *f*, incineración *f*; (*Todesstrafe*) suplicio *m* del fuego; muerte *f* en la hoguera; (*Brandwunde*) quemadura *f*; ⚗ combustión *f*; deflagración *f*; *v. Soda usw.*: calcinación *f*.

Ver'brennungs...: **~gase** *pl.* gases *m/pl.* de la combustión; **~halle** *f* (*Krematorium*) crematorio *m*; **~kammer** *f* (-; -*n*) cámara *f* de combustión; **~motor** *m* (-*s*; -*en*) motor *m* de combustión; **~ofen** *m* (-*s*; ¨) horno *m* de incineración; **~produkt** *n* (-*es*; -*e*) producto *m* de (la) combustión; **~prozeß** *m* (-*sses*; -*sse*), **~vorgang** *m* (-*es*; ¨*e*) (proceso *m* de) combustión *f*; **~raum** *m* (-*es*; ¨*e*) → *Verbrennungskammer*; **~wärme** *f* (*0*) calor *m* de combustión.

ver'brief|en (-) *v/t.* garantizar (*od.* reconocer *od.* confirmar) por escrito; **~t** *adj.* documentado; *~ und versiegelt* escrito y sellado.

ver'bringen (*L*; -) *v/t. Zeit*: pasar; (*vergeuden*) perder, malgastar, desperdiciar.

ver'brüder|n (-*re*; -) *v/refl.*: *sich* ~ unirse fraternalmente; *sich mit j-m* ~ fraternizar con alg.; **2ung** *f* confraternidad *f*.
ver'brühen (-) *v/t.* escaldar; *sich* ~ escaldarse.
ver'buch|en [u:] (-) ✝ *v/t.* asentar en los libros; sentar en cuenta; abonar *bzw.* cargar en cuenta; **2ung** *f* asiento *m*.
'Verbum [v] *Gr. n* (-*s*; *Verben od. Verba*) verbo *m*.
ver'bummeln (-*le*; -) **1.** *v/t.* (*vergeuden*) desperdiciar; (*verabsäumen*) descuidar; dejar de hacer por negligencia; (*vergessen*) olvidarse de a/c.; (*verlieren*) perder; **2.** (*sn*) *v/i.* vivir al día; *verbummeltes Genie* bohemio *m*.
ver'bunden[1] *p/p.* → *verbinden.*
ver'bunden[2] *adj. Gr.* conjuntivo; *j-m sehr* ~ *sein* estar muy agradecido (*od.* reconocido *od.* obligado) a alg.
ver'bünden (-*e*-; -) *v/t. allg.* unir; *völkerrechtlich, fig.*: aliar; *staatsrechtlich*: confederar; *sich* ~ unirse; aliarse (*mit* con); confederarse.
Ver'bundenheit *f* (*0*) solidaridad *f*; compenetración *f*; *Pol.* adhesión *f* (*mit* a); (*Zuneigung*) afecto *m*.
Ver'bündete(r) *m* aliado *m*; *die* ~*n pl.* los aliados; las potencias aliadas; ⚔ las fuerzas aliadas.
Ver'bund|maschine ⊕ *f* máquina *f* compound; **~motor** *m* (-*s*; -*en*) motor *m* de excitación compuesta; **~wirtschaft** ✝ *f* (*0*) concentración *f* vertical; economía *f* colectiva.
ver'bürgen (-) **I.** *v/t.*: *et.* ~ garantizar a/c.; *sich für et. od. j-n* ~ responder de; salir fiador *od.* garante por; **II.** 2 *n* garantía *f*.
ver'bürgerlich|en (-) *v/t.* aburguesar; **~t** *adj.* aburguesado; **2ung** *f* aburguesamiento *m*.
ver'bürgt *adj.* auténtico; de fuente fidedigna.
ver'büßen [y:] (-*ßt*; -) *v/t. Strafe*: cumplir.
ver'buttern (-*re*; -) F *v/t. Geld*: malgastar; (*vergeuden*) desperdiciar; derrochar; (*verderben*) estropear; echar a perder.
ver'chrom|en [k] (-) *v/t.* cromar; **~t** *adj.* cromado; **2ung** *f* cromado *m*.
Ver'dacht *m* (-*es*; *0*) sospecha *f* (*auf ac.* de); (*Mißtrauen*) recelo *m*; *in* ~ *kommen* incurrir en sospecha; hacerse sospechoso; *j-n in* ~ *bringen* hacer sospechoso a alg.; hacer recaer sospechas sobre alg.; *j-n in* ~ *haben* sospechar de alg.; *wegen e-r Sache in* ~ *stehen* ser sospechoso de a/c.; ~ *schöpfen* concebir sospechas; recelar, F escamarse; ~ *erregen* inspirar sospechas; hacerse sospechoso (de).
ver'dächtig *adj.* sospechoso; (*zweifelhaft*) dudoso; (*sich*) ~ *machen* hacer(se) sospechoso; ~ *sein* ser sospechoso; *das kommt mir* ~ *vor* esto me parece sospechoso; **~en** (-) *v/t.* hacer sospechoso; (*unterstellen*) imputar; *j-s Ehrlichkeit* ~ sospechar de la honradez de alg.; **2ung** *f* sospecha *f* dirigida contra alg.
Ver'dachts...: **~gründe** *pl.* motivos *m/pl.* de sospecha; **~moment** *n* (-*es*; -*e*) punto *m* sospechoso; **~person** *f* sospechoso *m*; **~strafe** ⚖ *f* pena *f* indiciaria.
ver'damm|en (-) *v/t.* condenar; (*verfluchen*) maldecir; (*verwerfen*) reprobar; *Rel.* condenar; anatematizar; reprobar; **~enswert** *adj.* condenable; reprobable; censurable; **2nis** *f Rel.* (*0*) condenación *f*; *ewige* ~ condenación eterna; **~t I.** *adj. Rel.* condenado, réprobo; (*verflucht*) maldito; *der* ~*e* ... el maldito ...; *iro.* el dichoso ...; ~! ¡demonio!; P ¡maldita sea!; **II.** *adv.* (*sehr*) muy; muchísimo; P *er interessiert sich* ~ *wenig dafür* maldito lo que se interesa en ello; P *das wird* ~ *schwierig sein* va a ser dificilísimo; **2te(r)** *m* maldito *m*; *Rel.* condenado *m*, réprobo *m*; **2ung** *f* condenación *f*.
ver'dampf|bar *adj.* evaporable; **~en** (-) **1.** (*sn*) *v/i.* evaporarse, vaporizarse; **2.** *v/t.* evaporar, vaporizar; **2er** *m* evaporador *m*, vaporizador *m*; **2ung** *f* evaporación *f*, vaporización *f*.
ver'danken (-) *v/t.*: *j-m et.* ~ deber a/c. a alg.; tener que agradecer a/c. a alg.
ver'darb *pret. v. verderben.*
ver'dattert F *adj.*: ~ *sein* F quedarse turulato (*od.* patitieso *od.* patidifuso); quedar de una pieza.
ver'dau|en (-) *v/t.* digerir (*a. fig.*); **~lich** *adj.* digestible, fácil de digerir; *schwer* ~ difícil de digerir; de digestión laboriosa; indigesto; **2lichkeit** *f* (*0*) digestibilidad *f*; **2ung** *f* (*0*) digestión *f*; *die* ~ *förderndes Mittel* tónico *m* digestivo.
Ver'dauungs...: **~apparat** *Anat. m* (-*es*; -*e*) aparato *m* digestivo; **~beschwerden** ⚕ *f/pl.* trastornos *m/pl.* de la digestión; indigestión *f*; **2fähig** *adj.* digerible; **~kanal** *Anat. m* (-*s*; ⸗*e*) tubo *m* digestivo; **~likör** *m* (-*s*; -*e*) licor *m* digestivo; **~mittel** *n* digestivo *m*; **~organ** *Anat. n* (-*es*; -*e*) órgano *m* de la digestión; **~saft** *Physiol. m* (-*es*; ⸗*e*) jugo *m* digestivo; **~schnaps** *m* (-*es*; ⸗*e*) → *Verdauungslikör*; **~spaziergang** *m* (-*es*; ⸗*e*) paseo *m* después de las comidas; **~störung** ⚕ *f* trastorno *m* digestivo *od.* de la digestión; indigestión *f*; **~werkzeug** *n* (-*es*; -*e*) → *Verdauungsorgan.*
Ver'deck *n* (-*es*; -*e*) *Auto.* capota *f*; *auf Omnibussen usw.*: imperial *f*; ⚓ puente *m*; cubierta *f*; (*Plane*) toldo *m*; **2en** (-) *v/t.* cubrir; (*mit Deckel*) *a.* tapar; (*verbergen*) esconder, ocultar; (*den Augen entziehen*) hurtar (*od.* ocultar) a la vista; tapar; (*verhüllen*) encubrir; (*tarnen*) enmascarar; (*verschleiern*) velar; (*einhüllen*) envolver (*mit* en); (*nicht merken lassen*) disimular; (*bemänteln*) paliar; encubrir; *fig. mit verdeckten Karten spielen* ocultar su juego.
ver'denken (*L*; -) *v/t.* → *verargen.*
Ver'derb *m* (-*es*; *0*) (*moralisch, Rel.*) perdición *f*; (*Untergang*) ruina *f*; *Ware*: *dem* ~ *ausgesetzt sein* descomponerse (*od.* echarse a perder) fácilmente; *auf Gedeih und* ~ a todo riesgo; venga lo que viniere; **2en** (*L*) **1.** (*sn*) *v/i.* (*schlecht werden*) *Speise*: echarse a perder; (*verfaulen*) pudrirse; corromperse, descomponerse; (*wirtschaftlich*) arruinarse; (*sittlich*) corromperse; pervertirse; depravarse; (*Beschädigungen erleiden*) deteriorarse, *Ware*: *a.* averiarse; **2.** *v/t.* (*verpesten*) infestar; emponzoñar; (*durch Fäulnis*) pudrir; corromper; (*sittlich*) corromper; pervertir; depravar; (*zugrunde richten*) perder; arruinar; (*beschädigen*) deteriorar; estropear; *Luft*: viciar; *Gesundheit*: arruinar; *Fest*: aguar; *Plan*: desbaratar; echar a rodar; *Freude*: turbar; *das Geschäft* ~ arruinar (*od.* echar a perder) el negocio; *den Geschmack* ~ estragar el gusto; *die Preise* ~ envilecer los precios; *sich die Augen* ~ dañarse la vista; *sich den Magen* ~ arruinar (*od.* estropear) el estómago; empacharse de comer, coger una indigestión; *es mit j-m* ~ malquistarse (*od.* enemistarse) con alg.; perder (*od.* enajenarse) las simpatías de alg.; *es mit niemandem* ~ *wollen* querer estar a bien con todos (*od.* con todo el mundo); **~en** *n* (*sittliches*) corrupción *f*; perversión *f*; depravación *f*; perdición *f*; (*Beschädigung*) deterioro *m*; daño *m*; (*Untergang*) ruina *f*; (*Zerstörung*) destrucción *f*; *Rel.* perdición *f*; *j-n ins* ~ *stürzen* perder a alg.; ser la perdición de alg.; arruinar a (*od.* causar la ruina de) alg.; *ins* ~ *rennen* ir hacia su perdición; **2enbringend** *adj.* fatal, funesto; **~er(in** *f*) *m* corruptor(a *f*) *m*; **2lich** *adj.* (*schädlich*) nocivo, dañoso; *bsd. sittlich*: pernicioso; (*ruinierend*) ruinoso; (*unheilvoll*) fatal, funesto; *Waren*: de fácil deterioro; corruptible; perecedero; **~nis** *f* (*0*) corrupción *f* (*a. fig.*); *moralische*: perversión *f*; depravación *f*; **2t** *adj.* corrompido, corrupto; pervertido; depravado; (*lasterhaft*) vicioso; **~theit** *f* (*0*) corrupción *f*; perversidad *f*; depravación *f*.
ver'deutlich|en (-) *v/t.* dilucidar, elucidar; aclarar, poner en claro; **2ung** *f* dilucidación *f*, elucidación *f*; aclaración *f*.
ver'deutsch|en (-) *v/t.* traducir al alemán; **2en** *n*, **2ung** *f* traducción *f* (*od.* versión *f*) alemana.
ver'dicht|bar *adj.* condensable; **~en** (-*e*-; -) *v/t.* condensar; densificar; (*komprimieren*) comprimir; (*konzentrieren*) concentrar (*a. fig.*); *sich* ~ condensarse (*a. fig.*); *sich* ~ *fig.* (*Gestalt annehmen*) ir adquiriendo forma, *Verdacht*: aumentar, reforzarse; **2er** *m Dampf*: condensador *m*; *Auto.* compresor *m*; **2ung** *f* condensación *f*; compresión *f*; concentración *f*.
ver'dick|en (-) *v/t.* espesar; *sich* ~ espesarse; **2ung** *f* espesamiento *m*.
ver'dienen (-) *v/t. Geld, Lohn*: ganar (*bei* en); (*würdig sein*) merecer, ser digno de; *s-n Lebensunterhalt* ~ ganarse la vida; *gut* ~ ganar mucho; tener (*od.* ganar) un buen sueldo; *das habe ich nicht um Sie verdient* no merecía esto de usted; *sich verdient machen um* merecer bien de.
Ver'dienst 1. *m* (-*es*; -*e*) ✝ (*Gewinn*)

ganancia *f*; beneficio *m*; (*Lohn, Gehalt*) sueldo *m*; (*Tagelohn*) salario *m*, jornal *m*; **2.** ~ *n* (*-es*; *-e*) mérito *m*; ~*e um den Staat* servicios prestados al Estado; *sich et. als* ~ *anrechnen* atribuirse como mérito a/c.; ~**ausfall** *m* (*-es*; *⸗e*) pérdida *f* de ganancias (*od.* de beneficios); ~**kreuz** *n* (*-es*; *-e*) Cruz *f* del Mérito; ♀**lich** *adj.* meritorio; ♀**los** *adj.* ♰ sin ganancias; (*arbeitslos*) sin empleo; *fig.* sin mérito; ~**medaille** *f* Medalla *f* al Mérito; ~**möglichkeit** *f* posibilidad *f* de ganancia; ~**spanne** ♰ *f* margen *m* de ganancia (*od.* de beneficio); ♀**voll** *adj.* meritorio; *Person*: benemérito.

ver'dient *adj. Person*: de gran mérito; benemérito; de grandes merecimientos; *höchst* ~ meritísimo; *Strafe*: merecido; *s-n* ~*en Lohn erhalten* ser tratado según sus méritos; *sich* ~ *machen um* merecer bien de; haber prestado grandes servicios a; ~**er'maßen** *adv.* merecidamente.

Ver'dikt [v] ⚖ *n* (*-es*; *-e*) veredicto *m.*

ver'ding|en (*L*; -) *v/t.* ajustar un trabajo (*od.* un servicio); (*vermieten*) alquilar; *j-n* ~ *bei* poner a alg. al servicio de; *sich bei j-m* ~ entrar en servicio de alg.; ajustarse con alg. para prestar un servicio; ♀**ung** *f* (*Verpflichtung*) ajuste *m* de un servicio; (*Vermietung*) alquiler *m.*

ver'dolmetsch|en (-) *v/t.* interpretar; (*übersetzen*) traducir; ♀**en** *n*, ♀**ung** *f* interpretación *f*; (*Übersetzung*) traducción *f.*

ver'donnern (*-re*; -) F *v/t.* (*verurteilen*) condenar.

ver'doppel|n (*-le*; -) *v/t.* doblar; duplicar; *fig.* redoblar; multiplicar; *s-e Schritte* ~ avivar el paso; ♀**ung** *f* duplicación *f*; reduplicación *f* (*a. Rhet.*); *fig.* redoblamiento *m.*

ver'dorben *adj. Luft*: viciado; *Lebensmittel*: podrido; (*verpestet*) infecto; *sittlich*: corrompido, corrupto; perverso; pervertido; depravado; *e-n* ~*en Magen haben* tener una indigestión; *du hast es mit ihm* ~ te has enajenado sus simpatías; ♀**heit** *f* (*0*) corrupción *f*; perversión *f*; perversidad *f*; depravación *f.*

ver'dorren I. (-; *sn*) *v/i.* secarse; resecarse; *durch Sommerhitze*: agostarse; **II.** ♀ *n* resecación *f*; agostamiento *m.*

ver'dräng|en (-) *v/t.* (*unterdrücken*) suprimir; (*ausmerzen*) eliminar; (*wegschieben*) empujar a un lado; (*verjagen*) echar, expulsar (*aus* de); (*aus e-m Amt, e-r Stellung*) *fig.* hacer saltar de; (*aus e-r Wohnung*, ⚔ *aus der Stellung*) desalojar; (*aus dem Besitz*) desposeer; ⚓ desplazar; (*durch List*) suplantar; *Psychologie*: reprimir; ♀**ung** *f* supresión *f*; eliminación *f*; expulsión *f*; desalojamiento *m*; desposesión *f*; ⚓ desplazamiento *m*; suplantación *f*; *Psychologie*: represión *f.*

ver'dreck|en (-) F *v/t.* ensuciar, emporcar; ~**t** *adj.* sucio, lleno de suciedad; P puerco.

ver'dreh|en (-) *v/t.* torcer; retorcer; *sich* ~ torcerse; retorcerse; *die Augen* ~ poner los ojos en blanco; (re)volver los ojos; *Schlüssel*: retorcer forzando; *Glied*: (*verzerren*) torcer; *den Körper* ~ contorsionarse, hacer contorsiones; *fig. Wahrheit, Tatsachen*: tergiversar, falsear; desfigurar; *Recht, Gesetz*: torcer; *Sinn*: interpretar torcidamente; *Sinne, Verstand*: trastornar; *fig. j-m den Kopf* ~ tener sorbido el seso a alg.; trastornar el juicio a alg.; hacer perder la cabeza a alg.; traer (*od.* volver) loco a alg.; *sich den Arm* ~ torcerse el brazo; ~**t** *adj. Ansicht*: absurdo; descabellado, extravagante; *Person*: (*verrückt*) loco, F majareta, chiflado, chalado; ♀**theit** *f* absurdidad *f*; extravagancia *f*; (*Verrücktheit*) locura *f*, F chifladura *f*; ♀**ung** *f* torcedura *f*, torcimiento *m*; retorcimiento *m*; ⊕ torsión *f*; *e-s Gliedes*: distorsión *f*; *fig.* falsa interpretación *f*; tergiversación *f*, falseamiento *m.*

ver'dreifach|en (-) *v/t.* triplicar; *sich* ~ triplicarse; ♀**ung** *f* triplicación *f.*

ver'dreschen (*L*; -) F *v/t.* vapulear, propinar una paliza.

ver'drieß|en (*L*; -) *v/t.* contrariar; disgustar, enfadar; enojar; *sich et. nicht* ~ *lassen* no desalentarse, no desanimarse; no cejar en un propósito; *sich keine Mühe* ~ *lassen* no omitir esfuerzos para conseguir a/c.; ~**lich** *adj.* (*unzufrieden*) descontento; (*verärgert*) disgustado (*über ac.* con); (*mißmutig*) malhumorado, de mal humor; (*mürrisch*) displicente; (*verbittert*) amargado; (*Verdruß erregend*) enfadoso; fastidioso; enojoso; (*mühevoll*) penoso; (*unangenehm*) desagradable; (*lästig*) molesto; ~ *machen* contrariar; ~ *werden* ponerse de mal humor; disgustarse, enfadarse; enojarse; ~ *aussehen* F tener cara de vinagre, tener gesto avinagrado; ♀**lichkeit** *f* (*Kummer*) preocupación *f*; pena *f*; (*Mißmut*) mal humor *m*; (*Unannehmlichkeit*) contrariedad *f*; desagrado *m*; fastidio *m*; (*Ärger*) disgusto *m*; enojo *m.*

ver'droß *pret. v. verdrießen.*

ver'drossen[1] *p/p. v. verdrießen.*

ver'drossen[2] **I.** *adj.* (*grämlich*) mohino; descontentadizo; F *fig.* avinagrado; (*traurig*) triste; (*mürrisch*) displicente; (*mißmutig*) malhumorado, de mal humor; (*unlustig*) sin ganas de hacer nada; **II.** *adv.* de mala gana; ♀**heit** *f* (*0*) (*Mißvergnügen*) desagrado *m*; (*Überdruß*) tedio *m*; aburrimiento *m*; (*Mißmut*) mal humor *m.*

ver'drucken (-) *Typ. v/t.* imprimir defectuosamente; *das ist verdruckt* es una errata (de imprenta).

ver'drücken (-) F **1.** *v/t.* (*essen*) comer; (*knittern*) arrugar; **2.** *v/refl.*: *sich* ~ escabullirse, *fig.* evaporarse, eclipsarse; despedirse a la francesa.

Ver'druß *m* (*-sses*; *-sse*) (*Ärger*) disgusto *m*; (*Kummer*) preocupación *f*; (*Widerwärtigkeit*) contrariedad *f*; *j-m* ~ *machen* disgustar a alg.; *j-m zum* ~ a despecho de alg.

ver'dübeln (*-le*; -) ⊕ *v/t.* enclavillar, empernar.

ver'duften (*-e-*; -) *v/i.* evaporarse; volatilizarse; *fig.* (*verschwinden*) desaparecer; escabullirse; F eclipsarse; despedirse a la francesa.

ver'dumm|en (-) **1.** (*sn*) *v/i.* entontecerse; volverse tonto; embrutecerse; estupidizarse; **2.** *v/t.* entontecer; embrutecer; estupidizar; ♀**ung** *f* (*0*) entontecimiento *m*; embrutecimiento *m*; estupidización *f.*

ver'dunkel|n (*-le*; -) *v/t.* o(b)scurecer; *Luftschutz*: apagar (todas) las luces; *Astr. u. fig.* eclipsar; *Glanz*: deslucir; *Verstand*: ofuscar; ⚖ entorpecer la acción judicial; (*Beweisstück*) hacer desaparecer; (*verbergen*) ocultar; ♀**ung** *f* o(b)scurecimiento *m*; *Astr. u. fig.* eclipse *m*; ⚖ entorpecimiento *m* de la acción judicial; ♀**ungsgefahr** ⚖ *f* (*0*) riesgo *m* de entorpecimiento de la acción judicial; ♀**ungs-papier** *n* (*-s*; *0*) papel *m* opaco.

ver'dünn|en (-) *v/t.* adelgazar; atenuar; *Flüssigkeit*: diluir; *Wein*: aguar, F bautizar; *Tunke*: aclarar; *Luft*: enrarecer, rarificar; *sich* ~ adelgazarse; atenuarse; diluirse; enrarecerse; rarificarse; ♀**en** *n*, ♀**ung** *f* adelgazamiento *m*; atenuación *f*; dilución *f*; enrarecimiento *m*, rarefacción *f.*

ver'dunst|en (*-e-*; -) **1.** (*sn*) *v/i.* evaporarse; vaporizarse; volatilizarse; **2.** *v/t.* evaporar; vaporizar; volatilizar; ~ *lassen* hacer evaporar; vaporizar; volatilizar; ♀**ung** *f* evaporación *f*; vaporización *f*; volatilización *f.*

ver'dünst|en (*-e-*; -) *v/t.* → *verdunsten*; ♀**ung** *f* → *Verdunstung.*

ver'dursten (*-e-*; -; *sn*) *v/i.* morir(se) de sed.

ver'düster|n [y:] (*-re*; -) *v/t.* o(b)scurecer; ensombrecer (*a. fig.*); *sich* ~ o(b)scurecerse; *Sonne*: eclipsarse; *Himmel*: nublarse, cubrirse (de nubes); ♀**ung** *f* o(b)scurecimiento *m*; *der Sonne*: eclipse *m.*

ver'dutz|en (*-t*; -) *v/t.* desconcertar; dejar perplejo; sorprender; dejar atónito; ~**t** *adj.* desconcertado; perplejo; sorprendido; atónito; estupefacto; F patidifuso; ♀**theit** *f* (*0*) perplejidad *f*; estupefacción *f.*

ver'ebben (-) *v/i.* ⚓ bajar (la marea); *fig.* disminuir, ir bajando; aflojar; (*verklingen*) extinguirse.

ver'edel|n (*-le*; -) *v/t.* ennoblecer; (*verbessern*) mejorar; (*vervollkommnen*) perfeccionar; (*läutern*) purificar; ⊕, *Met.* afinar; refinar; ✐ *durch Aufpfropfen*: injertar; *Boden*: beneficiar; ♀**ung** *f* ennoblecimiento *m*; mejoramiento *m*, mejora *f*; perfeccionamiento *m*; purificación *f*; ⊕, *Met.* refinación *f*, refino *m*; ✐ injerto *m*; *des Bodens*: beneficiación *f*; ♀**ungs-industrie** *f* industria *f* de refino.

ver'ehelich|en (-) *v/t.* casar; *sich* ~ casarse; ♀**ung** *f* matrimonio *m.*

ver'ehr|en (-) *v/t.* respetar; venerar; (*anbeten*) adorar (*a. fig.*); (*bewundern*) admirar; *j-m et.* ~ obsequiar a alg. con a/c.; *Sehr verehrter Herr!* (*im Brief*) Muy (distinguido) señor mío; *Verehrte Anwesende!* Señores *bzw.* Señoras y señores; ♀**er** *m* (*Bewunderer*) admirador *m*; (*Anbeter*) adorador *m* (*a. fig.*); F *e-s Mädchens*: galanteador *m*; ♀**erin** *f* admiradora *f*; adoradora *f*; **2ung** *f* respeto *m*; veneración *f*; (*Anbetung*) adoración *f*; *der Heiligen*: culto *m*; **~ungswert**, **~ungswürdig** *adj.* venerable; (*anbetungswürdig*) adorable.

ver'eidig|en (-) *v/t.* tomar juramento a alg.; juramentar a alg.; **~t** *adj.* jurado; **2ung** *f* prestación *f* de juramento; *auf ein Amt*: jura *f* del cargo.

Ver'ein *m* (-*es*; -*e*) unión *f*; (*Gesellschaft*) sociedad *f*; asociación *f*; (*geselliger*) círculo *m*; centro *m*; club *m*; *im ~ mit* con el concurso de; en cooperación (*od.* en colaboración) con; en unión (*od.* junto) con; **2bar** *adj.* compatible (*mit* con); conciliable (con); **2baren** (-) *v/t.* convenir; ponerse de acuerdo sobre a/c.; (*festlegen*) fijar; (*vertraglich*) estipular; *sich nicht ~ lassen mit* no ser compatible con; ser incompatible con; **2bart** *adj.* convenido; (*vertraglich festgelegt*) estipulado; *es gilt als ausdrücklich ~, daß* ... queda expresamente convenido que ...; *wenn nichts anderes ~ ist* salvo acuerdo contrario; **~barung** *f* acuerdo *m*; *bsd. Pol.* convenio *m*; † ajuste *m*, arreglo *m*; ⚖ estipulación *f*; *mündliche ~* convenio verbal, estipulación; *e-e ~ treffen* hacer un convenio; tomar un acuerdo; ponerse de acuerdo (*über et. ac.* sobre a/c.); *zu e-r ~ kommen* llegar a un acuerdo (*über et. ac.* sobre a/c.); *nach ~* previo acuerdo; **2en** (-) *v/t.* → *vereinigen*; *Vereinte Nationen* (las) Naciones Unidas; *mit vereinten Kräften* todos juntos; en un esfuerzo común.

ver'ein|fachen (-) *v/t.* simplificar (*a.* ⅍); **2fachung** *f* simplificación *f*; **~heitlichen** (-) *v/t.* unificar, uniformar; (*zentralisieren*) centralizar; **2heitlichung** *f* unificación *f*; centralización *f*.

ver'einig|en (-) **1.** *v/t.* unir; reunir (*mit* con); aunar; asociar a; (*verbinden*) juntar; ligar; enlazar (*mit* con); (*kombinieren*) combinar (*mit* con); (*verbünden*) aliar (*mit* con); *bundesstaatlich*: confederar; *Pol.* unificar; coligar; (*konzentrieren*) concentrar; centralizar; (*fusionieren*) fusionar; (*zusammenschließen*) integrar (en); (*einfügen*) incorporar a; (*verwaltungstechnisch, organisatorisch*) mancomunar; (*versammeln*) reunir; (*gleichstellen*) coordinar; *Gegensätze*: conciliar; (*versöhnen*) reconciliar; **2.** *v/refl. sich ~* unirse; juntarse; asociarse; (*sich verbinden*) ligarse; (*sich verbünden*) aliarse; (*mit* con); *bundesstaatlich*: confederarse; *Pol.* unificarse; coligarse; (*sich konzentrieren*) concentrarse; centralizarse; (*fusionieren*) fusionarse; (*sich zusammenschließen*) integrarse; (*verwaltungstechnisch, organisatorisch*) mancomunarse; (*sich versammeln*) reunirse; (*sich versöhnen*) reconciliarse; (*sich verständigen*) ponerse de acuerdo; *Fluß*: confluir; *sich nicht ~* (*vereinbaren*) *lassen* ser incompatibles *od.* inconciliables; no ser compatibles *od.* conciliables (*mit* con); **~t** *adj.* *die 2en Staaten von Amerika* los Estados Unidos (de América); *die 2e Arabische Republik* la República Arabe Unida; **2ung** *f* unión *f*; reunión *f*; (*Kombination*) combinación *f*; (*Bündnis*) alianza *f*; *bundesstaatliche*: confederación *f*; *Pol.* unificación *f*; (*Koalition*) coalición *f*; (*Konzentration*) concentración *f*; (*Fusion*) fusión *f*; (*Verein*) asociación *f*; unión *f*; sociedad *f*; club *m*; (*Gruppe*) grupo *m*; agrupación *f*; *v. Flüssen*: confluencia *f*; *Anat.* (*v. Nerven od. Gefäßen*) anastomosis *f*; **2ungs-punkt** *m* (-*es*; -*e*) punto *m* de reunión.

ver'ein|nahmen (-) *v/t.* † cobrar; **2nahmung** *f* cobro *m*; **~samen** (-; *sn*) *v/i.* vivir aislado *bzw.* retirado; quedar aislado; quedar solitario; **~samt** *adj.* aislado; solitario; **2samung** *f* (*0*) aislamiento *m*.

Ver'eins...: **~bruder** *m* (-*s*; ") consocio *m*; **~freiheit** *f* (*0*) libertad *f* de asociación; **~gesetz** *n* (-*es*; -*e*) ley *f* de asociaciones; **~kamerad** *m* (-*en*) → *Vereinsbruder*; **~haus** *n* (-*es*; "*er*) domicilio *m* social; **~kasse** *f* caja *f* de la sociedad; **~lokal** *n* (-*es*; -*e*) local *m* social; **~meie'rei** *f* (*0*) manía *f* de formar asociaciones; **~mitglied** *n* (-*es*; -*er*) miembro *m* de una asociación; socio *m* de un club; **~recht** *n* (-*es*; -*e*) derecho *m* de asociación; **~sitz** *m* (-*es*; -*e*) sede *f* social; **~wesen** *n* (-*s*; *0*) régimen *m* corporativo; asociaciones *f/pl.*

ver'eint *adj.* → *vereinen*.

ver'einzel|n (-*le*; -) *v/t.* aislar; (*trennen*) separar; **~t** *adj.* aislado; suelto; (*~ auftretend*) esporádico; **2ung** *f* aislamiento *m*.

ver'eis|en (-) **1.** *v/t.* helar; congelar; **2.** *v/i.* (*sn*) helarse; congelarse; *Straße*: cubrirse de hielo; **~t** *adj.* helado; congelado; cubierto de hielo; **2ung** *f* congelación *f*; **2ungsgefahr** ✈ *f* (*0*) peligro *m* de congelación; **2ungs-periode** *Geol.* *f* período *m* glacial.

ver'eitel|n (-*le*; -) *v/t.* hacer fracasar; *Hoffnung*: frustrar; desvanecer; *Plan*: malograrse; **2ung** *f* frustración *f*.

ver'eiter|n (-*re*; -; *sn*) *v/i.* supurar; [**2ung** *f* supuración *f*.]

ver'ekeln (-*le*; -) *v/t.*: *j-m et. ~* quitarle a alg. el gusto de a/c.

ver'elend|en (-*e*-; -; *sn*) *v/i.* verse reducido a la miseria; caer en la pobreza; **2ung** *f* (*0*) miseria *f* creciente; depauperación *f*; *der Massen*: pauperismo *m*.

ver'enden (-*e*-; -; *sn*) *v/i.* morir (miserablemente); perecer; *Tier*: reventar.

ver'enge|(r)n (-*re*; -) *v/t. u. v/refl.* estrechar, hacer más estrecho; (*zusammenziehen*) encoger, contraer; ⚕ constreñir; *sich ~* estrecharse, hacerse más estrecho; (*sich zusammenziehen*) encogerse, contraerse; **2rung** *f* estrechamiento *m*; encogimiento *m*, contracción *f*; ⚕ constricción *f*; (*Enge*) estrechez *f*.

ver'erb|en (-) *v/t.*: *j-m* (*od. auf j-n*) *et. ~* dejar en herencia a alg. a/c.; *testamentarisch*: legar a alg. a/c.; *Krankheit*: transmitir; *sich auf j-n ~* pasar a alg. por vía de sucesión, *Krankheit*: transmitirse hereditariamente a alg.; **~lich** *adj.* hereditario; **~t** *adj.* hereditario (*a.* ⚕); **2ung** *f* transmisión *f* hereditaria (*a.* ⚕); (*Erblichkeit*) ⚕ herencia *f*; heredabilidad *f*; *durch ~* por herencia; **2ungsforschung** *Bio.* *f* (*0*) genética *f*; **2ungsgesetz** *n* (-*es*; -*e*) ley *f* de (la) herencia; **2ungslehre** *f*, **2ungstheorie** *f* genética *f*, teoría *f* de la herencia.

ver'erzen (-*t*; -) **1.** *v/t.* mineralizar; **2.** *v/i.* (*sn*) mineralizarse.

ver'ewig|en (-) *v/t.* perpetuar; eternizar; (*unsterblich machen*) inmortalizar; F *sich ~ in* inscribir su nombre en un álbum *bzw.* grabarlo en un árbol *bzw.* garabatearlo en una pared; **~t** *adj.* (*verstorben*) difunto; **2ung** *f* perpetuación *f*; (*Unsterblichmachung*) inmortalización *f*.

ver'fahren[1] (*L*; -) **1.** *v/i.* proceder (*a.* ⚖); obrar; (*sich betragen*) portarse; *mit j-m schlecht ~* obrar mal con alg.; portarse mal con alg.; *mit et. schlecht ~* hacer mal uso de a/c.; usar mal a/c.; *streng ~* proceder con rigor; *vorsichtig ~* obrar (*od.* proceder) con tino; *nachsichtig ~* proceder con indulgencia; **2.** *v/refl.*: *sich ~* errar el camino (*a. fig.*); extraviarse; F perderse.

ver'fahren[2] *adj.* (*verworren*) embrollado, enmarañado, enredado; **~e** *Lage* situación embrollada *od.* confusa; *der Karren ist ~* el carro está atascado.

Ver'fahren *n* modo *m* (*od.* manera *f*) de obrar; proceder *m*; (*Methode*) método *m*; sistema *m*; ⚖, ⊕, ⚗ procedimiento *m*; ⊕ técnica *f*; *mündliches* (*verkürztes*) *~* ⚖ procedimiento verbal (sumario); *ein ~ einleiten gegen* ⚖ proceder judicialmente contra; **~sfrage** *f* cuestión *f* de procedimiento; **~skosten** ⚖ *pl.* costas *f/pl.* procesales; **~svorschrift** ⚖ *f* prescripción *f* procesal; **~sweise** *f* → *Verfahren*.

Ver'fall *m* (-*es*; *0*) decadencia *f*; ruina *f*; (*Niedergang*) declinación *f*; *v. Gebäuden*: ruina *f*; desmoronamiento *m*; (*Baufälligkeit*) estado *m* ruinoso; (*Entartung*) degeneración *f*; (*Kräfte2*) decaimiento *m*, ⚕ *a.* marasmo *m*; *der Sitten*: corrupción *f*, depravación *f*; *e-r Hypothek, e-s Wechsels*: vencimiento *m*; *e-s Rechtes, e-s Anspruches*: prescripción *f*; caducidad *f*; (*Fristablauf*) expiración *f*; † *bei ~* al (*od.* a su) vencimiento; *in ~ geraten* → *verfallen*[1]; **~buch** † *n* (-*es*; "*er*) libro *m* de vencimientos; **~datum** *n* (-*s*; -*daten*) fecha *f* de vencimiento.

ver'fallen[1] (*L*; -; *sn*) *v/i.* decaer; declinar; *Gebäude*: desmoronarse; *fig.* irse arruinando; *Kräfte, Betrieb*: decaer; (*moralisch*) caer en descrédito; (*entarten*) degenerar; † (*fällig werden*) vencer; (*ungültig werden*) perder la validez; (*ablaufen*) expirar; *Recht*: prescribir; caducar; *j-m ~* (*anheimfallen*) recaer en alg.; *fig. j-m ~* quedar a merced de alg.; *dem Laster ~* entregarse al vicio; *~ auf* (*ac.*) dar en; ocurrirse la idea de; *er verfiel darauf, zu* (*inf.*) dio en (*inf.*); se le ocurrió (la idea de) *inf.*; *~ in* (*ac.*) caer en; *wieder*: reincidir en; *in Strafe ~* incurrir en una pena (*od.* en un castigo).

ver'fallen² *adj. Gebäude*: ruinoso; en ruinas; (*hinfällig*) caduco; ⚖ *Recht, Anspruch*: prescrito; (*beschlagnahmt*) confiscado; ⚚ (*fällig*) vencido; (*ungültig geworden*) nulo, no válido; *Fahrschein, Paß usw.*: caducado; (*abgelaufen*) expirado; *fig. j-m ~ sein* estar esclavizado por alg.; *dem Laster ~* entregado al vicio; *er ist dem Tode ~* está próximo a la muerte.

Ver'fallen *n* → *Verfall*.

Ver'fall|s-erscheinung *f* síntoma *m* de decadencia; **~tag** *m* (*-es*; *-e*) fecha *f* (*od.* día *m*) de vencimiento; **~termin** *m* (*-s*; *-e*) plazo *m* de vencimiento; fecha *f* de vencimiento; **~zeit** *f* plazo *m* de vencimiento.

ver'fälsch|en (-) *v/t.* falsificar; *Lebensmittel u. Getränke*: adulterar; (*falsch auslegen*) falsear; (*nachteilig verändern*) alterar; (*nachmachen*) contrahacer; (*verzerrt darstellen*) desfigurar; *Wahrheit, Text*: falsear; **Ꝛer** *m* falsificador *m*; adulterador *m*; falsario *m*; **Ꝛung** *f* falsificación *f*; adulteración *f*; falseamiento *m*; alteración *f*; contrahechura *f*, imitación *f*; desfiguración *f*.

ver'fangen (*L*; -) **1.** *v/i.* hacer efecto; (*wirken*) obrar; (*frommen*) servir; *Feuer*: prender; (*beeinflussen*) influir; **2.** *v/refl.*: *sich ~* (*verstricken*) enredarse; confundirse; *im Kreuzverhör*: contradecirse; *Wind*: encajonarse.

ver'fänglich *adj. Frage*: capcioso; insidioso; (*peinlich*) embarazoso; (*sophistisch*) sofístico; (*anstößig*) atrevido.

ver'färben (-) *v/t.* descolorar; *sich ~ Stoff*: desteñirse; *Person*: (*im Gesicht*) cambiar de color; demudarse; *v. Wild*: mudar el pelaje.

ver'fass|en (*-ßt*; -) *v/t.* componer; *Buch*: escribir; *Aufsatz*: redactar; **Ꝛen** *n* composición *f*; (*Abfassen*) redacción *f*; **Ꝛer(in** *f*) *m* autor(a *f*) *m*; **Ꝛerkatalog** *m* (*-es*; *-e*) catálogo *m* de autores; **Ꝛerschaft** *f* (*0*) paternidad *f* (literaria).

Ver'fassung *f* (*Zustand*) estado *m*; (*Gemüts*Ꝛ) disposición *f* (*od.* estado *m*) de ánimo; (*Lage*) situación *f*, condición *f*; *moralische*: moral *f*; (*Staats*Ꝛ) constitución *f*; *in guter ~ sein* estar en buena disposición de ánimo; estar de buen humor; *Ware*: estar en buenas condiciones; **Ꝛgebend** *adj.* constituyente; *~e Versammlung* asamblea *f* constituyente.

Ver'fassungs...: **~änderung** *f* enmienda *f* de la constitución; **~bruch** *m* (*-es*; *¨e*) violación *f* de la constitución; **~gericht** *n* (*-es*; *-e*) tribunal *m* de constitucionalidad; **Ꝛmäßig** *adj.* constitucional; **~mäßigkeit** *f* (*0*) constitucionalidad *f*; **~recht** *n* (*-es*; *-e*) derecho *m* constitucional; **~reform** *f* reforma *f* constitucional (*od.* de la constitución); **~schutz** *m* (*-es*; *0*) protección *f* de la constitución; **~urkunde** *f* carta *f* constitucional; **Ꝛwidrig** *adj.* anticonstitucional; contrario a la constitución; inconstitucional; **~widrigkeit** *f* inconstitucionalidad *f*.

ver'faulen I. (-; *sn*) *v/i.* pudrirse; descomponerse; **II.** Ꝛ *n* putrefacción *f*; descomposición *f*.

ver'fecht|en (*L*; -) *v/t.* luchar (por); *Meinung*: sostener; *Recht*: defender; *j-s Sache ~* defender la causa de alg.; abogar por alg.; **Ꝛen** *n* defensa *f* (de); lucha *f* (por); **Ꝛer** *m* defensor *m* (de); luchador *m* (por); **Ꝛung** *f* → *Verfechten*.

ver'fehl|en (-) *v/t.* equivocar; *Ziel, Weg*: errar; *Zug*: perder; *Beruf*: equivocar; *s-e Wirkung ~* fallar; no producir efecto; *die Wirkung auf das Publikum nicht ~* (no dejar de) causar impresión en el público; *~ Sie nicht, zu* (*inf.*) no deje usted de (*inf.*); *sich* (*einander*) *~* no encontrarse; *sich ~ gegen* faltar a; **~t** *adj.* equivocado; errado; (*irrig*) erróneo; (*erfolglos*) fracasado; (*vergeblich*) vano, estéril; inútil; *Plan*: fallido; malogrado; *Thema*: desacertado; *~e Sache* desacierto *m*; **Ꝛung** *f* ⚖ falta *f*; delito *m*; (*Sünde*) pecado *m*.

ver'feind|en (*-e-*; -) *v/t.* enemistar; desavenir; malquistar; *sich ~* enemistarse; desavenirse; malquistarse; **~et** *adj.* enemistado; desavenido; malquisto; **Ꝛung** *f* desavenencia *f*.

ver'feiner|n (*-re*; -) *v/t.* refinar (*a.* ⊕ *u. fig.*); (*glätten*) pulir (*a. fig.*); (*läutern*) depurar; (*verbessern*) mejorar; perfeccionar; (*zivilisieren*) civilizar; *auf die Quintessenz hin ~* quintaesenciar; *sich ~* refinarse; pulirse; mejorarse; perfeccionarse; civilizarse; **Ꝛung** *f* refinación *f* (*a.* ⊕), ⊕ refino *m*; pulimento *m*; depuración *f*; perfeccionamiento *m*; civilización *f*.

ver'femen (-) *v/t.* proscribir; colocar fuera de la ley; *gesellschaftlich*: excluir del trato social, F hacer el vacío a alg.

ver'fertig|en (-) *v/t.* hacer; elaborar; fabricar, manufacturar; *Kleider*: confeccionar; *Gedicht*: componer; **Ꝛung** *f* elaboración *f*; confección *f*; composición *f*.

ver'festig|en (-) ⊕ *v/t.* solidificar; **Ꝛung** *f* solidificación *f*.

Ver'fettung ⚕ *f* (*0*) degeneración *f* adiposa; adiposis *f*.

ver'feuern (*-re*; -) *v/t. Holz usw.*: quemar; consumir; *Munition*: gastar.

ver'film|en (-) *v/t.* filmar; *Roman, Theaterstück*: adaptar al cine, llevar a la pantalla; **Ꝛung** *f* (*Bearbeitung für den Film*) adaptación *f* (*od.* versión *f*) cinematográfica.

ver'filz|en (*-t*; -) *v/t.* afieltrar; elaborar el fieltro; *fig.* (*durcheinanderbringen*) enmarañar; embrollar; **Ꝛung** *f* elaboración *f* del fieltro; *fig.* (*Durcheinander*) embrollo *m*.

ver'finster|n (*-re*; -) *v/t.* o(b)scurecer; ensombrecer (*a. fig.*); *Astr.* eclipsar; *sich ~* o(b)scurecerse; ensombrecerse; *Astr.* eclipsarse; **Ꝛung** *f* o(b)scurecimiento *m*; *Astr.* eclipse *m*.

ver'flach|en (-) **I.** *v/t.* aplanar; **II.** (*sn*) *v/i.* (*untief werden*) perder nivel; *fig.* perderse en trivialidades; **Ꝛung** *f* aplanamiento *m*.

ver'flecht|en (*L*; -) *v/t.* entrelazar; entretejer; *fig.* intrincar, enmarañar; enredar; *~ in* (*ac.*) enredar en, complicar en; implicar en; **Ꝛung** *f* entrelazamiento *m*; entretejimiento *m*; *fig.* intrincamiento *m*; complejidad *f*; ⚚ interdependencia *f*; concentración *f*; *~ von Umständen* (extraña) coincidencia *f* de circunstancias.

ver'fliegen (*L*; -; *sn*) *v/i.* ⚗ volatilizarse; evaporarse; *fig.* desvanecerse, disiparse; *Zeit*: pasar volando; volar, huir; *sich ~* ✈ desorientarse, perder el rumbo.

ver'fließen (*L*; -; *sn*) *v/i.* derramarse; correr; *Zeit*: pasar, transcurrir; *Frist*: expirar, vencer; *ineinander ~* fundirse.

ver'flixt F **I.** *adj.* condenado, maldito; empecatado; *iro.* dichoso; *ein ~er Kerl* un demonio de hombre; **II.** *int. ~!* ¡caramba!, ¡caray!; ¡diablo!, ¡demonio!; (*wütend*) ¡maldición!, ¡maldita sea!

ver'flossen *adj.* pasado; *im ~en Jahr* el año pasado.

ver'flößen (-) *v/t. Holz*: hacer flotar; transportar en balsa.

ver'fluch|en (-) *v/t.* maldecir; renegar de a/c.; *Rel.* anatematizar; **~t I.** *adj.* maldito; (*verdammt*) condenado; *der ~e ...* el maldito ...; el condenado ...; *iro.* el dichoso ...; *~!* ¡maldición!; P ¡maldita sea!; **II.** *adv.* → *verdammt* **II.** **Ꝛte(r)** *m Rel.* condenado *m*; réprobo *m*; **Ꝛung** *f* maldición *f*; imprecación *f*; *Rel.* anatema *m*.

ver'flüchtig|en (-) ⚗ *v/t.* volatilizar; evaporar; *sich ~* volatilizarse; evaporarse (*beide a. fig.*); *fig.* desaparecer; eclipsarse; **Ꝛen** *n*, **Ꝛung** *f* ⚗ volatilización *f*; evaporación *f*.

ver'flüssig|en (-) *v/t.* liquidar, licuar; *sich ~* liquidarse, licuarse; **Ꝛen** *n*, **Ꝛung** *f* (*0*) liquidación *f*, licuefacción *f*, licuación *f*; **Ꝛungsmittel** *n* medio *m* licuefactivo.

Ver'folg *m* (*-es*; *0*) curso *m*; *weiterer*: continuación *f*, prosecución *f*; *im ~* (*gen.*) en el curso de; ⚚ *im ~ unseres Schreibens vom* refiriéndonos a nuestra carta de; **Ꝛen** (-) *v/t.* perseguir (*a. fig. u.* ⚖); *gerichtlich ~* encausar; entablar una acción judicial; *fig. Laufbahn, Spur, Politik*: seguir; (*fortführen*) proseguir, continuar; (*hetzen*) acosar (*a. Jgdw.*); asediar; (*belästigen*) molestar; fastidiar; (*quälen*) atormentar; (*beobachten*) observar; seguir de cerca; *mit den Augen ~* seguir con la vista; **~er(in** *f*) *m* perseguidor(a *f*) *m*; **~te(r** *m*) *m/f* perseguido (-a *f*) *m*; **~ung** *f* persecución *f*; (*Fortsetzung*) continuación *f*, prosecución *f*; *hartnäckige*: acosamiento *m*, acoso *m*; asedio *m*; *wilde*: caza *f*; ⚖ *strafrechtliche ~* enjuiciamiento *m*; formación *f* de causa; **~ungswahn** *m* (*-es*; *0*) manía *f* persecutoria.

ver'form|bar ⊕ *adj.* deformable; *warm ~* termoplástico; **~en** (-) *v/t.* deformar; **Ꝛen** *n*, **Ꝛung** *f* deformación *f*; formación *f*; *elastische ~* trabajo de deformación elástica.

ver'fracht|en (*-e-*; -) *v/t.* ⚓ *Schiff*: fletar; ⚚ *Ware*: expedir, despachar; F *j-n ~ fig.* facturar a alg.; **Ꝛer** *m* ⚓ fletador *m*; ⚚ expedidor *m*; **Ꝛung** *f* ⚓ fletamento *m*; ⚚ expedición *f*, despacho *m*.

ver'franzen (-t; -) F ✈ *v/refl.*: sich ~ desorientarse; desviarse de la ruta; perderse.
ver'froren *adj.* friolero.
ver'früht *adj.* prematuro.
ver'füg|bar *adj.* disponible; **2barkeit** *f* (0) disponibilidad *f*; **~en** (-) **1.** *v/t.* disponer; (*anordnen*) ordenar; decretar; **2.** *v/i.* disponer (über *ac.* de); (*besitzen*) contar con; (*ausgestattet sein*) estar provisto de; tener.
Ver'fügung *f* disposición *f*; (*Anordnung*) orden *f*; decreto *m*; *einstweilige* ~ ⚖ medida provisional cautelar (*erlassen* decretar; *erwirken* obtener); *zu Ihrer* ~ a su disposición, a disposición de usted; *zur* ~ *haben* tener a su disposición; *j-m zur* ~ *stehen* (*stellen*) estar (poner) a la disposición de alg.; **2sberechtigt** *adj.* autorizado a disponer (*über ac.* de); **~sbeschränkung** *f* limitación *f* del derecho de (libre) disposición; **~sgewalt** *f* (0) poder *m* de disposición; **~srecht** *n* (-es; -e) derecho *m* de disposición.
ver'führ|en (-) *v/t.* seducir; (*verderben*) corromper; (*verleiten*) inducir (zu a); **2er(in** *f*) *m* seductor (-a *f*) *m*; **~erisch** *adj.* seductor; (*verlockend*) tentador; **2ung** *f* seducción *f*; (*Verlockung*) tentación *f*; ⚖ estupro *m* (con doncella menor de 16 años).
ver'fünffachen (-) *v/t.* quintuplicar.
ver'füttern (-re; -) *v/t.* gastar en forraje; ~ *an* (*ac.*) dar como pienso a.
ver'gaffen (-) P *v/refl.*: *sich* ~ *in* (*ac.*) enamorarse de; amartelarse; P atocinarse.
ver'gällen (-) *v/t.* *Alkohol*: desnaturalizar; *fig.* amargar, acibarar; *j-m das Leben* ~ amargar la vida a alg.
vergalop'pieren (-) F *v/refl.*: *sich* ~ *fig.* F meter la pata; *er hat sich vergaloppiert* se le ha ido la lengua; (*sich irren*) errar, equivocarse.
ver'gangen *adj.* pasado; **~es** *Jahr* el año pasado; **2heit** *f* (0) pasado *m*; *Gr.* pretérito *m*; *politische* ~ antecedentes *m/pl.* políticos; *lassen wir die* ~ *ruhen* lo pasado, pasado; *der* ~ *angehören* haber pasado a la historia.
ver'gänglich *adj.* pasajero; transitorio; efímero; (*flüchtig*) fugaz; (*hinfällig*) caduco; frágil; (*schnell zugrunde gehend*) perecedero; **2keit** *f* (0) carácter *m* transitorio *bzw.* efímero; transitoriedad *f*; (*Hinfälligkeit*) caducidad *f*; fragilidad *f*.
ver'gären (-) *v/t.* fermentar.
ver'gas|en (-) *v/t.* ⚗ gasificar; *Auto.* carburar; (*durch Gas töten bzw. vergiften*) matar *bzw.* intoxicar con gas; *neol.* gasear; **2er** *m Auto.* carburador *m*; ⚗ gasificador *m*; **2erbrand** *m* (-es; ⁼e) incendio *m* de carburador; **2ermotor** *m* (-s; -en) motor *m* con carburador.
ver'gaß *pret. v.* vergessen.
Ver'gasung *f* ⚗ gasificación *f*; *Auto.*: carburación *f*; (*Vergiftung*) intoxicación *f bzw.* asfixia *f* por gas.
ver'gatter|n (-re; -) *v/t.* enrejar; ⚔ *Wache*: relevar; **2ung** *f* enrejado *m*; ⚔ *der Wache*: relevo *m*.
ver'geb|en (*L*; -) *v/t.* dar; *Recht*: ceder; *Stelle*: proveer; (*verleihen*) conferir (*a. Amt*); *Pfründe*: conceder, otorgar; *Besitz*: desprenderse de; (*verteilen*) distribuir; *Chance*: desaprovechar, desperdiciar; *Karten*: dar mal; *zu* ~ *haben* disponer de; *zu* ~ *sein* (*Stelle*) estar vacante; *noch nicht* ~ (*Stelle*) todavía vacante (*od.* sin proveer); (*verzeihen*) perdonar; *Sünde*: *a.* remitir; *an den Meistbietenden*: adjudicar; *sich et.* ~ comprometer su honor; olvidar su decoro; *sich nichts* ~ ser celoso de su honor (*od.* de su dignidad); no olvidar su decoro; **~ens** *adv.* en vano; en balde; inútilmente; sin resultado; ~ *bitten* rogar en vano; **~lich I.** *adj.* vano; inútil; (*erfolglos*) infructuoso; estéril; (*überflüssig*) superfluo; (*unnötig*) innecesario; **~e** *Mühe* trabajo en balde; **II.** *adv.* → *vergebens*; **2lichkeit** *f* (0) inutilidad *f*; (*Erfolglosigkeit*) infructuosidad *f*; **2ung** *f* (*Verteilung*) distribución *f*; *e-s Rechtes*: cesión *f*; *e-r Stelle, e-s Amtes*: provisión *f*; (*Verzeihung*) perdón *m*; *der Sünden*: *a.* remisión *f*; *an den Meistbietenden*: adjudicación *f*; *j-n um* ~ *bitten* pedir perdón a alg.
vergegen'wärtigen (-) *v/t.* traer a la memoria; rememorar, recordar; *sich et.* ~ imaginarse (*od.* figurarse *od.* representarse) a/c.; tener presente a/c.
ver'gehen (*L*; -) **I. 1.** (*sn*) *v/i.* *Zeit*: pasar, transcurrir; (*nachlassen*) disminuir; ceder; (*verschwinden*) desaparecer; (*verklingen*) desvanecerse; (*erlöschen*) extinguirse; (*sich beruhigen*) calmarse; (*hinschmelzen*) derretirse; fundirse; (*sich verwischen*) borrarse; (*sich verlieren*) perderse; (*umkommen*) perecer; *Nebel*: disiparse; *Frist*: expirar; ~ *vor* arder de; consumirse de; morirse de; *die Lust dazu ist mir vergangen* se me han quitado las ganas; *ihm verging Hören und Sehen* quedó consternado; quedó pasmado *od.* cariacontecido; *der Appetit ist mir vergangen* he perdido el apetito; **2.** *v/refl.*: *sich* ~ cometer una falta; *Rel.* pecar (*gegen* contra); ⚖ contravenir; *sich gegen j-n* ~ faltar (al respeto debido) a alg.; *sich an j-m* ~ *tätlich*: maltratar de obra a alg., *unsittlich*: violar; abusar de una mujer; *sich gegen das Gesetz* ~ infringir (*od.* violar *od.* transgredir) la ley; **II.** 2 *n* (*Fehler*) falta *f*; ⚖ delito *m* menos grave; (*Übertretung*) contravención *f*; falta *f*; *leichtes* ~ F pecadillo *m*.
ver'geistig|en (-) *v/t.* espiritualizar; **2ung** *f* (0) espiritualización *f*.
ver'gelt|en (*L*; -) *v/t.*: *j-m et.* ~ desquitarse de a/c. con alg.; *Dienste*: devolver; (*erwidern*) corresponder a; (*belohnen*) recompensar; pagar; premiar; (*wiedergutmachen*) reparar; (*rächen*) vengar; *Gleiches mit Gleichem* ~ pagar en (*od.* con) la misma moneda; *Böses mit Gutem* ~ devolver bien por mal; *vergelt's Gott!* ¡Dios se lo pague!; **2ung** *f* devolución *f*; (*Revanche*) desquite *m*; (*Repressalien*) represalias *f/pl.*; (*Belohnung*) recompensa *f*; pago *m*; premio *m*; (*Rache*) venganza *f*; ~ *üben für* desquitarse de; *bsd. Pol. u.* ⚔: tomar represalias por; **2ungsfeuer** ⚔ *n* fuego *m* de represalia; **2ungsmaßnahme** *f* (medida *f* de) represalia *f*; **2ungsrecht** *n* (-es; 0) derecho *m* de retorsión.
verge'sellschaft|en (-e-; -) *v/t.* socializar; **2ung** *f* socialización *f*.
ver'gessen (*L*; -) **I.** *v/t.* olvidar; olvidarse (zu de); *ich habe* ~, *zu* (*inf.*) se me olvidó (*inf.*); *seine Pflicht* ~ faltar a su deber; *sich* ~ descomedirse; propasarse; F perder la cabeza; *das vergißt sich leicht* eso se olvida fácilmente; **II.** 2 *n* olvido *m*; **2heit** *f* (0) olvido *m*; *in* ~ *geraten* caer en (el) olvido; ser olvidado; *in* ~ *geraten sein* estar olvidado; *der* ~ *entreißen* sacar del olvido.
ver'geßlich *adj.* olvidadizo; (*zerstreut*) distraído; (*schlechtes Gedächtnis*) desmemoriado; **2keit** *f* (0) falta *f* de memoria; *aus* ~ por olvido.
ver'geud|en (-e-; -) *v/t.* prodigar; disipar; *bsd. Geld*: *a.* derrochar, despilfarrar; *Vermögen*: dilapidar; *Zeit, Lebensmittel*: desperdiciar; **2er** *m* pródigo *m*; disipador *m*; derrochador *m*, despilfarrador *m*; dilapidador *m*; desperdiciador *m*; **2ung** *f* prodigalidad *f*; disipación *f*; derroche *m*, despilfarro *m*; dilapidación *f*; desperdicio *m*.
verge'waltig|en (-) *v/t.* violentar, hacer violencia a; *Frau*: violar; **2ung** *f e-r Frau*: violación *f*.
verge'wissern (-re; -) *v/refl.*: *sich* ~ cerciorarse, asegurarse (*e-r Sache gen.* de a/c.).
ver'gießen (*L*; -) *v/t.* verter; derramar.
ver'gift|en (-e-; -) **1.** *v/t.* envenenar; emponzoñar (*beide a. fig.*); (*infizieren*) inficionar, infectar (*a. fig.*); ⚕ intoxicar; **2.** *v/refl.*: *sich* ~ envenenarse, tomar veneno; ⚕ intoxicarse; **2ung** *f* envenenamiento *m*; (*Infizierung*) infección *f*; ⚕ intoxicación *f*; **2ungs-erscheinung** ⚕ *f* síntoma *m* de intoxicación.
Ver'gil [v] *m* Virgilio *m*.
ver'gilb|en (-; *sn*) *v/i.* amarillear; **~t** *adj.* amarillento.
ver'gipsen (-) *v/t.* enyesar.
Ver'gißmeinnicht ♀ *n* (-es; - *od.* -e) miosota *f*; nomeolvides *f*.
ver'gittern (-re; -) *v/t.* enrejar; *mit Drahtgitter*: alambrar.
ver'glas|en (-t; -) **1.** *v/t.* *Fenster*: poner vidrios a; acristalar; (*zu Glas verarbeiten*) vitrificar; **2.** *v/i.* vitrificarse; **2en** *n*, **2ung** *f v. Fenstern*: vidrios *m/pl.*, cristales *m/pl.*; (*Verarbeitung zu Glas*) vitrificación *f*.
Ver'gleich *m* (-es; -e) comparación *f*; parangón *m*; (*vergleichende Zusammenstellung*) paralelo *m*; (*Wort*2) símil *m*; (*Gegenüberstellung*) confrontación *f*; *v. Schriftstücken*: cotejo *m*; (*Einigung*) arreglo *m*; acuerdo *m*; conciliación *f*; *mit Gläubigern*: convenio *m*; arreglo *m*; ajuste *m*; (*Kompromiß*) compromiso *m*; *im* ~ *mit* (*od.* zu) en comparación a; comparado con; *e-n* ~ *ziehen* establecer una comparación; *e-n* ~ *anstellen* hacer una comparación; establecer un paralelo (*zwischen* entre); *den* ~ *aushalten* poder compararse (*mit* con); resistir la

comparación (*mit* con); *e-n* ~ *schließen* hacer un arreglo; llegar a un acuerdo; *zu e-m* ~ *kommen* llegar a un arreglo, arreglarse; avenirse; *gütlicher* ~ arreglo amistoso; ⚖ *gerichtlicher* ~ transacción *f*; avenencia *f*; juicio *m* de conciliación; *außergerichtlicher* ~ convenio *m* extrajudicial; *keinen* ~ *aushalten* no poder compararse (*mit* con); **2bar** *adj.* comparable (*mit* con; a); **2e** *imp.*: ~ *Seite* ... véase página ...; **2en** (*L*; -) *v/t.* comparar (*mit* con; a); parangonar (*ac.*), hacer un parangón de; (*gegenüberstellen*) confrontar; *Schriftstücke*: cotejar; *Streit*: componer; *Meinungen*: conciliar; poner de acuerdo; *sich* ~ *lassen* poder compararse; ser comparable a *od.* con; *sich mit j-m* ~ (*bei Streitigkeiten*) avenirse *od.* arreglarse con alg.; llegar a un acuerdo con alg.; *verglichen mit* comparado con, en comparación a; **~en** *n* → *Vergleich*; **2end** *adj.* comparativo; *Wissenschaft*: comparado; *~e Literatur* literatura comparada; **~smaßstab** *m* (*-ęs*; *¨e*) término *m* de comparación; **~s-punkt** *m* (*-ęs*; *-e*) punto *m* de comparación; **~ssumme** *f* suma *f* pagadera en virtud de arreglo; **~s-tafel** *f* (-; *-n*) cuadro *m* comparativo; **~sverfahren** ⚖ *n* compensación *f* obligatoria; acto *m* de conciliación; **2sweise** *adv.* comparativamente; a título comparativo (*od.* de comparación); **~swert** *m* (*-ęs*; *-e*) valor *m* de comparación; **~szeit** *f* período *m* correspondiente; **~ung** *f* → *Vergleich*.

ver'gletscher|n (*-re*; -) *v/i.* cubrirse de glaciares; **2ung** *f* glaciación *f*.

ver'glimmen (*L*; -; *sn*), **ver'glühen** (-) *v/i.* extinguirse lentamente.

ver'gnügen (-) *v/t.* divertir; (*zerstreuen*) distraer; *sich* ~ divertirse; (*sich zerstreuen*) distraerse; (*sich erholen*) recrearse.

Ver'gnügen *n* placer *m*; gusto *m*; (*Amüsement*) diversión *f*; (*Unterhaltung*) entretenimiento *m*; (*Zerstreuung*) distracción *f*; esparcimiento *m*; (*Erholung*) recreo *m*; (*Freude*) alegría *f*; (*Zufriedenheit*) satisfacción *f*, contento *m*; (*Kurzweil*) pasatiempo *m*; *mit* ~ con mucho gusto, gustosamente; *aus* ~ por gusto; *nur zum* ~ por pura distracción; sólo para distraerse; ~ *schaffen* (*od. bereiten*) dar (*od.* causar) placer; *an et.* (*dat.*) ~ *finden* hallar placer en a/c.; *sich ein* ~ *machen aus* complacerse en; *es ist ein* ~, *zu* (*inf.*) da gusto (*inf.*); *es war mir ein* (*wahres*) ~ fue un (verdadero) placer para mí; *es war kein* ~ no fue ningún placer; no fue nada agradable; *das* ~ *haben, zu* (*inf.*) tener el gusto (*od.* el placer) de (*inf.*); *es macht mir* ~ me gusta *od.* agrada; *viel* ~! ¡que usted se divierta!, ¡que te diviertas!; ¡que F lo pase(s) bien!

ver'gnüg|lich *adj.* placentero; entretenido; (*lustig*) cómico, divertido; humorístico; **~t** *adj.* alegre, contento; (*lustig*) divertido, de buen humor.

Ver'gnügung *f* diversión *f*; (*Zerstreuung*) distracción *f*; *pl.* **~en** diversiones *f/pl.*; fiestas *f/pl.*; espectáculos *m/pl.*

Ver'gnügungs...: **~ausschuß** *m* (*-sses*; *¨sse*) comisión *f* (organizadora) de fiestas; **~dampfer** *m* vapor *m* de recreo; **~lokal** *n* (*-ęs*; *-e*) cabaret *m*; sala *f* de fiestas; **~park** *m* (*-s*; *-e od. -s*) parque *m* de atracciones; **~reise** *f* viaje *m* de placer; **~reisende(r** *m*) *m/f* turista *m/f*; **~steuer** *f* (-; *-n*) impuesto *m* sobre espectáculos; **~sucht** *f* (*0*) afán *m* de placeres; **2süchtig** *adj.* ávido de placeres; dado a los placeres; **~viertel** *n* (*Stadt*) barrio *m* mundano *od.* bohemio.

ver'gold|en (*-e-*; -) *v/t.* dorar; **2ung** *f* dorado *m*; *die* ~ *entfernen* (*verlieren*) desdorar (desdorarse).

ver'gönnen (-) *v/t.* permitir; conceder; *es war mir vergönnt, zu* (*inf.*) tuve el placer de (*inf.*); *es war ihm nicht vergönnt, zu* (*inf.*) no le fue dado (*inf.*); no logró (*inf.*).

ver'götter|n (*-re*; -) *v/t.* deificar; *fig.* idolatrar, adorar; **2n** *n*, **2ung** *f* deificación *f*; *fig.* idolatría *f*, adoración *f*; amor *m* ciego.

ver'grab|en (*L*; -) *v/t.* enterrar, soterrar; *v. Tieren*: *sich* ~ esconderse bajo tierra; F (*sich völlig zurückziehen*) aislarse, *fig.* enterrarse; **2en** *n*, **2ung** *f* soterramiento *m*.

ver'gräm|en (-) *v/t.* *Wild*: espantar; **~t** *adj.* acongojado; pesaroso; amargado.

ver'greifen (*L*; -) *v/refl.*: *sich* ~ tomar una cosa por otra; equivocarse; confundirse; F tomar el rábano por las hojas; ♪ tocar mal, *beim Klavierspielen*: tocar una tecla equivocada; *sich an j-m* ~ maltratar de obra a alg.; *geschlechtlich*: abusar (deshonestamente) de alg.; *sich an et.* (*dat.*) ~ *an fremdem Eigentum*: atentar contra la propiedad ajena; robar; usurpar; *an Heiligem*: profanar; *sich an der Kasse* ~ desfalcar; malversar fondos; *sich im Ausdruck* ~ confundir las palabras.

ver'greis|en (*-t*; -) *v/i.* ir envejeciendo; **~t** *adj.* senil; **2ung** *f* senectud *f*.

ver'griffen *adj.* *Ware, Buch*: agotado.

ver'gröbern (*-re*; -) **1.** *v/t.* hacer más grosero; *Person*: enrudecer; *Sprache, Gebräuche*: avillanar; **2.** *v/refl.* hacerse más grosero; enrudecerse; avillanarse.

ver'größer|n (*-re*; -) **1.** *v/t.* agrandar; engrandecer; *Opt.* aumentar; *Phot.* ampliar; *Phys.* amplificar; (*erweitern*) ensanchar; extender; ampliar; (*vermehren*) aumentar; acrecentar; (*übertreiben*) exagerar; (*verschlimmern*) agravar; **2.** *v/refl.*: *sich* ~ agrandarse; aumentar de tamaño; engrosar; tomar incremento; (*sich erweitern*) ampliarse; **2ung** *f* agrandamiento *m*; engrandecimiento *m*; incremento *m*; *Opt.* aumento *m*; *Phot.* ampliación *f*; *Phys.* amplificación *f*; (*Erweiterung*) ensanche *m*; ampliación *f*; extensión *f*; (*Vermehrung*) aumento *m*; acrecentamiento *m*; (*Übertreibung*) exageración *f*; (*Verschlimmerung*) agravación *f*; *in vergrößertem Maßstab* a escala aumentada.

Ver'größerungs...: **~apparat** *Phot.* *m* (*-ęs*; *-e*) aparato *m* de ampliación; cámara *f* ampliadora; **2fähig** *adj.* aumentable; **~glas** *n* (*-es*; *¨er*) cristal *m* de aumento; (*Lupe*) lupa *f*; **~linse** *f* lente *f* de aumento.

ver'gucken (-) F *v/refl.* → *vergaffen*.

Ver'günstigung *f* favor *m*; (*Bevorzugung*) preferencia *f*; (*Erlaubnis*) permiso *m*; (*Vorteil*) ventaja *f*; (*Vorrecht*) privilegio *m*; prerrogativa *f*; (*Preis2*) rebaja *f*; **~sklausel** *f* (-; *-n*) cláusula *f* de preferencia; **~szoll** *m* (*-ęs*; *¨e*) aduana *f* preferencial.

ver'güt|en (*-e-*; -) *v/t.* (*belohnen*) recompensar, remunerar; gratificar; (*zurückerstatten*) restituir; *Auslagen*: re(e)mbolsar, reintegrar; (*entschädigen*) indemnizar (*j-m et.* a alg. de a/c.), resarcir; reparar; *Verlust*: compensar; † *auf ein Konto*: abonar (en cuenta); *Zinsen*: abonar, bonificar; (*zahlen*) pagar; ⊕ *Stahl*: mejorar; **2ung** *f* (*Belohnung*) recompensa *f*, remuneración *f*; gratificación *f*; (*Zurückerstattung*) restitución *f*; *v. Auslagen*: re(e)mbolso *m*, reintegro *m*; (*Entschädigung*) indemnización *f*, resarcimiento *m*; reparación *f*; *e-s Verlustes*: compensación *f*; † *auf ein Konto*: abono *m*; *v. Zinsen*: *a.* bonificación *f*; (*Zahlung*) pago *m*; abono *m*; (*Provision*) comisión *f*; (*Diskont2*) reducción *f*; (*Gehalt*) sueldo *m*; ⊕ *v. Stahl*: mejora *f*; *Opt.* corrección *f*.

ver'haft|en (*-e-*; -) *v/t.* detener; ⚔ arrestar; **~et** *adj.*: ~ *sein mit Sache*: estar arraigado en; *Person*: estar ligado a; **2ete(r** *m*) *m/f* detenido (-a *f*) *m*; **2ung** *f* detención *f*; ⚔ arresto *m*; **2ungsbefehl** ⚖ *m* (*-ęs*; *-e*) orden *f* de detención.

ver'hageln (*-le*; -) *v/i.* (*Getreide*) apedrearse, quedar destruido por el granizo.

ver'hallen (-; *sn*) *v/i.* (*Lied*) expirar; (*Ton*) extinguirse, perderse a lo lejos.

ver'halten (*L*; -) **1.** *v/t.* (*unterdrükken*) contener, reprimir; ⚕ *Urin*: retener; *Atem*: *a.* contener; *Groll*: refrenar; **2.** *v/refl.*: *sich* ~ (*sich benehmen*) portarse (*gegen j-n* con alg.), comportarse, conducirse; proceder; *sich ruhig* ~ quedarse quieto; mantenerse sereno; *ich weiß nicht, wie ich mich dabei* (*od. dazu*) ~ *soll* no sé cómo proceder; no sé qué he de hacer; Å *A verhält sich zu B wie C zu D* A es a B como C es a D; *sich umgekehrt* ~ *zu* ser inversamente proporcional a; *wie verhält sich die Sache?* ¿cómo marcha el asunto?; *es verhält sich mit ... ebenso wie mit ...* lo mismo pasa con ... que con ...; *sich anders* ~ (*Sache*) ser diferente; *wenn es sich so verhält* de ser así; siendo así; en este caso; estando así las cosas.

Ver'halten *n* (*-s*; *0*) (*Benehmen*) comportamiento *m*, conducta *f*; proceder *m*; (*Haltung*) actitud *f*; ⚕ retención *f*; (*Verfahren*) procedimiento *m*; *zur Erreichung e-s Zweckes*: táctica *f*; (*Beziehungen*) relaciones *f/pl.*; ⚗ (*Reaktion*) reacción *f*; ⊕ *des Werkstoffes*: comportamiento *m*; **~s-psychologie** *f* (*0*) psicología *f* del comportamiento.

Ver'hältnis *n* (*-ses*; *-se*) proporción *f*; (*Beziehung*) relación *f*; (*Liebes*2) relaciones *f/pl.* amorosas ilícitas, F apaño *m*, lío *m*; (*Geliebte*) amante *f*, querida *f*, amiga *f*; *im* ⁓ *zu* en proporción (*od.* relación) a; en comparación con; *im* ⁓ *von* 1:2 en la proporción de 1 por 2; *in e-m* (*keinem*) ⁓ *stehen zu* (no) guardar relación con; (no) estar relacionado con; (*nicht*) *im* ⁓ *stehend mit* proporcionado (desproporcionado) a; *in freundlichem* ⁓ *stehen mit* mantener (*od.* estar en) relaciones amistosas con; Ꝓ *im umgekehrten* (*geraden*) ⁓ *zu* en razón inversa (directa) a; ⁓*se pl.* (*Bedingungen*) condiciones *f/pl.*; (*Lage*) situación *f*; (*Mittel*) medios *m/pl.*, recursos *m/pl.*; (*Vermögenslage*) situación *f* económica; medios *m/pl. od.* recursos *m/pl.* económicos; posibilidades *f/pl.* económicas; (*Umstände*) circunstancias *f/pl.*; *unter solchen* ⁓*sen* en estas circunstancias; en estas (*od.* tales) condiciones; *über s-e* ⁓*se leben* gastar más de lo que los ingresos permiten; *aus kleinen* (*od. einfachen od. bescheidenen*) ⁓*sen stammen* ser de origen humilde; *sich den* ⁓*sen anpassen* acomodarse a las circunstancias; *in angenehmen* ⁓*sen leben* vivir desahogadamente (*od.* con holgura); **⁓anteil** *m* (*-es*; *-e*) cuota *f*; **⁓gleichung** Ꝓ *f* proporción *f*; **2mäßig I.** *adj.* (*bezüglich*) relativo; (*proportional*) proporcionado; Ꝓ proporcional; **II.** *adv.* (*bezüglich*) relativamente; (*proportional*) proporcionalmente; (*vergleichsweise*) comparativamente; *nach Verhältnis*: a prorrata; **⁓wahl** *Parl. f* representación *f* proporcional; **2widrig** *adj.* desproporcionado (zu a); **⁓wort** *Gr. n* (*-es*; *"er*) preposición *f*; **⁓zahl** Ꝓ *f* coeficiente *m*; número *m* proporcional.

Ver'haltung *f* ⚕ retención *f*; **⁓smaßregel** *f* (*-*; *-n*) norma *f* de conducta; (*Vorschrift*) instrucción *f*, prescripción *f*; **⁓sweise** *f* conducta *f* que habrá de observarse (*im Falle gen. od. von* en caso de).

ver'handeln (*-le*; *-*) *v/t. u. v/i.*: ⁓ (*über ac.*) tratar (*ac. od.* de); discutir (*ac. od.* sobre); negociar (*ac.*); gestionar (*ac.*); (*lebhaft erörtern*) debatir (*ac. od.* sobre); † (*verkaufen*) vender; colocar; *über den Frieden* ⁓ negociar la paz; ⚖ actuar; proceder judicialmente (*gegen* contra); *als Anwalt*: informar (ante el tribunal).

Ver'handlung *f* negociación *f*; discusión *f*; debate *m*; (*Konferenz*) conferencia *f*; ⚖ vista *f*; juicio *m*; *Strafrecht*: juicio *m* oral; *langwierige* ⁓*en* negociaciones laboriosas; *in* ⁓*en treten* entablar negociaciones; *die* ⁓*en abbrechen* (*wiederaufnehmen*) romper (reanudar) las negociaciones; **2sbereit** *adj.* dispuesto a negociar; **⁓sbericht** *m* (*-es*; *-e*) acta *f*; **⁓sgegenstand** *m* (*-es*; *"e*) objeto *m* de las negociaciones; **⁓spartner** *m* parte *f*; (*Unterhändler*) negociador *m*; **⁓sraum** *m* (*-es*; *"e*) sala *f* de sesiones; **⁓s-tag** ⚖ *m* (*-es*; *-e*) día *m* de la vista; **⁓s-termin** ⚖ *m* (*-s*; *-e*) término *m* del señalamiento; **⁓s-tisch** *m* (*-es*; *-e*) (*Konferenztisch*) mesa *f* de la conferencia; **⁓sweg** *m* (*-es*; *0*): *auf dem* ⁓*e* por medio de negociaciones.

ver'hängen (*-*) *v/t.* (*verdecken*) cubrir (*mit* con); (*verschleiern*) velar; (*auferlegen*) imponer; *Strafe*: *a.* infligir; *e-e Strafe über j-n* ⁓ imponer una pena a alg.; *die Todesstrafe über j-n* ⁓ condenar (*od.* sentenciar) a muerte a alg.; *den Belagerungszustand* ⁓ proclamar el estado de sitio; *mit verhängtem Zügel* a rienda suelta.

Ver'hängnis *n* (*-ses*; *-se*) destino *m*; fatalidad *f*; hado *m*; **2voll** *adj.* fatal; (*unheilvoll*) funesto; (*katastrophal*) desastroso.

ver'härmt *adj.* apesadumbrado; acongojado; pesaroso; afligido.

ver'harren (*-*) **I.** *v/i.* permanecer; persistir, perseverar (*bei*, *in dat.* en); *in Schweigen* ⁓ obstinarse en un mutismo absoluto; *bei s-r Meinung* ⁓ aferrarse a su opinión; **II.** 2 *n* persistencia *f*; perseverancia *f*.

ver'harsch|en (*-*; *sn*) *v/i. Wunde*: cicatrizarse; *Schnee*: endurecerse; **2en** *n*, **2ung** *f e-r Wunde*: cicatrización *f*; *des Schnees*: endurecimiento *m*.

ver'härt|en (*-e-*; *-*) **1.** *v/t. u. v/i.* endurecer; ⚕ (*Geschwür*) indurar; (*schwielig werden*) encallecer; **2.** *v/i. u. v/refl.* endurecerse; ⚕ indurarse; encallecerse; ⚕ *den Leib* ⁓ estreñirse; *fig.* endurecerse; **⁓et** *adj.* ⚕ indurado; **2ung** *f* endurecimiento *m*; ⚕ induración *f*; (*Schwiele*) callosidad *f*; (*Verstopfung*) ⚕ estreñimiento *m*; *fig.* endurecimiento *m*.

ver'harzen (*-t*; *-*) *v/t.* resinificar; *sich* ⁓ resinificarse.

ver'haspeln (*-le*; *-*) *v/refl.*: *sich* ⁓ *beim Reden*: atascarse, F hacerse un lío; trabucarse.

ver'haßt *adj.* odioso; aborrecido; odiado (*bei* de); *sich bei j-m* ⁓ *machen* hacerse odioso a alg.; *er ist mir* ⁓ le aborrezco; *das ist mir* ⁓ lo detesto.

ver'hätscheln (*-le*; *-*) *v/t.* (*verwöhnen*) mimar; dar mimos a.

Ver'hau ⚔ *m/n* (*-es*; *-e*) estacada *f*; (*Draht*2) alambrada *f*.

ver'hauen (*L*; *-*) **1.** *v/t.* (*verprügeln*) moler a golpes, apalear; F dar para el pelo; *Arbeit*: frangollar; *Sport*: fallar; **2.** *v/refl.*: *sich* ⁓ errar el golpe; F hacer mal papel; *im Reden*: F hacerse un lío, trabucarse.

ver'heben (*L*; *-*) *v/refl.*: *sich* ⁓ derrengarse al levantar un peso.

ver'heddern (*-re*; *-*) F *v/refl.*: *sich* ⁓ → *verhaspeln*.

ver'heer|en (*-*) *v/t.* asolar, desolar; devastar; (*zerstören*) destruir; **⁓end** *adj.* asolador, desolador; devastador; (*zerstörerisch*) destructor; ⁓ *wirken* causar estragos; *fig.* desastroso; catastrófico; nefasto; (*schrecklich*) espantoso; **2ung** *f* desolación *f*, asolamiento *m*; devastación *f*; (*Zerstörung*) destrucción *f*; destrozo *m*; ⁓*en anrichten* hacer estragos.

ver'hehl|en (*-*) *v/t.* disimular; (*verbergen*) ocultar; celar, recatar; ⚖ encubrir; **2en** *n*, **2ung** *f* disimulo *m*; ocultación *f*; ⚖ encubrimiento *m*.

ver'heilen (*-*; *sn*) *v/i. Wunde*: (*sich schließen*) cerrarse; (*vernarben*) cicatrizarse.

ver'heimlich|en (*-*) *v/t.* mantener en secreto; (*verbergen*) ocultar (*et. vor j-m* a/c. a alg.); (*verschweigen*) callar; (*nicht merken lassen*) disimular; ⚖ encubrir; **2ung** *f* ocultación *f*; disimulo *m*; ⚖ encubrimiento *m*.

ver'heirat|en (*-e-*; *-*) **1.** *v/t.* casar (*mit* con); (*Tochter*) dar estado a; **2.** *v/refl.*: *sich* ⁓ casarse, contraer matrimonio; *sich wieder* ⁓ volver a casarse; contraer segundas nupcias; **⁓et** *adj.* casado; **2ung** *f* casamiento *m*, matrimonio *m*.

ver'heiß|en (*L*; *-*) *v/t.* prometer; (*ankündigen*) anunciar; **2ung** *f* promesa *f*; *Bib. das Land der* ⁓ la Tierra de Promisión; **⁓ungsvoll** *adj.* (muy) prometedor.

ver'helfen (*L*; *-*) *v/i.*: *j-m zu et.* ⁓ ayudar a alg. a conseguir a/c.; *j-m zu seinem Recht* ⁓ hacer justicia a alg.

ver'herrlich|en (*-*) *v/t.* glorificar; enaltecer, ensalzar; **2ung** *f* glorificación *f*; enaltecimiento *m*.

ver'hetz|en (*-t*; *-*) *v/t.* excitar (*gegen* contra); incitar, instigar; soliviantar; F *fig.* azuzar; **2ung** *f* excitación *f*; incitación *f*, instigación *f*.

ver'heuer|n (*-re*; *-*) ⚓ *v/t.* fletar; **2n** *n* fletamento *m*.

ver'hex|en (*-t*; *-*) *v/t.* embrujar, hechizar; maleficiar; **⁓t** *adj.* embrujado; **2ung** *f* embrujamiento *m*.

ver'himmeln (*-le*; *-*) *v/t.* alabar desmedidamente; F poner en los cuernos de la Luna.

ver'hinder|n (*-re*; *-*) *v/t.* impedir; (*vorbeugen*) prevenir; (*verbieten*) prohibir; (*vermeiden*) evitar; (*hindern*) estorbar; **⁓t** *adj.* impedido; ⁓ *sein* no poder asistir; **2ung** *f* impedimento *m*; prohibición *f*; obstáculo *m*; estorbo *m*.

ver'hohlen *adj.* disimulado; encubierto.

ver'höhn|en (*-*) *v/t.* burlarse, reírse, mofarse de; escarnecer a; *Vernunft*: ofender: (*lächerlich machen*) ridiculizar, poner en ridículo; **2ung** *f* burla *f*, mofa *f*; escarnio *m*; ofensa *f*.

ver'hohnepipeln (*-le*; *-*) *v/t.* P ridiculizar, poner en ridículo; (*nachäffen*) remedar.

ver'hökern (*-re*; *-*) F *v/t.* vender al menudeo.

ver'holen (*-*) ⚓ *v/t. Schiff*: amarrar en otro sitio; 2 *n* cambio *m* de amarre.

Ver'hör ⚖ *n* (*-es*; *-e*) *des Angeklagten*: interrogatorio *m*; *der Zeugen*: examen *m* de testigos; *j-n ins* ⁓ *nehmen* = **2en** (*-*) **1.** *v/t.* (*Angeklagte*) interrogar; oír (*ac.*), tomar declaración a; (*Zeugen*) oír, examinar; **2.** *v/refl.*: *sich* ⁓ entender mal; (*mißverstehen*) trasoír.

ver'hudeln (*-le*; *-*) *v/t.* estropear, echar a perder; frangollar.

ver'hüll|en (*-*) *v/t.* (*verdecken*) cubrir; (*zudecken*) tapar; (*verschleiern*) velar; (*verbergen*) ocultar, esconder; (*verhehlen*) encubrir; *Gesicht*: embozar; *fig.* tapar; ocultar; *in verhüllten Worten* con palabras veladas; **2ung** *f* ocultación *f*; encubrimiento *m*.

ver'hundertfachen (-) *v/t.* centuplicar; *sich* ~ centuplicarse.

ver'hunger|n (*-re*; -; *sn*) *v/i.* morir(se) *od.* perecer de hambre; ⚕ morir de inanición; ~ *lassen* dejar morir de hambre; **~t** *adj.* hambriento; famélico; ~ *aussehen* tener aspecto famélico, F tener cara de hambre.

ver'hunzen (*-t*; -) F *v/t.* estropear, echar a perder; chafallar, frangollar, chapucear; *Sprache*: chapurrear; maltratar, martirizar.

ver'hüten (*-e-*; -) *v/t.* (*verhindern*) impedir; (*vorbeugen*) prevenir; *Gefahr, Schaden*: *a.* precaver; preservar de; *das verhüte Gott!* ¡no lo quiera Dios!; **~d** *adj.* (*vorbeugend*) preventivo; ⚕ profiláctico.

ver'hütt|en (*-e-*; -) *v/t. Erze*: fundir; **2en** *n*, **2ung** *f* fundición *f*.

Ver'hütung *f* (*Vorbeugung*) prevención *f*; ⚕ profilaxis *f*; **~smaßnahme** *f* medida *f* preventiva; **~smittel** ⚕ *n* preservativo *m*; profiláctico *m*; (*Empfängnis2*) medio *m* anticoncepcional; anticonceptivo *m*.

ver'hutzelt *adj.* contrahecho; *Gesicht*: avellanado.

verifi'zier|en [v] (-) *v/t.* verificar; **2en** *n*, **2ung** *f* verificación *f*.

ver'innerlich|en (-) *v/t. Sache*: dar un carácter más íntimo a a/c.; *Person*: abstraerse; **2ung** *f* (*0*) introversión *f*.

ver'irr|en (-) *v/refl.*: *sich* ~ extraviarse; perderse; **~t** *adj.* extraviado; **~es** *Schaf* oveja descarriada; **~e** *Kugel* bala perdida; **2ung** *f fig.* extravío *m*; error *m*; aberración *f*.

ver'jag|en (-) *v/t.* (*verscheuchen*) ahuyentar; (*ausweisen*) expulsar, echar; **2en** *n*, **2ung** *f* (*0*) expulsión *f*.

ver'jähr|bar *adj.* prescriptible; **~en** (-; *sn*) *v/i.* caducar; ⚖ prescribir; (*ungültig werden*) perder la validez; **~t** *adj.* caducado; ⚖ prescrito; **2ung** *f* (*0*) caducidad *f*; ⚖ prescripción *f*; **2ungsfrist** ⚖ *f* plazo *m* de prescripción.

ver'jubeln (*-le*; -) *v/t. Geld*: gastar alegremente; despilfarrar.

ver'jüng|en (-) *v/t.* rejuvenecer (*a.* ⚕); remozar; *Maß*: reducir; *im verjüngten Maßstab* a escala reducida; △ (*spitz zulaufen*) estrecharse por la parte superior; *sich* ~ rejuvenecerse; remozarse; △ disminuir, estrecharse; **2ung** *f* rejuvenecimiento *m*; *e-s Maßes*: reducción *f*; △ disminución *f*, estrechamiento *m*; **2ungskur** ⚕ *f* cura *f* de rejuvenecimiento; **2ungsmaßstab** *m* (*-ës*; *¨e*) escala *f* de reducción.

ver'juxen (*-t*; -) *v/t.* → *verjubeln*.

ver'kalk|en 1. (-) *v/t.* (*in Kalk verwandeln*) calcinar; calcificar; **2.** (*sn*) *v/i.* (*in Kalk verwandelt werden*) calcinarse; calcificarse; **~t** *adj.* calcificado; ⚕ escleroso, esclerótico; F *fig. Person*: chocho; fosilizado; **2ung** *f* (*0*) ⚗ calcinación *f*; ⚕ calcificación *f*; esclerosis *f*.

verkalku'lieren (-) *v/refl.*: *sich* ~ equivocarse en el cálculo; F hacer mal las cuentas.

ver'kannt *adj.* no apreciado en su justo valor; ignorado, desconocido.

ver'kapp|en (-) *v/t.* disfrazar; (*tarnen*) enmascarar, *gal.* camuflar; **~t** *adj.* disfrazado; enmascarado; *fig.* encubierto; **2ung** *f* disfraz *m*; enmascaramiento *m*.

ver'kapsel|n (*-le*; -) **1.** *v/t. Flaschen*: tapar con cápsula; **2.** *v/refl.*: *sich* ~ ⚕ enquistarse; **2ung** *f* ⚕ enquistamiento *m*; encapsulación *f*.

ver'käs|en (-) ⚗ *v/t.* caseificar; *v/i.* caseificarse; **~t** *adj.* caseificado; **2ung** *f* caseificación *f*.

ver'katert F *adj.* amodorrado; trasnochado.

Ver'kauf *m* (*-ës*; *¨e*) venta *f*; (*Absatz*) colocación *f*; *zum* ~ *anbieten* (*stellen*) ofrecer (poner) a la venta; **2en** (-) *v/t.* vender (*a. fig.*); ✝ realizar; colocar; *zu* ~ (*Schild*) se vende; *sich leicht* (*schwer*) ~ venderse fácilmente (difícilmente); ser de fácil (difícil) venta; *billig* (*teuer*) ~ vender barato (caro); *sein Leben teuer* ~ vender cara su vida; *bar* (*auf Kredit*; *auf Termin*; *auf Raten*; *in Bausch und Bogen*) ~ vender al contado (a crédito; a plazo; a plazos; en globo *od.* a bulto); *mit Gewinn* (*mit Verlust*; *nach Gewicht*; *zu jedem Preis*; *zum Selbstkostenpreis*) ~ vender con ganancia (con pérdida; al peso; a cualquier precio; a precio de coste); *im kleinen* (*großen*) ~ vender al por menor (al por mayor).

Ver'käuf|er(in *f*) *m* vendedor(a *f*) *m*; (*Laden2*) dependiente *m*; **2lich** *adj.* vendible; en (*od.* de) venta; *fig.* (*käuflich*) venal; *leicht* ~ de fácil venta (*od.* salida); fácil de vender; *schwer* ~ de venta difícil; difícil de vender.

Ver'kaufs...: **~abteilung** *f* departamento *m* de ventas; **~angebot** *n* (*-ës*; *-e*) oferta *f* (de venta); **~auftrag** *m* (*-ës*; *¨e*) orden *f* de venta; **~automat** *m* (*-en*) distribuidor *m* automático; **~bedingungen** *pl.* condiciones *f/pl.* de venta; **~buch** *n* (*-ës*; *¨er*) libro *m* de ventas; **~büro** *n* (*-s*; *-s*) oficina *f* de ventas; agencia *f* de ventas; **~erlös** *m* (*-es*; *-e*) producto *m* de la venta; **~förderung** *f* promoción *f* de ventas; **~kontrolle** *f* control *m* de venta; **~leiter** *m* jefe *m* de ventas; **~möglichkeit** *f* posibilidad *f* de venta; **~organisation** *f* organización *f* de ventas; **~plan** *m* (*-ës*; *¨e*) plan *m* de venta; **~preis** *m* (*-es*; *-e*) precio *m* de venta; **~raum** *m* (*-ës*; *¨e*) sala *f* de ventas; **~rechnung** *f* cuenta *f* de venta; factura *f*; **~recht** *n* (*-ës*; *-e*) derecho *m* de venta; **~schlager** *m* éxito *m* de venta; **~stand** *m* (*-ës*; *¨e*) puesto *m*; **~stelle** *f* despacho *m*; depósito *m* de venta; **~tisch** *m* (*-es*; *-e*) mostrador *m*; **~- und Einkaufsgenossenschaft** *f* cooperativa *f* de compraventa; **~urkunde** ⚖ *f* escritura *f* de venta; **~verbot** *n* (*-ës*; *-e*) prohibición *f* de venta; **~vertrag** *m* (*-ës*; *¨e*) contrato *m* de venta; **~werbung** *f* publicidad *f* de ventas; **~wert** *m* (*-ës*; *-e*) valor *m* de venta.

Ver'kehr *m* (*-s*; *0*) tráfico *m*; circulación *f*; 🚗, ⚓, ✈ *regelmäßiger*: servicio *m*; (*Geschäfts2*) transacciones *f/pl.* comerciales; (*Handels2*) comercio *m*; (*Schrift2*) correspondencia *f*; (*Post2*) servicio *m* de correos; (*Verbindung*) comunicación *f*; (*Fremden2*) turismo *m*; (*Straßen2*) circulación *f* (*od.* tráfico *m*) por carretera, *in der Stadt*: tráfico *m* urbano; (*Hin und Her*) movimiento *m*, vaivén *m*; (*Umgang*) trato *m*; (*Beziehungen*) relaciones *f/pl.*; (*Geschlechts2*) comercio *m* carnal; relaciones *f/pl.* sexuales; (*Akt*) coito *m*; *in* ~ *bringen* poner en circulación; *mit j-m in* ~ *stehen* tener (*od.* estar en) relaciones con alg.; tratar (*od.* tener trato) con alg.; *brieflich*: mantener correspondencia con alg., F cartearse con alg.; *keinen* ~ *haben* (*od. pflegen*) no tener trato con nadie; no ver a nadie; *dem* ~ *übergeben* (*Straße*) abrir a la circulación, 🚂 poner en servicio, *Brücke usw.*: inaugurar; *für den* ~ *gesperrt* cerrado a la circulación; *aus dem* ~ *ziehen Wagen*: retirar del servicio; *Geld*: retirar de la circulación; **2en** (-) **1.** *v/i. Wagen*: 🚂 circular; *in e-m Haus* ~ frecuentar una casa; *mit j-m* ~ tratarse con alg., tratar a (*od.* con) alg.; tener (*od.* estar en) relaciones con alg.; *brieflich*: mantener correspondencia con alg., F cartearse con alg.; *geschlechtlich*: tener comercio carnal con alg.; *in der Gesellschaft* ~ alternar en sociedad; *mit niemandem* ~ no tener trato con nadie; no ver a nadie; no tener relaciones con nadie; **2.** *v/t.* trastornar; (*umkehren*) invertir; poner al revés; (*umwandeln*) convertir, transformar en; (*auswechseln*) cambiar; *sich* ~ *in* (*ac.*) convertirse en; transformarse en.

Ver'kehrs...: **~abwicklung** *f* desarrollo *m* de la circulación; **~ader** *f* (-; *-n*) arteria *f* (de tráfico); **~ampel** *f* (-; *-n*) luz *f* de señalización; semáforo *m*; **~amt** *n* (*-ës*; *¨er*) oficina *f* de turismo; **~andrang** *m* (*-ës*; *0*) afluencia *f* de(l) tráfico; **~büro** *n* (*-s*; *-s*) → *Verkehrsamt*; **~dichte** *f* (*0*) densidad *f* del tráfico; **~disziplin** *f* (*0*) disciplina *f* en la circulación; **~flieger** *m* aviador *m* civil; **~flugzeug** *n* (*-ës*; *-e*) avión *m* de transporte (*od.* de pasajeros); **~gewerbe** *n* (ramo *m* de) transportes *m/pl.*; **~hindernis** *n* (*-ses*; *-se*) obstáculo *m* de la circulación, impedimentos *m/pl.* del tráfico; **~insel** *f* (-; *-n*) refugio *m*; **~knotenpunkt** *m* (*-ës*; *-e*) nudo *m* de comunicaciones; **~kontrolle** *f* control *m* de la circulación; **~linie** *f* vía *f* de comunicación; **~minister(ium** *n* [*-s*; *-ien*]) *m* ministro *m* (Ministerio *m*) de Comunicaciones *bzw.* de Transportes; **~mittel** *n* medio *m* de transporte; **~netz** *n* (*-es*; *-e*) red *f* de comunicaciones; **~ordnung** *f* reglamento *m* de la circulación (*od.* del tráfico); **~polizei** *f* (*0*) policía *f* de(l) tráfico; **~polizist** *m* (*-en*), **~posten** *m* agente *m* del tráfico; F guardia *m* de la porra; **~regel** *f* (-; *-n*) norma *f* de circulación; **~n** *pl.* reglamento *m* de la circulación (*od.* del tráfico); **~regelung** *f* regulación *f* del tráfico; **2reich** *adj. Straße*:

de mucho tráfico; ~e *Zeit* horas *f/pl.* punta (*od.* de tráfico intenso); **~schild** *n* (-es; -er) indicador *m* de ruta; **2schwach** *adj.* poco frecuentado (*od.* concurrido); *Straße*: de poca circulación; **~sicherheit** *f* (0) seguridad *f* del tráfico (*od.* de la circulación); **~sperre** *f* interrupción *f* *bzw.* suspensión *f* del tráfico (*od.* de la circulación); **~spitze** *f* horas *f/pl.* punta; **2stark** *adj.*: ~e *Zeit* → *verkehrsreiche Zeit*; **~stärke** *f* (0) intensidad *f* del tráfico; **~stauung** *f*, **~stockung** *f* congestión *f* del tráfico; embotellamiento *m*; **~störung** *f* perturbación *f* del tráfico; interrupción *f* (accidental) del tráfico *od.* de la circulación; **~straße** *f* vía *f* de comunicación; calle *f* de mucho tránsito; carretera *f* de intenso tráfico; **~tafel** *f* (-; -n) → *Verkehrsschild*; **~teilnehmer** *m* usuario *m* de la carretera; (*Fußgänger*) peatón *m*; transeunte *m*; (*Autofahrer*) automovilista *m*; **~tote(r** *m*) *m/f* muerto (-a *f*) *m* en accidente de la circulación; **~turm** *m* (-es; ⸚e) plataforma *f* de señalización; **~überwachung** *f* (0) vigilancia *f* de la circulación; **~unfall** *m* (-es; ⸚e) accidente *m* de la circulación; *durch Überfahren*: atropello *m*; **~unfallverhütung** *f* (0) prevención *f* de accidentes de la circulación; **~umleitung** *f* desviación *f* de la circulación; **~unternehmen** *n* empresa *f* de transportes; **~unterricht** *m* (-es; 0) enseñanza *f* práctica de las normas de circulación; **~verbindung** *f* comunicación *f*; **~verein** *m* (-es; -e) sociedad *f* para el fomento del turismo; oficina *f* de turismo; **~verhältnisse** *n/pl.* condiciones *f/pl.* del tráfico; **~vorschriften** *f/pl.* → *Verkehrsordnung*; **~weg** *m* (-es; -e) vía *f* de comunicación; **~wesen** *n* (-s; 0) (servicio *m* de) comunicaciones *f/pl.*; transportes *m/pl.*; **~zählung** *f* censo *m* del tráfico; **~zeichen** *n* señal *f* de tráfico; disco *m* de señales (para el tráfico); → *Verkehrsschild*.

ver'kehrt *adj.* (*umgekehrt*) invertido; al revés (*a. adv.*); (*falsch*) equivocado, erróneo, falso; (*unsinnig*) absurdo; (*ausgewechselt*) cambiado, trastrocado; *fig.* trastornado; *die ~e Seite* el revés; el lado opuesto; *die ~e Welt* el mundo al revés; *e-n ~en Weg einschlagen* equivocar el camino; *et. ~ auffassen* entender al revés a/c.; *et. ~ machen* hacer a/c. al revés; *et. ~ anfangen* F empezar la casa por el tejado; *~ anziehen* ponerse al revés (una prenda de vestir); **2heit** *f* absurdidad *f*.

ver'keilen (-) *v/t.* ⊕ acuñar, asegurar con cuñas; enclavar; F (*verprügeln*) apalear, moler a palos.

ver'kenn|en (*L*; -) *v/t.* desconocer, ignorar; no apreciar en su justo valor; **2ung** *f* (0) desconocimiento *m*.

ver'kett|en (-e-; -) *v/t.* encadenar; (*Kettenglieder*) eslabonar; *fig.* concatenar, concadenar; **2ung** *f* encadenamiento *m*; ⚗ formación *f* de cadenas; *fig.* concatenación *f*; (*Reihe*) serie *f*; (*Folge*) sucesión *f*.

ver'ketzer|n (-re; -) *fig.* *v/t.* difamar; calumniar; **2ung** *f* *fig.* difamación *f*; calumnia *f*.

ver'kitten (-e-; -) *v/t.* enmasillar.

ver'klag|en (-) ⚖ *v/t.* *Zivilrecht*: demandar; *Strafrecht*: querellarse; (*anklagen*) acusar; *j-n ~* demandar a alg., entablar demanda contra alg.; querellarse contra alg.; **~te(r** *m*) *m/f* demandado (-a *f*) *m*; acusado (-a *f*) *m*.

ver'klammern (-re; - *v/t.* asegurar con grapas.

ver'klär|en (-) *v/t.* *Rel.* transfigurar; *sich ~* transfigurarse; **~t** *adj.* transfigurado; (*strahlend*) radiante; **2ung** *f* *Rel.* transfiguración *f*.

ver'klatschen (-) F *v/t.* (*verleumden*) calumniar; difamar, desacreditar.

verklausu'lier|en (-) *v/t.* restringir con cláusulas; **2ung** *f* restricción *f*.

ver'kleben (-) *v/t.* pegar (con tiras); *Chir.* conglutinar; aplicar aglutinante *m*; (*leimen*) pegar con cola, encolar.

ver'kleid|en (-e-; -) *v/t.* disfrazar; *sich ~* disfrazarse de; (*kostümieren*) travestir, vestirse de hombre una mujer *od.* de mujer un hombre; ⊕ (*verdecken*) revestir (*mit* de); cubrir (*mit* de); *innen*: forrar; *mit Holz*: enmaderar; (*täfeln*) revestir de madera; ⚒ *Schacht*: entibar; **2ung** *f* disfraz *m*; ⊕ revestimiento *m*; forro *m*; ⚒ entibación *f*; *der Zimmerdecke*: artesonado *m*; ✈ *stromlinienförmige*: carenado *m* aerodinámico; ⚔ → *Tarnung*.

ver'kleiner|n (-re; -) *v/t.* (*vermindern*) disminuir; minorar; minimizar (*a. fig.*); *fig.* empequeñecer; ⅍ reducir; (*herabsetzen*) rebajar; *fig.* achicar; *Wert*: depreciar; *fig.* *Ruf*: denigrar, detractar; *Verdienst*: rebajar; **2ung** *f* disminución *f*; *fig.* empequeñecimiento *m*; ⅍ reducción *f*; *des Wertes*: depreciación *f*; *fig.* denigración *f*, detracción *f*; **2ungsmaß-stab** *m* (-es; ⸚e) escala *f* de reducción; **2ungssilbe** *Gr.* *f* desinencia *f* diminutiva; **2ungswort** *Gr.* *n* (-es; ⸚er) diminutivo *m*.

ver'kleistern (-re; -) *v/t.* pegar con engrudo, engrudar.

ver'klingen (*L*; *sn*) *v/i.* ir extinguiéndose; irse perdiendo a lo lejos; (*Lied*) expirar.

ver'klopfen, ver'kloppen (-) P *v/t.* (*verprügeln*) sacudir el polvo a alg.; dar una paliza; zurrar la badana; (*verkaufen*) vender.

ver'knall|en (-) F *v/refl.*: *sich in j-n ~* enamorarse perdidamente de alg.; estar loco por alg., P estar chalado por alg.; atocinarse, arrocinarse, chalarse por alg.; **~t** F *adj.*: *in j-n ~ sein* estar perdidamente enamorado de alg.; P estar chalado por alg.

ver'knapp|en (-) *v/i.* escasear; **2ung** *f* escasez (*an dat.* de).

ver'knautschen (-) P *v/t.* arrugar; estrujar.

ver'kneifen (*L*; -) *v/t.* reprimir, contener; *sich das Lachen nicht ~ können* no poder reprimir (*od.* contener) la risa; F *sich et. ~ müssen* tener que renunciar a a/c.; *verkniffenes Gesicht* gesto forzado.

ver'kneipen (*L*; -) *v/t.* gastar en bebida (*od.* en la taberna).

ver'knöcher|n (-re; -) *v/i.* osificarse; *fig.* anquilosarse; fosilizarse; **~t** *fig.* *adj.* anquilosado; fosilizado; (*altfränkisch*) chapado a la antigua; **2ung** *f* osificación *f*; *fig.* fosilización *f*.

ver'knorpeln (-le; -; *sn*) ⚕ *v/i.* condrificarse, hacerse cartilaginoso.

ver'knoten (-e-; -) *v/t.* anudar.

ver'knüpf|en (-) *v/t.* ligar, atar; enlazar; *Seilenden, Kabel*: empalmar; *fig.* unir, vincular; relacionar; (*kombinieren*) combinar, *Ideen*: asociar; (*verketten*) concatenar; *mit Schwierigkeiten verknüpft sein* entrañar dificultades; *mit Kosten verknüpft sein* suponer gastos; **2ung** *f* ligadura *f*, atadura *f*; enlace *m*; empalme *m*; *fig.* unión *f*, vinculación *f*; combinación *f*; asociación *f*; (*Verkettung*) concatenación *f*.

ver'knusen (-) F *v/t.*: *j-n nicht ~ können* no poder ver a alg. ni pintado.

ver'kochen (-) *v/t.* (*zu lange kochen*) cocer demasiado; recocer; (*beim Kochen verbrauchen*) gastar en la cocina.

ver'kohl|en (-) **1.** *v/t.* carbonizar, reducir a carbón; F *fig.*: *j-n ~* tomar el pelo a alg.; **2.** (*sn*) *v/i.* carbonizarse, reducirse a carbón; **2ung** *f* carbonización *f*.

ver'kok|en (-) *v/t.* desulfurar la hulla; transformar en coque; **2ung** *f* desulfuración *f* de la hulla; coquización *f*, coquefacción *f*.

ver'kommen¹ (*L*; -; *sn*) *v/i.* *Sachen*: decaer, echarse a perder; (*entarten*) degenerar; *Person*: degradarse; depravarse, pervertirse; envilecerse, encanallarse.

ver'kommen² *adj.* (*entartet*) degenerado; *Person*: degradado; depravado, pervertido; envilecido, encanallado; desmoralizado; **2heit** *f* (0) degradación *f*; depravación *f*, perversión *f*; envilecimiento *m*, encanallamiento *m*; desmoralización *f*.

ver'koppeln (-le; -) *v/t.* (*verbinden*) acoplar.

ver'korken (-) *v/t.* encorchar, taponar con corcho.

ver'korksen (-t; -) F *v/t.* echar a perder; estropear; (*verpfuschen*) chapucear, frangollar; *sich den Magen ~* indigestarse.

ver'körper|n (-re; -) *v/t.* personificar; encarnar; (*darstellen*) representar; *Thea.* *Rolle*: interpretar; **2ung** *f* personificación *f*; encarnación *f*; *Thea.* interpretación *f*.

ver'krach|en (-) **1.** (*sn*) *v/i.* (*scheitern*) fracasar; ✝ (*pleite machen*) quebrar; F tronar; **2.** F *v/refl.*: *sich mit j-m ~* enemistarse con alg.; **~t** *adj.* fracasado; F tronado; ✝ (*Firma*) quebrado, en quiebra; *~e Existenz* náufrago de la vida; fracasado en la vida.

ver'köstig|en (-) *v/t.* alimentar; **2ung** *f* (0) alimentación *f*; (*Essen*) comida *f*.

ver'kraften (-e-; -) *v/t.* (*bewältigen*) dominar; (*überstehen*) resistir; (*elektrifizieren*) electrificar.

ver'kramen (-) *v/t.* extraviar; (*Dokumente*) traspapelar.

ver'krampft *adj.* contraido; *Kiefer*: apretado; *Hand*: crispado; (*gezwungen*) forzado; *geistig*: tenso.

ver'kriechen (*L*; -) *v/refl.*: *sich* ~ (*sich verstecken*) esconderse; ocultarse.

ver'krümeln (*-le*; -) **1.** *v/t.* (*Brot*) desmigajar; **2.** *v/refl.*: *sich* ~ desmigajarse; F *fig.* (*verschwinden*) escurrirse, eclipsarse; despedirse a la francesa.

ver'krümm|en (-) **1.** *v/t.* deformar; combar; **2.** *v/refl.*: *sich* ~ deformarse; *Wirbelsäule*: desviarse; *Holz*: combarse; **≈ung** *f* curvatura *f*; deformación *f*; *der Wirbelsäule*: desviación *f*; *des Holzes*: combadura *f*.

ver'krüppel|n (*-le*; -) **1.** *v/t.* deformar; mutilar; **2.** (*sn*) *v/i.* estropearse; ✿ achaparrarse; **~t** *adj.* estropeado; lisiado; (*Fuß*) contrahecho; deforme; **≈te(r)** *m* mutilado *m*; lisiado *m*.

ver'krust|en (*-e-*; -) **1.** *v/t.* encostrar; incrustar; **2.** (*sn*) *v/i. u. v/refl.*: *sich* ~ encostrarse; formar costra; **≈ung** *f* encostradura *f*; incrustación *f*.

ver'kühl|en (-) *v/refl.*: *sich* ~ resfriarse, F pescar un resfriado; acatarrarse; **≈ung** *f* resfriado *m*, enfriamiento *m*.

ver'kümmer|n (*-re*; -; *sn*) *v/i.* desmedrar, descaecer, ir a menos; (*dahinsiechen*) consumirse; languidecer; ⚕ atrofiarse; ✿ marchitarse; **~t** *adj.* desmedrado; consumido; ⚕ atrofiado; **≈ung** *f* desmedro *m*, descaecimiento *m*; ⚕ atrofia *f*.

ver'künd(ig)|en (-) *v/t.* anunciar; (*veröffentlichen*) publicar; (*kundtun*) hacer saber; (*ausrufen*) pregonar; *amtlich*: proclamar; (*weissagen*) presagiar; profetizar; *Urteil*: ⚖ pronunciar; *Gesetze*: promulgar; *Evangelium*: predicar; **≈er** *m fig.* pregonero *m*; heraldo *m*; profeta *m*; **≈ung** *f* anuncio *m*; (*Veröffentlichung*) publicación *f*; (*Ausruf*) pregón *m*; proclamación *f*; (*Weissagung*) predicción *f*; *e-s Urteils*: ⚖ pronunciamiento *m*; *v. Gesetzen*: promulgación *f*; *Rel. Mariä Verkündigung* la Anunciación de Nuestra Señora (*a. das Fest*).

ver'künsteln (*-le*; -) *v/t.* refinar excesivamente; desfigurar por demasiado artificio.

ver'kupfern I. (*-re*; -) *v/t. Met.* encobrar; **II.** ≈ *n* encobrado *m*.

ver'kuppel|n (*-le*; -) *v/t.*: *j-n* ~ alcahuetear, servir de alcahuete a alg.; prostituir; ⊕ acoplar; **≈ung** *f* alcahuetería *f*; ⊕ acoplamiento *m*.

ver'kürz|en (*-t*; -) *v/t.* acortar; (*abkürzen*) abreviar; (*vermindern*) reducir, disminuir; (*schrumpfen*) encogerse; *Bezüge*: cercenar; mermar; (*Silbe*, ♪) sincopar; *Mal.* escorzar; *sich die Zeit* ~ distraerse; divertirse; matar el tiempo; *verkürzte Arbeitszeit* jornada reducida; **≈ung** *f* acortamiento *m*; abreviación *f*; reducción *f*, disminución *f*; encogimiento *m*; cercenamiento *m*; merma *f*; *Gr.*, ♪ síncopa *f*; *Mal.* escorzo *m*.

ver'lachen (-) *v/t.* reírse de; burlarse de.

Ver'lade|anlage *f* cargadero *m*; **~bahnhof** *m* (*-es*; *⸚e*) estación *f* de carga; **~brücke** *f* puente *m* transbordador (*od.* de carga); **~hafen** *m* (*-s*; *⸚*) puerto *m* de embarque; **~kran** *m* (*-es*; *⸚e*) grúa *f* de carga.

ver'laden I. (*L*; -) *v/t.* cargar; 🚃 *a.* envagonar; ⚓ embarcar; (*verfrachten*) expedir, despachar; **II.** ≈ *n* → *Verladung*.

Ver'lade|platz *m* (*-es*; *⸚e*) cargadero *m*; ⚓ muelle *m*; **~r** *m* cargador *m*; **~rampe** *f* rampa *f* de carga; ⚓ rampa *f* de embarque; **~stelle** *f* lugar *m* de carga *bzw.* ⚓ de embarque.

Ver'ladung *f* carga *f*; 🚃 *a.* envagonamiento *m*; ⚓ *v. Waren*: embarque *m*; *v. Passagieren, Truppen*: embarco *m*; (*Verfrachtung*) expedición *f*, despacho *m*; **~skosten** *pl.* gastos *m/pl.* de carga *bzw.* ⚓ de embarque; **~spapiere** *pl.* ⚓ documentos *m/pl.* de embarque; **~sschein** ⚓ *m* (*-es*; *-e*) conocimiento *m* (de embarque).

Ver'lag *m* (*-es*; *-e*) *Tätigkeit*: publicación *f*; *Firma*: editorial *f*, casa *f* editora (*od.* editorial); *in* ~ *nehmen* editar, publicar; *im* ~ ... *erschienen* publicado por ...

ver'lager|n (*-re*; -) *v/t.* cambiar (*a. fig.*); *Waren*: almacenar en otro lugar; *Geol.* dislocar; (*transportieren*) transportar; trasladar a otra parte; (*überführen*) transferir; (*evakuieren*) evacuar; **≈ung** *f* cambio *m*; *Geol.* dislocación *f*; ⚕ ectopia *f*; (*Transport*) transporte *m*; (*Überführung*) transferencia *f*; (*Evakuierung*) evacuación *f*; *fig.* cambio *m* radical.

Ver'lags...: **~anstalt** *f* editorial *f*, casa *f* editorial (*od.* editora); **~buchhändler** *m* librero *m* editor; **~buchhandlung** *f* (librería *f*) editorial *f*, casa *f* editora; **~haus** *n* (*-es*; *⸚er*) → *Verlagsanstalt*; **~katalog** *m* (*-es*; *-e*) catálogo *m* de libros publicados (por la editorial); **~kosten** *pl.* gastos *m/pl.* de publicación; **~recht** *n* (*-es*; *-e*) derecho *m* editorial; **~vertrag** *m* (*-es*; *⸚e*) contrato *m* editorial; **~werk** *n* (*-es*; *-e*) edición *f* del librero; obra *f* (editada).

ver'langen I. (-) **1.** *v/t.* pedir (*von j-m* a alg.); solicitar; (*wünschen*) desear; (*wollen*) querer; (*fordern*) exigir; (*beanspruchen*) pretender; *Recht*: reclamar; *nach j-m* ~ desear ver a alg.; *was* ~ *Sie für das Buch?* ¿cuánto pide usted por el libro?; *das Wort zur Geschäftsordnung* ~ pedir la palabra para una cuestión de orden; *das ist zuviel verlangt* eso es pedir demasiado; *Sie werden am Telefon verlangt* le llaman (a usted) al teléfono; **2.** *v/i. u. v/unprs.*: *nach et.* ~ desear vivamente (*od.* ardientemente) a/c.; ansiar a/c.; (*sich sehnen*) anhelar a/c.; *es verlangt ihn, sie zu sehen* siente grandes deseos de verla, *sehnsüchtig*: anhela vivamente poder verla; **II.** ≈ *n* petición *f*; (*Nachfrage*) demanda *f*; (*Wunsch*) deseo *m*; (*Sehnsucht*) anhelo *m* (vehemente); (*Forderung*) exigencia *f*; pretensión *f*; *e-s Rechtes*: reclamación *f*; *auf* ~ a petición; *auf allgemeines* ~ a petición general; *et. auf j-s* ~ *tun* hacer a/c. a petición de alg.; *nach et.* ~ *haben* (*od. hegen od. tragen*) tener el deseo de a/c.; apetecer a/c.; *sehnsüchtig*: sentir el anhelo de a/c.; anhelar vivamente (*od.* ardientemente) a/c.; *kein* ~ *haben, zu* (*inf.*) no tener deseos de (*inf.*).

ver'länger|n (*-re*; -) *v/t.* alargar; extender; prolongar (*a. zeitlich*); *nur zeitlich*: prorrogar; **≈ung** *f* alargamiento *m*; prolongación *f*; prórroga *f*; ✝ ~ *der Zahlungsfrist* moratoria *f*; **≈ungsschnur** ⚡ *f* (-; *⸚e*) flexible *m* adicional; **≈ungsstück** ⊕ *n* (*-es*; *-e*) pieza *f* de prolongación.

ver'langsam|en (-) *v/t.* retardar; *Fahrt, Lauf des Motors*: moderar la marcha; **≈ung** *f* retardación *f*.

ver'läppern (*-re*; -) F *v/t.* malgastar; desperdiciar; derrochar.

Ver'laß *m* (*-sses*; *0*): *es ist kein* ~ *auf ihn* no se puede contar con él; no puede uno fiarse de él.

ver'lassen I. (*L*; -) *v/t.* dejar; *e-n Ort*: salir de, abandonar; *Platz, Wohnung*: desocupar; *Stadt, Land*: ausentarse de; (*im Stich lassen*) abandonar; desamparar; *sich* ~ *auf* (*ac.*) contar con; fiarse de; confiar en; *auf ihn* (*sein Wort*) *kann man sich nicht* ~ no puede uno fiarse de él (de su palabra); F *verlaß dich drauf!* ¡tenlo por seguro!; **II.** *adj.* abandonado; (*allein*) solo; (*hilflos*) desamparado; desvalido; (*vereinsamt*) aislado; (*verödet*) desierto; (*unbewohnt*) deshabitado; *Platz, Wohnung*: desocupado; *von Gott* ~ dejado de la mano de Dios; **III.** ≈ *n*, **≈heit** *f* (*0*) abandono *m*; desamparo *m*; aislamiento *m*.

ver'läßlich *adj.* seguro; (digno) de confianza; formal; **≈keit** *f* (*0*) seguridad *f*; confianza *f*; formalidad *f*.

ver'läster|n (*-re*; -) *v/t.* denigrar, difamar; calumniar; **≈ung** *f* denigración *f*, difamación *f*; calumnia *f*.

Ver'laub *m* (*-es*; *0*): *mit* ~ con su permiso, con permiso de usted; con la venia de; *mit* ~ *zu sagen* dicho sea con permiso (*od.* salvando todos los respetos); permítaseme la frase.

Ver'lauf *m* (*-es*; *0*) *der Zeit*: curso *m*, transcurso *m*, decurso *m*; *e-r Angelegenheit*: marcha *f*; rumbo *m*; *e-r Krankheit*: proceso *m*; curso *m*; (*Entwicklung*) desarrollo *m*; (*Ausgang*) desenlace *m*; (*Richtung*) dirección *f*; *weiterer* ~ desarrollo ulterior; *im* ~ (*gen.*) en el curso de; en el transcurso de; *nach* ~ *von* al cabo de; después de; transcurrido ... *bzw.* transcurridos ...; pasado ... *bzw.* pasados ...; *s-n* ~ *nehmen* seguir su curso; *e-n normalen* ~ *nehmen* seguir su curso normal; *e-n guten* (*schlimmen*) ~ *nehmen* tomar un rumbo favorable (desfavorable); **≈en I.** (*L*; -) *v/i. Zeit*: pasar, transcurrir; *Grenze*: correr; extenderse; *Angelegenheit*: tomar un rumbo; (*sich entwickeln*) desarrollarse; (*ablaufen*) pasar; *sich* ~ *Menge*: dispersarse; *Gewässer*: decrecer; (*sich verirren*) extraviarse; perder (*od.* equivocar) el camino; *sich im Sande*

~ quedar sin efecto; fracasar; resultar estéril; quedar en nada; **II.** *adj.*: *~er Hund* perro extraviado.
ver'laust *adj.* piojoso; lleno de piojos.
ver'lautbar|en (-) *v/t.* publicar; divulgar; *amtlich bekanntgeben*: comunicar; **2ung** *f* publicación *f*; divulgación *f*; *amtliche ~* comunicado oficial.
ver'lauten (*-e-*; -) *v/i.* (*bekannt werden*) rumorearse; *es verlautet, daß* ... dicen (*od.* se dice *od.* se rumorea) que ...; corre el rumor de que ...; *wie verlautet* según dicen (*od.* se dice *od.* se rumorea); *es verlautet aus sicherer Quelle, daß* ... se sabe de fuente segura que ...; *nichts davon ~ lassen* guardar el secreto; no dejar traslucir a/c.
ver'leben (-) *v/t.* pasar.
ver'lebt *adj.* (*abgelebt*) gastado; desgastado; (*altersschwach*) decrépito.
ver'legen[1] **I.** (-) *v/t.* trasladar (*nach* a); poner en otro lugar; (*überführen*) transferir; (*evakuieren*) evacuar; (*falsch hinlegen*) no poner en su lugar; (*verlieren*) perder, extraviar, *Briefe, Dokumente*: traspapelar; *zeitlich*: aplazar (*auf ac.* para); *Wohnsitz, Truppen*: trasladar; *Weg*: (*versperren*) cortar; barrear; *Bücher*: editar, publicar; *Handlung*: situar (*in ac.* en); ⊕ *Kabel usw.*: tender; colocar; *sich ~ auf* (*ac.*) entregarse a; dedicarse a; (*s-e Zuflucht nehmen*) recurrir a; **II.** 2 *n v. Büchern*: edición *f*, publicación *f*; → *Verlegung*.
ver'legen[2] *adj.* (*befangen*) tímido, apocado; (*gezwungen*) cohibido; (*verwirrt*) confuso; perplejo; desconcertado; (*errötend*) abochornado; *~ machen* desconcertar; dejar perplejo *od.* confuso; *~ werden* desconcertarse; turbarse; cortarse; quedar perplejo *od.* desconcertado; *um et. ~ sein* necesitar a/c.; *um Geld ~ sein* F andar escaso de dinero; *um e-e Antwort ~ sein* no acertar a replicar; *um e-e Antwort nicht ~ sein* ser pronto en la réplica; saber replicar; **2heit** *f* (*0*) timidez *f*, apocamiento *m*; (*Klemme*) dificultad *f*; atolladero *m*; (*Verwirrung*) confusión *f*; perplejidad *f*; turbación *f*; (*mißliche Lage*) situación *f* embarazosa; apuro *m*; aprieto *m*, brete *m*; *in ~ bringen* poner en un apuro; poner en un compromiso; poner en un aprieto (*od.* en un brete); *in ~ sein* estar en una situación embarazosa, *geldlich*: estar en un apuro de dinero; *in ~ geraten* (*od. kommen*) verse en un apuro; *j-m aus der ~ helfen* sacar de un apuro a alg.; sacar de un atolladero a alg.
Ver'leger *m* editor *m*.
Ver'legung *f* traslado *m*; (*Überführung*) transferencia *f*; (*Evakuierung*) evacuación *f*; *zeitliche*: aplazamiento *m*; ⊕ *v. Kabeln usw.*: tendido *m*; colocación *f*.
ver'leiden (*-e-*; -) *v/t.*: *j-m et. ~* quitar a alg. el gusto de a/c.; *j-m die Freude ~* amargar la alegría a alg.
Ver'leih *m* (*-es*; *-e*) servicio *m* de préstamo; (*Film2*) distribución *f* (de películas); **2en** (*L*; -) *v/t.* prestar; (*vermieten*) alquilar; (*geben*) dar; (*gewähren*) conceder; *Würde*: investir de; *Gnade*: otorgar; *Titel, Rechte, Lizenz, Orden*: conceder; *Preis*: adjudicar; **~er(in** *f*) *m* prestador(a *f*) *m*; (*Vermieter*) alquilador(a *f*) *m*; *Film*: distribuidor *m*; **~ung** *f* préstamo *m*; (*Vermietung*) alquiler *m*; (*Gewährung*) concesión *f* (*a. v. Titeln, Rechten, Lizenzen u. Orden*); *e-r Würde*: investidura *f*; *e-s Preises*: adjudicación *f*; *e-s Grades*: colación *f*.
ver'leit|en (*-e-*; -) *v/t.* inducir (*zu* a) (*a.* ⚖); (*verführen*) seducir; **2en** *n*, **2ung** *f* inducción *f* (*a.* ⚖); (*Verführung*) seducción *f*.
ver'lernen (-) *v/t.* desaprender; (*vergessen*) olvidar.
ver'les|en (*L*; -) *v/t.* leer; *Protokoll*: dar lectura a; *Gemüse*: mondar, limpiar; *sich ~* equivocarse al leer; **2en** *n*, **2ung** *f* lectura *f*; *v. Gemüse*: monda *f*; *~ der Namen* llamamiento *m* nominal.
ver'letz|bar *adj.* vulnerable; (*empfindlich*) susceptible; delicado; **2barkeit** *f* (*0*) vulnerabilidad *f*; (*Empfindlichkeit*) susceptibilidad *f*; delicadeza *f*; **~en** (*-t*; -) *v/t.* (*verwunden*) herir, *leicht*: lesionar, lastimar; *fig.* (*kränken*) ofender; *j-s Interessen*: lesionar; *j-s Gefühle*: herir, ofender; *Vertrag, Luftraum*: violar; *Gesetz*: *a.* infringir; *Pflicht, Anstand, Vorschrift*: faltar a; *Rechte*: atentar contra; *Liter.* vulnerar; *s-e Amtspflicht ~* prevaricar; *leicht* (*schwer*; *tödlich*) *~* herir levemente (gravemente; mortalmente *od.* de muerte); *sich ~* herirse; lesionarse; lastimarse, hacerse daño; **~end** *adj.* ofensivo (*a. fig.*); **~lich** *adj.* → *verletzbar*; **2te** *f* herida *f*; **2te(r)** *m* herido *m*; (*Leicht2*) lesionado *m*; **2ung** *f* (*Wunde*) herida *f*, *leichte*: lesión *f*; contusión *f*; *fig.* (*Kränkung*) ofensa *f*; *e-s Vertrages, des Luftraumes*: violación *f*; *e-s Gesetzes*: *a.* infracción *f*; *~ s-r Amtspflichten* prevaricación *f*.
ver'leugn|en (*-e-*; -) *v/t.* (*ableugnen*) negar; *Rel.* (*den Glauben*) renegar de; (*nicht anerkennen*) desconocer; (*dementieren*) desmentir; (*Lügen strafen*) contradecir; (*sich verstellen*) disimular; aparentar lo contrario; *sich ~* contradecirse; *sich nicht ~* mostrarse claramente; *sich selbst ~* desdecir de sí mismo; *sich ~ lassen* mandar decir por alg. que uno está ausente (*od.* que no está en casa); negarse (a recibir visitas); **2en** *n*, **2ung** *f* negación *f*; desmentida *f*; mentís *m*.
ver'leumd|en (*-e-*; -) *v/t.* calumniar; difamar, denigrar; desacreditar; **2er(in** *f*) *m* calumniador(a *f*) *m*; difamador(a *f*) *m*; detractor (-a *f*) *m*, maldiciente *m/f*; **~erisch** *adj.* calumnioso; difamatorio, denigrante; **2ung** *f* calumnia *f*; difamación *f*, denigración *f*; maledicencia *f*; **2ungsfeldzug** *m* (*-es*; *⸚e*) campaña *f* difamatoria; **2ungsklage** ⚖ *f* querella *f* por calumnia.
ver'lieb|en *v/refl.*: *sich ~ in* (*ac.*) enamorarse de; *sich bis über die Ohren in j-n ~* enamorarse perdidamente de alg.; F prendarse; engolondrinarse; **~t** *adj.* enamorado (*in ac.* de); *j-m ~e Blicke zuwerfen* F mirar a alg. con ojos de carnero degollado; **2te** *f* enamorada *f*; **2te(r)** *m* enamorado *m*; **2theit** *f* (*0*) enamoramiento *m*; amor *m* a; pasión *f* por.
ver'lier|en (*L*; -) *v/t.* perder; *nichts zu ~ haben* no tener nada que perder; *die Fassung ~* desconcertarse; *die Geduld ~* perder la paciencia; *den Mut ~* perder los ánimos, desanimarse; *an Boden ~* perder terreno; *aus den Augen ~* perder de vista; *sich ~* perderse; (*verschwinden*) desaparecer; (*sich verwischen*) borrarse; (*auf Abwege geraten*) extraviarse; perderse (*in ac.* entre); *Menge*: dispersarse; *sich in Einzelheiten ~* perderse en detalles; **2er(in** *f*) *m* perdedor(a *f*) *m*; *ein guter* (*schlechter*) *~* un buen (mal) perdedor.
Ver'lies *n* (*-es*; *-e*) calabozo *m*; (*Burg2*) mazmorra *f*.
ver'loben (-) *v/refl.*: *sich ~* prometerse (*mit* con); pedir la mano de.
Ver'löbnis *n* (*-ses*; *-se*) → *Verlobung*.
ver'lobt *adj.* prometido; **2e** *f* prometida *f*; **2e(r)** *m* prometido *m*.
Ver'lobung *f* esponsales *m/pl.*; compromiso *m* matrimonial; *e-s Mädchens*: petición *f* de mano; *e-e ~ aufheben* romper el compromiso matrimonial; **~s-anzeige** *f* anuncio *m* de esponsales; **~s-armband** *n* (*-es*; *⸚er*) *in Spanien*: pulsera *f* de pedida; **~sring** *m* (*-es*; *-e*) anillo *m* de esponsales.
ver'lock|en (-) *v/t.* (*verführen*) seducir; (*versuchen*) tentar; **~end** *adj.* seductor; tentador; **2ung** *f* seducción *f*; tentación *f*.
ver'logen *adj.* *Person*: mentiroso, embustero; mendaz; *Sache*: engañoso; falaz; **2heit** *f* (*0*) mendacidad *f*, hábito *m* de mentir.
ver'lor *pret. v. verlieren.*
ver'loren (*L*; -) *adj.* perdido; (*verlegt*) extraviado; (*vergeblich*) inútil, vano; *~e Eier Kochk.* huevos escalfados; *Bib. der ~e Sohn* el hijo pródigo; *~ geben* dar por perdido; *ich gebe das Spiel ~* me doy por vencido; *auf ~em Posten stehen* defender una causa perdida; **~gehen** (*L*; *sn*) *v/i.* perderse, extraviarse.
ver'löschen (*L*; -) **1.** *v/t.* extinguir; (*verwischen*) borrar; **2.** (*sn*) *v/i.* irse extinguiendo *od.* apagando.
ver'los|en (*-t*; -) *v/t.* sortear; sacar a la suerte; *Gegenstände*: rifar; **2ung** *f* sorteo *m*; (*Tombola*) tómbola *f*; rifa *f*.
ver'löt|en (*-e-*; -) *v/t.* soldar; F *e-n ~* echar un trago; **2en** *n*, **2ung** *f* soldadura *f*.
ver'lotter|n (*-re*; -; *sn*) *v/i.* *Person*: desmoralizarse; encanallarse; envilecerse, degradarse; *Sache*: arruinarse por abandono; **~t** *adj.* desmoralizado; encanallado; (*zerlumpt*) astroso, desastrado, F hecho un adán.
ver'ludern (*-re*; -; *sn*) *v/i.* echar a perder; *Sprache*: avillanar; → *verlottern*.
ver'lumpen (-; *sn*) *v/i.* encanallarse.
Ver'lust *m* (*-es*; *-e*) pérdida *f*; (*Abgang*) merma *f*, disminución *f*; (*Defizit*) déficit *m*; (*Schaden*) daño

m; ~e *pl.* ⚔ bajas *f/pl.*; ~ *der bürgerlichen Ehrenrechte* ⚖ privación *f* de los derechos cívicos; interdicción *f* civil; *reiner* ~ pérdida neta; *ein schwerer* ~ una gran pérdida; *e-n* ~ *zufügen* (*erleiden*; *ersetzen*; *entschädigen*) causar (sufrir; reparar; indemnizar) una pérdida; ~*e beibringen* ocasionar pérdidas, ⚔ causar bajas; *bei* ~ (*gen.*) so pena de perder (*ac.*); *mit* ~ con pérdida; *in* ~ *geraten* perderse, extraviarse; **~anzeige** *f* anuncio *m* de pérdida; **~bilanz** † *f* balance *m* deficitario; **2bringend** *adj.* perjudicial; **~geschäft** *n* (*-es*; *-e*) negocio *m* ruinoso; operación *f* con pérdida; **2ig** *adj.*: *e-r Sache* (*gen.*) ~ *gehen* perder a/c.; ser privado de a/c.; quedar privado de a/c.; *s-r Rechte* ~ privado de sus derechos; *j-n e-r Sache* (*gen.*) *für* ~ *erklären* declarar a alg. privado de a/c.; *j-n s-s Amtes für* ~ *erklären* separar a alg. de su cargo; **~jahr** *n* (*-es*; *-e*) año *m* malo (*od.* de pérdidas); † ejercicio *m* (económico) deficitario; **~konto** *n* (*-s*; *-konten*) cuenta *f* de pérdidas; **~liste** ⚔ *f* lista *f* de bajas; **~rechnung** *f* → *Verlustkonto*; **2reich** *adj. Kampf*: sangriento; **~- und Gewinnkonto** † *n* (*-s*; *-konten*) (cuenta *f* de) pérdidas *f/pl.* y ganancias *f/pl.*

ver'machen (-) *v/t.* legar.

Ver'mächtnis *n* (*-ses*; *-se*) legado *m* (*a. fig.*); manda *f*; (*Testament*) testamento *m*; **~geber** *m* testador *m*; **~nehmer** *m* legatario *m*.

ver'mahl|en (-) *v/t. Weizen usw.*: moler, molturar; **2ung** *f* molienda *f*, molturación *f*.

ver'mähl|en (-) **1.** *v/t.* casar; desposar; **2.** *v/refl.*: *sich* ~ casarse (*mit* con); desposarse; **~t** *adj.* casado; *die* **2en** los recién casados; **2ung** *f* casamiento *m*, enlace *m*; boda *f*.

ver'mahn|en (-) *v/t.* exhortar; **2ung** *f* exhortación *f*.

vermale'deien (-) *v/t.* maldecir.

ver'männlichen (-) *v/t.* dar carácter *m* masculino a; masculinizar.

ver'manschen (-) F *v/t.* (*vermischen*) mezclar.

ver'mark|en (-) *v/t.* acotar; **2ung** *f* acotamiento *m*.

ver'masseln (*-le*; -) P *v/t.* echar a perder (*od.* a rodar); desbaratar.

Ver'massung *f* (*0*) masificación *f*.

ver'mauern (*-re*; -) *v/t.* tapiar; *Tür, Fenster*: *a.* condenar, cegar.

ver'mehr|en (-) **1.** *v/t.* aumentar, acrecentar; *an Zahl*: multiplicar; (*fortpflanzen*) propagar; **2.** *v/refl.*: *sich* ~ aumentar (en número); acrecentarse; (*wachsen*) crecer, tomar incremento; *an Zahlen*: multiplicarse; (*sich fortpflanzen*) reproducirse, *fig.* propagarse; *sich rasch und stark* ~ pulular; **~t** *adj.*: ~*e Auflage* edición aumentada; **2ung** *f* (*0*) aumento *m*, acrecentamiento *m*; incremento *m*; *an Zahlen*: multiplicación *f*; (*Fortpflanzung*) propagación *f*; reproducción *f*.

ver'meid|bar *adj.* evitable; **~en** (*L*; -) *v/t.* evitar; (*fliehen*) huir de; (*umgehen*) eludir; (*ausweichen*) esquivar; *schlau*: evadir; (*sich entziehen*) sustraerse a; **~lich** *adj.* evitable; **2ung** *f* (*0*) evitación *f*; *bei* ~ *e-r Geldstrafe* so pena de incurrir en multa.

ver'mein|en (-) *v/t.* (*glauben*) creer, pensar; (*vermuten*) suponer; presumir; **~tlich** *adj.* (*Vater, Bruder*) putativo; (*vermutlich*) supuesto; presunto; (*angeblich*) pretendido; (*eingebildet*) imaginario.

ver'melden (*-e-*; -) *v/t.* anunciar; notificar; informar.

ver'meng|en (-) *v/t.* mezclar (*mit* con); (*verwechseln*) confundir (*mit* con); *sich* ~ mezclarse; **2en** *n*, **2ung** *f* mezcla *f*; (*Verwechslung*) confusión *f*.

ver'menschlich|en (-) *v/t.* representar bajo una forma humana; *moralisch*: humanizar; **2ung** *f* (*0*) antropomorfismo *m*; *moralische*: humanización *f*.

Ver'merk *m* (*-es*; *-e*) nota *f*; apunte *m*; observación *f*; advertencia *f*; (*Sicht2*) visado *m*; **2en** (-) *v/t.* anotar; apuntar; observar; advertir; tomar nota de; *im Protokoll* ~ hacer constar en acta; *vermerkt sein in* (*dat.*) constar en; *übel* ~ tomar a mal.

ver'messen[1] (*L*; -) *v/t.* medir; (*Schiff*) arquear; (*Land*) apear; *sich* ~ equivocarse al medir; *sich* ~, *zu* atreverse a; tener el atrevimiento (*od.* la osadía) de.

ver'messen[2] *adj.* (*tollkühn*) audaz, osado; temerario; (*anmaßend*) presuntuoso; presumido, vanidoso; (*unverschämt*) atrevido; insolente, descarado; **2heit** *f* (*Tollkühnheit*) audacia *f*, osadía *f*; temeridad *f*; (*Anmaßung*) presunción *f*.

Ver'mess|er *m* (*Feldmesser*) agrimensor *m*; **~ung** *f* medición *f*; (*Feldmessung*) agrimensura *f*; *e-s Schiffes*: arqueo *m*; **~ungs-amt** *n* (*-es*; *⸚er*) oficina *f* topográfica; **~ungs-ingenieur** *m* (*-s*; *-e*) geómetra *m*; **~ungskunde** *f* (*0*) geodesia *f*; **~ungstrupp** ⚔ *m* (*-s*; *-s*) sección *f* topográfica; **~ungswesen** *n* (*-s*; *0*) agrimensura *f*.

ver'miet|bar *adj.* alquilable; **~en** (*-e-*; -) *v/t.* alquilar; (*verpachten*) arrendar; ⚓ fletar; *zu* ~ (*Schild*) se alquila; **2en** *n* → *Vermietung*; **2er(in** *f*) *m* alquilador(a *f*) *m*; ⚓ fletador *m*; (*Hauswirt*) dueño *m* de la casa, patrón *m*; **2ung** *f* (*0*) alquiler *m*; arrendamiento *m*; ⚓ fletamento *m*.

ver'minder|n (*-re*; -) *v/t.* disminuir; (*herabsetzen*) reducir; (*einschränken*) restringir, limitar; *Preise*: rebajar; *sich* ~ disminuir; decrecer; **2ung** *f* (*0*) disminución *f*; reducción *f*; restricción *f*.

ver'minen (-) *v/t.* minar.

ver'misch|en (-) *v/t.* mezclar; entremezclar; (*verfälschen*) adulterar; *Metalle*: alear; *Rassen*: cruzar; *Wein mit Wasser* ~ mezclar vino con agua; aguar el vino; *sich* ~ mezclarse; *Rassen*: cruzarse; **~t** *adj.* mezclado; ~*e Nachrichten* noticias varias; ~*e Schriften* miscelánea literaria; **2te(s)** *n* miscelánea *f*; **2ung** *f* mezcla *f*; *v. Metallen*: aleación *f*; *v. Rassen*: cruzamiento *m*, cruce *m*; *Phar.* mixtura *f*; (*Verwirrung*) confusión *f*.

ver'missen (*-ßt*; -) *v/t. j-n* ~ sentir la ausencia *bzw.* la falta de alg.; echar de menos a alg.; *et.* ~ notar la falta de a/c.; echar de menos a/c.

ver'mißt *adj.* desaparecido; **2e(r)** *m* ⚔ desaparecido *m*.

ver'mitt|eln (*-le*; -) **1.** *v/t. Frieden, Anleihe*: negociar; *Streitfall*: componer; *Widerstreitendes*: conciliar; (*zustande bringen*) arreglar; (*beschaffen*) procurar, proporcionar, facilitar; (*amtlich*) gestionar; *Bild, Eindruck, Vorstellung*: dar; *Kenntnisse, Wissen*: transmitir; **2.** *v/i.* mediar, servir *od.* actuar de mediador (*zwischen dat.* entre); intervenir (*in dat.* en); **~elnd** *adj.* mediador; conciliador; intermediario; ~ *eingreifen* → *vermitteln 2*; **~els, ~elst** *prp.* (*gen.*) mediante; por medio de; *bei Personen od. Amtsstellen*: por mediación de; por conducto de; **2ler(in** *f*) *m* mediador (-a *f*) *m*, ⚖ *a.* amigable componedor *m*; intermediario (-a *f*) *m*; (*Schlichter*) conciliador *m*; **2lerlohn** † *m* (*-es*; *⸚e*) comisión *f*.

Ver'mittlung *f* mediación *f*; intercesión *f*; *des Friedens, e-r Anleihe*: negociación *f*; (*Schlichtung*) conciliación *f*; arreglo *m*; (*Einschreiten*) intervención *f*; *durch j-s* ~ por mediación de alg.; *s-e* ~ *anbieten* ofrecer sus buenos oficios; **~s-ausschuß** *m* (*-sses*; *⸚sse*) comisión *f* de conciliación; **~sbüro** *n* (*-s*; *-s*) agencia *f* de colocaciones; **~sgebühr** † *f* comisión *f*; **~sstelle** *Tele. f* central *f* de teléfonos; **~sversuch** *m* (*-es*; *-e*) tentativa *f* de conciliación; **~svorschlag** *m* (*-es*; *⸚e*) proposición *f* de arreglo.

ver'möbeln (*-le*; -) F *v/t. j-n* ~ (*verprügeln*) propinar una paliza, *fig.* sacudir el polvo a alg.; darle a alg. para el pelo.

ver'moder|n (*-re*; -; *sn*) *v/i.* pudrirse, corromperse, descomponerse; **2n** *n*, **2ung** *f* (*0*) putrefacción *f*, descomposición *f*.

ver'möge *prp.* (*gen.*) en virtud de; mediante (*ac.*); (*gemäß*) conforme a; de conformidad con; (*zufolge*) según.

ver'mögen (*L*; -) *v/t.* (*können*) poder; ser capaz de; estar en condiciones de; *alles über j-n* (*od. bei j-m*) ~ tener gran influencia con alg.; *j-n zu et.* ~ inducir a alg. a hacer a/c.; *es über sich* ~ resolverse a hacer a/c.

Ver'mögen *n* (*Macht*) poder *m*; *geistiges*: facultad *f*; (*Fähigkeit*) capacidad *f*; (*Besitz*) fortuna *f*; bienes *m/pl.*; *ererbtes*: patrimonio *m*; † capital *m*; *ein* ~ *erwerben* (*verdienen*) acumular (ganar *od.* hacer) una fortuna; ~ *haben* tener fortuna, tener bienes.

ver'mögend *adj.* (*wohlhabend*) rico; acaudalado, adinerado; *viel* ~ poderoso, influyente.

Ver'mögens...: **~abgabe** *f* impuesto *m* extraordinario sobre la renta; **~abschätzung** *f* evaluación *f* de los bienes; **~anfall** ⚖ *m* (*-es*; *⸚e*) accesión *f* de bienes; **~anmeldung** *f* declaración *f* de bienes; **~aufnahme** *f* censo *m* (de riqueza); **~beschlagnahme** *f* incautación *f* de bienes; **~bestand** *m* (*-es*; *⸚e*) estado *m* de fortuna; ✝ activo *m*; **~bildung** *f* formación *f* de capital; **~einziehung** *f* confiscación *f* de bienes; **~erfassung** *f* → *Vermögensaufnahme*; **~erklärung** *f* → *Vermögensanmeldung*; **~haftung** ⚖ *f* responsabilidad *f* patrimonial; **~lage** *f* situación *f* económica *od.* financiera; medios *m/pl.* de fortuna, recursos *m/pl.* (pecuniarios); ⚖ situación *f* patrimonial; **~masse** *f* masa *f* de los bienes; **~nachweis** *m* (*-es*; *-e*) declaración *f* de bienes; comprobación *f* del estado de fortuna; **~recht** ⚖ *n* (*-es*; *0*) derecho *m* patrimonial; **~stand** *m* (*-es*; *"e*) → *Vermögenslage*; **~steuer** *f* (*-*; *-n*) impuesto *m* sobre el capital; **~übernahme** ⚖ *f* asunción *f* de patrimonio; **~übertragung** *f* transmisión *f* de bienes; **~verhältnisse** *pl.* → *Vermögenslage*; **~verlust** *m* (*-es*; *-e*) pérdida *f* de los bienes (*od.* de la fortuna); **~verwalter** *m* administrador *m* de bienes; ⚖ (*für Rechtsunfähige*) curador *m*; **~verwaltung** *f* administración *f* de bienes; ⚖ curaduría *f*; **~verzeichnis** *n* (*-ses*; *-se*) inventario *m* total del patrimonio; **~werte** *pl.* valores *m/pl.*; bienes *m/pl.*; **~zuwachs** *m* (*-es*; *0*) aumento *m* del capital; **~zuwachssteuer** *f* (*-*; *-n*) impuesto *m* sobre el aumento del capital.

ver'mottet *adj.* apolillado.

ver'mumm|en (-) *v/t. Gesicht*: embozar; (*verkleiden*) disfrazar; (*maskieren*) enmascarar; *sich* ~ embozarse; disfrazarse; enmascararse; **Sung** *f* (*Verkleidung*) disfraz *m*.

ver'murksen (*-t*; -) F *v/t.* echar a perder.

ver'mut|en (*-e-*; -) *v/t.* suponer; presumir; (*schließen*) conjeturar; (*argwöhnen*) sospechar; (*sich einbilden*) imaginarse; **~lich I.** *adj.* presumible; presuntivo; (*wahrscheinlich*) probable; *~er Erbe* heredero presunto; *~er Täter* presunto autor; **II.** *adv.* probablemente; según las apariencias; *einleitend*: es de suponer que ...; **Sung** *f* suposición *f*; supuesto *m*; *bsd.* ⚖ presunción *f*; (*Schluß*) conjetura *f*; (*Argwohn*) sospecha *f*; (*Theorie, Mutmaßung*) especulación *f*; *bloße* ~ mera suposición; *aller* ~ *nach* según parece; *gegen alle* ~ insospechadamente; contra toda previsión; contrariamente a lo que se esperaba; *~en anstellen* conjeturar; hacer conjeturas (*über ac.* sobre).

ver'nachlässig|en (-) *v/t.* descuidar; (*wenig Sorge tragen für*) desatender; *sich* ~ abandonarse; **~t** *adj.* descuidado; *in der Kleidung*: *a.* desaliñado; (*verwahrlost*) abandonado; **Sung** *f* (*0*) descuido *m*; negligencia *f*; *der Kleidung*: desaliño *m*; (*Verwahrlosung*) abandono *m*.

ver'nagel|n (*-le*; -) *v/t.* clavar; (*falsch od. schlecht nageln*) clavar mal; **~t** *fig. adj.* (*beschränkt, borniert*) obtuso, de cortos alcances.

ver'nähen (-) *v/t.* (*zunähen*) coser; *Garn*: gastar (con exceso) en coser.

ver'narb|en (-; *sn*) *v/i.* cicatrizar(se); **Sen** *n*, **Sung** *f* cicatrización *f*.

ver'narr|en (-) *v/refl.*: *sich in j-n* ~, *in j-n vernarrt sein* enamorarse perdidamente de alg.; estar loco por alg.; P estar chiflado (*od.* chalado) por alg.; **Stheit** *f* (*0*) locura *f* (de amor); P chifladura *f*.

ver'naschen (-) *v/t.* gastar en golosinas.

ver'nebel|n (*-le*; -) *v/t. Phys.* vaporizar; nebulizar; ⚔ cubrir, envolver *od.* ocultar con niebla artificial; *fig.* ofuscar; **Sung** *f* ocultación *f* con niebla artificial; cortina *f* de niebla *bzw.* de humo; *fig.* ofuscación *f*.

ver'nehm|bar *adj.* perceptible al oído; audible; **Sbarkeit** *f* (*0*) audibilidad *f*; **~en** (*L*; -) *v/t.* (*hören*) percibir, oír; (*erfahren*) saber, llegar a saber; *ich habe vernommen, daß* ... he oído decir que, me han dicho que ...; ⚖ interrogar; tomar declaración; **Sen** *n*: *dem* ~ *nach* según dicen; a juzgar por lo que dicen; *gutem* ~ *nach* ... de fuente autorizada se sabe que ...; *im* ~ *mit* de acuerdo con; **~lich** *adj.* claro, distinto; (*verständlich*) inteligible; **Sung** ⚖ *f* toma *f* de declaración; *der Angeklagten*: interrogatorio *m*; **~ungsfähig** *adj.* en condiciones para prestar declaración; en estado de declarar.

ver'neig|en (-) *v/refl.*: *sich* ~ (*vor dat.* ante); hacer (una) reverencia; **Sung** *f* inclinación *f*; reverencia *f*.

ver'nein|en (-) *v/t.* negar; decir que no; contestar (*od.* responder) negativamente (*e-e Frage* a una pregunta); **~end** *adj.* negativo; **Sung** *f* (*Verweigerung*) negativa *f*; *Gr.* negación *f*; **Sungsfall** *m* (*-es*; *"e*): *im* ~ en caso de (respuesta) negativa; **Sungssatz** *Gr. m* (*-es*; *"e*) oración *f* negativa; **Sungswort** *Gr. n* (*-es*; *"er*) partícula *f* negativa, negación *f*.

ver'nicht|en (*-e-*; -) *v/t.* aniquilar; anonadar, reducir a la nada; (*zerstören*) destruir; (*ausrotten*) exterminar; **~end** *adj.* aniquilador; (*zerstörend*) destructor; (*ausrottend*) exterminador; *Blick*: aniquilador, fulminador; *Niederlage*: aplastante; *Kritik*: demoledor.

Ver'nichtung *f* aniquilación *f*, aniquilamiento *m*; anonadamiento *m*; (*Zerstörung*) destrucción *f*; (*Ausrottung*) exterminio *m*; **~skrieg** *m* (*-es*; *-e*) guerra *f* de exterminio; **~slager** *n* campo *m* de exterminio; **~sschlacht** *f* batalla *f* de aniquilamiento.

ver'nickel|n (*-le*; -) *v/t.* niquelar; **Sn** *n*, **Sung** *f* niquelado *m*.

ver'niedlichen (-) *v/t.* minimizar.

ver'niet|en (*-e-*; -) *v/t.* remachar, roblonar; **Sen** *n*, **Sung** *f* remachado *m*, roblonado *m*.

Ver'nunft *f* (*0*) razón *f*; (*Begriffsvermögen*) entendimiento *m*, intelecto *m*; (*Urteilskraft*) juicio *m*; (*gesunder Menschenverstand*) sentido *m* común; buen sentido *m*; sano criterio *m*; *zur* ~ *bringen* hacer entrar en razón; *wieder zur* ~ *bringen* hacer volver a la razón; *wieder zur* ~ *kommen* recobrar el juicio; volver a la razón; ~ *annehmen* atender a razones; **Sbegabt** *adj.* (*0*) dotado de razón; racional; **~ehe** *f* matrimonio *m* de conveniencia.

Vernünfte'lei *f* sutilezas *f/pl.*

ver'nünfteln (*-le*; -) *v/i.* sutilizar.

ver'nunft|gemäß *adj.* conforme a la razón; lógico; racional; razonable; **Sglaube** *m* (*-ns*; *0*) racionalismo *m*; **Sgläubige(r)** *m* racionalista *m*; **Sgrund** *m* (*-es*; *"e*) argumentos *m/pl.* racionales; **Sheirat** *f* → *Vernunftehe*.

ver'nünftig *adj.* razonable; sensato; (*gescheit*) discreto; inteligente; (*folgerichtig*) lógico; (*auf Vernunft gegründet*) racional; (*artig*) juicioso; (*klug*) prudente; (*ordentlich*) serio; formal; ~ *werden* F sentar la cabeza; ~ *reden* hablar razonablemente; **~erweise** *adv.* con buen sentido; razonablemente; **Skeit** *f* (*0*) razón *f*; buen sentido *m*; sensatez *f*; buen juicio *m*; (*Logik*) lógica *f*.

Ver'nunft|lehre *f* lógica *f*; **Slos** *adj.* falto de razón; irrazonable; **~losigkeit** *f* (*0*) falta *f* de razón; falta *f* de lógica; **Smäßig** *adj.* racional; **~mäßigkeit** *f* (*0*) racionalidad *f*; **~schluß** *m* (*-sses*; *"sse*) silogismo *m*; **~wesen** *n* (*-s*; *0*) ser *m* racional; **Swidrig** *adj.* contrario a la razón; irracional; ilógico; absurdo; **~widrigkeit** *f* irracionalidad *f*; absurdidad *f*.

ver'nuten (*-e-*; -) ⊕ *v/t.* ranurar, hacer ranuras.

ver'öd|en (*-e-*; -) **1.** *v/t.* (*verwüsten*) dejar desierto; (*verheeren*) devastar; desolar; asolar; (*entvölkern*) despoblar; **2.** (*sn*) *v/i.* quedar desierto; (*sich entvölkern*) despoblarse, quedar despoblado; **Sung** *f* devastación *f*; desolación *f*; asolamiento *m*; (*Entvölkerung*) despoblación *f*.

ver'öffentlich|en (-) *v/t.* publicar; *Gesetz*: promulgar; **Sen** *n*, **Sung** *f* publicación *f*; *e-s Gesetzes*: promulgación *f*.

Vero'nal [v] *n* (*-s*; *0*) *Phar.* veronal *m*.

Ve'ronika [v] *f* Verónica *f*.

ver'ordn|en (*-e-*; -) *v/t.* mandar, ordenar; decretar; (*verfügen*) disponer; (*festsetzen*) establecer; instituir; ⚕ prescribir; recetar; **Sung** *f* orden *f*; ordenanza *f*, reglamento *m*; decreto *m*; *päpstliche*: decretal *f*; ⚕ prescripción *f* (facultativa); *Rezept*: receta *f*; **Sungsblatt** *n* (*-es*; *"er*) boletín *m* oficial, gaceta *f*; **Sungsweg** *m*: *auf dem* ~ por disposición oficial.

ver'pacht|en (*-e-*; -) *v/t.* arrendar, dar en arriendo; (*vermieten*) alquilar; **Sen** *n*, **Sung** *f* arrendamiento *m*; alquiler *m*.

Ver'pächter(in *f*) *m* arrendador (-a *f*) *m*.

ver'pack|en (-) *v/t.* embalar; *in Pakete*: empaquetar; *in Ballen*: enfardar; **Sen** *n*, **Sung** *f* embalaje *m*; envase *m*; **Ser** *m* embalador *m*; empaquetador *m*; **Serin** *f* empaquetadora *f*; **Sungsgewicht** *n* (*-es*; *-e*) tara *f*; **Sungskosten** *pl.* gastos *m* de embalaje; **Sungsmaterial** *n* (*-s*; *-ien*) material *m* de embalaje.

ver'päppeln (*-le*; -) F *v/t.* mimar (con exceso).

ver'passen (*-ßt*; -) *v/t. Gelegenheit*: desaprovechar, dejar escapar; desperdiciar; *Zug*: perder; *Kleidung*: ajustar; probar; F (*verabfolgen*) dar, F atizar, arrear, sacudir; *j-m e-n*

Schlag ~ dar un golpe a alg.; F *j-m eins* ~ atizar *od.* arrear un golpe a alg.

ver'patzen (-*t*; -) F *v/t.* echar a perder; estropear; P *fig.* reventar.

ver'pest|en (-*e*-; -) *v/t.* apestar; infestar; **~end** *adj.* apestoso; pestilente, pestífero; mefítico; **2ung** *f* infestación *f*.

ver'petzen (-*t*; -) P *v/t.* acusar; delatar; F soplonear; P chivarse.

ver'pfänd|en (-*e*-; -) *v/t.* empeñar (*a. fig. sein Wort* su palabra), pignorar; *Besitz*: hipotecar; **2ung** *f* empeño *m*, pignoración *f*; hipoteca *f*.

ver'pfeffern (-*re*; -) *v/t.* sazonar con demasiada pimienta *f*.

ver'pfeifen (*L*; -) P *v/t.* traicionar; delatar, F soplonear; P chivarse.

ver'pflanz|en (-*t*; -) *v/t.* trasplantar (*nach, in ac.* a); ⚘ *a.* injertar; **2ung** *f* trasplante *m*; ⚘ injerto *m*; transplantación *f*.

ver'pfleg|en (-) *v/t.* (*beköstigen*) alimentar; (*unterhalten*) sustentar, mantener; (*hüten*) cuidar a, *Kranke*: *a.* asistir a; *mit Lebensmitteln beliefern*: abastecer; ⚔ aprovisionar, avituallar; **2ung** *f* (*0*) (*Beköstigung*) alimentación *f*, comida *f*; *mit* ~ con pensión; (*Unterhaltung*) sustento *m*, mantenimiento *m*, manutención *f*; *des Kranken*: cuidado *m*, cuidados *m/pl.*, asistencia *f*; *Belieferung v. Lebensmitteln*: abastecimiento *m*; ⚔ aprovisionamiento *m*, avituallamiento *m*; (*Proviant*) provisiones *f/pl.*, ⚔ víveres *m/pl.*, vituallas *f/pl.*

Ver'pflegungs...: ~amt ⚔ *n* (-*es*; ⁓*er*) intendencia *f* de víveres; **~ausgabe** ⚔ *f* distribución *f* de víveres; **~ausgabestelle** ⚔ *f* centro *m* de distribución de víveres; **~empfang** ⚔ *m* (-*es*; *0*) recepción *f* de víveres; **~kosten** *pl.* gastos *m/pl.* de manutención; **~lage** *f* estado *m* del abastecimiento; **~lager** ⚔ *n* depósito *m* de víveres; **~satz** *m* (-*es*; ⁓*e*) ración *f*; **~stärke** ⚔ *f* (*0*) efectivo *m* de raciones; **~station** ⚔ *f* centro *m* de avituallamiento; **~wesen** ⚔ *n* (-*s*; *0*) intendencia *f* de víveres.

ver'pflicht|en (-*e*-; -) *v/t.* obligar (*zu* a); comprometer (*zu* a); *j-n zu Dank* ~ obligar a alg.; *eidlich* ~ juramentar; *sich* ~ *zu* obligarse a; comprometerse a; **~et** *adj.* obligado (*zu* a); *j-m* ~ *sein* estar obligado a alg.; estar en deuda con alg.; *ich bin ihm sehr* ~ le estoy muy obligado; le debo mucho; **~end** *adj.* obligatorio; que obliga; que compromete; **2ung** *f* compromiso *m*; (*Pflicht*) deber *m*, obligación *f*; e-e ~ *eingehen* (*od. übernehmen*) contraer una obligación *od.* un compromiso; *s-n* ~*en nachkommen, s-e* ~*en erfüllen* cumplir sus obligaciones; *s-e* ~*en nicht erfüllen* faltar a (*od.* no cumplir) sus obligaciones *od.* sus compromisos; *j-m e-e* ~ *auferlegen* imponer a alg. una obligación; ~*en pl.* ✝ pasivo *m*.

ver'pfusch|en (-) F *v/t.* chapucear, frangollar; chafallar; **~t** *adj.*: *ein* ~*es Leben* una vida fracasada; una vida mal empleada.

ver'pich|en (-) *v/t.* empegar, empecinar; ⚓ embrear; calafatear; **~t** *fig. adj.*: ~ *auf* obstinado en.

ver'pimpeln (-*le*; -) F *v/t.* mimar excesivamente.

ver'plappern (-*re*; -) *v/t.*: *die Zeit* ~ F pasar el tiempo de cháchara; *sich* ~ írsele a alg. la lengua, *fig.* descoserse.

ver'plaudern (-*re*; -) *v/t.*: *die Zeit* ~ pasarse las horas charlando.

ver'plempern (-*re*; -) F *v/t.* (*vergeuden*) despilfarrar; desperdiciar; malgastar tontamente; *sich* ~ F chalarse; enamoricarse neciamente.

ver'pön|en (-) *v/t.* prohibir; **~t** *adj.* mal visto.

ver'prass|en (-*ßt*; -) *v/t.* disipar en orgías *f/pl.*; derrochar el dinero; **2en** *n*, **2ung** *f* (*0*) disipación *f*; derroche *m*.

verproletari'sieren (-) *v/t.* proletarizar.

verprovian'tier|en (-) **1.** *v/t.* aprovisionar, abastecer, ⚔ avituallar, proveer de víveres; **2.** *v/refl.*: *sich* ~ aprovisionarse, abastecerse, ⚔ avituallarse, proveerse de víveres; **2ung** *f* (*0*) aprovisionamiento *m*, abastecimiento *m*, ⚔ avituallamiento *m*; provisión *f* de víveres.

ver'prügeln (-*le*; -) *v/t.*: *j-n* ~ F moler a palos, medir las costillas, dar para el pelo, arrimar candela, sacudir el polvo a alg.

ver'puffen (-; *sn*) *v/i.* estallar sin efecto; *fig.* no dar resultado, ser nulo; irse en humo; perderse.

ver'pulvern (-*re*; -) F *v/t.* *Geld*: malgastar, derrochar, F gastar a lo loco, *fig.* quemar el dinero.

ver'pupp|en (-) *v/refl.*: *sich* ~ (*Raupe*) transformarse en crisálida; **2en** *n*, **2ung** *f* transformación *f* en crisálida.

ver'pusten [u:] (-*e*-; -) F *v/refl.*: *sich* ~ tomar aliento.

Ver'putz ⚠ *m* (-*es*; *0*) enlucido *m*, revoque *m*; **2en** (-*t*; -) *v/t.* enlucir, revocar.

ver'qualm|en (-) F *v/t.* *Tabak*: fumar; **~t** *adj.* lleno de humo.

ver'quer *adv.* de través; en diagonal.

ver'quick|en (-) *v/t.* mezclar; entremezclar; amalgamar, fusionar; **2ung** *f* mezcla *f* (confusa); amalgama *f*, fusión *f*.

ver'quollen *adj.* *Tür, Fenster*: hinchado por la humedad.

ver'rammeln (-*le*; -) *v/t.* (*sperren*) barrear; *Tür*: atrancar.

ver'ramschen (-) F *v/t.* baratear, malvender.

ver'rannt *adj.* (*starrköpfig*) obstinado, empeñado; F emperrado (*in ac.* en); (*närrisch*) F barrenado, mochales; (*wunderlich*) extravagante, estrafalario; ~ *sein in* (*ac.*) aferrarse a; obstinarse, F emperrarse en.

Ver'rat *m* (-*es*; *0*) traición *f*; (*Tücke*) alevosía *f*; (*Treulosigkeit*) deslealtad *f*; perfidia *f*; felonía *f*; (*Hoch2*) alta traición *f*; ~ *üben* (*od. begehen*) cometer una traición; *e-n* ~ *an j-m begehen* traicionar a alg.; **2en** (*L*; -) *v/t.* traicionar (*ac.*), hacer traición a; *der Polizei usw.*: delatar; (*ausplaudern*) F irse de la lengua, *fig.* descoserse; *Geheimnis*: revelar, descubrir; *sich* ~ (*s-e wahre Natur zeigen*) traicionarse; dejar entrever su verdadero carácter, F *fig.* enseñar la oreja; (*erkennen lassen*) denotar; *fig.* (*verkaufen*) vender; ~ *und verkauft sein* estar perdido; estar vendido; *sich wie* ~ *und verkauft vorkommen* no saber qué hacer (*od.* qué partido tomar); *können Sie mir* ~ ...? ¿puede usted decirme ...?

Ver'räter *m* traidor *m*; (*heimtückischer*) traicionero *m*; **~in** *f* traidora *f*; traicionera *f*.

Verräte'rei *f* traición *f*; alevosía *f*.

ver'räterisch I. *adj.* traidor; (*heimtückisch*) alevoso; traicionero; (*treulos*) desleal; pérfido; felón; *fig.* revelador; **II.** *adv.* a traición; (*heimtückisch*) con alevosía, alevosamente.

ver'rauchen (-) **1.** (*sn*) *v/i.* disiparse en humo; (*verdampfen*) evaporarse (*a. fig.*); *fig.* desvanecerse, disiparse, quedar en nada; **2.** *v/t.* *Geld*: gastar en tabaco.

ver'räucher|n (-*re*; -) *v/t.* ahumar; **~t** *adj.* ahumado; ennegrecido por el humo.

ver'rauschen (-; *sn*) *fig.* *v/i.* pasar; disiparse; evaporarse.

ver'rechn|en (-*e*-; -) *v/t.* ✝ abonar en cuenta; (*abziehen*) descontar, deducir; (*belasten*) cargar en cuenta; (*abrechnen*) liquidar; ajustar; (*gegeneinander aufrechnen*; *vergüten*) compensar; *sich* ~ equivocarse en sus cálculos (*a. fig.*); cometer un error de cálculo; *sich um 10 Mark* ~ equivocarse en diez marcos; **2ung** *f* ✝ abono *m* en cuenta; (*Abzug*) descuento *m*; (*Abrechnung*) ajuste *m*; (*Vergütung*) compensación *f*; *im Verrechnungsverkehr*: *angl.* clearing *m*; (*Rechenfehler*) error *m* de cálculo; ✝ *Scheck*: *nur zur* ~ para abonar en cuenta.

Ver'rechnungs...: ~abkommen *n* convenio *m* de compensación; **~kammer** *f* (-; -*n*) cámara *f* de compensación; **~kasse** *f* caja *f* de compensación; **~konto** *n* (-*s*; -*konten*) cuenta *f* de compensación; **~kurs** *m* (-*es*; -*e*) cambio *m* de cuenta; **~posten** *m* partida *f* de compensación; **~scheck** *m* (-*s*; -*s*) cheque *m* cruzado; **~stelle** *f* → *Verrechnungskammer*; **~system** *n* (-*s*; -*e*) sistema *m* de compensación; **~verkehr** *m* (-*s*; -*e*) operaciones *f/pl.* de compensación; (operaciones *f/pl.* de) *angl.* clearing *m*.

ver'recken (-; *sn*) P *v/i.* reventar; P estirar la pata.

ver'regn|en (-*e*-; -; *sn*) *v/i.* echarse a perder con la lluvia; *Veranstaltung*: deslucirse por la lluvia; no celebrarse (*od.* suspenderse) a causa de la lluvia; F aguarse; **~et** *adj.* deslucido por la lluvia; ~*er Sommer* verano lluvioso *od.* F pasado por agua.

ver'reiben (*L*; -) *v/t.* *Salbe*: extender frotando; *Fleck*: quitar estregando; (*zerreiben*) triturar; pulverizar.

ver'reis|en 1. (-; *sn*) *v/i.* irse de viaje (*nach* a); ausentarse; **2.** *v/t.* *Geld*: gastar en viajes; **~t** *adj.*: *er ist* ~ está de viaje; está ausente.

ver'reißen (*L*; -) *v/t.* F (*zerreißen*) rasgar; desgarrar; *fig.* F: *j-n* ~ (*kritisieren*) criticar duramente a alg.; F poner verde a alg.; no dejar hueso sano a alg.

ver'renk|en (-) *v/t.* (*verzerren*) con-

torcer; (*ausrenken*) dislocar, ⚕ luxar; *sich den Arm* ~ dislocarse el brazo; ≈en *n*, ≈ung *f* (*Verzerrung*) distorsión *f*; ⚕ esguince *m*; (*Ausrenkung*) dislocación *f*, ⚕ luxación *f*.
ver'rennen (*L*; -) *v/refl.*: *sich* ~ (*sich verirren*) desviarse del camino, extraviarse; *starrköpfig*: obstinarse (*in ac.* en); encastillarse en; F no dar su brazo a torcer; P emperrarse en.
ver'richt|en (-*e*-; -) *v/t.* hacer; (*ausführen*) ejecutar; (*erfüllen*) cumplir; *sein Gebet* ~ rezar sus oraciones; *s-e Notdurft* ~ hacer sus necesidades; ≈ung *f* ejecución *f*; cumplimiento *m*; *bsd. der Organe*: función *f*; (*Beschäftigung*) ocupación *f*; (*Arbeit*) trabajo *m*; *häusliche* ~en quehaceres *m/pl.* domésticos.
ver'riegeln (-*le*; -) *v/t.* cerrar con cerrojo; *mit Querriegel*: atrancar; ⊕ enclavar.
ver'ringer|n (-*re*; -) *v/t.* disminuir; aminorar; rebajar; reducir; *die Geschwindigkeit* ~ reducir la velocidad; disminuir la marcha; ≈ung *f* disminución *f*; aminoración *f*; rebaja *f*; reducción *f*.
ver'rinnen (*L*; -; *sn*) *v/i.* correr; *Zeit*: *a.* pasar, transcurrir.
ver'roh|en (-) **1.** *v/t.* enrudecer; embrutecer; **2.** (*sn*) *v/i.* enrudecerse; embrutecerse, aburrarse; ≈ung *f* embrutecimiento *m*.
ver'rost|en (-*e*-; -; *sn*) *v/i.* oxidarse; enmohecerse; ~et *adj.* oxidado; herrumbroso; ≈ung *f* oxidación *f*; enmohecimiento *m*.
ver'rott|en (-*e*-; -; *sn*) *v/i.* pudrirse; corromperse (*a. fig.*); ~et *adj.* podrido; *fig.* corrupto; ~*er Dung* mantillo *m*.
ver'rucht *adj.* infame; malvado; (*gottlos*) impío; *Verbrechen*: atroz; ≈heit *f* (*0*) infamia *f*; maldad *f*; (*Gottlosigkeit*) impiedad *f*.
ver'rück|bar *adj.* movible; corredizo; ~en (-) *v/t.* cambiar de sitio, remover; (*verschieben*) correr; *in Unordnung bringen*: desarreglar; desordenar; *Typ.* desalinear (*ac.*).
ver'rückt *adj.* loco, demente, alienado, perturbado; maniático; (*gedankenlos*) disparatado, desatinado; (*unsinnig*) absurdo; F majareta, barrenado, ido, tocado; locatis, mochales; chalado, guillado; *fig.* ~ *sein nach od. auf* (*ac.*) estar loco por; ~*e Idee* locura; idea descabellada; ~ *machen* volver loco (*j-n* a alg.); ~ *werden* volverse loco, perder el juicio; *wie* ~ como un loco; ≈e(r) *m* loco *m*; demente *m*, orate *m*; ≈heit *f* (*Wahnsinn*) locura *f*, demencia *f*; enajenación *f* mental; ≈werden *n*: *es ist zum* ~ es para volverse loco.
Ver'ruf *m* (-*es*; *0*) descrédito *m*; mala reputación *f*, mala fama *f*; ✝ (*Boykott*) boicot *m*, boicoteo *m*; *in* ~ *kommen* caer en descrédito; *in* ~ *stehen* tener mala reputación; *in* ~ *bringen* desacreditar, poner en descrédito; ≈en *adj.* desacreditado; de mala reputación *od.* fama; sospechoso; ~*es Haus* casa non sancta, casa de mal vivir.
ver'rühren (-) *v/t.* mezclar revolviendo; desleír.
ver'ruß|en (-*ßt*; -; *sn*) *v/i.* cubrirse de hollín; *Pfanne, Topf*: tiznarse; ~t *adj.* cubierto de hollín; tiznado.
ver'rutschen (-; *sn*) *v/i.* (*sich verschieben*) correrse.
Vers *m* (-*es*; -*e*) verso *m*; (*Strophe*) estrofa *f*; (*Bibel*≈, *Gesangbuch*≈) versículo *m*; *in* ~*e bringen* poner en verso, versificar; *fig. ich kann mir daraus keinen* ~ *machen* no me lo explico; no acierto a comprenderlo.
ver'sag|en (-) **1.** *v/t.* rehusar; negar; no conceder, denegar; (*nicht annehmen*) declinar, no aceptar; *sich nichts* ~ no privarse de nada; *ich kann es mir nicht* ~, *zu* (*inf.*) no puedo menos de (*inf.*); **2.** *v/i.* *Stimme, Kräfte*: faltar; *Schußwaffe*: fallar, *automatische*: encasquillarse; ⊕ no funcionar; *Motor*: fallar; (*moralisch*) fracasar; (*unwirksam sein*) ser ineficaz, no dar resultado; *die Knie versagten mir* me flaquearon las piernas; ≈en *n* fallo *m*; (*Panne*) avería *f*; ≈er *m beim Schießen*: fallo *m*, *e-r automatischen Waffe*: encasquillamiento *m*; (*Blindgänger*) bomba *f bzw.* granada *f* no estallada; *fig.* fracaso *m*; *Person*: fracasado *m*; ≈ung *f* (*Ablehnung*) denegación *f*; negativa *f*.
ver'sacken (-; *sn*) *v/i.* (*versinken*) hundirse; naufragar (*a. fig.*).
'Vers-akzent *m* (-*es*; -*e*) acento *m* métrico.
Ver'salien [v] *Typ. f/pl.* versales *f/pl.*
ver'salzen (-*t*; -) *v/t.* salar demasiado; *fig.* (*Freude*) turbar; amargar; (*Plan*) desbaratar; F echar a rodar; (*Fest*) aguar.
ver'samm|eln (-*le*; -) *v/t.* juntar; reunir; congregar; (*einberufen*) convocar; *sich* ~ reunirse; ≈lung *f* asamblea *f*; junta *f* (*a.* ✝); (*Treffen*) reunión *f*, *Pol.* mitin *m*; (*Kongreß*) congreso *m*; *beratende* (*gesetzgebende*; *verfassungsgebende*) ~ asamblea consultiva (legislativa; constituyente); *öffentliche* ~ reunión pública; *e-e* ~ *einberufen* convocar una asamblea *bzw.* una junta; *e-e* ~ *abhalten* celebrar una asamblea *bzw.* una junta *bzw.* una reunión; *e-r* ~ *beiwohnen* (*an e-r* ~ *teilnehmen*) asistir a (participar en) una asamblea; ≈lungs-ort *m* (-*es*; -*e*) punto *m* de reunión; ≈lungsraum *m* (-*es*; ⸚*e*) sala *f* de reunión; ≈lungsrecht *n* (-*es*; -*e*) derecho *m* de reunión.
Ver'sand *m* (-*es*; *0*) envío *m*; (*Abfertigung*) expedición *f*, despacho *m*; (*Export*) exportación *f*; ~abteilung *f* servicio *m* de expedición; ~anzeige ✝ *f* aviso *m* de envío; ~artikel *m* artículo *m* de exportación; ~bedingungen *f/pl.* condiciones *f/pl.* de envío; ≈bereit *adj.* listo para ser expedido; ~bier *n* (-*es*; -*e*) cerveza *f* de exportación.
ver'sanden (-*e*-; -) **1.** *v/t.* enarenar; cubrir de arena; **2.** (*sn*) *v/i.* cubrirse de arena; obstruirse con arena; *Brunnen*: cegarse.
Ver'sand...: ~erklärung *f* nota *f* de envío; ≈fertig *adj.* → *versandbereit*; ~geschäft *n* (-*es*; -*e*) ventas *f/pl.* por correspondencia; → ~haus *n* (-*es*; ⸚*er*) almacén *m* de ventas por pedido postal; ~kosten *pl.* gastos *m/pl.* de envío; ~rechnung *f* factura *f* de expedición; ~wechsel *m* letra *f* trayecticia.
Ver'satz *m* (-*es*; *0*): *in* ~ *geben* empeñar; dar en prenda; ~amt *n* (-*es*; ⸚*er*) monte *m* de piedad; ~mauer ⚒ *f* (-; -*n*) muro *m*; ~stück *n* (-*es*; -*e*) prenda *f*; *Thea.* ~*e pl.* decoraciones *f/pl.* movibles.
ver'sauen (-) P *v/t.* (*verderben*) echar a perder; → *versalzen, fig.*; (*verpfuschen*) chapucear; (*besudeln*) emporcar, ensuciar.
ver'sauern (-*re*; -; *sn*) *v/i.* agriarse; *Wein*: avinagrarse; *fig.* embrutecerse, aburrarse.
ver'saufen (*L*; -) **1.** *v/t.* P *Geld*: gastar en la bebida; beberse; *s-n Verstand* ~ embrutecerse con la bebida; **2.** (*sn*) *v/i.* *Vieh*: ahogarse; ⚒ inundarse.
ver'säum|en (-) *v/t.* *Schule*: no asistir, faltar a, *schwänzen*: hacer novillos; *Gelegenheit*: perder, desaprovechar, dejar escapar; *Zug, Schiff*: perder; *Pflicht*: faltar a; (*nicht dabeisein*) no estar presente en, faltar a, no asistir a; *Zeit*: perder; *Geschäft*: desatender; (*verabsäumen*) descuidar; (*unterlassen*) omitir; *nicht* ~, *zu* (*inf.*) no dejar de (*inf.*); *Versäumtes nachholen* recuperar lo perdido; ≈nis *n* (-*ses*; -*se*) *e-r Gelegenheit*: pérdida *f* de la ocasión; (*versäumte Zeit*) pérdida *f* de tiempo; (*Vernachlässigung*) negligencia *f*; descuido *m*; (*Unterlassung*) omisión *f*; (*Verspätung*) demora *f*, tardanza *f*; *Schule*: no asistencia *f* a; ≈nisliste *f* lista *f* de ausentes; ≈nis-urteil ⚖ *n* (-*es*; -*e*) sentencia *f* en rebeldía; ≈ung *f* → *Versäumnis*.
'Versbau *m* (-*es*; *0*) versificación *f*; métrica *f*.
ver'schachern (-*re*; - F *v/t.* vender, F trapichear.
ver'schachtelt *adj.*: ~*er Satz* frase intrincada.
ver'schaffen (-) *v/t.* procurar, proporcionar, facilitar; (*liefern*) proveer de; suministrar; *sich et.* ~ procurarse a/c.; *sich Respekt* ~ hacerse respetar; *sich Recht* ~ hacerse justicia, *auf eigene Faust*: tomarse la justicia por su mano; *sich e-n Vorteil* ~ conseguir una ventaja.
ver'schal|en (-) *v/t.* revestir de tablas; △ *Betonbau*: encofrar; ≈ung *f* revestimiento *m* de tablas; △ *Betonbau*: encofrado *m*.
ver'schämt *adj.* vergonzoso; ruboroso; (*schüchtern*) tímido; (*züchtig*) pudoroso; recatado; (*verlegen*) confuso; ~*er Armer* pobre vergonzante; ≈heit *f* (*0*) vergüenza *f*; rubor *m*; timidez *f*; pudor *m*; confusión *f*.
ver'schandeln (-*le*; -) *v/t.* destrozar; estropear; deformar; *Sprache*: maltratar, F *hum.* asesinar; *Landschaft*: desfigurar; *Musikstück*: *iro.* ejecutar, *fig.* degollar.
ver'schanz|en (-*t*; -) *v/t. u. v/refl.* atrincherar; parapetar; fortificar; *sich* ~ atrincherarse; parapetarse; fortificarse; hacerse fuerte; *fig. sich* ~ *hinter* (*dat.*) abroquelarse con; escudarse detrás de; ≈ung *f* atrincheramiento *m*; trinchera *f*; parapeto *m*.

ver'schärf|en (-) *v/t.* agravar; *Tempo*: acelerar; *Gegensätze*: ahondar; intensificar; *sich* ~ agravarse; *Krankheit*: agudizarse; **2ung** *f* agravación *f*; *des Tempos*: aceleración *f*.

ver'scharren (-) *v/t.* soterrar; cubrir con tierra.

ver'schätzen (-*t*; -) *v/i.* equivocarse en la estimación *od.* evaluación de a/c.

ver'scheiden I. (*L*; -; *sn*) *v/i.* fallecer, expirar, morir; **II.** 2 *n* fallecimiento *m*, muerte *f*; óbito *m*.

ver'schenken I. (-) *v/t.* dar; regalar, dar de regalo; obsequiar; *Getränke*: vender, despachar; **II.** 2 *n* obsequio *m*; donación *f*.

ver'scherzen (-*t*; -) *v/t.* perder por ligereza a/c.; *j-s Gunst*: perder las simpatías de alg.; *Gelegenheit*: desperdiciar; dejar escapar.

ver'scheuchen (-) *v/t.* ahuyentar; *Jgdw.* espantar; *fig.* disipar.

ver'schick|en (-) *v/t.* enviar, mandar; remitir; (*abfertigen*) expedir, despachar; ⚖ *Sträfling*: deportar; (*evakuieren*) evacuar; **2ung** *f* envío *m*; (*Abfertigung*) expedición *f*, despacho *m*; ⚖ deportación *f*; (*Evakuierung*) evacuación *f*.

ver'schieb|bar *adj.* móvil; (*einstellbar*) ajustable; (*regulierbar*) regulable; *an e-r Stange usw.*: corredizo; deslizable; **2ebahnhof** *m* (-*es*; ⸗*e*) estación *f* de maniobras; **2egleis** *n* (-*es*; -*e*) vía *f* de servicio; **2elokomotive** *f* locomotora *f* de maniobra; **~en** (*L*; -) *v/t.* cambiar de sitio; remover; (*an e-n anderen Ort*) trasladar; (*v. Mittelpunkt weg*) descentrar; (*v. der Geraden*) desviar; (*in Unordnung bringen*) revolver; (*verzögern*) retardar; (*vertagen*) aplazar (*auf ac.* para); *Frist*: diferir, retrasar; *Schiebetür, Laufgewicht usw.*: correr; ⚕ trasladar; ⚡ desfasar; 🚂 (*rangieren*) hacer maniobras; ✝ *Ware*: F vender bajo mano; *sich* ~ cambiar de sitio; descentrarse; desviarse; correrse; **2ung** *f* cambio *m* de sitio; remoción *f*; traslado *m*; desviación *f*; aplazamiento *m*; retraso *m*; ✝ venta *f* clandestina.

ver'schieden[1] *p/p. v. verscheiden.*

ver'schieden[2] **I.** *adj.* diferente; (*divers*) diverso, vario; (*abweichend*) divergente; (*unähnlich*) desigual; desemejante; (*abwechselnd*) variado; (*sich deutlich unterscheidend*) distinto (*von* de); (*mannigfaltig*) múltiple; ~ *sein* diferenciarse (en); diferir; divergir; ser distinto *od.* diferente; ~*er Meinung sein* ser de otra opinión; *an* ~*en Orten* en diversos lugares; *bei* ~*en Gelegenheiten* en diferentes ocasiones; *zu* ~*en Malen* varias veces; repetidas (*od.* reiteradas) veces; más de una vez; *das ist* ~ (*das kommt darauf an*) eso depende; **II.** *adv.* de una manera distinta; de diferente(s) manera(s); **~artig** *adj.* distinto; de distinta especie; (*mannigfach*) variado; (*nicht zusammenpassend*) desigual; dispar; (*entgegengesetzt*) opuesto; (*heterogen*) heterogéneo; **2artigkeit** *f* (*0*) diferencia *f*; diversidad *f*; (*Mannigfaltigkeit*) variedad *f*, multiplicidad *f*; (*Ungleichheit*) disparidad *f*; (*Heterogenität*) heterogeneidad *f*; **~erlei** *adj.* → *verschiedenartig*; *auf* ~ Art de diferentes maneras; **2e(s)** *n* (*mancherlei*) diferentes objetos *m/pl.*; muchas cosas *f/pl.*; *als Zeitungsrubrik*: noticias *f/pl.* varias; *Verschiedenes* (*Tagesordnung*) asuntos *m/pl.* varios; F *da hört doch Verschiedenes auf!* ¡esto ya es el colmo!; **~farbig** *adj.* de varios colores, multicolor; policromo; **2heit** *f* diferencia *f*; diversidad *f*; (*Unähnlichkeit*) desigualdad *f*; desemejanza *f*; disparidad *f*; *der Meinungen*: divergencia *f*; (*Kontrast*) contraste *m*; **~tlich** *adv.* varias veces; repetidas (*od.* reiteradas) veces; más de una vez; en diferentes ocasiones.

ver'schießen (*L*; -) **1.** *v/t.* (*aufbrauchen*) gastar, consumir totalmente; agotar; *Pfeile*: disparar; *Typ.* trasponer; *fig. sein Pulver unnütz* ~ gastar la pólvora en salvas; **2.** *v/refl.*: *sich* ~ agotar las municiones; (*fehlschießen*) errar el tiro; F (*sich verlieben*) enamorarse perdidamente (*in j-n* de alg.); **3.** (*sn*) *v/i. Farbe*: perder viveza; *Stoffe*: descolorirse.

ver'schiff|en (-) *v/t.* transportar (*außer Landes*: exportar) por vía marítima *bzw.* fluvial; (*verladen*) embarcar; **2ung** *f* transporte *m* (por vía marítima *bzw.* fluvial); (*Verladung*) embarque *m*; **2ungshafen** *m* (-*s*; ⸗) puerto *m* de embarque; **2ungspapiere** *pl.* documentos *m/pl.* de embarque; **2ungs-spesen** *pl.* gastos *m/pl.* de embarque.

ver'schimmeln (-*le*; -; *sn*) *v/i.* enmohecer(se).

ver'schlack|en (-; *sn*) *v/i. u. v/refl.* escorificarse; **2ung** *f* escorificación *f*.

ver'schlafen I. (*L*; -) *v/t.*: *die Zeit* ~ pasarse el tiempo durmiendo; dormir demasiado; (*schlafend verpassen*) descuidar, desatender *bzw.* perder por dormir excesivamente; (*schlafend überwinden*) olvidar durmiendo; *s-n Rausch* ~ dormir la borrachera, F dormir la mona; *sich* ~ levantarse *bzw.* despertarse demasiado tarde; F pegársele a uno las sábanas; **II.** *adj.* soñoliento; medio dormido, F adormilado; **2heit** *f* (*0*) soñolencia *f*.

Ver'schlag *m* (-*es*; ⸗*e*) (*Zwischenwand*) tabique *m* de madera; (*Latten2*) enrejado *m* de listones; (*Kiste*) jaula *f*; caja *f* de listones; (*Raum*) apartadizo *m* hecho con tablas; (*Schuppen*) cobertizo *m*; *für Pferde*: compartimiento *m* de cuadra.

ver'schlagen[1] (*L*; -) **1.** *v/t.* (*abtrennen*) tabicar, separar con tabiques; *mit Brettern* ~ revestir de tablas; cerrar con tablas; (*vernageln*) clavar, enclavar; *Buchseite, Ball*: perder; *Schiff*: derrotar, derivar; *an die Küste* ~ *werden* ser arrojado a la costa; *in e-e Stadt usw.* ~ *werden* ir a parar a; **2.** *v/i.* (*wirken*) hacer efecto; *das verschlägt nicht* (eso) no importa; *Wasser*: (*lau werden*) entibiarse; *es verschlug ihm die Sprache* se quedó atascado (*od.* sin saber qué responder); F se quedó de una pieza.

ver'schlagen[2] *adj.* astuto, taimado, ladino; socarrón; disimulado, solapado; *Wasser*: tibio; templado; **2heit** *f* (*0*) astucia *f*; socarronería *f*; disimulo *m*.

ver'schlammen (-) **1.** *v/t.* encenagar; embarrar; **2.** (*sn*) *v/i.* encenagarse; embarrarse.

Ver'schlammung *f* (*0*), **Ver'schlämmung** *f* (*0*) encenagamiento *m*.

ver'schlampen (-) *v/t.* descuidar; echar a perder por negligencia *od.* desidia.

ver'schlechter|n (-*re*; -) *v/t. durch Beschädigung*: deteriorar; *in der Qualität*: bajar; desmejorar; (*mindern*) disminuir; (*verschlimmern*) empeorar; agravar; *sich* ~ deteriorarse; (*sich verschlimmern*) empeorarse (*a. Wetter*); agravarse; **2ung** *f* deterioro *m*; (*Minderung*) disminución *f*; (*Verschlimmerung*) empeoramiento *m*; agravación *f*.

ver'schleier|n (-*re*; -) *v/t.* velar, cubrir con un velo; (*verkleiden*) disfrazar; ⚔ enmascarar; *fig.* encubrir; disimular; *Bilanz*: amañar; *sich* ~ *Phot.* velarse; **~t** *adj.* velado (*a. Blick*); *Bilanz*: amañado; **2ung** *f fig.* encubrimiento *m*; disimulo *m*; ⚔ enmascaramiento *m*.

ver'schleifen (-) *v/t.* ♪ *Töne*: ligar.

ver'schleim|en (-) ⚕ *v/t.* obstruir con pituita *od.* flema; **2ung** *f* obstrucción *f* con pituita *od.* flema; (*Katarrh*) catarro *m* (con intensa expectoración).

Ver'schleiß *m* (-*es*; *0*) ⊕ (*Abnutzung*) desgaste *m*; *mechanischer Abrieb*: abrasión *f*; *durch Flüssigkeit*: erosión *f*; (*Anfressung*) corrosión *f*; (*Verkauf*) venta *f* al menudeo; (*Verbrauch*) consumo *m*; **2en** **1.** (*L*; -) *v/t.* ⊕ (*abnutzen*) desgastar; (*verkaufen*) vender al menudeo; **2.** *v/i.* ⊕ desgastarse; **2fest** ⊕ *adj.* resistente al desgaste; **~festigkeit** ⊕ *f* (*0*) resistencia *f* al desgaste.

ver'schlemmen (-) *v/t.* disipar, gastar en orgías.

ver'schlepp|en (-) *v/t.* arrastrar; *Menschen*: *Pol.* deportar (en masa), *neol.* desplazar; (*entführen*) secuestrar; (*verlegen*) extraviar; *zeitlich*: retardar, retrasar; *Parl.* obstruir; (*in die Länge ziehen*) F dar largas a; ⚕ *Seuche*: propagar, transmitir; *Krankheit*: descuidar; **~t** *adj. Pol.*: ~*e Personen* personas *f/pl.* desplazadas; **2ung** *f* arrastre *m*; *v. Menschen*: deportación *f* (en masa), *neol.* desplazamiento *m* (colectivo); (*Entführung*) secuestro *m*; *zeitliche*: retardo *m*, dilación *f*; *Parl.* obstrucción *f*; ⚕ *e-r Seuche*: propagación *f*, transmisión *f*; *e-r Krankheit*: descuido *m*; **2ungsmanöver** *Parl. n* maniobra *f* dilatoria; **2ungspolitik** *f* (*0*) *neol.* política *f* obstruccionista; **2ungs-politiker** *Parl. m neol.* obstruccionista *m*; **2ungstaktik** *Parl. f* táctica *f* dilatoria *od. neol.* obstruccionista.

ver'schleuder|n (-*re*; -) *v/t.* malgastar, desperdiciar; (*Vermögen*) dilapidar, disipar; ✝ malvender, malbaratar, F vender a precio tirado; **2ung** *f* desperdicio *m*; *des Vermögens*: dilapidación *f*, disipación *f*;

✝ venta *f* a cualquier precio, F venta *f* a precios tirados; *im Ausland*: *angl.* dumping *m*.

ver'schließ|bar *adj.* con cerradura; cerradizo; **~en** (*L*; -) *v/t.* cerrar (*a. Briefumschlag*); *mit e-m Schlüssel*: cerrar con llave; (*einschließen*) encerrar; (*verkorken*) taponar; *die Augen vor et.* (*dat.*) ~ cerrar los ojos a; *sich* ~ cerrarse; (*sich einschließen*) encerrarse (con llave); *sich e-r Sache* ~ no querer saber nada de; *sich* ~ *gegen* (*od. dat.*) hacerse sordo a; desoír (*ac.*); F hacerse el sueco a; *sich vor j-m* ~ cerrarse a todo trato con alg.

ver'schlimmer|n (*-re*; -) *v/t.* empeorar; (*erschweren*) agravar; *sich* ~ empeorarse; agravarse; **2ung** *f* empeoramiento *m*; agravación *f*.

ver'schling|en (*L*; -) *v/t.* (*miteinander* ~) enlazar; entrelazar; *Fäden*: enredar; (*schlucken*) tragar, tragarse (*a. fig. Nacht, Erde*); ⚕ deglutir; (*fressen*) devorar (*a. fig. Buch, Lektüre*), *gierig, hastig*: engullir, zampar; *fig. mit den Augen* ~ devorar con los ojos; *viel Geld* ~ costar un dineral; *sich* ~ (*sich verwickeln*) enredarse; **2ung** *f* enlace *m*; (*Schlinge*) lazo *m*; (*Verwicklung*) enredo *m*; ⚕ (*Darm2*) vólvulo *m*, íleo *m*.

ver'schlissen *adj.* gastado por el uso; desgastado; usado; raido.

ver'schlossen I. *p/p. v.* verschließen; **II.** *adj.* cerrado; encerrado; *Person*: reservado; poco comunicativo; (*schweigsam*) taciturno; *hinter* (*od. bei*) *~en Türen* a puerta cerrada (*a.* ⚖); a solas; **2heit** *f* (*0*) (extrema) reserva *f*; (*Schweigsamkeit*) taciturnidad *f*; retraimiento *m*.

ver'schlucken (-) *v/t.* tragar, tragarse; *Licht*: absorber; *fig. Silben*: comerse; *sich* ~ atragantarse (*an dat.* con).

Ver'schluß *m* (*-sses*; *⸚sse*) cierre *m*; (*Schloß*) cerradura *f*; *Phot.* obturador *m*; *am Schmuck*: broche *m*; *am Gewehr*: cerrojo *m*; (*Stöpsel*) tapón *m*; (*Reiß2*) cierre *m* de cremallera; (*Zollplombe*) precinto *m*; ⚕ oclusión *f*; *unter* ~ *haben* tener bajo llave; *in* ~ *legen Ware*: depositar en la aduana.

ver'schlüssel|n (*-le*; -) *v/t.* cifrar; **~t** *adj.* cifrado; *~e Meldung* mensaje cifrado.

Ver'schluß|kappe *f des Füllfederhalters*: capuchón *m*; **~kapsel** *f* (-; *-n*) (cápsula *f* de) precinto *m*; **~laut** *Gr. m* (*-es*; *-e*) consonante *f* oclusiva.

ver'schmachten (*-e-*; -; *sn*) *v/i.* languidecer; consumirse (*vor* de); *vor Durst* ~ morir(se) de sed.

ver'schmäh|en (-) *v/t.* (*zurückweisen*) rechazar; (*ablehnen*) rehusar, no aceptar; (*verachten*) desdeñar, despreciar; *v. Personen*: desairar; **2ung** *f* desdén *m*, desprecio *m*; desaire *m*.

ver'schmelz|en (*L*; -) **1.** *v/t.* (*in eins*) fundir en uno, confundir; mezclar; *fig.* amalgamar; ✝ fusionar; **2.** (*sn*) *v/i. u. v/refl.* fundirse; mezclarse (*mit* con); ✝ fusionarse; **2ung** *f Met.* fundición *f*; mezcla *f*; ✝ *a.* fusión *f*.

ver'schmerzen (*-t*; -) *v/t.*: *et.* ~ consolarse de a/c.; (*ertragen*) soportar, sufrir; llevar con paciencia; llevar con resignación.

ver'schmieren (-) *v/t. Loch*: tapar; *Wand*: enfoscar; *Fugen*: enyesar; (*schmutzig machen*) embadurnar de grasa; engrasar; *Papier*: emborronar.

ver'schmitzt *adj.* pícaro; ladino; socarrón; **2heit** *f* (*0*) picardía *f*; socarronería *f*.

ver'schmoren (-; *sn*) *v/i.* cocer demasiado; ⚡ *Sicherung*: fundirse.

ver'schmutzen (*-t*; -) **1.** *v/t.* ensuciar; **2.** (*sn*) *v/i.* ensuciarse; *Gewehr*: engrasarse.

ver'schnappen (-) F *v/refl.*: *sich* ~ írsele a uno la lengua; *fig.* descubrir la oreja; venderse.

ver'schnaufen (-) F *v/refl.* tomar aliento; tener un momento de respiro.

ver'schneiden I. (*L*; -) *v/t.* cortar; recortar; tajar; (*verderben*) cortar mal; echar a perder cortando; (*kastrieren*) castrar, capar; *Wein*: mezclar (con otro vino); *Branntwein*: *usw.* merar; **II.** 2 *n* (*Kastrieren*) castración *f*; *v. Wein*: mezcla *f*.

ver'schnei|en (-; *sn*) *v/i.* cubrir(se) de nieve; **~t** *adj.* nevado, cubierto de nieve; (*durch Schnee versperrt*) interceptado por la nieve.

Ver'schnitt *m* (*-es*; *-e*) mezcla *f*; **2en** ✝ *adj.* mezclado; **~ene(r)** *m* castrado *m*, eunuco *m*.

ver'schnörkel|n (*-le*; -) *v/t.* adornar con arabescos; **~t** *adj.* con arabescos; *Stil*: florido.

ver'schnupfen (-) *v/t.*: *verschnupft sein* estar resfriado, *fig.* F (*gekränkt sein*) estar amoscado *od.* amostazado.

ver'schnür|en (-) *v/t.* atar con una cuerda; encordelar; ajustar con cordones *m/pl.*; **2en** *n*, **2ung** *f* atadura *f*.

ver'schollen *adj.* desaparecido; ⚖ ausente, en ignorado paradero; **2e(r)** *m* desaparecido *m*; **2e** *f* desaparecida *f*; **2heit** ⚖ *f* (*0*) ausencia *f*; **2heits-erklärung** ⚖ *f* declaración *f* de ausencia.

ver'schonen (-) *v/t.* respetar; *j-n mit et.* ~ ahorrar a alg. a/c.; no molestar a alg. con a/c.; *mit od. von et. verschont bleiben* quedar libre *od.* exento de a/c.; ahorrarse a/c.

ver'schöner|n (*-re*; -) *v/t.* embellecer, hermosear; *sich* ~ embellecerse, hermosearse; **2ung** *f* embellecimiento *m*, hermoseamiento *m*; **2ungsmittel** *n* cosmético *m*; **2ungsverein** *m* (*-s*; *-e*) sociedad *f* para el fomento del embellecimiento local.

ver'schossen *adj. Stoff*: descolorido; desteñido; *fig.* F *in j-n* ~ *sein* estar perdidamente enamorado *bzw.* enamorada de alg.; F estar chalado *bzw.* chalada por alg.

ver'schränk|en (-) *v/t. Arme, Beine, Hände*: cruzar; *Säge*: triscar; **~t** *adj.*: *mit ~en Armen* cruzado de brazos; con los brazos cruzados.

ver'schraub|en (-) *v/t.* atornillar; **2ung** *f* atornilladura *f*.

ver'schreib|en (*L*; -) *v/t. Arznei*: prescribir, recetar; (*zusichern*) prometer por escrito; (*falsch schreiben*) escribir incorrectamente; ⚖ escriturar; (*testamentarisch*) legar; *Papier*: gastar, consumir en escritos; *Zeit*: gastar en escribir; *viel Tinte* ~ gastar mucha tinta; *sich* ~ equivocarse al escribir; *sich et.* ~ solicitar por escrito a/c.; *fig. sich e-r Sache* (*dat.*) ~ dedicarse *od.* consagrarse a a/c.; *sich dem Teufel* ~ vender su alma al diablo; **2ung** *f* (*ärztliche*) prescripción *f* (facultativa); (*notarielle*) escritura *f*; (*Zusicherung*) promesa *f* por escrito.

ver'schreien (*L*; -) *v/t.* desacreditar.

ver'schrie(e)n *adj.* desacreditado; mal reputado, de mala fama.

ver'schroben *adj. Person*: excéntrico, extravagante; estrafalario; *Stil*: ampuloso; alambicado; **2heit** *f* excentricidad *f*; extravagancia *f*.

ver'schrotten (*-e-*; -) *v/t.* convertir en chatarra; ⚓ desguazar.

ver'schrumpeln (*-le*; -; *sn*) *v/i.* arrugarse, encogerse; *Haut*: apergaminarse.

ver'schrumpf|en (-; *sn*) *v/i.* arrugarse, encogerse; ⚕ retraerse; **2ung** *f* arrugamiento *m*, encogimiento *m*; ⚕ retracción *f*.

ver'schüchter|n (*-re*; -) *v/t.* intimidar; **~t** *adj.* intimidado.

ver'schuld|en (*-e-*; -) **1.** *v/t.* (*schuld sein an*) tener la culpa de; (*verursachen*) causar; ser causa *od.* motivo de; ser el causante de; **2.** (*sn*) *v/i.* endeudarse, llenarse (*od.* cargarse) de deudas; F entramparse; **2en** *n* (*Schuld*) culpa *f*; falta *f*; (*Ursache*) causa *f*; *ohne mein* ~ sin culpa mía; **~et** *adj.* lleno de deudas, F entrampado; **2ung** *f* deudas *f/pl.*; *e-s Hauses*: endeudamiento *m*.

ver'schütten (*-e-*; -) *v/t. Flüssigkeit*: verter, derramar; (*auffüllen*) colmar; *mit Erde*: llenar con tierra; *Brunnen*: cegar; (*begraben*) soterrar; enterrar; (*versperren*) obstruir; *verschüttet werden* ser *bzw.* quedar enterrado *od.* sepultado; *fig. es bei j-m* ~ perder el favor de alg.

ver'schwäger|n (*-re*; -) *v/t. u. v/refl.* emparentar (por matrimonio); **~t** *adj.* pariente por afinidad; **2ung** *f* parentesco *m* por afinidad.

ver'schwatzen (*-t*; -) *v/t.*: *die Zeit* ~ pasar el tiempo charlando *od.* de cháchara.

ver'schweig|en (*L*; -) *v/t.* callar; (*schweigend übergehen*) silenciar, pasar en silencio; (*verheimlichen*) ocultar; encubrir; guardar secreto; *j-m et.* ~ ocultar a/c. a alg.; **2en** *n*, **2ung** *f* (*0*) silencio *m*; (*absichtliches Auslassen*) reticencia *f*.

ver'schweißen (*-ßt*; -) *v/t.* soldar.

ver'schwelen (-; *sn*) *v/i.* consumirse.

ver'schwend|en (*-e-*; -) *v/t.* prodigar; derrochar, F gastar a manos llenas; *Vermögen*: dilapidar, *Zeit*: perder, desperdiciar; **2er(in** *f*) *m* pródigo (-a *f*) *m*; derrochador(a *f*) *m*; dilapidador(a *f*) *m*, disipador (-a *f*) *m*; F manirroto (-a *f*) *m*; **~erisch I.** *adj.* pródigo; derrochador; F manirroto; dilapidador; disipador; (*Aufwand liebend*) suntuoso; lujoso; **II.** *adv.* pródigamente; con profusión; **2ung** *f* prodigalidad *f*; derroche *m*; dilapidación *f*, disipación *f*; (*Überfluß*) profusión *f*

(*an ac.* de); 2**ungssucht** *f* (*0*) prodigalidad *f*.
ver'schwiegen *adj.* (*zurückhaltend*) discreto; reservado; (*geheim*) secreto; (*schweigsam*) callado; taciturno; *fig. Ort*: retirado; 2**heit** *f* (*0*) discreción *f*; reserva *f*; (*Schweigsamkeit*) taciturnidad *f*; mutismo *m*.
ver'schwimmen (*L*; *sn*) *v/i. Umriß*: desdibujarse; (*ineinander* ~) confundirse (*in ac.* con); (*sich verwischen*) esfumarse; desvanecerse; → *verschwommen*.
ver'schwinden I. (*L*; -; *sn*) *v/i.* desaparecer; (*verklingen*) desvanecerse, disiparse; esfumarse; (*verfließen*) pasar; (*erlöschen*) extinguirse; (*sich verlieren*) perderse; (*heimlich weggehen*) F eclipsarse; despedirse a la francesa; (*abhauen*) huir, escaparse, F salir por pies; P (*austreten, den Abort aufsuchen*) ir a cierto lugar excusado; *geschickt* ~ *lassen* escamotear; F *verschwinde!* F ¡lárgate!, ¡largo de aquí!; **II.** 2 *n* desaparición *f*; ~**d** *adj.*: ~ *klein* diminuto; infinitamente pequeño; microscópico; minúsculo.
ver'schwister|n (-*re*; -) *v/t.* hermanar; *sich* ~ hermanarse; ~**t** *adj.*: ~ *sein* ser hermanos *bzw.* hermanas.
ver'schwitzen (-*t*; -) *v/t.* empapar de sudor *m*; F *fig.* olvidar.
ver'schwollen *adj.* hinchado, inflamado; ⚕ *a.* tumefacto.
ver'schwommen *adj.* vago; impreciso; indeciso; confuso; difuso; *fig.* nebuloso; *Bild*: borroso; 2**heit** *f* (*0*) vaguedad *f*; nebulosidad *f*; borrosidad *f*.
ver'schwören (*L*; -) *v/t.*: et. ~ abjurar a/c.; *man muß nichts* ~ no se debe decir de esa agua no beberé; *sich* ~ conjurarse; conspirar (*mit* con; *gegen* contra); confabularse; *sich zu e-m Komplott* ~ tramar un complot.
Ver'schworene(r) *m* conjurado *m*; conspirador *m*.
Ver'schwörer(in *f*) *m* conjurado (-a *f*) *m*; conspirador(a *f*) *m*.
Ver'schwörung *f* conjuración *f*; conspiración *f*; complot *m*; *e-e* ~ *anzetteln* tramar un complot.
ver'schwunden *p/p. v. verschwinden*.
ver'sehen I. (*L*; -) *v/t. Amt, Funktion*: desempeñar, ejercer; *Dienst*: cumplir; *Haushalt, Geschäfte*: tener a su cargo; cuidar de; administrar; et. ~ (*auslassen*) omitir; (*übersehen*) pasar por alto; (*nachlässig tun*) descuidar; *mit et.* ~ dotar de, proveer de; ⊕ equipar con; *mit Vorräten* ~ abastecer; aprovisionar; ⚖ *mit Akzept* ~ aceptar; *mit e-m Giro* ~ endosar; *mit Überschrift* ~ firmar; *mit Vollmacht* ~ dar (*od.* otorgar) plenos poderes; ⚖ apoderar; *mit dem Datum* ~ fechar; *mit Möbeln* ~ amueblar; *sich* ~ (*sich irren*) equivocarse; *sich* ~ *mit* proveerse de; abastecerse de; aprovisionarse de; *ehe man sich versieht* cuando menos se piensa; (*im Nu*) en un santiamén, en un abrir y cerrar de ojos; **II.** 2 *n* equivocación *f*; error *m*; (*Unachtsamkeit*) inadvertencia *f*; (*Nachlässigkeit*) descuido *m*; (*Vergessen*) olvido *m*; omisión *f*; (*Mißgriff*) desliz *m*; desacierto *m*; *aus* ~ → ~**tlich** *adv.* por equivocación; por error; por inadvertencia; por descuido; por olvido.
ver'sehr|en (-) *v/t.* herir; ⚔ mutilar; (*beschädigen*) damnificar; 2**tenrente** *f* pensión *f* de invalidez; 2**tenstufe** *f* grado *m* de invalidez; 2**te(r)** *m* inválido *m*; (*Kriegs*2) mutilado *m* de guerra; 2**theit** *f* (*0*) invalidez *f*.
ver'seif|en (-) ⚗ *v/t.* saponificar; 2**ung** *f* saponificación *f*.
'Vers-einschnitt *m* (-*es*; -*e*) cesura *f*.
ver'selbständigen (-) *v/t.* hacer independiente; emancipar, *neol.* independizar.
ver'send|en (*L*; -) *v/t.* enviar; expedir, despachar; *ins Ausland* ~ exportar; 2**en** *n*, 2**ung** *f* envío *m*; expedición *f*, despacho *m*; ~ *ins Ausland* exportación *f*.
ver'sengen (-) *v/t.* quemar; chamuscar (*a. durch Bügeln*); abrasar; ⚘ agostar; *sich* ~ quemarse; chamuscarse; abrasarse; ⚘ agostarse.
ver'senk|bar *adj.* sumergible; *Möbel-, Maschinenteil*: escamoteable; ~**en** (-) *v/t.* (*einschlagen*) hundir, clavar; (*unter Wasser*) sumergir; *Schiff*: echar a pique, hundir; *Sarg*: bajar a la sepultura; ⊕ *Niet*: avellanar; *fig. sich in et.* (*ac.*) ~ abstraerse, enfrascarse en a/c.; 2**ung** *f* hundimiento *m*; (*Untertauchen*) sumersión *f*; inmersión *f*; *Thea.* (*Boden*) foso *m*; (*Falltür*) escotillón *m*; *fig. spurlos in der* ~ *verschwinden* desaparecer como tragado por la tierra.
ver'sessen *adj.*: ~ *auf* (*ac.*) (*hartnäckig*) empeñado en; aferrado a; encastillado en; F emperrado en.
ver'setz|en (-*t*; -) *v/t. u. v/refl.* trasladar (*a. Beamte*); poner en otro lugar; transferir; (*falsch einsetzen*) invertir, poner al revés; ✓ trasplantar; ♪, *Typ*, tra(n)sponer; 𝔄 permutar; (*entgegnen*) reponer; replicar; (*verpfänden*) empeñar, pignorar; (*vermischen*) mezclar (*mit* con), *Metalle*: alear; ⚗ desleír, diluir en; (*versperren*) obstruir; *Schüler*: pasar al grado superior; *nicht versetzt werden* (*Schüler*) perder (*od.* tener que repetir) el curso; *Schlag*: asestar, dar; *Ohrfeige, Fußtritt*: dar, pegar; *j-m e-n Schlag* (*od. Hieb*) ~ asestar *od.* dar un golpe a alg.; F *j-m eins* ~ F atizar, arrear, propinar un golpe a alg.; *j-n* ~ (*nicht kommen*) hacer a alg. esperar en balde, F dar un plantón a alg.; *j-n in Angst* ~ causar miedo a alg.; *in den Anklagezustand* ~ inculpar, acusar a; *j-n in große Freude* ~ causar gran alegría a alg.; F dar un alegrón a alg.; *in den Ruhestand* ~ jubilar, pensionar; *in Schwingungen* ~ hacer vibrar; *in e-n höheren Rang* ~ ascender; ~ *Sie sich in m-e Lage!* ¡imagínese mi situación!; ¡póngase usted en mi lugar!; *ich sehe mich in die Notwendigkeit versetzt, zu* (*inf.*) me veo en la necesidad de (*inf.*); 2**ung** *f* traslado *m*; cambio *m* de lugar; transferencia *f*; ✓ trasplante *m*; ♪, *Typ.* tra(n)sposición *f*; 𝔄 permutación *f*; (*Verpfändung*) empeño *m*, pignoración *f*; (*Vermischung*) mezcla *f*, *v. Metallen*: aleación *f*; (*Versperrung*) obstrucción *f*; *Schule*: paso *m* al grado superior; promoción *f*; ~ *in den Anklagezustand* acusación *f*, inculpación *f*; ~ *in den Ruhestand* jubilación *f*; 2**ungszeichen** ♪ *n* accidental *m*, accidente *m*.
ver'seuch|en (-) *v/t.* infestar (*a. fig.*), inficionar; contaminar (*a. fig.*); ⚕ infectar; (*anstecken*) contagiar; 2**ung** *f* infestación *f*; contaminación *f*; ⚕ infección *f*; (*Ansteckung*) contagio *m*.
'Versfuß *m* (-*es*; ⸗*e*) pie *m*.
ver'sicher|bar *adj.* asegurable; 2**er** *m* asegurador *m*; ~**n** (-*re*; -) *v/t.* asegurar (*a. Eigentum*); (*beteuern*) hacer protestas de; (*behaupten*) aseverar, afirmar; (*eidlich*) jurar; *sein Leben* ~ hacer un seguro de vida; *seien Sie dessen versichert* tenga usted la seguridad de ello; *sich* ~ (*bei e-r Gesellschaft*) asegurarse (*gegen* contra); hacer *od.* contratar un seguro de *bzw.* contra; *sich e-r Sache* (*gen.*) ~ asegurarse (*od.* cerciorarse) de una cosa; *sich j-s* ~ asegurarse de alg.; 2**te** *f* asegurada *f*; 2**te(r)** *m* asegurado *m*; 2**ung** *f* ⚖ seguro *m*; (*Behauptung*) aseveración *f*, afirmación *f*; (*Ausdruck*) expresión *f*; (*Sicherheit*) seguridad *f*; *eidesstattliche* ~ declaración *f* jurada; *freiwillige* (*kombinierte*) ~ seguro voluntario (combinado); ~ *auf Gegenseitigkeit* seguro mutuo; ~ *gegen alle Gefahren* seguro a todo riesgo; ~ *gegen Prämie* seguro a prima fija; ~ *mit Gewinnbeteiligung* seguro con participación en los beneficios; *e-e* ~ *abschließen* contratar (*od.* efectuar) un seguro.
Ver'sicherungs...: ~**abschluß** *m* (-*sses*; ⸗*sse*) contratación *f* de un seguro; ~**agent** *m* (-*en*) agente *m* de seguros; ~**anspruch** *m* (-*es*; ⸗*e*) reclamación *f* de seguro; ~**anstalt** *f* compañía *f* de seguros; ~**auftrag** *m* (-*es*; ⸗*e*) orden *f* de seguro; ~**bedingungen** *pl.* condiciones *f/pl.* del seguro; ~**beginn** *m* (-*es*; *0*) entrada *f* en vigor del seguro; ~**beitrag** *m* (-*es*; ⸗*e*) prima *f* de seguro; ~**betrag** *m* (-*es*; ⸗*e*) suma *f* asegurada; ~**betrug** *m* (-*es*; ⸗*e*) estafa *f* en seguros; pérdida *f* fingida; 2**fähig** *adj.* asegurable; ~**fall** *m* (-*es*; ⸗*e*) (*Schadensfall*) comprobación *f* del siniestro; ~**form** *f* tipo *m* de seguro; ~**geber** *m* asegurador *m*; ~**gebühr** *f* prima *f* de seguro; ~**gegenstand** *m* (-*es*; ⸗*e*) objeto *m* del seguro; ~**gesellschaft** *f* sociedad *f* (*od.* compañía *f*) de seguros; ~**gesetz** *n* (-*es*; -*e*) ley *f* de seguros; ~**gewerbe** *n* seguros *m/pl.*; ~**leistung** *f* prestación *f* del seguro; ~**makler** *m* corredor *m* de seguros; ~**mathematiker** *m* actuario *m* de seguros; ~**nehmer(in** *f*) *m* asegurado (-a *f*) *m*; ~**pflicht** *f* seguro *m* obligatorio; 2**pflichtig** *adj.* sujeto al seguro obligatorio; ~**police** *f* póliza *f* de seguro; ~**prämie** *f* → *Versicherungsgebühr*; ~**rückkauf** *m* (-*es*; ⸗*e*) retroventa *f* de pólizas; ~**schein** *m* (-*es*; -*e*) → *Versicherungspolice*; ~**statistiker** *m* actuario *m* de seguros; ~**steuer** *f* (-; -*n*) impuesto

m sobre seguros; **~summe** *f* suma *f* asegurada; **~unternehmen** *n* → *Versicherungsgesellschaft*; **~vertrag** *m* (-*es*; ⸚*e*) contrato *m* de seguro; **~vertreter** *m* agente *m* de seguros; **~wert** *m* (-*es*; -*e*) valor *m* asegurado; **~wesen** *n* (-*s*; *0*) seguros *m*/*pl*.; **~zeit** *f* vigencia *f* del seguro; **~zwang** *m* (-*es*; *0*) seguro *m* obligatorio.

ver'sickern (-*re*; -; *sn*) *v*/*i*. rezumar(se).

ver'sieben (-) F *v*/*t*. → *vermasseln*.

ver'siegel|n (-*le*; -) *v*/*t*. sellar; *mit Siegellack*: lacrar; **Ꞩung** *f* selladura *f*.

ver'siegen (-; -; *sn*) *v*/*i*. (*austrocknen*) secarse; *fig*. agotarse.

versifi'zier|en (-) *v*/*t*. versificar; **Ꞩen** *n*, **Ꞩung** *f* versificación *f*.

ver'siert [v] *adj*. versado (*in dat*. en).

ver'silber|n (-*re*; -) *v*/*t*. platear; (*veräußern*) vender, convertir en dinero, hacer dinero de; realizar; **Ꞩn** *n*, **Ꞩung** *f* plateado *m*, plateadura *f*; (*Veräußerung*) venta *f*, realización *f*.

ver'simpeln (-*le*; -; *sn*) *v*/*i*. entontecerse.

ver'sinken (*L*; -; *sn*) *v*/*i*. hundirse; *im Wasser*: sumergirse; *Schiff*: hundirse, irse a pique; naufragar; *fig*. ~ *in* (*ac*.) abismarse en; *in Gedanken* ~ ensimismarse, abstraerse.

ver'sinnbildlich|en (-) *v*/*t*. simbolizar; **Ꞩung** *f* simbolización *f*.

Versi'on [v] *f* versión *f*.

ver'sippt *adj*. pariente; unido por parentesco.

ver'sittlichen (-) *v*/*t*. civilizar.

ver'sklav|en [-sk-] (-) *v*/*t*. esclavizar; **Ꞩung** *f* esclavización *f*.

'Vers|kunst *f* (*0*) arte *m* de hacer versos; versificación *f*; **~lehre** *f* métrica *f*; **~macher** *m* versificador *m*; *m.s.* coplero *m*, poetastro *m*; **~maß** *n* (-*es*; -*e*) metro *m*.

'Verso [v] **I.** *n* (-*s*; -*s*) dorso *m*, vuelta *f* de un folio; **II.** Ꞩ *adv*. al dorso, a la vuelta.

ver'soffen P **I.** *p*/*p*. *v*. *versaufen*; **II.** *adj*. borracho; dado a la bebida.

ver'sohlen (-) F *fig*. *v*/*t*. apalear, moler a palos.

ver'söhn|en (-) *v*/*t*. reconciliar; (*beruhigen*) apaciguar; aplacar; (*sich abfinden*) conformarse; *sich* ~ reconciliarse; *sich mit Gott* ~ ponerse a bien con Dios; **~lich** *adj*. conciliante; conciliador; condescendiente; **Ꞩlichkeit** *f* (*0*) espíritu *m* de conciliación; carácter *m* conciliable; **Ꞩung** *f* reconciliación *f*.

ver'sonnen *adj*. meditabundo; ensimismado; (*verträumt*) soñador; **Ꞩheit** *f* (*0*) espíritu *m* soñador.

ver'sorg|en (-) *v*/*t*. (*unterbringen*) *j-n*: colocar, emplear; acomodar; (*unterhalten*) mantener, sustentar (*ac*.); proveer a las necesidades de; (*Sorge tragen für*) cuidar de; (*beliefern*) abastecer, proveer; suministrar; *Kranken*: cuidar, atender a; ~ *mit* proveer de; ⚔ *mit Vorräten* ~ aprovisionar; ⚔ *aus der Luft* ~ aprovisionar por aviones; *sich* ~ *mit* proveerse de, abastecerse de; ✝ surtirse de; *sich selbst* ~ bastarse a sí mismo; **Ꞩer(in** *f*) *m*: ~ *der Familie* sostén *m* de la familia; (*Lieferant*) proveedor *m*, abastecedor *m*; suministrador *m*; **~t** *adj*.: ~ *mit* provisto de; *Gesicht*: preocupado; **Ꞩung** *f* provisión *f*; (*Unterbringung*) colocación *f*, empleo *m*; acomodo *m*; (*Unterhaltung*) sostenimiento *m*; sustento *m*, manutención *f*; (*Belieferung*) abastecimiento *m*; suministro *m*; ⚔ ~ *mit Vorräten* aprovisionamiento *m* (*mit* de); avituallamiento *m*; ⚔ ~ *aus der Luft* aprovisionamiento *m* aéreo; (*Betreuung*) cuidados *m*/*pl*.; *ärztliche* ~ asistencia médica; (*Fürsorge*) *staatliche* ~ previsión social; auxilio social; (*Existenz*) subsistencia *f*, vida *f*; (*gesicherte Lebensstellung*) porvenir *m* asegurado, (*Verteilung*) distribución *f*.

Ver'sorgungs...: **~anspruch** *m* (-*es*; ⸚*e*) ⚖ pretensión *f* de alimentos; *Pension*: derecho *m* a pensión; **~basis** ⚔ *f* (*0*) base *f* de aprovisionamiento; **~betrieb** *m* (-*es*; -*e*) instalación *f* pública para abastecimiento (de agua *bzw*. gas *bzw*. electricidad *usw*.); **~gesetz** ⚔ *n* (-*es*; -*e*) ley *f* reguladora de pensiones de guerra; **~lage** *f* estado *m* del abastecimiento; **~lager** ⚔ *n* depósito *m* de víveres; **~schwierigkeiten** *pl*. dificultades *f*/*pl*. de abastecimiento; **~stützpunkt** ⚔ *m* (-*es*; -*e*) → *Versorgungsbasis*; **~wirtschaft** *f* (*0*) abastecimiento *m* público.

ver'spann|en (-) *v*/*t*. reforzar con alambres tensores; **Ꞩung** *f* alambres *m*/*pl*. tensores; (*Verformung*) deformación *f*; **Ꞩungskabel** *n* alambre *m* tensor; tirante *m*.

ver'spät|en (-*e*-; -) *v*/*refl*.: *sich* ~ atrasarse; *Person*: llegar tarde; (*sich aufhalten*) demorarse; tardar en venir; *Zug*: ir con retraso; traer *bzw*. llevar retraso; *Uhr*: retrasarse; **~et** *adj*. (*spätreif*) tardío; ~*e Ankunft* llegada con retraso; **Ꞩung** *f* retraso *m*; (*Verzögerung*) demora *f*; tardanza *f*; retardo *m*; *der Zug hat e-e Stunde* ~ el tren trae *bzw*. lleva una hora de retraso; *mit* ~ *ankommen* llegar con retraso.

ver'speisen (-) *v*/*t*. comer; (*verbrauchen*) consumir.

verspeku'lieren (-) *v*/*t*. ✝ perder en especulaciones; *sich* ~ arruinarse en especulaciones; *fig*. equivocarse en sus cálculos.

ver'sperr|en (-) *v*/*t*. estorbar; impedir; obstruir; (*abschneiden*) cortar, interceptar; (*verschließen*) cerrar; *Straße*: barrear; *Weg*: atajar; *Tür*: atrancar; *Aussicht*: quitar; **Ꞩen** *n*, **Ꞩung** *f* obstrucción *f*; barrera *f*.

ver'spiel|en (-) **1.** *v*/*t*. *Partie*: perder; *Geld*: perder en el juego; *Zeit*: pasar el tiempo jugando; **2.** *v*/*i*. perder la partida; *fig*. *er hat bei mir verspielt* no quiero saber nada de él; F conmigo ha perdido las amistades; **~t** *adj*. *Kind*: juguetón.

ver'splinten (-*e*-; -) *v*/*t*. fijar con clavijas.

ver'sponnen *adj*. meditabundo.

ver'spott|en (-*e*-; -) *v*/*t*. burlarse, mofarse (de); (*verletzend*) escarnecer, hacer escarnio de; (*neckend*) F chunguearse, guasearse, V cachondearse; (*lächerlich machen*) ridiculizar; (*karikieren*) caricaturizar; **Ꞩung** *f* burla *f*, mofa *f*; escarnio *m*; (*Neckerei*) F chunga *f*, guasa *f*, V cachondeo *m*; (*Karikatur*) caricatura *f*.

ver'sprech|en (*L*; -) *v*/*t*. prometer; *goldene Berge* ~ F prometer el oro y el moro; *das Wetter verspricht gut zu werden* el tiempo es prometedor; *sich* ~ (*sich verloben*) prometerse; *in der Rede*: equivocarse al hablar; cometer un lapsus linguae; F trabucarse; *er hat sich versprochen* se le ha trabado la lengua; *sich viel* ~ *von* esperar mucho de; F prometérselas muy felices; **Ꞩen** *n* promesa *f*; *im Reden*: lapsus linguae *m*; *sein* ~ *halten* (*nicht halten*) cumplir (faltar a) su promesa; *j-m ein* ~ *abnehmen* hacer a alg. prometer a/c.; **Ꞩung** *f* promesa *f*; *große* ~*en machen* prometer el oro y el moro.

ver'spreng|en (-) *v*/*t*. dispersar; ⚔ *a*. hacer huir a la desbandada; **Ꞩen** *n* dispersión *f*; **Ꞩte(r)** ⚔ *m* disperso *m*.

ver'spritzen (-*t*; -) *v*/*t*. *Wasserstrahl*: hacer surtir; (*besprengend*) rociar; (*verschütten*) derramar (*a*. *Blut*).

ver'sprochenermaßen *adv*. conforme a su promesa; como (lo) había prometido; como quedó (*od*. se había) convenido.

ver'sprühen (-) *v*/*t*. (*zerstäuben*) pulverizar, nebulizar.

ver'spunden (-*e*-; -) ⊕ *v*/*t*. ensamblar, machihembrar.

ver'spüren (-) *v*/*t*. sentir; *Folgen*: resentirse de; *Hunger* ~ sentir hambre.

ver'staatlich|en (-) *v*/*t*. nacionalizar; *kirchliche Güter*: secularizar; *Privatbetriebe*: socializar; *konfessionelle Schule*: laicizar; **Ꞩung** *f* nacionalización *f*; *kirchlicher Güter*: secularización *f*; *v*. *Privatbetrieben*: socialización *f*; *konfessioneller Schulen*: laicización *f*.

ver'städter|n (-*re*; -) *v*/*t*. urbanizar; **Ꞩung** *f* urbanización *f*.

Ver'stand *m* (-*es*; *0*) inteligencia *f*; intelecto *m*; mente *f*; (*Geist*) espíritu *m*; (*Vernunft*) razón *f*; (*Begriffsvermögen*) entendimiento *m*; (*Urteilsfähigkeit*) juicio *m*; discernimiento *m*; (*Sinn*) sentido *m*; *e-n klaren* ~ *haben* tener una inteligencia despierta; *den* ~ *verlieren* perder la razón (*od*. el juicio), volverse loco; F perder el seso; *bei vollem* ~ *sein* estar en su (cabal) juicio; *mit* ~ con sentido; F *et. mit* ~ *essen* saborear un manjar; *ohne Sinn und* ~ sin tino; F a tontas y a locas; *weder Sinn noch* ~ *haben* F no tener pies ni cabeza; *gesunder Menschen*Ꞩ buen sentido; sentido común; *ohne* ~ *reden* disparatar; desvariar; desbarrar; ⚕ *bei* ~ *bleiben* conservar sus facultades mentales; *über j-s* ~ *gehen* no estar al alcance de la comprensión de alg.; *j-n um den* ~ *bringen* hacer perder la razón (*od*. el juicio) a alg.; volver loco a alg.; *zu* ~ *kommen* alcanzar la edad de la razón, llegar al uso de la razón, (*vernünftig werden*) entrar en razón; *wieder zu* ~ *kommen* recobrar la razón (*od*. el juicio); volver en sí;

er ist nicht recht bei ~ no está en sus cabales (*od.* en su juicio); *da steht e-m der* ~ *still* se queda uno anonadado (*od.* F turulato); *mehr Glück als* ~ *haben* tener más suerte que letras.

Ver'standes...: ~kraft *f* (-; ⸚e) facultad *f* intelectual; **2mäßig** *adj.* intelectual; **~mensch** *m* (-*en*) hombre *m* positivo; (*Intelektueller*) intelectual *m*; **~schärfe** *f* (*0*) penetración *f*; perspicacia *f*; lucidez *f* (mental); sagacidad *f*; **~wesen** *n* (-*s*; *0*) ser *m* racional.

ver'ständig *adj.* inteligente; (*einsichtig*) comprensivo; (*vernünftig*) razonable; sensato; (*gescheit*) discreto; (*klug*) prudente; *das* ~*e Alter* la edad de la razón; **~en** (-) *v/t.*: *j-n von et.* ~ enterar, informar a alg. de a/c.; hacer saber a alg. a/c.; (*mitteilen*) comunicar, *amtlich*: notificar a alg. a/c.; (*warnend*) advertir a alg. de a/c.; (*im voraus*) prevenir a alg. de a/c.; *sich* ~ (*verständlich machen*) hacerse entender; (*im Einverständnis sein*) entenderse (*mit j-m* con alg.); (*übereinkommen*) ponerse de acuerdo (*mit j-m* con alg.; *über ac.* sobre); llegar a un acuerdo *od.* a una inteligencia (*mit j-m* con alg.); **2keit** *f* (*0*) sensatez *f*; buen sentido *m*; discreción *f*; prudencia *f*.

Ver'ständigung *f* (*Benachrichtigung*) información *f*; (*Mitteilung*) comunicación *f*, *amtlich*: notificación *f*; (*Einvernehmen*) inteligencia *f*; (*Übereinkunft*) acuerdo *m*; arreglo *m*; (*Aussöhnung*) reconciliación *f*; *Tele.* comunicación *f*; (*Grad der Hörbarkeit*) grado *m* de audibilidad; (*Empfang*) calidad *f* de la recepción; **~s-politik** *f* (*0*) política *f* de acercamiento; política *f* de reconciliación.

ver'ständlich *adj.* inteligible; (*begreiflich*) comprensible; (*klar*) claro; (*faßlich*) fácil de comprender; *allgemein*~ al alcance de todos; *j-m et.* ~ *machen* explicar a alg. a/c.; hacer a alg. entender a/c.; *sich* ~ *machen* hacerse entender; **2keit** *f* (*0*) inteligibilidad *f*; comprensibilidad *f*; (*Klarheit*) claridad *f*.

Ver'ständnis *n* (-*ses*; *0*) inteligencia *f*; entendimiento *m*; comprensión *f*; *für j-n* ~ *haben* comprender a alg.; *für et.* ~ *haben* comprender a/c.; tener comprensión para a/c.; *er hat kein* ~ *dafür* no lo comprende; no tiene comprensión para ello; no entiende de eso; *j-m* ~ *entgegenbringen* mostrar comprensión para alg.; **2innig** *adj.* → *verständnisvoll*; **2los** *adj.* (-*est*) incomprensivo, sin comprensión; (*ohne Mitgefühl*) insensible (*für* a); *adv.* sin comprenderle; sin comprender nada; **~losigkeit** *f* (*0*) incomprensión *f*; **2voll I.** *adj.* inteligente; comprensivo; lleno de comprensión; ~*er Blick* mirada de inteligencia; **II.** *adv.* con íntima comprensión.

ver'stänkern (-*re*; -) F *v/t.* apestar.

ver'stärk|en (-) *v/t.* reforzar (*a.* ⊕, ⚔ *u. Phot.*); (*kräftigen*) fortalecer; fortificar (*a.* ⚔ *Stellung*); (*vermehren*) aumentar, acrecentar; (*intensivieren*) intensificar; *Radio*: amplificar; *sich* ~ reforzarse; fortalecerse; (*wachsen*) crecer; (*sich intensivieren*) intensificarse; *Widerstand*: aumentar; *Wind*: arreciar; *Eindruck, Verdacht*: acentuarse; *mit Nylon verstärkt* reforzado con nilón; **2er** *m Phot.* reforzador *m*; *Radio*: amplificador *m*; **2erkreis** *Radio m* (-*es*; -*e*) circuito *m* de amplificación; **2erröhre** *Radio f* válvula *f* amplificadora; **2erstufe** *f* paso *m* de amplificación; **2ung** *f* refuerzo *m*; ⚔ *taktische*: refuerzos *m/pl.*; fortalecimiento *m*; ⚔ *e-r Stellung*: fortificación *f*; (*Vermehrung*) aumento *m*; (*Intensivierung*) intensificación *f*; *Radio*: amplificación *f*.

ver'staub|en (-; *sn*) *v/i.* cubrirse de polvo; **~t** *adj.* cubierto de polvo, polvoriento; empolvado.

ver'stauch|en (-) *v/t. Gelenke*: dislocarse; *sich den Fuß* ~ dislocarse (*od.* torcerse) el pie; **2ung** *f* dislocación *f*, torcedura *f*; ⚕ subluxación *f*; esguince *m*.

ver'stau|en (-) *v/t.* colocar ordenadamente; ⚓ estibar; *Ladung*: arrumar; **2en** *n*, **2ung** *f* ⚓ estiba *f*.

Ver'steck *n* (-*es*; -*e*) escondite *m*, escondrijo *m*; *v. Verbrechern*: guarida *f* (de malhechores); (*Hinterhalt*) emboscada *f*; ~ *spielen* jugar al escondite; **2en** (-) *v/t.* esconder; (*verbergen*) ocultar; *sich* ~ esconderse (*vor j-m* de alg.); ocultarse (*vor dat.* a, de); *fig. sich hinter j-m od. et.* ~ escudarse con alg. *od.* con a/c.; *fig. sich vor j-m* ~ *müssen* no tener punto de comparación con alg.; **~spiel** *n* (-*es*; -*e*) juego *m* del escondite; **2t** *adj.* escondido; oculto; (*geheim*) secreto; *sich* ~ *halten* mantenerse oculto; ~*e Anspielung* alusión velada; ~*er Vorwurf* reproche indirecto; ~*e Absicht* intención encubierta; **~theit** *f* (*0*) disimulo *m*; encubrimiento *m*.

ver'stehen (*L*; -) **1.** *v/t.* entender; (*begreifen*) comprender; concebir; (*wissen*) saber; (*können, kennen*) conocer, saber; *Spanisch* ~ comprender el español; *Spaß* ~ entender de bromas; saber seguir una broma; *falsch* ~ entender mal; comprender mal; *fig.* tomar a mal (*od.* a mala parte); *es* ~, *zu* (*inf.*) saber (*inf.*); *zu* ~ *geben* dar a entender; *was verstehen Sie unter* ... (*darunter*)? ¿qué entiende usted por ...?; *wie* ~ *Sie diesen Satz?* ¿cómo interpreta usted esta frase?; *nichts* ~ *von* no entender nada de, (*keine Ahnung haben*) no tener idea de; *et. nicht* ~ *wollen* hacerse el desentendido (*od.* F el sueco *od.* el loco); *jetzt verstehe ich* ahora comprendo; *ich verstehe!* (ya) comprendo; ~ *Sie?* ¿comprende usted?; *verstanden?* ¿comprendido?, ¿entendido?; ¿estamos?; *wohlverstanden* bien entendido; *wenn ich recht verstanden habe* si he entendido bien; si no estoy equivocado; *et. von der Sache* ~ entender algo de a/c.; saber de qué se trata; **2.** *v/refl.*: *sich* (*einander*) ~ entenderse; *sich* ~ *auf* (*ac.*) entenderse en; entender de; ser experto en, estar enterado de; F saber por dónde se anda; ser del oficio; *sich* ~ *zu* consentir en; prestarse a; *sich* (*gut*) *mit j-m* ~ entenderse (bien) con alg.; F hacer buenas migas con alg.; ~ *wir uns recht!* ¡entendámonos!; (*das*) *versteht sich* (eso) se comprende; *das versteht sich von selbst* eso se comprende por sí mismo; eso se sobreentiende; F eso cae de su peso.

ver'steif|en (-) *v/t.* entesar, entiesar, atiesar; ⊕, ⚠ atirantar; ⚒ apuntalar; (*verstärken*) reforzar; *sich* ~ atiesarse; *Wind*: arreciar; ⚕ ponerse rígido; anquilosarse; *fig. sich auf et.* (*ac.*) ~ obstinarse en; aferrarse a; empeñarse en; F emperrarse en; **2ung** *f* entesamiento *m*; (*Verstärkung*) refuerzo *m*; ⚕ rigidez *f*; anquilosis *f*; ✝ pesadez *f*; *Pol.* tirantez *f*; *fig.* obstinación *f*; F emperramiento *m*.

ver'steigen (*L*; -) *v/refl. Mont.* extraviarse en la montaña; *fig. sich* ~ *zu* (*dat.*) atreverse a, tener el atrevimiento de; llegar incluso a.

Ver'steiger|er *m* subastador *m*; **2n** (-*re*; -) *v/t.* subastar, vender en pública subasta; *Am.* rematar, licitar; **~ung** *f* subasta *f*; almoneda *f*; *Am.* remate *m*.

ver'steiner|n (-) **1.** *v/t.* petrificar; **2.** (*sn*) *v/i.* petrificarse; **~t** *adj.* petrificado (*a. fig.*); **2ung** *f* petrificación *f*; (*das zu Stein Gewordene*) fósil *m*.

ver'stell|bar *adj.* (*einstellbar*) ajustable; (*regulierbar*) regulable; graduable; (*drehschwenkbar*) orientable; (*beweglich*) móvil; (*veränderbar*) variable; **~en** (-) *v/t.* cambiar de sitio; trasladar; (*in Unordnung bringen*) desarreglar, desordenar; *Reihenfolge*: alterar; (*versperren*) obstruir; interceptar; *Tür*: condenar; *Stimme, Handschrift*: desfigurar; ⊕ (*einstellen*) ajustar; (*regulieren*) regular; graduar; *sich* ~ disimular; (*simulieren*) simular, fingir; **2ung** *f* cambio *m* de sitio; traslado *m*; ⊕ ajuste *m*; regulación *f*; graduación *f*; *fig.* desfiguración *f*; disimulo *m*; simulación *f*, fingimiento *m*; **2ungskunst** *f* (-; ⸚e) arte *m* de disimular.

ver'steuer|n (-*re*; -) *v/t.* (*seitens des Steuerzahlers*) pagar impuestos por; (*mit Steuern belegen*) gravar (con impuestos); **2ung** *f* pago *m* de impuestos; gravamen *m*.

ver'stiegen I. *p/p. v.* versteigen; **II.** *adj.* extravagante; excéntrico; **2heit** *f* (*0*) extravagancia *f*; excentricidad *f*.

ver'stimm|en (-) *v/t.* ♪ desafinar; destemplar; *fig.* disgustar; incomodar, contrariar; irritar; poner de mal humor; **~t** *adj.* ♪ desafinado; destemplado; *fig.* disgustado; incomodado; malhumorado; ~ *sein* estar de mal humor; *e-n* ~*en Magen haben* tener una indigestión; **2ung** *f* ♪ desafinación *f*; *fig.* mal humor *m*; *zwischen zwei Personen*: desavenencia *f*; (*Magen*2) indigestión *f*.

ver'stock|en (-; *sn*) *v/i.* enmohecer; *fig.* endurecerse; empedernirse; (*halsstarrig werden*) obstinarse; **~t** *adj. fig.* endurecido; (*halsstarrig*) obstinado; (*unverbesserlich*) incorregible; *Sünder*: empedernido; impenitente; **2theit** *f* (*0*) endurecimiento *m*; (*Halsstarrigkeit*) obstinación *f*; *des Sünders*: impenitencia *f*.

ver'stofflichen (-) *v/t*. materializar.

ver'stohlen I. *adj*. furtivo; (*erschlichen*) subrepticio; (*unerlaubt*) clandestino; (*unauffällig*) disimulado; ~*er Blick* mirada furtiva; **II.** *adv*. furtivamente, a hurtadillas; subrepticiamente; con disimulo; ~ *nach et. hinsehen* mirar con disimulo a/c.; mirar de reojo a/c.

ver'stopf|en (-) *v/t*. *Gang, Öffnung*: obstruir; obturar; ocluir; *Ritzen*: ⚓ calafatear; *Loch*: tapar; *Rohre*: obstruir, atascar, entupir; *mit e-m Stöpsel usw.*: taponar; *Verkehrswege*: congestionar; obstruir; *Quelle*: cegar; ⚕ estreñir; *Wunde*: taponar; *sich* ~ obstruirse; *Rohr*: *a.* atascarse; *Quelle*: cegarse; ⚕ estreñirse; 2**ung** *f* obstrucción *f*, obturación *f v. Rohren*: *a.* atascamiento *m*, atasco *m*; *v. Ritzen*: ⚓ calafateo *m*; *mit e-m Stöpsel usw.*: taponamiento *m*; *v. Verkehrswegen*: obstrucción *f*; congestión *f* (de tráfico); embotellamiento *m*; ⚕ estreñimiento *m*.

ver'storben *adj*. muerto; fallecido, difunto, finado; *m-e* ~*e Mutter* mi difunta madre; mi madre, que en paz descanse; 2**e** *f* difunta *f*, finada *f*; 2**e(r)** *m* difunto *m*, finado *m*.

ver'stört *adj*. (*verwirrt*) turbado, conturbado; trastornado; (*überrascht*) sobresaltado; azorado; *Gesicht*: alterado; descompuesto, demudado; ~ *aussehen* estar cariacontecido; 2**heit** *f* (*0*) turbación *f*, conturbación *f*; sobresalto *m*; alteración *f*.

Ver'stoß *m* (*-es*; *⸗e*) (*Fehler*) falta *f*; ⚖ (*Zuwiderhandlung*) infracción *f* (*gegen* de), contravención *f* (*gegen* a *od.* de); 2**en 1.** (*L*; -) *v/t*. rechazar; *Frau*: repudiar; *Kind*: desheredar; ~ *aus* arrojar de; expulsar de; echar de; **2.** *v/i.*: *gegen et.* ~ faltar a; *Rel.* pecar contra; *gegen das Gesetz* ~ infringir (*od.* violar) la ley; *gegen e-e Bestimmung* ~ contravenir una disposición; *gegen die Grammatik* ~ faltar a las reglas de la gramática; ~**ung** *f* expulsión *f*; *e-r Frau*: repudio *m*; *e-e Kindes*: desheredación *f*, desheredamiento *m*.

ver'streb|en (-) *v/t*. △, ⚒ apuntalar; 2**ung** *f* apuntalamiento *m*; puntales *m/pl*.

ver'streichen (*L*; -) **1.** (*sn*) *v/i*. *Zeit*: pasar, transcurrir; *Termin*: vencer, expirar; **2.** *v/t*. *Butter, Salbe*: extender; untar; △ *Fugen*: tapar.

ver'streu|en (-) *v/t*. dispersar; desparramar; *Flüssigkeit*: derramar; *Körner, Heu*: esparcir; 2**en** *n*, 2**ung** *f* dispersión *f*; desparramamiento *m*.

ver'stricken (-) *v/t*. *Wolle*: gastar en labores de punto; *Zeit*: pasar haciendo labores de punto; *fig. sich* ~ enredarse (*in ac.* en).

ver'stümmel|n (*-le*; -) *v/t*. mutilar (*a. fig.*); *sich* ~ mutilarse; 2**ung** *f* mutilación *f*.

ver'stumm|en (-; *sn*) *v/i*. enmudecer; (*schweigen*) callar(se); *Lärm*: cesar (de repente); *er* ~*te vor Schreck* enmudeció de espanto; 2**ung** *f* (*0*) mutismo *m*.

Ver'such *m* (*-es*; *-e*) ensayo *m*; (*Probe, Prüfung*) prueba *f*; *Phys.* (*Experiment*) experimento *m*; experiencia *f*; (*Absicht*) intento *m*; (*Bemühung*) esfuerzo *m*; ⚖ tentativa *f*; conato *m*; *erster* ~ primer intento; *e-n* ~ *machen* hacer un ensayo *bzw.* una prueba; *Phys.* hacer un experimento; *fig.* probar a ver; ~*e anstellen* hacer ensayos *bzw.* pruebas; *Phys.* (*experimentieren*) hacer experimentos; experimentar; *e-n letzten* ~ *machen* hacer un último esfuerzo; *machen Sie den* ~! ¡haga la prueba!, ¡pruebe a ver!; 2**en** (-) *v/t*. probar; ensayar; (*kosten*) probar; (*verlokken*) tentar; (*erproben*) probar, poner a prueba; ~ *zu* (*inf.*) intentar (*inf.*); procurar, tratar de (*inf.*); *alles* (*mögliche*) ~ hacer todo lo posible; poner todos los medios; *ich will es* ~ voy a intentarlo; procuraré (*od.* trataré de) hacerlo; *sich* ~ *an* (*ac.*) ensayarse, hacer ensayos en; *es mit j-m* (et.) ~ hacer un ensayo *od.* una prueba con alg. (con a/c.); *sein Glück* ~ probar fortuna; ~**en** *n* → *Versuchung*; ~**er(in** *f*) *m* tentador (-a *f*) *m*.

Ver'suchs...: ~**anlage** *f* planta *f* de experimentación; ~**anstalt** *f* laboratorio *m* experimental; ~**ballon** *m* (*-s*; *-s od. -e*) globo *m* sonda (*a. fig.*); ~**bohrung** *f* sondeo *m* de exploración; ~**bühne** *f* teatro *m* de ensayo; ~**ehe** *f* matrimonio *m* a prueba; ~**ergebnis** *n* (*-ses*; *-se*) resultado *m* del ensayo; ~**fahrt** *f Auto*: vuelta *f* de prueba; prueba *f* en carretera; ~**feld** *n* (*-es*; *-er*) campo *m* de experimentación; ~**flug** *m* (*-es*; *⸗e*) vuelo *m* de prueba; ~**gelände** *n* terreno *m* de experimentación; ~**kaninchen** *n*, ~**karnickel** *n* conejillo *m* de Indias (*a. fig.*); cobaya *od.* cobayo *m*; ~**laboratorium** *n* (*-s*; *-ien*) laboratorio *m* experimental; ~**person** *f* sujeto *m* de experimentación; *fig.* conejillo *m* de Indias; ~**pilot** *m* (*-en*) piloto *m* de pruebas; ~**raum** *m* (*-es*; *⸗e*) sala *f* de experimentaciones; laboratorio *m* experimental; ~**reaktor** *m* (*-s*; *-en*) reactor *m* de experimentación; ~**reihe** *f* serie *f* de ensayos; ~**stadium** *n* (*-s*; *-dien*) fase *f* de experimentación; (*Probezeit*) período *m* de prueba; ~**stand** *m* (*-es*; *0*) banco *m* de pruebas; ~**station** *f* instituto *m* de experimentación, estación *f* experimental; ~**strecke** *f* pista *f* de pruebas; ⚒ galería *f* de prueba; ~**tier** *n* (*-es*; *-e*) animal *m* de experimentación *bzw.* de laboratorio; 2**weise** *adv*. por vía de ensayo; a modo de prueba; a título de ensayo; ~**zweck** *m* (*-es*; *-e*) objeto *m* de la experimentación; *zu* ~*en* para (fines de) experimentación; para ensayos.

Ver'suchung *f* tentación *f*; *in* ~ *führen* tentar; *im Vaterunser*: *führe uns nicht in* ~ no nos dejes caer en la tentación; *in* ~ *geraten* sentir la tentación (zu ... *inf.* de ... inf.); caer en la tentación de.

ver'sumpfen (-; *sn*) *v/i*. empantanarse; *fig.* encenagarse; encanallarse; caer muy bajo.

ver'sündig|en (-) *v/refl.*: *sich* ~ *an* (*dat.*) pecar contra; *sich an Gott* ~ ofender a Dios; 2**ung** *f* (*0*) pecado *m* (*an dat.* contra); ~ *an Gott* ofensa a Dios.

ver'sunken I. *p/p. v. versinken*; **II.** *adj. fig.* ~ *in* (*ac.*) absorto en; abismado en; *in Gedanken* ~ abstraido en la meditación; *in tiefen Schlaf* ~ sumido en profundo sueño; *in sich* ~ ensimismado; 2**heit** *f* (*0*) absorción *f*; ensimismamiento *m*.

ver'süß|en (*-ßt*; -) *v/t*. endulzar (*a. fig.*), dulcificar (*a. fig.*); *Phar.* edulcorar; *fig. die Pille* ~ dorar la píldora; F *fig. sich das Leben* ~ darse la gran vida; 2**en** *n*, 2**ung** *f* (*0*) dulcificación *f* (*a. fig.*); *Phar.* edulcoración *f*.

ver'tag|en (-) *v/t*. aplazar (*auf ac.* hasta); *sich* ~ *Parl.* interrumpir las sesiones; prorrogar; 2**ung** *f* aplazamiento *m*; *Parl.* prórroga *f*.

ver'tändeln (*-le*; -) *v/t*. desperdiciar; perder en naderías.

ver'täuen (-) *v/t*. *Schiff*: amarrar.

ver'tausch|bar *adj*. cambiable; permutable; ~**en** *v/t*. cambiar (*für*; *gegen*; *mit* por); trocar; canjear; *Amt*, ℞: permutar; (*verwechseln*) confundir (*mit* con); dar *bzw.* tomar una cosa por otra; *Hut, Mantel usw.*: cambiar (por otro); *die Rollen* ~ cambiar (*od.* invertir) los papeles; 2**ung** *f* cambio *m*; trueque *m*; canje *m*; *e-s Amtes*: permuta *f*; ℞ permutación *f*; (*Verwechslung*) confusión *f*.

ver'teidig|en (-) *v/t*. defender; (*rechtfertigen*) justificar; (*unterstützen*) apoyar; *These*: sostener; ⚖ *e-e Sache* ~ defender una causa *bzw.* un pleito; abogar por una causa (*a. fig.*); *sich* ~ defenderse (*gegen* contra, de); (*sich rechtfertigen*) justificarse; 2**er(in** *f*) *m* defensor(a *f*) *m*; ⚖ (abogado *m*) defensor *m*; *Fußball*: defensa *m*; 2**ung** *f* defensa *f*; (*Rechtfertigung*) justificación *f*; ⚖ defensa *f*; (*Defensivstellung*) defensiva *f*; *Fußball*: defensa *f*; *in der* ~ a la defensiva; *zur* ~ *von* (*od. gen.*) en defensa de; ⚔ *in die* ~ *drängen* obligar a ponerse a la defensiva; *in die* ~ *gehen* ponerse (*od.* pasar) a la defensiva; *j-s* ~ *übernehmen* asumir la defensa de alg.

Ver'teidigungs...: ~**anlagen** *f/pl*. defensas *f/pl.*; instalaciones *f/pl.* defensivas; ~**beitrag** *m* (*-es*; *⸗e*) contribución *f* a la defensa común; ~**bündnis** *n* (*-ses*; *-se*) alianza *f* defensiva; ~**gemeinschaft** *f* comunidad *f* defensiva (*od.* de defensa); ~**gürtel** ⚔ *m* cinturón *m* defensivo; ~**krieg** *m* (*-es*; *-e*) guerra *f* defensiva; ~**minister** *m* (~**ministerium** *n* [*-s*; *-ien*]) ministro *m* (Ministerio *m*) de Defensa Nacional; *Span.* ministro *m* (Ministerio *m*) del Ejército; ~**organisation** *f* organización *f* defensiva; ~**rede** ⚖ *f* informe *m* de la defensa; ~**schlacht** *f* batalla *f* defensiva; ~**schrift** *f* apología *f*; ~**stellung** ⚔ *f* posición *f* defensiva; *in* ~ a la defensiva; ~**system** *n* (*-s*; *-e*) sistema *m* defensivo; (*Befestigungen*) sistema *m* de defensas; ~**waffe** *f* arma *f* defensiva; ~**werke** ⚔ *pl.* obras *f/pl.* de defensa; defensas *f/pl.*; **~werkzeuge** *pl.* defensas *f/pl.*; **~zustand** ⚔ *m* (-*es*; *0*) estado *m* de defensa; *in* ~ *setzen* poner en estado de defensa.

ver'teil|bar *adj.* repartible; **~en** (-) *v/t.* (*in zukommenden Teilen*) repartir (*a.* ⚚ *Dividende usw.*); (*austeilen*) distribuir (*auf, unter ac.* entre); (*ausbreiten*) extender (*auf ac.* sobre); esparcir; ⚔ *im Gelände*: desplegar; (*zerstreuen*) dispersar; *gleichmäßig* ~ distribuir uniformemente; repartir en partes iguales; *sich* ~ distribuirse; quedar repartido (*über ac.* entre); (*sich ausbreiten*) extenderse (*auf ac.* sobre); (*sich zerstreuen*) dispersarse; **2er** *m* repartidor *m*; ⊕ distribuidor *m*; **2erfinger** *m* (*Rotor*) rotor *m*; **2erkasten** ⚡ *m* (-*s*; ⸚) caja *f* de distribución.

Ver'teilung *f* distribución *f*; *in zukommenden Teilen*: reparto *m* (*a.* ⚚ *v. Dividenden usw.*); repartición *f*; repartimiento *m*; *im Verhältnis*: reparto *m* proporcional; prorrateo *m*; *v. Steuern*: capitación *f*; *Thea. der Rollen*: reparto *m* (de papeles); (*Zerstreuung*) dispersión *f*; ⚔ *im Gelände*: despliegue *m*; ~ *der Kosten* reparto *m* de los gastos; **~smodus** *m* (-; -*modi*) modo *m* de distribución; **~snetz** ⚡ *n* (-*es*; -*e*) red *f* de distribución; **~s-punkt** *m* (-*es*; -*e*) centro *m* de distribución; **~sschlüssel** *m* cuadro *m* de distribución.

ver'teuer|n (-*re*; -) *v/t.* encarecer; **2ung** *f* encarecimiento *m*.

ver'teufelt I. *adj.* endemoniado, endiablado; *ein* ~*er Krach* F un ruido de mil demonios; *ein* ~*er Kerl* un demonio de hombre; **II.** *adv.* (*sehr*) espantosamente, F de espanto; (*scheußlich*) endiabladamente.

ver'tief|en (-) *v/t.* ahondar, profundizar (*beide a. fig.*); (*austiefen*) excavar; *sich* ~ ahondarse; *fig. sich* ~ *in* (*ac.*) abstraerse, abismarse en; engolfarse en; enfrascarse en; **~t** *adj.*: ~ *in* (*ac.*) sumido en; **2ung** *f* ahondamiento *m*; (*Tiefe*) profundidad *f*; (*Höhlung*) hueco *m*, cavidad *f*; (*Hohlrundung*) concavidad *f*; *durch Ausgraben*: excavación *f*; *im Gelände*: depresión *f*; (*Mulde*) hondonada *f*; (*Loch*) hoyo *m*.

ver'tier|en (-; *sn*) *v/i.* embrutecerse; bestializarse; **~t** *adj.* embrutecido; bestializado; **2ung** *f* (*0*) embrutecimiento *m*.

verti'kal [v] *adj.* vertical; **2e** *f* (línea *f*) vertical *f*.

'Vertiko [v] *m/n* (-*s*; -*s*) armario *m* (estrecho) de adorno.

ver'tilg|en (-) *v/t.* exterminar; (*ausrotten*) extirpar; (*vernichten*) aniquilar; (*zerstören*) destruir; (*auslöschen*) extinguir; (*verspeisen*) comerse; **2ung** *f* exterminio *m*, exterminación *f*; (*Ausrottung*) extirpación *f*; (*Vernichtung*) aniquilamiento *m*; (*Zerstörung*) destrucción *f*; (*Auslöschung*) extinción *f*.

ver'tippen (-) *v/t.* equivocar la tecla al escribir a máquina; *sich* ~ equivocarse de tecla escribiendo a máquina.

ver'ton|en (-) *v/t.* poner en música; **2ung** *f* puesta *f* en música; composición *f*.

ver'trackt *adj.* (*verwickelt*) complicado; embrollado; (*verwünscht*) condenado, maldito.

Ver'trag *m* (-*es*; ⸚*e*) (*Kontrakt*) contrato *m*; (*notarieller*) escritura *f*; *e-n* ~ *aufsetzen* (*schließen*) redactar (hacer *od.* celebrar) un contrato; (*Abkommen, Übereinkunft*) acuerdo *m*; convenio *m*; (*Pakt*) pacto *m*; *im internationalen Recht*: tratado *m*; (*schließen* concluir, concertar; *unterzeichnen* firmar; *kündigen* denunciar; *brechen* romper; *verletzen* violar); *e-m* ~ *beitreten* adherirse a un tratado; *e-m* ~ *zuwiderhandeln* violar un tratado.

ver'tragen (*L*; -) *v/t.* (*aushalten*) resistir, aguantar; *Schmerzliches*: sufrir; (*erdulden*) soportar; (*geschehen lassen*) tolerar; *Kleidung*: gastar por completo; *viel* ~ *können* tener mucho aguante; (*Wein usw.*) resistir bien la bebida; *gut* (*schlecht*) ~ *Speisen*: sentar bien (mal); digerir bien (mal); *sich* ~ *Sachen*: concordar; compadecerse; *die Farben* ~ *sich nicht* los colores desarmonizan, F se muerden *od.* P se dan de patadas; *sich* (*gut*) *miteinander* ~ *Personen*: entenderse bien; armonizar, vivir en armonía; F llevarse bien; *Sachen*: cuadrar; armonizar con, hacer juego con; ir bien con; ser compatible con; F *fig.* pegar con; *sich mit j-m wieder* ~ reconciliarse con alg.; F *fig.* echar pelillos a la mar; *sich nicht* ~ *können Personen*: estar en continua desavenencia; F no llevar vida; *Sachen*: desdecir; no hacer juego.

ver'traglich I. *adj.* contractual; **II.** *adv.* contractualmente; por contrato; conforme a lo convenido *od.* estipulado (en el contrato); *sich* ~ *verpflichten* obligarse contractualmente (*od.* por contrato).

ver'träglich *adj.* conciliador, conciliante; (*friedfertig*) pacífico; (*umgänglich*) tratable, sociable; *v. Sachen*: compatible (*mit* con); conciliable (*mit* con); (*verdaulich*) digerible; ⚕ (*Medikament*) tolerable; **2keit** *f* (*0*) espíritu *m* de conciliación; trato *m* afable; sociabilidad *f*; *v. Sachen*: compatibilidad *f*; ⚕ tolerancia *f*.

Ver'trags...: **~abschluß** *m* (-*sses*; ⸚*sse*) conclusión *f* (*od.* celebración *f*) de un contrato *bzw.* de un tratado; **~ansprüche** *m/pl.* pretensiones *f/pl.* contractuales; derechos *m/pl.* contractuales; **~bestimmungen** *f/pl.* condiciones *f/pl.* del contrato *bzw.* del tratado; **~bruch** *m* (-*es*; ⸚*e*) ruptura *f od.* transgresión *f* del contrato *bzw.* del tratado; **2brüchig** *adj.*: ~ *werden* infringir *od.* romper un contrato *bzw.* un tratado; violar un tratado; **~brüchige(r)** *m* infractor *m* del contrato; violador *m* del tratado.

ver'tragschließend *adj.* contratante; ~*e Partei*, ~*er Teil* parte contratante; **2e(r)** *m* contratante *m*; parte *f* contratante.

Ver'trags...: **~dauer** *f* (*0*) duración *f* de un contrato *bzw.* de un tratado; **~entwurf** *m* (-*es*; ⸚*e*) proyecto *m* de contrato *bzw.* de tratado; **~erbe** *m* (-*n*) heredero *m* contractual; **~gegenstand** *m* (-*es*; ⸚*e*) objeto *m* de contrato; **2gemäß** *adj.* contractual; convencional; estipulado contractualmente; de acuerdo con el (*od.* conforme al) contrato *bzw.* tratado (*a. adv.*); **~hafen** *m* (-*s*; ⸚) puerto *m* de tratado; **~klage** ⚖ *f* acción *f* contractual; **~kontrahent** *m* (-*en*) contratante *m*; **~land** *n* (-*es*; ⸚*er*) país *m* contratante; **~leistung** *f* prestación *f* contractual; **2mäßig** *adj.* → *vertragsgemäß*; **~partei** *f* parte *f* contratante; **~partner** *m* contratante *m*; parte *f* contratante; **~preis** *m* (-*es*; -*e*) precio *m* contractual (*od.* estipulado en el contrato); **~recht** *n* (-*es*; -*e*) derecho *m* contractual; **~strafe** *f* cláusula *f* penal contractual; pena *f* convencional; **~tarif** *m* (-*s*; -*e*) tarifa *f* contractual; **~treue** *f* (*0*) fidelidad *f* al contrato *bzw.* al tratado; fidelidad *f* a lo pactado; **~urkunde** *f* escritura *f*; (documento *m od.* instrumento *m* del) contrato *m bzw.* tratado *m*; **~verbindlichkeit** *f* (*0*) obligación *f* contractual; **~verhältnis** *n* (-*ses*; -*se*) relación *f* contractual; **2widrig** *adj.* contrario al contrato *bzw.* al tratado; contrario a lo estipulado.

ver'trauen (-) **1.** *v/t.* → *anvertrauen*; **2.** *v/i.*: *j-m* ~ tener confianza en alg.; ~ *auf* tener confianza en; poner su confianza en; (*sich verlassen auf*) fiarse de; (*hoffen auf*) confiar en; *auf Gott* ~ confiar en Dios.

Ver'trauen *n* (-*s*; *0*) confianza *f*; *im* ~ en confianza, confidencialmente; *im* ~ *gesagt* dicho sea entre nosotros; *im* ~ *auf sein Recht* confiando en su derecho; ~ *haben* tener confianza (*zu* en); tener fe (*zu* en); *sein* ~ *setzen auf od. in* (*ac.*) poner su confianza en; *j-m sein* ~ *schenken* fiarse de alg.; *j-s* ~ *gewinnen* (*verlieren*) ganarse (perder) la confianza de alg.; *das* ~ *verlieren* perder la confianza; perder la fe (*zu* en); ~ *einflößen* (*od. erwecken*) inspirar confianza; *j-s* ~ *genießen* gozar de la confianza de alg.; *Parl.*: *das* ~ *aussprechen* otorgar su confianza; *j-n ins* ~ *ziehen* confiar a alg. el secreto; hacer a alg. confidente (de); *von j-m ins* ~ *gezogen werden* ser informado confidencialmente por alg.; **2erweckend** *adj.* que inspira confianza; *wenig* ~ sospechoso.

Ver'trauens...: **~amt** *n* (-*es*; ⸚*er*) cargo *m* de confianza; **~antrag** *m* (-*es*; ⸚*e*) *Parl.* moción *f* de confianza; **~arzt** *m* (-*es*; ⸚*e*) médico *m* oficial (de la inspección de sanidad); **~beweis** *m* (-*es*; -*e*) prueba *f* de confianza; **~bruch** *m* (-*es*; ⸚*e*) abuso *m* de confianza; **~frage** *f* *Pol.* cuestión *f* de confianza (*stellen* plantear); **~mann** *m* (-*es*; ⸚*er*) hombre *m* de confianza; hombre *m* bueno; **~person** *f* persona *f* de confianza; **~posten** *m* puesto *m* de confianza; **~sache** *f* cuestión *f* de confianza; asunto *m* confidencial; **2selig** *adj.* demasiado confiado; crédulo; F alegre y confiado; **~seligkeit** *f* (*0*) confianza *f* ciega; credulidad *f*; **~stellung** *f* → *Ver-*

trauensposten; **2voll** *adj.* confiado; lleno de confianza; **~votum** *n* (*-s*; *-ten*) voto *m* de confianza; **2würdig** *adj.* digno de confianza.

ver'trauern (*-re*; -) *v/t.* pasar entre tristezas; pasar en pena.

ver'traulich I. *adj. Verkehr*: familiar; íntimo; (*plump* ~) F confianzudo; *Mitteilung*: confidencial; *~e Mitteilung* informe *m* confidencial, *mündliche*: confidencia *f*; *j-m ~e Mitteilungen machen* hacer confidencias a alg.; (*streng*) *~!* (estrictamente) confidencial; **II.** *adv.* confidencialmente; *plump ~* con demasiada (*od.* excesiva) confianza; *j-m et. ~ mitteilen* decir a alg. confidencialmente a/c.; informar confidencialmente a alg. de a/c.; **2keit** *f* familiaridad *f*; intimidad *f*; (*Vertrauen*) confianza *f*; *e-r Mitteilung*: carácter *m* confidencial; *sich ~en herausnehmen* tomarse libertades, permitirse familiaridades (*mit j-m* con alg.); F tomarse confianzas.

ver'träum|en (-) *v/t.*: *die Zeit ~* pasar(se) el tiempo soñando; **~t** *adj.* soñador; romántico.

ver'traut *adj.* familiar; (*intim*) íntimo; *~ mit* familiarizado con; versado en; buen conocedor de; *mit j-m auf ~em Fuße stehen* ser íntimo amigo de alg.; *mit et. ~ sein* conocer a fondo a/c.; estar familiarizado con a/c.; estar (bien) enterado de a/c., (*darüber auf dem laufenden sein*) estar al corriente de a/c.; *sich mit et. ~ machen* familiarizarse con a/c.; ponerse al corriente de a/c.; *diese Sprache ist ihm ~* conoce perfectamente (*od.* a fondo) esa lengua; ese idioma le es familiar; **2e(r** *m*) *m/f* confidente *m/f*; **2heit** *f* familiaridad *f* (*mit* con); (*Intimität*) intimidad *f*; (*gute Kenntnis*) profundo conocimiento *m* (de).

ver'treib|en (*L*; -) *v/t.* echar (*aus* de); arrojar (de); expulsar (de); (*aus e-r Stellung*) desalojar (*a.* ⚔); (*aus dem Lande*) desterrar; (*aus s-m Besitz*) desposeer; (*verscheuchen*) ahuyentar; ✝ *Ware*: vender; (*vergehen lassen*) pasar, hacer pasar; *Sorgen*: quitar; *Wolken*: disipar (*a. fig. Zweifel*); *Krankheit*: curar; *Fieber*: cortar; *Schmerzen*: quitar, hacer desaparecer; *sich die Zeit mit et. ~* pasar el tiempo entretenido en a/c.; F matar el tiempo; **2ung** *f* expulsión *f*; desalojamiento *m*; *Pol.* destierro *m*; ✝ venta *f*; (*aus dem Besitz*) desposeimiento *m*.

ver'tret|bar *adj.* justificable; *Standpunkt*: defendible; ⚖ *Sachen*: fungible; **~en** (*L*; -) *v/t.* representar (*a. Pol. u.* ✝); (*ersetzen*) su(b)stituir; re(e)mplazar; suplir, hacer las veces de; (*rechtfertigen*) justificar; (*verteidigen*) defender; (*einstehen für*) responder de; *Meinung*: sostener, sustentar; (*j-s Interessen*) velar por; *die Ansicht od. die Auffassung ~, daß* ... opinar que ...; *e-e andere Ansicht ~* ser de otra opinión; pensar de otro modo; *ich vertrete nicht Ihre Ansicht* no comparto su opinión; no soy de su parecer; *bei j-m Vaterstelle ~* hacer las veces de padre con *od.* para alg.; *j-s Sache ~* defender la causa de alg.; abogar por alg.; *j-m den Weg ~* cortar (*od.* cerrar) el paso a alg.; interponerse en el camino de alg.; *sich den Fuß ~* torcerse (*od.* dislocarse) el pie; *sich die Beine ~* desentumecerse (F estirar) las piernas; *nicht vertreten sein* no estar representado; (*fehlen*) faltar; no figurar en *od.* entre; **2er(in** *f*) *m* representante *m/f*; *Pol. a.* delegado (-a *f*) *m*; ✝ representante *m*; agente *m*; comisionista *m*; *im Amt*: su(b)stituto *m*; suplente *m*; ✝ (*Prokurist*) apoderado *m*; (*Verfechter*) defensor *m*; *fig.* paladín *m*; (*hervorragender, typischer ~*) exponente *m*, expresión *f* (de).

Ver'tretung *f* representación *f*; *Pol. a.* delegación *f*; *im Amt*: su(b)stitución *f*; suplencia *f*; ✝ representación *f*; agencia *f*; *Pol.*, ⚔ *im Ausland*: misión *f*; *diplomatische* (*konsularische*) *~* representación diplomática (consular); *in ~ des* ... (*unterschriftlich*) por el ...; *Abstimmung in ~* voto *m* por delegación; **~sbefugnis** *f* (-; *-se*) poder *m* (de representación); **2sberechtigt** *adj.* autorizado para representar; **2sweise** *adj.* en representación de; en lugar de; en re(e)mplazo de; como (*od.* a título de) suplente.

Ver'trieb ✝ *m* (*-es*; *-e*) venta *f*; (*Verteilung*) distribución *f*.

Ver'triebene(r *m*) *m/f Pol.* refugiado (-a *f*) *m*; persona *f* expulsada (*neol.* desplazada) de su patria.

Ver'triebs...: **~abteilung** *f* sección *f* de ventas; **~gesellschaft** *f* compañía *f* distribuidora; **~kosten** *pl.* gastos *m/pl.* de distribución; **~leiter** *m* jefe *m* de ventas; **~recht** *n* (*-es*; *-e*) derecho *m* de venta; (*Konzession*) licencia *f*; (*Allein2*) derecho *m* de venta exclusivo; monopolio *m*.

ver'trinken (*L*; -) *v/t. Geld*: gastar en bebidas; *Gram usw.*: ahogar (*sus penas*) en alcohol; emborracharse para olvidar.

ver'trocknen (*-e-*; -; *sn*) *v/i.* secarse.

ver'trödeln (*-le*; -) *v/t.* haraganear; *die Zeit ~* pasar el tiempo en la ociosidad, F no dar golpe.

ver'tröst|en (*-e-*; -) *v/t.*: *j-n ~* dar esperanzas a alg.; entretener a alg. con (vanas) promesas; *Gläubiger*: dar largas a; *sich ~* alimentarse de esperanzas; esperar tiempos mejores; **2ung** *f* promesa *f* vana; buenas palabras *f/pl.*

ver'trusten [ʊ *od.* a] (*-e-*; -) ✝ *v/t.* organizar un trust.

ver'tun (*L*; -) *v/t.* malgastar, disipar; desperdiciar; F *sich ~* equivocarse.

ver'tuschen (-) *v/t. Fehler*: disimular; encubrir, ocultar, F tapar; *Angelegenheit*: echar tierra a; (*beschönigen*) paliar; cohonestar.

ver'übeln (*-le*; -) *v/t.* tomar a mal a/c.

ver'üb|en (-) *v/t. Verbrechen*: cometer, perpetrar; **2ung** *f* comisión *f*, perpetración *f*.

ver'ulken (-) *v/t.* burlarse de, F chunguearse de; tomar el pelo a.

ver'un|glimpfen (-) *v/t.* difamar, denigrar; calumniar; **2glimpfung** *f* difamación *f*, denigración *f*; calumnia *f*; **~glücken** (-; *sn*) *v/i.* tener una desgracia; sufrir un accidente; *zu Tode*: perecer en un accidente; ⚓ naufragar; (*mißglükken*) malograrse; fracasar; **2glückte(r** *m*) *m/f* víctima *f* de un accidente; **~reinigen** (-) *v/t.* manchar, ensuciar; *Wasser*: impurificar (*a. fig.*); *Luft*: *a.* viciar; *mit Keimen*: ⚕ infectar, inficionar; contaminar; *Rel.* profanar; *sich ~* mancharse, ensuciarse; impurificarse; viciarse; ⚕ infectarse; contaminarse; **2reinigung** *f* (*Schmutz*) suciedad *f*; (*Fleck*) mancha *f*; impurificación *f*; ⚕ infección *f*; contaminación *f*; **~stalten** (*-e-*; -) *v/t.* desfigurar; deformar; (*häßlich machen*) afear; deslucir; **~staltet** *adj.* deforme; contrahecho; **2staltung** *f* deformación *f*; desfiguración *f*; (*Häßlichmachen*) afeamiento *m*; **~treuen** (-) *v/t.* desfalcar; malversar; **2treuung** *f* desfalco *m*; malversación *f*, *öffentlicher Gelder*: *a.* peculado *m*; **~zieren** (-) *v/t.* afear; deslucir; desadornar.

ver'ur|sachen (-) *v/t.* causar, motivar; originar; ocasionar; (*hervorbringen*) producir; (*hervorrufen*) provocar; *j-m Kosten ~* ocasionar gastos a alg.; **~teilen** (-) *v/t.* condenar; ⚖ *a.* sentenciar (*zu* a); *zum Tode ~* condenar a muerte; ⚖ *zu den Kosten verurteilt werden* ser condenado a pagar las costas; *fig. zum Scheitern verurteilt* condenado al fracaso; **2teilung** *f* condena *f*.

ver'vielfältig|en (-) *v/t.* multiplicar; *Phot.* reproducir, copiar; *mit Hektographen*: *neol.* multicopiar, hectografiar; **2ung** *f* multiplicación *f*; *Phot.* reproducción *f*, copia *f*; *v. Texten*: copia *f* (múltiple); **2ungs-apparat** *m* (*-es*; *-e*) multicopista *m*, hectógrafo *m*; autocopista *f*; ciclostilo *m*; **2ungsrecht** *n* (*-es*; *-e*) derecho *m* de reproducción; **2ungsverfahren** *n* policopia *f*.

ver'vierfachen (-) *v/t.* cuadruplicar.

ver'vollkommn|en (*-e-*; -) *v/t.* perfeccionar; **2ung** *f* (*0*) (suma) perfección *f*; *als Handlung*: perfeccionamiento *m*; **~ungsfähig** *adj.* perfectible; **2ungsfähigkeit** *f* perfectibilidad *f*.

ver'vollständig|en (-) *v/t.* completar; **2ung** *f* completamiento *m*.

ver'wachsen[1] (*L*; -; *sn*) *v/i.* (*zusammenwachsen*) crecer unidos; (*sich verschlingen*) entrelazarse; *Wunde*: cerrarse, cicatrizarse; *fig. mit j-m ~* compenetrarse con alg.

ver'wachs|en[2] *adj.* contrahecho, deforme; (*bucklig*) jorobado, corcovado; *dicht ~ Wald*: espeso; intrincado; *Pfad*: cubierto de maleza; *~ mit* ⚕ adherente a; *fig. ~ mit* profundamente arraigado; *mit j-m ~ sein* estar íntimamente unido a alg.; estar compenetrado con alg.; **2ung** *f* deformidad *f*; ⚕ adherencia *f*.

ver'wahr|en (-) *v/t.* custodiar, tener en (*od.* bajo) custodia; guardar; tener *bzw.* poner a buen recaudo; (*wegschließen*) encerrar; *zu ~ geben* dar en depósito; entregar para su custodia; *fig. sich gegen et. ~* protestar contra a/c.; 2**er** *m* depositario *m*; **~losen** (-) **1.** *v/t.* descuidar; dejar abandonado; **2.** (*sn*) *v/i.* quedar desatendido; quedar abandonado; *Mensch*: envilecerse; degradarse; **~lost** *adj.* abandonado; desamparado; *Mensch*: (*moralisch*) envilecido; degradado; (*zerlumpt*) desastrado, astroso; *Gebäude*: destartalado; 2**losung** *f* (*0*) abandono *m*; descuido *m*, falta *f* de cuidado; desamparo *m*; 2**ung** *f* custodia *f*; guardia *f*; ⚖ (*Haft*) arresto *m* precautorio; (*Einspruch*) protesta *f*; *in ~ geben* dar en depósito (*od.* en custodia); depositar; *j-m et. in ~ geben* depositar en manos de alg. a/c.; *in ~ nehmen* tomar en depósito; encargarse de la custodia de; *in ~ haben* tener en depósito; guardar; tener bajo su custodia; *~ einlegen* protestar (*gegen* contra); 2**ungs-ort** *m* (*-es*; *-e*) depósito *m*; 2**ungsvertrag** *m* (*-es*; *"e*) contrato *m* de depósito.

ver'wais|en (-; *sn*) *v/i.* quedar huérfano; *fig.* quedar abandonado; **~t** *adj.* huérfano; *fig.* abandonado; 2**ung** *f* orfandad *f*; *fig.* abandono *m*.

ver'walken (-) F *v/t.* moler a golpes, F zurrar la badana; *fig.* sacudir el polvo a alg.

ver'walt|en (*-e*; -) *v/t.* administrar; *Pol.* gobernar; *Amt*: ejercer; desempeñar; 2**er** *m* administrador *m*; (*Geschäfts*2) gerente *m*; (*Guts*2) administrador *m*; mayordomo *m*; 2**erin** *f* administradora *f*; 2**ung** *f* administración *f*; *e-s Geschäfts*: gerencia *f*; *e-s Amtes*: ejercicio *m*; desempeño *m*; (*Staats*2) administración *f* pública; (*Leitung*) dirección *f*; gobierno *m*; *städtische ~* adminsitración municipal.

Ver'waltungs...: **~abteilung** *f* sección *f* administrativa; **~akt** *m* (*-es*; *-e*) acto *m* administrativo; **~apparat** *m* (*-es*; *-e*) aparato *m* administrativo; **~ausgaben** *pl.* gastos *m/pl.* de administración; **~ausschuß** *m* (*-sses*; *"sse*) comisión *f* administrativa; **~be-amte(r)** *m* funcionario *m* de la administración; **~behörde** *f* autoridad *f* administrativa; administración *f*; dirección *f*; **~bezirk** *m* (*-es*; *-e*) distrito *m*; circunscripción *f*; **~dienst** *m* (*-es*; *-e*) servicio *m* administrativo; **~gebäude** *n* (edificio *m* de la) administración *f*; **~gericht** ⚖ *n* (*-es*; *-e*) tribunal *m* contencioso-administrativo; **~kommission** *f* comisión *f* administrativa; **~kosten** *pl.* gastos *m/pl.* de administración; **~organisation** *f* organización *f* administrativa; **~rat** *m* (*-es*; *"e*) consejo *m* de administración; junta *f* administrativa; **~recht** *n* (*-es*; *0*) derecho *m* administrativo; **~reform** *f* reforma *f* administrativa; **~strafrecht** ⚖ *n* (*-es*; *0*) derecho *m* penal administrativo; **~streitverfahren** ⚖ *n* procedimiento *m* contencioso-administrativo; **~system** *n* (*-s*; *-e*) sistema *m* administrativo; **~vereinbarung** *f* arreglo *m* administrativo; **~verordnung** *f* ordenanza *f* administrativa; **~vorschrift** *f* precepto *m* administrativo; **~weg** *m*: *auf dem ~* por vía administrativa; **~wesen** *n* (*-s*; *0*) administración *f*; **~zweig** *m* (*-es*; *-e*) ramo *m* de la administración; (*Ressort*) departamento *m* (administrativo).

ver'wandel|bar *adj.* transformable; convertible (*a.* Ꭿ); transmutable (*a.* ⚗); *Strafe*: conmutable; **~n** (*-le*; -) *v/t.* cambiar; transformar; convertir (*a.* Ꭿ); transmutar (*a.* ⚗); *Myt.* metamorfosear; ⚖ *Strafe*: conmutar; (*der Gestalt nach*) transfigurar (*a. Rel.*); (*der Substanz nach*) transu(b)stanciar (*a. Rel.*); *~ in* (*ac.*) cambiar en; transformar en; convertir en (*a.* Ꭿ); *in Asche ~* reducir a cenizas; *sich ~ in* transformarse en; convertirse en; quedar reducido a.

Ver'wandlung *f* cambio *m*; transformación *f*; conversión *f*; transmutación *f*; ⚖ *e-r Strafe*: conmutación *f*; *Myt.*, 📖 metamorfosis *f*; *Rel.* (*die Verklärung Christi*) transfiguración *f*; *Rel.* (*der Hostie*) transu(b)stanciación *f*; *Thea.* mutación *f*; **~s-künstler** *m* transformista *m*.

ver'wandt *adj.* pariente (*mit* de); unido por parentesco; (*an~*) emparentado; *er ist mit mir ~* es pariente mío; somos parientes; *wir sind nahe* (*weitläufig*) *~* somos parientes cercanos *od.* próximos (lejanos); *fig.* (*ähnlich*) semejante (*mit* a), similar; (*entsprechend*) análogo; ⚗ *u. fig.* afín; 2**e** *f* parienta *f*; 2**enehe** *f* matrimonio *m* entre parientes; 2**e(r)** *m* pariente *m*; *naher* (*entfernter*) *~* pariente cercano *od.* próximo (lejano); 2**schaft** *f* parentesco *m*; *die Verwandten*: parentela *f*, los parientes; *fig.* semejanza *f*; analogía *f*; afinidad *f* (*a.* ⚗); **~schaftlich** *adj.* de pariente; como pariente; *~e Beziehungen* relaciones de parentesco; 2**schaftsgrad** *m* (*-es*; *-e*) grado *m* de parentesco; 2**schaftsverhältnis** *n* (*-ses*; *-se*) relación *f* de parentesco.

ver'wanzt *adj.* lleno de chinches.

ver'warn|en (-) *v/t.* amonestar; advertir (*a. Sport*); ⚖ apercibir; 2**ung** *f* amonestación *f*, admonición *f*; advertencia *f*; ⚖ apercibimiento *m*.

ver'waschen *adj. Farben*: descolorido; (*blaß*) desvaído; (*verwischt*) borroso; *fig.* vago; impreciso.

ver'wässern (*-re*; -) **I.** *v/t.* aguar; enaguachar; *fig.* hacer insípido.

ver'weben (-) *v/t.* emplear en un tejido; (*verflechten*) entretejer (*mit, in ac.* en); *fig.* unir estrechamente.

ver'wechsel|n (*-le*; -) *v/t.* confundir (*mit* con); equivocar; tomar una cosa por otra; *j-n mit e-m andern ~* tomar a alg. por otro; *sie sehen sich zum 2 ähnlich* tienen un parecido asombroso; se parecen como dos gotas de agua; *sein Mantel ist verwechselt worden* le han cambiado el abrigo (por otro que no es el suyo); 2**ung** *f* confusión *f*; (*Irrtum*) equivocación *f*.

ver'wegen *adj.* temerario; (*kühn*) audaz; osado; (*dreist*) atrevido; (*entschlossen*) arrojado; resuelto; 2**e(r)** *m* temerario *m*; 2**heit** *f* (*0*) temeridad *f*; audacia *f*; osadía *f*; atrevimiento *m*; arrojo *m*.

ver'weh|en (-) **1.** *v/t.* (*zerstreuen*) dispersar; disipar; llevarse (el viento); *Spuren*: borrar; *mit Schnee ~* cubrir de nieve; **2.** (*sn*) *v/i.* dispersarse; disiparse; *vom Winde ~t* arrastrado (*od.* llevado) por el viento; 2**ung** *f* (*Schnee*2) nieve *f* arremolinada; remolinos *m/pl.* de nieve.

ver'wehren (-) *v/t.*: *j-m et. ~* impedir a alg. hacer a/c.; (*verbieten*) prohibir a alg. a/c.

ver'weichlich|en (-) *v/t.* enmollecer; enervar; afeminar; *sich ~* enmollecerse; enervarse; afeminarse; **~t** *adj.* afeminado; 2**ung** *f* (*0*) molicie *f*; enervación *f*; flojedad *f* de ánimo; afeminación *f*.

ver'weiger|n (*-re*; -) *v/t.* rehusar, no aceptar; negar; *Bitte*: denegar; no conceder; † *Auslieferung ~* rehusar la aceptación; *j-m den Gehorsam ~* desobedecer a alg.; *e-n Befehl ~* desobedecer una orden; 2**ung** *f* (*0*) no aceptación *f*; negación *f*; denegación *f*; 2**ungsfall** *m*: *im ~* en caso negativo.

ver'weilen I. (-) *v/i.* (*bleiben*) permanecer; quedarse; *sich ~* quedarse; (*sich aufhalten*) detenerse; demorarse; *bei et. ~* detenerse en a/c.; extenderse sobre a/c.; **II.** 2 *n* permanencia *f*, estancia *f*.

ver'weint *adj.* lloroso; *~ aussehen, ~e Augen haben* tener los ojos llorosos; tener los ojos hinchados de lágrimas (*od.* de haber llorado).

Ver'weis *m* (*-es*; *-e*) reprimenda *f*; *derber*: reprensión *f* (*a. amtlicher*); F sermón *m*; rapapolvo *m*; (*Warnung*) amonestación *f*; advertencia *f*; (*Hinweis*) referencia *f* (*auf ac.* a); *im Text*: remisión *f*; *e-n ~ erteilen* reprender, (*j-m* a alg., *wegen* por); dar una reprimenda; F echar un rapapolvo (*od.* una filípica).

ver'weis|en (*L*; -) *v/t.* (*hinweisen*) remitir (*an, auf ac.* a); llamar la atención sobre; *des Landes ~* expulsar del país, *verbannen*: desterrar, proscribir, extrañar; *von der Schule ~* expulsar de la escuela; *des Feldes ~ Sport*: expulsar del campo, F enviar a la caseta; 2**ung** *f* (*Hinweis*) referencia *f* (*auf, an ac.* a), *im Text*: remisión *f*, *Typ.* llamada *f*; (*Landes*2) expulsión *f*, *Verbannung*: destierro *m*, proscripción *f*, extrañamiento *m*; *~ aus dem Saal* (*Sport*: *aus dem Feld*) expulsión de la sala (del campo).

ver'welk|en (-; *sn*) *v/i.* marchitarse; ajarse; **~t** *adj.* marchito; ajado.

ver'weltlich|en (-) *v/t. Klöster*: secularizar; *Schulen*: laicizar; 2**ung** *f* (*0*) *v. Klöstern*: secularización *f*; *v. Schulen*: laicización *f*.

ver'wend|bar *adj.* utilizable; aplicable; *~ für, zu* utilizable para; aplicable a; 2**barkeit** *f* (*0*) utilidad *f* práctica; aplicabilidad *f*; **~en** (*-e od. L*; -) *v/t.* emplear (*auf, für, zu ac.* en; para); usar; (*nützlich ~*) utilizar; aprovechar; (*anwenden*) aplicar; (*aufwenden*) gastar (*für, auf ac.* en); *Summe*: dedicar a; invertir en; *Sorgfalt, Zeit, Mühe*: consagrar, dedicar (*auf ac.* a); *sich für j-n ~* interceder por alg. (*bei j-m* cerca de alg.); 2**ung** *f* empleo *m*; uso *m*; utilización *f*; aplicación *f*; (*Fürsprache*) intercesión *f* (*zugunsten j-s* en favor de alg.); *für et. keine ~ haben* no poder (*od.* no tener en qué) emplear a/c.; **2ungsbereich** *m* (*-es*; *-e*) campo *m* de aplicación.

ver'werf|en (*L*; -) *v/t.* (*zurückweisen*) rechazar; *verächtlich*: desechar; (*mißbilligen*) desaprobar; *Lehre*: reprobar; *Rel.* condenar; ⚖ *Richter, Zeugen*: recusar; *Urteil*: casar, anular; *Antrag, Berufung*: desestimar; *Vet.* abortar; *sich ~ Holz*: alabearse, combarse; *Geol.* dislocarse; **~lich** *adj.* (*unzulässig*) inadmisible; (*schlecht*) malo; (*gemein*) bajo; abyecto, vil; (*tadelnswert*) reprensible; reprochable; *Lehre*: reprobable; (*verdammenswert*) condenable; ⚖ recusable; (*abscheulich*) abominable; vituperable; **2lichkeit** *f* (*0*) carácter *m* reprensible; bajeza *f*; abyección *f*; **2ung** *f* rechazamiento *m*; *e-r Lehre*: reprobación *f*; *Rel.* condenación *f*; ⚖ recusación *f*; *des Holzes*: alabeo *m*; *Geol.* dislocación *f*; falla *f*; *Vet.* aborto *m*.

ver'wert|bar *adj.* utilizable, aprovechable (para); † realizable; explotable; **~en** (*-e-*; -) *v/t.* utilizar, emplear; servirse de; aprovechar; (*geltend machen*) hacer valer; † (*zu Geld machen*) realizar; *Patent*: explotar; **2ung** *f* utilización *f*, empleo *m*; aprovechamiento *m*; † realización *f*; *e-s Patentes*: explotación *f*.

ver'wesen (-; *sn*) *v/i.* pudrirse, descomponerse, corromperse.

ver'weslich *adj.* corruptible.

Ver'wesung *f* (*0*) putrefacción *f*, descomposición *f*; *in ~ übergehen* descomponerse; empezar a pudrirse.

Ver'wesungs-prozeß *m* (*-sses*; *-sse*) putrefacción *f*; proceso *m* de descomposición.

ver'wetten (*-e-*; -) *v/t.* (*einsetzen*) apostar (*für* por); (*verlieren*) perder en apuestas.

ver'wichsen (*-t*; -) F *v/t.* (*verprügeln*) moler a palos; dar una tunda; (*vergeuden*) malgastar, despilfarrar.

ver'wickel|n (*-le*; -) *v/t.* enredar, enmarañar; (*verwirren*) embrollar, intrincar; *fig.* complicar; *j-n in e-e Angelegenheit ~* enredar (*od.* comprometer) a alg. en un asunto; embarcar a alg. en un asunto; *j-n in e-e Anklage ~* implicar a alg. en una acusación; *sich mit den Füßen ~ in* (*ac.*) enredarse los pies en; *sich in Widersprüche ~* incurrir en contradicciones; **~t** *adj.* enredado, enmarañado; (*wirr*) intrincado; confuso, embrollado; (*kompliziert*) complicado; **2ung** *f* enredo *m*, maraña *f*; (*Verwirrung*) confusión *f*, embrollo *m*; (*Komplikation*) complicación *f*; ⚖ (*Mitschuld*) complicidad *f*; *Thea.* intriga *f*, enredo *m*.

ver'wilder|n (*-re*; -; *sn*) *v/i.* volver a su estado primitivo; *Tiere*: volver a su estado salvaje; *Feld, Garten*: cubrirse de maleza por abandono; *Pflanze*: volver a su estado silvestre; *fig.* (*vertieren*) embrutecerse; *Sitten*: degenerar; pervertirse; *~ lassen* abandonar, dejar abandonado, *Kinder*: descuidar la educación (de); **~t** *adj.* salvaje; inculto; abandonado; (*undiszipliniert*) indisciplinado; **2ung** *f* vuelta *f* al estado primitivo; (*Verwahrlosung*) abandono *m*; *fig.* (*Vertierung*) embrutecimiento *m*; *der Sitten*: degeneración *f*; perversión *f*.

ver'wind|en (*L*; -) *v/t.* (*verschmerzen*) consolarse de; (*überwinden*) sobreponerse a; *Krankheit*: reponerse de; restablecerse; *Schaden*: resarcirse de; ⊕ torcer; **2ung** *f* ⊕ torsión *f*.

ver'wirken (-) *v/t.* (*einbüßen*) perder; *moralisch*: hacerse indigno de; *Strafe*: incurrir en; *sein Leben verwirkt haben* merecer la muerte.

ver'wirklich|en (-) *v/t.* realizar; llevar a efecto (*od.* a cabo); (*erreichen*) conseguir, lograr; *sich ~* realizarse, llegar a ser realidad (*od.* a ser un hecho); **2ung** *f* realización *f*; consecución *f*.

ver'wirr|en (-) *v/t.* (*verwickeln*) enredar, enmarañar; *fig.* embrollar; complicar; (*in Unordnung bringen*) desordenar, poner en desorden; desarreglar; (*stören*) turbar; *j-n ~* desconcertar a alg.; desorientar a alg.; dejar perplejo a alg.; *sich ~* enredarse, enmarañarse; *fig.* embrollarse; **~end** *adj.* desconcertante; **~t** *adj.* enredado, enmarañado; *fig.* embrollado; desordenado; (*wirr*) confuso; (*verlegen*) desconcertado; desorientado, perplejo; (*verstört*) turbado; (*benommen*) aturdido; *j-n ~ machen* = *j-n verwirren*; **2ung** *f* enredo *m*, maraña *f*; embrollo *m*; desorden *m*; turbación *f*; desconcierto *m*; desorientación *f*; perplejidad *f*; confusión *f*; *lärmende*: barullo *m*; alboroto *m*; (*Aufruhr*) tumulto *m*; *j-n in ~ bringen* = *j-n verwirren*; *et. in ~ bringen* enredar *od.* embrollar a/c.; desordenar *od.* desarreglar a/c.; *in ~ geraten* desconcertarse; quedar perplejo; turbarse.

ver'wirtschaften (*-e-*; -) *v/t.* malgastar; desbaratar.

ver'wisch|en (-) *v/t.* borrar (*a. fig.*); *Mal. mit dem Wischer*: difuminar, esfuminar; (*undeutlich machen*) hacer borroso; (*verschmieren*) emborronar; *fig.* hacer desaparecer; *sich ~* desdibujarse; **~t** *adj.* borroso, confuso.

ver'witter|n (*-re*; -; *sn*) *v/i.* descomponerse, desagregarse, corroerse (por la acción de los agentes atmosféricos); (*Mauer*) desmoronarse; ⚗ eflorescerse; **~t** *adj.* corroido por la intemperie; *Haut*: curtido por la intemperie; *Gesicht*: apergaminado; **2ung** *f* descomposición *f*, desagregación *f*; desmoronamiento *m*; ⚗ eflorescencia *f*; *Geol.* erosión *f*.

ver'witwet *adj.* viudo.

ver'wöhn|en (-) *v/t.* mimar; *Kind*: (*schlecht erziehen*) malcriar; consentir; (*verweichlichen*) afeminar; *im Essen ~* acostumbrar a manjares delicados; **~t** *adj.* mimado; *Kind*: *a.* consentido; *Geschmack*: refinado; (*anspruchsvoll*) exigente, difícil de contentar; **2ung** *f* mimo *m*; *des Kindes*: *a.* condescendencia *f* excesiva.

ver'worfen *adj.* (*niederträchtig*) abyecto, vil; infame; (*lasterhaft*) depravado; *Rel.* réprobo; **2heit** *f* (*0*) abyección *f*, vileza *f*; infamia *f*; (*Verderbtheit*) depravación *f*.

ver'worren I. *p/p. v. verwirren*; **II.** *adj.* enredado, embrollado; confuso; intrincado; **2heit** *f* (*0*) embrollo *m*; confusión *f*.

ver'wund|bar *adj.* vulnerable; **2barkeit** *f* (*0*) vulnerabilidad *f*; **~en** (*-e-*; -) *v/t.* herir.

ver'wunder|lich *adj.* sorprendente; (*befremdend*) extraño; *es ist ~, daß ...* es curioso que (*subj.*); *es ist nicht ~, daß ...* no es de extrañar que ...; **~t** *adj.* sorprendido; admirado; (*erstaunt*) asombrado, maravillado; **2ung** *f* admiración *f*; (*Erstaunen*) asombro *m*; (*Überraschung*) sorpresa *f*; *in ~ setzen* maravillar; causar sorpresa a; llenar de admiración a; *in ~ geraten* asombrarse, maravillarse (*über ac.* de); sorprenderse (de).

Ver'wund|eten-abzeichen ⚔ *n Span.* Medalla *f* de Sufrimientos por la Patria; **~ete(r)** *m* ⚔ herido *m*; **~ung** *f* herida *f*.

ver'wunschen *adj.* encantado.

ver'wünsch|en (-) *v/t.* (*verfluchen*) maldecir, imprecar; (*verzaubern*) encantar; hechizar, embrujar; **~t** *adj.* maldito; **~t!** *int.* ¡maldición!; **2ung** *f* (*Verfluchung*) maldición *f*, imprecación *f*; *~en ausstoßen gegen j-n* lanzar imprecaciones contra alg.; desatarse en improperios contra alg.; (*Verzauberung*) encantamiento *m*; embrujamiento *m*.

ver'wurzel|n (*-le*; -; *sn*) *v/i.* arraigar(se), echar raíces (*beide a. fig.*); **~t** *adj.* arraigado; *stark ~ sein in* (*dat.*) estar hondamente arraigado en; tener honda raigambre en.

ver'wüst|en (*-e-*; -) *v/t.* devastar; desolar, asolar; **2ung** *f* devastación *f*; desolación *f*, asolamiento *m*.

ver'zag|en (-; *sn*) *v/i.* desalentarse, desanimarse, perder el ánimo; acobardarse; (*verzweifeln*) perder la esperanza, desesperar (*an dat.* de); **2en** *n* desaliento *m*, desánimo *m*; **~t** *adj.* desalentado; (*kleinmütig*) acobardado; pusilánime; *~ machen* desalentar, desanimar; acobardar; *~ werden* → *verzagen*; **2theit** *f* (*0*) desaliento *m*, desánimo *m*; (*Kleinmut*) pusilanimidad *f*.

ver'zählen (-) *v/refl.*: *sich ~* contar mal, equivocarse al contar; *sich um zwei ~* equivocarse en dos.

ver'zahn|en (-) *v/t.* ⊕ (*einzahnen*) endentar; (*mit Zähnen versehen*) dentar; *sich* (*ineinander*) *~* engranar (*a. fig.*); *Holz*: ensamblar; **2ung** *f* ⊕ engranaje *m* (*a. fig.*); *e-s Rades*: dentado *m*; *Holz*: ensambladura *f*.

ver'zapfen I. (-) *v/t. Getränke*: expender, despachar; △ *Balken*: espigar; *fig.* F *Unsinn ~* disparatar, desbarrar; *e-e Rede ~* F soltar un discurso; **II.** 2 *n v. Getränken*: despacho *m*; *Zimmerei*: ensamble *m* de espiga.

ver'zärtel|n (*-le*; -) *v/t. Kind*: mimar con exceso; F *fig.* llevar en palmitas; criar entre algodones; (*Erwachsene*) afeminar; **2ung** *f* mimos *m/pl.*; exceso *m* de cuidados; (*Weichlichkeit*) molicie *f*; afeminación *f*.

ver'zauber|n (*-re*; -) *v/t.* encantar, hechizar; ~ *in* (*ac.*) transformar en; **~t** *adj.* encantado; **ℒung** *f* encantamiento *m*; transformación *f*.

ver'zäun|en (-) *v/t.* cercar, vallar; *mit Pfählen*: empalizar; **ℒung** *f* cercado *m*, vallado *m*; *aus Pfählen*: empalizada *f*.

ver'zechen (-) *v/t. Geld*: gastar en bebida; F *fig.* beber(se).

ver'zehnfachen (-) *v/t.* decuplicar.

Ver'zehr *m* (*-s*; *0*) consumo *m*; gasto *m*; (*im Essen u. Trinken*) consumición *f*; **ℒen** (-) *v/t.* consumir (*a. im Essen u. Trinken*); gastar; (*aufessen*) comer(se); *fig.* consumir; minar; corroer; (*verschlingen*) devorar; (*zerstören*) destruir; *Vermögen*: comerse; tragarse; *sich vor Gram* ~ consumirse de pena; **ℒend** *adj.* ⚕ consuntivo; *fig.* (*Leidenschaft*) ardiente; (*Feuer*) voraz, devorador; **~er(in** *f*) *m* consumidor (-a *f*) *m*; **~ung** *f* consumo *m*; F gasto *m*; ⚕ consunción *f*.

ver'zeich|nen (*-e-*; -) *v/t.* anotar, apuntar; (*registrieren*) registrar; (*katalogisieren*) catalogar; (*inventarisieren*) inventariar; † *Kurse*: cotizar; *Bild*: dibujar mal; (*entstellen*) desfigurar, deformar; *Tatsachen*: consignar, hacer constar; *im einzelnen* ~ especificar; detallar; *auf e-r Liste* ~ inscribir en una lista; *auf e-r Liste verzeichnet sein* figurar en una lista; *den Sieg* (*große Gewinne*) ~ *können* (*od. zu* ~ *haben*) haber obtenido la victoria (grandes ganancias); **~net** *adj.* (*Bild*) mal dibujado, desdibujado; **ℒnis** *n* (*-ses*; *-se*) (*Liste*) lista *f*; relación *f*; *namentliches*: nómina *f*; (*Register*) registro *m*; (*Matrikel*) matrícula *f*; (*Katalog*) catálogo *m*; (*Inventar*) inventario *m*; (*Übersicht*) cuadro *m* (sinóptico); (*Einzelaufführung*) especificación *f*; (*Inhalts*ℒ) índice *m*; tabla *f* de materias; (*Druckfehler*ℒ) fe *f* de erratas; (*Tabelle*) tabla *f*; † *der Warenpreise*: lista *f* de precios; (*Tarif*) tarifa *f*; **ℒnung** *f* anotación *f*; (*Entstellung*) desfiguración *f*, deformación *f*; *Opt. des Bildes*: distorsión *f*.

ver'zeih|en (-) *v/t.* perdonar; *Rel. a.* remitir; *Höflichkeitsformel*: ~ *Sie!* ¡perdone (usted)!, ¡perdón!; (*entschuldigen*) dispensar; **~lich** *adj.* perdonable; *Rel.* remisible; (*entschuldbar*) dispensable; **ℒung** *f* (*0*) perdón *m*; *Rel. a.* remisión *f*; *j-n um* ~ *bitten* pedir perdón a alg.; (*ich bitte um*) ~! ¡perdón!; ¡le ruego me perdone!, ¡perdone usted!; ¡dispense!

ver'zerr|en (-) *v/t.* (*verrenken*) contorsionarse, hacer contorsiones; (*entstellen*) desfigurar, deformar (*a. Ton, Bild*); *Gesicht*: demudar; descomponer, desencajar; *Mund*: torcer; *verzerrte Züge* rostro descompuesto *od.* desencajado; *das Gesicht* ~ hacer muecas; *sich* ~ *Gesicht*: demudarse; *sich krampfhaft* ~ contorsionarse; **ℒung** *f* (*Verrenkung*) contorsión *f*; distorsión *f*; (*Entstellung*) desfiguración *f* (*a. des Tones, Bildes*); *des Tones, Bildes*: distorsión *f*; *des Gesichts*: demudación *f*; (*Grimasse*) mueca *f*.

ver'zettel|n (*-le*; -) *v/t.* (*zerstreuen*) dispersar, desparramar; (*vergeuden*) malgastar; desperdiciar; (*auf Zettel schreiben*) hacer fichas; *sich* ~ malgastar sus energías (en multitud de cosas insignificantes); **ℒn** *n*, **ℒung** *f* dispersión *f*; desparramamiento *m*; (*Vergeudung*) desperdicio *m*; *für e-e Kartei*: distribución *f* en fichas *od.* papeletas; ~ *der Kräfte* dispersión de energías.

Ver'zicht *m* (*-es*; *-e*) renuncia *f* (*auf ac.* a); (*Entsagung*) renunciación *f*; (*Aufgabe*) abandono *m*; (*Abtretung*) dimisión *f* (*auf ac.* de); ⚖ (*Prozeßrecht*) desistimiento *m*; ~ *leisten* = **ℒen** (*-e-*; -) *v/i.*: *auf et.* (*ac.*) ~ renunciar a a/c.; hacer renuncia de a/c.; (*abtreten*) dimitir; resignar; ⚖ desistir (de); **~en** *n*, **~leistung** *f* → *Verzicht*.

ver'ziehen (*L*; -) **1.** *v/t.* (*verzerren*) desfigurar; torcer; (*zusammenziehen*) contraer; *das Gesicht* ~ hacer una mueca, hacer visajes; *den Mund* ~ fruncir los labios; torcer la boca; *ohne e-e Miene zu* ~ sin inmutarse, F sin pestañear; *Kind*: (*verwöhnen*) mimar demasiado, (*schlecht erziehen*) educar mal; malcriar; (*zögern*) vacilar; tardar; (*in die Länge ziehen*) demorar, retardar, F dar largas a; **2.** (*sn*) *v/i.* (*umziehen*) mudarse; cambiar de domicilio *bzw.* de residencia; **3.** *v/refl.*: *sich* ~ (*sich verbiegen*) torcerse; (*schief werden*) ladearse; (*einschrumpfen*) encogerse; *Holz*: alabearse; *Gesicht*: demudarse; *Kleidung*: arrugarse; *Tuch*: encogerse; *Nebel, Wolken*: disiparse; *Sturm, Gewitter*: pasar; *Menge*: dispersarse; *Geschwür*: ⚕ resolverse; (*verschwinden*) desaparecer; marcharse, F evaporarse; F (*sich davonmachen*) escurrirse, despedirse a la francesa.

ver'zier|en (-) *v/t.* adornar; (*dekorieren*) decorar; (*verschönern*) embellecer, engalanar; *mit Zieraten*: ornamentar; *durch Besatz*: guarnecer (*mit* con, de); *Buch*: ilustrar; **ℒung** *f* adorno *m*; decoración *f*; △ ornamento *m*; (*Besatz*) guarnición *f*; *e-s Buches*: ilustración *f*.

ver'zink|en (-) *v/t.* revestir de cinc; ⚡ galvanizar; **ℒen** *n* galvanización *f*; **ℒer** *m* cinquero *m*.

ver'zinn|en (-) *v/t.* estañar; **ℒen** *n*, **ℒung** *f* estañadura *f*, estañado *m*; **ℒer** *m* estañador *m*.

ver'zins|bar *adj.* reditual, redituable; **~en** (-) **1.** *v/t. et.* ~ pagar intereses por a/c.; **2.** *v/refl.*: *sich* ~ producir (*od.* devengar) intereses; *sich mit 3%* ~ devengar (*od.* producir) un interés del tres por ciento; **~lich** *adj.* reditual; con devengo de interés; *~es Darlehen* préstamo a interés; *niedrig* ~ a bajo interés; ~ *mit 4%* con (devengo de) un interés del cuatro por ciento; ~ *anlegen* poner a rédito; **ℒung** *f* pago *m* de los intereses; interés *m*; (*Ertrag*) rédito *m*; intereses *m/pl.* devengados.

ver'zogen **I.** *p/p. v.* verziehen; **II.** *adj. Kind*: mimado; (*schlecht erzogen*) mal educado.

ver'zöger|n (*-re*; -) *v/t.* retardar, demorar; (*aufschieben*) aplazar; diferir; (*hinziehen*) dilatar; (*in die Länge ziehen*) F dar largas a; *sich* ~ retrasarse; (*auf sich warten lassen*) tardar en llegar; hacerse esperar; **~nd** *adj.* dilatorio; ⊕ retardador (*m*), retardatriz (*f*); **ℒung** *f* retraso *m*; demora *f*; dilación *f*; *bsd. Phys.* retardación *f*; retardo *m*; (*Aufschub*) aplazamiento *m*; *in* ~ *geraten* retrasarse; *keine* ~ *dulden* no admitir demora; **ℒungs-taktik** *f* táctica *f* dilatoria; **ℒungszünder** ⚔ *m* espoleta *f* retardada (*od.* de retardo).

ver'zoll|bar *adj.* sujeto a derechos de aduana; **~en** (-) *v/t.* aduanar; pagar los derechos de aduana; *haben Sie et. zu* ~? ¿tiene usted algo que declarar?; **ℒung** *f* pago *m* de los derechos de aduana; despacho *m* de aduana.

ver'zücken (-) *v/t.* arrobar; extasiar.

ver'zuckern (*-re*; -) *v/t.* azucarar; ⚕ sacarificar.

ver'zück|t *adj.* arrobado; *bsd. Rel.* extático; **ℒung** *f* arrobamiento *m*, arrobo *m*; éxtasis *m*; *in* ~ *geraten* arrobarse; embelesarse; extasiarse.

Ver'zug *m* (*-es*; *0*) retraso *m*; retardo *m*; demora *f*; tardanza *f*; dilación *f*; (*Aufschub*) aplazamiento *m*; ⚖ mora *f*; *ohne* ~ sin demora; sin tardanza; *in* ~ *sein* estar en retraso; *in* ~ *bringen* retrasar; retardar; demorar; *in* ~ *geraten* retrasarse; *ohne weiteren* ~ sin más dilaciones; *es ist Gefahr im ~e* en la tardanza está el peligro; hay inminencia de peligro; **~s-strafe** *f* pena *f* contractual *od.* convencional; **~s-tage** † *pl.* días *m/pl.* de gracia; **~szinsen** *pl.* intereses *m/pl.* moratorios; **~szuschlag** *m* (*-es*; *⸗e*) sobretasa *f* por retraso.

ver'zweif|eln (*-le*; -; *sn*) *v/i.* desesperar (*an dat.* de); desesperarse; *es ist zum* ℒ es para desesperarse; es desesperante; **~elt** **I.** *adj.* desesperado; **II.** *adv.* (*höchst*) muy; sumamente, en extremo; **ℒlung** *f* (*0*) desesperación *f*; *zur* ~ *bringen* desesperar; *in* ~ *geraten* desesperarse.

ver'zweig|en (-) *v/t.* ramificar; (*gabeln*) bifurcar; *sich* ~ ramificarse; (*sich gabeln*) bifurcarse; **ℒung** *f* ramificación *f*; (*Gabelung*) bifurcación *f*.

ver'zwickt *adj.* embrollado, enredado; intrincado; inextricable.

Vespasi'an [v] *m* Vespasiano *m*.

'Vesper *f* (-; *-n*) *I.C.* vísperas *f/pl.*; *Hist. die Sizilianische* ~ las Vísperas Sicilianas; **~brot** *n* (*-es*; *-e*) merienda *f*; **ℒn** (*-re*; -) *v/i.* merendar.

Ves'talin [v] *f* vestal *f*.

Vesti'bül [v] *n* (*-s*; *-e*) vestíbulo *m*.

Ve'suv [v] *m*: *der* ~ el Vesubio.

Vete'ran [v] *m* (*-en*) veterano *m*.

Veteri'när [v] *m* (*-s*; *-e*) veterinario *m*.

'Veto [v] *n* (*-s*; *-s*) veto *m*; *ein* ~ *einlegen gegen* poner veto a; **~recht** *n* (*-es*; *0*) derecho *m* de veto.

'Vettel *f* (-; *-n*) F: *alte* ~ bruja *f*, arpía *f*; (*liederliches Frauenzimmer*) pazpuerca *f*.

'Vetter *m* (*-s*; *-n*) primo *m*; **~nwirtschaft** *f* (*0*) nepotismo *m*.

Ve'xier|bild [vɛ'ks-] *n* (*-es*; *-er*) dibujo *m* rompecabezas; acertijo *m* gráfico; **ℒen** *v/t.* (*quälen*) vejar;

(*foppen*) burlarse (de), F chunguearse (de); tomar el pelo a; **~schloß** *n* (*-sses*; *⸚sser*) cerradura *f* *bzw.* candado *m* de combinación *od.* clave; **~spiegel** *m* espejo *m* de sorpresa; espejo *m* burlesco *od.* deformador.

Via'dukt [v] *m* (*-es*; *-e*) viaducto *m.*

Vibrati'on [v] *f* vibración *f*; **~s-massage** ⚕ *f* masaje *m* (*od.* amasamiento *m*) vibratorio.

vi'brier|en [v] (-) *v/i.* vibrar; **2en** *n*, **2ung** *f* vibración *f.*

'Vieh *n* (*-es*; *0*) *coll.* ganado *m*; animales *m/pl.*; *Stück* ~ res *f*; *fig.* bruto *m*, bestia *f*; *zwanzig Stück* ~ veinte cabezas de ganado; *das große (kleine)* ~ el ganado mayor (menor); ~ *züchten* criar ganado; *zum* ~ *werden* embrutecerse, bestializarse; **~ausstellung** *f* exposición *f* de ganado; **~bestand** *m* (*-es*; *⸚e*) número *m* de reses; **~futter** *n* (*-s*; *0*) forraje *m*; **~halter** *m* criador *m* de ganado; **~haltung** *f* cría *f* de ganado; **~handel** *m* (*-s*; *0*) comercio *m* de ganado(s); **~händler** *m* tratante *m* de ganados; **~herde** *f* rebaño *m* (de ganado); **~hof** *m* (*-es*; *⸚e*) corral *m*; (*Schlachthaus*) matadero *m*; **2isch** *adj.* brutal; bestial; **~knecht** *m* (*-es*; *-e*) mozo *m* de establo; **~magd** *f* (-; *⸚e*) moza *f* de establo; **~markt** *m* (*-es*; *⸚e*) mercado *m* de ganados; **~mast** *f* engorde *m* del ganado; **~pacht** *f* aparcería *f* ganadera; **~pächter** *m* aparcero *m* ganadero; **~schwemme** *f* abrevadero *m*; **~seuche** *f* epizootia *f*; **~stall** *m* (*-es*; *⸚e*) establo *m*; **~stand** *m* (*-es*; *0*) (existencias *f/pl.* de) ganado *m*; cabaña *f*; número *m* de reses; *Am.* hacienda *f*; **~tränke** *f* abrevadero *m*; **~treiber** *m* boyero *m*; *Arg.* tropero *m*; **~trift** *f* cañada *f*; **~wagen** 🚃 *m* vagón *m* (para transporte) de ganado; **~weide** *f* (pradera *f* de) pastos *m/pl.*; dehesa *f*; campos *m/pl.* de pastoreo; **~zählung** *f* censo *m* del ganado; **~zoll** *m* (*-es*; *⸚e*) impuesto *m* sobre la importación de ganado; **~zucht** *f* (*0*) ganadería *f*, cría *f* de ganados; **~züchter** *m* ganadero *m*; *Arg.* estanciero *m*; **~züchte'rei** *f* ganadería *f*; *Am.* hacienda *f*; *Arg.* estancia *f*; **2zuchttreibend** *adj.* (*0*) ganadero.

viel (*L*) *adj. u. adv.* mucho; *sehr* ~ muchísimo; *ziemlich* ~ bastante; ~ *größer (kleiner; schlimmer; besser, mehr) als* mucho mayor (menor; peor; mejor; más) que; ~ *Geld* mucho dinero; *trotz s-s* ~*en Geldes* a pesar de todo su dinero; ~*e Leute* mucha gente; muchas personas; ~*e Male* muchas veces; ~*e Dinge* muchas cosas, F la mar de cosas; *die* ~*e Arbeit* el mucho trabajo; el excesivo trabajo; *m-e* ~*en Freunde* mis numerosos amigos; *diese* ~*en Wagen* todos estos coches; ~*en Dank!* ¡muchas gracias!; ~ *Glück!* ¡buena suerte!; *durch* ~ *Arbeit* a costa de mucho trabajo; a fuerza de trabajar; ~*e hundert Zuschauer* centenares de espectadores; ~*e tausend* ... millares de ...; *in* ~*em* en muchos aspectos; *nicht* ~ poco; no mucho, no gran cosa; *das will nicht* ~ *sagen* eso no dice (*od.* no significa) gran cosa; *ich habe Ihnen* ~ *zu sagen* tengo que decirle muchas cosas interesantes; *e-r von* ~*en* uno de tantos; *ein bißchen* ~ un poco demasiado; un poco excesivo; *gleich* ~ la misma cantidad; otro tanto; *recht* ~ muchísimo; bastante; *sehr* ~ muchísimo; *sehr* ~*e* muchos; muchísimos; *sehr* ~*e andere* otros muchos; *so* ~ tanto; *so*~ *Geld* tanto dinero; *soundso* ~ tanto; *so*~, *daß* ... tanto que ...; *so* ~*e Male wie nötig* todas las veces que sea preciso (*od.* que haga falta *od.* que sea necesario); *unendlich* ~ infinitamente; muchísimo; *unheimlich (od. furchtbar)* ~ F una enormidad (*od.* una barbaridad) de; *ziemlich* ~ bastante; *ziemlich* ~ *Geld* no poco dinero; bastante dinero; *ziemlich* ~*e Leute* bastante gente; *zu*~ demasiado; *adj.*: excesivo; *einer zu*~ uno de más; ~ *zuviel* demasiado; ~ *zuwenig* demasiado poco; *es hätte nicht* ~ *gefehlt, so hätte* ... un poco más y hubiera ...; no hubiera faltado mucho para que (*subj.*).

'viel...: **~adrig** *adj. Kabel*: multifilar; **~armig** *adj.* de muchos brazos; **~bändig** *adj.* de muchos volúmenes *od.* tomos; **~beschäftigt** *adj.* muy ocupado; muy atareado; **~besprochen** *adj.* (*Ereignis*) muy comentado; **~deutig** *adj.* equívoco, ambiguo; **2deutigkeit** *f* ambigüedad *f*; **2eck** *Ꜳ* *n* (*-es*; *-e*) polígono *m*; **~eckig** *Ꜳ* *adj.* poligonal; **2ehe** *f* poligamia *f*; **~-erfahren** *adj.* muy experimentado *bzw.* experto; **~erlei** *adj.* múltiple; variado; de muchas clases; *auf* ~ *Arten* de diversas maneras; de distintos modos; **~erörtert** *adj.* → *vielbesprochen*; **~fach I.** *adj.* múltiple; de muchas clases; (*wiederholt*) repetido, reiterado; (*häufig*) frecuente; ~*er Millionär* multimillonario *m*; **II.** *adv.* a menudo; con frecuencia, frecuentemente; reiteradas veces; **2fache**(s) *n* múltiplo *m*; muchas veces más; **2fachschaltung** ⚡ *f* conexión *f* múltiple; **2fachumschalter** ⚡ *m* conmutador *m* múltiple; **2falt** *f* multiplicidad *f*; **~fältig** *adj.* múltiple; (*mannigfaltig*) variado; diverso; **2fältigkeit** *f* (*0*) multiplicidad *f*; (*Mannigfaltigkeit*) variedad *f*; diversidad *f*; **~farbig** *adj.* policromo; multicolor; **2farbigkeit** *f* (*0*) policromía *f*; **~flächig** *Ꜳ* *adj.* poliédrico; **2flächner** *Ꜳ* *m* poliedro *m*; **2fraß** *m* (*-es*; *-e*) glotón *m*; **~geliebt** *adj.* queridísimo; **~genannt** *adj.* citado con frecuencia; (*berühmt*) renombrado; **~gepriesen** *adj.*: *die* ~*e Steuerreform* la tan ponderada (F cacareada) reforma tributaria; **~geprüft** *adj.* muy probado; sometido a muchas (duras) pruebas; **~gereist** *adj.* que ha viajado mucho; **~gestaltig** *adj.* multiforme; polimorfo; (*verschiedenartig*) vario, variado; **2götte'rei** *f* (*0*) politeísmo *m*; **2heit** *f* (*0*) multiplicidad *f*; pluralidad *f*; (*Menge*) multitud *f*, gran número *m* de; (*Fülle*) abundancia *f*; **~jährig** *adj.* (que data) de muchos años; **~köpfig** *adj.* de muchas cabezas; 📖 multicéfalo; *fig.* (*Menschenmenge*) numeroso.

viel'leicht *adv.* quizá(s), tal vez; (*Möglichkeit*) acaso; (*etwa*) por fortuna; por casualidad; ~ *ja* puede que sí; ~ *sogar* a lo mejor; F *das ist* ~ *e-e Freude!* ¡vaya una alegría!; *desp. ist er* ~ *der Chef?* ¿acaso es él el jefe?; ~ *besuchen Sie ihn einmal!* sería mejor que usted le visitase; no estaría mal que usted le visitara.

Viel'liebchen *n Poes.* amada *f*, querida *f*; *ein* ~ *essen* (*Gesellschaftsspiel*) comerse entre dos una almendra doble (como prenda de mutua simpatía).

'viel...: **~malig** *adj.* repetido, reiterado; (*häufig*) frecuente; **~mals** *adv.* muchas veces; *danke* ~! ¡muchísimas gracias!; ¡mil gracias!; *ich bitte* ~ *um Entschuldigung* le ruego me perdone; *er läßt Sie* ~ *grüßen* le envía muchos recuerdos (*od.* saludos); *er läßt* ~ *grüßen* muchos recuerdos de su parte; **2männe'rei** *f* (*0*) poliandría *f*; **~mehr** *adv.* más bien; antes bien; (*im Gegenteil*) al contrario; (*besser gesagt*) mejor dicho; **~phasig** ⚡ *adj.* polifásico; **~polig** ⚡ *adj.* multipolar; **~sagend** *adj.* (*ausdrucksvoll*) expresivo; (*bedeutungsvoll*) significativo; **~schichtig** *adj.* de muchas capas; *fig.* múltiple; **~seitig** *adj.* de muchas caras; polifacético (*a. fig.*); *Ꜳ* poligonal; multilátero; *Vertrag*: multilateral; *fig.* (*verschiedenartig*) variado; (*ausgedehnt*) vasto, extenso, amplio; (*allgemein*) universal; general; (*allumfassend*) omnímodo; *Person*: de amplios conocimientos; versado en muchas cosas; de vasta erudición; ~*er Schriftsteller* polígrafo *m*; ~*er Geist* espíritu *m* universal; ~ *verwendbar* de aplicación universal; *auf* ~*en Wunsch* a petición general; **2seitigkeit** *f* (*0*) universalidad *f*; polifacetismo *m*; variedad *f*; **2seitigkeits-prüfung** *f Sport*: prueba *f* combinada; **~silbig** *adj.* polisílabo; **~sprachig** *adj.* poligloto; **~stimmig** ♪ *adj.* de varias voces; polifónico; **2stimmigkeit** ♪ *f* (*0*) polifonía *f*; **~umfassend** *adj.* que abarca mucho; amplio, extenso; universal; **~verheißend, ~versprechend** *adj.* muy prometedor; lleno de promesas; **~vermögend** *adj.* poderoso; **2weibe'rei** *f* (*0*) poligamia *f*; **~wissend** *adj.* de vastos conocimientos; de un saber enciclopédico; **2wisser** *m* erudito *m*; F pozo *m* de ciencia; **2wisse'rei** *f* (*0*) erudición *f* a la violeta; **2zahl** *f* (*0*) multiplicidad *f*; pluralidad *f*; **~zellig** *adj. Bio.* multicelular.

vier I. *adj.* cuatro; *unter* ~ *Augen* a solas; F *auf allen* ~*en gehen* andar a gatas (*od.* a cuatro patas); F *alle* ~*e von sich strecken* desperezarse, *sterben*: P estirar la pata; *um halb* ~ (*Uhr*) a las tres y media; **II.** 2 *f* cuatro *m.*

'vier...: **~basisch** ⚗ *adj.* tetrabásico; **~beinig** *adj.* de cuatro patas; *Zoo.* cuadrúpedo; **~blätt(e)rig** *adj.* de cuatro hojas; cuadrifolio; 🌿 cuadrifoliado; **~dimensional** *adj.* de cuatro dimensiones; **2eck** *Ꜳ* *n* (*-es*; *-e*) cuadrilátero *m*; cuadrado *m*; **~eckig** *adj.* cuadrangular; cuadrado.

'Vierer ⚓ *m* bote *m* de cuatro remeros; **~bob** *m* (*-s*; *-s*) *Sport*: trineo *m* de cuatro asientos; **~konferenz** *f* conferencia *f* cuatripartita; Conferencia *f* de los Cuatro; **2lei** *adj.* de cuatro especies *od.* clases diferentes; **~zug** *m* (*-es*; *⸚e*) → *Viergespann.*

'vier...: **~fach** *adj.* cuádruple, cuádruplo; **2fache(s)** *n* cuádruplo *m*; **2'farbendruck** *m* (*-es*; *-e*) cuatricromía *f*; **~farbig** *adj.* de cuatro colores; **~flächig** *adj.* tetraédrico; **~füßig** *adj.* de cuatro pies *od.* patas; *Zoo.* cuadrúpedo; **2füß(l)er** *m* cuadrúpedo *m*; **2ganggetriebe** ⊕ *n* (*-s*; *-*) caja *f* de cuatro velocidades; **2gespann** *n* (*-es*; *-e*) tiro *m* de cuatro caballos; (*Quadriga*) cuadriga *f*; **~händig** *adj. Zoo.* cuadrumano; ♪ a cuatro manos; **~hundert** *adj.* cuatrocientos; **2'jahres-plan** *m* (*-es*; *⸚e*) plan *m* cuadrienal; **~jährig** *adj.* de (*od.* que dura) cuatro años; cuadrienal; *Kind*: de cuatro años (de edad); **2kant** ⊕ *m* (*-es*; *-e*) cuadrado *m*; **2kanteisen** *n* hierro *m* cuadrado; **2kantfeile** *f* lima *f* cuadrada; **2kantholz** *n* (*-es*; *⸚er*) madera *f* escuadrada; **~kantig** *adj.* cuadrangular; cuadrado; (de forma) rectangular; *~ behauen* (*od. schneiden*) *Holz*: escuadrar; **2kantschlüssel** *m* llave *f* para tuercas cuadradas; **2kantstahl** *m* (*-s*; *-e*) acero *m* cuadrado; **2linge** *pl.* cuatrillizos, cuatro gemelos; **2'mächtekonferenz** *f* → *Viererkonferenz*; **~mal** *adv.* cuatro veces; **~malig** *adj.* cuatro veces repetido; cuadruplicado; **2master** ⚓ *m* barco *m* de cuatro palos; **~motorig** *adj.* tetramotor; de cuatro motores; **~polig** ⚡ *adj.* tetrapolar; **~prozentig** *adj.* al cuatro por ciento; **2radbremse** *f* *Auto.* freno *m* sobre las cuatro ruedas; **2'röhrenapparat** *m* (*-es*; *-e*) *Radio*: aparato *m* de cuatro válvulas; **~schrötig** *adj.* rechoncho; robusto; (*plump*) grosero; **~seitig** *adj.* ⟁ cuadrilátero; de cuatro lados; **~silbig** *adj.* cuatrisílabo; polisílabo; **2silb(l)er** *m* (verso *m*) cuatrisílabo *m*; **2sitzer** *m* coche *m* de cuatro plazas (*od.* asientos); **~sitzig** *adj.* de cuatro plazas (*od.* asientos); **~spaltig** *adj. Zeitungsartikel*: de cuatro columnas; **2spänner** *m* coche *m* de cuatro caballos; **~spännig** *adj.* de (*od.* tirado por) cuatro caballos; **~sprachig** *adj. Text*: en cuatro idiomas; **~stellig** *adj. Zahl*: de cuatro cifras; **~stimmig** ♪ *adj.* a cuatro voces; **~stöckig** *adj. Haus*: de cuatro pisos; **~stufig** ⊕ *adj.* de cuatro escalones; **~stündig** *adj.* de cuatro horas; **~tägig** *adj.* de cuatro días; **2taktmotor** *m* (*-s*; *-en*) motor *m* de cuatro tiempos; **2taktprozeß** *m* (*-sses*; *0*) ciclo *m* de cuatro tiempos; **~tausend** *adj.* cuatro mil; **~te(r)** *adj.* cuarto; *am ~n Juni* el cuatro de junio; *Heinrich IV.* (*der 2*) Enrique IV (cuarto); **~teilen** *v/t.* dividir en cuatro partes; *Hist.* (*Verbrecher*) descuartizar; **2teilen** *n* *Hist.* (*Strafe*) descuartizamiento *m.*

'Viertel *n* cuarto *m*; cuarta parte *f*; (*Mond2*) cuarto *m*; (*Stadt2*) barrio *m*; *des Kreises*: cuadrante *m*; ⚔ cuartel *m*; *ein ~ Meter* (*Kilo*) un cuarto de metro (de kilo); (*ein*) *~ nach eins* la una y cuarto; *drei ~ vier* las cuatro menos cuarto; *drei ~* las tres cuartas partes; **~finale** *n* *Sport*: cuarto *m* de final; **~jahr** *n* (*-es*; *-e*) tres meses *m/pl.*, trimestre *m*; **2jährig** *adj.* de tres meses; **2jährlich I.** *adj.* trimestral; **II.** *adv.* trimestralmente; cada tres meses; por trimestre(s); **~'jahresschrift** *f* revista *f* trimestral; **~meile** *f* cuarto *m* de milla; **~note** ♪ *f* semínima *f*, negra *f*; **~pause** ♪ *f* pausa *f* de semínima; **~pfund** *n* (*-es*; *-e*) cuarto *m* de libra; **~'stunde** *f* cuarto *m* de hora; **2stündig** *adj.* de un cuarto de hora; **2stündlich** *adv.* cada cuarto de hora; **~takt** ♪ *m* (*-es*; *-e*) (duración *f* de) una semínima; **~ton** ♪ *m* (*-es*; *⸚e*) cuarto *m* de tono.

'viertens *adv.* en cuarto lugar; *bei Aufzählungen*: cuarto.

'Vierung △ *f in e-r Kirche*: intersección *f* de la nave.

Vier'vierteltakt ♪ *m* (*-es*; *-e*) compasillo *m*, compás *m* de cuatro tiempos.

Vier'waldstättersee *m* lago *m* de los Cuatro Cantones.

'vierzehn *adj.* catorce; *~ Tage* quince días; *etwa ~ Tage* unos quince días, una quincena; **~tägig** *adj.* quincenal; *~e Kündigung* despido con quince días de plazo; **~te** *adj.* décimocuarto; *der* (*den*, *am*) *~(n) April* el catorce de abril; *Berlin, den ~n April ...* Berlín, catorce de abril de ...; *Ludwig XIV.* (*der 2*) Luis XIV (catorce); **2tel** *n*: *ein ~* la décima-cuarta parte; *Bruch*: un catorceavo.

'Vierzeil|er *m* (**2ig** *adj.*: *~es Gedicht*) cuarteta *f*, redondilla *f*; (*volkstümlicher*) copla *f.*

'vierzig I. *adj.* cuarenta; *etwa* (*od. gegen od. rund*) *~* unos cuarenta, alrededor de cuarenta; *in den ~er Jahren* allá por los años cuarenta (y tantos); **II.** 2 *f* cuarenta *m*; **2er(in** *f*) *m* cuarentón *m*, cuarentona *f*; *in den Vierzigern sein* haber pasado los cuarenta (años); **~jährig** *adj.* de cuarenta años, cuadragenario; **~ste** *adj.* cuadragésimo; **2stel** *n*: *ein ~* un cuarentavo; **2'stundenwoche** *f* semana *f* de cuarenta horas.

'Vierzylindermotor *m* (*-s*; *-en*) motor *m* de cuatro cilindros.

Viet'nam [vĭɛt'nam] *n* Vietnam *m.*

Vietna'mes|e *m* (*-n*) vietnamés *m*; **~in** *f* vietnamesa *f*; **2isch** *adj.* vietnamés.

Vi'gnette [vɪ'njɛtə] *Typ. f* viñeta *f.*

Vi'kar [v] *m* (*-s*; *-e*) vicario *m.*

Vikari'at [v] *n* (*-es*; *-e*) vicariato *m*; (*Würde u. Bezirk*) vicaría *f.*

Vik'toria [v] *f* victoria *f*; *~ schießen* celebrar con salvas la victoria; *Taufname*: Victoria *f.*

Viktu'alien [v] *pl.* vituallas *f/pl.*, comestibles *m/pl.*; víveres *m/pl.*

'Villa [v] *f* (*-*; *Villen*) hotel *m*; villa *f*; chalet *m*; (*Landhaus*) *a.* quinta *f*; casa *f* de campo.

'Villen|besitzer [v] *m* propietario *m* de una villa *bzw.* de un chalet; **~kolonie** *f* colonia *f* de hoteles; ciudad *f* jardín; **~viertel** *n* barrio *m* residencial de hoteles.

'Vinzenz [v] *m* Vicente *m.*

Vi'ola [v] ♪ *f* (*-*; *Violen*) viola *f.*

vio'lett I. *adj.* (*veilchenfarbig*) violeta; violado; (*blaurot*) morado; (*ins Violette spielend*) violáceo; **II.** 2 *n* violeta *m.*

Vio'lin|bogen [v] *m* (*-s*; *⸚*) arco *m* de violín; **~e** *f* violín *m*; **~hals** *m* (*-es*; *⸚e*) mango *m* de violín.

Violi'nist(in *f*) [v] *m* (*-en*) violinista *m/f.*

Vio'lin|kasten *m* (*-s*; *⸚*) estuche *m* (*od.* caja *f*) de violín; **~konzert** *n* (*-es*; *-e*) concierto *m* de violín; *e-s Solisten*: recital *m* de violín; **~schlüssel** *m* clave *f* de sol; **~solo** *n* (*-s*; *-s od. -soli*) solo *m* de violín; **~spieler(in** *f*) *m* violinista *m/f.*

Violon|'cello [vi·o·lɔn'tʃɛlo·] *n* (*-s*; *-s od. -celli*) violoncelo *m*; **~cel'list(in** *f*) *m* (*-en*) violoncelista *m/f*, violonchelista *m/f.*

'Viper [v] *Zoo. f* (*-*; *-n*) víbora *f.*

Vir'ginia [v] **I.** *n Geogr.* Virginia *f*; **II.** *f* (*-*; *-s*) (*Zigarre*) cigarro *m* de Virginia; **~tabak** *m* (*-s*; *-e*) virginia *m.*

vi'ril [v] *adj.* viril.

Virili'tät [v] *f* (*0*) virilidad *f.*

virtu'al [v] *adj.* virtual.

Virtuali'tät [v] *f* (*0*) virtualidad *f.*

virtu'ell [v] *adj.* virtual.

virtu'os [v] **I.** ♪ *adj.* magistral; **II.** *adv.* magistralmente; con maestría.

Virtu'os|e [v] ♪ *m* (*-n*) virtuoso *m*; **~in** ♪ *f* virtuosa *f*; **2enhaft** *adj.* magistral; de virtuoso.

Virtuosi'tät [v] ♪ *f* (*0*) virtuosismo *m.*

viru'len|t [v] *adj.* (*0*) virulento; **2z** *f* virulencia *f.*

'Virus [v] ⚕ *m* (*-*; *Viren*) virus *m*; **~krankheit** *f* enfermedad *f* causada por virus; **~träger** *m* portador *m* de virus.

Vi'sier [v] *n* (*-s*; *-e*) *am Helm*: visera *f*; *am Gewehr*: mira *f*; *Phot.* visor *m*; *fig. mit offenem ~* con toda franqueza; **~einrichtung** *f* aparato *m* (*od.* dispositivo *m*) de mira; **2en** (*-*) *v/t. Paß*: visar; *messend*: ajustar; (*eichen*) aforar; *Phot.* enfocar; (*zielen*) apuntar (*nach* a); **~fernrohr** *n* (*-es*; *-e*) anteojo *m* de puntería; **~klappe** *f am Gewehr*: (chapa *f* del) alza *f*; **~korn** *n* (*-es*; *⸚er*) mira *f*; **~linie** *f* línea *f* de mira; **~schieber** *m am Gewehr*: corredera *f* de alza; **~stab** *m* (*-es*; *⸚e*) *des Feldmessers*: jalón *m.*

Visi'on [vi·'zĭo:n] *f* visión *f.*

Visio'när [v] *m* (*-s*; *-e*) visionario *m.*

Visitati'on [v] *f* (*Durchsuchung*) registro *m*; (*Besichtigung*) (visita *f* de) inspección *f.*

Visi'tator [v] *m* (*-s*; *-en*) visitador *m*; inspector *m.*

Vi'site [v] *f* visita *f*; **~nkarte** *f* tarjeta *f* (de visita).

visi'tieren [v] (*-*) *v/t.* (*durchsuchen*) registrar; (*besichtigen*) inspeccionar, hacer una inspección (de); visitar.

vis'kos [v] *adj.* viscoso.

Vis'kose [v] *f (0)* viscosa *f*; **~schwamm** *m (-es; ⸚e)* esponja *f* viscosa; **~seide** *f (0)* seda *f* viscosa.
Viskosi'meter [v] *n* viscosímetro *m*.
Viskosi'tät [v] *f (0)* viscosidad *f*.
visu'ell [v] *adj.* visual.
'Visum [v] *n (-s; Visa)* visado *m*.
vi'tal [v] *adj.* vital.
Vita'lismus [v] *Physiol. m (-; 0)* vitalismo *m*.
Vitali'tät [v] *f (0)* vitalidad *f*.
Vita'min [v] *n (-es; -e)* vitamina *f*; *mit ~en anreichern* vitaminar; **≈arm** *adj. (⸚er)* pobre en vitaminas; **≈haltig** *adj.* que contiene vitaminas; *(mit Vitaminen angereichert)* vitaminado; **~mangel** ⚕ *m (-s; 0)* avitaminosis *f*; **≈reich** *adj.* rico en vitaminas.
Vi'trine [v] *f* vitrina *f*.
Vitri'ol [v] *n (-s; 0)* vitriolo *m*; *blaues (grünes; weißes) ~* ⚗ sulfato *m* de cobre (de hierro; de cinc); **≈haltig** *adj.* que contiene vitriolo; **≈ig** *adj.* vitriólico.
'vivat! [v] **I.** *int.*: *~ ...!* ¡viva ...!; **II.** ≈ *n (-s; -s)* viva *m*; *ein ~ ausbringen auf (ac.)* dar vivas a.
Vivisekti'on [v] *f (0)* vivisección *f*.
'Vize|admiral *m (-s; -e)* vicealmirante *m*; **~kanzler** *m* vicecanciller *m*; **~könig** *m (-s; -e)* virrey *m*; **~konsul** *m (-s; -n)* vicecónsul *m*; **~präsident** *m (-en)* vicepresidente *m*.
Vlies *n (-es; -e)* *(Wolle)* vellón *m*; *das Goldene ~* el vellocino de oro; *Orden*: el Toisón de Oro.
'Vogel *m (-s; ⸚)* ave *f*; *(Sing≈, kleinerer ~)* pájaro *m*; *~ Strauß* avestruz *m*; *lockerer ~ fig.* F tarambana *m*; *loser ~ fig.* F pícaro *m*; *lustiger ~* hombre festivo; *komischer ~* tipo raro *od.* extravagante; *fig. den ~ abschießen* llevarse la palma, F poner el mingo; *fig.* F *e-n ~ haben* estar tocado; tener un tornillo flojo; estar majareta; **~bauer** *n/m* jaula *f*; **~beerbaum** ⚘ *m (-es; ⸚e)* serbal *m*; **~beere** ⚘ *f* serba *f*; **~deuter** *m* augur *m*; **~dünger** *m (-s; 0)* guano *m*; **~dunst** *Jgdw. m (-es; 0)* mostacilla *f*; **~ei** *n (-es; -er)* huevo *m* de pájaro; **~fang** *m (-es; 0)* caza *f* de pájaros; **~fänger** *m* pajarero *m*; **~flug** *m (-es; ⸚e)* vuelo *m* de los pájaros; **≈frei** *adj.* fuera de la ley; *für ~ erklären* poner fuera de la ley; **~futter** *n (-s; 0)* comida *f* para los pájaros; *(Kanariengras)* alpiste *m*; *(Hanfsamen)* cañamones *m/pl.*; **~gesang** *m (-es; ⸚e)* canto *m* de los pájaros; **~händler** *m* pajarero *m*; **~handlung** *f* pajarería *f*; **~haus** *n (-es; ⸚er)* pajarera *f*; **~hecke** *f* pajarera *f* (con nidos); **~käfig** *m (-s; -e)* jaula *f*; **~kenner** *m* ornitólogo *m*; **~kirsche** ⚘ *f* cereza *f* silvestre; *(Baum)* cerezo *m* silvestre; **~kunde** *f (0)* ornitología *f*; **~kundige(r)** *m* ornitólogo *m*; **~leim** *m (-es; 0)* liga *f*; *mit ~ bestreichen* enviscar, untar con liga; *mit ~ fangen* cazar con liga; **~miere** ⚘ *f* álsine *f*; **~mist** *m (-es; 0)* excremento *m* de pájaros; guano *m*; **~napf** *m (-es; ⸚e)*, **~näpfchen** *n* comedero *m bzw.* bebedero *m* para jaula; **~nest** *n (-es; -er)* nido *m* (de pájaro); **~perspektive** *f*: *aus der ~* a vista de pájaro; **~pfeife** *f* reclamo *m*; **~schau** *f (0)* → *Vogelperspektive*; **~scheuche** *f* espantajo *m (a. fig.)*; **~schießen** *n* tiro *m* al pájaro (de madera); **~schrot** *m/n (-es; 0)* mostacilla *f*; **~schutz** *m (-es; 0)* protección *f* de los pájaros; **~steller** *m* pajarero *m*; **~-Strauß-Politik** *f (0)* política *f* de avestruz; **~strich** *m* paso *m* de las aves; **~warte** *f* estación *f* ornitológica; **~zucht** *f (0)* cría *f* de pájaros; **~züchter** *m* pajarero *m*; **~zug** *m (-es; ⸚e)* migración *f* de las aves.
Vo'gesen [v] *Geogr. pl.*: *die ~* los Vosgos.
'Vöglein *n* pajarito *m*, pajarillo *m*.
Vog|t *m (-es; ⸚e) Hist.* corregidor *m*; baile *m*; preboste *m*; *(Statthalter)* gobernador *m*; *(Burg≈)* alcaide *m*; *(Amtsperson)* magistrado *m*; *(Verwalter)* administrador *m*; intendente *m*; **~'tei** *f* corregimiento *m*; bailía *f*; prebostazgo *m*.
Voile [vwal] *m (-; -s)*, **'~stoff** *m (-es; -e)* velo *m*.
Vo'kabel [v] *f (-; -n)* vocablo *m*; palabra *f*; voz *f*; **~buch** *n (-es; ⸚er)* vocabulario *m*; **~schatz** *m (-es; 0)* *e-r Sprache*: léxico *m*.
Vokabu'lar(ium [-s; -ien]) [v] *n (-s; -e)* vocabulario *m*.
Vo'kal *m (-s; -e)* vocal *f*; **~anlaut** *m (-es; -e)* sonido *m* inicial vocálico; **~auslaut** *m (-es; -e)* final *m* vocálico; desinencia *f* vocal; **≈isch** *adj.* vocálico; **≈i'sieren** (-) *v/t.* vocalizar; **~i'sierung** *f* vocalización *f*.
Voka'lismus [v] *m (-; 0)* vocalismo *m*.
Vo'kal|konzert [v] *n (-es; -e)* concierto *m* vocal; **~musik** *f (0)* música *f* vocal; **~partie** ♩ *f* parte *f* vocal.
'Vokativ [v] *Gr. m (-s; -e)* vocativo *m*.
Vo'lant [vo'lã] *m (-s; -s)* volante *m*.
Voli'ere [vɔ'ljɛːrə] *f* pajarera *f*.
Volk *n (-es; ⸚er)* pueblo *m*; *(Nation)* nación *f*; *(Rasse, Schlag)* raza *f*; *(Leute)* gente *f*; *Vögel*: bandada *f*; *Bienen*: colmena *f*; *(Pöbel)* populacho *m*, plebe *f*, chusma *f*; gente *f* baja; *das arbeitende ~* la clase obrera *od.* trabajadora; los productores; *ein Mann aus dem ~e* un hombre del pueblo; *viel ~* mucha gente; un gentío, una muchedumbre; *beim ~e beliebt* popular; *das auserwählte ~ Bib.* el pueblo elegido; **'≈arm** *adj. (⸚er)* poco poblado.
'Völker...: **~beschreibung** *f* etnografía *f*; **~bund** *m (-es; 0)* Sociedad *f* de las Naciones; **~bundsrat** *m (-es; 0)* Consejo *m* de la Sociedad de las Naciones; **~friede** *m (-ns; 0)* paz *f* internacional; **~gewohnheitsrecht** *n (-es; 0)* derecho *m* internacional consuetudinario; **~kunde** *f (0)* etnología *f*; *beschreibende ~* etnografía *f*; **~kundler** *m* etnólogo *m*; **≈kundlich** *adj.* etnológico; **~mord** *m (-es; -e)* genocidio *m*; **~psychologie** *f (0)* (p)sicología *f* étnica (*od.* de los pueblos); **~recht** *n (-es; 0)* derecho *m* internacional; derecho *m* de gentes; **≈rechtlich** *adj.* del derecho internacional; **~schaft** *f* pueblo *m*; *(Stamm)* tribu *f*; **~schlacht** *f Hist.* batalla *f* de las Naciones; **~versöhnung** *f* reconciliación *f* de los pueblos; **~verständigung** *f* aproximación *f* de los pueblos; **~wanderung** *f* migración *f* de los pueblos; *Hist.* Invasión *f* de los Bárbaros.
'völkisch *adj.* nacional; *Pol.* racista; populista; *~e Bewegung* racismo *m*.
'volk|leer *adj.* despoblado, desierto; **~reich** *adj.* populoso.
'Volks...: **~abstimmung** *f* plebiscito *m*; referéndum *m*; **~aktie** *f* acción *f* popular; **~aufstand** *m (-es; ⸚e)* levantamiento *m* popular; insurrección *f*; **~aufwiegler** *m* demagogo *m*; agitador *m*; **~ausdruck** *m (-es; ⸚e)* expresión *f* popular; **~ausgabe** *f* edición *f* popular; **~be·auftragte(r)** *m* delegado *m* del pueblo; *Hist.* tribuno *m*; **~befragung** *f* encuesta *f* de la opinión pública; → *Volksabstimmung*; **~begehren** *n* iniciativa *f* popular; demanda *f* de plebiscito; **~belustigungen** *pl.* festejos *m/pl.* populares; **~bewegung** *f* movimiento *m* popular; **~bibliothek** *f* biblioteca *f* popular; **~bildung** *f (0)* educación *f* popular; divulgación *f* científica; **~buch** *n (-es; ⸚er)* libro *m* popular; *(Sagenbuch)* colección *f* de leyendas populares; **~büche'rei** *f* → *Volksbibliothek*; **~charakter** *m (-s; 0)* mentalidad *f* (*od.* carácter *m*) nacional; **~demokratie** *f* democracia *f* popular; **~deutsche(r)** *m* miembro *m* de grupo étnico alemán establecido en país extranjero; **~dichter** *m* poeta *m* popular; **~dichtung** *f* poesía *f* popular; **≈eigen** *adj.* nacionalizado; *~er Betrieb* empresa de propiedad colectiva; **~eigentum** *n (-s; 0)* propiedad *f* nacional; *in ~ überführen* nacionalizar; **~einkommen** *n* renta *f* nacional; **~entscheid** *m (-es; -e)* → *Volksabstimmung*; **~erhebung** *f* → *Volksaufstand*; **~etymologie** *f* etimología *f* popular; **~feind** *m (-es; -e)* enemigo *m* del pueblo; antipatriota *m*; **≈feindlich** *adj.* hostil al pueblo; antipatriótico; **~fest** *n (-es; -e)* fiesta *f* popular; *(Nationalfest)* fiesta *f* nacional; **~front** *Pol. f* Frente *m* Popular; **~führer** *Pol. m* líder *m* popular; conductor *m* de masas; caudillo *m*; **~garten** *m (-s; ⸚)* jardín *m* público; *(Wirtschaft)* jardín *m* restaurant; **~gemeinschaft** *f* comunidad *f* del pueblo; **~genosse** *m (-n)*, **~genossin** *f* compatriota *m/f*; conciudadano (-a *f*) *m*; **~gericht** *n (-es; -e)* tribunal *m* popular; **~gerichtshof** *m (-es; 0)* Tribunal *m* del Pueblo; **~gesang** *m (-es; ⸚e)* canto *m* (*od.* canción *f*) popular; **~gesundheit** *f (0)* higiene *f* pública; higiene *f* social; **~glaube** *m (-ns; 0)* creencia *f* popular; **~gruppe** *f* grupo *m* étnico; **~gunst** *f (0)* popularidad *f*; **~haufe(n)** *m* tropel *m* de gente; *(Menge)* multitud *f*; **~heer** *n (-es; -e)* ejército *m* popular; **~herrschaft** *f* democracia *f*; **~hochschule** *f* centro *m* de ampliación cultural para adultos; centro *m* de extensión universitaria; **~kommissar** *m (-s; -e)* comisario *m* del pueblo; **~konzert** *n (-es; -e)* concierto *m* popular; **~küche** *f* cocina *f* económica; *Span.* comedores

m/pl. de Auxilio Social; **~kunde** *f* *(0)* folklore *m*; **~kundler** *m* folklorista *m*; **2kundlich** *adj.* folklórico; **~kunst** *f (0)* arte *m* popular; **~leben** *n (-s; 0)* vida *f* del pueblo; **~lied** *n (-ẹs; -er)* canción *f* popular; **~masse** *f* masa *f* (popular); **2mäßig** *adj.* popular; **~meinung** *f (0)* opinión *f* pública; **~menge** *f* multitud *f*, muchedumbre *f*; gentío *m*; *desp.* populacho *m*, plebe *f*; **~mund** *m*: *im ~* en el lenguaje popular; **~musik** *f* música *f* popular; **~partei** *Pol. f* partido *m* populista; **~poesie** *f (0)* poesía *f* popular; **~polizei** *f (0)* Policía *f* Popular; **~redner** *m* orador *m* popular; tribuno *m*; (*Wahlagitator*) agitador *m* de masas; demagogo *m*; **~regierung** *f* gobierno *m* popular; **~republik** *f* república *f* popular; **~sage** *f* leyenda *f* popular; **~schicht** *f* capa *f* (*od.* estrato *m*) social; clase *f* social; **~schlag** *m (-ẹs; 0)* raza *f*; **~schule** *f* escuela *f* (de enseñanza) primaria; **~schullehrer(in** *f*) *m* maestro (-a *f*) *m* de primera enseñanza; *im Staatsdienst*: maestro (-a *f*) *m* nacional; **~schulwesen** *n (-s; 0)* enseñanza *f* primaria; **~sitte** *f* costumbre *f* nacional; **~sport** *m (-ẹs; 0)* deporte *m* popular; **~sprache** *f* lengua *f* vulgar; (*Umgangssprache*) lenguaje *m* popular; **~staat** *m (-ẹs; -en)* Estado *m* popular; **~stamm** *m (-ẹs; ¨e)* tribu *f*; **~stimme** *f (0)* voz *f* pública (*od.* del pueblo); opinión *f* pública; **~stimmung** *f (0)* espíritu *m* popular; sentir *m* popular; **~stück** *n (-ẹs; -e) Thea.* comedia *f* de costumbres; **~tanz** *m (-es; ¨e)* danza *f* popular; **~tracht** *f* traje *m* nacional; traje *m* (típico) regional; **~trauertag** *m (-ẹs; -e)* día *m* de duelo nacional; **~tribun** *m (-ẹs; -e)* tribuno *m* (del pueblo); **~tum** *n (-s; 0)* nacionalidad *f*; características *f/pl.* nacionales; **2tümlich** *adj.* popular; (*dem Volkstum gemäß*) nacional; **~tümlichkeit** *f (0)* popularidad *f*; (*Volkseigenart*) carácter *m* nacional; **~überlieferung** *f* tradición *f* popular; **~verbundenheit** *f (0)* conciencia *f* nacional; **~vermögen** *n (-s; 0)* riqueza *f* nacional; bienes *m/pl.* nacionales; **~versammlung** *f Parl.* asamblea *f* nacional; (*Kundgebung*) mitin *m*; manifestación *f* popular; reunión *f* popular; **~vertreter(in** *f*) *m* representante *m/f* del pueblo; *Parl.* diputado (-a *f*) *m*; **~vertretung** *f* representación *f* popular; *coll.* los diputados; *Parl. Span.* Cortes *f/pl.* Españolas; **~wirtschaft** *f (0)* economía *f* política; **~wirt(schaftler)** *m* economista *m*; **2wirtschaftlich** *adj.* político-económico; **~wirtschaftslehre** *f (0)* economía *f* política; **~wirtschaftslehrer** *m* economista *m*; **~wohl** *n (-s; 0)* bien *m* público; **~wut** *f (0)* furor *f* popular; iras *f/pl.* populares; **~zählung** *f* censo *m* de la población.

voll I. *adj.* lleno (*von* de); *a.* henchido; *fig.* pleno de; (*völlig*) completo; entero, íntegro; total; (*bis zum Rand*) colmado; (*gestopft*) atestado, abarrotado (de); (*bedeckt*) cubierto (de); (*beladen*) cargado (de); (*besetzt*) completo; ⊕ (*massiv*) macizo; *Geldbörse*: repleto; (*rundlich*) redondo, redondeado; (*satt*) lleno; harto; *Körperformen*: grueso, (*rundlich*) rollizo, regordete; *Busen*: lleno, *Liter.* turgente; (*üppig*) opulento; (*betrunken*) F borracho como una cuba; *~ Wasser* lleno de agua; *10 Minuten vor (nach) ~* diez minutos antes (después) de la hora; *~e Einzelheiten* detalles completos; *~e Beschäftigung* ocupación total; *~e acht Tage* ocho días justos; *ein ~es Jahr* un año entero; *~es Gesicht* cara redonda *od.* F de luna llena; *~e 20 Jahre* veinte años cumplidos; *den ~en Fahrpreis bezahlen* pagar billete entero; *die ~e Summe* la suma total; *die ~e Wahrheit* toda la verdad; *war es sehr ~?* ¿había mucha gente?; *das Theater war ganz ~* el teatro estaba completamente lleno (*od.* atestado *od.* abarrotado de público); *ein ~es Haus machen Thea.* llenar la sala; *aus ~er Brust, aus ~em Halse* a voz en cuello; a grito herido *od.* pelado; *aus ~em Herzen* con toda el alma; de todo corazón; *aus dem ~en schöpfen* disponer de amplios recursos; tener abundancia de; *bei ~er Besinnung* con todo el conocimiento; *in ~em Ernst* muy en serio; *in ~er Blüte stehen* estar en plena floración; *in ~er Fahrt* a toda velocidad; a toda marcha; *im ~en Sinne des Wortes* en toda la extensión de la palabra; *in ~en Zügen trinken* beber a grandes tragos; *mit ~en Händen* a manos llenas; *mit ~em Recht* con perfecto derecho; con toda razón; *mit ~er Kraft* ⊕, ⚓ a toda máquina; *mit ~en Segeln* a toda vela; **II.** *adv.*: *~ und ganz* enteramente, completamente; plenamente; ☤ *~ einbezahlte Aktie* acción totalmente liberada; *~e Stunden schlagen Uhr*: dar la hora; *den Mund ~ nehmen* fanfarronear; jactarse de; *~ bezahlen* pagar totalmente; *nicht für ~ nehmen* no tomar en serio; **'2aktie** ☤ *f* acción *f* liberada.

'Vollast *f* (*bei Trennung*: *Voll-last*) ⚡ plena carga *f*.

voll'auf *adv.* en abundancia; copiosamente; F a barullo, a porrillo.

'vollaufen (*L*; *sn*) *v/i.* (*bei Trennung*: *voll-laufen*) llenarse; F *fig.* beber hasta emborracharse.

'Voll...: 2automatisch *adj.* completamente automático; **~bad** *n (-ẹs; ¨er)* baño *m* (de cuerpo) entero; bañera *f* grande; **~bart** *m (-ẹs; ¨e)* barba *f* corrida; **2belastet** ⊕ *adj.* a plena carga; **2berechtigt** *adj.* con pleno poder; autorizado; **2beschäftigt** *adj.*: *~ sein* (*Betrieb*) trabajar en jornadas completas; (*Person*) estar muy atareado (*od.* muy ocupado); **~beschäftigung** *Pol. f* empleo *m* total; ausencia *f* de paro; **~besitz** *m (-es; 0)* plenitud *f*; *im ~* en plena posesión; **~bier** *n (-ẹs; 0)* cerveza *f* fuerte; **~blut** *n (-ẹs; 0) Pferd*: (caballo *m* de) pura sangre *m*; **2blütig** ⚕ *adj.* pletórico; **~blütigkeit** ⚕ *f (0)* plétora *f*; **~blütler** *m*, **~blutpferd** *n (-ẹs; -e)* pura sangre *m*; **2'bringen** (*L*; -) *v/t.* (*beenden*) terminar, acabar, concluir; (*ausführen*) ejecutar, realizar; (*durchführen*) llevar a cabo; (*begehen*) cometer; ⚖ *Verbrechen*: *a.* consumar; perpetrar; (*Pflicht*) cumplir; **~'bringen** *n*, **~'bringung** *f (0)* cumplimiento *m*; (*Beenden*) terminación *f*, conclusión *f*; (*Ausführen*) ejecución *f*, realización *f*; (*Begehen*) comisión *f*; ⚖ *v. Verbrechen*: *a.* consumación *f*; perpetración *f*; **2brüstig** *adj.* de pechos turgentes; **~dampf** *m*: *mit ~* a todo vapor; a toda máquina; **2einbezahlt** ☤ *adj. Aktie*: totalmente liberado; **2eingezahlt** ☤ *adj. Kapital*: totalmente desembolsado; **~einzahlung** ☤ *f v. Aktien*: liberación *f* total; *v. Kapital*: desembolso *m* total; **2'enden** (*-e-*; -) *v/t.* (*beenden*) terminar, acabar, concluir; (*vervollständigen*) completar; (*vervollkommnen*) perfeccionar; (*retuschierend*) retocar, dar los últimos toques a; ⚖ *Verbrechen*: cometer, perpetrar; consumar; **2'endet** *adj.* acabado; cumplido; (*vollkommen*) perfecto; consumado; *Narr*: de remate; *~e Tatsache* hecho consumado; *~er Versuch* ⚖ tentativa consumada; **2ends** *adv.* completamente, por completo, enteramente; del todo; (*außerdem*) además; por añadidura; (*um so mehr*) tanto más cuanto que; *~ da, ~ wenn (vor allem)* sobre todo cuando; *das hat ihn ~ zugrunde gerichtet* esto acabó de arruinarle; **~'endung** *f (0)* acabamiento *m*; conclusión *f*; (*Vollkommenheit*) perfección *f*; *mit (od. nach) ~ des 60. Lebensjahres* al cumplir los sesenta años; cumplidos los sesenta años.

'voller I. *comp. v. voll*; **II.** *mit gen.* (= *voll von*) lleno de.

Völle'rei *f (0)* ahitamiento *m*; gula *f*; intemperancia *f* (en el comer); (*Schlemmerei*) F comilona *f*; francachela *f*; banquetazo *m*.

'Volleyball [v] *m (-ẹs; ¨e) Sport*: balón-volea *m*.

'vollfressen (*L*) P *v/refl.*: *sich ~* ahitarse, F atracarse, darse un atracón de, P hincharse de comer.

voll'führ|en (-) *v/t.* ejecutar; llevar a cabo; **2ung** *f* ejecución *f*.

'voll...: ~füllen *v/t.* llenar (*mit* de); **2gas** *n*: *mit ~ Auto.* a todo gas (*a. fig.*); a toda marcha; *~ geben* pisar a fondo el acelerador; *mit ~ fahren* ir a toda velocidad; ir lanzado; **2gefühl** *n*: *im ~ (gen.)* en plena conciencia de; plenamente consciente de; **2gehalt** *m (-ẹs; 0) e-r Münze*: ley *f*; **2genuß** *m (-sses; 0)* pleno goce *m*; **~gepfropft, ~gestopft** *adj.* repleto (*mit* de); atestado; abarrotado; **2gewicht** *n (-ẹs; 0)* peso *m* exigido; peso *m* cabal; *bei Münzen*: peso *m* de ley; **~gießen** *v/t.* llenar hasta el borde (*mit* de); **~gültig** *adj.* que tiene el valor requerido; perfectamente válido; *Beweis*: irrecusable; **2gültigkeit** *f (0)* valor *m* requerido; perfecta validez *f*; valor *m* legal; *e-s Beweises*: irrecusabilidad *f*; **2gummireifen** *m* llanta *f* de goma maciza; **2idiot** F *m (-en)* idiota *m* integral (*od.* de cuerpo entero).

'völlig I. *adj.* (*0*) (*ganz*) entero; total; íntegro; (*vollständig*) completo; (*absolut*) absoluto; *er ist ein ~er Narr* es tonto de remate; **II.** *adv.* (*gänzlich*) enteramente; totalmente; del todo; íntegramente; (*vollständig*) completamente, *nachgestellt*: por completo; (*absolut*) absolutamente; en absoluto.

'voll-inhaltlich *adj.* en todo su contenido; completo; íntegro.

'volljährig *adj.* mayor de edad; **2keit** *f* (*0*) mayoría *f* de edad; mayoridad *f*, mayoría *f*, mayor edad *f*; **2keits-erklärung** *f* declaración *f* de mayoridad; emancipación *f*.

voll'kommen *adj.* perfecto; consumado; (*in allen Teilen*) acabado; cumplido; (*vollständig*) completo; entero; (*weit*) amplio; *Kleid*: holgado; **2heit** *f* (*0*) perfección *f*.

'Voll...: **~kornbrot** *n* (*-es*; *-e*) pan *m* integral; **~kraft** *f* (*0*) energía *f*, vigor *m*; *in der ~ des Lebens* en la flor de los años; **2machen** (*L*) *v/t.* llenar; *Maß*: colmar; *Summe*: completar; P (*beschmutzen*) ensuciar, emporcar; *um das Unglück vollzumachen* para colmo de desgracias; **~macht** *f* poder *m*; pleno poder *m*; plenos poderes *m/pl.*; *uneingeschränkte ~* pleno poder *m*, poder *m* general; plenipotencia *f*; *fig.* carta *f* blanca; *bsd.* ⚖ procuración *f*; *j-m ~ erteilen*; *j-n mit ~ ausstatten* conferir poder(es) a alg.; apoderar a alg.; dar poder(es) a alg.; *s-e ~en überschreiten* extralimitarse (*od.* excederse) en sus poderes; **~machterteilung** *f* otorgamiento *m* de poder(es); **~machtgeber** *m* poderdante *m*; mandatario *m*; **~matrose** *m* (*-n*) marinero *m* de primera; **~milch** *f* (*0*) leche *f* sin desnatar; **~mond** *m* (*-s*; *0*) luna *f* llena, plenilunio *m*; *wir haben ~*; *es ist ~* hay luna llena; **~mondgesicht** F *n* (*-es*; *-er*) cara *f* de luna llena; **2motorisiert** *adj.* totalmente motorizado; **2packen** *v/t.* llenar completamente (*mit* de); **~pension** *f* (*0*) pensión *f* completa; **2pfropfen** *v/t.* atestar (*mit* de); abarrotar; **2reif** *adj.* (*0*) *Früchte*: bien maduro; **2saufen** (*L*) P *v/refl.*: *sich ~* beber hasta emborracharse; **2saugen** *v/refl.*: *sich ~* empaparse; **2schenken** *v/t.* llenar hasta el borde; **~schiff** *n* (*-es*; *-e*) velero *m* de tres palos; **2schlagen** (*L*) F *v/t.*: *sich den Bauch ~* F atiborrarse, atracarse, P desarrugarse el ombligo; llenarse la panza; **2schlank** *adj.* (*0*) metido en carnes; F (*Frau*) llenita, metidita en carnes; **2schreiben** (*L*) *v/t.* *Seite*: llenar; **~sitzung** *f* sesión *f* plenaria; **~spur** 🚂 *f* vía *f* normal; **~spurbahn** *f* línea *f* de vía normal; **~spurig** *adj.* de vía normal *od.* ancha; **2ständig I.** *adj.* completo; (*ganz*) entero; total; (*ungekürzt*) íntegro; **II.** *adv.* completamente, *nachgestellt*: por completo; (*gänzlich*) enteramente; del todo; totalmente; (*absolut*) en absoluto; (*ungekürzt*) íntegramente; *~ besetzt* completo; *~ machen* completar; integrar; **~ständigkeit** *f* (*0*) integridad *f*; totalidad *f*; **2stopfen** *v/t.* atestar (*mit* de); abarrotar; *sich ~* F atiborrarse (*mit* de), atracarse de.

voll'streck|bar *adj.* ejecutable (*a.* ⚖); ⚖ (*fest*) ejecutorio; **~en** (-) *v/t.* ejecutar; cumplir; *das Todesurteil an j-m ~* ejecutar (*od.* ajusticiar) a alg.; **2er** *m* ejecutor *m*; **2ung** *f* ejecución *f*; cumplimiento *m*; **2ungsbeamte(r)** *m* agente *m* ejecutor; **2ungsbefehl** ⚖ *m* (*-es*; *-e*) orden *f* de ejecución; ejecutoria *f*.

'voll|tönend *adj.* sonoro; armonioso; **2treffer** ⚔ *m* impacto *m* (completo); *Scheibenschießen*: hacer diana *f*; **~trinken** (*L*) *v/refl.*: *sich ~* beber hasta emborracharse; **2versammlung** *f* asamblea *f* plenaria; **2waise** *f* huérfano (-a *f*) *m* de padre y madre; **~wertig** *adj.* perfectamente válido; que tiene el valor requerido; de valor integral; (*wertvoll*) valioso; **~zählig** *adj.* completo; *~ machen* completar; *~ sein* estar todos; estar completos; **2zähligkeit** *f* (*0*) número *m* completo.

voll'zieh|en (*L*; -) *v/t.* ejecutar; (*ausführen*) efectuar; hacer efectivo; llevar a cabo; *Ehe*: consumar; *Vertrag*: ratificar; *~de Gewalt* poder ejecutivo; *sich ~* efectuarse; **2ung** *f* ejecución *f*; *e-r Ehe*: consumación *f*; *e-s Vertrages*: ratificación *f*; **2ungsbeamte(r)** ⚖ *m* agente *m* ejecutor.

Voll'zug *f* (*-es*; *0*) → *Vollziehung*; **~sgewalt** *f* (*0*) poder *m* ejecutivo; **~smeldung** *f* notificación *f* de ejecución; **~srat** *m* (*-es*; *"e*) consejo *m* ejecutivo.

Volon'tär *m* (*-s*; *-e*) voluntario *m*; (*Praktikant*) pasante *m*; ✝ meritorio *m*.

Volt [v] ⚡ *n* (*- od. -es*; -) voltio *m*.

Voltairi'aner *m* volteriano *m*.

vol'ta-isch [v] ⚡ *adj.* voltaico; *~e Säule* pila *f* de Volta.

Volt-am'pere [v] ⚡ *n* (*-s*; -) voltamperio *m*.

'Volte [v] *f* *beim Reiten*: vuelta *f*.

'Voltmeter [v] ⚡ *n* voltímetro *m*.

Vo'lumen [v] *n* volumen *m*; **~einheit** *f* unidad *f* de volumen.

volu'metrisch [v] *adj.* volumétrico.

Vo'lumgewicht [v] *n* (*-es*; *-e*) peso *m* específico.

volumi'nös [v] *adj.* voluminoso.

Vo'lute [v] *f* voluta *f*.

vom = *von dem*; → *von*.

von *prp.* (*dat.*) de; **a**) *örtlich*: *~ Berlin kommen* venir de Berlín; *ich komme ~ m-m Vater* vengo de casa de mi padre; *~ ... ab*; *~ ... an* desde ...; *~ Köln bis Mainz* desde (*od.* de) Colonia hasta (*od.* a) Maguncia; *~ oben bis unten* de arriba (a) abajo; *~ oben* (*unten*) de *bzw.* desde arriba (abajo); *~ Stadt zu Stadt* de ciudad en ciudad; **b**) *zeitlich*: de; desde; a partir de; *~ Montag bis Freitag* de lunes a viernes; desde el lunes hasta el viernes; *~ früh bis spät* de la mañana a la noche; *~ Zeit zu Zeit* de tiempo en tiempo; de vez en cuando; *~ neuem* de nuevo; *~ heute an* desde hoy, de hoy en adelante, a partir de hoy; *~ nun an* desde ahora; de ahora en adelante; *~ da an* desde entonces; *~ Jugend auf* desde la juventud; **c**) *Urheberschaft, Ursache*: de; por; *ein Gedicht ~ Schiller* un poema de Schiller: *der „Faust" ~ Goethe* el "Fausto" de Goethe, *auf Titelblättern*: *a.* "Fausto", por Goethe; *~ Gottes Gnaden* por la gracia de Dios; **d**) *beim Passiv*: *mst.* por; *er wurde ~ s-m Bruder gerufen* fue llamado por su hermano; *er wurde geschlagen ~* fue derrotado por; **e**) *Stoff*: de; *~ Holz* (*Stahl*) de madera (acero); **f**) *Eigenschaft, Maß*: de; *klein ~ Gestalt* de poca estatura; *ein Kind ~ 5 Jahren* un niño de cinco años; *ein Betrag ~ 100 Mark* una suma de cien marcos; *ein Mann ~ Bildung* un hombre de cultura; **g**) *Teil*: de; *ein Stück ~ diesem Brot* un trozo de ese pan; *e-r ~ uns* uno de nosotros; **h**) *Bezugnahme, Gegenstand, um den es sich handelt*: de; *er weiß ~ der Sache* él sabe de qué se trata; *was wollen Sie ~ mir?* ¿qué quiere usted de mí?; **i**) *statt gen.*: de; *die Einfuhr ~ Weizen* la importación de trigo; *ein Freund ~ mir* un amigo mío, uno de mis amigos; **j**) (*von Seiten*) de; *~ m-m Freunde* de (parte de) mi amigo; *grüßen Sie ihn ~ mir* salúdele de mi parte; *~ mir aus kann er kommen* por mí puede venir; **k**) *Adelsbezeichnung*: de; *Herr ~ X* el señor de X; *der Herzog ~ Alba* el duque de Alba; **~ein'ander** *adv.* uno(s) de otro(s); *~ gehen* separarse (uno de otro); **~'nöten** *adj.* necesario; **~'statten** *adv.*: *~ gehen* tener lugar; verificarse; efectuarse; *gut ~ gehen* marchar bien; ir adelante.

vor I. *prp.* (*wo?, wann? dat.*; *wohin? ac.*): **a**) *örtlich*: delante de; (*in Gegenwart von*) ante; en presencia de; *~ der Tür* delante de la puerta; *~ mir* ante mí; en mi presencia; *~ dem Richter* ante el juez; *~ sich haben* tener delante (de sí); **b**) *zeitlich*: antes de; con anterioridad a; *~ der Abreise* antes de partir (*od.* de la partida); *~ acht* (*schon vergangenen*) *Tagen* hace ocho días; *~* (*Ablauf von*) *acht Tagen* antes de ocho días; *~ der Zeit* antes de la hora; demasiado temprano; *fig.* prematuramente; *der Tag ~ dem Fest* la víspera de la fiesta; *~ Zeiten* en otros tiempos; hace largos años; *10 Minuten ~ 12* las doce menos diez; *kurz ~* poco antes de; *~ sich gehen* celebrarse, verificarse; tener lugar; (*geschehen*) suceder, ocurrir, pasar; *~ kurzem* hace poco; *einen Tag ~* un día antes de; **c**) *Rang, Vorzug*: *den Vorrang haben ~* preceder a; *~ allem* sobre todo; *~ allen Dingen* ante todo; antes que nada; **d**) *Ursache*: de; *~ Freude* de alegría; **e**) (*für*) por; *aus Achtung ~* por respeto (*od.* consideración) a; **II.** *adv.* *nach wie ~* ahora como antes; igual que antes; **'2abend** *m* (*-s*; *-e*) víspera *f*; *am ~* (*gen.*) en vísperas de.

'vor-ahn|en *v/t.* presentir; barruntar; tener el presentimiento (de); **2ung** *f* presentimiento *m*; F corazonada *f*; *ich hatte e-e ~* F me lo daba el corazón.

'Vor-alarm ⚔ *m* (*-es*; *-e*) alarma *f* preventiva.

'**Vor·alpen** *f/pl.*: *die* ~ las estribaciones de los Alpes.

vo'ran *adv.* (*davor*) delante; (*vorn, vorwärts*) adelante; (*an der Spitze*) al frente de; a la cabeza de; *~!* ¡adelante!; **~bringen** (*L*) *v/i.* hacer avanzar; **~eilen** (*sn*) *v/i.* adelantarse; tomar la delantera; *j-m* ~ adelantarse a alg.; **~gehen** (*L*; *sn*) *v/i.* ir al frente (*od.* a la cabeza) de; (*nach vorn gehen*) pasar adelante; avanzar; tomar la delantera; (*zeitlich*) preceder a, anteceder a; *Arbeit*: *gut* ~ hacer progresos, avanzar; *j-m* ~ preceder a alg.; ir delante de alg.; *ihn überholen*: adelantarse a alg.; *gehen Sie voran!* pase adelante, *bei Vortritt*: usted primero; después de usted; *mit gutem Beispiel* ~ dar (buen) ejemplo; **~gehend** *adj.* precedente; previo; anticipado; **~kommen** (*L*; *sn*) *v/i.* adelantar; ⚔ avanzar; *Geschäfte*: prosperar; *Arbeit*: progresar.

'**Vor·ankündigung** *f* aviso *m* previo; preaviso *m*.

vo'ranlaufen (*L*; *sn*) *v/i.* → *voraneilen*.

'**Vor·anmeldung** *f* → *Vorankündigung*; *Gespräch mit* ~ *Tele.* conferencia con (pre)aviso.

'**Vor·anschlag** *m* (-*es*; ⸚*e*) (*Schätzung*) cálculo *m* estimativo; (*Kostenanschlag*) presupuesto *m* aproximado.

vo'ran|schreiten (*L*; *sn*) *v/i.* marchar a la cabeza (de); *Arbeit*: progresar; **~stellen** *v/t.* anteponer, poner delante; (*vorweg bemerken*) anticipar; **2stellung** *f* anteposición *f*; **~treiben** (*L*) *v/t.* activar; impulsar; promover; llevar adelante.

'**Vor·anzeige** *f* previo aviso *m*; advertencia *f* previa *od.* preliminar; *Film*: escenas *f/pl.* muestra; *angl.* trailer *m*; *TV* avances *m/pl.*

'**Vor·arbeit** *f* trabajo *m* preparatorio; trabajo *m* preliminar; (*Vorbereitungen*) preparativos *m/pl.*; **2en** (-*e*-) **1.** *v/t.* preparar; **2.** *v/i.* preparar el terreno; hacer los trabajos preparatorios para a/c.; *fig. j-m* ~ preparar el camino a alg.; facilitar el trabajo a alg.; **3.** *v/refl.*: *sich* ~ (*sich e-n Weg bahnen*) abrirse camino; ⚔ ganar terreno (avanzando); **~er** *m* cabo *m*; capataz *m*.

vo'rauf *adv.* → *voran*; *voraus*.

vo'raus *adv.* hacia adelante; *j-m* ~ *sein* llevar la ventaja a alg.; aventajar a alg.; *s-m Jahrhundert* ~ *sein* adelantarse a su siglo; *im* '*voraus* de antemano; con anticipación *od.* antelación; con anterioridad; ✝ por adelantado; *im* '*voraus danken* anticipar las gracias, dar gracias anticipadas; **2abteilung** ⚔ *f* destacamento *m* avanzado; **~ahnen** *v/t.* presentir; **~bedingen** (-) *v/t.* estipular de antemano; **~berechnen** (-*e*-; -) *v/t.* calcular previamente (*od.* de antemano); **2berechnung** *f* cálculo *m* previo; **~bestellen** (-) *v/t.* encargar (de antemano); *Zimmer, Flugkarte usw.*: (hacer) reservar; **2bestellung** *f* encargo *m* (hecho) con anticipación; (*v. Plätzen*) reserva *f*; **~bestimmen** (-) *v/t.* predestinar; predeterminar, determinar de antemano; *Termin*: prefijar, fijar de antemano; **~bezahlen** (-) *v/t.* pagar por adelantado; **2bezahlung** *f* pago *m* adelantado *od.* anticipado; **~datieren** (-) *v/t.* antedatar; **~eilen** (*sn*) *v/i.* correr a ponerse el primero; ponerse *bzw.* marchar al frente de; tomar la delantera; *j-m* ~ adelantarse a alg.; **~empfangen** (*L*; -) *v/t.* recibir de antemano; recibir por anticipado; **~fahren** (*L*; *sn*), **~gehen** (*L*; *sn*) *v/i.* partir primero (*od.* antes que los demás); *j-m* ~ partir antes que alg.; preceder a alg.; **~gesetzt** *p/p.*: ~, *daß* ... suponiendo que ..., siempre que (*subj.*); **~haben** (*L*) *v/t.*: *j-m et.* ~ aventajar a alg. en a/c.; **~laufen** (*L*; *sn*) *v/i.* adelantarse corriendo; salir corriendo primero; *j-m* ~ correr delante de alg.; **2nahme** *f* anticipación *f*; anticipo *m*; **~nehmen** (*L*) *v/t.* anticipar; **~reisen** (-*t*; *sn*) *v/i.* partir (*od.* emprender el viaje) antes que los otros; **~reiten** (*L*; *sn*) *v/i.* partir a caballo antes que los demás; **2sage** *f* predicción *f*; pronóstico *m* (*a. Wetter2*); **~sagen** *v/t.* predecir; pronosticar; augurar, vaticinar; **2schau** *f* (*0*) previsión *f*; **~schauen** *v/i.* prever; **~schicken** *v/t.* enviar (hacia) adelante; anticipar; enviar con anticipación; *eine Bemerkung* ~ hacer una observación previa; *ich muß* ~, *daß* ... primero he de manifestar que ...; debo anticipar que ...; **~sehen** (*L*) *v/t.* prever; *das war vorauszusehen* era de suponer (*od.* prever *od.* presumir); **~setzen** (-*t*) *v/t.* presuponer, suponer; *vorausgesetzt, daß* suponiendo que ... (*subj.*); siempre que *od.* con tal que ... (*subj.*); **2setzung** *f* suposición *f*; presuposición *f*; supuesto *m*; (*Hypothese*) hipótesis *f*; (*Vorbedingung*) condición *f* previa; *notwendige* ~ requisito (indispensable); *in der* ~, *daß* ... en el supuesto de que ... (*subj.*); *unter der* ~, *daß* ... bajo la condición de que ... (*subj.*); *zur* ~ *haben* suponer; presuponer; **2sicht** *f* previsión *f*; *aller* ~ *nach* según todos los indicios; con toda probabilidad, probablemente; **~sichtlich I.** *adj.* probable; **II.** *adv.* probablemente; **~zahlen** *v/t.* pagar por adelantado *od.* por anticipado; **2zahlung** *f* pago *m* adelantado *od.* anticipado.

'**Vorbau** ⚠ *m* (-*es*; -*ten*) (*vorragender Gebäudeteil*) salidizo *m*; (*vorspringender Flügel*) antecuerpo *m*; (*Säulen2*) pórtico *m*; **2en 1.** *v/t.* ⚠ (*vorspringend bauen*) edificar en saliente; **2.** *v/i. fig. e-r Sache* ~ precaverse de a/c.; prevenir *od.* evitar a/c.; obviar a/c.

'**vorbe·arbeit|en** (-*e*-; -) ⊕ *v/t.* desbastar; **2ung** ⊕ *f* desbaste *m*.

'**Vorbe|dacht** *m* (-*es*; *0*) premeditación *f*; *mit* ~ con premeditación; deliberadamente; de propósito, adrede; **2denken** (*L*; -) *v/t.* premeditar; **2deuten** (-*e*-; -) *v/t.* presagiar; augurar; **~deutung** *f* presagio *m*; augurio *m*; **2dingen** (-) *v/t.* estipular (*od.* convenir) de antemano; **~dingung** *f* condición *f* previa.

'**Vorbehalt** *m* (-*es*; -*e*) reserva *f*; (*Einschränkung*) restricción *f*; (*Ausnahme*) salvedad *f*; *geistiger* ~ reserva mental; *mit* ~ con (toda) reserva; *ohne* ~ sin reservas; sin restricción; *unter dem* ~, *daß* a reserva de; con la salvedad de que, salvo que (*subj.*); *unter üblichem* ~ ✝ con las reservas de costumbre; salvo buen fin (*Abk.* s.b.f.); *unter* ~ *aller Rechte* con reserva de todos los derechos; *unter* ~ *m-r Rechte* sin perjuicio de mis derechos; dejando a salvo mis derechos; **2en** (*L*; -) **1.** *v/t.* reservar; *Irrtum* ~ salvo error; *Irrtümer oder Auslassungen* ~ ✝ salvo error u omisión (*Abk.* s.e.u.o.); **2.** *v/refl.* reservarse; *sich das Recht* ~ reservarse el derecho (*zu* de); **2lich** *prp.* (*gen.*) salvo, excepto, exceptuando (*ac.*); a reserva de; **2los** *adj. u. adv.* sin reserva; incondicional; incondicionalmente; **~sklausel** *f* (-; -*n*) cláusula *f* de reserva.

'**vorbehand|eln** (-*le*; -) *v/t.* tratar previamente; **2lung** *f* tratamiento *m* previo.

vor'bei *adv. örtlich*: (por) delante (*an dat.* de); (*daneben*) junto a; cerca de; *zeitlich*: pasado; acabado, terminado, concluido; (*gefehlt*) errado; *fig.* frustrado; *ich kann nicht* ~ no puedo pasar; ~ *ist* ~ lo pasado, pasado (está); *es ist* ~ ya pasó; *es ist alles* ~ todo se acabó; *es ist mit ihm* ~ ya no hay salvación para él; ya no tiene remedio; *es ist mit dem Sommer* ~ ya se acabó el verano; *es ist drei Uhr* ~ ya han dado las tres; son las tres dadas; **~benehmen** (*L*; -) *v/refl.*: *sich* ~ portarse mal; conducirse indebidamente; **~eilen** (*sn*) *v/i.* pasar corriendo (*od.* a toda prisa); **~fahren** (*L*; *sn*) *v/i.* pasar (en coche *usw.*) (*an, vor dat.* por delante de); *im* 2 al pasar; **~fließen** (*L*; *sn*) *v/i.*: *an der Mauer* ~ correr a lo largo del muro; **~flitzen** (-*t*; *sn*) *v/i.* F pasar como un bólido (*od.* como un rayo); **~gehen** (*L*; *sn*) *v/i.* pasar (*an, bei, vor dat.* por delante; cerca de; junto a); *fig. an et.* ~ pasar por alto a/c.; *wissentlich*: pasar en silencio a/c., F hacer la vista gorda sobre a/c.; *an j-m* ~ pasar junto a alg. aparentando no verle; (*aufhören*) *Gewitter, Schmerz, Zorn*: pasar; (*fehlgehen*) errar el blanco; ~ *lassen* dejar pasar, *Gelegenheit*: desaprovechar, dejar escapar; *im* 2 al pasar; **~kommen** (*L*; *sn*) *v/i.* pasar (*an dat. bei por*, delante de); *bei j-m* ~ (*besuchen*) pasar por casa de alg.; **~lassen** (*L*) *v/t.* dejar pasar; **2marsch** ⚔ *m* (-*es*; ⸚*e*) desfile *m*; **~marschieren** (-) ⚔ *v/i.* desfilar (*an, vor dat.* ante); **~reden** (-*e*-) *v/i.*: *aneinander* ~ hablar sin entenderse; *fig.* no hablar el mismo idioma; *an e-m Thema* ~ hablar al margen del tema; eludir el tema; **~sausen** (-*t*; *sn*) *v/i.* pasar como una centella; **~schießen** (*L*) *v/i.* (*eilen*) pasar disparado (*od.* como un rayo); (*verfehlen*) errar el blanco (*od.* el tiro); **~schlagen** (*L*) *v/i.* errar el golpe, no acertar; **~werfen** (*L*) *v/i.* no dar en el blanco; **~ziehen** (*L*; *sn*) *v/i.* pasar (*vor, an dat.* delante de); *in Marschordnung*: desfilar (*vor dat.* ante).

ˈ**Vor|bemerkung** *f* advertencia *f* preliminar; (*Vorwort*) prólogo *m*; prefacio *m*; (*zu e-m Gesetz usw.*) preámbulo *m*; 2**benannt** *adj.* precitado, antedicho, susodicho, arriba (*od.* antes) mencionado; 2**beraten** (*L*; -) *v/t.* deliberar previamente (sobre); ~**beratung** *f* deliberación *f* previa *bzw.* preparatoria; 2**bereiten** (*-e-*; -) *v/t.* preparar; *sich* ~ prepararse (*auf ac.* a *od.* para); *sich zu e-r Prüfung* ~ prepararse para un examen; *auf et. vorbereitet sein* estar preparado para a/c.; 2**bereitend** *adj.* preparatorio; ~**bereitung** *f* preparación *f*; ~*en treffen* hacer preparativos; ~**bereitungs-anstalt** *f* establecimiento *m* preparatorio; ~**bereitungs-arbeiten** *f/pl.* trabajos *m/pl.* preparatorios; ~**bereitungsklasse** *f* clase *f* preparatoria; ~**bereitungskurs** *m* (*-es*; *-e*) curso *m* preparatorio; ~**bereitungsschule** *f* escuela *f* preparatoria; ~**bereitungszeit** *f* período *m* preparatorio; ~**berge** *pl.* estribaciones *f/pl.*; ~**bericht** *m* (*-es*; *-e*) informe *m* preliminar; ~**bescheid** ⚖ *m* (*-es*; *-e*) decisión *f* interlocutoria; sentencia *f* interlocutoria; ~**besichtigung** *f* inspección *f* preliminar; ~**besitzer(in** *f*) *m* propietario (-a *f*) *m* anterior; ~**besprechung** *f* conferencia *f* preliminar; 2**bestellen** (-) *v/t.* encargar anticipadamente; *Platz, Zimmer*: reservar con anticipación; ~**bestellung** *f* encargo *m* anticipado; (*Reservierung*) reserva *f* anticipada; 2**bestraft** *adj.* con antecedentes penales; *nicht* ~ sin antecedentes penales; ~**bestrafte** *f* mujer *m* con antecedentes penales; ~**bestrafte(r)** *m* individuo *m* con antecedentes penales; ~**bestrafung** ⚖ *f* condena *f* anterior; 2**beten** (*-e-*) *v/t.*: *j-m* ~ recitar a alg. una oración para que la repita (*bzw.* para que la aprenda); 2**beugen 1.** *v/t.* inclinar hacia adelante; *sich* ~ inclinarse hacia adelante; **2.** *v/i.*: *e-r Sache* (*dat.*) ~ precaverse de; prevenir, evitar; obviar; ⚕ prevenir, adoptar medidas profilácticas contra; 2**beugend** *adj.* preventivo; ⚕ *a.* profiláctico; ~**beugung** *f* prevención *f*; ⚕ *a.* profilaxis *f*; ~**beugungsmaßnahme** *f* medida *f* preventiva; ⚕ *a.* medida *f* profiláctica; ~**beugungsmittel** *n* preventivo *m*; ⚕ remedio *m* profiláctico; ~**bild** *n* (*-es*; *-er*) modelo *m*; (*Beispiel*) ejemplo *m*; (*Urbild*) prototipo *m*; (*Ideal*) ideal *m*; *als* ~ *dienen* servir de modelo; *zum* ~ *nehmen* tomar por modelo; tomar como ejemplo; *nach dem* ~ *von* según el ejemplo de; siguiendo el ejemplo de; imitando a; 2**bilden** (*-e-*; -) *v/t.* preformar; (*vorbereiten*) preparar; 2**bildlich** *adj.* modelo; ejemplar; (*vollkommen*) ideal; (*kennzeichnend*) típico; representativo; ~**bildlichkeit** *f* (*0*) carácter *m* ejemplar; ejemplaridad *f*; ~**bildung** *f* (*0*) enseñanza *f* preparatoria; instrucción *f* preliminar; preformación *f*; (*Vorbereitung*) preparación *f*; 2**binden** (*L*) *v/t.* atar por delante; (*Schürze*) poner(se); 2**bohren** *v/t.* ⊕ abrir un agujero con la gubia; ⚒ hacer un sondeo preliminar; ~**börse** ✝ *f* bolsín *m* de la mañana; 2**börslich** ✝ *adv.*: ~ *notiert* cotizado antes de la apertura de la bolsa; cotizado extraoficialmente; ~**bote** *m* (*-n*) (*Vorläufer*) precursor *m*; (*Vorzeichen*) presagio *m*; señal *f*; indicio *m*; ⚕ pródromo *m*; síntoma *m* precursor; amago *m*; 2**bringen** (*L*) *v/t.* (*äußern*) decir, manifestar; exponer, expresar; formular; (*zur Sprache bringen*) someter a discusión; poner sobre el tapete; *Plan*: proponer; *Gründe*: aducir, alegar; *Beweise*: presentar; ~**bühne** *Thea. f* proscenio *m*; 2**christlich** *adj.* anterior a la era cristiana; antes de Jesucristo; ~**dach** *n* (*-es*; *⸚er*) marquesina *f*; (*Dachrand*) alero *m*; ~**damm** *m* (*-es*; *⸚e*) dique *m* avanzado; 2**datieren** (-) *v/t.* antedatar; antefechar; 2**dem** *adv.* antes; en otro(s) tiempo(s); antiguamente.

ˈ**Vorder...:** ~**achs-antrieb** *m* (*-es*; *-e*) *Auto.*: tracción *f* delantera; ~**achse** *f* eje *m* delantero; ~**ansicht** *f* vista *f* de frente; ~**arm** *Anat. m* (*-es*; *-e*) antebrazo *m*; ~**asien** *m* Cercano Oriente *m*; ~**bein** *n* (*-es*; *-e*) *v. Tieren*: pata *f* delantera; ~**deck** ⚓ *n* (*-es*; *-s*) cubierta *f* de proa.

ˈ**vorder(e)** *adj.* delantero, de delante; (*vorherig*) anterior; *die* ~*en Reihen* las primeras filas; ~*e Seite e-r Münze*: anverso; *der* 2*e Orient* el Cercano Oriente.

ˈ**Vorder...:** ~**flügel** *m Auto.*: aleta *f* delantera; ~**front** △ *f* fachada *f* (anterior *od.* principal); ~**fuß** *m* (*-es*; *⸚e*) *e-s Tieres*: pata *f* delantera, mano *f*; *des Menschen*: parte *f* anterior del pie; *Anat.* metatarso *m*; ~**gebäude** *n* edificio *m* frontal; (*vorspringendes*) antecuerpo *m*, cuerpo *m* saliente; ~**gestell** *n* (*-es*; *-e*) *e-s Wagens*: juego *m* delantero; ⚔ (*Protze*) avantrén *m*; ~**grund** *m* (*-es*; *0*) parte *f* anterior; *Thea.* primer término *m*; *Mal.* primer plano *m* (*a. fig.*); *im* ~ *Thea.* en primer término; *fig. im* ~ *stehen* ocupar un puesto relevante; estar en primer plano; *fig. in den* ~ *stellen* hacer resaltar, poner de relieve; situar en primer plano; *fig. in den* ~ *treten* adquirir destacada importancia; situarse en el primer plano; atraer la atención general; ~**hand** *f* (-; *⸚e*) *des Pferdes*: mano *f*; *des Menschen*: *Anat.* metacarpo *m*; *Kartenspiel*: *die* ~ *haben* ser mano.

vorderˈ**hand** *adv.* (*zunächst*) por lo pronto, por de pronto; (*vorläufig*) de momento, por el momento; por ahora; hoy por hoy; (*inzwischen*) entre tanto.

ˈ**Vorder...:** ~**haus** *n* (*-es*; *⸚er*) → *Vordergebäude*; ~**lader** *m* fusil *m* de baqueta; cañón *m* de avancarga; 2**lastig** *adj.* ⚓ pesado de proa; ✈ pesado de testa; ~**lauf** *m* (*-es*; *⸚e*) *Jgdw.* pata *f* delantera; ~**mann** *m* (*-es*; *⸚er*) el que precede a otro; ⚔ cabo *m* de fila; guía *m*; ✝ *bei Wechseln*: endosante *m* anterior; *bei Wertpapieren*: tenedor *m* anterior; ⚔ ~ *nehmen* (*halten*) cubrir a su (cabo de) fila; *fig. j-n auf* ~ *bringen* F hacer a alg. entrar en vereda; meter en cintura a alg.; ~**mast** ⚓ *m* (*-es*; *-e od. -en*) (palo *m* de) trinquete *m*; ~**pfote** *f* pata *f* delantera; ~**plattform** *f* plataforma *f* delantera; ~**rad** *n* (*-es*; *⸚er*) rueda *f* delantera; *am Fahrrad*: rueda *f* directriz; ~**rad-antrieb** *m* (*-es*; *-e*) *Auto.* tracción *f* delantera; ~**radbremse** *f* freno *m* de rueda delantera; ~**reihe** *f* primera fila *f*; *Thea.* delantera *f*; ~**satz** *m* (*-es*; *⸚e*) *Logik*: (premisa *f*) mayor *f*; 𝄞 antecedente *m*; ~**segel** ⚓ *n* vela *f* del palo de proa; ~**seite** *f* parte *f* anterior; △ fachada *f* anterior, frente *m*; frontispicio *m*; *e-r Münze*: cara *f*, anverso *m*; *Typ.* recto *m*; ~**sitz** *m* (*-es*; *-e*) asiento *m* delantero; 2**st** *sup. v. vorder(e)*: *der* ~*e* el primero (de todos); el más avanzado; ~**steven** ⚓ *m* estrave *m*, roda *f*; ~**teil** *m/n* (*-es*; *-e*) (parte *f*) delantera *f*; parte *f* anterior; *e-s Oberhemdes*: pechera *f*; ⚓ *v. Schiffen*: proa *f*; ~**tür** *f* (*Eingangstür*) puerta *f* de entrada; ~**zahn** *m* (*-es*; *⸚e*) diente *m* incisivo; ~**zimmer** *n* habitación *f* exterior (*od.* que da a la calle).

ˈ**vor|drängen 1.** *v/t.* empujar hacia adelante; hacer avanzar; **2.** *v/refl.*: *sich* ~ adelantarse; abrirse paso a codazos; *fig.* querer figurar; darse importancia *od.* tono; ~**dringen** (*L*; *sn*) *v/i.* avanzar; ⚔ ganar terreno; *in ein Land*: penetrar en; internarse en; 2**dringen** *n* ⚔ avance *m*; *Pol.* expansión *f*; penetración *f*; ~**dringlich** *adj.* de primera necesidad; (*dringend*) urgente; de máxima urgencia; ~*e Aufgabe* tarea primordial; *et.* ~ *behandeln* dar prioridad a a/c.; 2**dringlichkeit** *f* (*0*) carácter *m* urgente; prioridad *f*; 2**druck** *m* (*-es*; *-e*) (*Formular*) formulario *m*; *Typ.* primera tirada *f*; ~**ehelich** *adj.* prenupcial; anterior al casamiento; 2**eid** ⚖ *m* (*-es*; *-e*) juramento *m* promisorio; ~**eilen** (*sn*) *v/i.* → *vorauseilen*; ~**eilig I.** *adj.* precipitado; (*verfrüht*) prematuro; (*unbedacht*) inconsiderado; ~*e Schlüsse ziehen* adoptar conclusiones prematuras; resolver precipitadamente; **II.** *adv.* con precipitación, precipitadamente; a la ligera; ~ *urteilen* juzgar con ligereza (*od.* a la ligera); hacer un juicio temerario (*über ac.* sobre); ~ *handeln* obrar precipitadamente (*od.* sin reflexión); *nicht so* ~! ¡no tan de prisa!; ¡sin precipitarse!; 2**eiligkeit** *f* (*0*) precipitación *f*; (*Unbedachtsamkeit*) inconsideración *f*, ligereza *f*.

ˈ**vor-eingenommen** *adj.* prevenido (*für* en favor de; *gegen* contra); (*voller Vorurteile*) lleno de prejuicios; (*Urteil*) parcial; 2**heit** *f* (*0*) prevención *f* (*gegen* contra); (*Parteilichkeit*) parcialidad *f*; (*Vorurteil*) prejuicio *m*; idea *f* preconcebida; (*Abneigung*) animadversión *f*.

ˈ**Vor|eltern** *pl.* antepasados *m/pl.*; *nähere*: abuelos *m/pl.*; 2**enthalten** (*L*; -) *v/t.* retener; ⚖ detentar; *j-m die Wahrheit* ~ ocultar la verdad a alg.; ~**enthaltung** *f* retención *f*; ⚖ detentación *f*; ~**entscheidung** *f* decisión *f* (*od.* resolución *f*) previa; ⚖ decisión *f* interlocutoria; (*frühere*

Entscheidung) decisión f anterior; Sport: semifinal f; **~entwurf** m (-es; =e) anteproyecto m; **~erbe** m (-n) primer heredero m, heredero m primitivo; **~erbin** f primera heredera f, heredera f primitiva; **2erst** adv. (zuvor) primero, primeramente; (zunächst) por de pronto, por lo pronto; (vorher) previamente; (vor allem) ante todo; (einstweilen) entre tanto; hasta nueva orden; (fürs erste) por el momento, de momento; por ahora; **2erwähnt** adj. precitado, antedicho, susodicho; antes mencionado; arriba citado od. mencionado; **~examen** n examen m previo; **~fahr** m (-en) antepasado m; ~en pl. antepasados m/pl., nähere: abuelos m/pl.; **2fahren** (L) v/t. (Wagen) hacer adelantar; (vorbeifahren) pasar, adelantar (a otro coche); bei j-m ~ (sn) hacer parar el coche a la puerta de casa de alg.; den Wagen ~ lassen hacer venir el coche; j-n ~ lassen ceder el paso (od. dejar pasar) a alg.; vorgefahren kommen (sn) llegar en coche; **~fahrt** f, **~fahrtsrecht** n (-es; 0) prioridad f (de paso); ~ haben tener la prioridad; **~fahrtsregel** f (-; -n) regla f de prioridad; **~fahrtsstraße** f carretera f con prioridad; **~fahrtszeichen** n señal f de prioridad de paso; **~fall** m (-es; =e) (Ereignis) suceso m; acontecimiento m; (Fall) caso m; (Zwischenfall) incidente m; (Unfall) accidente m; ⚕ prolapso m; **2fallen** (L; sn) v/i. (geschehen) ocurrir, suceder, pasar, acontecer; ⚕ prolapsarse; als wenn nichts vorgefallen wäre como si no hubiera pasado nada; **~feier** f (-; -n) preludio m de una fiesta; **~feld** ⚔ n (-es; 0) glacis m; avanzadas f/pl.; **~fenster** n contraventana f; **~finanzierung** f prefinanciación f; **2finden** (L) v/t. encontrar (al llegar); **2flunkern** (-re) F v/t. fig. contar cuentos chinos; **~frage** f pregunta f previa; cuestión f preliminar; **~freude** f alegría f anticipada; **~frühling** m (-s; -e) comienzo m de (la) primavera; im ~ al principio de la primavera; **2fühlen** v/i. ⚔ tantear el terreno (a. fig.); **~führdame** f maniquí f; **2führen** v/t. (nach vorn führen) conducir (hacia adelante); ⚔ hacer avanzar; (zeigen) exhibir, mostrar; presentar; (demonstrieren) demostrar; Thea. representar; Film, Dias: proyectar; Platten: tocar; Gründe: alegar; j-n dem Richter ~ hacer comparecer a alg. ante el juez; **~führer** m (Film2) operador m; **~führraum** m (-es; =e) (Film2) sala f de proyecciones; engS. cabina f del operador; **~führung** f exhibición f; presentación f; v. Geräten: demostración f; Thea. representación f; v. Filmen, Dias: proyección f; v. Platten: audición f; **~führungsbefehl** ⚖ m (-es; -e) orden f de comparecencia; **~führungsmodell** ⊕ n (-s; -e) modelo m para demostraciones; **~gabe** f Sport: ventaja f, handicap m; **~gang** m (-es; =e) (Hergang) curso m; marcha f; (Ereignis) suceso m, acontecimiento m; (Zwischenfall) incidente m; (Angelegenheit) asunto m; (Sachverhalt) hechos m/pl.; (Akten) antecedentes m/pl.; expediente m; ⊕, ⚗, ⚕ (Entwicklungs2) proceso m; ⊕ (Verfahren) procedimiento m; ⚗ (Reaktion) reacción f; (Natur2) fenómeno m; (Beispiel) ejemplo m; (früherer ähnlicher Fall) precedente m; ohne ~ sin precedentes; **~gänger(in** f) m predecesor (-a f) m; im Amte usw.: antecesor (-a f) m; **~garten** m (-s; =) jardín m de delante de casa; e-s Cafés: terraza f; **2gaukeln** (-le) v/t.: j-m et. ~ deslumbrar a alg. con a/c.; engañar a alg. con falsas apariencias; **2geben** (L) **1.** v/t. (behaupten) pretender; (vorschützen) pretextar; (erheucheln) fingir, aparentar; Gründe: alegar; **2.** v/i. Sport: dar ventaja; Punkte im Spiel: dar puntos de ventaja (j-m a alg.); **~gebirge** n cabo m; promontorio m; (Vorberg) estribaciones f/pl.; **2geblich I.** adj. pretendido, presunto; (untergeschoben) supuesto; **II.** adv. según dicen; **2gefaßt** adj. preconcebido; ~e Meinung opinión f preconcebida; prejuicio; **2gefertigt** adj. prefabricado; **~gefühl** n (-es; -e) presentimiento m; **2gehen** (L; sn) v/i. pasar adelante; tomar la delantera; (vorangehen) ir delante; marchar al frente de; (vorwärtsgehen) avanzar; progresar; Uhr: adelantar, ir adelantado; ⚔ avanzar (gegen contra); auf ein Ziel: ⚔ marchar sobre; (den Vorrang haben) tener la preferencia; venir antes od. primero; vor j-m: preceder a alg.; ir delante de alg.; vor et.: tener (la) prioridad sobre; ser más importante (que); prevalecer sobre; (geschehen) suceder, ocurrir, pasar; acontecer; producirse; was geht hier vor? ¿qué pasa aquí?; (handeln) actuar; obrar; proceder; ⚖ gegen j-n gerichtlich ~ proceder judicialmente contra alg.; j-n ~ lassen ceder el paso a alg.; bitte, gehen Sie vor! ¡pase usted primero!; ¡usted primero!; die Arbeit geht vor! ¡lo primero, (es) el trabajo!; **~gehen** n avance m; (Handlungsweise) manera f de proceder (od. de obrar); comportamiento m; proceder m; acción f; gemeinschaftliches ~ acción conjunta; **2gelagert** adj. situado delante; **~gelände** ⚔ n glacis m; avanzadas f/pl.; **~gelege** ⊕ n transmisión f intermedia; contramarcha f; **~gemach** n (-es; =er) antecámara f; **2genannt** adj. → vorerwähnt; **~genuß** m (-sses; =sse) goce m anticipado; **~gericht** Kochk. n (-es; -e) entrada f; entremeses m/pl.; **2gerückt** adj. avanzado; **~geschichte** f (Frühgeschichte) prehistoria f; e-r Angelegenheit: antecedentes m/pl. (del caso); (Vorleben) antecedentes m/pl. (personales); **2geschichtlich** adj. prehistórico; **~geschmack** m (-es; 0) gusto m anticipado; fig. prueba f; **2geschoben** ⚔ adj. avanzado; **2geschrieben I.** p/p. v. vorschreiben; **II.** adj.: ~ sein ser de rigor; ser obligatorio; estar prescrito; **2geschritten** adj. avanzado; adelantado; **2gesehen** p/p. v. vorsehen; **~gesetzte(r)** m superior m; jefe m; **2gestern** adv. anteayer; **2gestrig** adj. de anteayer; der ~e Tag la antevíspera; **2greifen** (L) v/i.: auf et. (ac.) ~ anticiparse od. adelantarse a a/c.; e-m Unglück ~ prevenir una desgracia; j-m ~ (zuvorkommen) adelantarse od. anticiparse a alg., (tun, was e-m anderen gebührt) invadir las atribuciones de alg.; e-r Frage ~ prejuzgar una cuestión; **~griff** m (-es; 0) anticipación f; **2gucken** F v/i. Unterkleid: asomar; **2haben** (L) v/t. Schürze usw.: tener puesto; fig. j-n ~ (ausfragen) interrogar a alg., (schelten) pedir cuentas a alg.; et. ~ (beabsichtigen) proponerse a/c.; pensar hacer a/c.; proyectar a/c.; tener la intención de hacer a/c.; (beschäftigt sein mit) estar ocupado en; für den Abend et. ~ tener un compromiso para la noche; was haben Sie heute vor? ¿que piensa (od. se propone) usted hacer hoy?; was du vorhast, tue bald! lo que pienses hacer, hazlo pronto; **~haben** n intención f, propósito m; plan m, proyecto m; **~hafen** ⚓ m (-s; =) antepuerto m; **~halle** f vestíbulo m; angl. hall m; Thea. salón m de descanso, foyer m; △ (Säulen2) pórtico m; (Kirchen2) atrio m; vor dem Hauseingang: porche m; **~halt** ♪ m (-es; -e) retardo m; **2halten** (L) **1.** v/t. (vor et. halten) poner delante; colocar delante; (zeigen) mostrar, presentar; fig. j-m et. ~ reprochar a alg. a/c.; echar en cara a alg. a/c.; **2.** v/i. (ausreichen) ser suficiente, bastar; alcanzar; beim Schießen auf ein bewegtes Ziel: apuntar delante del blanco; **~haltung** f reproche m; reconvención f; j-m ~en machen reprochar a/c. a alg.; reconvenir a alg.; **~hand** f (-; =e) beim Pferd: cuarto m delantero; † (0) (Vorkaufsrecht) derecho m de preferencia; Tennis (0): golpe m derecho; Kartenspiel (0): mano f; in der ~ sein; die ~ haben ser mano.

vor'handen adj. existente; (gegenwärtig) presente; (verfügbar) disponible; ~ sein existir; estar disponible; estar presente; ~ sein in (dat.) hallarse, encontrarse en; nicht mehr ~ sein Ware: haberse agotado od. terminado; **2sein** n existencia f; presencia f.

'Vor|handschlag m (-es; =e) Tennis: golpe m derecho; **~hang** m (-es; =e) cortina f; Thea. telón m; am Wagenfenster: cortinilla f; eiserner ~ Thea. telón metálico; Pol. telón de acero; den ~ aufziehen (herunterlassen) levantar (bajar) el telón; **2hängen** v/t. colgar delante; **~hängeschloß** n (-sses; =sser) candado m; **~haut** Anat. f (-; =e) prepucio m; **~hemd** n (-es; -en) pechera f (postiza).

vor'her adv. (früher) antes; (im voraus) anticipado, previo; de antemano; (zuvor) primero; previamente; kurz ~ poco antes; wie ~ como antes; der (am) Tag ~ la víspera, el día antes; **~bestellen** (-) v/t. encargar anticipadamente; reservar; **~bestimmen** (-) v/t. determinar de antemano; prefijar; predeterminar; Theo. predestinar; **2bestimmung** Theo. f (0) predestinación f; **~ge-**

hen (*L*; *sn*) *v/i.* preceder, anteceder; **~gehend** *adj.* precedente; *aus dem* **2***en folgt, daß* de cuanto antecede resulta que; **~ig** *adj.* anterior; precedente; (*ehemalig*) antiguo.

ˈ**Vorherr|schaft** *f* predominio *m*; preponderancia *f*; predominación *f*; supremacía *f*; (*Überlegenheit*) superioridad *f*; (*Hegemonie*) hegemonía *f*; **2schen** *v/i.* predominar; prevalecer; **~schen** *n* preponderancia *f*; predominación *f*; **2schend** *adj.* preponderante; predominante.

Vorˈ**her|sage** *f* → *Voraussage*; **2sagen** *v/t.* → *voraussagen*; **2sehen** (*L*) *v/t.* prever; **2wissen** (*L*) *v/t.* saber de antemano; **~wissen** *n* presciencia *f*.

ˈ**Vor|himmel** *m* limbo *m*; **2**ˈ**hin** *adv.* (*eben erst*) hace un momento; **2historisch** *adj.* (*0*) prehistórico; **~hof** *m* (*-es*; *⸗e*) antepatio *m*; *e-r Kirche*: atrio *m*; *Anat. des Ohres*: vestíbulo *m*; *des Herzens*: aurícula *f*; **~hut** ⚔ *f* vanguardia *f*; avanzada *f*; **2ig** *adj.* anterior, precedente; (*wie früher*) primer(o); (*vergangen*) pasado; último; *~es Jahr* el año pasado; *~e Woche* la semana pasada; **~instanz** ⚖ *f* primera instancia *f*; **~jahr** *n* (*-es*; *-e*) año *m* anterior *od.* precedente; **2jährig** *adj.* del año pasado; **2jammern** (*-re*) *v/t.*: *j-m et.* ~ importunar a alg. con sus lamentaciones; **~kammer** *f* (*-*; *-n*) *Anat. des Herzens*: aurícula *f*; *des Motors*: cámara *f* de precombustión; **~kampf** *m* (*-es*; *⸗e*) *Boxen*: combate *m* preliminar (*od.* F telonero); (*Ausscheidungskampf*) prueba *f* eliminatoria; **~kämpfer** *m* adalid *m*; (*Verteidiger*) paladín *m*; campeón *m*; (*Pionier*) precursor *m*; **2kauen** *v/t.*: *j-m et.* ~ *fig.* dar a alg. mascada a/c.; **~kauf** *f* (*-es*; *⸗e*) compra *f* anticipada; ⚖ → **~kaufsrecht** ⚖ *n* (*-es*; *-e*) derecho *m* de preferencia; *zum Veräußerungspreis*: derecho *m* de tanteo; (*Näherkauf*) retracto *m*; **~kehrung** *f* precaución *f*; medida *f*; disposición *f*; preparativo *m*; *~en treffen* tomar precauciones; tomar (*od.* adoptar) medidas; hacer preparativos; **~kenntnisse** *f/pl.* conocimientos *m/pl.* previos; nociones *f/pl.* preliminares; **2klassisch** *adj.* preclásico; **2knöpfen** F *v/t.*: *sich j-n* ~ pedir explicaciones a alg.; (*zurechtweisen*) F *fig.* dar un jabón a alg.; **~kommando** ⚔ *n* (*-s*; *-s*) destacamento *m* precursor; **2kommen** (*L*; *sn*) *v/i.* (*sich ereignen*) pasar, ocurrir, suceder; acontecer, acaecer; (*erscheinen*) aparecer; (*scheinen*) parecer; (*existieren*) existir; (*sich finden*) encontrarse, hallarse; (*sich darbieten*) presentarse, ofrecerse; (*heraustreten*) salir de; (*erörtert werden*) ser discutido; (*zur Beratung gestellt werden*) ser puesto a discusión; (*vorgelassen werden*) ser admitido; *bei j-m* ~ (*empfangen werden*) ser recibido por alg.; *selten* ~ ser raro; ocurrir raras veces; *das kommt bei ihm nicht* ~ eso no le pasa a él; *was ist vorgekommen?* ¿qué ha ocurrido?, ¿qué ha pasado?; *so et. kommt vor* éstas son cosas que suelen ocurrir; esto pasa muchas veces; *so et. ist noch nicht vorgekommen* nunca se ha visto otro tal; esto es algo inaudito; *so et. ist mir noch nicht vorgekommen* jamás me ha pasado cosa igual; *daß mir das nicht noch einmal vorkommt!* ¡que no vuelva a repetirse esto!; *das Wort kommt vor bei ...* esta palabra se encuentra en ...; *j-m* ~ *wie* producir a alg. el efecto de; *ich weiß nicht, wie Sie mir* ~ no sé qué pensar de usted; *er kommt mir bekannt vor* me parece que le conozco; creo haberle visto alguna vez; *es kommt mir merkwürdig vor* me parece muy extraño; *sich klug* (*wichtig, überlegen usw.*) ~ creerse inteligente (importante, superior, etc.); *ich komme mir vor wie ein ...* tengo la sensación de ser un ...; *das kommt dir nur so vor* eso son figuraciones tuyas; **~kommen** *n* (*Ereignis*) suceso *m*; acontecimiento *m*; (*Vorhandensein*) existencia *f*; presencia *f*; *Geol.*, ⚒ yacimiento *m*; **2kommenden**ˈ**falls** *adv.* eventualmente; caso dado, si se da el caso; cuando se presente el caso; **~kommnis** *n* (*-ses*; *-se*) suceso *m*; acontecimiento *m*, acaecimiento *m*; (*Fall*) caso *m*; (*Zwischenfall*) incidente *m*; **~korrektur** *Typ. f* primeras pruebas *f/pl.*

ˈ**Vorkriegs...:** *in Zssg(n)* de antes de la guerra, anterior *bzw.* anteriores a la guerra; de (la) anteguerra.

ˈ**Vor|küche** *f* antecocina *f*; **2kühlen** *v/t.* refrigerar previamente; **~kühlung** *f* refrigeración *f* previa; **2laden** (*L*) ⚖ *v/t.* citar; emplazar; **~ladung** ⚖ *f* citación *f*; emplazamiento *m*; **~lage** *f* (*Muster*) modelo *m*; muestra *f*; (*Schablone*) patrón *m*; *Typ.* (*Satz2*) copia *f*; (*Gesetzes2*) proyecto *m* de ley; (*Vorschlag*) proposición *f*; propuesta *f*; *Parl.* moción *f*; *e-r Urkunde*: presentación *f*; exhibición *f*; (*Bett2*) antecama *f*, alfombra *f* de cama; ⚕ recipiente *m*; *Fußball*: pase *m*; *Schi*: inclinación *f* del cuerpo hacia adelante; *bei* (*gegen*) ~ a la (contra) presentación; **2lagern** *v/t.* extender delante de; **~land** *n* (*-es*; *0*) parte *f* avanzada de un territorio; **2längst** *adv.* hace largo (*od.* mucho) tiempo; **2lassen** (*L*) *v/t.* dejar pasar; hacer pasar adelante; *j-n* ~ (*empfangen*) recibir a alg.; dar audiencia a alg.; **~lauf** *m* (*-es*; *⸗e*) *Sport*: carrera *f* eliminatoria; **2laufen** (*L*; *sn*) *v/i.* (*vorauseilen*) adelantarse, tomar la delantera; *Uhr*: adelantarse; **~läufer** *m* precursor *m*; **2läufig I.** *adj.* provisional; temporal; (*interimistisch*) interino; (*einleitend*) preliminar; *~e Entscheidung* ⚖ decisión *f* interlocutoria; *~e Entlassung* ⚖ libertad *f* condicional; **II.** *adv.* provisionalmente; temporalmente; interinamente; (*fürs erste*) de momento, por el momento, por ahora; **2laut** *adj.* precipitado en hablar; (*vorwitzig*) petulante; resabido, sabidillo, *bsd. Jugendliche*: F repipi; **~leben** *n* vida *f* anterior; ⚖ antecedentes *m/pl.* (de conducta); **2legbar** *adj.* presentable.

ˈ**Vorlege|besteck** *n* (*-es*; *-e*) juego *m* de trinchantes; **~frist** ✝ *f* plazo *m* de presentación; **~gabel** *f* (*-*; *-n*) tenedor *m* de trinchar, trinchante *m*; **~löffel** *m* cucharón *m*; **~messer** *n* cuchillo *m* de trinchar; **2n** *v/t.* poner (*od.* colocar) delante; (*anbieten*) ofrecer; (*zeigen*) enseñar, mostrar; exhibir; (*unterbreiten*) someter; *Dokumente, Rechnung, Bericht*: presentar; *Speisen*: servir; *Frage*: hacer, dirigir, formular; *Fußball*: hacer un pase adelantado; *Schloß*: poner; *zur Unterschrift* ~ someter (*od.* poner *od.* presentar) a la firma; *Pol. der Kammer e-n Gesetzentwurf* ~ presentar a la Cámara un proyecto de ley; F *ein tolles Tempo* ~ ir a una velocidad endiablada; *sich* ~ ponerse delante (a/c.), (*sich vorbeugen*) inclinarse hacia adelante; **~n** *n v. Urkunden usw.* presentación *f*; **~r** *m* (*Bett2*) antecama *f*, alfombra *f* de cama; (*Matte*) alfombrilla *f*; (*Fußmatte*) felpudo *m*; **~schloß** *n* (*-sses*; *⸗sser*) candado *m*.

ˈ**Vorlegung** *f* presentación *f*.

ˈ**Vorleistung** ✝ *f* anticipo *m*, pago *m* adelantado; *fig.* concesión *f* anticipada.

ˈ**Vorles|e** *f* (*0*) principio *m* de la vendimia; **2en** (*L*) *v/t.*: *j-m et.* ~ leer a/c. a alg.; **~en** *n* lectura *f*; **~er(in** *f*) *m* lector(a *f*) *m*; **~ung** *f* lectura *f*; (*Vortrag*) conferencia *f*; *akademische*: curso *m*; *e-e* ~ *halten* dar *od.* explicar un curso (*über ac.* de); *e-e* ~ *belegen* matricularse en un curso; *e-e* ~ *besuchen* (*hören*) asistir a un curso; **~ungsplan** *m* (*-es*; *⸗e*) horario *m* de clases; **~ungsverzeichnis** *n* (*-ses*; *-se*) programa *m* de cursos.

ˈ**vorletzt** *adj.* penúltimo; *~e Nacht* anteanoche.

ˈ**Vorliebe** *f* (*0*) predilección *f* (*für* por); preferencia *f*; *mit* ~ con preferencia.

vorˈ**liebnehmen** (*L*) *v/i.*: ~ *mit* contentarse con; darse por contento (*od.* por satisfecho) con.

ˈ**vor|liegen** (*L*) *v/i.* estar (situado) delante; (*vorhanden sein*) existir; haber; (*behandelt werden*) ser examinado (*od.* objeto de examen); ser tratado; (*zur Debatte stehen*) estar pendiente de discusión; (*sich vorfinden*) hallarse, encontrarse; *j-m* ~ tener ante sí; *mir liegt ein Bericht vor* tengo a la vista un informe; *was liegt vor?* ¿qué hay?; *es liegt nichts vor* no hay nada; *was liegt gegen ihn vor?* ¿qué hay contra él?; ¿de qué se le acusa?; *es liegt nichts gegen ihn vor* no hay nada contra él; *es liegen keine Gründe vor, um zu* (*inf.*) no hay ningún motivo para (*inf.*); *da muß ein Irrtum* ~ aquí tiene que haber un error; **~liegend** *adj.* presente; en cuestión; *im ~en Fall* en el presente caso; *laut ~en Meldungen* según las noticias recibidas; **~lügen** *v/t.*: *j-m et.* ~ mentir a alg.; decir mentiras a alg. (*über ac.* sobre); **~machen** *v/t.*: *j-m et.* ~ enseñar a alg. cómo se hace a/c., *fig.* (*um ihn zu täuschen*) hacer creer a alg. otra cosa distinta; engañar (*od.* embaucar) a alg.; *ihm kannst du nichts* ~ F a ése no se la das de primo; **2macht(stellung)** *f* (*0*) preponderancia *f*; supremacía *f*; (*Hegemonie*) hegemonía *f*; 2**magen** *Zoo. m* (-*s*; ¨) *der Wiederkäuer*: panza *f*; *der Vögel*: buche *m*; ~**malig** *adj.* anterior, precedente; antiguo; ~**mals** *adv.* antes; antiguamente; en otros tiempos; 2**mann** *m* (-*es*; ¨*er*) (*Vorgänger*) predecesor *m*, antecesor *m*; (*Vorarbeiter*) cabo *m*; capataz *m*; ✝ *u.* ⚔ → *Vordermann*; 2**marsch** *m* (-*es*; ¨*e*) avance *m*; 2**mast** ⚓ *m* (-*es*; -*e od.* -*en*) (palo *m* de) trinquete *m*; ~**merken** *v/t.* anotar, apuntar, tomar nota de; (*reservieren*) reservar; 2**merkung** *f* nota *f*, anotación *f*; (*Reservierung*) reserva *f*; ~**militärisch** *adj.* (*0*) premilitar; ~*e Ausbildung* instrucción *f* premilitar; 2**mittag** *m* (-*es*; -*e*) mañana *f*; *am* ~ por la mañana; *im Laufe des* ~*s* durante la mañana; *heute* 2 hoy por la mañana; *gestern* 2 ayer por la mañana; *morgen* 2 mañana por la mañana; ~**mittags** *adv.* por la mañana; *bei der Uhrzeit*: de la mañana; 2**mittags-stunden** *pl.* (horas *f/pl.* de) la mañana; 2**mittagsunterricht** *m* (-*es*; *0*) clases *f/pl.* matinales *od.* de la mañana; 2**mittagszeit** *f* (horas *f/pl.* de) la mañana; 2**monat** *m* (-*es*; -*e*) mes *m* anterior; 2**mund** *m* (-*es*; -*e od.* ¨*er*) tutor *m*; *v. Erwachsenen*: curador *m*.

'**Vormundschaft** ⚖ *f* tutela *f*; *v. Erwachsenen*: curaduría *f*; *unter* ~ *stehen* (*stellen*) estar (poner) bajo tutela; 2**lich** *adj.* tutelar; ~**sgericht** *n* (-*es*; -*e*) tribunal *m* tutelar de menores; tribunal *m* de tutelas; ~**ssache** *f* asunto *m* pupilar.

'**Vornahme** *f* (*Ausführung*) ejecución *f*; (*Unternehmung*) acometida *f* (*od.* acometimiento *m*) de una empresa.

'**Vorname(n)** *m* (-*ns*; -*n*) nombre *m*; (*Taufname*) nombre *m* de pila.

'**vornan, vorn'an** *adv.* en primer lugar *od.* término; a la cabeza; en las primeras filas.

vorn(e) *adv.* delante; adelante; por delante; (*an der Spitze*) a la cabeza de, al frente de; *von* ~ por delante; de frente, de cara, (*neu anfangend*) de nuevo, otra vez, (*vom Anfang an*) desde el principio; *weiter* ~ más adelante; *von* ~ *bis hinten* de un extremo al otro; ~ *sitzen* estar sentado en la primera fila (*od.* en la parte delantera); *nach* ~ *wohnen* habitar en un piso exterior; *nach* ~ *liegen Räume*: dar a la calle; *nach* ~ *geneigt* inclinado hacia adelante; *von* ~ (*von neuem*) *anfangen* empezar de nuevo; volver a hacer; repetir; ~ *und hinten* delante y detrás; ~ *und hinten sein* estar en todas partes.

'**vornehm** *adj.* distinguido; de calidad, principal; de alto rango; (*aristokratisch*) aristocrático; (*elegant*) elegante; (*edel*) noble; ~*e Gesinnung* sentimientos *m/pl.* nobles *od.* elevados; ~*es Wesen* distinción *f*; aire *m* distinguido; (*Eleganz*) elegancia *f*; *die* ~*en Leute, die* ~*e Welt* la alta sociedad; el mundo elegante; *die* ~*ste Pflicht* el deber primordial; ~ *tun* darse aires de gran señor (*bzw.* de gran señora); darse importancia *od.* tono; ~**en** (*L*) *v/t. Schürze usw.*: ponerse; et. ~ emprender a/c.; ponerse a hacer a/c.; ocuparse en a/c.; dedicarse a a/c.; (*ausführen*) hacer, efectuar; (*behandeln*) tratar a/c.; *Frage*: abordar; *Unternehmen*: emprender; *Untersuchung*: practicar; *Nachprüfung*: proceder a; *Veränderungen*: hacer, introducir; *sich et.* ~ proponerse a/c.; *sich j-n* ~ (*tadeln*) reprender a alg.; F llamar a capítulo a alg.; (*prüfen*) examinar a alg.; *wer sich zuviel vornimmt, führt nichts richtig durch* el que mucho abarca, poco aprieta; 2**heit** *f* (*0*) distinción *f*; señorío *m*; (*Eleganz*) elegancia *f*; *der Gesinnung*: nobleza *f*; ~ *der Erscheinung* porte distinguido; ~**lich** *adv.* particularmente, en particular; especialmente; principalmente; sobre todo; 2**tue'rei** *f* (*0*) ostentación *f*; aires *m/pl.* de grandeza; F humos *m/pl.* de señorío.

'**vorneigen** *v/t.*: *sich* ~ inclinarse hacia adelante; (*über et.*) inclinarse sobre.

'**vornherein** *adv.*: *von* ~ desde un principio.

'**vornotieren** (-) *v/t.* → *vormerken.*

vorn'über *adv.* hacia adelante; ~ *fallen* (*aufs Gesicht*) caer de bruces; (*Kopf voraus*) caer de cabeza.

'**Vor-ort** *m* (-*es*; -*e*) (*Vorstadt*) suburbio *m*, arrabal *m*; barrio *m* periférico; ~**bahn** *f* ferrocarril *m* de circunvalación (*od.* suburbano); ~**verkehr** *m* (-*s*; *0*) tráfico *m* suburbano; ~**zone** *f* extrarradio *m*; ~**zug** *m* (-*es*; ¨*e*) tren *m* local *od.* suburbano.

'**Vor|platz** *m* (-*es*; ¨*e*) explanada *f*; (*Flur*) vestíbulo *m*; *e-r Kirche*: atrio *m*; ~**pommern** *Geogr. n* Pomerania *f* occidental; ~**posten** ⚔ *m* puesto *m* avanzado; *Soldat*: centinela *m* avanzado; ~ *pl.* avanzadas *f/pl.*; ~**postengefecht** *n* (-*es*; -*e*) combate *m* de avanzadas; ~**postenkette** *f* línea *f* de avanzadas; ~**programm** *n* (-*s*; -*e*) anteprograma *m*; ~**projekt** *n* (-*es*; -*e*) anteproyecto *m*; ~**prüfung** *f* examen *m* previo; *Sport*: prueba *f* eliminatoria; 2**ragen** (-) *v/i.* elevarse (über *ac.* sobre); resaltar, sobresalir; *aus dem Wasser*: emerger; ~**rang** *m* (-*es*; *0*) primacía *f* (*vor dat.* sobre); preeminencia *f*; preferencia *f*; (*Vordringlichkeit*) prioridad *f*; *den* ~ *vor j-m haben* tener la precedencia sobre alg.; *vor et. den* ~ *haben* tener la preferencia sobre a/c.; tener prioridad sobre a/c.; *j-n mit* ~ *abfertigen* dar trato preferente (*od.* de favor) a alg.; ~**rat** *m* (-*es*; ¨*e*) provisión *f*, acopio *m*; ✝ existencias *f/pl.*; (*Reserve*) reservas *f/pl.*; *auf* ~ *kaufen* ✝ comprar para almacenar; *sich e-n* ~ *von et. anlegen* hacer acopio de a/c.; ✝ almacenar a/c.; ✝ *solange* (*der*) ~ *reicht* hasta que se agoten las existencias.

'**vorrätig** *adj.* disponible; ✝ en almacén.

'**Vorrats...**: ~**ansammlung** ✝ *f* almacenamiento *m*; ~**behälter** *m* depósito *m*; ~**haus** *n* (-*es*; ¨*er*) almacén *m*; ~**kammer** *f* (-; -*n*) despensa *f*; ⚓ pañol *m* de víveres; ~**lager** *n* depósito *m*; ~**raum** *m* (-*es*; ¨*e*) despensa *f*; ~**schrank** *m* (-*es*; ¨*e*) nevera *f*.

'**Vorraum** *m* (-*es*; ¨*e*) antecámara *f*; → *Vorhalle*.

'**vor|rechnen** (-*e*-) *v/t.*: *j-m et.* ~ hacer a alg. el cálculo de a/c.; (*aufzählen*) enumerar; 2**recht** *n* (-*es*; -*e*) privilegio *m*; *ausschließliches*: prerrogativa *f*; (*Vorrang*) prioridad *f*; *ein* ~ *bewilligen* conceder un privilegio; *ein* ~ *genießen* gozar de un privilegio; 2**rede** *f* discurso *m* preliminar; palabras *f/pl.* introductorias; (*Einleitung zur Hauptrede*) preámbulo *m*; exordio *m*; *in Büchern*: prólogo *m*; prefacio *m*; introducción *f*; *kurze*: advertencia *f* preliminar; *e-e* ~ *zu e-m Buch schreiben* prologar un libro; ~**reden** (-*e*-) *v/t.*: *j-m et.* ~ contar a alg. una historia (*od.* F *fig.* un cuento tártaro); 2**redner(in** *f*) *m* orador (-a *f*) *m* anterior; ~**reiten** (*L*) **1.** (*sn*) *v/i.* adelantarse con su caballo; *j-m* ~ preceder a caballo a alg., (*das Reiten zeigen*) enseñar a alg. a montar; **2.** *v/t. Pferd*: presentar; *fig. j-m et.* ~ hacer ante alg. gala de a/c.; 2**reiter** *m bei Wagen*: delantero *m*; ~**richten** (-*e*-) *v/t.* preparar; aprestar; disponer; 2**richtung** *f* (*Herrichtung*) preparación *f*; ⊕ dispositivo *m*; aparato *m*; mecanismo *m*; ~*en pl.* preparativos *m/pl.*; ~**rücken 1.** *v/t. Uhr*: adelantar (la hora); *Stuhl*: avanzar, empujar hacia adelante; *im Rang*: ascender; (*heranrücken*) aproximar; **2.** (*sn*) *v/i.* adelantarse; avanzar (*a.* ⚔); *im Rang*: ascender; *in vorgerücktem Alter* de edad avanzada; entrado en años; *zu vorgerückter Stunde* a altas horas de la noche; a hora avanzada de la noche; 2**rücken** *n* avance *m*; movimiento *m* de avance; ~**rufen** (*L*) *v/t.* llamar; *Thea.* llamar a escena; 2**runde** *f Sport*: primera vuelta *f* (*od.* eliminatoria *f*); 2**saal** *m* (-*es*; ¨*e*) antesala *f*, antecámara *f*; (*Vestibül*) vestíbulo *m*; (*Wartesaal*) sala *f* de espera; ~**sagen** *v/t.* decir para que otro vaya repitiendo; *Schule*: (*zuflüstern*) soplar; *Thea.* apuntar; 2**saison** *f* (-; -*s*) principio *m* de temporada; 2**sänger** *m in Kirchen*: primer cantor *m*; *beim Chorsingen*: entonador *m*; 2**satz** *m* (-*es*; ¨*e*) (*Vorbedacht*) premeditación *f* (*a.* ⚖); (*Absicht*) intención *f*, designio *m*, propósito *m*; ⚖ (*boshafte Absicht*) dolo *m*; (*Entschluß*) resolución *f*; *mit* ~ → *vorsätzlich*; *mit dem* ~, *zu* (*inf.*) con la intención de (*inf.*); con el propósito de (*inf.*); *den* ~ *fassen, zu* (*inf.*) proponerse (*inf.*); *gute Vorsätze* buenas intenciones; 2**satzblatt** *n* (-*es*; ¨*er*) *e-s Buches*: guardas *f/pl.*; 2**satzgerät** ⚡ *n* (-*es*; -*e*) adaptador *m*; ~**sätzlich I.** *adj.* premeditado, preconcebido; ⚖ (*boshaft*) doloso; ⚖ *Mord*: premeditado; **II.** *adv.* con intención; deliberadamente; de propósito, de intento; ⚖ con premeditación; ⚖ (*boshaft*) dolosamente; con ánimo de dolo; 2**satzlinse** *f* lente *f* adicional; ~**schalten** (-*e*-) ⚡ *v/t.* intercalar; conectar en serie; 2**schaltwiderstand** ⚡ *m* (-*es*; ¨*e*) resistencia *f* intercalada; resistencia *f* en serie; **2schau** *f* previsión *f*; orientación *f* (*auf ac.* sobre); *Film, TV*: avance *m*; *angl.* trailer *m*; *Am.* sinopsis *f*; **2schein** *m*: *zum ~ bringen* sacar a luz; mostrar, poner de manifiesto; descubrir; *zum ~ kommen* salir a luz; aparecer, mostrarse, manifestarse; **~schicken** *v/t.*: *j-n ~* enviar (hacia) adelante a alg.; et. ~ enviar por adelantado a/c.; anticipar a/c.; ⚔ *Truppen*: hacer avanzar; **~schieben** (*L*) *v/t.* empujar hacia adelante; *Riegel*: echar; *fig. j-m e-n Riegel ~* impedir a alg. la realización de sus planes; *fig. als Entschuldigung, Grund usw.*: pretextar; escudarse detrás de a/c.; *j-n ~* valerse de alg. como testaferro; **~schießen** (*L*) **1.** *v/t. Geld*: anticipar, adelantar; (*leihen*) prestar; **2.** (*sn*) *v/i.* lanzarse hacia adelante; **2schiff** ⚓ *n* (*-es*; *-e*) proa *f*.

'**Vorschlag** *m* (*-es*; *⸚e*) proposición *f*; *formeller*: propuesta *f*; (*Empfehlung*) recomendación *f*; (*Anregung*) sugerencia *f*; (*Anerbieten*) ofrecimiento *m*; *für ein Amt*: propuesta *f*; presentación *f*; (*Antrag*) *Parl.* moción *f*; ♪ apoyatura *f*; *auf ~* von a propuesta de; *e-n ~ machen* hacer una proposición *bzw.* una propuesta; *in ~ bringen* = **2en** (*L*) *v/t.* proponer; *für ein Amt*: *a.* presentar; (*empfehlen*) recomendar; (*anregen*) sugerir; (*anbieten*) ofrecer; **~hammer** *m* (*-s*; *⸚*) martillo *m* a dos manos; macho *m* de fragua; **~sliste** *f für Beförderungen*: lista *f* de ascensos; *bei Wahlen*: lista *f* de candidatos; **~srecht** *n* (*-es*; *0*) derecho *m* de presentación.

'**vorschleifen I.** (*L*) *v/t.* desbastar con la muela; **II.** 2 *n*, '**Vorschliff** *m* (*-es*; *-e*) afilado *m* preliminar.

'**Vorschlußrunde** *f Sport*: semifinal *f*.

'**vor|schmecken** *v/i. Gewürze*: predominar; tener un sabor predominante; **2schneidemesser** *n* cuchillo *m* de trinchar; **~schneiden** (*L*) *v/t. Braten*: trinchar; **2schneider** *m* (*Zange*) pinza *f* cortante; **~schnell** *adj.* (*0*) → *voreilig*; **~schreiben** (*L*) *v/t. dem Schüler*: escribir una muestra caligráfica; *fig.* prescribir; preceptuar; (*befehlen*) ordenar; (*anordnen*) disponer; (*bestimmen*) determinar; fijar; (*angeben*) indicar; ⚕ prescribir; recetar; *ich lasse mir nichts ~* no tengo por qué recibir órdenes de nadie; → *vorgeschrieben*; **~schreiten** (*L*; *sn*) *v/i.* avanzar; adelantarse; *fig.* adelantar, progresar; *vorgeschrittenes Stadium* ⚕ estadio *m* avanzado; fase *f* avanzada.

'**Vorschrift** *f* muestra *f* caligráfica (*od.* de escritura); *fig.* prescripción *f*; precepto *m*; (*Anweisung*) instrucción *f mst. pl.* instrucciones; (*Bestimmung*) reglamento *m*; ordenanza *f*; *gesetzliche*: disposición *f*; (*Befehl*) orden *f*; ⚕ *ärztliche ~* prescripción facultativa; *~ sein* ser de rigor; *ich lasse mir keine ~en machen* no admito órdenes de nadie; **2smäßig** *adj.* conforme a las instrucciones *bzw.* ordenanzas; reglamentario, de reglamento; de rigor; *~e Papiere haben* tener la documentación en regla; **2swidrig** *adj.* contrario a las instrucciones *bzw.* a las ordenanzas *bzw.* a las prescripciones; antirreglamentario, contrario al reglamento.

'**Vor|schub** ⊕ *m* (*-es*; *0*) avance *m*; *fig.* ayuda *f*, apoyo *m*; *j-m ~ leisten* ayudar, apoyar *od.* favorecer a alg.; ⚖ encubrir a alg.; *e-r Sache ~ leisten* favorecer a/c.; **~schuh** *m* (*-es*; *-e*) pala *f*; **~schule** *f* escuela *f* preparatoria; **2schulisch** *adj.* preescolar.

'**Vorschuß** *m* (*-sses*; *⸚sse*) anticipo *m*; adelanto *m*; (*Darlehen*) préstamo *m*; *~ auf den Lohn* anticipo de sueldo; *e-n ~ gewähren* (*geben*) conceder (dar) un anticipo; **~dividende** ✝ *f* dividendo *m* a cuenta; **~kasse** *f* caja *f* de anticipos; **~leistung** *f* anticipo *m*; **~mehl** *n* (*-s*; *0*) flor *f* de harina; **~ver-ein** *m* (*-es*; *-e*) sociedad *f* de préstamos; **2weise** *adv.* a título de anticipo *bzw.* de préstamo.

'**vor|schützen** (*-t*) *v/t.* pretextar, dar por (*od.* como) pretexto; (*vorspiegeln*) aparentar, fingir, simular; *Gründe*: alegar; *sein Alter ~* disculparse con la edad; *Unwissenheit ~* aparentar *od.* fingir ignorancia; **~schwatzen** (*-t*) *v/t.* → *vorreden*; **~schweben** *v/i.*: *mir schwebt et. vor* tengo una vaga idea de a/c.; *es schwebt mir vor, zu* (*inf.*) me están dando ideas de (*inf.*); *wie es mir vorschwebt* tal como yo me lo imagino; **~schwindeln** (*-le*) *v/t.*: *j-m et. ~* hacer creer a alg. un embuste; engañar a alg. contándole historias; **2segel** ⚓ *n* (vela *f* de) trinquete *m*; **~sehen** (*L*) **1.** *v/t.* prever; **2.** *v/refl.*: *sich ~* precaverse, guardarse (*vor dat.* de), estar en guardia, (*sich schützen*) tomar precauciones *od.* medidas de precaución (*vor dat.* contra); *in Artikel ... vorgesehen* previsto en el artículo ...; *vorgesehen!* ¡cuidado!, ¡atención!, F ¡ojo!; **2sehung** *f* (*0*) Providencia *f*; *die göttliche ~* la Divina Providencia; **~setzen** (*-t*) *v/t.* poner *od.* colocar delante (de); anteponer; (*anbieten*) ofrecer; *Speisen*: servir; ♪ *Zeichen*: poner; *j-n e-r Sache* (*dat.*) *~* encomendar a alg. la dirección o gobierno de a/c.; **2setzer** *m* (*Ofen2*) recogedor *m* de cenizas; (*Ofenschirm*) pantalla *f*; (*Wandschirm*) biombo *m*.

'**Vorsicht** *f* (*0*) precaución *f*; cautela *f*; (*Behutsamkeit*) cuidado *m*; (*Umsicht*) circunspección *f*; (*Klugheit*) prudencia *f*; (*Zurückhaltung*) discreción *f*; *~!* ¡cuidado!, ¡atención!, F ¡ojo!; *~, Glas!* ¡frágil!; *aus* (*mit*) *~* por (con) precaución; *~ ist besser als Nachsicht* más vale prevenir que lamentar; *mit ~ zu Werke gehen* obrar con precaución; proceder con cautela; F *er ist mit ~ zu genießen* hay que tratarle con guante blanco; **2ig I.** *adj.* precavido; cauto; cauteloso; (*behutsam*) cuidadoso; (*umsichtig*) circunspecto; (*klug*) prudente; (*zurückhaltend*) discreto; **II.** *adv.* con precaución; con cautela; con cuidado; con prudencia, prudentemente; con discreción, discretamente; *~ sein* tener cuidado; proceder con cuidado; poner cuidado; *man kann nie ~ genug sein* toda precaución es poca; et. *~ behandeln* tratar con cuidado; *~ handeln* obrar con precaución, proceder con tino; **~igkeit** *f* (*0*) → *Vorsicht*; **2shalber** *adv.* por precaución; por si acaso, F por si las moscas; **~smaßnahme** *f* medida *f* de precaución; *~n treffen* adoptar precauciones (*od.* medidas de precaución); **~smaßregel** *f* (*-*; *-n*) → *Vorsichtsmaßnahme*.

'**Vor|signal** 🚂 *n* (*-s*; *-e*) señal *f* de aviso; **~silbe** *Gr. f* prefijo *m*; **2singen** (*L*) **1.** *v/t.*: *j-m* et. *~* cantar a/c. a alg.; cantar delante de alg.; **2.** *v/i.* entonar (un canto); **2sintflutlich** *adj.* antediluviano (*a. fig.*); **~sitz** *m* (*-es*; *0*) presidencia *f*; *unter dem ~ von* bajo la presidencia de; *der turnusmäßig wechselnde ~* la presidencia por turno; *den ~ übernehmen* ocupar la presidencia; *den ~ über e-e Versammlung führen* presidir una asamblea; **2sitzen** (*L*) *v/i.* presidir (*ac.*); *e-r Sitzung* (*e-r Versammlung*) *~* presidir una sesión (una asamblea); **~sitzende** *f* presidenta *f*; **~sitzende(r)** *m* presidente *m*; *der stellvertretende Vorsitzende* el vicepresidente; **~sommer** *m* principios *m/pl.* del verano; **~sorge** *f* (*0*) previsión *f*; (*Vorsicht*) precaución *f*; *~ treffen* tomar (*od.* adoptar) las precauciones necesarias; *~ treffen, daß ...* cuidar de que (*subj.*); velar por (*ac.*); tomar las precauciones necesarias para que (*subj.*); **2sorgen** *v/i.* proveerse abundantemente de a/c.; *für* et. *~* prevenir todo lo necesario para a/c.; **2sorglich I.** *adj.* previsor; (*gewarnt*) prevenido; **II.** *adv.* por precaución; **~spann** *m* (*-es*; *-e*) (*Vordergespann*) tiro *m* delantero; **2spannen** *v/t.* (ex)tender (*vor* delante de); *Pferde*: enganchar; **~speise** *f* entrada *f*; entremeses *m/pl.*; **2spiegeln** (*-le*) *v/t.* aparentar, fingir, simular; *j-m* et. *~* engañar a alg. con falsas apariencias; deslumbrar a alg. con a/c.; **~spiegelung** *f* simulación *f*; impostura *f*; fingimiento *m*; (*Trugbild*) ilusión *f*; *wegen ~ falscher Tatsachen* ⚖ por falsedad; **~spiel** *n* (*-s*; *-e*) ♪ preludio *m*; *Oper*: obertura *f*; *Thea.* prólogo *m*; **2spielen** *v/t.* preludiar; *j-m* et. *~* tocar (*od.* ejecutar) una pieza de música ante alg.; **~spielkabine** *f* cabina *f* de audición; **~spinnmaschine** *f* hiladora *f* continua; **2sprechen** (*L*) **1.** *v/t.* decir *bzw.* pronunciar para que otro lo repita; **2.** *v/i.*: *bei j-m ~* ir a visitar a alg.; pasar por casa de alg.; **2springen** (*L*; *sn*) *v/i.* lanzarse hacia adelante; avanzar a saltos; ⚠ resaltar, resalir; *~ über* (*ac.*) rebasar (*ac.*), sobresalir de; **2springend** *adj.* saliente; prominente; *~er Bau* salidizo *m*; *~es Kinn* mentón *m* saliente; *~er Winkel* ángulo *m* saliente; **~sprung** *m* (*-es*; *⸚e*) ⚠ resalto *m*; salidizo *m*; *fig. u. Sport*: ventaja *f* (*vor dat.* sobre); *e-n ~ vor j-m gewinnen Sport*: sacar ventaja a alg.; adelantarse a alg.; *e-n ~ haben vor* llevar ventaja a *od.* sobre; *~ von zehn Längen* (*Pferderennen*) distancia de diez largos; **~stadt** *f* (-; ⸚*e*) suburbio *m*; arrabal *m*; **~städter** (**-in** *f*) *m* habitante *m*/*f* de un suburbio *od.* arrabal; **2städtisch** *adj.* suburbano; de suburbio *od.* arrabal; *desp.* arrabalero; **~stadttheater** *n* teatro *m* de arrabal.

ˈ**Vorstand** *m* (-*ẹs*; ⸚*e*) junta *f* directiva; dirección *f*; presidencia *f*; *e-s Unternehmens*: consejo *m* de administración; *Person*: (*Vorsteher*) director *m*; (*Vorsitzender*) presidente *m*; **~smitglied** *n* (-*ẹs*; -*er*) miembro *m* de la junta directiva; *Beisitzer*: vocal *m*; **~ssitzung** *f* sesión *f* *bzw.* reunión *f* de la junta directiva *bzw.* del consejo de administración; **~s-tisch** *m* (-*es*; -*e*) mesa *f* presidencial; **~swahl** *f* elección *f* de junta directiva.

ˈ**vorsteck|en** *v/t.*: (*vor et. stecken*) poner por delante; (*mit e-r Nadel*) prender; *Blume, Brosche usw.*: poner(se); *Kopf*: asomar; **2er** ⊕ *m* clavija *f*; chaveta *f*; **2nadel** *f* (-; -*n*) prendedor *m*; (*Brustnadel*) alfiler *m*; (*Brosche*) broche *m*.

ˈ**vorsteh|en** (*L*) *v/i.* △ resaltar, resalir; *e-r Sache* (*dat.*) ~ (*als Vorsitzender*) presidir (*ac.*); (*leiten*) dirigir (*ac.*); ser director de; estar al frente de; (*verwalten*) administrar (*ac.*); **~end** *adj.* saliente; prominente; (*vorhergehend*) precedente, que precede (*od.* que antecede); *aus dem 2en ist zu ersehen, daß ...* de lo que antecede (*od.* de lo dicho) resulta que ...; *wie* ~ como (más) arriba se indica *bzw.* se expresa; **2er(in** *f*) *m* director(a *f*) *m*; *Rel.* superior(a *f*) *m*; (*Oberhaupt*) jefe *m*; (*Verwalter*) administrador *m*; (*Bank2*) gerente *m*; (*Gemeinde2*) alcalde *m* rural; **2erdrüse** *Anat. f* próstata *f*; **2hund** *Jgdw. m* (-*ẹs*; -*e*) perro *m* de muestra.

ˈ**vorstell|bar** *adj.* imaginable, concebible; **~en** *v/t.* (*vor et. stellen*) poner *od.* colocar delante; *Uhr*: adelantar (la hora); (*bedeuten*) significar; *was soll das* ~? ¿qué significa esto?, *v. Bildern*: ¿qué representa esto?; (*darstellen*) representar (*a. Thea.*); *j-n j-m* ~ presentar alg. a alg.; *darf ich Ihnen Herrn X* ~? permítame presentarle al señor **X**; tengo el gusto de presentarle al señor **X**; *j-m et.* ~ (*hinweisend*) indicar *od.* señalar a/c. a alg.; hacer observar *od.* notar a/c. a alg., *mahnend*: advertir a alg. a/c.; llamar a alg. la atención; F *er stellt et. vor* hace buena figura; es un hombre que vale; *sich* ~ (*sich vor et. stellen*) ponerse delante de; *sich j-m* ~ presentarse a alg.; *sich et.* ~ figurarse, imaginarse a/c.; *das kann ich mir nicht* ~ no lo concibo; no puedo creerlo; *das hätte ich mir nicht vorgestellt* no lo hubiera imaginado; *stell dir m-e Überraschung vor!* ¡imagínate mi sorpresa!; *stell dir das nicht so leicht vor* no te creas que la cosa es tan fácil; **~ig** *adj.*: *bei e-r Behörde* ~ *werden* elevar una solicitud a; *protestierend*: presentar una queja a; hacer una reclamación a; protestar (*od.* hacer presente su protesta) ante una autoridad; **2ung** *f* presentación *f*; *persönliche* ~ presentación personal; *Thea.* representación *f*, función *f*; (*Kino2*) sesión *f*; (*Begriff*) idea *f*, noción *f*; concepto *m*; *falsche* ~ idea equivocada; *sich e-e* ~ *machen* hacerse (*od.* formarse) una idea; *du machst dir keine* ~! ¡no tienes idea!; (*Vorhaltung*) queja *f*; (*Einspruch*) reclamación *f*; (*Einwand*) objeción *f*; (*Mahnung*) advertencia *f*; (*Protest*) protesta *f*; *j-m* ~*en machen* protestar ante alg.; *das geht über alle* ~ esto supera todo lo imaginable; **2ungskraft** *f* (*0*), **2ungsvermögen** *n* (-*s*; *0*) imaginación *f*.

ˈ**Vor|stoß** *m* (-*es*; ⸚*e*) ⚔ ataque *m*; avance *m*; *Schneiderei*: pestaña *f*; (*Litze*) cordoncillo *m*; *Sport*: ataque *m*; *fig.* (*Versuch*) intento *m*; ensayo *m*; **2stoßen** (*L*) **1.** *v/t.* empujar hacia adelante; **2.** (*sn*) *v/i.* ⚔ atacar; avanzar combatiendo; **~strafe** ⚖ *f* antecedente *m* penal; **~strafenregister** ⚖ *n* registro *m* de antecedentes penales; **~straße** ⊕ *f e-s Walzwerkes*: tren *m* desbastador; **2strecken** *v/t.* (*Arme*) extender hacia adelante; *Geld*: adelantar, anticipar; *Zunge*: sacar; **~strecken** *n*, **~streckung** *f v. Geld*: adelanto *m*, anticipo *m*; **~studien** *pl.* estudios *m/pl.* preparatorios; **~stufe** *f* primer grado *m*; (*Anfangsgründe*) elementos *m/pl.*, *ganz elementare*: rudimentos *m/pl.*; (*Lehrgang*) curso *m* elemental; **2stürmen, 2stürzen** (-*t*; *sn*) *v/i.* avanzar impetuosamente; **~tag** *m* (-*ẹs*; -*e*) día *m* anterior; **2tanzen** *v/t.* guiar la danza; mostrar la ejecución de un baile; **~tänzer** *m* primer bailarín *m*; **~tänzerin** *f* primera bailarina *f*; **2täuschen** *v/t.* fingir, aparentar; simular; *j-m et.* ~ engañar a alg. con falsas apariencias; hacer a alg. forjarse ilusiones.

ˈ**Vorteil** *m* (-*ẹs*; -*e*) ventaja *f*; (*Gewinn*) ganancia *f*; (*Nutzen*) provecho *m*, beneficio *m*; utilidad *f*; *sich e-n* ~ *verschaffen* obtener una ventaja; *das bietet viele* ~*e* esto ofrece muchas ventajas; ~ *bringen* traer ventaja; ~ *haben von* beneficiarse de; *aus et.* ~ *ziehen* sacar ventaja de a/c.; aprovechar (*od.* sacar provecho de) a/c.; sacar partido de a/c.; *die Vor- und Nachteile e-r Sache erwägen* considerar las ventajas y los inconvenientes (*od.* el pro y el contra) de a/c.; *auf s-n* ~ *bedacht sein* velar por sus intereses; buscar su ventaja; F barrer para (a)dentro; *sich auf s-n* ~ *verstehen* saber uno lo que le conviene; *im* ~ *sein* llevar ventaja (*vor dat.* sobre); *zu j-s* ~ en provecho de alg.; en interés de alg.; *j-m zum* ~ *gereichen* redundar en provecho *od.* beneficio de alg.; **2haft I.** *adj.* ventajoso; (*nutzbringend*) provechoso, beneficioso; útil; (*gewinnreich*) lucrativo; (*günstig*) favorable; ~*e Frisur* peinado favorecedor; **II.** *adv.* ventajosamente; con provecho; ~ *wirken* producir buen efecto; *sie ist* ~ *gekleidet* el vestido la favorece mucho.

ˈ**Vortrag** *m* (-*ẹs*; ⸚*e*) conferencia *f* (*halten* dar, pronunciar; *über ac.* sobre); (*Rede*) discurso *m*; (*Darlegung*) exposición *f*; (*Abhandlung*) disertación *f*; (*Bericht*) informe *m*; (*Radio, Plauderei*) charla *f*; *e-r Dichtung*: recitación *f*, declamación *f*; ♪ ejecución *f*; interpretación *f*; (~*sweise*) dicción *f*; elocución *f*; ✝ (*Saldo*) suma *f* anterior; ✝ ~ *auf neue Rechnung* transporte a cuenta nueva; **2en** (*L*) *v/t.* (*darlegen*) exponer; (*berichten*) informar; presentar un informe sobre; (*schildern*) narrar, contar; *Gedichte*: recitar, declamar; ♪ ejecutar; interpretar; *Lied*: cantar; *Rede*: pronunciar; *Vorschlag*: proponer; ⚔ *Angriff*: lanzar; ✝ *den Saldo auf neue Rechnung* ~ pasar a cuenta nueva; **~ende(r** *m*) *m*/*f* conferenciante *m*/*f*; orador(a *f*) *m*; *e-r Abhandlung*: disertante *m*; (*Berichterstatter*) informador *m*.

ˈ**Vortrags...**: **~art** *f* dicción *f*; elocución *f*; **~folge** *f* programa *m*; **~kunst** *f* (*0*) arte *m* de recitar; arte *m* de la declamación; **~künstler(in** *f*) *m* recitador(a *f*) *m*; ♪ ejecutante *m*/*f*; **~reihe** *f* ciclo *m* de conferencias; **~saal** *m* (-*ẹs*; -*säle*) sala *f* de conferencias; **~weise** *f* → *Vortragsart*.

vorˈ**trefflich** *adj.* excelente; (*auserlesen*) exquisito; (*vollkommen*) perfecto; inmejorable; (*bewundernswert*) admirable; magnífico; (*hervorragend*) eminente; (*glänzend*) brillante; *Arbeit*: esmerado, primoroso; **2keit** *f* (*0*) excelencia *f*; exquisitez *f*; perfección *f*; esmero *m*, primor *m*.

ˈ**vor|treiben** (*L*) *v/t.* empujar hacia adelante; hacer avanzar; llevar adelante; ⚒ *Stollen*: abrir; **2treppe** *f* (*Freitreppe*) escalinata *f*; **~treten** (*L*; *sn*) *v/i.* adelantarse; (*vor et. hintreten*) colocarse (*od.* ponerse) delante de; (*nach vorne treten*) ⚔ salir de fila(s); **2trieb** *m* (-*ẹs*; -*e*) propulsión *f*; **2tritt** *m* (-*ẹs*; *0*) precedencia *f*; *den* ~ *vor j-m haben* preceder a alg., tener la precedencia sobre alg.; *j-m den* ~ *lassen* ceder el paso a alg.; **2trupp** ⚔ *m* (-*s*; -*s*) cabeza *f* de la vanguardia; avanzada *f*; **2truppen** ⚔ *f/pl.* vanguardia *f*; **~turnen** *v/i.* enseñar los ejercicios gimnásticos; **2turner(in** *f*) *m* profesor(a *f*) *m* de gimnasia.

voˈ**rüber** *adv.* terminado, acabado, concluido; (*zeitlich*) pasado; *der Regen ist* ~ ha cesado la lluvia; **~gehen** (*L*; *sn*) *v/i.* pasar (*an dat.* delante); *im* 2 al pasar; → *vorbeigehen*; **~gehend** *adj.* pasajero; (*provisorisch*) provisional; (*nur für e-e Übergangszeit geltend*) transitorio; (*kurzlebig*) efímero; (*zeitweilig*) temporal; (*flüchtig*) fugaz; **~ziehen** (*L*; *sn*) *v/i.* pasar (*an dat.* delante).

ˈ**Vor|übung** *f* ejercicio *m* preparatorio; **~untersuchung** ⚖ *f* preinstrucción *f*; diligencias *f/pl.* presumariales.

ˈ**Vor-urteil** *n* (-*ẹs*; -*e*) prejuicio *m*; **2sfrei** *adj.* sin prejuicios, libre de prejuicios; **2svoll** *adj.* lleno de prejuicios.

ˈ**Vor|väter** *m/pl.* antepasados *m/pl.*; **~verbrennung** *f Motor*: precombustión *f*; **2verdichten** (-*e*-; -) ⊕ *v/t.* sobrecargar; **~verfahren** ⚖ *n* diligencias *f/pl.* presumariales; **~-**

verhandlung ⚖ *f* preliminares *f/pl.*; **~vergangenheit** *Gr. f (0)* pluscuamperfecto *m*; pretérito *m* anterior; **~verkauf** *m (-s; 0) Thea.* despacho *m* en contaduría; ✝ venta *f* anticipada; **~verkaufskasse** *Thea. f* contaduría *f*; **2verlegen** *v/t. Termin*: anticipar, adelantar; ⚔ *das Feuer ~* alargar el tiro; **~vertrag** *m (-ẹs; ⸗e)* precontrato *m*; contrato *m* provisional; **2vorgestern** *adv.* trasanteayer; hace tres días; **2vorig, 2vorletzt** *adj.* antepenúltimo; **2wagen** *v/refl.*: *sich ~* atreverse a avanzar; *fig.* arriesgarse el primero; *sich zu weit ~* aventurarse avanzando demasiado; **~wahl** *f* elección *f* provisional; elección *f* preliminar eliminatoria; (*Vorauswahl*) preelección *f*; ⚡ preselección *f*; **~wählnummer** *f Tele.*: prefijo *m*; **2walten** *(-e-) v/i.* prevalecer; predominar; **~wand** *m (-ẹs; ⸗e)* pretexto *m*; (*Ausflucht*) subterfugio *m*; *unter dem ~* con el pretexto (*von od. gen.* de); pretextando (*daß* que); et. *zum ~ nehmen* tomar como pretexto; *als ~ dienen* servir de pretexto; **2wärmen** ⊕ *v/t.* precalentar; **~wärmen** ⊕ *n* calentamiento *m* previo; **~wärmer** ⊕ *m* precalentador *m*; **~warnung** ⚔ *f* alarma *f* preventiva.

'**vorwärts** *adv.* adelante; hacia adelante; *~!* ¡adelante!; ⚓ ¡avante!; *beim Weggehen*: ¡vamos!, ¡andando!; *~ gehen* marchar (*od.* ir) adelante; *sich ~ bewegen, ~ rücken* avanzar; **2bewegung** *f* ⊕ marcha *f* adelante; ⚔ avance *m*; **~bringen** *(L) v/t.* adelantar; hacer avanzar; llevar adelante; *j-n ~* hacer adelantar a alg.; favorecer, ayudar a alg.; **2gang** ⊕ *m (-ẹs; ⸗e)* marcha *f* adelante; **~gehen** *(L; sn) v/i.* seguir adelante; ⚔ avanzar; **~kommen** *(L; sn) v/i.* (poder) adelantar; ⚔ avanzar; *fig.* progresar, hacer progresos; adelantar; salir adelante; *im Leben*: abrirse camino (en la vida); llegar a ser algo; **2kommen** *n* avance *m*; **~treiben** ⊕ *(L) v/t.* propulsar.

vor'weg *adv.* anticipadamente, con anticipación; por anticipado; de antemano; **2nahme** *f (0)* antelación *f*; anticipación *f*; **~nehmen** *(L) v/t.* anticipar; **2nehmen** *n* → *Vorwegnahme.*

'**vor|weisen** *(L) v/t.* (*zeigen*) mostrar, exhibir; *Urkunden usw.*: presentar; **2weisen** *n*, **2weisung** *f* presentación *f*; exhibición *f*; **2welt** *f (0)* (*Urwelt*) mundo *m* primitivo; (*vergangene Zeit*) pasado *m*, tiempos *m/pl.* pasados; (*Vorfahren*) nuestros antepasados *m/pl.*; **~weltlich** *adj.* del mundo primitivo; *fig.* antediluviano; **~werfen** *(L) v/t.* (*vor et. hinwerfen*) echar (delante de); *fig.* reprochar; *j-m* et. *~* reprochar a alg. a/c.; echar en cara a/c. a alg.; afear a/c. a alg.; *ich habe mir nichts vorzuwerfen* nada tengo que reprocharme; *sie haben einander nichts vorzuwerfen* (*beide taugen nichts*) *iro.* tan bueno es el uno como el otro; son a cuál peor; F tanto vale Pedro como Juan; **2werk** *n (-ẹs; -e)* dependencia *f* auxiliar de una granja; ⚔ obra *f* avanzada; **~wiegen** *(L) v/i.* predominar; preponderar; prevalecer; **~wiegend I.** *adj.* predominante; preponderante; **II.** *adv.* predominantemente; en su mayoría; en la mayor parte; en general; **2winter** *m* principios *m/pl.* del invierno; **2wissen** *n* conocimiento *m* previo; *Phil.* presciencia *f*; *mit m-m ~* con mi conocimiento; *ohne mein ~* sin saberlo yo; **2witz** *m (-es; 0)* indiscreción *f*; curiosidad *f* indiscreta; (*Frechheit*) impertinencia *f*; petulancia *f*; **~witzig** *adj.* indiscreto; curioso; (*vorlaut*) impertinente; petulante; **2wort** *n Gr. (-ẹs; ⸗er)* preposición *f*; *e-s Buches* (*pl. -e*): prólogo *m*; prefacio *m*; (*Einleitung*) introducción *f*; *ein ~ zu e-m Buch schreiben* prologar un libro; **2wurf** *m (-ẹs; ⸗e)* reproche *m*; (*Kritik*) censura *f*; (*Mißbilligung*) reprobación *f*; (*Beschuldigung*) cargo *m*; inculpación *f*; *e-s Themas*: asunto *m*, tema *m*; *j-m* et. *zum ~ machen* reprochar a alg. a/c.; **~wurfsfrei** *adj.* irreprochable, sin tacha; **~wurfsvoll I.** *adj.* lleno de reproches; **II.** *adv.* en tono de reproche; **~zählen** *v/t.* contar en presencia (*od.* delante) de alg.; (*aufzählen*) enumerar; **2zeichen** *n* 𝄞 signo *m*; ♪ accidente *m*; (*Omen*) presagio *m*; augurio *m*; (*Anzeichen*) señal *f*, indicio *m*; ⚕ síntoma *m* precursor; pródromo *m*; *mit umgekehrtem ~* 𝄞 de signo contrario (*a. fig.*); **~zeichnen** *(-e-) v/t.*: *j-m* et. *~* dibujar un modelo a alg.; (*angeben*) indicar, señalar; trazar; *j-m den Weg ~* trazar el camino a alg.; **2zeichnung** *f* (*Vorzeichnen*) trazado *m*; (*Modell*) modelo *m* de dibujo (*a. Stickerei*); ♪ accidentes *m/pl.*, *als Handlung*: armadura *f* de la clave; **~zeigen** *v/t.* mostrar, enseñar; hacer *bzw.* dejar ver; *Scheck, Wechsel, Fahrkarte*: presentar; *Ausweis, Urkunde*: exhibir; **2zeigen** *n* presentación *f*; exhibición *f*; **2zeit** *f* pasado *m*; tiempos *m/pl.* pasados; (*Altertum*) antigüedad *f*; *in der grauen ~* en tiempos remotos.

vor'zeiten *adv.* antiguamente; en otros tiempos, antaño; en tiempos antiguos.

'**vor|zeitig I.** *adj.* anticipado; (*verfrüht*) prematuro; (*frühreif*) precoz; **II.** *adv.* con anticipación *od.* antelación; prematuramente, antes de tiempo; **2zensur** *f* censura *f* previa; **~ziehen** *(L) v/t.* tirar hacia adelante; (*vorrücken*) avanzar; *Vorhänge*: correr; *Schublade*: abrir; *fig.* preferir; *vorzuziehen sein* ser preferible; **2zimmer** *n* antesala *f*; antecámara *f*; *e-s Amtszimmers*: antedespacho *m*; *des Arztes*: sala *f* de espera; *im ~ warten* hacer antesala.

'**Vorzug**[1] 🚂 *m (-ẹs; ⸗e)* tren *m* precedente; (*Entlastungszug*) tren *m* extraordinario.

'**Vorzug**[2] *m (-ẹs; ⸗e)* preferencia *f*; (*Vorrang*) prioridad *f*; (*Vorteil*) ventaja *f*; (*Vorrecht*) privilegio *m*; (*Überlegenheit*) superioridad *f*, primacía *f*; (*Verdienst*) mérito *m*; *den ~ haben, zu (inf.)* tener la ventaja de (*inf.*); *den ~ geben* dar (la) preferencia a; preferir (*ac.*); *den ~ haben vor (dat.)* ser preferible *bzw.* preferido a; tener la preferencia entre; *e-n ~ bieten* ofrecer una ventaja.

vor'züglich I. *adj.* superior; excelente; (*erlesen*) exquisito; (*bewundernswert*) admirable; *mit ~er Hochachtung* con la expresión de mi consideración más distinguida; **II.** *adv.* (*vornehmlich*) sobre todo; especialmente; **2keit** *f (0)* calidad *f* superior; superioridad *f*; excelencia *f*.

'**Vorzugs...**: **~aktie** ✝ *f* acción *f* preferente; **~bedingung** *f* condición *f* de favor; **~behandlung** *f* trato *m* preferente; **~karte** *Thea. f* entrada *f* de preferencia; entrada *f* de favor; **~preis** *m (-es; -e)* precio *m* de favor; **~rabatt** *m (-ẹs; -e)* rebaja *f* de favor; **~recht** *n (-ẹs; -e)* derecho *m* de prelación (*vor dat.* sobre); **~tarif** *m (-s; -e)* tarifa *f* preferencial; **2weise** *adv.* con preferencia; preferentemente; (*besonders*) en particular, especialmente; **~zölle** *pl.* aranceles *m/pl.* preferenciales.

'**Vorzündung** *Auto. f* encendido *m* prematuro.

vo'tieren [v] (-) *v/i.* votar.

Vo'tiv|bild [v] *n (-ẹs; -er)*, **~gemälde** *n*, **~tafel** *f (-; -n)* exvoto *m*.

'**Votum** [v] *n (-s; Voten od. Vota)* voto *m*; *sein ~ abgeben* votar.

vul'gär [v] *adj.* vulgar; (*ordinär*) ordinario; (*platt*) chabacano.

Vul'gata [v] *f*: *die ~* la Vulgata.

Vul'kan [v] *m (-ẹs; -e)* volcán *m* (*in Tätigkeit* en actividad *od.* en erupción; *erloschener* apagado); *Myt.* Vulcano *m*; **~fiber** ⊕ *f (-; -n)* fibra *f* vulcanizada; **2isch** *adj.* volcánico; *Geol. a.* eruptivo.

vulkani'sier|en [v] (-) ⊕ *v/t.* vulcanizar; **2ung** *f* vulcanización *f*.

Vulka'nismus *m (-; 0)* volcanismo *m*.

W

W, w *n* W, w *f*.
Waadt *n Geogr.* Vaud *m*.
ˈ**Waage** *f* balanza *f*; (*mit Laufgewicht, Schnell*2) romana *f*; (*Brükken*2) báscula *f*; (*Brief*2) pesacartas *m*; (*Wasser*2) *der Feldmesser*: nivel *m* de agua, *Libelle*: nivel *m* de aire; (*Tafel*2) balanza *f* de platillos; *Astr.* Libra *f*; *Turnen*: plancha *f*; *die ~ halten* contrabalancear; contrapesar (*beide a. fig.*); *fig. sich die ~ halten* equilibrarse, igualarse; **~balken** *m* astil *m*; brazo *m* de la balanza; **~meister** *m* inspector *m* de balanzas públicas; **2recht** *adj.* (*0*) horizontal.
ˈ**Waagschale** *f* platillo *m* (de la balanza); *fig. s-e Worte auf die ~ legen* pesar sus palabras; *du darfst seine Worte nicht auf die ~ legen* no debes dar demasiada importancia a lo que dice; *fig. schwer in die ~ fallen* tener decisiva importancia; pesar mucho.
ˈ**wabb(e)lig** *adj.* fofo; blanduzco; gelatinoso.
ˈ**Wabe** *f* (*Bau*) panal *m*; (*Zelle*) alvéolo *m*; **~nhonig** *m* (*-s*; *0*) miel *f* en panales; **~nkühler** *Auto. m* radiador *m* de panal.
wach *adj.* despierto; despabilado; (*wachend*) en vela; *~ sein* estar despierto; velar; *~ werden* despertarse; despabilarse; *~ halten* mantener despierto (*od.* en vela); desvelar; *fig.* (*aufgeweckt*) despierto; despabilado; (*munter*) vivo.
ˈ**Wach...:** **~ablösung** ⚔ *f* relevo *m* de la guardia; **~abteilung** *f* cuerpo *m* de guardia; **~bataillon** *n* (*-s*; *-e*) batallón *m* de la guardia; **~boot** *n* (*-ės*; *-e*) patrullero *m*; **~dienst** *m* (*-ės*; *-e*) servicio *m* de vigilancia; ⚔ servicio *m* de guardia.
ˈ**Wache** *f* guardia *f*; (*Schild*2) centinela *m*; (*Polizei*2) puesto *m* de policía; comisaría *f*; (*Wachlokal*) puesto *m* de guardia; (*Mannschaft im Wachlokal*) cuerpo *m* de guardia; (*bewaffnetes Begleitkommando*) escolta *f*; (*Wachzeit*) ⚔ guardia *f*; ⚓ cuarto *m*; *bei Kranken*: vela *f*; *~ haben, auf ~ stehen* ⚔ estar de guardia; *auf ~ ziehen* ⚔ entrar de guardia; montar la guardia; *die ~ ablösen* ⚔ relevar la guardia; *~'raus!* ⚔ ¡guardia, formar!; *j-n auf die* (*od. zur*) *~ bringen* conducir a alg. al puesto de guardia *bzw.* a la comisaría; *~ halten* velar; *bei e-m Kranken ~ halten* velar a un enfermo; **2n** *v/i.* velar; (*wach sein*) estar despierto; (*achtgeben*) vigilar; *~ über* (*ac.*) vigilar (*ac.*); velar sobre; cuidar de; **~n** *n* vela *f*; vigilia *f*; **2nd** *adj.* despierto; en vela.

ˈ**Wach...:** **~feuer** ⚔ *n* fuego *m* de campamento; **2habend** *adj.* de guardia; **~habende(r)** *m* cabo *m* de guardia; **2halten** (*L*) *v/t. fig.* conservar vivo; *die Erinnerung ~ an* (*ac.*) conservar vivo el recuerdo de; conservar la memoria de; **~hund** *m* (*-ės*; *-e*) perro *m* guardián; **~mannschaft** *f* ⚔ cuerpo *m* de guardia; dotación *f* de la guardia.
Waˈcholder ♀ *m* enebro *m*; **~beere** *f* baya *f* de enebro, enebrina *f*; **~branntwein** *m* (*-ės*; *0*) ginebra *f*; **~strauch** *m* (*-ės*; *ᵘer*) enebro *m*, junípero *m*.
ˈ**Wach...:** **~parade** *f* ⚔ parada *f*; **~posten** *m* guarda *m*; ⚔ (*Schildwache*) centinela *m*; **2rufen** (*L*) *v/t.* despertar; *fig.* evocar; *Interesse*: despertar; *die Erinnerung ~ an* (*ac.*) rememorar (*ac.*); **2rütteln** (*-le*) *v/t.* sacudir para despertar; *fig.* sacudir; despertar.
Wachs [ks] *n* (*-es*; *0*) cera *f*; *mit ~ einreiben* encerar; **~abdruck** *m* (*-ės*; *ᵘe*) impresión *f* sobre (*od.* hecha en) cera.
ˈ**wachsam** *adj.* vigilante; (*aufmerksam*) atento; alerta; *ein ~es Auge haben* estar ojo alerta; *~ sein* vigilar; cuidar de; **2keit** *f* (*0*) vigilancia *f*.
ˈ**wachsen**¹ [ks] **I.** (*L*; *sn*) *v/i.* crecer; (*steigen*) subir; *fig.* (*zunehmen*) aumentar; ir en aumento; acrecentarse; (*sich ausdehnen*) extenderse; (*sich entwickeln*) desarrollarse; (*fortschreiten*) avanzar; progresar; *gerade* (*schief*) *~* crecer derecho (torcido); *fig. j-m über den Kopf ~* superar a alg.; sobrepujar a alg.; *j-m gewachsen sein* poder competir (*od.* compararse) con alg.; *e-r Sache* (*dat.*) *gewachsen sein* estar en condiciones de afrontar a/c.; ser capaz de hacer a/c.; dominar a/c.; *der Lage* (*nicht*) *gewachsen sein* (no) estar a la altura de la situación; (no poder) dominar la situación; *e-r Sache* (*dat.*) *nicht gewachsen sein* no poder con a/c.; no estar a la altura de lo que a/c. requiere; *gut gewachsen sein* tener buena figura; F tener (*od.* ser de) buen tipo; *das ist ihm ans Herz gewachsen* se ha encariñado con ello; *er ist aus den Kleidern gewachsen* se le ha quedado corta la ropa; **II.** 2 *n* crecimiento *m*; *v. Wasser*: crecida *f*; (*Zunehmen*) aumento *m*; acrecentamiento *m*; (*Entwicklung*) desarrollo *m*; (*Fortschritt*) progreso *m*, adelanto *m*.
ˈ**wachsen**² (*-t*) *v/t.* (*mit Wachs einreiben*) encerar.
ˈ**wachsend** [ks] *adj.* creciente.
ˈ**wächsern** [ks] *adj.* céreo; de cera.

ˈ**Wachs...** [ks]: **~figur** *f* figura *f* de cera; **~figurenkabinett** *n* (*-s*; *-e*) museo *m* (*od.* gabinete *m*) de figuras de cera; **2gelb** *adj.* (*0*) amarillo céreo; **~kerze** *f*, **~licht** *n* (*-ės*; *-er*) vela *f* (de cera); *in Kirchen*: cirio *m*; **~leinwand** *f* (*0*) tela *f* encerada; hule *m*; **~matrize** *f* papel *m* clisé para máquina de escribir; *angl.* stencil *m*; **~modell** *n* (*-s*; *-e*) modelo *m* de cera; **~papier** *n* (*-ės*; *-e*) papel *m* encerado; **~perle** *f* perla *f* de cera; **~puppe** *f* muñeca *f* de cera; **~salbe** *Phar. f* cerato *m*; **~stock** *m* (*-ės*; *ᵘe*) cerillo *m*; **~streichholz** *n* (*-es*; *ᵘer*), **~streichhölzchen** *n* cerilla *f*.
ˈ**Wachstube** *f* puesto *m* de guardia.
ˈ**Wachs·tuch** *n* (*-ės*; *ᵘer*) tela *f* encerada; hule *m*.
ˈ**Wachstum** *n* (*-s*; *0*) crecimiento *m*; *v. Pflanzen*: vegetación *f*; *Wein*: *mein eigenes ~* de mi cosecha; *fig.* (*Entwicklung*) desarrollo *m*; (*Ausdehnung*) expansión *f*; (*Fortschritt*) progreso *m*, adelanto *m*; **2sfördernd** *adj.* favorecedor del crecimiento; **2shemmend** *adj.* ⚕ inhibidor del crecimiento; **~shormon** *n* (*-s*; *-e*) hormona *f* del crecimiento; **~skrise** *f* crisis *f* de crecimiento; **~svitamin** *n* (*-s*; *-e*) vitamina *f* del crecimiento.
ˈ**Wachs...:** **~zieher** *m* cerero *m*; **2weich** *adj.* blando como la cera; **~zündhölzchen** *n* cerilla *f*.
Wacht *f* guardia *f*.
ˈ**Wächte** *f* cornisa *f* de nieve.
ˈ**Wachtel** *Orn. f* (*-*; *-n*) codorniz *f*; **~hund** *m* (*-ės*; *-e*) *Jgdw.* perro *m* perdiguero; **~könig** *Orn. m* (*-ės*; *-e*) bitor *m*, rey *m* de (las) codornices; **~schlag** *m* (*-ės*; *ᵘe*) canto *m* de la codorniz.
ˈ**Wächter** *m* guarda *m*; vigilante *m*; (*Hüter*) guardián *m*; (*Nacht*2) sereno *m*; (*Turm*2) vigía *m*; **~häus·chen** *n* garita *f*; **~in** *f* guardesa *f*; **~kontroll-uhr** *f* reloj *m* de ronda.
ˈ**Wacht|meister** *m* ⚔ sargento *m* primero (de caballería); suboficial *m*; (*Polizei*2) guardia *m*; agente *m* de policía; **~parade** *f* ⚔ parada *f*.
ˈ**Wach·traum** *m* (*-ės*; *ᵘe*) *fig.* ensueño *m*; ilusión *f* viva; *e-n ~ haben* soñar despierto.
ˈ**Wacht...:** **~schiff** *n* (*-ės*; *-e*) buque *m* de vigilancia; (*Küsten*2) guarda-costas *m*; **~stube** *f* puesto *m* de guardia; **~turm** *m* (*-ės*; *ᵘe*) atalaya *f*, vigía *f*.
ˈ**Wach- und** ˈ**Schließgesellschaft** *f* sociedad *f* de vigilancia de inmuebles.

ˈ**wack(e)lig** *adj.* tambaleante; inseguro, vacilante (*beide a. fig.*); *Tisch, Stuhl*: cojo; *Tür, alte Möbel*: desvencijado; ⚡ *Kontakt*: flojo, intermitente; *Hufeisen*: chacoloteante; flojo; *Zahn*: movedizo; *fig.* ~ *stehen* ofrecer poca seguridad; F estar en tenguerengue.

Wackelkontakt ⚡ *m* (-*ės*; -*e*) contacto *m* movedizo (*od.* flojo *od.* intermitente).

ˈ**wackeln** (-*le*) *v/i.* menearse; (*schwanken*) vacilar; *hin und her*: bambolear(se), tambalear(se), (*taumeln*) trompicar; *Zahn*: moverse; *Tisch, Stuhl*: cojear; *Hufeisen*: chacolotear; *Kontakt*: ⚡ estar flojo; *mit den Hüften* ~ contonearse; *mit dem Stuhl* ~ balancearse en la silla; *mit dem Kopf* ~ cabecear.

ˈ**wacker I.** *adj.* (*rechtschaffen*) honrado, honesto; (*gut*) bueno; (*tapfer*) valiente, esforzado; gallardo, bizarro; **II.** *adv.* como es debido, como se debe, F como Dios manda.

ˈ**Wade** *Anat. f* pantorrilla *f*; ~**nbein** *Anat. n* (-*ės*; -*e*) peroné *m*; ~**nkrampf** ⚕ *m* (-*ės*; ⸚*e*) calambre *m* de la pierna; ~**nstrumpf** *m* (-*ės*; ⸚*e*) media *f* de deporte.

ˈ**Waffe** *f* arma *f*; *in* ~*n* en armas; *unter den* ~*n stehen* ⚔ estar en pie de guerra; estar sobre las armas; *mit der* ~ *in der Hand* arma en mano; *zu den* ~*n greifen* tomar las armas; recurrir a las armas; *Volk*: alzarse en armas; *die* ~*n strecken* rendir las armas; *fig. j-n mit s-n eigenen* ~*n schlagen* rebatir con sus mismos argumentos los de alg.; volver contra alg. sus propios argumentos.

ˈ**Waffel** *f* barquillo *m*; galleta *f* esponjada; ~**eisen** *n* barquillero *m*.

ˈ**Waffen...:** ~**besitz** *m* (-*es*; *0*) tenencia *f* de armas; *unbefugter* ~ tenencia ilícita de armas; ~**bruder** *m* (-*s*; ⸚) compañero *m* de armas; ~**brüderschaft** *f* confraternidad *f* de armas; ~**dienst** *m* (-*es*; *0*) servicio *m* militar; ~**fabrik** *f* fábrica *f* de armas; ~**fabrikant** *m* (-*en*) fabricante *m* de armas; armero *m*; 𝔖**fähig** *adj.* capaz de llevar armas; ⚔ útil para el servicio (militar); ~**gattung** *f* arma *f*; ~**geklirr** *n* (-*s*; *0*) ruido *m* de armas; ~**getöse** *n* (-*s*; *0*) fragor *m* de las armas; ~**gewalt** *f* (*0*) fuerza *f* de las armas; fuerza *f* armada; *mit* ~ a mano armada; *Anwendung von* ~ empleo de la fuerza armada; ~**glück** *n* (-*ės*; *0*) fortuna *f* de las armas; ~**handel** *m* (-*s*; *0*) comercio *m* de armas; ~**händler** *m* armero *m*; ~**handlung** *f* armería *f*; ~**herstellung** *f* fabricación *f* de armas; ~**kammer** *f* (-; -*n*) armería *f*; ~**lager** *n* depósito *m* de armas; ~**lieferung** *f* suministro *m* de armas; (*Waffensendung*) envío *m* de armas; 𝔖**los** *adj.* sin armas, desarmado; *Poes.* inerme; ~**meister** *m* maestro *m* armero; ~**meisteˈrei** ⚔ *f* armería *f*; ~**pflege** *f* (*0*) cuidado *m* de las armas; ~**rock** ⚔ *m* (-*ės*; ⸚*e*) guerrera *f*; ~**ruhe** *f* tregua *f*; suspensión *f* de las hostilidades; ~**ruhm** *m* (-*ės*; *0*) gloria *f* militar; ~**sammlung** *f* colección *f* de armas; panoplia *f*; ~**schein** *m* (-*ės*; -*e*) licencia *f* (de uso) de armas; ~**schmied** *m* (-*ės*; -*e*) armero *m*; ~**schmiede** *f* armería *f*; ~**schmuggel** *m* (-*s*; *0*) contrabando *m* de armas; ~**sendung** *f* envío *m* de armas; ~**stillstand** *m* (-*ės*; ⸚*e*) armisticio *m*; tregua *f*; ~**stillstandskommission** *f* comisión *f* de armisticio; ~**stillstandsvertrag** *m* (-*ės*; ⸚*e*) tratado *m* de armisticio; ~**tat** *f* hecho *m* de armas; hazaña *f* (militar); ~**träger** *m* hombre *m* de armas; (*Schildknappe*) armígero *m*; ~**übung** *f* ejercicio *m* militar.

ˈ**waffnen** (-*e*-) **I.** *v/t.* armar; *sich* ~ armarse (*mit* de); **II.** 𝔖 *n* armamento *m*.

ˈ**wägbar** *adj.* ponderable; 𝔖**keit** *f* ponderabilidad *f*.

ˈ**Wage|hals** *m* (-*es*; ⸚*e*) temerario *m*; ~**mut** *m* (-*ės*; *0*) temeridad *f*; audacia *f*; osadía *f*, atrevimiento *m*; arrojo *m*; espíritu *m* aventurero; 𝔖**mutig** *adj. Person*: temerario; audaz; osado, atrevido; arrojado, resuelto; *Sache*: aventurado, arriesgado.

ˈ**wagen** *v/t.* (*aufs Spiel setzen*) arriesgar, aventurar; (*sich getrauen*; *a. sich erdreisten*) atreverse a, osar (*inf.*); *alles* ~ (*um alles zu gewinnen*) jugar el todo por el todo; *es* ~ aventurarse a; *es mit et.* ~ hacer un ensayo con a/c.; *es mit j-m* ~ (*versuchen*) hacer un ensayo con alg., (*sich messen*) medir sus fuerzas con alg.; *wer nicht wagt, der nicht gewinnt* F el que no se arriesga no pasa la mar; *sich an j-n* ~ atreverse con alg.; *er wagte sich nicht aus dem Hause* no se atrevió a salir de casa; → *gewagt*; 𝔖 *n* → *Wagemut*.

ˈ**Wagen** *m* (*Gefährt*) carruaje *m*; (*Fahrzeug*) vehículo *m*; (*Kutsche*) coche *m*; (*Karren*) carro *m*, *zweirädriger*: carreta *f*; (*Kraft*𝔖) coche *m*, auto *m*, *Am.* carro *m*; (*Last*𝔖) camión *m*; *im Altertum, für Spiele*: carro *m*, *für Kämpfe*: carro *m* de guerra; 🚃 vagón *m*; *der Schreibmaschine*: carro *m*; *Astr.* der *Große* (*Kleine*) ~ la Osa Mayor (Menor), el Carro Mayor (Menor); *fig. j-m an den* ~ *fahren* ofender a alg.

ˈ**Wagen...:** ~**abteil** 🚃 *n* (-*ės*; -*e*) departamento *m*; ~**achse** *f* eje *m*; ~**aufbau** *m* (-*ės*; -*ten*), ~**bau** *m* (-*ės*; -*ten*) carrocería *f*; ~**bauer** *m* constructor *m* de coches; carrocero *m*; *für Karren*: carre(te)ro *m*; ~**besitzer** *m* propietario *m* de un coche; ~**burg** *f* barrera *f* de carros; ~**decke** *f* toldo *m*; ~**deichsel** *f* (-; -*n*) lanza *f*; ~**fenster** *n* ventanilla *f*; ~**führer** *m* conductor *m*; *Auto. a.* chófer *m*; (*Kutscher*) cochero *m*; (*Fuhrmann*) carretero *m*; *der Straßenbahn*: conductor *m*; ~**gerassel** *n* (-*s*; *0*) ruido *m* de los coches; ~**gestell** *n* (-*ės*; -*e*) chasis *m*; ~**halle** *f* cochera *f*; *bsd. für Autos*: garaje *m*; ~**haltung** *f* (*Pflege*) cuidado *m* (*od.* entretenimiento *m*) del coche; ~**hebebühne** *f* plataforma *f* de elevación (para autos); ~**heber** *m* gato *m*; ~**kasten** *m* (-*s*; ⸚) *Auto.* carrocería *f*; ~**kolonne** *f* caravana *f* de coches; ~**ladung** *f* carro *m*, carretada *f*; 🚃 vagón *m*; ~**leitern** *f/pl.* adrales *m/pl.*; ~**lenker** *m* conductor *m* del coche; (*Poes.*, *antik*) auriga *m*; ~**material** 🚃 *n* (-*s*; -*ien*), ~**park** *m* (-*ės*; -*s*) material *m* rodante; ~**pferd** *n* (-*ės*; -*e*) caballo *m* de tiro; ~**pflege** *f* → *Wagenhaltung*; ~**plane** *f* toldo *m*; ~**reihe** *f* fila *f* de coches; ~**rennen** *n im Altertum*: carrera *f* de carros; ~**schlag** *m* (-*ės*; ⸚*e*) portezuela *f*; ~**schlange** *f* → *Wagenreihe*; caravana *f* de coches; ~**schmiere** *f* (*0*) unto *m* para coches *bzw.* carros; ~**spur** *f* rodada *f*; ~**tür** *f* portezuela *f*; ~**verdeck** *n* (-*ės*; -*e*) (*Plane*) toldo *m*; capota *f*; *für Gepäck*: baca *f*; *mit Sitzplätzen*: imperial *f*; ~**verkehr** *m* (-*s*; *0*) tráfico *m* rodado; ~**wäsche** *f Auto.* estación *f* lavacoches; ~**wechsel** *m* cambio *m* de coche; 🚃 cambio *m* de vagones; ~**winde** *f* gato *m*.

ˈ**Wagestück** *n* (-*ės*; -*e*) empresa *f* aventurada.

Wagˈgon *m* (-*s*; -*s*) vagón *m*; ~**ladung** *f* † vagón *m* (completo); 𝔖**weise** *adv.* por vagones.

ˈ**waghalsig** *adj.* temerario; *Unternehmen*: aventurado, arriesgado; 𝔖**keit** *f* (*0*) temeridad *f*; osadía *f*.

ˈ**Wagner** *m* constructor *m* de carruajes; carrocero *m*; *für Karren*: carretero *m*, carrero *m*.

ˈ**Wagnis** *n* (-*ses*; -*se*) riesgo *m*; empresa *f* aventurada *od.* arriesgada; (*Heldentat*) hazaña *f*, proeza *f*.

Wahl *f* elección *f*; *zwischen zweien*: alternativa *f*; (*notgedrungen*) opción *f*; (*Auslese*) selección *f*; † *erste* ~ primera calidad; *nach* ~ a elección; a voluntad, a discreción; *die* ~ *haben* tener la elección *bzw.* la opción; *keine* ~ *haben* no tener alternativa; *es bleibt keine* (*andere*) ~ no hay otra solución; F *fig.* a la fuerza ahorcan; *e-e gute* (*schlechte*) ~ *treffen* elegir bien (mal); *j-m die* ~ *lassen* dejar la elección a voluntad de alg.; *die* ~ *steht dir frei* puedes elegir libremente (*od.* a tu gusto); *das Mädchen seiner* ~ la elegida de su corazón; *Pol.* ~*en abhalten* celebrar elecciones; (*Abstimmung*) votación *f*; (*Zettel*𝔖) escrutinio *m*; *zur* ~ *schreiten* hacer una elección; *Pol.* ir a las elecciones; ~**akt** *m* (-*ės*; -*e*) elección *f*; ~**alter** *n* (-*s*; *0*) edad *f* legal para el sufragio; ~**amt** *n* (-*ės*; ⸚*er*) cargo *m* electivo; ~**aufruf** *m* (-*ės*; -*e*) manifiesto *m* electoral; ~**ausschuß** *m* (-*sses*; ⸚*sse*) comité *m* electoral; ~**ausweis** *m* (-*es*; -*e*) tarjeta *f* de elector.

ˈ**wählbar** *adj.* elegible; 𝔖**keit** *f* (*0*) elegibilidad *f*.

ˈ**Wahl...:** ~**be-einflussung** *f* influjo *m* ilícito sobre los electores; 𝔖**berechtigt** *adj.*: ~ *sein* tener derecho de voto; ~**berechtigte(r)** *m* votante *m* inscrito en el censo electoral; ~**berechtigung** *f* derecho *m* de voto; ~**bestechung** *f* corrupción *f* electoral; ~**beteiligung** *f* participación *f* electoral; ~**bezirk** *m* (-*ės*; -*e*) distrito *m* electoral.

ˈ**wählen I.** *v/t.* elegir; (*aus*~) escoger; seleccionar; *notgedrungen*: optar (por); *durch Abstimmung*: votar; ~ *Sie!* ¡elija usted!; *einstimmig* (*mit absoluter Mehrheit*; *mit Stimmenmehrheit*) ~ elegir por unanimidad (por mayoría absoluta; por mayoría de votos); *j-n zum König* (*Präsidenten*) ~ elegir rey (presidente) a alg.; *Telefonnummer*: marcar (el número); *Beruf*: elegir; seguir; → *gewählt*; **II.** 2 *n* → *Wahl*.

'**Wähler** *m* elector *m*; (*Abstimmender*) votante *m*; ⚡ selector *m*; *Tele.* disco *m* (selector).

'**Wahl-ergebnis** *n* (*-ses*; *-se*) resultado *m* de las elecciones.

'**Wählerin** *f* electora *f*; votante *f*.

'**wählerisch** *adj.* difícil de contentar, descontentadizo; fastidioso; (*anspruchsvoll*) exigente; *im Essen*: delicado; *fig. er ist in seinen Mitteln nicht gerade* ~ no es muy escrupuloso en sus métodos.

'**Wähler...**: **~liste** *f* censo *m* electoral; **~schaft** *f* (*0*) electores *m/pl.*; **~scheibe** *Tele. f* disco *m* selector; **~versammlung** *f* reunión *f* electoral.

'**Wahl...**: **~fach** *n* (*-es*; *⸚er*) *Uni.* asignatura *f* facultativa; **2fähig** *adj.* con derecho de voto; (*wählbar*) elegible; **~fähigkeit** *f* (*0*) derecho *m* de voto; (*Wählbarkeit*) elegibilidad *f*; **~fälschung** *f* fraude *m* electoral; **~feldzug** *m* (*-es*; *⸚e*) campaña *f* electoral; **2frei** *adj.* (*0*) *Uni.* facultativo; **~gang** *m* (*-es*; *⸚e*) escrutinio *m*; **~geheimnis** *n* (*-ses*; *-se*) secreto *m* del sufragio; **~gesetz** *n* (*-es*; *-e*) ley *f* electoral; **~heimat** *f* patria *f* adoptiva; **~kampagne** *f* → *Wahlfeldzug*; **~kampf** *m* (*-es*; *⸚e*) lucha *f* electoral; **~konsul** *m* (*-s*; *-n*) cónsul *m* honorario; **~kreis** *m* (*-es*; *-e*) circunscripción *f* electoral; distrito *m* electoral; **~leiter** *m* presidente *m* de mesa electoral; **~liste** *f* → *Wählerliste*; **~lokal** *n* (*-s*; *-e*) colegio *m* electoral; **2los I.** *adj.* confuso; **II.** *adv.* sin escoger; sin orden ni concierto; (*auf gut Glück*) al azar, F a la buena de Dios; **~mann** *m* (*-es*; *⸚er*) compromisario *m*; **~manöver** *n* maniobra *f* electoral; **~ordnung** *f* reglamento *m* electoral; **~ort** *m* (*-es*; *-e*) lugar *m* de la votación; **~periode** *f* período *m* electoral; **~pflicht** *f* (*0*) obligación *f* de votar; **~pflichtfach** *n* (*-es*; *⸚er*) *Uni.* asignatura *f* opcional; **~plakat** *n* (*-es*; *-e*) cartel *m* de propaganda electoral; **~programm** *n* (*-es*; *-e*) programa *m* electoral; **~propaganda** *f* (*0*) propaganda *f* electoral; **~prüfer** *m* escrutador *m*; **~prüfung** *f* escrutinio *m*; **~recht** *n* (*-es*; *0*) *subjektives*: derecho *m* de sufragio (*od.* de voto); *objektives*: derecho *m* electoral; *aktives* ~ voto *m* activo; *allgemeines* ~ sufragio *m* universal; *passives* ~ elegibilidad *f*; *das* ~ *ausüben* ejercer el derecho de voto; **~rede** *f* discurso *m* (de propaganda) electoral; **~redner** *m* orador *m* electoral; **~reform** *f* reforma *f* electoral; **~resultat** *n* (*-es*; *-e*) → *Wahlergebnis*; **~schlacht** *f* batalla *f* electoral; **~spruch** *m* (*-es*; *⸚e*) lema *m*, divisa *f*; **~stimme** *f* voto *m*; *Pol.* sufragio *m*; **~tag** *m* (*-es*; *-e*) día *m* de las elecciones; **~tournee** *f* viaje *m* de propaganda electoral; **~umtriebe** *pl.* maniobras *f/pl.* (*od.* manejos *m/pl.*) electorales; **~urne** *f* urna *f* electoral; **~verfahren** *n* procedimiento *m* electoral; **~verhinderung** *f* coacción *f* electoral; **~versammlung** *f* reunión *f* electoral; mitin *m* (de propaganda) electoral; **~versprechungen** *f/pl.* promesas *f/pl.* hechas a los electores; **~verteidiger** ⚖ *m* defensor *m* designado por la parte; **~verwandtschaft** *f* ⚗ afinidad *f* electiva (*a. fig.*); **~vorstand** *m* (*-es*; *⸚e*) comité *m* electoral; **~vorsteher** *m* presidente *m* de mesa electoral; **~zelle** *f* cabina *f* de colegio electoral; **~zettel** *m* papeleta *f* de votación.

Wahn *m* (*-es*; *0*) (*Illusion*) ilusión *f*; (*Irrtum*) error *m*; (*Verblendung*) obcecación *f*; ceguedad *f*; (*Wahnsinn*) locura *f*, demencia *f*; (*Besessenheit*) manía *f*; (*Fieber2*) delirio *m*; '**~bild** *n* (*-es*; *-er*) quimera *f*; fantasma *m*; alucinación *f*.

'**wähnen** *v/t. u. v/i.* creer erróneamente; pensar (*daß* que); (*sich einbilden*) imaginarse, figurarse.

'**Wahn...**: **~gebilde** *n* → *Wahnbild*; **~glaube** *m* (*-ns*; *0*) creencia *f* errónea; (*Aberglaube*) superstición *f*; **~sinn** *m* (*-s*; *0*) locura *f* (*a. fig.*); ⚕ demencia *f*, enajenación *f* mental; alienación *f* mental; (*Manie*) manía *f*; *es wäre heller* ~, *zu* (*inf.*) sería una locura (*inf.*); **2sinnig I.** *adj.* loco (*a. fig.*); ⚕ demente, alienado; enajenado; maníaco; ~ *werden* volverse loco, enloquecer; *fig.* espantoso, terrible; de locura; *~e Schmerzen* dolores atroces; **II.** *adv.* locamente; ~ *verliebt* perdidamente (*od.* locamente) enamorado; ~ *teuer* carísimo; ~ *viel zu tun haben* tener muchísimo que hacer; F tener una barbaridad de trabajo; **~sinnige** *f* loca *f*; ⚕ demente *f*, alienada *f*; **~sinnige(r)** *m* loco *m*; orate *m*; ⚕ demente *m*, alienado *m*; **~vorstellung** *f* alucinación *f*; idea *f* fija; **~witz** *m* (*-es*; *0*) desvarío *m*; absurdo *m*; idea *f* descabellada; locura *f*; **2witzig** *adj.* desvariado; absurdo; descabellado; loco; (*unverantwortlich*) irresponsable.

wahr *adj.* verdadero; (*wirklich*) real, efectivo; (*aufrichtig*) sincero, veraz; (*echt*) auténtico; legítimo; genuino; *Tat, Bericht*: verídico; (*getreu*) fiel; *im ~sten Sinne des Wortes* en toda la extensión de la palabra; *nicht* ~? ¿verdad?; *ist das nicht* ~? ¿no es así?; *ist das* ~? ¿es verdad?, ¿es cierto eso?; *das ist nicht* ~ (eso) no es cierto, *stärker*: (eso) no es verdad; *ein ~es Vergnügen* un verdadero placer; *ein ~er Künstler* un auténtico artista; un artista de verdad; *~e Liebe* amor verdadero; *so ~ mir Gott helfe!* ¡así Dios me salve!; *es ist kein ~es Wort daran* no hay una sola verdad en todo ello; et. *nicht ~haben wollen* no querer reconocer (*od.* confesar) a/c.; et. *für* ~ *halten* dar por cierta una cosa; creer a/c.; *sein ~es Gesicht zeigen fig.* quitarse la careta; ~ *machen* realizar; cumplir; hacer bueno; ~ *werden* realizarse; cumplirse; *was an der Sache* ~ *ist* lo que hay de cierto en ello; et. *2es wird schon dran sein* algo de verdad habrá en ello; F cuando el río suena, agua lleva; *das 2e* la verdad; lo verdadero.

'**wahren** *v/t.* guardar; velar por, cuidar de; preservar; (*schützen*) defender; (*erhalten*) mantener, conservar; *den Anstand* ~ guardar el decoro; *den Schein* ~ salvar las apariencias; *s-e Würde* ~ mantener su dignidad; mirar por su dignidad; *s-e Interessen* (*s-e Rechte*) ~ defender sus intereses (sus derechos).

'**währen** *v/i.* durar; (*fort~*) continuar; perdurar; (*sich in die Länge ziehen*) prolongarse; *es kann noch lange* ~, *bis* puede pasar todavía bastante tiempo hasta que (*subj.*).

'**während I.** *prp.* (*gen., selten dat.*) durante; por espacio de; **II.** *cj.* mientras; (*wohingegen*) en tanto que; *Gegensatz*: mientras que; **~'dessen** *adv.* entretanto, entre tanto.

'**wahrhaben** (*nur inf.*) *v/t.*: et. *nicht* ~ *wollen* no querer reconocer (*od.* confesar) a/c.

'**wahrhaft** *adj.* (*0*) verdadero; cierto; veraz; sincero; verídico; real.

wahr'haftig I. *adj.* → *wahrhaft*; **II.** *adv.* verdaderamente; ciertamente; sinceramente; realmente; en verdad; a fe mía; ~! ¡de veras!; ¡de verdad!; ~? ¿de veras?; *ich verstehe es* ~ *nicht* francamente (*od.* la verdad), no lo entiendo; **2keit** *f* (*0*) veracidad *f*; sinceridad *f*; fidelidad *f*.

'**Wahrheit** *f* verdad *f*; *die* ~ *sagen* decir la verdad; (*um*) *die* ~ *zu sagen* a decir verdad; la verdad; *j-m* (*gehörig od. gründlich*) *die* ~ *sagen* decirle a alg. cuatro verdades, decirle a alg. las verdades del barquero; *der* ~ *gemäß* conforme a la verdad; verídico; *in* ~ en realidad; *die ungeschminkte* ~ la cruda verdad; *das ist die nackte* ~ esta es la verdad desnuda; *die reine* ~ la pura verdad; *die volle* ~ *sagen* decir toda la verdad; **~sbeweis** *m* (*-es*; *-e*) prueba *f* de la verdad; **2sgemäß**, **2sgetreu** *adj.* conforme a la verdad; verídico; **~sliebe** *f* (*0*) amor *m* a la verdad; veracidad *f*; **2sliebend** *adj.* amante de la verdad; veraz; **~s-serum** *n* (*-s*; *-ren*) suero *m* de la verdad; **~ssucher** *m* investigador *m* de la verdad; **2swidrig** *adj.* contrario a la verdad.

'**wahrlich** *adv.* realmente; ciertamente; en efecto; de veras; a fe mía; *Bib.* ~, *ich sage euch* ... en verdad os digo ...

'**wahrnehm|bar** *adj.* perceptible; sensible; (*hörbar*) audible; (*sichtbar*) visible; **2barkeit** *f* (*0*) perceptibilidad *f*; **~en** *v/t.* percibir; (*bemerken*) notar; (*beobachten*) observar; (*entdecken*) descubrir; (*hören*) oír; (*sehen*) ver; (*erblicken*) divisar; (*übernehmen*) encargarse de; (*ausüben*) ejercer; *Gelegenheit*: aprovechar; *Interessen*: defender; cuidar de, velar por; *Pflicht*: cumplir con; *Geschäfte*: atender a; *Rechte*: hacer valer; *das Amt e-s Statthalters usw.* ~ ejercer las funciones de ...; **2ung** *f* percepción *f*; observación *f*; *mit der* ~ *m-r Interessen betraut* encargado de la salvaguardia de mis intereses; *mit der* ~ *der Geschäfte* *beauftragt* encargado del despacho de los negocios; **2ungsvermögen** *n* (-*s*; *0*) facultad *f* perceptiva.

'wahrsag|en *v/t. u. v/i.* decir la buenaventura; (*voraussagen*) predecir; profetizar; vaticinar; *aus den Karten* ~ echar las cartas; *aus der Hand* ~ leer en las rayas de la mano; **2en** *n* adivinación *f*; predicción *f* de lo futuro; *aus den Karten*: cartomancía *f*; *aus der Hand*: quiromancía *f*; **2er(in** *f*) *m* adivino (-a *f*) *m*; *aus den Karten*: cartomántico (-a *f*) *m*, echador(a *f*) *m* de cartas; *aus der Hand*: quiromántico (-a *f*) *m*; **2e'rei** *f* (*0*) → *Wahrsagen*; **2ung** *f* profecía *f*; presagio *m*; → *Wahrsagen*.

wahr'scheinlich I. *adj.* probable; verosímil; **II.** *adv.* probablemente; verosímilmente; *er wird* ~ (*nicht*) *kommen* (no) vendrá probablemente; (no) es probable que venga; **2keit** *f* probabilidad *f*; verosimilitud *f*; **2keitsrechnung** *f* cálculo *m* de probabilidades.

'Wahr|spruch *m* (-*es*; ⸗*e*) ⚖ *der Geschworenen*: veredicto *m*; **~ung** *f* salvaguardia *f*; protección *f*; cuidado *m*; defensa *f*; *zur* ~ *m-r Interessen* en salvaguardia de mis intereses; *unter* ~ *m-r Rechte* sin perjuicio de mis derechos.

'Währung *f* moneda *f*; sistema *m* monetario; (*Gold*2) patrón *m* oro; *harte* (*weiche*) ~ moneda fuerte (débil); divisa fuerte (débil).

'Währungs...: **~abkommen** *n* acuerdo *m* monetario; **~ausgleich** *m* (-*es*; *0*) compensación *f* de cambios; **~bank** *f* banco *m* de emisión; **~bereich** *m* (-*es*; -*e*) área *f* monetaria; **~einheit** *f* unidad *f* monetaria; **~fonds** *m*: *Internationaler* ~ Fondo *m* Monetario Internacional; **~frage** *f* cuestión *f* monetaria; **~gebiet** *n* (-*es*; -*e*) → *Währungsbereich*; **~geld** *n* (-*es*; -*er*) medio *m* legal de pago; **~gesetz** *n* (-*es*; -*e*) ley *f* monetaria; **~konto** *n* (-*s*; -*s od.* -*ten*) cuenta *f* en moneda extranjera; **~krise** *f* crisis *f* monetaria; **~lage** *f* (*0*) situación *f* monetaria; **~parität** *f* paridad *f* monetaria; **~politik** *f* (*0*) política *f* monetaria; **2politisch** *adj.* político-monetario; **~problem** *n* (-*es*; -*e*) problema *m* monetario; **~reform** *f* reforma *f* monetaria; **~reserve** *f* reserva *f* monetaria; **~stabilisierung** *f* estabilización *f* monetaria; **~stabilität** *f* estabilidad *f* monetaria; **~standard** *m* (-*s*; *0*) patrón *m* monetario; **~system** *n* (-*s*; -*e*) sistema *m* monetario; **~umstellung** *f* conversión *f* de la moneda; reforma *f* monetaria; **~verfall** *m* (-*es*; *0*) depreciación *f* monetaria; **~vergehen** *n* delito *m* monetario.

'Wahrzeichen *n* marca *f* característica; señal *f* distintiva; *e-r Stadt*: monumento *m* característico; (*Sinnbild*) símbolo *m*; ▨ emblema *m*.

Waid ⚘ *m* (-*es*; -*e*) hierba *f* pastel; añil *m*, índigo *m*.

'Waise *f* huérfano *m*, huérfana *f*; *vater- und mutterlose* ~ huérfano *m bzw.* huérfana *f* de padre y madre; **~nhaus** *n* (-*es*; ⸗*er*) orfanato *m*, colegio *m* de huérfanos; **~nkind** *n* (-*es*; -*er*) → *Waise*; **~nknabe** *m* (-*n*) huérfano *m*; F *fig. er ist ein* ~ es un infeliz; *er ist ein* ~ *gegen ihn* no puede compararse con él, F no le llega a la suela del zapato; **~nmädchen** *n* huérfana *f*; **~nrente** *f* pensión *f* de orfandad.

Wal *Zoo. m* (-*es*; -*e*) ballena *f*; *junger* ~ ballenato *m*; **~e** *pl. Zoo.* cetáceos *m/pl.*

Wala'chei *f Geogr.*: *die* ~ la Valaquia.

wa'lachisch *adj.* valaco.

'Wald *m* (-*es*; ⸗*er*) bosque *m*; (*Ur*2, *Waldgebirge*) selva *f*; *der Schwarz*2 la Selva Negra; *der Thüringer* ~ la Selva de Turingia; *fig. ein* ~ *von Lanzen* (*Fahnen*) un bosque de lanzas (banderas); *fig. er sieht den* ~ *vor Bäumen nicht* los árboles le impiden ver el bosque; no ve las cosas ni metiéndoselas por los ojos; *wie man in den* ~ *hineinruft, so schallt's wieder heraus* cuál la pregunta, tal la respuesta; donde las dan, las toman; como canta el abad, responde el sacristán; **~ameise** *f* hormiga *f* roja; **2bedeckt** *adj.* boscoso; cubierto de bosque; **~beere** ⚘ *f* arándano *m*, mirtilo *m*; **~blöße** *f* claro *m*; **~blume** *f* flor *f* silvestre; **~brand** *m* (-*es*; ⸗*e*) incendio *m* forestal.

'Wäldchen *n* bosquecillo *m*; floresta *f*; soto *m*.

'Wald...: **~erdbeere** ⚘ *f* fresa *f* silvestre; **~frevel** *m* delito *m* forestal; **~gebirge** *n* selva *f*; **~gegend** *f* región *f* cubierta de bosques; **~gott** *Myt. m* (-*es*; ⸗*er*) silvano *m*; fauno *m*; **~göttin** *Myt. f* ninfa *f* de los bosques; dríade *f od.* dríada *f*; **~grenze** *f im Gebirge*: límite *m* de los árboles; **~horn** ♪ *n* (-*es*; ⸗*er*) cuerno *m* (*od.* trompa *f*) de caza; **~hüter** *m* guardabosque *m*; guarda *m* forestal; **2ig** *adj.* boscoso; selvoso; **~kapelle** *f* capilla *f* del bosque; **~kauz** *Orn. m* (-*es*; ⸗*e*) cárabo *m* común; **~kultur** *f* silvicultura *f*; **~land** *n* (-*es*; ⸗*er*) terreno *m* boscoso; **~lauf** *m* (-*es*; ⸗*e*) *Sport*: carrera *f* a través de bosque; *angl.* cross-country *m*; **~lichtung** *f* claro *m*; **~maus** *Zoo. f* (-; ⸗*e*) ratón *m* campestre; **~meister** ⚘ *m* asperilla *f*; aspérula *f*; **~nymphe** *Myt. f* → *Waldgöttin*; **~pflanze** *f* planta *f* selvática; **~rand** *m* (-*es*; ⸗*er*) linde *m/f* del bosque; **2reich** *adj.* rico en bosques; poblado de bosques *bzw.* selvas; **~reichtum** *m* (-*s*; *0*) riqueza *f* forestal; **~saum** *m* (-*es*; ⸗*e*) → *Waldrand*; **~schnepfe** *Orn. f* becada *f*, chocha *f*; **~schule** *f* escuela *f* bosque; **~stätte** *f/pl.*: *die vier* ~*n Schweiz*: los Cuatro Cantones; **~ung** *f* bosques *m/pl.*; selvas *f/pl.*; bosques *m/pl.* extensos; región *f* de bosques; **~vogel** *m* (-*s*; ⸗) pájaro *m* de los bosques; **~wärter** *m* → *Waldhüter*; **~weg** *m* (-*es*; -*e*) camino *m* forestal; *als Spaziergang*: sendero *m* a través del bosque; **~wirtschaft** *f* (*0*) silvicultura *f*; **~zone** *f* zona *f* de bosques.

'Wales *n Geogr.* (país *m* de) Gales *m*.

'Wal...: **~fang** *m* (-*es*; ⸗*e*) pesca *f* de la ballena; **~fangboot** *n* (-*es*; -*e*) (barco *m*) ballenero *m*; **~fänger** *m* (*Schiff*) → *Walfangboot*; (*Person*) pescador *m* de ballenas, ballenero *m*; **~fangmutterschiff** *n* barco *m* nodriza ballenero; **~fisch** *m* (-*es*; -*e*) ballena *f*; *junger* ~ ballenato *m*; **~fischjagd** *f* caza *f* de la ballena; **~speck** *m* (-*es*; *0*) grasa *f* (*od.* esperma *f*) de ballena; **~tran** *m* (-*s*; *0*) aceite *m* de ballena.

Wal'hall(a) *f* (*0*) *Myt. u. Denkmal*: Walhalla *m*.

'Walk|e *f* (máquina *f*) abatanadora *f od.* batanadora *f*; **2en** *v/t.* batanar, abatanar; F *fig.* (*prügeln*) batanear, tundir las costillas; **~en** *n* batanadura *f*; **~er** *m* batanero *m*; **~erde** *f* (*0*) greda *f* (*od.* tierra *f*) de batán; **~mühle** *f* batán *m*.

Wal'küre *Myt. f* valquiria *f*.

Wall *m* (-*es*; ⸗*e*) (*Mauer*) muro *m*; muralla *f*; ⚔ baluarte *m* (*a. fig.*); (*Erdaufschüttung als Schutz*) ⚔ trinchera *f*; (*Damm*) terraplén *m*, *bei Wasserbauten*: dique *m*; (*Küste*) costa *f*.

'Wallach *m* (-*s*; -*e*) caballo *m* capón *od.* castrado.

'Wall|arbeit *f* explanación *f*; **~arbeiter** *m* desmontista *m*.

wallen[1] *v/i.* → *wallfahr(t)en.*

wallen[2] **I.** *v/i.* (*sich wellenförmig bewegen*) ondear; ondular; (*flattern, wehen*) flotar, ondear; (*sieden*) hervir, bullir (*beide a. fig. v. Blut in den Adern*); borbotar; **II.** 2 *n* ondeo *m*; hervor *m*; borboteo *m*.

'Wall|fahrer(in *f*) *m* peregrino (-a *f*) *m*; **~fahrt** *f* peregrinación *f*; **2fahr(t)en** *v/i.* peregrinar, ir en peregrinación a; **~fahrts-ort** *m* (-*es*; -*e*) lugar *m* de peregrinación; **~graben** *m* (-*s*; ⸗) foso *m*.

'Wallis *n Geogr.*: *das* ~ el Valais.

Wal'lon|e *m* (-*n*) valón *m*; **~in** *f* valona *f*; **2isch** *adj.* valón.

'Wallung *f* hervor *m*; ebullición *f*; efervescencia *f* (*a. fig.*); (*Blutandrang*) ⚕ congestión *f*; ~ *zum Kopf* oleada *f* de sangre a la cabeza; sofoco *m*; (*Wellenbewegung*) ondulación *f*; (*Aufregung*) emoción *f*; agitación *f*; *in* ~ *bringen* hacer hervir; *fig.* (*aufregen*) emocionar; agitar; *in* ~ *kommen* (*od. geraten*) *fig.* (*sich aufregen*) emocionarse; agitarse.

'Walmdach △ *n* (-*es*; ⸗*er*) tejado *m* de copete.

'Walnuß *f* (-; ⸗*sse*) nuez *f*; **~baum** ⚘ *m* (-*es*; ⸗*e*) nogal *m*.

Wal'purgisnacht *f* (-; ⸗*e*) noche *f* de (Santa) Walpurgia (*30 abril—1 mayo*); (*Hexensabbat auf dem Blocksberg*) aquelarre *m*.

'Wal|rat *m/n* (-*es*; *0*) esperma *f* de ballena; **~roß** *Zoo. n* (-*sses*; -*sse*) morsa *f*.

'walten I. (-*e*-) *v/i.*: ~ *über* (*ac.*) *od. in* (*dat.*) gobernar (*ac.*); reinar; (*wirken*) obrar; ~ *als* actuar de; *s-s Amtes* ~ cumplir con sus deberes, *im Amt sein*: estar en funciones; *im Hause* ~ gobernar la casa; *walte deines Amtes!* ¡cumple tu obligación!; *Gnade* ~ *lassen* usar clemencia; ser clemente con; *schalten und* ~ obrar libremente (*od.* a su arbitrio); *j-n schalten und* ~ *lassen* dejar a alg. obrar a su capricho; dejar a alg. campar por sus respetos; *mit et. schalten und* ~ disponer libre-

mente (*od.* a su antojo) de a/c.; *unter den ~den Umständen* en las actuales circunstancias; **II.** ♀ *n* gobierno *m*; acción *f*.
ˈ**Walter** *m* Gualterio *m*.
ˈ**Walzblech** *n* (-*es*; -*e*) chapa *f* laminada.
ˈ**Walze** *f* cilindro *m*; rodillo *m*; (*Rolle*) rollo *m*; (*Trommel*) tambor *m*; (*Straßen*♀, *Schreibmaschinen*♀, *Küchengerät*, *Typ.*) rodillo *m*; *für Walzwerksanlagen*: cilindro *m* de laminación; *fig.* F *auf der ~ sein* caminar; vagabundear de un lado a otro; *fig.* F *immer die alte ~!* siempre la misma canción; el disco de siempre.
ˈ**Walz-eisen** *n* hierro *m* laminado.
ˈ**walzen I.** (-*t*) **1.** *v/t.* (*Straße*) aplanar, allanar; nivelar; *Met.* laminar; (*Teig*) extender con el rodillo; ✓ aplanar; **2.** (*sn*) *v/i.* (*tanzen*) valsar, bailar el vals; **II.** ♀ *n v. Straßen*, ✓: aplanamiento *m*; *v. Metallen*: laminación *f*.
ˈ**wälzen** (-*t*) *v/t.* hacer rodar; arrollar; *Bücher*: hojear; *Gedanken ~* dar vueltas a una idea; rumiar una idea; *sich im Schmutz ~* revolcarse en el fango; *sich schlaflos im Bett ~* dar vueltas en la cama; et. *von sich ~* apartar de sí a/c.; quitarse de encima a/c.; descargarse de a/c.; *die Schuld auf j-n ~* cargar la culpa a alg.; F *fig.* echarle el muerto a alg.; *sich vor Lachen ~* retorcerse de risa.
ˈ**walzenförmig** *adj.* cilíndrico.
ˈ**Walzer** *m* vals *m*.
ˈ**Wälzer** *m* libro *m* voluminoso; F mamotreto *m*.
ˈ**Wälzlager** ⊕ *n* rodamiento *m*, cojinete *m* antifricción.
ˈ**Walz|maschine** *f* laminadora *f*; **~stahl** *m* (-*es*; *0*) acero *m* laminado; **~straße** *f* tren *m* de laminación; **~werk** *n* (-*es*; -*e*) laminador *m*; **~werksanlage** *f* planta *f* de laminación.
ˈ**Wamme** *f* (*Kehlfalte*) papada *f*; *bsd. bei Tieren*: papo *m*; (*dicker Bauch*) panza *f*; (*Bauchfleisch bei Tieren*) carne *f* de la barriga; panceta *f*.
ˈ**Wand** *f* (-; ⁻*e*) pared *f*; (*Mauerwerk*) muro *m*; (*Lehm*♀) tapia *f*; (*Quader*♀) muralla *f*; (*Verschlag*, *Scheide*♀) tabique *m*; (*Fels*♀) roca *f* escarpada; *spanische ~* biombo *m*; *~ an ~ wohnen* vivir pared por medio; *die vier Wände* (*das Heim*) la casa, el hogar; *in m-n vier Wänden* en mi casa; entre mis cuatro paredes; *j-n an die ~ stoßen* empujar a alg. contra la pared; *j-n an die ~ drücken* (*ausschalten*) arrinconar a alg.; eliminar a alg.; *j-n an die ~ stellen* (*erschießen*) fusilar (*od.* pasar por las armas) a alg.; P llevar (*od.* arrimar) al paredón a alg.; *mit dem Kopf gegen die ~ rennen* dar con la cabeza contra la pared; estrellarse de cabeza contra la pared (*a. fig.*); *fig. mit dem Kopf durch die ~ wollen* querer lo imposible; *die Wände haben Ohren* las paredes oyen; *es ist, um an den Wänden hochzugehen* es como para trepar por las paredes; es para volverse loco; F *hier wackelt die ~!* ¡aquí se ve lo nunca visto!; **~anstrich** *m* (-*es*; -*e*) pintura *f*; **~arm** *m* (-*es*; -*e*) ⊕ brazo *m* mural; soporte *m* de pared; (*Lampe*) aplique *m*, lámpara *f* de pared; **~bekleidung** *f* revestimiento *m* (de la pared); *hölzerne*: revestimiento *m* de madera; **~beleuchtung** *f* iluminación *f* mural; lámpara *f* de pared; **~bewurf** *m* (-*es*; ⁻*e*) enlucido *m* áspero; **~brettchen** *n* (*Regal*) estante *m*; **~dekoration** *f* decoración *f* mural; **~durchführung** ⚡ *f* pasamuros *m*.
ˈ**Wandel** *m* (*Änderung*) cambio *m*; transformación *f*; (*Lebens*♀) vida *f*; conducta *f*; modo *m* de vida; *Handel und ~* comercio y tráfico; *in et.* (*dat.*) *~ schaffen* introducir modificaciones en a/c.; **~anleihe** ✝ *f* empréstito *m* convertible; ♀**bar** *adj.* (*veränderlich*) variable; (*unbeständig*) inconstante, mudadizo, *bsd. v. Charakter*: voluble, versátil; (*wechselhaft*) sujeto a cambios; **~barkeit** *f* (*0*) (*Veränderlichkeit*) variabilidad *f*; carácter *m* variable; (*Unbeständigkeit*) inconstancia *f*; carácter *m* voluble *od.* versátil; *des Geschicks*: vicisitudes *f/pl.*; **~gang** *m* (-*es*; ⁻*e*), **~halle** *f* galería *f*; (*Korridor*) corredor *m*; *in öffentlichen Gebäuden*: pasillos *m/pl.*; *Thea.* salón *m* de descanso; foyer *m*; ♀**n** (-*le*) **1.** (*sn*) *v/i.* (*gehen*) andar, caminar; (*spazieren*) pasearse; **2.** *v/t.* cambiar (*in ac.* en); convertir en; transformar; *sich ~ in* (*ac.*) transformarse en; **~obligation** ✝ *f* obligación *f* convertible; **~stern** *m* (-*es*; -*e*) planeta *m*.
ˈ**Wander|arbeiter** *m* artesano *m* ambulante; (*Saisonarbeiter*) temporero *m*; **~ausrüstung** *f* equipo *m* de excursionista *bzw.* de montañero *bzw.* de turista; **~ausstellung** *f* exposición *f* circulante; **~bibliothek** *f* biblioteca *f* circulante; **~block** *Geol. m* (-*es*; ⁻*e*) roca *f* errática; **~bühne** *f* teatro *m* ambulante; (*Schauspielertruppe*) compañía *f* de teatro ambulante; *desp.* compañía *f* de cómicos de la legua; **~düne** *f* duna *f* movediza; **~er** *m* caminante *m*; (*Ausflügler*) excursionista *m*; (*Reisender*) viajero *m* (a pie); peregrino *m*; **~fahrt** *f* excursión *f* a pie; **~falke** *Orn. m* (-*n*) halcón *m* peregrino; neblí *m*; **~gewerbe** *n* comercio *m* ambulante; **~gewerbeschein** *m* (-*es*; -*e*) permiso *m* de venta ambulante; **~herde** *f* rebaño *m* trashumante; **~heuschrecke** *Zoo. f* langosta *f* migratoria; **~in** *f* excursionista *f* (a pie); **~jahre** *n/pl.* años *m/pl.* de viaje; años *m/pl.* de peregrinaje; **~karte** *f* mapa *m* de turismo; carta-itinerario *f* de excursiones; **~leben** *n* (-*s*; *0*) vida *f* nómada (*od.* errante); **~lust** *f* (*0*) afición *f* al excursionismo; placer *m* de caminar; ♀**n** (-*re*; *sn*) *v/i.* caminar; viajar a pie; hacer excursiones a pie; peregrinar; *Völker*: emigrar; *Vögel*: migrar; *Herden*: trashumar; *Dünen*: ser movedizo; *fig. ins Gefängnis ~* ingresar en la cárcel; *in den Papierkorb ~* ir a parar al cesto de los papeles; *in die Druckerei ~* (*Manuskript*) ser enviado a la imprenta; **~n** *n* excursionismo *m* a pie; turismo *m* pedestre; *Sport*: pedestrismo *m*; ♀**nd** *adj.* excursionista; *Vogel*: migratorio; *Herde*: trashumante; (*umherziehend*) ambulante; (*nomadisch*) nómada; **~niere** ⚕ *f* riñón *m* flotante; **~prediger** *m* predicador *m* ambulante; **~preis** *m* (-*es*; -*e*) *Sport*: trofeo *m* transmisible; **~ratte** *Zoo. f* musgaño *m*; **~schaft** *f* (*0*) viaje *m* a pie; peregrinaje *m*; *der Handwerksburschen*: viajes *m/pl.* a pie (de aprendizaje *od.* práctica del oficio); *auf die ~ gehen od. ziehen* ir a correr mundo; *auf ~ sein* estar de excursión; *Handwerksbursche*: estar viajando (para practicar el oficio); **~schau** *f* museo *m* rodante; **~smann** *m* (-*es*; -*leute*) → *Wanderer*; **~sport** *m* (-*es*; *0*) pedestrismo *m*; **~stab** *m* (-*es*; ⁻*e*) bastón *m* de excursionista *bzw.* de viaje; *fig. den ~ ergreifen* irse de viaje; ponerse en camino; **~trieb** *m* (-*es*; *0*) espíritu *m* ambulativo; *der Vögel*: instinto *m* migratorio; **~truppe** *Thea. f* → *Wanderbühne*; **~ung** *f* excursión *f* a pie; paseo *m*, F caminata *f*; viaje *m* a pie; *v. Völkern*: emigración *f*; *v. Vögeln*: migración *f*; **~vogel** *m* (-*s*; ⁻) *Orn.* ave *f* migratoria (*od.* de paso); *fig. ehm.* (*Pfadfinder*) explorador *m*; **~volk** *n* (-*es*; ⁻*er*) pueblo *m* nómada; **~welle** *Phys. f* onda *f* progresiva; **~zirkus** *m* (-; -*se*) circo *m* ambulante.
ˈ**Wand...:** **~fliese** *f* azulejo *m*; **~gemälde** *n* pintura *f* mural; fresco *m*; **~gestell** *n* (-*es*; -*e*) estante *m*; **~kalender** *m* calendario *m* de pared; **~karte** *f* mapa *m* mural; **~lampe** *f* lámpara *f* de pared.
ˈ**Wandler** ⚡ *m* transformador *m*.
ˈ**Wand...:** **~leuchter** *m* candelabro *m* de pared; **~lüfter** *m* ventilador *m* mural.
ˈ**Wandlung** *f* cambio *m*; transformación *f*; metamorfosis *f*; *Rel.* transubstanciación *f*; **~sklage** ⚖ *f* acción *f* redhibitoria.
ˈ**Wand...:** **~maleˈrei** *f* pintura *f* mural; (*Fresko*) pintura *f* al fresco; **~pfeiler** *m* pilastra *f*; pilar *m*; **~schirm** *m* (-*es*; -*e*) pantalla *f*; (*spanische Wand*) biombo *m*; **~schrank** *m* (-*es*; ⁻*e*) armario *m* de pared; alacena *f*; **~schmuck** *m* (-*es*; *0*) adorno *m* mural; **~spiegel** *m* espejo *m* de pared; **~tafel** *f* (-; -*n*) pizarra *f*; ⚡ cuadro *m* mural; **~teller** *m* plato *m* decorativo de pared; **~teppich** *m* (-*s*; -*e*) tapiz *m*; **~tisch** *m* (-*es*; -*e*) consola *f*; **~uhr** *f* reloj *m* de pared; **~ung** *f* pared *f*; **~verkleidung** *f* revestimiento *m*; *hölzerne*: revestimiento *m* de madera.
ˈ**wandte** *pret. v. wenden.*
ˈ**Wange** *f* mejilla *f*; ⊕ *allg.* parte *f* lateral; △ *e-r Treppe*: alma *f*; **~nbein** *Anat. n* (-*es*; -*e*) hueso *m* malar.
ˈ**Wankel|mut** *m* (-*es*; *0*), **~mütigkeit** *f* (*0*) versatilidad *f*; inconstancia *f*, veleidad *f*; indecisión *f*, irresolución *f*; vacilación *f*; ♀**mütig** *adj.* versátil; inconstante, veleidoso; indeciso, irresoluto; vacilante.
ˈ**wanken** *v/i.* (*unsicher werden*) vacilar; titubear; perder la seguridad *bzw.* la firmeza *bzw.* la estabilidad;

(*kraftlos werden*) flaquear; perder la fuerza; *im Stehen*: tambalearse; (*schwankend gehen*) caminar con paso inseguro, *torkeln*: ir dando traspiés; *fig.* vacilar; flaquear; claudicar; ~ *machen* hacer vacilar; *ihm wankten die Knie* le flaquearon las piernas; *nicht* ~ *und nicht weichen* mantenerse firme (como una roca); no retroceder, no ceder (un ápice); *ins* (*od. zum*) ♀ *bringen* hacer vacilar; hacer retroceder; ⚔ desmoralizar; *ins* ♀ *geraten* (empezar a) retroceder; vacilar; *fig.* quedar quebrantado; ⚔ desmoralizarse; *fig. der Boden wankt ihm unter den Füßen* su posición es insegura; **~d** *adj.* vacilante, indeciso; inseguro; poco firme *od.* seguro.

wann *adv.* cuando; ~? ¿cuándo?; *seit* ~? ¿desde cuándo?; *bis* ~? ¿hasta cuándo?; *es sei,* ~ *es wolle* sea cuando sea; no importa cuándo; *dann und* ~ de vez en cuando.

'Wanne *f* tina *f*; (*Stein*♀) pila *f*; (*Bade*♀) bañera *f*; (*Getreideschwinge*) bieldo *m*.

'Wannenbad *n* (-*ẹs*; ¨*er*) baño *m* de pila *bzw.* de tina.

Wanst *m* (-*es*; ¨*e*) panza *f*, barriga *f*, P tripa *f*; P *sich den* ~ *vollschlagen* darse un hartazgo *od.* una panzada; llenarse la panza.

Want ⚓ *f* obenque *m*.

'Wanze *f* chinche *f*; **~nstich** *m* (-*ẹs*; -*e*) picadura *f* de chinche.

'Wappen *n* armas *f/pl.*; blasón *m*; *im* ~ *führen* llevar en sus armas; **~bild** *n* (-*ẹs*; -*er*) símbolo *m*; **~buch** *n* (-*ẹs*; ¨*er*) nobiliario *m*; libro *m* de armas y blasones; **~feld** *n* (-*ẹs*; -*er*) campo *m* del escudo; cuartel *m*; **~kunde** *f* (*0*) heráldica *f*; blasón *m*; **~maler** *m* pintor *m* de blasones; **~schild** *m* (-*ẹs*; -*e*) escudo *m* de armas; blasón *m*; **~spruch** *m* (-*ẹs*; ¨*e*) divisa *f*, lema *m*; **~tier** *n* (-*ẹs*; -*e*) animal *m* heráldico.

'wappnen (-*e*-) *v/t.* armar; *sich* ~ armarse (*a. fig.*); *sich* ~ *mit* armarse de.

warb *pret. v. werben.*

'Ware *f* mercancía *f*, *Am.* mercadería *f*; (*Artikel*) artículo *m* (de consumo); artículo *m* de comercio; género *m*; (*Erzeugnis*) producto *m*; **~n** *pl.* artículos *m/pl.*; géneros *m/pl.*; (*Güter*) mercancías *f/pl. verbotene* ~ (géneros *od.* artículos de) contrabando *m*; *bewirtschaftete* ~*n* artículos racionados; ~*n des täglichen Bedarfs* artículos de consumo (corriente).

'Waren...: **~abkommen** *n* acuerdo *m* comercial sobre intercambio de mercancías; **~absatz** *m* (-*es*; *0*) salida *f* de mercancías; venta *f*; **~absender** *m* consignador *m*; **~aufzug** *m* (-*ẹs*; ¨*e*) montacargas *m*; **~ausfuhr** *f* exportación *f* (de mercancías); **~ausgänge** *pl.* salidas *f/pl.*; **~ausgangsbuch** *n* (-*ẹs*; ¨*er*) registro *m* de salidas; **~aus-tausch** *m* (-*ẹs*; *0*) intercambio *m* de mercancías; **~automat** *m* (-*en*) distribuidor *m* automático; **~ballen** *m* bala *f*; fardo *m*; **~bestände** *m/pl.* existencias *f/pl.*; **~bestands-aufnahme** *f* inventario *m* (de las existencias); **~bestellbuch** *n* (-*ẹs*; ¨*er*) libro *m* de pedidos; **~bezeichnung** *f* designación *f* de la mercancía; **~börse** *f* bolsa *f* de contratación (de mercancías); lonja *f*; **~einfuhr** *f* importación *f* de mercancías; **~eingänge** *pl.* entradas *f/pl.*; **~eingangsbuch** *n* (-*ẹs*; ¨*er*) registro *m* de entradas; **~eingangs- und -ausgangsbuch** *n* (-*ẹs*; ¨*er*) registro *m* de entradas y salidas (de mercancías); **~einsender** *m* consignador *m*; **~empfänger** *m* consignatario *m*; **~forderungen** *pl.* créditos *m/pl.* en mercancías; **~gattung** *f* clase *f* de mercancía; **~haus** *n* (-*es*; ¨*er*) (grandes) almacenes *m/pl.*; **~kenntnis** *f* (-; -*se*) conocimiento *m* de los artículos de comercio; **~konto** *n* (-*s*; -*s od.* -*konten*) cuenta *f* de mercancías; **~kontrolle** *f* control *m* de mercancías; **~kontrollstelle** *f* servicio *m* de control de mercancías; **~kreditgenossenschaft** *f* cooperativa *f* de créditos al consumidor; **~kunde** *f* (*0*) mercología *f*; **~lager** *n* depósito *m* de mercancías; almacén *m*; (*Warenbestände*) existencias *f/pl.*; **~lieferant** *m* (-*en*) proveedor *m* (de mercancías); **~lieferung** *f* entrega *f bzw.* suministro *m* de mercancías; **~muster** *n* muestra *f*; **~niederlage** *f* → *Warenlager*; **~probe** *f* muestra *f*; espécimen *m*; **~rechnung** *f* factura *f* comercial; **~schuld** *f* deuda *f* comercial; **~sendung** *f* remesa *f*, envío *m*; **~speicher** *m* → *Warenlager*; (*Silo*) silo *m*; **~stempel** *m* marca *f* de fábrica; **~steuer** *f* (-; -*n*) impuesto *m* sobre mercancías; **~umsatz** *m* (-*es*; ¨*e*) cifra *f* de ventas; volumen *m* de ventas; **~verkehr** *m* (-*s*; *0*) tráfico *m* de mercancías; **~verknappung** *f* (*0*) escasez *f* de mercancías; **~vertrieb** *m* (-*ẹs*; *0*) compra *f* y venta de mercancías; **~verzeichnis** *n* (-*ses*; -*se*) lista *f* (*od.* especificación *f*) de las mercancías; *mit Preisangabe*: lista *f* de precios; (*Bestandsaufnahme*) inventario *m*; **~vorrat** *m* (-*ẹs*; ¨*e*) existencias *f/pl.*; **~wechsel** *m* efecto *m* de comercio; **~wert** *m* (-*ẹs*; *0*) valor *m* de la mercancía; **~zeichen** *n* marca *f* (de fábrica).

warf *pret. v. werfen.*

warm I. *adj.* (¨*er*; ¨*st*) caliente; (*Wetter*) caluroso (*a. fig.*); (*Klima, Land, Farbton*) cálido (*a. fig.*); (*Kleidungsstück*) de abrigo; (*Dank*) sincero; ~*er Empfang* calurosa acogida; ~*e Worte* palabras sentidas; *es ist* ~ hace calor; *mir ist* ~ tengo calor; *weder* ~ *noch kalt* ni frío ni caliente; *fig.* F ni carne ni pescado; *fig. er ist weder* ~ *noch kalt* es indiferente a todo; ~ *werden* calentarse (*a. fig.*); entrar en calor; acalorarse (*a. fig.*); *fig. bei ihm wird man nicht* ~ es difícil ganarse su confianza; ~ *werden für* abandonar su reserva; (empezar a) interesarse por; et. ♀*es essen* tomar una comida caliente; **II.** *adv.* calurosamente; cálidamente (*beide a. fig.*); ~ *machen* calentar (*a. fig.*); ~ *servieren* (*essen*; *trinken*) servir (comer; beber) caliente; ~ *stellen* poner a calentar; ~ *halten* conservar caliente; *sich* ~ *halten* abrigarse; *sich* ~ *anziehen* abrigarse, ponerse ropas de abrigo; *sich* ~ *arbeiten* acalorarse trabajando; ~ *baden* tomar un baño caliente; *die Sonne scheint* ~ el sol calienta mucho; ~ *empfehlen* recomendar con mucho interés; *fig.* ~ *sitzen* vivir acomodadamente; **'♀bad** *n* (-*ẹs*; ¨*er*) baño *m* caliente; (*Quelle*) fuente *f* termal; **'♀blüter** *m* animal *m* de sangre caliente; **'~blütig** *adj.* de sangre caliente.

'Wärme *f* (*0*) calor *m*; *Phys.* calórico *m*; *gebundene* (*freie*; *spezifische*; *strahlende*) ~ calor latente (no combinado; específico; radiante); *zehn Grad* ~ diez grados sobre cero; **~abgabe** *f* emisión *f* de calor; **~aufnahme** *f* absorción *f* de calor; **~äquivalent** *n* (-*s*; -*e*) equivalente *m* térmico; **~ausdehnung** *f* dilatación *f* térmica; **~ausnutzung** *f* (*0*) aprovechamiento *m* del calor; **~ausstrahlung** *f* radiación *f* térmica; **~aus-tausch** *m* (-*ẹs*; *0*) cambio *m* de calor; **~behandlung** *f* tratamiento *m* térmico; **♀beständig** *adj.* resistente al calor; **~einheit** *f* caloría *f*; **~elektrizität** *f* (*0*) termoelectricidad *f*; **~entwicklung** *f* desarrollo *m* de calor; **♀erzeugend** *adj.* calorífico; **~erzeugung** *f* producción *f* de calor; *Physiol.* calorificación *f*; **~grad** *m* (-*ẹs*; -*e*) grado *m* de calor *bzw.* de temperatura; **♀isolierend** *adj.* aislador del calor; calorífugo; **~isolierung** *f* aislamiento *m* del calor; **~kapazität** *f* capacidad *f* térmica; **~kraftmaschine** *f* máquina *f* térmica; **~kraftwerk** *n* (-*ẹs*; -*e*) central *f* térmica; **~lehre** *f* (*0*) termología *f*; **~leiter** *m* conductor *m* de calor; **~leitfähigkeit** *f* (*0*) conductibilidad *f* térmica *od.* calorífica; **~mechanik** *f* (*0*) termodinámica *f*; **~menge** *f* cantidad *f* de calor; **~messer** *m* termómetro *m*; (*Kalorimeter*) calorímetro *m*; **~messung** *f* calorimetría *f*.

'wärmen *v/t. u. v/i.* calentar; *sich die Füße* ~ calentarse los pies.

'Wärme...: **~quelle** *f* fuente *f* de calor; **~reaktion** *f* reacción *f* térmica; **~regler** *m* termo-regulador *m*; (*Thermostat*) termóstato *m*; **~schutz** *m* (-*es*; *0*) aislamiento *m* calorífugo; **~schutzstoff** *m* (-*ẹs*; -*e*) material *m* calorífugo (*od.* aislador del calor); **~speicher** *m* acumulador *m* de calor; **~technik** *f* (*0*) termotécnica *f*; **~wert** *m* (-*ẹs*; -*e*) valor *m* térmico; **~wirkung** *f* efecto *m* calorífico; **~wirtschaft** *f* (*0*) economía *f* térmica; **~zufuhr** *f* admisión *f* (*od.* alimentación *f*) de calor.

'warmfest ⊕ *adj.* (*0*) resistente al calor; **♀igkeit** *f* (*0*) resistencia *f* al calor.

'Wärmflasche *f* calentador *m*.

'warm|halten (*L*) *v/t.*: *sich j-n* ~ procurar no enajenarse las simpatías de alg.; → *warm halten*; **~herzig** *adj.* caluroso; efusivo.

'Wärmkruke *f* calentador *m*.

'warm|laufen (*L*; *sn*) ⊕ *v/i.* (re)calentarse; **♀laufen** ⊕ *n* (re)calentamiento *m*; **♀luft** *f* (*0*) aire *m* caliente; **♀luftheizung** *f* calefacción *f* por aire caliente.

'Wärmplatte *f* calentador *m*; calientaplatos *m*.

'**Warmverformung** ⊕ *f* modelado *m* (*od.* moldeo *m*) en caliente.
Warm'wasser|bereiter *m* calentador *m* de agua; termosifón *m*; **~heizung** *f* calefacción *f* por agua caliente; **~leitung** *f* tubería *f* de agua caliente; **~speicher** *m* (*Boiler*) depósito *m* de agua caliente; **~versorgung** *f* abastecimiento *m* de agua caliente.
'**Warn|boje** ⚓ *f* boya *f* de aviso; **~dienst** *m* (-*es*; -*e*) servicio *m* de vigilancia (✈ aérea); **2en** *v/t.* advertir; prevenir (*vor* contra); (*benachrichtigen*) avisar; *vor e-r Gefahr* ~ prevenir contra un peligro; *vor j-m* ~ poner en guardia contra alg.; ⚕ *vor Nachahmungen wird gewarnt* desconfiad de las imitaciones; *vor Taschendieben wird gewarnt!* ¡cuidado con los rateros!; *ich warne Sie davor* se lo advierto; **~er** *m* amonestador *m*; monitor *m*; **~meldedienst** *m* (-*es*; -*e*) servicio *m* de vigilancia; **~ruf** *m* (-*es*; -*e*) grito *m* de alarma; **~schuß** *m* (-*sses*; ⸚*sse*) tiro *m* al aire; tiro *m* de aviso; **~signal** *n* (-*s*; -*e*) señal *f* de aviso; **~streik** *m* (-*es*; -*s*) huelga *f* de advertencia; **~ung** *f* advertencia *f*; prevención *f*; aviso *m*; *abschreckende*: escarmiento *m*; *ohne (vorherige)* ~ sin previo aviso; *lassen Sie sich das zur* ~ *dienen* que esto le sirva de aviso (*od.* de lección *od.* de escarmiento); **~ungstafel** *f* (-; -*n*) rótulo *m* de aviso; **~zeichen** *n* señal *f* de peligro.
War'rant ⚕ *m* (-*s*; -*s*) certificado *m* de depósito; *angl.* warrant *m.*
'**Warschau** *n* Varsovia *f.*
Wart *m* (-*es*; -*e*) guarda *m*; vigilante *m*; (*Bücher2*) bibliotecario *m*; (*Forst2*) guardabosque *m*; (*Kassen2*) tesorero *m*; (*Schrift2*) secretario *m*; (*Tank2*) encargado *m* de surtidor de gasolina; '**~e** *f* observatorio *m* (astronómico); (*Wachtturm*) atalaya *f*; *fig.* nivel *m*; punto *m* de vista.
'**Warte|geld** *n* (-*es*; -*er*) excedencia *f* pagada; ⚔ media paga *f*; **~halle** *f* sala *f* de espera; **~liste** *f* lista *f* de espera.
'**warten I.** (-*e*-) **1.** *v/i.* esperar; aguardar; *auf j-n* ~ esperar a alg.; esperar (a) que venga alg.; esperar la llegada de alg.; *auf et.* ~ esperar a/c.; estar esperando a/c.; *auf sich* ~ *lassen* hacerse esperar; tardar mucho en llegar; ~ *bis* (*cj.*) esperar, aguardar que (*subj.*); *bis 3 Uhr* ~ esperar hasta las tres; *bis morgen* ~ esperar hasta mañana; *lange* ~ esperar largo tiempo; *warte mal!* ¡espera un momento!; *na, warte!* ¡ya verás!; *da(rauf) kannst du lange* ~ *fig.* puedes esperar sentado; **2.** *v/t.* cuidar; *j-n* ~ cuidar a *bzw.* de alg.; (*instand halten*) entretener, conservar en buen estado; **II.** 2 *n* espera *f*; *nach langem* ~ después de larga espera (*od.* de esperar mucho tiempo).
'**Wärter** *m* (*Wächter*) guarda *m*; (*Kranken2*) enfermero *m*; 🚂 (*Schranken2*) guardabarrera *m*; (*Weichen2*) guarda-agujas *m*; (*Leuchtturm2*) torrero *m* (de faros), farero *m*; (*Hüter*) guardián *m*; **~in** *f* guardesa *f.*

'**Warte|raum** *m* (-*es*; ⸚*e*), **~saal** *m* (-*es*; -*säle*) sala *f* de espera.
'**Wärterhäus-chen** 🚂 *n* caseta *f* de guardabarrera; garita *f* de guarda-agujas.
'**Warte|zeit** *f* período *m* de espera; **~zimmer** *n* sala *f* de espera.
'**Wartung** *f* cuidado *m*; ⊕ entretenimiento *m*, conservación *f.*
wa'rum? *adv.* ¿por qué?; ¿por qué razón?, ¿por qué motivo?; (*wozu*) ¿para qué?; ¿con qué objeto?, ¿con qué fin?; ~ *nicht?* ¿por qué no? ~ *nicht gar!* ¡no faltaba más!; *ich weiß nicht* ~ no sé por qué.
'**Warz|e** *f* verruga *f*; (*Brust2*) pezón *m*; *männliche*: tetilla *f*, mamila *f*; ⊕ botón *m*; **~enhof** *Anat.* *m* (-*es*; ⸚*e*) aréola *f* del pezón; **~enstift** *m* (-*es*; -*e*) lápiz *m* para quitar verrugas; **2ig** *adj.* verrugoso; (*warzenförmig*) papilar.
was I. *pron/int.* **1.** *alleinstehend*: ~? ¿qué? (*a.* F *für wie, bitte?, höflich*: ¿cómo dice?, ¿cómo decía usted?); ~! ¡cómo!; **2.** *in Verbindung mit Verben*: ~ *sagt er?* ¿qué dice (él)?; ~ *sagst du dazu?* ¿qué dices a eso?; ~ *soll ich tun?* ¿qué he de hacer?, ¿qué voy a hacer?; ~ (*gibt es*) *Schöneres als ...?* ¿hay algo más hermoso que ...?; ~ *soll daraus werden?* ¿en qué acabará todo esto?; ~ *soll aus mir werden?* ¿qué va a ser de mí? ~ *fehlt Ihnen denn?* ¿qué le pasa a usted?; ¿qué tiene usted?; ~ *ist das?* ¿qué es esto?; ~ *ist dein Vater?* ¿qué es (*od.* qué oficio tiene) tu padre?; ~ *lachst du?* ¿de qué te ríes?; ~ *haben wir gelacht!* ¡lo que nos hemos reído!; ~ *kostet das?*, ~ *bekommen Sie?* ¿cuánto cuesta esto?; ¿cuánto es?; ~ *gibt es Neues?* ¿qué hay de nuevo?; ~ *geht das mich an?* ¿qué me importa a mí eso?; F ¡a mí qué!; ~ *geschah?* ¿qué pasó?, ¿qué ocurrió?; **3.** ~ *für* (*ein*) ...? ¿qué ...?; ~ *für einer?* ¿cuál?; ~ *für ein Buch brauchst du?* ¿qué libro necesitas?; ~ *für ein schöner Garten!* ¡qué jardín más hermoso!; ~ *für Leute waren da?* ¿qué (clase de) gente había allí?; **II.** *pron/rel.*: *das*, ~ lo que; *ich weiß,* ~ *du willst* sé lo que quieres; *alles* ~ *du willst* todo lo que quieras; *und* ~ *noch schlimmer ist* y lo que es peor; *alles* ~ *er sagt* todo lo que dice; *es koste,* ~ *es wolle* cueste lo que cueste; ~ *mich betrifft* en cuanto a mí; F por lo que a mí toca; *er tut,* ~ *er kann* hace lo que puede; *er lief,* ~ *er konnte* corrió a más no poder; ~ *auch immer* por mucho que; por más que; ~ *er auch immer tut* por mucho (*od.* más) que haga; ~ *auch das Ergebnis sei* sea cual fuere el resultado; (*den Inhalt des vorhergehenden Satzes aufnehmend*) lo cual; ..., ~ *nicht wahr ist* lo cual no es verdad; ..., ~ *mich sehr befremdete* lo cual me extrañó mucho; **III.** F ~ = *etwas*; *das ist* ~ (*etwas*) *anderes* eso es otra cosa; ~ *Neues?* ¿algo nuevo?; *hat man so* ~ *schon gesehen?* ¿habráse visto cosa igual?; *iro.* ¡esto sí que es bueno!; *ich will dir* ~ *sagen* voy a decirte una cosa; *ach,* ~! ¡bah!; ¡qué cosas tienes *bzw.* tiene usted!; ~ *Sie nicht sagen!* ¡no me diga!; F (*warum*) ~ *brauchte er zu lügen?* ¿por qué había de mentir?; F (*nicht wahr?*) ~? ¿eh?; ¿verdad?
'**Wasch|anlage** ⊕, ⚒ *f* lavadero *m*; **~anstalt** *f* lavadero *m*; lavandería *f*; **~automat** *m* (-*en*) lavadora *f* automática; **2bar** *adj.* (*0*) lavable; **~bär** *Zoo.* *m* (-*en*) mapache *m*; **~becken** *n* jofaina *f*, palangana *f*; **~blau** *n* (-*s*; *0*) añil *m*; azulete *m*; **~brett** *n* (-*es*; -*er*) tabla *f* de lavar.
'**Wäsche** *f* (*Waschen*) lavado *m* (*a.* ⚒); ⊕, *v. Wolle* lavaje *m*; (*eingelaugte*) colada *f*; (*Zeug*) ropa *f* blanca; *schmutzige (reine)* ~ ropa sucia (limpia); *große* ~ *haben* hacer la colada; (*Waschtag*) tener día de lavado; *in die* ~ *geben* dar a lavar; enviar a la lavandería; *freie* ~ *haben* (*in der Pension usw.*) estar incluido el lavado de ropa; *die* ~ *wechseln* mudarse (de ropa interior); ~ *zum Trocknen aufhängen* tender la ropa (blanca) a secar; *fig. man soll s-e schmutzige* ~ *nicht in der Öffentlichkeit waschen* la ropa sucia se lava en casa; los trapos sucios deben lavarse en casa; **~ablage** *f* (*Korb*) canasta *f* para la ropa sucia; **~beutel** *m* saco *m* para la ropa sucia.
'**wasch-echt** *adj.* (*0*) (*Farbe, Stoff*) resistente al lavado; (*Farbe*) fijo, permanente; *fig.* puro, de pura cepa; castizo; típico.
'**Wäsche...: ~fabrik** *f* fábrica *f* de ropas blancas; **~geschäft** *n* (-*es*; -*e*) lencería *f*; (*Herren2*) camisería *f*; **~industrie** *f* manufactura *f* de ropa blanca; **~klammer** *f* (-; -*n*) pinza *f* para tender ropa; **~lauge** *f* lejía *f*; **~leine** *f* cuerda *f* para tender ropa; **~mangel** *f* (-; -*n*) ⊕ calandria *f.*
'**waschen I.** (*L*) *v/t.* lavar (*a.* ⊕, ⚒); (*Teller usw.*) *a.* fregar; (*spülen*) enjuagar; *Wäsche in der Lauge*: colar; hacer la colada; *sich* ~ lavarse; *fig. j-m den Kopf* ~ dar un jabón a alg.; *s-e Hände in Unschuld* ~ lavarse las manos; *e-e Hand wäscht die andere* una mano con otra se lava; *mit allen Wassern gewaschen sein* ser un pillo; tener el colmillo retorcido; estar de vuelta de todos los viajes; *j-m e-e Antwort geben, die sich gewaschen hat* decir a alg. las verdades del barquero; **II.** 2 *n* lavado *m* (*a.* ⚒, ⚗ *u. v. Wäsche*); lavadura *f*; ⊕ *v. Wolle*: lavaje *m*; (*das Spülen*) enjuague *m*; (*des Küchengeschirrs*) fregado *m*; *Phot.* (*der Abzüge*) lavado *m*; *Rel.* ablución *f*; lavatorio *m.*
'**Wäscher** *m v. Wäsche*: lavandero *m*; ⊕, ⚒ lavador *m.*
'**Wäscherechnung** *f* cuenta *f* de la lavandería.
Wäsche'rei *f* lavandería *f.*
'**Wäscherin** *f* lavandera *f.*
'**Wäsche...: ~rolle** ⊕ *f* calandria *f*; **~sack** *m* (-*es*; ⸚*e*) saco *m* para ropa (sucia); **~schleuder** *f* (-; -*n*) centrífuga *f* para ropa; **~schrank** *m* (-*es*; ⸚*e*) armario *m* ropero; **~tinte** *f* (*0*) tinta *f* para marcar ropa; **~trockenplatz** *m* (-*es*; ⸚*e*), **~trokkenständer** *m* tendedero *m*; **~truhe** *f* arca *f* para ropa.
'**Wasch...: ~faß** *n* (-*sses*; ⸚*sser*) tina *f* (para lavar ropa); **~frau** *f* lavan-

dera *f*; **~geschirr** *n* (*-s*; *0*) juego *m* (*od.* servicio *m*) de lavabo; **~handschuh** *m* (*-es*; *-e*) guante *m* lavable; **~haus** *n* (*-es*; *⸚er*) lavadero *m*; **~keller** *m* sótano *m* donde se hace la colada; **~kessel** *m* caldera *f* para hacer la colada; **~kleid** *n* (*-es*; *-er*) vestido *m* lavable; **~korb** *m* (*-es*; *⸚e*) canasta *f* para la ropa; **~kübel** *m* cubo *m* (para lavar ropa); **~küche** *f* (*für Wäsche*) lavadero *m*; (*für Geschirr*) fregadero *m*; **~lappen** *m* (*Ab2*) estropajo *m*, fregador *m*; (*für den Fußboden*) rodilla *f*, bayeta *f* de fregar; (*für Körperwäsche*) guante *m* de tocador; *fig.* (*Schwächling*) Juan Lanas *m*, calzonazos *m*, mandria *m*; **~lauge** *f* lejía *f*; agua *f* jabonosa; **~leder** *n* gamuza *f*; piel *f* agamuzada; **~maschine** *f* lavadora *f* mecánica; *~ mit Schleuder* lavadora centrifugadora; **~mittel** *n* producto *m* para lavar; detergente *m*; **~pulver** *n* jabón *m* en polvo; detergente *m*; **~raum** *m* (*-es*; *⸚e*) cuarto *m* de aseo; (*Toilette*) lavabos *m/pl.*; **~salon** *m* (*-s*; *-s*) lavandería *f*; **~samt** *m* (*-es*; *-e*) terciopelo *m* lavable; **~schüssel** *f* (*-*; *-n*) jofaina *f*, palangana *f*; **~schwamm** *m* (*-es*; *⸚e*) esponja *f*; **~seide** *f* seda *f* lavable; **~seife** *f* jabón *m* de tocador; *für Wäsche*: jabón *m* para (lavar) la ropa; **~tag** *m* (*-es*; *-e*) día *m* de colada (*od.* de lavado); **~trog** *m* (*-es*; *⸚e*) artesón *m*; **~ung** *f* → *Waschen*; **~wanne** *f* artesa *f*; (*Spül2*) tina *f*; **~wasser** *n* (*-s*; *0*) agua *f* de lavar; **~weib** *n* (*-es*; *-er*) lavandera *f*; F *fig.* comadre *f*; cotilla *f*; charlatana *f*; **~zettel** *m* lista *f* de ropa entregada para lavar; *fig.* (*Buchhandel*) reseña *f* breve (del editor); (*Mitteilung an die Presse*) comunicado *m*; **~zeug** *n* (*-es*; *0*) utensilios *m/pl.* de tocador; **~zuber** *m* → *Waschwanne*.

ˈ**Wasgau** *m*, ˈ**Wasgenwald** *m* *Geogr.* los Vosgos.

ˈ**Wasser** *n* agua *f*; *fließendes* (*stehendes*) *~* agua corriente (estancada); ⚗ *schweres ~* agua pesada; *Kölnisches ~* agua de Colonia, colonia *f*; *~ lassen* (*urinieren*) orinar, hacer aguas; *fig. das ist ~ auf s-e Mühle* F eso le viene de perillas; *fig. j-m nicht das ~ reichen können* no llegarle a alg. a la suela del zapato; *stille ~ sind tief* del agua mansa me libre Dios (que de la brava me libro yo); *da läuft e-m das ~ im Mund zusammen* se le hace a uno la boca agua; *auf dem ~* sobre el agua; *aufs ~ niedergehen* ✈ amarar; *~ einnehmen* ⚓, 🚂 hacer aguada; *bei ~ und Brot sitzen* estar a pan y agua; *fig. ein Schlag ins ~* un golpe errado (*od.* en falso); *ins ~ fallen* caer al agua; *fig. ins ~ fallen, zu ~ werden* frustrarse a/c.; volverse agua de borrajas (*od.* de cerrajas); *ins ~ springen* lanzarse al agua; *mit ~ waschen* (*spülen*) lavar (enjuagar) con agua; *mit allen ~n gewaschen sein* ser un pillo; tener el colmillo retorcido; estar de vuelta de todos los viajes; *sich über ~ halten* mantenerse a flote (*a. fig.*); *unter ~* debajo del agua; *unter ~ schwimmen* nadar bajo el agua; *unter ~ setzen* inundar, anegar; sumergir; *unter ~ stehen* estar inundado; estar sumergido; *zu ~ und zu Lande* por mar y tierra; *zu ~ lassen* (*vom Stapel lassen*) botar al agua; *~ hat keine Balken* la mar es muy traidora; *fig. es wird überall mit ~ gekocht* en todas partes cuecen habas.

ˈ**Wasser...**: **~abfluß** *m* (*-sses*; *⸚sse*) desagüe *m*; **2abstoßend** *adj.* hidrófugo; **~anschluß** *m* (*-sses*; *⸚sse*) toma *f* de agua; **2anziehend** *adj.* higroscópico; **~arm** *m* (*-es*; *-e*) brazo *m* de un río; brazo *m* de mar; **2arm** *adj.* falto de agua; árido; **~armut** *f* (*0*) falta *f* (*od.* escasez *f*) de agua; aridez *f*; **2aufsaugend** *adj.* hidrófilo; **~bad** ⊕, ⚗, *Kochk.* *n* (*-es*; *⸚er*) baño *m* (de) María; **~ball** *m* (*-es*; *⸚e*) *Sport*: *angl.* water-polo *m*; **~bau** *m* (*-es*; *-ten*) construcción *f* hidráulica; **~bauingenieur** *m* (*-s*; *-e*) ingeniero *m* constructor de obras hidráulicas; hidrotécnico *m*; **~baukunst** *f* (*0*) (arquitectura *f*) hidráulica *f*; **~becken** *n* pila *f*; *des Springbrunnens*: *a.* taza *f*; *im Garten*: estanque *m*; **~bedarf** *m* (*-es*; *0*) cantidad *f* necesaria de agua; **~behälter** *m* depósito *m* de agua; tanque *m*; **~blase** *f* burbuja *f*; ⚕ ampolla *f*; **~blume** ⚘ *f* flor *f* acuática; **~bombe** *f* carga *f* de profundidad; **~bruch** ⚕ *m* (*-es*; *⸚e*) hidrocele *m*.

ˈ**Wässerchen** *fig. n*: F *kein ~ trüben können* ser incapaz de matar una mosca; *er sieht aus, als könnte er kein ~ trüben* parece una mosquita muerta.

ˈ**Wasser...**: **~dampf** *m* (*-es*; *⸚e*) vapor *m* de agua; **2dicht** *adj.* (*0*) impermeable; ⚓ estanco; *~ machen* impermeabilizar; (*imprägnieren*) impregnar; **~druck** *m* (*-es*; *0*) presión *f* hidráulica; **~druckbremse** *f* freno *m* hidráulico; **~druckpresse** *f* prensa *f* hidráulica; **~druckwerk** *n* (*-es*; *-e*) máquina *f* hidráulica; **~dunst** *m* (*-es*; *⸚e*) → *Wasserdampf*; **2durchlässig** *adj.* permeable; **~eimer** *m* cubo *m*; **~enthärtung** *f* endulzamiento *m* del agua; **2entziehend** *adj.* deshidratante; **~entziehung** *f* deshidratación *f*; **~fahrt** *f* paseo *m* en barca *od.* barco; **~fall** *m* (*-es*; *⸚e*) salto *m* de agua; cascada *f*; *großer*: catarata *f*; *er redet wie ein ~* F habla como una ametralladora; **~farbe** *f* aguada *f*; color *m* para acuarela; **~farbengemälde** *n* acuarela *f*; pintura *f* a la aguada; **~fläche** *f* superficie *f* del agua; **~flasche** *f* garrafa *f*; **~fleck(en)** *m* (*-es*; *-e*) mancha *f* de agua; **~floh** *Zoo.* *m* (*-es*; *⸚e*) pulga *f* acuática (*od.* de agua); **~flughafen** *m* (*-s*; *⸚*) base *f* de hidroaviones; **~flugzeug** *n* (*-es*; *-e*) hidroavión *f*; **~flut** *f* inundación *f*, *stärker*: diluvio *m*; (*heranbrausende*) avenida *f* (de las aguas); **~fracht** *f* flete *m* (por vía marítima *bzw.* fluvial); **2frei** *adj.* (*0*) ⚗ anhidro; **2führend** *adj.* ⚒ acuífero; **~gas** *n* (*-es*; *-e*) gas *m* pobre; **~gehalt** *m* (*-es*; *0*) contenido *m* de agua; **~geist** *Myt.* *m* (*-es*; *-er*) espíritu *m* del agua; **2gekühlt** *adj.* (*0*) refrigerado por agua; **~gewächs** ⚘ *n* (*-es*; *-e*) planta *f* acuática; **~glas** *n* (*-es*; *⸚er*) vaso *m* para agua; ⚗ silicato *m* de sodio *bzw.* de potasio; *fig. Sturm im ~* tempestad en un vaso de agua; **~graben** *m* (*-s*; *⸚*) ⚔ foso *m* (lleno de agua); ⚒ (*Bewässerungsgraben*) zanja *f* de irrigación; reguera *f*; **~grube** *f* cisterna *f*; **~hahn** *m* (*-es*; *⸚e*) grifo *m* de agua; *Am.* canilla *f*; **2haltig** *adj.* acuoso; ⚗ hidratado; **~haushalt** ⚕ *m* (*-es*; *-e*) metabolismo *m* hídrico; **~heilanstalt** *f* establecimiento *m* hidroterápico; **~heilkunde** *f* (*0*) hidroterapia *f*; **~höhe** *f* nivel *m* del agua; **~hose** *f* tromba *f*, manga *f* (de agua); **~huhn** *Orn.* *n* (*-es*; *⸚er*) polla *f* de agua; foja *f*.

ˈ**wässerig** *adj.* acuoso; lleno de agua, aguanoso; ⚕ seroso; *fig.* insípido; *j-m den Mund ~ machen* engolosinar a alg.; F *fig.* (*neidisch machen*) dar dentera a alg.

ˈ**Wasser...**: **~jungfer** *Zoo.* *f* (*-*; *-n*) libélula *f*; F caballito *m* del diablo; **~kanne** *f* jarro *m* para agua; **~kante** *f* costa *f*, litoral *m*; **~karte** *f* mapa *m* hidrográfico; **~kasten** *m* (*-s*; *⸚*) depósito *m* de agua; **~kessel** *m* caldera *f*; *in der Küche*: hervidor *m*; **~kissen** ⚕ *n* almohadilla *f* hidráulica; **~klosett** *n* (*-s*; *-s*) (retrete *m*) inodoro *m*; **~kopf** ⚕ *m* (*-es*; *⸚e*) hidrocefalía *f*; (*Person*) hidrocéfalo *m*; **~kraft** *f* (*0*) fuerza *f* hidráulica; *fig.* hulla *f* blanca; **~kraftmaschine** *f* máquina *f* hidráulica; **~kraftwerk** *n* (*-es*; *-e*) central *f* hidroeléctrica; **~kran** *m* (*-es*; *⸚e*) grúa *f* hidráulica; grúa *f* (de alimentación) de agua; **~krug** *m* (*-es*; *⸚e*) cántaro *m*; jarra *f*; **~kühlung** *f* refrigeración *f* por agua; **~kunde** *f* (*0*) hidrología *f*; **~kunst** *f* (*-*; *⸚e*) (*Wasserspiele*) juegos *m/pl.* de agua; (*Springbrunnen*) surtidores *m/pl.*; fuentes *f/pl.* artificiales; **~kur** ⚕ *f* tratamiento *m* hidroterápico; cura *f* de aguas; **~lache** *f* charco *m*; **~-Land-Flugzeug** *n* (*-es*; *-e*) avión *m* anfibio; **~landung** *f* amaraje *m*; **~lauf** *m* (*-es*; *⸚e*) corriente *f* de agua; **2leer** *adj.* (*0*) sin agua; seco; **~leitung** *f* conducción *f* de agua; *im Hause*: cañería *f* del agua; (*Aquädukt*) acueducto *m*; **~leitungsrohr** *n* (*-es*; *-e*) tubo *m* de la conducción de agua; **~lilie** ⚘ *f* nenúfar *m*; **~linie** ⚓ *f* línea *f* de flotación; **~linse** ⚘ *f* lenteja *f* acuática (*od.* de agua); **2löslich** *adj.* soluble en el agua; **~mangel** *m* (*-s*; *0*) escasez *f* de agua; falta *f* de agua; sequía *f*; **~mann** *m* (*-es*; *0*) *Astr.* Acuario *m*; *Myt.* espíritu *m* de las aguas; ⚕ *~sche Reaktion* reacción de Wassermann (*Abk.* RWa.); **~mantel** ⊕ *m* (*-s*; *⸚*) camisa *f* de agua; **~marke** *f* nivel *m* del agua; **~masse** *f* aguas *f/pl.*; **~melone** ⚘ *f* sandía *f*; **~messer** *m* hidrómetro *m*; **~meßkunst** *f* (*0*) hidrometría *f*; **~mühle** *f* molino *m* de agua; aceña *f*.

ˈ**wassern I.** (*-re*) ✈ *v/i.* amarar; **II.** 2 *n* amaraje *m*.

ˈ**wässern I.** (*-re*) *v/t.* (*be~*) regar; (*mit Wasser verdünnen*) aguar; (*einweichen*) remojar; (*entsalzen*) desa-

lar; *Phot.* lavar; ⚗ (*hydrieren*) hidratar; **II.** ≈ *n* (*Be*≈) riego *m*; (*Einweichen*) remojo *m*; *Phot.* lavado *m*; ⚗ (*Hydrieren*) hidratación *f*.
ˈ**Wasser...:** **~nixe** *Myt. f* ondina *f*; ninfa *f*; **~not** *f* (*0*) → Wassermangel; **~nymphe** *Myt. f* ninfa *f*; (*in Flüssen u. Quellen*) náyade *f*; **~parˈtie** *f* excursión *f* en barca; → Wasserfahrt; **~pfeife** *f* narguile *m*; **~pflanze** ⚘ *f* planta *f* acuática; **~pfütze** *f* charco *m*; **~pistole** *f* (*Spielzeug*) pistola *f* de agua; **~pocken** ⚕ *f/pl.* varicela *f*; **~polizei** *f* (*0*) policía *f* fluvial; **~pumpe** *f* bomba *f* de agua; **~quelle** *f* fuente *f*; **~rad** *n* (*-es*; *⸚er*) ⊕ rueda *f* hidráulica; (*Paternoster*) noria *f*; (*zur Bewässerung, am Fluß*) azud *m*, azuda *f*; *Sport*: hidrociclo *m*; **~ratte** *f Zoo.* rata *f* de agua; *fig.* alte ~ viejo lobo de mar; *Sportler*: entusiasta *m* de la natación; ≈**reich** *adj.* abundante en agua; (*Fluß*) caudaloso; **~rinne** *f* canal *m*; arroyo *m*; ⚒ reguera *f*; **~rohr** *n* (*-es*; *-e*) tubo *m* de (conducción de) agua; **~rose** ⚘ *f* nenúfar *m*; **~säule** *f* columna *f* de agua; **~schaden** *m* (*-s*; *⸚*) daño *m* causado por el agua; daños *m/pl.* causados por las aguas (*od.* por las inundaciones); ⚚ avería *f*; **~schaufel** *f* (*-*; *-n*) (*Schöpfkelle*) achicador *m*; **~scheide** *f* (línea *f*) divisoria *f* de las aguas; **~scheu** *f* (*0*) aversión *f* al agua; ⚕, *Vet.* hidrofobia *f*; ≈**scheu** *adj.* que tiene aversión (*od.* miedo) al agua; hidrófobo; **~schilaufen** *n* esquí *m* acuático; **~schlange** *f Zoo.* (*Ringelnatter*) culebra *f* de agua; (*Fabelwesen*) serpiente *f* marina; *Astr.* Hidra *f*; **~schlauch** *m* (*-es*; *⸚e*) manga *f*; manguera *f*; odre *m*; **~schnecke** ⊕ *f* tornillo *m* de Arquímedes; **~snot** *f* (*-*; *⸚e*) inundación *f*; **~speicher** *m* depósito *m* de agua; **~speier** △ *m* gárgola *f*; **~spiegel** *m* nivel *m* del agua; **~spinne** *Zoo. f* araña *f* acuática; **~sport** *m* (*-es*; *0*) deporte *m* náutico; piragüismo *m*; balandrismo *m*; **~spülung** *f*: Klosett mit ~ retrete con agua corriente; **~spülungs-apparat** *m* (*-es*; *-e*) *im Klosett*: bombillo *m*; aparato *m* de sifón; **~stand** *m* (*-es*; *⸚e*) ⊕ nivel *m* del agua; *höchster schiffbarer* ~ nivel máximo navegable; **~stands-anzeiger** *m*, **~standsmesser** *m* ⊕ indicador *m* de nivel (del agua); (*Pegel*) fluviómetro *m*; **~stein** *m* (*-es*; *0*) incrustaciones *f/pl.*; **~stelle** *f* (*zum Wassereinnehmen*) aguada *f*; **~stiefel** *m* botas *f/pl.* (altas) de agua; botas *f/pl.* impermeables; **~stoff** ⚗ *m* (*-es*; *0*) hidrógeno *m*; *schwerer* ~ hidrógeno pesado, deuterio *m*; **~stoffbombe** *f* bomba *f* de hidrógeno, bomba *f* H; **~stoffgas** ⚗ *n* (*-es*; *0*) (gas *m*) hidrógeno *m*; ≈**stoffhaltig** *adj.* hidrogenado; **~stoffsäure** ⚗ *f* hidrácido *m*; **~stoffsuper-oxyd** ⚗ *n* (*-s*; *0*) agua *f* oxigenada; **~strahl** *m* (*-es*; *-en*) chorro *m* de agua; *fig.* kalter ~ jarro de agua fría; **~strahlregler** *m* regulador *m* de chorro; **~straße** *f* vía *f* fluvial; vía *f* de navegación interior; canal *m*; **~straßennetz** *n* (*-es*; *-e*) red *f* de vías fluviales; red *f* de vías de navegación interior; **~strudel** *m* remolino *m*; **~sucht** ⚕ *f* (*0*) hidropesía *f*; ≈**süchtig** *adj.* (*0*) hidrópico; **~tiere** *pl.* animales *m/pl.* acuáticos; **~träger** *m* aguador *m*; **~transport** *m* (*-es*; *-e*) transporte *m* fluvial *bzw.* marítimo; **~tropfen** *m* gota *f* de agua; **~turbine** *f* turbina *f* hidráulica; **~turm** *m* (*-es*; *⸚e*) depósito *m* elevado de agua; cambija *f*; **~uhr** *f* (*Zähler*) contador *m* de agua; (*Zeitmesser*) reloj *m* de agua, clepsidra *f*; ≈**undurchlässig** *adj.* impermeable.
ˈ**Wasserung** *f* amaraje *m*.
ˈ**Wässerung** *f* → Wässern.
ˈ**Wasser...:** ≈**unlöslich** *adj.* insoluble en el agua; **~verbrauch** *m* (*-es*; *0*) consumo *m* de agua; **~verdrängung** ⚓ *f* desplazamiento *m*; **~versorgung** *f* abastecimiento *m* de agua; aprovisionamiento *m* de agua; **~verunreinigung** *f* impurificación *f* del agua; ⚕ contaminación *f* del agua; **~vogel** *m* (*-s*; *⸚*) ave *f* acuática; **~vorrat** *m* (*-es*; *⸚e*) provisión *f* de agua; **~waage** *f* (*Libelle*) nivel *m* de aire; *der Feldmesser*: nivel *m* de agua; **~weg** *m* (*-es*; *-e*): auf dem ~e por vía fluvial *bzw.* marítima; **~welle** *f* ola *f*, *Poes.* onda *f*; (*Frisur*) ondulación *f* al agua; **~werfer** *m* lanza-chorros *m* (de agua a presión); **~werk** *n* (*-es*; *-e*) (*Versorgungsanlage*) central *f* de distribución de agua; städtisches ~ servicio de abastecimiento de aguas; **~wirtschaft** *f* (*0*) economía *f* del agua; hidroeconomía *f*; **~zähler** *m* contador *m* de agua; **~zeichen** *n* filigrana *f*, marca *f* de agua; **~zufuhr** ⊕ *f* alimentación *f* de agua.
ˈ**wäßrig** *adj.* → wässerig.
ˈ**waten** (*-e-*; *sn*) *v/i.* chapotear; durch e-n Bach ~ vadear un arroyo.
ˈ**watschel|ig** *adj.* que va contoneándose; que anadea, F con andares de pato; ≈**gang** *m* (*-es*; *0*) contoneo *m*; marcha *f* anatina, paso *m* anatino; **~n** (*-le*; *sn*) *v/i.* contonearse; anadear; ≈**n** *n* contoneo *m*.
Watt[1] ⚓ *n* (*-es*; *-en*) bajo *m*, *sandiger*: bajío *m*; restinga *f*; estuario *m*; marisma *f*.
Watt[2] ⚡ *n* (*-s*; *-*) vatio *m*.
ˈ**Watte** *f* algodón *m* en rama; guata *f*; (*Verbands*≈) algodón *m* hidrófilo; mit ~ füttern enguatar; ≈**artig** *adj.* algodonoso; **~bausch** *m* (*-es*; *⸚e*) torunda *f* de algodón; **~futterstoff** *m* (*-es*; *-e*) guata *f* para forros; guatina *f*; **~kugel** *f* (*-*; *-n*) bala *f* de algodón.
ˈ**Wattenmeer** *n* (*-es*; *-e*) aguas *f/pl.* bajas (de la costa); bajos fondos *m/pl.*
ˈ**Watte|pfropfen** *m* torunda *f* de algodón; ≈**weich** *adj.* (*0*) blando como algodón.
watˈtieren (*-*) *v/t.* enguatar.
ˈ**Watt...:** **~leistung** ⚡ *f* potencia *f* real; **~stunde** ⚡ *f* vatio-hora *m*; **~verbrauch** *m* (*-es*; *0*) consumo *m* en vatios; **~verlust** *m* (*-es*; *-e*) pérdida *f* por corriente de Foucault.
ˈ**Wauwau** *f* (*kindersprachlich für Hund*) guauguau *m*; F *fig.* (*ältere Begleitperson für junge Mädchen*) carabina *f*.
ˈ**Web-art** *f* tejido *m*, tejedura *f*.
ˈ**Webe|blatt** *n* (*-es*; *⸚er*) peine *m* para telares; **~faser** *f* (*-*; *-n*) fibra *f* textil; **~kunst** *f* (*0*) arte *m* de tejer.
ˈ**weben I.** *v/t.* tejer; (*spinnen*) hilar; **II.** ≈ *n* tejedura *f*, tejido *m*.
ˈ**Weber** *m* tejedor *m*; **~baum** *m* (*-es*; *⸚e*) cilindro *m* del telar; enjulio *m*, enjullo *m*; (*in der Seidenweberei*) plegador *m*.
Webeˈrei *f* (*Fabrik*) fábrica *f* de tejidos; (*Gewebe*) tejido *m*; (*Weberkunst*) arte *m* de tejer; tejeduría *f*; **~erzeugnis** *n* (*-ses*; *-se*) producto *m* textil; **~se** *pl.* tejidos *m/pl.*
ˈ**Weber...:** **~einschlag** *m* (*-es*; *⸚e*) trama *f*; **~in** *f* tejedora *f*; **~kamm** *m* (*-es*; *⸚e*) peine *m* para telares; peine *m* de tejedor; **~knecht** *Zoo. m* (*-es*; *-e*) segador *m*, araña *f* zancuda; **~knoten** *m* nudo *m* de tejedor; **~schiffchen** *n* lanzadera *f* (de tejedor); **~spule** *f* bobina *f* (*od.* carrete *m*) del telar; canilla *f*; **~vogel** *Orn. m* (*-s*; *⸚*) tejedor *m*.
ˈ**Web|fehler** *m* falla *f* en el tejido; **~kette** *f* urdimbre *f*; **~meister** *m* maestro *m* tejedor; **~stuhl** *m* (*-es*; *⸚e*) telar *m*; **~waren** *pl.* tejidos *m/pl.*; artículos *m/pl.* textiles; **~warenfabrik** *f* fábrica *f* de tejidos; **~weise** *f* tejedura *f*, textura *f* de una tela.
ˈ**Wechsel** *m* cambio *m*; mudanza *f* (*a. Wohnungs*≈); (*Abwandlung*) variación *f*; (*Glücks*≈) vicisitud *f*; revés *m*; (*regelmäßige Wiederkehr*) vuelta *f*; (*in regelmäßigem Turnus*) alternación *f*; *der Zeiten*: revolución *f*; *der Jahre*: curso *m* (de los años); (*Aufeinanderfolge*) sucesión *f*; *Sport*: relevo *m*; *Jgdw.* paso *m*; (*Austausch*) intercambio *m*; canje *m*; (*Schwankung*) fluctuación *f*; (*Tausch*) trueque *m*; (*Veränderung*) modificación *f*; alteración *f*; (*Umwandlung*) transformación *f*; (*Geld*≈) cambio *m* (de moneda); (*monatliche Zuwendung*) mensualidad *f*; mesada *f*; ⚚ letra *f* de cambio; ~ auf den Inhaber letra al portador; ~ auf Sicht letra a la vista; ~ auf kurze (lange) Sicht letra a corto (largo) plazo; fingierter ~ letra ficticia; begebbarer (unbegebbarer) ~ letra negociable (no negociable); notleidender ~ letra de cobro dudoso; eigener (trockener) ~ letra al propio cargo; letra a la orden; zweiter ~ segunda de cambio; gezogener ~ giro *m*; offener ~ carta *f* de crédito; e-n ~ ausstellen girar *od.* librar una letra (auf j-n contra alg.; auf Hamburg sobre Hamburgo); e-n ~ akzeptieren (einlösen; einkassieren; prolongieren; sperren; überprüfen; protestieren) aceptar (abonar; cobrar; prorrogar; bloquear; comprobar; protestar) una letra.
ˈ**Wechsel...:** **~abrechnung** *f* liquidación *f* de una letra; **~agent** *m* (*-en*) agente *m* de cambio; **~agio** *n* (*-s*; *0*) cambio *m*; agio *m*; **~akzept** *n* (*-es*; *-e*) aceptación *f* de una letra (de cambio); **~arbitrage** *f* arbitraje *m* de cambio; **~aussteller** *m* librador *m*, girador *m*; **~bad** *n* (*-es*; *⸚er*) baño *m* alterno; **~balg** *m* (*-es*; *⸚e*) criatura *f* suplantada; (*Mißge-*

burt) monstruo *m*; **~bank** *f* banco *m* de descuento; casa *f* de cambio; **~begebung** *f* negociación *f* de una letra; **~bestand** *m* (-*es*; *¨e*) efectos *m*/*pl*. en cartera; **~bewegung** *Phys*. *f* movimiento *m* recíproco; **~beziehung** *f* correlación *f*; relación *f* recíproca; ~*en pl*. relaciones *f*/*pl*. mutuas; **~brief** *m* (-*es*; -*e*) letra *f* de cambio; **~bürge** *m* (-*n*) fiador *m*; **~bürgschaft** *f* aval *m*; e-e ~ übernehmen avalar; **~diskont** *m* (-*es*; -*e*) descuento *m* de una letra; **~domizil** *n* (-*es*; -*e*) domicilio *m* de una letra; **~dusche** *f* ducha *f* alterna (fría y caliente); **~einlösung** *f* abono *m* de una letra; **2fähig** *adj*. (*0*) autorizado para librar una letra; **~fälle** *pl*. vicisitudes *f*/*pl*.; reveses *m*/*pl*. de la fortuna; **~fälscher** *m* falsificador *m* de una letra de cambio; **~fälschung** *f* falsificación *f* de una letra de cambio; **~fieber** ⚕ *n* fiebre *f* intermitente, paludismo *m*; **~folge** *f* alternación *f*; **~forderungen** *pl*. efectos *m*/*pl*. a cobrar; **~frist** *f* días *m*/*pl*. de gracia; **~geber** *m* → Wechselaussteller; **~geld** *n* (-*es*; -*er*) vuelta *f*; (*Kleingeld*) cambio *m*; calderilla *f*; **~gesang** *m* (-*es*; *¨e*) canto *m* alterno; **~geschäft** *n* (-*es*; -*e*) operaciones *f*/*pl*. cambiarias; giro *m* de letras; **~gespräch** *n* (-*es*; -*e*) diálogo *m*; **~getriebe** *n* *Auto*. engranaje *m* de cambio de velocidades; **~gläubiger** *m* acreedor *m* de una letra de cambio; acreedor *m* cambiario; **~inhaber** *m* portador *m* de una letra; **~inkasso** *n* (-*s*; -*s*) cobro *m* de letras; **~jahre** *pl*. *der Frauen*: ⚕ climaterio *m*, menopausia *f*; edad *f* crítica de la mujer; **~klage** ⚖ *f* demanda *f* judicial en asunto de cambio; **~kosten** *pl*. gastos *m*/*pl*. de giro; **~kurs** *m* (-*es*; -*e*) tipo *m* de cambio; **~makler** *m* agente *m* de cambio; corredor *m* de letras.

ˈ**wechseln I.** (-*le*) *v*/*t*. *u*. *v*/*i*. cambiar (*a*. *Geld, Schritt, Kleider, Gang beim Auto*); (*Wäsche, Farbe*) *a*. mudar; (*austauschen*) cambiar (*a*. *Worte, Komplimente, Blicke, Schläge*); (*gegen et. anderes eintauschen*) cambiar por, trocar por; (*ab*~) alternar; (*sich erneuern*) renovarse; (*an die Stelle e-s andern treten*) sucederse; *Stimme*: mudar; *Jgdw*. pasar a otros lugares; cambiar de pasto; *ein Geldstück* (*e-e Banknote*) ~ cambiar una moneda (un billete de banco); *den Platz* ~ cambiar de sitio; *die Stellung* ~ cambiar de posición, (*v*. *Angestellten*) cambiar de colocación; buscar otro empleo; *Briefe* ~ *mit* sostener correspondencia con; cartearse con; *s-n Wohnort* ~ cambiar de residencia; *die Wohnung* ~ mudarse de casa, cambiar de domicilio; *den Besitzer* ~ cambiar de dueño (*od*. de propietario); *das Kind wechselt die Zähne* el niño está en la segunda dentición; *fig*. *die Farbe* (*od*. *die Partei*) ~ cambiar de partido (*od*. de opinión), F cambiar de casaca, chaquetear; **II.** 2 *n* cambio *m*; mudanza *f*; *der Stimme*: muda *f*; (*Austausch*) intercambio *m*; canje *m*; (*Tausch*) trueque *m*; (*Ab*2) alternación *f*; **~d** *adj*. cambiante; variable; (*verschiedenartig*) variado; diverso; (*ab*~) alternativo; alternado, (*adv*.) alternando; *mit* ~*em Glück* con diversa fortuna, con suerte alterna.

ˈ**Wechsel...**: **~nehmer** *m* librado *m*, tomador *m* de una letra de cambio; **~ordnung** *f* reglamentación *f* concerniente a letras de cambio; reglamento *m* cambiario; **~pari** *n* (-*s*; *0*) cambio *m* a la par; **~protest** *m* (-*es*; -*e*) protesto *m* (de una letra de cambio); **~provision** *f* comisión *f* por negociación de letras; **~prozeß** ⚖ *m* (-*sses*; -*sse*) proceso *m* cambiario; **~rechnung** *f* cuenta *f* de cambio; **~recht** *n* (-*es*; *0*) derecho *m* cambiario; **~reim** *m* (-*es*; -*e*) rima *f* alterna; **~reiter** *m* ✝ girador *m* fraudulento de letras de cambio; **~reiteˈrei** *f* giro *m* de letras cruzadas; giros *m*/*pl*. y regiros; negociación *f* cambial fraudulenta; **~richter** ⚡ *m* ondulador *m*; **~schalter** ⚡ *m* conmutador *m* inversor; **~schuld** *f* obligación *f* cambial; **~schuldner** *m* deudor *m* cambiario; **2seitig** *adj*. (*0*) mutuo, recíproco; **~seitigkeit** *f* (*0*) mutualidad *f*, reciprocidad *f*; **~stempel** *m* timbre *m*; **~steuer** *f* (-; -*n*) impuesto *m* del timbre sobre letras; **~strom** ⚡ *m* (-*es*; *¨e*) corriente *f* alterna; **~stromgenerator** *m* (-*s*; -*en*) generador *m* de corriente alterna; **~strommotor** *m* (-*s*; -*en*) motor *m* de corriente alterna; **~stube** *f* agencia *f* de cambio; **~tierchen** *Zoo*. *n* amiba *f*; **~umsatz** *m* (-*es*; *¨e*) movimiento *m* de cartera; **~verbindlichkeit** *f* obligación *f* cambiaria; **~verkauf** *m* (-*es*; *¨e*) negociación *f* de una letra; **~verkehr** *m* (-*s*; *0*) transacciones *f*/*pl*. cambiarias; **~verlängerung** *f* prórroga *f* de una letra de cambio; **~verpflichtung** *f* → Wechselverbindlichkeit; **2voll** *adj*. variable; sujeto a cambios (frecuentes); lleno de vicisitudes; (*bewegt*) movido; *Landschaft*: variado; *Leben*: borrascoso; **2weise** *adv*. uno sí y otro no; (*abwechselnd*) por turno; alternativamente; alternando; **~winkel** ⩓ *m* ángulo *m* alterno *od*. correspondiente; **~wirkung** *f* acción *f* recíproca; efecto *m* recíproco; **~wirtschaft** ⚒ *f* (*0*) rotación *f* de cultivos; cultivo *m* alternativo; **~zahlung** *f* pago *m* por letra de cambio.

ˈ**Wechsler** *m* agente *m* de cambio; cambista *m*; (*Bankier*) banquero *m*.

ˈ**Weck** *m* (-*es*; -*e*), **~e** *f*, **~en** *m* bollo *m*; panecillo *m*.

ˈ**wecken I.** *v*/*t*. despertar (*a*. *fig*.); F *durch Klopfen*: llamar; *fig*. evocar; **II.** 2 *n* ⚔ (toque *m* de) diana *f*.

ˈ**Wecker** *m* (*Uhr*) (reloj *m*) despertador *m*; (*elektrische Warnanlage*) timbre *m* de alarma; *den* ~ *auf 5 Uhr stellen* poner el despertador a las cinco; F *fig*. *j-m auf den* ~ *fallen* crispar los nervios a alg.; importunar continuamente a alg.; F dar la lata a alg.; ser cargante.

ˈ**Weckglas** *n* (-*es*; *¨er*) tarro *m* para conservas.

ˈ**Weckruf** ⚔ *m* (-*es*; -*e*) toque *m* de diana.

ˈ**Wedel** *m* 🌿 (*Palm*2) palma *f*; (*Fliegen*2) mosqueador *m*; (*Staub*2) plumero *m*; (*Weih*2) hisopo *m*; aspersorio *m*; (*Schwanz*) cola *f*; (*Fächer*) abanico *m*; **2n** (-*le*) *v*/*t*. *u*. *v*/*i*.: *mit dem Fächer* ~ abanicar; abanicarse; *mit dem Schwanz* ~ colear, mover (*od*. menear) la cola *od*. el rabo.

ˈ**weder** *cj*. ni; ~ ... *noch* ... ni ... ni ...; ~ *du noch ich* ni tú ni yo; ~ *der eine noch der andere* ni uno ni otro.

Weg [e:] *m* (-*es*; -*e*) camino *m* (*a*. *fig*.); (*Landstraße*) carretera *f*; (*Pfad*) sendero *m*, senda *f* (*a*. *fig*.); (*Durchgang*) paso *m*; (*Reise*2, *Marsch*2) itinerario *m*; (*See*2) ruta *f*; ⚓ derrotero *m* (*a*. *fig*.); (*Allee*) avenida *f*; paseo *m*; *Astr*. (*Bahn*) órbita *f*; (*Fahrstrecke*) trayecto *m*; (*zurückgelegter*) recorrido *m*; (*Art und Weise*) modo *m*, manera *f*; (*Methode*) método *m*; (*Besorgung*) compra *f*; encargo *m*; *fig*. ⚕, *Anat*. vía *f*; ⊕ carrera *f*; *der* ~ *nach* ... el camino de ...; *Stück* ~ trecho de camino; *der kürzeste* ~ el camino más corto; *den kürzesten* ~ *einschlagen* tomar el camino más corto; *fig*. echar por el atajo; *sich e-n* ~ *bahnen* abrirse paso (*durch die Menge* a través de la multitud); *fig*. *j-m den* ~ *ebnen* allanar el camino a alg.; *still s-n* ~ *gehen* marcharse tranquilamente; seguir su camino sin hacer caso; *fig*. *keine krummen* ~*e gehen* apartarse de sendas tortuosas; seguir derecho su camino; *geh deiner* ~*e!* ¡vete a paseo!; *Mittel und* ~*e finden* hallar medio (zu de); *woher des* ~*es?* ¿de dónde vienes *bzw*. viene usted?; *wohin des* ~*es?* ¿adónde vas *bzw*. va usted?; F ¿adónde bueno?; *5 Kilometer* ~*es* cinco kilómetros de camino; *am* ~*e* al lado (*od*. al borde) del camino; *auf diplomatischem* (*gesetzlichem*; *gerichtlichem*) ~*e* por vía diplomática (legal; judicial); *auf dem üblichen* ~*e* por la vía usual (*od*. ordinaria *od*. acostumbrada); *auf gütlichem* ~*e* amistosamente, F por las buenas; *auf dem* ~*e* (*gen*.; *nach*) en el camino de; *auf dem* ~*e* (*unterwegs*) *sein* estar en camino; *auf halbem* ~*e* a mitad del camino (*a*. *fig*.); *auf dem* ~*e der Besserung sein* ir mejorando; estar en vías de curación; *auf dem kürzesten* ~*e* por el camino más corto; *fig*. *auf schnellstem* ~*e* por el medio más rápido; *auf den falschen* ~ *geraten* descaminarse; *fig*. ir por mal camino; (*Angelegenheit*) marchar mal; *fig*. *auf den rechten* ~ *bringen* encauzar por buen camino; *fig*. *auf dem richtigen* ~*e sein* ir por buen camino; proceder con acierto; *sich auf den* ~ *machen* ponerse en camino; *aus dem* ~*e!* ¡paso!; *e-r Frage aus dem* ~*e gehen* eludir una cuestión; *j-m aus dem* ~*e gehen* dejar pasar (*od*. dar paso) a alg.; (*beiseite treten*) apartarse (*od*. hacerse) a un lado; quitarse del paso; *fig*. (*vermeiden*) evitar el encuentro con alg.; *aus dem* ~*e räumen* (*od*. *schaffen*) quitarse de encima; desembarazarse (*od*. deshacerse) de; *fig*. (*umbringen*) quitar de en medio; et. *in die* ~*e leiten* encauzar; *amtlich*:

tramitar; (vorbereiten) preparar, organizar; j-m in den ~ laufen (od. kommen) cruzar el camino de alg.; j-m Hindernisse in den ~ legen poner trabas (od. obstáculos) a alg.; F poner a alg. chinitas en el camino; j-m im ~e stehen estorbar a alg.; ser un estorbo (od. obstáculo) para alg.; dem steht nichts im ~e nada se opone a ello; no hay (ningún) inconveniente; fig. sich selbst im ~e stehen perjudicarse a sí mismo; sich j-m in den ~ stellen cerrar el camino a alg.; fig. atravesarse en el camino de alg.; oponerse a alg.; contrarrestar los propósitos de alg.; fig. j-m nicht über den ~ trauen no tener ninguna confianza en alg.; no fiarse en absoluto de alg.; vom rechten ~ abkommen extraviarse; descaminarse; fig. desviarse del camino recto.

weg adv. (fort) er ist ~ se ha ido od. marchado; F ich muß ~ tengo que marcharme; (abwesend) ausente; er ist schon lange von Madrid ~ hace mucho tiempo que está ausente de Madrid; (verloren) perdido, extraviado; mein Buch ist ~ (weggenommen) me han quitado el libro, (verloren) he perdido el libro; me falta el libro; weit ~ muy lejos, muy distante; der Fleck ist ~ la mancha ha desaparecido (od. se ha quitado); F ganz ~ sein no caber en sí (vor Freude de alegría), (verblüfft sein) estar pasmado od. F patidifuso od. turulato; ~! ¡deja!, ¡quita!; ~ da! ¡quítate bzw. quítese de ahí!, (hinaus!) ¡fuera de ahí!, ¡largo de ahí!, (Vorsicht!) ¡cuidado!, ¡atención!, F ¡ojo!; Kopf ~! ¡cuidado con la cabeza!; Hände ~! ¡las manos, quietas!, (nicht berühren) ¡no se toque eso!; ⚔ frei ~! ¡adelante!; ~ damit! ¡fuera con eso!; ~ mit dir! ¡vete al diablo!, ¡vete a la porra!; geh ~! ¡vete!, ¡lárgate de ahí!; du hattest gestern e-n ~ (warst betrunken) ayer estabas borracho como una cuba; '~ätzen (-t) v/t. quitar con agua fuerte (od. con un corrosivo); ⚕ cauterizar; '~beizen (-t) v/t. quitar con un corrosivo; '~begeben (L; -) v/refl.: sich ~ irse, marcharse; ausentarse; '~bekommen (L; -) v/t.: et. ~ conseguir quitar a/c.; (verstehen) F dar con la martingala (od. con el busilis) de a/c.

'Wegbereiter [e:] fig. m precursor m; (Pionier) pionero m.

'weg...: ~blasen (L) v/t. soplar, quitar soplando; ~bleiben (L; sn) v/i. no acudir; no venir; faltar; Sache: (ausgelassen werden) ser omitido; Motor: fallar; lange ~ tardar en volver; ~blicken v/i. apartar la vista, mirar hacia otro lado; ~bringen (L) v/t. (woandershin) llevar, conducir; trasladar; alejar; llevar a otra parte; (befördern) transportar; (beiseite schaffen) apartar; quitar de en medio; Flecken: quitar; ~denken (L) v/t. prescindir de; abstraer (od. hacer abstracción) de; dies ist aus dem Erziehungswesen nicht wegzudenken la educación no es concebible (od. imaginable) sin esto; ~diskutieren (-) v/t. resolver discutiendo; ~drängen v/t. repeler; ~dürfen (L) v/i. tener permiso para irse od. marcharse.

'Wege... [e:]: ~arbeiter m peón m caminero; ~bau m (-és; -ten) construcción f de carreteras bzw. de caminos; ~baumeister m ingeniero m de caminos; ~gabelung f bifurcación f de camino bzw. de carretera; ~geld n (-és; -er) peaje m, impuesto m de tránsito.

'weg-eilen (sn) v/i. apresurarse a marchar; marcharse (od. irse) apresuradamente.

'Wege... [e:]: ~karte f itinerario m; mapa m de carreteras; ~lagerer m salteador m de caminos; bandolero m; ~meister m inspector m de caminos; ~messer m odómetro m.

'wegen prp. (gen.) por, a causa de, por causa de; (in Anbetracht) en consideración a od. de; en atención a; considerando; (infolge) a consecuencia de; debido a; (in betreff) respecto a, respecto de; en lo que se refiere a, en lo que concierne a; (mit Rücksicht auf) teniendo en cuenta a/c.; teniendo en cuenta que (ind.); (aus Anlaß) con motivo de; (um ... willen) por amor de; von Amts ~ de oficio; oficialmente; von Rechts ~ conforme a derecho; en virtud de la ley; de derecho; ⚖ ~ Diebstahls por robo.

'Wegenetz [e:] n (-es; -e) red f de carreteras; red f vial.

'Wegerich [e:] ⚘ m (-s; -e) llantén m.

'weg...: ~essen (L) v/t. comérselo todo; F dejar el plato limpio; ~fahren (L) 1. (sn) v/i. irse, marcharse, partir en un vehículo; 2. v/t. llevar, conducir en un vehículo; transportar; 2fall m (-és; 0) supresión f; (Auslassung) omisión f; (Aufhören) cesación f; (Abschaffung) abolición f; v. Hindernissen: eliminación f; ~fallen (L; sn) v/i. (ausgelassen werden) omitirse; (abgeschafft werden) ser od. quedar suprimido bzw. abolido; (ausfallen) no tener lugar; (nicht mehr vorhanden sein) no haber, no existir; dejar de ser; (aufhören) cesar, acabar; (ungültig werden) caducar; no valer; quedar cancelado od. anulado; ~ lassen suprimir; eliminar; ~fegen v/t. barrer; ~feilen v/t. limar, quitar con la lima; ~fliegen (L; sn) v/i. levantar el vuelo; Person: partir en avión; Sache: ser llevado por el viento; ~fließen (L; sn) v/i. derramarse; ~führen v/t. llevar consigo; 2gang m (-és; 0) partida f; beim ~ al partir; al salir (aus de); ~geben (L) v/t. dar; (sich entledigen) deshacerse de; desembarazarse de; ~gehen (L; sn) v/i. irse, marcharse; (abreisen) partir; (hinausgehen) salir; ~ über (ac.) pasar por encima (a. fig.); F dieser Artikel geht weg wie warme Semmeln este artículo se agota en cuanto se pone a la venta od. F se da muy bien.

'Weggenosse [e:] m (-n) compañero m de camino.

'weg...: ~gießen (L) v/t. echar od. verter en; tirar (un líquido); ~haben (L) v/t. haber recibido (su parte); et. ~ conocer a fondo a/c., dominar a/c.; es ~ (verstehen) haber comprendido a/c.; F e-n ~ (betrunken sein) haber bebido (od. empinado el codo) más de la cuenta, (verrückt sein) tener un tornillo flojo; ~hängen v/t. colgar en otro lugar; ~haschen v/t. coger (od. F atrapar od. pescar) al vuelo; ~helfen (L) v/i.: j-m ~ ayudar a alg. a continuar su camino; ayudar a alg. en la fuga; ayudar a alg. a salir de un apuro; j-m ~ über (ac.) ayudar a alg. a pasar a/c.; ~hinken, ~humpeln (-le; sn) v/i. irse (od. alejarse) cojeando; ~hobeln (-le) v/t. acepillar, alisar con el cepillo bzw. con la garlopa; ~holen v/t. (abholen) ir bzw. venir a buscar; (wegschaffen) llevar consigo; trasladar a otro lugar; ~jagen v/t. ahuyentar; expulsar, arrojar de; echar a la calle; ~kapern ⚓ v/t. apresar; ~kehren v/t. barrer; Augen: volver la vista; ~kommen (L; sn) v/i. salir; irse, marcharse; lograr salir; machen Sie, daß Sie ~! ¡váyase usted!; (verlorengehen) perderse, extraviarse; fig. bei et. gut (schlecht) ~ salir bien librado (malparado) de un asunto; ~kratzen (-t) v/t. raspar, raer; ~kriechen (L; sn) v/i. alejarse arrastrándose; ~kriegen v/t.: et. ~ lograr quitar a/c.; ~lassen (L) v/t. dejar salir; dejar escapar; (auslassen) omitir; (wegstreichen) suprimir; Gr. (elidieren) elidir; 2lassung f (Auslassung) omisión f; (Streichung) supresión f; Gr. (Elision) elisión f; ~laufen (L; sn) v/i. irse corriendo; (davonlaufen) huir, F salir por pies; (desertieren) desertar; das läuft mir nicht weg eso no corre prisa; ~legen v/t. poner aparte; poner a un lado; (verwahren) guardar; Akten: archivar; ~leugnen (-e-) v/t. negar; ~locken v/t. atraer; ~machen v/t. quitar; hacer desaparecer; F sich ~ marcharse; escabullirse, eclipsarse.

'Weg|markierung [e:] f acotación f de un itinerario; ~messer m odómetro m.

'weg...: ~müssen (L) v/i. tener que marcharse; das muß weg esto hay que quitarlo; esto tiene que desaparecer; ich muß weg tengo que marcharme; 2nahme f toma f (a. ⚔); (Entwendung) hurto m, substracción f; robo m; (Beschlag) incautación f; confiscación f; ⚔ requisa f; v. Schmuggelware: aprehensión f; ⚓ apresamiento m; (Eroberung) conquista f; Pol. anexión f; ~nehmen (L) v/t. quitar; (mit Gewalt) arrebatar; (verschwinden machen) hacer desaparecer; (einnehmen) tomar (a. ⚔); (entwenden) hurtar, substraer; robar; (mit Beschlag belegen) incautarse de; confiscar; ⚔ requisar; Schmuggelware: aprehender; ⚓ (Schiff) apresar; (erobern) conquistar; Pol. anexionar; Raum: ocupar; Zeit: consumir; Auto. Gas ~ cortar el gas; e-n Schüler von der Schule ~ retirar de la escuela a un alumno; 2nehmen n → Wegnahme; ~packen v/t. recoger; guardar; poner en su lugar; F sich ~ escapar corriendo, F salir por pies; ~radieren (-) v/t. raspar; mit Radiergummi: borrar; **~raffen** *v/t.* arrebatar; **~räumen** *v/t.* recoger; despejar, quitar de en medio; (*verwahren*) guardar; *Schutt*: descombrar; *Erde*: desmontar; *Hindernis*: remover, quitar; *Schwierigkeiten*: zanjar, allanar; **~reisen** (*sn*) *v/i.* salir (*od.* marchar) de viaje; **~reißen** (*L*) *v/t.* arrancar; quitar por la fuerza; *Häuser usw.*: derribar, demoler; **~reiten** (*L*; *sn*) *v/i.* salir a caballo; **~rennen** (*L*; *sn*) *v/i.* salir corriendo; (*davonlaufen*) escapar corriendo, F tomar las de Villadiego, salir por pies; **~rücken 1.** *v/t.* apartar; retirar, quitar; remover; **2.** (*sn*) *v/i.* hacer sitio; **~rufen** (*L*) *v/t.* llamar; **~schaffen** *v/t.* (*woandershin*) llevar, conducir, trasladar, llevar a otra parte; alejar; (*beiseite schaffen*) apartar; despejar, quitar de en medio; (*befördern*) transportar; *Schutt*: descombrar; ⚘ eliminar; **~schaufeln** (*-le*) *v/t.* quitar con la pala.

ˈ**Wegscheide** [e:] *f* cruce *m* de caminos; (*Weggabelung*) bifurcación *f* (de un camino).

ˈ**weg...: ~scheren** F *v/t.* quitar con las tijeras; *sich* ~ F largarse, salir pitando; **~scheuchen** *v/t.* ahuyentar; *bsd. Jgdw.* espantar; **~schicken** *v/t.* enviar; *Waren*: expedir, despachar; (*entlassen*) despedir, despachar; **~schieben** (*L*) *v/t.* empujar; apartar empujando; **~schießen** (*L*) *v/t.* derribar de un tiro; F tumbar de un balazo; **~schleichen** (*L*) *v/refl.*: *sich* ~ escabullirse, marcharse a hurtadillas; **~schleppen** *v/t.* arrastrar; llevar a rastras; (*mitnehmen*) llevar consigo; **~schleudern** (*-re*) *v/t.* lanzar, arrojar; **~schließen** (*L*) *v/t.* encerrar, guardar bajo llave; **~schmeißen** (*L*) F *v/t.* tirar; **~schnappen** *v/t.* coger, agarrar; F *fig.* pescar, atrapar; *j-m* et. ~ birlar a alg. a/c.; **~schneiden** (*L*) *v/t.* cortar; recortar; *Chir.* resecar, *Glied*: amputar; **~schütten** (*-e-*) *v/t.* tirar; **~schwemmen** *v/t.* llevarse, *stärker*: arrastrar; **~schwimmen** (*L*; *sn*) *v/i.* ser arrastrado por la corriente; (*sich schwimmend entfernen*) alejarse nadando; **~sehen** (*L*) *v/i.* apartar la vista; *fig.* ~ *über* (*ac.*) no hacer caso de; F hacer la vista gorda; **~sehnen** *v/refl.* ansiar el momento de partir; **~sein** (*L*; *sn*) *v/i.* estar ausente; estar fuera; (*nicht zu Hause sein*) no estar en casa; (*weggegangen sein*) haber salido; (*verloren sein*) haberse perdido; **~setzen** (*-t*) *v/t.* apartar, poner aparte *od.* a un lado; **~spülen** *v/t.* lavar; *Fluten*: arrastrar; *Geol.* (*Erdreich*) derrubiar; **~stecken** *v/t.* (*verbergen*) esconder; **~stehlen** (*L*) *v/t.* hurtar; *sich* ~ F *fig.* eclipsarse; **~stellen** *v/t.* poner a un lado; poner en otro lugar; **~sterben** (*L*; *sn*) *v/i.* morirse; **~stoßen** (*L*) *v/t.* rechazar; empujar; apartar de un empujón.

ˈ**Wegstrecke** [e:] *f* recorrido *m*; trayecto *m*.

ˈ**wegstreichen** (*L*) *v/t.* suprimir; (*ausstreichen*) tachar; borrar; *über* et. ~ pasar la mano por.

ˈ**Wegstunde** [e:] *f* legua *f*.

ˈ**weg...: ~stürzen** (*-t*; *sn*) *v/i.* salir (*od.* marcharse) precipitadamente; **~tragen** (*L*) *v/t.* llevarse; **~treiben** (*L*) **1.** *v/t.* expulsar, desalojar, arrojar de; **2.** (*sn*) *v/i.*: *mit dem Strom* ~ ser arrastrado por la corriente; **~treten** (*L*; *sn*) *v/i.* retirarse; ⚔ romper filas; ~! ¡rompan filas!; **~tun** (*L*) *v/t.* (*wegnehmen*) quitar; retirar; (*wegwerfen*) tirar, arrojar; (*beiseite tun*) poner a un lado; (*beiseite schieben*) apartar, poner aparte; (*verwahren*) guardar; encerrar; (*verstecken*) esconder; **~wälzen** (*-t*) *v/t.* arrollar; arrastrar (rodando); **~waschen** (*L*) *v/t.* lavar; **~wehen 1.** *v/t.* llevarse (el viento); **2.** (*sn*) *v/i.* ser llevado por el viento; **~weisend** *adj.* orientador.

ˈ**Wegweiser** [e:] *m Person*: guía *m*; *Buch*: guía *f*; (*Pfahl*) poste *m* indicador.

ˈ**weg...: ~wenden** (*L*) *v/t.* desviar, apartar; volver; *den Blick* ~ apartar la vista (de); *das Gesicht* ~ volver la cara; **~werfen** (*L*) *v/t.* arrojar, tirar; (*verschwenden*) derrochar, tirar; *sich* ~ rebajarse, degradarse; envilecerse; **~werfend** *adj.* desdeñoso; despectivo, despreciativo; **~wischen** (*L*) *v/t.* quitar estregando con un trapo; borrar; **~wünschen** *v/t.*: *j-n* ~ desear que alg. se vaya; **~zaubern** (*-re*) *v/t.* hacer desaparecer como por encanto; escamotear.

ˈ**Weg|zehrung** [e:] *f* provisiones *f/pl.* para el viaje (*od.* para el camino); *Rel. letzte* ~ viático *m*; **~zeichen** *n* señal *f* indicadora (de camino); (*Wegweiser*) poste *m* indicador.

ˈ**weg...: ~zerren** *v/t.* llevar arrastrando (*od.* a rastras); **~ziehen** (*L*) **1.** *v/t.* quitar, retirar; *Vorhang*: descorrer; **2.** (*sn*) *v/i.* irse, marcharse; *aus der Wohnung*: mudarse; *aus dem Lande*: emigrar; *Zugvögel*: pasar; **2zug** *m* (*-es*; *⁼e*) partida *f*; marcha *f*; *aus der Wohnung*: mudanza *f*; *aus dem Lande*: emigración *f*; *der Zugvögel*: paso *m*.

Weh *n* (*-es*; *-e*) mal *m*; (*Schmerz*) dolor *m*; *seelischer*: pena *f*, aflicción *f*; (*Unglück*) desgracia *f*; *mit Ach und* ~ a duras penas.

weh[1] **1.** *adj.* malo; dolorido; (*schmerzhaft*) doloroso; *e-n* ~*en Finger haben* tener un dedo dolorido *od.* F malo; **2.** *adv.*: ~ *tun* (*schmerzen*) doler; *j-m* ~ *tun* causar dolor a alg.; *seelisch*: apenar (*od.* afligir *od.* contristar) a alg.; *wo tut es dir* ~? ¿dónde te duele?; *es ist mir* ~ *ums Herz* estoy muy apenado; *der Kopf tut mir* ~ me duele la cabeza; *sich* ~ *tun* hacerse daño, lastimarse.

weh[2], **~e** *int.*: ~!, *au* ~! ¡ay!; *o* ~! ¡ay, Dios mío!; *ach und* ~ *schreien* lanzar ayes lastimeros; ~*e mir* (*dir*; *ihm*)! ¡ay de mí (de tí; de él)!; ¡pobre *od.* desgraciado de mí (de tí; de él)!; ~*e den Besiegten!* ¡ay de los vencidos!

ˈ**Wehe**[1] *f* (*Schnee2*) duna *f* de nieve.

ˈ**Wehe**[2] *f*, ~*n pl.* ⚕ dolores *m/pl.* de parto, contracciones *f/pl.* uterinas.

ˈ**wehen I.** *v/i. Wind*: soplar; *Fahne usw.*: ondear, flotar; *mit dem Taschentuch* ~ agitar el pañuelo; *es weht kein Lüftchen* no se mueve una hoja; **II.** 2 *n* soplo *m*; ondeo *m*.

ˈ**Weh...: ~gefühl** *n* (*-es*; *-e*) dolor *m*; *seelisches*: sentimiento *m*, pena *f*, aflicción *f*; **~geschrei** *n* (*-es*; *0*) lamentos *m/pl.*; gritos *m/pl.* de dolor; **~klage** *f* lamento *m*; queja *f*; gemido *m*; **2klagen** *v/i.* lamentarse; quejarse; gemir; **2leidig** *adj.* (*dauernd jammernd*) quejumbroso, quejicoso; (*zimperlich*) ñoño; **~mut** *f* (*0*) melancolía *f*; **2mütig** *adj.* melancólico.

Wehr[1] *n* (*-es*; *-e*) (*Damm*) dique *m*; (*Fangdamm*) ataguía *f*; (*Stau2*) presa *f* de embalse.

ˈ**Wehr**[2] *f* (*Ab2*) defensa *f*; (*Waffe*) arma *f* defensiva; (*Bollwerk*) baluarte *m*; (*Schutz*) protección *f*; *sich zur* ~ *setzen* defenderse; oponer resistencia; **~be-auftragte(r)** *m* comisario *m* de las fuerzas armadas; **~beitrag** *m* (*-es*; *⁼e*) contribución *f* a la defensa común; **~bezirk** *m* (*-es*; *-e*) distrito *m* militar; **~dienst** *m* (*-es*; *-e*) servicio *m* militar; **2diensttauglich** *adj.* apto para el servicio militar; **~dienstverweigerer** *m* soldado *m* insumiso; *aus Gewissensgründen*: objetante *m* de (motivos de) conciencia.

ˈ**wehren 1.** *v/refl.*: *sich* ~ defenderse; (*Widerstand leisten*) oponer resistencia (*gegen* a); resistirse a; *sich mit aller Macht* (*mit Händen und Füßen*) ~ defenderse con todas sus fuerzas (F con uñas y dientes); *sich s-s Lebens* (*s-r Haut*) ~ defender su vida (P su pellejo); **2.** *v/i.*: *j-m* et. ~ impedir a alg. hacer a/c., (*es ihm verbieten*) prohibir a alg. a/c.; *e-r Sache* (*dat.*) ~ oponerse a a/c.; *e-m Übel* ~ evitar *od.* precaver un mal; *wer will es ihm* ~? ¿quién va a impedírselo?

ˈ**Wehr...: ~ertüchtigung** *f* preparación *f* militar; **~etat** *m* (*-s*; *-s*) presupuesto *m* de defensa nacional; **2fähig** *adj.* → *wehrdiensttauglich*; **~gang** *m* (*-es*; *⁼e*) adarve *m*; **~gehänge** *n* talabarte *m*; tahalí *m*; cinturón *m*; **2haft** *adj.* apto para el servicio militar; capaz de defenderse (*od.* de luchar); (*tapfer*) valiente, arrojado; **~hoheit** *f* (*0*) soberanía *f* militar; **~kraft** *f* (*0*) fuerza *f* defensiva; **~kreis** *m* (*-es*; *-e*) región *f* militar; **2los** *adj.* (*-est*) indefenso, sin defensa; sin armas, inerme; sin poder defenderse; (*schwach*) débil; ~ *machen* desarmar; **~losigkeit** *f* (*0*) indefensión *f*; imposibilidad *f* de defenderse; falta *f* de medios de defensa; (*Schwäche*) debilidad *f*; **~macht** *f* (*0*) fuerzas *f/pl.* armadas; ejército *m*; **~machtbericht** *m* (*-es*; *-e*) parte *m* oficial del alto mando; **~melde-amt** *n* (*-es*; *⁼er*) caja *f* de reclutamiento; **~paß** *m* (*-sses*; *⁼sse*) cartilla *f* militar; **~pflicht** *f* (*0*) servicio *m* militar obligatorio; **~pflichtgesetz** *n* (*-es*; *-e*) ley *f* del servicio militar obligatorio; **2pflichtig** *adj.* sujeto al servicio militar; **~sold** *m* (*-es*; *0*) haber *m*; soldada *f*; **~sport** *m* (*-es*; *0*) educación *f* física militar; **~stammrolle** *f* lista *f* de reclutamiento.

Weib *n* (*-es*; *-er*) mujer *f*; (*weibliches Wesen*) hembra *f*; (*Gattin*) esposa *f*, F mujer *f*; ~ *und Kind haben* tener mujer e hijo(s); *zum* ~*e nehmen* tomar por esposa, casarse con; *zum* ~*e geben* dar en matrimonio a, casar con; ... *gebenedeit unter den* ~*ern* (*im Ave-Maria*) ... bendita (tú eres) entre todas las mujeres; '~**chen** *Zoo. n* hembra *f*; F mujercita *f*.

'**Weiber...:** ~**art** *f* (*0*) modo *m* propio de la mujer; *nach* ~ mujerilmente, afeminadamente; como las mujeres; *nach* ~ *reiten* cabalgar a mujeriegas; ~**feind** *m* (-*es*; -*e*) misógino *m*; ~**geschwätz** *n* (-*es*; *0*) F comadreo *m*; cotorreo *m*; ~**held** *m* (-*en*) hombre *m* mujeriego (*od.* aficionado a las faldas); F tenorio *m*, castigador *m*; ~**herrschaft** *f* (*0*) ginecocracia *f*, gobierno *m* de las mujeres; ~**klatsch** *m* (-*es*; *0*) → *Weibergeschwätz*; ~**laune** *f* capricho *m* de mujer; ~**list** *f* astucia *f* femenina; 2**toll** *adj.* mujeriego; ~**volk** *n* (-*es*; *0*) mujeres *f/pl.*; mujerío *m*.

'**weib...:** ~**isch** *adj.* afeminado; mujeril; ~ *machen* afeminar; ~**lich** *adj.* femenino (*a. Gr.*); femenil; mujeril; ⚘ *u. Zoo.* hembra; 2**lichkeit** *f* (*0*) femineidad *f*, feminidad *f*; naturaleza *f* femenina; *die holde* ~ el bello sexo.

'**Weibs|bild** *n* (-*es*; -*er*), ~**person** *f* hembra *f*; *desp.* mujerzuela *f*; (*gemeines*) mujer *f* ordinaria *od.* zafia; P tiorra *f*; (*häßliches, freches*) F tarasca *f*; (*großes, liederliches*) F pendón *m*; (*derbes*) mujerona *f*; ~**leute** *pl.* mujeres *f/pl.*; mujerío *m*.

weich *adj.* blando; (*zart*) delicado; (*milde, sanft*) suave; (*mürbe*) tierno (*a. Brot, Fleisch*); (*weichgepolstert*) muelle; (*biegsam*) flexible; (*weichherzig*) sensible; impresionable; (*schlaff*) fláccido; (*schwammig*) fofo; esponjoso; *Hut*: flexible; *Kragen*: blando; *Haar*: sedoso; *Farbtöne*: desvaído; suave; tenue; *Wasser*: delgado, fino; *Teig*: pastoso; *Eisen*: dulce; ~*es Ei* huevo pasado por agua; ~ *machen* ablandar (*a. fig.*); reblandecer; suavizar, (*rühren*) enternecer; *Stahl*: destemplar; ~ *werden* ablandarse (*a. fig.*); reblandecerse, ponerse blando; (*sich rühren lassen*) enternecerse; (*nachgeben*) ceder; (*milder werden*) suavizarse; *sich* ~ *anfühlen* ser blando al tacto; *fig. ein* ~*es Herz haben* ser blando de corazón; '2**bild** *n* (-*es*; -*er*) *e-r Stadt*: término *m* municipal; casco *m* de la ciudad.

'**Weiche**[1] *Anat. f* ijada *f*, vacío *m*; flanco *m*.

'**Weiche**[2] 🚂 *f* aguja *f*; *die* ~*n stellen* (*umstellen*) poner (cambiar) la aguja.

'**weichen**[1] *v/t.* (*ein*~) remojar, poner en remojo.

'**weichen**[2] **I.** (*L*; *sn*) *v/i.* ceder (*vor dat.* ante); retroceder; recular; retirarse (*a.* ⚔); *fig. Preise*: mostrar tendencia a bajar; *j-m nicht von der Seite* ~ no apartarse del lado de alg.; seguir a alg. como la sombra al cuerpo; *von j-m* ~ abandonar (*od.* dejar solo) a alg.; *nicht von der Stelle* ~ no moverse del sitio; no apartarse de su puesto; no retroceder una pulgada; **II.** 2 *n* retroceso *m*.

'**Weichen...:** ~**signal** 🚂 *n* (-*s*; -*e*) señal *f* de cambio de vía; ~**steller** *m* guardaagujas *m*; ~**stellung** *f* maniobra *f* de agujas; ~**stellwerk** *n* (-*es*; -*e*) dispositivo *m* de maniobra de agujas.

'**weich...:** ~**gekocht** *adj. Ei*: pasado por agua; 2**heit** *f* (*0*) blandura *f*; flexibilidad *f*; ternura *f*; *fig.* suavidad *f*; delicadeza *f*; ~ *des Gemütes* dulzura *f*; sensibilidad *f*; ~**herzig** *adj.* blando de corazón; sensible; impresionable; 2**herzigkeit** *f* (*0*) ternura *f* de corazón; sensibilidad *f*; 2**holz** *n* (-*es*; ⸚*er*) madera *f* blanda; 2**käse** *m* queso *m* blando; ~**lich** *adj.* blando; flojo; *fig.* delicado; *Person*: blandengue; (*schwächlich*) débil; (*unmännlich*) afeminado; (*lässig*) indolente; (*zimperlich*) melindroso; 2**lichkeit** *f* (*0*) blandura *f*, molicie *f*; flojedad *f*; afeminamiento *m*; melindrería *f*; 2**ling** *m* (-*s*; -*e*) hombre *m* afeminado; P marica *m*, blandengue *m*; (*Schwelger*) sibarita *m*; 2**macher** ⊕ *m* plastificante *m*.

'**Weichsel**[1] [ks] *f* (*Fluß*) Vístula *m*.

'**Weichsel**[2] [ks] ⚘ *f* (-; -*n*) guinda *f*; ~**holz** *n* (-*es*; ⸚*er*) madera *f* de guindo; ~**kirsche** ⚘ *f* guinda *f*; ~**kirschbaum** *m* (-*es*; ⸚*e*) guindo *m*; ~**rohr** *n* (-*es*; -*e*) tubo *m* de pipa (hecho con madera de guindo); ~**zopf** ⚕ *m* (-*es*; ⸚*e*) plica *f* polonesa, tricoma *m*.

'**Weich...:** ~**teile** *Anat. m/pl.* partes *f/pl.* blandas; ~**tiere** *Zoo. n/pl.* moluscos *m/pl.*; ~**werden** *n* ablandamiento *m*; reblandecimiento *m*.

'**Weide**[1] ⚘ *f* sauce *m*; (*Korb*2) mimbrera *f*; *Rute*: mimbre *m*.

'**Weide**[2] *f* (*Vieh*2) pastos *m/pl.*; (*eingehegte*) dehesa *f*; (*Wiese*) prado *m*; (*Nahrung*) pasto *m* (*a. fig.*); *auf die* ~ *führen* (*od. treiben*) llevar a pastar (*od.* a pacer); ~**land** *n* (-*es*; ⸚*er*) campos *m/pl.* de pastoreo.

'**weiden I.** (-*e*-) **1.** *v/i.* pacer, pastar; **2.** *v/t.* apacentar el ganado, pastar; pastorear; llevar a pacer; **3.** *v/refl. sich an et.* (*dat.*) ~ *fig.* deleitarse en a/c.; complacerse de (*od.* en *od.* con) a/c.; (*schadenfroh, lüstern*) recrearse en el mal ajeno; **II.** 2 *n* pastoreo *m*; apacentamiento *m*.

'**Weiden...:** ~**baum** *m* (-*es*; ⸚*e*) sauce *m*; (*Korb*2) mimbrera *f*; ~**gebüsch** *n* (-*es*; -*e*), ~**gehölz** *n* (-*es*; -*e*) saucedal *m*, salceda *f*; mimbreral *m*; ~**geflecht** *n* (-*es*; -*e*) tejido *m* de mimbre; ~**gerte** *f* vara *f* de mimbre; ~**kätzchen** ⚘ *n* flor *f* del sauce; ~**korb** *m* (-*es*; ⸚*e*) cesta *f* de mimbre; ~**rute** *f* varita *f* de mimbre.

'**Weide...:** ~**platz** *m* (-*es*; ⸚*e*) pastos *m/pl.*; (*offen*) pasturaje *m*; (*eingehegter*) dehesa *f*; *bsd. für Pferde*: pastizal *m*; ~**recht** *n* (-*es*; -*e*) derecho *m* de pastoreo.

'**Weiderich** ⚘ *m* (-*s*; *0*) salicaria *f*.

'**weidgerecht** *adj. Jgdw.* diestro en (el arte de) la caza; de buen cazador; conforme a las costumbres de los cazadores *bzw.* a las reglas de la caza.

'**Weidicht** *n* (-*es*; -*e*) → Weiden-gebüsch.

'**weidlich** *adv.* bravamente, valientemente; (*ausgiebig*) copiosamente; (*gehörig*) como es debido; (*nach Herzenslust*) a placer; F de lo lindo.

'**Weid|mann** *m* (-*es*; ⸚*er*) cazador *m*; 2**männisch** *adj.* de (*adv.* como) buen cazador; ~**manns'heil** *n*: ~! ¡buena caza!; ~**mannssprache** *f* (*0*) jerga *f* de los cazadores; ~**messer** *n* cuchillo *m* de monte; ~**werk** *n* (-*es*; *0*) montería *f*; caza *f*; 2**wund** *Jgdw. adj.* (*0*) herido.

'**weiger|n** (-*re*) *v/t.* negar; rehusar; *sich* ~, *et. zu tun* negarse a hacer a/c.; resistirse a hacer a/c.; 2**ung** *f* negativa *f*; 2**ungsfall** *m*: *im* ~*e* en caso de negativa.

Weih *Orn. m* (-*es*; -*e*) milano *m*.

'**Weih|altar** *m* (-*s*; ⸚*e*) altar *m* consagrado; ~**becken** *n* pila *f* (de agua bendita); ~**bild** *n* (-*es*; -*er*) exvoto *m*; ~**bischof** *m* (-*s*; ⸚*e*) obispo *m* sufragáneo; obispo *m* auxiliar.

'**Weihe**[1] *Orn. f* milano *m*.

'**Weihe**[2] *f* consagración *f* (*a. e-r Kirche*); (*Segnung*) bendición *f*; (*Einweihung*) inauguración *f*; *e-s Priesters*: ordenación *f*; *e-s Bischofs, Königs*: consagración *f*; *fig.* solemnidad *f*; *e-r Sache* (*dat.*) *die rechte* ~ *verleihen* solemnizar un acto.

'**weihen I.** *v/t.* consagrar (*a. Bischof, Kirche, Hostie*); (*segnen*) bendecir; (*heiligen*) santificar; (*widmen*) dedicar; consagrar; *j-n zum Priester* ~ ordenar sacerdote a alg., conferir las (sagradas) órdenes a alg.; *sich* ~ (*sich widmen*) consagrarse a; dedicarse a; **II.** 2 *n* → Weihe[2].

'**Weiher** *m* estanque *m*; (*Fisch*2) vivero *m*; piscina *f*.

'**Weihe|stunde** *f* hora *f* solemne; acto *m* solemne; hora *f* de edificación espiritual; 2**voll** *adj.* solemne; lleno de unción.

'**Weih|gabe** *f*, ~**geschenk** *n* (-*es*; -*e*) ofrenda *f*; exvoto *m*.

'**Weihnacht** *f*, ~**en** *n* Navidad *f*; *zu* ~ para Navidad; *um* ~ por Navidad; *fröhliche* ~! ¡felices pascuas!; 2**lich** *adj.* navideño; de Navidad.

'**Weihnachts...:** ~**abend** *m* (-*s*; -*e*) Nochebuena *f*; ~**baum** *m* (-*es*; ⸚*e*) árbol *m* de Navidad; ~**bescherung** *f* distribución *f* de los regalos de Navidad (en la Nochebuena); ~**brauch** *m* (-*es*; ⸚*e*) costumbre *f* navideña; ~**feier** *f* (-; -*n*) celebración *f* de la Navidad; ~**fest** *n* (-*es*; -*e*) fiesta *f* de Navidad; ~**gesang** *m* (-*es*; ⸚*e*) cántico *m* de Navidad; ~**geschenk** *n* (-*es*; -*e*) regalo *m* de Navidad; aguinaldo *m*; ~**gratifikation** *f* gratificación *f* de Navidad; ~**lied** *n* (-*es*; -*er*) villancico *m*; cántico *m* de Navidad; ~**mann** *m* (-*es*; ⸚*er*) Papá *m* Noel; ~**markt** *m* (-*es*; ⸚*e*) feria *f* de Navidad; mercado *m* navideño; ~**mette** *f* misa *f* del gallo; ~**tag** *m* (-*es*; -*e*) día *m* de Navidad; ~**zeit** *f* (*0*) tiempo *m* de Navidad; época *f* navideña.

'**Weihrauch** *m* (-*es*; *0*) incienso *m*; ~ *streuen* incensar; *fig. j-m* ~ *streuen* lisonjear a alg.; ~**dampf** *m* (-*es*; ⸚*e*) humo *m* de incienso; ~**faß** *n* (-*sses*; ⸚*sser*) incensario *m*; ~**streuen** *n* incensada *f*; *fig.* adulación *f*, lisonja *f*.

'**Weih|wasser** *n* agua *f* bendita; ~**wasserbecken** *n* pila *f* de agua bendita; ~**wedel** *m* hisopo *m*.

weil *cj.* porque; como; (*da ja*) ya que; puesto que; (*in Anbetracht, daß*) en vista de que.

'**Weilchen** *n* instante *m*; F momentito *m*; ratito *m*.

'**Weile** *f* (0) (*Zeitspanne*) espacio *m* de tiempo; lapso *m*; (*Augenblick*) instante *m*, momento *m*, *et. länger*: rato *m*; (*Muße*) rato *m* de ocio; e-e *ganze* ~ un buen rato; *es ist schon e-e gute* ~ *her, daß* hace ya un buen rato que; *über e-e kleine* ~ dentro de un rato; *vor e-r kleinen* ~ hace un rato; hace un momento (*od.* unos momentos); *nach e-r kleinen* ~ momentos después; poco después; al poco rato; al cabo de un rato; *damit hat es gute* ~ no hay prisa; *mit* ~ despacio; *Eile mit* ~ de prisa pero sin precipitarse; F despacio y buena letra.

'**weilen** *v/i.* permanecer; (*sich aufhalten*) detenerse; estar *bzw.* quedarse en algún lugar; *fig. er weilt nicht mehr unter uns* ya no está entre nosotros; ha pasado a mejor vida.

'**Weiler** *m* casar *m*; caserío *m*.

Wein *m* (-*es*; -*e*) vino *m*; (~*rebe*) ⚘ vid *f*; *wilder* ~ vid silvestre; *junger* ~ vino de la última cosecha; *abgelagerter* (*alter*) ~ vino rancio (añejo); *süßer* (*herber*) ~ vino dulce (seco); *halbsüßer* ~ vino embocado *od.* abocado *od.* medio seco; *roter* (*weißer*) ~ vino tinto (blanco); *schwerer* ~ vino fuerte *od.* de mucho cuerpo; *leichter* ~ vino ligero *od.* de poco cuerpo; vinillo; *naturreiner* ~ vino puro *od.* natural; *verschnittener* ~ vino mezclado *od.* cortado; *mit Wasser verdünnter* ~ vino aguado *od.* F bautizado; *fig. j-m reinen* ~ *einschenken* decir a alg. la cruda verdad.

'**Wein...**: 2**artig** *adj.* vinoso; ~**ausschank** *m* (-*es*; ¨*e*) despacho *m* de vinos; ~**bau** *m* (-*es*; 0) cultivo *m* de la vid, viticultura *f*; (*Weinherstellung*) vinicultura *f*; industria *f* vinícola; ~ *treiben* cultivar la vid; ~**bauer** *m* (-*n*) viñador *m*, *Arg.* viñatero *m*; *im großen*: viticultor *m*; vitivinicultor *m*; ~**baugebiet** *n* (-*es*; -*e*) región *f* vinícola; ~**beere** *f* (grano *m* de) uva *f*; ~**bereitung** *f* vinificación *f*; ~**berg** *m* (-*es*; -*e*) viña *f*; viñedo *m*; ~**berghütte** *f* candalecho *m*; ~**berg(s)hacke** *f* binador *m*; ~**bergschnecke** *Zoo.* *f* caracol *m* común; ~**blatt** *n* (-*es*; ¨*er*) hoja *f* de vid, pámpano *m*; ~**blüte** *f* flor *f* de la vid; *Zeit*: floración *f* de la vid; ~**brand** *m* (-*es*; ¨*e*) coñac *m*; ~**butte** *f* banasta *f*; ~**drossel** *Orn.* *f* (-; -*n*) malvís *m*.

'**wein|en** *v/i. u. v/t.* llorar; *Tränen* ~ verter lágrimas; *um et.* ~ llorar por a/c.; *um j-n* ~ llorar la muerte de alg.; ~ *vor* (*dat.*) llorar de; *heftig* ~ llorar a lágrima viva; 2**en** *n* lágrimas *f/pl.*, llanto *m*; *j-n zum* ~ *bringen* hacer llorar a alg.; *dem* ~ *nahe sein* estar a punto de llorar; *es ist zum* ~ es para (echarse a) llorar; ~**erlich** *adj.* (*der viel weint*) llorón; (*verweint*) lloroso; *Thea. Stück*: *hum.* lacrimógeno; ~ *tun* lloriquear.

'**Wein...**: ~**ernte** *f* vendimia *f*; ~**ertrag** *m* (-*es*; ¨*e*) producción *f* vitivinícola; ~**erzeuger** *m* vitivinicultor *m*; ~**essig** *m* (-*s*; 0) vinagre *m* de vino; 2**farben,** 2**farbig** *adj.* vinoso; ~**faß** *n* (-*sses*; ¨*sser*) tonel *m*; pipa *f*; cuba *f*; ~**flasche** *f* botella *f* para vino; ~**garten** *m* (-*s*; ¨) viña *f*; viñedo *m*; ~**gärtner** *m* viñador *m*; ~**gegend** *f* región *f* vinícola; ~**geist** *m* (-*es*; 0) espíritu *m* de vino; ⚗ alcohol *m* etílico; ~**geländer** *n* parral *m*, emparrado *m*; ~**glas** *n* (-*es*; ¨*er*) copa *f* para vino; ~**handel** *m* (-*s*; 0) comercio *m* de vinos; ~**händler** *m* negociante *m* en vinos; vinatero *m*; ~**handlung** *f* almacén *m* de vinos; vinatería *f*; (*Weinhandel*) comercio *m* de vinos; vinatería *f*; ~**heber** *m* catavino *m*; ~**hefe** *f* heces *f/pl.* del vino; ~**jahr** *n*: *gutes* ~ año abundante en vinos; ~**kanne** *f* jarro *m* para vino; ~**karte** *f* lista *f* de vinos; ~**keller** *m* bodega *f*; ~**kelter** *f* (-; -*n*) lagar *m*; ~**kenner** *m* conocedor *m* de vinos.

'**Weinkrampf** ⚕ *m* (-*es*; ¨*e*) llanto *m* convulsivo.

'**Wein...**: ~**krug** *m* (-*es*; ¨*e*) cántaro *m* para vino; ~**küfer** *m* tonelero *m*; ~**lager** *n* depósito *m* de vinos; almacén *m* de vinos; ~**land** *n* (-*es*; ¨*er*) país *m* vinícola; ~**laub** *n* (-*es*; 0) hojas *f/pl.* de la vid, pámpanos *m/pl.*; ~**laube** *f* parral *m*, emparrado *m*; ~**lese** *f* vendimia *f*; *Zeit der* ~ tiempo *m* (*od.* época *f*) de la vendimia; ~**leser(in** *f*) *m* vendimiador(a *f*) *m*; ~**lesezeit** *f* tiempo *m* (*od.* época *f*) de la vendimia; ~**lokal** *n* (-*es*; -*e*) taberna *f*, F tasca *f*, borrachería *f*; (*Restaurant*) restaurante *m* (de vinos selectos); ~**markt** *m* (-*es*; ¨*e*) mercado *m* de vinos; ~**most** *m* (-*es*; -*e*) mosto *m* de uva; ~**presse** *f* prensa *f* de uvas; ~**probe** *f* muestra *f* de vino; (*das Probieren*) prueba *f* (*od.* cata *f*) de vinos; ~**ranke** *f* pámpano *m*; ~**rebe** *f* ⚘ vid *f*; (*Rebstock*) cepa *f*; (*Ranke*) pámpano *m*, *holzige*: sarmiento *m*; 2**reich** *adj.* rico (*od.* abundante) en vinos; *Gegend*: vitícola; 2**rot** *adj.* (0) rojo vinoso; ~**säure** ⚗ *f* ácido *m* tartárico; ~**schenke** *f* → *Weinlokal*; ~**schlauch** *m* (-*es*; ¨*e*) odre *m od.* pellejo *m* de vino; *kleiner*: bota *f* de vino; ~**schmecker** *m* catavinos *m*; 2**selig** *adj.* F achispado, calamocano; (*betrunken*) borracho, beodo, embriagado, F amonado; ~**stein** ⚗ *m* (-*es*; 0) tártaro *m*, crémor *m* tártaro; ~**steinsäure** ⚗ *f* (0) → *Weinsäure*; ~**steuer** *f* (-; -*n*) impuesto *m* sobre los vinos; ~**stock** *m* (-*es*; ¨*e*) cepa *f*; (*Rebe*) vid *f*; *hoher*: parra *f*; ~**stube** *f* → *Weinlokal*; 2**tragend** *adj.* vinífero; ~**traube** *f* racimo *m* de uvas; ~**traubenkur** ⚕ *f* cura *f* uval; ~**treber** *m*, ~**trester** *m/pl.* orujo *m* de la uva; ~**trinker** *m* bebedor *m* de vino; 2**trunken** *adj.* bebido; F achispado, calamocano; ~**vorrat** *m*: *e-n guten* ~ *haben* tener una buena bodega; ~**zwang** *m* (-*es*; 0) obligación *f* de tomar vino.

'**weise** *adj.* sabio; (*vorsichtig*) prudente; ~ *Frau* (*Hebamme*) partera *f*, comadrona *f*.

'**Weise** *f* manera *f*, modo *m*; forma *f*; método *m*; (*Sitte*) costumbre *f*, uso *m*; ♪ aire *m*, melodía *f*; *auf diese* ~ de este modo, de esta manera; *auf die e-e oder andere* ~ de uno u otro modo; *auf gleiche* ~ del mismo modo, de la misma manera; *auf jede* ~ de todos modos, de todas (las) maneras; *auf keine* ~ de ningún modo, de ninguna manera, en modo alguno, en manera alguna; *auf m-e* ~ a mi manera, a mi modo; *auf alle mögliche* ~ de todas las maneras posibles; *auf welche* (*od. was für e-e*) ~? ¿de qué modo (*od.* manera)?; *in der* ~, *daß* de modo (*od.* manera) que; *jeder nach s-r* ~ cada cual a su manera (*od.* a su gusto); cada uno como mejor le parezca.

'**Weisel** *m* abeja *f* reina.

'**weisen** (*L*) *v/t.* (*zeigen*) mostrar, enseñar; señalar, indicar; (*verweisen*) remitir (*an ac.* a); (*entfernen*) expulsar (*aus, von* de); *Sport*: *vom Felde* ~ expulsar del campo, *bsd. Fußball*: F enviar a la caseta; *j-m die Tür* ~ echar a alg. a la calle, poner a alg. en la puerta, F poner a alg. de patitas en la calle; *von der Hand* (*od. von sich*) ~ rechazar; apartar (lejos) de sí; *nach Norden* ~ (*Magnetnadel*) señalar el norte.

'**Weise(r)** *m* sabio *m*; *der Stein der Weisen* la piedra filosofal; *die Weisen aus dem Morgenland* los (tres) Reyes Magos.

'**Weisheit** *f* sabiduría *f*; (*Wissen*) saber *m*; (*Wissenschaft*) ciencia *f*; (*Gelehrsamkeit*) erudición *f*; *der* ~ *letzter Schluß* el último recurso; *mit s-r* ~ *zu Ende sein* ya no saber qué hacer; F *die* ~ *mit Löffeln gegessen haben* ser un pozo de ciencia; *er hat die* ~ *nicht mit Löffeln gegessen* F *fig.* no ha inventado la pólvora; *Bib.* ~ *Salomonis* la Sapiencia, el Libro de la Sabiduría; ~**skrämer** *m* (*dünkelhafter*) sabihondo *m*; 2**svoll** *adj.* muy sabio; lleno de sabiduría; sapientísimo; ~**szahn** *Anat.* *m* (-*es*; ¨*e*) muela *f* del juicio.

'**weis|lich** *adv.* sabiamente; prudentemente; cuerdamente; ~**machen** *v/t.*: *j-m et.* ~ hacer creer a/c. a alg.; *j-m et.* ~ *wollen* pretender engañar a alg.; contar a alg. una patraña; *das mach e-m anderen weis* eso díselo a quien te lo crea; P eso se lo cuentas a tu abuela; *sich et.* ~ *lassen* dejarse engañar (F como un chino).

weiß I. *adj.* (-*est*) blanco; ~ *machen* blanquear, emblanquecer; ~ *werden* ponerse blanco; blanquear, emblanquecer; ~ *anstreichen* pintar de blanco; (*tünchen*) enjalbegar; encalar; ~ *kleiden* vestir de blanco; ~*e Farbe* color blanco, *des Schnees, der Hautfarbe*: blancura; ~*e Blutkörperchen Bio.* glóbulos blancos, leucocitos; ~*es Feld* ▨ campo de plata; ✝ 2*e Woche* semana blanca; ~*e Kohle* (*Wasserkraft*) hulla blanca; 2*er Sonntag* Domingo de Cuasimodo; ~*e Weihnachten* Navidades blancas (*od.* con nieve); *die* 2*e Frau* ánima en pena; (*Spukgestalt*) fantasma *m*; *der* 2*e Tod* la muerte en las nieves (por congelación); *fig. ein* ~*er Rabe* un mirlo blanco; *fig. e-e* ~*e Weste haben* tener las manos limpias; *fig. j-n* ~ *waschen* encubrir las faltas de alg.; justificar *od.* disculpar la conducta de alg.; **II.** 2 *n* blanco *m*, color *m* blanco; *in ∼ gekleidet* vestido de blanco; *das ∼e des Auges* lo blanco del ojo, *Anat.* esclerótica *f*.

'weissag|en *v/t.* predecir; presagiar; vaticinar, pronosticar, augurar; profetizar; **∼end** *adj.* profético; adivinador; **2er(in** *f*) *m* profeta *m*, profetisa *f*; adivino (-a *f*) *m*; **2ung** *f* predicción *f*; presagio *m*; vaticinio *m*, augurio *m*; profecía *f*; (*das Wahrsagen*) adivinación *f*.

'Weiß...: ∼bäcker *m* repostero *m*; pastelero *m*; **∼bäcke'rei** *f* repostería *f*; pastelería *f*; **∼bier** *n* (-*es*; -*e*) cerveza *f* de alta fermentación (elaborada con trigo); **∼blech** *n* (-*es*; -*e*) hojalata *f*; **∼blechwaren** *f/pl.* artículos *m/pl.* de hojalata, hojalatería *f*; **∼blütigkeit** ⚕ *f* (*0*) leucemia *f*; **∼brot** *n* (-*es*; -*e*) pan *m* blanco; **∼buch** *Pol. n* (-*es*; *0*) Libro *m* Blanco; **∼buche** ♀ *f* (h)ojaranzo *m*; **∼dorn** ♀ *m* (-*es*; -*e*) espino *m* blanco; **∼e** *f* **1.** (*0*) blancura *f*; **2.** die (Berliner) ∼ cerveza clara de Berlín; → Weißbier; **3.** mujer *f* (de raza) blanca; **∼e(r)** *m* hombre *m* blanco (*od.* de raza blanca); **∼e(s)** *n* blanco *m*; *das ∼ im Auge* lo blanco del ojo, *Anat.* la esclerótica; *das ∼ im Ei* la clara del huevo; **2en** (-*t*) *v/t.* blanquear; Δ *a.* encalar; **∼en** *n* blanqueo *m*; **∼fisch** *m* (-*es*; -*e*) pescado *m* blanco; *Ict.* breca *f*; albur *m*; **∼fluß** ⚕ *m* (-*sses*; ∸*sse*) flujo *m* blanco, leucorrea *f*; **∼fuchs** *Zoo. m* (-*es*; ∸*e*) zorro *m* blanco; **2gekleidet** *adj.* vestido de blanco; **2gelb** *adj.* amarillo claro; **∼gerber** *m* curtidor *m* de fino; **∼gerbe'rei** *f* adobo *m* fino de pieles; **2glühend** *adj.* calentado al blanco; incandescente; **∼glut** *f* (*0*) candencia *f* blanca; incandescencia *f*; rojo blanco *m*; ⊕ *auf ∼ erhitzen* calentar al (rojo) blanco; **∼gold** *n* (-*es*; *0*) oro *m* blanco; **2grau** *adj.* gris pálido; **2haarig** *adj.* de pelo blanco; cano; **∼käse** *m* (-*s*; *0*) queso *m* blanco; **∼kohl** *m* (-*s*; *0*), **∼kraut** *n* (-*es*; *0*) repollo *m*; **2lich** *adj.* blanquecino; blancuzco; **∼ling** *m* (-*s*; -*e*) mariposa *f* blanca; *Ict.* albur *m*; **∼mehl** *n* (-*s*; *0*) harina *f* de flor; **∼metall** *n* (-*es*; -*e*) metal *m* blanco; **∼näherin** *f* costurera *f* de ropa blanca; **∼pappel** ♀ *f* (-; -*n*) álamo *m* blanco; **∼russe** *m* (-*n*), **2russisch** *adj.* ruso *m* blanco, bielorruso *m*; **∼rußland** *n* Rusia *f* Blanca, Bielorrusia *f*; **2seiden** *adj.* (*0*) de seda blanca; **∼sticke'rei** *f* bordado *m* en blanco; **∼tanne** ♀ *f* abeto *m* blanco; **∼waren** *f/pl.* géneros *m/pl.* blancos, lencería *f*; **∼wäsche** *f* ropa *f* blanca; **∼wein** *m* (-*es*; -*e*) vino *m* blanco; **∼zeug** *n* (-*es*; *0*) ropa *f* blanca; género *m* blanco.

'Weisung *f* instrucción *f*; (*Befehl*) orden *f*; (*Parole*) consigna *f* (*a.* ⚔); **2sgemäß** *adv.* conforme a las instrucciones.

weit I. *adj.* (-*est*) (*ausgedehnt*) extenso, vasto; dilatado; (*geräumig*) espacioso, amplio; (*unermeßlich*) inmenso; enorme; (*entfernt*) lejano, distante; remoto; (*lang*) largo; (*breit*) ancho; (*groß*) grande; *Kleid*: ancho; holgado; *Weg, Reise*: largo; *Entfernung*: grande; *ist es ∼ von hier zum Bahnhof?* ¿está lejos de aquí la estación?; *ein ∼es Gewissen haben* tener una conciencia muy elástica; *im ∼esten Sinne des Wortes* en el más amplio sentido de la palabra; *es ist ein ∼er Unterschied zwischen ... und ...* hay una gran diferencia entre ... y ...; *in die ∼e Welt ziehen* correr mundo; **II.** *adv.* lejos; *∼ entfernt* lejos; alejado, lejano; *∼ von hier* lejos de aquí; *fig. ∼ davon entfernt, zu* (*inf.*) lejos de (*inf.*); *5 Kilometer ∼ entfernt* a cinco kilómetros de distancia; *∼ gefehlt!* ¡ni remotamente!; *∼ mehr* mucho más; *∼ besser* mucho mejor; *∼ offen* (*Tür*) de par en par; *∼ und breit* a la redonda; por todas partes, por doquier; *∼ verbreitet* muy extendido; *∼ weg* muy lejos; *∼ zurückliegend* (*zeitlich*) lejano; remoto; *∼ übertreffen* superar en mucho; *∼ vom Thema abkommen, ∼ abschweifen* apartarse demasiado del tema; perderse en digresiones; *∼ ausholen* F *fig.* remontarse al tiempo de los celtas; *fig. es ∼ bringen* llegar lejos; hacer fortuna *bzw.* carrera; triunfar en la vida; *∼ gehen* ir lejos (*a. fig.*); *zu ∼ gehen* ir demasiado lejos (*a. fig.*); *fig.* propasarse; pasar los límites (de); *das geht zu ∼* esto ya es demasiado; F esto pasa de la raya; *fig. er wird nicht sehr ∼ damit kommen* con eso no llegará muy lejos; *er ist ∼ gekommen, er hat es ∼ gebracht* ha tenido éxito; ha hecho fortuna *bzw.* carrera; ha triunfado en la vida; *mit ihm ist es ∼ gekommen* hasta ese extremo se ha degradado (*od.* envilecido); *∼ sehen* ver lejos; *fig.* prever; *et. sehr (zu) ∼ treiben* extremar a/c.; *es zu ∼ treiben* ir demasiado lejos; extremar las cosas; *∼ von sich weisen* rechazar lejos de sí; *das ist nicht ∼ her fig.* no es (ninguna) cosa del otro mundo; F no es para tanto; *es ist nicht ∼ her mit ihm fig.* no es ninguna lumbrera; *er ist ∼ über 40 Jahre alt* pasa con mucho de los cuarenta años; *die Verzweiflung kann e-n so ∼ bringen, daß man ...* la desesperación puede llevar a uno hasta el extremo de ...; *wenn es so ∼ ist* cuando las cosas llegan a ese punto; *fig.* cuando llegue el momento; *so ∼ ist es noch nicht* todavía no se ha llegado a eso; *so ∼ ist es nun gekommen?* ¿hasta eso se ha llegado?; *ich bin so∼* (*ich habe es beendet*) ya he terminado; (*ich bin bereit*) estoy listo *bzw.* preparado; *so ∼ bin ich noch nicht* todavía me falta algo; aún no he terminado; *so ∼ wie möglich* lo más lejos posible; *wie ∼?* ¿a qué distancia?; ¿hasta dónde?; *wie ∼ bist du?* ¿a dónde has llegado?; *wie ∼ bist du mit deiner Arbeit?* ¿cómo va de adelantado tu trabajo?; *wie ∼ ist es von hier nach ...?* ¿qué distancia hay de aquí a ...?; *fig. wie ∼ will er gehen?* ¿a dónde pretende llegar?; *bei ∼em* con mucho; *bei ∼em nicht* ni mucho menos; ni con mucho; *bei ∼em nicht vollständig sein* estar lejos de ser completo; *von ∼em* de lejos, desde lejos; (*in der Ferne*) a lo lejos; en la lejanía.

'weit...: ∼'ab *adv.* lejos; muy lejos; lejos de aquí; **∼'aus** *adv.* con mucho; *∼ besser* mucho mejor; *stärker*: infinitamente mejor; **∼bekannt** *adj.* conocidísimo; **2blick** *m* (-*es*; *0*) perspicacia *f*; **∼blickend** *adj.* perspicaz; (*voraussehend*) previsor.

'Weite I. *f* (*Breite*) ancho *m*, anchura *f*; (*Ausdehnung*) extensión *f*; *e-s Begriffes*: amplitud *f*; (*Entfernung*) distancia *f*; (*Ferne*) lejanía *f*; lontananza *f*; (*weiter Raum*) vastedad *f* (*a. fig. der Kenntnisse*); (*Reich2*) alcance *m*; (*Sicht2*) visibilidad *f*; (*Durchmesser*) diámetro *m*; *v. Röhren*: diámetro *m* interior; ⊕ (*Kaliber*) calibre *m*; Δ (*lichte ∼*) luz *f*; vano *m*; *in die ∼ ziehen* marchar a tierras lejanas; **II.** 2 *n*: *das ∼ suchen* huir, F largarse, salir por pies, tomar las de Villadiego.

'weiten (-*e*-) *v/t. u. v/refl.* ensanchar; dilatar; *sich ∼* ensancharse; dilatarse.

'weiter *adj. comp. v.* weit: más lejano, más extenso *usw.*; (*sonstige*) otros, demás; (*zeitlich*) ulterior; (*zusätzlich*) adicional; *adv.* más lejos; (*außerdem*) además; (*darauf*) luego, después; *∼ weg* más allá; *∼e Fragen* otras cuestiones; *des ∼en* además; *bis auf ∼es* hasta nuevo aviso; hasta nueva orden; (*zunächst*) por ahora; *im ∼en Sinne* en sentido más amplio; *Gr.* por extensión; *ohne ∼en Aufschub* sin más demora *od.* dilación; *ohne ∼e Umstände* sin más; sin más preámbulos; sin más ni más; *das kann man ohne ∼es tun* no hay inconveniente en hacerlo; *∼e Auskünfte bei ...* para más informes dirigirse a ...; *∼ oben (unten)* más arriba (abajo); *und so ∼* y así sucesivamente; etcétera (*Abk.* etc.); *wer ∼?* ¿quién más?; *∼ niemand* nadie más; *∼ nichts?* ¿nada más?; ¿eso es todo?; *nichts ∼!* nada más; eso es todo; *was ∼?, und ∼?* ¿y qué más?; *wenn's ∼ nichts ist* si no es más que eso; *∼ machen* (*erweitern*) ensanchar; *∼ werden* ensancharse; dilatarse; hacerse más ancho; *∼ et. tun* continuar (*od.* seguir) haciendo a/c.; *∼!, nur ∼!* ¡siga!, ¡continúe!; *nicht ∼!* ¡basta!; *∼ nichts zu sagen haben* no tener más que decir; no tener nada que añadir; *das hat ∼ nichts zu sagen* eso no quiere decir nada; eso no es nada; *er hat ∼ nichts zu tun als* (*inf.*) no tiene más que (*inf.*); *was willst du noch ∼?* ¿qué más quieres?; *ich kann nicht mehr ∼* (*mit m-n Kräften*) ya no puedo más; *das ist ∼ kein Unglück* no es ninguna desgracia; no es nada; no importa.

'weiter...: ∼befördern (-*re*; -) *v/t.* reexpedir; **2beförderung** *f* reexpedición *f*; **∼behandeln** (-*le*; -) *v/t.* ⚕ continuar tratando (*od.* el tratamiento); **2behandlung** *f* ⚕ tratamiento *m* ulterior; **2bestand** *m* (-*es*; *0*) subsistencia *f*; continuación *f*; continuidad *f*; **∼bestehen** (*L*; -) *v/i.* subsistir; continuar existiendo; mantenerse; **∼bilden** (-*e*-) *v/t.* perfeccionar; *sich ∼* perfeccionarse; ampliar sus conocimientos (profesionales); **2bildung** *f* (*0*) perfeccionamiento *m*; **~bringen** (*L*) *v/t.* hacer avanzar; *das bringt mich nicht weiter* esto no es ninguna ayuda para mí; **~denken** (*L*) *v/i.* pensar previsoramente; **~empfehlen** (*L*; -) *v/t.* recomendar; **~entwickeln** (*-le*; -) *v/t.* continuar desarrollando; **2entwicklung** *f* desarrollo *m* ulterior; evolución *f*; **~erzählen** (-) *v/t.* contar a otros.

'Weitere(s) *n*: *das ~* lo demás; lo que sigue; la continuación; *alles ~* todo lo demás; el resto; *ohne 2s* sin más; sin más preámbulos; sin más ni más; *bis auf 2s* hasta nuevo aviso; hasta nueva orden; (*zunächst*) por ahora; *das ~ übernehmen* encargarse del resto; *das ~ siehe ...* para más detalles, véase ...; *und so alles ~* y análogamente lo demás; F y lo demás por el estilo.

'weiter...: **~fahren** (*L*; *sn*) *v/i.* seguir (*od.* continuar) el viaje; *~!* ¡circulen!; **~fliegen** (*L*) *v/t.* continuar *bzw.* reanudar el vuelo; **2flug** *m* (*-es*; *⸚e*) continuación *f* del vuelo; **~führen** *v/t.* continuar; **2führung** *f* continuación *f*; *die ~ der gegenwärtigen Politik* la continuación de la actual política; **2gabe** *f* transmisión *f*; **~geben** (*L*) *v/t.* transmitir; (*herumreichen*) hacer circular; pasar a; **~gehen** (*L*; *sn*) *v/i.* ir adelante; pasar adelante; avanzar; continuar su camino; (*fortfahren*) seguir, continuar; *~!* ¡circulen!; *so kann es nicht ~* esto no puede seguir (*od.* continuar) así; **~helfen** (*L*) *v/i.* ayudar; *er wird dir ~* seguirá ayudándote; **~hin** *adv.* (*räumlich*) más allá; (*in Zukunft*) en adelante; en el futuro; ulteriormente; (*ferner*) además; et. *~ tun* continuar (*od.* seguir) haciendo a/c.; **~kämpfen** *v/i.* seguir luchando; **~kommen** (*L*; *sn*) *v/i.* avanzar; *fig.* hacer progresos; *nicht ~* estacionarse; estancarse *od.* quedar estancado; **2kommen** *n* avance *m*; **~können** (*L*) *v/i.* poder continuar; *nicht ~* no poder seguir *od.* continuar; *ich kann nicht mehr weiter* (*mit m-n Kräften*) ya no puedo más; **~laufen** (*L*; *sn*) *v/i.* seguir corriendo; **~leben** *v/i.* seguir viviendo; sobrevivir; **2leben** *n* supervivencia *f*; **~leiten** (*-e-*) *v/t.* transmitir (*an ac.* a); reexpedir; *Gesuch*: cursar; tramitar; **2leitung** *f* transmisión *f*; reexpedición *f*; *e-s Gesuches*: tramitación *f*; **~lesen** (*L*) *v/t.* seguir (*od.* continuar) leyendo; **~machen** *v/t.* seguir, continuar haciendo a/c.; **~reichen** *v/t.* → *weitergeben*; **2reise** *f* continuación *f* del viaje; **~reisen** (*sn*) *v/i.* continuar (*od.* proseguir) el viaje; **~sagen** *v/t.* divulgar; decir (*od.* contar) a/c. a otros; *bitte, sagen Sie es nicht weiter!* ¡por favor, no se lo diga usted a nadie!; et. *nicht ~* guardar discreción sobre a/c.; **~schreiten** (*L*; *sn*) *v/i.* avanzar; **~senden** *v/t.* (re)expedir.

'Weiterungen *f/pl.* (*Umständlichkeiten*) complicaciones *f/pl.*; dificultades *f/pl.*; (*bürokratische*) formalidades *f/pl.*; tramitaciones *f/pl.* enojosas; (*lästige Folgen*) consecuencias *f/pl.* desagradables.

'Weiter...: **~ver-arbeitung** *f* tratamiento *m* ulterior; **2verbreiten** (*-e-*; -) *v/t.* *Nachricht*: difundir, propagar; divulgar; **2verfolgen** *v/t.* perseguir; **~verkauf** *m* (*-es*; *0*) reventa *f*; **2vermieten** (*-e-*; -) *v/t.* subarrendar; **~vermietung** *f* subarriendo *m*; **~vertrieb** *m* (*-es*; *0*) reventa *f*; **2zahlen** *v/t.* continuar pagando; **2ziehen** (*L*; *sn*) *v/i.* seguir su camino.

'weit...: **~gehend I.** *adj.* extenso; (*umfangreich*) vasto; (*beträchtlich*) considerable; (*weittragend*) de gran trascendencia; *Vollmacht*: amplio; **II.** *adv.* en gran parte; **~gereist** *adj.* que ha viajado mucho; **~gesteckt** *adj.*: *~e Ziele haben* tener grandes aspiraciones; proponerse fines muy ambiciosos; F picar muy alto; **~greifend** *adj.* trascendental; de gran alcance; **~'her** *adv.* desde lejos; **~herzig** *adj.* generoso; liberal; **2herzigkeit** *f* (*0*) generosidad *f*; liberalidad *f*; **~'hin, ~hi'naus** *adv.* a lo lejos; **~läufig I.** *adj.* (*ausgedehnt*) amplio; extenso; vasto, dilatado; (*geräumig*) espacioso; (*ausführlich*) detallado; circunstanciado; (*weitschweifig*) prolijo; difuso; (*sehr genau*) minucioso; (*verwickelt*) complicado; (*schwierig*) muy difícil; lleno de dificultades; (*entfernt*) lejano (*a. Verwandter*); **II.** *adv.* a gran distancia (uno de otro); (*ausführlich*) detalladamente; con todo detalle; por extenso; muy extensamente; *~ verwandt mit* pariente lejano de; **2läufigkeit** *f* (*0*) amplitud *f*; (*großer Umfang*) gran extensión *f*; (*Weitschweifigkeit*) prolijidad *f*; *e-r Angelegenheit*: formalidades *f/pl.* (interminables); (*Schwierigkeiten*) dificultades *f/pl.*; **~maschig** *adj.* de gran malla; **~reichend** *adj.* extenso; (*weittragend*) de gran alcance (*a. Geschütz*); **~schauend** *adj.* → *weitblickend*; **2schuß** *m* *Fußball*: tiro *m* de lejos; **~schweifig** *adj.* prolijo; difuso; ampuloso; verboso; **2schweifigkeit** *f* prolijidad *f*; ampulosidad *f*, verbosidad *f*; **~sichtig** *adj.* ⚕ présbita; *fig.* → *weitblickend*; **2sichtigkeit** *f* (*0*) ⚕ presbicia *f*; *fig.* perspicacia *f*; previsión *f*; **2sprung** *m* *Turnen*: salto *m* de longitud; **~spurig** 🚂 *adj.* de vía (*Am.* trocha) ancha; **~tragend** *adj.* de gran alcance (*a. Geschütz*); *fig.* trascendental; **~verbreitet** *adj.* muy extendido; muy generalizado; *Zeitung*: de gran tirada; **~verzweigt** de vasta ramificación.

'Weizen *m* (*-s*; *0*) trigo *m*; *türkischer ~* maíz *m*; *fig. sein ~ blüht* sus negocios prosperan (*od.* van viento en popa); F *fig.* se está poniendo las botas; **~brot** *n* (*-es*; *-e*) pan *m* de trigo; pan *m* candeal; **~ernte** *f* recolección *f* del trigo; **~feld** *n* (*-es*; *-er*) trigal *m*, campo *m* de trigo; **~mehl** *n* (*-es*; *0*) harina *f* de trigo; **~schrot** *n* (*-es*; *0*) trigo *m* triturado.

welch *pron.* (*ausrufend*): *~ ein(e) ...!* ¡qué ...!, F ¡vaya ...!; F ¡vaya un ...!, ¡vaya una ...!; *~ ein Glück!* ¡qué felicidad!; *~ ein Mann!* ¡qué hombre!; *~ ein Frechdachs!* ¡vaya fresco!

'welche, ~r, ~s I. *pron/int.* cuál; qué; *~r von beiden?* ¿cuál (de los dos)?; *auf ~ Weise?* ¿de qué manera?; *~n Weg wählen Sie?* ¿qué camino elige usted?; *~s Vergehens bezichtigt man ihn?* ¿de qué delito se le acusa?; **II.** *pron/rel.* (*direkt anknüpfend*) el cual, la cual, lo cual; *jd. a.* quien; *derjenige, ~r* el que; quien; *aus ~m ...* del que ...; del cual ...; *in ~m ...* en que ...; en el cual; (en) donde ...; *von ~m ...* del cual ...; del que ...; de quien ...; *~ (~r, ~s) auch immer* cualquiera que (*subj.*); *pl.* cualesquiera que (*subj.*); *~ Fehler du auch haben magst* cualesquiera que sean tus defectos; **III.** *pron/indef.* (*einige, etliche*) *es gibt ~, die sagen ...* hay algunos que dicen ...; hay quienes dicen ...; *haben Sie Geld? — ja, ich habe ~s* sí, tengo (algo); *haben Sie Tomaten? — ja, es sind ~ da* sí, quedan (*od.* hay) algunos.

'welcher|'art, ~ge'stalt *adv.* de qué manera; de qué especie *od.* clase; en qué forma; *~ sie auch seien* sean como sean; sean los que sean; *~ auch s-e Gründe sein mögen* sean cuales sean sus motivos; **~'lei** *adv.* qué clase de ...; *in ~ Form es auch sei* en cualquier forma; sea cual fuere la forma en que (*subj.*).

Welf *m* (*-es*; *-e*) (*junger Hund*) cachorro *m*; (*junger Wolf*) lobezno *m*; (*junger Fuchs*) zorruelo *m*.

'Welfe *m* (*-n*) *Hist.* güelfo *m*.

'welfen *v/i. v. Tieren*: parir.

'welfisch *adj.* güelfo.

welk *adj.* marchito; ajado; mustio; (*faltig*) apergaminado; (*schlaff*) fláccido; *~e Schönheit* belleza marchita; *~ machen* marchitar; *~ werden* = **'~en** (*sn*) *v/i.* marchitarse; ajarse; ponerse mustio.

'Wellblech *n* (*-es*; *-e*) chapa *f* ondulada.

'Welle *f* ola *f* (*a. fig.*); *sanfte*: onda *f* (*a. Phys.*); *wild bewegte*: oleada *f* (*a. fig.*); (*Boden2*) elevación *f* del terreno; (*Sturz2*) golpe *m* de mar; (*Kälte2*) *fig.* ola *f* de frío; (*Hitze2*) *fig.* ola *f* de calor; (*Dauer2*) *Frisur*: ondulación *f* permanente; (*Wasser2*) *Frisur*: ondulación *f* al agua; *Turnen*: molinete *m* (en la barra fija); ⊕ árbol *m*, eje *m*; (*Kurbel2*) eje *m* cigüeñal; (*Winde*) torno *m*; *Verkehr*: *grüne ~* sincronización *f* de semáforos (*od.* de señales luminosas); *~n schlagen* ondear; *fig.* repercutir.

'wellen I. *v/t. u. v/refl.* ondular; *sich ~* ondularse; *gewelltes Gelände* terreno ondulado; *gewelltes Haar* pelo (*od.* cabello) ondulado *od.* ondeado; **II.** *2 n* ondulación *f*.

'Wellen...: **~anzeiger** *m* *Radio*: detector *m* de ondas; **2artig** *adj.* ondoso, undoso; **~ausbreitung** *f* propagación *f* de las ondas; **~bad** *n* (*-es*; *⸚er*) baño *m* de ola (*od.* de mar); *künstlich*: piscina *f* de olas; **~bereich** *m* (*-es*; *-e*) *Radio*: gama *f* de ondas; banda *f* de frecuencia; **~berg** *m* (*-es*; *-e*) ⚓ cima *f* de una ola; *Phys.* cúspide *f* de onda; **~bewegung** *f* movimiento *m* ondulatorio; ondulación *f*; **~brecher** ⚓ *m* rompeolas *m*; **~einstellknopf** *m* (*-es*; *⸚e*) *Radio*: botón *m* regulador de ondas; 2**förmig** *adj.* ondulante; ondulado, ondeado; ondulatorio; ~*e Bewegung* movimiento ondulatorio; ondulación; ~**gang** *m* (*-ės; 0*) embate *m* de las olas; oleaje *m*; ~**kamm** *m* (*-ės; ⁼e*) cresta *f* de la ola; ~**kupplung** ⊕ *f* acoplamiento *m* axial; ~**länge** *f Radio*: longitud *f* de onda; ~**linie** *f* línea *f* ondulada; ~**mechanik** *f* (*0*) mecánica *f* ondulatoria; ~**messer** *m* ondímetro *m*; ~**reiten** *n* (deporte *m* de) acuaplano *m*; ~**schlag** *m* (*-ės; 0*) golpe *m* de mar; embate *m* de las olas; (*Brandung*) oleaje *m*; resaca *f*; ~**schlitten** *m* hidroplano *m*; ~**schreiber** ↯ *m* ondógrafo *m*; ~**schwingung** *f* ondulación *f*; oscilación *f* ondular; ~**sittich** *Orn.* *m* (*-s; -e*) periquito *m*; ~**strom** ↯ *m* (*-ės; ⁼e*) corriente *f* ondulatoria; ~**tal** *n* (*-ės; ⁼er*) concavidad *f* de la onda; ~**theorie** *f* teoría *f* de las ondulaciones; ~**zapfen** ⊕ *m* pivote *m* del árbol.

ˈ**Wellfleisch** *n* (*-ės; 0*) carne *f* fresca de cerdo cocida.

ˈ**wellig** *adj.* ondulado; onduloso; undoso; *Gelände, Haar*: ondulado.

ˈ**Well|papier** *n* (*-s; 0*) papel *m* ondulado; ~**pappe** *f* cartón *m* ondulado.

ˈ**Welpe** *m* (*-n*) → *Welf*.

ˈ**Wels** *Ict.* *m* (*-es; -e*) siluro *m*.

welsch *adj.* (*romanisch*) romano; latino; francés; italiano; (*fremdländisch, undeutsch*) extranjero; *die* ~*e Schweiz* la Suiza romana.

Welt *f* mundo *m* (*a. fig.*); (*Weltall*) universo *m*; (*Kosmos*) cosmos *m*; (*Erde*) tierra *f*; (*Erdkugel*) globo *m* terrestre; *Rel.* siglo *m*; *die Alte* (*Neue*) ~ el Viejo (Nuevo) Mundo; *die Freie* ~ *Pol.* el mundo libre; *die junge* ~ la juventud, los jóvenes, la gente joven *od.* moza; *die* ~ *der Wissenschaft* el mundo científico; *die künstlerische* ~ el mundo de las artes; *die vornehme* ~ el gran mundo; *die ganze* ~ todo el mundo; el mundo entero; *der* ~ *entsagen* renunciar al mundo; ingresar en un convento; *vor aller* ~ a los ojos de todo el mundo; *was in aller* ~ ...! ¡qué diablo ...!; ¡qué mil demonios ...!; *um alles in der* ~ *nicht* por nada del mundo; *in alle* ~ *zerstreut* disperso por todo el mundo; *auf der* ~ en el mundo; *auf die* ~ *kommen, das Licht der* ~ *erblicken* venir al mundo; nacer; *zur* ~ *bringen* dar a luz; *aus der* ~ *schaffen* deshacerse (*od.* desembarazarse) de; hacer desaparecer; acabar con; (*Schwierigkeiten, Hindernisse*) allanar; (*Streit*) arreglar, componer; (*Problem*) resolver; *aus der* ~ (*entlegen*) *sein* estar muy lejos; *aus der* ~ *scheiden* morir; *e-e Reise um die* ~ *machen* hacer un viaje alrededor del mundo; *das ist der Lauf der* ~ así es el mundo; *am Ende der* ~ *wohnen* vivir en el fin del mundo; F vivir donde Cristo dio las tres voces; *bis ans Ende der* ~ hasta el fin del mundo; *solange die* ~ *steht* desde que el mundo es mundo; *die* ~ *steht Kopf* esto es el mundo al revés; *ein Mann von* ~ *sein* ser un hombre de mundo.

ˈ**Welt...:** 2**abgeschieden** *adj.* retirado, aislado; *Ort*: remoto; 2**abgewandt** *adj.* apartado del mundo; ~**all** *n* (*-s; 0*) universo *m*; orbe *m*; ~**alter** *n* edad *f* del mundo; 2**anschaulich** *adj.* ideológico; ~**anschauung** *f* concepción *f* del mundo; *neol.* cosmovisión *f*; (*Ideologie*) ideología *f*; (*Philosophie*) filosofía *f*; ~**ausstellung** *f* exposición *f* universal; ~**bank** *f* Banco *m* Mundial; 2**bekannt** *adj.* universalmente conocido; conocido en el mundo entero; 2**berühmt** *adj.* célebre en el mundo entero; mundialmente famoso; de fama mundial; ~**berühmtheit** *f* fama *f* (*od.* renombre *m*) mundial *od.* universal; *Person*: notabilidad *f* mundial; ~**bestleistung** *f* marca *f* (*angl.* record *m*) mundial; ~**bewegung** *f* movimiento *m* mundial; ~**bild** *n* (*-ės; -er*) concepto *m* del mundo; ~**blatt** *n* (*-ės; ⁼er*) periódico *m* mundialmente conocido; ~**brand** *m* (*-ės; ⁼e*) conflagración *f* mundial; ~**bund** *m* (*-ės; 0*) unión *f* internacional; ~**bürger** *m* ciudadano *m* del mundo; cosmopolita *m*; 2**bürgerlich** *adj.* cosmopolita; ~**bürgertum** *n* (*-s; 0*) cosmopolitismo *m*; ~**dame** *f* señora *f* del gran mundo; dama *f* de mundo; ~**enbildung** *f* cosmogonía *f*; ~**enbummler** *m* trotamundos *m*; ~**enraum** *m* (*-ės; 0*) universo *m*; ~**ereignis** *n* (*-ses; -se*) acontecimiento *m* mundial; 2**erfahren** *adj.* conocedor del mundo; de mucho mundo; ~**erfahrung** *f* (*0*) conocimiento *m* (*od.* experiencia *f*) del mundo; F mundología *f*.

ˈ**Weltergewicht**(**ler** *m*) *n* *Boxen*: peso *m* semi-medio.

ˈ**Welt...:** ~**eroberer** *m* conquistador *m* del mundo; 2**erschütternd** *adj.* de repercusión (*od.* trascendencia) mundial; ~**firma** *f* (*-; -firmen*) casa *f* de renombre mundial; ~**flucht** *f* (*0*) huida *f* del mundo; 2**fremd** *adj.* ajeno al mundo; de poco mundo, desconocedor del mundo; ingenuo; apartado de la realidad; ~**friede**(**n**) *m* (*-ns; 0*) paz *f* mundial; ~**friedenskongreß** *m* (*-sses; -sse*) Congreso *m* Pro Paz del Mundo; ~**frontkämpferbund** *m* (*-ės; 0*) Federación *f* Mundial de Excombatientes; ~**gebäude** *n* (*-s; 0*) universo *m*; ~**geistliche**(**r**) *m* sacerdote *m* secular; ~**geistlichkeit** *f* (*0*) clero *m* secular; ~**geltung** *f* (*0*) prestigio *m* internacional; influencia *f* mundial; ~**gericht** *n* (*-ės; 0*) juicio *m* final; ~**geschichte** *f* (*0*) historia *f* universal; 2**geschichtlich** *adj.* de la historia universal; ~*es Ereignis* acontecimiento histórico de trascendencia mundial; ~**gesundheitsorganisation** *f* (*0*) Organización *f* Mundial de la Salud (*Abk.* O.M.S.); 2**gewandt** *adj.* mundano; → *welterfahren*; ~**gewandtheit** *f* (*0*) mundanalidad *f*; ~**gewerkschaftsbund** *m* (*-ės; 0*) Confederación *f* Internacional de Sindicatos; ~**handel** *m* (*-s; 0*) comercio *m* mundial *od.* internacional; ~**herrschaft** *f* (*0*) hegemonía *f* mundial; dominio *m* del mundo; ~**karte** *f* mapamundi *m*; ~**kenntnis** *f* (*-; -se*) conocimiento *m* (*od.* experiencia *f*) del mundo; F mundología *f*; ~**kind** *n* (*-ės; -er*) persona *f* mundana; ~**kirchenrat** *m* (*-ės; 0*) *I.P.* Consejo *m* Ecuménico de las Iglesias; ~**kongreß** *m* (*-sses; -sse*) congreso *m* mundial; ~**körper** *Astr.* *m* cuerpo *m* celeste, astro *m*; ~**krieg** *m* (*-ės; -e*) guerra *f* mundial; *der erste* ~ (*1914—18*) la primera guerra mundial; la Gran Guerra; *der zweite* ~ (*1939—45*) la segunda guerra mundial; ~**kugel** *f* (*0*) globo *m* terrestre *od.* terráqueo; ~**lage** *f* situación *f* mundial *od.* internacional; ~**lauf** *m* (*-ės; 0*) curso *m* del mundo; 2**lich** *adj.* del mundo; mundano; mundanal; (*irdisch*) terrenal; terreno; temporal; (*nicht kirchlich*) profano; (*nicht priesterlich*) seglar; (*nicht klösterlich*) secular; *Schule*: laico; ~**lichkeit** *f* (*0*) mundanalidad *f*; *v. Priestern*: estado *m* secular; *v. Schulen*: laicismo *m*; (*weltliche Macht*) poder *m* temporal; ~**literatur** *f* (*0*) literatura *f* universal (*od.* mundial); ~**macht** *f* (*-; ⁼e*) potencia *f* mundial, gran potencia *f*; ~**machtpolitik** *f* (*0*) política *f* imperialista; imperialismo *m*; ~**mann** *m* (*-ės; ⁼er*) hombre *m* de mundo; (*weltlich gesinnter*) hombre *m* mundano; 2**männisch** *adj.* de hombre de mundo; (de porte) distinguido; ~**markt** *m* (*-ės; 0*) mercado *m* internacional; ~**marktpreise** *m/pl.* precios *m/pl.* del mercado internacional; ~**meer** *n* (*-ės; -e*) océano *m*; ~**meinung** *f* (*0*) opinión *f* mundial; ~**meister**(**in** *f*) *m* campeón *m*, campeona *f* mundial (*od.* del mundo); ~**meisterschaft** *f* campeonato *m* mundial (*od.* del mundo); ~**organisation** *f* organización *f* mundial; ~**politik** *f* (*0*) política *f* internacional; ~**postverein** *m* (*-s; 0*) Unión *f* Postal Universal; ~**produktion** *f* producción *f* mundial; ~**rätsel** *n* (*-s; 0*) enigma *m* del universo; ~**raum** *m* (*-ės; 0*) universo *m*; espacios *m/pl.* interplanetarios; espacio *m* interestelar; ~**raumfahrer** *m* astronauta *m*; ~**raumfahrt** *f* viaje *m* astronáutico (*od.* interplanetario); vuelo *m* espacial; ~**raumforschung** *f* (*0*) investigación *f* espacial; ~**raumrakete** *f* cohete *m* interplanetario; ingenio *m* espacial; ~**raumschiff** *n* (*-ės; -e*) astronave *f*; aeronave *f* espacial (*od.* interplanetaria); ~**raumschiffahrt** *f* (*0*) astronáutica *f*; navegación *f* interplanetaria; ~**raumstation** *f* estación *f* espacial; ~**reich** *n* (*-ės; -e*) imperio *m*; ~**reise** *f* vuelta *f* al mundo; viaje *m* alrededor del mundo; ~**reisende**(**r**) *m* trotamundos *m*; ~**rekord** *m* (*-ės; -e*) marca *f* (*od. angl.* record *m*) mundial; ~**rekord-inhaber** *m*, ~**rekordler** *m*, ~**rekordmann** *m* (*-ės; -leute*) poseedor *m* de la marca (*od. angl.* del record) mundial; ~**ruf** *m* (*-ės; 0*) fama *f* (*od.* renombre *m*) mundial; ~**schmerz** *m* (*-es; 0*) melancolía *f* motivada por los desengaños de la vida; pesimismo *m* (romántico); ~**schöpfer** *m* (*-s; 0*) Creador *m* del universo; ~**sprache** *f* (*0*) idioma *m* universal; ~**stadt** *f* (*-; ⁼e*) metrópoli *f*, *Neol.* cosmópolis *f*; gran urbe *f*; 2**städtisch** *adj.* *Neol.* cosmopolita; ~-

stellung *f* (*0*) posición *f* en el mundo; influencia *f* mundial; prestigio *m* internacional; **~teil** *m* (*-es*; *-e*) parte *f* del mundo; (*Erdteil*) continente *m*; **2umfassend** *adj.* universal; **~umseg(e)lung** *f* circunnavegación *f* del mundo; vuelta *f* al mundo; **~umsegler** *m* circunnavegador *m* del mundo; **2umspannend** *adj.* universal; **~untergang** *m* (*-es*; *0*) fin *m* del mundo; **~verbesserer** *m* reformador *m* del mundo; **~verkehr** *m* (*-s*; *0*) relaciones *f/pl.* internacionales; **~weise(r)** *m* filósofo *m*; **~weisheit** *f* (*0*) filosofía *f*; **2weit** *adj.* universal; **~weite** *f* (*0*) universalidad *f*; **~wende** *f* punto *m* crucial en la historia universal; nueva era *f*; **~wirtschaft** *f* (*0*) economía *f* mundial; **2wirtschaftlich** *adj.* de la economía mundial; **~wirtschaftskonferenz** *f* conferencia *f* económica internacional; **~wirtschaftskrise** *f* crisis *f* económica mundial; **~wunder** *n* maravilla *f* del mundo.

wem *dat. v.* wer; *~?* ¿a quién?; *mit ~?* ¿con quién?; *von ~?* ¿de quién?; *bei ~?* ¿con quién?; ¿en casa de quién?; **'2fall** *Gr. m* (*-es*; *⸚e*) dativo *m*.

wen *ac. v.* wer; *~?*; *an ~?* ¿a quién?

'Wende *f* vuelta *f*; virada *f*; *Auto.* viraje *m*; (*e-s Weges, Flusses*) recodo *m*; (*Änderung*) cambio *m*; (*Sonnen2*) solsticio *m*; *an der ~ des Jahrhunderts* en las postrimerías del siglo; a fines de(l) siglo; **~getriebe** *n Auto.* mecanismo *m* de inversión (de marcha); **~hals** *Orn. m* (*-es*; *⸚e*) torcecuello *m*; **~kreis** *m* (*-es*; *-e*) *Geogr.* trópico *m* (*des Krebses* de Cáncer; *des Steinbocks* de Capricornio).

'Wendeltreppe *f* escalera *f* de caracol.

'Wendemantel *m* (*-s*; *⸚*) abrigo *m* reversible.

'wenden I. (*-e-*) **1.** *v/t.* volver (*a. fig.*); dar vuelta a; (*richten*) dirigir; *Auto*: virar; invertir; (*umkehren*) poner al revés; *Kleidung*: volver (*od.* dar la vuelta a); *die Seite ~* volver la hoja; *das Schiff ~* virar de bordo; *~ auf od. an* (*Kräfte, Zeit*) emplear en; dedicar a; *nach rechts* (*links*) *~* volver a la derecha (izquierda); *zu s-m Vorteil ~* cambiar a su favor; *bitte, ~!* véase al dorso (*od.* a la vuelta); **2.** *v/refl.*: *sich ~* volverse; cambiar de dirección; tomar otro rumbo (*a. fig.*); *sich an j-n ~* dirigirse a alg.; (*hilfesuchend*) acudir a alg.; recurrir a alg.; *sich ~ gegen* volverse contra; dirigir sus ataques contra; *sich von j-m ~* apartarse de alg.; *sich zum Guten ~* mejorar; *fig. das Blatt hat sich gewendet* la suerte ha cambiado; F se ha vuelto la tortilla; **II.** *2 n* → *Wendung*.

'Wende...: **~pflug** *m* (*-es*; *⸚e*) arado *m* de vertedera; **~pol** *m* (*-s*; *-e*) polo *m* de conmutación; **~punkt** *m* (*-es*; *-e*) punto *m* de transición; *Astr.* punto *m* solsticial; *fig.* crisis *f*; momento *m* crítico; comienzo *m* de una nueva época.

'wendig *adj.* manejable; fácil de manejar; (*behend*) ágil; (*anpassungsfähig*) acomodadizo; flexible; *Auto, Boot*: de mando fácil; *Person*: versátil; **2keit** *f* (*0*) manejabilidad *f*; capacidad *f* maniobrera; *fig.* agilidad *f*; carácter *m* acomodadizo; versatilidad *f*.

'Wendung *f* vuelta *f*; (*Drehung*) giro *m*; revolución *f*; (*Schwenkung*) conversión *f*; *Auto*: viraje *m*; virada *f*; (*Wechsel*) cambio *m*; (*Windung*) sinuosidad *f*; (*Biegung*) recodo *m*; curva *f*; crisis *f*; (*Rede2*) giro *m*; locución *f*; (*Spracheigentümlichkeit*) modismo *m*; *fig. e-e gute ~* (*od. e-e ~ zum Besseren*) *nehmen* mejorar; *e-e schlechte ~* (*od. e-e ~ zum Schlechteren*) *nehmen* empeorar; *dem Gespräch e-e andere ~ geben* cambiar de conversación; dar otro rumbo a la conversación; F cambiar de disco; *e-e günstige* (*ungünstige*) *~ nehmen* tomar un giro (poco *od.* nada) favorable; *e-e andere ~ nehmen* cambiar de aspecto; F tomar otro cariz.

'Wenfall *Gr. m* (*-es*; *⸚e*) acusativo *m*.

'wenig *adj.* poco; (*spärlich*) escaso; (*selten*) raro; *adv.* poco; *ein ~* un poco; *ein ~ Geld* un poco de dinero; *ein klein ~* F un poquito; *~ oder viel* poco o mucho; *nicht ~ und nicht viel* ni poco ni mucho; *sei es auch noch so ~* por poco que sea; *das ~e* lo poco; *das ~e Geld* el poco dinero; *wie es nur ~e gibt* como hay pocos; *einige ~e* unos pocos; *die ~en Augenblicke* los pocos (*od.* raros) momentos; *nur ~e Schritte von hier* a pocos pasos de aquí; *in ~en Worten* en pocas palabras; *ein ~ schneller* un poco más de prisa; *in ~en Tagen* en pocos días; dentro de pocos días; *~ gerechnet* por lo menos; al menos; **~er** *comp. v. wenig*; menos; *viel ~* mucho menos; *nicht ~ als* no menos de; *nichts ~ als* nada menos que; *mehr oder ~* más o menos; *nicht mehr und nicht ~* ni más ni menos; *eins ~* uno de menos; *je ~ ..., desto ...* cuanto menos ..., menos ...; *je ~ ... um so mehr ...* cuanto menos ... tanto más ...; *um so ~* tanto menos; *um so ~, als ...* tanto menos cuanto que ...; *er ist nichts ~ als reich* no es rico ni mucho menos; *in ~ als* (*zeitlich*) en menos de; *immer ~* cada vez menos; *~ denn je* menos que nunca; *der e-e mehr, der andere ~* quien más, quien menos; *~ werden* disminuir; ser cada vez menos; **2keit** *f* (*0*) poquedad *f*; (*Kleinigkeit*) bagatela *f*; nimiedad *f*, pequeñez *f*, insignificancia *f*; *m-e ~* F mi personilla; un servidor; **~st** *sup. v. wenig*: *das ~e*; *am ~en* lo menos; *das ist das ~e* (*was Sie tun können*) es lo menos (que usted puede hacer); *das ~e, was man sagen kann* lo menos que puede decirse; *als man es am ~en erwartete* cuando menos se esperaba; *die ~en* muy pocos; *zum ~en* = **~stens** *adv.* por lo menos, al menos, a lo menos; *nachgestellt*: cuando menos.

wenn I. *cj.* (*zeitlich*) cuando; (*bedingend*) si; (*falls*) (en) caso de que (*subj.*); (*vorausgesetzt*) siempre que; *jedesmal ~* cada vez que; siempre que; todas las veces que; *~ dem* (*od. es*) *so ist* siendo así; *~ dem so wäre* si así fuera; *~ nicht* de no ser así; en otro caso; si no es así; *~ nicht ..., so doch ...* si no ..., al menos ...; *~ nicht, dann nicht* si no puede ser, entonces nada; *~ er nicht gewesen wäre* si no hubiera sido por él; *~ man ihn hört, sollte man glauben* oyéndole se creería que; *~ man bedenkt, daß* cuando se considera que; si consideramos que; *~ man von ... spricht* hablando de ...; *es ist nicht gut, ~ man* no está bien *od.* no es bueno (*inf.*); *~ nur* con tal que (*subj.*), siempre que (*subj.*); *als ~*; *wie ~* como si; *~ anders* con tal que; *außer ~* excepto si; salvo que (*subj.*); a no ser que (*subj.*); *~ bloß od. doch od. nur* si al menos; *~ einmal* si jamás; *~ du* (*erst*) *einmal dort bist* una vez que estés allí; *~ selbst* aun cuando (*subj.*); aun (*ger.*); *~ ich das gewußt hätte* si lo hubiera sabido; *~ er auch mein Freund ist* aun siendo (*od.* aunque sea) mi amigo; *~ er auch noch so reich ist* por (muy) rico que sea; *~ er doch käme!* ¡ojalá viniera!; *~ Sie doch früher gekommen wären!* si hubiera venido usted antes; ¡por qué no habrá venido usted antes!; *na, ~ schon!* ¿y eso qué?; ¿qué importa?; *~ schon, denn schon!* ¡si no hay otro remedio, sea!; **II.** *2 n*: *ein ~ haben* tener su pero; *bitte, kein ~ und kein Aber* ¡no hay pero que valga!; *nach vielem ~ und Aber* después de poner muchos peros (*od.* reparos); **~'gleich, ~'schon** *cj.* aunque (*subj.*); (*selbst wenn*) aun cuando (*subj.*).

Wenzel *m* Wenceslao *m*; (*Karte*) sota *f*.

wer I. *pron/int.*: *~?* ¿quién?; *~ von beiden?* ¿cuál de los dos?; *~ anders als er?* ¿quién sino él?; *~ ist da?* ¿quién está ahí?; *~ da?* ¿quién vive?; **II.** *pron/rel.* quien; (*derjenige, der*) el que; (*jeder, der*) todo aquel que; *~ auch immer* quienquiera; *~ er auch sei* quienquiera que sea; sea quien sea; sea quien fuera.

'Werbe|abteilung *f* † sección *f* de propaganda; **~aktion** *f* → *Werbefeldzug*; **~artikel** *m* artículo *m* de propaganda; **~brief** *m* (*-es*; *-e*) circular *f* de propaganda; **~büro** *n* † (*-s*; *-s*) agencia *f* publicitaria (*od.* de publicidad); oficina *f* de reclutamiento; banderín *m* de enganche; **~chef** *m* (*-s*; *-s*) jefe *m* de publicidad; **~dienst** *m* (*-es*; *-e*) servicio *m* de propaganda; **~drucksache** *f* impreso *m* de propaganda; **~fachmann** *m* (*-es*; *-leute*) técnico *m* publicitario; especialista *m* en publicidad; **~feldzug** *m* (*-es*; *⸚e*) campaña *f* publicitaria (*od.* de propaganda); **~fernsehen** *n* (*-s*; *0*) publicidad *f* televisada; **~film** *m* (*-es*; *-e*) película *f* de propaganda; **~fläche** *f* cartelera *f*; **~fonds** *m* (*-*; *-*) fondo *m* de propaganda; **~funk** *m* (*-s*; *0*) *Radio*: guía *f* comercial; **~graphik** *f* arte *m/f* de la publicidad comercial; **~kosten** *pl.* gastos *m/pl.* de propaganda; **~leiter** *m* → *Werbechef*; **~liste** *f* lista *f* de enganche; **~material** *n* (*-s*; *-ien*) material *m* de propaganda; **~mittel** *n* medio *m* publicitario (*od.* de propaganda).

ˈ**werben I.** (*L*) **1.** *v/t.* ⚔ enganchar, alistar, reclutar; *Am.* enrolar; *Arbeiter*: contratar; **2.** *v/i.* hacer propaganda (*für* de *bzw.* para); *j-n für e-e Sache ~* ganar a alg. para una causa; *um die Gunst j-s ~* tratar de granjearse (*od.* ganarse) las simpatías de alg.; F cortejar a alg.; *um ein Mädchen ~* pretender a una muchacha; pedir (*od.* solicitar) la mano de una joven; **II.** 2 *n* → *Werbung.*

ˈ**Werbe|nummer** *f* (-; -*n*) ejemplar *m* de propaganda; **~plakat** *n* (-*es*; -*e*) cartel *m* de propaganda; **~preis** *m* (-*es*; -*e*) precio *m* de propaganda.

ˈ**Werber** *m* ☤ propagandista *m*; agente *m* de propaganda; ⚔ reclutador *m*; alistador *m*; *um ein Mädchen*: pretendiente *m*.

ˈ**Werbe|schild** *n* (-*es*; -*er*) cartel *m* publicitario (*od.* de propaganda); **~schrift** *f* prospecto *m* de propaganda; **~sendung** *f Radio*: publicidad *f* radiada; guía *f* comercial; **~tätigkeit** *f* propaganda *f* (activa); **~texter** *m* escritor *m* publicitario; **~trommel** *f* (-; -*n*): *die ~ rühren* ⚔ reclutar a tambor batiente; ☤ hacer propaganda (ruidosa); **~verkauf** *m* venta *f* reclamo; **~wesen** *n* (-*s*; *0*) ☤ publicidad *f*; propaganda *f* (comercial); **2wirksam** *adj.* de eficacia publicitaria; **~wirksamkeit** *f* (*0*) eficacia *f* publicitaria; **~zwecke** *m/pl.* fines *m/pl.* publicitarios (*od.* de propaganda).

ˈ**Werbung** *f* ⚔ reclutamiento *m*, recluta *f*; *v. Arbeitern*: contratación *f*; *um ein Mädchen*: petición *f* de mano; ☤ propaganda *f*; publicidad *f*; **~skosten** ☤ *pl.* gastos *m/pl.* de propaganda *od.* de publicidad.

ˈ**Werdegang** *m* (-*es*; ⸚*e*) desarrollo *m*; evolución *f*; (*Karriere*) carrera *f*; (*Genese*) génesis *f*; ⊕ proceso *m* de elaboración.

ˈ**werden I.** (*L*; *sn*) *v/aux.* **a**) *zur Bildung des Futurs und Konditionals*: *wir ~ ausgehen* saldremos; vamos a salir; *ich würde das Haus kaufen* yo compraría la casa; *er würde es mir gesagt haben* él me lo habría dicho; *sie wird gleich weinen* va a llorar; *es wird gleich schneien* va a nevar; **b**) *zur Bildung des Passivs*: ser; quedar; resultar; *geliebt ~* ser amado; *geschlagen ~* ser derrotado; *er ist geschlagen worden* ha sido derrotado; se le ha derrotado; *er wurde zum Rektor ernannt* fue nombrado rector; se le nombró rector; *er wurde verwundet* fue herido; resultó herido; *das Haus wurde zerstört* la casa fue destruida; la casa quedó destruida; *das wird kalt getrunken* esto se bebe (*od.* se toma) frío; *es ist uns gesagt worden* se nos ha dicho; **c**) *selbständiges Verb*: (*entstehen*; *sich entwickeln*) nacer; empezar a ser; desarrollarse; evolucionar; *Phil.* devenir; llegar a ser; *Bib.* es *werde Licht, und es ward Licht* hágase la luz, y la luz fue hecha; **d**) *mit su. od. adj. od. pron. od. adv.*: *Arzt ~* hacerse médico; *er will Rechtsanwalt ~* quiere ser abogado; *Leutnant ~* (*befördert ~*) ser ascendido a teniente; *Christ ~* convertirse al cristianismo; *Kaufmann ~* hacerse comerciante; entrar en el comercio; *Mönch ~* profesar; meterse fraile; *zu Stein ~* petrificarse; hacerse piedra; *zum Dieb* (*Verräter*) *~* convertirse en ladrón (traidor); *blind ~* cegar; perder la vista; *böse ~* enojarse; *arm ~* empobrecer; *reich ~* enriquecer(se); *gesund ~* restablecerse; sanar, recobrar la salud; *krank ~* enfermar; *schlimmer* (*besser*) *~* empeorar (mejorar); *schwieriger ~* hacerse (cada vez) más difícil; *einig ~* llegar a un acuerdo; *alt ~* envejecer(se); *er wird nicht alt ~* no llegará a viejo; *er ist verrückt geworden* se ha vuelto loco; *es wird kalt* empieza a hacer frío; *mir wird schlecht* me siento mal; *dunkel ~* empezar a o(b)scurecer; *er wurde nachdenklich* se quedó pensativo; *er wurde rot* se puso colorado; *das muß anders ~* esto tiene que cambiar; esto no puede seguir (*od.* continuar) así; *was wird aus ihm?* ¿qué va a ser de él?; *aus ihm wird etwas* hará carrera; llegará a ser algo (en la vida); *und was wird mit dir?* y tú ¿qué harás?; *was soll daraus ~?* ¿cómo acabará esto?; ¿a dónde irá (*od.* vendrá) a parar esto?; *was wird daraus?* ¿qué resultará de ello?; *daraus wird nichts* esto fracasará; todo quedará en nada; de esto no resultará nada; *was ist aus ihm geworden?* ¿qué ha sido de él?; *na, wird's bald?* ¿acabará pronto?, *iro.* ¿va a ser para hoy o para cuándo?; *es wird spät* se va haciendo tarde; *es wird schon ~!* ¡paciencia, ya se arreglará!; *es wurde bis frühmorgens getanzt* se bailó hasta la madrugada; *es wird gebeten ...* se ruega ...; *es wird Zeit zu gehen* va siendo hora de marcharse; **II.** 2 *n* (*Entwicklung*) desarrollo *m*; evolución *f*; (*Entstehen*) nacimiento *m*; (*Bildung*) formación *f*; (*Wachsen*) crecimiento *m*; *Phil.* devenir *m*; *im ~* (*begriffen*) en desarrollo; en evolución; en formación; en gestación; en preparación; (*noch*) *im ~ sein* estar en pleno (proceso de) desarrollo; estar en gestación; estar a punto de nacer; estarse preparando; **~d** *adj.* naciente; *~e Mutter* embarazada *f*, gestante *f*.

ˈ**Werder** *m* islote *m*.

ˈ**Werfall** *Gr. m* (-*es*; ⸚*e*) nominativo *m*.

ˈ**werfen** (*L*) *v/t.* tirar; echar; (*schleudern*) arrojar, lanzar (*a.* ✈ *Bomben*); (*um~*) derribar; *Lichtbild*: proyectar; *Strahlen*: emitir; *Junge ~* (*Tiere*) parir; *Falten ~* hacer arrugas; *e-n Gegner ~* (*im Turnier*) desmontar a un adversario; *et. nach j-m ~* tirar (*od.* arrojar) a/c. a alg.; ⚓ *den Anker ~* echar anclas, anclar; fondear; *fig. auf et. ein Auge ~* poner la mira en a/c.; *e-n Blick ~ auf* (*ac.*) echar una mirada a; *auf den Boden ~* tirar al suelo; *zu Boden ~* derribar, tumbar; *über Bord ~* echar por la borda (*a. fig.*); *die Flinte ins Korn ~* F *fig.* echar la soga tras el caldero; *ins Gefängnis ~* meter en la cárcel; *über den Haufen ~* tumbar, derribar; *fig.* desbaratar, echar por tierra; echar a rodar; *aus dem Hause ~* echar de casa; poner en (la puerta de) la calle; *j-m et. an den Kopf ~* tirarle a alg. a/c. a la cabeza; *ein günstiges* (*ungünstiges*) *Licht auf et.* (*ac.*) *~* presentar a/c. bajo un aspecto favorable (poco *od.* nada favorable); *Schatten ~* proyectar sombra; hacer sombra; *über die Schulter ~* echarse a la espalda; ⚔ *aus e-r Stellung ~* desalojar de una posición; *mit Geld um sich ~* tirar el dinero (por la ventana); derrochar, gastar sin tino; *mit Schimpfwörtern um sich ~* desatarse en improperios; *sich ~* tirarse; *Holz*: alabearse, combarse; *sich auf et. ~* abalanzarse a a/c.; *fig.* dedicarse (de lleno) a a/c.; *sich j-m in die Arme ~* echarse en los brazos de alg.; *sich in die Brust ~* ufanarse, pavonearse; *sich j-m zu Füßen ~* echarse a los pies de alg.; *sich j-m an den Hals ~* enlazarse con los brazos al cuello de alg.; *mit Fremdwörtern um sich ~* alardear de conocer idiomas.

ˈ**Werft** ⚓ *f* astillero *m*; **~arbeiter** *m* obrero *m* de la construcción naval; trabajador *m* de los astilleros.

Werg *n* (-*es*; *0*) estopa *f*.

ˈ**Wergeld** ⚖ *n* (-*es*; -*er*) *ehm.* rescate *m* de la sangre.

Werk *n* (-*es*; -*e*) obra *f* (*a. künstlerisch, literarisch*); (*Arbeit*) trabajo *m*; (*Aufgabe*) tarea *f*; (*Handlung*) acción *f*; acto *m*; (*Getriebe*) mecanismo *m*; *Uhr*: *a.* máquina *f*; ⚔ fortificación *f*; ⚡ central *f*; (*Unternehmung*) empresa *f*; (*Fabrik*) fábrica *f*; talleres *m/pl.*; planta *f* industrial; (*Erzeugnis*) producto *m*; (*Schöpfung*) creación *f*; ☤ *ab ~* precio en fábrica; *ausgewählte* (*sämtliche*) *~e* obras escogidas (completas); *Rel.* *gute ~e* buena obra; *ein gutes ~ tun* hacer una buena obra; *es war das ~ weniger Sekunden* fue obra de unos segundos; fue cuestión de segundos; *ans ~!* ¡manos a la obra!; *ans ~ gehen, sich ans ~ machen* poner en obra; ponerse a trabajar; *am ~ sein* estar a la obra; *Hand ans ~ legen* poner manos a la obra; *es ist im ~* se está trabajando en ello; *ins ~ setzen* poner en obra, (*in Gang bringen*) poner en marcha, (*verwirklichen*) realizar; *er ist am ~* interviene activamente en ello; *vorsichtig zu ~e gehen* obrar con precaución; proceder con tino.

ˈ**Werk...**: **~anlage** *f* fábrica *f*; talleres *m/pl.*; **~bahn** *f* ferrocarril *m* industrial; **~bank** *f* (-; ⸚*e*) banco *m* de trabajo; **~chen** *n* opúsculo *m*; obrita *f*; **2en** *v/i.* trabajar; (*sich eifrig zu schaffen machen*) afanarse; **~führer** *m* → *Werkmeister*; **~halle** *f* nave *f*; **~kantine** *f* cantina *f* de la empresa (*od.* de la fábrica); **~leute** *pl.* trabajadores *m/pl.*, obreros *m/pl.*; **~meister** *m* capataz *m*; jefe *m* de taller; **~s-kantine** *f* → *Werkkantine*; **~spionage** *f* (*0*) espionaje *m* industrial; **~statt** *f*, **~stätte** *f* taller *m*; *e-s Künstlers*: estudio *m*; *e-s Chemikers*: laboratorio *m*; (*Reparatur2*) taller *m* de reparaciones; **~stattwagen** *m* vagón-taller *m*; **~stattzeichnung** *f* dibujo *m* de taller; **~stein** *m* (-*ęs*; -*e*) (*Haustein*) piedra *f* tallada; **~stelle** *f* → *Werkstatt*; **~stoff** *m* (-*ęs*; -*e*) material *m*; (*Rohstoff*) primera materia *f*; materia *f* prima; **~stoff-ermüdung** *f* (*0*) fatiga *f* del material; **~stück** *n* (-*ęs*; -*e*) (*Arbeitsstück*) pieza *f* de trabajo; *bearbeitetes*: pieza *f* labrada; *rohes*: pieza *f* en bruto; **~student(in** *f*) *m* (-*en*) estudiante *m*/*f* trabajador(a); **~tag** *m* (-*ęs*; -*e*) día *m* laborable (*od.* de trabajo); ⚖ día *m* hábil; *an* ~*en* = **Ƨtags** *adv.* (en) los días laborables (*od.* de semana); **Ƨtätig** *adj.* trabajador; obrero; *die* Ƨ*en* los trabajadores; la población activa; **~tisch** *m* (-*ęs*; -*e*) (*Werkbank*) banco *m*; (*Arbeitstisch*) mesa *f* de trabajo; mesa *f* de taller; **~unterricht** *m* (-*ęs*; *0*) instrucción *f* técnica; prácticas *f*/*pl.* de taller; **~zeitung** *f* periódico *m* (*od.* boletín *m* informativo) de la empresa.

'**Werkzeug** *n* (-*ęs*; -*e*) herramienta *f*; (*Instrument*) instrumento *m* (*a. fig.*); *Physiol.* órgano *m*; **~ausrüstung** *f* herramientas *f*/*pl.*; *gal.* utillaje *m*; *Auto.* estuche *m* de reparaciones; **~behälter** *m* estuche *m* de herramientas; **~fabrikation** *f* fabricación *f* de herramientas; **~halter** *m* porta-herramientas *m*; **~kasten** *m* (-*s*; ¨) caja *f* de herramientas; **~maschine** *f* máquina-herramienta *f*; **~rolltasche** *f* bolsa *f* de herramientas arrollable; **~satz** *m* (-*es*; ¨*e*) juego *m* de herramientas; **~schrank** *m* (-*ęs*; ¨*e*) armario *m* para herramientas; **~stahl** *m* (-*ęs*; *0*) acero *m* para herramientas; **~tasche** *f* bolsa *f* de herramientas; herramental *m.*

'**Wermut** *m* (-*s*; *0*) ⚘ absintio *m*, ajenjo *m*; (*Wein*) vermut *m*; *fig.* amargura *f*; **~s-tropfen** *m fig.* gota *f* de hiel (*od.* de amargura).

wert *adj.* (-*est*) (*teuer, lieb*) querido; (*geehrt*) estimado; apreciado; apreciable; (*achtbar*) respetable; (*würdig*) digno; merecedor; ~*er Herr* muy señor mío; *wie ist Ihr ~er Name?* ¿su nombre, por favor?; ¿cómo es su gracia?; ~ *sein* valer; *es ist nicht der Mühe* ~ no vale la pena; *das ist nicht der Rede* ~ no vale la pena hablar de ello; *das ist nicht viel* ~ eso no vale gran cosa; *das Buch ist* ~, *daß man es liest* el libro es digno de ser leído; *er ist nicht* ~, *daß* no merece que (*subj.*).

Wert *m* (-*ęs*; -*e*) valor *m* (*a.* 𝔄, ⊕, †, *Phys.*); (*Preis*) precio *m*; (*Verdienst*) mérito *m*; (*Wertschätzung*) aprecio *m*, estima *f*; valía *f*; ⚗ (*Wertigkeit*) valencia *f*; ⊕ (*Faktor*) coeficiente *m*; factor *m*; 𝔄 *fester* (*veränderlicher*) ~ valor constante (variable); *innerer* ~ valor intrínseco; 📯 *Muster ohne* ~ muestra sin valor; *im ~e von* por valor de; al precio de; *von geringem* ~ de escaso valor; *von unschätzbarem* ~ de inestimable valor; *im* ~ *abnehmen* (*steigen*) disminuir (aumentar) de valor; *an* ~ *verlieren* perder (de su) valor; depreciarse; *s-n* ~ *verlieren* perder su valor; *großen* ~ *legen auf* (*ac.*) dar (*od.* conceder *od.* atribuir) gran importancia a, (*bestehen auf*) insistir en; *ich lege* ~ *darauf*, *zu* me interesa (*inf.*); † ~ *erhalten* valor recibido.

'**Wert...:** **~angabe** *f* 📯 declaración *f* de valor; *unter od. mit* ~ como valor declarado; **~arbeit** *f* trabajo *m* de calidad; **~berichtigung** † *f* reevaluación *f*; **Ƨbeständig** *adj. Währung*: estabilizado; *Ware*: de valor fijo; **~beständigkeit** *f* (*0*) estabilidad *f*; **~bestimmung** *f* estimación *f*, evaluación *f*, valoración *f*; tasación *f*; **~brief** *m* (-*ęs*; -*e*) carta *f* con valor(es) declarado(s); **~einheit** *f* unidad *f* de valor; **Ƨen** (-*e*-) *v*/*t.* estimar, evaluar, valorar; tasar; *nach Kategorien*: clasificar; *Sport*: calificar (*nach* por); *Fußball*: *ein Tor nicht* ~ anular un tanto; **~gegenstand** *m* (-*ęs*; ¨*e*) objeto *m* de valor; **Ƨhalten** (*L*) *v*/*t.* → *wertschätzen*; **~herabsetzung** *f* depreciación *f*; **Ƨig** ⚗ *adj.*: *ein*~ monovalente; *zwei*~ bivalente; *drei*~ trivalente; **~igkeit** ⚗ *f* valencia *f*; **Ƨlos** *adj.* (-*est*) sin valor; sin importancia; (*nichtig*) nulo; *ganz* ~ sin ningún valor; *fig.* fútil; ~ *sein* carecer de (todo) valor; no tener ningún valor; **~losigkeit** *f* (*0*) falta *f* (*od.* carencia *f*) de valor; nulidad *f*; *fig.* futilidad *f*; **~maß-stab** *m* (-*ęs*; ¨*e*), **~messer** *m* pauta *f*, base *f* para fijar el valor de; **~minderung** *f* disminución *f* de valor; depreciación *f*; **~paket** *n* (-*ęs*; -*e*) paquete *m* con valor declarado; **~papier** † *n* (-*ęs*; -*e*) valor *m*; efecto *m* negociable; título *m*; **~papier-anlage** *f* inversión *f* en valores; **~papierbörse** *f* bolsa *f* de valores; **~papierhandel** *m* (-*s*; *0*) comercio *m* de valores; **~papiermarkt** *m* (-*ęs*; ¨*e*) mercado *m* de valores; **~philosophie** *f* (*0*) filosofía *f* de los valores; **~sachen** *f*/*pl.* objetos *m*/*pl.* de valor; **Ƨschaffend** *adj.* productivo; **Ƨschätzen** (-*t*) *v*/*t.* apreciar, estimar; tener en gran aprecio *od.* estima; **~schätzung** *f* aprecio *m*, estima *f*, estimación *f*; **~sendung** 📯 *f* envío *m* con valor declarado; valores *m*/*pl.* declarados; **~steigerung** *f* plusvalía *f*; aumento *m* de valor; **~stück** *n* (-*ęs*; -*e*) → *Wertgegenstand*; **~ung** *f* valoración *f*; evaluación *f*; tasación *f*; *Sport*: calificación *f*; puntuación *f*; **~urteil** *n* (-*ęs*; -*e*) juicio *m* apreciativo; **~verlust** *m* (-*ęs*; -*e*) pérdida *f* de valor; **~verminderung** *f*, **~verringerung** *f* disminución *f* de valor; depreciación *f*; **Ƨvoll** *adj.* valioso; (*kostbar*) precioso; ~*er Mensch* persona de altas prendas morales; **~zoll** *m* (-*ęs*; ¨*e*) arancel *m* ad valórem; **~zuwachs** *m* (-*es*; *0*) → *Wertsteigerung*; **~zuwachssteuer** *f* (-; -*n*) impuesto *m* de plusvalía.

'**Werwolf** *m* (-*ęs*; ¨*e*) *Myt.* ogro *m*; hombre *m* con figura de lobo.

wes → *wessen.*

'**Wesen** *n* (*Sein*) ser *m*, *Phil.* ente *m*; (*Dasein*) existencia *f*; (*Substanz*) su(b)stancia *f*; (*Bestand*) estado *m*; (*Stoff*) materia *f*; (*Geschöpf*) criatura *f*; (*Natur*) naturaleza *f*; *e-r Person*: personalidad *f*; (*Wesenskern*) esencia *f*; (*Wesenheit*) *Phil.* entidad *f*; (*Regime*) régimen *m*; (*System*) sistema *m*; (*Art und Weise*) modo *m* (*od.* manera *f*) de ser; (*Aussehen*) aspecto *m*; (*Eigentümlichkeit*) carácter *m*; idiosincrasia *f*; *bsd. e-s Volkes*: mentalidad *f*; (*Benehmen*) modales *m*/*pl.*; comportamiento *m*, conducta *f*; (*Angelegenheiten*) asuntos *m*/*pl.*; *das Bank*Ƨ la Banca; *das Zeitungs*Ƨ el periodismo; *das Volksschul*Ƨ la enseñanza primaria; F *armes* ~ pobre criatura; *es war kein lebendes* ~ *zu sehen* no se veía alma viviente; *gesetztes* ~ carácter *m* sosegado; *gezwungenes* ~ aire *m* afectado; maneras *f*/*pl.* afectadas; *ungezwungenes* ~ naturalidad *f*; *kindliches* ~ puerilidad *f*; *bäurisches* ~ rusticidad *f*; *gutmütiges* ~ carácter *m* bondadoso; *das Höchste* ~ el Ser Supremo; *zum* ~ *e-r Sache gehörend* ser esencial de a/c.; ser consu(b)stancial con a/c.; *es gehört zum* ~ *des Menschen* es propio de la naturaleza humana; *sein* ~ *treiben* F hacer de las suyas; *viel* ~*(s) von et. machen* hacer mucho ruido a propósito de a/c.; *nicht viel* ~*(s) mit j-m machen* F no andarse con cumplidos con alg.; no tener contemplaciones con alg.; **Ƨhaft** *adj.* real; su(b)stancial; esencial; (*hauptsächlich*) principal; **~heit** *f* (*0*) (*Wesenskern*) esencia *f*; *Phil.* entidad *f*; **Ƨlos** *adj.* sin realidad, irreal; insu(b)stancial; inmaterial; vano; ilusorio; quimérico; **~losigkeit** *f* (*0*) irrealidad *f*; insu(b)stancialidad *f*; inmaterialidad *f.*

'**Wesens...:** **~art** *f* carácter *m*; naturaleza *f*; modo *m* (*od.* manera *f*) de ser; **Ƨeigen** *adj.* característico; **Ƨfremd** *adj.* ajeno a la naturaleza (de); (*unvereinbar*) incompatible (con); **Ƨgleich** *adj.* idéntico; **~gleichheit** *f* (*0*) identidad *f*; *Theo.* consu(b)stancialidad *f*; **~lehre** *f* (*0*) ontología *f*; **Ƨmäßig** *adj.* esencial; **~zug** *m* (-*ęs*; ¨*e*) rasgo *m* característico.

'**wesentlich I.** *adj.* esencial; su(b)stancial; constitutivo; (*beträchtlich*) considerable; (*wichtig*) importante; (*unerläßlich*) vital; (*grundlegend*) fundamental; (*e-n Teil des Ganzen bildend*) integrante; *im* ~*en* en lo esencial; ~*er Inhalt e-s Buches usw.* la su(b)stancia de; *kein* ~*er Unterschied* ninguna diferencia apreciable; *das* Ƨ*e* lo esencial; lo principal; **II.** *adv.* esencialmente; ~ *verschieden* muy diferente; *vor comp.*: mucho; ~ *besser* mucho mejor.

'**Wesfall** *Gr.* *m* (-*ęs*; ¨*e*) genitivo *m.*

wes'halb *adv. u. cj. fragend*: ¿por qué?; (*und deshalb*) por lo que, por lo cual; razón por la cual.

We'sir *m* (-*s*; -*e*) visir *m.*

'**Wespe** *f* avispa *f*; **~nnest** *n* (-*ęs*; -*er*) avispero *m*; *fig. in ein* ~ *stechen* hurgar en un avispero; **~nstich** *m* (-*ęs*; -*e*) picadura *f* de avispa; **~ntaille** *f* talle *m* de avispa.

'**wessen I.** *gen. v. wer u. v. was*: ~ *Sohn ist er?* ¿de quién es hijo?; ~ *Mantel ist das?* ¿de quién es este abrigo?; ~ *Schuld ist es?* ¿de quién es la culpa?; ¿quién tiene la culpa?; ~ *klagt man dich an?* ¿de qué se te acusa?; **II.** *pron*/*rel.* cuyo.

'**West** *m* (-*ens*; *0*) oeste *m*; **~afrika** *n*

Africa *f* Occidental; **~alpen** *pl.* los Alpes Occidentales; **2deutsch** *adj.* de la Alemania Occidental; **~deutschland** *n* Alemania *f* Occidental.

'Weste *f* chaleco *m*; *fig. e-e weiße* (*od. reine*) *~ haben* tener las manos limpias.

'Westen *m* (*-s; 0*) oeste *m*; poniente *m*; (*Abendland*) Occidente *m*; *im ~ von* al oeste de.

'Westen|futter *n* (*-s; 0*) forro *m* del chaleco; **~tasche** *f* bolsillo *m* del chaleco; *fig. wie s-e ~ kennen* (*Haus, Gegend*) conocer como su propia casa; (*Person*) saber los puntos que (alg.) calza.

'West...: **~europa** *n* Europa *f* Occidental; **2europäisch** *adj.* de (la) Europa Occidental; **~'fale** *m* (*-n*) vestfaliano *m*, westfaliano *m*; **~'fälin** *f* vestfaliana *f*, westfaliana *f*; **~'falen** *n* Vestfalia *f*, Westfalia *f*; **2'fälisch** *adj.* vestfaliano, westfaliano; *2er Friede Hist.* la paz de Westfalia *od.* Vestfalia; **~front** ⚔ *f* frente *m* occidental (*od.* del oeste); **~gote** *m* (*-n*) visigodo *m*; **~gotin** *f* visigoda *f*; **2gotisch** *adj.* visigodo; **~indien** *n* Indias *f/pl.* Occidentales; **2indisch** *adj.* de las Indias Occidentales; **~küste** *f* costa *f* occidental; **2lich** *adj.* occidental; *~ von* al oeste de; **~mächte** *f/pl.* potencias *f/pl.* occidentales; **~preußen** *n* Prusia *f* Occidental; **2römisch** *adj.*: *das 2e Reich Hist.* el Imperio de Occidente; **~seite** *f* lado *m* oeste; **~sektor** *m* (*-s; -en*) sector *m* occidental; **2wärts** *adv.* hacia occidente, hacia el oeste; **~wind** *m* (*-es; -e*) viento *m* oeste; ⚓ *a.* poniente *m*.

wes'wegen → *weshalb*.

wett *adj.* igual; libre; *wir sind ~* estamos en paz; estamos pagados.

'Wett·annahme *f* (*Fußballtoto*) despacho *m* de apuestas mutuas.

'Wettbewerb *m* (*-es; -e*) concurso *m*; *Sport*: competición *f*; prueba *f*; (*Meisterschaft*) campeonato *m*; ✝ competencia *f*; *freier ~* libre competencia; *unlauterer ~* competencia desleal; *außer ~* fuera de concurso; *in ~ treten mit* competir con; *mit j-m in ~ stehen* competir con alg.; ✝ hacer la competencia a alg.; **~er(in** *f*) *m* competidor(a *f*) *m*; concursante *m/f*; **~sbedingung** *f* condición *f* de competencia; **~sbeschränkung** *f* restricción *f* competitiva; **2sfähig** *adj.* capaz de competir; **~sfähigkeit** *f* (*0*) capacidad *f* de competir; **~sverbot** *n* (*-es; -e*) prohibición *f* de competir.

'Wett|büro *n* (*-s; -s*) → *Wettannahme*; **~e** *f* apuesta *f*; *e-e ~ abschließen* (*od. eingehen*) hacer una apuesta; *was gilt die ~?* ¿qué apostamos?; *die ~ soll gelten* acepto la apuesta; *ich gehe jede ~ ein, daß ...* apuesto cualquier cosa a que ...; *um die ~* a porfía; a cuál mejor *od.* más; **~eifer** *m* (*-s; 0*) emulación *f*; rivalidad *f*; **2eifern** (*-re*) *v/i.* emular; rivalizar (*mit* con; *an dat.* en); competir con; **2en** (*-e-*) *v/i.* apostar (*auf ac.* por); hacer una apuesta; *um 10 Mark ~* apostar diez marcos; *ich wette hundert gegen eins* apuesto ciento contra uno; *ich wette um m-n Kopf, daß ...* apuesto la cabeza a que ...; *ich wette darauf!* ¡apuesto que sí!, F ¡a que sí!; ¿apostamos?; *fig. so haben wir nicht gewettet* eso no es lo convenido.

'Wetter *n* tiempo *m*; (*Un2*) tempestad *f*; temporal *m*; (*Gewitter*) tormenta *f*; ⚒ *schlagende ~* grisú *m*; *nach dem ~ sehen* observar el tiempo; *wie ist das ~?* ¿qué tiempo hace?; *es ist schönes ~* hace buen tiempo; *das ~ wird wieder schön* vuelve a hacer buen tiempo; *wir bekommen anderes ~* el tiempo va a cambiar; *das ~ verspricht gut zu werden* el tiempo es prometedor; parece que va a hacer buen tiempo; *bei schönem ~* con buen tiempo; haciendo buen tiempo; *es ist schlechtes ~* hace mal tiempo; *alle ~! staunend*: ¡caramba!; **~amt** *n* (*-es; ⸚er*) instituto *m* meteorológico; **~aussichten** *f/pl.* tiempo *m* probable; previsiones *f/pl.* meteorológicas; **~bedingungen** *f/pl.* condiciones *f/pl.* meteorológicas; **~be·obachtung** *f* observación *f* meteorológica; **~bericht** *m* (*-es; -e*) boletín *m* meteorológico; **~besserung** *f* mejoría *f* del tiempo; **2beständig** *adj.* resistente a la intemperie (*od.* a los agentes atmosféricos); **~beständigkeit** *f* (*0*) resistencia *f* a la intemperie (*od.* a los agentes atmosféricos); **~dach** *n* (*-es; ⸚er*) abrigo *m*; *an e-m Hause*: sobradillo *m*; alpende *m*; **~dienst** *m* (*-es; -e*) servicio *m* meteorológico; **~fahne** *f* veleta *f* (*a. fig.*); **2fest** *adj.* → *wetterbeständig*; **~forschung** *f* (*0*) meteorología *f*; **~frosch** F *m* (*-es; ⸚e*) meteorólogo *m*; meteorologista *m*; **~führung** ⚒ *f* pozo *m* de ventilación; **2geschützt** *adj.* (*-est*) protegido (*od.* al abrigo) de la intemperie; **~hahn** *m* (*-es; ⸚e*) veleta *f* (en forma de gallo); **2hart** *adj.* curtido por la intemperie; **~häus·chen** *n* higroscopio *m* (en forma de casita, ermita *usw.*); **~karte** *f* mapa *m* meteorológico; **~kunde** *f* (*0*) meteorología *f*; **~kundige(r)** *m* meteorologista *m*; meteorólogo *m*; **~lage** *f* estado *m* del tiempo; situación *f* meteorológica; **2leuchten** (*-e-*) *v/i.* relampaguear; *es wetterleuchtet* relampaguea; **~leuchten** *n* relámpagos *m/pl.*; relampagueo *m*; **~mantel** *m* (*-s; ⸚*) capote *m*; (*Regenmantel*) impermeable *m*; trinchera *f*; **~meldung** *f* información *f* meteorológica; **2n I.** *v/unprs.*: *es wettert* hay tormenta; hay temporal; **II.** (*-re*) *v/i.* (*schimpfen*) tronar (*gegen* contra); echar pestes (contra); desatarse en improperios (contra); **~prognose** *f* → *Wettervorhersage*; **~prophet** *m* (*-en*) pronosticador *m* del tiempo; **~schacht** ⚒ *m* (*-es; ⸚e*) pozo *m* de ventilación (*od.* de salida de aire); **~schaden** *m* (*-s; ⸚*) daños *m/pl.* causados por el temporal *bzw.* por una tormenta; **~scheide** *f* divisoria *f* meteorológica; **~schutz** *m* (*-es; 0*) protección *f* contra los agentes atmosféricos; **~seite** *f* lado *m* del viento; lado *m* noroeste *bzw.* oeste; lado *m* expuesto a las lluvias; **~stein** *Geol. m* (*-es; -e*) belemnita *f*; **~strahl** *m* (*-es; 0*) rayo *m*; **~sturz** *m* (*-es; ⸚e*) descenso *m* brusco de temperatura; **~umschlag** *m* (*-es; ⸚e*) cambio *m* brusco de tiempo; **~verhältnisse** *n/pl.* condiciones *f/pl.* meteorológicas (*od.* atmosféricas); **~verschlechterung** *f* empeoramiento *m* del tiempo; **~vorhersage** *f* pronóstico *m* del tiempo; tiempo *m* probable; **~warte** *f* observatorio *m* meteorológico; estación *f* meteorológica; **~wechsel** *m* cambio *m* de tiempo; **2wendisch** *adj.* inconstante, veleidoso; versátil; **~wolke** *f* nube *f* tormentosa; nublado *m*; **~zeiger** ⚒ *m* indicador *m* de grisú; **~zug** ⚒ *m* aireación *f*.

'Wett...: **~fahrer** *m Sport*: corredor *m*; **~fahrt** *f* carrera *f*; ⚓ regata *f*; **~fliegen** *n*, **~flug** *m* (*-es; ⸚e*) competición *f* aérea; carreras *f/pl.* aéreas; **~gesang** *m* (*-es; ⸚e*) concurso *m* (*od.* certamen *m*) de canto; **~kampf** *m* (*-es; ⸚e*) lucha *f*, combate *m*; concurso *m*; *Sport*: competición *f*; *um die Meisterschaft*: campeonato *m*; (*Spiel*) encuentro *m*, partido *m*; ✝ competencia *f*; **~kämpfer(in** *f*) *m* competidor (-a *f*) *m*; atleta *m/f*; (*Gegner*) rival *m/f*; **~lauf** *m* (*-es; ⸚e*), **~laufen** *n* carrera *f*; **~läufer(in** *f*) *m* corredor (-a *f*) *m*; **2machen** *v/t.* desquitar; (*wiedergutmachen*) reparar; (*ausgleichen*) compensar; *Verlust*: resarcirse de; *Versäumnis*: recuperar; **~rennen** *n* carrera *f*; **~rudern** *n* regata *f* de remo; **~rüsten** ⚔ *n* carrera *f* de armamentos; **~schwimmen** *n* concurso *m* de natación; **~segeln** *n* regata *f* (de balandros); **~spiel** *n* (*-es; -e*) partido *m*, encuentro *m*; *ein ~ austragen* disputar (*od.* celebrar *od.* jugar) un partido; *ein unentschiedenes ~ liefern* empatar (un partido); **~streit** *m* (*-es; -e*) lucha *f*; concurso *m*; competición *f*; *fig.* emulación *f*; rivalidad *f*; *sich mit j-m in e-n ~ einlassen* rivalizar con alg. (*um et.* en a/c.); **~(t)anzen** *n* concurso *m* de baile.

'wetz|en (*-t*) *v/t.* aguzar; (*schleifen*) afilar; *mit Wetzstein*: amolar; **2en** *n* aguzadura *f*, aguzamiento *m*; afiladura *f*; amoladura *f*; **2stahl** *m* (*-es; ⸚e*) chaira *f*; **2stein** *m* (*-es; -e*) piedra *f* de afilar *od.* de amolar.

'Whisky ['vɪski·] *m* (*-s; -s*) whiski *m*.

wich *pret. v. weichen.*

Wichs [ks] *m* (*-es; -e*) uniforme *m* de gala de los estudiantes; *in vollem ~* de (gran) gala; **'~bürste** *f* cepillo *m* para embetunar.

'Wichse *f für Schuhe*: betún *m* (*od.* crema *f*) para el calzado; F (*Prügel*) paliza *f*; azotaina *f*.

'wichsen I. (*-t*) *v/t.* (*Parkettboden*) encerar, dar cera a; (*Schuhe, Stiefel*) embetunar, lustrar; F (*prügeln*) apalear; dar una soba a; zurrar la badana a; **II. 2** *n des Fußbodens*: encerado *m*; *der Schuhe*: lustrado *m*.

'Wicht *m* (*-es; -e*) *desp.* sujeto *m*, individuo *m*, tipo *m*; *armer ~* infeliz *m*; pobre diablo *m*; *kleiner ~* hombrecillo *m*; F *hum.* arrancapinos *m*, milhombres *m*; *Kind*: criatura *f*; chicuelo *m*; *erbärmlicher* (*elender*) ~

miserable *m*; tunante *m*, pillo *m*, granuja *m*.
'Wichte ⊕ *f* peso *m* específico.
'Wichtelmännchen *n* duende *m*; gnomo *m*.
'wichtig *adj.* importante; de importancia; (*erheblich*) considerable; (*wesentlich*) esencial; *höchst* ~ de la mayor importancia; de suma importancia; importantísimo; ~ *sein* importar, ser importante; *das ist mir sehr* ~ me importa mucho; ~ *nehmen* tomar en serio; dar importancia a; ~ *tun, sich* ~ *machen* darse importancia, F darse tono (*od.* pisto *od.* postín); pavonearse, farolear; *das* 2*ste* lo más importante; lo esencial; **2keit** *f* (*0*) importancia *f*; (*Tragweite*) trascendencia *f*; alcance *m*; **2tu·er** *m* presumido *m*, presuntuoso *m*; jactancioso *m*; F fantoche *m*, farolero *m*; **2tu·e'rei** *f* (*0*) presunción *f*; jactancia *f*; F faroleo *m*.
'Wicke ♀ *f* algarroba *f*, arveja *f*; *wohlriechende* ~ guisante *m* de olor; F *in die* ~*n gehen* perderse.
'Wickel *m* (*Knäuel*) ovillo *m*; (*Haar*2) rulo *m* rizador; (*Windel*) pañal *m*; ⚕ (*Teilpackung*) envoltura *f* parcial; (*Umschlag*) compresa *f*; (*Zigarreneinlage*) tripa *f*; F *j-n beim* ~ *kriegen* agarrar a alg. por el cogote; **~band** *n* (-*es*; ¨*er*) faja *f*; *für Säuglinge*: *a.* fajero *m*; **~blatt** *n* (-*es*; ¨*er*) *e-r Zigarre*: hoja *f* externa; (*innere*) tripa *f*; **~gamasche** *f* bandas *f/pl.*; **~kind** *n* (-*es*; -*er*) niño *m* de pecho, F bebé *m*, nene *m*; **~maschine** *f* ⚡ bobinadora *f*; *Spinnerei*: reunidora *f*; **2n** (-*le*) *v/t.* (*rollen*) arrollar; enrollar; (*ein*~) envolver (*in ac.* en); *Garn*: ovillar; *Locken*: rizar; *Zigarre, Zigarette*: liar; *Kind*: fajar; ⚡ bobinar; ~ *um* volver alrededor de; *sich* ~ envolverse (*in ac.* en); *fig. man kann ihn um den Finger* ~ no sabe negarse a nada; se hace con él lo que se quiere; *j-n um den* (*kleinen*) *Finger* ~ F *fig.* meterse a alg. en el bolsillo; **~schwanz** *m* (-*es*; ¨*e*) *der Affen*: cola *f* prensil; **~tuch** *n* (-*es*; ¨*er*) pañal *m*; fajero *m*; **~zeug** *n* (-*es*; *0*) pañales *m/f*; fajas *f/pl.*
'Wicklung ⚡ *f* bobinado *m*; arrollamiento *m*.
'Widder *m Zoo.* carnero *m*; *Astr.* Aries *m*; ⚔ *ehm.* (*Sturmbock*) ariete *m*.
'wider *prp.* (*ac.*) contra; ~ *m-n Willen* contra mi voluntad; a pesar mío; *das Für und* 2 el pro y el contra; **~borstig** *adj.* recalcitrante; **~'fahren** (*L*; -; *sn*) *v/i.* pasar, ocurrir, suceder; *j-m Gerechtigkeit* ~ *lassen* hacer justicia a alg.; **~haarig** *adj.* → *widerborstig*; **2haken** *m* garfio *m*; gancho *m*; **2hall** *m* (-*es*; -*e*) eco *m*; resonancia *f* (*beide a. fig.*); *fig.* repercusión *f*; **~hallen** *v/i.* resonar; *dröhnend*: retumbar; *fig.* repercutir; **2halt** *m* (-*es*; -*e*) apoyo *m*; sostén *m*; **2klage** ⚖ *f* reconvención *f*; contrademanda *f*; **2lager** Δ *n e-r Mauer*: contrafuerte *m*; *e-s Gewölbebogens*: machón *m*; *e-r Brücke*: espolón *m*; (*Strebebogen*) arbotante *m*; (*Stützlager*) apoyo *m*; **~'legbar** *adj.* refutable, rebatible; **~'legen** *v/t.* refutar, rebatir; *Gesagtes*: desmentir; **2'legung** *f* refutación *f*; **~lich** *adj.* (*abstoßend*) repugnante; repulsivo; (*ekelhaft*) asqueroso; (*Übelkeit erregend*) nauseabundo; (*unangenehm*) desagradable; (*lästig*) molesto; fastidioso; **2lichkeit** *f*: *die* ~ *des* ... lo repugnante, lo repulsivo *usw.* de ...; **~natürlich** *adj.* contra natura; ⚖ ~*e Unzucht* abuso deshonesto contra natura; **2part** *m* (-*es*; -*e*) (*Gegner*) adversario *m*; ⚖ parte *f* contraria; **~'raten** (*L*; -) *v/t.*: *j-m et.* ~ desaconsejar a alg. a/c.; disuadir a alg. de a/c.; **~rechtlich** *adj.* contrario a la ley; contrario al derecho, ⚖ antijurídico; (*ungerecht*) injusto; (*ungesetzlich*) ilegal; (*unbillig*) inicuo; (*nicht gestattet*) ilícito; (*mißbräuchlich*) abusivo; (*willkürlich*) arbitrario; *sich et.* ~ *aneignen* usurpar a/c.; **2rechtlichkeit** *f* (*Ungesetzlichkeit*) ilegalidad *f*; **2rede** *f* contradicción *f*; *ohne* ~ sin réplica; **2rist** *Vet. m* (-*es*; -*e*) *des Pferdes*: cruz *f*; **2ruf** *m* (-*es*; -*e*) revocación *f*; abrogación *f*; retractación *f*; *e-r Nachricht*: desmentida *f*; *e-s Befehls, e-r Bestellung*: contraorden *f*; *bis auf* ~ hasta nueva orden; **~'rufbar** *adj.* revocable; retractable; **2'rufbarkeit** *f* (*0*) revocabilidad *f*; **~'rufen** (*L*; -) *v/t.* *Erlaß*: revocar; *Gesetz*: abrogar; *Aussage, Behauptung*: retractar; desdecirse (de); *Nachricht*: desmentir; *Auftrag*: dar contraorden; ✝ (*abbestellen*) anular; *s-e Behauptung* ~ retractarse (de su afirmación); **2'rufen** *n* → *Widerruf*; **~'rufend** *adj.* revocatorio; abrogatorio; **~'ruflich** *adj.* revocable; retractable; anulable; **2'ruflichkeit** *f* (*0*) revocabilidad *f*; **2sacher(in** *f*) *m* adversario (-a *f*) *m*; antagonista *m/f*; rival *m/f*; enemigo (-a *f*) *m*; ⚖ parte *f* contraria; **2schein** *m* (-*es*; -*e*) reflejo *m*; reflexión *f*; reverberacion *f*; **~scheinen** (*L*) *v/i.* reflejar(se); reverberar; **~'setzen** (-*t*) *v/refl.*: *sich* ~ oponerse; (*Widerstand leisten*) oponer resistencia, resistir (a); resistirse contra (*ac.*); (*nicht gehorchen*) desobedecer (a); **~'setzlich** *adj.* (*unbotmäßig*) insubordinado; (*gegen die Staatsgewalt*) desacatador; (*eigenwillig*) rebelde; recalcitrante; (*ungehorsam*) desobediente; **2'setzlichkeit** *f* insubordinación *f*; desacato *m*; rebeldía *f*; desobediencia *f*; **2sinn** *m* (-*es*; *0*) absurdidad *f*; absurdo *m*; contrasentido *m*; paradoja *f*; **~sinnig** *adj.* absurdo; paradójico; contrario al buen sentido; **2sinnigkeit** *f* → *Widersinn*; **~spenstig** *adj.* renitente, reacio, reluctante; refractario; (*aufsässig*) rebelde (*a. Haar*); (*halsstarrig*) obstinado, terco, testarudo, F cabezudo; recalcitrante; (*ungehorsam*) desobediente; (*unbotmäßig*) insubordinado; (*unlenksam*) indócil; *Kind*: rebelde; díscolo; **2spenstigkeit** *f* (*0*) renitencia *f*; rebeldía *f*; obstinación *f*, terquedad *f*, testarudez *f*; desobediencia *f*; insubordinación *f*; indocilidad *f*; **~spiegeln** (-*le*) *v/t. u. v/refl.* reflejar; *sich* ~ reflejarse; **2spiel** *n* (-*es*; *0*) (*Gegenteil*) contrario *m*; **~'sprechen** (*L*; -) **1.** *v/i. u. v/t.* contradecir (*ac.*); *e-m Vorschlag*: oponerse a; (*entgegenhandeln*) contrariar (*ac.*); (*protestieren*) protestar contra; **2.** *v/refl.*: *sich* ~ contradecirse; **2'sprechen** *n* contradicción *f*; **~'sprechend** *adj.* contradictorio; **2spruch** *m* (-*es*; ¨*e*) contradicción *f*; *Logik*: antinomia *f*; (*Protest*) protesta *f*; (*Gegensatz*) oposición *f*; antagonismo *m*; (*Mißverhältnis*) desacuerdo *m*; (*Entgegnung*) réplica *f*; ~ *erheben* protestar; *im* ~ *stehen mit* estar en contradicción con; estar en desacuerdo con; estar en pugna con; *im* ~ *zu* en contraposición a *od.* con; opuesto a; *ohne* ~ sin protesta; sin disputa; *sich in Widersprüche verwickeln* incurrir en contradicciones; *in offenem* ~ *zu* en flagrante (*od.* abierta) contradicción con; **2spruchsgeist** *m* (-*es*; *0*) espíritu *m* de contradicción; **~spruchslos** *adv.* sin réplica; sin objeción; **~spruchsvoll** *adj.* lleno de contradicciones.
'Widerstand *m* (-*es*; ¨*e*) resistencia *f* (*a. Phys.*, ⚡ *u.* ⚔); oposición *f*; (*Rheostat*) reóstato *m*; *passiver* ~ resistencia pasiva; ~ *leisten* oponer resistencia; resistir; ~ *finden, auf* ~ *stoßen* encontrar resistencia; *den* ~ *aufgeben* cesar en la resistencia; *den* ~ *brechen* romper (*od.* forzar) la resistencia; ⚖ ~ *gegen die Staatsgewalt* desacato a la autoridad.
'Widerstands...: **~bewegung** *f* movimiento *m* de resistencia; **2fähig** *adj.* resistente; sólido; fuerte, robusto; **~fähigkeit** *f* (*0*) capacidad *f* de resistencia; **~kraft** *f* (-; ¨*e*) fuerza *f* de resistencia; **~linie** *f* línea *f* de resistencia; **2los** *adv.* sin (oponer) resistencia; sin resistir; **~messer** ⚡ *m* óhmetro *m*, ohmímetro *m*; **~nest** ⚔ *n* (-*es*; -*er*) nido *m* de resistencia; **~wert** *m* (-*es*; -*e*) valor *m* de la resistencia.
'wider...: **~'stehen** (*L*; -) *v/i.* resistir; oponerse, oponer resistencia a; (*zuwider sein*) repugnar; *der Versuchung* ~ resistir a la tentación; **~'streben** (-) *v/i.* resistir; oponerse a; (*zuwider sein*) repugnar; *es widerstrebt mir, zu* (*inf.*) me repugna (*inf.*); **2'streben** *n* resistencia *f*; oposición *f*; (*Widerwille*) repugnancia *f*; *mit* ~ → **~'strebend** *adv.* con repugnancia; de mala gana; a disgusto; F a regañadientes; **2streit** *m* (-*es*; -*e*) conflicto *m*; antagonismo *m*; (*Widerspruch*) contradicción *f*; **~'streiten** (*L*; -) *v/i.* ser contrario a; oponerse a; estar en contradicción con; estar en pugna con; **~'streitend** *adj.* opuesto; contradictorio; divergente; **~wärtig** *adj.* (*unangenehm*) desagradable; (*ärgerlich*) molesto; enojoso, fastidioso; (*zuwider*) antipático; (*gehässig*) odioso; (*abstoßend*) repugnante; repulsivo; (*ekelhaft*) asqueroso; **2wärtigkeit** *f* contrariedad *f*; (*Mißgeschick*) adversidad *f*; infortunio *m*; (*widriger Zufall*) contratiempo *m*; percance *m*; (*Schicksalsschlag*) revés *m* de la fortuna; **2wille** *m* (-*ns*; *0*) repugnancia *f*; (*Abneigung*) aversión *f*; antipatía *f*; (*Ekel*) asco *m*; *e-n* ~*n gegen j-n* (*et.*) *fassen* tomar aversión a alg. (a a/c.); ~*n empfinden* (*zeigen*) sen-

tir (mostrar) repugnancia (*gegen* hacia); *mit* ∼*n* → **∼willig** *adv.* con repugnancia; a disgusto; de mala gana; F a regañadientes.

'widm|en (*-e-*) *v/t.* dedicar (*a. Buch*); destinar; *Zeit, Bemühungen*: consagrar; *sich e-r Sache* ∼ dedicarse (*od.* consagrarse) a una cosa; **2ung** *f* (*Handlung*) dedicación *f*; *auf Büchern*: dedicatoria *f*; *mit e-r* ∼ *versehen* dedicar.

'widrig *adj.* contrario; opuesto; *Schicksal*: adverso; (*feindlich*) enemigo; → *widerwärtig*; **∼enfalls** *adv.* de lo contrario; en caso contrario; si no; de no ser así; en otro caso; **2keit** *f* → *Widerwärtigkeit.*

wie I. *adv. u. cj.* **a)** *fragend*: cómo; de qué manera (*od.* modo); ∼ *geht es Ihnen?* ¿cómo está usted?; ∼ *geht's dir?* ¿cómo estás?; ¿cómo te va?; ¿qué tal estás?; ∼ *alt sind Sie?* ¿qué edad tiene usted?; ¿cuántos años tiene usted?; ∼ *breit ist dieses Zimmer?* ¿qué anchura (*od.* ancho) tiene esta habitación?; ∼ *lange?* ¿cuánto tiempo?; ∼ *lange ist er hier?* ¿desde cuándo está aquí?; ¿cuánto (tiempo) hace que está aquí?; ∼ *lange sollen wir noch warten?* ¿cuánto hemos de esperar todavía?; ∼ *oft?* ¿cuántas veces?; ∼ *spät ist es?* ¿qué hora es?; ∼ *teuer ist dieses Buch?* ¿cuánto cuesta (*od.* vale) este libro?; ¿qué precio tiene este libro?; ∼ *wäre es, wenn ...?* ¿qué le *bzw.* te parece si (*subj.*)?; ∼ *weit ist es nach ...?* ¿qué distancia hay de aquí a ...?; ∼ *weit gehen wir?* ¿hasta dónde vamos?; ∼ *weit bist du mit deiner Arbeit?* ¿cuánto llevas hecho de tu trabajo?; ∼ *bitte?* ¿cómo?; ¿cómo dice (*od.* decía) usted?; ∼ *gefällt es Ihnen in ...?* ¿le gusta a usted ...?; ∼ *kommt es, daß ...?* ¿cómo es que ...?; ¿cómo se explica que ...?; ∼ *kam das?* ¿cómo ha ocurrido esto?; ∼ *komme ich zu dieser Ehre?* ¿a qué debo este honor?; ∼ *meinen Sie das?* ¿qué quiere usted decir con eso?; **b)** *im Ausruf*: ∼! ¡cómo!; *und* ∼! ¡y cómo!; ¡y de qué modo!; ¡ya lo creo!; ∼ *glücklich ich bin!* ¡qué feliz soy!; ∼ *erstaunte ich!* ¡cuál no sería mi asombro!; ∼ *mancher ...!* ¡cuántos (hay que) ...!; ∼ *oft!* ¡cuántas veces!; ∼ *schade!* ¡qué lástima!; **c)** *im Vergleich*: *er denkt* ∼ *du* piensa como (*od.* igual que) tú; *ein Mann* ∼ *er* un hombre como él; ∼ *ein Freund* como un amigo; ∼ *neu* casi nuevo; ∼ *wenn* (*als ob*) como si; ∼ *es sich gehört* como es debido; *schlau* ∼ *er ist* con lo ladino que es; *ich weiß,* ∼ *das ist* ya sé lo que es eso; ∼ *ich glaube* según creo; como yo creo; ∼ *ich sehe* según veo; por lo que veo; ∼ *man mir gesagt hat* como (*od.* según) me han dicho; ∼ *die Sachen jetzt stehen* tal como están las cosas; en estas circunstancias; *aussehen* ∼ ... parecer ...; *er sieht aus* ∼ *ein* ... parece un ...; *er sieht nicht* ∼ *60* (*Jahre alt*) *aus* no aparenta tener sesenta años; ∼ *du mir, so ich dir* F donde las dan las toman; **d)** *erklärend*: *wenn er zurückkommt,* ∼ *ich glaube* si vuelve, como yo creo; ∼ *gesagt* como (*od.* según) queda dicho; como he dicho; **e)** *zeitlich*: ∼ *ich hinausging* cuando yo salía; al salir yo; *ich sah,* ∼ *er aufstand* le vi levantarse; ∼ *er dies hörte* al oír él esto; *ich hörte,* ∼ *er es sagte* le oí decirlo; **f)** *einräumend*: ∼ *dem auch sei* sea como fuere; sea como sea; ∼ *reich er auch sein mag* por (muy) rico que sea; **II.** 2 *n*: *das* ∼ (*der Grund*) el porqué; (*die Form*) la forma de; la forma en que; *auf das* ∼ *kommt es an* depende de cómo (*od.* de la forma en que) se haga (*od.* diga); *er findet immer ein* ∼ siempre halla un medio; (*Vorwand*) nunca le falta pretexto, siempre encuentra pretexto(s); *das* ∼ *und Warum* el cómo y el porqué.

'Wiedehopf *Orn. m* (*-es; -e*) abubilla *f*.

'wieder *adv.* nuevamente, de nuevo; otra vez; *ich bin gleich* ∼ *da* vuelvo en seguida; *da bin ich* ∼! ya estoy de vuelta; ∼ *und* ∼ una y otra vez; **2'abdruck** *Typ. m* (*-es; -e*) reimpresión *f*; **∼'abdrucken** *Typ. v/t.* reimprimir; **∼'abreisen** (*-t; sn*) *v/i.* volver a partir; **2'abtretung** ⚖ *f* retrocesión *f*; **∼'anfangen** (*L*) *v/t.* comenzar de nuevo; **∼'anknüpfen** *v/t.* reanudar; **2anlage** ☤ *f* reinversión *f*; **∼'anpassen** (*-ßt*) *v/t.* readaptar; **2'anpassung** *f* readaptación *f*; **∼'anstellen** *v/t.* volver a colocar; **∼'anziehen** (*L*) *v/t. Kleider*: volver a ponerse; **2'aufbau** *m* (*-es; -ten*) reconstrucción *f*; reedificación *f*; **∼'aufbauen** *v/t.* reconstruir; reedificar; **2'aufbauprogramm** *n* (*-es; -e*) programa *m* de reconstrucción; **2'aufbauwerk** *n* (*-es; -e*) obra *f* de reconstrucción; **∼'aufblühen** (*sn*) *v/i.* volver a florecer; renacer; *fig.* resurgir; **2'aufblühen** *n* nuevo florecimiento *m*; *fig.* renacimiento *m*; resurgimiento *m*; **∼'auf·erstehen** (*L; -; sn*) *v/i.* resucitar; volver a la vida; **2'auf·erstehung** *f* (*0*) resurrección *f*; **∼'aufflackern** (*-re; sn*) *v/i.* reavivarse; *fig.* reanimarse; ⚕ exacerbarse; reactivarse; **∼'aufforsten** (*-e-*) *v/t.* repoblar (de árboles); **2'aufforstung** *f* repoblación *f* forestal; **∼'aufführen** *Thea. v/t.* reponer; **2'aufführung** *Thea. f* reposición *f*; **∼'aufkommen** (*L; sn*) *v/i. Mode usw.*: volver (a generalizarse); *Kranke*: restablecerse; (*wiederaufleben*) revivir; renacer; resucitar; (*wiedererscheinen*) reaparecer; **2'aufkommen** *n e-s Kranken*: restablecimiento *m*; (*Wiederaufleben*) renacimiento *m*; resurrección *f*; (*Wiedererscheinen*) reaparición *f*; **∼'aufladen** (*L; -*) *v/t. Batterie usw.*: recargar, volver a cargar; **∼'aufleben** (*sn*) *v/i.* revivir (*a. fig.*); renacer a la vida; resucitar; *fig.* reanimarse; resurgir; **2'aufleben** *n* renacimiento *m*; resurgimiento *m*; **2'aufnahme** *f* reanudación *f*; ⚖ ∼ *des Verfahrens* reapertura *f* del procedimiento; (*Revision*) revisión *f*; *in ein Amt*: reposición *f*; *als Mitglied*: readmisión *f*; **2'aufnahmeverfahren** ⚖ *n* procedimiento *m* de revisión; revisión *f* de una causa; **∼'aufnehmen** (*L*) *v/t.* reanudar; *in ein Amt*: reponer; *in e-n Verein*: readmitir; **∼'aufrichten** (*-e-*) *v/t.* levantar; erigir de nuevo; **∼'aufrüsten** (*-e-*) *v/t.* rearmar; **2'aufrüstung** *f* rearme *m*; **∼'aufstehen** (*L; sn*) *v/i.* levantarse; *Kranke*: *a.* abandonar el lecho; **2'aufstieg** *m* resurgimiento *m*; **∼'auftauchen** (*sn*) *v/i.* reaparecer; ⚓ salir a la superficie; **∼'auftreten** (*L; sn*) *v/i.* reaparecer; **2'auftreten** *n* reaparición *f*; **∼'aufwachen** (*sn*) *v/i.* despertar (nuevamente); *fig.* reanimarse; **∼'aufwerten** (*-e-*) *v/t.* revalorar; **2'aufwertung** *f* revaloración *f*; **∼'ausbrechen** (*L; sn*) *v/i.* volver a fugarse; **2ausfuhr** *f* reexportación *f*; **∼'ausführen** *v/t.* reexportar; **∼'ausgraben** (*L*) *v/t.* desenterrar; *e-e Leiche*: exhumar; **2'ausgrabung** *f e-r Leiche*: exhumación *f*; **∼'aussöhnen** *v/t.* reconciliar; *sich* ∼ reconciliarse; **2'aussöhnung** *f* reconciliación *f*; **2beginn** *m* (*-es; 0*) reanudación *f*; reapertura *f*; ∼ *der Schule* reapertura de las clases; **∼bekommen** (*L; -*) *v/t.* recobrar; recuperar; **∼beleben** (*-*) *v/t.* reanimar; reavivar (*a. fig.*); revivificar (*a. fig.*); hacer revivir, volver a la vida; dar nueva vida; **2belebung** *f* reanimación *f*; revivificación *f*; ∼ *der Wirtschaft* reencauzamiento de la economía; **2belebungsversuch** *m* (*-es; -e*) intento *m* de hacer revivir; ∼*e an e-m Ertrunkenen* esfuerzos para hacer revivir a un ahogado; **∼beschaffen** (*-*) *v/t.* recuperar; readquirir; **2beschaffung** *f* recuperación *f*; readquisición *f*; **∼besetzen** (*-t; -*) *v/t. Stelle, Amt*: proveer de nuevo; **∼bewaffnen** (*-e-; -*) *v/t.* rearmar; **2bewaffnung** *f* rearme *m*; **∼bezahlen** (*-*) *v/t.* re(e)mbolsar; **2bezahlung** *f* re(e)mbolso *m*; **∼bringen** (*L*) *v/t.* devolver; restituir; **∼'einbringen** (*L*) *v/t.* recuperar; (*ausgleichen*) compensar; *Verlust*: resarcirse de; **2'einbürgerung** *f* renacionalización *f*; **2'einfuhr** *f* reimportación *f*; **∼'einführen** *v/t.* restablecer; renovar; ☤ reimportar; **2'einführung** *f* restablecimiento *m*; renovación *f*; ☤ reimportación *f*; **∼'eingliedern** *v/t.* reintegrar; **2'eingliederung** *f* reintegración *f*; **∼'einkerkern** *v/t.* volver a encarcelar; **2'einkerkerung** *f* nuevo encarcelamiento *m*; **∼'einlösen** (*-t*) *v/t.* (*Pfand*) desempeñar; **2'einlösung** *f* desempeño *m*; **2'einnahme** ⚔ *f* reconquista *f*; **∼'einnehmen** (*L*) ⚔ *v/t.* volver a tomar; reconquistar; **∼'einpacken** *v/t.* volver a empaquetar; **∼'einrenken** ⚕ *v/t.* reducir una luxación; **∼'einschiffen** *v/t.* reembarcar; **2'einschiffung** *f* reembarque *m*; **∼'einschlafen** (*L; sn*) *v/i.* volver a dormirse; **∼'einsetzen** (*-t*) *v/t.* restablecer; *in ein Amt*: reponer (*in ac.* en); *Rechte, Besitz*: restituir; **2'einsetzung** *f* restablecimiento *m*; reposición *f*; restitución *f*; **∼'einstellen** *v/t. Arbeiter*: volver a ocupar; volver a emplear; *Beamte*: reponer; **2'einstellung** *f v. Arbeitern*: reocupación *f*; *v. Beamten*: reposición *f*; **∼'eintreten** (*L; sn*) *v/i.* reintegrarse; reincorporarse (*a.* ⚔); reingresar; (*sich wiederholen*) repetirse; 2'**eintritt** *m* (-*es*; *0*) reincorporación *f*; (*Wiederholung*) repetición *f*.

'**wieder...:** 2**entdeckung** *f* redescubrimiento *m*; ~**ergreifen** (*L*) *v/t.* *Flüchtige*: (volver a) capturar; ~**erhalten** (*L*; -) *v/t.* recobrar, recuperar; readquirir; ~**erinnern** (-) *v/refl.*: *sich* ~ acordarse (*an dat.* de); recordar; rememorar; 2**erinnerung** *f* recuerdo *m* (*an dat.* de); rememoración *f*; ~**erkennen** (*L*; -) *v/t.* reconocer; *sich* ~ reconocerse; 2**erkennung** *f* (*0*) reconocimiento *m*; ~**erlangen** (-) *v/t.* → *wiedererhalten*; 2**erlangung** *f* recobro *m*, recuperación *f*; readquisición *f*; ~**er·obern** (-*re*; -) *v/t.* reconquistar; 2**er·oberung** *f* reconquista *f*; ~ **er'öffnen** (-*e*-; -) *v/t.* volver a abrir; 2**er·öffnung** *f* reapertura *f*; ~**erscheinen** (*L*; -; *sn*) *v/i.* reaparecer; 2**erscheinen** *n*, 2**erscheinung** *f* reaparición *f*; ~**ersetzen** (-*t*; -), ~**erstatten** (-*e*-; -) *v/t.* restituir; reintegrar; *Geld*: re(e)mbolsar; (*zurückgeben*) devolver; 2**erstattung** *f* restitución *f*; reintegro *m*; *v. Geld*: re(e)mbolso *m*; (*Zurückgabe*) devolución *f*; ~**erstehen** (*L*; -; *sn*) *v/i.* alzarse de nuevo; (*Stadt, Haus*) reedificarse; *fig.* (*wiederaufleben*) renacer; revivir; resucitar; ~**erwachen** (-; *sn*) *v/i.* despertar; *fig.* reanimarse; resurgir; 2**erwachen** *n*: *das* ~ el despertar; *fig.* el resurgimiento; ~**erwecken** (-) *v/t.* despertar; reanimar; reavivar; resucitar; ~**erzählen** (-) *v/t.* repetir; (*weitererzählen*) referir; contar a otros; ~**finden** (*L*) *v/t.* (volver a) encontrar, hallar; ~'**flottmachen** *v/t.* ⚓ poner a flote (*a. fig.*); 2**gabe** *f* (*0*) (*Rückgabe*) devolución *f*; (*Rückerstattung*) restitución *f*; reintegro *m*; *in Bild, Ton*: reproducción *f*; *e-s Textes, Musikstückes, e-r Rolle*: interpretación *f*; *Liter.* versión *f*; (*Übersetzung*) traducción *f*; 2**gabegüte** *f* (*0*), 2**gabetreue** *f* (*0*) fidelidad *f*; ~**geben** (*L*) *v/t.* (*zurückgeben*) devolver; (*zurückerstatten*) restituir; (*nachbilden, Ton*) reproducir; *Musikstück, Rolle*: interpretar; (*ein zweites Mal geben*) volver a dar; (*übersetzen*) traducir; (*zitieren*) citar; (*widerspiegeln*) reflejar; *fig. Gefühle*: interpretar; *Gedanken*: traducir; *nicht richtig* ~ *Gedanken*: desfigurar; 2**geburt** *f* (*0*) renacimiento *m*; *Theo.* regeneración *f*; (*Palingenese*) palingenesia *f*; ~ **ge'nesen** (*L*; -; *sn*) *v/i.* convalecer; restablecerse; 2**genesung** *f* convalecencia *f*; restablecimiento *m*; ~**gewinnen** (*L*; -) *v/t.* recobrar; recuperar (*a.* ⊕); 2**gewinnung** *f* recuperación *f* (*a.* ⊕); ~**grüßen** (-*ßt*) *v/t.* devolver el saludo; ~'**gutmachen** *v/t.* reparar; *Fehler*: subsanar; *nicht wiedergutzumachen* irreparable; 2'**gutmachung** *f* reparación *f*.

'**wieder...:** ~**haben** (*L*) *v/t.* recobrar, recuperar; *er will das Buch* ~ quiere que se le devuelva el libro; ~'**herstellen** *v/t.* restablecer (*a. Verbindung, Frieden,* ⚕ *Kranke*); restaurar (*a.* 🏛, *Gemälde, Kräfte u. Pol.*); reparar (*a. Kräfte u. fig.*); reconstruir; 🏛 *a.* reedificar; (*in den vorigen Stand setzen*) restituir; *wiederhergestellt* ⚕ restablecido, curado; 2'**herstellung** *f* restablecimiento *m*; restauración *f*; reparación *f*; reconstrucción *f*; reedificación *f*; restitución *f*; ~'**holbar** *adj.* repetible; ~**holen** *v/t.* (*zurückholen*) volver a buscar; ir a buscar otra vez; recoger; ~'**holen** (-) *v/t.* repetir; reiterar; *Gelerntes*: repasar; (*kurz zusammenfassen*) resumir; recapitular; *zum Verdruß* ~ repetir hasta la saciedad; F *fig.* machacar; *sich* ~ repetirse; reiterarse; ~'**holend** *adj.* reiterativo; ~'**holt I.** *adj.* repetido; reiterado; **II.** *adv.* repetidas (*od.* reiteradas) veces; con frecuencia; más de una vez; 2'**holung** *f* repetición *f*; reiteración *f*; *Schule*: *e-r Lektion*: repaso *m*; *e-r Klasse*: repetición *f* (de curso); *Thea.* reposición *f*; reestreno *m*; (*kurze Zusammenfassung*) resumen *m*; recapitulación *f*; 2'**holungsfall** *m*: *im* ~*e* (en) caso que se repita; ⚖ en caso de reincidencia; 2'**holungszeichen** ♪ *n* signo *m* de repetición; 2**hören** *n*: *auf* ~! (*am Telefon*) ¡adiós!; 2**impfung** ⚕ *f* revacunación *f*; 2**in'gangsetzung** *f* nueva puesta *f* en marcha; 2**in'kraftsetzung** *f* nueva entrada *f* en vigor; ~ **in'stand setzen** (-*t*) *v/t.* reparar, componer; restaurar; 2**in'standsetzung** *f* reparación *f*, compostura *f*; restauración *f*; ~**käuen** *v/t.* rumiar; *fig.* repetir, F machacar; 2**käuen** *n* rumia *f*; *fig.* repetición *f*, F machaconería *f*; 2**käuer** *Zoo. m* rumiante *m*; 2**kauf** *m* (-*es*; ⸚*e*) readquisición *f*; ~**kaufen** *v/t.* readquirir; 2**kaufsrecht** ⚖ *n* (-*es*; -*e*) venta *f* con pacto de retro; 2**kehr** *f* (*0*) vuelta *f*; retorno *m*; regreso *m*; *periodische*: periodicidad *f*; (*Jahrestag*) aniversario *m*; (*Wiederholung*) repetición *f*; ⚕ (*Rezidiv*) recidiva *f*; (*Rückfall*) recaída *f*; ~**kehren** (*sn*) *v/i.* volver; retornar; regresar; (*Jahrestag*) cumplirse; (*sich wiederholen*) repetirse; ~**kehrend** *adj.* (*regelmäßig* ~) periódico; ⚕ recidivante.

'**wieder...:** ~**kommen** (*L*; *sn*) *v/i.* volver; regresar; venir otra vez; 2**kunft** *f* (-; ⸚*e*) vuelta *f*; regreso *m*; ~**nehmen** (*L*) *v/t.* volver a tomar; ~**sagen** *v/t.* repetir, decir otra vez; ~**sehen** (*L*) *v/t.* volver a ver; 2**sehen** *n* encuentro *m*; (*Zusammenkunft*) entrevista *f*; *auf* ~! ¡adiós!; ¡hasta más ver!; ¡hasta la vista!; *auf baldiges* ~! ¡hasta luego!; ¡hasta pronto!; ¡hasta ahora!; (*gelegentliches*) ¡hasta otro rato!; (*beim Abschied nach Gespräch*) ¡usted lo pase bien!; ¡quede usted con Dios!; 2**täufer** *m Hist.* anabaptista *m*; ~**tun** (*L*) *v/t.* rehacer; volver a hacer; (*wiederholen*) repetir; ~**um I.** *adv.* (*nochmals*) otra vez; nuevamente, de nuevo; **II.** *cj.* (*andererseits*) por otro lado, por otra parte; (*dagegen*) en cambio; al contrario; por el contrario; ~ '**umkehren** (*sn*) *v/i.* volver de nuevo; ~**ver·einigen** (-) *v/t.* reunir; *Pol.* reunificar; 2**ver·einigung** *f* reunión *f*; *Pol.* reunificación *f*; ~**vergelten** (*L*; -) *v/t.* (*Guttaten usw.*) recompensar; devolver; *m.s.* pagar (en la misma moneda); tomar represalias; 2**vergeltung** *f* (*für Guttaten usw.*) recompensa *f*; (*Revanche*) desquite *m*; (*Vergeltungsmaßnahme*) represalia *f*; ~**verheiraten** (-*e*-; -) *v/refl.*: *sich* ~ volver a casarse; casarse en segundas nupcias; 2**verheiratung** *f* segundo matrimonio *m*; 2**verkauf** *m* (-*es*; ⸚*e*) reventa *f*; ~**verkaufen** (-) *v/t.* revender; 2**verkäufer(in** *f*) *m* revendedor (-a *f*) *m*; ~**vermieten** (-*e*-; -) *v/t.* realquilar; subarrendar; 2**vermietung** *f* subarriendo *m*; ~**verpflichten** (-*e*-; -) ⚔ *v/t.* reenganchar; *sich* ~ reengancharse; 2**verpflichtung** ⚔ *f* reenganche *m*; ~**versöhnen** (-) *v/t.* reconciliar; *sich* ~ reconciliarse; 2**versöhnung** *f* reconciliación *f*; 2**verwendung** *f* nueva utilización *f*; reutilización *f*; ~**verwerten** (-*e*-; -) *v/t.* ⊕ recuperar; 2**verwertung** *f* ⊕ recuperación *f*; 2**wahl** *f* reelección *f*; ~**wählbar** *adj.* (*0*) reelegible; 2**wählbarkeit** *f* (*0*) reelegibilidad *f*; ~**wählen** *v/t.* reelegir; ~'**zulassen** (*L*) *v/t.* readmitir; 2'**zulassung** *f* readmisión *f*; ~**zu'sammentreten** (*L*; *sn*) *v/i.* reunirse; 2**zu'sammentreten** *n*, 2**zu'sammentritt** *m* (-*es*; *0*) *Parl.* reapertura *f* (del parlamento); ~'**zustellen** *v/t.* (*zurückschicken*) devolver; 2'**zustellung** *f* devolución *f*.

'**Wiege** *f* cuna *f* (*a. fig.*); *von der* ~ *an* desde la cuna; desde niño, desde la infancia; *von der* ~ *bis zur Bahre* desde la cuna hasta la sepultura; *das ist ihm nicht an der* ~ *gesungen worden* nadie hubiera esperado de él que llegase a eso; ~**brett** *n* (-*es*; -*er*) tabla *f* para picar carne; ~**messer** *n* tajadera *f*.

'**wiegen**[1] (*L*) **1.** *v/t.* (*auf der Waage*) pesar; *in der Hand* ~ sopesar; **2.** *v/i.* (*Gewicht haben*) pesar; *schwerer* ~ *als* ... pesar más que ...; pesar más de ...; *fig. schwer* ~ ser de peso.

'**wiegen**[2] **I.** *v/t. Kind*: mecer; (*schaukeln*) balancear; *Kochk.* (*Fleisch*) picar; *in den Schlaf* ~ adormecer meciendo; *sich* ~ mecerse; balancearse; *sich in den Hüften* ~, *e-n* ~*den Gang haben* contonearse; andar contoneándose; *sich in falschen Hoffnungen* ~ alimentar vanas esperanzas; **II.** 2 *n* mecedura *f*; balanceo *m*.

'**Wiegen...:** ~**druck** *Typ. m* (-*es* -*e*) incunable *m*; ~**fest** *n* (-*es*; -*e*) (*Geburtstag*) natalicio *m*; (día *m* del) cumpleaños *m*; ~**kind** *n* (-*es*; -*er*) niño *m* en la cuna; F nene *m*; ~**lied** *n* (-*es*; -*er*) canción *f* de cuna; F nana *f*.

'**wiehern I.** (-*re*) *v/i.* relinchar; *fig.* F reír a carcajadas; ~*des Gelächter* carcajadas *f/pl.*; risotadas *f/pl.*; **II.** 2 *n* relincho *m*.

Wien *n* Viena *f*; '~**er** *m* vienés *m*; '~**erin** *f* vienesa *f*; '2**erisch** *adj.* vienés, de Viena.

'**wienern** (-*re*) F *v/t.* lustrar; bruñir.

wies *pret. v. weisen.*

'**Wiese** *f* prado *m*; *größere*: pradera *f*; pradería *f*.

ˈ**Wiesel** *Zoo. n* comadreja *f*.

ˈ**Wiesen...:** ~**bau** *m* (*-es; 0*) praticultura *f*; ~**blume** *f* flor *f* de los prados; ~**grund** *m* (*-es; ⸚e*) pradería *f* (en el fondo de un valle); ~**klee** ⚘ *m* (*-s; 0*) trébol *m* común; ~**knopf** ⚘ *m* (*-es; ⸚e*) sanguisorba *f*, pimpinela *f*; ~**land** *n* (*-es; ⸚er*) pradería *f*; pradera *f*; ~**raute** ⚘ *f* ruda *f* de los prados; ~**schaumkraut** ⚘ *n* (*-es; ⸚er*) cardamina *f*; ~**tal** *n* (*-es; ⸚er*) valle *m* cubierto de prados.

wie|ˈso? *adv.* ¿cómo?; ¿por qué así?; ¿cómo así?; ¿pues cómo?; ~ *nicht?* ¿cómo que no?; ~ *weißt du das?* ¿cómo lo sabes?; ~ˈ**viel?** *adv.* ¿cuánto?; ¿cuánta?; ¿cuántos?; ¿cuántas?; ~ *Geld?* ¿cuánto dinero?; ~ *Bücher?* ¿cuántos libros?; ~ *unnütze Mühe!* ¡cuántos esfuerzos en vano!; ~*mal?* ¿cuántas veces?; ~ *Uhr ist es?* ¿qué hora es?; ~ˈ**vielte:** *der* ~? (*aus e-r Reihe*) ¿cuál?; *der* ~ *ist er?* ¿qué lugar ocupa?; *den* ~*n haben wir?* ¿a cuántos estamos?; *der* ~ *Band?* ¿qué tomo?; *zum* ~*n Male jetzt?* ¿cuántas veces van ya?; ~ˈ**weit** *adv.*: (*bis*) ~? ¿hasta dónde?; (*inwieweit*) *a.* ¿hasta qué punto?; ~ˈ**wohl** *cj.* (*obwohl*) aunque; bien que; si bien; (*so sehr auch*) por más que (*subj.*); por mucho que (*subj.*).

ˈ**Wiking** (*-s; -er*) *m* vikingo *m*.

wild *adj.* (*-est*) salvaje (*a. Naturvolk*); *Tier*: *a.* montés; montaraz; ⚘ silvestre; bravío; (*barbarisch*) bárbaro; (*nicht gezähmt*) no domesticado; (*ungezähmt*) indómito; bravo; bravío; (*blutgierig*) feroz; (*unzivilisiert*) sin civilizar; bárbaro; (*ungestüm*) impetuoso; (*stürmisch*) tempestuoso; (*turbulent*) turbulento; (*auffahrend*) arrebatado; (*zügellos*) desenfrenado; desbocado; (*feurig*) fogoso; (*wütend*) furioso; furibundo; (*zornig*) colérico; (*irregulär*) ⚔ irregular; *Boden*: ⚒ inculto; (*zerklüftet*) quebrado; escabroso; *Pferd*: desbocado; *Stier, Fohlen*: bravo; *Kind*: díscolo; travieso; *Handel*: ilícito, clandestino; ~*e Katze* gato *m* montés; ~*es Mädchen* piruja *f*; ~*e Vermutungen* suposiciones *f/pl.* fantásticas; ~*e Ehe* concubinato *m*; amancebamiento *m*; ~*es Fleisch* ⚕ bezo *m*; ~*e Flucht* huida *f* precipitada; ⚔ desbandada *f*; ~*es Geschrei* gritería *f*, griterío *m*; ~*e Rose* rosa *f* silvestre; ~*er Streik* huelga no organizada; ~*er Wein* vid *f* salvaje *od.* silvestre; ~ *machen* enfurecer, poner furioso, (*wütend machen*) encolerizar; poner rabioso; ~ *sein auf* (*ac.*) estar loco por (*ac. od. inf.*); tener unas ganas locas de (*inf.*); ~ *wachsen* ⚒ crecer sin cultivo; ~ *werden* enfurecerse, ponerse furioso; encolerizarse; (*Meer*) embravecerse; *den* ~*en Mann spielen* hacerse el loco; *seid nicht so* ~! ¡no hagáis tanto ruido!

ˈ**Wild** *n* (*-es; 0*) *Jgdw.* caza *f*; (*Stück*♀) pieza *f* de caza, pieza *f*; (*Hoch*♀) caza *f* mayor; (*Klein*♀) caza *f* menor; (*Rot*♀) venado *m*, venados *m/pl.*; (*Schwarz*♀) jabalí *m*; jabalíes *m/pl.*; *Kochk.* caza *f*; venado *m*; ~**bach** *m* (*-es; ⸚e*) torrente *m*; ~**bahn** *f* coto *m* de caza; ~**braten** *m* asado *m* de venado; ~**bret** *n* (*-s; 0*) *Kochk.* caza *f*; venado *m*; ~**dieb** *m* (*-es; -e*) cazador *m* furtivo; ~**dieberei** *f* (*0*) caza *f* furtiva; ~**e** *f* salvaje *f*; ~**ente** *f* pato *m* salvaje; ~**e(r)** *m* salvaje *m*; *Parl.* diputado *m* sin filiación de partido; *fig. wie ein* ~*r* como un loco; ~**erer** *m* → *Wilddieb*; ♀**ern** (*-re*) *v/i.* cazar en vedado; ~**ern** *n* → *Wilddieberei*; ~**esel** *m* onagro *m*, asno *m* silvestre; ~**fang** *fig. m* (*-es; ⸚e*) niño *m* travieso; diablillo *m*; ~**fischerei** *f* (*0*) pesca *f* furtiva; ~**fleisch** *n* (*-es; 0*) caza *f*; venado *m*; ♀ˈ**fremd** *adj.* (*0*) completamente desconocido; extraño; *bsd. v. Sachen*: absolutamente desconocido; ~**gans** *f* (*-; ⸚e*) ganso *m* bravo; ~**gehege** *n* coto *m*; parque *m*; ~**geschmack** *m* (*-es; 0*) sabor *m* a salvajina; ~**heit** *f* (*0*) naturaleza *f bzw.* carácter *m bzw.* estado *m* salvaje; barbarie *f*; ferocidad *f*; (*Handlung*) salvajismo *m*; brutalidad *f*, acción *f* brutal; (*Ungestüm*) impetuosidad *f*; turbulencia *f*; fogosidad *f*; arrebato *m*; furor *m*; ~**hüter** *m* guarda *m* (de coto de caza); (*Waldhüter*) guardabosque *m*; ~**leder** *n* (piel *f* de) gamuza *f*; ante *m*; ♀**ledern** *adj.* (*0*) de gamuza; de ante; ~**lederhandschuh** *m* (*-es; -e*) guante *m* de gamuza *bzw.* de ante; ~**lederschuh** *m* (*-es; -e*) zapato *m* de ante; ~**ling** *m* (*-s; -e*) ⚒ (*Unterlage beim Veredeln*) patrón *m*; (*nicht gezähmtes Tier*) animal *m* bravío *od.* salvaje; → *Wildfang*; ~**nis** *f* (*-; -se*) desierto *m*; región *f* despoblada; selva *f*; *fig.* (*Ungebundenheit*) caos *m*; desenfreno *m*; ~**park** *m* (*-s; -s*) parque *m*; coto *m*; ♀**reich** *adj.* abundante en caza; ~**sau** *f* jabalina *f*; ~**schaden** *m* (*-s; ⸚*) daños *m/pl.* causados por los animales de caza; ~**schütz** *m* (*-en*) cazador *m* furtivo; ~**schwein** *n* (*-es; -e*) jabalí *m*; ~**schweinskopf** *m* (*-es; ⸚e*) cabeza *f* de jabalí; ~**stand** *m* (*-es; ⸚e*) estado *m* de la caza; ♀**wachsend** ⚘ *adj.* silvestre; bravío; agreste; ~**wasser** *n* torrente *m*; ~**westfilm** *m* (*-es; -e*) película *f* del oeste.

ˈ**Wilhelm** *m* Guillermo *m*; ~**ine** *f* Guillermina *f*.

ˈ**Wille** *m* (*-ns; -n*), ~**n** *m* voluntad *f*; (*Wollen*) querer *m*; (*Absicht*) intención *f*; designio *m*; (*Zustimmung*) consentimiento *m*; (*Entschlossenheit*) determinación *f*; (firme) resolución *f*; (*Wunsch*) deseo *m*; *freier* ~ libre voluntad; propia voluntad; espontaneidad *f*; *Phil.* libre albedrío; *aus freiem* ~*n* de (buen) grado; por propia voluntad; espontáneamente; *guter (böser)* ~ buena (mala) voluntad; *eiserner* ~ voluntad férrea (*od.* de hierro); *Mensch guten* ~*ns* hombre de buena voluntad; *guten* ~*n zeigen* mostrar buena voluntad; *voll guten* ~*ns sein*; *den besten* ~*n haben* estar animado de la mejor voluntad (*od.* de los mejores deseos); *letzter* ~ ⚖ última voluntad, testamento; *der* ~ *zur Macht* la voluntad de poder; *wider* ~*n* de mala gana; con repugnancia; *gegen* (*od. wider*) *m-n* ~*n* contra mi voluntad; a pesar mío; *mit* ~*n* expresamente, ex profeso; con intención, aposta, adrede; con (todo) propósito; *bsd.* ⚖ deliberadamente; *mit Wissen und* ~*n* a sabiendas; con deliberado propósito; *mit m-m* (*ohne m-n*) ~*n* con (sin) mi consentimiento; *um ...* ♀*n* por ...; *um Gottes* ♀*n* por (el amor de) Dios; *sein* ~ *geschehe!* ¡hágase su voluntad!; *j-m s-n* ~*n tun*; *j-m zu* ~*n sein* cumplir la voluntad de alg.; obedecer a alg.; complacer a alg.; *j-m s-n* ~*n lassen* dejar a alg. obrar a su voluntad (*od.* a su arbitrio *od.* a su capricho); *s-n* ~*n haben wollen* querer hacer su (F santísima) voluntad; *s-n* ~*n durchsetzen* imponer su voluntad; lograr su propósito, F salirse con la suya; *er hat keinen eigenen* ~*n* no tiene voluntad propia; *ich kann es beim besten* ~*n nicht tun* me es de todo punto imposible hacerlo; *wenn es nach s-m* ~*n ginge* si por su gusto fuera; *wo ein* ~ *ist, ist auch ein Weg* querer es poder.

ˈ**willen|los** *adj.* sin voluntad (propia); (*unentschlossen*) indeciso; (*schwach*) débil; (*energielos*) sin energía; ⚕ abúlico; ~*es Werkzeug* instrumento dócil; *j-m* ~ *ausgeliefert sein* estar (entregado) a la merced de alg.; ♀**losigkeit** *f* (*0*) falta *f* de voluntad; (*Unentschlossenheit*) indecisión *f*; (*Schwäche*) debilidad *f*; falta *f* de energía; ⚕ abulia *f*.

ˈ**willens** *adj.*: ~ *sein zu* (*inf.*) tener (la) intención de (*inf.*); proponerse (*inf.*); estar dispuesto *od.* resuelto a (*inf.*); (*wollen*) querer (*inf.*); *ich bin nicht* ~ *zu* (*inf.*) no estoy dispuesto a (*inf.*).

ˈ**Willens...:** ~**akt** *Psych. m* (*-es; -e*) volición *f*; ~**anstrengung** *f* esfuerzo *m* de voluntad; ~**äußerung** *f* acto *m* de voluntad; volición *f*; ~**bestimmung** *f in e-m Testament*: disposición *f* testamentaria; ~**erklärung** ⚖ *f* declaración *f* de voluntad; ~**freiheit** *f* (*0*) libre voluntad *f*; *Phil.* libre albedrío *m*; ~**kraft** *f* (*0*) fuerza *f* de voluntad; energía *f*; ~**kundgebung** *f* manifestación *f* de la voluntad; ♀**schwach** *adj.* (*0*) débil; falto de voluntad *bzw.* energía; ~**schwäche** *f* (*0*) debilidad *f* (de voluntad); falta *f* de voluntad; ♀**stark** *adj.* (*0*) enérgico; ~**stärke** *f* (*0*) energía *f*; fuerza *f* de voluntad.

ˈ**willentlich** *adv.* expresamente, ex profeso; con intención, intencionadamente; aposta, adrede; *bsd.* ⚖ deliberadamente; *wissentlich und* ~ a sabiendas; a ciencia y conciencia.

will|ˈfahren (*L; -*) *v/i.*: *j-m in et.* (*dat.*) ~ complacer a alg. en a/c.; *der Bitte* (*dat.*) *j-s* ~ acceder (*od.* condescender) al ruego *bzw.* a la petición *bzw.* a los deseos de alg.; ˈ~**fährig I.** *adj.* (*gefällig*) complaciente, condescendiente, deferente; (*gefügig*) dócil; (*diensteifrig*) servicial; obsequioso; **II.** *adv.* con gusto; de buena voluntad; ˈ♀**fährigkeit** *f* (*0*) complacencia *f*; condescendencia *f*; deferencia *f*; (*Gefügigkeit*) docilidad *f*; (*Dienstfertigkeit*) obsequiosidad *f*; ♀ˈ**fahrung** *f* aquiescencia *f*; ˈ~**ig** *adj.* de buena voluntad; (*gehorsam*) obediente; (*gefügig*) dócil; dispuesto a hacer lo que se le pide; *j-m ein* ~*es Ohr leihen* escuchar benévolamente a alg.; escuchar a alg. con ánimo de complacerle; '**~igen** *v/i.*: ~ *in* (*ac.*) consentir en; estar conforme con; dar su consentimiento (*od.* conformidad) a; '**≈komm** *m*, ≈'**kommen** *n* bienvenida *f*; **~'kommen** *adj.* bienvenido; (*gern gesehen*) bien visto; (*angenehm*) agradable; (*günstig*) oportuno; (*gelegen*) a propósito; *seien Sie mir ~!* ¡sea usted bienvenido *bzw.* bienvenida!; *j-n ~ heißen* dar la bienvenida a alg.; *Sie sind stets ~!* (*gern gesehen*) siempre se le ve a usted con gusto.

'**Willkür** *f* (*0*) arbitrariedad *f*; (*Laune*) capricho *m*, antojo *m*; *nach ~ handeln* obrar (*od.* proceder) arbitrariamente; obrar a su albedrío; obrar a su capricho (*od.* antojo *od.* gusto); *j-s ~ preisgegeben sein* estar a la merced de alg.; **~akt** *m* (*-es*; *-e*) acto *m* arbitrario; **~herrschaft** *f* despotismo *m*; tiranía *f*; régimen *m* arbitrario *od.* autocrático; **≈lich** *adj.* arbitrario; (*despotisch*) despótico; tiránico; (*launisch*) caprichoso; **~lichkeit** *f* (*0*) arbitrariedad *f*; (*Handlung*) *a.* acto *m* arbitrario.

'**wimmeln** (*-le*) *v/i.* hormiguear; pulular; *~ von* estar lleno de; estar cuajado *od.* plagado de; rebosar de; *in dem Brief wimmelt es von Fehlern* la carta está llena (*od.* plagada) de faltas.

'**wimmern I.** (*-re*) *v/i.* gemir; quejarse (*über ac.* de); lloriquear, gimotear; **II.** ≈ *n* gemidos *m/pl.*; quejas *f/pl.*; lamentos *m/pl.*, lamentaciones *f/pl.*; lloriqueo *m*, gimoteo *m*.

'**Wimpel** *m* banderola *f*; gallardete *m*, *kurzer*: ⚓ grímpola *f*; banderín *m*, guión *m*; ⚓ *~ setzen* empavesar.

'**Wimper** (*-*; *-n*) *f* pestaña *f*; *ohne mit der ~ zu zucken* sin pestañear; sin inmutarse.

Wind *m* (*-es*; *-e*) viento *m*; *Jgdw.* (*Witterung*) viento *m*; husmeo *m*; (*Blähung*) ⚕ flatulencia *f*; (*Furz*) ventosidad *f*, P pedo *m*, cuesco *m*; *böiger ~* ráfaga *f*; *sanfter ~* brisa *f*, *Poes.* céfiro *m*; *günstiger* (*kühler*; *eisiger*; *schneidender*; *stürmischer*) *~* viento favorable (fresco; glacial; cortante; huracanado); *es weht ein starker ~* sopla un viento recio; *der ~ flaut ab* (*frischt auf*; *hat sich gelegt*; *dreht sich*; *springt um*) el viento se encalma (se levanta; ha amainado; cambia; salta); *im ~e* al viento; *beim ~e segeln* ⚓ navegar de bolina; *bei ~ und Wetter* por mal tiempo que haga; *fig.* contra viento y marea; *gegen den ~ segeln* navegar contra el viento; ⚓ orzar, navegar a la orza; *den ~ gegen sich haben* tener viento de cara (*od.* de frente); *guten ~ haben*; *den ~ im Rücken haben* ⚓ tener viento de popa; *mit dem ~ segeln* navegar según el viento; *vor dem ~ segeln* ⚓ navegar viento en popa; *dem ~ preisgegeben sein* estar a merced de los vientos; *im ~e flattern* flotar al viento; *in alle ~e zerstreuen* dispersar a los cuatro vientos; *~ machen* aventar; *fig.* fanfarronear; *mit dem Fächer ~ machen* abanicar(se); *fig. merken, woher der ~ kommt* (*weht*) intuir el peligro; F oler la tostada (*od.* el poste); *j-m den ~ aus den Segeln nehmen* paralizar los esfuerzos de alg.; frustrar los proyectos de alg.; *fig. in den ~ reden* hablar en balde; *das ist alles in den ~ gesprochen* todo ha sido hablar en vano; F todo fue como si cantara; et. *in den ~ schlagen* no hacer caso de a/c.; desechar a/c.; *fig. sich nach dem ~e richten* obrar según aconsejen las circunstancias (*od.* F según los vientos que soplen); *fig. s-n Mantel nach dem ~ hängen* arrimarse al sol que más calienta; *fig. er hat sich den ~ um die Nase wehen lassen* ha corrido mucho mundo; *von et. ~ bekommen* enterarse confidencialmente de a/c.; *fig. der ~ hat sich gedreht* ahora soplan otros vientos; las cosas han cambiado radicalmente; *fig. j-m ~ vormachen* engañar (*od.* embaucar) a alg.; *wer ~ sät, wird Sturm ernten* quien siembra vientos, recoge tempestades.

'**Wind...:** **~beutel** *m Gebäck*: buñuelo *m* de viento; *Person*: (*Prahlhans*) fanfarrón *m*; fantasmón *m*, fantoche *m*; (*leichtsinniger Mensch*) tarambana *m*; (*Schwätzer*) charlatán *m*; **~beute'lei** *f* fanfarronada *f*; fantochada *f*; charlatanería *f*; **≈beuteln** (*-le*) *v/i.* fanfarronear; charlatanear; **~bruch** *m* (*-es*; *⸚e*) estragos *m/pl.* causados en los árboles por el viento; **~büchse** *f* escopeta *f* de aire comprimido; **~druck** *m* (*-es*; *0*) presión *f* del viento.

'**Winde** *f* ⚘ enredadera *f*; (*Garn≈*) devanadera *f*; ⊕ torno *m*; (*Hebebock*) cabria *f*; ⚓ (*Schiffs≈*) cabrestante *m*; (*Wagen≈*) cric *m*, gato *m*.

'**Wind-ei** *n* (*-es*; *-er*) huevo *m* sin galladura; huevo *m* con cáscara blanda.

'**Windel** *f* (*-*; *-n*) pañal *m*; mantilla *f*; F *fig. noch in den ~n stecken* estar todavía en mantillas (*od.* en pañales); **≈n** *v/t.* (*Säugling*) envolver en pañales; fajar; **≈weich** *adv.* (*0*): *j-n ~ schlagen* moler a palos a alg.; F darle a alg. para el pelo; sacudir el polvo a alg.

'**winden** (*L*) **1.** *v/t.* torcer; (*mehrmals herumdrehen*) retorcer; *Garn*: (*ab~*) devanar; *in Spirale*: enroscar; *Kränze*: hacer; tejer; *in die Höhe ~* izar; guindar; elevar con poleas; *j-m et. aus den Händen ~* arrebatar (*od.* arrancar) de las manos a/c. a alg.; *Lorbeer um die Stirn ~* ceñir la frente de laureles; **2.** *v/refl.*: *sich ~* torcerse; retorcerse; *Bach, Weg*: serpentear; *Pflanzen*: enroscarse; trepar; *sich ~ durch* deslizarse por entre (*od.* a través de); *sich ~ um* ceñir; cercar, rodear; *fig.* eludir; evadir; *sich vor Schmerz ~* retorcerse de dolor; *fig. er wand sich hin und her* buscó toda clase de evasivas; *sich wie ein Aal ~* ser escurridizo como una anguila; **3.** *v/unprs.*: *es windet* hace (mucho) viento.

'**Windes-eile** *f* (*0*): *mit ~* con la rapidez del viento; *sich mit ~ ausbreiten* propagarse (*od.* difundirse) como un reguero de pólvora.

'**Wind...:** **~fahne** *f* veleta *f*; giraldilla *f*; ⚓ cataviento *m*; **~fang** *m* (*-es*; *⸚e*) *bei Türen*: cancel *m*; **≈geschützt** *adj.* al abrigo del viento; resguardado (*od.* protegido) del viento; **~geschwindigkeit** *f* velocidad *f* del viento; **~harfe** *f* arpa *f* eólica; **~hauch** *m* (*-es*; *0*) soplo *m* de viento; **~hose** *f* tromba *f*; **~hund** *m* (*-es*; *-e*) galgo *m*; lebrel *m*; F *fig.* (*Schürzenjäger*) calavera *m*; (*leichtlebiger Mensch*) tarambana *m*; **≈ig** *adj.* ventoso; *es ist ~* hace (*od.* hay) viento; **~jacke** *f* blusa *f* impermeable; anorak *m*; **~kanal** *m* (*-es*; *⸚e*) ✈ túnel *m* aerodinámico; **~karte** *f* mapa *m* de vientos; **~kessel** *m* depósito *m* de aire; **~klappe** *f e-s Blasebalges*: válvula *f*; **~lade** *f der Orgel*: secreto *m*; **~laden** *m* contraventana *f*; **~licht** *n* (*-es*; *-er*) farol *m*; linterna *f*; (*Kerze*) vela *f* inextinguible; **~löcher** ⊕ *n/pl. in der Gießerei*: respiraderos *m/pl.*; **~macher** *m* (*Prahler*) fanfarrón *m*; (*Wichtigtuer*) presuntuoso *m*; F fantoche *m*; **~mache'rei** *f* (*Prahlerei*) fanfarronada *f*; fanfarronería *f*; (*Wichtigtuerei*) presunción *f*; **~messer** *m* anemómetro *m*; **~messung** *f* anemometría *f*; **~motor** *m* (*-s*; *-en*) aeromotor *m*; **~mühle** *f* molino *m* de viento; *fig. gegen ~n kämpfen* luchar contra un enemigo imaginario; **~mühl(en)flügel** *m* aspa *f*; **~mühlenflugzeug** *n* (*-es*; *-e*) autogiro *m*; **~pocken** ⚕ *f/pl.* varicela *f*; **~rad** *n* (*-es*; *⸚er*) rueda *f* eólica (*od.* de viento); **~richtung** *f* dirección *f* del viento; **~rös·chen** ⚘ *n* anemona *f*, anemone *f*; **~rose** ⚓ *f* rosa *f* náutica (*od.* de los vientos); **~sack** ✈ *m* (*-es*; *⸚e*) manga *f* de aire; **~sbraut** *f* (*-*; *⸚e*) ⚓ borrasca *f*; **~schatten** ⚓ *m* sotavento *m*; **≈schief** *adj.* (*0*) inclinado, ladeado; torcido; (*Holz*) alabeado; *~ werden* alabearse; **~schirm** *m* (*-es*; *-e*) ↗ *im Garten*: albitana *f*; **≈schlüpfrig**, **≈schnittig** *adj.* aerodinámico; **~schreiber** *m* anemógrafo *m*; **~schutz** *m* (*-es*; *0*) protección *f* contra el viento; **~schutzscheibe** *f* *Auto.* parabrisas *m*; **~seite** *f* lado *m* expuesto al viento; ⚓ barlovento *m*; **~spiel** *n* (*-es*; *-e*) galgo *m*; **~stärke** *f* fuerza *f* (*od.* intensidad *f*) del viento; velocidad *f* del viento; **≈still** *adj.* (*0*) en calma, tranquilo; **~stille** *f* (*0*) calma *f*; ⚓ *a.* bonanza *f*; *völlige ~* ⚓ calma chicha; **~stoß** *m* (*-es*; *⸚e*) ráfaga *f* de viento; racha *f*; **~strich** ⚓ *m* (*-es*; *-e*) rumbo *m* del viento; **~strömung** *f* corriente *f* de aire; **~sturm** *m* (*-es*; *⸚e*) borrasca *f*; huracán *m*.

'**Windung** *f* vuelta *f*; giro *m*; (*das Winden*) retorcimiento *m*; (*Drehung*) torsión *f*; retorsión *f*; (*Schlangen≈*) sinuosidad *f*; (*Schrauben≈*) espira *f*; (*Gewinde*) filete *m*; rosca *f*; *e-r Spirale*: espira *f*; *e-s Flusses*: recodo *m*; sinuosidad *f*, *e-s Weges*: *a.* tortuosidad *f*; (*Kurve*) curva *f*; *Anat. im Gehirn*: circunvolución *f*; anfractuosidad *f*; **~szahl** ⊕ *f* número *m* de espiras.

'**wind|wärts** *adv.* ⚓ a (*od.* hacia) barlovento; **≈zug** *m* (*-es*; *0*) corriente *f* de aire.

Wink *m* (*-es*; *-e*) (*Zeichen*) seña *f*; señal *f*; *mit den Augen*: guiño *m*; *fig.* (*Warnung*) aviso *m*; advertencia *f*; aviso *m* confidencial, F soplo *m*;

(*Anregung*) insinuación *f*; sugerencia *f*; (*Anspielung*) indirecta *f*; *auf e-n ~ a una señal*; *j-m e-n ~ geben* hacer una seña a alg.; *fig.* avisar, advertir a alg.; *e-n ~ mit dem Zaunpfahl geben* dar a entender de modo muy significativo; F soltar una indirecta del Padre Cobos.

'**Winkel** *m* ⩓ ángulo *m*; *rechter* (*spitzer*; *stumpfer*; *toter*) *~* ángulo recto (agudo; obtuso; muerto); △ *einspringender* (*ausspringender*) *~* ángulo entrante (saliente); (*~maß*) escuadra *f*; (*Mund*2) *Anat.* comisura *f* de los labios; (*Augen*2) *Anat.* comisura *f* palpebral; F rabillo *m* del ojo; (*Ecke*) rincón *m*; *verborgener ~* rincón retirado, F rinconcito *m*; *entlegener ~* rincón apartado; **~advokat** *m* (*-en*) abogadillo *m*; abogado *m* de secano; picapleitos *m*; *Arg.*, *Mex.* tinterillo *m*; **~blatt** *n* (*-es*; *¨er*), **~blättchen** *n* periodicucho *m*; **~börse** *f* ✝ bolsín *m*; **~börsenspekulant** *m* (*-en*) bolsista *m* de bajo vuelo; **~eisen** *n* ⊕ hierro *m* angular; escuadra *f* de hierro; **2förmig** *adj.* (de forma) angular; **~haken** *m* escuadra *f*; *Typ.* componedor *m*; **~halbierende** ⩓ *f* bisectriz *f*; **2ig** *adj.* (*e-n Winkel bildend*) angular; (*mit vielen Winkeln*) anguloso; (*gewunden*) sinuoso, tortuoso; **~kneipe** *f* tabernucho *m*, tabernucha *f*; **~makler** *m an der Börse*: corredor *m* clandestino; zurupeto *m*; **~maß** *n* (*-es*; *-e*) escuadra *f*; cartabón *m*; **~messer** *m* ⩓ transportador *m*; *Landmessung*: grafómetro *m*; teodolito *m*; ⚓, ✈ goniómetro *m*; **~prisma** *n* (*-s*; *-men*) escuadra *f* prismática; **2recht** *adj.* rectangular; en ángulo recto; en rectángulo; **~züge** *m/pl.* rodeos *m/pl.*; subterfugios *m/pl.*; tergiversaciones *f/pl.*; (*Ausflüchte*) pretextos *m/pl.*; evasivas *f/pl.*; *~ machen* andar con rodeos; buscar pretextos; tergiversar; F salirse por la tangente.

'**wink|en** *v/i.* hacer señas *f/pl.* (con la mano); (*signalisieren*) ⚔, ⚓ hacer señales *f/pl.* ópticas; ⚓ hacer señales semafóricas *bzw.* con banderas; *j-m mit den Augen ~* guiñar un ojo (*od.* hacer un guiño) a alg.; *mit dem Taschentuch ~* agitar el pañuelo; *j-n zu sich ~* llamar a alg. con la mano; hacer seña a alg. para que venga; *fig.* (*sich bieten*) ofrecerse; *ihm winkt e-e Belohnung* le espera una recompensa; *ihm winkt das Glück* la fortuna le sonríe; **2er** *m* ⚓ marinero *m* que hace señales con banderas; *Auto.* indicador *m* de dirección; flecha *f*; **2erflagge** *f* bandera *f* de señales; **2zeichen** *n* señal *f* óptica *bzw.* semafórica *bzw.* con banderas; *~ geben* hacer señales ópticas *bzw.* semafóricas *bzw.* con banderas.

'**winseln I.** (*-le*) *v/i.* gemir; gimotear; (*kleines Kind*) lloriquear; (*Hund*) chillar lastimeramente; **II.** 2 *n* gemidos *m/pl.*; gimoteo *m*; *des kleinen Kindes*: lloriqueo *m*; *des Hundes*: chillido *m* lastimero.

'**Winter** *m* invierno *m*; *mitten im ~* en pleno invierno; en lo más crudo del invierno; *den ~ überstehen* resistir al invierno; pasar el invierno; *es wird ~* comienza el invierno; **~abend** *m* (*-s*; *-e*) tarde *f bzw.* noche *f* de invierno; **~anzug** *m* (*-es*; *¨e*) traje *m* de invierno; traje *m* de abrigo; **~apfel** *m* (*-s*; *¨*) manzana *f* inverniza; **~aufenthalt** *m* (*-es*; *-e*) residencia *f* de invierno; **~bestellung** ↗ *f* labores *f/pl.* otoñales; **~fahrplan** *m* (*-es*; *¨e*) 🚂 horario *m* de invierno; **~feldzug** ⚔ *m* (*-es*; *¨e*) campaña *f* de invierno; **~frische** *f* → *Winterkurort*; **~frischler** *m* → *Winterkurgast*; **~garten** *m* (*-s*; *¨*) jardín *m* de invierno; **~gerste** *f* (*0*) cebada *f* temprana (*od.* de otoño); **~getreide** *n* cereales *m/pl.* de invierno; **~gewächs** ⚘ *n* (*-es*; *-e*) planta *f* vivaz *od.* perenne; planta *f* invernal; **~grün** ⚘ *n* (*-s*; *0*) vincapervinca *f*; siempreviva *f*; hierba *f* doncella; **~haar** *Zoo. n* (*-es*; *-e*) pelaje *m* de invierno; **~hafen** *m* (*-s*; *¨*) puerto *m* de invierno (*od.* de invernada); **~halbjahr** *n* (*-es*; *-e*) semestre *m* de invierno; **~handschuh** *m* (*-es*; *-e*) guante *m* de invierno; **~hut** *m* (*-es*; *¨e*) sombrero *m* de invierno; **~kälte** *f* (*0*) frío *m* invernal (*od.* del invierno); **~kartoffel** *f* (*-*; *-n*) patata *f* (*Am.* papa *f*) tardía; **~kleid** *n* (*-es*; *-er*) vestido *m* de invierno; **~kleidung** *f* ropas *f/pl.* de invierno (*od.* de abrigo); **~kohl** ⚘ *m* (*-es*; *0*) berza *f* común; **~korn** *n* (*-es*; *0*) → *Wintergetreide*; **~kurgast** *m* (*-es*; *¨e*) invernante *m*; **~kurort** *m* (*-es*; *-e*) estación *f* de invierno; **~landschaft** *f* paisaje *m* de invierno; **2lich I.** *adj.* invernal; invernizo; de invierno; **II.** *adv.* como en invierno; **~mantel** *m* (*-s*; *¨*) abrigo *m* de invierno; **~märchen** *n* cuento *m* de invierno; **~mode** *f* moda *f* de invierno; **~monat** *m* (*-es*; *-e*) mes *m* de invierno; **2n** *v/unpers.*: *es wintert* hace tiempo invernizo; **~obst** *n* (*-es*; *0*) fruta *f* de invierno; **~olympiade** *f* olimpíada *f* (*od.* juegos *m/pl.* olímpicos) de invierno; **~pelz** *Zoo. m* (*-es*; *-e*) pelaje *m* de invierno; **~pflanze** *f* planta *f* invernal; **~quartier** ⚔ *n* (*-es*; *-e*) cuartel *m* de invierno; **~reise** *f* viaje *m* de invierno; **~saat** *f* siembra *f* de otoño; **~sachen** *f/pl.* ropas *f/pl.* de invierno; **~schlaf** *m* (*-es*; *0*) letargo *m* invernal; hibernación *f*; **~semester** *n* semestre *m* de invierno; **~sonnenwende** *f* solsticio *m* de invierno; **~spiele** *n/pl.*: *Olympische ~* juegos *m/pl.* olímpicos de invierno; **~sport** *m* (*-es*; *0*) deporte *m* de invierno; **~sportplatz** *m* (*-es*; *¨e*) centro *m* de deportes de invierno; **~szeit** *f* invierno *m*; estación *f* invernal; **~tag** *m* (*-es*; *-e*) día *m* de invierno; **~überzieher** *m* abrigo *m* (*od.* sobretodo *m*) de invierno; **~vorrat** *m* (*-es*; *¨e*) provisiones *f/pl.* para el invierno; **~wetter** *n* (*-s*; *0*) tiempo *m* invernal (*od.* invernizo *od.* de invierno); **~zeit** *f Uhr*: hora *f* de invierno.

'**Winzer** *m* viñador *m*; (*im großen*) viticultor *m*; **~fest** *n* (*-es*; *-e*) fiesta *f* de la vendimia; **~messer** *n* podadera *f*.

'**winzig** *adj.* diminuto; minúsculo; microscópico; F chiquitín, chiquitito; (*kümmerlich*) mezquino; (*zu gering*) escaso, exiguo; (*unbedeutend*) insignificante; **2keit** *f* pequeñez *f* (extrema); mezquindad *f*; exigüidad *f*; insignificancia *f*.

'**Wipfel** *m* (*Baumspitze*) cima *f*; copa *f*.

'**Wipp|e** *f* (*Schaukel*) columbón *m*; **2en 1.** *v/t.* balancear; **2.** *v/i.* balancearse; *mit dem Schwanz ~* menear la cola; **~en** *n* balanceo *m*; **~säge** *f* sierra *f* de calar (*od.* de marquetería).

wir *pron/pers.* nosotros; nosotras; *tonlos vor e-m Verb unübersetzt*: *~ gehen* vamos; *betont*: nosotros vamos; *~ Deutsche(n) ...* (nosotros) los alemanes ...

'**Wirbel** *m* torbellino *m* (*a. Phys. u. fig.*); (*kreisende Drehung*) remolino *m* (*a. Luft*2, *Wasser*2, *Staub*2 *u. v. Rauch*); (*Mittelpunkt des Zyklons*) vórtice *m*; (*Schwindel*) vértigo *m*; (*der Haare*) coronilla *f*; *Anat.* vértebra *f*; (*zum Spannen v. Saiten*) clavija *f*; (*Trommel*2) redoble *m*; (*Vogel*2) gorjeo *m*, trinos *m/pl.*; *vom ~ bis zur Sohle* de pies a cabeza; de cuerpo entero; **2artig** *adj.* en forma de torbellino; **~entzündung** ⚕ *f* espondilitis *f*; **2ig** *adj.* remolinante; **~kasten** ♪ *m* (*-s*; *¨*) clavijero *m*; **~knochen** *Anat. m* vértebra *f*; **2los** *adj. Zoo.* invertebrado; **2n** (*-le*) **1.** *v/t.* remolinar, remolinear; *auf der Trommel*: redoblar (*a. v/i.*), tocar un redoble; **2.** *v/i* (*sn*) remolinarse; arremolinarse; formar remolinos; girar vertiginosamente; *fig. mir wirbelt der Kopf* la cabeza me da vueltas; siento mareos; se me va la cabeza; **~n** *n* torbellino *m*; remolino *m*; *auf der Trommel*: redoble *m*; **~säule** *Anat. f* columna *f* vertebral; F espina *f* dorsal; **~sturm** *m* (*-es*; *¨e*) ciclón *m*; tornado *m*; **~tier** *Zoo. n* (*-es*; *-e*) vertebrado *m*; **~wind** *m* (*-es*; *-e*) torbellino *m* (*a. fig.*).

'**wirk|en 1.** *v/t.* (*be~*) producir; (*handeln*) obrar; hacer; (*weben*) tejer; (*kneten*) amasar; *Wunder ~* hacer milagros; hacer maravillas; **2.** *v/i.* (*Wirkung ausüben*) actuar, obrar (*auf ac.* sobre); (*wirksam sein*) ser eficaz; producir efecto; (*Wirkung hervorbringen*) hacer (*od.* producir *od.* surtir) efecto (*auf ac.* sobre); (*Eindruck machen*) causar (*od.* hacer *od.* producir) impresión; (*den Zweck erreichen*) tener éxito; *~ wie* hacer (*od.* producir) el efecto de; *auf j-n ~ wie* hacer (*od.* producir) a alg. el efecto de; *auf j-n (et.) ~* influir sobre alg. (a/c.); *gegen et. ~* obrar contra a/c.; contrarrestar a/c.; (*das Gegenteil hervorrufend*) ser contraproducente; *gut* (*schlecht*) *~* producir *od.* causar *od.* hacer buen (mal) efecto; *Gutes ~* hacer bien; practicar el bien; *~ wollen* tender a producir efecto; *beruhigend ~* ⚕ producir efecto calmante *od.* sedante; *schädlich ~* ser nocivo *od.* perjudicial; *~ als* servir de; ⊕ funcionar como; *Person*: (*schaffend tätig sein*) actuar de; ejercer las funciones de; *an e-r Universität als Professor ~* ser profesor (*od.* ejercer funciones docentes) en una universidad; *als Arzt* ~ ejercer la medicina; ser médico; **2en** *n* actuación *f*; actividad *f*; (*Weben*) tejedura *f*; **~end** *adj.* eficaz; activo; eficiente; **2er** *m* (*Weber*) tejedor *m*; **2e'rei** *f* (*Weberei*) tejeduría *f*; **2leistung** ⚡ *f* potencia *f* real *od.* efectiva.

'**wirklich I.** *adj.* real; positivo; (*echt*) legítimo, genuino; auténtico; (*wahrhaftig*) verdadero; (*vorhanden*) existente; efectivo; **II.** *adv.* realmente; positivamente; verdaderamente; de veras; efectivamente, en efecto; *~?* ¿de veras?; **2keit** *f* (*0*) realidad *f*; *in ~* en realidad; *die rauhe ~* la dura realidad; **2keitsform** *Gr. f* (modo *m*) indicativo *m*; **~keitsfremd** *adj.* ajeno a la realidad; poco realista; **~keitsnah** *adj.* realista; **2keitsnähe** *f* (*0*) realismo *m*; **2keitssinn** *m* (*-es*; *0*) realismo *m*; sentido *m* de la realidad.

'**Wirkmaschine** *f* máquina *f* para géneros de punto.

'**wirksam** *adj.* eficaz; eficiente; (*wirkend*) activo; (*kräftig*) enérgico; (*in Kraft*) *Gesetz, Verordnung*: vigente; *~ gegen* eficaz contra; bueno para; *~ sein* ser eficaz; producir (*od.* surtir) efecto; *Gesetz*: estar en vigor; *~ werden Gesetz*: entrar en vigor; **2keit** *f* eficacia *f*; eficiencia *f*; (*Tätigkeit*) actividad *f*.

'**Wirk|stoff** *m* (*-es*; *-e*) su(b)stancia *f* activa; ⚗ agente *m* químico; *Physiol.* hormona *f*; **~stuhl** *m* (*-es*; *⸚e*) telar *m*.

'**Wirkung** *f* efecto *m*; (*Eindruck*) impresión *f*; (*Einfluß*) influjo *m*; influencia *f*; (*Tätigkeit*) actividad *f*; acción *f*; función *f*; (*Folge*) consecuencia *f*; (*Ergebnis*) resultado *m*; (*Gegen2*) reacción *f*; *heilsame ~* efecto saludable; *mit ~ vom 15. April* con efectos a partir del quince de abril; *mit sofortiger ~* con efecto inmediato; *s-e ~ tun* producir (*od.* surtir) su efecto; *auf j-n* (et.) *~ ausüben* influir en alg. (a/c.); *gute* (*schlechte*) *~ erzielen* hacer *od.* producir buen (mal) efecto; *e-e entscheidende ~ haben* producir un efecto decisivo; *auf ~ bedacht* calculado para producir efecto; *keine ~ haben, ohne ~ bleiben* no producir ningún efecto; *nicht zur ~ kommen* no llegar a surtir efecto; *keine ~ ohne Ursache* no hay efecto sin causa; *Gesetz über Ursache und ~ Phil.* ley de la causalidad.

'**Wirkungs...:** **~bereich** *m* (*-es*; *-e*) esfera *f* de acción; radio *m* de acción; ⚔ alcance *m*; **~feld** *n* (*-es*; *-er*) campo *m* de acción; campo *m* de actividad; **~grad** *m* (*-es*; *-e*) grado *m* de actividad; ⊕, ⚡ rendimiento *m*; **~kraft** *f* (*-*; *⸚e*) eficacia *f*; eficiencia *f*; **~kreis** *m* (*-es*; *-e*) esfera *f* de acción; radio *m* de acción; campo *m* de acción (*od.* de actividad); **2los** *adj.* ineficaz; sin eficacia; sin efecto; inoperante; nulo; **~losigkeit** *f* (*0*) ineficacia *f*; **2voll I.** *adj.* eficaz; (*eindrucksvoll*) impresionante; **II.** *adv.* con eficacia, de un modo eficaz, eficazmente; **~weise** *f* modo *m* de obrar; modo *m* de funcionar.

'**Wirkwaren** *f/pl.* géneros *m/pl.* de punto.

'**Wirkzeit** ⚗ *f* tiempo *m* de reacción.

wirr *adj.* confuso; (*verwickelt*) embrollado, enredado, enmarañado; (*nicht recht bei Verstand*) trastornado; (*durcheinander*) confuso; caótico; *Rede*: incoherente; *Haar*: revuelto; desgreñado; *~es Durcheinander* confusión *f* absoluta; desbarajuste *m*; embrollo *m*; revoltijo *m*; caos *m*; *mir ist ganz ~ im Kopf* la cabeza me da vueltas; *~es Zeug reden* desbarrar.

'**Wirren** *pl. Pol.* desórdenes *m/pl.*, disturbios *m/pl.*; (*Verwicklungen*) complicaciones *f/pl.*

'**Wirr...:** **~kopf** *m* (*-es*; *⸚e*) embrollador *m*; hombre *m* sin orden ni concierto en sus ideas; **~nis** *f* (*-*; *-se*), **~sal** *n* (*-es*; *-e*) confusión *f*; embrollo *m*; enredo *m*; **~warr** *m* (*-s*; *0*) desorden *m*; confusión *f*; desbarajuste *m*; F babel *m/f*; barullo *m*; (*Lärm*) barahúnda *f*, F gresca *f*; follón *m*; (*Chaos*) caos *m*.

'**Wirsing** *m* (*-s*; *0*), **~kohl** *m* (*-es*; *0*) col *f* rizada; berza *f* de Saboya.

'**Wirt** *m* (*-es*; *-e*) (*Gast2*) fondista *m*; *ehm.* hostelero *m*; mesonero *m*, ventero *m*; posadero *m*; (*Gastgeber*) F *fig.* anfitrión *m*; *e-s Hotels*: hotelero *m*; *e-s Speisehauses*: dueño *m* de un restaurante; (*Schank2*) tabernero *m*; *e-s Cafés*: dueño *m* de un café; (*Zimmervermieter*) hospedero *m*; (*Haus2*) patrón *m*; dueño *m* de la casa; *die Rechnung ohne den ~ machen* no contar con la huéspeda; **~in** *f* (*Gast2*) hospedera *f*; fondista *f*; (*Schank2*) tabernera *f*; (*Haus2*) patrona *f*; dueña *f* de la casa; **2lich** *adj.* hospitalario.

'**Wirtschaft** *f* economía *f*; *freie ~* economía libre; *gelenkte ~* economía dirigida; dirigismo *m* económico; *gewerbliche ~* economía industrial; vida *f* comercial e industrial; (*Bauern2*) granja *f*; (*Gast2*) restaurante *m*; despacho *m* de bebidas, taberna *f*; cervecería *f*; (*Bahnhofs2*) fonda *f*; *bsd. für Erfrischungen*: cantina *f*; (*Hauswesen*) economía *f* doméstica; (*Haushaltsarbeiten*) quehaceres *m/pl.* domésticos; (*Haushaltung*) gobierno *m* de la casa; *die ~* (*Haushalt*) *führen* llevar (el gobierno de) la casa; (*Verwaltung*) administración *f*, gobierno *m*; (*Unordnung, Durcheinander*) confusión *f*, desorden *m*; desbarajuste *m*; (*Lärm*) alboroto *m*; bulla *f*, jaleo *m*; zarabanda *f*; F *fig. polnische ~* desbarajuste *m* doméstico; *Pol.* caos *m* administrativo; desgobierno *m*; F *fig.* merienda *f* de negros; **2en** (*-e-*) *v/i.* (*verwalten*) administrar; (*Haushalt führen*) gobernar la casa; 🌱 explotar (una finca); (*sparen*) economizar, ahorrar; hacer economías *f/pl.*; *gut* (*schlecht*) *~* administrar bien (mal); *Haushalt*: gobernar *od.* llevar bien (mal) la casa; ☤ *Geschäfte*: llevar bien (mal) los negocios; **~er** *m* (*Gutsverwalter*) administrador *m*; mayordomo *m*; ⚖ ecónomo *m*; **~erin** *f* ama *f* de gobierno; ama *f* de llaves; **~ler** *m* economista *m*; **2lich** *adj.* económico; (*haushälterisch*) ahorrativo; economizador; (*rentabel*) productivo; rentable; **~lichkeit** *f* (*0*) economía *f*; buena administración *f*; (*Rentabilität*) rentabilidad *f*.

'**Wirtschafts...:** **~abkommen** *n* acuerdo *m* económico; **~ablauf** *m* (*-es*; *⸚e*) proceso *m* económico; **~anstieg** *m* (*-es*; *-e*) expansión *f* económica; **~aufschwung** *m* (*-es*; *⸚e*) auge *m* económico; **~barometer** *n* barómetro *m* de la economía; **~belebung** *f* reanimación *f* de la vida económica; resurgimiento *m* económico; **~berater** *m* asesor *m* económico; **~bereich** *m* (*-es*; *-e*) sector *m* económico; **~bericht-erstatter** *m* corresponsal *m* de economía; **~besprechungen** *f/pl.* conversaciones *f/pl.* económicas; **~beziehungen** *f/pl.* relaciones *f/pl.* económicas; **~buch** *n* (*-es*; *⸚er*) libro *m* de gastos (de la casa); **~depression** *f* depresión *f* económica; **~einheit** *f* unidad *f* económica; **~form** *f* sistema *m* económico; **~frage** *f* problema *m* económico; **~führer** *m* gran industrial *m*; **~gebäude** *n* edificios *m/pl.* anejos de una granja; **~gefüge** *n* estructura *f* económica; **~geld** *n* (*-es*; *-er*) dinero *m* para gastos de la casa; **~gemeinschaft** *f*: *Europäische ~* (*Abk. EWG*) Comunidad *f* Económica Europea (*Abk.* CEE); **~geographie** *f* (*0*) geografía *f* económica; **~hilfe** *f* (*0*) ayuda *f* económica; **~interessen** *n/pl.* intereses *m/pl.* económicos; **~jahr** *n* (*-es*; *-e*) año *m* económico; ejercicio *m*; **~kommission** *f* comisión *f* económica; **~konferenz** *f* conferencia *f* económica; **~konjunktur** *f* coyuntura *f* económica; **~kontrolle** *f* control *m* económico; **~körper** *m* organismo *m* económico; **~korrespondent** *m* (*-en*) corresponsal *m* económico; **~kreise** *m/pl.* círculos *m/pl.* económicos; **~krieg** *m* (*-es*; *-e*) guerra *f* económica; **~krise** *f* crisis *f* económica; **~lage** *f* situación *f* económica; **~leben** *n* (*-s*; *0*) vida *f* económica; **~lehre** *f* (*0*) doctrina *f* económica; *als Wissenschaft*: economía *f* política; **~lenkung** *f* (*0*) dirigismo *m* económico; **~literatur** *f* (*0*) literatura *f* económica; **~minister** *m* (**~ministerium** *n* [*-s*; *-ien*]) ministro *m* (Ministerio *m*) de Economía; **~ordnung** *f* (*0*) orden *m* económico; **~organisation** *f* organización *f* económica; **~plan** *m* (*-es*; *⸚e*) plan *m* económico; **~planung** *f* planificación *f* económica; **~politik** *f* (*0*) política *f* económica; **2politisch** *adj.* (*0*) político-económico; **~potential** *n* (*-s*; *0*) potencial *m* económico; **~prüfer** *m* revisor *m* de cuentas; interventor *m*; *als Beruf*: perito *m* mercantil; intendente *m* mercantil; **~rat** *m*: *Europäischer ~* Organización *f* Europea de Cooperación Económica (*Abk.* O.E.C.E.); **~sachverständige(r)** *m* experto *m* en economía; **~sanktionen** *f/pl.* sanciones *f/pl.* económicas; **~statistik** *f* estadística *f* económica; **~system** *n* (*-s*; *-e*) sistema *m* económico; **~teil** *m* (*-es*; *-e*) *e-r Zeitung*: sección *f* (de información) económica; **~theoretiker** *m* teorizante *m* de la economía; **~theorie** *f* teoría *f* económica; **~- und Sozialrat** *m* consejo *m* económico y social; **~union** *f*, **~verband** *m* (*-es*; *⸚e*) unión *f* económica; consorcio *m* económico; unión *f* comercial *bzw.* industrial; **~vereinigung** *f* asociación *f* económica; **~verhandlungen** *f/pl.* negociaciones *f/pl.* comerciales; **~wissenschaft** *f* (*0*) economía *f*; ciencias *f/pl.* económicas; **~wissenschaftler** *m* economista *m*; **~wunder** *n* milagro *m* económico; **~zeitschrift** *f* revista *f* de economía; **~zerfall** *m* (*-es*; *0*) desmoronamiento *m* económico (*od.* de la economía); **~zweig** *m* (*-es*; *-e*) rama *f* de la economía.

ˈ**Wirts...:** **~haus** *n* (*-es*; *⸚er*) (*Gasthaus*) fonda *f*; posada *f*; parador *m*; mesón *m*; hostal *m*, hostería *f*; (*Restaurant*) restaurante *m*; (*Schenke*) taberna *f*; cervecería *f*; **~leute** *pl.* patrones *m/pl.*; **~tafel** *f* (*-*; *-n*), **~tisch** *m* (*-es*; *-e*) mesa *f* redonda.

ˈ**Wisch** *m* (*-es*; *-e*) (*Scheuer*2) rodilla *f*; bayeta *f*; estropajo *m*; (*Papier*2) papel *m* sin valor; *desp.* papelucho *m*, papelote *m*; 2**en** *v/t. Mal.* difuminar, esfuminar; (*scheuern*) fregar; (*reiben*) frotar, *heftig*: estregar; restregar; (*ab~*) limpiar; (*abtrocknen*) enjugar, secar; *Staub* ~ quitar (*od.* limpiar) el polvo; desempolvar; (*sich*) *den Schweiß von der Stirn* ~ enjugar (*od.* limpiar *od.* secar) el sudor de la frente; *sich den Mund* ~ secarse la boca; limpiarse los labios (*mit dem Taschentuch* con el pañuelo); **~er** *m Mal.* esfumino *m*, difumino *m*; (*Geschütz*2) escobillón *m*; (*Scheiben*2) *Auto.* limpiaparabrisas *m*; F (*Rüffel*) rapapolvo *m*; reprimenda *f*; *fig.* jabón *m*, jabonadura *f*; **~lappen** *m*, **~tuch** *n* (*-es*; *⸚er*) rodilla *f*; bayeta *f*; trapo *m*.

ˈ**Wisent** *m* (*-s*; *-e*) uro *m*; bisonte *m* (europeo).

ˈ**Wismut** ⚗ *n* (*-es*; *0*) bismuto *m*.

ˈ**wispeln** (*-le*), ˈ**wispern** (*-re*) **I.** *v/i.* cuchichear, *Poes.* murmurar; **II.** 2 *n* cuchicheo *m*; *Poes.* murmullo *m*.

ˈ**Wiß|begier(de)** *f* (*0*) afán *m* de saber; anhelo *m* de instruirse; deseo *m* de aprender; (*Neugier*) curiosidad *f*; 2**begierig** *adj.* ávido de saber (*od.* de instruirse); (*neugierig*) curioso.

ˈ**wissen I.** (*L*) *v/t.* saber; (*kennen*) conocer; et. *durch j-n* (*od. von j-m*) ~ saber a/c. por alg.; ~ *von* (*od. über ac.*) saber; tener conocimiento de; *nicht* ~ no saber, ignorar; desconocer; *rein gar nichts* ~ no saber absolutamente nada; no saber nada de nada; *nicht* ~, *woran man ist* no saber a qué atenerse; *sehr wohl* ~ saber muy bien; no ignorar; saber perfectamente; ~ *zu* (*inf.*) saber cómo (*inf.*); saber (*inf.*); *j-n et.* ~ *lassen* hacer saber a/c. a alg.; enterar (*od.* informar) de a/c. a alg.; *über et.* (*ac.*) *Bescheid* ~ estar enterado (*od.* al corriente) de a/c.; *über j-n Bescheid* ~ (*j-n kennen*) conocer bien a alg., (~, *was mit j-m los ist*) F saber los puntos que alg. calza; *mit* (*in dat.*) et. *Bescheid* ~ conocer bien a/c.; estar bien enterado de a/c.; *er weiß in dem Hause Bescheid* conoce bien la casa; F *Bescheid* ~ estar al cabo de la calle; sabérselas todas; *j-m für et. Dank* ~ estar agradecido (*od.* reconocido) a alg. por a/c.; *weder ein noch aus* ~ no saber qué hacer (*od.* qué partido tomar); *sich keinen Rat* ~ no saber qué hacer; *sich nicht mehr zu helfen* ~ ya no saber qué hacer; *zu leben* ~ saber vivir; *auswendig* ~ saber de memoria; et. *getan* ~ *wollen* desear *bzw.* querer que se haga a/c.; *ich möchte gern* ~ desearía saber; quisiera saber; *Sie* ~ *doch wohl, daß* ... usted no ignora que ...; *man will* ~, *daß* ... corre el rumor de que ...; se dice que ...; *Sie müssen* ~, *daß* ... sepa usted que ...; *man kann nie* ~ nunca se sabe; *ich will nichts davon* ~ no quiero saber nada de eso; no me interesa eso; no tengo nada que ver con eso; *woher weißt du das?* ¿de dónde lo sabes?; ¿quién te lo ha dicho?; *daß du es nur weißt!* ¡para que lo sepas!; *ich weiß nicht wer* (*was*; *wie*; *wann*) no sé quién (qué; cómo; cuándo); *das weiß ja jedes Kind* eso lo sabe todo el mundo; *ich weiß schon* ya lo sé; *ich weiß nicht recht* no estoy muy seguro; *ich weiß nichts davon* no sé nada de eso; *ich weiß nicht, wo mir der Kopf steht* no sé dónde tengo la cabeza; *weißt du noch?* ¿te acuerdas?; *das weiß er am besten* nadie mejor que él puede saberlo; *gut, daß ich es weiß* bueno es saberlo; *soviel ich weiß* que yo sepa; por lo que yo sé; *soviel ich weiß, ist er nicht gekommen* no ha venido, que yo sepa; *wer weiß!* ¿quién sabe?; *als ob es, wer weiß was, gekostet habe* como si hubiera costado una fortuna; *weiß Gott!* ¡sabe Dios!; ¡bien (lo) sabe Dios!; *was ich nicht weiß, macht mich nicht heiß* ojos que no ven, corazón que no siente; *nicht, daß ich wüßte* no que yo sepa; *ich wüßte nicht, daß* ... no sabía que ...; *ich wüßte niemand, der es besser machen könnte* no sé de nadie que pudiera hacerlo mejor; *so tun, als wüßte man nichts* hacerse el desentendido; aparentar no saber nada; **II.** 2 *n* saber *m*; (*Kenntnisse*) conocimientos *m/pl.*; (*Wissenschaft*) ciencia *f*; (*Weisheit*) sabiduría *f*; (*Gelehrsamkeit*) erudición *f*; *m-s* ~*s* por lo que yo sé; *in negativen Sätzen*: que yo sepa; *m-s* ~*s ist er nicht gekommen* no ha venido, que yo sepa; *mit* ~ *und Willen* a sabiendas; deliberadamente; adrede, aposta; *nach bestem* ~ *und Gewissen* según mi leal saber y entender; *ohne mein* ~ sin conocimiento mío; sin saberlo yo; a espaldas mías; *mit m-m* ~ con conocimiento mío; sabiéndolo yo; *ohne j-s* ~ sin que alg. lo supiera; a espaldas de alg.; *wider besseres* ~ a sabiendas de lo contrario; contra su propia convicción; ~ *ist Macht* saber es poder; **~d** *adj.*: *die* 2*en* los que lo saben; los que están en el secreto; (*die Eingeweihten*) los iniciados.

ˈ**Wissenschaft** *f* ciencia *f*; (*Wissen*) saber *m*; (*Kunde*) conocimiento *m*; **~ler** *m* hombre *m* de ciencia; científico *m*; sabio *m*; erudito *m*; (*Forscher*) investigador *m*; 2**lich** *adj.* científico; (*planmäßig*) metódico, sistemático; *e-e* ~*e Bildung haben* tener una formación científica; **~lichkeit** *f* (*0*) carácter *m* científico; espíritu *m* científico.

ˈ**Wissens...:** **~drang** *m* (*-es*; *0*), **~durst** *m* (*-es*; *0*) afán *m* de saber; deseo *m* de instruirse; 2**durstig** *adj.* ávido de saber; deseoso de instruirse; **~gebiet** *n* (*-es*; *-e*) rama *f* del saber; disciplina *f* (científica); **~trieb** *m* (*-es*; *0*) → *Wissensdrang*; 2**wert** *adj.* (*0*) digno de saberse; (*interessant*) interesante; **~zweig** *m* (*-es*; *-e*) → *Wissensgebiet*.

ˈ**wissentlich I.** *adj.* premeditado; deliberado; (*absichtlich*) intencionado; **II.** *adv.* a sabiendas; con premeditación; deliberadamente; (*absichtlich*) intencionadamente; adrede; a ciencia y conciencia.

ˈ**wittern** (*-re*) *v/t.* husmear; *Jgdw.* ventear; tomar el viento; *fig.* prever; presentir, barruntar; (*argwöhnen*) sospechar; *e-e Gefahr* ~ presentir (*od.* barruntar) un peligro; F *fig.* oler el poste.

ˈ**Witterung**[1] *f Jgdw.* husmeo *m*; (*Geruch des Wildes*) viento *m*; *fig. von et.* ~ *haben* barruntar a/c.

ˈ**Witterung**[2] *f* (*0*) tiempo *m*; temperatura *f*; *bei jeder* ~ con buen o mal tiempo; sea cual sea el tiempo que haga; **~s-einflüsse** *m/pl.* influencias *f/pl.* atmosféricas; **~s-umschwung** *m* (*-es*; *⸚e*) cambio *m* brusco de tiempo; **~sverhältnisse** *n/pl.* condiciones *f/pl.* atmosféricas *od.* meteorológicas.

ˈ**Witwe** *f* viuda *f*.

ˈ**Witwen...:** **~geld** *n* (*-es*; *-er*) viudedad *f*; pensión *f* de viudedad; **~jahr** *n* (*-es*; *-e*) año *m* de luto; **~kasse** *f* caja *f* de viudedad; **~rente** *f* → *Witwengeld*; **~stand** *m* (*-es*; *0*) viudez *f*.

ˈ**Witwer** *m* viudo *m*; **~stand** *m* (*-es*; *0*) viudez *f*.

ˈ**Witz** *m* (*-es*; *-e*) (*Geist*) ingenio *m*; (*Mutter*2) gracia *f*; donosura *f*, donaire *m*; gracejo *m*; (*witziger Einfall*) salida *f*; ocurrencia *f*; (*Witzwort*) chiste *m*; agudeza *f*; dicho *m* gracioso; donosidad *f*; *grobes*: chocarrería *f*; (*Wortspiel*) retruécano *m*; juego *m* de palabras; (*Scherz*) broma *f*; chanza *f*; *anzüglicher* ~ chiste verde *od.* picante; *alter* ~ chiste muy gastado; ~*e reißen* decir (*od.* contar) chistes; hacer chistes; bromear; *faule* ~*e machen* hacer chistes de mal gusto; F *das ist der* ~ *an der Sache* éste es el punto esencial de la cuestión; ése es el quid del asunto; F *das ist der ganze* ~ eso es todo; F *mach keine* ~*e!* ¡déjate de tonterías!; **~blatt** *n* (*-es*; *⸚er*) periódico *m* humorístico (*od.* festivo); periódico *m* satírico; revista *f* humorística; **~bold** *m* (*-es*; *-e*) bromista *m*; hombre *m* gracioso; F guasón *m*; **~eˈlei** *f* agudeza *f* afectada; (*Spöttelei*) broma *f*, chanza *f*; F chunga *f*; 2**eln** (*-le*) *v/i.* bromear; afectar ingenio; (*seichte Witze machen*) hacer chistes malos (*od.* sin gracia); ~ *über* (*ac.*) burlarse de; F chunguearse de; 2**ig** *adj.* chistoso; gracioso; jocoso; (*klug*) ingenioso; ~ *sein* tener gracia; ~*er Einfall* salida.

wo *adv.* **1.** *örtlich*: **a)** *fragend*: ~? ¿dónde?; ¿en dónde?; ¿en qué sitio?; ¿a dónde?; *von* ~? ¿de dónde?; **b)** *relativisch*: donde; en donde; por donde; *von* ~ de donde; ~ *auch immer*; *überall* ~ dondequiera que (*subj.*); **2.** *zeitlich*: *zu e-r Zeit,* ~ ... en un tiempo en que ...; *heute,* ~ *ich Zeit habe* hoy que tengo tiempo; *der Tag,* ~ ... el día (en) que ...; **3.** *mundartlicher Ausdruck*: *ach* ~! ¡pamemas!, ¡pamplinas!; ¡tonterías!; ¡quita, hombre!; ¡qué va!; ¡quita allá!; ¡quia, hombre!; (*ich denke nicht daran*) ¡ni hablar de eso!; ¡ni soñarlo!, ¡ni pensarlo (siquiera)!; ~'**anders** *adv.* en otro sitio; en (cualquier) otra parte.

wo'bei *adv.* a lo cual; con lo cual; en lo cual; por lo cual; *Kanzleistil*: a cuyo efecto; (*oft durch ger. übersetzt*) ~ *es unerläßlich ist, daß* ... siendo imprescindible que (*subj.*).

wob *pret. v. weben.*

'**Woche** *f* semana *f*; *laufende* ~ semana en curso; (*die*) *letzte* (*od. vergangene*) ~ la última (*od.* pasada) semana; (*die*) *nächste* (*od. kommende*) ~ la semana que viene; la próxima semana; *vor einigen* ~*n* hace algunas semanas; semanas atrás; *in e-r* ~ dentro de una semana; † *Weiße* ~ semana blanca; ~*n pl.* ⚕ *in die* ~*n kommen* estar para (*od.* ir a) dar a luz; *in den* ~*n sein* estar en el período subsiguiente al alumbramiento.

'**Wochen...**: ~**arbeit** *f* trabajo *m* semanal; ~**ausgabe** *f* edición *f* semanal; ~**ausweis** † *m* (*-es*; *-e*) balance *m* semanal; ~**bericht** *m* (*-es*; *-e*) informe *m* semanal; ~**bett** *n* (*-es*; *-en*) sobreparto *m*; ⚕ puerperio *m*; ~**bettfieber** ⚕ *n* fiebre *f* puerperal; ~**bilanz** *f* → *Wochenausweis*; ~**blatt** *n* (*-es*; *⸚er*) semanario *m*; ~**ende** *n* (*-s*; *-n*) fin *m* de semana; *am* ~ a fin de semana; ~ *machen* hacer semana inglesa; ~**endhaus** *n* (*-es*; *⸚er*) casa *f* para pasar el fin de semana; ~**fieber** *n* → *Wochenbettfieber*; ~**geld** *n* (*-es*; *-er*), ~**hilfe** *f* (*0*) subsidio *m* de maternidad; ~**index** *m* (*-es*; *-indizes*) índice *m* semanal; ~**karte** *f* (🚆, *Buslinie usw.*) billete *m* (*od.* abono *m*) semanal (a tarifa reducida); 2**lang 1.** *adj.* (*0*) que dura semanas enteras; **2.** *adv.* semanas enteras; durante semanas; ~**lohn** *m* (*-es*; *⸚e*) salario *m* semanal; semana *f*; ~**markt** *m* (*-es*; *⸚e*) mercado *m* semanal; ~**produktion** *f* producción *f* semanal; ~**schau** *f Film*: actualidades *f/pl.*; noticiario *m*; *Fernsehen*: crónica *f* de la semana; ~**schrift** *f* publicación *f* semanal; ~**tag** *m* (*-es*; *-e*) día *m* de (la) semana; (*Arbeitstag*) día *m* laborable; 2**tags** *adv.* los días laborables.

'**wöchentlich I.** *adj.* semanal; de cada semana; **II.** *adv.* semanalmente; cada semana, todas las semanas; *dreimal* ~ tres veces por semana.

'**Wochen...**: ~**übersicht** *f* resumen *m* semanal; 2**weise** *adv.* por semanas; ~**zeitschrift** *f* revista *f* semanal; ~**zeitung** *f* semanario *m*; periódico *m* semanal.

'**Wöchnerin** *f* parturienta *f*; (recién) parida *f*; ⚕ puérpera *f*; ~**nenheim** *n* (*-es*; *-e*) casa *f* de maternidad.

'**Wodka** *m* (*-s*; *-s*) vodka *f*.

wo|'durch I. *pron/int.* (*durch was?*) ¿por qué medio?; ¿por medio de qué?; ¿cómo?; **II.** *pron/rel.* por el (la; lo; los; las) que; por el cual; por la cual; por donde; por cuyo motivo; ~'**fern** *cj.* con tal que, siempre que (*subj.*); si es que (*ind.*); ~ *nicht* a menos que ... (no), a no ser que (*subj.*); si no es que (*ind.*); ~'**für I.** *pron/int.* (*für was?*) ¿para qué?; ~ *ist das gut?* ¿para qué es bueno eso?; ¿para qué sirve eso?; ~ *halten Sie mich?* ¿por quién me toma usted?; **II.** *pron/rel.* por *bzw.* para lo cual; por *bzw.* para el (la; lo) que; *Kanzleistil*: a cuyo efecto; *er ist nicht das,* ~ *er sich ausgibt* no es lo que pretende aparentar.

wog *pret. v. wägen u. wiegen.*

'**Woge** *f* ola *f* (*a. fig.*); onda *f*; *fig. die* ~*n glätten* calmar (*od.* apaciguar) los ánimos.

wo'gegen I. *pron/int.* (*gegen was?*) ¿contra qué?; (*gegen wen?*) ¿contra quién?; ¿contra cuál?; **II.** *pron/rel.* contra lo cual; contra quien; (*tauschend*) a cambio de; a trueque (*od.* en lugar) de; a cambio de lo cual.

'**wogen I.** *v/i.* ondear; *Busen*: palpitar; *hin und her*: flotar; *Menschenmenge*: agitarse; (*fluktuieren*) fluctuar; oscilar; *das Meer wogt* la mar está agitada; **II.** 2 *n* ondulación *f*; agitación *f*; fluctuación *f*; oscilación *f*; ~**d** *adj.* ondulante; *Meer*: agitado; proceloso.

wo|'her *pron/int.* (*von wo?*) ¿de dónde?; ¿de qué lado?, ¿de qué parte?; (*auf welche Weise*) ¿cómo?; ~ *kommt es, daß* ...? ¿cómo es que ...?; ~ *wissen Sie das?* ¿cómo lo sabe usted?; ¿quién se lo ha dicho?; ~'**hin I.** *pron/int.* (*an welchen Ort?*) ¿a dónde?, ¿dónde?; ¿hacia (*od.* para) dónde?; ~ *willst du?* ¿adónde vas?; *ich weiß nicht* ~ *damit* no sé dónde ponerlo; **II.** *pron/rel.* adonde; **III.** ~ *auch immer* dondequiera; ~**hin'gegen** *cj.* mientras que.

wohl *adv.* bien (*comp. wohler adj. u. adv.* mejor; *sup. am wohlsten* lo mejor); **a)** (*normal, richtig, gut, in Ordnung*): ~ *aussehen* tener buen aspecto; ~ *riechen* oler bien; *sich* ~ *befinden* (*gesundheitlich*) estar bien; encontrarse bien; *sich* ~ *fühlen* sentirse bien; *mir ist nicht* ~ no me siento bien; estoy mal (*od.* indispuesto); me siento mal; *das tut* ~ esto sienta bien; *es sich* ~ *sein lassen* regalarse, F darse buena vida; *ich weiß* ~ sé muy bien; sé perfectamente; *er weiß es sehr* ~ lo sabe perfectamente (*od.* muy bien); lo sabe de sobra; *das lasse ich* ~ *bleiben* me guardaré bien de ello; *nun* ~! ¡pues bien!; ~ *dem, der* ...! ¡dichoso aquél que ...!; *leben Sie* ~! ¡adiós!; ~ *bekomm's!* (*zum Wohle!*) ¡a su salud!; (*guten Appetit!*) ¡buen provecho!; ~ *oder übel* de grado o por fuerza; por las buenas o por las malas; *wir müssen* ~ *oder übel hingehen* nos plazca o no, tenemos que ir allá; *es sind* ~ *drei Tage her, daß* ... ya han pasado tres días desde que ...; ~ *daran tun, zu* (*inf.*) hacer bien en (*inf.*); **b)** (*vermutend, einräumend*): (*wahrscheinlich*) probablemente; (*zweifellos*) sin duda; indudablemente; (*gewiß*) seguramente; (*möglicherweise*) posiblemente; (*vielleicht*) quizá(s), tal vez; *das ist* ~ *möglich*; *das kann* ~ *sein* es muy posible; *das ist* ~ *nicht möglich* no creo que sea posible; no me parece posible; *es ist* ~ *so* bien pudiera ser así; todo parece indicar que es así; *er ist* ~ *krank* parece estar enfermo; *ob er* ~ *kommen wird?* ¿será posible que venga?; *er kommt* ~ *morgen* probablemente vendrá mañana; *er könnte* ~ *noch kommen* aún podría venir; ~ *hundertmal* lo menos cien veces; ~ *50 Jahre* (*etwa*) unos cincuenta años; *ich kann* ~ *schwimmen, aber* ... nadar sí que puedo, pero ...; *man konnte* ~ *sagen, daß* ... bien pudiera decirse que ...; ~ *kaum* difícilmente; apenas.

Wohl *n* (*-es*; *0*) bien *m*; (*Wohlergehen*) bienestar *m*; (*Gedeihen*) prosperidad *f*; (*Glück*) felicidad *f*; *das öffentliche* ~ el bien público; *Zuruf*: *auf Ihr* ~!, *zum* ~! (*beim Trinken*) ¡a su salud!; ¡salud!

wohl'an! *int.* ¡ea!; ¡adelante!; ¡pues bien!; ¡vamos pues!; ¡venga!

'**wohl...**: ~**angebracht** *adj.* (*0*) bien colocado; bien dispuesto; oportuno; a propósito; ~**anständig** *adj.* (*0*) decente; decoroso; ~'**auf I.** *adv.*: *er ist* ~ está bien de salud; **II.** *int.* ~! → *wohlan!*; ~**bedacht** *adj.* (*0*) bien pensado *od.* considerado; hecho con reflexión; bien reflexionado; deliberado; 2**bedacht** *m*: *mit* ~ tras madura reflexión; (*mit Vorsatz*) deliberadamente; 2**befinden** *n* (*-s*; *0*) bienestar *m*; (*gute Gesundheit*) buen estado *m* de salud; ~**begründet** *adj.* bien fundado; sólido; 2**behagen** *n* (*-s*; *0*) bienestar *m*; (*Bequemlichkeit*) comodidad *f*; ~**behalten** *adj.* sano y salvo; sin daño; *v. Sachen*: en buen estado; bien conservado; en buenas condiciones; ~**bekannt** *adj.* (*0*) bien conocido; ~**bekömmlich** *adj.* saludable; que sienta (*od.* prueba) bien; ~**beleibt** *adj.* (*0*) obeso; (muy) gordo; 2**beleibtheit** *f* (*0*) obesidad *f*; gordura *f*; ~**beschaffen** *adj.* (*0*) bien acondicionado; ~**bestallt** *adj.* bien colocado; en buena posición; ~**bestellt** *adj.* (*0*) bien provisto; ~**bewandert,** ~**erfahren** *adj.* (*0*) muy versado (*in dat.* en); 2**ergehen** *n* (*-s*; *0*) bienestar *m*; prosperidad *f*; ~**erwogen** *adj.* bien meditado (*od.* considerado); ~**erworben** *adj.* (*0*) bien adquirido; legítimo; ~**erzogen** *adj.* bien educado; (*höflich*) cortés; atento.

'**Wohlfahrt** *f* (*0*) prosperidad *f*; *öffentliche* ~ beneficencia *f* pública; asistencia *f* social.

'**Wohlfahrts...**: ~**amt** *n* (*-es*; *⸚er*) servicio *m* (*od.* departamento *m*) de beneficencia pública; ~**ausschuß**

Hist. *m* (-*sses*; ⸚*sse*) Comité *m* de Salvación Pública; **~briefmarke** *f* sello *m* de beneficencia; **~einrichtung** *f* institución *f* de beneficencia; institución *f* benéfico-social; **~fonds** *m* (-; -) fondo *m* de asistencia benéfico-social; fondo *m* de previsión social; **~organisation** *f* organización *f* benéfica; **~pflege** *f* (*0*) asistencia *f* social; **~rente** *f* subsidio *m* asistencial a los indigentes; **~unterstützung** *f* auxilio *m* benéfico-social.

ˈ**wohl...:** **~feil I.** *adj.* barato, económico; **II.** *adv.* a precio barato *od.* módico; am ~sten al precio más barato; **~ge·artet** *adj.* (*0*) de buen natural; bien dispuesto; (*wohlerzogen*) bien educado; bien criado; **~gebaut**, **~gebildet** *adj.* (*0*) bien proporcionado; bien construido; **2gefallen** *n* (-*s*; *0*) placer *m*; agrado *m*, complacencia *f*; gusto *m*; satisfacción *f*; sein ~ an et. (*dat.*) haben complacerse en a/c.; ver con agrado a/c.; sich in ~ auflösen producir general satisfacción; *fig.* (*in Rauch aufgehen*) desvanecerse; evaporarse; quedar en nada; **~gefällig I.** *adj.* placentero; grato; muy agradable; (*zufrieden*) satisfecho; contento; **II.** *adv.* con agrado; con placer; (*zufrieden*) con satisfacción; **~geformt** *adj.* bien formado; **2gefühl** *n* (-*s*; *0*) sensación *f* de bienestar; **~gemeint** *adj.* bien intencionado; *Rat*: amistoso; **~gemerkt!** *int.* bien entendido; **~gemut** *adj.* (*0*) alegre; de buen humor; **~genährt** *adj.* bien alimentado *od.* nutrido; **~geneigt** *adj.* (*0*) bien dispuesto; **~geraten** *adj.* (*0*) bien educado; *Sache*: bien hecho; **2geruch** *m* (-*ęs*; ⸚*e*) olor *m* agradable; (*Duft*) aroma *m*, fragancia *f*; perfume *m*; **2geschmack** *m* (-*ęs*; *0*) sabor *m* (*od.* gusto *m*) agradable; **~gesetzt** *adj.* (*0*): *Worte*: bien elegido; *Rede*: elegante; bien formulado; **~gesinnt** *adj.* bien intencionado; (*gütig*) benévolo; **~gesittet** *adj.* de buenas maneras, de buenos modales; bien educado; **~gestaltet** *adj.* bien hecho; bien formado; elegante; **~getan** *adj.* (*0*) bien hecho; **~habend** *adj.* (bien) acomodado; (*vermögend*) adinerado; acaudalado; rico; **2habenheit** *f* (*0*) bienestar *m*; **~ig** *adj.* agradable; cómodo; **2klang** *m* (-*ęs*; *0*) armonía *f*; *Gr.* eufonía *f*; **~klingend** *adj.* armonioso; melodioso; agradable al oído; *Gr.* eufónico; **2laut** *m* (-*ęs*; -*e*) → Wohlklang; **2leben** *n* (-*s*; *0*) vida *f* regalada; vida *f* de placeres; **~meinend** *adj.* bien intencionado; (*wohlwollend*) benévolo; **~riechend** *adj.* (*0*) aromático; perfumado; fragante; de olor agradable; oloroso, odorífico; **~schmeckend** *adj.* sabroso; **2sein** *n* bienestar *m*; *gesundheitlich*: buena salud *f*; Ihr (*od.* zum) ~! ¡a su salud!; **2stand** *m* (-*ęs*; *0*) bienestar *m*; prosperidad *f*; im ~ leben vivir con desahogo; F im ~ schwimmen nadar en la opulencia; **2tat** *f* beneficio *m*; favor *m*; buena acción *f*; obra *f* de caridad; (*Erleichterung*) alivio *m*; j-m ~en erweisen hacer bien a alg.; **2täter** *m* bienhechor *m*; **2täterin** *f* bienhechora *f*; **~tätig** *adj.* (*0*) benéfico; (*mildtätig*) caritativo; **2tätigkeit** *f* beneficencia *f*; (*Mildtätigkeit*) caridad *f*; **2tätigkeitsfest** *n* (-*es*; -*e*) fiesta *f* benéfica (*od.* de beneficencia); **2tätigkeitsverein** *m* (-*ęs*; -*e*) sociedad *f* benéfica (*od.* de beneficencia); **~tuend** *adj.* que hace bien; bienhechor; (*angenehm*) agradable; (*lindernd*) que alivia; mitigador; **~tun** (*L*) *v/i.* (*gut handeln*) hacer bien; j-m ~ hacer bien a alg.; (*lindern*) aliviar; das tut e-m wohl esto sienta (*od.* hace) bien a uno; du würdest wohl daran tun zu (*inf.*) harías bien en (*inf.*); **~überˈlegt** *adj.* bien pensado *od.* considerado; ponderado; bien meditado; alles ~ después de madura reflexión; después de pensarlo bien; **~unterˈrichtet** *adj.* (*0*) bien informado; bien enterado; **~verdient** *adj.* (*0*) bien merecido; *Person*: benemérito; de gran mérito; **2verhalten** *n* (-*s*; *0*) buena conducta *f*; **~verstanden** *adj.* (*0*) bien entendido; **~verwahrt** *adj.* (*0*) bien guardado; bien conservado; **~ˈweislich** *adv.* prudentemente; **~wollen** (*L*) *v/i.*: j-m ~ querer bien a alg.; querer (*od.* desear) el bien de alg.; **2wollen** *n* (-*s*; *0*) benevolencia *f*; (*Zuneigung*) afecto *m*; (*Gunst*) favor *m*; **~wollend** *adj.* benévolo; (*günstig*) favorable.

ˈ**Wohn...:** **~baracke** *f* barraca *f*; **~berechtigung** *f* (*0*) derecho *m* preferente a vivienda; **~bezirk** *m* (-*ęs*; -*e*) distrito *m* (*od.* barrio *m*) residencial; **~block** *m* (-*ęs*; ⸚*e*) bloque *m* de viviendas; **2en** *v/i.* vivir; habitar; (*Unterkunft haben*) estar alojado en; *ständig*: estar domiciliado en; tener su domicilio en; residir en; in der Stadt ~ vivir en la ciudad; in Madrid ~ vivir *bzw.* residir en Madrid; tener su domicilio en Madrid; auf dem Lande ~ vivir en el campo; in e-m modernen Hause ~ habitar en una casa moderna; **~fläche** *f* superficie *f* de la vivienda; **~gebäude** *n* casa *f*; finca *f* urbana; vivienda *f*; (*Appartementshaus*) casa *f* de apartamentos (*od.* de pisos); **~gebiet** *n* (-*ęs*; -*e*) zona *f* residencial; **2haft** *adj.* (*0*) domiciliado en; residente en; **~haus** *n* (-*es*; ⸚*er*) → Wohngebäude; **~heim** *n* (-*ęs*; -*e*) residencia *f*; **~küche** *f* cocina *f* comedor; **~kultur** *f* (*0*) estilo *m* de vivienda; **~laube** *f* barraca *f* de jardín; **2lich** *adj.* cómodo; confortable; **~ort** *m* (-*ęs*; -*e*) (lugar *m* de) residencia *f*; (*gesetzlicher*) domicilio *m*; **~ortswechsel** *m* cambio *m* de residencia *bzw.* de domicilio; **~raum** *m* (-*ęs*; ⸚*e*) cuarto *m*, habitación *f*; (*Größe*) espacio *m* habitable; **~raumbewirtschaftung** *f* (*0*) intervencionismo *m* estatal de la vivienda; **~recht** *n* (-*ęs*; *0*) derecho *m* de habitación; **~siedlung** *f* polígono *m* urbano; conjunto *m* residencial; **~sitz** *m* (-*es*; -*e*) residencia *f*; domicilio *m*; ⚚ domicilio *m* social; mit ~ in domiciliado (*od.* con domicilio) en; ohne festen ~ sin domicilio fijo; s-n ~ aufschlagen (*od.* nehmen) establecer su domicilio (en); fijar su residencia (en); s-n ~ wechseln cambiar de domicilio (*od.* de residencia); **~sitzwechsel** *m* cambio *m* de domicilio (*od.* de residencia); **~stätte** *f* vivienda *f*; (*Heim*) hogar *m*, morada *f*; **~stube** *f* salita *f*, *größere*: sala *f*; salón *m*; (*Wohnzimmer*) cuarto *m* de estar; **~ung** *f* vivienda *f*, casa *f*; habitación *f*; cuarto *m*; (*Unterkunft*) alojamiento *m*; (*Heim*) hogar *m*; morada *f*; (*Etagen2*) piso *m*; apartamento *m*; ~ nehmen bei alojarse en casa de; s-e ~ wechseln cambiar de domicilio; aus e-r ~ ziehen mudarse (de casa).

ˈ**Wohnungs...:** **~amt** *n* (-*ęs*; ⸚*er*) oficina *f* municipal de la vivienda; *Span.* Fiscalía *f* de la Vivienda; **~änderung** *f* cambio *m* de domicilio *bzw.* de alojamiento; **~anzeiger** *m* boletín *m* anunciador de pisos desalquilados; **~bau** *m* (-*ęs*; *0*) construcción *f* de viviendas; sozialer ~ construcción de viviendas protegidas; **~einrichtung** *f* menaje *m*; **~frage** *f* problema *m* de la vivienda; **~geldzuschuß** *m* (-*sses*; ⸚*sse*) indemnización *f* de residencia; suplemento *m* de casa; **~inhaber(in** *f*) *m* inquilino (-a *f*) *m*; **2los** *adj.* (*0*) sin casa; sin domicilio; **~mangel** *m* (-*s*; *0*) escasez *f* de viviendas; **~miete** *f* alquiler *m* (de la vivienda); **~nachweis** *m* (-*es*; -*e*) oficina *f* de alojamientos; **~not** *f* (-; ⸚*e*) crisis *f* de la vivienda; **~politik** *f* (*0*) política *f* de construcción de viviendas; **~suche** *f* (*0*) búsqueda *f* de alojamiento; busca *f* de piso; **~tausch** *m* (-*ęs*; -*e*) permuta *f* de pisos (*od.* de viviendas); **~wechsel** *m* → Wohnungsänderung; **~zwangswirtschaft** *f* (*0*) dirigismo *m* económico en materia de viviendas.

ˈ**Wohn...:** **~verhältnisse** *n/pl.* condiciones *f/pl.* de alojamiento; condiciones *f/pl.* de habitabilidad; **~viertel** *n* barrio *m* residencial; **~wagen** *m für Zirkusleute usw.* carro *m* vivienda; *Autoanhänger*: coche *m* vivienda; remolque *m* (de camping); **~zimmer** *n* cuarto *m* de estar; salón *m*.

ˈ**Woilach** [ˈvɔylax] *m* (-*s*; -*e*) manta *f* (para caballerías).

ˈ**wölb|en** *v/t.* △ voltear, abovedar; (*bogenförmig*) arquear; (*ausbauchen*) abombar; (*krümmen*) encorvar; *Holz*: combar, alabear; sich ~ abovedarse; arquearse; abombarse; encorvarse; *Holz*: combarse, alabearse; **2stein** △ *m* (-*ęs*; -*e*) dovela *f*; **2ung** *f* △ (*Bogen*) arco *m* (de bóveda); cintra *f*; curvatura *f*; (*Gewölbe*) bóveda *f*; (*Ausbauchung*) abombamiento *m*; *des Holzes*: alabeo *m*.

Wolf *m* (-*ęs*; ⸚*e*) *Zoo.* lobo *m*; junger ~ lobezno *m*; *Astr.* Lobo *m*; (*Fleischwolf*) picadora *f* de carne; durch den ~ drehen (*Fleisch*) picar carne; ⚕ excoriación *f*; intertrigo *m*; *fig.* ~ im Schafspelz el lobo con piel de cordero; mit den Wölfen heulen dondequiera que fueres, haz como vieres.

ˈ**Wölfin** *Zoo.* *f* loba *f*.

ˈ**Wolfram**[1] *m* (*Name*) Wolfram *m*.

ˈ**Wolfram**[2] ⚗ *n* (-*s*; *0*) volframio *m*, tungsteno *m*; **~karbid** *n* (-*s*; *0*) carburo *m* de tungsteno; **~stahl** *m* (-*es*; ⸚*e*) acero *m* al tungsteno.

ˈ**Wolfs...:** **~eisen** *n Jgdw.* cepo *m* para lobos; ⚔ *ehm.* abrojo *m*; **~grube** *f Jgdw. u.* ⚔ trampa *f* de lobos; **~hund** *m* (-*es*; -*e*) perro *m* lobo; **~hunger** *m*: e-*n* ~ *haben* tener un hambre canina; **~jagd** *f* caza *f* del lobo; **~milch** ♀ *f* (*0*) euforbia *f*; lechetrezna *f*; **~rachen** ⚕ *m* labio *m* leporino con fisura palatina; **~rudel** *n* manada *f* de lobos.

ˈ**Wolga** *f* Volga *m.*

ˈ**Wolke** *f* nube *f* (*a. fig.*); (*Wetter*2) nubarrón *m*; nublado *m*; (*Rauch*2) nube *f* de humo; (*Staub*2) nube *f* de polvo; *fig. er war wie aus den ~n gefallen* estaba perplejo (*od.* muy sorprendido); F estaba turulato; *fig. in den ~n* (*geistesabwesend*) *sein* estar en la luna.

ˈ**Wolken...:** **~bank** *f* (-; ⸚*e*) masa *f* de nubes; **~bildung** *f* formación *f* de nubes; **~bruch** *m* (-*es*; ⸚*e*) lluvia *f* torrencial; *kürzer*: chaparrón *m*, turbonada *f*, aguacero *m*; **~decke** *f* capa *f* de nubes; **~grenze** *f*: *obere* ~ límite *m* superior de las nubes; **~himmel** *m* cielo *m* nuboso *od.* nublado; **~höhe** ✈ *f* techo *m* (de nubes); **~kratzer** *m* rascacielos *m*; **~kuckucksheim** *n* (-*es*; *0*) Jauja *f*; 2**los** *adj.* (*0*) sin nubes; (*heiter*) despejado, sereno; **~meer** *n* (-*es*; *0*) mar *m* de nubes; **~schicht** *f* capa *f* de nubes; **~schleier** *m* celaje *m*; 2**umhüllt** *adj.* (*0*) cubierto de nubes; envuelto en nubes; **~wand** *f* (*0*) cerrazón *f*; **~zug** *m* (-*es*; ⸚*e*) paso *m* de las nubes.

ˈ**wolkig** *adj.* nuboso; nublado; (*überzogen*) cubierto de nubes.

ˈ**Woll|abfälle** *m/pl.* desperdicios *m/pl.* de lana; **~arbeit** *f* trabajo *m* en lana; 2**artig** *adj.* lanoso; **~atlas** *m* (-*ses*; -*se*) satén *m* de lana; **~decke** *f* manta *f* de lana; **~e** *f* lana *f*; (*Scher*2) vellón *m*; *in der ~ gefärbt* teñido en la propia lana; *fig.* legítimo, auténtico; *fig. in der ~ sitzen* vivir desahogadamente (*od.* F a sus anchas); F *sich in die ~ geraten* altercar acaloradamente; F andar a la greña; *fig. ~ lassen müssen* dejarse la lana en las zarzas; dejarse los pelos en la gatera; *viel Geschrei und wenig ~* mucho ruido y pocas nueces.

ˈ**wollen**[1] *adj.* (*aus Wolle*) de lana.

ˈ**wollen**[2] **I.** (*L*) *v/t. u. v/i.* querer; (*wünschen*) desear; (*verlangen*) pedir; (*fördern*) exigir; (*beabsichtigen*) tener intención de; proponerse; (*bereit sein zu*) estar dispuesto a; (*behaupten*) pretender; afirmar; (*im Begriff sein*) ir a; pensar (hacer); estar a punto de; *wir ~* (*beabsichtigen*) nos proponemos (*ac. od. inf.*); tenemos el propósito (*od.* la intención) de; *lieber ~* preferir; *ich will* (*od. wollte*) *lieber ...* prefiero ...; preferiría ...; más quisiera ...; *et. unbedingt ~* querer a todo trance a/c.; *er will nach Deutschland* quiere ir a Alemania; piensa irse a Alemania; *ich will Ihnen etwas sagen* permítame decirle (*od.* que le diga) una cosa; *ganz wie Sie ~* como usted quiera; como usted guste (*od.* prefiera); *was ~ Sie von mir?* ¿qué quiere usted de mí?; *was willst du noch mehr?* ¿qué más quieres?; *er weiß nicht, was er will* no sabe lo que quiere; *mach was du willst* haz lo que quieras (*od.* lo que te plazca); P haz lo que te dé la gana; *zu wem ~ Sie?* ¿por quién pregunta usted?; ¿con quién desea usted hablar?; ¿a quién busca usted?; *man will Sie sprechen* desean hablarle; *dem sei, wie ihm wolle* sea como fuere; *so Gott will!* si Dios quiere; Dios mediante; *das wolle Gott!* ¡Dios lo quiera!; ¡Dios quiera que (*subj.*)!; *man mag ~ oder nicht* plazca o no plazca; quiérase o no; *du hast es so gewollt* así lo has querido; *wir ~ gehen* vámonos; *ohne es zu ~* sin querer; sin proponérselo; sin intención; *mir will scheinen, daß ...* me parece que ...; estoy por creer que ...; *das will ich hoffen* así lo espero; confío en ello; *das will ich meinen!* ¡ya lo creo!; *das will nichts sagen* (*od. bedeuten od. heißen*) eso no quiere decir nada; eso no tiene importancia; *das will et. heißen* eso ya es (*od.* significa) algo; *ich will nichts gesagt haben* no he dicho nada; *ich will es nicht gehört haben* lo doy por no oído; *er will es gesehen haben* pretende haberlo visto; afirma haberlo visto; *das will vorsichtig gemacht werden* esto requiere (*od.* tiene que) ser hecho con cuidado; *das will überlegt sein* eso hay que pensarlo; *wir ~ sehen* vamos a ver; *was ~ Sie damit sagen?* ¿qué quiere usted decir con eso?; *hier ist nichts zu ~* aquí no hay nada que hacer; de aquí no se saca nada; **II.** 2 *n* querer *m*; (*Wille*) voluntad *f*; (*Willensäußerung*) *Phil.* volición *f*.

ˈ**Woll...:** **~fabrikation** *f* (*0*) fabricación *f* de tejidos de lana; **~färber** *m* tintorero *m* de lana; **~färbeˈrei** *f* tintorería *f* de lana; **~faser** *f* (-; -*n*) fibra *f* de lana; **~fett** *n* (-*es*; *0*) (*Wollschweiß*) grasa *f* de lana; suarda *f*; **~filz** *m* (-*es*; *0*) fieltro *m* de lana; **~garn** *n* (-*es*; -*e*) estambre *m*; **~gewebe** *n* tejido *m* de lana; **~gras** ♀ *n* (-*es*; ⸚*er*) lino *m* silvestre; **~haar** *n* (-*es*; -*e*) vellón *m*; *des Menschen*: cabello *m* crespo; **~handel** *m* (-*s*; *0*) comercio *m* de lanas; **~händler** *m* lanero *m*; comerciante *m* en lanas; 2**ig** *adj.* lanudo, lanoso; ♀ *u. Zoo.* lanífero; lanígero; (*behaart*) velloso; *Haar*: crespo, rizado, ensortijado; **~industrie** *f* industria *f* lanera; **~jacke** *f* chaqueta *f* de punto *bzw.* de estambre; **~kamm** *m* (-*es*; ⸚*e*) carda *f*; **~kämmer** *m* cardador *m*; **~kämmeˈrei** *f* peinado *m* (*od.* cardadura *f*) de la lana; (*Werkstatt*) cardería *f*; **~kleid** *n* (-*es*; -*er*) vestido *m* de lana; **~kleidung** *f* ropa *f* de lana; **~markt** *m* (-*es*; ⸚*e*) mercado *m* lanero (*od.* de lanas); **~produktion** *f* (*0*) producción *f* lanera; **~schur** *f* esquileo *m*; **~schweiß** *m* (-*es*; *0*) suarda *f*; **~spinneˈrei** *f* hilatura *f* de lana; (*Fabrik*) hilandería *f* de lana; **~stoff** *m* (-*es*; -*e*) tela *f* (*od.* tejido *m*) de lana; *grober*: tela *f* de lana burda, sayal *m*; estameña *f*; **~tiere** *n/pl.* animales *m/pl.* lanudos.

ˈ**Wol|lust** *f* (-; ⸚*e*) voluptuosidad *f*; (*Ausschweifung*) lujuria *f*; (*Geilheit*) lascivia *f*; (*Sinnlichkeit*) sensualidad *f*; 2**lüstig** *adj.* voluptuoso; lujurioso; lascivo; sensual; **~lüstling** *m* (-*s*; -*e*) lujurioso *m*; libertino *m*; F calavera *m*.

ˈ**Woll...:** **~vieh** *n* (-*es*; *0*) ganado *m* lanar; **~waren** *f/pl.* lanas *f/pl.*; artículos *m/pl.* (*od.* géneros *m/pl.*) de lana; **~warenhändler** *m* lanero *m*; **~warenhandlung** *f* lanería *f*; **~wächeˈrei** *f* lavadero *m* de lanas; **~waschmaschine** *f* desengrasadora *f* de lana; **~weber** *m* tejedor *m* de lana; **~webeˈrei** *f* tejeduría *f* de lana; **~weste** *f* chaleco *m* de lana; chaleco *m* de punto; **~zeug** *n* (-*es*; *0*) tejidos *m/pl.* de lana; (*Kleider*) ropas *f/pl.* de lana.

wo|ˈmit I. *pron/int.* (*mit was?*) ¿con qué?; ¿a qué?; ¿de qué?; ¿para qué?; *~ kann ich Ihnen dienen?* ¿en qué puedo servirle?; **II.** *pron/rel.* con que; con lo que; con lo cual; a que; de que; de lo cual; para que; *Kanzleistil*: a cuyo efecto; *~ ich nicht sagen will* con lo cual (*od.* lo que) no quiero decir; **~ˈmöglich** *adv.* si es posible; a ser posible; si cabe; en lo posible; *das Bild ist ~ noch schlechter als* el cuadro es aún peor, si cabe, que; **~ˈnach I.** *pron/int.* (*nach was?*) ¿qué?; ¿por qué?; ¿a qué?; (*gemäß*) ¿según qué?; ¿con arreglo a qué?; *~ fragt er?* ¿qué pregunta?; ¿por qué pregunta?; ¿qué es lo que pregunta?; *~ soll ich mich richten?* ¿a qué debo atenerme?; ¿a qué he de atenerme?; *~ schmeckt* (*riecht*) *das?* ¿a qué sabe (huele) esto?; **II.** *pron/rel.* a lo que, a lo cual; por lo que, por lo cual; sobre lo cual; (*zeitlich*) después de lo cual; (*gemäß*) según lo cual.

ˈ**Wonne** *f* delicia *f*, delicias *f/pl.*; (*Genuß*) goce *m*, deleite *m*; (*Vergnügen*) placer *m*, gozo *m*; alegría *f*; (*Entzücken*) embeleso *m*; encanto *m*; *Rel. die ewige ~* la gloria eterna; *mit ~* con gran placer; **~gefühl** *n* (-*s*; -*e*) sensación *f* deliciosa; **~leben** *n* (-*s*; *0*) vida *f* (llena) de delicias; **~monat** *m* (-*es*; -*e*), **~mond** *m* (-*es*; -*e*) (mes *m* de) mayo *m*; 2**trunken** *adj.* ebrio de placer; loco de júbilo (*od.* de alegría); extasiado; embelesado; 2**voll** *adj.* lleno de delicias; → wonnetrunken.

ˈ**wonnig(lich)** *adj.* delicioso; deleitoso.

wo|ˈran I. *pron/int.* (*an was?*) ¿en qué?; ¿a qué?; *~ denkst du?* ¿en qué piensas?; **II.** *pron/rel.* en que; a que; al que, al cual; donde, en donde; *ich weiß nicht, ~ ich mit ihm bin* no sé a qué atenerme con él; *~ liegt es, daß ...?* ¿a qué se debe que ...?; ¿cuál es el motivo (*od.* la razón) de que ...?; **~ˈrauf I.** *pron/int.* (*auf was?*) ¿sobre qué?; ¿a qué?; *~ wartest du?* ¿a qué esperas?; **II.** *pron/rel.* sobre el que, sobre el cual; en que, donde; *zeitlich*: después de lo cual; hecho lo cual; acto seguido; **~ˈraus I.** *pron/int.* (*aus was?*) ¿de qué?; ¿de dónde?; **II.** *pron/rel.* de lo cual; del cual; de la cual; de donde;

~'**rein I.** *pron/int.* ¿en qué?; ¿en dónde?; ¿dónde?; **II.** *pron/rel.* en que; en el cual, en la cual; donde.
'**worfeln** (*-le*) *v/t.* (*Getreide*) aventar, apalear.
wo'rin I. *pron/int.* (*in was?*) ¿en qué?; ¿dónde?; **II.** *pron/rel.* donde; en que; en el cual; en la cual.
Wort *n* (*-es*; *¨er u. -e*) palabra *f*; (*Ausdruck*) expresión *f*, término *m*; (*Vokabel*) vocablo *m*; (*Ausspruch*) sentencia *f*; frase *f*; (*Ehren*2) palabra *f* de honor; ⚔ santo *m* y seña; consigna *f*; (*Versprechen*) promesa *f*; palabra *f*; *veraltetes* ~ *Gr.* arcaísmo *m*; *geflügeltes* ~ frase *f* hecha; dicho *m* célebre; *Rel.* Verbo *m*; ~ *Gottes* el Verbo Divino, la Palabra Divina; *das passende* ~ la palabra apropiada; *große* (*hochtrabende*) ~*e* palabras altisonantes; *das sind leere* ~*e* son palabras vanas; *das sind nur* (*od. bloße*) ~*e* ¡palabras y nada más!; *schöne* (*leere*) ~*e* palabras vanas; F *fig.* música celestial; *geistreiches* (*kluges*) ~ *fig.* golpe *m*; *zweideutiges* ~ palabra de doble sentido; equívoco *m*; *genug der* ~*e!* ¡basta (ya) de palabras!; F hablen cartas y callen barbas; *kein* ~ *mehr!* ¡ni una palabra más!; *ein Mann von* ~ *sein* ser hombre de palabra; *ein Mann, ein* ~ un hombre de honor sólo tiene una palabra; ~ *für* ~ palabra por palabra; *das ist mein letztes* ~ es mi última palabra; *das letzte* ~ *behalten* acabar teniendo razón; *das letzte* ~ *haben* decir la última palabra; decidir una cuestión; *ein gutes* ~ *einlegen für* interceder en favor de; *das* ~ *entziehen* (*ergreifen*; *erteilen*) *Parl.* retirar (tomar *od.* hacer uso de; conceder) la palabra; *das* ~ *führen* llevar la palabra; *das große* ~ *führen* (*prahlen*) F *fig.* alzar el gallo; (*tonangebend sein*) F llevar la voz cantante; *das* ~ *haben Parl.* tener la palabra; *das* ~ *hat* ... tiene la palabra ...; *das* ~ *liegt mir auf der Zunge* tengo la palabra en la punta de la lengua; *das* ~ *aus dem Mund nehmen* quitar la palabra de la boca; *sein* ~ *geben* dar (*od.* empeñar) su palabra; *sein* ~ *halten* cumplir su palabra; *sein* ~ *brechen* faltar a su palabra; *s-e* ~*e abwägen*; *s-e* ~*e auf die Goldwaage legen* pesar sus palabras; *nicht viele* ~*e machen* ser parco de palabras; ser breve; ser de pocas palabras; *ein* ~ *mitzureden haben* tener voz; tener también algo que decir; *j-m* (*e-r Sache dat.*) *das* ~ *reden* hablar en favor de alg. (de a/c.); *mit j-m ein ernstes* ~ *reden* decir a alg. cuatro palabras; *kein* ~ *sagen* no decir ni palabra; *ohne ein* ~ *zu sagen* sin decir palabra, sin decir nada, F sin decir ni pío; *ohne viele* ~*e* sucintamente; en pocas palabras; *die Hälfte s-r* ~*e verschlucken* F comerse la mitad de las palabras; *sein* ~ *zurücknehmen* retirar su promesa; F volverse atrás; *auf ein* ~*!* ¡permítame dos palabras!; *auf mein* ~*!* ¡palabra de honor!; F ¡palabra!; *auf diese* ~*e, bei diesen* ~*en* diciendo esto; con estas palabras; a esas palabras; *aufs* ~ *gehorchen* obedecer ciegamente; F obedecer sin rechistar; *j-m aufs* ~ *glauben* creer a alg. bajo su palabra; F creer a pie juntillas lo que alg. dice; *bei s-m* ~ *bleiben* mantener su promesa; no tener más que una palabra; *beim* ~ *nehmen* tomar *od.* coger por la palabra; *nicht für Geld und gute* ~*e* por nada del mundo; *in* ~*en* (*ganz ausgeschrieben*) en letras; *in* ~ *und Bild* con texto e ilustraciones; *in* ~ *und Tat* con palabras y con hechos; *in wenigen* ~*en* concisamente; en pocas palabras; *j-m ins* ~ *fallen* cortar la palabra a alg.; interrumpir a alg.; *in* ~*e fassen* formular; *mit e-m* ~ en una palabra; en resumen; *mit andern* ~*en* con otras palabras; dicho de otro modo; *mit leeren* ~*en abspeisen* entretener con vanas promesas (*od.* con buenas palabras); *mit* ~*en spielen* hacer juegos de palabras; *j-n mit s-n eigenen* ~*en schlagen* redargüir a alg.; volver contra alg. sus propios argumentos; *ums* ~ *bitten, sich zum* ~ *melden Parl.* pedir la palabra; *nicht zu* ~ *kommen* no llegar a hablar; no tener ocasión de hablar; *nicht zu* ~ *kommen lassen* no dejar hablar; F no dejar meter baza; *ein* ~ *gab das andere* se trabó una disputa; *ich verstehe kein* ~ *davon* no entiendo ni (una) palabra; F *hat man* ~*e?* ¿habráse visto semejante cosa?; ¿hay palabras para esto?
'**Wort...:** ~**ableitung** *f* derivación *f* de las palabras; ~**akzent** *m* (*-es*; *-e*) acento *m* tónico; 2**arm** *adj.* (*¨st*) (*Sprache*) pobre de léxico; (*Redner*) pobre de expresión; ~**armut** *f* (*0*) pobreza *f* de léxico; ~**art** *Gr. f* clase *f* de palabra; ~**aufwand** *m* (*-es*; *0*) verbosidad *f*; *mit großem* ~ con mucha palabrería; ~**bedeutungslehre** *f* (*0*) semántica *f*; ~**bildung** *f* formación *f* de las palabras; ~**bruch** *m* (*-es*; *¨e*) falta *f* de palabra; deslealtad *f*; 2**brüchig** *adj.* que falta (*od.* infiel) a su palabra; (*meineidig*) perjuro; ~ *werden* faltar a su palabra.
'**Wörtchen** *n* (*dim. v.* Wort) palabrita *f*.
'**Wörterbuch** *n* (*-es*; *¨er*) diccionario *m*; (*e-s bestimmten Autors*) léxico *m*; F *fig. wandelndes* ~ diccionario viviente; ~**verfasser** *m* autor *m* de un diccionario; (*bsd. klassischer*) lexicógrafo *m*.
'**Wort-erklärung** *f* explicación *f* de las palabras.
'**Wörterverzeichnis** *n* (*-ses*; *-se*) vocabulario *m*; *mit Erklärungen*: glosario *m*.
'**Wort...:** ~**familie** *f Gr.* grupo *m* etimológico; ~**folge** *Gr. f* orden *m* de las palabras; ~**fügung** *Gr. f* construcción *f*; sintaxis *f*; ~**führer** *m* el que lleva la palabra; (*Sprecher e-r Gruppe*) portavoz *m*, *Am.* vocero *m*; (*Redner*) orador *m*; (*Organ*) órgano *m*; ~**fülle** *f* (*0*) abundancia *f* de palabras; riqueza *f* de léxico *bzw.* de expresión; (*Wortschwall*) verbosidad *f*; (*Weitschweifigkeit*) ampulosidad *f*; prolijidad *f*; ~**gebühr** ✆ *f* tarifa *f* por palabra; ~**gefecht** *n* (*-es*; *-e*) disputa *f*; ~**gepränge** *n* (*-s*; *0*) lenguaje *m* altisonante; ampulosidad *f*; rimbombancia *f*; redundancia *f*; ~**geschichte** *f* (*0*) lexicología *f* histórica; 2**getreu I.** *adj.* (*Übersetzung*) literal; (*Zitat*) textual; **II.** *adv.* literalmente; a la letra, al pie de la letra; 2**gewandt** *adj.* (*-est*) de palabra fácil; (*beredt*) diserto; elocuente; 2**karg** *adj.* lacónico; parco en palabras; (*schweigsam*) silencioso; taciturno; ~**kargheit** *f* (*0*) laconismo *m*; taciturnidad *f*; ~**klasse** *f* → *Wortart*; ~**klauber** *m* verbalista *m*; ergotista *m*; ~**klaube'rei** *f* verbalismo *m*; ergotismo *m*; ~**kunst** *f* (*-*; *¨e*) arte *m/f* poético *bzw.* poética; ~**laut** *m* (*-es*; *0*) texto *m*; (*Inhalt*) tenor *m*; *amtlicher* ~ texto oficial; *im* ~ textualmente; *e-e Note folgenden* ~*s* una nota que dice (*od.* reza) así; una nota del siguiente tenor; *nach dem* ~ (*gen.*) según los términos de.
'**wörtlich I.** *adj.* literal; textual; ~*es Zitat* cita textual; **II.** *adv.* literalmente; textualmente; al pie de la letra, a la letra; palabra por palabra.
'**Wort...:** 2**los I.** *adj.* (*0*) mudo; silencioso; **II.** *adv.* en silencio; sin decir nada, sin decir (ni) una palabra; ~**rätsel** *n* logogrifo *m*; ~**register** *n* índice *m*; 2**reich** *adj.* abundante en palabras; (*Sprache*) rico en vocablos *od.* voces; de rico léxico; (*phrasenhaft*) ampuloso; verboso; ~**reichtum** *m* (*-s*; *0*) abundancia *f* de palabras; (*e-r Sprache*) riqueza *f* de léxico; (*Wortschwall*) verbosidad *f*; ampulosidad *f*; ~**schatz** *m* (*-es*; *0*) léxico *m*; vocabulario *m*; ~**schwall** *m* (*-es*; *0*) verbosidad *f*, F verborrea *f*; redundancia *f*; ~**spiel** *n* (*-es*; *-e*) juego *m* de palabras; retruécano *m*; ~**stamm** *Gr. m* (*-es*; *¨e*) radical *m*; ~**stammkunde** *f* (*0*) etimología *f*; ~**stellung** *f* orden *m* de las palabras; ~**streit** *m* (*-es*; *-e*) discusión *f* sobre palabras; (*Wortgefecht*) disputa *f*; altercado *m*; F andar *m* en dimes y diretes; ~**verdreher** *m* tergiversador *m*; ~**verdrehung** *f* tergiversación *f*; alteración *f* del sentido de una palabra; ~**wechsel** *m* discusión *f* viva; disputa *f*; altercado *m*; 2'**wörtlich** *adv.* al pie de la letra; palabra por palabra.
wo|'rüber I. *pron/int.* (*über was?*) ¿de qué?; ¿sobre qué?; ~ *lachst du?* ¿de qué te ríes?; **II.** *pron/rel.* sobre el que; sobre lo cual; de que; de lo cual; de lo que; ~'**rum I.** *pron/int.* (*um was?*) ¿de qué?; ¿sobre qué?; ~ *handelt es sich?* ¿de qué se trata?; **II.** *pron/rel.* de lo que; ~'**runter I.** *pron/int.* (*unter was?*) ¿debajo de qué?; ¿debajo de dónde?; ¿entre cuáles?; ¿entre quiénes?; **II.** *pron/rel.* bajo lo cual; entre los que; entre los cuales; entre quienes; ~'**selbst** *adv.* (en) donde; ~'**von I.** *pron/int.* (*von was?*) ¿de qué?; ~ *spricht er?* ¿de qué habla?; **II.** *pron/rel.* de que; del que; de lo cual; de donde; ~'**vor I.** *pron/int.* (*vor was?*) ¿ante quién?; ¿qué (cosa)?; ~ *fürchtest du dich?* ¿qué (es lo que) temes?; **II.** *pron/rel.* ante el cual; delante del cual;

(*zeitlich*) antes de lo cual; ~'**zu I.** *pron/int.* (*zu was?*) ¿a qué?; (*warum*) ¿por qué?; ¿por qué causa *od.* razón?; ¿por qué motivo?; ¿para qué?, ¿con qué fin?; ¿con qué objeto?; **II.** *pron/rel.* a que; al que; a lo cual; ~ *kommt, daß* ... a lo cual hay que añadir que ...; et., ~ *ich Ihnen nicht rate* cosa que no le aconsejo.

'**Wrack** *n* (*-ĕs*; *-s u. -e*) restos *m/pl.* de un naufragio; (*Schiff*) barco *m* naufragado; *fig.* (*Person*) despojo *m* humano; ~**gut** *n* (*-ĕs*; *0*) ⚓ derrelicto *m.*

'**Wrasen** *m* vapor *m*, vapores *m/pl.* (de un líquido en ebullición).

'**wring|en** (*L*) *v/t. Wäsche*: retorcer, torcer; escurrir; 2**maschine** *f* retorcedora *f* (de ropa).

'**Wruke** *f* (*Runkelrübe*) remolacha *f* forrajera.

'**Wucher** *m* (*-s*; *0*) usura *f*; (*Waren*2) usura *f* comercial; ~ *treiben* usur(e)ar; ~**blume** ⚘ *f* crisantemo *m*; ~**er** *m* usurero *m*; logrero *m*; ~**geschäft** *n* (*-ĕs*; *-e*) negocio *m* usurario; ~**gesetz** *n* (*-es*; *-e*) ley *f* contra la usura; ~**gewinn** *m* (*-ĕs*; *-e*) ganancia *f* usuraria; ~**handel** *m* (*-s*; *0*) comercio *m* usurario; 2**isch** *adj.* usurario; ~ *aufkaufen* acaparar; ~*er Aufkauf* acaparamiento *m*; ~**kredit** *m* (*-ĕs*; *-e*) crédito *m* usurario; ~**miete** *f* alquiler *m* usurario (*od.* abusivo); 2**n** *v/i.* multiplicarse rápidamente; (*sich üppig vermehren*) ⚘ crecer con exuberancia *f*; ⚕ proliferar; † (*Wucher treiben*) practicar la usura; usur(e)ar; *fig. mit s-m Pfund* ~ hacer valer su talento; ~**n** *n* multiplicación *f*; ⚘ crecimiento *m* exuberante; ⚕ proliferación *f*; (*Wucherei*) usura *f*; ~**preis** *m* (*-es*; *-e*) precio *m* usurario (*od.* abusivo); ~**ung** *f* ⚘ crecimiento *m* exuberante; ⚘ *u. Zoo.* excrecencia *f*; ⚕ ~*en f/pl.* proliferaciones *f/pl.*; *bsd. in Nase und Rachen*: vegetaciones *f/pl.*; ~**zins** *m* (*-es*; *-en*), ~**zinsen** *m/pl.* interés *m* usurario; zu ~ *leihen* prestar a usura (*od.* a interés usurario).

wuchs *pret. v. wachsen.*

Wuchs *m* (*-es*; ¨*e*) (*Wachstum*) crecimiento *m*; (*Gestalt*) talla *f*, estatura *f.*

Wucht *f* (*Gewicht*) peso *m*; *Phys.* (*Bewegungsenergie*) energía *f* cinética; (*Schwung*) ímpetu *m*; brío *m*; pujanza *f*; empuje *m*; (*Gewalt*) violencia *f*; ⊕ (*Unterlage e-s Hebebaumes*) apoyo *m*; *mit voller* ~ con toda fuerza; con todo su peso; *mit aller* ~ *aufprallen gegen* (*ac.*) estrellarse contra (*ac.*); F *e-e* ~ *Prügel* una soberana paliza; P *das ist 'ne* ~ (*e-e tolle Sache*) es una cosa estupenda (*od.* bárbara); 2**en** (*-e-*) **1.** *v/i.* pesar mucho (*a. fig.*; *auf dat.* sobre); F *fig.* (*schuften*) trabajar como un negro (*od.* como una fiera); **2.** *v/t.* apalancar; ⊕ (*aus*~) equilibrar; 2**ig** *adj.* (*schwer*) pesado; *Schlag*: violento; (*schwungvoll*) impetuoso; brioso; pujante; enérgico; (*eindrucksvoll*) impresionante.

'**Wühl|arbeit** *f fig.* agitación *f* clandestina; intriga *f*; 2**en** *v/i.* excavar (la tierra); minar; (*unterhöhlen*) socavar; *Wildschwein*: hozar; *Pol.* (*aufwiegeln*) agitar los ánimos (*od.* los espíritus); ~ *in ac.* revolver *ac.*; *fig. in e-r Wunde* ~ escarbar en la herida; ~**en** *n* excavación *f*; socavación *f*; *fig.* → *Wühlarbeit*; ~**er** *m Pol.* agitador *m*; agente *m* provocador; demagogo *m*; ~**e'rei** *f Pol. fig.* agitación *f* política clandestina; intrigas *f/pl.*; manejos *m/pl.* revolucionarios ocultos; 2**erisch** *adj. Pol.* (*aufwieglerisch*) agitador; subversivo; revolucionario; (*demagogisch*) demagógico; ~**maus** *Zoo. f* (*-*; ¨*e*) campañol *m.*

'**Wulst** *m* (*-es*; ¨*e*) (*Ausbauchung*) abombamiento *m*; (*Bausch*) bulto *m*; abultamiento *m*; (*Kissen*) almohadilla *f*; (*Haar*2) rodete *m*; moño *m*; (*Reifen*2) *Auto.* talón *m*; ⚠ bocel *m*; toro *m*; ⚕ protuberancia *f*; tumoración *f*; ~**felge** *f* llanta *f* de talón; 2**ig** *adj.* (*ausgebaucht*) abombado; abultado; (*aufgedunsen, angeschwollen*) hinchado; *Lippe*: grueso; ~**lippen** *f/pl.* labios *m/pl.* gruesos; ~**reifen** *m Auto.* neumático *m* con talón.

'**wund** *adj.* (*verwundet*) herido; lesionado; (*wundgerieben*) excoriado, desollado; (*durch Quetschung*) magullado; contuso; *sich* ~ *reiben* excoriarse, desollarse; (*sich*) ~ *schlagen* magullar(se); *sich* ~*liegen* (*im Bett*) ⚕ decentarse; *sich die Füße* ~ *laufen* desollarse los pies (por caminar mucho); despearse; ~*e Stelle* excoriación *f*, desolladura *f*; *beim Pferde*: matadura *f*; *fig.* lado *m* débil; *fig.* ~*er Punkt* punto *m* débil (*od.* flaco); punto *m* delicado; punto *m* neurálgico; *fig. den* ~*en Punkt aufdecken* descubrir el punto flaco; *fig. den* ~*en Punkt berühren* poner el dedo en la llaga; 2**arzt** *m* (*-es*; ¨*e*) cirujano *m*; *Operationen ausführender*: operador *m*; ~**ärztlich** *adj.* quirúrgico; 2**balsam** *m* (*-s*; *-e*) bálsamo *m* vulnerario; 2**bett** ⚕ *n* (*-ĕs*; *-en*) lecho *m* de la herida; 2**brand** ⚕ *m* (*-ĕs*; ¨*e*) gangrena *f*; 2**e** *f* (*Verletzung*) herida *f* (*a. fig.*); lesión *f*; *offene*: herida *f* abierta; llaga *f* (*a. fig.*); (*Schnitt*2) cortadura *f*, ⚕ herida *f* incisa; (*Quetsch*2) magulladura *f*; ⚕ contusión *f*, herida *f* contusa; (*Brand*2) quemadura *f*; *s-n* ~*n erliegen* morir a consecuencia de sus heridas; *fig. tiefe* ~*n schlagen* causar grandes estragos; herir hondamente; *e-e* ~ *verursachen* causar (*od.* producir) una herida; *fig. alte* ~*n wieder aufreißen* abrir viejas heridas; reavivar viejos resentimientos; *fig. Öl in die* ~*n gießen* mitigar un dolor; *fig. in e-r* ~ *wühlen* escarbar en la herida.

'**Wunder** *n* milagro *m* (*bsd. Rel.*); (*Wunderwerk*) maravilla *f*; portento *m*; (*Wunderding*) prodigio *m*; (*seltsame Naturerscheinung*) fenómeno *m*; *ein* ~ *an* un prodigio de; *ein* ~ *der Technik* una maravilla (de la) técnica; *wie durch ein* ~ como por milagro; milagrosamente; ~ *wirken* (*od. tun*) *Rel.* hacer milagros; hacer maravillas *od.* prodigios; *an ein* ~ *grenzen* rayar en lo milagroso; parecer milagroso; *sein blaues* ~ *erleben* llevarse la sorpresa de su vida; quedarse pasmado; *das ist kein* ~ no tiene nada de particular (*od.* de extraño); no es de extrañar; no hay de qué admirarse; F no es ninguna cosa del otro mundo; *ich dachte* 2 *was das wäre* yo esperaba algo sorprendente (*od.* maravilloso); *er glaubt* 2, *was er getan hat* cree haber hecho la gran cosa; cree haber hecho un prodigio; *er bildet sich* 2 *was darauf ein* está muy ufano de ello; *es nimmt mich* 2, *daß* ... me asombra (*od.* sorprende) *inf. bzw.* que (*subj.*); *was* ~, *daß* ... ¿qué de particular tiene que (*subj.*)?; ¿es de extrañar que (*subj.*)?; *wenn nicht ein* ~ *geschieht, sind wir verloren* sólo un milagro puede salvarnos; 2**bar I.** *adj.* milagroso; maravilloso; portentoso; prodigioso; (*erstaunlich*) asombroso; estupendo; (*übernatürlich*) sobrenatural; (*bewundernswert*) admirable; (*phänomenal*) fenomenal; F formidable; (*eigentümlich*) singular, raro; (*unerhört*) inaudito; (*außergewöhnlich*) extraordinario; **II.** *adv.* perfectamente; maravillosamente; a maravilla; admirablemente; en extremo; a las mil maravillas; ~**bare(s)** *n*: *es ist etwas* ~*s* es una maravilla; es algo maravilloso; *ans* ~ *grenzen* rayar en lo milagroso (*od.* en lo maravilloso); 2**barerweise** *adv.* como por milagro; por extraña casualidad; ~**ding** *n* (*-ĕs*; *-e*) prodigio *m*; ~**doktor** *m* (*-s*; *-en*) curandero *m*; ensalmador *m*; ~**erscheinung** *Rel. f* aparición *f* milagrosa; ~**glaube** *m* (*-ns*; *0*) creencia *f* en los milagros; 2**gläubig** *adj.* creyente (*od.* que cree) en los milagros; 2**hübsch** *adj.* (*0*) encantador; muy bonito; ~**kerze** *f* varilla *f* chispeante; ~**kind** *n* (*-ĕs*; *-er*) niño *m* prodigio; ~**kraft** *f* (*-*; ¨*e*) virtud *f* milagrosa; ~**kur** *f* cura *f* milagrosa; ~**lampe** *f* linterna *f* mágica; ~**land** *n* (*-ĕs*; *0*) país *m* de las maravillas; 2**lich** *adj.* (*launisch*) caprichoso; (*eigentümlich*) singular; raro; (*sonderlich*) extravagante; estrafalario; (*seltsam*) extraño; curioso; ~*er Kauz* individuo extravagante (*od.* estrafalario *od.* excéntrico); (*Sonderling*) tipo raro *od.* original; ~**lichkeit** *f* (*0*) singularidad *f*; rareza *f*; extravagancia *f*; extrañeza *f*; ~**mittel** *n* remedio *m* maravilloso; (*Allheilmittel*) panacea *f*; 2**n** (*-re*) *v/t. u. v/i.* (*überraschen*) sorprender; (*in Erstaunen setzen*) asombrar; (*befremden*) extrañar; *sich* ~ *über* (*ac.*) (*überrascht sein*) estar sorprendido de; quedar sorprendido de; (*erstaunt sein*) asombrarse de; (*befremdet sein*) extrañarse de; *das wundert mich* me sorprende; me extraña; *es soll mich doch* ~, *ob* ... quisiera saber si ... (*ind.*); tendría curiosidad por saber si ... (*ind.*); ~**n** *n* (*Staunen*) asombro *m*; (*Überraschung*) sorpresa *f*; 2**sam** *adj.* (*seltsam*) extraño; raro; curioso; (*eigentümlich*) singular; 2**schön I.** *adj.* (*0*) hermosísimo; de gran belleza; (*entzückend*) encantador; (*herrlich*) magnífico; **II.** *adv.* perfectamente; con (toda) perfección; magníficamente; muy bien; a maravilla; ~**spiegel** *m* espejo *m* mágico; **~tat** *f Rel.* milagro *m*; hecho *m* milagroso; **~täter** *m* taumaturgo *m*; **2tätig** *adj.* milagroso; **~tier** *n* (*-es*; *-e*) animal *m* monstruoso; *fig.* prodigio *m*; fenómeno *m*; **2voll** *adj.* maravilloso; magnífico; admirable; **~welt** *f* mundo *m* encantado; **~werk** *n* (*-es*; *-e*) maravilla *f*; **2wirkend** *adj.* (*0*) milagroso; **~zeichen** *n* signo *m* milagroso.

'**Wund...**: **~fieber** ⚕ *n* fiebre *f* traumática; **~fläche** ⚕ *f* superficie *f* cruenta; **2gelaufen** *adj.* despeado; **~heilmittel** *n* vulnerario *m*; **~heilung** *f* cicatrización *f*; **~kraut** ⚘ *n* (*-es*; *"er*) vulneraria *f*; **2liegen** ⚕ (*L*) *v/refl.*: *sich ~* decentarse; **~liegen** ⚕ *n* úlcera *f* por decúbito; decúbitus *m*; **~mal** *n* (*-es*; *-e*) llaga *f*; (*Narbe*) cicatriz *f*; *Rel.* estigma *m*; **~mittel** ⚕ *n* vulnerario *m*; **~naht** *f* (*-*; *"e*) sutura *f* de la herida; **~pflaster** *n* emplasto *m* vulnerario; **~pulver** *n* polvos *m/pl.* vulnerarios; **~rand** *m* (*-es*; *"er*) borde *m* (*od.* labio *m*) de la herida; **~rose** ⚕ *f* erisipela *f* de las heridas; **~salbe** *f* ungüento *m* vulnerario; **~star** ⚕ *m* (*-s*; *0*) catarata *f* traumática; **~starrkrampf** ⚕ *m* (*-es*; *"e*) tétanos *m* traumático (*od.* de las heridas); **~starrkrampfserum** ⚕ *n* (*-s*; *-ren*, *-ra*) suero *m* antitetánico.

'**Wune** *f* agujero *m* hecho en el hielo.

Wunsch *m* (*-es*; *"e*) deseo *m*; (*Verlangen, Begehren*) anhelo *m*; (*Streben*) aspiración *f*; (*hochgestecktes Ziel*) ambición *f*; (*Bitte*) petición *f*; (*Glück2*) felicitación *f*; *auf ~* a petición; a ruego; *auf j-s ~* a petición de alg.; accediendo al (*od.* cumpliendo el) deseo de alg.; *auf allgemeinen ~* a petición general; *nach ~* a su gusto; como se desee; según su deseo; a voluntad; *ihm geht alles nach ~* logra todo lo que desea; todo le sale bien (*od.* a medida de sus deseos); *es ging alles nach ~* todo fue como se deseaba; F todo salió a pedir de boca; *das ist mein ~* éste es el objeto de mis deseos; *mein sehnlichster ~* mi deseo más ardiente; *den ~ hegen zu* (*inf.*) abrigar el deseo de (*inf.*); *s-e Wünsche darbringen für* hacer votos por; *mit den besten Wünschen* con los mejores deseos; *von dem ~ beseelt* (*od. geleitet*), *zu* (*inf.*) animado por el deseo de (*inf.*); deseoso de (*inf.*); *haben Sie noch e-n ~?* ¿desea usted algo más?; '**~bild** *n* (*-es*; *-er*) ideal *m*; (*Traum*) sueño *m*.

'**Wünschelrute** *f* varita *f* mágica; varita *f* divinatoria; **~ngänger** *m* zahorí *m*.

'**wünschen** *v/t.* desear; (*sehnlich verlangen, begehren*) anhelar; (*wollen*) querer; *ich wünsche mir ...* desearía (tener) ...; quisiera (tener) ...; *ich wünschte, ich ...* desearía (*od.* quisiera) *inf.*; daría cualquier cosa por (*inf.*); *es wäre zu ~* sería de desear; (*ich wünsche Ihnen*) *gute Besserung!* ¡que usted se mejore *od.* alivie!; (*ich wünsche Ihnen*) *viel Glück!* (le deseo) ¡mucha suerte!; *ich wünsche, wohl geruht zu haben* deseo que usted haya pasado una buena noche (*od.* que haya descansado bien); *j-m ein frohes Neues Jahr ~* desear a alg. un feliz año nuevo; *j-m e-n guten Morgen* (*Abend*) *~* dar a alg. los buenos días (las buenas tardes *bzw.* noches); *j-m e-e gute Nacht ~* desear a alg. que descanse (*od.* que pase buena noche); (*viel*) *zu ~ übriglassen* dejar (mucho) que desear; *wie Sie ~* como usted quiera; F usted manda; *~ Sie sonst noch etwas? im Laden*: ¿desea (*od.* se le ofrece a) usted alguna otra cosa?; *ich wünsche es Ihnen von ganzem Herzen* se lo deseo de todo corazón; **~swert** *adj.* deseable, de desear.

'**Wunsch...**: **~form** *Gr. f* modo *m* optativo; **2gemäß** *adv.* conforme a los deseos de; **~konzert** *n* (*-es*; *-e*) *Radio*: concierto *m* de piezas solicitadas por los radioyentes; **~satz** *Gr. m* (*-es*; *"e*) proposición *f* optativa; **~traum** *m* (*-es*; *"e*) ideal *m*; sueño *m* dorado; **~zettel** *m* lista *f* de regalos deseados (para Navidad); *v. Kindern*: *Span.* carta *f* a los Reyes Magos.

wupp! *int.* ¡zas!

'**Wuppdich** *m* movimiento *m* rápido; *mit e-m ~* en un santiamén; en un abrir y cerrar de ojos.

'**wurde** *pret. v.* werden.

'**Würde** *f* (*0*) dignidad *f*; (*Hoheit u. Adel*) nobleza *f*, *stärker*: majestad *f*; (*Ernst*) gravedad *f*; decoro *m*; (*Verdienst*) mérito *m*; (*Rang*) categoría *f*, rango *m*; *akademische ~* título *m* académico; grado *m* universitario; *ich halte es* (*für*) *unter m-r ~* lo considero indigno de mí; es incompatible con mi dignidad; yo no me rebajo a eso; *unter aller ~* muy indigno; *zu den höchsten ~n erheben* elevar a las más altas dignidades; **2los** *adj.* (*-est*) sin dignidad, indigno; indecoroso; **~nträger** *m* dignatario *m*; **2voll I.** *adj.* digno; lleno de dignidad; (*ernst*) grave; (*feierlich*) solemne; **II.** *adv.* con dignidad, dignamente.

'**würdig** *adj.* digno (*gen.* de); (*verdient*) merecedor (*gen.* de); (*hochachtbar*) venerable; respetable; *sich e-r Sache ~ erweisen* hacerse digno de a/c.; *der Beachtung ~ sein* ser digno (*od.* merecedor) de atención; *ein ~er Nachfolger im Amt* un digno sucesor en el cargo; *ein ~es Alter* una edad venerable; **~en** *v/t.* (*den wahren Wert erkennen*) reconocer; apreciar; (*für würdig erachten*) juzgar digno (*gen.* de); (*loben*) encomiar, ensalzar; *j-n keines Blickes ~* no dignarse mirar a alg.; *j-n e-s Wortes ~* dignarse hablar (*od.* dirigir la palabra) a alg.; *er würdigte mich keiner Antwort* no se dignó contestarme; *j-s Verdienste ~* encomiar los méritos de alg.; *er kann solche Dinge nicht recht ~* no sabe apreciar debidamente esas cosas; **2ung** *f* apreciación *f*; *in ~ s-r Verdienste* en reconocimiento de sus méritos.

Wurf *m* (*-es*; *"e*) tiro *m*; *Mechanik*: proyección *f*; (*Speer2, Hammer2, Diskus2, Bomben2*) lanzamiento *m*; (*Ball2*) pelotazo *m*; (*Stein2*) pedrada *f*; (*Netz2*) redada *f*; *im Spiel*: jugada *f*; *v. Tieren*: parto *m*, *die Jungen*: camada *f*; *den ersten ~ haben beim Kegeln usw.* ser mano; *e-n guten ~ tun* tener suerte; hacer una buena jugada; *alles auf e-n ~ setzen* jugar el todo por el todo; jugarlo todo a una carta; '**~anker** *m* anclote *m*; '**~bahn** *f e-s Geschosses*: trayectoria *f*.

'**Würfel** *m* dado *m*; ⩓ cubo *m*, hexaedro *m* regular; *auf Stoffen*: cuadro *m*; (*Suppen2*) cubito *m*; *~ spielen* jugar a los dados; *in ~ schneiden* cortar en cubitos; *fig. die ~ sind gefallen* la suerte está echada; *je nachdem der ~ fällt* conforme diere el dado; **~becher** *m* cubilete *m*; **~bude** *f* puesto *m* de feria donde se juega a los dados; **~form** *f* forma *f* cúbica; **2förmig** *adj.* cúbico, en forma de cubo; **2ig** *adj.* cúbico; *Stoff*: a cuadros; **2n** (*-le*) **1.** *v/i.* jugar a los dados; *um et. ~* jugar (*od.* echar) a los dados a/c.; **2.** *v/t.* cortar en cubitos; *Stoff*: cuadricular; estampar a cuadros; **~n** *n* = **~spiel** *n* (*-es*; *-e*) juego *m* de dados; **~spieler** *m* jugador *m* de dados; **~zucker** *m* azúcar *m* cuadradillo.

'**Wurf...**: **~geschoß** *n* (*-sses*; *-sse*) proyectil *m*; **~granate** *f* granada *f* de mortero; **~leine** ⚓ *f* cabo *m* de amarre; **~linie** *f* trayectoria *f*; **~maschine** *f* catapulta *f*; balista *f*; **~netz** *n* (*-es*; *-e*) esparavel *m*; **~scheibe** *f* disco *m*; **~schlinge** *f* lazo *m*; **~sendung** *f* ✉ impresos *m/pl.* publicitarios repartidos a domicilio; **~speer** *m* (*-es*; *-e*) jabalina *f* (*a. Sport*); **~spieß** *m* (*-es*; *-e*) venablo *m*; dardo *m*; **~taube** *f* *Sport*: pichón *m* artificial; **~weite** ⚔ *f* alcance *m*.

'**würg|en 1.** *v/t.* ahogar, sofocar; (*erdrosseln*) estrangular; **2.** *v/i.* (*sich verschlucken*) atragantarse; *an et.* (*dat.*) *~ beim Erbrechen*: tener bascas *f/pl.*; *beim Essen*: no poder tragar (*od.* tragar con dificultad) a/c.; *fig. an e-r Arbeit*: trabajar duramente, F sudar la gota gorda; **2en** *n* ahogamiento *m*; (*Erdrosseln*) estrangulación *f*; (*Neigung zum Erbrechen*) bascas *f/pl.*; náuseas *f/pl.*; (*Schlucken*) atragantamiento *m*; **2engel** *m Bib.* ángel *m* exterminador; **2er** *m* estrangulador *m*; *Orn.* alcaudón *m*; **~falke** *Orn. m* sacre *m*.

Wurm[1] *m* (*-es*; *"er*) gusano *m*; (*Spul2*) ⚕ ascáride *f*, lombriz *f* (intestinal); (*Regen2*) lombriz *f* de tierra; (*Made, in Früchten*) coco *m*; ⚕ *am Finger*: panadizo *m*; *Vet.* (*Pferdekrankheit*) muermo *m*; *Myt.* (*Drache*) dragón *m*; *fig. nagender ~* gusano roedor; *von Würmern zerfressen* agusanado; (*Holz*) carcomido; *fig. j-m die Würmer aus der Nase ziehen* sonsacar a alg.

Wurm[2] *fig. n* (*-es*; *"er*) pobre criatura *f*, infeliz *m*.

'**wurm...**: **~abtreibend** *adj.* vermífugo; *~es Mittel* ⚕ antihelmíntico *m*, vermífugo *m*; **~artig** *adj.* vermicular; △ *~e Verzierung* adorno vermiculado.

'**Würmchen** *n* gusanillo *m*; *fig.* → Wurm[2].

'**wurmen** *v/i.* desazonar; *fig.* atormentar; roer; F dar rabia; *das* *wurmt mich* (*od. in mir*) me causa pesar; me roe, me recome; me remuerde.

'**wurm...:** **~förmig** *adj.* vermiforme, vermicular; **2fortsatz** *Anat. m* (*-es; ⸚e*) apéndice *m* (vermicular); **2fraß** *m* (*-es; 0*) *im Holz*: carcoma *f*; *in Wolle, Pelzen, Papier*: polilla *f*; **~ig** *adj.* carcomido; apolillado; *Früchte*: agusanado; **~krank** *adj.* F que tiene lombrices; ⚕ que padece helmintiasis; **2krankheit** ⚕ *f* helmintiasis *f*; **2kraut** ⚘ *n* (*-es; ⸚er*) hierba *f* vermífuga; artemisa *f*; **2kur** ⚕ *f* cura *f* vermífuga; **2loch** *n* (*-es; ⸚er*) agujero *m* de la carcoma *bzw.* polilla; **2mehl** *n* (*-s; 0*) polvo *m* de la carcoma; **2mittel** ⚕ *n* vermífugo *m*, antihelmíntico *m*; **2pille** *f* píldora *f* vermífuga; **2pulver** *n* ⚕ polvos *m/pl.* vermífugos *od.* antihelmínticos; F polvos *m/pl.* matalombrices; **2stich** *m* (*-es; -e*) *im Obst*: picadura *f* de gusanos; *im Holz*: carcoma *f*; **~stichig** *adj. Obst*: agusanado; *Holz*: carcomido; *Wolle, Papier*: apolillado; ~ *werden Obst*: agusanarse; *Holz*: carcomerse; *Wolle, Papier*: apolillarse; **~treibend** *adj.* vermífugo; **~zerfressen** *adj.* → *wurmstichig.*

Wurst *f* (*-; ⸚e*) embutido *m*; (*Schnitt2, Dauer2*) salchichón *m*; *frische, dünne*: salchicha *f*; (*Blut2*) morcilla *f*; F *fig. das ist mir* ~ me importa un rábano *od.* un pito; F *jetzt geht es um die* ~ ha llegado el momento decisivo; F ~ *wider* ~ donde las dan las toman; *mit der* ~ *nach der Speckseite werfen fig.* meter aguja y sacar reja; '**~blatt** *n* (*-es; ⸚er*) periodicucho *m*.

'**Würstchen** *n* salchicha *f*; *Frankfurter* ~ salchicha de Francfort; F *fig.* hombrecillo *m*; *er ist ein* ~ es un infeliz.

'**Wurstdarm** *m* (*-es; ⸚e*) tripa *f* para embutidos.

Wurste'lei *f* (*Pfuscherei*) chapucería *f*; (*Durcheinander*) desbarajuste *m*; embrollo *m*; (*Schlamperei*) abandono *m*.

'**wursteln** (*-le*) F *v/i.* (*schludern*) chapucear; (*alles durcheinandermengen*) desbarajustar; (*die Sachen laufen lassen*) F *fig.* dejar rodar la bola.

'**wursten** (*-e-*) *v/i.* embutir, hacer embutidos *m/pl.*

'**Wurst...:** **~fabrik** *f* fábrica *f* de embutidos; **~händler** *m* salchichero *m*; **2ig** F *adj.* indiferente; **~igkeit** F *f* indiferencia *f*; **~macher** *m* salchichero *m*; **~pelle** *f* pellejo *m* de salchicha; **~scheibe** *f* loncha *f* de salchichón; **~vergiftung** ⚕ *f* botulismo *m*; **~waren** *f/pl.* embutidos *m/pl.*; **~warengeschäft** *n* (*-es; -e*) salchichería *f*; **~zipfel** *m* punta *f* de salchicha *bzw.* salchichón.

'**Württemberg** *n* Wurtemberg *m*; **~er(in** *f*) *m* wurtembergués *m*, wurtemberguesa *f*; **2isch** *adj.* wurtembergués, de Wurtemberg.

'**Würze** *f* condimento *m*; (*Geschmack*) sabor *m*; (*Duft*) aroma *m*; (*Bier2*) mosto *m* de cerveza; (*Gewürz*) especia *f*; *fig.* sal *f*; agudeza *f*; gracia *f*; salsa *f*.

'**Wurzel** *f* (*-; -n*) raíz *f* (*a.* 𝔄 *u. fig.*); *Gr. a.* radical *m*; (*Fuß2*) tarso *m*; (*Hand2*) carpo *m*, muñeca *f*; (*Zahn2*) raíz *f*; raigón *m*; (*Haar2*) raíz *f* capilar (*od.* del pelo); bulbo *m* piloso; *gelbe* ~ ⚘ zanahoria *f*; *schwarze* ~ ⚘ escorzonera *f*; 𝔄 *zweite* (*dritte*) ~ raíz cuadrada (cúbica); 𝔄 *die zweite* ~ *ziehen aus* extraer la raíz cuadrada de; *die* ~ *des Übels* la raíz del mal; *fig. mit der* ~ *ausrotten* arrancar de raíz, desarraigar; extirpar; ~(*n*) *schlagen* (*od. fassen*) echar raíces, arraigar (*beide a. fig.*); *tiefe* ~*n schlagen* arraigar profundamente; **2artig** *adj.* radicoso; **~behandlung** ⚕ *f Zahn*: tratamiento *m* de la raíz; **~bildung** *f* ⚘ radicación *f*.

'**Wurzel...:** **~exponent** 𝔄 *m* (*-en*) índice *m* de la raíz; **~faser** *f* (*-; -n*) fibra *f* radicular; **2fressend** *adj.* rizófago; **~füllung** ⚕ *f* empaste *m* radicular; **~füßer** *Zoo. m/pl.* rizópodos *m/pl.*; **~haut** *Anat. f* (*-; ⸚e*) periodonto *m*; **~hautentzündung** ⚕ *f* periodontitis *f*; **~holz** *n* (*-es; ⸚er*) raíz *f*; **2ig** *adj.* lleno de raíces; **~keim** ⚘ *m* (*-es; -e*) radícula *f*; **~knolle** *f* ⚘ rizoma *m*; *der Kartoffel*: tubérculo *m*; *der Zwiebel*: bulbo *m*; **2los** *adj.* (*0*) sin raíz; *fig.* desarraigado; **2n** (*-le*) *v/i.* radicar; arraigar, echar raíces (*alles a. fig.*); *fig. in et.* (*dat.*) ~ radicar en a/c.; tener su raíz (*od.* su origen) en a/c.; **~rinde** *f des Zahnes*: cemento *m* (del diente); **~schößling** ⚘ *m* (*-s; -e*) retoño *m*, vástago *m*, renuevo *m* (que sale de la raíz); **~silbe** *Gr. f* sílaba *f* radical; **~stock** ⚘ *m* (*-es; ⸚e*) rizoma *m*; **~trieb** *m* (*-es; -e*) → *Wurzelschößling*; **~werk** *n* (*-es; 0*) raigambre *f*; **~wort** *Gr. n* (*-es; ⸚er*) voz *f* primitiva; **~zahl** *f* raíz *f*; **~zeichen** 𝔄 *n* radical *m*; **~ziehen** 𝔄 *n* extracción *f* de raíces.

'**würz|en** (*-t*) *v/t.* condimentar; sazonar (*a. fig.*); *dem Geruch nach*: aromatizar; **2en** *n* condimentación *f*; aromatización *f*; **2kräuter** *n/pl.* especias *f/pl.*; hierbas *f/pl.* aromáticas; **~ig** *adj.* sabroso; bien condimentado; *dem Geruch nach*: aromático; **~los** *adj.* (*0*) sin condimento; soso, insípido (*a. fig.*); sin sabor; **2nelke** *f* clavo *m*; **2stoff** *m* (*-es; -e*) condimento *m*; **2wein** *m* (*-es; -e*) vino *m* aromático.

wusch *pret. v. waschen.*

'**wuschel|ig** *adj.* (*zerzaust*) desgreñado; con el pelo revuelto; **2kopf** *m* (*-es; ⸚e*) (*Lockenkopf*) cabello *m* rizoso; cabellera *f* rizada.

'**wußte** *pret. v. wissen.*

Wust [u:] *m* (*-es; 0*) (*Kram*) balumba *f*; fárrago *m*; (*Durcheinander*) mezcla *f* confusa; F lío *m*.

wüst *adj.* (*-est*) (*öde*) desierto; yermo; (*unbebaut*) inculto; (*verwahrlost*) abandonado; (*verödet*) desolado; (*unordentlich*) desordenado (*a. Leben*), en desorden; desarreglado; caótico; (*wirr*) confuso; (*ausschweifend*) disoluto, licencioso, disipado; libertino; (*gemein*) villano; (*grob*) grosero; (*roh*) rudo; zafio; (*wild*) salvaje; brutal; (*lärmend*) tumultuoso; escandaloso; *ein* ~*es Leben führen* llevar una vida desordenada; vivir entregado a los vicios; **2e** *f* desierto *m*; *zur* ~ *machen* devastar, asolar; *fig. in die* ~ *schicken* enviar al ostracismo; privar a alg. de toda influencia; *fig. in der* ~ *predigen* predicar en desierto; **~en** (*-e-*) *v/i.* (*hausen*) devastar, asolar; *mit dem Gelde* ~ derrochar (*od.* despilfarrar) el dinero; **2e'nei** *f* desierto *m*; (*Einöde*) yermo *m*; (*Einsamkeit*) soledad *f*; **2enlandschaft** *f* paisaje *m* desértico; **2ling** *m* (*-s; -e*) (*ausschweifender Lebemann*) libertino *m*, F calavera *m*; (*wilder Mensch*) hombre *m* brutal.

Wut *f* (*0*) furor *m*; enfurecimiento *m*; rabia *f*; (*Raserei*) furia *f*; (*Zorn*) cólera *f*; ira *f*; *blinde* ~ saña *f*; *in* ~ *geraten* enfurecerse, ponerse furioso; exasperarse; ponerse rabioso; *j-n in* ~ *bringen* enfurecer (*od.* poner furioso) a alg.; irritar (*od.* exasperar) a alg.; *vor* ~ *schäumen* espumajear de rabia; *s-e* ~ *an j-m auslassen* desahogar su cólera en alg.; F *fig.* matar de rabia la perra; F *er kocht vor* ~ está que echa chispas; '**~anfall** *m* (*-es; ⸚e*), '**~ausbruch** *m* (*-es; ⸚e*) acceso *m* de ira; acceso *m* furioso; ataque *m* de rabia.

'**wüten** (*-e-*) *v/i.* estar furioso; rabiar, estar rabioso; (*toben, rasen*) enfurecerse; *Sturm*: desencadenarse con furia; (*Verwüstungen anrichten*) causar *od.* hacer grandes estragos; devastar; *Krankheit*: asolar; **~d** *adj.* furioso, enfurecido (*gegen* contra); furibundo; encolerizado; rabioso; F hecho una furia (*od.* un demonio); ~ *werden* → *in Wut geraten*; ~ *machen* enfurecer, poner furioso; poner fuera de sí; irritar, exasperar; *er ist* ~ está furioso, F está que echa chispas; está que arde.

'**wut|entbrannt** *adj.* inflamado de ira; **~erfüllt** *adj.* furibundo; lleno de furia.

'**Wüterich** *m* (*-s; -e*) hombre *m* furioso; (*grausamer Mensch*) hombre *m* feroz; fiera *f* humana; (*blutdürstiger Tyrann*) tirano *m* sanguinario; *fig.* hiena *f*.

'**Wutgeschrei** *n* (*-es; 0*) gritos *m/pl.* de furor; gritos *m/pl.* de rabia.

'**wütig** *adj.* → *wütend*; *Hund*: rabioso, hidrófobo.

'**wutschnaubend** *adj.* espumajeando de rabia.

X

X, x *n* X, x *f*; *j-m ein ~ für ein U vormachen* embaucar a alg.; F *fig.* dar a alg. gato por liebre; F *fig.* hacer a alg. comulgar con ruedas de molino; *er läßt sich kein ~ für ein U vormachen* F *fig.* no se ha caído de un nido; *Herr X* fulano *m.*
Xan'thippe [ks] *f fig.* arpía *f.*
'X-Achse ⩘ *f* eje *m* de las x; abscisa *f.*
'X|-Beine *n/pl.* piernas *f/pl.* en X; *~ haben* ser patizambo; **~-beinig** *adj.* zambo, patizambo; **≗-beliebig** *adj.* cualquier, cualquiera; *ein ~es Buch* un libro cualquiera, cualquier libro; **~-beliebige(r** *m*) *m/f* cualquiera, no importa quién; **~-beliebige(s)** *n* no importa qué; cualquier cosa; **≗-mal** *adv.* infinidad de veces; incontables veces, F mil veces; **~-Strahlen** *m/pl.* rayos *m/pl.* X; **≗-te** *adj.* enésima; *zum ~n Male* F *fig.* por centésima vez.
Xylo'graph [ksy·lo·-] *m* (*-en*) xilógrafo *m*; grabador *m* en madera.
Xylogra|'phie [ksy·-] *f* (*0*) xilografía *f*; grabado *m* en madera; **≗'phieren** (-) *v/t.* xilografiar, grabar en madera; **≗'graphisch** *adj.* xilográfico.
Xylo'phon [ksy·-] ♪ *n* (*-s*; *-e*) xilófono *m*, xilofón *m.*

Y

Y, y *n* Y, y *f.*
'Y-Achse ⩘ *f* eje *m* de las y; ordenada *f.*
Yacht ⚓ *f* yate *m.*
Yak *Zoo. m* (*-s*; *-s*) (*Grunzochse*) yac *m*, yak *m.*
Yamswurzel ⚘ *f* (-; *-n*) ñame *m*, raíz *f* de ñame.
'Yankee ['jɛŋki·] *m* (*-s*; *-s*) yanqui *m.*
Yard *n* (*-s*; *-s*) yarda *f.*
Ype'rit ⚗ *n* (*-ės*; *0*) iperita *f*; gas *m* mostaza.
'Ypsilon *n* i *f* griega.
'Ysop ['i:zɔp] ⚘ *m* (*-s*; *-e*) hisopo *m.*
'Yukka ⚘ *f* (-; *-s*) yuca *f.*

Z

Z, z *n* Z, z *f*: *von A bis Z* desde el principio hasta el fin; F de cabo a rabo; de pe a pa.
Zacha'rias *m* Zacarías *m*.
'Zäckchen *n dim. v. Zacke.*
'Zacke *f*, **~n** *m* (*Spitze*) punta *f*; (*Zahn, Felsen2*, ⊕) diente *m*; *des Kamms, e-r Gabel, Forke, Egge*: púa *f*; *Geogr.* (*Landzunge*) punta *f* (de tierra); (*Berg2*) pico *m*; (*Eis2*) carámbano *m*; *des Hornes, am Hirschgeweih*: punta *f*; *des Kamms, e-r Säge*: diente *m*; ⚕ *im Elektrokardiogramm*: onda *f*; punta *f*; *am Kleid*: festón *m*; ▲ (*Zinne*) almena *f*.
'zacken *v/t.* dentar; endentar; *Kleid*: festonear; ▲ *mit Zinnen versehen*: almenar.
'zackig *adj.* dentado (*a.* ⊕ *u.* ▨); dentellado; ▨ endentado; *mit vorspringenden Ecken*: guarnecido de puntas; con púas; (*spitz*) picudo; *Kleid*: festoneado; (*ästig*) ramoso; ⚘ *Blatt*: recortado; ▲ *mit Zinnen*: almenado; F *fig.* bizarro; marcial; (*forsch*) enérgico; (*schneidig*) arrojado, atrevido, osado.
'zag|en *v/i.* tener miedo; (*zurückschrecken*) acobardarse; amedrentarse; (*zaudern*) vacilar; titubear; **2en** *n* miedo *m*; acobardamiento *m*; (*Zaudern*) vacilación *f*; titubeo *m*; **~haft I.** *adj.* (*-est*) vacilante; titubeante; (*furchtsam*) temeroso; medroso; F temerón; (*ängstlich*) miedoso; (*schüchtern*) tímido; (*kleinmütig*) pusilánime; apocado; (*unentschlossen*) irresoluto; (*vorsichtig*) cauteloso; **II.** *adv.* temblando; **2haftigkeit** *f* (*0*) (*Schüchternheit*) timidez *f*; (*Kleinmut*) pusilanimidad *f*; apocamiento *m*; (*Unentschlossenheit*) irresolución *f*.
'zäh|(e) ['tsɛ:(ə)] *adj.* tenaz (*a. fig.*); pertinaz; (*widerstandsfähig*) resistente; *Fleisch*: correoso; duro; (*zähflüssig*) viscoso; (*dickflüssig*) espeso; *Metall*: tenaz; *fig.* (*hartnäckig*) tenaz; pertinaz; obstinado, terco; *ein ~es Leben haben* (*dem Tode lange widerstehen*) resistir a la muerte; (*nicht umzubringen*) *Tier*: ser difícil de matar; F *fig.* tener siete vidas; **~flüssig** *adj.* viscoso; **2flüssigkeit** *f* (*0*) viscosidad *f*; **2igkeit** *f* (*0*) tenacidad *f* (*a. fig.*); pertinacia *f*; resistencia *f*; (*Zähflüssigkeit*) viscosidad *f*; *fig.* (*Hartnäckigkeit*) tenacidad *f*; pertinacia *f*; obstinación *f*, terquedad *f*.
Zahl *f* número *m*; (*Ziffer*) cifra *f*; guarismo *m*; *dreistellige ~* número de tres cifras; *zehn an der ~* en número de diez; *an ~ übertreffen* superar en número; ser numéricamente superior; *in großer ~* en gran número; en gran cantidad; *in runden Zahlen* en números redondos; en cifras redondas; *um die ~ vollzumachen* para completar el número; *~en beweisen* las cifras son elocuentes.
'Zähl-apparat *m* (*-és*; *-e*) contador *m* (automático).
'Zahl|adverb *Gr. n* (*-s*; *-ien*) adverbio *m* numeral; **2bar** *adj.* pagadero (*an ac.* a); *~ bei Lieferung* (*in drei Monaten*; *bei Sicht*; *an den Überbringer*) pagadero a la entrega (a los tres meses; a la vista; al portador); *~ machen* hacer pagadero; † *Wechsel*: domiciliar.
'zählbar *adj.* contadero; contable; computable.
'Zahlbrett *n* (*-és*; *-er*) tablero *m* contador.
'zählebig *adj.* que difícilmente muere; F *fig.* que tiene siete vidas.
'zahlen I. *v/t.* pagar; satisfacer; (*ein~*) abonar; *Herr Ober, ~!* (camarero) la nota, por favor; *was habe ich zu ~?* ¿cuánto es?; ¿qué debo?; *bar ~* pagar al contado; *in Raten ~* pagar a plazos; **II. 2** *n* pago *m*; abono *m*.
'zählen *v/t. u. v/i.* contar; (*auf~*) enumerar; *Bevölkerung*: hacer el censo (de población); *die Stimmen ~ bei Wahlen*: escrutar, hacer el escrutinio; contar los votos; *10 Jahre ~* tener (*od.* contar) diez años de edad; *~ auf* contar con (*ac.*); *~ zu* contar (*od* figurar) entre; *das zählt nicht* eso no cuenta; F *er kann nicht bis drei ~* es un zoquete; *ehe man bis drei ~ konnte* en un santiamén; en un abrir y cerrar de ojos; F *er sieht aus, als ob er nicht bis drei ~ könnte* parece una mosquita muerta; *s-e Tage sind gezählt* sus días están contados; ya no vivirá mucho.
'Zahlen...: **~angaben** *f/pl.* datos *m/pl.* numéricos *bzw.* estadísticos; cifras *f/pl.* estadísticas; **~beispiel** *n* (*-és*; *-e*) ejemplo *m* numérico; **~bruch** ℵ *m* (*-és*; *=e*) fracción *f* (numérica); número *m* fraccionario *od.* quebrado *m*; **~folge** *f* serie *f* numérica (*od.* de números); **~gedächtnis** *n* (*-ses*; *0*) facilidad *f* para recordar números *bzw.* fechas; buena retentiva para números; **~größe** ℵ *f* cantidad *f* numérica; **~lehre** *f* (*0*) aritmética *f*; **2mäßig** *adj.* numérico; *~ überlegen sein* ser superior en número; ser numéricamente superior; **~material** *n* (*-s*; *0*) → *Zahlenangaben*; **~reihe** *f* → *Zahlenfolge*; **~schloß** *n* (*-sses*; *=sser*) candado *m* de combinación numérica (secreta); **~sinn** *m* (*-és*; *0*) disposición *f* natural (*od.* buenas dotes *f/pl.*) para el cálculo; **~system** *n* (*-s*; *-e*) sistema *m* aritmético; **~verhältnis** *n* (*-ses*; *-se*) proporción *f* numérica; **~wert** *m* (*-és*; *-e*) valor *m* numérico.
'Zahler(in *f*) *m* pagador(a *f*) *m*; *guter* (*schlechter*) *~* buen (mal) pagador; *säumiger* (*pünktlicher*) *~* pagador moroso (puntual).
'Zähler *m* contador *m*; *Arith.* numerador *m*; (*Zählapparat*) contador *m* (automático); **~ablesung** *f* (⚡, ⊕, *Gas*) lectura *f* del contador.
'Zahl...: **~karte** ✉ *f* impreso *m* para giro postal; **~kasse** *f* caja *f*; (*Registrierkasse*) caja *f* registradora; **~kellner** *m* camarero *m* cobrador; **2los** *adj.* innumerable, sin número; **~meister** *m* pagador *m*; ⚔ habilitado *m*; ⚓ sobrecargo *m*; **~meiste'rei** *f* pagaduría *f*; habilitación *f*; **~pfennig** *m* (*-s*; *-e*) ficha *f*; **2reich I.** *adj.* numeroso; cuantioso; **II.** *adv.* en gran número; en abundancia; **~stelle** *f* caja *f*; (*Schalter*) ventanilla *f* de pagos; **~tag** *m* (*-és*; *-e*) día *m* de pago; † *e-s Wechsels*: fecha *f* de vencimiento; **~ung** *f* pago *m*; abono *m*; *als ~ für* en pago de; *gegen ~* contra pago; *an ~s Statt* en lugar de pago; *Hingabe an ~s Statt* ⚖ dación *f* en pago; *e-e ~ leisten* hacer (*od.* efectuar) un pago; *die ~ verweigern* rehusar el pago; *mangels ~* por falta de pago; *die ~ erleichtern* dar facilidades de pago; *die ~en einstellen* suspender los pagos; *in ~ nehmen* tomar (*od.* aceptar) en pago; *zur ~ auffordern* reclamar el pago; apremiar para el pago.
'Zählung *f* acto *m* de contar; numeración *f*; (*Auf2*) enumeración *f*; (*Volks2*) censo *m* (de población); ⚕ (*Bakterien2*, *Blutkörperchen2*) recuento *m*; (*Stimmen2*) escrutinio *m*; recuento *m* de votos.
'Zahlungs...: **~abkommen** *n* acuerdo *m* de pagos; **~angebot** *n* (*-és*; *-e*) oferta *f* de pago; **~anweisung** *f* orden *f* de pago; (*Überweisung*) ✉ giro *m* postal; † (*Scheck*) cheque *m*; pagaré *m*; **~art** *f* forma *f* de pago; **~aufforderung** *f* requerimiento *m* de pago; **~aufschub** *m* (*-és*; *=e*) prórroga *f* (del plazo de pago); moratoria *f*; **~auftrag** *m* (*-és*; *=e*) orden *f* de pago; **~ausgleich** *m* (*-és*; *-e*) compensación *f* de pagos; liquidación *f*; pago *m*; **~bedingungen** *f/pl.* condiciones *f/pl.* de pago; **~befehl** ⚖ *m* (*-és*; *-e*) mandamiento *m* de pago; **~beleg** *m* (*-és*; *-e*)

justificante *m* del pago; **~bestätigung** *f* recibo *m*; **~bilanz** *f* balanza *f* de pagos; **~eingang** *m* (-*es*; ⸗*e*) pago *m* ingresado en caja; **~einstellung** † *f* suspensión *f* de pagos; **~erleichterung** *f* facilidades *f/pl.* de pago; **2fähig** *adj.* (*0*) solvente; **~fähigkeit** *f* (*0*) solvencia *f*; **~frist** *f* plazo *m* de (*od.* para el) pago; **~mittel** *n* medio *m* (*od.* instrumento *m*) de pago; *gesetzliches* ~ moneda *f* legal; **~modus** *m* (-; *-modi*) modo *m* de pago; **~ort** *m* lugar *m* de pago; *bei Wechseln*: domicilio *m*; **~pflicht** *f* obligación *f* de pagar; **~plan** *m* (-*es*; ⸗*e*) plan *m* de pago; *Tilgung*: plan *m* de amortización; **~rückstände** *m/pl.* pagos *m/pl.* atrasados; **~schwierigkeiten** *f/pl.* dificultades *f/pl.* de pago; **~sperre** *f* bloqueo *m* de pagos; (*Zahlungseinstellung*) suspensión *f* de pagos; **~system** *n* (-*s*; -*e*) sistema *m* de pagos; **~termin** *m* (-*s*; -*e*) plazo *m* de pago; *Datum*: fecha *f* de pago; **2unfähig** *adj.* (*0*) insolvente; **~unfähigkeit** *f* (*0*) insolvencia *f*; **~union** *f*: *Europäische* ~ Unión *f* Europea de Pagos; **~verbindlichkeit** *f* obligación *f* de pago; **~verbot** ⚖ *n* (-*es*; -*e*) prohibición *f* de pago; **~verkehr** *m* (-*s*; *0*) servicio *m* de pagos; **~versprechen** *n* promesa *f* de pago; **~verweigerung** *f* negación *f* de pago; **~verzug** *m* (-*es*; *0*) demora *f* de pago; **~weise** *f* forma *f* de pago; modo *m* de (efectuar el) pago.

'**Zählwerk** *n* (-*es*; -*e*) ⊕ mecanismo *m* contador.

'**Zahl...**: **~wort** *Gr.* *n* (-*es*; ⸗*er*) adjetivo *m* numeral; **~zeichen** *n* cifra *f*.

zahm *adj.* manso; *Haustier*: doméstico; (*gezähmt*) domesticado; *fig. v. Personen*: dócil; tratable; (*sanft*) bondadoso; benigno; (*friedlich*) apacible; pacífico; sosegado; ~ *machen* → *zähmen*; ~ *werden Tier*: amansarse; domesticarse; *Person*: sosegarse; apaciguarse; tranquilizarse; *j-n* ~ *machen* amansar a alg.; **2heit** *f* (*0*) domesticidad *f*; *fig.* mansedumbre *f*; apacibilidad *f*.

'**zähm|bar** *adj.* domesticable; domable; **~en** *v/t.* amansar; (*bändigen*) domar (*a. fig.*); *bei e-m Haustier*: domesticar; *fig. Leidenschaft*: reprimir, contener, refrenar; **2ung** *f* amansamiento *m*; (*Bändigung*) doma *f*, domadura *f*; *bei e-m Haustier*: domesticación *f*; *fig. der Leidenschaften*: represión *f*, refrenamiento *m*; comedimiento *m*.

'**Zahn** *m* (-*es*; ⸗*e*) diente *m*; (*Backen2*) muela *f*; (*Eck2*) canino *m*; colmillo *m* (*a. Stoß2*); (*Schneide2*) incisivo *m*; ⊕ diente *m* (*a. bei Kamm u. Säge*); ⊕ (*Klaue*) garra *f*; uña *f*; *falscher* (*od. künstlicher*) ~ diente postizo (*od.* artificial); *hohler* ~ diente cariado; F *das reicht nicht für e-n hohlen* ~ es poquísimo; con eso no hay para un diente; *schöne Zähne haben* tener una hermosa dentadura; *fig. der* ~ *der Zeit* los estragos del tiempo; *fig. bis an die Zähne bewaffnet* armado hasta los dientes; *Zähne bekommen Kinder*: estar en la dentición, F echar los dientes; *e-n* ~ *ziehen* extraer (F sacar *od.* arrancar) un diente; *die Zähne ausbrechen* romper los dientes; *die Zähne verlieren* perder los dientes; *sich die Zähne in Ordnung bringen lassen* arreglarse la dentadura; *sich e-n* ~ *ausbrechen* romperse un diente; *mit Zähnen versehen* dentar, *bsd.* ⊕ endentar; *fig. s-e Zähne wetzen* aguzar los dientes; *mit den Zähnen klappern* dar diente con diente (*vor Kälte* de frío); castañetear los dientes; *mit den Zähnen knirschen* rechinar los dientes; *fig. j-m auf den* ~ *fühlen* sondear las intenciones de alg.; tantear el vado; *fig. Haare auf den Zähnen haben* no tener pelos en la lengua; *fig. sich die Zähne an et.* (*dat.*) *ausbeißen* morder en hierro; *die Zähne zeigen Hund*: regañar los dientes; *fig. j-m die Zähne zeigen* enseñar los dientes a alg.; *die Zähne zusammenbeißen* apretar los dientes (*vor Wut* de rabia); F *e-n* ~ *drauf haben Auto.* ir a una velocidad endiablada; **~arzt** *m* (-*es*; ⸗*e*) odontólogo *m*, dentista *m*; **~ärztin** *f* dentista *f*; **2ärztlich** *adj.* odontológico; de dentista; **~arztpraxis** *f* (-; *-praxen*) consultorio *m* odontológico; **~ausfall** *m* (-*es*; *0*) caída *f* de los dientes; **~behandlung** *f* tratamiento *m* odontológico; **~bein** *Anat.* *n* (-*es*; -*e*) dentina *f*; marfil *m* (del diente); **~belag** *m* (-*es*; *0*) sarro *m*; **~bildung** *f* dentición *f*; **~bohrer** *m* fresa *f* (*od.* broca *f*) dental; **~bürste** *f* cepillo *m* de dientes.

'**Zähnchen** *n* dentecillo *m*.

'**Zahn|chirurgie** *f* (*0*) cirugía *f* dental; **~durchbruch** *m* (-*es*; ⸗*e*) dentición *f*.

'**Zähne...**: **~fletschen** *n des Hundes*: regañamiento *m* de dientes; **~klappe(r)n** *n* castañeteo *m* de los dientes; **~knirschen** *n* rechinamiento *m* de (los) dientes; **2knirschend** *adv.* rechinando los dientes.

'**zahnen I. 1.** *v/i.* endentecer, echar los dientes; estar en la dentición; **2.** *v/t.* ⊕ dentar, endentar; **II.** 2 *n* dentición *f*.

'**zähnen** *v/t. Rad*: endentar.

'**Zahn...**: **~entfernung** *f* extracción *f* dental; **~ersatz** *m* (-*es*; *0*) dientes *m/pl.* artificiales; (*Prothese*) dentadura *f* postiza; prótesis *f* dentaria; **~fäule** ⚕ *f* (*0*) caries *f* dental; **~fistel** ⚕ *f* (-; -*n*) fístula *f* dental; **~fleisch** *Anat.* *n* (-*es*; *0*) encía *f*; **~fleischentzündung** *f* gingivitis *f*, inflamación *f* de las encías; **~formel** *f* (-; -*n*) fórmula *f* dental; **~fortsatz** *Anat.* *m* (-*es*; ⸗*e*) apófisis *f* odontoides; **~füllung** *f* empaste *m* dental; **~geschwür** *n* (-*es*; -*e*) absceso *m* dental; **~hals** *m* (-*es*; ⸗*e*) cuello *m* del diente; **~heilkunde** *f* (*0*) odontología *f*; **~höhle** *Anat.* *f* alvéolo *m* dental; cavidad *f* del diente; cavidad *f* de la pulpa; **~karies** *f* (*0*) caries *f* dental; **~keim** *Anat.* *m* (-*es*; -*e*) pulpa *f* dental; **~kitt** *m* (-*es*; *0*) cemento *m* del diente; **~klinik** *f* clínica *f* odontológica; **~krankheit** *f* enfermedad *f* de los dientes; **~kranz** ⊕ *m* (-*es*; ⸗*e*) corona *f* dentada; **~krem** *f* (-; -*s*) pasta *f* dentífrica; **~krone** *f* corona *f* dental (*od.* de un diente); **~laut** *Gr.* *m* (-*es*; -*e*) sonido *m* dental; **~lehre** *f* (*0*) odontología *f*; **~lippenlaut** *Gr.* *m* (-*es*; -*e*) sonido *m* labiodental; **2los** *adj.* (*0*) sin dientes, desdentado; **~lücke** *f* mella *f* (en la dentadura); ⊕ intradente *m*; **~mark** *Anat.* *n* (-*s*; *0*) pulpa *f* dental; **~nerv** *Anat.* *m* (-*s*; -*en*) nervio *m* del diente; **~pasta** *f*, **~paste** *f* pasta *f* dentífrica; **~pflege** *f* (*0*) cuidado *m* de los dientes; higiene *f* bucal; **~pflegemittel** *n* dentífrico *m*; **~plombe** *f* empaste *m*; **~prothese** *f* prótesis *f* dental; dentadura *f* postiza; **~pulpe** *f* → *Zahnmark*; **~pulver** *n* polvos *m/pl.* dentífricos.

'**Zahnrad** *n* (-*es*; ⸗*er*) rueda *f* dentada; *kleines*: piñón *m*; *konisches*: rueda *f* (dentada) cónica; **~antrieb** *m* (-*es*; -*e*) accionamiento *m* por ruedas dentadas; **~bahn** *f* ferrocarril *m* de cremallera; **~fräsmaschine** *f* fresadora *f* de engranajes; **~getriebe** *n* engranaje *m*; **~stange** *f* cremallera *f*; **~übersetzung** *f* transmisión *f* por engranaje.

'**Zahn...**: **~reihe** *f* hilera *f* de dientes; arcada *f* dental; **2reinigend** *adj.* dentífrico; **~reinigungsmittel** *n* dentífrico *m*; **~schmelz** *m* (-*es*; *0*) esmalte *m* (del diente); **~schmerz** *m* (-*es*; -*en*) dolor *m* de muelas *bzw.* de dientes; ⚕ odontalgia *f*; **~en** *haben* tener dolor de muelas; *wahnsinnige* ~*en* dolores atroces de muelas; *Mittel gegen* ~*en* remedio contra el dolor de muelas; **~schutz** *m* (-*es*; *0*) *Boxen*: protector *m* de dentadura; **~seife** *f* jabón *m* dentífrico; **~spiegel** *m* espejo *m* (*od.* espéculo *m*) dental; **~stange** ⊕ *f* cremallera *f*; **~stein** *m* (-*es*; *0*) sarro *m* dentario; **~stocher** *m* mondadientes *m*, palillo *m* de dientes; **~stocherbehälter** *m* palillero *m*; **~stumpf** *m* (-*es*; ⸗*e*) raigón *m*; **~techniker** *m* protésico *m* dental.

'**Zähnung** ⊕ *f* dentado *m*; engranaje *m*.

'**Zahn...**: **~wasser** *n* agua *f* dentífrica; **~wechsel** *m* segunda dentición *f*; **~weh** *m* (-*s*; *0*) → *Zahnschmerz*; **~werk** ⊕ *n* (-*es*; -*e*) engranaje *m*; **~wurzel** *f* (-; -*n*) raíz *f* del diente; **~zange** *f* gatillo *m*; **~zerfall** *m* (-*es*; *0*) caries *f* dental; **~ziehen** *n* extracción *f* dental; **~zwischenräume** *m/pl.* espacios *m/pl.* interdentales.

'**Zähre** *Poes.* *f* lágrima *f*; ~*n pl.* lágrimas *f/pl.*, llanto *m*.

'**Zander** *Ict.* *m* lucioperca *f*.

'**Zange** *f* tenazas *f/pl.*; (*Greif2*) alicates *m/pl.*; (*Flach2*) alicates *m/pl.* de pico recto; (*Rund2*) alicates *m/pl.* de pico redondo; (*Gasrohr2*) alicates *m/pl.* de gasista; (*Haar2*) tenacillas *f/pl.*; (*Krebs2*, *Zucker2*) pinzas *f/pl.*; (*Zahn2*) gatillo *m*; *Chir.* pinzas *f/pl.*; (*Geburts2*) fórceps *m*; *fig. j-n in die* ~ *nehmen* atacar a alg. por dos lados; poner a alg. en un aprieto; **~nbewegung** ⚔ *f* movimiento *m* ofensivo en tenaza; **~ngeburt** ⚕ *f* parto *m* con fórceps.

'**Zank** *m* (-*es*; *0*) querella *f*; (*Zwist*) discordia *f*; (*Wortwechsel*) disputa *f*; altercado *m*; (*Streit*) riña *f*; reyerta

f, pendencia *f*; quimera *f*; F camorra *f*, gresca *f*; (*Prügelei*) pelea *f*; *mit j-m* ~ *suchen* F buscar camorra con alg.; **~apfel** *m* (*-s*; *=*) manzana *f* de la discordia; *fig.* motivo *m* de continua disputa; **2en** *v/i.* disputar; altercar; reñir; *sich* ~ pelearse (*mit* con); reñir (*mit* con); tener unas palabras (*mit j-m* con alg.), F armar camorra *od.* gresca; *sich* ~ *über* (*ac.*) disputar sobre; *sich um et.* ~ disputarse a/c.

'Zänker *m* altercador *m*; individuo *m* pendenciero; F camorrista *m*; **~in** *f* altercadora *f*.

Zänke'rei *f* querella *f*; rencilla *f*.

'zänkisch *adj.* altercador; pendenciero; quisquilloso.

'Zank|sucht *f* (*0*) carácter *m* pendenciero; afán *m* de reñir; **2süchtig** *adj.* pendenciero; F camorrista.

'Zäpfchen *n Anat.* úvula *f*, F campanilla *f*; *Phar.* supositorio *m*.

'zapfen *v/t. Wein usw.*: sacar del tonel.

'Zapfen *m* (*zylindrischer Körper*) cono *m* (*a. Anat.*); (*Stöpsel*) tapón *m*; (*Spund*) tapón *m* de madera; (*Faß2*) espita *f*, canilla *f*; (*Holz2*) tarugo *m*; ⊕ (*Bolzen*) perno *m*; (*Dreh2*) pivote *m*; (*Stift*) espiga *f*; clavija *f*; (*Rad2*) gorrón *m*; (*Achs2*) muñón *m*; (*Splint*) pasador *m*; (*Balken2*, *Verbindungs2*) espiga *f*; (*Wellen2*) pivote *m* del árbol; (*Schild2*) gorrón *m* de patín; ⚘ estróbilo *m*; cono *m*; (*Tannen2*) piña *f* de abeto; (*Hopfen2*) estróbilo *m* del lúpulo; (*Eis2*) carámbano *m*; **~bohrer** ⊕ *m* broca *f* de punto; barrena *f* de tonelero; **2förmig** *adj.* en forma de cono; coniforme; **~lager** ⊕ *n* soporte *m* de muñones; *für Achsen*: chumacera *f*; **~loch** *n* (*-es*; *=er*) (*Zimmerei*) mortaja *f*, agujero *m* de espiga; *am Faß*: piquera *f*; **~streich** ⚔ *m* (*-es*; *-e*) retreta *f*; *den* ~ *blasen* tocar retreta; **2tragend** ⚘ *adj.* conífero.

'Zapf|er *m* (*Schankwirt*) mozo *m* del mostrador; (*Tankwart*) encargado *m* de la bomba (de gasolina); **~säule** *f*, **~stelle** *f für Wasser*: puesto *m* de toma de agua; *Auto*: surtidor *m* de gasolina.

'zapp|(e)lig *adj.* agitado; inquieto, desasosegado; impaciente; nervioso; **~eln** (*-le*) *v/i.* agitarse; *mit den Armen* (*Händen*) ~ bracear, agitar los brazos (manotear); *fig. j-n* ~ *lassen* dejar a alg. en la incertidumbre; **2elphilipp** *m* (*-s*; *-e*): *er ist ein* ~ F es un azogue (*od.* un zarandillo).

Zar *m* (*-en*) zar *m*; **'~entum** *n* (*-es*; *0*) zarismo *m*.

Za'rewitsch *m* (*-es*; *-e*) zarevitz *m*, príncipe *m* imperial ruso.

'Zarge *f* ⊕ (*Rand*) borde *m*; (*Rahmen*) bastidor *m* (*a. v. Türen, Fenstern*); marco *m*; *v. Edelsteinen*: engaste *m*; *e-s Saiteninstruments*: costado *m*.

za'ristisch *adj.* zarista.

'zart [a:] *adj.* (*-est*) tierno (*a. Fleisch, Alter, Herz*); *Haut, Geschmack, Blume, Gesundheit, Gefühl*: delicado; (*fein*) fino; (*empfindlich*) sensible; (*dünn*) delgado; tenue; sutil; (*weich*) blando; suave; (*sanft*) dulce; (*zerbrechlich*) frágil; (*schwach*) débil; **~be'saitet** *fig. adj.* sensitivo; (*reizbar*) susceptible; (*rührselig*) tierno de corazón; **~fühlend** *adj.* delicado; (*taktvoll*) de exquisito tacto; **2gefühl** *n* (*-es*; *0*) delicadeza *f* (de sentimientos); (*Takt*) tacto *m*; **2heit** *f* (*0*) ternura *f*; delicadeza *f*; finura *f*; tenuidad *f*; (*Empfindlichkeit*) sensibilidad *f*; (*Zerbrechlichkeit*) fragilidad *f*; (*Sanftheit*) dulzura *f*; (*Schwäche*) debilidad *f*; (*Weichheit*) blandura *f*.

'zärtlich [ɛ:] *adj.* tierno; (*liebevoll*) afectuoso; cariñoso; (*verliebt*) amoroso; **2keit** *f* ternura *f*; afectuosidad *f*; cariño *m*; (*Liebkosung*) caricia *f*; **2keitsbedürfnis** *n* (*-ses*; *0*) necesidad *f* (*od.* sed *f*) de cariño.

'Zaster P *m* (*-s*; *0*) (*Geld*) monis *m*, monises *m/pl.*; guita *f*, pasta *f*, tela *f*, telángana *f*; mosca *f*; perras *f/pl.*, cuartos *m/pl.*; *bsd. Am.* plata *f*.

Zä'sur *f* cesura *f*.

'Zauber *m* encanto *m* (*a. fig.*); hechizo *m* (*a. fig.*); (*Bezauberung*) encantamiento *m*; (*Zauberkunst*) magia *f*; (*zauberische Wirkung*) efecto *m* mágico; *fig.* (*Reiz*) atractivo *m*; *den* ~ *lösen* romper el encanto; *wie durch* ~ como por arte de magia; como por encanto; F *fauler* ~ patraña *f*; embuste *m*, engaño *m*; **~bann** *m* (*-es*; *0*) encanto *m*; hechizo *m*; **~buch** *n* (*-es*; *=er*) libro *m* de magia.

Zaube|'rei *f* encantamiento *m*; hechicería *f*; (*Kunst*) (arte *m* de) magia *f*; (*durch Wahrsagen*) sortilegio *m*; (*Hexerei*) brujería *f*; (*Taschenspielerei*) prestidigitación *f*; **'~rer** *m* encantador *m*; hechicero *m*; (*Künstler*) mágico *m*, mago *m* (*a. fig. Könner, a. Sport*); (*Hexenmeister*) brujo *m*; (*Taschenspieler*) prestidigitador *m*.

'Zauber...: **~flöte** *f*: *die* ~ (*Oper*) La flauta mágica; **~formel** *f* (*-*; *-n*) fórmula *f* mágica; (*Beschwörung*) conjuro *m*; **2haft** (*-est*), **2isch** *adj.* (*bezaubernd*) encantador; hechicero (*beide a. fig.*); (*magisch*) mágico; *fig.* (*wunderbar*) maravilloso; **~in** *f* hechicera *f*; (*Hexe*) bruja *f*; **~kraft** *f* (*-*; *=e*) virtud *f* mágica, poder *m* mágico; **~kunst** *f* (*-*; *=e*) (arte *m* de) magia *f*; (*Taschenspielerkunst*) prestidigitación *f*; **~künstler** *m* mago *m*; (*Taschenspieler*) prestidigitador *m*; *neol.* ilusionista *m*; **~kunststück** *n* (*-es*; *-e*) juego *m* de manos; truco *m* de prestidigitación; **~land** *n* (*-es*; *0*) país *m* encantado; **~laterne** *f* linterna *f* mágica; **~lehrling** *m* (*-s*; *-e*) aprendiz *m* de brujo; **~mittel** *n* hechizo *m*; **2n** (*-re*) **1.** *v/i.* usar de encantamientos; hacer brujerías; practicar la magia; (*Taschenspielerkunststücke zeigen*) hacer juegos de manos (*od.* de prestidigitación); ~ *können* ser mago; ser prestidigitador; *fig. ich kann doch nicht* ~ no puedo hacer milagros; **2.** *v/t.* trasladar por arte de magia; **~posse** *Thea. f* comedia *f* de magia; **~reich** *n* (*-es*; *0*) país *m* encantado; reino *m* de las hadas; **~ring** *m* (*-es*; *-e*) anillo *m* mágico; **~schlag** *m* (*-es*; *0*) *fig.*: *wie mit e-m* ~ como por encanto; **~schloß** *n* (*-sses*; *=sser*) castillo *m* encantado; **~spiegel** *m* espejo *m* mágico; **~spruch** *m* (*-es*; *=e*) → *Zauberformel*; **~stab** *m* (*-es*; *=e*) varita *f* mágica; **~stück** *n* (*-es*; *-e*) obra *f* de magia; *Thea.* comedia *f* de magia; **~trank** *m* (*-es*; *=e*) filtro *m*; (*Liebestrank*) bebedizo *m*; **~werk** *n* (*-es*; *0*) encantamiento *m*; hechicería *f*; **~wort** *n* (*-es*; *-e od. =er*) palabra *f* mágica.

'Zauder|er *m* espíritu *m* (*od.* carácter *m*) irresoluto; hombre *m* irresoluto; (*bessere Zeiten abwartend*) contemporizador *m*; **2n** (*-re*) *v/i.* (*schwanken*) vacilar, titubear (et. *zu tun* en hacer a/c.); (*hinhaltend*) contemporizar; **~n** *n* irresolución *f*; vacilación *f*, titubeo *m*; (*abwartende Haltung*) contemporización *f*.

Zaum *m* (*-es*; *=e*) freno *m* (*a. fig.*); (*Zügel*) rienda *f*, brida *f*; *fig. im* ~*e halten* contener, reprimir; *j-n im* ~ *halten* atar corto a alg.; *die Zunge im* ~ *halten* refrenar la lengua; *sich im* ~ *halten* contenerse, reprimirse; reportarse.

'zäumen *v/t.* embridar, poner la brida a; enfrenar.

'Zaumzeug *n* (*-es*; *0*) arreos *m/pl.*; brida *f*.

'Zaun *m* (*-es*; *=e*) cercado *m*; cerca *f*; valla *f*, vallado *m*; (*Pfahl2*) empalizada *f*; estacada *f*; (*Draht2*) alambrada *f*; (*Hecke*) seto *m*; *fig.* et. *vom* ~*e brechen* aprovechar el menor pretexto para hacer a/c.; *e-n Krieg vom* ~ *brechen* desencadenar una guerra; *e-n Streit vom* ~ *brechen* promover una disputa *bzw.* una riña por un motivo fútil; F buscar camorra intencionadamente; **~gast** *m* (*-es*; *=e*) espectador *m* no invitado; F gorrón *m*; **~könig** *Orn. m* (*-s*; *-e*) reyezuelo *m*; **~pfahl** *m* (*-es*; *=e*) estaca *f*; *e-n Wink mit dem* ~ *geben* hacer una alusión demasiado explícita; F echar una indirecta del padre Cobos; **~winde** ⚘ *f* enredadera *f*.

'zausen (*-t*) *v/t.* (*ziehen, zupfen*) tirar (de); arrancar; (*Haar*) desgreñar.

'Zebaoth *pl. Bib.* Sabaoth *m*; *der Herr* ~ el Señor de los Ejércitos.

'Zebra *Zoo. n* (*-s*; *-s*) cebra *f*; **2artig** *adj.* cebrado, acebrado; **~streifen** *m/pl. Verkehrswesen*: paso *m* (de) cebra (para peatones).

'Zebu *Zoo. m* (*-s*; *-s*) cebú *m*.

'Zech|bruder *m* (*-s*; *=*) (*Kumpan*) compañero *m* de copeo; *hum.* concurdáneo *m*; (*Trinker*) bebedor *m*, F tumbacuartillos *m*, borrachín *m*; **~e** *f* (*Rechnung*) cuenta *f*; (*zu zahlender Anteil*) escote *m*; (*Verzehr*) consumición *f*; *die* ~ *bezahlen* pagar el gasto; F *fig.* ser el pagano; pagar el pato; pagar los vidrios rotos; ⚒ mina *f*; (*Steinkohlen2*) mina *f* de carbón; **2en** *v/i.* beber (copiosamente); F copear, empinar el codo, *fig.* soplar; **~en** *n* (*Schmauserei*) comilona *f*; (*Trinkgelage*) francachela *f* de bebedores; **~enkoks** *m* (*-es*; *0*) coque *m* siderúrgico (*od.* de mina); **~er** *m* bebedor *m*; F aficionado *m* al trinquis; borrachín *m*; **~'rei** *f*, **~gelage** *n* → *Zechen*; **~kumpan** *m* (*-s*; *-e*) → *Zechbruder*; **~preller** *m* huésped *m bzw.*

cliente *m* que se va sin pagar el gasto; **~prelle'rei** *f* no abono *m* del gasto hecho; P penchicarda *f*.
'Zecke *Zoo. f* garrapata *f*.
Ze'dent(in *f*) *m* (*-en*) ⚖ cedente *m*/*f*; ☿ *e-s Wechsels*: endosante *m*/*f*.
'Zeder ♀ *f* (*-*; *-n*) cedro *m*; **~nholz** *n* (*-es*; *0*) madera *f* de cedro; **~nwald** *m* (*-es*; *⸚er*) bosque *m* de cedros.
ze'dieren (-) **I.** *v*/*t*. ⚖ ceder, hacer cesión de; ☿ (*Wechsel*) endosar; **II.** ≈ *n* ⚖ cesión *f*; ☿ endoso *m*.
'Zeh *m* (*-es*; *-en*) **~e** ['tse:ə] *f* dedo *m* del pie; *der große ~* el dedo gordo (del pie); *auf den ~en gehen* ir de puntillas; (*Knoblauchzehe*) diente *m* de ajo; **~engänger** *Zoo. m*/*pl.* digitígrados *m*/*pl.*; **~enspitze** *f* punta *f* del pie; *auf den ~en gehen* ir (*od.* andar) de puntillas.
'zehn I. *adj.* diez; *die ≈ Gebote* los diez mandamientos (de la ley de Dios); el Decálogo; *etwa ~* unos diez; *es ist halb ~ (Uhr)* son las nueve y media; *Zeitraum von ~ Jahren (Tagen)* década *f*, decenio *m* (década *f*); **II.** ≈ *f* diez *m*; **≈eck** ⩘ *n* (*-es*; *-e*) (*Flächenfigur*) decágono *m*; (*Körper*) decaedro *m*; **~eckig** ⩘ *adj.* decagonal; **≈ender** *Jgdw. m* ciervo *m* de diez puntas; **≈er** *m* decena *f*; moneda *f* de diez pfennigs; **~er'lei** *adj.* de diez clases diferentes *od.* distintas; **≈ersystem** ⩘ *n* (*-s*; *0*) sistema *m* decimal; **~fach, ~fältig** *adj. u. adv.* diez veces tanto; diez veces más; *das ≈e* el décuplo; **~flächig** ⩘ *adj.* decaédrico; **≈flächner** ⩘ *m* decaedro *m*; **≈'jahres-plan** *m* (*-es*; *⸚e*) plan *m* decenal; **~jährig** *adj.* de diez años; decenal, que dura diez años; **≈kampf** *m* (*-es*; *⸚e*) *Sport*: decathlón *m*; **~mal** *adj.* diez veces; **~malig** *adj.* (repetido) diez veces; **≈'pfennigstück** *n* (*-es*; *-e*) moneda *f* de diez pfennigs; **~prozentig** *adj.* al diez por ciento; **~silbig** *adj.* decasílabo; **≈silber** *m* verso *m* decasílabo; **~stündig** *adj.* de diez horas; **~tägig** *adj.* de diez días; **~'tausend** *adj.* diez mil; **~'tausendste** *adj.* diezmilésimo; **≈'tausendstel** *n* diezmilésima parte *f*; **~te** *adj.* décimo; *der (den, am) ~n Dezember* el diez de diciembre; *Berlin, den 10. Dezember* Berlín, 10 de diciembre; *~s Kapitel* capítulo décimo (*od.* diez); *Alphons, der ≈* (*Abk.* X.) Alfonso Décimo, Alfonso X; **≈te** *m* (*Abgabe*) diezmo *m*; **≈tel** *n* décima parte *f*; décimo *m*; **~tens** *adv.* en décimo lugar; *bei Aufzählungen*: décimo.
'zehren *v*/*i*. alimentarse (*von*; *an dat.* de); vivir de; (*verzehren*) consumir; *fig. von s-m Ruhme ~* dormirse sobre sus laureles; *von e-r Erinnerung ~* vivir del recuerdo de; (*mager machen*) enflaquecer; (*Appetit machen*) excitar (*od.* abrir) el apetito; *fig. ~ an (nagen)* consumir, minar; **~d** ⚕ *adj.* consuntivo.
'Zehr...: ~fieber ⚕ *n* (*-s*; *0*) fiebre *f* consuntiva (*od.* héctica); **~geld** *n* (*-es*; *-er*), **~pfennig** *m* (*-s*; *-e*) ayuda *f* de viaje; viático *m*; **~ung** *f* (*0*) (*Lebensunterhalt*) sustento *m*; (*Verbrauch*) consumo *m*; (*Weg≈*) provisiones *f*/*pl.* para el viaje; viático *m*; ⚕ consunción *f*; *Rel. letzte ~* viático *m*.
'Zeichen *n* signo *m* (*a.* ⩘, *Astr.*, ♪ *u. Typ.*); (*Signal*) señal *f*; (*Kenn≈*) marca *f*; seña *f*; (*An≈*) indicio *m*; (*Symbol*) símbolo *m* (*a.* ⚗); (*Brand≈, Waren≈*) marca *f*; (*Schutz≈*) marca *f* registrada; (*Wink, Zeichensprache*) seña *f*; (*Verkehrs≈*) señal *f* de tráfico; ⚕ (*Symptom*) síntoma *m* (*a. fig.*); (*Stempel*) sello *m*; (*Vor≈*) presagio *m*; augurio *m*; (*Merk≈*) señal *f*; marca *f*; (*Unterscheidungsmerkmal*) marca *f* distintiva; (señal *f*) característica *f*; (*Stigma*) estigma *m*; (*Ab≈*) insignia *f*; emblema *m*; (*Lese≈*) señal *f*; (*Buch≈*) signatura *f*; (*Satz≈*) signo *m* de puntuación; (*Wunder≈*) *Rel.* milagro *m*; prodigio *m*; (*Bezeugung*) testimonio *m*; (*Beweis*) prueba *f*; ☿ *Ihr ~* su referencia; *das ~ des Kreuzes* la señal de la cruz; *das ~ des Kreuzes machen* santiguarse; hacer la señal de la cruz; *ein ~ geben* hacer una señal; *das ~ geben* dar la señal (zu de); *ein ~ machen an (dat.)* marcar (*ac.*); *auf ein ~ von* a una señal de; *sich durch ~ verständigen* entenderse por señas; *im ~ (gen.)* bajo el signo de; (*anläßlich*) con motivo de; *als ~*; *zum ~* en señal de; en prueba de; en testimonio de; *im ~ des ... Astr.* bajo el signo de ...; *er ist unter e-m glücklichen (unglücklichen) ~ geboren* ha nacido con buena (mala) estrella; *s-s ~s ... (Beruf)* de oficio ... *bzw.* de profesión ...; *er ist s-s ~s Schmied* es herrero de oficio; *das ist ein gutes (schlechtes) ~* es una buena (mala) señal; *fig.* es un buen (mal) síntoma; *das ist ein ~ der Zeit* es un signo de los tiempos; *die ~n (Satz≈) setzen* poner los signos de puntuación.
'Zeichen...: ~block *m* (*-es*; *⸚e*) bloque *m* (de papel) de dibujo; **~brett** *n* (*-es*; *-er*) tablero *m* de dibujo; **~buch** *n* (*-es*; *⸚er*) álbum *m* de dibujos; **~büro** *n* (*-s*; *-s*) oficina *f* de dibujo; **~deuter** *m* astrólogo *m*; adivino *m*; **~erklärung** *f* explicación *f* de los signos; *auf Landkarten usw.*: signos *m*/*pl.* convencionales; **~feder** *f* (*-*; *-n*) pluma *f* de dibujo; **~film** *m* (*-es*; *-e*) película *f* de dibujos (animados); **~garn** *n* (*-es*; *-e*) hilo *m* de marcar; **~geber** *m* aparato *m* de señalización; **~gummi** *m* (*-s*; *-s*) goma *f* de borrar para dibujo; **~heft** *n* (*-es*; *-e*) cuaderno *m* de dibujo; **~kohle** *f* carboncillo *m*; **~kreide** *f* creta *f* (*od.* tiza *f*) de dibujo; **~kunst** *f* (*0*) arte *m* de dibujar; dibujo *m*; **~lehrer(in** *f*) *m* profesor(a *f*) *m* de dibujo; **~mappe** *f* carpeta *f* de dibujos; **~material** *n* (*-s*; *0*) material *m* de dibujo; útiles *m*/*pl.* de dibujo; **~papier** *n* (*-es*; *-e*) papel *m* de dibujo; **~saal** *m* (*-es*; *-säle*) sala *f* de dibujo; **~schule** *f* escuela *f* de dibujo; **~setzung** *Gr. f* (*0*) puntuación *f*; **~sprache** *f* (*0*) lenguaje *m* mímico (*od.* por señas); **~stift** *m* (*-es*; *-e*) lápiz *m* de dibujo; **~stunde** *f* lección *f* (*od.* clase *f*) de dibujo; **~trickfilm** *m* (*-es*; *-e*) → *Zeichenfilm*; **~unterricht** *m* (*-es*; *0*) enseñanza *f* del dibujo; clase *f* (*od.* lección *f*) de dibujo; **~vorlage** *f* modelo *m* de dibujo.
'zeichn|en (*-e-*) *v*/*t*. dibujar; (*flüchtig ~*) bosquejar, esbozar; (*kenn~*) marcar; (*unter~*) firmar; *Plan*: delinear; *Linie usw.*: trazar; ☿ *Aktien, Obligationen, Anleihe*: su(b)scribir; *e-n Betrag von 100 Mark ~* su(b)scribirse con (una suma de) cien marcos; *mit Kreide ~* dibujar con creta *od.* tiza; *im verkleinerten Maßstab ~* dibujar a escala; *nach dem Leben ~* dibujar (*od.* copiar) del natural; *aus freier Hand ~* dibujar a pulso (*od.* a mano alzada); **≈en** *n* → *Zeichnung*; (*als Schulfach*) dibujo *m*; **≈er(in** *f*) *m* dibujante *m*/*f*; (*Graphiker*) grafista *m*; *technische(r) ~* delineante *m*; ☿ *v. Aktien, Obligationen, e-r Anleihe, e-s Betrages*: subscri(p)tor *m*, suscri(p)tor *m*; (*Unter≈*) firmante *m*; **~erisch I.** *adj.* de dibujo; (*graphisch*) gráfico; *~e Darstellung* representación *f* gráfica; *~e Begabung* dotes *f*/*pl.* naturales para el dibujo; **II.** *adv.* como dibujo; (*graphisch*) gráficamente.
'Zeichnung *f* dibujo *m*; (*Skizze*) croquis *m*, esquema *m*; (*technischer Entwurf*) proyecto *m*; (*Pause*) calco *m*; (*Markierung*) marca *f*; (*Bau≈*) plano *m*; (*Muster*) muestra *f*; *e-r Linie usw.*: trazado *m*; (*Unter≈*) firma *f*; ☿ su(b)scripción *f* (*a. Beitrags≈*); ☿ *zur ~ auflegen* ofrecer en su(b)scripción; *~ von Aktien* su(b)scripción de acciones; **~s-angebot** ☿ *n* (*-es*; *-e*) oferta *f* de su(b)scripción; **≈sberechtigt** *adj.* autorizado para firmar; **~sbetrag** *m* (*-es*; *⸚e*) cantidad *f* su(b)scrita; **~sformular** *n* (*-s*; *-e*) boletín *m* de su(b)scripción; **~sfrist** ☿ *f* plazo *m* de su(b)scripción; **~sliste** *f* lista *f* de su(b)scriptores; **~svollmacht** *f* poder *m* para firmar; **~swert** ☿ *m* valor *m* de emisión.
Zeigefinger *m* (dedo *m*) índice *m*.
'zeigen *v*/*t. u. v*/*i*. mostrar, enseñar; hacer ver; (*zur Schau stellen*) exhibir; (*deuten auf*) indicar; señalar; (*beweisen*) demostrar, probar; evidenciar; (*bezeugen*) atestiguar; testimoniar; (*angeben*) indicar; *Film*: (*vorführen*) proyectar; *Thermometer*: marcar; *Uhr*: *a.* señalar; *~ auf (ac.)* señalar (*ac.*); *mit dem Finger auf j-n ~* señalar a alg. con el dedo (*a. fig.*); *nach Norden ~* señalar hacia el norte; apuntar al norte; *sich ~* presentarse, (*erscheinen*) aparecer; mostrarse, (*in e-r Versammlung usw.*) hacer acto de presencia; (*sich offenbaren*) manifestarse, (*ausbrechen*) declararse; *sich freundlich ~* mostrarse amable; *sich ~ als* mostrar ser; mostrarse (*nom.*); *es wird sich ja ~* eso ya se verá; ya veremos; el tiempo lo dirá; *drohend*: *ihm werd' ich's ~* a ése ya le ajustaré yo las cuentas.
'Zeiger *m* (*Richtungs≈*; ⊕) indicador *m*; *e-s Meßinstruments*: aguja *f*; (*Uhr≈*) *a.* manecilla *f*; (*Minuten≈*) minutero *m*; (*Stunden≈*) horario *m*; (*Sekunden≈*) segundero *m*; **~ausschlag** *m* (*-es*; *⸚e*) desviación *f* de la aguja; **~instrument** *n* (*-es*; *-e*) instrumento *m* de aguja.
'Zeigestock *m* (*-es*; *⸚e*) puntero *m*.
'zeihen (*L*) *v*/*t*. (*gen.*) acusar (de); inculpar (de).
'Zeile *f* línea *f*; renglón *m*; (*Reihe*)

fila *f*; hilera *f*; *neue* ~! (*beim Diktat*) punto y aparte; *gleiche* ~! punto y seguido; *j-m ein Paar* ~*n schreiben* escribir a alg. un par de líneas (*od.* de renglones); poner a alg. dos letras; *zwischen die* ~*n schreiben* escribir entre líneas, interlinear; *das zwischen zwei* ~*n Geschriebene* interlineación *f*, interlineado *m*; ~*n schinden* (*Zeitung*) escribir a tanto la línea; F *fig.* hinchar una información; *nach* ~*n bezahlen* pagar por línea; *fig. zwischen den* ~*n lesen* leer entre líneas.

'**Zeilen...:** ~**abstand** *m* (-*es*; ¨*e*) (*Schreibmaschine*) interlínea *f*; espacio *m* interlineal (*od.* entre líneas); *einfacher* (*doppelter*) ~ a un espacio (a doble espacio); ~**gießmaschine** *Typ. f* linotipia *f*; ~**honorar** *n* (-*s*; -*e*) remuneración *f* por línea; ~ *geben* (*bekommen*) pagar (recibir) por línea; ~**länge** *Typ. f* justificación *f*; ~**schalter** *m* (*Schreibmaschine*) regulador *m* de espacios; interlineador *m*; ~**schalthebel** *m* (*Schreibmaschine*) palanca *f* de regulación de espacios; ~**schinder** *m* (*Zeitungsschreiber*) F periodista *m* que hincha sus informaciones; ~**setzmaschine** *Typ. f* linotipia *f*; 2**weise** *adv.* por línea; ~ *bezahlen* pagar por línea; ~**zahl** *f* número *m* de líneas; ~**zwischenraum** *m* (-*es*; ¨*e*) espacio *m* entre líneas; interlínea *f*.

'**Zeisig** *m* (-*s*; -*e*) *Orn.* verderón *m*; *fig. lockerer* ~ F tarambana *m*.

Zeit *f* tiempo *m* (*a. Gr. u. Sport*); (*Zeitraum*) período *m*; espacio *m* de tiempo; lapso *m*; (*Zeitabschnitt*) época *f*; período *m*; (*Zeitalter*) edad *f*; siglo *m*; era *f*; (*Zeitpunkt*) momento *m*, instante *m*; punto *m*; (*Frist*) plazo *m*; término *m* (*a.* ⚕ *der Niederkunft*); (*Datum*) fecha *f*; (*Moment, Weile*) instante *m*, momento *m*; rato *m*; (*Phase*) fase *f*; (*Uhr*2) hora *f*; (*Jahres*2) estación *f*; (*Saison*) temporada *f*; época *f*; *freie* ~ tiempo libre (*od.* desocupado); ratos de ocio; *die gute, alte* ~ los buenos tiempos (pasados); *die neue* ~ los tiempos modernos (*od.* actuales); *schlechte* ~*en* malos tiempos; tiempos duros (*od.* difíciles); *du liebe* ~! ¡Dios mío!; *die ganze* ~ *über* (durante) todo ese tiempo; *er hat es die ganze* ~ (*über*) *gewußt* lo ha sabido siempre (*od.* desde el primer momento); ~ *gewinnen* ganar tiempo; ~ *haben* tener tiempo; ~ *haben zu* (*inf.*) tener tiempo de *bzw.* para (*inf.*); *keine* ~ *haben* no tener tiempo (zu para; de *inf.*); *wir haben genug* ~ tenemos bastante tiempo; tenemos tiempo de sobra; *das hat noch* ~ (eso) no corre prisa; no es urgente; *das hat noch* ~ *bis morgen* eso puede dejarse (*od.* quedar) para mañana; *gib mir* ~! ¡dame tiempo!; *ich gebe dir* ~ *bis morgen* te doy de tiempo hasta mañana; *ich gebe dir 5 Minuten* ~ te doy cinco minutos (*um zu* para *inf.*); *viel* ~ *kosten* (*od. in Anspruch nehmen*) llevar (*od.* necesitar) mucho tiempo; *j-m* ~ *lassen* dar tiempo a alg. (*um zu* a que *subj.*; para *inf.*); *sich* ~ *lassen* (*od. nehmen*) tomarse tiempo, (*langsam handeln*) tardar en hacer a/c.; no tener prisa, (*abwarten*) dar tiempo al tiempo; *sich die* ~ *vertreiben mit* distraerse (*od.* entretenerse) con; pasar el tiempo con; *Sport*: *die* ~ *nehmen* cronometrar; *Sport*: *die* ~ *vergleichen* homologar; (*die*) ~ *verlieren* perder (el) tiempo; *die* ~ *nutzen* (*sparen*) aprovechar el (ahorrar) tiempo; *die* ~ *schinden* temporizar; *die* ~ *totschlagen* matar el tiempo; *die* (*s-e*) ~ *verbringen* pasar el tiempo (*od.* el rato); *es ist nur e-e Frage der* ~ es sólo cuestión de tiempo; *es ist* (*höchste*) ~ ya es hora (zu de *inf.*; *daß* ... que *subj.*); *es ist genug* ~ hay bastante tiempo; *es ist keine* ~ *zu verlieren* no hay tiempo que perder; *es wird allmählich* ~ ya va siendo hora; *es ist an der* ~, *zu* (*inf.*) ha llegado la hora (*od.* el momento) de *inf.*; *die* ~ *ist um* ya es la hora; (*Termin*) ya ha expirado el plazo; *j-m die* ~ *vertreiben* distraer (*od.* entretener) a alg.; *ihm wird die* ~ *lang* el tiempo se le hace largo, (*er langweilt sich*) se aburre, (*er wird ungeduldig*) comienza a impacientarse; *auf* ~ ☿ a plazo; *auf einige* ~ por algún tiempo; *auf kurze* ~ por poco tiempo; ☿ a corto plazo; *auf unbestimmte* ~ por tiempo indefinido; *auf der Höhe s-r* ~ *sein* estar a la altura de su tiempo; *für alle* ~*en* para siempre; *der beste* ... *aller* ~*en* el mejor ... de todos los tiempos; *für die* ~ *bis zu* (para el tiempo) hasta; *für längere* ~ por *bzw.* para más tiempo; por mucho tiempo; *in der* ~, *da* (*od. wo*) mientras; *in der* ~ *von* ... *bis* ... desde ... hasta ...; en el tiempo comprendido entre ... y ...; *in der* ~ *von 3 bis 5 Uhr* de tres a cinco; *in der* ~ *vom 5. bis 10. Januar* desde el cinco hasta el diez de enero; *in früheren* ~*en* en otros tiempos; en tiempos pasados; *in neuerer* ~ en los tiempos modernos (*od.* actuales); en la actualidad, actualmente; *in kurzer* ~ en corto (*od.* poco) tiempo; en breve; dentro de poco (tiempo); *in kürzester* ~ a la mayor brevedad; *im Laufe der* ~ andando el tiempo, en el correr de los tiempos; en el trascurso del tiempo, (*e-s Tages*) tarde o temprano, (*auf die Dauer*) a la larga; *in letzter* ~ en los últimos tiempos; *in nächster* ~ próximamente; en breve; *in unserer* ~ en nuestros tiempos (*od.* días); en los tiempos actuales; hoy en día; *mit der* ~ con el tiempo; a la larga; *mit der* (*od. s-r*) ~ *gehen* ser de su época; ir con el tiempo; *nach einiger* ~ después (*od.* al cabo) de algún tiempo; *nach kurzer* ~ poco (tiempo) después; al poco rato; *seit der* ~; *von der* ~ *an* desde entonces; *seit einiger* ~ desde hace algún tiempo; *seit langer* ~ desde hace (mucho) tiempo; *seit uralten* ~*en* desde tiempo(s) inmemorial(es); desde tiempos remotos; *um welche* ~? ¿en qué época?, (*um wieviel Uhr?*) ¿a qué hora?; *um die* ~ *der Ernte* en el tiempo de la recolección; *von* ~ *zu* ~ de vez en cuando; de tiempo en tiempo; a ratos; a veces; *vor der* ~ antes de tiempo; prematuramente; demasiado pronto; (⚕ *gebären*) antes del término; *vor* ~*en* en otros tiempos; antiguamente; en tiempos pasados; *vor einiger* ~ hace algún tiempo; *vor kurzer* ~ hace poco (tiempo); *kürzlich*: recientemente; últimamente; *vor langer* ~ hace largo (*od.* mucho) tiempo; *zu jener* ~ en aquella época; en aquellos tiempos; en aquel entonces; a la sazón; *zur* ~ (*rechtzeitig*) a tiempo, (*gegenwärtig*) ahora; actualmente; *zur* ~ (*gen.*) en tiempos de; en la época de; *zu allen* ~*en* en todos los tiempos; en todas las épocas; siempre; en todo tiempo; *zur gleichen* ~; *zur selben* ~ en la misma época, (*gleichzeitig*) al mismo tiempo; simultáneamente; a un tiempo; *zu jeder* ~ en todo momento; siempre, (*zu jeder Stunde*) a todas horas; a cualquier hora; *zu s-r* ~ a su hora; (*zu s-n Lebzeiten*) en sus tiempos; *alles zu s-r* ~ cada cosa a su tiempo; hay que saber dar tiempo al tiempo; *zu keiner* ~ en ninguna época; en ningún momento; *zur rechten* ~ a tiempo; en el momento oportuno (*od.* apropiado); (*wie gerufen*) a propósito; *zu gelegener* ~ oportunamente, en tiempo oportuno; *zu ungelegener* ~ en momento inoportuno (*od.* poco oportuno); inoportunamente; *zu unpassender* (*a. nachtschlafender*) ~ a deshora; a una hora intempestiva; intempestivamente; *zur festgesetzten* ~ a la hora convenida (*od.* fijada); ~ *ist Gold* el tiempo es oro; *kommt* ~, *kommt Rat* F *fig.* con el tiempo maduran las uvas; *es werden bessere* ~*en kommen* ya vendrán tiempos mejores.

zeit *prp.*: ~ *s-s Lebens* (*solange er lebte*) durante toda su vida; mientras vivió.

'**Zeit...:** ~**ablauf** *m* (-*es*; ¨*e*) lapso *m*; curso *m*; ~**abschnitt** *m* (-*es*; -*e*) período *m*; época *f*; tiempo *m*; ~**abstand** *m* (-*es*; ¨*e*) intervalo *m*; *in regelmäßigen Zeitabständen* periódicamente; a intervalos regulares; ~**alter** *n* edad *f*; época *f*; era *f*; siglo *m*; ~**angabe** *f* (*Datum*) fecha *f*; *Tele.* indicación *f* de la hora; *Radio*: hora *f* (exacta); señal *f* horaria; ~**ansage** *f Radio*: señales *f/pl.* horarias; ~**aufnahme** *Phot. f* (fotografía *f* con) exposición *f*; ~**aufwand** *m* (-*es*; *0*) sacrificio *m* de tiempo; tiempo *m* dedicado (*od.* consagrado) a; ~**auslöser** *Phot. m* autodisparador *m*; obturador *m* para exposiciones; 2**bedingt** *adj.* condicionado por el tiempo; ~**begriff** *m* (-*es*; -*e*) concepto *m* del tiempo; ~**bestimmung** *f* determinación *f* del tiempo; cronometría *f*; *Hist.* cronología *f*; *Gr.* complemento *m* temporal; ~**bild** *n* (-*es*; -*er*) cuadro *m* de costumbres (de una época); ~**bombe** *f* bomba *f* (de explosión) retardada; ~**dauer** *f* (*0*) duración *f*; tiempo *m*; ~**dokument** *n* (-*es*; -*e*) documento *m* de la época; documento *m* de nuestro tiempo; ~**echo** *n* (-*s*; *0*) eco *m* del tiempo; ~**einheit** *f* unidad *f* de tiempo; ~**enfolge** *Gr. f* concordancia *f* de los tiempos; ~**er-eignis** *n* (-*ses*; -*se*) acontecimiento *m* (*od.* suceso *m*) de actualidad; **~ersparnis** *f (0)* ahorro *m* de tiempo; **~folge** *f (0)* orden *m* cronológico; **~form** *Gr. f* tiempo *m*; **~frage** *f* problema *m* de actualidad; cuestión *f* actual; **~funk** *m (-s; 0)* crónica *f* de actualidad; **2gebunden** *adj.* mudable con los tiempos; sujeto a la moda; **~geist** *m (-es; 0)* espíritu *m* de la época; espíritu *m* del siglo; **2gemäß** *adj.* conforme a la época; moderno; (*aktuell*) actual, de actualidad; (*angebracht*) oportuno; adecuado, indicado; *nicht mehr* ~ pasado de moda; (*unangebracht*) inoportuno; **~genosse** *m (-n)* contemporáneo *m*; **~genossin** *f* contemporánea *f*; **2genössisch** *adj.* contemporáneo; de la época; actual; **~geschäft** ✝ *n (-es; -e)* operación *f* a plazo; **~geschehen** *n*: *aus dem ~ Radio*: actualidades *f/pl.*; **~geschichte** *f (0)* historia *f* contemporánea; **~geschmack** *m (-es; 0)* gusto *m* de la época; **~gewinn** *m (-es; 0)* ganancia *f* de tiempo; **2ig I.** *adj.* (*recht~*) oportuno; (*reif*) maduro, sazonado; (*frühreif*) precoz; (*früh~*) temprano; (*der~*) actual; **II.** *adv.* (*recht~*) a tiempo; en el momento oportuno; (*früh~*) temprano; con antelación (*od.* anticipación); **2igen** *v/t.* madurar; sazonar; (*hervorbringen*) producir; originar; (*Folgen*) *fig.* acarrear; **~karte** *f* abono *m*; *e-e ~ kaufen* (*od. nehmen*) abonarse, tomar un abono; 🚆 billete *m* semanal *bzw.* mensual; **~karten-inhaber (-in** *f*) *m* abonado (-a *f*) *m*; **~kauf** ✝ *m (-es; ⸚e)* compra *f* a plazo fijo; **~konstante** *f* constante *f* de tiempo; **~lang** *f*: *e-e ~* durante cierto (*od.* algún) tiempo; por algún tiempo; **~lauf** *m (-es; ⸚e)* transcurso *m* del tiempo; **~läuf(t)e** *pl.*: *die heutigen ~* la coyuntura actual; las circunstancias de la época; F los tiempos que corremos; **2'lebens** *adv.* durante toda (mi *bzw.* tu *bzw.* su *usw.*) vida; *auf ~* para toda la vida; (*Rente, Amt*) vitalicio; **2lich** *adj.* temporal; (*irdisch*) terrenal, terreno; (*Ggs. zu jenseitig*) de este mundo; (*vergänglich*) pasajero, transitorio; (*chronologisch*) cronológico; *~ zusammenfallen* coincidir (*mit* con); *das 2e segnen fig.* entregar el alma a Dios; abandonar esta vida; morir; **~lichkeit** *f (0)* temporalidad *f*; la vida terrenal; *aus dieser ~ abberufen werden* entregar el alma a Dios, morir; **2los** *adj.* intemporal; independiente del curso del tiempo; **~lupe** *f Film*: cámara *f* lenta; **~lupen-aufnahme** *f Film*: película *f* impresionada (*od.* filmada) con cámara lenta; **~lupentempo** *n (-s; 0) Film*: velocidad *f* de cámara lenta; *fig. im ~* a paso de tortuga; **~mangel** *m (-s; 0)* falta *f* de tiempo; *aus ~* por falta de tiempo; **~maß** ♪ *n (-es; 0)* compás *m*, tiempo *m*; **~messer** *m* (*Uhr*) cronómetro *m*; **~messung** *f* medición *f* del tiempo; cronometría *f*; **2nah(e)** *adj.* actual, de actualidad; del día; **~nehmen** *n Sport*: cronometraje *m*; **~nehmer** *m Sport*: cronometrador *m*; **~ordnung** *f (0)* orden *m* cronológico; **~pacht** ⚖ *f* arrendamiento *m* a término; **~plan** *m (-es; ⸚e)* horario *m*; **~problem** *n (-s; -e)* problema *m* candente (*od.* de actualidad); **~punkt** *m (-es; -e)* momento *m*, instante *m*; época *f*, tiempo *m*; (*Datum*) fecha *f*; **~raffer** *m Film*: acelerador *m*; **~raffer-aufnahme** *f Film*: película *f* filmada con acelerador; **2raubend** *adj.* que exige mucho tiempo; largo; (*lästig*) molesto, engorroso; **~raum** *m (-es; ⸚e)* período *m*; lapso *m*; espacio *m* de tiempo; **~rechnung** *f* cronología *f*; *christliche ~* era *f* cristiana; **~relais** ⚡ *n (-; -)* relé *m* retardador (*od.* de tiempo); **~schalter** ⚡ *m* interruptor *m* periódico; conmutador *m* intermitente; **~schrift** *f* revista *f*; **~sichtwechsel** ✝ *m* letra *f* pagadera a plazo contado desde la vista; **~sinn** *m (-es; 0)* sentido *m* del tiempo; **~spanne** *f* → *Zeitraum*; **2sparend** *adj.* que ahorra tiempo; **~stempel** *m* sellador *m* automático de la hora; cronosellador *m* automático; **~stil** *m (-es; 0)* estilo *m* de época; **~tafel** *f (-; -n)* tabla *f* cronológica; **~umstände** *m/pl.* circunstancias *f/pl.*; coyuntura *f*.

'**Zeitung** *f* periódico *m*; (*Tages2*) diario *m*; *amtlich*: gaceta *f*; boletín *m* oficial; *e-e Annonce in e-e ~ setzen* publicar (*od.* insertar) un anuncio en un periódico.

'**Zeitungs...:** **~abonnement** *n (-s; -s)* su(b)scripción *f* a un periódico; **~anzeige** *f* anuncio *m* (en un periódico); **~artikel** *m* artículo *m* periodístico (*od.* de periódico); **~ausschnitt** *m (-es; -e)* recorte *m* de periódico; **~austräger(in** *f*) *m* repartidor(a *f*) *m* de periódicos; **~beilage** *f* suplemento *m*; **~bericht-erstatter** *m* reportero *m*; informador *m* de prensa; **~bude** *f* puesto *m* de periódicos; **~drucke'rei** *f* imprenta *f* (de un periódico); **~ente** *f* bulo *m*; **~expedition** *f* administración *f* (de un periódico); **~frau** *f* repartidora *f bzw.* vendedora *f* de periódicos; **~halter** *m* porta-periódicos *m*; **~händler** *m* vendedor *m* de periódicos y revistas; vendedor *m* de prensa; **~inserat** *n (-es; -e)* → *Zeitungsanzeige*; **~junge** *m (-n)* (chico *m*) vendedor *m* de periódicos; **~kiosk** *m (-es; -e)* kiosco *m* (*od.* quiosco *m*) de periódicos; **~korrespondent** *m (-en)* corresponsal *m* (de prensa); **~kunde** *f (0)* (ciencia *f* del) periodismo *m*; **~leser** *m* lector *m* (de prensa); **~mann** F *m (-es; -leute)* periodista *m*; **~notiz** *f* noticia *f* de prensa; **~nummer** *f (-; -n)* número *m* (*od.* ejemplar *m*) de un periódico; *alte ~* número (*od.* ejemplar) atrasado; **~papier** *n (-es; -e)* papel *m* de periódico; papel *m* prensa; *altes ~* maculatura *f*; **~redakteur** *m (-s; -e)* redactor *m* de prensa (*od.* de un periódico); **~redaktion** *f* redacción *f* (de un periódico); **~reklame** *f* propaganda *f* periodística; **~roman** *m (-s; -e)* folletín *m*; **~schreiber (-in** *f*) *m* periodista *m/f*; **~spanner** *m* → *Zeitungshalter*; **~stand** *m (-es; ⸚e)* puesto *m* (de venta) de periódicos; quiosco *m* de periódicos; **~stil** *m (-es; 0)* estilo *m* periodístico; **~verkäufer(in** *f*) *m* vendedor(a *f*) *m* de periódicos; **~verlag** *m (-es; -e)* casa *f* editora de un periódico; editorial *f* de prensa; **~verleger** *m* editor *m* de un periódico; director *m* de un periódico; **~werbung** *f* publicidad *f* periodística; **~wesen** *n (-s; 0)* periodismo *m*; prensa *f*; **~wissenschaft** *f (0)* (ciencia *f* del) periodismo *m*; publicística *f*.

'**Zeit...:** **~unterschied** *m (-es; -e)* diferencia *f* de la hora; **~vergeudung** *f* desperdicio *m* del tiempo; **~verhältnisse** *n/pl.* → *Zeitumstände*; **~verlust** *m (-es; 0)* pérdida *f* de tiempo; **~verschwendung** *f* → *Zeitvergeudung*; **~vertreib** *m (-es; -e)* pasatiempo *m*; *zum ~* para pasar el rato; para distraerse; **2weilig I.** *adj.* temporal; (*einstweilig*) provisional; (*vorübergehend*) transitorio; (*interimistisch*) interino; (*mit Unterbrechungen*) intermitente; **II.** *adv.* → **2weise** *adv.* (*e-e Zeitlang*) por algún tiempo; por momentos; (*von Zeit zu Zeit*) a veces; de vez en cuando, de cuando en cuando; periódicamente; **~wende** *f* época *f* de transición; **~wort** *Gr. n (-es; ⸚er)* verbo *m*; **~zeichen** *n Radio*: señal *f* horaria; **~zünder** ⚔ *m* espoleta *f* retardada (*od.* graduada *od.* de tiempo); ⚒ detonador *m* de tiempo; **~zündschnur** ⚒ *f (-; ⸚e)* mecha *f* lenta.

zele|'brieren (-) *v/t.* celebrar; *Lit.* celebrar la santa misa; **2'brant** *Lit. m (-en)* celebrante *m*; **2bri'tät** *f* personaje *m* célebre; notabilidad *f*.

'**Zelle** *f Bio.* célula *f*; *der Bienenwabe*: celdilla *f*, alvéolo *m*; ⚡ elemento *m*; (*Bade2*) caseta *f*; (*Telefon2*) cabina *f* telefónica; (*Gefängnis2*) celda *f*; *Pol.* núcleo *m*; célula *f*; (*Kloster2*) celda *f*; (*Filmvorführungs2*) cabina *f* de proyección (*od.* del operador).

'**Zellen...:** **~atmung** *f (0) Physiol.* respiración *f* celular; ⚕ murmullo *m* vesicular; **~aufbau** *Physiol. m (-es; 0)* constitución *f* de la célula; **~bildung** *Physiol. f* formación *f* de las células (*a. Pol.*); **2förmig** *adj.* celulado; celuliforme; **~gefangene(r)** *m* ⚖ penado *m* recluído en celda; **~gefängnis** *n (-ses; -se)* prisión *f* celular; **~genosse** *m (-n) im Gefängnis*: compañero *m* de celda; **~gewebe** *Anat. n* tejido *m* celular; **~haft** ⚖ *f (0)* reclusión *f* celular; **~kühler** *m Auto.* radiador *m* de panal; **~lehre** ⚕ *f (0)* citología *f*; **~struktur** *Anat. f* estructura *f* celular; **~system** *n (-s; -e)* sistema *m* celular; **~theorie** ⚕ *f (0)* teoría *f* citológica; **~wagen** *m* coche *m* celular.

'**Zell...:** **~faser** *f (-; -n)* celulosa *f*; **~gift** ⚕ *n* toxina *f* celular; **~glas** *n (-es; 0)* celofán *m*; **~haut** *Anat. f (-; ⸚e)* membrana *f* celular; **2ig** *adj.* celular; **~kern** *Anat. m (-es; -e)* núcleo *m* celular; **~kernhülle** *Anat. f* membrana *f* nuclear.

Zello'phan *n (-s; 0)* celofán *m*; **~papier** *n (-es; 0)* papel *m* (de) celofán; **~umschlag** *m (-es; ⸚e)* envoltura *f* (*od.* forro *m*) de celofán.

'**Zell...: ~stoff** *m* (*-és; 0*) celulosa *f*; **~stoffwatte** *f* guata *f* de celulosa; **~stoffwechsel** *Physiol. m* metabolismo *m* celular; **~tätigkeit** *Physiol. f* actividad *f* celular; **~teilung** *Physiol. f* división *f* celular.

Zellu|'loid [-u·'lɔʏt] *n* (*-és; 0*) celuloide *m*; **~'lose** *f* (*0*) celulosa *f*.

'**Zell...: ~verband** *Physiol. m* (*-és; ¨e*) complejo *m* celular; **~wand** *Anat. f* (*-; ¨e*) pared *f* celular; **~wolle** *f* (*0*) viscosilla *f*.

Ze'lot(in *f*) *m* (*-en*) fanático (-a *f*) *m*; **2isch** *adj.* fanático.

Zelo'tismus *m* (*-; 0*) fanatismo *m* (religioso).

'**Zelt** *n* (*-és; -e*) ⚔ *u. Sport*: tienda *f* (de campaña); (*bei Volksfesten, Vergnügungs2*) entoldado *m*; *ein ~ aufschlagen* plantar (*od.* armar *od.* montar) una tienda; *das ~ abbrechen* levantar (*od.* alzar) la tienda; *fig. s-e ~e abbrechen* levantar el campo; **~ausrüstung** *f* equipo *m* para acampamento (*neol.* para camping); **~bahn** *f* tela *f* para tiendas (de campaña); **~bett** *n* (*-és; -en*) cama *f* (*od.* catre *m*) de campaña; **~dach** *n* (*-és; ¨er*) toldo *m*; **2en** (*-e-*) *v/i.* acampar; *neol.* hacer camping; **~en** *n* acampamento *m*; *neol.* camping *m*.

'**Zelter** *m* palafrén *m*.

'**Zelt...: ~lager** *n* campamento *m* (de tiendas); ⚔ vivac *m*, vivaque *m*; **~leine** *f* cuerda *f* (para tienda); **~leinwand** *f* (*0*) lona *f*; **~pfahl** *m* (*-és; ¨e*), **~pflock** *m* (*-és; ¨e*) estaca *f*; **~stange** *f* palo *m* de tienda; palo *m* de entoldado, espárrago *m*; **~stuhl** *m* (*-és; ¨e*) silla *f* plegable; **~tuch** *n* (*-és; ¨er*) lona *f*; **~wagen** *m* carro *m* (cubierto) con toldo.

Ze'ment *m* (*-és; -e*) cemento *m*; *schnell abbindender* (*feuerfester; dünnflüssiger*) ~ cemento rápido (refractario; líquido); **~arbeiter** *m* cementista *m*; **2artig** *adj.* cementoso; **~bahn** *f* pista *f* cementada; **~beton** *m* (*-s; 0*) hormigón *m* de cemento; **~bewurf** △ *m* (*-és; ¨e*) enlucido *m bzw.* revoque *m* de cemento; **~fabrik** *f* fábrica *f* de cemento; **~fußboden** *m* (*-s; ¨*) suelo *m* cementado.

zemen'tier|en (-) *v/t.* △ recubrir con cemento; reforzar con cemento; empotrar en cemento; revocar con cemento; *fig.* endurecer; consolidar; reforzar; *Met.* cementar; **2ung** *f Met.* cementación *f*.

Zemen'tit *m* (*-s; 0*) cementita *f*.

Ze'ment...: ~milch △ *f* (*0*) lechada *f* de cemento; **~mörtel** *m* (*-s; 0*) argamasa *f*, mortero *m* de cemento; **~pulver** *n* cemento *m* pulverizado; **~putz** *m* (*-es; 0*) enlucido *m* de cemento; **~stahl** *Met. m* (*-és; -e*) acero *m* cementado.

Ze'nit *Astr. m* (*-és; 0*) cenit *m* (*a. fig.*); *im ~* en el cenit.

zen'sieren (-) *v/t.* (*Buch, Post, Zeitung usw.*) censurar; someter a previa censura; *Schule*: (*benoten*) calificar; *fig.* (*kritisieren*) censurar; criticar.

'**Zensor** *m* (*-s; -en*) censor *m*.

Zen'sur *f* censura *f*; *Schule*: (*einzelne Note*) calificación *f*, nota *f*; (*Zeugnis*) hoja *f* de estudios; **~behörde** *f* censura *f* (gubernativa); **~enbuch** *n* (*-és; ¨er*) *Schule*: cuaderno *m* de calificaciones; **~enkonferenz** *f Schule*: reunión *f* de la comisión calificadora; **~enliste** *f Schule*: lista *f* de calificaciones; **~stelle** *f* censura *f*; **~vermerk** *m* (*-és; -e*) visado *m* de la censura.

'**Zensus** *m* (*-; -*) censo *m*.

Zen'taur *Myt. m* (*-en*) centauro *m*.

Zente'narfeier *f* (*-; -n*) (fiesta *f* del) centenario *m*.

zentesi'mal *adj.* centesimal; **2waage** *f* balanza *f* (*od.* báscula *f*) centesimal.

Zenti|'folie ⚘ *f* rosa *f* de cien hojas; '**~grad** *n* (*-és; -e*) centígrado *m*; **~'gramm** *n* (*-s; -e od. -*) centigramo *m*; **~'liter** *n* centilitro *m*; **~'meter** *n* centímetro *m*; **~'metermaß** *n* (*-es; -e*) cinta *f* métrica.

'**Zentner** *m* quintal *m*; **~last** *fig. f* peso *m* abrumador; **2schwer** *fig. adj.* (*0*) abrumador, agobiador.

zen'tral *adj.* central; *~ gelegen* céntrico; **2amerika** *n* Centro-América, la América Central; **2asien** *n* el Asia Central; **2ausschuß** *m* (*-sses; ¨sse*) comisión *f* central; comité *m* central; **2bahnhof** *m* (*-és; ¨e*) estación *f* central; **2bank** *f* banco *m* central; **2behörde** *f* autoridad *f* central; **2e** *f* central *f* (*a. Tele. u.* ⚡); (*Hauptbüro*) oficina *f* central; **2gewalt** *Pol. f* (*0*) poder *m* central; **2heizung** *f* calefacción *f* central.

Zentrali|sati'on *f* (*0*) centralización *f*; **2'sieren** (-) *v/t.* centralizar; **~'sieren** *n*, **~'sierung** *f* centralización *f*.

Zentra'lismus *Pol. m* (*-; 0*) centralismo *m*.

Zen'tral...: ~komitee *n* (*-s; -s*) comité *m* central; **~nervensystem** *Anat. n* (*-s; -e*) sistema *m* nervioso central; **~schmierung** *f Auto.* engrase *m* central; **~verband** *m* (*-és; ¨e*) unión *f bzw.* federación *f* central; asociación *f* central.

zen'trier|en (-) ⊕ *v/t.* centrar; **2en** *n*, **2ung** *f* centrado *m*.

zentrifu'gal *adj.* centrífugo; **2kraft** *f* (*-; ¨e*) fuerza *f* centrífuga.

Zentri|'fuge *f* (*Schleuder*) centrifugador *m*, (máquina *f*) centrifugadora *f*; (*Milch2*) desnatadora *f*; **2fu'gieren** *v/t.* centrifugar; **2pe'tal** *adj.* centrípeto; **~pe'talkraft** *f* (*-; ¨e*) fuerza *f* centrípeta.

'**zentrisch** *adj.* céntrico; central.

'**Zentrum** *n* (*-s; Zentren*) centro *m* (*a. fig.*); *Schießscheibe*: blanco *m*; diana *f*; **~(s)bohrer** ⊕ *m* broca *f* de centrar.

Zen'tu|rie *f* centuria *f*; **~rio** *m* (*-s; -nen*) centurión *m*.

'**Zephir** ['tse:fɪʀ] *m* (*-s; -e*) céfiro *m*.

'**Zeppelin** *m* (*-s; -e*) (*Luftschiff*) zepelín *m*; dirigible *m*.

'**Zepter** *n* cetro *m*.

zer|'beißen (*L; -*) *v/t.* romper con los dientes; **~'bersten** (*L; -; sn*) *v/i.* reventar; (*explodieren*) estallar, hacer explosión, explotar.

'**Zerberus** *Myt. m* Cerbero *m*, Cancerbero *m* (*a. fig.*).

zer|'beulen (-) *v/t.* abollar; *Kleider*: arrugar; **~'bleuen** (-) *v/t.* apalear, moler a golpes; F *fig.* sacudir el polvo a alg.; **~'brechen** (*L; -*) **1.** *v/t.* romper; quebrar; quebrantar; (*zerkleinern*) despedazar, hacer pedazos, F *fig.* hacer migas; *fig. sich den Kopf ~* romperse la cabeza; devanarse los sesos; **2.** (*sn*) *v/i.* romperse; quebrarse; **~'brechlich** *adj.* (*brüchig*) quebradizo; frágil; *~!* (*auf Kisten usw.*) ¡frágil!; **2'brechlichkeit** *f* (*0*) fragilidad *f*; **~'bröckeln** (*-le*) **1.** *v/t.* desmenuzar; desmigajar, *bsd. Brot*: desmigar; *Mauern*: desmoronar; **2.** (*sn*) *v/i.* desmigajarse; desmoronarse; **2'bröckeln** *n* desmoronamiento *m*; **~'drücken** (-) *v/t.* aplastar; (*auspressen*) exprimir; estrujar; (*zerstampfen*) machacar; (*quetschen*) magullar; (*zertreten*) pisar; *Gras*: chafar; *Kleider*: arrugar; *Hut*: abollar; **2'drücken** *n* aplastamiento *m*; estrujamiento *m*.

Zere'alien *f/pl.* cereales *m/pl.*

zere'bral *adj.* cerebral.

Zeremo|'nie *f* ceremonia *f*; **~ni'ell** [-o:'niɛl] *n* (*-s; -e*) ceremonial *m*; *Dipl.* protocolo *m*; **2ni'ell** *adj.* ceremonioso; de ceremonia; de protocolo.

Zere'monienmeister *m* maestro *m* de ceremonias.

zeremoni'ös *adj.* (*-est*) ceremonioso.

zer'fahren I. (*L; -*) *v/t.* aplastar con un coche; **II.** *adj. Weg*: (*ausgefahren*) batido; (*durchlöchert*) lleno de baches; *fig. Person*: (*gedankenlos*) atolondrado, aturdido; sin juicio; trastornado; (*verwirrt*) confuso; (*zerstreut*) distraído; *v. Sachen*: desbaratado, desordenado; *Vorhaben*: descabellado, absurdo; *Antwort*: incoherente; **2heit** *f* (*0*) (*Gedankenlosigkeit*) atolondramiento *m*, aturdimiento *m*; (*Verwirrung*) confusión *f*; (*Zerstreutheit*) distracción *f*; (*Unordnung*) desorden *m*; desbarajuste *m*; (*Inkongruenz*) incongruencia *f*; incoherencia *f*.

Zer'fall *m* (*-és; 0*) ruina *f*; desmoronamiento *m*; decadencia *f* (*a. fig.*); *Phys.* desintegración *f*; ⚗ descomposición *f*; disgregación *f*; disociación *f*; **2en** (*L; -; sn*) *v/i.* arruinarse; desmoronarse; decaer (*a. fig.*); *in s-e Bestandteile*: desintegrarse; descomponerse; disgregarse; disociarse; *in mehrere Teile*: dividirse (*in ac.* en); desmembrarse; (*sich auflösen*) deshacerse; *fig. mit j-m ~* desavenirse con alg.; enemistarse con alg.; *mit sich selbst ~ sein* estar descontento de sí mismo; **~en** *n* → *Zerfall*; **~s-produkt** *n* (*-és; -e*) producto *m* de descomposición.

zer...: ~'fasern (*-re; -*) *v/t.* deshilachar; (*sn*) *v/i.* deshilacharse; **2'fasern** *n*, **2'faserung** *f* deshilachadura *f*; **~'fetzen** (*-t; -*) *v/t.* rasgar; desgarrar; hacer jirones *m/pl.*; *in kleine Stücke*: hacer trizas *f/pl.*; (*schlitzend*) acuchillar; **~'fetzt** *adj.* rasgado; desgarrado; hecho jirones; **~'fleischen** (-) *v/t.* dilacerar; *fig. sich ~* hacer autocrítica destructiva; *sich gegenseitig ~* perjudicarse gravemente con sus mutuos reproches; **~'fließen** (*L; -; sn*) *v/i.* deshacerse; (*schmelzen*) fundirse; derretirse; ⚗ delicuescer; licuarse; *Farbe, Tinte*:

correrse; *fig.* *in Tränen* ~ deshacerse en lágrimas; anegarse en llanto; ~'**fressen** (*L*; -) *v/t.* roer; ⚗ corroer; *Würmer*: carcomer; ᘔ'**fressen** *n* roedura *f*; ⚗ corrosión *f*; ~'**furcht** *adj.* (*-est*) *Gesicht*: arrugado; surcado de arrugas; ~'**gehen** (*L*; -; *sn*) *v/i.* deshacerse; (*schmelzen*) derretirse; *Met.* fundirse; licuarse; (*sich lösen*) disolverse; *fig.* desvanecerse; ~'**gliedern** (*-re*; -) *v/t.* desmembrar; (*in s-e Bestandteile zerlegen*) descomponer; *Anat.* (*sezieren*) disecar, hacer la disección; *fig.* analizar; ᘔ'**gliederung** *f* desmembración *f*; *in s-e Bestandteile*: descomposición *f*; *Anat.* (*Sezierung*) disección *f*; *fig.* análisis *m*; ~'**hacken** *v/t.* cortar en trozos *m/pl.*; despedazar, hacer pedazos *m/pl.*; *ganz fein*: desmenuzar; *Fleisch*: picar; *Steine*: machacar; (*schneiden*) cortar; tajar; *Holz*: partir; cortar; ~'**hauen** (-) *v/t.* cortar en trozos; partir; (*zerstückeln*) despedazar, hacer pedazos; *ganz fein*: desmenuzar; *Schlächterei*: tajar; cortar; (*vierteilen*) descuartizar; ~'**kauen** (-) *v/t.* masticar (bien); triturar; ᘔ'**kleinerer** ⊕ *m* trituradora *f*; ~'**kleinern** (*-re*; -) *v/t.* desmenuzar; reducir a trocitos *m/pl.*; (*zermahlen*) triturar; moler; *Fleisch*: picar; *Holz*: partir; hacer astillas *f/pl.*; *Stein*: machacar; ᘔ'**kleinerung** *f* desmenuzamiento *m*; trituración *f*; ᘔ'**kleinerungswalzwerk** ⊕ *n* (*-es*; *-e*) laminador *m* triturador; ~'**klopfen** (-) *v/t.* quebrantar; romper (*od.* quebrar) a golpes; *Steine*: picar; machacar; ~'**klüftet** *adj.* (*gespaltet*) hendido; *Gelände*: escabroso; abrupto, accidentado; (*steil*) escarpado; ~'**knallen** (-) *v/i.* estallar, explotar, hacer explosión *f*; detonar; (*bersten*) reventar; ~'**knautschen** F (-) *v/t.* estrujar; arrugar; ~'**knikken** (-) *v/t.* quebrar; romper (*od.* partir) por medio; ~'**knirscht** *adj.* compungido; atribulado; *Rel.* contrito; (*reuig*) arrepentido; ᘔ'**knirschtheit** *f* (*0*), ᘔ'**knirschung** *f* (*0*) *Rel.* contrición *f*; compunción *f*; ~'**knittern** (*-re*; -), ~'**knüllen** (-) *v/t.* estrujar; arrugar; chafar; ~'**kochen** (-) **1.** *v/t.* (hacer) cocer demasiado; (*zu Brühe*) reducir a caldo; **2.** (*sn*) *v/i.* cocer demasiado; deshacerse cociendo; ~'**kratzen** (*-t*; -) *v/t.* *Haut*: arañar; rasguñar; *Sachen*: *a.* rascar, *bsd. glatte Flächen*: rayar; ~'**krümeln** (*-le*; -) *v/t.* desmigajar; ~'**lassen** (*L*; -) *v/t.* derretir.

zer'leg|bar *adj.* ⊕ desmontable; ⚗ descomponible; (*teilbar*) partible; divisible (*a.* ⚡); ~**en** (-) *v/t.* descomponer (*a.* ⚗ *u.* ⚡); ⊕ desmontar; desarmar; (*zerteilen*) dividir (en partes); fraccionar; (*trennen*) separar (las partes de); *Licht*: dispersar; *Anat.* (*sezieren*) disecar, hacer la disección; *Schlächterei*: descuartizar; *Braten*: trinchar; cortar; *fig.* analizar; ᘔ**en** *n*, ᘔ**ung** *f* descomposición *f*; ⊕ desmontaje *m*; (*Zerteilung*) división *f*; fraccionamiento *m*; (*Trennung*) separación *f* de las partes; *Anat.* disección *f*; *Schlächterei*: descuartizamiento *m*; *fig.* análisis *m*.

zer...: ~'**lesen** *adj.* *Buch*: gastado, manoseado; ~'**löchern** (*-re*; -) *v/t.* agujerear; llenar de agujeros; ~'**lumpt** *adj.* andrajoso, harapiento; *~er Kerl* desharrapado; ~'**mahlen** (-) *v/t.* moler; triturar; pulverizar; ~'**malmen** (-) *v/t.* aplastar (*a. fig.*); triturar; *fig.* destruir; aniquilar; ᘔ'**malmen** *n*, ᘔ'**malmung** *f* aplastamiento *m* (*a. fig.*); trituración *f*; *fig.* destrucción *f*; aniquilamiento *m*; ~'**martern** (*-re*; -) *v/t.* atormentar; *sich den Kopf* ~ *fig.* devanarse los sesos; ~'**mürben** (-) *v/t.* cansar; fatigar; agotar; desmoralizar; ᘔ'**mürbung** *f* (*0*) fatiga *f*; agotamiento *m*; desmoralización *f*; desgaste *m*; ᘔ'**mürbungskrieg** *m* (*-es*; *-e*) guerra *f* de desgaste; ~'**nagen** (-) *v/t.* roer; *beizend*: corroer; ~'**pflücken** (-) *v/t.* (*Blume*) deshojar; (*Federn*) desplumar; (*zerstükkeln*) despedazar; *fig.* desmenuzar; examinar minuciosamente; ~'**platzen** (*-t*; -) *v/i.* (*bersten*) reventar; estallar; (*explodieren*) explotar, hacer explosión; ᘔ'**platzen** *n* (*Bersten*) reventón *m*; estallido *m*; (*Explosion*) explosión *f*; ~'**quetschen** (-) *v/t.* aplastar; (*zerstampfen*) machacar, majar; (*auspressen*) exprimir; estrujar; (*quetschen*) ⚕ magullar; ᘔ'**quetschung** *f* aplastamiento *m*; machaqueo *m*; estrujamiento *m*; (*Quetschung*) ⚕ magullamiento *m*.

'**Zerrbild** *n* (*-es*; *-er*) caricatura *f*.

zer'rei|ben (*L*; -) *v/t.* triturar; moler; *zu Pulver*: pulverizar, reducir a polvo; (*abnutzen*) desgastar (con el roce); ᘔ**ben** *n*, ᘔ**bung** *f* trituración *f*; moledura *f*; *zu Pulver*: pulverización *f*.

zer'reiß|bar *adj.* fácil de rasgar; poco consistente; ~**en** (*L*; -) **1.** *v/t.* romper (*a. Faden, Ketten usw.*); rasgar; desgarrar (*a. fig.*); (*zerfetzen*) hacer jirones; *Sohlen*: gastar; *Fleisch*: dilacerar; ⚕ desgarrar; *Nebel, Wolken*: romper; rasgar; *in Stücke* ~ romper en pedazos, despedazar; *fig. Vertrag*: romper; *fig. das zerreißt mir das Herz* esto me parte el alma (*od.* me desgarra el corazón); **2.** *v/i.* romperse; rasgarse; desgarrarse (*a.* ⚕); *Sohlen*: gastarse; ᘔ**festigkeit** *f* (*0*) resistencia *f* a la rotura; ᘔ**probe** ⊕ *f* ensayo *m* de rotura; prueba *f* de (resistencia a la) rotura; *fig.* prueba *f* de resistencia a una intensa presión moral; F prueba *f* de nervios; ᘔ**ung** *f* rotura *f*; rasgadura *f*; desgarramiento *m* (*a.* ⚕); *des Fleisches*: dilaceración *f*; (*Zerstückelung*) despedazamiento *m*.

'**zerren I.** *v/t.* tirar violentamente (*an dat.* de); dar un tirón (de); (*hin- und her*~) sacudir; zamarrear; (*schleppen*) arrastrar; (*dehnen*) estirar; *Muskel, Sehne*: ⚕ distender; *j-m die Kleider vom Leibe* ~ arrancar a alg. la ropa del cuerpo; *j-n vor Gericht* ~ llevar a alg. a los tribunales; *fig. in den Schmutz* ~ arrastrar por el fango; envilecer; **II.** ᘔ *n* tirón *m*; (*Schleppen*) arrastre *m*; (*Hin- und Her*ᘔ) sacudimiento *m*; zamarreo *m*.

zer'rinnen (*L*; -) *v/t.* deshacerse; (*schmelzen*) derretirse; fundirse; *fig.* desvanecerse, disiparse; desaparecer; *in Nichts* ~ quedar en nada; desvanecerse; *das Geld zerrinnt ihm zwischen den Fingern* el dinero se le escapa (*od.* se le va) entre los dedos; *wie gewonnen, so zerronnen* F los dineros del sacristán cantando se vienen, cantando se van.

zer'rissen *adj.* roto; *Kleidung*: *a.* con desgarrones *m/pl.*; (*entzweigerissen*) dividido (*a. fig.*); (*getrennt*) desunido; desmembrado; *fig. innerlich* ~ abrumado por íntimos conflictos morales; (*mit sich selbst hadernd*) descontento de sí mismo y de la vida; ᘔ**heit** *fig.* *f* (*0*) desunión *f*; discordia *f*; *innere* ~ íntimo y permanente desconcierto moral.

'**Zerrspiegel** *m* espejo *m* deformador.

'**Zerrung** ⚕ *f* distensión *f*.

zer'rupfen (-) *v/t.* → *zerpflücken*.

zer'rütt|en (*-e-*; -) *v/t.* desordenar, descomponer, desarreglar; trastornar, perturbar; *e-e Einrichtung*: desorganizar; (*zerstören*) destruir; (*ruinieren*) arruinar; (*verderben*) corromper; *den Geist*: perturbar; trastornar; *die Gesundheit*: quebrantar; arruinar; *e-e Ehe*: quebrantar el vínculo matrimonial; *e-e zerrüttete Ehe* F *fig.* un matrimonio naufragado (*od.* que acabó mal *od.* yéndose cada uno por su lado); ᘔ**ung** *f* desorden *m*, descomposición *f*, desarreglo *m*; trastorno *m*, perturbación *f*; desorganización *f*; quebrantamiento *m*; ruina *f*; *der Ehe*: relajamiento *m* de relaciones matrimoniales.

zer...: ~'**sägen** (-) *v/t.* serrar; cortar con la sierra; ~'**schellen** (-) **1.** *v/t.* estrellar (*an dat.* contra); **2.** (*sn*) *v/i.* estrellarse (*an dat.* contra); ⚓ *Schiff*, ✈ ~ *an* estrellarse contra; ~'**schlagen I.** (*L*; -) *v/t.* romper a golpes; hacer pedazos; *bsd. Glas, Porzellan*: hacer añicos; (*zerstören*) destruir; destrozar; (*zerstampfen*) machacar; triturar; *sich* ~ *Unternehmung*: fracasar; *Projekt, Vorhaben*: frustrarse; no llegar a realizarse; quedar en nada; *Angriff*: estrellarse (*an dat.* contra); *Verlobung*: romperse; *Hoffnungen*: desvanecerse; **II.** *adj.* roto; destrozado; hecho pedazos; *wie* ~ *sein* estar rendido de fatiga, F estar molido (*od.* hecho polvo); ~'**schleißen** (*L*; -) *v/t.* desgastar; ~'**schlissen** *adj.* desgastado; ~'**schmeißen** (*L*; -) *v/t.* romper (en pedazos *m/pl.*); ~'**schmelzen** (*L*; -; *sn*) *v/i.* derretirse; fundirse; ~'**schmettern** (*-re*; -) **1.** *v/t.* romper (con violencia *f*); estrellar (*an dat.* contra); (*zerstören*) destruir; destrozar; (*vernichten*) aniquilar (*a. fig.*); **2.** (*sn*) *v/i.* estrellarse (*an dat.* contra); ~'**schneiden** (*L*; -) *v/t.* cortar (en trozos *m/pl.*); (*durchschneiden*) partir (en dos); *Fleisch*: tajar; *Braten*: trinchar; cortar; *in dünne Scheiben* ~ cortar en tajadas finas; ~'**schossen** *adj.* *durch Artilleriefeuer*: destruido a cañonazos; *durch Gewehrfeuer usw.*: acribillado a balazos; ~'**schrammen** (-) *v/t.* arañar; rasguñar; *Möbel usw.*: rayar; ~'**schroten** (*-e-*; -) *v/t.* triturar; ~'**setzen** (*-t*; -)

v/t. descomponer; disgregar (*a. fig.*); desagregar; desintegrar; *fig.* minar; (*demoralisieren*) desmoralizar; *sich* ~ descomponerse; disgregarse; desagregarse; desintegrarse; 2'**setzung** *f* descomposición *f*; disgregación *f*; desagregación *f*; desintegración *f*; (*Demoralisierung*) desmoralización *f*; 2'**setzungs-erscheinungen** *f/pl.* síntomas *m/pl.* de descomposición; 2'**setzungs-produkt** *n* (-*es*; -*e*) producto *m* de descomposición; 2'**setzungspro-zeß** *m* (-*sses*; -*sse*) proceso *m* de descomposición; ~'**spalten** (-*e*-; -) *v/t.* hender, hendir; ~'**splittern** (-*re*; -) **1.** *v/t.* hacer (volar en *od.* saltar en) astillas *f/pl.*; romper en pedazos *m/pl.*; *fig. Menge, Truppen*: dispersar; *Zeit*: desperdiciar; *Kräfte*: *a.* desparramar; disipar; *Grundbesitz*: parcelar; *sich* ~ disipar sus energías; desparramar su actividad en múltiples ocupaciones; **2.** (*sn*) *v/i.* volar (*od.* saltar) en astillas; romperse en pedazos; *Glas, Porzellan*: *a.* hacerse añicos; ~'**splittert** *adj. fig.* desunido; ⚔ *Truppen*: disperso; 2'**splitterung** *f* dispersión *f*; desparramamiento *m*; desunión *f*; *v. Grundbesitz*: parcelación *f*; ~'**sprengen** (-) *v/t.* hacer estallar; *Menge*: dispersar; ⚔ derrotar; ~'**springen** (*L*; -; *sn*) *v/i.* (*zerplatzen*) reventar; (*sich spalten*) henderse, hendirse; *Glas, Porzellan*: romperse; quebrarse, (*e-n Sprung bekommen*) rajarse; (*entzweispringen*) partirse; ~'**stampfen** (-) *v/t.* ⊕ quebrantar; triturar; (*zerkleinern*) desmenuzar; *im Mörser*: machacar; (*mahlen*) moler; *zu Pulver*: pulverizar; *mit den Füßen*: pisar; pisotear; ~'**stäuben** (-) *v/t.* (*Flüssigkeit*) pulverizar; vaporizar; ⚗ atomizar; nebulizar; *fig.* dispersar; 2'**stäuber** *m* pulverizador *m*; vaporizador *m*; ⚗ atomizador *m*; nebulizador *m*; *zum Inhalieren*: inhalador *m*; ⊕ difusor *m*; 2'**stäuberdüse** ⊕ *f* tobera *f* pulverizadora; ~'**stechen** (*L*; -) *v/t. Insekten*: picar; *ganz zerstochen sein* estar lleno (*od.* cubierto) de picaduras; ~'**stieben** (*L*; -; *sn*) *v/i.* deshacerse en polvo; *Menge*: dispersarse; disiparse.

zer'stör|bar *adj.* destructible; ~**en** (-) *v/t.* destruir; *Gebautes*: demoler, derribar; (*schleifen*) arrasar; (*verwüsten*) asolar, devastar; (*vernichten*) aniquilar; (*in Trümmer legen*) arruinar; *Ernte*: destruir; arrasar; *Organisches*: desorganizar; (*unbrauchbar machen*) romper; estropear; inutilizar; *fig. Hoffnung, Glück*: destruir; *Gesundheit*: arruinar; ~**end** *adj.* destructor, destructivo; demoledor; (*Umsturz bewirkend*) subversivo; 2**er** *m* destructor *m*; ⚓ *Kriegsschiff*: destructor *m*; contratorpedero *m*; 2**ung** *f* destrucción *f*; demolición *f*, derribo *m*; arrasamiento *m*; devastación *f*; aniquilamiento *m*; ruina *f*; desorganización *f*; 2**ungsfeuer** ⚔ *n* fuego *m* de destrucción; 2**ungskraft** *f* (-; ⸗*e*) potencia *f* destructiva; 2**ungs-trieb** *m* (-*es*; *0*) inclinación *f* (*od.* tendencia *f*) a la destrucción; 2**ungswerk** *n* (-*es*; *0*) obra *f* de destrucción; *fig.* estragos *m/pl.*; 2**ungswut** *f* (*0*) vandalismo *m*, salvajismo *m*; furia *f* destructora.

zer'stoßen [o:] (*L*; -) *v/t.* triturar; machacar (*a. im Mörser*); *zu Pulver*: pulverizar; (*zerdrücken*) aplastar.

zer'streu|en (-) *v/t.* dispersar (*a. Phys. u.* ⚔); (*ausstreuen*) esparcir; diseminar; desparramar; *Licht*: difundir; *fig. Bedenken*: desvanecer, disipar; (*belustigen*) divertir; distraer; *sich* ~ dispersarse; esparcirse; diseminarse; desparramarse; *Licht*: difundirse; *fig.* desvanecerse, disiparse; (*geistig*) esparcir el ánimo; (*sich belustigen*) divertirse; distraerse; (*sich erholen*) recrearse; ~**t** *adj.* (*verstreut*) disperso; esparcido; diseminado; desparramado; ~*es Licht* luz *f* difusa; *fig.* (*geistesabwesend*) distraído; 2**theit** *f* (*0*) (*Geistesabwesenheit*) distracción *f*; inatención *f*, falta *f* de atención; 2**ung** *f* dispersión *f* (*a. Phys. u.* ⚔); (*Ausstreuung*) diseminación *f*; desparramamiento *m*; *des Lichtes*: difusión *f*; *Opt.* (*Zerlegung in Spektralfarben*) dispersión *f*; (*Vertreibung*) desvanecimiento *m*, disipación *f*; (*Belustigung*) diversión *f*; distracción *f*; esparcimiento *m*; (*Erholung*) recreo *m*, recreación *f*; (*Vereinzelung*) aislamiento *m*; → Zerstreutheit; 2**ungslinse** *Opt. f* lente *f* divergente.

zer'stückel|n (-*le*; -) *v/t.* despedazar, hacer pedazos; partir en trozos; *in kleine Stücke*: desmenuzar; (*zerteilen*) dividir; partir; *Schlachtvieh*: descuartizar; *Körper, Land*: desmembrar; (*parzellieren*) parcelar; 2**ung** *f* despedazamiento *m*; *in kleine Stücke*: desmenuzamiento *m*; (*Zerteilung*) división *f*; *v. Schlachtvieh*: descuartizamiento *m*; *v. Körpern, e-s Landes*: desmembración *f*; (*Parzellierung*) parcelación *f*.

zer'teil|bar *adj.* divisible; ~**en** (-) *v/t.* dividir; partir; (*trennen*) separar; desunir; (*teilend zerlegen*) descomponer; (*auflösen*) disolver; ⚗ resolver; *Land*: desmembrar; *Nebel*: disipar; *sich* ~ dividirse; separarse; desunirse; descomponerse; disolverse; ⚗ resolverse; *Land*: desmembrarse; (*sich gabeln*) bifurcarse; *in Äste*: ramificarse; *Nebel*: disiparse; ~**end** ⚗ *adj.* resolutivo; 2**ung** *f* división *f*; (*Trennung*) separación *f*; desunión *f*; (*Zerlegung*) descomposición *f*; (*Auflösung*) disolución *f*; ⚗ resolución *f*; *e-s Landes*: desmembración *f*; (*Gabelung*) bifurcación *f*; *in Äste*: ramificación *f*; *v. Nebel*: disipación *f*.

Zertifi'kat *n* (-*es*; -*e*) certificado *m*.

zer...: ~'**trampeln** (-*le*; -) *v/t.* pisotear; ~'**trennen** (-) *v/t.* separar; desunir; *Naht*: descoser; 2'**trennung** *f* separación *f*; desunión *f*; ~'**treten** (*L*; -) *v/t.* pisar; aplastar con el pie; pisotear; hollar (*a. fig.*); *Gras*: chafar; ~'**trümmern** (-*re*; -) **1.** *v/t.* destrozar; romper; *in kleine Stücke*: triturar; (*zerstören*) destruir; *Stadt usw. a.* reducir a escombros; arruinar; *Gebäude*: demoler, derribar; *Phys. Atom*: desintegrar; **2.** (*sn*) *v/i.* destruirse; 2'**trümmerung** *f* destrozo *m*; destrucción *f*; demolición *f*, derribo *m*; *Atom*: desintegración *f*.

Zerve'latwurst [-və-] *f* (-; ⸗*e*) salchichón *m* ahumado.

zer...: ~'**wühlen** (-) *v/t. Erdboden*: revolver; remover; *Bett*: desarreglar, desordenar; *Haar*: revolver; 2'**würfnis** *n* (-*ses*; -*se*) desavenencia *f*, disensión *f*; desacuerdo *m*; discordia *f*; ~'**zausen** (-*t*; -) *v/t.* enmarañar; *Haare*: desgreñar, desmelenar; descomponer (*od.* desordenar) el cabello; *j-n* ~ despeinar a alg.; ~'**zaust** *adj.* enmarañado; *Haar*: desgreñado, desmelenado; en desorden; despeinado; ~'**zupfen** (-) *v/t.* deshilachar; deshilar.

Zessi'on *f* cesión *f*.

Zessio'nar *m* (-*s*; -*e*) cesionario *m*.

'**Zeter** *n*: ~ *und Mordio schreien* (*um Hilfe rufend*) gritar pidiendo socorro; ~**geschrei** *n* (-*es*; *0*) clamor *m*; *ein allgemeines* ~ *hervorrufen* levantar un clamor general (*scheltend*: de protesta *bzw.* de indignación); 2**n** (-*re*) *v/i.* (*wehklagend schreien*) clamar (al cielo); F poner el grito en el cielo.

'**Zettel** *m* pedazo *m* de papel; (*Notiz*2, *Hand*2, *kurze Mitteilung*) nota *f*; volante *m*; (*Blatt*) hoja *f*; (*Schein*) papeleta *f*; *e-r Kartothek*: ficha *f*; (*Plakat*) cartel *m*; (*Anschlag*2) anuncio *m*; (*Wahl*2) papeleta *f* de votación; (*Theater*2) programa *m* (de mano); ✝ (*Klebe*2) etiqueta *f*; rótulo *m*; (*Quartier*2) ⚔ boleta *f* (de alojamiento); (*Wäsche*2) lista *f*; *Weberei*: urdimbre *f*; ~**ankleben** *n* fijación *f* de carteles *bzw.* anuncios; ~ *ist verboten* prohibido fijar carteles; ~**ankleber** *m* cartelero *m*; ~**kartei** *f*, ~**kasten** *m* (-*s*; ⸗) fichero *m*; ~**katalog** *m* (-*es*; -*e*) catálogo *m* de fichas; ~**stecher** *m* gancho *m* para papeles; ~**wahl** *f* escrutinio *m*.

Zeug *n* (-*es*; *0*) (*Materie*) materia *f*; (*Material*) material *m*; (*Ausrüstung*) equipo *m*; (*Gerät*) utensilios *m/pl.*; (*Haushaltsgegenstände*) enseres *m/pl.* (domésticos); (*Handwerks*2) útiles *m/pl.*; herramientas *f/pl.*; (*Instrumente*) instrumentos *m/pl.*; (*Sachen*) cosas *f/pl.*; (*Mittel*) medios *m/pl.*; *gewebtes*: tejido *m*; tela *f*; paño *m*; lienzo *m*; (*Kleidung*) ropa *f*; vestidos *m/pl.*; (*Wäsche*) ropa *f* blanca; *Papierherstellung*: pasta *f*; *fig. dummes* ~ tonterías *f/pl.*; majaderías *f/pl.*; F gansadas *f/pl.*; *dummes* ~ *reden* decir tonterías (*od.* majaderías *od.* gansadas); *wirres* ~ *reden* desbarrar; desatinar, disparatar; *unnützes* ~ (*Plunder*) trastos *m/pl.*; chismes *m/pl.*, cachivaches *m/pl.*; *fig. das* ~ *zu et. haben* tener talento (*od.* dotes *od.* disposición natural) para a/c.; F tener madera de a/c.; *er hat nicht das* ~ *dazu* no tiene aptitudes (*od.* no sirve) para ello; F no tiene madera de ello; F *was das* ~ *hält* a más no poder; *j-m et. am* ~*e flicken* hacer objeciones a alg.; censurar la conducta de alg.; *sich ins* ~ *legen* acometer con resolución una empresa; trabajar con afán; F arrimar el hombro; P partirse el pecho; *sich für j-n ins* ~ *legen* poner el máximo empeño en ayudar a alg.; F volcarse por alg.; *scharf ins ~ gehen* proceder con energía; obrar sin contemplaciones; '**~amt** ⚔ *n* (-*es*; ¨*er*) arsenal *m*; '**~druck** *m* (-*es*; -*e*) estampación *f* (*od.* estampado *m*) de telas.

'**Zeuge** *m* (-*n*) testigo *m*; *vor ~n* ante testigos; *als ~n anrufen* poner por testigo; *e-n ~n vereidigen* (*ablehnen*) ⚖ tomar juramento (recusar) a un testigo; *als ~ aussagen* declarar (como testigo), ⚖ *a.* deponer (*vor Gericht* ante el tribunal); *als ~n hören* oír (*od.* tomar declaración) a un testigo *bzw.* a los testigos; *als ~ vorladen* citar como testigo; *~ sein* (*gen.*) ser testigo de; dar testimonio de; *glaubwürdiger* (*falscher*) *~* testigo fidedigno (falso); *~n stellen* presentar testigos; *Vernehmung der ~n* interrogatorio de los testigos.

'**zeugen**[1] *v/t.* procrear; engendrar (*a. fig.*).

'**zeugen**[2] *v/i.* atestiguar, testimoniar; dar testimonio (de); ⚖ deponer, declarar (como testigo); *~ gegen* (*für*) declarar contra (en favor de); *von et. ~* evidenciar, demostrar, poner de manifiesto a/c.

'**Zeugen...:** **~aussage** ⚖ *f* deposición *f* testifical, declaración *f* del testigo *bzw.* de los testigos; **~bank** *f* (-; ¨*e*) banco *m* de los testigos; **~beeinflussung** *f* presión *f* (*od.* sugestión *f*) ejercida sobre los testigos; **~bestechung** *f* soborno *m* de testigos; **~beweis** ⚖ *m* (-*es*; -*e*) prueba *f* testifical; **~eid** *m* (-*es*; -*e*) juramento *m* requerido al (*bzw.* prestado por el) testigo; **~gebühren** *f/pl.* dietas *f/pl.* de testigos; **~verhör** *n* (-*es*; -*e*), **~vernehmung** *f* interrogatorio *m* (*od.* audición *f*) de los testigos; información *f* testifical.

'**Zeughaus** ⚔ *n* (-*es*; ¨*er*) arsenal *m*; (*Waffensammlung*) armería *f*.

'**Zeugin** *f* testigo *f*.

'**Zeugnis** *n* (-*ses*; -*se*) (*Bezeugung*) testimonio *m*, *standesamtlich*: fe *f*; ⚖ deposición *f* testifical; (*Bescheinigung*) certificado *m*; certificación *f*; (*Schul*2) certificado *m* de estudios; hoja *f* de estudios, *einzelne Note*: nota *f*; calificación *f*; *e-r Prüfung*: diploma *m*, *Titel*: título *m*; (*Reife*2) certificado *m* de estudios de enseñanza media, *in Spanien*: título *m* de bachiller; *zum ~* (*gen.*) en testimonio de; *zum ~ dessen* en testimonio (*od.* en fe) de lo cual; *ärztliches ~* certificado médico; certificación facultativa; *ein ~ ausstellen* (*vorlegen*) extender *od.* expedir (presentar) un certificado; *sich auf j-s ~ berufen* apelar al testimonio de alg.; *~ ablegen von* dar fe (*od.* testimonio) de; testimoniar a/c.; testificar a/c.; ⚖ *sein ~ ablegen* deponer, declarar, prestar declaración; **~abschrift** *f* copia *f* de un certificado; **~heft** *n* (-*es*; -*e*) (*Schule*) cuaderno *m* de calificaciones; **~pflicht** ⚖ *f* (*0*) obligación *f* de dar testimonio; **~verweigerung** ⚖ *f* excusación *f* del testimonio.

'**Zeugung** *f* procreación *f*; engendramiento *m*, generación *f*; reproducción *f*.

'**Zeugungs...:** **~akt** *m* (-*es*; -*e*) acto *m* generador; coito *m*, cópula *f* carnal; 2**fähig** *adj.* (*0*) apto para la generación; prolífico; **~fähigkeit** *f* (*0*) virtud *f* generativa; facultad *f* procreativa; **~glied** *n* (-*es*; -*er*) miembro *m* viril; **~kraft** *f* (*0*) potencia *f* procreadora *od.* generativa; **~organe** *n/pl.* órganos *m/pl.* genitales (*od.* de la reproducción); órganos *m/pl.* sexuales; **~trieb** *m* (-*es*; *0*) instinto *m* sexual (*od.* de reproducción); 2**unfähig** *adj.* impotente; **~unfähigkeit** *f* (*0*) impotencia *f*; **~vermögen** *n* → *Zeugungsfähigkeit*.

Zeus *Myt. m* Júpiter *m*, Zeus *m*.

'**Zibet** *m* (-*s*; *0*) (*Riechstoff*) algalia *f*; **~katze** *f* gato *m* de algalia, civeta *f*.

Zi'borium *Rel. n* (-*s*; *Ziborien*) (*Hostienkelch*) copón *m*.

Zi'chorie [-'ço:rĭə] ⚘ *f* achicoria *f*.

'**Zick|e** *f* cabra *f*; chiva *f*; *fig.* F *mach keine ~n!* ¡déjate de tonterías!; **~lein** *n* cabrito *m*; cabrita *f*.

'**Zickzack** *m* (-*es*; -*e*) zigzag *m*; *im ~ gehen* zigzaguear, andar en zigzag; serpentear; (*Betrunkener*) ir haciendo eses; 2**förmig** *adj.* en zigzag; **~kurs** *m* (-*es*; -*e*) *Pol.* política *f* en zigzag; **~linie** *f* línea *f* quebrada; zigzag *m*; **~nietung** ⊕ *f* remachado *m* alternado.

'**Zider** *m* (-*s*; *0*) sidra *f*; **~essig** *m* (-*s*; *0*) vinagre *m* de sidra.

'**Ziege** *f* cabra *f*; chiva *f*; *kleine ~* cabrita *f*; F *fig. alte ~ fig.* loro *m*.

'**Ziegel** *m* (*Mauer*2) ladrillo *m*; (*Dach*2) teja *f*; **~bau** △ *m* (-*es*; -*ten*) construcción *f* en ladrillo; **~boden** *m* (-*s*; ¨) suelo *m* enladrillado; **~brennen** *n* cochura *f* de ladrillos *bzw.* de tejas; **~brenner** *m* ladrillero *m*; (*Dach*2) tejero *m*; **~brenne'rei** *f* ladrillar *m*; (*Dach*2) tejar *m*, tejera *f*; fábrica *f* de ladrillos y tejas; tejería *f*; **~dach** *n* (-*es*; ¨*er*) tejado *m*; techumbre *f* de tejas.

Ziege'lei *f* → *Ziegelbrennerei*.

'**Ziegel...:** **~erde** *f* (*0*) barro *m* (*od.* arcilla *f*) para ladrillos *bzw.* tejas; **~form** *f* molde *m* para hacer ladrillos *bzw.* tejas; **~mauerwerk** *n* (-*es*; -*e*) mampostería *f* de ladrillo; **~ofen** *m* (-*s*; ¨) horno *m* (para la cochura) de ladrillos *bzw.* tejas; horno *m* de tejar; 2**rot** *adj.* rojo de ladrillo; **~stein** *m* (-*es*; -*e*) ladrillo *m*; **~streichen** *n* moldeado *m* de ladrillos *bzw.* de tejas; **~streicher** *m* ladrillero *m*; (*Dach*2) tejero *m*; **~ton** *m* (-*es*; *0*) → *Ziegelerde*.

'**Ziegen...:** **~bart** *m* (-*es*; ¨*e*) barba *f* del ganado cabrío; *v. Menschen*: barbas *f/pl.* de chivo; **~bock** *m* (-*es*; ¨*e*) macho *m* cabrío; **~fell** *n* (-*es*; -*e*) piel *f* de cabra; **~fleisch** *n* (-*es*; *0*) carne *f* de cabra; **~hirt** *m* (-*en*) cabrero *m*; **~hirtin** *f* cabrera *f*; **~käse** *m* queso *m* (de leche) de cabra; **~lamm** *n* (-*es*; ¨*er*) cabrito *m*, cabrita *f*; choto *m*, chota *f*; **~leder** *n* (piel *f* de) cabritilla *f*; **~milch** *f* (*0*) leche *f* de cabra(s); **~peter** ⚕ *m* parotiditis *f* epidémica; F paperas *f/pl.*; **~stall** *m* (-*es*; ¨*e*) cabrería *f*; cabreriza *f*.

'**Ziehbrunnen** *m* pozo *m* de garrucha.

'**ziehen** (*L*) **1.** *v/t.* tirar (*an dat.* de); (*schleppen*) arrastrar, ⚓ remolcar, llevar a remolque; (*treideln*) sirgar; (*heraus~*) sacar, *Degen*: *a.* desenvainar; *Fahrzeug*: tirar; *Linie*: trazar; *Kreis*: describir; *Furche*: hacer; ⅌ *Senkrechte*: trazar, levantar; *Gewehrlauf*: rayar; *Kerzen*: hacer, fabricar; *Graben*: abrir; *Töne*: prolongar, sostener; *Röhren*, *Seil*, *Draht*: estirar; *durch e-e Öffnung*: pasar (por); (*einfädeln*) enhebrar; enhilar; *Zahn*: sacar, extraer (*a.* ⅌ *Wurzel*); *Pflanzen*: cultivar; *Kinder*, *Vieh*: criar; *Mauer*: alzar, levantar; *Spielfigur*: jugar; † *Bilanz*: hacer; † *Wechsel*: girar, librar (*auf ac.* contra; sobre); *Folgerungen*, *Schlüsse*: sacar; *Hut*: quitarse; descubrirse; saludar; *Blasen ~* ⚕ producir ampollas; *Gewinn ~ aus* sacar provecho (*od.* ganancia) de; *e-n Gewinn ~* (*Lotterie*) sacar (*od.* ganar) un premio; *den kürzeren ~* salir perdiendo; *e-n Vergleich ~* hacer (*od.* establecer) una comparación; *von et. e-n Vergleich ~ zu* parangonar; establecer un paralelo; *Wasser ~* ⚓ (*lecken*) hacer agua; *j-n am Arm* (*an den Haaren*; *am Ohr*) *~* tirar del brazo (de los cabellos *od.* del pelo; de la oreja) a alg.; *an der Zigarette ~* dar una chupada al cigarrillo; *an Land ~* (*Boot*) arrastrar a tierra; *et. an sich* (*ac.*) *~* atraer (hacia sí) a/c.; *die Aufmerksamkeit auf sich* (*ac.*) *~* llamar la atención; *die Blicke auf sich ~* atraer las miradas; *j-n auf seine Seite ~* atraer a alg. a su bando; ganarse el apoyo (*od.* las simpatías) de alg.; *auf Fäden ~* (*Perlen*) ensartar; *auf Flaschen ~* embotellar; *auf Wache ~* ⚔ entrar de guardia; *aus et. ~* (*herausnehmen*) sacar de, (*zurücknehmen*) retirar de; *aus et. Nutzen ~* sacar provecho (*od.* utilidad) de a/c.; *~ durch* pasar por; atravesar; *et. in Betracht ~* tomar en consideración a/c.; *die Stirn in Falten ~* fruncir las cejas; *in die Höhe ~* alzar, elevar; levantar en alto, (*hochwinden*) guindar, (*hissen*) izar; *ins Lächerliche ~* poner en ridículo; ridiculizar; *fig. et. in die Länge ~* demorar a/c.; F dar largas a un asunto; *in den Schmutz ~* arrastrar por el fango; *ins Vertrauen ~* confiarse a alg.; *in Zweifel ~* poner en duda; *nach sich ~* (*anlocken*) atraer, (*zur Folge haben*) traer consigo; entrañar, implicar; tener como consecuencia; *fig.* acarrear; *ein Kleidungsstück über das andere ~* ponerse un vestido sobre (*od.* encima de) otro; *Draht ~* ⊕ trefilar; *j-n zu Rate ~* pedir consejo a alg.; aconsejarse con alg.; consultar con alg.; *j-n zur Rechenschaft ~* pedir cuentas a alg. (über *ac.* de); **2.** *v/i.* *Ofen*, *Pfeife*, *Zigarre*: tirar; *Vögel*: emigrar; pasar; *Theaterstück*, *Film*: atraer mucho público; tener gran éxito de público; *Ware*: atraer clientela; tener un éxito de venta (*a. Buch*); *Bremse*: prender; agarrar bien; *Zugtier*: tirar; *Schachfigur*: jugar; mover; (*marschieren*) marchar; (*vorwärts~*) avanzar; (*abreisen*) partir; irse, marcharse (de viaje); *es zieht* hay corriente (de aire); *es zieht durch das Fenster* el aire se cuela por la ventana; *das Stück zieht* (*Thea.*) la obra tiene gran aceptación (*od.* éxito de público); *dieser Grund zieht bei mir nicht* eso no es ninguna razón para mí; *das zieht bei mir nicht* F conmigo no vale eso, (*es beeindruckt mich nicht*) eso no me impresiona (*od.* no me hace ningún efecto); ~ *lassen* (*Tee*) dejar en infusión; dejar en reposo; *an et.* (*dat.*) ~ tirar de a/c.; *aufs Land* ~ ir(se) a vivir en el campo, (*als Ausflügler*) ir(se) de excursión al campo; irse de campo; *auf ein anderes Zimmer* ~ cambiar de habitación; *aus e-r Wohnung* ~ mudarse de casa; *ich bin hierher gezogen* me he venido a vivir aquí; *durch ein Dorf* ~ atravesar (*od.* pasar por) un pueblo; *ins Feld* (*in den Krieg*) ~ ir (*od.* marchar) a la guerra; *ins Ausland* ~ irse (*od.* marchar) al extranjero; *in die Stadt* ~ ir(se) a vivir en la ciudad; *in e-e Wohnung* ~ mudarse a (*od.* ir a vivir en) una casa; instalarse en una casa (*od.* vivienda); *übers Meer* ~ cruzar la mar; *zu j-m* ~ irse a vivir en casa de alg.; **3.** *v/refl.*: *sich* ~ (*Holz*) alabearse; (*Flüssigkeit*) ahilarse; (*sich dehnen, strecken*) estirarse; (*sich erstrecken*) extenderse (*über ac.* sobre; *bis zu* hasta; *durch* a través de); *sich aus e-r Affäre* ~ eludir hábilmente un riesgo.

'Ziehen *n* tracción *f*; ⚓ remolque *m*; *des Ofens*: tiro *m*; ⚘ cultivo *m*; *v. Vieh*: cría *f*; *v. Kindern*: *a.* crianza *f*; *v. Vögeln*: migración *f*; paso *m*; (*Umzug*) mudanza *f*; ⚕ tirantez *f*; (*Schmerzen*) dolor *m* lancinante.

'Zieher † *m e-s Wechsels*: librador *m*.

'Zieh...: **~feder** *f* (-; -*n*) tiralíneas *m*; **~harmonika** *f* (-; -*s*) acordeón *m*; *Arg.* bandoneón *m*; **~hund** *m* (-*es*; -*e*) perro *m* de tiro; **~kind** *n* (-*es*; -*er*) niño *m* encomendado a los cuidados de persona ajena; *fig.* hijo *m* adoptivo; **~mutter** *f* (-; ⸚) mujer *f* encargada del cuidado (*bzw.* de la crianza) de un niño; *fig.* madre *f* adoptiva.

'Ziehung *f der Lotterie*: sorteo *m*; **~sliste** *f* lista *f* del sorteo, lista *f* de la lotería; **~s-tag** *m* (-*es*; -*e*) día *m* del sorteo.

Ziel *n* (-*es*; -*e*) (*Ende*) fin *m*; (*Endpunkt*) término *m*; (*Bestimmung*) destino *m*; (*Bestimmungsort*) lugar *m* de destino; (*Ankunft*) llegada *f*; *Sport*: meta *f* (*a. fig.*); (*Zweck*) fin *m*; fines *m/pl.*; finalidad *f*; objeto *m*; ⚔ *taktisches*: objetivo *m*; (*Absicht*) propósito *m*; (*Termin*) término *m*; (*Grenze*) límite *m*; (*~scheibe*) blanco *m* (*a. fig.*); † plazo *m*; *auf drei Monate* ~ a tres meses (de) plazo; a tres meses fecha; ~ *wie gewöhnlich* plazo de costumbre; *ohne Maß und* ~ desmedido; *adv.* desmedidamente; *weder Maß noch* ~ *kennen* no conocer límites; *das* ~ *erreichen* alcanzar el fin propuesto; *sein* ~ *erreichen* (*s-n Willen durchsetzen*) lograr su propósito; conseguir su fin; *das* ~ *treffen* dar en el blanco, hacer blanco; *das* ~ *verfehlen* errar (*od.* no dar en) el blanco; *ein* ~ *verfolgen* perseguir un fin; ⚔ *das* ~ *ansprechen* fijar el objetivo; *e-r Sache ein* ~ *setzen* fijar un límite a; poner fin (*od.* término) a; *sich ein* ~ *setzen* (*od. stecken*) proponerse un fin; *sich ein hohes* ~ *stecken* tener grandes aspiraciones; poner los puntos muy altos, F picar muy alto; *am* ~ *ankommen* (*am Bestimmungsort*) llegar a su destino; *Sport*: llegar a la meta; (*direkt*) *aufs* ~ *lossteuern* ir derecho al fin propuesto; *Sport*: *durchs* ~ *gehen* llegar a la meta, *bei Regatten*: pasar la línea de llegada; *als Sieger durchs* ~ *gehen* ser el primero en llegar a la meta; salir vencedor; *als Dritter durchs* ~ *gehen* llegar en tercer lugar (a la meta); *über das* ~ *hinausschießen fig.* excederse; *zum* ~ *führen* (*et. erreichen*) tener éxito; *nicht zum* ~ *führen* (*scheitern*) fracasar; no tener éxito; no lograr su propósito; *zum* ~ *gelangen* alcanzar el fin propuesto; (*Erfolg haben*) tener éxito; *Sport*: llegar a la meta (*a. fig.*); *zum* ~ *haben* tener por fin (*od.* finalidad *od.* objeto).

'Ziel...: **~ansprache** ⚔ *f* designación *f* del objetivo; **~band** *n* (-*es*; ⸚*er*) *Sport*: cinta *f* de llegada (a la meta); **2bewußt** *adj.* (-*est*) consciente de su propósito; que sabe lo que quiere; que va derecho a lo que quiere conseguir; (*entschlossen*) enérgico; resuelto al logro de sus fines; (*methodisch*) metódico, sistemático en la acción conducente a sus fines; **2en** *v/i.* apuntar (*auf ac.*, *nach* a); *aufs Herz* (*auf den Kopf*) ~ apuntar al corazón (a la cabeza); *fig.* (*tendieren*) tender (*nach* a); **~en** *n mit der Waffe*: puntería *f*; **~fehler** *m* error *m* de puntería; **~fernrohr** *n* (-*es*; -*e*) anteojo *m* de puntería; **~genauigkeit** *f* (*0*) precisión *f* de puntería; **~gerade** *f Sport*: recta *f* final (antes de la meta); **~gerät** *n* (-*es*; -*e*) aparato *m* de puntería; ⚓ *für Torpedos*: aparato *m* de dirección de tiro; **~kamera** *f* (-; -*s*) *Sport*: cámara *f* fotográfica instalada en la meta; **~landung** ✈ *f* aterrizaje *m* de precisión; **~linie** *f* línea *f* de mira; *Sport*: (raya *f od.* línea *f* de la) meta *f*; **2los** *adj. u. adv.* (-*est*) sin rumbo fijo; **~photo** *n* (-*s*; -*s*) *Sport*: fotografía *f* de (control de) llegada a la meta; **~punkt** *m* (-*es*; -*e*) punto *m* de mira; *in der Scheibe*: diana *f*; **~richter** *m Sport*: juez *m* (de meta); **~scheibe** *f* blanco *m* (*a. fig.*); *fig. die* ~ *des Spottes sein* ser el blanco de todas las burlas; ser el hazmerreír de la gente; **~schiff** ⚓ *n* (-*es*; -*e*) buque-blanco *m*; **~setzung** *f* fijación *f* de un fin *od.* objetivo; (*Ziel*) finalidad *f*; **2strebig** *adj.* perseverante en el esfuerzo para conseguir sus fines; → *zielbewußt*; **~vorrichtung** *f* dispositivo *m* de puntería; aparato *m* de puntería.

'ziemen *v/i. u. v/refl.* convenir; ser conveniente; → *geziemen*.

'Ziemer *m* (*Wildrücken*) lomo *m bzw.* solomillo *m* de ciervo; (*Ochsen2*) vergajo *m*.

'ziemlich I. *adj.* bastante grande; (*leidlich*) aceptable; razonable; (*beträchtlich*) considerable; *e-e* ~*e Weile* un buen rato; **II.** *adv.* (*genug*) bastante; *Liter.* harto; asaz; (*leidlich*) aceptablemente; (*beträchtlich*) considerablemente; (*ungefähr*) poco más o menos; casi; ~ *gut* regular; bastante bien; ~ *oft* bastante a menudo; con cierta (*od.* relativa) frecuencia; ~ *viel Geld* no poco dinero; ~ *viele Leute* un buen número de personas; *so* ~ *dasselbe* (poco) más o menos la misma cosa.

'ziepen 1. *v/i. Vogel*: piar; **2.** *v/t.*: *j-n an den Haaren* ~ tirar de los cabellos a alg.

Zier *f* (*0*) → *Zierde*; **'~affe** *fig. m* (-*n*) fatuo *m*; currutaco *m*, figurín *m*; F pollo *m* pera; *Arg.* compadrito *m*; **'~at** *m* (-*es*; -*e*) adorno *m*; ornamento *m*; (*Ausschmückung*) decoración *f*; **'~baum** *m* (-*es*; ⸚*e*) árbol *m* de adorno; **'~buchstabe** *m* (-*n*[*s*]; -*n*) letra *f* adornada *bzw.* de adorno; **'~de** *f* adorno *m*; ornamento *m*; (*Putz*) compostura *f*; (*Verzierung*) decoración *f*; *fig.* honor *m*; gala *f*; gloria *f*; **'2en** *v/t.* adornar; ornar; (*verzieren*) decorar; (*verschönern*) embellecer; (*garnieren*) guarnecer; *sich* ~ (*bescheiden tun*) afectar modestia; (*zimperlich tun*) hacer remilgos *od.* melindres, *bsd. Frau*: hacer dengues; (*Umstände machen*) hacer cumplidos; → *geziert*; **~e'rei** *f* afectación *f*; maneras *f/pl.* afectadas; remilgos *m/pl.*, melindres *m/pl.*; dengues *m/pl.*; **'~garten** *m* (-*s*; ⸚) jardín *m* (de recreo); **'~lampe** *f* lámpara *f* de adorno; **'~leiste** *f* moldura *f*; *Typ.* viñeta *f*; **'2lich** *adj.* grácil; F menudito; (*anmutig*) gracioso; (*hübsch*) lindo; (*allerliebst*) F mono; (*zart*) delicado; (*fein*) fino; (*elegant*) elegante; **'~lichkeit** *f* (*0*) gracilidad *f*; gracia *f*; delicadeza *f*; finura *f*; elegancia *f*; **'~nagel** *m* (-*s*; ⸚) clavo *m* de roseta; tachón *m*; **'~pflanze** *f* planta *f* ornamental; **'~puppe** *f* mujer *f* (F *fig.* muñeca *f*) peripuesta; **'~schrift** *Typ. f* letra *f* de adorno; **'~strauch** *m* (-*es*; ⸚*er*) arbusto *m* de adorno.

'Ziffer *f* (-; -*n*) cifra *f*, guarismo *m*; (*Zahl*) número *m*; (*Aktenzeichen*) rúbrica *f*; *mit* ~*n bezeichnen* poner cifras *od.* números; (*chiffrieren*) cifrar; **~blatt** *n* (-*es*; ⸚*er*) *der Uhr*: esfera *f*; *leuchtendes* ~ esfera luminosa; **2nmäßig** *adj.* numérico; **~schlüssel** *m* clave *f* de cifra; **~schrift** *f* escritura *f* cifrada; cifra *f*.

Ziga'rette *f* cigarrillo *m*, pitillo *m*; *e-e* ~ *rauchen* (*drehen*) fumar (hacer *od.* liar) un cigarrillo.

Ziga'retten...: **~automat** *m* (-*en*) distribuidor *m* automático de cajetillas; **~etui** *n* (-*s*; -*s*) pitillera *f*; **~marke** *f* marca *f* de cigarrillos; **~packung** *f* cajetilla *f*; paquete *m* de cigarrillos; **~papier** *n* (-*es*; -*e*) papel *m* de fumar; **~spitze** *f* boquilla *f*; **~stummel** *m* colilla *f*; **~tabak** *m* (-*s*; -*e*) tabaco *m* picado, picadura *f*.

Ziga'rillo *n od. m* (-*s*; -*s*) cigarro *m* pequeño (cortado en ambos extremos).

Zi'garre *f* cigarro *m*, puro *m*; tabaco *m*; *fig.* F reprimenda *f*; F *fig. e-e* ~ *verpaßt bekommen* llevarse un rapapolvo.

Zi'garren...: **~abschneider** *m* corta-cigarros *m*; **~anzünder** *m* encendedor *m* para cigarros; **~asche** *f* (*0*) ceniza *f* de cigarro; **~etui** *n* (*-s*; *-s*) cigarrera *f*; petaca *f* para cigarros; **~händler** *m* comerciante *m* de tabacos; **~kiste** *f* caja *f* de puros; caja *f* para cigarros, *Dose*: cigarrera *f*; **~laden** *m* (*-s*; *⸚*) tienda *f* de tabacos, tabaquería *f*; *Span.* estanco *m*; **~spitze** *f* boquilla *f* para cigarros; **~schere** *f* corta-cigarros *m*; **~stummel** *m* colilla *f* de cigarro; **~tabak** *m* (*-s*; *-e*) tabaco *m* para cigarros.

Zi'geuner *m* gitano *m*, *in Andalusien*: *a.* calé *m*; bohemio *m*; *bsd. mitteleuropäischer*: cíngaro *m*; **&haft** *adj.* agitanado; **~in** *f* gitana *f*; bohemia *f*; cíngara *f*; **&isch** *adj.* gitano; gitanesco; **~kapelle** *f* orquesta *f* de cíngaros (*od. neol.* de tziganes); **~lager** *n* campamento *m* de gitanos *bzw.* de cíngaros; **~leben** *n* (*-s*; *0*) vida *f* de gitano(s); vida *f* bohemia; (*Wanderleben*) vida *f* errante; **~mädchen** *n* gitanilla *f*; **~musik** *f* (*0*) música *f* cíngara; **~primas** *m* (*-*; *-*) director *m* de una orquesta cíngara; **~sprache** *f* (*0*) jerga *f* de los gitanos; *der spanischen Zigeuner*: caló *m*; **~truppe** *f* caravana *f* (*od.* grupo *m* errante) de gitanos; **~wagen** *m* carro-vivienda *m* de gitanos; **~weib** *n* (*-ės*; *-er*) gitana *f*; cíngara *f*.

Zi'kade *f* (*Baumgrille*) cigarra *f*.

'Zille ⚓ *f* gabarra *f*; chalana *f*.

'Zimbel ♪ *f* (*-*; *-n*) címbalo *m*.

'Zimmer *n* habitación *f*, cuarto *m*; pieza *f*; *möbliertes ~* habitación amueblada; *das ~ aufräumen* (*od. machen*) arreglar (*od.* hacer) la habitación; *ineinandergehende ~ pl.* habitaciones comunicantes (*od.* que comunican); *das ~ hüten* no salir de su habitación; **~antenne** *f Radio*: antena *f* interior; **~arbeit** *f* (trabajo *m* de) carpintería *f*; **~axt** *f* (*-*; *⸚e*), **~beil** *n* (*-ės*; *-e*) hacha *f* de carpintero; **~bestellung** *f* (*Reservierung*) reserva *f* de habitación; **~decke** *f* techo *m* (de una habitación); cielo *m* raso; **~einrichtung** *f* mobiliario *m*, mueblaje *m*; instalación *f* (*od.* amueblamiento *m*) de una habitación; **~flucht** *f* serie *f* de habitaciones; **~genosse** *m* (*-n*) compañero *m* de habitación; **~geselle** *m* (*-n*) oficial *m* (de) carpintero; **~handwerk** *n* (*-ės*; *0*) oficio *m* de carpintero; carpintería *f*; **~holz** *n* (*-es*; *⸚er*) madera *f* de construcción; **~lautstärke** *f* (*0*) *Radio*: *auf ~ stellen* limitar la potencia del receptor al recinto de la habitación; **~mädchen** *n im Gasthaus*: camarera *f*; **~mann** *m* (*-ės*; *-leute*) carpintero *m*; *fig. j-m zeigen, wo der ~ das Loch gelassen hat* poner a alg. en la puerta de la calle; **~meister** *m* maestro *m* carpintero; **&n** (*-re*) *v/t.* carpintear; ⚒ *Schacht*: entibar; **~n** *n* carpintería *f*; ⚒ entibación *f*; **~pflanze** *f* planta *f* de salón; **~platz** *m* (*-es*; *⸚e*) (taller *m* de) carpintería *f*; **~temperatur** *f* temperatura *f* de la habitación; **~tür** *f* puerta *f* de la habitación; **~vermieter(in** *f*) *m* alquilador(a *f*) *m* de habitaciones; **~werk** *n* (*-ės*; *0*) (obra *f* de) carpintería *f*; **~werkstatt** *f* (*-*; *⸚en*) (taller *m* de) carpintería *f*.

'Zimmet *m* → Zimt.

'zimperlich *adj.* (*überempfindlich*) muy sensible; (*geziert*) afectado; melindroso; remilgado; *v. Frauen*: dengoso; (*ängstlich*) ñoño; (*prüde*) mojigato, gazmoño; (*wehleidig*) quejicoso; (*weichlich*) *v. Männern*: afeminado; *beim Essen*: difícil (de contentar); *~ tun* hacer remilgos, *v. Frauen*: hacer dengues; F *sei nicht so ~!* ¡déjate de remilgos!; **&keit** *f* (*0*) (*Überempfindlichkeit*) sensibilidad *f* exagerada; (*Geziertheit*) afectación *f*; melindres *m/pl.*; remilgos *m/pl.*; *v. Frauen*: dengues *m/pl.*; (*Ängstlichkeit*) ñoñez *f*, ñoñería *f*; (*Prüderie*) mojigatería *f*, gazmoñería *f*.

Zimt *m* (*-ės*; *-e*) canela *f*; *gemahlener ~* canela en polvo; F *fig.* (*wertloses Zeug*) chismes *m/pl.* sin importancia; *das ist der ganze ~* eso es todo el asunto; **'~baum** ⚘ *m* (*-ės*; *⸚e*) canelo *m*; **'~farbe** *f* color *m* (de) canela; **'&farben** *adj.* canelado, acanelado; de color canela; *bsd. Hund, Pferd*: canelo; **'~röhrchen** *n*, **'~stange** *f* canela *f* en rama.

'Zink *n* (*-ės*; *0*) cinc *m*, zinc *m*; *mit ~ bedecken* ⊕ recubrir de cinc; **~arbeiter** *m* cinquero *m*; **~ätzung** *f* (*Bild*) cincograbado *m*; (*Kunst*) *a.* cincografía *f*; **~blech** *n* (*-ės*; *-e*) chapa *f* de cinc; **~blende** *Min. f* sulfuro *m* (natural) de cinc; blenda *f* de cinc; **~dach** *n* (*-ės*; *⸚er*) tejado *m* de cinc; techo *m* de cinc; **~druck** *m* (*-ės*; *-e*) cincografía *f*.

'Zinke *f* diente *m* (*a.* ⊕ *u. e-r Gabel*); púa *f* (*a. e-s Kammes, e-r Gabel*); (*Spitze*) punta *f*; *am Hirschgeweih*: candil *m*; ♪ corneta *f*.

'Zinken *m* → *Zinke*; P (*Nase*) narizota *f*, naso *m*; P (*geheimes Zeichen*) marca *f* (*od.* señal *f*) secreta.

'zinken[1] *adj.* de cinc.

'zinken[2] *v/t. Zimmerei*: ensamblar a diente; P *Karten*: marcar (para hacer trampas).

'Zink...: **~erz** *Min. n* (*-es*; *-e*) mineral *m* de cinc; **&haltig** *adj.* cincífero; **~hütte** *f* cinquería *f*.

'zinkig *adj.* dentado; con púas.

'Zink...: **~jodid** ⚗ *n* (*-ės*; *0*) yoduro *m* de cinc; **~legierung** *f* aleación *f* de cinc; **~oxyd** ⚗ *n* (*-ės*; *0*) óxido *m* de cinc; **~platte** *f* lámina *f* de cinc; **~salbe** *Phar. f* (*0*) pomada *f* de óxido de cinc; **~stecher** *m* cincógrafo *m*; **~überzug** *m* (*-ės*; *⸚e*) capa *f* de cinc; **~weiß** ⚗ *n* (*-es*; *0*) blanco *m* (*od.* óxido *m*) de cinc.

Zinn *n* (*-ės*; *0*) estaño *m*.

'Zinne *f* ⚠ pináculo *m*; ⚔ (*Mauer&*) almena *f*.

'zinne(r)n *adj.* de estaño; *legiert*: de peltre.

'Zinn...: **~erz** *Min. n* (*-es*; *-e*) mineral *m* de estaño; **~folie** *f* hoja *f* de estaño; **~geschirr** *n* (*-ės*; *0*) vajilla *f* de estaño; vajilla *f* de peltre; **~gießer** *m* estañero *m*; pichelero *m*; **&haltig** *adj.* estañífero; **~krug** *m* (*-ės*; *⸚e*) pichel *m*; **~legierung** *f* (*Zink, Blei u. Zinn*) peltre *m*.

Zin'nober [tsɪ'no:-] *Min. m* cinabrio *m*; sulfuro *m* (rojo) de mercurio; *pulverisierter*: bermellón *m*; **&rot** *adj.* (*0*) bermejo; bermellón.

'Zinn...: **~oxyd** ⚗ *n* (*-ės*; *0*) óxido *m* estánnico (*od.* de estaño); **~schüssel** *f* (*-*; *-n*) fuente *f* de estaño; **~soldat** *m* (*-en*) soldado *m* de plomo; **~teller** *m* plato *m* de estaño.

Zins *m* (*-es*; *-en*) (*Abgabe*) tributo *m*; (*Lehns&*) censo *m*; (*Grund&*) renta *f*; (*Miet&*) alquiler *m*; ✝ *auf Kapital*: interés *m*, rédito *m*; (*Renten&*) renta *f*; *einfacher* (*fester*) *~* interés simple (fijo); *auf ~en* a interés, a rédito; *Aktien mit 4⁰/₀ ~en* acciones al cuatro por ciento; *zu hohen ~en* a un (tipo de) interés elevado; *aufgelaufene* (*fällige*; *rückständige*; *gesetzliche*) *~en* intereses acumulados (vencidos; atrasados; legales); *die ~en abheben* (*anstehen lassen*; *ausrechnen*) retirar (acumular; calcular) los intereses; *die ~en berechnen* calcular los intereses, *in Rechnung stellen*: cargar los intereses; *~en bringen* producir intereses; *auf ~en ausleihen, gegen ~en leihen* prestar a interés; *die ~en zum Kapital schlagen* acumular los intereses al capital; *von s-n ~en leben* vivir de sus rentas; *fig. mit ~en heimzahlen* devolver con creces; **'~abschnitt** *m* (*-ės*; *-e*) cupón *m* (de intereses); **'~abzug** *m* (*-ės*; *⸚e*) deducción *f* de los intereses; descuento *m*; **'~anhäufung** *f* acumulación *f* de los intereses; **'&bar** *adj.* → *zinspflichtig*; ✝ *~ anlegen* colocar a interés; **'~berechnung** *f* cálculo *m* de los intereses; **'~bogen** *m* hoja *f* de cupones; **'&bringend** *adj.* productivo de (*od.* que produce) intereses; *~e Kapitalsanlage* inversión productiva (*od.* a rédito); **'~coupon** *m* (*-s*; *-s*) → *Zinsabschnitt*; **'&en** (*-t*; *-*) *v/t.* (*verzinsen*) abonar los intereses; **'~en-ausfall** *m* (*-ės*; *0*) pérdida *f* de intereses; **'~enberechnung** *f* → *Zinsberechnung*; **'~erhöhung** *f* aumento *m* del tipo de interés; **'~ermäßigung** *f* reducción *f* del tipo de interés; **'~ertrag** *m* (*-ės*; *⸚e*) rédito *m*; intereses *m/pl.* devengados.

'Zinseszins *m* (*-es*; *-en*) interés *m* compuesto; *fig. mit Zins und ~en bezahlen* pagar con creces; **~rechnung** *f* cálculo *m* de intereses compuestos.

'zins...: **~frei** *adj.* (*0*) (*ohne Zinsen*) libre de intereses; sin (pagar) interés, exento del pago de intereses; (*abgabefrei*) exento de tributo; (*lehn~*) libre de censo; **&fuß** *m* (*-es*; *⸚e*) → *Zinssatz*; **&gefälle** *n* diferencia *f* de intereses; **&genuß** *m* (*-sses*; *0*) disfrute *m* de los intereses; **&gutschrift** *f* abono *m* de intereses; **&herabsetzung** *f* → *Zinsermäßigung*; **&kupon** *m* (*-s*; *-s*) → *Zinsabschnitt*; **&last** *f* cargo *m* de intereses; **~los** *adj.* (*0*) sin (pagar) interés; libre de intereses; **&marge** *f* margen *m* de intereses; **~pflichtig** *adj.* (*0*) tributario; **&rechnung** *f* cálculo *m* (*od.* cómputo *m*) de intereses; **&rückstände** *m/pl.* intereses *m/pl.* atrasados; **&satz** *m* (*-es*; *⸚e*) tipo *m* de interés; *Darlehen mit niedrigem ~* préstamo a bajo (tipo de) interés; **&schein** *m*

(-*ės*; -*e*) *v. Aktien usw.*: cupón *m*; **2schuld** *f* deuda *f* de intereses; intereses *m/pl.* adeudados; **2senkung** *f* → *Zinsermäßigung*; **2spanne** *f* → *Zinsmarge*; **2staffel** *f* (-; -*n*) escala *f* de intereses; **2stundung** *f* aplazamiento *m* del pago de intereses; **2tabelle** *f* tabla *f* de intereses; **2termin** *m* (-*ės*; -*e*) vencimiento *m* de intereses; **~tragend** *adj.* → *zinsbringend*; **2umwandlung** *f* conversión *f* del interés; **2verlust** *m* (-*ės*; -*e*) pérdida *f* de intereses; **2wucher** *m* interés *m* usurario; **2zahlung** *f* pago *m* de los intereses.

Zio'nis|mus *m* (-; *0*) sionismo *m*; **~t** *m* (-*en*) sionista *m*; **2tisch** *adj.* sionista.

'Zipfel *m* (*Ende*) extremo *m*; punta *f*, cabo *m*; ángulo *m*; *des Taschentuches*: punta *f* del pañuelo; (*Rock*2) caída *f*; *des Ohres*: lóbulo *m*; **~mütze** *f* gorro *m* de dormir; gorro *m* (picudo) con borla.

'Zipperlein ⚕ *n* gota *f*.

'Zirbeldrüse *Anat. f* glándula *f* pineal, epífisis *f*.

'zirka *adv.* aproximadamente; cerca de; (poco) más o menos.

'Zirkel *m* (*Kreis, a. fig.*) círculo *m*; (*Instrument*) compás *m*; **2n** (-*le*) *v/t.* compasar, medir con el compás; **2rund** *adj.* (*0*) circular; **~schluß** *Phil. m* (-*sses*; ⸗*sse*) círculo *m* vicioso; **~spitze** *f* punta *f* del compás.

Zir'kon *Min. m* (-*s*; -*e*) circón *m*.

Zir'konium ⚗ *n* (-*s*; *0*) zirconio *m*, circonio *m*.

Zirku'lar *n* (-*s*; -*e*) circular *f*.

Zirkulati'on *f* circulación *f*.

zirku'lier|en (-) *v/i.* circular; ~ *lassen* hacer circular; **2en** *n*, **2ung** *f* circulación *f*.

Zirkum'flex *Gr. m* (-*es*; -*e*) (acento *m*) circunflejo *m*.

'Zirkus *m* (-*ses*; -*se*) circo *m*; F *fig.* (*Getue*) afectación *f* exagerada; (*Durcheinander*) zarabanda *f*, F follón *m*; **~reiter(in** *f*) *m* artista *m/f* ecuestre.

'zirpen I. *v/i. Zikade, Grille*: cantar; chirriar; **II.** 2 *n der Zikade, der Grille*: canto *m*; chirrido *m*.

'Zirruswolke *f* cirro *m*.

Zisch|e'lei *f* cuchicheo *m*; **'2eln** (-*le*) *v/i.* cuchichear; secretear; hablar al oído; **'~eln** *n* cuchicheo *m*; secreteo *m*; **'2en** *v/i.* silbar (*a. Kugel, Schlange, Gasflamme*); *Wasser*: borbotar; (*mißbilligend* ~) sisear; silbar; F *e-n* ~ (*trinken*) echar un trago; *gern e-n* ~ ser aficionado al trago (*od.* al trinquis); **'~en** *n* silbido *m*; silbo *m* (*bsd. der Schlange*); **~hahn** ⊕ *m* (-*ės*; ⸗*e*) llave *f* de compresión; **~laut** *Gr. m* (-*ės*; -*e*) sonido *m* sibilante; *Buchstabe*: sibilante *f*.

Zise|'leur *m* (-*s*; -*e*) cincelador *m*; **~'lierarbeit** *f* (labor *f* de) cincelado *m*, cinceladura *f*; **2'lieren** (-) *v/t.* cincelar; **~'lieren** *n* cincelado *m*.

Zis'terne *f* cisterna *f*.

Zisterzi'enser *m* monje *m* cisterciense; **~kloster** *n* (-*s*; ⸗) monasterio *m* (*od.* convento *m*) cisterciense; **~orden** *m* (-*s*; *0*) (orden *f* del) Císter *m*.

Zita'delle *f* ciudadela *f*.

Zi'tat *n* (-*ės*; -*e*) cita *f*; pasaje *m* citado.

'Zither *f* (-; -*n*) cítara *f*; *die* ~ *spielen* tocar la cítara; **~spieler(in** *f*) *m* citarista *m/f*.

zi'tieren (-) **I.** *v/t.* (*wörtlich anführen*) citar; ⚖ (*vorladen*) citar; *Geister*: evocar; **II.** 2 *n* (*Stelle aus e-m Buch usw.*) cita *f*; ⚖ (*Vorladung*) citación *f*; *v. Geistern*: evocación *f*.

Zi'trat ⚗ *n* (-*ės*; -*e*) citrato *m*.

Zitro'nat *n* (-*ės*; -*e*) acitrón *m*, cidra *f* confitada.

Zi'trone *f* limón *m*; *e-e* ~ *auspressen* exprimir un limón.

Zi'tronen...: ~baum *m* (-*ės*; ⸗*e*) limonero *m*; **~eis** *n* (-*es*; *0*) helado *m* de limón; **2gelb** *adj.* (*0*) amarillo limón; (*grüngelb*) cetrino; **~gelb** *n* amarillo *m* limón; **~limonade** *f* limonada *f* natural; (*Brause*) gaseosa *f* de limón; **~öl** *n* ⚗ (-*ės*; *0*) citrina *f*; **~presse** *f* exprimidera *f*; **~saft** *m* (-*ės*; ⸗*e*) zumo *m* de limón; **~säure** ⚗ *f* (*0*) ácido *m* cítrico; **~schale** *f* cáscara *f* de limón; **~scheibe** *f* rodaja *f* de limón; **~wasser** *n* limonada *f*.

'Zitrusfrüchte *f/pl.* agrios *m/pl.*, cítricos *m/pl.*

'Zitter|aal *Ict. m* (-*ės*; -*e*) gimnoto *m*; anguila *f* eléctrica; **~gras** ⚘ *n* (-*es*; ⸗*er*) tembladera *f*; briza *f*; **2ig** *adj.* tembloroso; (*Stimme*) trémulo; (*senil*) F temblón, temblequeante; **2n** (-*re*) *v/t.* temblar (*vor dat.* de); (*oft* ~) temblequear; (*schaudern*) estremecerse; (*frösteln*) tiritar; (*leicht* ~) titilar (*a. Licht auf dem Wasserspiegel*); *Erde*: temblar; (*beben*) trepidar; (*vibrieren*) vibrar; *am ganzen Leibe* ~ temblar como un azogado; *vor Kälte* ~ tiritar (*od.* temblar) de frío; **~n** *n* temblor *m* (*a. Erdstoß*); temblequeo *m*; (*Schaudern*) estremecimiento *m*; (*Frösteln*) tiritón *m*; (*leichtes* ~) titilación *f*; (*Beben*) trepidación *f*; (*Vibrieren*) vibración *f*; **~pappel** ⚘ *f* (-; -*n*) álamo *m* temblón; **~rochen** *Ict. m* (pez *m*) torpedo *m*.

'Zitze *f am Euter der Kühe, Ziegen*: teta *f*; *allg. bei anderen Säugetieren*: *a.* pezón *m*.

zi'vil *adj.* civil; *Preis*: módico.

Zi'vil *n* (-*s*; *0*) (*Ggs. Militär*) paisanos *m/pl.*; (*Anzug*) traje *m* de paisano; *in* ~ de paisano; ~ *tragen* vestir de paisano; **~angestellte(r)** *m* empleado *m* civil; **~anzug** *m* (-*ės*; ⸗*e*) traje *m* de paisano; **~behörde** *f* autoridad *f* civil; **~beruf** *m*: *er ist im* ~ *Anwalt* en la vida civil (*od.* ordinaria) es abogado; **~bevölkerung** *f* (*0*) población *f* civil; (*Ggs. kämpfende Truppe*) población *f* no combatiente; **~courage** *f* (*0*) valor *m* cívico; **~ehe** *f* matrimonio *m* civil; **~flugzeug** *n* (-*ės*; -*e*) avión *m* civil (*od.* no militar); **~gerichtsbarkeit** *f* (*0*) jurisdicción *f* civil (*od.* ordinaria).

Zivilisati'on *f* civilización *f*; **~skrankheit** *f* dolencia *f* inherente a la civilización.

zivilisa'torisch *adj.* civilizador.

zivili'sieren (-) *v/t.* civilizar.

Zivi'list *m* (-*en*) paisano *m*.

Zi'vil...: ~kammer ⚖ *f* (-; -*n*) Sala *f* de lo civil; **~klage** ⚖ *f* acción *f* civil; **~kleidung** *f* (*Ggs. Uniform*) traje *m* de paisano; **~liste** *f* lista *f* civil; **~luftfahrt** *f* (*0*) aviación *f* civil; **~person** *f* paisano *m*; **~prozeß** ⚖ *m* (-*sses*; -*sse*) causa *f* civil; **~prozeß-ordnung** ⚖ *f* (*0*) Ley *f* de enjuiciamiento civil; **~recht** ⚖ *n* (-*ės*; *0*) derecho *m* civil; **2rechtlich** *adj.* de(l) derecho civil; *j-n* ~ *verfolgen* entablar una acción civil contra alg.; **~sache** ⚖ *f* causa *f* civil; **~trauung** *f* casamiento *m* civil; **~verteidigung** *f* (*0*) defensa *f* civil; **~versorgung** ⚔ *f* (*0*) garantía *f* de un empleo del Estado (para los licenciados); **~verwaltung** *f* (*0*) administración *f* civil.

'Zobel *Zoo. m* (marta *f*) cebellina *f*; **~fell** *n* (-*ės*; -*e*), **~pelz** *m* (-*es*; -*e*) piel *f* de (marta) cebellina.

Zodia'kallicht *n* (-*ės*; -*er*) luz *f* zodiacal.

Zo'diakus *Astr. m* (-; *0*) Zodíaco *m*.

'Zofe *f* doncella *f*.

zog *pret. v. ziehen.*

'zögern (-*re*) **I.** *v/i.* (*schwanken*) vacilar, titubear (*zu inf.* en); (*säumen*) tardar (*mit* en); (*sich aufhalten*) demorarse; detenerse; **II.** 2 *n* vacilación *f*, titubeo *m*; tardanza *f*; demora *f*; **~d** *adj.* vacilante, titubeante; (*säumig*) tardo; (*langsam*) lento.

'Zögling *m* (-*s*; -*e*) pupilo *m*; (*Schüler*) discípulo *m*, alumno *m*; educando *m*.

Zöli'bat *m/n* (-*ės*; *0*) celibato *m*; *im* ~ *lebend* célibe.

Zoll[1] *m* (-*ės*; -) (*Maß*) pulgada *f*.

'Zoll[2] *m* (-*ės*; ⸗*e*) aduana *f*; (*Abgabe*) derechos *m/pl.*; (*~gebühren*) derechos *m/pl.* de aduana; (*Brücken*2) pontazgo *m*, pontaje *m*; (*Straßen*2) peaje *m*; derecho *m* de tránsito; *fig.* tributo *m*; **~abfertigung** *f* trámites *m/pl.* aduaneros; despacho *m* en la aduana; **~abfertigungsstelle** *f* aduana *f*; **~abkommen** *n* acuerdo *m* aduanero; **~amt** *n* (-*ės*; ⸗*er*) (oficina *f* de) aduana *f*; **2amtlich** *adj.* aduanero; ~*e Bescheinigung* certificado de la aduana; *unter ~em Verschluß* en depósito en la aduana; ~ *abfertigen* despachar en la aduana; ~*e Untersuchung* registro efectuado en la aduana; **~angabe** *f*, **~anmeldung** *f* declaración *f* de aduana; **~aufschlag** *m* (-*ės*; ⸗*e*) aumento *m* de tarifas aduaneras; recargo *m* arancelario; **~beamte(r)** *m* funcionario *m* de aduanas; aduanero *m*; vista *m* de aduanas; **~begleitschein** *m* (-*ės*; -*e*) guía *f* de tránsito; **~behörde** *f* administración *f* de aduanas; **~beschau** *f* (*0*) registro *m* aduanero; **~deklaration** *f* declaración *f* de aduana; **~durchführschein** *m* (-*ės*; -*e*) nota *f* de tránsito; **~einnahme** *f* recaudación *f* aduanera, ingresos *m/pl.* de aduana; **~einnehmer** *m* recaudador *m* de aduanas; (*Straßen*2) peajero *m*.

'zollen *v/t. fig.* tributar; rendir tributo *od.* homenaje; *j-m Beifall* ~ aplaudir a alg.; tributar aplausos a alg.; *j-m Dank* ~ expresar su agradecimiento a alg.; *j-m Achtung* ~ profesar respeto a alg.

'Zoll...: ~erhebung *f* recaudación *f*

de aduana; cobro *m* de derechos (aduaneros); **~erhöhung** *f* aumento *m* de tarifas aduaneras; aumento *m* de aranceles; recargo *m* de derechos aduaneros; **~erklärung** *f* declaración *f* de aduana; **~erleichterung** *f* concesión *f* de facilidades aduaneras; **~ermäßigung** *f* reducción *f* (*od.* rebaja *f*) de aranceles; **~fahndungsstelle** *f* servicio *m* de investigación de aduanas; **~formalitäten** *f/pl.* formalidades *f/pl.* aduaneras (*od.* de aduana); trámites *m/pl.* aduaneros (*od.* de aduana); **≈frei** *adj.* (*0*) exento (de pago) de derechos aduaneros; de libre importación; **~freiheit** *f* (*0*) franquicia *f* aduanera; **~gebiet** *n* (*-es*; *-e*) territorio *m* aduanero; **~gebühren** *f/pl.* derechos *m/pl.* de aduana; **~gesetz** *n* (*-es*; *-e*) ley *f* de Aduanas; **~gesetzgebung** *f* legislación *f* de Aduanas; **~grenze** *f* frontera *f* aduanera; **~gut** *n* (*-es*; *=er*) mercancía *f* sujeta al despacho aduanero; **~haus** *n* (*-es*; *=er*) aduana *f*; **~hinterziehung** *f* defraudación *f* de derechos aduaneros; **~inhalts-erklärung** *f* declaración *f* de aduana; **~inspektor** *m* (*-s*; *-en*) inspector *m* de aduanas; **~kontrolle** *f* registro *m* de aduana; *v. Reisenden im Zug bzw. Auto*: revisión *f* de equipajes; *auf Schiffen*: visita *f* (de la aduana); **~krieg** *m* (*-es*; *-e*) guerra *f* de tarifas; guerra *f* aduanera; **~(l)ager** *n* depósito *m* *bzw.* almacenes *m/pl.* de la aduana; **~linie** *f* línea *f* de aduana; **~marke** *f* marchamo *m*; **~maßnahme** *f* medida *f* aduanera.

'**Zöllner** *m* aduanero *m*; (*Straßen≈*) peajero *m*; *Bib.* publicano *m*.

'**Zoll...**: **~niederlage** *f* almacenes *m/pl.* de depósito de la aduana; **~ordnungen** *f/pl.* ordenanzas *f/pl.* de aduanas; **~papiere** *n/pl.* documentos *m/pl.* de aduana; **~passierschein** *m* (*-es*; *-e*) guía *f* de circulación (*od.* de tránsito); **≈pflichtig** *adj.* sujeto a pago de derechos (de aduana); **~plombe** *f* precinto *m* de aduana; **~politik** *f* (*0*) política *f* arancelaria; **~quittung** *f* recibo *m* de la aduana; **~reform** *f* reforma *f* aduanera; **~regelung** *f* reglamento *m* de aduanas; **~revision** *f* → Zollkontrolle; **~satz** *m* (*-es*; *=e*) arancel *m*; tarifa *f* aduanera; **~schein** *m* (*-es*; *-e*) resguardo *m* de la aduana; (*Passierschein*) guía *f* de tránsito; (*Eingangsschein*) permiso *m* de entrada; (*Ausgangsschein*) permiso *m* de salida; **~schiff** ⚓ *n* (*-es*; *-e*) guardacostas *m* del servicio de represión del contrabando; escampavía *f*; **~schranke** *f* barrera *f* aduanera; barrera *f* arancelaria; **~schutz** *m* (*-es*; *0*) protección *f* de tarifas aduaneras; **~senkung** *f* reducción *f* de aranceles (*od.* de tarifas aduaneras); **~siegel** *n* precinto *m* aduanero; (*Zollmarke*) marchamo *m*; **~speicher** *m* almacén *m* (*od.* depósito *m*) de la aduana; **~stelle** *f* aduana *f*; **~stempel** *m* sello *m* de la aduana; **~stock** *m* (*-es*; *=e*) metro *m* plegable; **~system** *n* (*-s*; *-e*) sistema *m* aduanero; **~tarif** *m* (*-es*; *-e*) tarifa *f* aduanera; arancel *m*; **~union** *f*, **~verband** *m* (*-es*; *=e*), **~verein** *m* (*-es*; *-e*) unión *f* aduanera; **~vergehen** *n* contravención *f* de la ley de Aduanas; **~vergütung** *f* reintegro *m* de derechos arancelarios; **~verschluß** *m* (*-sses*; *=sse*) precinto *m* de aduana; *unter ~* bajo precinto de aduana; *unter ~ lassen* dejar en depósito; *unter ~ legen* depositar en los almacenes de la aduana; **~verwaltung** *f* administración *f* de aduanas; **~vorschrift** *f* reglamento *m* de aduanas; **~wächter** *m* carabinero *m*; **~wesen** *n* (*-s*; *0*) Aduanas *f/pl.*; **~wert** *m* (*-es*; *0*) valor *m* en aduana.

'**Zone** *f* zona *f*; *Geogr. heiße* (*gemäßigte*; *kalte*) *~* zona tórrida (templada; glacial); *Gegend*: región *f*; (*Abschnitt*) sector *m*; 🚋, *der Straßenbahn od. Autobus*: zona *f*; sección *f*; **~ngrenze** *Pol.* *f* frontera *f* de la zona oriental; **~ntarif** *m* (*-es*; *-e*) tarifa *f* por zonas.

Zoo *m* (*-s*; *-s*) (*Abk. für Zoologischer Garten*) jardín *m* zoológico.

Zoo'loge [tso·o·-] *m* (*-n*) zoólogo *m*.

Zoolo'gie *f* (*0*) zoología *f*.

zoo'logisch *adj.* zoológico.

Zooto'mie *f* zootomía *f*.

Zopf *m* (*-es*; *=e*) (*geflochtener Haarstrang*) trenza *f*; *einziger, steifer*: coleta *f* (*a. Perücken≈*); *Gebäck*: bollo *m* trenzado; *Brot*: barra *f* trenzada, F coleta *f*; *fig. alter ~* costumbre anticuada *od.* rancia; *in Zöpfe flechten* trenzar, hacer trenzas; '**~band** *n* (*-es*; *=er*) cinta *f* de trenza; '**~geflecht** *n* (*-es*; *0*) trenzado *m*; '**≈ig** *fig. adj.* (*altmodisch*) rancio, anticuado; (*schulfuchserhaft*) pedantesco; '**~stil** *m* (*-es*; *0*) estilo *m* rococó (tardío); *Span.* estilo *m* churrigueresco; '**~zeit** *f* (*0*) época *f* de las pelucas.

Zorn *m* (*-es*; *0*) cólera *f*; ira *f*; enojo *m*; *in ~ geraten* encolerizarse; enojarse; enfurecerse; F ponerse furioso; *in ~ bringen* encolerizar; enojar; enfurecer; *sich im ~ fortreißen lassen* montar en cólera; arrebatarse; *zum ~ geneigt* iracundo; irascible; '**~ausbruch** *m* (*-es*; *=e*) acceso *m* de cólera; arrebato *m*; '**≈entbrannt** *adj.* encendido de ira; rojo de cólera; '**≈ig** *adj.* encolerizado; airado; enojado; furioso; (*Charakter*) colérico; *~ machen* (*werden*) → *in Zorn bringen* (*geraten*).

'**Zot|e** *f* obscenidad *f*; indecencia *f*; dicho *m* obsceno; palabra *f* obscena; F dicharacho *m*; porquería *f*; (*unanständiger Witz*) chiste *m* obsceno *od. fig.* verde; *~n reißen* decir obscenidades (*od.* palabras obscenas); decir indecencias; contar (*od.* hacer) chistes verdes; **≈enhaft, ≈ig** *adj.* obsceno; indecente; *fig.* verde; picante; (*pornographisch*) pornográfico; sicalíptico; **~enreißer** *m* conversador *m* obsceno; individuo *m* que se complace en decir (*od.* contar) obscenidades.

'**Zott|e** *f* mechón *m* de pelo; (*Tülle*) pico *m*; *Anat.* vellosidad *f*; (*Darmzotten*) vellosidades *f/pl.* intestinales; **~el** *f* (*-*; *-n*) (*Haarbüschel*) mechón *m*; *wollene*: vedija *f*; (*Quaste, Troddel*) borla *f*; **~elbart** *m* (*-es*; *=e*) barba *f* hirsuta; **~e'lei** *f* F pachorra *f*, mandanga *f*, cachaza *f*; **≈eln** (*-le*) *v/i.* caminar arrastrando los pies; remolonear; **≈ig** *adj.* velloso, velludo; *stark behaart*: peludo; (*struppig*) hirsuto.

zu I. *prp.* (*dat.*) **a**) *örtlich*: (*wo?*) en; (*wohin?*) a; (*von*) de; (*neben*) junto a; al lado de; *~ Hause* en casa; *der Weg ~m Bahnhof* el camino de la estación; *ich gehe ~r Universität* voy a la Universidad; *die Kathedrale ~ Köln* la catedral de Colonia; *~r Seite von j-m sitzen* sentarse junto a (*od.* al lado de) alg.; **b**) *zeitlich*: *~ Ostern* para Pascua; *~ Weihnachten* para navidad; *~ gleicher Zeit* al mismo tiempo; *von Tag ~ Tag* de día en día; *von Zeit ~ Zeit* de vez en cuando; *~ Anfang* al principio; *~ s-r Zeit* a su tiempo, (*~ s-n Lebzeiten*) en sus tiempos; *~ jener Zeit* en aquella época; en aquellos tiempos; en aquel entonces; *~ Mittag* a mediodía; *~ gegebener Zeit* en el momento oportuno; **c**) *Art und Weise*: *~m Teil* en parte; *~ deutsch* en alemán; *~m Glück* por fortuna, afortunadamente; *~m Scherz* en broma; *~r See* por mar; *~ Lande* por tierra; *~m Beispiel* (*Abk.* z. B.) por ejemplo (*Abk.* p.ej.); *~m erstenmal* (*letztenmal*) por primera (última) vez; *bei Versteigerungen*: *~m ersten, ~m zweiten, ~m dritten!* ¡a la una, a la dos y a las tres!; *~ m-r vollen Zufriedenheit* a mi entera satisfacción; *~ m-m großen Erstaunen* con gran asombro mío; **d**) *Mittel*: *~ Fuß* a pie; *~ Wagen* en coche; *~ Pferde* a caballo; *~ Schiff* en barco; **e**) *Ziel, Zweck*: *Wasser ~m Trinken* agua para beber; *Papier ~m Schreiben* papel de escribir; *~ deinem Besten* por tu bien; **f**) *Verbindung*: *Brot ~m Fleisch essen* comer la carne con pan; *Wein ~m Essen trinken* tomar (*od.* beber) vino con las comidas; *~ alledem kommt* ... a ello hay que añadir ...; **g**) *Anlaß*: *~ s-m Geburtstag* para (*od.* con motivo de) su cumpleaños; **h**) *Verhältnis, Zahlen- und Preisangaben*: *3 ~ 1* (*Sport*) tres a uno; *~r Hälfte* mitad y mitad; por mitad; *~ dreien*; *~ dritt* (*je drei*) de a tres; tres a tres; de tres en tres; *gemeinsam*: entre los tres; *~m halben Preis* a mitad de precio; *~m Preise von* al precio de; *~ Hunderten* (*Tausenden*) a centenares (millares); *~ 5 Mark das Stück* (*Dutzend*) a cinco marcos la pieza (docena); **i**) *vor Infinitiven*: de; que; para; *es ist leicht ~ übersetzen* es fácil de traducir; *aufhören ~ lesen* dejar de leer; *es ist ~ hoffen* es de esperar; *ich habe ~ arbeiten* tengo que trabajar; *ich habe ~ tun* tengo que hacer; *ein Zimmer ~ vermieten haben* tener una habitación para alquilar; *et. ~m Essen haben* tener algo para comer; **j**) *mit Gerundium*: *ein nachzuahmendes Beispiel* un ejemplo digno de ser imitado; *ein sorgfältig ~ erwägender Plan* un plan que debe ser cuidadosamente examinado (*od.* meditado); *die ~ erwartenden Nachrichten* las noticias que se esperan; **k**) *unübersetzt*: *er wurde ~m Präsidenten gewählt* fue elegido presidente; *~m König krönen* coronar rey; *~m Direktor ernennen* nombrar director; *j-n ~m Obersten befördern* ascender a coronel a alg.; *~m reichen Mann werden* enriquecerse; hacerse rico; *~m Dichter geboren sein* haber nacido (para) poeta; *es ist nicht ~ vermeiden* no es posible evitarlo; es inevitable; *ohne es ~ wissen* sin saberlo; *ich wünsche ihn ~ sprechen* deseo hablarle; *~ vermieten* (*Aufschrift*) se alquila; **II.** *adv.*: *nach Süden ~* hacia el sur; *auf Berlin ~* en dirección a Berlín; *~ groß* demasiado grande; *~ sehr*; *~ viel* demasiado; mucho; muy; (*geschlossen*) cerrado; *die Tür ist ~* la puerta está cerrada; *Tür ~!* ¡cerrar la puerta!; *nur ~!* ¡ánimo, pues!; ¡adelante!

zu·aller|'erst *adv.* en primer lugar; ante todo; el primero de todos; **~'letzt** *adv.* en último lugar; el último de todos.

Zu'ave *m* (*-n*) zuavo *m*.

'zubauen *v/t.* cerrar con muros *bzw.* con construcciones; (*die Aussicht versperren*) quitar la vista a.

'Zubehör *m/n* (*-ės; -e*) ⊕ accesorios *m/pl.*; *zu Grundeigentum*: pertenencias *f/pl.*; *Schneiderei*: forros *m/pl.*; *Arbeit und ~* hechura y forros; (*Nebengebäude*) dependencias *f/pl.*; **~teil** ⊕ *n* (*-ės; -e*) accesorio *m*.

'zubeißen (*L*) *v/i.* morder; *bsd. Hund*: atrapar con los dientes; clavar (*od.* hincar) los dientes en.

'zubekommen (*L*; -) *v/t.* (*Tür usw.*) lograr cerrar; † *bei Kauf*: recibir adicionalmente (*od.* por añadidura).

'zubenannt *adj.* denominado; llamado; (*als Spitzname*) apodado; *mst. m.s.* alias.

'Zuber *m* tina *f*; *kleiner* tinaco *m*.

'zubereit|en (*-e-*; -) *v/t.* preparar; *Speise*: *a.* aderezar; (*kochen*) guisar; (*fertighalten*) aprestar; **2en** *n*, **2ung** *f* preparación *f*; aderezo *m*; apresto *m*.

'zu|billigen *v/t.* conceder; **~binden** (*L*) *v/t.* ligar; *mit Bindfaden od. Strick*: atar; *Augen*: vendar; **~bleiben** (*L*; *sn*) *v/i.* quedar cerrado; **~blinzeln** (*-le*) *v/i.* guiñar un ojo, hacer un guiño.

'zubring|en (*L*) *v/t.* llevar; F lograr cerrar; ⊕ (*speisen*) alimentar; ⚖ aportar; *die Zeit mit et. ~* pasar el tiempo con a/c.; ⚖ *das zugebrachte Vermögen* los bienes aportados; **2er** *m e-r Feuerwaffe*: elevador *m*; **2erdienst** *m* (*-ės; -e*) servicio *m* de enlace; *zum Flugplatz*: servicio *m* de autobuses al aeropuerto; **2erstraße** *f* carretera *f* de acceso.

'zubrüllen *v/t.* rugir; gritar desaforadamente.

Zucht *f v. Tieren*: cría *f*; (*Rasse*) raza *f*; ⚘ cultivo *m* (*a. Bakterien2, Perlen2*); (*Erziehung*) educación *f*; (*Schul2, Mannes2*) disciplina *f*; (*Sittsamkeit*) decencia *f*; modestia *f*; pudor *m*, recato *m*, honestidad *f*; (*Keuschheit*) castidad *f*; *an ~ gewöhnen* disciplinar; *in ~ halten* hacer observar la disciplina (a); mantener la disciplina (en); **'~bulle** *m* (*-n*) toro *m* semental; **'~eber** *m* verraco *m*.

'zücht|en (*-e-*) *v/t. Tiere*: criar; ⚘ cultivar (*a. Bakterien, Perlen*); **2en** *n* cría *f*; ⚘ cultivo *m*; **2er** *m* criador *m*; ⚘ cultivador *m*.

'Zucht...: **~haus** *n* (*-es; ⸚er*) (*Strafanstalt*) presidio *m*; correccional *m*, penitenciaría *f*; (*Strafe*) presidio *m*; *lebenslänglich*(*es*) *~* cadena *f* perpetua; *zu zehn Jahren ~ verurteilen* condenar a diez años de presidio; **~häusler** *m* presidiario *m*; **~hausstrafe** *f* (pena *f* de) presidio *m*; *lebenslängliche ~* pena de cadena perpetua; **~hengst** *m* (*-es; -e*) caballo *m* semental.

'züchtig *adj.* disciplinado; (*sittsam*) honesto, recatado, púdico; (*keusch*) casto; (*bescheiden*) modesto.

'züchtig|en *v/t.* azotar; castigar corporalmente; **2en** *n*, **2ung** *f* castigo *m*; *körperliche Züchtigung* castigo corporal; **2ungsrecht** ⚖ *n* (*-ės; 0*) derecho *m* de corrección.

'Zucht...: **2los** *adj.* indisciplinado; **~losigkeit** *f* (*0*) indisciplina *f*, falta *f* de disciplina; **~mittel** *n* (medio *m*) correctivo *m*; **~perle** *f* perla *f* de cultivo, perla *f* compacta; **~pferd** *n* (*-ės; -e*) → *Zuchthengst*; (*rassereines*) caballo *m* de casta; **~rute** *f* férula *f* (*a. fig.*); (*Geißel*) azote *m*; **~schaf** *n* (*-ės; -e*) oveja *f* de casta; **~schwein** *n* (*-ės; -e*) → *Zuchteber*; **~stier** *m* (*-ės; -e*) → *Zuchtbulle*; **~stute** *f* yegua *f* de vientre; **~tier** *n* (*-ės; -e*) animal *m* reproductor; semental *m*; (*rassereines*) animal *m* de casta.

'Züchtung *f v. Tieren*: cría *f*; ⚘ cultivo *m* (*a. v. Bakterien u. Perlen*).

'Zucht...: **~vieh** *n* (*-ės; 0*) ganado *m* de cría; **~wahl** *f* (*künstliche Auslese*) selección *f* artificial; *natürliche ~* selección natural.

zuckeln (*-le*) *v/i.* ir a paso corto.

'zucken I. 1. *v/i.* hacer un movimiento brusco; (*schaudern*) estremecerse; (*sich schütteln*) dar respingos *m/pl.*; *krampfhaft*: ⚕ contraerse (convulsivamente); *Herz*: palpitar; *Flamme*: titilar; *Blitz*: cruzar el espacio; **2.** *v/t. u. v/i.*: *mit den Augenlidern ~* parpadear nerviosamente; *ohne mit der Wimper zu ~* sin pestañear (*a. fig.*); *die Achseln* (*od. mit den Achseln*) *~* encogerse de hombros; **II.** **2** *n* movimiento *m* brusco; *krampfhaftes*: movimiento *m* convulsivo; *des Herzens*: palpitación *f*; ⚕ contracción *f*; sacudida *f* muscular; tic *m* nervioso.

'zücken *v/t.* (*herausnehmen*) sacar; *Schwert*: *a.* desenvainar.

'Zucker *m* azúcar *m/f*; *ein Stück ~* un terrón de azúcar; *~ in et. tun* echar azúcar a, poner azúcar en; *mit ~ süßen* azucarar; ⚕ *er hat ~* tiene diabetes; es diabético; **~bäkker** *m* confitero *m*; pastelero *m*; **~bäckerei** *f* confitería *f*; pastelería *f*; **~bildung** *f* ⚗ sacarificación *f*; *Bio.* glucogénesis *f*; **~büchse** *f*, **~dose** *f* azucarero *m*; azucarera *f*; **~fabrik** *f* fábrica *f* (*od.* refinería *f*) de azúcar; **~gehalt** *m* (*-ės; 0*) cantidad *f* de azúcar contenida en; contenido *m* de azúcar; **~gehaltsmesser** *m* sacarímetro *m*; **~guß** *m* (*-sses; 0*) baño *m* de azúcar; *mit ~* (*kandiert*) escarchado; **2haltig** *adj.* que contiene azúcar; sacarífero; **~harnen** ⚕ *n* glucosuria *f*; **~hut** *m* (*-ės; ⸚e*) pilón *m* de azúcar; **2ig** *adj.* azucarado; **~industrie** *f* industria *f* azucarera; **~kand** *m* (*-ės; 0*) azúcar *m* cande; *brauner ~* caramelo *m*; **2krank** *adj.* diabético; **~kranke** *f* diabética *f*; **~kranke(r)** *m* diabético *m*; **~krankheit** ⚕ *f* (*0*) diabetes *f*; **~löffel** *m* cucharilla *f* para azúcar; **~mandel** *f* (-; *-n*) peladilla *f*; **~melone** *f* melón *m* dulce; **2n** (*-re*) *v/t.* azucarar; **~messer** *m* sacarímetro *m*; **~messung** *f* sacarimetría *f*; **~pflanzung** *f* plantación *f* de caña de azúcar; **~raffinade** *f* azúcar *m/f* refino *od.* refina (*od.* de flor); **~raffinerie** *f* refinería *f* de azúcar; **~rohr** ⚘ *n* (*-es; -e*) caña *f* de azúcar; **~rübe** ⚘ *f* remolacha *f* azucarera; **~ruhr** ⚕ *f* (*0*) glucosuria *f*; **~säure** ⚗ *f* (*0*) ácido *m* sacárico; **~schale** *f* platillo *m* azucarero; **~sieder** *m* refinador *m* de azúcar; **~siederei** *f* → *Zuckerraffinerie*; **~spiegel** ⚕ *m des Blutes*: nivel *m* de la glucemia; **~star** ⚕ *m* (*-ės; 0*) catarata *f* diabética; **~streuer** *m* azucarero *m*; **2süß** *adj.* dulce como el azúcar; *fig.* meloso; melifluo; acaramelado; almibarado; **~waren** *f/pl.*, **~werk** *n* (*-ės; 0*) dulces *m/f*; confituras *f/pl.*; caramelos *m/pl.*, bombones *m/pl.*; **~wasser** *n* agua *f* azucarada; **~zange** *f* tenacillas *f/pl.* para azúcar.

'Zuckung *f* movimiento *m* brusco; ⚕ sacudida *f* muscular; contracción *f*; *krampfhafte*: espasmo *m*; convulsión *f*; *bsd. des Herzens*: palpitación *f*; *die letzten ~en* la agonía.

'zudämmen *v/t.* cerrar con un dique.

'zudecken *v/t.* cubrir (*mit* con); tapar.

zu'dem *adv.* además; fuera (*od.* aparte) de eso; (*übrigens*) por lo demás.

'zu|denken (*L*) *v/t.*: *j-m et. ~* destinar a/c. para alg.; pensar dar a/c. a alg.; reservar a/c. para alg.; **~diktieren** (-) *v/t. Strafe*: imponer; infligir; **2drang** *m* (*-ės; 0*) afluencia *f*; aflujo *m*; (*plötzlicher ~*) agolpamiento *m*; **~drehen** *v/t. Hahn*: cerrar; (*Schraube*) apretar; *j-m den Rücken ~* volver la espalda a alg.

'zudringlich *adj.* importuno; impertinente; indiscreto; (*aufdringlich*) entrometido, F meticón; *j-m gegenüber ~ werden* importunar a alg.; entrometerse en los asuntos de alg.; *e-m Mädchen gegenüber*: propasarse; **2keit** *f* importunidad *f*; impertinencia *f*; curiosidad *f* indiscreta; entrometimiento *m*.

'zudrücken *v/t.* cerrar (apretando); *j-m die Augen ~* cerrar piadosamente los ojos a una persona muerta; *fig. ein Auge bei et. ~* (*nicht sehen wollen*) no querer darse por enterado de a/c.; F hacer la vista gorda.

'zu·eign|en (*-e-*) *v/t.* adjudicar; (*zuschreiben*) atribuir; (*widmen*) dedicar; *sich ~* adjudicarse, apropiarse; (*sich zuschreiben*) atribuirse; *sich et. widerrechtlich ~* apropiarse ilegalmente a/c.; usurpar; arrogarse; **2en** *n*, **2ung** *f* adjudicación *f*; apropiación *f*; (*Widmung*) dedicación *f*; *in e-m Buch*: dedicatoria *f*.

'zu·eilen (*sn*) *v/i.*: *auf j-n* ~ correr hacia alg.; (*herbeieilen*) acorrer, acudir corriendo; *fig.*: *s-m Verderben* ~ correr hacia su perdición.

zu·ei'nander *adv.*: ~ *reden* hablar uno con otro *od.* unos con otros; ~ *kommen* (ir a) reunirse; juntarse; ~ *passen* armonizar; hacer juego; venir bien con; cuadrar con; *zwei Dinge, die ein Paar bilden*: emparejar; (*Brautleute*) hacer buena pareja; *nicht* ~ *passen* no armonizar; no hacer juego; no cuadrar; *Farben*: desentonar; **~gesellen** *v/refl.*: *sich* ~ juntarse.

zu·erkenn|en (*L*; -) *v/t. Recht*: atribuir; otorgar; reconocer; (*zuerteilen*) ⚖ adjudicar; *Preis*: conceder; otorgar; *Würde*: conferir; *Strafe*: imponer; **2en** *n*, **2ung** *f* atribución *f*; otorgamiento *m*; adjudicación *f*; *e-s Preises*: concesión *f*; *e-r Strafe*: imposición *f*; **2ungsurteil** ⚖ *n* (*-es*; *-e*) sentencia *f* adjudicatoria.

zu'·erst *adv.* (*als erster*) el primero; (*an erster Stelle*) primero, primeramente, en primer lugar; (*vor allem übrigen*) ante todo; *gleich* ~ desde un principio; *er kam* ~ *an* fue el primero en llegar; ~ *tat er* empezó por hacer; *fig. wer* ~ *kommt, mahlt* ~ el primer venido, primer servido.

'zu·erteil|en (-) *v/t.* adjudicar; **2ung** *f* adjudicación *f*.

'zufächeln (*-le*) *v/t.*: *j-m Kühlung* (*od. Luft*) ~ abanicar a alg.; *sich Luft* ~ abanicarse.

'zufahr|en (*L*; *sn*) *v/i.*: *auf et.* ~ dirigirse (*od.* ir en dirección) hacia; *auf j-n* ~ (*losspringen*) abalanzarse sobre (*od.* arrojarse a) alg.; *gut* ~ ir a buena marcha; **2t** *f* acceso *m*; entrada *f* (para coches *usw.*); **2tsstraße** *f* vía *f* de acceso; calle *f* *bzw.* camino *m* de acceso; avenida *f*.

'Zufall *m* (*-es*; *⸚e*) casualidad *f*; azar *m*, acaso *m*; (*Zusammentreffen*) coincidencia *f*; (*Unvorhergesehenes*) caso *m* imprevisto *od.* fortuito; (*widriger*) contratiempo *m*; *durch* ~ por (pura) casualidad; *glücklicher* ~ feliz casualidad *bzw.* coincidencia; suerte *f*; lance *m* de fortuna; *unglücklicher* ~ triste casualidad; trágica coincidencia; mala suerte; *dem* ~ *überlassen* dejar al azar (*od.* al acaso).

'zufallen (*L*; *sn*) *v/i. Tür*: cerrarse de golpe; *fig. j-m* ~ (*obliegen*) corresponder, incumbir a alg.; ser de la incumbencia de alg.; *Pflicht*: tocar a alg.; (*durch Zuteilung*) ser adjudicado a alg.; (*als Teil*) caer en suerte a alg.; (*anheimfallen*) recaer en alg.; *als* (*od. durch*) *Erbschaft* ~ ⚖ recaer por herencia; *die Augen fallen ihm zu* está cayéndose de sueño.

'zufällig I. *adj.* casual; accidental; (*unerwartet*) fortuito; (*etwaig*) ocasional, contingente; eventual; ⚖ aleatorio; **II.** *adv.* = **~er'weise** *adv.* por casualidad; casualmente; *er war* ~ *zu Hause* dio la casualidad (de) que estaba en casa; *wenn* ~ si por acaso; *ich traf ihn* ~ le encontré (*od.* F choqué con él) por casualidad; *er ging* ~ *vorüber* quiso el azar que pasara por allí; acertó a pasar por allí; **2keit** *f* casualidad *f*; contingencia *f*.

'Zufalls|auswahl *f Marktforschung*: muestra *f* elegida al azar; **2bedingt** *adj.* aleatorio; **~gesetz** *n* (*-es*; *0*) ley *f* de las probabilidades; **~kurve** *f* curva *f* de probabilidad; **~treffer** *m Fußball*: gol *m* de suerte (F de chamba).

'zu|fassen (*-ßt*) *v/i.* coger, agarrar; (*helfend*) echar una mano; *fig.* (*die Gelegenheit ergreifen*) aprovechar la ocasión (*od.* la oportunidad); **~fliegen** (*L*; *sn*) *v/i. e-m Orte*: volar hacia; *Tür*: cerrarse bruscamente (*od.* de golpe); dar portazo *m*; *fig. es fliegt ihm alles zu* todo se le viene a las manos; **~fließen** (*L*; *sn*) *v/i.* fluir hacia; *fig.* afluir; *j-m et.* ~ *lassen* procurar un beneficio a alg.; favorecer a alg. con a/c.

'Zuflucht *f* (*0*) refugio *m*; asilo *m*; (*Hilfsmittel*) recurso *m*; *s-e* ~ *zu j-m nehmen* refugiarse en casa de alg.; *fig.* acogerse a la protección de alg.; *s-e* ~ *zu et. nehmen* recurrir a a/c.; acogerse a a/c.; **~shafen** *m* (*-s*; *⸚*) puerto *m* de salvación (*od.* de refugio); **~s·ort** *m* (*-es*; *-e*), **~sstätte** *f* refugio *m*; asilo *m*.

'Zufluß *m* (*-sses*; *⸚sse*) afluencia *f* (*a. fig.*); aflujo *m*; (*Nebenfluß*) afluente *m*.

'zuflüstern (*-re*) *v/t.*: *j-m et.* ~ decir a alg. a/c. al oído; *fig.* (*einflüstern*) insinuar disimuladamente.

zu'folge *prp.* (*vorangehend mit gen.*; *nachstehend mit dat.*) según; conforme a, en conformidad con; con arreglo a; (*kraft*) en virtud de.

zu'frieden *adj.* contento (*mit* con; de); (*zufriedengestellt*) satisfecho (*mit* con; de); (*ungestört*) en paz; (*ruhig*) tranquilo; sosegado; (*angenehm berührt*) complacido; *ich bin es* ~ me conformo; estoy de acuerdo; más no pido; ~ *sein mit* estar contento de *od.* con; *nicht* ~ *sein* no estar contento *bzw.* satisfecho; estar descontento; **~geben** (*L*) *v/refl.*: *sich* ~ *mit* darse por satisfecho (*od.* contento) con; contentarse con; **2heit** *f* (*0*) contento *m*; satisfacción *f*; *des Gemütes*: sosiego *m*; *zur vollen* ~ (*gen.*) a plena satisfacción de; *zu m-r* ~ para mi satisfacción; a mi satisfacción; **~lassen** (*L*) *v/t.*: *j-n* ~ dejar en paz a alg.; **~stellen** *v/t.* satisfacer; contentar; dejar satisfecho *od.* contento; *j-s Wünsche*: complacer, satisfacer; *leicht* (*schwer*) *zufriedenzustellen* fácil (difícil) de contentar; (des)contentadizo; **~stellend** *adj.* satisfactorio.

'zu|frieren (*L*; *sn*) *v/i.* helarse completamente; *Teich usw.*: helarse en la superficie; cubrirse de hielo; **~fügen** *v/t.* agregar, añadir; *Schaden*: ocasionar, causar; irrogar; *Leid*: causar; *Niederlage*: infligir.

'Zufuhr *f* conducción *f*; (*Einfuhr*) importación *f*; (*Transport*) transporte *m*; acarreo *m*; (*Ankunft*) llegada *f od.* arribo *m* (de géneros *bzw.* de provisiones); (*Versorgung*) abastecimiento *m*; aprovisionamiento *m*, ⚔ avituallamiento *m*; (*Versorgungsgüter*) provisiones *f/pl.*, *bsd.* ⚔ vituallas *f/pl.*; víveres *m/pl.*; *Wetterkunde*: afluencia *f*; *e-r Stadt die* ~ *abschneiden* cortar el abastecimiento (de víveres) de una ciudad; → *Zuführung*.

'zuführ|en *v/t.* llevar, conducir; (*transportieren*) transportar; acarrear; *Versorgungsgüter, Waren*: suministrar (*a.* ⊕); abastecer; (*beschicken*) ⊕, ⚡ alimentar; ⚡ (*Draht*) conducir; (*aus dem Ausland einführen*) importar; ✝ (*liefern*) entregar; suministrar (*a.* ⊕); *j-m e-e Person* ~ presentar a alg. a otra persona; *s-r Bestimmung* ~ conducir a su destino; *s-r Bestrafung* ~ castigar; *e-m Heer Lebensmittel* ~ avituallar (*od.* aprovisionar) un ejército; *j-m Nahrung* ~ alimentar (*od.* proveer de alimentos) a alg.; **~end** *adj.* ⊕, ⚡ conductor; *Anat.* aferente; **2ung** *f* conducción *f*; (*Zuleitungsrohr*) ⊕ conducto *m*; (*Zugang*) acceso *m*; (*Zufahrtsstraße*) calle *bzw.* camino *m* de acceso; (*Beschickung*) ⊕, ⚡ alimentación *f*; ✝ (*Lieferung*) entrega *f*; suministro *m* (*a.* ⊕); (*Import*) importación *f*; (*Lebensmittelversorgung*) abastecimiento *m*; aprovisionamiento *m*, ⚔ avituallamiento *m*.

Zu'führungs...: ~draht ⚡ *m* (*-es*; *⸚e*) hilo *m* alimentador; hilo *m* conductor; **~kabel** *n* cable *m* de alimentación; **~rohr** *n* (*-es*; *-e*) tubo *m* de alimentación; tubo *m* conductor; **~schnur** ⚡ *f* (-; *⸚e*) flexible *m*.

'zufüllen *v/t.* (*hinzufügen*) añadir; (*zuschütten*) llenar, colmar.

Zug *m* (*-es*; *⸚e*) (*Ziehen*) tirada *f*, *durch Zugtiere*: tiro *m*; (*Ruck*) tirón *m*; (*Spannung*) ⊕ tensión *f*; tirantez *f*; ⊕ (*Zugkraft*) tracción *f*; *mechanischer* (*tierischer*) ~ tracción mecánica (animal *od.* de sangre); (*Saug2*) ⊕ tiro *m* aspirado; (*Flaschen2*) polea *f*; (*Feder2*) rasgo *m* de pluma; *an der Unterschrift*: rúbrica *f*; (*Pinsel2*) pincelada *f*; (*Atem2*) aspiración *f*; aliento *m*; *beim Spiel*: jugada *f*; (*Orgel2*) registro *m*; *Ofen*: tiro *m*; *der Ofen hat keinen* ~ la chimenea no tira; (*Luft2*) corriente *f* de aire; (*Zugluft*) aire *m* colado; *der Wolken*: paso *m*; (*Gebirgs2*) cadena *f* de montañas; sierra *f*; (*Marsch*) marcha *f* (*durch* por; a través de); ⚔ (*Kompanie2*) sección *f*, *kleiner*: pelotón *m*; (*Schar, Gruppe*) grupo *m*; (*Spielmanns2*) banda *f*; (*Reiter2*) cabalgata *f*; (*Gefolge, Geleit*) séquito *m*, acompañamiento *m*; comitiva *f*; (*Fest2*) cortejo *m*, *Rel.* procesión *f*; (*Leichen2*) comitiva *f* fúnebre; (*Kolonne*) ⚔ columna *f*; ⚔, ⚓ *v. Schiffen*: convoy *m*; (*Karawane*) caravana *f* (*a. Autokolonne*); (*Demonstrations2*) manifestación *f*; (*Reihe*) fila *f*; *v. Sträflingen*: cuerda *f* de presos; *v. Lasttieren*: recua *f*; *v. Vögeln*: (*Gruppe*) bandada *f*, (*Strich*) paso *m*; (*Rudel*) manada *f*; (*Fisch2*) redada *f*; (*Gespann*) tiro *m*, *v. Zugochsen, Maultieren*: yunta *f*; (*Feld2*) campaña *f*; expedición *f* militar; *des Stiefels*: elástico *m*; (*Schubladen2, Griff*) tirador *m*; *beim Rauchen*: chupada *f*; *aus dem Glas*: sorbo *m*, (*Schluck*) trago *m*; 🚂 (*Eisenbahn2*) tren *m*; *eingelegter* (*durchgehender*) ~ tren suplementario (directo); *mit dem* ~ en tren; *den* ~ *verpassen* (*od. verfehlen*) perder el tren; *e-n* ~ *zusammenstellen* formar un tren; *e-n* ~ *einfahren lassen* dar entrada a un tren; (*Charakter*2) rasgo *m* característico; (*Geste, fig.*) gesto *m*, rasgo *m*; (*Neigung, Hang*) inclinación *f* (zu a); (*Tendenz*) tendencia *f* (zu a); *ein* ~ *unserer Zeit* una corriente de nuestra época; *fig.* (*Schwung*) brío *m*; (*Trieb*) impulso *m*; ~ *des Herzens* voz interior; *dem* ~ *s-s Herzens folgen* seguir los impulsos de su corazón; *in e-m* ~, *auf e-n* ~ de un tirón; de un golpe; de una tirada; (*trinken*) de un trago; ~ *um* ~ (*sofort*) inmediatamente, en el acto; sin interrupción; ✝ *Zahlung* ~ *um* ~ *bei Auslieferung* pago contra entrega; *fig. nicht zum* ~*e kommen* no tener ocasión de hacer a/c.; *da ist kein* ~ (*Schwung*) *drin* F ahí falta nervio; *gut im* ~ (*Schwung*) *sein* estar en plena actividad; *im besten* ~*e sein Sache*: desenvolverse (*od.* marchar) bien; F ir viento en popa; *Person*: F mantenerse tan terne; *fig.* estar muy eufórico; *im* ~*e der Neugestaltung* en el curso de la reorganización; *Züge pl.*: *in Gewehrläufen u. Kanonenrohren*: rayado *m*; (*Handschriftzüge*) letra *f*; (*Gesichtszüge*) facciones *f/pl.*; *in großen Zügen* a grandes rasgos; en líneas generales; *in langen Zügen trinken* beber a grandes tragos; *in kurzen Zügen* en pocas palabras; *in den letzten Zügen liegen* estar en la agonía; F estar en las últimas; *in vollen Zügen genießen* disfrutar a placer; entregarse de lleno al goce de; *Brettspiel*: *den ersten* ~ *haben* tener la salida; *jetzt sind Sie am* ~ usted juega, F le toca a usted.

ˈ**Zugabe** *f* añadidura *f*; aditamento *m*; suplemento *m*; extra *m*, plus *m*; F momio *m*; ✝ (*Prämie*) prima *f*; ♪ pieza *f* fuera de programa, F propina *f*, extra *m*.

ˈ**Zugang** *m* (*-es*; *⸚e*) acceso *m* (*nach*, zu a); (*Tür*) puerta *f*; (*Eintritt*) entrada *f*; paso *m*; (*Weg*) camino *m* de acceso; avenida *f*; (*Zunahme*) aumento *m*; (*Einnahme*) ingreso *m*; ✝ (*Eingang*) entrada *f*; ingreso *m*; (*Waren*2) llegada *f*; *in e-r Bücherei*: libros *m/pl.* recibidos; *freier* ~ libre acceso; ~ *finden* (*gewähren*; *haben*; *sich verschaffen*) hallar (conceder; tener; procurarse) acceso; *zu j-m* ~ *haben* tener acceso a alg.; ~ *haben bei* tener entrada en.

ˈ**zugänglich** *adj. Örtlichkeit*: accesible; ⚓ *a.* abordable; *Sache*: asequible; *Person*: (*umgänglich*) tratable; afable; *allgemein* ~ *fig.* asequible a todos; al alcance de todos; *leicht* (*schwer*) ~ de fácil (difícil) acceso (*a. fig.*); *der Allgemeinheit* ~ (*Museum usw.*) abierto al público; *fig. der breiten Öffentlichkeit* ~ *machen* hacer asequible a (*od.* poner al alcance de) todos; vulgarizar; popularizar; 2**keit** *f* (*0*) accesibilidad *f*; asequibilidad *f*.

ˈ**Zugangsweg** *m* (*-es*; *-e*) (camino *m* de) acceso *m*; avenida *f*.

ˈ**Zug...**: ~**artikel** ✝ *m* artículo *m* de gran aceptación; ~**balken** △ *m* (*Spannbalken*) viga *f* principal (*od.* de tirante); ~**band** ⊕ *n* (*-es*; *⸚er*) tirante *m*; ~**be-anspruchung** ⊕ *f* (*0*) esfuerzo *m* de tracción; ~(**begleit**)**personal** 🚂 *n* (*-s*; *0*) personal *m* del tren; ~**brücke** *f* puente *m* levadizo; ~**dichte** 🚂 *f* (*0*) densidad *f* de tráfico ferroviario.

ˈ**zugeben** (*L*) *v/t.* (*hinzufügen*) añadir; sobreañadir, dar de más; dar encima; ✝ dar de añadidura; *als Gehilfen*: asignar; (*erlauben*) permitir; *fig.* (*eingestehen*) confesar; reconocer; (*einräumen*) conceder; admitir; convenir en; ♪ *ein Stück* ~ tocar una pieza fuera de programa; *zugegeben!* ¡de acuerdo!; ¡conforme!; ¡convenido!

zuˈ**gegen** *adv.*: ~ *sein* estar presente (*bei* en), hallarse presente en; asistir a; presenciar (*ac.*).

ˈ**zugehen** (*L*; *sn*) *v/i.* (*sich schließen*) cerrar(se); (*weitergehen*) seguir adelante; (*schneller gehen*) ir (*od.* caminar) de prisa; alargar el paso; ~ *auf* (*ac.*) ir (*od.* dirigirse) hacia; *Weg*: *nach der Stadt* ~ llevar (*od.* conducir) a la ciudad; *auf j-n* ~ acercarse a alg.; dirigirse a alg.; *fig. dem Ende* ~ acercarse al fin; estar a punto de terminar; tocar a su fin; *spitz* ~ terminar en punta; *Sendung*: ~ *lassen* enviar, remitir, mandar; et. *j-m* ~ *lassen* enviar (*od.* remitir) a/c. a alg.; hacer llegar a poder (*od.* a manos) de alg. a/c.; *fig.* (*geschehen*) ocurrir, pasar, suceder; *wie ist das zugegangen?* ¿cómo ha sido eso?; ¿cómo ha ocurrido eso?; *wie geht es zu, daß ...?* ¿cómo es posible que (*subj.*)?; *das geht nicht mit rechten Dingen zu* esto no es normal; aquí pasa algo raro, F aquí hay gato encerrado; *es müßte nicht mit rechten Dingen* ~, *wenn ...* sería extraño que (*subj.*); tendría que ocurrir algo raro para que (*subj.*).

ˈ**zugehör|en** (-) *v/i.* pertenecer (a); ser de; *als Teil*: formar parte de; (*passen*) armonizar, ir bien (con); ~**ig** *adj.* que pertenece (a); perteneciente; correspondiente; pertinente; (*begleitend*) anejo, anexo; *e-r Sache eigen*: inherente (a); *als Zubehör*: accesorio; 2**igkeit** *f* (*0*) pertinencia *f* (zu a); *zu e-m Verein*, *e-r Partei*: afiliación *f*.

ˈ**zugeknöpft** *adj. fig.* (*abweisend*) huraño; (*reserviert*) reservado; poco comunicativo.

ˈ**Zügel** *m* rienda *f*, riendas *f/pl.* (*beide a. fig.*); (*Gebiß*2) freno *m* (*a. fig.*), bocado *m*; (*Lenkseil*) guía *f*; (*gesamtes Zügelzeug*) brida *f*; *fig. die* ~ *der Regierung* las riendas del gobierno (*od.* del poder); *die* ~ *anlegen* (*e-m Pferd*) embridar, poner la brida a; *fig.* poner freno a; *am* ~ *führen* llevar de la rienda; *die* ~ *in die Hand nehmen* tomar las riendas (*a. fig.*); *die* ~ *locker lassen* aflojar las riendas (*a. fig.*); *die* ~ *kurz halten* sujetar la rienda; *fig.* atar corto; *die* ~ *schießen lassen* soltar las riendas; *fig.* dar rienda suelta a; *in die* ~ *fallen* sujetar por la brida; *fig.* poner freno a, refrenar (*ac.*); *mit verhängten* ~*n* a rienda suelta (*a. fig.*); 2**los** *adj.* sin rienda(s); desenfrenado (*a. fig.*); *fig.* (*ausschweifend*) licencioso, disoluto; *Leben*: desordenado, relajado; ~**losigkeit** *f* (*0*) desenfreno *m*; licencia *f*, libertinaje *m*; 2**n** (*-le*) *v/t.* (*aufzäumen*) enfrenar; *fig.* refrenar; reprimir, contener; (*zähmen*) domar; *fig. sich* ~ refrenarse; reprimirse, contenerse; ~**n** *fig. n* refrenamiento *m*.

ˈ**Zug-entgleisung** *f* descarrilamiento *m*.

ˈ**Zugereiste**(**r**) *m* advenedizo *m*; (*Flüchtling*) refugiado *m*.

ˈ**zugesellen** (-) *v/t.* agregar; *zu Personen*: asociar; dar por compañero a; *sich j-m* ~ reunirse con alg.; juntarse a alg.; acompañar a alg.; asociarse con alg.

ˈ**zugestandenerˈmaßen** *adv.* manifiestamente; por propia confesión.

ˈ**Zugeständnis** *n* (*-ses*; *-se*) concesión *f*; *j-m* ~*e machen* hacer concesiones a alg.

ˈ**zugestehen** (*L*; -) *v/t.* (*bewilligen*) conceder; (*eingestehen*) confesar; reconocer; (*einräumen*) admitir, conceder; convenir en; *nicht* ~ negar.

ˈ**zugetan** *adj.* afecto; adicto a; (*e-m Sport usw.*) aficionado a; *j-m* ~ *sein* tener afecto a alg.; sentir simpatía por alg.; tener cariño a alg.

ˈ**Zug...**: ~**feder** ⊕ *f* (-; *-n*) muelle *m* de tensión; *e-r Lokomotive*: muelle *m* de tracción; ~**festigkeit** ⊕ *f* (*0*) resistencia *f* a la tracción; ~**folge** 🚂 *f* frecuencia *f* de los trenes; 2**frei** *adj.* (*0*) exento de corriente de aire; protegido contra corrientes de aire; ~**führer** *m* ⚔ jefe *m* de un pelotón *bzw.* de una sección; 🚂 jefe *m* de tren; ~**geschirr** *n* (*-es*; *-e*) (*Pferdegespann*) arreos *m/pl.*; ~**griff** *m* (*-es*; *-e*) tirador *m*; ~**gurt** *m* (*-es*; *-e*) *des Sattels*: petral *m*; ~**haken** *m* 🚂 gancho *m* de tracción.

ˈ**zugießen** (*L*) *v/t.* (*hinzufügen*) añadir al verter; (*füllen*) llenar completamente (*mit* de).

ˈ**zugig** *adj.* expuesto a las corrientes de aire.

ˈ**zügig I.** *adj.* (*schnell*) rápido; (*leicht, ungehindert*) fácil; *Sprache, Stil*: fluido; (*ununterbrochen*) ininterrumpido; **II.** *adv.* (*schnell*) con rapidez, rápidamente; (*leicht*) con soltura; (*ungehindert*) sin entorpecimiento; desembarazadamente; (*ununterbrochen*) seguidamente, sin interrupción; F de corrido; 2**keit** *f* (*0*) (*Schnelligkeit*) rapidez *f*; *des Verkehrs*: fluidez *f* (del tráfico).

ˈ**Zug...**: ~**kette** *f* 🚂 cadena *f* de enganche; ⊕ cadena *f* de tracción; ~**klappe** *f am Schornstein*: registro *m* de humos; ~**knopf** *m* (*-es*; *⸚e*) botón *m* de tracción; ~**kraft** *f* (-; *⸚e*) ⊕ fuerza *f* de tracción; (*Anziehungskraft*) fuerza *f* atractiva (*od.* de atracción); (*Reiz*) atractivo *m*; 2**kräftig** *adj. fig.* atractivo; que atrae al público; que tiene poder atractivo sobre las masas; ✝ de gran venta; que atrae clientela; *Thea.* ~*es Stück* pieza de mucho éxito.

zuˈ**gleich** *adv.* al mismo tiempo; simultáneamente; ~ *mit mir* al mismo tiempo que yo; *alle* ~ todos a la vez, todos a una.

'**Zug...:** **~leine** *f* (*Seil*) cuerda *f* de tracción (*od.* de tiro); *am Wagen*: tirante *m*; *des Pferdes od Esels*: ramal *m*, ronzal *m*; (*Treideltau*) sirga *f*; ⚓ (*Schleppseil*) cable *m* de remolque; **~loch** *n* (*-es*; *⸗er*) *e-s Herdes*: respiradero *m*; **~luft** *f* (*0*) corriente *f* de aire; aire *m* colado; **~maschine** *f* tractor *m*; 🚂 locomotora *f*; máquina *f* de tren; **~material** 🚂 *n* (*-s*; *0*) material *m* rodante; **~meldedienst** 🚂 *m* (*-es*; *-e*) servicio *m* de señalización; **~meldewesen** 🚂 *n* (*-s*; *0*) (sistema *m* de) señalización *f* ferroviaria; **~mittel** *n fig.* atractivo *m*; aliciente *m*; reclamo *m*; **~nummer** *f* (*-*; *-n*) *fig. Zirkus usw.* atracción *f* (*od.* punto *m* culminante) del programa; **~ochse** *m* (*-n*) buey *m* de labor; **~personal** 🚂 *n* (*-s*; *0*) personal *m* del tren; **~pferd** *n* (*-es*; *-e*) caballo *m* de tiro; **~pflaster** *Phar. n* vejigatorio *m*; emplasto *m* vesicante *od.* epispástico; **~regler** *m* ⊕ *für Feuerungen*: regulador *m* de tiro; *am Kamin*: registro *m*.

'**zugreifen** (*L*) *v/i.* asir; coger, agarrar; F echar mano a; *bei Tisch*: servirse; (*helfend*) ayudar, F echar una mano; (*selbst Hand anlegen*) poner manos a la obra; *fig.* (*die Gelegenheit ergreifen*) aprovechar la ocasión *od.* la oportunidad; *mit beiden Händen* ~ no hacerse de rogar.

'**Zugriemen** *m* ⊕ correa *f* de tracción; *am Wagen*: tirante *m*.

'**Zugriff** *m* (*-es*; *-e*) (*Ergreifen*) asimiento *m*; *fig.* golpe *m* inesperado; golpe *m* de mano; (*Einschreiten*) intervención *f*; ~ *der Polizei* (*Verhaftung*) detención *f*; captura *f*; *sich dem* ~ *der Polizei entziehen* escapar a la detención; sustraerse a la captura.

zu'grunde *adv.*: ~ *gehen* perecer; sucumbir; arruinarse, ir a la ruina; ~ *legen* tomar por base; basar; *er legte s-n Behauptungen ...* ~ basó sus afirmaciones en ...; ~ *liegen* basarse en; servir de base; motivar (*ac.*); ~ *richten* arruinar; destruir; echar a perder; *sich* ~ *richten* arruinarse; ir a su ruina; *j-n vollends* ~ consumar la ruina de alg.; *fig.* dar el golpe de gracia a alg.; **2legung** *f*: *unter* ~ (*gen. od. von*) tomando por base; **~liegend** *adj.* que sirve de base; que motiva.

'**Zug...:** **~salbe** ⚕ *f* ungüento *m* vesicante; **~schaffner** 🚂 *m* revisor *m*; **~schalter** ⚡ *m* interruptor *m* de cordón; **~schluß** 🚂 *m* (*-sses*; *⸗sse*) cola *f* del tren; **~schnur** *f* (*-*; *⸗e*) cordón *m*; ⊕ tiradera *f*; **~seil** *n* (*-es*; *-e*) cable *m* de tracción; ⚒ cable *m* de extracción; *am Wagen*: tirante *m*; (*Schleppseil*) cable *m* de remolque; *zum Treideln*: sirga *f*; **~stange** *f* ⊕ tirante *m*; 🚂 barra *f* de tracción; **~stück** *Thea. n* (*-es*; *-e*) (pieza *f* con) éxito *m* de taquilla; **~tier** *n* (*-es*; *-e*) animal *m* de tiro; bestia *f* de labor.

'**zugucken** F *v/i.* mirar; (*aufmerksam beobachten*) observar (atentamente).

'**Zug-unglück** *n* (*-es*; *-e*) accidente *m* ferroviario; catástrofe *f* ferroviaria.

zu|'gunsten *prp.* (*gen.*) a favor de; en beneficio de; **~'gute** *adv.*: *j-m et.* ~ *halten* tener en cuenta a/c. a alg.; *j-m* ~ *kommen* favorecer (*od.* beneficiar) a alg.; redundar en provecho (*od.* en beneficio) de alg.; *sich et.* ~ *tun* regalarse (*an dat.* en); *sich et.* ~ *tun auf* (*ac.*) ufanarse de (*od.* con) a/c.; hacer alarde de a/c.

'**Zug...:** **~verbindung** 🚂 *f* enlace *m* (de trenes); **~verkehr** 🚂 *m* (*-s*; *0*) tráfico *m* ferroviario; servicio *m* de trenes; **~verspätung** 🚂 *f* retraso *m* del tren; **~vogel** *m* (*-s*; *⸗*) ave *f* migratoria (*od.* de paso); **2weise** *adv.* por grupos; ⚔ por secciones; en columnas; **~wind** *m* (*-es*; *0*) → *Zugluft*; **~winde** ⊕ *f* cabrestante *m*.

'**zu|haken** *v/t.* abrochar; **~halten** (*L*) **1.** *v/t.* mantener cerrado; tener cerrado; cubrir (*od.* tapar) con la mano; *Faust*: apretar; *Augen*: tapar *bzw.* cerrar; *sich die Ohren* ~ taparse los oídos; **2.** *v/i.* ⚓, ✈ ~ *auf* (*ac.*) hacer rumbo a; dirigirse hacia; **2hälter** *m* rufián *m*; F chulo *m*; **2hälte'rei** *f* ⚖ rufianismo *m*.

zu 'Händen *adv.* (*gen.*) en propia mano; *auf Briefen*: para entregar a; suplicado.

'**zu|hängen** (*L*) *v/t.* cubrir con una cortina; encortinar; poner una colgadura; **~hauen** (*L*) **1.** *v/t. Holz*: desbastar a hachazos *m/pl.*; *Stein*: labrar, tallar; **2.** *v/i.* golpear; (*um sich schlagen*) *fig.* dar palos de ciego.

zu'hauf *adv.* en montones; en masa.

'**zuheften** (*-e-*) *v/t.* cerrar cosiendo.

'**zuheilen** (*sn*) *v/i.* ⚕ curar, sanar; (*sich schließen*) cerrarse; (*vernarben*) cicatrizar; **2** *n* cicatrización *f*.

Zu'hilfenahme *f*: *unter* ~ *von* con ayuda (*od.* auxilio) de; recurriendo a; valiéndose de; *ohne* ~ *von* sin recurrir a.

zu'hinterst *adv.* en último lugar; el último de todos; en el fondo; *im Theater usw.* en la última fila.

'**zuhör|en** *v/i.* (*dat.*) escuchar (*ac.*); oír con atención; prestar atención a; **2er(in** *f*) *m* oyente *m/f*; **2erraum** *m* (*-es*; *⸗e*) sala *f* (de conferencias); **2erschaft** *f* (*0*) auditorio *m*; oyentes *m/pl.*

zu'innerst *adv.* en lo más hondo *od.* íntimo de su ser.

'**zu|jauchzen** (*-t*) *v/i.*, **~jubeln** (*-le*) *v/i.*: *j-m* ~ aclamar, vitorear a alg.; ovacionar a alg.; **2jubeln** *n* aclamación *f*; ovación *f*; **~kaufen** *v/t.* comprar además (zu de); **~kehren** *v/t.* volver hacia; *j-m das Gesicht* ~ volver la cara hacia alg.; *j-m den Rücken* ~ volver la espalda a alg.; **~kitten** (*-e-*) *v/t.* tapar *bzw.* alisar con mástique; **~klappen** **1.** *v/t.* cerrar de golpe; **2.** *v/i.* cerrarse de golpe; **~kleben** *v/t.* pegar; *Umschlag*: *a.* cerrar; **~klinken** *v/t.* cerrar con picaporte; **~knallen** *v/t.* (*Tür*) cerrar de golpe; dar un portazo; **~knöpfen** *v/t. u. v/refl.* abotonar, abrochar; *sich* ~ abotonarse, abrocharse; *fig.* → *zugeknöpft*; **2knöpfen** *n*: *zum* ~ de botones; **~knüpfen** *v/t.* anudar; **~kommen** (*L*; *sn*) *v/i.*: ~ *auf* (*ac.*) ir hacia; ir al encuentro de; acercarse a; *fig. j-m* ~ (*gebühren*) corresponder a alg. (*von Rechts wegen* de derecho), (*j-m zuteil werden*) caer en suerte a alg., caber *od.* tocar a alg., (*zuständigkeitshalber*) incumbir a alg.; *es kommt mir nicht zu, zu* (*inf.*) no es a mí a quien corresponde (*inf.*); *j-m et.* ~ *lassen* procurar (*od.* proporcionar) a/c. a alg., (*zusenden*) enviar a/c. a alg.; hacer llegar a/c. a manos de alg., (*hinlangen*) pasar a/c. a alg., (*überlassen*) ceder a/c. a alg., (*schenken*) dar *od.* regalar a/c. a alg.; *jedem, was ihm zukommt* a cada uno lo suyo; **~korken** *v/t.* encorchar; **2kost** *f* (*0*) *Kochk.* aditamento *m* (a un plato de carne, pescado *usw.*); (*Gemüse*2) legumbres *f/pl.*; **~kriegen** *v/t.* F lograr cerrar.

'**Zukunft** *f* (*0*) porvenir *m*; futuro *m* (*a. Gr.*); *in* ~ en el porvenir; en el futuro, (*in der Folge*) en lo sucesivo; en lo futuro; (de ahora) en adelante; *in naher* (*ferner*) ~ en un futuro próximo (lejano); *Mann mit* ~ hombre de porvenir; *s-e* ~ *sichern* asegurar su porvenir; *ungewisse* ~ porvenir incierto; ~ *haben* tener porvenir; *e-e glänzende* ~ *vor sich haben* tener ante sí un brillante porvenir; *die* ~ *voraussagen* predecir el futuro; *das ist der* ~ *vorbehalten* eso el tiempo lo dirá.

'**zukünftig** **I.** *adj.* futuro; venidero; **II.** *adv.* → *in Zukunft*; **2e** *f*: F *meine* ~ mi futura (esposa); **2e(r)** *m*: F *mein* ~ mi futuro (esposo).

'**Zukunfts...:** **~aussichten** *f/pl.* perspectivas *f/pl.* del futuro; **~musik** *fig. f* (*0*) planes *m/pl.* para un futuro incierto; (*Luftschlösser*) castillos *m/pl.* en el aire; **~pläne** *m/pl.* planes *m/pl.* para el futuro; **2reich** *adj.* de gran porvenir; **~roman** *m* (*-es*; *-e*) novela *f* fantástico-científica; **2voll** *adj.* → *zukunftsreich*.

'**zulächeln** (*-le*) *v/i.*: *j-m* ~ sonreír a alg.

'**Zulage** *f* suplemento *m*; (*soziale Unterstützung*) ayuda *f*; subsidio *m*; (*Gehalts*2) aumento *m* de sueldo (*für Arbeiter*: de salario); sobresueldo *m*; ⚔ sobrepaga *f*; plus *m*; (*Familien*2) subsidio *m* familiar.

zu'lande *adv.*: *bei uns* ~ en nuestro país; *hier* ~ aquí, en este país.

'**zu|langen** **1.** *v/i.* (alargar la mano para) tomar *od.* coger a/c.; *bei Tisch*: servirse; *tüchtig* ~ servirse abundantemente; hacer honor a la comida; (*genügen*) bastar, ser suficiente; alcanzar; **2.** *v/t.* ofrecer; *bei Tisch*: pasar; **~länglich** *adj.* suficiente; **2länglichkeit** *f* (*0*) suficiencia *f*.

'**zulassen** (*L*) *v/t.* admitir; (*gestatten, erlauben*) permitir; (*dulden*) tolerar, consentir; (*ermächtigen*) autorizar; *Tür usw.*: dejar cerrado; *Kraftfahrzeug*: autorizar la circulación de; matricular; *Zweifel*: dar lugar a; *Entschuldigung, Möglichkeit*: admitir; *als Mitglied* ~ admitir como miembro; *keinen Zweifel* ~ no dejar lugar a dudas; *wieder* ~ readmitir.

'**zulässig** *adj.* admisible (*a.* ⊕); (*erlaubt*) permitido; lícito; (*duldbar*) tolerable; ~*e Belastung* ⊕ carga *f* admisible; *das ist* (*nicht*) ~ (no) está permitido; (no) es lícito; 2keit *f* (*0*) admisibilidad *f*; licitud *f*.

'**Zulassung** *f* admisión *f*; (*Erlaubnis*) permiso *m*; (*Ermächtigung*) autorización *f*; *für Kraftfahrzeuge*: permiso *m* de circulación; *Börse*: (*Wertpapiere*) admisión *f* en la Bolsa.

'**Zulassungs...:** **~antrag** *m* (*-es*; *¨e*) solicitud *f* de admisión; **~ausschuß** *m* (*-sess*; *¨sse*) jurado *m* de admisión; **~bedingungen** *f/pl.* condiciones *f/pl.* de admisión; **~gesuch** *n* (*-es*; *-e*) → Zulassungsantrag; **~karte** *f* tarjeta *f* de admisión; **~nummer** *f* (*-*; *-n*) *Kraftfahrzeug*: número *m* de matrícula; **~prüfung** *f* examen *m* de admisión; **~schein** *m* (*-es*; *-e*) *Kraftfahrzeug*: patente *f* de circulación.

'**Zulauf** *m* (*-es*; *0*) (*Andrang*) afluencia *f*; concurso *m*; (*Menge*) concurrencia *f*; großen ~ haben (*Arzt, Anwalt*) tener numerosa clientela, (*Ort, Veranstaltung*) ser muy concurrido, (*Geschäft*) tener mucha clientela, (*Theaterstück*) atraer al público, (*in Mode sein*) estar en boga, (*Redner*) tener gran auditorio; 2**en** (*L*; *sn*) *v/i.* (*herbeiströmen*) afluir; concurrir en gran número a; (*herbeilaufen*) acudir corriendo; (*weiterlaufen*) seguir corriendo; (*sich beeilen*) darse prisa; (*enden*) terminar; spitz ~ acabar (*od.* rematar) en punta; ~ auf (*ac.*) correr hacia; ir al encuentro de; zugelaufener Hund perro extraviado.

'**zulegen** *v/t.* (*bedecken*) tapar; cubrir (*mit* con); (*hinzufügen*) agregar, añadir; (*draufgeben*) dar más todavía; dar de añadidura; j-m et. ~ (*an Gehalt*) aumentar el sueldo a alg.; sich et. ~ adquirir; comprar; sich ein Auto ~ comprarse un auto; P sich e-n Schmerbauch ~ P echar tripa *od.* panza; F sich e-e Geliebte ~ F echarse una querida.

zu'leide *adv.*: j-m et. ~ tun hacer daño a alg.; hacer mal a alg.; (*verletzen*) lastimar a alg.; was hat er dir ~ getan? ¿qué (mal) te ha hecho?

'**zuleit|en** (*-e-*) *v/t.* conducir a; dirigir hacia; enviar, dirigir a; (*verteilen*) distribuir; (*weitergeben*) transmitir; *auf dem Amtswege*: tramitar; ⊕ conducir; (*beschicken*) alimentar; 2**ung** *f* (*Verteilung*) distribución *f*; (*Weitergabe*) transmisión *f*; ⊕ conducción *f*; (*Dampf*) tubería *f* de entrada; (*Beschickung*) alimentación *f*; ⚡ (*Drahtleitung*) conducción *f* eléctrica; 2**ungsdraht** ⚡ *m* (*-es*; *¨e*) hilo *m* conductor; 2**ungskabel** ⚡ *n* cable *m* de alimentación; cable *m* conductor; 2**ungsrohr** *n* (*-es*; *-e*) tubo *m* conductor; tubo *m* de alimentación.

'**zulernen** *v/t.* (*hinzulernen*) aprender además; ampliar sus conocimientos *m/pl.*; aprender algo nuevo.

zu'letzt *adv.* en último lugar; finalmente, por último; (*schließlich*) en fin de cuentas, en resumidas cuentas; al fin (y al cabo); (*schließlich doch*) después de todo; (*endlich*) por fin; er kommt immer ~ siempre llega el último; als ich ihn ~ sah cuando le vi la última vez; nicht ~ no en último término.

zu'liebe *adv.*: j-m ~ por amor a alg.; en obsequio de alg.; por complacer a alg.; der Wahrheit ~ en honor a la verdad; tun Sie es mir ~ hágalo por mí.

'**Zuliefer|er** *m* abastecedor *m*; proveedor *m*; 2**n** (*-re*) *v/t.* abastecer; proveer; **~ung** *f* abastecimiento *m*; provisión *f*.

'**Zulu** *m* (*-[s]*; *-[s]*) zulú *m*.

zum = zu dem.

'**zumachen** **1.** *v/t.* cerrar; *Loch*: tapar; *Jacke*: abotonar, abrochar; *Regenschirm*: cerrar; *Brief*: cerrar el sobre; die Tür hinter sich (*dat.*) ~ cerrar la puerta tras de sí; ich habe die ganze Nacht kein Auge zugemacht no he pegado un ojo en toda la noche; **2.** *v/i.* darse prisa.

zu'mal *cj.* sobre todo; especialmente; ~ da cuanto más que.

'**zumauern** (*-re*) *v/t.* tapiar; *Tür, Fenster*: condenar.

zu'meist *adv.* la mayoría de las veces, las más (de las) veces; en la mayoría de los casos; casi siempre; en (*od.* por lo) general.

'**zumessen** (*L*) *v/t.* medir; (*dosieren*) dosificar; *fig.* (*zuschreiben*) atribuir; (*zur Last legen*) imputar; achacar; *Frist*: fijar; *Strafe*: aplicar; j-m et. ~ (*Anteil*) dar a cada uno lo que le corresponde; *beim Essen*: distribuir las raciones.

zu'mindest *adv.* por lo menos; al menos; cuando menos.

'**zumischen** *v/t.* mezclar; añadir a una mezcla.

'**zumutbar** *adj.* razonable; → zumuten.

zu'mute *adv.*: mir ist wohl (übel) ~ (no) me siento muy bien; wie ist Ihnen ~? ¿cómo se siente usted?; mir ist nicht danach ~ no estoy de humor para eso; mir ist nicht lächerlich ~ no estoy (de humor) para bromas.

'**zumut|en** (*-e-*) *v/t.*: j-m et. ~ (*zutrauen*) creer a alg. capaz (*od.* en condiciones) de hacer a/c.; (*fordern*) exigir a/c. de alg.; sich zuviel ~ confiar excesivamente en sus propias fuerzas; 2**ung** *f* (*übertriebene Forderung*) exigencia *f* desconsiderada; (*Unverschämtheit*) pretensión *f* impertinente; atrevimiento *m*, F frescura *f*.

zu'nächst **I.** *prp.* (*dat.*) muy cerca de; ~ gelegen inmediato a; próximo a; **II.** *adv.* (*zuerst*) ante todo, lo primero de todo; en primer lugar; (*fürs erste*) por de pronto; de primera intención; (*vorläufig*) de momento, por el momento; por ahora; 2**liegende(s)** *n fig.* lo primero; lo más natural; lo más indicado.

'**zu|nageln** (*-le*) *v/t.* clavar; **~nähen** *v/t.* cerrar cosiendo; (*stopfen*) zurcir; *Chir.* coser, suturar; 2**nahme** *f* aumento *m*; incremento *m*; (*Wachstum*) crecimiento *m*; (*Anstieg*) subida *f*; *e-s Übels*: agravación *f*; (*Gewichts*2) aumento *m* de peso; (*Intensivierung*) intensificación *f*; 2**name** *m* (*-ns*; *-n*) apellido *m*; (*Beiname*) sobrenombre *m*; (*Spitzname*) apodo *m*, mote *m*.

'**Zünd|anlage** *f Auto.* encendido *m*; **~blättchen** *n* fulminantes *m/pl.* de papel; **~einstellung** *f* ajuste *m* del encendido; 2**en** (*-e-*) **1.** *v/i.* *Funke*: prender; (*zu brennen beginnen*) inflamarse, encenderse; arder; *Motor*: hacer explosión; *fig.* (*Begeisterung erwecken*) enardecer, entusiasmar (*ac.*); electrizar; **2.** *v/t.* encender; inflamar; 2**end** *fig. adj.* *Rede*: vibrante; enardecedor.

'**Zunder** *m* yesca *f*; (*Lunte*) mecha *f*; F (*Prügel*) paliza *f*; j-m ~ geben (*j-n verprügeln*) F arrimar candela a alg.; darle a alg. para el pelo.

'**Zünder** *m* (*Lunte*) mecha *f*; (*Gas*2 *usw.*) encendedor *m*; ⚔ (*Geschoß*2) espoleta *f*; ⚔ (*Zeit*2) espoleta *f* graduable; (*Zündvorrichtung*) ⚡ dispositivo *m* de ignición; *für Sprengstoff*: fulminante *m*; detonador *m*.

'**Zünd...:** **~flamme** *f* (*Gasbrenner*) llama *f* de encendido; **~folge** *f* *Motor*: orden *m* de encendido; **~funke** *m* (*-ns*; *-n*) chispa *f* de encendido; **~holz** *n* (*-es*; *¨er*), **~hölzchen** *n* cerilla *f*; **~holzschachtel** *f* (*-*; *-n*) caja *f* de cerillas; **~hütchen** *n* pistón *m*; **~kabel** *n* cable *m* de encendido; **~kapsel** *f* (*-*; *-n*) detonador *m*; (cápsula *f*) fulminante *m*; **~kerze** *f Auto.* bujía *f* (de encendido); **~kerzenkabel** *n* → Zündkabel; **~kerzenschlüssel** *m* llave *f* de bujías; **~ladung** *f* carga *f* de ignición; **~loch** ⚔, ⚒ *n* (*-es*; *¨er*) oído *m*; ⚔ fogón *m* (de cañón); **~lunte** *f* ⚒ mecha *f* (de encendido); **~magnet** *m* (*-en*) magneto *f* (de encendido); **~nadelgewehr** *n* (*-es*; *-e*) fusil *m* de aguja; (*Jagdflinte*) escopeta *f* de pistón; **~papier** *n* (*-es*; *-e*) papel *m* nitrado; **~patrone** *f* cartucho *m* fulminante; **~punkt** *m* (*-es*; *-e*) punto *m* de encendido; **~punkteinstellung** *f* ajuste *m* del punto de encendido; **~satz** *m* (*-es*; *¨e*) composición *f* fulminante; **~schalter** *m* interruptor *m* de encendido; **~schlüssel** *m* llave *f* de contacto; **~schnur** *f* (*-*; *¨e*) *für Sprengungen*: mecha *f* (de seguridad); *detonierender*: cuerda *f* detonante; **~schwamm** *m* (*-es*; *¨e*) yesca *f*; **~spule** *f* bobina *f* de encendido; **~stoff** *m* (*-es*; *-e*) materia *f* inflamable; *fig.* materia *f* capaz de provocar un estallido; **~ung** *f Auto.* encendido *m*; ignición *f*; ⚒ tiro *m*; **~ungseinstellung** *f* ajuste *m* del encendido; **~verstellung** *f* regulación *f* del encendido; avance *m* de la chispa; **~verteiler** *m* distribuidor *m* de encendido; **~vorrichtung** *f* dispositivo *m* de encendido.

'**zunehmen** (*L*) *v/i.* aumentar (an *ac.* de, en); (*anwachsen*) acrecentarse, ir en aumento; (*länger werden*) irse alargando; (*groß od. größer werden*) agrandarse; (*sich ausdehnen*) ir extendiéndose; (*intensiver werden*) intensificarse; (*Fortschritte machen*) progresar, adelantar; hacer progresos; (*dicker werden*) engordar, F echar carnes; *Tage, Hochwasser*: crecer; *Wind*: arreciar; *Übel*: agravarse; empeorar; *Mond*: estar en creciente; an Alter ~ avanzar en edad; an Wert ~ aumentar de valor; an Zahl ~ aumentar en número; an Gewicht ~ aumentar de peso; an Kräften ~ ir cobrando fuerzas, fortalecerse; *die Tage (Nächte) nehmen zu* los días (las noches) se van alargando; **~d** *adj.* creciente; (*fortschreitend*) progresivo; *~er Mond* cuarto creciente; *wir haben ~en Mond* la luna está en creciente; *mit ~em Alter* con los años; a medida que avanzan (*od.* pasan) los años; *in ~em Maße* cada vez más; *es wird ~ dunkler* va obscureciendo (cada vez más).

'**zuneig|en** *v/t. u. v/refl.* inclinar hacia (*a. fig.*); *sich s-m Ende ~* ir acabando; tocar a su fin; declinar; *der Tag neigte sich s-m Ende zu* atardecía; declinaba la tarde; **2ung** *f* inclinación *f* (*a. fig.*); (*Wohlgeneigtheit*) afecto *m*; simpatía *f*; cariño *m*; *~ zu j-m fassen* cobrar afecto a alg.; sentir simpatía (*od.* cariño) hacia alg.

Zunft *f* (-; *⸚e*) (*Handwerker2*) gremio *m*; corporación *f* de artesanos; (*Brüderschaft*) hermandad *f*; cofradía *f*; *fig. m. s.* pandilla *f*; caterva *f*; '**~geist** *m* (*-es*; *0*) espíritu *m* de cuerpo; '**2gemäß** *adj.* conforme a los estatutos del gremio; gremial, del gremio.

'**zünftig** *adj.* → *zunftgemäß*; (*e-r Zunft angehörend*) agremiado; *fig.* (*fachmännisch*) de especialista; (*kunstgerecht*) hábil; competente; experto; (*echt*) verdadero; F (*wie es sich gehört*) como es debido; (*tüchtig, gut*) bueno; F *j-n ~ verprügeln* propinar a alg. una soberana paliza.

'**Zunftwesen** *n* (*-s*; *0*) régimen *m* gremial.

'**Zunge** *f* lengua *f*; (*fig. Sprache*) *a.* habla *f*; *e-s Blasinstruments, e-s Schuhes*: lengüeta *f*; *e-r Schnalle*: pasador *m*; *an der Waage*: lengüeta *f*; fiel *m*; *Ict.* (*See2*) lenguado *m*; *Geogr.* (*Land2*) lengua *f* de tierra; *belegte ~* lengua saburrosa *od.* sucia; *fig. e-e böse ~ haben* ser maldiciente; tener una lengua viperina (*od.* de escorpión *od.* de hacha); *e-e scharfe ~ haben* ser mordaz; *e-e schwere ~ haben* F tener media lengua, tener la lengua de trapo, *nach Alkoholgenuß*: tener la lengua estropajosa; *e-e feine ~ haben* tener un paladar muy fino; *e-e freche ~ haben* ser lenguaraz (*od.* largo de lengua); *mit heraushängender ~* (*Tier*) con la lengua fuera; *j-m die ~ herausstrecken* (*od.* zeigen) sacar la lengua a alg.; *j-m die ~ lösen* destrabar la lengua a alg.; *sich auf die ~ beißen* morderse la lengua (*a. fig.*); *das Wort liegt mir auf der ~* tengo la palabra en la punta de la lengua; *das Herz auf der ~ haben* no poder callarse nada; no poder guardarse para sí lo que sabe; *die ~ im Zaum halten* tener la lengua, F mirarse para hablar; *mit der ~ schnalzen* chascar la lengua.

'**züngeln** (*-le*) *v/i.* mover la lengua; (*Feuer*) llamear; echar llamaradas *f/pl.*; (*Schlange*) silbar.

'**Zungen...**: **~band** *Anat. n* (*-és*; *⸚er*) frenillo *m* de la lengua; **~bein** *Anat. n* (*-és*; *-e*) hueso *m* hioides; **~belag** ⚕ *m* (*-és*; *0*) saburra *f* lingual; **~brecher** *fig. m* trabalenguas *m*; **~fehler** *m* defecto *m* lingual; ⚕ defecto *m* disártrico; **2fertig** *adj.* (*redselig*) locuaz; de fácil palabra; decidor; **~fertigkeit** *f* (*0*) F desparpajo *m*; (*Redseligkeit*) locuacidad *f*; F labia *f*; **2förmig** *adj.* en forma de lengua; lingüiforme; **~halter** ⚕ *m* depresor *m* lingual; **~krebs** ⚕ *m* (*-es*; *0*) cáncer *m* de la lengua; **~laut** *Gr. m* (*-és*; *-e*) sonido *m* lingual; **~schlag** *m* (*-és*; *0*) lengüetada *f*; (*Sprachstörung*) tartamudeo *m*; *des Betrunkenen*: balbuceo *m* incoherente; *e-n guten ~ haben* F tener labia; (*schnippisch*) F hablar con desparpajo; no tener pelos en la lengua; **~spatel** ⚕ *m* → *Zungenhalter*; **~spitze** *f* punta *f* de la lengua; **~(spitzen)-R** *Gr. n* r *f* apical.

'**Zünglein** *n* lengüeta *f*; *an der Waage*: *a.* fiel *m*; *fig. das ~ an der Waage sein* ser el fiel de la balanza; (*entscheidend sein*) ser quien (*bzw.* lo que) decide.

zu'nichte *adv.*: *~ machen* reducir a la nada, aniquilar; (*zerstören*) destruir; (*zugrunde richten*) arruinar; *Pläne*: desbaratar; echar a rodar; *Hoffnungen*: frustrar; *Theorie*: echar por tierra; *~ werden* quedar reducido a la nada; quedar destruido; *Pläne*: desbaratarse; *Hoffnungen*: frustrarse.

'**zunicken** *v/i.*: *j-m ~* hacer seña con la cabeza a alg.; (*grüßend*) saludar con una inclinación de cabeza a alg.; (*zustimmend*) asentir con la cabeza.

zu'nutze *adv.*: *sich et. ~ machen* aprovecharse (*od.* sacar provecho) de a/c.; utilizar a/c.; (*ausbeuten*) explotar a/c.

zu'-oberst *adv.* en lo más alto (*in, auf dat.* de); por encima; encima de todo; *das Unterste ~ kehren* trastornarlo todo; F volverlo todo patas arriba.

'**zu|ordnen** (*-e-*) *v/t.* acompañar, adjuntar; agregar; coordinar; **2ordnung** *f* coordinación *f*; **~packen** *v/i.* → *zugreifen*.

zu'paß *adv.* a propósito; a punto, a tiempo; oportunamente; *~ kommen* venir a propósito.

'**zupf|en** *v/t.* tirar (*an dat.* de); *Leinen, Seide*: deshilar; deshilachar; *j-n am Ärmel ~* tirar de la manga a alg.; *auf der Geige ~* puntear las cuerdas del violín; *die Gitarre ~* (*spielen*) puntear la guitarra; **2en** *n v. Leinen, Seide*: deshiladura *f*; ♪ punteo *m*; **2geige** *f* guitarra *f*; **2leinwand** *f* (*0*) hilas *f/pl.*

'**zu|pfropfen** *v/t.* taponar; **~prosten** (*-e-*) *v/i.*: *j-m ~* beber a la salud de alg.; brindar por alg.

zur = *zu der*; → *zu*.

'**zu|raten** (*L*) **I.** *v/t.*: *j-m et. ~* aconsejar a alg. (hacer) a/c.; recomendar a alg. (hacer) a/c.; *ich will weder zu- noch abraten* me abstengo de todo consejo; **II.** *2 n*: *auf mein ~* siguiendo mi consejo; **~raunen** *v/t.* → *zuflüstern*.

'**zurechn|en** (*-e-*) *v/t.* incluir en la cuenta; añadir a la cuenta; *fig.* (*zuschreiben*) atribuir; (*zur Last legen*) imputar; achacar; **2ung** *f* (*Einbeziehung*) inclusión *f*; *mit ~ aller Kosten* incluyendo (*od.* con inclusión de) todos los gastos; *fig.* atribución *f*; imputación *f*; **~ungsfähig** *adj.* consciente de sus actos; *~es Alter* edad (del uso) de la razón; **2ungsfähigkeit** *f* (*0*) (*Bewußtsein der Tat*) conciencia *f* de sus actos; ⚖ imputabilidad *f*; *verminderte ~* imputabilidad atenuada.

zu'recht *adv.* en orden, en regla; (*mit Recht*) con razón; (*wie es sich gehört*) debidamente, como es debido; **~bringen** (*L*) *v/t.* arreglar; poner en orden; (*erreichen*) lograr, conseguir; **~finden** (*L*) *v/refl.*: *sich ~* orientarse; hallar su camino; acertar a desenvolverse en a/c.; **~flicken** *v/t.* arreglar remendando; **~helfen** (*L*) *v/i.*: *j-m ~* ayudar a alg. a salir de un apuro; *fig.* echar un cable a alg.; **~kommen** (*L*; *sn*) *v/i.* (*zur rechten Zeit kommen*) llegar oportunamente (*od.* a tiempo); *mit j-m ~* arreglarse con alg.; entenderse con alg.; *mit et. ~* llevar a cabo (*od.* a buen término) a/c.; lograr hacer a/c.; **~legen** *v/t.* arreglar, poner en orden; disponer debidamente; (*vorbereiten*) preparar; *fig. sich et. ~* (*erklären*) explicarse a/c.; *sich e-e Ausrede ~* tener preparada una excusa; **~machen** *v/t.* preparar, aprestar; arreglar; disponer; *Bett, Zimmer*: hacer; *Salat*: aderezar; **~rücken** *v/t.* enderezar; arreglar; **~setzen** (*-t*) *v/t.* ordenar; disponer convenientemente; arreglar; poner en su sitio; poner bien; ajustar; *fig. j-m den Kopf ~* hacer a alg. entrar en razón; F hacer a alg. sentar la cabeza (*od.* los cascos); **~stellen** *v/t.* → *zurechtsetzen*; **~stutzen** (*-t*) *v/t.* dar la forma conveniente a; *Baum*: podar; *Hecke*: recortar; **~weisen** (*L*) *v/t.*: *j-n ~* mostrar el camino a alg.; (*einleiten*) instruir a alg.; (*tadeln*) reprender, F echar una reprimenda a alg.; (*in die Schranken weisen*) llamar la atención a alg., F parar los pies a alg.; F bajar los humos a alg.; **2weisung** *f* reprimenda *f*; (*Anleitung*) instrucción *f*.

'**zureden** (*-e-*) **I.** *v/i.*: *j-m ~* tratar de persuadir a alg. (*et. zu tun* a que haga a/c.); tratar de convencer a alg.; (*ermutigen*) animar, alentar a alg.; (*ermahnen*) exhortar a alg.; **II.** *2 n* persuasión *f*; (*Bitten*) instancias *f/pl.*; *auf ~ von* a instancias de; *trotz allen ~s* a pesar de todas las exhortaciones.

'**zureichen 1.** *v/i.* bastar, ser suficiente, alcanzar; **2.** *v/t.* alargar; *bei Tisch*: pasar; **~d** *adj.* suficiente.

'**zureit|en** (*L*) **1.** *v/t.* (*wildes Pferd*) desbravar, domar; domesticar; **2.** *v/i.* cabalgar; *schneller*: ir a buen trote; dar de espuelas al caballo; *~ auf* (*ac.*) cabalgar hacia; ⚔ avanzar (a caballo) sobre; **2en** *n v. wilden Pferden*: doma *f*; **2er** *m* desbravador *m* (de caballos); *in der Manege*: picador *m*.

'**zuricht|en** (*-e-*) *v/t.* (*herrichten*) preparar; (*anordnen*) disponer; *Speisen*: aderezar; *Textilstoffe*: aprestar; *Holz, Stein*: labrar; ⊕ (*einstellen*) ajustar; *Pelze*: adobar; *Typ.* compaginar; *übel ~* (*j-n*) maltratar a alg.; dejar maltrecho (*od.* hecho una lástima) a alg.; (*et.*) estropear a/c.; echar a perder a/c.; **2er** *m v. Pelzen*: adobador *m* de pieles; *Typ.* compaginador *m*; **2ung** *f* preparación *f*; preparativos *m/pl.*; (*Anordnung*) disposición *f*; *v. Speisen*: aderezo *m*; *v. Textilstoffen*: apresto *m*; ⊕ (*Einstellung*) ajuste *m*; *v. Pelzen*: adobo *m*; *Typ.* compaginación *f*.

'**zuriegeln** (*-le*) *v/t.* cerrar con cerrojo; echar el cerrojo a.

'**zürnen I.** *v/i.* estar enojado (*mit j-m* con alg.; *wegen et.* por a/c.); *j-m* ~ enojarse con alg., guardar rencor a alg.; F tener hincha a alg.; **II.** ꝰ *n* enojo *m*; rencor *m*; F hincha *f*.

'**zurren** *v/t.* amarrar, atar.

Zur'schaustellung *f* exhibición *f*; exposición *f* pública; *fig.* exhibicionismo *m*; alarde *m*.

zu'rück *adv.* atrás; (*rückwärts*) hacia atrás; (*hinten*) detrás; (*im Rückstand*) atrasado; ~ *sein* estar de regreso (*od.* de vuelta); *ich bin bald* ~ vuelvo pronto (*od.* en seguida); *hier haben Sie zwei Mark* ~ aquí tiene usted dos marcos de vuelta; ~ *an Absender* devuélvase al remitente (*od.* a su procedencia); ~! ¡atrás!; *hin und* ~ ida y vuelta; es *gibt kein* ꝰ *mehr* no es posible retroceder (*a. fig.*); **~beben** *v/i.* retroceder de espanto; **~begeben** (*L*; -) *v/refl.*: *sich* ~ volver *od.* regresar (*nach, auf* a); **~begleiten** (*-e-*; -) *v/t.* acompañar en el regreso a; **~behalten** (*L*; -) *v/t.* retener; (*reservieren*) reservar; *unrechtmäßigerweise*: detentar; ꝰ**behaltung** *f* (*0*) retención *f*; reservación *f*; *unrechtmäßige*: detentación *f*; ꝰ**behaltungsrecht** ⚖ *n* (*-es*; *0*) derecho *m* de retención; **~bekommen** (*L*; -) *v/t.* (*früher Gegebenes bzw. Geliehenes*) recibir devuelto; (*früher Besessenes*) recobrar, recuperar; (*Wechselgeld*) recibir de vuelta; *ich habe das Buch* ~ me han devuelto el libro; **~berufen** (*L*; -) *v/t.* llamar (*nach* a); (*absetzen*) retirar *bzw.* separar de su puesto; ꝰ**berufung** *f* llamamiento *m*; orden *f* de regreso; llamada *f*; (*Absetzung*) retirada *f bzw.* separación *f* del puesto.

zu'rück...: **~beugen** *v/t.* doblar *bzw.* inclinar hacia atrás; *sich* ~ reclinarse (hacia atrás); **~bezahlen** (-) *v/t.* re(e)mbolsar, reintegrar; devolver; ꝰ**bezahlung** *f* re(e)mbolso *m*, reintegro *m*; devolución *f*; **~biegen** (*L*) *v/t.* doblar hacia atrás; **~bleiben** (*L*; *sn*) *v/i.* quedar(se) atrás; rezagarse; *Uhr*: atrasar; (*übrigbleiben*) restar; quedar como resto *od.* residuo; (*dableiben*) quedar(se) en; (*überleben*) sobrevivir; *weit* ~ quedarse muy atrás (*od.* muy rezagado); *fig. hinter s-r Zeit* ~ no marchar con los tiempos; estancarse en una época pasada; *hinter den Erwartungen* ~ no corresponder a las esperanzas; *zurückgeblieben fig.* (*in der Entwicklung*) atrasado; (*geistig*) retrasado mental; deficiente mental; **~blicken** *v/i.* mirar atrás; *fig.* echar una mirada retrospectiva (*auf ac.* sobre); examinar retrospectivamente a/c.; **~bringen** (*L*) *v/t.* volver a llevar (*bzw.* a traer) al mismo sitio de antes; (*zurückgeben*) devolver; *Person*: acompañar (de regreso) a su casa; *fig.* hacer retroceder; *ins Leben* ~ volver a la vida, resucitar; **~datieren** (-) *v/t.* antedatar; **~denken** (*L*) *v/i.* recordar el pasado; ~ *an* (*ac.*) recordar (*ac.*); **~drängen** *v/t.* hacer retroceder; *fig.* contener; reprimir; **~drehen** *v/t.* volver (hacia) atrás; **~dürfen** (*L*) *v/i.* tener permiso para (*od.* estar autorizado a) regresar *od.* volver; poder regresar *od.* volver; **~eilen** (*sn*) *v/i.* volver rápidamente; apresurarse a volver *od.* regresar; correr (hacia) atrás; **~erbitten** (*L*; -) *v/t.* pedir la devolución de; **~erhalten** (*L*; -) *v/t.* → *zurückbekommen*; **~erinnern** (-) *v/refl.*: *sich* ~ → *zurückdenken*; **~er-obern** (-) *v/t.* ⚔ reconquistar; (*Stellung*) recuperar; **~erstatten** (*-e-*; -) *v/t.* devolver; restituir; *Ausgaben, Kosten*: re(e)mbolsar; ꝰ**erstattung** *f* devolución *f*; restitución *f*; re(e)mbolso *m*.

zu'rück...: **~fahren** (*L*) **1.** (*sn*) *v/i.* volver (en coche *etc.*); (*sich plötzlich rückwärts bewegen*) retroceder bruscamente, (*vor Schreck usw.*) retroceder asustado; (*rückwärts fahren*) marchar atrás; dar marcha atrás; **2.** *v/t.*: *j-n* ~ llevar a alg. a casa (en coche *etc.*); **~fallen** (*L*; *sn*) *v/i.* (*rückwärts fallen*) caer hacia atrás; caer(se) de espaldas; (*zurückbleiben*) rezagarse; quedar atrás (*a. fig.*); *Strahlen*: reflejarse (*auf ac.* en); *an j-n* ~ ⚖ (*heimfallen*) recaer en alg.; *an den Staat* ~ revertir al Estado; *fig. auf j-n* ~ recaer sobre alg.; ~ *in* (*ac.*) recaer en, (*in e-n Fehler*) *a.* reincidir en; *in e-e Krankheit* ~ recaer, tener una recaída; **~finden** (*L*) *v/i.*: *sich* ~ encontrar el camino (de vuelta); lograr orientarse; **~fliegen** (*L*; *sn*) *v/i.* volver el vuelo a; *im Flugzeug*: volver (*od.* regresar) en avión; ✈ volver (a su base); **~fließen** (*L*; *sn*), **~fluten** (*-e-*; *sn*) *v/i.* refluir; ꝰ**fließen** *n*, ꝰ**fluten** *n* reflujo *m*; **~fordern** (*-re*) *v/t.* pedir la devolución de; reclamar; *Recht*: reivindicar; ꝰ**forderung** *f* reclamación *f*; *v. Rechten*: reivindicación *f*; **~führen** *v/t.* volver a traer *bzw.* llevar (*nach* a); (*begleiten*) acompañar a casa; *in die Heimat*: repatriar; *fig.* ~ *auf* (*ac.*) reducir a; *Grund, Ursache*: atribuir a; *auf s-n wahren Wert* ~ reducir a su justo valor; ꝰ**gabe** *f* devolución *f*; (*Rückerstattung*) restitución *f*; **~geben** (*L*) *v/t.* devolver; (*rückerstatten*) restituir; **~gehen** (*L*; *sn*) *v/i.* volver (al punto de partida); *denselben Weg*: desandar el camino; volver a sus pasos; (*rückwärts gehen*) ir *od.* andar para atrás; (*nach hinten gehen*) volver atrás; (*sich rückläufig bewegen*) *Astr.* retrogradar; (*zurückweichen*) retroceder; ⚔ retirarse; (*abnehmen*) disminuir, ir disminuyendo; reducirse; (*verfallen*) decaer, ✝ *Geschäft*: ir a menos; no prosperar; *Preise, Kurse, Wasser*: bajar; *Krankheit*: declinar; *Wunde*: curarse; cicatrizar; *Fieber*: ceder, bajar; *Schwellung*: deshinchar; *fig.* ~ *auf* (*ac.*) basarse en, fundarse en; tener su origen en; ser debido a; ser motivado por; (*geschichtlich, chronologisch*) remontarse a *od.* hasta; *fig. auf die Quellen* ~ remontarse a las fuentes; *fig. auf den Ursprung* ~ remontarse a los orígenes; ~ *lassen Sendung*: devolver (*an ac.* a); ꝰ**gehen** *n* vuelta *f* (atrás); (*rückläufige Bewegung*) *Astr.* retrogradación *f*; (*Regression*) regresión *f*, retrocesión *f*; (*Zurückweichen*) retroceso *m*; (*Abnahme*) disminución *f*; *v. Preisen, Kursen*: baja *f*; *v. Wasser*: descenso *m*; **~gehend** *adj.* (*rückläufig*) retrógrado; **~geleiten** (*-e-*) *v/t.* acompañar *bzw.* conducir a su lugar *bzw.* al punto de partida; acompañar en el regreso (a casa *etc.*); **~gewinnen** (*L*) *v/t.* recuperar; recobrar; **~gezogen** *adj.* retirado; retraido; solitario; *ein* ~*es Leben führen*; ~ *leben* hacer vida retirada; ꝰ**gezogenheit** *f* (*0*) vida *f* retirada; retraimiento *m*; retiro *m*, recogimiento *m*; (*Einsamkeit*) soledad *f*; **~greifen** (*L*) *v/i.* remontarse a; *weiter* ~ *in e-r Erzählung usw.*: divagar en el comienzo; relatar ab ovo; F *fig.* remontarse al tiempo de los celtas; (*Zuflucht nehmen zu*) recurrir a, F echar mano de; **~haben** (*L*) *v/t.* → *zurückbekommen*; *et.* ~ *wollen* → *zurückerbitten*; **~halten** (*L*) **1.** *v/t.* retener; (*unrechtmäßigerweise*) detentar; (*aufhalten*) detener; *j-n* ~ contener a alg.; impedir la acción de alg.; mantener a raya a alg.; (*verbergen*) ocultar; *Tränen*: contener; *Gefühle*: contener; reprimir, refrenar; *für j-n et.* ~ reservar (*od.* tener reservado) a/c. para alg.; **2.** *v/refl.*: *sich* ~ (*sich zügeln*) contenerse; reportarse, moderarse; (*sich reserviert verhalten*) mantenerse reservado; **3.** *v/i.*: *mit et.* ~ disimular a/c.; reservarse a/c.; abstenerse de a/c., (*verheimlichen*) ocultar a/c.; *mit dem Lob nicht* ~ no escatimar elogios; *mit s-r Meinung* ~ reservarse su opinión; **~haltend** *adj.* reservado; (*nicht mitteilsam*) poco comunicativo; (*vorsichtig*) cauto; discreto; (*gemäßigt*) moderado; (*nüchtern*) sobrio; ꝰ**haltung** *f* retención *f*; *fig.* reserva *f*; cautela *f*; discreción *f*; moderación *f*; **~holen** *v/t.* ir a buscar; **~jagen** *v/t.* (*verscheuchen*) ahuyentar; **~kämmen** *v/t.* peinar para atrás; **~kaufen** *v/t.* volver a comprar; readquirir; **~kehren** (*sn*) *v/i.* volver, regresar; retornar; *nach Hause* ~ volver a casa; *auf s-n Posten* ~ reintegrarse a su puesto; **~klappen** *v/t.* replegar; desdoblar, abrir; **~kommen** (*L*; *sn*) *v/i.* volver, regresar; estar de vuelta; *fig.* (*herunterkommen*) venir a menos; ir de mal en peor; *mit der Arbeit*: retrasarse; *auf e-e Sache* ~ (*wieder aufgreifen*) volver sobre un asunto (*od.* sobre una cuestión); ✝ *wir kommen zurück auf Ihr Schreiben ...* refiriéndonos a su carta ...; **~können** (*L*) *v/i.* poder volver *od.* regresar; poder volver (-se) atrás (*a. fig.*); *fig.* poder retroceder; poder retractarse; ꝰ**kunft** *f* (*0*) vuelta *f*, regreso *m*; *Liter.* retorno *m*.

zu'rück...: **~lassen** (*L*) *v/t.* (*hinterlassen*) dejar (*a. Angehörige*); dejar tras de sí; (*verlassen*) abandonar; (*überholen*) dejar atrás; (*Rückkehr erlauben*) permitir regresar, dejar volver; **~laufen** (*L*; *sn*) *v/i.* (*zurückkehren*) volver corriendo; (*rückwärts laufen*) correr hacia atrás; *Astr.* retrogradar; (*zurückfließen*) refluir; **~legen** *v/t.* colocar atrás; colocar (*od.* poner) detrás; (*beiseite legen*) poner aparte (*od.* a un lado); *Geld, Ware*: guardar en reserva; *Geld* ~ (*sparen*) ahorrar, economizar; reservar para más adelante; *e-m Käufer*: (*Ware*) reservar (para); *Weg*: andar; recorrer; *Sport*: cubrir; *e-e Strecke* ~ recorrer un trayecto, (*Entfernung*) recorrer una distancia; *auf s-n Platz* ~ volver a poner (*od.* a colocar) en su sitio; **~lehnen** *v/refl.*: *sich* ~ reclinarse; recostarse; retreparse; **~leiten** (*-e-*) *v/t.* llevar atrás; llevar *bzw.* traer al mismo sitio; **~lenken** *v/t.*: *s-e Schritte* ~ volver sobre sus pasos; **~liefern** (*-re*) *v/t.* devolver; reenviar, reexpedir; **~liegen** (*L*) *v/i.* *zeitlich*: datar de; *das liegt zehn Jahre zurück* han pasado diez años desde entonces; **~marschieren** (*sn*) *v/i.* volver atrás; ⚔ replegarse; retirarse; **~melden** (*-e-*) **1.** *v/t.*: *j-n* ~ avisar el regreso de alg.; **2.** *v/refl.*: *sich* ~ avisar (*od.* dar noticia de) su llegada; *bsd.* ⚔ presentarse a; **~müssen** (*L*) *v/i.* tener que volver *od.* regresar; **2nahme** *f* recogida *f*; ⚔ repliegue *m*; retirada *f*; (*Widerruf*) *e-r Äußerung*: retractación *f*; *e-s Gesetzes*: derogación *f*; *e-r Verordnung*: revocación *f*; ☤ (*Abbestellung*) contraorden *f*; anulación *f* (del pedido); ⚖ ~ *der Klage* desistimiento *m* de la demanda; ~ *e-s Gesetzentwurfes Parl.* retirada de un proyecto de ley; **~nehmen** (*L*) *v/t.* recoger; volver a tomar; ⚔ *Truppen*: replegar; retirar; (*widerrufen*) *e-e Äußerung*: retractarse (de), *öffentlich*: retractarse públicamente, F cantar la palinodia; *ein Gesetz*: derogar; *e-e Verordnung*: revocar; ☤ (*abbestellen*) dar contraorden, anular; *gekaufte Ware*: admitir la devolución de; ⚖ *e-e Klage*: desistir (de); *das Gesagte* ~ retractarse (de lo dicho); retirar sus palabras; desdecirse; *ein Versprechen* ~ retirar su promesa, F volverse atrás (de lo prometido); **~prallen** (*sn*) *v/i. Ball, Geschoß*: rebotar; *Strahlen*: reverberar; reflejarse; *fig. vor Schreck* ~ retroceder de espanto; **2prallen** *n* rebote *m*; *v. Strahlen*: reverberación *f*; reflejo *m*; **~reichen** *v/t.* devolver; *fig.* (*zeitlich*) remontar(se) a; **~reisen** (*-t*; *sn*) *v/i.* volver, regresar (*nach* a); **~rufen** (*L*) *v/t.* llamar; hacer volver; ☤ *Wechsel*: retirar; *ins Leben* ~ hacer revivir; resucitar; *ins Gedächtnis* ~ evocar; hacer recordar; *sich et. ins Gedächtnis* ~ recordar a/c.; acordarse de a/c.; *j-m et. ins Gedächtnis* ~ recordar a/c. a alg.; **~schaffen** *v/t.* → *zurückbringen*; **~schallen** *v/i.* resonar; **~schalten** (*-e-*) *v/t. Auto*: *e-n Gang* ~ cambiar (*od.* pasar) a una velocidad inferior; **~schaudern** (*-re*; *sn*) *v/i.* retroceder de espanto; estremecerse de horror ante; **~schauen** *v/i.* → *zurückblikken*; **~scheuen** *v/i.* retroceder asustado; *vor nichts* ~ no retroceder ante nada; no arredrarse por (*od.* ante) nada; **~schicken** *v/t. Person*: enviar de nuevo a; hacer volver; mandar volver; *Sendung*: reexpedir, reenviar; devolver; **~schieben** (*L*) *v/t.* empujar hacia atrás; **~schlagen** (*L*) **1.** *v/t.* echar hacia atrás; rechazar (*a. fig.*); ⚔ *Angriff*: rechazar, repeler; *Mantel*: abrir; *Vorhang*: descorrer; *Ball*: devolver; *Kapuze, Schleier*: levantar; *Decke*: apartar; (*falten, einschlagen*) doblar; **2.** (*sn*) *v/i.* caer de espaldas; *Flamme*: volver; **~schnellen** (*sn*) *v/i.* rebotar; *Feder*: recobrar bruscamente su posición inicial; **~schrauben** *fig. v/t.* (*einschränken*) reducir; limitar; **~schrecken** **1.** *v/t.* espantar; hacer retroceder; (*abschrecken*) intimidar; (*einschüchtern*) asustar; atemorizar; acobardar; **2.** (*sn*) *v/i.* retroceder (de espanto); ~ *vor* (*dat.*) retroceder ante; acobardarse *od.* arredrarse ante; *vor nichts* ~ no dejarse intimidar por nada; no arredrarse (*od.* no acobardarse) ante nada; **~schreiben** (*L*) *v/t.* contestar (por escrito); **~schwimmen** (*L*; *sn*) *v/i.* volver a nado; **~sehen** (*L*) *v/i.* mirar atrás; **~sehnen** *v/refl.*: *sich* ~ sentir el deseo vehemente de volver a; *sich* ~ *nach* (*vermissen*) añorar; sentir la ausencia de alg.; echar de menos a/c. *bzw.* a alg.; **~sein** (*L*) *v/i.* (*v. e-r Reise usw.*) estar de vuelta (*od.* de regreso); haber vuelto *od.* regresado; *fig.* (*im Rückstand sein*) estar retrasado; (*in der Entwicklung, in Kenntnissen usw.*) estar atrasado; (*nicht auf dem laufenden sein*) no estar al día; **~senden** *v/t.* → *zurückschicken*; **~setzen** (*-t*) *v/t.* colocar atrás; colocar *od.* poner detrás; poner aparte; retirar; *für später*: reservar para más adelante; *Waren*: desechar; *Preise*: bajar; rebajar, reducir; *fig. j-n* ~ tratar a alg. con menos consideración (*od.* miramientos) que a otros, (*demütigen*) humillar a alg., *durch Bevorzugung e-s Minderberechtigten*: postergar a alg.; **2setzung** *f* ☤ *der Preise*: baja *f*; rebaja *f*, reducción *f*; (*Demütigung*) humillación *f*; (*Ungerechtigkeit*) injusticia *f*; *durch Bevorzugung e-s Minderberechtigten*: postergación *f*; **~sinken** (*L*; *sn*) *v/i.* (dejarse) caer atrás; *fig.* ~ *in* (*ac.*) recaer en; reincidir en; **~spiegeln** (*-le*) *v/t.* reflejar; **~spielen** *v/t. Fußball*: hacer un pase atrás.

zurück...: ~springen (*L*; *sn*) *v/i.* dar un salto atrás; (*zurückprallen*) rebotar; *Feder*: volver bruscamente a su posición inicial; **~springend** *adj.* (*Winkel*) entrante; **~stehen** (*L*) *v/i.* estar atrás; *fig.* ~ *hinter* (*dat.*) ser inferior a; ser de rango inferior a; ser de menos categoría que; ~ *müssen* tener que esperar, (*verzichten müssen*) tener que renunciar a; **~stellen** *v/t.* colocar atrás; poner (*od.* colocar) detrás; *Buch*: volver a colocar en su sitio; (*aufschieben*) diferir, aplazar; *Uhr*: atrasar; *für später*: reservar, dejar en reserva; *et. für j-n* ~ poner aparte (*od.* reservar) a/c. para alg.; ⚔ *Dienstpflichtigen*: (*zeitweilig*) dar de baja provisionalmente, (*als unentbehrlich*) eximir del servicio; ⊕ *in die Anfangsstellung*: reajustar en la posición inicial; (*zurückbewegen*) hacer retroceder; (*hintansetzen*) posponer; **2stellung** *f* ⚔ *zeitweilige*: baja *f* provisional; *wegen Unabkömmlichkeit*: exención *f* del servicio; **~stoßen** [oː] (*L*) *v/t.* empujar hacia atrás; *fig.* (*abstoßen*) repeler; repugnar; **~strahlen** **1.** *v/t.* reflejar; reverberar; **2.** *v/i.* reflejarse, ser reflejado; *fig.* reflejarse (*auf ac.* en); **2strahlung** *f* reflejo *m*; reverberación *f*; **~streichen** (*L*) *v/t. Haare*: alisar; **~streifen** *v/t. Ärmel usw.*: arremangar; **~strömen** (*sn*) *v/i.* refluir; **~taumeln** (*-le*; *sn*) *v/i.* retroceder tambaleando; **~telegrafieren** (-) *v/t. u. v/i.* contestar por telegrama; **~tragen** (*L*) *v/t.* (volver a) llevar; volver a poner en su lugar; **~treiben** (*L*) *v/t.* hacer retroceder; ⚔ repeler, rechazar; *das Vieh*: recoger; ⚕ repercutir; **~treibend** ⚕ *adj.* repercusivo; **~treten** (*L*; *sn*) *v/i.* retroceder; volver atrás; dar un paso atrás; △ entrar; *Gewässer*: ir bajando *od.* descendiendo, *an den Ufern*: retroceder; *fig.* (*verzichten*) renunciar (a); ⚖ desistir (de); (*zweitrangig sein*) ser insignificante (*gegenüber* comparado con *od.* en comparación a); ~ *in* (*ac.*) volver a; ~ *lassen* relegar a un segundo término; postergar; ~ *von* (*sich zurückziehen*) retirarse de; *von e-m Vorhaben* ~ desistir de un propósito; *von s-m Amt* ~ dimitir (el cargo), presentar la dimisión (del cargo); renunciar al cargo; *von e-m Vertrag* ~ cancelar un contrato; *vor j-m* ~ ceder el paso *bzw.* el sitio a alg.; ~! ¡atrás!; **~tun** (*L*) *v/t.*: *e-n Schritt* ~ dar un paso atrás, retroceder un paso; **~übersetzen** (*-t*; -) *v/t.* retraducir; **2übersetzung** *f* retraducción *f*; **~verfolgen** (-) *v/t.* *Weg*: desandar; *fig.* remontar hasta los orígenes; **~vergüten** (*-e-*; -) *v/t.* re(e)mbolsar; reintegrar; **~verlangen** (-) *v/t.* reclamar la devolución (de); **~verlegen** (-) *v/t.* postergar; **~versetzen** (*-t*; -) *v/t.* reponer; *Schüler*: hacer repetir el curso; *sich in e-e frühere Zeit* ~ evocar (*od.* recordar) una época pasada; *sich ins Mittelalter zurückversetzt fühlen* sentirse como si estuviera viviendo en la Edad Media; **~verweisen** (*L*; -) *v/t.*: ~ *an, auf* (*ac.*) remitir a; **~wandern** (*-re*; *sn*) *v/i.* volver (*nach* a); *als Rückwanderer*: repatriarse; **~weichen** (*L*; *sn*) *v/i.* retroceder, recular; dar un paso atrás; (*sich zurückziehen*) retirarse (*a.* ⚔); ceder terreno (*a. fig.*); *fig.* (*nachgeben*) ceder; **2weichen** *n* retroceso *m*; (*Rückzug*) retirada *f*; **~weisen** (*L*) *v/t. u. v/i.*: ~ *auf* (*ac.*) remitir a; referirse a; (*ablehnen*) *Vorschlag*: rechazar; *Bitte*: no atender; *Geschenk*: rehusar, no aceptar; *Einladung*: declinar; ⚖ *Zeugen, Richter*: recusar; ⚖ *Erbschaft*: repudiar; *Gesuch, Antrag*: desestimar; denegar; (*abweisen*) ☤ *Wechsel*: no aceptar; ⚔ *Angriff*: rechazar, repeler; (*protestieren*) protestar (contra); (*Entschuldigung*) no admitir; 2**weisung** *f auf e-e Anmerkung usw.*: referencia *f*; (*Ablehnung*) rechazamiento *m*; ⚖ *v. Zeugen, Richtern*: recusación *f*; ⚖ *e-r Erbschaft*: repudiación *f*; *e-s Gesuches, Antrags*: desestimación *f*; denegación *f*; **~wenden** (*L*) *v/t. u. v/refl.* dar la vuelta; *sich* ~ volverse; **~werfen** (*L*) *v/t.* echar (hacia) atrás; arrojar atrás; hacer retroceder; ⚔ *den Feind*: rechazar, repeler; *Phys. Lichtstrahlen*: reflejar (*auf ac.* en; sobre); reverberar; *Schall*: reflejar; repercutir; *Ball*: devolver; 2**werfen** *n* rechazamiento *m*; *Phys. des Lichtes*: reflexión *f*; reverberación *f*; reflejo *m*; *des Schalles*: reflexión *f*; repercusión *f*; *e-s Balles*: devolución *f*; (*Rückprall*) rebote *m*; **~wirken** *v/i.* reaccionar (*auf ac.* sobre); *Gesetz usw.*: tener efecto retroactivo; **~wirkend** *adj.* retroactivo; **~wollen** (*L*) *v/i.* querer volver (*nach* a); **~wünschen** *v/t.* desear el regreso de; *sich* ~ *nach* desear volver (*od.* regresar) a; **~zahlen** *v/t.* devolver; pagar; (*Auslagen*) re(e)mbolsar; *Hypothek*: redimir; *Schuld*: pagar; saldar; *fig.* corresponder; 2**zahlung** *f* devolución *f*; *e-r Schuld*: pago *m*; *v. Auslagen*: re(e)mbolso *m*; **~ziehen** (*L*) **1.** *v/t.* retirar; (*widerrufen*) *e-e Verordnung*: revocar; *e-e Behauptung*: retractarse; desdecirse (de); ⚖ desistir (de); *Truppen*: replegar; retirar; *aus dem Verkehr* ~ retirar de la circulación; ✝ (*Auftrag*) anular; **2.** *v/refl.*: *sich* ~ retirarse (*von* de); ⚔ *Truppen*: *a.* replegarse; (*weichen*) retroceder; (*sich zur Ruhe setzen*; *schlafen gehen*) retirarse; (*v. der Welt*) retraerse; recluirse; *vom Geschäft* ~ retirarse de los negocios; *sich von der Bühne* ~ retirarse de la vida teatral, F abandonar las tablas; *sich zur Beratung* ~ retirarse a deliberar; *sich von et.* ~ (*aufgeben*) retirarse, abandonar (*a. Sport*); *sich in sich selbst* ~ abstraerse; **3.** (*sn*) *v/i.*: *an e-n Ort* ~ retirarse a; volver a un lugar; 2**zieher** *m Billard*: efecto *m* retrógrado; 2**ziehung** *f* retirada *f*; (*Widerruf*) revocación *f*; retractación *f*; *v. der Welt*: reclusión *f*; vida *f* recoleta.

'**Zuruf** *m* (-*es*; -*e*) voz *f*, grito *m*; (*Beifalls*2) aclamación *f* (*a. Parl.*); *durch* ~ *wählen* elegir por aclamación; *Wahl durch* ~ elección por aclamación; 2**en** (*L*) *v/t.*: *j-m et.* ~ gritar a alg. que (*subj.*); *j-m beifällig* ~ aclamar a alg.; aplaudir a alg.; vitorear a alg.

'**zurüst|en** (-*e*-) *v/t.* preparar; aprestar; (*ausrüsten*) equipar; 2**ung** *f* preparativos *m/pl.*; aprestos *m/pl.*; (*Ausrüstung*) equipo *m*.

'**Zusage** *f* (*Versprechen*) promesa *f*; palabra *f*; (*bejahende Antwort*) contestación *f* afirmativa; (*Einwilligung*) consentimiento *m*; asentimiento *m*; (*Billigung*) aprobación *f*; *auf e-e Einladung*: aceptación *f*; 2**n** **1.** *v/t.* prometer; dar promesa (*od.* palabra) de; *j-m et.* ~ prometer a alg. a/c.; *j-m et. auf den Kopf* ~ decirle a alg. las cosas en la cara; **2.** *v/i.* (*bejahend antworten*) contestar afirmativamente (*od.* que sí); (*einwilligen*) dar su asentimiento a; (*die Einladung annehmen*) aceptar la invitación; (*sich verpflichten*) comprometerse a; (*gefallen*) agradar, gustar, satisfacer a; ser del agrado de; (*passen*) convenir.

zu'sammen *adv.* juntos; juntamente, uno con otro; conjuntamente; (*im ganzen*) todo junto; en conjunto; en suma, en total; ~ *mit* en unión con; junto con, conjuntamente con; en compañía (*od.* acompañado) de; en colaboración con; (*gleichzeitig*) al mismo tiempo; *wir haben 20 Mark* ~ tenemos veinte marcos entre todos; 2**arbeit** *f* (*0*) colaboración *f*; cooperación *f*; **~arbeiten** (-*e*-) *v/i.* trabajar juntos; colaborar; cooperar; **~ballen** *v/t. u. v/refl.* aglomerar; apiñar; (*häufen*) amontonar; apelotonar; (*konzentrieren*) concentrar; *Faust*: apretar; *sich* ~ aglomerarse; apiñarse; amontonarse; apelotonarse; concentrarse; *Phys.* conglomerarse; *Gewitter*: cernerse; 2**ballen** *n*, 2**ballung** *f* aglomeración *f*; amontonamiento *m*; apelotonamiento *m*; concentración *f*; *Phys.* conglomeración *f*; (*Zusammengeballtes*) conglomerado *m*; 2**bau** ⊕ *m* (-*es*; *0*) montaje *m*; **~bauen** ⊕ *v/t.* montar; **~beißen** (*L*) *v/t. die Zähne*: apretar; **~bekommen** (*L*; -) *v/t.* lograr reunir; llegar a juntar (*a. Geld*); **~berufen** (*L*; -) *v/t.* convocar; reunir; 2**berufen** *n*, 2**berufung** *f* convocacion *f*; reunión *f*; **~betteln** (-*le*) *v/t.* reunir mendigando; **~binden** (*L*) *v/t.* atar (juntos); *Bündel*: liar; hacer un lío; **~bleiben** (*L*; *sn*) *v/i.* seguir *bzw.* quedar unidos; seguir *bzw.* quedar juntos; **~brauen** *v/t.* (*zubereiten*) preparar; (*mixen*) mezclar, F hacer una mezcolanza; *fig. es braut sich et. zusammen* algo se está tramando; **~brechen** (*L*; *sn*) *v/i.* derrumbarse, venirse abajo, hundirse (*alle a. fig.*); (*zusammensacken*) desplomarse; (*ohnmächtig fallen*) desmayarse; *vor Entkräftung*: caer extenuado; ✝ *Firma*: quebrar; *Unternehmen*: fracasar; 2**brechen** *n* → *Zusammenbruch*; **~bringen** (*L*) *v/t.* acumular; reunir, juntar; lograr (*od.* llegar a) reunir *od.* juntar; *Geld*: (*aufbringen*) encontrar, procurarse, proporcionarse; *wieder* ~ (*versöhnen*) reconciliar, lograr la reconciliación de; 2**bruch** *m* (-*es*; ⸗*e*) derrumbamiento *m* (*a.* ⚔ *u. Pol.*); hundimiento *m* (*a. fig.*); (*Zusammensacken*) desplome *m*; ✝ quiebra *f*, bancarrota *f*; ⚔ *u. Pol.* derrota *f*; *fig.* cataclismo *m*; desastre *m*; (*Scheitern*) fracaso *m*; (*Vernichtung*) aniquilamiento *m*; ruina *f*; ⚕ (*Nerven*2) colapso *m* nervioso; ⚕ (*Kollaps*) colapso *m*; **~drängen** *v/t.* apretar; (*verdichten, kompakter machen*) comprimir; condensar (*a. fig.*); (*konzentrieren*) concentrar; (*anhäufen*) amontonar; (*zusammenballen*) aglomerar; *Personen*: apiñar; F *fig.* embanastar; (*verengen*) estrechar; *fig.* (*kürzen*) resumir, compendiar; condensar; *sich* ~ apretarse; comprimirse; *Personen*: aglomerarse, apiñarse; F apretujarse; *fig.* embanastarse; **~drückbar** *adj.* compresible; **~drücken** *v/t.* apretar; oprimir (*a. fig.*); comprimir; (*pressen*) prensar; 2**drücken** *n*, 2**drückung** *f* apretadura *f*; presión *f*; compresión *f*; **~fahren** (*L*; *sn*) **1.** *v/i.* (*aufeinanderstoßen*) chocar (*mit* con); estrellarse; *fig.* (*erschrecken*) dar un respingo; sobrecogerse; sobresaltarse; estremecerse; **2.** *v/t. ein Auto usw.*: destrozar; **~fallen** (*L*; *sn*) *v/i.* (*einstürzen*) derrumbarse, venirse abajo, hundirse (*alle a. fig.*); (*zusammensacken*) desplomarse; (*zerbröckeln*) desmoronarse (*a. fig.*); *Person*: extenuarse; *Aufgeblähtes*: desinflarse; *zeitlich*: coincidir; 2**fallen** *n* (*Einsturz*) derrumbamiento *m*, hundimiento *m* (*beide a. fig.*); (*Zusammensacken*) desplome *m*; (*Zerbröckeln*) desmoronamiento *m* (*a. fig.*); *v. Personen*: extenuación *f*; *zeitliches*: coincidencia *f*; **~faltbar** *adj.* plegable; **~falten** *v/t.* plegar, doblar; **~fassen** (-*ßt*) *v/t.* (*vereinigen*) reunir; aunar; (*konzentrieren*) concentrar; (*zentralisieren*) centralizar; (*sammeln*) recoger; recopilar; (*integrieren*) integrar; (*koordinieren*) coordinar; (*in sich fassen*) abarcar; comprender, incluir; *kurz* ~ resumir, hacer un resumen de; *Schriftwerke*: condensar; (*gedrängt darstellen*) compendiar; sintetizar; (*noch einmal* ~) recapitular; **~fassend** **I.** *adj.* sumario; sintetizador; ~*e Darstellung* exposición sumaria; **II.** *adv.* sumariamente; en resumen; 2**fassung** *f* unión *f*; concentración *f*; centralización *f*; recopilación *f*; *kurze* ~ sumario *m*; resumen *m*; compendio *m*; síntesis *f*; recapitulación *f*; **~fegen** *v/t.* recoger con la escoba; **~finden** (*L*) *v/refl.*: *sich* ~ reunirse, juntarse; **~flechten** (*L*) *v/t.* entretejer; entrelazar; **~flicken** *v/t.* remendar (*ac.*); *fig. Buch*: (*zusammenstoppeln*) compilar; **~fließen** (*L*; *sn*) *v/i.* (re)unirse; *Flüsse*: confluir; *Tönungen*: confundirse; mezclarse; 2**fließen** *n*, 2**fluß** *m* (-*sses*; ⸗*sse*) (re)unión *f*; confluencia *f*; *v. Tönungen*: fusión *f*; mezcla *f*; **~fügen** *v/t.* unir; reunir, juntar; *Holzteile*: ensamblar; ⊕ (*kuppeln*) acoplar; *sich* ~ unirse, reunirse, juntarse; 2**fügung** *f* unión *f*; reunión *f*; *v. Holzteilen*: ensambladura *f*, ensamblaje *m*; ⊕ acoplamiento *m*; **~führen** *v/t.* reunir; **~geben** (*L*) *v/t.* unir en matrimonio, casar; **~gehen** (*L*; *sn*) *v/i.* ir juntos; (*gemeinsame Sache machen*) hacer causa común; (*abnehmen*) disminuir; (*schrumpfen*) encogerse; (*sich schließen*) cerrarse; **~gehören** (-) *v/i.* pertenecer al (*od.* ser del) mismo grupo; formar un conjunto; ir juntos; pertenecer uno a otro; corresponder uno a otro; ser compañeros; (*ein Paar bilden*) hacer pareja; *Gemälde usw.*: hacer juego; ir bien uno con otro; armonizar; **~gehörig** *adj.* correspondiente; congénere; del mismo grupo; afín; (*gleichartig*) homogéneo; 2**gehörigkeit** *f* (*0*) correspondencia *f*; unión *f*; compañerismo *m*; solidaridad *f*; (*Gleichartigkeit*) homogeneidad *f*; 2**gehörigkeitsgefühl** *n* (-*es*;

0) (espíritu *m* de) compañerismo *m*; solidaridad *f*; (*Korpsgeist*) espíritu *m* de cuerpo; **~geraten** (*L*; -; *sn*) *v/i.* chocar; *fig.* (*im Wortwechsel*) altercar, tener unas palabras (*mit* con); tener un choque (con); reñir, disputar (con); (*handgemein werden*) llegar a las manos; **~gesellen** (-) *v/t.* juntar; asociar; **~gesetzt** *adj.* compuesto.

zu'sammen...: ~gewürfelt *fig. adj.* abigarrado; **~gießen** (*L*) *v/t.* mezclar; **~grenzen** (*-t*) *v/i.* confinar; colindar (*mit* con); **2halt** *m* (*-es*; *0*) consistencia *f*; cohesión *f*; coherencia *f*; *fig.* (*Gemeinschaftsgefühl*) solidaridad *f*; compañerismo *m*; (*Verbundenheit*) armonía *f*; concordia *f*; compenetración *f*; **~halten** (*L*) **1.** *v/t.* unir, ligar; juntar; mantener unidos (*a. fig.*); tener coherencia; *fig. vergleichend*: comparar; cotejar; confrontar; *Geld*: administrar con tino; (*sparen*) evitar gastos; ahorrar; **2.** *v/i.* mantenerse unidos (*a. fig.*); *Personen*: estar compenetrados; ayudarse mutuamente; obrar de común acuerdo; ser solidarios; **2hang** *m* (*-es*; *"e*) conexión *f* (*mit* con); nexo *m*; (*Beziehung*) relación *f*; (*Folge*) sucesión *f*; (*Kontinuität*) continuidad *f*; *e-s Textes*: contexto *m*; *v. Ideen*: asociación *f*; *Phys.* cohesión *f*; coherencia *f*; *ohne ~* sin relación; sin conexión, inconexo; incoherente; *Rede*: sin ilación; deshilvanado; *im ~ mit* en relación con; de acuerdo con; (*bezüglich*) respecto a *od.* de; *in welchem ~?* ¿en qué relación?; ¿a qué respecto?; *in diesem ~* a este respecto; bajo este aspecto; a propósito de esto; en este orden de ideas; *aus dem ~ kommen beim Sprechen*: perder el hilo; *aus dem ~ reißen Worte*: separar del contexto; *in ~ bringen mit* relacionar (*od.* poner en relación) con; (*verbinden*) asociar a *od.* con; *im ~ stehen mit* estar relacionado (*od.* en relación) con; **~hängen** (*L*) **1.** *v/i.* estar unido (*mit* a); *Räume*: comunicar (entre sí); estar contiguos; (*zwei Meere usw.*) tener comunicación; *Phys.* tener coherencia, ser coherente; *~ mit* (*in Beziehung stehen*) estar relacionado (*od.* en relación) con; guardar relación con; *das hängt damit nicht zusammen* no hay ninguna relación entre ambas cosas; F eso no tiene nada que ver con ello; **2.** *v/t.* colgar juntos (*od.* uno al lado del otro); **~hängend** *adj.* coherente (*a. Gedanken, Rede*); (*fortlaufend*) continuo, seguido; sin interrupción; (*in Beziehung stehend*) conexo; (*angrenzend*) anexo; contiguo; (*voneinander abhängig*) interdependiente; **~hanglos** *adj.* sin relación (con otra cosa determinada); sin cohesión; sin ilación; *Rede*: incoherente; deshilvanado; **2hanglosigkeit** *f* (*0*) incoherencia *f*; **~hauen** (*L*) *v/t.* hacer pedazos; destrozar, ⚔ *fig. a.* derrotar, aniquilar; *Arbeit*: hacer una chapucería; *j-n ~* F moler las costillas a alg.; **~häufen** *v/t.* acumular; amontonar; apilar; **~heften** (*-e-*) *v/t.* coser, unir cosiendo; *Schneiderei*: hilvanar; *Buch*: encuadernar (en rústica); (*verbinden*) juntar; unir; **~heilen** (*sn*) *v/i. Wunde*: cerrarse; (*vernarben*) cicatrizarse; **~holen** *v/t.* recoger en todas partes; reunir; **~kauern** (*-re*) *v/refl.*: *sich ~* acurrucarse; (*sich bücken*) agazaparse; agacharse; **~kaufen** *v/t.* comprar en bloque; comprar en gran cantidad; *wucherisch*: acaparar; **~ketten** (*-e-*) *v/t.* encadenar (juntos); **~kitten** (*-e-*) *v/t.* unir con cemento *m*; pegar; **2klang** ♪ *m* (*-es*; *"e*) acorde *m*; (*Gleichklang*) consonancia *f*; (*Einklang*) armonía *f*, concierto *m*; **~klappbar** *adj.* plegable; **~klappen** **1.** *v/t.* plegar; doblar; *Buch, Messer*: cerrar; **2.** *v/i.* (*zusammensacken*) desplomarse; caer rendido (de fatiga); ⚕ sufrir un colapso; **~kleben** **1.** *v/t.* pegar; *Chir.* aglutinar; **2.** (*sn*) *v/i.* pegar(se); estar pegado; *Chir.* aglutinarse; **2kleben** *n* pegadura *f*, pegamiento *m*; *Chir.* aglutinación *f*; **~klingen** (*L*) *v/i.* ♪ consonar; **~knäueln** *v/refl.*: *sich ~* apelotonarse; **~kneifen** (*L*) *v/t.* apretar; **~knüllen** *v/t.* arrugar; estrujar; **~knüpfen** *v/t.* atar; (*verknoten*) anudar; **~kommen** (*L*; *sn*) *v/i.* venir *bzw.* llegar juntos; (*sich versammeln*) reunirse; (*sich vereinigen*) juntarse, unirse (con); (*sich treffen*) encontrarse; (*sich sehen*) verse; *zu e-r Besprechung*: entrevistarse; (*sich ansammeln*) congregarse; **~koppeln** (*-le*) *v/t.* ⊕ acoplar; **~krachen** (*sn*) *v/i.* derrumbarse (*a. fig.*); **~krampfen** *v/refl.*: *sich ~* contraerse (convulsivamente); crisparse; **~kratzen** (*-t*) *v/t.* F *fig.* reunir penosamente; *s-e letzten Heller ~* arrebañar los últimos cuartos; **2kunft** *f* (-; *"e*) reunión *f*; (*Versammlung*) asamblea *f*; (*Sitzung*) junta *f*; sesión *f*; *v. zwei Personen*: entrevista *f*; *verabredete*: cita *f*; (*Treffen*) encuentro *m*; (*Konferenz*) conferencia *f*; *Astr.* conjunción *f*; **~läppern** (*-re*) F *v/refl.*: *sich ~* ir acumulándose poco a poco; **~laufen** (*L*; *sn*) *v/i.* correr juntos; *Menge*: acudir en masa *bzw.* en tropel; aglomerarse, apiñarse; arremolinarse; (*e-n Auflauf bilden*) agruparse tumultuosamente; *Flüsse*: confluir; *Farben*: confundirse; *Tinte*: correrse; hacer borrones *m/pl.*; Ꭿ *Linien*: converger, convergir; *Stoffe*: encogerse; *fig. da läuft e-m das Wasser im Munde zusammen* se le hace a uno la boca agua; **2laufen** *n* reunión *f*; concurso *m* (*od.* afluencia *f*) de gente; concurrencia *f*; aglomeración *f* de gente; (*Tumult*) tumulto *m*; reunión *f* tumultuosa; Ꭿ *v. Linien*: convergencia *f*; *v. Flüssen*: confluencia *f*; *v. Stoffen*: encogimiento *m*; **2leben** *n* (*-s*; *0*) vida *f* común; convivencia *f*; cohabitación *f*; *eheliches ~* vida conyugal; *außereheliches ~* vida marital; cohabitación *f*; **~leben** *v/i.* vivir juntos; *mit j-m ~* convivir con alg.; cohabitar con alg.; (*ehelich*) vivir en matrimonio; *in wilder Ehe ~* hacer vida marital, cohabitar; **~legbar** *adj.* plegable; **~legen** *v/t.* poner juntos; (*falten*) plegar, doblar; (*vereinigen*) unir; reunir; (*verbinden*) combinar; (*zentralisieren*) centralizar; (*konzentrieren*) concentrar; *Firmen*: fusionar; ✝ *Aktien, Anleihen*: consolidar; *Geld*: (*anteilmäßig*) contribuir a prorrata; pagar a escote; *das Geld ~* (*gemeinsame Kasse führen*) hacer caja común; **2legung** *f* (*Vereinigung*) unión *f*; reunión *f*; (*Zentralisierung*) centralización *f*; (*Konzentrierung*) concentración *f*; *v. Firmen*: fusión *f*; *v. Aktien, Anleihen*: consolidación *f*; **~leimen** *v/t.* encolar, pegar con cola *f*; **~lesen** (*L*) *v/t.* (*sammeln*) recoger; *Ähren*: espigar; (*viel lesen*) adquirir conocimientos leyendo mucho; **~löten** (*-e-*) *v/t.* soldar; **~lügen** (*L*) *v/t.* mentir mucho; F *was er alles zusammenlügt!* miente más que habla.

zu'sammen...: ~nageln (*-le*) *v/t.* clavar, unir con clavos *m/pl.*; **~nähen** *v/t.* coser (*mit* a); unir cosiendo; **~nehmen** (*L*) *v/t.* (*verbinden*) reunir, juntar; (*aufsammeln*) recoger; (*s-e Gedanken*) concentrarse; *s-e Kräfte ~* concentrar sus fuerzas; *alles zusammengenommen* en total, en suma; en conjunto; considerándolo todo; *sich ~* (*sich anstrengen*) hacer un esfuerzo, (*sich fassen*) recobrar el dominio sobre sí; serenarse, calmarse, (*sich beherrschen*) dominarse; contenerse, reprimirse, (*sich mäßigen*) moderarse; **~packen** *v/t.* empaquetar; hacer un paquete con todo; **~passen** (*-ßt*) **1.** *v/i.* adaptarse uno a otro; *Personen*: armonizar; congeniar; *Brautpaar*: hacer buena pareja; *Farben usw.*: ir bien (*od.* cuadrar) con; hacer juego; armonizar; **2.** *v/t.* ajustar; adaptar; **~pferchen** *v/t.* apiñar; *fig.* hacinar; *Personen*: F embanastar; *zusammengepfercht* apiñado; F *fig.* como sardinas en lata; **2prall** *m* (*-es*; *-e*) colisión *f*; encontronazo *m*; choque *m* (*a.* ⚔, 🚗, *v. Autos u. fig.*); **~prallen** (*sn*) *v/i.* chocar; *Auto, Flugzeug*: *a.* estrellarse (*gegen* contra); **~pressen** (*-ßt*) *v/t.* comprimir; apretar (uno contra otro); (*ausquetschen*) estrujar; (*unter der Presse*) prensar; *Zähne*: apretar; **~raffen** *v/t.* juntar; acumular; *schnell ~* recoger a toda prisa; *sich ~ fig.* hacer un esfuerzo supremo; (*sich fassen*) recobrar el dominio sobre sí; **~rechnen** (*-e-*) *v/t.* sumar; hacer el cálculo total; *neol.* totalizar; *alles zusammengerechnet* en total; *fig.* teniéndolo todo en cuenta; **~reimen** *v/t. fig.* poner en consonancia; *sich ~* concordar (*mit* con); estar en consonancia con; estar de acuerdo con; *wie reimt sich das zusammen?* ¿cómo se explica eso?; **~reißen** F (*L*) *v/refl.*: *sich ~* (*sich anstrengen*) hacer grandes esfuerzos; P *fig.* partirse el pecho; **~rollen** *v/t.* enrollar; *sich ~* enrollarse; apelotonarse; **~rotten** (*-e-*) *v/refl.* agruparse tumultuariamente; *Aufrührer*: amotinarse; **2rottung** *f* agrupación *f* tumultuaria; *Aufruhr*: amotinamiento *m*; alboroto *m*; motín *m*; **~rücken** **1.** *v/t.* aproximar, acercar; **2.** *v/i.* estrecharse, juntarse (más); *~, um für j-n Platz zu machen* estrecharse *od.* correrse para hacer sitio a alg.; **~rufen** (*L*) *v/t.*

convocar; reunir; **~sacken** (*sn*) *v/i.* desplomarse; **2sacken** *n* desplome *m*; **~scharen** *v/refl.*: *sich* ~ agruparse; formar grupos; reunirse; **~scharren** *v/t.* reunir (*od.* acumular) trabajosamente; **2schau** *f* (*0*) síntesis *f*; sinopsis *f*; **~schaudern** (*-re*; *sn*) *v/i.* estremecerse; **~schiebbar** *adj.* ⊕ (*ineinanderschiebbar*) *neol.* telescópico; **~schieben** (*L*) *v/t.* aproximar; juntar; ⊕ (*ineinanderschieben*) enchufar; encajar uno dentro de otro; **~schießen** (*L*) *v/t.* derribar a tiros; ⚔ *mit Artillerie*: derribar a cañonazos; (*Geld zur Bezahlung*) pagar a escote; **~schlagen** (*L*) **1.** *v/t.* (*falten*) replegar; doblar; ⊕ *Gerüst, Maschine*: armar; *Buch*: cerrar de golpe; *die Beine*: cruzar; *Zimmerei*: (*Holzstücke*) ensamblar; (*zerschlagen*) romper a golpes; hacer pedazos; destrozar; j-n ~ F moler las costillas a alg.; derrengar a golpes a alg.; die Hakken ~ (entre)chocar los talones; die Hände ~ palmotear, dar palmadas; die Hände über dem Kopf ~ *vor Staunen*: llevarse las manos a la cabeza; quedar atónito; *vor Verzweiflung*: desesperarse, F *fig.* tomar el cielo con las manos; **2.** *v/i.* cerrarse de golpe; (*aneinanderschlagen*) golpear contra; chocar con; entrechocar; über j-m ~ *Wellen*: quedar sepultado bajo las olas; **~schließen** (*L*) *v/t.* encadenar juntos; atar juntos; (*vereinigen*) unir; ☤, *Pol.* fusionar; sich ~ (*sich vereinigen*) unirse; (*sich zusammenscharen*) agruparse; (*sich zusammenrotten*) agruparse tumultuariamente; ☤, *Pol.* fusionarse; (*Interessengemeinschaften*) mancomunarse; *im Bündnis*: aliarse; *Pol., Parl.* coligarse; **2schluß** *m* (*-sses*; *⸚sse*) unión *f*; ☤, *Pol.* fusión *f*; (*vereinsmäßig*) asociación *f*; federación *f*; (*Bündnis*) alianza *f*; *Pol.*, *Parl.* coalición *f*; **~schmelzen** (*L*) **1.** *v/t.* fundir (juntos); **2.** (*sn*) *v/i.* fundirse; *fig.* (*abnehmen*) menguar, disminuir; ir desapareciendo; desvanecerse; **~schmieden** (*-e-*) *v/t.* forjar; **~schmieren** *v/t. fig.* (*Buch*) compilar atropelladamente; viel ~ *fig.* emborronar cuartillas; **~schnüren** *v/t. Paket*: atar con bramante; j-m die Kehle ~ estrangular (*od.* ahogar) a alg.; *fig.* das Herz ~ oprimir el corazón; **~schrauben** *v/t.* atornillar; sujetar con tornillos; **~schreiben** (*L*) *v/t.* (*zusammenstellen*) compilar; *Rechtschreibung*: escribir en una palabra; viel ~ (*desp.*) emborronar cuartillas; sich ein Vermögen ~ enriquecerse escribiendo.

zu'sammen...: ~schrumpfen (*sn*) *v/i.* encogerse; contraerse; (*runzelig werden*) arrugarse; avellanarse; *fig.* menguar, disminuir; venir a menos; **~schustern** (*-re*) F *fig. v/t.* remendar; **~schütten** (*-e-*) *v/t.* juntar; (*mischen*) mezclar; **~schweißen** (*-ßt*) *v/t.* soldar; **2schweißen** *n* soldadura *f*; **2sein** *n* → *Zusammenkunft*; **~setzen** (*-t*) *v/t.* poner (*od.* colocar) juntos; (*zu e-m Ganzen*) componer; (*aneinanderfügen*) juntar; *Zimmerei*: ensamblar; ⊕ montar; armar; ⚗, ⚕ combinar; ⚔ die Gewehre ~ formar pabellones; sich ~ sentarse juntos (*od.* uno al lado del otro); sich ~ aus componerse de; estar integrado por; constar de; **2setzung** *f* composición *f*; (*Synthese*) síntesis *f*; (*Zusammenfügung*) unión *f*; *Zimmerei*: ensambladura *f*; ⊕ montaje *m*; ⚗, ⚕ combinación *f*; (*Struktur*) estructura *f*; *bsd.* ⚗, *Phar.* compuesto *m* (*aus* de); *Gr.* construcción *f* (gramatical); *Wort*: palabra *f* compuesta; **~sinken** (*L*; *sn*) *v/i.* desplomarse; (*ohnmächtig werden*) desmayarse; (*einstürzen*) hundirse; derrumbarse; venirse abajo; **2sinken** *n* desplome *m*; ⚕ síncope *m*; (*Zusammenstürzen*) hundimiento *m*; derrumbamiento *m*; **~sparen** *v/t.* reunir ahorrando; **~sperren** *v/t.* encerrar juntos; **2spiel** *n* (*-es*; *0*) *Thea.* conjunto *m*; *Sport*: juego *m* de conjunto; *Fußball*: combinación *f*; (*Zusammenarbeit*) cooperación *f*; **~stampfen** *v/t.* (*feststampfen*) apisonar; **~stekken 1.** *v/t.* juntar; poner (*od.* colocar) juntos; *mit Stecknadel*: prender con alfileres; *fig.* die Köpfe ~ cuchichear al oído; secretear; **2.** *v/i.* F *fig.* (*Freunde*) ser uña y carne; sie stecken immer zusammen siempre están juntos; son inseparables; **~stehen** (*L*) *v/i.* estar juntos; (*mehrere Personen*) formar grupos; formar corro; *fig.* hacer causa común; estar solidarizados; F ser del mismo bando; **~stellen** *v/t.* colocar juntos; ⊕ montar; armar; (*zusammensetzen*) componer; (*vereinigen*) juntar, reunir; (*anordnen*) ordenar, disponer, arreglar; *organisatorisch*: organizar; *nach Gruppen*: agrupar; *nach Klassen*: clasificar; *nach Farben, Ausführung usw.*: combinar; (*zusammentragen aus Büchern*; *kompilieren*) compilar; *zusammenfassend*: resumir; compendiar; *vergleichend*: comparar; *gegenüberstellend*: confrontar; (*auswählen*) elegir, *Sport*: (*Mannschaft*) seleccionar; *Truppen, Unterlagen*: reunir; *Liste*: hacer, confeccionar; **2stellung** *f* ⊕ montaje *m*; (*Zusammensetzung*) composición *f*; (*Vereinigung*) unión *f*, reunión *f*; (*Anordnung*) ordenación *f*; *nach Gruppen*: agrupamiento *m*; agrupación *f*; *nach Klassen*: clasificación *f*; *nach Farben, Ausführung usw.*: combinación *f*; (*Kompilation*) compilación *f*; (*Zusammenfassung*) resumen *m*; *vergleichende*: comparación *f*; *gegenüberstellende*: confrontación *f*; *v. Truppen*: reunión *f*; agrupamiento *m*; (*Liste*) lista *f*; nómina *f*; (*Tabelle*) tabla *f*; (*Übersichtstabelle*) sinopsis *f*; cuadro *m* sinóptico; **~stimmen** *v/t.* concordar; estar de acuerdo (*mit* con); **~stoppeln** (*-le*) *v/t. fig.* reunir sin método; acopiar sin elección; *Schriften*: compilar atropelladamente, F hilvanar de cualquier modo; das ist zusammengestoppelt está hecho de retazos; **2stoß** *m* (*-es*; *⸚e*) colisión *f* (*a. fig.*); encuentro *m* (*a.* ⚔); encontronazo *m*; choque *m* (*a.* ⚔, 🚂, *Auto. u. fig.*); ⚓ *v. Schiffen*: abordaje *m*; *fig.* (*Konflikt*) conflicto *m*; (*Wortwechsel*) altercado *m*; disputa *f*; (*Schlägerei*) pelea *f*; **~stoßen** (*L*) **1.** *v/t. Gläser*: chocar; **2.** (*sn*) *v/i.* chocar (*a. fig.*); encontrarse; topar; entrechocarse; 🚂 *Züge, Auto usw.*: chocar; ⚓ abordar; ~ *mit* et. chocar contra a/c.; tropezar con(tra) a/c.; dar contra a/c.; topar con a/c.; ⚓, ✈ (*zerschellen*) estrellarse contra (*a. Auto.*); (*aneinandergrenzen*) estar contiguo(s), *Grundstück*: colindar, lindar con; (*sich berühren*) tocarse; **~streichen** (*L*) *v/t.* abreviar; acortar; **~strömen** (*sn*) *v/i. Flüsse*: confluir; *Menschen*: afluir; concurrir *bzw.* acudir en masa; **2sturz** *m* (*-es*; *⸚e*) hundimiento *m*; derrumbamiento *m*; desplome *m*; **~stürzen** (*-t*; *sn*) *v/i.* hundirse; derrumbarse; venirse abajo; desplomarse; **~suchen** *v/t.* recoger de todas partes; rebuscar (*a. fig.*); (*aussuchen*) escoger; **~tragen** (*L*) *v/t.* llevar a un mismo lugar; reunir; *aus Büchern*: compilar; recopilar; **~treffen** (*L*; *sn*) *v/i.* encontrarse; *mit j-m* ~ encontrarse con alg.; entrevistarse (*od.* tener una entrevista) con alg.; *zeitlich*: coincidir; (*übereinstimmen*) concordar; estar de acuerdo (*mit* con); **2treffen** *n* encuentro *m* (*a. feindliches*); *Unterredung*: entrevista *f*; *zeitliches*: coincidencia *f*; ~ von Umständen concurso *m* de circunstancias; (*Übereinstimmung*) acuerdo *m*; **~treiben** (*L*) *v/t.* recoger; reunir, juntar; *Jgdw.* batir; **~treten** (*L*; *sn*) *v/i.* reunirse; celebrar una asamblea *bzw.* una reunión; celebrar una junta; **2tritt** *m* (*-es*; *-e*) reunión *f*; junta *f*; **~trommeln** (*-le*) *v/t.* reunir a tambor batiente; F *fig.* llamar, reunir; convocar; **~tun** (*L*) *v/t.* juntar, poner juntos; (re)unir; asociar; sich ~ aunarse, unirse; asociarse; aliarse; **~wachsen** (*L*; *sn*) *v/i.* crecer adheridos; **2wachsung** *f* (*0*) ⚕ adherencia *f*; ⚘ concrescencia *f*; **~wehen** *v/t.* amontonar; **~werfen** (*L*) *v/t.* amontonar desordenadamente; echar en un montón; (*verwechseln*) confundir; (*durcheinanderbringen*) F hacer un revoltijo; (*niederwerfen*) derribar, echar abajo; **~wickeln** (*-le*) *v/t.* enrollar; envolver; **~wirken** *v/i.* actuar conjuntamente; cooperar; colaborar; zu e-m Ergebnis ~ contribuir a lograr un resultado; (*Umstände*) concurrir; coincidir con; **2wirken** *n* acción *f* conjunta; acción *f* combinada; cooperación *f*; colaboración *f*; contribución *f*; concomitancia *f*; *v. Umständen*: concurso *m*; coincidencia *f*; *Physiol.* sinergia *f*; **~wirkend** *adj.* cooperador; concurrente; concomitante; **~wohnen** *v/i.* vivir juntos; cohabitar; **~würfeln** (*-le*) *v/t. fig.* reunir al azar; confundir, mezclar; zusammengewürfelt heterogéneo; (*Menge, Gesellschaft*) *a.* abigarrado; **~zählen** *v/t.* → zusammenrechnen; **~ziehbar** *adj.* contráctil; *Zoo.* (*Kralle*) retráctil; **~ziehen** (*L*) **1.** *v/t.* contraer (*a. Phys., Physiol. u. Gr.*); (*sammeln*) reunir (*a.* ⚔ *Truppen*); (*konzentrieren*) concentrar (*a.* ⚔ *Truppen*); (*zentralisieren*) centralizar; (*kürzen*) reducir; acortar;

(*verengen*) estrechar; apretar; ⚕ astringir; *Summen*: sumar, adicionar; (*begrenzen*) limitar; restringir; *Text*: reducir; compendiar; *Augenbrauen*: fruncir; ⚓ *Segel*: aferrar; *Zoo.* (*Krallen*) retraer; **2.** *v/refl.*: *sich* ~ contraerse, *krampfhaft*: crisparse; reducirse; acortarse; estrecharse; (*faltig werden*) arrugarse; *Wolken*: acumularse; *Gewitter*: cernerse (*a. fig.*); *Stoffe*: (*einziehen*) encogerse; **3.** (*sn*) *v/i.* ir a vivir juntos; **~ziehend** *adj.* ⚕ constrictor; astrictivo, astringente; ~es *Mittel* astringente *m*; **Σziehung** *f* contracción *f* (*a. Phys., Physiol. u. Gr.*), *krampfhafte*: crispamiento *m*; (*Sammeln*) reunión *f*; (*Konzentration*) concentración *f* (*a.* ⚔ *v. Truppen*); (*Zentralisierung*) centralización *f*; (*Kürzen*) reducción *f*; acortamiento *m*; (*Verengen*) estrechamiento *m*; ⚕ constricción *f*; astringencia *f*; *v. Summen*: suma *f*, adición *f*; (*Begrenzung*) restricción *f*; *der Augenbrauen*: fruncimiento *m*; *der Krallen*: retracción *f*; *v. Stoffen*: encogimiento *m*; **~zucken** (*sn*) *v/i.* estremecerse.

ˈ**Zusatz** *m* (*-es*; *⸚e*) adición *f*; (*Hinzufügung*) aditamento *m*; añadidura *f*; (*Erweiterung*) ampliación *f*, *Rhet.* amplificación *f*; (*Nachtrag*) suplemento *m*; (*Anhang*) apéndice *m*; *zu Briefen*: postdata *f*, posdata *f*; ⚖ *zu e-m Testament*: codicilo *m*; (*hinzugefügte Anmerkung*) nota *f* adicional; (*Glosse*) glosa *f*; (*Beimischung*) *Met.* aleación *f*; **~abkommen** *n* convenio *m* adicional; **~aggregat** ⊕ *n* (*-es*; *-e*) grupo *m* adicional; **~antrag** *m* (*-es*; *⸚e*) *Parl.* enmienda *f*; **~artikel** *m* artículo *m* adicional; **~batterie** ⚡ *f* batería *f* auxiliar; **~bericht** *m* (*-es*; *-e*) informe *m* suplementario; **~bestimmung** *f* disposición *f* suplementaria; **~budget** *n* (*-s*; *-s*) presupuesto *m* suplementario; **~düse** ⊕ *f* tobera *f* auxiliar; **~gerät** *n* (*-es*; *-e*) aparato *m* adicional *od.* suplementario; **~karte** *f* billete *m* complementario; **~klausel** *f* (*-*; *-n*) cláusula *f* adicional; **~kontingent** *n* (*-es*; *-e*) contingente *m* suplementario; **~kredit** *m* (*-es*; *-e*) crédito *m* suplementario.

ˈ**zusätzlich I.** *adj.* adicional; suplementario; (*ergänzend*) complementario; (*helfend*) auxiliar; **II.** *adv.* (*außerdem*) además; por añadidura.

ˈ**Zusatz|nahrung** *f* (*0*) alimentación *f* suplementaria; **~patent** *n* (*-es*; *-e*) patente *f* complementaria; **~prämie** *f* prima *f* adicional, sobreprima *f*; **~protokoll** *n* (*-es*; *-e*) protocolo *m* adicional; **~steuer** *f* (*-*; *-n*) impuesto *m* adicional; **~strafe** ⚖ *f* pena *f* adicional; **~vereinbarung** *f* acuerdo *m* complementario *bzw.* adicional; **~versicherung** *f* seguro *m* complementario; **~versorgung** *f* (*0*) aprovisionamiento *m* suplementario; **~vertrag** *m* (*-es*; *⸚e*) contrato *m* adicional; **~widerstand** ⚡ *m* (*-es*; *⸚e*) resistencia *f* adicional.

zuˈ**schanden** *adv.*: ~ *gehen*; ~ *werden* frustrarse, quedar en nada; arruinarse; (*scheitern*) fracasar; ~ *machen* destruir (*a. Hoffnungen*); arruinar; echar a perder; *Plan*: desbaratar; frustrar; F echar a rodar; ~ *schlagen* estropear; destrozar (a golpes); *j-n* ~ *schlagen* maltratar a alg.; golpear (*od.* aporrear) a alg.; F moler a golpes a alg.; dejar lisiado a alg.; *ein Pferd* ~ *reiten* derrengar (*od.* deslomar) un caballo.

ˈ**zu|schanzen** (*-t*) F *v/t.*: *j-m et.* ~ procurar, proporcionar *od.* agenciar a/c. a alg.; **~scharren** *v/t.* soterrar; enterrar.

ˈ**zuschau|en** *v/i.* mirar; presenciar; ser espectador *bzw.* testigo (*bei* de); (*beobachten*) observar; *j-m* (*bei et.*) ~ mirar cómo alg. hace a/c.; **Σer(in** *f*) *m* espectador(a *f*) *m*; (*neugieriger*) curioso (-a *f*) *m*, F mirón *m*; (*Augenzeuge*) testigo *m/f* (presencial); (*FernsehΣ*) *neol.* telespectador(a *f*) *m*; **Σerplätze** *m/pl.* localidades *f/pl.* (para el público); **Σerraum** *Thea.* *m* (*-es*; *⸚e*) localidades *f/pl.*; (*Parkett*) patio *m*, platea *f*; **Σerschaft** *f* (*0*) espectadores *m/pl.*; **Σertribüne** *f* tribuna *f* (del público).

ˈ**zu|schaufeln** (*-le*) *v/t.* echar paletadas *f/pl.* de tierra sobre; **~schikken** *v/t.* enviar, remitir; **~schieben** (*L*) *v/t.* (*Schublade usw.*) cerrar; *den Riegel* ~ correr (*od.* echar) el cerrojo; *fig.* (*zuschreiben*) atribuir a; *j-m et.* ~ empujar hacia alg. a/c.; pasar a alg. a/c., *Unangenehmes*: *fig.* endosar a alg. a/c.; *j-m die Schuld an et.* (*dat.*) ~ imputar (*od.* achacar) a alg. la culpa de a/c.; F echarle a alg. la culpa de a/c.; F *fig.* echarle (*od.* colgarle) a alg. el muerto; *j-m die Verantwortung* ~ cargar sobre alg. la responsabilidad; **~schießen** (*L*) *v/t. u. v/i.* (*beitragen*) contribuir; *Geld* ~ dar dinero por añadidura; *ergänzend*: completar una suma; *aus öffentlichen Mitteln*: subvencionar; (*sn*) ~ *auf* (*ac.*) lanzarse sobre, abalanzarse sobre.

ˈ**Zuschlag** *m* (*-es*; *⸚e*) suplemento *m* (*a.* 🚂 *zum Fahrpreis*); (*Aufschlag*) recargo *m*; sobretasa *f* (*a.* 📯); (*SteuerΣ*) recargo *m* fiscal; (*Erhöhung*) aumento *m*; (*Hinzufügung*) adición *f*; *Met.* fundente *m*; (*bei Ausschreibungen, Auktionen*) adjudicación *f*; remate *m*; *den* ~ *erteilen an* adjudicar a; **Σen 1.** *v/t. Buch*: cerrar; *Tür*: cerrar de golpe (*od.* con violencia); dar un portazo; *j-m die Tür vor der Nase* ~ F *fig.* dar a alg. con la puerta en las narices; *Ball*: lanzar, tirar; (*erhöhen*) aumentar; (*hinzufügen*) adicionar; añadir, agregar; sumar; *bei e-r Ausschreibung, Versteigerung*: adjudicar (*dem Meistbietenden* al mejor postor); *Auktionator*: rematar; **2.** *v/i.* golpear; seguir dando golpes; *Tür usw.*: cerrarse violentamente (*od.* de golpe); **~(s)gebühr** *f* recargo *m*; suplemento *m* (*a.* 🚂); sobretasa *f* (*a.* 📯); **~(s)karte** 🚂 *f* suplemento *m*; billete *m* suplementario; **Σ(s)pflichtig** *adj.* sujeto a sobretasa; sujeto a pago de suplemento; **~(s)porto** 📯 *n* (*-s*; *-s*) franqueo *m* suplementario; sobretasa *f* postal; **~(s)prämie** ☤ *f* sobreprima *f*.

ˈ**zu|schließen** (*L*) *v/t. Tür usw.*: cerrar con llave; *Augen*: cerrar; **~schmeißen** (*L*) *v/t. Tür*: cerrar de golpe; dar un portazo; **~schmieren** *v/t.* tapar empastando *bzw.* untando; **~schnallen** *v/t.* enhebillar; *Riemen*: sujetar *bzw.* apretar con la hebilla; **~schnappen** *v/i.* (*Schnappschloß*) cerrarse de golpe; *nach et.* ~ (tratar de) atrapar con la boca; abocar a/c.

ˈ**zuschneid|en** (*L*) *v/t.* cortar; *Kleider*: cortar (a la medida); *Holz*: escuadrar; serrar en forma determinada; **Σen** *n v. Kleidern*: corte *m*; **Σer(in** *f*) *m Schneiderei*: cortador (-a *f*) *m*.

Zuschneideˈ**rei** *f* taller *m* de corte.

ˈ**zu|schneien** (*sn*) *v/i.* cubrirse de nieve; **Σschnitt** *m* (*-es*; *-e*) corte *m* (*a. fig.*); **~schnüren** *v/t.* atar con cordel; *Schuhe*: atar (los cordones de); *Paket*: atar con bramante *bzw.* con cordel; *j-m die Kehle* ~ estrangular (*od.* ahogar) a alg.; *fig. die Kehle war ihm wie zugeschnürt* se le hizo un nudo en la garganta; **Σschnüren** *n* atadura *f*; ~ *der Kehle* estrangulación *f*; **~schrauben** *v/t.* atornillar; **~schreiben** (*L*) *v/t.*: *j-m et.* ~ atribuir a alg. a/c., (*zur Last legen*) imputar *od.* achacar a alg. a/c.; *er hat es sich* (*dat.*) *selbst zu*~ es culpa suya; ☤ *j-m e-e Summe* ~ (*gutschreiben*) abonar en cuenta una cantidad a alg.; *es ist dem Umstande zuzuschreiben, daß* ... es debido a (la circunstancia *od.* al hecho de) que ...; **~schreien** (*L*) *v/t.*: *j-m et.* ~ gritarle a alg. a/c.; **~schreiten** (*L*; *sn*) *v/i.*: *tüchtig* ~ ir (*od.* andar) a buen paso; dar grandes zancadas; ~ *auf* (*ac.*) avanzar hacia; adelantarse a; **Σschrift** *f* (*Schreiben*) escrito *m*; (*Brief*) carta *f*; *amtliche*: oficio *m*.

zuˈ**schulden** *adv.*: *sich et.* ~ *kommen lassen* incurrir en (*od.* cometer una) falta; hacerse culpable de a/c.; (*sündigen*) pecar.

ˈ**Zuschuß** *m* (*-sses*; *⸚sse*) (*Beihilfe*) ayuda *f* económica (*od.* de costas); (*Zuschlag*) suplemento *m*; (*soziale Unterstützung*) subsidio *m*; ayuda *f*; prestación *f* económica; *Typ.* perdido *m*; *staatlicher* ~ subvención *f*; **~betrieb** *m* (*-es*; *-e*) empresa *f* que requiere subvención; **~bogen** *Typ.* *m* hoja *f* supernumeraria; perdido *m*; **~gebiet** *n* (*-es*; *-e*) zona *f* que necesita auxilio económico (para su desarrollo).

ˈ**zu|schütten** (*-e-*) *v/t.* llenar hasta el borde; colmar; (*Graben usw.*) cegar; (*hinzufügen*) añadir; echar más; **~schwören** (*L*) *v/t.*: *j-m et.* ~ jurar a/c. a alg.; **~sehen** (*L*) *v/i.* estar mirando; ser espectador (de); (*Zeuge sein*) ser testigo (de); *j-m bei et.* ~ ver (*od.* mirar *od.* observar) cómo alg. hace a/c.; *fig.* (*dulden*) tolerar, consentir, permitir; ~, *daß* ... (*sorgen*) cuidar (*od.* tener cuidado) de que (*subj.*); procurar (*inf.*); tener cuidado de (*inf.*); *da mag er* ~ eso es asunto suyo; él verá cómo se las arregla; allá él; *ich kann nicht länger* ~ no puedo soportar (*od.* aguantar) esto más tiempo; *bei genauerem* Σ mirando bien las cosas; **~sehends** *adv.* visiblemente; a ojos vistas; **~senden** (*L*) *v/t.* enviar, remitir; **Σsendung** *f* envío *m*; **~setzen** (*-t*) **1.** *v/t.* (*hinzufügen*) añadir, agregar, adicionar; (*einbüßen*) perder; (*opfern*) sacrificar; **2.** *v/i.*: *j-m* ~ (*drängend, mahnend*) apremiar a alg.; (*belästigen*) molestar, importunar, F dar la lata, fastidiar a alg.; (*plagen*) atormentar a alg.; (*verfolgen*) perseguir, acosar, asenderear a alg.; *mit Bitten, Fragen*: asediar a alg.; *j-m hart* ~ estrechar a alg.; F *fig.* apretarle a alg. las clavijas; **~sichern** (*-re*) *v/t.* asegurar; (*versprechen*) prometer; (*garantieren*) garantizar; **2sicherung** *f* seguridad *f*; (*Versprechen*) promesa *f*; (*Garantie*) garantía *f*; **~siegeln** (*-le*) *v/t.* sellar; **2speise** *f* (*Vorspeise*) entremeses *m/pl.*; (*Beilage*) aditamento *m* de legumbres *etc.*; **~sperren** *v/t.* cerrar (con llave); barrear; **2spiel** *n* (*-es*; *-e*) *Sport*: pase *m*; **~spielen** *v/t. Ball*: pasar; **~spitzen** (*-t*) *v/t.* aguzar, sacar punta a; *sich* ~ *fig.* (*Lage*) alcanzar su punto crítico, hacerse crítico; agravarse; **2spitzung** *f fig.* agravación *f*; **~sprechen** (*L*) **1.** *v/t. ein Telegramm*: transmitir (*od.* comunicar) telefónicamente el texto; (*zuerteilen*) adjudicar; *Preis*: conceder; *j-m* ~ (*beistehen*) asistir a alg.; *j-m Mut* ~ animar (*od.* dar ánimos) a alg.; alentar a alg.; *j-m Trost* ~ confortar (*od.* consolar) a alg.; **2.** *v/i.*: *e-m Gericht fleißig* ~ hacer honor a un plato; *der Flasche* ~ beber copiosamente, F tener buen saque; F ser aficionado al trago; empinar el codo; **~springen** (*L*; *sn*) *v/i. Tür usw.*: cerrarse de golpe; *auf j-n* ~ (*feindlich*) arrojarse (*od.* abalanzarse) sobre alg.; (*helfend*) acudir en auxilio de alg.; **2spruch** *m* (*-es*; *0*) (*Beistand*) asistencia *f*; (*Ermahnung*) exhortación *f*; buenos consejos *m/pl.*; (*Ermunterung*) aliento *m*; (*Trost*) consuelo *m*; (*Zuerteilung*) adjudicación *f*; (*Kundschaft*) clientela *f*; parroquia *f*; (*Zulauf*) afluencia *f*; *guten* ~ *haben Arzt, Rechtsanwalt usw.*: tener mucha clientela, *Veranstaltung*: estar muy concurrido, *Geschäft*: estar muy acreditado; tener mucha parroquia; *sich e-s großen* ~*s erfreuen* ser muy solicitado; **2stand** *m* (*-es*; *⸗e*) estado *m*; (*Lage*) situación *f*; posición *f*; (*Beschaffenheit*) condición *f*; *in gutem* (*schlechtem*) ~ en buen (mal) estado; en buenas (malas) condiciones; (*Geistesverfassung*) estado *m* de ánimo; *gesundheitlicher* ~ estado de salud; *in betrunkenem* ~ en estado de embriaguez; embriagado, F borracho; *s-e Zustände haben* ⚕ (*Anfälle, Krämpfe*) tener sus ataques; *desp. hier herrschen Zustände!* ¡esto es un desbarajuste!

zu'stande *adv.*: *et.* ~ *bringen* llevar a cabo a/c.; realizar a/c.; lograr a/c.; efectuar (*od.* llevar a efecto) a/c.; ~ *kommen* llevarse a cabo; realizarse; efectuarse (*od.* llevarse a efecto); *stattfinden*: verificarse; tener lugar; *Gesetz*: aprobarse; *Abkommen*: firmarse; *nicht* ~ *kommen* no llegar a realizarse; malograrse; (*nicht stattfinden*) no tener lugar; (*scheitern*) fracasar; frustrarse; quedar en nada; **2bringen** *n*, **2kommen** *n* realización *f*; efectuación *f*.

'zuständig *adj.* competente; ~ *sein für* ser competente para; tener atribuciones para; tener jurisdicción sobre; *sich an die* ~*e Stelle wenden* dirigirse a la autoridad competente; **2keit** *f* (*0*) competencia *f*; atribuciones *f/pl.*; incumbencia *f*; *bsd.* ⚖ jurisdicción *f*; *in j-s* ~ *liegen* ser de la competencia de alg.; estar en (*od.* corresponder a) las atribuciones de alg.; ser de la incumbencia de alg.; *die* ~ *e-s Gerichts ablehnen* rechazar la competencia de un tribunal; ⚖ declinatoria; **2keitsbereich** *m* (*-es*; *-e*) jurisdicción *f*; **~keitshalber** *adv.* en virtud de sus atribuciones.

zu'statten *adv.*: *j-m* ~ *kommen* beneficiar a alg.; redundar en beneficio de alg.; (*gelegen kommen*) venir a propósito; F venir de perillas.

'zu|stecken *v/t.* cerrar con un alfiler *bzw.* con alfileres; *j-m et.* ~ darle a alg. disimuladamente (*od.* a escondidas) a/c.; deslizarle a alg. en la mano a/c.; **~stehen** (*L*) *v/i.*: *j-m* ~ corresponder a alg.; atañer a alg.; competer a alg.; (*obliegen*) incumbir a alg.; *es steht ihm nicht zu, zu* (*inf.*) no es a él a quien corresponde (*inf.*); no le incumbe (*inf.*); no es asunto suyo (*inf.*); no tiene (ningún) derecho a (*inf.*); *das steht ihm von Rechts wegen zu* le corresponde de derecho (*od.* según la ley); **2stellbezirk** 📯 *m* (*-es*; *-e*) distrito *m* postal; **~stellen** *v/t.* entregar; hacer entrega de; (*zuschicken*) enviar, remitir; 📯 repartir; ⚖ notificar; (*sperren*) obstruir; barrear; *Tür*: condenar; **2stellung** *f* entrega *f*; (*Sendung*) envío *m*, ☤ remesa *f*; 📯 reparto *m*; ⚖ notificación *f*; **2stellungsgebühr** *f* 📯 sobretasa *f* de acuse de recibo; **~stellungs-urkunde** ⚖ *f* acuse *m* de recibo de una notificación; **~steuern** (*-re*) **1.** *v/t.* contribuir; **2.** (*sn*) *v/i.*: ~ *auf* (*ac.*) dirigirse hacia; ⚓ hacer rumbo a.

'zustimm|en *v/i.* (*dat.*): *j-m* ~ ir (*od.* estar) de acuerdo con alg.; *e-r Sache* ~ (*billigen*) aprobar a/c.; (*einwilligen*) consentir en a/c., dar su consentimiento (*od.* su aquiescencia) a a/c.; asentir (*od.* dar su asentimiento) a a/c.; dar su beneplácito a a/c.; acceder a a/c.; dar su conformidad a (*od.* estar conforme con) a/c.; adherirse (*od.* expresar su adhesión) a a/c.; (*unterstützen*) apoyar a/c.; **~end I.** *adj.* aprobatorio, aprobativo; (*bejahend*) afirmativo; **II.** *adv.* afirmativamente; en sentido afirmativo; ~ *nicken* asentir (*bzw.* hacer señal de aprobación *bzw.* de afirmación) inclinando la cabeza; **2ung** *f* aprobación *f*; consentimiento *m*, aquiescencia *f*; asentimiento *m*; beneplácito *m*; conformidad *f*; adhesión *f*; apoyo *m*; *allgemeine* ~ *finden* hallar aprobación unánime; *stillschweigende* ~ consentimiento tácito.

'zu|stopfen *v/t. Loch*: tapar; obturar; *Rohr*: obstruir; ⚓ calafatear; *Kleidung*: repasar; *Strumpf*: zurcir; (*flicken*) remendar; **~stöpseln** (*-le*) *v/t.* taponar; **2stöpseln** *n* taponamiento *m*; **~stoßen** (*L*) **I.** *v/t. Tür*: cerrar (empujando), *laut*: cerrar de un portazo; **II.** (*sn*) *v/i. Fechtk.* dar una estocada; (*widerfahren*) suceder, pasar; *ihm ist et.* (*ein Unfall*) *zugestoßen* ha sufrido un accidente; ha tenido una desgracia; *falls mir et.* ~ *sollte* si me pasara (*od.* sucediera) algo; **~streben** (*sn*) *v/i. Person*: aspirar a; perseguir un fin; *Sache*: tender a; **2strom** *m* (*-es*; *0*) afluencia *f*; **~strömen** (*sn*) *v/i.* afluir; **~stürzen** (*-t*; *sn*) *v/i.*: *auf j-n* ~ arrojarse sobre (*od.* abalanzarse a) alg.; **~stutzen** (*-t*) *v/t.* cortar; (*beschneiden*) recortar; *Baum*: podar; (*passend machen*) arreglar; (*nachbessern*) retocar; pulir; *Stück für die Bühne*: adaptar.

zu'tage *adv.*: ~ *fördern* ⚒ (*Erze*) extraer; *fig.* sacar a luz; poner de manifiesto; revelar; hacer patente; ~ *kommen,* ~ *treten* salir a luz; aparecer; revelarse; manifestarse; ~ *liegen* ⚒ aflorar, estar a flor de tierra; *fig.* quedar descubierto; ser evidente; estar de manifiesto; ser patente.

'Zutaten *f/pl. e-r Speise*: ingredientes *m/pl.*; *Schneiderei*: forros *m/pl.*; *zum Aufputz*: guarniciones *f/pl.*; *fig.* accesorios *m/pl.*; materiales *m/pl.*

zu'teil *adv.*: ~ *werden* caer (*od.* tocar) en suerte; ~ *werden lassen* deparar; *ihm wurde e-e freundliche Aufnahme* ~ se le dispensó una cordial acogida.

'zuteil|en *v/t.* (*austeilen*) distribuir, repartir; (*anweisen*) asignar; destinar; *e-n Posten*: adscribir a; (*gewähren*) conceder; (*zuerteilen*) adjudicar (*a.* ⚖ *gerichtlich*); (*rationieren*) racionar; ☤ *Aktien*: repartir; *zugeteilt* (*Beamter*) agregado, adscrito (zu a); **2ung** *f* (*Austeilung*) distribución *f*, reparto *m*; (*Anweisung*) asignación *f*; *zu e-m Posten*: agregación *f*; (*Gewährung*) concesión *f*; (*Zuerteilung*) adjudicación *f*; *v. bewirtschafteten Waren*: cupo *m*; contingente *m*; (*Rationierung*) racionamiento *m*; (*Ration*) ración *f*; ☤ *anteilmäßige*: prorrateo *m*; ☤ *Aktien*: (reparto *m* de) dividendo *m*.

zu'tiefst *adv.* hondamente, profundamente, en lo más hondo.

'zu|traben (*sn*) *v/i.* ir al trote; ~ *auf* (*ac.*) ir trotando hacia; **~tragen** (*L*) *v/t.* llevar *bzw.* traer; (*heimlich berichten*) delatar; denunciar; F *fig.* soplar; *sich* ~ (*geschehen*) pasar, ocurrir, suceder; acaecer.

'Zuträg|er *m* delator *m*, denunciador *m*, F soplón *m*; (*Zwischenträger*) F cuentero *m*, cuentista *m*; **~e'rei** *f* denunciación *f*, F soplonería *f*; (*Klatsch*) F chismorrería *f*; **~erin** *f* delatora *f*, denunciadora *f*; (*Klatschbase*) cuentera *f*; **2lich** *adj.* (*vorteilhaft*) ventajoso; (*nützlich*) provechoso; útil; (*passend*) conveniente; (*günstig*) propicio; favorable; (*heilsam*) saludable (*a. fig.*); *Klima, Luft*: sano; salubre; **~lichkeit** *f* (*0*) ventaja *f*; provecho *m*; utilidad *f*; (*Angemessenheit*) conveniencia *f*; *des Klimas, der Luft*: salubridad *f*.

'zutrau|en *v/t.*: *j-m et.* ~ creer a alg. capaz de (hacer) a/c.; *j-m viel* ~ tener un buen concepto de alg.;

sich (nicht) viel ~ confiar en (desconfiar de) sus fuerzas; *sich zuviel* ~ excederse; confiar excesivamente en sus fuerzas, (*zuviel übernehmen*) abordar una tarea superior a sus fuerzas; *ich hätte es ihm nie zugetraut* nunca le hubiera creído capaz de (hacer) semejante cosa; **2en** *n* confianza *f* (zu en); *zu j-m* ~ *haben* tener confianza en alg.; *ich habe kein* ~ *zu ihm* no me inspira ninguna confianza; **~lich** *adj.* (*vertrauend*) confiado; lleno de confianza; (*anschmiegsam*) *Kind*: cariñoso; (*familiär*) familiar; *Tier*: manso; **2lichkeit** *f (0)* confianza *f*; familiaridad *f*.

'zutreffen (*L*) *v/i.* ser justo; ser exacto; ser verdad; ser cierto; corresponder a la realidad; (*sich bewahrheiten*) confirmarse; resultar (ser) verdadero *od.* cierto; ~ *auf* (*ac.*) ser aplicable a; poder aplicarse a; **~d** *adj.* justo; exacto; verdadero; cierto; (*treffend*) acertado; atinado; (*anwendbar*) aplicable; **~den'falls** *adv.* caso dado; en caso afirmativo.

'zu|treiben (*L*) **1.** *v/t. Herde*: conducir a; *Jgdw.* (*Wild*) ojear; **2.** (*sn*) *v/i.* ⚓ ser llevado por la corriente (*auf ac.* a); *Schiff*: *a.* ir a la deriva; **~trinken** (*L*) *v/i.*: *j-m* ~ beber a la salud de alg.; brindar por alg.; **2tritt** *m* (*-es*; *0*) acceso *m* (zu a); entrada *f*; admisión *f*; ~ *verboten!* se prohibe la entrada; *freier* ~ entrada libre (*od.* gratuita); *freien* ~ *haben* tener libre acceso; **~tun** (*L*) *v/t.* (*schließen*) cerrar; (*hinzufügen*) añadir; *die ganze Nacht kein Auge* ~ no pegar el ojo (*od.* los ojos) en toda la noche; *ohne mein* ~ sin mi intervención; sin tener yo que ver con ello para nada, (*ohne es zu wissen*) sin saberlo yo, (*ohne m-e Schuld*) sin culpa alguna por mi parte; **~tu(n)lich** *adj.* → *zutraulich*; (*gefällig*) servicial; obsequioso; solícito; afable.

zu|'ungunsten *adv.*: ~ *von* en perjuicio de; **~'unterst** *adv.* abajo; en el fondo; abajo del todo; debajo de todo; *das Oberste* ~ *kehren* volver lo de arriba abajo; volverlo todo al revés; trastornarlo todo.

'zuverlässig *adj.* seguro; *Person*: *a.* formal, (*vertrauenswürdig*) de confianza, (*treu*) fiel, leal; *Nachricht*: cierto; (*glaubwürdig*) fidedigno; (*wahrheitsgetreu*) verídico; (*verbürgt*) auténtico; *Arbeit*: concienzudo, hecho a conciencia; (*erprobt*) probado; a toda prueba; *Mittel*: eficaz, de probada eficacia; *aus* ~*er Quelle wissen* saber de fuente segura (*od.* fidedigna); saber de fuente autorizada; *er ist nicht* ~ no es de confianza, no es de fiar *od.* no puede uno fiarse de él; no es formal *od.* no tiene formalidad; **2keit** *f (0)* seguridad *f*; formalidad *f*; (*Vertrauen*) confianza *f*; (*Treue*) fidelidad *f*; lealtad *f*; *e-r Nachricht*: certeza *f*; (*Wahrhaftigkeit*) veracidad *f*; (*Verbürgtheit*) autenticidad *f*; **2keitsfahrt** *Auto. f*, **2keitsprüfung** ⊕ *f* prueba *f* de resistencia.

'Zuversicht *f (0)* (absoluta) confianza *f*; *Hoffnung*: (firme) esperanza *f*; **2lich** *adj.* confiado; lleno de confianza; lleno de esperanza; optimista; **~lichkeit** *f (0)* confianza *f*; esperanza *f*; seguridad *f*.

zu|'viel *adv.* demasiado; en exceso; ~ *Arbeit* demasiado trabajo; *einer usw.* ~ uno *etc.* de más; *das ist* ~ esto es demasiado; *mehr als* ~ con gran exceso; *viel* ~ ... un exceso de ...; *das ist des Guten* ~ es demasiado; es más de lo que yo pudiera desear; *das wäre* ~ *verlangt* sería pedir demasiado; *was* ~ *ist, ist* ~! ¡esto ya es demasiado!; **2'viel** *n* exceso *m*; **~'vor** *adv.* antes; previamente; (*zunächst*) ante todo; primero; (*im voraus*) de antemano; *kurz* ~ poco antes; *wie* ~ como antes; **~'vörderst** *adv.* primero, primeramente; en primer lugar; ante todo; lo primero de todo.

zu'vor|kommen (*L*; *sn*) *v/i.*: *j-m* ~ adelantarse, *zeitlich*: anticiparse a alg.; *fig.* ganar a alg. por la mano; F tomar la delantera a alg.; *e-r Sache (dat.)* ~ prevenir a/c.; *Schaden, Gefahr*: prevenir, precaver (*ac.*); **~kommend** *adj.* (*gefällig*) complaciente; (*höflich*) cortés; atento; deferente; (*dienstfertig*) servicial; obsequioso; **2kommenheit** *f (0)* (*Liebenswürdigkeit*) amabilidad *f*; (*Höflichkeit*) cortesía *f*; atención *f*; deferencia *f*; **~tun** (*L*) *v/t.*: es *j-m* ~ *in (dat.)* superar *od.* aventajar a alg. en.

'Zuwachs *m* (*-es*; *0*) aumento *m*, incremento *m* (*an dat.* de); (*Wachstum*) crecimiento *m*; ⚖ *bei Grundeigentum*: accesión *f*; (*Wert*2) plusvalía *f*; *auf* ~ *berechnet* (*Kinderkleidung*) crecedero; **2en** (*L*; *sn*) *v/i.* *Wunde*: cerrarse; cicatrizarse; *j-m* ~ (*zufallen*) caer *od.* tocar en suerte; **~rate** † *f* tasa *f* de incremento, aumento *m* marginal; **~steuer** *f* (-; *-n*) impuesto *m* de plusvalía.

'Zuwanderer *m* inmigrante *m*.

'zuwander|n (*-re*; *sn*) *v/i.* (*einwandern*) inmigrar; **2ung** *f* afluencia *f* de inmigrantes; (*Einwanderung*) inmigración *f*.

Zu'wasserlassen ⚓ *n* botadura *f*.

'zuwarten (*-e-*) *v/i.* esperar (pacientemente).

zu'wege *adv.*: *et.* ~ *bringen* conseguir a/c.; lograr realizar a/c.; llevar a cabo a/c.; *gut* ~ *sein* sentirse bien; disfrutar de buena salud.

'zuwehen *v/t.*: *mit Schnee* ~ llenar de nieve.

zu'weilen *adv.* a veces; de vez en cuando; de cuando en cuando.

'zu|weisen (*L*) *v/t.* asignar; señalar; (*zuerteilen*) adjudicar; (*übersenden*) enviar, remitir; *Schuld*: imputar; *j-m Quartier* ~ alojar a alg.; *j-m Kunden* ~ procurar (*od.* enviar) clientes a alg.; **2weisung** *f* asignación *f*; (*Zuerteilung*) adjudicación *f*; **~wenden** (*L*) *v/t.* volver hacia; dirigir hacia; *j-m das Gesicht* ~ volver la cara hacia alg.; *j-m den Rücken* ~ volver la espalda a alg.; *j-m et.* ~ (*geben*) dar a/c. a alg.; ⚖ donar a/c. a alg., (*verschaffen*) procurar (*od.* facilitar) a/c. a alg.; *s-e Bemühungen e-r Sache (dat.)* ~ dedicar (*Liter.* consagrar) sus esfuerzos a a/c.; *e-r Sache (dat.) s-e Aufmerksamkeit* ~ poner (*od.* fijar) su atención en a/c.; dedicar su atención a a/c.; estudiar atentamente a/c.; *sich* ~ volverse a *od.* hacia; *sich e-m Ort* ~ encaminarse (*od.* dirigirse) hacia un lugar; *sich e-r Sache (dat.)* ~ (*sich widmen*) dedicarse *od.* consagrarse a a/c., (*schreiten zu*) proceder a (hacer) a/c.; **2wendung** *f* (*Beihilfe*) ayuda *f*, *staatliche*: subvención *f*; (*soziale Unterstützung*) subsidio *m*; prestación *f* social; (*Gabe*) donativo *m*; (*Geschenk*) regalo *m*; (*Schenkung*) ⚖ donación *f*.

zu'wenig *adv.* demasiado poco; muy poco.

'zuwerfen (*L*) *v/t.*: *j-m et.* ~ tirar (*od.* arrojar) a/c. a alg.; *fig. Blicke*: echar *od.* lanzar; *Tür*: cerrar de golpe; dar un portazo; *Loch*: tapar, cubrir; cerrar; *Graben, Brunnen*: cegar; (*zuschütten*) colmar; llenar.

zu'wider I. *adj.* (*widerwärtig*) antipático; (*unangenehm*) desagradable; (*verhaßt*) odioso; (*abstoßend*) repugnante; **II.** *adv. u. prp.* (*dat., nachgestellt*) contra (*ac.*); contrario a; opuesto a; adverso a; *es ist mir* ~ me contraría; me repugna; *er ist mir* ~ me es antipático; le tengo antipatía; *j-m* ~ *sein* (*ihm entgegen handeln*) oponerse a alg.; **~handeln** (*-le*) *v/i.* *e-r Vorschrift*: transgredir, contravenir, infringir; *e-m Gesetz*: *a.* violar; *e-m Vertrag*: faltar a; violar; **2handelnde(r)** *m* transgresor *m*, contraventor *m*; **2handlung** *f* transgresión *f*, contravención *f*, infracción *f*; **~laufen** (*L*; *sn*) *v/i.* ser contrario a; ir contra (*ac.*); contradecir; repugnar (*ac.*).

'zuwinken *v/i.*: *j-m* ~ hacer señas a alg. con la mano; *zum Abschied*: mover la mano en señal de adiós; F decir adiós con la mano.

'zuzahlen *v/t.* pagar adicionalmente.

'zuzählen *v/t.* (*hinzufügen*) agregar; (*einbeziehen*) incluir.

'Zuzahlung *f* pago *m* adicional *bzw.* suplementario; suplemento *m*.

'zuzieh|en (*L*) **1.** *v/t.* *Schraube, Knoten*: apretar; *Vorhang*: correr; *fig. Arzt, Sachverständigen*: consultar; *j-n* ~ llamar a alg.; hacer venir a alg.; *j-n als Zeugen* ~ apelar al testimonio de alg.; presentar como testigo; *j-n zu et.* ~ invitar a alg. a tomar parte en a/c.; invitar a alg. a asistir a (*od.* a estar presente en); *sich et.* ~ atraerse (*od.* atraer sobre sí) a/c., *Haß, Strafe*: incurrir en; *sich e-e Krankheit* ~ contraer (F coger, atrapar) una enfermedad; *dadurch zog er sich den Tod zu* ello fue la causa de su muerte; *das zog mir viele Unannehmlichkeiten zu* eso me causó (*od.* trajo) bastantes disgustos; **2.** (*sn*) *v/i.* venir a vivir en; *Mieter*: mudarse a; (*sich niederlassen*) establecerse en; (*einwandern*) inmigrar; **2ung** *f*: *unter* ~ (*gen.*) teniendo en cuenta (*ac.*); *Person*: asistido por, con la asistencia de; consultando (*ac.*).

'Zu|zug *m* (*-es*; *⸚e*) llegada *f*; (*Einwanderung*) inmigración *f*; (*Zustrom*) afluencia *f*; ⚔ refuerzos *m/pl.*; **2züglich** *prp.* (*gen.*) más (*ac.*); **~zugsgenehmigung** *f* permiso *m* (*od.* autorización *f*) de residencia; **2zwinkern** (*-re*) *v/i.*: *j-m*

~ guiñar un ojo a alg.; hacer un guiño a alg.

'zwacken *v/t.* pellizcar; *fig.* vejar; molestar; F fastidiar.

Zwang *m* (*-ɇs*; *0*) coacción *f*; (*moralischer*) obligación *f*; (*Gewalt*) violencia *f*; fuerza *f*; (*Druck*) presión *f* (*ausüben auf ac.* ejercer sobre); ⚖ coerción *f*; compulsión *f*; (*sittliche Verpflichtung*) obligación *f* moral; ~ *anwenden* usar de la fuerza; *j-m ~ antun* (*od. auferlegen*) forzar a alg.; violentar (*od.* hacer violencia) a alg.; *sich ~ antun* (*od. auferlegen*) violentarse; *sich keinen ~ antun* (*od. auferlegen*) no tener reparos (en hacer a/c.); no cohibirse; no hacer (*od.* F no andarse con) cumplidos; *tun Sie sich nur keinen ~ an!* ¡sin cumplidos!; ¡dejémonos de ceremonias!; ¡haga usted como si estuviera en su casa!; *iro. tun Sie Ihren Gefühlen nur keinen ~ an!* ¡diga su sentir sin reparos!; ¡desahóguese usted a su antojo!; *unter dem ~ der Verhältnisse handeln* obrar obligado por las circunstancias.

zwang *pret. v. zwingen.*

'zwängen *v/t.* comprimir; apretar; *durch et. ~* hacer pasar a la fuerza por; ~ *in* (*et.*) meter (*od.* hacer entrar) por fuerza en; (*j-n*) *fig.* obligar a alg. a acomodarse a.

'zwanglos *adj.* sin violencia (*a. adv.*); *fig.* (*ohne Förmlichkeit*) sin ceremonia; sin cumplidos (*a. adv.*); (*familiär*) familiar; íntimo; *adv.* en familia; en la intimidad; (*ungezwungen*) desahogado; desembarazado; desenvuelto; *adv.* con desahogo; con soltura; desembarazadamente; (*frei*) libre; desenvuelto; *adv.* con toda libertad; (*natürlich*) natural; *~es Beisammensein* reunión íntima; **⁀igkeit** *f* (*0*) naturalidad *f*; intimidad *f*; (*Ungezwungenheit*) desembarazo *m*; desenvoltura *f*; soltura *f*.

'Zwangs...: ~aktion *f* acción *f* coercitiva; **~anleihe** *f* empréstito *m* forzoso; **~arbeit** ⚖ *f im Zuchthaus*: trabajos *m/pl.* forzados; **~aufenthalt** ⚖ *m* (*-ɇs*; *-e*) confinamiento *m*; **~aushebung** ⚔ *f* reclutamiento *m* obligatorio, conscripción *f* militar obligatoria; **~beitreibung** *f* cobro *m* ejecutivo de recaudaciones; **~enteignung** *f* expropiación *f* forzosa; **~erziehung** *f* (*0*) educación *f* correccional; **~erziehungs-anstalt** *f* reformatorio *m*; **⁀gestellt** *adj.* detenido; **~gestellung** *f* detención *f*; **~haft** ⚖ *f* (*0*) arresto *m* coercitivo; **~handlung** *f* (*Psychoanalyse*) acción *f* dominante; **~herrschaft** *f* (*0*) despotismo *m*; **~innung** *f* sindicato *m* forzoso *od.* obligatorio; **~jacke** *f* camisa *f* de fuerza; **~kauf** *m* (*-ɇs*; *⸚e*) compra *f* forzosa; **~kurs** ✝ *m* (*-es*; *-e*) curso *m* legal *od.* forzoso; **~lage** *f* situación *f* violenta; situación *f* forzosa; (*Notlage*) necesidad *f*; (*Dilemma*) dilema *m*; *in der ~ sein zu* verse obligado a (*od.* en la necesidad de); verse precisado a; *sich in e-r ~ befinden* estar ante un dilema; F *fig.* estar entre la espada y la pared; **⁀läufig I.** *adj.* forzado; forzoso; obligatorio; (*notwendig*) necesario, preciso; (*unvermeidlich*) inevitable; ⊕ forzado; accionado; (*selbsttätig*) automático; **II.** *adv.* forzosamente; de por sí; por la fuerza de las cosas *bzw.* de las circunstancias; (*notwendigerweise*) necesariamente; (*unvermeidlich*) inevitablemente; ⊕ automáticamente; **~läufigkeit** *f* (*0*) curso *m* inevitable de las cosas; **~liquidation** *f* liquidación *f* forzosa; **~maßnahme** *f* medida *f* coercitiva; **~maßregel** *f* (*-*; *-n*) medida *f* coercitiva; *Pol.* sanción *f*; (*Repressalie*) represalia *f*; **~miete** *f* arrendamiento *m* forzoso; **~mittel** *n* medio *m* violento; medio *m* coactivo; ⚖ medio *m* coercitivo; **~neurose** ⚕ *f* neurosis *f* obsesiva; neurosis *f* compulsiva; **~pensionierung** *f* jubilación *f* forzosa; **~räumung** ⚖ *f* desahucio *m*; lanzamiento *m*; **~schiene** ⊕ *f* carril *m* de guía; **~umlauf** *m* (*-ɇs*; *0*) circulación *f* forzosa; → *Zwangskurs*; **~verfahren** ⚖ *n* procedimiento *m* coercitivo; **~vergleich** ⚖ *m* transacción *f* obligatoria; **~verkauf** *m* (*-ɇs*; *⸚e*) venta *f* forzosa; **~versicherung** *f* seguro *m* obligatorio; **~versteigerung** *f* subasta *f* forzosa; **~verwalter** ⚖ *m* administrador *m* judicial (de bienes secuestrados); **~verwaltung** ⚖ *f* administración *f* (judicial) de bienes secuestrados; **~vollstreckung** ⚖ *f* ejecución *f*; **~vorstellung** ⚕ *f* obsesión *f*; idea *f* obsesiva; **⁀weise** *adv.* forzosamente; a la fuerza; por (la) fuerza; obligadamente; ⚖ por vía de apremio; **~wirtschaft** *f* (*0*) economía *f* dirigida.

'zwanzig I. *adj.* veinte; *etwa* (*od. gegen od. rund*) ~ una veintena; unos veinte; *in den ~er Jahren* (*e-s Jahrhunderts*) en la tercera década del siglo ...; en los años veinte (del siglo ... *bzw.* de este siglo); **II.** ⁀ *f* veinte *m*; **⁀er(in** *f*) *m* hombre *m* (mujer *f*) de veinte años; joven *m/f* de veinte años; **~er'lei** *adj.* de veinte clases (*od.* especies) diferentes; **~fach, ~fältig** *adv.* veinte veces más; **~jährig** *adj.* de veinte años de existencia *bzw.* duración; *Person*: de veinte años (de edad); **~mal** *adv.* veinte veces; **⁀'markschein** *m* (*-ɇs*; *-e*) billete *m* (de banco) de veinte marcos; **~ste** *adj.* vigésimo; *der* (*den, am*) *~(n) April* el veinte de abril; *Berlin, den 20. April* Berlín, 20 (veinte) de abril; **⁀stel** *n* vigésimo *m*, vigésima parte *f*; veintavo *m*; **~stens** *adv.* en vigésimo lugar; *bei Aufzählungen*: vigésimo.

zwar *adv.* en verdad; a decir verdad; bien es verdad que; cierto es que, ciertamente; por cierto; en efecto; sin duda (alguna); *und ~* y eso que; y precisamente; (*das heißt*:) es decir; o sea; *in Aufzählungen*: a saber; *der Anzug gefällt mir ~, aber er ist zu teuer* el traje sí que me gusta, pero es demasiado caro.

'Zweck *m* (*-ɇs*; *-e*) fin *m*; (*Bestimmung*) finalidad *f*; (*Ziel*) *a.* objeto *m*; objetivo *m*; (*Absicht*) intención *f*; propósito *m*, designio *m*; (*Wirkung*) efecto *m*; (*Sinn*) sentido *m*; *zu welchem ~?* ¿con qué fin?; ¿con qué objeto?; *zu diesem ~* con este fin; con este objeto; con tal fin, a tal fin; a este efecto; *zu dem ~e, zu* (*inf.*) a fin de (*inf.*), con el fin de (*inf.*); con la intención (*od.* el propósito) de *inf.*; al objeto (*od.* con objeto) de *inf.*; *welchen ~ hat es, zu* (*inf.*)? ¿qué objeto tiene (*inf.*)?; ¿de qué sirve (*inf.*)?; *das hat keinen ~* eso no conduce a nada; eso es inútil; *e-n ~ verfolgen* perseguir un fin; *s-n ~ erreichen* lograr su propósito, F salirse con la suya; *s-n ~ verfehlen* no lograr su objeto; *sein ~ und Ziel ist* tiene por objeto; tiene por finalidad; *s-n ~ erfüllen* cumplir su finalidad (*od.* su cometido); ~ *haben* ser conveniente (*od.* útil) al caso; tener objeto; servir de (*od.* para) algo; *das wird wenig ~ haben* eso no servirá de gran ayuda; *der ~ heiligt die Mittel* el fin justifica los medios; **~bau** ⚠ *m* (*-ɇs*; *-ten*) edificio *m* funcional; **⁀bestimmt** *adj.* adecuado al fin propuesto; (*funktionell*) funcional; (*tendenziös*) tendencioso; **~bestimmung** *f* finalidad *f*; aplicación *f*; **⁀betont** *adj.* utilitario; (*funktionell*) funcional; **⁀dienlich** *adj.* (*nützlich*) útil; (*wirksam*) eficaz; (*passend*) apropiado, adecuado; (*zur Sache gehörig*) pertinente; **~dienlichkeit** *f* (*0*) utilidad *f*; eficacia *f*; adecuación *f*; pertinencia *f*; **~e** *f* (*Reiß⁀*) chinche *f*; (*Holz⁀*) estaquilla *f*; (*Schuh⁀*) tachuela *f*; **⁀entsprechend** *adj.* adecuado al fin propuesto; (*nützlich*) útil; (*passend*) apropiado, adecuado; **~freundschaft** *f* amistad *f* interesada (*od.* de conveniencia); **⁀los** *adj.* inútil; *es ist ~, zu* (*inf.*) es inútil (*inf.*); no tiene objeto (*inf.*); no conduce a nada (*inf.*); **~losigkeit** *f* (*0*) inutilidad *f*; **⁀mäßig** *adj.* conveniente; (*praktisch*) práctico; (*nützlich*) útil; (*angemessen*) apropiado, adecuado; a propósito; procedente; (*günstig*) oportuno; (*ratsam*) aconsejable; (*vernünftig*) racional; lógico; razonable; (*methodisch*) metódico; sabiamente dirigido; (*funktionell*) funcional; **~mäßigkeit** *f* (*0*) conveniencia *f*; (*Nützlichkeit*) utilidad *f*; *als günstige Gelegenheit*: oportunidad *f*; **~meldung** *f* noticia *f* tendenciosa; **~möbel** *pl.* muebles *m/pl.* funcionales; **⁀s** *prp.* (*gen.*) con el fin de; con objeto de; a fin de, para (*inf.*); **~verband** *m* (*-ɇs*; *⸚e*) unión *f* local administrativa; mancomunidad *f*; **⁀voll** *adj.* → zweckmäßig; **⁀widrig** *adj.* contrario al fin perseguido; contraproducente; (*ungeeignet*) no apropiado; inadecuado; (*unzeitig*) inoportuno.

'zwei I. *adj.* dos; *zu ~en* de a dos; dos a dos; *alle ~* los dos, ambos; **II.** ⁀ *f* dos *m*; **⁀achser** *m* (*Lastwagen*) camión *m* de dos ejes; **~armig** *adj.* de dos brazos; **~atomig** ⚗ *adj.* biatómico; **~bändig** *adj.* en dos tomos; **~basisch** ⚗ *adj.* bibásico; **⁀bein** *n* (*-ɇs*; *-e*) bípedo *m*; **~beinig** *adj.* de dos pies *bzw.* patas; *Zoo.* bípedo; **~blätt(e)rig** ⚘ *adj.* de dos hojas; **⁀bund** *Hist. m* Doble Alianza *f*; **⁀decker** *m* ⚓ navío *m* (*od.* buque *m*) de dos puentes; ✈ biplano *m*; **~deutig** *adj.* ambiguo; equívoco (*a. m.s.*); (*verdächtig*) sospechoso; (*schlüpfrig*) atrevido; picante; obsceno; *~es Wort* palabra de doble sentido; **2deutigkeit** *f* ambigüedad *f*; equívoco *m*; doble sentido *m*; *Gr.* anfibología *f*; (*Schlüpfrigkeit*) indecencia *f*; obscenidad *f*; **~dimensional** *adj.* de dos dimensiones; **2drahtantenne** *f* antena *f* bifilar; **2drittelmehrheit** *f* (*0*) mayoría *f* de dos tercios; **2er** *m* (*Ruderboot*) bote *m* de dos remeros; **~er'lei** *adj.* distinto; de dos especies (*od.* clases) diferentes; *das ist ~* son dos cosas distintas; *auf ~ Weise* de dos maneras diferentes; **~fach, ~fältig** *adj.* doble; duplicado; **2fadenlampe** *f* bombilla *f* de dos filamentos; **2familienhaus** *n* (*-es*; *⸚er*) casa *f* de dos viviendas; **2'farbendruck** *m* (*-es*; *-e*) impresión *f* bicolor (*od.* en dos colores); bicromía *f*; **~farbig** *adj.* de dos colores, bicolor; *Typ.* a dos tintas.

'Zweifel *m* duda *f*; (*Bedenken*) escrúpulo *m*; (*Ungewißheit*) incertidumbre *f*; (*Verdacht*) sospecha *f*; *berechtigter ~* duda justificada; *~ haben* (*od. hegen*) tener (*od.* abrigar) dudas (*wegen, hinsichtlich* sobre; acerca de); *keinen ~ zulassen* no dejar lugar a dudas; *es besteht kein ~* no hay (*od.* no cabe) duda; *im ~ sein* estar en duda; dudar; *im ~ lassen* dejar en la duda; dejar en la incertidumbre; *in ~ ziehen* (*ac.*) poner en duda; dudar de; *mir kommen ~* me vienen dudas; *es unterliegt keinem ~, daß ...* no cabe duda que, no hay duda alguna que, es indudable que (*ind.*); *ohne ~* sin duda; indudablemente; *außer* (*allem*) *~* fuera de (toda) duda; *das ist über jeden ~ erhaben* eso está fuera de toda duda; *j-s ~ beheben* desvanecer las dudas de alg., 𝔉 sacar de dudas a alg.

Zwei'felderwirtschaft ⚒ *f* (*0*) rotación *f* de cultivos.

'Zweifel...: 2haft *adj.* dudoso; (*ungewiß*) incierto; (*fraglich*) problemático; discutible; (*unentschlossen*) indeciso, vacilante; irresoluto; (*verdächtig*) sospechoso; *~ lassen* dejar en duda; *~ machen* hacer dudoso; *~ sein* ser dudoso; dejar lugar a duda; **~haftigkeit** *f* (*0*) carácter *m* dudoso *bzw.* sospechoso; (*Ungewißheit*) incertidumbre *f*; **2los I.** *adj.* indudable; **II.** *adv.* indudablemente; sin duda (alguna); **2n** (*-le*) *v/i.* dudar (*an dat.* de); **~n** *n* duda *f*; **~sfall** *m* (*-es*; *⸚e*) caso *m* dudoso; *im ~* en caso de duda; **2s'-ohne** *adv.* indudablemente; sin duda alguna.

'Zweifler *m* escéptico *m*; **~in** *f* escéptica *f*; **2isch** *adj.* escéptico.

'zwei...: ~flügelig *adj.* de dos alas; *Tür*: de dos hojas; **2flügler** *Zoo. m* díptero *m*; **2'frontenkrieg** *m* (*-es*; *-e*) guerra *f* en dos frentes; **~füßig** *adj.* de dos pies *bzw.* patas; **2füßler** *Zoo. m* bípedo *m*.

Zweig *m* (*-es*; *-e*) ramo *m* (*a. fig.*); (*dünner Ast*) rama *f*; (*Verzweigung*) ramificación *f*; (*Abzweigung*) ⚡ derivación *f*; *fig. auf keinen grünen ~ kommen* no tener éxito; no prosperar; no llegar a ser algo (en la vida); 𝔉 no hacer carrera.

'zweigängig *adj. Gewinde*: de dos pasos.

'Zweig...: ~anstalt *f* sucursal *f*; **~bahn** 🚆 *f* ramal *m*; vía *f* secundaria; **~bank** *f* sucursal *f* de un banco.

'zwei...: ~geschlechtig *adj.* bisexual; hermafrodita; **2gespann** *n* (*-es*; *-e*) tiro *m* de dos caballos; **~gestrichen** ♪ *adj.*: *~e Note* semicorchea *f*; **~geteilt** *adj.* (*gespalten*) hendido en dos partes; ♀ bífido.

'Zweig...: ~geschäft *n* (*-es*; *-e*) sucursal *f*; **~gesellschaft** *f* sociedad *f* afiliada.

'Zwei...: ~gitterröhre *Radio f* válvula *f* de dos rejillas; **2gleisig** *adj.* de vía (*Am.* de trocha) doble.

'Zweig...: ~leitung ⚡ *f* derivación *f*; **~linie** *f* → *Zweigbahn*; **~niederlassung** *f* sucursal *f*; **~station** 🚆 *f* (estación *f* de) empalme *m*; **~stelle** *f* ✝ sucursal *f*; agencia *f* (urbana); *v. Behörden*: delegación *f*; **~verein** *m* (*-es*; *-e*) sociedad *f* afiliada; **~werk** *n* (*-es*; *-e*) ramaje *m*.

'zwei...: ~händig *adj.* (*rechts- u. links gleich geschickt*) ambidextro; *Zoo.* bimano; (*Klavierstück*) a dos manos; **2heit** *f* (*0*) dualidad *f*; **~höckerig** *adj.* de dos gibas; **~hörnig** *adj.* bicorne; **2hufer** *Zoo. m* fisípedo *m*; **~hufig** *Zoo. adj.* fisípedo, bisulco; **~hundert** *adj.* doscientos; **2hundert'jahrfeier** *f* (*-*; *-n*) segundo centenario *m*; **~jährig** *adj. Alter*: de dos años (de edad); *Dauer*: que dura dos años; de dos años de duración; *Ämter usw.*: bienal; que dura un bienio; **~jährlich** *adj.* bienal; que sucede (*od.* se repite) cada bienio (*od.* cada dos años); **2'kammersystem** *Pol. n* (*-s*; *0*) sistema *m* bicameral; **2kampf** *m* (*-es*; *⸚e*) duelo *m*; **~köpfig** *adj.* bicéfalo (*a.* ⊠); (*Janus*) bifronte; **~lappig** *adj.* ♀ bilobulado; **2leiterkabel** ⚡ *n* cable *m* de dos conductores; **~mal** *adv.* dos veces; *~ im Jahre* (*im Monat*; *wöchentlich*) *erscheinend* semestral (bimensual *od.* quincenal; bisemanal); *~ täglich* (*jährlich*) dos veces al día (al año); *es sich nicht ~ sagen lassen* no dejarse decir las cosas dos veces; no hacerse (de) rogar; **~malig** *adj.* que se hace dos veces; doble; (*wiederholt*) repetido; reiterado; **2'markstück** *n* (*-es*; *-e*) moneda *f* de dos marcos; **2master** ⚓ *m* barco *m* (*bzw.* velero *m*) de dos palos; **~monatig** *adj.* (*Dauer*) de dos meses de duración; (*Alter*) de dos meses (de edad); **~monatlich** *adj.* bimestral; **~motorig** *adj.* bimotor; **2par'teiensystem** *Pol. n* (*-s*; *0*) sistema *m* de dos partidos (turnantes); **~phasig** ⚡ *adj.* bifásico; **~polig** ⚡ *adj.* bipolar; **2rad** *n* (*-es*; *⸚er*) bicicleta *f*; **~räd(e)rig** *adj.* de dos ruedas; **~reihig** *adj.* de dos filas; *~er Anzug* traje *m* cruzado; *~er Mantel* abrigo *m* con doble fila de botones; **2'röhren-apparat** *m* (*-es*; *-e*), **2'röhrenempfänger** *m Radio*: receptor *m* de dos válvulas; **~schneidig** *adj.* de dos filos (*a. fig.*); **~seitig** *adj.* de dos caras; *Vertrag*: bilateral; *Schriftstück*: de dos hojas; *~er Stoff* tela *f* reversible (*od.* de dos caras); **~silbig** *adj.* de dos sílabas, bisílabo; **2sitzer** *m* coche *m* de dos plazas (*od.* asientos); (*Fahrrad*) tándem *m*; ✈ avión *m* de dos plazas; **~sitzig** *adj.* de dos asientos; **~spaltig** *Typ. adj.* en dos columnas; **2spänner** *m* coche *m* de dos caballos; **~spännig** *adj.* (con tiro) de dos caballos; **2spitz** *m* (*-es*; *-e*) sombrero *m* de dos picos, bicornio *m*; **~sprachig** *adj.* en dos idiomas; bilingüe; **2sprachigkeit** *f* (*0*) bilingüismo *m*; **~spurig** *adj.* de doble vía; **~stellig** *adj. Zahl*: de dos cifras; **~stimmig** ♪ *adj.* a dos voces; **~stöckig** *adj. Haus*: de dos pisos; **~stufig** *adj.* de dos escalones; **~stündig** *adj.* de dos horas; **~stündlich** *adj.* cada dos horas (*a. adv.*).

zweit *adv.*: *zu ~* dos a dos.

'zwei...: ~tägig *adj.* (*Dauer*) de dos días de duración; que dura dos días; (*Alter*) de dos días (de edad); **2taktgemisch** *n* (*-es*; *0*) mezcla *f* para dos tiempos; **2taktmotor** *m* (*-s*; *-en*) motor *m* de dos tiempos; **2takt-öl** *n* (*-es*; *0*) aceite *m* para dos tiempos.

'zweit-ältest *adj.* segundo en edad; **2e(r)** *m* segundo *m* en edad; *dem Rangalter nach*: segundo *m* en categoría.

'zweitausend *adj.* dos mil.

'Zweit|ausfertigung *f* duplicado *m*; copia *f*; **2best** *adj.* segundo.

'zweite(r) *adj.* segundo; *Datum, Jahrhundert*: dos; *König, Papst, Kapitel*: segundo; *ein ~r Napoleon* otro Napoleón; *das ~ Kind* el segundo hijo, segundogénito *m*; *das ~ Gesicht* la doble vista; *an ~r Stelle* en segundo lugar; *aus ~r Hand* de segundo mano; *~r Direktor* subdirector; *~r Vorsitzender* vicepresidente; *er arbeitet wie kein ~r* no hay quien trabaje como él; trabaja como nadie; *jeden ~n Tag* (en) días alternos; un día sí y otro no; *zum ~n Male* por segunda vez; *fig. die ~ Geige spielen* hacer un papel secundario.

'zweiteil|ig *adj.* dividido en dos partes; partido en dos; compuesto de dos partes; de dos piezas; ♀ bífido; **2ung** *f* bipartición *f*; división *f* en dos partes.

'zweitens *adv.* en segundo lugar; *bei Aufzählungen*: segundo.

'zweit...: ~geboren *adj.* segundogénito; segundo; **~höchste(r)** *adj.* segundo (en altura *bzw. fig.* en categoría); **~jüngst** *adj.* penúltimo; **2jüngste(r)** *m* (hijo *m*) penúltimo *m*; **~klassig** *adj.* (*minderwertig*) de poco valor; de clase inferior; **~letzt** *adj.* penúltimo; **~rangig** *adj.* de importancia secundaria; → *zweitklassig*; **2schrift** *f* duplicado *m*; copia *f*.

Zwei-und'dreißigstelnote ♪ *f* fusa *f*.

Zwei'viertel|note ♪ *f* breve *f*, blanca *f*; **~pause** ♪ *f* pausa *f* de breve (*od.* de blanca); **~takt** ♪ *m*

(-*es*; *0*) compás *m* binario (*od.* de dos por cuatro).

ˈ**Zwei...:** ~ˈ**wegehahn** *m* (-*es*; ⁼*e*) llave *f* de dos vías; ~**wege-umschalter** ⚡ *m* conmutador *m* de dos direcciones; 2**wertig** ⚗ *adj.* bivalente; ~**wertigkeit** ⚗ *f* (*0*) bivalencia *f*; ~**zack** ⚒ *m* (-*es*; -*e*) horca *f* de dos púas (*od.* dientes); 2**zackig** *adj.* de dos púas (*od.* dientes); *Fuß*: hendido; ♀ bifurcado; ~**zeiler** *Poes. m* dístico *m*; 2**zeilig** *adj.* de dos líneas; *Poes.* de dos versos; ~ˈ**zimmerwohnung** *f* apartamento *m* de dos habitaciones; ~**zylindermotor** *m* (-*s*; -*en*) motor *m* de dos cilindros.

ˈ**Zwerchfell** *Anat. n* (-*es*; -*e*) diafragma *m*; *fig.* das ~ erschüttern hacer desternillarse de risa (*j-m* a alg.); 2**erschütternd** *adj.* hilarante; que produce hilaridad; que hace reír a carcajadas; P que es para mondarse de risa.

ˈ**Zwerg** *m* (-*es*; -*e*) enano *m*; pigmeo *m* (*a. fig.*); (*Gnom*) gnomo *m*; (*Liliputaner*) liliputiense *m*; ~**baum** *m* (-*es*; ⁼*e*) árbol *m* enano; 2**enhaft** *adj.* enano; pigmeo (*a. fig.*); liliputiense; diminuto; ~**geschlecht** *n* (-*es*; *0*) raza *f* de enanos; raza *f* de pigmeos; ~**in** *f* enana *f*; pigmea *f*; liliputiense *f*; ~**kiefer** ♀ *f* (-; -*n*) pino *m* enano; pino *m* negro; ~**maus** *Zoo. f* (-; ⁼*se*) musaraña *f*; ~**palme** ♀ *f* palmera *f* enana; palmito *m*; ~**volk** *n* (-*es*; ⁼*er*) pueblo *m* de pigmeos; ~**wuchs** *m* (-*es*; *0*) enanismo *m*.

ˈ**Zwetsch(g)e** ♀ *f* ciruela *f*; ~**nbaum** *m* (-*es*; ⁼*e*) ciruelo *m*; ~**nmus** *n* (-*es*; *0*) confitura *f* de ciruela; ~**nschnaps** *m* (-*es*; ⁼*e*), ~**nwasser** *n* aguardiente *m* de ciruelas.

ˈ**Zwickel** *m* (*Keil*) cuña *f*; (*Hosen*2) entrepierna *f*; ⚠ clave *f* de arco.

ˈ**zwicken I.** *v/t.* pellizcar; mit Zangen ~ atenacear; *fig.* atormentar; **II.** 2 *n* (*heftige Leibschmerzen*) retortijones *m/pl.* (de tripas).

ˈ**Zwicker** *m* lentes *m/pl.*; gafas *f/pl.* de pinza; F quevedos *m/pl.*

ˈ**Zwick|mühle** *f* posición *f* de vaivén (en el juego de tres en raya); *fig.* situación *f* apurada; dilema *m*; in e-r ~ sein estar ante un dilema; F estar entre la espada y la pared; ~**zange** *f* pinzas *f/pl.*

ˈ**Zwieback** *m* (-*es*; -*e*) bizcocho *m*; (*Schiffs*2) galleta *f*.

ˈ**Zwiebel** *f* (-; -*n*) cebolla *f*; (*Blumen*2) bulbo *m*; F (*Taschenuhr*) reloj *m* antiguo, patata *f*; 2**artig** *adj.* bulboso; ~**beet** *n* (-*es*; -*e*) cebollar *m*; ~**dach** *n* (-*es*; ⁼*er*) cúpula *f* bulbiforme; ~**eierkuchen** *m* tortilla *f* de cebolla; ~**feld** *n* (-*es*; -*er*) cebollar *m*; ~**fisch** *Typ. m* (-*es*; -*e*) pastel *m*; 2**förmig** *adj.* bulbiforme; ~**gericht** *n* (-*es*; -*e*) *Kochk.* cebollada *f*; ~**geruch** *m* (-*es*; *0*) olor *m* a cebolla; ~**geschmack** *m* (-*es*; *0*) sabor *m* a cebolla; ~**gewächs** *n* (-*es*; -*e*) planta *f* bulbosa; ~**knollen** *m* bulbo *m*; ~**kuppel** *f* (-; -*n*) cúpula *f* bulbiforme; ~**muster** *n auf Porzellan*: modelo *m* cebolla; 2**n** *v/t.* F *fig.* hacer sudar tinta; vejar; ~**same(n)** *m* (-*ns*; -*n*) grana *f* de cebolla; ~**schale** *f* cáscara *f* de cebolla; ~**soße** salsa *f* de cebolla; ~**suppe** *f* sopa *f* de cebolla; ~**turm** *m* (-*es*; ⁼*e*) torre *f* bulbiforme.

ˈ**zwie|fach,** ~**fältig** *adj.* doble; 2**gespräch** *n* (-*es*; -*e*) diálogo *m*; coloquio *m*; 2**licht** *n* (-*es*; *0*) luz *f* crepuscular; (*Halbdunkel*) media luz *f*; im ~ entre dos luces; ~**lichtig** *fig. adj.* (*verdächtig*) sospechoso.

ˈ**Zwiesel** *f* (*Gabelung*) bifurcación *f*; 2**n** (-*le*) *v/refl.*: sich ~ bifurcarse.

ˈ**Zwie...:** ~**spalt** *m* (-*es*; *0*) desunión *f*; desacuerdo *m*; (*Mißhelligkeit*) disensión *f*; desavenencia *f*; (*Spaltung*) división *f*; escisión *f*; *bsd. Rel.* cisma *m*; (*Abweichung*) discrepancia *f*; im ~ sein mit estar en desacuerdo con; 2**spältig** *adj.* desunido; discrepante; disonante; en desacuerdo; ~**sprache** *f* (*0*) → Zwiegespräch; ~**tracht** *f* (*0*) discordia *f*; *fig.* cizaña *f*; ~ säen (*od.* stiften) sembrar la discordia (*od.* la cizaña); 2**trächtig** *adj.* divididos; desunidos.

ˈ**Zwil(li)ch** *m* (-*es*; -*e*) *Weberei*: cotí *m*.

ˈ**Zwilling** *m* (-*s*; -*e*) gemelo *m*, mellizo *m*; (*Doppelflinte*) escopeta *f* de dos cañones; ~e hermanos *m/pl.* gemelos; *Mädchen*: hermanas *f/pl.* gemelas; *Astr.* Géminis *m*, Gemelos *m/pl.*; mit ~en niederkommen alumbrar (*od.* dar a luz) gemelos.

ˈ**Zwillings...:** ~**antrieb** ⊕ *m* (-*es*; -*e*) accionamiento *m* doble; ~**bereifung** *Auto. f* neumáticos *m/pl.* gemelos; ~**bruder** *m* (-*s*; ⁼*er*) hermano *m* gemelo; ~**geburt** ⚕ *f* parto *m* gemelar; ~**geschwister** *pl.* hermanos *m/pl.*, gemelos *od.* mellizos; ~**klemme** ⚡ *f* borne *m* doble; ~**reifen** *m/pl.* → Zwillingsbereifung; ~**schwester** *f* (-; -*n*) hermana *f* gemela.

ˈ**Zwingburg** *f* castillo *m* feudal; fortaleza *f*.

ˈ**Zwinge** *f* (*Metallring*) abrazadera *f*; casquillo *m*; (*Lanzen*2, *am Messer*) virola *f*; (*Eisenspitze an Stöcken*) regatón *m*; contera *f*; (*Schrauben*2) prensa-tornillo *m*; *Tischlerei*: gatillo *m*.

ˈ**zwingen** (*L*) *v/t.* obligar; mit Gewalt: forzar; violentar; constreñir; (*be*~) vencer; dominar; et. ~ (*erreichen*) conseguir a/c. (por la fuerza); j-n ~ (*bewältigen*) vencer a alg.; obligar a alg. a ceder por la fuerza; gezwungen lachen reír forzadamente, F reír con risa de conejo; sich ~ violentarse, hacerse violencia; sich ~, zu (*inf.*) hacer un esfuerzo para (*inf.*); ich mußte mich dazu ~ me costó un gran esfuerzo; sich gezwungen sehen, zu (*inf.*) verse obligado (*od.* forzado *od.* precisado) a *inf.*; verse en la necesidad de (*inf.*); ~**d** *adj.* obligatorio; forzoso; (*dringend*) apremiante; urgente; ⚖ coercitivo; *Beweis*: concluyente; irrefutable; *Notwendigkeit*: imperioso; ~e Umstände: fuerza *f* mayor.

ˈ**Zwinger** *m* (*Hunde*2) perrera *f*; (*Käfig*) jaula *f*; (*Löwen*2) leonera *f*; (*Kampfplatz für wilde Tiere*) arena *f*; (*Bären*2) osera *f*; (*Hof*2) ronda *f*; (*Zwingburg*) castillo *m*; fortaleza *f*; (*fester Turm*) torreón *m*; (*Kerker*) mazmorra *f*.

ˈ**Zwing|herr** *m* (-*en*) déspota *m*; ~**herrschaft** *f* (*0*) despotismo *m*.

ˈ**zwinke(r)n** (-*re*) *v/i.* parpadear, pestañear; mit den Augen ~ hacer guiñadas, guiñar un ojo.

ˈ**zwirbeln** (-*le*) *v/t.* retorcer.

ˈ**Zwirn** *m* (-*es*; -*e*) hilo *m* (retorcido); (*Seiden*2) torzal *m*; 2**en I.** *adj.* de hilo; **II.** *v/t.* (re)torcer; ~**er(in** *f*) *m* retorcedor(a *f*) *m*; ~**e**ˈ**rei** *f* retorcería *f*; ~**handschuh** *m* (-*es*; -*e*) guante *m* de hilo; ~**knäuel** *m/n* ovillo *m* de hilo; ~**maschine** *f* (máquina *f*) retorcedora *f*; ~**sfaden** *m* (-*s*; ⁼) hilo *m*, hebra *f* de hilo; ~**spitze** *f* encaje *m* de hilo.

ˈ**zwischen** *prp.* (*wo? dat.*; *wohin? ac.*) entre; en medio de; ~ heut' und morgen de hoy a mañana.

ˈ**Zwischen...:** ~**abkommen** *n* acuerdo *m* provisional; ~**abschluß** ✝ *m* (-*sses*; ⁼*sse*) balance *m* provisional; ~**akt** *Thea. m* (-*es*; -*e*) entreacto *m*; ~**aktmusik** *f* (*0*) música *f* de entreacto; ~**bemerkung** *f* observación *f* incidental; interrupción *f*; ~**bericht** *m* (-*es*; -*e*) informe *m* provisional; ~**bescheid** *m* (-*es*; -*e*) respuesta *f* provisional; ⚖ resolución *f* interlocutoria; ~**bilanz** *f* → Zwischenabschluß; ~**deck** ⚓ *n* (-*s*; -*s*) entrepuente *m*; ~**ding** *n* (-*es*; -*e*) cosa *f* intermedia; término *m* medio; 2ˈ**durch** *adv.* de parte a parte; (*zeitlich*) de vez en cuando, de cuando en cuando; ocasionalmente; (*inzwischen*) entretanto; en el ínterin; ~**eiszeit** *f* período *m* interglacial; ~**empfang** *m* (-*es*; *0*) *Radio*: recepción *f* intermedia; ~**entscheid** ⚖ *m* (-*es*; -*e*) resolución *f* interlocutoria; ~**ergebnis** *n* (-*ses*; -*se*) resultado *m* provisional; ~**fall** *m* (-*es*; ⁼*e*) incidente *m*; ~**farbe** *f* tono *m* intermedio; media tinta *f*; ~**form** *f* forma *f* intermedia; ~**frage** *f* cuestión *f* incidental; pregunta *f* incidental; interrupción *f*; ~**frequenz** ⚡ *f* frecuencia *f* intermedia; ~**futter** *n im Kleid*: entretela *f*; ~**gang** *m* (-*es*; ⁼*e*), ~**gericht** *n* (-*es*; -*e*) entremés *m*; entremeses *m/pl.*; ~**geschoß** ⚠ *n* (-*sses*; -*sse*) entresuelo *m*; ~**glied** *n* (-*es*; -*er*) miembro *m* intermedio; pieza *f* intermedia; ~**glühen** *Met. n* recocido *m* intermedio; ~**hafen** ⚓ *m* (-*s*; ⁼) puerto *m* de escala; ~**handel** *m* (-*s*; *0*) comercio *m* intermediario; comercio *m* de comisión; ~**händler** *m* intermediario *m*; ~**handlung** *f* *Thea.* episodio *m*; ~**hirn** *Anat. n* (-*es*; -*e*) diencéfalo *m*; ~**kiefer** *Anat. m* hueso *m* intermaxilar; ~**knochenband** *Anat. n* (-*es*; ⁼*er*) ligamento *m* interóseo; ~**kredit** *m* (-*es*; -*e*) crédito *m* provisional; 2**landen** (-*e*-; *sn*) *v/i.* ✈, ⚓ hacer escala; ~**landung** *f* ✈, ⚓ escala *f*; Flug ohne ~ vuelo sin escala; 2**liegend** *adj.* intermedio; interpuesto; intercalado; ~**lösung** *f* solución *f* provisional; ~**mahl(zeit)** *n* refrigerio *m*; (*Vesperbrot*) merienda *f*; ~**mauer** *f* (-; -*n*) pared *f* medianera; (*zwischen zwei Häusern*) medianería *f*; *dünne*: tabique *m*; ~**pause** *f* intervalo *m*; ~**produkt** *n* (-*es*; -*e*) producto *m* intermedio; ~**raum** *m* (-*es*; ⁼*e*) espacio *m* intermedio;

kleiner: intersticio *m*; *bsd. Anat.* espacio *m* intersticial; (*bsd. zeitlich*) intervalo *m*; (*Lücke*) laguna *f*; vacío *m*; (*Zeilenabstand*) espacio *m* interlineal (*od.* entre líneas); (*Entfernung*) distancia *f*; *Typ.* blanco *m*; **~raumtaste** *f Schreibmaschine*: tecla *f* espaciadora, espaciador *m*; **~rede** *f* (*Unterbrechung*) interrupción *f*; (*Abschweifung*) digresión *f*; **~redner** *m* interruptor *m*; **~regelung** *f* regulación *f* provisional; **~regierung** *f* interregno *m*; **~ruf** *m* (-*es*; -*e*) interrupción *f* (ruidosa); (*Pfuiruf*) abucheo *m*; **~runde** *f Sport*: (*Vorentscheidung*) semifinal *f*; **~satz** *Gr. m* (-*es*; ⸚*e*) paréntesis *m*; **~schaltung** *f* intercalación *f*; interpolación *f*; interposición *f*; ⚡ interconexión *f*; **~schein** *m* (-*es*; -*e*) resguardo *m* provisional; **~schicht** *f* capa *f* intermedia; *isolierende* ~ capa aisladora; **~sender** *m Radio*: emisora *f* intermedia; **~sohle** *f im Schuh*: plantilla *f*; **~spiel** *n* (-*es*; -*e*) *Thea.* intermedio *m*; **2staatlich** *adj.* internacional; interestatal; **~stadium** *n* (-*s*; -*stadien*) fase *f* intermedia; **~station** 🚂 *f* estación *f* intermedia; **~stecker** ⚡ *m* enchufe *m* intermedio; **2stellen** *v/t.* interponer; intercalar; interpolar; **~stock** ⌂ *m* (-*es*; ⸚*e*) entresuelo *m*; **~stück** *n* (-*es*; -*e*) pieza *f* intermedia; *Thea.* entremés *m*; *Stickerei*: entredós *m*; **~stufe** *f* grado *m* intermedio; **~träger(in** *f*) *m* → *Zuträger(in)*; **~urteil** ⚖ *n* (-*es*; -*e*) sentencia *f* interlocutoria; **~verkauf** ✝ *m*: ~ *vorbehalten* salvo venta; **~vertrag** *m* (-*es*; ⸚*e*) contrato *m* provisional; **~wand** *f* (-; ⸚*e*) tabique *m*; **~wirbelraum** *Anat. m* (-*es*; ⸚*e*) espacio *m* intervertebral; **~zeile** *f* entrerrenglonadura *f*; **2zeilig** *adj.* interlineal; **~zeit** *f* intervalo *m*; tiempo *m* intermedio; *in der* ~ entretanto; en el entretanto; durante ese tiempo; **~zinsen** ✝ *pl.* intereses *m/pl.* vencidos.

Zwist *m* (-*es*; -*e*) (*Zwietracht*) discordia *f*; (*Uneinigkeit*) desunión *f*; desacuerdo *m*; desavenencia *f*; disensión *f*; (*Streit*) querella *f*; disputa *f*; (*Feindschaft*) enemistad *f*; **'2ig** *adj.* desavenidos; enemistados; **'~igkeit** *f* → *Zwist*.

'zwitschern (-*re*) **I.** *v/i.* gorjear, trinar; F e-*n* ~ (*trinken*) echar un trago; *gern e-n* ~ ser aficionado al trago (*od.* al trinquis); empinar el codo; **II.** 2 *n* gorjeo *m*, trinar *m*.

'Zwitter *m* hermafrodita *m*; ✿ planta *f* andrógina *od.* hermafrodita; **~bildung** *f* hermafroditismo *m*; **~blüte** ✿ *f* flor *f* andrógina *od.* hermafrodita; **~ding** *n* (-*es*; 0) producto *m* híbrido; **2haft** *adj.* hermafrodita, ✿ *a.* andrógino, monoico; bisexual; (*gekreuzt*) híbrido; **~haftigkeit** *f* (0) carácter *m* híbrido; **~stellung** *fig. f* posición *f* ambigua; **~tum** *n* (-*s*; 0) hermafroditismo *m*.

zwo → *zwei*.

'zwölf I. *adj.* doce; *etwa* (*od. gegen od. rund*) ~ unos doce; *um* ~ *Uhr* a las doce, *mittags*: a mediodía, *nachts*: a medianoche; **II.** 2 *f* doce *m*; **2eck** △ *n* (-*es*; -*e*) dodecágono *m*; **~eckig** *adj.* dodecagonal; **2ender** *Jgdw. m* ciervo *m* de doce puntas; **~er'lei** *adj.* de doce especies diferentes; **~fach, ~fältig** *adj. u. adv.*: *das* 2*e* doce veces tanto; el duodécuplo; **2'fingerdarm** *Anat. m* (-*es*; ⸚*e*) duodeno *m*; *Geschwür am* ~ ⚕ úlcera *f* duodenal; **~flächig** △ *adj.* dodecaédrico, de doce caras; **2flächner** △ *m* dodecaedro *m*; **~jährig** *adj.* de doce años; **~mal** *adv.* doce veces; **~malig** *adj.* repetido doce veces; **~seitig** △ *adj.* dodecagonal; **~silbig** *adj.* de doce sílabas; **2silbner** *m* (verso *m*) dodecasílabo *m*; verso *m* alejandrino; **~stündig** *adj.* de doce horas; **~tägig** *adj.* de doce días; **~te** *adj.* duodécimo; *Datum, König, Papst, Jahrhundert*: doce; **2tel** *n* duodécimo *m*, dozavo *m*, duodécima parte *f*; **~tens** *adv.* en duodécimo lugar; *bei Aufzählungen*: duodécimo; **2tonmusik** *f* (0) música *f* dodecafónica; **2tonsystem** ♪ *n* sistema *m* dodecafónico.

Zy'an [tsy·'ɑːn] ⚗ *n* (-*s*; 0) cianógeno *m*.

Zya'nid ⚗ *n* (-*s*; -*e*) cianuro *m*.

Zyan'kali ⚗ *n* (-*s*; 0) cianuro *m* potásico.

Zya'nose ⚕ *f* cianosis *f*.

Zy'an(wasserstoff)säure ⚗ *f* (0) ácido *m* cianhídrico (*od.* prúsico).

'zyklisch *adj.* cíclico.

Zy'klon *m* (-*s*; -*e*) ciclón *m*; huracán *m*.

Zy'klop *Myt. m* (-*en*) cíclope *m*; **2isch** *adj.* ciclópeo.

Zyklo'tron *n* (-*s*; -*e*) ciclotrón *m*.

'Zyklus *m* (-; *Zyklen*) ciclo *m*; *Thea.*, ♪ serie *f*.

Zy'linder [tsi·-] *m* △, ⊕ cilindro *m*; (*Lampen*2) tubo *m* de lámpara; ⚗ (*Probierglas*) probeta *f*; *Hut*: → *Zylinderhut*; **~block** ⊕ *m* (-*es*; ⸚*e*) monobloque *m*, bloque *m* de culata; **~büchse** ⊕ *f* caja *f* (*od.* camisa *f*) del cilindro; **2förmig** *adj.* cilíndrico; **~hut** *m* (-*es*; ⸚*e*) sombrero *m* de copa; F chistera *f*, bimba *f*; **~inhalt** *m* (-*es*; 0) *Auto.* cilindrada *f*; **~kolben** ⊕ *m* émbolo *m* del cilindro; **~kopf** *m* (-*es*; ⸚*e*) *Auto.* culata *f*; **~mantel** ⊕ *m* (-*s*; ⸚) cuerpo *m* del cilindro; **~verkleidung** ⊕ *f* revestimiento *m* del cilindro; **~wand(ung)** *f* pared *f* del cilindro.

zy'lindrisch *adj.* cilíndrico.

Zy'mase *f* (0) zimasa *f*.

'Zyn|iker *m* cínico *m*; **2isch** *adj.* cínico; (*schamlos*) *a.* procaz; desvergonzado.

Zy'nismus *m* (-; *Zynismen*) cinismo *m*; (*Schamlosigkeit*) *a.* procacidad *f*; desvergüenza *f*.

'Zypern *n* Chipre *m*.

Zy'presse ✿ *f* ciprés *m*; **~nhain** *m*, **~nwald** *m* (-*es*; ⸚*er*) cipresal *m*.

Zypri'ot|(in *f*) *m* (-*en*) chipriota *m/f*; **2isch** *adj.* chipriota, de Chipre.

'Zyste ⚕ *f* quiste *m*.

Zysto|'skop ⚕ *n* (-*es*; -*e*) cistoscopio *m*; **~sko'pie** ⚕ *f* (0) cistoscopia *f*.

Zytolo'gie *Bio. f* (0) citología *f*.

Zyto'plasma *Bio. n* (-*s*; 0) citoplasma *m*.

Deutsche Maße und Gewichte

Medidas y pesos alemanes

Längenmaße
Medidas de longitud

1 mm	Millimeter *milímetro*
1 cm	Zentimeter *centímetro*
1 dm	Dezimeter *decímetro*
1 m	Meter *metro*
1 km	Kilometer *kilómetro*
1 sm	Seemeile *milla marina* = 1852 *metros*

Flächenmaße
Medidas de superficie

1 qmm	Quadratmillimeter *milímetro cuadrado*
1 qcm	Quadratzentimeter *centímetro cuadrado*
1 qdm	Quadratdezimeter *decímetro cuadrado*
1 qm	Quadratmeter *metro cuadrado*
1 a	Ar *área*
1 ha	Hektar *hectárea*
1 qkm	Quadratkilometer *kilómetro cuadrado*
1 Morgen	*yugada*

Hohlmaße
Medidas de capacidad

1 dl	Deziliter *decilitro*
1 l	Liter *litro*
1 hl	Hektoliter *hectolitro*

Raummaße
Medidas de volumen

1 cmm	Kubikmillimeter *milímetro cúbico*
1 ccm	Kubikzentimeter *centímetro cúbico*
1 cdm	Kubikdezimeter *decímetro cúbico*
1 cbm	Kubikmeter *metro cúbico*
1 rm	Raummeter *metro cúbico*
1 fm	Festmeter *metro cúbico*
1 BRT	Bruttoregistertonne *tonelada de registro bruto*

Gewichte
Pesos

1 mg	Milligramm *miligramo*
1 cg	Zentigramm *centigramo*
1 dg	Dezigramm *decigramo*
1 g	Gramm *gramo*
1 Pfd.	Pfund *libra* = $^1/_2$ *kilogramo*
1 kg	Kilogramm *kilogramo*
1 Ztr.	Zentner *quintal* = *50 kilogramos*
1 dz	Doppelzentner *quintal métrico* = *100 kilogramos*
1 t	Tonne *tonelada*

Gebräuchliche Abkürzungen der deutschen Sprache

Abreviaturas más usuales de la lengua alemana

A

AA *Auswärtiges Amt* Ministerio de Asuntos Exteriores.
a.a.O. *am angeführten Ort* en el lugar citado.
Abb. *Abbildung* figura.
Abf. *Abfahrt* salida.
Abg. *Abgeordneter* diputado.
Abk. *Abkürzung* abreviatura.
Abs. *Absatz* párrafo; *Absender* remitente.
Abschn. *Abschnitt* párrafo.
Abt. *Abteilung* sección; departamento.
a. Chr. (n.) *ante Christum (natum)* antes de Jesucristo.
a. D. *außer Dienst* jubilado.
ADAC *Allgemeiner Deutscher Automobil-Club* Automóvil Club General de Alemania.
ADN *Allgemeiner Deutscher Nachrichtendienst* (*DDR*) Servicio general de informaciones (*RDA*).
Adr. *Adresse* dirección.
AEG *Allgemeine Elektricitäts-Gesellschaft* Sociedad General de Electricidad.
AG *Aktiengesellschaft* Sociedad Anónima.
allg. *allgemein* general(mente).
Anh. *Anhang* apéndice.
Ank. *Ankunft* llegada.
Anl. *Anlage im Brief* anejo.
Anm. *Anmerkung* observación; nota.
AOK *Allgemeine Ortskrankenkasse* caja local del seguro de enfermedad.
a.o. Prof. *außerordentlicher Professor* catedrático adjunto.
App. *Apparat* aparato.
a. Rh. *am Rhein* del Rin.
Art. *Artikel* artículo.
AStA *Allgemeiner Studentenausschuß* Asociación General de Estudiantes.
atü *Atmosphäre Überdruck* sobrepresión atmosférica.
Aufl. *Auflage* edición; tirada.
Ausg. *Ausgabe* edición.
ausschl. *ausschließlich* exclusivo; exclusivamente.

B

b. *bei bei Ortsangaben*: cerca de; *wohnhaft bei*: en casa de
Bd. *Band* tomo; volumen.
BDI *Bundesverband der Deutschen Industrie* Unión Federal de la Industria Alemana.
Beibl. *Beiblatt* suplemento.
beif. *beifolgend* adjunto.
beil. *beiliegend* adjunto.
Bem. *Bemerkung* observación; nota.
bes. *besonders* especialmente; en particular.
betr. *betreffend, betreffs* concerniente a; con respecto a.
Betr. *Betreff, betrifft in Schreiben*: referencia; objeto.
bez. *bezahlt* pagado.
Bez. *Bezeichnung*, denominación; *Bezirk* distrito.
BGB *Bürgerliches Gesetzbuch* Código civil.
Bhf. *Bahnhof* estación.
bisw. *bisweilen* a veces.
BIZ *Bank für Internationalen Zahlungsausgleich* Banco Internacional de Pagos.
Bl. *Blatt* hoja.
BRD *Bundesrepublik Deutschland* República Federal de Alemania.
brosch. *broschiert* en rústica.
BRT *Bruttoregistertonne* tonelada de registro bruto.
b.w. *bitte wenden!* véase al dorso.
bzw. *beziehungsweise* o bien; en su caso; respectivamente.

C

C *Celsius* centígrado; Celsius.
ca. *circa, ungefähr, etwa* aproximadamente; *vor Zahlen*: unos.
cand. *Kandidat* candidato.
cbm *Kubikmeter* metro cúbico.
ccm *Kubikzentimeter* centímetro cúbico.
CDU *Christlich-Demokratische Union* Unión Democrática Cristiana *od.* Partido Cristiano Demócrata.
Cie. *Companie* compañía.
cl *Zentiliter* centilitro.
cm *Zentimeter* centímetro.
Co. *Companie* compañía.
COMECON *Rat für gegenseitige Wirtschaftshilfe* (*Wirtschaftsorganisation der Ostblockstaaten*) Consejo de Asistencia Económica Mutua (*organización económica de los Estados del bloque oriental*).
CSU *Christlich-Soziale Union* Unión Social-Cristiana.
CVJM *Christlicher Verein Junger Männer* Asociación Cristiana de Jóvenes.

D

d.Ä. *der Ältere* el Mayor.
DAAD *Deutscher Akademischer Austauschdienst* Servicio de Intercambio Académico.
DAG *Deutsche Angestellten-Gewerkschaft* Sindicato Alemán de Empleados.
DB *Deutsche Bundesbahn* Ferrocarriles Federales Alemanes.
DBB *Deutscher Beamtenbund* Unión de Funcionarios Alemanes.
DDR *Deutsche Demokratische Republik* República Democrática Alemana (*RDA*).
DER *Deutsches Reisebüro* Agencia Alemana de Viajes.
desgl. *desgleichen* idem.
DGB *Deutscher Gewerkschaftsbund* Confederación de Sindicatos Alemanes.
dgl. *dergleichen* tal; semejante; análogo.
d.h. *das heißt* es decir; o sea.
DIN *Deutsche Industrie-Norm* norma industrial alemana.
Dipl. *Diplom* diploma.
Dipl.-Ing. *Diplomingenieur* ingeniero diplomado.
Diss. *Dissertation* tesis doctoral.
d. J. *dieses Jahres* del año actual; del corriente año; *der Jüngere* el Joven.
dl *Deziliter* decilitro.
DM *Deutsche Mark* marco (alemán).
DNA *Deutscher Normenausschuß* Comisión Alemana de Normalización.
d.O. *der Obige* el susodicho; el arriba mencionado.
Doz. *Dozent* profesor.
DP *Deutsches Patent* patente alemana; *Deutsche Partei* Partido Alemán.
dpa *Deutsche Presse-Agentur* Agencia Alemana de Prensa.
DR *Deutsche Reichsbahn* Ferrocarriles del Reich.
Dr. *Doktor* doctor.
Dr.-Ing. *Doktor der Ingenieurwissenschaft* doctor en ingeniería.
Dr. jur. *Doktor der Rechte* doctor en derecho.
Dr. med. *Doktor der Medizin* doctor en medicina.
Dr. med. dent. *Doktor der Zahnheilkunde* doctor en odontología.
Dr. med. vet. *Doktor der Tierheilkunde* doctor en veterinaria.
Dr. phil. *Doktor der Philosophie* doctor en filosofía (y letras).
Dr. rer. nat. *Doktor der Naturwissenschaften* doctor en ciencias (físicas, químicas y naturales).
Dr. rer. pol. *Doktor der Staatswissenschaften* doctor en ciencias políticas.
Dr. theol. *Doktor der Theologie* doctor en teología.
d. R. *der Reserve* de la reserva.
DRK *Deutsches Rotes Kreuz* Cruz Roja Alemana.
DSG *Deutsche Schlafwagen- und Speisewagen-Gesellschaft* Compañía Alemana de Coches-cama y restaurante.
dt(sch). *deutsch* alemán, alemana.
Dtz(d). *Dutzend* docena.

d. U. *der Unterzeichnete* el infrascrito; el abajo firmante.
d. Vf. *der Verfasser* el autor.
dz *Doppelzentner* quintal métrico.
D-Zug *Durchgangszug, Schnellzug* (tren) expreso.

E

E *Eilzug* rápido.
ebd. *ebenda* ibídem; en el mismo lugar.
EFTA *Europäische Freihandelszone* Asociación Europea de Libre Comercio (AELC).
EGKS *Europäische Gemeinschaft für Kohle und Stahl* (*Montanunion*) Comunidad Europea del Carbón y del Acero (*CECA*)
eGmbH *eingetragene Genossenschaft mit beschränkter Haftung* Sociedad cooperativa registrada de responsabilidad limitada.
e.h. *ehrenhalber* honoris causa; honorífico.
ehem., ehm. *ehemals* antes; antiguamente.
eig., eigtl. *eigentlich* propiamente.
einschl. *einschließlich* inclusive.
EKG *Elektrokardiogramm* electrocardiograma.
entspr. *entsprechend* correspondiente.
erg. *ergänze* complétese; añádase.
Erl. *Erläuterung* explicación.
erl. *erledigt* despachado.
EURATOM *Europäische Atomgemeinschaft* Comunidad Europea de Energía Atómica.
ev. *evangelisch* protestante.
e.V. *eingetragener Verein* asociación registrada.
evtl. *eventuell* eventualmente.
Ew. *Euer* Vuestro.
EWA *Europäisches Währungsabkommen* Acuerdo Monetario Europeo (*AME*).
EWG *Europäische Wirtschaftsgemeinschaft* Comunidad Económica Europea (*CEE*).
exkl. *exklusive* excluído; excepto.
Expl. *Exemplar* ejemplar.
Exz. *Exzellenz* Excelencia.
EZU *Europäische Zahlungsunion* Unión Europea de Pagos.

F

f. *folgende Seite* página siguiente; *für* para.
Fa *Firma* casa; razón social.
FD(-ZUG) *Fernschnellzug* expreso internacional.
FDGB *Freier Deutscher Gewerkschaftsbund* (*DDR*) Federación Libre de los Sindicatos Alemanes (*RDA*).
FDJ *Freie Deutsche Jugend* (*DDR*) Juventud Libre Alemana (*RDA*).
FDP *Freie Demokratische Partei* Partido Liberal Demócrata.
f.d.R. *für die Richtigkeit* comprobado y conforme.
ff *sehr fein* superfino.
ff. *folgende Seiten* páginas siguientes.
Flak *Flugabwehrartillerie* artillería antiaérea.
fm *Festmeter* metro cúbico.
Forts. *Fortsetzung* continuación.
Fr. *Frau* señora.
fr. *frei* libre.
frdl. *freundlich* amable.
Frhr. *Freiherr* barón.
Frl. *Fräulein* señorita.
frz. *französisch* francés.
FS *Fernschreiben* telex.
FU *Freie Universität* (*Berlin*) Universidad Libre (*Berlin*).

G

g *Gramm* gramo.
GATT *Allgemeines Zoll- und Handelsabkommen* Acuerdo General sobre Tarifas Arancelarias y Comercio.
Gbf *Güterbahnhof* estación de mercancías.
geb. *geboren* nacido; *gebunden* encuadernado.
Gebr. *Gebrüder* hermanos.
gef. *gefällig(st)* grato; por favor.
gegr. *gegründet* fundado.
geh. *geheftet* en rústica.
gek. *gekürzt* abreviado.
Ges. *Gesellschaft* sociedad; *Gesetz* ley.
gesch. *geschieden* divorciado.
ges. gesch. *gesetzlich geschützt* registrado legalmente; patentado.
Geschw. *Geschwister* hermanos; *Geschwindigkeit* velocidad.
gest. *gestorben* difunto; fallecido.
Gew. *Gewicht* peso.
gez. *gezeichnet* firmado.
GG *Grundgesetz* ley fundamental.
ggf. *gegebenenfalls* dado el caso.
GmbH *Gesellschaft mit beschränkter Haftung* sociedad de responsabilidad limitada.

H

ha *Hektar* hectárea.
Hbf. *Hauptbahnhof* estación central.
H-Bombe *Wasserstoffbombe* bomba de hidrógeno.
h.c. *honoris causa* honoris causa.
hg. *herausgegeben* editado.
HGB *Handelsgesetzbuch* Código mercantil.
hl. *heilig* santo.
hl *Hektoliter* hectolitro.
Hr., Hrn. *Herrn* señor.
hrsg. *herausgegeben* editado.
Hrsg. *Herausgeber* editor.
Hs. *Handschrift* manuscrito.

I

i.A. *im Auftrag* por orden.
i. allg. *im allgemeinen* en general; generalmente.
IATA *Internationaler Luftverkehrsverein* Asociación de Transporte Aéreo Internacional.
i.b. *im besonderen* especialmente; en particular.
i. Durchschn. *im Durchschnitt* por término medio.
IG *Interessengemeinschaft* comunidad de intereses; *Industriegewerkschaft* sindicato industrial.
IHK *Industrie- und Handelskammer* Cámara de Industria y Comercio.
i.J. *im Jahre* en el año; *vor Jahreszahlen*: en
i.L. *in Liquidation* en liquidación.
Ing. *Ingenieur* ingeniero.
Inh. *Inhaber* propietario; *Inhalt* contenido.
inkl. *inklusive* inclusive.
insb. *insbesondere* en particular.
INTERPOL *Internationale Kriminalpolizeiliche Organisation* Policía Internacional de Investigación Criminal.
IOK *Internationales Olympisches Komitee* Comité Olímpico Internacional.
i. R. *im Ruhestand* jubilado.
i. V. *in Vertretung* por autorización.
i. W. *in Worten* en letras.
IWF *Internationaler Währungsfonds* Fondo Monetario Internacional.

J

Jb. *Jahrbuch* anuario.
Jg. *Jahrgang* año; ⚔ quinta.
JH *Jugendherberge* albergue juvenil.
Jh. *Jahrhundert* siglo.
jr., jun. *junior* hijo.

K

Kap. *Kapitel* capítulo.
kart. *kartoniert* encartonado; en pasta.
kath. *katholisch* católico.
Kfm. *Kaufmann* comerciante.
kfm *kaufmännisch* comercial; mercantil.
Kfz. *Kraftfahrzeug* automóvil; vehículo de motor.
kg *Kilogramm* kilogramo.
KG *Kommanditgesellschaft* sociedad en comandita; sociedad comanditaria.
kgl. *königlich* real.
kHz, KHz *Kilohertz* kilociclo.
Kl. *Klasse* clase.
km *Kilometer* kilómetro.
Komp. *Kompanie* compañía.
KP *Kommunistische Partei* Partido Comunista.
Kr. *Kreis* distrito .
Kripo *Kriminalpolizei* policía de investigación criminal.
Kto *Konto* cuenta.
kW *Kilowatt* kilovatio.
kWh *Kilowattstunde* kilovatio-hora.
KZ *Konzentrationslager* campo de concentración.

L

l *Liter* litro.
landw. *landwirtschaftlich* agrícola.
led. *ledig* soltero.
lfd. *laufend* corriente.
lfd. J. *laufenden Jahres* del año corriente; del año actual.
lfd. m *laufendes Meter* metro lineal.
lfd. M. *laufenden Monats* del mes corriente.
lfd. Nr. *laufende Nummer* número de orden.
Lfg., Lfrg. *Lieferung* entrega.
Lit. *Literatur* literatura.
Lkw *Lastkraftwagen* camión.
lt. *laut* según.
Ltn. *Leutnant* teniente.
luth. *lutherisch* luterano.

M

m *Meter* metro.
mA *Milliampere* miliamperio.
m. A. n. *meiner Ansicht nach* según mi opinión.
m. a. W. *mit anderen Worten* en otras palabras.
mb *Millibar* milibario.
mbH *mit beschränkter Haftung* de responsabilidad limitada.
Md *Milliarde* mil millones.
MdB *Mitglied des Bundestags* Miembro del Bundestag.
MdL *Mitglied des Landtags* Miembro del Landtag.
m. E. *meines Erachtens* a mi parecer.
MEZ *Mitteleuropäische Zeit* hora de la Europa Central.
mg *Milligramm* miligramo.
MG *Maschinengewehr* ametralladora.

MHz *Megahertz* megaciclo.
Mill. *Million* millón.
Min. *Minute* minuto.
mm *Millimeter* milímetro.
möbl. *möbliert* amueblado.
MP *Militärpolizei* policía militar.
Ms., Mskr. *Manuskript* manuscrito.
m/sec *Meter pro Sekunde* metros por segundo.
mtl. *monatlich* mensual.
MW *Mittelwelle* onda media.
m. W. *meines Wissens* a mi saber.
Mz. *Mehrzahl* plural.

N

N *Norden* norte.
Nachf. *Nachfolger* sucesor.
nachm. *nachmittags* por la tarde.
NATO *Nordatlantikpakt-Organisation* Organización del Tratado del Atlántico Norte (*OTAN*).
n. Chr. *nach Christus* después de Jesucristo.
NDR *Norddeutscher Rundfunk* Radio de la Alemania del Norte.
n. J. *nächsten Jahres* del año próximo.
n. M. *nächsten Monats* del mes próximo.
N. N. *Name unbekannt* (un señor) X.
NO *Nordosten* nordeste.
No., Nr. *Nummer* número.
NS *Nachschrift* posdata.
NW *Nordwesten* noroeste.

O

O *Osten* este.
o. *oben* arriba.
OAS *Organisation der Amerikanischen Staaten* Organización de los Estados Americanos.
o. B. ⚕ *ohne Befund* sin hallazgo.
Obb. *Oberbayern* Alta Baviera.
od. *oder* o.
OECD *Organisation für wirtschaftliche Zusammenarbeit und Entwicklung* Organización de Cooperación y Desarrollo Económico.
ÖTV *Öffentliche Dienste, Transport und Verkehr* (*Gewerkschaft*) (*Sindicato de*) Servicios públicos y transportes.
OHG *Offene Handelsgesellschaft* sociedad mercantil colectiva.
o. J. *ohne Jahr* sin fecha.
Op *Operationssaal* quirófano.
op. ♪ *Werk* obra.
o. Prof. *ordentlicher Professor* catedrático titular.

P

PA *Patentanmeldung* solicitud de patente.
p. Adr. *per Adresse* en casa de.
Pf *Pfennig* pfennig.
Pfd. *Pfund* libra.
PH *Pädagogische Hochschule* Instituto Pedagógico; Escuela Normal Superior.
Pkt. *Punkt* punto.
Pkw *Personenkraftwagen* automóvil.
pp., p. pa., ppa. *per procura* por poder.
Prof. *Professor* catedrático; profesor.
Prov. *Provinz* provincia.
PS *Pferdestärke* caballo de vapor (*CV*); *postscriptum* post scriptum, postdata.
PSchA *Postscheckamt* departamento de cheques postales.

Q

q *Quadrat* cuadrado.
qkm *Quadratkilometer* kilómetro cuadrado.
qm *Quadratmeter* metro cuadrado.

R

R *Reaumur* Réaumur.
rd. *rund* (*gerechnet*) alrededor de; en números redondos.
Regbz. *Regierungsbezirk* distrito administrativo.
Rel. *Religion* religión.
resp. *respektive* respectivamente.
Rhld. *Rheinland* Renania.
rm *Raummeter* metro cúbico.

S

S *Süden* sur.
S. *Seite* página.
s. *siehe* véase.
s. a. *siehe auch* véase también.
Sa *Summa, Summe* suma; total.
Schw. *Schwester* hermana.
s. d. *siehe dies* véase esto.
sec *Sekunde* segundo.
SED *Sozialistische Einheitspartei Deutschlands* (*DDR*) Partido Socialista Unificado de Alemania (*RDA*).
sen. *senior* padre.
sm *Seemeile* milla marina.
SO *Südosten* sudeste.
s. o. *siehe oben* véase más arriba.
sog. *sogenannt* llamado.
SPD *Sozialdemokratische Partei Deutschlands* Partido Socialdemócrata de Alemania.
SS *Sommersemester* semestre de verano.
St. *Sankt* san(to).
St., Stde. *Stunde* hora.
StGB *Strafgesetzbuch* Código penal.
StPO *Strafprozeßordnung* Ley de enjuiciamiento criminal.
Str. *Straße* calle.
stud. *studiosus; Student* estudiante.
StVO *Straßenverkehrsordnung* Código de la circulación.
s. u. *siehe unten* véase más abajo.
SW *Südwesten* sudoeste.
s. Z. *seinerzeit* en su día.

T

t *Tonne* tonelada.
tägl. *täglich* diariamente; al día.
Tbc. *Tuberkulose* tuberculosis.
TEE *Trans-Europ-Expreß* Expreso Transeuropeo.
Tel. *Telefon* teléfono.
TH *Technische Hochschule* Escuela Superior Técnica.
TOA *Tarifordnung A für Angestellte* convención tarifaria colectiva A para empleados.
TU *Technische Universität* (*Berlin*) Universidad Técnica (*Berlín*).

U

u. *und* y.
u. a. *unter anderem* entre otras cosas; *unter anderen* entre otros; *und andere(s)* y otro(s).
u. ä. *und ähnliche(s)* y cosas semejantes.
u. a. m. *und andere(s) mehr* y otros más; etcétera.
u. A. w. g. *um Antwort wird gebeten* se ruega contestación.
U-Bahn *Untergrundbahn* ferrocarril metropolitano; metro.
u. dgl. (m.) *und dergleichen (mehr)* etcétera; y cosas análogas.
u. d. M. *unter dem Meeresspiegel* bajo el nivel del mar.
ü. d. M. *über dem Meeresspiegel* sobre el nivel del mar.
UdSSR *Union der Sozialistischen Sowjetrepubliken* Unión de Repúblicas Socialistas Soviéticas (*URSS*).
u. E. *unseres Erachtens* a nuestro parecer.
UKW *Ultrakurzwelle* onda ultracorta; frecuencia modulada.
U/min *Umdrehungen pro Minute* revoluciones por minuto.
UNO *Organisation der Vereinten Nationen* Organización de las Naciones Unidas (*ONU*).
urspr. *ursprünglich* originalmente.
USA *Vereinigte Staaten von Nordamerika* Estados Unidos de América (*E.E.U.U.*).
usf. *und so fort* y así sucesivamente; etcétera.
usw. *und so weiter* etcétera.
u. U. *unter Umständen* tal vez; según las circunstancias.
u. ü. V. *unter üblichem Vorbehalt* salvo buen fin.
u. W. *unseres Wissens* a nuestro saber.

V

v. *von* de.
V *Volt* voltio.
V. *Vers* verso.
v. Chr. *vor Christus* antes de Jesucristo.
VEB *Volkseigener Betrieb* (*DDR*) empresa socializada (*RDA*).
Verf., Vf. *Verfasser* autor.
verh. *verheiratet* casado.
Verl. *Verlag* editorial, casa editorial.
verw. *verwitwet* viudo.
vgl. *vergleiche* compárese.
v. g. u. *vorgelesen, genehmigt, unterschrieben* leído, aprobado y firmado.
v. H. *vom Hundert* por ciento.
v. J. *vorigen Jahres* del año pasado.
v. M. *vorigen Monats* del mes pasado.
vorm. *vormals* antes; antaño; *vormittags* por la mañana.
Vors. *Vorsitzender* presidente.
v. T. *vom Tausend* por mil.
VW *Volkswagen* Volkswagen; coche popular alemán.

W

W *Westen* oeste.
WDR *Westdeutscher Rundfunk* Radio de la Alemania del Oeste.
WEZ *Westeuropäische Zeit* hora de la Europa Occidental.
WGB *Weltgewerkschaftsbund* Federación Sindical Mundial.
WS *Wintersemester* semestre de invierno.
Wwe. *Witwe* viuda.

Z

Z. *Ziffer* cifra.
z. B. *zum Beispiel* por ejemplo.
z. d. A. *zu den Akten* archívese.
z. H(d). *zu Händen von* a manos de; *auf Briefen*: para entregar a.
ZPO *Zivilprozeßordnung* Ley de enjuiciamiento civil.
z. S. *zur See* de Marina.
z. T. *zum Teil* en parte.
Ztg. *Zeitung* diario; periódico.
Ztr. *Zentner* quintal.
Ztschr. *Zeitschrift* revista.
zus. *zusammen* junto.
zw. *zwischen* entre.
z. Z. *zur Zeit* actualmente.

Zahlwörter

Adjetivos numerales

Grundzahlen

Números cardinales

0 null *cero*
1 eins *uno* (Kurzform: *un*), *una*
2 zwei *dos*
3 drei *tres*
4 vier *cuatro*
5 fünf *cinco*
6 sechs *seis*
7 sieben *siete*
8 acht *ocho*
9 neun *nueve*
10 zehn *diez*
11 elf *once*
12 zwölf *doce*
13 dreizehn *trece*
14 vierzehn *catorce*
15 fünfzehn *quince*
16 sechzehn *dieciséis*
17 siebzehn *diecisiete*
18 achtzehn *dieciocho*
19 neunzehn *diecinueve*
20 zwanzig *veinte*
21 einundzwanzig *veintiuno* (Kurzform: *veintiún*)
22 zweiundzwanzig *veintidós*
23 dreiundzwanzig *veintitrés*
24 vierundzwanzig *veinticuatro*
25 fünfundzwanzig *veinticinco*
26 sechsundzwanzig *veintiséis*
27 siebenundzwanzig *veintisiete*
28 achtundzwanzig *veintiocho*
29 neunundzwanzig *veintinueve*
30 dreißig *treinta*
31 einunddreißig *treinta y uno*
32 zweiunddreißig *treinta y dos*
33 dreiunddreißig *treinta y tres*
40 vierzig *cuarenta*
41 einundvierzig *cuarenta y uno*
50 fünfzig *cincuenta*
51 einundfünfzig *cincuenta y uno*
60 sechzig *sesenta*
61 einundsechzig *sesenta y uno*
70 siebzig *setenta*
80 achtzig *ochenta*
90 neunzig *noventa*
100 hundert *ciento* (Kurzform: *cien*)
101 hunderteins *ciento uno* (Kurzform: *ciento un*)
200 zweihundert *doscientos, -as*
300 dreihundert *trescientos, -as*
400 vierhundert *cuatrocientos, -as*
500 fünfhundert *quinientos, -as*
600 sechshundert *seiscientos, -as*
700 siebenhundert *setecientos, -as*
800 achthundert *ochocientos, -as*
900 neunhundert *novecientos, -as*
1000 tausend *mil*
1001 eintausendeins *mil uno*
1002 eintausendzwei *mil dos*
1100 eintausendeinhundert *mil ciento* (Kurzform: *mil cien*)
2000 zweitausend *dos mil*
3000 dreitausend *tres mil*
100 000 hunderttausend *cien mil*
500 000 fünfhunderttausend *quinientos mil*
1 000 000 eine Million *un millón*
2 000 000 zwei Millionen *dos millones*
1 000 000 000 eine Milliarde *mil millones*

Ordnungszahlen

Números ordinales

1. erste *primero* (Kurzform: *primer*)
2. zweite *segundo*
3. dritte *tercero* (Kurzform: *tercer*)
4. vierte *cuarto*
5. fünfte *quinto*
6. sechste *sexto*
7. siebente *séptimo*
8. achte *octavo*
9. neunte *noveno*
10. zehnte *décimo*
11. elfte *undécimo, décimo primero*
12. zwölfte *duodécimo, décimo segundo*
13. dreizehnte *décimo tercero*
14. vierzehnte *décimo cuarto*
15. fünfzehnte *décimo quinto*
16. sechzehnte *décimo sexto*
17. siebzehnte *décimo séptimo*
18. achtzehnte *décimo octavo*
19. neunzehnte *décimo noveno, décimo nono*
20. zwanzigste *vigésimo*
21. einundzwanzigste *vigésimo primero*
22. zweiundzwanzigste *vigésimo segundo*
30. dreißigste *trigésimo*
31. einunddreißigste *trigésimo primero*
32. zweiunddreißigste *trigésimo segundo*
40. vierzigste *cuadragésimo*
50. fünfzigste *quincuagésimo*
60. sechzigste *sexagésimo*
70. siebzigste *septuagésimo*
80. achtzigste *octogésimo*
90. neunzigste *nonagésimo*
100. hundertste *centésimo*
101. hunderterste *centésimo primero*
200. zweihundertste *ducentésimo*
300. dreihundertste *trecentésimo*
400. vierhundertste *cuadringentésimo*
500. fünfhundertste *quingentésimo*
600. sechshundertste *sexcentésimo*
700. siebenhundertste *septingentésimo*
800. achthundertste *octingentésimo*
900. neunhundertste *noningentésimo*
1000. tausendste *milésimo*
2000. zweitausendste *dos milésimo*
100 000. hunderttausendste *cien milésimo*
1 000 000. millionste *millonésimo*

Bruchzahlen

Fracciones

$^{1}/_{2}$ ein halb *medio, media*
die Hälfte *la mitad*
$^{1}/_{3}$ ein Drittel *un tercio*
$^{2}/_{3}$ zwei Drittel *dos tercios*
$^{1}/_{4}$ ein Viertel *un cuarto*
$^{3}/_{4}$ drei Viertel *tres cuartos*
$^{1}/_{5}$ ein Fünftel *un quinto*
$^{3}/_{5}$ drei Fünftel *tres quintos*
$^{5}/_{6}$ fünf Sechstel *cinco sextos*
$^{2}/_{7}$ zwei Siebentel *dos séptimos*
$^{5}/_{8}$ fünf Achtel *cinco octavos*
$^{7}/_{9}$ sieben Neuntel *siete novenos*
$^{3}/_{10}$ drei Zehntel *tres décimos*
$^{1}/_{11}$ ein Elftel *un onzavo*
$^{5}/_{12}$ fünf Zwölftel *cinco dozavos*
$^{6}/_{13}$ sechs Dreizehntel *seis trezavos*
$^{7}/_{19}$ sieben Neunzehntel *siete diecinueveavos*
0,3 Null Komma drei *cero coma tres*
2,5 zwei Komma fünf *dos coma cinco*

Vervielfältigungszahlen

Números proporcionales

einfach *simple*
zweifach *doble, duplo*
dreifach *triple*
vierfach *cuádruple, cuádruplo*
fünffach *quintuplo*
sechsfach *usw. séxtuplo etc.*
hundertfach *céntuplo*

einmal *una vez*
zweimal *dos veces*
dreimal *usw. tres veces etc.*
zweimal soviel *dos veces más*
zwanzigmal mehr *veinte veces más*
$5 + 7 = 12$ fünf und sieben ist zwölf *cinco y siete son doce*
$10 - 3 = 7$ zehn weniger drei ist sieben *diez menos tres son siete*
$5 \times 4 = 20$ fünfmal vier ist zwanzig *cinco por cuatro son veinte*
$12 : 2 = 6$ zwölf geteilt durch zwei ist sechs *doce dividido por dos son seis*